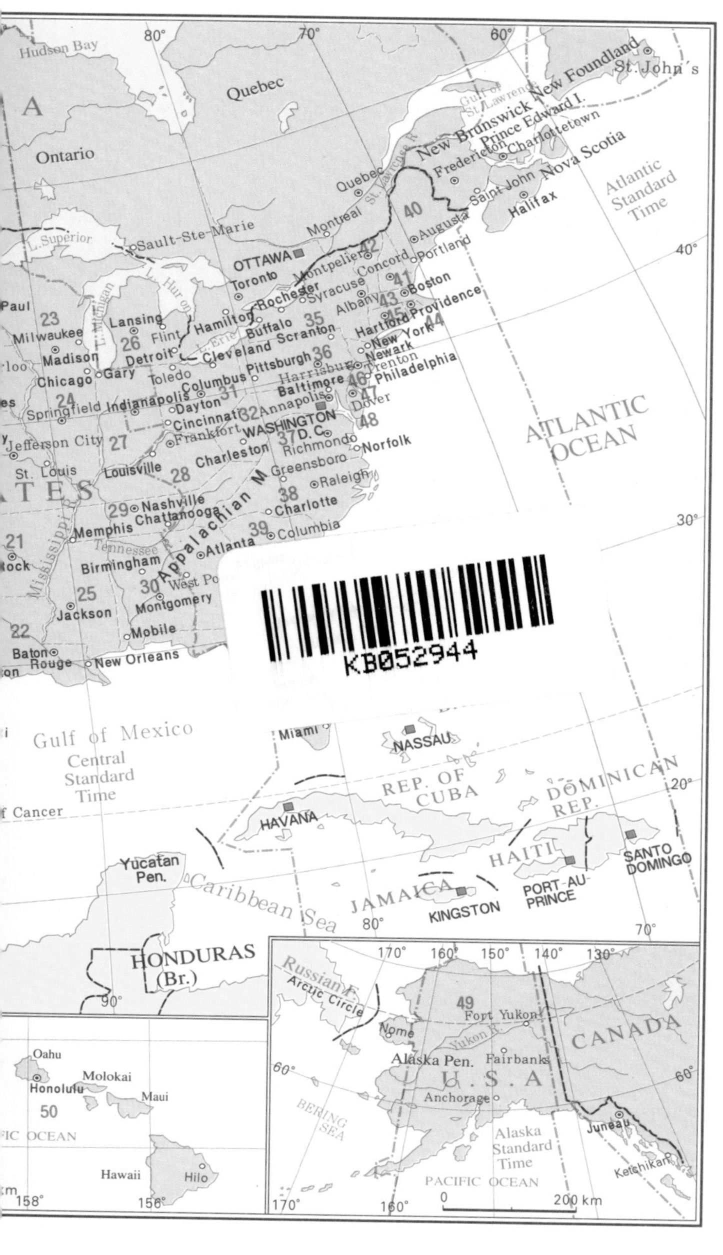

Hudson Bay
Quebec
A
Ontario
New Foundland
St. John´s
Gulf of St. Lawrence
New Brunswick
Prince Edward I.
Charlottetown
Fredericton
Nova Scotia
Saint John
Halifax
Atlantic Standard Time
Quebec
Montreal
St. Lawrence R.
40
Augusta
L. Superior
Sault-Ste-Marie
OTTAWA
Montpelier
42
Portland
Concord
41
Boston
Toronto
Rochester
Syracuse
43
Providence
45
Albany
44
L. Michigan
L. Huron
Hamilton
Buffalo
35
Hartford
New York
Paul
23
Lansing
Flint
L. Erie
Scranton
Milwaukee
26
Detroit
Cleveland
Newark
Madison
Pittsburgh
36
Trenton
Philadelphia
Chicago
Gary
Toledo
Columbus
Harrisburg
Baltimore
46
47
24
Springfield
Indianapolis
Dayton
31
Annapolis
Dover
Cincinnati
32
WASHINGTON D. C.
48
Jefferson City
27
Frankfort
37
Richmond
Norfolk
ATLANTIC OCEAN
St. Louis
Louisville
28
Charleston
Greensboro
Raleigh
TES
29
Nashville
38
Charlotte
Memphis
Chattanooga
Appalachian M.
39
Columbia
21
Tennessee R.
Atlanta
Rock
Mississippi R.
Birmingham
30
West Po
25
Montgomery
Jackson
22
Mobile
Baton Rouge
New Orleans
Gulf of Mexico
Central Standard Time
Miami
NASSAU
REP. OF CUBA
DOMINICAN REP.
Cancer
HAVANA
HAITI
SANTO DOMINGO
Yucatan Pen.
PORT-AU-PRINCE
Caribbean Sea
JAMAICA
KINGSTON
HONDURAS (Br.)
80°
70°
60°
90°
40°
30°
20°
Russian F.
Arctic Circle
Nome
49
Fort Yukon
Yukon R.
CANADA
Alaska Pen.
Fairbanks
U. S. A
Anchorage
BERING SEA
Alaska Standard Time
Juneau
Ketchikan
PACIFIC OCEAN
0
200 km
170°
160°
150°
140°
130°
60°
Oahu
Molokai
Honolulu
Maui
50
FIC OCEAN
Hawaii
Hilo
158°
156°

KB052944

동 사 문 형 표

문 형	예 문
1. 《~》	Birds *fly*. / Day *dawns*. / He *died*.
2. 《~+부》	He *came in*. / His book is *selling well*.
3. 《~+보》	This *is* my car. / She *looks* happy. / He *felt* hungry.
4. 《~+*to be* 보》	He *happened to be* there. / He *seems to be* asleep.
《~+(*to be*) 보》	He *seems* (*to be*) angry. / The report *proved* (*to be*) false.
5. 《~+*as* 보》	Mr. Brown *acted as* chairman. / He *died as* president.
6. 《~+전+명》	Our school *stands on* a hill. / He *looked out of* the window. The house *belongs to* him.
7. 《~+전+명+*to* do》	I am *waiting for* him *to* arrive.
8. 《~+*done*》	He *stood amazed*. / The knot *came untied*.
9. 《~+목》	I *like* sports. / Please *describe* what you saw.
10. 《~+목+부》	He *put* his coat *on*. / Don't *throw* them *away*. / Carry the baggage *upstairs*.
11. 《~+*-ing*》	I *sat* watch*ing* television. He's *stopped* smok*ing*. / She *avoided* meet*ing* him.
12. 《~+*to* do》	His ambition *is to* become a doctor. I *want to* see you. / I *forgot to* mail your letters.
13. 《~+목+*to* do》	I *told* him *to* wait. / Please *allow* me *to* go home.
14. 《~+목+보》	We *call* him Teddy. / He *made* her happy. / I *found* the chair quite comfortable.
15. 《~+목+*as* 보》	They *elected* him *as* chairman.
16. 《~+목+*to be* 보》	They *felt* the plan *to be* unwise.
《~+목+(*to be*) 보》	We *think* him (*to be*) a good teacher.
17. 《~+목+*do*》	I *saw* him *cross* the street. / I'll *let* you *know* it.
18. 《~+목+*-ing*》	I *saw* him cross*ing* the street. I can *smell* something burn*ing*.
19. 《~+목+*done*》	I *heard* my name *called*. / She *had* her purse *stolen*. I *had* my hair *cut*.
20. 《~+*that* 절》	I *suggested that* he (should) buy a new car. It *seems that* he is fond of sweets. It *happened that* he was busy when I called.
《~+(*that*) 절》	I *think* (*that*) he is an honest man. He *said* (*that*) he would send his son to college.
21. 《~+목+*that* 절》	He *promised* me *that* he would be home for dinner. They *warned* us *that* the roads were icy.
22. 《~+*wh. to* do》	We could not *decide what to* do. I don't *know how to* play chess.
23. 《~+목+*wh. to* do》	*Ask* him *where to* put it. / I *showed* her *how to* do it.
24. 《~+*wh.* 절》	He *asked why* I was late. / I *wonder whether* he will come. Do you *know if* he is at home today?
25. 《~+목+*wh.* 절》	*Ask* him *where* she lives. Can you *tell* me *how* high the mountain is?
26. 《~+목+목》	I *gave* him a watch. / She *made* herself a new dress.
27. 《~+목+부+목》	Please *bring* me *back* those books.
28. 《~+목+전+명》	I *congratulated* him *on* his success. He *sold* his old car *to* one of his friends.
29. 《~+전+명+*that* 절》	He *explained to* us *that* he had been delayed by the weather.

MINJUNG'S ESSENCE PRACTICAL ENGLISH-KOREAN DICTIONARY

엣센스 실용영한사전

민중서림 편집국 편

사서전문
민중서림

MINJUNG'S
ESSENCE
PRACTICAL ENGLISH-KOREAN DICTIONARY

엣센스 실용영한사전

민중서림 편집국 편

사서전문
민 중 서 림

머 리 말

1971년 '엣센스 영한 사전'이 출간된 이래 계속 증판을 거듭하면서 독자들의 많은 사랑을 받아 왔다. 그 동안 각 분야에서 수없이 쏟아져 나오는 새로운 낱말들을 접하면서, 변화하는 시대에 꼭 필요한 옥석만을 골라 추가한다는 원칙 아래 신어들을 보충하여 왔으나, 증보를 거듭하다 보니 어느덧 중사전에 가까운 큰 부피로 늘어나게 되었다.

이에 우리는 휴대에 간편하면서도 실용면에서는 중사전을 능가할 수 있는 새로운 사전의 필요성을 절감하고 편찬 작업에 착수, 3년여에 걸친 각고 끝에 이 새로운 사전의 탄생을 보게 되었다.

이 사전 편찬에 역점을 둔 특색을 열거하면 다음과 같다.

1. 기존의 '엣센스 영한 사전'을 바탕으로 하여, 그 정수를 도출하는 한편, 사용 빈도가 낮은 구시대적인 어휘나 설명 등을 과감히 삭제하였다.

2. 표제어의 선정은, 변화하는 새로운 시대 감각에 입각한 관점에서, 사용 빈도가 낮은 불필요한 어휘들을 과감히 삭제하고 중·고교생·대학생·일반 사회인에게 필요할 것이라고 생각되는 새로운 낱말들은 최대한으로 추가 보충하였다.

3. 표제어에 대한 어의(語義), [용례], [어법], [용법] 등은 수많은 외국 사전들을 섭렵하여 현대적인 새로운 내용으로 기존의 것들을 보완하거나 대체하였다. 특히 실용적인 용례를 많이 보충하였다.

편찬 작업의 초기 과정에서는 너무나 의욕이 지나쳐 엄청난 양의 내용이 추가되어 당초의 의도와는 거리가 멀어져 이를 다시 조절해야 하는 어려움을 겪었다. 그러나 이로 인해 사전의 내용이 더욱 세련되게 다듬어지는 효과도 거두었다. 언제나처럼 마무리를 짓고 보니, 미진한 아쉬움이 남게 된다. 앞으로 계속 현명한 독자들의 질정(叱正)을 겸허히 받아들이고자 한다.

1997년 3월

민중 서림 편집국

일 러 두 기

이 사서에는 영어의 일반 어휘·중요한 고유명사·접두사·접미사, 낱말 형성 요소로서의 결합사, 변화꼴, 약호(略號), 상용 외래어 등을 광범위하게 수록하여 어휘의 충실을 기하였다.

Ⅰ 표 제 어

1 배열(配列) 표제어는 일반 단어는 말할 것도 없고, 복합어·연어 외에 접두사·접미사·약어·상용(常用) 외래어구 및 가장 보편적인 고유명사를 모두 ABC순으로 배열하여, 일어 일표제어(一語一標題語) 체제를 원칙으로 하였다.

2 자체(字體) 고딕체 활자를 원칙으로 하되, 아직 완전히 영어화되지 않은 외래어는 이탤릭 고딕체로 보였다. 보기 : **vic·to·ry ;** ***ac·couche·ment*** 《프랑스어》.

3 기본어의 표시 수록된 어휘 중 중학교 기본 어휘 1,500 어(語)에는 †표를, 고등학교 기본 어휘 4,500 어에는 ‡표, 대학 교양 정도의 어휘 6,000어에는 *표를 붙였다.

보기 : **†school** [sku:l] *n.* ; **‡sub·stance** [sʌ́bstəns] *n.* ; ***jok·er** [dʒóukə*r*] *n.*

4 철자(綴字) 영·미 철자에 차이가 있는 것은 미식을 먼저 내세우고, 《英》 다음에 영식도 병기하였다. 단, 필요에 따라 영식 철자의 표제어를 따로 내세운 것도 있다.

보기 : **hon·or, 《英》 -our ; honour** ⇨HONOR 《honour는 영식 철자, honor항에 가보란 뜻》.

단, 파생어에서는 미식만을 보인 것도 많으며, -ize와 -ise는 거의 -ize만을 취했다.

5 어원(語源)이 다른 말 같은 철자의 말이라도 어원이 다른 경우에는, 각각 별개의 표제어로 내세우고, 오른쪽 어깨에 작은 숫자로 번호를 붙여 구별하였다.

보기 : **lead**[1] [li:d] ; **lead**[2] [led]

6 분철(分綴) 중점(·)으로 분철을 나타내어 하이픈(-)을 쓴 복합어와 구별하였다. 다만, 낱말 첫머리나 끝에서 한 음절을 이루는 경우에는 Webster 대사전의 새 분철법에 따라 분철을 하지 않았다.

보기 : **able** 《**a·ble**로 하지 않음》, **again** 《**a·gain**으로 하지 않음》, **pity** 《**pit·y**로 하지 않음》.

7 생략·대체어 생략할 수 있는 부분은 ( ), 대체할 수 있는 말은 〔 〕로 표시했다.

보기 : **Al·gon·ki(·a)n, cóstume pìece 〔plày〕**

Ⅱ 발 음

1 표제어 바로 뒤에 국제 음성 기호를 사용하여 [ ] 속에 표시하였다.

2 미식과 영식 미식을 주로 삼되 필요가 있을 때엔 (/) 뒤에 영식 발음도 보였다.

보기 : **bosky** [bɑski / bɔski]

3 하이픈의 이용 공통되는 부분은 하이픈을 써서 생략하였다.

보기 : **kin·e·mat·ic** [kìnəmǽtik / kài-] ; **pic·tog·ra·phy** [piktɑ́grəfi / -tɔ́g-]

4 발음은 같고 악센트만 다른 경우에는 각 음절을 대시(-)로 나타내고 악센트의 위치 차이를 나타내었다.

보기 : **sub·spe·cies** [sʌbspí:ʃi(:)z, ´-`-]

5 생략할 수 있는 음 경우에 따라 발음되지 않는 음은 이탤릭으로 보였다.

보기 : **length** [leŋ*k*θ] 《[leŋkθ] 또는 [leŋθ]의 뜻》.

6 장음과 단음 두 가지가 있을 경우에는 장음 부호를 ( ) 속에 넣어 표시하였다.

보기 : **room·er** [rú(:)mə*r*] 《[ru:mə*r*] 혹은 [rumə*r*]》.

7 외래어의 발음 본래음에 가깝게 표기하되 그 영어화의 정도를 고려하기로 하였다.

8 복합어에 있어서 한 쪽을 구성하는 낱말이 앞에서 나와 이미 발음이 표시되어 있는 것에는 하이픈(-)으로 갈음한 것도 있다. 단, 이때 그 낱말이 단음절이어서 악센트 표시가 없으나 복합어가 되면서 악센트가 첨부될 때에는 대시 위에 표시해 두었다.

보기 : **law** [lɔː], **law-a·bid·ing** [ˊəbàidiŋ]

9 두 낱말 이상의 연어가 표제어로 나올 때에는 철자 위에 악센트 표시만 하고 처음으로 나오는 낱말 외에는 발음 표기를 하지 않았다.

보기 : **áctive prógram ; enténte cor·diále** [-kɔːrdjáːl]

이 때 번잡을 피하기 위해 각 낱말에는 주악센트만을 표시하였다.

10 파생어 파생어에서는 철자의 공통된 부분의 발음 구성이 같고 악센트가 다른 것은 악센트만 표시하였으나 발음 구성이 달라지는 것은 발음을 표시해 놓았다.

보기 : **fu·tur·ism** [fjúːtʃərìzəm] … ㊥ **fù·tur·ís·tic** [-rístik]

Ⅲ 품사와 어형 변화

1 품사 한 낱말이 둘 이상의 품사로 나뉠 때 흔히는 동일항내에서 —— 로 품사의 바뀜을 보였으나 복잡한 것은 별도 표제어로 내세우기도 했다.

2 어형 변화 불규칙한 변화·철자·발음 이것은 다음처럼 표시했다.

a) 명사의 복수형 보기 : **man** [mæn] (*pl.* ***men*** [men]) *n.* ; **goose** [guːs] (*pl.* ***geese*** [giːs]) *n.* ; **deer** [diər] (*pl.* ***~, ~s***) *n.* ; **fish** [fiʃ] (*pl.* ***~·es*** [fíʃiz], 〖集合的〗~) *n.* ; **leaf** [liːf] (*pl.* ***leaves*** [liːvz]) *n.*

자음+o로 끝나는 낱말의 복수형은 다음과 같이 보였다. 보기 : **pi·ano**[1] [piǽnou, pjǽnou] (*pl.* ***~s*** [-z]) *n.* ; **mos·qui·to** [məskíːtou] (*pl.* ~(***e***)***s***) *n.*

b) 대명사 인칭대명사는 필요한 경우 다음과 같이 변화형을 보였다.

보기 : **who** [huː] (소유격 ***whose*** [huːz] ; 목적격 ***whom*** [huːm], 《口》 ***who***(***m***)) *pron.*

c) 불규칙 동사의 과거형 ; 과거분사형 ; 진행형 보기 : **cut** [kʌt] (*p., pp.* ***~ ; ∠·ting***) *vt.* ; **run** [rʌn] (***ran*** [ræn] ; ***run ; rún·ning***) *vi.* ; **be·gin** [bigín] (***be·gan*** [-gǽn] ; ***be·gun*** [-gʌ́n] ; ***be·gin·ning***) *vi.* ; **lie** [lai] (***lay*** [lei] ; ***lain*** [lein] ; ***ly·ing*** [láiiŋ]) ; **read** [riːd] (*p., pp.* ***read*** [red]) *vt.*

최후의 자음을 겹치는 경우에는 다음 요령으로 보였다. 보기 : **flip**[1] [flip] (***-pp-***) *vt., vi.* 《과거(분사)·현재분사 flipped ; flipping》 ; **trav·el** [trǽvəl] (***-l-***, 《英》 ***-ll-***) *vi., vt.* 《영식으로는 travelled ; travelling》.

d) 형용사·부사의 비교급 ; 최상급 단음절어에는 -er ; -est를 붙이고, 2음절 이상의 것에는 more ; most를 붙여줌을 원칙으로 한다. 이렇게 되지 않는 것 또는 철자·발음상 주의를 요하는 것은 다음처럼 나타냈다. 보기 : **good** [gud] (***bet·ter*** [bétər] ; ***best*** [best]) *a.* ; **free** [friː] (***fre·er*** [fríːər] ; ***fre·est*** [fríːist]) *a.* ; **tired** [taiərd] (***more tired, tíred·er ; most tired, tíred-est***) *a.*

Ⅳ 풀이·용례·관용구

1 풀이 †, ‡, *의 표를 한 기본 표제어에서 근본 뜻, 또는 자주 쓰이는 말뜻을 굵은 (고딕체) 활자로 표시하였다.

2 풀이가 복잡한 것은 **A)**, **B)** 또는 ①, ②, ③이나 **a)**, **b)**, **c)**로 상세히 구분하였으나, 그 밖의 경우는 (,) (;)으로 구별하였다. 관용구에서와 설명 괄호 《 》 안에서 뜻을 구분할 경우에는 (1), (2)를 썼다.

3 풀이 중 그 말뜻에 대한 동의어를 ( ) 속에 보였으며, 동의어 중 따로 표제어에 내세우지 못한 것은 (=) 안에 고딕체로 넣고 악센트 표시를 하였다.

보기 : **float** [flout] … 떠(돌아)다니다, 표류하다(drift)…

lem·on [lémən] *n.* … 레몬나무(=~ **trèe**).

4 중요 동사의 역어 앞에는 문형과 우리 말 조사를 붙여 세밀한 구문상의 차이를 보였으며, 표제어와의 연결 관계를 분명히 하고자 풀이 다음의 《 》 속에 관련 전치사·부사·부정사 따위를 보였다.

보기 : **sa·lute** [səlúːt] *vt.* ① 《~+[목] / +[목]+[전]+[명]》 …에게 인사하다《특히 깍듯이》… ② (거수·받들어총·예포 등으로) …에 경례하다, 경의를 표하다《*with* ; *by*》….

동사에는 ( ) 속에 주어·목적어와 이해를 돕기 위한 간단한 보충 설명을 보였다.

보기 : **in·flict** [inflíkt] *vt.* 《~+[목] / [목]+[전]+[명]》 ① (타격·상처·고통 따위)를 주다, 입히다, 가하다 《*on, upon*》….

5 풀이 속 또는 풀이 끝에 [cf] 를 써서 관련어를, [opp] 또는 [opp]를 써서 반대어를 보였다. [opp]는 그 해당 말뜻에, [opp]는 표제어 말뜻 전체에 관련된다.

보기 : **in·tagl·io** [intǽljou, -tɑ́ːl-] … *n.* ① [U] 음각, 요조(凹彫). [opp] *relief, relievo*. … ② [C] 새긴 무늬 ; (무늬를) 음각한 보석. [cf] cameo.

def·i·nite [défənit] *a.* ①… ③〖文法〗 한정적인, 한정하는. [opp] *indefinite.*

6 풀이 앞에 (H-), (m-)과 같이 표시되어 있는 것은 각기 대문자 또는 소문자로 시작할 경우를 나타내며, 또 (*pl.*), (the ~), (a ~)는 각기 복수형 또는 the, a가 붙음을 나타낸다.

보기 : **dev·il** [dévl] *n.* ① 악마 ; 악귀 ; (the D-) 마왕, 사탄(Satan).

7 용례 말뜻·구문을 분명히 하기 위하여 기본 중요 표제어의 역어 뒤에 (:)를 붙이고 용례를 보였으며, 그 밖의 경우에는 (¶)로 용례를 한데 묶었다.

8 관용구 각 품사의 말뜻 뒤에 일괄하여 이탤릭 고딕체로 수록하였다.

Ⅴ 파생어·어원

1 파생어의 처리 표제어에 -ly, -ment, -ness, -ism, -fy, -ize 따위를 붙여 수월히 이루어지는 파생어나, 표제어에 약간의 형태상의 변화를 가져오는 -tion, -ce, -cy, -al 따위에 의한 파생어는 풀이를 반복해야 하는 번거로움을 덜기 위해서 해당 표제어항에 수록하고, [파] 표시로 그 소재를 밝혔다.

2 파생어를 보일 때 표제어의 형태를 고스란히 간직한 것은 그 부분을 ~로써 나타내고, 표제어의 끝 음절에 변화를 일으킨 경우에는 끝 음절 이외의 부분을 -로써 보였다.

보기 : **mind·ful** [máindfəl] *a.* … [파] **~·ness** *n.*

cor·rupt·i·ble [kərʌ́ptəbəl] *a.* … [파] **-bly** *ad.*

3 어원 표시 어원은 원칙적으로 표제어 풀이 맨끝에 [ ] 표시로 가급적 간결히 표시했다.

보기 : **Com·in·tern** [kɑ́mintə̀ːrn / kɔ́m-] *n.* 코민테른, … [◂(Third) *Com*munist *Intern*ational]

brunch [brʌntʃ] … 브런치를 먹다. [◂ *br*eakfast+l*unch*] 《breakfast와 lunch의 혼성어임을 나타냄》.

Ⅵ 가산(可算)명사·불가산(不可算)명사

셀 수 있는 명사(Countable Noun), 셀 수 없는 명사(Uncountable Noun)에는 각각 [C], [U]를 붙여 구별을 분명히 해 주었다.

1 말뜻·정의에 따라 [C], [U] 가 다른 것은 각기 말뜻 번호 다음에 또는 역어의 바로 앞에 보였다. 각 말뜻이 모두 [C]이거나 [U]일 때에는 품사 바로 다음에 대표적으로 보였다.

보기 : **land** [lænd] *n.* ① [U] 뭍, 육지…. ② [U] 땅, 토지…. **fame** [feim] *n.* [U] ① 명성, 성망. ② 평판, 세평.

2 가산·불가산의 양쪽으로 쓰이는 경우에는 [C]와 [U]를 아울러 보였다. 이 때, [C,U]는 가산이 주

됨을 표시하며, U.C는 그 반대임을 나타낸다.

3 고유명사, 아직 영어화가 덜 된 외래어, 연어 기타 가산명사임이 자명한 것 및 〖集合的〗, (*pl.*) 따위가 명기되어 있는 것은 C, U를 보이지 않았다.

Ⅶ 동사의 문형(文型)

동사의 문형(文型)은 뜻풀이 앞에 《 》안에 보이고, 그 문형에 대응하는 용례를 실었다. 또, 문형상 중요한 전치사·부사·접속사 등은, 용례 속에서는 이탤릭체로 보였다.

보기 : ‡**creep** [kri:p] (*p., pp.* ***crept*** [krept]) *vi.* ① …② 《~ / +부 / +전+명》 살금살금 걷다… ; 천천히 나아가다〔걷다〕 : … When did he ~ *out ?* 그는 언제 몰래 빠져 나갔는가 / Sleepiness *crept over* me. 졸음이 닥쳐왔다.

Ⅷ 여러 가지 기호

1 〔 〕 속에 보인 것은 서로 대체할 수 있음을, ( )는 그 속에 표시된 것을 생략할 수 있음을 보이거나, 풀이 앞에서 보충적 설명, 주어, 목적어 관계 따위를 보인다. 보기 : **dig. . .** — *vi.* 《~ / +전+명》 ① (손이나 연장을 써서) 파다 ; 구멍을 파다 : … ~ for gold〔treasure〕 금〔보물〕을 찾아 땅을 파다《~ for gold 또는 ~ for treasure》…. **dirt. . .** (***as***) ***cheap as*** ~ 《口》 굉장히 싼《as cheap as ~ 또는 cheap as ~》.

2 《 》는 뜻의 부연 및 해설에 썼으며, 또한, 풀이의 앞에서 동사의 문형 표시, 주석 뒤에서 관련 전치사·부사 따위를 보이는 데에도 썼다.

보기 : **jack·et. . .** ① (소매 달린 짧은) 웃옷, 재킷《남녀 구별없이 씀》.

con·fess. . . ①《~+목 / +목+전+명 / …》(과실·죄)를 고백〔자백〕하다….

3 〖 〗는 풀이 앞에 와서 문법적 관계, 그 풀이의 기본 성격 따위를 보였다.

보기 : **riv·en** [rívən] *a.* 〖敍述的〗 찢어진 ; ….

4 ⇨는 그곳에 해당 항목이 있음을 보인다.

보기 : **clear** 항에서 ***The coast is ~.*** ⇨COAST《coast에 가보면 이 뜻이 있다는 뜻》.

5 풀이 대신 =로 나타낸 곳은 그 다음에 보인 소형 대문자(SMALL CAPITAL)의 낱말과 뜻이 같으니, '그 낱말을 보라'의 뜻이다. 보기 : **sted·fast. . .** *a.* =STEADFAST.

다만, 이 때 =로 보인 것이 다른 항목이 아닌 자체 항목에 있는 것일 때에는 소형 대문자로써가 아니라, 보통의 로만체 활자 또는 ~로 표시했다.

6 ~은 표제어의 되풀이를 피하기 위하여 썼다.

보기 : **right. . .** ① 옳은, 올바른, (법적·도덕적으로) 정당한 : … ~ conduct 정당한 행위.

7 ◇ 표는 중요한 낱말의 관련된 품사를 나타낸 것이다.

보기 : **cor·rupt** … *a.* 부정한, …. ◇ corruption *n.*

해　　설

(A) 발　　음

1. 영음과 미음의 차이　영음과 미음은 공통점이 아주 많으므로 다른 점만을 지적하기로 한다. 사선(斜線)을 경계로 왼쪽에 미음을, 오른쪽에 영음을 들었다.

a. [æ / ɑː]: *ask* 전에는 [æsk / ɑːsk]로 표시했으나 근자에는 a의 발음을 [æ]와 [ɑː]의 한 발음 영역으로 넣는 추세에 따라 본 사전에서는 [æsk, ɑːsk]로 처리하였음.
b. [ɑ / ɔ]: *hot* [hɑt / hɔt]. 미음 [ɑ]에 영음 [ɔ]가 대응하는 예는 대단히 많다.
c. [ɔ(ː)]: *dog* [dɔ(ː)g, dɑg]. 미음 [ɔː, ɑ]에 영음 [ɔ]가 대응함을 나타냄. [r, f, θ, s, ʃ, ŋ, g] 앞에 많다: *foreign, wash,* etc.
d. [uː / juː]: *duty* 전에는 [djúːti / djúːti]로 표시했으나 미식 위주로 본사전에서는 [d*j*úːti]로 하였음.
e. [əːr] [ər]: *bird* [bəː*rd*=bəːd], *stir* [stəː*r*=stəː]; *butter* [bʌ́tə*r*=bʌ́tə]. 미음에서는 철자에 있는 *r*는 앞 모음에 영향을 준다. 예를 들면 *bird, stir*의 모음은, [əː] 보다 좀 높게 혀의 중앙이 올라가는 동시에 혀끝이 경구개 쪽으로 반전하여(또는 혀 전체가 뒤로 당겨져서) 독특한 모음이 된다. 이것을 'r 음색(音色)의 모음(*r*-colored vowel)'이라고 한다. 이것에는 특별 기호 [əː]를 써도 좋으나 이 사전에서는 [əː*r*]를 [əː]의 뜻으로 써서 영음과 같은 기호로 나타냈다. [ə*r*]는 [əː*r*]가 약해진 음으로, 미음에서는 'r 음색이 붙은' 모호한 음이며, [ə]의 기호로 보일 수 있으나 여기서는 [ə*r*]를 =[ə]의 뜻으로 썼다.
f. 이중모음 [jə*r*, εə*r*, ɔə*r*, uə*r*]도 미음으로는, 둘째 음 [ə*r*]가 [ə]이므로 [iə, εə, ɔə, uə]로 나타낼 수도 있다: *here* [hiə*r*=hiə], *more* [mɔː*r*=mɔə]. ★ 미음으로는 이 밖에 [ɑː*r* (=ɑə)]가 있다. 영음 *art* [ɑːt], *car* [kɑː] 처럼 철자에 *r*가 있는 [ɑː]에 대응하여 쓰인다.
g. [-əːr- / -ʌr-]: *current* [kə́ːrənt / kʌ́rənt]도 포괄적으로 [kə́ːrənt, kʌ́rənt]로 했음.
h. [t]의 변종. 미음에서는 악센트 있는 모음과 악센트 없는 모음 사이에 끼인 [t]는 혀끝이 이에 닿는 시간이 짧고, 또 닿는 정도도 약하다. 그 결과 *water* 는 [wɑ́tə*r*]로 '와러'처럼 들린다. 또 [t] 바로 앞에 [n]가 있으면 이 현상의 영향으로 [t]는 뚜렷이 들리지 않는 경우가 있다. 즉 center 가 '세너', twenty 가 '트웨니'처럼 된다.
i. *wh-* 붙은 말: *when* [hwen, wen / wen, hwen]. 곧 미음에서는 [hwen]이 보통이나 영음에서는 [wen] 쪽이 보통이다. 이 사전에서는 이러한 양해 밑에 [*h*wen]으로 했다.
j. 악센트에도 《美》《英》의 차를 인정해야 할 경우가 있다. 일반적으로 미음은 영음보다도 부악센트를 잘 보존하고 있다. 이것은 *-ary, -ery, -ory*가 붙는 말에 현저하다: *secretary* [sékrətèri / -tri], *dormitory* [dɔ́ː*r*mətɔ̀ːri / -təri], *stationery* [stéiʃənèri / -nəri], etc.
k. 또 *z* [ziː / zed], *vase* [veis / vɑːz], *schedule* [skédʒu(ː)l / ʃédjuːl] 따위처럼 특정어의 차이는 일일이 들지 않는다.

이상은 《美》《英》의 발음 차이의 대강이지만 영음으로 든 것이 미음의 변종으로, 미음으로 보인 것이 영음의 변종으로 쓰이기는 흔한 일이다. 오늘날 매스 미디어와 교통 수단의 발달은 세계를 더욱 좁히고 있으므로 《美》《英》 양음이 서로 영향을 주는 기회도 많으리라고 믿는다.

2.　비영어 및 그밖의 기호

[y] 입술을 둥글려서 [i]를 발음할 때의 소리: *Zürich* [tsýːriç]
[ø] 입술을 둥글려서 [e]를 발음할 때의 소리: *feu de joie* [fødəʒwa], *Neufchâtel* [nøʃɑtεl]
[œ] 입술을 둥글려서 [ε]을 발음할 때의 소리: *jeunesse dorée* [ʒœnεsdɔre], *oeil-de-boeuf* [œjdəbœf]
[ɑ̃] 비음화한 [ɑ]: *pensée* [pɑ̃se], *sans* [sɑ̃]
[ε̃] 비음화한 [ε]: *vin* [vε̃]
[ɔ̃] 비음화한 [ɔ]: *bonsoir* [bɔ̃swaːr], *garçon* [gɑrsɔ̃]
[ç] 가운데혓면을 경구개에 다가서 내는 무성 마찰음: *Reich* [raiç]
[x] 뒤혓면을 경구개에 다가서 내는 무성 마찰음: *Bach* [bɑːx], *loch* [lɑx]
[ɥ] [y]에 대응하는 반모음: *ennui* [ɑ̃nɥi]
[ɲ] 구개화한 [n]: *Montaigne* [mɔ̃tεɲ]
[ɯ] 입술을 둥글리지 않는 [u]: *ugh* [ɯːx]
[Φ] 양 입술을 좁혀서 내는 무성 마찰음; 우리말 「후」의 자음: *phew* [Φː]
[̥] 무성화의 기호: *hem* [m̥m]
[ʇ] 혀를 차면서 내는 소리: *tut* [ʇ, tʌt]

(B) 철 자

《美》《英》 철자의 차이 미국과 영국에서 철자의 관용(慣用)이 서로 다름은 사실이나, 실상 미국에서 교양 있는 사람들이 쓰고 있는 철자는 영국의 그것과 별차 없다. 이제 표준적으로 미국식 철자로 널리 보급된 것을 예로 들어 영국식과 대비하면서 살펴보기로 한다.

a. **《美》 -or / 《英》 -our :** color / colour. 같은 예 : ardo(u)r ; armo(u)r ; behavio(u)r ; cando(u)r ; endeavo(u)r ; favo(u)r ; flavo(u)r ; harbo(u)r ; hono(u)r ; humo(u)r ; labo(u)r, etc. ★ (1) 《美》 arbor, Arbor Day, 《英》 arbour (정자), arbor (축). (2) 《美》에서도 Saviour (=Christ), glamour 의 두 낱말은 -our 가 보통이지만, Savior, glamor 도 쓰인다. (3) 활용 어미 -ed, -ing, -s 나 접미사 -able, -er, -ite, -ful, -less 가 붙는 때도 똑 같이 《美》 **-or-** / 《英》 **-our- :** colored / coloured ; armoring / armouring ; favorite / favourite ; colorful / colourful. (4) 다만 접미사 -ous, -ation, -ific, -ize, -ist 가 붙는 경우는, 《美》《英》 공통으로 **-or- :** humorous, vaporous, coloration, colorific, vaporize.

b. **《美》 -er / 《英》 -re :** center, centering / centre, centring. 같은 예 : accouter / accoutre ; caliber / calibre ; fiber / fibre ; liter / litre ; meter / metre ; theater / theatre ; meager / meagre. ★ (1) thermom-

(1) 자 음	(2) 장모음, 이중모음	(3) 1 모음자+re 2 모음자+r
b=[b] : **b***ig* **c**=[k] : **c***ut*, **c***ry* **c** (*e, i, y* 의 앞)=[s] : *i***c***e*, *i***c***y*, **c***ity* **ch**=[tʃ] : **ch***ild* **ck**=[k] : *do***ck** **d**=[d] : **d***og* **dg**=[dʒ] : *e***dg***e* **f**=[f] : **f***ive* **g**=[g] : **g***o* **g** (*e, i, y* 의 앞)=[dʒ] : **g***em*, **g***iant*, **g***ypsy* **h**=[h] : **h***at* **j**=[dʒ] : **j***am* **k**=[k] : **k***ing* **l**=[l] : **l***itt***l***e* **m**=[m] : **m***oon* **n**=[n] : **n***oon* **n** (*k, c* [k], *q, x* 의 앞)=[ŋ] : *ta***n***k*, *u***n***cle*, *ba***n***quet*, *sphi***n***x* **ng**=[ŋ] : *ki***ng** **p**=[p] : **p***i***p***e* **ph**=[f] : **ph***oto* **qu**=[kw] : **qu***een* **r** (모음의 앞)=[r] : **r***ed* **s**=[s] : **s***even* **sh**=[ʃ] : **sh***ut* **t**=[t] : **t***eacher* **tch**=[tʃ] : *ma***tch** **th** (어두·어미)=[θ] : **th***ink* **th** (주로 말 가운데)=[ð] : *fa***th***er* **v**=[v] : *fi***v***e* **w** (모음의 앞)=[w] : **w***ay* **wh**=[hw] : **wh***en* **x**=[ks] : *bo***x** **y** (모음의 앞)=[j] : **y***es* **z**=[z] : **z***ero*	**a, ai, ay**=[ei] : *c***a***se*, *f***ai***l*, *s***ay** **e, ee, ea, ie**=[iː] : *w***e**, **e***v***e**, *s***ee**, *s***ea**, *f***ie***ld* **i, y**=[ai] : *f***i***ne*, *cr***y** **o, oa**=[ou] : *st***o***ne*, *c***oa***t* **u, eu, ew**=[juː] : *c***u***e*, **u***se*, *f***eu***d*, *f***ew** **ah**=[ɑː] : *b***ah** **au, aw**=[ɔː] : *s***au***ce*, *s***aw** **oo**=[uː] : *t***oo**, *m***oo***n* **ou, ow**=[au] : *s***ou***nd*, *c***ow** **oi, oy**=[ɔi] : **oi***l*, *b***oy**	**are, air**=[ɛər] : *c***are**, *f***air** **ere, eer, ear, ier**=[iər] : *h***ere**, *b***eer**, *h***ear**, *p***ier** **ire**=[aiər] : *f***ire** **ore**=[ɔːr] : *st***ore** **ure**=[juər] : *c***ure** **awer**=[ɔːər] : *dr***awer** **oor**=[uər] : *p***oor** **our**=[auər] : *s***our** **oyer**=[ɔiər] : *empl***oyer**
	(4) 단(短)모음 **a**=[æ] : *b***a***t*, **a***p·ple* [ǽpəl] **e**=[e] : *h***e***n*, *l***e***ss* [les], *m***e***r·ry* [méri] **i, y**=[i] : *s***i***t*, *h***y***mn*, *b***i***t·ter* [bítər] **o**=[ɑ/ɔ] : *h***o***t*, *d***o***ll*, *d***o***l·lar* [dálər/dɔ́l-] **u**=[ʌ] : *c***u***t*, *b***u***t·ter* [bʌ́tər] **oo**=[u] : *b***oo***k*	(5) 1 모음자+r **ar**=[ɑːr] : *c***ar**, *c***ar***d* **er**=[əːr] : *h***er**, *h***er***d* **ir**=[əːr] : *s***ir**, *b***ir***d* **or**=[ɔːr] : *f***or**, *n***or***th* **ur**=[əːr] : *f***ur**, *b***ur***n*
	(6) 약한 음절의 모음 **a, e, o, u**=[ə] : **a**·*gó*, *sí·l***e***nt*, *lém·***o***n*, *cír·c***u***s* **i, y, e**=[i] : *pít·***i***·ful*, *cít·***y**, *b***e**·*gín*	(7) 약한 음절의 모음+r **ar, er, o(u)r, ur**=[ər] : *bég·g***ar**, *bét·t***er**, *ác·t***or**, *cól·***o(u)r**, *múr·m***ur**
	(8) 어미(語尾)의 **e**는 원칙적으로 묵음(默音) ; 또 앞 모음을 길게 발음시켜, *c, g, th* 를 [s, dʒ, ð]로 발음시킨다 ; *not***e** [nout], *ac***e** [eis], *ag***e** [eidʒ], *bath***e** [beið]	

eter 와 같이 복합어에서는 공통으로 -meter. (2) c 의 뒤에서는 공통으로 **-cre :** acre, lucre, massacre, etc. 이것은 c 를 [k]로 읽히기 위함이다. (3) ch 를 [k], g 를 [g]로 읽히기 위해 -chre, -gre 는 《美》《英》 공통 : euchre, ogre 와 같은 예도 있다.

c. **《美》-l- / 《英》 -ll-** : tráveled ; tráveling ; tráveler / trávelled ; trávelling ; tráveller. crúeler ; crúelest / crúeller ; crúellest. 같은 예 : appárel ; cáncel ; cárol ; cávil ; chísel ; cóunsel ; équal ; lével ; jéweler / jéweller ; jéwelry / jéwellery.

★ **《美》《英》** tranqíl(l)ity.

d. **《美》-ll- / 《英》 -l-** : distíll(ed) / distíl(led) ; appall(ing) / appal(ling), etc.

e. **《美》-se / 《英》 -ce** : defense / defence. 같은 예 : offense / offence ; pretense / pretence ; practice (*n.* & *v.*) / practice(*n.*), practise(*v.*)

★ defensive, offensive, expense, suspense 는 《美》《英》 공통.

f. **《美》-dgment / 《英》 -dgement** : judgment / judgement. 같은 예 : lodgment / lodgement.

g. **《美》 -ection / 《英》 -exion** : connection / connexion. 같은 예 : deflection / deflexion ; inflection / inflexion ; reflection / reflexion.

h. **《美》 -ol- / 《英》 -oul-** : mold / mould. 같은 예 : mo(u)lt ; smo(u)lder.

i. **《美》 e, oe / 《英》 oe, œ** : maneuver / manoeuvre.

★ 《美》에서는 그리스, 라틴 계통의 말의 ae(æ), oe 를 e 로 간소화하는 경향이 많은데, 고전의 고유명사와 그 파생어(보기 : Caesar, Aeschylus [éskələs / íːs-], Ægean)나 전문 학명(보기 : archaeology, am(o)eba) 등에서는 흔히 《英》《美》 공통으로 ae 를 보존한다. (a)esthete [ésθiːt / íːs-] 처럼 발음이 다른 것도 있다.

j. **《美》-ize / 《英》-ize, -ise** : realize, -ization / realize, -ise, -ization, -isation. 같은 예 : colonize / -ize, -ise, etc. ★ chastise, exercise, surprise 등은 《美》《英》 공통.

k. **《美》 홑자음자 / 《英》 겹자음자** : fagot / faggot ; wagon / waggon ; woolen / woollen ; paneling / panelling, etc.

l. **《美》에서는 발음에 영향 없는 어미를 생략한다** : program / programme ; gram / gramme ; annex / annex(e) ; ax(e) / axe, etc.

m. 개개의 말 : check / cheque ; draft / draught, draft / draft(초안 ; 수표) ; jail / gaol ; gray / grey, etc.

n. 이 밖에 《美》에서는 tho, thoro, thru, 또는 nite, hiway 와 같은 철자를 쓰는 일이 없지도 않으나, 각기 though, thorough, through, night, highway 가 《美》에서도 정식이다.

(C) 문　형 (sentence pattern)

이 사전에서는 29 의 동사형(動詞型) (verb pattern)을 설정하였는데, 동사형 **1**(완전자동사)과 동사형 **9**(완전타동사)의 2 형은 원칙적으로 표시를 생략하였다.

1. **《～》** — 동사형 **1** 은 동사형 **2** 및 동사형 **6,7** 이외의 완전자동사를 가리킨다. 이 사전에서는 특히 필요가 있는 경우를 제외하고는, 동사형 **1** 을 표시하지 않았다. 따라서 자동사로서 특히 문형 표시가 없으면, 그것은 동사형 **1** 에 속하는 동사라는 뜻이다.

보기 : Birds *fly.* / He *died.* / There *is* a garden in front of the house.

2. **《～+副》** — 이 경우의 副는, 부사 일반을 가리키는 것이 아니라, 동사와 밀접하게 결합하는 부사적 소사(adverbial particle) 및 일정한 자동사에 관용적으로 결합하여 쓰이는 소수의 부사를 가리킨다. 부사적 소사란, in, out, on, off, down, up, about, across, around, along, over, through, by, past, under 따위의 말을 이른다.

보기 : He *came in* 〔*out*〕. / Prices are *going up* 〔*down*〕. / He *went back* 〔*away*〕. / His book is *selling well.*

3. **《～+補》** — 이 형의 補는 주격보어(subjective complement)를 나타내며, 쓰이는 동사는 불완전자동사이다. 주격보어에는 명사 및 형용사와 그 상당 어구가 온다. 이 형으로 쓰이는 주요 동사에는 다음과 같은 것이 있다.

be, look, seem, appear, feel, smell, sound, taste, become, get, grow, turn, come, go, fall, run, keep, remain. 보기 : This *is* my car. / He *looked* happy. / She *became* a singer. / He *remained* poor all his life.

4. **《～+*to be* 補》《～+(*to be*)補》** — 이 형은 자동사가 ① 반드시 to be 를 수반하는 것과, ② to be 가 생략될 수 있는 것의 두 가지로 이루어진다. 형용사가 afraid, asleep, awake 등의 서술형용사일 때에는 to be 를 생략할 수 없으므로, ① 의 형을 취한다. 이 형으로 쓰이는 주요한 동사는 seem, appear, happen, chance, prove, turn out 따위이다.

보기 : ① He *seems to be* asleep. / I *happened to be* out when she called.
② He seems (*to be*) angry. / The street *appeared* (*to be*) deserted.

5. 《~+*as* 보》— as 보란 as에 의해서 이끌리는 일종의 주격보어를 가리킨다. as 다음에는, 자격·지위·직능·구실 등을 나타내는 명사가 온다. 이 경우에 as 다음에 오는 단수형의 countable noun에는 부정관사를 붙이지 않는 것이 보통이다.

보기 : Mr. Brown *acted as* chairman. / He *died as* president.

6. 《~+전+명》— 자동사가 그 다음에 전치사와 그 목적어인 명사 또는 명사 상당 어구를 수반할 때의 동사형이다. 전+명은 ① 장소를 나타내는 부사구일 때와, ② 자동사와 의미상 밀접히 결부되어 전체적으로 관용적인 구를 이루며, 동사에 따라 쓰이는 전치사가 일정하게 한정돼 있는 것이 있다. 후자의 경우, 자동사와 전치사의 결합이 거의 타동사에 가까운 것도 있다.

보기 : ① He *looked out of* the window. / Our school *stands on* a hill.
② The house *belongs to* him. / Please don't *wait for* me.

7. 《~+전+명+*to* do》— 이 형은 엄밀하게는 **6**의 일종이며, 《~+전+명》에 to 부정사가 딸린 것이다. '명사+부정사' 전체가 전치사의 목적어를 이루는 것이 많은데, 명사는 부정사의 의미상의 주어가 되어 있다.

보기 : I am *waiting for* him *to* arrive. / They have *arranged for* a taxi *to* meet you at the airport.

8. 《~+*done*》— 이 형은 **3**의 《~+보》의 일종으로, 보어 가운데 특히 과거분사를 취하는 경우의 형을 나타낸 것이다. "*done*"은 자동사의 주격보어에 상당한다.

보기 : He *remained undisturbed.* / The knot *came untied.*

9. 《~+목》— 목은 목적어를 가리킨다. 이 동사형에서는 동사는 완전타동사이며, 목적어 이외의 다른 요소는 필요로 하지 않는다. 타동사가 목적어를 취함은 자명한 일이므로, 이 사전에서는 필요한 경우를 제외하고는 이 동사형의 표시는 생략하였다. 또, 이 동사형 및 아래의 타동사를 포함하는 각 동사형의 수동태에 관해서는, 이 사전에서는 수동태는 능동태의 운용형으로 간주하여, 같은 동사형으로 다루었다.

보기 : I *like* sports. / He *painted* the picture. / This picture was *painted* in 1920.

10. 《~+목+부》— 이 형은 **2**의 《~+부》에 대응하는 것으로서, 그 타동사형이라고 말할 수 있다. 부사는 동사와 밀접하게 결합되는 부사적 소사가 주이지만, 그 밖에도 타동사와 관용적으로 결합되어 쓰이는 약간의 부사도 포함된다. 목적어가 명사인 경우, 부사적 소사는 목적어에 선행하여 동사의 바로 뒤에 오는 수도 있다. 또, 목적어가 긴 경우에도, 부사적 소사는 동사의 직후에 오는 일이 많다. 목적어가 인칭대명사일 때, 부사는 반드시 목적어 뒤에 온다.

보기 : He *put* his coat *on.* / He *put on* his hat. / Don't *throw away* anything useful. / I *took* her *home.*

11. 《~+*ing*》— 이 동사형의 -ing은 ① 자동사 다음에 놓이어 일종의 보어의 구실을 하는 현재분사와, ② 타동사의 목적어인 동명사의 두 가지로 나뉘어진다. ①은 동사형 **8**《~+*done*》과 같은 종류의 것이다. 이 경우의 자동사는 반드시 불완전자동사에 한정되어 있지 않으며, 뒤에 이어지는 현재분사는 '…하면서' '…하여서'의 뜻을 나타내고, 동사와 동시적(同時的)인 동작을 나타내는 수도 있다. ②의 타동사 가운데에는 목적어로서 동명사 외에 to 부정사를 취하는 것도 있다(이 경우에는 동사형 **12**가 된다).

보기 : ① He *stood listening* to the music. / He *came running* to meet us.
② He's *stopped smoking.* / Boys *like playing* baseball. / We must *prevent* their *coming.*

12. 《~+*to* do》— 이 동사형에는, ① 동사가 자동사이며 to do가 그 보어 또는 부사적 수식어를 이루는 것과, ② 동사가 타동사이며 to do가 그 목적어인 것의 두 가지가 있다. ①의 to do는 목적·결과 등 외에 여러 가지 의미 관계를 나타낸다.

보기 : ① His ambition *is to* become a doctor. / We *are to* meet at the airport. / We *stopped to* rest.
② I *want to* see you. / I'd *like to* go to the movies. / I *forgot to* mail your letters.

13. 《~+목+*to* do》— 이 동사형은 목적어와 목적보어로서 to 부정사를 수반하는 것이다. 이 가운데 동사가 생각·판단 등을 나타내고, 목적어와 to 부정사와의 사이에 의미상 주어와 술어의 관계가 있는 것은, to 부정사가 to be로 되는 것이 많으며, 이것은 이 사전에서는 동사형 **16**으로서 따로 다루었다.

보기 : I *told* him *to* wait. / He doesn't *want* his son *to* become an artist.

14. 《~+목+보》— 이 형의 동사는 주로 불완전타동사이며, 목적보어를 수반하는 것이다. 목적보어에는 명사 또는 명사 상당어구 및 형용사 또는 형용사 상당어구가 쓰이며, 동사가 나타내는 동작의 결과나 동시

적인 상태 따위를 나타낸다.

보기 : We *call* him Teddy. / They *elected* him president. / He *made* her happy.

15. **(~+목+*as* 보)** — 이 형은 목적보어가 as로 인도되는 어구의 경우이다. as 뒤에는 명사 또는 명사 상당 어구 및 형용사 또는 형용사 상당어구가 온다. The idea *strikes* me as silly. 는 외형상 이 동사형에 속하는 것 같지만, as 이하가 주어에 대한 동격적 서술어를 이루는 특수한 예이다.

보기 : We *regard* it *as* a waste of time. / I will *describe* him *as* really clever.

16. **(~+목+*to be* 보)(~+목+(*to be*) 보)** — 이 형은 부정사가 to be 임을 제외하면, 동사형 **13**과 같은 것이다. 이 형의 동사는 생각·판단 따위를 나타내며, 목적어와 to be 보 사이에는 의미상 주어와 술어의 관계가 성립한다. 동사에 따라서는 to be를 생략할 수 있는 것이 있는데, 그것들은 **(~+목+(*to be*)보)**로 표시된다. to be를 생략한 경우는 동사형 **14**와 같은 것이 된다. 구어에서는 동사형 **16** 대신에 동사형 **20**이 선호된다.

보기 : They *felt* the plan *to be* unwise. / We *know* him *to* have *been* a spy. / They *reported* him (*to be*) the best doctor in town.

17. **(~+목+*do*)** — do는 원형부정사를 나타낸다. 이 형에서 쓰이는 동사는 ① 지각동사와 ② 사역동사로 나뉘어진다. 원형부정사는 이들 동사의 목적보어에 상당한다. 동사형 **17**에 쓰이는 주요한 동사로는, ① see, hear, feel, watch, observe, notice, ② make, let, bid, have 따위가 있다. 사역동사는 아니지만 **(美)**에서는 help를 이 동사형에 쓴다(영국에서는 동사형 **13**이 된다).

보기 : ① I *saw* him *cross* the street. / Did you *notice* anyone *leave* the building?
② What *makes* you *think* so? / He *has* his secretary *type* his letters.

18. **(~+목+*-ing*)** — 이 형에서의 -ing은 현재분사로, 목적보어로서 쓰이고 있다. 이 형으로 사용되는 동사는 동사형 **17**의 ①과 공통되는 것 이외에, smell, find, catch, keep, leave, have, set, start 따위가 있다. 그리고, 이 형의 -ing에는 동명사로서 목적격인 명사나 인칭대명사 이외의 대명사를 의미상의 주어로 삼는 용법도 포함된다. 이에 쓰이는 주된 동사는 like, hate, mind, imagine, fancy, remember, understand 등이다.

보기 : I *saw* him *crossing* the street. / I *heard* her *playing* the piano. / I can *smell* something *burning*. / I don't *understand* him *behaving* like that. / I don't *like* the boys *playing* about here.

19. **(~+목+*done*)** — done은 과거분사를 나타낸다. 이 형에서는 과거분사는 목적보어로서 쓰이며, 일반적으로 목적어와의 사이에 피동의 관계가 성립한다. 이 형으로 쓰이는 주요 동사는 feel, hear, see, find, like, make, want, wish, get, have 따위이다.

보기 : She *heard* her name *called*. / I will *have* my watch *repaired*. / He *made* himself *understood*.

20. **(~+*that* 절)(~+(*that*)절)** — that 절은 접속사 that로 인도되는 명사절로서, 이 형의 문에는 ① 타동사의 목적어인 것, ② **(~+전+명)**의 형에서 쓰이는 자동사 가운데 전치사 없이 직접 that 절을 수반하는 것, ③ it seems [appears] that... 또는 it happened [chanced] that... 등의 형식이 있다. 또 구어에선 think, suppose, hope, wish, say 따위처럼 흔히 쓰이는 동사 뒤에서는 보통 that가 생략되는데, 그것은 **(~+(*that*)절)**로 표시했다.

보기 : ① I *think* (*that*) he is an honest man.
② He *insisted that* he was innocent. (*cf.* He *insisted on* his innocence.) / She *complained that* it was too hot. (*cf.* She *complained of* the heat.)
③ It *seems that* he is fond of sweets. / It *happened that* he was busy when I called.

21. **(~+목+*that* 절)** — 이 동사형에는 ① 목적어가 간접목적어이고 that 절이 직접목적어에 상당하는 것과, ② that 절이 동사형 **28** **(~+목+전+명)**의 전+명에 상당하는 것의 두 가지가 포함된다. 이 형으로 쓰이는 주된 동사는 ① show, teach, tell, promise, ② assure, convince, inform, remind, satisfy, warn 따위가 있다.

보기 : ① Experience has *taught* me *that* honesty pays. / He *promised* me *that* he would be home for dinner.
② They *warned* us *that* the roads were icy. (*cf.* They *warned* us *of* the icy roads.) / He *informed* us *that* he was willing to help. (*cf.* He *informed* us *of* his willingness to help.)

22. **(~+*wh. to* do)** — wh.는 주로 wh로 시작되는 의문대명사와 의문부사(how를 포함) 및 종속접속사 whether를 가리킨다. 다만, 동사형 **22**에서는 why는 쓰이지 아니한다. 이 동사형에서는 *wh.*+*to* do는

명사구를 이루며, 동사의 목적어가 된다.

보기 : We could not *decide what to* do. / I don't *know how to* play chess.

23. 《~+目+*wh. to* do》— 동사형 **22** 의 wh. to do 앞에 目이 놓인 형식으로, 주로 目은 간접목적어에, wh. to do는 직접목적어에 상당한다. 이 동사형에 쓰이는 주요 동사는 동사형 **25** 와 공통이며, 본래 동사형 **28** 에서 쓰이는 동사도 여기에 포함되어, advise, ask, inform, show, tell 따위이다.

보기 : *Ask* him *where to* put it. / I *showed* her *how to* do it. / Please *inform* me *where to* get them.

24. 《~+*wh.* 節》— 이 형에서 wh.절은 타동사의 목적어에 상당하며, wh.-words로는 동사형 **22** 에서 쓰이는 말 외에, 의문부사 why와 종속접속사 if(=whether)가 포함된다. 단, He meant *what he said.* 와 같은 글에서는 what는 관계대명사로' 인도되는 종속절이며, 동사형 **9** 에 속한다.

보기 : He *asked why* I was late. / Do you *know if* he is at home today?

25. 《~+目+*wh.* 節》— 형 **23** 의 wh. to do 대신 wh.-words로 인도되는 종속절이 사용되는 것 외에는 동사형 **23** 과 같다. 주로 目은 간접목적어, wh.절은 직접목적어에 해당.

보기 : *Ask* him *where* she lives. / Can you *tell* me *how* high the mountain is? / Please *inform* me *whether* this train stops at Yongsan.

26. 《~+目+目》— 앞의 目은 간접목적어, 둘째 目은 직접목적어이다. 간접목적어는 주로 사람을, 직접목적어는 주로 물건을 나타낸다. 간접목적어가 강조될 때, 또는 긴 경우에는 문장의 균형상, 직접목적어가 먼저 오고, 간접목적어는 to나 for의 뒤에 와, 동사형 **28** 이 된다. 수동태에선 양목적어가 다 주어로 될 수 있지만, 한쪽만 허용되는 것도 있다.

보기 : I *gave* him a watch. / *Tell* me the story. / Will you *buy* me some stamps?

27. 《~+目+副+目》— 맨 처음의 目은 간접목적어, 다음 目은 직접목적어이다. 이 동사형에서는 부사 또는 부사적 소사는 동사와 의미상 밀접히 관련되어 관용적인 구를 이루며, 간접목적어로서의 명사 또는 대명사는 그 사이에 온다. 그 때, 직접목적어의 위치는 항상 부사의 뒤이다. 직접목적어의 위치를 앞으로 옮기면, 《~+(직)目+副+前+名》 또는 《~+副+(직)目+前+名》이 된다. 《~+目+目+副》 또는 《~+副+目+目》으로는 되지 않는다. 전치사를 쓰는 형에서는 동사에 따라 to 또는 for가 사용된다.

보기 : Please *bring* me *back* those books. (=Please *bring back* those books to me.) / He *made* me *up* a parcel of books. (=He *made up* a parcel of books for me.)

28. 《~+目+前+名》— 이 동사형에는 ① 前+名이 의미상 동사와 밀접히 관련되어 관용적인 어군을 이루고, 동사에 따라 결합하는 전치사가 항상 일정한 것, ② 전치사는 주로 to 또는 for로 한정되며, 名은 동사형 **26** 《~+目+目》의 간접목적어에 상당하는 것, ③ 前+名이 장소·방향·기간 따위의 뜻을 나타내는 부사구인 것이 포함된다. ②에 쓰이는 동사는 동사형 **26** 과 같다. 전치사 for를 취하는 주요 동사는 buy, choose, get, save, make, grow, find, do, cook, leave, order, play, reach, prepare 따위이다.

보기 : ① I *congratulated* him *on* his success. / I *explained* the problem *to* him.
② He *sold* his old car *to* one of his friends. / She *made* coffee *for* all of us.
③ Don't *stick* your head *out of* the car window. / He *took* his children *to* the park.

29. 《~+前+名+*that*節》— 이 형에서는 that 절은 동사의 직접목적어에, 前+名은 간접목적어에 상당한다. 동사형 **21** 과 달리, 간접목적어는 반드시 前+名으로 표시된다. 前+名은 동사의 바로 뒤, that 절의 앞에 오며, 전치사로는 to가 쓰인다. 이 때 쓰이는 주요 동사엔 admit, complain, confess, explain, remark, say, suggest 등이 있다. 간접화법의 전달동사로서는 *say to* a person *that*... 보다는 *tell* a person *that*... 이 보편적.

보기 : He *explained to* us *that* he had been delayed by the weather. / He *suggested to* John and Mary *that* they go to Spain for their holidays.

약 어 표

a.	adjective(형용사)
ad.	adverb(부사)
aux. v.	auxiliary verb(조동사)
conj.	conjunction(접속사)
def. art.	definite article(정관사)
fem.	feminine(여성)
imit.	imitative(의성어)
impv.	imperative(명령법)
indef. art.	indefinite article(부정관사)
int.	interjection(감탄사)
mas.	masculine(남성)
n.	noun(명사)
p.	past(과거)
pl.	plural(복수)
pp.	past participle(과거분사)
pref.	prefix(접두사)
prep.	preposition(전치사)
pron.	pronoun(대명사)
rel. pron.	relative pronoun(관계대명사)
sing.	singular(단수)
suf.	suffix(접미사)
v.	verb(동사)
vi.	intransitive verb(자동사)
vt.	transitive verb(타동사)
&	and

Am. Ind.	American Indian
Am. Sp.	American Spanish
Can. F.	Canadian French
Egypt.	Egyptian
Finn.	Finnish
Goth	Gothic
LG	Low German
MDu	Middle Dutch
ME	Middle English
MHG	Middle High German
MLG	Middle Low German
NL	Neo-Latin
ODu	Old Dutch
OE	Old English
OF	Old French
OHG	Old High German
ON	Old Norse
Rom.	Romanic
Sem.	Semitic
W. Ind.	West Indies

《Ar.》	Arabic
《Austral.》	Australia
《Can.》	Canada
《Chin.》	Chinese
《D.》	Dutch
《F.》	French
《G.》	German
《Gr.》	Greek
《Haw.》	Hawaiian
《Heb.》	Hebrew
《Hind.》	Hindustani
《Hung.》	Hungarian
《Ind.》	India
《Ir.》	Irish
《It.》	Italian
《Jap.》	Japanese
《L.》	Latin
《Malay.》	Malayan
《N. Zeal.》	New Zealand
《Norw.》	Norwegian
《Per.》	Persian
《Pol.》	Polish
《Port.》	Portuguese
《Russ.》	Russian
《Sans.》	Sanskrit
《Sc.》	Scotch
《Slav.》	Slavic
《Sp.》	Spanish
《Swed.》	Swedish
《Teut.》	Teutonic
《Turk.》	Turkish
《Yid.》	Yiddish

《美》	미국 용법
《英》	영국 용법
《獨》	독일
《南아》	南아프리카
《프》	프랑스
《카리브》	Carib

〖建〗	建築
〖競〗	競技
〖經〗	經濟
〖考古〗	考古學
〖古그〗	古代그리스
〖古로〗	古代로마
〖古生〗	古代生物學
〖工〗	工學
〖空〗	航空
〖光〗	光學
〖鑛〗	鑛物(學)
〖敎〗	敎育
〖軍〗	軍事
〖拳〗	拳鬪
〖菌〗	細菌學
〖그史〗	그리스史
〖그神〗	그리스神話
〖劇〗	演劇
〖氣〗	氣象
〖基〗	基督敎
〖幾〗	幾何學
〖機〗	機械
〖論〗	論理學
〖農〗	農業
〖籠〗	籠球
〖代〗	代數學
〖動〗	動物
〖로法〗	로마法
〖로史〗	로마史
〖로神〗	로마神話
〖로켓〗	로켓工學
〖馬〗	馬術·乘馬
〖文〗	文學
〖物〗	物理學
〖美史〗	美國史
〖美蹴〗	美式蹴球
〖法〗	法律學
〖服〗	服飾
〖史〗	歷史・史學
〖寫〗	寫眞
〖社〗	社會學
〖商〗	商業
〖生〗	生物
〖生理〗	生理學
〖生化〗	生化學
〖船〗	造船·船舶
〖聖〗	聖書
〖修〗	修辭學
〖數〗	數學
〖植〗	植物
〖神〗	神話
〖心〗	心理學
〖樂〗	音樂
〖冶〗	冶金

〖野〗……野球
〖藥〗……藥學
〖魚〗……魚類
〖言〗……言語學
〖染〗……染色
〖泳〗……水泳
〖獵〗……狩獵
〖映〗……映畫
〖藝〗……藝術
〖英史〗……英國史
〖窯〗……窯業工學
〖料〗……料理
〖郵〗……郵便
〖宇宙〗……宇宙科學
〖韻〗……韻律學
〖遺〗……遺傳學
〖倫〗……倫理學
〖醫〗……醫學
〖印〗……印刷
〖電〗……電氣
〖電子〗……電子工學
〖政〗……政治學
〖晶〗……結晶
〖彫〗……彫刻
〖鳥〗……鳥類(學)
〖宗〗……宗教
〖宗史〗……宗教史
〖證〗……證券·株式
〖地〗……地理
〖織〗……織物·紡織
〖天〗……天文學
〖哲〗……哲學
〖鐵〗……鐵道
〖蹴〗……蹴球
〖蟲〗……昆蟲學
〖測〗……測量
〖齒〗……齒科
〖컴〗……컴퓨터
〖土〗……土木
〖統〗……統計學
〖TV〗……텔레비전
〖貝〗……貝類
〖프史〗……프랑스史
〖海〗……航海
〖解〗……解剖學
〖化〗……化學
〖畫〗……繪畫
〖環境〗……環境工學

《古》……古語
《口》……口語
《方》……方言
《卑》……卑語
《俗》……俗語
《詩》……詩語
《CB俗》……Citizens Band 속어
《兒》……小兒語
《廢》……廢語
《戱》……戱言
《學》……學生語
《美口》……美國口語
《美俗》……美國俗語
《婉》……婉曲語
《美方》……美國方言
《軍俗》……軍隊俗語
《옛투》……古風·약간古語
《比》……비유어
《蔑》……경멸적
《稀》……드물게

A

A[1], **a**[1] [ei] (*pl.* **A's, As, a's, as** [-z]) ① Ⓤ.Ⓒ 에이《영어 알파벳의 첫째 글자》. ② Ⓒ A 자 꼴(의 것) : an *A* tent, A 자꼴 천막. ③ Ⓒ 첫째〔제 1〕가정자(假定者), 갑(甲). ④ Ⓒ (A) 1류〔첫째〕의 것 ; (학업 성적의) 수(秀): straight *A's* 전과목 에이. ⑤ (A) Ⓤ 〖樂〗 가 음《고정(固定) 도 창법의 'la'》; 가 조 : *A* flat 내림 가음《기호 A♭》/ *A* major 〔minor〕 가 장조〔단조〕. ⑥ Ⓒ (흔히 *a* 자체로) 〖數〗 첫째 기지수(旣知數). ⑦ (A) Ⓤ (ABO 식 혈액형의) A형. ***from A to Z*** 처음부터 끝까지, 전부. ***not know A from B*** 일자 무식이다. ***the A to Z of*** …에 관한 모든 것.

†**a**[2], **an** [強 ei, 弱 ə], [強 æn, 弱 ən] *indef. art.* [one 과 동어원] ★ [ei, æn]의 발음은 부정관사를 독립하여 읽거나 특히 강조해서 말할 경우에만 쓰임 : '*A*' [ei] or '*an*' [æn] is the indefinite article.

> 語法 (1) 자음으로 시작되는 말 앞에서는 a, 모음으로 시작되는 말 앞에서는 an : *a* pen [ə-pén] / *an* egg [ən-ég] / *an* only child [ən-óunli-tʃáild] / *a* 2 [ə-tuː] / *an* 8 [ən-eit]. (2) 모음으로 시작돼도 발음이 j / w인 경우 a를 쓴다 : *a* one-act play / *a* European / *a* ewer / *a* useful tool. (3) 발음되지 않는 h+모음으로 시작되는 말에는 an 을 쓴다 : *an* hour / *an* honest boy. h 를 발음하는 경우엔 a 를 쓴다 : *a* hot day. h 가 발음되어도 그 음절에 악센트가 없을 때는 an 을 쓰는 일도 있지만, 일반적으로는 a 를 쓴다 : *a*(*n*) hotel [houtél] / *a*(*n*) histórian. 각각 발음되는 약어에서 첫 자가 모음으로 시작되면 an을 씀 : *an* MP / *an* SOS.

①〔많은 동종의 것 중 한 예를 가리킬 때 쓰이며, 흔히 번역하지 않음(one of many)〕: I am *a* boy. 나는 소년이다 / Call me *a* taxi. 택시를 불러다오. ★ 처음 화제에 오르는 단수 보통명사에 붙이는 a 도 이 부류에 속함. 같은 명사가 두 번째 쓰일 때에는 the 를 붙임 : I saw *a* man in my office. *The* man had come to ask a favor of me. 회사에서 한 남자를 보았다. 그는 내게 부탁할 일이 있어 왔다.

②〔one 과 같은 뜻〕 **a)** 하나의, 한 사람의 : *a* dollar, 1 달러 / *an* hour ago 한 시간 전 / in *a* day or two 하루 이틀에 / in *a* word 한마디로 말하면 / They were killed to *a* man. 마지막 한 사람까지 몰살을 당했다 / *a* hundred 〔*a* thousand〕 miles, 100〔1,000〕 마일. **b)** 일단 : Yes, I had *a* [ei] reply. 예, 일단 회답은 받았습니다(만)《불만스러움》.

> 語法 (1) 可算名詞의 단수형 앞에 와서 (막연히) 어떤 하나〔한 사람〕의 뜻 : *a* poet and novelist 시인이자 소설가《한 사람》≠ *a* poet and *a* novelist《두 사람》. 단, 한 사람이 양면 활동 또는 성질을 강조할 때에는 양쪽에 관사가 붙음 : He was *an* actor and *a* playwright. 그는 배우이며 또한 극작가였다.
> (2) 물질명사 앞에 a 를 붙여 보통명사화할 수 있음 : Waiter, bring me *a* coffee. 웨이터, 커피 한 잔 갖다 줘. We had *a* fire in the living room. 거실에 불이 났었다.

③〔any 의 뜻으로 총칭적 ; 흔히 번역하지 않음〕…라는 것은, …은 모두 : *A* tiger is *a* fierce animal. 호랑이는 맹수이다 / *A* dog is *a* faithful animal. 개는 충실한 동물이다 / *An* oak is harder than *a* pine tree. 참나무는 소나무보다 단단하다. ★[1] 복수구문이라도 some, any 는 쓰지 않음 : Dogs are faithful. ★[2] not a 는 not any=not a single 의 뜻으로 강한 부정 : *Not* '*a* soul was to be seen on the street. 거리에는 사람 그림자도 볼 수 없었다.

④〔some, a certain 의 뜻으로〕 어떤〔어느〕 (정도의), 약간의, 조금의 : in *a* sense 어떤 의미로는 / for *a* time 잠시 동안 / I have *a* knowledge of astronomy. (전문가는 아니지만) 천문학에 관해 좀 알고 있다.

⑤〔흔히 抽象名詞나 動名詞에 붙어 a kind of 의 뜻〕 일종의, 어떤 종류의 : It was painted *a* bright yellow. (일종의) 밝은 노랑으로 칠해졌다 / I began to take *a* liking for her. 그녀가 어쩐지 좋아지기 시작했다.

> 參考 유일물(唯一物)에 형용사가 붙을 때 a 가 쓰임. 이를테면 달은 유일물로서 일반적으로 *the* moon 이지만, a 가 올 때도 있음 : There was *a* beautiful moon in the sky. 하늘에는 아름다운 달이 떴다. What *a* (beautiful) moon! 얼마나 아름다운 달인가.

⑥〔固有名詞에 붙여서〕 **a)** …라는 (이름의) 사람 : *a* Mr. Smith 스미스씨라는 사람 / *A* Mr. John was looking for you. 존이라는 분이 당신을 찾았어요. **b)** …와 같은 (재능·성질이 있는) 사람 : *a* Newton 뉴턴과 같은 사람〔대(大)과학자〕/ *an* Edison 에디슨과 같은 발명가. **c)** …가문〔문중〕의 사람, …가문 출신 : *a* Smith 스미스 가문의 사람 / My mother was *a* Hodge. 어머니는 하지 가문 출신이었다. **d)** …의 작품, …의 제품 : *a* Ford 포드차 / It is *a* Matisse. 그것은 마티스의 작품이다. **e)** 문어(文語)에서, 사람 등의 새로운 양상(樣相)이나 그때까지 알려지지 않은 면을 나타냄 : *a* vengeful Peter 복수심에 불타는 피터.

⑦〔per 의 뜻〕…당, 한 …에, 매 …에 (얼마) : once *a* day 하루에 한 번 / 5 dollars *a* yard 야드당 5 달러 / We have English four hours *a* week. 영어가 일주일에 4 시간 있다.

⑧〔관용어법으로〕 few, little, good 〔great〕 many 의 앞에 붙임. cf. few, little, many.

⑨〔단음절 have, take, give, make 따위 動詞 뒤에서, 動詞의 원형을 그대로 名詞로 하여〕 일 회의, 한 번의 : He gave me *a* lift. 그는 차를 태워주었다 / Give it *a* pull. 그것을 힘껏(한 번) 당겨보시오 / Let's have 〔take〕 *a* walk. 산책합시다.

⑩〔基數詞와 함께〕 약(about) : *a* twenty miles 약 20 마일 / *a* thirty men 약 30명의 사람들.

⑪〔序數詞와 함께〕 또 한 번, 또 하나(의) (another) : He tried to jump up *a* third time. (두 번 뛰고 나서) 그는 다시 한 번 뛰어오르려 했다.

⑫〔of a … 형태로〕 동일한, 같은(one and the same) : Birds *of a* feather flock together 유유

상종(類類相從) / They are *of an* age. 그들은 동갑이다 / They are all *of a* mind. 그들은 모두 한 마음이다.
⑬ 〔a+最上級〕 대단히〔무척〕 …한 : It is *a* most discreet decision. 대단히 사려깊은 결정이다.

A

> 語法 **a (an)**의 어순 관사는 흔히 명사 또는 명사를 꾸미는 어군(語群) 앞에 오는 것이 정칙이나 다음 몇 가지 점에 주의할 것 : (1) how, however, so, as, too+形+a+名의 순(順) : How beautiful *a* day! / However beautiful *a* day it may be, ... / so good *a* student / as diligent *a* man as he 그 사람같이 부지런한 사람 / too difficult *a* problem 지나치게 어려운 문제. (2) quite, rather, half, such, what 는 흔히 a의 앞에 나옴 : quite *an* old man / rather *a* hard task / half *an* hour《미국에서는 종종 *a* half hour》. (3) no less 는 a 보다 앞섬 : no less *a* person than himself 다른 사람 아닌 바로 그 사람 자신. ★ this, that, some 등의 한정사나 my, his 등의 소유격과 a는 병렬할 수 없음 : *a this* 〔*this a*〕 boy, *a my*〔*my a*〕 son은 틀림.

a³ [ə] *prep.* 《口 · 方》 =OF : thread *a* gold 금실 / kind*a* 〔sort*a*〕 다소(kind of).
a-¹ *pref.* in, into, on, to, toward 의 뜻. ①〔名詞에 붙어〕: *a*foot 도보로 / *a*shore / *a*bed. ②〔動詞에 붙어〕: *a*buzz《★ ①, ② 공히 서술 형용사 · 부사를 만들며 명사 앞에는 오지 않음》. ③〔現在分詞에 붙어〕《古 · 詩 · 方》: go *a*-hunt*ing* (=go hunting) / The house is *a*-build*ing* (=is being built). 집은 건축 중.
a-² *pref.* non-, without-의 뜻 : *a*chromatic, *a*moral, *a*tonal.
A ampere(s) ; answer ; 〖化〗 argon. **A.** Absolute (temperature) ; Academician ; Academy ; Airplane ; America(n) ; April ; Army ; Artillery. **a.** about ; acre(s) ; act(ing) ; adjective ; afternoon ; age(d) ; alto ; ampere ; answer ; are² ; 〖野〗 assist(s) ; at.
Å angstrom.
@ [ət] *ad.* 《L.》 (=at) 〖商〗 단가 …로.
A.A. Alcoholics Anonymous ; Antiaircraft ; 《英》 Automobile Association.
A.A.A. [èièiéi, trípəl éi] 《英》 Amateur Athletic Association ; American Automobile Association(미국 자동차 협회).
aard·vark [ɑ́ːrdvɑ̀ːrk] *n.* Ⓒ 〖動〗 땅돼지《남아프리카산 개미핥기의 일종》.
Aar·on [ɛ́ərən, ǽr-] *n.* ①〖聖〗 아론《모세의 형, 유대교 최초의 제사장》. ② **Henry Louis** (*Hank*) ~ (행크) 아론《미국의 야구 선수 ; 통산 홈런 타수 755 ; 1934- 》.
AB [éibíː] *n.* Ⓤ (ABO 식 혈액형의) AB 형.
ab- *pref.* '이탈'의 뜻 : *ab*duct ; *ab*normal, *ab*use.
A.B. able-bodied (seaman) ; Bachelor of Arts.
ab·a·ca [æ̀bəkɑ́ː, ɑ̀ːbə-] *n.* ①Ⓤ,Ⓒ 〖植〗 마닐라삼《필리핀 주산》. ②Ⓤ 그 섬유, 아바카.
ab·a·ci [ǽbəsài] ABACUS의 복수꼴.
aback [əbǽk] *ad.* 뒤로 ; 〖海〗 맞바람을 받아. ***all*** ~ 〖海〗 (돛이) 모두 맞바람을 받아, (배가) 정지〔역행〕하여. ***be taken*** ~ (1) (뜻밖의 일)을 당하다, 깜짝 놀라(당황하)다 : I *was taken* ~ by the news. 나는 그 소식에 놀랐다 / Everyone stood aghast, too *taken* ~. 모든 사람은 너무나 놀라, 그저 망연히 서 있기만 했다. (2)〖海〗 (배가) 맞바람을 받다.

***ab·a·cus** [ǽbəkəs] (*pl.* ~**·es, -ci** [-sài]) *n.* Ⓒ ① 수판. ②〖建〗 (서양 건축에서) 기둥머리 맨 윗부분에 있는 편평한 판(板), 애버커스.
abaft [əbǽft, əbɑ́ːft] *ad.* 〖海〗 고물에〔로〕. ── *prep.* 〖海〗 (…보다) 고물에 가까이 ; (…의) 뒤에 : wind from ~ 순풍 / ~ the mast 돛대 뒤쪽에.
ab·a·lo·ne [æ̀bəlóuni] *n.* ①Ⓒ 〖貝〗 전복《그 조가비로 단추 · 장식품을 만듦》. ②Ⓤ 전복의 살.
‡aban·don¹ [əbǽndən] *vt.* ① (사람 · 장소 · 지위 등)을 버리다, 버려 두다 ; 버리고 떠나다 : She ~*ed* her husband and children. 그녀는 남편과 자식들을 버리고 떠났다 / ~ one's post 지위를 버리다 / *Abandon* ship! (침몰하고 있는) 배를 떠나라《무관사》/ The smile ~*ed* his lips. 그의 입가에서 웃음이 사라졌다. ② **a**) (중도에 계획 · 습관 등)을 단념하다, 그만두다 : ~ a research project 연구 계획을 단념하다 / ~ one's loose habits 칠칠치 못한 습관을 끊다. ★ give up 쪽이 구어적임. **b**) 《+목+전+명》 (…을) 그만두고 (…로) 하다 《*for*》: ~ law *for* art 법률을 그만두고 미술을 하다. ③《+목+전+명》(나라 · 땅 · 요새)를 (…에게) 넘겨주다(surrender) ; …을〔…의〕 임의대로 내맡기다《*to*》: ~ a city *to* a conqueror 정복자에게 도시를 내주다 / He ~*ed* her son *to* his fate. 그는 자식을 운명에 내맡기었다. ◇ abandonment *n.*
~ one***self to*** (drinking ; grief) (술에) 젖다〔빠지다〕 ; (비탄)에 빠지다〔잠기다〕.
aban·don² [əbǽndən] *n.* Ⓤ 《F.》 방종, 방자. ***with*** 〔***in***〕 ~ 멋대로, 마음대로 ; 닥치는 대로 : shout and cheer *in* gay ~ 멋대로 소리치고 환호하다 / dance *with* reckless ~ 분방하게 춤춰대다.
***aban·doned** [əbǽndənd] *a.* 〔限定的〕 ① 버림받은 ; 포기〔폐기〕된《집 · 차 등》: an ~ child 기아(棄兒) / an ~ car 타다 버린 차. ② (사람 · 행위가) 방종한, 파렴치한, 닳고닳은 : an ~ villain 〔woman〕 무뢰한(無頼漢)〔닳고닳은 여자〕.
aban·don·ment [əbǽndənmənt] *n.* Ⓤ ① 포기 : Little can now be done to prevent the ~ of the project. 그 계획의 포기를 막기 위해 할 수 있는 일은 이제 거의 없다. ② **a**) 자포자기. **b**) (자유)분방, 방자함. ◇ abandon *v.*
abase [əbéis] *vt.* (…의 지위 · 품격 등)을 깎아내리다, 낮추다 ; 창피를 주다. ~ one***self*** 자기의 품격을 떨어뜨리다 ; 비하하다.
abase·ment [-mənt] *n.* Ⓤ (품위 등의) 실추 ; 굴욕 ; 비하 : (the) ~ of the law 법 권위의 실추 / The pilgrims knelt in self-~. 순례자들은 겸허하게 무릎을 꿇었다.
abash [əbǽʃ] *vt.* 〔주로 受動으로〕 …을 부끄럽게 하다 ; (아무)를 당혹하게 하다 : She seemed both ~*ed* and secretly delighted at Dan's gift. 그녀는 댄의 선물에 당혹한 듯하면서도 남몰래 기뻐하는 것 같았다. ***be*** 〔***feel***〕 ~***ed*** (부끄러워) 겸연쩍어하다《*at*》: She *was* 〔*felt*〕 ~*ed at* the sight of the room filled with strangers. 낯선 사람으로 가득찬 방을 보고 그녀는 머뭇머뭇하였다.「혹, 당혹.
abash·ment [-mənt] *n.* Ⓤ 몹시 부끄러워 함, 곤
***abate** [əbéit] *vt.* ① (수 · 양 · 정도 따위)를 줄이다 ; (값)을 내리다 ; (세)를 낮추다 ; (고통 · 기세 따위)를 덜다, 누그러뜨리다 : ~ the tax burden 세(稅) 부담을 경감하다 / The medicine ~*d* the pain. 약으로 아픔이 누그러졌다. ②〖法〗 (안온 방해)를 배제하다, (영장)을 무효로 하다 : ~ a nuisance (소음 등) 안온 방해가 되는 것을 제거하다. ── *vi.* 줄다 ; (기세 등이) 약해지다, 누그러지다 ; (폭풍우 · 유행병 등이) 가라앉다, 자다 : The storm

〔noise〕 ~*d*. 폭풍〔소란〕이 가라앉았다 / The fighting in the area shows no sign of *abating*. 그 지역의 싸움은 누그러질 조짐이 보이지 않는다.

abate·ment [-mənt] *n.* ① **a)** Ⓤ 감소; 감퇴; 감액 : allow no ~ from the price 값을 깎아 주지 않다 / noise ~ 소음 억제. **b)** Ⓒ 감소액; (특히) 감세액. ② Ⓤ 〖法〗 (안온 방해의) 배제.

ab·a·tis [ǽbətiː, -tis, əbǽtiː, -tis] (*pl.* ~ [-tiːz], ~**·es** [-tisiz]) *n.* Ⓒ (적의 침입을 방지하려고 뾰족한 나뭇가지를 두른) 녹채(鹿柴), 가시 울타리.

ab·at·toir [ǽbətwɑ̀ːr] *n.* Ⓒ 《F.》 도살장.

ab·ba·cy [ǽbəsi] (*pl.* **-cies**) *n.* Ⓤ,Ⓒ 대수도원장(abbot)의 직(권)·관구·임기.

ab·bess [ǽbis] *n.* Ⓒ 여자 대수녀원장.

ᵻ**ab·bey** [ǽbi] (*pl.* **-s**) *n.* ① Ⓒ (abbot 또는 abbess 가 관할하는) 대수도원; 그 건물. ② Ⓒ (본디 대수도원이었던) 대성당 또는 큰 저택(邸宅). ③ (the A-) = WESTMINSTER ABBEY.

***ab·bot** [ǽbət] *n.* Ⓒ 대수도원장.

ᵻ**ab·bre·vi·ate** [əbríːvièit] *vt.* ① 《~+目/+目+前+名/+目+as 補》 (어·구)를 약(略)해서 쓰다, 생략〔단축, 요약〕하다 《*to*》 : ~ a word 낱말을 단축하다 / ~ "verb" *to* v, verb 를 v 로 줄이다 / Christmas is ~*d as* Xmas. 크리스마스는 Xmas 로 약한다. ② (이야기·방문 등)을 단축하다 : ~ one's visit 일찌거니 하직하다.

ᵻ**ab·bre·vi·a·tion** [əbrìːviéiʃən] *n.* ① Ⓤ 생략, 단축. ② Ⓒ 생략형, 약어, 약자《*for; of*》: "TV" is an ~ *for*〔*of*〕"television." TV는 television의 약어이다.

> 參考 단어의 생략은 (1) period《.》로 표시함 : Jan. [◂January] / cf. [◂confer]. (2) 어미(語尾)를 남길 때도 같은 방식이 보통이나, 《.》를 안 쓰는 방식도 있음 : Mr. *or* Mr [◂Mister] / Ltd. *or* Ltd [◂Limited] / Sgt. *or* Sgt [◂Sergeant]. (3) 자주 쓰이는 술어·대문자어에서는 《.》를 안 쓰는 일이 많음 : OE *or* O.E. [◂Old English] / SE [◂South-East] / UNESCO [◂ United Nations Educational, Scientific, and Cultural Organization]. (4) 생략에 의해 된 신어에서 《.》는 불필요함 : bus [◂omnibus] / ad [◂advertisement] / exam [◂examination].

ABC** [éibìːsíː] (*pl.* ~**'s**, ~**s** [-z]) *n.* Ⓤ,Ⓒ ① (one's 〔the〕 ~('s)) 에이 비 시, 알파벳; 읽기·쓰기의 초보 : learn *one's*〔*the*〕 ~('*s*)에이비시를 배우다; 읽기·쓰기의 첫걸음을 배우다. ② (the ~('s)) 초보, 기본, 입문(서) : an ~ book 입문서 / *the* ~ of economics 경제학 입문《★ ①, ② 공히 《美》에서는 흔히 복수꼴로 씀》. ***as simple 〔***plain, easy***〕 ***as*** ~ 아주 뻔한, 실로 간단한.

ABC, A.B.C. American Broadcasting Company 《미국 3 대 방송 회사의 하나》.

ab·di·cate [ǽbdikèit] *vt.* ① (왕위 등)을 버리다. ② (권리·책임 등)을 포기하다, 버리다. ── *vi.* (왕위 등에서) 퇴위하다《*from*》: The last French King was Louis Philippe, who ~*ed* in 1848. 프랑스의 마지막 왕은 루이 필리프인데, 그는 1848 년에 퇴위했다. ㊎ **áb·di·cà·tor** [-tər] *n.* Ⓒ 포기하는 사람; 양위자.

ab·di·ca·tion [æ̀bdikéiʃən] *n.* Ⓤ,Ⓒ ① 퇴위(退位)《*of* ; *from*》. ② (권리 등의) 포기, 기권 : The council denied that their decision represented any ~ of responsibility. 심의회는 그들의 결정이 책임의 포기를 뜻하는 것은 아니라고 하였다.

***ab·do·men** [ǽbdəmən, æbdóu-] (*pl.* ~**s**, **-dom·i·na** [æbdɑ́mənə, əb- / -dɔ́m-]) *n.* Ⓒ ① 〖解〗 (사람·포유 동물의) 배, 복부. ② (곤충 따위의) 복부. ★ belly 보다 품위있는 말.

***ab·dom·i·nal** [æbdɑ́mənəl / -dɔ́m-] *a.* 배의, 복부의 : the ~ walls 〔cavity〕 복벽〔복강〕/ ~ respiration 복식 호흡 / ~ muscles 복근(腹筋) / an ~ operation 개복 수술.

ab·duct [æbdʌ́kt] *vt.* ① (…를 폭력·책략으로) 유괴하다《*from*》: The company director was ~*ed from* his car by terrorists. 그 회사 중역이 테러리스트들에게 자기 차에서 유괴되었다. ② 〖生理〗 (손·발 등)을 외전(外轉)시키다. opp *adduct*. ㊎ **ab·dúc·tion** [-ʃən] *n.* Ⓤ ① 유괴, 부녀 유괴. ② 〖生理〗 외전. opp *adduction*.

ab·duc·tor [æbdʌ́ktər] *n.* Ⓒ 유괴자 : She cooperated with her ~ for fear that something might happen to the child. 아이에게 무슨 일이 생길까 두려워 유괴자에게 협력하였다. 「칭」.

Abe [eib] *n.* 에이브《남자 이름 ; Abraham 의 애칭》.

abeam [əbíːm] *ad.* 〖海·空〗 (배〔항공기〕의 동체와) 직각 방향으로 ; 뱃전을 마주 보고 : The vessel was sailing with the wind directly ~. 배는 옆바람을 직각으로 받으며 항행하고 있었다.

Abel [éibəl] *n.* 〖聖〗 아벨《Adam 의 둘째 아들, 형 Cain 에게 피살됨 ; 창세기 Ⅳ: 2》.

ABEND [ɑ́ːbend] *n.* 〖컴〗 (작업의) 비정상 종료(終了)《컴퓨터가 그릇된 프로그램을 검출하여 작업을 도중에서 종료함》.

Ab·er·deen [æ̀bərdíːn] *n.* 애버딘《스코틀랜드 북부 Grampian 주의 주도(州都)》.

Áberdeen Ángus [-ǽŋgəs] 스코틀랜드 원산의 뿔 없는 검은 식용우.

ab·er·rance, -ran·cy [æbérəns], [-si] *n.* Ⓤ 상궤를 벗어남; 비정상, 이상(異常).

ab·er·rant [əbérənt, ǽbər-] *a.* 정도를 벗어난, 상도를 벗어난; 〖生〗 이상형(異常型)의 : ~ behavior 정도를 벗어난 행동. ㊎ ~**·ly** *ad.*

ab·er·ra·tion [æ̀bəréiʃən] *n.* Ⓤ,Ⓒ ① 상궤를 벗어남, 탈선(행위) : He said that the decline in the company's sales last month was just a temporary ~. 그는 지난 달 회사의 매출 감소는 단지 일시적인 이상 현상이라고 말했다. ② 〖醫〗 정신 이상〔착란〕《특히 일시적인》. ③ 〖物〗 (렌즈의) 수차(收差). ④ 〖天〗 광행차(光行差). ⑤ 〖生〗 변이(變異), 이상(異常).

abet [əbét] (**-tt-**) *vt.* ① (나쁜 일·범죄)를 부추기다, 선동〔교사〕하다 : ~ a crime. ② 《+目+前+名》 …을 부추겨 (나쁜 일·범죄를) 하게 하다 《*in*》: (부)추기다, 선동〔충동, 교사〕하다 : ~ a person *in* a theft 아무를 부추겨 도둑질하게 하다 / His accountant aided and ~*ted* him *in* evading his taxes. 그의 회계원이 그를 탈세하도록 돕고 부추겼다. ***aid and*** ~ ⇨ AID.

abet·ment [-mənt] *n.* Ⓤ 선동, 교사.

abet·tor, -ter [əbétər] *n.* Ⓒ 교사자, 선동자.

abey·ance [əbéiəns] *n.* Ⓤ 중지(상태), 중단, 정지; 미정 : ***be in*** ~ 일시 중지되다, 정지중이다 : Hostilities between the two groups have *been in* ~ since last June. 두 단체간의 적대 행위는 지난 6월부터 중단되었다. ***fall*** 〔***go***〕 ***into*** ~ (법률·규칙·제도 등이) 일시 정지되다; (습관 따위가) 사라지다 : The tradition has *fallen into* ~. 그 관례는 사라졌다. ***hold*** 〔***leave***〕 ***. . . in*** ~ …을 미정〔미결〕인 채로 두다 : The project is being *held in* ~ until agreement is reached on funding it. 그 계획은 자금 조성에 대한 합의가 이루어질 때까지 보류되고 있다.

***ab·hor** [æbhɔ́ːr] (**-rr-**) *vt.* …을 몹시 싫어하다, 혐오〔증오〕하다; 거부하다 : I ~ violence. 폭력은

질색이다 / They ~ all forms of racism. 그들은 모든 형태의 인종 차별주의를 거부한다. cf. horror. ◇ abhorrence *n.*

ab·hor·rence [æbhɔ́:rəns, -hɑ́r-] *n.* Ⓤ (또는 an ~) 증오, 혐오감; Ⓒ 딱 질색인 것: She looked at him in〔with〕 ~. 그녀는 증오에 찬 눈으로 그를 보았다. ◇ abhor *v.* ***have an ~ of*** = ***hold . . . in ~*** …을 몹시 싫어하다: She *has an ~ of* change. 그녀는 변화를 무척이나 싫어한다.

ab·hor·rent [æbhɔ́:rənt, -hɑ́r-] *a.* ① **a)** (행위 등이) 가증스러운, 몹시 싫은: an ~ crime 가증스러운 범죄, **b)** 〔敍述的〕 (사람 등에 있어) 혐오해야 할《*to*》: Dishonesty is ~ *to* him. 그는 부정직함을 아주 싫어한다. **c)** 〔敍述的〕 (…을) 싫어하는《*of*》: He's ~ *of* compromise. 그는 타협을 싫어한다. ② 〔敍述的〕 (…에) 상반되는, 모순되는《*to*》; (…와) 동떨어진《*from*》: To do such a thing would be ~ *to* my principles. 그런 행위는 나의 주의에는 맞지 않는다.

ab·hor·rer [æbhɔ́:rər, -hɑ́r-] *n.* Ⓒ 싫어〔증오〕하는 사람.

‡**abide** [əbáid] (*p., pp.* ***abode*** [əbóud], ***abid·ed***) *vi.* 《+전+명》 ① 머무르다, 묵다《*in* ; *at*》; (아무의 곳에) 있다《*with*》: *Abide with* us. 우리와 함께 있거라 / ~ *in* London 런던에 체류하다. ② 살다《*at* ; *in*》. ── *vt.* 《~+목 / +*to* do / -*ing*》 〔can could 와 함께 疑問·否定으로〕 (…하는 것)을 참다: I *cannot* ~ that rude man. 저 막돼먹은 사람에 대해선 참을 수 없다 / I *cannot* ~ hear*ing*〔*to* hear〕 you cry so bitterly. 네가 그렇게 슬피 우는 것을 차마 듣고 있을 수 없다. ◇ abode *n.* ***~ by*** (1) (약속·결의·규칙 등)을 지키다: You must ~ *by* your promise. 자기의 약속은 지켜야 한다. (2) (협정·결정·운명 따위)에 따르다; …을 감수하다: ~ *by* the referee's dicision 심판의 판정에 따르다 / You must ~ *by* the consequences of your decision. 자기가 결정한 결과는 감수해야 한다. ***~ with*** a person 아무의 집에 머무르다; 아무와 함께 있다: a love that ~*s with* him all his days 그가 살아 있는 동안 함께 지낸 연인.

abid·ing [əbáidiŋ] *a.* 〔限定的〕 지속〔영속〕하는, 영속적인: (an) ~ friendship 변치 않는 우정.

ab·i·gail [ǽbəgèil] *n.* Ⓒ 시녀, 몸종.

‡**abil·i·ty** [əbíləti] *n.* ① Ⓤ (…할) 능력(이 있음)《*to* do》: I do not doubt his ~ *to* do it. 그가 그것을 할 수 있다고 확신한다. ② **a)** Ⓤ 능력, 기량; 역량《*in* ; *for*》: He has (an) unusual ~ *in* English. 그에게는 영어에 남다른 재능이 있다 / ~ *in*〔*for*〕 one's work 일을 해낼 수 있는 능력 / The job is beyond his ~. 그 일은 그의 능력 밖이다 / He performed the role with great ~. 그는 그 역할을 훌륭히 해내었다. **b)** Ⓤ (흔히 *pl.*) 재능, 기량: manifold *abilities* 다방면의 재능 / a woman of literary ~ 문필의 재능이 있는 여성. ◇ able *a.* ***a man of ~***〔***abilities***〕 수완가. ***to the best of*** one***'s ~*** 힘이 미치는 한, 힘껏. ***with great ~*** 아주 잘.

-ability *suf.* -able 에 대한 명사 어미: cap*ability*.

ab in·i·ti·o [æb-iníʃiòu] 《L.》 처음부터《略: *ab init.*》. [◂'from the beginning'의 뜻]

***ab·ject** [ǽbdʒekt, -́-] *a.* ① 〔限定的〕 영락한, 비참한, 절망적인《상태》: ~ poverty 적빈, 찰가난 / This scheme was an ~ failure. 이 계획은 비참하게 실패했다. ② 야비한, 비열한, 경멸할, 비굴한《사람·행위》: make an ~ apology 손이야 발이야 빌다 / an ~ liar 비열한 거짓말쟁이. ㊕ **~·ly** *ad.* 비참하게; 비굴하게.

ab·jec·tion [æbdʒékʃən] *n.* Ⓤ ① 영락(한 상태), (신분의) 천함. ② 비열〔비굴〕(한 행위).

ab·ju·ra·tion [æbdʒəréiʃən] *n.* Ⓤ,Ⓒ 〔구체적으로는〕 맹세하고 그만둠; (고국·국적) 포기; 이단 포기 선서.

ab·jure [æbdʒúər / əb-] *vt.* ① (권리·충성 등)을 맹세하고 포기하다. ② (주의·신앙·나라 등)을 정식으로 취소하다, 버리다: He ~*d* his religion. 그는 맹세코 자신의 신앙을 버렸다 / He ~*d* his life of dissipation. 그는 방탕한 생활을 그만두었다.

Ab·kház Repúblic [æbkɑ́:z-] (the ~) 아브하즈 공화국《Gruziya 공화국 내의 자치 공화국》.

ab·la·tion [æbléiʃən] *n.* Ⓤ ① (수술 등에 의한) 제거, 절제. ② 〖로켓〗 융발(溶發), 융제(融除)《우주선의 대기권 재돌입시 피복(被覆) 물질이 녹아 증발하는 현상》.

ab·la·tive [ǽblətiv] 〖文法〗 *a.* 탈격(奪格)의: the ~ case 탈격.
── *n.* ① (the ~) 탈격('…에서'의 뜻으로 동작의 수단·원인·장소·때 따위를 나타내는 라틴어 명사의 격(格). 영어의 from, by, at, in 따위로 만드는 부사구에 해당함). ② Ⓒ 탈격어(형).

ab·laut [ɑ́:blaut, ǽb-] *n.* Ⓤ 《G.》〖言〗 모음 전환 (gradation)《보기: s*i*ng, s*a*ng, s*u*ng 등》. cf. umlaut ①.

ablaze [əbléiz] *a.* 〔敍述的〕 ① (활활) 타오르는: In a moment the tents were ~. 순식간에 천막들은 불타올랐다. ② **a)** (사물이 빛 따위로) 번쩍거리는, 빛나는《*with*》: The sky was ~ *with* fireworks. 하늘은 불꽃놀이 불꽃으로 빛나고 있었다. **b)** (분노·정열 등으로) 격하여, 흥분하여《*with*》: His eyes were ~ *with* anger. 그의 눈은 노기로 이글거렸다. ***set ~*** 타오르게 하다: The car was *set* ~. 차가 화염에 휩싸였다.

†**able** [éibəl] (***abl·er*** ; ***-est***) *a.* ① 〔敍述的〕 …할 수 있는, 해낼 수 있는《*to* do》: a man ~ *to* speak English 영어를 말할 수 있는 사람.

> 語法 (1) can 대신에 쓰이는데 특히 can에는 미래형·완료형이 없으므로 will〔shall〕 be able to, have〔has, had〕 been able to로 보충함: Will he *be* ~ *to* come tomorrow? 그분은 내일 오실 수 있을까요. No one *has* ever *been* ~ *to* do it. 지금까지 아무도 그것을 할 수 없었다. (2) 또 can의 과거형은 could이나 가정 따위의 뜻으로도 쓰이므로 was〔were〕 able to를 잘 씀: I *was* ~ *to* pass the exam. '시험에 합격할 수 있었다'를 I *could* pass the exam.으로 하면 가정법적인 뜻으로 '시험에 합격할 수 있을지도 모른다'라고 새기기 쉬움. 특히 곤란을 극복한 경우 따위에는 could는 안 씀: It took a long time, but in the end I *was* ~ *to* convince him. 장시간 걸렸으나 끝내 그를 납득시킬 수 있었다. (3) 이 뜻일 때의 비교급은 better〔more〕 able to... than...이 됨.

② **a)** (일을 행함에) 유능한, 솜씨 있는: He was an unusually ~ detective. 그는 아주 유능한 형사였다. **b)** (the ~) 〔名詞的, 集合的; 複數 취급〕 유능한 사람들. ◇ ability *n.*

-able *suf.* ① 타동사에 붙어서 '…할 수 있는' '…하기에 적합한' '…할 만한'의 뜻: eat*able*. us*able*. ★ 흔히 수동적인 뜻이 됨: lov*able* (=that can be loved)에 대하여 loving (=showing love)의 뜻은 능동적. ② 명사에 붙여 '…에 적합한' '…을 좋아하는' '…을 주는'의 뜻의 형용사를 만듦: peace*able* ; marriage*able*. ◇ -ability, ~ness *n.*

able-bod·ied [éibəlbádid / -bɔ́d-] *a.* ① (육체가) 강건한, 튼실한. ② (the ~) 〔名詞的, 集合的; 複數 취급〕 강건한 사람들.

áble(-bodied) séaman 〖海〗 A.B. 급 해원〔선원〕《숙련 유자격 갑판원 ; 略 : A. B.》.

abloom [əblú:m] *a.* 〔敍述的〕 꽃이 피어, 개화하여(in bloom)《*with*》.

ab·lu·tion [əblú:ʃən] *n.* ① 《口》 U.C 〖基〗 (성찬식 전후에 손과 성기(聖器)를 씻는) 세정식(洗淨式). ② (주로 *pl.*) 《口》 몸〔얼굴, 손 (등)〕을 씻음 : perform〔make〕 one's ~*s* 몸을 씻다 ; 목욕재계하다.

ably [éibli] *ad.* 훌륭히, 교묘히, 솜씨 있게.

-ably *suf.* '…할 수 있게'의 뜻의 부사를 만듦 : demonstr*ably*, pleasur*ably*.

ABM antiballistic missile.

ab·ne·gate [ǽbnigèit] *vt.* ① (소신·권리 따위)를 버리다, 포기하다. ② (쾌락 따위)를 끊다.

ab·ne·ga·tion [æ̀bnigéiʃən] *n.* U ① (권리·책임·신념 등의) 포기. ② 금욕, 극기.

‡**ab·nor·mal** [æbnɔ́:rməl] (***more ~ ; most ~***) *a.* 정상이 아닌 ; 변칙의, 불규칙한 ; 변태의, 병적인. OPP *normal.* ¶ have an ~ IQ 지능 지수가 아주 높다〔낮다〕 / an ~ person (법적으로) 무능력자. ◇ abnormality *n.* 㲺 ~**·ly** *ad.* 보통이 아니게, 예외적으로, 불규칙하게, 변태적으로 : ~*ly* cold 유별나게 추운.

ab·nor·mal·i·ty [æ̀bnɔ:rmǽləti] *n.* U 이상(성), 변칙, 변태 ; C 이상물(物), 변칙적인 것〔일〕, 기형 : The X-rays showed some slight ~. X선 사진은 경미한 이상이 좀 있음을 보여주었다. ◇ abnormal *a.*

abnórmal psychólogy 변태〔이상〕 심리(학).

‡**aboard** [əbɔ́:rd] *ad.* 배〔비행기, 열차, 버스〕를 (타고) : have ... ~ …을 태우고〔싣고〕 있다 / a jetliner with 93 people ~, 93명을 태운 제트 여객기 / It had taken two hours to load all the people ~. 사람들을 모두 태우는 데 두 시간 걸렸다. ── *prep.* ① …을 타고. ② 《美》 기차〔비행기, 버스〕로 : get ~ a bus 버스를 타다 / climb ~ a plane 비행기를 타다. ***All ~ !*** (1) 여러분 승선〔승차〕해 주십시오《떠납니다》. (2) 전원 승선〔승차〕 완료《출발 준비》. ***go ~*** …에 승선〔승차, 탑승〕하다. ***keep the land ~*** 육지를 따라 항행하다. ***take ... ~*** …을 태우다, 싣다. ***Welcome ~!*** 이 배〔비행기, 차〕에 타신 것을 환영합니다.

‡**abode**[1] [əbóud] *n.* C (흔히 *sing.*) 주소, 주거, 거처 : I went round the streets and found his new ~. 나는 거리를 여기저기 다녀 그의 새 거처를 찾았다. ◇ abide *v.* ***make*** 〔***take up***〕 ***one's ~*** 거주하다, 주거를 정하다, 체재하다《*at ; in*》: He *took up* his ~ *in* the city. 그 시에 그는 주거를 정하였다. ***without any fixed ~ = of*** 〔***with***〕 ***no fixed ~*** 주소 부정의.

abode[2] ABIDE 의 과거·과거분사.

***abol·ish** [əbáliʃ / əbɔ́l-] *vt.* (관례·제도·법률 등)을 폐지〔철폐〕하다 ; 완전히 파괴하다 : This evil custom must be ~*ed*. 이 나쁜 습속은 폐지되어야 한다. ◇ abolition *n.* 㲺 ~**·a·ble** *a.* 폐지할 수 있는. ~**·ment** *n.*

***ab·o·li·tion** [æ̀bəlíʃən] *n.* U ① (법률·습관 등의) 폐지, 철폐, 전폐《*of*》: the ~ *of* the death penalty 사형 폐지. ② (때로 A-) 《美》 노예(제도) 폐지.

ab·o·li·tion·ism [æ̀bəlíʃənìzm] *n.* U (사형·노예제도 등의) 폐지론.

ab·o·ma·sum, -sus [æ̀bəméisəm], [-səs] (*pl.* ***-sa*** [-sə] ; ***-si*** [-sai, -si:]) *n.* C (반추 동물의) 제 4 위(胃), 주름위, 추위(皺胃).

A-bomb [éibàm / -bɔ̀m] *n.* C 원자 폭탄(atom bomb)《★ 수소 폭탄은 H-bomb》.

***abom·i·na·ble** [əbámənəbəl / əbɔ́m-] *a.* ① 지긋지긋한, 혐오스러운, 언어 도단의 : an ~ crime 극악 무도한 범죄. ② 《口》 (사람·행위·날씨 등이) 지겨운, 불쾌한, 지독한 : ~ behavior 지독한 행위〔태도〕 / The weather was ~ last week. 지난 주는 대단한 악천후였다. 㲺 **-bly** *ad.* 가증스레 ; 《口》 몹시, 지독히.

Abóminable Snówman ⇨SNOWMAN.

abom·i·nate [əbámənèit / əbɔ́m-] *vt.* ① (…을) 지겨워하다, 혐오〔증오〕하다 : I ~ cruelty to animals. 나는 동물 학대를 증오한다. ② 몹시 싫어하다, 질색하다 : I ~ overpraising. 지나친 칭찬은 싫다《★ abominate to overpraise 와 같이 부정사를 취하면 틀림》. 㲺 **-nà·tor** *n.*

abom·i·na·tion** [əbàmənéiʃən / əbɔ̀m-] *n.* ① U 혐오, 증오, 싫음. ② C **a)** 지겨운 사물〔행위〕: Spitting in public is an ~. 사람 앞에서 침을 뱉음은 꺼림칙한 행위이다 / commit ~*s* 꺼림칙한 행위를 하다. **b)** (…에게 있어) 아주 싫은 것《*to*》: The sight of you is an ~ *to* me. 너 따윈 보기만 해도 지긋지긋하다. ***hold ... in ~ …을 몹시 싫어하다(=hold an ~ for ...).

ab·orig·i·nal [æ̀bərídʒənəl] *a.* 〔限定的〕 ① 원래〔토착〕의 : ~ races〔fauna, flora〕 토착 민족〔동물, 식물〕. ② **a)** (A-) 오스트레일리아 원주민의. **b)** 원주민〔토착민〕의 : the ~ people of Tahiti 타히티의 원주민 / ~ languages 토박이말. ── *n.* = ABORIGINE. 㲺 ~**·ly** [-i] *ad.* 당초부터, 원래는.

àb·orìg·i·nál·i·ty [-nǽləti] *n.* 원생 상태, 토착 ; 원시성.

ab·orig·i·ne [æ̀bərídʒəni:] *n.* C ① (흔히 *pl.*) 원주민, 토착민. ② (A-) 오스트레일리아 원주민. ③ (*pl.*) (어느 지역에) 고유한 동식물군(群).

abort [əbɔ́:rt] *vi.* ① (여성이) 유산〔낙태〕하다 (miscarry), 임신 중절하다 : The pill causes women to ~, and is not approved by the Food and Drug Administration. 그 경구 피임약은 여성의 유산을 유발하므로, 식품 의약품국의 인가를 얻지 못하고 있다. ② 〖生〗 (동식물·기관(器官) 등이) 발육하지 않다, 퇴화하다. ── *vt.* ① **a)** (태아)를 유산시키다, 낙태시키다. **b)** (임신)을 중절하다 : It is better to ~ a pregnancy in its early stages rather than later on. 임신 중절은 뒤늦게 하는 것보다 오히려 그 초기 단계에 하는 것이 좋다. ② **a)** (계획 등)을 중지하다 : Peace talks had to be ~*ed*. 평화회담을 중지할 수밖에 없었다. **b)** (미사일 발사 등)을 중단〔중지〕하다 : The launching has been ~*ed*. (로켓·미사일의) 발사가 중지되었다. ③ 〖컴〗 (프로그램 진행)을 중단하다.

abor·tion [əbɔ́:rʃən] *n.* ① U.C 유산(miscarriage) ; 임신 중절, 낙태 : get 〔have, procure〕 an ~ 낙태시키다. ② C 임신 중절 수술. ③ U (계획 등의) 실패 ; C 좌절된 계획, 실현되지 못한 안건(案件) : The attempt proved an ~. 계획은 실패로 끝났다. ④ U.C 〖生〗 (기관의) 발육 부전(不全)〔정지〕. ◇ abort *v.*

abor·tion·ist [-ʃənist] *n.* C 낙태 시술자 ; 낙태 지지자.

abor·tive [əbɔ́:rtiv] *a.* ① 유산의 ; 〖生〗 발육 부전의, 미성숙의. ② 실패한 : an ~ enterprise 실패로 끝난 사업 / His efforts proved ~. 그의 노력도 허사였다. 㲺 ~**·ly** *ad.*

***abound** [əbáund] *vi.* ① (동물·물건이 …에) 많이 있다《*in ; on*》: Frogs ~ *in* this meadow. 이 초지에는 개구리가 많다 / Cows ~ *on* that farm. 저 농장에는 젖소가 많다. ② (장소 따위가 …로)

그득하다, 풍부하다, 충만하다《*in*; *with*》: This meadow ~*s in* 〔*with*〕 frogs. 이 초지에는 개구리가 많다 / English ~*s in* 〔*with*〕 idioms. 영어는 이디엄이 풍부하다. ◇ abundant *a.* abundance *n.*

> [語法] ①②는 주어를 바꾸어 문장을 구성할 수 있으나 다음 예에서는 불가함: She ~*s in* good will. 그녀는 선의에 차 있다(≠Good will ~*s* in her.).

[파] ~·**ing** *a.* 풍부한, 많은. ~·**ing·ly** *ad.*

†**about** [əbáut] *prep.* ① …에 대〔관〕하여: a book ~ gardening 원예(園藝)에 관한 책 / talk ~ business 사업 이야기를 하다 / They had a quarrel ~ money. 그들은 돈 때문에 싸웠다 / He knows all ~ it. 그는 그것에 대해 전부 알고 있다 / *About* what? 〔What ~?〕 무슨 일인가 / Tell me what it's (all) ~. 무슨 일인지 말해 줘 / What is this fuss all ~? 대체 무슨 일로 이렇게 시끄러운가 / How ~ it? 그걸 어떻게 생각하나 / She is crazy 〔mad〕 ~ Robert. 그녀는 로버트에게 미쳐〔열중해〕 있다 / He was anxious (~) how you were getting on. 자네가 어떻게 살고 있는지 그는 걱정하고 있었다《★ wh. 절·구 앞의 about는 《口》에서는 흔히 생략됨》.
② …경(에), …(때)쯤: ~ the middle of June, 6월 중순경 / ~ noon 정오 때쯤 / He came ~ four o'clock. 그는 네 시쯤 왔다.

> [參考] toward(s)는 그 시간으로의 옮아감·접근을 가리키며 '새벽녘' '해질 무렵' 등의 '녘' 또는 '무렵'에 해당함: *toward* night 밤이 가까워지자 / *toward* the end of April, 4월말이 가까워지자. 또한 around는 《美口》에서 종종 about의 뜻으로 씀: *around* Christmas 크리스마스 무렵에〔를 전후(前後)하여〕 / *around* three o'clock 세 시경(에).

③ …의 근처〔부근〕에(《주로 美》 around); (건물 등의) 안 어디엔가: somewhere ~ here 이 근처 어디에 / He is ~ the house. 그는 집 안에 있다《★ around는 '막연한 부근', about는 꽤 한정된 부근을 나타냄》.
④ …의 둘레〔주변〕에; …의 주위에〔를〕; …을 에워싸고; …의 여기저기를: the railings ~ the excavation 굴 둘레의 울짱 / put one's arms ~ a person 두 팔을 벌려 아무를 안다 / walk ~ the room 방안을 걸어 다니다.
⑤ 《文語》 …의 몸에 지니고, …의 손 가까이에; …을 갖고 있어: all he had ~ him 그의 소지품(所持品) 전부 / I have no money ~ me. 마침 가진 돈이 없다 / They lost all they had ~ them. 그들은 가지고 있던 것을 모두 잃어버렸다《★ 우산처럼 부피가 큰 것인 경우에는 with가 보통임》.
⑥ 〔흔히 there is 구문으로〕 …의 신변에, (일)에는: *There was* an air of mystery ~ her. 그녀에게는 어딘가 짚이지 않는 데가 있었다 / *There is* something strange ~ his behavior. 그의 행동에는 어딘가 이상한 데가 있다.
⑦ …에 종사〔관계〕하고: What is she ~? 그녀는 무엇을 하고 있는가 / Be quick ~ it! 빨리 해 / This is how I go ~ it. 이것이 내가 하는 식이야 / Go ~ your business! (쓸데없는 참견 말고) 네 일이나 해.
— *ad.* ① 거의, 대체로, 대략, 약: ~ 7 miles 약 7마일 / He is ~ my size 〔height, age〕. 그는 대체로 나만한 몸집〔키, 나이〕이다 / It's ~ time you were in bed. 이젠 잠잘 시간이야.
② 둘레〔주위〕에, 둘레〔주위〕를, (둘레를) 빙 둘러: a mile ~ 빙 둘러 1마일, 주위 1마일 / Look ~ and see if you can find it. 찾아낼 수 있을지 주변을 둘러봐.
③ 근처〔부근〕에(《美》 around): There was no one ~. 근처에는 아무도 없었다 / He is somewhere ~. 그는 어딘가 부근에 있다.
④ 여기저기에; 널려 있어, 빈둥빈둥(《주로 美》 around): hang ~ 방황하다 / travel ~ 여행하며 다니다.
⑤ 《文語》 방향을 바꾸어, 반대 방향으로; 우회하여: turn a car ~ 차 방향을 바꾸다 / go a long way ~ 죽 우회하다 / You are holding it the wrong way ~. 너는 그것을 반대로 잡고 있다.
⑥ 순번으로, 교대로: take turns ~ 교대로〔차례로〕 하다.
~ ***and*** ~ 《美》 비슷비슷하여, 거의 같아. ***About face!*** 《구령》 뒤로 돌아. ***find*** one***'s way*** ~ ⇨ WAY[1]. ***just*** ~ ⇨ JUST. ***put*** ~ (1) 널리 알리다, 퍼뜨리다. (2) 〔put… ~〕 …을 감다, 두르다. (3) (배를) 반대 방향으로 바꾸다.
— *a.* 〔敍述的〕 ① (침상에서) 일어난, 움직이는; 활동하는: ⇨ be OUT and ~ (成句) / ⇨ be UP and ~ (成句) / He was ~ a good deal in London. 런던에서 많이 활동하였다. ② (병·소문 등이) 퍼지는, 나도는: Every kind of rumor was ~. 갖가지 소문이 나돌았다 / Measles is ~. 홍역이 퍼지고 있다. ***be*** ~ ***to*** do (1) 막 …하려고 하다: We *were about to* start, when it rained. 막 떠나려는데 비가 왔다《★ be *about to*는 be *going to*보다도 '막 …하려 하고 있다'의 뜻을 명확히 나타냄. 따라서 tomorrow 등의 부사구는 쓰지 않음》. (2) 《口; 주로 美》 〔흔히 否定形으로〕 …할 의지가〔마음이〕 있다: I'*m not* ~ *to* lend you any more money. 더 이상 돈 꾸어줄 마음이 없다.
— *vt.* (배 따위)의 방향을〔진로를〕 돌리다. ***About ship!*** 〔海〕 바람 (불어오는) 쪽으로 돌려 〔돌릴 준비〕.

about-face [əbáutfèis] *n.* [C] (흔히 *sing*) 《美》 ① 뒤로 돌기, 온 방향으로 되돌아감: do an ~ 뒤로 돌다. ② (주의(主義) 따위의) 전향: The government has done a swift ~ in its foreign policy. 정부는 재빨리 외교 정책을 180도 바꿨다.
— [-ˊ-] *vi.* 뒤로 돌다; 주의〔태도〕를 일변하다.

about-turn [*n.* əbáuttə́:rn; *v.* -ˊ-] *n.*, *vi.* 《英》 = ABOUT-FACE.

†**above** [əbʌ́v] *ad.* ① **a**) 위쪽에〔으로〕; 위에〔로〕; 머리 위에〔로〕; 하늘에〔로〕: soar ~ 하늘로 두둥실 떠오르다 / the clouds ~ 하늘의 구름. **b**) 위층에: My bedroom is just ~. 내 침실은 바로 위에 있습니다 / the floor ~ 위층. ② (지위·신분상) 상위에〔로〕, 상급에〔으로〕: appeal to the court ~ 상급 법원에 상소하다 / Report to the person ~. 상사에게 보고하세요. ③ (수량이) …이상으로: persons of sixty and ~, 60세 이상의 사람들. ④ (책 따위의) 앞에, 상기(上記)에: as is stated 〔remarked〕 ~ 상기〔전술〕한 바와 같이. ⑤ (강 따위의) 상류에.
— *prep.* ① 〔공간적·지리적〕 **a**) …의 위(쪽), 보다 높이: fly ~ the earth 지상을 날다 / The moon rose ~ the hill. 달이 언덕 위에 떴다 / Our plane was flying ~ the clouds. 우리 비행기는 구름 위로 날고 있었다. **b**) …의 위에, …에 포개어져(겹치어); …의 위층에: one ~ another 겹쳐 쌓이어 / He lives ~ me. 그는 내 위층에 살고 있다. **c**) 보다 멀리; 보다 상류에; 보다 북쪽에: There is a waterfall ~ the bridge. 이 다리 상류에 폭포가 있다 / New York is ~ Pennsylvania. 뉴욕 주는

펜실베이니아 주의 북쪽에 있다. ② **a**) (수량·나이 등이) …이상인〔으로〕: *Above* 300 people were there. 거기에는 사람들이 300명 이상 있었다 / men ~ fifty, 50세를 넘은 남자들. **b**) (신분·지위 등이) …보다 상위인 : He's ~ me in rank. 그는 나보다 윗사람이다 / He lives ~ his means. 수입 이상의 생활을 한다. **c**) …보다는 오히려 : value honor ~ life 목숨보다 명예를 존중하다 / Health is ~ wealth. 건강은 부보다 중하다. ③ **a**) 〔우월〕 …보다 뛰어나 : He is ~ all others in originality. 그는 독창력에서 누구보다도 뛰어나다. **b**) …을 초월하여 : His conduct is quite ~ reproach〔suspicion〕. 그의 행위는 전혀 비난〔의혹〕의 여지가 없다. **c**) (능력 등이) 미치지 못하는 (곳에) : This book is ~ me. 이 책은 내가 이해하기에 벅차다. **d**) (사람이 …등을) 하지 않는, (…하는 것을) 수치로 여기는《do*ing*》: He is ~ tell*ing* lies. 거짓말 따위를 할 사람이 아니다 / I am not ~ ask*ing* questions. 질문하기를 부끄러워하지 않는다. ~ ***all*** 특히. ~ ***all*** (***things***) 다른 무엇보다도 특(特)히, 우선 첫째로. ~ ***and beyond . . .*** =***over and*** ~ ***. . .*** ⇨ OVER. ~ ***everything*** (***else***) ⇨ EVERYTHING. ***be*** 〔***get, rise***〕 ~ one***self*** 들떠 날뛰다, 들레다 ; 분수를 모르다, 우쭐하다.

— *a.* 상기(上記)한, 전술한 : the ~ instance 위에 든 예 / the ~ facts 전술한 사실〔사항〕.

— *n.* Ⓤ ① (the ~) 〖集合的; 單·複數 취급〗 상기, 전술(한 사실) : *The* ~ justifies this. 이상은 이를 입증(立證)한다 / *The* ~ are the facts as stated by the defendant. 상기한 것이 피고가 진술한 사실이다. ② 천상 (heaven) : truly a gift from ~ 진정 하늘로부터의 선물《천부(天賦)의 재능》. ③ 상층부 : an order from ~ 위로부터의 명령.

above·board [əbʌ́vbɔ̀ːrd] *ad., a.* 〔形容詞로는 敍述的〕 사실대로, 솔직히, 공명하게 ; 공명〔솔직〕한 : His dealings are all ~. 그의 거래는 모두가 공명정대하다. ***open and*** ~ 아주 드러내 놓고 : My husband is *open and* ~ with me. 남편은 나에게 아무 것도 감추지 않는다.

above·ground [-gràund] *a.* 〔限定的〕 ① 지상의〔에 있는〕: stop ~ tests 지상 실험을 중지하다. ② (활동 등이) 공공연한.

above-men·tioned [-ménʃənd] *a.* 〔限定的〕 상술(上述)한, 위에 말한, 전기의.

Abp., abp. archbishop. **abr.** abridge(d) ; abridgment.

ab·ra·ca·dab·ra [æ̀brəkədǽbrə] *n.* Ⓒ ① 아브라카 다브라《옛날 '학질' 치유를 위한 주문》; 주문. ② 영문 모를 말, 헛소리.

abrade [əbréid] *vt.* ① (피부)를 문질러〔비벼〕 닳리다, 비벼대어 벗기다. ② (바위 따위)를 침식하다. — *vi.* ① (피부가) 벗겨지다. ② (바위 따위가) 닳다. ⓜ **abrád·er** *n.* Ⓒ 연마기.

Abra·ham [éibrəhæ̀m, -həm] *n.* ① 에이브러햄《남자 이름 : 애칭 Abe》. ② 〖聖〗 아브라함《유대인의 선조》. ***in ~'s bosom*** 천국에 잠들어 ; 행복하게. ***sham*** ~ 꾀병을 부리다, 미친 체하다.

abra·sion [əbréiʒən] *n.* ① **a**) Ⓤ (피부의) 벗겨짐. **b**) Ⓒ 찰과상, 벗겨진 곳 : He had severe ~*s* to his right cheek. 그는 오른쪽 뺨에 심한 찰과상을 입었다. ② **a**) Ⓤ (암석의) 삭마(削磨) ; (기계의) 마손, 마멸. **b**) Ⓒ 마손된 곳.

abra·sive [əbréisiv, -ziv] *a.* ① 닳게 하는, 연마용의 ; (겉이) 거친. ② (목소리 등이) 귀에 거슬리는, (사람·태도 등이) 짜증나게 하는, 신경을 건드리는 : an ~ voice〔personality〕 거슬리는 목소리〔성격〕 / I can't stand her ~ manner. 나는 그녀의 짜증스런 태도에 참을 수가 없다. — *n.* Ⓤ,Ⓒ 연마제, 연마 용구《그라인더·샌드페이퍼 따위》. ⓜ **~·ly** *ad.*

abreast** [əbrést] *ad.* 나란히, 병행하여 : a line two ~, 2 열 종대 / march four ~, 4 열로 행진하다 / Walk ~ with me. 나와 나란히 걸어라. ***keep 〔***be***〕 ~ ***of*** 〔***with***〕 (the times) (시류에) 뒤지지 않고 따라가다 : I can't *keep* ~ *of* the times any more. 이젠 시류에 따라갈 수 없게 되었다《★ 위의 예에서 of, with 를 약하면 abreast 는 전치사 용법》.

***abridge** [əbrídʒ] *vt.* ① (책·이야기)를 단축〔생략〕하다 ; 요약〔초록〕하다 : an ~*d* edition 축약판 / This is ~*d from* the original. 이것은 원문을 요약한 것이다. ② (시간·범위 등)을 단축하다, 축소하다, 줄이다 : ~ a person's freedom 아무의 자유를 제한하다.

abridg·ment, abridge- [əbrídʒmənt] *n.* ① Ⓤ 축소, 단축 ; (권리 등의) 제한. ② Ⓒ 단축〔요약〕된 것, 축약본〔판〕: An ~ of the book has been published for younger readers. 젊은 층의 독자를 위해 그 책의 축약판이 발행되었다.

‡abroad [əbrɔ́ːd] *ad.* ① 외국으로〔에〕, 해외로〔에〕: live ~ 해외에 살다 / one's education ~ 해외 유학 / He has never ~ in his life. 그는 여지껏 외국에 가 본 일이 없다. ② **a**) (소문 따위가) 퍼져서 : The rumor is ~ that.... …라는 소문이 파다하다. **b**) 널리, 여기저기에 : a tree spreading its branches ~ 사방으로 가지가 뻗어 있는 나무. ③《古》 문밖에 ; 외출하여 : venture ~ 굳이 밖으로 나가다 / Not a soul was ~ that morning. 그날 아침 집 밖에는 아무도 없었다. ***at home and*** ~ 국내외에서 : The choir performs regularly both *at home and* ~. 그 합창단은 정기적으로 국내외에서 다 공연을 한다. ***be all*** ~《口》 전혀 짐작이 틀리다, 어찌 줄을 모르다. ***from*** ~ 해외에서 : news *from* ~ 해외 통신. ***get*** ~ 외출하다 ; (소문이) 퍼지다 : The news *got* ~. 그 소식이 퍼졌다. ***go*** ~ 외국에 가다 ; 집밖에 나가다. ***set*** ~ (소문)을 퍼뜨리다.

ab·ro·gate [ǽbrəgèit] *vt.* (법률·관습 따위)를 폐지〔철폐, 파기〕하다 : The treaty was ~*d* in 1929. 그 조약은 1929년에 폐지되었다.

ⓜ **àb·ro·gá·tion** [-géiʃən] *n.* Ⓤ

ab·rupt** [əbrʌ́pt] (more*** ~***; most*** ~) *a.* ① 돌연한, 갑작스러운, 뜻밖의 : an ~ death 급사 / come to an ~ stop 갑자기 서다〔멈추다〕. ② (태도·언어 등이) 퉁명스러운, 무뚝뚝한 : in an ~ manner 퉁명스레. ③ (길 등이) 험한, 가파른 : an ~ turn in the road 급커브 도로.

ⓜ **~·ness** *n.*

ab·rupt·ly** [əbrʌ́ptli] (more*** ~***; most*** ~) *ad.* ① 불시에, 느닷없이 : He changes his plans ~. 그는 계획을 갑자기 바꾸었다. ② 무뚝뚝하게 : "Why?" she asked ~. "왜?"라고 그녀는 무뚝뚝하게 물었다.

abs- *pref.* =AB-《c, t 앞에서》: *abs*tract.

Ab·sa·lom [ǽbsələm] *n.* 〖聖〗 압살롬《유대왕 다윗의 셋째 아들, 부왕에게 반역하여 살해됨》.

ab·scess [ǽbses] *n.* Ⓒ 종기, 농양(膿瘍) : She had an ~ on her gum. 그녀는 잇몸에 농양이 생겼다. ⓜ **~ed** [-t] *a.* 종기가 생긴.

ab·scis·sa [æbsísə] (*pl.* **~*s*, *-sae*** [-siː]) *n.* Ⓒ 〖數〗 가로좌표. ⓒⓕ ordinate.

ab·scond [æbskɑ́nd / -skɔ́nd] *vi.* ① (나쁜 짓을 하고 몰래) 도망치다, 자취를 감추다. ② **a**) (장소에서) 도망하다《*from*》: She ~*ed from* boarding

school with her boyfriend. 그녀는 남자 친구와 함께 기숙사제 학교에서 도망쳤다. **b)** (돈 따위를 갖고) 달아나다《*with*》: The cashier *~ed with* the money. 출납원은 돈을 갖고 달아났다.
[파] **~·er** [-ər] *n.*

A

ab·seil [á:pzail] *vi.* 〖登山〗 압자일렌《자일을 몸에 감고 암벽을 내려가는 기법》하다: She *~ed* down the rock face. 그녀는 밧줄을 타고 암벽을 내려갔다. ── *n.* [C] 압자일렌.

ab·sence [ǽbsəns] *n.* ① [U] 부재, 결석, 결근《*from*》: *~ from* school〔office〕 결석〔결근〕/ during my *~ from* home 내가 집에 없는 동안에 / the long years of one's *~ from* Seoul 서울을 떠나 있던 오랜 세월. ② [C] (1회의) 결석, 결근; 부재 기간: The teacher was worried by Tom's frequent *~s* from class. 선생님은 톰의 잦은 결석을 걱정하였다 / an *~* of three weeks = three weeks' *~* 3주간의 부재. ③ [U.C] 없음, 결여《*of*》: the *~ of* evidence 증거 없음 / There was *an ~ of* time. 시간이 없었다. [opp] *presence.* ◇ absent *a.* **~ of mind** 방심. **in** a person**'s ~** (1) 아무의 부재중에《이 뜻으로는 in보다 during이 일반적》: He called *in* your *~*. 그가 자네 부재중에 왔었다. (2) 아무가 없는 곳에서: Don't speak ill of a person *in* his *~*. 사람 없는 곳에서 그 사람의 험담을 하지 마라. **in the ~ of** …이 없을 경우에, …이 없으므로.

ab·sent [ǽbsənt] *a.* ① 부재의; 결석의; 결근의. [opp] *present.* ¶ He is *~* in America 〔on a tour〕. 그는 미국에〔여행을〕 가고 없다 / He is *~ from* school. 그는 학교를 결석하고 있다 / Long *~*, soon forgotten. 《俗談》 오래 떠나 있으면 소원해진다. ② 없는, 결여된(lacking): Any sign of remorse was completely *~ from* her face. 그녀의 얼굴에는 후회하는 빛이 전혀 없었다. ③ 〔限定的〕 방심 상태의, 멍한(~-minded): (with) an *~* air 멍한 태도(로) / an *~* look on his face 그의 얼굴에 나타난 멍한 표정. ◇ absence *n.* **in an ~ sort of way** 방심한 상태로, 멍하게.
── [æbsént] *vt.* 〔다음 용법뿐〕 *~ one**self from*** …을 결석〔결근〕하다: He often *~s* him*self from* the meeting. 그는 종종 그 모임에 빠진다(★《口》에서는 be absent (from …)을 쓰는 것이 일반적).

ab·sen·tee [æ̀bsəntí:] *n.* [C] ① 결석〔결근〕자, 불참자: How many *~s* are there today? 오늘은 결석자가 몇 사람 있습니까. ② 부재자, 부재 지주; 부재 투표자. ── *a.* 〔限定的〕 부재자의; 부재 투표자의: an *~* landlord 부재 지주 / an *~* ballot 부재자 투표 용지 / an *~* vote 부재자 투표. **an ~ without leave** 무단 결석자〔외출자〕.

ab·sen·tee·ism [æ̀bsəntí:izəm] *n.* [U] ① 부재 지주 제도. ② 계획적 결근《노동 쟁의 전술의 하나》; 장기 결석〔결근〕: rising *~* in the industry 산업계에서 늘어나고 있는 상습 결근.

ab·sent·ly [ǽbsəntli] *ad.* 멍하니, 방심하여: gaze *~* 멍하니 바라보다 / She smiled at him *~*. 그녀는 건성으로 그에게 미소지었다.

ab·sent-mind·ed [ǽbsəntmáindid] *a.* 방심 상태의, 멍해 있는, 얼빠진, 건성의: an *~* person 맹추 / She is so *~* and careless. 그녀는 아주 흐리멍덩하고 부주의하다. [파] **~·ly** *ad.* 멍하니, 멍청하게; 건성으로. **~·ness** *n.*

ab·sinth(e) [ǽbsinθ] *n.* [U.C] 압생트《프랑스산의 독주》; 〖植〗 쓴쑥(wormwood).

ab·so·lute [ǽbsəlù:t, ⌐-⌐] *a.* ① 절대의; 절대적인: an *~* principle 절대 원리 / Truth is no *~* thing, but always relative. 진리는 결코 절대적인 것이 아니라 항상 상대적이다. ② 〔限定的〕 **a)** 완전한, 전적인; 순수한, 순전한: an *~* lie 새빨간 거짓말 / an *~* fool 순전한 바보 / *~* nonsense 완전한 난센스. **b)** 제약을 받지 않는, 무조건의: an *~* promise 무조건의 약속 / give *~* freedom to… …에게 무제한의 자유를 주다. **c)** 확실〔명백〕한, 의문의 여지없는: an *~* denial 단호한 부정. ③ 전제적, 독재적: *~* monarchy 전제 군주제(制). ④ 〖文法〗 독립한; 유리된: an *~* construction 독립구문 / an *~* infinitive 독립 부정사《보기: *To tell the truth,* I don't like him. 사실을 말하면 …》/ an *~* participle 독립 분사《*It being rainy,* the audience was small. 비가 오는 바람에 …》. ⑤ 〖物〗 절대 온도의; 〖教〗 절대 평가의; 〖數〗 절대값의. ⑥ 〖컴〗 절대의. ── *n.* (the *~*) 절대적인 것〔현상〕; (the A-) 〖哲〗 절대(자), 우주, 신.
[파] **~·ness** *n.* 절대; 완전; 무제한; 전제, 독재.

ábsolute áddress 〖컴〗 절대 번지.

ábsolute álcohol 〖化〗 무수(無水) 알코올.

ábsolute céiling 〖空〗 절대 상승 한도《항공기가 정상 수평 비행을 유지할 수 있는 최대 고도》.

ab·so·lute·ly [æbsəlú:tli, ⌐-⌐-] *ad.* ① 절대적으로, 무조건(으로); 단호히: I refused his offer *~*. 그의 제의를 단호히 거절했다. ② 《口》〔힘줌말로서〕 **a)** 참말로, 정말로: It's *~* impossible. 그것은 절대로 불가능하다 / He is *~* the nicest fellow I know. 그는 내가 아는 한 단연 제일 좋은 녀석이다. **b)** 〔否定文으로〕 전혀: I know *~ nothing* about that. 그 일에 대해서는 전혀 모른다. ③ 《口》 〔應答文으로〕 **a)** 정말 (그렇다), 그렇고말고: "Are you sure?" "*Absolutely.*" '확실한가?' '확실하고말고.' **b)** 〔否定文으로〕 절대로 안됩니다: "May I smoke here?" "*Absolutely* not!" '여기서 담배 피워도 좋습니까' '절대로 안됩니다'. ④ 〖文法〗 독립하여.

> [語法] The *blind* cannot *see.* 의 blind가 수식하는 명사를 생략한 독립용법의 형용사, see가 목적어를 생략한 독립용법의 동사.

ábsolute majórity 절대 다수, 과반수.

ábsolute pítch 〖樂〗 절대 음감〔음고〕.

ábsolute témperature 〖物〗 절대 온도.

ábsolute válue 〖數〗 절대값.

ábsolute zéro 절대 영도《−273.16℃》.

***ab·so·lu·tion** [æ̀bsəlú:ʃən] *n.* ① [U] 〖法〗 면제, 무죄 선고, 방면, 석방(의 선언): seek〔ask for〕 *~* 면죄를〔방면을〕 요구하다 / receive *~* 면죄를〔방면을〕 받다. ② 〖教會〗 **a)** [U] 속죄《*from*; *of*》: *~ from*〔*of*〕 sins 죄의 사면. **b)** [U] 사죄《고해 성사자에 대해 사제가 신을 대신하여 내리는》. **c)** [C] 사죄의 선언.

ab·so·lut·ism [ǽbsəlù:tizəm] *n.* [U] 전제주의, 전제 정치; 〖哲〗 절대론; 절대성. [파] **-ist** [-ist] *n.* [C] 전제주의자; 절대론자.

***ab·solve** [æbzálv, -sálv / -zɔ́lv] *vt.* 《+[목]+[전]+[명]》 ① …을 용서하다; 면제하다; (책임·의무)를 해제하다《*from*; *of*》. ② **a)** (사제가) 사죄(赦罪)를 베풀다. **b)** (…의 죄)를 용서하다《*from*; *of*》. *~* a person **from** (**his promise**; **the blame**) (약속)을 해제하다; (책임)을 면하다. *~* a person **of** (**a sin**) 아무의 (죄)를 사면하다.
[파] **-solv·er** *n.*

ab·sorb [æbsɔ́:rb, -zɔ́:rb] *vt.* ① **a)** (물기·빛·열 등)을 흡수하다, 빨아들이다: A sponge *~s* water. 스펀지는 물을 흡수한다 / Aspirin is quickly *~ed by* the body. 아스피린은 빨리 몸에 흡수된다. **b)** (소리·충격 등)을 흡수하다, 완화시

키다, 지우다 : ~ shock [impact] 충격을 완화하다 / Thick curtains ~ sound. 두꺼운 커튼은 소리를 흡수한다. ② a) 《~+목+전+명》 (작은 나라·도시·기업 따위)를 병합[흡수]하다《into》: The empire ~*ed* all the small states. 그 제국은 작은 나라들을 모두 병합했다 / A small firm was ~*ed into* a large one. 작은 기업이 큰 기업에 합병되었다. b) (이민·사상 따위)를 흡수 동화하다. ③ a) (사람·마음)을 열중케 하다 : Music ~*s* him. 음악은 그를 열중케 한다《★ 흔히 과거분사로서 형용사적으로 쓰임. ⇨ ABSORBED》. b) (시간·주의 따위)를 빼앗다 : Work ~*s* most of his time. 그는 대부분의 시간을 일에 빼앗긴다. ◇ absorption *n.* ㊕ **ab·sórb·a·ble** *a.* 흡수되는[되기 쉬운], 흡수성의.

ab·sorbed [æbsɔ́ːrbd, -zɔ́ːrbd] *a.* ① [限定的] 열중한, 몰두한 : listen with ~ interest 열심히 경청하다. ② [敍述的] (아무가 …에) 열중[몰두]하여《in》: He is ~ *in* his study. 그는 연구에 열중하고 있다. ㊕ **ab·sórb·ed·ly** [-bidli] *ad.* 열중하여, 열심히.

ab·sorb·en·cy [æbsɔ́ːrbənsi, -zɔ́ːr-] *n.* Ⓤ 흡수성[력] ; 〖物〗 흡광도(吸光度).

ab·sorb·ent [æbsɔ́ːrbənt, -zɔ́ːr-] *a.* 흡수하는《of》, 흡수력이 있는, 흡수성의 : The towels are highly ~. 수건은 흡수력이 높다. ── *n.* Ⓤ,Ⓒ 흡수성 있는 물건 ; 흡수제.

absórbent cótton 《美》 탈지면(《英》 cotton wool).

ab·sorb·er [æbsɔ́ːrbər, -zɔ́ːrb-] *n.* Ⓒ ① 흡수하는 물건[사람]. ② 〖物·化〗 흡수기(器)[체(體), 장치] ; 〖機〗 흡수[완충] 장치(shock ~).

ab·sorb·ing [æbsɔ́ːrbiŋ, -zɔ́ːrb-] *a.* 열중[탐닉]케 하는, 무척 재미있는 : I haven't read such an amusing and ~ book for ages. 나는 오랫동안 이처럼 재미있고 흥미진진한 책을 읽어보지 못했다. ㊕ **~·ly** *ad.* 열중케 할 정도로, 열광적으로.

***ab·sorp·tion** [æbsɔ́ːrpʃən, -zɔ́ːrp-] *n.* Ⓤ ① 흡수 (작용) : This paper has very good ~. 이 종이는 흡수력이 아주 좋다. ② 열중《in》; 전념(專念) : ~ *in* one's studies 연구에 대한 몰두. ③ 병합 ; 편입《by ; into》: East Germany's ~ *into* the Federal Republic (독일) 연방 공화국의 동독 병합. ◇ absorb *v.*

absórption spèctrum 〖光〗 흡수 스펙트럼.

ab·sorp·tive [æbsɔ́ːrptiv, -zɔ́ːrp-] *a.* 흡수하는, 흡수력 있는, 흡수성의 : ~ power 흡수력.

***ab·stain** [æbstéin] *vi.* 《~+전+명》 ① (음주 등을) 그만두다, 끊다, 삼가다 ; 금주하다《from》: ~ *from* smoking 금연하다 / He ~*ed from* eating for six days. 그는 엿새 동안 먹지 않았다. ② (투표를) 기권하다《from》: ~ *from* voting 기권하다. ◇ abstention, abstinence *n.* ㊕ **~·er** *n.* Ⓒ 절제가, 《특히》 금주가.

ab·ste·mi·ous [æbstíːmiəs] *a.* 절제[자제]하는, 음식을 삼가는《in》; (음식이) 검박한 : an ~ diet 절식 / an ~ life 절제 생활 / be ~ *in* drinking 음주를 절제하다. ㊕ **~·ly** *ad.* **~·ness** *n.*

ab·sten·tion [æbsténʃən] *n.* ① Ⓤ (조심하여) 삼감, 절제, 자제《from》: total ~ *from* alcohol 절대 금주. ② Ⓤ,Ⓒ (투표 등의) 기권 : ~ *from* voting 기권 / The vote was 80 to 15, with 5 ~*s*'. 표결은 80 대 15, 기권 5였다. ◇ abstain *v.*

ab·sti·nence, -nen·cy [ǽbstənəns], [-si] *n.* Ⓤ 절제, 금욕, 금주《from》: *abstinence from* food 절식 / *abstinence from* pleasure 쾌락을 끊음 / total *abstinence* 절대 금주. ◇ abstain *v.*

ab·sti·nent [ǽbstənənt] *a.* 금욕적인, 자제[절제]하는 ; 절대 금주의. ㊕ **~·ly** *ad.*

‡ab·stract [ǽbstrækt] (*more* ~ ; *most* ~) *a.* ① 추상적인, 관념상의. OPP *concrete.* ¶ Goodness is ~ ; a kind man is concrete. 선량함은 추상적이요, 친절한 사람은 구체적이다. ② 이론적인 ; 이상적인 ; 관념적인. OPP *practical.* ¶ ~ science 이론 과학. ③ 심원한, 난해한 : His explanation was too ~ for me. 그의 설명은 내겐 너무 어려웠다. ④ 〖美術〗 추상(파)의, 추상주의의. OPP *representational.* ¶ ~ art 추상 미술. ── [́-] *n.* ① Ⓤ a) (the ~) 추상, 추상적인 사고. b) Ⓒ 〖美術〗 추상주의의 작품. ② Ⓒ 적요, 요약. ***in the* ~** 추상적으로, 이론적으로. OPP *in the concrete.* ¶ beauty *in the* ~ 추상미 / She has no idea of poverty but *in the* ~. 관념적으로밖에 가난을 모른다. ***make an* ~ *of*** (논문·책)을 요약하다.
── [-́] *vt.* ① (개념 따위)를 추상(화)하다. ② 발췌하다, 요약[적요]하다 : ~ a book *into* a compendium 책을 발췌하다. ③ 《+목+전+명》 (…을 …에서) 끄집어내다, 추출하다 : ~ an essence *from* the bark of a tree 수피(樹皮)에서 진액을 추출하다 / A taxonomist ~*s* common features *from* different species. 분류학자는 여러가지 종(種)에서 공통의 특징을 추려낸다. ④ 《+목+전+명》《婉》 …을 훔치다(steal) : ~ a purse *from* a person's pocket 아무의 주머니에서 지갑을 훔치다. ㊕ **~·ness** *n.*

ab·stract·ed [æbstrǽktid] *a.* 마음을 빼앗긴, 멍한. ***with an* ~ *air*** 멍하니, 얼이 빠져. ㊕ **~·ly** *ad.* 멍하니. **~·ness** *n.* 방심.

***ab·strac·tion** [æbstrǽkʃən] *n.* ① Ⓤ 추상 (작용) ; Ⓒ 추상 개념[명사]. ② Ⓤ 분리 ; 〖化〗 추출. ③ Ⓤ 방심 : with an air of ~ 멍하니, 건성으로 / in a moment of ~ 방심하고 있을 때에. ④ Ⓤ《婉》 훔침, 절취. ⑤ Ⓤ 〖美術〗 추상주의 ; Ⓒ 추상 작품. ◇ abstract *v.* ㊕ **~·ism** [-izəm] *n.* Ⓤ 추상주의. **~·ist** *n.* Ⓒ 추상파 화가.

ab·strac·tive [æbstrǽktiv] *a.* 추상화할 수 있는 ; 추출된 ; 요약[초록]의[적인].

ábstract nóun 〖文法〗 추상 명사.

ábstract númber 〖數〗 무명수. cf. concrete number.

> 參考 추상 명사 ─ 동작·성질·상태 등의 추상적인 개념을 나타내는 명사로 불가산 명사(Ⓤ)임 : Health is better than wealth. 건강은 부보다 낫다. 그러나 구체적인 행위나 사례 등을 나타낼 때에는 보통명사화하여 가산명사(Ⓒ)가 됨 : He has done me a kindness[many kindnesses]. 나에게 친절히[여러 가지로 친절히] 해주었다.

ab·struse [æbstrúːs] *a.* 심원한, 난해한 : ~ theories 난해한 이론. ㊕ **~·ly** *ad.* **~·ness** *n.*

‡ab·surd [æbsə́ːrd, -zə́ːrd] (*more* ~ ; *most* ~) *a.* ① 불합리한, 부조리한 : It's ~ to argue from these premises. 이러한 전제에 의거하여 논함은 이치에 어긋난다. ② 터무니없는 ; 우스꽝스런 : an ~ claim 터무니없는 요구 / Don't be ~. 얼빠진 소리[짓] 마라 / He looked ~ in those old-fashioned trousers. 그 구닥다리 바지를 입고 있어 그는 우스꽝스럽게 보였다 / It was ~ *of* me [I was ~] to think that you loved me. 당신이 나를 사랑하는 줄로 알았으니 나도 바보였지. ── *n.* (the ~) 부조리. ㊕ **~·ism** *n.* Ⓤ 부조리주의. **~·ly** *ad.* ① 불합리하게 ; 엉터리없이 : an ~*ly* overpriced hotel 터무니없이 비싼 호텔. ② [文章修飾] 우습게도, 어리석게도. **~·ness** *n.*

***ab·surd·i·ty** [æbsə́:rdəti, -zə́:r-] *n.* ① U.C 불합리, 부조리, 이치에 어긋남. ② **a)** U 어리석음, 바보스러움 : the height of ~ 더없이 어리석음. **b)** C 엉터리없는 것〔일〕, 어리석은 언행.

Abu Dha·bi [á:bu:dá:bi] 아부다비《아랍 에미리트 연방 구성국의 하나 ; 동국 및 동연방의 수도》.

‡abun·dance [əbʌ́ndəns] *n.* U ① 풍부함, 많음 ; 부유 : a year of ~ 풍년. ② (an ~ of) 다수(의), 다량(의) : *an* ~ *of* grain 많은 곡물(穀物) / *an* ~ *of* valuable information 많은 귀중한 정보. ③ 유복 : a life of ~ 유복한 생활. ◇ abound *v.* ***in*** ~ 많이, 풍부히 : live *in* ~ 유복하게 살다 / Here are wildflowers *in* ~. 여기에는 야생화가 많다.

‡abun·dant [əbʌ́ndənt] (***more*** ~ ; ***most*** ~) *a.* ① 풍부한, 많은 : an ~ supply of food 풍부한 식량 보급. ② 〔敍述的〕 (자원 등이) 풍부한《*in* ; *with*》: The river is ~ *in* salmon. 이 강에는 연어가 많다. ◇ abound *v.* abundance *n.*

abun·dant·ly [əbʌ́ndəntli] *ad.* ① 풍부히, 다량으로 : The plant grows ~ in woodland. 그 식물은 삼림 지대에 많이 자란다. ② 충분히, 대단히 : It has become ~ clear that there is no time to lose. 허송할 시간이 없음은 아주 명백했다.

‡abuse [əbjú:z] *vt.* ① (지위·특권·재능·호의 등)을 남용하다, 오용하다, 악용하다 ; 저버리다 : ~ one's authority 직권을 남용하다 / He ~*d* our trust. 우리의 신뢰를 저버렸다. ② …을 학대하다, 혹사하다(ill-treat) : Several of the children had been sexually ~*d*. 몇몇 어린이들이 성적으로 학대받았었다. ③ …을 험하게 욕하다, 매도하다 : He ~*d* her for being a baby. 그는 그녀를 어린애 같다고 나무랐다. ~ one***self*** 자위〔수음〕하다.
— [əbjú:s] *n.* ① U.C 남용, 오용, 악용《*of*》: an ~ *of* power 권력 남용 / drug and alcohol ~ 약〔마약〕과 알코올 남용. ② U 학대, 혹사 : child ~ 어린이 학대 / victims of sexual and physical ~ 성적·육체적 학대의 피해자들. ③ U 욕, 욕지거리, 욕설 : personal ~ 인신 공격 / a term of ~ 폭언 / heap 〔shower〕 ~ on 〔upon〕 a person 아무에게 욕을 퍼붓다. ④ (종종 *pl.*) C 폐해, 악습 : the ~*s* of the age 시대의 악폐 / civil ~*s* 시정(市政)의 난맥. 파 **abús·a·ble** [-zəbəl] *a.*

Abu Sim·bel [á:bu:símbel, -bəl] 아부심벨《이집트 남부의 Nile강에 임한 옛 마을 ; Ramses Ⅱ의 두 암굴(岩窟) 신전의 소재지로 현재는 Nasser 호 밑에 잠김(= **Ábu Símbil**)》.

abu·sive [əbjú:siv] *a.* ① 욕하는, 매도하는, 입정사나운 : use ~ language 욕설을 퍼붓다 / He always becomes ~ *to* everyone when he's drunk. 그는 술에 취하면 누구에게나 입정사나워진다. ② (특히 육체적으로) 학대〔혹사〕하는 : her cruel and ~ husband 그녀의 잔인하고 학대하는 남편. ◇ abuse *v.* 파 **~·ly** *ad.* **~·ness** *n.*

abut [əbʌ́t] (*-tt-*) *vi.* (나라·장소 따위가 다른 곳과) 경계를 접하다, 이웃〔인접〕하다《*on, upon*》; (건물의 일부가) 접촉하다, 연하다《*against* ; *on*》: His garden ~*s on* 〔*upon*〕 the road. 그의 정원은 도로에 접해 있다 / The stable ~*s against* the main house. 마구간은 본채와 붙어 있다.
— *vt.* …와 인접하다, 경계를 접하다 ; 아치대(abutment)로 받치다 : Their house ~*ted* the police station. 그들의 집은 경찰서와 인접해 있었다.

abut·ment [əbʌ́tmənt] *n.* C ① 접합점. ② 〖建〗 아치대, 홍예 받침대 ; 교대(橋臺).

abys·mal [əbízməl] *a.* ① 심연의, 나락의 ; 끝없이 깊은 : ~ ignorance 일자 무식 / an ~ night 심야. ② 《口》 지독한 ; 형편없는 : ~ working conditions 형편없는 근로 조건 / The weather was ~. 지독한 악천후였다. 파 **~·ly** *ad.*

***abyss** [əbís] *n.* ① C 심연(深淵) ; 끝없이 깊은 구렁 ; 나락 ; (천지 창조 전의) 혼돈 ; 〖海洋〗 심해 : She was in an ~ of despair. 그녀는 절망의 구렁텅이에 있었다 / the ~ of time 영원. ② (the ~) 지옥. ◇ abysmal *a.*

Ab·ys·sin·ia [æ̀bəsíniə] *n.* 아비시니아 《Ethiopia 의 옛이름》.

Ab·ys·sin·i·an [æ̀bəsíniən] *a.* 아비시니아(사람, 말)의. — *n.* C 아비시니아 사람 ; 에티오피아 사람 ; U 아비시니아 말.

ac- *pref.* AD-의 변형(c, qu 앞에서).

AC, A.C. Athletic Club. **Ac** 〖化〗 actinium. **A.C.** *ante Christum* 《L.》 (=before Christ). **A.C., a.c.** 〖電〗 alternating current. **A/C, a/c** accounting ; account current ; air conditioning.

aca·cia [əkéiʃə] *n.* ① C 〖植〗 아카시아. ② U 아라비아 고무(gum arabic).

acad. academic ; academy.

ac·a·deme [ǽkədì:m, ⌐-⌐] *n.* U ① 학구적인 세계. ② 〔集合的〕 대학, 학문의 전당.

ac·a·dem·ic** [æ̀kədémik] (more*** ~ ; ***most*** ~) *a.* ① 학원(學園)의, 《특히》 대학의 ; 고등 교육의 : an ~ degree 학위 / an ~ curriculum 대학 과정. ② 《美》 인문학과의, 문학부의, 일반 교양의 : ~ subjects 인문학 과목. ③ **a)** 학구적인 : possess an ~ mind 학구적인 관심을 갖다. **b)** 이론적인 ; 비실용적인 : an ~ discussion 탁상 공론. ④ 학사원의, 학회의 : ~ circles 학계. ⑤ 격식〔전통〕을 중시하는, 관학적인 ; 진부한 : ~ painting 전통적인 화풍〔회화〕. ◇ academy *n.* — *n.* C 대학생, 대학 교수, 대학인 ; 학구적인 사람.

ac·a·dem·i·cal [æ̀kədémikəl] *a.* =ACADEMIC. — *n.* (*pl.*) 대학의 예복. 파 **~·ly** *ad.* 학문상 ; 이론적으로.

acadḗmic fréedom 학문의 자유 ; (학교에서의) 교육의 자유.

ac·a·de·mi·cian [æ̀kədəmíʃən, əkæ̀də-] *n.* C ① 예술원〔학술원〕 회원, 학회의 회원. ② 학문〔예술〕적 전통의 존중자 ; 학구적인 사람.

ac·a·dem·i·cism, acad·e·mism [æ̀kədéməsìzəm], [əkǽdəmìzəm] *n.* U ① (학술·예술) 전통주의. ② 학구적 태도〔사고〕. ③ 전통주의.

académic yéar 학년(도)《영미에서는 보통 9월에서 6월》.

‡acad·e·my [əkǽdəmi] *n.* C ① 학술원 ; 예술원 ; (학술·문예·미술·영화 따위의) 협회 ; 학회. ② (the A-) 프랑스 학술원 ; 《英》 왕립 미술원 (the Royal Academy of Arts). ③ 학원(學園), 학원(學院)《보통 university 보다 하급의》; 《美》 (특히 사립) 중등 학교 ; 전문 학교 : an ~ of medicine 〔music〕 의(醫)〔음악〕학교 / her experience as a police ~ instructor 그녀의 경찰 학교 교관 경험 / ⇨ MILITARY 〔NAVAL〕 ACADEMY. ◇ academic *a.*

Acádemy Awárd 〖映〗 아카데미상(賞). cf. Oscar.

Aca·dia [əkéidiə] *n.* 아카디아《캐나다의 남동부, 지금의 Nova Scotia 주(州)를 포함하는 지역의 구칭》. 파 **Acá·di·an** *a., n.* ~의 (주민).

acan·thus [əkǽnθəs] (*pl.* **~·es, -thi** [-θai]) *n.* C ① 〖植〗 아칸서스. ② 〖建〗 (코린트식 기둥머리 따위의) 아칸서스 무늬.

a ca(p)·pel·la [à:kəpélə] 《It.》 〖樂〗 ① 반주 없이, 아카펠라의〔로〕. ② 교회 음악풍으로.

Aca·pul·co [à:kəpú:lkou] *n.* 아카풀코《멕시코 남

서부 태평양 연안의 휴양 도시》.

ACC Administrative Committee on Coordination(유엔의 행정 조정 위원회). **acc.** acceptance; accepted; accompanied; according; account(ant); accusative.

ac·cede [æksíːd] *vi.* 《+前+名》 ① (요구·제안 등에) 동의하다, 응하다《*to*》: ~ *to* terms 〔an offer〕 조건〔제의〕에 응하다 / She ~*ed to* our demands. 그녀는 우리의 요구에 응하였다. ② (높은 지위·왕위 등에) 오르다, 취임하다, 계승하다《*to*》. cf. accession. ¶ ~ *to* the throne 즉위하다. ③ (당에) 가입하다《*to*》; (조약에) 참가〔가맹〕하다《*to*》: ~ *to* a convention 협정에 가맹하다. ㊕ **ac·céd·ence** [-əns] *n.*

accel. accelerando.

ac·ce·le·ran·do [æksèləræ̀ndou, -rɑ́ːn-] *ad., a.* 《It.》〖樂〗 점점 빠르게〔빠른〕, 아첼레란도로〔의〕. ── (*pl.* ~*s*) *n.* Ⓒ 아첼레란도(의 연주음〔악절〕).

***ac·cel·er·ate** [ækséləréit] *vt.* ① **a**) (차 등의 속도)를 가속하다(opp *decelerate*)《★ 이 뜻으로는 *vi.*가 일반적》: ~ a car 차를 가속하다. **b**) …을 진척〔촉진〕시키다: ~ economic growth 경제 성장에 박차를 가하다 / ~ the growth of plants 식물의 성장을 촉진하다. ② (일의) 시기를 앞당기다: ~ one's departure 출발 시기를 앞당기다. ── *vi.* 가속하다, 빨라지다: He ~*d* to 100kph. 그는 시속 100킬로로 가속하였다 / Suddenly the car ~*d*. 갑자기 차가 속력을 냈다 / Tests show global warming has ~*d*. 여러 실험 결과는 지구의 온난화(溫暖化)가 빨라졌다는 것을 알려 주고 있다. ◇ acceleration *n.*

***ac·cel·er·a·tion** [æksèləréiʃən] *n.* Ⓤ ① 가속; 촉진: He has also called for an ~ of political reforms. 그는 정치 개혁의 촉진도 요구하였다. ②〖物〗 가속도(opp *retardation*): positive〔negative〕 ~ 가〔감〕속도 / ~ of gravity 중력 가속도.

ac·cel·er·a·tive [ækséləréitiv, -rət-] *a.* 가속적인, 촉진시키는.

ac·cel·er·a·tor [ækséləréitər] *n.* Ⓒ ① 가속자. ② 가속물〔기〕; 가속 장치, (자동차의) 액셀러레이터: step on〔release〕 the ~ 액셀을 밟다〔떼다〕 / He eased his foot off the ~. 그는 액셀러레이터에서 서서히 발을 떼었다. ③〖化·寫〗 (현상) 촉진제. ④〖物〗 원자 입자의 가속 장치.

ac·cel·er·om·e·ter [æksèlərɑ́mitər / -rɔ́m-] *n.* Ⓒ (항공기·우주선의) 가속도계.

‡**ac·cent** [ǽksent / -sənt] *n.* ① Ⓒ〖音聲〗 악센트, 강세: ⇨ PRIMARY 〔SECONDARY〕 ACCENT. ② Ⓒ 악센트 부호《발음의 억양·곡절 표시인 ˊˋˆ; 시간·각도의 분초 표시인 ′″; 피트·인치 표시인 ′″; 변수(變數) 표시인 ′ 따위》. cf. stress, pitch[1], tone. ¶ ⇨ ACUTE 〔CIRCUMFLEX, GRAVE〕 ACCENT / mark with an ~ 악센트 부호를 붙이다. ③ Ⓤ (흔히 the ~) 강조《*on*》: His policy puts *the* ~ *on* national welfare. 그의 정책은 국민 복지에 중점을 두고 있다 / There is often a strong ~ on material success. 종종 물질적 성공이 중시된다. ④ (*pl.*) 어조: sorrowful ~*s* 슬픈 듯한 어조. ⑤ Ⓒ (지방〔외국〕) 사투리〔어투〕: speak English with a northern〔foreign〕 ~ 북부〔외국〕 어투가 있는 영어를 말하다 / He speaks without an ~. 그는 말에 사투리가 없다〔표준어를 말한다〕. ⑥ (*pl.*)《詩》 말. ⑦ Ⓒ〖韻〗 강음. ── [æksént] *vt.* ① …에 악센트를 두다, 강하게 발음하다; …에 악센트 부호를 붙이다: an ~*ed* syllable 악센트 있는 음절. ② …을 강조하다; 역설하다(accentuate): a white dress ~*ed* by a ribbon 리본으로 악센트를 준 흰 드레스.

ac·cent·less [ǽksentlis / -sənt-] *a.* 악센트가 없는; 사투리가 없는.

áccent màrk〖音聲〗 악센트 부호, 강세 기호.

ac·cen·tu·al [ækséntʃuəl] *a.* ① 악센트의〔가 있는〕. ②〖韻〗 음의 강약을 리듬의 기초로 삼는: an ~ verse 음의 강약을 기초로 하는 시.

ac·cen·tu·ate [ækséntʃuèit, ək-] *vt.* ① **a**) …을 강조〔역설〕하다: ~ the need for social reform 사회개혁의 필요성을 역설하다. **b**) (색·악음 등)을 두드러지게 하다: Her dress was tightly belted, *accentuating* the slimness of her waist. 그녀의 드레스는 벨트로 몸에 착 달라붙게 조여져 그녀 허리의 날씬함을 두드러지게 했다. ② …에 악센트(부호)를 붙이다〔붙여 발음하다〕. ㊕ **ac·cèn·tu·á·tion** [-ʃən] *n.* ① Ⓤ 억양〔강약〕(법); 악센트 (부호) 다는 법. ② Ⓤ,Ⓒ 강조, 역설; 두드러지게 함.

†**ac·cept** [æksépt] *vt.* ① **a**) (선물 등)을 받아들이다, 수납하다: ~ a present 선물을 수납하다. **b**) (초대·제안·구혼 따위)를 수락하다, …에 응하다: I'll ~ your offer. 당신의 제의를 받아들입니다 / He asked her to marry him and she ~*ed* his offer. 그는 그녀에게 청혼하였고 그녀는 그것을 받아들였다. **c**) (임무·명예 따위)를 수락하다, 맡다: ~ the office of president 회장직을 맡다. **d**) (사태에 마지못해) 순응하다, 감수하다: They continue to ~ low pay and appalling conditions. 그들은 계속 저임금과 형편없는 조건을 감수하고 있다. **e**) …을 (학생·회원으로서) 맞아들이다: I was ~*ed* by the Open University. 나는 개방〔방송통신〕 대학에 입학하였다. ②《~+目/+目+*as* 보/+(*that*) 절》 (설명·학설 등)을 용인〔인정〕하다, 믿다: No scientific theory has been ~*ed* without opposition. 과학적인 학설로서 지금까지 반대론 없이 인정된 것은 없다 / ~ Catholicism 가톨릭교를 믿다 / The theory is ~*ed as* true. 그 이론은 옳다고 인정받는다 / I ~ *that* the evidence is unsatisfactory. 증거가 불충분함을 인정한다. ③〖商〗 (어음을) 인수하다. opp *dishonor.* ¶ We don't ~ personal checks. 개인 어음은 인수하지 않습니다. ── *vi.* (초대·제안 등을) 수락하다; (아무를) 받아들이다. ◇ acceptance, acceptation *n.*

ac·cept·a·bil·i·ty [æksèptəbíləti] *n.* Ⓤ 수용성, 받아들여짐; 만족함; 응낙.

ac·cept·a·ble** [ækséptəbəl] (more*** ~; ***most*** ~) *a.* ① **a**) (제안·선물 등) 받아들일 수 있는. **b**) 마음에 드는, 기꺼운: This is an ~ gift to everyone. 이것은 누구나 좋아할 선물이다. ② (어법·행위 등) 용인될 수 있는: socially ~ behavior 사회적으로 용인될 수 있는 행위 / The air pollution exceeds most ~ levels by 10 times or more. 공기 오염은 최대 허용 수준을 10배 이상이나 초과한다. ◇ acceptability *n.* ㊕ **-bly** *ad.* 기꺼이 받아들일 수 있게; 마음에 들도록.

ac·cept·ance** [ækséptəns] *n.* Ⓤ,Ⓒ ① 받아들임, 수령, 수리, 가납(嘉納): the ~ of foreign aid 외국 원조의 수납. ② 수락, 승인, 채용; 찬동, 호평. cf. acceptation. ¶ his ~ speech for the Nobel Peace Prize 그의 노벨 평화상 수락 연설 / She won ~ in her new position. 그녀는 새 지위에서 호평을 받았다. ③〖商〗 어음의 인수; Ⓒ 인수필 어음. ◇ accept *v.* ~ ***of persons 편파, 편애. ***find*** 〔***gain, win***〕 ~ ***with*** 〔***in***〕 …에게 찬성을 얻다: The idea rapidly *gained* ~ *in* political circles. 그 착상〔의견〕은 정계(政界)에서 곧 찬성을 얻었다.

A

ac·cept·ant [ækséptənt] *a.* (…을) 흔쾌히 수락하는《*of*》. — *n.* Ⓒ 받아들이는 사람, 수락자.

ac·cep·ta·tion [ækseptéiʃən] *n.* Ⓒ (일반적으로 통용되는) 어구의 뜻, 어의(語義), 통념 : in the ordinary ~ of the word 그 말의 보통 의미로(는). ◇ accept *v.*

ac·cept·ed [ækséptid] *a.* 일반에게 인정된 : an ~ theory 일반에게 인정된 학설, 정설 / There is no generally ~ definition of life. 생명에 대해 일반적으로 인정된 정의는 없다. ㉫ **~·ly** *ad.*

ac·cept·er [ækséptər] *n.* Ⓒ ① 수락자, 승낙자. ②〖商〗어음 인수인.

ac·cep·tor [ækséptər] *n.* Ⓒ ①〖商〗어음 인수인. ②〖物·化〗수용체〔기〕. ③〖電子〗억셉터《반도체의 양공(陽孔)에 기여하는 것》. ④〖通信〗여파기(濾波器)《특정 주파 수신회로》.

‡ac·cess [ǽkses] *n.* ① Ⓤ **a**) (장소·사람 등에의) 접근, 면접, 출입《*to*》: There is no ~ *to* the building from this direction. 이 방향에서 저 건물로 가는 길은 없다 / In winter ~ *to* the village is often difficult because of heavy snow. 겨울에는 종종 폭설 때문에 그 마을로 가기가 어려운 경우가 있다 / Few men have direct ~ *to* the president. 대통령을 직접 만날 수 있는 사람은 극히 적다. **b**) (자료 등의) 입수, 이용《*to*》. ② Ⓤ 접근〔출입·입수·이용〕하는 방법〔수단·권리·자유〕: The steep path is the only ~ *to* the castle. 험한 길이 그 성으로 접근하는 유일한 방법이다. ③ Ⓒ 진입로, 통로, 입구《*to*》: an ~ *to* the airport 공항으로의 길. ④ Ⓤ〖컴〗접근 ; =ACCESS TIME. ⑤ Ⓒ (병·노여움 등의) 발작, 격발 : ~ and recess (병의) 발작과 진정 / in an ~ of fury 불끈 성내어. ***be easy* 〔*hard, difficult*〕 *of*** ~ 가까이〔면회〕하기 쉽다〔어렵다〕. ***gain* 〔*get*〕 ~ *to*** …에 접근하다 ; …를 면회하다 : *gain* 〔*get*〕 ~ *to* classified information 비밀 정보에 접근하다. ***give* ~ *to*** …에 출입〔접근〕을 허가하다 : A bridge *gives* ~ *to* the island. 다리로 그 섬에 갈 수 있다. ***have* ~ *to*** …에 접근〔출입, 면회〕할 수 있다 : I *have* ~ *to* his library. 그의 도서실 출입을 허락받고 있다. ***within easy* ~ *of*** (Seoul) (서울)에서 쉽게 갈 수 있는 곳에〔의〕. — *vt.* ① …에 다가가다, 들어가다 : You've illegally ~*ed* and misused confidential security files. 너는 비밀 보안 파일에 불법으로 접근하여 악용했다. ②〖컴〗…에 접근하다.

áccess àrm〖컴〗접근 막대.

ac·ces·sa·ry [æksésəri] *a., n.*〖法〗=ACCESSORY.

áccess contròl régister〖컴〗접근제어 레지스터.

ac·ces·si·bil·i·ty [æksèsəbíləti] *n.* Ⓤ ① 접근 가능성 ; 다가갈 수 있음. ② 동하기 쉬움, 영향받기 쉬움.

***ac·ces·si·ble** [æksésəbəl] *a.* ① 접근〔가까이〕하기 쉬운, 가기 쉬운〔편한〕, 면회하기 쉬운 : an ~ mountain 오르기 쉬운 산 / His house is not ~ by car. 그의 집은 차로는 갈 수 없다 / The resort is easily ~ by road, rail and air. 그 휴양지는 자동차, 철도, 항공기로도 쉽게 갈 수 있다 / A manager should be ~ to his staff. 부장은 직원들에게 쉽게 접근할 수 있어야 한다. ② 입수하기 쉬운, 이용할 수 있는 ; 이해하기 쉬운 : The data is ~ *to* all members of the board. 그 데이터는 직원 전원에게 이용될 수 있다 / Guns are readily ~ *to* Americans. 총은 미국인에게는 구하기 쉽다. ③ 영향받기 쉬운, 감동되기 쉬운《*to*》: ~ *to* bribery 뇌물에 유혹당하기 쉬운 / ~ *to* pity 정에 약한 / a mind ~ *to* reason 도리를 아는 사람.

㉫ **-bly** *ad.*

***ac·ces·sion** [ækséʃən] *n.* ① Ⓤ (어떤 상태에로의) 근접, 접근 ; 도달《*to*》: ~ *to* manhood 성년에 이름. ② Ⓤ 즉위, 취임 : the 40th anniversary of the Queen's ~ to the throne 여왕 즉위 40주년 기념일. ③ **a**) Ⓤ 증가, 추가. **b**) Ⓒ 증가물 ; (도서관의) 신착본(新着本), 수납 도서 ; (미술관의) 수납 미술품《*to*》: a new ~*s to* a library 도서관의 신착 도서. ④ Ⓤ,Ⓒ (요구·계획 등에 대한) 응낙, 동의《*to*》: ~ *to* a demand 요구에 대한 수락. ⑤〖國際法〗(조약·협정 등의) 정식 수락 ; (당파·단체·국제 협정 등에의) 가입, 가맹 : Namibia's ~ to the Lome convention 나미비아의 로메 협정 가입. ㉫ **~·al** *a.* 추가의.

áccess mèthod〖컴〗접근법《주기억 장치와 입출력 장치간의 데이터 전송을 다루는 데이터 관리 방법》.

ac·ces·so·ry** [æksésəri] *n.* Ⓒ ① (흔히 *pl.*) **a**) 부속품 : the *accessories* of a motorcar 자동차의 부속품. **b**) (여성용의) 복식품, 액세서리《장갑·손수건·브로치 따위》: toilet *accessories* 화장용품류. ②〖法〗종범, 방조자 : charge him as an ~ to the crime 그 범죄의 종범으로서 그를 고발하다. ***an* ~ *after the fact 사후 종범자. ***an* ~ *before the fact*** 교사범. — *a.* ① 부속의, 보조〔부대〕적인 : an ~ bud 부아(副芽), 덧눈. ②〖法〗**a**) 종범의. **b**)〔敍述的〕(…의) 종범으로《*to*》: He was made ~ *to* the crime. 그는 그 범죄의 종범자로 (지목)되었다.

áccess ròad (어느 지역·고속도로 등으로의)「진입로.

áccess tìme〖컴〗접근 시간《제어 장치에서 기억 장치로 정보 전송 지령을 내고 실제로 전송이 개시되기까지의 시간》.

ac·ci·dence [ǽksidəns] *n.* Ⓤ ①〖文法〗어형 변화(론) (morphology). ② 초보, 입문.

‡ac·ci·dent [ǽksidənt] *n.* Ⓒ ① (돌발) 사고, 재난 ; 재해, 상해 : have 〔meet with〕 an ~ 상처입다, 뜻밖의 화를 당하다 / There was a traffic ~. 교통사고가 있었다 / *Accidents* will happen.《俗談》사고란 으레 따라다니는 법《재난을 당한 사람에게 위로하는 말》. ② 우연(성) ; 우연한 사태 ; 우연한 기회, 운좋음 : an ~ of birth (부귀·귀천 등의) 타고남 / They met through a series of ~*s*. 그들은 일련의 우연 속에 만났다 / It is no ~ that she became a doctor ; both her father and grandfather were doctors. 그녀가 의사가 된 것은 우연이 아니다. 그녀의 아버지와 할아버지가 다 의사였으니까. ③ 부수적인 사항〔성질〕. ***a chapter of* ~*s*** 사고〔불행〕의 연속. ***by* ~ *of*** …라는 행운에 의하여 : become president *by* ~ *of* birth 운좋게 좋은 집에 태어나 사장이 되다. ***by* (*a mere*) ~** (아주) 우연히, 우연한 일로 : I only came to Liverpool *by* ~. 우연히 리버풀에 왔을 뿐이다. ***without* ~** 무사히 : We reached home *without* ~. 우리는 무사히 집에 도착했다.

‡ac·ci·den·tal [æksidéntl] (***more* ~ ; *most* ~**) *a.* ① 우연한, 우발적인, 뜻밖의 ; 고의가 아닌 : an ~ death 불의의 죽음 / an ~ fire 실화 / an ~ war 우발 전쟁. ② 비본질적인, 부수적인《*to*》: music ~ *to* a play 극의 부수음악. ③〖樂〗임시표의 : an ~ note 임시 음표.

— *n.* Ⓒ ① 우발적〔부수적〕인 사물 ; 비본질적인 것. ②〖樂〗임시표 ; 변화음.

***ac·ci·den·tal·ly** [æksidéntəli] *ad.* ① 우연히, 뜻밖에 : They met ~. 그들은 우연히 만났다. ②〔문장 전체를 수식〕우연히도, 우연한 일로 : *Accidentally*, the rumor has turned out to be false. 우연한 일로 그 소문이 허위임을 알았다. ~

on purpose 《口》 우연을 가장하고, 고의적으로.

áccident insùrance 상해〔재해〕 보험.

ac·ci·dent-prone [ǽksidəntpròun] *a.* 사고를 일으키기〔만나기〕 쉬운, 사고 다발의.

***ac·claim** [əkléim] *n.* Ⓤ 갈채, 환호; 절찬: His book was published in 1994 and met with unusual ~. 그의 책은 1994년에 출간되어 대단한 절찬을 받았다 / The book received great critical ~. 그 책은 비평가의 절찬을 받았다. ── *vt.* 《~+목 / +목+(*as*) 보》 갈채를 보내다, 환호로써 맞이하다; 갈채를 보내어 …로 인정하다: They ~*ed* the hero of the sea. 바다의 영웅을 환호하여 맞았다 / They ~*ed* him (*as*) a great leader. 환호하여 그를 위대한 지도자로 맞았다 / He has been widely ~*ed* for his paintings. 그는 그의 회화(繪畫)로 널리 갈채를 받아왔다.

ac·cla·ma·tion [æ̀kləméiʃən] *n.* ① Ⓒ (흔히 *pl.*) 환호: hail with ~*s*. 환호를 지르며 맞이하다 / amidst the loud ~*s* of …의 대환호 속에. ② Ⓤ (칭찬·찬성의) 갈채: carry a motion by ~ 만장의 갈채로 의안을 통과시키다.

ac·cli·mate [ǽkləmèit, əkláimit] *vt.* 《美》 (사람·동식물 등)을 새 풍토〔환경〕에 익히게 하다; 순치(馴致)시키다《*to*》: ~ a plant *to* a new environment 식물을 새 풍토에 순화시키다 / become 〔get〕 ~*d to* the new job 새 일에 익숙해지다. ~ one***self to new surroundings*** 새 환경에 순응하다. ***become ~d*** 풍토에 익숙해지다: Have you *become* ~*d* to Korea yet? 이제 한국에 익숙해졌느냐. ── *vi.* (새 풍토에) 순응하다《*to*》.

ac·cli·ma·tion [æ̀kləméiʃən] *n.* Ⓤ,Ⓒ ① 새 환경 순응. ②〖生〗풍토 순화.

ac·cli·ma·ti·za·tion [əklàimətizéiʃən / -tai-] *n.* 《英》 =ACCLIMATION.

ac·cli·ma·tize [əkláimətàiz] *vt., vi.* 《英》 = ACCLIMATE.

ac·cliv·i·ty [əklívəti] *n.* Ⓒ 오르막, 치받이 경사. opp. *declivity.*

ac·co·lade [ǽkəlèid, ⌐-⌐] *n.* Ⓒ ① 칭찬, 영예, 찬사: The play received ~*s* from the press. 그 극은 신문에서 칭송을 받았다. ② 나이트작(爵) 수여(식): receive the ~ 나이트 작위를 받다.

‡ac·com·mo·date [əkɑ́mədèit / əkɔ́m-] *vt.* ① **a**) …에게 편의를 도모하다, 봉사하다; (…의 소원)을 들어주다: ~ a person's wishes 아무의 소원을 들어주다. **b**) 《+목+전+명》 (…을) …에게 마련해주다, 융통해주다: ~ a person *with* lodging 〔money〕 아무에게 숙소를〔돈을〕 마련〔융통〕해 주다. ② 〔흔히 受動으로〕 (건물·방 등)에 설비를 시설하다: The hotel *is* well ~*d*. 그 호텔은 설비가 좋다. ③ **a**) (시설·탈것 등이) …의 수용력이 있다: This hotel can ~ 500 guests. 이 호텔은 500명을 수용할 수 있다. **b**) (손님 등)을 숙박시키다: We can ~ him for the night. 하룻밤 그를 유숙시킬 수 있다. ④ (상위·대립 등)을 조절하다; (모순된 것)을 조화시키다; (분쟁)을 조정하다. ⑤ 《+목+전+명》 **a**) (…을 …에게) 적응시키다, 조절케 하다: Observations had to be ~*d* to these preconceptions. 관찰결과는 이들 예상에 적응되어야 했다 / This theory fails to ~ all the facts. 이 이론은 모든 사실들에 적응하지는 못한다. **b**) 〔再歸的〕 (환경·처지 등)에 순응하다: He cannot ~ *himself to* his circumstances. 그는 환경에 순응하지 못한다 / The eye can ~ *itself to* different distances. 눈은 각각 다른 거리에 (있는 것이 보이도록) 조절된다. ── *vi.* 순응하다; 화해하다. ◇ accomodation *n.*

ac·com·mo·dat·ing [əkɑ́mədèitiŋ / əkɔ́m-] *a.* 남의 편의를 잘 봐 주는; 남의 말을 잘 듣는, 사람 좋은; 융통성 있는; 싹싹한. ⓜ ~·**ly** *ad.*

***ac·com·mo·da·tion** [əkɑ̀mədéiʃən / əkɔ̀m-] *n.* ① Ⓤ (《美》 *pl.*) (호텔·객선·여객기·병원 등의) 숙박〔수용〕 시설; (열차·비행기 등의) 좌석: phone a hotel for ~(*s*) 호텔에 전화로 숙박 예약을 하다 / We need ~(*s*) for six. 여섯 사람의 숙박 설비가 필요하다 / The hotel has ~(*s*) for 100 people. 이 호텔은 100명을 수용할 수 있습니다. ② **a**) Ⓤ,Ⓒ 편의, 도움: as a matter of ~ 편의상. **b**) Ⓤ 변통, 융통; 대금(貸金). ③ **a**) Ⓤ 적응, 적합, 조절《*to*》. **b**) Ⓤ,Ⓒ 조정, 화해: come to an ~ 화해하다 / bring ... to a friendly ~ …을 원만히 조정하다. ④ Ⓤ〖生理〗(눈의 수정체의) (원근) 조절.

accommodátion bìll 〔**nòte, pàper**〕 융통어음.

***ac·com·pa·ni·ment** [əkʌ́mpənimənt] *n.* Ⓒ ① 따르는 것, 부수물《*of; to*》: Disease is frequent ~ *of* famine. 병은 종종 기근에 수반하여 발생한다. ②〖樂〗반주(부): play one's ~ 반주하다 / I want to sing to his piano ~. 그의 피아노 반주로 노래하고 싶다 / without ~ 반주 없이〔없는〕《무관사》. ◇ accompany *v.*

ac·com·pa·nist, -ny·ist [əkʌ́mpənist], [-ni-ist] *n.* Ⓒ ①〖樂〗반주자. ② 동반자.

‡ac·com·pa·ny [əkʌ́mpəni] *vt.* ① 《~+목 / +목+전+명》 …에 동반하다, …와 함께 가다: May I ~ you *on* your walk? 산책에 따라가도 괜찮니 / We *accompanied* the guest *to* the door. 손님을 문까지 바래다 주었다《★ A accompanies B. 에서는 B가 주이며 A가 그와 동행한다는 뜻이므로 이를 'A가 B를 동반하다'로 새기면 잘못임》. ② (현상 따위가) …에 수반하여 일어나다: strong winds *accompanied* by heavy rain 폭우에 수반한 강풍 / A high fever often *accompanies* a mild infection. 가벼운 감염증에는 흔히 고열이 수반된다. ③ 《+목+전+명》 …에 수반시키다, 첨가시키다《*with*》: ~ a speech *with* gestures 연설에 몸짓을 섞다 / an operation *accompanied with* 〔*by*〕 pain 아픔이 따르는 수술 / He *accompanied* his orders *with* a blow. 그는 한대 때리며 명령하였다. ④ 《~+목 / +목+전+명》〖樂〗…의 반주를 하다《*on; at; with*》: ~ a singer〔the violin〕 *on* the piano 피아노로 가수〔바이올린〕의 반주를 하다. ── *vi.*〖樂〗반주하다. ***be accompanied by*** 〔***with***〕 …을 동반하다: I *was accompanied by* my dog. 나는 개를 데리고 있었다 / The earthquake *was accompanied with* an epidemic. 지진이 있고 전염병이 유행했다《★ by는 '사람·물건을', with는 '물건·일을' 수반하다로 되는 경향이 있음》. ◇ accompaniment, accomplice *n.*

ac·com·plice [əkɑ́mplis / əkɔ́m-] *n.* Ⓒ 공범자, 연루자: an ~ *in* murder 살인 공범자 / the ~ *of* the burglar 강도의 공범자 / The police arrested him and his two ~*s*. 경찰은 그와 그의 두 공범자를 체포했다. ◇ accompany *v.*

‡ac·com·plish [əkɑ́mpliʃ / əkɔ́m-] *vt.* ① …을 이루다, 성취하다, 완성하다; (목적 등)을 달성하다: ~ one's object 〔purpose〕 목적을 달성하다 / I feel as if I've ~*ed* nothing since I left my job. 직장을 그만 둔 이후로는 아무 일도 이루지 못한 것처럼 생각된다. ② 〔흔히 受動으로〕 학문·기예를 가르치다.

***ac·com·plished** [əkɑ́mpliʃt / əkɔ́m-] *a.* ① **a**) (일 등을) 성취한, 완성한. **b**) (사실이) 기성의: an ~ fact 기정 사실(*fait accompli*). ② 익숙〔능란〕한, 숙달된《*in*》: *an* ~ villain 낙인 찍힌 악당 / He's ~ *in* music. 그는 음악에 뛰어나다. ③

교양 있는, 세련된 : an ~ gentleman 교양 있는 신사.

ac·com·plish·ment [əkámpliʃmənt / əkɔ́m-] *n.* ① Ⓤ 성취, 완성, 수행, 이행 : The ~ of his goal took twenty years. 그의 목표 달성에는 20년을 요하였다. ② Ⓒ 업적, 공적 : Columbus's discovery of America was a remarkable ~. 콜럼버스의 아메리카 발견은 놀랄만한 업적이었다. ③ (*pl.*) 재예(才藝), 소양, 특기 : a man of many ~*s* 재주가 많은 남자 / Dancing and singing were among her many ~*s*. 춤과 노래가 그녀의 여러 특기 중에서도 뛰어났다.

‡ac·cord [əkɔ́ːrd] *vi.* 《~ / +전+명》 〔흔히 否定〕 일치하다, 조화하다《*with*》. opp *discord*. ¶ His words and actions do *not* ~. 그는 언행(言行)이 일치하지 않는다 / I rewrote the article because it didn't ~ *with* our policy. 나는 그 논설이 우리 정책과 일치하지 않으므로 다시 썼다. — *vt.* ① …을 일치시키다, 조화시키다. ② 《~+목 / +목+목 / +목+전+명》 주다, 수여하다 : ~ a warm welcome 따뜻이 맞이하다 / ~ a literary luminary due honor = ~ due honor *to* a literary luminary 문호(文豪)에게 당연한 명예를 주다. — *n.* ① Ⓤ 일치, 조화 ; 음〔소리 등〕의 융화. ② Ⓒ (국제·단체간의) 협정《*between*》 ; (타국가와의) 합의《*with*》. ③ Ⓤ,Ⓒ 〖樂〗 (협)화음. ***be in*** 〔***out of***〕 ***~ with*** …와 조화하다〔하지 않다〕 : I *am in* full ~ *with* your viewpoint. 당신 견해에 전적으로 찬동합니다. ***be of one ~*** (모두) 일치해 있다. ***of one's*** 〔***its***〕 ***own ~*** 자발적으로, 자진하여 ; 저절로 : Students came *of their own* ~ to help the villagers. 학생들은 자진해서 마을 사람들을 도우러 왔다. ***with one ~*** 마음을〔목소리를〕 합하여, 함께, 일제히.

ac·cord·ance** [əkɔ́ːrdəns] *n.* Ⓤ 일치, 조화 ; 부합 ; 수여. ***in ~ with …에 따라, …대로, …와 일치하여. ***out of ~ with*** …와 일치하지 않고.

ac·cord·ant [əkɔ́ːrdənt] *a.* 일치하는, 화합한 ; 조화된《*with* ; *to*》 : His opinion is ~ *to* reason. 그의 의견은 도리에 맞는다.

†ac·cord·ing [əkɔ́ːrdiŋ] *ad.* = ACCORDINGLY. ~ ***as*** (*conj.*) (…함)에 따라서 ; …에 응해서《뒤에 clause》 : You may either go or stay, ~ *as* you decide. 결심 여하로 가도 되고 안 가도 된다 / We see things differently, ~ *as* we are rich or poor. 우리는 빈부에 따라서 사물을 달리 본다.
— *a.* 일치한, 조화된 ; 《口》 …나름 : It's all ~ how you set about it. 모든 것은 착수하는 방법 나름이다. ~ ***to*** (*prep.*) (1) …(가 말한 바)에 의하면 : *According to* him, they have gone. 그의 말에 의하면 그들은 가버린 모양이다 / ~ *to* today's paper 오늘 신문에 의하면. (2) …에 따라서 ; …한 대로 : I've done everything ~ *to* the cookbook. 모든것을 요리책대로 하였다. (3) …(의 정도)에 따라, …에 비례하여, …여하에 따라 : ~ *to* circumstances 정세 여하로 / They are paid ~ *to* their experience. 그들은 경험에 따라서 급료를 받는다.

‡ac·cord·ing·ly [əkɔ́ːrdiŋli] *ad.* ① 따라서, 그러므로(therefore) : She failed to come ; ~ I wrote her to ask why. 그녀는 오지 않았다. 그래서 왜 안 왔느냐고 그녀에게 편지를 썼다. ② 〔動詞 바로 뒤에서〕 (그것에) 어울리게, 그것에 따라서 ; 적절히 : You must judge the situation and act ~. 상황을 판단하고 거기에 따라 행동해야 한다.

***ac·cor·di·on** [əkɔ́ːrdiən] *n.* Ⓒ 아코디언.

accórdion dóor 접었다 폈다 하는 문.

ac·cor·di·on·ist [əkɔ́ːrdiənist] *n.* Ⓒ 아코디언 연주자.

accórdion pléats 아코디언 플리츠《스커트의 입체적인 가는 세로 주름》.

ac·cost [əkɔ́(ː)st, əkást] *vt.* ① (주로 낯선 이)에게 다가가서 말을 걸다, (인사 따위)의 말을 걸며 다가가다 : She was ~*ed* in the street by a complete stranger. 거리에서 생판 모르는 사람이 그녀에게 다가와 말을 걸었다. ② (매춘부·거지 등이 손님)을 부르다, 끌다.

ac·couche·ment [əkúːʃmɑ̃ː ; -mənt] *n.* 《F.》 분만(分娩), 해산.

†ac·count [əkáunt] *n.* ① Ⓒ 계산, 셈 ; 계산서, 청구서 : quick at ~*s* 계산이 빠른 / send (in) an ~ 청구서를 송부하다. ② Ⓒ 계정《略 : A/C》 ; 은행예금 계좌 ; 외상셈(charge ~) ; 신용 거래 : ⇨ CURRENT ACCOUNT / Short ~*s* make long friends. 《俗談》 대차 기간이 짧으면 교제 기간은 길어진다 ; 오랜 교제엔 외상 금물 / Put it down to my ~. 셈은 나에게 달아 주세요. ③ Ⓒ **a)** (금전·책임 처리에 관한) 보고(서), 전말서, 답변, 변명, 설명. **b)** (사건 등의) (자세한) 이야기 ; 기술, 기사 ; (흔히 *pl.*) 소문, 풍문《*of*》 : *Accounts* differ. 사람에 따라 말이 다르다. ④ Ⓒ 고객, 단골. ⑤ Ⓤ **a)** 이유, 근거 ; 원인, 동기. **b)** 고려, 감안 ; 평가, 판단 : Don't wait on my ~. 나 때문에 기다릴 것 없다. **c)** 가치, 중요성 ; 이익, 유익. ~ ***of*** 《口》 = on ~ of. ***be much ~*** 《口》 대단한 것이다. ***by*** 〔***from***〕 ***all ~s*** 어느 보도에서도 ; 누구에게 들어도 : I've never been there but it is, *by all* ~*s*, a lovely place. 나는 거기 가 본 적은 없으나 아름다운 곳이라고 한다. ***by*** a person***'s own ~*** 본인의 말에 의하면 : *By his own* ~ he had a rather unhappy childhood. 그의 말에 의하면 그는 어렸을 적에 상당히 불행했다고 한다. ***call*** 〔***bring, hold***〕 a person ***to ~*** (***for***) (…에 관한) 아무의 책임을 묻다, 아무에게 해명을 요구하다 ; (…의 일로) 꾸짖다 : We *called* him *to* ~ *for* his long absence. 장기 결석에 관해 그에게 해명을 요구했다. ***give a good*** 〔***a poor***〕 ***~ of*** one***self*** 훌륭히〔서툴게〕 변명하다 ; 훌륭히〔서툴게〕 행동하다, (스포츠에서) 좋은〔신통치 않은〕 성적을 올리다 : Our team *gave a good* ~ *of themselves* to win the match. 우리 팀은 훌륭한 성적을 올려 경기에 이겼다. ***give an ~ of*** …을 설명하다, …에 대하여 답변하다, …의 전말을 밝히다 ; …의 이야기를 하다, …을 기술하다 : He *gave* us *a* detailed ~ *of* his experiences in Africa. 그는 우리에게 아프리카에서의 경험을 상세히 이야기하였다(★ 이때 account 에는 흔히 full, long, brief, short, summary 등의 형용사가 따름). ***go to*** one***'s*** (***long***) ~ 《口·婉》 = 《美》 ***hand in*** one***'s ~*** 죽다. ***have an ~ with*** …와 거래가 있다, (은행)에 계좌가 있다. ***hold*** a thing ***in***〔***of***〕 ***no ~*** …을 경시하다. ***keep ~s*** 치부하다 ; 회계를 맡다. ***keep*** (***a***) ***strict*** 〔***careful***〕 ***~ of*** …을 세밀히〔주의깊게〕 장부에 기재해 두다 ; …을 세밀한 데까지 주의하여 보고 있다 : He *kept a careful* ~ *of* the suspect's movements. 그는 용의자의 동정을 자세히 지켜 보았다. ***make much*** 〔***little, no***〕 ***~ of*** …을 중시하다〔하지 않다〕. ***not . . . on any ~*** ⇨ on no ~. ***of much*** 〔***great***〕 ~ 중요한. ***of no*** 〔***little***〕 ~ 중요치 않은, 하찮은 : It's *of no* ~ to me whether he comes or not. 그가 오든 안오든 내게는 중요치 않다. ***on ~*** 계약금으로, 선금으로 ; 외상으로 ; 할부로 : I'll give you £ 20 *on* ~. 계약금으로 당신에게 20 파운드 주겠소 / buy something *on* ~ 외상으로 무엇을 사다. ***on ~ of*** (어떤 이유) 때문에 ; (아무)를 위하여 : The picnic was put off *on* ~ *of* rain. 소풍은 비때문에 연기

되었다. ***on all ~s*** =***on every*** ~ 모든 점에서 ; 꼭, 무슨 일이 있어도. ***on no*** ~ 어떤 일이 있어도〔결코〕…않다 : *On no* ~ should you buy it. 절대로 그것은 살 것이 못 돼 / Do *not on any* ~ be late for the meeting tomorrow. 무슨 일이 있어도 내일 모임에 늦지 마라. ***on*** a person***'s*** ~ 아무를 위하여 ; 아무의 셈으로 : Don't change your plans *on my* ~. 나를 위해 너의 계획을 바꾸지 마라. ***on*** one***'s own*** ~ 자기 책임〔비용〕으로, 자신의 발의로, 독립하여 ; 자기를〔이익을〕 위해. ***on this*** 〔***that***〕 ~ 이〔그〕 때문에 : The problem is important *on this*〔*that*〕 ~. 그 문제는 이 때문에 중요하다. ***put*** ... (***down***) ***to*** a person***'s*** ~ …을 아무의 셈에 달다. ***settle*** 〔***square, balance***〕 ***~s*** 〔***an*** ~, one***'s*** ~〕 셈을 청산하다 ; (…에게) 원한을 갚다《*with*》. ***take*** ~ ***of*** = ***take*** ... ***into*** ~ …을 고려에 넣다, 참작하다 ; …에 주의를 기울이다 : Statesmen should *take* ~ *of* public opinion. 정치인은 여론을 고려해야 한다 / You must *take* his age *into* ~ when you judge his performance. 사람의 업적을 판단할 때에는 반드시 그 사람의 연령도 참작해야 한다. ***take no*** ~ ***of*** = ***leave*** ... ***out of*** ~ …을 무시하다. ***turn*** 〔***put***〕 ***to good*** 〔***poor, bad***〕 ~ …을 이용하다〔하지 않다〕, …을 전하여 복이〔화가〕 되게 하다 : He *turned* his experience *to good* ~. 그는 자기 경험을 잘 살렸다 / *Turn* your misfortune *to* ~. 재난을 복으로 전환시켜라.

— *vt.* 《+[목]+(*to be*) [보]》…을(…라고) 생각하다, 간주하다 : I ~ him (*to be*) a man of sense. 그는 지각 있는 사람이라고 생각한다 / I ~ myself well paid. 보수를 충분히 받는다고 생각한다.

— *vi.* 《+[전]+[명]》 ① **a**) (사람이, …의 이유를) 설명하다《*for*》 : ~ *for* the accident 사고의 설명을 하다 / There is no ~*ing for* tastes. 《俗談》 오이를 거꾸로 먹어도 제멋, 좋고 싫은 데엔 이유가 없다. **b**) (사실이 …의) 설명이 되다, 원인이 되다《*for*》 : That ~*s for* his absence. 그것으로 그의 결석 이유를 알았다 / His reckless driving ~*ed for* the accident. 그의 무모한 운전이 사고의 원인이 되었다. ② (행위·의무 따위에) 책임을 지다, (한몸에, 손에) 떠맡다《*for*》 : We ask you to ~ *for* your conduct. 너는 네 행동에 대해 책임을 져야 한다. ③ (맡은 돈 등의) 용도〔조처〕를 설명〔보고〕하다 : ~ *to* a treasurer *for* the money received 출납원에게 맡은 돈의 수지 결산을 하다. ④〖獵〗 잡다, 죽이다《*for*》 : The dog ~*ed for* all the rabbits. 그 개가 토끼를 전부 잡았다. ⑤ (…의) 비율을 점하다 : Semiconductors ~ *for* sixty percent of our exports. 반도체가 우리 수출의 60%를 차지한다.

ac·count·a·bil·i·ty [əkàuntəbíləti] *n.* [U] 책임 ; 석명(釋明)의무 : the ~ of local government to Parliament 지방 정부의 의회에 대한 책임.

ac·count·a·ble** [əkáuntəbəl] *a.* 〔敍述的〕 ① 책임 있는, 해명할 의무가 있는 : We are ~ *to* him *for* the loss. 그 손실에 대해선 우리가 그에게 책임이 있다. ② 설명할 수 있는 ; 까닭이 있는 : His excitement is easily ~ (for). 그의 흥분은 쉽게 설명할 수 있다. ***hold a person ~ ***for*** …의 책임을 아무에게 지우다 : He is mentally ill and cannot be *held* ~ *for* his actions. 정신 질환이 있으므로 그에게 자기 행동에 대한 책임을 지울 수 없다. [파] **-bly** *ad.* 해명〔설명〕할 수 있도록.

ac·count·an·cy [əkáuntənsi] *n.* [U] 회계사의 직 ; 회계 사무.

ac·count·ant [əkáuntənt] *n.* [C] 회계원 ; 회계관 ; (공인) 회계사.

accóunt bòok 회계 장부.

accóunt cúrrent 교호(交互) 계산《略 : A/C, a/c》.

「섭외부장.

accóunt exècutive (광고·서비스 회사의)

ac·count·ing [əkáuntiŋ] *n.* [U] ① 회계(학) ; 회계 보고 ; 결산. ②〖컴〗 어카운팅《컴퓨터 시스템의 이용 시간·양 등을 측정·기록하여 각자의 이용도에 따라 요금을 산출하는 기능》.

accóunting pàckage〖컴〗 컴퓨터의 가동 시간을 계측·분석하는 프로그램.

accóunt páyable (*pl.* ***accóunts páyable***) 지불〔채무〕 계정.

accóunt recéivable (*pl.* ***accóunts recéivable***) 수납 계정, 미수금 계정.

ac·cou·ter, 《英》 **-tre** [əkú:tər] *vt.* 〔흔히 受動으로〕 …에게 (특수한) 복장을 입히다 ; 군장(軍裝)시키다. ***be accoutered for battle*** 무장하고 있다. ***be accoutered with*** 〔***in***〕 …을 입고 있다.

ac·cou·ter·ment, 《英》 **-tre-** [əkú:tərment] *n. pl.* ① 복장, 장신구. ②〖軍〗 (무기·군복 이외의) 장비.

Ac·cra [əkrá:, ǽkrə] *n.* 아크라《가나의 수도》.

ac·cred·it [əkrédit] *vt.* ① 〔흔히 受動으로〕 (어떤 일을) …의 공으로〔한 일로〕 간주하다《*to*》, (사람, 물건 등에) …의 공(功)이 있다고 간주하다《*with*》 : an invention ~*ed to* him 그가 한 것으로 되어 있는 발명 / a charm ~*ed with* magic powers 마력을 가진 것으로 믿어지고 있는 부적 / He *is* ~*ed with* the remark. (= The remark *is* ~*ed to* him.) 그가 그런 말을 한 것으로 되어 있다. ② …을 신용하다, 신임하다 ; (신임장을 주어 대사·공사 따위)를 파견하다《*at* ; *to*》 : He was ~*ed to* Washington. 그는 (주미 대사로) 워싱턴에 파견되었다. [파] **ac·crèd·i·tá·tion** *n.* [U] (학교·병원 등의) 인가 ; 신임장.

ac·cred·it·ed [-tid] *a.* 〔限定的〕 ① (사람·학교 따위가) 인정된, 공인된 : an ~ school 인가 학교 《대학 진학 기준에 맞는 고등학교 등》. ② (외교관이) 신임장을 받은. ③ (신앙·학설 등이) 인정된, 정당한. ④ (우유 등) 기준 품질 보증의 : ~ milk 보증 우유.

ac·crete [əkrí:t] *vi.* ① (성장하여 하나로) 굳다, 융합하다, 일체가 되다. ② (…에) 부착〔고착〕하다 《*to*》. — *vt.* (성장하여) …에 부착시키다

ac·cre·tion [əkrí:ʃən] *n.* ① [U] (하나로) 굳음, 융합, 합체 ; (부착에 의한) 증대 ; 첨가, 누적 : The fund was increased by the ~ of new share holders. 자금은 새 주주들의 참가로 증대되었다. ② [C] 증가물, 부착물 : a chimney blocked by an ~ of soot 검댕이가 엉겨붙어 막힌 굴뚝.

ac·cru·al [əkrú:əl] *n.* ① [U] 자연 증식〔증가〕, 이자(의 발생). ② [C] 부가 이자.

ac·crue [əkrú:] *vi.* ① 자연증가로 생기다, (이익·결과가) (저절로) 생기다 ; (이자가) 붙다 : economic benefits *accruing to* the country *from* tourism 관광 사업으로 국가에 생기는 경제적 이득 / Four-percent interest will ~ on your saving. 당신의 저금에는 4 퍼센트의 이자가 붙습니다 / Great wealth will ~ to her when she marries the duke. 그녀가 그 공작과 결혼할 때에는 막대한 재산이 그녀에게 생길 것이다. ②〖法〗 (권리로서) 생기다, 발생하다.

acct. account ; accountant

ac·cul·tur·ate [əkʌ́ltʃərèit] *vi., vt.* (사회·집단·개인이〔을〕) 문화 변용(變容)에 의해 변화하다〔시키다〕.

ac·cul·tur·a·tion [əkʌ̀ltʃəréiʃən] *n.* [U] ① 어떤

A

문화형〔사회 양식〕에 대한 어린이의 순응. ②【社】 문화 변용(變容).

‡ac·cu·mu·late [əkjúːmjəlèit] *vt.* (조금씩) …을 모으다, (재산 따위)를 축적하다: an *~d* fund 적립금 / *~d* stock 체화(滯貨) / He *~d* a fortune by hard work. 그는 근면으로 재산을 모았다. ── *vi.* 쌓이다; (돈 등이) 모이다, 붇다; (불행 등이) 겹치다: Lead can ~ in the body until toxic levels are reached. 납은 중독 수준에 이를 때까지 몸에 축적될 수 있다. ◇ accumulation *n.*

‡ac·cu·mu·la·tion [əkjùːmjəléiʃən] *n.* ① [U] 집적, 축적, 누적: the ~ of knowledge 지식의 축적. ② [C] 축적〔퇴적〕물, 모인 돈: an ~ of rubbish 쓰레기 더미. ◇ accumulate *v.*, accumulative *a.*

ac·cu·mu·la·tive [əkjúːmjəlèitiv, -lət-] *a.* ① 돈을 모으고 싶어하는, 이식(利殖)을 좋아하는. ② 누적하는, 누적적인: ~ toxic effects 축적하는 중독효과.

ac·cu·mu·la·tor [əkjúːmjəlèitər] *n.* [C] ① 누적자; 축재가. ②《英》 축전지. ③【컴】 누산기(累算器).

‡ac·cu·ra·cy [ǽkjərəsi] *n.* [U] 정확, 정밀, 정밀도: I admired the speed and ~ with which she typed. 나는 그녀의 타자의 빠르기와 정확함에 감복했다. ◇ accurate *a.* ***with*** ~ 정확하게.

‡ac·cu·rate [ǽkjərit] (***more*** ~; ***most*** ~) *a.* ① 정확한; 정밀한: ~ machines 정확한 기계 / ~ statements 바른 진술. ②〔敍述的〕 (…에) 착오를 안 내는, 정확한: He's ~ *at* figures. 그는 계산이 정확하다 / Jounalists are not always ~ (*in* what they write). 기자들이 쓰는 것이 언제나 정확하지만은 않다. ◇ accuracy *n.* [파] ****~·ly*** *ad.*

***ac·curs·ed, ac·curst** [əkə́ːrsid, əkə́ːrst], [əkə́ːrst] *a.* ① 저주받은, 불행한. ②《口》 저주할, 지겨운, 진저리나는: an *accursed* deed 타기할 행위.

accus. accusative.

ac·cu·sa·tion** [æ̀kjuzéiʃən] *n.* [U,C] ① 비난, 규탄《*against*》: The ~ *against* us was that we were biased. 우리에 대한 비난은 우리가 편견을 가졌다는 것이었다. ② 죄(과), 죄명. ③ 고발(告發), 고소. ◇ accuse *v.* ***bring 〔***lay***〕 ***an*** ~ (***of theft***) ***against*** …을 (절도죄로) 고발〔기소〕하다. ***under an*** ~ ***of*** 고소당한〔하여〕.

ac·cu·sa·tive [əkjúːzətiv] *a.* 【文法】 (그리스어·라틴어 등의) 대격(對格)의: ~ language 대격 언어. ── *n.* ① (the ~) 대격《직접 목적어의 격: I gave him *a book*.》. ② [C] 대격어; 대격꼴.

ac·cu·sa·to·ry [əkjúːzətɔ̀ːri / -təri] *a.* ① 고소의, 구형의. ② (말·태도 등) 문책〔힐문〕적인, 비난어린: an ~ look 힐난하는 듯한 표정.

‡ac·cuse [əkjúːz] *vt.* ①《~+[목] / +[목]+*as* [보] / +[목]+[전]+[명]》 …을 고발하다, 고소하다; …에게 죄를 씌우다《*of*》: ~ a person *as* a murderer 아무를 살인범으로 고발하다 / She *~d* him *of* (committing) murder. 그녀는 그를 살인죄로 고소하였다. ②《~+[목] / +[목]+[전]+[명] / +[목]+*that* [절]》 …을 비난하다, 힐난하다, 나무라다《*for*; *of*》: ~ oneself 자신을 나무라다 / They *~d* him *for* his selfishness. 그의 이기주의를 나무랐다 / They *~d* the man *that* he had taken bribes. 그가 수회했다고 비난했다 / He *~d* me *of* his defeat. 자기의 패배를 내탓이라고 나를 책망했다. ◇ accusation *n.*

ac·cused [əkjúːzd] *a.* 고발된. ── *n.* (the ~) 〔單·複數 취급〕【法】 (형사) 피고인: *The* ~ is alleged to be a member of a right-wing gang. 피고인은 우파 폭력단원으로 추정된다《★ 민사 피고인은 defendant》.

ac·cus·er [əkjúːzər] *n.* [C] (형사) 고소인, 고발자; 비난자. [cf] plaintiff.

ac·cus·ing [əkjúːziŋ] *a.* 비난하는, 나무라는. ***point an*** ~ ***finger at*** …을 비난하다. [파] **~·ly** *ad.* 비난하여: look at a person *~ly* 아무를 나무라듯이 보다.

‡ac·cus·tom [əkʌ́stəm] *vt.* 《+[목]+[전]+[명]》 ① …에 익숙하게 하다, 습관이 들게 하다《*to*》: ~ a hunting dog *to* the noise of a gun 사냥개를 총성에 익숙하게 하다. ②〔再歸的〕 (…에) 익숙해지다: ~ *oneself to* early rising 일찍 일어나는 습관을 들이다.

‡ac·cus·tomed [əkʌ́stəmd] *a.* ①〔限定的〕 습관의, 언제나의: his ~ place 늘 그가 가는 장소. ②〔敍述的〕 익숙한, 익숙해져서《*to*》: She is not ~ *to* hard work. 그녀는 중노동에 익숙하지 못하다. ***get*** 〔***become***〕 ~ ***to*** …에 익숙해지다: I soon got ~ *to* his strange ways. 나는 곧 그의 이상한 태도에 익숙해졌다.

AC/DC alternating current / direct current (교류 직류〔교직〕 양용(의); 《俗》 양성애(兩性愛)의; 이도저도 아닌, 어정쩡한.

ace** [eis] *n.* [C] ① (카드·주사위의) 1: the ~ of spades〔hearts, clubs, diamonds〕. ② (테니스·배드민턴 등의) 상대가 못 받은 서브; 서브로 얻은 득점. ③ **a)** (어느 분야의) 제1인자, 명수. **b)**【軍】 격추왕《5대 이상의 적기를 격추한》. **c)**【野】 주전 투수, 최우수 선수: Joe is the ~ of the pitching staff. 조는 투수진의 제1인자다. ***an ~ ***in the hole*** = ***an*** ~ ***up*** one's ***sleeve*** 최후에 내놓는 으뜸패; 《口》 비장의 술수(術數), 비결. ***hold*** 〔***have***〕 ***all the ~s*** 모든 것을 장악하고 있다. ***within an*** ~ ***of*** 자칫〔거의〕 …할 뻔한 참에: He came〔was〕 *within an* ~ *of* death〔being killed〕. 그는 하마터면 죽을 뻔했다.
── *a.* 〔限定的〕 ①《口》 우수한, 일류의: an ~ pitcher 최우수 투수. ②《俗》 멋진, 훌륭한: The film was ~ *!* 그 영화 참 좋았지.

ac·er·bate [ǽsərbèit] *vt.* ① …을 쓰게〔떫게〕하다. ② (아무)를 성나게〔짜증나게〕하다.

acer·bic [əsə́ːrbik] *a.* ① 신, 떫은. ② (기질·태도·표현 등이) 거친, 표독한, 신랄한: ~ criticism 신랄한 비평.

acer·bi·ty [əsə́ːrbəti] *n.* ① [U] 신맛, 쓴맛, 떫은 맛. ② **a)** [U] (말 따위의) 가시돋침, 신랄함. **b)** [C] 신랄한 말〔태도 등〕.

ac·er·ose [ǽsəròus] *a.* 【植】 (잎이) 침상인.

ac·e·tate [ǽsətèit] *n.* [U]【化】 ① 아세트산염. ② 아세트산 섬유소; 아세테이트(인견).

ácetate fíber 〔**ráyon**〕 아세테이트 섬유〔레이온〕.

ace·tic [əsíːtik, əsét-] *a.* 초의, 초질(醋質)의; (맛이) 신.

acétic ácid 【化】 아세트산.

ac·e·tone [ǽsətòun] *n.* [U]【化】 아세톤《휘발성의 무색(無色) 액체; 시약(試藥)·용제》.

ace·tyl [əsíːtl, əsétl, ǽsə-] *n.* [U]【化】 아세틸.

acet·y·lene [əsétəlìːn, -lin] *n.* [U]【化】 아세틸렌(가스).

acé·tyl·sal·i·cýl·ic ácid [əsìːtəlsæ̀ləsílik-, əsétl-, ǽsə-] = ASPIRIN.

‡ache [eik] *vi.* ① **a)** (몸·마음이) 아프다, 쑤시다: I am *aching* all over. 온 몸이 쑤신다 / The head *~s*. 머리가 아프다. **b)** 《+[전]+[명]》 (…때문에) 아프다《*from*; *with*》: My hand *~d from* writing. 글씨를 써서 팔이 아프다 / His joints ~ *with* rheumatism. 류머티즘으로 관절을 앓는다.

②《+전+명》 마음이 아프다; 동정하다《*for*; *to*》: Her heart ~*d for* the homeless boy. 그 집 없는 소년 생각으로 그녀는 가슴이 아팠다. ③《口》《+전+명 / +*to* do》 간절히 바라다《*for*》; …하고 싶어 못 견디다《*to*》: My heart ~*s for* her. 나는 그녀를 몹시 그리워하고 있다 / I was *aching to* tell you all my news. 나는 모든 소식을 너에게 말해주고 싶어 견딜 수 없었다. — *n.* C.U 아픔, 동통: an ~ in one's head 두통 / I've got a dull ~ in my lower back. 허리가 우지근하게 아팠다《★ 종종 복합어를 이룸: head*ache*, heart*ache*, tooth*ache*》.

Ach·er·on [ǽkərὰn / -rɔ̀n] *n.* ①〖그·로神〗 아케론 강, 삼도(三途)내《저승(Hades)에 있다는 강》. ② U 저승, 명도(冥途), 지옥.

‡a·chieve [ətʃíːv] *vt.* ① (일·목적)을 이루다, 달성〔성취〕하다, (어려운 일)을 완수하다: He will do anything in order to ~ his aim. 그는 목적 달성을 위해서는 무엇이든 할 것이다 / We have ~*d* what we set out to do. 우리는 착수한 일을 완수했다. ② (공적)을 세우다; (승리·명성)을 획득하다(gain): ~ victory 〔fame〕 승리〔명예〕를 얻다. — *vi.* (소기의) 목적을 이루다.
㊕ **a·chiev·a·ble** [-əbəl] *a.* 완수할 수 있는. **a·chiev·er** *n.*

‡a·chieve·ment [ətʃíːvmənt] *n.* ① U 성취, 달성: We felt a great sense of ~ when we reached the top of the mountain. 그 산의 정상에 이르렀을 때 우리는 굉장한 성취감을 느꼈다. ② C 업적, 위업, 공로: The scientific ~*s* of this century are magnificent. 금세기에 있어서 과학자가 이룩한 업적은 괄목할만하다. ③ C 학력: a test to measure ~ 학력을 측정하는 테스트.

achíevement quòtient 〖心〗 에이큐, 성취(成就) 지수《지능지수에 대한 교육지수를 백분율로 표시한 것; 略: A.Q.》.

achíevement tèst 성취〔학력〕 검사〔테스트〕. cf. intelligence test.

A·chil·les [əkíliːz] *n.* 〖그神〗 아킬레스《Homer 작 *Iliad*에 나오는 그리스의 영웅》. ~ ***and the tortoise*** 아킬레스와 거북《Zeno of Elea 의 역설(逆說)의 하나》. ***heel of*** ~ = ACHILLES' HEEL.

Achílles(') héel 유일한 약점《아킬레스는 발꿈치 외에는 불사신이었다 함》.

Achílles(') téndon 〖解〗 아킬레스힘줄〔건(腱)〕.

a·choo ⇨AHCHOO.

ach·ro·mat·ic [æ̀krəmǽtik] *a.* 무색의; 〖光〗 색지움의: an ~ lens 색지움 렌즈 / ~ vision 전색맹.

ach·y [éiki] (***ach·i·er; -i·est***) *a.* 통증이 나는, 아픈, 쑤시는: I have an ~ back. 등이 아프다.

‡ac·id [ǽsid] (***more ~; most ~***) *a.* ① 신, 신맛의: Lemons are ~. 레몬은 시다. ②〖化〗 산(성)의: an ~ reaction 산성 반응 / These shrubs must have an ~, lime-free soil. 이 관목은 석회질이 없는 산성 토양이 있어야 한다. ③ 언짢은; 신랄한, 심술궂은: an ~ comment 신랄한 비평 / ~ looks 찌무룩한 표정.
— *n.* ① U.C 산: Some ~*s* burn holes in wood. 어떤 산은 나무를 태워 구멍을 내는 것도 있다. ② U.C 신 것〔액체〕. ③ U 《美俗》 = LSD.

ácid dròp 《英》 (타르타르산 등으로 신맛을 가미한) 드롭스.

ac·id-head [ǽsidhèd] *n.* C 《俗》 LSD 상용자.

ácid hòuse 《英》 애시드 하우스《단조로운 리듬의 신시사이저 음악》.

a·cid·ic [əsídik] *a.* = ACID ②.

a·cid·i·fi·ca·tion [əsìdəfikéiʃən] *n.* U 산성화, 산패(酸敗): (the) ~ of lakes 호수의 산성화.

a·cid·i·fy [əsídəfài] *vt., vi.* 시게 만들다; 시어지다; 〖化〗 산성화(化)하다.

a·cid·i·ty [əsídəti] *n.* U 신맛; 산도(酸度): suffer from ~ of the stomach 위산과다로 고생하다 / the ~ of the wine 포도주의 산도.

ac·id·ly [ǽsidli] *ad.* 신랄하게: "Thanks for nothing", she said ~. "걱정도 팔자군" 하며 그녀는 내쏘았다.

ac·i·do·sis [æ̀sədóusis] *n.* U 〖醫〗 산혈증, 산독증.

ácid ráin 산성비.

ácid tést (the ~) 엄밀한 검사〔음미〕. 〔◂본디 시금(試金)에 질산을 사용한 데서〕

a·cid·u·late [əsídʒəlèit] *vt.* 다소 신맛을 가하다〔갖게 하다〕. ㊕ **-lat·ed** [-id] *a.* (음료·과자 등) 신맛을 띤.

a·cid·u·lous, -lent [əsídʒələs], [-lənt] *a.* ① 다소 신맛이 도는. ② (말·태도 등) 신랄한.

ack-ack [ǽkæ̀k] *n.* U.C 《口》 고사포(의 포화) 《★ antiaircraft 의 약어 A.A. 의 통신용 발음》.

‡ac·knowl·edge [æknάlidʒ, ik- / -nɔ́l-] *vt.* ① 《~+목 / +목+*as* 보 / +목+*to be* 보 / +*that* 절 / +*-ing* / +목+*done*》 …을 인정하다, 승인하다, 용인하다, 자인(自認)하다, 고백하다: The state ~*d* the justice of their cause. 국가는 그들의 주장이 정당함을 인정하였다 / ~ it *as* true 그것을 진실로 인정하다 / ~ oneself *to be* wrong 자신의 잘못을 시인하다 / He ~*d that* he was wrong. 그는 잘못했음을 인정했다 / He did not ~ hav*ing* been defeated. = He did not ~ himself defeat*ed*. 그는 자신의 패배를 인정하지 않았다. ② (편지·지불 등의) 도착〔수령〕을 통지하다: I ~ (receipt of) your letter. 편지는 잘 받았습니다. ③ (친절·선물 등)에 대한 사의를 표명하다; (인사 등)에 답례하다; (표정〔몸짓〕으로) …에게 알았음을 표시하다: ~ a gift 선물에 대한 인사를 하다 / He ~*d* my presence with a nod. 그는 내가 있음을 알고 머리를 끄덕여 인사했다 / She walked away without *acknowledging* me. 그녀는 나를 모른 척하며 걸어가 버렸다. ④〖法〗 (정식으로) 승인하다, 인지하다: Do you ~ this signature? 이 서명을 (틀림없다고) 인정합니까.
㊕ **~d** [-d] *a.* 일반적으로 인정된, 정평 있는.

acknówledge chàracter 〖컴〗 긍정 응답 문자《데이터가 바르게 전해져 왔음을 전하는 전송 제어 문자; 略: ACK》.

***ac·knowl·edg·ment,** 《英》 **-edge-** [æknάlidʒmənt, ik- / -nɔ́l-] *n.* ① U 승인, 용인; 자인, 자백, 고백: his ~ of his guilt 그의 자기 죄과에 대한 시인. ② U **a)** 감사, 사례, 인사. **b)** C 감사의 표시, 답례품: This is a small ~ of your kindness. 이것은 당신의 친절에 대한 약소한 보답입니다. **c)** (*pl.*) (협력자에 대한 저자의) 감사의 말: I record here my warmest ~*s to* him *for* his permission. 여기에 이를 허락해 주신 그분께 충심으로 사의를 표한다. ③ C 수취 증명〔통지〕, 영수증: I sent an ~ of his letter. 그의 서신을 받았다는 통지를 보냈다.
bow one***'s ~s*** (of applause) (갈채에 대해서) 허리를 굽혀 답례하다. ***in ~ of*** …의 답례로, …에 감사하여: We are sending you a copy of the book *in ~ of* your valuable help. 귀하의 유익한 도움에 감사하여 증정본을 보냅니다.

ac·me [ǽkmi] *n.* (the ~) 절정, 정점; (…의) 극치; 전성기: reach *the* ~ of success 성공의 절정에 이르다 / The empire was at *the* ~ of its power. 제국은 권력의 절정기에 있었다.

ac·ne [ǽkni] *n.* U 좌창(痤瘡), 여드름.

ac·o·lyte [ǽkəlàit] *n.* C ①〖가톨릭〗 **a)** (미사

때 신부를 돕는) 복사(服事). **b)** 시제(侍祭)《하급 성직자의 하나》. ② 조수, 수반자 ; 신참자.

Acon·ca·gua [à:kɔ:ŋká:gwɑ: / ækənká:gwə] *n.* 아콩가과《Andes 산맥 중의 최고봉》.

ac·o·nite [ǽkənàit] *n.* ① [C] 〖植〗 바곳. ② [U] 〖藥〗 바곳의 뿌리에서 채취하는 강심·진통제.

A

ː acorn [éikɔ:rn, -kərn] *n.* [C] 도토리, 상수리. ***come to the ~s*** 《美》 난국〔역경〕에 처하다.

ácorn cùp 각두(殼斗), 깍정이《도토리 등의》.

ácorn squàsh 《美》 도토리 모양의 호박의 일종.

acous·tic [əkú:stik] *a.* ① 청각의, 청신경의, 가청음의, 음파의 : an ~ aid 보청기 / ~ education 음각교육 / an ~ image 청각상(像) / the ~ apparatus 청각기관. ② 음향(학)상의 : ~ effects 음향효과 / ~ phonetics 음향음성학. ③ 〖樂〗 전기적으로 증폭하지 않은 ; (건축 자재 등) 방음의 : an ~ guitar (전기로 증폭하지 않은) 기타, 어쿠스틱 기타 / ~ tiles 음향 제어 타일.

[파] **-ti·cal·ly** [-tikəli] *ad.* 청각상 ; 음향상.

acous·tics [əkú:stiks] *n.* ① [U] 음향학(音響學). ② 〔複數취급〕 (극장 따위의) 음향 효과〔상태〕: This hall has good 〔bad〕 ~. 이 홀은 음향 상태가 좋다〔나쁘다〕.

ː ac·quaint [əkwéint] *vt.* 《+[목]+[전]+[명]》 ① **a)** …에게 숙지〔정통〕시키다《*with*》: He ~*ed* her *with* new duties. 그는 그녀에게 새로운 일을 가르쳐주었다. **b)** 〔再歸的〕 (…에) 익숙하다, 정통하다 《*with*》: You must ~ *yourself with* your new job. 새로운 일에 정통해야만 한다. ② (…에게) …을 알려 주다《*with*》: ~ the manager *with* one's findings 부장에게 자기의 조사 결과를 알리다. ③ 《주로 美》…을 소개하다, 친분을 맺어 주다《*with*》: He ~*ed* his roommate *with* my sister. 그는 같은 방 동료를 내 누이동생에게 소개하였다.

ː ac·quaint·ance [əkwéintəns] *n.* ① [U] (또는 an ~) 지식, 익히 앎《*with*》: have a profound ~ *with* one's business 자기 일에 깊은 지식을 갖다 / Sadly, my ~ *with* Spanish literature is limited. 불행하게도 나는 스페인 문학에 관한 지식이 별로 없다. ② [U] (또는 an ~) 면식, 친면 : have *a* bowing 〔nodding〕 ~ *with* ... (사람·사물)을 조금 알고 있다, 약간의 지식〔면식〕밖에 없다 / renew one's ~ *with* …와의 옛 친분을 새로이하다 / *a* speaking ~ 이야기나 나눌 정도의 사이. ③ **a)** [C] 아는 사람, 아는 사이《★ friend 처럼 친하지는 않음》: He is not a friend, but an ~. 친구라고 할 것까지는 없어도 안면은 있다. **b)** (때로 *pl.*) 〔集合的〕 지기, 교제 범위 : have a wide ~ = have a wide circle of ~*s* 교제 범위가〔안면이, 발이〕 넓다.

cut 〔***drop***〕 one***'s ~ with*** …와 절교하다. ***for old ~('s) sake*** 옛 벗의 정리로. ***have a slight*** 〔***an intimate***〕 ***~ with*** …을 약간〔훤히, 잘〕 알고 있다. ***have personal ~ with*** …을 친하게〔직접〕 알고 있다. ***make the ~ of*** a person = ***make*** a person***'s ~*** 아무와 아는 사이가 되다 : I *made his* ~ at a party. 나는 파티에서 그를 알게 되었다. ***scrape (an) ~ with . . .*** ⇨SCRAPE.

[파] **~·ship** [-ʃìp] *n.* [U] (또는 an ~) ① 지기(知己)임, 면식《*with*》. ② 교제, 교우 관계 : He has *a* wide ~*ship* among bankers. 그는 은행가들 사이에 교제가 넓다.

ː ac·quaint·ed [əkwéintid] *a.* 〔敍述的〕 ① …을 아는, …와 아는 사이인《*with*》: He is widely ~. 그는 발이 넓다 / Are you (two) ~? 당신들(두 사람)은 아는 사이입니까 / I am 〔got, became〕 ~ *with* him. 나는 그를 알고 있다〔알게 되었다〕/ She and I have been long ~ *with* each other. 그녀와 나는 오랜 지기이다. ② …에 밝은, 정통한《*with*》: He is well ~ *with* law. 그는 법률에 밝다. ***get*** a person ~ 《美》 아무에게 친지를 만들어 주다, 소개해 주다. ***make*** 〔***bring***〕 a person ~ ***with*** (1) 아무에게 …을 알리다. (2) 아무에게 …을 소개하다. ***on further*** 〔***closer***〕 ~ 좀 더 깊이〔가깝게〕 사귀어 보니 : I wasn't sure about Darryle when I first met her, but *on* further ~ I rather like her. 대릴을 처음 만났을 때는 그녀에 대해 확실히 몰랐으나 깊이 사귀는 동안에 그녀가 퍽 좋아졌다.

ac·qui·esce [æ̀kwiés] *vi.* 《~ / +[전]+[명]》 (마음에는 없으나) 잠자코 따르다, 묵인하다, (마지못해) 따르다《*in*》: He's so strong-willed that he'll never ~. 그는 의지가 강하므로 결코 묵묵히 동의하지 않을 것이다 / He ~*d in* his parents' wishes. 그는 하는 수 없이 부모의 희망에 따랐다.

ac·qui·es·cence [æ̀kwiésəns] *n.* [U] 묵낙, (어쩔 수 없는) 동의《*in ; to*》: Fear of rapid social change made temporary ~ *in*〔*to*〕 slavery tolerable in the South. 급격한 사회 변화가 두려워 (미국) 남부에서는 노예제도가 잠정적으로 그런대로 묵인되었다.

ac·qui·es·cent [æ̀kwiésənt] *a.* 묵묵히 따르는, 묵인하는, 순종하는 : She is too ~. 그녀는 너무 순종을 잘 한다. [파] **~·ly** *ad.*

ː ac·quire [əkwáiər] *vt.* ① **a)** (노력하여 지식·학문 등)을 터득하다, 배우다, 습득하다 : He ~*d* his knowledge of Russian when he was young. 그는 젊었을 때 러시아어를 습득하였다. **b)** (습관 등)을 붙이다 : ~ a bad habit 나쁜 버릇이 붙다. ② (재산·권리 등)을 취득하다 : He ~*d* a vast amount of wealth in these few years. 그는 요 몇 해 사이에 막대한 재산을 손에 넣었다. ③ (비판·평판 등)을 받다, 초래하다 : ~ a good 〔bad〕 reputation 호평〔악평〕을 받다. ④ (레이더로) 포착하다 : ~ an enemy plane 적기를 포착하다. ◇ acquirement, acquisition *n.*

***ac·quired** [əkwáiərd] *a.* 취득한, 획득한 ; 습성이 된 ; 후천적인. [OPP] *inborn.* ¶ ~ rights 기득권 / ~ immunity 후천적 면역성 / an ~ characteristic 〔character〕 〖生〗 획득 형질.

acquíred táste (반복하여) 익힌 기호〔취미〕: Drinking is an ~. 술은 조금씩 마셔버릇하는 동안에 배우게 된다.

***ac·quire·ment** [əkwáiərmənt] *n.* ① [U] 취득 ; 습득(하는 능력)《*of*》《★ acquisition이 일반적임》. ② [C] (종종 *pl.*) (내적으로) 습득된 것 ; 기예, 학식, 재능 : I am proud of my son's ~*s*. 내 아들의 학식이 자랑스럽다 / a woman of considerable ~*s* 상당한 학식을 갖춘 여자.

***ac·qui·si·tion** [æ̀kwəzíʃən] *n.* ① [U] 취득, 획득 ; 습득《*of*》: the ~ *of* land 토지의 취득 / the ~ *of* knowledge 지식의 습득. ② [C] 취득물, 손에 넣은 물건 : a recent ~ to the library 도서관의 신착 도서.

ac·quis·i·tive [əkwízətiv] *a.* 얻고자〔갖고자〕 하는《*of*》; 탐욕스런 ; 얻을 힘이 있는, 취득성〔습득성〕 있는 : an ~ person 욕심쟁이 / be ~ *of* knowledge 지식욕이 있다 / ~ instinct 취득 본능.

[파] **~·ly** *ad.* **~·ness** *n.*

***ac·quit** [əkwít] (*-tt-*) *vt.* ① **a)** 《~+[목] / +[목]+[전]+[명]》 …을 석방하다, 무죄로 하다《*of*》: ~ a prisoner 죄인을 석방하다 / The jury ~*ted* him *of* (the charge of) murder. 배심원은 그의 살인(혐의)에 대해 무죄를 평결했다 / be ~*ted* of a charge 고소가 취하되다, 면소되다. **b)** …에게 (책임 등)을 면제해 주다《*of*》: ~ a person *of* his duty 아무의 임무를 해제하다. ② 〔再歸的〕 (책

임·빚 등을) 갚다, 다하다《*of*》: ~ *oneself of* one's duty 책무를 다하다. ③〔再歸的〕 행동하다, 처신하다; 다하다: He ~*ted himself* well in battle. 그는 전투에서 잘 싸웠다. ◇ acquittance *n.*

***ac·quit·tal** [əkwítəl] *n.* U,C 〖法〗 ①석방, 방면, 면소: He got an ~ on grounds of insanity. 그는 정신 이상을 이유로 불기소되었다. ② (빚의) 변제, 책임 해제.

ac·quit·tance [əkwítəns] *n.* ① U (채무의) 면제, (빚의) 변제〔소멸〕. ② C (전액) 영수증, 채무 소멸 증서.

†acre [éikər] *n.* ① C 에이커《약 4046.8m²; 略: a.》: The park covers〔has〕 an area of about 100 ~*s*. 공원은 면적이 약 100 에이커 된다. ② (*pl.*) 토지, 논밭: broad ~*s* 광대한 토지. ③(*pl.*) 《口》 대량: ~*s* of books 막대한 수의〔다량의〕 책. ***God's Acre*** 묘지.

acre·age [éikəridʒ] *n.* U (또는 an ~) 에이커 수(數), 평수, 면적; 에이커 단위로 팔리는〔분배되는〕 토지: What is the ~ of the farm? 그 농장은 몇 에이커 됩니까 / They bought *an* ~ on the outskirts of town. 그들은 교외에 1에이커 정도의 땅을 샀다.

ac·rid [ǽkrid] *a.* ①아린, 쓴, 자극성의 역한 맛〔냄새〕 나는: ~ smoke from the burning rubber 타는 고무에서 나는 자극성 있는 연기. ② 짓궂은, 심술 사나운, 혹독한, 신랄한: an ~ dispute 신랄한 논박. ㊞ **ac·ríd·i·ty** [-əti] *n.* U ① (냄새·맛 등의) 자극성; 매움, 씀. ② (말·태도 등의) 신랄함, 표독스러움.

ac·ri·mo·ni·ous [æ̀krəmóuniəs] *a.* (말·태도 등이) 매서운, 신랄한, 표독스런. ㊞ **~·ly** *ad.*

ac·ri·mo·ny [ǽkrəmòuni] *n.* U (태도·기질·말 등의) 표독스러움, 신랄함(bitterness).

ac·ro·bat [ǽkrəbæ̀t] *n.* C 곡예사.

ac·ro·bat·ic [æ̀krəbǽtik] *a.* 곡예의, 재주 부리기의: an ~ feat〔dance〕 곡예〔곡예 무용〕. ㊞ **-i·cal·ly** *ad.*

ac·ro·bat·ics [æ̀krəbǽtiks] *n. pl.* ①〔單數취급〕 곡예(술);〔複數취급〕 (곡예에서의) 일련의 묘기: aerial ~ 곡예 비행 / perform〔do〕 ~ 곡예를 하다 / Her ~ were greeted with loud applause. 그녀의 묘기는 큰 박수 갈채를 받았다. ② U〔複數취급〕 아슬아슬한 재주.

ac·ro·nym [ǽkrənìm] *n.* C 약성어(略成語), 두문자어(頭文字語)《몇 개 단어의 머리글자로 된 말; 보기: *r*adar [◂ *ra*dio *d*etecting *a*nd *r*anging]》.

ac·ro·pho·bia [æ̀krəfóubiə] *n.* U 〖心〗 고소(高所) 공포증. ㊞ **àc·ro·phó·bic** *a.*

acrop·o·lis [əkrápəlis / -rɔ́p-] *n.* ① C (고대 그리스 도시의 언덕 위의) 성채(城砦). ② (the A-) 아크로폴리스《Athens 의 성채; Parthenon 신전이 있음》.

†across [əkrɔ́:s, əkrás] *prep.* ①〔방향·운동〕 …을 가로질러; …의 저쪽으로, 을 건너서: walk ~ the street 길을 건너가다 / a bridge (laid) ~ the river 그 강에 가로 질러 놓은 다리 / Can you swim ~ the river? 강을 헤엄쳐 건널 수 있겠습니까 / We flew ~ 〔over〕 the Pacific. 태평양을 비행기로 횡단하였다. ②〔위치〕 …을 건넌 곳에, …의 저쪽〔반대쪽〕에: She lives ~ the river. 그 여자는 강 건너편에 살고 있다. ③…와 교차하여, …와 엇갈리어: He threw a bag ~ his shoulder. 그는 어깨에 가방을 메었다. ④…의 전역에서: in every town ~ the country 나라 안의 모든 도시에. ―― *ad.* ①가로 건너서〔질러서〕; 저쪽에〔까지〕, 건너서: hurry ~ to the other side 급히 반대쪽으로 건너다 / The fisherman rowed me ~. 그 어부는 배를 저어 나를 건네주었다 / The ferry started to move and we were ~ in half an hour. 나룻배는 움직이기 시작하여 우리는 30분 만에 대안(對岸)에 도착하였다. ② 지름으로, 직경으로, 나비로: What is the distance ~? 지름은〔나비는〕 얼마나 됩니까 / The river is fifty yards ~. 강폭은 50 야드이다. ③ 열십자로 교차하여, 엇갈리어, 어긋매껴: He was standing with his arms ~. 팔짱을 끼고 서 있었다. ④《英方》 사이가 버성겨《*with*》.

~ from 《美口》 …의 맞은쪽에(opposite): The store is ~ *from* the station. 그 가게는 역 맞은쪽에 있다 / He sat ~ *from* me. 그는 (테이블을 사이에 두고) 맞은편에 앉았다. ***~ the country*** 〔***world***〕 온 나라〔세계〕에, 전국〔전세계〕에. ***be ~ a horse's back*** 말을 타고 있다. ***be ~ to*** a person 아무의 책임〔역할〕이다. ***come ~*** ⇨ COME. ***get ~*** ⇨ GET. ***get ~*** a person 아무와 충돌하다, 틀어지다. ***go ~*** (1)(…의) 저편으로 건너다. (2)(일이) 어긋나다: Things *go* ~. 일이 뜻대로 안 된다. ***lay ~ each other*** 열십자로 놓다.

across-the-board [-ðəbɔ́:rd] *a.* 〔限定的〕 ① 모든 종류를 포함하는, 《특히》 전원에 관계하는, 일괄의: a 20% ~ salary increase, 20퍼센트의 일괄 임금 인상. ②《美口》〖競馬〗 연승식 승마(勝馬) 투표의《걸기》.

acros·tic [əkrɔ́:stik, -rás-] *n.* C 이합체(離合體) 시《각 행의 처음(과 끝) 글자를 맞추면 어구(語句)가 됨》; 위에 의한 글자 퀴즈. ―― *a.* ~의〔같은〕. ㊞ **-ti·cal** *a.* **-ti·cal·ly** *ad.*

acryl·ic [əkrílik] *a.* 〖化〗 아크릴(성(性))의: ~ fiber 아크릴 섬유 / ~ plastic 아크릴 합성 수지. ―― *n.* U,C 아크릴.

acrýlic ácid 〖化〗 아크릴산(酸).

acrýlic résin 〖化〗 아크릴 수지.

†act [ækt] *n.* ① C 소행, 행위, 짓: an ~ of folly〔courage〕 어리석은〔용감한〕 행위 / an ~ of faith 신념에 의거한 행위 / *Acts* speak louder than words. 《俗談》 행위는 말보다 목소리가 크다. ② (the ~) 행동(중); 현행《★ 흔히 in the (very) ~ (of do*ing*)으로》: ⇨ in the (very) ~ of《成句》. ③ (종종 A-) 법령, 조례; (회의·학회 따위의) 의사록: an ~ of Congress〔《英》 Parliament〕 국회 제정법. ④ (the A-s) 〔單數취급〕〖聖〗 사도행전(the Acts of the Apostles). ⑤ C **a)** (종종 A-) 〖劇〗 막: a one-~ play 단막극 / *Act* Ⅲ, Scene ii 제 3 막 제 2 장. **b)** (라디오·연예장 따위의) 연예, 상연물; 예능 그룹〔콤비〕. **c)** (an ~)《口》 꾸밈, 시늉: Her tearful fare-well was all *an* ~. 눈물을 흘리며 헤어지던 그녀의 이별은 모두가 연극이었다. ***an ~ of God*** 불가항력, 천재. ***do a disappearing ~*** (필요할 때에) 자취를 감추다. ***get into***〔***in on***〕 ***the ~*** 《俗》 (수지 맞는) 계획에 한몫 끼다, 남이 시작한 일에 끼어들려 하다, 쓸데없이 참견하다. ***get***〔***have***〕 one***'s ~ together*** 《美俗》 일관성 있게 효율적으로 행동하다. ***in the (very) ~ of*** …의 현행 중에, …을 하는 현장에서: He was caught *in the very ~ of* stealing. 절도 현장에서 붙잡혔다. ***put on an ~*** 《口》 (어떤 효과를 위해) '연극'을 하다, 연기하다, 가장하다.

―― *vi.* ① **a)** 행동하다; 활동하다; 실행〔행동〕에 옮기다: ~ immediately 즉시 행동에 옮기다 / We have to ~ quickly. 우리는 속히 행동해야 한다. **b)** 《+전+명》 (…에 의거하여) 행하다, (충고 등에) 따르다《*on, upon*》: He often ~*s on*

impulse. 그는 종종 충동적으로 행동한다 / Why didn't you ~ *on* my warning. 왜 나의 경고를 따르지 않는가. ② ⦅+副 / +前+名⦆ 작용하다; (약 따위가) 듣다⦅*on*⦆: This medicine ~*s well*. 이 약은 잘 듣는다 / Alcohol ~*s* quickly *on* the brain. 알코올은 빠르게 두뇌에 작용한다. ③ ⦅+補 / +前+名⦆ …처럼 행동하다, 체하다; 〔形容詞를 수반〕 동작〔거동〕이 …처럼 보이다: ~ old 늙은이같이 행동하다, 동작이 늙어 보이다 / ~ *like* a madman 미치광이처럼 행동하다 / He ~*ed as if* he'd never met me before. 그는 전에 나를 만난 일이 없는 것처럼 행동했다 / *Act* interested even if you're bored. 지루하더라도 재미있는 체하라. ④ ⦅+副 / +前+名⦆ 연기하다, 배우를 직업으로 삼다: ~ *well* 호연(好演)하다 / She will ~ *on* the stage. 그녀는 무대에 설 것이다. ⑤ 〔well 등의 樣態副詞를 수반〕 (각본이) 상연에 적합하다: His plays don't ~ *well*. 그의 희곡은 무대 상연에 적합하지 않다. ⑥ **a**) ⦅+*as* 補⦆ (…으로서의) 직무를〔기능을〕 다하다⦅*as*⦆⦅★ as 다음의 명사는 종종 무관사⦆: ~ *as* chairman 의장 일을 보다 / The heart ~*s as* a pump. 심장은 펌프의 작용을 한다. **b**) ⦅+前+名⦆ (…의) 대리를 하다, 대행하다⦅*for*⦆: I'll ~ *for* you while you are away. 안 계신 동안 제가 대리로 일을 보지요. ⑦ (기계 따위가) 잘 작동하다, 움직이다; (계획 등이) 잘 진척되다: The brake did not ~. 브레이크가 듣지 않았다 / My computer is ~*ing* strangely. 내 컴퓨터가 이상하게 작동하고 있다.

── *vt.* ① **a**) (어떤 인물)로 분장하다, (역)을 연기하다: He ~*ed* (the part of) Macbeth. 그는 맥베스역을 하였다. **b**) (극)을 상연하다: They are ~*ing* Hamlet. '햄릿'을 상연 중이다. ② …인 것처럼 행동하다, …인 체하다, …을 가장하다: ~ the fool 바보처럼 굴다 / ~ indifference 무관심을 가장하다 / *Act* your age! 나이에 걸맞게 행동하라. ~ ***for*** a person (1) 아무의 대리를 하다. (2) 아무를 위해 활동하다. ~ ***on*** 〔***upon***〕 (1) …에 작용하다, …에 영향을 미치다: The stirring music ~*ed on* the emotions of the audience. 감동적인 음악은 청중의 마음을 움직였다. (2) (주의·충고 등)을 좇아 행동하다. ~ ***out*** (사건 따위)를 몸짓을 섞어 가며 이야기하다; 〖精神醫〗 (억압된 감정을) 무의식적으로 행동화하다; (욕망 등을) 실행에 옮기다. ~ ***up*** ⦅口⦆ (1) 예사롭지 않은 행동을 하다; 멋대로의〔거친〕 행동을 하다; 이목을 끄는 행동을 하다, 희롱거리다: The dog ~*ed up* as the postman came to the door. 집배원이 오자 개는 날뛰며 짖어댔다. (2) (기계 따위가) 상태가 좋지 않다: The car always ~*s up* in cold weather. 그 차는 날씨가 차면 언제나 상태가 좋지 않다. (3) (병·상처 따위가) 다시 더치다, 재발하다. ~ ***up to*** (주의·이상·약속 따위)에 따라 행동하다, (주의·이상 등)을 실천하다: ~ *up to* one's principle 주의를 관철하다

ACTH, Acth [èisi:ti:éitʃ, ækθ] *n.* Ⓤ 〖生化〗 부신 피질 자극 호르몬⦅관절염 등의 치료용 호르몬제⦆. [◂ *a*dreno*c*ortico*t*rophic *h*ormone]

‡act·ing [ǽktiŋ] *a.* 〔限定的〕 대리의; 임시의: an ~ manager 지배인 대리 / an ~ chairman 의장 대리. ── *n.* Ⓤ 행함, 행위; 연기, 연출; 꾸밈, 꾸민 연극: a play suitable for ~ 상연에 적합한 희곡 / a good 〔bad〕 ~ 훌륭한〔서투른〕 연기.

ac·tin·ic [æktínik] *a.* 〖物〗 화학광선(작용)의: ~ rays 화학광선.

ac·tin·ism [ǽktənìzəm] *n.* Ⓤ 화학광선 작용.

ac·tin·i·um [æktíniəm] *n.* Ⓤ 〖化〗 악티늄⦅방사성 원소; 기호 Ac; 번호 89⦆.

†ac·tion [ǽkʃən] *n.* ① Ⓤ 활동, 행동; This problem calls for prompt ~. 이 문제는 즉각적인 행동을 요구한다 / freedom of ~ 행동의 자유. ② Ⓒ (구체적인) 행위(deed); (*pl.*) (평소의) 행실: a kind 〔noble〕 ~ 친절한〔기품 있는〕 행위 / *Actions* speak louder than words. ⦅俗談⦆ 말보다 실천이 중요. ③ Ⓒ (신체(의 기관)·기계 장치의) 작용, 기능; 작동; (피아노·총 등의) 기계 장치, 작동 부분, 액션: ~ at a distance 원격 작용 / ~ of the heart 심장의 기능 / The machine is in ~ 〔out of ~〕 now. 기계는 지금 작동하고 있다〔서 있다〕. ④ Ⓤ,Ⓒ (자연 현상·약 등의) 작용, 영향, 효과⦅*on*⦆: chemical ~ 화학 작용 / the ~ of acid *on* iron 산이 쇠에 미치는 작용 / ~ and reaction 작용과 반작용. ⑤ Ⓤ 조처, 방책(steps): Prompt ~ is needed. 즉각적인 조처가 필요하다 / ⇨take ~ ⦅成句⦆. ⑥ **a**) Ⓤ (배우 등의) 몸놀림, 연기: *Action!* 〖映〗 연기 시작. **b**) Ⓒ (운동 선수·말·개의) 몸짓, 발놀림: That horse has a graceful ~. 저 말은 동작이 우아하다. ⑦ (the ~) (소설·각본의) 줄거리; 이야기의 전개: *The* ~ of the play takes place in France. 그 극의 무대는 프랑스이다. ⑧ Ⓒ 〖法〗 소송(suit): a civil ~ 민사 소송 / a criminal 〔penal〕 ~ 형사 소송 / bring an ~ for divorce 이혼 소송을 제기하다. ⑨ Ⓤ 결정, 판결, 의결. ⑩ Ⓤ,Ⓒ 〖軍〗 교전(fighting), 전투(battle): see ~ 전투에 참가하다; 실전 경험을 하다 / a naval ~ 해전(海戰) / be in ~ 교전중이다. ⑪ Ⓤ 〖美術〗 (인물의) 생명감, 약동감. ⑫ Ⓤ,Ⓒ ⦅俗⦆ 도박 행위, 노름, 노름돈. ⑬ Ⓤ⦅俗⦆ 흥분케 하는〔자극적인〕 행위. ◇ act *v.*

~ ***of the bowels*** 용변. ***a man of*** ~ 활동가. ***a piece*** 〔***slice***〕 ***of the*** ~ ⦅俗⦆ 할당 몫, 분담. ***bring*** 〔***take***〕 ***an*** ~ ***against*** …을 상대로 소송을 제기하다. ***bring*** 〔***come***〕 ***into*** ~ (1) 활동시키다〔하다〕; 발휘하다〔되다〕; 실행하다〔되다〕. (2) 전투에 참가시키다〔하다〕. ***go into*** ~ 활동을〔전투를〕 개시하다. ***in*** ~ (1) 활동〔실행〕하고; 경기 중인〔에〕: I've heard she's a marvellous player but I've never seen her *in* ~. 나는 그녀가 굉장한 배우라는 것을 들었으나 실제 연기하는 것은 본 적이 없다. (2) (기계 등) 작동하고. (3) 전투 중에: missing *in* ~ 전투 중 행방불명⦅병사⦆. ***out of*** ~ (1) (기계 등) 움직이지 않아; (사람이 병·상처로) 움직이지 못하고: This machine is *out of* ~. 이 기계는 작동되지 않는다. (2) (군함·전투기 등) 전투력을 잃고. ***put into*** 〔***in***〕 ~ (기계 따위를) 작동시키다; 실행〔실시〕하다. ***put . . . out of*** ~ (부상 등이 사람을) 활동하지 못하게 하다; (기계를) 움직이지 못하게 하다; (군함·비행기 등의) 전투력을 잃게 하다: The artillery fire *put* many of enemy tanks *out of* ~. 포격으로 많은 적군 탱크가 전투력을 잃었다. ***take*** ~ (1) 조처를 취하다; 착수하다⦅*in*⦆: The police *took* immediate ~ to deal with the riot. 경찰은 폭동에 대처키 위해 즉각적인 행동을 취하였다. (2) 소송을 제기하다. ***where the*** ~ ***is*** ⦅美俗⦆ 가장 활발한 활동의 중심; 핵심: Life in the country can be very dull — London's *where* all *the* ~ *is*. 시골 생활은 아주 따분해질 수 있으나 런던은 활기가 넘치는 곳이다.

ac·tion·a·ble [ǽkʃənəbəl] *a.* 〖法〗 기소할 수 있는. 「행동대.

áction commìttee 〔**gròup**〕 행동 위원회,

ac·tion-packed [ǽkʃənpækt] *a.* ⦅口⦆ (영화 등) 액션〔자극적인 것〕으로 가득찬.

áction pàinting 〖美術〗 액션페인팅⦅그림 물감을 뿌리거나 하는 전위 회화⦆. ⊕ **áction pàinter.**

áction réplay ⦅英⦆ = INSTANT REPLAY.

áction stàtion 〖軍〗 전투 배치 : *Action stations.* 〔구령〕 전투 배치로 ; 《口》 전원 준비.

ac·ti·vate [ǽktəvèit] *vt.* ① …을 활동〔작동〕시키다 : The burglar alam was ~*d* by mistake. 도둑 경보기가 착오로 작동되었다. ② 〖化〗 …을 활성화하다 ; (가열 등으로 반응)을 촉진하다 ; 〖物〗 …에 방사능을 부여하다. ③ 〖水道〗 (호기성(好氣性) 세균에 의한 오수(汚水)의 분해 촉진을 위해 오수)를 기체와 접촉시키다.
㊕ **àc·ti·vá·tion** [-ʃən] *n.* Ⓤ 활동화 ; 〖化〗 활성화 ; 촉진. **ác·ti·và·tor** [-tər] *n.* Ⓒ 활동적으로 하는 사람〔물건〕 ; 〖化〗 활성제(劑).

‡ac·tive [ǽktiv] (***more*** **~ ;** ***most*** **~**) *a.* ① 활동적인, 활동하는, 일하는 : lead an ~ life 활동적인 생활을 보내다 / be ~ in〔on〕 behalf of charity 자선 활동으로 활약하고 있다.
② 활동 중인《화산 따위》, 활동성의 ; (통신 위성 따위가) 작동하고 있는 : an ~ volcano 활화산. OPP *an extinct volcano*. ③ (상황(商況) 등이) 활기 있는(lively), 활발한 : an ~ market 활발한 시황(市況). ④ 적극적인, 의욕적인 ; 능동적인. OPP *passive.* ¶ be ~ in politics〔sports〕 정치〔스포츠〕에 적극 관계하고 있다 / ~ measures 적극적인 방책 / She played an ~ part in the women's lib movement. 그녀는 여성 해방 운동에서 적극적인 역할을 하였다. ⑤ 소용 닿는, 실제상의, 실효 있는 : I want ~ help. 나는 실제적인 도움이 필요하다. ⑥ (약이) 특효 있는 : ~ remedies 특효적인 요법. ⑦ 〖文法〗 능동태의. OPP *passive.* ¶ the ~ voice 능동태. ⑧ 〖軍〗 현역의. OPP *retired.* ¶ on ~ service〔《美》 duty〕 현역으로〔의〕. ── *n.* (흔히 the ~) 〖文法〗 능동태(의 꼴). ***take an ~ interest in*** …에 강한 관심을 기울이다, …에 골몰하다. ***take an ~ part in*** …에서 활약하다 ; …에 관계하다 : He *takes an ~ part in* local politics. 그는 지방 정치에 적극 관여하고 있다. ㊕ ***~·ly** *ad.* ① 활동하여, 활발히 ; 적극적으로. ② 〖文法〗 능동태로서. **~·ness** *n.* Ⓤ 활동성, 적극성.

áctive prógram 〖컴〗 활동 프로그램《load 되어 실행 가능 상태에 있는》.

ac·tiv·ism [ǽktəvìzəm] *n.* Ⓤ 행동〔실천〕주의.
㊕ **-ist** *n.* Ⓒ 행동주의(자) ; 활동가.

‡ac·tiv·i·ty [æktívəti] (*pl.* ***-ties***) *n.* ① Ⓤ 활동, 활약 ; 행동 : mental ~ 정신 활동 / volcanic ~ 화산 활동. ②(종종 *pl.*) (여러) 활동 ; 활동 범위, 사업, 운동 ; (학교의 교과 외) 문화 활동 : social *activities* 사회적 활동 / school *activities* 교내〔클럽〕 활동 / participate in community *activities* 지역사회 활동에 참가하다. ③ Ⓤ 활발한 움직임, 활기 : full of ~ 원기 충만하여 / The street was bustling with ~. 거리는 활기로 넘쳐 있었다. ④ Ⓤ (시장의) 활황 : There's increased ~ on the stock market. 주식 시장은 점차 활기를 띠어왔다. ***be in ~*** (화산 등이) 활동 중이다. ***with ~*** 활발히.

‡ac·tor [ǽktər] *n.* Ⓒ ① 배우, 남(배)우 : a film〔stage〕 ~ 영화〔무대〕 배우 / He was an extremely fine ~. 그는 아주 훌륭한 배우였다. ② 참가자, 관계자. ③〖法〗 행위자.

‡ac·tress [ǽktris] *n.* Ⓒ 여(배)우. cf. actor. ***as the ~ said to the bishop*** 《口·戲》 별스러운 뜻이 아니라, 보통의 뜻으로.

‡ac·tu·al [ǽktʃuəl] *a.* 〔限定的〕 ① 현실의, 실제의, 사실의 : an ~ example 실제 / The ~ cost was higher than the estimate. 실제로 든 비용은 견적보다 높았다. ② 현행의, 현재의 : ~ money 현금 / the ~ state〔condition〕 현(現)상황 / ~ stuff 〖商〗 현물(現物). ***in ~ existence*** 현존하여. ***in ~ fact*** 사실상(in fact), 실제는 : I thought she was Portuguese, but *in ~ fact* she's Brazilian. 나는 그녀를 포르투갈 사람으로 생각했으나 사실은 브라질 사람이다.

ac·tu·al·i·ty** [æ̀ktʃuǽləti] (*pl.* **-ties**) *n.* ① Ⓤ 현실(성), 현존, 실재 ; 사실 : She cannot accept the tragic ~ of his death. 그녀는 그의 죽음이란 비극적인 사실을 받아들일 수가 없다. ② Ⓒ (*pl.*) 현상, 실정 : the *actualities* of life 생활의 현상. ③ Ⓒ 실황 기록〔녹음, 방송〕 ; 다큐멘터리. ***in ~ 현실로, 실제로 : The party *in* ~ contains only a small minority of extremists. 그 정당은 실제로는 극단론자를 소수밖에 포함하고 있지 않다.

ac·tu·al·ize [ǽktʃuəlàiz] *vt., vi.* (생각·계획 등을) 실현하다〔되다〕 ; 현실화하다 ; 사실적으로 그려 내다. ㊕ **àc·tu·al·i·zá·tion** [-ləzéiʃən] *n.*

‡ac·tu·al·ly [ǽktʃuəli] *ad.* ① 현실로, 실제로 : The money was ~ paid. 돈은 실제로 지급되었다. ② 〔文章수식〕 실제(로)는, 사실은(really) : *Actually*, I did not witness the traffic accident. 사실은 그 교통 사고를 목격하지 않았다. ③ 지금 현재로 : the party ~ in power 현재의 여당. ④ 〔강조 또는 놀람을 나타내어〕 정말로(really) : He ~ refused! 정말로 거절했다고요.

áctual sín 〖宗〗 자죄(自罪).

ac·tu·ary [ǽktʃuèri / -əri] *n.* Ⓒ 보험 계리인.

ac·tu·ate [ǽktʃuèit] *vt.* ① (동력원이 기계)를 움직이다 ; (장치 등)을 발동〔시동, 작동〕시키다 : The device is ~*d* by a switch. 이 장치는 스위치로 작동한다. ② (아무)를 자극하여 …하게 하다《*to* do》 ; 격려하다 : What ~*d* him *to* kill himself? 어떤 동기로 자살하게 되었는가. ***be ~d by*** (어떤 동기)에 의하여 행위를 하다 : He *was ~d* solely *by* greed. 그는 오직 탐욕에 의해서 움직였다. ㊕ **àc·tu·á·tion** [-ʃən] *n.* Ⓤ 발동〔충격〕 작용.

acu·i·ty [əkjúːəti] *n.* Ⓤ ① (감각·재지(才智)의) 예민함 : ~ of hearing 청각의 예리함 / ~ of mind 예민한 지능. ② (바늘 따위의) 예리함 ; (병의) 격렬함. ◇ acute *a.*

acu·men [əkjúːmən, ǽkjə-] *n.* Ⓤ 예민, 총명 ; 날카로운 통찰력 : business〔critical〕 ~ 예민한 상재(商才)〔비평안〕.

acu·mi·nate [əkjúːmənit, -nèit] *a.* 〖植〗 (잎·잎끝이) 뾰족한 (모양의). ── [-nèit] *vt.* 뾰족하게〔날카롭게〕 하다. ㊕ **acù·mi·ná·tion** [-néiʃən] *n.*

ac·u·pres·sure [ǽkjuprèʃər] *n.* Ⓤ 지압 (요법). ㊕ **-sur·ist** *n.* Ⓒ 지압(요법)사.

ac·u·punc·ture [ǽkjupʌ̀ŋktʃər] *n.* Ⓤ 침술(鍼術), 침 치료 : ~ point 침의 혈. ㊕ **-tur·ist** *n.* Ⓒ

‡acute [əkjúːt] (***acut·er, more ~ ; -est, most ~***) *a.* ① 날카로운, 뾰족한. OPP *obtuse.* ¶ an ~ leaf 끝이 뾰족한 잎. ② (감각·재지 등) 민감한 ; 빈틈없는 ; 혜안의, 명민한 : an ~ observer 예리한 관찰자 / an ~ sense of smell 예민한 후각(嗅覺). ③ 모진, 살을 에는 듯한《아픔·괴로움 등》 ; 심각한《사태 등》 ; 격심한《결핍·부족 따위》 : ~ pain 격통 / There is an ~ shortage of houses. 주택이 매우 부족하다 / The situation is ~. 사태는 급하다. ④ 〖數〗 예각의 ; 〖樂〗 (음이) 높은, 날카로운 : an ~ angle 예각 / an ~ triangle 예각 삼각형. ⑤ 〖醫〗 급성의 ; (병원이) 급성 환자용의. OPP *chronic.* ¶ an ~ disease 급성병. ⑥ 양음(揚音) 부호(´)가 붙은 ; 양음의. ◇ acuity *n.*
── *n.* =ACUTE ACCENT. ㊕ **~·ly** *ad.* 날카롭게 ; 격심하게 ; 예민하게. **~·ness** *n.* Ⓤ 날카로움 ; 격심함 ; 명민함.

acúte áccent 양음 악센트 부호(´).

ACV air-cushion vehicle.

-acy *suf.* '성질, 상태, 직(職)' 따위의 뜻 :

accur*acy*, celib*acy*, magistr*acy*.

ad**[1] [æd] *n.* [C] ((美口)) 광고(advertisement) : an ~ agency〔agent〕 광고 대행업소〔업자〕/ an ~ column 광고란 / an ~ rate 광고료 / an ~ writer 광고 문안가 / put an ~ in the local paper 지방 신문에 광고를 내다. ***classified ads (신문의) 안내〔3 행〕 광고.

ad[2] *n.* 〖테니스〗 advantage 의 간약형((deuce 다음의 1 점 ; server 가 얻은 것을 ad in, receiver 가 얻은 것을 ad out 이라 함)).

ad- *pref.* '접근, 방향, 변화, 첨가, 증가, 강조' 따위의 뜻 : *ad*apt, *ad*here, *ad*vance.

ad. adverb ; advertisement.

‡**A.D.** [éidíː, ǽnoudámənài, -nìː / -dɔ́m-] 그리스도 기원 …, 서력 …((*Anno Domini* ((L.)) (=in the year of our Lord)의 간약형)). [cf] B.C. ¶ A.D. 59 ; 59 A.D. 서력 59년(★ 연대의 앞((주로 英)) 또는 뒤((주로 美))에 쓰며, the 3rd century A.D. 따위에는 항상 뒤임 ; 인쇄에는 보통 small capitals)).

Ada [éidə] *n.* ① 여자 이름. ②〖컴〗 에이다((미(美) 국방부가 중심이 되어 개발한 고수준의 프로그래밍 언어)).

ad·age [ǽdidʒ] *n.* [C] 격언, 금언 ; 속담. ¶ an old ~ 옛속담.

ada·gio [ədáːdʒou, -ʒiòu] *ad., a.* ((It.)) 〖樂〗 느리게 ; 느린. ── (*pl.* **~s**) *n.* [C] 〖樂〗 아다지오 곡〔속도〕; 완만히 추는 발레 댄스.

Ad·am** [ǽdəm] *n.* 〖聖〗 아담((인류의 조상, 창세기 Ⅱ : 7)) ; 최초의 인간. (as***) ***old as*** ~ 태고부터의 ; 진부한((뉴스 등)). ***not know*** a person ***from*** ~ 아무를 전혀 모르다, 본 일도 없다. ***the old*** ~ (회개하기 전의) 본디의 아담 ; 원죄, 인성(人性)의 악(惡). ***the second*** 〔***new***〕 ~ 제 2 의〔새로운〕 아담((그리스도)).

ad·a·mant [ǽdəmənt, -mæ̀nt] *n.* [U] ① (전설상의) 단단한 돌((옛날에 다이아몬드로 생각됨)). ② 더없이 굳은〔견고무비한〕 것 : a will of ~ (철석같이) 굳은 의지. (***as***) ***hard as*** ~ 쉬이 굴하지 않는 ; 매우 견고한.

── *a.* ① 더없이 단단한, 철석 같은. ②〔叙述的〕 **a**) 강직한, 완강한 ((*in* ; *on* ; *about*)) : Why are you so ~ *in* your refusal? 왜 자네는 그렇게 완강히 거절하는가. **b**) 강경히 주장하는 ((that …)) : He was ~ *that* he should go. 그는 자기가 간다고 하며 굽히지 않았다. ***be*** ~ ***to*** …에 완강히 응하지 않다. [파] ~**·ly** *ad.* 단호히, 완강하게 : He ~*ly* refused. 그는 단호히 거절하였다.

ad·a·man·tine [æ̀dəmǽnti(ː)n, -tain] *a.* ① (광택 등) 다이아몬드 같은, 견고무비한, 철석 같은. ② 견고한 ; 단호한 : ~ courage 강용(剛勇).

Ad·ams [ǽdəmz] *n.* 애덤스. ① **John** ~ 미국의 제2대 대통령(1735-1826). ② **John Quincy** ~ 미국의 제6대 대통령(1767-1848).

Ádam's ále〔**wíne**〕((口)) 물(water).

Ádam's àpple 결후(結喉).

‡**adapt** [ədǽpt] *vt.* ((+[목]+[전]+[명])) ① **a**) (필요·상황 등에) …을 적합〔적응〕시키다, 순응시키다 ((*to* ; *for*)) : ~ one's remarks *to* one's audience 청중을 고려하여 말을 조절하다 / This dictionary is ~*ed for* high school students. 이 사전은 고교생을 위하여 만들어졌다. **b**)〔再歸的〕 (새 환경 등)에 순응하다((*to*)) : She couldn't ~ *herself to* the new circumstances. 그녀는 새 환경에 순응할 수 없었다. ② **a**)(소설·극 등)을 개작하다 ; 번안〔각색, 편곡〕하다(modify)((*for* ; *from*)) : ~ a novel *for* the stage 소설을 무대용으로 각색하다 / a play ~*ed from* a French original 프랑스 원작에서 번안한 희곡. **b**) (건물·기계 등을 사용 목적에 맞추어) 개조하다((*for*)) : They ~*ed* the shed *for* use as a garage. 헛간을 차고로 쓸 수 있게 개조하였다. ── *vi.* (환경 등에) 순응하다((*to*)) : Children ~ quickly *to* a new environment. 어린이는 곧 새로운 환경에 순응한다. ≠adopt. ◇ adaptation *n.* ~ one***self to the company*** 동료와 보조를 맞추다.

adapt·a·ble [ədǽptəbəl] *a.* ① 적응〔순응〕할 수 있는((*to*)), 융통성 있는 : a person ~ *to* new ideas 새로운 사상에 적응할 수 있는 사람. ② 개작〔각색〕할 수 있는((*for*)). [파] **adàpt·a·bíl·i·ty** [-bíləti] *n.* [U] 적응〔융통〕성 ; 적합성.

‡**ad·ap·ta·tion** [æ̀dəptéiʃən] *n.* ① [U] 적응, 적합, 순응((*to*)) ; 〖生〗 적응 ; 적응(하여 발달한) 구조〔형태, 습성〕: Evolution occurs as a result of ~ *to* new environments. 진화는 새로운 환경에 대한 적응의 결과로 생긴다. ② [U,C] 개작(물), 번안(물), 각색((*to; for; from*)) : The ~ of the novel *to* film was not very successful. 그 소설은 영화로 각색되었으나 별로 성공하지 못하였다. ◇ adapt *v.*

adapt·ed [ədǽptid] *a.* ①〔叙述的〕 (…에) 적당한, 어울리는((*for* ; *to*)) : Her behavior was not ~ *to* the situation. 그녀의 태도는 그 자리에 어울리지 않았다. ② 개조한, 개작〔번안〕한, 각색한 : ~ tales from Shakespeare 셰익스피어 (작품)에서 번안한 이야기.

adapt·er, adap·tor [ədǽptər] *n.* [C] ① 적합하게 하는 사람〔것〕. ② 각색자, 번안자. ③〖電·機〗 어댑터. ④〖컴〗 맞춤틀, 접하기.

adap·tive [ədǽptiv] *a.* 적합한, 적응하는 ; 적응될 수 있는 ; 적응을 돕는 : an ~ economic strategy 적응성 있는 경제 전략.

[파] ~**·ly** *ad.* ~**·ness** *n.*

ADB Asian Development Bank (아시아 개발 은행). **A.D.C.** aide-de-camp.

A/D convérter [éidíː-] 〖컴〗 A/D변환기, 연속 이산 변환기.

†**add** [æd] *vt.* ① **a**) ((~+[목] / +[목]+[전]+[명])) …을 (…에) 더하다, ; 증가〔추가〕하다((*to* ; *in*)) ; *Add* a little salt. 소금을 좀 치시오 / ~ sugar *to* tea 홍차에 설탕을 타다 / ~ a name *to* a list 명부에 이름을 추가하다 / The bad weather only ~*ed to* our difficulties. 악천후는 우리의 곤경을 가중시킬 뿐이었다. **b**) ((+[목]+[부] / +[목]+[전]+[명]))(덧셈에서) …을 더하다((*to*)) ; …의 합계를 내다, 합산하다((*up* ; *together*)) : ~ *up* the grocery bills 식료품의 계산서를 합계하다 / *Add* these figures *together*. 이 숫자의 합계를 내어라 / If you ~ 6 and〔*to*〕 4 you get 10. 6에 4를 더하면 10. ② **a**) (말)을 첨가하다, 부언하다 : ~ a few words 말 두세 마디를 부언하다 / "And I quite agree," he ~*ed*. '그리고 나도 전적으로 동감이오'라고 그는 부언하였다((목적어가 인용문)). **b**) ((+*that* [절])) (…라고) 부언하다, 덧붙여 말하다 : He ~*ed that* he would come again soon. 근일중 다시 오겠다고 그는 부언했다. ③ …을 포함하다((*in*)) : It's $45-$50 if you ~ *in* the cost of postage. 우편요금을 포함하면 45달러 내지 50달러이다. ── *vi.* ① 덧셈하다. ② ((+[전]+[명])) 늘다, 붇다((*to*)). [opp] *subtract.* ¶ This will ~ *to* our pleasure. 이것은 우리를 더욱 즐겁게 할 것이다. ◇ addition *n.* ~ ***in*** 산입하다, 더하다, 포함하다 : Don't forget to ~ me *in*. 잊지 말고 나도 넣어주오. ~ ***on*** 포함하다, 곁들이다 : ~ *on* the ten percent service charge, 10퍼센트의 서비스 요금을 포함하다. ~ ***up*** (*vi.*) 계산이 맞다 ; ((口)) 이치〔조리〕에 맞다, 이해

되다 : It is already clear that his electoral commitments do not ~ *up*. 그의 선거 공약이 불합리하다는 것은 이미 명백하다. (*vt.*) 합계하다 ; …에 대해 결론을〔판단을〕 내리다 : *Add up* all the money I owe you. 내가 네게 빚진 돈을 모두 더해라. ~ ***up to*** (1) 총계 …이 되다 : The loss ~*s up to* over $ 10,000. 손실은 만 달러 이상이 된다. (2) 《口》 결국 …의 뜻이 되다, …을 뜻하다(mean) : His statement ~*s up to* an admission of guilt. 그의 진술은 결국 죄를 시인하는 것밖에 안된다. ***to*** ~ ***to*** 〔흔히 글머리에 와서〕 …에 더하여, 그 위에 : *To* ~ *to* my distress ... 더욱 곤란하게도 ….
── *n.* 〖컴〗 더하기.

ad·dax [ǽdæks] (*pl.* ~·***es,*** ~) *n.* Ⓒ 영양(羚羊)의 일종《북아프리카 · 아라비아산》.

ádded válue 〖經〗 부가 가치. 「ADDED TAX.

ádd·ed-vál·ue tàx [ǽdidvǽlju:-] = VALUE-

ad·den·dum [ədéndəm] (*pl.* ***-da*** [-də]) *n.* Ⓒ (책의) 보유(補遺), 부록 ; 추가(사항).

ad·der¹ [ǽdər] *n.* Ⓒ 〖物〗 ① 유럽 북살모사《독사의 일종》. ② ①비슷한 유독 · 무독의 뱀의 총칭.

add·er² *n.* Ⓒ ① 덧셈하는 사람. ② 가산기(器) (adding machine) ; 〖컴〗 덧셈기.

ad·dict [ədíkt] *vt.* 《+목+전+명》 〔흔히 再歸的 또는 受動으로〕 …을 빠지게 하다, 몰두〔탐닉〕시키다《*to*》 ; 마약 중독이 되게 하다 : He is ~*ed to* gambling. 그는 도박에 미쳐 있다 / ~ *oneself to* drinking 술에 빠지다《★ 대개 나쁜 뜻》. ── [ǽdikt] *n.* Ⓒ 어떤 습성에 탐닉하는 사람, 《특히》 (마약) 중독자 ; 열광적인 애호〔지지〕자 : a drug ~ 마약 중독자 / a baseball ~ 야구광.
㊎ **ad·díc·tion** [-ʃən] *n.* Ⓤ,Ⓒ 열중, 탐닉《*to*》 ; (…) 중독 : cocain ~ 코카인 중독 / an ~ *to* alcohol 술에 빠짐. **ad·díc·tive** [-tiv] *a.* ① (약 따위가) 중독성인, 습관성인 : Morphine is highly ~. 모르핀은 습관성이 강하다. ② 탐닉하기 쉬운.

Ad·die, Ad·dy [ǽdi] *n.* 여자 이름《Adelaide, Adelina, Adeline 의 애칭》.

ádding machìne 가산기, 계산기.

Ad·dis Aba·ba [ǽdis-ǽbəbə] 아디스 아바바 《Ethiopia 의 수도》.

Ad·di·son [ǽdəsən] *n.* 애디슨. ① **Joseph** ~ 영국의 수필가 · 시인(1672-1719). ② **Thomas** ~ 영국의 의사(1793-1860). 「전》.

Áddison's disèase 애디슨병《부신 기능 부

‡**ad·di·tion** [ədíʃən] *n.* ① Ⓤ 추가, 부가 : the ~ of vitamins *to* food 식품에 비타민 첨가. ② Ⓒ **a)** 추가 사항, 부가물 ; 새로 들어온 사람 : There was a new ~ *to* his family. (아이가 태어나) 가족이 하나 불었다. **b)** 《美》 (건물의) 증축 부분, (소유지의) 확장 부분 : an ~ *to* a house 집의 증축. ③ Ⓤ,Ⓒ 〖數〗 덧셈. Ⓞⓟⓟ *subtraction.* ¶ He is quick at ~. 그는 덧셈에 빠르다. ◇ add *v.* ***an*** ~ ***to a name*** 직함. ***in*** ~ 게다가, 그 위에 : *In* ~, there were meetings with trade unionists. 게다가 노동조합원들과의 모임도 있었다. ***in*** ~ ***to*** … 에 더하여, …위에 또(besides) : He writes well *in* ~ *to* being a fine thinker. 그는 뛰어난 사상가인데다가 문장력도 훌륭하다.

‡**ad·di·tion·al** [ədíʃənəl] *a.* 부가의, 추가의 ; 특별한 : an ~ budget 추가 예산 / an ~ charge 할증료. ㊎ ~**·ly** *ad.* 그 위에, 게다가.

ad·di·tive [ǽdətiv] *a.* 더할, 부가적인, 추가의. ── *n.* Ⓒ 부가물〔요소, 어(語)〕 ; 혼합〔첨가〕제 《내폭제 · 식품 첨가물 등》 : a food ~ 식품첨가물 / artificial ~*s* 인공 첨가물. ◇ add *v.*

ad·di·tive-free [-frí:] *a.* 첨가물이 들지 않은.

ad·dle [ǽdl] *a.* 썩은《달걀》 ; 혼탁한(muddled) 《머리》 ; 공허한. ── *vt.* 《~+목 / +목+전+명》 (계란)을 썩히다 ; (머리를) 혼란시키다 : The shocking experience ~*d* his brains. 그 무서운 경험으로 그의 머리는 혼란하였다 / Don't ~ your mind *with* such a trifle. 그런 하찮은 것을 가지고 고민하지 마라. ── *vi.* (머리가) 혼란하다 ; (계란이) 썩다. ㊎ **ád·dled** *a.*

ad·dle·brained [ǽdlbrèind] *a.* 머리가 혼란한 ; 머리 나쁜. 「BRAINED.

ad·dle·headed [ǽdlhèdid] *a.* = ADDLE-

ad·dle·pat·ed [ǽdlpèitid] *a.* = ADDLEBRAINED.

add-on [ǽdɑ̀n, -ɔ̀:n] *n.* Ⓒ ① (컴퓨터 · 스테레오 등의) 추가기기 : an ~ to a computer 컴퓨터의 추가기기. ② 추가 요금. ③ 추가 조항, 부기 : This is just another legislative ~ . 이것은 법률에 흔히 있는 부가 조항이다. ④ 〖金融〗 애드온 방식《원금과 이자를 합산하여 분할 변제하는 방식》(= **ádd-on lóan**). ── *a.* 〔限定的〕 부속〔부가〕의 : an ~ hard disk (컴퓨터에 접속한) 추가 하드 디스크.

ádd-on mémory 〖컴〗 덧기억 장치 《기본 기억 장치에 기억 용량을 확장할 목적으로 부가하는 기억 장치》.

ádd operátion 〖컴〗 덧셈《연산의 결과가 두 수의 합이 되게 하는 연산》.

†**ad·dress**¹ [ədrés] *n.* ① [《美》 흔히 ǽdres] Ⓒ **a)** 받는이의 주소 · 성명, (편지 따위의) 겉봉 ; 주소 : This is my business〔home〕 ~. 이것이 회사〔집〕 주소입니다 / a person of no ~ 주소 불명인 사람 / He took out his pen and wrote down his name and ~. 그는 펜을 꺼내어 그의 이름과 주소를 적었다. **b)** 〖컴〗 번지《(1) 기억 장치의 데이터가 적혀 있는 자리 ; 그 번호. (2) 명령의 어드레스 부분》. ② Ⓒ (청중에의) 인사말, 연설(speech) : an ~ of thanks 치사(致謝) / give the opening 〔closing, welcome〕 ~ 개회〔폐회, 환영〕사를 하다 / a congratulatory ~ = an ~ of congratulation 축사 / a funeral ~ 조사(弔辭). ③ Ⓤ 응대하는 태도 ; 말하는〔노래하는〕 태도 : a man of pleasing ~ 응대 솜씨가 좋은 사람. ④ Ⓤ 일처리 솜씨, 능란(한 솜씨) : show great ~ 솜씨가 매우 능란하다. ⑤ (*pl.*) 구애, 구혼 : pay one's ~*es* to a young lady 젊은 여성에게 구혼하다. ⑥ Ⓤ 〖골프〗 (타구 전의) 칠 자세.
deliver 〔***give***〕 ***an*** ~ 일장의 강연을 하다. (a spoken 〔written〕) ***form of*** ~ (구두로〔서면으로〕) 부르기, 직함, 칭호. ***with*** ~ 솜씨 좋게.

†**ad·dress**² [ədrés] *vt.* ① **a)** …에게 이야기를〔말을〕 걸다, …에게 연설〔인사〕하다 : ~ an assembly 일동을 향해 연설〔인사〕하다 / He ~*ed* me politely. 그는 나에게 정중히 말을 걸어왔다. **b)** 《+목+*as* 보》 …을 (경칭 · 애칭 등으로 …라고) 부르다 : ~ a person *as* 'General' 아무를 '장군'이라고 부르다 / He always ~*ed* me *as* 'my daughter'. 그는 언제나 나를 '내 딸'이라고 부른다. ② **a)** 《~+목 / +목+전+명》 (편지 등)을 보내다, (편지)에 받는이의 주소 성명을 쓰다, (편지)를 …앞으로 내다《*to*》 : ~ a parcel 소포에 받는이의 주소 · 성명을 쓰다 / The parcel was wrongly ~*ed*. 소포의 수신인 주소 성명이 잘못 씌어졌다 / I ~*ed* the letter *to* James. 제임스에게 편지를 보냈다. **b)** 〖컴〗 (데이터)를 기억 장치의 번지에 넣다. ③ 《+목+전+명》 **a)** (문서 따위)를 제출하다, (비평 · 기원 · 경고 따위)를 보내다, (…에게) 전하다 《*to*》 : ~ a message *to* Congress (대통령이) 의회에 교서를 보내다 / Please ~ all complaints *to* the manager. 지배인에게 모든 불만을 적어내시오. **b)** 〔再歸的〕 (…에게) 발언하다, 말을 걸다 《*to*》 : He ~*ed himself to* the leader. 지도자를

향하여 발언하였다. ④《+목+전+명》〔흔히 再歸的〕(마음·정력 등)을 쏟다, 열심히 하다: ~ one's attention *to* …에 주의를 집중하다 / She *~ed herself to* the task. 그녀는 그 일에 온 힘을 다하였다. ⑤(문제)를 다루다, 처리하다: We have to ~ the problem seriously. 이 문제를 진지하게 다루어야 한다. ⑥〖골프〗(공)을 칠 자세를 취하다; 〖弓〗(활)을 쏠 자세를 취하다.

áddress bòok 주소록.

áddress bùs 〖컴〗 어드레스 버스, 번지 버스 《어드레스〔번지〕 지정 신호를 전송하는 버스》.

ad·dress·ee [æ̀dresíː, əd-] *n.* Ⓒ (우편물·메시지의) 수신인, 받는이.

ad·dress·er, -dres·sor [ədrésər] *n.* Ⓒ 말을 거는 사람; 이야기하는 사람; 발신인.

ad·dress·ing [ədrésiŋ] *n.* 〖컴〗 번지 지정.

addréssing mòde 〖컴〗 번지 지정 방식《셈숫자(operand)의 존재 장소를 지정하는 방식》.

áddress spàce 〖컴〗 번지 공간《CPU, OS, 응용(application) 등이 접근할 수 있는 기억 번지의 범위》.

ad·duce [ədjúːs] *vt.* (이유, 증거 따위)를 제시하다, 예증으로서 들다: Darwin *~d* the fossil record as support for his theory. 다윈은 그의 이론을 뒷받침하기 위하여 화석 기록을 제시하였다.

ad·duct [ədʌ́kt] *vt.* 〖生理〗 (손·발등)을 내전(內轉)시키다. opp *abduct.*

ad·duc·tion [ədʌ́kʃən] *n.* Ⓤ ① 이유 제시, 인용(引用), 인증(引證). ②〖生理〗 내전(內轉).

-ade *suf.* '행위, 생성물(物), 결과, 단 음료, 행동 참가자(들)'의 뜻의 명사를 만듦: block*ade*; lemon*ade*; brig*ade*.

Ad·e·laide [ǽdəlèid] *n.* 애덜레이드《오스트레일리아 남부의 도시》.

Aden [áːdn, éi-] *n.* 아덴《예멘 남서부의 도시; 통일 전 남예멘의 수도》.

ad·e·nine [ǽdəniːn, -nàin] *n.* 〖生化〗 아데닌《췌장 등의 동물 조직 중에 있는 염기(塩基)》.

ad·e·noid [ǽdənɔ̀id] *n.* 〖解〗 인두(咽頭) 편도(扁桃); (*pl.*) 〖醫〗 아데노이드, 선(腺)증식 비대(증) (=∠ **grówth**). ── *a.* 선(상)(腺(狀))의, 아데노이드의; 인두 편도선의.

ad·e·noi·dal [æ̀dənɔ́idl] *a.* =ADENOID; 아데노이드 증상(특유)의《입호흡·콧소리 등》.

adept [ədépt] *a.* ① 숙달된: an ~ mechanic 숙련 기계공. ②〔敍述的〕 숙련된; 정통한, 환한《*in; at*》: be ~ *at*〔*in*〕 music / He is ~ *at* telling convincing lies. 그는 그럴듯한 거짓말을 하는 명수이다 / The ~ lawyer exploited the prosecutor's weakness. 변호사는 검찰측의 약점을 재치있게 이용하였다. ── [ǽdept] *n.* Ⓒ 숙련자, 명인(expert), 달인(達人)《*in; at*》: He is a great ~ *in* photography. 그는 사진의 명인이다.
㊉ **~·ly** *ad.*

ad·e·qua·cy [ǽdikwəsi] *n.* Ⓤ 적당〔타당〕함; 충분함.

:ad·e·quate [ǽdikwit] *a.* ①(어떤 목적에) 어울리는, 적당한, 충분한; (직무수행할) 능력이 있는, 적임의《*to; for*》: He could not think of an ~ answer. 그는 적당한 대답을 생각해낼 수 없었다 / a person ~ *to* the post 그 지위에 어울리는 (능력있는) 사람 / ~ food *for* 50 people, 50 명을 위한 충분한 음식 / data ~ to prove an argument 논지를 입증하기에 적절한 자료 / This car is ~ *to* our needs. 이 차는 우리 요구에 꼭 맞다. ② 겨우 필요 조건을 충족하는, 그런대로 어울리는: The leading actor was (only) ~. 주연의 연기는 겨우 합격선이었다. ③〖法〗 법적으로 충분한《근거》.
㊉ **~·ly** *ad.* ① 적절히, 충분히. ② 그런대로, 보통으로.

> 參考 (1) 서술적인 경우에는 *to*, 명사 앞에 쓰일 때는 *for*, 명사의 뒤에 쓰일 때는 *for* 또는 *to*.
> (2) 사람에 대하여 an ~ man 같은 표현은 쓰지 않음.

ADF automatic direction finder(자동 방향 탐지기).

:ad·here [ædhíər] *vi.* 《+전+명》 ① (…에) 점착〔부착, 유착〕하다《*to*》: Mud *~d to* his clothes. 옷에 흙이 묻었다. ② (신앙·생각·계획 등을) 고수하다, 집착하다《*to*》; 신봉하다, 지지하다《*to*》: ~ *to* a plan 계획을 고수하다 / He *~s* stubbornly *to* his earlier testimony. 그는 완강히 앞서의 증언을 바꾸지 않는다. ◇ adhesion, adherence *n.*

ad·her·ence [ædhíərəns] *n.* Ⓤ ① 고수, 묵수(墨守), 집착《*to*》; 충실한 지지: ~ *to* a principle 주의(主義)의 고수. ② 점착(粘着), 부착(adhesion)《*to*》. ★ 대체로 adherence는 추상적, adhesion은 구체적인 뜻으로 쓰임.

***ad·her·ent** [ædhíərənt] *a.* ① 들러붙는, 부착하는《*to*》: an ~ substance 점착성 있는 물질 / an ~ surface 끈적끈적한 표면. ②〖植〗 착생하는.
── *n.* Ⓒ 지지자, 신봉자, 신자《*of*; 때로 *to*》; (*pl.*) 여당: nominal *~s of* a religion 이름뿐인 신자 / The cult gained *~s* at an alarming rate. 그 종파는 놀라운 속도로 신자를 끌어들였다.
㊉ **~·ly** *ad.*

ad·he·sion [ædhíːʒən] *n.* Ⓤ ① 점착, 부착, 고착, 흡착《*to*》: When you go round a corner too fast the tires lose their ~. 길모퉁이를 너무 빨리 돌아가면 타이어가 부착력을 잃는다. ② 집착, 애착, 고수《*to*》. ③ Ⓤ.Ⓒ 〖物〗 부착(력); 〖醫〗 유착; 〖植〗 착생, 합착.

ad·he·sive [ædhíːsiv, -ziv] *a.* 점착〔접착〕성의; 들러붙어 떨어지지 않는: the ~ side of a stamp 우표의 화학 풀칠을 한 쪽. ── *n.* Ⓒ 점착물, 접착제; 접착 테이프, 반창고: You'll need a strong ~ to mend that chair. 저 의자를 고치려면 강력 접착제가 필요할 것이다. ㊉ **~·ly** *ad.* 점착〔부착〕하여.

adhésive tàpe 〔plàster〕 접착 테이프, 반창고.

ad hoc [æd-hák, -hóuk] 《L.》 (=for this) 특별한 목적을 위하여〔위한〕, 특별히〔한〕, 임시의; 이 문제에 관하여〔관한〕: an ~ election 특별 선거 / ~ committees to examine specific problems 특정 문제 심사를 위한 특별 위원회.

ADI acceptable daily intake (유해 물질의) 1인당 허용 섭취량.

adieu** [ədjúː] *int.* 안녕(히 가세요〔계세요〕): Gentlemen, I bid you ~. 여러분, 안녕히 계십시오. ── (*pl.* **~s, ~x** [-z]) *n.* Ⓒ 이별, 작별, 고별(good-bye). ***bid ~ to =***make*** 〔***take***〕 ***one's ~ of*** …에게 이별을 고하다.

ad in·fi·ni·tum [æd-ìnfənáitəm] 《L.》 영구히, 무한히《略: ad. inf., ad infin.》.

ad·i·os [æ̀dióus, àːdi-] *int.* 《Sp.》 (=to God) = ADIEU. [◂《Sp.》 *a* 'to'+*dios* 'God'; ⇨ADIEU]

ad·i·pose [ǽdəpòus] *a.* 〔限定的〕 지방(질)의, 지방이 많은: ~ tissue 지방 조직. ── *n.* Ⓤ 동물성 지방.

ad·i·pos·i·ty [æ̀dəpásəti / -pɔ́s-] *n.* Ⓤ 비만(증), 지방 과다(증).

Adiróndack Móuntains (the ~) 애디론댁 산맥《미국 New York 주 북동쪽에 있는》.

ad·it [ǽdit] *n.* Ⓒ ① 입구. ②〖鑛山〗 횡갱(橫坑).

adj. adjacent; adjective, adjourned; adjunct;

adjustment ; adjutant.

ad·ja·cen·cy [ədʒéisənsi] *n.* ① [U] 인접《*to*》; 근린. ② [C] (흔히 *pl.*) 인접지.

***ad·ja·cent** [ədʒéisənt] *a.* 접근한, 인접한, 부근의《*to*》. [cf.] adjoining. ¶ ~ villages 인근 마을들 / ~ angles 〖幾〗이웃각 / There was a cinema ~ *to* my house. 내 집에 인접하여 영화관이 있었다. ㊔ ~**·ly** *ad.* 인접하여.

ad·jec·ti·val [æ̀dʒiktáivəl] *a.* 형용사(적)인 ; 형용사를 만드는《접미사》; 형용사가 많은《문체》: an ~ phrase 형용사구. ── *n.* [C] 형용사적 어구. ㊔ ~**·ly** *ad.*

:ad·jec·tive [ǽdʒiktiv] *n.* [C] 형용사. ── *a.* 형용사의〔적인〕; 부수〔종속〕적인 : an ~ phrase 〔clause〕 형용사구〔절〕.

:ad·join [ədʒɔ́in] *vt.* (집·토지 등이) …에 인접〔이웃〕하다 : His property ~*s* the lake. 그의 소유지는 호수에 임하여 있다. ── *vi.* (두 가지 것이) 인접해 있다 : The two houses ~. 두 집은 서로 이웃해 있다.

:ad·join·ing [ədʒɔ́iniŋ] *a.* 인접한 ; 부근〔이웃〕의. [cf.] adjacent. ¶ ~ rooms 옆방 / We waited in an ~ office. 우리는 옆 사무실에서 기다렸다 / People at ~ tables looked at him in astonishment. 옆 테이블에 있던 사람들은 놀라서 그를 보았다.

:ad·journ [ədʒə́ːrn] *vt.* ① …을 휴회〔산회, 폐회〕하다 : ~ the court 재판을 휴정하다. ②《~+[목] / +[목]+[전]+[명]》(심의 등)을 연기하다, 이월하다 : The members of the club voted to ~ the meeting *until* the next week. 클럽회원들은 회합을 다음 주까지 연기하기로 투표로 결정했다. ── *vi.* ① 휴회〔산회, 폐회〕하다 ;《口》일을 중단하다 : ~ without day 〔sine die〕 무기 연기되다 / Let's ~ until tomorrow. 내일까지 휴회합시다 / The conference will ~ for one hour. 회의는 한 시간 휴회합니다. ②《+[전]+[명]》《口》자리를 옮기다《*to*》: Let's ~ *to* the hall. 홀로 옮기자. ㊔ ~**·ment** *n.* [U,C] (의사(議事) 등의) 미룸 ; (회의 등의) 연기 ; 휴회 (기간) ; 자리 이동.

adjt. adjutant.

ad·judge [ədʒʌ́dʒ] *vt.* ①《+[목]+(*to be*) [보] / +*that* [절]》…을 …라고 선고하다, 판결하다 : The will was ~*d* (*to be*) void. =They ~*d that* the will was void. 유언은 무효 결정을 받았다. ②《+[목]+[전]+[명]》(심사하여 상품 따위)를 수여하다 ; 선정하다《*to*》: ~ a prize *to* a person 아무에게 상을 주다 / The prize was ~*d to* him. 상이 그에게 수여되었다. ③《+[목]+[보]》…로 생각하다 : It was ~*d* wise to take small risks. 너무 위험을 무릅쓰지 않는 것이 현명하다고 생각되었다 / I was ~*d* an extremist. 나는 극단론자로 간주되었다. ㊔ **ad·júdg(e)·ment** *n.* 판결 ; 선고 ; 심판, 판정 ; (심사에 의한) 시상, 수상(授賞).

ad·ju·di·cate [ədʒúːdikèit] *vt.* ① …로 판결하다, 재결하다 : The case was ~*d* in her favor. 그 소송 사건은 그녀에게 유리한 판결이 내려졌다. ②《+[목]+(*to be*)[보]》…로 선고하다 : The court ~*d* him (*to be*) guilty. 법정은 그를 유죄로 선고하였다. ── *vi.*《~ / +[전]+[명]》(경기 등에서) 심판을 보다 ; 판결하다, 심판하다《*on, upon*》: We would like you to ~ at the flower show. 귀하께서 꽃 전시회 심사를 해 주시기 바랍니다 / He ~*d upon* 〔*on*〕 the case of murder. 그가 그 살인 사건을 판결하였다. ㊔ **-cà·tor** [-tər] *n.* [C] 재판관, 심판관.

ad·ju·di·ca·tion [ədʒùːdikéiʃən] *n.* [U,C] 판결(을 내림) ; (파산 따위의) 선고를 함 : His ~ was later found to be faulty. 그의 판결은 후에 잘못되었음이 판명되었다.

***ad·junct** [ǽdʒʌŋkt] *n.* [C] ① 부속〔종속〕물, 보조적인 것《*to* ; *of*》; 보조자, 조수자 : Physical therapy is an important ~ *to* drug treatments. 물리요법은 약물 치료의 주요 보조 치료법이다. ② 〖文法〗 수식어구, 부가사(附加詞). ── *a.* ① 부속된, 부수의. ② 일시 고용의. [opp.] *permanent.* ㊔ ~**·ly** *ad.* **ad·junc·tive** [ədʒʌ́ŋktiv] *a.* 부속의, 보조의. **-tive·ly** *ad.*

ad·junc·tion [ədʒʌ́ŋkʃən] *n.* [U,C] 부가 ; 첨가.

ad·ju·ra·tion [æ̀dʒəréiʃən] *n.* [U,C] ① 간청, 간원. ② 엄명, 권고.

ad·jure [ədʒúər] *vt.* ① …에게 엄명하다《*to* do》: The judge ~*d* him *to* speak the truth. 법관은 그에게 진실을 말하도록 엄숙히 명하였다. ② …에게 간원하다, 탄원하다(entreat)《*to* do》: These columns are ~*d to* have some bearing on literary matters. 이들 컬럼은 문학 문제에 대해서 다소의 관계를 갖도록 권고받고 있다.

:ad·just [ədʒʌ́st] *vt.* ①《~+[목] / +[목]+[전]+[명]》**a)** …을 …에 맞추다, 적합케 하다《*on* ; *to*》; (옷)의 치수를 맞추다 : He stopped to try to ~ his vision *to* the faint starlight. 그는 자기 시력을 희미한 별빛에 맞추려던 노력을 중지하였다 / ~ expenses *to* income 지출을 수입에 맞추다. **b)** (기계 등)을 조절〔조정〕하다, 정비하다, 매만져 바로잡다 : ~ a clock 시계를 조정하다 / ~ the focus of a camera 카메라의 초점을 조정하다. ② 〔再歸的〕 (처지 등에) 순응하다《*to*》: He ~*ed himself* very quickly *to* his new environment. 그는 재빨리 새 환경에 순응하였다. ③ (분쟁 등)을 조정하다 : They ~*ed* their differences of opinions. 그들은 의견 차이를 조정하였다. ── *vi.*《~ / ~+[전]+[명]》 순응하다 ; 조정되다 : They had no problems in ~*ing* at the new school. 그들이 새 학교에 순응하는데 문제는 없었다 / He soon ~*ed to* living alone. 그는 곧 혼자 사는 데 익숙해졌다.
㊔ ~**·a·ble** *a.* 조정〔조절〕할 수 있는.

ad·just·er, -jus·tor [ədʒʌ́stər] *n.* [C] ① 조정〔조절〕자. ② 조절기〔장치〕. ③ 〖保險〗 손해 사정인 ; 정산인.

:ad·just·ment [ədʒʌ́stmənt] *n.* [U,C] ① 조정(調整) ; 조절 ; 조정(調停) : Some ~ of the lens may be necessary. 렌즈의 조정이 좀 필요할지 모르겠다 / They worked out an ~ of their conflicting ideas. 그들은 대립하는 생각을 이럭저럭 조화시켰다. ② 〖保險〗 정산(精算) (서).

ad·ju·tant [ǽdʒətənt] *a.* 보조의. ── *n.* [C] ① 〖軍〗 부관. ② 〖鳥〗 무수리(=∠ **bird** 〔**stòrk**〕).

ad lib [ædlíb, ∠∠] 《口》 〔副詞的〕 생각대로, 무제한, 자유로이 ; 〔名詞的〕 즉흥적인 연주〔대사〕, 임시 변통의 일 : He spoke entirely ~. 그는 그저 생각나는 대로 말했다. [◂ *ad lib*itum]

ad-lib [ædlíb, ∠-] (-*bb*-) *vt.* 《口》 ① (대본에 없는 대사 따위)를 즉흥적으로 주워대다〔연기하다〕. ② (악보에 없는 것)을 즉흥적으로 노래〔연주〕하다. ── *vi.* 애드리브로 하다〔연주하다〕: She often forgot her lines on stage but she was very good at ~*bing.* 그는 종종 무대에서 대사를 잊었지만 애드리브에 아주 능했다. ── *a.* 즉흥적인 ; 임의〔무제한〕의. ── *n.* =AD LIB.

ad-lib·ber [ædlíbər] *n.* [C] 즉흥적인 연주자.

ad lib·i·tum [æd-líbətəm] 《L.》 임의로 ; 연주자 임의의《略 : ad lib.》.

Adm. Admiral(ty).

ad·man [ǽdmæ̀n, -mən] (*pl.* **-men** [-mèn,

-mən]) *n.* Ⓒ《口》광고업자, 광고 권유원(★ 여성형은 **ád·wòm·an**).

ad·mass [ǽdmæ̀s]《주로 英》*n.* Ⓤ 매스컴을 이용한 판매 방식; 그 영향을 받기 쉬운 일반 대중.

ad·min [ǽdmin] *n.* Ⓤ《口》정부(政府). [◂ *admin*istration]

***ad·min·is·ter** [ædmínəstər, əd-] *vt.* ① …을 관리하다, 지배〔통치〕하다: ~ the affairs of state 국무(國務)를 보다 / In the United States the Secretary of State ~*s* foreign affairs. 미국에서는 국무장관이 외무를 관장한다. ②《~+목 / +목+전+명》(법령·의식)을 집행하다: ~ the Sacrament 성찬식을 행하다 / ~ justice *to* a person 아무를 재판에 걸다. ③《~+목 / +목+전+명》a) (…에게 치료 등)을 베풀다; (…에게 필요한 것)을 주다; 베풀다, 공급하다《*to*》: ~ aid 원조하다 / The doctor ~*ed* artificial respiration *to* the boy. 의사는 그 소년에게 인공 호흡을 해주었다. b) (약 따위)를 복용시키다: ~ medicine *to* a person 아무에게 투약하다. ④《+목+목 / +목+전+명》(…에게 타격 따위)를 가하다, …을 과하다, 지우다, 강제하다《★ give가 일반적임》: ~ a person a punch on the jaw 아무의 턱에 일격을 가하다 / ~ a severe blow *to* a person 아무에게 통렬한 일격을 더하다 / ~ a rebuke 꾸짖다. ⑤《+목+전+명》(…에게 선서)를 하게 하다《*to*》: ~ an oath *to* him 그에게 선서케 하다. ── *vi.* ① 관리하다;〖法〗유산을 관리하다. ②《+전+명》보충하다, 돕다; 공헌하다《*to*》: Health ~*s to* peace of mind. 건강은 마음의 평화를 돕는다. ◇ administration *n.*, administrative *a.*

ad·min·is·trate [ædmínəstrèit, əd-] = ADMINISTER.

‡**ad·min·is·tra·tion** [ædmìnəstréiʃən, əd-] *n.* ① Ⓤ a) 관리, 경영, 지배(management); (the ~)〔集合的〕관리 책임자들, 집행부, 경영진: The company developed under his wise ~. 회사는 그가 경영을 잘하여 발전하였다. b) 행정, 통치; 행정〔통치〕기간〔임기〕: mandatory ~ 위임 통치 / give good ~ 선정을 펴다 / during the Bush *Administration* 부시 대통령 재임 중에 / civil〔military〕~ 민정〔군정〕. ② Ⓒ《美》행정 기관, 관청, 행정부; (the A-)《美》내각, 정부(《英》government): *the* Clinton〔present〕*Administration* 클린턴 정권〔현정부〕. ③ Ⓤ a) (법률 등의) 시행, 집행《*of*》; the ~ *of* the law 법률의 집행. b) (종교 의식·식전 등의) 집행《*of*》. ④ Ⓤ (요법 등의) 적용, (약 등의) 투여, (치료·원조 등의) 베풂: the ~ *of* a drug 약의 투여. ◇ administer *v.* ***the ~ of justice*** 재판, 처벌.

***ad·min·is·tra·tive** [ædmínəstrèitiv, -trə-, əd-] *a.* 관리〔경영〕의; 행정(상)의: ~ ability 행정 수완 / an ~ district 행정구(획) / ~ readjustment 행정 정리. ㊞ **~·ly** *ad.* 관리상, 행정상.

ad·min·is·tra·tor [ædmínəstrèitər, əd-] *n.* Ⓒ ① a) 관리자; 이사: a college ~ 대학의 관리자. b) 행정관, 통치자. c) (경영·행정적인) 관리 재능이 풍부한 사람;〖法〗관재인(管財人), 《특히》 유산 관리인.

***ad·mi·ra·ble** [ǽdmərəbəl] *a.* ① 감탄〔칭찬〕할 만한, 감복할: The trains ran with ~ precision. 기차는 놀라운 정확성으로 운행되었다. ② 훌륭한, 장한(excellent). ◇ admire *v.* ㊞ **-bly** *ad.* 훌륭히, 멋지게.

***ad·mi·ral** [ǽdmərəl] *n.* Ⓒ 해군 대장(full ~); 해군 장성; (함대) 사령관, 제독(略: Adm., Adml.): a fleet ~《美》= an ~ of the fleet《英》해군 원수 / a (full) ~ 해군대장 / a vice ~ 해군 중장 / a rear ~ 해군 소장 / *Admiral* Nelson 넬슨 제독. ㊞ **~·ship** *n.* Ⓤ ~의 직〔지위〕.

ad·mi·ral·ty [ǽdmərəlti] *n.* ① Ⓤ admiral 의 직〔지위〕. ② (the A-)《英》해군 본부. ③ a) Ⓤ 해사법. b) Ⓒ《美》해사 법원.

‡**ad·mi·ra·tion** [ædməréiʃən] *n.* Ⓤ ① 감탄, 찬탄, 칭찬《*of* ; *for*》; 탄복하여 바라봄《*of*》: We felt great ~ *for* his ability. 우리는 그의 수완에 크게 감탄하였다 / We stood silent in ~ *of* the beautiful scenery. 우리는 아름다운 경치에 감탄하여 말없이 서있었다. ② (the ~) 칭찬의 대상《*of*》: He is *the* ~ *of* all. 그는 모든 사람의 칭찬의 대상이다 / She is *the* ~ *of* young men. 그녀는 청년들이 동경하는 여성이다. ◇ admire *v.* ***in ~ of*** …을 찬미하여〔기리어〕. ***stand in ~ before*** = ***be lost in ~ of*** …을 극구 찬탄하다. ***with ~*** 감탄하여. ***to ~*** (경치 등이) 너무나 아름다워〔훌륭하여〕.

‡**ad·mire** [ædmáiər, əd-] *vt.* ① a)《~+목 / +목+전+명》…에 감복〔찬탄〕하다, …을 칭찬하다, 사모하다《*for*》: ~ the view 그 풍치에 찬탄하다 / We ~*d* him *for* his courage. 우리는 그의 용기를 기리었다. b) …을 감탄하여〔넋을 잃고〕바라보다: He stood *admiring* the roses. 그는 넋을 잃고 장미를 바라보며 서 있었다. ②〔흔히 反語的〕…에 감탄하다, 경탄하다: I ~ his audacity. 저 자의 뻔뻔스러움에는 질렸어. ③《口》(겉치레로) 칭찬하다, 극구 칭찬하다: I forgot to ~ her cat. 고양이를 칭찬해 주는 걸 깜박 잊었다. ◇ admiration *n.*

‡**ad·mir·er** [ædmáiərər, əd-] *n.* Ⓒ ① 찬미자, 팬. ② 구애자, 구혼자, 애인.

***ad·mir·ing** [ædmáiəriŋ, əd-] *a.*〔限定的〕찬미하는, 감복〔감탄〕하는: cast ~ glances at …을 넋을 잃고 바라보다. ㊞ **~·ly** *ad.* 감탄하여: 'Great!' he said ~*ly*. '대단해' 하고 그는 감탄하여 말하였다.

ad·mis·si·ble [ædmísəbəl, əd-] *a.* ①〔敍述的〕참가〔입장, 입회, 입학〕할 자격이 있는; (지위에) 취임할 자격이 있는《*to*》: Adults only are ~ *to* that film. 그 영화는 성인밖에 볼 수 없다. ② (행위·생각·구실 따위가) 용납〔수락〕할 수 있는: the maximum ~ dose 최대 허용량(許容量) / Such behavior is not ~ among our staff. 우리 직원간에 그런 행위는 용납되지 않는다. ◇ admit *v.*

‡**ad·mis·sion** [ædmíʃən, əd-] *n.* ① Ⓤ 들어가는 것을 허용함, 입장(허가), 입학(허가), 입국(허가)《*to* ; *into*》: applicants for ~ 입회〔입학〕지망자 / He gained〔got, obtained〕~ *into* the Alpine Club. 그는 산악회(의) 입회가 허용되었다 / He applied for ~ *to* a school〔society〕. 그는 입학〔입회〕허가를 신청하였다.

② Ⓤ 입장료, 입회금; 입장권(~ ticket): *Admission* free.《게시》입장 무료 / *Admission to* the theater is $5. 이 극장 입장료는 5달러이다 / You have to pay £5 ~. 입장료 5파운드를 내야 한다. ③ Ⓤ,Ⓒ a) (사실에 대한) 용인, 승인, 시인, 허용《*of*》: an ~ *of* defeat 패배의 시인. b) (죄·과실 등의) 자백, 자인《*of* ; *that*》: His silence is an ~ *of* being guilty. 그의 침묵은 죄를 시인하는 것이다 / His ~ *that* he had stolen the money astonished his family. 그 돈을 훔쳤다는 그의 자백에 식구들은 놀랐다. ◇ admit *v.* ***by*** 〔***on***〕***one's own ~*** 본인이 인정하는 바에 의하여. ***give free ~ to*** …을 자유로 출입케 하다; …에 무료 입장을 허락하다. ***make an ~ of*** (the fact) ***to*** a person 아무에게 (사실)을 고백하다. ***make*** (***full***) ~ ***of*** ***one's guilt*** 죄상을 인정하다.

†**ad·mit** [ædmít, əd-] (-*tt*-) *vt.* ① 《~+목/+목+전+명》 **a)** …을 들이다, …에게 입장〔입회·입학·입국〕을 허가하다《*in* ; *to* ; *into*》: He opened the door and ~*ted* me. 그는 문을 열고 나를 안으로 들여주었다 / ~ a student *to* college 학생에게 대학 입학을 허가하다 / This ticket ~*s* one person. 이 표로 한 명 들어갈 수 있다. **b)** …에게 신분〔특권〕 취득을 허락하다《*to*》: You will be ~*ted to* American citizenship. 미국의 시민권이 부여될 것이다. ② (장소가) …을 수용할 수 있다, 들일 수 있다: The theater ~*s* 300 persons. 그 극장의 수용 능력은 300 명이다. ③ 《~+목/+목+*to be* 보/+*that* 절/+전+명+*that* 절/+-*ing*/+(*that*)절》 …을 승인〔시인〕하다, 자백하다; (증거·주장)을 유효〔정당〕하다고 인정하다: ~ one's guilt 자기 죄를 시인하다 / He ~*s* the charge *to be* groundless. 그는 그 고소가 사실 무근이라고 인정하고 있다 / She ~*ted* (to her employer) *that* she had made a mistake. 그녀는 (고용주에게) 자신이 과오를 범했음을 인정하였다 / He ~*s* hav*ing* done it himself. =He ~*s* (*that*) he did it himself. 그는 자신이 그것을 하였음을 인정하고 있다. ④ 〔흔히 否定文으로〕 (사실·사정이) …의 여지를 남기다, 허용하다: This case ~*s* no other explanation. 본건은 달리 설명할 여지가 없다.

— *vi.* 《+전+명》 ① 〔흔히 否定文〕 허용하다, 인정하다《*of*》, (의심·개선의) 여지가 있다《*of*》: Circumstances do not ~ *of* this. 사정이 이를 허락지 않는다 / His conduct ~*s of* no excuse. 그의 행위는 변명의 여지가 없다《★ 사람을 주어로는 하지 않음》. ② 끌어들이다, (길이) 통하다《*to*》: This gate ~*s to* the garden. 이 문으로 뜰에 들어갈 수 있다. ③ 인정하다, 고백하다《*to*》: ~ *to* the allegation 진술을 인정하다 / I must ~ *to* feeling ashamed. 나로서도 부끄럽다고 하지 않을 수 없다. ◇ admission, admittance *n.* (***While***) ~***ting*** (***that***) …라는 것〔점〕은 일단 인정하나, …하긴 하나《★ 'This, I ~, is true. 확실히 이것은 사실이긴 하나' 처럼, I admit를 주문(主文)에 병렬적 또는 삽입구적으로 쓰는 경우도 있음》.

ad·mit·tance [ædmítəns, əd-] *n.* Ⓤ 입장(허가). cf. admission. ¶ We were granted〔refused〕 ~ to the meeting. 우리는 집회에의 입장이 허락〔거절〕되었다. ◇ admit *v.* ***gain*** 〔***get***〕 ~ ***to*** …에 입장이 허락되다, …에 입장하다: I was unable to *gain* ~ *to* the house. 난 그 집에 들어갈 수 없었다. ***No*** ~ (***except on business***). (용무자 외) 입장 금지《게시》.

ad·mit·ted [ædmítid, əd-] *a.* 〔限定的〕 시인〔인정〕된; 명백한: an ~ fact 공인된 사실.

ad·mít·ted·ly [-li] *ad.* 일반적으로〔스스로도〕 인정하듯이; 틀림없이, 명백히, 확실히: He was ~ the one who had lost the documents. 서류를 분실한 사람은 분명히 그다 / *Admittedly*, it will be difficult, but it isn't impossible. 확실히 그것은 어렵겠지만 불가능하지는 않다.

ad·mix [ædmíks, əd-] *vt.* (…에) …을 (뒤)섞다, 혼합하다《*with*》. — *vi.* (…와) 섞이다《*with*》.

ad·mix·ture [ædmíkstʃər, əd-] *n.* ① Ⓤ 혼합《*of*》: His heart beat with the ~ *of* aversion and thrill. 그의 심장은 혐오감과 스릴이 뒤범벅이 되어 두방망이질 쳤다. ② Ⓒ (흔히 *sing.*) 혼합물; 첨가제《*of*》: an ~*of* related metals 동족금속원소의 혼합물.

***ad·mon·ish** [ædmániʃ, əd-/-mɔ́n-] *vt.* ① 《~+목/+목+*to* do/+목+전+명/+목+*that* 절》 (아무)를 훈계하다, 타이르다(reprove), 깨우치다; (아무)에게 충고하다, 권고하다(advise)《*against* ; *for*》: His employer ~*ed* him. 고용주는 그에게 충고하였다 / I ~*ed* him not *to* go there. =I ~*ed* him *against* going there. =I ~*ed* him *that* he should not go there. 난 그에게 거기에 가지 말도록 충고했다 / His teacher ~*ed* him *for* his carelessness〔being careless〕. 선생님은 그의 경솔함을 일깨워 주었다. ② 《+목+전+명/+목+*that* 절》 …을 경고하다(warn), (위험 등)을 알리다, …의 주의를 촉구하다《*of* ; *about* ; *for*》: I ~*ed* him *of* 〔*about*〕 the danger. 나는 그에게 위험을 경고하였다 / I ~*ed* him *that* it was dangerous. 나는 그에게 위험하다고 주의하였다. ◇ admonition *n.* 파 ~·**er** *n.* ~·**ing·ly** *ad.* (부드럽게) 경고하여, 깨우쳐주어. ~·**ment** *n.* = ADMONITION.

ad·mo·ni·tion [æ̀dməníʃən] *n.* Ⓤ,Ⓒ 훈계; 권고, 충고; 경고: deliver an ~ 훈계하다 / He wagged his finger in mild ~. 그는 손가락을 흔들어 은근히 경고했다. ◇ admonish *v.*

ad·mon·i·to·ry [ædmánitɔ̀:ri, əd-/-mɔ́nitəri] *a.* 훈계〔충고, 경고〕의: an ~ remark 훈계의 말.

ad nau·se·am [æd-nɔ́:ziəm, -si-, -æ̀m] 《L.》 지겹도록, 구역질나도록: She went on ~ about how well her children were doing at school. 그녀는 자기 아이들이 학교에서 공부를 잘했다고 귀에 못이 박이도록 되뇌고 있었다.

ado** [ədú:] *n.* Ⓤ 〔흔히 much〔more, further〕 ~로〕 야단 법석, 소동; 노고, 고심: He made *much* ~ about it. 그는 그 일로 크게 법석을 떨었다 / We had *much* ~ to get home safely. 우리는 많은 고생 끝에 (겨우) 집에 무사히 도착했다. ***much ~ about nothing 공연한 법석. ***with much*** ~ (야단)법석을 떨며; 고심한 끝에. ***without more*** 〔***further***〕 ~ 그 다음은 애도 안 먹고〔순조로이〕; 손쉽게, 척척: So, *without more* ~, let me introduce tonight's guests. 그럼 이제부터 바로 오늘 저녁 손님을 소개해 드리겠습니다.

ado·be [ədóubi] *n.* ① Ⓤ (햇볕에 말려 만든) 어도비 벽돌; 어도비 제조용 찰흙. ② Ⓒ 어도비 벽돌집. — *a.* 〔限定的〕 어도비 벽돌로 지은.

ad·o·les·cence [æ̀dəlésəns] *n.* Ⓤ 청년기, 사춘기, 청춘기《주로 10대의 대부분》.

ad·o·les·cent [æ̀dəlésənt] *a.* ① 청춘(기)의: ~ problems 청년기의 여러가지 문제. ② 미숙한, 풋내나는. — *n.* Ⓒ 청춘기의 사람《남녀》, 청년, 젊은이; 《경멸적》 나잇값도 못하는 풋내기: The party was full of spotty ~*s*. 그 파티는 여드름 난 젊은이들 판이었다. cf. adult.

Ad·on·is [ədánis, ədóu-] *n.* ① 〖그神〗 아도니스 《Aphrodite에게 사랑받은 미남》. ② Ⓒ 미청년; 미남자, 멋쟁이(beau).

Adónis blúe 〖蟲〗 부전나비.

‡**adopt** [ədápt/ədɔ́pt] *vt.* ① 《~+목/+목+*as* 보/+목+전+명》 …을 양자〔양녀〕로 삼다《*into*》: ~ an orphan 고아를 양자로 삼다 / ~ a child *as* one's heir 상속자로서 아이를 양자들이다 / ~ a person *into* a family 아무를 가족의 일원으로 맞다. ② **a)** (의견·방침·조처 등)을 채용〔채택〕하다, 골라잡다: ~ a proposal 제안을 채택하다 / The plan was ~*ed* at the meeting. 그 계획은 회의에서 채용되었다. **b)** (회의에서 의안·보고 등)을 채택〔승인〕하다: The committee ~*ed* the report. 위원회는 그 보고를 승인하였다. ③ 《+목+*as* 보》《英》 (정당이 후보자)를 지명하다: He

was ~*ed as* Labour candidate. 그는 노동당 후보로 지명되었다. ④《+目+前+名》〖言〗(외래어로서) 받아들이다 : words ~*ed from* French 프랑스어로부터의 차용어 / ~*ed* words 외래어. ≠ adapt. ◇ adoption *n.* ~ ***out*** (자식을) 양자로 내보내다. ㊞ **adópt·er** *n.* Ⓒ ① 채용자. ② 양부모.

adopt·ed [-id] *a.* 〔限定的〕 ① 양자가 된 : an ~ son〔daughter〕 양자〔양녀〕/ The parents of ~ children have special problems. 양자녀를 가진 부모들에게는 특별한 문제가 있다. ② 채용된.

adopt·ee [ədɑptíː / -ɔp-] *n.* Ⓒ ① 양자. ② 채용〔채택·선정·차용〕된 것.

adop·tion** [ədɑ́pʃən / ədɔ́p-] *n.* Ⓤ.Ⓒ ① 채용, 채택《*of*》: the ~ *of* a plan 계획의 채택. ② 양자결연 : The child was offered for ~ by a suitable family. 한 적당한 가족이 그 아이의 양자 결연의 신청을 하였다. ③ (외래어의) 차용. ◇ adopt *v.* ***a son by ~ 양자.

adop·tive [ədɑ́ptiv / ədɔ́p-] *a.* 〔限定的〕 ① 채용하는. ② 양자 관계의 : an ~ father 〔son〕 양부〔양자〕/ an ~ country 귀화국. ㊞ ~·**ly** *ad.*

ador·a·ble [ədɔ́ːrəbəl] *a.* ① 존경〔숭배, 찬탄〕할 만한. ②《口》사랑스러운, 귀여운, 반하게 하는 : What an ~ hat! 정말 멋진 모자로구나 / By the time I was 30, we had three ~ children. 내가 서른살일 때까지 우리는 귀여운 아이 셋을 두었다《★ 흔히 여성이 씀》. ◇ adore *v.* ㊞ ~·**ness** *n.* **-bly** *ad.*

ad·o·ra·tion [ӕdəréiʃən] *n.* Ⓤ ① 예배, 숭배. ② 애모, 동경《*for* ; *of*》: He did not tell anyone of his ~ *for* her. 그는 아무에게도 그녀를 사모한다는 말을 하지 않았다 / her complete ~ *of* her brother 오빠에 대한 그녀의 완전한 사랑. ◇ adore *v.*

‡**adore** [ədɔ́ːr] *vt.* ①《~+目 / +目+*as* 補》…을 숭배하다(worship), 존경하다, 숭경(崇敬)하다; (신(神))을 받들다, 찬미하다; 경모〔사모, 흠모〕하다 : They ~*d* her *as* a living goddess. 그녀를 살아 있는 여신으로 받들었다. ②《~+目 / +*-ing*》《口》…(하기)를 매우 좋아하다 : I ~ baseball. 야구를 매우 좋아한다 / He ~*s* listen*ing* to music. 그는 음악듣기를 아주 좋아한다. ◇ adoration *n.* ㊞ **adór·er** [-rər] *n.* Ⓒ ① 숭배자. ② 열애자(熱愛者).

ador·ing [ədɔ́ːriŋ] *a.* 〔限定的〕 숭배〔경모, 흠모〕하는; 애정 어린 : an ~ smile 애정어린 미소 / He was mobbed by ~ crowds. 그를 숭배하는 군중이 그에게 모여들었다. ㊞ ~·**ly** *ad.* 숭배하여; 경모〔흠모〕하여.

‡**adorn** [ədɔ́ːrn] *vt.* ①《~+目 / +目+前+名》…을 꾸미다, 장식하다《*with*》. ⓒⓕ decorate, ornament. ¶ ~ a room *with* flowers 방을 꽃으로 꾸미다 / Oil paintings ~*ed* the walls. 유화들로 벽이 꾸며져 있었다. ② …에 광채를〔아름다움을〕 더하다; 보다 매력적〔인상적〕으로 하다 : the romances that ~ his life 그의 생애를 아름답게 한 로맨스.

adorn·ment [-mənt] *n.* ① Ⓤ 꾸밈, 장식 : Cosmetics are used for ~. 화장품은 치장하는데 사용된다. ② Ⓒ 장식품 : She wears no ~*s*. 그녀는 장신구를 몸에 걸치지 않는다.

ADP automatic data processing.

ADR American Depositary Receipt (미국 예탁(預託) 증권).

ad·re·nal [ədríːnəl] *a.* 신장〔콩팥〕 부근의; 부신의. —— *n.* Ⓒ (흔히 *pl.*) 부신(= ∠ **glànd**).

adren·a·line [ədrénəlin, -lìːn] *n.* Ⓤ〖化〗아드레날린(epinephrine); 《比》흥분시키는 것, 자극제.

Adri·an [éidriən] *n.* 에이드리언《남성 이름》.

Adri·at·ic [èidriǽtik, ӕd-] *a.* 아드리아해(海)의.

Adriátic Séa (the ~) 아드리아해(海).

adrift [ədríft] *ad., a.* 〔敍述的〕 ① 물에 떠돌아다니는, 표류하여 : The survivors were ~ in the rowboat for three days. 생존자는 노젓는 보트를 타고 사흘이나 표류하고 있었다. ② (정처 없이) 헤매어; 일정한 직업 없이; 목적 없이 : He was ~ in Paris with no money. 그는 돈도 없이 파리를 떠돌고 있었다. ③ (부품 등이) 헐거워져; 상태가 고장나 : Part of the car's bumper had come ~. 자동차 범퍼 부분이 헐거워졌다. ***be all*** ~ ⑴ 표류하다. ⑵ 아주 망연자실해 있다; 예상에 벗어나다. ***cut*** 〔***set***〕. . . ~ (매어 놓은 밧줄을 끊고 배를) 표류시키다. ***go*** ~《口》(물건이) 표류하다; (주제에서) 벗어나다《*from*》; 《口》(물건이) 없어지다, 도둑맞다. ***turn*** a person ~ 아무를 내쫓다〔거리를 방황하게 하다〕; 해고하다.

adroit [ədrɔ́it] *a.* 교묘한, 솜씨 좋은(dexterous); 기민한, 빈틈없는《*at* ; *in*》: an ~ rider 능숙한 기수(騎手) / He is ~ *at*〔*in*〕 the use of tools. 그는 도구 사용에 능숙하다. ㊞ ~·**ly** *ad.* 솜씨 있게, 훌륭히 : He ~*ly* changed the subject. 그는 재치있게 화제를 바꾸었다. ~·**ness** *n.* Ⓤ

ad·sorb [ӕdsɔ́ːrb, -zɔ́ːrb] *vt.* 〖化〗…을 흡착(吸着)하다 : Nickel ~*s* hydrogen. 니켈은 수소를 흡착한다. ㊞ ~·**a·ble** *a.*

ad·sorb·ent [ӕdsɔ́ːrbənt, -zɔ́ːr-] *a.* 〖化〗 흡착성의. —— *n.* Ⓤ.Ⓒ 흡착제.

ad·sorp·tion [ӕdsɔ́ːrpʃən, -zɔ́ːrp-] *n.* Ⓤ 흡착(작용).

ad·sorp·tive [ӕdsɔ́ːrptiv, -zɔ́ːrp-] *a.* 흡착력 있는.

ad·u·late [ǽdʒəlèit] *vt.* …에게 아첨하다, 빌붙다. ㊞ **àd·u·lá·tion** [-ʃən] *n.* Ⓤ 아첨; 공연한 칭찬. **ád·u·là·tor** [-tər] *n.* Ⓒ 아첨하는 사람. **ád·u·la·tò·ry** [-lətɔ̀ːri / -lèitəri] *a.* 아첨하는.

‡**adult** [ədʌ́lt, ǽdʌlt] *a.* ① 어른의, 성인이 된; 성숙한. ②《美》성인만의〔을 위한〕, 포르노의 : ~ movies 성인용〔외설〕 영화. —— *n.* Ⓒ 성인, 어른(grown-up); 〖法〗 성년자; 〖生〗 성숙한 동식물. ***Adults Only*** 미성년자 사절《게시》.

adúlt educátion 성인 교육.

adul·ter·ant [ədʌ́ltərənt] *a.* 섞음질에 쓰는, 타는《물 따위》. —— *n.* Ⓒ 혼합물.

adul·ter·ate [ədʌ́ltərèit] *vt.* …에 섞음질을 하다, (섞음질하여) …의 질을 나쁘게 하다, 품질을 떨어뜨리다 : ~ milk with water 우유에 물을 타다 / There is a regulation against ~*d* cosmetics. 불량 화장품에 대한 규제가 있다. —— [-rit, -rèit] *a.* ① 섞음질을 한. ② = ADULTEROUS. ㊞ **adùl·ter·á·tion** [-réiʃən] *n.* Ⓤ 섞음질함; Ⓒ 혼합물, 조악품. **adúl·ter·à·tor** [-rèitər] *n.* Ⓒ 조악품 제조자.

adul·ter·er [ədʌ́ltərər] *n.* Ⓒ 간부(姦夫).

adul·ter·ess [ədʌ́ltəris] *n.* Ⓒ 간부(姦婦).

adul·ter·ous [ədʌ́ltərəs] *a.* 불의의, 간통의 : He had an ~ relationship with her. 그는 그녀와 불의의 관계를 가졌다 / ~ offspring 사생아. ㊞ ~·**ly** *ad.*

***adul·tery** [ədʌ́ltəri] *n.* Ⓤ.Ⓒ 간통, 불의(不義) : Thou shalt not commit ~. 간음하지 말지니라《출애굽기 XX》.

adult·hood [ədʌ́lthùd, ǽdʌlt-] *n.* Ⓤ 성인임; 성인기 : Few people nowadays are able to maintain friendships into ~. 요즈음에는 성인이 되어서도 우정을 유지할 수 있는 사람이 별로 없다.

ad·um·brate [ӕdʌ́mbreit, ǽdəmbrèit] *vt.* ① …의 윤곽을 슬쩍 똥겨주다, (어렴풋이) …의 윤

곽을 나타내다. ② (미래)를 예시하다 : The play opens with a fierce storm which ~*s* the violence to follow. 그 연극은 다가올 무시무시한 일을 예고하는 맹렬한 폭풍으로 시작된다. ③ …을 어둡게 하다, 흐릿하게 하다.

㊞ **ad·um·bra·tion** [ӕdəmbréiʃən] *n.* Ⓤ,Ⓒ

adv. adverb ; adverbial(ly) ; advertisement.

ad va·lo·rem [ӕd-vəlɔ́:rəm] 《L.》 (=according to the price) 가격에 따라《略 : ad val., a.v.》: an ~ duty 종가세(從價稅).

†**ad·vance** [ədvǽns, -vɑ́:ns, əd-] *vt.* ①《~+목/+목+전+명》…을 나아가게 하다, 앞으로 내보내다, 전진〔진출〕시키다《*to*》: Please ~ the table a little. 책상을 조금 더 앞으로 내어 주시오 / The general ~*d* the troops *to* the front. 장군은 군대를 전선으로 전진시켰다. ②《~+목/+목+전+명》(기일 따위)를 앞당기다《*from* ; *to*》: ~ the time of meeting *from* 3 o'clock *to* 1 o'clock 모임 시간을 3시에서 1시로 앞당기다. ③ (작업 따위)를 진척시키다, 촉진시키다, 증진하다 : ~ growth 성장을 촉진하다 / Apollo program greatly ~*d* our knowledge of the space. 아폴로 계획은 우주에 관한 우리의 지식을 크게 증진시켰다. ④ (의견 따위)를 제출하다 ; (반대·비판)을 감히 하다 : Scientists have ~*d* a new theory to explain this phenomenon. 과학자들은 이 현상을 설명하기 위해 새로운 이론을 제안했다 / May I ~ my plan? 내 안을 내놓아도 좋겠습니까. ⑤ (값 따위)를 올리다(raise) : ~ the price 값을 올리다. ⑥《~+목/+목+전+명》…을 진급〔승급〕시키다 ; 끌어 올리다《*from* ; *to*》: He has been ~*d* *from* lieutenant *to* captain. 그는 중위에서 대위로 진급하였다. ⑦《~+목/+목+전+명/+목+목》…을 선지급하다《*to*》: ~*d* freight 선급 운임 / ~ money *to* a person 아무에게 돈을 선급하다 / Can you ~ me a few dollars till the payday? 월급날까지 2,3달러 가지급해 주실 수 없겠습니까.

— *vi.* ①《~/+전+명》**a**) 앞으로 나아가다, 전진하다《*to* ; *toward*》: She ~*d* *to* 〔*toward*〕 the table. 그 여자는 테이블 쪽으로 갔다. **b**) 진군하다 ; (험악스럽게) 다가서다《*against* ; *on, upon*》: Napoleon's army ~*d* *on* Moscow. 나폴레옹 군대는 모스크바로 진격하였다 / He ~*d* *on* me threateningly. 그는 위협적인 태도로 나에게 다가섰다. ② (밤이) 이슥해지다 : as the night ~*d* 밤이 깊어감에 따라. ③《+전+명》(나이를) 먹다《*in*》: ~ *in* age 나이가 들다. ④《~/+전+명》**a**) (지식·연구·출세 등에서) 진보〔발전, 향상〕하다《*in*》: ~ *in* knowledge 〔rank〕 지식이〔지위가〕 향상하다 / Greek civilization greatly ~*d* during that period. 이 시기에 그리스 문명은 크게 발전하였다. **b**) 승진하다《*to*》: ~ *to* colonel 대령으로 진급하다. **c**) (연구·일 등이) 진척하다 : His research is *advancing* apace. 그의 연구는 급속히 진척되고 있다. ⑤ 값이 오르다, 등귀하다 : Property values continue to ~ rapidly. 부동산 값이 계속 급등하고 있다. ***~ in the world*** 〔***in life***〕 출세하다. ***~ on*** 〔***upon***〕 …에 밀어닥치다, …에 육박하다. — *n.* ① Ⓤ,Ⓒ (흔히 *sing.*) 전진, 진출 ; (시간의) 진행 : with the ~ of the evening 밤이 깊어감에 따라 / Our ~ was checked. 우리의 전진은 저지되었다. ② Ⓤ,Ⓒ 진보, 진척, 향상 : ~ in science 과학의 진보(進步) / Mechanical industry has made big ~*s*. 기계 공업은 크게 진보하였다. ③ Ⓒ 가격 인상, 등귀《*in* ; *on*》: Share prices showed significant ~*s* today. 오늘 주가가 상당한 상승을 보였다 / an ~ *in* the cost of living 생활비의 상승 / There is an ~ *on* wheat. 밀값이 올랐다. ④ Ⓤ,Ⓒ 승급, 승진. ⑤ Ⓒ 선급, 선급금 ; 선도품(先渡品)《*on*》: an ~ *on* wages 임금의 가지급 / He received $ 50 as an ~ against future delivery. 물품을 나중에 배달하기로 하고 선금 50 달러를 받았다. ⑥ (흔히 *pl.*) (교섭·교제의) 신청 ; (남녀간의) 구애, 유혹《*to*》: make ~*s* *to* a woman 여인에게 구애하다. ***in*** ~ (1) 미리, 앞당겨, 사전에 : It's impossible to know *in* ~ what will happen. 무슨 일이 생길지 미리 알 수는 없다. (2) 선두에 서서. (3) 선지급으로, 선금으로 : pay *in* ~ 선급하다. (4) 입체하여 : I am *in* ~ to him 10,000 won. 그에게 만 원 입체해 주었다. ***in ~ of*** (1) …보다 앞에 : They departed five days *in* ~ *of* our party. 그들은 우리 일행보다 5일 전에 출발하였다. (2) …보다 나아가서〔우수하여〕: Galileo's ideas were well *in* ~ *of* the age in which he lived. 갈릴레오의 생각은 그가 살았던 시대보다 훨씬 앞서 있었다. — *a.* 〔限定的〕 전진한 ; 전의 ; 미리미리의 : ~ notice 사전 통고 / the ~ party 선발대 / the ~ sale (표의) 예매 / an ~ ticket 예매권 / make an ~ booking (극장·호텔 등에 좌석·방을) 예약하다.

advánce cópy 신간 견본《발매 전에 비평가 등에게 보내는》.

‡**ad·vanced** [ədvǽnst, -vɑ́:nst, əd-] (***more*** ~ ; ***most*** ~) *a.* ① 앞으로 나온〔낸〕: with one foot ~ 한쪽 발을 앞으로 내어. ② **a**) 진보한, 나아간 : ~ countries 선진국 / Our country is ~ in technology. 우리나라는 과학기술이 앞서 있다. **b**) (초급·중급을 지난) 상급〔고급〕의, 고등의 : an ~ class in French 프랑스어 고급반. ③ 진보적인 ; 앞선, 선구의 : ~ theories of child care 진보적인 육아 이론. ④ (나이 먹어) 늙은 ; (밤이) 이슥한 ; (철이) 깊어진 : She died at an ~ age. 그녀는 늙어서 죽었다 / He's ~ in years. 그는 고령이다 / The night was far ~. 밤이 매우 깊었다. ⑤ (값이) 오른.

advánced lével 〖英敎〗 =A LEVEL.

advánced stánding 《美》 ① (타대학에서 이수한) 단위 학점 인정. ② 이 이수학점이 인정된 학생의 자격.

advánce guárd 〖軍〗 전위(부대).

***ad·vance·ment** [ədvǽnsmənt, -vɑ́:ns-, əd-] *n.* Ⓤ ① 전진, 진출. ② 진보, 발달 ; 촉진, 증진, 진흥 : ~ in fortune 재산의 증가 / ~ of learning 학문의 진보 / ~ of happiness 행복의 증진. ③ 승진, 출세(promotion) : ~ in life 입신출세 / He gave little thought to the ~ of his own career. 그는 자기 자신의 지위의 승진에는 거의 마음을 쓰지 않았다. ④ 선지급, 가지급.

‡**ad·van·tage** [ədvǽntidʒ, -vɑ́:n-, əd-] *n.* ① Ⓤ 유리 ; 이익 : get a double ~ 일거양득하다 / Is there any ~ in learning Latin nowadays? 오늘날 라틴어를 배움으로써 어떤 이익이 있느냐? / He gained much ~ from studying abroad. 그는 외국 유학에서 많은 유익함을 얻었다. ② Ⓤ 우세, 우월《*of* ; *over*》: His height gave him an ~ *over* his opponent. 그는 키가 커서 상대보다 유리하였다 / The American ~ was eroded. 미국의 우위는 무너졌다. ③ Ⓒ 이점, 장점《*of* ; *over*》: He has the ~ *of* a good education. 그에게는 훌륭한 교육을 받았다는 장점이 있다. ④ Ⓤ 〖테니스〗 어드밴티지《deuce 후 1점의 득점 ; 《美》 ad, 《英》 van 이라고도 함》: He reached ~ point several times before clinching the set. 그는 몇 차례 어드밴티지 포인트를 따다가 그 세트를 이겼다. ***be of great*** 〔***no***〕 ***~ to*** …에게 크게 유리하다〔조금도

유리하지 않다]. ***buy at an*** ~ 싼값에 사다. ***gain*** [***win***] ***an*** ~ ***over*** a person 아무를 능가하다, 아무보다 낫다. ***have the*** ~ ***of*** (1) …의 장점이 있다: He *has the* ~ *of* height. 그는 키가 크다는 강점이 있다. (2)《英》(상대가) 모르는 것을 알고 있다, …을 일방적으로 알고 있다: We *had the* ~ *of* already knowing him. 그를 이미 알고 있다는 점에서 우리는 유리했다 / I'm sorry, I'm afraid You *have the* ~ *of* me. (저를 아시는 것 같은데) 실례지만 누구신지요《특히 친분을 맺고자 하는 상대에 대한 사절의 말》. ***take*** ~ ***of*** (1) (기회 등을) 이용하다: He *took* ~ *of* her confusion to escape. 그녀가 당황하고 있는 틈을 이용하여 그는 도망쳤다. (2) (무지 등에) 편승하다; 속이다, (여자)를 유혹하다. ***take*** a person ***at*** ~ 아무에게 기습을 가하다. ***to*** ~ (1) 유리하게, 형편 좋게: It turned out *to* his ~. 그에게 유리해졌다. (2) 뛰어나게, 훌륭히: They are seen *to* ~. 뛰어나 보인다. ***to the*** ~ ***of*** …에 유리하게[형편 좋게]. ***turn to*** ~ (…을) 이용하다, 이롭게[유리하게] 하다. ***with*** ~ 유리[유효]하게: You could spend more time on English *with* ~. 영어에 더욱 시간을 들여야 좋지 않을까. ── *vt.* …에 이롭게 하다, 이익을 가져오다; …을 촉진[조장]하다.
㊞ ~**d** *a.* (태생·환경면에서) 혜택을 받은《아이 따위》. opp. *disadvantaged.*

ad·van·ta·geous** [æ̀dvəntéidʒəs] (more*** ~; ***most*** ~) *a.* ① 유리한; 형편이 좋은: an ~ position 유리한 입장. ② [敍述的] (…에게 있어) 유리한《*to*》: The situation was ~ *to* our party. 정세는 우리 당에 유리하였다. ㊞ ~·**ly** *ad.* 유리하게, 형편 좋게. ~·**ness** *n.*

***ad·vent** [ǽdvent, -vənt] *n.* ① (the ~) (중요 인물·사건의) 도래(到來), 출현《*of*》: *the* ~ *of* a new age 새 시대의 도래 / *The* ~ *of* war led to a greater austerity. 전쟁의 발발로 더욱 내핍 생활을 하게 되었다. ② (the A-) 예수의 강림[재림](the Second A-); 강림절《크리스마스 4주 전 일요일을 포함하는 기간》.

Ad·vent·ist [ǽdventist, ædvént-] *n.* Ⓒ 예수 재림론자.

ad·ven·ti·tious [æ̀dvəntíʃəs] *a.* ① 우연의; 외래의: an ~ event 우발 사건. ② 〖動·植〗 부정(不定)의: ~ roots 부정근. ③ 〖醫〗 우발(偶發)의: an ~ disease 우발병《후천적(後天的)인 병》.
㊞ ~·**ly** *ad.* ~·**ness** *n.*

Ádvent Súnday 강림절 중의 첫 일요일.

ːad·ven·ture [ædvéntʃər, əd-] *n.* ① Ⓤ 모험(심): He is full of ~. 그는 모험심이 넘쳐흐른다 / He's fond of ~. 그는 모험을 좋아한다. ② Ⓒ (종종 *pl.*) 모험담, 체험담, 기담(奇談): the *Adventures* of Robinson Crusoe 로빈슨 크루소 표류기. ③ Ⓒ 예사롭지 않은 사건, 뜻하지 않은 경험: What an ~! 참으로 지독한 사건이다 / a strange ~ 기묘한 사건 / quite an ~ 참으로 진귀한 경험. ④ Ⓒ 모험적 행동, 위험한 행위 It was an ~ going[to go] down the river on a raft. 뗏목으로 그 강을 내려갈 때엔 아찔아찔하였다. ⑤ Ⓤ,Ⓒ 투기, 요행. ***a man of*** ~ 모험가. ── *vi.* ① 위험을 무릅쓰다. ②《+전+명》 위험을 무릅쓰고 전진[감행]하다《*into*; *on*, *upon*》: ~ *on* an enterprise 기업에 손을 대다.

advénture gàme 〖컴〗 모험 놀이《컴퓨터게임》.

advénture plàyground《英》 어린이의 창의성을 살리기 위해 목수 연장·건축 자재·그림 물감 따위를 마련해 둔 놀이터.

ad·ven·tur·er** [ædvéntʃərər, əd-] (*fem.* ***-ess [-ris]) *n.* Ⓒ ① 모험가. ② 투기꾼, 협잡꾼: ambitious political ~*s* 야심찬 정치 협잡꾼들. ③ 수단을 가리지 않고 부나 권력을 노리는 사람.

ad·ven·ture·some [ædvéntʃərsəm, əd-] *a.* 모험적인(adventurous).

ad·ven·tur·ism [ædvéntʃərìzəm, əd-] *n.* Ⓤ 모험주의.

***ad·ven·tur·ous** [ædvéntʃərəs, əd-] *a.* ① 모험적인; 모험을 즐기는: He is an ~ businessman. 그는 모험을 좋아하는 사업가이다. ② 대담한; 위험한: an ~ voyage 위험한 항해.
㊞ ~·**ly** *ad.* 대담하게; 모험적으로.

ːad·verb [ǽdvəːrb] *n.* Ⓒ 〖文法〗 부사《略: adv., ad.》: ⇨INTERROGATIVE ADVERB.
── *a.* =ADVERBIAL.

ad·ver·bi·al [ædvə́ːrbiəl] *a.* 부사의; 부사적: an ~ clause [phrase] 부사절[구]. ㊞ ~·**ly** *ad.*

ad·ver·sar·i·al [æ̀dvərsέəriəl] *a.* 반대자의; 〖法〗 =ADVERSARY.

***ad·ver·sary** [ǽdvərsèri / -səri] *n.* ① Ⓒ 적, 상대, 대항자: You've come up against a powerful ~. 너는 강적을 만났다. ② (the A-) 악마(Satan). ── *a.* 반대하는, 적의; 〖法〗 당사자주의의.

***ad·verse** [ædvə́ːrs, ⌐-] *a.* ① 역(逆)의, 거스르는, 반대의, 반대하는《*to*》: an ~ wind[current] 역풍[역류] / The Catholic Church is ~ *to* divorce. 가톨릭 교회는 이혼에 반대하고 있다. ② 불리한; 적자의; 해로운; 불운[불행]한: ~ comment [criticism] 비난[악평] / an ~ trade balance 수입 초과 / under ~ circumstances 역경에 처하여 / the ~ budget 적자 예산 / have an ~ effect on …에 역효과를 미치다 / be ~ to one's interests 이해(利害)에 반하다. ㊞ ~·**ly** *ad.* ① 역으로, 반대로. ② 불리하게, 불운하게.

ad·ver·si·ty** [ædvə́ːrsəti, əd-] (*pl.* ***-ties) *n.* ① Ⓤ 역경; 불행, 불운: meet with ~ 역경을 만나다 / fall in ~ 불운에 빠지다 / *Adversity* makes a man wise, not rich.《俗談》 역경은 사람을 부하게는 하지 않으나 현명하게 한다. ② (종종 *pl.*) 불행한 일, 재난: You will meet many *adversities* in life. 인생은 많은 재난을 맞는 법이다.

ad·vert[1] [ædvə́ːrt, əd-] *vi.*《+전+명》 유의하다, 주의를 돌리다, 논급하다, 언급하다《*to*》: ~ *to* a person's opinion 아무의 의견에 유의하다.
㊞ ~·**ly** *ad.*

ad·vert[2] [ǽdvəːrt] *n.* Ⓤ,Ⓒ《英口》 광고(advertisement): He placed ~*s* in a number of newspapers. 그는 여러 신문에 광고를 냈다.

ːad·ver·tise [ǽdvərtàiz, ⌐-⌐] *vt.* ①《~+목 / +목+*as* 보》 …을 광고하다, 선전하다: ~ a house for sale 팔 집을 광고하다 / ~ a child *as* lost 미아 광고를 내다. ② …을 공시하다, 일반에게 알리다: ~ a reward 보상을 공시하다 / It may be unwise of you to ~ your presence. 당신이 오심을 널리 알리는 것은 현명치 못할지도 모르겠습니다. ③ …을 짐짓 눈에 띄게 하다: The remark ~*d* his intentions. 그 말로 그의 속셈이 들어났다. ④ (사정 등이) …을 돋보이게 하다: His bad manners ~ his lowly birth. 무례한 행동으로 그의 비천한 출신을 알 수 있다. ── *vi.* ①《~ / +전+명》 광고를 내다; 광고를 내어 구하다《*for*》: It pays to ~. 광고는 손해가 되지 않는다 / ~ *for* a typist 타자수 모집 광고를 내다. ② 자기 선전을 하다: He ~*s* so much. 그는 크게 자기 선전을 한다. ~ one***self*** (***as***) (…라고) 자기 선전하다[떠벌리다].

ːad·ver·tise·ment [æ̀dvərtáizmənt, ædvə́ːrtis-, -tiz-] *n.* Ⓤ,Ⓒ ① 광고, 선전: an ~ for a situation 구직광고 / an ~ column 광고란 / put

〔insert〕 an ~ in (신문 등에) 광고를 내다. ② 통고, 공시.

***ad·ver·tis·er** [ǽdvərtàizər] *n.* Ⓒ 광고자〔주〕; (the A-) '… 신문'.

***ad·ver·tis·ing** [ǽdvərtàiziŋ] *n.* Ⓤ 광고(업). ─ *a.* 광고의 : ~ expenditure 〔rates〕 광고비〔료〕/ ~ media 광고 매체.

ádvertising àgency 광고 대행사(=**ád àgency**).

ad·ver·tize, etc. =ADVERTISE, etc.

ad·ver·to·ri·al [ædvərtɔ́ːriəl] *n.* Ⓒ (잡지 등의) 기사 형식을 취한 광고, PR 기사〔페이지〕.

†**ad·vice** [ædváis, əd-] *n.* ① Ⓤ **a)** 충고, 조언, 권고《*on*》: Let me give you a piece 〔a bit, a word〕 of ~. 자네에게 충고 한마디 하겠네 / ask for 〔seek〕 ~ *on* …에 대한 조언을 구하다 / My ~ to you is — don't do it. 내 충고는 그것을 하지 말라는 것이다 / His ~ to us was that we (should) play fair. 우리에 대한 그의 조언은 정정당당히 경기하라는 것이었다. **b)** (의사의) 진찰; (변호사의) 의견, 견해 : take medical ~ 의사의 진단을 받다 / You should take legal ~. 변호사의 조언을 얻어야 한다. ② (흔히 *pl.*) 알림, 보고; Ⓒ 〖商〗 통지, 안내 : diplomatic ~*s* 외교 정보 / a letter of ~ 발송〔수표 발행〕 통지서 / an ~ note 〔notice〕 안내장, 통지서. ***act against*** ~ 충고를 거역하고 행동하다. ***act at* 〔*by, on, under*〕** ~ 충고대로 행동하다 : *Acting on* her ~, I decided to give up smoking. 그녀의 충고에 따라 금연하기로 결심했다. ***give* 〔*tender*〕** ~ 조언하다, 권고하다.

ad·vis·a·bil·i·ty [ədvàizəbíləti, əd-] *n.* Ⓤ ① 권할 만함, 적당함; 득책. ② (계책의) 적부.

***ad·vis·a·ble** [ædváizəbəl, əd-] *a.* 〔敍述的〕 (흔히 it is ~의 꼴로) 권할 만한, 적당〔타당〕한; 득책의, 현명한 : *It* would *be* ~ to do so. 그렇게 하는 것이 좋겠다 / *Is it* ~ for me to write to him? 그에게 편지를 써야 할 것일까. ㊕ **-bly** *ad.*

‡**ad·vise** [ædváiz, əd-] *vt.* ① 《~+목 / +목+*to* do / +목+*wh. to* do / +목+*wh.* 절 / +-*ing* / +목+전+명》 …에게 충고하다〔조언하다, 권하다〕《*on*》: ~ a complete rest 완전한 휴식을 권하다 / I ~ you *to* be cautious. 조심하시도록 충고〔말씀〕드립니다 / He ~*d* me *which to* buy. 어느 것을 사면 좋을지 내게 조언해 주었다 / He ~*d* me *whether* I should choose the way. 내가 그 방법을 택해야 할는지 어떤지를 충고해 줬다 / I ~*d* his start*ing* at once. 그에게 곧 출발하도록 권하였다 / ~ a person *on* the choice of a career 직업 선택에 대해 아무에게 조언하다. ② 《+목+전+명 / +목+*that* 절》 …에게 …을 알리다, 통지하다 《*of*》《★ 특히 상용문에서 흔히 씀》: Please ~ us *of* the date. 날짜를 알려 주십시오 / We ~ you *that* the goods have been dispatched. 상품을 발송하였음을 알려드립니다. ─ *vi.* ① 《~ / +전+명》 (…에 대하여) 충고하다, 권하다《*on*》: I shall act as you ~. 충고하시는 대로 행동하겠습니다 / ~ *on* interior decoration 실내 장식에 대하여 조언하다. ② 《+전+명》 《美》 (아무의) 충고를 구하다, 의논하다《*with*》: ~ *with* friends on what to do 무엇을 할 것인가에 대해 친구와 의논하다. ~ one***self*** 숙고하다.

ad·vised [ædváizd, əd-] *a.* 숙고한 후의, 곰곰이 생각한 끝의《주로 well-advised(분별 있는), ill-advised (무분별한)로 쓰임》: You would be *well*-~ 〔*ill*-~〕 to stay at home today. 오늘 집에 있는 것은 현명한〔어리석은〕 일이다.
㊕ **ad·vís·ed·ly** [-idli] *ad.* 숙고한 뒤에; 짐짓, 고의로 : I use these words ~*ly*. 나는 숙고 끝에 이 말을 쓴다.

ad·vise·ment [ædváizmənt, əd-] *n.* Ⓤ 〔주로 《美》에서 take... under ~로〕 숙고, 숙려(熟慮): We *took* the matter *under* ~. 우리는 그 문제를 숙려했다 / The petition was *taken under* ~. 탄원서는 심의에 붙여졌다.

***ad·vis·er, -vi·sor** [ædváizər, əd-] *n.* Ⓒ ① 조언자, 충고자; 고문《*to*》: a legal ~ *to* a firm 회사의 법률 고문. ② 〖美大學〗 과목 선택 지도 교수. ★ adviser는 advise하는 행위를, advisor는 그 직책을 강조; adviser가 보통.

ad·vi·so·ry [ædváizəri, əd-] *a.* 권고의, 조언을 〔충고를〕 주는; 고문의 : an ~ letter 충고의 편지 / an ~ committee 자문 위원회 / an ~ group 고문단. ─ *n.* Ⓒ 《美》 상황 보고, 《특히》 (태풍 정보 따위의) 기상 보고〔통보〕.

ad·vo·ca·cy [ǽdvəkəsi] *n.* Ⓤ ① 옹호, 지지; 고취, 창도(唱道), 주장 : She is well known for her ~ of women's rights. 그녀는 여권 옹호로 잘 알려져 있다. ② 변호사업.

***ad·vo·cate** [ǽdvəkit, -kèit] *n.* Ⓒ 옹호자, 고취자; 주창자《*of*; *for*》; 《주로 Sc.》 변호사; (A-) 그리스도 : an ~ *of* 〔*for*〕 peace 평화론자.
─ [ǽdvəkèit] *vt.* 《~+목 / +-*ing*》 …을 옹호〔변호〕하다; 주장하다 : He ~*s* a policy of gradual reform. 그는 점진적인 개혁정책을 주장하고 있다 / ~ abolish*ing* racial discrimination 인종 차별의 폐지를 창도하다.

ad·vo·ca·tor [ǽdvəkèitər] *n.* Ⓒ 옹호자, 주창자.

ad·vow·son [ædváuzən, əd-] *n.* Ⓤ 〖英法〗 성직(聖職) 수여권.

advt. advertisement.

adz, adze [ædz] *n.* Ⓒ 까뀌.

Æ, æ [iː] A와 E의 합자《Ae, ae로도 씀 : Cæsar, Æsop(=Caesar, Aesop)》《★ 미국에서는 고유명사 외에는 æ, ae를 흔히 e로 줄임》.

A.E.A. 《英》 Atomic Energy Authority (원자력 공사).

Ae·gé·an Íslands [i(ː)dʒíːən-] (the ~) 에게해 제도.

Aegéan Séa (the ~) 에게해, 다도해.

ae·gis [íːdʒis] *n.* ① Ⓤ 보호, 옹호; 《美》 주최, 찬조(贊助), 후원(patronage). ② (the ~) 〖그神〗 Zeus 신의 방패. ***under the ~ of*** …의 보호 아래; …의 후원으로 : Medical supplies are being flown in *under the* ~ *of* the Red Cross. 적십자사의 후원으로 의약품이 답지하고 있다.

Ae·ne·as [iníːəs] *n.* 〖그·로神〗 아에네아스 《Troy의 용사로, Anchises와 Aphrodite의 아들; 서사시 *Aeneid*의 주인공》.

Ae·ne·id [iníːid] *n.* (The ~) Virgil의 서사시 (詩)《Aeneas의 유랑을 읊음》.

Ae·o·li·an [iːóuliən] *a.* 바람의 신 Aeolus의.

aeólian hárp 〔lýre〕 에올리언 하프《바람을 받으면 저절로 울림》.

Ae·o·lus [íːələs] *n.* 〖그神〗 바람의 신.

ae·on, eon [íːən, -ɑn] *n.* Ⓒ 무한히 긴 시대; 영구.

aer·ate [ɛ́əreit, éiərèit] *vt.* ① 공기에 쐬다; …에 공기를 통하게 하다 : ~ soil by plowing 갈아서 흙에 공기를 통하게 하다. ② 호흡에 의해서 (혈액에) 산소를 공급하다. ③ (탄산수 등을 만들기 위하여) 탄산 가스를 넣다 : ~*d* water 《英》 탄산수 / ~*d* bread 탄산가스로 부풀린 무효모 빵.
㊕ **aer·á·tion** [-ʃən] *n.* Ⓤ 공기에 쐼; 통기; 〖化〗 폭기(曝氣); 탄산가스 포화(처리); 〖生〗 (폐에 의한) 동맥혈화.

‡**aer·i·al** [ɛ́əriəl, eiíər-] *a.* 〔限定的〕 ① 공기의, 대기의; 기체의 : ~ regions 공중 / ~ currents 기류

(氣流). ② 공중의 ; 공중에 치솟은 : an ~ performance 공중 곡예 / an ~ railroad [railway] 가공 철도 / an ~ ropeway [cableway] 가공 삭도. ③ 공중에 사는[생기는], 기생(氣生)의 : an ~ plant 기생 식물. ④ 항공(기)의, 항공기에 의한《★ 현재는 air를 쓰는 경우가 많음》: an ~ attack 공습 / an ~ camera 항공 사진용 카메라 / ~ farming 항공 농업《비행기로 파종·농약 살포 따위를 하는》/ an ~ lighthouse[beacon] 항공 등대[표지] / an ~ line[route] 항공로 / ~ navigation 항공술 / an ~ navigator 항공사 / ~ photography 항공 사진(술) (aerophotography) / ~ reconnaissance [inspection] 공중 정찰[사찰].
— [ɛ́əriəl] *n.* Ⓒ ①〖電〗 안테나. ② =AERIAL LADDER. ③〖스키〗 에어리얼《점프하여 회전하거나 몸을 비트는 등 연기의 프리 스타일 종목》.
㊎ ~·ly *ad.*

aer·i·al·ist [ɛ́əriəlist, eiíər-] *n.* Ⓒ ① 공중 곡예사. ②《俗》(지붕을 타고 들어가는 곡예사 같은) 침입 강도.

áerial làdder (소방용의) 접(摺)사다다리.

áerial tánker 공중 급유기.

aer·ie [ɛ́əri, íəri] *n.* Ⓒ ① (매 따위의) 둥지. ② (매 등의) 새끼. ③ 높은 곳에 있는 집[성].

aero- '공기, 공중, 항공'의 뜻의 결합사 : *aero*dynamics, *aero*nautics《★ 미국에서는 보통 air-》.

aer·o·bat·ic [ɛ̀ərəbǽtik] *a.* 곡예 비행의 : an ~ flight 곡예 비행.

aer·o·bat·ics [ɛ̀ərəbǽtiks] *n. pl.* ① [複數취급] 곡예[고등] 비행 : The ~ were the best part of the show. 곡예 비행이 그 쇼에서 가장 좋은 대목이었다. ② Ⓤ [單數취급] 곡예[고등] 비행술 : *Aerobatics* is a dangerous sport. 곡예 비행술은 위험한 스포츠다. [◂ *aero*-+acro*batics*]

aer·obe [ɛ́əroub] *n.* Ⓒ 호기성(好氣性)생물, 호기성균(菌).

aer·o·bic [ɛəróubik] *a.* ① 호기성의 ; 산소의 ; 산소에 의한 : ~ bacteria 호기성균. ② 에어로빅스의 : ~ dance[exercise] 에어로빅 댄스[체조].

aer·o·bics [ɛəróubiks] *n. pl.* [單數취급] 에어로빅스《호흡 순환기의 산소 소비를 늘리는 운동을 하는 건강법》.

aer·o·drome [ɛ́ərədròum] *n.* Ⓒ《주로 英》 소형[간이] 비행장, 공항(airdrome).

aer·o·dy·nam·ic [ɛ̀ərou*d*ainǽmik] *a.* [限定的] 공기 역학(상)의 : ~ improvements in design 설계상의 공기 역학적 개선점. ㊎ **-i·cal·ly** *ad.* 공기 역학적으로.

aer·o·dy·nam·ics [ɛ̀ərou*d*ainǽmiks] *n.* Ⓤ 공기[항공] 역학 : According to the laws of ~, bumble bees shouldn't be able to fly. 공기 역학 법칙에 따르면 뒝벌은 날 수 없을 것이다.

aer·o·foil [ɛ́ərəfɔ̀il] *n.*〖英空〗=AIRFOIL.

aer·o·gram, -gramme [ɛ́ərəgræ̀m] *n.* Ⓒ ① 항공 서한(air letter). ② 무선 전보.

aer·ol·o·gy [ɛərɑ́lədʒi / -rɔ́l-] *n.* Ⓤ 고층(高層) 기상학. ㊎ **-gist** *n.* Ⓒ 고층 기상학자.

aer·o·me·chan·ics [ɛ̀ərou*m*əkǽniks] *n.* Ⓤ 항공 역학.

aer·o·naut [ɛ́ərənɔ̀:t] *n.* Ⓒ 비행가 ; 기구[비행선] 조종사[승무원].

aer·o·nau·tic, -ti·cal [ɛ̀ərənɔ́:tik], [-əl] *a.* 항공학의, 비행술의 ; 기구[비행선] 승무원의.

aeronáutical chárt 항공도.

aer·o·nau·tics [ɛ̀ərənɔ́:tiks] *n.* Ⓤ 항공학[술].

aer·o·pause [ɛ́ərəpɔ̀:z] *n.* Ⓤ〖空〗 대기계면(大氣界面)《고도 20-23 km간의 대기층》.

‡**aer·o·plane** [ɛ́ərəplèin] *n.* Ⓒ《英》 비행기(《美》 airplane).

aer·o·sol [ɛ́ərəsɔ̀:l, -sɑ̀l] *n.* ① Ⓤ〖化〗 에어로솔, 연무질(煙霧質). ② =AEROSOL BOMB. — *a.* [限定的] 에어로솔의, 분무기의 : an ~ insecticide 분무식 살충제.

áerosol bòmb [contàiner] (압축 가스를 이용한) 분무기.

aer·o·space [ɛ́ərou*s*pèis] *n.* Ⓤ 대기권과 우주 ; 항공 우주 (산업) ; (항공) 우주 과학. — *a.* 항공 우주의 ; 항공 우주 (산업)의 : ~ research 항공우주 연구 / ~ medicine 항공 우주 의학.

aer·o·stat·ics [ɛ̀ərəstǽtiks] *n.* Ⓤ 기체 정역학 ; 경항공기 조종술.

aery [ɛ́əri, íəri] *n.* =AERIE.

Aes·chy·lus [éskələs / í:s-] *n.* 아이스킬로스《그리스의 비극 시인 ; 525-456 B.C.》.

‡**Ae·sop, Æ·sop** [í:səp, -sɑp / -sɔp] *n.* 이솝《그리스의 우화 작가 ; 620?-560? B.C.》: ~*'s* Fables 이솝 이야기. ㊎ **Ae·so·pi·an** [i(:)sóupiən] *a.* 이솝(류)의 ; 이솝 이야기 같은 ; 우의(寓意)적인.

aes·thete, es- [ésθi:t / í:s-] *n.* Ⓒ 유미(唯美)[탐미]주의자 ; 심미가, 미술가연하는 사람.

***aes·thet·ic, es-** [esθétik / i:s-], **-i·cal** [-ikəl] *a.* 미(美)의, 미술의 ; 미학의 ; 심미적인 ; 심미안이 있는 : an *aesthetic* person 심미안이 있는 사람. ㊎ **-i·cal·ly** *ad.* 미학적으로, 미학상 ; 심미적[예술적]으로.

aes·thet·i·cism, es- [esθétəsìzəm / i:s-] *n.* Ⓤ 유미주의 ; 예술 지상주의.

aes·thet·ics, es- [esθétiks / i:s-] *n.* Ⓤ〖哲〗 미학(美學).

aes·ti·vate, es- [éstəvèit / í:st-] *vi.* 여름을 지내다[보내다] ;〖動〗 하면(夏眠)하다.
㊎ **àes·ti·vá·tion, ès-** [-ʃən] *n.* Ⓤ〖動〗 하면.

ae·ta·tis [i:téitis] *a.* 《L.》 당년 …살(의) (at the age of) 《略 : aet [i:t], aetat [í:tæt]》: ~ 10, 10살의.

aether, aethereal, etc. ⇨ ETHER, ETHEREAL, etc.

aetiology [ì:tiɑ́lədʒi / -ɔ́l-] *n.* = ETIOLOGY.

af- *pref.* =AD-《f 앞에서》: *af*firm.

A.F. Air Force ; Allied Forces(연합군) ; Anglo-French. **Af.** Africa(n). **A.F., a.f.** audio frequency (가청 주파수).

afar** [əfɑ́:*r*] *ad.* 멀리, 아득히 (far)《★ far가 일반적임》. ~ ***off 멀리 저쪽에. — *n.* [다음 成句로만] ***from*** ~ 멀리서 : visitors *from* ~ 먼데서 온 손님 / She grinned at me *from* ~. 그녀는 멀리서 나에게 씽긋 웃었다.

AFB Air Force Base. **AFC** automatic flight [frequency] control. (자동 비행[주파수] 제어) ; American Football Conference. **AFDC, A.F.D.C.** 《美》 Aid to Families with Dependent Children (아동 부양 세대(世帶) 보조).

af·fa·bil·i·ty [æ̀fəbíləti] *n.* Ⓤ 상냥함, 붙임성 있음, 사근사근함.

af·fa·ble [ǽfəbəl] *a.* ① (사람이) 말붙이기 쉬운, 친근감이 가는, 스스럽지 않은, 상냥한, 붙임성 있는, 사근사근한 : He is ~ to everybody. 그는 누구에게나 상냥하다. ② (말·태도 등이) 상냥한, 부드러운, 공손한 : an ~ smile 부드러운 미소.
㊎ **-bly** *ad.* 붙임성 있게 ; 상냥하게.

‡**af·fair** [əfɛ́ə*r*] *n.* Ⓒ ① **a)** (해야 할) 일, 용건 : an ~ of honor 명예에 관한 일, 결투 / He has many ~*s* to look after. 그에게는 해야 할 여러가지 일이 있다. **b)** (*pl.*) (일상의) 업무, 용무, 직무, 사무 : on business ~*s* 상용으로 / family ~*s* 가사(家事) / ~*s* of state 국사(國事), 정무 / private

~s 사사로운 일 / public ~s 공무 / worldly ~s 세속 일. ② (세상을 떠들썩하게 하는) 사건; 생긴 일(event) : the Watergate ~ 워터게이트 사건 / The meeting was quite an ~. 그 회합은 대단한 것이었다. ③ (흔히 one's ~로) 개인적인 관심사 : That's none of your ~. 그건 네가 알 바 아니다 (=That's my own ~.) / It's no ~ of mine. 내 알 바 아니다. ④ (주로) 불륜의 연애〔관계〕, 정사 : an extramarital ~ 혼외 정사 / Davy's ~ with Anna ended long ago. 데이비의 애너와의 정사는 오래 전에 끝났다. ⑤《口》〔形容詞를 수반하여〕 것; 물건, 물품 : a complicated ~ 복잡한 것 / a cheap ~ 싸구려 / Our newest computer is an amazing ~. 이번의 최신 컴퓨터는 대단한 물건이다. ***a man of ~s*** 사무가, 실무가. ***as ~s*** 〔***things, matters***〕 ***stand*** 현상태로는; 현재로 봐서. ***have an ~ with*** …와 관계를 갖다. ***in the ~*** 그 건(件)으로. ***settle*** one***'s ~s*** ⇨SETTLE. ***state of ~s*** 형세, 사태 : a pretty *state of ~s* 곤란한 사태. ***wind up*** one***'s ~s*** 신변의 정리를 하다; 가게를 닫다.

‡af·fect[1] [əfékt] *vt.* ① …에게 영향을 주다; …에게 악영향을 미치다 : Their opinion will not ~ my decision. 그들의 의견은 내 결심에 영향을 미치지 못할 것이다 / Cold weather *~ed* the crops. 추운 날씨가 작물에 영향을 미쳤다 / Computers have *~ed* our lives in many ways. 컴퓨터는 여러 모양으로 우리 생활에 영향을 주고 있다. ② 《~+목 / +목+전+명》 (병·고통이 사람·인체)를 침범하다, 걸리다《*with*; *in*》: The cancer has *~ed* his stomach. 그는 위암에 걸렸다 / He is *~ed with* rheumatism. 그는 류머티즘에 걸렸다 / He is *~ed in* the lungs. 그는 폐병을 앓고 있다. ③《~+목 / +목+전+명》 …을 감동시키다, …에게 감명을 주다《*at*; *by*; *with*》: He was *~ed with* compassion. 측은한 생각이 들었다 / She was *~ed at* the news. 그 소식을 듣고 감동되었다 / I was deeply *~ed* by the film. 그 영화를 보고 깊은 감명을 받았다. ◇ affection *n.*

── [ǽfekt] *n.* U.C 〖心〗 감정, 정서 : Love is an activity, not a passive ~. 사랑은 수동적인 것이 아니라 능동적인 행위이다.

***af·fect[2]** [əfékt] *vt.* ①《~+목 / +*to* do》 …인〔한〕 체하다, …을 가장하다, …인〔한〕 양 꾸미다 : He *~ed* an air of ignorance. 그는 모르는 체했다 / He *~ed* not *to* have heard. 그는 못 들은 체했다. ② **a**) …을 즐기다, 즐겨 …을 사용하다 : She *~s* bright colors. 그녀는 화려한 색깔의 옷을 즐겨 입는다. **b**) (동식물이) …에 즐겨 살다〔생기다〕: Birds ~ the woods. 새는 즐겨 숲에 산다. ③ (물건이 어떤 형태)를 잘 취하다 : Drops of fluid ~ a round figure. 액체의 방울은 둥근 형태를 취한다. ◇ affectation *n.*

af·fec·ta·tion [æ̀fektéiʃən] *n.* U.C ① …인 체함, …연함《*of*》: an ~ *of* kindness 겉치레의 친절 / His love of poetry was mere ~. 그의 시 애호는 단순한 겉치레였다. ② 젠체함, 태깔부림 : She disliked his *~s*. 그녀는 그의 태깔스러운 태도가 싫었다. ***without*** ~ 체하지〔꾸미지〕 않고, 솔직히.

af·fect·ed[1] [əféktid] *a.* ① 영향을 받은; (병 따위에) 걸린, 침범된, (더위 등을) 먹은 : the ~ district 피해지 / the ~ part 환부(患部). ② 감동된, 슬픔에 잠긴; 변질된. ③ 〔副詞와 함께〕 (…한) 마음을 품은 : well 〔ill〕 ~ to 〔toward〕 …에게 호의〔악의〕를 가진.

af·fect·ed[2] *a.* 짐짓 꾸민, …인 체하는, 유체스러운; 부자연한 : ~ airs 젠체하는〔꾸민〕 태도 / an ~ sorrow 겉뿐인 슬픔. 副 **~·ly** *ad.* 젠체하여, 같잖게. **~·ness** *n.*

af·fect·ing [əféktiŋ] *a.* 감동시키는; 애절한, 애처로운 : an ~ sight 애처로운 광경. 副 **~·ly** *ad.* 감동적으로.

‡af·fec·tion [əfékʃən] *n.* ① U 애정, 호의《*for*; *toward*》; (*pl.*) 애착, 연모 : filial ~ 효심(孝心) / ~ between the sexes 남녀의 정 / the ~ of a parent *for* his child 어버이의 자식에 대한 애정 / the object of one's *~s* 사랑하는 사람, 의중의 사람 / Mary felt no ~ *for*〔*toward*〕 Dane. 메리는 데인에게 조금도 애정을 느끼지 못했었다 / She gazed with deep ~ at his sleeping form. 그녀는 깊은 애정의 눈으로 그의 자는 모습을 바라보았다. ② U 감정, 감동, 정의(情意) : *Affection* can be a problem when trying to make objective decisions. 객관적인 판단을 내리려 할 때에는 감정이 문제가 된다. ③ C 병(disease); 월경 : an ~ of the throat 인후병(咽喉病). ◇ affect[1] *v.* ***gain*** 〔***win***〕 a person***'s*** ~(***s***) 아무의 사랑을 얻어내다. ***set*** one***'s ~ on*** …에게 애정을 품다.

‡af·fec·tion·ate [əfékʃənit] *a.* ① (언어·행위 등이) 애정 깊은, 사랑에 넘친 : ~ kisses 사랑에 넘친 키스 / ~ smiles 애정어린 미소 / He wrote a long, ~ letter to her. 그는 그녀에게 애정어린 긴 편지를 썼다 / He wished her an ~ good-bye. 그는 애정어린 작별 인사를 그녀에게 했다. ② 다정한, 친애하는, 사랑하는《*to*; *toward*》: He is ~ *to* 〔*towards*〕 her. 그는 그녀에게 애정을 품고 있다 / Your ~ brother 친애하는 형으로부터《편지의 맺는 말》. 副 **‡~·ly** *ad.* 애정을 다하여, 애정이 넘치게 : Yours *~ly*=《美》 *Affectionately* yours 친애하는 …으로부터《친족·친구 사이의 편지의 맺는 말》.

af·fec·tive [əféktiv, ǽfektiv] *a.* ① 감정〔정서〕적인 : Sacrifice physical life and ~ life to mental life 정신적 생활을 위해 육체적·감정적 생활을 단념하다. ② 〖心〗 정서의, 감정에 관한. 副 **~·ly** *ad.*

af·fer·ent [ǽfərənt] *a.* 〖生理〗 (혈관이) 중심부로〔기관으로〕 인도되는; (신경이) 구심성(求心性)의. cf. efferent. ¶ ~ veins 수입 혈관 / ~ nerves 구심성 신경.

af·fi·ance [əfáiəns] *n.* U 약혼; 서약; 《古》 신용, 신뢰. ── *vt.* 〔흔히 受動으로 또는 再歸的〕 …을 약혼시키다. ***be ~d to*** …의 약혼자이다 : He *is ~d to* her. 그는 그녀와 약혼하였다. ***the ~d*** (***couple***) 약혼 중인 두 사람.

af·fi·da·vit [æ̀fədéivit] *n.* C 〖法〗 선서서(宣誓書), 선서 진술서. ***swear*** 〔***make, take***〕 ***an*** ~ (증인이) 진술서에 허위가 없음을 선서하다〔선서 진술서를 작성하다〕.

af·fil·i·ate [əfílièit] *vt.* 〔흔히 受動으로 또는 再歸的〕 …을 가입시키다, 회원으로 삼다; 관계를 맺다; 지부〔분교, 부속기관〕으로 하다; 합병하다《*with*; *to*》: Our union *is ~d*〔has *~d itself*〕 *with*〔*to*〕 a national organization. 우리 조합은 전국 조직에 가맹하고 있다〔하였다〕 / The college *is ~d to* the university. 그 단과 대학은 종합 대학에 합병되었다.

── *vi.* ① 관계〔가맹, 가입〕하다, 입당〔입회〕하다; 제휴하다, 손잡다《*with*》. ②《美》 교제하다, 친밀히 하다《*with*》.

── [əfíliit, -èit] *n.* C ① 가입자, 회원. ②《美》 관계〔외곽〕 단체, 가맹단체, 지부, 분회, 계열〔자매〕 회사 : an ~ of the Red Cross 적십자사의 지부.

af·fil·i·at·ed [-id] *a.* ① 관련 있는, 가맹〔가입〕한, 제휴〔합병〕한, 계열하〔지부〕의 : an ~ company 방계〔계열〕 회사 / ~ societies 지부, 분회 / an ~ school 부속학교, 분교. ② 〔敍述的〕 …에 가입하여, …와 제휴〔합병〕하여《*with* ; *to*》: The two clubs are ~ *with* each other. 그 두 클럽은 서로 밀접한 관계를 맺고 있다 / This hospital is ~ *to* the university. 이 병원은 그 대학의 부속병원이다.

af·fil·i·a·tion [əfiliéiʃən] *n.* U.C ① 가입, 입회, 가맹 : ~ to the Labor Party 노동당 가입. ② 동맹, 연합 ; 제휴, 협력. ③ 양자 결연 ; 〖法〗 (사생아의) 부친의 확인. ④ (*pl.*) 《美》 관계, 우호관계 : party ~*s* 당파 관계.

affiliátion òrder 〖英法〗 (치안판사가 부친에게 내리는) 비(非)적출자 부양료 지급 명령.

***af·fin·i·ty** [əfínəti] *n.* ① U.C **a**) 인척 (관계) ; 동족 관계. cf. consanguinity. **b**) 유사, 친근성 《*between* ; *with*》: There is (a) close ~ *between* English and German. 영어나 독일어 사이에는 상당한 유사성이 있다. ② **a**) (종종 an ~) (서로) 맞는 성질, (끌려) 좋아함《*for* ; *to*》: Mary and Bob have *an* ~ *for*〔*to*〕 each other. 메리와 보브는 서로 뜻이 잘 맞는다. **b**) C 뜻이〔성미가〕 맞는 사람. ③ U.C 〖化·生〗 친화력 ; 유연(類緣)(성). cf. elective affinity. ¶ the ~ of iron for oxygen 철의 산소에 대한 친화력. ④ 좋아함, 애호 《*for*》.

‡af·firm [əfə́:rm] *vt.* ① 《~+목 / +*that* 절》 …을 확언하다, 단언하다 ; 긍정하다 : ~ one's loyalty 충성을 맹세하다 / He ~*ed that* the news was true. 그는 그 소식은 사실이라고 단언하였다 / He ~*ed* his innocence〔*that* he was innocent〕. 자기는 결백하다고 그는 단언하였다. ② 〖法〗 (상소에 대하여 원판결 따위)를 확인하다, 지지하다. ── *vi.* 단언〔긍정〕하다《*to*》; 〖法〗 무선서 증언을 하다《퀘이커 교도 등이 이를 행함》: The witness ~*ed to* the fact. 증인은 사실임을 긍정했다. 파 **~·a·ble** *a.* 확언〔긍정〕할 수 있는.

***af·fir·ma·tion** [æ̀fərméiʃən] *n.* U.C 단언, 주장 ; 〖論〗 긍정 ; 확인 ; 〖法〗 (양심적 선서 거부자가 하는) 무선서(無宣誓) 증언.

‡af·firm·a·tive [əfə́:rmətiv] *a.* ① 확언〔단언〕적인. ② 긍정의, 승낙의, 찬성의. opp *negative*. ¶ an ~ reply 찬성하는 회답 / ~ votes 찬성 투표 / the ~ side 찬성쪽. ── *n.* C ① 확언, 단정 ; 긍정, 찬성. ② 〖論〗 긍정문, 긍정어, 긍정 명제. ***in the*** **~** 긍정〔승낙·동의〕하여 : 30 percent replied *in the* ~. 30 퍼센트가 동의하였다. 파 **~·ly** *ad.* 긍정적으로 : answer〔speak〕 ~*ly* 긍정적으로 대답하다〔말하다〕, 그렇다고 답하다〔말하다〕.

affírmative áction 《美》 차별철폐 조처《소수민족의 차별철폐·여성고용 등을 적극 추진하는 계획》.

affírmative séntence 〖文法〗 긍정문.

af·fix [əfíks] *vt.* ① …을 첨부하다, 붙이다《*to* ; *on*》: ~ a label *to* a package 소포에 꼬리표를 달다 / ~ a poster *on* a wall 벽에 포스터를 붙이다. ② …에 서명 따위를 하다 ; (도장)을 찍다《*to*》: ~ a signature〔a seal〕 *to* a document 서류에 서명하다〔도장을 찍다〕. ── [ǽfiks] *n.* C 첨부물 ; 〖文法〗 접사(接辭)《접두사·접미사》.

af·fla·tus [əfléitəs] *n.* U (시인·예언자 등의) 영감, 인스피레이션.

‡af·flict [əflíkt] *vt.* 《~+목 / +목+전+명》 (사람)을 괴롭히다(distress) : ~ a person *with* cigarette smoke 아무를 담배연기로 괴롭히다 / High mortality rates still ~ children of the Third World. 높은 사망률이 아직도 제3세계의 어린이를 괴롭히고 있다. ***be ~ed at*** 〔***by***〕 …으로 고민〔괴로워〕하다 : They *were* much ~*ed by* the heat. 그들은 더위로 몹시 고생했다. ***be ~ed with*** … 으로 괴로움을 당하다 ; …을 앓다 : He'*s* ~*ed with* arthritis. 그는 관절염으로 괴로워하고 있다.

***af·flic·tion** [əflíkʃən] *n.* ① U 고통, 고뇌, 고생 (misery) : help people in ~ 고통받는 사람들을 돕다. ② C 불행의 원인《*to*》, 고통·고뇌의 원인〔씨〕.

af·flic·tive [əflíktiv] *a.* 괴로운, 고통을 주는.

af·flu·ence [ǽflu(:)əns, əflú:-] *n.* U 풍부함, 풍요, 유복 : a widening gap between poverty and ~ 빈부의 심한 격차. ***live in*** **~** 유복하게 살다.

af·flu·ent [ǽflu(:)ənt, əflú:-] *a.* ① 풍부한 ; 유복한 : the ~ 유복한 사람들 / The land is ~ in natural resources. 그 땅은 천연 자원이 풍부하다. ② 도도히 흐르는. ── *n.* C 지류(支流). 파 **~·ly** *ad.* 풍부히, 유복하게.

áffluent socíety (the ~) 풍요한 사회《J.K. Galbraith가 현대사회를 이른 말》.

af·flu·en·za [æ̀flu:énzə] *n.* C 애플루엔저, 부자병《막대한 상속을 받은 여자가 무력감, 권태감, 자책감 따위를 갖는 병적 증상》.

af·flux [ǽflʌks] *n.* (an ~) (물 따위의) 흘러듦, 유입(流入).

‡af·ford [əfɔ́:rd] *vt.* ① 〔흔히 can, be able to와 함께〕 **a**) (돈·시간)의 여유가 있다, …을 살〔지불할, 소유할〕 돈이 있다 : I *can*not ~ the expense. 그 비용을 감당할 수 없다 / I *can*not ~ the loss of a day. 단 하루도 헛되이 할 수 없다. **b**) 《+*to* do》 …할 여유가 있다, …할 수 있다 : I *can*not ~ *to* be generous. 선심 쓸 여유가 없다 / I *can't* ~ *to* let a chance like this go by. 이런 기회를 그냥 놓칠 수는 없다. ② 《~+목 / +목+목 / +목+전+명》 …을 주다, 제공하다, 산출하다, 낳다 : Reading ~*s* pleasure. 독서는 즐거움을 낳는다 / The transaction ~*ed* him a good profit. =The transaction ~*ed* a good profit *to* him. 그 장사로 그는 한몫 보았다 / It will ~ me great pleasure to speak before young people. 청년들에게 강연하는 것은 저에게 대단한 기쁨입니다.

af·ford·a·ble [əfɔ́:rdəbəl] *a.* 줄 수 있는 ; 입수 가능한, (값이) 알맞은 : attractive new cars at ~ prices 알맞은 가격의 멋진 새차들.

af·for·est [əfɔ́(:)rist, əfár-] *vt.* …에 조림〔식수〕하다. 파 **af·fòr·est·á·tion** *n.* U 조림, 식림.

af·fray [əfréi] *n.* C ① (공공 장소에서의) 싸움, 난투 ; 법석, 소란, 소동. ② 〖法〗 난동(죄), 소요(죄).

af·fri·cate [ǽfrikit] *n.* C 〖音聲〗 파찰음(破擦音) 《[tʃ, dʒ, ts, dz] 따위》.

af·fric·a·tive [əfríkətiv, ǽfrəkèi-] *n.* C, *a.* 〖音聲〗 파찰음(의).

af·front** [əfrʌ́nt] *n.* C (대면한 자리에서의) 무례, 모욕 : a gross ~ 대단한 모욕. ***offer an **~** ***to*** =***put an*** **~** ***upon*** …에게 모욕을 주다. ***suffer an*** **~** 모욕을 당하다. ── *vt.* (공공연히) …을 모욕하다, 욕보이다 : I was deeply ~*ed* by his offhand manner. 나는 그의 냉담한 태도에 심한 모욕감을 느꼈다.

Af·ghan [ǽfgən, -gæn] *a.* 아프가니스탄 (사람, 말)의. ── *n.* ① C 아프가니스탄 사람. ② U 아프가니스탄 말. ③ =AFGHAN HOUND.

Áfghan hóund 아프간 개《사냥개의 일종》.

af·ghani [æfgǽni, -gɑ́:ni] *n.* 아프가니스탄의 화폐 단위《100 puls》.

Af·ghan·i·stan [æfgǽnəstæ̀n] *n.* C 아프가니스탄《수도는 카불(Kabul)》.

afi·cio·na·do [əfiʃiənɑ́:dou] (*pl.* **~s**) *n.* C 《Sp.》 열애가(熱愛家), 열성가, 팬, 애호가 : an ~

of films=a film ~ 영화 팬.

afield [əfíːld] *ad.* 들판에〔으로〕; 전장에〔으로〕; 집을 멀리 떠나; 상궤(常軌)를 벗어나서. ***far* ~** 멀리 떨어져〔까지〕: His talk rambled *far* ~. 그의 말은 본제에서 멀리 벗어나 있었다 / We export our products to countries as *far* ~ as England and Africa. 우리 제품을 영국이나 아프리카와 같이 멀리 떨어진 나라에 수출하고 있다.

afire [əfáiər] *ad., a.* 〔形容詞로는 敍述的〕 불타; 격하여, 흥분하여: The house is ~. 집이 불타고 있다. ***set* ~** 타게 하다; (정신적으로) 자극하다: *set* a house ~ 집에 불을 지르다 / *set* a person's heart ~ 아무의 가슴을 불타게 하다. ***with heart* ~** 마음이 불타.

AFKN American Forces Korea Network.

aflame [əfléim] *ad., a.* 〔形容詞로는 주로 敍述的〕 ① 불타올라(ablaze), 이글이글〔활활〕 타올라: The house was all ~. 집은 완전히 불길에 싸여 있었다. ② 낯을 붉혀, 성나서《*with*》: He was ~ *with* anger. 그는 노달대발하였다. ③ 빛나서《*with*》: The hills were ~ *with* autumn foliage. 언덕은 단풍으로 불타듯 빛나고 있었다. ***set* ~** (…을) 불태우다; (피가) 끓게 하다.

AFL-CIO American Federation of Labor and Congress of Industrial Organizations(미국 노동 총연맹 산업별 회의; 1955년 AFL과 CIO가 합쳐서 결성).

***afloat** [əflóut] *ad., a.* 〔形容詞로는 敍述的 또는 名詞 뒤에〕 ① 떠서, (물·하늘에) 떠서: be ~ in the river 강에 떠 있다. ② 해상에; 선상〔함상〕에: life ~ 해상생활 / service ~ 해상〔함상〕근무 / all the shipping ~ 해상의 모든 배. ③ 침수〔범람〕하여: The main deck was ~. 주갑판이 침수되었다. ④ (소문이) 퍼져서: There is a rumor ~ that he is going to resign. 그가 사직한다는 소문이 퍼져 있다. ⑤ 빚 안 지고, 파산하지 않고: The company is still ~. 그 회사는 아직 파산하지 않고 있다. ***keep* ~** 가라앉지 않도록 하다; 빚을 안 지(게 하)다: The life-jacket *kept* him ~. 구명조끼가 그를 가라앉지 않도록 하였다. ***set* ~** …을 띄우다; 유통〔유포〕시키다; 발족시키다: *set* a ship ~ 배를 띄우다 / *set* a newspaper ~ 신문을 발간하다.

***afoot** [əfút] *ad., a.* 〔形容詞로서는 敍述的〕 ① 진행중(에); 계획되어; 활동하여: A plot is ~. 음모가 계획되고 있다. ② 《文語》 도보로(on foot).

afore·men·tioned [əfɔ́ːrmènʃənd] *a.* ① 〔限定的〕 앞에 말한, 전술〔전기〕한. ② (the ~) 〔名詞的; 單·複數 취급〕 전술한 사람〔것, 일〕.

afore·said [-sèd] *a.* 앞서 말한, 전술한.

afore·thought [-θɔ̀ːt] *a.* 〔흔히 名詞 뒤에〕 미리 고려된, 계획적인; 고의(故意)의: with malice ~ 살의(殺意)를 품고.

a for·ti·o·ri [ei-fɔ̀ːrʃiɔ́ːrai] 《L.》 한층 더한 이유로, 더욱 확실히; 더 유력한 논거가 되는: The man of prejudice is, ~, a man of limited mental vision. 편견에 얽매인 사람은, 더욱 확실한 것은 지적(知的) 선견이 좁은 사람이라는 것이다.

afoul [əfául] *ad., a.* 〔形容詞로서는 敍述的〕 충돌하여; 엉클어져. ***run* 〔*fall*〕 ~ *of*** …와 충돌하다; …로 말썽을 일으키다; (법률 등에) 저촉되다; …로 귀찮게〔시끄럽게〕 되다.

Afr. Africa; African.

†afraid [əfréid] (***more* ~; *most* ~**) *a.* 〔敍述的〕 ★ be *much* ~는 낡은 표현이며, be *very much* ~라고도 하지만 근래에는 be *very* ~가 보통임. ① **a)** 두려워하는, 무서워하는《*of*》: Don't be ~. 무서워 마라 / I'm ~ *of* dogs. 개가 무섭다《★ I fear dogs. 보다 일반적임》. **b)** (…하기를) 겁내는, (겁이나) …못하는; (하기를) 주저하는 《*of* do*ing*; *to* do》: be ~ *of* address*ing*〔*to* address〕 a foreigner 외국인에게 말을 걸 용기가 없다. ② (…에 대해) 걱정〔염려〕하는, 불안한《*about*; *for*; *of*; *that*; *lest*》: be ~ *about* what is going to happen 이제부터 어떻게 되어갈 것인지를 걱정하다 / I'm ~ *for* his safety. 그의 안전이 걱정된다 / I was ~ *of* wounding her pride. =I was ~ (*that*) I might wound her pride. 그녀의 자존심을 상하게 하지는 않았나 염려가 되었다 / He was ~ *lest* the secret (*should*) leak out. 비밀이 새지 않을까 걱정했다《★ lest를 씀은 문어》. ③ 〔I'm ~, I am ~으로〕 **a)** …을 섭섭하게〔유감스럽게〕 생각하는, (유감이지만) …라고 생각하는《흔히 that을 생략한 명사절을 수반》: *I am* ~ it is not possible. 불가능하여 안됐습니다 / *I'm* ~ it will rain tonight. 오늘 밤엔 비가 올 것 같다 / "Will he recover soon?" "*I'm* ~ not." '그의 병은 곧 낫겠습니까' '어려울 것 같네요.' **b)** 〔주로 병렬식 또는 삽입적으로〕 말하기 거북하다, 유감이지만: You are mistaking me for somebody else, *I'm* ~. 사람은 잘못 보신 게 아닐까요 / You have leukemia, *I'm* ~. 당신은 아무래도 백혈병 같습니다. ★ '…라고 생각하다'의 뜻을, 좋은 일일 때는 I hope …, 나쁜 일일 때는 I am *afraid*…로 표현함. ④ (…을) 싫어하는, 귀찮아 하는《*of*; *to* do》: He's ~ *of* formal dinners. 그는 정식 만찬회에 나가기 싫어한다 / He seems ~ *to* do even a little work. 그는 간단한 일도 하기 싫은 모양이다.

A-frame [éifrèim] *n.* Ⓒ 《美》 A꼴 구조의 집; A자 모양의 틀《무거운 물건을 받침》. ★ 우리 나라의 '지게'.

***afresh** [əfréʃ] *ad.* 새로이, 다시(again): start ~ 다시 시작하다.

†Af·ri·ca [ǽfrikə] *n.* 아프리카.

‡Af·ri·can [ǽfrikən] *a.* 아프리카(사람)의; 흑인의. **—** *n.* Ⓒ 아프리카 사람; 흑인(Negro).

Af·ri·can-A·mer·i·can [ǽfrikənəmérikən] *n.* Ⓤ, *a.* 아프리카계(系) 미국 흑인(의) (Afro-American).

Áfrican víolet 〖植〗 아프리카제비꽃《탕가니카 고지 원산》.

Af·ri·kaans [æ̀frikáːns, -z] *n.* Ⓤ 아프리칸스어 《영어와 함께 남아프리카 공화국의 공용어》.

Af·ri·ka·ner [æ̀frikáːnər, -kǽn-] *n.* Ⓒ 아프리카너(=**Àf·ri·káa·ner**)《남아프리카 태생의 백인; 특히 네덜란드계의》.

Af·ro [ǽfrou] (*pl.* **~s**) *n.* Ⓒ 아프로《아프리카풍의 둥그런 머리형》. **—** *a.* 아프로형의; 아프리카풍의. ㊐ **~ed** [-d] *a.* 아프로형으로 한.

Afro- '아프리카'의 뜻의 결합사: *Afro*-Asian bloc 〔Conference〕.

Af·ro-Amer·i·can [æ̀frouəmérikən] *n.* Ⓒ, *a.* 아프리카계 아메리카인(의), 아메리카 흑인(의).

Af·ro-Asian [æ̀frouéiʒən, -ʃən] *a.* 아시아 아프리카의: the ~ bloc 〔group〕 아시아 아프리카 블록〔그룹〕.

AFS American Field Service《미국의 국제 고교생 교환 단체》.

aft [æft, ɑːft] *ad.* 〖海·空〗 고물에〔쪽으로〕, 기미(機尾)에〔로〕, 후미에〔로〕: right ~ (배의) 바로 뒤에. ***fore and* ~** (이물에서 고물로) 세로로, 앞뒤로. **—** *a.* 선미〔기미〕의, 후미의.

†af·ter [ǽftər, áːf-] *ad.* 〔순서·시간〕 뒤〔후〕에, 다음에, 나중에; 늦게, 뒤처져서: follow ~ 뒤따르다, 뒤따라가다 / go ~ 나중에 가다 / soon ~ 이내 (곧) / three days ~, 3일 후에(three days later=after three days ⇨*prep.*①) / look before and ~ 앞뒤를 둘러보다; 전후를 생각하다 / I never speak to him ~. 그 후 두 번 다시 그와는 말을 안 한다. ***ever*** ~ ⇨EVER.

> 語法 시간적인 순서가 아니라 단순히 '뒤에, 나중에'란 뜻의 부사로서는 after 대신 **afterwards, later**를 쓰는 것이 보통임: He will come *afterwards* (*later*). 다만, 다음과 같은 표현은 옳음: soon *after* 그 뒤 곧 / long *after* 그 뒤 오래 (있다가) / the day (week, month, year) *after* (그) 이튿날(다음 주, 다음 달, 다음 해)(에).

— *prep.* ① (순서) …의 뒤에(로): Come ~ me. 나를 따라오시오《★ 약간 격식차린 말. Come with me.가 보통임》: My name comes ~ yours on (in) the list. 명부에서 내 이름은 네 다음이다 / She closed the door ~ her. 그녀는 들어와 문을 닫았다.
② (시간) **a**) …후에; 《美》 …지나(《英》 past): We'll leave ~ supper. 저녁식사 후에 떠날 것이다 / at ten ~ (《英》 past) five, 5시 10분에 / the day ~ tomorrow 모레. **b**) (앞뒤에 같은 名詞를 써서) …에 계속해서, …이고: day ~ day 매일(같이) / hour ~ hour 몇 시간이고 / Car ~ car passed by. 차가 잇따라 지나갔다. ★ 이 때 名詞는 흔히 無冠詞.
③ (인과 관계) …했으니, …고로, …했음에 비추어: *After* all he has been through, he deserves a rest. 그는 꽤나 고생을 했으니 당연히 휴식을 취해야 한다 / You must succeed ~ such efforts. 그처럼 노력했으니 자네는 틀림없이 성공할 걸세.
④ (흔히 all과 함께 쓰여) …에도 불구하고, (그토록) …했는데도: *After all* my trouble, you have learned nothing. 그토록 애써 가르쳤는데도 너는 도무지 모른다 / *After all* we had done, he was still ungrateful. (저를 위해) 그토록 진력했는데도 고마워하는 빛이 없었다.
⑤ (목적·추구) …의 뒤를 따라(쫓아), …을 찾아, …을 추구하여: The police are ~ you. 경찰이 자네 뒤를 쫓고 있네 / Her suitors were all ~ her money. 그녀의 구혼자들은 모두 그녀의 돈이 목적이었다.
⑥ (모방·순응) …을(에) 따라서, …을 본받아(본떠), …식(풍)의: name a boy ~ his grandfather 사내 아이에게 그 조부의 이름을 따서 붙이다 / a picture ~ Rembrandt 렘브란트풍(風)의 그림.
⑦ (관련) …에 대(관)하여: inquire (ask) ~ a person 아무의 안부를 묻다. ~ ***all*** (1) (문두에 와서) 뭐라고(뭐니 뭐니) 해도, 어쨌든: *After all,* we are friends. 뭐니 뭐니 해도 우린 친구란 말일세. (2) (문미에 와서) 결국, 요컨대, 역시: I'm sorry, I can't attend the meeting ~ *all*. 미안합니다. 결국 모임에 나가지 못하겠습니다. ~ ***a while*** 잠시 후에. ~ ***hours*** ⇨HOUR. ~ a person***'s own heart*** ⇨HEART. ***After you*** (***, please***). 먼저 (들어·나) 가시죠. ***After you with*** .... 당신이 마치고 나면 …을 돌려 주세요: *After you with* the pepper. 후추를 치신 다음에 저에게 주십시오. ***one*** ~ ***another*** ⇨ONE. ***one*** ~ ***the other*** ⇨ONE.
— *conj.* …한 뒤(다음)에, 나중에: *After* he comes, I shall start. 그가 온 뒤에 떠날 예정이다 / A few minutes ~ he (had) finished his work, he went to bed. 일을 끝낸 지 몇 분 후에 그는 잤다. ★ 위에서와 같이 after가 이끄는 부사절에서는 미래(완료) 대신 현재(완료)를 씀. 또 after에 의해, 앞뒤의 관계를 알 수 있으므로, 종종 완료형 대신 단순 시제(현재형·과거형)가 쓰임. ~ ***all is said*** (***and done***) 역시, 결국(=after all).
— *a.* (限定的) (시간적·공간적으로) 뒤의, 나중의, 후방의; 〖海·空〗 고물(미익)(쪽)에 있는: in ~ years 후년에 / ~ ages 후세 / ~ cabins 후부 선실(船室).

af·ter·birth [ǽftərbə̀ːrθ, ɑ́ːf-] *n.* (the ~) 〖醫〗 후산(後産), 태(胎); 유복자.

af·ter·burn·er [-bə̀ːrnər] *n.* Ⓒ (제트 엔진의) 재연소 장치.

af·ter·care [-kɛ̀ər] *n.* Ⓤ ① 병 치료 후(산후)의 몸조리. ② 형기 따위를 마친 뒤의 보도(補導), 갱생(更生) 지도.

af·ter·damp [-dæ̀mp] *n.* Ⓤ 폭발 후에 남는 갱내의 유독 가스.

af·ter·deck [-dèk] *n.* Ⓒ 〖海〗 후갑판.

af·ter-din·ner [-dínər] *a.* (限定的) 식후의: an ~ speech (식후의) 탁상 연설.

af·ter·ef·fect [-ifèkt] *n.* Ⓒ (흔히 *pl.*) ① 잔존 효과; 여파(餘波), 영향; (사고의) 후유증. ② (약 따위의) 후속 작용(효과); 〖心〗 잔효(殘効).

af·ter·glow [-glòu] *n.* Ⓤ 저녁놀; 즐거운 회상(추억); 〖氣〗 잔광(殘光).

af·ter-hours [-áuərz] *a.* (限定的) 폐점(영업시간) 후의; 근무시간 외의: ~ work 잔업(《美》에서는 overtime work가 일반적) / an ~ drinking club 영업 허가시간 후에도 영업하고 있는 클럽.

af·ter·im·age [-ìmidʒ] *n.* Ⓒ 〖心〗 잔상(殘像).

af·ter·life [-làif] (*pl.* ***-lives***) *n.* ① (the ~) 내세. ② Ⓤ (one's ~) 여생: in ~ 후년에.

af·ter·math [-mæ̀θ] *n.* Ⓒ (흔히 *sing.*) ① 그루갈이, 두번째 베는 풀. ② **a**) (전쟁·재해 등의) 결과, 여파, 영향: the ~ of the flood 홍수의 여파. **b**) (전쟁 따위의) 직후의 시기《*of*》: Fires broke out in the ~ *of* the earthquake. 지진 직후에 화재가 발생하였다.

af·ter·most [ǽftərmòust, ɑ́ːf- / ɑ́ːftərməst] *a.* 가장 뒤의; 〖海〗 최후부(部)의.

†**af·ter·noon** [æ̀ftərnúːn, ɑ̀ːf-] *n.* ① Ⓤ,Ⓒ 오후《정오에서 일몰까지》: in the late(late in the) ~ 오후 늦게 / In the ~ we go for a drive. 오후에는 드라이브하러 간다 / He is usually busy in the ~*s*. 그는 오후에는 늘 바쁘다. ★ 주로 특정한 날의 오후인 경우에는 on을 씀: *on* an ~ in May = *on* a May ~, 5월의 어느 오후에 / *on* the ~ of 10th, 10일 오후에 / The semifinals will be *on* Wednesday ~. 준결승전이 수요일 오후에 열릴 것이다. ★ 다음의 예들에서는 전치사 없이 부사적으로 쓰임: this (that) ~ 오늘(그날) 오후에 / tomorrow (yesterday) ~ 내일(어제) 오후에 / every ~ 매일 오후에. ② (the ~) 후반, 후기《*of*》: in *the* ~ *of* (one's) life 만년에. — [⌐-⌐, ⌐-⌐] *a.* (限定的) 오후의 (에 쓰는) an ~ nap 낮잠 / ~ classes 오후 수업. ***Good*** ~. (오후의 인사) 안녕하십니까《내림조》; 안녕(히 가(계)십시오)《올림조》.

áfternoon dréss 애프터눈 드레스.

af·ter·noons [æ̀ftərnúːnz, ɑ̀ːf-] *ad.* 《美》 오후엔 꼭(언제나): *Afternoons* he works at home. 오후에는 그는 집에서 일한다.

áfternoon téa 오후의 차(다과회).

af·ters [ǽftərz, ɑ́ːf-] *n. pl.* 《英口》=DESSERT.

af·ter·shave [æ̀ftərʃèiv] *a.* 면도한 뒤에 쓰는. — *n.* Ⓤ,Ⓒ 애프터셰이브 로션(=⌐ **lòtion**).

af·ter·shock [-ʃɑ̀k / -ʃɔ̀k] *n.* Ⓒ 여진, 여파.

af·ter·taste [-tèist] *n.* ① Ⓒ (특히, 불쾌한) 뒷맛. ② (흔히 an ~) (어떤 일을 겪은 뒤의) 여운: The angry exchange of words left *an* unpleasant ~. 격한 말다툼으로 뒷맛이 불쾌하였다.

af·ter·tax [-tæ̀ks] *a.* (限定的) 세금을 뺀, 실수

령의.

af·ter·thought [-θɔ̀ːt] *n.* Ⓒ 되씹어 생각함, 뒷궁리, 때늦은 생각〔방편〕, 추가, 결과론.

‡af·ter·ward [-wərd] *ad.* 뒤〔나중〕에, 그후 : Shortly ~, he made a trip from L.A. to San José. 그후 곧 그는 L.A.에서 산호세로 여행을 하였다 / What happens ~ is of no concern to me. 뒷일은 내게는 관계없다(나중 일은 내가 알게 뭐야).

af·ter·wards [-wərdz] *ad.* 《英》 AFTERWARD.

af·ter·word [-wə̀ːrd] *n.* Ⓒ 발문(跋文). ⓒⓕ foreword.

Ag 〖化〗 *argentum* 《L.》 (=silver) ; August《★ Aug가 일반적》. **A.G.** Attorney General.

†again [əgén, əgéin] *ad.* ① 다시, 또, 다시〔또〕 한번 : Try it ~. 다시 한 번 해보아라 / Late ~ for school! 또 학교에 늦었다. ② 본디 상태〔있던 곳으〕로 (되돌아와) : be home ~ 집에 돌아오다 / get 〔be〕 well ~ 건강을 되찾다 / come to life ~ 소생하다. ③ (수량이) 두 배로, 다시 또 그만큼, 같은 분량만큼 더 (추가하여) : My house is large, but his is as large ~ (as mine). 나의 집은 크지만 그의 집은(내 집의) 2배나 넓다 / half as large 〔many, much, old〕 ~ (as ...) …의 1배 반 크기〔수, 양, 나이〕로. ④ 그 위에 (더), 그 밖에 : Then ~, why did he go? 게다가 또한 그는 왜 갔을까. ⑤ 또 한편, 다른 한편, 그 반면, 그 대신 : It might happen and ~ it might not. 일어날 것 같기도 하고 또 한편 안 일어날 것 같기도 하다 / This ~ is more expensive. 이것은 또한〔그 대신, 그만큼〕 값도 비싸다. ~ ***and*** ~ 몇 번이고, 되풀이해. (***all***) ***over*** ~ 다시 한번〔새로이〕. ***back*** ~ 본디 있던 자리로, 본래대로. ***ever and*** ~ 때때로. ***never*** ~ 두 번 다시 …안 하다. ***now and*** ~ 때때로. ***once*** ~ 다시 한 번(once more). ***once and*** ~ 다시 되풀이해, 새로. ***something else*** ~ 전혀 별개의 것. ***then*** ~ 〔앞 문장을 받아서〕 그렇지 않고, 반대로. ***time and*** (***time***) ~ 몇 번이고, 되풀이해.

†against [əgénst, əgéinst] *prep.* ① …을 향하여, …에 대해서, …에 부딪치어 : dash ~ the door 문에 부딪치다 / a regulation ~ smoking 금연법(禁煙法) / strike 〔hit〕 one's head ~ the wall 머리를 벽에 부딪치다. ② …에 반대하여, …에 적대하여, …에 거슬러 : Are you ~ the plan or for it? 그 계획에 반대하는가 찬성하는가 / It goes ~ my conscience to accept such money. 이런 돈을 받는 것은 내 양심에 어긋난다. ③ …에 대비(對比)하여 : 3 ~ 10, 10대 3 / by a majority of 50 votes ~ 30, 30표대 50표의 다수로. ④ …에 기대어서 : lean ~ the wall 벽에 기대다 / He was leaning ~ the rail. 그는 난간에 기대어 있었다. ⑤ …을 배경으로 하여 ; …와 대조하여 : ~ the setting sun 석양을 배경으로 하여 / The woods were black ~ the sky. 숲은 하늘을 배경으로 검게 보였다. ⑥ …와 교환으로 : draw a bill ~ merchandise shipped 발송 화물의 가격만큼 어음을 발행하다. ⑦ …에 대비하여 : ~ cold 〔the winter〕 추위〔겨울〕에 대비하여 / Passengers are warned ~ pickpockets. 소매치기 조심. ⑧(기호·천성)에 맞지 않게 ; …에 불리하게 ; …의 부담〔지불〕으로서 : Everything was ~ her. 모든 것이 그녀에게 불리했다 / Tickets are issued only ~ payment of full fee. 표는 전액 완불에 대해서만 발행된다. ***as*** ~ …와 비교하여, …에 비하여, …에 대해서 : The profit this year was $ 50,000 *as* ~ $ 40,000 last year. 금년의 이익은 작년의 4만 달러에 대하여 5만 달러였다. ***close*** ~ …에 접하여. ***over*** ~ ⇨OVER. ***run*** ~ …에 부딪치다 ; …와 우연히 만나다.

Ag·a·mem·non [æ̀gəmémnɑn, -nən] *n.* 〖그神〗 아가멤논《Troy 전쟁 때 그리스군의 총지휘관》.

agape[1] [əgéip, əgǽp] *ad., a.* 〔形容詞로는 敍述的〕 입을 벌려 ; 기가 막혀, 어이없어 : She stood looking at Carmen with her mouth ~. 그녀는 입을 크게 벌리고 카르멘을 바라보며 서 있었다.

aga·pe[2] [ɑːgɑ́ːpei, ɑ́ːgəpèi, ǽgə-] (*pl.* ***-pae*** [-pai, -pài, -pìː]) *n.* ① Ⓒ 애찬(愛餐)《초기 기독교도의 회식》. ② Ⓤ (기독교적인) 사랑, 아가페《비타산적인 사랑》.

agar [ɑ́ːgɑːr, ǽgər] *n.* Ⓤ ① 한천(=***ágar-ágar***). ② 우뭇가사리류. ③ 한천 배양기(培養基).

ag·a·ric [ǽgərik, əgǽr-] *n.* Ⓒ 〖植〗 들버섯 ; 모균류의 버섯.

ag·ate [ǽgit] *n.* ① Ⓤ 〖鑛〗 마노(瑪瑙). ② Ⓒ (아이들의) 공기, 공깃돌. ③ Ⓒ 《美》 〖印〗 애깃(《英》 ruby)《5.5포인트 활자》.

Ag·a·tha [ǽgəθə] *n.* 애거사《여자 이름 ; 애칭 Aggie》.

aga·ve [əgéivi, əgɑ́ː-] *n.* Ⓒ 용설란속(屬)의 식물.

agaze [əgéiz] *ad., a.* 〔形容詞로는 敍述的〕 응시하여, 바라보고 ; 눈이 휘둥그레져.

†age [eidʒ] *n.* ① Ⓤ,Ⓒ 나이, 연령 : at the early ~ of …살이라는 젊음으로 / What is his ~? 그는 몇 살인가《How old is he? 보다 격식차린 말》 / He is my ~. 나와 동갑이다 / a girl my ~ 내 나이 또래의 처녀 / They are the same ~. 그들은 한 동갑이다 / He entered Congress at the ~ of 25. 그는 25세 때 국회의원이 되었다 / She doesn't look her ~. 그녀는 나이든 것으로 보이지 않는다〔나이보다 젊어 보인다〕 / She married a man who was twice her ~. 그녀는 나이가 갑절되는 남자와 결혼했다. ② Ⓒ 햇수, 연대 : What is the ~ of that building? 저 건물은 지은 지 몇 해가 됩니까. ③ Ⓤ **a**) 성년, 정년(丁年) (full ~)《흔히 만 21세》 : She is under ~ for a driver's licence. 그녀는 운전면허 취득하기에 나이가 모자란다. **b**) 노년《흔히 65세》, 만년 ; 고령 ; 〔集合的〕 노인들 (the old). ⓞⓟⓟ *youth.* ¶ *Age* before beauty. 《戲》 미인보다 노인이 우선《양보시의 말》. ④ Ⓤ 평균 수명, 일생 : The ~ of a horse is from 25 to 30 years. 말의 수명은 25년에서 30년 사이이다. ⑤ Ⓒ **a**) 시대 ; 세대 : in this atomic ~ 이 원자력 시대에 / We are living in the space ~. 우리는 우주 시대에 살고 있다. **b**) (흔히 *pl.*) 시대의 사람들 : for the ~*s* to come 장차의 사람들을 위하여. ⑥ Ⓒ 《口》 (~s, an ~) 오랫동안 : *an* ~ ago 꽤 오래 전에 / It's ~*s* 〔*an* ~〕 since I saw you last. 정말이지 오래간만이군요. ***be*** 〔***act***〕 ***one's*** ~ 나이에 걸맞게 행동하다《★ 흔히 명령문으로 사용》. ***come*** 〔***be***〕 ***of*** ~ 성년에 달하다〔달해 있다〕. ***feel*** 〔***show***〕 ***one's*** ~ (피로할 때 등에) 나이를 느끼다〔느끼게 하다〕. ***for one's*** ~ 나이에 비해서(는) : He looks young 〔old〕 *for his* ~. 그는 나이에 비해 젊어〔늙어〕 뵌다. ***in all ~s*** 예나 지금이나. ***look one's*** ~ 나이에 걸맞게 보이다 ; 노쇠함을 드러내다. ***middle*** 〔***old***〕 ~ 중년〔노년〕. ***of a certain*** ~ 《婉》 (여자가) 나이든《젊지 않은》. ***of all ~s*** 모든 시대〔연령〕의. ***over*** ~ 성년 이상의. ***the ~ of consent*** 〖法〗 승낙 연령《결혼 등의 승낙이 유효로 인정되는》. ***the ~ of discretion*** 〖法〗 분별 연령《형법상의 책임을 지는 ; 영국법에서는 14세》. ***the Bronze Age*** 청동기 시대. ***the golden*** ~ 황금 시대. ***to all ~s*** 만년까지도. ***under*** ~ 나이가 덜 찬. ***with*** ~ 나이 탓으로, 고령으로(인하여).

— (*p., pp.* ***aged*** [eidʒd] ; ***ág***(***e***)***·ing***) *vi.* ① 나

이 들다, 늙다 : He has begun to ~. 그는 늙기 시작했다. ② 원숙하다 ; (술·치즈 따위가) 익다 : This wine has ~*d* for 10 years. 이 포도주는 10년 된 것이다. — *vt.* ① …을 늙게 하다 : Grief ~*s* us. 슬픔은 사람을 늙게 만든다. ② …을 낡게 하다 ; 묵히다 ; (술 등)을 익히다, 숙성시키다 : Brandy is ~*d* in oak casks. 브랜디는 떡갈나무 통에서 숙성된다. ~ **out** 《美俗》 (약물 중독자가) 약이 듣지 않는 나이가 되다〔되어 약을 끊다〕《30-40대》.

-age *suf.* '집합, 상태, 행위, 요금, …수(數)'의 뜻의 명사를 만듦 : bagg*age*, bond*age*, post*age*, mile*age*.

áge bràcket (일정한) 연령 범위〔층〕.

:aged (*more* ~ ; *most* ~) *a.* ① [eidʒd] 〔敍述的 ; 數詞를 수반하여〕 …살의 : a man ~ fifty (years), 50세의 사람 / die ~ twenty, 20세에 죽다. ② [éidʒid] **a**) 〔限定的〕 늙은, 나이 든 ; 오래된, 노화된, 노령 특유의 : an ~ man 노인 / an ~ pine 노송 / ~ wrinkles 늙어 생긴 주름살. **b**)(the ~) 〔名詞的 ; 集合的 ; 複數 취급〕 노인(들) : medical care for *the* ~ 노인 의료. ㊎ **~·ness** [éidʒidnis] *n.* 노년.

age-group, -grade [éidʒgrùːp], [-grèid] *n.* Ⓒ 〖社〗 연령 집단 ; 연령 계급〔층〕.

ageing ⇨AGING.

age·ism, ag·ism [éidʒizəm] *n.* Ⓤ 노인 차별, 연령 차별.

age·less [éidʒlis] *a.* 늙지 않는, 불로(不老)의 ; 영원의. ㊎ **~·ly** *ad.* **~·ness** *n.*

age·long [éidʒlɔ̀(ː)ŋ, -lɑ̀ŋ] *a.* 오랫동안의 ; 영속하는 : ~ struggles.

:agen·cy [éidʒənsi] *n.* ① Ⓤ 기능, 작용 ; 행위, 힘 ; 매개적 수단, 매체, 매개자 : ~ of Providence 하늘의 섭리, 신의 힘 / Iron melts through 〔the〕 ~ of heat. 쇠는 열의 작용으로 녹는다. ② Ⓤ 대리(권), 매개, 주선, 대리 행위 : He got a job through 〔by〕 the ~ of his friend. 그는 친구의 주선으로 직장을 얻었다. ③ Ⓒ 대리점, 취급점 : a detective ~ 비밀 탐정사 / a news ~ 통신사, 신문 취급소 / a general ~ 총대리점 / a ~ marketing 판매 대리점. ④ Ⓒ 《美》 (정부 따위의) 기관, 청(廳), 국(局) : the Central Intelligence *Agency* 《美》 중앙 정보국(CIA). ***through*** 〔***by***〕 ***the ~ of*** …의 손을 거쳐, …의 중개로〔주선으로〕.

agen·da [ədʒéndə] 〔본디 agendum 의 복수꼴 ; 흔히 單數취급, *pl.* **~s**, ~〕 *n.* Ⓒ 예정표, 안건, 의사 일정, 의제 ; 비망록, 메모장 (memorandum book) : the first item on the ~ 의사 일정의 제 1 항.

:agent [éidʒənt] *n.* Ⓒ ① **a**) 대행자, 대리인 ; 취급인 ; 주선인 ; 대리점 ; 《美口》 지점(의 담당지구) 영업 지배인, 순회 판매원, 판매〔보험〕 외교원 : an ~ for …대리점 / a general 〔sole〕 ~ 총대리인〔총판매인〕 / A best-selling author needs a good ~. 베스트 셀러 작가에게는 훌륭한 중개업자가 필요하다. **b**) 《美》 정부 직원, 관리《경찰관·기관원 따위》, (FBI의) 특별 수사관 (**spécial** ∠) ; 아메리카 원주민 관리관 (**Índian** ∠) ; 첩보원, 간첩(secret ~) ; 〖美史〗 노상 강도(road ~) ; 《英》 (정당의) 선거 운동 출납 책임자 : a diplomatic ~ 외교관 / a foreign ~ 외국의 앞잡이. ② **a**) 어떤 행위를〔작용을〕 하는 (능력 있는) 사람〔것〕 ; 작용인(作用因), 동인(動因), 능인(能因) (efficient cause) ; 자연력 ; 〖文法〗 동작주(主) : Stone is worn away by natural ~*s* such as rain and wind. 돌은 비바람 등의 자연력에 의하여 마멸된다. **b**) 화학적〔물리적, 생물학적〕 변화를 주는 것, 약품, …제(劑) ; 병원체 : a chemical ~*s* 화학 약품. ***a commission*** ~ 위탁 판매인, 중개상. ***a forwarding*** ~ 운송업자 ; 운송점.

agen·tive [éidʒəntiv] *a., n.* Ⓒ 〖文法〗 행위자를 나타내는 (접사(接辭), 어형).

ágent nòun 〖文法〗 행위자 명사《보기 : actor, maker》.

Ágent Órange 에이젠트 오렌지《미군이 월남전에서 사용한 고엽제 ; 암 유발의 시비를 낳음》.

ágent pro·vo·ca·téur [-prəvɑ̀kətə́ːr / -vɔ̀kə-] (*pl.* ***ágents provocatéurs*** [-s-]) 《F.》 공작원《노조·정당 등에 잠입하여 불법행위를 선동하는》, (권력층의) 밀정.

age-old [∠òuld] *a.* 세월을 거친, 예로부터의 : an ~ custom 예로부터의 습관.

AGF Asian Games Federation(아시아 경기 연맹).

Ag·gie [ǽgi] *n.* 애기《여성명 ; Agatha, Agnes의 애칭》.

ag·glom·er·ate [əglɑ́mərèit / -lɔ́m-] *vt., vi.* (…을) 한 덩어리로 하다〔되다〕. — [-rit, -rèit] *a.* 덩어리진. — [-rit, -rèit] *n.* Ⓤ ① (때로 an ~) 덩이, (정돈되지 않은) 집단. ② 〖地〗 집괴암(集塊岩). ⓒⓕ conglomerate.

ag·glom·er·a·tion [əglɑ̀məréiʃən / -lɔ̀m-] *n.* Ⓤ 덩이짐, 응집(작용) ; Ⓒ 단괴(團塊), 덩어리.

ag·glu·ti·nate [əglúːtənèit] *vt., vi.* (…을) 점착〔교착, 접합, 응집〕시키다〔하다〕 ; 들러붙다 ; 〖言〗 교착에 의하여 파생어를 만들다. — [-nit, -nèit] *a.* 교착한 ; (언어가) 교착성의.

ag·glu·ti·na·tion [əglùːtənéiʃən] *n.* Ⓤ ① 점착(粘着), 교착(膠着), 들러붙음 ; 유착(癒着). ② (적혈구·세균 등의) 응집(凝集). ③ 〖言〗 교착법 ; Ⓒ 교착어형《보기 : steamboat》.

ag·glu·ti·na·tive [əglúːtənèitiv, -nə-] *a.* 점착〔교착〕하는 ; 〖言〗 교착성의 : an ~ form 교착형 / an ~ language 교착 언어《터키·헝가리·한국·일본어 따위》.

ag·gran·dize [əgrǽndaiz, ǽgrəndàiz] *vt.* ① …을 크게 하다, 확대하다. ② **a**) (사람·국가 등)의 지위를〔중요성 등을〕 강화하다. **b**) 〔再歸的〕 세력을〔부를〕 강화〔증대〕하다. ③ …을 강대하게 보이게 하다, 과대하다. ㊎ **~·ment** [əgrǽndizmənt] *n.* Ⓤ (부·지위 등의) 증대, 강화 : He gives a lot of money to charity, but personal ~*ment* 〔self-~*ment*〕 is his only motive. 그는 자선단체에 거금을 기부하고 있으나 그의 유일한 동기는 개인적 세력의 강화이다.

***ag·gra·vate** [ǽgrəvèit] *vt.* ① …을 악화시키다, (부담·죄 등)을 한층 무겁게 하다 : Arson was ~*d* by murder. 방화죄는 살인에 의해 더욱 가중되었다. ② 《口》 …을 성나게 하다, 괴롭히다 : feel ~*d* 화나다 / It will only ~ him. 그렇게 하면 그를 화나게 할 뿐이다.

ag·gra·vat·ing [-vèitiŋ] *a.* ① 악화〔심각화〕하는. ② 《口》 화나는 : It's so ~ to be beaten by a man like him. 저런 녀석에게 진다는 것은 도무지 분통 터지는 일이다. ㊎ **~·ly** *ad.*

ag·gra·va·tion [-ʃən] *n.* ① **a**) Ⓤ 악화〔격화〕(시킴), 중대〔심각〕화(함)《*of*》. **b**) Ⓒ 악화〔격화〕시키는 것. ② **a**) Ⓤ 화남, 짜증. **b**) Ⓒ 짜증거리〔나게 하는 것〕.

ag·gre·gate** [ǽgrigèit] *vt.* …을 모으다. — *vi.* ① 모이다 ; 집합하다. ② 달하다, 총계 …이 되다 《*to*》 : The money collected ~*d* $1,000. 수금된 돈은 총계 천 달러가 되었다. — [-git, -gèit] *a.* 〔限定的〕 집합한 ; 합계〔총계〕의 : ~ demand 총수요. — [-git, -gèit] *n.* Ⓤ,Ⓒ ① 집합, 집성 ; 집단 ; 총수 ; 집합체 ; (콘크리트의) 혼합재《모래·자갈 등》. ② 집계, 총계. ***in the ~ 전체로서 ; 총계.

ag·gre·ga·tion [æ̀grigéiʃən] *n.* ① Ⓤ 집합, 집

성. ②[C] 집단; 집합체, 집성물. [파] ~·al a.
ag·gress [əgrés] vi. 싸움을 걸다, 공세로 나오다 《against》. ── vt. …을 공격하다.
***ag·gres·sion** [əgréʃən] n. [U,C] (이유 없는) 공격, 침략, 침범《on, upon》: a war of ~ 침략 전쟁 / an ~ *upon* one's rights 권리의 침해.
ag·gres·sive** [əgrésiv] (more ~; most ~***) a. ① 침략적인, 공세의; 싸우기 좋아하는, 호전적인; 싸움조의: an ~ war 침략 전쟁 / an ~ weapon 공격용 무기. ② 진취〔적극〕적인; 정력적인, 과감한: You must be more ~ in order to succeed in business. 사업에 성공하기 위해서는 자넨 더욱 적극적이어야 한다. ***assume*** 〔***take***〕 ***the ~*** 공세로 나오다, 공세를 취하다, 공격하다.
[파] ~·**ly** ad. 공격적으로; 적극적으로. ~·**ness** n.
ag·gres·sor [əgrésər] n. [C] 공격〔침략〕자; 침략국.
ag·grieve [əgríːv] vt. 〔흔히 受動으로〕 (사람)을 학대하다; (권리 등)을 침해하다; (감정·명예 등)을 손상시키다.
ag·grieved [əgríːvd] a. ① 괴롭혀진, 학대받은, 불만을 품은; 곤혹스런: the ~ attitude of his wife 그의 아내의 괴로운 듯한 태도 / They were ~ by oppression and exploitation. 그들은 압박과 착취로 고통받고 있었다 / I felt rather ~ not to be invited. 초대되지 않아 몹시 마음이 상했다. ②〖法〗 권리를 침해당한: the ~ party 피해자.
ag·gro [ǽgrou] n. [U] 《英俗》 ① 항쟁, 분쟁; 도발. ② 화남, 짜증.
aghast [əgǽst, əgάːst] a. 〔敍述的〕 소스라치게〔깜짝〕 놀라서, 겁이 나서《at》: He stood ~ *at* the destruction. 그는 그 파괴에 소스라치게 놀랐다 / Tania stared at him ~, unable to speak. 타니아는 놀란 나머지 말도 못하고 그를 응시했다.
ag·ile [ǽdʒəl, ǽdʒail] a. ① 몸이 재빠른, 경쾌한, 기민〔민활〕한, 날랜: an ~ tongue 다변(多辯) / He's ~ *in* his movements. 그는 동작이 빠르다. ② 명민한, 머리 회전이 빠른: an ~ mind〔wit〕 명민한 지력(이 있는 사람).
[파] ~·**ly** ad. 기민하게, 날렵하게.
agil·i·ty [ədʒíləti] n. [U] 민첩, 경쾌; 예민함, 민활함.
agin [əgín] 《口·方》 ad. =AGAIN. ── prep.=AGAINST.
ag·ing [éidʒiŋ] AGE의 현재분사.
── n. [U] ① 나이를 먹음; 노화: the ~ process 노화 작용. ② (술 등의) 숙성(熟成).
agism ⇨AGEISM.
‡**ag·i·tate** [ǽdʒətèit] vt. ① …을 심하게 움직이다, 흔들어대다: ~ a fan 부채질하다. ② …을 쑤석거리다, 동요시키다; (물결·액체)를 휘젓다: The wind ~*s* the sea. 바람으로 바다가 거칠어지고 있다. ③ (마음·사람)을 동요시키다, 들먹이다, 흥분시키다《by; with》: She was ~*d by* 〔*with*〕 grief. 그녀는 슬픔으로 마음의 평정을 잃었다. ④ (아무)를 선동하다, 부추기다: They sent agents to ~ the local people. 고장 사람들을 선동하기 위하여 간첩을 보냈다. ⑤ (문제)를 열심히 논하다, 검토하다, …에 관심을 환기시키다: ~ the question of unemployment 실업문제를 떠들썩하게 논하다. ── vi. 《+[전]+[명]》 여론〔세상의 관심〕을 환기시키다, 선동하다《against; for》: He ~*d against*〔*for*〕 the bill. 그는 그 법안에 반대〔찬성〕의 선동을 하였다. ◇ agitation n. ~ one***self*** 초조해하다, 안절부절못하다.
ag·i·tat·ed [ǽdʒətèitid] a. 수석거린; 흥분한; 동요한; 세상의 관심을 환기한: Don't get so ~. 그렇게 안달하지 마라 / They have been ~ over the business tax. 그들은 영업세 문제로 동요하고 있었다. [파] ~·**ly** ad. 동요하며; 흥분하여.
‡**ag·i·ta·tion** [æ̀dʒətéiʃən] n. [U,C] ① (인심·마음의) 동요, 진동, 흥분: be in a state of ~ 흥분 상태에 있다. ② 선동, 운동, 아지테이션; 열띤 논의(論議), 여론 환기 활동: *Agitation* for independence grew daily. 날마다 독립을 위한 운동이 고조되어 갔다. ③ 들썩임, 동요시킴; 휘저음: create 〔excite〕 ~ 소동을 일으키다. ◇ agitate v. ***with ~*** 흥분하여.
agi·ta·to [æ̀dʒətάːtou] a., ad. 《It.》〖樂〗 격한〔하여〕, 흥분한〔하여〕, 급속한〔히〕.
***ag·i·ta·tor** [ǽdʒətèitər] n. [C] ① 선동자, 정치운동가, 선전원, 여론 환기자. ② 교반기(攪拌器).
ag·it·prop [ǽdʒətprὰp / -prɔ̀p] n. [U], a. 〔形容詞는 限定的〕 (공산주의를 위한) 선동과 선전(의), 아지프로(의): *Agitprop* plays are designed to persuade, not to entertain. 선동과 선전을 위한 연극은 오락 아닌 설득을 위해 기획된다.
agleam [əglíːm] ad., a. 〔形容詞로는 敍述的〕 번쩍번쩍(번쩍여서), 빛나서.
aglit·ter [əglítər] ad., a. 〔形容詞로는 敍述的〕 번쩍번쩍 빛나(서).
aglow [əglóu] ad., a. 〔形容詞로는 敍述的〕 (이글이글) 타올라; 벌개져서, 후끈 달아서, 흥분하여. ***be ~ with*** …으로 벌겋게 되어 있다, …으로 흥분해 있다: The city at night *was* ~ *with* lights. 그 도시의 밤은 불빛으로 빛나고 있었다.
AGM, A.G.M. annual general meeting(연차 (주주) 총회).
ag·nail [ǽgnèil] n. [C] 손거스러미; 〖醫〗 표저(瘭疽).
Ag·nes [ǽgnis] n. ① 여자 이름. ② **Saint ~** 성(聖)아그네스《304년 순교한 로마의 소녀; 순결과 소녀의 수호 성인》.
ag·nos·tic [ægnάstik / -nɔ́s-] a. 〖哲〗 불가지론(자)의. ── n. [C] 불가지론자.
[파] **-ti·cism** [-təsìzəm] n. [U] 불가지론.
Ag·nus Dei [ǽgnəs-díːai, -déi, άːnjus-déiː] 《L.》 (=lamb of God) ① 하느님의 어린 양《예수의 명칭》; 어린 양의 상(像)《예수의 상징》. ②〖가톨릭〗 이 구(句)로 시작되는 기도〔음악〕.
†**ago** [əgóu] a., ad. (지금부터) …전에, 거금(距今). [cf] before. ¶ a long 〔short〕 time ~ 오래〔조금〕 전에 / three weeks ~ today, 3주 전의 오늘 / until a few years ~ 수년 전까지 / We got married about a year ~. 우리는 약 1년 전에 결혼하였다《★ 기간을 나타내는 名詞 또는 副詞 뒤에 와서 副詞句를 만듦》. ***a moment ~*** 이제 막, 방금: I did it just *a moment* ~. 방금 전에 그 일을 마쳤다. ***a while ~*** 조금 전에. ***long ~*** 훨씬 전에, 옛적에. ***not long ~*** 얼마 전에.
agog [əgάg / əgɔ́g] ad., a. 〔形容詞로는 敍述的〕 ① (기대·흥분으로) 술렁이는, 들끓어: His victory set the whole town ~. 그의 승리는 온 도시를 들끓게 했다. ② (…을 구하여) 근질근질하는 《for》; (…하고 싶어) 안달하는《to do》: He was all ~ *for*〔*to* hear〕 the news. 그 뉴스를 듣고 싶어 그는 안달이 나 있었다.
à go·go [əgóugòu, ɑː-] ad. 《口》 충분히, 마음껏.
***ag·o·nize** [ǽgənàiz] vi. 번민〔고민〕하다, 괴로워하다《over; about》: He ~*d over* the transfer. 그는 전근의 일로 몹시 괴로워했다 / We ~*d* for days *about* whether to accept their offer. 우리는 그들의 제의를 수락할 것인가를 놓고 며칠동안 고민했다. ── vt. …을 괴롭히다, 번민〔고민〕하게 하다: ~ oneself 고민하다.
ag·o·nized [-zd] a. 〔限定的〕 괴로운 듯한, 고통에 찬: an ~ look 몹시 괴로워하는 표정.
ag·o·niz·ing [-ziŋ] a. 괴롭히는, 고민하는: an

～ decision 괴로운 판단. ㊕ ～·ly *ad.*

‡ag·o·ny [ǽgəni] *n.* ① **a)** Ⓤ 고민, 고통 : suffer an ～ of despair 절망의 고통을 맛보다. **b)** Ⓤ (종종 A-) 【聖】 (Gethsemane 에서의) 예수의 고뇌《누가복음 XXII : 44》. **c)** Ⓒ (종종 *pl.*) (고통의) 몸부림 : in *agonies* 〔an ～〕 of pain 아픔에 몸부림치며. ② Ⓒ (종종 *pl.*) 죽음의 고통(death ～, the last ～). ③ Ⓒ 고통〔슬픔〕의 절정 ; (감정의) 격발(激發) : in an ～ of regret 〔joy〕 후회로〔기쁨으로〕 미칠 것 같은. ***in*** ～ 번민〔고민〕하여. ***put*** 〔***pile, turn***〕 ***on*** 〔***up***〕 ***the*** ～ 《口》 (살을 붙여) 괴로움을 과장하여 말하다. ***prolong the*** ～ 고통〔싫은 일〕을 필요 이상으로 끌다. 「성 회답자.

ágony àunt 《俗》 (신문·잡지의) 인생상담 여

ágony còlumn (흔히 the ～) 《口》 (신문의) 사사(私事) 광고란《찾는 사람·유실물·이혼 광고 등의》; (신문의) 신상 상담란.

ag·o·ra [ǽgərə] (*pl.* ***-rae*** [-rìː], ***～s***) *n.* Ⓒ 【古그】 시민의 정치집회 ; 집회장, 시장, 광장.

ag·o·ra·pho·bia [æ̀gərəfóubiə] *n.* Ⓤ 【心】 광장 공포증. ⓒⓕ claustrophobia.

㊕ **-phó·bic** *a., n.* Ⓒ 광장 공포증의 (사람).

agou·ti [əgúːti] (*pl.* ***～s, ～es***) *n.* Ⓒ 【動】 아구티 《라틴 아메리카산 설치류로 토끼 정도의 크기임》.

agr. agricultural ; agriculture.

agrar·i·an [əgrέəriən] *a.* 토지의 ; 농지의, 경작지의 ; 농업〔농민〕의 : ～ rising 농민 폭동 / ～ reform 토지 개혁. —*n.* Ⓒ 토지 균분〔재분배〕론자. ㊕ **～·ism** [-ìzəm] *n.* Ⓤ 토지 균분론〔운동〕, 농지개혁 운동, 농민생활 향상 운동.

agrav·ic [əgrǽvik, ei-] *a.* 무중력(상태)의.

†agree [əgríː] (*p., pp.* ***～d*** [-d] ; ***～·ing***) *vi.* ① 《～ / +전+명 / +*to* do》 동의하다, 승낙하다, 응하다《*to*》: ～ *to* a proposal 제안에 찬동하다 / He has ～*d to* do the task. 그는 그 일을 하겠다고 승낙했다.

② 《～ / +전+명 / +*that* 절》 의견이 맞다, 동감이다《*with* ; *among* ; *on*》: They ～*d among* themselves. 그들은 서로 의견이 일치했다 / I cannot ～ *with* you *on* the matter. 그 건에 대해선 당신에게 동의할 수 없습니다 / I ～ *with* you *that* he is untrustworthy. 그를 믿을 수 없다는 데 대해서는 (당신과) 같은 의견입니다.

③ 《～ / +전+명》 마음이 맞다, 사이가 좋다《*with*》: Ann and I never seem to ～. 앤과 나는 전혀 마음이 맞지 않는 것 같다 / They ～ *with* each other. 그들은 서로 잘 지내고 있다.

④ 《～ / +전+명》 합치하다, 일치〔부합〕하다, 조화하다 ; (그림 따위가) 비슷하다 ; (음식·기후 따위가) 맞다《*with*》: His statements do not ～ *with* the facts. 그의 진술은 사실과 일치하지 않는다 / Milk does not ～ *with* me. 우유는 내게 맞지 않는다 / The humid climate didn't ～ *with* me. 습한 기후는 내게 맞지 않는다《★ 이런 뜻으로 쓰일 때는 흔히 부정문·의문문의 경우임》.

⑤ 《+전+명》 【文法】 (인칭·성·수·격 따위가) 일치〔호응〕하다《*with*》: The predicate verb must ～ *with* its subject in person and number. 서술동사는 인칭과 수에서 주어와 일치해야 한다.

— *vt.* ① 《～+*that* 절》(…임)을 인정〔용인, 승낙〕하다 : I ～ *that* he is the ablest of us. 우리들 가운데 그가 가장 유능한 것을 인정한다. ② 《주로 英》(조건·제안 등)에 (부동의·논의 뒤에) 동의〔찬성〕하다 ; (조정 후에) …에 합의하다 : I must ～ your plans. 계획에 찬성하지 않을 수 없습니다. ③ (계정 등)을 일치시키다.

～ like cats and dogs 마음이 안 맞다, 서로 앙숙이다. ***～ to differ*** 〔***disagree***〕 서로의 견해차이를 인정하고 다투지 않기로 하다 : That's where we must ～ *to differ*. 그것이 우리의 견해 차이임을 인정하지 않을 수 없는 점이다. ***unless otherwise ～d*** 별도 결정이 없으면. ***I couldn't ～ (with you) more.*** 대찬성이다.

‡agree·a·ble [əgríːəbəl / əgríə-] (***more*** ～ ; ***most*** ～) *a.* ① 기분 좋은, 유쾌한(pleasing) : ～ manners 기분 좋은 태도 / ～ to the ear 귀에 듣기 좋은. ② 마음에 드는, 뜻에 맞는 : If this is ～ *to* you, ... 만일 좋으시다면…. ③ 호감을 주는, 상냥〔싹싹〕한. ④ 【敍述的】 《口》 동조적인, 쾌히 동의(同意)〔승낙〕하는《*to*》: Are you ～ (*to* the proposal) ? 동의해 주시겠습니까 / I'm quite ～ *to* your proposal. 당신의 제안에 전적으로 찬성합니다. ⑤ 합치하는, 조화되는, 모순〔위화감〕이 없는, (도리에) 맞는《*to*》: music ～ *to* the occasion 그 경우에 어울리는 음악. ⓞⓟⓟ *disagreeable.* ***～ to*** (1) …에게 상냥〔싹싹〕한. (2) …에 따라서, …대로 : *Agreeable to* my promise, I have come. 약속대로 왔습니다. ***do*** 〔***make***〕 ***the*** ～ 상냥하게 대하다.

agree·a·bly [əgríːəbli / əgríə-] *ad.* 쾌히, 기꺼이 ; …에 따라서, 일치하여 : I was ～ surprised. 놀랐지만 동시에 기뻤다《뜻밖의 좋은 일 따위에》. ***～ to*** …에 따라서, …에 응하여.

agreed [əgríːd] *a.* ① 협정한, 약속한 ; (모두) 동의한 : an ～ rate 협정 요금 / meet at the ～ time 약속한 시간에 모이다. ② 【敍述的】 의견이 일치한 《*on, upon*》: We were ～ *on* that point. 그 점에 대해선 의견이 일치하였다 / The jury are ～ that the defendant is not guilty. 피고는 무죄라는 것으로 배심원의 의견은 일치하였다. ③ (A-) 【感歎詞的】 (제의에 대하여) 동감한, 승낙한 : "He's too young to get married." — "Agreed!" '그는 결혼하기엔 너무 어려.' '동감일세.'

‡agree·ment [əgríːmənt] *n.* ① Ⓤ 동의, 승낙 : He nodded in ～. 그는 고개를 끄덕이어 승낙하였다. ② Ⓒ 협정, 협약(서) ; 계약(서)《*on*》: arrive at〔come to〕 an ～ 협정이 성립되다, 합의를 보다 / an ～ *on* disarmament 군축 협정. ③ Ⓤ 합치, 부합. ④ Ⓤ 【文法】 일치, 호응. ***by*** ～ 합의로, 협정에 따라. ***in ～ with*** …와 일치〔합의〕하여 ; …에 따라서. ***labor*** 〔***trade***〕 ～ 노동 협약. ***make*** 〔***enter into***〕 ***an ～ with*** …와 협정을 맺다.

agré·ment [àːgreimáːnt / əgréimaːŋ] (*pl.* ***～s*** [-máːnts / -maːŋ]) *n.* Ⓒ 《F.》 【外交】 아그레망 : give〔ask for〕 an ～ 아그레망을 주다〔구하다〕.

ag·ri- *pref.* '농업용의'의 합성어를 만듦 : *agri*culture.

ag·ri·busi·ness [ǽgrəbìznis] *n.* Ⓤ 농업 관련 산업. ㊕ **～·man** *n.*

‡ag·ri·cul·tur·al [æ̀grikʌ́ltʃərəl] *a.* 농업의, 경작의 ; 농예(農藝)의 ; 농학의 : the *Agricultural* Age 농경 시대 / ～ chemistry 농예 화학 / ～ implements 농기구 / ～ products 농산물 / an ～ (experimental) station 농사 시험장. ◇ agriculture *n.* ㊕ **～·ly** *ad.* 농업상으로, 농업적으로.

agricúltural chémical 농약.

ag·ri·cul·tur·al·ist [æ̀grikʌ́ltʃərəlist] *n.* = AGRICULTURIST.

‡ag·ri·cul·ture [ǽgrikʌ̀ltʃər] *n.* Ⓤ ① 농업《넓은 뜻으로는 임업·목축을 포함》; 농경 ; 농예. ② 농학. ◇ agricultural *a.* ***the Department of Agriculture*** 《美》 농무부《略 : DA》. ***the Secretary of Agriculture*** 《美》 농무장관.

ag·ri·cul·tur·ist [æ̀grikʌ́ltʃərist] *n.* Ⓒ 농업가, 농업 종사자 ; 농학자, 농업 전문가.

ag·ro·bi·ol·o·gy [æ̀groubaiάlədʒi / -ɔ́lə-] *n.* Ⓤ 농업 생물학.

ag·ro·chem·i·cal [ægrəkémikəl] *a.* 농예 화학의〔에 관한〕. ― *n.* Ⓒ 농약.

ag·ro·e·co·log·i·cal [ægrouekəládʒikəl, -iːkəládʒ- / -lɔ́dʒ-] *a.* 농업과 환경〔생태학〕에 관한.

ag·ro·ec·o·nom·ic [ǽgrouèkənámik, -nɔ́m-] *a.* 농업 경제의.

agron·o·mist [əgránəmist / əgrɔ́n-] *n.* Ⓒ 농경가〔학자〕.

agron·o·my [əgránəmi / əgrɔ́n-] *n.* Ⓤ 작물재배학, 경종학(耕種學) ; 농학.

aground [əgráund] *ad., a.* 〔形容詞로는 敍述的〕 지상에 ; 좌초되어. ***run*** 〔***go, strike***〕 ~ (배가) 암초에 얹히다, 좌초하다 ; 《比》 (계획이) 좌절되다 : The oil tanker *ran*〔*went*〕 ~. 그 유조선은 좌초되었다.

agt. agent.

ague [éigjuː] *n.* Ⓤ,Ⓒ 〖醫〗 학질 ; 오한, 한기 : have an 〔the〕 ~ 학질에 걸려 있다. ***fever and*** ~ 말라리아. ㊕ **~d** *a.* 학질에 걸린.

agu·ish [éigju(ː)iʃ] *a.* ① 학질에 걸리기 쉬운 ; 학질에 걸린〔을 일으키는〕. ② 오한이 나는.

‡ah [ɑː] *int.* 아아! 《고통·놀라움·연민·한탄·혐오·기쁨 등을 나타냄》. ***Ah, but . . .*** 그렇지만 말이야…. ***Ah me !*** 아아 어쩌지. ***Ah, well, . . .*** 뭐 하는 수 없지…. ― *n.* '아아'라고 하는 발성(發聲).

***aha** [ɑːhɑ́ː, əhɑ́ː], [ɑːhɑ́ː] *int.* 아하! 《기쁨·경멸·놀라움 따위를 나타냄》.

ah·choo, achoo [ɑːtʃúː] *int., n.* 에치! 《재채기소리》.

‡ahead [əhéd] (***more ~ ; most ~***) *ad.* ① 〔방향적〕 전방에〔으로〕, 앞에〔으로〕 : walk ~ *of* him 그의 앞에 서서 걷다 / There is a crossing ~. 앞에 건널목 있음 / The line of cars moved ~ slowly. 차의 행렬은 천천히 전진하였다. ② 〔시간적〕 앞에, 미리 ; 장래를 향해 : push the time of departure ~ 출발을 앞당기다 / You'll need to look ~ ten years. 10년 앞을 내다볼 필요가 있을 것이다 / Plan ~ ! 미래에 대한 계획을 세워라 / Her wedding is three days ~. 그녀의 결혼식은 앞으로 3일 남았다. ③ 앞서서, 능가하여《*of*》; 유리한 지위로〔입장으로〕 (향하여) : America is well ~ in the high-tech industry of present. 미국은 현재 고도기술 산업에서 상당히 앞서 있다. ― *a.* 〔敍述的〕 가는 쪽〔앞〕에 있는 ; 유리한 지위〔입장〕에 있는. ***~ of the game*** ⇨ GAME. ***~ of time*** 시간 전에, 의외로 빨리 : arrive ten minutes ~ *of time* 정각 10분 전에 도착하다. ***be ~*** 《美口》 이기고〔리드하고〕 있다 ; 이익을 올리고 있다 : We *are* five points ~. 5점 리드하고 있다 / I *was* ~ $10 in the deal. 그 거래에서 10 달러 벌었다. ***be ~ of*** …보다 앞에 서 있다 ; …보다 앞서 있다〔빼어나다, 뛰어나다〕 : Sophie *is* way ~ *of* the other children in her class. 소피는 자기 반의 다른 어린이들보다 훨씬 앞서 있다. ***dead ~*** 《口》 (…의) 바로 앞에《*of*》, 곧바로 간 곳에. ***get ~*** (1) 진보하다, 출세〔성공〕하다. (2) 돈의 여유가 생기다 ; (적자를) 면하다, (빚을) 갚다《*of*》. ***get ~ in the world*** 출세하다. ***get ~ of*** (…의) 앞으로 나서다, 앞쪽을 가다 ; (경쟁 상대 등을) 능가하다《*in*》: He refused to let anyone *get ~ of* him *in* business. 그는 사업에 있어서는 그 누구에게도 뒤지지 않으려 했다. ***go ~*** (1) 전진하다, 진보하다, 진전하다 : Things are *going* ~ smoothly. 만사는 순조로이 되어가고 있다. (2) (계획 등을) 추진하다, 계속하다《*with*》: *Go ~ with* your story. 이야기를 계속하세요. ***Go ~!*** 《口》 (1) 자 먼저《드시〔가시〕오, 따위》. (2) 좋아, 하시오 ; 자 가거라《격려의 말》. (3) 그래서 (다음은)《얘기를 재촉할 때》; 《美》〖電話〗 말씀하세요. (4) 〖海〗 전진 ! ***right ~*** 바로 앞에.

ahem [əhém, mmm, hm] *int.* 으흠 !, 으음 !, 에헴 !, 에에 ! 《주의의 환기, 의문을 나타내거나 또는 말이 막혔을 때 내는 소리》.

ahoy [əhɔ́i] *int.* 〖海〗 어어이 ! 《배 따위를 부를 때》. ***Ahoy there !*** 《戲》 어어이 이봐요《멀리 있는 사람을 부를 때》. ***Ship ~ !*** 어어이, 이봐 그 배.

AI artificial insemination ; artificial intelligence.

‡aid [eid] *vt.* ① 《~+目 / +目+*to* do / +目+전+명》 …을 원조하다, 돕다, 거들다《*in*》: ~ war victims 전쟁 피해자를 구원하다 / She *~ed* me *to* cook 〔*in* cooking〕. 그녀는 요리하는 것을 도와줬다《She helped me (to) cook. 이 보통》/ We *~ed* him *in* the enterprise. 우리는 그의 사업을 원조했다 / She *~ed* him *with* money and advice. 그녀는 그를 돈과 조언으로 도와줬다. ② 《~+目 / +目+*to* do》 …을 조성〔촉진〕하다 ; (아무가) …하는 것을 돕다 : ~ recovery 회복을 촉진하다 / ~ a country *to* stand on its own feet 나라가 독립하는 것을 돕다. ― *vi.* 도움이 되다(assist). ***~ and abet*** 〖法〗 (범행을) 방조하다 ; 교사하다. ― *n.* ① Ⓤ 원조, 조력, 도움 : give 〔lend, render〕 ~ to …을 돕다 / They came to our ~ when we were lost in the snow. 우리가 눈 속에서 길을 잃었을 때 그들은 우리를 구조하려고 달려왔다 / I can't dress without ~ because I've injured my arm. 팔을 다쳐서 도움 없이는 옷을 입을 수 없다 / The Vatican has agreed to donate $30,000 in humanitarian ~ to countries affected by the war. 교황청은 전쟁으로 피해를 입은 나라에 대한 인도주의적 원조에 30,000달러를 희사할 것을 동의했다. ② Ⓒ 보조물〔자〕, 원조자 ; 보조 기구, 《특히》 보청기 : a hearing ~ 보청기 / teaching *~s* 교수 자료 / an ~ to memory 기억을 돕는 것 / audio-visual *~s* 시청각 교재. ***~ and comfort*** 원조, 조력. ***by*** 〔***with***〕 ***the ~ of*** …의 도움으로, …의 도움을 빌려. ***call*** a person ***in ~*** 아무에게 원조를 청하다. ***call in*** a person***'s ~*** 아무의 원조를 청하다. ***come*** 〔***go***〕 ***to*** a person***'s ~*** 아무를 원조하러 오다〔가다〕. ***first ~*** 응급(應急) 조치〔치료〕. ***in ~ of*** …을 돕기 위하여〔위한〕; …에 찬성하여. ***What's*** (***all***) ***this in ~ of ?*** 《英口》 도대체 어쩌겠다는 거냐.

AID [eid] 《美》 Agency for International Development(국제 개발처). **A.I.D.** artificial insemination by donor(비배우자간(非配偶者間) 인공수정).

aide [eid] *n.* Ⓒ ① = AIDE-DE-CAMP. ② 측근〔보조〕자, 고문 ; 조수 ; 〖軍〗 부관(副官).

aide-de-camp, aid- [éiddəkǽmp, -kɑ́ːŋ] (*pl.* ***aides-, aids-*** [éidz-]) *n.* Ⓒ 《F.》 〖軍〗 장관(將官) 전속부관 : the ~ to His Majesty 시종(侍從) 무관.

AIDS [eidz] *n.* Ⓤ 〖醫〗 에이즈, 후천성 면역 결핍증. [◂ *a*cquired *i*mmuno*d*eficiency 〔*i*mmune *d*eficiency〕 *s*yndrome]

áid stàtion 〖美軍〗 전방의 응급 치료소.

ai·gret(te) [éigret, -ˊ] *n.* Ⓒ ① 〖鳥〗 백로, 해오라기(egret). ② 〖植〗 관모(冠毛). ③ (투구 위의) 백로 깃털 장식 ; 꼬꼬마, (모자 등의) 장식 깃털 ; (보석의) 가지 모양의 장식.

AIH, A.I.H. artificial insemination by husband(배우자간 인공수정). cf. A.I.D.

***ail** [eil] *vt.* …을 괴롭히다, 고통을 주다 : What *~s* you ? 어찌된 거냐 ; 어디가 아프냐《★ 현재는 낡은 표현》. ― *vi.* 〔대개 be ailing 으로〕 아픔을 느끼다 ; (가벼이) 앓다, 찌뿌드드하다 : My baby *is ~ing*. 아기가 아프다. ― *n.* 괴로움, 고민, 병.

ail·er·on [éilərɑ̀n / -rɔ̀n] *n.* Ⓒ (비행기의) 보조

익〔날개〕.

ail·ing [éiliŋ] *a.* 병든 ; 병약한 ; 건전치 못한 : a financially ~ corporation 재정적으로 건전치 못한 기업.

*__ail·ment__ [éilmənt] *n.* Ⓒ 불쾌, 우환, (특히 만성적인) 병 ; (정치·정세 따위의) 불안정. ㊀ disease《★ 주로 slight, little, trifling 등을 수반하여 '가벼운 병'의 뜻》.

‡**aim** [eim] *vt.* ①《~+목 / +목+전+명》(총·타격)의 겨냥을 하다, 겨누어 …을 던지다《*at*》: ~ a gun 총을 겨누다 / ~ a stone *at* a person 아무를 향해 돌을 내던지다. ②《+목+전+명》(비판·비꼼 등)을 …에게 돌리다, 빗대어 말하다 ; (선전 등)을 …에게 겨냥하다《*at*》: That remark was ~*ed at* him. 그 말은 그를 겨냥한 것이었다 / measures ~*ed at* curbing inflation 인플레이션 억제를 노린 대책. — *vi.* ①《~ / +전+명》겨누다《*at*》: I fired without ~*ing*. 겨누지도 않고 발포하였다 / He ~*ed at* the target. 그는 표적을 겨누었다. ②《~ / +전+명 / +*to* do》목표삼다, 마음먹다, 지향하다《*at* ; *for*》: ~ *at* success 성공을 목표로 삼다 / He ~*s at* being〔《美》*to* be〕a doctor. 의사를 지망하고 있다 / ~ *for*〔*at*〕a new world record 세계 신기록을 목표삼다《★ (1) 영국에선 보통 ~ *at* do*ing*을 씀. (2) ~ at는 수동태가 가능하지만 ~ for는 불가능함》. ③《~+*to* do》《美》…할 작정이다, …하려고 노력하다 : She ~*s to* go tomorrow. 그녀는 내일 갈 예정이다. ***What do you ~ at ?*** 어떻게 할 작정이냐. — *n.* ①Ⓤ 겨냥, 조준 : His ~ was very good. 그의 겨냥은 아주 정확했다. ②Ⓒ 과녁, 표준 : miss one's ~ 과녁을 벗어나다, 과녁이 빗나가다, 겨냥이 빗나가다. ③Ⓒ 목적, 뜻, 계획 : What is your ~ in life ? 자네 인생의 목표는 무엇인가 / His ~ to become a teacher was frustrated. 선생이 되려던 그의 뜻은 좌절되었다 / attain〔achieve, fulfill〕one's ~ 목적을 이루다. ***the ~ and end*** 궁극의 목적. ***take ~*** (***at***) (…을) 겨냥하다. ***with unerring ~*** 겨냥이 빗나가지 않고.

*__aim·less__ [éimlis] *a.* 목적〔목표〕없는 ; 정처 없는. ㊞ ~**·ly** *ad.* ~**·ness** *n.* Ⓤ

*__ain't__ [eint] am not, are not, is not, have not, has not 의 간약형《★ 의문꼴 ain't I ?(=am I not ?)의 경우 이외는 속어》.

Ai·nu, Ai·no [áinu:], [áinou] *a.* 아이누 사람〔말〕의. — *n.* Ⓒ 아이누 사람 ; Ⓤ 아이누 말.

†**air** [ɛər] *n.* ①Ⓤ 공기 : fresh〔foul, polluted〕~ 신선한〔오염된〕공기 / He took a deep breath of the morning ~. 그는 아침 공기를 가슴 그득히 들이마셨다 / This tire needs some ~. 이 타이어는 바람을 좀 더 넣어야 한다. ② (the ~) 대기; 하늘, 공중 : kick a ball high in *the* ~ 하늘 높이 공을 차올리다 / fly in〔through〕*the* ~ 공중을 날다 / fly up into *the* ~ 하늘로 날아오르다. ③Ⓒ 산들바람, 실바람, 미풍 : a nice ~ 기분 좋은 산들바람. ④Ⓒ 모양, 외견, 풍채, 태도 ; (*pl.*) 젠체하는 태도 : with a sad ~ 슬픈 듯이 / You have a cheerful ~. 즐거운 모양이구나. ⑤Ⓒ〖樂〗멜로디, 가락, 곡조 ; 영창(詠唱)(aria) : sing an ~ 한 곡 부르다. ⑥Ⓤ (흔히 the ~) 전파 송신 매체 ; 라디오〔텔레비전〕방송 : The program leaves *the* ~ at the end of this month. 그 프로그램의 방송은 이달 말에 끝납니다. ⑦ (장소의) 분위기, 지배적인 공기 : His early work had an ~ of freshness and originality. 그의 초기 작품에는 신선하고 독창적인 데가 있었다. ⑧Ⓤ 항공 교통〔수송〕; 공군 ; 항공 우표.

~s and graces 젠체함, 짐짓 점잔뺌 : She's incredibly arrogant and full of ~*s and graces*. 그녀는 몹시 거드름을 피우며 점잔빼고 있다. ***assume***〔***give oneself, put on***〕***~s*** 젠체하다, 뽐내다. ***beat the ~*** 허공을 치다, 헛수고 하다. (***build***) ***a castle in the ~*** ⇨CASTLE. ***by ~*** 비행기로, 항공편으로 ; 무전으로 : Send this by ~, please. 이걸 항공편으로 부쳐주세요. ***clear the ~*** (1) (실내 따위의) 공기를 환기(換氣)하다. (2) 오해를〔의혹을〕제거하다 : Discussing the matter frankly helped to *clear the* ~. 그 문제를 솔직히 서로 이야기한 것이 오해를 푸는 데 도움이 되었다. ***fan the ~***《美》허공을 치다, 헛치다, 삼진(三振)하다. ***get the ~***《美俗》해고되다, 목이 잘리다 ; (친구·애인에게서) 버림받다. ***give*** a person ***the ~***《美俗》아무를 해고하다, 내쫓다 ; (애인 등을) 차버리다. ***go up in the ~***《俗》매우 흥분하다, 불끈하다, 격노하다 ; (배우가) 대사를 잊다. ***have an ~ of*** …의 모양을 하고 있다 : Venice in winter *has an* ~ *of* mystery and sadness. 겨울의 베네치아에는 신비와 비애어린 면이있다. ***in the ~*** (1) 공중에 ; (소문이) 퍼지어. (2) ⇨ up in the ~. (3) 적의 공격에 노출되어, 무방비로. (4) (일이) 벌어질 것 같은, (분위기가) 감돌아, 낌새가 있어. ***in the open ~*** 야외에서. ***into thin ~*** 그림자도 없이 : disappear〔vanish〕*into thin* ~ 자취도 없이 사라지다. ***off the ~*** (1) 방송되지 않고 ; 방송이 중단되어. (2) (컴퓨터가) 연산중이 아닌. ***on the ~*** 방송되어〔으로〕, 방송 중에 : go〔be〕*on the* ~ 방송하다〔되고 있다〕. ***out of thin ~*** 무에서 ; 허공에서 ; 표연히 ; 느닷없이 : appear *out of thin* ~ 느닷없이 나타나다. ***take the ~*** (1) 바람을 쐬다 ; 산책하다. (2)《美》방송을 시작하다. ***tread***〔***float, walk***〕***on***〔***upon***〕***~*** 우쭐해하다, 의기양양해하다, 기뻐 어쩔줄 몰라하다. ***up in the ~***《口》(1) 하늘 높이, 허공에 ; (계획 따위가) 미결정의, 막연하여. (2) 흥분하여, 화나서. (3) 마음이 들떠서, 기뻐 어쩔줄 몰라.

— *a.* 〔限定的〕공기의 ; 항공(기)의 ; 공군의 ; 방송의.

— *vt.* ① …을 공기〔바람〕에 쐬다, …에 바람을 통하게 하다〔넣다〕: ~ a room 방에 바람을 넣다. ② (바람·공기에 쐬어)…을 말리다 ;《英》(불·열에) 말리다 : ~ one's cloths 의류를 내걸어 볕에 쏘이다. ③ (의견)을 발표하다, (불평)을 늘어놓다 ; …을 떠벌리다, 자랑해 보이다 : ~ one's opinion 자기 의견을 말하다 / ~ costly jewels 값비싼 보석을 자랑해 보이다. ④ (프로그램)을 방송하다.

— *vi.* ① 바람을 쐬다, 산책을 나가다《*out*》; (옷 따위가 바람·열로) 마르다. ② (프로그램 등이) 방송되다. ~ one***self*** 바람쐬다, 산책하다.

áir bàg 에어백, 공기 주머니《자동차 충돌시 순간적으로 부푸는 안전 장치》. 「토 밖의 것》.

áir bàse 공군〔항공〕기지《미공군에서는 미국 영

áir bèd《英》공기 베드.

áir blàdder〖魚〗부레 ;〖植〗기포(氣胞).

air·borne [⌐bɔ̀:rn] *a.* ① 공수(空輸)의 : ~ troops 공수부대. ②〔敍述的〕이륙하여, (공중에) 떠 : Is the plane ~ yet ? 그 비행기가 이젠 이륙했느냐. ③ 풍매(風媒)의.

áir bràke 공기 제동기, 에어〔공기〕브레이크.

áir brìck〖建〗(구멍 뚫린) 통풍 벽돌.

air·brush [⌐brʌ̀ʃ] *n.* Ⓒ 에어브러시《도료·그림물감 등을 뿜는 장치》. — *vt.* …을 에어브러시로 뿜다 ; (사진의 흠 따위)를 에어브러시로 지우다《*out*》; (무늬·사진의 세부 등)을 에어브러시로 그리다.

air·burst [⌐bə̀:rst] *n.* Ⓒ (폭탄의) 공중 폭발.

air·bus [⌐bʌ̀s] *n.* Ⓒ 에어버스《중·단거리용 제트

여객기》.
áir càv(alry) 〖美軍〗 공정 부대, 공수 부대.
áir chàmber (펌프·구명구의) 공기실 ; 〖生〗 기강(氣腔) ; (알의) 기실(氣室).
áir chìef márshal 《英》 공군 대장.
áir clèaner 에어 클리너, 공기 정화기(淨化器).
áir còach (근거리·싼 요금의) 보통 여객기.
áir commànd 《美》 공군 총사령부《air force 보다 상위의 부대 단위》.
áir còmmodore 《英》 공군 준장.
air-con·di·tion [´-kəndìʃən] *vt.* …의 공기 조절을 하다, …의 온도〔습도〕 조절을 하다, …에 냉난방 장치를 설치하다.
㊕ **~ed** [-d] *a.* 냉난방 장치를 설치한.
áir condìtioner 공기 조절장치, 냉난방 장치, 에어 컨디셔너, 에어컨.
***áir condìtioning** 공기 조절《실내의 공기정화, 온도·습도의 조절》, 냉난방.
áir contaminátion 대기오염.
air-cool [´-kù:l] *vt.* …을 공기 냉각하다 ; (방)에 냉방장치를 하다. ㊕ **~ed** [-d] *a.* 공랭식의 ; 냉방장치가 있는 : an *~ed* engine 공랭식 엔진.
áir còrridor 공중 회랑(回廊), 항공기 전용로《국제협정에 의해 안전이 보장된》.
áir còver 〖軍〗 공중 엄호 (전투기대).
***air·craft** [έərkræ̀ft, -krɑ̀:ft] (*pl.* ~) *n.* Ⓒ 항공기《비행기·비행선·헬리콥터 등의 총칭》: by ~ 항공기로.
áircraft càrrier 항공모함.
áir·craft(s)·man [έərkræ̀ft(s)mən, -krɑ̀:ft(s)-] (*pl.* **-men** [-mən]) *n.* Ⓒ 〖英空軍〗 항공 정비병, 공군 이등병.
áir cràsh (비행기의) 추락사고.
air·crew [έərkrù:] *n.* Ⓒ 〔集合的〕 (항공기) 승무원.
air·crew·man [έərkrù:mən] (*pl.* **-men** [-mən]) *n.* Ⓒ (장교·조종사 이외의) 항공기 승무원.
áir cùrrent 기류.
áir cùrtain 에어 커튼《압착 공기를 분출시켜 실내와 외부 공기를 차단하는 장치》.
áir cùshion ① 공기 방석〔베개〕. ②〖機〗 에어 쿠션《완충 장치》. ③ (호버크라프트를 부상(浮上)시키는) 분사 공기.
áir-cushion vèhicle 에어쿠션정(艇)(ground-effect machine) ; 호버크라프트《略 : ACV》.
air·date [´-dèit] *n.* Ⓒ 방송(예정)일.
air·drome [´-dròum] *n.* Ⓒ 《美》 비행장, 공항.
air·drop [´-drɑ̀p / ´-drɔ̀p] *n.* Ⓒ 공중 투하.
— (**-pp-**) *vt.* (물자 등)을 공중 투하하다《*to*》.
Aire·dale [έərdèil] *n.* 검은 얼룩이 있는 대형 테리어종의 개(= ∠ **térrier**) ; (a-) 《美俗》 괴상한 사내.
áir exprèss 《美》 공수 소화물, 소화물 공수 「(제도), 항공 속달.
air·fare [´-fὲər] *n.* Ⓒ 항공 운임.
‡**air·field** [έərfì:ld] *n.* Ⓒ 비행장.
air·flow [´-flòu] *n.* (흔히 *sing.*) 기류《운동체 주위의》.
air·foil [´-fɔ̀il] *n.* Ⓒ 〖空〗 (항공기의) 날개《기체를 부양(浮揚)·제어하는 역할의 주익(主翼), 미익(尾翼), 프로펠러 날개 등의 총칭》.
áir fòrce 공군《略 : A.F.》: the Royal 〔United States〕 *Air Force* 영국〔미국〕 공군.
air·frame [´-frèim] *n.* Ⓒ (비행기·로켓 따위의 엔진을 제외한) 기체(機體).
air·freight [´-frèit] *n.* Ⓤ ① 항공 화물편 ; 항공 화물 요금. ② 〔集合的〕 항공화물. — *vt.* …을 항공화물로 보내다.
air·glow [´-glòu] *n.* Ⓤ 대기광《대기권 상공에서 태양 광선의 영향에 의한 작용으로 원자·분자가 발광하는 현상》.
áir gùn ① 공기총. ② = AIRBRUSH. ③ 공기 해머.
air·head[1] [´-hèd] *n.* Ⓒ 〖軍〗 공두보(空頭堡)《공수 부대가 확보한 적지 내의 거점 ; 전선 공군기지》.
air·head[2] [´-hèd] *n.* Ⓒ 《美俗》 바보, 멍청이.
㊕ **~ed** *a.*
áir hòle ① 통기공(孔), (선실 등의) 풍창(風窓). ②〖空〗 = AIR POCKET. ③ (주물의) 기포.
áir hòstess (여객기의) 스튜어디스《★ stewardess가 일반적임》.
air·i·ly [έərəli] *ad.* ① 경쾌하게 ; 쾌활하게 ; 가볍게 : He ~ dismissed her complaint. 그는 그녀의 불평을 가볍게 받아넘겼다. ② 마음이 들떠서 ; 떠들면서. ③ 젠체하며.
air·i·ness [έərinis] *n.* Ⓤ ① 바람이 잘 통함 ; 바람받이. ② 경묘(輕妙)함 ; 경쾌함 ; 쾌활함. ③ 공허함, 허무함. ④ 젠체함.
air·ing [έəriŋ] *n.* ① Ⓤ,Ⓒ 공기에 쐼, 바람에 말림 : Your suit needs (an) ~. 옷을 바람에 쐬어 말려야겠다. ② Ⓒ (흔히 *sing.*) 야외 운동, 산책 ; 드라이브 : take 〔go for〕 an ~ 야외 운동을〔산책을, 드라이브를〕 하다 / She took her dog out for an ~ every afternoon. 그녀는 매일 오후에 개를 산책에 데리고 나갔다. ③ Ⓒ (흔히 *sing.*) (사상·제안·사실 따위의) 공표, 발표 : give one's views an ~ 자기의 의견을 발표하다. ④ Ⓒ 《美口》 (라디오·TV) 방송.
áiring cùpboard 빨래가 마르도록 온수 파이프 주위에 만든 선반·장.
áir làne 항공로(airway).
air·less [έərlis] *a.* 환기가 나쁜 ; 공기가 없는.
áir lètter 항공우편 ; 항공서한, 항공 봉함엽서.
air·lift [έərlìft] *n.* Ⓒ ① (특히 응급책으로서의) 공수. ②(긴급) 공수용 항공기; 공수된 인원〔화물〕. ③ 공중 보급로〔선〕. — *vt.* …을 공수하다《*to*》.
‡**air·line** [´-làin] *n.* Ⓒ ① (정기) 항공로. ② (*pl.*) 〔單數취급〕 항공회사《종종 Air Lines 라고도 씀》. ③ (흔히 air line) 《美》 (두 점을 잇는) (공중) 최단 거리, 대권(大圈) 코스 ; 일직선.
áirline còde 항공회사 코드《국제 항공 운송 협회가 정함 ; 두 글자로, 대한항공은 KE》.
***air·lin·er** [´-làinər] *n.* Ⓒ (대형) 정기 여객기.
áir lòck ①〖工〗 에어 로크, 기갑(氣閘)《잠함(潛函)의 기밀실》. ② (우주선의) 기밀식(氣密式) 출입구 ; 감압실. ③ 증기 폐색《펌프나 파이프 조직에 기포가 있어 기능을 막는 일》.
‡**air·mail** [έərmèil] *n.* Ⓤ ① 항공 우편. opp. *surface mail.* ¶ Via *Airmail* 항공편으로《봉함엽서에》/ send a letter (by) ~ 편지를 항공편으로 보내다. ② 〔集合的〕 항공 우편물. — *vt.* …을 항공편으로 보내다. — *a.* 〔限定的〕 항공편(便)의. — *ad.* 항공편으로.
***air·man** [έərmən] (*pl.* **-men** [-mən]) *n.* Ⓒ ① 비행사〔가〕; 조종사, 항공기 승무원 ; 공군 요원〔병사〕: a civilian 〔private〕 ~ 민간 비행가. ②〖美軍〗 항공병 : ~ lst class 상병.
áir màss 〖氣〗 기단(氣團) : a high-pressure ~ 고기압 기단.
áir màttress 에어 매트리스《침대나 구명용》.
áir mìle 항공 마일(1,852 m).
air-mind·ed [´-màindid] *a.* 항공(사업)에 열심인 ; 비행기를 좋아〔동경〕하는 ; 항공지식이 있는.
áir mìss 에어 미스《항공기의 니어 미스(near miss)에 대한 공식 용어》.
air·mo·bile [´-mòubəl, -bi:l / -bail] *a.* 〖美軍〗 (헬리콥터 따위로) 공수되는 ; 공수 부대의.
áir pìracy 항공기 납치(skyjacking); 하이잭 (hijacking).
†**air·plane** [έərplèin] *n.* Ⓒ 《美》 비행기 (《英》 aeroplane) : an ~ hangar 격납고 / by ~ 비행기로《無冠詞》/ take an ~ 비행기를 타다.

áir plànt 〔植〕 기생(氣生)식물《펑의 비름과(科)》.

áir pòcket 에어 포켓, (하강) 수직 기류 : pass through 〔enter〕 an ~ 에어 포켓을 지나다〔으로 들어가다〕. 「《略 : AP》.

áir polìce (종종 A- P-) 〖美軍〗 공군 헌병대

áir pollùtion 대기〔공기〕 오염.

†**air·port** [ɛ́ərpɔ̀:rt] *n.* Ⓒ 공항 : an international ~ 국제 공항 / Kimpo *Airport* 김포 공항 / I went to the ~ to see my mother off. 나는 어머니를 배웅하러 공항으로 나갔다.

áir pòwer 공군력 ; 공군.

áir prèssure 기압(atmospheric pressure).

air·proof [ˊ-prùːf] *a.* 공기를 통하게 하지 않는, 기밀(氣密)의(airtight).

áir pùmp 공기〔배기〕 펌프.

áir ràid 공습.

air-raid [ɛ́ərrèid] *a.* 공습의 : ~ precautions 방공 대책 / an ~ warning〔alarm〕 공습경보 / an ~ shelter 방공호 / an ~ warden 공습 감시원, 방공 지도원.

áir rìfle (강선식) 공기총.

áir rìght 〖法〗 공중권(權)《땅·건물 상공의 소유권·이용권》.

áir ròute 항공로(airway).

áir sàc 공기 주머니 ; 〖生〗 기낭(氣囊).

air·screw [ˊ-skrùː] *n.* Ⓒ 《英》 프로펠러.

áir-sea réscue [ˊsiː-] 해공(海空) 협동 구난 작업(대)《헬리콥터·선박 등에 의한》.

áir sèrvice 항공 근무 ; 항공 수송 (사업) ; 항공 업무(부), 공군 ; (육·해군의) 항공부.

áir shàft (광산·터널 등의) 통풍 수직갱(垂直坑)(air well).

‡**air·ship** [ˊ-ʃìp] *n.* Ⓒ 비행선(船) : a non-rigid 〔flexible〕 ~ 연식 비행선 / a rigid ~ 경식(硬式) 비행선 / by ~ 비행선으로《無冠詞》.

áir shòw 에어쇼, 항공쇼.

air·sick [ˊ-sìk] *a.* 비행기 멀미가 난.
㊞ ~**·ness** *n.* Ⓤ 항공병(病), 비행기 멀미.

air·space [ˊ-spèis] *n.* Ⓤ ① 영공(領空) : stray into Canadian ~ 캐나다 영공으로 잘못 들어가다. ② 〖軍〗 (편대(編隊)에서 차지하는) 공역(空域) ; (공군의) 작전 공역. ③ 〖建〗 (방습을 위한 벽 안의) 공간, 공기층 ; (식물조직의) 기실(氣室).

air·speed [ˊ-spìːd] *n.* ⓊⒸ (비행기의) 대기(對氣) 속도 ; 풍속. ⓒⓕ ground speed.

áir stàtion 〖空〗 (격납고·정비 시설이 있는) 비행장 ; (잠수용) 압축공기 충전소.

air·stream [ˊ-strìːm] *n.* Ⓒ 기류, 《특히》 고층 기류 ; =AIRFLOW.

áir strìke 공습(air raid). 「주로.

air·strip [ˊ-strìp] *n.* Ⓒ 〖空〗 (임시·가설의) 활

áir tàxi 에어 택시《근거리 부정기 여객기》.

áir tèrminal 공항에 있는 터미널 빌딩 ; 공항 버스로 승객을 나르기 위해 마련한 도시내의 항공기 탑승객 집합소.

air·tight [ˊ-tàit] *a.* ① 기밀(氣密)의, 밀폐한, 공기가 통하지 않게 한 : Store the cookies in an ~ tin. 쿠키를 밀폐된 깡통에 보관해라. ② 《美》 공격할 틈이 없는, (이론 따위가) 물샐틈〔빈틈〕 없는, 완벽한. ㊞ ~**·ly** *ad.* ~**·ness** *n.*

áir tìme (라디오·텔레비전의) 방송 개시 시간 ; (특히 광고의) 방송 시간.

air-to-air [ˊ-tuˊ, ˊ-təˊ] *a.,ad.* 〔形容詞로는 限定的〕 비행기에서 딴 비행기로(의), 공대공(空對空)의 : an ~ missile 공대공 미사일 / refuel ~ 연료를 공중 보급하다.

air-to-sur·face [ˊ-təsə́ːrfis] *a.* 공대지(空對地)의(=air-to-ground) : an ~ missile 공대지 미사일. ── *ad.* 항공기에서 지상으로.

áir tràffic contròl 항공교통 관제(기관).

áir tràffic contròller 항공교통 관제관〔원〕.

áir vice-már·shal [-vàismáːrʃəl] 《英》 공군 소장. 「방송전파.

air·waves [ˊ-wèivz] *n.* (*pl.*) (TV·라디오의)

***air·way** [ˊ-wèi] *n.* ① Ⓒ 항공로(air route). ② (A-) (종종 ~*s*) 〔흔히 單數취급〕 항공회사(《美》 airlines) : British *Airways* 영국 항공(회사). ③ Ⓒ (광산의) 통기〔바람〕 구멍.

air·wor·thy [ˊ-wəːrði] *a.* 내공성(耐空性)이 있는, 비행에 견딜 수 있는《항공기 또는 그 부속품》.
㊞ **-wòr·thi·ness** *n.* Ⓤ 내공성.

airy** [ɛ́əri] (air·i·er*** ; ***-i·est***) *a.* ① 바람이 잘 통하는 : an ~ room. ② 공기와 같은 ; 공허한, 환상적인 : ~ dreams 허황된 꿈 / an ~ promise 공허한 약속. ③ 가벼운 ; 섬세한 ; 우아한 : She was wearing an ~ outfit made of cream-colored silk. 그녀는 크림색의 비단으로 만든 우아한 옷을 입고 있었다. ④ (태도 등이) 경쾌한 ; 경박한 ; (기분이) 쾌활한 : ~ laughter 명랑한 웃음 / an ~ reply 경박한 대답 / an ~ tread 가벼운 걸음걸이. ⑤ 《口》 (짐짓) 점잔빼는, 젠체하는. ⑥ 하늘 높이 솟은, 공중의 ; 대기(大氣)의 ; 항공의.

airy-fairy [-fɛ́əri] *a.* 《口》 ① 요정 같은. ② 《蔑》 근거 없는, 공상적인, 비현실적인《생각·계획 등》 : ~ nonsense 근거 없는 넌센스.

aisle** [ail] *n.* Ⓒ ① 《美》 (좌석 사이나, 건물·열차 안의) 통로 ; 복도 : Clear the ~*s*, please. 통로를 비켜 주세요. ② **a**) (교회당의) 측랑(側廊). **b**) (교회당 좌석 줄 사이의) 통로. ***knock 〔***lay, rock, have***〕 (the audience) ***in the ~s*** (연극 따위가 청중을) 도취시키다, 감동시키다, 크게 웃기다. ***roll in the ~s*** 《口》 (청중이〔을〕) 배꼽을 쥐다〔쥐게 하다〕, 포복 절도하다〔시키다〕. ***walk down the ~*** 결혼하다.

áisle sèat (열차 등의) 통로 쪽의 자리. ⓒⓕ window seat.

aitch [eitʃ] *n.* Ⓒ H, h 의 글자 ; h 음 ; H자(字)형의 것. ***drop*** one's ***~es*** (무식쟁이가) h 를 빼고 발음하다.

aitch·bone [éitʃbòun] *n.* Ⓒ 소의 볼기 뼈(hipbone), 둔골(臀骨) (=**rúmp bòne**) ; 소의 볼깃살.

ajar[1] [ədʒáːr] *ad., a.* 〔形容詞로는 敍述的〕 (문이) 조금 열리어 : leave the door ~ 문을 조금 열어 두다.

ajar[2] *ad., a.* 〔形容詞로는 敍述的〕 조화되지 않아 ; 티격이 나서《*with*》 : The account is ~ *with* the facts. 그 이야기는 사실과 다르다 / set a person's nerves ~ 아무를 초조하게 하다.

AK 〖美郵便〗 Alaska. **a.k.a., aka, AKA** 《美》 also known as(별칭은, 별명은…). ⓒⓕ alias.

akim·bo [əkímbou] *ad., a.* 〔形容詞로는 敍述的〕 손을 허리에 대고 팔꿈치는 옆으로 뻗어《여성이 상대에게 도전할 때의 포즈》 (★ with (one's) arms ~로서 쓰임). ¶ She stood *with her arms ~* gazing at him. 그녀는 팔을 허리에 대고 서서 그를 지긋이 눈여겨 보았다.

***akin** [əkín] *a.* 〔敍述的〕 혈족〔동족〕의《*to*》 ; 같은 종류의, 유사하여《*to*》 : He is closely ~ *to* her. 그는 그녀의 가까운 친척이다 / Pity is ~ *to* love. 《俗談》 연민은 애정에 가깝다.

al- *pref.* =AD-《l 앞에 올 때의 꼴》 : *al*lude.

-al *suf.* ① '…의, …와 같은, …성질의'라는 뜻의 형용사를 만듦 : equ*al*. ② 동사에서 명사를 만듦 : tri*al*.

AL 〖美郵便〗 Alabama. **A.L.** 〖野〗 American League. **Al** 〖化〗 aluminum.

Al [æl] *n.* 앨《남자 이름 ; Albert, Alfred 등의 별칭》.

à la, a la [ɑ́:lə, -lɑ:] 《F.》 …식의〔으로〕, …풍의〔으로〕; 〖料〗 …을 곁들인 : Choose a crisp, tailored dress ~ Audrey Hepburn in *Breakfast at Tiffany's.* "티파니에서 아침을"에 나오는 오드리 헵번풍의 산뜻하고 남성적인 옷을 골라라.

***Al·a·bama** [æ̀ləbǽmə] *n.* 앨라배마《미국 남동부의 주 ; 주도 Montgomery(몽고메리) ; 略 : Ala., AL ; 속칭 the Heart of dixie, the cotton State》. ⓜ **-bám·an, -bám·i·an** [-n], [-miən] *a., n.* 앨라배마의 (사람).

***al·a·bas·ter** [ǽləbæ̀stər, -bɑ̀:s-] *n.* Ⓤ 설화 석고 ; 줄마노(瑪瑙) : (as) white as ~ 눈처럼 흰. ── *a.* 〔限定的〕 ① 설화 석고의〔같은〕. ② 희고 매끄러운 : her ~ arms 그녀의 희고 미끈한 팔.

à la carte [ɑ̀:ləkɑ́:rt, æ̀lə-] 《F.》 메뉴에 따라 ; 정가표에 따라 ; 일품 요리의, 좋아하는 요리의. cf. table d'hôte.

alac·ri·ty [əlǽkrəti] *n.* Ⓤ 민활함, 기민함, (주저없이) 선선함. ***show*** ~ 시원시원하다. ***with*** ~ 민첩하게 ; 선뜻 : move *with* ~ 동작이 민첩하다 / We accepted the invitation *with* ~. 우리는 그 초대에 선선히 응하였다.

***Alad·din** [əlǽdn] *n.* 알라딘《*The Arabian Nights* 에 나오는 청년 이름》.

Aláddin's lámp 알라딘의 램프《어떠한 소원도 들어 준다는 마법의 램프》.

à la king [ɑ̀:ləkíŋ, æ̀lə-] 《F.》 〖料〗 버섯·피망 등을 넣고 소스로 조리한《★ 흔히 명사 뒤에 옴 : chicken *a la king*》.

Al·a·mo [ǽləmòu] *n.* 〖美史〗 (the ~) 앨라모 요새《Texas주 San Antonio시에 있는 가톨릭의 옛 전도소 ; 1836 년 Texas 독립 전쟁시 멕시코군에 포위되어 수비대가 전멸함》.

à la mode [ɑ̀:ləmóud, æ̀lə-] *a., ad.* 《F.》 ① 유행을 따라서 ; 유행의 ; …양식의 : She always dresses ~. 그녀는 항상 유행에 따라 옷을 입는다. ② 〔흔히 名詞 뒤에 와서〕 〖料〗 (파이 따위에) 아이스크림을 곁들인. ***pie*** ~ 아이스크림을 곁들인 파이.

Al·an [ǽlən] *n.* 앨런《남자 이름》.

‡**alarm** [əlɑ́:rm] *n.* ① Ⓒ 경보, 비상 신호〔소집〕 : sound 〔ring〕 the ~ 경적〔경종, 비상벨〕을 울리다. ② Ⓤ 놀람, (갑작스런) 공포, 불안 : without ~ 침착하여 / be struck with ~ 놀라다 / The bombing caused ~ among the citizens. 폭격으로 시민 사이에는 공포가 일어났다. ③ Ⓒ 경보기〔장치〕 ; 경종 ; 자명종 : set the ~ to sound 〔go off〕 at six, 6시에 울리도록 시계를 맞추어 놓다 / The ~ went off at five. 자명종이 5시에 울렸다. ***a fire*** ~ 화재 경보(기). ~ ***and despondency*** 의기 소침 ; 걱정, 불안. ***a thief*** ~ 도난경보(기). ***give a false*** ~ 허보(虛報)를 전하다. ***give the*** 〔***raise an***〕 ~ 경보를 발하다. ***in*** ~ 놀라서 ; 근심〔걱정〕하여. ***take*** (***the***) ~ (경보에) 놀라다, 경계하다 : We *took* ~ at the sound. 우리는 그 소리에 놀랐다. ***with*** 〔***in***〕 ***great*** ~ (크게) 놀라서. ── *vt.* ① …에게 경보를 발하다, 위급(함)을 알리다, 경계시키다. ② …을 놀래다, 오싹하게 하다, 불안하게 하다《흔히 過去分詞로 形容詞的으로 씀》 : I was ~*ed* at the news. 그 소식에 깜짝 놀랐다 / He is ~*ed* for the safety of his brother. 그는 형의 안부가 걱정되었다. ~ one***self*** 겁먹다, 걱정하다.

alárm bèll 경종, 경령(警鈴), 비상벨.

‡**alárm clòck** 자명종.

alarmed [əlɑ́:rmd] *a.* 〔敍述的〕 놀란, 불안을 느낀 : Don't be ~. 놀라지 마라 ; 침착해라.

***alarm·ing** [əlɑ́:rmiŋ] *a.* 놀라운, 걱정〔불안〕스러운 ; (사태 등이) 급박한 : an ~ increase in crime 범죄의 우려할 만한 증가 / at an ~ rate 놀라운비율로. ⓜ ~**·ly** *ad.* 놀랄만큼, 걱정되리만큼.

alarm·ist [əlɑ́:rmist] *a., n.* Ⓒ 인심을 소란케 하는 (사람) ; 군걱정하는 (사람).

‡**alas** [əlǽs, əlɑ́:s] *int.* 아아, 슬프도다, 불쌍한지고《슬픔·근심 등을 나타냄》. ***Alas the day !*** 아아, 참으로.

Alas. Alaska.

***Alas·ka** [əlǽskə] *n.* 알래스카《미국의 한 주(州) ; 略 : Alas. ; 〖郵便〗 AK》.

Aláska Híghway (the ~) 알래스카 공로《캐나다에서 알래스카로 통함 ; 통칭 Alcan Highway》.

Alas·kan [əlǽskən] *a., n.* Ⓒ 알래스카의 ; 알래스카 사람.

Aláskan málamute 알래스카 맬러뮤트《썰매 개》.

Aláska Península (the ~) 알래스카 반도.

Aláska (stándard) tìme 알래스카 표준시《GMT보다 10 시간 늦음》.

alb [ælb] *n.* Ⓒ 〖가톨릭〗 장백의(長白衣)《흰 삼베로 만든 미사 제복》. cf. chasuble.

al·ba·core [ǽlbəkɔ̀:r] (*pl.* ~***s,*** 〔集合的〕 ~) *n.* Ⓒ 〖魚〗 날개다랑어.

Al·ba·nia [ælbéiniə, -njə] *n.* 알바니아《수도 Tirana》. ⓜ **-ni·an** [-n] *a., n.* 알바니아의 ; Ⓒ 알바니아 사람(의) ; Ⓤ 알바니아 말(의).

Al·ba·ny [ɔ́:lbəni] *n.* 올버니《미국 New York 주의 주도 ; 略 : Alb》.

al·ba·tross [ǽlbətrɔ̀(:)s, -trɑ̀s] *n.* Ⓒ ① 〖鳥〗 신천옹(信天翁). ② 〖골프〗 앨버트로스《한 홀에서 par[1] 또는 bogey 보다 3 타 적은 스코어》. cf. eagle.

Al·bee [ɔ́:lbi:] *n.* **Edward** ~ 올비《미국의 극작가 ; 1928- 》.

Al·bert [ǽlbərt] *n.* ① 남자 이름《애칭은 Al, Bert, Bertie, Berty》. ② (Prince ~) 앨버트 공(公)《Victoria 여왕의 남편(Prince Consort) ; 1819-61》.

Al·ber·ta [ælbə́:rtə] *n.* ① 여자 이름. ② 앨버타《캐나다 서부의 주 ; 주도 Edmonton》.

al·bi·nism [ǽlbənìzəm] *n.* Ⓤ 색소 결핍증 ; 〖醫〗 (선천성) 백피증(白皮症) ; 〖生〗 알비노증.

al·bi·no [ælbáinou / -bí:-] (*pl.* ~***s***) *n.* Ⓒ ① 백피증의 사람. ② 〖生〗 알비노《색소가 현저히 결핍된 동·식물》.

Al·bi·on [ǽlbiən] *n.* 앨비언《잉글랜드(England)의 옛 이름·아명(雅名)》.

†**al·bum** [ǽlbəm] *n.* Ⓒ ① 앨범《사진첩·우표첩·내객 명부 등》 : a photograph 〔stamp〕 ~. ② (예전의앨범식) 음반첩 ; (레코드·카세트테이프·CD의) 앨범.

al·bu·men [ælbjú:mən] *n.* Ⓤ ① (알의) 흰자위. ② 〖植〗 배유(胚乳), 배젖. ③ 〖生化〗 =ALBUMIN.

al·bu·min [ælbjú:mən] *n.* Ⓤ 〖生化〗 알부민《생체 세포·체액(體液) 속의 단순 단백질》.

al·bu·mi·nose [ælbjú:mənòus] *a.* 알부민의, 알부민을 함유한 ; 〖植〗 배유(胚乳)가 있는.

Al·bu·quer·que [ǽlbəkə̀:rki] *n.* 앨버커키《미국 New Mexico 주 중부의 주 최대 도시》.

Al·ca·traz [ǽlkətræ̀z] *n.* 앨커트래즈《California 주 샌프란시스코 만(灣)의 작은 섬 ; 연방 교도소(1934-63)가 있었음》.

***al·che·mist** [ǽlkəmist] *n.* Ⓒ 연금술사(師).

***al·che·my** [ǽlkəmi] *n.* Ⓤ ① 연금술 ; 연단술. ② 《比》 평범한 물건을 가치 있는 것으로 변질시키

는 마력, 비법.

‡al·co·hol [ǽlkəhɔ̀(:)l, -hɑ̀l] *n.* ① Ⓤ 알코올, 주정(酒精)(음료), 술: His doctor told him not to touch ~. 의사는 그에게 술을 일체 입에 대지 말라고 명하였다. ②〖化〗알코올류(類).

·al·co·hol·ic [æ̀lkəhɔ́(:)lik, -hɑ́l-] *a.* ① 알코올(성)의: ~ drinks 알코올 음료. ② 알코올 중독의: ~ poisoning 알코올 중독.
— *n.* ① Ⓒ 호주(豪酒); 알코올 중독자. ② (*pl.*) 알코올 음료, 주류.

Alcohólics Anónymous 《美》 알코올 중독자 갱생회(略: AA).

al·co·hol·ism [ǽlkəhɔ(:)lìzəm, -hɑl-] *n.* Ⓤ 알코올 중독. ⓜ **-ist** *n.*

al·co·hol·om·e·ter [æ̀lkəhɔ(:)lɑ́mitər, -hɑl-/ -hɔlɔ́m-] *n.* Ⓒ 주정계(計); 알코올 비중계.

Al·cott [ɔ́:lkət, -kɑt] *n.* **Louisa May** ~ 올커트 《*Little Women*(1869)을 쓴 미국의 여류 작가; 1832-88》.

al·cove [ǽlkouv] *n.* Ⓒ ① 방 안의 후미져 구석진 곳《침대·서가용》; 주실에 이어진 골방. ② 방벽의 오목한 곳, 반침; 다락 마루. ③《古》(공원·정원 따위의) 정자.

Ald., ald. alderman《★ 칭호로 쓰임》.

Alde·burgh [ɔ́:ldbərə] *n.* 올드버러《영국 Suffolk 주의 읍; 해마다 여름에 열리는 음악 축제로 유명함》.

al·de·hyde [ǽldəhàid] *n.* Ⓤ〖化〗알데히드.

al den·te [ældéntei, -ti] 《It.》 씹는 맛이 나도록 요리한《마카로니 따위》.

al·der [ɔ́:ldər] *n.* Ⓒ〖植〗오리나무속(屬)의 식물.

al·der·man [ɔ́:ldərmən] (*pl.* **-men** [-mən]) *n.* Ⓒ ①《美·Can. 등》 시의회 의원. ②《英》 시 참사회원, 부시장. ⓜ **àl·der·mán·ic** [-mǽnik] *a.*

Al·der·ney [ɔ́:ldərni] *n.* ① 올더니 섬《영국 해협 Channel Islands 북단의 섬》. ② 젖소의 일종《영국 원산》.

‡ale [eil] *n.* Ⓤ 에일《lager beer 보다 독하나, porter 보다 약한 맥주의 일종》; Ⓒ《英》(옛날의) 시골 축제《에일을 마셨음》.

Al·ec(k) [ǽlik] *n.* 앨릭《Alexander의 애칭》.

alee [əlí:] *ad.*〖海〗바람이 불어가는 쪽에〔으로〕. opp *aweather.* cf lee.

alem·bic [əlémbik] *n.* Ⓒ (옛날의) 증류기; 정화기;《比》 변화시키는〔정화하는〕 것: intellect as an ~ for refinement of sensation 감각을 순화하는 정화기로서의 지성.

‡alert [əlɔ́:rt] (**more** ~; **most** ~) *a.* ① 방심 않는, 정신을 바짝 차린, 빈틈 없는(watchful)《*to*》: an ~ bodyguard 방심 않는 호위 / be ~ *to* seize an opportunity 기회를 잡으려고 노리고 있다 / We must be constantly ~ *to* the danger. 우리는 위험에 대하여 늘 주의를 게을리해서는 안된다. ② (동작 등이) 기민한, 민첩한, 날쌘《*in*》: an ~ movements 기민한 동작 / The boy was ~ *in* answering the questions. 소년은 그 질문에 잽싸게 대답하였다. — *n.* Ⓒ ① 경계 (체제); 경보(alarm). ② 경계경보 발령 기간. **on the** ~ (방심 않고) 경계하여《*for*; *to* do》: Police warned the public to be *on the* ~ *for* suspicious packages. 경찰은 사람들에게 수상한 꾸러미를 경계하라고 경고하였다. — *vt.* 《~+목/+목+전+명/+*to* do》 …에게 경계시키다, 경보를 발하다《*to*》: ~ a person *to* a danger 아무에게 위험을 경고하다 / The radio ~*ed* coastal residents *to* prepare for the hurricane. 라디오는 해안 주민들에게 허리케인에 대비하도록 경보를 발했다. ⓜ **~·ly** *ad.* 방심 않고, 경계하여; 기민하게.

Al·eut [əlú:t, ǽliù:t] (*pl.* **~s**, 〔集合的〕 ~) *n.* ① **a)** (the ~(s)) 알류트족《알류샨 열도·알래스카 등지에 사는 종족》. **b)** Ⓒ 알류트족의 사람. ② Ⓤ 알류트어.

Aleu·tian [əlú:ʃən] *a.* 알류샨의; 알류트 사람〔말〕의. — *n.* ① =ALEUT. ② (the ~s) =ALEUTIAN ISLANDS.

Aléutian Íslands (the ~) 알류샨 열도《미국령토》.

A lèvel [éi-]〖英教〗(대학 입학 자격 시험에서) 상급 (advanced level).

Al·ex [ǽliks] *n.* 앨릭스《남자 이름; Alexander의 애칭》.

Al·ex·an·der [æ̀ligzǽndər, -zɑ́:n-] *n.* 알렉산더《남자이름; 애칭 Alec(k), Alex》.

Alexánder the Gréat 알렉산더 대왕(大王) (356-323 B.C.).

Al·ex·an·dra [æ̀ligzǽndrə, -zɑ́:n-] *n.* 알렉산드라《여자 이름; 애칭 Sandra, Sondra》.

Al·ex·an·dria [æ̀ligzǽndriə, -zɑ́:n-] *n.* 알렉산드리아《Nile 강 어귀의 이집트 항구 도시》.

Al·ex·an·dri·an [æ̀ligzǽndriən, -zɑ́:n-] *a.* ① Alexandria 의; (그곳에서 번성한) 헬레니즘 문화의. ② 알렉산더 대왕의. — *n.* Ⓒ 알렉산드리아의 주민.

Al·ex·an·drine [æ̀ligzǽndrin, -dri:n, -zɑ́:n-] 〖韻〗 *n.* Ⓒ, *a.* 알렉산더 시행(의)《억양격(格) 6시각(詩脚)으로 구성된 시행》; 그 시.

al·ex·an·drite [æ̀ligzǽndrait, -zɑ́:n-] *n.* Ⓤ,Ⓒ 〖鑛〗 알렉산더 보석《낮에는 진초록, 인공광선으로는 적자색으로 보임; 6월의 탄생석》.

alex·ia [əléksiə] *n.* Ⓤ〖醫〗 독서 불능증, 실독증「(失讀症).

al·fal·fa [ælfǽlfə] *n.* Ⓤ《美》〖植〗자주개자리(《英》 lucerne)《목초(牧草)》;《美俗》(잔)돈.

Al Fa·tah [ɑ̀:lfɑ:tɑ́:, ælfǽtə] 알파타《PLO 의 주류 온건파》.

Al·fred [ǽlfrid, -fred] *n.* 앨프레드《남자 이름; 애칭은 Al., Alf》.

Álfred the Gréat 앨프레드 대왕《Wessex 왕국의 임금(849-899)》.

al·fres·co, al fresco [ælfréskou] *ad., a.* 〔形容詞로는 限定的〕 야외에〔의〕: an ~ café 노천 커피점 / an ~ lunch 들놀이 도시락.

alg. algebra.

al·ga [ǽlgə] (*pl.* **-gae** [-dʒi:], **~s**) *n.* (흔히 *pl.*) 〖植〗 말, 조류(藻類).

‡al·ge·bra [ǽldʒəbrə] *n.* Ⓤ 대수학(代數學).

al·ge·bra·ic, -i·cal [æ̀ldʒəbréiik], [-əl] *a.* 대수학의. ⓜ **-i·cal·ly** *ad.*

al·ge·bra·ist [ǽldʒəbrèiist / ⌐-⌐-] *n.* Ⓒ 대수(代數)학자.

Al·ge·ria [ældʒíəriə] *n.* 알제리《북아프리카의 한 공화국; 수도 Algiers》. ⓜ **Al·gé·ri·an** [-n] *a., n.* Ⓒ 알제리의; 알제리인(의).

ALGOL [ǽlgɑl, -gɔ(:)l] *n.* 〖컴〗 셈말《과학·기술 계산용 프로그램 언어》. [◂ *algo*rithmic *l*anguage]

Al·gon·ki(·a)n, -qui(·a)n [ælgɑ́ŋki(ə)n/ -gɔ́ŋ-], [-kwi-] (*pl* ~, **~s**) *n.* ① **a)** (the ~(s)) 알곤킨족《북아메리카 원주민의 한 부족; Ottawa 강 유역에 삶》. **b)** Ⓒ 알곤킨족 사람. ② Ⓤ 알곤킨말《보통 **Algonquin** 으로 씀》.

al·go·rism [ǽlgərìzəm] *n.* ① Ⓤ 알고리즘《1, 2, 3, …을 쓰는 아라비아 기수법; 아라비아 숫자 연산법; 산수》. ② =ALGORITHM. ***a cipher in*** ~ 제로; 데데한 사람. ⓜ **àl·go·rís·mic** [-rízmik] *a.*

al·go·rithm [ǽlgəriðəm] *n.* Ⓤ 알고리듬, 연산(演算)(방식); 〖컴〗 풀이법, 셈법.
ⓜ **àl·go·ríth·mic** *a.*

Al·ham·bra [ælhǽmbrə] *n.* (the ~) 알함브라 궁전《스페인의 무어 왕(王)들의 옛 성》.

ali·as [éiliəs] *ad.* 《L.》 별명으로, 일명 : Smith ~ Simpson 스미스 통칭 심프슨, 심프슨 본명(本名)은 스미스《★ ***alias dictus*** [-díktəs] 《L.》 (= otherwise called) 라고도 함》. ── (*pl.* ~·*es*) *n.* Ⓒ 변명, 가명, 통칭, 별명 : The police files indicate that "John" is an ~ for David. 경찰 서류에 의하면 '존'이라는 것은 데이비드의 별명이다. ***go by the ~ of*** …라는 별명으로 통하다.

Ali Ba·ba [ɑ́:libɑ́:bɑ:, ǽlibǽbə] 알리바바《*The Arabian Nights* 중의, 도둑의 보물을 발견한 나무꾼》.

al·i·bi** [ǽləbài] (*pl.* ~*s*) *n.* Ⓒ ①〖法〗 현장 부재 증명, 알리바이 : His ~ couldn't be shaken, so the police were forced to release him. 그의 알리바이는 확고하였으므로 경찰은 그를 석방할 수밖에 없었다. ②《口》 변명(excuse) : We have no ~. 무어라 변명할 여지가 없다. ***prove* 〔*establish, set up*〕 *an ~ 알리바이를 입증하다. ── *vi* 《美口》 변명하다 : ~ for being late 지각한 이유를 대다. ── *vt.* 《口》 (아무)의 알리바이를 증언하다.

Al·ice [ǽlis] *n.* 앨리스. ① 여자 이름《애칭은 Alicia, Allie, Ally》. ②《Lewis Carroll 작(作)의 동화 *Alice's Adventures in Wonderland* (1865)와 그 자매편 주인공 소녀》.

Al·ice-in-Won·der·land [ǽlisinwʌ́ndərlæ̀nd] *a., n.* 〔形容詞로는 限定的〕《口》 공상적인 〔도저히 믿을 수 없는〕 (일〔것〕). 「칭》.

Ali·cia [əlíʃiə] *n.* 앨리시어《여자이름 ; Alice의 별

al·ien** [éiljən, -liən] (more*** ~ ; ***most*** ~) *a.* ① 외국의, 이국의(foreign) ; 외국인의 : ~ friends (국내에 있는) 우방국 친구 / carry one's ~ registration card 외국인 등록증을 휴대하다. ② 성질이 다른, 이질의《*from*》 : a style ~ *from* genuine English 순수한 영어와는 다른 문체 / This is a subject quite ~ *from* anything we havd had. 이것은 종래 경험한 그 어떤 것과도 전혀 다른 문제이다. ③ (생각 따위가) 맞지 않는, 서로 용납되지 않는《*to*》 : Cruelty was quite ~ *to* his nature 〔*to* him〕. 잔인함은 그의 성격에는〔그에게는〕 전혀 맞지 않았다. ④ 지구 밖의, 우주의. ── *n.* Ⓒ 외국인(foreigner) ; 재류(在留) 외국인 ; 따돌림받는 사람 ; 우주인《SF에서, 지구인에 대하여》.

al·ien·a·ble [éiljənəbəl, -liə-] *a.* 양도〔이양·매각〕할 수 있는.

al·ien·ate [éiljənèit, -liə-] *vt.* 《~+目 / +目+前+名》 ①…을 멀리하다, 소원(疏遠)케 하다《*from*》; 이간하다, 불화(不和)케 하다《*from*》; 소외하다, 따돌리다《*from*》 : The prime minister's policy has ~*d* many of his supporters. 수상의 정책은 많은 그의 지지자들을 멀어지게 했다 / She was ~*d from* her friends. 친구들로부터 따돌림을 받았다 / Ten years in prison have ~*d* him *from* his family. 10년 간의 수감생활이 그를 가족들로 부터 소원케 하였다 / Many youths feel ~*d* in modern society. 많은 젊은이들은 현대 사회에서 소외감을 느끼고 있다《★ 形容詞的 용법》. ② …을 딴 데로 돌리다 ; 양도〔매각〕하다 : ~ funds from their intended purpose 자금을 본래의 목적과는 다른 용도에 쓰다.

al·ien·a·tion [èiljənéiʃən, -liə-] *n.* Ⓤ ① 멀리함 ; 소원(疎遠), 티격남, (자기) 소외(감) : a growing feeling of despair and ~ (점점) 더해가는 절망감과 소외감. ②〖法〗 양도 ; 소유물 처분권 ; (자금의) 전용(轉用), 유용(流用).

‡alight[1] [əláit] (*p., pp.* ~·***ed,*** 《稀》 ***alit*** [əlít]) *vi.* ①《+前+名》 (말·탈것에서) 내리다, 하차하다《*from*》 : Passengers should never ~ *from* a moving bus. 승객들은 달리고 있는 버스에서 결코 내려서는 안된다. ②《~ / +前+名》〖空〗 착륙〔착수〕하다, (새가 나무·지면 등에) 내려앉다《*on*》 : A robin ~*ed on* a branch. 울새가 가지에 앉았다. ③《+前+名》《文語》 (우연히) 만나다, 발견하다《*on*, *upon*》 : His eyes ~*ed upon* her. 그녀가 그의 눈에 띄었다. ~ ***on*** one***'s feet*** 뛰어내려 서다 ; 부상을 면하다.

alight[2] *ad., a.* 〔形容詞로는 敍述的〕 불타고(on fire) ; 점화하여 ; 비치어 ; 생기 있게 빛나는《*with*》 : She was looking at him, her eyes ~. 그를 바라보는 그녀의 눈은 빛나고 있었다 / Their faces were ~ *with* joy. 그들의 얼굴은 기쁨으로 빛나고 있었다. ***set*** (a thing) ~ (…을) 타오르게 하다 ; (…에) 불을 켜다 : The boats were *set* ~. 작은 배들은 불타올랐다.

align, aline [əláin] *vt.* ① …을 한 줄로 하다, 일렬로 세우다, 정렬시키다, 일직선으로 맞추다《*with*》 : When you've ~*ed* the notch on the gun *with* the target, fire ! 총의 가늠쇠와 표적을 일직선으로 맞추었을 때 발사하라. ②《+目+前+名》 …을 같은 태도를 취하게 하다, (정치적으로) 제휴시키다《*with*》 : ~*ed* nations 제휴 국가들 / They are ~*ed* against the bill. 그들은 그 법안에 단결하여 반대하고 있다 / He has attempted to ~ the socialists *with* the environmental movement. 그는 사회주의자들을 환경운동단체와 제휴시키려고 기도했다. ── *vi.* ① 한 줄로 되다, 정렬하다. ② 제휴하다, 약속하다《*with*》. ~ ***oneself with*** …와 제휴〔동조〕하다, …에게 편들다 : The Communist Party ~*ed itself with* the Socialists. 공산당은 사회주의자들과 제휴했다.

align·ment, aline- [əláinmənt] *n.* ⓊⒸ ① 일렬 정렬, 배열 ; 정돈선 ; 조절, 정합 ; 조준 : be in 〔out of〕 ~ (with...) (…와) 일직선이 되어 있다〔있지 않다〕. ② (사람들·그룹간의) 긴밀한 제휴, 협력, 연대, 단결.

‡alike [əláik] (***more*** ~ ; ***most*** ~) *a.* 〔敍述的〕 서로 같은, 마찬가지의 : They are just 〔very much〕 ~ in that respect. 그 점에서 그들은 매우 비슷하다〔아주 같다〕 / They are all ~ to me. 나에게 그들은 모두 같다. ── *ad.* 똑같이, 같이 : young and old ~ 젊은이나 늙은이나 다 같이 / They treated all customers ~. 모든 손님을 차별없이 대우하였다. ~ A ***and*** B, A도 B도. ***go share and share*** ~ 균등하게 나누다.

al·i·ment [ǽləmənt] *n.* ⓊⒸ ① 음식, 자양물. ② 부조(扶助), 부양(비) ; 《比》 지지(支持), (마음의) 양식 ; 필수품.

al·i·men·tal [æ̀ləméntl] *a.* 음식물의, 영양분 있는 ; 양분이 많은《비료 따위》. ㊞ ~·**ly** *ad.*

al·i·men·ta·ry [æ̀ləméntəri] *a.* ① 음식물의, 영양의, 영양이 되는(nutritious). ② 부양하는 ; 양식이 되는, 부조(扶助)가 되는.

aliméntary canál (the ~) 〖解〗 소화관(消化管)《입에서 항문까지》.

al·i·men·ta·tion [æ̀ləmentéiʃən] *n.* Ⓤ ① 영양(법) ; 영양 흡수〔섭취〕. ② (생활의) 지탱, 부양.

al·i·men·to·ther·a·py [æ̀ləméntouθèrəpi] *n.* ⓊⒸ〖醫〗 식이 요법.

al·i·mo·ny [ǽləmòuni / -mə-] *n.* Ⓤ〖法〗 별거 수당《흔히 남편이 아내에게 주는》 ; 이혼 수당 ; 생활비, 부양비.

A-line [éilàin] *a.* (여성의 드레스 따위가) 위가 꼭 끼고 아래가 헐렁하게 퍼진, A 라인의.

aline, aline·ment ⇨ ALIGN, ALIGNMENT.

alit [əlít] 《稀》 ALIGHT[1]의 과거·과거분사.

‡**alive** [əláiv] (***more*** ~ ; ***most*** ~) *a.* 〔敍述的〕 ① 살아있는, 생존해 있는. opp *dead.* ¶ I think his father is still ~. 그의 부친은 아직 살아 있다고 생각한다 / catch〔capture〕 a fox ~ 여우를 사로잡다《★ 限定的으로 쓰일 땐 名詞 뒤 흔히 최상급 形容詞를 갖는 名詞 뒤에 와서, 그 뜻을 강조함》: any man ~ 이 세상 그 누구나, 인간은 모두 / the proudest man ~ 그지없이 자존심이 강한 남자. ② 생생하여, 활발하여, 활동하여(active): Although he's old, he's still very much ~. 비록 늙기는 하였지만 아직 기운이 팔팔하다. ③ 북적거리는, 충만〔풍부〕한《*with*》: a pond ~ *with* fishes 고기가 많은 연못 / a river ~ *with* boats 배들로 북적대는 강. ④ (…에) 민감한, 감지(感知)하는, 지각〔의식〕하는《*to*》: be ~ *to* one's own interests 이끗에 밝다 / Politicians must be ~ *to* the needs of the people. 정치가는 국민의 요구에 민감해야 한다. ⑤ 활동 상태의; 소멸하지 않는: keep a fire ~ 불을 끄지 않고 두다. ⑥ 전류가 통하고 있는. ~ ***and kicking*** 《口》 기운이 넘쳐; 신바람이 나서. ~ ***and well*** (현존할 리가 없는 것이) 건재하여; (소문에 반하여) 건강하여. ***all*** ~ 《口》 원기왕성하여; 활기가 있어. ***as sure as I am*** ~ 아주 확실히. ***bring*** . . . ~ 소생시키다; 활기 있게 하다. ***come*** ~ (1) 활발해지다, 흥미를〔관심을〕 갖게 되다. (2) (그림 따위가) 진짜로 보이다, 실물과 똑같아지다. ***come back*** ~ 생환(生還)하다. ***know*** a person ***is*** ~ 아무를 알아차리다. ***Look*** ~ ***!*** 《口》 꾸물거리지 말고 빨리 해. ***more dead than*** ~ 《口》 피로에 지쳐서.

al·ka·li** [ǽlkəlài] (*pl.* ~(e***)***s*** [-làiz]) *n.* U.C 알칼리. 「**métal**).

álkali métal 〖化〗 알칼리 금속(=**álkaline**

al·ka·line [ǽlkəlàin, -lin] *a.* 알칼리속(屬)의; 알칼리(성)의. opp *acid.*

al·ka·loid [ǽlkəlɔ̀id] *n.* C 알칼로이드《식물에 함유된 염기성 물질》. — *a.* 알칼로이드의; 알칼리 비슷한.

†**all** [ɔːl] *a.* ① 모든, 전부의, 전체의, 온, 전(全): ~ day (long) 온종일 / ~ (the) morning 오전 중 내내 / in ~ directions 사면(팔방)으로 / ~ my friends 모든 나의 친구 / What have you been doing ~ this time? 이제껏 무엇을 하고 있었나요.

② 〔성질·정도를 나타내는 抽象名詞를 수식하여〕 있는 대로의, …한껏의, 할 수 있는 한의, 최대의, 최고의: in ~ haste 아주 급히 / with ~ speed 전속력으로 / The storm raged in ~ its fury. 폭풍우가 맹위를 떨쳤다.

③ 〔this, the 등과 더불어 힘줌말로〕 막대한, 엄청난, 대단한: You have ~ *these* books! 이렇게(도) 많은 책을 갖고 있는가 / It makes ~ *the* difference. 그것은 대단한 차이이다.

④ 〔수사적 강조 표현으로서 補語나 同格에 써서〕 **a**) 〔抽象名詞를 수식하여〕 전적인, …그 자체로서: He was ~ attention. 그는 잔뜩 주의를 집중하고 있었다 / The boys are ~ eagerness to go there. 소년들은 몹시 거기 가고 싶어한다. **b**) 〔몸의 일부분을 나타내는 名詞를 수식하여〕 온몸이 …뿐인; 온몸이 …이 되어: She was ~ ears. 그녀는 온 신경을 귀에 집중시켰다 / She was ~ smiles. 그녀는 만면에 웃음을 띄었다.

⑤ 〔부정적인 뜻의 動詞나 前置詞 뒤에 와서〕 일체, 아무런, 하등의(any): in spite of ~ opposition 어떤 반대에도 불구하고 / I deny ~ connection with the crime. 나는 그 범죄와는 아무런 관계도 없다.

⑥ (그저) …뿐(only): ~ words and no thought 말뿐이지 사고(思考)가 없는 / This is ~ the money I have. 내가 가진 돈은 (전부) 이것뿐이다.

> 語法 (1) 形容詞로서의 all 은 언제나 정관사·소유격·대명사·지시형용사에 선행(先行)함.
> (2) "all+명사"에서, **a**) "all the+명사"는 일정수·일정량의 것에, **b**) "all+무관사+명사"는 일반적으로 총칭적인 뜻을 강조하는 데 쓰임: *all the* students of this school 이 학교의 학생 전부 / *All* students like holidays. 학생이면 누구나 휴일을 좋아한다.
> (3) 무관사의 物質名詞·抽象名詞와 함께 써서 일반적인 뜻을 강조함: *All* life is a series of activities. 인생은 모두 활동의 연속이다 / *All* pleasure is bought at the price of pain. 모든 쾌락은 고통이란 대가를 치르고 얻을 수 있다; 고생 후에 낙.
> (4) 단수 보통명사 또는 고유명사와 함께 써서 the whole of 의 뜻이 됨: He is the best scholar in *all* the school. 그는 전교에서 가장 우수한 학생이다(in the whole school) / the best school in *all* Seoul 서울에서 첫째 가는 학교(in the whole of Seoul).
> (5) 〔否定文에서〕 **a**) 모두가 다 …은 아니다, (…라고 해서) 반드시 …은 아니다《부분 부정》: *Not all* good men will prosper. 선인(善人)이라고 해서 반드시 잘 되는 것은 아니다 / I did *not* ask *all* of them. 그들 모두에게 다 물어 본 것은 아니다. **b**) 전부라도…않다: *All* his fortune would *not* be enough. 그의 전재산을 던진다 해도 오히려 부족할 걸.

— *pron.* ① 모든 사람, 전원, 모든 것, 만사: *All* are agreed. 모두 찬성이다 / *All* that glitters is not gold. 《격언》 빛나는 게 다 금은 아니다 / *All* is lost. 모두 끝장이다, 만사 휴의.

② 〔同格으로 쓰여〕 …은〔을〕 전부, 모두, 누구나: We ~ 〔*All* of us〕 have to go. 우리는 전원 가야한다 / He gave us ~ 1,000 won. 그는 우리 모두에 대해 천 원을 주었다《★ He gave us *each* 1,000 won. 이면 '그는 우리 각각에게 천 원씩을 주었다'의 뜻》 / Let's ~ go there together. =Let's go there ~ together. 자 모두 같이 저리로 가자.

> 語法 (1) all이 사물을 나타낼 때는 단수, 사람을 나타낼 때는 복수로 취급함: *All was* silent. 만물은 고요하였다 / *All were* silent. 모두 침묵하고 있었다. 단, all을 단독으로 사람에게 씀은 문어적이며, 구어로는 보통 all of them 〔you, us〕 의 형태를 취함.
> (2) all 은 복수꼴의 countable noun을 받을 때는 복수 취급, 물질명사·추상명사 등을 받을 때는 단수 취급임: *All* of the students were present. 학생들은 전원 출석했었다. *All* of the money was stolen. 돈은 전부 도둑 맞았다.
> (3) "all of+名詞"는 주로 미국 어법이며, 영국에서는 흔히 of를 쓰지 않음: *all* (*of*) these books 이 책 전부.

— *n.* 〔흔히 one's ~〕 전소유물, 전재산〔정력, 관심〕: lose *one's* ~ 모든 것을 잃다 / He gave it his ~. 그는 그것에 전력을 기울였다.

— *ad.* ① 전부, 완전히, 온통; 《口》 전혀, 아주, 전연; 《주로 美》 〔疑問詞 뒤에서〕 대체: They were ~ covered with mud. 그들은 온통 진흙투성이였다 / He was ~ excited. 그는 아주 흥분했었다 / What ~ have you been doing? 대체 무엇을 하고 있었지. ② 오직 …에만, 오로지: He spent his income ~ on pleasure. 수입을 오로지 오락에 만 쏟아부었다. ③〖競〗 양쪽 다 : love ~ (테니스에서) 양쪽 다 영점 / The score is one ~. 득점은 1대 1.

above ~ 특히. ***after*** ~ ⇨ AFTER. ~ ***along*** (그 동안) 죽, 내내, 처음부터 : I knew it ~ *along*. 나는 처음부터 그것을 알고 있었다. ~ ***around*** ⇨ AROUND. ~ ***but*** (1) …을 제외한 전부 : The people were rescued ~ *but* one. 사람들은 한 사람을 빼고는 전부 구조되었다. (2) 〔副詞的〕 거의, 거반 (nearly, almost) : He is ~ *but* dead. 그 사람은 죽은 거나 마찬가지다, 살아 있다는 것은 명색뿐. ~ ***in*** 《美俗》 지쳐서, 기진맥진하여 ; 《口》 무일푼이 되어. ~ ***in*** ~ (1) 전부하여, 총계〔모두〕해서 : 25 dollars ~ *in* ~ 합계 25 달러. (2) 대체로〔대강〕 말하면, 대체로 : *All in* ~ the novel was a success. 그 소설은 대체로 성공작이었다. (3) 소중〔귀중〕한 것 : Life is ~ *in* ~ to me. 나에겐 목숨이 무엇보다도 소중하다 / She is ~ *in* ~ to me. 그녀는 나의 전부다. ~ ***of . . .*** … 전부, 모두, 각기, 각자 ; 《美》 충분히, 넉넉히 : ~ *of* 50 dollars 좋이 50 달러 / He's ~ *of* six feet tall. 그의 키는 족히 6 피트는 된다. ~ ***of a sudden*** 갑자기. ~ ***one*** 같음 ; 결국 같은 : It's ~ *one* to me. 그건 나에겐 아무래도 좋다. ~ ***out*** (1) 전(속)력으로. (2) 지쳐서, 기진맥진하여. (3) 아주, 전혀. ***All out !*** 여러분 갈아타 주십시오(《英》 All change !). ~ ***over*** (1) 완전히〔아주〕 끝나 : The tests are ~ *over*. 테스트는 완전히 끝났다. (2) 도처에, 온몸에 ; 온 …에 : ~ *over* the world = ~ the world *over* 온 세계 도처에서. (3) 모든 점에서, 아주 : He is his father ~ *over*. 그는 아버지를 빼쏘았다. (4) 《俗》 …에 반하여. ~ ***over with*** …이 요절〔결딴〕이 나서, …이 틀어져서, 가망이 없어 : It's ~ *over with* him. 그는 이제 글렀다. ~ ***right*** ⇨ RIGHT. ~ ***the . . .*** (1) … 뿐 : ~ *the* home 〔friend〕 I ever had 내가 가진 유일한 가정〔친구〕. (2) 〔比較級을 수반하여〕 그만큼, 더욱더, 크게 : ~ *the better* (for…) (…때문에) 오히려 더 좋게 / His delay made the situation ~ *the worse*. 그가 늦어서 사태는 더욱더 악화되었다 / ~ *the further* 《美俗》 힘껏. ~ ***there*** (1) 《口》 〔흔히 否定文에서〕 제정신으로, 정신이 말짱하여 : He is not ~ *there*. 그는 머리가 돌았다. (2) 《俗》 빈틈없는, 약삭빠른, (정신이) 똑똑하여. ~ ***the same*** ⇨SAME. ~ ***the time*** 〔副詞的〕 그 동안 죽, 내내 ; 《美》 언제나, 항상. ~ ***the way*** 도중 내내 ; 일부러 멀리서 ; 《美》 〔from… to_를 수반하여 副詞的으로〕 …에서 —에 이르기까지 줄곧〔여러 가지로〕. ~ ***the while*** = ~ the time. ~ ***together*** 모두〔다〕 함께, 전부 : We are five ~ *together*. 우리들은 모두 다섯 명(in ~ 보다 口語的). ~ ***told*** 전부 (합)해서, 합계 : There were fifteen of them, ~ *told*. 그들은 전부 15 명이었다. ~ ***too*** 정말, 너무나 (도) : ~ *too* soon 너무나도 빨리 / ~ *too* often 너무나 자주. ~ ***up*** 《口》 (1) 만사가 끝나서, 틀어져서, 가망이 없어 : It's ~ *up* with him. 그 사람 이젠 볼장 다 보았다. (2) 부속품 일체를 포함한. ~ ***very well*** 〔***fine***〕 (***, but . . .***) 〔反語的〕 정말 좋다(마는) : Your plan is ~ *very fine, but* where's the money to come from ? 계획은 썩 좋은데 돈은 어떻게 마련하나. ***and*** ~ (1) 그 밖의 모두, 등등, …째로 : He ate it, bones *and* ~. 뼈다귀까지 죄다 먹었다 / What with the rain *and* ~, few students were present. 비다 뭐다 하여 학생은 거의 오지 않았다. (2) 〔놀람을 강조〕 놀랍게도 정말 …이다 : Did he swim across the Channel ? —Yes, he did it *and* ~ ! 그가 영국 해협을 헤엄쳐 건넜나요 — 놀랍게도 정말 그랬어요. ***and ~ that*** 그 밖의 여러 가지, …따위(and so forth) : He said the times were bad *and* ~ *that*. 그는 시대가 나쁘다느니 어쩌니 했다 / He used to take drugs *and* ~ *that*. 그는 늘 마약 따위를 먹곤 했다. ***at*** ~ (1) 〔否定的〕 조금도, 전혀 ; 아무리 보아도 : I do*n't* know him *at* ~. 전혀 그를 모른다 / Thank you 〔I am sorry〕. — *Not at* ~. 감사합니다〔미안합니다〕— 천만에 / *No* offence *at* ~. 괜찮습니다《상대방의 사과를 받고》. (2) 〔疑問文〕 도대체 : Why bother *at* ~ ? 도대체 왜 끙끙거리는 거야. (3) 〔條件的〕 일단 …이면, …할 바엔 : If you do it *at* ~, do it well. 기왕 할 바에는 잘 해라. (4) 〔肯定的〕 어쨌든, 하여간 : The fact that it was there *at* ~ was cause for alarm. 어쨌든 그것이 거기에 있었다는 사실이 놀라움을 주었다. ***be*** ~ ***for*** …에 대찬성이다, …을 강력히 지지하다 : I'*m* ~ *for* his suggestion. 그의 제안에 대찬성이다. ***for*** 〔***with***〕 ~ . . . …이 있어도, …이 있는데도 (불구하고) : *With* 〔*For*〕 ~ his faults, he is loved by all. 그렇게 결점이 있는데도 모든 사람에게 사랑을 받고 있다. ***in*** ~ 모두 해서, 전부, 총계. ***of*** ~ . . . 《口》 (그 많은 중에) 하필이면 : They chose me, *of* ~ people. 그들은 하필이면 나를 뽑았다 / The letter was received by, *of* ~ persons, Mr. Smith himself. 편지는 하필이면 스미스 자신의 손에 들어갔다. ***once for*** ~ 한 번만 ; 이번만 : I shall read it *once for* ~. 이번만 읽어 주지(이후 다시는 안 읽어 준다). ***one and*** ~ 누구나〔어느 것이나〕 다, 모두, 모조리. ***That's*** ~. 그것으로 끝이야, 그것뿐이야. ***with*** ~ . . . ⇨ WITH c) ③.

all- 모음 앞에서의 allo- 의 딴 형 : *all*onym.

Al·lah [ǽlə, áːlə] *n.* 《Ar.》 알라《이슬람교의 유일신》: ~ akbar [ækbáːr] 알라는 위대하도다.

all-A·mer·i·can [ɔ́ːləmérikən] *a.* ① 전 미국(대표)의 : the ~ football team 전 미국 풋볼 대표팀. ② 아메리카 사람〔제품〕만의. ③ 모범적 미국인의. — *n.* Ⓒ 전 미국 대표 선수(로 구성한 팀).

Al·lan [ǽlən] *n.* 앨런《남자 이름》.

all-around [ɔ́ːləráund] *a.* 〔限定的〕 ① (지식 등이) 넓은, 해박한, 전반〔다방면〕에 걸친 : ~ improvement 전면적 개선 / an ~ view 종합적 견지 / an ~ cost 총경비. ② 만능의, 다재(多才)한 (《英》 all-round) : an ~ athlete 만능 운동 선수. ㊕ ~·**er** *n.* 만능 선수〔기술자, 학자, 직공〕.

***al·lay** [əléi] *vt.* (노염·공포·불안 따위)를 가라앉히다(calm) ; (고통·슬픔 등)을 누그러뜨리다, 경감〔완화〕시키다 : The government is desperately trying to ~ public fears about the spread of the disease. 정부는 질병의 확산에 대한 국민의 불안을 진정시키느라 필사적으로 노력하고 있다.

áll cléar 공습 경보 해제〔방공 연습 종료〕의 사이렌〔신호〕: The ~ was sounded. 공습 경보 해제가 발령되었다.

all-day [ɔ́ːldéi] *a.* 〔限定的〕 하루 걸리는 : an ~ tour of the city 하루 걸리는 시내 관광.

al·le·ga·tion [æ̀ligéiʃən] *n.* Ⓤ,Ⓒ 주장, 진술 ; 증거 없는 주장, 단언. ◇ allege *v.*

‡**al·lege** [əlédʒ] *vt.* ① 《~+목 / +목+*as* 보 / +*that* 절》 (충분한 증거 없이) …을 단언하다 (affirm ; assert positively) ; 강하게 주장하다 : The newspaper ~*d* his involvement in the crime. 그 신문은 그가 범죄에 관계했다고 주장했다 / ~ a matter *as* a fact 어떤 사항을 사실이라고 주장하다 / She ~*d that* he was guilty. 그녀는 그가 유죄라고 주장했다. ② (법정 등에서 선서하고) …을 진술하다. ③ …을 (변명으로) 내세우다 : He ~*d* that he was absent because of sickness. 그

는 병 때문에 결석했다고 이유를 댔다. ㊞ **~·a·ble** [-əbəl] *a.*

al·leged [əlédʒd, -dʒid] *a.* 〔限定的〕 (근거 없이) 주장된, (주장자가) 말하는 ; 추정〔단정〕된 ; 진위가 의심스러운 : the ~ sharper 사기꾼으로 지칭된 사람 / an ~ criminal 추정 범인. ㊞ **al·lég·ed·ly** [-idli] *ad.* 주장(하는 바)에 의하면 ; 소문〔전해진 바〕에 의하면 : He is ~*ly* planning a new flight. 전하는 바에 의하면 그는 새로운 비행을 계획하고 있다고 한다.

Al·le·ghé·ny Móuntains, Al·le·ghe·nies [æligéini-], [-niz] *n. pl.* (the ~) 앨리게이니 산맥《미국 동부의 Appalachian 산계(山系)의 일부》.

***al·le·giance** [əlí:dʒəns] *n.* Ⓤ,Ⓒ 충순(忠順), 충성, 충절 ; 충실 ; (친구·주의 등에 대한) 성실, 신의 ; (봉건 시대의) 신종(臣從) 의무《*to*》: swear ~ *to* one's country 국가에 충성을 맹세하다.

***al·le·gor·ic, -i·cal** [æligɔ́(:)rik, -gár-], [-əl] *a.* 우의(寓意)의, 우화(寓話)적(인), 풍유(諷喩)의, 비유적인. ㊞ **-i·cal·ly** *ad.*

al·le·go·rist [ǽligɔ̀:rist, -gər-] *n.* Ⓒ 우화 작가, 풍유가(諷喩家).

al·le·go·rize [ǽligəràiz] *vt.* …을 우화화하다, 우화풍으로 이야기하다. ── *vi.* 풍유를 사용하다.

al·le·go·ry [ǽləgɔ̀:ri / -gəri] *n.* ① Ⓤ 우의(寓意), 풍유(諷喩), 비유. ② Ⓒ 비유담, 우화 : Saint Augustine's '*City of God*' is an ~ of the triumph of Good over Evil. 성(聖) 아우구스티누스의 "신국론(神國論)"은 악에 대한 선의 승리의 비유담이다.

al·le·gret·to [æligrétou] *a., ad.* 《It.》 〖樂〗 알레그레토, 조금 빠른〔빠르게〕《allegro 와 andante 의 중간》. ── (*pl.* **~s**) *n.* Ⓒ 알레그레토의 악장〔악절〕.

al·le·gro [əléigrou] *ad., a.* 《It.》 〖樂〗 알레그로, 빠르게 ; 빠른. ── (*pl.* **~s**) *n.* Ⓒ 빠른 악장.

al·le·lu·ia(h) [æləlú:jə] *int., n.* = HALLELUJAH ; (*pl.*) 《口》 절찬(絕讚)의 말.

all-em·brac·ing [ɔ́:lembréisiŋ] *a.* 망라한, 포괄적인 : an ~ definition 총괄적인 정의.

Al·len [ǽlən] *n.* 앨런《남자 이름》.

al·ler·gic [ələ́:rdʒik] *a.* ①〖醫〗 알레르기(체질)의, 알레르기에 걸린 : an ~ reaction to wool 털에 대한 알레르기 반응 / Are you ~ *to* any drugs? 어떤 약에 대한 알레르기가 있습니까. ② 〔敍述的〕 《口》 (…이) 질색인, (…을) 몹시 싫어하는《*to*》; (…에) 신경과민한 : My Dad's ~ *to* pop music. 우리 아버지는 팝 뮤직을 몹시 싫어하신다.

***al·ler·gy** [ǽlərdʒi] *n.* Ⓒ ①〖醫〗 알레르기, 이상 반응《*to*》: Your skin problems are caused by an ~ *to* wheat. 자네 피부 문제는 밀에 대한 알레르기 때문에 일어나는 것이다. ②《口俗》 반감, 혐오(antipathy). ***have an* ~ *to* 〔*for*〕** …을 아주 싫어하다 : He *has an* ~ *to* books. 그는 책을 아주 싫어한다.

al·le·vi·ate [əlí:vièit] *vt.* (고통·괴로움)을 경감하다 ; 완화하다, 누그러뜨리다, 덜다 : The drugs did nothing to ~ her pain. 이 약들은 그녀의 아픔을 덜어주지 못하였다 / This money should ~ our financial problems. 이 돈은 우리의 재정 문제를 다소 해결해 줄 것이다.

al·le·vi·a·tion [əli:viéiʃən] *n.* Ⓤ,Ⓒ (고통의) 경감, 완화(물) : the ~ of tension(s) 긴장 완화.

al·le·vi·a·tive [əlí:vieitiv, -viə-] *a.* 경감〔완화〕하는, 누그러뜨리는. ── *n.* Ⓒ 경감〔완화〕하는 것.

***al·ley** [ǽli] (*pl.* **~s**) *n.* Ⓒ ①《美》 뒷골목(back-lane) ; 《英》 좁은 길, 샛길, 소로(小路) ; (정원·숲 속 따위의) 오솔길(shady walk) : ⇨ BLIND ALLEY. ② (볼링 등의) 레인(lane), 볼링장, 유희장. ③ (테니스 코트의) 앨리《더블용 코트의 양쪽 사이드 라인과 단식용의 양쪽 사이드 라인 사이의 좁은 공간》. ***(right* 〔*just*〕*) down* 〔*up*〕 one's ~** 《口》 가장 장기(長技)로 치는 분야의 ; (꼭) 취미나 능력에 맞는 : If you like history, this book will be *right up* your ~. 역사를 좋아한다면 이 책은 너에게 꼭 맞는다.

álley càt 도둑고양이 ; 《俗》 매춘부.

al·ley·way [ǽliwèi] (*pl.* **~s**) *n.* Ⓒ ①《美》 샛길, 골목길 ② (건물 사이의) 좁은 통로.

all-fired [ɔ́:lfàiərd] *a.* 《口》 〔限定的〕 (최상급 **~·est**), 지독한, 굉장한, 극도의. ── *ad.* 몹시, 극도로, 지나치게.

Áll Fóols' Dày = APRIL FOOLS' DAY.

áll fóurs ① (짐승의) 네 발 ; (인간의) 수족. ② 〔單數취급〕 카드놀이의 일종. ***on* ~** 네 발로 기어 : get down *on* ~ 납작 엎드리다 / go *on* ~ 기어가다.

al·li·ance** [əláiəns] *n.* Ⓒ,Ⓤ ① 동맹 ; 맹약(盟約) ; 〔集合的〕 동맹국〔자〕. ② 결혼, 결연 ; 인척관계. ③ 협력, 제휴, 협조. ④ 관련성, 유사(類似), 친화(親和) 관계. ◇ ally *v.* ***in* ~ *with …와 연합〔협력〕하여 : Some of us feel that the union is *in* ~ *with* the management. 노동조합이 사용자측과 연합하고 있다고 우리들 중 일부 사람은 생각하고 있다. ***make* 〔*enter into, form*〕 *an* ~ (*with*)** (…와) 동맹하다 ; (…와) 결연하다 : The three smaller parties have *formed an* ~ against the government. 3개의 약소 정당이 대(對)정부 동맹을 맺었다. ***the Holy Alliance*** 〖史〗 신성 동맹.

:al·lied [əláid, ǽlaid] *a.* ① **a**) 동맹한 ; 연합〔제휴〕한. **b**) (A-) 연합국의 : the *Allied* Forces (제1·2차 대전의) 연합군. ② 관련이 있는 ; 동류의《*to*》: ~ industry 관련 산업 / Dogs are ~ *to* wolves. 개와 이리는 같은 속이다《★ 名詞 앞에서는 흔히 [ǽlaid]》.

***Al·lies** [ǽlaiz, əláiz] *n. pl.* (a-) 동맹국〔자〕; (the ~) (제1·2차 대전시의) 연합국.

***al·li·ga·tor** [ǽligèitər] *n.* ① Ⓒ 앨리게이터《부리가 넓고 짧은 미국·중국산 악어》. ⓒⓕ crocodile. ② Ⓒ 《널리》 악어. ③ Ⓤ 악어 가죽. ④ Ⓒ 악어입처럼 생긴 맞물리는 각종 기계.

all-im·por·tant [ɔ́:limpɔ́:rtənt] *a.* 극히 중요한 ; 꼭 필요한 ; 없어서는 안 될.

all-in [ɔ́:lín] *a.* 〔限定的〕 《주로 英》 모든 것을 포함한 ; 전면적인 : ~ insurance 전(全)재해 보험 / an ~ 5-day tour 비용 전액 부담의 5일 간의 여행.

áll-in wréstling 자유형 레슬링.

all-in·clu·sive [-́inklú:siv] *a.* 모든 것을 포함한, 포괄적인(comprehensive).

al·lit·er·ate [əlítərèit] *vi., vt.* 〖韻〗 (…에) 두운(頭韻)을 달다 ; 두운을 사용하다.

al·lit·er·a·tion [əlìtəréiʃən] *n.* Ⓤ 두운(頭韻)《What a *t*ale of *t*error now their *t*urbulency *t*ells! 의 [t] 음 따위》. ⓒⓕ rhyme.

al·lit·er·a·tive [əlítərèitiv, -rətiv] *a.* 두운(체)의《시 따위》. ㊞ **~·ly** *ad.*

***all-night** [-́náit] *a.* 〔限定的〕 철야의, 밤새도록 하는 : ~ (train) service (열차의) 철야 운행 / an ~ restaurant 철야 영업하는 레스토랑. ㊞ **~·er** *n.* Ⓒ 밤새껏 계속되는 것《회의·경기 따위》; 철야 영업소.

al·lo·cate [ǽləkèit] *vt.* ① (자금·비용·일 등)을 할당하다, 배분하다(assign)《*to*》: Food and clothing were ~*d to* the victims of the disaster. 식량과 의류가 이재민들에게 분배되었다. ② (아무)를 일·장소에 배치하다, 나누어 주다《*to*》: He ~*d* their duties *to* his employees. 그는 종업원에게 각기 임무를 배당하였다. ③ …을 (어떤 목적으로) 떼어놓다《*for*》: ~ funds *for* new projects 새 사업에 자금을 배정하다. ④ 〖컴〗 배정하다. cf. allot.

al·lo·ca·tion [æ̀ləkéiʃən] *n.* ① Ⓤ 할당, 배당; 배치; 〖컴〗 배정. ② Ⓒ 배당액〔량〕; 배당된 것.

al·lo·morph [ǽləmɔ̀ːrf] *n.* Ⓒ 〖鑛〗 이형 가상(異形假像); 〖言〗 이형태(異形態).

al·lo·path·ic [æ̀ləpǽθik] *a.* 〖醫〗 대증 요법의.

al·lop·a·thy [əlɑ́pəθi / əlɔ́p-] *n.* Ⓤ 〖醫〗 대증 요법. opp. *homeopathy.*

al·lo·phone [ǽləfòun] *n.* Ⓒ 〖音聲〗 이음(異音) 《동일한 음소(音素)에 속하는 다른 음; 예를 들면 *l*ark 의 [l] 과, coo*l* 의 [l] 은 음소 [l] 에 속하는 이음》. cf. phoneme.

all-or-none [ɔ́ːlərnʌ́n] *a.* 전부가 아니면 아예 포기하는.

all-or-noth·ing [ɔ́ːlərnʌ́θiŋ] *a.* 절대적인, 과단성 있는, 전부가 아니면 아예 포기하는.

‡**al·lot** [əlɑ́t / əlɔ́t] (*-tt-*) *vt.* 《~+목 / +목+목 / +목+전+명》 ① (일·책임·시간·돈 등)을 할당하다, 분배하다(assign), 주다《*to*》: ~ portions 〔profits〕 몫〔이익〕을 나누다 / We ~*ted* an hour *to* each speaker. =We ~*ted* each speaker an hour. 각 연사에게 한 시간씩 배정했다. ② …을 (용도에) 충당하다, 맞추다《*for*; *to*》; 지정하다: ~ money *for* a new park 새 공원 몫으로 돈을 충당하다 / ~ five years *for* the project 그 기획에 5년을 배정하다. ***the ~ted span*** 〖聖〗 인간의 수명《70세》.

***al·lot·ment** [-mənt] *n.* ① Ⓤ 분배, 할당. ② Ⓒ **a**) 배당, 몫. **b**) 〖美軍〗 (봉급) 공제분 《가족·보험 회사 등에 대한 직접 지급분》. ③ Ⓒ 《英》 분할 대여된 농지. ④ Ⓤ 운명, 천명(天命), 천수.

al·lo·trope [ǽlətròup] *n.* Ⓒ 〖化〗 동소체(同素體).

al·lot·ro·py, al·lot·ro·pism [əlɑ́trəpi / əlɔ́t-], [-pìzəm] *n.* Ⓤ 〖化·鑛〗 동소(同素)체, 동질 이형(同質異形).

all-out [ɔ́ːláut] *a.* 〔限定的〕 《口》 전력을 다한; 철저〔완전〕한, 전면적인: (an) ~ war 총력전, 전면전쟁 / make an ~ effort 전력을 다하다. ***go*** ~ …에 전력을 다하다: The team *went* ~ for a win. 그 팀은 승리를 위해 전력을 다했다.

all·o·ver [ɔ́ːlóuvər] *a.* 〔限定的〕 전면적인; (무늬 등이) 전면을 덮는; 사라사 무늬의.

†**al·low** [əláu] *vt.* ① (행위 따위)를 허락하다, 허가하다(permit): Smoking is not ~*ed.* 금연입니다 / No swimming ~*ed.* 수영 금지 / They ~ parking here. 여기에는 주차해도 좋다《★ 자동사의 동명사가 목적어로 되었음》. ② 《+목+*to* do》 …에게 허락하다, 허가하다: My father won't ~ me *to* ride a motorcycle. 아버지는 내가 오토바이 타는 것을 허락하지 않는다 / *Allow* me *to* introduce to you my friend Mr. Peter. (실례지만) 내 친구 피터 씨를 소개하겠습니다. ③ 《~+목 / +목+*to* do》 (깜빡하여) …하는 대로 두다, (상관 않고) …하게 하다, …하는 대로 놔두다: I will not ~ you *to* be ill-treated. 자네가 학대받는 것을 내버려두지는 않겠다 / ~ a door *to* remain open 모르고 문을 열린 채로 두다. ④ 《+목+목》 …에게 …을 주다, 지급하다(grant): ~ a person $100 for expenses 경비로 백 달러를 지급하다 / We are ~*ed* an hour's lunch break. 우리는 한 시간의 점심 휴식 시간을 받고 있다. ⑤ 《~+목 / +목+*to be* 보 / +*that* 절》 …을 인정하다, 승인하다(admit): ~ a claim 요구를 받아들이다 / I ~ him *to be* a genius. = I ~ *that* he is a genius. 과연 그는 천재다. ⑥ 《~+목 / +목+전+명》 (계산에서) …을 공제하다, 할인하다, 값을 깎다《*for*》: We can ~ 5% *for* cash payment. 현금이면 5퍼센트 할인합니다. ⑦ …에 (시간·비용 따위)의 여유를 두다; 추정하다《*for*》: ~ 100 pounds *for* travel expenses 여비에 100파운드를 추정하다 / ~ an hour *for* changing trains 열차를 갈아타는 데 한 시간의 여유를 두다. ── *vi.* 《+전+명》 ① (…이 …를) 인정하다, 허락하다; (…의) 여지가 있다《*of*》: ~ *of* no delay 일각의 지체도 허락되지 않다 / This rule ~*s of* no exceptions. 이 규칙은 예외를 허락하지 않는다 / The regulation ~*s of* several interpretations. 이 규약은 여러 가지로 해석할 수 있다. ② (사정 등을) 고려하다, 참작하다《*for*》: You must ~ *for* his youth. 그가 젊다는 것을 감안하여야 합니다 / We must ~ *for* him〔his〕 being late. 그가 늦는다는 것도 고려해야 한다《★ for를 받는 대명사는 목적격 또는 소유격임》. ◇ allowance *n.* ***~ing that...*** …이라고 하더라도.

al·low·a·ble [əláuəbl] *a.* 허용할〔승인될〕 수 있는; 지장 없는, 정당한. ── *n.* Ⓒ 허용되는 것; 석유 산출 허용량. ㊎ **-bly** *ad.*

‡**al·low·ance** [əláuəns] *n.* ① Ⓒ **a**) (정기적으로 지급하는) 수당, 급여, …비: a clothing 〔family〕 ~ 피복〔가족〕 수당 / a retiring ~ 퇴직 수당 / a lodging ~ 숙박료 / a yearly ~ 세비(歲費). **b**) (가족에게 주는) 용돈(《英》 pocket money): While he was at college, his parents gave him 5 dollars ~ a week. 그가 대학 다닐 때 그의 부모는 주 5 달러의 용돈을 그에게 주었다. ② (흔히 *pl.*) 참작; 여유. ③ Ⓒ (허가되는) 한도, 정량: free ~ (짐의) 무료 휴대량 / time ~ 시간 제한. ④ Ⓒ 공제; 할인: make an ~ of 10% for cash payment 현금 지불이면 1할 할인하다. ***an ~ for long service*** 연공 가봉《오래 근속한 공로에 따라 본봉 외에 지급하는 봉급》. ***at no ~*** 마음껏, 아낌 없이, 충분히. ***make*** 〔***make no***〕 ***~(s) for*** …을 고려에 넣다〔넣지 않다〕, …을 참작하다〔하지 않다〕: You should *make* ~*s for* his lack of experience. 그의 경험이 부족함을 고려해 주어야 한다. ◇ allow *v.*

al·low·ed·ly [əláuidli] *ad.* 허용되어; 누구나 인정하듯이(admittedly); 명백히: He's ~ the best player. 그는 분명히 가장 우수한 선수이다.

***al·loy** [ǽlɔi, əlɔ́i] *n.* U.C 합금: Brass is an ~ of copper and zinc. 놋쇠는 구리와 아연의 합금이다. ── [əlɔ́i] *vt.* ① …을 합금하다(mix)《*with*》: ~ gold *with* copper 금에 구리를 섞어 합금하다. ② (섞음질하여) …의 품질을 떨어뜨리다(debase) 《*with*》.

áll-points búlletin [ɔ́ːlpɔ̀ints-] (경찰의) 전국 지명 수배《略: APB》.

all-pow·er·ful [ɔ́ːlpáuərfəl] *a.* 전능의.

all-pur·pose [-pə́ːrpəs] *a.* 〔限定的〕 다목적(용)의; 만능의: an ~ car 만능차《지프 등》.

àll ríght ⇨RIGHT.

all-round [-ráund] *a.* 《英》 =ALL-AROUND.

all-round·er [-ráundər] *n.* Ⓒ 다예 다능한 사람; 만능 선수.

Áll Sáints' Dày 모든 성인(聖人)의 축일, 만성절(萬聖節) 《11월 1일》. cf. Halloween.

Áll Sóuls' Dày 〖가톨릭〗 위령의 날; 〖聖公會〗 제령일(諸靈日) 《죽은 독신자(篤信者)의 영혼

제 ; 11월 2일》.

all·spice [ɔ́:lspàis] *n.* ① Ⓒ 〖植〗 올스파이스나무 《서인도산》; 그 열매. ② Ⓤ 올스파이스 향신료 (pimento).

all-star [ɔ́:lstɑ̀:r / ⌐⌐] *a.* 〔限定的〕 인기 배우 총출연의 ; 인기 선수 총출전의 : an ~ cast 명배우 총출연.

áll-terrain véhicle [-tərèin-] 전지형 만능차 (全地形萬能車) 《略 : ATV》.

all-time [ɔ́:ltàim] *a.* 〔限定的〕 ① 전(全) 시간 (근무)의 (full-time). ② 공전의, 전례 없는 : an ~ team 사상 최고의 팀 / Production will reach an ~ high 〔low〕. 생산고는 사상 최고〔최저〕를 기록할 것이다.

***al·lude** [əlú:d] *vi.* 《~+전+명》 언급하다 ; (넌지시) 비추다, 암시하다《*to*》: He often ~*s to* his poverty. 그는 곧잘 자기의 가난을 내비치곤 한다. ◇ allusion *n.*

áll-up wéight [ɔ́:lʌ̀p-] 〖空〗 (공중에서의 비행기의) 전비(全備) 중량.

***al·lure** [əlúər] *vt.* 《~+목 / +목+*to* do / +목+전+명》 …을 꾀다, 부추기다, 유혹하다, 낚다 《*into* ; *from*》: ~ him *to* buy it = ~ him *into* buying it 그를 부추겨 그것을 사게 하다 / ~ a person *from* his duty 아무를 유혹하여 직무를 태만케 하다 / He was ~*d* by her voice. 그녀의 음성에 그는 매혹되었다. ── *n.* Ⓤ 매력, 매혹 (charm). 파 **~·ment** *n.* ① Ⓤ 매력 ; 유혹 ; 매혹. ② Ⓒ 매혹〔유혹〕물 : the ~*ments* of a big city 대도시의 유혹.

al·lur·ing [əlú(:)riŋ] *a.* 유혹하는, 매혹적인 (fascinating) : She was wearing a most ~ dress at dinner party. 그녀는 만찬회에서 가장 매혹적인 의상을 입고 있었다. 파 **~·ly** *ad.*

al·lu·sion** [əlú:ʒən] *n.* Ⓤ,Ⓒ ① 암시, 변죽울림, 빗댐 ; 언급《*to*》: The ~ was not lost on me. 무엇을 말하는지 나는 척 알 수 있었다 / The film is full of ~*s to* Hitchcock. 그 영화는 히치콕의 작품을 암시하는 것으로 차 있다. ② 〖修〗 인유(引喩) 《*to*》. ◇ allude *v.* ***in* ~ *to 암암리에 …을 가리켜. ***make an* ~ *to*** …에 대해 간접적으로 언급하다 : She *made an* ~ *to* his lack of education. 그녀는 그가 교육 없음을 은근히 비치었다.

al·lu·sive [əlú:siv] *a.* ① 넌지시 비추는 ; 암시적인《*to*》; 넌지시 빈정대는 : a remark ~ *to* his conduct 그의 행동을 넌지시 언급한 말. ② 인유(引喩)가 많은《시 따위》. ◇ allude *v.* 파 **~·ly** *ad.* **~·ness** *n.*

al·lu·vi·al [əlú:viəl] *a.* 〖地質〗 충적(沖積)의 ; 충적기의 : the ~ epoch 충적세(世) / ~ gold 사금 / an ~ formation 충적층 / an ~ fan 충적 선상지(扇狀地) / an ~ plain 충적 평야. ── *n.* Ⓤ 충적토(=∠ **sòil**).

al·lu·vi·um [əlú:viəm] (*pl.* **~*s*, *-via*** [-viə]) *n.* Ⓤ,Ⓒ 〖地質〗 충적층(層), 충적토.

all-weath·er [⌐wèðər] *a.* 전천후(全天候)의《비행기·도로 따위》; 내수(耐水)성의 : an ~ aircraft 〔fighter〕 (탐색 레이더를 장치한) 전천후 비행기 〔전투기〕 / an ~ paint 내수 페인트.

‡al·ly [əlái, ǽlai] *vt.* ① 《~+목 / +목+전+명》 〔흔히 受動으로〕 …을 동맹〔결연·연합·제휴〕하게 하다《*to* ; *with*》: His marriage to her *allied* him *to* a notable family. 그녀와의 결혼으로 그는 명문 가족과 인연을 맺게 되었다 / The United States *was allied*〔*allied* itself〕 *with* Great Britain in World War Ⅱ. 제2차 세계 대전 중 미국은 영국과 동맹하였다. ② 《+목+전+명》〔흔히受動으로〕 …을 결합시키다 ; 동류에 속하게 하다《*to*》: Coal *is* chemically *allied to* diamond. 석탄은 화학적으로 다이아몬드와 동류이다. ── *vi.* 동맹〔결연·연합·제휴〕하다 : The two parties *allied* to defeat the bill. 두 정당은 그 법안을 파기하기 위해 제휴했다. ──[ǽlai, əlái] (*pl.* ***-lies***) *n.* Ⓒ ① 동맹국〔자〕, 연합국 : a close ~ of the United States 미국의 친밀한 동맹국. ② 친척 ; 동류 ; 협력자, 자기 편. cf. alliance. ***the Allies*** ⇨ ALLIES.

al·ma ma·ter [ǽlmə-mɑ́:tər, -méitər] 《L.》 (=fostering mother) 모교(母校), 출신교《A-M- 로도 씀》; 모교의 교가.

***al·ma·nac** [ɔ́:lmənæ̀k] *n.* Ⓒ ① 달력, (상세한) 역서(曆書). ② 연감(yearbook).

‡al·mighty [ɔ:lmáiti] (***al·might·i·er*** ; ***-i·est***) *a.* ① (종종 A-) 전능한 : *Almighty* God=God *Almighty* 전능하신 하느님. ② 〔限定的〕《美口》 굉장한 ; 극단의, 대단한 : an ~ mistake 터무니없는 잘못. ── *n.* (the A-) 전능자, 신(God). ── *ad.* 《美口》 대단히 : be ~ glad 무척 기쁘다.

***al·mond** [ɑ́:mənd, ǽlm-] *n.* ① Ⓒ 편도(扁桃), 아몬드《열매·나무》. ② Ⓤ 엷은 황갈색.

al·mond-eyed [-àid] *a.* 편도 모양의 눈을 가진 《몽골 인종의 특징》.

al·mon·er [ǽlmənər, ɑ́:m-] *n.* Ⓒ ① (중세의 왕가·양육원 등의) 시여물(施與物)〔구휼품〕 분배관리. ② 《英》 (병원의) 사회 사업부원.

†al·most [ɔ́:lmoust, -⌐] *ad.* ① 거의, 거반, 대체로 : He comes here ~ every day. 그는 여기에 거의 매일 오다시피 한다 / Recovery was ~ impossible. 회복은 거의 불가능했다 / He is ~ a professional. 그는 거의 전문가에 가깝다 / He ~ fell. 그는 거의 쓰러질 뻔했다 / We have ~ finished our work. 일을 거반 끝냈다 / It'll cost ~ as much to repair it as it would to buy a new one. 그것을 수리하는 데 거의 새것을 살 만한 돈이 든다(★ nearly보다 뜻이 셈). ② 〔限定用法의 形容詞처럼 쓰여〕 거의 …라고 할 수 있는 : his ~ impudence 거의 뻔뻔스럽다 해도 무방할 그의 태도. ~ ***all*** 거의 전부(의) : *Almost all* the passengers on ferry were French. 연락선 손님의 거의 전부가 프랑스인이었다. ~ ***never*** 〔***no, nothing***〕 거의 …않다, 거의 없다《보통 hardly 〔scarcely〕 any, hardly ever 따위로 바꿀 수 있음》: It ~ *never* rains here. 이곳은 거의 비가 오지 않는다 / *Almost no* one believed her. 거의 아무도 그녀를 믿지 않았다 / There was ~ *nothing* left. 거의 아무것도 남아 있지 않았다.

***alms** [ɑ:mz] (*pl.* ~) *n.* Ⓒ 보시(布施) ; 의연금 ; 《古》 자선 (행위) : ask for (an) ~ 적선을 구하다 / live by ~ 구호물로 살아가다.

alms·giv·er [⌐gìvər] *n.* Ⓒ 시주(施主), 자선가.

alms·giv·ing [⌐gìviŋ] *n.* Ⓤ (금품을) 베풂, 자선.

alms·house [⌐hàus] *n.* Ⓒ 《英》 사설(私設) 구빈원 ; 《美古》 =POORHOUSE.

al·oe [ǽlou] (*pl.* **~*s*** [-z]) *n.* Ⓒ ① 〖植〗 알로에, 노회(蘆薈) ; (*pl.*) 〔單數취급〕 노회즙《하제》. ② 《美》 〖植〗 용설란(American ~, the century plant). ③ (*pl.*) 〔單數취급〕 〖植〗 침향(沈香).

***aloft** [əlɔ́(:)ft, -lɑ́-] *ad.* 위에, 높게 ; 〖海〗 돛대·활대 등 높은 곳에, 돛대 꼭대기에 : He held his arms ~. 그는 두 손을 높이 쳐들고 있었다.

alo·ha [əlóuə, ɑ:lóuhɑ:] *n.* Ⓤ,Ⓒ (송영(送迎)의) 인사. ── *int.* 와 주셔서 반갑습니다 ; 안녕히 계십시오〔가십시오〕《★ 하와이 말로 '사랑'의 뜻》.

alo·ha·oe [ɑ:lòuhɑ:ɔ́i, -óui] *int.* 어서 오십시오 ; 안녕히 가십시오.

alóha shìrt (the ~) 알로하 셔츠.
Alóha Státe 하와이 주의 속칭.
†**alone** [əlóun] (***more*** ~; ***most*** ~) *a.* ①〔敍述的〕 **a**) 다만 홀로인, 단독인, 고독한 ; 혼자 힘으로 나가는〔행동하는, 살아 가는〕: They were ~. 그들뿐이었다 / I want to be ~. 혼자 있고 싶다. **b**) 혼자인, 고립된 ; 필적할 것이 없는《*in*》: He is not ~ *in* this opinion. 이런 의견을 가진 사람은 그만이 아니다 / He is ~ among his peers *in* devotion to duty. 일에 대한 정열에 있어서 그를 당할 자는 동료 중에 없다. ②〔名詞·代名詞 뒤에서〕 다만 …뿐, …일 뿐(only) : Man shall not live by bread ~. 〖聖〗 사람은 빵만으로 사는 것은 아니다.
all ~ 완전히 혼자〔홀로〕; 누구 힘도 빌리지 않고. ***leave*** 〔***let***〕 ... ~ …을 홀로 놔두다 ; …을 (그냥) 내버려두다 : *Leave* me ~. 나 좀 내버려두게 ; 옆에서 (말)참견하지 말게 / *Let* me ~ for that. =*Let* me ~ to do that. 그 일일랑 내게 맡겨 두게《★ 흔히 命令文으로 씀》. ***leave*** 〔***let***〕 ***well*** (***enough***) ~ (현상태대로 만족스러우니까) 쓸데없이 집적거리지 않다, 긁어 부스럼 만들지 않다. ***let*** ~ 〔흔히 否定文 뒤에서〕 …은 말할 것도 없고, …은 고사하고 : He was too tired to walk, *let* ~ run. 달리기는 고사하고 걸을 수도 없을 만큼 지쳤다 / It takes up too much time, *let* ~ the expenses. 비용은 말할 것도 없고 시간도 많이 걸린다 / He can't read, *let* ~ write. 그는 쓰기는 커녕 읽지도 못한다. ***stand*** ~ ***in*** …에서는 겨룰 자가 없다.
— *ad.* ① 홀로, 외돌토리로 : She prefers to live ~. 그녀는 혼자 살기를 좋아한다. ② 혼자 힘으로, 남의 힘을 빌리지 않고 : You cannot do it ~. 혼자 힘으론 못한다. ③ 단지, 전혀. ***not*** ~ ***but*** (***also***) 《文語》 …일 뿐 아니라 또한(not only but (also)).
†**along** [əlɔ́ːŋ / əlɔ́ŋ] *prep.* ① …을 따라 : walk ~ the street 가로를 따라 걷다 / There're stores ~ the street. 거리를 따라 가게가 줄지어 있다. ② (방침 등)에 따라서 : I plan to revise the article ~ the lines suggested. 지시된 방침에 따라서 기사를 고칠 작정이다. ③ …동안에, …하는 도중에 : Somewhere ~ the way I lost my hat. 도중 어디에선가 모자를 잃어버렸다.
— *ad.* ①〔흔히 by를 수반하여〕 따라, (따라) 죽 : There is a narrow path running ~ *by* the cliff. 벼랑 가를 따라 좁은 길이 나 있다. ② 전방으로, 앞으로 : Move ~, please! (서지 말고) 앞으로 나가주세요 / Hurry ~ or you'll be late. 서둘러 가지 않으면 늦는다. ③《美口》〔흔히 far, well 등에 수반되어〕 (시간이) 지나 ; (일 등이) 진척되어 ; (나이가) 먹어 : The afternoon was *well* ~. 오후도 꽤 지났다 / be *far* ~ 많이 진척되어 있다 / be *well* ~ in years 꽤 나이를 먹다. ④ 함께 데리고〔가지고〕: She took her brother ~. 그녀는 동생을 함께 데리고 갔다.

> 語法 이 부사는 by, with 등의 '병렬·공존'을 나타내는 전치사와 함께 come, go, move, take, bring 그 밖에 '진행의 동작'을 수반하는 동사의 강조로, 또는 어조를 고르게 하기 위해 쓰임 : cottages *along* by the lake 호숫가에 늘어선 별장들. Come *along*. 자 오너라.

all ~ (1) (그 동안) 죽, 내내, 처음부터 : He knew it *all* ~. 그는 그것을 처음부터 알았다. (2) …을 따라 끝에서 끝까지: There were scribbles *all* ~ the wall. 그 벽에는 온통 낙서가 씌어 있었다. ~ ***about*** 《美口》 …즈음에. ~ ***here*** 이쪽에〔으로〕. ~ ***with*** …와 함께〔같이〕; …에 더하여. ***be*** ~ 《口》 (비교적 가까운 곳에) 가다, 오다, (…에) 도착하다 : They should *be* ~ soon. 그들은 곧 올 것이다《★ 보통 미래시제에서 씀》. ***Get ~ with you!*** 《口》 꺼져 버려 ; 어리석은 소리!, 당치도 않은!
go ~ ⇨GO.
along·shore [-ʃɔ́ːr] *ad., a.* 연안을 끼고〔낀〕, 해안〔강가〕 가까이에〔의〕.
*__along·side__ [-sáid] *ad., prep.* (…와) 나란히, (…의) 곁〔옆〕에〔을〕; (…에) 가〔옆으〕로 대어 ; (…의) 뱃전에. ~ ***of*** …와 나란히 ; …에 접하여, …의 곁에 ; …와 함께 ; 《口》 …와 견주어.
aloof [əlúːf] (***more*** ~; ***most*** ~) *ad.* 멀리 떨어져, 멀리서. ***keep*** 〔***hold, stand***〕 ~ 멀리 (떨어져) 있다, 초연해 있다《*from*》.
— (***more*** ~; ***most*** ~) *a.* 〔흔히 敍述的〕 (태도 등이) 서먹서먹한 ; 무관심한, 냉담한. ㊞ **~·ly** *ad.* 쌀쌀하게, 무관심하게. **~·ness** *n.* Ⓤ 쌀쌀함〔한 태도〕, 초연함.
al·o·pe·cia [æ̀ləpíːʃiə] *n.* Ⓤ 탈모증, 독두병(禿頭病).
‡**aloud** [əláud] *ad.* ① 소리를 내어《읽다 따위》. OPP. *in a whisper.* ¶ read ~ 소리를 내어 읽다 / think ~ 생각하면서 혼자 중얼거리다. ②《古》 큰 소리로《외치다 따위》(loudly).
alow [əlóu] *ad.* 〖海〗 선저(船底)에〔로〕; 아래쪽에〔으로〕; 덱(deck) 가까이에. OPP. *aloft.* ~ ***and aloft*** (갑판의) 위나 아래나, 어디에나(everywhere).
alp [ælp] *n.* Ⓒ 높은 산, 고산(高山)(cf. Alps); (알프스 산 중턱의) 목장지.
al·paca [ælpǽkə] *n.* ① Ⓒ 〖動〗 알파카《남아메리카 페루산 야마의 일종》. ② Ⓤ 알파카의 털(로 짠 천). ③ Ⓒ 그 천으로 만든 옷.
al·pen·horn [ǽlpənhɔ̀ːrn] *n.* Ⓒ 알펜호른《스위스의 목동 등이 쓰는 2 m 이상 되는 긴 나무피리》(=**álp·hòrn**).
al·pen·stock [ǽlpənstɑ̀k / -pinstɔ̀k] *n.* Ⓒ 등산용 지팡이.
al·pha [ǽlfə] *n.* Ⓤ,Ⓒ ① 그리스 알파벳의 첫 글자《A, α ; 로마자의 a에 해당》. ② 제1위의 것, 제일, 처음 ; 《英》 (학업 성적의) A : ~ plus (학업 성적이) A⁺. ③ (보통 A-) 〖天〗 별자리 중의 빛이 가장 강한 별. ~ ***and omega*** (1) (보통 A- and O-) 처음과 끝《영원의 뜻 ; 계시록 I : 8》. (2) (the ~) 근본적인 이유〔뜻〕, 가장 중요한 부분, 중심이 되는 것, 최대의 특징.
†**al·pha·bet** [ǽlfəbèt / -bit] *n.* ① Ⓒ 알파벳, 자모 : a phonetic ~ 음표 문자 / the Roman ~ 로마자. ② (the ~) 초보, 입문《*of*》. ③ Ⓒ 〖컴〗 영문자.
‡**al·pha·bet·ic, -i·cal** [æ̀lfəbétik], [-əl] *a.* 알파벳의 ; 알파벳순의〔을 쓴〕; 〖컴〗 영문자의. ***in*** ~ ***order*** 알파벳순으로. ㊞ **-i·cal·ly** *ad.* 알파벳〔ABC〕 순으로.
al·pha·bet·ize [ǽlfəbitàiz] *vt.* ① …을 알파벳순으로 하다. ② …을 알파벳으로 표기하다.
álphabet sóup ① 알파벳 글자 모양의 파스타가 든 수프. ②《美俗》 (특히 관청의) 약어《FBI 따위》.
al·pha·nu·mer·ic [æ̀lfənjuːmérik] *a.* 문자와 숫자를 짜맞춘, 영숫자의 ; 〖컴〗 수문자의《문자와 숫자를 다 처리할 수 있는, 문자 숫자식(式)의》.
álpha pàrticle 〖物〗 알파 입자.
álpha rày 〖物〗 알파선(線).
álpha rhỳthm 〖生理〗 (뇌파의) 알파 리듬.
álpha wàve 〖生理〗 (뇌파의) 알파파(波).
*__al·pine__ [ǽlpain, -pin] *a.* ① 높은 산의 ; 극히 높

은 ; 〖生態〗 고산성(高山性)의 : an ~ club 산악부 / ~ plants 고산 식물 / the ~ flora 고산 식물상(相). ② (A-) 알프스 산맥의.

al·pin·ist [ǽlpənist] *n.* Ⓒ 등산가 ; (A-) 알프스 등산가.

‡Alps [ælps] *n. pl.* (the ~) 알프스 산맥.

†al·ready [ɔːlrédi] *ad.* ① 〔흔히 肯定文에서〕 이미, 벌써 : I have ~ read the book. 그 책은 벌써 읽었다 / He's back ~. 그는 벌써 집에 돌아와 있다.

> 語法 위의 둘째 예문의 경우 의문문 · 부정문에서는 Is he back *yet*? (그가 벌써 돌아왔나) 라고 함. 의문문에서 already를 쓰면 '이렇게 빨리 (thus early)'의 뜻 : Is he back *already*? 이렇게 빨리 돌아왔는가 (놀랍군).

② 《美口》 (초조함을 나타내어) 지금 곧 (right now) : Let's start ~. 빨리〔그럼 자〕 출발하자.

al·right [ɔːlráit] *ad., a.* 《俗》 =ALL RIGHT 《광고 · 만화에서》.

Al·sa·tian [ælséiʃən] *a.* Alsace (사람)의. — *n.* Ⓒ Alsace 사람 ; 독일종 셰퍼드.

†al·so [ɔ́ːlsou] *ad.* …도 또한, 역시, 똑같이 : He saw it ~. 그도 그것을 보았다, 그는 그것도 보았다 / They ~ agreed with me. 그들도 또한 나와 같은 의견이었다 / His first wife was ~ called Elizabeth. 그의 첫 부인 역시 엘리자베스였다. ***not only*** A ***but*** ~ B, A뿐만 아니라 B도 역시 《not only와 but also의 다음에는 보통 같은 품사의 말이 옴》. — *conj.* 《口》 그 위에.

al·so-ran [ɔ́ːlsouræ̀n] *n.* Ⓒ 《口》 ① (경마에서) 등외로 떨어진 말. ② **a**) 낙선자 ; 실격 선수. **b**) 범인(凡人) ; 하잘것없는 존재.

alt [ælt] *n.* Ⓤ, *a.* 〔주로 다음 成句로〕 ***in*** ~ 알토로 ; 《俗》 의기양양하여, 우쭐하여.

alt. alternate ; altitude ; alto.

Al·ta·ic [æltéiik] *n.* Ⓤ, *a.* 알타이 어족(의) ; 알타이 산맥의.

Áltai Móuntains (the ~) 알타이 산맥.

Al·tair [æltéər, -táiər] *n.* 〖天〗 견우성 《독수리자리의 주성(主星)》.

‡al·tar [ɔ́ːltər] *n.* Ⓒ 제단 ; 제대(祭臺) ; (교회의) 성찬대. ***lead*** a woman ***to the*** ~ 여자를 아내로 삼다, (특히 교회에서) 여자와 결혼하다.

áltar bòy (미사 따위를 드릴 때의) 사제의 복사(服事).

al·tar·piece [ɔ́ːltərpìːs] *n.* Ⓒ 제단의 뒤편 · 위쪽의 장식 《그림 · 조각 · 병풍 따위》.

áltar ràil 제단의 난간.

‡al·ter [ɔ́ːltər] *vt.* ① **a**) 《~+目 / +目+前+名》 (모양 · 성질 등)을 (부분적으로) 바꾸다, 변경하다 ; (집 따위)를 개조하다 《*into*》 : ~ one's course 방침을 바꾸다 / ~ a house *into* a store 집을 가게로 개조하다 / That ~*s* things. 그러면 상황은 달라진다. **b**) (옷)을 고쳐 짓다, (기성복)의 치수를 고치다 : I'd like to have these trousers ~*ed*. 이 바지 치수를 고쳐주었으면 좋겠는데요. ② 《美口》 …을 거세(去勢)하다 ; …의 난소를 제거하다. — *vi.* 변하다, 바뀌다, 고쳐지다 ; 일변하다. ≠ altar. ◇ alteration *n.* ㊞ **al·ter·a·ble** [ɔ́ːltərəbl] *a.* 바꿀〔고칠〕 수 있는.

***al·ter·a·tion** [ɔ̀ːltəréiʃən] *n.* ⓊⒸ ① 변경, 개변(改變) ; 개조 ; (기성복의) 치수 고치기 ; 〖法〗 법적 문서의 내용 변경 : make an ~ on …을 변경하다 / There hasn't been much ~ in the plan. 그 계획에는 별로 큰 변경은 가해지지 않았다. ② 변화, 변질, 변성(變性). ◇ alter *v.*

al·ter·cate [ɔ́ːltərkèit] *vi.* …와 언쟁〔격론(激論)〕하다. ㊞ **àl·ter·cá·tion** [-ʃən] *n.* ⓊⒸ 언쟁, 격론.

ál·ter égo [ɔ́ːltər-, ǽltər-] 《L.》 ① 제2의 나, 분신(分身). ② 둘도 없이 친한 벗 : He's my ~ — we go everywhere together. 그는 나의 둘도 없는 친한 벗이라, 어디든 함께 간다.

***al·ter·nate**[1] [ɔ́ːltərnit, ǽl-] *a.* ① 번갈아 하는, 교호(交互)의, 교체〔교대〕의 : ~ hope and despair 일희일우(一喜一憂) / a week of ~ snow and rain 눈과 비가 번갈아 내린 한 주간. ② 서로 엇갈리는, 하나 걸러의 : on ~ days 하루 걸러, 격일로. ③ 〖植〗 호생(互生)의 : ~ leaves 호생엽(互生葉), 어긋나기잎.
— *n.* Ⓒ 《美》 (미리 정해 놓은) 대리인, 교체자 ; 보결, 보충 요원 ; 대역(代役) ; 더블 캐스트 ; 〖컴〗 교체. ㊞ ~·**ly** *ad.* 번갈아, 교대로 ; 하나 걸러. ~·**ness** *n.*

***al·ter·nate**[2] [ɔ́ːltərnèit, ǽl-] *vi.* ① 《~ / +前+名》 번갈아 일어나다〔나타나다〕, 교체〔교대〕하다 ; 엇갈리다 《*in* ; *with* ; *between*》 : Kate and Jane ~ *in* setting the table. 케이트와 제인이 교대로 식탁을 준비하고 있다 / Joy and grief ~ in my breast. =I ~ *between* joy and grief. 내 심중은 희비가 엇갈리고 있다 / Day ~*s with* night. 낮과 밤이 번갈아 온다 / ~ *between* laughter and tears 웃다가 혹은 울다가 하다. ② 〖電〗 교류하다.
— *vt.* 《~+目 / +目+前+名》 …을 교체〔교대〕시키다 ; 번갈아〔갈마들어〕 사용하다 《*with*》 : He ~*s* kindness *with* severity. 그는 친절과 엄격함을 번갈아 사용하고 있다.

álternate kéy 〖컴〗 교체(글)쇠, 교체키 《IBM PC나 그 호환기 등의 자판(keyboard) 위의 키의 하나 ; 다른 키와 동시에 누름으로써 당해 키의 본래 코드와는 다른 코드를 발생시킴》.

al·ter·nat·ing [ɔ́ːltərnèitiŋ, ǽl-] *a.* 교호의 ; 〖電〗 교류의.

álternating cúrrent 〖電〗 교류 《略 : A.C., 「a.c.》.

al·ter·na·tion [ɔ̀ːltərnéiʃən, æ̀l-] *n.* ⓊⒸ ① 교호, 교대, 교체 ; 하나 거름. ② 〖數〗 교대 수열(數列) ; 〖電〗 교류 ; 교번. ~ ***of generations*** 〖生〗 세대 교번.

‡al·ter·na·tive [ɔːltə́ːrnətiv, æl-] *n.* Ⓒ ① (흔히 the ~) (둘 중, 때로는 셋 이상에서) 하나를 택할 여지 : You have *the* ~ of fruit or cake. 과일이든 과자든 좋다 《양쪽 다는 안 됨》 / We are faced with *the* ~ of resistance or slavery. 우리는 저항이냐 예속이냐의 양자 택일의 기로에 놓여 있다. ② 대안, 달리 택할 길, 다른 방도 《*to*》 : The ~ *to* riding is walking. 차가 아니면 걷는 수밖에 없다 / We have no ~ but to work. 일하는 수밖에 딴 도리가 없다. ③ (*pl.*) (하나를) 선택해야 할 양자, 양자〔삼자〕 택일 : The ~*s* are death and submission. 죽음이냐 항복이냐 둘 중의 하나다. — *a.* ① 양자〔삼자〕 택일의 : the ~ course of death or life 생사의 갈림길 / The ~ possibilities are neutrality or war. 가능한 길은 중립이냐 전쟁이냐 둘 중의 하나다. ② 달리 택할, 대신의 : an ~ plan 대안 / I have no ~ course. 달리 대신할 수단이 없다. ③ 전통〔관습〕에 매이지 않는, 새로운 : sources of ~ energy 대체 에너지원 / ~ life style 전혀 새로운 생활 방식. ◇ alternate *v.* ㊞ ~·**ly** *ad.* 양자 택일로 ; 대신으로 : You may come with us or, ~*ly*, meet us there. 우리와 함께 와 주셔도 좋고, 아니면 거기에서 우리와 합류해도 좋습니다.

altérnative conjúnction 〖文法〗 선택 접속사 《or, either … or 등》.

altérnative quéstion 선택 의문(문) 《보기 :

Is this a pen or a pencil?》.

al·ter·na·tor [ɔ́:ltərnèitər, ǽl-] *n.* Ⓒ〖電〗교류 전원, 교류(발전)기.

al·tho [ɔ:lðóu] *conj.* 《美》=ALTHOUGH.

alt·horn [ǽlthɔ̀:rn] *n.* Ⓒ〖樂〗알토호른(alto horn)《고음(高音)의 취주악기용 금관악기》.

†al·though [ɔ:lðóu] *conj.* ① 비록 …일지라도, …이긴 하지만, …이라 하더라도: *Although* he is rich, he is not happy. 그는 부자지만 행복하지는 않다 / He is active ~ he is very old. 그는 늙었으나 정력이 왕성하다. ② 그러나, 하지만: I like him, ~ I don't trust him. 그를 좋아하지만 믿지는 않는다.

> 語法 (1) although는 though와 같은 뜻이지만, as though, even though, what though ...? 따위의 成句 중의 though 대신으로는 쓸 수 없음. (2) 구어적으로 '그렇지만'을 문미에 둘 때에는 although는 쓸 수 없음: It's very good. —It's expensive, *though*. 아주 좋다—그렇지만 비싸다. (3) 그 외의 점에서는 though와 같은 뜻이고, 좀 형식을 차린 문체나 주절에 앞서는 절에 흔히 쓰이는 경향이 있음. 실제로 어느 것을 선택하는가는 그 글의 리듬에 따르는 수가 많음.

al·ti·me·ter [æltímitər, ǽltəmì:tər] *n.* Ⓒ ① (항공기의) 고도계. ② 고도 측정기.

‡al·ti·tude [ǽltətjù:d] *n.* Ⓤ,Ⓒ ① (산·비행기 따위의) 높이, 고도, 표고(標高); 해발; 수위(水位): an ~ flight〔record〕 고도 비행〔기록〕/ Mexico City is a city with an ~ of 7347 feet. 멕시코시티는 해발 7347 피트의 도시이다. ② (흔히 *pl.*) 높은 곳, 고지, 고소: mountain ~*s* 높은 산마루 / At high ~*s* people find it hard to breathe. 고소에서는 호흡이 곤란해진다. ③〖天〗(천체의) 고도. ***at an*〔*the*〕~ *of*** =***at ~s of*** …의 고도로.

áltitude sìckness 고공〔고산〕병.

ALT〔Alt〕 key [ɔ́:lt-]〖컴〗교체(글)쇠, 교체키(alternate key).

al·to [ǽltou] (*pl.* **~s**) *n.* 《It.》〖樂〗① **a)** Ⓤ 알토, 중고음(中高音)《남성 최고음(부), 여성 저음(부)》. **b)** Ⓒ 알토의 음성. ② Ⓒ 알토 가수〔악기〕. —*a.* 알토의: an ~ solo 알토 독창.

álto clèf〖樂〗알토 음자리표《제 3 선의 '다'음자리표; C clef》.

‡al·to·geth·er [ɔ̀:ltəgéðər, ⌐-⌐-] *ad.* ① 아주, 전혀, 전연(entirely): ~ bad 아주 나쁜 / The troop was ~ destroyed. 부대는 전멸했다 / This is ~ different from that. 이건 그것과는 전혀 다르다 / That is not ~ false. 전혀 거짓말만은 아니다 / His speech was not ~ bad. 그의 연설은 아주 형편없는 것은 아니었다《★ not와 함께 쓰면 부분부정이 됨》. ② 전부, 합계하여: How much ~? 전부 얼마냐 / The debt amounted ~ to fifty dollars〔to fifty dollars ~〕. 빚은 모두 50달러가 되었다. ③〔文頭에 두어 문 전체를 수식〕 전체로 보아, 요컨대: *Altogether*, I see nothing to regret. 결국에 있어 유감스런 점은 아무것도 없다 / *Altogether*〔Taken ~〕, things are going better than expected. 전체로 보아 사태는 예상보다 호전하고 있다. —*n.* Ⓤ 전체, 전체적인 효과; (the ~)《口》나체, 벌거숭이. ***in the ~*** 나체로, 알몸뚱이로: swim *in the* ~ 알몸뚱이로 헤엄치다.

álto hórn =ALTHORN.

al·to-re·lie·vo [ǽltourilí:vou] (*pl.* **~s**) *n.* 두드러진 양각(陽刻), 높은 돋을새김(high relief).

al·tru·ism [ǽltru:ìzəm] *n.* Ⓤ 애타〔이타〕주의. opp. *egoism.*

al·tru·ist [ǽltru:ist] *n.* Ⓒ 애타〔이타〕주의자. opp. *egoist.*

al·tru·is·tic [æ̀ltru:ístik] *a.* 이타주의의, 애타적인: ~ behavior 이타적인 행위. 파 **-ti·cal·ly** *ad.* 이타(주의)적으로.

ALU〖컴〗arithmetic and logic unit(산술 논리 장치).

al·um [ǽləm] *n.* Ⓤ〖化〗명반(明礬); 황산 알루미늄.

alu·mi·na [əlú:mənə] *n.* Ⓤ〖化〗알루미나, 반토(礬土), 산화 알루미늄.

‡al·u·min·i·um [æ̀ljumíniəm] *n.* Ⓤ 《英·Can.》=ALUMINUM.

alu·mi·nize [əlú:mənàiz] *vt.* …에 알루미늄을 입히다, …을 알루미늄으로 처리하다; (플라스틱 필름·종이 등)을 알루미늄박(箔)에 붙여 밀착시키다.

alu·mi·nous [əlú:mənəs] *a.* ① 명반의〔을 함유하는〕; 반토의〔를 함유하는〕. ② 알루미늄의〔을 함유하는〕.

‡alu·mi·num [əlú:mənəm] *n.* Ⓤ 《美》〖化〗알루미늄《금속원소; 기호 Al; 번호 13》.

alum·na [əlʌ́mnə] (*pl.* **-nae** [-ni:]) *n.* Ⓒ 《L.》《주로 美》=ALUMNUS의 여성형.

alum·nus [əlʌ́mnəs] (*pl.* **-ni** [-nai]) *n.* Ⓒ 《L.》 학생;《美》(특히 대학의) (남자) 졸업생, 동창생, 교우(校友), (학교) 선배: an *alumni* association 동창회.

al·ve·o·lar [ælví:ələr] *a.* ①〖解〗치조(齒槽)의; 폐포(肺胞)의;〖動〗포상(胞狀)의: ~ arch 치경. ②〖音聲〗치경(齒莖)(음)의: ~ consonants 치경음《[t, d, n, s, z] 등》.

al·ve·o·lus [ælví:ələs] (*pl.* **-li** [-lài]) *n.* Ⓒ ① (벌집 모양의) 작은 구멍. ②〖解〗치조(齒槽); 폐포(肺胞);〖動〗포(胞). ③ (*pl.*) 치경(齒莖)《윗앞니 잇몸의 안쪽》.

†al·ways [ɔ́:lweiz, -wiz, -wəz] *ad.* ① 늘, 언제나, 항상; 전부터(항상): She ~ works hard. 그녀는 언제나 열심히 일한다 / He is ~ busy. 그는 언제나 바쁘다 / He ~ comes here for lunch. 그는 늘 이곳에 점심을 먹으러 온다 / *Always* tell the truth. 언제나 진실을 말하시오. ② 언제까지나, 영구히: He will be remembered ~. 그는 길이 기억에 남을 것이다《★ 이런 뜻인 경우에는 보통 문장끝에 옴》.

> 語法 always의 위치는 조동사, be동사의 다음이며, 조동사+be동사면 그 사이에, 일반 동사의 경우엔 그 앞에 옴. 단 조동사나 be동사가 강조될 때에는 그 앞에 옴. 즉 You should ~ be honest. 에 반발하여 '나는 언제나 정직하다'라고 할 때에는 I ~ ám honest 라고 함. He ~ does [dʌ́z] come late.

③〔進行形과 함께〕 줄곧, 노상, 끊임없이: She is ~ smiling. 그녀는 항상 생글거린다 / He is ~ grumbling. 그는 노상 투덜대고 있다.

> 語法 always는 '평소의 습관'을 나타내므로 일반적으로 진행형은 피하는 것이 보통이나 위의 예문에서처럼 continually (줄곧〔끊임없이〕…하다)와 같은 뜻일 때에는 진행형과 함께 쓰임. 대개 이 경우는 말하는 이의 감정이 내포되는 뜻이 됨.

④《口》언제라도, 언제건: There is ~ the hospital. 만일의 경우엔 병원이란 곳이 있잖아《병원에만 가면 돼》.

***almost*〔*nearly*〕~** 거의 언제나, 대개: His

answer is *almost* 〔*nearly*〕 ~ correct. 그의 답은 대개의 경우 맞는다(★ usually 에 가까움). ~ ***excepting*** ⇨ EXCEPTING. ***as*** 〔***like***〕 ~ 언제나처럼. ***for*** ~ 영구히. ***not*** ~ ... 반드시 …은 아니다〔…라고는 할 수 없다〕(부분 부정): The rich are *not* ~ happy. 부자라고 해서 반드시 행복하다고는 할 수 없다.

Álz·hei·mer's disèase [ɑ́:ltshàimərz-, ǽl-, ɔ́:l-] 알츠하이머병(노인에게 일어나는 치매; 뇌동맥 경화증·신경의 퇴화를 수반함).

†am [æm; ⊛ əm, m] BE의 1인칭·단수·직설법·현재. ★ 발음: I am [aiəm, aiǽm], I'm [aim]; am not [æm-nɑ́t, əm-nɑ́t].

‡a.m., A.M. [éiém] 오전《*ante meridiem* (L.) (=before noon)의 간약형》: at 4 *a.m.* 오전 4시에 / Business hours, 10 *a.m.*–5 p.m. 영업시간은 오전 10시부터 오후 5시까지(읽는 법은 ten a.m. to five p.m.이라고 읽음). ★ 특별한 경우 외에는 소문자를 쓰고 반드시 숫자의 뒤에 놓임. cf p.m., P.M.

Am 〖化〗 americium. **AM, A.M.** 〖電〗 amplitude modulation. **Am.** America(n). **A.M.** *Artium Magister* (L.) (=Master of Arts). ★ M.A. 라고도 함.

amah [ɑ́:mə, ǽmə] *n.* Ⓒ (Ind.) 유모(wet nurse), 아이 보는 여자; 하녀(maid).

amal·gam [əmǽlgəm] *n.* Ⓤ,Ⓒ ① 〖化〗 아말감(수은에 다른 금속을 섞은 것). ② 아말감광(鑛). ③ 혼합물; 합성물: an ~ of hope and fear 희망과 불안의 교차(交叉).

amal·ga·mate [əmǽlgəmèit] *vt., vi.* ① (회사 등을) 합병〔합동〕하다; (이(異)종족·사상 등을) 융합〔혼교, 혼합〕하다(*with*): ~ two classes into one 두 학급을 합병하다 / ~ A *with* B, A와 B를 합병하다. ② (…을) 아말감화(化)하다.

amal·ga·ma·tion [əmæ̀lgəméiʃən] *n.* Ⓤ,Ⓒ ① (회사·사업의) 합동, 합병. ② 아말감 제련(법). ③ 〖人類〗 이인종(異人種)의 융합; (美) 흑인과 백인과의 혼혈.

aman·u·en·sis [əmæ̀nju:énsis] (*pl.* **-ses** [-si:z]) *n.* Ⓒ (L.) 필기자, 사자생(寫字生); 서기; 비서.

am·a·ranth [ǽmərænθ] *n.* ① Ⓒ (詩) (공상상의) 시들지 않는 꽃, 영원한 꽃. ② Ⓒ 〖植〗 비름속(屬)의 식물(특히 당비름). ③ Ⓤ 자줏빛. ⊕ **am·a·ran·thine** [æ̀mərǽnθain, -θin] *a.* 시들지 않는; 불사(不死)의; 당비름의; 자줏빛의.

am·a·ryl·lis [æ̀mərílis] *n.* Ⓒ 〖植〗 아마릴리스(석산과(科)의 관상식물).

amass [əmǽs] *vt.* …을 (긁어) 모으다; (재산)을 축적하다; 쌓다: ~ a fortune 재산을 모으다. ⊕ **~·ment** *n.* Ⓤ,Ⓒ 축적(蓄積); 축재.

‡am·a·teur [ǽmətʃùər, -tʃər, -tər, æ̀mətə́:r] *n.* Ⓒ ① 아마추어, 직업적이〔프로가〕 아닌 사람(*at; in*). opp *professional*. ¶ an ~ *at* music 아마추어 음악가. ② 미숙한 자, 미경험자. ③ 애호가, 팬(fan)(*of*): an ~ *of* the cinema 영화 팬.
— *a.* 〔限定的〕 ① 아마추어의, 직업적이 아닌: ~ performance 〔theatricals〕 아마추어 연예〔극〕. ② =AMATEURISH.

am·a·teur·ish [æ̀mətʃúəriʃ, -tjúə-, -tə́:r-] *a.* 아마추어 같은〔다운〕; 서투른.
⊕ **~·ly** *ad.* **~·ness** *n.*

am·a·teur·ism [ǽmətʃuərìzəm, -tʃə-, -tjùər-, æ̀mətə́:rizəm] *n.* Ⓤ ① 아마추어 솜씨; 도락. ② 아마추어의 입장〔자격〕. opp *professionalism*.

am·a·to·ri·al, am·a·to·ry [æ̀mətɔ́:riəl], [ǽmətɔ̀:ri / -təri] *a.* 연애의; 호색적인; 섹시한, 색욕적인.

‡amaze [əméiz] *vt.* …을 깜짝 놀라게 하다, 아연케 하다, 자지러지게 하다: be ~*d* to find 〔to hear〕 (…을) 보고〔듣고〕 놀라다 / His energy and capacity for hard work ~*d* everyone. 어려운 일에 대한 그의 정력과 능력은 모든 사람을 놀라게 했다 / I'm ~*d* (that) he should have accepted the offer. 그가 그 제의를 수락한 것이 놀랍다. ***be ~d at*** 〔***by***〕 …에 깜짝 놀라다, …에 아연하다.

amazed [əméizd] *a.* 깜짝 놀란: an ~ look 놀란 얼굴. ⊕ **amáz·ed·ly** [-zidli] *ad.* 아연하여.

‡amaze·ment [əméizmənt] *n.* Ⓤ 깜짝 놀람, 경악: be struck 〔filled〕 with ~ …로 깜짝 놀라다 / He looked upon her with ~ . 그는 놀라운 눈으로 그녀를 바라보았다. ***in*** ~ 놀라서, 어처구니 없어서: He looked at me *in* ~. 그는 놀라서 나를 보았다. ***to*** one***'s*** ~ 놀랍게도.

‡amaz·ing [əméiziŋ] (***more*** ~; ***most*** ~) *a.* 놀랄 정도의, 어처구니없는, 굉장한(astonishing): It's ~ to find you here. 자네를 여기에서 보게 되다니 놀라운 일이군.

amaz·ing·ly *ad.* ① 놀라리만큼, 기막힐 정도로: The solution was ~ simple. 해답은 놀라우리만큼 간단하였다. ② 〔文章 전체를 修飾〕 놀랍게도: *Amazingly* (enough), he overcame the difficulty. 놀랍게도 그는 곤란을 극복하였다.

***Am·a·zon** [ǽməzɑ̀n, -zɔ̀n / -zən] *n.* ① Ⓒ **a)** 〖그神〗 아마존(흑해 근방의 땅 Scythia에 살았다는 용맹한 여인족). **b)** (종종 a-) 여장부; (종종 a-) 사나운 계집. ② (the ~) 아마존 강(남미의).
⊕ **Am·a·zo·ni·an** [æ̀məzóuniən] *a.* ① 아마존과 같은. ② (여자가) 남성적인, 난폭한. ③ 아마존 강의. 「산).

Ámazon ánt 〖蟲〗 불개미의 일종(유럽·미국

‡am·bas·sa·dor [æmbǽsədər] *n.* Ⓒ ① (…의 주재) 대사(*to*): the American ~ *to* Korea 주한 미국 대사 / He was appointed ~ *to* Spain two months ago. 그는 두달 전에 주 스페인 대사로 임명되었다 / the British *Ambassador* at 〔in〕 Seoul 서울 주재 영국 대사. ② 사절, 대표, 특사: an ~ of peace 평화 사절 / an ~ of goodwill 친선 사절 / an ~ extraordinary and plenipotentiary 특명 전권 대사 / a roving ~ 순회 대사 / an ~ at large (美) 무임소〔순회〕 대사, 특사.

am·bas·sa·do·ri·al [æmbæ̀sədɔ́:riəl] *a.* 대사의; 사절의.

am·bas·sa·dor·ship [æmbǽsədərʃìp] *n.* Ⓤ,Ⓒ ambassador 의 직〔지위, 임기〕.

am·bas·sa·dress [æmbǽsədris] *n.* Ⓒ ① 여자 대사〔사절〕. ② 대사 부인.

am·ber [ǽmbər] *n.* ① Ⓤ **a)** 호박(琥珀). **b)** 호박색; 황갈색. ② Ⓒ (교통 신호의) 황색 신호: shoot the ~ (英俗) 노랑 신호에서 빨강 신호로 바뀌기 전에 쏜살같이 달리다. — *a.* 호박제(製)의; 호박색의; 황갈색의.

am·ber·gris [ǽmbərgrì:s, -gris] *n.* Ⓤ 용연향(龍涎香)(향수 원료). 「trous.

ambi- *pref.* '양쪽, 둘레' 따위의 뜻: *ambi*dex-

am·bi·ance [ǽmbiəns] *n.* =AMBIENCE.

am·bi·dex·ter·i·ty [æ̀mbidekstérəti] *n.* Ⓤ ① 양손잡이. ② 비범한 손재주. ③ 표리부동.

am·bi·dex·trous [æ̀mbidékstrəs] *a.* ① 양손잡이의. ② 빼어나게 잘 하는. ③ 표리가 있는.

am·bi·ence [ǽmbiəns] *n.* Ⓒ ① 환경. ② (장소의) 분위기.

am·bi·ent [ǽmbiənt] *a.* 〔限定的〕 주위의; 둘러싼; (공기 따위가) 순환하는: the ~ temperature 〔conditions〕 주위의 온도〔조건〕.

ámbient áir stàndard 대기 오염 허용 한도(치); 대기 환경 기준.

*__am·bi·gu·i·ty__ [æmbigjúːəti] *n.* ① Ⓤ 애매(모호)함, 불명료함; 다의(多義). ② Ⓒ 모호한 표현: No *ambiguities* are allowed in a contract. 계약에는 애매한 곳이 있어서는 안된다.

*__am·big·u·ous__ [æmbígjuəs] *a.* ① 애매(모호)한, 분명치 않은, 불명료한: Her reply to my question was somewhat ~. 내 질문에 대한 그녀의 대답은 좀 애매했다. ② 두(여러) 가지 뜻으로 해석되는: The sentence is 3-way ~. 그 문장은 세 가지로 해석될 수 있다. ㊕ ~·**ly** *ad.* ~·**ness** *n.* 애매함, 불확실성.

am·bit [ǽmbit] *n.* Ⓤ《文語》(흔히 *sing.*) ① (행동·권한·영향력 따위의) 범위, 영역 (sphere); 경계선: They believe that all the outstanding issues should fall within the ~ of the talks. 모든 미해결 문제는 회담의 범위에 포함되리라 믿고 있다. ② 구내, 구역; 주변 지역.

‡**am·bi·tion** [æmbíʃən] *n.* ① Ⓤ,Ⓒ 대망, 야심, 야망(*for*; *to* do(be)); 공명심, 권리욕: high ~*s* 큰 뜻, 대망 / an ~ *for* political power 정권에 대한 야심 / be filled with ~ 야망에 불타고 있다 / fulfill one's ~*s* 대망을 실현하다, 야망을 이루다 / It was his life's ~ *to* publish a novel. 소설을 출판하는 것이 그의 평생의 야망이었다. ② Ⓒ 야심의 대상(목표): The presidency of a big company is my ~. 대기업의 사장직이 내 야심의 표적이다. ㊕ ~·**less** *a.*

‡**am·bi·tious** [æmbíʃəs] (***more*** ~; ***most*** ~) *a.* ① 대망을 품은, 야심있는(*for*): ~ politicians 야심만만한 정치가 / Boys, be ~! 소년들이여, 야망을 품어라 / He's very ~ *for* his children. 그는 자식들에 대한 기대가 대단하다. ② 야심적인, 대규모의(일 따위): an ~ attempt 대규모의 계획. ③ (敍述的) 열망하는, (…을 얻으려는) 야심이 있는(*of*; *for*; *to* do): be ~ *to* succeed 성공하기를 열망하다. ④ (계획·작품 등이) 거창한, 화려한: an ~ style 화려한 문체 / an ~ program for eliminating all slums 모든 슬럼가(街)를 일소하려는 거창한 계획. ㊕ ~·**ly** *ad.* ~·**ness** *n.*

am·biv·a·lence [æmbívələns] *n.* Ⓤ ① 부동성(浮動性), 유동(성); 동요, 주저; 모호함; 양의성(兩義性). ②〖心〗(애증 따위의) 반대 감정 병존, (상반되는) 감정의 교차; 양면 가치.

am·biv·a·lent [-lənt] *a.* ① 양면 가치의. ② 상반되는 감정(태도, 의미)를 가진; 유동적인: have an ~ attitude toward …에 대하여 상반된 태도를 취하다.

am·ble [ǽmbəl] *n.* (an ~) ① 측대보(側對步)(말이 같은 쪽 앞뒷발을 동시에 들어 걷는 걸음). ⓒⓕ canter, pace, trot. ② 느리게 걷는 걸음(걸이).
— *vi.* ① (말이) 측대보로 걷다. ② (사람이) 천천히 걷다(*along*; *about*).

am·bler [ǽmblər] *n.* Ⓒ 측대보(側對步)로 걷는 말; 느리게 걷는 사람.

am·bro·sia [æmbróuʒiə] *n.* Ⓤ ①〖그·로神〗신의 음식, 신찬(神饌)(먹으면 불로불사(不老不死)한다고 함). ⓒⓕ nectar. ② 영적 음악; 맛있는 음식, 진미; = BEEBREAD.
㊕ ~**l**, ~**n** [-l], [-n] *a.* ① 신(神)이 드는 음식 같은; 아주 맛있는(향기로운). ② 신에 알맞은.

*__am·bu·lance__ [ǽmbjuləns] *n.* Ⓒ ① 야전병원. ② (상병자를 나르는) 병원차, 구급차; 병원선; 상병자 수송기.

ámbulance chàser《美口》(교통사고 피해자를 들쑤셔 소송으로 돈버는) 악덕 변호사.

am·bu·lant [ǽmbjulənt] *a.* ① 걸을 수 있는(환자 따위); 외래(통원) 환자를 위한. ② 이동하는, 순회하는. 「어다니다.

am·bu·late [ǽmbjulèit] *vi.* 이동하다; 걷다, 걸

am·bu·la·to·ry [ǽmbjulətɔ̀ːri / -təri] *a.* ① 이동하는; 보행(휴대)(용)의; 걸을 수 있는; 이동성의. ②〖醫〗= AMBULANT ①.
— *n.* Ⓒ 회랑(廻廊), 옥내 유보장(遊步場).

am·bus·cade [æ̀mbəskéid, ⌐-⌐] *n.*, *vt.*, *vi.* = AMBUSH. ㊕ **-cád·er** *n.*

*__am·bush__ [ǽmbuʃ] *n.* ① Ⓤ,Ⓒ 잠복; 매복: an enemy ~ 적의 매복. ② Ⓒ 매복한 장소; 매복 공격. ③ Ⓒ (集合的) 복병. ***fall into an*** ~ 복병을 만나다. ***lay*** (***set***) ***an*** ~ 복병을 배치하다. ***lie*** (***hide***) ***in*** ~ (***for*** …) 매복하다: The thieves were *lying in* ~ *for* their victims. 도둑들은 매복하여 털 사람을 기다렸다(★ in ~는 무관사).
— *vi.*, *vt.* (…을) 숨어서 기다리다, 매복하다; 매복하여 습격하다: ~ the enemy 적을 숨어서 기다리다 / His car was ~*ed* by guerrillas. 그의 차는 매복한 게릴라의 습격을 받았다.

ame·ba = AMOEBA. 「(赤痢).

amé·bic dýsentery [əmíːbik-] 아메바 적리

Ame·lia [əmíːljə] *n.* 어밀리어(여자 이름).

amel·io·rate [əmíːljərèit, -liə-] *vt.* …을 개선(개량)하다: Foreign aid is badly needed to ~ the effects of the drought. 가뭄의 영향을 개선하기 위해서는 외국원조가 절실히 요구된다. — *vi.* 좋아지다, 고쳐지다. ⓞⓟⓟ *deteriorate.*

amel·io·ra·tion [əmìːljəréiʃən, -liə-] *n.* Ⓤ,Ⓒ 개선, 개량; 개정, 수정.

amel·io·ra·tive [əmíːljərèitiv / -rətiv] *a.* 개량의; 개선적인.

*__amen__ [éimén, áː-] *int.* ① 아멘(헤브라이어로 '그렇게 되어지이다(So be it!)'의 뜻; 기독교도가 기도 등의 끝에 부름)(★《美》에서 찬송가는 [àːmén], 기도 뒤에서는 [éimén]이 많고,《英》에서는 교회 내에선 [áːmén], 일상 생활에선 [éimén]이 많음). ②《口》좋다, 그렇다(찬성의 뜻). — *n.* ① Ⓤ,Ⓒ 아멘을 부르는 일. ② Ⓤ 동의, 찬동. ***say*** ~ ***to*** . . . …에 동의(찬성)하다.

ame·na·bil·i·ty [əmìːnəbíləti] *n.* Ⓤ 유화, 순종; 복종(할 일).

ame·na·ble [əmíːnəbəl, əménə-] *a.* (敍述的) ① (충고 등에) 순종하는, 쾌히 받아들이는(*to*): a personality ~ *to* persuasion 설득에 응하기 쉬운 성격. ② (법률 따위에) 복종할 의무가 있는; (법의) 제재를 받는(*to*): Isn't the King ~ *to* the law? 임금은 법의 제재를 받지 않습니까. ③ (비난 따위의) 여지가 있는(*to*): His conduct is ~ *to* criticism. 그의 행위는 비난 받을 여지가 있다. ④ (…에 의하여) 분석(음미)할 수 있는(*to*): data ~ *to* scientific analysis 과학적인 분석을 할 수 있는 데이터.

‡**amend** [əménd] *vt.* ① (의안 등)을 개정하다, 수정하다, 정정하다: an ~*ed* bill 수정안 / Until the constitution is ~*ed*, the power to appoint ministers will remain with the president. 헌법이 개정되기까지에는 각료 임명권은 대통령에게 있게 된다. ② (행실·잘못 등)을 고치다, 바로잡다: ~ one's ways 행실을 고치다. — *vi.* 고쳐지다, 바르게 되다;《文語》개심하다. ㊕ ~·**a·ble** *a.* 수정 가능한, 고칠 수 있는.

‡**amend·ment** [əméndmənt] *n.* ① Ⓤ,Ⓒ 변경, 개선, 수정: He insisted that the book did not need ~. 그 책은 수정할 필요가 없다고 주장하였다. ② Ⓤ,Ⓒ (법안 등의) 수정(안), 보정, 개정: An ~ to the bill was agreed without a vote. 그 법안 개정안은 투표없이 동의되었다. ③ (the A-s)

(미국 헌법의) 수정 조항.

*__amends__ [əméndz] *n. pl.* 〔單·複數취급〕 배상, 벌충《자기가 한 잘못에 대한 사과를 표시하는 행위》: She tried to make ~ by inviting him out to dinner. 그녀는 그를 식사에 불러냄으로써 보상하려고 하였다. ***make*** ~ (***to*** a person) (***for***) (아무에게 …을) 보상하다.

*__a·me·ni·ty__ [əménəti, -mí:n-] *n.* ① Ⓤ **a)** (the ~) (장소·기후의) 기분 좋음, 쾌적함. **b)** (사람이) 상냥함, 나긋나긋함. ② Ⓒ (흔히 *pl.*) 쾌적한 설비〔시설〕, 문화적 설비 : a hotel with all the *amenities* 온갖 설비가 다 갖춰져 있는 호텔. ③ (*pl.*) (교제상의) 예의 : exchange *amenities* 정중한 인사를 나누다.

aménity bèd 《英》 (병원의) 차액(差額) 베드. cf. pay-bed.

Amer. America ; American.

Amer·a·sian [æ̀məréiʒən, ʃən] *n.* Ⓒ 미국인과 동양인 사이의 혼혈아〔인〕.

†**Amer·i·ca** [əmérikə] *n.* ① 아메리카(합중국) (the United States), 미국. ② 아메리카 대륙 《남·북아메리카》; 북아메리카, 남아메리카 ; (the ~s) 남·북·중앙 아메리카. [◂ *Americus* Vespucius ⇨ VESPUCCI]

Amer·i·can [əmérikən] *a.* ① 아메리카의, 미국의, 아메리카 사람〔원주민〕의 : ~ Spanish 라틴 아메리카에서 쓰이는 스페인어 / an ~ boy 미국 소년 / He is ~. 그는 미국인이다《★ 국적을 나타낼 때는 형용사를 쓰는 것이 일반적임》. ② 아메리카적인 ; 아메리카제의 : as ~ as apple pie ⇨ APPLE PIE. ── *n.* ① Ⓒ 아메리카 사람《미국 사람 또는 아메리카 대륙의 주민》; 아메리카 원주민 : There were two ~*s*, four Canadians and a German boy. 미국인 두 사람과 캐나다인 넷, 그리고 독일 소년 하나가 있었다. ② Ⓤ 아메리카 영어, 미어(美語).

Amer·i·ca·na [əmèrəkéinə, -kǽnə, -kɑ́:nə] *n. pl.* 미국에 관한 문헌〔자료〕, 미국 사정〔풍물〕, 미국지(誌).

Américan chéese =CHEDDAR (CHEESE).

Américan Dréam 《때로 A- d-》(the ~) ① 미국 건국의 이상《민주주의·자유·평등》. ② 미국(인)의 꿈《물질적 번영과 성공》.

Américan éagle 〖鳥〗 흰머리수리《미국의 문장(紋章)》.

Américan Énglish 아메리카〔미국〕 영어. cf. British English.

Américan fóotball 《英》 미식 축구《《美》에서는 단순히 football 이라 함》.

Américan Fóotball Cónference 아메리칸 풋볼 콘퍼런스 《NFL 산하의 미국 프로 풋볼 리그 ; 略 : AFC》.

Américan Índian 아메리카 인디언(어)《현재는 Native American을 선호하는 경향이 있음》.

Amer·i·can·ism [əmérikənìzəm] *n.* ① Ⓤ,Ⓒ 미국 기질〔정신〕; 미국풍〔식〕. ② Ⓤ 미국 숭배 ; 친미주의. ③ Ⓒ 미국어법(語法) ; 미국어투《cookie, prairie, store 따위》: A dictionary of ~*s* 미어 사전.

Amer·i·can·i·za·tion [əmèrikənizéiʃən / -kənai-] *n.* Ⓤ ① 미국화(化). ② 미국 귀화.

Amer·i·can·ize [əmérikənàiz] *vt.* ① …을 미국화 하다, 미국풍〔식〕으로 하다 ; 미국어법(語法)을 쓰다. ② (아무)를 미국으로 귀화시키다. ── *vi.* 미국풍으로 되다.

Américan Léague (the ~) 아메리칸 리그 《미국 프로 야구의 2대 연맹의 하나》. cf. National League.

Américan plàn (the ~) 미국 방식《숙박비·식비·봉사료 합산의 호텔 요금 제도》. cf. European plan.

Américan Revolútion (the ~) 〖美史〗 미국의 독립혁명, 독립 전쟁(1775-83)《영국에서는 the War of American Independence라고 함》 (Revolutionary War).

Américan Sígn Lànguage 미국식 수화(手話) (Ameslan)《略 : ASL》.

Américan tíger =JAGUAR.

am·e·ri·ci·um [æ̀mərí∫iəm] *n.* Ⓤ 〖化〗 아메리슘《인공 방사성 원소 ; 기호 Am ; 번호 95》.

Am·er·ind [ǽmərind] *n.* ① Ⓒ 아메리카 원주민《인디언 또는 에스키모인》. ② Ⓤ 〔集合的〕 아메리카 인디언어(語).

Am·er·in·di·an [æ̀məríndiən] *n.* Ⓒ, *a.* 아메리카 원주민(의).

Ames·lan [ǽməslæ̀n] *n.* =AMERICAN SIGN LANGUAGE.

am·e·thyst [ǽməθist] *n.* ① Ⓤ,Ⓒ 〖鑛〗 자수정, 자석영(紫石英). ② Ⓤ 진보라.

Am·ex [ǽmeks] American Express.

ami·a·bil·i·ty [èimiəbíləti] *n.* Ⓤ 사랑스러움, 애교 ; 상냥함, 친절, 온화, 온후.

*__ami·a·ble__ [éimiəbəl] *a.* 호감을 주는 ; 붙임성 있는 ; 상냥한, 온후한, 친절한 : make oneself ~ to a person 아무에게 상냥하게 하다. ㊞ **~·ness** *n.* *__-bly__ *ad.* 상냥하게.

am·i·ca·bil·i·ty [æ̀mikəbíləti] *n.* ① Ⓤ 우호, 화친, 친선. ② Ⓒ 친선 행위.

*__am·i·ca·ble__ [ǽmikəbəl] *a.* 우호적인, 친화적인, 평화적인, 유쾌한 : an ~ attitude 우호적인 태도 / ~ relations 우호 관계 / an ~ settlement 화해 ; 원만한 해결. ㊞ **~·ness** *n.* **-bly** *ad.* 우호적〔평화적〕으로.

am·ice [ǽmis] *n.* Ⓒ ① 개두포(蓋頭布)《가톨릭교의 사제(司祭)가 미사 때 어깨에 걸치는 직사각형의 흰 천》. ② (교단(敎團) 등의 표지로 되어 있는) 모자, 두건, 완장.

‡**amid** [əmíd] *prep.* ① …의 한가운데에 〔사이에〕, …에 에워싸여〔섞이어〕 : ~ shouts of joy 환호 속에 / He found himself ~ the enemy. 그는 적에게 에워싸여 있음을 깨달았다. ② 한창 …하는 중에.

amid·ship(s) [əmídʃip(s)] *ad., a.* 〖海〗 선체 중앙에〔의〕; 《比》 중앙에 ; 《俗》 명치에.

‡**amidst** [əmídst] *prep.* =AMID.

ami·go [əmí:gou, ɑ:-] (*pl.* **~s**) *n.* Ⓒ 《美》 (특히 남자) 친구 ; 에스파냐 말을 하는 친미(親美) 원주민.

amíno ácid 〖化〗 아미노산.

amir [əmíər] *n.* =EMIR.

amir·ate [əmíərit] *n.* =EMIRATE.

Amis [éimis] *n.* **Kingsley** ~ 에이미스《영국의 소설가 ; 1922-95》.

Amish [ɑ́:miʃ, ǽm-] *n.* (the ~) 〔複數취급〕 아만파(의 사람들)《17 세기에 스위스의 목사 J. Ammann [ɑ́:mɑ:n]이 창시한 Menno파의 한 분파 ; Pennsylvania 에 이주하여 검소하게 삶》. ── *a.* 아만파의 cf. Mennonite.

*__amiss__ [əmís] *a.* 〔敍述的〕 ① (…이) 적합하지 않은, 형편이 나쁜, 잘못한, 고장난 《*with*》: What's ~ *with* it? 그것이 뭐 잘못되었느냐 / Something is ~ *with* the engine. 엔진이 어딘가 고장이 났다. ② 〔흔히, 否定文에서〕 어울리지 않는, 부적당한 : A word of advice may not be ~ here. 여기서 한마디 충고하는 것이 어울리지 않는 일은 아닐 것이다.

— *ad.* 형편〔수〕 사납게, 잘못하여; 어울리지 않게, 부적당하게: judge a matter ~ 어떤 일을 잘못 판단하다 / Have I said something ~? 제가 무언가 말을 잘못하였습니까. ***come*** ~ 달갑지 않다, 신통치 않다; 기대에 어긋나다: Nothing *comes* ~ to a hungry man. 《俗談》 시장이 반찬. ***go*** ~ (일이) 잘되어 가지 않다, 어긋나다. ***take*** a thing ~ 일을 나쁘게 생각〔해석〕하다, 어떤 일에 기분이 상하다; 화내다: Don't *take* it ~. 나쁘게 생각 말게. ***turn out*** ~ 좋지 않은 결과가 되다.

am·i·ty [ǽməti] *n.* Ⓤ 친목, 친선, 우호 (관계), 친교: a treaty of ~ and commerce 수호 통상 조약. ***in*** ~ ***with*** …와 우호적으로, …와 사이좋게: Over the past two decades the two countries have lived *in* ~ *with* each other. 지난 20년 동안 두 나라는 서로 사이좋게 지내왔다.

Am·man [ɑ́:mmɑ:n, -ˊ] *n.* 암만《Jordan 왕국의 「수도》.

am·me·ter [ǽmmì:tər] *n.* Ⓒ 전류계, 암페어계. [◂*am*pere+*meter*]

am·mo [ǽmou] *n.* Ⓤ 《口》 탄약; 폭탄 발언의 자료; 돈. [◂ammunition]

***am·mo·nia** [əmóunjə, -niə] *n.* Ⓤ 〖化〗 ① 암모니아《기체》. ② 암모니아수(水) (~ water 〔solution〕).

am·mo·ni·ac [əmóuniæ̀k] *a.* 암모니아의; 암모니아성(性)의, 암모니아를 함유한.

am·mo·ni·a·cal [æ̀mənáiəkəl] *a.* =AMMONIAC.

ammónia wàter 〔**solùtion**〕 〖化〗 = AMMONIA ②.

am·mo·nite [ǽmənàit] *n.* Ⓒ 〖古生〗 암모나이트, 암몬 조개, 국석(菊石).

am·mo·ni·um [əmóuniəm] *n.* Ⓤ 〖化〗 암모늄: ~ carbonate 〔chloride〕 탄산〔염화〕암모늄 / ~ hydroxide 수산화 암모늄 / ~ phosphate 인산 암모늄 / ~ sulfate 황산 암모늄.

***am·mu·ni·tion** [æ̀mjuníʃən] *n.* Ⓤ ① 탄약; 병기, 무기: an ~ belt 탄띠 / an ~ box 〔chest〕 탄약 상자. ② 자기 주장에 유리한 정보〔조언〕; 《比》 공격〔방어〕 수단: Give me some ~ for the debate. 토론에 유리한 재료〔정보〕를 좀 주게 / He used the rumor as ~ against opponent. 그는 그 소문을 상대에게 공격할 무기로 썼다.

am·ne·sia [æmní:ʒə] *n.* Ⓤ 〖醫〗 건망증, 기억 상실(증). ㊥ **am·ne·sic, -si·ac** [-ní:sik, -zik], [æmníziæ̀k, -ʒi-] *a., n.* 기억상실증의 (사람).

am·nes·ty [ǽmnəsti] *n.* Ⓤ,Ⓒ 은사, 대사(大赦), 특사: Most political prisoners were freed under the terms of the ~. 대부분의 정치범들은 대사령에 의하여 풀려났다. ***grant an*** ~ ***to***〔***for***〕 (criminals) (죄인)에게 은사를 내리다. — *vt.* …을 사면〔대사, 특사〕하다.

Ámnesty Internátional 국제 사면 위원회 《사상·정치범의 석방 운동을 위한 국제 조직》.

am·ni·on [ǽmniən] (*pl.* ~***s***, ***-nia*** [-niə]) *n.* Ⓒ 〖解〗 양막(羊膜).

amniótic flúid 양수(羊水).

amoe·ba [əmí:bə] (*pl.* ~***s***, ***-bae*** [-bi:]) *n.* Ⓒ 아메바; 《俗》 아무 쓸모가 없는 사람.

am·oe·bic [əmí:bik] *a.* 아메바(성)의: ~ dysentery 아메바 이질.

amok [əmʌ́k, əmɑ́k / əmɔ́k] =AMUCK.

†among [əmʌ́ŋ] *prep.* ① …의 사이에(서), …에 둘러〔에워〕싸여: ~ the trees 〔children〕 나무〔아이들〕에 둘러싸여 / ~ the crowd 군중 속에 / He lives ~ the poor. 그는 가난한 사람들 속에서 살고 있다 / We stood there ~ piles of wooden boxes. 우리는 나무상자 더미 사이에 서 있었다. ② (패거리·동료·동류) 중의 한 사람으로〔하나로〕; …의 가운데에(서): That is ~ the things we shouldn't do. 그것은 해서는 안되는 것의 하나다 / He is numbered ~ her friends. 그는 그녀의 친구 중 하나다. ③ …의 사이〔…간〕에 서로; …의 협력으로, …이 모여(도): You will spoil him ~ you. 너희가 그 사람을 버려 놓겠다 / Do it ~ you. 자네들끼리 협력해서 해보게 / They don't have fifty dollars ~ them. 모두가 내놓는다 해도 50 달러가 안 된다. ④ …사이에 각자: Divide these ~ you seven. 자네들 일곱이 이것을 나눠 갖게. ⑤ …사이 〔간〕 전체에 걸쳐: popular ~ the girls 아가씨들에게 인기가 있는. ~ ***others*** 〔***other things***〕 (1) 많은 가운데, 그 중에서도 특히. (2) 그 중의 한사람으로 〔하나로〕, (…을) 포함하여, 한패〔동아리〕가 되어: *Among others* there was Mr. Kim. 그 중에 김씨도 있었다. ~ ***the rest*** (1) 그 중에서도, 특히. (2) 그 중의 한 사람으로〔하나로〕: Five were rescued, myself ~ *the rest.* 나를 포함해 5명이 구출됐다. ***from*** ~ …의 중에서: The chairman will be chosen *from* ~ the members. 의장은 회원들 중에서 선출될 것이다. ***one*** ~ ***a thousand*** 천에 한 사람.

amongst [əmʌ́ŋst] *prep.* =AMONG.

amon·til·la·do [əmɑ̀ntəlɑ́:dou / əmɔ̀n-] *n.* Ⓤ 《Sp.》 에스파냐산의 셰리 술.

amor·al [eimɔ́:rəl, æm-, -mɑ́r-] *a.* ① 도덕과는 관계 없는, 초(超)도덕의. ② 도덕 관념이 없는, 선악 판단이 없는: The society that he depicts is ~ and purposeless. 그가 묘사하는 사회는 도덕관념도 없고 목적의식도 없는 사회이다《★ nonmoral 의 뜻; '부도덕의'는 immoral》.
㊥ ~**·ly** *ad.* **àmo·rál·i·ty** [-rǽləti] *n.*

am·o·rous [ǽmərəs] *a.* ① **a**) 호색의. **b**) 요염한, 색정적인: ~ glances 추파. ② 연애하고 있는; 연애의; …을 연모하고 있는《*of*》: an ~ song 연가 / She smiled and at once he became ~ *of* her. 그녀가 미소를 띄우자, 그는 곧 그녀에게 반했다. ㊥ ~**·ly** *ad.* 호색적으로; 요염하게. ~**·ness** *n.*

amor·phous [əmɔ́:rfəs] *a.* ① 무정형(無定形)의. ② 무조직의; 특성이 없는.
㊥ ~**·ly** *ad.* ~**·ness** *n.*

am·or·tize, 《英》 **-tise** [ǽmərtàiz, əmɔ́:r-taiz] *vt.* 〖經〗 (부채)를 정기적으로 상환하다.

Amos [éiməs / -mɔs] *n.* ① 〖聖〗 **a**) 아모스《헤브라이의 예언자》. **b**) 아모스서《구약성서 중의 한 편》. ② 남자 이름.

†amount [əmáunt] *vi.* 《+전+명》 ① (총계·금액이) …이 되다, 총계 (…에) 달하다《*to*》: ~ *to* fifty dollars, 50 달러가 되다. ② (…에) 해당〔상당〕하다, 결국 (…이) 되다; (…이나) 매한가지다《*to*》: These conditions ~ *to* refusal. 이 조건이라면 거절하는 거나 매한가지다 / Your warning ~*s to* a threat. 너의 경고는 협박이나 마찬가지다. ③ (어느 상태에) 이르다, 되다《*to*》: With his intelligence he should ~ *to* something when he grows up. 그의 총명이라면 커서 응당한 몫을 하는 인물이 될 거다.

— *n.* Ⓤ ① (the ~) 총계, 총액: He paid *the* full ~ of the expenses. 그는 경비의 전액을 지불했다. ② 〔a+형용사; 형용사+~s〕 양, 액(額): *a* large ~ of money 막대한 금액 / Small ~*s* of land were used for keeping animals. 좁은 필지의 땅이 가축 사육에 이용되었다. ③ (the ~) 요지, 귀결, 결과. ***any*** ~ ***of*** (1) 아무리 많은 …(라도): I'll lend you *any* ~ *of* money you need. 아무리 많은 액수라도 필요한 만큼 빌려 드립니다. (2) 《口》 매우 많은: We had *any* ~ *of* people applying for the job. 그 일자리를 지망하는 사람들이 많았다. ***in*** ~ 양으로 말하면 ; 총계, 도합 ; 요컨대. ***to the*** ~ ***of*** (ten thousand won) (1만원)까지 ; 총계(1만원)의.

amour [əmúər] *n.* [C] 《F.》 정사(情事), 바람기, 연애(사건) ; 정사의 상대《특히 여성》.

amp [æmp] *n.* [C] 《美俗》 ① (전축 등의) 앰프(amplifier) ; 전기 기타(amplified guitar). ② 마약 앰풀(ampul).

amp, amp. amperage ; ampere(s).

am·per·age [æmpí:ridʒ, ǽmpər-] *n.* [U] 〖電〗 암페어수, 전류량.

***am·pere** [ǽmpiər, -ˊ] *n.* [C] 〖電〗 암페어.

am·pere-hour [ǽmpiəráuər] *n.* [C] 암페어시(時)《略 : AH, amp.-hr.》.

am·pere-turn [ǽmpiərtə̀:rn] *n.* [C] 암페어 횟수(回數)《略 : At》.

am·per·sand [ǽmpərsæ̀nd] *n.* [C] &(=and)의 기호 이름(=**shórt ánd**).

am·phet·a·mine [æmfétəmì:n, -mìn] *n.* [U,C] 〖藥〗 암페타민《중추 신경을 자극하는 각성제》.

amphi- *pref.* '양(兩)…, 두 가지, 원형, 주위'의 뜻. [cf.] ambi-.

Am·phib·ia [æmfíbiə] *n. pl.* 〖動〗 양서류(兩棲類)《개구리·도롱뇽 따위》.

am·phib·i·an [æmfíbiən] *a.* ① 양서류(兩棲類)의. ② 수륙 양용의 : an ~ tank 수륙 양용 탱크. ── *n.* [C] ① 양서 동물〔식물〕. ② 수륙 양용 비행기〔전차〕. ③ 이중 인격자.

am·phib·i·ous [æmfíbiəs] *a.* ① 양서류의 : ~ animals 양서 동물. ② 수륙 양용의 ; 〖軍〗 육·해·공군 합동의(triphibious) : ~ operation 육해(공)군 합동 작전. ③ 《比》 이중 인격〔성격〕의.

am·phi·the·a·ter, 《英》 **-tre** [ǽmfəθì:ətər / -fiθiə-] *n.* [C] ① (옛 로마의) 원형 경기장, 투기장(鬪技場). ② (현대의) 원형 경기장〔극장〕; (극장의) 계단식 관람석.

am·pho·ra [ǽmfərə] (*pl.* **~s, -rae** [-rì:]) *n.* [C] (고대 그리스·로마의) 두 족자리〔양손잡이〕가 달린 항아리.

‡am·ple [ǽmpl] (***am·pler ; am·plest***) *a.* ① 광대한, 넓은 : ~ living quarters 넓은 숙소. ② 충분한, 넉넉한, 풍부한, 다량의. [opp.] *scanty.* ¶ ~ opportunity 〔time, courage〕 충분한 기회〔시간, 용기〕/ an ~ supply of water 충분한 급수 / There was ~ room for them in the boat. 배엔 그들이 탈 충분한 자리가 있었다. [파] ~·**ness** *n.* 광대(廣大), 풍부함.

am·pli·fi·ca·tion [æ̀mpləfikéiʃən] *n.* [U,C] ① 확대. ② (이야기 등의) 부연(敷衍). ③ 〖論〗 확충(擴充) ; 〖電〗 증폭(增幅) ; 〖光〗 배율(倍率).

am·pli·fi·er [ǽmpləfàiər] *n.* [C] ① 〖電·컴〗 증폭기(增幅器), 앰프, 앰플리파이어 ; 확성기. ② 확대하는 사람 ; 덧렌즈, 확대경.

‡am·pli·fy [ǽmpləfài] *vt.* ① …을 확대하다, 확장하다. ② 《~+[목] / +[목]+[전]+[명]》 …을 상세히 설명하다, 부연하다 : ~ one's statement 앞에서 말한 것을 부연 설명하다 / He *amplified* (on) his remarks with a graph showing the latest sales figures. 최근의 판매량을 나타내는 그래프를 가지고 그의 소견을 상세히 설명했다. ③ 〖電〗 …을 증폭하다. ── *vi.* ① 확대하다. ② 《+[전]+[명]》 부연하다, 상술하다《*on, upon*》: He *amplified on* the accident. 그 사고에 대해 그는 상세히 말하였다.

am·pli·tude [ǽmplitjù:d] *n.* [U] ① (너비·범위 등의) 크기, 넓이. ② 풍부함, 충분함. ③ 〖物·電·컴〗 진폭 : ~ of wave 파도의 진폭.

ámplitude modulátion 〖電子〗 진폭 변조《略 : AM, A.M.》.

am·ply [ǽmpli] *ad.* ① 널리, 충분히 : They were ~ supplied with food. 충분히 식량을 공급받고 있었다. ② 상세히 : I've spoken ~ about the project. 그 기획에 대하여 상세히 이야기하였다.

am·pul(e), am·poule [ǽmpju:l / -pu:l] *n.* [C] 앰풀《1회분 들이의 작은 주사액 병》.

am·pu·tate [ǽmpjutèit] *vt.* ① (손이나 발)을 자르다, 절단하다《수술로》. ② (문장 내용의 일부 등)을 삭제〔정리〕하다, 잘라내다.
── *vi.* 절단 수술을 하다.

am·pu·ta·tion [æ̀mpjutéiʃən] *n.* [U,C] ① 절단(수술). ② 잘라내기, 정리.

am·pu·tee [æ̀mpjutí:] *n.* (손·발의) 절단 수술을 받은 사람.

Am·ster·dam [ǽmstərdæ̀m / ˌ-ˊ] *n.* 암스테르담《네덜란드의 수도》.

amt. amount.

Am·trak [ǽmtræk] *n.* 앰트랙《National Railroad Passenger Corporation(전 미국 철도 여객 수송 공사)의 애칭》. [◂ *A*merican *tra*vel on Trac*k*]

amu, AMU atomic mass unit.

amuck [əmʌ́k] *n.* (동남 아시아 문화권에서) 맹렬한 살상욕을 수반하는 정신 착란. ── *ad.* 미친 듯이 날뛰어. ***run*** 〔***go***〕 ~ 죽이려고 날뛰다 ; 미친 듯이 설치며 행패부리다 : The two dogs *ran* ~ in a school playground. 개 두 마리가 학교 운동장에서 미친 듯이 날뛰었다.

am·u·let [ǽmjəlit] *n.* [C] 호부(護符), 부적.

Amund·sen [á:munsən / -mən-] *n.* **Roald** ~ 아문센《세계 최초로 남극을 답파한 노르웨이 탐험가 ; 1872–1928》.

‡amuse [əmjú:z] *vt.* ① 《~+[목] / +[목]+[전]+[명]》 …을 즐겁게 하다, 재미나게 하다 ; …의 기분을 풀게 하다, 웃기다《*with*》: The joke ~*d* us all. 그 농담은 우리 모두를 웃겼다 / He ~*d* the guests *with* witty conversation. 그는 재치있는 대화로 손님을 웃겼다. ② (여가)를 즐거이 보내게 하다. ~ one***self with*** 〔***by*** do***ing***〕 …을 하며 즐기다 : The girls ~*d themselves* (*by*) sing*ing* together. 소녀들은 함께 노래를 부르며 즐겼다. ***You ~ me.*** 웃기는군.

amused [əmjú:zd] *a.* ① (표정 따위가) 즐기는 ; 즐거워〔재미있어〕하는 ; 명랑한 ; 흥겨운 : ~ spectators 흥겨워하는 구경꾼들 / with an ~ expression on one's face 재미있는 듯한 표정을 하고. ② 〔敍述的〕 (…을) 재미있어〔즐거워〕하는 《*at ; with ; by*》: The audience was ~ *by* the comedian. 관객들은 그 코미디언을 재미있어 했다. ③ 〔敍述的〕 (…하고) 재미있게 생각하는《*to* do》: I was ~ *to* find that he and I were born on the same day. 그와 내가 같은 날에 태어났다는 것을 알고 재미있다고 생각했다.
[파] **amús·ed·ly** [-zidli] *ad.*

‡amuse·ment [əmjú:zmənt] *n.* ① [U] 즐거움, 위안, 재미 : I play the piano just for my own ~. 나는 다만 나자신의 재미로 피아노를 친다 / He chuckled in ~. 그는 우스운 듯이 킬킬거렸다. ② [C] 오락(물), 놀이 : my favorite ~*s* 내가 좋아하는 오락.

amúsement arcàde 《英》 (슬롯 머신 등이 있는) 게임 센터(《美》 game arcade).

amúsement cènter 환락(중심)지, 위락 지구〔센터〕; 환락가(街).

amúsement pàrk 《美》 유원지.

‡amus·ing [əmjú:ziŋ] (***more ~; most ~***) *a.* 즐거운, 재미있는 ; 기분풀이가 되는, 유쾌한 : an ~

speaker 말솜씨가 좋은 사람 / There was an ~ story in the paper this morning. 오늘 아침 신문에 재미있는 기사가 실려 있었다.
㊕ ~·ly *ad.* 즐겁게, 재미있게.

Amy [éimi] *n.* 에이미《여자 이름》.

am·y·lase [ǽməlèis, -z] *n.* Ⓤ 아밀라아제《녹말을 당화(糖化)하는 효소》.

am·y·loid [ǽməlɔ̀id] *a.* 녹말질의, 녹말을 함유한. — *n.* Ⓤ 아밀로이드, 유사 녹말체.

†an[1] ⇨ A[2], AN.

an[2], **an'** [æn, 弱 -ən] *conj.* 《方》 = AND ; 《古》 = IF.

an- *pref.* ① '무(無)'의 뜻 : *an*archy. ② = AD-《n 앞에 올 때》: *an*nounce. ③ = ANA-.

-an *suf.* ① 인명 · 지명 따위에 붙어서 '…의, …에 속하는, …에 관계가 있는'의 뜻 : Kore*an*, Elizabeth*an*. ② 인명 · 지명 이외의 명사에 붙음 : histori*an*, theologi*an*.

ana- *pref.* '상(上)…, 후(後)…, 재(再)…' '분리, 산산조각' 등의 뜻《모음 앞에서는 an-》.

-ana, -iana *suf.* 인명 · 지명 따위에 붙어서 '…에 관한 자료(집), …어록, …풍물지(誌), …문헌, …서지(書誌)'의 뜻 : Kore*ana*.

an·a·bap·tist [æ̀nəbǽptist] *n.* Ⓒ 재침례〔재세례〕론자 ; (A-) 재침례〔재세례〕 교도.

an·a·bol·ic [æ̀nəbálik / -bɔ́l-] *a.* 〖生〗 동화 작용의, 신진 대사의. opp *catabolic.*

anabólic stéroid 〖生化〗 단백 동화 스테로이드《근육 증강제 ; IOC에서는 사용 금지》.

anab·o·lism [ənǽbəlìzəm] *n.* Ⓤ 〖生〗 동화 (작용). opp *catabolism.*

anach·ro·nism [ənǽkrənìzəm] *n.* ① U,C 시대착오 ; 시대에 뒤떨어진 사람〔사물〕: The sword is an ~ in modern warfare. 검은 현대전에서는 시대에 뒤진 것이다. ② Ⓒ 연대〔날짜〕의 오기(誤記). ㊕ **anàch·ro·nís·tic, -ti·cal** *a.* 시대착오의. **anàch·ro·nís·ti·cal·ly** *ad.*

an·a·co·lu·thon [æ̀nəkəlúːθɑn / -θɔn] (*pl.* **-tha** [-θə]) *n.* 〖修〗 ① Ⓤ 파격(破格) 구문. ② Ⓒ 파격 구문의 문장《문법적 일관성이 없는 문장 : *Who* hath ears to hear, let *him* hear. 에서 who 와 him 이 격이 다름》. ㊕ **-lú·thic** *a.* **-thi·cal·ly** *ad.*

an·a·con·da [æ̀nəkɑ́ndə / -kɔ́n-] *n.* Ⓒ 아나콘다《독 없고 힘이 센 큰 뱀 ; 남아메리카산》; 〔一般的〕 큰 뱀.

anae·mia [əníːmiə] *n.* = ANEMIA.
㊕ **-mic** [-mik] *a.* = ANEMIC.

an·aer·obe [ǽnəròub, ænɛ́əroub] *n.* Ⓒ 〖生〗 혐기성(嫌氣性) 생물《미생물》. ㊕ **àn·aer·ó·bic** *a.*

an·a·gram [ǽnəgræ̀m] *n.* ① Ⓒ 글자 수수께끼, 철자 바꾸기《예컨대 emit 의 anagram 은 time, item, mite 따위》. ② (*pl.*) 〔單數취급〕 글자 수수께끼〔철자 바꾸기〕 놀이.

anal [éinəl] *a.* ① 항문(부근)의 : ~ intercourse 항문 성교 / the ~ sphincter 항문 괄약근. ② 〖精神醫〗 항문기(期)〔성격〕의.

an·a·lects [ǽnəlèkts] *n. pl.* 선집(選集), 어록. ***the Analects*** (***of Confucius***) 논어.

ánal fín 〖魚〗 뒷지느러미.

an·al·ge·sia [æ̀nəldʒíːziə, -siə] *n.* Ⓤ 〖醫〗 무통각(無痛覺)(증), 통각 상실.

an·al·ge·sic [æ̀nəldʒíːzik, -dʒésik] *a.* 무통성(無痛性)의, 진통(鎭痛)의. — *n.* U,C 진통제.

an·a·log [ǽnəlɔ̀ːg, -lɑ̀g / -lɔ̀g] *n.* Ⓒ 《美》 = ANALOGUE. — *a.* 〔限定的〕 ① 상사형(相似型)의. ② 아날로그의《정보를 연속적으로 변화하는 양으로 나타내는 메카니즘을 이름》: ⇨ ANALOG COMPUTER. ③ 아날로그 표시의. cf. digital. ¶ an ~ watch 아날로그 시계.

ánalog compùter 〖컴〗 아날로그 컴퓨터, 연속형 전산기. cf. digital computer.

an·a·log·ic, -i·cal [æ̀nəlɑ́dʒik / -lɔ́dʒ-], [-əl] *a.* 비슷한, 닮은, 유사한 ; 유추(類推)의, 유비(類比)의. ㊕ **-i·cal·ly** [-kəli] *ad.* 유추하여.

anal·o·gize [ənǽlədʒàiz] *vi.* 유추에 의해 설명하다, 유추하다 ; 유사하다《*with*》. — *vt.* …을 유추하다, (…에) 비기다《*to*》.

***anal·o·gous** [ənǽləgəs] *a.* 〔敍述的〕 (…와) 유사한, 비슷한, 닮은, 상사(相似)한《*to* ; *with*》; 〖生〗 상사 기관의 : The wings of an airplane are ~ *to* those of a bird. 비행기의 날개는 새의 날개와 유사하다. ㊕ ~·**ly** *ad.*

an·a·logue [ǽnəlɔ̀ːg, -lɑ̀g / -lɔ́g] *n.* Ⓒ ① 유사물. ② 〖言〗 동류어(同類語) ; 〖生〗 상사체〔기관〕; 〖化〗 유사 화합물. ③ 유사체 ; 유사(합성) 식품. ④ 〖電子〗 아날로그, 연속형. — *a.* = ANALOG.

‡anal·o·gy [ənǽlədʒi] *n.* ① C,U 유사, 비슷함, 닮음《*between* ; *to* ; *with*》: the ~ *between* the heart and a pump 심장과 펌프의 유사함 / He drew an ~ *between* the brain and a vast computer. 그는 두뇌와 거대한 컴퓨터와의 유사성을 지적했다. ② Ⓤ 유추, 유추에 의한 설명 ; 유추법 ; 〖生〗 상사(相似). cf. homology. ¶ by ~ 유추에 의해 / on the ~ of …에서 유추하여 / forced ~ 무리한 유추, 견강부회. ***have*** 〔***bear***〕 ~ ***to*** 〔***with***〕 …와 유사하다.

analyse *vt.* 《英》 = ANALYZE.

‡anal·y·sis [ənǽləsis] (*pl.* **-ses** [-sìːz]) *n.* U,C ① 분석, 분해 ; 분석적 고찰. opp *synthesis.* ¶ We have to make a close ~ of the cause of the accident. 우리는 사고 원인을 상세히 분석해 보아야 한다. ② 〖文法〗 분석 ; 〖數〗 해석(학). ③ 〖心〗 (정신) 분석. ④ 〖化〗 분석 : qualitative〔quantitative〕 ~ 정성(定性)〔정량(定量)〕분석. ⑤ 〖컴〗 분석. ***in the last*** 〔***final***〕 ~ 결국, 요컨대.

***an·a·lyst** [ǽnəlist] *n.* Ⓒ ① 분석〔분해〕자 ; 분석화학자, 사회〔정치〕 정세 분석 해설자 ; 통계 전문가. ② 정신 분석가(psychoanalyst). ③ 〖컴〗 분석가, 시스템 분석자. ≠annalist.

***an·a·lyt·ic, -i·cal** [æ̀nəlítik], [-əl] *a.* 분해〔분석〕의, 분석〔해석〕적인. opp *synthetic.* ¶ He has a very *analytical* mind. 그는 아주 분석적인 사고의 소유자이다. ㊕ **-i·cal·ly** *ad.* 분해하여, 분석적으로.

analýtic geómetry 해석 기하학.

an·a·lyt·ics [æ̀nəlítiks] *n.* Ⓤ 분석학, 해석학 ; 〖文法〗 분석론.

an·a·lyz·a·ble [ǽnəlàizəbəl] *a.* 분해〔분석, 해부〕할 수 있는. ㊕ **àn·a·lỳz·a·bíl·i·ty** [-əbíləti] *n.* 분석 가능성.

‡an·a·lyze, 《英》 **-lyse** [ǽnəlàiz] *vt.* 《~+목 / +목+전+명》 ① …을 분석하다, 분해하다 : ~ the sample 시료를 분석하다 / ~ the problem 〔situation〕 문제〔정세〕를 분석하다. ② …을 (분석적으로) 검토하다 : He ~*d* the poem for hidden meaning. 그는 시의 숨은 뜻을 분석적으로 검토했다. ③ 〖化 · 文法〗 …을 분석하다《*into*》; 〖數〗 해석하다 : Water can be ~*d into* oxygen and hydrogen. 물은 산소와 수소로 분해할 수 있다. ④ (아무)를 정신 분석하다. ◇ analysis *n.* ㊕ ***-lyz·er** *n.* Ⓒ ① 분석기, 분석 장치. ② 분석자, 분석적으로 검토하는 사람. ③ 〖光〗 검광자〔판〕.

an·a·pest, -paest [ǽnəpèst] *n.* Ⓒ 〖韻〗 약약강격(弱弱強格)《××⏊》; 단단장격(短短長格)《⏑⏑—》. ㊕ **àn·a·pés·tic, -páes·tic** *a.*

anaph·o·ra [ənǽfərə] *n.* Ⓤ ① 〖그리스正教〗 성찬식문(文), 성체 기도. ② 〖修〗 수구(首句) 반복.

③〖文法〗 대용어《명사의 반복을 피해서 쓰이는 대명사 등》. ④〖樂〗 악절 반복.

an·a·phor·ic [ӕnəfɔ́:rik, fàr- / -fɔ́r-] *a.* 〖文法〗 앞에 나온 어구를 가리키는〔에 관한〕, 앞의 문구와 대응적(對應的)인.

an·ar·chic, -chi·cal [ӕnɑ́:rkik], [-əl] *a.* ① 무정부(주의)의. ② 무정부 상태의 ; 무질서한. ㊞ **-chi·cal·ly** *ad.*

an·ar·chism [ǽnərkìzəm] *n.* Ⓤ 무정부주의 ; 무정부 (상태).

an·ar·chist [ǽnərkist] *n.* Ⓒ 무정부주의자 ; 폭력 혁명가. 「의.

an·ar·chis·tic [ӕnərkístik] *a.* 무정부주의(자)

***an·ar·chy** [ǽnərki] *n.* Ⓤ ① 무정부 ; 무정부 상태, (사회적·정치적인) 무질서 상태 ; 무정부론. ②〔一般的〕 무질서.

an·as·tig·mat [ənǽstigmæ̀t, ӕnəstígmæt] *n.* Ⓒ〖寫〗 수차 보정(收差補正) 렌즈. ㊞ **àn·as·tig·mát·ic** *a.* (렌즈가) 수차 보정된.

anat. anatomical ; anatomist ; anatomy.

anath·e·ma [ənǽθəmə] *n.* ① Ⓤ,Ⓒ **a)** 교회의 저주, 아나테마 ; (가톨릭 교회에서의) 파문(破門). **b)**〔一般的〕 저주 ; 증오. ② Ⓒ 저주 받은 사람〔물건〕. ③ Ⓤ (또는 an ~) 아주 싫은 것〔사람〕 : Alcohol is (*an*) ~ to me. 나는 술이 질색이다.

anath·e·ma·tize [ənǽθəmətàiz] *vt.* …을 공식적으로 저주하다, 파문하다.

an·a·tom·ic, -i·cal [ӕnətɑ́mik / -tɔ́m-], [-əl] *a.* 해부의, 해부(학)상의. ㊞ **-i·cal·ly** *ad.* 해부상, 해부(학)적으로.

anat·o·mist [ənǽtəmist] *n.* Ⓒ ① 해부학자. ②《比》 (상세히) 분석 조사하는 사람.

anat·o·mize [ənǽtəmàiz] *vt.* ① (동물체)를 해부하다(dissect). ② …을 상세히 분해〔분석〕하다.

‡**anat·o·my** [ənǽtəmi] *n.* ① Ⓤ 해부학, 해부술〔론〕 : human 〔morbid〕 ~ 인체〔병리〕 해부학. ② Ⓤ,Ⓒ 해부. ③ Ⓒ **a)** (동식물의) 해부학적 구조〔조직〕. **b)** 해부 모형, 해부용〔된〕 시체. ④ Ⓒ《戱》 인체(人體). ⑤ Ⓤ,Ⓒ (사물의) 상세하고 면밀한 분석〔조사〕 : The whole play reads like an ~ of evil. 모든 연극은 악에 대한 분석처럼 해석할 수 있다. ***pain in the*** ~《俗》 싫은 일, 고민 거리.

ANC African National Congress. **anc.** ancient(ly).

-ance *suf.* '행동·상태·성질·정도' 따위의 뜻의 명사어미 : assist*ance*, brilli*ance*, conduct*ance*, dist*ance*.

‡**an·ces·tor** [ǽnsestər, -səs-] (*fem.* ***-tress***) *n.* Ⓒ ① 선조, 조상 ;〖法〗 피상속인. opp *descendant.* ¶ You are descended from noble ~*s*. 너에게는 훌륭한 조상이 있다. ② 원형(原型), 전신(前身), 선구자 : This simple device is the ~ of the modern computer. 이 간단한 장치가 현대 컴퓨터의 원형이다. one***'s spiritual*** ~ (자기가) 사상적으로 가장 많은 영향을 받은 사람, 스승.

***an·ces·tral** [ænséstrəl] *a.* 〔限定的〕 조상(대대로)의 : ~ estate 〔possession〕 조상 전래의 재산.

an·ces·tress [ǽnsestris] *n.* Ⓒ 여성 조상.

***an·ces·try** [ǽnsestri, -səs-] *n.* Ⓤ ①〔集合的〕 조상 ; 선조. ② 가계(家系), 문벌 : He is of good ~ . 그는 가문이 좋다. ③〖生〗 계통.

‡**an·chor** [ǽŋkər] *n.* Ⓒ ① 닻 : a bower ~ (군함 앞의) 주묘(主錨) / Stand by the ~ ! 투묘 준비. ② (마음을) 받쳐 주는 것, 힘이〔의지가〕 되는 것 : Hope was his only ~. 희망이 그의 마음을 지탱해 주는 유일한 것이었다. ③ 줄다리기의 맨 끝 사람 ; (릴레이 따위의) 최종 주자. ④《美》 = ANCHORMAN ③. ***be*** 〔***lie, ride***〕 ***at*** ~ 정박해 있다. ***cast an*** ~ ***to windward*** 안전책을 강구하다. ***cast*** 〔***drop, let go***〕 ~ 투묘하다, 정박하다. ***come to*** (***an***) ~ 정박하다, 정착하다, 안주하다. ***weigh*** ~ (1) 닻을 올리다, 출항하다. (2) 출발하다, 떠나다. ── *vt.* ① (배)를 닻을 내려 멈추게 하다, 정박시키다. ②《+目+前+名》 **a)** (물건)을 정착〔고정〕시키다 ; 단단히 묶어 두다《*to*》 : ~ a tent *to* the ground 텐트를 지상에 고정시키다. **b)** (주의·마음 등)을 고정시키다 ; (소망 등)을 걸다《*in; on*》 : ~ one's hope *on*〔*in*〕 …에 희망을 걸다. ③〖競〗 …의 최종 주자가 되다. ④〖放送〗 …의 앵커맨〔종합 사회자〕 노릇을 하다 : ~ a news program. ── *vi.* ①《+前+名》 닻을 내리다, 정박하다 : ~ close to the shore 해안 가까이에 정박하다. ②《+前+名》 정착〔고정〕하다《*on ; to*》 : Her eyes ~*ed on* him. 그녀의 눈길은 그를 떠나지 않았다.

An·chor·age [ǽŋkəridʒ] *n.* 앵커리지《미국 알래스카 주 남부의 항구·공항 도시》.

***an·chor·age** [ǽŋkəridʒ] *n.* ① Ⓤ 닻내림, 투묘, 정박. ② **a)** Ⓒ 투묘지(投錨地), 정박지. **b)** Ⓤ (또는 an ~) 정박세〔료〕(=∠ **dùes**). ③ Ⓤ,Ⓒ 의지가〔힘이〕 되는 것.

an·cho·ress [ǽŋkəris] *n.* Ⓒ 여자 은자(隱者).

an·cho·ret, an·cho·rite [ǽŋkərit, -rèt], [-ràit] *n.* Ⓒ 은자(隱者), 은둔자《종교적 이유로 세상을 버린》.

an·chor·man [ǽŋkərmæ̀n, -mən] *n.* Ⓒ ① = ANCHOR ③. ② 중심 인물. ③ (*fem.* ***-wòm·an***)〖美放送〗 종합 사회자, 앵커맨.

an·chor·peo·ple [-pì:pəl] *n. pl.* = ANCHORPERSONS《남녀 공통어》.

an·chor·per·son [-pə̀:rsən] *n.* Ⓒ (뉴스 프로의) 종합 사회자(anchorman or anchorwoman)《남녀 공통어》.

an·chor·wom·an [-wùmən] *n.* (*pl.* ***-women*** [-wìmin]) *n.* Ⓒ《美》 여성 앵커.

an·cho·vy [ǽntʃouvi, -tʃəvi, ӕntʃóu-] *n.* Ⓒ〖魚〗 안초비《멸치류 ; 지중해산》 ; Ⓤ 멸치젓.

ánchovy pàste 안초비 페이스트《안초비를 짓이겨 향신료를 넣어서 갠 것》.

ánchovy sàuce 안초비로 만든 소스.

ánchovy tòast 안초비 페이스트를 바른 토스트〔빵〕.

an·cien ré·gime [ɑ̃sjǽreiʒí:m]《F.》 구(舊)제도, 구체제, 앙시앵 레짐《특히 1789년 프랑스 혁명 이전의 정치·사회 조직》; 시대에 뒤진 제도·풍습.

‡**an·cient** [éinʃənt] (***more*** ~ ; ***most*** ~) *a.* ①〔限定的〕 옛날의, 고대의《중세·근대에 대해》 : in ~ times 오랜 옛날에 / ~ civilizations 고대 문명. ② 예로부터의, 고래의 : an ~ custom 고래의 관습. ③《古》 고령의, 나이 많은 : I feel pretty ~ when I see how the younger generation behaves. 젊은 세대의 행동 양식을 보고 있으면 내가 몹시 늙었음을 느낀다. ④《종종 戱》 구식(舊式)의. ── *n.* Ⓒ ① 고대인 ; (the ~s) 고대 문명인《특히 그리스·로마·헤브라이의》. ② 고전 작가. ③ 노인 ; 선조.

áncient hístory ① 고대사《476년 서로마 제국 멸망까지》. ②《口》 이미 다 아는 이야기, 케케묵은 이야기. 「(는).

an·cient·ly [éinʃəntli] *ad.* 옛날에는, 고대에

an·cil·lary [ǽnsəlèri / ænsíləri] *a.* 보조의, 부수〔종속〕적인, 부(副)의《*to*》. ── *n.* Ⓒ《英》 조력자, 조수, 보조물, 부수물, 자(子)회사.

an·con [ǽŋkɑn / -kɔn] (*pl.* ***an·co·nes*** [æŋkóuni:z]) *n.* Ⓒ ①〖解〗 팔꿈치. ②〖建〗 첨차(檐

遮), 초엽(草葉). ㊞ **an·co·ne·al** [æŋkóuniəl] *a.*

-ancy *suf.* =-ANCE.

AND [ænd] *n.* 〖컴〗 또, 앤드《논리곱을 만드는 논리 연산자(演算子)》. ⓒf OR.

†**and** [ənd, nd, ən, n ; 强 ænd] *conj.*《★ 보통 약음으로 발음되나, 강음 'ænd'는 앞에서 숨을 끊거나 comma 나 semicolon 등이 있을 때 또는 문장 처음에 올 때 등에 발음됨》. ① 〔나란히 語·句·節을 이음〕…와 ―, … 및 ―, …이나 ―; 그리고, …또(한) : John ~ Mary are great friends. 존과 메리는 몹시 친하다〔단짝이다〕/ I got up ~ put on my clothes. 나는 일어나서 옷을 입었다 / He is a novelist ~ poet. 그는 소설가이자 시인이다 / There are many old Buddhist temples in ~ about 〔around〕 Kyŏngju. 경주 및 그 근교에는 많은 고찰(古刹)들이 있다.

> 語法 (1) 순서적으로 2인칭·3인칭 그리고 맨 나중에 1인칭이 옴: You ~ I 당신과 나.
> (2) 동등한 어구가 셋 이상 있을 때 보통 각 어구 사이를 콤마로 끊고, 마지막 어구 앞에만 and가 옴《and 바로 앞에는 콤마를 붙이는 경우가 원칙임》: He speaks, reads, *and* writes English equally well. 그는 영어를 말하기도, 읽기도 또 쓰기도 모두 잘 한다 / In that room there were a chair, a table(,) *and* a bed. 그 방에는 의자 하나, 테이블 한 개 그리고 침대가 하나 있었다.

② **a)** 〔동시성을 나타내어〕 (…와 동시에) 또, …하면서 : We walked ~ talked. 우리는 걸으면서 이야기했다. **b)** 〔앞뒤의 관계를 보여서〕 …하고 (나서), 그리고 나서 : He took off his hat ~ bowed. 그는 모자를 벗고 (허리를 굽혀) 인사를 했다.
③ [보통 ən] 〔하나로 된 것〕 …와 ―이(합하여 일체가 된 것) : bread ~ butter [brédn-bʌ́tər] 버터 바른 빵 / a watch ~ chain 줄 달린 시계 / a rod ~ line 줄 달린 낚싯대 / man ~ wife 부부.

> 語法 (1) 관사를 붙일 때는 첫 말에만 붙임.
> (2) 이들 어구(語句)가 주부(主部)로 될 때, 동사와의 수의 일치에 주의할 것 : *Bread and butter is* good for most sick people. 버터 바른 빵은 대부분의 환자에게 좋다.

④ **a)** 〔반복·중복〕…(한) 위에 또 ―, …이고 (―이고), 더욱 더 ; 씩 (짝을 지어) : again ~ again 몇 번이고, 재삼 재사 / I know him through ~ through. 나는 그에 대해 너무나 잘 알고 있다 / for weeks ~ weeks 몇 주일이고 / They walked two ~ two. 그들은 둘씩 (짝지어) 나란히 걸었다. **b)** 〔比較級과 함께 써서〕 점점 더, 더욱 더 : more ~ more 점점 (더) / The kite flew up higher ~ higher. 연은 점점 더 높이 올라갔다.
⑤ 〔강조〕 더구나, 그뿐이랴 : He, ~ he alone can do the work. 그 사람, 그것도 그만이 그 일을 할 수가 있다 / "He's a lazy fellow." "*And* a liar." '그는 게으름뱅이다', '더구나 거짓말쟁이지'.
⑥ 〔의외·비난〕 더욱이, 더구나 …인데〔…한 터에〕, …한데 : How could you talk like that, ~ your father present? 아버지도 계신데 어떻게 그와 같이 말할 수 있었는가(=…when your father was present?) / A sailor, ~ afraid of the weather! (명색이) 뱃사람인 주제에 거친 날씨를 무서워하다니.
⑦ 〔이유·결과〕 그래서, 그러자 : He is very kind, ~ I like him very much. 그는 대단히 친절해서, 나는 그를 매우 좋아한다 / He spoke, ~ all were silent. 그가 말하자 모두 잠잠해졌다.
⑧ 〔命令文 또는 그 상당 어구 뒤에서〕 그렇게 하면, 그러면 : Stir, ~ you are a dead man. 움직이면 죽는다 / One more day, ~ the vacation will be over. 이제 하루만 더 지나면 휴가도 끝이다.
⑨ **a)** 〔대립적인 내용을 보여〕 …이긴 하나, …인〔한〕데도, …이면서도 : He promised to come, ~ didn't. 그는 오겠다고 약속을 했으면서도 오지 않았다 / He is rich, ~ lives like a beggar. 부자이면서도 거지와 같은 생활을 하고 있다. **b)** 〔추가적으로 덧붙여〕 그것도, 게다가 : He did it, ~ did it well. 그는 그것을 했다, 그것도 썩 잘.
⑩ 〔不定詞에 붙는 to 대신〕 …하러, …하기 위해 : Come ~ see me. 만나러 오시오 / I will try ~ do it better next time. 다음엔 더 잘 하도록 하지요《★ 이런 용법은 구어적이며, 주로 come, go, run, try 따위의 동사와 함께 쓰이고, 또 주로 명령·미래에 쓰임》.
⑪ 〔cannot 뒤에서〕 …하고 나서 또, 게다가 (…까지는 안 된다) : You *can't* eat a cake ~ have it. 과자는 먹으면 없어진다〔손에 남지 않는다〕; 동시에 양쪽 다 좋은 일은 할 수 없다.
⑫ 〔두 개의 形容詞를 연결하여 앞의 形容詞를 副詞的으로 함 ; 종종 단순한 강조〕 : It is nice ~ cool. 기분 좋을 만큼 시원하다 / He was good ~ tired. 그는 어지간히 피곤했다.
⑬ 〔두 개의 動詞를 이어서 뒤의 動詞가 現在分詞的인 뜻을 나타내어〕 …하면서 : He sat ~ looked at the picture for hours. 그는 몇 시간이나 그 그림을 보면서 앉아 있었다.
⑭ 〔疑問文의 첫머리에서, 상대방의 말을 받아〕 그래서, 그러면 ; 그런데 ; 그래 : How are you? — Fine, thank you. *And* (how are) you? 안녕하십니까. —네 잘 있습니다, 한데 당신은? / *And* you actually did it? 그래, 자넨 정말 그걸 했는가.
⑮ 〔there are …의 구문 중에서 같은 名詞를 연결하여〕 여러(가지) : There are books ~ books. 책에도 여러 가지가 있다 / There are men ~ men. 사람이라 해도 천차 만별이다.
⑯ **a)** 〔덧셈에서〕 … 더하기 … : Four ~ two make(s) 〔equal(s)〕 six. 4 더하기 2는 6. **b)** 〔數詞의 접속〕 : two hundred ~ thirty=230 / one thousand ~ two=1,002 / four ~ a half=$4^1/_2$ / one ~ twenty 《古》 =21《=twenty-one : 1의 자리를 앞에, 10의 자리를 뒤로 돌리는 형식》/ two pounds ~ five pence, 2 파운드 5 펜스.

> 語法 (1) 100 자리 다음에 and [ənd, ən] 가 옴. 그러나《美》에서는 종종 생략. (2) 100 의 자리가 0일 때는 1,000 자리 다음에 and가 옴.

⑰ 〔두 개의 가로 이름을 연결하여, 그 교차점을 나타내어〕《美》: at Third Street ~ Fifth Avenue, 3번가와 5번로의 교차점에서.
~ all ⇨ ALL. ***~ all that*** ⇨ ALL. ***~ all this*** 그리고 이것 모두. ***~ how*** ⇨ HOW. ***~ others*** 등(등). ***~ so forth*** 〔***on***〕 …따위, 등등《etc. 또는 &c.로 생략 ; 이 때 *and* etc., *and* &c.로 함은 중복이며 잘못》. ***~ that*** ⇨ THAT. ***~ what not*** = ~ so forth. ***~ yet*** 그럼에도, 게다가 (더욱).

An·da·lu·sia [æ̀ndəlúːʒə, -ʃiə] *n.* 안달루시아《스페인 남부, 이베리아 반도의 최남단 지방》.

an·dan·te [ændǽnti, ɑːndáːntei] *a., ad.* 《It.》〖樂〗 느린〔느리게〕, 안단테의〔로〕. ― *n.* Ⓒ 안단테의 악장〔악절〕.

an·dan·ti·no [æ̀ndæntíːnou, ɑ̀ːndɑːn-] *a., ad.* 《It.》〖樂〗 안단티노의 ; 안단테보다 좀 빠르게.

— (*pl.* ~ *s*) *n.* Ⓒ 안단티노의 악장〔악절〕.
ÁND gàte 〖컴〗 또문, 앤드문. 「의.
An·de·an [ændíːən, ǽn-] *a.* 안데스 산맥 (주민)
*__An·der·sen__ [ǽndərsən] *n.* **Hans Christian** ~ 안데르센《덴마크의 동화 작가 ; 1805-75》.
An·der·son [ǽndərsən] *n.* **Sherwood** ~ 앤더슨《미국의 소설가 ; 1876-1941》. 「미의》.
An·des [ǽndiːz] *n. pl.* (the ~) 안데스 산맥《남
and·i·ron [ǽndàiərn] *n.* Ⓒ (흔히 *pl.*) (난로의) 철제 장작받침(firedog).
and / or [ǽndɔ́ːr] *conj.* 및 / 또는, 양쪽 다 또는 어느 한 쪽(both or either) : Money ~ clothes are welcome. 돈과 옷 또는 그 어느 쪽도 환영함.
An·dor·ra [ændɔ́ːrə, -dάrə] *n.* 안도라《프랑스·스페인 국경의 산중에 있는 공화국 ; 수도 Andorra la Vella [-lɑːvéljɑː]》.
An·drew [ǽndruː] *n.* ① 앤드루《남자 이름》. ② (Saint ~) 〖聖〗 안드레《예수의 12 사도의 한 사람》. ***St. ~'s cross*** 성안드레 십자가《푸른 바탕에 흰 X 꼴 십자형 ; ⓒⓕ Union Jack》.
An·dro·cles [ǽndrəklìːz] *n.* 안드로클레스《로마의 전설적인 노예 ; 도망죄로 투기장에서 사자와 싸우게 되었는데, 전에 그 발의 가시를 빼어준 일로 살아남》.
an·dro·gen [ǽndrədʒən, -dʒen] *n.* Ⓤ 〖生化〗 남성 호르몬, 안드로겐.
an·drog·y·nous [ændrάdʒənəs / -drɔ́dʒ-] *a.* 남녀 양성의 : ~ clothing 남녀 공용의 옷 ; 자웅동체(雌雄同體)의 ; 〖植〗 자웅동화(同花)〔동주(同株)〕
an·droid [ǽndrɔid] *n.* Ⓒ 인조 인간. └의.
An·drom·e·da [ændrάmidə / -drɔ́m-] *n.* ①〖그神〗 안드로메다《에티오피아의 공주 ; 바다의 괴수(怪獸)에게 제물로 바쳐졌으나 Perseus에게 구출되어 그의 아내가 됨》. ②〖天〗 안드로메다자리.
Andrómeda gàlaxy (the ~) 안드로메다 은하(銀河). 「애칭》.
An·dy [ǽndi] *n.* 앤디《남자의 이름 ; Andrew의
an·ec·dot·age [ǽnikdòutidʒ] *n.* Ⓤ ① 〔集合的〕 일화(집). ②《戱》(옛이야기를 하고 싶어하는) 늙은 나이《dotage에 붙여 만든 말》.
an·ec·do·tal [æ̀nikdóutl, ⌐-⌐-] *a.* 일화(逸話)의 ; 일화가 많은 ; 일화 같은. ㊎ ~·**ly** *ad.*
‡**an·ec·dote** [ǽnikdòut] *n.* Ⓒ ① 일화 ; 일사(逸事), 기담(奇談) : ~*s* about Abe Lincoln 링컨의 일화. ② (*pl.* ***~s, an·ec·do·ta*** [æ̀nikdóutə]) 비사(祕史), 비화.
ane·mia [əníːmiə] *n.* Ⓤ 〖醫〗 빈혈증 ; 생기〔활력〕의 결핍. ㊎ **-mic** *a.* 빈혈(증)의 ; 무기력한, 활기 없는 ; 연약한 : *anemic* economy 침체된 경제 / an *anemic* performance 무기력한 연기. **-mi·cal·ly** *ad.* 무기력하게. 「(自記) 풍속계.
anem·o·graph [ənéməgræ̀f, -grὰːf] *n.* Ⓒ 자기
an·e·mom·e·ter [æ̀nəmάmitər / -mɔ́m-] *n.* Ⓒ 풍력계, 풍속계.
*__anem·o·ne__ [ənéməni] *n.* Ⓒ ①〖植〗 아네모네. ②〖動〗 말미잘(sea ~).
an·er·oid [ǽnərɔ̀id] *a.* 액체를 쓰지 않는. — *n.* Ⓒ 아네로이드 기압계(~ barometer).
an·es·the·sia [æ̀nəsθíːʒə, -ziə] *n.* Ⓤ 〖醫〗 마취(법) ; (지각) 마비 : under ~ (환자가) 마취되어. ***local*** 〔***general***〕 ~ 국부 〔전신〕 마취(법).
an·es·the·si·ol·o·gy [æ̀nəsθìːziάlədʒi / -ɔ́l-] *n.* Ⓤ 마취학. ㊎ **-gist** *n.* Ⓒ《美》 마취의(醫).
an·es·thet·ic [æ̀nəsθétik] *a.* ① 마취의 ; (지각) 마비의. ② 무감각한, 둔감한. — *n.* Ⓒ 마취제 : give a person a general ~ 아무를 전신 마취시키다. ㊎ **-i·cal·ly** *ad.* 마취 상태에서, 무감각하게.
anes·the·tist [ənésθətist, æníːs-] *n.* Ⓒ《美》 마취사(士) ;《英》 마취 전문 의사.
anes·the·ti·za·tion [ənèsθətizéiʃən, æniːs-θitai-] *n.* Ⓤ 마취(법) ; 마취 상태.
anes·the·tize [ənésθətàiz, æníːs-] *vt.* …을 마취시키다, (…의 감각)을 마비시키다.
an·eu·rysm, -rism [ǽnjurìzəm] *n.* Ⓒ 〖醫〗 동맥류(動脈瘤).
*__anew__ [ənjúː] *ad.* ① 다시 : The process of conflict and destruction would begin ~. 투쟁과 파괴의 과정이 다시 시작될 것이다. ② 새로 : write the story ~ 그 이야기를 새로 고쳐쓰다.
‡**an·gel** [éindʒəl] *n.* Ⓒ ① **a)** 천사, 수호천사, 수호신(guardian ~) ; 천사상(像) : Fools rush in where ~*s* fear to tread.《俗談》 하룻강아지 범 무서운 줄 모른다 / Talk of ~*s* and you will hear the flutter of their wings.《俗談》 호랑이도 제 말하면 온다 / a fallen ~ 타락한 천사《★ 9계급의 천사 중 특히 최하위의 천사》. ⓒⓕ hierarchy. **b)** 천사 같은 사람 ; 천진한〔사랑스러운〕 사람 : Be an ~ and make me a sandwich. 부탁이니 샌드위치 하나 좀 만들어 주지《★ Be an ~ and 는 남자 사이에서는 쓰지 않음》. ②《口》(연극 등의) 자금 후원자. ③《口》 레이더 화면에 나타난 정체 불명의 신호《흰 반점》. ***an ~ of a*** (girl) 천사와 같은 (소녀). ***be on the side of the ~s*** 천사 편이 되다 : He *was* in this matter at least, firmly *on the side of the ~s*. 어쨌든 그는 이 사건에서 단호히 선(善)의 편에 섰다. ***one's evil ~*** 악마. — *vt.*《美俗》 …에 원조하다《재정적으로》.
An·ge·la [ǽndʒələ] *n.* 앤젤라《여자 이름》.
ángel dùst《美俗》 합성 헤로인.
an·gel·fish [éindʒəlfiʃ] *n.* Ⓒ 〖魚〗 전자리상어 ; 에인젤피시《관상용 열대어의 일종》.
ángel (fòod) càke《美》 카스텔라의 일종.
*__an·gel·ic, -i·cal__ [ændʒélik], [-əl] *a.* 천사의 ; 천사와 같은 : an *angelic* voice 〔face, smile〕 천사 같은 목소리〔얼굴, 미소〕 / a demon in *angelic* form 천사의 모습을 한 악마. ㊎ **-i·cal·ly** [-kəli] *ad.* 천사처럼.
an·gel·i·ca [ændʒélikə] *n.* Ⓤ,Ⓒ ① 멧두릅속의 식물《요리용·약용》. ② 그 줄기의 설탕 절임.
An·gel·i·co [ændʒélikòu] *n.* **Fra** ~ 안젤리코《이탈리아 화가 ; 1400-55》
An·ge·lus [ǽndʒələs] *n.* (the ~) ①〖가톨릭〗 삼종(三鐘) 기도《예수의 수태를 기념하는》; 그 시간을 알리는 종(=⌐ **bèll**)《아침·정오·저녁에 울림》. ② (The ~) '만종'《Millet 의》.
‡**an·ger** [ǽŋgər] *n.* Ⓤ 노염, 성, 화 : furious with ~ 미칠 듯이 성이 나서 / He felt ~ against her. 그는 그녀에게 화를 냈다 / He found it hard to restrain〔suppress〕 his ~. 그는 분노를 억제하기 어려움을 알았다. ◇ angry *a.* ***in*** ~ 노하여, 성내어. — *vt.* …을 노하게〔화나게〕 하다《★ 종종 受動으로 '화를 내다'의 뜻 ; 前置詞는 by, at》 : It always ~*s* me to see so much waste. 그렇게 많은 낭비를 보면 늘 화가 난다 / She *was* greatly ~*ed at*〔*by*〕 his behavior. 그의 행동에 그녀는 매우 화를 냈다.
an·gi·na [ændʒáinə] *n.* Ⓤ 〖醫〗 ① 안기나, 후두염. ② 협심증《정식으로는 ~ pectoris》.
an·gi·o·sperm [ǽndʒiouspə̀ːrm] *n.* Ⓒ 〖植〗 피자(被子) 식물. ⓞⓟⓟ *gymnosperm*.
Ang·kor Wat [ǽŋkɔːrwάːt, άːŋ-] 앙코르와트《캄보디아 앙코르에 있는 석조 대사원의 유적》.
An·gle [ǽŋgl] *n.* ① Ⓒ 앵글족 사람. ② (the ~s) 앵글족(族)《5세기 영국에 이주한 튜턴 민족의 한 부족》.
‡**an·gle**[1] [ǽŋgl] *n.* Ⓒ ①〖數〗 각, 각도 : an acute

～ 예각 / an exterior [external] ～ 외각 / an interior [internal] ～ 내각 / an obtuse ～ 둔각 / a right ～ 직각 / an ～ of 45 degrees, 45°의 각. ② 모(퉁이); 귀퉁이. ③ (보는) 각도, 견지, 관점: a new ～ on the problem 문제에 대한 새로운 관점 / He looked at the problem only from his own ～. 그 문제를 그는 오직 자기 입장에서만 보았다. ④ (사물의) 양상, 국면, 상황: consider all ～*s* of a dispute 쟁의의 모든 상황을 고려하다. ⑤ 《美口》 불순한 동기, 음모, 책략, 교활한 계획: He's been too friendly lately — what's his ～? 최근 그는 매우 호의적으로 나오고 있다. — 무얼 노리고 있는 것일까? ***at an*** ～ 비스듬히, 기울어: The two streets meet *at an* ～. 그 두 거리는 비스듬히 [X자 꼴로] 교차되어 있다. ***know all the*** ～***s*** 《美口》 쓴맛 단맛을 다 알다. ***play (all) the*** ～***s*** 《俗》 (목표 달성을 위해) 모든 수단을 쓰다. ***take the*** ～ 각도를 재다. — *vt.* ① …을 어느 각도로 움직이다[굽히다]; …을 비스듬히 하다, 기울이다: ～ a camera 카메라 앵글을 잡다 / The stage had been steeply ～*d*. 무대가 몹시 기울어 있었다. ② 《～+목 / +목+전+명》 《口》 (기사 등)을 특정한 관점에서 쓰다, 왜곡하다: ～ an article *toward* young readers 기사를 젊은 독자들의 취향으로 쓰다. — *vi.* 굽다, 구부러지며 나아가다.

an·gle² *vi.* ① 《～ / +전+명》 낚시질하다: ～ *for* trout 송어를 낚다 / go *angling* 낚시하러 가다. ② 《+전+명》 《比》 (…을 얻으려고) 갖가지 수를 쓰다; 낚다, 꾀어내다 《*for*》: ～ *for* praise 칭찬받으려고 수를 쓰다.

ángle bráckət ① 〖建〗 모서리용 까치발. ② 〖印〗 (흔히 *pl.*) 꺾쇠 괄호(〈 〉).

ángle pàrking (자동차의) 비스듬한 주차 《주로 길가에서》.

***an·gler** [ǽŋglər] *n.* Ⓒ ① 낚시꾼. ② 〖魚〗 아귀 (= **án·gler·fish**). 「쓰는) 지렁이.

an·gle·worm [ǽŋglwə̀ːrm] *n.* Ⓒ (낚싯밥으로

An·glia [ǽŋgliə] *n.* England의 라틴명.

An·gli·an [ǽŋgliən] *a.*, *n.* 앵글족의; 앵글 사람; Ⓤ 앵글어.

***An·gli·can** [ǽŋglikən] *a.* 영국 국교의, 성공회의; 잉글랜드의. — *n.* Ⓒ 영국 국교도.

Ánglican Chúrch (the ～) 영국 국교회, 성공회 (the Church of England).

Ánglican Commúnion (the ～) 영국 국교회파, 영국 성공회.

An·gli·can·ism [ǽŋglikənìzəm] *n.* Ⓤ 영국 국교회주의; 영국풍 숭상.

An·gli·cism [ǽŋgləsìzəm] *n.* Ⓤ,Ⓒ ① 타국어에 채택된 영어적 표현. ② 영국풍(식); 영국 영어풍(식). ③ 영어 특유의 어법; 영국식 편중.

An·gli·cize [ǽŋgləsàiz] *vt.* ① …을 영국풍(식)으로 하다. ② (외국어)를 영어화하다.

an·gling [ǽŋgliŋ] *n.* Ⓤ 낚시질, 조어(釣魚).

Anglo- '영국(계)의, 영어의, 영국 국교회(파)의'의 뜻의 결합사.

***An·glo-A·mer·i·can** [ǽŋglouəmérikən] *n.* Ⓒ, *a.* 영미(간)의; 영국계 미국인(의).

An·glo-Cath·o·lic [-kǽθəlik] *a.*, *n.* Ⓒ 영국 국교회 가톨릭파 신도(의); 영국 가톨릭 교회 신도(의).

An·glo-Ca·thol·i·cism [-kəθɑ́ləsìzəm / -θɔ́l-] *n.* 영국 국교 가톨릭파(의 교의) 《영국 국교회 내에서 가톨릭적 요소를 강조함》.

An·glo-French [-fréntʃ] *a.* 영불(간)의; 앵글로프랑스어의. — *n.* Ⓤ 앵글로 프랑스어 《노르만 시대에 영국에서 쓰인 프랑스 말》.

An·glo-In·di·an [-índiən] *a.* ① 영국과 인도의. ② 영·인 혼혈의; 인도 거주 영국인의. ③ 인도 영어의. — *n.* ① Ⓒ 인도에 사는 영국인; 영인 혼혈아; = EURASIAN. ② Ⓤ 인도 영어.

An·glo-I·rish [-áiriʃ] *a.* ① 잉글랜드와 아일랜드(간)의. ② 영국인과 아일랜드인의 피를 잇는; 아일랜드 거주 영국인의. — *n.* Ⓒ 영국계 아일랜드 사람; Ⓤ 아일랜드 영어.

An·glo·ma·nia [æ̀ŋgləméiniə, -njə] *n.* Ⓤ (외국인의) 영국 숭상[심취], 영국광(狂). ⓟ **-ni·ac** [-niæ̀k] *n.* Ⓒ 영국 숭상자[심취자].

An·glo-Nor·man [æ̀ŋglounɔ́ːrmən] *n.* ① Ⓒ 〖史〗 노르만계 영국인. ② Ⓤ 앵글로노르만어(語) 《Norman Conquest (1066년) 이후 영국에서 쓰였던 프랑스 북부의 방언》. — *a.* ① 노르만인의 영국 지배 시대(1066-1154)의. ② (영국 정복 후) 영국에 정주한 노르만인의, 노르만계 영국인의. ③ 앵글로노르만어의. 「파의 (사람).

An·glo·phile [ǽŋgləfàil] *a.*, *n.* Ⓒ 친영(親英)

An·glo·phobe [ǽŋgləfòub] *n.* Ⓒ 영국을 싫어하는 사람. ⓟ **Àn·glo·phó·bia** [-biə, -bjə] *n.* Ⓤ 영국 혐오, 공영병(恐英病).

‡**An·glo-Sax·on** [æ̀ŋglousǽksən] *n.* ① **a**) Ⓒ 앵글로색슨 사람. **b**) (the ～s) 앵글로색슨 민족 《5세기 무렵 대륙에서 영국에 이주한 튜턴족의 한 부족》. ② Ⓒ 영국계의 사람; 《특히》 영국계 미국인; 영어국(英語國)계의 사람; (현대의) 전형적인 영국인. ③ Ⓤ 앵글로색슨어(語) (Old English); (외래어를 섞지 않은) 순수한 영어; 평이한 영어. — *a.* 앵글로색슨 사람[어]의. ⓟ **～·ism** *n.* Ⓤ ① 영국인 기질. ② 앵글로색슨계의 언어.

An·go·la [æŋgóulə] *n.* ① = ANGORA ②. ② 앙골라 《아프리카 남서부의 공화국; 1975년 독립; 수도 Luanda》.

An·go·ra [ǽŋgourə, æŋgɔ́ːrə] *n.* ① Ankara의 구칭. ② (a-) [æŋgɔ́ːrə] Ⓒ 앙고라 고양이[염소, 토끼]; Ⓤ 앙고라 모직물.

Angóra cát 앙고라 고양이 《털이 김》.

Angóra góat 앙고라 염소 《털이 비단 같으며, mohair라 일컬음》.

Angóra rábbit 앙고라 토끼.

Angóra wóol 앙고라 염소[토끼]털.

an·gos·tú·ra (bárk) [æ̀ŋgəstjúərə(-)] 앙고스투라 수피 《남아메리카산; 해열·강장제》; (A-) 그것으로 만든 강장 음료.

Angostúra Bítters 앙고스튜라 비터즈 《럼주(酒)에 앙고스튜라 나무 껍질을 담가 만드는 칵테일용 고미제(苦味劑); 商標名》.

‡**an·gri·ly** [ǽŋgrəli] *ad.* 성나서, 화내어: "Don't do that!", she shouted ～. "그러지 말아요!" 그녀는 화내어 소리쳤다.

†**an·gry** [ǽŋgri] (***an·gri·er***; ***-i·est***) *a.* ① 성난, 화를 낸 《★ 보통 일시적인 화를 말함》: an ～ look 성난 얼굴 / He was ～ that I had insulted him. 그는 내가 그를 모욕했다고 화내고 있었다. ② (파도·바람 등이) 격심한, 모진: an ～ sky 험악한 하늘. ③ 염증을 일으킨, 욱신거리는, 쑤시는 《상처 등》: On his leg was an ～ sore. 그의 다리에 벌겋게 부어오른 상처가 있었다. ④ (색깔 등이) 강렬한, 타는 듯한. ◇ anger *n.* ***be*** ～ ***at*** [***about***] a thing 무엇에 대해서 성을 내다: I don't know what she *is* ～ *about.* 무엇에 대하여 그녀가 화를 내고 있는지 모르겠다. ***be*** ～ ***with*** [***at***] a person 아무에게 성을 내다: He *was* very ～ *with*[*at*] me because I was late. 늦게 왔다고 그는 나에게 몹시 화를 냈다. ***become*** [***get, grow***] ～ 성내다, 노하다, 화내다. ***feel*** ～ 괘씸하게 여기다, 노엽게 생각하다. ***have*** ～ ***words***

(**with**) (…와) 말다툼〔언쟁〕하다.

ángry yòung mán〔mén〕 (종종 A- Y- M-) '성난 젊은이'《1950년대, 침체한 영국 사회에 반감을 나타낸 젊은 작가(들)》; 〔一般的〕 반체제의 젊은이(들). cf. beatnik.

angst [ɑːŋkst] (*pl.* ***äng·ste*** [éŋkstə]) *n.* U 《G.》 불안한 마음; 고뇌.

ang·strom [ǽŋstrəm] *n.* (*or* A-) C 〖物〗 옹스트롬(=∠ **ùnit**)《빛의 파장의 측정 단위; 1밀리의 1,000 만분의 1; 기호 Å, A, A.U.》.

an·guish** [ǽŋgwiʃ] *n.* U (심신의) 고통, 괴로움, 고민, 번민: Her heart was torn with ~. 그녀의 마음은 고통으로 찢어지는 듯했다. ***in 〔***for***〕 ~ 괴로워서, 괴로운 나머지: *In* her ~ she forgot to leave a message. 그녀는 괴로운 나머지 메모를 적어 놓는다는 것을 잊었다.

an·guished [ǽŋgwiʃt] *a.* 괴로워하는, 고민의; 고민에 찬.

***an·gu·lar** [ǽŋgjələr] *a.* ① 각(角)을 이룬, 모진, 모난; 모서리진: ~ pieces of rock 모난 바위 조각들. ② 모퉁이〔모서리〕에 있는; 각도로 잰: ~ distance 각거리. ③ 뼈가 앙상한, 말라빠진: a pale, ~ face 창백하고 말라빠진 얼굴. ④ 까다로운, 고집센, 딱딱한, 모난. ◇ angle¹ *n.* 㸃 ~·**ly** *ad.*

an·gu·lar·i·ty [æ̀ŋgjəlǽrəti] *n.* ① U 모남, 모짐; 뼈만 앙상함; 무뚝뚝함. ② C (흔히 *pl.*) 모가 난 형상〔윤곽〕; 뾰족한 모서리.

ángular moméntum 〖物〗 각운동량.

ángular spéed 〔velócity〕 〖物〗 각속도(角速度)《단위 시간당 방향의 변화량》.

An·gus [ǽŋgəs] *n.* ① 앵거스《남자 이름》. ② = ABERDEEN ANGUS.

an·hy·dride, -drid [ænháidraid], [-drid] *n.* U 〖化〗 무수물(無水物).

an·hy·drous [ænháidrəs] *a.* 〖化〗 무수(無水)의: ~ salts 무수염.

an·i·line, -lin [ǽnəlin, -làin], [-lin] *n.* U 〖化〗 아닐린《무색 유상(油狀)의 액체》.

ániline dỳe 아닐린 염료.

an·i·ma [ǽnəmə] *n.* 《L.》 ① U,C 생명, 영혼, 정신. ② 〖心〗 a) (무의식화된) 내적 개성. opp. *persona.* b) (the ~) (남성 중의) 여성적 요소. opp. *animus.*

an·i·mad·ver·sion [æ̀nəmædvə́ːrʃən, -ʒən] *n.* U,C (비평적인) 일언(一言), 비평《*on*》; 비난, 혹평《*on*》.

an·i·mad·vert [æ̀nəmædvə́ːrt] *vi.* (…을) 비평하다, 비난하다《*on*》: ~ *on* 〔*upon*〕 a person's conduct 아무의 행위를 비난하다.

†**an·i·mal** [ǽnəməl] *n.* ① C 동물《인간까지 포함시켜》: Man is by nature a political ~. 인간은 천성이 정치적인 동물이다《Aristotle, *Politics* 1. 2》. ② C 짐승, (인간 이외의) 동물, 네발 짐승: the lower ~*s* 하등 동물 / wild ~*s* 야수 / domesticated 〔domestic〕 ~*s* 가축. ③ C 짐승 같은 인간, 사람 같지 않은 놈. ④ (the ~) (사람의) 수성(獸性): *the* ~ in every person 모든 사람에게 잠재하는 수성. —*a.* ① 〔限定的〕 동물의, 동물성〔질〕의. cf. vegetable. ¶ ~ life 동물의 생태; 〔集合的으로〕 동물 / ~ matter 동물질 / ~ protein 동물성 단백질. ② (정신적이 아닌) 동물적인, 짐승 같은, 육욕적인: ~ needs 육체적 욕구 / ~ courage 만용.

ánimal húsbandry 축산〔가축〕학; 축산.

an·i·mal·ism [ǽnəməlìzəm] *n.* U ① 동물적 생활; 수성(獸性), 수욕주의. ② 인간 동물설《인간에게는 영성(靈性)이 없다는 설》.

an·i·mal·is·tic [æ̀nəməlístik] *a.* ① 동물성〔수성(獸性)〕의; 동물의 성질을 가진. ② 수욕주의적인. ③ 동물 모양을 한.

an·i·mal·i·ty [æ̀nəmǽləti] *n.* U ① (인간의) 동물성, 수성(獸性). ② 동물임. ③ 동물계.

ánimal kìngdom (the ~) 동물계. cf. vegetable 〔mineral〕 kingdom.

ánimal mágnetism ① 〖生〗 동물 자기. cf. mesmerism. ② 육체적〔관능적〕 매력.

ánimal ríghts 동물 보호; 동물권(權)《학대·착취로부터 보호 받을 권리》.

ánimal spírits 혈기, 생기, 활기.

***an·i·mate** [ǽnəmèit] *vt.* ① …을 살리다, …에 생명을 불어넣다: God ~*d* the dust. 신은 시체에 생명을 불어넣으셨다. ② 《~+목 / +목+전+명》 …에 생기를 주다, 활기를 띠게 하다, 기운을 돋우다; 격려하다, 고무하다《*with*; *to*》: Her presence ~*d* the party. 그녀의 참석으로 파티는 활기에 넘쳤다 / The success ~*d* him *to* more efforts. 성공에 고무되어 그는 더욱 노력했다 / Her kind words ~*d* him *with* fresh hope. 그녀의 친절한 말로 그는 새로운 희망으로 불탔다. ③ …을 활동시키다, 움직이다: leaves ~*d* by a breeze 산들바람에 흔들리는 잎사귀. ④ …을 만화 영화〔동화(動畫)〕로 하다: ~ Cinderella '신데렐라'를 만화 영화화하다. ◇ animation *n.*
—[-mit] *a.* 산, 살아 있는; 활기〔원기〕 있는; 〖文法〗 유생(有生)의: ~ creatures 생물 / the ~ nature 생물〔동물〕계 / ~ nouns 유생(有生) 명사: The world contains things which are ~, such as animals, and things which are inanimate, such as rocks. 이 세상에는 동물과 같은 생물도 있고 바위와 같은 무생물도 있다.

an·i·mat·ed [ǽnəmèitid] *a.* ① 힘찬, 싱싱한; 활기찬, 한창인; (장소가) 번화한; 살아 있는 듯한: There was an extremely ~ discussion on the subject. 그 주제를 놓고 매우 열띤 토론이 있었다 / The market is ~. 시장은 활황을 띠고 있다. ② 만화 영화〔동화(動畫)〕의: an ~ film 만화 영화. 㸃 ~·**ly** *ad.* 생기있게, 활기에 넘쳐.

ánimated cartóon 〔dráwing〕 만화 영화, 동화(動畫).

an·i·ma·tion** [æ̀nəméiʃən] *n.* ① U 생기, 활발, 생기 넘침, 활기(띠움), 고무. ② C 〖映〗 동화(動畫), 만화 영화. ③ U 동화〔만화 영화〕 제작. ④ 〖컴〗 움직꼴, 애니메이션. ◇ animate *v.* ***with ~ 활발히, 힘차게: They both spoke *with* ~. 그들 둘 다 힘차게 말했다.

ani·ma·to [ɑ̀ːnəmɑ́ːtou] *a., ad.* 《It.》 〖樂〗 활기 있는〔있게〕, 힘차고 빠른〔빠르게〕.

an·i·ma·tor [ǽnəmèitər] *n.* C ① 생기를 주는 것, 고무자; 활력소〔제〕. ② 〖映〗 만화 영화 제작자.

an·i·mism [ǽnəmìzəm] *n.* U ① 물활론(物活論)《목석 같은 것에도 영혼이 있다고 생각하는 신앙》. ② 정령(精靈) 신앙《영혼·천사의 존재를 믿는 신앙》.

an·i·mist [ǽnəmist] *a., n.* C 물활론자(의); 정령(精靈) 숭배자(의).

an·i·mis·tic [æ̀nəmístik] *a.* 물활론의; 정령 숭배적인.

an·i·mos·i·ty [æ̀nəmɑ́səti / -mɔ́s-] *n.* U,C 악의, 원한, 유한, 증오, 적의《*against*; *toward*; *between*》. ***have*** (***an***) ~ ***against*** 〔***toward***〕 … 에 원한을 품다.

an·i·mus [ǽnəməs] *n.* U ① (종종 an ~) 적의, 원한, 증오. ② 의사, 의도(意圖); 생명의 원동력, 왕성한 정신. ③ (the ~) 〖心〗 (여성 중의) 남성적 요소. opp. *anima.*

an·i·on [ǽnaiən] *n.* Ⓒ 〖化〗 음(陰)이온, 아니온. opp *cation.*

an·ise [ǽnis] *n.* Ⓒ 〖植〗 아니스.

an·i·seed [ǽnisìːd] *n.* Ⓤ 아니스의 열매《향미료》.

an·i·sette [æ̀nəzét, -sét, ⌐-⌐] *n.* Ⓤ 아니스 술〔강심제〕.

An·ka·ra [ǽŋkərə, ɑ́ːŋ-] *n.* 앙카라《터키의 수도》. ★ 구칭은 Angora.

ankh [æŋk] *n.* Ⓒ 앙크《이집트 미술에서 볼 수 있는, 위에 고리가 붙은 T자형 십자; 생식·장수의 상징》, 생명의 심벌.

‡**an·kle** [ǽŋkl] *n.* Ⓒ ① 발목: I fell over and sprained 〔twisted〕 my ~. 나는 넘어져서 발목을 삐었다. ② 복사뼈.

ánkle sóck =ANKLET ①.

an·klet [ǽŋklit] *n.* Ⓒ ① (흔히 *pl.*) 《美》 여성〔어린이〕용 양말의 일종《발목까지 오는》. ② 발목 장식(이 있는 신); 차꼬.

an·ky·lo·sis [æ̀ŋkəlóusis] *n.* Ⓤ (뼈와 뼈의) 교착; (관절의) 강직.

Ann, An·na [æn], [ǽnə] *n.* 앤, 애너《여자 이름; 애칭은 Annie, Nancy 등》.

An·na·bel [ǽnəbèl] *n.* 애너벨《여자 이름》.

an·nal·ist [ǽnəlist] *n.* Ⓒ 연대기(年代記)의 편자, 연보(年譜) 작자. ≠analyst.

***an·nals** [ǽnəlz] *n. pl.* ① 연대기, 연대표. ② 역사적인 기록, 역사. ③〔때로 單數취급〕 (학회 따위의) 연보(年報).

An·nap·o·lis [ənǽpəlis] *n.* ① 아나폴리스《미국 Maryland 주의 주도(州都); ② 의 소재지》. ② 미국 해군 사관 학교.

Ann Ar·bor [ænɑ́ːrbər] 앤 아버《미국 Michigan 주 남동부의 도시; Michigan 대학의 소재지》.

Anne [æn] *n.* 앤. ① 여자 이름. ② 영국 여왕 《Stuart 가(家) 최후의 왕; 1665-1714》.

an·neal [əníːl] *vt.* ① (강철·유리 등)을 달구어 서서히 식히다; 벼리다; 다시 달구다. ② (의지·정신)을 단련〔강화〕하다.

an·ne·lid [ǽnəlid] *a., n.* Ⓒ 〖動〗 환형(環形) 동물(의)《지렁이·거머리 등》.

***an·nex** [ənéks, æn-] *vt.* ① 《~+目/+目+前+名》 …을 부가〔추가〕하다《*to*》: ~ one's signature *to* a letter of recommendation 추천장에 서명을 첨가하다. ② 《~+目/+目+前+名》 (영토 등)을 합병하다《*to*》: The city *~ed* those villages. 시는 그 마을들을 병합했다 / The company *~ed* two small independent stores *to* its national chain. 그 회사는 소규모의 두 자영상점을 전국 체인에 병합했다. ③ 《口》 …을 훔치다, 착복하다. ◇ annexation *n.* —— [ǽneks, -iks] (*pl.* *~·es* [-iz]) *n.* Ⓒ ① 부가물; 부록; (조약 등의) 부속 서류. ② (건물의) 부속 가옥, 증축 건물, 별관: The emergency room is in the ~ of the main building. 응급실은 별관안에 있다. ★ 《英》에서는 annexe로도 씀.

an·nex·a·tion [æ̀nekséiʃən] *n.* ① Ⓤ 부가; 합병. ② Ⓒ 부가물, 합병된 영토.

***an·ni·hi·late** [ənáiəlèit] *vt.* ① (적 등)을 절멸〔전멸〕시키다: The city was *~d* by the bombs. 시는 폭격에 의하여 전멸되었다 / By *annihilating* the smallpox virus, doctors have saved many lives. 천연두균을 전멸시킴으로써 의사들은 많은 생명을 구하였다. ② (법률 따위)를 무효로 하다, 폐지하다: ~ a law 법률을 폐지하다. ③ (상대 따위)를 지우다, 꺾다; 제압하다, 완패시키다: Our soccer team *~d* the visiting team. 우리 축구 팀은 원정 팀을 완패시켰다.

***an·ni·hi·la·tion** [ənàiəléiʃən] *n.* Ⓤ ① 전멸, 절멸; 붕괴: A full-scale nuclear war could lead to the ~ of the human race. 전면적인 핵전쟁은 인류를 전멸로 이끌 수도 있다. ② 폐지, 무효화.

‡**an·ni·ver·sa·ry** [æ̀nəvə́ːrsəri] *n.* Ⓒ (해마다의) 기념일, 기념제; …주년제, 주기(周忌), 기일(忌日)《略: anniv.》: a person's ~ 아무의 기념일, 《특히》 생일 / a wedding ~ 결혼 기념일 / celebrate the 60th ~ of one's birth 환갑을 축하하다 / Today is the fiftieth ~ of the revolution. 오늘은 혁명 50주년 기념일이다. —— *a.* 기념일의, 기념제의; 매년의, 예년의.

an·no Dom·i·ni [ǽnou-dɑ́mənài, -nìː, ɑːn-/-dɔ́m-] 《L.》 (그리스도) 기원, 서기 (=in the year of our Lord) 《略: A.D.》. cf. B.C.

an·no·tate [ǽnətèit] *vt* …에 주를〔주석을〕 달다: ~ the works of Shakespeare 셰익스피어 작품에 주를 달다. —— *vi.* 주석〔주해〕하다: ~ on a book 책에 주를 달다. 파 **àn·no·tá·tion** [-ʃən] *n.* Ⓤ.Ⓒ 주석, 주해. **án·no·tà·tor, -tàt·er** [-tər] *n.* Ⓒ 주석자.

†**an·nounce** [ənáuns] *vt.* ① 《~+目/+目+前+名/+目+*to be* 補/+*that* 節/+目+*as* 補》… 을 알리다, 고지〔발표〕하다, 공고〔공표〕하다, 전하다; 예고하다: They *~d* the birth of a prince. 그들은 왕자의 탄생을 발표하였다 / She has *~d* her marriage *to* her friends. 그녀는 친구들에게 결혼한다고 발표하였다 / He *~d* my statement *to be* a lie. =He *~d that* my statement was a lie. 그는 나의 진술을 거짓이라고 말하였다 / He *~d* himself to me *as* my father. 그는 나의 아버지라고 자칭하였다. ② (손님의 도착·식사가 마련되었음 등)을 큰 소리로 알리다: ~ dinner 식사 준비가 되었다고 알리다 / ~ Mr. and Mrs. Jones 존스 부처의 내방을 알리다. ③ 《~+目/+目+*to be* 補》 …임을 나타내다, 감지케 하다: An occasional shot *~d* the presence of the enemy. 이따금 들리는 총소리로 적이 있는 것을 알 수 있었다 / Her dress *~s* her *to be* a nurse. 복장을 보아 그녀가 간호사라는 것을 알 수 있다. ④ 〖放送〗 (프로)를 아나운스하다: He *~s* two programs a week. 그는 한 주에 두 프로그램을 방송한다. —— *vi.* 《+前+名》 ① 아나운서로 근무하다 《*for*》: He *~s for* the private station. 그는 그 민간 방송국의 아나운서로 근무하고 있다. ② 《美口》 입후보할 것을〔지지를〕 선언하다《*for*》: ~ *for* governor 지사 선거에 입후보할 뜻을 표명하다 / ~ *for* Brown 브라운씨를 지지한다고 선언하다. 파 **~·a·ble** *a.*

‡**an·nounce·ment** [ənáunsmənt] *n.* Ⓤ.Ⓒ ① 알림, 공고, 고시, 발표, 공표, 성명, 예고; 통지서, 발표문, 성명서: They were told to leave on Friday, but no public ~ was made. 그들은 금요일에 떠나라는 말은 들었으나 공식 발표는 없었다 / I learned of his death through an ~ in the newspaper. 그의 죽음을 신문 고시를 보고 알았다. ② 〖放送〗 방송 문구, 《특히》 커머셜, 선전 문구, 광고. ③ (카드놀이의) 가진 패를 보이기. ***make an ~ of*** …을 발표하다.

‡**an·nounc·er** [ənáunsər] *n.* Ⓒ ① 〖放送〗 아나운서, 방송원. ② 고지자, 발표자.

‡**an·noy** [ənɔ́i] *vt.* ① (남)을 괴롭히다, 귀찮게〔성가시게〕 굴다, 속태우다; 화나게 하다: That *~s* me. 저건 골칫거리이다 / The dog *~ed* her by pulling her skirt. 그 개가 그녀의 스커트를 물어당겨 괴롭혔다 / I was *~ed* by his insensitive remarks. 그의 지각없는 말에 화가 났다 / She *~ed* us *with* her constant prattle. 그녀는 계속되는

너스레로 우리를 귀찮게 했다. ②〖軍〗 (적)을 괴롭히다.

***an·noy·ance** [ənɔ́iəns] *n.* ①Ⓤ 성가심 ; 불쾌감 ; 괴로움, 곤혹 : He answered with a look of ~. 그는 짜증스런 표정으로 대답하였다 / I was put to the ~ of denying the allegation. 나는 곤혹스럽게도 그 주장을 부정하지 않으면 안되었다. ②Ⓒ 곤란한 것〔사람〕, 골칫거리 : One of the greatest ~*s* was being bitten by mosquitoes every night. 극심한 골칫거리의 하나는 매일 밤 모기에게 뜯기는 일이었다. ***to** one's ~* 곤란하게도 : Much *to our* ~, we ran out of gas. 아주 곤란하게도 가스가 떨어졌다.

an·noyed [ənɔ́id] *a.* ① 초조한, 화난 : an ~ look 초조한〔화난〕 얼굴. ②〔敍述的〕 (…에) 화내어 ; 짜증내어《*with* ; *at* ; *about*》: He got very ~ *with* me *about* my carelessness. 그는 내가 조심성이 없다고 내게 몹시 화를 냈다 / I am ~ *at* his behavior. 나는 그의 처신에 손들었다 / He was ~ to find that dinner was not ready. 식사 준비가 안 된 것을 알고 그는 화를 냈다.

***an·noy·ing** [ənɔ́iiŋ] *a.* 성가신, 귀찮은, 지겨운 : How ~ ! 아이 귀찮아 / It is very ~, I know. 참으로 성가시겠지만. ㊕ **~·ly** *ad.* 귀찮게 ; 〔文章 전체를 수식하여〕 귀찮게도.

‡an·nu·al [ǽnjuəl] *a.* ① 일년의, 일년에 걸친 : an ~ income 〔pension〕 연수(年收)〔연금〕 / ~ expenditure 〔revenue〕 세출〔세입〕. ② 일년마다의, 예년의 ; 1년 1회의 : an ~ message 《美》 연두 교서 / an ~ report 연보. ③〖植〗 일년생의 : an ~ plant 일년생 식물. ── *n.* Ⓒ ① **a)** 연간서(年刊書) ; 연보(年報), 연감(yearbook). **b)** 《美》 졸업 앨범《따위》. ② 일년생 식물.

ánnual géneral méeting 연차 주주 총회.

***an·nu·al·ly** [ǽnjuəli] *ad.* 해마다(yearly), 연년이, 연 1회 ; 1년분으로서.

ánnual ríng (나무의) 나이테.

an·nu·i·tant [ənjúːətənt] *n.* Ⓒ 연금 수령인.

an·nu·i·ty [ənjúːəti] (*pl.* **-ties**) *n.* Ⓒ 연금(年金) ; 연간(年間) 배당금 : an ~ certain 확정 연금 / a life 〔terminable〕 ~ 종신〔유기〕 연금 / He receives a small ~. 그는 약간의 연금을 받는다.

an·nul [ənʌ́l] (**-ll-**) *vt.* ① (의결·계약 등)을 무효로 하다, 취소하다 ; (법령 등)을 폐지〔폐기, 파기〕하다 : Many laws made by the former regime have been ~*led* since the coup. 쿠데타 이후 전정권이 제정한 많은 법률들이 폐기되었다. ② (기억 등)을 지워버리다. ③ (열차 등)의 운행을 취소하다.

an·nu·lar [ǽnjələr] *a.* 고리 모양의, 환상(環狀)〔윤상(輪狀)〕의 : an ~ saw 둥근 톱. ㊕ **~·ly** *ad.* 고리 모양으로, 환상으로 (되어).

ánnular eclípse 〖天〗 금환식(金環蝕).

an·nul·ment [ənʌ́lmənt] *n.* Ⓤ ① 취소, 실효(失效), 폐지, 폐기 : Opposition parties called the ballot a farce and asked for an ~. 야당들은 그 투표가 조작이었다고 주장하고 무효를 요구하였다. ② (결혼) 무효 선언.

an·nu·lus [ǽnjələs] (*pl.* **-li** [-lài], **~·es**) *n.* Ⓒ ① 고리, 둥근 테. ②〖數〗 환형 ; 〖天〗 금환 ; 〖動〗 체환(體環) ; 〖植〗 환대(環帶). ◇ annual *a.*

an·num [ǽnəm] *n.* Ⓤ 《L.》 연(年), 해(year) 《略 : an.》. ***per*** ~ 1년마다, 한 해에 (얼마).

an·nun·ci·a·tion [ənʌ̀nsiéiʃən] *n.* ① Ⓤ,Ⓒ 포고, 통고, 예고. ② (the A-) 수태 고지. ③ (the A-) 〖가톨릭〗 성모 영보 대축일, 〖聖公會〗 성수태고지일《3월 25 일》(=**Annunciátion Dáy**).

an·nun·ci·a·tor [ənʌ́nsièitər] *n.* Ⓒ ① 알리는 사람〔장치〕 ; 통고자. ② 신호 표시기《신호가 어느 방〔층〕에서 왔는지를 가리킴》.

an·ode [ǽnoud] *n.* Ⓒ 〖電〗 ① (전자관·전해조의) 양극(陽極), 애노드. ⓞⓟⓟ *cathode.* ② (1 차 전지·축전지의) 음극.

ánode rày 〖電〗 양극선(陽極線).

an·o·dyne [ǽnoudàin] *a.* ① 진통의. ② (감정을) 누그러지게 하는. ── *n.* Ⓒ ① 진통제. ② 누그러지게 하는〔위로가 되는〕 것.

***anoint** [ənɔ́int] *vt.* ①《+목+전+명》 (상처 따위)에 기름을〔연고를〕 바르다《*with*》: ~ the burn *with* ointment 덴 상처에 연고를 바르다. ② **a)** (사람)의 머리에 기름을 붓다《종교적 의식》 ; (국왕·사제 등)을 성별(聖別)하다 : In 751 Pepin was ~*ed* king. 751년에 페핀은 왕으로 성별되었다. **b)** …을 성직에 임명하다 ; 선정하다, 임명하다《*as*》: It remains to be seen whom the chairman will ~ *as* his successor. 의장이 누구를 그 후계자로 선정할 것인지는 나타내지 않고 있다.

the* (*Lords*) *Anointed (1) 기름 부어진 자, 구세주, 예수. (2) 옛 유대의 임금 ; 신권에 의한 임금.

anoint·ment [əbɔ́intmənt] *n.* Ⓤ,Ⓒ ① 기름을 바름 ; (연고 등의) 도포, 문질러 바름《*with*》. ②〖敎會〗 도유식, 기름 부음.

anom·a·lous [ənɑ́mələs / ənɔ́m-] *a.* ① 변칙의, 파격의, 이례의 ; 이상한. ②〖文法〗 변칙의, 변칙적인 : ⇨ ANOMALOUS VERB / ⇨ ANOMALOUS FINITE. ㊕ **~·ly** *ad.* **~·ness** *n.*

anómalous fínite 〖文法〗 불규칙 정형 동사(定形動詞)《be, have 및 조동사의 정형》.

anómalous vérb 〖文法〗 불규칙 동사《be, do, have, may, shall, can 따위 12어(語)》.

anom·a·ly [ənɑ́məli / ənɔ́m-] (*pl.* **-ies**) *n.* Ⓤ,Ⓒ 변칙, 이례, 이상 ; 변칙적〔예외적〕인 것〔일〕.

anon [ənɑ́n / ənɔ́n] *ad.* 《古》 ① 이내 (곧) ; 머지않아. ② 조만간에 ; 즉시《★ sometimes, now와 대응하여 쓰임》. ***ever and*** ~ 때때로, 가끔.

anon. anonymous(ly).

an·o·nym [ǽnənìm] *n.* Ⓒ ① **a)** 가명, 변명. **b)** 익명자, 무명씨. ② **a)** 이름을 붙일 수 없는 개념. **b)** 작자 불명의 저작.

an·o·nym·i·ty [ǽnənímәti] *n.* ① Ⓤ 익명 (사용) ; 무명 ; 필자〔작자〕 불명 : a benefactor who insisted on ~ 익명을 요구하는 후원자. ② Ⓒ 이름 없는 것 ; 정체 불명의 인물 : some fine poetry attributed to *anonymities* 작자 미상으로 되어 있는 몇 편의 훌륭한 시.

***anon·y·mous** [ənɑ́nəməs / ənɔ́nə-] *a.* ① 익명의, 변명〔가명〕의. ⓞⓟⓟ *onymous.* ¶ an ~ letter 익명의 편지〔투서〕 / The donor remained ~. 그 기증자는 이름을 밝히지 않았다. ② 성명 불명의, 작자〔발행자, 발송인, 산지 따위〕 불명의. ③ 특징〔개성〕이 없는 : He has a rather ~ face. 그의 얼굴은 극히 평범하다. ㊕ **~·ly** *ad.* 익명으로.

anoph·e·les [ənɑ́fəlìːz / ənɔ́f-] (*pl.* ~) *n.* Ⓒ 학질〔말라리아〕 모기.

an·o·rak [ǽnəræ̀k, ɑ́ːnərɑ̀ːk] *n.* Ⓒ 아노락《후드 달린 방한용 코트》 ; 파카.

an·o·rex·ia [æ̀nəréksiə] *n.* Ⓤ 〖醫〗 ① 식욕 부진. ② =ANOREXIA NERVOSA.

anoréxia ner·vó·sa [-nəːrvóusə] 〖醫〗 (사춘기 (여성)의) 신경성 식욕 부진.

an·o·rex·ic [æ̀nəréksik] *a.* 〖醫〗 식욕 부진의 ; 식욕을 감퇴시키는. ── *n.* Ⓒ 신경성 무식욕증 환자.

an·oth·er [ənʌ́ðər] *a.* ① 다른 하나의, 또 하나〔한 사람〕의(one more) : Will you have ~ cup of coffee? 커피 한 잔 더 드시겠습니까《두 잔째만이

아니고, 석 잔째, 넉 잔째에도 쓸 수 있음》/ Many Americans feared the Gulf War would be ~ Vietnam. 많은 미국인들은 걸프 전쟁이 또 하나의 베트남 전쟁이 될까 염려하였다.
② 다른, 딴, 별개의(different) : That is ~ question. 그것은 별개의 문제다 / One man's meat is ~ man's poison. 《俗談》 갑의 약은 을의 독.
③ 〔數詞와 함께〕 다시〔또〕 …(개)의, 또 다른 …의 : in ~ two months 다시 2개월 지나면 / I earned ~ hundred 〔three hundred〕 dollars. 다시 또 100〔300〕 달러(라는 금액)를 벌었다 / *Another* three miles is more than I can walk. 또 3 마일이라니 나는 걸을 수 없다《★ three miles를 한 단위로 보아 단수 취급》. ~ ***day*** (언젠가) 다음 날, 후일 : Come ~ *day*. 또 다음 날〔번에〕 와 주십시오. ~ ***time*** 언젠가 딴 때에. ***feel*** one***self ~ man*** 소생한 기분이 들다. ***such*** ~ 그러한 또 하나의.
— *pron.* ① 또 다른 한 개(의 것), 또 다른 한 사람 : distinguish one from ~ 어떤 것을 다른 것과 구별하다 / I ate a hamburger and ordered ~. 나는 햄버거를 한 개 먹고 하나 더 주문했다 / Try ~. 하나 더 들어 봐라 ; 또 한 사람(에게) 교섭해 보시오.
② 다른 물건, 별개의 것, 다른〔딴〕 사람 : for one reason or ~ 어쩐 일인지 / To say is one thing, to do is quite ~. 말하는 것과 행동하는 것은 전혀 다르다 / I don't like this tie — show me ~. 이 넥타이는 마음에 안 든다, 다른 것을 보여 다오 / These documents are not mine. They are ~*'s* (=somebody else's). 이 서류들은 내 것이 아니다. 딴 사람 것이다.
③ 그와 같은 것, 그와 같은 사람 : If I am a mad man, you are ~. 내가 미치광이라면 너도 미치광이야 / "Liar!"—"You're ~!" '거짓말쟁이 같으니', '(뭐라고) 너야말로 거짓말쟁이다'. ***Ask ~!*** 《口》 당치 않은 소리 마라. ***Ask me ~!*** 《口》 알게 뭐야. ***one after ~*** ⇨ONE. ***one ~*** ⇨ONE. ***one way and ~*** ⇨WAY. ***one way or ~*** ⇨WAY. ***such ~*** 《古·詩》 그와 같은 것〔사람〕. ***taking* 〔*taken*〕 *one with ~*** 이것 저것 생각해 보면, 전체적으로 보아.

> 語法 (1) another와 other : 원래 another는 an+other에서 온 것으로 the, this, that, my, your 따위가 앞에 오지 않음. 이런 것을 붙이려면 other를 씀 : the *other* door 또 하나의 도어 / my *other* son 나의 또 하나의 아들《'나머지의 하나'의 뜻》. 비교 : *another* son of mine 나의 다른 하나의 아들《아직 화제에 올라 있지 않은》.
> (2) another는 원래 단수이며, 복수 명사를 수식하는 형용사로는 other를, 대명사의 복수로는 others를 씀이 원칙 : I took Tom and three *other* children 〔three *others*〕. 나는 톰과 그 밖의 세 아이를〔사람을〕 데리고 갔다.
> (3) another와 the other(s) : another는 암암리에 '그 밖에도 몇 개〔사람〕 있다'라고 예상했을 때의 '또 하나'이며, the other(s)는 '그 밖에 이것〔사람〕밖에는 없다'라고 예상했을 때의 '나머지의 하나 (또는 몇몇)'을 가리킴. 예를 들면 둘 이상의 것 중 하나를 취하고, 그 다음에 '또 다른 하나〔한 개〕'라는 뜻으로 another를 씀. 셋의 경우에는 one, another라고 하며 그 중 둘을 취하면 나머지는 the other가 되고, 넷 이상일 때는 one, another라고 하며 둘을 취하면 그 나머지를 일괄하여 the others《複數》, one, another, a third 식으로 셋을 취하면 그 나머지는 the other《單數》가 됨. 또 처음부터 둘만의 경우에는 당연히 one, the other로 대조시킴 : There were three men. *One* was a doctor, *another* was a teacher, and *the third* 〔*the other*〕 was a lawyer. 세 사람이 있었는데 하나는 의사, 하나는 교사, 나머지 한 사람은 변호사였다.

A.N. Óther [éién-] 《英》 선수 미정《출장 선수 명단 작성 때 해당란에 기입》 ; 익명씨《another를 인명처럼 표기한 것》.

an·ov·u·lant [ænάvjulənt, ænóu- / ænɔ́v-] *n.* U,C 배란 억제제. — *a.* 배란 억제(제)의.

ANSI American National Standards Institute (미국 표준국).

†an·swer [ǽnsər, ɑ́:n-] *n.* Ⓒ ① 대답, 회답, (응)답. cf. reply, response. ¶ give 〔make〕 an ~ *to* a person *about* a thing 어떤 일에 대해서 아무에게 회답을 하다. ② (문제의) 해답 ; (곤란한 사태에 대한) 해결(책) : find an ~ *to* …을 해결하다. ③ 대응, 호응, 응수, 보복《*to*》. ④ 답변, 변명, 해명 : I have a complete ~ *to* the charge. 그 비난에 대해서는 충분히 해명할 수 있다. ⑤ 걸맞는〔상당하는〕 것〔사람〕, 상대자(counterpart) : He has been called Africa's ~ *to* Hitler. 그는 아프리카의 히틀러로 불리어왔다. ***in ~ to*** …에 답하여, …에 응하여. ***know all the ~s*** 《口》 머리가 좋다 ; 만사에 정통하다. ***What's the ~?*** 어쩌면 좋으냐.
— *vt.* ① 《~+목 / +*that* 절 / +목+목 / +목+전+명》 (사람·질문)에 답하다 : ~ a person 〔a question〕 아무에게〔질문에〕 대답하다 / I didn't know how to ~ her. 나는 그녀에게 어떻게 대답해야 할지 몰랐다 / She ~*ed that* she was ill. 그녀는 아프다고 대답하였다 / He didn't ~ a word *to* me.=He didn't ~ me a word. 그는 나에게 한 마디도 응답하지 않았다. ② …(노크·벨 소리)에 응하여 나오다 : Someone's at the door — would you ~ it please? 문에 누군가 왔군요 — 좀 나가 봐 주시겠습니까? ③ **a**) (요구 따위)에 응하다, (소원 따위)를 들어〔이루어〕 주다 : I would like to ~ your request, but am unable to do so. 원하심에 부응해 드리고 싶습니다만 할 수가 없군요. **b**) (목적 따위)를 채우다, 이루다, 충족시키다 : ~ the purpose 목적을 충족시키다 / He showed me a computer that ~*ed* my requirements exactly. 그는 내 요구를 꼭 충족시켜주는 컴퓨터를 보여 주었다. ④ …에 부합〔일치〕하다 : A man ~*ing* his description has been seen in the Detroit area. 그의 인상서와 일치하는 사람이 디트로이트 지역에서 목격되고 있다. ⑤ 《~+목 / +목+전+명》 (비난·공격 등)에 응수하다 ;…으로 갚다 : I ~*ed* his blow *with* mine. 그의 주먹에 나도 되받아 주었다. ⑥ (문제·수수께끼 따위)를 풀다 : ~ a riddle 〔a problem〕 수수께끼〔문제〕를 풀다.
— *vi.* ① 《~ / +전+명》 (대)답하다, 회답하다 《*to*》 : ~ with a "Yes" "네" 하고 대답하다 / ~ *to* a question 질문에 답하다. ② 응하다, 응답하다 : I knocked and knocked on 〔at〕 the door, but nobody ~*ed*. 여러 번 문을 노크했으나 아무런 응답도 없었다. ③ 《+전+명》 책임지다, 보증하다 : I cannot ~ *for* his honesty. 정직한지 어떤지 보증할 수 없다 / He ~*s to* me *for* his work. 그는 나에 대해 그의 작업의 책임을 지고 있다. ④ 《+전+명》 일치〔부합〕되다, 맞다《*to*》 : His features ~ *to* the description. 그의 용모는 그 인상서와 일치한다. ⑤ 《~ / +전+명》 소용되다, 쓸모 있다, 적합하다《*for*》 : It ~*s* very well. 그것으로 충분하다 / ~ *for* the purpose 목적에 부합하다. ⑥ 잘 되어 나가다, 성공하다, 효과가 있다 : His method

has not ~*ed*. 그의 방식은 성공하지 못했다. ~ ***back*** 《口》 말대꾸〔말대답〕하다 : Don't ~ *back !* 말대꾸 마라! / He's a rude little boy, always ~*ing* his mother *back*. 그는 버릇없는 어린 소년이라 항상 자기 어머니한테 말대꾸를 한다. ~ ***for it that...*** …임을 보증하다. ~ ***to the name of*** …라고 불리다, …라는 이름이다 : My dog ~*s to the name of* Blacky. 내 개는 검둥이라고 부르면 온다〔검둥이라는 이름이다〕. ~ ***up*** 즉석에서〔분명히〕 대답하다《*to*》.

***an·swer·a·ble** [ǽnsərəbəl, ɑ́:n-] *a.* ① 〔敍述的〕 책임 있는《*for* something; *to* a person》: I am ~ *to* the company *for* the use of this equipment. 나는 이 설비의 사용에 대해 회사에 책임을 지고 있다. ② (대)답할 수 있는 : a question ~ by mail 우편으로 회답해도 좋은 질문.

an·swer·back [ǽnsərbæ̀k, ɑ́:n-] *n.* Ⓒ 〖컴〗 응답. ── *a.* 응답의, 응답하는 : a computer with ~ capability 응답 능력이 있는 컴퓨터.

an·swer·er [ǽnsərər, ɑ́:n-] *n.* Ⓒ 회답자, 해답자; 답변인.

ánswering machìne (부재시의) 전화 자동 응답 장치.

ánswering sèrvice 《美》 (부재시의) 전화 응답〔응대〕 대행업.

†**ant** [ænt] *n.* Ⓒ 개미. cf. termite. ★ 여왕 개미는 queen ant, 병정 개미는 soldier ant, 일개미는 worker ant, 개미집은 anthill 이라고 함. ***have ~s in*** one***'s pants*** 《美俗》 하고〔말하고〕 싶어 좀이 쑤시다; (불안해서) 안절부절 못하다; 흥분해 있다 : He*'s got ~s in his pants* about the contract. 그는 그 계약이 걱정이 되어 안절부절 못하고 있다.

an't [ænt, ɑ:nt, eint / ɑ:nt] 《英口》 are not, am not 의 간약형; 《方》 is not, has 〔have〕 not 의 간약형. cf. ain't.

ant- *pref.* =ANTI- 《모음이나 h 앞에 올 때의 꼴》: *ant*acid.

-ant *suf.* ① 동사에 붙여 형용사를 만듦 : defi*ant*, pleas*ant*. ② 동사에 붙여 '행위자'를 나타내는 명사를 만듦 : occup*ant*, antonym.

Ant. Antarctica. **ant.** antenna; antiquary; antonym.

ant·ac·id [æntǽsid] *a.* 산을 중화하는, 제산(성)(制酸(性))의. ── *n.* Ⓤ,Ⓒ 제산제(劑).

an·tag·o·nism** [æntǽgənìzəm] *n.* Ⓤ,Ⓒ 적대(관계), 대립《*against*; *to*; *between*; *toward*》; 반대, 반항; 반감, 적의(hostility) : the ~ *between* Capital and Labor 노사간의 반목 / feel a strong ~ *toward* a person 아무에게 강한 적의를 품다. ***be in 〔***come into***〕 ~ ***with*** …와 반목하고 있다〔하기에 이르다〕. ***in ~ to*** …에 반대〔대항〕하여.

***an·tag·o·nist** [æntǽgənist] *n.* Ⓒ ① 적수, 적대자, 반대자 : He has been my ~ in Congress for years. 그는 의회에서 오랜 동안 나의 정적이었다. ② 〖解〗 길항근(拮抗筋); 〖藥〗 길항약. opp. *agonist*.

an·tag·o·nis·tic [æntæ̀gənístik] *a.* 적대의, 반대하는; 상반〔모순, 대립〕되는, 서로 용납될 수 없는 : ~ views 적대하는 의견 / His policy is ~ *to* our interests. 그의 정책은 우리 이익에 반(反)한다 / Many of them are ~ *toward* the President. 그들 중 많은 사람들이 대통령에 대하여 적의를 품고 있다. 파 **-ti·cal·ly** [-əli] *ad.* 반목〔적대〕하여.

an·tag·o·nize [æntǽgənàiz] *vt.* ① …을 적으로 돌리다, …의 반감을 사다 : His manner ~*s* the people. 그의 태도는 사람들의 반감을 산다. ② (사람)에게 적대하다, 대립〔대항〕하다, 반목하다; 《美》 (사물)에 반대하다 : ~ a bill 법안에 반대하다 / It would be dangerous to ~ him. 그에게 적대하는 것은 위험한 일일 것이다. ③ …에 반대로 작용하다, …을 중화하다. ── *vi.* 적대 행동을 취하다; 적을 만들다.

‡**ant·arc·tic** [æntɑ́:rktik] *a.* (종종 A-) 남극(지방)의. opp. *arctic*. ¶ an ~ expedition 남극 탐험(대). ── *n.* (the A-) 남극 (지방), 남극권《남극대륙 및 남극해》.

***Ant·arc·ti·ca** [æntɑ́:rktikə] *n.* 남극 대륙.

Antárctic Círcle (the ~) 남극권.

Antárctic Cóntinent (the ~) 남극 대륙.

Antárctic Ócean (the ~) 남극해, 남빙양.

Antárctic Póle (the ~) 남극 (the South Pole).

Antárctic Zòne (the ~) 남극대《남극점과 남극권 사이》.

ánt bèar 〖動〗 큰개미핥기《남미산》.

ánt còw 〖蟲〗 진디.

an·te [ǽnti] *n.* ① Ⓒ (흔히 *sing.*) 포커에서 패를 돌리기 전에 태우는 돈. ② (the ~) 《口》 할당금, 분담금. ***raise*** (***up***) ***the*** ~ 《口》 태우는 돈〔출자금, 분담금 등〕의 액수를 올리다.
── *vt.* (*p., pp.* **~d, ~ed**) (위의 태우는 돈)을 걸다, 태우다《*up*》; 《美口》 (분담금 등)을 내다, 납입하다《*up*》. ── *vi.* 돈을 걸다〔태우다〕《*up*》; 《美口》 지불을 끝내다《*up*》.

ante- *pref.* '…의 전의, …보다 앞의 (before)'의 뜻. opp. *post-*. ≠anti-.

ant·eat·er [ǽntì:tər] *n.* Ⓒ 〖動〗 개미핥기.

an·te·bel·lum [æ̀ntibéləm] *a.* 《L.》 전전(戰前)의; 《美》 남북 전쟁 전(前)의. opp. *postbellum*. ***status quo*** ~ 전전의 상태.

an·te·ced·ence, -en·cy [æ̀ntəsí:dəns], [-si] *n.* Ⓤ (시간·공간·순위적인) 선행, 우선; 〖天〗 (행성의) 역행. ◇ antecede *v.*

‡**an·te·ced·ent** [æ̀ntəsí:dənt] *a.* ① 앞서는, 선행(先行)의, 우선하는, (…보다) 이전의《*to*》: an event ~ *to* the war 전쟁에 앞서 일어난 사건. ② 〖論〗 추정적인, 전제의, 가정의. ── *n.* Ⓒ ① 선례; 앞서는〔이전의〕 일〔상황〕. ② (*pl.*) **a**) 경력, 신원, 내력 : a man of shady ~*s* 전력이 의심스런 사람. **b**) 조상. ③ 〖文法〗 (관계사의) 선행사. ④ 〖論〗 (가언적 판단의) 전건(前件). opp. *consequent*. ⑤ 〖數〗 전항. ⑥ 원형, 전신. 파 **~·ly** *ad.* 이전에, 앞서; 추정적으로.

an·te·cham·ber [ǽntitʃèimbər] *n.* Ⓒ (큰 방으로 통하는) 작은 방, 대기실.

an·te·date [ǽntidèit, ⌐–⌐] *vt.* ① (시기적으로) …에 앞서다, …보다 먼저 일어나다 : The Egyptians' written records ~*d* those of the Greeks by thousands of years. 이집트인의 문자 기록은 그리스보다 수천년 앞선다. ② (수표·증서 등)의 날짜를 실제보다 이르게 하다; (사건)의 발생일을 실제보다 이전으로 추정하다. ③ …의 실행〔발생〕을 재촉하다〔앞당기다〕: The cold weather ~*d* their departure from the country. 날씨가 추워져서 그들은 일치감치 시골에서 철수했다.
── [⌐–⌐] *n.* Ⓒ 전일부(前日附) (=**príor dàte**).

an·te·di·lu·vi·an [æ̀ntidilú:viən / -vjən] *a.* ① (Noah 의) 대홍수 이전의. ② 《口》 태고 때의; 낡은, 고풍의. ── *n.* Ⓒ ① 대홍수 이전의 사람〔동식물〕. ② 파파 노인; 아주 낡은 것; 시대에 뒤진 사람.

an·te·lope [ǽntəlòup] (*pl.* ~(***s***)) *n.* ① Ⓒ 〖動〗 영양(羚羊); 《美》 뿔 갈라진 영양(pronghorn). ② Ⓤ 영양 가죽.

an·te me·rid·i·em [ǽnti-mərídiəm] 《L.》 (=before noon) 오전(에)《略 : a.m. 또는 A.M.》. opp. *post meridiem*.

an·te·na·tal [æ̀ntinéitl] *a.* 〔限定的〕 출생 전의;

태아의 ; 임신 중의 : ~ training 태교. ── *n.* Ⓒ 《英》 임신 중의 검진.

‡**an·ten·na** [ænténə] *n.* Ⓒ ① (*pl.* **~s**) 《美》 안테나, 공중선(aerial). ② (*pl.* **-nae** [-niː]) 〖動〗 촉각, 더듬이.

an·te·pe·nult [æ̀ntipíːnʌlt, -pinʌ́lt / æ̀ntipinʌ́lt] *n.* Ⓒ 〖音聲·詩學〗 끝에서 세 번째 음절《보기 : an-te-pe-nult 의 -te-》.

an·te·post [æ̀ntipóust] *a.* 《英》 경쟁자〔말〕의 번호가 게시되기 전에 내기를 하는.

***an·te·ri·or** [æntíəriər] *a.* (공간적으로) 전방〔전면〕의, 앞의《*to*》; (시간적·논리적·순위적으로) 전〔앞〕의, 앞선《*to*》. ⓞⓟⓟ *posterior.* ¶ the ~ parts of the body 몸의 앞부분 / events ~ *to* the outbreak of war 전쟁 발발 전의 일. [◂ *ante*의 비교급] ⓟ **~·ly** *ad.* 앞에, 전에, 먼저.

an·te·room [ǽntirùːm, -rùm] *n.* Ⓒ ① 결방, (주실(主室)로 통하는) 작은 방. ② 대기〔대합〕실.

‡**an·them** [ǽnθəm] *n.* Ⓒ ① 성가, 찬송가. ② 〔一般的〕 축가, 송가 : the national ~ of Spain 스페인 국가 / our school ~ 우리 학교 교가.

an·ther [ǽnθər] *n.* 〖植〗 약(葯), 꽃밥. ⓒⓕ stamen.

ant·hill [ǽnthìl] *n.* Ⓒ 개밋둑, 개미탑.

an·thol·o·gist [ænθάlədʒist / -θɔ́l-] *n.* Ⓒ 명시선〔명가·명문집〕의 편자.

an·thol·o·gize [ænθάlədʒàiz / -θɔ́l-] *vt.* …을 명시 선집에 수록하다. ── *vi.* 명시선집을 편찬하다.

***an·thol·o·gy** [ænθάlədʒi / -θɔ́l-] *n.* Ⓒ ① 명시선집, 명문집. ② (한 작가의) 선집. ③ 명곡〔명화〕집.

An·tho·ny [ǽntəni, -θə-] *n.* ① 앤터니《남자 이름 ; 애칭 Tony》. ② (St. ~) 성(聖) 안토니우스《이집트인으로 수도원의 창시자 ; 251 ? -356 ? 》. ③ **Susan B.** ~ 미국의 여성 참정권 운동자 (1820-1906).

an·thra·cite [ǽnθrəsàit] *n.* Ⓤ 무연탄(炭) (= ∠ **còal**).

an·thrax [ǽnθræks] (*pl.* **-thra·ces** [-θrəsìːz]) *n.* Ⓤ 〖醫〗 비탈저(脾脫疽), 탄저(炭疽)(균).

anthropo- '사람, 인류(학)'의 뜻의 결합사.

an·thro·po·cen·tric [æ̀nθrəpouséntrik] *a.* 인간 중심의. ⓟ **-cén·tric·al·ly** *ad.*

an·thro·poid [ǽnθrəpɔ̀id] *a.* ① 〔限定的〕 (동물이) 인간 비슷한 ; 유인원류(類人猿類)의. ② 《口》 (사람이) 원숭이를 닮은. ── *n.* Ⓒ ① 유인원(= ∠ **ápe**). ② 유인원 같은 사람.

an·thro·po·log·ic, -i·cal [æ̀nθrəpəlάdʒik / -lɔ́dʒ-], [-əl] *a.* 인류학(상)의. ⓟ **-i·cal·ly** *ad.*

***an·thro·pol·o·gist** [æ̀nθrəpάlədʒist / -pɔ́l-] *n.* Ⓒ 인류학자.

***an·thro·pol·o·gy** [æ̀nθrəpάlədʒi / -pɔ́l-] *n.* Ⓤ 인류학(學) ; 〖神·哲〗 인간학 : physical 〔cultural, social〕 ~ 자연〔문화, 사회〕 인류학.

an·thro·pom·e·try [æ̀nθrəpάmətri / -pɔ́mi-] *n.* Ⓤ 인체 측정학〔계측법〕. ⓟ **an·thro·po·met·ric, -ri·cal** [æ̀nθrəpəmétrik], [-əl] *a.*

an·thro·po·mor·phic [æ̀nθrəpəmɔ́ːrfik] *a.* 의인화〔인격화〕된, 사람의 모습을 닮은〔닮게 한〕.

an·thro·po·mor·phism [æ̀nθrəpəmɔ́ːrfizəm] *n.* Ⓤ 의인화, 인격화 ; 신인 동형 동성론(神人同形同性論), 의인관(觀), 의인주의. ⓟ **-phist** *n.* 신인 동형 동성론자. **-phize** [-faiz] *vt., vi.* (신·동물 등을) 인격화〔의인화〕하다.

an·thro·poph·a·gi [æ̀nθrəpάfədʒài / -pɔ́fəgài] (*sing.* **-gus** [-gəs]) *n. pl.* 식인종(cannibals). ⓟ **-gous** [-gəs] *a.* 식인(종)의, 사람 고기를 먹는. **-gy** [-dʒi] *n.* Ⓤ 식인 풍습.

an·ti [ǽnti, -tai] (*pl.* **~s**) *n.* Ⓒ 《口》 반대(론)자. ── *a.* 반대(의견)의 : the ~ group 반대 그룹. ── [∸-] *prep.* …에 반대하여(against) : They're completely ~ the new proposals. 그들은 새 제안에 철저히 반대하고 있다.

anti- *pref.* '반대, 적대, 대항, 배척' 따위의 뜻. ⓞⓟⓟ *pro-*. ≠ante-《★ 고유 명사〔형용사〕 및 i (때로는 다른 모음)의 앞에서는 hyphen 을 사용함》: ~-British / ~-imperialistic.

an·ti·abor·tion [æ̀ntiəbɔ́ːrʃən, -tai-] *a.* 〔限定的〕 임신 중절을 반대하는. ⓟ **~·ism** *n.* **~·ist** *n.*

an·ti·air·craft [æ̀ntiέərkræ̀ft, -kràːft, æ̀ntai-] *a.* 〔限定的〕 대공(對空)의, 방공(용)의 : ~ fire 대공 포화〔사격〕 / an ~ gun 고사포.
── (*pl.* ~) *n.* ① Ⓒ 대공 화기. ② Ⓤ 대공 포화.

an·ti-A·mer·i·can [æ̀ntiəmérikən, -tai-] *a.* 반미(反美)의. ── *n.* Ⓒ 미국(의 방침〔정책〕)에 반대하는 사람, 반미주의자.

an·ti·au·thor·i·tar·i·an [æ̀ntiəθɔ̀ːrətέəriən, -tai-] *a.* 반(反)권위주의의. ⓟ **~·ism** *n.*

an·ti·bac·te·ri·al [æ̀ntibæktíəriəl, -tai- / æ̀ntibæktíəriəl] *a.* 항균(성)의.

an·ti·bal·lis·tic [æ̀ntibəlístik] *a.* 대(對)탄도탄의 : an ~ missile 탄도탄 요격 미사일《略 : ABM》.

an·ti·bi·ot·ic [æ̀ntibaiάtik, -tai- / æ̀ntibaiɔ́t-] *a.* 항생(작용)의 ; 항생 물질의 : ~ substance 항생 물질. ── *n.* Ⓒ (종종 *pl.*) 항생 물질 : treat a patient with ~*s* 환자를 항생 물질로 치료하다. ⓟ **-i·cal·ly** *ad.*

an·ti·body [ǽntibὰdi / -bɔ̀di] *n.* Ⓒ 〖生〗 (혈청 중의) 항체(抗體), 항독소.

an·tic [ǽntik] *a.* 기묘한, 기괴한, 색다른 ; 《古》 익살맞은, 우스운 : an ~ hay 기묘한 시골 춤. ── *n.* (흔히 *pl.*) 익살맞은 행동, 기괴한 짓 : play ~*s* 익살을 부리다, 희롱거리다.

an·ti·can·cer [æ̀ntikǽnsər, -tai-] *a.* 〖藥〗 항암(성)의, 암에 잘 듣는 : ~ drugs 항암〔제암〕제.

an·ti-Cath·o·lic [æ̀ntikǽθəlik, -tai-] *a., n.* Ⓒ 반(反)가톨릭의 ; 가톨릭 반대자.

an·ti·choice [ǽntitʃɔ̀is, -tai-] *n.* Ⓒ 임신 중절 반대파. ── *a.* 임신 중절 반대(파)의.

An·ti·christ [ǽntikràist] *n.* (*or* a-) Ⓒ ① 그리스도 반대자, 그리스도의 적. ② 적(敵) 그리스도《예수 재림전에 이 세상을 악으로 채울》.

‡**an·tic·i·pate** [æntísəpèit] *vt.* ①《~+목 / + -*ing* / +*that* 절 / +목+전+명》 …을 예기하다, 예상하다, 예감하다, 내다보다 ; 낙으로 삼고〔걱정하며〕 기다리다, 기대하다 : ~ a victory 승리를 예기〔예상〕하다 / The police are *anticipating* trouble at tomorrow's football match. 경찰은 내일의 축구시합에서 말썽이 생기지 않을까 걱정하고 있다 / He ~*d getting* a letter from his uncle in England. 그는 영국에 있는 숙부로부터 오는 편지를 즐거움으로 기다리고 있었다 / Nobody ~*d that* war would last so long. 전쟁이 그렇게 오래 계속되리라고는 아무도 예상 못 하였다 / We ~ great pleasure *from* our visit to America. 우리들은 미국 여행을 큰 즐거움으로 기다리고 있다. ②《~+목 / +*that*절 / +*wh.*절》 …을 미리 알고 손을 쓰다〔처리하다, 대처하다〕 : He ~*d* her visit by preparing food and drink. 그는 먹을 것과 마실 것을 마련하여 그녀의 방문에 대비했다 / I had ~*d that* he would do that. 그가 그리 할 줄을 예상하고 손을 썼다 / We ~*d where* the enemy would attack. 적이 공격해올 만한 곳에 미리 손을 써 두었다. ③ (상대)의 기선을 제하다, (상대)를 앞지르다 ; …을 미연에 방지하다 : ~ the enemy's move 적의 기선을 제하다. ④ (수입)을 예기하

고 미리 쓰다; 기한 전에 지급하다: You shouldn't ~ your inheritance because it could be years before your parents die. 네 부모들이 오래 살 수도 있기 때문에 유산을 받기 전에 미리 써서는 안 된다. ⑤《+목+전+명》…에 앞서다, 선행하다: The Vikings may have ~*d* Columbus *in* discover*ing* America. 아메리카의 발견은 콜럼버스보다 바이킹들이 먼저 했을지도 모른다 / We ~*d* their (making a) complaint by writing a full report ourselves. 그들이 불평하기 전에 우리 스스로 충실한 보고서를 썼다. ── *vi.* 장래를 내다보고 말하다〔쓰다, 생각하다〕; (증세 등이) 예상보다 빨리 나타나다. ◇ anticipation *n.* ~ **a person's desires** 〔**wishes**〕 아무의 욕구를〔소망을〕 재빨리 알아차리고 들어주다; 아무를 가려운 데를 긁어 주듯이 돌봐주다: The nurse ~*d all his wishes.* 간호사는 그가 바라는 것을 미리 헤아리고 알아서 다 해주었다. ~ ***the worst*** 최악의 경우를 각오하다. ***I ~d as much.*** 그렇게 될 줄 알았다.

‡an·tic·i·pa·tion [æntisəpéiʃən] *n.* Ⓤ ① 예기, 예감, 예상, 내다봄, 기대: She waited with eager ~ for Christmas. 그녀는 기대에 부풀어서 크리스마스를 기다렸다. ② 선제 행동, 선수(先手); 예방. ③ 수입을 내다보고 미리 씀. ◇ anticipate *v.* ***in*** 〔***by***〕 ~ 미리, 사전(事前)에, 예견〔예측〕하고: Thanking you *in* ~. 〔부탁 편지 등의 맺는 말〕 우선 인사에 대신합니다. ***in*** ~ ***of*** …을 기대하여, …을 예기하고: *in* ~ *of* your consent 승낙하실 줄로 믿고.

an·tic·i·pa·tor [æntísəpèitər] *n.* Ⓒ ① 예상하고 있는 사람. ② 선수를 치는 사람.

an·tic·i·pa·to·ry [æntísəpətɔ̀:ri, -tòu-] *a.* ① 기대하는; 기대를 나타내는; 기대에 기인하는. ② 예측한, 예기한; 시기 상조의: a fast ~ movement by the goalkeeper 골키퍼의 예견적인 날쌘 동작. ③ 〖文法〗 선행(先行)의: an ~ subject 가주어(It is important *to* choose good friends.의 it 따위).

an·ti·cler·i·cal [æntiklérikəl, -tai-] *a., n.* Ⓒ 교권 반대하는 (사람); 성직자의 개입〔간섭〕에 반대하는 (사람). ⊕ **~·ism** *n.* Ⓤ. **~·ist** *n.* Ⓒ.

an·ti·cli·mac·tic [æntiklaimǽktik] *a.* ① 점강법(漸降法)의; 점강적인. ② 어처구니 없는 결말의, 용두사미의. ⊕ **-ti·cal·ly** *ad.*

an·ti·cli·max [æntikláimæks] *n.* 〖修〗 ① Ⓤ 점강법(漸降法) (bathos)《장중〔엄숙〕한 말을 한 직후에 가벼운〔우스운〕 말을 계속하기; 이를테면 Mr. John is a very good judge — of cheap wine. 존 씨는 대단한 감정가이지 — 싸구려 와인의 말이야》. opp *climax.* ② Ⓒ 어처구니없는 격조 저하, 큰 기대 뒤의 실망, 용두 사미: After serving as President, he may find life in retirement an ~. 대통령으로 일한 뒤의 은퇴 생활을 하잘것 없는 결말로 여길지도 모른다.

an·ti·cli·nal [æntikláinl] *a.* 서로 반대 방향으로 경사진; 〖地質〗 배사(背斜)의. opp *synclinal.* ── *n.* = ANTICLINE. ⊕ **~·ly** *ad.*

an·ti·cline [ǽntiklàin] *n.* Ⓒ 〖地質〗 배사(층).

an·ti·clock·wise [æntiklákwàiz, -tai- / æntiklɔ́k-] *a., ad.* = COUNTERCLOCKWISE.

an·ti·co·ag·u·lant [æ̀ntikouǽgjələnt, -tai-] *a.* 〖藥·生化〗 항응혈〔응고〕성의. ── *n.* U,C 항응혈〔응고〕 약〔물질〕.

an·ti·co·lo·ni·al [æ̀ntikəlóuniəl, -tai-] *a.* 반(反)식민주의의. ── *n.* Ⓒ 반식민주의(운동)자.

***an·ti·com·mu·nist** [æntikámjunist / -kɔ́m-] *a.* 반공(反共)의, 반공주의의: an ~ policy 반공 정책. ── *n.* Ⓒ 반공주의자.

an·ti·cor·ro·sive [æ̀ntikəróusiv, -tai-] *a.* 〔限定的〕 방식(防蝕)의, 내식(耐蝕)의. ── *n.* U,C 방식제.

an·ti·cy·clone [æntisáikloun] *n.* Ⓒ 고기압(권(圈)). ⊕ **àn·ti·cy·clónic** [æntisaiklάnik, -tai- / æ̀ntisaiklɔ́n-] *a.* 고기압성(性)의.

an·ti·dem·o·crat·ic [æ̀ntideməkrǽtik, -tai-] *a.* 반(反)민주주의의.

an·ti·de·pres·sant [æ̀ntidiprésənt, -tai-] *a.* 〖藥〗 항울(抗鬱)의. ── *n.* U,C 항울약.

an·ti·dot·al [æ̀ntidóutl] *a.* 해독제의; 해독성의, 해독의 (효험이 있는). ⊕ **~·ly** *ad.*

***an·ti·dote** [ǽntidòut] *n.* Ⓒ ① 해독제. ② (해악 따위의) 교정 수단, 대책《*for*; *against*; *to*》: Good jobs are the best ~ *to* teenage crime. 좋은 직업은 10대의 범죄에 대한 최량의 교정수단이다.

an·ti·drug [æ̀ntidrʌ́g, -tai-] *a.* 마약 사용에 반대하는, 반(反)마약의, 마약 방지의.

an·ti·dump·ing [æ̀ntidʌ́mpiŋ, -tai-] *a.* 〔限定的〕 (외국 제품의) 덤핑〔투매〕 방지의〔를 위한〕: ~ tariffs 덤핑 방지 관세.

an·ti·es·tab·lish·ment [æ̀ntiestǽbliʃmənt] *a.* 반(反)체제의.

an·ti·fe·brile [æ̀ntifí:brəl, -tai-, -féb-] *a.* 해열의, 해열 효과가 있는. ── *n.* Ⓒ 해열제.

an·ti·fer·til·i·ty [æ̀ntifə:rtíləti, -tai-] *a.* 불임〔피임(용)〕의: ~ agents 피임약.

an·ti·freeze [ǽntifrì:z] *n.* Ⓤ 부동액(不凍液).

an·ti·fric·tion [æ̀ntifríkʃən, -tai-] *a.* 〔限定的〕 감마(減摩)〔윤활〕용의. ── *n.* Ⓒ 감마(減摩); 감마 장치《볼베어링 따위》; 감마제, 윤활제.

an·ti·gen [ǽntidʒən] *n.* Ⓒ 항원(抗原).

an·ti·grav·i·ty [æ̀ntigrǽvəti, -tai-] *n.* Ⓤ 반중력(反重力). ── *a.* 반중력의.

ànti-G sùit 내(耐)가속도복(服); 내중력복.

An·ti·gua and Bar·bu·da [æntí:gə-əndbɑ:r-bú:də] 〖地〗 앤티가 바부다《카리브해 동부의 나라; 수도는 세인트존스(St. John's)》.

an·ti·he·ro [ǽntihi:rou, -tai-] (*pl.* **~es**) *n.* Ⓒ 주인공답지 않은〔자질이 없는〕 주인공; 반영웅(反英雄). ⊕ **àn·ti·he·ró·ic** [-hiróuik] *a.* 영웅적〔주인공〕 자질이 없는.

an·ti·his·ta·mine [æ̀ntihístəmi:n] *n.* U,C 항(抗)히스타민제《알레르기·감기약》.

an·ti·hy·per·ten·sive [æ̀ntiháipərténsiv, -tai-] 〖醫·藥〗 *a.* 항고혈압(성)의, 고혈압에 듣는. ── *n.* U,C 항고혈압약《이뇨제 등》.

an·ti-im·pe·ri·al·ism [æ̀ntiimpí:riəlizəm, -tai-] *n.* Ⓤ 반(反)제국주의. ⊕ **-ist** *a., n.* 반제국주의의; 반제국주의자.

an·ti-in·tel·lec·tu·al [æ̀ntiintəléktʃuəl, æ̀ntai-] *a., n.* Ⓒ 반(反)지성주의의 (사람), 지식인〔지식편중〕에 반대하는 (사람).

an·ti·knock [æ̀ntinák, -tai- / æ̀ntinɔ́k] *n.* 앤티노크제(劑), 내폭제(耐爆劑)《내연 기관의 노킹 방지》. ── *a.* 〔限定的〕 앤티노크〔내폭〕성의.

An·til·les [æntíli:z] *n. pl.* (the ~) 앤틸리스 제도《서인도 제도의 일부》.

an·ti·log [ǽntilɑ̀g / -lɔ̀g] *n.* = ANTILOGARITHM.

an·ti·log·a·rithm [æ̀ntilɔ́(:)gəriðəm, -riθəm, -lάg-] *n.* Ⓒ 〖數〗 진수(眞數), 역로그.

an·ti·ma·cas·sar [æ̀ntiməkǽsər] *n.* Ⓒ 의자 등받이〔팔걸이〕 덮개《19세기 영국에서 macassar 향유를 바른 머리로 인한 더럼 방지를 위해 쓰였음》.

an·ti·mag·net·ic [æ̀ntimægnétik, -tai-] *a.* (시계 등) 항(抗)〔내(耐)〕자성의, 자기(磁氣) 불감의, 자기화(磁氣化) 방지한.

an·ti·mat·ter [ǽntimæ̀tər, -tai-] *n.* Ⓤ 〖物〗 반물질(反物質)《반입자(反粒子)로 이루어지는 가상 물질》.

an·ti·mis·sile [æ̀ntimísəl, -tai- / æ̀ntimísail] 〖軍〗 *a.* 미사일 방어〔요격〕용의. ── *n.* Ⓒ 대(對)탄도 미사일 무기, 《특히》 대미사일용 미사일.

an·ti·mo·ny [ǽntəmòuni] *n.* Ⓤ 〖化〗 안티몬《금속 원소; 기호 Sb; 번호 51》.

an·ti·neu·tron [æ̀ntinjú:trɑn, -tai- / -njú:trɔn] *n.* Ⓒ 〖物〗 반중성자《중성자와 같은 성질이며 자기(磁氣)적인 성질이 반대인 소립자》.

an·tin·o·my [æntínəmi] *n.* Ⓤ,Ⓒ 모순; 〖哲〗 이율 배반.

an·ti·nov·el [ǽntinɑ̀vəl, -tai- / -nɔ̀v-] *n.* Ⓤ 앙티로망(anti-roman), 반소설. ㊞ **~·ist** *n.*

an·ti·nu·cle·ar [æ̀ntinjú:kliər, -tai-] *a.* 〔限定的〕 ① 핵무기 반대의. ② 핵에너지 사용〔원자력 발전〕에 반대하는.

an·ti·nuke [æ̀ntinjú:k, -tai-] *a., n.* 《口》 = ANTINUCLEAR.

an·ti·par·ti·cle [ǽntipɑ̀:rtikəl, -tai-] *n.* Ⓒ 〖物〗 반입자《반양성자·반중성자 따위》.

an·ti·pas·to [æ̀ntipǽstou, -pɑ́:s-] (*pl.* **~s, -ti** [-ti]) *n.* Ⓒ 《It.》 전채(前菜), 오르 되브르.

an·ti·pa·thet·ic [æ̀ntipəθétik] *a.* 나면서부터 싫은, 공연히 싫은, 비위에 맞지 않는《*to*》; 본질〔성격, 기질〕적으로 상반되는: The new management was ~ *to* all of us. 새로운 경영진은 우리 모두의 마음에 들지 않았다 / He's ~ *to* snakes. 그는 뱀을 몹시 싫어한다.

an·tip·a·thy [æntípəθi] *n.* ① Ⓤ (또는 an ~) 반감, 혐오, 비위에 안 맞음: He showed a marked ~ *to* foreigners. 그는 외국인에 대해 유별나게 반감을 나타냈다. ② Ⓒ 공연히〔몹시〕 싫은 것. opp. *sympathy.*

an·ti·per·son·nel [æ̀ntipə̀:rsənél, -tai-] *a.* 〖軍〗 인마(人馬) 살상을 목표로 하는《공격·폭탄 따위》, 대인(對人)(용)의: ~ bombs 대인 폭탄.

an·ti·per·spi·rant [æ̀ntipə́:rspərənt] *n.* Ⓤ,Ⓒ 발한(發汗) 억제제. ── *a.* 발한 억제의.

an·ti·phon [ǽntəfɑ̀n / -fɔ̀n] *n.* Ⓒ ① 번갈아 부르는 노래. ② 교창(交唱)(성가), 교창 시편.

an·tiph·o·nal [æntífənl] *a.* 번갈아 노래하는. ── *n.* Ⓒ 교창 성가집. ㊞ **~·ly** *ad.*

an·tiph·o·ny [æntífəni] *n.* Ⓒ 응답 송가.

an·tip·o·dal [æntípədl] *a.* 대척지(對蹠地)의; 대척적인, 정반대의《*to*》.

an·ti·pode [ǽntipòud] *n.* Ⓒ 정반대(의 것)《*of; to*》.

an·tip·o·de·an [æntìpədí:ən] *a., n.* Ⓒ 대척지(對蹠地)의 (주민); (때로 A-) 《英》 오스트레일리아의 (주민).

an·tip·o·des [æntípədì:z] *n. pl.* ① 대척지(對蹠地)《지구상 정반대 쪽에 있는 두 지점, 또는 單數 취급하여 한 쪽》; 대척지의 주민. ② 〔때로 單數 취급〕 정반대의 사물《*of; to*》. ③ (때로 the A-) 〔單·複數 취급〕 《英》 오스트레일리아와 뉴질랜드.

an·ti·pol·lu·tion [æ̀ntipəlú:ʃən, -tai-] *n., a.* 〔限定的〕 공해 반대〔방지〕(의), 오염 방지〔경감, 제거〕를 위한 (물질). ㊞ **~·ist** *n.* Ⓒ 오염〔공해〕 방지론자.

an·ti·pov·er·ty [æ̀ntipɑ́vərti, -tai- / -pɔ́v-] *n.* Ⓤ *a.* 빈곤 퇴치(의); 《美》 빈곤 퇴치 계획.

an·ti·pro·ton [ǽntipròutɑn, -tai- / ǽntipròutɔn] *n.* Ⓒ 〖物〗 반양성자(反陽性子).

an·ti·py·ret·ic [æ̀ntipairétik, -tai-] *a., n.* = ANTIFEBRILE.

an·ti·pyr·in(e) [æ̀ntipáirin, -tai-, -rən] *n.* Ⓤ,Ⓒ 안티피린《해열·진통제》.

an·ti·quar·i·an [æ̀ntikwέəriən] *a.* ① 골동품 연구〔수집〕(가)의; 골동품 애호〔취미〕의. ② 희귀 고서(古書)의 (매매를 하는). ── *n.* Ⓒ = ANTIQUARY. ㊞ **~·ìsm** *n.* Ⓤ 골동품에 관한 관심〔연구〕, 골동품 수집 취미.

an·ti·quary [ǽntikwèri] *n.* Ⓒ 골동품〔고미술품〕 연구〔수집〕가; 골동품〔고미술품〕상.

an·ti·quat·ed [ǽntikwèitid] *a.* ① 낡아 빠진, 안 쓰이는, 노후한; 오래된, 뿌리 깊은. ② 구식의, 시대에 뒤진. ③ 노구(老軀)의.

***an·tique** [æntí:k] (**more ~; most ~**) *a.* ① 골동〔고미술〕(품)의. ② 고래(古來)의; 구식(취미)의, 시대에 뒤진. ③ 〔限定的〕 (특히 그리스·로마 등의) 고대의; 고대풍의; 고대 양식의. ── *n.* ① Ⓒ 골동품, 《美》 (백 년 이상 된) 고(古)가구〔고기(古器), 고미술품, 옛 장식품〕; 구세대의 인물; 고대〔옛〕 유물. ② Ⓤ (the ~) 고대풍; 고대 (미술) 양식. ── *vt.* …을 고풍으로 나타내다, 예스럽게 하다. ◇ antiquity *n.* ㊞ **~·ly** *ad.* **~·ness** *n.*

antíque shóp 골동품 상점.

***an·tiq·ui·ty** [æntíkwəti] (*pl.* **-ties**) *n.* ① Ⓤ 오래 됨, 고색(古色), 고아(古雅), 낡음: a family of great ~ 아주 오랜 구가(舊家). ② Ⓤ 고대: from immemorial ~ 태고 때부터 / in remote ~ 오랜 옛날에. ③ 〔集合的〕 고대인, 옛날 사람들. ④ (*pl.*) 고대〔옛〕 생활〔문화〕의 소산, 고대의 풍습·제도; (흔히 *pl.*) 고기(古器), 고대〔옛〕 유물〔유적〕: Greek and Roman *antiquities* 고대 그리스·로마의 유물. ◇ antique *v.*

an·ti·rac·ism [æ̀ntiréisizəm, -tai-] *n.* Ⓒ 인종차별 반대주의. ㊞ **-ist** *a., n.* Ⓒ 인종차별 반대주의자; 인종차별 반대주의(자)의.

an·tir·rhi·num [æ̀ntiráinəm] *n.* Ⓒ 〖植〗 금어초속(屬)의 각종 초본.

an·ti·sat·el·lite [æ̀ntisǽtəlàit, -tai-] *a.* 〖軍〗 〔限定的〕 군사 위성을 공격하는《略: ASAT》: an ~ interceptor 인공위성 공격 미사일.

an·ti·sci·ence [æ̀ntisáiəns, -tai-] *a.* 〔限定的〕 반과학(反科學)의. ── *n.* Ⓤ 반과학(주의), 과학 배격〔무용론〕.

an·ti·scor·bu·tic [æ̀ntiskɔ:rbjú:tik, -tai-] *a.* 괴혈병(scurvy) 치료의: ~ acid 항(抗)괴혈병산(酸), 아스코르빈산(酸)(vitamin C). ── *n.* Ⓤ,Ⓒ 항(抗)괴혈병약〔식품〕.

an·ti-Sem·ite [æ̀ntisémait, -sí:m-, -tai-] *a., n.* Ⓒ 반유대주의의; 반유대주의자. ㊞ **àn·ti-Se·mí·tic** [-simítik] *a.* 반(反)유대인의, 유대인 배척의. **àn·ti-Sém·i·tìsm** [-sémitìzəm] *n.* Ⓤ 반유대주의, 유대인 배척론〔운동〕.

an·ti·sep·sis [æ̀ntəsépsis] (*pl.* **-ses** [-si:z]) *n.* Ⓤ,Ⓒ 방부(防腐)(법), 소독(법).

an·ti·sep·tic [æ̀ntəséptik] *a.* ① 방부(防腐)(성)의; 방부제를 사용한. ② 무균의, 살균된. ③ 지나치게〔매우〕 청결한. ④ 비정하고 냉담한, 인간미가 없는. ── *n.* Ⓤ,Ⓒ 방부제; 살균〔소독〕제. ㊞ **-ti·cal·ly** *ad.* 방부제로.

an·ti·se·rum [ǽntisìərəm] (*pl.* **~s, -ra** [-rə]) *n.* Ⓤ,Ⓒ 항혈청, 면역 혈청.

an·ti·slav·ery [æ̀ntisléivəri, -tai-] *n.* Ⓤ, *a.* 〔限定的〕 노예 제도 반대(의).

an·ti·smok·ing [æ̀ntismóukiŋ, -tai-] *a.* 〔限定的〕 흡연 억지의, 흡연에 반대하는.

an·ti·so·cial [æ̀ntisóuʃəl, -tai-] *a.* ① 사회를 어지럽히는, 반사회적인: ~ acts such as murder and theft 살인이나 도둑과 같은 반사회적인 행동. ② 반사회주의의. ③ 사교를 싫어하는 ; 사람을 싫어하는 : He's not ~, just shy. 그는 사람을 싫어하는 게 아니라 수줍어할 뿐이다. ㊞ **~·ist** *n.* Ⓒ 반사회주의자 ; 비사교가. **~·ly** *ad.*

an·ti·stat·ic [æ̀ntistǽtik, -tai-] *a.* 공전(空電) 제거〔방지〕의 ; 정전기〔대전〕 방지의.
— *n.* Ⓒ 정전기 방지제.

an·tis·tro·phe [æntístrəfi] *n.* Ⓒ ① 응답 가장(歌章)《옛 그리스 극에서 불리어지던》. ②【樂】 대조 악절, 응답 악절. cf. chiasmus.

an·ti·sub·ma·rine [æ̀ntisʌ́bmərì:n, -tai-] *a.* 〔限定的〕 대(對)잠수함의, 대잠(對潛)… : an ~ patrol plane 대잠 초계기(哨戒機).

an·ti·tank [æ̀ntitǽŋk, -tai-] *a.* 〔限定的〕【軍】 대전차(對戰車)용의 : an ~ gun 대전차포.

an·ti·ter·ror·ist [æ̀ntitérərist, -tai-] *a.* 테러에 대항하는, 대(對)테러리즘용의.

an·ti·theft [æ̀ntiθéft, -tai-] *a.* 도난 방지의 : an ~ bell 도난 방지용 벨.

an·tith·e·sis [æntíθəsis] (*pl.* **-ses** [-sì:z]) *n.* ① a) Ⓤ 정반대, 대조(contrast). b) Ⓒ 정반대의〔대조를 이루는〕 것. ② a) Ⓤ【修】 대조법. b) Ⓒ 대구(對句) ;【論·哲】 (Hegel 의 변증법에서) 반정립(反定立), 안티테제. cf. synthesis, thesis.

an·ti·thet·ic, -i·cal [æ̀ntiθétik], [-əl] *a.* ① 정반대의 ; (아주) 대조적인. ② 대구(對句)를 이루는. ㊞ **-i·cal·ly** [-ikəli] *ad.*

an·ti·tox·ic [æ̀ntitáksik / -tɔ́ks-] *a.* 항(抗)독성의 ; 항독소의〔를 함유한〕.

an·ti·tox·in [æ̀ntitáksin / -tɔ́ksin] *n.* Ⓤ,Ⓒ ① 항독소 ; 면역소. ② 항독소 혈청, 항독약.

an·ti·trade [ǽntitrèid] *a.* 무역풍의 반대 방향으로 부는, 반대 무역풍의. — *n.* (*pl.*) 반대 무역풍.

an·ti·trust [æ̀ntitrʌ́st, -tai-] *a.* 《美》【經】 트러스트 반대의, 트러스트를 규제하는 : ~ laws 독점 금지법.

an·ti·viv·i·sec·tion [æ̀ntivìvəsékʃən, -tai-] *n.* Ⓤ 생체 해부 반대, 동물 실험 반대. ㊞ **~·ism** *n.* Ⓤ (동물의)생체 해부 반대주의. **~·ist** *a., n.* Ⓒ 생체 해부 반대주의자 ; 생체 해부 반대주의(자)의.

an·ti·war [æ̀ntiwɔ́:r, -tai-] *a.* 반전(反戰)의 : an ~ pact 부전(不戰) 조약 / an ~ movement 반전 운동.

ant·ler [ǽntlər] *n.* Ⓒ (사슴의) 가지진 뿔 ; (가지진 뿔의) 가지.

ánt lìon【蟲】 명주잠자리 ; 개미귀신《명주잠자리의 애벌레》.

An·toi·nette [æ̀ntwənét, -twɑ:-] *n.* ① 앤트워네트《여자 이름》. ② **Marie** ~ 마리 앙투아네트《루이 16세의 왕비 ; 프랑스 혁명 때 처형됨 ; 1755-93》.

An·to·ny [ǽntəni] *n.* ① 앤터니《남자 이름》. ② **Mark** ~ 안토니우스《로마의 장군·정치가 ; 83?-30 B.C.》.

‡**an·to·nym** [ǽntənim] *n.* Ⓒ 반의어(反義語), 반대말《略 : ant.》. opp *synonym.*

an·ton·y·mous [æntánəməs] *a.* 반의어의, (…와) 반의어가 되어《*to*》.

ant·sy [ǽntsi] (**-si·er ; -si·est**) *a.* 《美俗》 안절부절 못 하는, 좀이 쑤시는 : get ~ 불안해지다, 안절부절 못 하다.

Ant·werp [ǽntwə:rp] *n.* 앤트워프《벨기에 북부의 주(州), 또 그 주도·해항》.

A number 1〔**one**〕 [éi-nʌ́mbər-wʌ̀n] 《美口》 =A ONE.

anus [éinəs] (*pl.* **~·es, ani** [éinai]) *n.* Ⓒ【解】 「항문(肛門).

***an·vil** [ǽnvəl] *n.* Ⓒ ① 모루. ②【解】 침골(砧骨).

on〔*upon*〕 *the* ~ (계획 등이) 심의〔준비〕 중(의).

‡**anx·i·e·ty** [æŋzáiəti] *n.* ① Ⓤ 걱정, 근심, 불안(misgiving)《*about ; for*》: her ~ *about* her child's health 자식의 건강을 염려하는 그녀의 마음 / He was all ~. 그는 몹시 걱정하고 있었다 / He felt ~ *about*〔*for*〕 his future. 그는 자기 장래에 대하여 불안을 느꼈다. ② Ⓒ 걱정거리 : Traffic jams, bad housing, too much concrete and too little grass are the main *anxieties* of people who live in urban areas. 교통체증, 나쁜 주택사정, 빽빽이 들어선 콘크리트 건물, 너무나 부족한 녹지대 등은 도시지역에 사는 사람들의 주요한 걱정거리이다 / Her son was an ~ to her. 그녀의 아들은 그녀의 걱정거리였다. ③ Ⓤ 염원(念願), 열망(eagerness)《*for ; about ; to* do》: His ~ *for* knowledge will surely surprise you. 그의 지식욕은 너를 놀라게 할 것이다 / She is full of ~ *to* please her husband. 그녀는 남편을 기쁘게 해 주려는 열의로 가득 차 있다 / He has a great ~ to succeed. 그는 성공하고 싶은 간절한 열망을 가지고 있다. ◇ anxious *a.* ***be in*** (***great***) ~ (몹시) 걱정하고 있다. ***with great*** ~ 몹시 걱정하여.

‡**anx·ious** [ǽŋkʃəs] (***more*** ~ ; ***most*** ~) *a.* ① 〔敍述的〕 걱정하여, 염려하여《*about ; at ; for*》: I am ~ *about*〔*for*〕 his health. 그의 건강이 염려된다 / She was dreadfully ~ lest he should be late. 그녀는 그가 늦지나 않을까 몹시 걱정하고 있었다. ② 〔限定的〕 a) 걱정되는, 불안한, 염려되는(uneasy) ; (얼굴 등이) 걱정〔불안〕스러운 듯한 : an ~ feeling (일시적인) 불안한 기분 / an ~ look 걱정스런 얼굴. b) 마음 죄게 하는, 조마조마하게 하는 : an ~ business 신경이 많이 쓰이는 사업 / We had an ~ time of it. 우리는 몹시 걱정했었네. ③ 〔敍述的〕 열망하는, 매우 하고 싶어하는《*for ; to* do ; *that*節》: He is ~ *for* fame. 그는 명성을 얻고 싶어한다 / He is ~ *to* know the result. 그는 결과를 몹시 알고 싶어한다 / We are ~ for him *to* return home safe. 그가 무사히 돌아오기를 진심으로 바라고 있다 / We are ~ *that* you will succeed. 성공하시기를 간절히 바랍니다. ◇ anxiety *n.* ㊞ **~·ness** *n.*

anx·ious·ly** [-li] (more*** ~ ; ***most*** ~) *ad.* ① 걱정하여, 마음을 졸이며 : She looked up ~ at him. 그녀는 걱정스레 그를 쳐다보았다. ② 갈망하여 : She ~ awaited his arrival. 그녀는 그의 도착을 학수 고대했다.

†**any** [éni, 弱 əni] *a.* ① 〔疑問文·條件節에서〕 무언가의, 얼마간의 : Do you want ~ book? 책이 필요하시오 / Do you have ~ questions? 무슨 질문이 있습니까 / Are there ~ shops〔stores〕 there? 그 곳에는 (몇 집인가) 점포가 있습니까 / If you have ~ pencils, will you lend me one? 혹시 연필을 갖고 계시면 하나 빌려 주시겠습니까.

語法 (1) 의문문 가운데서의 some과의 차이 : Did you do *any* work last night? 는 보통의 질문 ; Did you do *some* work last night? 는 공부를 매일 하는 것으로 알고 있지만, 특히 진도·종류 따위를 알고 싶어서 하는 질문.
(2) any에는 두 가지 용법 즉, ⓐ 수량(얼마쯤, 약간)의 뜻《보통은 강세 없음 [eni, əni]》과, ⓑ 지시(무언가, 누군가)의 뜻《보통은 강세 있음 [éni]》으로 쓰임. 복수 어미(語尾)를 취하는 명사일 때, 일반적으로 복수이면 ⓐ, 단수이면 ⓑ의 뜻이 됨 : *any* books 몇 권인가의 책 / *any* book 무언가의 책.
(3) 다음의 경우, 형식은 의문문이지만 실질적으

로는 명령문이므로 some을 씀: Will you give me *some* paper? 종이 좀 주시오.
(4) any와 some—상대로부터 yes라는 대답을 예상할 수 있는 경우나 상대에게 무엇을 권할 때에는 some을 씀: Are there *some* letters for me? (아마 와 있을 테지만) 나에게 온 편지 있습니까 / Would you like *some* coffee? 커피를 드시지 않으렵니까.

② 〔否定의 平敍文에서〕 어떤〔어느〕 …도, 아무(…)도, 조금〔하나〕도, 그다지 (…없다〔않다〕): I have*n't* (got) ~ books. 책이 하나도 없다 / We could*n't* travel ~ distance before nightfall. 얼마 안 가서 해가 저물었다.

參考 (1) 이 경우 not... any를 no로 바꾸어 I have *no* book(s). 와 같이 할 수 있음. 다만, have 이외의 동사나 There is 〔are, etc.〕... 이외의 구문에 no를 쓴 I *want no* book(s). 와 같은 표현은 일반적으로 딱딱하게 들리며, not... any가 보다 구어적임.
(2) 앞서의 경우와는 달리, 관계대명사 따위의 수식어가 붙지 않을 때의 any...가 주어로 되어 있는 경우, 그 부정은 No...로 함: No man could solve the problem. 아무도 그 문제를 해결할 수 없었다. 이것을 *Any* man could not solve the problem.이라고는 할 수 없음.
(3) not이 없어도 부정문(否定文)에 준하는 경우에는 any를 씀: *without* ~ trouble 간단히(=with no trouble) / They *refused* to eat ~ cake. 그들은 케이크를 먹으려 하지 않았다.

③ 〔肯定의 平敍文에서〕 어떤〔어느〕 …(라)도, 무엇이든, 누구든《강세(强勢) 있음》: *Any* child can do it. 어떤 아이라도 그런 것쯤은 할 수 있다 / *Any* help is better than no help. 어떤 도움이라도 없는 것보다는 낫다 / Come ~ day you please. 언제라도 형편이 닿는 날에 오십시오 / He is taller than ~ *other* boy in his class. 그는 반의 어느 아이보다도 키가 크다 《★ 같은 종류의 것을 비교할 때에 any other를 비교급의 말과 함께 써서 최상급의 뜻을 나타냄》.

— *pron.* 〔單·複數취급〕 〔形容詞의 경우와 같이 구분되며, 종종 any of의 구문으로, 또는 이미 나온 名詞를 생략할 때 씀〕 ① 〔疑問文·條件節에서〕 어느 것인가, 무언가, 누군가, 얼마쯤, 다소: Did you ask ~ *of* the children? 이 애들 중의 누구에게 물어 보았나《the를 빠뜨리지 않도록 주의》/ I'm collecting foreign stamps; do you have *any*? 나는 외국 우표를 수집하고 있는데, 뭔가 가진 게 있느냐 / If ~ *of* you know, tell me. 자네들 중 누군가 알고 있으면 말을 해 주게 / If I had ~ of his courage, I would try it. 그이만한 용기가 조금이라도 있으면 해보겠는데.
② 〔否定의 平敍文에서〕 아무〔어느〕 것도, 아무도, 조금도: I do*n't* want ~ (of these). (이 중) 어느 것도 필요 없다 / I can*not* find ~ *of* them. 그들 중 누구도〔아무도〕 찾을 수 없다 / It is*n't* known to ~. 그것은 아무도 모른다.
③ 〔肯定〕 어느 것이라도〔것이든〕, 무엇이든, 누구라도〔든지〕, 얼마든지: Take ~ you please. 무엇이든 마음에 드는 것을 가져요 / *Any of* you can do it. 너희들 중 누구라도 그것을 할 수 있다.
— *ad.* ① 〔比較級 또는 different, too 앞에서〕 **a)** 〔疑問·條件〕 얼마쯤〔간〕; 조금이라도: Are you ~ *better?* (몸이) 좀 괜찮습니까 / If you are ~ *better*, you had better take a walk. 조금(이라도) 차도가 있으면 산책을 하는 것이 좋(겠)다. **b)** 〔否定〕 조금도 (…않다〔없다〕): He did *not* get ~ *better*. 그의 병세는 조금도 나아지지 않았다 / He was*n't* ~ *different* from me. 그는 나와 조금도 다를 바가 없었다 / The language he used was*n't* ~ *too* strong. 그가 사용한 말은 조금도 과격하지 않았다.
② 〔動詞를 수식하여〕《美》 조금(은), 좀, 조금도: Did you sleep ~ last night? 간밤에 (잠을) 좀 주무셨습니까 / That won't help us ~. 그것은 조금도 도움이 안 된다. **~ *longer*** 이미, 이 이상. **~ *more*** ⇨ MORE. **~ *old*** 《口》 =any《old는 뜻 없는 말》. **~ (*old*) *how*** 《俗》 되는 대로, 적당히, 아무렇게나: Write neatly, not just ~ (*old*) *how*. 깨끗이 써라, 아무렇게나 하지 말고. **~ *one*** (1) 누구나, 누구든, 아무(라)도. cf. anyone. (2) 어느 것이든, 어느 것이나: You may each have ~ *one* of these cakes. 각자 이 케이크 중에서 하나를 가져도 좋다. **~ *which way*** =EVERY which way. ***as ... as*** ~ ⇨ AS. ***at ~ cost*** 어떤 대가를 치르더라도; 무슨 일이 있어도, 꼭. ***at ~ moment*** ⇨ MOMENT. ***at ~ price*** ⇨ PRICE. ***at ~ rate*** ⇨ RATE. **(*at*) ~ *time*** 언제든지. ***if*** ~ ⇨ IF. ***not having*** 〔***taking***〕 ~ (1) 《口》 (어떤 일에 관여하거나, 남과 연루되는 것 등) 딱 질색이어서: She's too officious. I am *not having* ~. 그녀는 너무나도 간섭이 심하다. 난 (그녀가) 딱 질색이다. (2) 《美口》 《권하는 음식 따위를 사양할 때》 이젠 충분하여, 아주 만족하여: Thank you, but I'm *not having* ~. 고맙습니다만 이제 됐습니다《많이 먹었습니다》. ***not just ~ ...*** 단지 보통의 …은 아니다: He is*n't just* ~ doctor. 그는 보통 의사가 아니다.

†any·body [énibàdi, -bʌ̀di / -bɔ̀di] *pron.* ① 〔疑問文·條件節에서〕 누군가, 누가, 누구〔아무〕라도: Is ~ absent today? 오늘 누가 결근했느냐 / If ~ calls, tell him 〔them〕 I have gone out. 누구라도 찾아오면 나갔다고 일러주게《★ anybody는 단수형이지만 구어에서는 위의 용례의 them처럼 복수 대명사로 받을 때도 있음》. ② 〔否定文에서〕 누구도, 아무도: I have*n't* seen ~. 아무도 못 만났다 / Do*n't* disturb ~. 아무에게도 폐를 끼치지 않도록 해라.

語法 부정 구문에서 anybody를 사용할 경우에는 부정어를 선행시킨다. 따라서 There was *nobody* there.(거기엔 아무도 없었다)를 There wasn't ~ there. 라고 바꾸어 쓸 수는 있지만, 부정 구문에서 주어로 앞세워 *Anybody* did *not* come. 이라고는 할 수 없으므로 *Nobody* came. 이라고 한다.

③ 〔肯定文에서〕 누구든지, 아무라도: *Anybody* can do that. 그런 일은 아무라도 할 수 있다 《★ anybody는 anyone과 뜻이 거의 같으나 전자는 주로 구어》.
~ *else* 누구〔누군가〕 딴 사람; 다른 누구(라)도. **~*'s game*** 〔***race***〕 《口》 승부를 예상할 수 없는 경기〔경주〕. **~*'s guess*** 아무도 예상할 수 없는 일.
— (*pl.* **-ies**) *n.* Ⓒ ① 〔否定·疑問·條件文에서〕 어엿한〔버젓한〕 인물, 이름 있는 사람: Is he ~? 좀 알려진 인물인가 / If you wish to be ~, ... 유명 인사가 되려거든 … / Everybody was there who is ~. 다소 이름 있는 사람은 다 와 있었다. ② 〔肯定文에서〕 (종종 just ~) 범인(凡人), 변변찮은 사람: unknown *anybodies* 이름도 없는〔변변찮은〕 사람들 / He has been *just* ~. 그렇고 그런 사람이었다.

‡any·how [énihàu] *ad.* ① **a)** 〔肯定文에서〕 어떻

게 하든 : This should be done in a few days ~. 이것은 며칠 내에 어떻게든 해치워야 한다. **b)** 아무리 해도 (…않다) : I could not get in ~. 아무리 해도 들어갈 수가 없었다. ② **a)** 〔接續詞的〕 여하튼, 좌우간, 어쨌든《★ 화제를 바꿀 때 등에》: *Anyhow*, let us begin. 여하튼 시작하자 / Let's do our best again ~. 여하튼 한번 더 최선을 다해보자. **b)** …에도 불구하고, 어쨌든 : The weather wasn't as good as we had hoped, but we decided to go ~. 날씨는 기대했던 만큼 좋지 않았으나 어쨌든 우리는 가기로 하였다. ③ 적당히 얼버무려, 아무렇게나 : She did her work (all) ~. 그녀는 일을 적당히 해놓았다. cf. somehow.

(*all*) ~《美口》(1) ⇨ *ad.* ③. (2) 무질서하게, 난잡하게. (3) 무슨 일이 있어도. ***feel* ~**《口》어쩐지 기분이 좋지 않다.

any·more [ènimɔ́:r] *ad.* 《美》〔否定文·疑問文에서〕 이제는, 최근에는 : She does*n't* work here ~. 그녀는 지금은 여기서 일하지 않는다 / Do you play golf ~? 최근에도 골프를 치고 있습니까《★ 긍정문에서 쓰는 것은 《美方》》.

†any·one [éniwʌ̀n, -wən] *pron.* ① 〔否定文에서〕 누구도, 아무도 : I do*n't* think ~ was at home. 아무도 집에 없었다고 생각된다. ② 〔疑問文·條件節에서〕 누군가 : Has ~ heard of it? 그것에 대하여 누군가 들었느냐. ③ 〔肯定文에서〕 누구〔아무〕라도, 누구든지 : *Anyone* could have told you that. 그런 것 쯤은 아무에게 물어 보아도 알았을 터인데. cf. anybody.

> 語法 anyone 은 any one 으로도 쓰는데, 이때엔 '일정한 사람〔물건〕의 무리 중에서 임의로 선정된 한 사람〔물건〕'이 되며 of 를 수반하는 일이 많음. 이때 one의 뜻과 발음이 다 강조됨 : *Any one* [éni-wʌ́n] *of* you can do it. 너희들 중 누구라도 할 수 있다. I would like *any one of* them. 그들 중 누구라도 좋으니 한 사람 필요하다.

any·place [énipleìs] *ad.* 《美口》 =ANYWHERE : I can't find it ~. 아무데도 없다.

†any·thing [éniθiŋ] *pron.* ① 〔疑問文·條件節에서〕 무언가 : Can you hear ~? 무언가 들립니까 / Is he ~ of a scholar? 조금은 학문이 있습니까 / Let us see if ~ can be done for it. 무언가 손을 쓸 수 있을지 생각해 보자. ② 〔否定文에서〕 아무것도, 어떤 것도 (…않다) : I could *not* see ~. 아무 것도 볼 수 없었다 / *Hardly* ~ was left for me. 나에게는 거의 아무 것도 남아 있지 않았다《★ 주어를 부정하는 경우에는 *Anything* did not happen. 이라 하지 않고, *Nothing* happened. 또는 *Not* ~ happened. 라고 함》. ③ 〔肯定文에서〕 무엇이든〔나〕, 어느〔어떤〕 것이든 : Give me something to eat. *Anything* will do. 무엇 먹을 것 좀 주시오. 아무 것이든 좋으니 / He can do ~. 그는 무엇이든 할 수 있다. ★ anything을 수식하는 형용사는 뒤에 옴 : Is there ~ *interesting* in the newspaper? 신문에 뭐 재미있는 것 났니.

~ *but* (1) …외에는 무엇이든 : I will give you ~ *but* this watch. 이 시계 말고는 무엇이든 주겠다. (2) …말고는 아무것도 (…않다) : He never does ~ *but* heap up money. 그는 오로지 돈을 모을 뿐이다. (3) 조금도 …아닌 : He is ~ *but* a hero. 그는 도저히 영웅이랄 수가 없다. ***Anything doing?*** (1) 뭐 재미있는 게 있는가. (2) 무언가 도울 일은. **~ *else*** ⇨ ELSE①. ***Anything goes.*** 《종종 蔑》 무엇이든〔무엇을 해도〕 괜찮다 : Around here ~ *goes.* 여기에선 무엇을 해도 좋다. **~ *like*** (1) 조금은, 좀 : Is she ~ *like* pretty? 좀 예쁜 편인가. (2) 〔否定文에서〕 조금도 (…않다), … 따위는 도저히 : You can*not* expect ~ *like* perfection. 완벽 따위는 도저히 기대할 수 없다. **~ *of*** (1) 〔疑問文에서〕 조금은 : Do you see ~ *of* him? 그 사람을 더러는 만나니 / Is he ~ *of* a gentleman? 얼마쯤〔좀〕 신사다운 데가 있는가. (2) 〔否定文에서〕 조금도 : I have *not* seen ~ *of* Smith lately. 최근에는 스미스를 전혀 만나지 못했다. **(*as*) . . . *as* ~** 《口》 몹시, 아주 : She is *as* proud *as* ~. 그녀는 몹시 우쭐해 있다. ***for* ~** 〔否定文에서〕 무엇을 준대도 ; 결코, 절대로 : I would*n't* do that *for* ~. 어떤 일이 있어도 그런 짓은 절대로 하지 않겠다. ***for* ~ *I care*** 난 아무래도 상관 없지만《★ 《英》에서는 far all I care가 훨씬 많이 쓰임》. ***for* ~ *I know*** 잘은 모르지만, 내가 아는 바로는 ; 어쨌든《★ 《美》에서는 for all I know를 많이 씀》. ***if* ~** 〔比較級과 함께〕 어느 편이냐 하면, 어느 정도 : She is, *if* ~, *taller* than her mother. 그녀는 어머니보다 키가 좀 큰 편이다. ***like* ~** 몹시, 맹렬히 : It rains *like* ~. 비가 억수처럼 퍼붓는다. **. . . *or* ~** 《口》 .... 또는 무엇이든, …라든가 하면 : If you touch me *or* ~, I'll scream. 나에게 손을 대거나 뭐하면 소리지를 테야 / Have you got any knives *or* ~? 칼이든 또는 무엇이든 가지고 있지 않는가《★ '(…하지 않았)겠지'처럼 망설이면서 다짐하는 데 쓰이기도 함 : You didn't hit him, *or* ~? 그를 때리지 않았겠지》.

— *ad.* 조금이라도, 다소라도, 적어도 : Is it ~ like mine? 그거 내것과 조금은 닮았니.

any·time [énitàim] *ad.* 언제든지 ; 언제나 (변함없이).

‡any·way [éniwèi] *ad.* ① 어쨌든, 하여튼 ; 어떻게 해서든, 어차피 : Whether you like it or not, I'm going ~. 당신의 마음에 들든 안 들든, 어쨌든 난 갈 작정이다. ② 《화제를 바꾸거나 앞 화제로 되돌아갈 때》 그건 그렇고, 여하간 : What are you phoning for, ~? 그건 그렇고, 왜 전화했지? / *Anyway*, I'll see you later. 여하튼 다음에 또 보자. ③ 적당히, 아무렇게나 : Don't do it just ~. 아무렇게나 하면 못써. cf. anyhow.

any·ways [éniwèiz] *ad.* 《口·方》 =ANYWAY.

‡any·where [éni*h*wɛ̀ər] *ad.* ① 〔否定文에서〕 어디에〔라〕도 : Do*n't* go ~. 아무 데도 가지 마라 / I changed my mind and decided not to go ~. 나는 마음을 바꾸어 아무데도 가지 않기로 작정하였다. ② 〔疑問文·條件節에서〕 어디엔가 : Did you go ~ yesterday? 어저께 어딘가 갔었니 / Would you like to go to the park or ~? 공원이나 아니면 어디엔가 가볼까요 / Tell him so if you meet him ~. 어디서 그를 만나거든 그렇게 전해줘 / Use my car, if you are going ~. 어딘가 가려거든 내 차를 써라. ③ 〔肯定文에서〕 어디(에)나 : You will be welcomed ~ you go. 가는 곳마다 환영받을 것이다 / Put it ~. (짐을) 아무 데나 놓아라 ; 《口》 아무데나 앉아라 / You can go ~ you like. 아무데나 좋아하는 곳으로 가도 좋다. ④ 조금이라도, 어느 정도라도 ; 《美口》 대략, 대체로.

~ *between* . . . 《口》 …의 사이라면 어디든지. **~ *from* . . . *to* _** 《美口》 대략 …에서 _까지의 범위에서 : ~ *from* 10 *to* 20 dollars 대략 10 달러 내지 20 달러. **~ *near*** 《口》 〔주로 否定文〕 거의 …쯤도 (안 되다) : He isn't ~ *near* as popular as he used to be. 그는 이제 거의 과거와 같은 인기는 없다. ***get* 〔*go*〕 ~** ⇨ GET.

any·wise [éniwàiz] *ad.* 《주로 美》 어떻게(해서)든 ; 조금이라도 ; 아무리 해도, 어떻게 해도,

결코.

An·zac [ǽnzæk] *n.* ① (the ~s) 앤잭 군단《제1차 대전 당시의 오스트레일리아·뉴질랜드군(軍)의 연합 군단》. ② [C] 그 대원; 오스트레일리아〔뉴질랜드〕 군인〔사람〕. [◂ *A*ustralian and *N*ew *Z*ealand *A*rmy *C*orps]

ANZUS, An·zus [ǽnzəs] *n.* 앤저스《태평양 안전 보장 조약 기구》. [◂ *A*ustralia, *N*ew *Z*ealand and the *U.S.*]

A.O.B., a.o.b. any other business.

A-OK, A-O·kay [èioukéi] *a., ad.* 《口》 완벽한〔하게〕, 더할 나위 없는: an ~ rocket launching 완벽한 로켓 발사.

A1, A-1, A one [éiwʌ́n] *a.* ① 제1등급의《Lloyd 선급 협회의 선박 검사 등급 부호》. ② 《口》 일류의(first-class), 최상의, 우수한, 훌륭한: The meals there are *A one.* 그 곳 식사는 일류이다 / *A* (*No.*) *1* tea 최상급의 차 / an *A1* musician 일류 음악가《★ 《美》에서는 A number 1 이라고도 함》.

ao·rist [éiərist] *n.* 〖그 文法〗 부정(不定) 과거.

aor·ta [eiɔ́:rtə] (*pl.* **~s, -tae** [-ti:]) *n.* [C] 〖解〗 대동맥. [파] **aór·tic** *a.*

ap-[1] *pref.* =AD-《★ p의 앞에 올 때의 변형》.

ap-[2] *pref.* =APO-《★ 모음이나 h의 앞에 올 때의 변형》.

AP 《美》 Associated Press(연합 통신사). **A.P., AP** 〖軍〗 airplane. **Ap.** Apostle; April.

***apace** [əpéis] *ad.* ① 《文語》 급히, 속히, 빨리: Ill news runs ~. 《俗談》 악사(惡事) 천리. ② =ABREAST《*of* ; *with*》.

Apache [əpǽtʃi] (*pl.* **Apach·es,** ~) *n.* ① [C] 아파치족《북아메리카 원주민의 한 종족》. ② [U] 아파치어(語).

apache [əpɑ́:ʃ, əpǽʃ] *n.* [C] 《F.》 (주로 파리의) 깡패, 조직 폭력배.

ap·a·nage [ǽpənidʒ] *n.* =APPANAGE.

‡**apart** [əpɑ́:rt] *ad.* ① 《시간·공간적으로》 떨어져서, 떨어지게 하여, 갈라져서; 따로따로: walk ~ 떨어져서 걷다 / live ~ 별거하다 / fall ~ from decay 썩어서 벗겨져 떨어지다 / The brothers were born two years ~. 그 형제는 두 살 터울로 태어났다. ② 낱낱으로, 가리가리: break〔cut, tear〕 things ~ 물건을 갈가리 부수다〔자르다, 찢다〕. ③ 한쪽으로, 따로이: He took me ~ to have a talk with me. 그는 이야기하려고 나를 한쪽으로 데리고 갔다. ④ **a**) 별개로, 개별적으로: Viewed ~, this aspect of the problem becomes clearer. 개별적으로 보면 그 문제의 이 면이 더욱 뚜렷해진다. **b**) 〔名詞·動名詞 뒤에서〕 …은 별도로 하고, 차치하고: *Joking* ~, what did you really think of the show? 농담은 차치하고 자네는 그 쇼를 어떻게 생각했는가 / The cost ~, the building will take a lot of time. 비용은 차치하고 그 건축에는 상당한 시간이 걸릴 것이다. ***~ from*** (1) …에서 떨어져: He lives ~ *from* his family. 그는 가족으로부터 떨어져 살고 있다. (2) …은 별문제로 하고, …은 그렇다 치고(《美》 aside from): There are other problems with that car ~ *from* its cost. 그 차는 값 말고도 여러가지 문제가 있다. ***know*** 〔***tell***〕 ~ 식별하다: *tell* the twins ~ 쌍둥이를 분별하다. ***put*** 〔***set***〕 ***~ for*** …을 위하여 따로 떼어놓다〔두다〕. ***stand*** ~ (1) (사람·물건이 …에서) 떨어져(서) 있다《*from*》. (2) (사람이) 고립〔초연(超然)〕해 있다《*from*》. ***take*** ~ ⇨ TAKE.

── *a.* 〔敍述的〕 ① (…에서) 떨어진《*from*》: Chicago and Seoul are thousands of miles ~. 시카고와 서울은 수천 마일이나 떨어져 있다. ② 다른; 《口》 의견이 갈라진: They're friends but they're very far ~ in their views. 그들은 친구이지만 견해는 아주 달리하고 있다. ③ 〔名詞 뒤에 붙여〕 독특한, 특이한: This computer is in a class ~. 이 컴퓨터는 독특한 종류에 속해 있다 / The English are a nation ~. 영국인은 독특한 국민이다. ***be worlds*** ~ (…와) 아주 동떨어지다, 정반대이다, 전혀 다르다《*from*》: They'*re worlds* ~ in their political beliefs. 그들은 정치상의 신념에서는 크게 다르다.

apart·heid [əpɑ́:rt*h*èit, -*h*àit] *n.* [U] 《南아》 (흑인에 대한) 인종 차별〔격리〕(정책)《1991년 폐지됨》.

‡**apart·ment** [əpɑ́:rtmənt] *n.* [C] ① 《美》 **a**) 아파트(《英》 flat)《공동 주택 내의 한 가구분의 구획》: My uncle lives in a three-room ~. 나의 아저씨는 방 셋인 아파트에 살고 있다. **b**) =APARTMENT HOUSE. ② (종종 *pl.*) (궁전 등에서 특정인들을 위한) 넓고 화려한 방. ③ (*pl.*) 《英》 (보양지 등의 가구 달린 단기용) 셋방.

apártment hotél 《美》 아파트식 호텔《영구·장기 체류 손님도 받음》. [cf.] service flat.

apártment hòuse 〔**bùilding**〕 《美》 공동 주택, 아파트《★ tenement house 보다 훨씬 고급임》.

ap·a·thet·ic [æ̀pəθétik] *a.* ① 무감동한, 무표정한. ② 냉담한, 무관심한. [파] **-i·cal·ly** [-kəli] *ad.* 무감정으로; 관심 없이.

ap·a·thy [ǽpəθi] *n.* [U,C] 냉담; 무관심, 무감동, 무감각: It's a good thing that people are waking up from their political ~. 사람들이 정치적인 무관심에서 깨어나고 있음은 좋은 일이다. ***have an ~ to*** …에 냉담하다.

APB all-points bulletin (전국 지명 수배).

ape** [eip] *n.* [C] ① 원숭이《주로 꼬리 없는〔짧은〕 원숭이》. [cf.] monkey. ② 흉내쟁이. ③ 유인원《chimpanzee, gorilla, orangutan, gibbon 등을 가리킴》. ④ 《美俗》 흑인, 부랑자, 고릴라 같은 놈. ◇ apish *a.* ***God's ~ 천생의 바보. ***lead ~s*** (***in hell***) (여자가) 일생 독신으로 지내다. ***play the*** ~ 남의 흉내를 내다. ***say an ~'s paternoster*** (두려워 또는 추워서) 이가 덜덜 떨리다. ── *a.* 《俗》 미친, 열중한. ***go*** ~ 《美俗》 발광하다; 열광하다; …에 열중하다《*over* ; *for*》. ***go ~ shit*** = go ~. ── *vt.* …의 흉내를 내다: A number of actors have tried to ~ his style. 많은 배우들이 그의 스타일을 흉내 내려고 했다.

APEC [éipek] *n.* 아시아 태평양 경제 협력 (각료) 회의. [◂ Asia-Pacific Economic Cooperation Conference]

「원인(猿人).

ape-man [éipmæ̀n] (*pl.* **-men** [-mèn]) *n.* [C]

Ap·en·nine [ǽpənàin] *n.* (the ~s) 아펜니노 산맥《이탈리아 반도를 종주(縱走)함》.

ape·ri·ent [əpíəriənt] *a.* 용변을 순조롭게 하는. ── *n.* [U,C] 하제(下劑), 완하제.

apé·ri·tif [ɑ:pèrití:f, əpèr-] (*pl.* **~s**) *n.* [C] 《F.》 아페리티프《식욕 증진을 위해 식전에 마시는 술》.

ap·er·ture [ǽpərtʃùər, -tʃər] *n.* [C] 빠끔히 벌어진 데, 구멍, 틈; (렌즈의) 구경(口徑): an ~ card 〖컴〗 개구(開口) 카드《천공 카드와 마이크로필름이 연결된 카드》 / ~ stop 구경 조리개.

apex [éipeks] (*pl.* **~·es, api·ces** [ǽpəsì:z, éi-]) *n.* [C] ① 정상(頂上), 꼭대기, 꼭지점: the ~ of a triangle 3각형의 꼭지점. ② 최고조(潮), 절정, 극치: He reached the ~ of his career during that period. 그 시기에 그는 생애의 절정에 이르고 있었다. ③ 〖天〗 향점(向點): the solar ~ 태양 향점.

aphaer·e·sis [əférəsis] *n.* Ⓤ 〖言〗 (어)두음절 탈락《보기 : 'tis, 'neath》.
apha·sia [əféiʒiə] *n.* Ⓤ 〖醫〗 실어증(失語症). ㊕ **apha·si·ac, -sic** [əféiziæ̀k], [-zik] *a., n.* 실어증의 (환자).
aphe·li·on [æfíːliən] (*pl.* **-lia** [-liə]) *n.* Ⓒ 〖天〗 원일점(遠日點). opp *perihelion.*
aph·e·sis [ǽfəsis] *n.* Ⓤ 〖言〗 어두(語頭) 모음 소실《보기 : squire<esquire》.
aphid [éifid, ǽf-] *n.* = APHIS. 「〖蟲〗 진디.
aphis [éifis, ǽf-] (*pl.* **aphi·des** [-dìːz]) *n.* Ⓒ
aph·o·rism [ǽfərìzəm] *n.* Ⓒ 금언(金言), 격언 ; 경구(警句).
aph·o·rist [ǽfərist] *n.* Ⓒ 경구를 말(좋아)하는 사람 ; 금언〔격언〕 작자.
aph·o·ris·tic [æ̀fərístik] *a.* 격언(조)의, 격언체의, 경구적인, 경구가 풍부한.
㊕ **-ti·cal·ly** *ad.* 경구적〔격언적〕으로.
apho·tic [eifóutik] *a.* 빛이 없는, 무광의 ; (바다의) 무광층의 ; 빛 없이 자라는 : an ~ plant.
aph·ro·dis·i·ac [æ̀frou*d*íziæ̀k] *a.* 성욕을 촉진하는, 최음의. ── *n.* Ⓤ,Ⓒ 최음제, 미약(媚藥).
Aph·ro·di·te [æ̀frədáiti] *n.* 〖그神〗 아프로디테《사랑과 미(美)의 여신 ; 로마 신화의 Venus에 해당》.
api·a·rist [éipiərist] *n.* Ⓒ 양봉가.
api·ary [éipièri, -əri] *n.* Ⓒ 양봉장(場).
ap·i·cal [ǽpikəl, éip-] *a.* ① 정상(頂上)〔정점〕의. ②〖音聲〗 혀끝의. ── *n.* Ⓒ〖音聲〗 설첨음(舌尖音).
api·ces [ǽpəsìːz, éipə-] APEX의 복수.
api·cul·ture [éipəkʌ̀ltʃər] *n.* Ⓤ 양봉.
***apiece** [əpíːs] *ad.* 하나〔한 사람〕에 대하여, 각자에게, 각각 : He gave us five dollars ~. 그는 우리 각각에게 5달러씩 주었다.
ap·ish [éipiʃ] *a.* ① 원숭이(ape)와 같은. ② 남의 흉내내는. ③ 어리석은 ; 되게 뽐내는 ; 장난 잘 치는. ◇ ape *n.*
APL 〖컴〗 A Programming Language(회화형 프로그램 언어의 일종).
aplen·ty [əplénti] *ad.* 많이 ; 풍부하게.
── *a.* 〔敍述的으로 또는 後置하여〕 많이 있는, 많은 : There was food and drink ~. 음식물이 잔뜩 있었다.
aplomb [əplám, əplʌ́m / əplɔ́m] *n.* Ⓤ 《F.》 ① 연직(鉛直). ② 침착, 태연 자약 ; (마음의) 평정 : act with ~ 냉철히 행동하다 / preserve〔retain〕 one's ~ 침착성을 유지하다.
apo- *pref.* '저쪽으로, …로부터 떨어져서' 따위의 뜻.
APO, A.P.O. 《美》 Army Post Office (군사 우체국).
Apoc. Apocalypse ; Apocrypha(l).
apoc·a·lypse [əpákəlìps / əpɔ́k-] *n.* ① Ⓒ 천계(天啓), 계시, 묵시. ② (the A-) 요한 묵시록(the Revelation). ③ (the ~) 《俗》 세상의 종말 ; (전쟁·질병 등에 의한) 대재해, 대참사.
apoc·a·lyp·tic [əpɑ̀kəlíptik / əpɔ̀k-] *a.* ① 천계의, 계시〔묵시〕(록)의. ② **a**) 대참사의 도래를〔발생을〕 예언하는. **b**) 이 세상의 종말을 방불케 하는, 종말론적인. ㊕ **-ti·cal·ly** [-tikəli] *ad.* 계시적으로.
apoc·o·pe [əpákəpi / əpɔ́k-] *n.* Ⓤ 〖言〗 어미음(語尾音) 소실《보기 : my<mine ; bom*b* 따위》. cf. aphaeresis, syncope.
Apoc·ry·pha [əpákrəfə / əpɔ́kri-] *n.* ① (the ~) 〔單·複數 취급〕 (성서, 특히 구약의) 경외서(經外書), 위경(僞經)《현재의 보통 성서에서 생략되어 있는 것》. ②(a-) 출처가 의심스러운 문서.
㊕ **-phal** [-fəl] *a.* ① 경외서의. ② (a-) 출처가 의심스러운.
apod·o·sis [əpádəsis / əpɔ́d-] (*pl.* **-ses** [-sìːz]) *n.* Ⓒ 〖文法〗 (조건문의) 귀결절(節)《If I could, *I would.*의 이탤릭체 부분》. opp *protasis.*
ap·o·gee [ǽpədʒìː] *n.* Ⓒ ① 최고점, 정점. ② 〖天〗 원지점(遠地點). opp *perigee.*
apo·lit·i·cal [èipəlítikəl] *a.* ① 정치에 관심 없는. ② 정치적 의의가 없는. ㊕ **~·ly** [-kəli] *ad.*
‡**Apol·lo** [əpálou / əpɔ́l-] (*pl.* **~s**) *n.* ①〖그·로神〗 아폴로《태양신 ; 음악·시·건강·예언 등을 주관함》; 《詩》 태양. ② Ⓒ (젊은) 굉장한 미남자. ③ Ⓒ 《美》 아폴로 우주선 ; 아폴로 계획(= ∠ Prọ̀ject).
***apol·o·get·ic** [əpɑ̀lədʒétik / əpɔ̀l-] *a.* ① 변명의, 해명의 ; 사과〔사죄〕의《*for* ; *about*》: an ~ speech 진사(陳謝)의 변 / He was ~ *about* his mistake. 그는 자신의 실수를 사과했다. ② 변명하는 듯한, 미안해 하는 : with an ~ smile 미안한 듯한〔듯이〕 웃음을 띄우고. ◇ apology *n.* ── *n.* Ⓒ (문서에 의한) 정식 해명〔변명, 변호, 옹호〕《*for*》; = APOLOGETICS. ㊕ **-i·cal·ly** [-ikəli] *ad.* 사죄〔변명〕하여, 변명으로 ; 미안한 듯이.
apol·o·get·ics [əpɑ̀lədʒétiks / əpɔ̀l-] *n.* Ⓤ *pl.* 〔흔히 單數취급〕 조직적인 옹호론〔변호론〕; 〖神〗 (기독교의) 변증론, 호교학(護教學).
ap·o·lo·gia [æ̀pəlóudʒiə] *n.* Ⓒ 변명, 해명(서) ; Ⓤ 변호〔변명〕론.
apol·o·gist [əpálədʒist / əpɔ́l-] *n.* Ⓒ ① 변호〔옹호, 변명〕자《*for*》. ② (기독교의) 변증자(辨證者), 호교론자(護教論者).
‡**apol·o·gize** [əpálədʒàiz / əpɔ́l-] *vi.* ①《~ / +전+명》 사죄하다, 사과하다 : If I have offended you, I ~. 언짢게 여기셨으면 사과하겠습니다 / I ~ *for* my late arrival. 늦게 왔음을 사과합니다 / ~ *to* a person *for* a fault 아무에게 잘못을 빌다 / I must ~. 죄송합니다, 미안합니다. ② 변명〔해명〕하다. ㊕ **-gìz·er** *n.*
ap·o·logue [ǽpəlɔ̀ːg, -lɑ̀g / -lɔ̀g] *n.* Ⓒ 우화, 교훈담.
‡**apol·o·gy** [əpálədʒi / əpɔ́l-] *n.* Ⓒ ① 사죄, 사과《*for*》: (All) my *apologies.* 《口》 이거 정말 미안하게 됐다 / With *apologies* for troubling you. (폐를 끼쳐) 죄송하지만 잘 부탁드립니다 / He offered me an ~ 〔made an ~ *to* me〕 for being late. 그는 나에게 늦게 온 것을 사과하였다. ② 변명, 해명, 변호 : His speech was an effective ~ *for* the Government's policies. 그의 연설은 정부 정책의 효과적인 옹호론이었다. ③《口》 명색뿐인 것, 임시 변통물 : a mere 〔sad〕 ~ *for* an actress 여(배)우란 이름뿐인 것, 명색만의 여배우. ***accept an ~*** 사죄를 받아들이다. ***a letter of ~ = a written ~*** 사과 편지. ***in ~ for*** 에 대한 사과로 ; …을 변명〔해명〕하여. ***make an ~ for*** …을 사과하다.
ap·o·phthegm [ǽpəθèm] *n.* = APOTHEGM.
ap·o·plec·tic [æ̀pəpléktik] *a.* ① 중풍의, 졸중성(卒中性)의 : an ~ fit 〔stroke〕 졸중의 발작. ② 〔敍述的〕《口》 (화가 나서) 몹시 흥분한《*with*》: be ~ *with* rage 몹시 화를 내고 있다. ── *n.* Ⓒ 중풍 환자, 졸중성의 사람. ㊕ **-ti·cal** *a.* **-ti·cal·ly** *ad.* 몹시 흥분하여 ; 격노하여.
ap·o·plexy [ǽpəplèksi] *n.* Ⓤ 〖醫〗 졸중 ; 일혈(溢血) : cerebral ~ 뇌일혈 / heat ~ 열졸중, 열사병.
aport [əpɔ́ːrt] *ad.* 〖海〗 좌현(左舷)으로. ***Hard ~!*** 좌로 완전히 꺾어라.
apos·ta·sy [əpástəsi / əpɔ́s-] *n.* Ⓤ,Ⓒ ① 배교(背教). ② 탈당, 변절.
apos·tate [əpásteit, -tit / əpɔ́stit, -eit] *a.* 〔限定的〕 신앙을 버린 ; 탈당〔변절〕한. ── *n.* Ⓒ ① 배

교자. ② 탈당〔변절, 배반〕자.

apos·ta·tize [əpástətàiz / əpɔ́s-] *vi.* ① 신앙을 버리다. ② 탈당하다, 변절하다《*from*; *to*》: ~ *from* one party *to* another 탈당하여 다른 당으로 옮아가다.

a pos·te·ri·o·ri [éi-pastì:riɔ́:rai / -pɔstèriɔ́:-] 《L.》 *a., ad.* 귀납적인〔으로〕; 후천적인〔으로〕. opp. *a priori.*

apos·tle** [əpásl / əpɔ́sl] *n.* Ⓒ ① 사자(使者); (A-) 사도《예수의 12 제자의 한 사람》: the *Apostles* 예수의 12사도. ② (어느 지방의) 최초의 기독교 전도자, 개조(開祖). ③ (주의·정책 따위의) 주창자, 선구자, 개척자: the ~ of democracy 민주주의의 주창자. ④《美》(모르몬 교회의) 12주교(主敎)의 한 사람, 총무 위원. ***the Apostle of Ireland 아일랜드의 전도자(St. Patrick). ***the Apostle of the English*** 잉글랜드의 전도자(St. Augustine).

Apóstles' Créed (the ~) 사도 신경(信經).

apos·to·late [əpástəlit, -lèit / əpɔ́s-] *n.* Ⓤ ① 사도〔주창자〕의 지위. ② 로마 교황의 직.

ap·os·tol·ic [æ̀pəstálik / -tɔ́l-] *a.* ① 사도(시대)의. ② (종종 A-) 로마 교황의.

apostólic succéssion 사도 계승《교회의 권위는 사도에 의하여 계승된다는 설》.

‡apos·tro·phe [əpástrəfi / əpɔ́s-] *n.* ① Ⓒ 아포스트로피《★ (1) 생략 부호: *can't, ne'er,* '66 (sixty-six 라고 읽음). (2) 소유격 부호: *boy's, boys', Jesus'.* (3) 복수 부호: 문자나 숫자의 경우, two *M.P.'s,* two *l's,* three *7's*》. ② Ⓤ,Ⓒ 〖修〗 돈호법(頓呼法)《시행(詩行)·연설 따위 도중에 그 곳에 없는 사람·사물 따위를 부르기》. 㕙 **-phize** [-fàiz] *vt., vi.* (…에) 아포스트로피를 붙이다; (연설 따위를) 돈호법으로 하다.

apóthecaries' wèight 약용식 중량, 약제용 형량법(衡量法).

apoth·e·cary [əpáθəkèri / əpɔ́θ-] *n.* Ⓒ《古》약제사, 약종상; 약방, 약국.

ap·o·thegm [ǽpəθèm] *n.* 《주로 美》격언, 경구.

apoth·e·o·sis [əpàθióusis / əpɔ̀θ-] (*pl.* **-ses** [-si:z]) *n.* (흔히 the ~) ① **a)** Ⓤ 신으로 받듦, 신격화; 신성시, 미화, 숭배《*of*》. **b)** Ⓒ 신격화된 사람〔것〕《*of*》. ② Ⓒ 이상적인 상(像); 극치, 권화《*of*》: He was the ~ *of* generosity. 그는 관대함의 이상적인 상이다. 㕙 **apoth·e·o·size** [əpáθiəsàiz / əpɔ́θ-] *vt.* ① …을 신으로 받들다, 신격화하다. ② …을 신성시하다, 숭배하다.

app. apparatus; apparent(ly); appendix; appointed; approved; approximate.

Ap·pa·la·chi·an [æ̀pəléitʃiən, -lǽtʃi-] *a.* 애팔래치아 산맥(지방)의. ― *n.* ① Ⓒ 애팔래치아 지방 사람. ② (the ~s) 애팔래치아 산맥(=the ~ **Móuntains**).

***ap·pall,** 《英》**-pal** [əpɔ́:l] (*-ll-*) *vt.* (사람)을 오싹 소름이 끼치게 하다, 섬뜩하게 하다《*at*; *by*》: The thought of someone else driving my car ~*s* me. 누군가 딴 사람이 내 차를 몬다고 생각하니 섬뜩해진다.

***ap·pall·ing** [əpɔ́:liŋ] *a.* ① 섬뜩하게 하는, 질색인: These people live in ~ conditions. 이 사람들은 극악스런 상태에서 살고 있다. ②《口》지독한, 형편없는: I had an ~ headache. 머리가 지독하게 아팠다. 㕙 **~·ly** *ad.*

Ap·pa·loo·sa [æ̀pəlú:sə] *n.* Ⓒ 애팔루사종(種)《북미 서부산의 승용마》.

ap·pa·nage [ǽpənidʒ] *n.* Ⓒ ① (출신·지위 등에 따르는) 임시〔부〕수입, 소득, 권리. ② 특성, 속성.

‡ap·pa·ra·tus [æ̀pəréitəs, -rǽtəs] (*pl.* ~, **~·es**) *n.* Ⓒ,Ⓤ ① (한 벌의) 장치, 기계, 기구: a chemical ~ 화학 기계 / a heating ~ 난방〔가열〕장치 / The new piece of ~ was used in the experiment. 실험에 새 장치가 사용되었다 / The divers checked their breathing ~. 잠수자들은 그들의 호흡장치를 점검하였다. ② (정치 조직의) 기구, 기관: the party ~ 정당 조직. ③〖生理〗(일련의) 기관: the digestive〔respiratory〕 ~ 소화〔호흡〕 기관.

***ap·par·el** [əpǽrəl] *n.* Ⓤ ①〔흔히 修飾語를 수반하여〕《美》의복, 의상: ready-to-wear ~ 기성복 / intimate ~ 주로 여성의 속옷. ② (화려한) 의상, 복장; 장식. ― (*-l-*, 《英》 *-ll-*) *vt.* 《美·英古》…에게 (옷을) 입히다(dress), …을 치장하다: They were ~*ed* like princess. 그들은 공주처럼 치장하고 있었다.

‡ap·par·ent [əpǽrənt, əpέər-] (***more*** ~; ***most*** ~) *a.* ① (눈에) 또렷한, 보이는: ~ *to* the naked eye 육안에도 보이는 / A smile was ~ on her lips. 그녀의 입가에는 뚜렷한 미소가 나타나 있었다. ② 명백한, 곧 알 수 있는: The solution to the problem was ~ *to* all. 문제 해결 방법은 누가 봐도 명백했다 / It was becoming increasingly ~ to me that he disliked me. 그가 나를 싫어한다는 것이 내게는 점점 더 분명해지고 있었다. ③ 외견(만)의, 겉치레의: His reluctance was only ~. 그가 싫어한 것은 겉치레였을 뿐이다 / It is more ~ than real. 실제보다는 더욱 겉치레적이다.

‡ap·par·ent·ly [əpǽrəntli, əpέər-] *ad.* ① 명백히, 분명히: The recent deterioration has been caused by an ~ endless recession. 최근의(경기) 둔화는 명백히 계속되는 경기 후퇴가 그 원인이었다《★ 이 뜻으로는 보통 evidently를 씀》. ② (실제는 어떻든) 외관상으로는, 언뜻 보기에: I didn't see the accident, but ~ it was his fault. 그 사고는 (직접) 보지는 않았으나, 아무래도 과실은 그의 쪽에 있는 것 같다 / "He was resigned then?" "*Apparently* (not)." '그래 그는 사직하였는가' '아마 그런 것〔아닌 것〕 같아.'

***ap·pa·ri·tion** [æ̀pəríʃən] *n.* ① Ⓒ 유령, 귀신; 허깨비, 곡두, 환영. ② Ⓒ 불가사의한 현상, 뜻하지 않은 일; Ⓤ (유령 따위의) 출현.

‡ap·peal [əpí:l] *vi.* 《+전+명》 ① (법률·양심·무력 등에) 호소하다: ~ *to* the public〔the law〕 여론〔법〕에 호소하다 / They are confident they can ~ *to* her sense of duty. 그녀의 의무감에 호소할 수 있으리라고 그들은 확신하고 있다. ②《+전+명+*to* do》(…에게 도움·조력 등을) 간청〔간원〕하다: The police are *appealing to* the public *for* any information about the missing girl. 경찰은 국민들에게 실종소녀에 대한 어떠한 정보도 간청하고 있다 / He ~*ed* to us *to* support his candidacy. 그는 우리에게 자기가 입후보함을 지지해 주기를 간청하였다. ③ 흥미를 끌다, 마음에 들다《*to*》: That doesn't ~ *to* me. 아무래도 내 마음에 들지 않는다 / Jazz ~*ed to* the young men. 재즈는 젊은이들에게 어필했다〔인기가 있었다〕. ④〖스포츠〗(심판에게) 어필〔항의〕하다《*to*; *against*》: The player ~*ed against* the umpire's decision. 선수는 심판의 판정에 항의하였다. ⑤〖法〗상소하다, 상고하다, 항소하다《*to*; *against*》: ~ *to* a higher court 상소하다 / ~ *against* a decision 항소하다. ― *vt.* (사건)을 상고하다, 항소하다: ~ a case (*to* a higher court) 사건을 상소하다. ~ ***to the country*** ⇨ COUNTRY.

― *n.* Ⓤ,Ⓒ ① (여론 따위에의) 호소, 호소하여 동

의를 구함 : make an ~ *to* reason 〔arms〕 이성〔무력〕에 호소하다. ② 간청, 간원《*for* ; *to*》: The country made an ~ *to* U.S. *for* financial help. 그 나라는 재정 지원을 미국에 간청하였다. ③ 매력, 사람의 마음을 움직이는 힘 : sex ~ 성적 매력 / The fashion will lose its ~. 그 유행은 사라질 것이다 / Spielberg films have a wide ~. 스필버그 (감독 제작의) 영화는 폭넓은 호소력을 가지고 있다. ④ 상소, 항소, 상고 ; 상소 청구〔권, 사건〕: lodge 〔enter〕 an ~ 상소하다. ⑤ 〖스포츠〗 (심판에의) 항의《*to*》: The coach made an ~ *to* the referee about his call. 코치는 판정에 관하여 심판에게 항의하였다.

ap·peal·ing [əpíːliŋ] *a.* ① 호소하는 듯한, 애원적인 : the ~ eyes of the poor children 가난한 아이들의 바라는 듯한 눈초리. ② 매력적인, 흥미를 끄는 : an ~ smile 매력적인 미소. ㊞ **~·ly** *ad.* 호소〔애원〕하듯이 ; 매력적으로.

appéal pláy 〖野〗 어필 플레이《주자가 베이스를 밟지 않고 주루했을 때, 수비측이 공으로 베이스 터치한 후 심판에게 어필하여 아웃시키는 일》.

:ap·pear [əpíər] *vi.* ① 《~ / +전+명》 나타나다, 보이게 되다, 출현하다 : ~ *in* public 사람들 앞에 나오다 / When we reached the top of the hill, a church tower ~*ed*. 우리가 언덕 마루에 이르니 교회의 첨탑이 나타났다. ② **a)** 《+(*to be*) 보 / +*that* 절》 …로 보이다, …같다, …로 생각되다 : He ~*s* (*to be*) rich. =It ~*s* (to me) *that* he is rich. 그는 부자인 것 같다 / There ~*s to have been* an accident. 무언가 사고가 난 것 같다《★ accidents라고 복수이면 보통 There appear…로 됨》. **b)** 《~+*to* do》: The sun ~*s to* revolve about the earth. 태양이 지구 둘레를 도는 것처럼 보인다. ③ **a)** 《+*as* 보 / +전+명》 출연하다 : He ~*ed as* Hamlet. 햄릿역으로 등장하였다 / He is currently ~*ing in* the TV series 'Suspicion'. 그는 현재 TV 연속물 '의혹'에 출연 중이다. **b)** 《+전+명》 (법정 등에) 출두하다 : ~ *before* the judge 재판을 받다, 출정하다 / ~ *in* court 법정에 출두하다 / Mr. Wilson ~*ed for* him in court. 윌슨씨가 그의 변호인으로서 출정하였다. ④ 《~ / +전+명》 (작품 따위가) 세상에 나오다 ; (신문 따위에) 실리다 : ~ *in* print 책이 되어 나오다 / ~ *in* the papers 신문에 나다 / His biography ~*ed* last year. 그의 전기는 작년에 출판되었다. ⑤ 《~ / +*that* 절》 〔it를 主語로 하여〕 (…한 것은) 명백하다, (증거 따위로) 뚜렷〔명료〕해지다 : *It* ~*s* to me *that* you are right. 자네가 옳은 것 같다 / Gradually *it* ~*ed that* things were no worse than before. 점차 사태가 전보다 나쁘지 않다는 것이 명백해졌다. ⑥ 〔it를 主語로 挿入句로서〕 아무래도 …같다 : She is, *it* ~*s*, in poor health. 그녀는 아무래도 건강하지 않은 것 같다. ~ ***in sight*** 나타나다, 보이기 시작하다. ***It ~s as if*** 〔***though***〕*. . .* …인 것처럼 생각되다. ***strange as it may*** ~ 이상하게 생각될지 모르지만.

:ap·pear·ance [əpíərəns] *n.* Ⓤ,Ⓒ ① **a)** 출현(함) ; (모임 등에) 나타남, 출석 : The fight was soon stopped, thanks to the prompt ~ of the police. 경찰의 신속한 출현 덕분에 싸움은 곧 멈춰졌다 / His public ~*s* are rare. 그가 공식 석상에 나타나는 일은 드물다. **b)** 출연, 출장(出場) : She has made several television ~*s* recently. 그녀는 최근 여러 TV에 출연했다 / He made his first ~ on the stage in 1995. 그는 1995년에 첫 무대에 섰다. **c)** 〖法〗 출두, 출정 : This was his first court ~. 이것은 그의 첫 법정 출두였다. **d)** 발표, 출판 : the ~ of his new novel 그의 새 소설의 출판. ② 기색, 징조 ; 현상 : an ~ of truth 정말 같은 일 / There is no ~ of snow. 눈이 내릴 것 같지는 않다. ③ (종종 *pl.*) 외관, 겉보기, 양상, 체면, 생김새, 풍채(風采) (personal ~) : *Appearances* are deceptive. 《俗談》 외관만으로는 믿을 수 없다 / be only an ~ 겉모양뿐이다 / I am personally not too worried about ~*s*. 나 자신으로서는 외모에 별로 마음 쓰지 않는다. ④ (*pl.*) (외면적인) 형세, 정세, 상황 : *Appearances* are against him. 형세는 그에게 불리하다. ***for ~'(s) sake*** =***for the sake of*** ~ 체면상. ***in*** ~ 보기에는, 외관상은. ***keep up*** 〔***save***〕 ~***s*** 체면을 차리다, 겉치레하다. ***make a good*** 〔***fine***〕 ~ 풍채가〔겉모양이〕 좋다. ***make*** one***'s*** ~ 나타나다 : He *made his* ~ as a historian. 그는 역사가로서 사회에 진출했다. ***put in*** 〔***make***〕 ***an*** ~ (극히 짧은 시간 동안) 얼굴을 내밀다《파티 등에》: You must *put in an* ~, at least, or she'll think you're avoiding her. 적어도 너는 얼굴이라도 내밀어야지, 그렇지 않으면 그녀는 네가 그 여자를 피한다고 생각할거야. ***put on*** 〔***give***〕 ***the*** ~ ***of*** (innocence) (결백)한 체하다. ***to*** 〔***by***〕 ***all*** ~***(s)*** 아무리 보아도, 어느 모로 보나.

ap·peas·a·ble [əpíːzəbl] *a.* 진정시킬〔완화할〕 수 있는.

·ap·pease [əpíːz] *vt.* ① 《~+목 / +목+전+명》 (사람)을 달래다 ; (노염·슬픔·싸움 따위)를 진정〔완화〕시키다, 가라앉히다 : ~ an angry man 골난 사람을 달래다 / Nothing could console and ~ her. 아무것도 그녀를 위로하고 달랠 수는 없었다 / ~ a person *with* a present 선물로 아무를 달래다. ② (갈증)을 풀다, (식욕·호기심 따위)를 채우다 : The fruit ~*d* his hunger. 과일이 그의 주린 배를 채워 주었다. ㊞ **~·ment** *n.* Ⓤ,Ⓒ 진정, 완화, 달램 ; (욕구의) 충족 ; Ⓤ 유화, 양보 : an ~*ment* policy 유화 정책.

ap·pel·lant [əpélənt] *n.* Ⓒ 항소인, 상소인 ; 청원자. ―― *a.* 상소의 ; 항소(수리(受理))의.

ap·pel·late [əpélit] *a.* 〔限定的〕 항소의, 상소의, 상소를 심리하는 권한이 있는 : an ~ court 상소〔항소, 상고〕 법원.

ap·pel·la·tion [æ̀pəléiʃən] *n.* Ⓒ 명칭, 호칭.

ap·pel·la·tive [əpélətiv] *a.* 명칭〔호칭〕의 ; 《稀》 〖文法〗 총칭적인, 보통 명사의. ―― *n.* Ⓒ 명칭, 호칭, 칭호 ; 《稀》 〖文法〗 보통〔총칭〕 명사《고유 명사에 대해》. ㊞ **~·ly** *ad.*

ap·pel·lee [æ̀pəlíː] *n.* Ⓒ 피상소〔항소〕인.

ap·pend [əpénd] *vt.* 《~+목 / +목+전+명》 (실 따위로) …을 달아매다 ; (표찰 등)을 붙이다 ; 덧붙이다, (서류 등)을 첨부하다 ; 추가〔부가〕하다, 동봉하다 ; 부록으로 넣다《*to*》; 〖컴〗 추가하다 : ~ one's signature *to* a document 서류에 서명하다 / ~ a label *to* a trunk 트렁크에 꼬리표를 붙이다 / The author ~*s* a short footnote *to* the text. 저자는 텍스트에 짤막한 주석을 단다.

ap·pend·age [əpéndidʒ] *n.* Ⓒ ① 부가〔부속〕물. ② 〖生〗 부속 기관(器官) ; 부속지(肢).

ap·pend·ant [əpéndənt] *a.* 부수하는 ; 부속의, 부대적인《*to*》: the salary ~ *to* a position 지위에 따르는 봉급.
―― *n.* Ⓒ 〖法〗 부대 권리 ; =APPENDAGE.

ap·pen·dec·to·my [æ̀pəndéktəmi] *n.* Ⓤ,Ⓒ 〖醫〗 충양돌기 절제(수술), 맹장 수술.

ap·pen·di·ces [əpéndəsìːz] APPENDIX의 복수.

ap·pen·di·ci·tis [əpèndəsáitis] *n.* Ⓤ 〖醫〗 충수염, 맹장염.

:ap·pen·dix [əpéndiks] (*pl.* **~·es**, ***-di·ces*** [-dəsìːz]) *n.* Ⓒ ① **a)** 부속물, 부가물. **b)** 부록, 추

가, 부가 : maps in the ~ *to* 〔*of*〕 the dictionary 사서의 부록에 있는 지도《★ appendix는 흔히 권말의 해설·통계·참고문 등으로서, 이것 없이도 본문은 완결되어 있음에 대하여 supplement는 본문 정정이나 추가 자료를 실은 것으로서, 별권으로서 출판되기도 함》. ②〖解〗 충수(蟲垂) : have one's ~ out 맹장을 떼어내게 하다.

ap·per·cep·tion [æ̀pərsépʃən] *n.* [U] 〖心〗 통각(統覺) (작용·상태).

ap·per·tain [æ̀pərtéin] *vi.* 속하다《*to*》; 관련되다(relate)《*to*》: a house and everything ~*ing to* it 집과 그에 딸린 모든 것 / The control of traffic ~*s to* the police. 교통정리는 경찰의 임무이다.

‡ap·pe·tite [ǽpitàit] *n.* [C.U] ① 식욕 : loss of ~ 식욕 부진 / get up an 〔one's〕 ~ 식욕을 돋우다 / Sudden decrease in ~ is sometimes a sign of illness. 갑작스런 식욕감퇴는 때론 병의 징후이다 / A good ~ is a good sauce. 《俗談》 시장이 반찬이다 / The ~ grows with what it feeds on. 《俗談》 말타면 경마 잡히고 싶다. ② 〔一般的〕 욕구, (육체적·물적인) 욕망, (정신적인) 희구, 갈망《*for*》: an ~ *for* power 권세욕 / one's sexual〔carnal〕 ~ 성욕. ③ 기호, 좋아함. ***give*** a person ~ 아무의 식욕을 돋우다. ***have a good*** 〔***poor***〕 ~ 식욕이 좋다〔없다〕. ***have an ~ for*** (music) (음악)을 좋아하다. ***lose*** 〔***spoil***〕 one***'s*** ~ 식욕을 잃다〔잃게 하다〕. ***sharpen*** one***'s*** ~ 식욕을 돋우다〔왕성하게 하다〕. ***take the edge off*** one***'s*** ~ (뭘 조금 먹어) 허기를 면하다, 요기하다. ***whet*** a person***'s*** ~ (1) 아무의 흥미를 돋우다 : The preview was intended to *whet our* ~. 예고편은〔시사회는〕 우리의 흥미를 돋우기 위해 의도되었다. (2) 아무에게 (…을) 더욱더 바라게 하다《*for*》. ***with a good*** ~ 맛있게.

ap·pe·tiz·er [ǽpitàizər] *n.* [C] 식욕 돋우는 음식 ; 식전의 음료〔술〕; 전채(前菜) ; 식욕 촉진약.

***ap·pe·tiz·ing** [ǽpitàiziŋ] *a.* ① 식욕을 돋우는, 맛있(어 보이)는 : an ~ smell from the kitchen 주방에서 풍겨오는 식욕을 돋우는 냄새. ② 구미가 당기게 하는, 욕심나게 하는, 매력적인. [파] ~·**ly** *ad.* 먹음직스럽게.

Ap·pi·an Way [ǽpiən-] (the ~) 아피아 가도《로마와 Brundisium 사이의 고대 로마의 도로 ; 560 km》.

appl. applied.

‡ap·plaud [əplɔ́:d] *vi.* 박수 갈채하다, 성원하다 ; 기리다 : The audience ~*ed* for a full five minutes. 관객은 좋이 5분간은 박수하였다. — *vt.* ① …에게 박수 갈채하다, …을 성원하다 : We ~*ed* the actor. 우리는 그 배우에게 박수 갈채를 보냈다 / Spectators in the court room ~*ed* the verdict. 법정 안의 방청객들은 그 평결에 박수갈채하였다. ② 《~+[목] / +[목]+[전]+[명]》 …을 칭찬하다, 찬양하다 : We ~*ed* (him *for*) his honesty. 우리는 그의 정직함을 칭찬했다. ◇ applause *n.*

‡ap·plause [əplɔ́:z] *n.* [U] 박수 갈채 ; 칭찬 : a storm 〔thunder〕 of ~ 우레와 같은 박수 갈채 / seek popular ~ 인기를 얻으려고 하다 / The conference greeted the speech with rapturous ~. 회의는 그 연설을 열광적인 박수 갈채로 환영하였다. ◇ applaud *v.* ***general*** ~ 만장의 박수 ; 세상의 칭찬. ***win*** ~ 갈채를 받다.

†ap·ple [ǽpl] *n.* [C] ① 사과 ; 사과나무 ; 사과 모양의 과실(이 열리는 나무〔야채〕) : The ~*s* on the other side of the wall are the sweetest. 《俗談》 담 저쪽 사과가 제일 달다《남의 밥에 든 콩이 굵어 보인다》. ② (형태·색이) 사과를 닮은 것. ③ 《美俗》 대도시, 번화가 ; (the A-) New York 시《★ 사과는 New York 시의 심벌》. ④ (A-) 애플사(社)《미국의 퍼스널 컴퓨터 회사명》 및 그 제품《商標名》. ***a*** 〔***the***〕 ***bad*** 〔***rotten***〕 ~ 악영향을 미치는 것〔사람〕, 암적인 존재. ***polish ~s*** 〔***the*** ~〕 《美俗》 아첨하다. [cf.] apple-polish. ***the ~ of contention*** 〔***discord***〕 분쟁의 씨《Troy 전쟁의 원인이 된 황금의 사과에서》. ***the ~ of*** one***'s*** 〔***the***〕 ***eye*** 눈동자 ; 장중 보옥, 매우 소중한 것〔사람〕 : She is *the ~ of her father's eye.* 그녀는 자기 아버지가 애지중지하는 딸이다.

ap·ple·cart [ǽplkɑ̀:rt] *n.* [C] 사과 행상인의 손수레. ***upset the*** 〔a person***'s***〕 ~ 《口》 아무의 계획〔사업〕을 뒤엎다〔망쳐놓다〕.

ápple gréen 밝은 황록색.

ap·ple·jack [-dʒæ̀k] *n.* [U] 《美》 사과 브랜디 (=∠ **brándy**).

ápple píe 사과〔애플〕 파이《가장 미국적인 음식》. ***as American as*** ~ 가장 미국적인.

ap·ple-pie [-pài] *a.* 〔限定的〕 《口》 (도덕관 따위가) 미국의 독특한, 순미국적인 : ~ virtues 미국적인 미덕.

ápple-píe bèd 《美》 발을 못 뻗도록 일부러 시트의 한 자락을 접어 놓은 잠자리《기숙생의 장난》.

ápple-pie órder 《口》 질서 정연한 상태 : Everything was in ~. 모든 것이 질서 정연하였다〔순조로웠다〕.

ap·ple-pol·ish [-pɑ̀liʃ / -pɔ̀l-] *vi., vt.* 《口》 (…의) 비위를 맞추다, 아첨하다. 《★ 주로 *vt.* ; 미국의 어린 학생들이 선생에게 윤이 나게 닦은 사과를 드린 풍습에서》. [파] ~·**er** *n.* [C] 《口》 아첨꾼.

ap·ple·sauce [-sɔ̀:s] *n.* [U] ① 사과 소스《사과를 저며서 부드럽게 찐 것》. ② 《美俗》 객쩍은〔시시한〕 소리, 엉터리 ; 입에 발린 치사.

ápple trèe 사과나무.

***ap·pli·ance** [əpláiəns] *n.* [U.C] ① 적용(물), 응용(물) : the ~ of modern irrigation method to agriculture 근대적인 관개 방법의 농업에의 적용. ② 기구, 장치, 설비, (특히 가정·사무실용의) 전기〔가스〕 기구 ; 소방차 : home ~*s* 가전 제품 / office ~*s* 사무용품 / medical ~*s* 의료 기구 / GEC produces everything from kitchen ~*s* to generators for power stations. 제너널 일렉트릭사는 주방 기구에서 발전소의 발전기까지 모든 것을 생산한다. ◇ apply *v.*

ap·pli·ca·bil·i·ty [æ̀plikəbíləti] *n.* [U] 적응성, 응용(가능)성, 적부(適否) ; 적절함.

***ap·pli·ca·ble** [ǽplikəbəl, əplíkə-] *a.* 적용〔응용〕할 수 있는, 들어맞는, 적절한《*to*》: Is the rule ~ *to* this case? 그 규칙이 이 경우에 적용될까 / The following special regulations are ~ *to* overseas students. 다음의 특별 규정들은 외국 유학생들에게 적용된다. [파] **-bly** *ad.* 적절히.

***ap·pli·cant** [ǽplikənt] *n.* [C] 응모자, 지원자, 출원자, 후보자, 신청자 : an ~ *for* a position 구직자 / an ~ *for* admission *to* a school 입학 지원자. ◇ apply *v.*

‡ap·pli·ca·tion [æ̀plikéiʃən] *n.* ① [U] 적용, 응용 ; 응용법 ; 응용성, 실용성 ; 〖컴〗 응용 : a rule of general ~ 일반적으로 적용되는 규칙, 통칙 / the ~ of atomic energies *to* peaceful uses 원자력의 평화적 이용 / His invention had many ~*s in* the auto industry. 그의 발명은 자동차 산업에 여러가지로 응용되었다. ② [U.C] 신청, 지원(서), 출원(出願) ; 원서, 신청서 : an ~ form 〔blank〕 신청용지 / Mail your ~ *for* admission directly *to* the school office. 입학원서는 직접 학교 사무실로 우송하십시오 / make an ~ *to* the authorities *for* a visa 당국에 비자를 신청하다. ③ [U] 열심, 근면 :

a man of close ~ 열심인 사람 / with great ~ 일심 불란하게 / show little ~ *to* one's study 공부를 열심히 하지 않다. ④ [U] (약·화장품·페인트 등의) 도포, (붕대·습포 등의) 사용; [C] 환부에 대는〔붙이는〕 것《지혈대·파스 등》, 바르는 약: external 〔internal〕 ~ (약의) 외용〔내용〕 / The ~ soothed the pain. 그 약을 바르니까 아픔이 가셨다. ***have ~ to*** …에 적용되다, …와 관계가 있다: It *has* no ~ *to* this case. 그것은 이 경우에는 적용되지 않는다〔관계가 없다〕. ***on*** ~ 신청하는 대로, 신청에 의하여, 신청시.

applicátion pàckage 〖컴〗 응용 꾸러미〔패키지〕《특정한 응용 분야의 프로그램을 모은 소프트웨어의 집합체》.

applicátion prògram 〖컴〗 응용 프로그램〔풀그림〕.

applicátion(s) sòftware 〖컴〗 응용 소프트웨어〔무른모〕《소프트웨어를 그 용도에 따라 두 개로 대별했을 때의 application이 속하는 카테고리》.

ap·pli·ca·tion·ware [æplikéiʃənwὲər] *n.* 〖컴〗 애플리케이션웨어《컴퓨터의 이용 분야》.

***ap·plied** [əpláid] *a.* (실지로) 적용된, 응용의. [opp] *pure, theoretical.* ¶ ~ chemistry 〔science〕 응용 화학〔과학〕 / ~ genetics 응용 유전학.

ap·pli·qué [æplikéi] *n.* 《F.》 [U] 아플리케, 꿰매 붙인 장식, 박아 넣은 장식. ― *a.* ~를〔로〕 한. ― *vt.* …에 ~를 하다.

‡**ap·ply** [əplái] *vt.* 《~+[목] / +[목]+[전]+[명]》 ① (규칙·원리 등)을 적용하다, 응용하다, 이용하다; (규칙)을 발효시키다《*to*》: ~ a theory *to* a problem 문제에 이론을 적용하다 / They *applied* new technology *to* the industry. 그들은 새 과학 기술을 그 산업에 응용하였다. ② (장치·능력·힘 등)을 사용하다, 쓰다, (브레이크 등)을 작동시키다《*to*》: He wants a job in which he can ~ his foreign languages. 그는 자기 외국어를 사용할 수 있는 직업을 찾고 있다 / He *applied* the brakes and skidded *to* a stop. 그는 브레이크를 밟아 미끄러지며 멈춰섰다. ③ (표면)에 대다, 붙이다; (약 따위)를 바르다: ~ a match *to* powder 화약에 성냥불을 대다 / The doctor *applied* a plaster *to* the wound. 의사는 상처에 고약을 발랐다. ④ (자본·사람 등을) (목적)에 충당하다《*to*》: ~ a portion of one's salary *to* savings 월급의 일부를 돌려 저축하다. ⑤ (몸)을 바치다; (정신·정력 등)을 쏟다(direct)《*to*》: ~ one's mind *to* one's studies 연구에 전념하다. ― *vi.* ①《+[전]+[명]》 꼭 들어맞다, 적합하다, 적용되다《*to*》: The way does not ~ *to* the case. 그 방법은 이 경우에는 들어맞지 않는다 / What you have said *applies* only *to* single women. 네가 말한 것은 독신녀들에게만 들어맞는다. ②《+[전]+[명]》 신청하다, 지원하다, 출원하다: ~ *for* a job 일자리에 응모하다 / ~ *for* a raise 승급(昇給)을 신청하다 / He *applied to* his boss *for* a vacation. 그는 상사에게 휴가를 신청하였다. ③《+[전]+[명]》 문의하다, 조회하다, 의뢰하다: For particulars, ~ *to* the office. 상세한 것은 사무실에 문의해 주세요. ④《+[부]》 (도료 등이) 묻다: This paint doesn't ~ easily. 이 페인트는 잘 묻지 않는다〔잘 안 칠해진다〕. ◇ application, appliance *n.* ~ one***self*** 〔one***'s mind***〕 ***to*** …에 열심히 종사하다, …에 전념하다: We *applied our minds to* finding a solution. 우리는 해결책을 찾는 데 전념했다. [파] **ap·plí·er** *n.*

‡**ap·point** [əpɔ́int] *vt.* ①《~+[목] / +[목]+ (*as*) [보] / +[목]+(*to be*) [보] / +[목]+[전]+[명] / +[목]+*to* do》 …을 지명하다, (…로) 임명하다; 명하다, 지시하다: ~ a new secretary 새 비서를 임명하다 / ~ a person (*as* 〔*to be*〕) manager 아무를 지배인으로 임명하다 / ~ a person (*as* 〔*to* the office of〕) governor 아무를 지사로 임명하다〔지사 자리에 앉히다〕《★ 보어인 직명에는 관사를 붙이지 않음》 / He ~*ed* me *to* do the duty. 그는 그 임무를 다하도록 내게 명령했다. ②《~+[목] / +[목]+[전]+[명] / +[목]+*as* [보]》 (일시·장소 따위)를 정하다, 지정하다(fix), 약속하다: He ~*ed* the place *for* the meeting. 그는 회합 장소를 지정했다 / April 5 was ~*ed as* the day for the meeting. 회합 일자는 4월 5일로 정해졌다. ③ 〔흔히 受動으로〕 (집·방 등에 필요한) 비품을 〔설비를〕 갖추다. ◇ appointment *n.*

***ap·point·ed** [əpɔ́intid] *a.* ① 지정된, 정해진; 약속의: I arrived at the ~ time. 나는 약속한 시각에 도착하였다 / one's ~ lot 운명 / The men worked hard to finish their own ~ tasks. 노동자들은 자신들의 지정된 일을 끝내기 위하여 열심히 일하였다. ② 임명된: a newly ~ official 신임관리. ③ 〔흔히 副詞를 수반하여 복합어를 이루어〕 설비된: It says in the ad that the bathroom is spacious and well-~. 광고에 따르면 그 욕실은 넓고 설비가 잘되어 있다고 한다.

ap·point·ee [əpɔ̀intíː, æpɔin-] *n.* [C] 피임명자, 피지명인.

ap·poin·tive [əpɔ́intiv] *a.* ① 임명〔지명〕에 의한 《elective에 대해》: an ~ office 임용직. ② 임명〔지명〕하는: ~ power 임명권.

‡**ap·point·ment** [əpɔ́intmənt] *n.* ① **a)** [U] 임명, 지명, 임용: He got his position by presidential ~. 그는 사장의 임명으로 그 지위에 올랐다. **b)** [C] 임명〔지명〕된 사람; 지위, 관직: an ~ as manager 매니저로서의 지위. ② [C,U] (회합·방문의) 약속: I have an ~ *with* him at six. 그와 6시에 만날 약속이 있다 / He had to cancel his dental ~. 그는 치과의사의 예약을 취소했어야 했다 / I've got an ~ *to* see him at three o'clock. 나는 3시에 그와 만날 약속을 하였다. ③ (*pl.*) (건물 따위의) 설비, 비품: the interior ~*s* of a car 차의 내장(內裝). ***by*** ~ (일시·장소를) 지정〔약속〕하여, 결정에 따라: meet a person *by* ~ (미리) 약속하고 만나다. ***keep*** 〔***break***〕 one***'s*** ~ 약속을 지키다〔어기다〕《*with*》. ***make*** 〔***fix***〕 ***an*** ~ 약속 일시〔장소〕를 정하다《*with*》. ***take up an*** ~ 취임하다.

Ap·po·mat·tox [æpəmǽtəks] *n.* 애퍼매톡스 《미국 Virginia주 중부의 마을; 1865년 이곳에서 남군이 북군에게 항복하여 남북 전쟁이 끝남》.

ap·por·tion [əpɔ́ːrʃən] *vt.* 《+[목]+[전]+[명] / +[목]+[목]》 …을 할당하다, 나누다; 배분〔배당〕하다 《*to* ; *between* ; *among*》: ~ one's time *to* several jobs 여러 가지 일에 시간을 할당하다 / I'll ~ each of you a different task. 여러분에게 각각 다른 일을 할당하겠다 / His property was ~*ed among* his sons after his death. 그의 재산은 사후 자식들에게 배분되었다. [파] **~·ment** *n.* [U,C] ① 분배, 배당; 할당; 분담. ②《美》 (인구 비율에 의한) 의원 수 〔연방세(稅)〕의 할당.

ap·pose [əpóuz] *vt.* (두 가지 것)을 병치하다, 나란히 두다; (한 가지 것)을 (딴 것 옆에) 두다, 붙이다《*to*》.

ap·po·site [ǽpəzit] *a.* 적당한, 적절한《*to* ; *for*》: an ~ answer 명답 / That proverb is ~ *to* this case. 그 속담은 이 경우에 꼭 맞는다. ◇ apposition *n.* [파] **~·ly** *ad.* 적절히. **~·ness** *n.*

‡**ap·po·si·tion** [æ̀pəzíʃən] *n.* [U] ① 병치(並置), 가까이 놓음; 병렬〔근접〕된 상태. ②〖文法〗 동격

(同格) (관계) : a noun *in* ~ 동격 명사. ***in*** **~** ***to*** 〔***with***〕 …와 동격으로. ◇ apposite *a.*
[파] **~·al** *a.* **~·al·ly** *ad.*

ap·pos·i·tive [əpázətiv / əpɔ́zi-] 〖文法〗 *a.* 동격의. ── *n.* [C] 동격어〔구, 절〕.

ap·prais·al [əpréizəl] *n.* [U,C] 평가, 감정, 사정(査定), 견적 ; 사정〔견적〕 가격, 사정액.

ap·praise [əpréiz] *vt.* ① (사람·능력 등)을 평가하다 ; (상황 등)을 인식하다 : ~ a person's ability 아무의 능력을 평가하다 / He ~*d* the situation and took swift action. 그는 상황을 파악하고 재빠르게 행동하였다. ②《~+[목] / +[목]+[전]+[명]》 (자산·물품 등)을 감정하다, 사정(査定)하다, 값을 매기다 : I had an expert ~ the house beforehand. 미리 전문가에게 집을 감정하게 했다 / ~ property *for* taxation 과세를 위해 재산을 사정하다. [파] **~·ment** *n.* [U,C] 평가액 ; 견적, 감정. **ap·práis·er** *n.* [C] ① 평가인. ②《美》 (세관·세무서의) 사정〔감정〕관. **ap·práis·ing** *a.* 평가하는 (듯한). **ap·práis·ing·ly** *ad.*

***ap·pre·ci·a·ble** [əprí:ʃiəbəl] *a.* 평가할 수 있는 ; 감지(感知)할 수 있을 정도의, 분명한, 상당한 정도의, 눈에 띌 정도의 : an ~ change 뚜렷한 변화 / There is no ~ difference. 별반 차이는 없다. [파] **-bly** *ad.* 평가할 수 있게 ; 감지할 수 있을 정도로, 분명히, 상당히.

‡**ap·pre·ci·ate** [əprí:ʃièit] *vt.* ① …의 진가를 인정하다 ; …의 좋음〔좋고 나쁨〕을 살펴 알다 : His great ability was fully ~*d* by his friends. 그의 위대한 능력은 친구들 모두에게 충분히 인정받고 있다. ② (문학·예술 따위)를 감상하다, 음미하다 : You cannot truly ~ English literature unless you read it in the original. 영문학을 바르게 감상하려면 그 원문을 읽지 않으면 불가능하다. ③ (중요성·위험 등)을 감지하다, 헤아리다 ; 식별〔인식〕하다 ; (…라는 것)을 알고 있다《*that*》: ~ the dangers of a situation 사태가 위험함을 알아채다 / We ~ 〔=It is ~*d*〕 *that* a new era is beginning. 새로운 시대가 시작되고 있음을 알 수 있다. ④ (호의)를 고맙게 여기다, 절실히 느끼다 : I ~ your kindness. 친절에 감사합니다. ⑤ …의 가격을〔시세를〕 올리다 : Recently rents have been unduly ~*d*. 최근 집세가 부당하게 오르고 있다. [opp] *depreciate*. ── *vi.* 가격이〔시세가〕 오르다 : Real estate has rapidly ~*d*. 부동산(不動產)의 시세가 급등했다. ◇ appreciation *n.*

‡**ap·pre·ci·a·tion** [əprì:ʃiéiʃən] *n.* [U] ① (올바른) 평가, 판단, 이해 ; 진가의 인정 : He can't have much ~ for the values of a free society. 그가 자유 사회의 진가를 잘 알리 없다. ② (또는 an ~) 감상(력), 음미 ; 비평, 평론《*of*》: He has *a* keen ~ *of* music. 그에게는 음악에 대한 예리한 감상력이 있다. ③ (또는 an ~) 감지, 인식 ; 식별 : He showed *a* quick ~ of the problems before him. 그는 직면한 문제를 재빨리 인식하였다. ④ 감사, 존중 : a letter of ~ 감사장. ⑤ (또는 an ~) (가격의) 등귀《*in*》: *an* ~ of 30 percent *in* land value 지가의 30 퍼센트 등귀. [opp] *depreciation*. ◇ appreciate *v.* ***in*** **~** ***of*** …에 감사하여.

***ap·pre·cia·tive** [əprí:ʃətiv, -ʃièi-] *a.* ① 감상할 줄 아는, 눈이 높은《*of*》: an ~ audience 눈〔안식〕이 높은 청중 / She isn't ~ *of* my little jokes. 그녀는 사소한 나의 농담을 이해하지 못한다. ② 감사의, 감사하는《*of*》: ~ words 감사의 말 / He was ~ *of* my efforts. 그는 나의 수고에 감사했다. [파] **~·ly** *ad.* **~·ness** *n.*

ap·pre·ci·a·tor [əprí:ʃièitər] *n.* [C] 진가를 아는 사람 ; 감식자 ; 감상자 ; 감사하는 사람.

ap·pre·ci·a·to·ry [əprí:ʃiətɔ̀:ri, -təri] *a.* = APPRECIATIVE.

***ap·pre·hend** [æ̀prihénd] *vt.* ①《~+[목] / +*that* [절]》 …을 염려〔우려〕하다 : We ~ no violence. 우리는 폭력이 행사되리라고는 생각지 않는다 / Do you ~ any danger〔*that* there will be any danger〕? 위험이라도 일어나리라고 염려됩니까. ② (범인 등)을 (붙)잡다, 체포하다《★ catch, arrest 가 일반적임》. ③ …의 뜻을 파악하다, …을 이해하다, 감지하다 : ~ distinctly the significance of the matter 그 문제의 의의를 분명히 이해하다. ── *vi.* 이해하다 ; 우려하다.
◇ apprehension *n.*, apprehensive *a.*

ap·pre·hen·si·ble [æ̀prihénsəbəl] *a.* 이해〔감지〕할 수 있는. [파] **-bly** *ad.*

***ap·pre·hen·sion** [æ̀prihénʃən] *n.* [U] ① (종종 *pl.*) 염려, 우려, 불안, 걱정《*for* ; *of* ; *about*》: He feels a certain ~ *about* his interview tomorrow. 그는 내일의 면접(시험)에 대해 다소의 불안을 느끼고 있다 / Diana waited with (a feeling of) ~ *for* her examination results. 다이아나는 시험 결과를 불안한 마음으로 기다렸다. ② 체포 : the ~ of a thief 도둑의 체포. ③ 이해(력) : a man of feeble ~ 이해가 더딘 사람 / The matter is above my ~. 그건 나에겐 이해되지 않는다. ◇ apprehend *v.*

***ap·pre·hen·sive** [æ̀prihénsiv] *a.* ① **a**) 염려〔우려〕하는, 걱정〔근심〕하는《*of* ; *for* ; *about*》: I am ~ *for* my sister's safety. 누이동생의 안부가 염려된다 / I was a little ~ *about* this enterprise. 이 기도가 다소 걱정되었다. **b**) (…이 아닐까고) 염려하여, 걱정하여《*that*》: They were ~ *that* he would be late. 그들은 그가 늦는게 아닌가 하고 걱정했다. ② 이해가 빠른, 빨리 깨치는 ; 감지(感知)하는《*of*》: He was ~ *of* his folly. 그는 자기의 어리석은 행위를 깨닫고 있었다. ◇ apprehend *v.* [파] **~·ly** *ad.* **~·ness** *n.*

***ap·pren·tice** [əpréntis] *n.* [C] ① 계시, 도제(徒弟) ; 수습(공)《*to*》: a carpenter's ~ = an ~ *to* a carpenter 목수 견습공 / I trained as an ~ carpenter 목수견습공으로 양성되었다. ② 초심자 : an ~ in tennis 테니스의 초심자. ── *vt.* …을 도제로 보내다 : Michelangelo was ~*d to* Ghirlandaio in Florence for three years. 미켈란젤로는 3년간 피렌체의 기를란다이오의 도제로 있었다.
[파] **~·ship** *n.* [U] 도제 제도, 도제의 신분, 계시살이 ; 도제〔수습〕 기간 : serve one's ~*ship* 계시살이를 하다.

ap·prise [əpráiz] *vt.* (…에게) …을 알리다, …에게 통고〔통지〕하다《*of*》: I ~*d* him *of* the political situation in Washington. 그에게 워싱턴의 정치 정세를 알려 주었다.

ap·prize *vt.* = APPRAISE.

ap·pro [ǽprou] *n.* 《英》 〔다음의 成句로〕 ***on*** **~** 《英口》 = on APPROVAL.

‡**ap·proach** [əpróutʃ] *vt.* ① **a**) (공간적·시간적으로) …에 가까이 가다, 접근하다 : The cars slowed down as they ~*ed* the intersection. 차는 교차점으로 다가감에 따라 속도를 낮추었다 / He was ~*ing* forty when I first met him. 내가 그를 처음 만났을 때 그는 나이 40을 바라보고 있었다. **b**) (성질의 상태·수량 등으로) …에 가까이 가다, 근사하다 : ~ completion 완성에 가깝다 / ~ the required sum 요구액에 가까워지다. ②《~+[목] / +[목]+[전]+[명]》 (아무)에게 이야기를 꺼내다, (아무)와 교섭을 시작하다 ; (아무)에게 환심을 사려고 아첨하다 : He ~*ed* the official *with* bribes. 그는 뇌물을 써서 공무원에게 빌붙었다 / They

~*ed* the manager *for* the money. 그들은 돈에 관해 매니저와 교섭했다. ③ (문제 등)을 다루다; (일)에 착수하다: We need to find the best way of ~*ing* this problem. 이 문제를 다루는 최선의 방법을 찾아야 한다.
— *vi.* ① 다가가다, 접근하다: A storm is ~*ing.* 폭풍이 접근하고 있다. ②《+전+명》 거의〔대략〕 같다: This answer ~*es to* denial. 이 회답은 거부나 다름 없다.
— *n.* ① **a)** Ⓤ (장소·시간적으로) 가까워짐, 접근《*of*; *to*》: easy〔difficult〕 *of* ~ 가까이하기 쉬운〔어려운〕/ the ~ *of* winter 겨울철이 다가옴 / The enemy fled at our ~. 적은 우리가 접근함을 보고 도망쳤다. **b)** Ⓒ (성질·상태·정도 등의) 가까움, 근사함《*to*》: In mathematics there must be more than an ~ *to* accuracy. 수학에서는 거의 정확하다로서는 안된다. ② Ⓒ (접근하는) 길, 입구《*to*》; (학문·연구·기능 따위에의) 실마리, 입문, 연구법; (문제 따위의) 다루는 방법, 접근법, 해결 방법: the ~*es to* a city 시(市)로 들어가는 여러 길 / a new ~ *to* English 영어의 새 학습법 / This book provides a good ~ *to* nuclear physics. 이 책은 핵물리학에 대한 좋은 안내서가 된다. ③ Ⓒ (종종 *pl.*) (아무에의) 접근; (여자에게) 지근거림; (교제의) 신청: I hear that Everton have made an ~ to Arsenal to buy one of their players. 에버튼 팀이 아스널 팀 선수의 한 명을 영입하기 위해 교섭을 신청했다고 한다 / She rejected the family's ~*es.* 그녀는 가족들의 접근을 거절했다. ④〖空〗 활주로에의 진입·강하(코스): We are beginning our landing ~. 이제부터 착륙태세로 들어갑니다《여객기 내의 방송》. ⑤〖골프〗 어프로치《tee shot 다음에 공을 green에 올려놓기 위한 타구》.

ap·proach·a·ble [əpróutʃəbəl] *a.* ①〔敍述的〕 (장소가) 접근하기 쉬운: a mountain peak ~ from the west 서쪽에서 오를 수 있는 산마루. ② (사람이) 가까이하기 쉬운, 사귀기 쉬운.

appróach ròad 《英》 (고속 도로 따위로 통하는) 진입로.

appróach shòt ①〖테니스〗 어프로치 샷《네트 플레이로 나갈 때 상대방 코트로 치는 스트로크》. ②〖골프〗=APPROACH *n.* ⑤.

ap·pro·bate [ǽprəbèit] *vt.* 《美·稀》 …을 인가〔면허〕하다; …을 시인하다; (…에)찬동하다.

ap·pro·ba·tion** [æ̀proubéiʃən] *n.* Ⓤ 허가, 인가; 면허; 시인; 찬동; 추천: receive official ~ 공식 허가를 받다. ◇ approbate *v.* ***meet with** a* person's*** ~ 아무의 동의를 얻다.

ap·pro·ba·to·ry [əpróubətɔ̀:ri, -tou-] *a.* 인가〔시인〕의; 찬성의; 추천의.

ap·pro·pri·a·ble [əpróupriəbəl] *a.* 전유(專有)〔사용(私用)〕할 수 있는; 유용(流用)〔충당〕할 수 있는.

‡ap·pro·pri·ate [əpróuprièit] *vt.* ①《+목+전+명》 (어떤 목적에) …을 충당하다《*for*; *to*》: The money was ~*d for* building the gymnasium. 그 돈은 체육관 건립에 할당되었다 / This room has been ~*d to* reading. 이 방은 독서용으로 정해져 있다. ②《+목+전+명》 (정부가 어떤 금액)을 예산에 계상(計上)하다; (의회가) …의 지출을 승인하다: The legislature ~*d* the funds *for* the university. 주의회는 그 대학을 위해 기금 지출을 승인하였다. ③《~+목 / +목+전+명》 …을 사유〔전유〕하다; 횡령〔착복〕하다; 훔치다: Don't ~ others' ideas. 남의 아이디어를 도용하지 마라 / He ~*d* the trust funds *for* himself. 그는 신탁기금을 횡령하였다. — [əpróupriit] (***more*** ~; ***most*** ~) *a.* ① (…에) 적합한, 적절〔적당〕한《*for*; *to*》: an ~ example 적절한 예 / a speech ~ *for*〔*to*〕 the occasion 그 자리에 어울리는 연설. ② 특유의, 고유한《*to*》. ◇ appropriation. *n.* ㊐ **~·ly** [-li] *ad.* 적당히, 상당하게. **~·ness** *n.*

ap·pro·pri·a·tion** [əpròupriéiʃən] *n.* ① Ⓤ 전유(專有), 사물화; 유용(流用), 착복: His ~ *of* company money lost him his job. 회사 돈을 유용하여 그는 직장을 잃었다. ② Ⓤ,Ⓒ 충당, 할당; 충당금〔물〕. ③ Ⓒ (의회가 승인한) 지출금, 예산 (금액), …비(費)《*for*》: an ~ bill (의회에 제출하는) 세출 예산안 / the *Appropriations* Committee 《美》 (의회의) 세출 위원회. ***make an ~ of (...dollars) ***for*** …을 위하여 (…달러를) 지출하다.

ap·pro·pri·a·tor [əpróuprièitər] *n.* Ⓒ 전용자, 사용자; 유용자, 충당〔충용〕자; 도용자.

ap·prov·a·ble [əprú:vəbəl] *a.* 시인〔찬성, 인가〕할 수 있는.

‡ap·prov·al [əprú:vəl] *n.* Ⓤ ① 승인, 찬성, 시인: with the full ~ of …의 전면적인 찬동을 얻어 / He showed his ~ of the program. 그는 그 계획에 찬의를 표하였다. ② 인가, 재가, 허가, 면허: House ~ is expected this week. 국회의 승인을 금주에는 얻을 전망이다. ***meet with*** a person***'s*** ~ 아무의 찬성을 얻다. ***on*** ~ 〖商〗 써보고 좋으면 산다는 조건으로, 점검 매매 조건으로 (on appro, on approbation).

‡ap·prove [əprú:v] *vt.* ① …을 승인하다, …에 찬성하다: Do you ~? 찬성하십니까. ② …을 허가〔인가〕하다: The committee ~*d* the budget. 위원회는 예산안을 승인했다. — *vi.* 승인〔찬성〕하다《*of*》: I don't ~ *of* smoking in public places. 공공장소에서 흡연하는 것에 찬성하지 않는다.

appróved schóol 《英》 (이전의) 내무부 인가 학교《불량 미성년자를 수용 교육함(1933-69); 지금은 community home 이라 함》.

ap·prov·ing [əprú:viŋ] *a.* 찬성의, 만족한: an ~ vote 찬성 투표. ㊐ **~·ly** *ad.* 찬성하여, 만족스레.

approx. approximate(ly).

***ap·prox·i·mate** [əpráksəmèit / -rɔ́k-] *vi.* 《+전+명》 (위치·성질·수량 등이) …에 가까워지다, 접근하다, 가깝다《*to*》: His account ~*d to* the truth. 그의 이야기는 진실에 가까웠다. — *vt.* ① (수량·성질 따위가) …에 가까워지다〔가깝다〕; …와 비슷하다: Student numbers this year are expected to ~ 6,000. 올해의 학생수는 대략 6천명 가까이 예상된다 / The gas ~*s* air. 가스는 공기와 비슷하다. ②《~+목 / +목+전+명》 …을 가깝게 하다《*to*》: ~ two surfaces 두 면을 가깝게 하다 / ~ something *to* perfection 어떤 것을 완벽에 가깝게 하다. ③ …을 어림〔견적〕하다《*at*》.
— [əpráksəmit / -ɔ́k-] *a.* 근사한, 대체〔대략〕의: ~ cost 대략의 비용 / ~ value 개산 가격; 〖數〗 근삿값 / an ~ estimate 어림셈 / ~ numbers 어림수. ㊐ **‡~·ly** [-mitli] *ad.* 대략, 대강, 얼추: The job will take ~*ly* two weeks, and cost ~*ly* $1,000. 그 일은 얼추 2주일 걸리겠고 1천 달러 정도 들 것이다.

***ap·prox·i·ma·tion** [əprɑ̀ksəméiʃən / -rɔ̀ksi-] *n.* ① Ⓤ 접근, 근사. ② Ⓒ 비슷한 것〔일〕: a mere ~ 다만 비슷하기만 한 것 / an ~ to the truth 진상에 가까운 일. ③ Ⓒ 어림셈(값); 〖數〗 어림셈.

ap·pur·te·nance [əpə́:rtənəns] *n.* Ⓒ (흔히 *pl.*) 부속물, 종속물; 〖法〗 종물(從物): Books and CDs are among the ~*s* of student life. 책과 콤팩트 디스크는 학생 생활의 부속품에 속한다.

ap·pur·te·nant [əpə́:rtənənt] *a.* 부속의, 종속된《*to*》. — *n.* Ⓒ 부속물〔품〕(appurtenance).

Apr. April. **APR** annual percentage rate(대부(貸付) 등의) 연율(年率).

après-guerre [ɑ́:preigɛ́ər, æprei-] *n., a.* 《F.》 대전 후(의) : the ~ generation〔school〕 전후세대〔파〕.

après-ski [-skí:] *a., ad.* 〔형용사는 限定的〕《F.》 스키를 탄 뒤의〔뒤에〕. ── *n.* [C] (스키 산장에서의) 스키를 탄 뒤의 사교적 모임.

***apri·cot** [éiprəkɑ̀t, ǽp- / -kɔ̀t] *n.* ① [C] 살구(나무). ② [U] 살구빛. ── *a.* 살구빛의, 황적색의.

†**April** [éiprəl] *n.* 4 월《略 : Ap. ; Apr.》: in ~, 4월에 / The Treaty was signed on 5~, 1995. 그 조약은 1995년 4월 5일에 서명되었다.

Ápril fóol 에이프릴 풀《만우절에 감쪽같이 속아 넘어가는 사람》; 그 장난.

Ápril Fóols' Dày 만우절(All Fools' Day) 《4 월 1 일》.

Ápril shòwer (초봄의) 소낙비.

a pri·o·ri [ɑ̀:-prió:ri, èi-praió:rai] 《L.》 연역적(演繹的)으로 ; 선천적으로, 선험적으로 ; 연역〔선천, 선험〕적인. [opp] *a posteriori.* ¶ an ~ reasoning 연역적 추리.

‡**apron** [éiprən] *n.* [C] ① **a)** 에이프런, 앞치마, 행주치마. **b)** 마차에서 쓰는 가죽 무릎덮개. **c)** (영국 국교 주교의) 무릎덮개 천. ② 〖空〗 격납고 앞의 포장된 광장. ③ **a)** 〖劇〗 불쑥 나온 앞무대(~ stage). **b)** 〖골프〗 에이프런《그린(green)을 둘러싼 지역》. [파] **~ed** [-d] *a.* 에이프런을 두른.

ápron stàge 앞 무대《오케스트라 앞의 내민 부분》; (엘리자베스 시대의) 튀어나온 무대《3 방향에서 볼 수 있음》.

ápron strìngs 앞치마 끈. ***be tied to*** one's ***mother's***〔***wife's***〕 ~ 어머니〔아내〕가 하라는 대로 하다.

ap·ro·pos [æ̀prəpóu] *ad.* 《F.》 적당〔적절〕히, 때마침 : Your letter came ~ as usual. 편지는 언제나처럼 적시에 도착했습니다. ~ ***of*** …에 대하여, …에 관하여 ; 말이 났으니 말이지, 이야기 끝에 생각이 났는데 : ~ *of* nothing 난데없이, 까닭도 없이. ── *a.* 〔敍述的〕 적당한, 적절한 : The remark was very ~. 그 말은 아주 적절하였다.

apse [æps] *n.* [C] 〖建〗 교회당 동쪽 끝에 쑥 내민 반원〔다각〕형의 부분 ; 〖天〗 =APSIS.

ap·sis [ǽpsis] (*pl.* ***ap·si·des*** [-sədì:z, æpsái-di:z]) *n.* [C] 〖天〗 원〔근〕일점 ; 〖建〗 =APSE.

‡**apt** [æpt] (~·***er***, ***more*** ~ ; ~·***est***, ***most*** ~) *a.* ① **a)** …하기 쉬운, …하는 경향이 있는《*to* do》: He is ~ *to* forget. 저 사람은 뭘 잘 잊어버린다 / buttons ~ *to* come off 떨어지기 쉬운 단추 / The kitchen roof is ~ *to* leak when it rains. 부엌 지붕은 비가 오면 곧잘 샌다. **b)** 《주로 美》 …할 것 같은 : He is not ~ *to* do it again. 두번 다시는 안 하겠지. ② (목적·시기·장소 등에) 적절한, 적당한 : a quotation ~ *for* the occasion 그 경우에 적절한 인용구. ③ **a)** 적성이 있는, 영민〔똘똘〕한 : an ~student 영리한 학생 / He's the ~*est* wit of us all. 그는 우리 중에서 가장 재치가 있다. **b)** 〔敍述的〕 …에 재능이 있는《*at*》: He's ~ *at* music. 그는 음악에 재능이 있다. [파] ***~·ly** *ad.* 적절히, 교묘히. **~·ness** *n.* ① 적합성, 적절함. ② 성향, 경향. ③ 소질, 재능.

APT advanced passenger train(초특급 열차) ; 〖컴〗 automatically programmed tool(수치 제어 문제용 언어).

apt. (*pl.* ***apts.***) apartment

áp·ter·ous [ǽptərəs] *a.* ① (곤충이) 무시(無翅)인 ; (새가) 날개 없는. ② 〖植〗 (줄기 등이) 익상물(翼狀物)이 없는.

ap·ter·yx [ǽptəriks] *n.* [C] 〖鳥〗 키위(kiwi), 무익조(無翼鳥).

***ap·ti·tude** [ǽptitù:d, -titjù:d] *n.* [U,C] ① 경향, 습성《*to*》: have an ~ *to* vice 악습에 물들기 쉽다. ② 적성, 소질, 재능 : He has a special ~ *for* mathematics. 수학에 특별한 재능이 있다. ③ (학습 등에서의) 총명함, 똑똑함 : a student of great ~ 아주 똑똑한 학생.

áptitude tèst 〖敎〗 적성 검사. 「I.Q.

A.Q. achievement quotient(성취 지수). [cf.]

aq·ua·cade [ǽkwəkèid, ɑ́:k-] *n.* [C] 《美》 수상〔수중〕 쇼.

aq·ua·cul·ture [ǽkwəkʌ̀ltʃər, ɑ́:k-] *n.* [U] ① 〖農〗 =AQUICULTURE. ② 〖水產〗 양어, 양식(養殖).

áqua fórtis 〖化〗 질산(=**nítric ácid**).

aq·ua·lung [ǽkwəlʌ̀ŋ, ɑ́:k-] *n.* [C] 애쿼렁, (잠수용의) 수중 호흡기 ; (Aqua-Lung) 애쿼렁《商標名》.

aq·ua·ma·rine [æ̀kwəmərí:n, ɑ̀:k-] *n.* [C] 〖鑛〗 남옥(藍玉)《녹주석(綠柱石)의 일종》; [U] 청록색.

aq·ua·naut [ǽkwənɔ̀:t, ɑ́:k-] *n.* [C] ① 애쿼렁 잠수자 ; 잠수 기술자. ② =SKIN DIVER.

aq·ua·plane [ǽkwəplèin, ɑ́:k-] *n.* [C] (모터 보트로 끄는) 수상 스키. ── *vi.* ① 수상 스키를 타고 놀다. ② (자동차 따위가) 노면의 수막(水膜)으로 미끄러지다(hydroplane).

áqua ré·gia [-rí:dʒiə] 《L.》 왕수(王水)《진한 질산과 진한 염산의 혼합액》.

Aquar·i·an [əkwέəriən] *a.* 물병자리(Aquarius) (태생)의. ── *n.* [C] 물병자리 태생의 사람《1 월 20 일-2 월 18 일 사이의 출생자》.

aquar·i·um** [əkwέəriəm] (*pl.* **~s**, ***-ia [-iə]) *n.* [C] ① 수족관. ② (물고기·수초용의) 유리 수조, 유리 탱크 ; 양어지(池).

Aquar·i·us [əkwέəriəs] *n.* 〖天〗 물병자리(the Water Bearer) ; 보병궁(寶甁宮).

aq·ua·ro·bics [æ̀kwəróubiks] *n.* [U] 애쿼로빅스 《얕은 풀에서 행하는 에어로빅스》.

aquat·ic [əkwǽtik, əkwɑ́t- / əkwɔ́t-] *a.* ① 수생(水生)의 ; 물의, 물 속의, 물 위의 : an ~ bird〔plant〕 물새〔수생 식물〕/ ~ products 수산물. ② 수상〔수중〕에서 행하는 : ~ sports 수상 경기. ── *n.* ① [C] 수생 동물 ; 수초(水草). ② (*pl.*) 수상 경기, 수중 연기. [파] **-i·cal·ly** *ad.*

aq·ua·tint [ǽkwətìnt, ɑ́:k-] *n.* [U] 동판 부식법의 일종 ; [C] 그 판화.

aq·ue·duct [ǽkwədʌ̀kt] *n.* [C] ① 도수관(導水管), 수도 ; 수도교(水道橋). ② 〖生理〗 도관(導管), 맥관.

aque·ous [éikwiəs, ǽk-] *a.* ① 물의, 물 같은. ② 〖地質〗 (암석이) 수성(水成)의.

áqueous húmor 〖解〗 (안구(眼球)의) 수양액(水樣液).

áqueous róck 수성암(水成岩).

aq·ui·cul·ture [ǽkwəkʌ̀ltʃər] *n.* [U] ① 수산(水產) 양식 ; ② 〖農〗 =HYDROPONICS.

aq·ui·fer [ǽkwəfər, ɑ́:k-] *n.* [U] 〖地〗 대수층(帶水層)《지하수를 함유한 다공질 삼투성 지층》.

aq·ui·line [ǽkwəlàin] *a.* ① 수리의〔같은〕. ② (코·얼굴 생김새 등이) (수리 부리처럼) 굽은, 갈고리 모양의 : an ~ nose 매부리코.

Aqui·nas [əkwáinəs] *n.* **Saint Thomas** ~ 아퀴나스《이탈리아의 철학자·가톨릭 신학자 ; 1225-74》.

ar- *pref.* =AD-《r 앞에서의 변형》.

-ar *suf.* ① '…의, …성질의'의 뜻 : regul*ar*《★ 원래 어미 -al 과 같은 것이지만, 어간에 l 이 있으면 -al ⇨ -ar 로 변함》. ② '…에 관계하는 사람〔것〕'의 뜻 : schol*ar*. ③ '…하는 사람'의 뜻 : li*ar*.

AR 〖美郵便〗 Arkansas. **Ar** 〖化〗 argon. **Ar.** Arabic ; Aramaic. **ar.** arrival ; arrive(s).

‡Ar·ab [ǽrəb] *n.* Ⓒ ① 아라비아〔아랍〕 사람 ; (the ~s) 아랍(민)족. ② 아라비아종의 말. ― *a.* 아라비아〔아랍〕(사람)의.

Ar·a·bel, Ar·a·bel·la [ǽrəbèl], [æ̀rəbélə] *n.* 애러벨, 애러벨라《여자 이름 ; 애칭은 Bel, Bella》.

ar·a·besque [æ̀rəbésk] *a.* 아라비아풍〔식〕의 ; 당초(唐草) 무늬의 ; 기이한. ― *n.* Ⓒ ① 당초 무늬. ②〖발레〗 아라베스크《한쪽 발을 뒤로 곧게 뻗고, 한쪽 팔을 앞으로, 다른 팔은 뒤로 뻗치는 자세》. ③〖樂〗 아라베스크《아라비아풍의 화려한 악곡 ; 특히 피아노곡》 ;〖文〗 극히 정성들인 표현상의 기법.

‡Ar·a·bia [əréibiə] *n.* 아라비아.

‡Ar·a·bi·an [əréibiən] *a.* 아라비아(사람)의 : an ~ horse 아라비아말. ― *n.* Ⓒ ① 아라비아인. ② 아라비아종의 말.

Arábian cámel 아라비아 낙타《혹이 하나》.

Arábian Níghts' Entertáinments (the ~) 아라비안나이트, 천일 야화(= *The Arabian Nights* or *The Thousand and One Nights*).

Arábian Península (the ~) 아라비아 반도 (Arabia).

Arábian Séa (the ~) 아라비아해.

***Ar·a·bic** [ǽrəbik] *a.* 아라비아의 ; 아라비아 사람의 ; 아라비아어〔글자, 문화, 숫자〕의 ; 아라비아풍(風)의 : ~ architecture 아라비아식 건축. ― *n.* Ⓤ 아라비아어.

Árabic númerals 〔fígures〕 아라비아 숫자 《1, 2, 3 따위》. cf. Roman numerals.

ar·a·ble [ǽrəbəl] *a.* 경작에 알맞은, 개간할 수 있는. ― *n.* Ⓤ 경지(耕地)(=∠ **lànd**). ㊕ **àr·a·bíl·i·ty** *n.*

Árab Repúblic of Égypt (the ~) 이집트 아랍 공화국《Egypt 의 공식명 ; 수도 Cairo》.

arach·nid [ərǽknid] *n.* Ⓒ〖動〗 거미류의 절지동물《거미 · 전갈 따위》.

arach·noid [ərǽknɔid] *a.* 거미줄〔집〕 모양의 ; 거미줄막(膜)의. ― *n.* Ⓤ〖解〗 거미줄막.

Ar·a·fat [ǽrəfæ̀t] *n.* **Yasser** ~ 아라파트《PLO 의 의장 ; 현 팔레스타인 자치행정부 대표〔대통령〕(1996-) ; 1929- 》.

Ar·a·gon [ǽrəgɑn, -gən] *n.* 아라곤《스페인 동북부의 지방 ; 옛적엔 왕국》.

ar·ak [ǽrək] *n.* =ARRACK.

Ar·al·dite [ǽrəldàit] *n.* Ⓤ 애럴다이트《에폭시 수지의 일종으로 강력 접착제 · 절연체용 ; 商標名》.

Ár·al Séa [ǽrəl-] (the ~) 아랄 해《러시아 남서부의 내륙 염호(塩湖)》.

Ar·a·ma·ic [æ̀rəméiik] *n.* Ⓤ 아람어《옛 시리아 · 팔레스타인 등의 셈계(系) 언어》. ― *a.* 아람(어)의.

Ar·an [ǽrən] *a.* 애란 편물의 《애란 섬 특유의 염색 안한 굵은 양모로 짠 것을 이름》 : an ~ sweater 애란 스웨터.

Áran Íslands (the ~) 애란 제도《아일랜드 서안 앞바다의 3섬》.

Ar·a·rat [ǽrəræ̀t] *n.* **Mount** ~ 아라랏 산《터키 동부, 이란과 러시아의 국경 부근에 있는 화산 ; 노아의 방주가 닿은 곳이라고 함 ; 창세기 Ⅷ : 4》.

ar·bi·ter [ɑ́:rbitər] (*fem.* **-tress** [-tris]) *n.* Ⓒ ① 중재인, 조정자 ; 판정자, 심판자. ②《比》 일반의 동정을 좌우하는 것〔사람〕, 결정적인 요소.

ar·bi·tra·ble [ɑ́:rbitrəbəl] *a.* 중재할 수 있는.

ar·bi·trage [ɑ́:rbitrɑ̀:ʒ / ∠-∠] *n.* Ⓤ,Ⓒ〖商〗 재정(裁定)〔차익(差益)〕 거래.

ar·bi·trag·er, -tra·geur [ɑ́:rbitrɑ̀:ʒər], [∠-trɑ:ʒɔ́:r] *n.* Ⓒ〖商〗 차익〔재정〕 거래자.

ar·bi·tral [ɑ́:rbitrəl] *a.* 중재의 : an ~ tribunal 중재 재판소.

ar·bit·ra·ment [ɑ:rbítrəmənt] *n.* Ⓤ,Ⓒ 중재 ; 재결(권), 판결(권).

***ar·bi·trary** [ɑ́:rbitrèri, -trəri] (**more ~ ; most ~**) *a.* ① 임의의, 멋대로의 ; 방자한 : an ~ constant 〖數〗 임의 상수 / in ~ order 순서 부동(不同)으로. ② 전횡적인, 독단적인 : an ~ ruler 전제자, 독재자 / an ~ decision 전단(專斷). ㊕ **-trar·i·ly** *ad.* ① 자유 재량으로, 독단적으로. ② 임의로, 제멋대로. **-trar·i·ness** *n.*

ar·bi·trate [ɑ́:rbitrèit] *vi.* (…의 사이의) 중재를〔조정을〕 하다《*between*》 : He ~*d between* the company and the union. 그는 회사와 조합 사이를 조정하였다. ― *vt.* (쟁의 등)을 중재하다 ; (중재인으로서) …을 재정하다 ; 중재에 일임하다 : The commission ~*d* boundaries between the countries. 위원회는 양국의 국경선을 재정하였다.

ar·bi·tra·tion [ɑ̀:rbitréiʃən] *n.* Ⓤ 중재 ; 조정 ; 재정(裁定) ; 중재 재판 : a court of ~ 중재 재판소 / refer 〔submit〕 a dispute to ~ 쟁의를 중재에 부치다. ***go to*** ~ (기업 · 근로자가) 중재를 의뢰하다 ; (쟁의가) 중재에 부쳐지다 : Both sides in the dispute have agreed to *go to* ~. 분쟁 당사자는 중재에 의뢰키로 합의했다.

ar·bi·tra·tor [ɑ́:rbitrèitər] *n.* Ⓒ 중재인, 재결(裁決)자, 심판자.

ar·bor[1] *n.* Ⓒ〖機〗 아버, 축(軸).

***ar·bor**[2], 《英》 **-bour** *n.* Ⓒ (나뭇가지·덩굴 등을 얹은) 정자 ; 나무 그늘(의 산책길).

Árbor Dày 《美》 식목일《4월 하순부터 5월 상순에 걸쳐 미국 각 주에서 행함》.

ar·bo·re·al [ɑ:rbɔ́:riəl] *a.* ① 수목의, 나무 모양의. ② (동물이) 나무에 사는.

ar·bo·res·cent [ɑ̀:rbərésənt] *a.* 수목 같은, 수목성의 ; 수지상(樹枝狀)의.

ar·bo·re·tum [ɑ̀:rbərí:təm] (*pl.* **~s, -ta** [-tə]) *n.* Ⓒ 수목〔식물〕원.

ar·bu·tus [ɑ:rbjú:təs] *n.* Ⓒ〖植〗 철쭉과의 일종 《북미산》.

‡arc [ɑ:rk] *n.* Ⓒ ① 호(弧), 호형(弧形) ; 궁형(弓形) : The rainbow forms an ~ in the sky. 무지개가 하늘에 궁형으로 걸려 있다. ②〖電〗 아크, 전호(電弧). ― *a.* 호의, 아크의. ― (~(***k***)***ed*** ; ~(***k***)·***ing***) *vi.*〖電〗 전호를〔호광(弧光)을〕 이루다.

ARC, A.R.C. American Red Cross.

***ar·cade** [ɑ:rkéid] *n.* Ⓒ ① 아케이드, 유개(有蓋) 가로〔상점가〕. ②〖建〗 아치, 줄지은 홍예랑(虹霓廊).

arcáde gàme 게임 센터(《英》 amusement arcade)에서 행하여지는 게임《video game 을 비롯한 pinball, rifle shooting 따위》.

Ar·ca·dia [ɑ:rkéidiə] *n.* ① 아르카디아《옛 그리스 산속의 이상향(理想鄕)》. ② Ⓒ 천진 · 소박한 생활이 영위되는 이상향.

Ar·ca·di·an [ɑ:rkéidiən] *a.* ① 아르카디아의. ② 전원풍의 ; 목가적인 ; 순박한. ― *n.* Ⓒ ① 아르카디아 사람. ② (종종 a-) 전원 취미의〔순박한〕 사람. ㊕ **~·ìsm** *n.* Ⓤ 전원 취미, 목가적 정취.

ar·cane [ɑ:rkéin] *a.* 비밀의 ; 불가해한.

ar·ca·num [ɑ:rkéinəm] (*pl.* **-na** [-nə]) *n.* Ⓒ ① (보통 *pl.*) 비밀, 신비(mystery). ② (만능의) 비약(祕藥).

árc fùrnace 〖冶〗 아크로(爐).

‡arch[1] [ɑ:rtʃ] *n.* Ⓒ ① **a)**〖建〗 아치, 홍예. **b)** 아치 길 ; 아치 문 : a memorial ~ 기념문 / a rose 〔garden〕 ~ 장미〔뜰에 설치한〕 아치. ② 호(弧),

궁형(弓形); 궁형으로 된 것; 궁형 지문(指紋) (cf loop, whorl): the dental ~ 〖生〗 치열궁(齒列弓). ③ (발바닥의) 장심(掌心) (the ~ of the foot). ***a triumphal*** ~ 개선문. ***the*** (***blue***) ~ ***of the heavens*** 창천(蒼天). — *vt.* ① …을 활 모양으로 하다; 활모양으로 굽히다: Don't ~ your back, keep your spins straight. 등을 구부리지 말고 척추를 곧게 하고 있거라 / 'Oh really?' he said, ~*ing* an eyebrow. '정말이냐?' 그는 한쪽 눈썹을 치켜올리며 말하였다. ② …에 아치를 만들다: A rainbow ~*ed* the city. 무지개는 시에 아치형의 호를 그렸다. — *vi.* 《~ / +전+명》 (…의 위에) 아치형〔활모양〕이 되다: Leafy branches ~*ed over* the road. 잎이 무성한 가지가 길 위에 아치를 이루고 있었다.

arch² *a.* 〔限定的〕 ① **a**) 교활한; 교활해 뵈는. **b**) 짓궂은, 휘둥거리는, 장난치는: He gave her as slightly ~ glance. 그는 장난기 어린 눈으로 그녀를 흘끗 쳐다보았다. ② 주된, 주요한: one's ~ rival 호(好)적수. 파 **∠·ness** *n.* 교활함, 장난기.

arch- *pref.* '첫째의, 수위(首位)의, 대(大)…'의 뜻: *arch*angel, *arch*bishop.

-arch *suf.* '지배자, 왕, 군주'의 뜻: patri*arch*, mon*arch*.

Arch. archbishop.

arch. archaic; archaism; archery

ar·ch(a)e·o·log·i·cal [àːrkiəlɑ́dʒikəl / -lɔ́dʒ-] *a.* 고고학의. 파 **~·ly** *ad.* 고고학적으로, 고고학상(上).

ar·ch(a)e·ol·o·gist [àːrkiɑ́lədʒist / -ɔ́l-] *n.* Ⓒ 고고학자.

***ar·ch(a)e·ol·o·gy** [àːrkiɑ́lədʒi / -ɔ́l-] *n.* Ⓤ 고고학.

ar·ch(a)e·om·e·try [àːrkiɑ́mətri] *n.* Ⓤ 고고(표본) 연대 측정(법).

ar·chae·op·ter·yx [àːrkiɑ́ptəriks / -ɔ́p-] *n.* Ⓒ 〖古生〗 시조새(의 화석(化石)).

***ar·cha·ic** [ɑːrkéiik] *a.* 고풍의, 고체의, 낡은: an ~ word 고어(古語). 파 **-i·cal·ly** *ad.*

archáic smíle 고졸(古拙)한 미소 《초기 그리스 조각상(像)의 미소 띈 듯한 표정》.

ar·cha·ism [ɑ́ːrkeiizəm] *n.* ① Ⓒ 고어, 옛말. ② Ⓤ 고문체(古文體); 의고체(擬古體); 고풍, 옛투; 고어의 사용.

ar·cha·ist [ɑ́ːrkeiist] *n.* Ⓒ 고풍스러운 글을 쓰는 사람; 의고(擬古)주의자. 파 **àr·cha·ís·tic** *a.* 고풍의, 고체(古體)의; 의고적인.

arch·an·gel [ɑ́ːrkèindʒəl] *n.* Ⓒ 대천사(大天使) 《seraph 부터 세어서 제 8 위의 천사》.

***arch·bish·op** [àːrtʃbíʃəp] *n.* Ⓒ (신교의) 대감독; (가톨릭교·그리스 정교의) 대주교. 파 **àrch·bísh·op·ric** [-rik] *n.* Ⓤ,Ⓒ ~의 직〔관구, 관할권〕.

árch brìdge 아치교(橋).

arch·dea·con [àːrtʃdíːkən] *n.* Ⓒ bishop 버금가는 성직자, (신교의) 부(副)감독; (가톨릭의) 부주교.

arch·di·o·cese [àːrtʃdáiəsìːs, -sis] *n.* Ⓒ archbishop 의 관구.

arch·du·cal [ɑ̀ːrtʃdúːkəl, -djúː-] *a.* 대공(大公)(령(領))의.

arch·duch·ess [ɑ́ːrtʃdʌ́tʃis] *n.* Ⓒ 대공비(大公妃); (옛 오스트리아의) 공주.

arch·duchy [ɑ́ːrtʃdʌ́tʃi] *n.* Ⓤ 대공(大公)의 지위; Ⓒ 대공국《archduke 의 영지》.

arch·duke [ɑ́ːrtʃdúːk, -djúːk] *n.* Ⓒ 대공; (옛 오스트리아의) 왕자. 파 **árch·dúke·dom** [-dəm] *n.* =ARCHDUCHY.

arched [ɑːrtʃt] *a.* ① 아치형의, 활〔반달〕 모양의: an ~ bridge 아치교. ② 아치〔홍예〕가 있는.

arch·en·e·my [ɑ́ːrtʃénəmi] *n.* Ⓒ 대적(大敵); (the ~ (of mankind)) 인류의 대적, 사탄.

ar·che·ol·o·gy, etc. =ARCHAEOLOGY, etc.

Ar·che·o·zo·ic [ɑ̀ːrkiəzóuik] *a.* 〖地質〗 시생대(始生代)의, 태고대(代)의. — *n.* (the ~) 시생대, 태고대.

***arch·er** [ɑ́ːrtʃər] (*fem.* **~·ess** [-ris]) *n.* ① Ⓒ (활의) 사수, 궁술가. ② (the A-) 〖天〗 궁수자리, 인마궁(人馬宮) (Sagittarius).

***arch·ery** [ɑ́ːrtʃəri] *n.* Ⓤ ① 궁술, 궁도, 양궁. ② 〔集合的〕 궁술가, 사수대(射手隊); 궁술용구.

ar·che·typ·al [ɑ́ːrkitàipəl] *a.* 원형(原型)의; 전형적인; an ~ English gentleman 전형적인 영국신사.

ar·che·type [ɑ́ːrkitàip] *n.* Ⓒ 원형(原型); 〖心〗 원형(原型)《인간의 정신 내부에 존재하는 조상이 경험한 것의 흔적》; 전형(典型): He came to this country 20 years ago and is the ~ of the successful Asian businessman. 그는 20년 전에 이 나라에 와서 성공한 아시아 실업인의 전형이다.

ar·che·typ·i·cal [ɑ̀ːrkitípikəl] *a.* =ARCHETYPAL. 파 **~·ly** *ad.*

arch·fiend [ɑ́ːrtʃfíːnd] *n.* (the ~) 마왕, 사탄.

archi- *pref.* ① arch- 의 변형. ② 〖生〗 '원(原)…'의 뜻: *archi*plasm. 원형질.

Ar·chi·me·de·an [ɑ̀ːrkəmíːdiən, -mədíːən] *a.* 아르키메데스(의 원리 응용)의.

Ar·chi·me·des [ɑ̀ːrkəmíːdiːz] *n.* 아르키메데스 《고대 그리스의 수학자·물리학자·발명가; 287?-212 B.C.》.

Archimédes' prínciple 아르키메데스의 원리.

ar·chi·pel·a·go [ɑ̀ːrkəpéləgòu] (*pl.* **~(*e*)*s***) *n.* ① Ⓒ 군도(群島); 섬 많은 바다, 다도해. ② (the A-) 에게 해(海).

‡**ar·chi·tect** [ɑ́ːrkitèkt] *n.* Ⓒ ① 건축가〔사〕, 건축기사. ② (건축 이외의) 설계자; 건설자: a naval ~ 조선 기사. ***the*** (***Great***) ***Architect*** 조물주, 신(神). ***the*** ~ ***of*** one'***s own fortunes*** 자기 운명의 개척자.

ar·chi·tec·ton·ic [ɑ̀ːrkətektɑ́nik / -kitektɔ́n-] *a.* ① 건축술의. ② 구조상의, 구성적인. — *n.* Ⓤ (~*s*) 건축학.

***ar·chi·tec·tur·al** [ɑ̀ːrkətéktʃərəl] *a.* 건축학〔술〕의, 건축상의: an ~ engineer 건축 기사. 파 **~·ly** [-i] *ad.* 건축적으로, 건축(학)상.

‡**ar·chi·tec·ture** [ɑ́ːrkətèktʃər] *n.* Ⓤ ① 건축술〔학〕: civil ~ 보통 건축《주택·공공 건축 등》/ domestic ~ 주택 건축 / military ~ 축성법 / naval 〔marine〕 ~ 조선(造船)술. ② 건축 양식: Romanesque ~ 로마네스크 건축 양식. ③ 〔集合的〕 건축물: The ~ in this part of the city is ugly. 시의 이 지구의 건물은 모두 추악하다. ④ 구조, 구성, 설계, 체계: the ~ of a novel 소설의 구성. ⑤ 〖컴〗 얼개.

ar·chi·trave [ɑ́ːrkətrèiv] *n.* Ⓒ 〖建〗 ① 평방(平枋)《고전 건축의 entablature 의 최저부》. ② 처마도리, (문·창·사진의) 틀.

ar·chi·val [ɑːrkáivəl] *a.* ① 기록의; 고문서의. ② 기록 보관소의.

ar·chive [ɑ́ːrkaiv] *n.* Ⓒ (흔히 ~*s*) ① 기록〔공문서〕 보관소. ② 문서, 기록.

ar·chiv·ing [ɑ́ːrkaiviŋ] *n.* 〖컴〗 파일 보관.

ar·chi·vist [ɑ́ːrkəvist] *n.* Ⓒ 기록〔공문서〕 보관인.

arch·ly [ɑ́ːrtʃli] *ad.* 교활하게; 교활한 것같이; 짓궂게, 장난으로.

arch·way [ɑ́ːrtʃwèi] *n.* Ⓒ 아치 밑의 통로 또는 입구, 아치 길.

-archy *suf.* '지배, 정치, 정체'의 뜻: mon*archy*, dy*archy*.

árc làmp 〔**lìght**〕 아크 등.

‡**arc·tic** [ɑ́ːrktik] (***more*** ~; ***most*** ~) *a.* ① (종

종 A-) 북극의, 북극 지방의. opp *antarctic*. ¶ an ~ expedition 북극 탐험(대). ② 극한(極寒)의; 극한용의 : an ~ winter 극한의 겨울. ③ 북극으로〔극지로〕부터 부는 : an ~ wind 북극풍. ④ 쌀쌀한, 냉담한. ── *n*. ① (the A-) 북극 지방〔권〕. ② [ɑ́:*r*ktik] (*pl*.) 《美》방한 방수용 덧신.

Árctic Círcle (the ~) 북극권.

Árctic Ócean (the ~) 북극해, 북빙양.

Árctic Séa (the ~) = ARCTIC OCEAN.

Árctic Zòne (the ~) 북극대(帶).

Arc·tu·rus [ɑ:*r*ktjúərəs] *n*. 〖天〗 대각성(大角星) 《목자자리(Boötes)에서 가장 큰 별》.

árc wèlding 아크 용접.

-ard *suf*. '…쟁이'의 뜻의 명사를 만듦 : cow*ard*, drunk*ard*.

Ar·den [ɑ́:*r*dn] *n*. **the Forest of** ~ 아든의 옛 삼림 지대《잉글랜드 중동부》.

*__ar·dent__ [ɑ́:*r*dənt] (***more*** ~ ; ***most*** ~) *a*. 열렬한 ; 불타는 (듯한) ; 격렬한 : ~ passion 열정 / an ~ admirer 열렬한 찬미자 / He was an ~ supporter of human rights. 그는 열렬한 인권 옹호자였다. ㊕ *~·**ly** *ad*. **ar·den·cy** [ɑ́:*r*dənsi] *n*.

*__ar·dor,__ 《英》 **-dour** [ɑ́:*r*də*r*] *n*. Ⓤ 열정, 열의, 열성 ; 충성 : His ~ for her has cooled. 그녀에 대한 그의 열정은 식었다. ***with*** ~ 열심히.

*__ar·du·ous__ [ɑ́:*r*dʒuəs / -dju-] *a*. ① 힘드는, 곤란한 : The task was more ~ than he had calculated. 그 일은 생각했던 것보다 훨씬 힘이 들었다. ② 분투적인, 끈기 있는, 끈질긴 : an ~ worker 꾸준히 노력하는 사람. ㊕ ~·**ly** *ad*. 애써, 분투하여. ~·**ness** *n*.

†**are**[1] [ɑ:*r*, 弱 ə*r*] ① BE 의 직설법 현재 2인칭 단수 : You ~ a student, *~n't* you? 너는 학생이지《2인칭 단수》. ② BE 의 직설법 현재 복수 : You'*re* students, *~n't* you? ── Yes, we ~. 너희들은 학생이지《2인칭 복수》? 예 그렇습니다《1인칭 복수》.

‡**are**[2] [ɛə*r*, ɑ:*r*] *n*. 《F.》 아르《100 평방미터, 약 30.25 평 ; 略 : a.》.

‡**ar·ea** [ɛ́əriə] *n*. ① Ⓒ 지역, 지방, 지대, 지구, 구역 : residential ~*s* 주택 구역 / a commercial ~ 상업 지구 / a parking ~ 주차 구역. ② Ⓒ 범위, 영역, 분야 : the whole ~ of science 과학의 모든 분야 / She is an expert in the ~ of city planning. 그녀는 도시 계획 분야의 전문가이다. ③ ⓊⒸ 면적 : a floor ~ 건평 / It's 50 square miles in ~. 면적은 50 평방 마일이다. ④ Ⓒ 《英》 지하실〔부엌〕 출입구《채광·통행을 위한 지하층 주위의 빈 터》(《美》 areaway). ⑤ 〖컴〗 (기억) 영역.

área còde 시외 국번《미국·캐나다에서는 3 자리 숫자》; 《英에서는 STD code》. 「구」.

área stùdy 지역 연구《특정 지역의 종합적 연구》.

ar·ea·way [ɛ́əriəwèi] *n*. Ⓒ 《美》 ① = AREA ④. ② 건물 사이의 통로.

ar·e·ca [ǽrikə, əríːkə] *n*. Ⓒ 〖植〗 빈랑(檳榔)나무(= ∠ **pàlm**) ; 그 열매 (betel nut).

*__are·na__ [əríːnə] *n*. Ⓒ ① 투기장《고대 로마의 원형 경기장 중앙에 모래를 깐》; 〔一般的〕 경기장. ② 투쟁·활동의 장소, 활무대, …계(界) : enter the ~ of politics 정계에 들어가다 / the poetical ~ 시단(詩壇).

ar·e·na·ceous [æ̀rənéiʃəs] *a*. 모래의, 모래 많은, 모래질의 ; 모래땅에 나는 ; 무미 건조한.

aréna théater 원형 극장.

†**aren't** [ɑ:*r*nt] ① are not 의 간약형. ② 《英口》 〔疑問文에 쓰이어〕 am not의 간약형 : I am right, ~ I? 내가 말한 대로지.

Ar·es [ɛ́əri:z] *n*. 〖그神〗 전쟁의 신《로마 신화의 Mars 에 해당》.

arête [əréit] *n*. Ⓒ 《F.》 (주로 빙하의 침식에 의한) 험준한 산등성이.

arg [ɑːrg] *n*. 〖컴〗 = ARGUMENT.

Arg. Argentina ; Argentine.

ar·gent [ɑ́:*r*dʒənt] *n*. Ⓤ 《古·詩》 은 ; 은빛 ; 〖紋章〗 은백(銀白). ── *a*. 《詩》 은의, 은 같은 ; 〖紋章〗 은백의.

*__Ar·gen·ti·na__ [ɑ̀:*r*dʒəntíːnə] *n*. 아르헨티나《남미의 공화국 ; 수도 Buenos Aires》.

Ar·gen·tine [ɑ́:*r*dʒəntiːn, -tàin] *a*. 아르헨티나(사람)의. ── *n*. ① Ⓒ 아르헨티나 사람. ② (the ~) = ARGENTINA.

ar·gen·tine *a*. 은의, 은과 같은, 은빛의 : ~ glass 은빛 유리 / ~ plate 양은.

ar·gil [ɑ́:*r*dʒil] *n*. Ⓤ 도토(陶土), 백점토.

Ar·go [ɑ́:*r*gou] *n*. ① (the ~) 〖그神〗 아르고선(船) 《Jason 이 금양모 (the Golden Fleece)를 찾으러 타고 떠난 배》. ② 〖天〗 아르고자리.

ar·gon [ɑ́:*r*gɑn / -gɔn] *n*. Ⓤ 〖化〗 아르곤《회유가스 원소 ; 기호 Ar ; 번호 18》.

Ar·go·naut [ɑ́:*r*gənɔ̀:t] *n*. Ⓒ 〖그神〗 Argo 선의 일행. cf. Argo.

ar·got [ɑ́:*r*gou, -gət] *n*. 《F.》 ⓊⒸ 암호말, 은어, 곁말, (도둑 등의) 변말 : the ~ of the university campus 대학가의 은어.

ar·gu·a·ble [ɑ́:*r*gjuəbəl] *a*. ① 논할 수 있는, 논증할 수 있는 : It is ~ that we would be just as efficient with fewer staff. 우리는 보다 적은 직원으로도 꼭같은 성과를 올릴 수 있으리라는 것을 논증할 수 있다. ② 논의의 여지가 있는, 의심스러운 : It is ~ which way is quicker. 어느 것이 더 빠른 길인지는 논의의 여지가 있다. ㊕ **-bly** *ad*. 〔文 전체를 수식하여〕 (충분히) 논증할 수 있는 일이지만, 아마 틀림없이 : They are ~ the most important band since The Rolling Stones. 그들은 아마도 '롤링 스톤스' 밴드 이후의 가장 중요한 악단이라고 할 수 있다.

‡**ar·gue** [ɑ́:*r*gju:] *vi*. 《~ / +전+명》 논쟁하다 ; 논하다, 논의하다 《*about* ; *on, upon* ; *with* ; *over*》; (…에) 찬성〔반대〕론을 주장하다《*for* ; *in favor of* ; *against*》: ~ *about*〔*over*〕 a matter *with* a person 어떤 문제에 대하여 아무와 논하다 / He ~*d in favor of*〔*against*〕 capital punishment. 그는 사형 찬성〔반대〕론을 주장했다 / Henry is such a good lawyer because he ~*s* so clearly. 헨리는 아주 명쾌하게 자기 논리를 펴기 때문에 훌륭한 변호사이다 / The couple next door are alway *arguing*. 이웃집 부부는 언제나 다투고 있다. ── *vt*. ① …을 논하다, 의론하다 : It's difficult to ~ the matter without hurting her feelings. 그녀의 감정을 상하지 않고 그것을 논하기는 어렵다. ② 《+*that* 절》 …이라고 주장하다 : Columbus ~*d that* he could reach India by going west. 콜럼버스는 서쪽으로 항로를 취하면 인도에 도달한다고 주장했다. ③ 《+목+전+명 / +목+부》 …을 설복〔설득〕하여 (…을) 하게 하다〔그만두게 하다〕 : He tried to ~ *away* her misunderstanding. 여러 가지 말로 그녀의 오해를 없애려고 했다 / He ~*d* me *into* complying with his wishes. 그에게 설득당하여 소원을 이루어주기로 했다 / She ~*d* me *out of* my decision. 그녀는 나를 설득하여 결심을 바꾸게 했다. ④ 《~+목 / +목+ (*to be*) 보 / +*that* 절 / +목+전+명》 …을 입증하다, 보이다 : His manners ~ good upbringing. 그의 예의 범절은 뱀뱀이가 있음을 입증한다 / It ~*s* him (*to be*) a villain. 그것으로 그가 나쁜 사람임을 안다 / His behavior ~*s* selfish-

ness *in* him. 그의 행동으로 그가 이기적임이 분명하다 / His house ~*s that* he is poor. 그의 집을 보니 그가 가난함을 알겠다. ◇ argument *n.* **~ *in a circle*** 순환 논법을 쓰다 ; (개미 쳇바퀴 돌 듯) 논의가 공전되다. **~ *the toss*** ⇨ TOSS(成句). [파] **ár·gu·er** *n.* [C] 논자, 논쟁자.

ar·gu·fy [ɑ́:rgjəfài] *vi.* 《口·方·戲》 귀찮게 따지다〔논쟁하다〕.

‡**ar·gu·ment** [ɑ́:rgjəmənt] *n.* ① [U,C] **a)** (…에 관한) 논의, 논쟁《*about* ; *over*》: They spent hours in ~ *about*〔*over*〕 the future of America. 그들은 미국의 장래에 대한 논의로 여러 시간을 보냈다 / We had an ~ *about* the plan. 그 계획에 대하여 논의하였다. **b)** (…라는) 의론 ; 논쟁 ; 주장《*that*절》: The ~ *that* poverty is a blessing has often been put forward. 가난이 축복이라는 의론은 종종 주장되어 왔다. ② [C] (…와 …에 대한) 언쟁, 말다툼《*with* ; *about* ; *over*》: I had an ~ *with* my sister *about* who(m) to invite. 누구를 초대할 것인지에 대하여 누이동생과 언쟁하였다. ③ [C] (찬부의) 논증, 논거《*for* ; *in favor of* ; *against*》: This is a strong ~ *in favor of* the theory. 이것은 그 이론을 지지하는 유력한 논거이다 / There is a good ~ *for* that decision. 그 결정을 내린 데 대하여는 충분한 이유가 있다 / a strong ~ *against* war 전쟁 반대의 유력한 논거. ④ (주제의) 요지, (서책 따위의) 개략 ; (각본·소설 따위의) 줄거리. ⑤〖컴〗 인수(引數).

ar·gu·men·ta·tion [ɑ̀:rgjəmentéiʃən] *n.* [U,C] ① 입론(立論), 논법, 변론. ② 논쟁, 토의.

ar·gu·men·ta·tive [ɑ̀:rgjəméntətiv] *a.* 논쟁적인 ; 논쟁을〔시비를〕 좋아하는, 까다로운. [파] **~·ly** *ad.* 의론적으로. **~·ness** *n.*

Ar·gus [ɑ́:rgəs] *n.* ①〖그神〗 아르고스《100개의 눈을 가진 거인》. ② [C] 엄중한 감시인.

Ar·gus-eyed [-àid] *a.* 감시가 엄중한, 경계하는, 눈이 날카로운. 「언쟁.

ar·gy-bar·gy [ɑ̀:rgibɑ́:rgi] *n.* [U,C] 《口》 잡담,

Ar·gyle [ɑ́:rgail] *n.* [C] *a.* (때로 a-) 마름모 색무늬(가 있는) ; (흔히 *pl.*) 아가일 무늬의 양말.

aria [ɑ́:riə, ǽər-] *n.* [C]〖樂〗《It.》 영창(詠唱), 아리아 ; 가곡, 선율.

Ar·i·ad·ne [æ̀riǽdni] *n.* 〖그神〗 아리아드네 《Theseus에게 미궁 탈출의 실을 준 Minos 왕의 딸》.

Ar·i·an *a., n.* =ARYAN.

-arian *suf.* 〔名詞·形容詞語尾〕 ① '…파의 (사람), …주의의 (사람)': humanit*arian*, totalit*arian*. ② '…세〔대〕의 (사람)': octogen*arian*.

ar·id [ǽrid] *a.* ① 건조한, (토지가) 바싹 마른, 불모(不毛)의. ② 무미 건조한《문장 등》;〖生態〗 건지성(乾地性)의. [파] **~·ly** *ad.* 「조.

arid·i·ty [ərídəti] *n.* [U] ① 건조. ② 빈약 ; 무미 건조.

Ar·i·el [ɛ́əriəl] *n.* ① 아리엘《중세 전설의 공기(空氣)의 요정 ; Shakespeare 작 *The Tempest*에도 나옴》. ②〖天〗 천왕성의 제1 위성.

Ar·ies [ɛ́əri:z, -riì:z] *n.* ①〖天〗 양(羊)자리(the Ram). ②〖占星〗 **a)** 백양궁(白羊宮). **b)** [C] 백양궁 태생의 사람.

***aright** [əráit] *ad.* 바르게, 정확히 : if I remember ~ 내 기억이 틀림없다면.

‡**arise** [əráiz] (***arose*** [əróuz] ; ***aris·en*** [ərízən]) *vi.* ①《~ / +[전]+[명]》 일어나다, 나타나다 ; (문제·사건·곤란·기회 등이) 발생하다, 생기다《*from* ; *out of*》: A dreadful storm *arose.* 무서운 폭풍이 일었다 / Accidents ~ *from* carelessness. 사고는 부주의에서 일어난다. ② (태양·연기 따위가) 솟아 오르다 : Smoke *arose from* the chimney. 굴뚝에서 연기가 올라왔다. ③ 일어서다《*from*》: When I *arose from* the chair, they were in deep conversation. 내가 의자에서 일어났을 때 그들은 은밀한 대화를 하고 있었다.

***aris·en** [arízən] ARISE의 과거분사.

***ar·is·toc·ra·cy** [æ̀rəstɑ́krəsi / -tɔ́k-] *n.* ① [U,C] 귀족 정치(의 나라). ② [C] (the ~) 귀족 ; 귀족 사회 ; 상류〔특권〕 계급《★ 집합체로 생각할 때는 단수, 구성 요소로 생각할 때는 복수 취급》. ③〔集合的〕 (각 분야의) 일류의 사람들《*of*》: an ~ *of* wealth 손꼽히는 부호들《★ ②와 같음》.

***aris·to·crat** [ərístəkræ̀t, ǽrəs-] *n.* ① [C] 귀족 ; 귀족적인 사람 ; 귀족 정치론자. ② (어떤 것 중의) 최고의 것《*of*》.

***aris·to·crat·ic** [ərìstəkrǽtik, æ̀rəs-] *a.* 귀족 정치의 ; 귀족의 ; 귀족적인 ; 당당한 ; 배타적인. [파] **-i·cal·ly** [-tikəli] *ad.* 귀족적으로. **ar·is·toc·rat·ism** [ərístəkræ̀tizəm / -tɔ́k-] *n.* [U] 귀족주의 ; 귀족 기질.

Ar·is·to·te·lian, -lean [æ̀ristətí:liən, -ljən] *a.* 아리스토텔레스(학파)의. ── *n.* [C] 아리스토텔레스 학파의 사람.

Ar·is·tot·le [ǽristɑ̀tl / -tɔ̀tl] *n.* 아리스토텔레스《그리스의 철학자 ; 384-322 B.C.》.

arith. arithmetic ; arithmetical.

‡**arith·me·tic**[1] [əríθmətik] *n.* [U] ① 산수, 산술 : decimal ~ 십진법 / mental ~ 암산. ② 계산, 셈 ; 계산 능력. ③ [C] 산수책.

‡**ar·ith·met·ic**[2], **-i·cal** [æ̀riθmétik], [-əl] *a.* 산수(상)의. [파] **-i·cal·ly** *ad.* 「술가.

arith·me·ti·cian [əriθmətíʃən, æ̀riθ-] *n.* [C] 산

arithmétic / lógic ùnit 〖컴〗 산술 논리 장치 《略 : ALU》.

arithmétic méan 산술 평균.

arithmétic progréssion 등차 수열.

Ari·us [ɛ́əriəs, əráiəs] *n.* 아리우스《그리스도의 신성(神性)을 부인한 신학자 ; 256?-336》.

Ariz. Arizona.

***Ar·i·zo·na** [æ̀rəzóunə] *n.* 애리조나《미국 남서부의 주(州) ; 주도 Phoenix ; 略 : Ariz,〖郵〗 AZ ; 속칭 the Grand Canyon State》. [파] **-nan, -ni·an** [-nən], [-niən] *a., n.* [C] Arizona 주의 (사람).

ark** [ɑ:rk] *n.* [C] ①〖聖〗 (노아의) 방주(方舟) (Noah's ~). ② 피난처. ③《美》 평저선(平底船). ④〖聖〗 계약의 궤, 결약의 궤(the Ark of the Covenant 〔Testimony〕)《모세의 십계명을 새긴 두 개의 석판(石板)을 넣어 둔 상자》. **(*come*) *out of the ~《口》 아주 오래되다〔낡다〕: This cash register must have *come out of the* ~. 이 현금 등록기는 아주 오래된 것임에 틀림없다.

Ark. Arkansas.

Ar·kan·san [ɑ:rkǽnzən] *a., n.* Arkansas 주의 (사람).

***Ar·kan·sas** [ɑ́:rkənsɔ̀:] *n.* ① 아칸소《미국 중남부의 주 ; 주도 Little Rock ; 略 : Ark,〖郵〗 AR ; 속칭 The Land of Opportunity》. ② [ɑ:rkǽnzəs] (the ~) (Colorado 주에서 남류하는) Mississippi 강의 지류.

arles [ɑ:rlz] *n. pl.* 《Sc.》 계약금, 착수금.

Ar·ling·ton [ɑ́:rliŋtən] *n.* 알링턴《미국 Virginia 주 북동부에 있는 군·시의 이름》. **~ *National Cemetery*** 알링턴 국립 묘지.

†**arm**[1] [ɑ:rm] *n.* [C] ① 팔, 상지(上肢) ; (포유 동물의) 앞발, 전지(前肢) : the upper ~ 상박(上膊) / one's better ~ 오른팔, 주로 잘 쓰는 팔. ② **a)** 팔 모양의 물건〔부분〕: **b)** 까치발. **c)** 안경의 귀걸이 테. **d)** (옷의) 소매. **e)** (의자의) 팔걸이. **f)** (나무의) 큰 가지. **g)** 후미, 내포(~ of the sea) ; 지류(支流) ; (산의) 지맥(支脈) : an ~ of a river 분류(分流). ③ [U] (정부·법률 따위의) 힘, 권력 : the secular ~〖史〗 속권(俗權). ④ (조

직·기구의) 부문. **~-in-~** 서로 팔을 끼고《*with*》: We walked *~-in-~* along the river bank. 우리는 서로 팔을 끼고 강둑을 걸었다. **as long as** one**'s ~** 《口》 (리스트·서류가) 몹시 긴. **at ~'s length** ⇨ LENGTH. **cost** (a person) **an ~ and a leg** 《口》 (물건·일이) 큰 돈이 들다: The repairs *cost an ~ and a leg.* 수리하는 데 많은 비용이 들었다 / Our night on the town *cost us an ~ and a leg.* 그 도시에서 하룻밤 지냈는데 큰 돈을 날렸다. **have** 〔**carry, hold**〕 (a child) **in** one**'s ~s** (아이를) 안다. **keep** a person **at ~'s** length 아무를 가까이 못 오게 하다, 멀리하다. **make a long ~** (물건을 집으려고) 팔을 쑥 내밀다〔뻗다〕. **on the ~** 《美俗》 신용 대부로, 외상으로(on credit); 공짜로. **put the ~ on** 《美俗》 (1) …에게 (금품을) 조르다, 강요하다《*for*》, 꾸다. (2) (…을 잡으려고) 우격다짐으로 억누르다; (…에게) 폭력을 행사하다. one**'s right ~** 오른팔; 유력한 부하. **twist** a person**'s ~** (1) 아무의 팔을 비틀다. (2) 아무에게 압력을 가하다, 강요하다. **with folded ~s** 팔짱을 끼고〔낀 채〕; 방관하고. **within ~'s reach** 손이 닿는 범위 내에. **with open ~s** 두 팔〔손〕을 벌려; 충심으로 환영하여.

‡arm² *n.* ①Ⓒ (보통 *pl.*) 무기, 병기. ②(*pl.*) 군사(軍事), 전쟁, 전투; 무력(the force of ~s): *~s* control 군비 제한 / *~s* reduction 군비 축소. ③Ⓒ 병종(兵種), 병과: the infantry ~ 보병과 / the air ~ of the army 육군의 항공병과. ④(*pl.*) (방패·기(旗) 따위의) 문장(coat of ~s), 표지. **a deed of ~s** 무훈(武勳). **appeal** 〔**go**〕 **to ~s** 무력에 호소하다. **~s, and the man** 무기와〔전쟁과〕 인간《Vergil의 말》; 무용담. **bear ~s** 무기를 휴대하다, 무장하다; 병역에 복무하다《*for* one's country》; 싸우다《*against*》. **be** 〔**rise**〕 **up in ~s against** 〔**about**〕 …에 대해 무기를 들고 일어서다; 반기를 들다; 분격하다: The whole town *is up in ~s about* the plan to build an airport nearby. 전시민이 근처에 비행장을 건설하려는 계획에 반대하고 일어섰다. **by** (**force of**) **~s** 무력에 호소하여. **carry ~s** 무기를 휴대하다; 병역에 복무하다. **change ~s** 총을 바꿔 메다. **give up** one**'s ~s** 항복하여 무기를 내주다. **in ~s** 무장하여. **lay down** one**'s ~s** 무기를 버리다; 항복하다. **Order ~s!** 세워 총. **Pile ~s!** 걸어 총. **Port ~s!** 앞에 총. **Present ~s!** 받들어 총. **Shoulder** 〔**Carry, Slope**〕 **~s!** 어깨 총. **small ~s** 소(小)화기. **take** (**up**) **~s** 무기를 들다; 무장궐기하다; 개전(開戰)하다《*against*》; 군인이 되다: He called on his supporters to *take up ~s against* the state. 그는 국가와 싸우기 위해 자기 지지자들을 찾아다녔다. **the suspension of ~s** 휴전. **To ~s!** 전투 준비. **under ~s** 무장을 갖추고, 전쟁〔전투〕준비를 마치고: get *under ~s* 무장하다.

── *vt.*《~+목 / +목+전+명》 ①…을 무장시키다, …에게 무기를 주다; (배)를 장갑하다: ~ a person *with* a weapon 아무를 무장시키다 / *Arming* the police doesn't deter crime. 경찰을 무장시키는 것으로 범죄를 억제하지는 못한다. ②《+목+전+명》(특별한 목적·용도 따위)에 대비하다; …을 갖추다; (병기 따위)에 장비하다《*with*》: He came to the meeting *~ed with* the pertinent facts. 그는 관련된 사실들을 준비하고 회의에 참석했다 / ~ a missile *with* a nuclear warhead 미사일에 핵탄두를 장착하다 / She *~ed herself for* the interview by finding out all information about company. 그녀는 회사에 관한 모든 정보를 찾아냄으로써 회견에 대비했다.

── *vi.* 무장하다; 싸울 준비를 하다: ~ against the invation 적의 침입에 대비하여 무장을 하다. **~ed to the teeth** 빈틈없이 무장하고. **~ oneself** 무장하다; 빈틈없는 태세를 취하다《*against*》.

ar·ma·da [ɑːrmɑ́ːdə, -méi-] *n.* Ⓒ 《Sp.》 ① 함대; 군용 비행대. ②(버스·트럭·어선 등의) 대집단. **the Armada** ＝**the Invincible** 〔**Spanish**〕 **Armada** 무적 함대《1588년 영국 침략을 꾀했다가 격멸된 스페인 함대》.

ar·ma·dil·lo [ɑ̀ːrmədílou] (*pl.* **~s**) *n.* Ⓒ 〖動〗 아르마딜로《빈치목(貧齒目) 동물; 라틴 아메리카산》.

Ar·ma·ged·don [ɑ̀ːrməgédən] *n.* ①〖聖〗 아마겟돈《세계 종말의 날의 선과 악의 결전장; 요한계시록 XVI: 16》. ②〔一般的〕 최후의 대결전, 국제적인 대결전(장).

***ar·ma·ment** [ɑ́ːrməmənt] *n.* ①Ⓤ 군비, 무장: atomic ~ 핵무장 / the ~ of a country with nuclear weapons 핵무기에 의한 나라의 무장. ②Ⓒ **a)** (종종 *pl.*) (한 나라의) 군사력, 군비: the limitation 〔reduction〕 of *~s* 군비 제한〔축소〕 / the *~s* race 군비 경쟁 / the *~s* industry 군수산업. **b)** (전함·군용기 등의) 총포: a warship with an ~ of 16guns 대포 16문을 장비한 군함.

ármaments expénditures 군사비.

ar·ma·ture [ɑ́ːrmətʃər, -tʃùər] *n.* Ⓒ ①〖動·植〗 보호 기관《가시·껍질 등》. ②**a)**〖彫刻〗 (제작 중인 점토·석고 등을 지지하는) 틀, 뼈대. **b)**〖建〗 보강재(材). ③**a)**〖電〗 전기자(電機子)《발전기·전동기 등의 회전자(回轉子)》. **b)** (자석의) 접극자(接極子), 접편(接片).

arm·band [ɑ́ːrmbæ̀nd] *n.* Ⓒ 완장.

‡arm·chair [ɑ́ːrmtʃɛ̀ər / ⌐⌐] *n.* Ⓒ 안락 의자.

── *a.* 〔限定的〕 이론뿐인, 평론가적인, 실천이 따르지 않는; 남의 경험에 의한: an ~ critic (경험이 없는) 관념적인 비평가 / an ~ pilot 파일럿 경험도 없이 조종을 아는 체하는 사람 / an ~ detective 〔《口》 sleuth〕 안락 의자에 앉은 채 추리로 사건을 해결하는 탐정.

***armed** [ɑːrmd] *a.* ①무장한: an ~ ship 무장선 / ~ neutrality 무장 중립 / ~ peace 무장 하(下)의 평화 / ~ robbery 무장 강도《행위》 / The rebels are well organized, disciplined and very well ~. 반도들은 잘 조직되고 훈련되었으며 또한 무장도 잘 되었다. ②〖生〗 (가시·엄니 따위의) 보호 기관을 갖춘.

ármed fórces (육·해·공의) 군, 군대; 전군.

Ar·me·nia [ɑːrmíːniə, -njə] *n.* 아르메니아《독립 국가 연합 구성 공화국의 하나》. ㊕ **-ni·an** *a., n.* 아르메니아 (사람)의; 아르메니아 사람; Ⓤ 아르메니아 말.

***arm·ful** [ɑ́ːrmfùl] *n.* Ⓒ 한 아름(의 분량)《*of*》: an ~ *of* wood 한 아름의 장작.

arm·hole [ɑ́ːrmhòul] *n.* Ⓒ ①(옷의) 진동 둘레; 진동. ②＝ARMPIT.

***ar·mi·stice** [ɑ́ːrməstis] *n.* Ⓒ 휴전; (일시적인) 정전(停戰)(truce): a separate ~ 단독 휴전 / make an ~ 휴전하다.

Ármistice Dày (1918년, 제1차 세계 대전의) 휴전 기념일《11월 11일》《★ 제2차 세계 대전을 포함해서 미국에서는 1954년 VETERANS' DAY로, 영국에서는 1946년 REMEMBRANCE SUNDAY로 개칭했음》.

arm·less [ɑ́ːrmlis] *a.* ①팔이 없는; (의자의) 팔걸이가 없는. ②무방비의, 무기 없는.

arm·let [ɑ́ːrmlit] *n.* Ⓒ ①팔찌, 팔장식, 완장. ②좁은 후미, 강의 지류, 작은 만.

‡ar·mor [ɑ́:rmər] n. Ⓤ ① 〔集合的〕 갑옷과 투구, 갑주 : a suit of ~ 갑옷 한 벌 / in ~ 갑주를 입고 / Put on the ~ of God. 〖聖〗 하느님의 전신 갑주를 입어라《Ephes. Ⅵ : 11》. ② 《比》 방비, 몸차림을 단단히 하기. ③ (군함·전차 등의) 장갑(강판) : a formidable warhead that can penetrate the ~ of most tanks 대개의 전차를 꿰뚫을 수 있는 위협적인 탄두. ④ **a**) (동식물의) 방호 기관《물고기의 비늘·가시 등》. **b**) 방호복〔구〕; 잠수복. ⑤〖軍〗 기갑 부대. ── vt. …에 갑주를 입히다; 장갑하다; (유리 공예에서) (유리)를 강화하다.

ar·mor-clad [ɑ́:rmərklæ̀d] a. 〔限定的〕 갑옷을 입은, 무장한; 장갑한 : an ~ ship 장갑함.

ar·mored [ɑ́:rmərd] a. ① 갑옷을 입은, 장갑(裝甲)한; (콘크리트에) 철근을 넣은 : an ~ battery〔train, vehicle〕 장갑 포대〔열차, 차량〕/ a ~ cable 외장 케이블. ② 장갑차를 가진 : an ~ division 기갑 사단.

ármored cár 《美》 장갑 자동차《현금 수송 등의》; 장갑차.

ármored cóncrete 철근(鐵筋) 콘크리트《★ ferroconcrete 가 더 일반적임》.

ar·mor·er [ɑ́:rmərər] n. Ⓒ ① 무구(武具) 장색; 병기공(兵器工); (군대의) 병기계(係). ② 《美》 병기 공장, 병기고.

ar·mo·ri·al [ɑ:rmɔ́:riəl] a. 문장(紋章)의 : ~ bearings 문장.

ármor plàte (군함·전차 따위의) 장갑판.

ar·mor-plat·ed [ɑ́:rmərplèitid] a. 장갑의〔으로 무장한〕.

***ar·mory** [ɑ́:rməri] n. Ⓒ ① 병기고. ② 병기 제작소, 조병창. ③ 《美》 주군(州軍)·예비병 따위의 부대 본부〔훈련소〕.

ar·mour 《英》 = ARMOR.

arm·pit [ɑ́:rmpìt] n. Ⓒ 겨드랑이; 《美俗》 싫은〔더러운〕 장소.

arm·rest [ɑ́:rmrèst] n. Ⓒ (의자의) 팔걸이.

árms contròl 군비 관리, 군비 제한, 군축.

árms ràce 군비 확대 경쟁 : a nuclear ~ 핵무기의 군비 확대 경쟁.

árm wrèstling 팔씨름(Indian wrestling).

†ar·my [ɑ́:rmi] n. ① Ⓒ 군대; (해·공군에 대해) 육군; 군(軍) : the national ~ 국민군 / a standing〔reserve〕 ~ 상비군〔예비군〕/ ~ life 군대 생활 / an ~ officer 육군 장교 / an ~ commander 군사령관. ② Ⓒ (종종 A-) 단체, 조직체 : the Salvation *Army* 구세군 / the Blue Ribbon *Army* 《英》 청색 리본단《금주 단체 이름》. ③ (an ~ of) 대군(大群), 떼 : *an ~ of* ants 개미의 큰 떼 / *an ~ of* workmen 한 떼의 노동자. ***be in the*** ~ 육군〔군대〕에 있다, 군인이다. ***join*** 〔***go into, enter***〕 ***the*** ~ 육군에 입대하다. ***leave the*** ~ 제대〔퇴역〕하다. ***raise the*** ~ 군사를 일으키다, 모병하다. ***serve in the*** ~ 병역에 복무하다.

ármy ànt 〖蟲〗 Ⓒ 병정(兵丁)개미《떼를 지어 이동함》.

ármy còrps 〔集合的〕 군단.

ármy règister 《美》 육군 현역 장교 명부(=《英》 **ármy lìst**).

ar·my·worm [ɑ́:rmiwə̀:rm] n. Ⓒ 〖蟲〗 거염벌레《떼를 지어 작물을 해침》.

Ar·nold [ɑ́:rnəld] n. 아널드 ① 남자 이름. ② **Benedict** ~ 독립 전쟁 때 영군에 내통한 미국 장군(1741-1801)《'반역자'의 대명사로 쓰임》. ③ **Matthew** ~ 영국의 시인·비평가(1822-88).

aro·ma [əróumə] n. Ⓒ ① 방향(芳香), 향기 : the wonderful ~ of freshly baked bread 갓 구운 빵의 기막힌 향기. ② (예술품의) 기품, 풍취.

aro·ma·ther·a·py [əròuməθérəpi] n. Ⓤ 방향 요법《방향 물질을 이용한 건강법이나 미용법》.

ar·o·mat·ic [æ̀rəmǽtik] a. 향기 높은, 향기로운; 〖化〗 방향족(芳香族)의. ── n. Ⓒ 향료; 향기 높은 식물; 〖化〗 방향족 화합물(=∠ **cómpound**).

‡arose [əróuz] ARISE의 과거.

†around [əráund] ad. ① 주위에〔를〕, 주변 〔근처·일대〕에, 사방에〔으로〕; 빙《둘러싸다 따위》: look ~ 주변을 둘러보다 / the scenery ~ 주변의 경치 / a tree 4 feet ~ 둘레가 4 피트인 나무 / There wasn't another house for a mile ~. 주위 1마일 이내에는 다른 집이라곤 없었다. ② 《美口》 **a**) (홱) 돌아서 : She turned ~. 홱 돌아섰다 / I turned ~ and wrote the title on the blackboard. 나는 돌아서서 흑판에 제목을 썼다. **b**) (빙그르르) 돌아, 빙글빙글 : The boat started to spin ~ in the water. 배는 물속에서 빙빙 돌기 시작했다. ③ **a**) 여기저기에〔로〕, 이곳 저곳에〔으로〕: travel ~ from place to place 삼지사방 두루 여행하다 / Waste paper was lying ~ everywhere. 휴지들이 도처에 널려 있었다. **b**) 근처에, 부근〔주변〕에(서) : Wait ~ awhile. 그 근처에서 잠시 기다려라 / stay ~ 멀리 가지 않고 있다. ★ 영국에서는 around를 '위치'에 쓰고, '운동'에는 round를 씀; 미국에서는 around를 '운동'에도 쓰므로 around는 round와 같은 용법 : all the year round 〔《美》 around〕, 1년 내내. ④ **a**) 〔흔히 名詞 뒤에〕 존재하여, 활동하여, 현역으로 : She is one of the best singers ~. 그녀는 현존하는 최고 가수 중의 한 사람이다 / He hasn't been ~ lately. 그는 최근에는 활약하고 있지 않다. **b**) (물건이) 나돌아; (병이) 퍼져 : There aren't many two-dollar bills ~. 2달러짜리 지폐는 많이 나돌지 않는다 / There's a lot of flu ~ at the moment. 현재 많은 사람이 인플루엔자에 걸려 있다. ⑤ 에돌아서, 우회하여 : drive ~ by the lake 호수가를 에돌아 드라이브하다. ⑥ 〔數詞를 수반하여〕 약 : He owns ~ 200 acres. 그는 약 200에이커를 소유하고 있다. ***all*** ~ 사방에, 도처에; 일동에게 《악수하다 따위》. ***be*** ~ ***and about*** 《美》 …에 전념하다. ***crowd*** ~ (어중이떠중이들이) 주변에 몰려들다, 운집하다. ***get*** ~ ⇨ GET. ***have been*** ~ 《口》 여러 가지 경험을 쌓고 있다, 세상 일을 환히 알고 있다 : I*'ve been* ~ a bit. ― I've learned a thing or two. 나는 세상 경험을 좀 했지 ― 난 뭘 좀 알거든.

── *prep.* ① …의 주변〔주위·둘레〕에, …을 둘러〔에워〕싸고 : ~ the garden 〔house〕 뜰〔집〕 주위에 / with one's friends ~ one 친구들에게 둘러싸이어 / They sat ~ the table playing cards. 그들은 탁자를 둘러싸고 앉아 카드놀이를 하고 있었다. ② **a**) …의 주위를 돌아, 일주하여 : They sailed ~ the world. 그들은 배로 세계 일주를 하였다. **b**) (모퉁이를) 돌아서, 돌아선 곳에 : There is a store ~ the corner. 모퉁이를 돌아선 곳에 가게가 있다. ③ 《口》 **a**) …의 여기저기〔이곳 저곳〕에 : show a person ~ the town 아무를 안내하며 시내를 돌아다니다 / There are many cafes ~ the city. 시내 여기저기에 카페가 있다. **b**) …주변에〔을〕, …의 근처를 : ~ here 이 근처〔부근〕에 / stay ~ the house 집 근처를 떠나지 않다. ④ …에 종사하여 : He's been ~ the school for thirty years. 학교에 30년이나 근무하고 있다. ⑤ 《美口》 약…, …쯤〔정도〕 《*about*》: ~ the end of 1996, 1996년 말경《★ 이 뜻으로는 전치사로 보는 견해와, 수사(數詞) 앞의 around는 부사로 보는 견해가 있음; ⇨*ad.* ⑥》. ⑥ …에 의거하여, …을 중심으로 하여 : The novel is built ~ a little-known historical event. 그 소설은 얼마 알려져 있지 않은 역사상의 사건을 기초로 하고 있다.

around-the-clock [əráundðəklɑ̀k / -klɔ̀k] a.

만 하루〔24시간〕 계속해서의, 주야 겸행의, 무휴의 : an ~ guard on the prisoner 포로에 대한 24시간 감시 / (in) ~ operation 무휴(無休) 조업(중).

arous·al [əráuzəl] *n.* Ⓤ 각성 ; 환기 ; 격려.

‡arouse [əráuz] *vt.* ① 《+목+전+명》 (자는 사람)을 깨우다 : ~ a person *from* sleep 아무를 깨우다. ② 《~+목 / +목+전+명》 (아무)를 자극하다, 분기시키다, 자극하여 (…)하게 하다 : ~ anger 성나게 하다 / His speech ~*d* the people *to* revolt. 그의 연설은 사람들을 폭동으로 몰아세웠다. ③ (흥미·논쟁 등)을 환기시키다, 야기하다 : Her strange behavior ~*d* our suspicions. 그녀의 이상한 거동이 우리의 의혹을 불러 일으켰다 / The new law has ~*d* much public concern. 새 법률은 대중의 많은 관심을 불러 일으켰다.
— *vi.* 눈을 뜨다 ; 각성하다.

ar·peg·gio [ɑːrpédʒiòu, -dʒòu] (*pl.* ~*s*) *n.* Ⓒ 《It.》〖樂〗 아르페지오《화음을 이루는 음을 연속해서 급속히 연주하는 법》 ; 그 화음, 펼침 화음.

arr. arranged (by) ; arrival ; arrive(d) ; arrives.

ar·rack [ǽrək] *n.* Ⓤ 아라크 술《야자 열매·당밀 따위의 즙으로 만드는, 중근동 지방의 독한 술》.

ar·raign [əréin] *vt.* ①〖法〗 (피고)를 법정에 소환하여 죄상의 진위를 묻다《*for* ; *on*》 : He was ~*ed on* charges of aiding and abetting terrorists. 그는 테러리스트들에 대한 지원·교사죄를 심문받았다《★ 종종 受動으로 받음》. ② 《文語》 …을 책망〔비난〕하다, 규탄하다《*for*》. ⓜ **~·ment** Ⓤ.Ⓒ ①〖法〗 죄상 진위 심문 절차. ② 비난, 심문, 힐문.

Ar·ran [ǽrən] *n.* 애런 섬《스코틀랜드 남서부의 섬》.

‡ar·range [əréindʒ] *vt.* ① **a)** (물건)을 배열하다, 정돈하다 : ~ books on a shelf 책장의 책을 정리하다 / His books are neatly ~*d* in alphabetical order. 그의 책은 알파벳 순으로 깔끔히 배열되어 있다. **b)** (일 등)을 순서짓다, 정리하다 : ~ one's affairs 신변(의 잡일)을 정리하다. ② …을 가지런히 하다 ; (머리)를 매만지다 : ~ flowers 꽃꽂이하다 / ~ one's hair 머리를 빗다. ③ 《~+목 / +목+전+명 / +*that* 절》 …을 정하다 ; (…하는 것)을 미리 준비하다, 마련하다, 계획하다, 조처하다 : ~ the date of the marriage 결혼 날짜를 정하다 / The next meeting has been ~*d for* Monday evening. 다음 회합은 월요일 저녁으로 정해졌다 / The tourist bureau has ~*d* everything *for* our trip to China. 그 여행사가 중국여행 준비를 일체 해주었다 / It was ~*d for* John to accompany her. =It was ~*d that* John should accompany her. 존이 그녀를 동반하도록 마련되었다. ④ …을 조정(調停)하다, 조정(調整)하다 : ~ the dispute 〔differences〕 between them 그들 사이의 다툼을 〔차이를〕 조정하다. ⑤ 《+목+전+명》 …을 개작(改作)하다, (방송용 따위)로 각색하다 ;〖樂〗 편곡하다 : ~ a novel *for* the stage 소설을 (상연용으로) 각색하다 / This piece for the violin is also ~*d for* the piano. 이 바이올린 곡은 피아노용으로도 편곡되어 있다.
— *vi.* 《+전+명 / +*to* do / +전+명+*to* do》 결정하다, 타합하다, …하도록 짜놓다, 마련하다, 준비하다 : I will ~ somehow. 어떻게 해보겠다 / ~ *with* the grocer *for* regular deliveries 식료품점과 정기적인 배달에 대해 타합하다 / Let's ~ *to* meet here again tomorrow. 내일 또 여기서 만나기로 정하자 / We have ~*d for* the bus *to* pick us up here. 버스가 여기서 우리들을 태워가기로 되어 있다 / ~ *for* a journey 여행 준비를 하다. ***(an) ~d marriage*** 중매 결혼. ***as previously ~d*** 미리 계획한 대로. ***at the hour ~d*** 예정된 시각에.
ⓜ **ar·ráng·er** *n.* Ⓒ ~하는 사람 ; 편곡자.

‡ar·range·ment [əréindʒmənt] *n.* Ⓤ.Ⓒ ① 배열, 배치 : I like the ~ *of* furniture in your apartment. 자네 아파트의 가구배치가 마음에 든다. ② 정리, 정돈, (색의) 배합, 꾸밈 : flower ~ 꽃꽂이. ③ (흔히 *pl.*) 채비, 준비, 계획《*for* ; *to* do》 : an ~ committee 준비 위원회 / Twenty minutes later, all ~*s* were complete. 20분 후에 모든 채비는 완료되었다 / Let's make ~*s for* our trip. 여행 계획을 세우자 / I made ~*s for* you *to* stay there for a week. 네가 그곳에 1주일 머물 수 있도록 주선해 놓았다. ④ 조정(調停), 조절 ; 협정, 합의 : They've finally come to some ~ *about* the price. 그들은 가격에 대한 어느 정도의 합의를 겨우 마무리지었다 / Have you made any ~ *with* your bank about it? 그것에 대해 은행과 어떤 협정이라도 했느냐 / They made an ~ *to* meet at 2 P.M. 그들은 오후 2시에 만날 약속을 하였다. ⑤ (방송용의) 각색, 개작 ; Ⓤ 편곡 ; Ⓒ 편곡한 곡 《*for*》 : an ~ *for* the piano 피아노용으로 편곡한 곡.

ar·rant [ǽrənt] *a.* 〔限定的〕 악명 높은 ; 딱지붙은, 터무니없는, 철저한 : an ~ thief 소문난 도둑 / an ~ fool 형편 없는 바보.

ar·ras [ǽrəs] *n.* ① Ⓤ 애러스 직물《아름다운 그림 무늬를 짜 넣은 직물》. ② Ⓒ 애러스 직물의 벽걸이 천 ; 커튼.

***ar·ray** [əréi] *vt.* 《~+목 / +목+전+명》 ① 〔再歸的 또는 受動的〕 …을 치장하다, 성장(盛裝)시키다, 차려입히다 : Even Solomon in all his glory *was* not ~*ed* like one of these (flowers). 솔로몬의 영광으로도 입은 것이 이 꽃 하나만 같지 못하였느니라《마태 Ⅵ : 29》 / They all ~*ed themselves* 〔*were* all ~*ed*〕 *in* ceremonial robes. 그들은 모두 예복으로 차려입었다〔차려입고 있었다〕. ② …을 배열하다, (군대 등)을 정렬시키다 ; (증거 등)을 열거하다 : His soldiers *were* ~*ed* along the river bank. 그의 군사들은 강둑을 따라 배치되었다.
— *n.* ① Ⓤ 정렬, 배진(配陣), 군세(의 정비) : in battle ~ 전투 대형으로. ② Ⓒ 배열된 것 ; 세트 : an ~ of flags 쭉 줄지은 기(旗)의 행렬. ③ Ⓤ 《詩·文語》 의장(衣裝), 치장 : bridal ~ 신부 차림. ④〖컴〗 배열《어떤 원칙에 따라 정보를 처리한 기억 장치》. ***in fine ~*** 곱게 단장하고. ***in proud ~*** 당당히. ***set . . . in ~*** …을 배열하다.

ar·rear [əríər] *n.* (흔히 *pl.*) (일·지급 등의) 늦음, 더딤, 지체 ; 밀림《*of*》 ; 지급 잔금, 연체금 : ~*s of* wages 임금의 체불 / We must find some way of paying off our rent ~*s*. 밀린 집세를 물 방도를 찾아내어야 한다. ***fall into ~s*** 지체하다 : His studies *fell into* ~*s*. 그의 연구는 지체되었다. ***in ~(s) with*** (payment 〔work〕) (지불 〔일〕)이 지체되어 : The tenant is *in* ~ *with* his rent again. 그 세든 사람은 또 집세가 밀려 있다. ***work off ~s*** 일하여 지체된 것을 만회하다.

ar·rear·age [əríəridʒ] *n.* Ⓤ.Ⓒ ① 연체, 지체. ② (흔히 *pl.*) 연체금, 미지급금.

‡ar·rest [ərést] *vt.* ① 《~+목 / +목+전+명》〖法〗 …을 체포〔구속〕하다 《*for* ; *as*》 : ~ a person *for* murder 아무를 살인 혐의로 체포하다 / The police said seven people were ~*ed for* minor offenses. 경찰은 7명이 경범죄로 구속되었다고 발표하였다. ② …을 막다, 저지하다 : ~ progress 진보를 막다 / ~ the deterioration of the (natural) environment 자연환경의 악화를 저

지하다. ③〖醫〗 (병)의 진행을 억제하다: The treatment has so far done little to ~ the spread of the cancer. 의료는 지금까지 암 확산 억제에 별로 기여하지 못하였다. ④ (사람 눈·주의 등을) 끌다: ~ her attention 〔eyes〕 그녀의 주의를 끌다 〔눈에 띄다〕. ── *n.* U,C ①〖法〗 체포; 구류; 억류: Several ~*s* had already been made. 이미 여러 명 체포되었다. ② 정지, 저지: a cardiac ~ 심장(박동) 정지 / ~ of development 발육 정지. ***make an ~ of*** …을 체포하다. ***under ~*** 구금중인: They are *under* ~ for attempted burglary. 그들은 절도 미수로 구금되어 있다 / Be *under* house ~. 자택연금중이다 / He was stopped outside the shop and placed 〔put〕 *under* ~. 그는 가게 앞에서 정지당하고 구금당하였다.

㊕ **~·a·ble** *a.* 〖法〗 (영장 없이) 체포할 수 있는.

ar·rést·er, -rés·tor [-ər] *n.* C ① 체포하는 사람. ②〖電〗 피뢰기(lightning arrester); (전기 회로의) 불꽃 방지 장치(spark arrester).

arréster gèar 〔wìre〕 《英》 =ARRESTING GEAR.

arréster hòok 〖空〗 속도 제어 장치《항공모함의 비행기 착함(着艦) 정지용 훅》.

ar·rest·ing [əréstiŋ] *a.* 사람 눈을 끄는; 흥미있는: an ~ sight 인상적인 광경.

arrésting gèar 《美》 (항공모함 갑판에 있는) 착함(着艦) 제동 장치.

ar·rhyth·mia [əríðmiə, ei-] *n.* U 〖醫〗 부정맥(不整脈).

‡**ar·riv·al** [əráivəl] *n.* ① U 도착; 도달: his ~ *in* Seoul 그의 서울 도착 / ~ *at* a conclusion 결론에의 도달 / I've been looking forward to your ~. 당신의 도착을 학수고대하고 있었습니다. ② U 출현, 등장: the ~ of a new bomb 신형 폭탄의 등장. ③ C 도착자〔물〕, (새)입하(入荷): new ~*s* 새로 도착한 사람〔물건, 책〕. ④ C 《口》 출생, 신생아: The new ~ was a son 〔girl〕. 이번에 난 아이는 사내〔계집애〕였다. ⑤〔形容詞的 용법〕 도착의; 도착자〔품〕의: an ~ list 도착 승객 명부 / an ~ station 도착역, 종점. ◇ arrive *v.* ***on ~*** 도착하는 대로 곧: *on* my ~ at the airport 내가 공항에 닿으면〔닿는 대로〕.

†**ar·rive** [əráiv] *vi.* ① 《~ / +전+명》 도착하다, 닿다: They have just ~*d*. 이제 막 도착했다 / ~ back from a trip 여행에서 돌아오다 / ~ *at* the station 〔*in* Seoul〕 정거장〔서울〕에 도착하다《★ 어떤 지점일 때는 at, 어느 지역일 때는 in을 쓰는 것이 보통임》. ② 《+전+명》 (어떤 연령·결론·확신 따위에) 도달하다《*at*》: ~ *at* manhood 〔a conclusion〕 성년〔결론〕에 달하다 / We all argued about it for hours and eventually ~*d at* a decision. 우리는 모두 그것에 대하여 여러 시간 토의하고서 드디어 결정을 내렸다. ③ (시기가) 도래하다, 오다: The opportunity 〔The time for action, The time to act〕 has ~*d*. 기회〔행동할 때〕는 왔다. ④ 《口》 (신생아가) 태어나다: It's very unlikely that your baby will ~ before you get to hospital. 당신이 병원에 도착하기 전에 애를 출산할 가능성은 거의 없습니다. ⑤ 《~ / ~+*as* 보》 《口》 성공하다, (…로서) 명성을 얻다: He ~*d as* a writer. ◇ arrival *n.*

***ar·ro·gance** [ǽrəgəns] *n.* U 오만, 거만, 건방짐.

ar·ro·gant** [ǽrəgənt] (more ~; most ~***) *a.* 거드럭거리는, 거만〔오만〕한, 건방진(haughty): assume an ~ attitude 오만한 태도를 취하다.

㊕ **~·ly** *ad.*

ar·ro·gate [ǽrəgèit] *vt.* ① 《~+목 / +목+전+명》 (칭호·미덕 등)을 사칭하다; (권리 등)을 불법으로 전유하다《*to*》《★ to의 목적어로 oneself를 씀》: He ~*d* the privilege *to himself* alone. 그는 특권을 혼자 남용하였다 / He ~*d* the chairmanship *to himself*. 그는 부당하게 의장이라고 사칭하였다. ② 정당한 이유 없이 (아무에게) …을 돌리다, 억지로 …의 탓으로 하다《*to*》.

ar·ro·ga·tion [æ̀rəgéiʃən] *n.* U,C 사칭; 가로챔; 참람(僭濫), 월권(越權) (행위), 횡포.

‡**ar·row** [ǽrou] *n.* C ① 화살: Robin Hood asked to be buried where his ~ landed. 로빈 후드는 그의 화살이 가 닿는 곳에 묻히기를 원하였다. ② 화살 모양의 것, 화살표(→). cf. broad arrow. ¶ I followed the ~*s* to the car park. 나는 주차장으로 가는 화살표를 따라갔다.

ar·row·head [ǽrouhèd] *n.* C ① 화살촉. ②〖植〗 쇠귀나물속(屬).

árrow kèy (컴퓨터의) 화살표 키.

ar·row·root [ǽrourù:t] *n.* ① C 〖植〗 칡의 일종 《열대 아메리카산; 뿌리를 독화살 상처 치료에 썼음》. ② U (그 뿌리에서 얻는) 칡가루, 갈분.

ar·rowy [ǽroui] *a.* 화살 같은; 곧은.

ar·royo [ərɔ́iou] (*pl.* **~s**) *n.* C 《美南西部》 물이 마른 수로, 협곡(峽谷); 시내.

arse [ɑ:rs] *n.* C ① 《卑》 =ASS². ② 얼간이, 바보. ***~ over tit*** 《英卑》 거꾸로.

── *vi.* 무위도식하다, 빈둥거리며 시간을 보내다.

arse·hole [ɑ́:rshòul] *n.* 《英》 항문(《美》 asshole).

arse-lick·ing [-lìkiŋ] *n.* U 《英卑》 아첨, 간살.

ar·se·nal [ɑ́:rsənəl] *n.* C ① 병기고. ② 조병창, 병기〔군수〕 공장. ③ 군수품의 비축〔수집〕.

ar·se·nic¹ [ɑ́:rsənik] *n.* U 〖化〗 비소(砒素)《양쪽성 원소의 하나; 기호 As; 번호 33》.

ar·sen·ic², -i·cal [ɑ:rsénik], [-əl] *a.* 비소의, 함비(含砒)의: *arsenic* acid 비산(砒酸). ── *n.* U 비소제《살충제》.

Ars lon·ga, vi·ta bre·vis [ɑ́:rz-lɔ́ŋgə-váitə-brí:vis] 《L.》 예술은 길고 인생은 짧다(Art is long, life is short.).

ar·son [ɑ́:rsn] *n.* U 〖法〗 방화(죄).

㊕ **~·ist** *n.* C 방화 범인; 방화광(放火狂).

†**art¹** [ɑ:rt] *n.* ① U 예술, 미술《★ 회화나 조각 등 낱낱에 주목할 때는 복수형이 되기도 하나, 종교나 과학에 대응할 때는 단수로 무관사》: a work of ~ 미술품, 예술품 / modern ~ 현대 예술 / ~*s* and crafts 미술 공예. ② C (특수한) 기술, 기예, 술(術): the healing ~ 의술 / the industrial ~*s* 공예 / the military ~ 무술 / the ~ of advertising 광고술 / the ~ of life 처세술 / the manly ~ 권투 / useful ~*s* 수예. ③ U 숙련; 기교, 솜씨, 인공, 부자연함: a smile without ~ 꾸밈 없는 미소 / This beautiful garden owes more to ~ than to nature. 이 뜰의 아름다움은 자연보다는 인공의 덕분이다. ④ C,U (흔히 *pl.*) 술책; 간책: the innumerable ~*s* and wiles of politics 헤아릴 수 없는 정치적 권모 술수. ⑤ (흔히 *pl.*) 기초 과목; (대학의) 교과, 교양 과목(liberal arts): ~*s* and sciences 문과계와 이과계(의 과목) / the Faculty of *Arts* (대학의) 교양 학부. ***a Bachelor of Arts*** 문학사(略: B.A.). ***a Master of Arts*** 문학 석사(略: M.A.). ***by ~*** 인공으로; 숙련으로; 술책으로. ***have (got) . . . down to a fine ~*** …을 완전히 마스터하다, …을 거의 완벽하게 하다: She *has* the helpless maiden act *down to a fine* ~. 그녀는 난처해 하는 아가씨의 역을 썩 잘한다.

── *a.* 〔限定的〕 예술적인; 장식적인: an ~ song 예술적인 가곡 / an ~ critic 미술 비평가 / an ~ school 미술학교.

art² 《古·詩》 BE의 제 2 인칭·단수·직설법·현

재형(thou 를 주어로 함).

art. article(s) ; artificial ; artillery ; artist.

art de·co [à:rdeikóu] *n.* (때로 A- D-) 《F.》 아르 데코(1920-30 년대의 장식적인 디자인으로, 1960 년대에 부활).

ar·te·fact [á:rtəfæ̀kt] *n.* = ARTIFACT.

Ar·te·mis [á:rtəmis] *n.* 〖그神〗 아르테미스(달·사냥·숲·야수의 여신 ; 로마 신화의 Diana 에 해당).

ar·te·ri·al [ɑ:rtíəriəl] *a.* 〔限定的〕 ①〖解〗 동맥의. opp *venous.* ¶ ~ blood 동맥혈 / Smoking is very damaging to the ~ walls. 흡연은 동맥 벽을 크게 해친다. ② (도로 등의) 동맥 같은 : an ~ road 간선 도로.

ar·te·ri·ole [ɑ:rtíəriòul] *n.* Ⓒ 〖解〗 소(小)동맥.

ar·te·ri·o·scle·ro·sis [ɑ:rtíəriòusklərόusis] *n.* Ⓤ 〖醫〗 동맥 경화(증).

***ar·tery** [á:rtəri] *n.* Ⓒ ①〖解〗 동맥. opp *vein.* ¶ the main ~ 대동맥 / Hardening of coronary *arteries* can lead to a heart attack. 관상동맥의 경화는 심장마비를 일으킬 수 있다. ② (교통 등의) 간선 : a main ~ 주요 간선.

ar·té·sian wéll [ɑ:rtí:ʒən- / -ziən-] (수맥까지) 파내려간 우물(지하수의 압력으로 물을 뿜음), 분수(噴水) 우물.

***art·ful** [á:rtfəl] *a.* ① 교묘한, 기교를 부린. ② 기교를 부리는, 교활한. ③ 인위적인.
㊞ **~·ly** [-li] *ad.* 교활하게 ; 교묘히. **~·ness** *n.*

ar·thrit·ic [ɑ:rθrítik] *a.* 관절염의〔에 걸린〕; 노화 현상의. ── *n.* Ⓒ 관절염 환자.

ar·thri·tis [ɑ:rθráitis] *n.* Ⓤ 〖醫〗 관절염.

ar·thro·pod [á:rθrəpɑ̀d / -pɔ̀d] *n.* Ⓒ *a.* 〖動〗 절지동물(의).

Ar·thur [á:rθər] *n.* ① 아서(남자 이름). ② **King** ~ 아서왕(6 세기경 전설상의 영국왕).

Ar·thu·ri·an [ɑ:rθjúəriən] *a.* 아서왕의〔에 관한〕: the ~ legend 아서왕 전설.

ar·ti·choke [á:rtitʃòuk] *n.* Ⓒ 〖植〗 아티초크(국화과(科)). ***Jerusalem*** ~ 〖植〗 뚱딴지.

†**ar·ti·cle** [á:rtikl] *n.* Ⓒ ① (동종의 물품의) 한 품목, 한 개 : ~*s* of clothing 의류 수점(數點) / an ~ of furniture 가구 1 점. ② 물품, 물건 : ~*s* of food 식료품 / toilet ~*s* 화장품 / domestic ~*s* 가정용품. ③ (신문·잡지의) 기사, 논설 : an ~ on Korea 한국에 관한 논문 / an editorial 〔《英》 a leading〕 ~ (신문) 사설 / city ~ 상업경제 기사. ④ (규칙·계약 등의) 조항, 조목 : *Article* 50 of the UN Charter 유엔 헌장 제50조 / The agreement contains several ~*s* on atomic energy. 그 협정에는 원자력에 관한 몇 조항이 들어 있다. ⑤ (*pl.*) 계약 : ~*s* of apprenticeship 연기(年期)(도제(徒弟)) 계약. ⑥〖文法〗 관사. ~ ***by*** ~ 조목조목, 축조(逐條)적으로. ***the ~s of association*** 《美》 (회사의) 정관. ***the ~s of faith*** 신앙 개조(箇條), 신조 : Nonviolence is *the* first ~ *of* my *faith*. 비폭력은 내 신조의 제 1 조이다(Gandhi의 말). ***the ~s of partnership*** 조합 규약. ***the ~s of war*** 군율. ***the definite*** ~ 〖文法〗 정관사. ***the indefinite*** ~ 〖文法〗 부정관사.
── *vt.* ① …을 조목별로 쓰다. ② …의 죄상을 열거하여 고발하다. ③ (+目+前+名) …을 연기(年期) 계약으로 고용하다(종종 受動으로) : ~ a boy *to* a mason 소년을 연기 계약으로 석공의 도제로 보내다 / be ~*d to* …의 도제가 되다.
㊞ **~d** [-d] *a.* ① 연기 계약의 : an ~*d* apprentice (연기 계약) 도제. ② 《英》 (법률 사무소에서) 수습생으로 임명된 : She is ~*d to* a big law firm in the city of London. 그녀는 런던시의 대규모 법률 사무소의 수습생으로 일하고 있다.

ar·tic·u·lar [ɑ:rtíkjələr] *a.* 관절의〔이 있는〕.

‡**ar·tic·u·late** [ɑ:rtíkjəlit] *a.* ① (말·발음 등이) 분명〔명료〕한 ; (음성 등이) 분절적인(음절이나 단어에 끊어짐이 있는) : ~ speech 확실히 알아들을 수 있는〔뜻을 알 수 있는〕 말. ② 생각을 잘 쉽게 표현할 수 있는, 말〔발언〕할 수 있는 : They are ~ about their cause. 그들은 자신들의 주의주장을 분명히 말한다. ③ 마디가 있는 ; 관절이 있는 : an ~ animal 관절 동물. ── [ɑ:rtíkjəlèit] *vt.* ① (음절·각 낱말)을 똑똑히 발음하다 ; 분명히 말하다 : *Articulate* your words. 말을 똑똑히 하여라. ② 〔흔히 受動으로〕 (뼈 따위)를 관절로 잇다〔이어지다〕(*with* ; *to*) : The tibia is ~*d to* the femur. 정강이뼈는 대퇴골과 관절로 연결되어 있다.
── *vi.* ① 똑똑히 발음하다. ② 명확히 표현하다.
㊞ **~·ly** *ad.* 분명히. **~·ness** *n.*

ar·tíc·u·lat·ed lórry [ɑ:rtíkjəlèitid-] 《英》 트레일러식 트럭.

artículated véhicle 《英》 연결식 차량.

ar·tic·u·la·tion [ɑ:rtìkjəléiʃən] *n.* ① Ⓤ 〖音聲〗 유절(有節) 발음, (개개의) 조음(調音) ; 뚜렷한 발음 ; 자음(子音). ② Ⓤ (생각 등의) 명확한 표현. ③ Ⓒ 〖植〗 절(節), 마디 ; 〖解〗 관절. ④ Ⓤ 관절 접합, 연결. ◇ articulate *v.*

ar·tic·u·la·tor [ɑ:rtíkjəlèitər] *n.* Ⓒ ① 발음이 똑똑한 사람. ② 〖音聲〗 조음(調音) 기관(혀·입술·성대 등).

ar·tic·u·la·to·ry [ɑ:rtíkjələtɔ̀:ri] *a.* ① 조음(調音)의 : ~ phonetics 조음 음성학. ② 관절의.

Ar·tie [á:rti] *n.* 아티(Arthur 의 애칭). cf. Art.

ar·ti·fact [á:rtəfæ̀kt] *n.* Ⓒ ① (천연물에 대해) 인공물, 가공품. ② 〖考古〗 유사 이전의 고기물(古器物), 문화 유물. ③ 〖生〗 (세포·조직의) 인공물(人工物).

ar·ti·fice [á:rtəfis] *n.* ① **a)** Ⓒ 고안(考案), 고안한 것. **b)** Ⓤ 교묘한 솜씨. ② **a)** Ⓒ 책략, 술책. **b)** Ⓤ 교활함. ***by*** ~ 책략을 써서.

ar·tif·i·cer [ɑ:rtífəsər] *n.* Ⓒ ① **a)** 기술공, 숙련공, 장색. **b)** 고안하는 사람, 발명가. ② 〖軍〗 기술병. ***the Great Artificer*** 조물주.

‡**ar·ti·fi·cial** [à:rtəfíʃəl] (***more*** ~ ; ***most*** ~) *a.* ① 인공의, 인조의, 인위적인(opp *natural*) ; 모조의 ; 대용의 : ~ rain 〔organs〕 인공 강우〔장기(臟器)〕 / an ~ booster heart 인공 보조 심장 / ~ ice 인조 얼음 / an ~ eye 〔limb, tooth〕 의안〔의지(義肢), 의치〕 / ~ flowers 조화 / ~ leather 인조 피혁 / ~ pearls 모조 진주 / ~ manure 〔fertilizer〕 인조〔화학〕 비료 / Many citizens feel that the division of their country is ~. 많은 국민들은 그들 나라의 분단은 인위적이라고 생각한다 / A lot of people use ~ sweeteners in their tea or coffee. 많은 사람들은 차나 커피에 인공 감미료를 사용한다. ② 부자연한 ; 일부러 꾸민 : an ~ smile 억지 웃음 / an ~ manner 지어 보이는〔꾸민〕 태도 / ~ tears 거짓 눈물. ◇ artifice *n.* ㊞ **~·ly** *ad.* 인위〔인공〕적으로 ; 부자연스럽게. **~·ness** *n.*

artifícial insemination 인공 수정(受精)(略 : AI).

artifícial intélligence 〖컴〗 인공 지능(추론·학습 등 인간 비슷한 동작을 계산기가 행하는 능력 ; 略 : AI).

artifícial intélligence compúter 인공 지능 컴퓨터(인간의 뇌에 가까운 역할을 하므로 '제 5 세대 컴퓨터'라고도 함).

ar·ti·fi·ci·al·i·ty [à:rtəfìʃiǽləti] *n.* ① Ⓤ 인위〔인공〕적임 ; 부자연. ② Ⓒ 인공물, 부자연한 것.

artifícial lánguage ①인공 언어; 인조어(에

스페란토 등)(opp *natural language*). ②〖컴〗 기계어, 프로그램 언어.

artifícial respirátion〖醫〗인공 호흡.

artifícial sátellite 인공 위성.

artifícial seléction〖生〗인위 선택.

artifícial túrf 인공 잔디.

ar·ti·fí·cial-vóice technòlogy [-vɔ́is-]〖컴〗음성 합성 기술.

***ar·til·lery** [ɑːrtíləri] *n.* ① Ⓤ〖集合的〗포, 대포 (opp *small arms*) ; Ⓒ (the ~)〖單·複數 취급〗포병과, 포병(대) : an ~ duel 포병전 / ~ fire 포화/the heavy〔field〕~ 중〔야전〕포병. ② Ⓤ 포술.

ar·til·lery·man [-mən] *n.* Ⓒ 포병, 포수.

ar·ti·san [ɑ́ːrtəzən / ɑ̀ːrtizǽn, ⌐-⌐] *n.* Ⓒ 장색, 솜씨 좋은 직공, 기술공, 숙련공.

‡art·ist [ɑ́ːrtist] *n.* Ⓒ ①〖一般的〗예술가, 미술가 ;《특히》화가, 조각가 : Each poster is signed by the ~. 각 포스터에는 화가의 서명이 들어 있다. ② 배우, 가수, 예능인 : He described her as one of the greatest film ~*s* of the 20th century. 그는 그녀를 20세기의 가장 위대한 영화 배우의 한 사람으로 기술하였다. ③ 예술〔미술·예능〕의 재능이 있는 사람. ④ 책략가. ⑤《古》명인(名人), 명장(名匠).

ar·tiste [ɑːrtíːst] *n.* 《F.》 Ⓒ 예능인《배우·가수·댄서, 때로는 이발사·요리인 등의 자칭》.

‡ar·tis·tic [ɑːrtístik] (***more ~ ; most ~***) *a.* ① 예술의, 미술의 ; 미술〔예술〕가의 : the campaign for ~ freedom 예술의 자유를 위한 캠페인. ② 예술적인, 멋이 있는, 풍류 있는 : the ~ beauty of the garden 정원의 예술적인 아름다움 / She comes from a very ~ family. 그녀는 아주 예술적인 집안 출신이다. 㖌 **-ti·cal·ly** *ad.* ① 예술적으로. ②〖文章修飾〗예술적으로 보면〔보아〕.

art·ist·ry [ɑ́ːrtistri] *n.* Ⓤ ① 예술적 수완〔기교〕: his ~ as a cellist 첼로 연주자로서의 그의 예술적 기교. ② 예술〔미술〕적 효과 ; 예술성. ③ (직업으로서의) 예술 ; 예도(藝道).

art·less [ɑ́ːrtlis] *a.* ① 꾸밈이 없는, 천진한, 소박한, 자연 그대로의 : his ~ air and charming smile 그의 소박한 풍채와 매력적인 미소. ② 볼품없는, 서투른(clumsy) : an ~ translation 서투른 번역. 㖌 **~·ly** *ad.* **~·ness** *n.*

Art Nou·veau [ɑ̀ːrnuːvóu] (때로 a- n-) 《F.》〖美術〗아르누보《19 세기 말부터 20 세기 초에 걸친 프랑스·벨기에의 미술 공예 양식으로 곡선미가 특징임》.

árt pàper 아트지.

art·sy [ɑ́ːrtsi] (***-si·er, -si·est***) *a.* = ARTY ; ARTSY-CRAFTSY.

art·sy-craft·sy [ɑ́ːrtsikrǽftsi / -krɑ́ːft-] *a.* ① 기능적이기보다 장식적인. ② 예술가인 척하는.

art·work [ɑ́ːrtwə̀ːrk] *n.* ① Ⓤ,Ⓒ 수공예품(의 제작) ; (회화·조각 등의) 예술적 제작 활동. ② Ⓤ〖印〗(본문에 대하여) 삽화, 도판(圖版).

arty [ɑ́ːrti] (***art·i·er ; -i·est***) *a.* 《口》(가구 등이) 사이비 예술의 ; 예술가연하는.

art·y-crafty [ɑ́ːrtikrǽfti, -krɑ́ːfti] *a.* ARTSY-CRAFTSY.

ár·um lìly [ɛ́ərəm-]〖植〗칼라(calla)《천남성과의 다년생 초본》.

-ary *suf.* ① '…의 장소, …하는 사람'의 뜻의 명사를 만듦 : apiary. ② '…의, …에 관계 있는'의 뜻의 형용사를 만듦 : element*ary*.

Ar·y·an [ɛ́əriən] *a.* ① 인도이란어의. ②《古》아리안어족〔민족〕의. ③ (나치스 독일에서) 아리안인(종)의《비유대계 백인의》.

— *n.* ① Ⓤ 인도이란어. ② Ⓤ《古》아리안어《★ 현대는 인도유럽〔게르만〕(Indo-European〔-Germanic〕)이라고 함》. ③ Ⓒ (나치스 독일에서) 아리안인《비유대계 백인》.

†as [æz, 보통은 弱 əz] *ad.* ① (…와) 같을 정도로, 마찬가지로 : Tom is *as* tall as I (am). (내 키와 같을 만큼 톰의 키가 크다⇨) 톰은 나와 같은 정도의 키다 / Take *as* much as you want. 원하는 만큼 가져라 / This country is twice〔half〕*as* large as that. 이 나라는 그 나라의 두 배나 되는〔절반되는〕크기다《★ 배수(倍數)나 분수는 as…as 의 바로 앞에 옴》.

> 語法 (1) as … as — 에서 앞의 as 는 부사, 뒤의 as 는 접속사임. 부사일 때는 딴 경우보다 강형인 [æz]로 발음할 때가 많음.
> (2) as … as 의 뒤의 절(節)에서는 동사가 종종 생략됨 : He is *as* tall as I. 《I am 의 생략》이 때 구어에서는 I 가 me 로 될 때가 많음. 다만, 다음 점에 주의할 것 : I love him *as* much as she (= *as* much as *she* loves him). ≠ I love him *as* much as her (= *as* much as I love *her*)).
> (3) as … as 는 긍정문에 쓰고, 부정문에는 not so … as를 쓰는 것이 원칙이나, 구어에서는 not as… as 라고 하는 일도 있음 : He is *not so* 〔*as*〕 tall *as* you. 그는 너만큼 키가 크지 않다 / Tom is *not as* honest *as* John. 톰은 존만큼 정직하지 못하다.
> (4) as … as 의 모양은 여러 가지로 생략됨 : It is (*as*) white as snow (is white). 그것은 눈처럼 희다 / He can run *as* fast (as you). 그도 너(와 같을)만큼 빨리 달릴 수 있다 / She is *as* wise as (she is) fair. (그녀는 아름다움과 같을 정도로 어질다⇨) 그녀는 재색(才色)을 겸비하고 있다《동일인의 두 가지 성질의 비교》.

②〖強意的〗(…처럼) 매우《*as*… as— 의 꼴로 쓰이며, …은 形容詞·副詞이고, —는 名詞, 《口》에서는 *as* 가 종종 생략》: (*as*) cool as a cucumber 매우 냉정한 / (*as*) good as gold 아주 행실이 좋은 / (*as*) black as thunder 몹시 화내어 / (*as*) cross as two sticks 몹시 기분이 언짢은 / (*as*) dead as a doornail 아주 숨이 끊어져 / He was (*as*) busy as a bee. 그는 벌처럼 분주했다.

— *conj.* ① **a)**〔양태〕(—이 …한〔하는〕) 것과 같이, …대로, (…와) 마찬가지로 : Do *as* I tell you. 내 말대로 해라 / He went *as* promised. 그는 약속한 대로 갔다《*as* 다음에 it was〔had been〕이 생략되어 있음》/ You may dance *as* you please. 좋을 대로 춤추어도 좋다 / He was a Catholic, *as* were most of his friends. 친구의 대부분이 그렇듯이 그도 가톨릭 교도였다.

> 語法 (1) '…처럼'의 뜻인 as 다음에는 절이 오는데, 명사(구)가 올 때에는 like 가 됨 : He speaks Arabic *like* a native. 그는 원주민처럼 아랍말을 한다.
> (2) 구어에서는 흔히 as 대신에 like 가 쓰임 : He was *like* (= as) he always was. 그는 여느 때와 다를 바가 없었다.
> (3) as yet (= yet), as compared with (= compared with)에서와 같이, 숙어적인 표현인 as 는 여기서 설명한 의미에 속하는데, 이 때의 as 는 없어도 뜻에는 거의 변함이 없음.

b)〔생략 구문으로 前置詞的으로 쓰여〕…와 같은〔같이〕(like) ; 예컨대 … (for instance) : Her face was *as* a mask. 그녀의 얼굴은 가면 같았다 / Many words, *as* in English, have been borrowed from other languages. 영어에서도 마찬가지지만,

다른 언어에서 차용된 말이 많이 있다 / Some animals, *as* the fox and the squirrel, have bushy tails. 어떤 동물, 예컨대 여우와 다람쥐 같은 동물은 꼬리에 털이 많다《★ 보기를 열거할 때는 such as가 보통임》. **c)** 〔대조〕 …하〔이〕지만, (한편) …와 달리(while) : Men usually like wrestling *as* women do not. 여성은 레슬링을 좋아하지 않지만 남성은 보통 좋아한다.

② 〔비교〕 …와 같이, …와 같은 정도로, …만큼 : She's as tall *as* I〔me〕. 그녀는 나만큼 키가 크다 / I am not so〔as〕 young *as* you. 나는 자네만큼 젊지가 않아《★ as의 앞뒤에 같은 말을 되풀이하여 '몹시', '무척', '아주'의 뜻을 나타낼 때가 있음 : He was as *deaf as deaf*. 그는 귀가 아주 절벽이었다 / She lay as *still as still*. 그녀는 꼼짝도 않고 누워 있었다》.

③ **a)** 〔때〕 …할 〔하고 있을〕 때, …하면서, …하자(when), …하는 동안(while) : *As* I entered the room, they applauded. 내가 방안에 들어서자 그들은 박수를 쳤다《when I entered… 이면, 방에 들어간 행위가 끝났음을 나타냄》 / She sings *as* she goes along. 그녀는 걸으면서 노래를 부른다.

> 語法 (1) as와 when 및 while의 비교 : as는 두 일이 밀접한 관계에 있을 때 쓰며, when은 한 때의 동작 또는 상태를 보이며, while은 기간을 가리킬 때 씀. 다만, *as* a boy = *when* a boy = *when* I was a boy '어렸을 때'에 있어서의 as와 when은 거의 같은 뜻임.
> (2) as는 두 가지 일이 동시에 발생했음을 보이는 것이므로 아래에서와 같이 두 가지 일이 독립성을 가질 때에는 when을 as로 바꿀 수가 없음 : I'll call you *when* I've finished the work. 일을 끝내면 전화(를) 드리겠습니다 / *When* I arrived at the station, the train had already left. 역에 도착했을 때에는 열차는 이미 떠나고 없었다.
> (3) 동시성을 강조하기 위해서는, just as…, as soon as…을 씀.

b) 〔추이〕 …함에 따라(서), …에 비례〔평행〕하여 : *As* the sun rose, the fog dispersed. 해가 떠오름에 따라 안개가 걷혔다 / *As* it grew darker, it became colder. 어두워짐에 따라 더욱 추워졌다 (=The darker it grew, the colder it became.)《★ 흔히 'become〔grow, get〕+비교급 구문'과 함께 쓰임》.

④ **a)** 〔흔히 文頭에 와서 원인·이유〕 …하여서, …이므로, …때문에 : *As* I am ill, I will not go. 병이 나서 안 가겠다 / We didn't go, *as* it rained hard. 비가 몹시 쏟아져서 우리는 가지 않았다. **b)** 〔形容詞〔副詞〕+as… 형태로〕 …이〔하〕므로 : Careless *as* she was, she could never pass an examination. 그녀는 주의력이 부족해서 시험에는 도저히 합격할 수가 없었다.

⑤ 〔양보〕 **a)** 〔形容詞〔副詞, 名詞〕+as … 형태로〕 (비록) …이〔하〕지만, …이긴 하나(though) : Rich *as* she is, she is not happy. 부자이긴 하지만 행복하지는 않다 / Hero *as* he was, he turned pale. 비록 영웅이었지만 새파랗게 질렸다《★ as 앞의 명사는 無冠詞》. **b)** 〔原形動詞+as+主語+may〔might, will, would〕의 형태로〕 (비록) …할지라도, …해 보아도 : Laugh *as* they would, he maintained the story was true. 그들은 웃었으나, 그는 그 이야기가 정말이라고 우겼다.

⑥ 〔바로 앞의 名詞를 한정하여〕 (…하는) 바와 같은, (…했을) 때의 : This is freedom *as* we generally understand it. 이것이 우리가 일반적으로 이해하고 있는 의미의 자유이다 / the English language *as* (it is) spoken in America 미국에서 쓰이고 있는 영어《★ it is는 관용적으로 생략되며, 절이나 과거분사·형용사가 흔히 옴 : the church *as* seperate from the state 국가로부터 분리된 것으로서의 교회》.

⑦ 《美口》 (…한다)는 것(that)《부정(否定)의 know, say, see의 목적어가 되는 절(節)을 이끎》 : I do*n't know as* I can come. 올 수 있을지 모르겠다.

⑧ …도 똑같이(and so) : He studies hard, *as* does his sister. 그는 열심히 공부를 하는데 그의 누이도 또한 같다 / She was delighted, *as* were we all〔*as* we all were〕. 그녀는 기뻐하였고 우리들 모두도 그러했다.

— *rel. pron.* ① 〔as, such, the same 따위와 상관하여, 제한적 용법으로〕 …(와) 같은, …하는 바의 : *As* many children *as* came were given some cake. 온 어린이들은 모두 (늘) 과자를 받았다 / *Such* men *as* heard him praised him. 그의 이야기를 들은 사람들은 그를 칭찬하였다 / I have never heard *such* stories *as* he tells. 그가 말하는 그러한 이야기는 한 번도 들어본 적이 없다 / This is *the same* watch *as* I lost. 이것은 내가 잃은 시계와 같은 (종류의) 시계다.

> 語法 (1) 이 경우 바로 그 물건임을 나타낼 때에는 as 대신 that을 쓰는 것이 보통(다만, 이런 구별은 종종 무시됨) : This is *the same* watch *that* I lost. 이것은 내가 잃어버린 (바로 그) 시계이다.
> (2) 다만, 추상 관념일 때는 as, that 어느 것을 써도 무방함 : He has *the same* position *as* 〔*that*〕 you have. 그는 자네와 같은 지위에 있네.
> (3) 또한 as는 종종 생략절을 이끎 : There you can have *such* liquors *as* beer. 거기서는 맥주 같은 알코올 음료를 마실 수 있다 / He works in *the same* building *as* you(=as you work in). 그는 너와 같은 건물에서 일하고 있다.

② 〔앞 또는 뒤에 오는 주절을 선행사로 하여, 계속적 용법으로〕 그것은 …이지만, 그 사실은 …이긴 하지만 : He was a foreigner, *as* I knew from his accent. 그는 외국인이었다, (그것은) 그의 말투로써 안 일이지만《as =a fact which》 / *As* may be expected, it is very expensive. 대개 짐작이 가듯이, 그것은 퍽 비싼 물건이다.

— *prep.* ① …로(서), …처럼〔같이〕 : He treated me *as* a child. 그는 나를 어린애 취급을 했다 / She appeared on the stage *as* Ophelia. 그녀는 오필리아 역으로 등장했다 / It can be used *as* a knife. 그건 나이프 대용으로 쓸 수가 있다 / I attended the meeting in my capacity *as* adviser. 나는 고문(으로서)의 자격으로 회의에 참석했다《as 다음에 오는 관직·역할 따위를 보이는 명사는 흔히 관사가 없음》.

② 〔補語를 이끌어서〕 …(이라)고, …으로 : consider 〔regard〕 his remark *as* an insult 〔*as* insulting〕 그의 말을 모욕〔모욕적〕으로 여기다 / They look up to him *as* their leader. 그들은 그를 지도자로 우러르고 있다 / A group of mountains in eastern Korea are often referred to *as* Korea's Alps. 동부 한국에 있는 산악군(群)은 종종 한국의 알프스라고 불린다.

> 參考 (1) 첫 용례에서와 같이 as 뒤에 명사뿐만 아니라 형용사나 분사가 올 때도 있음.
> (2) 이런 유형, 즉 '동사+목적어+as+보어'로 쓰이는 대표적인 동사엔 accept, acknowledge,

characterize, claim, class, condemn, consider, count, define, describe, intend, interpret, know, look on, recognize, regard, see, take, treat, use 따위가 있음.

as above 위와 같이. ***as against*** ⇨ AGAINST. ***as a*** (***general***) ***rule*** ⇨ RULE. ***as all that*** 예상〔기대〕한 만큼: He's not intelligent *as all that*. 그는 생각한 만큼 현명하지 않다. ***as . . . as any*** 누구에게도 못지 않게, 누구에게도 지지 않는: He can run *as* fast *as any* other boy. 그는 어느 소년(에게도) 못지 않게 빨리 달릴 수 있다. ***as . . . as*** one ***can*** 될 수 있는 대로, 힘 자라는 한: He worked *as* hard *as* he *could*. 그는 될 수 있는 한 열심히 공부했다. ***as . . . as ever*** 변함없이, 여전히: He is *as* poor *as ever*. 그는 여전히 가난하다. ***as. . . as possible*** 될 수 있는 대로, 가급적(可及的): Get up *as* early *as possible*. 될 수 있는 대로 일찍 일어나라. ***as . . . as*** one ***will*** 아무리 …하더라도: Work *as* hard *as* he *will*, ... 아무리 열심히 공부해도…. ***as before*** 〔***below***〕 앞서〔아래〕와 같이. (***as***) ***compared with*** 〔***to***〕 ⇨ COMPARE. ***as far as*** ⇨ FAR. ***as follows*** ⇨ FOLLOW. ***as for*** 〔흔히 文頭에 써서〕 …은 어떠냐 하면, …로 말한다면, …에 관해서는(as to): *As for* me, I would rather not go. 나는 어떠냐 하면, 차라리 가고 싶지가 않다 / *As for* myself, I am not satisfied. (남은 어떤지 모르지만) 나는 불만이다 / *As for* the journey, we will decide about that later. 그 여행에 관해서는 나중에 결정하기로 하자. ***as from*** 《英》 …(날)로부터: *as from* April 1, 4월 1일부터 / The agreement is effective *as from* March 1. 본 협정은 3월 1일부터 발효(發效)한다. ***as good as*** ⇨ GOOD. ***as if*** 《★ as if절에서는 가정법을 쓰나 구어에서는 직설법도 씀》. (1) 마치 …처럼(같이): He talks *as if* 〔*as though*〕 he knew everything. 그는 마치 무엇이나 다 아는 것처럼 이야기를 한다 / He looked at her *as if* he had never seen her before. 그는 이제껏 그녀를 본 일이 없는 듯한 표정으로 (그녀를) 보았다. (2) 〔as if to do로〕 마치 …하는 것처럼〔…하듯이〕: He smiled *as if to* welcome her. 그는 그녀를 환영한다는 듯이 빙긋 웃었다. (3) 〔It seems〔looks〕 as if…로〕 …처럼〔같이〕(보이다, 생각되다): It *seemed as if* the fight would never end. 싸움은 끝나지 않을 것처럼 보였다 / It *looks as if* we shall have to go. 아무래도 가야만 할 것 같다. (4) 〔It isn't as if … 또는 As if …로〕 (설마) …은 아닐텐데: *It isn't as if* he were poor. 그가 가난하지는 않을텐데 / *As if* you didn't〔don't〕 know! 알텐데, 모른다고! ***as is*** 《美口》 (상품 따위가) 그대로, 현상태로: The car was sold *as is*. 그 차는 수리를 하지 않고 팔렸다. ***as is often the case*** 흔히 있는 일이지만, 흔히 있듯이. ***as it is*** 《★ 과거형은 as it was》. (1) 〔보통 가정적 표현의 뒤에 오며, 文頭에서〕 그러나 실상〔실정(實情)〕은(그렇지 않으므로), 실제로는: Everything would be all right if we could pay him. *As it is* we must ask you for help. 우리들이 그에게 돈을 갚을 수만 있다면 만사가 괜찮은 거지요. 그런데 실제로는 그럴 수 없으므로 선생의 도움을 빌리지 않을 수 없습니다. (2) 〔文中·文尾에서〕 현재 상태로, 지금 상태로도 (이미): The situation is bad enough *as it is*. 사태는 현상태로도 꽤 나쁘다 / You have too many friends *as it is*. (현재 상태로) 이미 친구가 너무 많다. ***as it were*** 〔文中·文尾에 와서〕 말하자면(so to speak): She is a grown-up baby, *as it were*. 그여자는, 말하자면 어른(이 된) 아기다. ***as long as*** ⇨ LONG. ***as many*** ⇨ MANY. ***as much*** ⇨ MUCH. ***as much as to say*** 마치 …라고 (말)하기나 하려는 듯이. ***as of*** (1) (며칠날) 현재로〔에〕: *as of* May 1, 1995, 1995년 5월 1일 현재 / *as of* today 오늘 현재. (2) =as from. ***as opposed to*** ⇨ OPPOSED. ***as regards*** ⇨ REGARD. ***as . . . , so*** _ ⇨ SO. ***as soon as*** ⇨ SOON. ***as such*** ⇨ SUCH. ***as things are*** 지금 형편으로는. ***as though***=as if. ***as to*** (1) 〔文頭에 써서〕 (1) = as for. (2) 〔文中에서〕 …에 관〔대〕하여: He said nothing *as to* the time. 그는 시간에 관해서 아무 말도 안 했다 / Nobody could decide (*as to*) what to do. 무엇을 할까는 아무도 결정할 수 없었다. ★ 의문사절(구) 앞에서 as to는 흔히 생략함. (3) …에 따라: classify butterflies *as to* size and coloration 크기와 색에 따라 나비를 분류하다. ***as usual*** 여느〔보통〕 때와 같이. ***as we*** 〔***you, they***〕 ***call it*** =***as it is called*** 이른바, 소위. ***as well*** ⇨ WELL². ***as well as*** ⇨ WELL². ***as yet*** ⇨ YET. ***so*** (. . .) ***as to*** do ⇨ SO.

As arsenic. **A.S., A.-S.** Anglo-Saxon.

ASA ① American Standards Association(미국 규격 협회; 현재는 USASI). ②〖寫〗 ①에 의한 필름 감도 지수《1990년 이후는 ISO에 의해 표시》.

ASAP, a.s.a.p. as soon as possible《문서나 텔렉스 등에서 please reply *ASAP* (곧 회답 바람) 식으로 쓰임》.

as·bes·tos [æzbéstəs, æs-] *n.* Ⓤ〖鑛〗 아스베스토, 석면: ~ cloth 석면포(布).

as·bes·to·sis [æ̀sbestóusis] *n.* Ⓤ〖醫〗 아스베스토증, 석면 침착증(石綿沈着症)《허파 따위에 석면이 침착되는 직업병》.

ASCAP American Society of Composers, Authors and Publishers(미국 작곡가 작사가 출판사 협회).

‡as·cend [əsénd] *vi.* ①《~ / +副 / +전+명》 올라가다, 기어오르다; (공중 따위로) 오르다: The balloon *~ed high up in* the sky. 기구(氣球)는 하늘 높이 올라갔다 / The mist began to ~ *from* the lake. 호수에서 안개가 오르기 시작했다. ②《~ / +副》 (길 따위가) 오르막이 되다: The path started to ~ more steeply at this point. 길은 이곳에서 더 가파른 오르막으로 되었다. ③ (지위 등이) 높아지다; 올라가다; 승진하다: The same year he *~ed to* power. 같은 해에 그는 권좌에 올랐다. ④ (물가 등이) 올라가다; (소리가) 높아지다. ⑤《+전+명》 거슬러 올라가다: ~ *to* the 18th century, 18세기로 거슬러 올라가다. —— *vt.* ① (오르막길·사다리 따위)를 올라가다, 오르다: ~ a lookout tower 전망대에 오르다 / He *~ed* the ladder halfway. 그는 사다리 중도까지 올라갔다. ② (강·시대 따위)를 거슬러 올라가다. ③ (…의 지위)에 오르다. opp. *descend.* ◇ ascent, ascension *n.* ~ ***the throne*** 왕위에 오르다.

as·cend·ance [əséndəns] *n.* =ASCENDANCY.

as·cend·an·cy, -en·cy [əséndənsi] *n.* Ⓤ 우월, 우세; 주도〔지배〕권: He's completely under his wife's ~. 그는 완전히 마누라의 지배하에 있다. ***have*** 〔***gain***〕 ***an*** 〔***the***〕 ~ ***over*** …보다 우세하다〔해지다〕, …을 제압〔지배〕하다: Mr. James has *gained* (*the*) ~ *over* his rivals. 제임스씨는 경쟁 상대를 누르고 지배권을 잡았다.

as·cend·ant, -ent [əséndənt] *a.* ① 올라가고 있는; 떠오르는(rising). ② (지위·권력 등이) 욱일승천하는. ③ **a**)〖占星〗 동쪽 지평선상의. **b**)〖天〗 중천으로 떠오르는《별》. —— *n.* Ⓤ ① (the ~) 우위, 우세《*over*》. ②〖占星〗 (황도 12궁의 위치

로 나타내는 탄생시의) 성위(星位), (성위로 차지한) 운세(hourscope). ***in the*** ~ 극히 융성하여, 욱일승천의 기세로: Radical reformers are once more *in the* ~. 과격 개혁론자들이 다시 한 번 득세하고 있다 / His star was *in the* ~. 그의 운이 트이기 시작했다.

as·cend·ing [əséndiŋ] *a.* 오르는, 상승의; 향상적인: an ~ scale 〖樂〗 상승 음계 / Now draw ten dinosaurs in ~ order of size. 이제 공룡을 (작은 것부터) 크기 순으로 열 마리 그려라.

ascénding órder 〖컴〗 오름차순《값이 작은 쪽에서 큰 쪽으로의 순서》.

ascénding sórt 〖컴〗 올림차례짓기《어떤 자료나 자료의 집합을 글쇠(key)가 작은 것에서부터 큰 것으로 배열하는 것》.

as·cen·sion [əsénʃən] *n.* ① Ⓤ 오름, 상승; 즉위. ② (the A-) 예수의 승천(昇天). ③ (A-) = ASCENSION DAY. ◇ ascend *v.*

Ascénsion Dày 예수 승천일《부활절 (Easter) 후 40 일째의 목요일》.

as·cent [əsént] *n.* ① Ⓤ,Ⓒ **a**) 상승; 등반. opp. *descent.* ¶ the ~ of smoke 연기의 솟아오름 / He made his first successful ~ of Everest last year. 그는 지난 해에 에베레스트 등정에 첫 성공을 거두었다. **b**) 향상; 승진: the ~ *to* governorship 주지사로의 출세. ② Ⓒ 비탈, 오르막: a rapid 〔gentle〕 ~ 급〔완만한〕경사 / We struggled up the slippery ~. 우리는 미끄러운 언덕을 힘들게 올라갔다. ◇ ascend *v.*

***as·cer·tain** [æ̀sərtéin] *vt.* 《~+目 / +目 +*to* do / +*wh.* 節 / +*that* 節》 …을 확인하다; 조사(調査)하다, 알아 내다: ~ the report (*to be* true) 그 보고를〔가 사실임을〕 확인하다 / ~ *what* really happened 일의 진상을 알아보다 / ~ *whether* 〔*that*〕 the report is true 그 보고의 사실 여부를 〔그 보고가 사실임을〕 확인하다 / Once they had ~*ed that* he was not a spy, they agreed to release him. 일단 그가 간첩이 아님을 확인하자 그들은 그의 석방에 동의하였다.

㊕ **~·a·ble** [-əbl] *a.* 확인〔조사〕할 수 있는. **~·ment** [-mənt] *n.* 확인, 탐지.

as·cet·ic [əsétik] *n.* Ⓒ 금욕주의자; 고행자, 수도자. — *a.* 금욕주의의; 고행의, 수도의: They live a very ~ life. 그들은 아주 금욕적인 생활을 한다. ㊕ **-i·cal** [-kəl] *a.* =ascetic. **-i·cal·ly** *ad.*

as·cet·i·cism [əsétəsìzəm] *n.* Ⓤ 금욕주의; 고행〔수도〕 생활.

ASCII [ǽski:] 〖컴〗 American Standard Code for Information Interchange (아스키; 미국 정보 교환 표준 부호).

as·cór·bic ácid [əskɔ́:rbik-] 아스코르브산(酸)《비타민 C 의 별명》.

As·cot [ǽskət, -kɑt] *n.* ① **a**) 애스컷 경마장《영국 Berkshire 에 있는 유명한 경마장》. **b**) 애스컷 경마《6 월 셋째 주에 행해짐》. ② (a-) 《美》 스카프 모양의 넥타이(=《英》 **áscot tíe**).

as·crib·a·ble [əskráibəbəl] *a.* 〔敍述的〕 …에 돌릴 수 있는, 탓인, …에 기인하는《*to*》: His success is ~ *to* hard work. 그의 성공은 노력에 기인한다.

***as·cribe** [əskráib] *vt.* 《+目+前+名》 …에 돌리다, …에 기인하는 것으로 하다《*to*》; …에 속한다고 생각하다《*to*》: ~ one's success *to* good luck 성공의 원인을 행운에 돌리다 / What do you ~ your good health *to?* 당신의 건강원인은 무엇이라고 생각하십니까 / These poems are ~*d to* Eliot. 이 시들은 엘리엇의 작품으로 여겨지고 있다. ◇ ascription *n.*

as·crip·tion [əskrípʃən] *n.* ① Ⓤ 돌리기《*to*》: the ~ of his failure *to* bad luck 그의 실패를 불운의 탓으로 돌림. ② Ⓒ 설교 끝의 송영(頌詠)《신의 찬미》.

ASEAN, A.S.E.A.N. Association of Southeast Asian Nations(동남 아시아 국가 연합).

asep·sis [əsépsis, ei-] *n.* Ⓤ 〖醫〗 무균 (상태); 방부법(防腐法); (외과의) 무균 치료.

asep·tic [əséptik, ei-] *a.* 무균의; 방부성의. ㊕ **-ti·cally** *ad.* 무균으로.

asex·u·al [eisékʃuəl] *a.* ① 〖生〗 무성(無性)의; 무성 생식의: two methods of reproduction, sexual and ~ 생식의 두 방식, 곧 유성 생식과 무성 생식. ② 성과는 관계없는: an ~ friendship 성별과는 관계없는 우정.

㊕ **~·ly** *ad.* **asèx·u·ál·i·ty** *n.* Ⓤ

aséxual reprodúction 〖生〗 무성 생식.

ASH [æʃ] 《英》 Action on Smoking and Health (금연 건강 증진 운동).

ash¹ [æʃ] *n.* Ⓤ ① (흔히 *pl.*) 재, 화산재; (화재에 의한) 폐허: Fuel oil leaves no ~. 연료유는 (탄 다음에) 재가 없다 / He brushed the cigarette ~ from his sleeve. 그는 소매의 담뱃재를 털어버렸다. ② (*pl.*) 유골; 《詩》 주검, 유해; 슬픔의 표시: His ~*es* are in Westminster Abbey. 그는 웨스트민스터 성당에 묻혀 있다 / Peace to his 〔her〕 ~*es!* 그〔그녀〕의 영령이여 고이 잠드소서. ③ (*pl.*) 창백; 은회색: as pale as ~*es* 새파랗게 질리어. ~ ***in the mouth*** 달갑지 않은〔참기 어려운〕 일. ***be reduced*** 〔***burnt***〕 ***to ~es*** 소실(燒失)하다, 재가 되다: The stately palace *was reduced to ~es.* 그 장려한 궁전은 잿더미로 변해 버렸다. ***turn to dust and ~es*** (희망 따위가) 사라지다.

ash² *n.* Ⓒ 〖植〗 양물푸레나무; Ⓤ 그 재목.

ashamed [əʃéimd] (***more*** ~; ***most*** ~) *a.* 〔敍述的〕 ① (…을) 부끄러이 여겨《*of*; *of* doing; *that*》: be 〔feel〕 ~ *of* one's folly 자신의 바보짓을 부끄럽게 여기다 / She's ~ *of having* behaved so badly. 그녀는 그렇게 버릇없이 군 것을 부끄러이 여기고 있다 / He felt ~ *that* he had made an obvious mistake. 그는 분명한 실수를 저지른 것을 부끄럽게 여겼다. ② 딱하게〔유감스럽게〕 여겨《*of*》: Behave yourself! I am ~ *of* you. 예절바르게 행동하라. 너한테는 질렸구나. ③ (…하는) 것이 부끄러워; 부끄러워 …할 마음이 나지 않는《*to* do》: I am ~ *to* see you. 부끄러워서 만나고 싶지 않다. ***be ~ of*** one***self for ...*** …때문에 〔…하여〕 부끄럽다.

㊕ **ashám·ed·ly** [-idli] *ad.*

ásh bín 《英》 쓰레기통, 재받이통.

ásh-blond(e) [ǽʃblɑ̀nd / -blɔ̀nd] *a.* 옅은 금발의.

ash·can [ǽʃkæ̀n] *n.* Ⓒ 《美》 (금속제의) 재 담는 통, 쓰레기통(《英》 dustbin).

ash·en¹ [ǽʃən] *a.* 재의, 잿빛의, 창백한: She was ~ and trembling. 그녀는 창백해져 떨고 있었다.

ash·en² *a.* 양물푸레나무(재목)의.

Ash·ke·na·zi [æ̀ʃkənɑ́:zi] (*pl.* ***-zim*** [-zim]) *n.* Ⓒ 독일·폴란드·러시아계의 유대인. ㊕ **-náz·ic** *a.*

ash·lar, -ler [ǽʃlər] *n.* ① Ⓒ (건축용의) 떼내어 다듬은 돌, 모나게 깎은 돌. ② Ⓤ 그 돌을 쌓기.

ash·man [ǽʃmæ̀n] (*pl.* ***-men*** [-mèn]) *n.* Ⓒ 《美》 쓰레기 청소원(《英》dustman)(★ garbage collector 가 일반적임).

ashore [əʃɔ́:r] *ad.* 해변에〔으로〕, 물가에〔로〕;

육상에서(의) (opp aboard) : life ~ 육상 생활 (opp life afloat) / ~ and adrift 육상 또는 해상에 / swim ~ 해안에 헤엄쳐 닿다 / Once ~, the vessel was thoroughly inspected. 그 배는 일단 뭍에 이르러서는 철저한 검사를 받았다 / We gathered some pieces of wood which had washed ~ to make the fire. 우리는 불을 피우기 위해 해안에 밀려온 나뭇조각들을 주워 모았다. ***be driven*** ~ =***run*** ~ (바람이나 파도 또는 실수로) 좌초되다. ***be washed*** ~ 해안에 밀려 올려지다. ***come*** 〔***go***〕 ~ 상륙하다, 뭍에 오르다. ***take*** ~ 뭍에 부리다, 양륙(揚陸)하다.

ash·pan [ǽʃpæ̀n] *n.* Ⓒ (난로 안의) 재받이.

ash·tray [ǽʃtrèi] *n.* Ⓒ 재떨이.

Ásh Wédnesday 재의 수요일《사순절(Lent)의 첫날; 옛날 이 날에 참회자 머리 위에 재를 뿌린 관습에서》.

ashy [ǽʃi] (***ash·i·er*** ; ***-i·est***) *a.* ① 재의; 재투성이의. ② 재와 같은. ③ 잿빛의, 창백한.

†Asia [éiʒə, -ʃə] *n.* 아시아.

Asi·ad [éiʒiæ̀d, éiʃi-] *n.* =ASIAN GAMES.

Ásia Mínor 소아시아.

‡Asian [éiʒən, -ʃən] *a.* 아시아의, 아시아 사람〔풍〕의. ── *n.* Ⓒ 아시아 사람《★ 인종을 말할 경우 Asiatic 은 경멸의 뜻이 있다고 여겨져 Asian 쪽을 더 쓰는 경향이 있음》.

Ásian Devélopment Bánk 아시아 개발 은행《略 : ADB》.

Ásian Gámes (the ~) 아시아 경기 대회《올림픽 대회 중간 해에 아시아에서 4년마다 개최함》.

Ásian influénza〔**flú**〕 〖醫〗 아시아 독감.

***Asi·at·ic** [èiʒiǽtik / -ʃi-] *a., n.* 《때로 蔑》 =

A-side [éisàid] *n.* (레코드의) A면. ∟ASIAN.

‡aside [əsáid] *ad.* ① 곁에〔으로〕; 떨어져서 : turn ~ 옆으로 빗나가다 / push a person ~ 아무를 옆으로 밀치다 / The doctor pulled ~ the curtain and examined the patient. 의사는 커튼을 한쪽으로 당겨 놓고 환자를 진찰하였다. ② 〔(動)名詞의 뒤에 와서〕 …은 따로 하여, …은 제쳐놓고 : joking 〔jesting〕 ~ 농담은 집어치우고 / We will leave this question ~ for the moment. 이 문제는 잠시 유보해두기로 하자. ③〖劇〗 방백(傍白)으로. ④ 고려하지 않고, 잊어버리고 : He tried to put his troubles ~. 그는 고민거리를 생각 않으려고 하였다. ~ ***from*** 《美》 …은 차치하고; …을 제외하고 : *Aside from* being a bit overweight he's quite healthy. 약간 뚱뚱하다는 것을 제외하고는 그는 아주 건강하다. ***lay*** ~ ⇨ LAY[1]. ***put*** ~ ⇨ PUT. ***set*** ~ (1) = put aside. (2) (판결)을 파기하다. ***speak*** ~ 옆을 향해 (살짝) 이야기하다; (무대 배우가) 방백(傍白)을 말하다. ***stand*** 〔***step***〕 ~ 비켜서다, 길을 비키다. ***take*** 〔***draw***〕 a person ~ 아무를 옆으로 불러 가다《사담(私談)을 위해》 : She grabbed him by the elbow and *took* him ~. 그녀는 그의 팔꿈치를 잡고 옆으로 끌고 갔다.
── *n.* Ⓒ ① 귀엣말. ②〖劇〗 방백. ③ 여담, 잡담; 탈선 : He spoke in an ~ of his family. 그는 여담으로 가족 이야기를 하였다 / I mention it only as an ~. 내가 하는 말은 여담일 뿐이다.

as·i·nine [ǽsənàin] *a.* 나귀(ass)의〔같은〕; 우둔한(stupid); 고집이 센, 완고한. 㽕 ~**·ly** *ad.*

as·i·nin·i·ty [æ̀sənínəti] *n.* Ⓤ 아둔함; 완고함.

†ask [æsk, ɑːsk] *vt.* ① **a)** 《~+목 / +목+목 / +목+전+명 / +목+*wh.* 절 / +목+*wh. to* do》 (의문)을 묻다, 물어보다; …냐고 묻다 : I ~*ed* him a question. 그에게 질문하였다(=I ~*ed* a question *of* him) / No question was ~*ed of* me. 나는 질문 하나 받지 않았다 / *Ask* (him) *who* did it. 누가 했는지 (그에게) 물어 봐 / *Ask* (him) *where to* go. 어디로 가야 할지(그에게) 물어 봐 / "Do you know him?" I ~*ed*. '그를 아십니까' 라고 나는 물었다. **b)** 《~+목 / +목+전+명》 (길·시간 따위)를 묻다, 물어보다 : ~ the way *of* a policeman 순경에게 길을 묻다 / The price was not ~*ed*. 아무도 값을 묻지 않았다, 값을 묻는 사람이 없었다. **c)** 《~+목 / +목+전+명》 …에게 질문(을) 하다(inquire), 묻다 : ~ the policeman 순경에게 묻다 / I ~*ed* him *about* his family. 그의 가족에 관해서 물어 보았다. ② **a)** 《~+목 / +목+전+명》 …을 대가(代價)로〔대상(代償)으로〕 청구하다, 요구하다 : How much did he ~? 얼마라고 그러던가 / They ~*ed* me 20,000 won *for* this watch. 그들은 이 시계 값으로 20,000 원을 청구했다 / How much do you ~ *for* this book? 이 책값은 얼마입니까 / A little quiet is all I ~. 좀 조용해 주기를 바랄 뿐이다. **b)** …을 필요로 하다 : This trial ~*s* courage. 이 시도(試圖)에는 용기가 필요하다. ③ 《~+목 / +목+목 / +목+전+명 / +*to* do / +목+*to* do / +*that* 절》 …에게 바라다, 요구하다, …에게 부탁〔요청〕하다《*for*》 : ~ a person a favor = ~ a favor *of* a person 아무에게 부탁을 하다 / He ~*ed to* see the book. 그는 그 책을 보여달라고 부탁했다(=He ~*ed that* he might see the book《文語的》. 또는 He ~*ed* if he could 〔might〕 see the book.) / I ~*ed* him *to* come. 나는 그에게 와 주십사고 청했다 / ~ the audience *for* attention 청중에게 근청(謹聽)할 것을 요청하다 / ~ him *for* help 그에게 조력을 구하다〔청하다〕 / ~ him *for* some money 그에게 돈을 요구하다 / *Ask* him. 그에게 부탁하시오《★ *Ask* him.의 경우 뜻은 문맥 여하에 따라 *for*…로도 *to* do 로도 될 수 있음. 또 ① c) 의 용법으로 '그에게 물어 보시오'의 뜻일 때도 있음》. ④ 《+목+전+명 / +목+부》 …을 초대하다《*to* ; *for*》 : ~ a person *to* one's party 아무를 파티에 초대하다 / ~ a person *in* 아무를 자택에 초청하다《식사 따위에》 / ~ a person *up* 아무로 하여금 2층에 올라오도록 하다; 도시로 초청하다 / Shall I ~ him *in?* 그를 들어오라고 할까요 《★ 부사 in 앞에 to come 을 삽입하고 이해할 것》.
── *vi.* 《~ / +전+명》 ① 묻다, 질문하다 《*about*》 : ~ *about* a person's whereabouts 아무의 거처를 묻다 / If you don't see what you want, please ~. 《口》 원하는 것이 보이지 않을 때에는 부디 물어 주세요. ② 요구〔청구〕하다; 요청하다《*for*》 : ~ *for* a raise (in pay) (임금) 인상을 요구하다 / ~ *for* a person 아무에게 면회를 요청하다 / How much is he ~*ing for?* 얼마 내라고〔얼마라고〕 합니까 / *Ask*, and it shall be given you. 〖聖〗 구하라 그러면 주실 것이요《*Matt.* Ⅶ : 7》. ~ ***after*** a person('s health) 아무의 안부〔건강 상태〕를 묻다, (아무)를 문안하다. ~ ***around*** (…에 대해서) 이곳저곳 묻고 다니다《*about; for*》 : Our babysitter's just moved away so, we're ~*ing around for* a replacement. 우리 집 보모가 그만두어 다른 사람을 구하려 여기저기 찾아다니고 있다. ~ ***for*** (1) …을 청구하다, …을 달라고 부탁하다 : ~ *for* a lady's hand 결혼을 신청하다. (2) …을 필요로 하다. (3) …의 소식 따위를 묻다(ask after). ~ ***for it*** 〔***trouble***〕 《口》 ⇨ TROUBLE. ~ a person ***in*** 〔***over, up***〕 ⇨ *vt.* ④. ~ ***me another*** 《口》 나는 모르겠네. ~ ***out*** *vi.* 《美》 물러나다, 사직하다. *vt.* 초대하다. ***Don't ~ me.*** 《口》 모르겠어. ***for the ~ing*** ⇨ ASKING. ***I ~ you.*** 《美》 (지긋지긋해서) 이건 뭐냐, 기가 막히는군, 설마, 어떨까. ***if I***

may ~ 이렇게 물으면 실례가 될지 모르겠습니다만 : How old are you, *if I may* ~ ? 실례지만 나이는. ***If you ~ me,*** . . . . 내가 보는〔생각하는〕 바로는…. ***It may be ~ed whether*** . . . . …일지 어떨지는 의문이다.

askance [əskǽns] *ad.* 앞으로, 비스듬히 ; 곁눈질로, 흘기어 ; 의심하여. ***look ~ at*** …을 곁눈질로〔흘겨〕 보다《의심 또는 비난하여》: The far right *looks ~ at* the flood of new immigrants to Germany. 극우파는 독일로 몰려드는 새 이주자들을 바로 보지 않는다.

askew [əskjúː] *ad., a.* 〔形容詞로는 敍述的〕 비스듬하게 ; 비뚤어져, 일그러져 : She stood there, hat ~. 그녀는 모자를 비딱하게 쓰고 거기에 서 있었다. ***look ~ at*** …을 흘겨보다, 곁눈질하다.

ask·ing [ǽskiŋ, ɑ́ːsk-] *n.* Ⓤ 구함, 청구. ***for the ~*** 청구하는 대로, 거저, 무상으로(for nothing) : You may have it 〔It's yours, It's there〕 *for the ~*. 달라고만 하면 (거저) 준다.

ásking prìce 《口》 부르는 값 ; 제시 가격.

aslant [əslǽnt, əslɑ́ːnt] *ad., a.* 〔形容詞로는 敍述的〕 비스듬하게, 기울어져 : walk with head ~ 머리를 기우뚱하고 걷다.

†**asleep** [əslíːp] *ad., a.* 〔形容詞로는 敍述的〕 ① 잠들어 (opp. *awake*) : My three year-old son was ~ on the sofa. 내 세살난 아들은 소파 위에서 자고 있었다《★ 制限的으로는 sleeping을 씀》. ② 영면하여, 죽어서(dead) ; 죽은 듯이 ; 활동을 멈추고. ③ (수족이) 마비되어, (몸이) 말을 안 들어 (numb). ***be*** 〔***lie***〕 ***fast*** 〔***sound***〕 ~ 깊이 잠들어 있다 : Turning over, she *was* soon *sound* ~ again. 그녀는 몸을 뒤치더니 다시 깊은 잠에 빠졌다. ***fall*** ~ 잠들다 : I was so tired I *fell* ~ during the lecture. 나는 너무 피곤하여 강의 중에 잠들어버렸다.

À / Ś lèvel A / S급 시험《상급(A level)과 일반 중등교육(GCSE)의 중간급》. [◂ *A*dvanced *S*upplementary *level*].

aslope [əslóup] *ad., a.* 〔形容詞로는 敍述的〕 비탈이 져서, 경사져.

aso·cial [eisóuʃəl] *a.* ① 비사교적인 ; 반사회적인. ② 《口》 이기적(利己的)인.

asp [æsp] *n.* Ⓒ 독사《남유럽 · 아프리카 · 아라비아산》; 이집트산 코브라.

ASPAC [ǽspæk] Asian and Pacific Council (아시아 태평양 각료 이사회).

***as·par·a·gus** [əspǽrəgəs] *n.* Ⓤ 〖植〗 아스파라거스.

as·par·tame [æspɑ́ːrtèim] *n.* Ⓤ 아스파테임 《1981년 FDA에서 허가한 인공 감미료》.

‡**as·pect** [ǽspekt] *n.* ① Ⓒ **a**) (일 · 사태 등의) 양상, 면, 모습, 외관 : He was interested in all ~*s* of the work here. 그는 이곳 일의 모든 면에 흥미를 가졌다 / He described the financial ~ as crucial. 그는 재정 상황이 심각하다고 말하였다. **b**) 국면, 양상 ; 정세 : the ~ of affairs 국면 / The problem assumed a new ~. 그 문제는 새로운 양상을 띠었다. ② Ⓒ 견지, 견해 : both ~*s* of a decision 어느 결정에 대한 두 가지 견해 / There are many ~*s* to the problem. 그 문제에는 여러 가지 견해가 있다. ③ Ⓤ,Ⓒ (사람의) 표정, 용모 : wear an ~ of gloom 우울한 얼굴을 하고 있다 / The witness became serious in ~. 증인은 표정이 진지해졌다. ④ Ⓒ 〔방위를 나타내는 수식어를 수반하여〕(집의) 방향 ; 경관 : The house has a south-west ~. 그 집은 남서향이다. ⑤ Ⓒ 〖天〗 성위(星位) ; 〖占星〗 별의 상(相), 성위, 시좌(視座). ⑥ Ⓤ 〖文法〗 (동사의) 상(相), 애스펙트《러시아어 등의 동사의 뜻의 계속 · 완료 · 기동(起動) · 종지 · 반복 등의 구별을 나타내는 문법 형식》.

as·pen [ǽspən] *n.* Ⓒ 〖植〗 사시나무포플러 (quaking ~). — *a.* 〔限定的〕 포플러의 (잎 모양을 한) : tremble like an ~ leaf (사시나무 떨듯) 와들와들 떨다.

as·per·i·ty [æspérəti] (*pl.* **-ties**) *n.* ① **a**) Ⓤ (기질 · 말투 등의) 신랄함 ; 퉁명스러움 ; 귀거슬림 : answer with ~ 퉁명스럽게 대답하다. **b**) Ⓒ (보통 *pl.*) 거친〔신랄한〕 말. ② Ⓤ (또는 *pl.*) (날씨의) 매서움 ; (처지의) 난감함. ③ **a**) Ⓤ (표면의) 꺼칠꺼칠함. **b**) Ⓒ 꺼칠꺼칠한 곳 : the *asperities* of the ground.

as·perse [əspə́ːrs] *vt.* …을 헐뜯다, 중상하다 《*with*》.

as·per·sion [əspə́ːrʒən, -ʃən] *n.* Ⓤ,Ⓒ 비방, 중상. 〔흔히 다음 成句로〕 ***cast ~s on*** …을 중상하다 : I hope you're not *casting ~s on* my taste in clothes. 나의 옷 취미에 대하여 폄하지 말아 주게.

***as·phalt** [ǽsfɔːlt / -fælt] *n.* Ⓤ 아스팔트 ; 포장용 아스팔트 : an ~ pavement 아스팔트 포장 도로. — *vt.* …을 아스팔트로 포장하다. ㊕ **as·phal·tic** [æsfɔ́ːltik / -fǽl-] *a.* 아스팔트(길)의.

ásphalt jùngle 아스팔트 정글, (약육 강식의) 대도시(의 특정 지역), 폭력 · 범죄의 거리〔빈민가〕.

as·pho·del [ǽsfədèl] *n.* Ⓒ 〖植〗 ① 아스포델《백합과의 식물》. ② 〖그神〗 시들지 않는다는 낙원의 꽃 ; 《詩》 수선화.

as·phyx·ia [æsfíksiə] *n.* Ⓤ 〖醫〗 질식(suffocation), 가사(假死), 기절.

as·phyx·i·ate [æsfíksièit] *vt.* 〔受動態 또는 再歸的〕 …을 질식시키다(suffocate) : *asphyxiating* gas 질식 가스 / The baby ~*d herself* with a plastic bag. 그 여자애는 플라스틱 봉지로 인해 질식했다 / He *was ~d by* the smoke. 그는 연기로 질식사했다. — *vi.* 질식하다.

㊕ **as·phỳx·i·á·tion** [-ʃən] *n.* Ⓤ 질식, 가사 (상태), 기절.

as·pic [ǽspik] *n.* Ⓤ 애스픽《고깃국 · 생선국 등에 젤라틴을 넣어 만드는 젤리》.

as·pi·dis·tra [æ̀spidístrə] *n.* Ⓒ 〖植〗 엽란(葉蘭).

as·pir·ant [ǽspərənt, əspáiər-] *n.* Ⓒ (명예 · 높은 지위 따위를) 열망하는 사람 ; 지망자, 후보자 《*to* ; *after* ; *for*》. — *a.* 큰 뜻을 품은, 대망을 지닌.

as·pi·rate [ǽspərèit] *vt.* ① …을 기음(氣音)을 내어 발음하다. ② 〖醫〗 (가스 등)을 흡출기(吸出器)로 빨아내다. — [ǽspərit] *n.* Ⓒ ① 〖音聲〗 기음, h 음 ; 기음 글자, h 자 ; 대기음(帶氣音)《[kʰ, gʰ] 따위의 음》. ② 〖醫〗 흡출한 것. — [ǽspərit] *a.* 기(식)음의, h 음의.

㊕ **as·pi·rat·ed** [ǽspərèitid] *a.*

‡**as·pi·ra·tion** [æ̀spəréiʃən] *n.* Ⓤ,Ⓒ ① 열망 ; 포부, 향상심, 큰 뜻, 대망《*for* ; *after*》: intellectual ~*s* 지식욕 / his ~*s for* 〔*after*〕 fame 그의 명예욕. ② 동경〔염원, 소망〕(의 대상) : The presidency is the ~ of American boys. 대통령이 되는 것이 미국 소년들의 꿈이다. ③ 흡기(吸氣). ④ 〖醫〗 (흡출기로) 빨아냄(suction). ⑤ 〖音聲〗 기(식)음 ; 대기음. ◇ ①② 는 aspire *v.* ③-⑤ 는 aspirate *v.*

as·pi·ra·tor [ǽspərèitər] *n.* Ⓒ ① 〖化〗 흡인기(吸引器). ② 〖醫〗 흡인기《가스나 고름 등을 빨아내는》.

‡**as·pire** [əspáiər] *vi.* 《+전+명 / +*to* do》 …을 열망하다, 포부를 갖다, 대망을 품다, 갈망하다 《*after; to*》: ~ *after* 〔*to*〕 fame 명성 얻기를 열망하다 / ~ *to* attain to power 권력을 잡으려고 열

망하다 / ~ *to* be a leader of men 사람들의 지도자가 될 뜻을 품다. ◇ aspiration *n.*

***as·pi·rin** [ǽspərin] (*pl.* ~(**s**)) *n.* Ⓤ 〖藥〗 아스피린 ; Ⓒ 아스피린 1 정(錠) : He took some ~*s* and went to bed. 그는 아스피린 몇 알을 먹고 잠자리에 들었다.

as·pir·ing [əspáiəriŋ] *a.* 향학심에 불타는, 포부가〔야심이〕 있는 : *Aspiring* ballet dancers need to be strong as well as agile. 발레 댄서 지망자는 몸이 잽싸면서도 강해야 한다. ㊕ **~·ly** *ad.*

asquint [əskwínt] *ad., a.* 〔形容詞로는 敍述的〕 곁눈으로, 눈을 흘겨, 흘깃 ; 비스듬히 (obliquely). ***look*** ~ 곁눈질하다.

‡**ass**[1] [æs] *n.* Ⓒ ① 당나귀 (donkey) : A king without learning is but a crowned ~. 《俗談》 학문 없는 왕은 왕관을 쓴 당나귀에 불과하다. ② [ɑːs] 바보 ; 고집쟁이 : Don't be an ~. 바보 같은 소리 마라. ***an ~ in a lion's skin*** 사자의 탈을 쓴 당나귀, 호가호위(狐假虎威). ***make an ~ of*** …을 우롱하다. ***make an ~ of oneself*** 어리석은 짓을 하다, 웃음거리가 되다 : Tom always *makes a* complete ~ *of himself* when he's had too much to drink. 톰은 지나치게 과음했을 때는 언제나 바보 같은 짓을 한다.

ass[2]**, arse** [æs], [ɑːrs] *n.* 《卑》 〔《英》 arse, 《美》 ass, arse〕 ① Ⓒ 엉덩이 ; 항문. ② Ⓤ 〔a piece of ~로〕 성교 ; (성교의 대상으로서의) 여성.

as·sai [əsáːi] *ad.* 《It.》 〖樂〗 대단히, 극히. ***allegro*** ~ 아주 빠르게.

***as·sail** [əséil] *vt.* ① 《~+目 / +目+前+名》 **a)** (사람 · 진지 등)을 (무력으로) 습격하다, (맹렬히) 공격하다《*with*》 : The soldiers ~*ed* the castle. 병사들은 그 성을 맹렬히 공격하였다 / He was ~*ed* by a young man *with* a knife in a park. 그는 공원에서 나이프를 든 젊은이에게 습격당했다. **b)** (비난 · 질문 · 요망 따위로) …을 추궁하다 ; 공박하다, 몰아세우다, 비난하다《*with*》 : ~ a person *with* questions 질문으로 공박하다 / They ~*ed* the speaker *with* jeers. 그들은 강연자를 야유로 조롱했다. ② (일 · 연구 등)에 과감히 착수하다, (난국 등)에 맞부딪치다 : ~ the difficulty 곤란에 과감히 맞서다. ③ 〔종종 受動으로〕 (의혹 · 공포 등이 사람 · 마음)을 괴롭히다《*by* ; *with*》 : Fear ~*ed* her. 두려움이 그녀를 엄습했다 / He *was* ~*ed with* 〔*by*〕 doubts. 그는 의혹에 시달렸다. ㊕ **~·a·ble** *a.* 공격할 수 있는 ; 약점이 있는.

***as·sail·ant** [əséilənt] *n.* Ⓒ 공격자 ; 가해자 ; 적.

As·sam [æsǽm, ə- / ǽsæm] *n.* 아삼《인도 북동부의 주 ; 주도 Shillong》.

***as·sas·sin** [əsǽsin] *n.* Ⓒ 암살자, 자객 : He hired an ~ to eliminate his rival. 적수를 제거하기 위하여 그는 자객을 고용하였다.

as·sas·si·nate [əsǽsənèit] *vt.* ① …을 암살하다 : Kennedy was ~*d* in 1963. 케네디는 1963년에 암살당하였다. ② (명예 등)을 손상시키다. ㊕ ***as·sàs·si·ná·tion** [-ʃən] *n.* ⓊⒸ 암살. **as·sàs·si·ná·tor** [-tər] *n.* Ⓒ 암살자.

‡**as·sault** [əsɔ́ːlt] *n.* ① Ⓒ 강습, 습격 ; 맹렬한 비난, 공격《*on*》 : an ~ *on* traditional ideas 전통적인 생각에 대한 공격. ② ⓊⒸ **a)** 〖法〗 폭행, 폭력(행위) : At the police station, I was charged with ~. 경찰서에서 나는 폭행죄로 고발당했다. **b)** (여성에 대한) 폭행, 강간. ***~ and battery*** 〖法〗 폭행. ***by*** ~ 강습하여 : carry〔take〕 a fortress *by* ~ 요새를 강습하여 점령하다《★ by ~는 무관사임》. ***make an ~ on*** 〔***upon***〕 …을 강습하다, …을 폭행하다. ── *vt.* ① (사람 · 진지)를 습격〔강습〕하다. ② **a)** (사람)을 폭행하다. **b)** (여성)을 폭행〔강간〕하다.

as·say [ǽsei, æséi] (*pl.* ~**s**) *n.* Ⓒ 시금(試金), 분석 (평가) ; 시금물(物) ; 분석물 ; 시금 결과, 분석표 : An ~ was made of the coin. 금속 화폐는 (품질 검사를 위해) 분석되었다. ── [æséi] *vt.* ① (광석)을 시금〔분석〕하다. ② …을 분석(평가)하다 : ~ a person's ability 아무의 재능을 시험하다. ── *vi.* 《+補》 《美》 (광석이 금속의 특정 순분(純分)을) 함유하다 : This ore ~*s* high in gold. 이 광석은 금 함유율이 높다. ㊕ **~·a·ble** *a.*

as·say·er [æséiər] *n.* Ⓒ 분석자, 시금자.

***as·sem·blage** [əsémblidʒ] *n.* ① Ⓒ 〔集合的〕 **a)** 회중(會衆) ; 집단 ; 집합, 집회 ; 집합물 ; 회합 《★ 집합체로 생각할 때는 단수, 구성요소를 생각할 때는 복수 취급》. ¶ The ~ rose and cheered as one man. 회중은 하나같이 일어나서 갈채하였다. **b)** (물건의) 집합, 수집. ② Ⓤ (기계의 부품) 조립. ◇ assemble *v.*

‡**as·sem·ble** [əsémbəl] *vt.* ① …을 모으다, 집합시키다, 소집하다 : The manager ~*d* the players on the field. 감독은 선수들을 운동장에 모았다. ② (물건)을 모아 정리하다 : He is *assembling* evidence concerning a murder. 그는 살인에 관계된 증거를 모으고 있다. ③ 《+目 / ~+目+前+名》 (기계)를 조립하다, (부품)을 조립하여 (…으로) 만들다《*into*》 : ~ a motorcar 자동차를 조립하다 / ~ parts *into* a machine 부품을 기계로 조립하다. ④ 〖컴〗 …을 짜맞추다, 어셈블하다. ── *vi.* 모이다, 회합하다 : A large crowd had ~*d* in the stadium. 많은 군중이 스타디움에 운집했었다.

as·sem·bler [əsémblər] *n.* Ⓒ ① 조립공. ② 〖컴〗 짜맞추개, 어셈블러《기호 언어로 쓰여진 프로그램을 기계어 프로그램으로 변환시킴》.

assémbler 〔**assémbly**〕 **lánguage** 〖컴〗 어셈블러 언어《프로그램 언어의 일종》.

‡**as·sem·bly** [əsémbli] *n.* ① **a)** Ⓒ (사교 · 종교 등의 특별한 목적의) 집회, 회합 : an unlawful ~ 불법 집회 / There's a religious ~ every morning. 아침마다 종교집회가 열린다. **b)** Ⓤ (초등 학교 등의) 조회《등》. **c)** Ⓤ 집합(하기), 모임 ; 〔集合的〕 집회자, 회합자 : freedom of ~ 집회의 자유. ② Ⓒ **a)** 의회 : provincial〔city, municipal〕 ~ 도〔시(市)〕의회 / a legislative ~ 입법 의회. **b)** (the A-) 《美》 (주의회의) 하원 : the National *Assembly* (한국 등의) 국회 ; 국민의회《프랑스 혁명 때의》. ③ **a)** Ⓤ (자동차 등 부품의) 조립 : Check all the components before ~. 조립하기 전에 부품을 전부 점검하시요. **b)** Ⓒ 조립품, 조립 부속품. ④ Ⓒ 〖軍〗 집합 신호《나팔 · 북 따위》 ; 집결. ⑤ 〖컴〗 어셈블리《어셈블러 기계어로 적힌 프로그램으로의 변환(變換)》.

assémbly lìne 일관 작업(의 열(列)), 조립라인.

as·sem·bly·man [əsémblimən] (*pl.* ***-men*** [-mən]) *n.* Ⓒ ① 의원. ② (A-) 《美》 주의회(州議會) 하원의원.

assémbly prògram 〖컴〗 짜맞춤 풀그림, 어셈블리 프로그램.

assémbly ròom ① (종종 *pl.*) 집회실, 회의실 ; 무도회장. ② 조립 공장.

assémbly ròutine 〖컴〗 짜맞춤, 어셈블리 경로, 어셈블리 루틴.

as·sent** [əsént] *vi.* 《~ / +前+名 / +*to* do》 ① 동의하다, 찬성하다 (agree) 《*to*》 : I ~ *to* his opinion. 나는 그의 의견에 찬성한다 / I ~*ed to* go with her. 그녀와 함께 가기로 동의하였다. ② (요구 따위에) 따르다, 굴하다《*to*》 : I ~*ed to* your demands through force. 힘에 눌려서 당신 요구에 굴하였을 뿐이다. ── *n.* Ⓤ 동의, 찬성, 인정, 승인《*to*》: Royal *Assent* (의회를 통과한 법안 발효에 필요한) 국왕의 재가 / give a nod〔wink〕 of ~ 고개를 끄덕여〔눈짓으로〕 동의를 표시하다. ***by common ~ 전원 이의 없이. ***give*** one's ~ ***to*** … 에 동의하다. ***with one*** ~ 만장일치로.

:as·sert [əsə́:rt] *vt.* ①《~+목 / +목+*to be* 보 / +*that* 절》…을 단언하다, 명언하다; 주장〔역설〕하다: He ~*ed* his innocence. 그는 자기의 결백을 주장했다 / I ~ *that* he is 〔~ him *to be*〕 innocent. 그는 무죄라고 나는 단언한다 / He ~*ed that* there was nothing wrong with his theory. 그는 자기 이론에 오류가 없다고 주장했다. ② (권리 따위)를 주장〔옹호〕하다(defend): ~ one's rights 〔claims, liberties〕 자신의 권리〔요구, 자유〕를 주장하다. ③〔再歸的〕 **a**) (자기의 권리·의견)을 주장하다, 우기다: You're too timid. You must try to ~ *yourself* more. 너는 너무 소심하다. (그러니,) 좀더 자기 주장을 내세우도록 노력해야 한다. **b**) (재능 등이) 나타나다; (어떤 일이) 명백히 되다: His natural cheerfulness again ~*ed itself.* 그의 쾌활한 천성이 또다시 나타났다 / Justice will ~ *itself*. 사필귀정. ◇ assertion *n.*

as·ser·tion** [əsə́:rʃən] *n.* Ⓤ (종종 근거 없는) 단언, 주장; Ⓒ (자기 개인의) 언설(言說): an unwarranted ~ 근거 없는 부당한 주장 / Despite her ~ that she was innocent, she was found guilty. 그녀는 결백하다고 주장하였지만 유죄로 판결되었다. ***make an ~ 주장하다. ◇ assert *v.*

as·ser·tive [əsə́:rtiv] *a.* 단정적인; 자기 주장적인; 독단적인, 우기는 (듯한): an ~ sentence〚文法〛 단정문(declarative sentence) / Women have become more ~ in the past decade. 지난 10년 동안 여성들은 더욱 당당히 자기 주장을 하게 되었다. ㊁ ~·**ly** *ad.* 단호하게. ~·**ness** *n.*

as·sess [əsés] *vt.* ①《~+목 / +목+전+명》(재산·수입 따위)를 평가하다, 사정하다《*at*》; (세금·벌금 따위)를 사정하다《*at*》: ~ a house *at* 30,000,000 won 집을 3천만원으로 평가하다 / What's the property's ~*ed* value? 재산의 사정가는 얼마인가. ②《+목+전+명》(세금·기부금 따위)를 부과하다; 할당하다《*on, upon*》: ~ 50,000 won *on* land 토지에 5만원을 과세하다. ③ (사람·사물 따위)의 성질을〔가치를〕 평가하다: Examination are not the only means of *assessing* someone's ability. 시험이 어느 개인의 재능을 평가하는 유일한 방법은 아니다.
㊁ ~·**a·ble** [-əbəl] *a.* 사정〔평가〕할 수 있는; 부과할 수 있는; 과세해야 할.

***as·sess·ment** [əsésmənt] *n.* ① **a**) Ⓤ (과세를 위한) 사정, 평가; 부과: the standard of ~ 과세 기준. **b**) Ⓒ 세액, 평가액, 사정액. ② Ⓤ,Ⓒ (사람·사물 등의) 평가, 판단《*of*》: ~ *of* a person's character 아무의 성격 판단 / an ~ *of* environment impact 환경 영향 평가.

as·ses·sor [əsésər] *n.* Ⓒ ① 재산 평가인, 과세 평가인, 사정관. ② 배석 판사; 보좌역.

as·set** [ǽset] *n.* Ⓒ ① 자산의 한 항목. ② (*pl.*) **a**) (개인·회사의) 자산, 재산: fixed〔permanent〕 ~*s* 고정 자산 / intangible ~*s* 무형재 / By the end of 1995 the group had ~*s* of 3 billion dollars. 1995년 말까지 그 그룹의 자산은 30억 달러이었다. **b**)(대차 대조표의) 자산 항목: ~*s* and liabilities 자산과 부채. ② 가치를 지닌 것; 유용한 자질; 이점, 미점, 자랑(거리)《*to ; for*》: Sociability is a great ~ *to* a salesman. 사교성이란 외판원에게는 큰 자산이다 / Her leadership qualities were the greatest ~ of the Conservative Party. 그녀의 지도력 능력은 보수당에게 가장 큰 자산이다. ***personal 〔***real***〕 ~***s*** 동산〔부동산〕.

ásset strìpping〚商〛 자산 박탈《자산은 많으나, 경영이 부실한 회사를 사들여, 그 자산을 처분하여 이익을 얻는 일》.

as·sev·er·ate [əsévərèit] *vt.* …을 언명하다, 단언하다; …라고 단호히 주장하다《*that*》. ㊁ **as·sèv·er·á·tion** [-ʃən] *n.* Ⓤ,Ⓒ 단호한 주장, 단언.

ass·hole [ǽshòul] *n.* Ⓒ《卑》① 똥구멍(anus). ② 지겹게 싫은 녀석, 상머저리.

as·si·du·i·ty [æ̀sidjú:əti] (*pl.* ***-ties***) *n.* ① Ⓤ 근면《*in*》. ② (종종 *pl.*) (따뜻한) 배려, 마음씀. ***with*** ~ 근면하게, 열심히.

as·sid·u·ous [əsídʒuəs] *a.* ① 근면한《*in*》: be ~ *in* one's duties 의무에 충실하다. ②〔限定的〕 주도면밀한.
㊁ ~·**ly** *ad.* 근면하게, 열심히. ~·**ness** *n.*

:as·sign [əsáin] *vt.* ①《+목+전+명 / +목+목》(일·물건·방 등)을 할당하다, 배당하다(allot)《*to*》: ~ work *to* each man 각자에게 일을 할당하다 / He ~*ed* us the best room of the hotel. 그는 우리에게 그 호텔의 제일 좋은 방을 배정해 주었다. ②《+목+전+명》(일 따위)를 부여하다, 주다: The class was ~*ed* plenty of homework. 학생들은 많은 숙제를 받았다. ③《+목+전+명 / +목+*to* do》(아무)를 선임(選任)하다(appoint), 선정하다《*for ; to*》; 지명하다, 임명하다: The president himself ~*ed* me *to* this job. 사장 자신이 나를 이 직위에 임명하였다 / He ~*ed* me *to* watch the house. 그는 나에게 그 집을 지키도록 명했다. ④《+목+전+명》(때·장소 따위)를 지정하다; (제한 따위)를 (설)정하다《*for ; to*》: ~ a day *for* a festival 축제일을 지정하다 / ~ a limit *to* something 어떤 일에 한계를 정하다. ⑤《+목+전+명》(사건의 연대 등을) …의 것으로 하다, …의 위치를 정하다, 배속하다: The invention of the axe is ~*ed to* the Stone Age. 도끼의 발명은 석기 시대로 치고 있다 / Kate has been ~*ed to* her newspaper's New York office. 케이트는 근무하는 신문사의 뉴욕 사무실로 배속(配屬)되었다 / He was ~*ed to* the laboratory. 그는 연구실 근무를 명(命) 받았다. ⑥《+목+전+명》(원인 (原因) 따위)를 …에 돌리다, …의 탓으로 하다(ascribe); …이 (속성·명칭·구조 등)을 가지고 있는 것으로 하다; 특정하다《*to*》: The report ~*ed* the blame for the accident *to* inadequate softy regulations. 보고서는 그 사건의 책임을 불합리한 안전규칙 탓으로 돌렸다 / Detectives have been unable to ~ a motive *for* the murder. 형사들은 그 살인에 대한 동기를 측정할 수 없었다. ⑦〚法〛 (재산·권리 등)을 양도하다《*to*》. ◇ assignation *n.* ㊁ ~·**a·ble** *a.* 할당할 수 있는, 지정되는; …의 탓으로 돌려지는; 양도할 수 있는.

as·sig·na·tion [æ̀signéiʃən] *n.* Ⓒ 할당; (회합 장소·시간의) 지정; (특히 남녀간의 밀회의) 약속《*with*》; Ⓤ〚法〛 양도; 원인을 …에 돌림(ascription)《*to*》.

as·sign·ee [əsàiní:, æ̀siní:] *n.* Ⓒ ①〚法〛 양수인; 수탁자. OPP *assignor.* ②《英古》 채권자 지명 파산 관재인(管財人).

***as·sign·ment** [əsáinmənt] *n.* Ⓤ,Ⓒ ① (임무·작업 등의) 할당, 지정; 할당된 것;〚컴〛 지정. ②〚法〛 양도 (증서). ③ 할당함; 임명. ④ 직위, 임무. ⑤《美》(자습) 문제, 연구 과제; 숙제(homework): give an ~ 숙제를 내다.

as·sign·or [əsáinər] *n.* Ⓒ 양도인, 위탁자.

as·sim·i·la·ble [əsíməl əbəl] *a.* 동화〔융합〕할 수 있는. ⓟ **as·sìm·i·la·bíl·i·ty** [-bíləti] *n.* Ⓤ 동화〔융합〕성.

***as·sim·i·late** [əsíməlèit] *vt.* ① (지식·문화 등)을 (제것으로) 받아들이다, 흡수하다, 이해하다 : You'll need to ~ all Einstein's work before doing this research. 너는 이 연구를 시작하기 전에 아인슈타인의 모든 저작을 다 이해해야 할 것이다. ② 《~+목/+목+전+명》 …을 (문화적으로) 동화〔일치, 순응〕시키다《to; into ; with》: ~ the new immigrants 새 이민을 동화시키다 / ~ oneself *to* the changing world 변화하는 세상에 적응하다 / He was ~*d to* them in thinking and actions. 그는 사고 방식도 행동도 그들에게 동화되었다. ③ 〖生理〗 (음식물)을 소화 흡수하다. ④〖音聲〗…을 동화시키다. opp *dissimilate.* ── *vi.* ① 흡수〔동화〕되다. ② 《+전+명》 (…에) 융합하다 ; 순응〔동화〕하다《to; into ; with》: The new arrivals ~*d* quickly *into* the local community. 새로 온 사람들은 곧 그 지역 사람들에게 융화되었다. ③ 〖生理〗 (음식물이) 소화흡수되다. ④〖音聲〗 동화하다. ⓟ ***as·sìm·i·lá·tion** [-ʃən] *n.* Ⓤ 동화(작용) ; 같게 함 ; 흡수, 융합 ; 소화. **as·sím·i·là·tive** [-lèitiv] *a.* 동화(작용)의, 동화력이 있는.

†**as·sist** [əsíst] *vt.* 《~+목/+목+전+명/+목+*to* do》 ① **a**) (아무)를 원조하다, 돕다, 거들다, 조력하다 : ~ a person financially 아무에게 재정상의 원조를 하다 / ~ a person *in* his work 아무의 일을 돕다. **b**) (아무)를 도와서 …케 하다 : ~ a sick person *into* a room〔*from* a bed〕 환자를 도와서 방으로 들이다〔침대에서 내려주다〕. **c**) (아무가) …함 을 돕다 : He ~*ed* his wife *in* writing〔*to* write〕 the book. 그는 아내가 그 책 쓰는 것을 도왔다 / He ~*ed* me *to* tide over the financial difficulties. 그는 내가 재정상의 어려움을 헤쳐나갈 수 있도록 도와 주었다. ② (아무)의 조수 노릇을 하다. ③ (사물이) …의 도움이 되다, …을 조장〔촉진〕하다 : Civil turmoil ~*ed* the coup. 시민의 소요가 쿠데타를 조장했다 / A good light ~*s* the eyes *in* reading. 충분히 불이 밝으면 책을 읽는데 눈이 피로하지 않다. ── *vi.* 《+전+명》 거들다, 돕다《*in*》: ~ *in* effecting a peaceful settlement of a conflict 분쟁의 평화적 해결에 조력하다.

── *n.* Ⓒ 《美》 ① 원조, 조력 ; 보조 장치. ②〖野〗 보살(補殺). ③〖蹴〗 어시스트《숏하기에 알맞은 공을 동료에게 패스하여 득점시키는 플레이》.

‡**as·sist·ance** [əsístəns] *n.* Ⓤ 원조, 도움, 조력 : with a person's ~ 아무의 도움을 빌려 / He gave me some ~ *in* solv*ing* the problem. 그는 내가 문제 푸는 것을 도와주었다. ◇ assist *v.* ***be of ~ to*** a person ***in*** …한 경우에 아무의 도움이 되다 : He *was of* great ~ *to* me *in* researches for my book. 내 책을 찾는데 그가 크게 도와주었다. ***come*** 〔***go***〕 ***to*** a person***'s*** ~ 아무를 도우러 오다〔가다〕; 원조하다 : Despite his cries no one *came to his* ~. 그는 외쳤으나 아무도 와서 도와주지 않았다.

‡**as·sist·ant** [əsístənt] *n.* Ⓒ ① 조수, 보좌역, 보조자, 보조물 ; 보좌 : He was ~ *to* the office manager. 그는 지배인의 보좌를 하고 있었다. ② 《美》 (학생) 조수《대학원 학생이 임명되며 유급임》. ③ 점원(=**shóp** ~) : She got a job as a sales ~ selling handbags. 그녀는 핸드백을 파는 판매 보조원으로 취직하였다. ── *a.* 〔限定的〕 보조의, 부…, 조…, …보(補) : an ~ clerk 서기보 / an ~ engineer 기원(技員) / an ~ manager 부지배인 / an ~ professor 《美》 조교수 / an ~ secretary 서기관보 ; 《美》 차관보.

as·sizes [əsáiziz] *n. pl.* 《英》 순회 재판(개정기〔지〕)(開廷期〔地〕)《1971년까지 England와 Wales 각 주에서 열렸음 ; 지금은 형사는 Crown Court, 민사는 High Court》.

Assn., assn. association.

as·so·cia·ble [əsóuʃiəbəl] *a.* ① 연상될 수 있는, 관련될 수 있는《*with*》. ② (국가나 주가) 경제 공동체에 가맹하고 있는.

‡**as·so·ci·ate** [əsóuʃièit] *vt.* 《+목+전+명》 ① 〔흔히 受動으로 또는 再歸的〕 …을 (…와) 연합시키다, 관계시키다 ; …에 참가시키다, 동료로 가입시키다(join, unite)《*with*》: I *was* ~*d with* him in the enterprise. 그와 공동으로 그 회사를 경영했다 / ~ *oneself*〔*be* ~*d*〕 *with* the cause 운동에 참가하다. ② 연상하다, (관련지어) 생각하다 ; …을 (…와) 관련짓다《*with*》: It was impossible to ~ failure *with* you. 네가 실패하리라고는 상상도 못 했다. ③ (물질)을 (물질과) 결합하다《*with*》. ── *vi.* 《+전+명》 ① (…와) 교제하다, 사귀다《*with*》: I don't care to ~ *with* them. 그들과 교제하고 싶지 않다. ② (…와) 제휴하다 : ~ *with* a person *in* something 어떤 일에 아무와 협력하다. ~ one***self with*** …에 찬동하다 ; …와 협동하다 : I have never ~*d myself with* political extremism. 나는 정치적 과격주의에 찬동한 적이 없다. ── [-ʃiit, -èit] *n.* Ⓒ ① 동료, 한패, 친구 ; 공동 경영자 ; 조합원 ; 준회원 ; (종종 A-) 《美》 단기 대학 졸업생. ② 연상되는 것 ; 연상물.

── [-ʃiit, -èit] *a.* 〔限定的〕 ① 연합된 ; 동료의, 한패의 : an ~ partner. ② 준… : an ~ editor 《美》 부주필 / an ~ judge 배석 판사 / She applied for ~ membership last year. 그녀는 지난해에 준회원 자격을 신청했다.

Assóciated Préss (the ~) (미국의) 연합통신사《略 : AP, A.P.》.

assóciate proféssor 《美》 부교수《professor의 아래》.

‡**as·so·ci·a·tion** [əsòusiéiʃən, -ʃi-] *n.* ① Ⓤ 연합, 관련, 결합, 합동, 제휴《*with*》. ② Ⓤ 교제, 친밀(한 관계). ③ Ⓒ 협회, 조합, …회 : form an ~ *to* promote social welfare 사회 복지를 촉진시키기 위하여 협회를 세우다. ④ Ⓤ (종종 *pl.*) 연상(聯想) ; Ⓒ 연상되는 것. ⑤〖競〗 축구, 사커(~ football). ◇ associate *v.* ***in ~ with*** …와 공동〔관련〕하여 : Many cinema films are made *in* ~ *with* television companies nowadays. 오늘날 많은 영화가 텔레비전 회사와 공동으로 제작된다.

associátion fóotball 《英》 사커, 축구.

as·so·ci·a·tive [əsóuʃièitiv, -si-, -ʃətiv] *a.* ① 연합의, 연대의. ② 연상(聯想)의.

as·so·nance [ǽsənəns] *n.* Ⓤ ① 음(音)의 유사 ; 유음(類音). ②〖韻〗 유운(類韻) ; 모음 압운(母音押韻)《강세가 있는 두 단어의 모음은 동음이나, 뒤이은 자음은 같지 않음 : m*a*n, s*a*t ; p*e*nit*e*nt, r*e*t*i*cent》; 부분적 일치〔부합〕. ⓟ **-nant** *a.* 유운의 ; 모운의.

as·sort [əsɔ́ːrt] *vt.* ① (물건)을 분류하다, 유별(類別)로 정리하다(classify). ② (가게)에 물건을 갖추다, (물품)을 구색 맞추다. ── *vi.* 《+부/+전+명》 ① (…와) 조화되다《*with*》: It *well*〔*ill*〕 ~*s with* my character. 그것은 나의 성격과 조화된다〔조화되지 않는다〕. ② (…와) 교제하다, 사귀다《*with*》.

***as·sort·ed** [əsɔ́ːrtid] *a.* ① 유별한, 여러 종류로 된, 다채로운, 잡다한 : a bunch of ~ wild flowers 잡다한 야생화의 한 다발. ② 한데 섞어 담은 : an ~ platter from the buffet table (뷔페 따

위에서) 테이블의 여러 가지 음식물을 덜어 담은 접시. ③ 〔well, ill 등과 複合語를 이루어〕 조화를 이룬 : a *well-*~ pair 잘 어울리는 부부.

·as·sort·ment [əsɔ́ːrtmənt] *n.* ① Ⓤ 유별, 분류. ② Ⓒ 구색 갖춘 물건 : Our store has a wide ~ *of* candies. 우리 가게는 여러 가지 캔디를 갖추어 놓고 있습니다.

Asst., asst. assistant.

as·suage [əswéidʒ] *vt.* ① (슬픔·분노·욕망 따위)를 누그러뜨리다, 진정〔완화〕시키다 : To ~ his wife's grief, he took her on a tour of Europe. 부인의 슬픔을 덜어주기 위해 그는 그녀를 유럽 여행에 데리고 갔다. ② (식욕 등)을 만족시키다 : Her thirst for knowledge could never be ~*d.* 그녀의 지식에 대한 갈망은 결코 충족될 수 없었다. ㊞ **~·ment** *n.* ① Ⓤ 완화, 진정. ② Ⓒ 완화물.

as·sua·sive [əswéisiv] *a.* 누그러뜨리는, 가라앉히는, 완화적인.

as·sum·a·ble [əsjúːməbəl] *a.* 가정〔상상〕할 수 있는. ◇ assume *v.* ㊞ **-a·bly** *ad.* 아마, 십중 팔구.

‡as·sume [əsjúːm] *vt.* ①《+목/+*that* 절/+목+*to be* 보》(증거나 객관성 없이) …을 당연한 것으로〔진실로〕 생각하다 ; 추정하다, 추측〔가정〕하다 : I ~*d* his forgiveness. 나는 그가 용서해 주리라 생각했다 / I ~ *that* you know. 물론 아실 줄 믿습니다 / He is ~*d to be* wealthy. 그는 부자로 여겨지고 있다 / Let's ~ what he says *to be* true. 그가 말하는 것은 진실이라고 가정(假定)하자 / I ~*d* (*that*) you knew each other because you went to the same school. 당신들은 같은 학교에 다녔으니 서로 알 줄로 믿었다. ② (임무·책임 따위)를 떠맡다 : ~ the chair 의장석에 앉다 / ~ the responsibility 책임을 지다 / Rebel forces have ~*d* control of the capital. 반란군이 수도를 장악했다 / The new President ~*s* office at midnight tonight. 새 대통령은 오늘 밤 12시에 취임한다. ③ (습관 등)을 몸에 배게 하다 ; (태도·성질)을 띠다, 나타내다 : ~ the offensive 공세를 취하다 / His illness ~*d* a very grave character. 그의 병은 매우 중대한 증세를 보였다. ④《~+목/+*to* do》…을 짐짓 가장하다, …인 체하다, 꾸미다 : ~ an air of innocence 결백한 체하다 / ~ interest 흥미가 있는 체하다 / ~ *to* be deaf 귀가 먹은 체하다. ⑤ …을 자기 것으로 하다《*to*》; 횡령하다(usurp) : ~ a right *to* oneself 권리를 독점하다. ⑥ (가명·별명)을 대다, 사칭하다. ◇ assumption *n.* ***assuming that . . .*** …라고 가정하여, …라고 한다면 : *Assuming that* it is true, what should we do now? 그게 정말이라면 이제부터 어떻게 하는 게 좋을까.

·as·sumed [əsjúːmd] *a.* 〔限定的〕 ① 가장한, 꾸민 : He was living in New York under an ~ name. 그는 뉴욕에 가명으로 살고 있었다 / an ~ voice 꾸민 목소리 / ~ ignorance 모르는 체함. ② 임시의, 가정의 : an ~ cause 상정상(想定上)의 원인. ㊞ **as·súm·ed·ly** [-idli] *ad.* 아마, 필시.

as·sum·ing [əsjúːmiŋ] *a.* 건방진, 외람된, 참람(僭濫)한, 주제넘은. ㊞ **~·ly** *ad.*

·as·sump·tion [əsʌ́mpʃən] *n.* ① Ⓤ,Ⓒ (임무·책임 등의) 인수, 수락 ; 취임 : the ~ of office 취임. ② Ⓒ 가정, 억측 ; 가설 : a mere ~ 단순한 억측. ③ Ⓤ 건방짐, 외람됨, 주제넘음. ④ (종종 the A-) 성모(聖母) 몽소승천(蒙召昇天) ; (A-) 성모 몽소승천 축일《8월 15일》. ⑤ Ⓤ,Ⓒ 횡령 ; 탈취, 장악《*of*》: ~ *of* power 권력 장악. ⑥ Ⓤ 위장(僞裝). ◇ assume *v.* ***on the ~ that . . .*** …라는 가정 아래. ㊞ **-tive** *a.* ① 가정의, 가설의. ② 건방진, 주제넘은. ③ 짐짓 꾸민.

‡as·sur·ance [əʃúərəns] *n.* ① Ⓒ 보증, 보장, (*pl.*) 보증의 말 : receive ~*s* of support 원조의 확약을 얻다 / We have no ~ that he will come. 그가 온다는 보장은 아무 것도 없다. ② Ⓤ 확신《*of*》: We have full ~ *of* the results. 그 결과에 대해서는 정말 확신이 있다 / Nothing could shake our ~ that the product would sell. 이 제품이 팔린다는 확신은 전혀 흔들리지 않았다. ③ Ⓤ 자신(self-confidence) ; 침착 : an easy ~ of manner 자신 있는 침착한 태도. ④ Ⓤ 뻔뻔스러움, 철면피(impudence) : have the ~ *to* (do) 뻔뻔스럽게도 …하다. ⑤《英》(생명) 보험(life ~). ◇ assure *v.* (act) ***in the ~ of*** …을 확신하여 (행동(을) 하다). ***with*** ~ 확신을 가지고 : She sang *with* ~ throughout the performance. 그녀는 공연 중 시종 자신감을 갖고 노래 불렀다.

‡as·sure [əʃúər] *vt.* ①《+목+*that* 절/+목+전+명》 **a)** …에게 (…을) 보증하다, 보장하다《*that* ; *of*》: I (can) ~ you *of* her honesty. 그녀의 정직을 보증한다. **b)** …에게 (…을) 납득시키다, 확신시키다, 안심케 하다 : The letter ~*d* him *of* her undying affection. 그 편지로 그는 그녀의 변치 않는 애정을 확신하였다 / I was unable to ~ her *that* I loved her. 내가 그녀를 사랑하고 있음을 그녀에게 납득시킬 수 없었다. ② …을 확실하게 하다, 확보하다, 보증하다 : This ~*d* the success of our work. 이로써 우리 일은 성공이 확실해졌다. ③ …을 보험에 들다(《美》 insure). ~ one***self of*** 〔***that***〕 …을 확인하다 : I ~*d myself that* he was safe. 그가 안전하다는 것을 확인했다.

·as·sured [əʃúərd] *a.* ① 보증된, 확실한(certain) : an ~ position 보장된 지위 / an ~ income 확실한 수입. ② 확신이 있는, 자신 있는 (confident) : an ~ manner 자신 있는 태도 / He looks very ~. 그는 자신 만만한 태도이다. ③ 뻔뻔스러운(presumptuous). ── (*pl.* ~, ~*s*) *n.* (the ~) (보험의) 피보험자 ; 보험금 수취인. ***be*** 〔***feel, rest***〕 ***~ of*** 〔***that***〕 …을〔이라고〕 믿어 의심치 않다, …을 확신하다 : Clinton *is* virtually ~ *of* winning towns like McKeesport. 클린턴은 사실상 매키즈포트 같은 도시에서는 승리할 것으로 확신한다.

·as·sur·ed·ly [əʃúːəridli] *ad.* ① 〔文章 修飾〕 확실히, 의심없이(surely) : *Assuredly*, he looked splendid in his new suit. 새로 지은 옷을 입은 그는 확실히 돋보였다. ② 자신을 가지고, 침착하게.

as·sur·ing [əʃúəriŋ] *a.* 보증하는 ; 확인하는 ; 확신〔용기, 자신〕을 주는. ㊞ **~·ly** *ad.* 보증하듯이 ; 자신을 갖게 하듯.

As·syr·ia [əsíriə] *n.* 아시리아《아시아 서부의 옛 국가》.
㊞ **-i·an** *a., n.* ~의 ; ~ 사람〔말〕(의).

AST Atlantic Standard Time.

as·ta·tine [ǽstətiːn, -tin] *n.* Ⓤ 〖化〗 아스타틴《방사성 원소 ; 기호 At ; 번호 85》.

as·ter [ǽstər] *n.* Ⓒ ① 〖植〗 애스터. **a)** 까실쑥부쟁이속(屬)의 식물《탱알·쑥부쟁이 등》. **b)** 과꽃(China ~). ② 〖生〗 (세포의) 성상체(星狀體).

-aster[1] *suf.* '소(小)…, 엉터리…, 덜된…' 따위 경멸의 뜻 : poet*aster* 엉터리 시인.

-aster[2] '별(모양)의'란 뜻의 결합사 : di*aster*.

as·ter·isk [ǽstərìsk] *n.* Ⓒ 별표《*》; 별 모양의 것 ; 〖컴〗 별표. ── *vt.* …에 별표를 달다〔붙이다〕.

as·ter·ism [ǽstərìzəm] *n.* Ⓒ ① 〖天〗 성군(星群) ; 별자리. ② 세 별표《⁂ 또는 ⁂》.

astern [əstə́ːrn] *ad.* 〖海〗 고물에, 고물쪽으로 ; 뒤에, 뒤로 : The skipper went ~ to gaze at the island he had just left. 선장은 자기가 방금 떠난 섬을 바라보기 위해 고물쪽으로 갔다 / The steamer is capable of some forty knots retreating ~. 그 기선은 약 40 노트로 후진할 수 있다. **~ of** … 보다 뒤쪽에(서) (opp *ahead of*) : Halfway through the race, his boat was 3 km ~ *of* the leader. 전(全)코스의 중간지점에서 그의 배는 선두 배보다 3km나 뒤쳐져 있었다. ***back*** ~ 배를 후진시키다. ***drop*** 〔***fall***〕 ~ 딴 배에 뒤처지다〔추월당하다〕. ***Go ~ !*** 후진《구령》(opp *Go ahead !*).

as·ter·oid [ǽstərɔ̀id] *n.* Ⓒ ①〖天〗 소행성 (minor planet, planetoid)《화성과 목성의 궤도 사이에 산재하는》. ②〖動〗 불가사리류. ── *a.* ① 별 모양의. ② 불가사리의〔같은〕. ㊞ **as·ter·oi·dal** [æ̀stərɔ́idl] *a.* 소행성의 ; 불가사리의.

asth·ma [ǽzmə, ǽs-] *n.* Ⓤ〖醫〗 천식.

asth·mat·ic [æzmǽtik, æs-] *a.* 천식의. ── *n.* Ⓒ 천식 환자. ㊞ **-i·cal·ly** *ad.*

as·tig·mat·ic [æ̀stigmǽtik] *a.* ① 난시(안)의 ; 난시용의. ②〖光〗 비점 수차(非點收差)의. ── *n.* Ⓒ 난시의 사람. ㊞ **-i·cal·ly** *ad.* 난시같이.

as·tig·ma·tism [əstígmətìzəm] *n.* Ⓤ ① 난시안(亂視眼), 난시. ②〖光〗 (렌즈 따위의) 비점 수차(非點收差)(opp *stigmatism*).

astir [əstə́ːr] *ad., a.* 〔形容詞로는 敍述的〕 ① 움직이어, 자리에서 일어나 : He was rarely ~ later than 7 o'clock. 그가 7시 이후에 일어나는 일은 드물었다. ② 법석대어, 떠들썩하여 ; 흥분하여 《*with*》: After the explosion, the hospital was ~ *with* nurses and doctors. 폭발이 있은 후 병원은 간호사와 의사들로 법석이었다.

ːas·ton·ish [əstániʃ / -tɔ́n-] *vt.* (아무)를 놀라게 하다, 깜짝 놀라게 하다 : His sudden appearance ~*ed* us. 그가 갑자기 나타나 우리를 놀라게 했다 《★ 종종 과거분사로 바뀌어 형용사적으로 쓰이며 뒤에 *at, to* do, *that* 절이 따름 : He was ~*ed at* 〔*by* ; *to* hear〕 the news. 그 소식을 듣고 그는 놀랐다 / We are all ~*ed* (*that*) she has failed. 우리는 모두 그녀의 실패에 놀라 버렸다》.

as·ton·ished** [əstániʃt / -tɔ́n-] (more*** ~ ; ***most*** ~) *a.* (깜짝)놀란 : with an ~ look 깜짝 놀란 얼굴로 / He looked ~. 그는 놀란 얼굴을 하고 있었다.

***as·ton·ish·ing** [əstániʃiŋ / -tɔ́n-] *a.* (깜짝) 놀랄 만한, 놀라운 : His first novel enjoyed an ~ success. 그의 첫 소설은 놀라운 성공을 거두었다. ㊞ **~·ly** *ad.* ① 놀랄 만큼 ; 몹시, 매우. ②〔文章修飾〕 놀랍게도.

ːas·ton·ish·ment [əstániʃmənt / -tɔ́n-] *n.* ① Ⓤ 놀람, 경악 : *Astonishment* deprived me of my power of speech. 놀라서 말을 못 하였다. ② Ⓒ 놀랄 만한 일〔것〕. ***in*** 〔***with***〕 ~ (깜짝) 놀라서, 소스라쳐서 : "What ?" John asked *in* ~. '뭐야 ?' 존이 깜짝 놀라며 물었다. ***to*** ***one's*** ~ 놀랍게도.

***as·tound** [əstáund] *vt.* (아무)를 놀라게 하다, 아연실색케 하다 : The enormous changes in share prices continue to ~ the experts. 주가(株價)의 격심한 변동이 계속 전문가들을 놀라게 했다《★ 종종 과거분사로 바뀌어 형용사적으로 쓰임 ⇨ astounded》.

㊞ **~·ing** *a.* 깜짝 놀라게 할 (만한), 아주 대단한 : an ~*ing* victory〔success〕 아주 대단한 승리〔성공〕. **~·ing·ly** *ad.*

as·tound·ed [astáundid] *a.*〔敍述的〕 …에 깜짝 놀라, 아연실색하여 : I was ~ *at* the sight. 나는 그 광경에 깜짝 놀랐다 / She was ~ *to* hear the news. 그녀는 그 소식을 듣고 깜짝 놀랐다.

as·trad·dle [əstrǽdl] *ad., a.* 〔形容詞로는 敍述的〕 걸터앉아, 걸터타고.

As·tra·khan [ǽstrəkən, -kæ̀n] *n.* ① 아스트라한《러시아 Volga 강 하구의 도시》. ② (a-) Ⓤ 아스트라칸《Astrakhan 지방산의 작은 양모피》. ③ (a-) Ⓤ 아스트라칸 모조 직물(=∠ **clòth**).

as·tral [ǽstrəl] *a.* 별의(starry) ; 별 모양의 ; 별이 많은 ; 별 세계의.

astray** [əstréi] *ad., a.* 〔形容詞로는 敍述的〕 길을 잃어 ; 잘못하여 ; 타락하여. ***go ~ (1) 길을 잃다 ; (물건이) 행방불명되다 : Many items of mail being sent to him have *gone* ~. 그에게 부쳐진 많은 우편물들이 배달되지 않았다. (2) 타락하다 : After all some brilliant exam results, he *went* ~, and now he's working as a cleaner. 몇 번의 빛나는 시험 성적에도 불구하고 그는 길을 잘못 들어 지금은 청소부로 일하고 있다. ***lead*** ~ ⇨ LEAD[1].

astride [əstráid] *ad., a.* 〔形容詞로는 敍述的〕 (…에) 걸터앉아 ; 두 다리를 쩍 벌리고. ***ride*** ~ (말에) 걸터 타다. ***sit*** ~ ***of*** (a horse) (말에) 걸터앉다. ***stand*** ~ 양 다리를 벌리고 서다. ── *prep.* ① 걸터앉아, 말에 올라타고. ② (내 · 도로 등)의 양쪽에 ; (넓은 지역, 긴 시간 등에) 걸쳐 : Brandenburg lies ~ the River Havel. 브란덴부르크는 하펠강 양안에 걸쳐 자리잡고 있다. ***sit ~ a horse*** 말에 올라타다.

as·trin·gen·cy [əstríndʒənsi] *n.* Ⓤ ① 수렴성. ② 떫음. ③ 엄격.

as·trin·gent [əstríndʒənt] *a.* ①〖藥〗 수렴성의. ② (맛이) 떫은. ③ 엄격한(severe). ── *n.* Ⓤ,Ⓒ〖藥〗 수렴제(劑). ㊞ **~·ly** *ad.*

astro- '별'의 뜻의 결합사.

as·tro·bi·ol·o·gy [æ̀stroubaiálədʒi / -ɔ́l-] *n.* Ⓤ 우주〔지구 외〕 생물학(exobiology).

as·tro·chem·is·try [æ̀stroukémistri] *n.* Ⓤ 우주〔천체〕 화학. ㊞ **-chém·ist** *n.*

as·tro·dome [ǽstrədòum] *n.* ① Ⓒ〖空〗 (항공기의) 천체 관측창(astral hatch). ② (the A-) 투명한 둥근 지붕의 경기장《미국 Houston에 있는 것이 유명함》.

as·tro·ge·ol·o·gy [æ̀stroudʒiálədʒi / -ɔ́l-] *n.* Ⓤ 천체〔우주〕 지질학.

astrol. astrologer ; astrological ; astrology.

as·tro·labe [ǽstrəlèib] *n.* Ⓒ 옛날의 천체 관측의(儀), (간이) 천측구(天測具).

as·trol·o·ger [əstrálədʒər / -trɔ́l-] *n.* Ⓒ 점성가(占星家), 점성학자.

as·tro·log·i·cal [æ̀strəládʒikəl / -lɔ́dʒ-] *a.* 점성의 ; 점성학의. ㊞ **~·ly** *ad.*

***as·trol·o·gy** [əstrálədʒi / -trɔ́l-] *n.* Ⓤ 점성학〔술〕. cf astronomy.

***as·tro·naut** [ǽstrənɔ̀ːt] *n.* Ⓒ 우주 비행사.

as·tro·nau·ti·cal [æ̀strənɔ́ːtikəl] *a.* 우주 비행의, 우주 비행사의. ㊞ **~·ly** *ad.*

as·tro·nau·tics [æ̀strənɔ́ːtiks] *n.* Ⓤ 우주 비행학.

ːas·tron·o·mer [əstránəmər / -trɔ́n-] *n.* Ⓒ 천문학자.

***as·tro·nom·i·cal** [æ̀strənámikəl / -nɔ́m-] *a.* ① 천문학(상)의 : an ~ observatory 천문대 / ~ observations 천체 관측 / an ~ telescope 천체 망원경 / ~ time 천문시《하루가 정오에서 다음날 정오까지》. ② (숫자 · 거리 등이) 천문학적인, 엄청나게 큰, 방대한 : ~ figures 〔distance〕 천문학적 숫자〔대단히 먼 거리〕 / The cost will be ~. 비용이 엄청나게 들 게다. ㊞ **~·ly** [-ikəli] *ad.* 천문학상.

ːas·tron·o·my [əstránəmi / -trɔ́n-] *n.* Ⓤ 천문학 ; Ⓒ 천문학 논문〔서적〕.

as·tro·phys·i·cal [æ̀strou*fízik*əl] *a.* 천체 물리학의. 「물리학자.
as·tro·phys·i·cist [æ̀strou*fízi*sist] *n.* Ⓒ 천체
as·tro·phys·ics [æ̀strou*fíziks*] *n.* Ⓤ 천체 물리학.
as·tute [əst*jú*:t] *a.* 기민한, 빈틈 없는 ; 교활한 : an ~ lawyer〔businessman〕 빈틈 없는 변호사〔사업가〕. ㊇ **~·ly** *ad.* **~·ness** *n.*
asun·der** [əsʌ́ndər] *ad., a.* 〔形容詞로는 敍述的〕 ① 〔주로 break, rend, split, tear 등의 동사에 붙어〕 산산이 흩어져, 조각조각으로 ; 두 동강이로 : families *rent* 〔*torn*〕 ~ by the revolution 혁명으로 뿔뿔이 흩어진 가족들 / The huts were *blown* ~ by the hurricane. 그 오두막은 태풍에 산산이 부서져 날라가 버렸다. ② 《文語》 (둘 이상의 것이 서로) 떨어져서, 따로따로(apart) ; (성격·성질 따위가) 달라 : The two places lay far ~. 두 곳은 멀리 떨어져 있었다. ***whole worlds ~ 하늘과 땅만큼 떨어져서. ***wide*** ~ 서로 떨어져서.
As·wan [ɑ:swɑ́:n, æs-] *n.* 아스완《이집트 남동부의 도시》 ; 그 부근의 댐.
***asy·lum** [əsáiləm] *n.* ① Ⓒ (보호) 시설〔수용소〕《고아·정신 병자를 위한》 : an orphan〔a foundling〕 ~ 고아〔육아〕원. ② Ⓒ《稀》 정신병원《오늘날에는 mental home 〔hospital, institution〕이 일반적》. ③ Ⓒ 〔一般的〕 은신처, 피난처. ④ Ⓒ 〖國際法〗 정치범에게 주어지는 일시적 피난처《주로 외국 대사관》. ⑤ Ⓤ 피난, 망명, 보호 : grant ~ to …에 망명을 허락하다 / seek political ~ 정치적 보호를 〔망명을〕 요청하다.
asym·met·ric, -ri·cal [èisimétrik, æ̀s-], [-əl] *a.* 불균형〔부조화〕의 ; 비대칭의. ㊇ **-ri·cal·ly** *ad.*
asym·me·try [eisímətri, æs-] *n.* Ⓤ 불균형, 부조화 ; 〖數·化〗 비대칭 ; 〖植〗 비상칭(非相稱).
asyn·chro·nous [eisíŋkrənəs, æs-] *a.* ① 때가 맞지 않는 ; 비동시성의. opp. *synchronous.* ② 〖電·컴〗 비동기(非同期)의 : an ~ generator 비동기 발전기 / ~ communication 비(非)동기 통신 / ~ transmission 비동기 전송. ㊇ **~·ly** *ad.*
†**at** [æt, 弱 ət] *prep.* 《★ 보통 [ət]라고 발음되나, 문장 끝에 올 때는 강음이 됨》. ① **a)** 〔위치·지점〕 …에, …에서 : *at* a point 한 점(點)에 / *at* the center 중심에(서), 한복판에(서) / *at* the top 꼭대기에, 맨 위에서 / *at* my side 내 곁에 / *at* the foot of the hill 산 기슭에 / *at* the end of the street 거리의 막바지〔끝〕에 / *at* a 〔the〕 distance of 10 miles, 10마일 격하여〔떨어져〕 / *at* the seaside 해변에서 / put up *at* an inn 여관에 투숙하다 / Open your book *at* 〔《美》 *to*〕 page 20. 책의 20 쪽을 펴라 / I bought it *at* the baker's (shop). 빵집에서 그것을 샀다 / He is a student *at* Yale. 그는 예일 대학의 학생이다《of Yale로 하는 예는 드묾》 / He lives *at* 24 Westway. 그는 웨스트웨이 24번지에 살고 있다《번지는 at, 동네·거리 이름에는 in, on을 씀》.

> 語法 at은 나라 이름에는 쓰지 않음. 흔히 큰 도시에는 in을, 작은 도시에는 at을 사용하나 대소를 가리지 않고 도시를 지리적인 점(點)으로 생각할 때는 at을, 그 구역의 '안에'로 생각할 때엔 in을 쓸 수 있음 : This plane will stop one hour *at* Chicago. 이 비행기는 시카고에서 한 시간 머뭅니다 / My parents live *in* Chicago. 부모는 시카고(의 시내)에 살고 있습니다.

b) 〔출입의 점·바라보이는 곳을 나타내어〕 …에서, …으로(부터) : come in *at* the front door 정문으로 들어오다《through의 뜻》 / look out *at* the window 창문에서 밖을 내다보다《단지 '창으로'의 뜻이면 at 대신 out of를 씀》 / Let's begin *at* Chapter Three. 제 3 장(章)부터 시작합시다. **c)** 〔출석·참석 따위를 나타내어〕 …에 (나가 있어 따위) : *at* a meeting 회의에 출석하여 / *at* the theater 극장에(가 있어) / He was *at* university from 1985 to 1989. 그는 1985년부터 1989년까지 대학생이었다《미국에서는 in college》. **d)** 〔도착지·도달점을 나타내어〕 …에 : arrive *at* one's destination 목적지에 도착하다.
② 〔시점·시기·연령〕 …에, …때에 : *at* five (o'clock) 5 시에 / *at* daybreak 〔sunset〕 새벽〔해질〕녘에 / *at* midnight 〔noon〕 한밤중〔정오〕에 / *at* present 지금은 / *at* (the age of) nine 아홉 살 때에 / *at* the weekend 《英》 주말에 / *at* the beginning 〔middle, end〕 of the month 월초〔중순, 월말〕에 / *at* this moment 현재, 바로 그 때 / *at* this time of (the) year 〔day, night〕 이 계절〔이 시각, 밤의 이 시각〕에 / (*at*) what time …? 몇 시에《at은 흔히 생략》 / School begins *at* nine and ends *at* four. 수업은 9 시에〔부터〕 시작하여 4 시에 끝난다《begin from nine은 잘못. 단, School is from nine to four. 수업은 9 시부터 4 시까지다는 가능함》.
③ **a)** 〔상태·궁지·입장을 나타내어〕 …하여 : *at* a loss 어찌할 바를 몰라, 당혹〔당황〕하여 / a stag *at* bay 사냥개에 쫓긴 수사슴 / *at* a disadvantage 불리한 입장에 / *at* large ⇨ LARGE / *at* stake 위험에 직면하여. **b)** 〔자유·임의·근거를 나타내어〕 …로, …으로 : *at* will 마음대로 / *at* one's convenience 형편 닿는 대로, 편리한 대로 / *at* one's disposal 뜻〔마음〕대로 / *at* the discretion of …의 재량으로〔자유로, 생각대로〕 / *at* one's request 요구에 따라. **c)** 〔평화·불화를 나타내어〕 …하여, …중(인) : be *at* peace 평화롭(게 지내)다 / be *at* war 전쟁중이다 / *at* odds (with) (…와) 불화하여. **d)** 〔정지·휴지(休止)를 나타내어〕 …하여 : *at* rest 휴식하여 / *at* anchor 정박하여 / *at* a standstill 딱 멈추어 ; 정돈 상태에. **e)** 〔at one's+형용사 최상급으로, 극한을 나타내어〕 …하여 : The storm was *at its* worst. 폭풍우는 더없이 격렬했다.
④ 〔행동·종사〕 **a)** 〔종사중임을 나타내어〕 …에 종사하여, …을 하고 있는 ; …중에《★ 관용구는 흔히 관사가 안 붙음》 : *at* breakfast 아침 식사 중 / *at* school (학교에서) 공부중 / *at* sea 항해중 / *at* table 식사중 / be *at* work 일〔공부〕하고 있다 / be *at* prayer 기도(를 드리는) 중이다 / The children are *at* play. 어린이들이 놀고 있다 / What is he *at* now? 그는 지금 무엇을 하고 있나. **b)** 〔종사의 대상을 나타내어〕 …에 (달라붙어), …을 : work *at* math(s) 수학을 공부하다 / knock *at* the door 문을 노크하다.
⑤ 〔기능·성질을 나타내어〕 …에〔을〕, …점에서 : good〔poor〕 *at* swimming〔mathematics〕 수영〔수학〕을 잘하여〔못하여〕 / They are quick 〔slow〕 *at* learning. 그들은 배우는 게 빠르다〔더디다〕 / He is genius *at* music. 그는 음악에 천재다, 《口》 그는 음악을 무척 잘 한다 / He is an expert *at* chess. 그는 장기의 명수다.
⑥ 〔방향·목적·목표를 나타내어〕 …을 (노리어), …을 향하여, …을 목표로 : aim *at* a mark 과녁을 겨누다 / look *at* the moon 달을 보다 / gaze *at* …을 뚫어지게 보다 / glance *at* …을 흘끗 보다 / laugh *at* a person 아무를 비웃다 / What is he aiming *at?* 그는 무엇을 노리고 있는 건가, 무엇이 목적인가 / point *at* 〔*to*〕 the house 그 집을 가리키다 / rush *at* …으로〔에〕 돌진하다 / stare

at …을 응시하다 / throw a stone *at* a cat 고양이에게 돌을 던지다《비교 : throw a piece of meat *to* a cat 고양이에게 고기를 던져 주다》.
⑦〔감정의 원인 · 사물의 본원〕…에 (접하여), …을 보고〔듣고, 알고, 생각하고〕, …으로, …에서〔로부터〕: blush *at* a mistake 잘못을 저질러 얼굴을 붉히다 / do something *at* a person's suggestion 아무의 제안으로 무엇을 하다 / be surprised 〔astonished〕 *at* the result 결과에 놀라다 / be glad 〔pleased, delighted〕 *at* the news of …의 소식을 듣고 기뻐하다 / be terrified *at* the sight of …을 보고 공포에 질리다 / be annoyed *at* a person's stupidity 아무의 바보스러움에 속이 상하다.
⑧〔비율 · 정도〕 **a**)〔값 · 비용 · 속도 · 정도를 나타내어〕 …(의 비율)로, …하게 : buy 〔sell, be sold〕 *at* ten cents, 10센트에 사다〔팔다, 팔리다〕/ *at* a low price 싼 값으로 / *at* (an angle of) 90°, 90도로 / *at* one's own expense 자비(自費)로 / *at* (a speed of) 80 miles per〔an〕 hour 시속 80 마일로 / estimate the crowd *at* 300, 군중을 3백 명으로 어림〔추산〕하다. **b**)〔대가 · 희생을 나타내어〕 …로서, …하고〔하여〕: *at* any price 어떤 희생을 치르더라도 / *at* the price of liberty 자유를 희생하고 / *at* a heavy cost 큰 손실을〔손해를〕 보고 / *at* any cost = *at* all costs 어떤 대가를 치르더라도 / *at* one's (own) risk 자기의 책임으로.
⑨〔방식 · 양태로〕 …(한 방식)으로, …에 : *at* a run 뛰어서, 구보로 / *at* 〔《英》 *by*〕 whole sale 도매로 / *at* a blow 일격에 / *at* a stretch 〔stroke〕 단숨에 / *at* a bound 한 걸음에, 일거에 / *at* a mouthful 한입에. ***all at once*** 갑자기, 홀연히. ***at about*** …쯤〔경〕: *at about* four o'clock 〔the same time〕 4시쯤〔같은 무렵〕에 / *at about* the same speed 대체로 같은 속력으로. ***at all*** ⇨ ALL. ***at that*** ⇨ THAT. ***at*** (***the***) ***best*** 〔***least, most***〕 기껏 해봐야〔적어도, 많아도〕. ***be at . . .*** (1) (귀찮게 남편 등)에게 졸라대다 : She *is at* her husband again to buy her a new dress. 새 드레스를 사 달라고 남편에게 또다시 성가시게 졸라대고 있다. (2) …에게 대들다 : *At* him ! 그놈에게 대들어라. (3) …을 공격하다, …을 노리다 : The cat *is at* the fish again. 그 고양이는 또다시 생선을 노리고 있다. (4) (남의 것 따위)를 만지작거리다 : He*'s been at* my tools. 그는 내 연모를 만지작거리고 있다. ***be at it*** (1) 싸움을〔장난 등을〕 하고 있다. (2)《俗》(사물에) 전념〔열중〕하다 ; 술에 빠지다.

at- *pref.* = AD-《t 앞에서의 변형》: *at*tend, *at*tract.

at. atmosphere ; atomic.

At〖化〗astatine.

AT achievement test ; antitank.

At·a·lan·ta [æ̀təlǽntə] *n.*〖그神〗아탈란타《걸음이 빠른 미녀(美女)》.

AT&T American Telephone and Telegraph Company (미국 전신 전화 회사). 「그 실례.

at·a·vism [ǽtəvìzəm] *n.* Ⓤ〖生〗격세유전 ; Ⓒ

at·a·vist [ǽtəvist] *n.* Ⓒ〖生〗격세(隔世)유전에 의한 형질을 가진 개체.

at·a·vis·tic [æ̀təvístik] *a.* 격세(隔世)유전의〔적인〕. ㊞ **-ti·cal·ly** *ad.*

atax·ia, ataxy [ətǽksiə], [ətǽksi] *n.* Ⓤ ① 혼란, 무질서. ②〖醫〗(특히 사지의) 기능장애 ; 운동실조(증) : locomotor *ataxia* 보행 장애.

at bát (*pl.* ~*s*)〖野〗타수 ; 타석《略 : a.b.》: get two hits in four ~*s*, 4타석에 2안타하다.

ATC air traffic control ;〖鐵〗automatic train control (자동 열차 제어 장치).

Ate [éiti:, ɑ́:ti] *n.* ①〖그神〗아테《인간을 멸망으로 인도하는 미망(迷妄) · 야심 따위를 상징하는 여신 ; 후에 복수의 여신》. ② Ⓤ (a-) 사람을 파멸로 이끄는 충동〔야망, 우행(愚行)〕.

†ate [eit / et] EAT의 과거.

-ate[1] *suf.* '…시키다, …(이 되게) 하다, …을 부여하다' 따위의 뜻 : loc*ate*, concentr*ate*, evapor*ate*.

-ate[2] *suf.* ① ate 를 어미로 하는 동사의 과거분사에 상당하는 형용사를 만듦 : anim*ate* (anim*ated*), situ*ate* (situ*ated*). ② '…의 특징을 갖는, (특징으로 하여) …을 갖는, …의'의 뜻 : passion*ate*, collegi*ate*.

-ate[3] *suf.* ① '직위, 지위'의 뜻 : consul*ate*. ② '어떤 행위의 산물'의 뜻 : leg*ate*, mand*ate*. ③〖化〗'…산염(酸塩)'의 뜻 : sulf*ate*.

> 語法 (1) 동사일 때는 [-eit], 명사 · 형용사일 때에는 보통 [-it]로 발음 ; 단, 강세가 어미에 있는 경우《보기 : sedate》나, 쓰이는 일이 드문 말, 또는 학술어《보기 : chordate》 따위에서는 [-eit]. (2) 이 어미로 끝나는 동사는 대부분 어미의 두 음절 앞에 으뜸 강세가 있음.

at·el·ier [ǽtəljèi] *n.* Ⓒ《F.》(화가 · 조각가의) 일터, 작업실, 화실(畫室)(studio), 아틀리에.

a tem·po [ɑ:témpou] *ad., a.*《It.》〖樂〗본래의 속도로〔의〕(tempo primo).

Ath·a·na·sius [æ̀θənéiʃəs] *n.* **Saint** ~ 성 아타나시오스《Alexandria의 대주교로 삼위 일체론을 주장하여 Arianism 교의에 반대함 ; 295 ? -373》.

***athe·ism** [éiθiìzəm] *n.* Ⓤ 무신론 ; 무신앙 생활.

***athe·ist** [éiθiist] *n.* Ⓒ 무신론자 ; 무신앙자. ㊞ **àthe·ís·tic, -ti·cal** [-tik], [-əl] *a.* 무신론(자)의. **àthe·ís·ti·cal·ly** [-tikəli] *ad.*

Athe·na [əθí:nə] *n.* = ATHENE.

Ath·e·n(a)e·um [æ̀θiní:əm] (*pl.* **~*s*, *-naea*** [-ní:ə]) *n.* ① (the ~) 아테네 신전《옛 그리스의 학자 · 시인이 모여 시문(詩文)을 평론한 곳》. ② Ⓒ (a-) 문예〔학술〕협회 ; 도서관〔실〕, 문고.

Athe·ne [əθí:ni] *n.*〖그 神〗아테네《지혜 · 예술 · 전술(戰術)의 여신(女神)》. cf. Minerva.

***Athe·ni·an** [əθí:niən] *a.* 아테네의. ── *n.* Ⓒ 아테네 사람.

***Ath·ens** [ǽθinz] *n.* 아테네《그리스의 수도》.

athirst [əθə́:rst] *a.* 〔敍述的〕《文語》갈망하여 (eager)《*for*》: He has long been ~ *for* European travel. 오랫동안 그는 유럽 여행을 갈망하고 있었다.

***ath·lete** [ǽθli:t] *n.* Ⓒ ① **a**) 운동선수, 스포츠맨 : He became a professional ~ at the age of 18. 그는 18세에 프로 선수가 되었다. **b**)《英》육상 경기자. ② 강건한〔정력적인, 활발한〕 사람. ◇ athletic *a.*

áthlete's fóot〖醫〗무좀.

‡ath·let·ic [æθlétik] *a.* ①〔限定的〕운동의, 체육의, 체육적, 경기의 : an ~ meet(ing) 운동회, 경기회 / ~ equipment 경기용 기재(器材) / an ~ event 경기 종목 / ~ sports 운동 경기. ② 운동가의〔와 같은〕, 운동을 잘하는 ; 운동가용의. ③ 강건한, 체력이 있는, 매우 씽씽한 : He was tall, with an ~ build. 그는 키크고 체격이 건장하다. ◇ athlete *n.*
㊞ **-i·cal·ly** [-ikəli] *ad.* 운동〔체육〕상, 경기적으로 ; 운동가와 같이. **-i·cism** [-isìzəm] *n.* Ⓤ,Ⓒ (전문으로서의) 운동 경기 ; 운동(경기)열.

***ath·let·ics** [æθlétiks] *n.* Ⓤ ① (각종) 운동경기, 스포츠 ;《英》육상경기《track과 field 종목만》:

do ~ 운동경기를 하다 / an ~ meeting 운동 경기회. ② 체육실기 ; 체육이론.

at-home [əthóum] *n.* Ⓒ (가정적인) 초대회(招待會) : an ~ day 집에서 손님을 접대하는 날, 접객일(接客日) (=**at hóme**). — *a.* 〔限定的〕 가정용의, 집에서의 : a new line of ~ computers 가정용 컴퓨터의 신제품.

athwart [əθwɔ́ːrt] *ad.* (비스듬히) 가로질러(서) ; (…에) 거슬러서, (…뜻에) 반(反)하여 : Everything goes ~ (*with* me). 만사가 뜻대로 되지 않는다. — *prep.* …을 가로질러서, (목적 따위)에 어긋나서 : A tree lay ~ the road. 한 나무가 길을 가로질러 쓰러져 있었다. ***go ~ a person's purpose*** 아무의 뜻대로 안 되다.

athwart·ships [-ʃìps] *ad.* 〖海〗 배의 앞을 가로질러서.

atilt [ətílt] *ad., a.* 〔形容詞로서는 敍述的〕 기울어, 기울여서(tilted).

-ation *suf.* '동작·상태·결과'를 나타내는 명사를 만듦 : occup*ation*, civiliz*ation*.

atish·oo [ətíʃuː] *int.* 《英》 =AHCHOO.

-ative *suf.* 동사에 붙여 관계·경향·성질 따위를 나타내는 형용사를 만듦 : authorit*ative*, talk*ative*《★ 발음은 대개 강음절 직후에서는 [-ətiv], 기타는 [-èitiv / -ətiv]》.

At·lan·ta [ətlǽntə] *n.* 애틀랜타《미국 Georgia 주의 주도 ; 제26회 하계 올림픽의 개최지》.

At·lan·te·an [æ̀tlæntíːən] *a.* ① 아틀라스(Atlas)와 같은. ② 비길 데 없이 힘센. ③ Atlantis 섬의.

‡**At·lan·tic** [ətlǽntik] *n.* (the ~) 대서양. — *a.* ① 대서양의〔에 면한〕 ; 대서양안(岸)의 : the ~ islands 대서양 제도 / the ~ states 《美》 대서양안의 제주(諸州), 동부 제주 / an ~ flight 대서양 횡단 비행. ② 거인 아틀라스(Atlas)의.

‡**Atlántic Ócean** (the ~) 대서양.

Atlántic (stándard) tìme 대서양 표준 시간《略 : A(S)T》.

At·lan·tis [ətlǽntis] *n.* 아틀란티스 섬《바닷속에 잠겨 버렸다는 대서양상의 전설의 섬》.

‡**at·las** [ǽtləs] *n.* ① Ⓒ 지도책 ; 도해서, 도감. Ⓒf. map. ② (A-) 〖그神〗 아틀라스《신들을 배반한 벌로 하늘을 짊어지게 된 신》 ; (A-) 무거운 짐〔책임〕을 진 사람, 대들보.

Átlas Móuntains (the ~) 아틀라스 산맥《아프리카 북서부의 산맥》.

ATM automated-teller machine. **atm.** atmosphere(s) ; atmospheric.

‡**at·mos·phere** [ǽtməsfìər] *n.* ① (the ~) 대기 ; 천체를 둘러싼 가스체 : These factories are releasing toxic gases into *the* ~. 이들 공장들은 대기 속으로 유독 가스를 배출하고 있다. ② (*sing.*) (어떤 장소의) 공기 : a refreshing mountain ~ 상쾌한 산 공기. ③ (*sing.*) **a**) 분위기, 기분, 주위의 상황 : a tense ~ 긴장된 분위기 / There's still an ~ of great hostility and tension in the city. 시내에는 아직도 심한 증오와 긴장이 감돌고 있다. **b**) (예술품의) 풍격, 운치 ; (장소·풍경 따위의) 풍취, 정취 : a novel rich in ~ 분위기가 잘 나타난 소설. ④ Ⓒ 〖物〗 기압《압력의 단위 ; 1 기압은 1,013 헥토파스칼 ; 略 : atm.》 : absolute ~ 절대 기압.

***at·mos·pher·ic** [æ̀tməsférik] *a.* ① 〔限定的〕 대기(중)의, 공기의 ; 대기에 의한, 기압의 : an ~ depression 저기압 / an ~ discharge 공중 방전(放電) / ~ nuclear test 대기권 핵실험 / ~ pollution 대기오염. ② 분위기의, 정조(情調)의 : ~ music 무드 음악 / The stage lighting was highly ~. 무대조명은 아주 정서적이었다. ㊞ **-i·cal·ly** [-əli] *ad.*

atmosphéric préssure 기압, 대기 압력 : low〔high〕 ~ 저〔고〕기압.

at·mos·pher·ics [æ̀tməsfériks] *n. pl.* 〔複數취급〕 ① 〖電〗 공전(空電) ; 공전 장애(에 의한 잡음). ② Ⓤ 공전학(空電學). ③ 〔複數취급〕 우호적인 분위기(atmosphere).

at. no. atomic number.

at·oll [ǽtɔːl, ətɑ́l, ǽtoul / ǽtɔl, ətɔ́l] *n.* Ⓒ 환상(環狀) 산호섬, 환초(環礁).

‡**at·om** [ǽtəm] *n.* Ⓒ ① 원자. ② 미분자, 티끌, 미진(微塵) : break〔smash〕 to ~*s* 가루로 부수다. ③ (an ~ of) 〔否定語를 수반하여〕 조금도 … 않다 : He does*n't* have *an* ~ *of* sincerity. 그에게 성실성이란 눈곱만큼도 없다.

átom 〔atómic〕 bómb 원자 폭탄(A-bomb).

‡**atom·ic** [ətɑ́mik / ətɔ́m-] *a.* ① 원자의《略 : at.》 : ~ physics 원자 물리학. ② **a**) 원자력에 의한〔을 이용한〕 : an ~ carrier〔ship, submarine〕 원자력 항공 모함〔선, 잠수함〕. **b**) 원자탄의〔을 이용하는〕 : an ~ explosion 핵폭발. ③ 극소의, 극미의. ㊞ **-i·cal·ly** [-kəli] *ad.*

atómic áge (the ~) 원자력 시대.

atómic cálendar 탄소 14법(法)에 의한 연대 측정 장치.

atómic clóck 원자 시계.

atómic clóud (원자 폭탄에 의한) 원자운(雲), 버섯 구름.

atómic cócktail 《口》 (암치료·진단용의) 방사성 물질 함유 내복약.

atómic énergy 원자 에너지, 원자력.

Atómic Énergy Authòrity (the ~) 《英》 원자력 공사(公社)《1954년 설립 ; 略 : A.E.A.》.

atómic físsion 원자핵 분열.

at·o·mic·i·ty [æ̀təmísəti] *n.* Ⓤ 〖化〗 ① (분자 중의) 원자수. ② 원자가(價) (valence).

atómic máss 〖化〗 원자 질량.

atómic máss ùnit 원자 질량 단위《略 : AMU》.

atómic númber 원자 번호《略 : at. no.》.

atómic píle 〔reáctor〕 원자로(reactor).

atómic pówer (동력으로서의) 원자력.

atómic (pówer) generátion 원자력 발전.

atómic pówer plànt〔stàtion〕 원자력 발전소.

atom·ics [ətɑ́miks / ətɔ́m-] *n.* Ⓤ 원자학《원자력을 다루는 물리학의 한 부문》.

atómic strúcture 원자 구조.

atómic théory 〖哲〗 원자론(atomic hypothesis) ; 〖物〗 원자 이론.

atómic vólume 원자 부피《略 : at. vol.》.

atómic wárfare 핵전쟁.

atómic wárhead 핵탄두.

atómic wéapon 핵무기(nuclear weapon).

atómic wéight 원자량《略 : at. wt.》.

at·om·ism [ǽtəmìzəm] *n.* Ⓤ 원자론〔설〕 ; 〖哲〗 원자론. ㊞ **-ist** *n.* **àt·om·ís·tic** *a.*

at·om·is·tics [æ̀təmístiks] *n.* Ⓤ 원자 과학《특히 원자력의 개발·이용을 다룸》. Ⓒf. atomics.

at·om·i·za·tion [æ̀təmizéiʃən, -mai-] *n.* Ⓤ ① 원자화. ② 분무 작용. ③ 원자 폭탄〔무기〕에 의한 파괴.

at·om·ize [ǽtəmàiz] *vt.* …을 원자로 하다〔만들다〕 ; 세분화하다 ; 원폭으로 들부수다 ; (물약)을 분무(噴霧)하다. ㊞ **át·om·ìz·er** *n.* Ⓒ (약제·향수의) 분무기.

átom smàsher 《口》 〖物〗 원자핵 파괴 장치 ; 가속기(accelerator).

aton·al [eitóunl / æ-] *a.* 〖樂〗 무조(無調)의. ⓞⓟⓟ *tonal.* ㊞ ~**·ly** *ad.*

at·o·nal·i·ty [èitounǽləti, æ̀t-] *n.* Ⓤ 〖樂〗 무조

성(無調性)《일정한 조성(調性)에 입각하지 않은 작곡 양식》; 무조주의〔형식〕.

***atone** [ətóun] *vi.* (죄 따위를) 보상〔배상〕하다, 속(贖)하다; 속죄하다《*for*》: He wished to ~ *for* the wrong he had done. 그가 범한 나쁜 일을 속죄해야겠다고 생각했다. — *vt.* …을 보상하다《*for*》: If he wins this race, it will ~ *for* his recent string of defeats. 이번 경기에서 승리한다면 그것은 최근의 그의 일련의 패배를 보상할 것이다.

atone·ment** [ətóunmənt] *n.* U,C ① 보상, 죄(罪)값《*for*》: He said that young hooligans should do community service as ~ *for* their crimes. 젊은 불량배들은 그들의 죄값으로 지역 사회 봉사를 해야 한다고 그는 말했다. ② (the A-) (예수의) 속죄. ***make ~ for …을 보상하다.

at·o·ny [ǽtəni] *n.* U ①〖醫〗이완(弛緩), 무력, 아토니. ②〖音聲〗무강세.

atop [ətáp / ətɔ́p]《文語》*ad.* 정상에《*of*》: ~ *of* a hill 언덕 위에. — *a.*〔보통 後置〕정상에 있는: a hill with a castle ~ 정상에 성이 있는 언덕. — *prep.* …의 정상에: A sea gull perched ~ the mast. 갈매기가 돛대 꼭대기에 앉았다.

ato·py [ǽtəpi] *n.* U〖醫〗아토피성 체질《선천성 과민성》. ㊞ **atop·ic** [eitápik, -tóu-] *a.*

at·ra·bil·i·ous [æ̀trəbíljəs] *a.* ① 우울증의; 침울한; 찌무룩한. ② 성마른, 신경질적인.

atri·um [éitriəm] (*pl.* ***atria*** [-triə], ***~s***) *n.* C〖建〗안마당; (고대 로마 건축의) 안뜰(이 딸린 홀);〖解〗심이(心耳); 고실(鼓室)《귀의》; 심방(心房).

***atro·cious** [ətróuʃəs] *a.* ① 흉악한, 잔학한: an ~ crime 잔학한 범죄. ②《口》아주 지독한〔형편없는, 지겨운〕: an ~ meal 형편 없는 식사. ㊞ **~·ly** *ad.*

***atroc·i·ty** [ətrásəti / ətrɔ́s-] *n.* ① U 흉악, 잔인. ② C (흔히 *pl.*) 잔학 행위, 흉행(兇行): Many *atrocities* have been committed against innocent people in wartime. 전시에는 죄없는 사람들에게 많은 잔학행위가 행해져 왔다. ③ C《口》아주 지독한 것〔일〕, 대실책.

at·ro·phy [ǽtrəfi] *n.* U ①〖醫〗위축(萎縮). OPP *hypertrophy*. ②〖生〗(영양 장애에 의한) 발육 불능, (기능의) 감퇴, 쇠퇴. ③ (도덕심 따위의) 퇴폐. — *vt.* …을 위축시키다. — *vi.* 위축하다: Their idealism had become totally *atrophied*. 그들의 이상주의는 완전히 위축되었다.

At·ro·pos [ǽtrəpɑ̀s / -pɔ̀s] *n.*〖그神〗아트로포스《운명의 세 여신(Fates)의 하나》.

ATS, A.T.S. American Temperance Society(미국 금주 협회); automatic train stop(자동 열차 정지 장치); automatic transfer services(자동 대체 서비스).

att. attached; attention; attorney.

at·ta·boy [ǽtəbɔ̀i] *int.*《美口》좋아, 됐어, 잘한다. [◂That's the boy.]

‡at·tach [ətǽtʃ] *vt.* ①《+目+前+名》…을 (물건에) 붙이다, 달다; 바르다《*to*》. OPP *detach*. ¶ ~ a label *to* one's trunk 트렁크에 이름표를 붙이다 / I *~ed* a photo *to* my application form. 나는 응모〔응시〕원서에 사진을 붙였다. ②《+目+前+名》〔종종 再歸的·受動으로〕(사람·시설 등)을 (…에) 부속〔소속, 참가〕시키다;〖軍〗(부대·군사 등)을 일시적으로 타부대에 배속하다: ~ a person *to* a company〔regiment〕아무를 중대〔연대〕에 배속하다 / I am *~ed*〔*~ed myself*〕*to* the Liberals. 나는 자유당원입니다. ③《+目+前+名》〔再歸用法〕…에 들러붙다, 부착하다: Shellfish usually ~ *themselves to* rocks. 조개는 보통 바위에 붙는다. ④《+目+前+名》(중요성 등)을 (…에) 부여하다, 두다: I don't ~ any importance *to* these rumors. 나는 이들 소문을 조금도 중시하지 않는다. ⑤《+目+前+名》〔흔히 受動으로 또는 再歸的〕…을 (…에게) 애착심을 갖게 하다, 사모하게 하다: try to ~ a boy *to oneself* by giving him sweets 과자를 주어서 아이를 따르게 하다. ⑥《+目+前+名》…을 첨부하다, 가하다, (도장)을 찍다《*to*》: The signers *~ed* their names *to* the petition. 서명자들은 청원서에 서명하였다. ⑦ …을 압류하다;〖法〗구속하다 (arrest). — *vi.*《+前+名》부착하다, 붙어〔따라〕다니다《*to*》; 소속하다《*to*》: No blame *~es to* me in the affair. 그 건(件)으로는 나는 하등 비난받을 일이 없다. ㊞ **~·a·ble** *a.* ① 부착시킬 수 있는. ②〖法〗체포〔압류〕할 수 있는.

at·ta·ché [æ̀təʃéi, ətǽʃei] *n.* C《F.》(대사·공사의) 수행원; 공사관〔대사관〕원, 외교관보: a commercial ~ 상무관(商務官) / a military〔naval〕~ 공〔대〕사관부 육〔해〕군 무관.

attaché case [ətǽʃeikèis] 소형 서류 가방의 일종; = BRIEFCASE.

at·tached [ətǽtʃt] *a.* ① 매어져 있는, 첨부한: an ~ form 첨부(신청) 용지. ② 부속의: an ~ high school 부속 고등학교. ③〔敍述的〕**a**) (…에) 소속된《*to*》: At one time the schools were mainly ~ *to* the church. 전에는 학교가 교회에 주로 예속되어 있었다. **b**) (…에) 가입하여《*to*》: He's ~ *to* the Democrats. 그는 민주당에 속해 있다. ④ 흠모(欽慕)하고 있는, …에 애정을 품고 있는《*to*》: I'm deeply〔very〕~ *to* this house and don't want to leave it. 나는 이 집에 강한 애착이 있어 떠나고 싶지 않다.

‡at·tach·ment [ətǽtʃmənt] *n.* ① **a**) U 부착, 접착, 흡착《*to*》. **b**) C 붙이는 기구; 부착물, 부속품; 연결 장치: *~s to* a vacuum cleaner 진공 청소기의 부속품. ② U (때로 an ~) 애정, 사모, 애착, 집착《*for*; *to*》;〖心〗어태치먼트《애정의 연계》: form *an ~ for* a woman 여자를 사랑하게 되다 / a feeling of ~ *to* the land where their ancestors have lived 그들의 조상이 살던 땅에 대한 애착심. ③ U〖法〗구속; 압류; C 그 영장.

‡at·tack [ətǽk] *vt.* ① (적·사람의 신체·주의·언동 따위)를 공격하다, 습격하다; 비난하다: Napoleon *~ed* Russia in 1812 and was defeated and forced to retreat. 나폴레옹은 1812년 러시아를 공격하였다가 패하여 퇴각(退却)하지 않을 수 없었다 / He *~ed* the government's policy in his speech. 그는 연설에서 정부 정책을 공격하였다. ② (병이 사람)을 침범하다; (비·바람 등이 물건)을 침식〔부식〕하다: The virus seems to have *~ed* his throat. 바이러스가 그의 목에 침윤한 것 같다 / He was *~ed* by fever. 그는 열병에 걸렸다 / Acid *~s* metal. 산은 금속을 부식한다. ③ (정력적으로 일 등)에 착수하다; (식사 따위)를 왕성하게 하기 시작하다: We have to ~ these problems now and find some solutions. 우리는 지금 이 문제들에 달려들어 몇 가지 해결책을 찾아야 한다. ④ (여자)에게 덮치다, 폭행하다.

— *vi.* 공격을 하다.

— *n.* ① U,C 공격, 습격; 비난《*against*; *on*》: *Attack* is the best (form of) defense. 공격은 최선의 방어이다 / Enemy forces have made an ~ *on*〔*against*〕the city. 적군은 그 도시에 공격을 가하였다. ② C 발병, 발작; (화학적) 파괴 작용의 개시: have an ~ of flu 유행성 감기에 걸리다 / It had brought on an ~ of asthma. 그것은 천식의

발작을 일으키게 했다. ③ [C] (일·경기·식사 따위의) (정력적인) 개시, 착수《*on*》: make an ~ *on* a backlog of work 잔무에 달려붙다. ④ [U] 〚樂〛 어택《어떤 선율을〔악구를〕 일제히 시작함》.
— *a.* 〔限定的〕 공격용의 : an ~ missile 공격용 미사일.
[파] ~·**er** *n.* 공격하는 사람 ; 〚스포츠〛 공격수.

:at·tain [ətéin] *vt.* ① (장소·위치 등)에 이르다, 도달하다 : He ~*ed* the top of the mountain before dark. 그는 어둡기 전에 산마루에 이르렀다 / He ~*ed* the age of ninety. 그는 90세에 이르렀다. ② (목적·소원)을 달성하다, …에 달하다 ; (명성·부귀 따위)를 획득하다, 손에 넣다 : He has ~*ed* the highest grade in his music exams. 그는 음악 시험에서 최고 평점을 얻었다 / He finally ~*ed* his hopes. 그는 드디어 소망을 이루었다. — *vi.* 《+[전]+[명]》 (노력이나 자연적인 경과로) (도)달하다, 이르다《*to* ; *unto*》: In the end he ~*ed to* a position of great influence. 그는 드디어 아주 세력 있는 지위에 올랐다.
[파] ~·**a·ble** *a.* 도달〔달성〕할 수 있는. **at·tàin·a·bíl·i·ty** [-əbíləti] *n.* 달성〔획득〕 가능성.

***at·tain·ment** [ətéinmənt] *n.* ① [U] 도달, 달성 : the ~ of independence 독립의 성취. ② [C] (노력하여 얻은) 능통한 것, 재간, 예능. ③ [C] (흔히 *pl.*) 학식, 재능, 조예(skill) : a man of varied ~*s* 다재다능한 사람.

at·tar [ǽtər] *n.* [U] 장미유(油) (=∠ **of róses**) ; 〔一般的〕 꽃에서 채취한 향수〔기름〕.

†at·tempt [ətémpt] *vt.* ①《~+[목] / +*to* do / +-*ing*》 …을 시도하다, 꾀하다 : He ~*ed* a joke, but it was received in silence. 그는 농담을 시도했으나 그것은 침묵 속에 받아들여졌다 / He's ~*ing to* swim across the Channel next week. 그는 다음 주에 영국 해협을 헤엄쳐 건너려고 한다 / The patient ~*ed* walk*ing* but could not do it. 환자는 걸으려고 노력했으나 할 수 없었다. ② (인명 등)을 노리다, 뺏고자 하다 ; (요새 등)을 습격하다 ; 도전하다 : ~ one's own life 자살을 꾀하다 / ~ a fort 요새를 뺏으려고 하다《★ 보통 미수에 그친 경우에 씀》.
— *n.* [C] ① 시도, 기도《*to* do ; *at* a thing》: The prisoners made an ~ *to* escape〔*at* escaping〕. 죄수들은 도망치려고 시도했다《실패의 여운이 있음》 / My first ~ *at* a cheese cake tasted horrible. 내가 처음 만들어 본 치즈 케이크는 맛이 형편 없었다. ② (사람의 목숨)을 앗으려는 시도 : An ~ was made on the life of the former Iranian Prime Minister. 전(前)이란 수상의 암살이 기도되었다《★ 미수에 그친 경우에 씀》.
[파] ~·**ed** [-id] *a.* 시도한, 미수의 : ~*ed* burglary 〔murder, suicide〕 강도〔살인, 자살〕 미수.

†at·tend [əténd] *vt.* ① (모임 등)에 출석하다 ; (학교·교회)에 다니다 : A large number of people ~*ed* the funeral〔meeting〕. 많은 사람들이 장례식〔모임〕에 참석하였다 / They ~*ed* college together at the University of Pennsylvania. 그들은 펜실베이니아 대학교에서 같이 대학을 다녔다. ②《~+[목] / +[목]+[전]+[명]》《文語》 (결과로서) …을 수반하다 : a cold ~*ed with* 〔*by*〕 fever 열이 나는 감기 / Success ~*ed* her hard work. 열심히 하였으므로 그녀는 성공하였다. ③ …와 동행〔동반〕하다, …을 수행하다, 섬기다 : The Princess was ~*ed* by her ladies-in-waiting. 공주는 시녀가 딸려 있었다. ④ …을 시중들다, 왕진하다, (병자)를 간호하다 ; (고객)을 응대하다 : The nurse will ~ the patient. 간호사가 환자를 돌볼거다. — *vi.* 《+[전]+[명]》 ① 출석하다《*at*》: ~ *at* a ceremony 식에 참석하다 / He does not ~ regularly *at* the court. 그는 매번 법정에 출석하는 것은 아니다. ② 시중들다, 섬기다《*on* , *upon*》: ~ *on* the prince 왕자의 시중을 들다. ③ 보살피다, 돌보다, 간호하다《*on, upon; to*》: Who ~*s to* the baby when you're at work ? 당신이 일할 때에 누가 아기를 돌보지요 / The nurses ~*ed on* the sick day and night. 간호사들은 주야로 환자를 간호했다. ④ 주의하다, 경청하다《*to*》: ~ *to* a speaker (◇ attention *n.*). ⑤ 정성을 들이다《*to*》: ~ *to* one's work 일에 전념하다. ⑥《文語》 (결과로서) 수반하다《*on* , *upon*》: Tidal waves ~ *upon* earthquakes. 해일은 지진의 결과로 일어난다. ◇ attendance *n.* ***be well*** 〔***badly***〕 ~***ed*** 출석자〔참석자〕가 많다〔적다〕.

:at·tend·ance [əténdəns] *n.* ① [U,C] 출석(상황), 출근(상황), 참석《*at*》: Is his ~ *at* school regular? 그는 학교에 제대로 출석하고 있습니까. ② [C] 〔集合的〕 출석자(수), 참석자(수)《*at*》: There will be a large 〔small〕 ~ *at* the meeting. 그 회의에는 참석자가 많을〔적을〕 것이다. ③ [U] 시중, 간호 ; 돌봄 : He has a couple of secretaries in ~ (*on* him). 두 비서가 그를 돕고 있다. ***be in*** ~ ***on*** …을 모시다, …에게 시중들다 : She *is in* ~ *on* her sick mother. 그녀는 병든 어머니를 돌보고 있다. ***dance*** ~ ***on*** …의 비위를 맞추다.

atténdance allòwance 《英》 (신체 장애자에게 적용되는) 간호 수당.

atténdance cèntre 《英》 청소년 보호 관찰 센터.

:at·tend·ant [əténdənt] *a.* ① 따라 모신, 수행의 : an ~ nurse 전속 간호사. ② 수반하는, 부수의, 부대의《*on, upon*》: Miseries are ~ (*up*)*on* vice. 악덕에는 불행이 따른다 / ~ circumstances 부대 상황. ③ 출석한, 참석한.
— *n.* [C] ① 시중드는 사람, 간호사 ; 수행원, 종자(從者) : a medical ~ 단골 의사. ② 참석자, 출석자. ③ (주차장 등의) 종업원, 접객원 : He was working as a carpark ~ in Los Angeles. 로스앤젤레스에서 주차장 종사원으로 일하고 있었다.

at·tend·ee [ətèndíː] *n.* [C] 출석자.

†at·ten·tion [əténʃən] *n.* ① [U] 주의, 유의 ; 주의력 : He was all ~. 그는 모든 주의를 기울였다 / He had the ~ of everyone in the hall. 그는 장내 모든 사람들의 주목을 끌었다. ② [U] 배려, 고려 ; 손질 ; 돌봄 : My car needs ~. 내 차는 손을 봐야겠다 / Children always want some ~. 아이들은 언제나 좀 돌봐줄 필요가 있다. ③ [U,C] 친절〔정중〕(한 행위)(kindness) ; (*pl.*) (여성에 대한) 배려, 정성을 기울임 : Their ~*s* made the old man feel happy. 그들의 친절은 노인을 즐겁게 했다. ④ [U] 〚軍〛 차려 자세 : stand at ~ 차려 자세를 취하다. ⑤ 〚컴〛 어텐션《외부로부터의 처리 요구》. ◇ attend *v.* ***arrest*** 〔***attract, draw***〕 ~ 주의를 끌다《*to*》: She was trying to *attract* the waiter's ~. 그녀는 웨이터의 주의를 끌려고 했다. ***Attention*** [ətènʃʌ́n] ***!*** 《구령》 차려《略 : 'Shun [ʃʌ́n] !》. ***Attention, please.*** 여러분께 알려 드리겠습니다《장내 방송 등의 개시 말》. ***call*** a person***'s*** ~ ***to*** …에 아무의 주의를 환기시키다. ***devote*** one***'s*** ~ ***to*** …에 열중〔전념〕하다. ***direct*** 〔***turn***〕 one***'s*** ~ ***to*** …을 연구하다, 논하다 ; …로 주의를 돌리다. ***give*** 〔***pay***〕 ~ ***to*** …에 주의하다 : Please *pay* ~ *to* what I am saying. 내 말을 주의해서 들어라. ***receive immediate*** ~ 응급 치료를 받다. ***with*** ~ 주의하여, 정중히 : listen *with* ~ 경청하다.

:at·ten·tive [əténtiv] (***more*** ~ ; ***most*** ~) *a.* ① 주의 깊은, 세심한《*to*》: A good teacher is always ~ *to* his or her student's needs. 좋은 선

생은 언제나 학생들의 요구에 주의를 기울인다. ② 경청하는《*to*》: an ~ audience. ③ 은근〔정중〕한, 마음쓰는, 상냥한《*to*》: He was always ~ *to* his wife. 그는 언제나 아내에게 친절히 해 주었다.
㊕ *~·**ly** *ad.* ① 아주 주의하여 : He listened ~*ly* to what she told him. 그녀가 말하는 것을 그는 주의깊게 들었다. ② 친절히. ~·**ness** *n.*

at·ten·u·ate [əténjuèit] *vt.* ① (기체·액체)를 묽게 하다, 엷게 하다. ② …을 가늘게 하다, 야위게 하다. ③ (힘·가치 따위)를 약화시키다, 덜다 : Radiation from the sun is ~*d* by the Earth's atmosphere. 태양에서 오는 복사열은 지구 대기에 의해 약화된다. ④ (바이러스의 독성)을 감약〔감독(減毒)〕하다 : an ~*d* strain of the virus 감독된 바이러스 변종. ── *vi.* 묽어〔얇아〕지다 ; 가늘어지다 ; 줄다, 약해지다. ── [əténjuit, -èit] *a.* 희박한 ; 가는, 얇은 ; 약한 ;〖植〗 점점 뾰족해지는.
㊕ **at·tèn·u·á·tion** [-éiʃən] *n.* 엷게〔묽게〕 함, 희박화(化) ; 가늘게 함 ; 감소.

*__at·test__ [ətést] *vt.* ① …을 증명하다, 입증하다 ; 증언하다 : I ~ the truth of her statement. 그녀의 진술이 사실임을 증명〔증언〕합니다 / She ~*ed having*〔*that* she had〕 seen him in May. 그녀는 5월에 그를 만났다고 증언하였다. ② (일이) …의 증거가 되다, 진실성을 보이다 ; (서명·유언서 등)을 인증하다 : His success ~*s* his diligence. 성공이 그의 부지런함을 말해준다. ③ …에게 서약시키다, (신병)을 선서하고 입대시키다 ; 나타내다.
── *vi.* 《+전+명》 ① 증명〔증언〕하다《*to*》: He ~*ed to* the genuineness of the signature. 그는 서명이 진짜임을 증명했다. ② 증명이 되다《*to*》; 입증하다《*to*》: This ~*s to* his honesty. 이 일로 그가 정직함을 알 수 있다.

at·tes·ta·tion [æ̀testéiʃən] *n.* Ⓤ,Ⓒ 증명, 증거, 증언 ; 증명서 ; 인증(認證) 선서 ; 인증. ◇ attest *v.*

at·test·ed [ətéstid] *a.* 《英》 증명〔입증〕된 ; (소·우유가) 무병〔무균〕이 보증된.

At·tic [ǽtik] *a.* ① (옛 그리스의) 아티카〔아테네〕의. ② (종종 a-) 아테네식의, 고전풍의, 우아한. ── *n.* Ⓒ 아티카〔아테네〕 사람 ; Ⓤ 아티카 방언.

‡**at·tic** *n.* Ⓒ ① 더그매《지붕과 천장 사이의 공간》; 고미다락(방). ②〖建〗 애틱《돌림띠 위의 장식벽 또는 낮은 이층》.

At·ti·ca [ǽtikə] *n.* 아티카《고대 그리스의 한 지방 ; 그 중심은 아테네》.

Áttic órder (the ~)〖建〗 아티카식《네모진 기둥을 씀》.

Áttic sált〔**wít**〕 (the ~) 기지(機智), 점잖은 「익살.

‡**at·tire** [ətáiər] *n.* Ⓤ 옷차림새 ; 복장, 의복 ; 성장(盛裝) : a girl *in* male ~ 남장(男裝)한 소녀 / *in* holiday ~ 나들이옷으로. ⓒⓕ garb, garment.
── *vt.* 《~+목 / +목+전+명 / 목+*as* 보》〔흔히 受動 또는 再歸的으로〕《文語》 …을 성장시키다《*in*》; 차려 입히다《*in*》: neatly ~*d* 단정한 복장을 한 / She *was* ~*d as* a man. 그녀는 남장을 하고 있었다 / He ~*d himself in* a gray business suit. 그는 회색 신사복을 차려 입었다.

‡**at·ti·tude** [ǽtitjù:d] *n.* Ⓒ ① (사람·물건 등에 대한) 태도, 마음가짐《*to* ; *toward*》: a critical ~ of mind 비판적인 마음가짐 / take〔assume〕 a strong〔cool, weak〕 ~ *toward*〔*to*, *on*〕 …에게 강경한〔냉정한, 약한〕 태도를 취하다 / I don't like your ~ *to* your work. 너의 일에 대한 태도가 마음에 안 든다. ② 자세(posture), 몸가짐, 거동 : in a relaxed ~ 편안한 자세로. ③ (사물에 대한) 의견, 심정《*to* ; *toward*》: What is your ~ *to* the problem? 그 문제를 너는 어떻게 생각하느냐.
strike an ~ 《옛투》 짐짓 점잔을 빼다 : He *struck an* ~ *of* defiance with a typically hard-hitting speech. 그는 대체로 강한 어조로 말하며 짐짓 점잖은 태도를 취하였다.

áttitude contròl〖로켓〗 자세 제어. ~ ***system*** (우주선의) 자세 제어 장치.

at·ti·tu·di·nal [æ̀titjú:dənl] *a.* (개인적인) 태도〔의견〕의〔에 관한〕.

at·ti·tu·di·nize [æ̀titjú:dənàiz] *vi.* 젠체하다, 점잔빼다 ; 태깔스럽게 말하다〔쓰다〕.

Attn., **attn.** attention.

atto-〖單位〗 '아토(10^{-18})'의 뜻의 결합사《기호 a》.

*__at·tor·ney__ [ətə́:rni] *n.* Ⓒ ①〖法〗 대리인. ② 《美》 변호사, 검사(public ~). ***a letter***〔***warrant***〕 ***of*** ~ (소송) 위임장. ***by*** ~ (위임장에 의한) 대리인으로서. ⓞⓟⓟ *in person.* ***power***(***s***) ***of*** ~ 위임권〔장〕.

at·tor·ney-at-law [-ətlɔ́:] (*pl.* ***-neys-***) *n.* Ⓒ 《美》 변호사 ; 《英》 (옛 common law 의) 사무 변호사《현재는 solicitor 라고 함》.

attórney géneral (*pl.* ***attórneys géneral, attórney génerals***) 《略 : A.G., Att. Gen.》 (A-G-) 《美》 (연방 정부의) 법무 장관 ; 《美》 (각 주의) 검찰 총장 ; (A- G-) 《英》 법무 장관.

‡**at·tract** [ətræ̀kt] *vt.* ① (주의·흥미 등)을 끌다, 끌어당기다《*to*》. ⓞⓟⓟ *distract.* ¶ His novel has begun to ~ notice. 그의 소설은 (세상의) 주목을 끌기 시작했다 / A magnet ~*s* iron. 자석은 쇠를 끈다 / His ideas have ~*ed* a lot of attention in the scientific community. 그의 착상들은 과학계에서 많은 주목을 끌었다. ② …의 마음을 끌다, …을 매혹하다 : He was ~*ed* by her beauty. 그는 그녀의 아름다움에 끌리었다. ◇ attraction *n.*
㊕ ~·**a·ble** *a.* ~·**ant** *n.* Ⓒ (특히 곤충을 유인하는) 유인 물질《특히 sex ~라고 불리는 화학 물질》. **-trác·tor**, ~·**er** *n.*

‡**at·trac·tion** [ətræ̀kʃən] *n.* ① Ⓤ (사람을) 끄는 힘, 매력, 유혹《*for*》: She possesses personal ~. 그녀는 인간적 매력을 지니고 있다 / Reading lost its ~ *for* him. 독서도 그에게는 매력이 없어졌다 / Skiing holds no ~ *for* me. 스키는 타고 싶지 않다. ② Ⓒ 사람을 끄는 물건, 인기거리 : the chief ~ *of* the day 당일 제일의 인기거리 / The lions are the circus' main ~. 사자들이 서커스의 주요 인기거리다. ③ Ⓤ 끌어당김, 흡인 ; 견인 ;〖文法〗 견인《★ 가까운 낱말의 영향으로 수·격 등에 변화를 일으키는 일. 보기: Each of *them are* responsible. 그들은 각자 책임이 있다(원래 are 는 is 여야 하나 them 에 끌리어 변화했음 ; 수의 견인) / an old man *whom* I *guessed* was his father 그의 부친으로 내가 생각했던 노인(원래 whom 은 who 이어야 하는 것이 guessed 에 끌리어 변화 ; 격의 변화)》. ④〖物〗인력 : the ~ of gravity 중력 / chemical ~ 친화력 / counter ~ 반대 인력 / magnetic ~ 자력(磁力). ◇ attract *v.*

‡**at·trac·tive** [ətræ̀ktiv] (***more*** ~ ; ***most*** ~) *a.* ① 사람의 마음을 끄는 ; 매력적인, 애교 있는 : an ~ personality 매력 있는 인품 / He was always immensely ~ to women. 그는 언제나 여성들에게 아주 매력적이었다. ② (의견·조건 등이) 관심을 끄는 : The salary they're offering is very ~, but I still don't want the job. 그들이 제안하고 있는 월급이 퍽 관심을 끌었으나 나는 여전히 그 직업이 달갑지 않다. ③ 인력이 있는 : ~ force 인력.
㊕ ~·**ly** *ad.* 사람 눈을 끌게, 매력적으로. ~·**ness** *n.*

attrib. attribute ; attributive(ly).

at·trib·ut·a·ble [ətríbjutəbəl] *a.*〔敍述的〕 (…에) 돌릴 수 있는〔기인하는〕《원인 등》, …탓인《*to*》: His success was largely ~ *to* his hard work. 그의 성공은 근면함에 기인하는 바가 컸다.

:at·trib·ute [ətríbjuːt] *vt.* ((+목+전+명)) ① …을 (…에) 돌리다, (…의) 탓으로 하다, (…의) 행위로〔소치로, 업적으로〕 하다((*to*)): ~ one's success *to* a friend's encouragement 성공한 것을 친구의 격려 덕분으로 생각하다 / The doctors have ~*d* the cause of the illness *to* an unknown virus. 의사들은 그 병의 원인을 알려지지 않은 바이러스 탓으로 돌렸다. ② (성질 따위)가 있다고 생각하다((*to*)): We ~ prudence *to* Tom. 톰에게는 분별이 있다고 생각한다 / People were beginning to ~ superhuman qualities *to* him. 사람들은 그에게 초인적인 특성이 있다고 생각하기 시작했다. ③〔흔히 受動으로〕 …의 출처〔기원 따위〕를 (…의) 것으로 추정〔감정〕하다((*to*)) : The play is ~*d to* Shakespeare. 그 희곡은 셰익스피어작(作)으로 추정된다. ◇ attribution *n.*
— [ǽtribjùːt] *n.* Ⓒ ① 속성, 특질, 특성 : Mercy is an ~ of God. 자비는 하느님의 속성이다. ② (어떤 인물〔직분〕 등의) 부속물, 붙어다니는 것, 상징((Jupiter 의 독수리, 국왕의 왕관 등)): Swords are ~*s* of warriors. 검(劍)은 무사의 상징이다. ③〖文法〗 한정사(限定詞)((속성·성질을 나타내는 어구; 형용사 따위)); 속성. ④〖컴〗 속성.

at·tri·bu·tion [æ̀trəbjúːʃən] *n.* ① Ⓤ (원인 따위를 …에) 돌림, 귀속(歸屬)((*to*)): The ~ of the accident *to* neglect of duty is wrong. 그 사고를 직무 태만의 탓으로 돌리는 것은 잘못이다. ② Ⓒ 속성; (부속의) 권능((*to*)), 직권.

at·trib·u·tive [ətríbjətiv] *a.* ① 속성의; 속성을 나타내는. ②〖文法〗 한정적인, 관형적(冠形的)인 ((the *old* dog 의 *old* 따위)). cf. predicative.
— *n.* Ⓒ〖文法〗 한정 어구. 파 **~·ly** *ad.*

at·tri·tion [ətríʃən] *n.* Ⓤ ① 마찰; 마멸, 마손. ② 소모, 손모(損耗); 약화; 감소. cf. contrition. ***a war of ~*** 소모〔지구〕전 : The rebels have declared a cease-fire in their *war of ~* against the government. 반란군들은 정부에 대한 그들의 소모전에 휴전을 선언하였다. — *vt.* ((美)) (퇴직자를 보충하지 않고) 인원·업무를 줄이다((*out*)).

***at·tune** [ətjúːn] *vt.* ①〖樂〗 (악기 등)의 가락을 맞추다((*to*)), …을 조율하다. ② (마음·이야기 등)을 맞추다, 조화〔순응〕시키다((*to*))((흔히 과거분사로 形容詞的으로 쓰임)): a style ~*d to* modern taste 현대인의 기호에 맞춘 양식 / Have you ~*d* yourself *to* life in America? 미국 생활에 적응했습니까. 파 **~·ment** *n.*

Atty. Attorney. **at. vol.** atomic volume.

at. wt. atomic weight.

atyp·i·cal [eitípikəl] *a.* 전형적이 아닌, 부정형(不定形)의, 격식을 벗어난; 불규칙한 : He was an ~ English schoolboy. 그는 전형적인 영국 학생이 아니다. 파 **~·ly** *ad.*

Au〖化〗 aurum ((L.)) (=gold). **Au., A.U., a.u.** angstrom unit.

au·ber·gine [óubərʒìːn, -be-, òubərdʒíːn] *n.* ((F.)) ① Ⓒ〖植〗 가지(의 열매). ② Ⓤ 가지색, 암자색.

***au·burn** [ɔ́ːbərn] *a.* (머리털 따위가) 적갈색의, 황갈색의, 다갈색의 : My wife is ~-haired. 나의 아내는 적갈색 머리이다. — *n.* Ⓤ (머리털 따위의) 적갈색, 황갈색, 다갈색.

Auck·land [ɔ́ːklənd] *n.* 오클랜드((New Zealand 의 North Island 북부의 도시; 이전의 수도)).

au cou·rant [oukuːrɑ́ːŋ] ((F.)) ① 현대적인. ②〔叙述的〕 정세에 밝은; (사정 따위에) 정통한, 잘 알고 있는((*with; of*)).

auc·tion** [ɔ́ːkʃən] *n.* Ⓤ,Ⓒ 경매, 공매 : He bought the picture at ~ in London some years ago. 그는 그 그림을 몇 해 전에 런던의 경매에서 샀다. ***a public ~ 공매(公賣). ***put up at*** 〔***for***, ((英)) ***to***〕 ~ 경매에 부치다. ***sell*** a thing ***at*** 〔((英)) ***by***〕 ~ 경매로 무엇을 팔다 : The painting will be *sold at* 〔((英)) *by*〕 ~ next week. 그 그림은 내주에 경매로 팔릴 것이다. — *vt.* …을 경매에 부치다, 경매하다((*off*)): He ~*ed off* his furniture. 가구를 경매에 내놓았다.

áuction brìdge 카드놀이의 일종.

auc·tion·eer [ɔ̀ːkʃəníər] *n.* Ⓒ 경매인(競賣人).

aud. audit; auditor.

au·da·cious [ɔːdéiʃəs] *a.* ① 대담한; 넉살좋은, 철면피의 : an ~ decision〔plan〕 대담한 결정〔계획〕 / What an ~ idea! 얼마나 대담한〔무모한〕 생각이냐. ② 무례한, 안하무인의 : an ~ remark 무례한 말. 파 **~·ly** *ad.* **~·ness** *n.*

***au·dac·i·ty** [ɔːdǽsəti] *n.* ① Ⓤ 대담 무쌍; 뻔뻔스러움, 안하무인; 무례 : I was shocked at the ~ and brazenness of the gangsters. 나는 갱들의 대담하고 뻔뻔스러움에 충격을 받았다 / He had the ~ to blame me for his mistake. 그는 뻔뻔스럽게도 자기의 실수를 내 탓으로 돌렸다. ② Ⓒ (흔히 *pl.*) 대담한 행위〔발언〕.

Au·den [ɔːdn] *n.* **Wystan Hugh** ~ 오든((미국에 귀화한 영국 시인; 1907-73)).

au·di·ble** [ɔ́ːdəbl] (more ~; most ~***) *a.* 들리는, 청취할 수 있는, 가청(可聽)의 : There was an ~ sigh of relief. 안도의 한숨 소리가 들렸다. 파 **àu·di·bíl·i·ty** *n.* 청취할〔들을〕 수 있음; 가청도(可聽度).

au·di·bly [ɔ́ːdəbli] *ad.* 들을 수 있도록, 들릴 만큼 : He sighed ~. 그는 남에게 들릴 만큼 한숨을 쉬었다.

:au·di·ence [ɔ́ːdiəns] *n.* ① Ⓒ〔集合的〕 청중; 관객, (라디오·텔레비전의) 청취〔시청〕자; (잡지 따위의) 독자(층) : a large ~ 다수의 청중 / one of the ~ 청중의 한 사람 / The ~ was excited. 청중은 흥분했다 / The ~ applauded loudly at the end of the concert. 연주회가 끝나자 청중들은 우레와 같은 박수를 보냈다 / His latest book should appeal to a large ~. 그의 최근의 책은 많은 사람들에게 읽힐 것이다. ★ 집합체로 생각할 때는 단수, 구성 요소로 생각할 때는 복수 취급. ② Ⓤ,Ⓒ (국왕·교황 등의) 공식 회견, 알현; 청취〔의견 발표〕의 기회. ***be received*** 〔***admitted***〕 ***in ~*** 배알을 허락받다((★ in ~는 무관사)). ***grant an ~ to*** …에게 배알을 허락하다. ***have ~ of*** = ***have an ~ with*** …을 배알하다 : He *had an ~ with* the King. 그는 국왕을 배알했다.

au·dio [ɔ́ːdiòu] *a.* 〔限定的〕〖通信〗 가청 주파(可聽周波)의;〖TV·映〗 음성 송신〔수신·재생〕(회로)의. — (*pl.* ***-di·os***) *n.* Ⓤ〖TV〗 (음의) 수신, 송신, 재생, 수신〔재생〕 회로; 음성 부문;〖컴〗 들림(띠), 가청(음역), 오디오.

audio- '청(聽), 소리'의 뜻의 결합사.

au·di·o·an·i·ma·tron·ics [ɔ̀ːdiəæ̀nəmətrɑ́niks / -trɔ́n-] *n. pl.* 〔單數 취급〕 컴퓨터 시스템에 의한 애니메이션 제작. [◂ *audio* + *anima*tion + elec*tronics*]

au·di·o·cas·sette [ɔ̀ːdiou kæsét, -kə-] *n.* Ⓒ 녹음 카세트, 카세트 녹음.

áudio frèquency〖通信〗 가청 주파수, 저주파.

au·di·om·e·ter [ɔ̀ːdiɑ́mitər / -ɔ́m-] *n.* Ⓒ 청력계(聽力計), 오디오미터; 청력 측정기.

au·di·o·phile [ɔ́ːdioufàil] *n.* Ⓒ 고급 라디오〔전축〕 애호가, 하이파이 팬.

áudio pollùtion 소음 공해.

au·di·o·tape [ɔ́:dioutèip] *n.* Ⓒ 녹음 테이프. cf. video tape.
au·di·o·vis·u·al [ɔ̀:diouvíʒuəl, -vízjuəl] *a.* 시청각의 : ~ education 시청각 교육. ── *n.* (*pl.*) 시청각 교재(=∠ **áids**)《영화·라디오·TV·테이프·사진·모형 따위》.
au·dit [ɔ́:dit] *n.* Ⓒ ① 회계 감사(보고서) ; 청산(서), 결산(서) : The bank first learned of the problem when it carried out an internal ~. 은행은 내부감사를 통하여 그 문제를 처음 알았다. ② (건물·시설 등의) 검사. ── *vt., vi.* ① 회계 감사하다 : Every year they ~ our accounts. 매년 그들이 우리 회계를 감사한다. ②《美》청강하다 : Bill is allowed to ~ university classes. 빌은 대학 강의의 청강을 허락받았다.
au·di·tion [ɔ:díʃən] *n.* ① Ⓤ 청각 ; 청력 ; 시청(試聽) ; 《美大學》청강. ② Ⓒ (가수·배우 등의) 음성 테스트, 오디션. ── *vt.* (예능 지원자)의 오디션을 하다 : None of the actors we've ~*ed* is suitable. 우리가 오디션을 한 배우 중 아무도 적당치 않았다. ── *vi.* 오디션을 받다(*for*).
***au·di·tor** [ɔ́:ditər] (*fem.* **-tress** [-tris]) *n.* Ⓒ ① 듣는 사람, 방청자. ② 회계 감사관 ; 감사. ③《美大學》청강생.
㊕ **àu·di·tó·ri·al** [-tɔ́:riəl] *a.* 회계감사(관)의.
‡au·di·to·ri·um [ɔ̀:ditɔ́:riəm] (*pl.* **~s, -ria** [-riə]) *n.* Ⓒ ① 청중〔관객〕석, 방청석. ② 강당, 큰 강의실 ; 공회당.
au·di·to·ry [ɔ́:ditɔ̀:ri, -ditòuri] *a.* 귀〔청각〕의, 청각 기관의 : an ~ tube 이관(耳管), 유스타키오관 / ~ sensation 청각.
áuditory meátus 〔**canál**〕 〖解〗 이도(耳道).
áuditory nèrve 〖解〗 청신경.
au fait [oufèi] 《F.》〔敍述的〕 …에 정통하여(*on* ; *with*) ; 유능하여, 숙련하여(*in* ; *at*) : He is very ~ *with* the latest developments in computers. 그는 최근의 컴퓨터 발달에 매우 정통하다. ***put*** 〔***make***〕 a person ~ ***of*** 아무에게 …을 가르치다.
au fond [oufɔ̃́:] 《F.》 근본은, 실제는 ; 근본적으로.
***Aug.** August.
au·ger [ɔ́:gər] *n.* Ⓒ 오거, 타래〔나사〕 송곳 ; 굴착용 송곳 ; (고기 가는 기계·제설차의) 나선 모양의 부분.
aught¹, ought** [ɔ:t] 《古詩》 *pron.* 어떤 일〔것〕, 무언가, 뭣이나(anything). ***for ~ I care 《古》 아무래도 상관없다 : You may go *for ~ I care.* 네가 어디로 가든 내 알 바 아니다. ***for ~ I know*** 내가 알고 있는 한에서는, 잘은 모르지만, 아마.
aught² *n.* 《美》 영(零), 제로(nought).
***aug·ment** [ɔ:gmént] *vt.* …을 늘리다, 증대시키다, 증가시키다. opp. *diminish.* ¶ She ~*ed* her income by working on the side. 그녀는 부업을 하여 수입을 보태었다. ── *vi.* 늘다, 증대하다.
aug·men·ta·tion [ɔ̀:gmentéiʃən] *n.* ① Ⓤ 증가, 증대 ; 증가율. ② Ⓒ 증가물.
aug·men·ta·tive [ɔ:gméntətiv] *a.* 증가〔증대〕하는 ; 〖言〗 뜻을 확대하는. ── *n.* Ⓒ 〖言〗 확대사(辭)《보기 : ball*oon*=large ball》.
au gra·tin [ougrǽtin, ɔ:-, -grætæ̃] 《F.》 *a.* 〔名詞 뒤에 두어〕 그라탱식의《치즈·빵가루를 발라 열은 갈색으로 구운》 : potatoes ~ 감자 그라탱. ── (*pl.* **~s** [-]) *n.* Ⓒ 그라탱 접시.
au·gur [ɔ́:gər] *n.* Ⓒ ① 〖古로〗 복점관(卜占官)《새의 거동 등으로 공사의 길흉을 판단한 사제》. ② 〔一般的〕 점쟁이 ; 예언자. ── *vt.* …을 점치다 ; 예언하다 ; 전조가 되다, 예고하다 : What does this news ~? 이 뉴스는 무엇을 예고하는 것일까. ≒ auger. ── *vi.* 〔흔히 다음과 같은 成句로〕 ~ ***well*** 〔***ill***〕 길조〔흉조〕를 보이다, 징조가 좋다〔나쁘다〕(*for*) : This ~*s well for* your success. 이건 너의 성공에 좋은 조짐이다.
au·gu·ry [ɔ́:gjəri] *n.* ① Ⓤ 점복(占卜), 점. ② Ⓒ 전조, 조짐 ; 점치는 의식.
†Au·gust [ɔ́:gəst] *n.* 8월《略 : Aug.》: in ~, 8월에 / on ~ 7 = on 7 ~ = on the 7th of ~, 8월 7일에. [◂Augustus Caesar]
***au·gust** [ɔ:gʌ́st] *a.* 당당한 ; 존엄한 ; 황공한 : your ~ father 춘부장 / an ~ performance of a religious drama 종교극의 장엄한 상연. ㊕ **~·ly** *ad.* **~·ness** *n.*
Au·gus·ta [ɔ:gʌ́stə] *n.* 오거스타. ① 여자 이름. ② 미국 Georgia 주, Savannah 강에 임한 도시. ③ 미국 Maine 주의 주도.
Au·gus·tan [ɔ:gʌ́stən] *a.* ① 로마 황제 Augustus 의 ; Augustus 시대의. ② 문예 전성기의 ; 고전주의의. ③ 〖英史〗 Anne 여왕 시대의 ; 우아한, 고상한. ── *n.* Ⓒ (Augustus 황제〔Anne 여왕〕 시대와 같은) 문예 전성기의 문학자.
Augústan Áge (the ~) 문예 전성기《라틴 문학에서는 기원전 27 년부터 기원 14 년까지, 영문학에서는 18 세기의 전반》.
Au·gus·tine [ɔ́:gəstì:n, əgʌ́stin, ɔ:gʌ́stin] *n.* **St.** ~ 성(聖)아우구스티누스. ① 기독교 초기의 교부(354-430). ② 영국에 포교한 베네딕트 수도사《Canterbury 의 초대 대주교 ; ?-604》.
Au·gus·tus [ɔ:gʌ́stəs] *n.* ① 오거스터스《남자 이름》. ② 아우구스투스《로마 초대 황제 Gaius Octavianus(63 B.C.~A.D. 14)의 칭호》.
au jus [oudʒú:s] 《F.》 (고기를) 그 구운 국물에 넣은.
auk [ɔ:k] *n.* Ⓒ 〖鳥〗 바다쇠오리.
au lait [ouléi] 《F.》〔名詞 뒤에 두어〕 우유가 든 : café ~ 밀크 커피.
auld [ɔ:ld] *a.* 《Sc.》 = OLD.
auld lang syne [ɔ́:ldlæŋzáin, -sáin] ① 흘러간 날, 즐거웠던 옛날(old long since, the good old days) : Let's drink to ~. 그리운 옛날을 생각하며 건배합시다. ② (A- L- S-) Robert Burns 의 시.
†aunt [ænt, ɑ:nt] *n.* ① Ⓒ (A- ; 호칭시) 아주머니《이모, 백모, 숙모, 고모》. opp. *uncle.* ② (A-) 아줌마《나이 지긋한 부인에 대한 애칭》. ***My*** (***sainted*** 〔***giddy***〕) ~ ***!*** 《俗》 어머(나), 저런.
aunt·ie, aunty [ǽnti, ɑ́:nti] *n.* ① Ⓒ 《口》 아줌마《aunt 의 애칭》. ② (A-) 《英俗》 영국 방송 협회.
Áunt Sálly 《英》 ① **a)** Ⓤ 목제 여상(女像)의 입에 파이프를 물리고 막대를 던져서 떨어뜨리는 놀이. **b)** Ⓒ 또, 그 목우(木偶). ② Ⓒ 부당한 공격〔조소〕의 대상(이 되는 사람·의론 등).
au pair [òupɛ́ər] 《F.》 *n.* 오페어걸(=**au páir gírl**)《거저 숙식 제공을 받는 대신 가사를 돕는 외국 여자 ; 그 나라 말 배우기를 목적으로 함》. ── *a., ad., vi.* 〔形容詞는 限定的〕 (방과 식사 제공을 받는 대신 가사를 돕는 등의) 교환 조건의〔에 의한, 으로 (일하다)〕.
au·ra [ɔ́:rə] (*pl.* **~s, au·rae** [-ri:]) *n.* Ⓒ ① (물체에서 발산하는) 기운, 영광(靈光) ; (방향(芳香) 따위의) 감각적 자극. ② (사람이나 장소에서 느껴지는) 분위기, 느낌 : The woods had an ~ of mystery. 숲에는 신비로움이 감돌았다 / He has about him an ~ of greatness. 그에게는 어딘가 위대함을 느끼게 하는 것이 있다. ③ 오러《최면술사의 손끝에서 흘러나온다는 영기(靈氣)》.
au·ral [ɔ́:rəl] *a.* 귀의 ; 청각의. ≒oral. ¶ an ~ aid 보청기 / The opera was an ~ as well as a visual delight. 오페라는 눈은 물론 귀도 즐겁게 해

주었다. ㊞ ~·ly ad. 귀로〔에서〕, 청각으로.

au·ral-oral [-ɔ́:rəl] a. (외국어 교수법이) 듣기와 말하기에 의한: the ~ approach (외국어의) 듣기와 말하기에 의한 교수법.

au·re·ate [ɔ́:riit, -èit] a. ① 금빛의, 번쩍이는. ② 미사여구를 늘어놓은, 화려한.

au·re·ole [ɔ́:riòul] n. Ⓒ ① a) (성자·순교자가 받게 될) 천상의 보관(寶冠), 영광. b) (성상(聖像)의) 원광(圓光), 광륜(光輪). Ⓒf halo, nimbus. ② 《比》 광휘, 영광. ③ 〖氣〗 (해·달의) 무리. ④ 〖地〗 접촉 변성대(變成帶). ㊞ ~d a.

Au·re·o·my·cin [ɔ̀:riouмáisin] n. Ⓤ 오레오마이신《항생 물질의 하나; 商標名》.

au re·voir [òurəvwɑ́:r] 《F.》 안녕, 또 봐요《헤어질 때의 인사》.

au·ric [ɔ́:rik] a. 금의; 〖化〗 제이금(第二金)의.

au·ri·cle [ɔ́:rikl] n. Ⓒ ① 〖解〗 a) 외이(外耳), 귓바퀴. b) (심장의) 심이(心耳). ② 〖植·動〗 이상부(耳狀部); 〖動〗 (해파리 따위의) 이상판(耳狀瓣). ㊞ ~d a. ~이 있는.

au·ric·u·lar [ɔ:ríkjələr] a. ① a) 귀(모양)의; 청각의. b) 귓속말〔비밀얘기〕의: an ~ confession (목사에게 몰래 털어놓는) 비밀 참회. ② 〖解〗 심이(心耳)의.

au·rif·er·ous [ɔ:rífərəs] a. 금을 산출하는; 금을 함유하는.

***Au·ro·ra** [ərɔ́:rə, ɔ:rɔ́:-] n. ① 〖로神〗 새벽의 여신, 오로라: ~'s tears 아침 이슬. ② 오로라《여자 이름》. ③ (a-) (pl. **~s, -rae**[-ri:] Ⓒ 《詩》 서광, 여명(기); 극광: *aurora* polaris 극광.

auróra aus·trá·lis [-ɔ:stréilis] 남극광 (the southern lights).

auróra bo·re·ál·is [-bɔ̀:riǽlis, -éilis] 북극광 (the northern lights).

au·ro·ral [ɔ:rɔ́:rəl] a. 새벽의; 서광의; 장밋빛의; 극광의〔과 같은〕; 빛나는, 휘황한.

AUS, A.U.S. Army of the United States (미국 육군). **Aus.** Australia(n); Austria(n).

Ausch·witz [áuʃvits] n. 아우슈비츠《폴란드 남서부의 도시; 나치의 유대인 수용소로 유명함》.

aus·cul·tate [ɔ́:skəltèit] vt., vi. 〖醫〗 (…을) 청진하다. ㊞ **àus·cul·tá·tion** [-ʃən] n. 청진(법). **áus·cul·tà·tor** [-tər] n. 청진기〔자〕.

aus·pice** [ɔ́:spis] n. ① Ⓒ (새점(占)에 의한) 전조, 《특히》 길조. ② (pl.) 후원, 찬조, 보호. ***under favorable ~s 조짐이 좋아. ***under the ~s of*** (the company) =***under*** (the company's) ***~s*** (회사)의 찬조로〔후원으로〕: The withdrawal of troops will be carried out *under* United Nations' ~s. 유엔의 보호 아래 병력 철수가 실행될 것이다.

aus·pi·cious [ɔ:spíʃəs] a. 길조의, 경사스런, 상서로운; 행운의: an ~ start〔beginning〕 상서로운 출발〔시작〕. ㊞ ~·ly ad. ~·ness n.

Aus·sie [ɔ́:si / ɔ́(:)zi] n. Ⓒ, a. ① 《口》 오스트레일리아(사람의). ② 오스트레일리아산 테리어(= **Austrálian térrier**).

Aus·ten [ɔ́:stən] n. 오스틴. ① 남자 이름. ② **Jane** ~ 《영국의 여류 소설가; 1775-1817》.

aus·tere** [ɔ:stíər] (aus·ter·er; -est***) a. ① 엄(격)한, 준엄한, 가혹한: have an ~ look 험한 표정을 하다. ② 꾸미지 않은, 간소한, 내핍의, 금욕적인: ~ fare 금욕적인 식사 / live a ~ life 검소한 생활을 하다. ③ 신, 떫은, 씁쓸한. ◇ austerity n. ㊞ ~·ly ad. 엄(격)히, 호되게; 간소하게.

***aus·ter·i·ty** [ɔ:stérəti] n. ① Ⓤ 엄격, 준엄; 간소. ② Ⓒ 내핍, (흔히 pl.) 내핍〔금욕〕 생활《특히 전시의》: wartime *austerities* 전시의 내핍 생활 / He practices *austerities* almost like a monk. 그는 수사(修士)에 가까운 금욕 생활을 실천한다. ③ Ⓤ 긴축 경제. ◇ austere a.

Aus·tin [ɔ́:stən] n. 오스틴. ① 남자 이름. ② Texas 주의 주도. ― a. 《英》 =AUGUSTINIAN.

aus·tral [ɔ́:strəl] a. 남쪽의, 남국의; (A-) = AUSTRALIAN; AUSTRALASIAN.

Aus·tra·la·sia [ɔ̀:strəléiʒə, -ʃə] n. 오스트랄라시아《오스트레일리아·뉴질랜드 및 그 부근의 여러 섬의 총칭》. ㊞ ~n a., n. Ⓒ 오스트랄라시아의; 오스트랄라시아 사람(의).

†**Aus·tra·lia** [ɔ:stréiljə] n. 오스트레일리아, 호주 《정식명 the Commonwealth of ~; 수도는 Canberra》.

‡**Aus·tra·lian** [ɔ:stréiljən] a. 오스트레일리아의; 오스트레일리아 사람의. ― n. Ⓒ 오스트레일리아 사람.

Austrálian bállot 오스트레일리아식 투표용지 《전(全)후보자명을 인쇄, 지지하는 후보자 이름에 기표》.

Austrálian béar 〖動〗 =KOALA.

Austrálian Cápital Térritory (the ~) 오스트레일리아의 New South Wales 주 동부에 있는 연방 직속 지역《略: A.C.T.》.

‡**Aus·tria** [ɔ́:striə] n. 오스트리아《수도 Vienna》.

Aus·tria-Hun·ga·ry [ɔ́:striəhʌ́ŋgəri] n. 오스트리아헝가리《유럽 중부에 있었던 연합 왕국; 1867-1918》.

‡**Aus·tri·an** [ɔ́:striən] a. 오스트리아(사람)의. ― n. Ⓒ 오스트리아 사람.

Aus·tro·ne·sia [ɔ̀:strouní:ʒə] n. 오스트로네시아《태평양 중남부의 여러 섬》.

aut- ⇨ AUTO-.

au·tar·chy [ɔ́:tɑ:rki] n. ① Ⓤ 독재권, 전제정치; Ⓒ 독재〔전제〕국. ② =AUTARKY.

au·tar·ky [ɔ́:tɑ:rki] n. ① Ⓤ a) (국가의) 경제적 자급 자족. b) 경제 자립 정책. ② Ⓒ 경제 자립 국가.

au·then·tic** [ɔ:θéntik] (more ~; most ~***) a. ① 믿을 만한, 확실한, 근거 있는: an ~ document 믿을 만한 문서 / an ~ information 확실한 보도. ② 진정한, 진짜의: This picture is an ~ Goya. 이 그림은 진짜 고야의 것이다 / an ~ signature 본인의 서명.
㊞ **-ti·cal·ly** [-kəli] ad. 확실히, 전거에 의하여.

au·then·ti·cate [ɔ:θéntikèit] vt. …이 믿을 만함〔진짜임〕을 입증하다; …을 법적으로 인증하다: All the antiques have been ~d and recorded. 모든 골동품은 감정을 거쳐 등록되었다.
㊞ **au·thèn·ti·cá·tion** [-ʃən] n. 입증, 인증. **au·thén·ti·cà·tor** [-tər] n. 입증자, 보증자; 인증자.

au·then·tic·i·ty [ɔ̀:θentísəti] n. Ⓤ ① 확실성, 신빙성: The ~ of her story is beyond doubt. 그녀의 이야기의 신빙성은 의심할 여지도 없다. ② 출처가 분명함, 진정(眞正)함〔임〕.

‡**au·thor** [ɔ́:θər] n. Ⓒ ① 저자, 작가, 저술가《여성도 포함》: The copy of the novel I bought was signed by the ~. 내가 산 소설책에 그 저자가 서명하였다. ② (저자의) 저작(물), 작품: find a passage in an ~ 어떤 문구를 어느 작가의 작품 속에서 발견하다. ③ 창조자, 창시자; (A-) 조물주(God): He's the ~ of the company's recent success. 그는 회사의 최근의 성공의 장본인이다. ***the Author of all*** 〔***our***〕 ***being*** 조물주, 하느님. ***the ~ of evil*** 마왕. ― vt. ① …을 저작〔저술〕하다(write). ② …을 창시〔고안〕하다: She ~ed a new system for teaching chemistry. 그녀는 새로운 화학 교수법을 창안했다.

au·thor·ess [ɔ́:θəris] n. Ⓒ 여류 작가《★ 여류

작가라도 author 라고 하는 것이 보통임》.

au·thor·i·tar·i·an [əθɔ̀ːrətέəriən, əθɑ̀r-] *a.* 권위〔독재〕주의의 : an ~ government 독재 정부. ── *n.* Ⓒ 권위〔독재〕주의자. ㊞ **~·ìsm** *n.*

***au·thor·i·ta·tive** [əθɔ́ːritèitiv, əθάrə-/ɔ(ː)-θɔ́ritətiv] *a.* ① (정보 등이) 권위 있는 ; 신뢰할 만한 : information from an ~ source 확실한 소식통의 정보. ② (사람·태도 따위가) 위압적인, 독단적인 ; 엄연한 ; 명령적인 : an ~ tone of voice 명령적인 어조 / say with an ~ air 위압적인 태도로 말하다. ③ 당국의, 관헌의.
㊞ **~·ly** *ad.* 권위 있게 ; 엄연히.

‡au·thor·i·ty [əθɔ́ːriti, əθάr-/əθɔ́r-] *n.* ① Ⓤ 권위, 권력, 위신 : the ~ of a parent 어버이의 권위 / a 〔the〕 person *in* ~ 권력자. ② Ⓤ 권한, 권능, 직권《*to* do ; *for*》: You have no ~ *for* entering our house. 당신은 우리 집에 들어올 권한이 없소 / The UN has used〔exercised〕 its ~ *to* restore peace in the area. 유엔은 그 지역에 평화를 회복시키기 위하여 권한을 행사하였다. ③ Ⓒ **a**) (흔히 *pl.*) 당국, 관헌 : the *authorities* concerned =the proper *authorities* 관계 당국〔관청〕/ the civil 〔military〕 *authorities* 행정〔군〕 당국(자) / This provided a pretext for the *authorities* to cancel the elections. 이것은 당국에게 선거를 취소할 구실을 마련해 주었다. **b**) 공공 사업기관 ; 공사(公社) : ⇨ ATOMIC ENERGY AUTHORITY. ④ Ⓒ (확실한) 소식통 ; (믿을 수 있는) 근거, 전거《*of*》; 전적(典籍)《*on*》: cite *authorities* 전거를 보이다 / We have it *on* good ~ *that* you're getting married soon. 네가 곧 결혼하리라는것을 확실한 소식통한테 들었다. ⑤ Ⓒ (특정 문제에 대한) 권위자, 대가《*on*》; 권위서《*on*》: an ~ *on* law 법률의 대가 / He's universally recognized as an ~ *on* Russian affairs. 그는 러시아 사정에 대한 권위자로 널리 인정받고 있다. ***by the ~ of*** …의 권한으로 ; …의 허가를 얻어. ***have no ~ over*** 〔***with***〕 …에 대하여 권위가 없다. ***on*** one***'s own ~*** (1) 독단으로, 자기 마음대로 : I have done it *on my own* ~. 제 독단으로 그것을 했습니다. (2) 자칭 : He is a great scholar *on his own* ~. 그는 자칭 대학자이다. ***on the ~ of*** …을 근거로 하여. ***those in ~*** 당국자 : a deep distrust of *those in* ~ 당국자들에 대한 심한 불신. ***under the ~ of*** …의 지배〔권력〕하에.

au·thor·i·za·tion [ɔ̀ːθərizéiʃən] *n.* ① Ⓤ 권한 부여, 위임 ; 공인, 관허 ; (법적인) 강제력〔권〕. ② Ⓒ 수권서(授權書), 허가서.

***au·thor·ize** [ɔ́ːθəràiz] *vt.* ①《+目+*to* do》…에게 권한을 주다, 위임하다(empower) : The Minister ~*d* him *to* do it. 장관은 그에게 그것을 할 권한을 주었다. ② (행동·계획·지출 등)을 정식으로 인가〔허가〕하다 : Who ~*d* this expenditure? 이 지출을 누가 허락하였는가. ③ (권위·관례에 의해)…을 확립하다, 인정하다 : These idioms are ~*d* by usage. 이들 관용구들은 관례에 의해 인정되고 있다. ◇ authority *n.*

***au·thor·ized** [ɔ́ːθəràizd] *a.* 공인된, 검정필인 ; 권한을 부여받은 : an ~ textbook 검(인)정 교과서 / an ~ translation 원작자의 인가를 얻은 번역.

Áuthorized Vérsion (the ~) 흠정역(欽定譯) 성서《1611 년 영국왕 James 1세의 재가(裁可)에 의하여 편집된 영역 성서 ; 略 : A.V.》.

au·thor·ship [ɔ́ːθərʃìp] *n.* Ⓤ ① 저작자임 ; 저술업 ; 원작자 : a poem of unknown ~ 작자 미상의 시. ② (소문 따위의) 출처, 근원.

au·tism [ɔ́ːtizəm] *n.* Ⓤ 〖心〗 자폐성(自閉性), 자폐증. ㊞ **au·tis·tic** [ɔːtístik] *a., n.* Ⓒ 자폐성의 ; 자폐증 환자.

‡au·to [ɔ́ːtou] (*pl.* **~s**) *n.* 《美口》 ① Ⓒ 자동차《현재는 car가 일반적임》: the ~ industry 자동차 산업 / by ~ 자동차로《무관사》. ②〖컴〗 자동.

auto-, aut- '자신의, 자기… ; 자동차' 의 뜻의 결합사 : *auto*cracy, *auto*park.

Au·to·bahn [áutobɑ̀ːn, ɔ́ːtə-] (*pl.* **-bah·nen** [-bɑ̀ːnən], **~s**) *n.* Ⓒ 《G.》 자동차 전용 고속 도로《독일의 간선 도로》.

au·to·bi·og·ra·pher [ɔ̀ːtəbaiάgrəfər/-ɔ́g-] *n.* Ⓒ 자서전 작가.

au·to·bi·o·graph·ic, -i·cal [ɔ̀ːtəbàiəgrǽfik], [-əl] *a.* 자서전(체)의, 자전(自傳)(식)의 : an ~ essay〔novel〕 자서전적인 수필〔소설〕.
㊞ **-i·cal·ly** *ad.* 자서전적으로.

***au·to·bi·og·ra·phy** [ɔ̀ːtəbaiάgrəfi/-ɔ́g-] *n.* Ⓒ 자서전 ; Ⓤ 자서 문학(自敍文學) ; 자서전의 저술 : He published his ~ last summer. 그는 지난 여름에 그의 자서전을 출판하였다.

au·toch·tho·nous, au·toch·thon·ic [ɔːtάkθənəs/-tɔ́k-], [ɔːtɑkθάnik/-tɔkθɔ́n-] *a.* 토지 고유의, 토착의, 자생적인.
㊞ **-nous·ly** *ad.*

au·to·cide [ɔ́ːtousàid] *n.* Ⓤ,Ⓒ (자기 차를 충돌시켜 하는) 자동차 자살.

au·to·clave [ɔ́ːtəklèiv] *n.* Ⓒ 압력솥〔냄비〕, 고압솥《소독·요리용》.

au·to·code [ɔ́ːtəkòud] *n.* 〖컴〗 기본 언어.

áuto còurt =MOTEL.

***au·toc·ra·cy** [ɔːtάkrəsi/-tɔ́k-] *n.* ① Ⓤ 독재〔전제〕 정치 ; Ⓒ 독재국. ② Ⓤ 독재권.

***au·to·crat** [ɔ́ːtəkræ̀t] *n.* Ⓒ 독재 군주 ; 독재자.

au·to·crat·ic, -i·cal [ɔ̀ːtəkrǽtik], [-əl] *a.* 독재자의 ; 독재적인 ; 독재〔전제〕 정치의〔와 같은〕. opp. *constitutional.* ¶ The President resigned after 20 years of *autocratic* rule. 대통령은 20년의 독재 통치를 하고 나서 물러났다.
㊞ **-i·cal·ly** [-ikəli] *ad.*

au·to·cross [ɔ́ːtəkrɔ̀ːs] *n.* Ⓒ (길 없는 들판 횡단) 자동차 장애 경주(gymkhana).

Au·to·cue [ɔ́ːtoukjùː] *n.* Ⓒ 《英》 텔레비전용 프롬프터 기계(TelePrompTer)《商標名》.

au·to-da-fé [ɔ̀ːtoudəféi] (*pl.* ***au·tos-*** [ɔ̀ːtouz-]) *n.* Ⓒ 《Port.》 종교 재판소의 판결 선고식, 그 처형《특히 화형》; (일반적으로) 이교도의 화형.

au·to·di·dact [ɔ̀ːtoudáidækt, -daidǽkt] *n.* Ⓒ 독습자, 독학자.

au·to·er·o·tism [ɔ̀ːtouérətìzəm] *n.* Ⓤ 〖心〗 (자위 따위에 의한) 자기 색정(의 만족).

au·to·fo·cus [ɔ́ːtoufòukəs] *n., a.* (카메라가) 자동 초점 방식(의).

au·tog·a·my [ɔːtάgəmi/-tɔ́g-] *n.* Ⓤ 〖植〗 자화수분(受粉) ; 〖動〗 자가 생식.

au·to·gi·ro, -gy·ro [ɔ̀ːtoudʒáirou/-dʒáiər-] (*pl.* **~s**) *n.* Ⓒ 〖空〗 오토자이로. cf. helicopter.

***au·to·graph** [ɔ́ːtəgræ̀f, -grɑ̀ːf] *n.* Ⓒ 자필, 친필, 육필 ; 자서(自署) ; 자필 원고《★ 작가·예능인이 자기 저서나 사진에 하는 서명은 autograph, 편지·서류에 하는 서명은 signature》.
── *vt.* …에 자필로 쓰다 ; 자서〔서명〕하다.

áutograph àlbum 〔**bòok**〕 사인첩(帖), 사인북.

au·to·graph·ic [ɔ̀ːtəgrǽfik] *a.* ① 자필의 ; 자서의. ② (계기(計器)가) 자동 기록식의, 자기(自記)의(self-recording).

au·to·im·mune [ɔ̀ːtouimjúːn] *a.* 〖醫〗 자기 면역의. ㊞ **-im·mú·ni·ty** [-nəti] *n.* 자기면역.

-im·mu·ni·zá·tion [-nizéiʃən / -naiz-] *n.* 자기면역화.
au·to·in·tox·i·ca·tion [ɔ̀:touintɑ̀ksəkéiʃən / -intɔ̀ks-] *n.* Ⓤ 〖醫〗 자가 중독.
au·to·mak·er [ɔ́:toumèikər] *n.* Ⓒ 자동차 제조업자〔회사〕.
au·to·mat [ɔ́:təmæ̀t] *n.* Ⓒ ① 자동 판매기. ② 자동 판매식 음식점, 자급 식당.
au·tom·a·ta [ɔ:tɑ́mətə / -tɔ́m-] *n.* ① AUTOMATON의 복수. ②〖컴〗 자동 장치.
au·to·mate [ɔ́:təmèit] *vt.* …을 오토메이션〔자동〕화하다 : Such an error is unlikely because the aircraft is so fully *~d.* 항공기는 아주 완전 자동화되어 있기 때문에 그런 착오는 있기 어렵다.
── *vi.* 자동 장치를 갖추다, 자동화되다.
㊞ **-màt·ed** [-id] *a.* 자동화한 : an *~d* factory 오토메이션〔자동 조작〕 공장.
áu·to·mat·ed-téll·er machìne [-télər-] 자동 현금 인출·예입 장치《略 : ATM》.
‡**au·to·mat·ic** [ɔ̀:təmǽtik] *a.* ① (기계·장치 등이) 자동의, 자동적인, 자동(제어) 기구를 갖춘 ; (무기가) 자동의 ; =SEMIAUTOMATIC : an ~ telephone 자동 전화 / an ~ door 자동문 / an ~ (control) system 자동(제어) 장치. ②〖生〗 (근육운동 등이) 자동성의, 자율성의 : Life would be impossible if digestion wasn't an ~ process. 소화 기능이 자동적 과정이 아니었다면 생존은 불가능했을 것이다. ③ (행동 등이) 무의식의, 반사적인 ; 필연적인. ── *n.* Ⓒ ① 자동 기계, 자동 장치. ②《口》 자동 변속 장치(가 달린 자동차). ③ 자동화기, 자동 권총(~ pistol). ㊞ **-i·cal** [-ikəl] *a.* = AUTOMATIC. ***-i·cal·ly** [-ikəli] *ad.* 자동적으로 ; 기계적으로.
automátic dáta prócessing 〖컴〗 자동 정보 처리《略 : ADP》.
automátic diréction finder (특히 항공기의) 자동 방향 탐지기《略 : ADF》.
automátic pílot 〖空〗 자동 조종 장치 : be (put) on ~ 자동 조정으로 비행하고 있다《on ~은 무관사》.
automátic téller (machìne) = AUTOMATED-TELLER MACHINE.
automátic tráin contròl 열차 자동 제어 장치《略 : ATC》.
automátic transmíssion (자동차의) 자동 변속 장치.
‡**au·to·ma·tion** [ɔ̀:təméiʃən] *n.* Ⓤ ① 오토메이션, (기계·장치의) 자동화, 자동 조작〔제어〕. ② 자동화된 상태. ③〖컴〗 자동화.
au·tom·a·tism [ɔ:tɑ́mətizəm / -tɔ́m-] *n.* Ⓤ ① 자동성, 자동 작용, 자동〔기계〕적 활동. ②〖生理〗 (심장 따위의) 자동 운동.
au·tom·a·ton [ɔ:tɑ́mətɑ̀n / -tɔ́mətən] (*pl.* *~s, -ta* [-tə]) *n.* Ⓒ ① 기계적으로 행동하는 사람〔동물〕. ② **a)** 자동 기계〔장치〕. **b)** 자동 인형, 로봇.
‡**au·to·mo·bile** [ɔ́:təməbì:l, ─-─, ɔ̀:təmóu-] *n.* Ⓒ ①《美》 자동차(《英》 motor car)《★ 일반적으로는 car가 흔히 쓰임》. ②《美俗》 일이 빠른 사람, 기민한 사람. ── *a.* 〔限定的〕 자동차의 : ~ insurance 자동차 보험 / the ~ industry 자동차 공업.
au·to·mo·bil·ism [ɔ̀:təməbí:lizəm, -móubilìzəm] *n.* Ⓤ 《美》 (특히 자가용) 자동차의 운전〔사용, 여행〕. ㊞ **àu·to·mo·bíl·ist** [-ist] *n.* 《美》 Ⓒ 자동차 상용〔사용〕자《★ motorist가 일반적》.
au·to·mo·tive [ɔ̀:təmóutiv, ─-─] *a.* 자동차의 ; 자동의 ; 동력 자급의 ; 자동 추진의.
au·to·nom·ic [ɔ̀:tənɑ́mik / -nɔ́m-] *a.* ① 자치의 ; 자동적인. ②〖生理〗 자율의《신경》, 자율 신경계의 : the ~ nervous system 자율 신경계.
au·ton·o·mous [ɔ:tɑ́nəməs / -tɔ́n-] *a.* ① 자치권이 있는, 자치의 : an ~ province〔republic〕 자치주〔공화국〕. ② 독립한 : He treated us as ~ individuals. 그는 우리를 독립한 개인으로서 다루었다. ③〖生理〗 =AUTONOMIC.
***au·ton·o·my** [ɔ:tɑ́nəmi / -tɔ́n-] *n.* Ⓤ ① 자치 ; 자치권 : Demonstrators demanded immediate ~ *for* their region. 시위자들은 그들 지역의 즉각적인 자치권을 요구하였다. ② Ⓒ 자치 단체. ③〖生理〗 자율성. opp. *heteronomy.*
au·to·pi·lot [ɔ́:toupàilət] *n.* Ⓒ 〖空〗 자동 조종 장치(automatic pilot).
au·top·sy [ɔ́:tɑpsi, -təp- / -tɔp-] *n.* Ⓒ ① 검시(檢屍), 시체 해부, 부검(剖檢) : The ~ report gave the cause of death as poisoning. 부검 보고는 그 죽음의 원인을 독살이라고 하였다. ② 실지 검증.
au·to·re·verse [ɔ̀:tourivə́:rs] *n.* Ⓤ 〖電子〗 (카세트 테이프 등의) 자동 역전 기능. ── *a.* 〔限定的〕 자동 역전 기능의.
au·to·stra·da [ɔ̀:toustrɑ́:də] (*pl.* *~s, -de* [-dei]) *n.* Ⓒ 《It.》 이탈리아의 고속 도로.
au·to·sug·ges·tion [ɔ̀:tousəgdʒéstʃən / -sədʒés-] *n.* Ⓤ 《心》 자기 암시, 자기 감응.
㊞ **àu·to·sug·gést** *vt.* …에 자기 암시를 걸다.
†**au·tumn** [ɔ́:təm] *n.* ① Ⓤ,Ⓒ (때로 the ~) 가을, 추계《영국에서는 8·9·10월, 미국에서는 9·10·11월》 : ~ flowers 〔rains〕 가을 꽃〔비〕 / the ~ social 추계 사교 파티 / the ~ term 가을 학기. ★ 미국에서는 주로 fall을 씀. ② (the ~) 성숙기 ; 조락기(凋落期), 초로기(初老期) : in *the* ~ of one's life 만년에. ③ 〔形容詞的〕 가을의 : *Autumn Leaves* '고엽'《샹송 곡명》.
***au·tum·nal** [ɔ:tʌ́mnəl] *a.* ① 가을의 : ~ 〔autumn〕 tints 추색, 단풍 / the ~ colors of the trees 나무들의 가을빛 / the ~ equinox 추분(점) (cf. the VERNAL equinox). ② 가을에 피는 ; 가을에 여무는. ③ 인생의 한창때를 지난, 중년의, 초로의. ㊞ **~·ly** *ad.*
aux., **auxil.** auxiliary.
‡**aux·il·ia·ry** [ɔ:gzíljəri, -zílə-] *a.* ① 보조의 《*to*》, 부(副)의 : ~ coins 보조 화폐 / ~ troops (외국으로부터의) 지원 부대, 원군 / an ~ language (국제적) 보조 언어《Esperanto 따위》 / an ~ engine 보조 기관. ② 예비의 : an ~ power system in case of a blackout 정전시에 대비한 예비 발전 장치. ── *n.* Ⓒ ① 조력자 ; 보조물 ; 지원 단체. ② (*pl.*) (외국으로부터의) 지원군, 외인 보조 부대. ③《美》 보조함(艦), 특무함. ④〖文法〗 조동사(~ verb).
auxíliary mémory 〔stórage〕 〖컴〗 보조 기억 장치. cf. main storage.
auxíliary vérb 〖文法〗 조동사.
Av. Avenue. **A.V.** Authorized Version (of the Bible). cf. R.V. **av.** average ; avoirdupois. **a.v.**, **a/v** 《L.》 ad valorem.
‡**avail** [əvéil] *vi.* 〔흔히 否定〕 《~ / +副 / +전+명》 소용에 닿다, 쓸모가 있다 ; 가치가 있다, 이익이 있다 : Such arguments will *not* ~. 그런 논쟁은 소용없다 / This medicine *~s little* against pain. 이 약은 통증에 대해서는 거의 효력이 없다 / *No* advice *~s with* him. 그에게는 어떤 충고도 소용 없다. ── *vt.* 〔흔히 否定〕 《+목+副》 …의 소용에 닿다, …에 효력이 있다, …을 이롭게 하다 : Courage will ~ you *little* in such a case. 이런 경우엔 네 배짱도 별로 소용에 닿지 않는다. ~

one***self of*** = 《美口》 ~ ***of*** …을 이용하다, …을 틈타다〔편승하다〕: They *~ed themselves of* the opportunity to hear a free concert. 그들은 무료 콘서트를 들을 기회를 놓치지 않았다.
— *n.* Ⓤ 이익, 효용, 효력《현재는 of, to 따위에만 쓰임》. ***be of*** ~ 소용이 되다, 쓸모가 있다. ***be of no*** 〔***little***〕 ~ 전혀〔거의〕 쓸모가 없다; 무익하다: Our presents *were of no* ~. 우리 선물은 아무 소용이 없었다. ***to no*** ~ = ***without*** ~ 무익하게, 보람도 없이: I tried to persuade him not to resign, but *to no* ~. 그에게 사임하지 말라고 설득해 보았으나 소용없었다.

avail·a·bil·i·ty [əvèiləbíləti] *n.* ① Ⓤ 이용도, 유효성. ② Ⓒ 소용에 닿는 사람, 이용할 수 있는 것: local *availabilities* 그 고장에서 이용〔입수〕할 수 있는 것.

‡**avail·a·ble** [əvéiləbəl] (***more*** ~; ***most*** ~) *a.* ① 이용할 수 있는, 쓸모 있는; 〖法〗 유효한《*for*; *to*》: a train ~ *for* second-class passengers 이등 승객용 열차 / tickets ~ on the day of issue 발행 당일만 유효한 표 / Plenty of time is ~. 시간은 충분히 있다. ★ available ①은 useful과 같은 뜻이 아님. 물건이 useful 해도 가까이에 없어 실제로 이용하지 못하면 available이라고 할 수 없음. ② 손에 넣을 수 있는, 입수〔이용〕 가능한; (아파트가) 입주할 수 있는: ~ facilities 이용할 수 있는 시설 / That overcoat is not ~ in your size. 저 외투는 당신에게 맞는 사이즈가 아닙니다. ③ (아무가 일 따위에) 전심할 수 있는; 손이 비어 있는; 여가가 있는; 면회〔일〕할 틈이 있는; (여자가) 결혼 상대가 아직 없는: He is not ~ for the job. 그는 (달리 일이 있어) 이 일에는 쓸 수 없다 / Are you ~ this afternoon? 오늘 오후에 틈 좀 있으세요〔뵐 수 있을까요〕. ④ 《美》 (원고 따위가) 채용 가치가 있는. ***make*** one***self*** ~ 즉시 응할 수 있는 상태로 해 두다《*to*; *for*》: I *made myself* ~ *to* him for legal consultations. 틈을 내어 그에게 법률 상담을 해주기로 했다. ㊕ **-bly** *ad.*

***av·a·lanche** [ǽvəlæ̀ntʃ, -làːnʃ] *n.* Ⓒ ① 눈사태: Skiers should avoid the area because of the high risk of *~s.* 그 지역은 눈사태의 위험이 높기 때문에 스키어들은 그곳을 피해야 한다. ② (흔히 an ~ of …로) (질문·편지 등의) 쇄도: We were swamped by *an* ~ *of* phone calls. 잇달아 걸려오는 전화로 정신을 차릴 수가 없었다.

avant-garde [əvàːntgáːrd, əvæ̀nt-, æ̀vaːnt-, àːvaːnt-] *n.* 《F.》 Ⓤ (흔히 the ~) 〔集合的〕 (예술상의) 전위파, 아방가르드. — *a.* 〔限定的〕 ~의: ~ pictures 전위 영화.

***av·a·rice** [ǽvəris] *n.* Ⓤ (금전에 대한) 탐욕, 허욕(虛慾).

***av·a·ri·cious** [æ̀vəríʃəs] *a.* 탐욕스러운, 욕심 사나운. ㊕ ~·**ly** *ad.*

av·a·tar [ǽvətàːr, ⌐-⌐] *n.* 〖Ind. 神〗 화신, 권화(權化); 구체화.

avdp. avoirdupois.

ave [éivi, áːvei] *int.* ① 잘 오셨습니다!. ② 안녕(히)!, 자 그럼! — *n.* (A-) = AVE MARIA.

Ave., ave. 《美》 Avenue.

Ave Ma·ria [áːveimərí:ə, áːvi-] 〖가톨릭〗 성모송(聖母誦), 아베 마리아(Hail Mary)《성모 마리아에게 올리는 기도(의 시각); 略: A.M.; 누가복음 I: 28 및 42에서》.

avenge** [əvéndʒ] *vt.* 《~+목 / +목+전+명》 (아무)의 원수를 갚다, 복수를 하다, (원한)의 앙갚음을 하다; (…에 대해) …의 원수를 갚다《*on*》: Hamlet planned to ~ his father. 햄릿은 부친의 원수를 갚으려고 계획하였다 / ~ an insult *on* one's honor 모욕당한 앙갚음을 하다 / He will ~ the people *on* their oppressor. 그는 자기들의 박해자를 응징하여 국민의 원수를 갚을 것이다. ◇ vengeance *n.* ~ oneself*** 〔***be*** ***~d***〕 ***on*** …에게 원한을 풀다, …에게 복수하다: I will ~ *myself on* you for this. 이 일로 반드시 너에게 앙갚음할 것이다.

aveng·er [əvéndʒər] *n.* Ⓒ 복수자, 보복자.

aven·tu·rine [əvéntʃərìːn, -rin] *n.* Ⓤ 구릿가루 따위를 뿌려 꾸민 유리; 사금석(砂金石).

‡**av·e·nue** [ǽvənjùː] *n.* Ⓒ ① 가로수길. ② 《英》 (특히 대저택의 대문에서 현관까지의) 가로수길. ③ 《美》 (번화한) 큰거리, 한길, 도로: My address is 8 Lake *Avenue.* 내 주소는 레이크 거리 8번이다. ★ 미국의 대도시에서는 avenue와 street를 세로와 가로의 도로에 구분해서 쓰고 있음. 가령 뉴욕에서는 avenue는 남북, street는 동서로 뻗은 도로를 일컬음. ④ 가까이〔접근〕하는 수단, 방법: an ~ *to* 〔*of*〕 success 성공에의 길. ***explore every*** ~ 가능한 모든 수단을 강구하다.

***aver** [əvə́ːr] (*-rr-*) *vt.* ① …을 (진실이라고) 확언하다, 단언〔주장〕하다: He *~red* his innocence. 그는 자기의 결백을 주장했다 / In spite of all you say, I still ~ *that* his report is true. 당신이 무어라 하든 그의 보고는 절대로 틀림이 없습니다. ② 《+*that* 절》 〖法〗 …라고 증언하다: She *~red that* he had done it. 그녀는 그가 그것을 했다고 증언했다.

‡**av·er·age** [ǽvəridʒ] *n.* ① Ⓒ 평균(값): an arithmetical ~ 산술 평균 / Prices have risen by an ~ of 4% over the past year. 지난 일년 동안에 물가는 평균 4% 올랐다 / The ~ of the three numbers 4, 5 and 9 is 6. 세 가지 수 4와 5와 9의 평균값은 6이다. ② Ⓤ,Ⓒ (일반) 표준, 보통: In western Europe, a 7- to 8-hour working day is about the ~. 서유럽에서는 하루 7-8시간 일하는 것이 대체적인 전형이다. ***above*** 〔***below***〕 ***the*** ~ 보통〔평균〕 이상〔이하〕: talents *above the* ~ 비범한 재능. ***on*** (***an*** 〔***the***〕) ~ (1) 평균하여: My income's rather variable, but I earn £53 a day *on* ~. 내 수입은 퍽 변화가 심하나 평균하여 하루 53파운드가 된다. (2) 대체로: *On* ~, people who don't smoke are healthier than people who do. 대체로 담배를 안 피우는 사람이 피우는 사람보다 더 건강하다. ***strike*** 〔***take***〕 ***an*** ~ 평균을 잡다, 평균하다. ***up to the*** ~ 평균에 달하여. — *a.* ① 〔限定的〕 평균의: ~ prices 평균 가격 / the ~ life span 평균 수명 / an ~ crop 평균작. ② 보통의: a woman of ~ height 보통 신장의 여인 / the ~ man 보통 사람《'보통 사람들'은 ~ people이라 하지 않고 ordinary people이라고 함》 / an article of ~ quality 보통 물건. — *vt., vi.* ① 수(數)를 평균〔균분〕하다: If you ~ 4 and 6, you get 5. 4와 6을 평균하면 5가 된다. ② 평균 …하다〔이 되다〕: He *~s* eight hours' work a day. 그는 하루 평균 8시간씩 일한다 / He *~s* two stories a month. 그는 한 달에 평균 두 작품씩을 쓴다 / The children *~d* five feet in height. 아이들의 평균 신장은 5피트였다. ~ ***out to*** 〔***at***〕 《口》 평균 …에 달하다: My annual holiday varies, but it *~s out at* five weeks a year. 내 일년 동안의 휴일은 일정치 않으나 평균하면 5주간이다.

áverage áccess tìme 〖컴〗 평균 접근 시간.

aver·ment [əvə́ːrmənt] *n.* Ⓤ,Ⓒ 단언(함), 주장; 〖法〗 사실의 주장, 항변의 증언.

***averse** [əvə́ːrs] *a.* 〔敍述的〕 싫어하여; 반대하고 《*to*; *to* do; *to* do*ing*》: I am not ~ *to* a good dinner. 성찬이라면 싫지 않다 / I am ~ *to going* 〔*to* go〕 there. 그리로 가는 것은 싫다. ★ 격식 차

리는 문체에는 드물게 from을 씀.
[파] ~·ness n.

*aver·sion [əvə́ːrʒən, -ʃən] n. ① [U] (또는 an ~) 혐오, 반감《to ; from ; for ; to doing》: He has an ~ to (seeing) cockfights. 그는 투계(鬪鷄)를 (보는 것을) 싫어한다. ② [C] 아주 싫은 사람〔물건〕. one's pet 〔chief〕 ~ 아주 싫은 물건〔것〕: Greed is my pet ~. 탐욕은 내가 가장 싫어하는 것이다.

avérsion thèrapy 혐오 요법《알코올 의존증 등의 치료에 쓰임》.

aver·sive [əvə́ːrsiv, -ziv] a. 혐오의 정을 나타낸 ; 기피하는《유해한 자극》. [파] ~·ly ad.

*avert [əvə́ːrt] vt. ①《+[목]+[전]+[명]》(눈·얼굴 따위)를 돌리다, 비키다《from》: She ~ed her eyes from his stare. 그녀는 그의 응시하는 눈을 피했다. ② (타격·위험)을 피하다, 막다 : ~ danger 위험을 피하다 / Starvation can only be ~ed with massive food aid from the West. 서방측의 대량 식량 원조만이 기아를 막을 수 있다.

Aves·ta [əvéstə] n. (the ~) 아베스타《조로아스터교의 경전》.

avi·an [éiviən] a. 조류의.

avi·ary [éivièri] n. [C] (큰) 새장, (대규모의) 조류사육장.

*avi·a·tion [èiviéiʃən, æ̀v-] n. [U] ① 비행, 항공 ; 중(重)항공기의 조종(술), 비행술, 항공학. ② 〔集合的〕 항공기 ;《특히》 군용기. ③ (중(重))항공기 산업. civil ~ 민간 항공.

aviátion médicine 항공 의학.

*avi·a·tor [éivièitər, æ̀v-] n. [C]《옛투》 비행사, 비행기 조종사, 비행가《현재는 pilot, captain이 보통》.

av·id [ǽvid] a. ① 〔敍述的〕 갈망하는, 몹시 탐〔욕심〕내는《of ; for》: He is ~ for 〔of〕 fame. 그는 명성을 갈망하고 있다. ② 〔限定的〕 열심인, 열렬한 : an ~ reader 열심인 독서가. [파] ~·ly ad. 게걸스럽게.

avid·i·ty [əvídəti] n. [U] 탐욕 ; 갈망, (맹렬한) 욕망. with ~ 탐하여, 게걸스럽게.

avi·on·ics [èiviániks / -ɔ́n-] n. [U] 항공 전자 공학. [◂ aviation+electronics]

avi·ta·min·o·sis [eivàitəmənóusis, èivitæ̀m-] n. [U] 〖醫〗 비타민 결핍증.

av·o·ca·do [æ̀vəkáːdou, àːvə-] (pl. ~s, ~es) n. [C] 아보카도(alligator pear, =∠ pèar)《열대 아메리카산(産) 녹나뭇과(科)의 과실》; 그 나무.

av·o·ca·tion [æ̀voukéiʃən] n. [C] ① 부업, 내직(內職) ;《古》 여기(餘技), 취미, 도락. ② 본직(本職), 직업. ★ ②의 뜻으로 현재는 흔히 vocation을 씀.

av·o·cet [ǽvəsèt] n. 〖鳥〗 뒷부리장다리물떼새.

‡avoid [əvɔ́id] vt. ①《~+[목] / +-ing》 …을 피하다, 회피하다《doing》: ~ danger 위험을 피하다 / The pilots had to take emergency action to ~ a disaster. 조종사는 참사를 막기 위하여 긴급 조처를 취해야 했다 / He could not ~ laughing. 그는 웃지 않을 수 없었다 / I could not ~ his hearing it. 아무리 해도 그것이 그의 귀에 들어가지 않게 할 수는 없었다 / He ~ed going into debt by selling his house. 그는 집을 팖으로써 빚을 면하였다. ② 〖法〗 …을 무효로 하다, 취소하다.
[파] *~·a·ble [-əbəl] a. (회)피할 수 있는. ~·a·bly ad.

*avoid·ance [əvɔ́idəns] n. [U] ① 회피, 기피 : The ~ of injury should take priority in sports like rugby. 럭비와 같은 스포츠에서는 부상을 피하는 것이 우선이다. ② 〖法〗 취소 ; 무효.

avoir. avoirdupois.

av·oir·du·pois [æ̀vərdəpɔ́iz] n. [U] ① 16 온스를 1 파운드로 하는 영·미의 질량의 단위(=∠ wèight)《귀금속·보석·약품 이외의 물품에 씀 ; 略 : avdp., avoir.》. ②《口》 무게, 체중 : What's your ~? 체중은 얼마나 되나요.

Avon [ǽvən, éivən] n. ① (the ~) 에이번 강《영국 중부의 강 ; Shakespeare 의 탄생지 Stratford 의 옆을 흐름》. ② 에이번 주《잉글랜드 남서부의 주 ; 1974년 신설》.

avouch [əváutʃ]《文語》 vt. ① …을 확언하다. ② …을 보증하다. ③ 〔再歸的〕 …을 자백하다, 자인하다. ~ oneself (as〔to be〕) a coward 자신이 비겁자임을 자인하다. ── vi.《~ / +[전]+[명]》 보증하다 : I can ~ for the quality. 품질은 보증할 수 있습니다. [파] ~·er n. ~·ment n.

avow [əváu] vt. ① …을 공언하다 : The Prime Minister ~ed that he saw no need to change his country's policies. 수상은 나라의 정책을 바꿀 필요를 납득하지 못한다고 공언하였다. ② a) (과실 등)을 인정하다 ; 자백하다 : The terrorists ~ed that they regretted what they had done. 테러리스트들은 자신들이 한 일을 후회한다고 고백하였다. b) 〔再歸的〕 (자신이) …임을 인정하다, 자백하다 : He ~ed himself 〔to be〕 an atheist. 자신이 무신론자임을 자백했다.

avow·al [əváuəl] n. [U,C] 공언, 언명 ; 공인 : His public ~s to reduce crime have yet to be put into effect. 범죄를 줄인다는 그의 공언은 아직 실행되지 못하였다.

avowed [əváud] a. 스스로 인정한, 공언한 ; 공공연한, 공인된 : He is an ~ liberal. 그는 진보파를 자인하는 사람이다 / The Government's ~ commitment is to reduce tax. 정부가 공언한 공약은 조세를 줄이는 것이다. [파] avow·ed·ly [əváuidli] ad. 공공연하게, 명백히.

avun·cu·lar [əvʌ́ŋkjulər] a. 백부〔숙부〕의, 삼촌의 ; 백부〔숙부〕같이 자애로운 : He began to talk in his most gentle and ~ manner. 그는 아주 부드럽고 인자한 태도로 말하기 시작하였다.
[파] ~·ly ad.

aw [ɔː] int.《美·Sc.》 오!, 제기랄!, 에이!, 흥!《항의·혐오 따위를 나타냄》.

AWACS, Awacs [éiwæks] n.《美》 공중 경계 관제 시스템. [◂ Airborne Warning and Control System]

‡await [əwéit] vt. ① (사람이) …을 기다리다, 대기하다(wait for), 예기하다(expect) : I ~ your reply. 자네의 회답을 기다리네. ② (사물이) …을 기다리고 있다, 준비되어 있다(be prepared for) : A hearty welcome ~s you. 충심으로 당신을 환영할 것입니다 / A bright future ~s you. 밝은 미래가 당신을 기다리고 있습니다.

†awake [əwéik] (awoke [əwóuk],《稀》 ~d [əwéikt] ; ~d,《稀》 awoke, awok·en [əwóukən]) vt. ①《~+[목] / +[목]+[전]+[명]》 …을 (잠에서) 깨우다, 눈뜨게 하다 : A shrill cry awoke me from 〔out of〕 my sleep. 날카로운 고함 소리에 잠이 깼다. ②《+[목]+[전]+[명]》 …을 각성시키다, …에서 눈뜨게 하다《from》; 의식시키다, 자각시키다《to》: ~ a person from reverie to the harsh facts before him 아무를 백일몽에서 눈앞의 냉엄한 현실로 눈뜨게 하다 / His sermon awoke me to a sense of sin. 그의 설교로 나는 죄의식에 눈을 떴다. ③《+[목]+[전]+[명]》 (기억·의구·호기심 따위)를 불러일으키다《in》: His voice awoke memories of childhood in me. 그의 목소리를 들으니 어릴 때의 기억이 생각났다.
── vi. ①《~ / +[전]+[명] / +to do》(잠에서) 깨다:

I *awoke at* six o'clock. 나는 여섯 시에 깨어났다 / I *awoke with* a start. 나는 깜짝 놀라 눈을 떴다 / ~ *from*〔*out of*〕 sleep 잠에서 깨다 / He *awoke* one morning and found himself famous. 어느날 아침 눈을 떠보니 그는 유명해져 있었다. ② 《~ / +전+명》 각성〔자각〕하다, 깨어나다 ; 분기하다 : His flagging interest *awoke.* 그의 식어가던 흥미가 다시 되살아났다 / ~ *from* an illusion 환상에서 깨어나다. ③ 《+전+명》 깨닫다《*to*》: ~ *to* the danger 위험을 깨닫다.
── *a.* 〔敍述的〕 ① 깨어서 ; 자지 않고 : I was wide ~ all night. 밤새 한눈도 붙이지 않았다 / The children stayed ~ waiting for their father. 아이들은 자지 않고 부친이 돌아오기를 기다리고 있었다. ② (…을) 알아채고, (…을) 자각하고 : He was ~ to the dangers. 그는 위험을 알고 있었다. ***lie*** ~ 깬 채 누워 있다.

‡awak·en [əwéikən] *vt.* ① 《~+목 / +목+전+명》 …을 (잠에서) 깨우다, 일으키다 : be ~*ed from* sleep 잠에서 깨다. ② 《+목+전+명》 …을 자각시키다, 일깨우다 : I ~*ed* him *to* his responsibilities for his children. 나는 그에게 자기 자식들에 대한 책임을 깨닫게 했다. ③ (기억·의구·호기심 따위)를 불러일으키다 : Her story ~*ed* our interest. 그녀의 얘기는 우리의 흥미를 불러일으켰다. ── *vi.* ① 깨다, 일어나다. ② 깨닫다, 자각하다. ★ 주로 비유적인 뜻으로 흔히 타동사로 쓰임.

awak·en·ing [əwéikəniŋ] *n.* U.C 눈뜸, 깸, 각성 ; 자각, 인식 ; (종교에 대한 관심의) 부활 : the ~ of national consciousness in people 국민들의 민족의식의 각성. ***have*** 〔***get***〕 ***a rude*** ~ 갑자기 불쾌한 사실을 알게 되다, 심한 환멸을 느끼다. ── *a.* 〔限定的〕 잠을 깨우는 ; 각성의.

‡award [əwɔ́ːrd] *vt.* ① 《+목+목 / +목+전+명》 (심사·판정하여) …을 수여하다, (상)을 주다 ; 지급하다 : ~ a prize *to* a person〔~ him a prize〕 아무〔그〕에게 상을 주다 / He was ~*ed* a Nobel prize. 그는 노벨상을 받았다. ② (중재·재판 등에서) (…에게 배상금 등)을 재정(裁定)하다 ; 재정하여 주다 : The victims were ~*ed* $ 2,000 in damages. 피해자들은 손해 배상금으로 2천 달러의 재정을 받았다. ── *n.* C ① 상(賞) ; 상품, 상금 ; 장학금《따위》 : The highest ~ went to Mr. Green. 최고의 상은 그린씨가 받았다. ② 심사, 판정, 재정 ; 판정서, 재정서 ; (손해 배상 등의) 재정액.

‡aware [əwέər] *a.* ① 〔敍述的〕 깨닫고, 의식하고, 알고《*of* ; *that*》 : I was ~ *of* the danger. 나는 그 위험을 깨달았다 / I became ~ *of* him approaching. 그가 다가오고 있음을 깨달았다 / I was ~ *that* something was wrong. 어딘가 잘못되어 있음을 알아차렸다 / I was not ~ (*of*) how deeply she loved me. 나는 그녀가 얼마나 나를 깊이 사랑했었는지를 몰랐다. ② (…에 대한) 의식〔인식〕이 있는 : a politically ~ student 정치 의식이 강한 학생. ③ 《口》 빈틈없는 : an ~ person 실수가 없는 사람. 파 *~·**ness** *n.* U ① 알아채고 있음, 앎 ; 자각 : ~*ness of* one's ignorance 자신의 무지를 깨달음. ② 의식 : political ~*ness* 정치 의식.

awash [əwɔ́ːʃ, əwɑ́ʃ / əwɔ́ʃ] *ad., a.* 〔形容詞로는 敍述的〕 ① **a**) 〖海〗 (암초·침몰선 따위가) 수면을 스칠 정도로〔의〕 ; 물을 뒤집어 쓰고 : The bathroom floor was ~. 욕실바닥은 온통 물바다였다. **b**) 파도에 시달려. ② (장소·사람 등이) …로 꽉 찬, 넘치는《*with* ; *in*》 ; 《美俗》 술 취한 ; 《口·比》 파묻힌《*with*》 : a person ~ *with* diamonds 다이아몬드를 뒤집어쓸 만큼 많이 가진 사람 / a garden ~ *in* brilliant colors 오색 영롱한 정원.

†away [əwéi] *ad.* ① 〔위치·이동〕 떨어져서, 멀리, 저쪽으로〔에〕, 딴 데로, 옆으로〔에〕《*from*》 : miles ~ 몇 마일이나 떨어져서 / go ~ 떠나다, 어딘가로 가버리다 / go ~ *from* …을〔에서〕 떠나다 ; …에서 멀리 떨어지다 / run ~ 도망하다 / stay ~ *from* …에서 멀리 떨어져 있다 / keep ~ (*from*) (…에) 가까이 〔접근〕하지 않다 / Come ~ *from* the window. 창에서 떨어져 이리 오너라 / The two women were sitting as far ~ *from* each other as possible. 두 여성은 가능한 한 멀리 떨어져 앉아 있었다. ② 부재하여, 집에 없어《*from*》 : My father is ~ on a trip. 아버지는 여행을 가서 안 계십니다 / He is ~ *from* his office. 그는 사무실에 없다. ③ 〔감소·소실〕 사라져, 없어져 : fade ~ 사라지다, 없어지다, 퇴색하다 / die ~ (소리·소문 따위가) 사라지다 / So much snow has already melted ~. 그 많은 눈들이 벌써 녹아 없어졌다. ④ 〔연속〕 잇따라, 끊임없이 : work ~ 부지런히 일하다〔공부하다〕 / talk ~ 계속 지껄여 대다 / puff ~ 담배를 뻐끔뻐끔 빨다 / He kept hammering ~ *at* his task. 그는 열심히 일에 정력을 기울였다. ⑤ 《美口》 〔強意的〕 훨씬(way) : ~ below the average 평균 이하로 훨씬 밑돌아 / ~ behind 훨씬 뒤에. ⑥ 〔보통 命令形〕 즉시, 곧 : Speak ~. 빨리 말해라 / Ask ~. 계속 물어보세요. ⑦ 〖野〗 아웃이 되어 : with one man ~ 원아웃으로. ⑧ 《美卑》 (교도소에) 복역 중으로 : be put ~ for robbery 절도로 교도소에 수감중이다. ***Away !*** 저리로 가(Go ~!). ~ ***back*** 《美口》 훨씬 전. ***Away with him !*** 그를 쫓아 버려라. ***do*** 〔***make***〕 ~ ***with*** ⇨ DO. ***far*** 〔***out***〕 ***and*** ~ ***the best*** ⇨ FAR. ***from*** ~ 《美》 멀리서부터. ***get*** ~ ***from it all*** 《口》 일상 생활〔일〕의 번잡에서 떠나다. ***get*** ~ ***with*** ⇨ GET. ***once and*** ~ 한 번뿐, 이것을 마지막으로. ***right*** 〔***straight***〕 ~ 《美》 즉시, 곧. ***well*** ~ ⇨ WELL². ***Where*** ~ ***?*** ⇨ WHERE.
── *a.* ① 〔限定的〕 상대방의 본거지에서의 : an ~ match 원정 경기. ② 〔敍述的〕 〖野〗 아웃이 되어 : The count is three and two with two ~ in the seventh. 7회 투아웃으로 카운트는 투 스트라이크 스리 볼.

‡awe [ɔː] *n.* U 경외(敬畏), 두려움 : She gazed in ~ at the great stones. 그녀는 거대한 돌들을 경외의 눈으로 바라보았다. ***a feeling of*** ~ 경외하는 마음. ***be struck with*** ~ 경외심에 눌리다. ***keep*** a person ***in*** ~ 아무를 항상 두려운 마음이 들게 하다. ***stand*** 〔***be***〕 ***in*** ~ ***of*** …을 두려워〔경외〕하다 : You can't help but *stand in* ~ *of* such powerful people. 너는 이처럼 강한 사람을 두려워하지 않을 수 없다. ── *vt.* ① …에게 두려운 마음을 일게 하여 …시키다《*into*》 : He ~*d* them *into* obedience. 그의 위세에 눌려서 그들은 복종했다 / They were ~*d into* silence by her stunning performance. 그들은 그녀의 신들린듯한 연기에 죽은 듯 고요했다. ② …을 두려워하게 하다, 경외시키다 : be ~*d* by the majesty of a mountain 산의 위용에 경외의 마음을 갖다.

awe-in·spir·ing [ɔ́ːinspàiriŋ] *a.* 경외케 하는, 장엄한 : The higher we climed, the more ~ the scenery became. 높이 오를수록 경관은 더욱 장엄해졌다.

awe·some [ɔ́ːsəm] *a.* ① 두려운, 무서운 : the giant's ~ powers 거인의 괴력. ② 위엄 있는, 경외하고 있는, 경외케 하는. ③ 《美俗》 최고의, 멋진, 근사한 : an ~ new car 근사한 새 차.
파 ~·**ly** *ad.* ~·**ness** *n.*

awe-strick·en, -struck [ɔ́ːstrìkən], [-strʌ̀k]

a. 두려워진 ; 위엄에 눌린.

‡aw·ful [ɔ́:fəl] (*more* ~ ; *most* ~) *a.* ① 두려운, 무시무시한 ; 《文語》 공포를 느끼게 하는 : an ~ storm 대단한 폭풍. ② 《古》 경외를 느끼게 하는, 장엄한. ③ 《口》 대단한, 불유쾌한, 보기 흉한, 굉장한, 터무니없는 : an ~ fool 지독한 바보. ④ 《口》 큰 : an ~ lot of money 대단한 큰 돈. ── *ad.* 《口》 몹시, 굉장히 : I'm ~ glad. 아주 기쁘다. ㊕ ~**·ness** *n.*

‡aw·ful·ly [ɔ́:fəli] (*more* ~ ; *most* ~) *ad.* ① 《口》 아주, 무척, 몹시 : It's ~ hot. 몹시 덥다 / I'm ~ sorry. 참으로 죄송합니다 / It's ~ kind of you. 정말 감사합니다. ② 장엄하게. ③ 《古》 두려워서, 경외하여.

***awhile** [əhwáil] *ad.* 《文語》 잠깐, 잠시 : stay ~ 잠시 머무르다 《★ 명사의 while을 쓰면 stay (for) a while의 꼴이 되나, 이를 혼동하여 stay for awhile로 쓰는 것도 일반화되어 있음》.

awhirl [əhwɔ́:rl] *ad., a.* 〔形容詞로는 敍述的〕 소용돌이쳐서, 빙빙 돌아서.

‡awk·ward [ɔ́:kwərd] (~**·er** ; ~**·est**) *a.* ① (사람·동작 등이) 섣부른, 서투른《*at* ; *with*》; 어줍은, 무무한 ; 눈치 없는 ; 몰골스러운《*in*》; 침착하지 못한 : an ~ workman 서투른 직공 / be ~ *with* one's hands 솜씨가 서투르다 / He is ~ *at* pingpong. 그는 탁구가 서투르다 / ~ *in* one's movements 동작이 어줍은. ② 거북한, 어색한 : an ~ excuse 괴로운 변명 / an ~ silence 어색한 침묵. ③ (정세·시간 따위의) 계제가 좋지 않은, 곤란한, (입장·문제 따위가) 어려운 : put a person in an ~ position 아무를 곤경으로 몰아넣다 / It's an ~ problem. 그거 참 곤란한 문제이다. ④ (사건·인물 따위가) 다루기 곤란한, 귀찮은 ; (물건이) 쓰기 나쁜, 불편한 : an ~ tool 다루기 힘든 연장. ***at an ~ moment*** 계제가 좋지 않은 때에, 곤란한 때에. ***feel*** ~ 거북스레 여기다 : *feel* ~ with a person 아무의 앞에서 쑥스러워하다.
㊕ *~**·ly** *ad.* ~**·ness** *n.*

áwkward àge (the ~) 사춘기, 초기 청년기.

áwkward cústomer 《口》 다루기 곤란한 녀석, 만만찮은 상대.

awl [ɔ:l] *n.* (구둣방 따위의) 송곳.

awn [ɔ:n] *n.* (보리 따위의) 꺼끄러기. ㊕ ~**ed** [-d] *a.* 꺼끄러기가 있는.

***awn·ing** [ɔ́:niŋ] *n.* Ⓒ (비나 해를 가리기 위해 창에 댄) 차일 ; (갑판 위의) 천막.

‡awoke [əwóuk] AWAKE의 과거·과거분사.

awo·ken [əwóukən] AWAKE의 과거분사.

AWOL, awol [éiɔ̀:l, èidʌ̀bljuòuél] *a., n.* Ⓒ 〖軍〗 무단 이탈〔외출〕의 (병사) ; 〔一般的〕 무단 결석〔외출〕한 (자). ***go*** ~ 무단 결근〔외출〕하다 ; 탈영하다. [◂ *a*bsent (*a*bsence) *w*ith*o*ut *l*eave]

awry [ərái] *ad., a.* 〔形容詞로는 敍述的〕 ① 굽어서, 휘어서, 일그러져, 뒤틀려 : His dark hair was all ~. 그의 검은 머리는 온통 헝클어져 있었다. ② 잘못되어, 틀려서 : Our plans went ~. 우리의 계획은 실패했다 / He was in a fury over a plan that had gone ~. 그는 계획이 실패하여 크게 화를 내었다. ***look*** ~ 곁눈질로 보다, 눈을 모로 뜨고 보다. ***tread the shoes*** ~ 타락하다 ; 불의(不義)를 저지르다.

‡ax, 《英》 **axe** [æks] (*pl.* **ax·es** [ǽksiz]) *n.* ① Ⓒ 도끼. ≠axis. ★ 자루가 짧은 손도끼 (short ax)는 hatchet, 미국 인디언들이 쓰던 전쟁용 도끼는 tomahawk라 함. ② (the ~) 참수 ; (경비·인원의) 삭감 ; 해고. ③ Ⓒ 《美俗》 악기《기타·색소폰 따위》. ***get the*** ~ 해고당하다 ; 퇴교당하다 ; (연인 등에게) 채이다《*from*》; (예산 따위가) 삭감되다 ; (계획 등이) 중지〔축소〕되다. ***give the*** ~ 《口》 거절하다, 거들떠보지 않다 ; 《美俗》 추방하다, 해고하다. ***have an ~ to grind*** 《美口》 속 배포가 있다, 마음 속에 딴 속셈〔마음〕이 있다 : She *had* no particular ~ *to grind* and was only acting out of concern for their safety. 그녀는 특별히 딴 속셈이 없어 오직 그들의 안전을 염려하여 활동하고 있었다. ── *vt.* ① …을 도끼로 베다〔깎다〕. ② (인원·예산 따위)를 삭감하다 : Research grants are to be *axed* next year. 내년에는 연구 보조금이 삭감될 것이다. ③ …을 해고하다.

ax·es [ǽksi:z] AX, AXIS의 복수.

ax·i·al [ǽksiəl] *a.* 굴대(모양)의, 축(軸)의 ; 축성(軸性)의 ; 축을 이루는 ; 축의 둘레의 ; 축 방향의 ; ㊕ ~**·ly** *ad.* 축의 방향으로.

ax·il [ǽksil] *n.* Ⓒ 〖植〗 엽액(葉腋), 잎겨드랑이.

ax·il·la [æksílə] (*pl.* **-lae** [-li:]) *n.* Ⓒ ① 〖解〗 겨드랑이, 액와(腋窩). ② 〖植〗 엽액, 잎겨드랑이.

ax·il·lary [ǽksəlèri] *a.* ① 〖解〗 겨드랑이의. ② 〖植〗 잎겨드랑이, 액생(腋生)의. ── *n.* Ⓒ (새의) 겨드랑이 깃.

ax·i·om [ǽksiəm] *n.* Ⓒ ① 자명한 이치, 원리, 원칙, 통칙 ; 격언, 금언. ② 〖論·數〗 공리.

ax·i·o·mat·ic [æ̀ksiəmǽtik] *a.* 공리의 ; 자명한. ㊕ **-i·cal·ly** [-kəli] *ad.* 자명하게 ; 공리로서.

***ax·is** [ǽksis] (*pl.* **ax·es** [-si:z]) *n.* Ⓒ ① 굴대, 축(軸), 축선(軸線) ; 〖天〗 지축(地軸) ; 〖數〗 (좌표의) 축 : The earth rotates on its ~. 지구는 지축을 중심으로 자전한다 / the horizontal 〔*y*〕 and vertical 〔*x*〕 axes 가로〔*y*〕축과 세로〔*x*〕축. ② 〖植〗 경축(莖軸), 엽축(葉軸), 잎줄기 ; 〖解〗 제 2 경추(頸椎), 제 2 척추골. ③ 〖政〗 추축(樞軸)《국가 간의 관계》; (the A-) 추축국《제 2 차 세계 대전 당시의 독일·이탈리아·일본의 3국》. ── *a.* (A-) 독일·이탈리아·일본 추축의.

***ax·le** [ǽksəl] *n.* Ⓒ (차륜의) 굴대, 축, 차축 : The back ~ is broken. 뒤 차축이 부러졌다.

ax·le·tree [ǽksltrì:] *n.* Ⓒ 차축, 굴대.

ax·man [ǽksmən] (*pl.* **-men** [-mən]) *n.* Ⓒ 도끼를 쓰는 사람, 나무꾼 《★ 《英》은 axe-man》.

ax·o·lotl [ǽksəlɑ̀tl / -lɔ̀tl] *n.* Ⓒ 〖動〗 아홀로틀 《멕시코산 도롱뇽의 일종》.

‡ay, aye [ai] *int.* ① 찬성 ! 《표결을 할 때의 대답》. ② 예 ! : *Ay(e)*, ~, sir ! 〖海〗 예예《상관에 대한 대답》. ── (*pl.* **ayes**) *n.* ① Ⓤ 찬성, 긍정. ② Ⓒ 찬성(투표)자. ***the ayes and noes*** 찬반 쌍방의 투표자. ***The ayes, have it.*** 찬성자 다수 《의회 용어》.

aye-aye [áiài] *n.* Ⓒ 〖動〗 (Madagascar 원산의) 다람쥐원숭이.

AZ 〖美郵便〗 Arizona.

azal·ea [əzéiljə] *n.* Ⓒ 〖植〗 진달래.

Az·er·bai·jan [ɑ̀:zərbaidʒɑ́:n, æ̀zərbaidʒǽn] *n.* 아제르바이잔《독립국가 연합 가맹국의 하나 ; 카스피 해 연안에 있음》.

azi·do·thy·mi·dine [əzàidouθáimidì:n, -zì:-, æ̀zi-] *n.* =AZT. [◂ azido+thymidine]

az·i·muth [ǽzəməθ] *n.* Ⓒ 〖天〗 방위 ; 방위각. ***a magnetic*** ~ 자기(磁氣) 방위.

Azores [əzɔ́:rz, éizɔ:rz] *n. pl.* (the ~) 아조레스 제도《대서양 중부 ; 포르투갈령》.

AZT 〖藥〗 azidothymidine《AIDS 치료약 ; 商標名》.

Az·tec [ǽztek] *n.* Ⓒ 아즈텍 족《멕시코의 원주민》; Ⓤ 아즈텍 말. ── *a.* 아즈텍 사람〔말〕의.

Az·tec·an [ǽztekən] *a.* =AZTEC.

***az·ure** [ǽʒər] *a.* 하늘색의, 담청의 ; 푸른 하늘의, 맑은 ; 〔後置〕 감색(紺色)의. ── *n.* ① Ⓤ 하늘색, 담청색, 남빛, 푸른빛 안료. ② (the ~) 《詩·文語》 푸른 하늘, 창공.

B

B, b [biː] (*pl.* ***B's, Bs, b's, bs*** [-z]) ① 비《영어 알파벳의 둘째 글자》. ② Ⓒ B 자 모양의 것; B 가 나타내는 소리. ③ Ⓤ〖樂〗나음(音)《고정 도(do) 창법의 '시'》; 나조(調). ④ Ⓒ〖數〗(종종 b-) 둘째 기지수(旣知數). ⑤ Ⓤ 가정(假定)의 둘째〔제 2〕, 을(乙). ⑥ Ⓤ,Ⓒ (B) 2 류〔둘째〕의 것; 《美》(학업 성적의) 우(優), B(급): He got a *B* in English. 그는 영어에서 B 학점을 땄다. ⑦ Ⓤ (혈액형의) B 형. ⑧〖컴〗(16 진수의) B《10진법의 11》. ⑨ B 사이즈《구두의 폭이나 브래지어의 컵 사이즈; C 보다 작고, A 보다 큼》. ⑩ (도로의) B 급, 비간선 도로. ***B & B.*** ; ***B and B letter***《英口》(최근의) 대접에 대한 감사 편지(bread and butter letter). ***B for Benjamin*** Benjamin 의 B《국제 전화 통화 용어》. ***do not know B from a battledore*** 〔***a bull's foot***〕 낫놓고 기역자도 모르다, 일자 무식이다.

B〖체스〗bishop;〖鉛筆〗black;〖化〗boron. **B.** Bachelor; Bible; British; brother; brotherhood. **B., b.**〖樂〗bass; basso; bay; book; born. **b**〖物〗bar;〖物〗bel; breadth. **b.**〖生〗bacillus; base; baseman; battery; blended; blend of; bomber; bowled; bye. **B/** balboa. **B/-**〖商〗bag; bale. **Ba**〖化〗barium. **BA** British Airways; Bank of America. **B.A.** Bachelor of Arts(=A.B.); British Academy.

baa [bæ, bɑː / bɑː] *n.* Ⓒ 매《양·염소 따위의 울음 소리》. — (***baaed, baa'd***) *vi.* 매 하고 울다: From the field we could hear sheep *~ing.* 들에서 양떼가 우는 소리를 우리는 들을 수 있었다.

Ba·al [béiəl] (*pl.* ***Ba·al·im*** [béiəlim]) *n.* ①〖聖〗바알신(神)《고대 셈족의 신》; 태양신《페니키아 사람의》. ② (때로 b-) Ⓒ 사신(邪神), 우상.

***bab·ble** [bǽbəl] *vi.* ① (어린이 따위가) 떠듬거리며 말하다; 쓸데없는 말을 하다《*about*》. ② (냇물 따위가) 졸졸 소리내(며 흐르)다《*away; on*》; (새가) 계속 지저귀다: A small stream *~s* through the valley. 작은 시내가 계곡을 따라 졸졸 흐르고 있다. — *vt.* …을 지껄거리다; (비밀 따위)를 지껄여 누설하다《*out*》. — *n.* Ⓤ (또는 a ~) ① 떠듬거리는 말; 허튼 소리; 지껄임; (군중의) 왁자지껄임; (새의) 지저귐. ② (시냇물의) 졸졸 흐르는 소리. ③ (전화 따위의) 잡음.

bab·bler [bǽblər] *n.* Ⓒ ① 수다쟁이; 떠듬거리는 어린애. ② 비밀을 누설하는 사람. ③ 지저귀는 새;〖鳥〗꼬리치레.

‡**babe** [beib] *n.* Ⓒ ①《英詩》갓난아이, 유아(baby). ② 어린애 같은 사람, 물정에 어두운 사람. ③《美俗》(귀여운) 계집아이;《종종 호칭》아가씨: Hi, there, ~ ! 이봐요, 아가씨. ***a ~ in arms*** 갓난아기; 미숙자, 풋내기. ***a ~ in the wood*** (***s***) 잘 속는 사람, 세상 물정에 어두운 사람. ***~s and sucklings*** 유아나 젖먹이; 철부지들. ***real ~***《美俗》멋진 남자〔여자〕.

Ba·bel [béibəl, bǽb-] *n.* ① =BABYLON. ②〖聖〗바벨탑(=**the Tower of Babel**: Babylon 에서 하늘까지 치닿게 쌓으려다 실패한 탑; 창세기 XI: 4-9). ③ Ⓒ (b-) **a**) 고층 건물, 마천루. **b**) 가공(架空)의 계획. ④ Ⓤ,Ⓒ (b-) 왁자지껄한 말소리; 떠들썩한 상태〔장소〕: The hall filled with a *babel* of voices demanding money. 홀은 돈을 요구하는 떠들썩한 소리로 가득찼다.

***ba·boon** [bæbúːn / bə-] *n.* Ⓒ ①〖動〗비비. ②《俗》추악한 인간.

ba·bush·ka [bəbúː(ː)ʃkə] *n.* Ⓒ 바부슈카《여성들이 머리에 쓰는 스카프; 양끝을 턱 아래에서 묶음》.

†**ba·by** [béibi] *n.* Ⓒ ① 갓난아기, 젖먹이: make a ~ of a person =treat a person like a ~ 아무를 어린애 취급하다.

> 語法 (1) baby 또는 child 는 성별을 따지지 않을 때는 종종 it 로 받음. 그러나 가족일 때는 보통 he, she 로 받으며 관사없이 고유명사적으로 씀: *Baby* is crying. 아기가 울고 있다.
> (2) baby 의 나이는 2 살 전후까지는 달수로 sixteen months old 따위로 말함.

② 어린애 같은 사람, 미덥지 못한 사람: Don't be such a ~ ! 그런 겁쟁이어서는 안된다. ③ (the ~) 막내, 최연소자; 갓 태어난 동물의 새끼: She's *the* ~ of the family. 그녀는 막내딸이다. ④《俗》**a**) 자랑스런 발명품: I handled this ~ from the drawing board to the production line. 이 제품은 계획 단계에서 생산공정에 이르기까지 내 손에 의한 것이다. **b**) 멋진 것, 자랑하는 것: Is that car there your ~ ? 저기 있는 저 차가 네가 자랑하는 차냐? ⑤《俗》아가씨, 아내, 애인, 귀여운 임. ⑥ (the ~, one's ~) 관심사, 귀찮은 일, 책임: He went on vacation and left me holding *the* ~. 그가 휴가를 떠나서 성가신 일을 내게 떠맡겼다. ⑦《美俗》녀석, 난폭자: He is a tough ~. 지독한 놈이다. ***be*** a person***'s*** ~ 아무의 소임〔맡겨진 일〕이다: Don't ask me about the project — that's John's ~. 그 계획에 대해 내게 묻지 말게. — 그것은 존의 소관일세. ***start a ~***《英口》임신하다. ***throw the ~ out with the bath water***《口》중요한 것을 필요 없는 것과 함께 버리다; 작은 일에 구애되어 큰일을 망치다. ***wet the ~'s head***《口》아기 탄생의 축배를 들다.

— (***ba·bi·er; -bi·est***) *a.*〔限定的〕① 갓난아이의〔를 위한〕: a ~ bottle 젖병 / ~ food 유아식(乳兒食). ② 어린애 같은, 앳된, 유치한: a ~ wife 앳된 아내. ③ 소형의: a ~ camera.

— (*p., pp.* ***ba·bied; ba·by·ing***) *vt.* ① …을 어린애 취급하다; 어하다, 응석받다. ② (물건 따위)를 주의해서 쓰다, 소중히 다루다: ~ one's new car 새 차(車)를 소중히 다루다.

báby blúe《美》연한 청색.

báby bòom 베이비 붐《제2차 세계 대전 후 미국에서 출생률이 급격히 상승한 현상》.

báby bòomer 베이비 붐 세대.

báby bùggy 〔**càrriage**〕《美》유모차(車)(《英》pram).

báby dòll ① 아기 인형. ② 귀여운 아가씨.

báby fàrm《口》(유료) 탁아소.

báby gránd 〔**grànd piáno**〕〖樂〗소형 그랜드 피아노.

ba·by·hood [béibihùd] *n.* Ⓤ 유년 시대, 유아기; 유치;〔集合的〕젖먹이, 아기: A series of photographs on their mantelpiece show their daughter's progression from ~ to adolescence. 벽난로 위의 일련의 사진들은 그들의 딸이 유아기에서 성년기까지의 성장 과정을 말해주고 있다.

ba·by·ish [béibiiʃ] *a.* 갓난애〔어린애〕 같은 ; 유치한, 어리석은. ㊋ **~·ly** *ad.*

ba·by·like [béibilàik] *a.* 아기와 같은.

Bab·y·lon [bǽbələn, -lɑ̀n] *n.* ① 바빌론《고대 Babylonia 의 수도》. ② Ⓒ 화려한 악(惡)의 도시.

Bab·y·lo·nia [bæ̀bəlóuniə, -njə] *n.* 바빌로니아 《아시아 남서부에 있던 고대 제국》.

Bab·y·lo·ni·an [bæ̀bəlóuniən, -njən] *a.* ① 바빌론의 ; 바빌로니아 제국〔사람〕의. ② 퇴폐적인, 악덕한. ③ 바빌로니아 말의. ── *n.* Ⓒ 바빌로니아 사람 ; Ⓤ 바빌로니아 말.

ba·by-mind·er [béibimàindər] *n.* 《英》 = BABY-SITTER.

ba·by-sit** [béibisìt] (*p., pp.* ***-sat ; ***-sit·ting***) *vi., vt.* (부모 부재중에) 아이를 보다《*for* ; *with*》; 〔一般的〕 (아이를) 보살피다〔봐 주다〕 : I often ~ *for* my big sister. 나는 때때로 언니의 부재중에는 아이를 보살핀다 / ~ *with* one's grandchild 손자를 보다.

‡**ba·by-sit·ter** [-sìtər] *n.* Ⓒ 베이비시터《집을 지키며 아이를 돌봐주는 사람》: She left her baby with a ~. 그녀는 아기를 베이비시터에게 맡겼다.

báby tàlk ① 아기말 ; 유아의 떠듬거리는 말. ② (어른들이 아기에게 말할 때의) 아기말.

báby tòoth (*pl.* ***-teeth***) 젖니 (milk tooth).

ba·by-walk·er [-wɔ̀:kər] *n.* Ⓒ 유아용 보행기.

bac·ca·lau·re·ate [bæ̀kəlɔ́:riit, -lɑ́r-] *n.* Ⓒ 학사 학위 (=**báchelor's degrèe**) ; 《美》 (대학 졸업생에 대한) 기념 설교(=∠ **sèrmon**) ; (프랑스의) 대학 입학자격 시험.

bac·ca·ra(t) [bǽkərɑ̀:, bɑ́:-, ∸-∸] *n.* Ⓤ 《F.》 배커라《카드를 쓰는 도박의 일종》.

bac·cha·nal [bǽkənl] *a.* = BACCHANALIAN. ── [bɑ̀:kənɑ́l, bæ̀kənǽl, bǽkənl] *n.* Ⓒ ① 바커스 예찬자. ② 취해 떠드는 사람. ③ 요란한 술잔치, 야단법석 (orgy).

Bac·cha·na·lia [bæ̀kənéiljə, -liə] (*pl.* **~, ~s**) *n.* Ⓒ ① 바커스제(祭), 주신제(酒神祭). ② (b-) 큰 술잔치, 야단법석 (orgy). ㊋ **bàc·cha·ná·li·an** *a., n.* ① 바커스〔주신〕제의 ; 바커스 예찬자(의). ② 취해 떠드는 (사람).

bac·chant [bǽkənt, bəkǽnt, -kɑ́:nt] (*pl.* ***~s, -chan·tes*** [bəkǽnti:z, -kɑ́:n-]) *n.* Ⓒ ① 바커스의 사제(司祭)〔신자〕. ② 술 마시고 떠드는 사람. ── *a.* 술을 좋아하는 ; 술 마시고 떠드는.

bac·chan·te [bəkǽnti, -kɑ́:nti] *n.* Ⓒ ① 바커스의 여사제〔무당〕. ② 여자 술꾼.

Bac·chic [bǽkik] *a.* ① 바커스신의. ② = BACCHANALIAN.

Bac·chus [bǽkəs] *n.* 〖그神〗 바커스《술의 신》. cf. Dionysus. ***a son of*** ~ 술꾼.

bac·cy [bǽki] *n.* Ⓤ 《英口》 담배.

Bach [bɑ:k, bɑ:x] *n.* **Johann Sebastian** ~ 바흐《독일의 작곡가 ; 1685-1750》.

bach [bætʃ] *n.* Ⓒ 《口》 독신 남자(bachelor). ***keep*** ~ 독신으로 지내다. ── *vi.* 독신 생활을 하다. ── *vt.* (~ it로) 독신 생활을 하다.

‡**bach·e·lor** [bǽtʃələr] *n.* Ⓒ ① 미혼〔독신〕 남자《★ 흔히 a single 〔an unmarried〕 man을 씀》. cf. spinster. ¶ a ~'s flat 독신 남성(전용) 아파트 / He is a confirmed ~. 그는 독신주의자다. ② 학사. cf. master. ***a Bachelor of Arts*** 문학사 《略 : B.A., A.B.》. ***a Bachelor of Science*** 이학사《略 : B.Sc.》.

báchelor gìrl 〔**wòman**〕 《口》 독신 여성.

bach·e·lor·hood [bǽtʃələrhùd] *n.* Ⓤ (남자의) 독신 (생활), 독신 시절.

báchelor's degrèe 학사 학위.

bac·il·lary [bǽsəlèri, bəsílər] *a.* 간상(桿狀)의 ; 바실루스의 ; 간균(桿菌)에 의한.

ba·cil·lus** [bəsíləs] (*pl.* ***-li [-lai]) *n.* Ⓒ ① 바실루스, 간상균(桿狀菌). cf. coccus. ② (흔히 *pl.*) 세균, 박테리아, 《특히》 병원균(病原菌).

†**back** [bæk] *n.* ① Ⓒ 등, 잔등 : All I had left were the clothes on my ~. 내게 남은 것이란 걸치고 있는 옷뿐이었다. ② Ⓒ 등뼈 (backbone), 짐〔책임〕을 지는 힘 : have a strong ~ 무거운 짐을 질 수가 있다. ③ Ⓒ 배면(背面) ; (칼 따위의) 등 ; (손의) 등 ; (의자의) 등받이 ; (책의) 등 ; (물결의) 면(面) ; (난간 등의) 윗면 ; (배의) 용골 ; (산의) 등성이 : the ~ of a hill 산등성이. ④ (the ~) **a)** 뒤, 뒷〔이〕면, 뒤쪽(opp. *front*) ; (보이지 않는) 저쪽 ; 《比》 (일의) 진상 : *the* ~ of a house 집 뒤편. **b)** 안, 안쪽 ; (탈것의) 뒷좌석 ; 《比》 속, (머리나 마음속의) 한구석 : *the* ~ of a cupboard 찬장 속. **c)** 뒤뜰 (backyard). **d)** 〖劇〗 무대의 배경 ; (혀 의) 뿌리. ⑤ 〖蹴·하키〗 Ⓒ,Ⓤ 후위. opp. *forward.* ★ back은 '뒤쪽' '안쪽' 따위 외에 종종 굽은 물체의 불룩한 쪽을 가리키는 일이 있음 ; 난간의 위쪽, 바퀴의 바깥쪽 따위. ***at*** a person***'s*** ~ (1) 아무를 지지하여 : He has the Minister *at* his ~. 그는 장관의 지지를 받고 있다. (2) 아무의 배후로 (다가가다). ***at the ~ of . . .*** (1) …의 뒤에 ; 《口》 …을 뒤에서 조종하여 : He must be *at the* ~ *of* this plot. 이 음모의 배후에는 그가 있음에 틀림이 없다. (2) …을 추구하여. (3) …을 후원하여. (the) ~ ***of beyond*** 원격지 ; 벽지 : I live at *the* ~ *of beyond.* 나는 벽지에 살고 있다. ~ ***to*** ~ (1) (…와) 등을 맞대어〔고〕《*with*》. (2) 계속하여 : We played two games ~ *to* ~. 우리는 계속해서 두 번 경기를 했다. cf. back-to-back. ~ ***to front*** (1) 앞뒤를 반대로 ; 거꾸로. He put his sweater on ~ *to front.* 그는 스웨터를 반대로 입었다. (2) 철저하게 ; 완전히 : She knows the system ~ *to front* 그녀는 그 시스템을 완전히 알고 있다. (3) 난잡하게. ***behind*** a person***'s*** ~ 아무의 등뒤에서 ; 아무가 없는 데서. ***break*** a person***'s*** ~ (1) 아무에게 무거운 짐을 지우다. (2) 아무를 실패〔파산〕하게 만들다. ***break*** one***'s*** ~ 《口》 열심히 〔뼈빠지게〕 일하다《*at*》. ***break the ~ of*** (1) = break a person's ~. (2) 《口》 (일)의 어려운 부분을 끝내다, 고비를 넘기다 : We can take it easier now — we've *broken the* ~ *of* the work. 이제, 좀더 편히 일하게 됐다 — 일의 고비를 넘겼거든. ***get off*** a person***'s*** ~ 〔***neck***〕 《口》 아무를 그냥 놔두다, 간섭하지 않다 : *Get off* my ~ ! 내버려둬라. ***get*** 〔***put, set***〕 a person***'s ~ up*** 아무를 성나게 하다. ***get*** one***'s own*** ~ 《英口》 (…에게) 원수를 갚다, 보복〔앙갚음〕하다《*on*》. ***give*** a person ***a*** ~ =***make a ~ for*** a person 아무에게 발판이 되어 주다 ; (말타기놀이 따위에서) 말이 되어 주다. ***have*** one***'s ~ to*** 〔***against***〕 ***the wall*** 몰려서 궁지에 빠지다. ***in ~ of*** 《美口》 …의 뒤에(서) (at the ~ of). ***in*** 〔***at***〕 ***the ~ of*** one***'s mind*** 마음 속 깊이, 마음 한구석에. ***know . . . like the ~ of*** one***'s hand*** (장소 따위)를 구석구석까지 알고 있다 : He *knows* New York *like the* ~ *of* his *hand.* 그는 뉴욕을 자기 손바닥처럼 훤히 알고 있다. ***Mind your ~(s)!*** 지나가게 해줘. ***on*** a person***'s*** ~ 아무의 등에 업혀 ; (불평하여) 아무를 괴롭혀 : The boss is always *on* my ~

about promptness. 사장은 늘 기민해지라고 잔소리를 한다. ***on** one's* ~ 반듯이 누워 ; 등에 지고 ; 병으로 누워 ; 꼼짝할 수 없게 되어. ***put** one's **~ into*** 〔***to***〕 …에 열을 올리다〔전념하다〕. ***see the ~ of*** …을 쫓아 버리다 : I am glad to *see the ~ of* Tom. 톰이 가버려 시원하다. ***slap*** a person ***on the ~*** (다정하게) 등을 두드리다, 칭찬하다. ***to the ~*** 골수까지. ***turn** one's **~ on*** …에 등을 돌리다 ; …을 저버리다 ; 무시하다 : I never *turn* my ~ *on* a friend in need. 나는 어려움에 처한 친구를 결코 버려두지 않는다. ***with** one's **~ to*** 〔***against***〕 ***the wall*** 궁지에 몰리어.

— *a.* 〔限定的〕 ① 뒤의, 배후의 ; 안의 ; 속의. opp *front.* cf. rear. ¶ a ~ yard 《美》 뒤뜰 / a ~ alley 뒷골목 / seats in the ~ row 뒷좌석. ② 먼, 떨어진 ; 《美》 매우 궁벽한, 오지(奧地)의 ; 늦은, 뒤떨어진 : a ~ settler 변두리에 사는 사람 ; 벽지(僻地)에 사는 사람 / a ~ slum 빈민가 / ~ teeth 어금니 / the ~ country 《美》 시골, 벽지. ③ 반대 방향의, 뒤로 물러나는 : a ~ current 역류. ④ 시대〔시기〕에 뒤진 ; 이전의, 기왕의 ; 제달에 늦은, 달수 넘은 ; (지급이) 밀린, 미납의 : ~ files (철해 둔) 묵은 자료 / a ~ salary 체불(滯拂) 임금 / a ~ rent 밀린 집세〔차지료(借地料)〕. ⑤ 『音聲』 후설(後舌)의〔에서 발음되는〕 ; 『골프』 (18홀 중) 후반의 9홀의.

— *ad.* ① 뒤로, 배후에〔로〕 : look ~ 뒤돌아 보다 ; 회상하다 / step ~ 물러나다. ② 안쪽에〔으로〕, 물러나(서) ; 떨어져(서) : a house standing ~ from the road 길에서 들어앉은 집. ③ 거슬러 올라가, 옛날에 : two years ~, 2년 전에 / for some time ~ 얼마 전부터 / ~ in 1890, 1890년으로 거슬러 올라가 / Computers were in use as far ~ as the 1940s. 컴퓨터는 1940년대부터 사용되었다. ④ 본디 위치〔상태〕로, (되)돌아와서 : come ~ 돌아오다《*from*》 / send ~ 돌려 보내다 / *Back!* =Go ~! 돌아가라, 물러가라 / He'll be ~ soon. 그는 곧 돌아올 것이다. ⑤ 답례로, 보답하여 : write ~ 답장을 쓰다 / She hit him ~. 그녀는 그를 되받아쳤다. ⑥ (뒤에) 감추어, 숨겨 : keep ~ the truth 진실을 밝히지 않다. ⑦ 《口》 다시 : Read it ~ for me. 다시 한번 읽어주게. ⑧ 지체되어. ***answer ~*** 말대꾸하다. ***~ and forth*** 〔***forward***〕 왔다갔다, 앞뒤로 ; 《美俗》 이리저리(로). ***~ of*** 《美口》 =at the ~ of. ***go ~ on*** (친구 따위)를 배신하다 ; (약속 따위)를 어기다. ***hold ~*** (눈물 따위를) 참다, 억제하다 ; 보류하다 ; 넘겨주지 않다 : The police *held* ~ the crowd. 경찰은 군중들을 제지했다 / *hold* ~ salary 봉급 지급을 보류하다. ***keep ~*** ⇨ KEEP. ***to ... and ~*** …까지의 왕복(往復) : What is the fare *to* Pusan *and ~?* 부산까지 왕복 요금은 얼마입니까.

— *vt.* ① 《~+목 / +목+전+명》 …을 뒤로 물러나게 하다, 후퇴시키다, 역행(逆行)시키다《*up*》 : ~ a car (*up*) 차를 후진시키다 / ~ oars 배를 뒤로 젓다 / ~ a car *into* the garage 차를 후진시켜 차고에 넣다. ② …의 뒤에 위치하다〔서다〕 ; …의 배경이 되다 : The farmhouse is ~*ed* by a wood(s). 그 농가의 뒤에는 숲이 있다. ③ …에 뒤를 대다, (책·벽 따위)를 보강하다, 배접하다《*with*》 : ~ a curtain *with* stiff material 커튼을 빳빳한 천으로 배접하다. ④ 《~+목 / +목+부》 …을 후원하다, 지지하다《*up*》 : ~ a candidate 후보자를 지지하다 / Nobody ~*ed* me *up.* 나를 후원하는 사람은 하나도 없었다. ⑤ (주장 따위)를 강화〔뒷받침〕하다《*up*》 : ~ *up* a theory with facts 이론을 사실로써 뒷받침하다. ⑥ (경마에 돈)을 걸다 : ~ a winner 승리마에 돈을 걸다. ⑦ 《美》 …의 뒷면에 이름을 쓰다, (수표에) 배서하다. ⑧ …에 반주〔코러스〕를 넣다.

— *vi.* ① 《~ / +전+명》 후퇴하다, 뒷걸음치다, 뒤로 물러서다 : The horse ~*ed.* 말이 뒷걸음쳤다. ② 『海』 (북반구(北半球)에서 바람이) 좌선회하다. opp *veer.* ③ 등을 맞대게 되다. ***~ and fill*** 『海』 (바람이, 조류(潮流)와 반대일 때) 돛을 교묘히 다루며 전진하다 ; 《美口》 생각〔마음〕이 흔들리다 ; 망설이다. ***~ away*** (두렵거나 싫어서) 물러서다, 후퇴하다 ; 철회하다《*from*》 : ~ *away from* one's earlier opinion 전의 의견을 철회하다. ***~ down*** (*vi.*) (1) 뒤로 물러나다《*from*》 ; 취소하다, 약속 따위를 철회하다《*on*》 ; 양보하다《*on*》 ; (주장·토론·잘못을) 인정하다, 포기하다 : Don't ~ *down on* what you said to them. 그들에게 한 말을 취소하지 말게. (*vt.*) (2) (노를 저어) 보트를 뒤로 가게 하다. ***~ off*** 물러서다 ; 취소하다, 철회하다《*on*》 ; (…에서) 손을 떼다, 양보하다 : Tell those people to ~ *off* so that the helicopter can land. 헬리콥터가 착륙할 수 있도록 저 사람들에게 뒤로 물러서도록 말해주게. ***~ onto*** 〔***against, on***〕 (건물 따위가) …와 배후에서 접하다 ; …에 등을 대고 있다 : The house ~*s onto* an orchard. 집 뒤쪽은 과수원과 접하고 있다 / a hotel ~*ing against* the mountain 산을 등지고 있는 호텔. ***~ out*** (*vi.*) (1) 후퇴하다 ; 뒷걸음으로 나가다《*of*》. (2) 《口》(계약·약속을) 깨다, 취소하다 ; (…에서) 손을 떼다《*of ; from*》 : We'll be in trouble if he ~*s out* at this stage. 이 단계에서 그가 손을 뗀다면 우리는 난처해질 것이다. (*vt.*) (3) …을 후퇴시키다 ; …을 후진시켜 내보내다《*of*》 : ~ a car *out of* a garage 차를 후진시켜 차고에서 내다. ***~ the wrong horse*** ⇨ HORSE. ***~ up*** (1) 후원〔지지〕하다. (2) (차를) 후진시키다 ; (강·물을) 막다. (3) 《美》 (교통 등을) 정체케 하다 : Traffic is ~*ed up* for two miles. 교통이 2마일이나 정체하고 있다. (4) 후퇴하다 ; (물이) 역류〔범람〕하다. (5) 『컴』 (데이터 파일)의 카피를 만들다. ***~ water*** = BACKWATER (*vi.*)

back·ache [∸èik] *n.* U,C 요통(腰痛).

báck bénch (the ~) 《英》 (하원의) 뒷자리《평의원석》. — *a.* 〔限定的〕 (하원) 뒷좌석의, 평의원의.

back·bench·er [∸béntʃər, ∸∸-] *n.* C 《英》 평의원, 초선 의원. cf. frontbencher.

back·bite [∸bàit] (***-bit ; -bit·ten, -bit ; -bit·ing***) *vt., vi.* 뒤에서 험담하다, 중상하다. ⊕ **-bit·er** [-ər] *n.* **-bit·ing** *n.*

back·board [∸bɔ̀ːrd] *n.* C (짐차의) 뒤판(板) ; (액자의) 뒤판 ; (농구대의) 백보드.

back·boil·er [∸bɔ̀ilər] *n.* C 난로 등의 뒷부분에 마련한 물 데우는 탱크 (=**wáter bàck**).

‡**back·bone** [∸bòun] *n.* ① (the ~) 등뼈, 척추(spine). ② (the ~) 등뼈 비슷한 것 ; (산맥의) 분수령, 척량(脊梁) 산맥 ; (책의) 등《★ spine 이 일반적》. ③ (the ~) 중심적인 지주, 중견, 기간, 중축(中軸), 중추 : *the* ~ of a nation 국가의 동량 / The middle class forms *the* ~ of a country. 중산층은 한 나라의 기간을 이룬다. ④ U 기골, 용기(firmness) : Will he have the ~ to speak out against the bill? 과연 그에게 그 법안에 반대 발언을 할 용기가 있을까. ***to the ~*** 철저히〔한〕, 골수의, 순수한 : a New Yorker *to the* ~ 토박이 뉴욕 사람《★ 수식하는 명사·형용사의 뒤에 옴》.

back·break·er [∸brèikər] *n.* C 몹시 힘드는 일, 중노동 ; 열심히 일하는 사람. 「《일 따위》.

back·break·ing [∸brèikiŋ] *a.* 대단히 힘드는

B

báck bùrner 레인지의 안쪽 버너 ; (흔히 on the ~로) 뒤로 미룸, 다음 차례 : The chairman has put the proposal *on the* ~. 의장은 그 제안을 뒤로 미루었다.
back·chat [ˊ-tʃæ̀t] *n.* 《英口》 =BACK TALK.
back·cloth [ˊ-klɔ̀(:)θ, ˊ-lɑ̀θ] *n.* Ⓒ 〖英劇〗 배경막 (backdrop).
back·comb [ˊ-kòum] *vt.* (부풀리기 위해) 머리카락을 거꾸로 빗질하다.
back·coun·try [ˊ-kʌ̀ntri] *n.* (the ~) 《美》 오지(奧地), 두메 ; 미개간지.
back·court [ˊ-kɔ̀:rt] *n.* Ⓒ (테니스·농구 등의) 백 코트. opp. *forecourt.*
báck cràwl 배영(背泳) (backstroke).
back·cross [ˊ-krɔ̀(:)s, ˊ-krɑ̀s] *vt.* 〖遺〗 …을 역(逆)교배하다《잡종(雜種) 제 1 대를 그 선대(先代)와 교배하다》.
── *n.* Ⓒ, *a.* 역교배(의) ; 역교배에 의한 개체.
back·date [ˊ-dèit] *vt.* (서류 따위에서) …을 실제보다 날짜를 거슬러 올라가게 하다《*to*》; 소급하여 적용하다 : The pay rise agreed in June will be ~*d to* January. 6월에 타결된 임금 인상은 1월로 소급하여 지급될 것이다.
báck dóor ① 뒷문. ② 뒷구멍 ; 은밀〔부정〕한 수단. ***get in by*** 〔***through***〕 ***the*** ~ 뒷구멍으로 취직〔입사〕하다 ; 뒷구멍으로 입학하다.
back·door [ˊ-dɔ̀:r] *a.* ① 뒷문의. ② 내밀한, 부정한, 정규가 아닌 : a ~ treaty 비밀 조약 / ~ business 〔dealings〕 뒷거래.
back·down [ˊ-dàun] *n.* Ⓒ ① (주장 등의) 철회. ② (논쟁에서) 패배를 인정하기.
back·drop [ˊ-drɑ̀p / ˊ-drɔ̀p] *n.* Ⓒ ①〖劇〗 배경막. ② (사건 등의) 배경.
backed [bækt] *a.* ① 〔흔히 複合語를 이루어〕 등〔안〕을 댄 ; 지지를 받는 : a cane-~ chair 등나무 등받이의 의자 / a well-~ candidate 든든한 후원자가 있는 후보. ②〖商〗 배서가 있는.
back·er [bǽkər] *n.* Ⓒ ① (흥행 등의) 후원자. ② (경마에서) 돈을 거는 사람. ③ 지지물 ; (타자기의) 대지(臺紙).
back·field [ˊ-fì:ld] *n.* Ⓤ 〔集合的〕〖美蹴〗 후위 ; 공격측 라인에서 1야드 떨어진 후방 지역.
back·fill [ˊ-fìl] *vt.* (판 구멍)을 도로 메우다.
back·fire [ˊ-fàiər] *n.* Ⓒ ①《美》 맞불《연소 방지를 위한》. ② (내연 기관의) 역화(逆火). ③ (총포의) 역발(逆發). ── *vi.* ① 맞불놓다. ② 역화를 일으키다 ; 역발하다. ③ (계획 등이) 예상을 뒤엎다, 불리한 결과가 되다 ; 실패하다《*on*》: Her scheme ~*d* (*on* her). 그녀의 계획은 실패로 끝났다.
back-for·ma·tion [ˊ-fɔ:rmèiʃən] *n.* 〖言〗 ① Ⓤ 역성(逆成)《기존어를 파생어로 잘못 알고 원말로 여겨지는 신어를 만듦 ; 보기 : *beg*<beggar, *edit*<editor》. ② Ⓒ 역성어.
back·gam·mon [bǽkgæ̀mən, ˊ-ˊ-] *n.* Ⓤ 백개먼, 서양 주사위놀이《각기 15개의 말(piece)을 가지고 주사위를 던져 말을 두는 2인용 게임》.
‡back·ground [ˊ-gràund] *n.* ① Ⓒ 배경, 원경(遠景). opp. *foreground.* ¶ in the ~ 배경〔원경〕에 / form 〔build up〕 a ~ 배경을 이루다 / The skyscraper rose against a ~ of blue sky. 그 고층 건물은 파란 하늘을 배경으로 하여 높이 솟아 있었다. ② Ⓒ〖劇〗 무대의 배경. ③ Ⓒ (직물 따위의) 바탕(색). ④ Ⓒ 눈에 띄지 않는 곳, 이면(裏面) : keep (oneself) 〔stay, be〕 in the ~ 표면에 나타나지 않고 있다, 막후에 도사리고 있다. ⑤ Ⓒ (사건 따위의) 배경, 배후 사정 : The general strike took place against a ~ of galloping inflation. 총파업은 급격한 인플레를 배경으로 발생했다. ⑥ Ⓤ,Ⓒ (아무의) 경력, 경험, 소양, 전력(前歷) ; 기초〔예비〕 지식 : a man with a college 〔good family〕 ~ 대학 출신의〔가문이 좋은〕 남자 / He's got a clean ~. 그의 전력은 깨끗했다 / have a ~ in music 음악에 소양이 있다. ⑦ Ⓤ = BACKGROUND MUSIC. ⑧〖物〗 백그라운드 방사선 ; 자연계에 존재하는 방사선(=ˊ radiàtion). ⑨〖컴〗 뒷면《몇 개의 프로그램이 동시 진행시 우선도가 낮은 프로그램은 우선도가 높은 프로그램이 조작되지 않을 때만 조작되는 상태》. ***on*** ~ 공표하지 않고, (정보 제공자 등의 이름을) 감추고.
── *a.* 〔限定的〕 배경의 ; 표면에 나타나지 않는 : ~ information 예비 지식, 참고 자료 / ~ noise (무선수신 때의) 잡음. ── *vt.* …에게 예비 지식〔배경 설명〕을 알려〔해〕주다 ; …을 배경에 두다.
back·ground·er [ˊ-gràundər] *n.* Ⓒ《美》 ① (신문 기자에 대한 정부의) 배경 설명(회). ② (신문 등의) 배경 설명 기사.
báckground mùsic (라디오·TV·연극 등의) 배경 음악, 음악 효과.
back·hand [ˊ-hæ̀nd] *a.* 〖球技〗 = BACK HANDED ①. ── *n.* Ⓒ ①〖球技〗 백핸드, 백핸드로 치기. opp. *forehand*. ② 왼쪽으로 기운 필적《여성에 많음》.
── *ad.* ① 백핸드로 : hit 〔catch〕 a ball ~ 공을 백핸드로 치다〔잡다〕. ② 왼쪽으로 기울게 : write ~. ── *vt.* …을 백핸드로 치다〔잡다〕.
back·hand·ed [ˊ-hæ̀ndid] *a.* 〔限定的〕 ① 백핸드의 : a ~ return 백핸드로 되받기. ② (필적이) 왼쪽으로 기운. ③ 간접의, 빗대어 말하는 ; 악의 있는 : a ~ compliment 비꼬아서 하는 칭찬.
── *ad.* 백핸드로. 파 ~**·ly** *ad.* ~**·ness** *n.*
back·hand·er [ˊ-hæ̀ndər] *n.* Ⓒ ①〖球技〗 백핸드 ; 역공(逆攻). ②《口》 행하, 팁, 뇌물. ③《口》 모욕〔비판〕(적인 말).
back·ing [bǽkiŋ] *n.* ① Ⓤ 지지, 후원(support) ; 〔集合的〕 후원자(단체) : get labor ~ 노조의 지지를 얻다 / They refused all financial ~. 그들은 모든 재정 지원을 거부했다. ② Ⓤ,Ⓒ 〖工〗 뒤붙임 ; (제본의) 등붙이기 ; 〖建〗 속 널, 안벽. ③ Ⓤ 〖樂〗 (포퓰러 음악의) 반주.
bácking stòrage 〔**stòre**〕 〖컴〗 보조 기억 장치.
báck íssue =BACK NUMBER.
back·lash [ˊ-læ̀ʃ] *n.* Ⓤ,Ⓒ ①〖機〗 뒤틈, 백래시《톱니바퀴 사이의 틈, 그로 인한 헐거움》. ② 반동, 반발, 반격 : (a) political ~ against liberalism 자유주의에 대한 정치적 반동.
back·less [bǽklis] *a.* 등〔등쪽 부분〕이 없는.
back·list [ˊ-lìst] *n.* Ⓒ 재고 목록, 기간(旣刊) 도서 목록, (신간에 대한) 기간서《전체》.
back·log [ˊ-lɔ̀(:)g, ˊ-lɑ̀g] *n.* Ⓒ ①《美》 (화력을 좋게 하기 위해 난로 깊숙이 넣어두는) 큰 장작. ② (흔히 *sing.*) 주문 잔액, 체화(滯貨) ; 잔무(殘務) ; 축적, 예비《*of*》: a ~ *of* orders 수주(受注) 잔고 / I've got a huge ~ *of* work to do. 내게는 엄청난 잔무가 있다.
back·most [ˊ-mòust] *a.* 〔限定的〕 가장 뒤의.
báck númber ① 묵은 호(號)의 잡지. ②《口》 시대에 뒤진 사람〔물건〕.
back·pack [ˊ-pæ̀k] *n.* Ⓒ ① (하이커용의) 냅색의 일종, 배낭. ② (우주 비행사 등이 짊어지는) 생명 유지 장치(PLSS).
── *vi.* 등짐을 지고 도보 여행하다. ── *vt* …을 백팩으로 나르다.
파 ~**·er** *n.* ~**·ing** *n.*
báck pássage 《婉》 직장(直腸) (rectum).
back-ped·al [ˊ-pèdl] (*-l-*, 《英》 *-ll-*) *vi.* ① (속력을 줄이기 위해 자전거의) 페달을 뒤로 밟다. ②

(의견·약속 등을) 철회하다, 도로 물리다《*on*》.
back·rest [-rèst] *n.* Ⓒ (의자 따위의) 등받이.
báck róad 《美》 (포장하지 않은) 시골길.
báck ròom ① 안쪽 방. ② 비밀의 정치적 회합 장소; 비밀 연구소.
báck·room bóy ①《英口》 비밀 연구 종사자〔과학자〕. ② 측근, 참모(brain truster).
back·scat·ter [-skæ̀tər] *n.* Ⓤ 〖物〗 (방사선 따위의) 후방 산란(散亂) (=**báck scàttering**).
báck scràtcher ① 서로의 이익을 위해 한 패가 된 사람: mutual ~ 서로 편의를 도모하기. ② 등긁이(scratchback), 효자손; 《口》 아첨꾼.
back·seat [-síːt] *n.* Ⓒ ① 뒷자리. ② 눈에 띄지 않는 위치, 말석. ***take a*** ~ 남의 밑에 서다; (일이) 다음으로 미루어지다.
báckseat dríver 《口》 ① 자동차의 객석에서 운전자가 원하지 않는 운전 지시를 귀찮게 하는 사람. ② 덥적대기 잘하는 사람, 오지랖 넓은 사람.
back·side [bǽksàid] *n.* Ⓒ ① 후부; 배면; 뒤뜰. ② (종종 *pl.*) 《口》 궁둥이, 둔부: Get off your ~ and do some work. 게으름만 피우지 말고 일좀 해라.
báck slàng 발음을 거꾸로 읽어 만든 은어《보기: slop '경찰' [◂police]》.
back·slap [-slæ̀p] *n.* Ⓤ 《美口》 (친숙한 표시로) 등을 툭툭 치기; 몹시 친숙한 태도.
— *vt., vi.* (친숙한 표시로) 등을 툭툭 치다.
㊞ **-slàp·per** *n.* Ⓒ 친숙하게 구는 사람. **-slàp·ping** *a., n.*
back·slide [-slàid] (***-slid*** [-slìd]; ***-slid, -slid·den*** [-slìdn]) *vi.* (본디 상태로) 되돌아가다, 다시 잘못〔죄〕에 빠져들다, 다시 타락하다《*into*》.
㊞ **-slìd·er** [-ər] *n.* Ⓒ **-slìd·ing** *n.*
back·space [-spèis] *vi.* 한 자 물리다, 백스페이스하다. — *n.* Ⓒ (흔히 *sing.*) (타자기의) 백스페이스〔역행〕키; 〖컴〗 뒷(글)쇠(=**báck·spàc·er**, ∠**kèy**).
back·spin [-spìn] *n.* Ⓒ 〖球技〗 백스핀; (당구·골프 등에서 공의) 역회전.
back·stage [-stéidʒ] *ad.* 〖劇〗 무대 뒤 분장실에서; 무대의 뒤쪽으로; 몰래.
— *a.* 〔限定的〕 무대 뒤의, 무대 뒤에서 일어난; 연예인의 사생활의〔에 관한〕; 비밀의: ~ life (배우 등의) 사생활 / ~ negotiations 내밀한 교섭, 암거래.
báck stáirs ① (건물의) 뒤쪽 층계. ② 음모, 비밀의〔음험한〕 수단.
back·stair(s) [-stɛ̀ər(z)] *a.* 〔限定的〕 ① 몰래 꾸미는: ~ deals 이면 공작 / ~*s* intrigues 음모. ② 중상적인: ~ gossip 중상적인 험담.
back·stay [-stèi] *n.* Ⓒ 〖海〗 (돛대의) 뒷버팀줄; 〖機〗 뒷받침.
back·stitch [-stìtʃ] *n.* Ⓒ 백스티치, 박음질.
— *vt., vi.* (…을) 박음질로 박다; 박음질하다.
back·stop [-stɑ̀p / -stɔ̀p] *n.* Ⓒ ① 〖野·테니스〗 백네트. ② 《野球口》 포수. ③ 《口》 안전 장치(safeguard); 보강재(補強材).
báck stréet 뒷거리, 뒷골목. cf. side street.
back-street [-strìːt] *a.* 〔限定的〕 불법의, 위법의: a ~ abortion 불법 임신 중절.
back·stretch [-strétʃ] *n.* Ⓒ 〖競〗 결승점이 있는 코스의 반대쪽 직선 코스. cf. homestretch.
back·stroke [-stròuk] *n.* ① Ⓒ 되받아치기; 〖테니스〗 백핸드스트로크. ② Ⓤ (흔히 the ~) 〖泳〗 배영; (경기 종목으로서의) 배영.
back·swept [-swèpt] *a.* 뒤쪽으로 기울어진.
back·swing [-swìŋ] *n.* Ⓒ 〖球技〗 백스윙.
báck tàlk 《美》 건방진〔무례한〕 말대답(《英》 backchat).
back-to-back [-təbǽk] *a.* 등을 맞댄; 《美口》 연속적인: ~ typhoons 잇따라 내습하는 태풍.
— *n.* Ⓒ 《英口》 등을 맞대고 선 연립 주택.
back·track [-træ̀k] *vi.* ① (왔던 길을) 되돌아가다. ② (앞서 한 말을) 철회〔수정〕하다《*from, on*》: ~ *on* the statements 진술을 철회하다.
back·up [-ʌ̀p] *n.* ① Ⓤ 뒷받침; 후원, 지원. ② Ⓒ 체화(滯貨); 저장; 막힘, 넘침; (차량 따위의) 정체. ③ Ⓒ 예비(품〔인원〕); 대체품; 보충품. ④ Ⓤ,Ⓒ 〖컴〗 (뒷받침 자료인) 디스켓 여벌.
— *a.* 〔限定的〕 ① 지원의, 반주의; 예비의; 대체〔보충〕의; a ~ candidate 예비 후보 / a ~ plan 대안 / ~ troops 지원 부대. ② 〖컴〗 (뒷받침 자료인) 디스켓 여벌의, 보완의: a ~ file 여벌 (기록)철 / a ~ system 보완 시스템.
báckup lìght 《美》 (차의) 후진등, 백라이트(reversing light).
báck vówel 〖音聲〗 후설(後舌) 모음.
‡back·ward [bǽkwərd] *ad.* ① 뒤에〔로〕; 후방에〔으로〕; 뒤를 향해. OPP *forward(s)*. ¶ walk ~ 뒤로 물러서다 / look ~ over one's shoulder 어깨너머로 뒤돌아보다 / He fell ~ onto the sand. 그는 모래밭에 벌렁 자빠졌다. ② 타락하여, 퇴보〔악화〕하여: Social conditions are going ~ rather than forward. 사회정세는 전진보다는 오히려 후퇴하고 있다. ③ 거꾸로, 끝에서부터, 뒤로부터: flow ~ 역류하다 / count ~ 거꾸로 세다 / If you read 'Elba' ~, it's 'able'. 'Elba' 를 거꾸로 읽으면 'able' 이 된다. ④ (이전으로) 거슬러 올라가서: five years ~, 5년 전에 / Young people look forward; the elderly tend to look ~. 젊은 사람들은 장래를 바라보지만 늙은이들은 옛날을 회상하는 경향이 있다. ~(***s***) ***and forward***(***s***) 앞뒤로, 왔다갔다; 여기저기(에). ***bend*** 〔***lean, fall***〕 ***over*** ~ ⑴ 먼저와는 딴판으로 …하다《*to* do》. ⑵ (마음에 들려고) 열심히 (…하려고) 애쓰다《*to* do》: Although we *bent over* ~ *to* be kind to her, she still seemed to resent us. 우리가 그녀에게 잘하려고 애썼으나 아직 화가 안 풀린 모양이었다. ***know*** something ~ …을 잘 알고 있다.
— *a.* ① 〔限定的〕 뒤로의; 뒤를 향한; 거꾸로의, 퇴보적인(retrogressive): without a ~ glance 뒤돌아보지 않고 / a ~ movement 역행, 후퇴 / That's a ~ way of doing things. 그것은 거꾸로 하는 방법이다. ② **a**) 진보가 늦은, 뒤진: a ~ country 후진국《a developing country가 보통임》 / a ~ child 지진아. **b**) 〔敍述的〕 (…에) 뒤쳐진, 뒤진《*in*》: He's ~ *in* math. 그는 수학이 뒤져 있다. ③ 〔敍述的〕 수줍은, 스스러워하는, 주저하는《*in*》: She's ~ *in* giving people her views. 그녀는 사람들에게 자기 의견을 말하기를 꺼린다.
㊞ **~·ly** *ad.* **~·ness** *n.*
‡back·wards [-wərdz] *ad.* =BACKWARD.
back·wash [-wɔ̀(ː)ʃ, -wɑ̀ʃ] *n.* (*sing.*; 때때로 the ~) Ⓤ ① (해안에) 밀려왔다 돌아가는 파도; 〖海〗 (배의 스크루·노 따위로) 밀리는 물, 역류; 〖空〗 (공기의) 후류(後流). ② (사건의) 여파, 결과, 반향, 후유증: food shortages in *the* ~ of the war 전쟁 결과로 나타난 식량 부족.
back·wa·ter [-wɔ̀ːtər, -wɑ̀t-] *n.* ① Ⓤ 역수(逆水), 둑에 부딪쳐 되밀리는 물, 역류. ② Ⓒ (문화 등의) 뒤진 지역; 침체; 벽지. — *vi.* 〖海〗 (배를) 후진시키다; 뒤로 젓다.
back·woods [-wúdz] *n. pl.* (the ~) 〔單數 취급〕 Ⓤ 《美》 변경의 삼림(森林)지대; 변경의 미개척지; 궁벽한 땅.
back·woods·man [-wúdzmən] (*pl.* ***-men***

[-mən]) *n.* Ⓒ ① 미개(척)지에 사는 사람, 변경의 주민 ; 《美口》 메부수수한 사람. ② 《英蔑》 (시골에 살면서) 의회에 잘 나가지 않는 상원 의원.

back·yard [ˊjáːrd] *n.* 《美》 ① Ⓒ 뒤뜰. cf. front yard. ★ 《美》에서는 잔디. 《英》에서는 콘크리트를 깔고 있음. ② 《比》 근처, (자기의) 세력 범위. ***in** one's **own*** ~ 바로 근처에, 몸 가까이.

***Ba·con** [béikən] *n.* **Francis** ~ 베이컨《영국의 수필가 · 정치가 · 철학자 ; 1561-1626》.

‡**ba·con** [béikən] *n.* Ⓤ 베이컨《돼지의 배나 등의 살을 소금에 절여 훈제한 것》 : a slice of ~ 베이컨 한 조각. ***~ and eggs*** 베이컨에 달걀 반숙을 얹은 요리. ***bring home the*** ~ ⇨ BRING. ***save*** one'***s*** [a person'***s***] ~ 《口》 중대한 손해[위해]를 모면(하게) 하다 ; …에게 목적을 달성하게 하다.

Ba·co·ni·an [beikóuniən] *a.* 베이컨의 ; 베이컨의 학설[학파]의 ; 귀납적인 : the ~ method 귀납법. — *n.* Ⓒ 베이컨 철학의 신봉자.

Bacónian théory (the ~) 베이컨설 《Shakespeare의 작품은 Bacon이 썼다는 설》.

‡**bac·te·ria** [bæktíəriə] (*sing.* ***-ri·um*** [-riəm]) *n. pl.* 박테리아, 세균 ; 세균류. ★단수형 bacterium을 쓰는 경우는 극히 드묾.

bac·te·ri·al [bæktíəriəl] *a.* 박테리아[세균]의, 세균성의 : a ~ infection 세균에 의한 감염.

bac·te·ri·cide [bæktíərəsàid] *n.* Ⓤ,Ⓒ 살균약[제]. ㊉ **bac·tè·ri·cíd·al** [-dl] *a.* **-al·ly** *ad.*

bac·te·ri·o·log·ic, -i·cal [bæktìəriəládʒik / -lɔ́dʒ-], [-ikəl] *a.* 세균학(상)의 ; 세균 사용의.

bac·te·ri·ol·o·gy [bæktìəriálədʒi / -ɔ́l-] *n.* Ⓤ 세균학 ; 세균의 생태. ㊉ **-gist** *n.* Ⓒ 세균학자.

***bac·te·ri·um** [bæktíəriəm] *n.* BACTERIA의 단수형. 「cf. dromedary.

Bác·tri·an cámel [bǽktriən-] 〖動〗 쌍봉낙타.

†**bad** [bæd] (***worse*** [wəːrs] ; ***worst*** [wəːrst]) *a.* ① (도덕적으로) 나쁜 ; 악질(惡質)의. opp. *good.* **a**) 악한, 불량한, 부정한 : a ~ habit 악습 / ~ conduct 부정 행위 / It is ~ (of anybody) to tell a lie. (누구든) 거짓말을 하는 것은 나쁘다. **b**) 행실이 나쁜 ; 말썽꾸러기인 ; 말을 듣지 않는 : a ~ boy 행실이 나쁜 소년 / John isn't as ~ as he seemed. 존은 보기보다 말썽꾸러기는 아니다. **c**) (말씨가) 야비한, 난잡한, 험한 : a ~ word 야비한 말 / use ~ language 험담을 하다 ; 난잡한 말을 쓰다.

② 나쁜, 열악한. **a**) (날씨 등이) 거친, 험악한 : ~ weather 악천후. **b**) (품질이) 열악한, 위조의 : a ~ diamond 질이 나쁜 다이아몬드 / ~ food 악식 / ~ coin 악화(惡貨). **c**) 표준 이하의, 불충분한 : The match has been postponed because of ~ light. 경기는 불충분한 조명 상태로 인하여 연기되고 있다 / ~ plumbing 불완전한 배관 공사. **d**) 틀린, 잘못된 : ~ grammar 틀린 문법 / a ~ guess [shot] 빗나간 짐작[총알].

③ 솜씨가 없는, 서투른 : a ~ worker 솜씨없는 직공 / He's a ~ driver. 그는 운전이 서투르다 / She is ~ *at* singing. 그녀는 노래가 서툴다.

④ [敍述的] (…에) 유해하여, 건강에 해로워 《*for*》 : Smoking is ~ *for* your health. 흡연은 건강에 해롭다.

⑤ (병 따위가) 악성의, 무거운, 심한 : a ~ headache[accident] 심한 두통[사고] / a ~ crime 중대한 범죄 / make a ~ mistake 엄청난 실수를 하다.

⑥ **a**) 불리한, 불길한, 불쾌한, 불운한 : ~ luck 불운 / ~ times 불경기 / ~ news 나쁜 소식. **b**) 부적당한, 계제 나쁜 : a ~ time of the year *for* climbing a mountain 등산에는 부적당한 계절 / He came at a ~ time. 그는 계제 나쁜 때에 찾아왔다.

⑦ **a**) (맛 · 냄새가) 불쾌한, 상한, 썩은 : a ~ smell 불쾌한 냄새 / The taste is ~. 맛이 고약하다. **b**) (식품 · 치아 등이) 상한, 부패한 : a ~ egg 부패한 계란 / a ~ tooth 충치 / This meat smells ~. 이 고기는 썩는 냄새가 난다 / We'd better eat this chicken before it goes ~. 이 닭고기가 상하기 전에 먹는 것이 좋겠다.

⑧ **a**) 아픈, 기분이 언짢은 : I feel[I'm] ~ today. 오늘은 기분이 좋지 않다 / I felt ~ from eating too much. 과식해서 속이 거북하다. **b**) [敍述的] (…을) 앓고 있는, 걸린《*with*》 : I am ~ *with* fever. 나는 열병에 걸려 있다.

⑨ [敍述的] **a**) [흔히 too ~로] 《口》 애석한, 안타까운 : It's *too* ~ he's so sick. 그가 중병이라니 안타까운 일이다 / That's *too* ~. 그거 정말 안되었군. **b**) (…을) 후회하는, 슬퍼하는《*about, that*》 : I felt ~ *about* picking on him. 그를 괴롭힌 일을 후회했다 / She felt ~ *that* she had hurt his feelings. 그의 감정을 상하게 하여 그녀는 슬펐다.

⑩ 무효의 : a ~ debt 대손(貸損) / a ~ check 부도수표.

⑪ (***bad·der*** ; ***bad·dest***) 《美俗》 멋진, 최고의. ***in a ~ way*** 《口》 (건강 · 사업 등이) 어렵게 되어, 위험한 상태로, (병이) 중하여. ***not*** (***so*** [***half***]) ~ 《口》 (1) 꽤나 좋은. (2) 그리 어렵지 않은. ***That can't be ~!*** 《口》 거 대단하군요[나쁘지 않군요].

— *n.* Ⓤ 나쁜 일, 악 ; 나쁜 상태, 악운. ***go from ~ to worse*** 점점 악화하다. ***go to the*** ~ 타락하다 ; 파멸하다. ***in*** ~ 《口》 곤란하게 되어 ; (…에게) 혐오되어.

— *ad.* 《美口》 = BADLY.

bád blóod 악감정, 증오, (오랜) 반목, 불화, 적의(敵意) ; 원한(怨恨) 《*between*》 : There was ~ *between* the two ethnic groups. 그 두 민족 사이에는 반감이 있었다.

bád bréath 입내, 구취(口臭) (halitosis).

bad·die, bad·dy [bǽdi] *n.* Ⓒ 《口》 (영화 등의) 악역, 악인 ; 《美俗》 범죄자. opp. *goodie.*

‡**bade** [bæd / bæd, beid] BID 의 과거.

bád égg [**hát, lót, týpe**] 《口》 악인, 불량배.

Ba·den-Pow·ell [béidnpóuəl, -páu-] *n.* **1st Baron** ~ 베이든파월《영국의 장군 ; 보이 스카우트와 걸 가이드를 창설 ; 1857-1941》.

‡**badge** [bædʒ] *n.* Ⓒ ① 휘장(徽章), 배지, 기장 ; a school ~ 학교의 배지 / a service ~ 종군 기장. ② 상징(symbol) : Her clear eyes are a ~ of innocence. 그녀의 맑은 눈은 청순하다는 표시다. ***a ~ of rank*** (군인의) 계급장.

***badg·er** [bǽdʒər] (*pl.* **~s**, [集合的] ~) *n.* Ⓒ 오소리 ; Ⓤ 그 털가죽. — *vt.* 《~+목 / +목+전+명 / +목+*to* do》 (질문 등으로) …을 괴롭히다《*with*》 ; (물건)을 갖고 싶다고 조르다《*for*》 ; 졸라서 (…)하게 하다《*into* doing》 ; (…해 달라고) …에게 끈질기게 말하다《*to* do》 : My wife is always ~*ing* me *with* her complaints. 마누라는 항상 불평을 늘어놓아 나를 괴롭히고 있다 / ~ him *for* [*to* buy] a new car 그에게 새 차를 사달라고 조르다 / I had to ~ him *into* com*ing* with us. 그를 동행시키기 위해 끈질기게 말해야 했었다.

bád gùy 《美口》 나쁜 놈. 「를 잘 내는.

bad-hu·mored [ˊhjúːmərd] *a.* 심기가 나쁜 ; 화

bad·i·nage [bæ̀dináːʒ, bǽdinidʒ] *n.* Ⓤ 《F.》 농담, 가벼운 야유(banter). — *vt.* …을 놀리다, 야유하다.

Bád Lànds (the ~) 《美》 South Dakota 주 남서부와 Nebraska 주 북서부의 황무지.

bad·lands [bǽdlæ̀ndz] *n. pl.* 《美》 불모지.

bád lánguage 욕, 악담 : Stop using ~ in front of the children. 어린이 앞에서 욕설을 하지 마라.

‡**bad·ly** [bǽdli] (***worse*** [wəːrs]; ***worst*** [wəːrst]) *ad.* ① 나쁘게(wrongly), 부당하게, 호되게 : He spoke ~ of her. 그는 그녀를 나쁘게 말하였다 / We were ~ beaten in the game. 우리는 경기에서 완패했다. ② 서투르게(poorly), 졸렬하게 : The meal was ~ cooked. 식사는 요리솜씨가 형편없었다 / He did ~ at school. 그는 학교 성적이 나빴다. ③ 대단히, 몹시 (greatly)〔want, need 따위와 함께〕: ~ wounded 심한 부상을 당하여 / I ~ *want* it 〔*want* it ~〕. 그것을 몹시 갖고 싶다 / We *need* your help ~. 자네 도움이 꼭 필요하다. ***be ~ off*** 생계가 궁핍하다(opp *be well off*) ; (…이) 없어 곤란하다《*for*》: The country *is* ~ *off for* food. 그 나라는 식량난으로 어려움을 겪고 있다.

── *a.* 〔敍述的〕 병으로, 기분이 나쁜 ; 의기소침한 ; 슬퍼하는, 후회하는《*about*》 (★ 보통 bad를 사용, badly는 격식차린 표현).

bad·man [bǽdmæ̀n] (*pl.* ***-men*** [-mèn]) *n.* Ⓒ 《口》 무뢰한, 무법자 ; (영화 등의) 악역.

***bad·min·ton** [bǽdmintən] *n.* Ⓤ 〖競〗 배드민턴.

bád móuth 《美俗》 욕, 중상, 비방, 혹평.

bad-mouth [bǽdmàuθ, -màuð] *vt.* 《美俗》 …을 끈질기게 혹평하다, 욕하다, 헐뜯다.

bad·ness [bǽdnis] *n.* Ⓤ 나쁨 ; 불량 ; 열악 ; 유해 ; 불길, 흉.

bád néws ① 흉보 ; 《口》 곤란한 문제, 난처한 일. ② 《美俗》 귀찮은 사람.

bad-tem·pered [bǽdtèmpərd] *a.* 씨무룩한 ; 뚱한, 심술궂은. ㊞ **~·ly** *ad.*

Bae·de·ker [béidikər] *n.* Ⓒ 베데커 여행 안내서《독일의 출판업자 Karl Baedeker 가 시작함》; 〔一般的〕 여행 안내서.

***baf·fle** [bǽfəl] *vt.* ① 《~+목 / +목+전+명》 …을 좌절시키다, 실패로 끝나게 하다, …의 의표를 찌르다 : ~ the enemy's plan 적의 전략의 의표를 찌르다 / This ~*d* him *out of* his design. 이것으로 그의 계획은 실패로 돌아갔다. ② …을 곤란케 하다, 당황케 하다 : That murder case ~*d* the police. 그 살인 사건은 경찰을 당혹게 했다. ③ …을 차단하다 : This thick wall ~*s* outside noises. 이 두꺼운 벽이 외부의 소음을 차단하고 있다.

── *n.* Ⓒ 배플(= ∠ **bòard** 〔**plàte**〕)《기류·수류·음향 따위의 정류〔조절〕 장치, 격벽》.

baf·fle·ment [bǽflmənt] *n.* Ⓤ 좌절시킴, 방해 ; 당혹 : She looked in ~ at him. 그녀는 당혹하여 그를 바라보았다.

baf·fling [bǽfəliŋ] *a.* 좌절의 ; 저해하는(hindering) ; 당황케 하는 ; 이해할 수 없는(inscrutable) : a ~ remark 뜻모를 말 / a ~ situation 난처한 입장. ㊞ **~·ly** *ad.*

báffling wínds 〖氣·海〗 방향이 일정치 않은 바람.

†**bag** [bæg] *n.* Ⓒ ① 자루, 부대 ; 한 자루분(량)(bagful) : a paper ~ 종이봉지 / a sleeping ~ 침낭 / a ~ of wheat 밀 한 부대 / He ate a whole ~ of sweets. 그는 사탕 한 봉지를 다 먹었다. ② (손)가방, 백, 핸드백. ③ 지갑 : consult one's ~ 주머니 사정을 고려하다. ④ 사냥 부대 ; (하루) 사냥물(의 분량) ; 사냥감, 낚을 것 ; (법정) 포획량. ⑤ 자루 모양의 것〔부분〕; 암소의 젖통이(udder) ; 《俗》 음낭 ; 눈 밑에 처진 살. ⑥ 《俗》 헐렁한 바지 ; (*pl.*) 《英口》 바지, 슬랙스. ⑦ 《野球俗》 베이스, 누(壘). ⑧ 《俗》 여자 ; 추녀 ; 잔소리 심한 노파 : You old ~! 이 할망구야. ⑨ 《俗》 재즈의 스타일. ⑩ (*pl.*) 《口》 다량, 다수(plenty)《*of*》: ~*s of* time〔money〕 많은 시간〔돈〕. ⑪ 《俗》 매우 좋아하는 것, 취미, 전문 : Tennis is my ~. 테니스는 내가 좋아〔자랑〕하는 운동이다. ***a ~ of bones*** 《口》 마른 사람〔동물〕. ***~ and baggage*** 〔副詞的〕 가재〔소지품〕 전부를 갖고 ; 몽땅 ; 완전히(completely) : She left home ~ *and baggage.* 그녀는 살림살이 전부를 가지고 가출했다. ***be left holding the ~*** 《美》 (과실 등의) 모든 책임을 혼자 떠맡다. ***in the ~*** 《口》 확실한, 손에 넣은 : His election is *in the* ~. 그의 당선은 확실하다. ***let the cat out of the ~*** 깜박 실수하여 비밀을 누설하다. ***pack*** one***'s ~s*** 《口》 (직장 등을) 떠나다, 그만두다 : I decided it was time to *pack* my ~*s*. 떠날 때가 되었다고 나는 결심했다. ***the*** 〔***a***〕 (***whole***) ***~ of tricks*** 《口》 모두 ; 갖은 수단.

── (***-gg-***) *vt.* ① …을 불룩하게 하다. ② …을 자루에 넣다. ③ (사냥감)을 잡다 ; 죽이다 ; 《口》 (의석·좌석 등)을 획득하다, 차지하다 : He ~*ed* the best seat. 그는 가장 좋은 자리를 차지했다. ④ 《口》 (악의 없이 남의 물건)을 훔치다(steal) : Someone has ~*ged* my pencil. 누군가가 내 연필을 가져갔다. ── *vi.* (자루처럼) 불룩해지다(swell)《*out*》; 자루처럼 축 처지다 : ~ (*out*) at the knees (바지가) 무릎이 나오다.

bag·a·telle [bæ̀gətél] *n.* ① Ⓒ 하찮은 일〔물건〕: My book? Oh, nothing much, really — just a ~. 내 책말인가. 아, 정말 별거 아니야. 시시한 거야. ② Ⓤ 일종의 당구놀이. ③ Ⓒ 〖樂〗 (피아노용의) 소곡(小曲).

Bagdad ⇨ BAGHDAD.

ba·gel [béigəl] *n.* Ⓒ 도넛형의 딱딱한 롤빵.

bag·ful [bǽgfùl] (*pl.* ***~s, bágs·fùl***) *n.* Ⓒ 한 자루(의 분량), 다량.

‡**bag·gage** [bǽgidʒ] *n.* ① Ⓤ 〔集合的〕 **a)** 《美》 수화물(《英》 육상에서 luggage, 배·비행기에서는 baggage) : The porter helped her into a taxi with her ~. 포터는 그녀가 수화물을 갖고 택시를 타는 것을 도와주었다. **b)** 〖軍〗 (텐트·침구 등) 휴대 장비. ★ 개수를 셀 때는 a piece of ~, two pieces of ~ 따위로 함. ② Ⓤ 《口》 인습, 케케묵은 생각. ③ Ⓒ 《口》 말괄량이, 성가신 노파.

bággage càr 《美》 (철도의) 수화물차(《英》 luggage van).

bággage chèck 《美》 수화물 물표.

bággage clàim (공항의) 수화물 찾는 곳.

bággage òffice 《美》 수화물 취급소.

bággage ràck 《美》 (열차 등의) 그물 선반.

bággage ròom 《美》 수화물 일시 보관소(《英》 left-luggage office).

bággage tàg 《美》 수화물의 꼬리표(《英》 luggage label).

bag·gy [bǽgi] (***-gi·er; -gi·est***) *a.* 자루 같은 ; 불룩한, 헐렁한《바지 따위》. ㊞ **bág·gi·ness** *n.*

Bagh·dad, Bag·dad [bǽgdæd, bəgdǽd] *n.* 바그다드《Iraq의 수도》.

bág làdy 《美》 = SHOPPING-BAG LADY.

bag·man [bǽgmən] (*pl.* ***-men*** [-mən]) *n.* Ⓒ ① 《英口》 외판원. ② 《美》 (부정한 돈을 등치거나 그것을 분배하는) 중개인.

***bag·pipe** [bǽgpàip] *n.* Ⓒ (종종 the ~s) 백파이프《스코틀랜드 고지 사람이 부는 피리》: play *the* ~*s* 백파이프를 불다. ㊞ **-pìp·er** *n.* Ⓒ

ba·guet(te) [bægét] n. [C] ① 가름한 네모꼴로 깎은 보석. ② 바게트(가늘고 긴 프랑스 빵).
bag·worm [-wə̀ːrm] n. [C] 〖蟲〗 도롱이벌레.
bah [bɑː, bæ(ː)] *int.* 흥!(경멸·혐오의 감정을 나타냄): *Bah!* Humbug! 흥, 엿이나 먹어라.
Ba·ha·ism [bəháːizəm, -hái-] n. [U] 바하이교 (1863년에 페르시아에서 일어난 종교; 인류의 융화·세계 평화 등을 창도함). [파] **-ist, -ite** a., n.
Ba·há·ma Íslands [bəháːmə-, -héi-] ① (the ~) 바하마 제도(미국 Florida 반도 동남쪽의).
Ba·ha·mas [bəháːməz, -héi-] n. ① (the ~) 〔複數 취급〕 바하마 제도. ② 〔單數 취급〕 바하마(바하마 제도로 이루어진 독립국: 수도는 Nassau).
[파] **Ba·há·mi·an, -há·man** a., n. [C]
Bah·rain, -rein [bɑːréin] n. 바레인(페르시아만의 바레인 섬을 중심으로 한 독립국; 수도 Manama).
Bai·kal [baikáːl, -kɔ́ːl] n. (Lake ~) 바이칼 호 (시베리아의 담수호).
bail**[1] [beil] n. 〖法〗 ① [U] 보석; 보석금: set ~ at $5000, 보석금을 5천 달러로 하다. ② [C] 보석 보증인. ***accept 〔***allow, take***〕 ~ 보석을 허가하다. ***grant*** 〔***refuse***〕 a person ~ 아무에게 보석을 허가하다〔허가하지 않다〕. ***admit*** a person ***to*** ~ 아무에게 보석을 인정하다. ***be out*** 〔***free***〕 ***on*** ~ (피고가) 보석〔가출옥〕중이다(=be under ~). ***give*** 〔***offer***〕 ~ 보석금을 납부하다. ***go*** 〔***put up, stand***〕 ~ ***for*** …의 보석 보증인이 되다; …에 보석금을 납입하다. ***jump*** 〔***skip, forfeit***〕 (one's) ~ 보석중에 행방을 감추다; (보석 중 피고가) 출정을 안해 보석금을 몰수당하다. ***on*** ~ 보석금을 내고: be released *on* ~ 보석금을 내고 석방되다. ── *vt.* ① (+[목]+[부]) …을 보석하다; (보증인이) 보석을 받게 하다(*out*): His lawyer ~*ed* him *out*. 변호사는 그가 보석을 받게 했다. ② (화물)을 위탁하다. ③ …을 자금지원으로 구제하다(*out of*): ~ a person *out of* (financial) trouble 아무를 (재정적) 곤란으로부터 구하다. ④ …에서 탈출하다(*out of*): ~ *out of* a painful marriage 괴로운 결혼(생활)에서 탈출하다.
bail[2] n. [C] ① (냄비·주전자 따위의 반원형의) 손잡이, 들손. ② (타자기 따위의) 종이 누르는 장치.
bail[3] n. [C] 파래박(뱃바닥에 괸 물을 퍼내는).
── *vt.* (+[목]+[전]+[명] / +[목]+[부]) (배에서 물)을 퍼내다(*out of*); (배의) 바닥에 괸 물을 퍼내다 (*out*): ~ water *out of* a boat 보트에서 물을 퍼내다 / ~ water *out* = ~ *out* a boat 보트에 괸 물을 퍼내다. ── *vi.* ① (보트 안의) 괸 물을 퍼내다(*out*). ② 낙하산으로 탈출하다(*out*).
bail[4] n. [C] 〖크리켓〗 삼주문(三柱門) 위의 가로장; 《英》 (마구간의) 칸막이 가로대.
bail·a·ble [béiləbəl] a. 〖法〗 보석할 수 있는(범죄, 범인 따위).
bai·ley [béili] n. [C] 성벽; 성안의 뜰.
Báiley brìdge 〖軍〗 베일리식 조립교(橋).
bai·liff [béilif] n. [C] ① 집행관(sheriff의 부하). ② (지주의) 토지 관리인. ③ 《美》 법정 경위(警衛) (《英》 usher). [파] **~·ship** n.
bail·i·wick [béiləwìk] n. [U] ① bailiff의 직〔관할 구역〕. ② (능숙한) 분야, 영역.
bail·ment [béilmənt] n. [U] 〖法〗 위탁; 보석.
bail·out [béilàut] n. [C] ① (낙하산에 의한) 긴급 탈출. ② (정부 자금에 의한) 기업 구제 (조처).
bails·man [béilzmən] (*pl.* **-men** [-mən]) n. [C] 보석 보증인.
bairn [bɛərn] n. [C] 《Sc.》 유아(幼兒), 어린이.
‡**bait** [beit] n. [U] (또는 a ~) ① 미끼, 먹이: *an* artificial ~ 제물〔보조〕 낚시 / *a* live ~ 산 미끼 / put *a* ~ on a hook 낚시바늘에 미끼를 달다. ② 유혹(물) (lure). ***rise to the*** ~ (1) 물고기가 낚시에 달린 먹이를 덥석 물다. (2) 꾐에 넘어가다. ***swallow the*** ~ 먹이〔꾐〕에 걸려들다. ── *vt.* ① …에 미끼를 달다(*with*): ~ a hook *with* a worm 낚시바늘에 지렁이를 달다. ② …을 미끼로 꾀다: 유혹하다(*with*): She ~*ed* him *with* a show of affection. 그를 사랑하는 척하면서 유혹했다. ③ (묶어〔가두어〕 놓은 동물)에 개를 부추기어 괴롭히다(*with*). ④ …을 괴롭히다, 지분거리다: She seemed to take a great delight in ~*ing* him. 그녀는 그를 못살게 구는 것에 큰 즐거움을 느끼는 것 같았다.
báit and swítch 《美》 후림상술(싸구려 상품으로 손님을 끈 다음 비싼 상품을 파는 상술).
[파] **báit-and-swítch** [béitənswítʃ] a.
baize [beiz] n. [U] 베이즈(당구대·탁자·커튼 따위에 쓰는 초록색의 나사(羅紗)).
‡**bake** [beik] *vt.* ① (직접 불에 대지 않고 빵 등)을 굽다: ~ bread in an oven 오븐에 넣고 빵을 굽다 / She ~*d* the cake hard. 그녀는 케이크를 바삭바삭하게 구웠다. ② (벽돌 따위)를 구워 굳히다, 구워 말리다: ~ bricks in a kiln 벽돌 가마에서 벽돌을 굽다. ③ (햇볕이 피부 따위)를 태우다; (햇볕이 지면)을 바싹 말리다; (과실)을 익게 하다: The sun ~*d* the land. 햇볕이 땅을 바싹 마르게 했다. ── *vi.* (빵 등이) 구워지다; (지면 따위가) 타서 단단해지다; (햇볕에) 타다; 《口》 더워지다: ~ in the sun 양지에서 살을 태우다 / I'm ~*ing*. 더워 죽을 지경이다.
── n. [C] ① 구움, (빵)굽기. ② 《美》 즉석구이 파티(clambake 따위).
baked [beikt] a. 구운.
báked Aláska 베이크트 알래스카(케이크에 아이스크림을 얹은 디저트의 일종).
báked béans 베이크트 빈스(찐 콩과 베이컨 등을 구운 요리).
bake·house [béikhàus] n. [C] =BAKERY.
Ba·ke·lite [béikəlàit] n. [U] 베이클라이트(일종의 합성 수지; 商標名).
‡**bak·er** [béikər] n. ① [C] 빵 굽는 사람, 빵류 제조 판매업자. [cf.] bakery. ¶ ~'s yeast 제빵용 이스트 / at the ~'s 빵집에서. ② 《美》 휴대용 오븐.
Bá·ker-Núnn càmera [béikərnʌ́n-] 인공 위성·탄도탄 추적용 카메라.
báker's dózen (a ~) 빵집의 1 다스, 13 개.
Bá·ker Strèet 베이커가(街)(London 거리의 이름. 이 거리에서 Sherlock Holmes가 살았다고 함).
***bak·ery** [béikəri] n. [C] 빵집; 제빵소; 《美》 제과점.
bake·shop [béikʃɑ̀p / -ʃɔ̀p] n. 《美》 =BAKERY.
***bak·ing** [béikiŋ] n. ① [U] 빵굽기. ② [C] 한 번 굽기; 한 가마(분). ── a., ad. 빵을 굽는; 《口》 타는 듯한〔듯이〕: ~ heat 뙤약볕, 땡볕 / ~ hot 탈 듯이 뜨거운.
báking pòwder 베이킹 파우더.
báking shèet 《美》 비스킷을 굽는 운두가 낮고 평평한 냄비.
báking sòda 탄산수소나트륨.
bak·sheesh, -shish [bǽkʃiːʃ, -ˊ] n. [U] (터키·이집트 등에서의) 행하, 팁.
Ba·ku [bɑːkúː, bʌ-] n. 바쿠(Azerbaijan 공화국의 수도; 채유(採油)의 대중심지).
BAL 〖컴〗 basic assembly language(기본 어셈블리 언어); blood alcohol level(혈중 알코올 농도). **bal.** balance; balancing.
bal·a·cla·va [bæləkláːvə] n. [C] 발라클라바 모

자(=∠ **hèlmet** 〔**hòod**〕)《눈만 내놓고 귀까지 덮는》.

bal·a·lai·ka [bæləláikə] *n.* Ⓒ 발랄라이카《러시아의 guitar 비슷한 삼각형의 현악기》.

‡**bal·ance** [bǽləns] *n.* ① Ⓒ 천칭, 저울 : a pair of ~*s* 저울 한 대 / a spring ~ 용수철 저울 / weigh things in a ~ 물건을 저울에 달다. ② Ⓤ (또는 a ~) **a**) 평균, 균형, 평형 ; 대조(對照) : ~ of mind and body 심신의 조화 / the ~ of power in Europe 유럽의 세력 균형 / keep a proper ~ between work, play and rest 일〔공부〕, 놀이, 휴식 사이에 적당한 균형을 유지하다. **b**) (의장 따위의) 조화 ; 침착 ; (마음·몸의) 안정, (마음의) 평정 : recover one's ~ 침착성을 되찾다. **c**) 〖體操〗 평균 운동. ③ Ⓒ 균형을 잡는 것 ; 균형점 : Her prudence acts as a ~ to her husband's recklessness. 그녀의 신중함이 남편의 무분별한 점을 메우고 있다. ④ Ⓒ (흔히 *sing.*) 〖商〗 수지, 국제수지 ; 차액, 차감 잔액 : a credit ~ 대변 잔액 / the ~ of accounts 계정 잔액 / the ~ of 〔after〕 clearing 청산 잔액 / I have a growing bank ~. 내 은행예금잔액은 증가하고 있다 / the ~ brought〔carried〕 forward 전기에서〔차기에로의〕 이월된 잔액. ⑤ (the ~) 《口》 나머지 (remainder) ; 거스름돈 : Keep *the* ~. 거스름돈은 가져라 / In *the* ~ of class time he answered our questions. 수업시간 끝머리에 그는 우리 질문에 대답해주었다. ⑥ (the B-) 〖天〗 천칭자리 (Libra). ⑦ (*sing.* 흔히 the ~) 우위, 우세 (優勢) : *The* ~ of advantage is with us. 승산은 우리쪽이다 / *The* ~ of public opinion remains in his favor. 여론의 경향은 여전히 그에게 유리하다. ~ ***of*** (***international***) ***payments*** (종종 the ~) 국제수지. ~ ***of trade*** 〖經〗 무역 수지 : a favorable 〔an unfavorable〕 ~ *of trade* 수출〔수입〕 초과. ***in the*** ~ 어느쪽으로도 결말이 나지 않아 : The company's future is 〔hangs〕 *in the* ~. 그 회사의 장래는 불안정한 상태다. ***hold the*** ~ (***of power***) 결정권을 쥐다. ***keep*** 〔***lose***〕 ***one's*** ~ 몸의 균형을 유지하다〔잃다〕 ; 평정을 유지하다〔잃다〕. ***off*** 〔***out of***〕 ~ 균형〔평정〕을 잃고, 불안정하여 : I was *off* ~ and couldn't catch the ball. 몸의 균형을 잃어서 공을 잡지 못했다 / The question threw him *off* (his) ~. 그 질문으로 그는 당황했다. ***on*** ~ 모든 것을 고려하여, 결국은. ***strike a*** ~ (***between***) (1) 수지를 결산하다. (2) (양자간의) 중도를 채택하다 ; (양자간의) 균형을 취하다 : *strike a* ~ *between* export and imports 수출입의 균형을 잡다. ***throw*** 〔***catch***〕 a person ***off*** (his) ~ 아무의 몸〔마음〕의 평정을 잃게 하다, 쓰러뜨리다, 허를 찌르다, 당혹게 하다. ***tip the*** ~ 사태를〔국면을〕 바꾸다, 결과에 결정적인 영향을 주다 : His utterance *tipped the* ~ against the motion. 그의 발언으로 동의(動議)는 부결로 기울었다.

── *vt.* ① 《~+목 / +목+전+명》 **a**) …의 균형을 잡다〔맞추다〕 : ~ a pole (곡예사가) 막대를 세우다 / ~ a book *on* one's head 책을 머리에 균형있게 얹다. **b**) 〔再歸的〕 (넘어지지 않게) 몸의 균형을 잡다 : ~ *oneself* on one leg 한 발로 몸의 균형을 잡다. ② 《~+목 / +목+전+명》 …을 비교〔대조〕하다, …의 이해 득실을 견주어 보다 : ~ two plans *in* one's mind 두 계략(의 우열)을 가늠해보다 / ~ one thing *with* 〔*by, against*〕 another 어떤 것을 딴 것과 견주어 보다. ③ (딴것)과 에끼다, 상쇄하다 ; (잔액)을 없애다《지급하여》 ; 균형을 이루다 《*out*》 : His generosity ~*s* his rough behavior. 그의 관대함이 그의 난폭한 행동을 상쇄하고 있다 / The loss and the profit ~ each other *out*. 손실과 이익이 서로 균형을 이루고 있다. ④ 〖會計〗 (대차·수지 따위)를 차감하다. ~ ***accounts*** 〔***the book*** (***s***)〕 장부를 마감하다, 결산하다.

── *vi.* ① 균형이 잡히다, 평균을 이루다《*with*》 ; (계산·장부끝이) 맞다 : Our income doesn't ~ *with* our expenses. 수입과 지출이 균형을 이루지 못하고 있다. ② 〖會計〗 (대차 계정이) 일치하다 : The accounts ~*d*. 대차 계정은 일치했다.

bálance bèam 저울대 ; (체조의) 평균대.

bal·anced [bǽlənst] *a.* 〔限定的〕 균형이 잡힌 : a ~ budget 균형 예산 / have a ~ diet 균형있는 식사를 하다.

bal·anc·er [bǽlənsər] *n.* Ⓒ ① 균형을 잡는 사람〔것〕 ; 평형기. ② 곡예사.

bálance shèet 〖商〗 대차 대조표.

bálance whèel ① (시계의) 평형 바퀴, 플라이휠. ② (움직임을) 조정하는〔안정시키는〕 것.

bálancing àct (위험한) 줄타기 ; (대립하는 양자를 만족시키는) 양면 공작, 책략.

ba·la·ta [bəlɑ́ːtə, bǽlətə] *n.* ① Ⓒ 〖植〗 발라타《서인도 제도산 열대 나무》. ② Ⓤ (그 수액의 응고체인) 발라타 고무《전선의 피복·골프공·껌 등을 만듦》.

Bal·boa [bælbóuə] *n.* **Vasco de** ~ 발보아《태평양을 발견한 스페인의 탐험가 ; 1475 ? - 1519》.

bal·brig·gan [bælbrígən] *n.* Ⓤ 무명 메리야스의 일종《양말·속옷용》 ; (*pl.*) 무명 메리야스의 양말〔파자마〕.

bal·co·nied [bǽlkənid] *a.* 발코니가 있는.

‡**bal·co·ny** [bǽlkəni] *n.* Ⓒ 발코니, 노대(露臺) ; (극장의) 2층 특등석《★ 특히 《英》에서는 upper circle, 《美》에서는 dress circle을 가리킴》.

‡**bald** [bɔːld] (∠***er*** ; ∠***est***) *a.* ① (머리가) 벗어진, 털이 없는, 대머리의 ; 머리에 흰 얼룩이 있는《새·말 따위》 : a ~ man 대머리 / He is ~. 그는 대머리이다. ② (털·나무가 없어) 민둥민둥〔민숭민숭〕한 ; 꺼끄러기가 없는 : a ~ mountain 민둥산. ③ 있는 그대로의, 드러낸 ; 노골적인 : a ~ lie 빤한 거짓말 / a ~ accusation 노골적인 비난 / It is a ~ statement of the facts. 그것은 있는 그대로의 사실만을 진술한 것이다. ④ 꾸밈 없는 (unadorned) ; 단조로운 : a ~ prose style 아취 없는 문체. ***as*** ~ ***as an egg*** 〔***a coot***〕 머리가 홀렁 벗어진. ***get*** 〔***go***〕 ~ 머리가 벗겨지다.

── *vi.* (머리가) 벗어지다. 파 ∠**·ness** *n.*

báld éagle 〖動〗 흰머리독수리《북아메리카산(産) ; 1782년 이래 미국의 국장(國章)》.

bal·der·dash [bɔ́ːldərdæ̀ʃ] *n.* Ⓤ 갈잖은〔허튼〕 소리 (nonsense) : "*Balderdash !*" he spluttered indignantly. '말도 안돼 !' 그는 내뱉듯이 말했다.

bald·head [∸hèd] *n.* Ⓒ 대머리(인 사람).

bald·head·ed [∸hèdid] *a.* 대머리의.

bald·ing [bɔ́ːldiŋ] *a.* 머리가 벗겨지기 시작한.

bald·ly [bɔ́ːldli] *ad.* 드러내놓고, 노골적으로 (plainly) : to put it ~ 노골적으로 말하면.

bald·pate [∸pèit] *n.* Ⓒ ① 대머리《사람》. ② 〖鳥〗 아메리카홍머리오리 (widgeon).

bal·dric, -drick [bɔ́ːldrik] *n.* Ⓒ 어깨띠《어깨에서 허리에 어긋매껴 둘러메어 칼·나팔 따위를 다는》.

Bald·win [bɔ́ːldwin] *n.* 볼드윈. ① **James** ~ 《미국의 작가 ; 1924-87》. ② **Stanley** ~ 《영국의 정치가 ; 수상 역임 ; 1867-1947》.

***bale**[1] [beil] *n.* Ⓒ ① (운반용의) 곤포(梱包), 고리짝, 꾸러미 : a ~ of cotton 면화 한 꾸러미. ② 한 꾸러미의 분량. ── *vt.* …을 곤포〔고리짝으〕로 꾸리다.

bale² *n., vt., vi.* =BAIL³.

ba·leen [bəlíːn] *n.* Ⓤ 고래 수염(whalebone).

bale·ful [béilfəl] *a.* 재앙의, 악의있는, 불길한, 해로운(evil, harmful) : a ~ glare 악의에 찬 눈초리. ㊎ **~·ly** *ad.* **~·ness** *n.*

bal·er [béilər] *n.* Ⓒ 짐짝을 꾸리는 사람〔기계〕.

Bal·four [bǽlfuər, -fər] *n.* **Arthur James** ~ 밸푸어《영국의 정치가 : 수상 ; 1848-1930》.

Ba·li [báːli] *n.* 발리 섬《인도네시아의 섬》.

Ba·li·nese [bὰːliníːz] (*pl.* ~) *a., n.* Ⓒ 발리 섬의 ; 발리 섬 주민(의) ; Ⓤ 발리어(語)(의).

B

***balk, baulk** [bɔːk] *n.* Ⓒ ① 장애, 훼방, 방해(물) ; 좌절(挫折), 실패 : a ~ to the plan 계획의 장애(물). ②〖建〗각재(角材) ; 들보감. ③〖競〗보크《도약자가 도움닫기하여 보크라인을 밟고 나서 중지하는 일》;〖野〗(투수의) 보크. — *vt.* ①《~+目/+目+前+名》…을 방해〔저해〕하다 ; 의표를 찌르다 ; 실망시키다 : The police ~*ed* the robber's plans. 경찰은 도적의 의표를 찔렀다 / ~ a person *of* his hopes 아무를 실망시키다. ② (의무·화제)를 피하다, (기회)를 놓치다 : ~ an opportunity 기회를 놓치다. — *vi.* ① 멈춰서다 ; (말이) 갑자기 서서 나아가지 않다, 뒷걸음치다 : ~ *at* an obstacle 장애물 때문에 나가려 하지 않다 / ~ in the middle of one's speech 연설 도중 말이 막히다. ②《~/+前+名》갑자기 주저하다《*at*》: ~ *at* mak*ing* a speech 연설하기를 망설이다. ③〖野〗보크하다. ◇ balky *a.*

***Bal·kan** [bɔ́ːlkən] *a.* 발칸 반도〔산맥, 제국(諸國)〕(사람)의. — *n.* (the ~s) 발칸 제국(the ~ States).

Bal·kan·ize [bɔ́ːlkənὰiz] *vt.* (종종 b-) …을 할거케 하다, 분열시켜 서로 싸우게 하다 ; 발칸화(化)하다.
㊎ **Bàl·kan·i·zá·tion** [-əzéiʃən / -aizéi-] *n.* (종종 b-) 소국 분할(주의〔정책〕).

Bálkan Península (the ~) 발칸 반도.

Bálkan Státes (the ~) 발칸 제국(諸國).

balky [bɔ́ːki] (***balk·i·er ; -i·est***) *a.* (말 등이) 갑자기 전진을 중지하는 버릇이 있는 ; (사람 등이) 말을 듣지 않는. ㊎ **bálk·i·ness** *n.*

†**ball**¹ [bɔːl] *n.* ① Ⓒ 공, 구(球), 볼 ; 공 같은 것 : a ~ of string 실꾸리 / the ~ of the eye 눈알 / crumple a piece of paper into a ~ 종이를 구겨서 뭉치다. ② Ⓤ,Ⓒ 탄알, 포탄. cf. bullet, shell. ¶ powder and ~ 탄약 / He loaded the gun with ~. 그는 총에다 실탄을 장전했다. ③ Ⓒ 천체, 《특히》지구. ④ Ⓤ 구기(球技), 《특히》야구. ⑤〖크리켓·野〗(1회의) 투구 ;〖野〗볼. cf. strike. ¶ a curve ~ 커브볼 / a fast〔slow〕~ 속구〔느린 공〕. ⑥ (*pl.*)《卑》**a)** 불알. **b)** 배짱, 용기. **c)**〔感歎詞的〕바보 같은〔허튼〕(nonsense). **d)** 헛된 기도(企圖). ~ ***and chain*** =***chain and*** ~《美》(옛날에) 쇳덩이가 달린 차꼬《죄수용》;〔一般的〕거치적거림, 구속, 속박. ~ ***of the thumb*** 〔***foot***〕엄지손가락〔발가락〕뿌리의 봉긋한 살. ***carry the*** ~《美口》책임을 지다 ; 솔선해서 하다. ***have the*** ~ ***at*** one***'s feet*** 성공의 기회를 눈앞에 두다. ***keep the*** ~ ***rolling*** =***keep the*** ~ ***up*** (이야기·파티를) 잘 진행시켜 흥을 깨지 않다. ***on the*** ~《口》빈틈없이, 방심 않고 ; 잘 알고 있는, 유능하여, 기민하게 : Get *on the* ~. 방심하지 마라 / If you're *on the* ~, you'll recognize it. 네가 정신만 차리고 있으면, 그것을 인식할 수 있을 것이다. ***play*** ~ 구기를 하다 ;〖野〗경기 개시, 플레이 볼 ; 활동을 시작하다 ;《口》협력하다《*with*》. ***start*** 〔***get, set***〕***the*** ~ ***rolling*** 일을 시작하다〔궤도에 올리다〕, 말하기 시작하다. ***The*** ~ ***is in your court*** 〔***with you***〕.《比》(담화 등에서) 다음 차례는 너다.
— *vt., vi.* 공을〔둥글게〕만들다《*up*》; 공이〔둥글게〕되다 : He ~*ed up* the letter and tossed it away. 그는 편지를 둘둘 뭉쳐 획 내버렸다. ~ ***up*** (1) 둥글게 만들다. (2)《美口》뒤범벅을 만들다, 엉망이 되게 하다 ; 혼란케 하다(《英》balls up) : The computer program is all ~*ed up.* 컴퓨터 프로그램은 아주 엉망이 됐다.

‡**ball**² *n.* ① Ⓒ 무도회 : We'll hold her 40th anniversary ~ this evening. 오늘밤 그녀의 40세 생일 축하 무도회를 연다. ② (a ~)《俗》썩 즐거운 한때 : Outside the garden the boys were having *a* ~. 밖의 정원에서는 아이들이 신나게 놀고 있었다.
— *vi.*《美俗》(매우) 즐겁게 지내다, 떠들며 놀다. — *vt.*〔다음 成句로 쓰임〕~ ***it up*** 즐겁게 하다, 유쾌히 지내다.

***bal·lad** [bǽləd] *n.* Ⓒ ① 민요, 속요(俗謠) ; 이야기. ② 발라드《민간 전설·민화 따위의 설화시, 또 여기에 가락을 붙인 가요》; 느린 템포의 감상적〔서정적〕인 유행가.

bal·lade [bəláːd, bæ-] *n.* Ⓒ《F.》①〖韻〗발라드《7〔8〕행씩의 3절과 4행의 envoy로 된 프랑스 시형(詩形), 각 절 및 envoy의 끝이 같은 구(句)로 끝남》. ②〖樂〗발라드, 담시곡(譚詩曲).

bal·lad·ry [bǽlədri] *n.* Ⓤ〔集合的〕민요, 발라드(ballads) ; 발라드 작시법.

báll-and-sóck·et jòint [bɔ́ːlənsɑ́kit- / -sɔ́k-it-] ①〖機〗볼 조인트《축을 임의의 방향으로 회전시키는》. ②〖解〗(무릎·어깨의) 구상(球狀) 관절.

bal·last** [bǽləst] *n.* Ⓤ ①〖海〗밸러스트, (배의) 바닥짐 ; (기구·비행선 등의) 모래〔물〕주머니 ; (철도·도로 등에 까는) 자갈. ② (마음의) 안정감(感) ; (경험 등의) 견실미(味) ;〖電〗안정기〔저항〕: have〔lack〕~ 마음이 안정돼 있다〔있지 않다〕. ***in ~〖海〗바닥짐만으로, 실은 짐 없이.
— *vt.* ① (배에) 바닥짐을 싣다 ; (기구에) 밸러스트를 달다 ; 자갈을 깔다. ② 마음을 안정시키다.

báll béaring〖機〗① 볼베어링. ② 베어링의 (강철) 알.

báll bòy〖테니스·野〗볼보이《공 줍는 소년》. ★ 여성은 ball girl.

báll còck 부구(浮球)콕(ball valve)《물 탱크·수세식 변기 등의 물의 유출을 자동 조절함》.

bal·le·ri·na [bæ̀ləríːnə] *n.* Ⓒ《It.》발레리나, 여자 무용수《발레의》.

***bal·let** [bǽlei, bæléi] *n.* ① Ⓤ,Ⓒ 발레, 무용극. ② Ⓒ 발레곡〔악보〕. ③ (the ~) 발레단 : *the* Bolshoi Theater *Ballet* 볼쇼이 발레단.

bállet dàncer 발레 댄서.

bal·let·o·mane, -let·o·ma·nia [bæléṭəmèin], [bælèṭəméiniə] *n.* Ⓒ 발레광(狂).

bállet slìpper〔**shòe**〕발레화 ; 그와 비슷한 여성 구두.

báll gàme ① 구기《특히 야구》. ②《美口》상황, 사태 : a whole new〔completely different〕~ 전혀 새로운〔다른〕상황.

báll gìrl〖테니스·野〗볼걸. cf. ball boy.

bal·lis·tic [bəlístik] *a.* 탄도(학)의 ; 비행 물체의.

ballístic míssile 탄도 유도탄〔미사일〕. cf. guided missile. ¶ an intercontinental ~ 대륙간 탄도 유도탄《略 : ICBM》.

bal·lis·tics [bəlístiks] *n.* Ⓤ 탄도학.

bal·locks [bɑ́ləks / bɔ́l-] *n. pl.*《卑》①〔複數 취급〕불알. ②〔單數 취급〕실없는 소리(nonsense).
— *vt.* …을 엉망으로 만들다《*up*》.

bal·lon d'es·sai [F. balɔ̃ desɛ] (*pl.* ***bal·lons d'es·sai*** [—]) 《F.》 = TRIAL BALLOON.

‡**bal·loon** [bəlúːn] *n.* Ⓒ ① 기구 ; 풍선 ; (형세를 보기 위한) 시험 기구 : a captive 〔free〕 ~ 계류 〔자유〕 기구 / send up an observation ~ 관측기구를 띄우다 / ride in a hot-air ~ 열기구에 타다. ② 만화 속 인물의 대화를 입에서 낸 풍선 꼴로 나타낸 윤곽. ***go over*** 〔《英》 ***down***〕 ***like a lead*** ~ (농담 등이) 효과를 못보다《상대가 이해 못하다》. ***when the ~ goes up*** 《口》 (걱정하던 일이) 현실화될 때에(는). —— *vi.* ① (풍선처럼) 부풀다《*out* ; *up* ; *into*》 ; 급속히 증대하다 : The rumors soon ~*ed into* a fullgrown scandal. 소문은 곧 추문으로 증폭되었다. ② 기구를 타다〔로 오르다〕. —— *vt.* …을 부풀게 하다.

bal·loon·ing [bəlúːniŋ] *n.* Ⓤ 기구 조종(술) ; 기구타기《경기》; 기구 여행.

bal·loon·ist [bəlúːnist] *n.* Ⓒ 기구 조종사 : He's a keen ~. 그는 우수한 기구 조종사다.

ballóon tìre (자동차 따위의 폭이 넓은) 저압(低壓) 타이어.

bal·lot** [bǽlət] *n.* ① Ⓒ (무기명) 투표 용지《원래는 작은 공》: cast a ~ (for〔against〕 …) (…에 찬성〔반대〕) 투표를 하다. ② Ⓤ,Ⓒ 무기명 투표 ; 〔一般的〕 투표 ; 제비뽑기 : an open ~ 기명〔공개〕 투표. ③ **a)** Ⓤ (흔히 the ~) 투표〔선거〕권. **b)** Ⓒ 입후보자 명단. **c)** Ⓒ 투표 총수. ***put to the ~ 투표에 부치다.
—— *vi.* 《~ /+전+명》 (무기명으로) 투표하다《*for* ; *against*》, 투표로 뽑다〔결정하다〕, 제비를 뽑다《*for*》: ~ *against* 〔*for*〕 a candidate 후보자에 반대〔찬성〕 투표하다 / ~ *for* turns 심지뽑기로 순번을 정하다. —— *vt.* ① (…에 대해서) …의 표결(表決)을 구하다《*on* ; *about*》: Union members were ~*ed on* the proposal. 조합원은 그 제안에 대해 표결이 요구되었다. ② …을 투표로 정하다《*for*》: He was ~*ed for* chairman 그는 투표로 의장에 선출되었다.

bállot bòx 투표함(函).

bállot pàper 투표용지.

báll pàrk 《美》 (야)구장 ; 《比》 활동〔연구〕 분야 ; 《美口》 대략적인 범위, 근사치. ***in*** 〔***within***〕 ***the*** ~ 《口》 (질·양·정도가) 해당 범위내에 있는, 대체로 타당한 : *in the* ~ of $ 100, 약 100 달러의.

ball·park [bɔ́ːlpɑ̀ːrk] *a.* 〔限定的〕 (견적·추정이) 대강의 : a ~ figure 개수(槪數).

báll pén = BALLPOINT (PEN) 《★ 특히 상업용어》.

ball·play·er [bɔ́ːlplèiər] *n.* Ⓒ 야구〔구기〕를 하는 사람 ; 프로 야구 선수.

báll·point (pén) [ˊpɔ̀int(-)] 볼펜.

ball·room [ˊrù(ː)m] *n.* Ⓒ 무도장〔실〕, 댄스홀.

bállroom dàncing 사교춤〔댄스〕.

balls-up [bɔ́ːlzʌ̀p] *n.* Ⓒ 《英俗》 혼란, 당황 ; 실수.

ballsy [bɔ́ːlzi] *a.* (***balls·i·er*** ; ***-i·est***) 《美卑》 배짱이 있는, 강심장의, 위세 좋은, 용감한.

bal·ly [bǽli] *a., ad.* 《英俗》 지겨운, 지겹게, 빌어먹을, 대단한 ; 지독한 ; 도대체 《★ bloody 의 완곡어》: a ~ fool 지독한 바보 / Whose ~ fault is that? 도대체 어느 놈의 잘못이냐.

bal·ly·hoo [bǽlihùː] *n.* Ⓤ 《口》 큰 소동 ; 요란한 〔과대〕 선전, 떠벌림 ; 떠들어 댐《*for*》.
—— [ˊ-ˏ, ˏ-ˊ] *vt.* …을 요란스레 선전하다.

***balm** [bɑːm] *n.* ① Ⓤ,Ⓒ 〔一般的〕 향유 ; 방향있는 연고. ② Ⓤ,Ⓒ 진통제 ; 위안(물) : His words were (a) ~ for her sad heart. 그의 말은 그녀의 슬픈 마음을 위로했다. ③ Ⓒ 〖植〗 멜리사, 서양박하. ◇ balmy *a.*

bálm of Gíl·e·ad [-gíliæ̀d] 〖植〗 발삼나무의 일종 ; 그 방향성(芳香性) 수지(樹脂) ; 상처를 아물게 하는 것 ; 위안.

Bal·mor·al [bælmɔ́(ː)rəl, -mɑ́r-] *n.* Ⓒ ① 줄무늬 나사제의 페티코트. ② (b-) 일종의 편상화. ③ (b-) 납작하고 챙 없는 스코틀랜드 모자.

balmy** [bɑ́ːmi] (balm·i·er*** ; ***-i·est***) *a.* ① **a)** 향기로운, 방향이 있는. **b)** 상쾌한, 온화한 : ~ weather 싱그러운 날씨 / the ~ days of April, 4월의 온화한 나날. ② 아픔을 덜어주는. ③ 《俗》 얼빠진, 얼간이의 : go ~ 얼빠지다. ㊞ **balm·i·ly** *ad.* **-i·ness** *n.*

ba·lo·ney [bəlóuni] *n.* ① Ⓤ 《美俗》 잠꼬대, 허튼 수작(boloney). ② Ⓒ 《美口》 = BOLOGNA ②.

bal·sa [bɔ́ːlsə, bɑ́ːl-] *n.* ① Ⓒ 〖植〗 발사《열대 아메리카산의 높은 나무》. ② Ⓤ 그 재목. ③ Ⓒ 그 뗏목〔부표(浮標)〕.

bal·sam [bɔ́ːlsəm] *n.* ① Ⓤ 발삼, 방향성 수지(樹脂) ; Ⓒ 발삼을 분비하는 나무. ② Ⓤ,Ⓒ 향유, 향고(香膏) ; 위안물 : Great literature is a ~ to the soul. 위대한 문학은 영혼에 대한 위안물이다. ③ Ⓒ 〖植〗 봉숭아(garden ~).

bálsam fír 〖植〗 발삼전나무《북아메리카산(産) ; 펄프·크리스마스 트리재(材)》; 그 재목.

***Bal·tic** [bɔ́ːltik] *a.* 발트해의 ; 발트해 연안 제국의. —— *n.* Ⓤ 발트어(語) ; (the ~) 발트해.

Báltic Séa (the ~) 발트해(海).

Báltic Státes (the ~) 발트 제국 《Estonia, Latvia, Lithuania 와 때로 Finland 를 포함하는 여러 나라》.

Bal·ti·more [bɔ́ːltəmɔ̀ːr] *n.* 미국 Maryland 주(州)의 항구 도시 ; (b-) Ⓒ 〖鳥〗 찌르레기.

Báltimore óriole 〖鳥〗 미국꾀꼬리《북아메리카산(産)》.

bal·us·ter [bǽləstər] *n.* Ⓒ 〖建〗 난간 동자 ; (*pl.*) 난간(banister).

bal·us·trade [bǽləstrèid, ˏ-ˊ] *n.* Ⓒ 난간. ㊞ **-trad·ed** [-id] *a.* 난간이 달린.

Bal·zac [bǽlzæk, bɔ́ːl-] *n.* **Honoré de** ~ 발자크《프랑스의 소설가 ; 1799-1850》.

bam·bi·no [bæmbíːnou, bɑːm-] (*pl.* ***~s, -ni*** [-niː]) *n.* Ⓒ 《It.》 어린애 ; 어린 예수의 상〔그림〕.

‡**bam·boo** [bæmbúː] (*pl.* ***~s***) *n.* Ⓒ 대(나무) ; Ⓤ 죽재(竹材). —— *a.* 〔限定的〕 대(나무)의 ; 대로 만든 : ~ work 죽세공(竹細工).

bámboo cúrtain (the ~, 종종 the B- C-) 죽의 장막《전에 중국의 대외 정책을 풍자한 말》. cf. iron curtain.

bam·boo·zle [bæmbúːzəl] *vt.* 《口》 ① 《+목+전+명》 …을 속이다, 감쪽같이 속여 …시키다《*into* ; *out of*》: He ~*d* her *into* believing it. 그는 그녀를 속여 그것을 믿게 했다 / He ~*d* me *out of* $100. 그는 내게서 100달러를 사취했다. ② …을 당혹게 하다, 미혹시키다.

ban** [bæn] *n.* Ⓒ ① 금지, 금지령, 금제《*on*》; (여론의) 무언의 압박, 반대《*on*》: a press ~ 게재금지 / There's a ~ *on* smoking here. 이곳에서는 금연. ② 사회적 추방의 선고 ; 〖宗〗 파문(excommunication) ; 추방. ③ 공고, 포고. ④ (*pl.*) = BANNS. ***lift 〔***remove***〕 ***the*** ~ (***on***) (…을) 해금(解禁)하다. ***nuclear test*** ~ (***treaty***) 핵(核)실험 금지(조약). ***place*** 〔***put***〕 ***under a*** ~ 금지하다 ; 파문하다. ***under*** (***the***) ~ 금지되어 ; 파문〔추방〕되어.
—— (***-nn-***) *vt.* ① 《~+목 /+목+전+명》 …을 금(지)하다 : The treaty ~*s* atomic bombs. 조약은 원자폭탄의 사용을 금지하고 있다 / ~ a person *from* driving a car 아무에게 운전을 금하다. ②

《古》 파문하다.

ba·nal [bənǽl, bənáːl, béinl] *a.* 평범〔진부〕한 (commonplace) : He just sat there making ~ remarks all evening. 그는 저녁 내내 거기 앉아서 진부한 말만 늘어놓았다. ㊀ **~·ly** *ad.* **ba·nal·i·ty** [bənǽləti, bei-] *n.* Ⓤ 평범 ; Ⓒ 진부한 말〔생각〕.

‡ba·nana [bənǽnə] *n.* ① Ⓒ 바나나《나무·열매》: a hand〔bunch〕 of *~s* 바나나 한 송이. ② Ⓤ 바나나색(grayish yellow).

banána repùblic 《蔑》 바나나 공화국《과일 수출·외자(外資)로 경제를 유지하는 라틴 아메리카의 소국》.

ba·nan·as [bənǽnəz] *a.* 《美俗》 미친, 몰두한, 흥분한 : drive a person ~ 몰두시키다, 열광시키다 / go ~ 머리가 돌다, 열광〔흥분〕하다. ── *int.* 미친 소리!

banána skìn ① 바나나껍질. ② 《英口》 (정부, 요인 등에게) 실수를 초래케 하는 것.

banána splít 바나나 스플릿《세로로 자른 바나나 위에 아이스크림을 얹고, 다시 시럽, 생크림 등을 얹은 디저트》.

‡band [bænd] *n.* Ⓒ ① 〔集合的 ; 單·複數 취급〕 일대(一隊), 그룹, 떼, (신앙 따위 한가지 목표를 지향하는) 한무리의 사람들(party) : a ~ of robbers 〔thieves〕 도적 떼. ② 악대, 악단, 밴드 : a brass ~ 브라스 밴드 / a military ~ 군악대. ③ 동물〔가축〕의 떼 : a ~ of wild dogs 한 무리의 들개. ④ 끈, 밴드, 띠 ; 쇠테 ; (새 다리의) 표지 밴드 ; 〖建〗 띠 장식 ; 〖機〗 벨트(belt), 피대 ; 〖製本〗 등 꿰매는 실 : a rubber ~ 고무 밴드, 고무줄 / wear a ~ around one's head 머리에 머리띠를 두르다. ⑤ (흔히 *pl.*) (예복의) 폭이 넓은 흰 넥타이. ⑥ 줄(무늬) (stripe) : a white plate with a blue ~ around the edge 가장자리에 푸른 선이 둘려 있는 흰 접시. ⑦ 〖通信〗 (일정한 범위의) 주파수대(帶), 대역(帶域) ; (레코드)의 홈 ; 〖컴〗 띠, 대역《자기 드럼의 채널》. ***to beat the ~*** 《口》 활발히 ; 많이, 풍부히 ; 몹시, 출중하게 : She cried *to beat the* ~. 몹시 울었다. ***when the ~ begins to play*** 《俗》 일이 크게 벌어지면.
── *vt.* 《~+目 / +目+副 / +目+前+名》 …을 끈으로〔띠로〕 동이다 ; 줄무늬를 넣다 ; (새다리에) 표지 밴드를 달다 ; 단결(團結)시키다《*together*》: They are *~ed together* closely. 그들은 밀접히 단결돼 있다 / They *~ed* themselves *together against* drugpushers. 그들은 마약밀매업자에 대항해서 단결했다. ── *vi.* 《+副 / +前+名》 단결하다, 동맹하다《*together*》: They *~ed together* to oust the chairman. 그들은 단결하여 위원장을 내쫓았다.

‡band·age [bǽndidʒ] *n.* Ⓒ ① 붕대 ; 눈가리는 헝겊 ; 안대(眼帶) : be in *~s* 붕대를 칭칭 감고 있다 / put a ~ on a wound 상처에 붕대를 감다 / take a ~ off a wound 상처의 붕대를 풀다. ② 쇠테, 쇠 띠. ③ 동여매는 강철 띠. ***apply a ~*** 붕대를 감다《*to*》. ── *vt.* 《~+目+副》 …에 붕대(繃帶)를 감다《*up*》: You ought to ~ (*up*) that cut. 그 베인 상처에 붕대를 감아야 한다.

Band-Aid [bǽndèid] 《美》 *n.* Ⓤ.Ⓒ ① 밴드에이드《구급용 반창고 ; 商標名》. ② (band-aid) (문제·사건의) 일시적 해결, 응급책.

ban·dan·(n)a [bændǽnə] *n.* Ⓒ 홀치기 염색한 대형 손수건〔스카프〕(pullicat(e)).

B. and 〔&〕 B., b. & b. bed and breakfast (조반이 딸린 1박(泊)).

band·box [bǽndbàks / -bɔ̀ks] *n.* Ⓒ (모자 따위를 넣는) 판지 상자 ; 그런 꼴의 건조물. ***look as if*** one ***came*** 〔***had come***〕 ***out of a ~*** 말쑥한 차림을 하고 있다.

ban·deau [bændóu, ˊ-] (*pl.* **~x** [-z]) *n.* Ⓒ 《F.》 반도《여자 머리에 감는 가는 리본 ; 폭이 좁은 브래지어》.

ban·de·rol, -role [bǽndəròul] *n.* Ⓒ (창·돛대 따위에 다는) 작은〔좁다란〕 기, 기드림 ; 조기(弔旗) (bannerol) ; 명(銘)을 써 넣은 리본.

ban·dit** [bǽndit] (*pl.* **~s, ban·dit·ti** [bændíti]) *n.* Ⓒ 산적, 노상 강도, 도둑 ; 악당, 악한 (outlaw) : Buses driving through the mountains have been attacked by *~s*. 산악지대를 운행하는 버스들이 노상 강도들에게 습격을 당했다. ***a set 〔***gang***〕 ***of ~s*** 산적떼.

band·mas·ter [bǽndmæ̀stər, -màːs-] *n.* Ⓒ 밴드마스터, 악장(樂長).

ban·do·leer, -lier [bæ̀ndəlíər] *n.* Ⓒ 〖軍〗 (어깨에 걸쳐 띠는) 탄띠 : wear a ~ across one's shoulders 탄띠를 어깨에 걸치다.

bánd sàw 〖機〗 띠톱(belt saw).

bánd shèll (뒤쪽에 반원형 반향 장치를 한) (야외) 음악당.

bands·man [bǽndzmən] (*pl.* **-men** [-mən]) *n.* Ⓒ 악사, 악단〔악대〕원, 밴드맨.

band·stand [bǽndstæ̀nd] *n.* Ⓒ (지붕 있는) 야외 음악당, (음악 홀·레스토랑 등의) 연주대(臺).

Ban·dung [báːndu(ː)ŋ, bǽn-] *n.* 〖地〗 반둥《인도네시아의 도시》.

band·wag·on [bǽndwæ̀gən] *n.* Ⓒ 《美》 (서커스 따위 행렬의 선두의) 악대차. ***climb*** 〔***get, jump, hop, leap***〕 ***on*** 〔***aboard***〕 ***the ~*** 《口》 승산이 있을 것 같은 후보자를〔주의를, 운동을〕 지지하다, 시류에 영합하다, 편승하다.

ban·dy [bǽndi] *vt.* ① 《~+目 / +目+前+名》 (공 따위)를 마주 던지다, 서로 치다 ; (말다툼·치렛말·주먹질 따위)를 서로 주고받다《*with*》: ~ blows〔words〕 *with* a person 아무와 치고받기를〔말다툼을〕 하다. ② 《+目+副》 (소문 따위)를 퍼뜨리고 다니다, 토론하다《*about*》 《★ 종종 受動으로》: His name is being *bandied about* as the next prime minister. 다음 수상으로서 그의 이름이 나돌고 있다. ── (**-di·er ; -di·est**) *a.* = BANDY-LEGGED.

ban·dy-leg·ged [-lègid] *a.* 안짱다리의(bow-legged) : He was short and ~. 키가 작은 데다 안짱다리였다.

bane [bein] *n.* (the ~) 파멸(의 원인)《*of*》: Gambling 〔Drink〕 was *the ~ of* his existence. 도박〔술〕이 그의 인생 파멸의 원인이 되었다.

bane·ful [béinfəl] *a.* 파멸케 하는 ; 해로운, 유독한 : a ~ influence 악영향 / a ~ look 악의(惡意) 있는 눈초리. ㊀ **~·ly** *ad.* **~·ness** *n.*

Banff [bǽmf] *n.* 〖地〗 밴프《캐나다 Rocky 산맥에 있는 국립공원 ; 관광지》.

‡bang[1] [bæŋ] *n.* Ⓒ ① 강타하는 소리《딱, 탕, 쾅, 쿵》: the ~ of a gun 쾅하는 대포 소리. ② 강타, 타격 : get 〔give a person〕 a ~ on the head 머리를 쾅 얻어맞다〔때리다〕. ③ (a ~) 원기, 기력 ; 스릴, 흥분 ; 즐거움 : get *a* ~ out of music 음악으로 흥분하다. ***with a ~*** (1) 쾅〔펑, 탕〕하고 갑자기 ; 기세 좋게 : shut the door *with a* ~ / start things off *with a* ~ 일을 기세좋게 시작하다. (2) 멋지게, 훌륭히 : go over 〔《英》 off〕 *with a* ~ (총이) 쾅하고 발사되다 ; (공연 등이) 성황을 이루다.
── *ad.* ① 철썩하고 ; 쿵〔쾅, 펑, 탕〕하고 : *Bang!* went the gun. 탕하고 총소리가 울렸다. ② 난데없이 ; 바로, 정면으로, 마침 : stand ~ in the center 바로 한가운데에 서다. *~ off* 《英口》 즉시, 곧.

~ **on** 《英口》= ~ **up** 《美口》 딱 들어맞는〔게〕, 정확한〔히〕. **go** ~ (1) 펑하고 터지다 ; 탕하고 닫히다. (2)《比》〔도치하여〕 휙 사라지다 : *Bang goes* another week's wages. 한 주간 급료가 휙 날아가 버린다.

— *vi.* ①《~ / +[보]》 (문 따위가) 탕하고 닫히다, 큰소리를 내다 : The door ~*ed* shut. 문이 탕하고 닫혔다. ②《+[전]+[명] / +[부]》 **a**) 쾅〔쿵〕 소리나다 《*away* ; *about*》 : Their guns were ~*ing away.* 그들의 총은 계속 탕탕 울리고 있었다 / The children were ~*ing about* noisily. 아이들은 소란스럽게 탕탕거리며 뛰어다니고 있었다. **b**) 쾅〔쿵〕 부딪치다《*against* ; *into* ; *on*》 : ~ *against* something 무엇에 탕 부딪치다 / The truck ~*ed into* a parked car. 트럭이 주차중인 차에 쾅 부딪쳤다. **c**) 탕탕 두드리다《*on* ; *at*》 ; 탕하고 발포하다.

— *vt.* ①《~+[목] / +[목]+[부] / +[목]+[전]+[명]》 …을 세게 치다〔두드리다〕, 세게 부딪뜨리다 ; 쾅 닫다, 거칠게 다루다 : ~ a drum 드럼을 세게 치다 / Don't ~ the musical instrument *about.* 악기를 거칠게 다루지 마시오 / He ~*ed* his fist *on* the table in anger. 화가 나서 주먹으로 책상을 세게 두드렸다 / He ~*ed* his head *against* a tree. 그는 나무에 머리를 쾅 부딪쳤다. ②《+[목]+[부]》 …을 쳐서 소리를 내다《*out*》 ; (총포 따위를) 탕〔땅〕 쏘다 《*off*》 : The clock ~*ed out* nine. 시계가 아홉 시를 쳤다 / He ~*ed off* a gun at the lion. 사자를 향하여 총을 탕 쏘았다. ③《+[목]+[전] +[명]》 (지식 따위)를 주입하다《*into*》 : ~ grammar *into* a boy's head 아이에게 문법을 무리하게 가르치다. ④《卑》 …와 성교하다. ~ **away** (1) 열심히 하다. (2) 내리 발포하다《*at*》 : ~ *away at* a flock of wild ducks 들오리 떼를 향해 마구 쏘아대다. ~ ***into*** . . . (1) ⇨ *vi.* ②. (2) …와 (우연히) 마주치다. ~ **out** 《口》 곡을 시끄럽게 연주하다 ; 《口》(타이프로 기사 따위를) 쳐내다. ~ **up** …의 모양을 못 쓰게〔엉망으로〕 만들다 ; 상처입다, 다치다.

bang² *n.* [C] (흔히 *pl.*) 단발머리의 앞머리.
— *vt.* 앞머리를 가지런히 깎다 ; (말 따위의) 꼬리를 바싹 자르다 : wear one's hair ~*ed* 가지런히 자른 앞머리를 하고 있다.

bang·er [bǽŋər] *n.* [C] ① BANG¹ 하는 사람 ; 《英口》 폭죽 ; 《英口》 소음이 나는 고물차. ② 소시지. ③ 《美俗》 (자동차 엔진의) 실린더, 기통.

Bang·kok [bǽŋkɑk, -´ / bæŋkɔ́k, ´-] *n.* 〖地〗 방콕《타이의 수도》.

Ban·gla·desh [bɑ̀ːŋglədéʃ, bæŋ-] *n.* 방글라데시《1971 년에 독립한 공화국 ; 수도 Dacca》.
[파] **-déshi** (*pl.* ~, **-désh·is**) *n.* [C], *a.* 방글라데시(인)(의).

ban·gle [bǽŋgəl] *n.* [C] 팔찌 ; 발목 장식.

bang-up [bǽŋʌ̀p] *a.* 《口》 극상의, 상등의.

ban·ian [bǽnjən] *n.* =BANYAN.

‡**ban·ish** [bǽniʃ] *vt.* 《~+[목] / +[목]+[전]+[명]》 ① …을 추방하다, 유형에 처하다 ; 내쫓다 : ~ a person *from* the country 아무를 국외로 추방하다 / ~ a person *for* political crimes 아무를 정치적 범죄로 추방하다 / Napoleon was ~*ed to* Elba in 1814. 나폴레옹은 1814년에 엘바섬으로 유배되었다. ② **a**) (아무)를 멀리하다 : ~ a person *from* one's presence 아무를 면전에서 멀리하다. **b**) (근심 따위)를 떨어버리다《*from* ; *out of*》 : ~ anxiety 〔fear〕 걱정〔두려움〕을 떨어버리다 / ~ something *from* one's memory 어떤 일을 잊다 / Banish all thoughts of revenge *from* your mind. 모든 복수심을 네 마음에서 떨쳐버려라.
[파] ~·**ment** *n.* [U] 추방, 배척 ; 유형 : go into ~*ment* 추방〔유형〕당하다.

ban·is·ter [bǽnəstər] *n.* [C] (계단의) 난간 동자 (baluster) ; (종종 *pl.*) 난간.

ban·jo [bǽndʒou] (*pl.* ~(**e**)**s**) *n.* [C] 〖樂〗 밴조《5 현의 현악기》. [파] ~·**ist** *n.* [C] 밴조 연주자.

‡**bank¹** [bæŋk] *n.* ① [C] 둑, 제방 ; (*pl.*) (강·늪 따위의) 가, 기슭 ; 양안 : the ~*s* of a river 강의 양쪽 기슭 / the right 〔left〕 ~ (강 하류를 향해) 우안〔좌안〕. ② [C] (둑 모양의) 퇴적, 덮쳐 쌓임 ; 구름의 층 : a ~ of snow 눈 더미 / a ~ of clouds 겹친 구름의 층. ③ [C] 모래톱, 사주(砂洲) ; 대륙붕(어장). ④ [C] (인공적으로 만든) 비탈, 구배(勾配), 경사. ⑤ [U] 〖空〗 뱅크《비행기가 선회할 때 좌우로 경사하는 일》 : the angle of ~ 뱅크각《자동차·비행기의 선회중의 좌우 경사각》.
— *vt.* ①《~+[목] / +[목]+[부] / [목]+[전]+[명]》 … 에 둑을 쌓다, …을 둑으로 에워싸다《*up* ; *with*》 : ~ (*up*) the river 강에 둑을 쌓다 / ~ the river *with* sandbags at flood stage 만조(滿潮)시의 수위까지 모래주머니를 쌓아 제방을 만들다. ②《+[목]+[부]》 (흐름)을 막다《*up*》《둑을 쌓아서》 : ~ *up* a stream 개울을 막다. ③《+[목]+[부]》 (재를 불위에 덮어) 불을 오래 가게 하다 : ~ *up* a fire 잿더미를 쌓아 불을 보존하다. ④《~+[목] / +[목]+[부]》 둑 모양으로 쌓다 : ~ the snow *up.* ⑤ (도로·선로의 커브)를 경사지게 하다 ; 〖空〗 뱅크〔경사 선회〕시키다. — *vi.* ①《+[부]》 (구름·눈이) 쌓이다《*up*》 ; 층을 이루다 : The snow ~*ed up.* 눈이 쌓였다 / Clouds are ~*ing* along the horizon. 구름이 지평선을 따라 층을 이루어 뻗어 있다. ②〖空〗 뱅크하다, 옆으로 기울다 ; (차가) 기울다 ; 차체를 기울이다.

†**bank²** *n.* ① [C] 은행 : a national ~ 국립 은행 / a savings ~ 저축은행 / have money in the ~ 은행에 예금이 있다. ② (the B-) 잉글랜드 은행. ③ (the ~) 노름판의 판돈 ; (노름의) 물주(banker). ④ [C] 저금통 ; 저장소 : an eye ~ 안구 은행 / a blood ~ 혈액 은행. ***break the*** ~ (도박에서) 물주를 파산시키다 ; …을 무일푼으로 만들다. ***in the*** ~ 《英》 빚을 지고(in debt).
— *vi.* ①《+[전]+[명]》 은행과 거래하다《*with*》 ; 은행에 예금하다《*at*》 : Whom 〔Who〕 do you ~ *with ?* 어느 은행과 거래하고 있나 / ~ *at* Lloyds 로이즈 은행에 예금하다. ② 은행을 경영하다 ; (노름판의) 물주가 되다. — *vt.* …을 은행에 예치하다 : He ~*ed* the money under another name. 그는 타인 명의로 돈을 은행에 예금했다. ~ ***on*** 〔***upon***〕 《口》 …을 믿다〔확신하다〕, …에 의지하다〔기대다〕(depend on) : You can ~ *on* me when you need help. 도움이 필요한 때엔 나를 믿어도 좋다 / You mustn't ~ *on* the bus be*ing* on time. 버스가 시간에 맞추어 운행하고 있다고 믿어서는 안된다.

bank³ *n.* [C] (갤리선의) 노젓는 사람의 자리 ; 한 줄로 늘어선 노 ; 열, 층 ; 〖樂〗 건반의 한 줄 ; 작업대 ; (신문의) 부(副)제목(subhead) ; 〖電氣〗 뱅크 《동시에 작동할 수 있도록 배열한 스위치 또는 단자》. — *vt.* …을 줄지어 늘어놓다《*with*》 : The road is ~*ed with* evergreen shrubs. 길 양편에는 상록 관목들이 줄지어 심어져 있다.

bank·a·ble [bǽŋkəbəl] *a.* ① 은행에 담보할 수 있는. ② (영화·연극 등이) 성공이 확실한.

bánk accòunt 은행 계좌 ; 당좌 예금.

bánk bàlance 은행(예금) 잔고.

bánk bìll 은행 어음 ; 《美》 은행권, 지폐.

bank·book [´bùk] *n.* [C] 은행 통장, 예금 통장 (passbook).

bánk càrd 은행 발행의 크레디트 카드.

bánk clèrk 《英》 은행 출납 담당원(《美》 teller).

bánk crèdit 은행 당좌 대월, 은행 신용(장).
bánk dràft 은행 환어음《略 : B/D》.
‡**bank·er** [bǽŋkər] *n.* ① Ⓒ 은행가, 은행업자 ; 은행의 간부직원 ; 〔一般的〕 은행원 ; (one's ~s) 거래 은행 : Who are *your ~s*? 어느 은행을 이용하고 있느냐. ② Ⓒ (도박의) 물주. ③ Ⓤ '은행놀이' 《카드놀이의 일종》 : play ~ 은행놀이하다.
bánker's bìll 은행 (환)어음.
bánker's càrd = BANK CARD.
*__bánk hòliday__ 《美》 (일요일 이외의) 은행 휴일 ; 《英》 일반 공휴일 (《美》 legal holiday) 《연 7 회의 법정 휴일》.
*__bank·ing__[1] [bǽŋkiŋ] *n.* Ⓤ 은행업(무).
bank·ing[2] *n.* Ⓤ 둑 쌓기 ; 〖空〗 횡(橫)경사.
bánk ìnterest 은행 이자.
bánk lòan 은행 대부, 뱅크론.
*__bánk nòte__ 은행권(=**bánk·nòte**).
bánk ràte (종종 the ~) 은행의 할인율《특히 중앙 은행의》, 은행 일변(日邊).
bank·roll [bǽŋkròul] *n.* Ⓒ 《美》 지폐 다발 ; 자금(원), 수중의 돈. — *vt.* 《美口》 (사업 등)에 자금을 제공하다.
*__bank·rupt__ [bǽŋkrʌpt, -rəpt] *n.* Ⓒ ① 파산자 ; 지급불능자《略 : bkpt.》. ② 성격적 파탄〔불구〕자 : a moral ~. — *a.* ① 파산한 ; 지급 능력이 없는 : He has been declared ~. 그는 파산선고를 받았다. ② 〔敍述的〕 (…을) 잃은, (…이) 없는《*of* ; *in*》 : ~ both *in* name and fortune 명성과 재산을 함께 잃은 / The speech was completely ~ *of* wit. 그 연설에는 전혀 위트가 없었다. ***go* 〔*become*〕 ~** 파산하다. ◇ bankruptcy *n.*
— *vt.* …을 파산시키다, 지급불능케 하다.
*__bank·rupt·cy__ [bǽŋkrʌptsi, -rəpsi] *n.* ① Ⓤ,Ⓒ 파산, 도산(倒産). ② Ⓤ (또는 a ~) (명성 등의) 실추《*of*》 ; (성격의) 파탄 : the ~ *of* a writer's imagination 작가의 상상력의 고갈. ***a trustee in* ~** 〖法〗 파산 관재인. ***go into* ~** 파산하다.
*__ban·ner__ [bǽnər] *n.* Ⓒ ① 기(旗), 국기, 군기. ② 기치, 표지 ; 주장, 슬로건 : the ~ of revolt 반기. ③ (광고·선전 등의) 현수막, 횡단막 : welcoming ~*s* 환영의 현수막. ④ 〖新聞〗 = BANNER HEAD(LINE). ***carry the ~ for*** …을 표방〔지지〕하다 ; …의 선두에 서다 ; …을 인도〔지휘〕하다. ***join* 〔*follow*〕 *the ~ of*** …의 휘하에 참가하다, …의 대의를 신봉〔지지〕하다. ***under the ~ of*** …의 기치 밑에 : fight *under the ~ of* freedom 자유의 기치 아래 싸우다. ***unfurl* one's ~** 입장을 분명히 하다.
— *a.* 〔限定的〕 일류의, 뛰어난, 최상급의 : a ~ crop 풍작 / a ~ year 번영의 해.
ban·ner·et(te) [bæ̀nərét] *n.* Ⓒ 작은 기(旗).
bánner héad(line) 〖新聞〗 (특히 제 1 면의) 전단 크기 표제.
ban·nis·ter [bǽnəstər] *n.* = BANISTER.
ban·nock [bǽnək] *n.* Ⓒ 《Sc.》 일종의 빵.
banns, bans [bænz] *n. pl.* 〖敎會〗 혼인 공시 《식 거행 전에 계속 세 번 일요일마다 예고해 그 결혼에 대한 이의 여부를 물음》. ***ask* 〔*call, publish, put up*〕 *the ~*** 혼인을 공시하다. ***forbid the ~*** 혼인에 이의를 제기하다. ***have* one's *~ called* 〔*asked*〕** 혼인 공시를 해달라고 하다.
‡**ban·quet** [bǽŋkwit] *n.* Ⓒ 연회《특히 정식의》 ; 향연 ; 축연(祝宴). ***give* 〔*hold*〕 *a ~*** 연회를 베풀다. — *vt.* …를 연회를 열어 대접하다 : They ~*ed* the visiting prime minister in grand style. 내방중의 수상을 성대한 연회를 베풀어 대접했다. — *vi.* 연회를 열다 ; 연회에 참석하다 ; (요리를) 대접받다 ; 즐기다《*on*》.
㊕ **~·er** [-ər] *n.* 향연의 손님.
bánquet ròom (레스토랑·호텔의) 연회장.
ban·quette [bæŋkét] *n.* Ⓒ (참호 따위의 속에 있는) 사격용 발판 ; (역마차의) 마부석 뒤의 자리 ; 《美南部》 (차도보다 높게 된) 인도(sidewalk) ; (레스토랑 등의) 벽에 붙여 만든 붙박이 긴 의자.
Ban·quo [bǽŋkwou] *n.* Shakespeare 작 *Macbeth* 중의 인물《Macbeth 에게 살해되어 유령으로 변해 그를 괴롭힘》.
ban·shee, -shie [bǽnʃiː, ⌐⌐] *n.* Ⓒ 《Ir.·Sc.》 요정(妖精)《가족 중 죽을 사람이 있을 때 울어서 이를 예고한다 함》 : a ~ wail.
ban·tam [bǽntəm] *n.* Ⓒ ① (종종 B-) 밴텀닭, 당(唐)닭. ② 암팡지고 싸움을 좋아하는 사람. ③ = BANTAMWEIGHT. — *a.* 〔限定的〕 몸집이 작은 ; 공격적인 ; 〖拳〗 밴텀급의.
ban·tam·weight [-wèit] *n.* Ⓒ 밴텀급 선수.
*__ban·ter__ [bǽntər] *n.* Ⓤ (악의 없는) 조롱, 농담, 놀림 : The actress exchanged ~ with reporters. 여배우는 기자들과 농담을 주고받았다. — *vt., vi.* (…을) 조롱하다, 놀리다 ; 까불다 ; 희롱거리다 ; (…와) 농담을 주고받다.
㊕ **~·er** [-rər] *n.* Ⓒ 조롱하는〔놀리는〕 사람. **~·ing·ly** [-riŋli] *ad.*
Ban·tu [bǽntuː] (*pl.* **~, ~s** [-z]) *n.* Ⓒ 반투 사람《아프리카의 중·남부에 사는 흑인종의 총칭》 ; Ⓤ 반투어(語). — *a.* 반투어의.
Ban·tu·stan [bǽntuːstæ̀n] *n.* Ⓒ 《때로 輕蔑》 = HOMELAND ②.
ban·yan [bǽnjən] *n.* Ⓒ 〖植〗 벵골보리수(=⌐ **trèe**)《인도원산의 상록수로, 거목이 되며 힌두교에서 성수(聖樹)로 받듦》.
ba·o·bab [béioubæ̀b, bɑ́ː-, báubæb] *n.* Ⓒ 〖植〗 바오밥(=⌐ **trèe**)《아프리카산(産)의 큰 나무》.
bap [bæp] *n.* Ⓒ 《Sc.》 작은 (롤)빵.
Bap., Bapt. Baptist. **bapt.** baptized.
*__bap·tism__ [bǽptizəm] *n.* Ⓤ,Ⓒ 세례, 침례, 영세(領洗) ; 명명(식) : the clinic ~ 병상〔임종〕 세례 / administer ~ to …에게 세례를 베풀다. ***the ~ by immersion* 〔*effusion*〕** 침수(浸水)〔관수(灌水)〕 세례. ***the ~ of blood*** 피의 세례 ; 순교. ***the ~ of* 〔*by*〕 *fire*** 포화의 세례 ; 첫 출전 ; 괴로운 시련.
bap·tis·mal [bæptízməl] *a.* 〔限定的〕 세례(洗禮)의 : a ~ ceremony 세례식. ㊕ **~·ly** *ad.*
baptísmal nàme 세례명(Christian name).
*__Bap·tist__ [bǽptist] *n.* ① Ⓒ 침례교도. ② (the ~) 〖聖〗 세례 요한《마태복음 Ⅲ》. ③ Ⓒ (b-) 세례 시행자. — *a.* 〔限定的〕 침례파의 : the ~ Church 침례 교회.
bap·tis·tery, -try [bǽptistəri], [-tri] *n.* Ⓒ 세례 주는 곳, 세례당(堂) ; 세례용 물통.
*__bap·tize__ [bæptáiz, ⌐⌐] *vt.* ① 《~+目 / +目+前+名》 …에게 세례를 베풀다 : The vicar ~*d* the baby. 목사는 유아에게 세례를 베풀어 주었다 / She was ~*d into* the church. 그녀는 세례를 받고 교인이 되었다. ② 《+目+補》 …에게 세례명을 붙이다 ; (일반적으로) …을 명명하다 : He was ~*d* (by the name of) Jacob. 그는 야곱이라는 세례명을 받았다. ③ (정신적으로) …을 깨끗이 하다. — *vi.* 세례를 주다. ㊕ **-tíz·er** *n.*
‡**bar** [bɑːr] *n.* Ⓒ ① 막대기 ; 방망이 : She picked up a metal ~ and waved it threateningly. 그녀는 쇠막대기를 집어들더니 무섭게 휘둘렀다. ② 방망이 모양의 물건 ; 조강(條鋼) ; 봉강(棒鋼) ; (전기 난방기의) 전열선 : a chocolate ~ 막대초콜릿 / a ~ of gold 막대금, 금괴(金塊). ③ 빗장, 가

로장 ; 창살. ④ 장애, 장벽 : A lack of formal education is no ~ *to* becoming rich. 정규 교육을 안 받은 것이 부자가 되는 데 장애가 되지는 않는다 / a ~ *to* happiness 〔one's success〕 행복〔성공〕을 가로막는 장애. ⑤ (항구·강 어귀의) 모래톱. ⑥ 줄, 줄무늬, (색깔 등의) 띠 : a ~ of light 한 줄기의 광선. ⑦ (술집 따위의) 카운터 ; 술집, 바 : a snack ~ 스낵바 / a quick lunch ~ 경식당. ⑧ **a**) (법정내의 방청석과 구분짓는) 난간 ; 피고석, 법정 : be tried at (the) ~ (피고가) 법정에서 심리를 받다. **b**) 재판, 심판, 제재 : the ~ of conscience 양심의 가책 / Such an act will be judged at the ~ of public opinion. 그러한 행위는 여론의 제재를 받을 것이다. ⑨ (the ~, 종종 the B-) 〔集合的 ; 單·複數취급〕 법조계, 변호사단 ; (the ~) 변호사업. ⓒⓕ bench. ⑩ 〖樂〗 세로줄 ; 소절(小節) : She hummed a few ~*s* of the song. 그 노래의 몇 소절을 흥얼거렸다. ⑪ 글자 위 따위에 긋는 가로줄(보기 : ā) ; 일반 기호의 세로줄. ⑫ 활자의 가로줄(A, H, t 따위의 가로줄). ⑬ (문장(紋章)의) 가로줄 무늬 ; 〖勳章〗 (공을 세울 때마다 한 줄씩 느는) 선장(線章). ⑭ 〖物〗 바(압력의 단위). ⑮ 《해커俗》 바(프로그램 따위에 쓰이는 관용 기호의 하나). ***a prisoner at the*** ~ 형사 피고인. ***be admitted*** 〔《英》 ***called***〕 ***to the*** ~ 변호사 자격을 얻다. ***be at the Bar*** 변호사를 하고 있다. ***be called within the*** ~ 《英》 법정 변호사로 임명되다. ***behind*** ~***s*** 옥에 갇혀, 옥중에서. ***cross the*** ~ 죽다. ***practice at the*** ~ 변호사를 개업하다.

── (**-rr-**) *vt.* ① …에 빗장을 지르다 ; (창 따위)에 가로대를〔창살을〕 대다 : ~ a door 문을 잠그다 / All exits are ~*red.* 모든 출구는 폐쇄되었다. ② 《~+目 / +目+전+명 / +-*ing*》 …을 방해하다 ; (길)을 막다(block) ; 금하다 ; 반대하다, 싫어하다 : Fallen trees ~*red* the way. 나무가 넘어져 길이 막혔다 / ~ a person *from* action 아무의 행동을 금하다 / Regulations ~ import*ing* weapons. 무기 수입은 규정에 금지되어 있다. ③ 〔흔히 受動으로〕 …에 줄을〔줄무늬를〕 치다 《*with*》 : The sky *was* ~*red with* black cloud. 하늘에는 검은 구름이 길게 뻗쳐 있었다. ④ 《+目+전+명》 …을 제외하다 ; 추방하다《*from*》 : They ~*red* him *from* the contest. 그를 경기에서 제외했다. ~ ***in*** 가두다 : He ~*red* himself *in.* 그는 집안에 틀어박혀 지냈다. ~ ***out*** 쫓아내다. ~ ***up*** 빗장을 질러 완전히 폐쇄하다.

── *prep.* …을 제외하고(barring), …외에 : The whole class was present, ~ Ann. 앤을 제외하고는 전(全)클래스가 출석했다. ***all over*** ~ ***the shouting*** 사실상 끝나. ~ ***none*** 예외없이, 전부, 단연 : She's the finest woman I know, ~ *none.* 그녀는 내가 알고 있는 여성 중에서 단연 최고의 여성이다.

bar-, baro- '기압, 중량'의 뜻의 결합사.

Ba·rab·bas [bəræ̃bəs] *n.* 〖聖〗 바라바(예수 처형 때 대신 방면된 도둑).

barb [bɑːrb] *n.* Ⓒ (살촉·낚시 따위의) 미늘 ; (철조망 따위의) 가시 ; (새 날개의) 깃가지 ; (메기 따위의) 수염 ; (목·가슴을 가리는) 흰 린네르천 ; 《比》 가시돋친 말, 예리한 비판. ── *vt.* 가시를〔미늘을〕 달다.

Bar·ba·di·an [bɑːrbéidiən] *n.* Ⓒ 바베이도스(섬)의 주민. ── *a.* 바베이도스(섬)의 ; 바베이도스 섬사람의.

Bar·ba·dos [bɑːrbéidouz, -s, -dəs] *n.* 바베이도스(서인도 제도 카리브해 동쪽의 섬으로 영연방내의 독립국 ; 수도 Bridgetown).

Bar·ba·ra [bɑ́ːrbərə] *n.* 바바라(여자 이름 ; 애칭 Babs, Bab, Babbie 등).

***bar·bar·i·an** [bɑːrbέəriən] *n.* Ⓒ ① 야만인, 미개인. ② 속물(俗物), 교양 없는 사람. ③ 〖史〗 이방인(그리스·로마 사람이 이르는) ; 이교도(그리스도교도가 보아) : The Roman Empire was overrun by Nordic ~*s.* 로마 제국은 북유럽 이방인의 침략을 받았다. ── *a.* 야만인의, 미개인의 ; 교양 없는, 야만의 ; 이방의 : a ~ king 미개인의 왕.

bar·bar·ic [bɑːrbǽrik] *a.* 미개한, 야만인 같은 ; 무무한 ; 지나치게 야한, (문체 따위가) 세련되지 못한 ; 잔인한 : a ~ punishment 잔인한 벌. ㊕ **-i·cal·ly** [-ikəli] *ad.*

***bar·ba·rism** [bɑ́ːrbərìzəm] *n.* ① Ⓤ 야만, 미개, 무지 ; 조야(粗野) ; 포학, 만행. ② Ⓒ 무무한 행동〔말투〕, 비어, 파격적인 구문.

bar·bar·i·ty [bɑːrbǽrəti] *n.* Ⓤ,Ⓒ 야만, 만행 ; 잔인(한 행위) ; 난잡 ; 야비함.

bar·ba·rize [bɑ́ːrbəràiz] *vt., vi.* …을 야만화하다 ; 불순〔조잡〕하게 하다〔되다〕.

bar·ba·rous** [bɑ́ːrbərəs] (more*** ~ ; ***most*** ~) *a.* ① **a**) 야만스러운(savage), 미개한 ; 잔인한 : a ~ king 잔인한 왕 / a ~ act 야만스러운 행동. **b**) 무무한, 상스러운 ; 교양없는 ; (말이) 표준용법이 아닌(★ barbarous는 barbarian, barbaric 보다 savage에 가까움). ② 이국어(異國語)의 《그리스어·라틴어 외의》 ; 이국의. ㊕ **~·ly** *ad.* **~·ness** *n.*

Bar·ba·ry [bɑ́ːrbəri] *n.* (이집트 이외의) 북아프리카 회교 지역(~ States).

Bárbary Státes (the ~) 바르바리 제국(諸國)(16-19 세기 터키 지배하의 바르바리 지방에서 반독립 상태에 있던 Morocco, Algeria, Tunis, Tripoli).

***bar·be·cue** [bɑ́ːrbikjùː] *n.* Ⓤ,Ⓒ (통구이용) 불고기틀 ; (돼지·소 따위의) 통구이, 바비큐 ; 《美》 바비큐 요리점(레스토랑 간판에는 'Bar-B-Q'라고도 씀) ; 통구이가 나오는 야외 파티.

── *vt.* …을 통구이로 하다 ; 직접 불에 굽다(broil) ; (고기)를 바비큐 소스로 간하다.

bárbecue pìt (벽돌 등으로 만든) 바비큐 화덕.

bárbecue sàuce 바비큐 소스(식초·야채·조미료·향신료로 만든 매콤한 소스).

barbed [bɑːrbd] *a.* 미늘이〔가시가〕 있는 ; 신랄한 : ~ words 〔wit〕 가시 있는 말〔날카로운 재치〕.

bárbed wíre 가시 철사 : The factory was surrounded by ~. 공장은 가시 철사 울타리로 둘러싸여 있었다.

barbed-wire [´-wáiər] *a.* 〔限定的〕 가시 철사의 : ~ entanglements 철조망 / a ~ fence 가시철사를 친 울타리.

bar·bel [bɑ́ːrbəl] *n.* Ⓒ (물고기의) 수염 ; 〖魚〗 돌잉어류.

bar·bell [bɑ́ːrbèl] *n.* Ⓒ 바벨(역도에 쓰는).

‡**bar·ber** [bɑ́ːrbər] *n.* Ⓒ 이발사(師) (《英》 hairdresser) : go to the ~*'s* (shop) 이발소에 가다 / the ~(*'s*) pole (적·백색의) 이발소 간판(기둥).

── *vt.* …의 머리를〔수염을〕 깎다 ; 잔디를 깎다.

bar·ber·shop [bɑ́ːrbərʃɑ̀p / -ʃɔ̀p] *n.* Ⓒ 《美》 이발소(《英》 barber's shop).

bárber's ítch 〖醫〗 모창(毛瘡), 이발소 습진.

bar·bi·can [bɑ́ːrbikən] *n.* Ⓒ 〖築城〗 망대, 성문탑.

bar·bi·tal [bɑ́ːrbətɔ̀ːl, -tæ̀l] *n.* Ⓤ 〖藥〗 바르비탈(진정·수면제 ; 商標名 : Veronal).

bar·bi·tone [bɑ́ːrbətòun] *n.* 《英》 =BARBITAL.

bar·bi·tu·rate [bɑːrbítʃərèit, -rit, bɑ̀ːrbətjúər-]

n. U.C 〖化〗 바르비투르산염〔에스테르〕; 〖藥〗 바르비투르 약제《진정 · 수면제》.

Bar-B-Q, bar-b-q, bar-b-que [bɑ́:rbikjù:] *n.* 《口》 =BARBECUE.

barb·wire [bɑ́:rbwàiər] *n.* =BARBED WIRE.

bar·ca·rol(l)e [bɑ́:rkəròul] *n.* C (곤돌라의) 뱃노래; 뱃노래풍의 곡.

Bar·ce·lo·na [bɑ̀:rsəlóunə] *n.* 〖地〗 바르셀로나《스페인 북동부의 항구 도시; 제25회 올림픽 개최지(1992)》.

Barcelóna chàir 바르셀로나 의자《X 형의 다리로 된 스테인리스 틀에 가죽 쿠션을 얹은 팔걸이 없는 의자》.

bár chàrt 막대 그래프(bar graph).

bár còde 바코드, 막대 부호《광학 판독용의 줄무늬 기호; 상품 식별 등에 쓰임》. cf. Universal Product Code.

bar-code [bɑ́:rkòud] *vt., vi.* (물건에) 바코드를 붙이다.

bár còde rèader 바코드 판독기.

bard** [bɑ:rd] *n.* C 옛 Celt 족의 음유(吟遊)〔방랑〕시인; (서정)시인: ***the Bard (of Avon) 셰익스피어의 속칭.

bard·ic [bɑ́:rdik] *a.* 음유 시인의.

‡bare [bɛər] ***(bar·er; -est)*** *a.* ① **a)** 벌거벗은, 알몸의, 가리지 않은, 드러낸: with (one's) ~ hands 맨주먹〔맨손〕으로 / a ~ sword 집에서 빼든 칼 / have one's head ~ 모자를 쓰지 않다 / He is ~ from the waist up. 그는 허리 위로 아무것도 걸치지 않았다 / The trees are already ~. 나무들은 이미 낙엽져 있다. **b)** 〔限定的〕 (일 · 이야기가) 사실 그대로의, 적나라한: the ~ facts 있는 그대로의 사실. ② 휑뎅그렁한, 세간이 없는《방 등》, 꾸밈 없는, 살풍경한: a ~ hill 민둥산 / a ~ room 가구 없는 방 / a ~ wall 액자 등이 없는 벽(壁). ③ 닳아 무지러진, 써서 낡은: a ~ carpet 닳고닳은 카펫. ④ 〔限定的〕 부족한, 겨우 …한; 그저〔겨우〕 …뿐인, 가까스로의: a ~ hundred pounds 가까스로〔겨우〕 100 파운드 / a ~ living 겨우 살아가는 생활 / the ~ necessities of life 목숨을 이어가기에만 필요한 필수품 / (by) a ~ majority 가까스로의 과반수(로) / The ~ sight of him thrilled me. 그를 보기만 해도 떨린다. ***at the ~ thought (of ...)*** (…을) 생각만 해도. ***lay ~*** (1) 털어놓다, 폭로하다; 해명하다: *lay* one's heart ~ 마음속을 털어놓다. (2) 알몸을 드러내다: *lay* one's breast ~ 가슴을 드러내다. ***with ~ life*** 겨우 목숨만 건지어: escape *with ~ life* 구사일생으로 도망하다.

── *vt.* ① 《~+목 / +목+전+명》 …을 벌거벗기다; 드러내다; 떼어내다《*of*》: The men ~*d* their heads as they entered the church. 사람들은 교회에 들어오자 모자를 벗었다 / ~ a person *of* his clothes (아무)의 옷을 벗기다 / ~ a tree *of* its leaves 〔fruits〕 나무에서 잎을〔열매를〕 따내다. ② (비밀 · 마음 등)을 털어놓다, 폭로하다: ~ a secret 비밀을 폭로하다 / Few men would have ~*d* their soul to a woman as he had. 그 이같이 속마음을 여자에게 털어놓는 남자는 거의 없다.

㊕ ∠·ness *n.* 알몸; 드러냄, 꾸밈없음, 텅 빔.

bare·back(ed) [∠bæ̀k(t)] *a.* 〔限定的〕, *ad.* 안장 없는 말의; (말에) 안장 없이: ride ~ 안장없는 말을 타다.

bare·boned [∠bòund] *a.* (사람이) 야윈; (병 · 굶주림으로) 말라빠진, 쇠약한.

báre bónes 골자, 요점: Reduce this report to its ~. 이 보고서를 간추려라.

bare·faced [∠fèist] *a.* 〔限定的〕 ① 맨얼굴의; 수염이 없는. ② 뻔뻔스러운, 철면피한: How she had the ~ gall to do it, I don't know! 그녀가 뻔뻔스럽게도 그런 일을 하다니 이해할 수 없어! ③ 노골적인: a ~ insult 노골적인 모욕.

㊕ ~·ness *n.*

bare·faced·ly [∠fèisidli, ∠fèistli] *ad.* 넉살좋게.

***bare·foot** [∠fùt] *a., ad.* 맨발의〔로〕: We took off our shoes and socks and walked ~ along the beach. 우리는 신발과 양말을 벗고 맨발로 해변을 걸었다.

bare·foot·ed [∠fùtid] *a.* 맨발의. 「로」.

bare·hand·ed [bέərhǽndid] *a., ad.* 맨손의〔으

bare·head(·ed) [∠hèd(id)] *a., ad.* 모자를 쓰지 않은〔않고〕; 맨머리의〔로〕.

báre infínitive 〖文法〗 원형 부정사《to 없는; 보기: I saw him run.의 run》.

bare·leg·ged [∠lègid, -lègd] *a., ad.* 발을〔정강이를〕 드러낸〔내놓고〕; 양말을 안 신은〔신고〕.

‡bare·ly [bέərli] *ad.* ① 간신히, 가까스로, 겨우; 거의 …없다. cf. scarcely, hardly. ¶ She is ~ sixteen. 그녀는 겨우 16 세다 / He ~ escaped death. 그는 간신히 죽음을 모면했다 / I ~ spoke to him. 나는 그에게 거의 말을 하지 않았다. ② 드러내놓고; 숨김 없이, 사실대로, 꾸밈 없이: a ~ furnished room 가구가 거의 없는 방.

> 參考 **hardly, scarcely** 는 부정의 뜻으로 사용되나, **barely** 는 긍정적으로 '가까스로〔겨우〕 …하다'의 뜻으로 쓰임. 따라서 only hardly 는 불가하나 only barely 는 가능함. 그러나 때로는 hardly 의 뜻으로도 쓰임.

barf [bɑ:rf] *vi., vt.* ① 《美俗》 (…을) 토하다, 게우다(vomit). ② (컴퓨터가) 에러를 내다; 작동하지 않다. ── *n.* U 구토: a ~ bag 구토 주머니《비행기 안의》.

bar·fly [bɑ́:rflài] *n.* C 《口》 술집의 단골, 늘 술집에 다니는 사람.

‡bar·gain [bɑ́:rgən] *n.* C ① 매매, 거래. ② (매매) 계약, 거래 조건. ③ (싸게) 산 물건, 매득(買得); 떨이: a bad 〔good〕 ~ 비싸게〔싸게〕 산 물건 / a dead ~ 아주 싸게 산 물건 / ~*s* in furniture 가구의 염가 판매 / This dress is a real ~. 이 드레스는 정말 싸게 샀다. ④ 〔形容詞的으로〕 싸구려의, 매득의: a ~ sale〔price〕 특매〔특가〕 / ~ goods 특매품. ***A ~'s a ~.*** 약속은 약속《꼭 지켜야 한다》. ***at a (good) ~*** 싸게: I got this *at a ~*. 이것을 싸게 샀다. ***conclude 〔settle〕 a ~*** 계약을 맺다. ***drive a (hard) ~*** (…와) (…에 대해) 유리한 조건으로 거래〔매매, 상담〕하다《*with*; *over*》. ***into 〔in〕 the ~*** 게다가, 그 위에. ***make the best of a bad ~*** 역경을 참고 견디다, 악조건하에서 최선을 다하다. ***pick up ~s*** 헐한 물건을 우연히 손에 넣다. ***strike 〔make, close〕 a ~*** 매매계약을 맺다, 협정하다: The management and employees eventually *struck* 〔*made*〕 *a ~*. 노사 양측은 결국 협상에 타결을 보았다. ***That's 〔It's〕 a ~!*** 이것으로 성립됐다.

── *vi.* 《~ / +전+명》 ① (매매의) 약속을 하다, 계약하다: We ~*ed with* him *for* the use of the property. 우리는 그와 그 땅의 사용에 대해 계약했다. ② 흥정을 하다; 매매 교섭을 하다: He ~*ed with* the house agent *for* a lower price 〔*about* the price〕. 그는 부동산업자와 더 값을 낮추려고〔가격에 대해〕 흥정했다. ③ **a)** 〔흔히 否定語나 more than 을 수반하여〕 (…을) 예상하다; 예기하다《*for*; *on*》: I did*n't* ~ *for* that. 그것은

전혀 예상밖의 일이었다 / His serve was *more than* I ~*ed for*. 그의 서브가 그렇게 강하리라고는 생각지 못했다. **b**) (…을) 기대하다《*on*》: ~ *on* a person's help 아무의 원조를 기대하다. — *vt.* ①《+*that* 절》(…이란) 조건을 붙이다, (…하도록) 교섭하다: He ~*ed that* he should not pay for the car till the next month. 그는 자동차 값을 다음달까지 지불하지 않아도 괜찮도록 교섭했다. ②《+*that* 절》…을 기대하다, 보증하다: I'll ~ *that* he will compete at the next Olympic games. 그는 다음 올림픽 경기에 참가하게 될 것이다. ③《+목+전+명》〔一般的〕바꾸다《*for*》: ~ a horse *for* another 다른 말과 바꾸다. ~ ***away*** 헐값으로 팔아 버리다: I realized that by trying to gain security I had ~*ed away* my freedom. 나는 안전을 확보하려다가 나의 자유를 허술히 내어 버렸음을 깨달았다.

bárgain básement (백화점의) 특매장《주로 지하》.

bar·gain-base·ment [-bèismənt] *a.* ① 특가(特價)의, 값이 싼. ② (품질이) 떨어지는, 조악한; 싸구려의.

bárgain cóunter 특가품 매장.

bárgain hùnter 싼 것만 찾아다니는 사람.

bar·gain·ing [bá:rgəniŋ] *n.* Ⓤ 거래, 교섭; 계약: collective ~ 단체 교섭. — *a.* 단체 교섭의.

bárgaining chìp 교섭을 유리하게 이끌기 위한 자료〔수단〕: We can use it as a ~ in the negotiations. 우리는 그것을 교섭의 수단으로 쓸 수 있다.

bárgaining posìtion (토론 등의) 사태, 형편, 형세.

barge** [ba:rdʒ] *n.* Ⓒ ① 거룻배, 바지《바닥이 평평한 짐배》. ② 유람선; 의식용 장식배. ③ 함재정(艦載艇), 대형 함재 보트《사령관용》. — *vt.* …을 거룻배로 나르다;《口》…을 헤치고 나아가다. — *vi.* ① 느릿느릿 움직이다. ②《口》난폭하게 부딪치다〔돌진하다〕《*into*; *against*》. ③《+전+명》《口》난입〔틈입(闖入)〕하다, …에 끼어들다, 말참견하다《*in*; *into*》: He ~*d into* our conversation. 그는 우리 이야기에 억지로 끼어들었다. ~ ***about 난폭하게 뛰어다니다. ~ ***in on*** …에 쓸데없이 말참견하다: He's always *barging in on* other people's conversations. 그는 늘 남의 대화에 끼어든다.

bar·gee [ba:rdʒí:] *n.*《英》= BARGEMAN.

barge·man [bá:rdʒmən] (*pl.* ***-men*** [-mən]) *n.* Ⓒ 거룻배·유람선의 사공.

bárge pòle (거룻배의) 삿대. ***would not touch*** a person ***with a*** ~《口》아무와 상관 않으려 하다, 어떻게든 피하려 하다.

bár gìrl (바의) 호스티스; 바의 단골 여자 손님,《특히》바에 출입하는 창녀.

bár gràph 막대 그래프(bar chart).

bar·hop [bá:rhàp / -hɔ̀p] (***-pp-***) *vi.* 여러 술집을 돌아다니며 술을 마시다.

bar·i·tone [bǽrətòun] *n.* 〖樂〗 ① Ⓤ 바리톤《tenor 와 bass 의 중간음》. ② Ⓒ 바리톤 가수. ③ Ⓒ 관악기의 하나. — *a.* 바리톤의: a ~ voice 바리톤의 음성.

bar·i·um [bέəriəm, bǽər-] *n.* Ⓤ〖化〗바륨《금속 원소; 기호 Ba; 번호 56》.

bárium méal 바륨 용액《X선 촬영용》.

‡**bark**[1] [ba:rk] *vi.* ①《~/+전+명》**a**) (개·여우 따위가) 짖다; 짖는 듯한 소리를 내다: *Barking* dogs seldom bite.《俗談》짖는 개는 물지 않는다 / The dog ~*ed at* me. 개가 나에게 짖어댔다. **b**) 고함치다: He ~*ed at* me for being late. 그는 내가 늦었다고 고함을 질렀다. ② (총·대포 따위가) 쾅 울리다. ③《美口》(흥행장 등에서) 큰 소리로 손님을 부르다. — *vt.*《~+목 / +목+전+명 / +목+부》짖는 투로 말하다; (명령 등)을 외쳐대어 말하다《*out*》; …을 혹평〔매도〕하다; 큰 소리로 (상품을) 선전하다: He ~*ed* orders *into* the telephone for food. 전화통에 대고 악을 써 먹을 것을 주문했다. ~ ***up the wrong tree***《口》〔흔히 進行形으로〕 허방짚다, 잘못 짚다: If you think it was I who revealed the secret, you're ~*ing up the wrong tree*. 비밀을 누설한 사람이 나라고 생각한다면 허방짚었네. — *n.* Ⓒ ① 짖는 소리. ②《口》기침 소리. ③ 포성, 총성. ***give a*** ~ 짖다. ***His*** ~ ***is worse than his bite***. 겉보기처럼 고약한 사람이 아니다.

***bark**[2] *n.* Ⓤ ① 나무 껍질; 기나피(幾那皮); 탠 껍질(tanbark). ② 견과를 넣은 초콜릿 캔디. ③《俗》피부. — *vt.* ① …의 나무 껍질을 벗기다. ② …을 나무 껍질로 덮다〔싸다〕. ③ (…의 피부)를 까다, 벗기다: ~ one's shin *on*〔*against*〕 a chair 의자에 걸려 정강이가 까졌다.

bark[3], **barque** [ba:rk] *n.* Ⓒ 바크《세대박이 돛배》; (흔히 bark)《詩》배(ship).

bar·keep(·er) [bá:rkì:p(ər)] *n.* Ⓒ《美》술집 주인; 바텐더(bartender).

bark·en·tine, bark·an- [bá:rkəntì:n] *n.* Ⓒ〖海〗바켄틴《세대박이 돛배》.

bark·er [bá:rkər] *n.* Ⓒ ① 짖는 동물; 고함치는 사람. ② (가게·흥행장 따위의) 여리꾼.

‡**bar·ley** [bá:rli] *n.* Ⓤ 보리: They looked out across the fields of waving ~. 그들은 넘실거리는 보리 밭 저쪽을 바라보았다. cf. oat, wheat, rye.

bar·ley·corn [-kɔ̀:rn] *n.* Ⓒ 보리(알); 3 분의 1 인치《옛 길이의 단위》.

bárley mòw 보리 낟가리.

bárley sùgar 보리 물엿〔조청〕.

bárley wàter 보리차〔미음〕《환자용》.

bárley wìne 발리와인《도수 높은 맥주》.

barm [ba:rm] *n.* Ⓤ (맥주 등의) 효모, 거품.

bar·maid [bá:rmèid] *n.* Ⓒ 술집 여자, 바 여급.

bar·man [bá:rmən] (*pl.* ***-men*** [-mən]) *n.* = BARTENDER.

Bar·me·cid·al [bà:rməsáidəl] *a.* 허울뿐인, 이름만의; 가공의.

Barmecídal〔**Bármecide('s)**〕 **féast** 실속없는 겉치레 향응, 공허한 은혜〔친절〕.

Bar·me·cide [bá:rməsàid] *n.* Ⓒ 빈 말로 은혜를 베푸는 사람, 겉치레만의 대접을 하는 사람. — *a.* = BARMECIDAL.

bar mitz·vah [ba:rmítsvə] (종종 B- M-)《Heb.》바르 미츠바《유대교의 남자 성인식, 13 세》; 그 식에 나오는 소년. cf. bat mitzvah.

barmy [bá:rmi] (***barm·i·er***; ***-i·est***) *a.* 효모 투성이의; 거품이 인, 발효중의;《英俗》미친 사람 같은, 머리가 돈. ***go*** ~ 머리가 돌다.

‡**barn** [ba:rn] *n.* Ⓒ ① (농가의) 헛간, 광《곡물·건초 따위를 두는 곳, 미국에서는 축사 겸용》. ②《美》전차 차고(car ~). ③ 휑뎅그렁한 건물. ④〖物〗반《원자의 충돌 과정의 단면적 단위: $=10^{-24}$ cm^2; 기호 b》.

bar·na·cle [bá:rnəkəl] *n.* Ⓒ ①〖貝〗조개삿갓, 굴등. ② 붙들고 늘어지는 사람, 집착(執着)하는 사람. ③ (낡은 관습 등과 같은) 진보 발전을 방해하는 것. ④〖鳥〗흑기러기의 일종(=≺ ***góose***)《북유럽산》. ㊞ ~**d** *a.* 굴등이 붙은.

bárn dànce《美》농가의 댄스 파티《광에서 하는》; (polka 비슷한) 시골 춤, 그 곡.

bárn dòor ① 헛간〔광〕 문《짐마차가 드나들 만

큼 넓음); 《戱》 빗맞을 염려 없는 큰 과녁. ② 영화·텔레비전 따위의 조명용 광원에 부속된 차광판. **(as) big as a** ~ 대단히 큰《표적 등이》. **cannot hit a** ~ 사격이 매우 서투르다.

bar·ney [bɑ́:rni] (*pl.* **-s**) *n.* Ⓒ 《口》 법석, 싸움; 떠들썩한 논쟁; 실수, 실책.

bárn òwl (헛간에 사는) 올빼미의 일종.

barn·storm [bɑ́:rnstɔ̀:rm] *vi.* 《美口》 지방 순회 공연을 하다; 지방을 유세하다.
㊕ **~·er** *n.* Ⓒ 《美口》 지방 순회〔떠돌이〕배우; 엉터리 배우; 지방 유세자.

bárn swàllow 제비.

*__barn·yard__ [-jɑ̀:rd] *n.* Ⓒ 헛간의 앞마당; 농가의 안뜰(farmyard). ── *a.* 지저분한, 천박한: ~ witticism 촌스러운 익살 / a ~ fowl 닭.

baro- ⇨ BAR-.

bar·o·gram [bǽrəgræ̀m] *n.* Ⓒ 〖氣〗 자기(自記) 기압계의 기록(선).

bar·o·graph [bǽrəgræ̀f, -grɑ̀:f] *n.* Ⓒ 자기 기압계〔청우계〕.

‡**ba·rom·e·ter** [bərɑ́mitər / -rɔ́m-] *n.* Ⓒ ① 기압계; 고도계. ② 표준, (여론 등의) 지표(指標), 척도, 바로미터: Newspapers are often ~*s* of public opinion. 신문은 종종 여론의 바로미터가 된다 / Appetite is a ~ of health 식욕은 건강의 바로미터이다.

bar·o·met·ric [bæ̀rəmétrik] *a.* 기압(계)의, 기압상의: ~ pressure 기압 / ~ maximum 〔minimum〕 고〔저〕기압. ㊕ **-ri·cal** [-əl] *a.* = BAROMETRIC. **-ri·cal·ly** [-əli] *ad.* 기압계로, 기압상.

*__bar·on__ [bǽrən] *n.* Ⓒ ① 남작(男爵)《최하위의 귀족》. ★ 성(姓)과 함께 쓸 때 영국인에게는 Lord A, 외국인에게는 Baron A. ② 〖英史〗 (영지를 받은) 귀족. ③ 〔종종 合成語〕 대실업가; 실력자: a mine 〔press〕 ~ 광산〔신문〕왕.
㊕ **~·age** [-idʒ] *n.* Ⓤ 〔集合的〕 남작들, 남작 계급; 남작의 지위〔신분〕; 남작 명감.

bar·on·ess [bǽrənis] *n.* Ⓒ 남작 부인; 여남작. ★ 성과 함께 쓸 때 영국인에게는 Lady A, 외국인에게는 Baroness A.

bar·on·et [bǽrənit, -nèt] *n.* Ⓒ 준(准)남작《baron의 아래, Knight의 윗계급이나 귀족은 아니며 칭호는 세습》. ★ 쓸 때에는 Sir George Smith, *Bart.*로 함. 또 부를 때에는 Sir George 라고 Christian name 앞에 Sir를 붙임. 또 그 부인은 *Dame* Mary Smith 라고 Dame을 쓰며, 부를 때에는 Lady Smith 라고 함.
── *vt.* 준남작의 지위를 수여하다.
㊕ **~·age** [-idʒ] *n.* Ⓤ 〔集合的〕 준남작들, 준남작 계급; 준남작의 지위〔신분〕; 준남작 명감(名鑑). **~·cy** [-si] *n.* Ⓒ 준남작의 지위〔신분〕.

ba·ro·ni·al [bəróuniəl] *a.* 〔限定的〕 ① 남작 영지(領地)의; 남작으로서 어울리는; 귀족풍의. ② (건물 등이) 당당한.

bar·o·ny [bǽrəni] *n.* Ⓒ 남작령(領); 남작의 지위〔신분〕; 〔수식어와 함께〕 …왕국.

*__ba·roque__ [bəróuk] *a.* 《F.》 ① 기이한, 기괴한. ② 장식이 과다한; (취미 따위가) 저속한; (문체가) 지나치게 수식적인. ③ 〖建·美〗 바로크식의《곡선 장식이 많은》; 〖樂〗 바로크(스타일)의. ④ (진주가) 변형한.
── *n.* ① (the ~) 〖建·美·樂〗 바로크식; 바로크 작품. ② Ⓒ 장식이 과다한 양식, 별스러운 취미〔작품〕. ③ Ⓒ 변형된 진주. ㊕ **~·ly** *ad.*

ba·rouche [bərú:ʃ] *n.* Ⓒ 4인승 대형 쌍두 4륜 포장마차.

bár pèrson 바텐더.

barque ⇨ BARK³.

bar·quen·tine [bɑ́:rkəntì:n] *n.* = BARKENTINE.

*__bar·rack__¹ [bǽrək] *n.* ① (흔히 *pl.*) 〔單·複數 취급〕 막사, 병영: break ~*s* 탈영하다 / There stands an army ~*s* over there. 저쪽에 병사(兵舍)가 한 채 서 있다. ② Ⓒ 크고 엉성한 건물, 바라크(식 건물). ── *vt.* …을 막사에 수용하다. ── *vi.* 막사 생활을 하다.

bar·rack² 《Austral.·英口》 *vt.* (선수·팀·연사 등)을 야유하다; 성원하다. ── *vi.* 야유하다《*at*》; 성원하다《*for*》.

bar·ra·cu·da [bæ̀rəkú:də] (*pl.* **~, ~s**) *n.* Ⓒ 〖魚〗 창꼬치류(類).

bar·rage [bərɑ́:ʒ / bǽrɑ:ʒ] *n.* Ⓒ ① 〖軍〗 탄막(彈幕), 일제 엄호사격. ② (질문 따위의) 연발: a ~ of questions 질문 공세. ③ [bɑ́:ridʒ] 〖土〗 댐(공사). ── *vt.* (…에 대해) 탄막 포화를 퍼붓다, 격렬하게 공격하다《*with*》: ~ the speaker *with* questions 연설자에게 질문을 퍼붓다.

barráge ballòon 〖軍〗 조색(阻塞)〔방공(防空)〕 기구(氣球).

barred [bɑ:rd] *a.* ① 줄무늬가 있는; 〔敍述的〕 (…으로) 무늬를 한, (…의) 무늬를 지닌《*with*》: The sky was ~ *with* gray clouds. 하늘에는 회색 구름이 길게 뻗어 있었다. ② 가로대가 있는; 빗장을 건; (가로대를 걸어) (출입이) 금지된: Markets and shops remained shuttered and ~. 시장과 상점들은 아직 셔터가 내려지고 빗장이 걸린 채 있었다.

‡**bar·rel** [bǽrəl] *n.* Ⓒ ① (중배 부른) 통; 한 통의 분량, 1배럴《액량·건량의 단위: 영국에서는 36갤런; 미국에서는 31.5 갤런; 〖石油〗 42 미 갤런, 35 영 갤런》: They drank a ~ *of* beer at the party. 그들은 파티에서 한 통의 맥주를 마셨다. ② 총열, 포신; (윈치 따위의) 원통; (시계의) 태엽통; (북 따위의) 통; (마소의) 몸통; 깃촉; (귀의) 고실(鼓室), 중이(中耳) (~ of the ear). ***a ~ of*** =***barrels of*** 《口》 많은, 가득 찬: *a* ~ *of* money = ~*s of* money 많은 돈 / We had *a* ~ *of* fun. 무척 재미있었다. ***have*** a person ***over a*** ~ 아무를 좌지우지하다; 아무를 궁지에 몰아넣다. ***scrape*** (***the bottom of***) ***the*** ~ 《口》 취할 방도가 없어지다; 남은 것을 사용하다〔그러모으다〕.
── (**-l-,** 《英》 **-ll-**) *vt.* ① …을 통에 가득 채워넣다. ② (노면)을 봉긋하게 하다; 《美俗》 (차)를 쾌속으로 몰다; (화물)을 속히 나르다. ── *vi.* 《美俗》 무서운 속도로 달리다《*along*》.

bar·rel·ful [-fùl] (*pl.* **~s, bar·rels-**) *n.* Ⓒ 한 통(의 양); 다수, 대량.

bar·rel·house [bǽrəlhàus] *n.* 《美俗》 ① Ⓒ 하급 술집, 대폿집, 통술집. ② Ⓤ 배럴하우스《20세기초, 미국 New Orleans의 싸구려 술집에서 시작된 강렬한 리듬의 재즈》: ~ jazz 소란한 재즈.

bárrel òrgan = HAND ORGAN.

bárrel vàult 〖建〗 원통형의 둥근 천장.

‡**bar·ren** [bǽrən] *a.* ① (땅이) 불모의, 메마른; (식물이) 열매를 못 맺는: a ~ flower 수술〔자방〕이 없는 꽃 / a ~ stamen 화분이 생기지 않는 수술. ② 애를 못 낳는, 임신을 못하는: a ~ woman 아이 못 낳는 여자, 석녀. ③ 〔限定的〕 (정신적으로) 불모의; 평범한; 효과없는; 무미건조한; 빈약한; 무능한; 무익한: a rather ~ novel 너무도 무미건조한 소설 / He made many ~ efforts to solve the problem. 그는 그 문제를 풀기 위해 많은 헛된 노력을 했다. ④ 〔敍述的〕 …을 결한, …이 없는《*of*》: a hill ~ *of* trees. 나무 없는 산 / His speech is ~ *of* humor. 그의 연설에는 유머가 없다. ── *n.* (종종 *pl.*) 메마른 땅, 불모지.
㊕ **~·ly** *ad.* **~·ness** *n.*

bar·rette [bərét] *n.* Ⓒ (여성용의) 머리핀.

*__bar·ri·cade__ [bǽrəkèid, ⌐-⌐] *n.* ① Ⓒ 방책(防

柵), 바리케이드 ; 통행 차단물 ; 장애물 : They put up a ~ across the street. 그들은 거리에 바리케이드를 쳤다. ② (*pl.*) 전장(戰場), 논쟁의 장(場). ── *vt.* 《+목+전+명》 바리케이드를 쌓다〔치다〕; (가로)막다 : The radicals ~*d* the road *with* desks and chairs. 과격파는 책상과 의자로 길에 바리케이드를 쳤다. ~ one***self*** 바리케이드를 치고 그 안에 틀어박히다 《*in*》: He ~*d* him*self* *in* his study. 그는 문을 잠그고, 서재에 틀어박혔다.

Bar·rie [bǽri] *n.* Sir **James M(atthew)** ~ 배리《스코틀랜드의 작가(1860-1937) ; 작품 *Peter Pan*》.

‡bar·ri·er [bǽriər] *n.* Ⓒ ① 울타리, 방벽 ; 요새 ; 관문. ② 장벽, 장애(물), 방해《*to*》: the language ~ 언어의 장벽 / tariff ~ 관세 장벽 / The mountains acted as a natural ~ *to* the spread of the disease. 산맥은 질병의 확산에 대하여 자연적인 장벽 구실을 했다. ③ (*pl.*) (경기장 따위의) 울짱, 울타리. ***put a ~ between*** …의 사이를 갈라놓다.

bárrier crèam 보호 크림, 스킨 크림.

bárrier rèef 보초(堡礁)《해안의》.

bar·ring [bɑ́:riŋ] *prep.* …이 없다면, …을 제외하고는 : We'll be home by sunset ~ accident. 사고만 없다면 해지기까지는 집에 도착할 것이다.

bar·ris·ter [bǽrəstər] *n.* Ⓒ ①《英》 법정(法廷) 변호사《barrister-at-law 의 약칭》. cf. solicitor. ②《美口》〔一般的〕 변호사, 법률가.

bar·room [bɑ́:rrù(:)m] *n.* Ⓒ (호텔 등의) 바.

Bar·row [bǽrou] *n.* **Point** ~ 배로 곶(串)《알래스카의 최북단》.

bar·row[1] [bǽrou] *n.* Ⓒ ① (바퀴가 하나나 둘인) 손수레. ② 들것식의 화물 운반대. ③ 손수레 한 대분의 짐.

bar·row[2] *n.* Ⓒ ① 무덤, 분묘, 고분. ② 짐승의 굴(burrow). ③《英》 언덕《지명에서》.

bar·row[3] *n.* Ⓒ 불깐 수퇘지.

bárrow bòy 〔**màn**〕《英》 (수레에 물건을 싣고 다니며) 파는 행상인.

bár sínister =BEND SINISTER.

BART [bɑ:rt] Bay Area Rapid Transit《샌프란시스코 시의 고속 통근용 철도》.

Bart. Baronet.

bar·tend·er [bɑ́:rtèndər] *n.* Ⓒ《美》 술집 지배인, 바텐더.

***bar·ter** [bɑ́:rtər] *vi.* 《~ / +전+명》 물물 교환하다, 교역하다《*with*》: The colonists ~*ed with* the native *for* fur. 개척자들은 현지인들로부터 모피를 물물교환으로 손에 넣었다. ── *vt.* ①《+목+전+명》 …을 교환하다, 교역하다《*for*》: ~ furs *for* powder 모피를 화약과 교환하다. ②《+목+부》 헐하게 팔아 버리다 ; (이익을 탐(貪)하여 명예·지위 따위)를 팔다《*away*》: He ~*ed away* his patent right *for* a lump-sum payment. 그는 모갯돈에 눈이 어두워 그의 특허권을 팔아넘겼다. ── *n.* Ⓤ 바터, 물물 교환 ; 교역(품) : the ~ system 바터제, 구상(求償) 무역제 / a ~ economy 물물교환 경제.

㊞ **~·er** *n.* Ⓒ 물물 교환자.

Bar·thol·di [bɑ:rθɑ́ldi / -θɔ́l-] *n.* **Frédéric Auguste** ~ 바르톨디《프랑스 조각가 ; 뉴욕의 자유의 여신상을 조각함 ; 1834-1904》.

Bar·thol·o·mew [bɑ:rθɑ́ləmjù: / -θɔ́l-] *n.* 〖聖〗 바르톨로뮤《예수의 12제자 중의 하나》. ***St. ~'s Day*** 성 바르톨로뮤 축일《8월 24일》. ***the Massacre of St.*** ~ 1572년 8월 24일의 신교도 학살.

bar·ti·zan [bɑ́:rtəzən, bɑ̀:rtəzǽn] *n.* Ⓒ 〖建〗 (벽면에서 밖으로 내어민) 작은 탑, 망대.

Bar·tók [bɑ́:rtɑk / -tɔk] *n.* **Béla** ~ 버르토크《헝가리의 작곡가 ; 1881-1945》.

bar·y·on [bǽriɑ̀n / -ɔ̀n] *n.* Ⓤ 〖物〗 바리온, 중(重)입자《핵자(核子)와 hyperon의 총칭》.

ba·ry·ta [bəráitə] *n.* Ⓤ 〖化〗 바리타, 중토(重土)《산화 바륨》; 수산화 바륨.

bar·y·tone [bǽrətòun] *n.*, *a.* 〖樂〗 =BARITONE.

ba·sal [béisəl, -zəl] *a.* 기초의, 근본의 : a ~ reader 기초〔초급〕 독본 / ~ characteristics 기본 특징. ◇ base[1] *n.* ㊞ **~·ly** *ad.*

básal metábolism 〖生理〗 기초〔유지(維持)〕 대사《안정시의 물질 대사 ; 略 : BM》.

ba·salt [bəsɔ́:lt, bǽsɔ:lt, béi-] *n.* Ⓤ 현무암 ; 일종의 흑색 자기(磁器).

ba·sal·tic [bəsɔ́:ltik] *a.* 현무암(질)의, 현무암을 함유하는.

bas·cule [bǽskju:l] *n.* Ⓤ 〖土〗 도개(跳開) 구조 : a ~ bridge 도개교(橋).

†base[1] [beis] *n.* Ⓒ ① 기초, 기부(基部), 저부(底部) ; 토대 ; (기둥·비석 따위의) 대좌(臺座), 주추 ; 주요소(主要素) ; 기슭 : the ~ of a lamp 램프받침 / the ~ of a mountain 산기슭 / At the ~ of the cliff was a rocky beach. 절벽의 아래쪽은 바위가 많은 해안이었다. ② (생각·일의) 기초, 근거 ; 원리 : the ~ of national life 국민생활의 기초 / the moral ~ of a society 사회의 도덕적 기반 / A strong economy depends on a healthy manufacturing ~. 튼튼한 경제는 건전한 제조업 기반에 달려 있다. ③ 〖植·動〗 기부. ④ 〖化〗 염기(塩基) ; 양성자(陽性子)를 받아들이는 분자 ; 〖染〗 색이 날지 않게 하는 약 ; 전색제(展色劑). ⑤ 〖醫〗 주약(主藥). ⑥ 〖數〗 기수(基數) ; 기선 ; 밑변, 밑면 ; (로그의) 밑 ; 〖컴〗 기준. ⑦ 〖競〗 출발점 ; (하키 따위의) 골 ; 〖野〗 누(壘), 베이스 : third ~, 3 루 / a three-~ hit, 3 루타(打) / The ~*s* are loaded. 만루(滿壘)다. ⑧ 〖文法〗 어간(stem). ⑨ 〖軍〗 기지 : a naval〔an air〕 ~ 해군〔공군〕 기지 / a ~ of operations 작전 기지. ⑩ 〖測〗 기선(基線). ⑪ 〖紋章〗 방패 무늬의 하부. ⑫ (페인트·화장 등의) 초벌칠. ***~ on balls*** 〖野〗 포볼(four ball)에 의한 출루 : an intentional ~ *on balls* 고의(故意) 사구(四球). ***be off*** ~ 〖野〗 누를 떠나다 ; 《美口》 (아무가) 몹시 잘못하고 있다 ; (허를 찔리어) 마음의 평정을 잃고 있다 ; 머리가 돌아 있다 ; (생각 따위가) 틀려 있다 : *be* caught *off* ~ 견제구(牽制球)로 죽다 ; 허를 찔리다 / His explanation *was off* ~. 그의 설명은 전혀 얼토당토 않은 것이었다. ***catch*** a person ***off*** ~ 허를 찔러 아무를 당황케 하다. ***get to first*** ~ ⇨ FIRST BASE. ***on*** ~ 출루하여 : three runners *on* ~ 만루. ***touch ~ with*** …와 연락을 취하다 ; …와 협의하다 ; …와 접촉하다 : *Touch* ~ *with* me before you go. 가기 전에 내게 연락을 하게.

── *vt.* ①《+목+전+명》 …의 기초〔근거〕를 형성하다, 근거를 두다《*on, upon*》: His view of life is ~*d on* his long experience. 그의 인생관은 오랜 경험에 의거해 있다 / *On* what do you ~ that statement? 무엇을 근거로 하여 그런 말을 하느냐. ② …의 기지를 두다, …을 주둔시키다 : Our company is ~*d in* New York. 우리 회사는 뉴욕에 본거지를 두고 있다. ── *vi.* ① (…에) 의거하다《*on*》. ② 기지를 두다《*at* ; *on*》: They had ~*d on* Greenland. 그들은 그린랜드에 기지를 두고 있었다. ~ one***self on***〔***upon***〕 …에 기대다〔의지하다〕.

‡base[2] (***bás·er*** ; ***-est***) *a.* ① 천한, 비열〔야비〕한, 치사한 : a ~ action 비열한 행위. ② (금속이) 열등한, 하등의 ; (주화가) 조악한, 가짜의 : ~

coins 악화, 위조 화폐. ③ 태생이 천한; 서출(庶出)의. ④ (언어가) 순정(純正)치 않은, 속된. OPP classical. ㊎ ∠·ly ad. ∠·ness n.

†**base·ball** [béisbɔ̀:l] n. Ⓤ 야구: a ~ game 〔park, player〕 야구 경기〔장, 선수〕.

base·board [-bɔ̀:rd] n. Ⓒ 《美建》 벽 아랫도리의 굽도리널.

báse càmp (등산의) 베이스 캠프.

based [beist] a. 〔흔히 복합어를 이룸〕 (…에) 보급·작전의 기지를 가진; …를 기초로 한: a Seoul-~ company 서울에 본사를 둔 회사 / a Latin-~ language 라틴어에서 파생된 언어.

Bá·se·dow's disèase [bá:zədòuz-] 바제도병(病)《갑상선 질환》.

báse hít 《野》 안타, 단타(單打).

base·less [béislis] a. 기초〔근거〕 없는, 이유 없는(groundless): ~ fears 기우(杞憂).
㊎ ~·ly ad. ~·ness n.

base·line [-làin] n. Ⓒ 기(준)선; 《野》 베이스 라인, 누선; 《테니스》 코트의 한계선.

base·man [béismən] (pl. **-men** [-mən]) n. Ⓒ 《野》 내야수, 누수(壘手): the first ~.

‡**base·ment** [béismənt] n. Ⓒ ① (건물의) 지하층, 지하실《★ 미국 백화점에서는 주로 특매장이 있음》: Our kitchenware department is in the ~. 우리의 주방용품부는 지하층에 위치하고 있다. ② (구조물의) 최하부, 기초.

báse métal 비(卑)금속(OPP noble metal); (합금의) 주(主)금속; (도금의) 바탕 금속, 지금(地金); (금속 가공의) 모재(母材).

ba·sen·ji [bəsénd͡ʒi] (pl. **~s**) n. Ⓒ (때로 B-) 중앙 아프리카 원산의 작은 개《밤색털에 짖지 않는 것으로 알려 있음》.

báse ráte (시간급·능력급 등의) 지급 기준; 《英》 기준 이율(利率).

báse rùnner 《野》 주자.

báse rùnning 《野》 주루(走壘).

ba·ses[1] [béisi:z] BASIS 의 복수.

bas·es[2] [béisiz] BASE[1]의 복수.

bas·es-load·ed [béisizlòudid] a. 《野》 만루의: a ~ homer 만루 호머.

bash [bæʃ] vt. 《口》 …을 후려갈기다; 때려 (움푹) 들어가게 하다; 비난하다: ~ a person *on* the head 아무의 머리를 때리다 / He ~*ed in* the lid of a box. 그는 상자 뚜껑을 두들겨 우그러들게 했다.
— vi. 충돌하다《*against*》. **~ on** 〔**ahead**〕 《英俗》 …을 완강히 계속하다《*with*》.
— n. Ⓒ 후려갈기기, 강타; 《口》 아주 즐거운 파티: He had a big ~ for his 18th birthday. 그는 18세 생일 파티를 거창하게 치렀다. **have** 〔**take**〕 **a ~** (**at**) 《俗》 …을 해보다(attempt).

***bash·ful** [bǽʃfəl] a. 수줍어하는, 부끄러워하는, 숫기 없는.
㊎ ~·ly ad. ~·ness n.

bash·ing [bǽʃiŋ] n. Ⓤ,Ⓒ 《口》 때림, 강타; 심한 패배: We gave the visiting team a good ~. 우리는 방문팀에게 완승했다.

-bashing '공격, 학대'의 뜻의 결합사: gay-~ 동성애자 학대.

‡**ba·sic** [béisik] (**more ~; most ~**) a. ① **a**) 기초적인, 기본적인; 근본(根本)의: ~ principles 근본 원리 / The ~ problem is that they don't talk to each other enough. 가장 중요한 문제는 그들이 서로 충분한 대화를 하지 않는다는 것이다. **b**) 〔敍述的〕 (…에) 기본적인《*to*》: Mathematics is ~ *to* all sciences. 수학은 모든 과학의 기초이다. ② 《化》 염기〔알칼리〕성(性)의: ~ colors 염기성 색소 / the ~ group 염기성류. ③ 《鑛》 염기성의. — n. (보통 pl.) 기본, 기초, 원리; (pl.) 기본적인 것, 필수품: the ~*s* of education 교육의 기본원리 / the ~*s* of physics 물리학의 기초 / get 〔go〕 back to (the) ~*s* 기본〔원점〕으로 돌아가다.

BASIC, Basic [béisik] n. 《컴》 베이식《회화형 프로그래밍 언어》. cf COBOL, FORTRAN. [◂*B*eginner's *A*ll-purpose *S*ymbolic *I*nstruction *C*ode]

***ba·si·cal·ly** [béisikəli] ad. 기본〔근본〕적으로; 《문장 전체를 수식하여》 원래: *Basically*, all people love peace. 사람들은 원래 누구나 평화를 사랑한다.

básic dìrect áccess mèthod 《컴》 기본 직접 접근 방식.

Básic Énglish 베이식 영어《영어를 간이화하여 국제 보조어로 하려는 것. 어휘수 850; 1930년, 영국인 C.K. Ogden 등의 고안》.

básic (**ìndexed**) **sequéntial áccess mèthod** 《컴》 기본(색인) 순차적 접근 방식.

bas·il [bǽzəl, bǽs-, béiz-, béis-] n. Ⓤ 향미료·해열제로 쓰는 박하 비슷한 향기 높은 식물.

ba·sil·i·ca [bəsílikə, -zíl-] n. Ⓒ ① (옛 로마의) 바실리카《법정·교회 따위로 사용된 장방형의 회당》. ② 바실리카 양식의 교회당. ③ 《가톨릭》 (전례상의 특권이 주어진) 대성당.

bas·i·lisk [bǽsəlisk, bǽz-] n. Ⓒ ① 바실리스크《전설상의 괴사(怪蛇); 한번 노려보거나 입김을 쐬면 사람이 죽었다 함》. ② 《動》 도마뱀의 일종《열대 아메리카산》. ③ (뱀무늬가 있는) 옛날 대포.
— a. 〔限定的〕 바실리스크 같은.

básilisk glánce 바실리스크 같은 눈초리《노려보면 재난을 당함》; 사람을 전율케 하는 눈초리.

‡**ba·sin** [béisən] n. Ⓒ ① **a**) 물동이, 수반; 대야; 세면기〔대〕; 저울판. **b**) 한 동이〔대야〕 가득한 분량: a ~ of water 물 한 동이. ② 물웅덩이, 못; 내포(內浦), 내만(內灣); 독(dock), 갑문(閘門) 달린 선거(船渠): a yacht ~ 요트 계류장 / a collecting ~ 집수지(集水池) / a setting ~ 침전지(沈澱池). ③ 분지; 유역(river ~); 해분(海盆)(ocean ~); 《地質》 분지 구조; 퇴적 구조(에 있는 석탄·암염 등의 매장물).

‡**ba·sis** [béisis] (pl. **-ses** [-si:z]) n. Ⓒ ① 기초, 기저, 토대. ② 기본 원리, 원칙, 기준; 기초; 이유, 근거《*of*; *for*》; …체제: on a commercial ~ 상업 베이스로 / the ~ *of* 〔*for*〕 argument 논거 / on a five-day week ~ 주 5일제로 / He has no ~ *for* his opposition. 그에게는 반대할 근거가 없다 / The chairman is paid on a part-time ~. 회장은 비상근으로 급여가 지급된다. ③ (조제 등의) 주성분. ④ 《軍》 근거지. ⑤ 《數》 기저(基底). ◇ basic a. **on the ~ of** …을 기초로 하여: predict the result of an election *on the ~ of* an opinion poll 여론 조사를 기초로 하여 선거결과를 예측하다.

***bask** [bæsk, bɑ:sk] vi. 《+전+명》 ① 몸을 녹이다, 햇볕을 쬐다《*in*》: ~ *in* the sun. ② (은혜 따위를) 입다, 행복한 처지에 있다《*in*》: He ~*ed in* royal favor. 그는 임금의 총애를 받았다.

†**bas·ket** [bǽskit, bá:s-] n. Ⓒ ① 바구니, 광주리: a shopping ~ 시장 바구니. ② 한 바구니(의 분량); 바구니에 담은 물건: a ~ of eggs. ③ 바구니 모양의 것; (기구 따위의) 조롱(吊籠); (농구의) 골의 그물; 득점. **have** 〔**put**〕 **all** one**'s eggs in on ~** ⇨ EGG. ㊎ ~·like a.

‡**bas·ket·ball** [-bɔ̀:l] n. Ⓤ 《球技》 농구; Ⓒ 농구공.

básket càse ① 사지를 절단한 사람; 〔一般的〕 완전 무능력자. ②《美俗》 몹시 불안 초조해하는 사람, 노이로제에 걸린 사람. ③ 고장으로 움직이지 못하는 것.

***bas·ket·ful** [bǽskitfùl, bɑ́:s-] *n.* Ⓒ 한 바구니(분), 바구니 가득; 상당한 양《*of*》.

bas·ket·ry [bǽskitri, bɑ́:s-] *n.* Ⓤ 〔集合的〕 바구니; 바구니 세공품〔기술〕.

básket wèave 바구니 걷는 식의 직조법.

bas·ket·work [-wə̀:rk] *n.* Ⓤ 바구니 세공(품).

bas mitz·vah [bɑ̀:smítsvə] *n.* (종종 B- M-) =BAT MITZVAH.

Basque [bæsk] *n.* Ⓒ 바스크 사람《스페인 서부 Pyrenees 산지에 삶》; Ⓤ 바스크 말; (b-) Ⓒ 몸에 꼭끼는 bodice·짧은 웃옷.
— *a.* 바스크 사람〔말〕의.

bas-re·lief [bɑ̀:rilí:f, bæs-, ⌐-⌐] (*pl.* **~s**) *n.* Ⓤ,Ⓒ 얕은 부조(浮彫).

***bass**[1] [beis] *n.* Ⓤ,Ⓒ 〖樂〗 베이스, 낮은음; (가곡의) 낮은음부(=∠ **lìne**); 낮은음역; Ⓒ 낮은음 가수〔악기〕; 《口》 =BASS GUITAR, CONTRABASS.
— *a.* 〔限定的〕 〖樂〗 낮은음(부)의.

bass[2] [bæs] (*pl.* **∠·es,** 〔集合的〕 ~) *n.* Ⓒ 〖魚〗 배스《농어의 일종》.

bass[3] [bæs] *n.* =BASSWOOD; BAST.

báss clèf [béis-] 〖樂〗 낮은음 자리표. ⓒⓕ clef.

báss drúm [béis-] 〖樂〗 큰북.

bas·set [bǽsit] *n.* =BASSET HOUND.

básset hòrn 바셋혼《저음 클라리넷의 일종》.

básset hòund 바셋 하운드《다리가 짧고 몸통은 길고 귀가 쳐진 프랑스 원산의 사냥개》.

báss guitár [béis-] 〖樂〗 베이스 기타.

báss hórn [béis-] 〖樂〗 =TUBA.

bas·si·net [bæ̀sənét, ⌐-⌐] *n.* Ⓒ 포장 달린 요람〔유모차〕; (중세의) 철모(=**básinet**). 「(奏者).

bass·ist [béisist] *n.* Ⓒ 저음가수; 저음악기 주자

bas·so [bǽsou, bɑ́:s-] (*pl.* **~s, -si** [-si:]) *n.* Ⓒ 《It.》 〖樂〗 베이스 가수; 낮은음부《略: b.》.

bas·soon [bəsú:n, bæs-] *n.* Ⓒ 〖樂〗 바순, 파곳《낮은음 목관악기》; (풍금의) 낮은음 음전(音栓).
㊕ **~·ist** [-ist] *n.* Ⓒ 바순 취주자.

bass·wood [bǽswùd] *n.* Ⓒ 〖植〗 참피나무속의 식물; Ⓤ 참피나무 (목재).

bast [bæst] *n.* ① Ⓤ =BASSWOOD. ② Ⓤ 〖植〗 (참피나무 따위의) 인피(靭皮); 내피(內皮), 인피 섬유.

***bas·tard** [bǽstərd] *n.* Ⓒ ① 서자, 사생아《★ bastard는 경멸적인 뜻이 있으므로 illegitimate child를 쓰는 것이 바람직함》. ② 가짜. ③ (동식물의) 잡종. ④ **a**) 《美俗·蔑》 (개)자식, 새끼: Some ~ slashed the tires on my car. 어떤 개자식이 내 차의 타이어를 찢었어. **b**) 놈, 녀석《호칭할 때 친근함을 나타내기도 함》: Tom, you old ~! 이봐 톰 / a lucky ~ 운이 좋은 녀석. **c**) 《美俗》 싫은〔지겨운〕 것, 힘든 것: It was a ~ of a test. 그것은 아주 골치 아픈 시험이었다 / Life can be a real ~ at times. 인생이란 때로는 정말 지겨울 수 있다.
— *a.* 〔限定的〕 서출의, 사생아의; 잡종의; 가짜의, 모조〔위조〕의; 보통이 아닌, 비정상적인: a ~ apple 변종 사과 / ~ charity 위선. ◇ bastardize *v.*

bas·tard·ize [bǽstərdàiz] *vt.* …을 비적자(非嫡子)〔서출〕로 인정하다; 타락시키다; 질을 떨어뜨리다, 나쁘게 하다. — *vi.* 타락하다; 나빠지다.

bas·tar·dy [bǽstərdi] *n.* Ⓤ 서출(庶出).

baste[1] [beist] *vt.* …을 시침질하다.

baste[2] *vt.* 버터를 바르다《고기를 구우면서》, 양념을 치다: *Baste* the turkey at regular intervals during cooking. 요리하면서 일정한 간격을 두고 칠면조에 양념을 쳐라.

baste[3] *vt.* …을 치다, 때리다; 야단치다.

bást fìber 인피(靭皮) 섬유《저항력이 강하여 제지·직물 등의 공업용에 쓰임》.

bas·tion [bǽstʃən, -tiən] *n.* Ⓒ ① 〖築城〗 능보(稜堡). ② 요새; 《比》 (사상·자유 등의) 방어 거점. ③ 성채, 보루(堡壘): The English public school has long been the ~ of tradition. 영국의 퍼블릭스쿨은 오랫동안 (영국) 전통의 보루였다 / The club is one of the last ~*s* of male chauvinism. 그 클럽은 남성우월주의를 지키는 마지막 보루 중의 하나다 / They regard the wealth-producing system as a ~ of capitalistic privilege. 그들은 부(富)를 창출하는 제도를 자본주의적 특권의 보루로 간주한다.

†bat[1] [bæt] *n.* Ⓒ ① **a**) (야구·탁구 따위의) 배트, 타봉; 막대기, 곤봉; 《口》 (기수의) 채찍. **b**) 《口》 강타; 타구, 칠 차례; 타자(batsman). ② (진흙) 덩어리, (기와의) 깨진 조각. ③ 《美俗》 술잔치; 야단법석. ***at*** **~** 〖野〗 타석에 들어가: the side *at* ~ 공격측. ***behind the*** **~** 〖野〗 포수로서. ***carry*** 〔***take***〕 (***out***) **one's ~** 〖크리켓〗 1회가 끝날 때까지 아웃이 안 되고 남다; 《口》 끝까지 버티다, 결국 성공하다. ***come to*** **~** (일·시련 따위에) 직면하다; 타자가 되다. ***cross ~s with*** …와 경기하다. ***go*** (***at***) ***full*** **~** 전속력으로 나아가다. ***go on a*** **~** 《俗》 법석을 떨다. ***go to ~ for*** 《口》 …을 지지〔변호·옹호〕하다; …의 대타(代打)를 하다. ***off*** **one's *own*** **~** 《口》 자기의 노력으로; 제힘으로; 자발적으로. (***right*** 〔***hot***〕) ***off*** 〔***from***〕 ***the*** **~** 《口》 즉시: They asked me to sing (*right*) *off the* ~. 그들은 즉시 내게 노래부르라고 청했다.
— (***-tt-***) *vt.* …을 (배트 따위로) 치다; 쳐서 주자를 보내다; …의 타율로 치다 / He ~*ted* .278 this season. 올 시즌 타율은 2할 7푼 8리였다 《★ .278은 two seventy-eight 라 읽음》. — *vi.* 치다; 타석에 서다; 연타하다 ~ ***along*** 《俗》 (차가) 쑥쑥 움직이다, 빨리 달리다; = ~ around; 〖野〗 (1회에) 타자 일순하다. ~ ***around*** 《俗》 (거리 따위를) 이리저리 뛰어〔걸어〕다니다, 어슬렁거리다. ~ ***a runner home*** (공을) 쳐서 주자를 생환케 하다. ~ ***in*** 타점을 올리다: ~ *in* two runs, 2 타점을 올리다. ~ ***out*** 〖野〗 삼진이 되다; 《美俗》 급조하다, 조잡하게 만들다.

‡bat[2] *n.* Ⓒ 〖動〗 박쥐; 박쥐 폭탄《목표물에 자동 유도되는 유익(有翼) 폭탄》: In Australia, there's a gradual change in the type of ~*s* seen. 오스트랄리아에서 볼 수 있는 박쥐의 형태가 점차 바뀌고있다. (***as***) ***blind as a*** **~** 장님이나 다름 없는. ***have ~s in the*** 〔**one's**〕 ***belfry*** 《口》 머리가 돌다, 실성하다. ***like a ~ out of hell*** 《口》 맹속력으로.

bat[3] (***-tt-***) *vt.* 《美口·英方》 (눈)을 깜작〔깜박〕거리다: He ~*ted* his eyes at her. 그는 그녀에게 윙크를 던졌다. ***do not ~ an eyelid*** 〔***eye, eyelash***〕 《口》 눈하나 깜박이지 않다, 꿈쩍도 안 하다, 놀라지 않다; 한잠도 안 자다.

bat., batt. battalion; battery.

bat·boy [bǽtbɔ̀i] *n.* Ⓒ 야구팀의 잡일을 보는 소년.

batch [bætʃ] *n.* Ⓒ ① 한 벌; 한 묶음; 한 떼, 일단(一團)《*of*》; 〖컴〗 묶음, 배치《묶음 처리되는 작업단위의 집합》. ② (빵·도기 따위의) 한 가마, 한 번 구워낸 것.

batch-proc·ess [bǽtʃprɑ̀ses / -pròuses] *vt.*

〖컴〗 묶음 처리하다.
bátch pròcessing 〖컴〗 (자료의) 묶음처리.
bátch sỳstem 〖컴〗 묶음 처리 시스템.
ba·teau, bat·teau [bætóu] (*pl.* **~x** [-z]) *n.* Ⓒ 《Can.》 (하천용(河川用)의) 평저선(平底船).
Bath [bæθ, bɑːθ] *n.* ① 《英》 바스 훈위(勳位) (the Order of the ~). ② 영국 Avon 주의 온천지. ***Go to ~!*** 빌어 먹어라; 나가.
†**bath** [bæθ, bɑːθ] (*pl.* **~s** [bæðz, -θs, bɑː-]) *n.* Ⓒ ① 목욕, 입욕(入浴): a cold [hot] ~ 냉수욕[온수욕] / a solid ~ 고체욕(浴)《모래찜 따위》/ a succession ~ 냉온 교대 목욕. ② 흠뻑 젖음: in a ~ of sweat 땀에 흠뻑[흠씬] 젖어. ③ 목욕통(桶); 욕실(bathroom): There was a shelf over the end of the ~ with glass ornaments on it. 목욕통 끝 위에는 유리 장식품이 놓여 있는 선반이 있었다. ④ (종종 *pl.*) 공동 목욕탕; (*pl.*) 욕장, 탕치장(湯治場), 온천장(場): seawater ~*s* 옥내 해수 풀 / a room and ~ 욕실 딸린 방 / a private ~ 전용 욕실 / a public ~ 공중 목욕탕. ⑤ 목욕물; 용액(조(槽)); 전해조(電解槽): a hypo ~ 〖寫〗 현상 정착액(조). ⑥ (모래·물·기름 등의) 매개물에 의한 가열[냉각] 장치. ***a ~ of blood*** 피투성이; 대살육. ***give*** a person ***a ~*** 아무를 목욕시키다: It was his turn to *give* the baby *a* ~. 아기를 목욕시키는 것은 그의 차례였다. ***take*** [《英》 ***have***] ***a ~*** (1) 목욕하다. (2) 《美口》 파산하다; 큰 손해를 보다. ***take the ~s*** 온천 요양하다.
── *vt.* 《英》 (아이나 환자 등)을 목욕시키다.
── *vi.* 《英》 목욕하다; 《美俗》 크게 손해보다.
Báth [báth] chàir 환자용의 차양 달린 차(車)의자. cf. wheelchair.
‡**bathe** [beið] *vt.* ① 《~+목/+목+전+명》 …을 목욕시키다; (물·목욕물 따위)에 잠그다, 담그다; 적시다; 씻다(*in*): ~ a baby 갓난아기를 목욕시키다 / ~ one's feet *in* water 발을 물에 담그다. ② (파도 등이 기슭)을 씻다. ③ 《~+목/+목+전+명》 [종종 受動으로] (빛·온기 따위)를 가득 채우다; (온몸)을 감싸다; (땀·눈물이) …을 덮다: The valley *was* ~*d in* sunlight. 계곡에는 햇빛이 내리쬐고 있었다 / Her face *was* ~*d in* tears. 그녀의 얼굴은 눈물로 뒤범벅이 되어 있었다. ④ 《+목+전+명》 (스펀지로 환부 따위)를 씻다. ── *vi.* ① 《~/+전+명》 입욕[목욕]하다; 헤엄치다; 일광욕하다: At least 60% of us now ~ or shower once a day. 지금 적어도 우리 가운데 60%는 매일 한번 목욕하거나 샤워를 한다. ② (물 따위로) 덮이다. ~ (one***self***) ***in water*** [***the sun***] 미역감다[일광욕하다]. ~ one***'s hands in blood*** 손을 피로 물들이다, 살인하다. ── *n.* (a ~) 《英》 미역감기, (해)수욕. ***go for a ~*** 미역감으러[해수욕하러] 가다. ***have*** [***take***] ***a ~ in the sea*** 해수욕하다, 미역감다《★ take [have] a bath(목욕하다)와 구별해야 함》.
㊞ **báth(e)·a·ble** [-əbəl] *a.* 목욕할 수 있는.
bath·er [béiðər] *n.* Ⓒ 입욕자; 탕치객(湯治客); 《英》 수영자.
ba·thet·ic [bəθétik] *a.* 평범한, 진부한; 〖修〗 점강적(漸降的) (bathos)인.
bath·house [bǽθhàus, bɑ́ːθ-] *n.* Ⓒ 목욕장[탕]; 《美》 (해수욕장 따위의) 탈의장.
‡**bath·ing** [béiðiŋ] *n.* Ⓤ 미역감기, 수영; 목욕, 탕에 들어감: *Bathing* prohibited 수영금지《게시》/ Nude ~ is not allowed. 나체수영은 금지되어 있다. ── *a.* 수욕[수영]용의: a ~ hut [box] 《英》 해수욕장의 탈의장 / a ~ beach 해수욕장 / The report was critical of ~-water quality. 그 보도는 수영장의 수질에 대하여 비판했다.
báthing bèauty 수영복 미인《미인 대회의》.
báthing càp 수영모.
báthing còstume [drèss] 《英》 = BATHING SUIT: She wore a one-piece whites ~. 그녀는 흰색의 원피스 수영복을 입었다.
bath·ing-ma·chine [béiðiŋməʃìːn] *n.* Ⓒ (옛날의) 이동 탈의차[탈의실].
báthing sùit (특히 여성용의) 수영복.
báth màt 욕실용 매트.
ba·thom·e·ter [bəθámitər / -θɔ́m-] *n.* Ⓒ 수심 측정기.
ba·thos [béiθɑs / -θɔs] *n.* Ⓤ ① 〖修〗 점강법《장중한 어조에서 갑자기 흐름을 약하게 바꾸는 표현법》: a serious play with moments of comic ~ 희극적인 점강법의 계기가 있는 심각한 연극. ② 평범, 진부함. ③ 거짓[과도한] 감상(感傷).
bath·robe [bǽθròub, bɑ́ːθ-] *n.* Ⓒ 《美》 실내복 《목욕전후》: He got out of bed and pulled on his ~. 그는 잠자리에서 나와 실내복을 입었다.
‡**bath·room** [bǽθrù(ː)m, bɑ́ːθ-] *n.* Ⓒ ① 욕실; 화장실: Where's the ~? 화장실이 어딥니까. ② 《美》 변소: go to the ~ 화장실에 가다.
báthroom tìssue = TOILET PAPER.
báth sàlts 목욕용 방향제.
Bath·she·ba [bæθʃíːbə, bǽθʃəbə] *n.* 〖聖〗 밧세바《전 남편 우리아(Uriah)가 죽은 뒤 다윗의 아내가 되어 솔로몬을 낳음》.
bath·tub [bǽθtʌ̀b, bɑ́ːθ-] *n.* Ⓒ 《美》 욕조《★ 《英》에서는 일반적으로 bath 가 사용되며, bathtub 는 주로 고정되어 있지 않은 것을 말함》: He was found dead in the ~ in his apartment. 그는 자기 아파트 욕조에서 시체로 발견되었다.
bath·y·scaphe, -scaph [bǽθəskèif, -skæ̀f], [-skæf] *n.* Ⓒ 배시스케이프《심해 조사용 잠수정의 일종》.
bath·y·sphere [bǽθəsfìər] *n.* Ⓒ (심해 생물 조사용의) 구형(球形) 잠수 장치.
ba·tik [bətíːk, bǽtik] *n.* Ⓤ 납결(蠟纈)《밀(랍)을 이용한 염색법》; 그 피륙.
── *a.* [限定的] 납결 염색의.
ba·tiste [bətíːst, bæ-] *n.* Ⓤ 얇은 평직의 삼베[무명 등].
bat·man [bǽtmən] (*pl.* ***-men*** [-mən]) *n.* Ⓒ 〖英〗 육군 장교의 당번병.
bat mitz·vah [bɑːtmítsvə] *n.* Ⓒ (종종 B- M-) 《Heb.》 바트 미츠바《12-13세의 여자 성인식》. cf. bar mitzvah.
***ba·ton** [bətɑ́n, bæ-, bǽtən] *n.* Ⓒ ① (관직을 나타내는) 지팡이, 사령장(司令杖). ② 경찰봉: Police used ~*s* to beat back two groups of demonstrators. 경찰은 두 시위대를 퇴거시키려고 경찰봉을 사용했다. ③ 〖軍·樂〗 지휘봉: Children watch the marching band and dream of the day when they will be carrying the bass drum or twirling a ~. 아이들은 행진하는 악대를 보고 큰 북을 치거나 지휘봉을 빙글빙글 돌리는 날을 꿈꾼다. ④ 〖競〗 (릴레이의) 배턴: ~ passing 배턴 터치 / Larry Black almost caught him at the ~ pass. 래리 블랙은 배턴 터치할 때에 그를 거의 잡았다.
ba·ton-charge [bǽtəntʃɑ̀ːrdʒ] *vt., vi.* 《英》 (폭동 등에 대해) 경찰봉으로 공격하다. ── *n.* Ⓒ (폭동 등에 대해) 경찰봉으로 하는 공격: The police retaliated with ~*s*, tear-gas and water-cannons. 경찰은 경찰봉 공격, 최루탄과 물대포로 보복했다.
Ba·ton Rouge [bǽtnrúːʒ] 〖地〗 배턴루지 《Louisiana 주의 주도(州都)》.
batón twìrler 배턴 걸(twirler).
Ba·tra·chia [bətréikiə] *n.* Ⓒ 〖動〗 (꼬리 없는) 양서류(amphibia)《개구리·두꺼비 따위》.

㊁ **ba·trá·chi·an** *n.* Ⓒ *a.* 양서류(의).
bats [bæts] *a.* 〔敍述的〕《俗》 정신 이상의, 미친 (crazy) : go ~ 머리가 돌다.
bats·man [bǽtsmən] (*pl.* ***-men*** [-mən]) *n.* Ⓒ (야구 따위의) 타자.
batt. battalion ; battery.
***bat·tal·ion** [bətǽljən] *n.* ① Ⓒ 〖軍〗 대대 ; 대부대, 집단. ② (종종 *pl.*) 큰무리.
bat·ten[1] [bǽtn] *n.* Ⓒ 작은 널빤지, (작은) 오리목 ; 〖海〗 누름대, 활대. ── *vt.* …에 마루청을 깔다 ; 누름대로 보강하다. ── *vi.* (마루청을 깔아) 안전 대책을 세우다《*down*》. ~ ***down*** (the hatches) 누름대로 (승강구)를 막다 ; 만전의 경계를 하다.
bat·ten[2] *vi.* ① 살찌다. ② 《+전+명》 배불리 먹다《*on*》. ③ (남을 착취하여) 호화로운 생활을 하다《*on*》: ~ *on* cheap labor 값싼 노동력을 사용하여 사복(私腹)을 채우다 / ~*on* one's parents 부모에게 얹혀 살다. ── *vt.* …을 살찌게 하다, (토지 등)을 기름지게 하다.
‡**bat·ter**[1] [bǽtər] *n.* Ⓒ (야구・크리켓의) 타자.
bat·ter[2] *n.* Ⓤ (우유・달걀・밀가루 등의) 반죽.
‡**bat·ter**[3] *vt.* ① 《~+목/+목+전+명》 …을 연타〔난타〕하다 ; (파도 등이) …을 사납게 때리다 : Heavy seas ~*ed* the ship. 거친 파도가 배를 사납게 때렸다 / ~ a person *about* the head 아무의 머리를 난타하다 / ~ one's head *against* a wall 머리를 벽에 부딪치다. ② 《+목+부》 …을 쳐〔때려〕부수다《*down*》: He ~*ed* the door *down*. 그는 문을 때려 부수었다 / The rioters ~*ed* the door *to* pieces. 폭도들은 문을 산산조각으로 부수었다. ③ (모자・문 따위)를 마구 써서 쭈그러뜨리다. ④ …을 난폭하게 다루어 상하게 하다 ; 〖印〗 (활자)를 닳게 하다. ⑤ …을 학대〔혹평〕하다. ── *vi.* 《+전+명》 호되게 두드리다.
bát·tered báby 〔**chíld**〕 [bǽtərd-] 피학대「아(兒).
báttered wífe 남편에게 상습적으로 구타당하는 아내.
bát·ter·ing ràm [bǽtəriŋ-] 공성(攻城) 망치.
bat·tery** [bǽtəri] *n.* ① Ⓒ 〖軍〗 포열(砲列) ; 포병 중대 ; 포대 ; (군함의) 비포(備砲). ② Ⓤ 〖法〗 구타, 폭행. ③ Ⓒ 한 벌〔조〕의 기구〔장치〕; 일련 (set)《*of*》: undergo a ~ *of* tests 일련의 테스트를 받다 / The astronauts are busy conducting a ~ *of* tests. 우주 비행사들은 일련의 시험을 실시하느라 바쁘다. ④ Ⓒ 〖電〗 전지《cell을 몇 개 연결한 방식의》; 〖野〗 배터리《투수와 포수》; (아파트 모양의 다단식의) 일련의 계사(鷄舍) : They refused to eat eggs laid by ~ hens. 그들은 다단식의 일련의 계사방식으로 생산된 달걀을 먹는 것을 거부했다. ***the Battery New York시 Manhattan 섬에 있는 공원(= **Báttery Párk**).
***bat·ting** [bǽtiŋ] *n.* Ⓤ ① 타격 ; 〖野〗 배팅. ② 정제면(綿).
bátting òrder 〖野・크리켓〗 타순(打順).
‡**bat·tle** [bǽtl] *n.* ① Ⓤ 전투, 싸움 ; 전쟁 : The ~ of Gettysburg marked the turning point of the Civil War. 게티스버그 전투는 남북 전쟁의 전환점이 되었다. ② Ⓒ 투쟁 ; 경쟁. ③ (the ~) 승리, 성공 : *The* ~ is not always *to* the strong. 승리는 반드시 강자의 것이라고는 할 수 없다. ***half the*** ~ 《口》 절반의 성공〔승리〕: Youth is *half the* ~. 젊음이란 것이 성공의 반을 차지한다. ***have*** 〔***gain, win***〕 ***the*** ~ 이기다.
── *vi.* 《+전+명》 ① …와 싸우다《*against* ; *with*》: ~ *against* the invaders *for* independence 독립을 위해 침략자와 싸우다. ② (…을 위해) 투쟁〔고투〕하다《*for*》: ~ *for* freedom 자유를 위해 싸우다.
── *vt.* ① …와 싸우다. ② 〔~ one's way로〕 싸워〔애써〕 나아가다 : H ~*d his way* to the top of his profession. 그는 경쟁에 이겨, 사계(斯界)의 일인자가 되었다. ~ ***it out*** 《口》 결전을 벌이다, 끝까지 싸우다.
bat·tle-ax(e) [-æ̀ks] *n.* Ⓒ 전부(戰斧) ; 《口》 앙알거리는 여자《특히 아내》.
báttle crùiser 순양 전함.
báttle crỳ 함성 ; 표어, 슬로건.
bat·tle·dore [bǽtldɔ̀ːr] *n.* Ⓒ 깃털 제기 채. ***play ~ and shuttlecock*** 깃털 제기차기를 하다.
báttle fatìgue =COMBAT FATIGUE.
***bat·tle·field** [bǽtlfìːld] *n.* Ⓒ 전장 ; 《比》 투쟁장소 : For civilians caught in the middle of the ~ it's hard to know what's going on. 전쟁터 한가운데에서 붙잡힌 민간인들에 대해서는 어떻게 되었는지 알기가 어렵다.
bat·tle·front [-frʌ̀nt] *n.* Ⓒ 전선 ; 제일선.
bat·tle·ground [-gràund] *n.* Ⓒ 전쟁터 ; 논쟁의 원인 : Foreign diplomats are worried that the capital city may be the next ~, and they are urging their citizens to leave now. 외국 외교관들은 수도가 다음 전쟁터가 될 것이라고 걱정하면서 자국민들은 즉시 떠날 것을 강조하고 있다.
báttle jàcket 전투복의 상의 재킷.
bat·tle·ment [bǽtlmənt] *n.* (흔히 *pl.*) 총안(銃眼)이 있는 성가퀴. ⓒⓕ parapet. ¶ The ~*s* gave the place the air of an intimidating fortress. 성가퀴는 그 곳이 무서운 요새라는 분위기를 자아냈다.
báttle róyal *n.* Ⓒ 대혼전 ; 대논전(大論戰) ; (투계(鬪鷄)의) 큰 싸움.
bat·tle-scarred [-skɑ̀ːrd] *a.* 전상(戰傷)을 입은 ; 역전(歷戰)을 말해 주는 ; 닳고 헌.
***bat·tle·ship** [bǽtlʃìp] *n.* Ⓒ 전함 (ⓒⓕ warship) ; 《俗》 대(大)기관차 : The US announced the withdrawal of the ~ 'Iowa' and two escort ships. 미국 정부는 아이오와 전함과 호위함 두척의철수를 발표했다.
báttle wàgon 《美口》 전함(battleship).
bat·ty [bǽti] (***batt·i·er*** ; ***-ti·est***) *a.* 박쥐의〔같은〕; 《口》 머리가 돈(crazy) ; 어리석은(silly).
bau·ble [bɔ́ːbəl] *n.* Ⓒ 싸구려 ; 시시한 것 ; 장난감 ; 〖史〗 마술사의 마술지팡이 : Christmas trees are decorated with candle, fairy lights and coloured ~*s*. 크리스마스 트리는 양초, 요정같은 전등불 그리고 색깔있는 싸구려 용품들로 장식되어 있다.
baud [bɔːd] (*pl.* ~, ~**s**) *n.* Ⓒ 〖컴・通信〗 보드《정보 전달 속도의 단위》.
Bau·de·laire [boudəlɛ́ər] *n.* **Charles Pierre** ~ 보들레르《프랑스의 시인 ; 1821-67》.
Bau·dót còde [bɔːdóu-] 〖컴・通信〗 보도코드《5 또는 6 bit 로 된 같은 길이의 코드로 한 문자를 나타냄》.
baulk ⇨ BALK.
baux·ite [bɔ́ːksait, bóuzait] *n.* Ⓤ 〖鑛〗 보크사이트《알루미늄의 원광》.
Ba·var·ia [bəvɛ́əriə] *n.* 바바리아, 바이에른《독일 남부의 주》.
bawd [bɔːd] *n.* Ⓒ 포주 ; 창녀 ; 음담.
bawdy [bɔ́ːdi] (***bawd·i·er*** ; ***-i·est***) *a.* 추잡한, 음란〔음탕〕한 : ~ jokes 음란한 농담 / ~ stories 추잡한 이야기.
***bawl** [bɔːl] *vt.* ① 《~+목/+목+부》 …에게 고함치다, 외치다《*out*》; …을 소리쳐(서) 팔다 ;

《口》 …에게 호통치다《*out*》: She *~ed* him *out* for his mistake. 그녀는 그의 잘못에 대하여 호통을 쳤다 / The peddler *~ed* his wares in the street. 행상이 거리에서 물건 이름을 외치며 팔았다 / The boy was *~ing out* the latest edition of the evening paper. 소년은 오늘저녁 석간판이라고 큰 소리로 외치고 있었다. ② 《+목+보》〔再歸的〕 외쳐서 (…한 상태가)되다: ~ *oneself* hoarse 너무 외쳐 목이 쉬다.

— *vi.* 《~ / +부 / +전+명》 (…을 향해) 호통치다; 소리치다《*at*; *to*》: Don't ~ *at* her. 그녀에게 호통치지 마라 / I *~ed to* him (from) across the street. 나는 길 건너에서 그를 향해 소리쳤다 / ~ *for* help 소리쳐서 도움을 청하다.

— *n.* Ⓒ 외치는〔고함치는〕 소리; 울음.

㊥ ∠**·er** *n.*

‡**bay**[1] [bei] *n.* Ⓒ ① 만(灣), 내포《gulf 와 cove 의 중간으로 어귀가 비교적 넓은 것》: the Bay of Biscay 비스케이만 / We sailed into a beautiful, secluded ~. 우리는 이름답고 한적한 만 안으로 항해했다. ② 산으로 삼면이 둘러싸인 평지. ③ 《美》 산림으로 둘러싸인 초원.

bay[2] *n.* Ⓒ ①〖建〗 기둥과 기둥 사이; 교각의 사이. ② 내반이창《밖으로 내민 창》. ③ 건초〔곡물〕 두는 칸; 주차 구획; (역의) 측선(側線) 발착 플랫폼: Put the equipment in No 3 ~. 장비를 3번 칸에 넣으세요. ④〖海〗 중갑판 앞 부분의 한 구획《병실용》;〖空〗 (비행기 동체의) 격실, 칸.

bay**[3] *n.* Ⓤ ① 궁지; (짐승이 사냥개에게) 몰린 상태: A frightened animal at ~ can turn violent. 궁지에 몰린 놀란 동물은 사납게 돌변할 수 있다. ② 짖는 소리《특히 짐승을 쫓아가는 사냥개의》. ***be 〔***stand***〕 ***at*** ~ 궁지에 빠져 있다. ***bring*** 〔***drive***〕 ***to*** ~ 궁지에 몰아넣다. ***hold*** 〔***have***〕 ***at*** ~ 바짝 몰아넣어 안 놓치다. ***keep***〔***hold***〕 ***. . . at*** ~ …을 접근시키지 않다; 저지〔견제〕하다: Prisoners armed with baseball bats used hostages to *hold* police *at* ~. 야구 방망이로 무장한 죄수들은 경찰의 접근을 막고자 인질을 이용했다 / She left the light on at night to *keep* her fears *at* ~. 그녀는 밤에 공포심을 없애기 위해 불을 켜두었다. ***turn*** 〔***come***〕 ***to*** ~ 궁지에 몰려 반항하다.

— *vi.* 《~ / +전+명》 짖다, 짖어대다《*at*》: The hounds were *~ing* as they drew closer to the fox. 그들이 여우에 접근하였을 때 사냥개들은 짖어대고 있었다.

— *vt.* …을 보고 짖다; 짖으며 …을 가리키다; 몰아넣다: ~ a defiance 큰 소리로 반항하다. ~ **(*at*) *the moon*** 달을 보고 짖다; 무익한 짓을 기도하다.

bay[4] *n.* ① Ⓒ〖植〗 월계수. ② (*pl.*) 월계관; 영관(榮冠), 명성.

bay[5] *a.* 적갈색의. — *n.* Ⓒ 구렁말; Ⓤ 적갈색.

bay·ber·ry [béibèri, -bəri] *n.* Ⓒ 월계수의 열매;〖植〗 소귀나무의 일종; 그 열매《초의 원료》;〖植〗 야생 정향나무《bay rum 의 원료》.

báy lèaf 월계수의 말린 잎《향미료로 씀》.

bay·o·net** [béiənit, -nèt, bèiənét] *n.* Ⓒ 총검; (the ~) 무력; (*pl.*) 보병, 군세(軍勢): by *the* ~ 무력으로 / 2,000 *~s* 보병 2천 / a ~ charge 총검 돌격 / ~ drill 〔fencing〕 총검술(術) / He was forced to do it at the point of a ~. 총검을 들이대는 바람에 그는 억지로 그것을 했다. ***Fix 〔***Unfix***〕 ***~s!*** 꽂아〔빼어〕 칼《口令》.

— *vt.* (**-tt-**) ① …을 총검으로 찌르다〔죽이다〕, …에게 총검을 들이대다. ② 《+목+전+명》 …을 무력으로 강제하다: ~ people *into* submission 사람들을 무력으로 굴복시키다. — *vi.* 총검을 사용하다.

bay·ou [báiuː, -ou] (*pl.* *~s*) *n.* Ⓒ 《美南部》 (늪 모양의) 호수의 물목, 강 어귀.

báy rúm 베이럼《머리용 향유》.

báy trèe〖植〗 월계수(=**báy láurel**).

báy wíndow 퇴창, 내민 창; 《俗》 올챙이배.

***ba·zaar, ba·zar** [bəzɑ́ːr] *n.* Ⓒ (중동의) 시장, 저잣거리, 마켓; 잡화전, 특매장; 바자, 자선시(慈善市): Christmas ~ 크리스마스 특매장 / a charity ~ 자선시 / A group of friends organized *~s* and jumble sales to raise money for medical treatment for the children injured in the war. 한 친구들 모임이 전쟁으로 부상한 어린이들을 치료할 비용을 모금하기 위해 바자와 중고 잡화 특매장을 만들었다.

ba·zoo·ka [bəzúːkə] *n.* Ⓒ〖軍〗 바주카포(砲).

BB double-black (연필의 2B). **B.B.** Blue Book; Bureau of the Budget(예산국).

BBB treble-black(연필의 3B).

BBC, B.B.C British Broadcasting Corporation (영국 방송협회): The ~ faces increasing competition from the commercial channels, cable and satellite TV. 영국 방송 협회는 상업 채널과 케이블 및 위성 TV로 부터의 치열한 경쟁에 직면하고 있다.

bbl. (*pl.* ***bbls.***) barrel.

‡**B.C.** Bachelor of Chemistry〔Commerce〕; British Columbia; battery commander; birth control; before Christ: Dinosaurs became extinct 62 million years B.C. 공룡은 기원전 6천 2 백만년에 소멸되었다《★ '기원(후)'는 A.D.; B.C. 나 A.D.는 보통 숫자 뒤에서 small capital 로 씀》.

B / C bill for collection.

BCD [bíːsíːdìː]〖컴〗binary-coded decimal(이 진화 십진수).

BCG váccine [bìːsìːdʒíː-]〖醫〗 비시지 백신. [◂*B*acillus *C*almette-*G*uérin vaccine]

BCS〖컴〗 business communication system.

B.C.S. Bachelor of Chemical Science.

bd (*pl.* ***bds.***) band; board; bond; bound; bundle. **B / D** bank draft; bills discounted.

B.D. Bachelor of Divinity; bills discounted.

Bde. Brigade.

bd.ft board foot〔feet〕.

bdg. binding(제본). **bdl.** (*pl.* ***bdls.***) bundle.

B.D.S. Bachelor of Dental Surgery. **bds.** boards; bundles.

B.D.S.T. British Double Summer Time.

†**be** [biː, 弱 bi] (*pp.* ***been*** [bin / biːn, bin]) *vi.*, *aux. v.* ① 《+보 / +부 / +*-ing* / +*to* do / +전+명 / +*that*절 / +*wh.* 절 / +*wh. to* do》 …(이)다: John *is* my friend. 존은 나의 친구다 / Iron *is* hard. 쇠는 단단하다 / Twice two *is* four. 둘의 (두) 곱은 넷이다(2×2=4) / We *are* the same age. 우리는 동갑이다《the same 앞에 of 를 보충할 수 있으나 지금은 일반적으로 of 를 안 씀》/ *How are* you?—I *am* fine 〔very well〕, thank you. 어떠십니까 — 덕분에 별 탈 없습니다 / The trouble *is that* she does not like it. 곤란한 것은 그녀가 그것을 좋아하지 않는다는 것이다 / The question *is* not *what to* do but *how to* do it. 문제는 무엇을 해야 하는가가 아니라 어떻게 하여야 하는가이다 / All you have to do *is* (*to*) sign your name here. 자네는 여기에 서명만 하면 되네 《★회화에서는 to 가 생략되는 수가 있으며, 이때 원형 부정사가 직접 이어진다》/ Seeing *is* believ*ing*. 백문이 불여일견《-ing 형은 동명사》/ Paper *is of* great use. 종이는 대단히 유용하다 / Everyone *was*

against me. 모두가 나에게 반대였다〔반대했다〕/ I *am* quite well 〔*in* good health〕. 나는 건강하다 / *Be* quiet. 조용히 하시오 / To live *is to fight.* 인생은 투쟁이다 / The truth *was that* I didn't know. 사실은 나는 몰랐다 / What matters *is how* they live. 문제는 그들이 어떻게 사느냐다 / What is important *is how* they get along together. 중요한 것은 그들이 어떻게 함께 사이좋게 지내는가 하는 것이다.

語法 (1) 변칙(變則)동사(anomalous verb)의 하나로 어형(語形)변화에 특징이 있음.
(2) 의문문을 만드는데 주어와 도치되며 조동사 do 를 쓰지 않음: He is busy. →*Is he* busy?
(3) 부정문으로 할 때에도 do 를 안 씀: That is nice. →That *is not* 〔*isn't*〕 nice. 다만, 명령형에서는 흔히 do 를 쓰며, do 를 쓰지 않는 것은 옛 형태: *Don't be* a fool. 바보 같은 짓을 하지 마라. *Be* not afraid. 《古》 두려워하지 말지어다.
(4) 강조할 때 do 를 사용치 않고 be 동사를 세게 발음함: She *is* [-íz-] kind, indeed. 그녀는 정말 친절하다. 다만, 긍정(肯定) 명령형을 강조할 때에는 do 를 씀: *Do be* gentle to them. 제발 그들에게 부드럽게 대해 주게나.

직 설 법

시제	인칭	단 수 형	복수형	
현재	1	**I am**	we	**are**
	2	you **are** (《古》 thou **art**)	you	
	3	he / she / it } **is**	they	
과거	1	**I was**	we	**were**
	2	you **were** (《古》 thou **wast**〔**wert**〕)	you	
	3	he / she / it } **was**	they	

가 정 법

인 칭	현 재	과 거
I / we / you	be	were
《古》 thou	be	wert
he / she / it / they	be	were

부정사 (to) **be** 명령형 **be**

am [æm, 弱 əm, m], **is** [iz, 弱 z, s], **are** [ɑːr, 弱 ər]; **was** [wɑz, 弱 wəz / wɔz], **were** [wəːr, 弱 wər]; 《古》 **art** [ɑːrt]; **wast** [wɑst, 弱 wəst / wɔst], '**wert**' [wəːrt, 弱 wərt]; not 과의 간약형 **isn't** [íznt], **aren't** [ɑːrnt]; **was·n't** [wɑ́znt, wʌ́z- / wɔ́z-], **were·n't** [wəːrnt, -wə́ːrənt]; 대명사와의 간약형 **it's** [its], **I'm** [aim], **we're** [wiər], etc.

② 《~ / +전+명 / +부》 〔장소〕 (…에) 있다; (…에) 가〔와〕 있다, (…에) 나타나다; 〔副詞 따위와 결합하여〕 돌아오다, 끝나다; (언제·어느 날)이다: The vase *is on* the table. 꽃병은 테이블 위에 있다 / *Where is* Rome?—It *is in* Italy. 로마는 어디 있는가—이탈리아에 있다 / The key *was in* the lock. 열쇠는 자물쇠에 꽂혀 있었다 / Mother *is out.* 어머니는 외출중이다 / How long *have* you *been* here? 여기 오신 지 얼마나 되나요 / I *was with* the Browns then. 나는 당시 브라운가(家)에 있었다 / I'll *be there* 〔*back*〕 at 7. 일곱시에 가겠습니다〔돌아오겠습니다〕《도착 예정의 선언; I'll go 라고는 안 함》/ Will you wait here? I'll *only be a minute.* 기다려 주시오. 곧 돌아올테니까요〔끝납니다〕/ When's your birthday?—It's *on* the 19th of June. 생일은 언제죠—6 월 19 일입니다.

③ **a)** 〔there is 〔are〕의 형태로〕 …가 있다: *There are* three apples on the table. 테이블 위에 사과가 세 개 있다 / *Is there* a book on the desk?—Yes, *there is.* 책상 위에 책이 있습니까—네, 있습니다 / *There is* nothing new under the sun. 이 세상엔 별로 새로운 것이란 없다. **b)** (신(神)·사람·물건)이 존재하다(exist), 생존〔실재〕하다(live), 잔존〔지속〕하다; 일어나다: God *is.* 신은 존재한다 / Troy *is* no more. 이미〔이제〕 트로이는 없다 / I think, therefore I *am.* 나는 생각한다, 그러므로 존재한다 / Whatever *is,* is right. 무릇 존재하는 것이면 무엇이나 옳다 / To *be* or not to *be*; that is the question. 사느냐 죽느냐, 그것이 문제로다 / Woe *be* to you! 너에게 재앙이 있으라 / How can such things *be*? 이런 일이 어찌 있을〔일어날〕 수 있을까《★ '존재하다'란 뜻의 이 용법은, 위와 같은 특수한 예에 국한되며, 보통은 a) there is 의 형식》.

④ 〔be의 특수 용법〕 **a)** 〔조건절·양보절 등을 나타내는 假定法現在에서〕 《文語》: If it *be* fine ... 만일 날씨가 좋으면…《지금은 If it is fine... 이 보통》/ If any person *be* 〔《口》 *is*〕 found guilty ... 누구건 유죄(有罪)라고 판명되면… / *Be* it ever so humble, there's no place like home. 아무리 초라하다 해도 내집만한 곳은 없다(=However humble it may be, ...). **b)** 〔요구·명령·제안 등을 나타내는 동사 또는 이에 준하는 형용사에 잇따르는 that-節 중에서〕 《《英》에서는 흔히 should be》: I propose 〔suggest〕 *that* he *be* nominated. 그가 지명되기를 제안한다 / Was it necessary *that* my uncle *be* informed? 숙부에게 알리는 일이 필요했던가 / Resolved(= It has been resolved) *that* our salary *be* raised. 임금이 인상되었음을 결의함.

⑤ 〔be+to (do)의 형식으로〕 **a)** 〔예정〕 …하기로 되어 있다, …할 예정이다: We *are* 〔*were*〕 *to* meet at 6. 우리는 여섯 시에 만나기로 되어 있다〔있었다〕/ He *was to* have arrived at 4. 그는 4 시에 도착하기로 되어 있었는데(아직 도착 안 했다) / They *were to* have been married. 그들은 결혼하기로 되어 있었는데《完了不定詞를 쓰면 실현되지 않은 예정을 나타냄》. **b)** 〔의무·명령〕 …할 의무가 있다; …하여야 하다: When *am* I *to* start? 언제 출발해야 합니까 / You *are* not *to* leave this building. 이 건물을 나가서는 안 된다(=You should 〔must〕 not leave...) 《否定文에서는 금지를 나타냄》. **c)** 〔가능〕 《흔히 否定文에서》 …할 수 있다《to be done 을 수반함》: Not a soul *was to* be seen on the street. 거리엔 사람 하나 볼 수 없었다 / My hat *was* nowhere *to* be found. 내 모자는 아무데도 보이지 않았다. **d)** 〔운명〕 《흔히 過去時制로》 …할 운명이다: He *was* never *to* see his home again. 그는 고향에 다시는 못 돌아갈 운명이었다 / But that *was* not *to* be. 그러나 그렇게는 안 될 운명이었다. **e)** 〔필요〕《조건절에서》 …하는 것이 필요하다면 ; …해야 한다면 : If you *are to* succeed in your new job, you must work hard now. 이번 새로운 일에 성공해야만 한다면 지금 열심히 일해야 하네(=If you need to succeed...) / This book needs to be read several times *if* it *is to* be fully understood. 이 책을 완전히 이해하게 되려면 몇번이라도 읽어야 한다. 《if 이하는 in order to be fully understood와 비슷한 뜻임》. **f)** 〔목적〕 …하기 위한 것이다 : The letter *was to* announce their engagement. 편지는 그들의 약혼을 알리기 위한 것이었다.

⑥ 〔if... were to (do)〕 …한다고 하면《실현성이 없는 가정을 나타내어》: *If* I *were to* 〔*Were* I *to*〕 live again, I would like to be a musician. 다시 한번 인생을 산다면 음악가가 되고 싶다.

⑦ 〔be+現在分詞로 進行形을 만들어〕 **a)** …하고 있다, …하고 있는 중(中)이다 : She *is waiting* for you. 그녀가 당신을 기다리고 있습니다 / I have *been waiting* for an hour. 한 시간이나 전부터 기다리고 있다 / I *was* just *reading* a book. (그때) 한창 책을 읽고 있던 중이었다. **b)** 〔흔히 미래를 나타내는 副詞語句를 수반하여〕 …할 작정이다, …하기로 돼 있다 ; 〔왕래·발착을 나타내는 동사와 함께〕 …할 예정이다 : We'*re getting* out of here in a moment. 이제 곧 이곳을 빠져 나가는 거다 / I must *be going.* 이만 가봐야겠다 / She *is leaving* for Denver tomorrow. 그녀는 내일 덴버로 떠난다. **c)** 〔always, constantly, all day 따위와 함께 써서, 종종 비난의 뜻을 내포〕 끊임없이 …하고 있다 : He *is always smoking.* 그는 늘 (줄) 담배를 피운단 말야.

⑧ 〔be+他動詞의 過去分詞의 꼴로, 受動態를 만들어〕 …되다, …받다《동작》, …되어 있다《상태》: He *is trusted* by everyone. 그는 누구에게나 신뢰를 받는다 / The doors *are painted* green. 문은 초록으로 칠해져 있다 / The letter has *been posted.* 편지는 (이미) 투함되었다 / Make sure if the door *is shut.* 문이 닫혀 있는지 확인하시오 / I *was born* in 1963. 나는 1963년에 태어났다 / I *was surprised.* 나는 놀랐다《★ 마지막 두 예문에서 영어로는 수동태가 되는 것에 특히 주의할 것》.

⑨ 〔be+being+過去分詞〕 …되고 있는 중이다《수동태 진행형》: Houses *are being built.* 집들이 건축되고 있는 중이다.

⑩ 〔be+自動詞의 過去分詞 꼴로 完了形을 만들어〕 …했다, …해(져) 있다 : Winter *is gone.* 겨울은 지나갔다 / The sun *is set.* 해가 졌다 / How he *is grown!* 그애 놀랍게 자랐군 / He *is come.* 그는 와 있다 / *Gone are* the days... …의 시대는〔시절은〕 지났다《★ 운동·상태를 나타내는 자동사(arrive, come, fall, go, grow, set) 등에 쓰임. 'have+과거분사'에 비해, 동작의 결과인 상태를 강조함》.

⑪ 〔be+being+補語의 형식으로〕 《口》 지금〔현재〕 …하다, …하고 있다, …처럼〔하게〕 행동하다〔굴다〕 : I *am being* happy. 나는 지금 행복하다 / He *is being* a fool. 그 사람은 지금 바보처럼 굴고 있다 / "Be serious!"—"I *am being* serious." '진지하게 굴게나' '(지금) 진지하게 행동하고 있네'. 《★동사 be는 일반적으로 진행형에는 쓰이지 않지만, 이처럼 일시적 상태를 나타날 때에는 별도임》. ***as it were*** ⇨ AS. ***be about to*** ⇨ ABOUT. ***be it ever so...*** 비록 아무리 …라도. ***be it that...*** …이라고 해도. ***have been*** 왔다, 찾아 왔다 : *Has* any guest *been* yet? 손님이 벌써 오셨나. ***have been to*** (1) …에 가 본 일이 있다 : *Have* you ever *been to* New York? 뉴욕에 가 본 적이 있는가《비교 : *Have* you ever *been in* New York? '뉴욕에 있은 적이 있는가'. 후자는 체재를 암시. 다만, 후자는 종종 전자에 대용됨》. (2) …에〔를〕 갔다 오는 길이다 : I *have* just *been to* the library. 지금 도서관에 갔다 오는 길이다. ***if it had not been for...*** ⇨ IF. ***if it were not for...*** ⇨ IF. ***if need be*** ⇨ NEED.

be- *pref.* ① 동사에 붙여 '널리, 전부에 ; 전혀, 완전히 ; 심하게, 과도하게' 따위의 뜻 : *be*sprinkle ; *be*dazzle ; *be*laud. ② '떼어내다'의 뜻의 동사를 만듦 : *be*head, *be*reave. ③ 자동사에 붙여 타동사를 만듦 : *be*moan ; *be*smile. ④ 형용사·명사에 붙여 '…으로 만들다' 따위의 뜻의 타동사를 만듦 : *be*cripple ; *be*fool. ⑤ 명사에 붙여 '…으로 덮다, …으로 꾸미다, …을 비치하다'의 뜻을 지니는 타동사를 만듦 : *be*grime(d) ; *be*jewel(ed).

†**beach** [biːtʃ] *n.* ① Ⓒ 해변, 물가, 바닷가, 해안, 호숫가, 강변 : We're vacationing at the ~. 바닷가에서 휴가를 즐기고 있다. ② Ⓒ 해수욕장 ; 수영장 : We would go to the ~ in the morning and stay there all day. 우리는 아침에 해수욕장에 가서 하루종일 머물러 있곤 했다. ③ Ⓤ 《古》 〔集合的〕 (바닷가의) 모래, 조약돌.
on the ~ 물가〔해변〕에서 ; 뭍에 올라 ; 〔一般的〕 (선원 등이) 실직하여 ; 영락하여 ; (해군이) 육상 근무가 되어.
— *vt.* (배)를 바닷가에 올려 놓다〔끌어 올리다〕 : The boat had been *~ed* near the rocks. 보트를 암초 근처 해변에 끌어올렸다.

béach bàll 비치볼《해변·풀용의 대형 공》.

béach bùggy 사지(砂地)용 자동차.

beach·comb·er [-kòumər] *n.* Ⓒ ① (해변에 밀어닥치는) 큰 물결. ② 해안에서 표류물을 주워 생활하는 사람 ; 백인 부랑자《특히 태평양 제도의》, 부두 건달, 좀매기.

béach flèa 〖動〗 갯벼룩(sand hopper).

beach·head [-hèd] *n.* Ⓒ ① 〖軍〗 해안 교두보, 상륙 거점. cf. bridgehead. ② 발판 : The troops quickly established a ~ and were preparing to advance. 군대는 즉시 교두보를 설치하고 전진 준비를 하고 있었다.

béach umbrèlla 《美》 비치 파라솔.

beach·wear [-wɛ̀ər] *n.* Ⓤ 해변복.

***bea·con** [bíːkən] *n.* Ⓒ ① 횃불, 봉화 ; 봉화대〔탑〕 ; 등대 ; 신호소 : As part of the centenary celebrations a chain of *~s* was lit across the region. 백년 축제의 일부로써 봉화연락망은 그 지역을 건너질러 점화되었다. ② 수로(水路)〔항공, 교통〕 표지 ; 무선 표지(radio ~). ③ 지침(指針), 경고. ④ (B-) 《英》 …산, …봉(峰).
— *vt.* (표지로) …을 인도하다 ; …에 표지를 달다〔세우다〕 ; 경고하다 ; (횃불 따위로) 비추다.
— *vi.* (표지와 같이) 빛나다, 도움이〔지침이, 경계가〕 되다.

bead** [biːd] *n.* Ⓒ ① 구슬, 염주알 ; (*pl.*) 염주, 로사리오(rosary) ; (*pl.*) 목걸이 : She wore a necklace of brightly coloured wooden *~s.* 그녀는 화사하게 채색된 나무 로사리오로된 목걸이를 했다. ② (이슬·땀 따위의) 방울 ; (맥주 따위의) 거품《*of*》: *~s of* sweat 〔perspiration〕 구슬 같은 땀 / *~s of* dew 이슬 방울. ③ (총의) 가늠쇠 ; 〖建〗 구슬선. ④ (the ~s) 《美俗》 운명(destiny), 숙명(fate). ***draw 〔***get***〕 ***a ~ on*** 〔***upon***〕 《口》 …을 겨누다〔겨냥하다〕. ***in ~s*** 방울을 이루는, 염주 모양의. ***pray without*** one***'s ~s*** 계산 착오를 하다, 기대가 어긋나다. ***say*** 〔***tell, count, bid***〕 one***'s ~s*** 《文語》 (염주를 돌리며) 기도를 올리다.

— *vt.* …을 염주 모양으로 꿰어 잇다; 구슬로 장식하다; (땀·이슬 따위가) 구슬처럼 달리다《종종 受動으로 되며, 전치사는 *with*》: His face was completely ~*ed with* perspiration. 그의 얼굴은 땀투성이었다. — *vi.* 구슬 모양으로 되다; 거품이 일다.

bead·ed [bí:did] *a.* ① 구슬이 달려 있는, 구슬 모양으로 된: a ~ handbag 구슬(핸드)백. ② 거품이 인. ③ 땀방울이 맺힌.

bead·ing [bí:diŋ] *n.* Ⓤ 구슬 세공〔장식〕; 레이스 모양의 가장자리 장식; 〖建〗 구슬선 (장식).

bea·dle [bí:dl] *n.* Ⓒ 《英》 ① 교구〔법정〕의 하급 관리. ② (행렬시) 대학 총장 직권의 표지를 받드는 속관. ㊞ ~**·dom** [-dəm] *n.* Ⓤ 하급 관리 근성. ~**·ship** *n.* ~의 직분〔권위〕.

bead·work [bí:dwə̀:rk] *n.* Ⓤ 구슬 세공〔장식〕; 〖建〗 구슬선.

beady [bí:di] (***bead·i·er*** ; ***-i·est***) *a.* 구슬 같은〔달린〕: ~ eyes 작고 반짝이는 동그란 눈.

Bea·gle [bí:gl] *n.* (the ~) 비글호《Charles Darwin이 박물학 연구를 위해 항해했을 때 탔던 배》.

bea·gle [bí:gəl] *n.* Ⓒ 비글《토끼 사냥용의 귀가 처지고 발이 짧은 사냥개》. ㊞ **-gling** [-gliŋ] *n.* Ⓤ 비글을 써서 하는 토끼 사냥.

‡**beak** [bi:k] *n.* Ⓒ ① (육식조(鳥)의) 부리. ⓒⓕ bill[2]. ¶ Birds use their ~*s* to pick up food. 새들은 먹이를 쪼아먹기 위해서 부리를 쓴다. ② 부리 모양의 것; (주전자 등의) 귀때; (거북 등의) 주둥이; 《俗》 코, 《특히》 매부리코; 〖建〗 누조(漏槽); 〖船〗 이물. ③ 《英俗》 치안 판사; 《美俗》 재판관; 《英學生俗》 교사, 교장.
㊞ ~**ed** [-t] *a.* 부리가 있는; 부리 모양의.

beak·er [bí:kər] *n.* Ⓒ (굽달린) 큰 컵; 그 한 컵의 분량; 비커《화학 실험용》.

be-all (and end-all) [bí:ɔ̀:l(əndéndɔ̀:l)] *n.* (the ~) 가장 중요한 것, 궁극의 목적, 핵심; 정수(精髓)《*of*》: *The ~ and end-all of* a capitalist business is profits and dividends. 자본주의 기업의 궁극의 목적은 이윤과 배당금이다.

‡**beam** [bi:m] *n.* Ⓒ ① (대)들보, 도리. ② 〖船〗 가로 들보; 선복(船腹); (최대) 선폭(船幅); 《俗》 허리폭(幅). ③ 저울대; 저울; (베틀의) 말코; (기관의) 레버; (사슴뿔의) 줄기. ④ 광선, 광속(光束); 전자류(流); 《比》 (표정의) 빛남, 밝음, 미소. ⑤ 〖通信〗 신호전파, 지향성(指向性) 전파, 빔(radio ~); (확성기·마이크로폰의)유효 가청(有效可聽) 범위; 방송. ⑥ =BEAM COMPASS. ***on the*** ~ 〖空〗 지시 전파에 올바로 인도되어, 《口》 바른 방향으로, 궤도에 올라, 바로 이해하고. ***on the*** 〔one***'s***〕 ~(***'s***) ***ends*** 배가 몹시 기울어; 위험에 직면하여, 파산 직전에. ***the*** ~ ***in*** one***'s*** (***own***) ***eye*** 〖聖〗 제 눈속에 있는 들보《스스로 깨닫지 못하는 큰 결점; 마태복음 Ⅶ: 3》.
— *vi.* ① 빛나다; 빛을 발하다: We sat by the pool as the sun ~*ed* down. 우리는 태양이 내리쬘 때 수영장 옆에 앉았다. ② 《~/+전+명》 기쁨으로 빛나다《*with*》, 밝게 미소짓다《*on, upon; at*》: He ~*ed with* joy. 희색이 만면했다.
— *vt.* ① (빛)을 발하다, 비추다: (기쁨·즐거움 등)을 미소로 나타내다: She ~*ed* a hearty welcome. 그녀는 미소로써 진심어린 환영의 마음을 나타냈다. ② 《~+목/+목+전+명》 〖通信〗 (전파)를 …로 돌리다(direct)《*at; to*》; (프로그램)을 방송하다; (방향 지시 전파로) 발신하다; 레이더로 탐지하다: The Olympics will be ~*ed* by satellite around the world. 올림픽 대회는 위성으로 전세계에 방송될 것이다. ~ ***upon***〔***on***〕 a person 아무에게 방긋 미소짓다: Good fortune ~*ed on* him. 행운이 그에게 미소지었다. ~ ***with health*** 건강이 넘치다.

béam còmpass 빔 컴퍼스.

beam-ends [bí:mèndz] *n. pl.* 〖船〗 배의 가로 들보의 끝. ***on*** one***'s*** 〔***the***〕 ~ 위험에 처해서, 속수무책으로; 배가 옆으로 기울어, 《口》 무일푼이 되어.

「기쁨에 넘친.

***beam·ing** [bí:miŋ] *a.* 빛나는; 밝은, 웃음을 띤,

beamy [bí:mi] (***beam·i·er*** ; ***-i·est***) *a.* 빛나는; 대들보 같은, 굵은; (배가) 폭 넓은.

‡**bean** [bi:n] *n.* Ⓒ ① 콩 ② (콩 비슷한) 열매, 그 나무. ③ 콩꼬투리. ④ 《美俗》 음식, 먹을 것. ⑤ (*pl.*) 《口》 보잘 것 없는 것; 《美口》 〔주로 否定文〕 조금, 소량: He does*n't* know ~*s* about geography. 그는 지리에 대하여는 조금도 모른다. ⑥ 《美俗》 머리. ⑦ 《英俗》 〔주로 否定文〕 돈; 약간의 돈: I have*n't* a ~. 한 푼도 없다. ⑧ (*pl.*) 《俗》 엄벌, 때림.
full of ~***s*** (1) 어리석은; 틀린, 오해한. (2) 《口》 원기가 넘쳐. ***get*** ~***s*** 《俗》 꾸중듣다, 야단맞다; 얻어맞다. ***give*** a person ~***s*** 《俗》 …을 꾸짖다, 야단치다; 벌주다. ***have too much*** ~***s*** 원기가 넘쳐 흐르다. ***know*** ~***s*** 《美》 지혜가 있다, 무엇이나 알고 있다. ***know how many*** ~***s make five*** 약다; 빈틈없다. ***know*** one***'s*** ~***s*** 《美俗》 자기 전문에 정통하다.
— *vt.* 《口》 (머리)를 치다; 〖野〗 (투수가) 공을 던져 (타자)의 머리를 맞히다.

bean·bag [⌐bæ̀g] *n.* Ⓒ,Ⓤ 천조각으로 만든 작은 주머니에 마른 콩 따위를 넣어 만든 놀이 기구; 또는 그것으로 하는 놀이.

béan bàll 〖野〗 빈볼.

béan càke 콩깻묵.

béan cùrd 〔**chèese**〕 두부.

bean·feast [bí:nfi:st] *n.* Ⓒ 《英》 (연(年) 1회의) 고용주가 고용인에게 베푸는 턱; 《俗》 술잔치.

bean·ie [bí:ni] *n.* Ⓒ 베레(모).

beano [bí:nou] (*pl.* ~***s***) *n.* =BEANFEAST.

bean·pod [bí:npɑ̀d/⌐pɔ̀d] *n.* Ⓒ 콩꼬투리.

bean·pole [⌐pòul] *n.* Ⓒ 콩 섶; 《口》 키다리.

béan spròut 〔**shòot**〕 (흔히 *pl.*) 콩나물.

bean·stalk [⌐stɔ̀:k] *n.* Ⓒ 콩줄기, 콩대.

†**bear**[1] [bɛər] (***bore*** [bɔ:r], 《古》 ***bare*** [bɛər]; ***borne, born*** [bɔ:rn]) *vt.* ① 《~+목/+목+전+명/+목+부》 …을 나르다, 가져〔데려〕가다《*to*》: The demonstrators *bore* a banner aloft. 데모군중들은 플래카드를 높이 들고 있었다.
② …의 자세를 취하다.
③ 〔再歸的〕 처신〔행동〕하다.
④ (표정·모습·자취 따위)를 몸에 지니다: ~ an evil look 인상이 험악하다 / His hands ~ the marks of toil. 그의 손을 보면 고생했다는 것을 알 수 있다.
⑤ (무기·문장(紋章) 등)을 지니다, 갖고 있다.
⑥ 《~+목/+목+목/+목+전+명》 (악의·애정 따위)를 (마음에) 품다, 지니다《*against; for; toward*》: ~ a person love 아무에게 애정을 갖다 / ~ a grudge *against* …에게 원한을 품다 / Thank you for your advice, I will ~ it in mind. 충고해 주어서 고맙다, 마음에 간직하겠다.
⑦ (이름·칭호 등)을 지니다; (광석이) …을 함유하다: The document *bore* his signature. 그 문서에는 그의 서명이 있었다 / This ore ~*s* gold. 이 광석은 금을 함유하고 있다.
⑧ (소문·소식)을 가져오다, 전하다, 퍼뜨리다, (증언)을 해주다; 제공하다《*to*》: ~ news 〔tales〕 뉴스를〔소문을〕 퍼뜨리다.

⑨《~+目/+目+부》(무게)를 지탱하다, 버티다《*up*》: pillars that ~ a ceiling 천장을 떠받치고 있는 기둥 / The board is too thin to ~ (*up*) the weight. 판자는 너무 얇아 무게를 지탱하지 못한다 / His ankle now felt strong enough to ~ his weight. 지금 그의 발목이 몸무게를 지탱하기에 충분히 강하다고 느꼈다.
⑩ (의무·책임)을 지다, 떠맡다; (비용)을 부담하다; 분담하다; (손실 따위)에 견디다, (손실)을 입다; (비난·벌)을 받다; 경험하다: Will you ~ the cost〔responsibility〕? 그 비용〔책임〕을 떠맡겠소?
⑪《~+목/+-*ing*》…해도 좋다, …할 수 있다, …하기에 알맞다, …할 만하다: The accident ~*s* two explanations. 그 사고는 두 가지로 설명할 수 있다 / This cloth does not ~ wash*ing*. 이 천은 세탁을 할 수 없다, 이 천은 빨 수 없다 / The expression does not ~ translation. 이 표현은 번역할 도리가 없다 / It doesn't ~ think*ing* about. 그런 일은 도저히 생각할 수 없다.
⑫《~+목/+*to* do/+목+*to* do/+-*ing*+목+-*ing*》(고통 따위)를 참다, 배기다《★ can, could 등을 수반하여 특히 부정문이나 의문문에 쓰이는 일이 많음》: I *can* ~ the secret *no* longer. 이 이상 더 비밀을 지킬 수는 없다 / I *can hardly* ~ to see her suffering so. 그렇게 괴로워하고 있는 그녀를 차마 볼 수가 없다 / The strain must have been enormous but she ~ it well. 긴장감은 엄청났겠지만 그녀는 잘 참아냈다.
⑬《~+목/+목+목》(아이)를 낳다: She has *borne* him three children. 그녀는 그의 애를 셋 낳았다 / He was *born* in America. 그는 미국에서 태어났다 / He was *borne by* an American woman. 그는 미국인 어머니에게서 태어났다.
⑭ (열매)를 맺다; (꽃이) 피다.
⑮《比》(이자 따위)를 낳다, 생기게 하다.
⑯《+목+전+명》(관계·비율 따위)를 갖다: ~ a resemblance *to* …와 닮다〔비슷하다〕/ ~ a part in it. 그 일에 관계〔협력〕하다.
⑰ (권력 따위)를 쥐고 있다, 휘두르다.
⑱《+목+부》(남의 의견 따위)를 지지하다, (진술 따위)를 확인하다, 증명〔입증〕하다《*out*》: You will ~ me *out*. 내 말을 지지하겠지 / The facts ~ me *out*. 사실이 내 말을 뒷받침한다.
⑲《+목+부》…을 밀다, 몰아내다, 쫓다(drive, push): The police *bore* the crowd *back*. 경찰은 군중을 밀어내었다.
— *vi*. ① 지탱하다, 버티다: The ice will ~. 이 얼음판은 밟아도 괜찮을 테지.
②《+전+명》견디다, 참다《*with*》: I can't ~ *with* him. 그에겐 분통이 터진다.
③《+전+명》(…위에) 덮치다, 걸리다, 기대다, 내리누르다《*on, upon; against*》: The whole building ~*s on* three columns. 건물 전체가 기둥 세 개에 떠받쳐져 있다.
④《+전+명》(…을) 누르다, 압박하다《*on, upon*》: The famine *bore* heavily *on* the farmers. 기근은 농민들을 몹시 괴롭혔다.
⑤ 영향을 주다, 작용을 미치다, 관계하다, 목표하다《*on, upon*》: a question that ~*s on* the welfare of the country 국가의 복지에 관계되는 문제.
⑥《+전+명/+부》방향을 잡다, 향하다, 나아가다, 구부러지다《*to*》: ~ *to* the right 오른쪽으로 나아가다 / When you come to the city hall, ~ *left*. 시청까지 오면 왼쪽으로 도십시오《★《口》에선 turn이 더 일반적임》.
⑦《+부》(어떤 방향에) 위치하다: The island ~*s* northward. 섬은 북쪽에 위치한다.
⑧ 아이를 낳다; 열매를 맺다: The tree ~*s* well. 이 나무는 열매를 잘 맺는다.
~ *a hand* 거들다. **~ *and forbear*** 꾹 참다. **~ *a part*** 협력하다《*in*》. **~ *arms*** 무기를 들다〔휴대하다〕, 병역에 복무하다; 배반하다《*against*》; 〖紋章〗 문장(紋章)을 달다. **~ *away*** (1) 가져가다, (상(賞) 따위를) 타다, 쟁취하다; (사태·감정등이 사람을) 몰다: *be borne away* by passion 감정에 사로잡히다《흔히 受動으로》. (2)〖海〗(바람불어 가는 쪽으로) 침로를 바꾸다; 출항하다. **~ *back*** 물러나다; (군중 등을) 밀쳐내다; 제어하다. **~ a person *company*** 아무와 동행하다; 아무의 상대를 하다. **~ *date*** 날짜가 적혀 있다. **~ *down*** (적 따위를) 압도하다; (반대 따위를) 꺾어 누르다; 크게 분발하다; (배가) 서로 다가가다; (해산 때) 용쓰다: ~ *down* all resistance 모든 저항을 꺾어 버리다. **~ *down on* 〔*upon*〕** …에 엄습하다, …에 밀어닥치다; …을 내리누르다; …의 기세를 꺾다; …을 벌하다; 꾸짖다. 〖海〗(딴 배·육지)에 접근하다; …을 하려고 크게 노력하다; 역설하다. **~ *in hand*** 억제하다(control); 주장하다, 약속하다. **~ *in mind*** 마음에 새기다, 명심하다. **~ *off*** (1) (*vt*.) …을 견디다, 빼앗다, (상을) 타다; …의 목숨을 빼앗다. (2) (*vi*.)〖海〗(육지·딴 배에서) 멀어지다; 점점 옆으로 빗나가다, 서서히 멀어지다《*toward*》. **~ *on* 〔*upon*〕** ⇨ *vi*. ④; …쪽을 향하다; …에 관계가〔영향이〕 있다. **~ *out*** ⇨ *vt*. ⑱. **~ *up*** ⇨ *vt*. ⑲; 〖海〗진로를 바람 방향을 따라 돌리다. **~ *up for* 〔*to*〕** 〖海〗…을 향하여 나아가다. **~ *watching*** 볼〔주목할〕 가치가 있다; 경계(警戒)를 요하다. **~ *with*** …을 참다, …에 견디다. ***be borne away by*** (anger) (노여움이) 북받치다. ***be borne in upon*** a person 아무에게 확신을 주다: It *is borne in upon* (me) that… (나는) …라고 알고〔확신하고〕 있다. ***bring to* ~** (1) (힘 따위를) 집중하다, 발휘하다; 압력을 가하다《*on, upon*》: He *brought* all our abilities *to* ~ *upon* a difficult situation. 그는 그 난국에 모든 능력을 집중했다. (2) 돌리다: *bring* a gun *to* ~ *upon* the mark 총을 표적에 돌리다.

†**bear²** [bɛər] *n*. ① Ⓒ 곰《★ 새끼는 cub, whelp》: a black ~ 흑곰 / Two years ago, there was nothing but the brown ~ and the antelope in this area. 2년전 이 지역에는 갈색곰과 영양 이외는 아무것도 없었다. ② (the B-)〖天〗큰〔작은〕곰자리 (Ursa Major〔Minor〕). ③ Ⓒ 난폭한 사람; 음흉한 사내; (어떤 일을) 잘 하는〔견디는〕 사람, 열성가《*for*》. ④ Ⓒ〖證〗파는 쪽, 시세 하락을 내다보는 사람. cf. bull¹. ⑤ (the B-)《口》러시아. ⑥ 봉제(縫製) 곰인형(teddy ~). ⑦《學生俗》어려운 일〔과목〕. ◇ bearish *a*.
be a* ~ *for (일 따위)에 잘 버텨내다. ***be on the other* ~** 파는 편이 되다. ***cross as a* ~=*like a* ~ *with a sore head*** 몹시 찌무룩하다〔심사가 나쁘다〕. ***feed the* ~*s*** 《美俗》속도 위반에 걸리다; 주차 위반의 벌금을 물다. ***sell the skin before*** one ***has killed the* ~** 너구리 굴을 보고 피물돈 내 쓴다. ***skin the* ~ *at once*** 《美口》단적으로 요점을 찌르다.
— *a*. 〔限定的〕〖證〗(시세가) 내림세의; 약세의: a ~ market. 약세시장.

bear·a·ble [bɛ́ərəbəl] *a*. 견딜 수 있는.

bear·bait·ing [bɛ́ərbèitiŋ] *n*. Ⓤ 곰 놀리기.

bear·cat [bɛ́ərkæ̀t] *n*. Ⓒ〖動〗작은 판다.

‡**beard** [biərd] *n*. Ⓒ ① (턱)수염. cf. mustache, whisker. ② (염소 따위의) 수염; 굴·조개의 아가미; (섭조개의) 족사(足絲); 새의 부리 밑동의 깃털: A goat's ~ is the long hair that grow

under its mouth. 염소의 턱수염은 입아래에 자란 긴 털이다. ③ (낚시·화살 따위의) 미늘; (보리 따위의) 꺼끄러기(awns). ④ 활자의 면과 어깨 사이. ***laugh in*** one's ~ 비웃다. ***speak in*** one's ~ 중얼거리다. ***take*** a person ***by the*** ~ 〖聖〗 대담하게 공격하다《사무엘서 上 XVII : 35》. ***wear a*** ~ 수염을 기르고 있다. — *vt.* ① …의 수염을 잡아뽑다. ② …에게 공공연히 반항하다(defy). ③ (화살·낚시 바늘 따위)에 미늘을 붙이다. ~ ***the lion in his den*** 〔***lair***〕 힘겨운 상대에게 대담히 맞서다, 호랑이 굴에 들어가다.

beard·ed [bíərdid] *a.* (턱)수염이 난; (화살·낚시 바늘 등에) 미늘이 있는; 〔複合語를 만들어〕 (…의) 수염이 있는: a gray ~ man 회색수염의 남자.

beard·less [bíərdlis] *a.* (턱)수염이 없는; 풋내기의. [파] ~·**ness** *n.*

***bear·er** [bέərər] *n.* [C] ① 나르는 사람; 짐꾼. ② (어음·수표 등의) 지참인; (소식 등을) 갖고 온 사람, 사자(使者): a note payable to ~ 지참인불 어음〔일람출급어음〕. ③ 〔흔히 修飾語를 수반하여〕 열매 맺는〔꽃피는〕 식물.

béarer bònd 무기명 채권.

béar gàrden (옛날 bearbaiting 을 시킨 곳) 곰 사육장; 시끄러운 장소; 싸움판.

béar hùg (난폭하고) 강한 포옹.

bear·ing** [bέəriŋ] *n.* ① [U.C] 태도(manner), 거동, 행동거지: noble ~ 당당한 거동〔태도〕. ② [U.C] 관계, 관련(relation)《*on, upon*》; 취지, 의향, 뜻: His remarks have no ~ *on* the subject. 그의 말은 그 주제와는 무관하다 / the ~ of a word in its context 낱말의 문맥상의 뜻. ③ (종종 *pl.*) 방위(方位)(각); (상대적인) 위치. ④ [U] 인내(력). ⑤ (흔히 *pl.*) 〖機〗 베어링; 〖建〗 [C] 지점(支點), 지주(支柱). ⑥ (흔히 *pl.*) (방패의) 문장(紋章). ⑦ [U] 해산, 출산 (능력); 결실 (능력); 생산〔결실〕기; [U.C] 수확. ***consider 〔***take***〕 (a thing) ***in all*** (its) ~***s*** 모든 방면에서 고찰하다. ***get*** 〔***find***〕 one's ~***s*** 자기 입장을〔처지를〕 알다. ***have no*** 〔***some***〕 ~ ***on*** …에 관계가 없다〔약간 관계가 있다〕. ***lose*** 〔***be out of***〕 one's ~***s*** 방향을〔방위를〕 잃다; 어찌할 바를 모르다. ***take*** one's 〔***the***〕 ~***s*** 자기의 위치를 확인하다; 주위의 형세를 살피다.

bear·ish [bέəriʃ] *a.* ① 곰 같은, 난폭한, 무례한. ② 〖證〗 약세의. [opp] *bullish.* ¶ Many traders forecast a continuation of the market's recent ~ trend. 많은 업자들은 최근의 시장경기의 약세 경향이 계속될 것이라고 예상하고 있다. ③ 〔一般的〕 비관적인. [파] ~·**ly** *ad.*

bear·skin [bέərskìn] *n.* [U] 곰 가죽〔모피〕; [C] 곰 가죽 제품〔옷〕; 검은 털가죽 모자《특히 영국 근위병의》; [U] (외투용) 거친 나사 천.

‡**beast** [bi:st] *n.* ① [C] (인간에 대한) 짐승; 금수; (the B-) 그리스도의 적. ② [C] 동물, 《특히》 네발짐승《★ 이 뜻으론 animal 이 보통; 단, the king of *beasts* 백수(百獸)의 왕》. ③ [C] (*pl.* ~***s***, ~) 마소, 가축; 《英》〔集合的〕 육우(肉牛): a herd of forty ~(*s*), 40 마리의 가축 떼. ④ [C] 짐승 같은 놈, 비인간; (the ~) (인간의) 야수성. [opp] *angel.* ◇ beastly *a.* ***a ~ of burden*** 〔***draft***〕 짐 나르는〔짐마차를 끄는〕 짐승《마소·낙타 등》. ***a ~ of prey*** 맹수, 육식 짐승. ***a*** (***perfect***) ~ ***of a day*** 날씨가 (몹시) 나쁜 날. ***a wild*** ~ 야수. ***make a ~ of*** one***self*** 야수처럼 되다.

béast fàble 동물 우화.

***beast·ly** [bí:stli] *a.* ① 짐승 같은; 잔인한; 불결한. ② 《口》 불쾌한, 지겨운: We've had ~ weather all summer. 여름 내내 날씨는 아주 고약했다. — *ad.* 《口》 몹시, 아주

†**beat** [bi:t] (~; ~·***en*** [bí:tn], 《古》 ~) *vt.* ① 《~+[목] / +[목]+[전]+[명]》 (계속해서) …을 치다, 두드리다; (벌로) 때리다, 매질하다; 탈곡하다: ~ a person *on* the head 아무의 머리를 치다. ② 《~+[목] / +[목]+[전]+[명]》 …에 부딪치다: rain ~*ing* the trees 나무를 때리는 빗발 / ~ one's head *against* the wall 벽에 머리를 부딪치다 / The rain was ~*ing* (down) incessantly *on* the tin roof. 비는 계속 양철 지붕을 때리고 있었다. ③ (새가) 날개치다. ④ (북 따위)를 쳐서 울리다〔신호하다〕: ~ a charge 돌격의 북을 치다 / She ~ the drum slowly. 그녀는 북을 천천히 쳤다. ⑤ 《~+[목] / +[목]+[부] / +[목]+[전]+[명]》 (달걀 등)을 휘저어 섞다, 거품 일게 하다《*up*》: ~ drugs 약을 섞다 / ~ (*up*) three eggs 세 개의 달걀을 휘저어 섞다 / ~ flour and eggs *to* a paste 밀가루와 달걀을 섞어 반죽하다. ⑥ 《+[목]+[전]+[명] / +[목]+[보] / +[목]+[부]》 …을 때려 부수다《*against*》; (금속 따위)를 두드려서 펴다, 두드려 만들다《*into; out*》: ~ gold *into* a leaf 금을 두드려 금박을 만들다 / ~ gold flat 금을 두드려 납작하게 하다 / ~ *out* gold 금을 두드려 펴다. ⑦ 《~+[목] / +[목]+[전]+[명]》 (길)을 밟아 고르다〔굳히다〕; 진로를 열다: ~ a path 길을 내다; 진로를 개척하다 / ~ one's way *through* a crowd 군중 속을 뚫고 나아가다. ⑧ 〖樂〗 (박자)를 맞추다. ⑨ 《+[목]+[전]+[명]》 …을 때려 박다; 《比》 …을 주입시키다: ~ a stake *into* the ground 말뚝을 지면에 때려 박다 / ~ a fact *into* a person's head 사실을 아무의 머리에 주입시키다. ⑩ 《~+[목] / +[목]+*to* do》 〖獵〗 (숲 따위)를 뒤지며 찾아 (돌아)다니다《*for*》: ~ the woods *for* 〔in search of〕 the lost child 잃어버린 아이를 찾아 숲속을 뒤지다 / He ~ the town *to* raise money. 돈마련을 위해 시내를 뒤졌다. ⑪ 《~+[목] / +[목]+[전]+[명]》 …에 이기다《*at; in*》; …보다 낫다: No other hotel can ~ this *for* good service. 서비스에 있어서 이 호텔보다 나은 곳은 없다. ⑫ 《口》 …을 당혹시키다, 손들게 하다, …을 난처하게〔쩔쩔매게〕 하다: That ~*s* everything I have heard. 금시 초문의 괴상한 일이다. ⑬ 《~+[목] / +[목]+[전]+[명]》 《美口》 …을 속이다, 사취하다: He ~ the child *out of* a dollar. 그 어린애를 속여 1달러를 빼앗았다. ⑭ 《~+[목] / +[목]+[전]+[명]》 …보다 앞서 있다, …을 앞지르다: He ~ his brother home *from* school. 그는 형보다 먼저 학교에서 돌아왔다. ⑮ …을 두드려 내쫓다; 격퇴하다《*away; off*》; …을 털어버리다《*out of*》.

— *vi.* ① 《+[전]+[명]》 계속해서 치다《*at; on*》: Stop ~*ing at* 〔*on*〕 the door. 문을 그만 두드려라. ② (심장·맥박 따위가) 뛰다(throb): Although he was badly injured, his heart was still ~*ing*. 그는 몹시 다쳤지만 심장은 아직 뛰고 있었다. ③ 《+[전]+[명] / +[부]》 (비·바람·물결 등이) 치다; (해가) 내리쬐다《*against; on*》: The sun ~*s down on* him. 햇볕이 그의 머리위를 내리쬐고 있다. ④ 《~ / +[부]》 (북 따위가) 둥둥 울리다: Chimes ~ *out* merrily. 차임이 낭랑하게 울렸다. ⑤ 《口》 이기다(win). ⑥ 《+[부]》 (달걀 따위가) 섞이다: The yolks and whites ~ *well.* 달걀 노른자위와 흰자위는 잘 섞인다. ⑦ (날개를) 퍼덕이다(flap). ⑧ 〖海〗 바람을 거슬러 나아가다《*about*》. ~ ***about*** (1) 찾아 헤매다《*for*》. (2) ⇨ *vi.* ⑧. ~ ***about*** 〔《美》 ***around***〕 ***the bush*** 덤불 언저리를 두드려 짐승을 몰아내다; 넌지시 떠보다, 에두르다, 변죽 울리다; 요점을 말하지 않다: Don't ~ *about the bush*—get to the point! 변죽만 울리지 말고 핵심

을 말해라. ~ ***all*** 〔흔히, it, that를 주어로 하여〕 《口》 무엇보다 재미있다, 최고다 ; 사람을 놀라게 하다 : Doesn't *that* ~ *all !* 그건 놀라운 일이로구먼 ! ~ (***all***) ***hollow*** 《口》 결정적으로 패배시키다 ; 《口》 …보다(도) 훨씬 우수하다. ~ ***a path*** 〔***track***〕 ⇨ *vt.* ⑦. ~ ***a retreat*** 퇴각의 북을 치다 ; 퇴각하다 ; 달아나다 : She burst into tears, so I ~ *a* (hasty) *retreat.* 그녀가 울음을 터뜨리자 나는 달아나 버렸다. ~ ***away*** 계속해 치다 ; 두드려 털다 ; 두드려 내쫓다. ~ ***back*** 격퇴(擊退)하다 ; 불길을 막다. ~ ***down*** 타도하다, 쓰러뜨리다 ; 낙담〔실망〕시키다 ; (비가) (…에) 내리다 ; (햇빛이) 내리쬐다《*on*》; 값을 깎다. ~ ***in*** 쳐부수다, 쳐박다 ; (문을) 두들겨 열다 ; …를 때려 상처입히다. ~ a thing ***into*** a person***'s head*** ⇨ *vt.* ⑨. ~ ***it*** 《口》 (급히) 떠나다, 나가다 ; 달아나다, 내빼다 ; 《俗》《명령문》 꺼져라 : *Beat it* out of here. 썩 꺼져라. ~ ***off*** 격퇴하다 ; (경쟁 상대를) 떼어내다. 〖海〗 바람 불어가는 쪽으로 엇비스듬히 나아가다. ~ ***on*** …을 덮치다 ; (파도 따위가) 세차게 내리치다. ~ ***out*** ⇨ *vt.* ⑥. ; (불을) 두들겨 끄다 ; (음악·신호를) 쳐서 울리다 ; (아무를) 기진케 하다 ; 《美》 (상대를) 이기다, 격파하다 ; …를 능가하다 ; 〖野〗 (평범한 땅볼을) 내야 안타로 만들다 ; 타이프를 치다. ~ a person***'s brains out*** 《口》 ⇨BRAIN. ~ a person ***out of*** 아무에게서 …을 속여 빼앗다. ~ one***'s brains*** (***out***) 머리를 짜내(게 하)다 ; 열심히 일하다. ~ one***'s breast*** 〔***chest***〕 가슴을 치다《변명·장담을 위해》(cf breast-beating). ~ ***the devil around the bush*** 《口》 에둘러 말하다〔찾다〕. ~ ***the clock*** ⇨CLOCK. ~ ***the*** 〔***a***〕 ***drum*** 야단스럽게 선전하다 ; 마구 떠들어대다. ~ (***the***) ***hell out of*** . . . ⇨ HELL. ~ ***time to*** …에 박자를 맞추다. ~ a person ***to it*** 〔***the draw, the punch***〕 아무의 기선을 제하다, 앞지르다. ~ ***up*** (1) 기습하다 ; 놀라게 하다 : The government supporters are ~*ing up* anyone they suspect of favouring the demonstrators. 정부 지지자들은 시위자를 옹호한다고 의심되는 사람을 누구나 습격하고 있다. (2) 북을 두드려 소집하다. (3) ⇨ *vt.* ⑤. (4) (경관 등이 담당 구역을) 돌다. (5) 《俗》 마구 때리다, 괴롭히다, 꾸짖다. (6) 〖海〗 바람부는 쪽으로 엇거슬러 나아가다. ***Can you*** ~ ***that*** 〔***it***〕***?*** 〔***!***〕 《俗》 (어때) 듣고〔보고〕 놀랐지 ; 그런 일 본〔들은〕 적이 있나. ***to*** ~ ***the band*** 〔(***the***) ***hell, the cars, the devil, the Dutch***〕 《美口》 세차게, 맹렬히, 몹시 ; 《美口》 대량으로. ***It*** ~***s me.*** = ***Beats me.*** 《口》(전혀) 모른다 : "Why did he kill himself ?" — "*Beats me.*" "그는 왜 자살했지 ?" —"모르겠는데."

— *n.* ①Ⓒ 계속해서 치기 ; (북·종 따위의) 치는 소리 ; (시계) 소리 ; (심장의) 고동. ②Ⓒ (경찰관 등의) 순찰 (구역) : on one's 〔the〕 ~ 담당 지역 순시중 / Tom has worked as an officer on this particular ~ for 20 years. 톰은 20년간 이 특별 구역에서 경찰관으로 근무하고 있다. ③Ⓒ (손·발 따위로 맞추는) 박자, 장단 ; (재즈 등의) 강열한 리듬 ; (지휘봉의) 한 번 흔들기. ④Ⓒ〖物〗 맥놀이, 비트. ⑤Ⓒ (운각(韻脚)의) 강음 (stress). ⑥Ⓒ 《美》 (신문이 특종 기사로 타사를) 앞지르기(scoop), 특종. ⑦ 〔see〔hear〕 the ~ 꼴로〕《美方》(…을) 이기는〔능가하는〕 것《*of*》. ⑧ = BEATNIK. ⑨Ⓤ〖海〗 배가 바람을 엇거슬러 나아가기. ***be in*** 〔***out of, off***〕 one***'s*** ~ 《口》 전문 영역〔영역밖〕이다. ***off*** 〔***on***〕 (***the***) ~ 박자〔템포〕가 맞지 않아〔맞아〕 ; 상태가 좋지 않아〔좋아〕. ***pound a*** ~ 《美俗》 (경찰이) 도보순찰을 하다. A person***'s heart skips*** 〔***misses***〕 ***a*** ~. 놀람〔공포, 기쁨〕으로 심장이 멎을 것 같다.

— *a.* 《口》 ①〔敍述的〕 기진 맥진하여 : You've been working too hard, you look dead ~. 너는 너무 열심히 일해서 아주 지친 것같이 보인다. ②〔限定的〕《口》 비트족의. ③〔敍述的〕 놀라서.

‡**beat·en** [bíːtn] BEAT의 과거분사.

— *a.* 〔限定的〕 ① 두들겨 맞은. ② 진. ③ 두드려 편 : She was wearing a necklace of ~ gold. 그녀는 두드려만든 금박 목걸이를 하고 있었다. ④ 밟아 다져진. ⑤ 기진 맥진한 ; (옷 따위가) 해어진. ⑥ 뒤섞인, 거품이 인. ***off the*** ~ ***track*** 〔***path, road***〕 사람이 별로 가지 않는〔알지 못하는〕 ; 상궤를 벗어난, 관습을 깨고 ; 신기한 : The farmhouse we stayed in was completely *off the* ~ *track.* 우리가 머물렀던 농가는 사람들이 거의 다니지 않는 곳이었다.

beat·er [bíːtər] *n.* Ⓒ ① 치는 사람 ; 몰이꾼. ② 두드리는 기구 ; (달걀의) 거품 내는 기구 ; (믹서의) 회전 날.

béat generátion (the ~) 비트족(의 세대).

be·a·tif·ic, -i·cal [biːətífik], [-əl] *a.* ① 《文》 축복을 내리는. ② 행복에 넘친, 기쁜.

be·at·i·fi·ca·tion [biːæ̀təfikéiʃən] *n.* Ⓤ 축복 ; 〖가톨릭〗 시복(諡福)(식).

be·at·i·fy [biːǽtəfài] *vt.* …을 축복하다 ; 〖가톨릭〗 …에게 시복(諡福)하다.

beat·ing** [bíːtiŋ] *n.* ①Ⓤ 때림 ; 매질 ; 타도. ② (a ~) 패배 : take 〔get〕 *a* terrible ~ 참패를 맛보다. ③Ⓤ (심장의) 고동. ④Ⓤ 날개치기 ; 〖海〗 바람을 엇거슬러 나아가기. ⑤Ⓤ〖泳〗 물장구질 ; (금속을) 두들겨 펴기. ⑥ (a ~) 정신〔물질〕적 타격 : He took 〔got〕 *a* ~ in the stock market. 그는 증권에서 큰 손해를 봤다. ***get 〔***give***〕 ***a good*** ~ 호되게 얻어맞다〔때리다〕. ***take some*** 〔***a lot of***〕 ~ 이기기 어렵다 : Lewis's new world record will *take some* ~. 루이스의 세계 신기록은 너무 훌륭해서 기록을 갱신한다는 것은 아주 힘들 것이다.

be·at·i·tude [biːǽtətjùːd] *n.* Ⓤ 지복(至福) 〖聖〗 팔복(八福) 《마태복음 V : 3-11》.

Bea·tles [bíːtlz] *n. pl.* (the ~) 비틀스.

beat·nik [bíːtnik] *n.* Ⓒ 비트족의 사람.

beat-up [bíːtʌ́p] *a.* 〔限定的〕《美口》 낡은 ; 지친.

beau [bou] (*pl.* ~***s***, ~***x*** [-z]) *n.* Ⓒ 멋쟁이〔상냥한〕 남자, 미남 ; 여자의 상대〔호위〕를 하는 남자 ; 구혼자, 연인, 보이프렌드.

Béau·fort scále [bóufərt-] 〖氣〗 보퍼트 풍력 계급.

béau idéal 《F.》 (*pl.* ***beaus ideal, beaux ideal, beau ideals***) 이상미(理想美).

Beau·jo·lais [bòuʒəléi] *n.* Ⓤ 프랑스산 적포도주.

beau monde [bóumὰnd / -mɔ̀nd] 《F.》 사교계, 상류 사회.

beaut [bjuːt] *n.* Ⓒ, *a.* 〔종종 反語적〕 미인, 아름다운 (것).

beau·te·ous [bjúːtiəs] *a.* 〔限定的〕《詩》 황홀할 정도로 아름다운.

beau·ti·cian [bjuːtíʃən] *n.* Ⓒ 미용사 ; 미장원 경영자.

beau·ti·fi·ca·tion [bjúːtəfikéiʃən] *n.* Ⓤ 미화 ; 장식.

†**beau·ti·ful** [bjúːtəfəl] (***more*** ~ ; ***most*** ~) *a.* ① 아름다운, 고운, 예쁜. ② 산뜻한, 훌륭한, 뛰어난 : He has ~ manners. 그는 훌륭한 매너를 갖고 있다. ③ 더할나위 없는, 훌륭한. — *n.* (the ~) 아름다움(beauty) ; 〔集合的〕 아름다운 것, 미녀들. — *int.* 《口》 좋아 !, 됐어 ! 《적극적인 만족감을 나타낼 때》 : *Beautiful !* Hold it right there ! (사진 찍을 때에) 좋아, 그대로 (가만히).

[파] ‡~·ly *ad.* 아름답게 ; 《口》 매우.

béautiful péople (흔히 the ~ ; 종종 B-P-) 〔集合的 ; 複數 취급〕 미와 우아한 유행을 창조하는 상류 사교계 인사들.

***beau·ti·fy** [bjú:təfài] *vt.* …을 아름답게 하다, 훌륭하게 하다. ── *vi.* 아름다워지다. ◇ beautification *n.*

‡**beau·ty** [bjú:ti] *n.* ① [U] 아름다움, 미 ; 미모 : manly 〔womanly, girlish〕 ~ 남성〔여성, 처녀〕미 / *Beauty* is but skin-deep. 《俗談》 미모는 거죽만의 것《겉보다는 마음씨》/ *Beauty* is in the eye of the beholder. 제 눈에 안경 / A thing of ~ is a joy forever. 아름다운 것은 영원한 기쁨이다. ② [C] 아름다운 것, 훌륭한 것 ; 미인 : Well, you are a ~. 자넨 대단한 친구군〔괴짜군〕. ③ 〔集合的〕 가인(佳人)들 : All the ~ of the town was there. 마을의 온 미인들이 모여 있었다. ④ (종종 *pl.*) 미점, 좋은 점 ; (문학서의) 절묘한 대목 ; 가경(佳境).

béauty còntest 〔**shòw**〕 미인 선발 대회.

béauty pàrlor 〔**salòn,** 《美》 **shòp**〕 미장원.

béauty quèen 미인 대회의 여왕.

béauty slèep 초저녁잠.

béauty spòt ① 만들어 붙인 점(patch). ② 사마귀, 점(mole) ; 경승지.

beaux [bouz] BEAU 의 복수.

beaux-arts [bouzá:r] *n. pl.* 《F.》 미술(fine arts).

‡**bea·ver**[1] [bí:vər] (*pl.* **~s,** ~) *n.* ① [C] 비버, 해리(海狸). ② [U] 비버 모피 ; [C] 비버 모피로 만든 모자, 실크해트 ; 두꺼운 나사의 일종. ③ [C] 《口》 (일·공부에) 끈질긴 사람 ; 일벌레([cf.] eager beaver). ④ [C] 《美卑》 여자의 성기 ; 《美俗》 여자. ***work like a*** ~ 《口》 부지런히 일하다.
── *vi.* 《口》 부지런히 일하다《*away* (*at*)》.

bea·ver[2] *n.* [C] (투구의) 턱가리개.

bea·ver·board [bí:vərbɔ̀:rd] *n.* [C] 목재 섬유로 만든 가벼운 판자.

be·bop [bí:bɑ̀p / -bɔ̀p] *n.* [U] 모던 재즈 음악의 가장 초기의 형식.

be·calm [biká:m] *vt.* ① 〖海〗 바람이 자서 (돛배)를 멈추게 하다《★ 보통 과거분사로 쓰임》: The ship lay ~*ed* a week. 바람이 없어 배는 1주일이나 멈춰 있었다. ② 잠잠하게〔가라앉게〕 하다(calm) : the ~*ed* peace talks 진전없는 평화회담 / Polish industry generally is ~*ed*. 폴란드 공업은 대체로 정체되어 있다.

†**be·came** [bikéim] BECOME 의 과거.

†**be·cause** [bikɔ́:z, -kʌ́z, -kʌ́z / -kɔ́z] *conj.* 〔副詞節을 이끌어〕 ① (왜냐하면) …이므로〔하므로〕, …한 이유로, …때문에 : *Because* I trust him, I have appointed him. 그를 믿기 때문에 임명했다 / Why aren't you going? —*Because* I am busy. 왜 안 가지—바쁘기 때문입니다《why에 대한 대답은 언제나 because .... 단, 상대의 물음이 틀렸을 때에는 but 으로 시작함 : *But* I' am. 아뇨, 갑니다》.
② 〔否定語에 수반되어〕 …라고 해서(—은 아니다) 《★ 이 뜻의 경우 comma는 붙지 않음》: Do*n't* despise a man (only) ~ he is poorly dressed. 옷차림이 초라하다고 해서 (그것만으로) 사람을 경멸해서는 안된다 / Just ~ a man is rich, you ca*n't* say (that) he is happy. 사람이 부자라고 해서 그것만으로 행복하다고는 할 수 없다《★ because 節은 just, only, simply, chiefly 따위 정도를 나타내는 副詞로 한정될 때가 많음》.

> [參考] (1) because를 수반하는 부정문은 앞뒤 관계에 따라 여러 가지 뜻을 지닐 수가 있음 : I did*n't* leave him *because* he was poor. ⓐ 나는 그가 가난하다고 해서 그의 곁을 떠나지는 않았다《가난했지만 안 떠났다》. ⓑ 나는 그가 가난해서 그의 곁을 떠난 것은 아니다《그의 곁을 떠난 것은 그가 가난했기 때문이 아니다. ≒If 〔When〕 I left him, it was not *because* he was poor.》. ⓒ 그가 가난했으므로, 나는 그의 곁을 떠나지 않았다《그는 도움을 필요로 했으므로, 따위》. ⓒ의 뜻일 때는 보통 because 앞에 콤마를 붙임.
> (2) reason과의 병용(倂用) : the reason is because... '이유는 …이기 때문이다' 는 구어에서는 허용이 되지만 쓰는 문장에서는 the reason is that...을 바른 것으로 인정함 : The *reason* (why I do not like this class) is *that* the teacher is too pedantic. (내가 이 수업을 좋아하지 않는) 까닭은 선생님이 지나치게 꼼꼼하고 〔자기 지식을 과시하기〕 때문이다.

all the more ~ …하기〔이기〕 때문에 더 한층〔오히려 더〕 : I want to go *all the more* ~ I learned she's going too. 그녀 또한 간다기에 더욱 더 가고 싶다. ~ ***of*** …한〔의〕 이유로, …때문에 (owing to) : We changed our plans ~ *of* her late arrival. 그녀가 지각했기 때문에 계획을 바꿨다《... because she arrived late가 구어적임》. ***none the less*** ~ …임에도 불구하고 (역시), …한데도 (그래도) : I like him *none the less* ~ he is too good-natured. 그는 지나치게 착하기만 한데 도리어 호감이 간다.

bé·cha·mel [béiʃəmèl] *n.* [U] 베샤멜.

beck[1] [bek] *n.* [C] 고갯짓(nod) ; 손짓(으로 부름) ; 《주로 Sc.》 절(bow). ***be at*** a person***'s*** ~ (***and call***) 아무가 하라는〔시키는〕 대로 하다. ***have at*** one***'s*** ~ 마음대로 부리다.
── *vt., vi.* 《古》 =BECKON.

beck[2] *n.* [C] 《英北部》 시내(brook), 계류(溪流).

Beck·ett [békit] *n.* **Samuel** ~ 베케트《아일랜드 태생의 프랑스 소설가·극작가 ; Nobel 문학상 수상(1969) ; 1906-89》.

***beck·on** [békən] *vt.* ① (~+[목] / +[목]+*to* do / +[목]+[부]) 손짓〔고갯짓, 몸짓〕으로 (사람)을 부르다 ; (머리·손 따위로) …에게 신호하다《*to*》: He ~*ed* (to) me *to* come in. 내게 들어오라고 손짓〔신호〕했다. ② …을 유인〔유혹〕하다. ── *vi.* 《+[전]+[명]》 손짓해 부르다 ; 신호하다《*to*》: 부르다 ; 유혹하다 : The blue sea ~*s*. 푸른 바다가 유혹한다.

Becky [béki] *n.* 여자 이름《Rebecca 의 애칭》.

be·cloud [bikláud] *vt.* …을 흐리게 하다 ; 어둡게 하다 ; (뜻을) 모호하게 하다 ; (의론 따위를) 혼란시키다.

†**be·come** [bikʌ́m] (***be·came*** [bikéim] ; ***be·come***) *vi.* ① 《+[보] / +*done*》 …이〔으로〕 되다 : She then *became puzzled.* 그러자 그녀는 뭐가 뭔지 모르게 되었다 / After giving up smoking, he *became* fat and irritable. 금연 이후에 그는 살이 찌고 감수성이 예민해졌다.

> [語法] (1) 보어에는 명사·형용사 과거분사가 오지만 구(句)가 올 때는 become 을 피하고 대신 come 을 씀 : *come* of age 성년에 달하다. *come* out of order 고장이 나다.
> (2) 미래를 나타내는 '…이 되다'에는 become을 쓰지 않고 be를 쓴다.
> (3) become(…하게 되다) 다음에는 부정사는 쓰지 않고 대신 come 을 사용함.

② 오다 ; 생기다.
── *vt.* ① …에 어울리다, 맞다. ② …답다.

~ *of* 〔疑問詞 what을 主語로 해서〕 …이 (어떻게) 되다: *What* has ~ *of* him? 그는 어찌 되었을까 ; 《口》 어디 갔을까 / I'm not sure *what* will ~ *of* him. 그런데 그는 어떻게 될는지.

***be·com·ing** [bikʌ́miŋ] *a.* 어울리는, 걸맞은, 적당한(suitable) 《*for; to; in*》: That kind of behavior is not very ~ *for* a teacher. 그 같은 행동은 교사에게는 너무나 어울리지 않는다.
㊞ **~·ly** *ad.* **~·ness** *n.*

bec·que·rel [bèkərél] *n.* 【物】 베크렐.

†**bed** [bed] *n.* ① Ⓒ 침대, 침상 ; (가축의) 잠자리, 깔 짚(litter) : He is too fond of his ~. 그는 게으름뱅이다. ② ⒸⓊ 취침(시간), 숙박 ; 동침, 결혼, 부부 관계 ; 《口》 성교(性交). ③ Ⓒ 〔종종 複合語를 만들어〕 모판, 화단(flower bed) ; (굴 따위의) 양식장. ④ Ⓒ 병원의 환자 수용수(數). ⑤ Ⓒ 토대 ; 포상(砲床), 총상(銃床) ; (철도의) 노반(路盤), 도상(道床) ; 지층, 층(stratum) ; (벽돌·타일 따위의) 밑면 : The railway was built on a ~ of solid rock. 철로는 단단한 바위로 된 노반 위에 부설되었다. ⑥ Ⓒ 하천 바닥, 하상(河床) ; 호수 바닥. ⑦ Ⓒ 조선대(造船臺). ⑧ Ⓒ 《比》 무덤(grave).

a ~ of roses 안락한 신분〔경우, 살림〕. ***a ~ of dust = a narrow ~*** 무덤. ***a ~ of honor*** 전몰 용사의 무덤. ***a ~ of sickness*** 병상(病床). ***a ~ of thorns*** 〔***nails***〕 괴로운 처지 ; 바늘 방석. ***be brought to ~*** (***of a child***) 아이를 낳다. ***be confined to*** one***'s ~*** 병상에 누워 있다. ***~ and board*** 숙박과 식사 ; 결혼 생활. ***before ~*** 취침 전에. ***be in ~*** 자고 있다 ; 성교를 하고 있다. ***change a ~*** 《美》 침대의 커버를 바꾸다. ***die in*** one***'s ~*** 《口》 제명대로 살다가 죽다. ***early to ~ and early to rise*** 일찍 자고 일찍 일어나기. ***get a ~ at*** (an inn) (여관)에 투숙하다. ***get out of ~*** 잠자리에서 일어나다. ***get up on the right*** 〔***wrong***〕 ***side of the ~*** (그 날의) 기분이 좋다〔나쁘다〕(= get out of ~ on the right 〔wrong〕 side). ***go to ~*** (1) 잠자리에 들다. (2) (이성과) 동침하다《*with*》. ***Go to ~!*** 《俗》 입 닥쳐, 시끄러워. ***go to ~ with chickens*** 일찍 자다. ***have*** one***'s ~*** 출산 자리에 들다(= take to (a) ~). ***keep*** one***'s ~*** 몸져 누워 있다. ***leave*** one***'s ~*** (병이 나아서) 자리를 털고 일어나다. ***lie in***〔***on***〕 ***the ~*** one ***has made*** 자기가 한 일에 책임을 지다. ***make a***〔***the,*** one***'s***〕 ***~*** 잠자리를 깔다〔개다〕: As you *make your* ~, so you must lie in 〔upon〕 it. =One must *lie in*〔*on*〕 *the* ~ one *has made.* 《俗談》 자기가 뿌린 씨는 자기가 거둬야 한다. ***make up a ~*** 새 잠자리를 마련하다, 임시 잠자리를 준비하다. ***put to ~*** (아이를) 재우다 ; 인쇄기에 걸다, 인쇄에 돌리기 전 마무리하다. ***share the ~*** 잠자리를 같이하다. ***sit up in ~*** 잠자리에서 일어나 앉다. ***take to*** one***'s ~*** 몸져눕다. ***take up the ~*** 자리를 털고 일어나다. ***wet the***〔one***'s***〕 ***~*** (아이가) 자면서 오줌을 싸다.

—— (**-dd-**) *vt.* ① …을 재우다. ② …을 재워 주다 《*down*》. ③ 《~+목 / +목+부 / +목+전+명》 (외양간)에 깔짚을 깔아 주다《*down*》. ④ 《+목(+부)》 …을 화단〔묘판〕에 심다《*out; in*》. ⑤ 《~+목 / +목+전+명》 (돌·벽돌 따위)를 반반하게 놓다, 쌓아 올리다 : ~ bricks *in* mortar 벽돌을 모르타르로 쌓아 올리다. ⑥ 《+목+전+명》 …을 묻다 : A bullet is ~*ded in* the flesh. 탄환이 살 속에 박혀 있다. ⑦ 《口》 성교하다.

—— *vi.* ① 자다(~ down) : be accustomed to ~ early 일찍 자는 버릇에 익숙해지다. ② 《口》 동침하다, (남녀가) 동거하다《*with*》. ③ (…위에) 자리잡다〔놓이다〕, 앉다《*on*》: ~ well 〔ill〕 자리가 편하다〔불편하다〕.

~ down (사람·짐승을) 재우다 ; 잠자리에 들다.
~ out 【園】 화단〔모판〕에 심다.

be·dab·ble [bidǽbəl] *vt.* (물 따위)를 튀겨서 더럽히다《*with*》: His clothes were ~*d with* paint. 페인트가 튀어 옷을 버렸다.

be·daub [bidɔ́:b] *vt.* …을 처덕처덕 바르다, 마구 칠하다, 매대기치다 ; 더럽히다《*with*》; 지나치게 꾸미다 ; 처바르다《*with*》: The child's face was ~*ed with* chocolate. 아이 얼굴은 온통 초콜릿으로 더러워져 있었다.

be·daz·zle [bidǽzəl] *vt.* …을 현혹시키다 ; 눈이 어두워지게 하다《*with*》. ㊞ **~·ment** *n.*

bed·bug [bédbʌ̀g] *n.* Ⓒ 빈대.

bed·cham·ber [-tʃèimbər] *n.* Ⓒ 《美·英古》 침실.

bed·clothes [-klòuz, -klòuðz] *n. pl.* 침구.

bed·cov·er [-kʌ̀vər] *n.* Ⓒ 침대 커버(bedspread).

bed·da·ble [bédəbəl] *a.* 《口》 성적으로 헤픈.

bed·ding [bédiŋ] *n.* Ⓤ 침구《담요·시트 따위》; (가축의) 깔짚 ; 정식(定植) ; 【建】 토대.

bédding plànt 화단용의 꽃나무.

be·deck [bidék] *vt.* (화려하게) …을 꾸미다, 장식하다《*with*》.

be·dev·il [bidévəl] (**-l-**, 《英》 **-ll-**) *vt.* …을 귀신 들리게 하다 ; (편견 따위가) …에 붙어 떨어지지 않다 ; …을 괴롭히다 ; 미혹시키다 ; 매혹하다 : Serious economic problems are ~*ling* the country. 심각한 경제문제가 그 나라를 괴롭히고 있다.

be·dewed [bidjú:d] *a.* 〔敍述的〕 (눈물)로 젖은 《*with*》: a face ~ *with* tears 눈물젖은 얼굴.

bed·fel·low [-fèlou] *n.* Ⓒ 아내 ; (특히, 일시적인) 동료(associate), 친구 : an awkward ~ 까다로운 사람 / Adversity 〔Misery〕 makes strange ~*s.* 동병상련(同病相憐) / It's possible to be ~*s* with someone on one issue, and at odds with them on another. 한 문제에 대하여 어떤 사람과 동료가 될 수 있고, 다른 문제에 대해서는 그들과 불화관계에 있을 수 있다.

Bed·ford·shire [bédfərdʃìər, -ʃər] *n.* 잉글랜드 중부의 주《略 : Beds.》.

be·dimmed [bidímd] *a.* 〔敍述的〕 …로 흐려진 《*with*》: eyes ~ *with* tears 눈물로 흐려진 눈.

bed·lam [bédləm] *n.* Ⓤ 소란한 장소 ; 대혼란, 수라장 : When the teacher left the room, complete ~ broke out. 선생님이 교실을 떠나자 큰 혼란이 일어났다.

bed·mak·ing [-mèikiŋ] *n.* Ⓤ 침상 정돈 ; 침대 「제조.

bed·mate [-mèit] *n.* Ⓒ 동침자, 아내, 남편.

Bed·ou·in [béduin] (*pl.* **~, ~s**) *n.* Ⓒ 베두인 사람 ; 유목민, 방랑자.

bed·pan [-pæ̀n] *n.* Ⓒ (환자용) 변기 ; 난상기(暖床器).

bed·post [-pòust] *n.* Ⓒ (네 귀의) 침대 기둥, 침대 다리 : He had to spend two years ~ with an injury. 그는 부상 때문에 2년간을 병상에서 보내야 했다. ***between you and me and the ~*** 우리만의 이야기인데, 내밀히 : *Between you, me and the* ~, I think he's lying. 우리만의 비밀 이야기인데 그는 거짓말을 하고 있다. ***in the twinkling of a ~*** 삽시간에, 즉석에서.

be·drag·gled [bidrǽgəld] *a.* (구정물 따위로) 더럽힌.

bed·rid(·den) [bédrìd(n)] *a.* 몸져 누워 있는, 누워서만 지내는《환자·노쇠자 따위》.

bed·rock [bédrɑ̀k / -rɔ̀k] *n.* ⓊⒸ 【地質】 기반

(基盤)(암), 암상(岩床); 기초(foundation); 최하부; 최하 가격; 기본 원리(原理): Mutual trust is the ~ of a relationship. 상호 신뢰는 대인 관계의 기초다. ***get* 〔*come*〕 *down to the* ~** 《口》 진상을 규명하다; 《美俗》 빈털터리가 되다.
— *a.* 〔限定的〕 밑바탕의; 기본적인.

bed·roll [bédròul] *n.* [C] 침낭(寢囊).

‡**bed·room** [bédrù:m, ⌐rùm] *n.* 침실. — *a.* 〔限定的〕 성적(性的)인; 침실(용)의; 통근자가 거주하는.

Beds. [bedz] Bedfordshire.

bed·side** [bédsàid] *n.* [C] 침대 곁, 베갯머리, 머리맡《특히 환자의》. — *a.* 〔限定的〕 베갯머리의, 침대 곁의, 임상(臨床)의. ***be at* 〔*by*〕** a person's*** ~ 아무의 머리맡에서 시중들다.

bédside mánner ① (의사의) 입원환자 다루는 방법. ② 붙임성 있는 태도.

bed-sit [bédsìt] *vi.* 《英》 bed-sitter 에서 살다.

bed-sit·ter [⌐sìtər] *n.* 《英》 = BED-SITTING ROOM.

béd-sít·ting ròom [bédsítiŋ-] 《英》 침실겸 거실.

bed·sore [⌐sɔ̀:r] *n.* [C] 〖醫〗 욕창(褥瘡).

bed·spread [⌐sprèd] *n.* [C] 침대 커버.

bed·spring [⌐sprìŋ] *n.* [C] (침대의) 스프링.

bed·stead [⌐stèd] *n.* [C] 침대틀〔프레임〕.

***bed·time** [⌐tàim] *n.* [U] 취침 시간, 잘 시각: ~ story 취침시에 아이들에게 하는 공상적인 동화.

bed·wet·ting [⌐wètiŋ] *n.* [U] 야뇨증.

†**bee** [bi:] *n.* [C] ① 꿀벌; 〔一般的〕 벌; 일꾼. ② 〔흔히 busy ~로〕 열심히 일하는 사람; 되게 바쁜 사람. ③ 《美》 (일·오락·경쟁을 위한) 회합, 모임. ***a queen* 〔*working*〕 ~** 여왕〔일〕벌. ***(as) busy as a* ~** 몹시 바쁜. ***be the bee's knees*** 《英口》 뛰어나다, 빼어나다. ***have* 〔*got*〕 *a* ~ *in* one*'s bonnet* 〔*head*〕 (*about* some-thing)** 《口》 (1) 어떤〔한 가지〕 생각에 골똘하다, 뭔가를 골똘히 생각하다: He's *got a ~ in his bonnet about* factory farming. 그는 공장 농업에 대하여 골똘히 생각하고 있다. (2) 머리가 좀 이상해지다〔돌다〕. ***swarm like ~s*** 밀집하다. ***work like a* ~** 꿀벌처럼 열심히 일하다.

Beeb [bi:b] *n.* (the ~) 《英口》 B.B.C. 방송.

bee·bread [bí:brèd] *n.* [U] 꿀벌이 새끼벌에 주는 먹이《꽃가루와 꿀로 만든 것》.

***beech** [bi:tʃ] *n.* [C] 너도밤나무; [U] 그 목재.

béech màst 너도밤나무 열매.

beech·wood [⌐wùd] *n.* [U] 너도밤나무 목재.

‡**beef** [bi:f] *n.* ① [U] 쇠고기; 고기: The spaghetti sauce is made from minced ~. 스파게티 소스는 잘게 썰어 다진 쇠고기로 만들어진다. ② (*pl.* ***beeves*** [bi:vz]) [C] 육우(肉牛). ③ [U] 《口》 근육; 체력; 《口》 살집, 몸무게: You need to put on more ~. 넌 살이 좀 쪄야겠다. ④ (*pl.* ***~s***) [C] 《俗》 불평, 불만: a ~ session 불평 모임 / My main ~ about the job is that I have to work on Saturdays. 직장에 대한 나의 주된 불만은 토요일에 근무해야 한다는 것이다. ***~ and muscle*** 완력, 근력. ***put ~ into . . .*** 《俗》 …에 힘을 들이다〔쏟다〕: *put* too much ~ *into* a stroke 타구(打球)에 너무 힘을 들이다 / *Put* some ~ *into* it! 열심히 일해라.
— *vi.* 《俗》 불평하다《*about*》; 흠잡다. ***~ up*** 《口》 강화〔보강〕하다; …에 큰 돈을 들이다.

beef·burg·er [⌐bə̀:rgər] *n.* [C] 쇠고기 햄버거.

beef·cake [⌐kèik] *n.* [U] 〔集合的〕 《美俗》 ① (남성의) 육체미 사진([cf.] cheesecake). ② (a piece of ~) 늠름한 사내, 육체미의 남자. ③ 근육이 늠름한 체격.

béef càttle 〔集合的〕 육우.

beef·eat·er [⌐ì:tər] *n.* [C] ① 쇠고기를 먹는 사람; 몸이 다부진 근육질의 사람. ② (종종 B-) 영국왕의 근위병; 런던탑의 수위. ③ 《俗》 영국인.

‡**beef·steak** [⌐stèik] *n.* [U] 두껍게 저민 쇠고깃점, 〖料〗 [C] 비프스테이크.

béef téa 진한 (쇠)고기 수프《환자용》.

beefy [bí:fi] (***beef·i·er*** ; ***-i·est***) *a.* 건장〔뚱뚱〕한, 옹골찬; 굼뜬(stolid). [파] **béef·i·ness** *n.*

bee·hive [bí:hàiv] *n.* [C] (꿀벌의) 벌집, 벌통; 사람이 붐비는 장소. ***as busy as a* ~** (무리가) 분주히 왔다갔다 하여.

bee·keep·er [⌐kì:pər] *n.* [C] 양봉가(家).

bee·keep·ing [⌐kì:piŋ] *n.* [U] 양봉(養蜂).

bee·line [bí:làin] *n.* [C] 직선; 최단 코스〔거리〕. ***in a* ~** 일직선으로. ***take* 〔*make*〕 *a* ~ *for*** 《口》 …로 똑바로 가다: At parties he always *makes a ~ for* the prettiest woman in the room. 파티 때마다 그는 항상 장내에서 가장 예쁜 여자가 있는 곳으로 곧장 다가간다.

Be·el·ze·bub [bi:élzəbʌ̀b, bí:lzə-] *n.* 〖聖〗 마왕; 악마(the Devil).

bée màrtin = KINGBIRD.

bee·mas·ter [bí:mæ̀stər, -mà:s-] *n.* = BEEKEEPER.

†**been** [bin / bi:n, bin] BE 의 과거분사.

beep [bi:p] *n.* [C] (경적 따위) 삑하는 소리; (인공위성의) 발신음. — *vi., vt.* 삑하고 경적을 울리다, 삑 소리를 내다; 삑하고 발신하다.

beep·er [bí:pər] *n.* [C] ① 신호 발신 장치. ② 무선호출 장치(pager)《긴급시 삐삐 호출 신호를 냄》.

‡**beer** [biər] *n.* ① [U,C] 맥주: We drank a few pints of ~. 우리는 맥주 몇 파인트를 마셨다. ② [U] (알코올분이 적은) 음료. ③ [C] 맥주 한 잔(a drink of ~): order a ~. ***in* ~** 맥주에 취하여; 거나하여. ***Life is not* (*all*) ~ *and skittles.*** ⇨ SKITTLE. ***on the* ~** 《俗》 늘 맥주〔술〕에 젖어; 《俗》 마시고 떠들어.

béer èngine = BEER PUMP.

béer gàrden 비어 가든.

béer hàll 비어 홀, 맥줏집.

beer·house [⌐hàus] *n.* [C] 《英》 비어 홀.

béer pùmp 맥주 펌프.

beery [bíəri] (***beer·i·er*** ; ***-i·est***) *a.* 맥주의, 맥주로 얼큰한, 맥주 냄새가 나는; 맥주로 맛을 낸.

bée's knées ① (the ~) 〔單數 취급〕 《口》 뛰어나게 좋은 것〔일〕; 가장 탁월한 사람. ② 비즈니스《레몬주스·진·벌꿀로 만든 칵테일의 하나》.

bees·wax [bí:zwæ̀ks] *n.* [U] 밀(랍). — *vt.* …에 밀(랍)을 바르다〔먹이다〕, 밀랍으로 닦다.

***beet** [bi:t] *n.* [C] 〖植〗 비트《근대·사탕무 따위》; 《美》 = BEETROOT.

Bee·tho·ven [béitouvən] *n.* **Ludwig van ~** 베토벤《1770-1827》.

‡**bee·tle**[1] [bí:tl] *n.* [C] ① 투구벌레(류), 딱정벌레. ② (B-) 《俗》 = VOLKSWAGEN. ***black* ~** 바퀴《벌레》. — *vi.* 《口》 (눈알 따위가) 바쁘게 움직이다; 《英俗》 급히 가다, 허둥지둥 달리다《*off* ; *along*》. ***~ off*** 무턱대고 뛰어다니다; 급히 떠나(가)다: Hoping to miss the traffic jams, she ~*d* (*off*) home at four o'clock. 교통체증을 피하려고 그녀는 4시에 집으로 급히 떠났다.

bee·tle[2] *n.* 메, 큰 망치, 달구; 막자, 공이. ***between the ~ and the block*** 궁지에 빠져. — *vt.* (메·공이 따위로) 치다.

bee·tle[3] *vi.* (눈썹·벼랑 따위가) 튀어나오다(overhang)《*over*》: The cliff ~*s over* the sea. 그 벼랑은 바다로 튀어나왔다. — *a.* 〔限定的〕 불쑥 나온; 털이 짙은《눈썹 따위》; 찡그린 얼굴의: ~ brows 굵은 눈썹; 찌푸린 눈살〔얼굴〕.

bee·tle-browed [-bràud] *a.* 눈썹이 굵은, 짙은 눈썹의; 상을 찌푸린, 뚱한(sullen).

bee·tle-crush·er [-krʌ́ʃər] *n.* Ⓒ 큰 장화 ; 큰 발(의 사람) ; 《英》 경관.

bee·tling [bí:tliŋ] *a.* 〔限定的〕 툭〔불쑥〕 나온 (beetle) 《벼랑·눈썹·고층 빌딩 따위가》.

beet·root [bí:trù(:)t] *n.* Ⓒ 《英》 비트의 뿌리.

béet sùgar 사탕무로 만든 설탕.

beeves [bi:vz] BEEF ② 의 복수.

be·fall** [bifɔ́:l] (be·fell*** [bifél] ; ***be·fall·en*** [bifɔ́:lən]) *vi.* ① (~ / +전+명 / +*that* 절) (…의 신상에) 일어나다, 생기다, 닥치다《*to*》, (…할) 운명이 되다 : A misfortune *befell to* his sister. 불행한 일이 그의 누이에게 닥쳤다. ② 《古》 (…에게) 속하다, (…의) 소유물이 되다《*to*》. — *vt.* (…의 신상)에 일어나다, 미치다, 닥치다(happen to) : Be careful that no harm may ~ you. 해를 입지 않도록 조심해라.

be·fit [bifít] (*-tt-*) *vt.* …에 적합하다, …에 걸맞다 ; …에 어울리다 : She was buried in the cathedral, as ~*s* someone of her position. 그녀는 신분에 어울리게 대성당 구내에 묻혀 있었다. ◇ fit *a.* ***It ill ~s*** 〔***does not*** ~〕 a person ***to*** do. …하는 것은 아무에게 걸맞지 않다.

be·fit·ting [bifítiŋ] *a.* 어울리는, 상응하는, 알맞은(proper) 《*to*》. ㊕ **~·ly** *ad.*

be·fog [bifág, -fɔ́(:)g] (*-gg-*) *vt.* …을 안개로 덮다〔가리다〕 ; (문제·진상 따위를) 흐리게 하다 (obscure) ; 사람을 어리둥절하게 하다, 얼떨떨하게 하다(bewilder).

be·fool [bifú:l] *vt.* …를 놀리다, 조롱〔우롱〕하다, 바보 취급하다 ; 속이다.

†be·fore [bifɔ́:r] *ad.* ① 〔위치·방향〕 앞에, 전방에 ; 앞(장)서《ahead를 씀이 보통임》 : There were trees ~ and behind. 앞에도 뒤에도 나무가 있었다 / look ~ and after 앞뒤를 보다〔생각하다〕 / go ~ 앞(장)서서 가다.

② 〔때〕 **a)** (지금보다, 그때보다) 이전에, 그때까지 ; 좀 더 일찍, 앞서 : I met 〔have met〕 him ~. 그 사람을 이전에 만나본 일이 있다 / I had not met him ~. 그때까지 그를 만난 일이 없었다《그때가 초면이었다》 / I had met him five years ~. 나는 그때부터 5년 전에 그를 만난 일이 있었다 / You should have told me so ~. 좀 더 일찍 그리 일러주었더라면 좋았을 것을.

> 語法 (1) before 가 시간의 부사를 수반하지 않고, 단독으로 쓰일 때에는 '지금보다 이전에(before now)' '그때보다 전에(before then)'의 뜻이 되며, 전자일 때는 present perfect 또는 past, 후자에서는 past perfect 를 수반함.
> (2) 때를 나타내는 어구를 수반했을 때, before 는 '그때보다 …전(前)'의 뜻으로, 보통 과거완료에 수반됨 : I called at his house, but he had left a couple of hours *before*. 나는 그의 집에 들렀으나 그는 (그) 두 시간 전에 나가고 없었다 / He said his brother had left home two years *before* 〔since〕. 그는 형이 이태 전에 집을 나갔다고 말했다. 이 때, before 가 '그때부터 …전'임에 대해 ago 는 '이제부터 …전'의 뜻임. since 는 ago, before 양쪽의 뜻이 있지만, 아주 오랜 과거에는 쓸 수 없음 : His brother left home two years *ago* 〔since〕.

b) (정해진 시각보다) 일찍, 전에(earlier) : Begin at five, not ~. 5시 정각에 시작해라. 그 전에는 안 된다 / I'll be there a few days ~. 2, 3일 전에 거기 가 있겠다. ***long*** ~ 훨씬 이전에. (***the***) ***day*** 〔***night***〕 ~ 전날〔전날밤〕.

— *prep.* ① 〔위치〕 **a)** 〔종종 비유적으로〕 …의 앞에, …의 면전〔안전〕에. opp *behind*. ¶ stand ~ the King 왕 앞에 나오다 / ~ my very eyes 바로 내 눈앞에서 ; 공공연히 / a car parked ~ the gate / recoil ~ a shock 충격에 주춤하다 / A good idea flashed ~ my mind. 좋은 생각이 퍼뜩 머릿속에 스쳤다 / The question is ~ the committee. 그 문제는 위원회에서 심의되고 있다 / He laid the matter ~ her. 그는 그 안건을 그녀에게 털어놓았다. ★ before는 in front of 보다 문어적임. 뒤에 사물을 나타내는 명사가 올 때에는 in front of가 자주 쓰임 : *in front of* the house. 또 숙어적인 표현에서는 before가 쓰임 : *before* my eyes / *before* court 법정에서. **b)** …의 전도〔앞길〕에, …을 기다리고 : His whole life is ~ him. 그의 생애는 이제부터다 / The summer holidays were ~ the children. 여름 방학이 어린이들을 기다리고 있었다. **c)** …힘〔기운, 기세〕에 눌리어 : bow ~ authority 권력(앞)에 굴복하다.

② 〔때〕 **a)** …보다(도) 전(前)에〔먼저〕. opp *after*. ¶ ~ dark 어두워지기 전에 / ~ the agreed time 정각전에 / (on) the day ~ yesterday 그저께《★ 명사구·부사구 모두에 사용되나 부사용법의 경우 《美》에서는 종종 the 까지도 생략함》 / (in) the April ~ last 작년 4월에《《英》에서는 종종 in 을 붙임》 / the day ~ my birthday 내 생일 전날 / I haven't been here ~ now. 이제껏 여기 와 본 일이 없다 / Consult your lawyer ~ deciding. 결정하기 전에 자네 변호사에게 의견을 물어보게. **b)** 《美》 (…분) 전(to) : five (minutes) ~ three, 3시 5분 전(five to three)《미국에서는 of 도 씀》.

③ 〔순위·우선·선택〕 **a)** …보다 앞에〔먼저〕, …에 앞서, …에 우선하여 : be ~ others in class 반에서 수석이다 / put freedom ~ fame 명성보다 자유를 중히 여기다 / I love you ~ myself. 너를 내 자신보다도 아낀다 / The duke is ~ the earl. 공작은 백작보다 위다. **b)** 〔would 와 함께〕 …하느니 오히려 : I would die ~ yielding. 굴복하느니 차라리 죽을 테다 / I would do anything ~ that. 무엇이든 하겠으나, 그것만은 못하겠다.

~ ***all*** (***things***) = ~ everything. ~ ***Christ*** 예수 탄생 전, 서력 기원전(前)《略 : B.C.》. ~ ***everything*** 우선〔다른〕 무엇보다(도) : She put her family ~ *everything*. 그녀는 가정제일주의자이다. ~ ***long*** ⇨ LONG.

— *conj.* ① (아직) …하기 전에, …하기에 앞서 : I got up ~ the sun rose. / They had rented the house a week ~ we arrived. 그들은 우리가 도착하기 1주일 전에 셋집을 얻어 놓았다 / It was midnight ~ he returned. 한밤중이 돼서야 그는 돌아왔다 / I had not gone a mile ~ I felt tired. (불과) 1마일도 못 가서 난 피곤해졌다 / We must finish this work ~ he comes. 《★ before가 이끄는 절(節)의 동사는, 의미상의 때가 미래라도 형식은 현재를 쓰는 것이 보통임》.

② 〔would·will 과 함께〕 …(을) 하느니 차라리 (⇨ *prep.* ③ b)) : I will die ~ I give in. 굴복하느니 차라리 죽겠다, 죽어도 항복은 안 한다 / I would die ~ I steal. 도둑질하느니 차라리 죽겠다.

③ 〔形容詞節을 이끌어〕 …하기 전의 : The year ~ they were married he often sent her flowers. 결혼하기 전해에 그는 그녀에게 자주 꽃을 보냈다. ***it is not long*** ~ 오래지〔얼마 있지〕 않아 …, 이내〔곧〕… (soon) : *It was not long* ~ he came. 얼마 안 있어 그가 왔다.

‡be·fore·hand [bifɔ́:rhæ̀nd] *ad., a.* 〔形容詞로는 敍述的〕 ① 미리, 사전에, 전부터 : Let me know ~. 미리 알려주시오 / have nothing ~ (돈 따위를) 미리 준비해 두지 않다 / I knew she was coming that afternoon because she had phoned ~ to say so. 그녀가 사전에 전화로 그렇게 말했기 때문에 나는 그녀가 그날 오후에 오는것을 알고 있었다. ② (그 때보다) 전에(는). ③ 지레짐작으로. ***be ~ in one's suspicions*** 지나치게 마음을 쓰다. ***be ~ with*** …에 미리 대비하다; …의 기선을 제압하다, 앞지르다. [파] **~·ed·ness** *n.*

be·foul [bifául] *vt.* (이름·명예 따위)를 더럽히다; 헐뜯다, 깎아 내리다, 중상하다. [파] **~·er** *n.* **~·ness** *n.*

be·friend [bifrénd] *vt.* …의 친구가 되다, …와 사귀다; …에(게) 편들다, 돕다, …을 돌봐주다: Alone in the big city, he was *~ed* by an old lady. 대도시에 혼자 있는 그는 나이든 부인과 사귀었다. ◇ friend *n.*

be·fud·dle [bifʌ́dl] *vt.* 〔종종 受動으로, 전치사 with를 수반함〕 ① …을 억병으로 취하게 하다: He's *~d with* drink. 그는 억병으로 취해 있다. ② 어리둥절하게〔당황하게〕 하다: The problem *~d* the experts. 그 문제가 전문가들을 당황하게 만들었다. [파] **~·ment** *n.*

‡beg [beg] (***-gg-***) *vt.* ①《~+[목] / +[목]+[전]+[명]》 (먹고 입을 것·돈·허가·은혜 따위)를 빌다, 구하다(ask for): ~ forgiveness 용서를 빌다 / ~ money *of* charitable people 자선가에게 금전을 빌다 / I ~ a favor *of* you. 부탁이 있습니다 / There are more and more homeless young people *~ging* on the streets these days. 요즘에는 거리에 구걸하는 젊은 거지들이 자꾸 많아지고 있다. ②《+[목]+[전]+[명] / +[목]+*to* do / +*to* do / +*that* [절]》 …에게 간절히 바라다: He *~ged* the king *for* his life. 그는 왕에게 구명을 간청했다 / I ~ *that* you will tell the truth. 부디 사실을 말씀해 주십시오. ③ (문제·요점)을 회피하다, …에 답하지 않다.

── *vi.* ①《~ / +[전]+[명]》 청하다, 빌다; 구걸〔비럭질〕하다《*for*》: ~ from door to door 가가호호 구걸하고 다니다 / ~ *for* food 음식을 구걸〔청〕하다. ②《+[전]+[명]》 (…에게) 부탁하다, 간청하다《*of*》: I ~ *of* you not to say it again. 제발 두 번 다시(는) 그 말을 하지 말아 주시오.

> [語法] I *begged* (*of*) Mary to stay on for another week. 메리에게 1주일만 더 있어 달라고 부탁(을) 했다. I *begged for* Mary to stay on for another week. 메리를 1주일만 더 묵게 해 달라고 (어떤 딴 사람에게) 부탁했다.

③(개가) 뒷발로 서다: *Beg!* (개를 보고) 뒷발로 섯. ~ ***(for)*** one***'s bread*** 빌어먹다. ~ ***leave to*** do=~ ***to*** do …하는 데 허가를 청(請)하다, 실례를 무릅쓰고 …하다: I ~ (*leave*) *to* disagree. 실례지만 찬성 못 하겠습니다. ~ ***of*** a person ***to*** do 아무에게 …해 달라고 청하다: I ~ *of* you not *to* punish him. 그를 처벌치 마시기를 부탁드립니다. ~ a person ***off*** 사정하여 아무를 용서받게 해주다: I'll ~ you *off from* going. 네가 가지 않아도 좋도록 부탁해 주겠네. ~ ***off*** (의무·약속 등을) 변명하여 거절하다: He *~ged off from* speaking at the club. 그는 클럽에서의 연설을 면제받았다. ~ one***'s way to*** (London) (런던)까지 구걸해 가며 여행하다. ~ ***the question*** 〔***point***〕 『論』 문제점을 증명하지 않은 채 진(眞)이라 가정하고 논하다; 논점을 교묘하게 회피하다. ***Beg*** 〔***I*** ~〕 ***your pardon.*** 미안합니다《★ 올림조로 말할 경우에는 '다시 한 번 말씀해 주십시오'의 뜻》. ***go ~ging*** (1) 구걸하고 다니다. (2) 살〔맡을〕 사람이 없다: These jobs don't *go ~ging.* 이런 일들은 맡을 사람이 많다.

†be·gan [bigǽn] BEGIN의 과거.

be·gat [bigǽt] 《古》 BEGET의 과거.

be·get [bigét] (***be·got,*** 《古》 ***be·gat; be·got·ten, be·got; be·get·ting***) *vt.* ① 〔주로 아버지를 主語로 하여〕 (아이)를 보다, 낳다《★ 어머니에는 bear¹를 씀》. ② …을 생기게 하다, 일으키다; (결과로서) 초래하다: Money *~s* money. 돈이 돈을 번다 / Fear is often *begotten* of guilt. 공포심은 종종 죄를 범한 데서 생긴다.

‡beg·gar [bégər] *n.* [C] ① 거지《★ 남자 거지는 beggar-man, 여자 거지는 beggar-woman》; 가난뱅이; (자선 사업 따위의) 기부 모집자: *Beggars* must not be choosers 〔《美》 choosy〕. 《俗談》 빌어먹는 놈이 이밥 조밥 가리랴. ② 《口·戲》 〔反語的〕 녀석; 악한; 꼬마, 애송이(fellow)《★ 흔히 수식어를 수반함》. ③ 빈털터리. ***a ~ for work*** 《口》 일하기 좋아하는 사람, 일벌레.

── *vt.* 〔종종 再歸的으로〕 ① 거지로〔가난하게〕 만들다: ~ *oneself* by betting 노름으로 알거지가 되다. ② (표현·비교)를 무력〔빈약〕하게 하다: It *~s* (=is beyond) (all) description. 필설로 다할 수 없다. [파] **~·dom** [-dəm] *n.* 거지 패거리〔사회, 생활, 상태〕. **~·hòod** *n.*

beg·gar·ly [bégərli] *a.* 〔限定的〕 거지 같은, 가난한; 얼마 안 되는; 빈약한, 비천한; (지적(知的)으로) 모자라는: a few ~ pounds 겨우 2, 3파운드. [파] **-li·ness** *n.*

beg·gar-my-neigh·bor, -your- [bégərmainéibər], [-juə-] *n.* [U] 카드놀이의 일종《상대의 패를 다 따야 이김》. ── *a.* 〔限定的〕 자기 중심적인, 보호주의적인《정책》.

beg·gary [bégəri] *n.* [U,C] 거지 신세, 극빈; 〔集合的〕 거지; 거지의 소굴: reduce to ~ 가난하게 만들다.

†be·gin [bigín] (***be·gan*** [-gǽn]; ***be·gun*** [-gʌ́n]; ***be·gín·ning***) *vi.* ①《~ / +[전]+[명]》 시작되다, 시작하다, 착수(着手)하다《*at*; *in*; *by*; *on*; *with*》: The concert *began with* a piano solo. 음악회는 피아노 독주로 시작되었다 / Life *~s at* fifty. 인생은 50부터이다 / He *began on* a new book. 그는 새책을 집필하기 시작했다.

> [語法] 특히 시간에는 at, 날에는 on, 주(週)·연(年)·월(月)에는 in을 쓰며 전치사에 from을 쓰지 않음: School *~s at* eight o'clock 〔*on* Monday, *in* April〕. 학교는 8시에 〔월요일부터, 4월부터〕 시작된다.

② 일어나다, 나타나다, 생기다: When did life on the earth ~? 지구상의 생물은 언제 발생하였는가.

── *vt.* ①《~+[목] / +*to* do / +*-ing*》 …을 시작하다, 착수하다; 창시〔창안〕하다. ② …을 일으키다, 창설〔개설〕하다: ~ a dynasty 왕조를 세우다. ③《+*to* do》《口》〔否定語와 함께〕 전혀 (할 것 같지) 않다: The money *won't* even ~ *to* cover expenses. 그 돈으로는 전혀 비용을 충당할 수 없을 것 같다. ~ ***at the wrong end*** 첫걸음을 그르치다. ~ ***with*** 〔***by***〕 …부터 시작하다〔되다〕, 우선 …하다《doing인 경우 by를 씀》: He *began with* a joke〔*by* scold*ing* us〕. 그는 우선 농담부터 말하고〔우리들을 꾸짖고〕 시작했다. ***to ~ with*** (1) 〔獨立副詞句〕 우선 첫째로: He was poor, *to ~ with.* 첫째 그는 가난했다. (2) 처음에는: I was bored with English *to ~ with* and now I really hate it. 처음에는 영어가 싫증나는 정도였으나 이제는 그것이 정말로 싫기까지 하다.

‡be·gin·ner [bigínər] *n.* Ⓒ 초심자 ; 창시자《*of*》.
†be·gin·ning [bigíniŋ] *n.* ① Ⓒ 처음 ; 시작 ; 기원(origin). ② (흔히 *pl.*) 초기(단계), 어린 시절 : the ~*s* of science 과학의 초기. ***at the*** (***very***) ~ 최초에, 맨 처음에. ***begin at the*** ~ 처음부터 시작하다. ***from*** ~ ***to end*** 처음부터 끝까지. ***make a*** ~ 길을 터놓다《*for*》; 착수하다. ***rise from humble*** 〔***modest***〕 ~***s*** 비천한 신분에서 입신하다. ***the*** ~ ***of the end*** 최후의 결과를 예시(豫示)하는 최초의 징조.
── *a.* 〔限定的〕 초기의 ; 최초의.
be·gone [bigɔ́(:)n, -gán] *vi.* 떠나다, 물러가다 (★ 흔히 명령법·부정사(不定詞) 등으로 씀) : *Begone!* 가, (썩) 꺼져.
be·go·nia [bigóunjə, -niə] *n.* Ⓒ 〖植〗 추해당, 베고니아.
***be·got** [bigát / -gɔ́t] BEGET 의 과거·과거분사.
***be·got·ten** [bigátn / -gɔ́tn] BEGET의 과거분사.
be·grime [bigráim] *vt.* …을 (연기·때·검댕으로) 더럽히다《*with*》; 《比》 부패시키다(★ 보통 과거분사꼴로 쓰이며 종종 受動으로 됨) : His hands *were* ~*d with* oil. 그의 손은 기름으로 더러워져 있었다.
be·grudge [bigrʌ́dʒ] *vt.* ①《~+목/+목+목》 …을 시새우다, 시기하다 : ~ a person his good fortune 아무의 행운을 질시(嫉視)하다. ②《~+목/+목+목/+-*ing*/+*to* do》 …에게 (무엇을) 주기를 꺼리다, …을 내놓기 아까워하다 ; (…하기를) 싫어하다 : He did not ~ his money for buying books. 그는 책을 사는 데 돈을 아끼지 않았다 / We don't ~ your go*ing* to Italy. 너의 이탈리아행을 반대하지 않는다 / No one ~*d* help*ing* him. 그를 도와주는 것을 싫어하는 사람은 아무도 없었다.
be·grudg·ing·ly [bigrʌ́dʒiŋli] *ad.* 마지못해, 아까운 듯이.
***be·guile** [bigáil] *vt.* ①《~+목/+목+전+명》 …을 현혹시키다, 미혹시키다 ; …을 속이다, 기만하다 ; …을 속여서 …하게 하다《*into*》: He ~*d* me *into* consenting. 나를 속여서 승낙게 했다. ②《+목+전+명》 …을 속여 빼앗다《*of* ; *out of*》: ~ John *of* 〔*out of*〕 his money 존을 속여 돈을 빼앗다. ③《~+목/+목+전+명》 (어린이 따위)를 기쁘게 하다, 위로하다《*with* ; *by*》; (지루함 따위)를 잊게 하다, (시간)을 즐겁게 보내다《*with* ; *by*》: They ~*d* their long journey *with* talk. 그들은 이야기로 긴 여행의 지루함을 달랬다.
㊥ **~·ment** [-mənt] *n.* Ⓤ,Ⓒ 기만 ; 기분전환. **be·guíl·er** [-ər] *n.* Ⓒ 속이는 사람〔물건〕; (마음을) 전환시키는 사람〔물건〕. **be·guíl·ing** [-iŋ] *a.* 속이는 ; 기분을 전환시키는, 재미있는. **~·ly** *ad.*
be·guine [bigí:n] *n.* ① (the ~) 베긴《서인도 제도 원주민의 춤》. ② Ⓤ 그 리듬(의 곡).
†be·gun [bigʌ́n] BEGIN 의 과거분사.
‡be·half [bihǽf, -há:f] *n.* 〔다음 慣用句로만〕 측, 편 ; 이익. ***in*** ~ ***of*** = ***in*** a person***'s*** ~ …(의 이익)을 위하여 : plead *in* ~ *of* a cause 어떤 주의를 옹호하여 변론하다 / He spoke *in her* ~. 그녀를 위하여 변호했다. ***on*** ~ ***of*** a person = ***on*** a person***'s*** ~ (1) (아무)의 대신으로, …을 대표하여 : The captain accepted the cup *on* ~ *of* the team. 주장이 팀을 대표하여 우승배를 받았다 / Please don't leave *on my* ~. 나를 위하여 떠나지 마세요. (2) …에 관하여, …을 위하여 : Don't be uneasy *on my* ~. 내 걱정은 말아 주시오 / He did much *on* ~ *of* the prisoners. 죄수를 위하여 크게 이바지했다.
‡be·have [bihéiv] *vi.* ①《~/+부》 행동하다 ; 《특히》 예절 바르게 행동하다 : Whenever there was a full moon he would start ~*ing* strangely. 만월이 될때마다 그는 이상한 행동을 시작하곤 했다. ②《+부》 (기계 따위가 순조롭거나 순조롭지 못하게) 움직이다 ; (약·물건 등이) 작용하다, 반응〔성질〕을 나타내다 : This plastic ~*s* strangely under extreme heat or cold. 이 플라스틱은 극열이나 극한하에서는 이상한 반응을 나타낸다.
── *vt.* 〔再歸的〕 행동하다 : ~ *oneself* like a man 사내답게 행동하다. ***Behave yourself!*** 점잖게〔얌전히〕 굴어라.
be·haved [bihéivd] *a.* 〔複合語를 이루어〕 행동거지가 …한 : well-〔ill-〕~ 행실이 좋은〔나쁜〕.
‡be·hav·ior, 《英》 **-iour** [bihéivjər] *n.* Ⓤ ① 행동, 행실 ; 동작, 태도 ; 품행 : He was well-known for his violent and threatening ~. 그의 폭력적이고 위협적인 태도는 잘 알려졌다. ② (기계·자동차 등의) 움직이는 품, 움직임, 운전 ; 성질, 작용, 반응. ③〖心〗 행동, 습성. ◇ behave *v.* ***be on*** one***'s good*** 〔***best***〕 ~ 근신하고 있다, 얌전하게 있다《감시 중에》. ㊥ **~·ism** [-rìzəm] *n.* Ⓤ 〖心〗 행동주의. **~·ist** *n., a.* 행동주의자〔적인〕. **be·hàv·ior·ís·tic** *a.* 행동주의적인.
be·hav·ior·al [bihéivjərəl] *a.* 〔限定的〕 행동의, 행동에 관한 : She studied ~ psychology at college. 그녀는 대학에서 행동과학을 연구했다.
behávioral scíence 행동 과학.
behávior modificàtion 〖心〗 행동 수정.
behávior pàttern 〖社〗 행동 양식.
behávior thèrapy 〖精神醫〗 행동 요법.
be·head [bihéd] *vt.* (형벌로서) 목을 베다, 참수하다.
‡be·held [bihéld] BEHOLD 의 과거·과거분사.
be·he·moth [bihí:məθ / bihí:mɔθ] *n.* ① Ⓤ (종종 B-) 비히머스《성서의 거수(巨獸); 욥기 XL : 15-24》. ② Ⓒ 거대〔강대〕한 것〔동물〕.
be·hest [bihést] *n.* 《文語》 〔흔히 單數로〕 명령 ; 간절한 부탁 : The budget proposal was adopted at the president's ~. 그 예산안은 대통령의 긴급 요청으로 채택되었다.
†be·hind [biháind] *ad.* ① 〔장소〕 뒤에. ② 〔名詞 뒤에 와서〕 뒤의 : I stepped on the brake and the car ~ hit my car. 내가 브레이크를 밟아 뒤의 차가 내차를 받았다. ③ 배후〔이면〕에, 그늘에서 ; 숨어서 : There is nothing ~. 배후 관계는 없다. ④ 늦어서. ⑤ 뒤에 처져서, 남아서 : He has left two daughters ~. 그는 두 딸을 두고 죽었다 / She is a long way ~. 그녀는 훨씬 처져 있다. ⑥ (일·진보 등이) 밀려서, 뒤져서 : fall ~ in one's rent 지대〔집세〕가 밀리다. ***be*** ~ ***in*** 〔***with***〕 (work) (일·진보 따위가) 뒤져 있다 : He*'s* ~ *in* 〔*with*〕 his work. 그는 일이 뒤져 있다. ***fall*** 〔***drop, lag***〕 ~ 남에게 뒤지다. ***from*** ~ (...), (…의) 뒤에서. ***look*** ~ 뒤돌아보다 ; 회고하다. ***remain*** 〔***stay***〕 ~ 뒤에 남다, 출발하지 않다.
── *prep.* ① 〔장소〕 …의 뒤에, 그늘에, 저쪽에 (beyond). OPP *before.* ② …의 배후에, 이면에 (OPP *before*) ; …의 원인이 되어, …을 후원〔지지〕하여 : the conditions ~ inflation 인플레이션의 원인이 된 여러 사정 / He has many friends ~ him. 그는 많은 친구들의 후원을 받고 있다. ③ 뒤에 남기고, 사후에 : He stayed ~ us for two days. 그는 우리보다 이틀이나 더 남아 있었다 / He left his only daughter ~ him. 그는 외동딸을 남기고 죽었다. ④ 〔시간〕 늦어서. ⑤ …보다 못하여 (inferior to) : I am ~ him in English. 나는 영어에서 그에게 뒤진다. ***be*** ~ a person (1) 아무를 지지하다, 원조하다. (2) 아무에게 뒤지다, …만 못하

다. (3) 아무의 지나간〔과거의〕 일이다 : His years of temper *were* ~ him. 그가 혈기에 넘쳐 괄괄했던 때는 벌써 가 버렸다. ~ **a person's back** 아무가 없는 곳에서, 뒤에서 : Don't speak ill of others ~ *their backs*. 뒤에서 남의 욕을 하지 마라. ~ **schedule** 예정〔정각〕에 늦어. **go**〔**get, look**〕 ~ **a person's words** 아무의 말의 이면〔참뜻〕을 캐다. **put** a thing ~ one 무엇을 물리치다, 받아들이지 않다 : I *put* the thought ~ me. 나는 그 생각을 버렸다.
── *n.* Ⓒ 뒤, (윗옷의) 등 ; 《口 · 婉》 엉덩이.

be·hind·hand [-hǽnd] *ad., a.* 〔形容詞로는 敍述的〕 ① (시기 · 시각 · 시대에) 뒤지어, 늦게 (되어) : be ~ in one's idea 생각이 뒤떨어지다〔낡다〕. ② (학업 따위가) 늦어《*in*》; (일 · 집세 따위가) 밀리어《*with ; in*》: be ~ *in* one's circumstances 살림이 어렵다 / I worked late last night because I was ~ *with* my accounts. 나는 경리보고가 밀려서 어젯밤 늦게까지 일했다.

be·hind-the-scenes [-ðəsíːnz] *a.* 〔限定的〕 공개되지 않은, 비밀리〔흑막〕의 : a ~ conference 비밀 회담 / a ~ negotiation 막후 협상.

‡**be·hold** [bihóuld] (*p., pp.* **be·held** [-héld]) *vt.* …을 보다(look at) : The new bridge is an incredible sight to ~. 그 신설 교량은 보기에 놀랄 만한 모습이다.
── *vi.* 〔命令形〕 보라.

be·hold·en [bihóuldən] *a.* 《文語》〔敍述的〕 은혜를 입고, 신세를 지고.

be·hold·er [bihóuldər] *n.* Ⓒ 보는 사람, 구경꾼(onlooker) : The picture was very pleasing to ~*s*. 그 그림은 관람자를 매우 즐겁게 했다.

be·hoof [bihúːf] *n.* 《文語》〔다음 慣用句로만〕 이익(advantage). **in**〔**for, to, on**〕 **a person's** ~ = **in**〔**for, to, on**〕 (**the**) ~ **of** a person 아무를 위해서.

be·hoove, 《英》 **-hove** [bihúːv], [-hóuv] *vt.* 《古》〔非人稱構文을 취함〕 ① (…하는 것이) 의무이다, …할 필요가 있다 : *It* ~*s* every one *to* do his duty. 직분을 다하는 것은 모든 사람의 의무이다. ② …할 가치가 있다, 이익이 있다 : *It* would ~ you *to* be nicer to those who could help you. 도움을 받을 수 있는 사람들에겐 보다 더 친절하게 대할 가치가 있다.

Beh·ring [béiriŋ ; *G.* béːriŋ] *n.* **Emil** (**Adolf**) **von** ~ 베링《독일의 세균학자 ; 노벨 생리 의학상 수상 ; 1854-1917》.

beige [beiʒ] *n.* Ⓤ 원모로 짠 나사〔모직물〕; 베이지색. ── *a.* 베이지색의.

Beijing ⇨ PEKING.

‡**be·ing** [bíːiŋ] BE 의 현재분사 · 동명사.
── *a.* 현재 있는, 지금의. **for the time** ~ 당분간, 우선은. ── *n.* ① Ⓤ 존재 ; 생존 ; 생명 : Abraham Maslow described psychology as 'the science of ~.' 아브라함 매슬로는 심리학을 '존재의 과학'이라고 설명했다 / We do not know exactly how life first came into ~. 우리는 생명이 어떻게 최초에 존재하기 시작했는지를 정확히 모르고 있다. ② Ⓒ 존재자 ; 생물(living things) ; 인간 : human ~*s* 인간, 인류. ③ Ⓒ (the B-) 신(神) : the Supreme *Being* 신. ④ Ⓤ 본질, 본성 ; 성질. **call**〔**bring**〕... **into** ~ …을 생기게 하다, 낳다. **come into** ~ 생기다, (태어)나다, 효력을 발생하다 : The new laws *come into* ~ in September. 그 새 법률들은 9월에 발효한다. **in** ~ 현존의, 생존해 있는 : the record *in* ~ 현존 기록.

Bei·rut [beirúːt, ⌐-] *n.* 베이루트.

be·jew·eled, 《英》 **be·jew·elled** [bidʒúːəld] *a.* ① 보석으로 장식한. ② 〔敍述的〕 (…로) 장식된, (…을) 박은.

bel [bel] *n.* Ⓒ 〖物〗 벨《전압 · 전류나 소리의 강도의 단위 ; =10 decibels ; 실제로는 decibel 이 쓰임 ; 기호 b》.

be·la·bor, 《英》 **-bour** [biléibər] *vt.* ① (문제 등)을 장황하게 검토하다〔말하다〕. ② …을 세게 치다, 때리다 ; 호되게 꾸짖다.

Be·la·rus [bìːlərúːs] *n.* 벨로루시《CIS 구성 공화국》.

***be·lat·ed** [biléitid] *a.* ① 늦은, 뒤늦은 : The Government is making a ~ attempt to stop profiteering. 정부는 폭리 취득을 방지하고자 지금 뒤늦게 노력하고 있다. ② (사람 · 편지 등이) 늦게 온, 지각의. ③ 시대에 뒤진.

Be·lau [bəláu] *n.* **Republic of** ~ 벨라우 공화국.

be·lay [biléi] (*p., pp.* **be·layed**) *vt.* 〖海 · 登山〗 (밧줄걸이에) 밧줄을 감아 매다 ; (명령 등)을 취소하다. ── *vi.* 밧줄을 안정시키다 ; 〔命令形〕 《口》 그만둬라 : *Belay* there! 《海口》 이제 그만. ── *n.* Ⓒ 〖登山〗 빌레이, 확보(確保).

be·láy·ing pìn [biléiiŋ-] 〖海〗 밧줄걸이.

***belch** [beltʃ] *vt.* 트림을 하다 ; (폭언 따위)를 터뜨리다《*out ; forth*》; (연기 따위)를 뿜어 내다 : The exhaust pipe ~*ed* (*out*) dense petrol fumes. 배기 파이프는 짙은 석유 가스를 뿜어냈다.
── *vi.* 트림하다 ; 분출하다 ; (험담 따위를) 내뱉다 ; (명령 등을) 내뱉듯이 말하다《*forth*》. ── *n.* Ⓒ (흔히 *sing.*) 트림 (소리) ; 폭발(음) ; 분출.

be·lea·guer [bilíːgər] *vt.* 〔종종 受動으로〕 ① …을 에워싸다 ; 포위공격하다. ② 귀찮게 붙어다니다, 괴롭히다《*by ; with*》. ㊞ ~**·er** [-gərər] *n.* 포위자, 포위 공격자. ~**·ment** *n.*

Bel·fast [bélfæst, -⌐, belfάːst, ⌐-] *n.* 벨파스트.

bel·fry [bélfri] *n.* Ⓒ ① 종각, 종루(bell tower) ; (종루 안의) 종이 걸려 있는 곳. ② 《俗》 머리, 마음 ; 《俗》 두뇌, 재능.

Belg. Belgian ; Belgic ; Belgium.

***Bel·gian** [béldʒən] *a.* 벨기에의 ; 벨기에 사람의.
── *n.* Ⓒ 벨기에 사람.

***Bel·gium** [béldʒəm] *n.* 벨기에.

Bel·grade [bélgreid, -grɑːd, belgréid] *n.* 베오그라드《유고의 수도》.

Bel·gra·via [belgréiviə] *n.* 벨그레이비어《런던의 Hyde Park 남쪽의 상류 주택 구역》.

be·lie [bilái] (*p., pp.* **~d ; be·ly·ing**) *vt.* …을 거짓〔잘못〕 전하다, 잘못〔틀리게〕 나타내다, 속이다 ; 거짓임〔그릇됨〕을 나타내다 ; (약속 · 기대)를 어기다 ; 실망시키다 : His acts ~ his words. 언행(言行)이 다르다 / He stole again, and so ~*d* our hopes. 그는 다시 도둑질을 하여, 우리의 기대를 어겼다 / Their social attitudes ~ their words. 그들의 사회적 태도는 말하는 것과는 상반된다. ㊞ **be·lí·er** *n.*

‡**be·lief** [bilíːf, bə-] *n.* ① Ⓤ 확신 ; 신념, 소신 : My ~ is 〔It is my ~〕 that it is possible. 난 그것이 가능하다고 믿고 있다 / He refuse to compete on Sundays because of his religious ~*s*. 그는 종교적 신념 때문에 일요일에는 경기에 참가하기를 거절한다. ② Ⓤ 신뢰, 신용《*in*》. ③ Ⓤ,Ⓒ 신앙《*in*》: one's religious ~*s* 종교적 신앙. ④ (the B-) 사도 신경(the Apostles' Creed). ◇ believe *v.*
beyond ~ 믿을 수 없는, 놀라운 : Her son's skin improved *beyond* ~. 그녀 아들의 피부는 놀랄 만큼 좋아졌다 / A trip to the moon was *beyond* ~ at that time. 그 당시에 달 여행이란 믿을 수 없는 일이었다. **have** ~ **in** …을 신용하다〔믿다〕; …의 존재를 믿다. **in the** ~ **that**... …라고 믿고, …라고 생각하고. **light of** ~ 경솔하게 믿기

쉬운. ***past all*** ~ 도저히 믿기 어려운. ***to the best of my*** ~ 내가 확신하는 바로는.

be·liev·a·ble [bilíːvəbəl, bə-] *a.* 믿을 수 있는.

†**be·lieve** [bilíːv, bə-] *vt.* ① 《~+목 / + *that* 절》 …을 믿다, (말·이야기 등)을 신용하다, …의 말을 믿다 : Never ~ anything a married man says about his wife. 결혼한 남자가 자기 아내에 관해 말하는 것은 무엇이든 결코 믿지 마라 / Columbus ~*d that* the earth is round. 콜럼버스는 지구는 둥글다고 믿었다 / I can't ~ it! 믿을 수 없다, 꿈 같다 / If you ~ that, you'd ~ anything. 그것을 믿는다면 무엇이든 믿는 것이 된다. ② 《+ *that* 절 / +how 절 / +목+ (*to be*) 보 / +목+ *to* do》 …라고 생각하다, 믿다, 여기다 : I ~ (*that*) he is honest. =I ~ him (*to be*) honest. 나는 그가 정직하다고 생각한다 / She has, I ~, no children. 그녀에겐 확실히 어린애가 없다 / Nobody will ~ *how* difficult it was. 그것이 얼마나 힘들었다는 것을 누구도 믿지 않으려 할 것이다 / She is ~*d to have* died 〔*to be* dy*ing*〕 of cancer. 그녀는 암으로 죽은 것〔죽을 것〕 같다고 여겨지고 있다 / I ~ her *to have written* it. 그녀가 그것을 썼다고 믿는다. ★ to do 는 완료형 또는 진행형으로 쓰이며 종종 수동태가 된다.

— *vi.* 《~ / +전+명》 ① 존재(存在)를 믿다《*in*》: ~ *in* God 신의 존재를 믿다, 신을 믿다. ② 인격〔능력〕을 믿다《*in*》: I ~ *in* him. 그는 훌륭〔유능〕한 사람이라고 생각한다, 그의 인격〔역량〕을 믿는다. ③ 좋은 점을〔효과를〕 믿다, 가치를 인정하다《*in*》: I don't ~ *in* aspirin. 아스피린은 듣지 않는 것 같다. ④ 신용하다, 믿다《*in*》: I don't ~ *in* his promises. 그 사람의 약속은 믿을 수 없다. ⑤ 생각하다(think) : How can you ~ so badly of them? 대체 어찌하여 그들을 그토록 나쁜 놈으로 생각하느냐. ~ . . . ***of*** a person 〔흔히 would, could와 함께 부정문으로 쓰임〕 아무라면 …을 할 것이라고 믿다〔생각하다〕: Jill's getting a divorce again? I *wouldn't* ~ it *of* her. 질이 또 이혼을 한다고? 그녀가 그런 일을 하리라고는 믿기지 않는다. ~ ***it or not*** 《口》 참말같지 않겠지만. ~ ***me*** 〔插入的으로〕 정말이야; 실은, 정말은 : *Believe me*, I'm terribly sorry. 정말이야, 아주 미안하다고 생각하네. ~ one***'s ears*** 〔***eyes***〕 들은〔본〕 것을 그대로 정말이라고 믿다. ***I ~ so.*** 그렇다고 생각합니다. ***make*** ~ …로 보이게〔믿게〕 하다, …인 체하다 : She *made* ~ not to hear me. 그녀는 못들은 체했다. ***You*** (***'d***) ***better ~ it.*** 《美俗》 (찬의를 나타내어) 그래, 정말이야.

㊕ **be·líev·er** *n.* Ⓒ 신자, 신봉자 : I made no secret of the fact that I was not a *believer*. 나는 신자가 아니었다는 사실을 숨기지 않았다.

be·liev·ing [bilíːviŋ, bə-] *a.* 신앙심 있는.
— *n.* Ⓤ 믿음 : Seeing is ~. 《俗談》 백문이 불여일견. ㊕ ~·**ly** *ad.*

Be·lí·sha béacon [bilíːʃə-] 《英》 횡단 보도 표지등《황색 명멸광이 달린 입표(立標)》.

be·lit·tle [bilítl] *vt.* …을 작게 하다, 축소하다; 작게 보이다; 얕잡다, 하찮게 보다 : He ~*d* her effort, dismissing it as 'basic mechanics'. 그는 그것을 '기본적인 기계공'의 일로 여기면서 그녀의 노력을 하찮게 보았다. ~ one***self*** 비하하다; 자기의 품위를 떨어뜨리다, 인망을 잃다 : Don't ~ *yourself.* 자기 비하하지 마라. 「가).

Be·lize [bəlíːz] *n.* 벨리즈《중앙 아메리카의 국

Bell [bel] *n.* **Alexander Graham** ~ 벨《전화기를 발명한 미국의 과학자; 1847-1922》.

†**bell**[1] [bel] *n.* ① Ⓒ 종; 방울, 초인종, 벨; (흔히 *pl.*) 〖海〗 시종(時鐘)《배 안에서 반 시간마다 침》. ② Ⓒ 종모양의 것; 종상 화관(鐘狀花冠); (해파리의) 갓; (나팔·확성기·굴뚝 따위의) 벌어진 입. ***answer the*** ~ 손님을 맞이하다. (***as***) ***clear as a*** ~ 매우 맑은; 《口》 매우 명료하여. (***as***) ***sound as a*** ~ (아무가) 매우 건강하여, (물건이) 나무랄 데 없는 상태로. ***be saved by the*** ~ 〖拳〗 공 소리로 살아나다; 《口》 다른 사정으로 간신히 살아나다. ***ring a*** ~ 《口》 공감을 불러일으키다; 생각나게 하다, 마음에 떠오르다. ***ring*** 〔***hit***〕 ***the*** ~ 《口》 잘 되다, 히트치다《*with*》. ***with ~s on*** (1) 《口》 〔보통 未來形〕 기꺼이; 열심히, 선드러지게, 차려 입고 : I'll be there *with ~s on.* 기꺼이 참석하겠소. (2) 《美俗》 〔비난·비평에 곁들여〕 바로, 확실히 : He's a jughead *with ~s on.* 그 녀석은 정말 얼간이야.
— *vt.* ① …에 방울〔종〕을 달다. ② 종 모양으로 벌리다《*out*》. — *vi.* ① (전차 따위가) 종을 울리다; 종 같은 소리를 내다. ② 종 모양으로 되다; (식물이) 개화하다. ~ ***the cat*** 자진하여 어려운 일을 맡다《이솝 우화에서》.

bell[2] *n.* Ⓒ (교미기의) 수사슴의 울음소리.
— *vi., vt.* (교미기의 수사슴이) 울다.

Bel·la [bélə] *n.* 여자 이름《Isabel(la)의 애칭》.

bel·la·don·na [bèlədǽnə / -dɔ́nə] *n.* 〖植〗 Ⓒ 벨라도나《가짓과의 유독 식물》; 〖藥〗 Ⓤ 벨라도나 제제(製劑)《진통제 따위》.

belladónna líly =AMARYLLIS.

bell-bot·tom [∸bɑ̀təm / ∸bɔ̀t-] *a.* 판탈롱의 : He was clothed in maroon ~ trousers. 그는 밤색의 판탈롱 바지를 입고 있었다. ㊕ ~·**ed** *a.*

bell-bot·toms [∸bɑ̀təmz / ∸bɔ̀t-] *n. pl.* (선원(船員)의) 나팔바지; 판탈롱.

bell·boy [∸bɔ̀i] *n.* Ⓒ (호텔·클럽의) 사환.

béll bùoy 〖海〗 타종 부표(打鐘浮標).

béll càptain 《美》 (호텔의) 급사장.

Belle [bel] *n.* 여자 이름《Isabella의 애칭》.

***belle** [bel] *n.* ① Ⓒ 미인, 미녀. ② (the ~) (어떤 자리에서의) 가장 아름다운 여성〔소녀〕《*of*》: the ~ *of* society 사교계의 여왕 / She wore a dress of crimson silk to the dinner and was the ~ of the ball. 그녀는 만찬에 심홍색의 비단옷을 입었는데 거기서 가장 매력적인 여자였다.

belles-let·tres [belléta*r*, bellétr] *n.* Ⓤ 《F.》 미문학(美文學), 순(純)문학.

bell·flow·er [bélflàuə*r*] *n.* Ⓒ 〖植〗 초롱꽃과(科)의 각종 식물 : a Chinese ~ 도라지.

béll fòunder 〔**fòundry**〕 종 만드는 사람.

béll glàss =BELL JAR.

bell·hop [∸hɑ̀p / ∸hɔ̀p] *n.* 《美》 =BELLBOY.

bel·li·cose [bélikòus] *a.* 호전적인 : The general made some ~ statements about his country's military strength. 장군은 그 나라의 군사력에 관하여 다소 호전적인 성명을 발표했다.
㊕ ~·**ly** *ad.* ~·**ness** *n.*

bel·li·cos·i·ty [bèlikɑ́səti / -kɔ́s-] *n.* Ⓤ 호전성, 전투적 기질; 싸움을 즐김.

bel·lied [bélid] *a.* ① 〔複合語를 이루어〕 …의 배를 한〔지닌〕: empty-~ children 배곯은 아이들. ② 배가 큰, 비만한.

bel·lig·er·ence [bəlídʒərəns] *n.* Ⓤ 호전성, 투쟁성; 교전(상태), 전쟁(행위).
㊕ **-en·cy** [-rənsi] *n.* Ⓤ 교전 상태.

***bel·lig·er·ent** [bəlídʒərənt] *a.* 〔限定的〕 교전 중인; 교전국의; 호전적인 : Mr. Gates stressed the danger of ~ statements by both sides leading to war. 게이츠씨는 전쟁으로 줄달음치는 양측의 호전적인 성명의 위험성을 강조했다.
— *n.* Ⓒ 교전국; 전투원. ㊕ ~·**ly** *ad.*

béll jàr 종 모양의 실험용 유리 용기, 유리 종.

bell·man [bélmən] (*pl.* **-men** [-mən]) *n.* Ⓒ ① 종치는 사람. ② 어떤 일을 동네에 알리는 사람 (town crier); 야경꾼. ③ 잠수부의 조수.

Bel·lo·na [bəlóunə] *n.* ①〖로神〗벨로나(전쟁의 여신). ② Ⓒ 키가 큰 미인.

***bel·low** [bélou] *vi.* ① (소가) 큰 소리로 울다; 짖다. ②《~ / +전+명》(고통 따위로) 신음하다《*in*; *with*》; 호통치다, 꾸짖다《*at*》, 큰소리치다: He *~ed at* his servant. 그는 하인에게 호통쳤다. ③ (대포 소리 따위가) 크게 울리다; (바람이) 윙윙대다. — *vt.*《~+목 / +목+부》…을 큰소리로 말하다, 고함치다, 으르렁거리다; (아픔 따위로) 신음하다: We could hear the sergeant *~ing* commands to his troops. 우리는 중사가 그의 부대원에게 명령을 외치는 소리를 들을 수 있었다. — *n.* Ⓒ (황소의) 우는 소리; 울부짖는〔신음〕소리; 울리는 소리.

***bel·lows** [bélouz, -ləz] (*pl.* ~) *n.* Ⓒ ① 풀무. ② (풍금·아코디언의) 송풍기, 바람통; (사진기의) 주름 상자;《口》허파: The ~ and the whole equipment to do the blacksmithing just wasn't there. 대장장이 일을 하는데 쓰이는 송풍기와 모든 장비는 제자리에 없었다.

béll pùsh (벨의) 누름단추.

béll rìnger 종치는〔벨을 울리는〕사람〔장치〕.

béll rìnging 종을 침, 종치는 방법.

béll tènt 종 모양의 천막.

béll tòwer 종루, 종탑. cf. campanile.

bell·weth·er [bélwèðər] *n.* Ⓒ 길잡이 양; 선도자; 주모자: If interest in apartments remains high, it could be a ~ of another real estate recovery. 만일 아파트 인기가 여전히 높다면 기타 부동산 경기 회복의 선도자가 될 수 있다.

bel·ly** [béli] *n.* Ⓒ ① 배, 복부: a child with a swollen ~ 배가 불룩 나온 아이. ② 위(胃). ③ (the ~) 식욕, 대식; 탐욕: *The* ~ has no ears.《俗談》금강산도 식후경, 수염이 대 자라도 먹어야 양반. ④ (병·악기 따위의) 중배. ⑤ (비행기·선박 따위의) 안; 하부; 동체. ***go ~ up《俗》(1) 물고기가 죽다. (2) 실패하다; 도산하다. ***lie on the ~*** 엎드려 눕다. — *vt., vi.* 부풀(리)다, 불룩해지다; 포복하다; 배를 내밀고 걷다《*out*》. ***~ in*** 동체 착륙하다. ***~ up to . . .***《美俗》…에 곧장 나아가다, 서슴없이 다가서다.

bel·ly·ache [-èik] *n.* Ⓤ 복통;《俗》푸념, 불평: I'm got this awful ~, I think I'm going to be sick! 이처럼 심한 복통이 있는 걸 보니 아플것 같다. — *vi.*《俗》(빈번히) 불평을 하다《*about*》.

bel·ly·band [-bæ̀nd] *n.* Ⓒ (말의) 뱃대끈.

bélly bùtton《口》배꼽(navel).

bélly dànce 벨리 댄스, 배꼽춤.

bélly dàncer 벨리 댄서.

bélly flòp 배로 수면을 치면서 다이빙하기.

bel·ly·ful [bélifùl] *n.* Ⓒ 한 배 가득, 충분《*of*》; 지긋지긋할 정도의 양(量). ***have had a ~ of***《口》(충고·불평 따위를) 진저리나도록 듣다.

bel·ly-land [-læ̀nd] *vi.*《口》동체 착륙하다. — *vt.* …을 동체 착륙시키다.

bélly lànding《口》동체 착륙.

bélly làugh《口》포복 절도, 홍소(哄笑).

Bél·mont Stákes [bélmɑnt- / -mɔnt-] (the ~)〔單數 취급〕벨몬트 스테이크스《미국의 삼관(三冠) 경마(競馬)의 하나》.

†be·long [bilɔ́(:)ŋ, -lɑ́ŋ] *vi.* ①《+전+명》(…에) 속하다, (…의) 것이다, (…의) 소유이다《*to*》. ②《+전+명》(일원으로서) 소속하다: He *~s to* (=is a member of) our club.《美》그는 우리 클럽의 회원이다 / His heart *~ed to* her. 그는 그녀에게 마음을 빼앗겼다. ③《+전+명》(분류상 …에) 속하다, 부류(部類)에 들다《*among*; *to*; *in*; *under*; *with*》; … 속에 있어야 마땅하다: They ~ *under* this category〔*among* such writers〕. 그들은 이 부류〔이 같은 작가군〕에 든다 / a man who *~s among* the great 족히 대인물들 속에 끼어 마땅한 인물. ④《+전+명》(본래) …에 있어야〔속해야〕하다《*in*》: Your shoes ~ *under* the bed or *in* your cupboard, not beside the door. 네 구두는 침대 밑이나 벽장 속에 있어야지 문간에 두어서는 안된다 / He doesn't ~ *in* this job. 그는 본래 이 일에 맞지 않는다 / She told me she felt as if she didn't ~ *in* her job anymore. 그녀는 더이상 직장에 어울리지 않는 것 같다고 나에게 말했다 / Now, go back to *where* you ~. 자, 네 집으로 가거라. ⑤《+전+명》(…에) 관계하고 있다, (…와) 조화되고 있다《*with*; *to*》: Cheese *~s with* salad. 치즈는 샐러드에 맞는다 / They ~ *with* each other. 그들도 서로 관계가 있다 / His opinion does not ~ *to* this discussion. 그의 의견은 이 토의와는 관계가 없다. ⑥《口》사교성이 있다. ⑦《美方》(당연히) …하여〔해〕야 한다 (ought)《*to* do》. ***~ here*** 여기〔이 항목〕에 속하다; 이 곳 사람이다. ***~ in . . .***《美》…에 살다. ***~ together*** (물건이) 세트로 되어 있다; 서로 애인 사이이다.

be·long·ing** [bilɔ́(:)ŋiŋ, -lɑ́ŋ-] *n.* ① (*pl.*) 소유물(possessions), 재산(property). ② (*pl.*) 소지품, 부속물: He was identified only by his uniform and personal *~s*. 그는 제복과 개인 소지품만으로 신원확인이 되었다. ③ Ⓒ,Ⓤ 성질, 재능. ④ (*pl.*) 가족, 친척. ⑤ Ⓤ 귀속(의식), 친밀(감). ***a sense of ~ 귀속 의식, 일체감.

Be·lo·rus·sia [bèlourʌ́ʃə] *n.* = BELARUS.

‡be·lov·ed [bilʌ́vid, -lʌ́vd] *a.* ①〔限定的〕사랑하는, 귀여운, 가장 사랑하는; 애용하는, 소중한. ②〔敍述的〕사랑받는; 사랑받아《*by*; *of*》: He's ~ *by*〔*of*〕all. 모든 사람에게 사랑받고 있다 / The rose is the most romantic of flowers, ~ *of* poets, singers, and artists. 장미는 가장 로맨틱한 꽃으로서 시인과 가수와 예술가의 사랑을 받고 있다. — *n.* ① (흔히 one's ~) 가장 사랑하는 사람. ② (신자 상호간의) 친애하는 여러분(호칭).

‡be·low [bilóu] *prep.* (opp. *above*) ① …의 아래에〔에서, 로〕; …의 남쪽에. ② …의 하류에〔에서, 로〕: There is a waterfall ~ the bridge. 이 다리 하류에 폭포가 있다. ③ …이하의; …보다 낮게: ~ the average 평균 이하에〔로〕/ It was sold ~ cost. 그건 원가 이하로 팔렸다. ④ …보다 하위에〔인〕, …보다 못하여: She is ~ me in the class. 그녀는 학급 석차가 나보다 밑이다 / A major is ~ a colonel. 소령은 대령의 아래다. ⑤ …할 만한 가치가〔도〕없는: ~ contempt 경멸할 가치조차 없는 / ~ one's notice 주의할 만한 가치가 없는; 무시할 수 있는.

— *ad.* ① 아래에〔로, 에서〕, 밑에(서). opp. *above.* ¶ From the top of the sky scraper the cars ~ us looked like insects. 마천루 꼭대기에 선 우리 발밑에 있는 자동차들은 벌레처럼 보였다. ② (공중에 대해) 지상에, 하계에〔로, 에서〕; (지상에 대해) 지하에, 무덤 속에, 지옥에〔으로, 에서〕. ③ (위층에 대해) 아래층에〔으로, 에서〕; (상갑판에 대해) 밑의 선실에〔로, 에서〕(opp. *on deck*);〖劇〗무대 앞쪽에〔으로〕. ④ 하위에〔의〕, 밑〔하급〕의. ⑤ 하류에; (페이지) 밑에, (책·논문 등의) 하단에: See ~. 하기 참조. ⑥ 영하(~ zero): The temperature has fallen ~ zero recently. 기

온은 최근 영하로 떨어졌다. ***down*** ~ 훨씬 아래쪽에 ; 지하〔무덤, 지옥〕에 ; 물 속에 ; 구렁텅이에 ; 〖海〗 선창(船艙)에(서).

‡**belt** [belt] *n.* Ⓒ ① 띠, 가죽 띠 ; (백작·기사의) 예장대(禮裝帶). ② 지대, 지방 ; 환상〔순환〕 지대 《도로 따위》; 에워 싸는 것, 고리《*of*》: the commuter ~ (대도시 교외의) 통근자 거주지구 ; 베드타운. ③ 줄 ; 줄무늬. ④ 〖機〗 벨트, 피대 ; 〖空〗 안전 벨트 ; 〖天〗 구름테《토성·목성 따위의》; 〖軍〗 (자동 소총 따위의) 탄띠 ; 쌓은 돌〔담〕의 가로선. ⑤ 해협(strait), 수로. ⑥ 《口》 강한 일격, 펀치 : She gave him a ~ in the mouth. 그의 입에 일격을 가했다. ⑦ 《美俗》 도수가 높은 술(의 한 잔), 음주, 과음. ***hit*** 〔***strike***〕 ***below the*** ~ 〖拳〗 허리띠 아래를 치다《반칙》; 《口》 비겁한 짓을 하다. ***in*** one***'s*** ~ (1) 뱃속에. (2) 소유하고. ***tighten*** 〔***pull in***〕 one***'s*** ~ 허리띠를 조르다, 배고픔을 참다 ; 내핍생활을 하다 ; 《口》 어려울 때를 대비하다 : The Philippines is under pressure from the IMF and the World Bank to *tighten its* ~. 필리핀은 국제통화기금과 세계은행으로 부터 긴축 경제를 실시하라는 압력을 받고 있는 중이다. ***under*** one***'s*** ~ 《口》 (1) 뱃속에 넣고, 먹고, 마시고 : with a good meal *under* one's ~ 잔뜩 먹고서. (2) 손 안에, 재산으로서 소지하고. (3) 《口》 이미 경험하고 : He had five years of courtroom practice *under his* ~. 그는 5년간 법정에서 실지 경험을 쌓았다 / You already had one university degree *under your* ~. 너는 벌써 한 대학의 학위를 손안에 소지하고 있다.

— *vt.* ① …에 띠를 매다《*on*》; 〖機〗 …에 피대를 감다. ② 《+목+부》 …을 띠로 잡아매다, 허리에 띠다 : The knight ~*ed* his sword *on.* 기사는 허리에 칼을 차고 있었다. ③ …에 에두르다《*with*》: a garden ~*ed with* trees 나무로 둘러싸인 정원. ④ (혁대로) …을 치다, (주먹으로) 때리다 ; 《美野俗》 히트를 치다 : Her Dad ~*ed* her when she got home late. 그녀의 아버지는 그녀가 늦게 귀가했을 때 때려주었다. ⑤ 《美俗》 (술)을 들이마시다 ; 게걸스레 마시다. ⑥ …에 폭넓은 줄무늬를 넣다 ; …을 신나게 노래하다〔연주하다〕《*out*》.

— *vi.* 《口》 질주하다《*along* ; *off*》; 활발하게 움직이다 : The car was ~*ing along* the road, we were sure it was going to crash. 그 자동차는 도로를 따라 질주하고 있었는데 우리는 충돌할 것이라고 확신하고 있었다. ~ ***up*** 《口》 안전띠를 조이다 ; 《俗》 〔命令形〕 조용히 해라, 듣기 싫어.

bélt convéyor 벨트 컨베이어.

belt·ed [béltid] *a.* 〔限定的〕 띠〔벨트〕를 두른 ; 예장대를 두른 ; (동물 따위가) 넓은 줄이 있는.

bélt hìghway 《美》 (도시 주변의) 순환 도로.

belt·ing [béltiŋ] *n.* ① Ⓤ 〔集合的〕 띠, 띠 종류. ② Ⓤ 띠의 재료 ; 〖機〗 벨트 (장치). ③ 《口》 Ⓒ (혁대 따위로) 때리기.

bélt lìne 《美》 (도시 주변의 버스 등의) 순환선.

belt·line [béltlàin] *n.* Ⓒ 허리통.

bélt tìghtening 긴축 (정책), 내핍 (생활).

bélt wày 《美》 =BELT HIGHWAY.

be·lu·ga [bəlúːgə] *n.* Ⓒ 〖魚〗 용상어 ; 〖動〗 흰돌고래(white whale)《북극해산》.

bel·ve·dere [bélvədìər, ⌐⌐⌐] *n.* ① Ⓒ 〖建〗 (고층 건물의) 전망대 ; (정원 따위의) 전망용 정자. ② (B-) 바티칸 궁전의 회화관(繪畫館).

be·mire [bimáiər] *vt.* …을 흙투성이로 만들다 ; 흙탕에 빠뜨리다.

be·moan [bimóun] *vt.* …을 슬퍼하다, 한탄하다 : ~ one's situation (자신이 처한) 환경을 한탄하다 / Researchers at universities are always ~*ing* their lack of funds. 대학의 연구원들은 항상 기금의 부족을 한탄하고 있다.

be·muse [bimjúːz] *vt.* …을 멍하게 하다 ; 곤혹케 하다 ; 생각에 잠기게 하다 ; 〔흔히 受動으로〕 …의 마음을 사로잡다.

Ben [ben] *n.* 남자 이름《Benjamin 의 애칭》.

ben *n.* Ⓒ 《Sc.·Ir.》 봉우리, 산꼭대기, 산정《★ 주로 *Ben* Nevis 처럼 산이름과 같이 씀》.

†**bench** [bentʃ] *n.* ① Ⓒ 벤치, 긴 의자 ; 〖野〗 벤치, 선수석(a players' ~) ; Ⓤ 〔集合的〕 보결 선수 ; (보트의) 노 젓는 자리(thwart) : a ~ polisher 《野俗》 보결 선수《★ 집합체로 볼 때는 단수, 구성요소로 생각할 때에는 복수취급》. ② (영국 의회의) 의석. ③ (the ~ ; 종종 the B-) 판사석 ; (열석한) 판사 일동 ; 〔集合的〕 Ⓤ 재판관 : ~ and bar 재판관과 변호사 / Kindly address your remarks to *the* ~, Mr. Smith. 스미스씨, 판사에게 귀하의 의견을 제시해 주세요. ④ Ⓒ (목수 등의) 작업대, 세공대 ; 동물 품평회, (동물 품평회의) 진열대. cf. bench show. ***on the*** ~ (1) 판사가 되어. (2) (선수가) 보결이〔후보가〕 되어. ***warm the*** ~ (선수가) 벤치만 지키다, 후보로 대기하다. — *vt.* ① …에 벤치를 비치하다. ② …에 위원〔판사 따위〕의 자리를 주다. ③ (선수)를 출전 멤버에서 빼다. ④ (품평회 따위에서 개 따위)를 진열대에 올려놓다.

bénch dòg (품평회에) 출품된 개.

bench·er [béntʃər] *n.* Ⓒ ① 벤치에 걸터앉는 사람 ; (보트의) 노 젓는 사람. ② 《英》 법학원(Inns of Court)의 간부 ; 국회 의원.

bénch màrk ① 〖測〗 수준 기표(基標), 수준점 《略 : B.M.》. ② =BENCHMARK.

bench·mark [⌐màːrk] *n.* Ⓒ ① 〖컴〗 견주기《여러 가지 컴퓨터의 성능을 비교·평가하기 위해 쓰이는 표준 문제》. ② (일반적인) 기준, 척도 : The document was a vital ~ against which to test progress. 그 문서는 발전을 시험하는 데 대한 결정적인 기준이었다. ③ 표준 가격. — *vt.* 〖컴〗 견주기 문제로 테스트하다.

bénchmark shèet 〖컴〗 견주기 용지.

bénch sèat (자동차의) 벤치 시트.

bénch wàrmer 〖競〗 후보 선수.

‡**bend**[1] [bend] (*p.*, *pp.* ***bent*** [bent], 《古》 ***bénd·ed***) *vt.* ① 《~+목 / +목+부 / +목+전+명》 …을 구부리다 ; (머리)를 숙이다 ; (무릎)을 굽히다(stoop) ; (활)을 당기다 ; (용수철)을 감다 ; (사진·봉투 따위)를 접다 : ~ a piece of wire *into* a ring 철사를 구부려 고리로 만들다 / After her fall she complained that she couldn't bend her leg properly. 그녀는 넘어진 이후 다리를 제대로 굽힐 수 없다고 고통을 호소했다. ② 《~+목 / +목+전+명》 (뜻)을 굽히다, 굴복시키다 《*to*》; (법·규칙 등을 편리하도록) 굽히다, 악용하다 : ~ one's will 자기 뜻을 굽히다 / ~ a person *to* one's will 아무를 자기 뜻에 따르게 하다. ③ 《+목+전+명》 (눈·걸음)을 딴 데로 돌리다《*to* ; *toward(s)*》; (마음·노력·정력 따위)를 기울이다, 쏟다《*on* ; *to* ; *toward*》: She *bent* her mind *to* her work. 그녀는 자기일에 전념했다. ④ 《+목+전+명》 〖海〗 (돛·밧줄 등)을 동여매다.

— *vi.* ① 구부러지다 ; 휘다 : The branch *bent.* 가지가 휘었다. ② 《+부 / +전+명》 몸을 구부리다, 웅크리다 : ~ *down* 웅크리다 / ~ *over* work 몸을 굽히고 일하다 / Better ~ than break. 《俗談》 꺾이는 것보다 구부리는 것이 낫다, 지는 것이 이기는 것. ③ 《+전+명》 무릎을 꿇다 ; 굴복하다, 따르다《*to* ; *before*》: The local council was forced to ~ *to* public pressure. 지방의회는 여론

의 압력에 굴복하게 되었다. ④《+전+명》 힘을 쏟다, 기울이다《*to*》: We *bent to* our work. 우리는 일에 정력을 쏟았다〔열중하였다〕. ⑤《+전+명》 향하다《*to*》. **be bent with age** 나이를 먹어 허리가 굽어져 있다. ~ **an ear** ⇨ EAR. ~ **back** 몸을 젖히다. ~ **forward** 앞으로 굽히다; 앞으로 몸을 내밀다. ~ 〔**lean**〕 **over backward(s)** 비상한 노력을 하다; (지나친 점을 시정하기 위해) 전과 반대되는 태도를 취하다. ~ a person**'s ear** 말을 많이 하다, 성가시게 이야기하다: He's a real nuisance, he's always trying to ~ *my ear* about the difficulties he has at work. 그는 정말 골칫거리야. 일하다 곤란한 것은 항상 나에게 지껄여 대려고 하니 말이야. ~ one**'s mind to** 〔**on, upon**〕 …에 전념하다. ~ one**'s steps** (homeward) 발길을 (집으로) 돌리다. ~ **the knee to** 〔**before**〕 ⇨ KNEE. ~ **to the oars** 열심히 젓다. ~ **to** a person**'s wishes** 아무의 소원을 마지못해 들어 주다.

—— *n.* ①Ⓒ 굽음, 굽은 곳, 굴곡〔만곡〕(부): a sharp ~ *in* the road 도로의 급커브. ②Ⓒ 몸을 굽힘. ③〖海〗 밧줄(을) 맨 매듭; (*pl.*) 배의 대판(帶板).

bend[2] *n.* Ⓒ 〖紋章〗 우경선(右傾線)《방패의 왼쪽 위에서 오른쪽 아래로 비스듬히 내리그은 띠 줄》(=∠ **déxter**). opp. *bend sinister.*

bend·ed [béndid] 《古》 BEND[1]의 과거·과거 분사. —— *a.* 〔다음 成句로만 쓰임〕 **with ~ bow** 활을 당겨. **on ~ knee(s)** 무릎을 꿇고, 애원하여: *On ~ knee,* he asked her to marry him. 무릎을 꿇고, 그녀에게 결혼해 달라고 요청했다.

bend·er [béndər] *n.* Ⓒ ①굽히는 사람〔기구〕. ②《口》 주흥(酒興), (법석대는) 술잔치, 흥청거림: go on a ~ 술 마시며 떠들다. ③〖野〗 커브.

bénd sínister 〖紋章〗 좌경선(左傾線)《방패의 오른쪽 위에서 왼쪽 아래로 비스듬히 내리그은 띠 줄》.

bendy [béndi] (*bend·i·er* ; *-i·est*) *a.* 마음대로 구부릴 수 있는, 유연한; (길 등이) 꼬불꼬불한.

bene- *pref.* '선(善), 양(良)' 따위의 뜻.

‡**be·neath** [biní:θ, -ní:ð] *ad.* (바로) 아래〔밑〕에, 아래쪽에; 지하에: the heaven above and the earth ~ 위의 하늘과 밑의 땅 / the town ~ 아랫동네 / the sea roaring ~ 밑에서 사납게 파도치는 바다.

—— *prep.* ① (위치·장소가) …의 아래〔밑〕에(서); (무게·지배·압박 등의) 밑〔하〕에, …을 받아서; 〔비유적으로〕 …의 이면에: There was a core of truth ~ the joke. 농담의 이면에는 진실의 핵이 숨겨 있었다. ②…의 아래쪽〔기슭〕에. ③ (신분·직위·가치 등이) …보다 낮게, …이하로: marry ~ one 자기보다 지체가 못한 사람과 결혼하다 / be ~ the average 평균보다 떨어지다 / She is far ~ him in intelligence. 그녀는 지능이 그보다 크게 뒤진다. ④…할 가치가 없는, …의 품위에 어울리지 않는: Many find themselves having to take jobs far ~ them. 많은 사람들이 자신들에게 훨씬 어울리지 않는 직업을 선택해야 함을 스스로 알고 있다 / It is ~ him to complain. 푸념을 하는 것은 그답지 않다.

Ben·e·dic·i·te [bènədísəti / -dái-] *n.* ①〖基〗 Benedicite 로 시작되는 찬송가; 또 그 악곡. ②(b-) Ⓤ 축복의 기도, (식전의) 감사의 기도.

Ben·e·dict [bénədikt] *n.* ①남자 이름. ② **Saint** ~ 베네딕트《베네딕트회를 창설한 이탈리아의 수도사; 480 ? -543 ?》.

Ben·e·dic·tine [bènədíktin, -tain, -ti:n] *a.* 성 베네딕트의; 베네딕트회의. —— *n.* ① Ⓒ 베네딕트회 수사〔수녀〕. ② (b-) [-ti:n] Ⓤ 단맛 도는 술의 일종《프랑스산》.

ben·e·dic·tion [bènədíkʃən] *n.* Ⓤ,Ⓒ ① (예배 따위의 끝) 기도, (식전·식후의) 감사 기도. ②축복: She could only raise her head in a gesture of ~. 그녀는 축복을 원한다는 몸짓으로 머리를 들 수 있을 뿐이었다. ③ (B-) 〖가톨릭〗 (성체) 강복식.

ben·e·dic·to·ry [bènədíktəri] *a.* 축복의.

Ben·e·dic·tus [dènədíktəs] *n.* ① *Benedictus qui venit* 《L.》 (=Blessed is he who ...)로 시작되는 찬송가. ②그 악곡.

ben·e·fac·tion [bènəfǽkʃən, ∠-∠-] *n.* ①Ⓤ 은혜를 베풂; Ⓤ,Ⓒ 은혜, 선행; 희사(喜捨). ②Ⓒ 기부금, 공양물, 시혜물.

***ben·e·fac·tor** [bénəfæ̀ktər, ∠-∠-] (*fem.* **-tress** [-tris]) *n.* Ⓒ 은혜를 베푸는 사람, 은인; 후원자; 기부자: In his old age he became a ~ of the arts. 그는 노년에 예술의 후원자가 되었다.

ben·e·fice [bénəfis] *n.* Ⓒ 〖基〗 ①성직록(聖職祿), 〖英國敎〗 vicar 또는 rector 의 수입; 교회의 수입. ②성직록을 받는 성직.

㊞ ~**d** [-t] *a.* 〔限定的〕 성직록을 받는.

***be·nef·i·cence** [bənéfəsəns] *n.* Ⓤ 선행, 은혜; 자선.

***be·nef·i·cent** [bənéfəsənt] *a.* 자선심이 많은, 기특한.

***ben·e·fi·cial** [bènəfíʃəl] *a.* ① 유익한, 유리한 《*to*》. ②〔敍述的〕 (…에) 유익한《*to*》.

ben·e·fi·ci·ary [bènəfíʃièri, -fíʃəri] *n.* Ⓒ 수익자; (연금·보험금 등의) 수령인; 《美》 급비생(給費生); 〖法〗 신탁 수익자; 〖가톨릭〗 성직록(聖職祿)을 받는 사제: The main *beneficiaries* of the new law will be those living on a below the poverty line. 새 법률의 주요 수혜자는 빈곤층 생활자들이 될 것이다.

‡**ben·e·fit** [bénəfit] *n.* ①Ⓤ,Ⓒ 이익; 〖商〗 이득: (a) public ~ 공익(公益). ②Ⓒ 은혜; 은전(恩典): He's had the ~ of an expensive education and yet he continues to work as a waiter. 그는 값비싼 교육의 혜택을 받았음에도 지금껏 웨이터로 계속 일하고 있다. ③Ⓒ 자선 공연〔흥행, 경기 대회〕: a ~ concert 자선 콘서트. ④Ⓤ,Ⓒ 《英》 (종종 *pl.*) (보험·사회 보장 제도의) 급부금, 연금, 수당: a medical ~ 의료 급부금 / He is unemployed and receiving ~. 그는 실업자로 급부금을 받고 있다. **be of ~ to** …에 유익하다: Traveling abroad *was of* great ~ *to* me. 외국 여행은 내게 크게 유익했다. **for** a person**'s ~ = for the ~ of** a person 아무를 위하여; 〔反語的〕 …를 골리기 위하여, …에게 빗대어: *For your ~,* today is Tuesday, not Wednesday. 안됐지만, 오늘은 화요일이지, 수요일이 아닐세. **give** a person **the ~ of the doubt** 아무의 의심스러운 점을 선의로 해석해 주다; 의심스러운 점에 대해서는 벌하지 않다: I didn't know whether his story was true or not, but I decided to *give him the ~ of the doubt.* 나는 그의 이야기가 진실인지 아닌지를 알지 못했지만 사실이 아닐지라도 그를 선의로 봐주기로 결정했다. **without ~ of** …의 도움도 없이: *without ~ of* search warrants 수색 영장도 없이.

—— *vt.* …의 이(利)가 되다; …에게 이롭다.

—— *vi.* 《+전+명》 이익을 얻다《*by* ; *from*》: You will ~ *by* a holiday. 휴가로 득을 볼 것이다 / I have greatly ~*ed from* the experience. 그 경험으로 크게 이득을 얻었다. ◇ beneficial *a.*

㊞ ~·**er** *n.* 수익자.

bénefit socìety 〔**associàtion, clùb**〕 《美》 공제 조합(《英》 friendly society).

Ben·e·lux [bénəlʌ̀ks] *n.* 베네룩스《*Be*lgium, *Ne*therlands, *Lux*emburg 의 세 나라의 총칭; 또 이 나라들이 1948년에 맺은 관세 동맹; 1960년에 경제 동맹이 되었음》.

***be·nev·o·lence** [bənévələns] *n.* ① Ⓤ 자비심, 박애. ② Ⓒ 선행, 자선.

be·nev·o·lent** [bənévələnt] (more*** ~; ***most*** ~) *a.* ① 자비심 많은, 호의적인, 친절한《*to; toward*》: The government is ~ *to* the poor. 정부는 가난한 국민들에게 동정적이다 / He has a ~ air about him. 그의 태도에 친절한 면이 있다. ② 자선의: the ~ art 인술(仁術).

Ben·gal [beŋgɔ́:l, ben-, béŋgəl, béŋ-] *n.* 벵골.

Ben·ga·lese [bèŋgəlí:z, -lí:s, bèn-] *a.* 벵골(인, 어)의. ── *n.* (*pl.* ~) Ⓒ 벵골인.

Ben·ga·li, -ga·lee [beŋgɔ́:li, ben-] *a.* 벵골(인, 어)의. ── *n.* Ⓒ 벵골인; Ⓤ 벵골어.

be·night·ed [bináitid] *a.* 밤이 된, 길이 저문, 문화가 뒤진; 미개한. ㊉ **~·ly** *ad.* **~·ness** *n.*

be·nign [bináin] *a.* ① 자비로운, 친절〔다정〕한; 온유한: a ~ smile 온유한 미소 / ~ neglect (외교·경제 관계에서) 은근한 무시; 무책이 상책. ② 온화한; 비옥한《기후·토지 따위》; 길운(吉運)인; 〖醫〗 양성(良性)의: She wept in relief when the tumour turned out to be ~. 그녀는 종양이 양성으로 판명되자 안도의 눈물을 흘렸다.

be·nig·nan·cy [binígnənsi] *n.* Ⓤ ① 온정; 인자. ② (기후 등의) 온화. ③ 〖醫〗 양성(良性).

be·nig·nant [binígnənt] *a.* ① 자비로운, 친절한. ② 온화한; 유익한; 이로운. ③ 〖醫〗 양성(良性)의.

be·nig·ni·ty [binígnəti] *n.* Ⓤ ① 인자, 친절한 행위, 은혜, 자비. ② (기후 등의) 온난.

Be·nin [bení:n, bénən] *n.* 베냉《아프리카의 공화국; 구칭 Dahomey; 수도 Porto Novo》. ㊉ **Be·ni·nese** [bəní:ni:z, bènəní:z, -s] *a., n.*

Ben·ja·min [béndʒəmən] *n.* 남자 이름.

Ben·jy, -jie [béndʒi] *n.* Benjamin 의 애칭.

Ben·nett [bénit] *n.* ① 남자 이름 (= **Bén·net**). ② **Enoch Arnold** ~ 베넷《영국 소설가; 1867-1931》.

Ben Ne·vis [benní:vis, -névis] 벤네비스《스코틀랜드 중서부에 있는 영국 최고의 산; 1343m》.

Ben·ny [béni] *n.* Benjamin 의 애칭.

ben·ny, ben·nie *n.* Ⓒ 《美俗》 BENZEDRINE 정제.

***bent** [bent] BEND[1]의 과거·과거분사.
── *a.* ① 굽은, 구부러진, 뒤틀린: a man ~ *with* age 늙어 허리가 굽은 사람. ② 〔敍述的〕 열중한, 결심한《*on, upon*》: be ~ *on* do*ing* …을 결심하고 있다, …에 열중하고 있다 / He's ~ *on* having a doctor's degree before he's thirty. 30 전에 박사학위를 딸 결심을 하고 있다 / He's ~ *on* mastering English. 그는 영어를 마스터하려고 열중하고 있다 / They are ~ *on* improving existing weapon systems. 그들은 현존하는 무기 체계를 개선하는 데에 열중하고 있다. ③ 《英俗》 정직하지 않은; (관리 따위가) 부패한. ④ 《美俗》 (마약·술에) 취한; 성적 도착의, 호모의; 《英》 머리가 돈〔이상한〕; 격노한; 고장이 난. ***be ~ homeward*** 발길을 집으로 향하다.
── *n.* Ⓒ ① 경향, 성벽, 좋아함, 소질(素質): have a natural ~ *for* music 음악의 소질을 타고 나다. ② 〖建〗 교각. ③ 굴곡〔만곡〕(부). ***follow one's ~*** 마음 내키는 대로 하다, 성미에 따르다. ***have a ~ for*** …을 좋아하다; …에 소질이 있다. ***to*** 〔***at***〕 ***the top of one's ~*** 힘껏, 마음껏; 충분히 만족할 때까지.

Ben·tham [bénθəm, -təm] *n.* **Jeremy** ~ 벤담《영국의 철학자·공리주의 주창자; 1748-1832》.

bent·wood [béntwùd] *n.* Ⓤ 굽은 나무《가구용》. ── *a.* 〔限定的〕 굽은 나무로 만든《의자 따위》.

be·numb [binʌ́m] *vt.* 〔흔히 受動으로〕 감각을 잃게 하다, 마비시키다, 저리게 하다《*by; with*》; 실신케 하다; 멍하게 하다: My fingers *are* ~*ed with* cold. 추위로 손가락이 마비되어 있다 / I *was* ~*ed by* the news. 그 소식에 망연해졌다.

Ben·ze·drine [bénzədrì:n, -drin] *n.* Ⓤ 〖藥〗 벤제드린《商標名; 각성제》.

ben·zene [bénzi:n, -ˊ] *n.* Ⓤ 〖化〗 벤젠《콜타르에서 채취한 무색의 액체》: ~ hexachloride 벤젠헥사클로라이드《살충제; 略: BHC》/ A ~ molecule is made of six carbon atom joined in a ring, each one with a hydrogen atom attached. 벤젠 분자는 고리 결합된 6개의 탄소 원자로 구성되어 있는데 각각의 탄소원자에는 수소원자가 붙어 있다.

ben·zine [bénzi:n, -ˊ] *n.* Ⓤ 〖化〗 벤진《석유에서 채취하는 무색의 액체》(★ benzene 과 구별하기 위하여 benzoline 이라고도 함).

ben·zo·ic [benzóuik] *a.* 안식향의.

benzóic ácid 〖化〗 안식향산.

ben·zo·in [bénzouin, -ˊ-] *n.* Ⓤ 안식향, 벤조인 수지; 〖化〗 벤조인《의약품·향수용》.

ben·zol, -zole [bénzɑl, -zɔ(:)l], [-zoul, -zɑl] *n.* Ⓤ 〖化〗 벤졸《benzene의 공업용 조(粗)제품》.

ben·zo·line [bénzəli:n] *n.* = BENZINE.

***be·queath** [bikwí:ð, -kwí:θ] *vt.* ① 《+목+전+명 / +목+목》 (동산)을 유증(遺贈)하다《*to*》: She ~*ed* no small sum of money *to* him. = She ~*ed* him no small sum of money. 그녀는 그에게 적지 않은 돈을 유산으로 남겼다 / Field's will ~*ed* his wife and son the sum of twenty thousand dollars. 필드 씨는 유언으로 부인과 아들에게 2만 달러를 유증했다(★ 부동산의 경우는 devise 를 씀). ② 《+목+전+명》 (이름·작품 따위)를 남기다, (후세에) 전하다《*to*》: One age ~*s* its civilization *to* the next. 한 대(代)는 다음 대에 그 문명을 전한다. ㊉ **~·al** [-əl], **~·ment** *n.* = BEQUEST.

be·quest [bikwést] *n.* ① Ⓤ 유증. ② Ⓒ 유산, 유물, 유품.

be·rate [biréit] *vt.* (사람)을 호되게 꾸짖다.

Ber·ber [bə́:rbər] *n.* ① Ⓒ 베르베르 사람《북아프리카 원주민의 한 종족》. ② Ⓤ 베르베르 말.
── *a.* 베르베르 사람〔말, 문화〕의.

be·reave** [birí:v] (*p., pp.* **~d** [-d], ***be·reft) *vt.* 《+목+전+명》 ① (사람에게서 이성·희망 등)을 빼앗다《*of*》: He was *bereft of* all hope. 그는 모든 희망을 잃었다 / Astonishment *bereft* him *of* speech. 너무 놀라 그는 할말을 잃었다. ② 〔*pp.*는 흔히 **~d**〕 (육친 등)을 앗아가다《*of*》; (뒤에 헛되게) 남기다《*of*》: The accident ~*d* her *of* her husband. 그 사고로 그녀는 남편을 잃었다.
㊉ **~·ment** *n.* Ⓤ,Ⓒ 사별(死別): I sympathize with you in your ~*ment.* 삼가 조의를 표합니다. **be·réav·er** *n.*

be·reaved [-d] BEREAVE 의 과거·과거분사.
── *a.* ① 〔限定的〕 (가족·근친과) 사별한; 뒤에 남겨진. ② (the ~) 〔名詞的; 單·複數 취급〕 (가족〔근친〕과) 사별한 사람(들), 유족.

***be·reft** [biréft] BEREAVE 의 과거·과거분사.
── *a.* 빼앗긴, 잃은《*of*》: He is ~ *of* all happiness. 그는 모든 행복을 빼앗기고 있다.

be·ret [bəréi, bérei] *n.* Ⓒ 《F.》 베레모(帽); 〖英

軍》 베레식 군모.

berg [bə:rg] *n.* Ⓒ 빙산(iceberg).

ber·ga·mot [bə́:rgəmɑ̀t / -mɔ̀t] *n.* ① Ⓒ 〖植〗 베르가모트(=∠ **òrange**) ; 배의 일종. ② Ⓤ 베르가모트 향유 ; 박하의 일종.

Berg·son [bə́:rgsən, bέərg-] *n.* **Henri** ~ 베르그송《프랑스의 철학자 ; 1859-1941》.
㉺ **Berg·so·ni·an** [bə:rgsóuniən, bεərg-] *a., n.* Ⓒ 베르그송 철학의 (신봉자). **Bérg·son·ìsm** [-sənìzəm] *n.* 베르그송 철학.

be·rib·boned [biríbənd] *a.* 리본으로 꾸민 ; 훈장을 단.

beri·beri [béribéri] *n.* Ⓤ 〖醫〗 각기(脚氣)(병).

Béring Séa (the ~) 베링 해.

Béring (stándard) tìme 베링 표준시 《G.M.T. 보다 11 시간 늦음 ; 略 : B(S)T》.

Béring Stráit (the ~) 베링 해협.

berk [bə:rk] *n.* Ⓒ 《俗》 얼간이, 지겨운 놈.

Berke·ley [bə́:rkli] *n.* 미국 캘리포니아 주의 도시《주립 California 대학의 분교의 소재지》.

ber·ke·li·um [bərkí:liəm, bə́:rkliəm] *n.* Ⓤ 〖化〗 버클륨《방사성 원소 ; 기호 Bk ; 번호 97》.

Berk·shire [bə́:rkʃiər / bɑ́:rk-] *n.* ① 잉글랜드 남부의 주《略 : Berks. [bə:rks / bɑ:rks]》. ② Ⓒ 버크셔, 흰점이 박힌 검은 돼지.

Ber·lin [bə:rlín] *n.* 베를린《독일의 수도》.

Ber·li·oz [bérliòuz, bέər-] *n.* (**Louis**) **Hector** ~ 베를리오즈《프랑스의 작곡가 ; 1803-69》.

Ber·mu·da [bə(:)rmjú:də] *n.* ① 버뮤다《대서양 상 영령(英領) 군도 중 최대의 섬》; (the ~s) 버뮤다 제도. ② (*pl.*) =BERMUDA SHORTS ; 《美俗》 양파.
㉺ **Ber·mú·di·an** [-diən], **-mú·dan** *a., n.*

Bermúda shórts (무릎 위까지 오는) 반바지.

Bermúda Tríangle (the ~) 버뮤다 삼각 해역.

Ber·nard [bə́:rnərd, bə:rnɑ́:rd] *n.* 남자 이름 《애칭 Bernie》.

Bern(e) [bə:rn] *n.* 베른《스위스의 수도》.

Ber·nie [bə́:rni] *n.* 남자 이름《Bernard의 애칭》.

‡**ber·ry** [béri] *n.* Ⓒ ① 씨 없는 식용 소과실《주로 딸기류》; 〖植〗 장과(漿果)《포도·토마토·바나나 등》. ② 말린 씨《커피·콩 따위》; (곡식의) 낟알 ; 들장미의 열매(hip). ③ (물고기·새우의) 알의 낱알 : a lobster *in* ~ 알을 밴 새우. — *vi.* 장과를 맺다 ; 장과를 따다. ***go ~ing*** (야생의) 딸기 따러 가다.

ber·serk [bə:rsə́:rk, -zə́:rk, ∠-] *n.* =BERSERKER. — *a.* 〔敍述的〕 광포한, 맹렬한《주로 다음 成句로》. ***go*** 〔***run***〕 ~ 광포해지다, 난폭해지다. ***send*** a person ~ 아무를 난폭해지게 하다.

ber·serk·er [bə:rsə́:rkər, -zə́:rk-, ∠--] *n.* Ⓒ ① (북유럽 전설의) 광포한 전사(戰士). ② 폭한(暴漢).

berth** [bə:rθ] *n.* Ⓒ ① 침대《기선·기차·여객기 따위의》, 층(層)침대 : She booked a ~ on the train from London to Aberdeen. 그녀는 런던에서 애버딘까지 가는 기차 침대칸을 예약했다. ② 정박〔조선(操船)〕 여지〔거리, 간격〕; (배의) 투묘지(投錨地), 정박 위치 ; 주차 위치 : a foul ~ (충돌할 우려가 있는) 나쁜 위치. ③ 숙소, 거처. ④ 적당한 장소 ; 《口》 직장, 지위 : have a (good) ~ with …에 (좋은) 일자리〔지위〕가 있다 / find a snug ~ 편안한 일자리를 찾다. ***give a wide ~ to = ***keep a wide ~ of*** 《口》 …에서 멀리 떨어져서 정박하다 ; …을 경원하다〔피하다〕. ***on the ~*** 정박중인〔에〕. ***take up a ~*** 정박하다.
— *vt.* ① …을 정박시키다. ② …에게 침대를 마련해주다 ; 취직시키다. — *vi.* ① 정박하다. ② 숙박하다.

Ber·tha [bə́:rθə] *n.* 여자 이름《애칭 Bert, Bertie, Berty》.

ber·tha [bə́:rθə] *n.* Ⓒ (여성복의) 넓은 깃《흰 레이스로 어깨까지 드리워짐》.

Bert·ie [bə́:rti] *n.* ① Bertha 의 애칭. ② Albert, Hubert 등의 애칭.

Ber·trand [bə́:rtrənd] *n.* 남자 이름.

ber·yl [bérəl] *n.* Ⓤ,Ⓒ 〖鑛〗 녹주석(綠柱石).

be·ryl·li·um [bəríliəm] *n.* Ⓤ 〖化〗 베릴륨《금속 원소 ; 기호 Be ; 번호 4》.

be·seech** [bisí:tʃ] (*p., pp.* ***be·sought [-sɔ́:t], ***~ed***) *vt.* ① 《~+목 / +목+전+명 / +목+*to* do / +목+*that* 절》 …을 간절히 원하다, 탄원하다 《*for*》: I ~ your favor. 제발 부탁합니다 / I ~ this favor *of* you. 제발 이것을 부탁드립니다 / They *~ed* her not to climb the mountain that day, but she wouldn't listen. 그들은 그날 그녀에게 등산하지 말것을 간청했으나 듣지 않았다 / She *besought* the King *that* the captive's life might be saved. 그녀는 포로의 목숨을 살려 주도록 왕에게 탄원했다. ② …에게 청하다 ; 구하다 : Tell me, I ~ you, what has become of him. 그가 어떻게 되었는지 제발 가르쳐 주시오. — *vi.* 탄원하다.
㉺ **~·er** *n.*

be·seech·ing [bisí:tʃiŋ] *a.* 〔限定的〕 (표정·눈빛이) 탄원〔애원〕하는 듯한.

be·seem [bisí:m] *vt.* 《古》 〔주로 it 를 主語로 하며, 흔히 well, ill 을 수반함〕 …에게 어울리다〔맞다〕: *It ill ~s*〔*It* does not ~〕 you *to* complain. 불평을 하는 것은 너답지 않다.
㉺ **~·ing** *a.* 어울리는. **~·ing·ly** *ad.*

be·set** [bisét] (*p., pp.* ~ ; ***~·ting) *vt.* ① …을 포위하다, 에워싸다 ; (도로 따위)를 막다, 봉쇄하다 《*with*》: be ~ *by* enemies 적에게 포위되다 / the forest that ~*s* the village 그 마을을 에워싼 숲 / The valley is ~ *with* snow-capped peaks. 계곡은 백설로 덮인 봉우리로 둘러싸여 있다. ② 《比》 (위험·유혹 등이) …에 따라다니다, 괴롭히다 《*with* ; *by*》: a man ~ *with*〔*by*〕 entreaties 탄원 공세에 시달리는 사람 / The expedition is ~ *with*〔*by*〕 perils. 그 탐험은 위험으로 가득차 있다 / With the amount of traffic nowadays, even a trip across town is ~ *by* danger. 오늘날 교통량 때문에 시내 나들이조차도 위험을 수반하다. ③ 꾸미다, 박아넣다《*with*》: Her necklace was ~ *with* gems. 그녀 목걸이에는 보석이 박혀 있었다.
㉺ **~·ting** [-iŋ] *a.* 〔限定的〕 에워싸는 ; 끊임없이 괴롭히는 : a *~ting* temptation 〔sin〕 빠지기 쉬운 유혹〔죄〕.

†**be·side** [bisáid] *prep.* ① …의 곁〔옆〕에, …와 나란히 : I sat down ~ my wife. 나는 아내 옆에 앉았다. ② …와 비교하여 : *Beside* him, other people are mere amateurs. 그에 비하면 다른 사람들은 풋내기에 지나지 않는다. ③ …을 벗어나(apart from). ④ …외에(besides) ; …에 더하여(in addition to). ~ one***self*** 제 정신을 잃고, 흥분하여 《*with* joy, rage, etc.》: ~ *oneself with* joy 미칠 듯이 기뻐서. ~ ***the mark*** 〔***point***〕 ⇨ MARK[1]. ~ ***the question*** 문제 밖에. — *ad.* 《古》 곁〔옆〕에 ; =BESIDES.

‡**be·sides** [bisáidz] *ad.* ① 그 밖에, 따로 : I bought him books and many pictures ~. 그에게 책과 그 밖에 많은 그림을 사 주었다 / I've had job offers from two firms of international lawyers and plenty more ~. 나는 두 군데의 국제 법무법인과 그 밖에 더 많은 곳으로부터 취직제의를 받았

다. ② 게다가.
— *prep.* ① …외에(도), …에다가 또: *Besides* a mother, he has a sister to support. 어머니 외에 부양할 누이가 있다. ② 〔否定·疑問文에서〕 외에(는), …을 제외하고(는).

*·**be·siege** [bisíːdʒ] *vt.* ① …을 포위 공격하다; …을 에워싸다; …에 몰려들다〔쇄도하다〕; 〔종종 受動으로〕 (공포 등이) …을 휩싸다; 괴롭히다: For years, the Greeks ~*d* the city of Troy. 다년간 그리스군은 Troy 시를 포위하였다 / He *was* ~*d by* fear. 그는 공포에 휩싸였다 / After showing the controversial film the television company *was* ~*d* with phone calls and letters. 논쟁의 대상이 되는 영화를 방영한 뒤에 그 텔레비전 방송국에는 전화와 편지가 쇄도했다. ② 《+목+전+명》 (요구·질문 따위로) 공세를 퍼붓다, 괴롭히다《*with*》: The lecturer was ~*d with* questions from his audience. 강사는 청중으로부터 질문공세를 받았다. ***the ~d*** 〔複數 취급〕 농성군(籠城軍).
㊕ **~·ment** *n.* Ⓤ 포위(공격). **be·síeg·er** *n.* Ⓒ 포위자; (*pl.*) 포위군.

be·smear [bismíər] *vt.* …을 뒤바르다《*with*》; 더럽히다: faces ~*ed with* mud 진흙이 더덕더덕 묻은 얼굴 / The teacher's reputation was ~*ed* by students accusations of unfair grading. 그 선생님의 명성은 학생들의 불공정한 평가에 따른 비난으로 손상을 입었다.

be·smirch [bismə́ːrtʃ] *vt.* …을 더럽히다; 변색시키다; (명예·인격 따위)를 손상하다.
㊕ **~·er** *n.* **~·ment** *n.*

be·som [bíːzəm] *n.* Ⓒ ① 마당비. ②〖植〗 금작화. — *vt.* …을 마당비로 쓸다.

be·sot·ted [bisátid/-sɔ́t-] *a.* ① 정신을 못가누게 된; 〔敍述的〕 (술에) 취해버린《*with*》: a ~ drunkard 취한(醉漢). ② 〔敍述的〕 (사랑·권력 등에) 정신이 멍한, 이성을 잃은: He's ~ *with* love. 그는 사랑에 정신이 팔려 있다. ③ 바보 같은, 어리석은, 치매 상태의.
㊕ **~·ly** *ad.* **~·ness** *n.*

*·**be·sought** [bisɔ́ːt] BESEECH 의 과거·과거분사.

be·span·gle [bispǽŋgəl] *vt.* 〔종종 受動으로〕 (번쩍번쩍하는 것을〔으로〕) …에 흩뿌리다〔덮다, 장식하다〕《*by*; *with*》: *be* ~*d with* stars 별이 총총하다.

be·spat·ter [bispǽtər] *vt.* (흙탕물 따위)를 튀기다; 튀기어 더럽히다《*with*》; (욕 따위)를 퍼붓다(abuse): The backs of my legs were ~*ed with* mud after walking home in the rain. 나는 비를 맞으며 집으로 걸어갔기 때문에 다리 뒤쪽은 진흙이 튀겨 더러워졌다.

be·speak [bispíːk] (***-spoke*** [-spóuk], 《古》 ***-spake*** [-spéik]; ***-spo·ken*** [-spóukən], ***-spoke***) *vt.* ① …을 예약하다; 주문하다: Every seat is already *bespoken*. 모든 좌석이 이미 예약되었다. ② …을 미리 의뢰하다. ③ …을 나타내다, 보이다, …이라는 증거이다; …의 징조이다: This ~*s* a kindly heart. 이것으로 친절한 것을 알 수 있다.

be·spec·ta·cled [bispéktəkəld] *a.* 〔限定的〕 안경을 낀: Mr. Merrick was a slim, quiet, ~ man. 메릭씨는 갸날프고 조용한 안경낀 남자다.

be·spoke [bispóuk] BESPEAK 의 과거·과거분사. — *a.* 〔限定的〕 ① 《英》 주문한, 맞춘(custom-made) (opp *ready-made*); 주문 전문의《구둣방》: a ~ bootmaker 맞춤 구둣방 / Habits made by a ~ tailor are an expensive item. 맞춤전문 양복점에서 만든 의복은 고가품이다. ②〖컴〗 (요구에 맞추어) 제작한 (소프트웨어).

be·spo·ken [bispóukən] BESPEAK 의 과거분사.

be·sprin·kle [bispríŋkəl] *vt.* …을 흩뿌리다, 살포하다(sprinkle)《*with*》.

Bess [bes], **Bes·sie**, **Bes·sy** [bési] *n.* 여자 이름《Elizabeth 의 애칭》.

Bes·se·mer [bésəmər] *n.* **Henry** ~ 베세머《영국의 기술자·발명가; 1813-98》. 「鋼法).

Béssemer prὸcess 〖冶〗 베세머 제강법(製

†**best** [best] *a.* 〔good, well² 의 最上級〕 ① 가장 좋은, 최선의, 최상의, 최고의. opp *worst*. ¶ the ~ man *for* the job 그 일의 최적임자 / He was voted the ~ looking actor in Hollywood. 그는 할리우드에서 가장 매력적인 배우로 선출되었다. ② 최대의; 대부분의: the ~ part of a day 하루의 태반, 거의 하루 종일. ③ 〔敍述的〕 (몸의 상태가) 최상인, 최고조인: I felt ~ in the morning. 오전중이 가장 기분이 좋다. ④ 〔反語的〕 지독한, 철저한: the ~ liar 지독한 거짓말쟁이.
one's ~ fellow 〔**girl**〕 연인. **put** one**'s ~ foot** 〔**leg**〕 **foremost** 〔**forward**〕 《美》 자기 장점을 보이다, 좋은 면을 보이다; 전력을 다하다; 《英》 최대한으로 서두르다.
— *n.* Ⓤ ① (the ~, one's ~) 최선, 최상; 최선의 상태: *the* next 〔second〕 ~ 차선 / be in *the* ~ of one's health 더할 나위 없이 건강하다 / look one's ~ (건강·외관 등이) 최선의 상태로〔매력적으로〕 보이다. ② (the ~) 최선의 것〔부분〕: We are *the* ~ of friends. 우리는 더없이 친한 친구다 / One must make *the* ~ of things. 《格言》 무릇 사람이란 만족할 줄 알아야 한다. ③ (the ~, one's ~) 최선의 노력: I tried *my* ~ to convince him. 최선을 다해 그를 납득시키려 했다. ④ (the ~) 일류급 사람(들). ⑤ (흔히 one's ~) 제일 좋은 옷. ⑥ 《美口》 (편지 등에서) 호의(好意). (***all***) ***for the*** ~ 최선의 결과가 되도록; 가장 좋은 것으로 여기고, 되도록 좋게 생각하여: *All* is *for the* ~. 《俗談》 만사가 다 신의 뜻이다《체념의 말》. ***All the*** ~! 《口》 그대에게 행복을《작별·건배·편지 끝맺음 등의 말》. ***at*** one**'s** 〔***its***〕 ~ 최선의 상태로; (꽃 따위가) 만발하여. ***at*** (***the***) ~ 아무리 잘 보아주어도, 기껏해야, 고작: He's *at* (*the*) ~ a second-rate writer. 그는 기껏해야 이류작가이다. ***at the very*** ~ = at (the) ~ 《센 뜻》. ***do*** 〔***try***〕 one**'s** ~ 전력을 다하다: *do* one's poor ~ 미력이나마 최선을 다하다. ***do*** one**'s level** ~ 《口》 할 수 있는 힘을 다하다. ***for the*** ~ 가장 좋다고 생각하여, 되도록 잘하려고: I did it *for the* ~. 좋다고 여겼기에 한 것이다. ***get*** 〔***have***〕 ***the*** ~ ***of*** a person 《口》 아무를 이기다; 꼭뒤지르다, 속이다: Lisa *got the* ~ *of* her opponent in the last half of the game. 리사는 경기 후반에서 상대방에 대해 유리한 입장을 차지했다. ***get*** 〔***have***〕 ***the*** ~ ***of it*** 〔***the bargain***〕 《口》 (토론 따위에서) 이기다; (거래 따위를) 잘 해내다. ***get the*** ~ 〔***most, utmost***〕 ***out of*** …을 가능한 한 유효하게 사용하다, 최대한 활용하다. ***give*** a person 〔a thing〕 ***the*** ~ 상대방의 승리를 인정하다; …에 굴복하다. ***give it*** ~ 《口》 단념하다. ***make the*** ~ ***of*** (불리한 기회, 불충분한 시간을) 될 수 있는 대로〔최대한〕 이용하다; (싫은 일을) 단념하고 하다, (불쾌한 조건을) 어떻게든 참다: *make the* ~ *of* a bad job 〔bargain〕 ⇨ JOB, BARGAIN. ***make the*** ~ ***of both worlds*** 영혼과 육체를 조화되게 하다, 세속적 이해와 정신적 이해를 조화되게 하다. ***make the*** ~ ***of*** one***self*** 자기를 가능한 한 가장 좋게〔매력적으로〕. ***make the*** ~ ***of*** one**'s way** (되도록) 길을 서두르다. ***the*** ~ ***and brightest*** 엘리트 계급, 정예, 뛰어난 사람들. ***the*** ~ ***of*** 《美》 …의 대부분. ***The*** ~ ***of British*** (***luck***)! 《英俗》 〔反

語的) 행운을 빈다. **the ~ of it is** (**that...**) 가장 재미있는 곳은 (…이다). **to the ~ of** …하는 한, …이 미치는 한. **with the ~** (**of them**) 누구에게도 못지 않게.
— *ad.* 〔well²의 最上級〕 ① 가장 좋게; 가장: I like football (the) ~ *of* all sports. 스포츠 중에서 축구를 제일 좋아한다.

> [語法] (1) 副詞에서는 the 를 붙이지 않은 것이 일반적이나 《美》에서는 the 를 붙이는 수가 있다. (2) like, love 를 수식하는 원급은 well 이 아니고 very much 가 일반적임.

② 〔反語的〕 더 없이, 몹시: the ~ abused book 가장 평판이 나쁜 책. ③ 〔複合語를 이루어〕 가장. **as ~** (**as**) one **can** 〔**may**〕 될 수 있는 대로 잘, 힘이 닿는 데까지. **~ of all** 우선 무엇보다도, 첫째로. **for reason ~ known to** one**self** 자기만의 이유로; 개인적인 이유로. **had ~** do …하는 것이 제일 좋다, 꼭 …해야 한다.
— *vt.* 《口》 …에게 이기다, …을 앞지르다(outdo): He *~ed* his opponent in just two rounds. 그는 바로 2 회전에서 상대방을 물리쳤다.

bést-before dáte (포장식품 등의) 최고 보증 기한의 날짜: There's no ~ on these cans. 이들 통조림에는 보증기한 날짜의 표시가 없다.

bést bét 가장 안전하고 확실한 방책(수단).

bes·tial [béstʃəl, bíːs- / béstiəl-] *a.* 짐승의〔과 같은〕; 수성(獸性)의; 흉포한, 야만스런, 잔인한; 상스러운: A statement on Amman Radio spoke of ~ aggression and a horrible massacre. 암만 라디오 방송의 성명은 잔인한 공격과 가공할 대량 학살을 전하고 있다. [파] **~·ly** *ad.*

bes·ti·al·i·ty [bèstʃiǽləti, bìːs- / bèsti-] *n.* ① [U] 수성(獸性); 수욕(獸慾); 〖法〗 수간(獸姦). ② [C] 잔인한 행위: It is difficult to believe that humans can behave with such ~ towards other humans. 인간이 다른 인간에게 그처럼 잔인한 행동을 할 수 있다는 것은 믿기 어렵다.

bes·ti·ary [béstʃièri, bíːs- / béstiəri] *n.* [C] (중세의) 동물 우화집.

be·stir [bistə́ːr] (**-rr-**) *vt.* 〔다음 용법뿐임〕 ~ one***self*** 분발하다; 노력하다.

‡best-known [béstnóun] *a.* 〔well-known 의 최상급〕 가장 유명한.

bést mán 최적임자; 신랑 들러리: She remembered the speech the ~ had made at their wedding. 그녀는 결혼식에서 신랑 들러리가 한 이야기를 상기했다.

‡be·stow [bistóu] *vt.* ① 《+[목]+[전]+[명]》 …을 주다, 수여(부여)하다, 증여하다: ~ a title *on*〔*upon*〕 a person 아무에게 칭호를 주다. ② 《+[목]+[전]+[명]》 …을 이용하다, 쓰다, 들이다: ~ all one's energy *on* a task 일에 온 정력을 쏟다 / ~ one's money wisely 소지금을 현명하게 쓰다.
[파] **~·al** [-əl] *n.* [U] 증여, 수여.

be·strew [bistrúː] (**~ed**; **~ed, ~n** [-strúːn]) *vt.* 《+[목]+[전]+[명]》 …을 흩뿌리다; …을 뒤덮다 《*with*》, …에 널려있다: ~ the path *with* flowers 길에 꽃을 흩뿌리다《환영의 뜻으로》/ During the festival, the city streets are *bestrewn with* flowers. 축제 동안에 시가는 꽃으로 뒤덮여 있다 / Papers *~ed* the street. 종잇조각이 길에 널려 있었다.

be·stride [bistráid] (**-strode** [-stróud], **-strid** [-stríd]; **-strid·den** [-strídn], **-strid**) *vt.* 가랑이를 벌리고 걸터타다〔서다〕; (가랑이를 벌리고) 뛰어넘다; (무지개가) …에 서다, 교량 등이 놓이다; 지배하다, 좌지우지하다.

best·sell·er [béstsélər] *n.* [C] 베스트셀러《책·음반 등》; 그 저자〔작자〕(=**bést séller**): The book is now an international ~. 그 책은 지금 국제적으로 베스트셀러가 되어 있다.

best-sell·ing [béstséliŋ] *a.* 〔限定的〕 베스트셀러의: He has received royalties of several million dollars from his ~ autobiography. 그는 베스트셀러가 된 그의 자서전으로 수백만 달러의 인세를 받았다.

‡bet [bet] *n.* [C] ① 내기. ② 건 돈〔물건〕. ③ 내기의 대상《사람·물건·시합 등》: a good 〔poor〕 ~ 유망한〔가망성 없는〕 것〔사람, 후보자〕/ It's a ~, then? 그럼 내기를 할까《둘 중에서 누가 옳은가를》. ④ 취해야 할 방책; 잘 해낼 수 있을 듯한 사람, 잘 될 것 같은 방법: Your best ~ is to apologize. 사과하는 것이 상책이다. ⑤ 《口》 생각, 의견. **cover**〔**hedge**〕 one**'s ~s** 《口》 손실을 막기 위해 양쪽에 걸다. **make** 〔**lay, take**〕 **a ~** (아무와) 내기를 하다《*with*》, (무엇을) 걸다《*on*》. **win** 〔**lose**〕 **a ~** 내기에 이기다〔지다〕.
— (*p.*, *pp.* **~, ~·ted** [bétid]; **~·ting**) *vt.* ① 《~+[목] / +[목]+[전]+[명] / +[목]+[목]》 (돈 따위)를 걸다《*on*》: What will you ~? 자넨 무얼 걸겠나 / He ~ 30 dollars *on* the racehorse. 그는 그 경주말에 30달러 걸었다 / I ~ him two dollars that she would succeed. 그녀가 성공하면 그에게 2달러를 주겠다고 내기를 걸었다 / I ~ you $25 that I'll get there before you. 내가 너보다 먼저 거기 도착하는 것에 25 달러를 건다. ② 《+[목]+[전]+[명]》 …에 대하여 내기하다《*on, upon*》: ~ a person *on* a thing 무엇에 대하여 아무와 내기하다. ③ 《+[목]+*that* [절]》 (돈)을 걸고 (…임)을 주장하다, 단언〔보증〕하다: I'll ~ (you) *that* he will come. 그가 올 것을 장담한다.
— *vi.* ① 《~ / +[전]+[명]》 내기 걸다, 내기하다: I never ~. 나는 내기를 절대 안 한다 / ~ both ways 〔《英》 each way〕 경마에서 단승(單勝)과 복승(複勝)의 양쪽에 걸다 / He ~ *on* a favorite. 그는 인기 있는 말에 걸었다. ② 보증하다, 책임지다.
~ against …에 반대로 내기하다, …하지 않을 것이라고 내기하다: I'll ~ *against* his coming. 그가 온다면 벌금을 물지; 그는 절대로 오지 않는다. **~ each way** (경마에서) 연승식(連勝式)에 걸다. **~ one's boots** 〔**bottom dollar, life, shirt**〕 《口》 있는 돈을 모두 걸다; 절대 확신〔보증〕하다《*on*; *that*》. **I** (**'ll**) **~** (**you**)... / **I** (**'ll**) **betcha** 〔**betcher**〕... 《美口》 확실히 …이다: *I ~ it'll* rain tomorrow. 내일 틀림없이 비가 올 것이다. **I wouldn't ~ on it** 기대하지 않는다; 불가능하다고 생각한다. **What's the ~ting?** 《口》 어떻게 되리라고 생각합니까, 형편이 어떻습니까. **You ~?** 틀림없느냐(Are you sure?). **You ~** (**you**)**!** 《口》 정말야, 틀림없어, 물론; 맞아; 무슨 일이람: *You ~* we had a good time! 정말이지 재미있었어.

bet., betw. between.

be·ta [béitə / bíː-] *n.* ① [U,C] 그리스어 알파벳의 둘째 글자(*B, β*). ② [C] (종종 B-) 제 2 위(의 것); (시험 평점의) 제 2 등급 베타 학점〔급〕: They gave him (a) ~ for history. 그들은 그의 역사 과목에 대해 B학점을 주었다. ③ (B-) 〖天〗 베타성. ④ 〖化〗 베타《화합물 치환기(置換基)의 하나》. [cf] alpha. ⑤ 〖物〗 = BETA PARTICLE, BETA RAY.
~ plus 〔**minus**〕 《英》 (시험 성적 등의) 2 등의 위〔아래〕.

be·ta-car·o·tene [béitəkǽrətiːn / bíː-] *n.* [U] 〖生化〗 베타카로틴.

be·take [bitéik] (**-took** [-túk]; **-tak·en** [-téikən]) *vt.* 〔再歸用法〕 ~ one**self to** (1)…로 향하다, 가다《*to*》. (2) 해보다, …에 온 정력을 쏟다〔기울이다〕: *Betake yourself to* your work. 일에 전력을 다해라.

Be·ta·max [béitəmæ̀ks] *n.* [U] (비디오의) 베타맥스(방식)《商標名》. [cf] VHS.

béta pàrticle 【物】 베타 입자.

béta rày 【物】 베타선.

be·ta·tron [béitətràn / bí:tətrɔ̀n] *n.* [C] 【物】 베타트론《자기 유도 전자 가속 장치》.

be·tel [bí:təl] *n.* [U.C] 【植】 구장(蒟醬)《후춧과》.

bétel nùt 빈랑나무의 열매.

bétel pàlm 【植】 빈랑나무《말레이 원산; 야자과》.

bête noire [bèitnwá:r] (*pl.* ***bêtes noires*** [-z]) 《F.》 몹시 싫은 것〔사람〕.

Beth [beθ] *n.* 여자 이름《Elizabeth의 애칭》.

Beth·a·ny [béθəni] *n.* 베다니《Jerusalem의 마을로, 나사로와 그의 자매가 살던 곳》.

beth·el [béθəl] *n.* [C] 벧엘 성지(聖地); 《英》 비국교도의 예배당.

***be·think** [biθíŋk] (*p., pp.* **-thought** [-θɔ́:t]) *vt.* ① 〔再歸的〕 《~+[목] / +[목]+[전]+[명] / +[목]+*wh.* [절] / +[목]+*that* [절]》 …을 숙고하다, 생각해 내다 《*of*; *how*; *that*》; 생각이 들다: I *bethought myself of* a promise. 나는 약속이 있음을 생각해 냈다 / I *bethought myself how* foolish I had been. = I *bethought myself that* I had been foolish. 자신이 얼마나 어리석었던가를 생각해 냈다. ② 《+ *to* do》 (…하기로) 결심하다: He *bethought to* regain it. 그는 그것을 되찾기로 결심했다.

Beth·le·hem [béθliəm, -lihèm] *n.* 베들레헴.

be·tide [bitáid] *vt.* …의 신상에 일어나다, …에 생기다(happen to). ── *vi.* 일어나다《*to*》; 몸에 닥치다: We will remain true to one another, whatever ~*s* (us) in years *to* come. 우리는 앞날에 어떤 일이 있어도 여전히 서로 진실한 사이로 남을 것이다. ***whatever* (*may*) ~** 무슨 일이 일어나든. ***Woe* ~ *him !*** 그에게 재앙 있으라; (그런 짓 하면) 그냥 두지 않을 테다《★ 주로 원형부정사와 가정법 현재형으로만 쓰임》.

be·times [bitáimz] *ad.* 《文·戱》 이르게(early); 늦지 않게; 때맞춰, 때마침(occasionally); 《古》 곧 (soon): be up ~ 아침 일찍 일어나다.

be·to·ken [bitóukən] *vt.* …의 조짐이〔전조가〕 되다(portend); 보이다(show); 나타내다: Red skies in the morning ~ a storm. 아침놀은 폭풍의 조짐이다 / She gave him a gift to ~ her gratitude. 그녀는 감사의 표시로 그에게 선물을 주었다.

be·took [bitúk] BETAKE의 과거.

‡be·tray [bitréi] *vt.* ① 《~+[목] / +[목]+[전]+[명]》 …을 배반〔배신〕하다; (조국·친구 등)을 팔다《*in*; *into*》; (남편·아내·여자 등)을 속이다: Judas ~*ed* his Master, Christ. 유다는 스승 그리스도를 배반하였다 / ~ one's country *to* the enemy 적에게 조국을 팔다 / I was ~*ed into* folly. 속아서 바보짓을 했다. ② (신뢰·기대·희망 따위)를 저버리다, 어기다: ~ a person's trust 아무의 신뢰를 저버리다《*in*》. ③ 《+[목](+[전]+[명])》 (비밀)을 누설하다, 밀고하다《*to*》: The charges range from plotting to overthrow the state to ~*ing* defense secrets. 죄목은 정부를 전복하려는 음모에서 국방기밀을 누설한 것까지에 이른다 / ~ a secret *to* a person 아무에게 비밀을 누설하다. ④ 《~+[목]》 (감정·무지·약점 등)을 무심코 드러내다: People learned never to ~ their anger. 사람들은 자신의 분노를 무심코 드러내서는 결코 안된다는 것을 배웠다 / ~ one's ignorance 무지를 드러내다 / Confusion ~*ed* his guilt. 허둥댔기 때문에 그의 죄가 발각되었다 / He ~*ed* no emotion. 그는 얼굴에 아무 감정도 나타내지 않았다. ⑤ 《+ *that* [절] / +[목]+(*to be*) [보]》 …임을 나타내다; …이 …임을 알다: His face ~*ed that* he was happy. 그의 얼굴에 행복한 기색이 나타났다 / His dress ~*ed* him (*to be*) a foreigner. 그의 복장으로 외국인임을 알았다. ~ one**self** 까딱 실수로 제 본성〔본심, 비밀〕을 드러내다.

[파] **~·al** [-əl] *n.* [U.C] 배반 (행위); 폭로; 밀고, 내통(內通). **~·er** *n.* [C] 매국노(奴) (traitor); 배반자, 배신자; 밀고자; 유혹자.

be·troth** [bitrɔ́:θ, -tróuð] *vt.* 《~+[목] / +[목]+[전]+[명]》 …를 약혼시키다(engage)《*to*》: They were ~*ed*. 그들은 약혼했다 / She was ~*ed to* her cousin at an early age. 그녀는 초년에 사촌과 약혼했다. ***be* 〔*become*〕 *~ed to a person 아무와 약혼 중이다〔하다〕. [파] **~·al** [-əl] *n.* [U.C] 약혼(식) (=**be·tróth·ment**).

be·trothed [bitrɔ́:θt, -tróuðd] *a.* ① 〔限定的〕 약혼한(engaged). ② 〔敍述的〕 (…와) 약혼하여: the ~ (pair) 약혼 중인 남녀. ── *n.* (one's ~) 약혼자; (the ~) 〔複數 취급〕 약혼자들《두 사람》.

Bet·sy, -sey [bétsi] *n.* 여자 이름《Elizabeth의 애칭》.

†bet·ter[1] [bétər] *a.* ① 〔good 의 比較級〕 보다 좋은, …보다 나은《양자 중에서》: It's ~ than nothing. 없는 것보다 낫다. ② 〔敍述的〕 〔well[2]의 比較級〕 차도가 있는, 기분이 보다 좋은: She's much ~ today than yesterday. 그녀는 어제보다 용태가〔기분이〕 훨씬 좋다. ③ 〔good 의 比較級〕 보다 많은〔큰〕: the ~ part of the week 일주일의 대부분. ④ 〔막연히〕 보다 나은.

be* ~ *than* one's *word ⇨ WORD. ***be no* ~ *than* one *should be*** 《古·蔑》 부도덕하다, 도덕 관념이 없다; 《美俗》 (여성이) 무절조하다. ***be the* ~ *for*** …때문에 오히려 이익을 얻다; …때문에 오히려 더 좋다〔낫다〕: I'*m* none *the* ~ *for* it. 그것으로 이득을 볼 것은 조금도 없다. **~ *days*** 좋은 시절. ***Better late than never.*** ⇨ NEVER. ***feel* ~** 전보다 기분이 낫다(be ~); 몸의 상태가 좋다; 마음이 놓이다; 안심하다. ***for* ~ (*or*) *for worse* = *for* ~ *or worse*** 어떤 운명이 되더라도 (오래도록)《결혼식 선서 때의 말》; 좋든 싫든 간에: *For* ~ *or for worse*, Einstein fathered the atomic age. 그 공죄(功罪)는 어떻든, 아인슈타인은 원자시대를 초래했다. ***no* 〔*little*〕 ~ *than*** (1) …나 매한가지, …에 지나지 않다: He is *no* ~ *than* a beggar. 거지나 다름없다. (2) …와 마찬가지로 좋지 않다: He is *no* ~ *than* his brother. 형제가 다같이 신통치 않다. ***not any* ~ *than . . .*** = no〔little〕 ~ than. one'***s* ~ *feelings*** 양심, 본심. one'***s* ~ *self*** 분별, 양심.

── *ad.* 〔well[2]의 比較級〕 ① 보다 좋게〔낫게〕; 보다 잘: write ~ 보다 잘 쓰다. ② 더욱, 한층, 보다 많이: I like this ~. 이쪽을 더 좋아한다 / You're ~ able to do it than I. 나보다 자네가 훨씬 더 잘할 수 있다. ③ 보다 이상: ~ than a mile to town 읍내까지 1마일 남짓. **(*all*) *the* ~ *for*** … 때문에 그만큼 더〔많이〕: I like her (*all*) *the* ~ *for* it. 그렇기 때문에 한층 더 그녀를 좋아한다. ***be* ~ *off*** 전보다 살림살이가〔형편이〕 낫다, 전보다 잘 지내다. **~ *and* ~** 점점〔더욱더〕 잘〔좋게〕. ***had* 〔'*d*〕 ~ do** …하는 편이 좋다: You *had* ~ go 〔not go〕. 가는〔안 가는〕 편이 좋다 / *Hadn't* I ~ go? 가는 편이 낫지 않은가. ***know* ~ (*than that* 〔*to* do〕)** 한층 분별이 있다, …하는 것이 좋지 않

음(어리석음)을 알고 있다. ***know no*** ~ 그 정도의 지혜(머리)밖에 없다. ***think*** ~ ***of*** a thing 고쳐 생각하다, 마음을 바꾸다; 다시 보다.
— *n.* Ⓒ 보다 나은 것(사람): for want of a ~ 그 이상의 것이 없으므로. ***for the*** ~ 나은 쪽으로: His condition has shown a change *for the* ~. 그의 용태는 호전되어 갔다. ***get*** (***have***) ***the*** ~ ***of*** …에게 이기다, …을 극복하다. ***think*** (***all***) ***the*** ~ ***of*** …을 다시 보다.
— *vt.* …을 개량(개선)하다; …을 능가하다.
— *vi.* 나아지다; 향상하다. ~ one***self*** 훌륭하게 되다; 승진(출세)하다; 독학(수양)하다, 교양을 높이다.

bet·ter[2], **-tor** [bétər] *n.* Ⓒ 내기를 하는 사람.

bétter hálf (one's ~) 《口·戲》 배우자; 아내.

bet·ter·ment [bétərmənt] *n.* ① Ⓤ 개량, 개선, 증진, 출세: Education is one of the surest ways to achieve self-~. 교육은 출세하는데 가장 확실한 방법 중의 하나다. ② (*pl.*) 〖法〗 (부동산의) 개량, 개선.

bet·ter-off [bétərɔ́(:)f, -áf] *a.* 부유한, 유복한.

bet·ting [bétiŋ] *n.* Ⓤ 내기(에 거는 돈).

Bet·ty, -tie [béti] *n.* 여자 이름《Elizabeth의 애칭》.

†**be·tween** [bitwíːn] *prep.* ① (공간·시간·수량·위치) …의 사이에(의, 를, 에서): The survey shows a link ~ asthma and air pollution. 그 연구는 천식과 공기오염의 관련을 말해주고 있다 / (a distance) ~ two and three miles from here 여기서 2 내지 3 마일(의 거리). ② (성질·종류) …의 중간인, 어중간한: something ~ a chair and a sofa 의자인지 소파인지 분간하기 어려운 것 / She felt something ~ love and hatred. 그녀는 사랑이라고도, 미움이라고도 할 수 없는 야릇한 기분을 느꼈다. ③ (관계·공유·협력) …의 사이에(에서, 의): We had only one pair of shoes ~ us. 우리 둘이서 신이 한 켤레밖에 없었다 / *Between* them they own most of this company. 그들이 이 회사의 태반의 자산을 공유하고 있다. ④ (공동·협력) …의 사이에서 서로 힘을 모아, 공동으로: We completed the job ~ the two of us. 우리 둘이 협력해서 일을 마쳤다. ⑤ (차별·분리·선택) …의 사이에(서); …중 하나를: the difference ~ the two 둘 사이의 차이 / The report states that the gap ~ the rich and the poor has increased dramatically over the past decade. 그 보고서는 부유층과 빈곤층의 격차가 지난 10년간 엄청나게 벌어진 사실을 말해주고 있다. ⑥ (원인) …(이)다 —(이)다 해서: *Between* astonishment *and* delight, she could not speak even a word. 놀랍기도 하고 기쁘기도 하여 그녀는 한 마디도 못했다. ~ ***a rock and a hard place*** 고경(苦境)에 빠져, 어려운 상황에 빠져. ~ ***ourselves*** = ~ ***you and me*** = ~ ***you, me, and the gatepost*** 《口》 우리끼리만의 이야기이지만, 이것은 비밀인데. ***come*** (***stand***) ~ ⇨ COME. ***There is no love lost*** ~ ***them.*** 그들은 서로 미워한다.
— *ad.* (양자) 사이(간)에; 사이를 두고: be (stand) ~ (…의) 중간에 서다, 중재(방해)하다; 갈라 놓다 / I can see nothing ~. 사이에는 아무 것도 안보인다. (***few and***) ***far*** ~ 극히 드물게. ***from*** ~ 사이에서. ***in*** ~ (…의) 사이에, 중간에, 여가에: *In* ~ was a lake. 중간에는 호수가 있었다 / Father does gardening *in* ~. 아버지는 틈틈이 정원을 가꾼다 / I am *in* ~. 나는 아직 결심을 못하고 있다.

be·twixt [bitwíkst] *prep., ad.* 《古·詩·方》 = BETWEEN. ~ ***and between*** 이도저도 아닌; 중간으로.

bev·a·tron [bévətrɑ̀n / -trɔ̀n] *n.* Ⓒ 〖物〗 베바트론《양자·전자를 가속하는 고(高) 에너지의 싱크로트론(synchrotron)의 일종》.

bev·el [bévəl] *n.* Ⓒ ① 사각(斜角), 빗각; 경사. ② 각도 측정기. — *a.* 〔限定的〕 빗각의.
— (*-l-*, 《英》 *-ll-*) *vt.* ① 빗각을 이루다. ② …을 비스듬하게 자르다.

bével gèar (**whèel**) 〖機〗 우산 톱니바퀴.

bével squàre 각도 측정기.

bev·er·age** [bévəridʒ] *n.* Ⓒ (보통 물 이외의) 마실 것, 음료. ***alcoholic (***cooling***) ~***s*** 알코올(청량) 음료: We do not sell any *alcoholic* ~*s*. 우리는 알코올 음료를 판매하지 않는다.

Bév·er·ly Híls [bévərli-] 비벌리힐스《Los Angeles 시 Hollywood에 인접한 도시로, 영화인 등의 저택이 많은 고급 주택지》.

bevy [bévi] *n.* Ⓒ ① 무리《많은 고급 주택지 따위의》. ② (소녀·여성의) 일단(一團): Victorian postcards often featured *bevies* of bathing beauties. 빅토리아 시대의 우편엽서는 흔히 목욕하는 미인들을 묘사했다.

***be·wail** [biwéil] *vt.* (죽음·불운 따위)를 몹시 슬퍼하다, 통곡하다. — *vi.* 비탄(슬픔)에 젖다. ㊕ ~·**ing·ly** *ad.* ~·**ment** *n.* Ⓤ

‡**be·ware** [biwέər] *vi., vt.* 《~/+명/+*wh.* 절/+전+명/+*that* 절》 (어미변화 없이 命令形·不定詞뿐임) 조심(주의)하다, 경계하다: *Beware what* you say. 말조심하시오 / The mountains are a paradise for climbers and skiers—though ~, wolves still roam there. 산은 등산객과 스키를 타는 사람들에게 낙원이긴 하지만 조심해라. 늑대가 지금도 울부짖고 있으니까.

be·whisk·ered [bi*h*wískərd] *a.* ① 구레나룻을 기른. ② (익살 등이) 진부한.

be·wigged [biwígd] *a.* 가발을 쓴.

‡**be·wil·der** [biwíldər] *vt.* (주로 受動으로) …을 어리둥절케(당황케) 하다(confuse): We *are* all ~*ed* by her inconstancy. 그녀의 변덕에 모두 어리둥절했다 / She *was* completely ~*ed* by his critical remarks. 그녀는 그의 신랄한 발언으로 너무나 당황했다. ㊕ ~**ed** *a.* 당황한: a ~*ed* look 어리둥절한 표정. ~**ed·ly** *ad.*

***be·wil·der·ing** [biwíldəriŋ] *a.* 어리둥절케(당황케) 하는. ㊕ *~·**ly** *ad.* 당황케 할 만큼.

be·wil·der·ment** [biwíldərmənt] *n.* Ⓤ 당황, 어리둥절함. ***in ~ 당혹하여.

***be·witch** [biwítʃ] *vt.* ① …에 마법을 걸다. ② …을 호리다, 매혹하다, 황홀케 하다《*into*; *with*》: The witch ~*ed* the men *into* stone. 마녀는 남자들에게 마법을 걸어 돌로 변하게 했다. ㊕ ~·**ing** *a.* 매혹시키는, 황홀케 하는. ~·**ing·ly** *ad.* ~·**ment** *n.* Ⓤ 마력; 매혹, 매력; 매혹당한 상태, 황홀경; 주문(呪文).

†**be·yond** [bijánd / -jɔ́nd] *prep.* ① (장소) …의 저쪽에, …을 넘어서(건너서): ~ the river 강 건너에. ② (시각·시기) …을 지나서: You can't stay ~ closing time. 폐점시간까지밖에 있을 수 없다. ③ (정도·범위·한계) …을 넘어서, …이 미치지 않는 곳에: ~ endurance 참을 수 없는. ④ …이상으로, …에 넘치는: live ~ one's income 수입 이상의 생활을 하다. ⑤ (주로 否定·疑問文에서) …외에, 그 밖에 (더): *Beyond* this I know *nothing* about it. 그것에 관해선 이 이상은 모른다. ~ ***all praise*** 이루 다 칭찬할 수 없을 만큼. ~ ***all things*** 무엇보다도 먼저. ~ ***measure*** 헤아릴 수 없을 정도(로); 매우. ~ ***the grave***

〔*tomb*〕 저승에서 : The message came from a voice from ~ *the grave.* 소식이 저승에서 목소리로 전달되어 왔다. ~ ***the mark*** 과도하게. ***go*** ~ one***self*** 도를 지나치다, 자제력을 잃다 ; 평소 이상의 힘을 내다.
— *ad.* ① (멀리) 저쪽에, 이상으로 : a hill ~ 저쪽 언덕 / the life ~ 저 세상 / From the top of the hill we could see our house and the woods ~. 언덕 꼭대기에서 우리는 멀리 저쪽에 집과 숲을 볼 수 있었다. ② 그 밖에 (besides) : There's nothing left ~. 그 밖엔 아무것도 남지 않았다. ③ 더 늦게. ***go*** ~ ⇨ GO.
— *n.* (the ~) 저쪽(의 것) ; 저승, 내세(the great ~). ***the back of*** ~ 세계의 끝.

bez·el [bézəl] *n.* Ⓒ (날붙이의) 날의 빗면 ; 보석의 사면(斜面); (시계의) 유리 끼우는 홈 ; (반지의) 보석 끼우는 홈, 거미발.

be·zique [bəzí:k] *n.* Ⓤ 카드놀이의 일종《64 매의 패로 둘 또는 넷이서 함》.

B/F, BF, b/f, b.f. 〖簿記〗 brought forward(앞에서의 이월). **bf, b.f.** 《口》 bloody fool ; 〖印〗 bold-faced (type).

B-girl [bí:gə̀:*r*l] *n.* Ⓒ 바걸, 바의 호스티스.

bhang, bang [bæŋ] *n.* Ⓤ 대마 잎과 작은 가지를 말려 만든 끽연·마취제용.

B.H.P., b.h.p. brake horsepower.

Bhu·tan [bu:tá:n, -tǽn] *n.* 부탄.

bi [bai] *n., a.* 《俗》 =BISEXUAL.

bi-[1] *pref.* '둘, 양, 쌍, 중(重), 복(複), 겹'의 뜻.

bi-[2] (모음의 앞에 올 경우의) BIO-의 이형(異形).

Bi 〖化〗 bismuth.

bi·a·ly [biá:li] *n.* Ⓒ 비알리《납작하고 중앙이 우묵한 롤빵 ; 잘게 썬 양파를 얹음》.

bi·an·nu·al [baiǽnjuəl] *a.* 연 2 회의, 반년마다의 : The committee has just published its ~ report on major building projects. 위원회는 주요 건축 계획에 관해 연 2회 보고서를 발행하고 있다. ㊞ **~·ly** *ad.*

bi·as** [báiəs] *n.* Ⓤ,Ⓒ ① (직물의 발에 대한) 사선(斜線), 엇갈림, 바이어스《옷감 재단·재봉선의》: She uses ~-cutting techniques to give the clothes grace and fludity. 그녀는 옷에 우아함과 유동성을 주려고 사선 재단 기법을 사용한다. ② 선입관《*toward, to*》, 편견《*for* ; *against*》; 심리적 경향 ; 성벽(性癖) : a man with a scholarly ~ 학자기질의 사람 / There's an intense ~ *against* women. 여성에 대한 심한 편견이 존재하고 있다. ③〖球技〗 (볼링 등의) 공의 치우침〔편심〕; (공)의 비뚤어진 진로. ④〖通信〗 편의(偏倚), 바이어스. ⑤〖統〗 치우침. ***have 〔***be under***〕 ***a*** ~ ***toward*** …의 경향이 있다, …에 치우쳐 있다 : He *has a* ~ *toward*〔against〕 the plan. 그 계획에 처음부터 호의를〔반감을〕 가지고 있다. ***on the*** ~ 비스듬히, 엇갈리게 : cut cloth *on the* ~ 천을 비스듬히 자르다. opp. *on the straight.* — *a., ad.* 비스듬한〔히〕; 엇갈리게, 〖通信〗 편의의.
— (***-s-,*** 《英》 ***-ss-***) *vt.* ① …에 편견을 갖게 하다, 한쪽으로 치우치게〔기울게〕 하다 : To theorize in advance of the facts ~*es* one's judgment. 사실을 확인하기도 전에 미리 이론을 세우면 판단이 치우친다. ② (전극에) 바이어스를 걸다. ***be ~ed against*** …에 편견을〔악의를〕 품다. ***be ~ed in favor of*** a person 아무에 호의를 품다. ㊞ **~ed,** 《英》 **~sed** [-t] *a.* 치우친 ; 편견을 가진 : The newspapers gave a very ~*ed* report of the meeting. 신문들은 그 회합에 대해 매우 치우친 보도를 했다. **~(s)ed·ly** *ad.* **~·ness** *n.*

bías bìnding 〖洋裁〗 바이어스 테이프(=**bías tàpe**).

bi·ath·lete [baiǽθli:t] *n.* Ⓒ biathlon 선수.

bi·ath·lon [baiǽθlɑn / -lɔn] *n.* Ⓤ 〖競〗 바이애슬론《스키와 사격을 결합한 복합 경기》.

bi·ax·i·al [bàiǽksiəl] *a.* 〖物〗 축이 둘 있는.

bib [bib] *n.* Ⓒ 턱받이 ; (에이프런 따위의) 가슴 부분 ; (펜싱의 마스크에 달린) 목구멍받이 ; = BIBCOCK : He's just spilt apple juice all down his ~. 그는 사과주스를 조금 흘렸는데 모두 턱받이에 떨어졌다. ~ ***and brace*** 바지에 가슴받이와 멜빵이 달린 작업복. ***in*** one***'s best*** ~ ***and tucker*** 《口》 나들이옷을 입고.

bib·cock [bíbkɑ̀k / -kɔ̀k] *n.* Ⓒ (아래로 굽은) 수도 꼭지(=**bíbb còck**).

Bibl., bibl. Biblical ; bibliographical.

‡**Bi·ble** [báibəl] *n.* ① (the ~) 성서(聖書), 성경《the Old Testament 와 the New Testament》. cf. Scripture. ¶ *Bible*-reading classes are held in the church hall every Thursday evening. 성경 강독 연구회가 매주 목요일 저녁에 교회 회관에서 열린다. ② Ⓒ (b-) 권위 있는 서적 : Vogue magazine quickly became the ~ of fashionable women. 보그 잡지는 유행을 좇는 여성들에게 곧 권위있는 전문지가 되었다. ③ Ⓒ 〔一般的〕 성전(聖典), 경전(經典). ***live*** one***'s*** ~ 성서의 가르침을 실행하다. ***on the*** ~ 성서에 맹세하여, 굳게.

Bíble Bèlt (the ~) 성서지대《특히 미국 남부·중서부의 근본주의(fundamentalism)의 신자가 많은 지방》.

Bíble clàss 성서 연구회.

Bíble òath (성경의 이름으로 하는) 엄숙한 맹세.

Bíble Socìety (the ~) 성서 출판(보급)협회.

***bib·li·cal** [bíblikəl] *a.* (*or* B-) 성경의 ; 성경에서 인용한 ; 성서의 : the *Biblical* story of Noah 노아에 관한 성경 이야기 / The Jordan used to be called Judaea and Samaira in *Biblical* times. 요르단은 성경시대에는 유다야와 사마리아라고 일컬어졌다. ㊞ **~·ly** *ad.*

biblio- '책, 성서'의 뜻의 결합사.

bib·li·og·ra·pher [bìbliɑ́grəfə*r* / -ɔ́g-] *n.* Ⓒ ① 도서학자, 서지학자 ② 서지 편집자.

bib·li·o·graph·ic, -i·cal [bìbliəgrǽfik], [-əl] *a.* 서지(書誌)의, 도서 목록의. ㊞ **-i·cal·ly** [-ikəli] *ad.*

bib·li·og·ra·phy [bìbliɑ́grəfi / -ɔ́g-] *n.* ① Ⓤ 서지학(書誌學). ② Ⓒ 서지 ; (어떤 제목·저자에 관한) 저서 목록, 출판 목록 ; 참고서목〔문헌〕 목록, 인용 문헌 : Other sources of information are found in the ~ at the end of his article. 기타 자료의 출처는 그의 논문의 뒤에 있는 참고문헌 목록에 나타나 있다.

bib·li·o·ma·nia [bìbliou méiniə, -njə] *n.* Ⓤ 장서벽, Ⓒ 서적광《특히 진귀한 책을 찾아모으는 일》. ㊞ **-ni·ac** [-niæ̀k] *n.* Ⓒ, *a.* 장서벽(의), 서적광(의). **bìb·li·o·ma·ní·a·cal** [-mənáiəkəl]

bib·li·o·phile, -phil [bíbliəfàil], [-fil] *n.* Ⓒ 애서가, 서적 수집가, 장서(도락)가.

bib·li·o·ther·a·py [bìbliouθérəpi] *n.* Ⓤ 독서 요법《신경증에 대한 심리 요법》.

bib·li·ot·ics [bìbliɑ́tiks / -ɔ́t-] *n. pl.* 〔單·複數 취급〕 필적 감정학.

bib·u·lous [bíbjələs] *a.* 술 좋아하는.

bi·cam·er·al [baikǽmərəl] *a.* 〖議會〗 상하 양원제의, 이원제의. ㊞ **~·ìsm** *n.* 양원제, 이원제. **~·ist** *n.* 이원제론자.

bi·carb [baikɑ́:*r*b] *n.* Ⓤ 《口》 =BICARBONATE.

bi·car·bo·nate [baikɑ́:*r*bənit, -nèit] *n.* Ⓤ 〖化〗

탄산수소염, 중탄산염. ~ ***of soda*** 탄산수소나트륨.

bi·cen·ten·ni·al [bàisenténiəl] *a.* 2 백년(째)의 ; 2 백년(기념)제(祭)의(★ 《英》에서는 bicentenary로 씀).

— *n.* [C] 2 백년(기념)제(祭) ; 2 백년기(忌) ; 2 백년(째) : A statue was erected to mark the ~ of the composer's birth. 동상은 그 작곡자의 탄생 2백년을 기념하여 세워졌다. [파] ~·ly *ad.*

bi·ceps [báiseps] (*pl.* ~, ~·***es*** [-iz]) *n.* [C] 〖解〗 이두근(二頭筋) ; [U] 《口》 근력(筋力).

bi·chlo·ride [baiklɔ́:raid] *n.* [U] 〖化〗 이(二)염화물(dichloride) : ~ of mercury 염화 제2수은, 승홍(昇汞).

bick·er [bíkər] *vi.* ① 말다툼하다(quarrel)《*about, over*》: The two children were always ~*ing with* each other *over*〔*about*〕 their toys. 두 어린이는 장난감을 놓고 언제나 다투고 있다. ② (개천 따위가) 졸졸 흐르다(babble) ; (비가) 후두둑거리다 ③ (불빛·불꽃 따위가) 가물〔깜박〕거리다 ; 흔들리다.

— *n.* [C] 말다툼, 언쟁 ; 졸졸거림 ; 후두둑거림 ; 가물거림 : He is still ~*ing* with the control tower over admissible approach routes. 그는 착륙진입로 허가를 둘러싸고 관제탑과 아직도 말다툼을 하고 있다. [파] ~·**er** [-rər] *n.* 언쟁자.

bi·coast·al [baikóustəl] *a.* 《美》 태평양·대서양의 양해안의〔에 있는〕.

bi·col·or(ed), 《英》 **-our(ed)** [báikʌ̀lər(d)] *a.* 이색(二色)의.

bi·con·cave [baikánkeiv, ˌ-ˈ- / -kɔ́n-] *a.* 양쪽이 오목한 : a ~ lens 양 오목 렌즈.

bi·con·vex [baikánveks, ˌ-ˈ- / -kɔ́n-] *a.* 양쪽이 볼록한(convexo-convex) : a ~ lens.

bi·cul·tur·al [baikʌ́ltʃərəl] *a.* 두 문화(병존)의. [파] ~·ìsm *n.* [U] (한 지역〔나라〕에) 이질적인 두 문화 병존.

bi·cus·pid [baikʌ́spid] *n.* [C] 〖解〗 앞어금니, 소구치(小臼齒). — *a.* 뾰족한 끝이 둘 있는.

†**bi·cy·cle** [báisikəl, -sàikəl] *n.* [C] 자전거 : go *by* ~ = go *on* a ~ 자전거로 가다《*to*》(★ by ~에서는 무관사로 쓰며 《口》에서는 bike 를 쓰기도 함). ***ride* (*on*) *a*** ~ 자전거를 타다 : You should never *ride* your ~ without lights at night. 너는 야간에 라이트를 켜지 않고 자전거를 타서는 절대로 안 된다.

— *vi.* 자전거를 타다(★ 동사로는 cycle이 보통). — *vt.* 자전거로 여행하다.

[파] **-cler** *n.* = BICYCLIST.

bícycle clìp (자전거 체인에 엉키지 않게) 바지자락을 고정시키는 클립〔안전 밴드〕.

bícycle kìck 바이시클 킥《(1)〖蹴〗 공중에서 자전거를 젓듯 발을 움직여 공을 차는 오버헤드킥. (2) 벌렁 누워 허공에서 자전거를 젓듯 두 다리를 움직이는 체조》.

bícycle ràce 〔**ràcing**〕 자전거 경주.

bi·cy·clist [báisiklist, -sàik-] *n.* [C] 자전거를 타는 사람.

‡**bid** [bid] (***bade*** [bæd / beid], ***bid*** ; ***bid·den*** [bídn], ***bid*** ; ***bíd·ding***) *vt.* ①《~+[목]/+[목]+*do*》《古·詩》 …에게 명하다(★ to를 붙이지 않는것이 보통임. 그러나 수동태에서는 원형이 to do가 됨): *Bid* him *depart.* 그에게 떠나라고 하시오 / She *bade* me enter. 그녀는 내게 들어오라고 했다. ②《+[목]+[목]/+[목]+[전]+[명]》(인사 따위)를 말하다 : ~ a person farewell 〔welcome〕= ~ farewell 〔welcome〕 *to* a person 아무에게 작별〔환영〕 인사를 하다. ③《~+[목]/+[목]+[전]+[명]》(값)을 매기다 ; 입찰하다 ; (도급 등)의 조건을 제시하다 : ~ ten pounds, 10파운드로 값을 매기다 / He ~ fifty dollars *for* the table. 그는 그 테이블에 50 달러를 불렀다(★ 이 뜻일 때에는 과거·과거분사도 bid). ④《古》 발표하다, 공고하다. ⑤《古》 초대하다. ⑥〖카드놀이〗 비드를 선언하다. — *vi.* ①《~/+[전]+[명]》 값을 매기다, 입찰하다《*against* ; *for* ; *on*》: ~ *for* 〔*on*〕 (the construction of) the school 학교 건축 공사에 입찰하다. ② 명령하다. ③《+[전]+[명]》(지지·권력 따위를) 얻으려고 노력하다, 온갖 수단을 쓰다《*for*》: He was ~*ding for* popular support. 그는 민중의 지지를 얻으려고 노력하고 있었다. ~ ***against*** a person 아무와 맞서서 높은 값을 부르다. ~ ***defiance*** 도전하다 ; 저항하다. ~ ***fair to*** do 가망이 있다, …할 것 같다 : The weather ~*s fair to* improve. 날씨는 점차 좋아질 듯하다. ~ ***in*** (경매에서 소유주가) 자신에게 경락〔낙찰〕시키다. ~ ***up*** (값을) 다투어 올리다.

— *n.* [C] ① 입찰, 매긴 값, 입찰의 기회〔차례〕; 〖法〗 경매 가격 신고 : She made a ~ of ten dollars *on*〔*for*〕 the raido. 그녀는 라디오에 10달러의 값을 매겼다 / *Bids* were invited *for* building the hotel. 호텔 건설의 입찰이 공모되었다. ② 《美口》 초대. ③ (인기·동정 따위를 얻고자 하는) 노력, 시도《*for*》. ④〖카드놀이〗 비드《브리지에서, 으뜸패와 자기편이 딸 패수의 선언》. ⑤《美口》 초대, 《특히》 입회 권유, 제안. ***in a*** ~ ***to*** do …할 목적을 위해, …하기 위하여 : The Government has already closed down two newspapers *in a* ~ *to* silence its critics. 정부는 비판을 침묵시키려고 이미 두 신문을 폐간시켰다 / Brandt failed *in a* ~ *to* see Reagan. 브란트 수상은 레이건 대통령을 만나려고 했으나 실패했다. ***make a*** 〔one's〕 ~ ***for*** …에 입찰하다 ; (인기 따위를) 얻고자 노력하다.

bid·da·ble [bídəbəl] *a.* 유순한(obedient) ; 경매로 구입할 수 있는 ; 〖카드놀이〗 겨룰 수 있는《수 따위》.

*__bid·den__ [bídn] BID의 과거분사.

bid·der [bídər] *n.* [C] 값을 부르는 사람, 입찰〔경매〕자 ; 입후보자 ; 명령자 ; 《美口》 초대자 : the highest 〔best〕 ~ 최고가 입찰자 ; 자기를 가장 높이 평가해 주는 사람 / The sale will be made to the highest ~ subject to reserve price being attained. 그 매매는 정해진 최저가격을 조건으로 최고가 입찰자에게 낙찰될 것이다.

*__bid·ding__ [bídiŋ] *n.* [U] 명령 ; 입찰 ; 입후보 ; 초대. ***at the*** ~ ***of*** a person = ***at*** a person***'s*** ~ …의 분부〔뜻〕대로 : *At his mother's* ~, Mr. Jones wrote a letter to our father. 그의 어머니의 분부대로 존씨는 우리 아버지께 편지를 썼다. ***do*** a person***'s*** ~ 아무의 분부대로 하다.

Bid·dy [bídi] *n.* Bridget의 애칭.

bid·dy *n.* [C] 《美·英方》 병아리 ; 암탉 ; 《口·흔히 蔑》 말 많은 노파 ; 여자.

*__bide__ [baid] (***bíd·ed, bode*** [boud] ; ***bíd·ed,*** 《古》 ***bid*** [bid]) *vt.* …을 기다리다. ~ one***'s time*** 시절〔호기〕를 기다리다.

bi·det [bidéi, bidét / bí:dei] *n.* [C] 《F.》 비데《국부·항문 세척기(器)》; 작은 승용마(馬).

bi·en·ni·al [baiéniəl] *a.* ①〔限定的〕 2 년에 한 번의 ; 2 년마다의. [cf] biannual. ② 2 년간 계속되는. ③〖植〗 2 년생의. — *n.* [C] 〖植〗 2 년생 식물 ; 2 년마다 일어나는 일 ; 2 년마다의 시험〔모임〕: Every union has its own annual or ~ conference. 각 조합은 각기 1년 또는 2년마다 한번씩 회의를 갖는다. [파] ~·**ly** [-i] *ad.* 2 년마다.

bier [biər] *n.* [C] 관가(棺架) ; 영구차 ; 시체.

biff [bif] *n.* Ⓒ 《俗》 강타. — *vt.* ① …을 강하게 때리다. ② (사람의) 신체의 일부를 강타하다 《*on*》 (★ 신체의 부분을 나타내는 명사의 앞에 the를 쓴다).

bi·fo·cal [baifóukəl] *a.* 이중 초점의; 원시·근시 양용의《안경 따위》: If you are both short-sighted and long-sighted, you need ~ spectacles or contact lenses. 만일 네가 원시와 근시 양쪽에 해당되면 원근 양용 안경이나 콘택트 렌즈가 필요하다. — *n.* ① Ⓒ 이중 초점 렌즈. ② (*pl.*) 원근(遠近) 양용 안경.

bi·fur·cate [báifərkèit, baifə́ːrkeit] *vi.* 두 갈래로 갈리다: A sample of water was taken from the point where the river ~*s.* 물의 표본은 강물이 두 갈래로 갈라지는 지점에서 채취했다. — *vt.* …을 두 갈래로 가르다. — [-kit] *a.* 두 갈래진(= **bifurcated**).
㊞ **~·ly** *ad.* **bì·fur·cá·tion** *n.* Ⓤ 분기(分岐) (함); Ⓒ 〖解〗 분기점; (분기한 한 쪽의) 분지(分枝).

†**big** [big] (***bíg·ger*** ; ***-gest***) *a.* ① 큰; 커진, 성장한; (소리가) 큰, 쾅쾅 울리는; (수량이) 큰: a ~ man 거인 / a ~ voice 큰 소리. ② 〔敍述的〕 《흔히 ~ with child》 임신한. ③ 〔敍述的〕 가득찬 《*with*》; 《比》 찬: eyes ~ *with* tears 눈물어린 눈 / a year ~ *with* events 다사한 한 해. ④ (사건·문제가) 중대한: There's a ~ difference between starting up a business and just talking about it. 사업을 시작하는 것과 단지 사업얘기만 하는 것과는 엄청난 차이가 있다. ⑤ (사람이) 중요한, (잘)난, 훌륭한; 《美口》 〔敍述的〕 유명한, 인기 있는. ⑥ (태도가) 난 체하는, 뽐내는, 거드럭대는: feel ~ 자만심을 갖다. ⑦ 〔敍述的〕 (마음이) 넓은, 관대한《*of*》. ⑧ 《美俗》 〔敍述的〕 …에 열광하는, …을 아주 좋아하는《*on*》. ⑨ 〔限定的〕 연상의; 《美學生俗》 …형, …누나《부를 때 이름 앞에 붙여, 경의·친절을 나타냄》: one's ~ brother 〔sister〕 형〔누나〕 / ~ John 존 형. ⑩ 〔행위자를 나타내는 名詞를 수식하여〕 정력적인, 대단한: a ~ success 대성공. ⑪ (때때로 비·바람 등이) 세찬, 강한: a ~ storm / a ~ wind 강풍. ~ ***on*** . . . 《美口》 …에 열중하여; …을 아주 좋아하다: I'm ~ *on* movies. 영화에 미쳐 있다. ***get*** 〔***grow***〕 ***too ~ for*** one***'s boots*** 〔***breeches***〕 (신체사이즈가) 커져서 구두〔바지〕가 안 맞게 되다; 《口》 자만하다, 뽐내다.
— *ad.* 《口》 잘난 듯이, 뽐내어; 다량으로, 크게; 《美口》 잘, 성공하여; 《方》 매우: think ~ 터무니없는 일을 생각하다; 야심적으로 생각하다 / act ~ 잘난 체 행동하다, 성공하다. ***look*** ~ 젠체하다. ***make*** (***it***) ~ 《美口》 대성공하다. ***talk*** ~ 《口》 허풍을 치다, 난 체하며 떠들다.
— *n.* Ⓒ 《口》 중요 인물; 대기업; (Mr. B-) 《口》 거물, 두목, (막후) 실력자; (the ~s) 《野球俗》 대(大)리그.

big·a·mist [bígəmist] *n.* Ⓒ 중혼자(重婚者).

big·a·mous [bígəməs] *a.* 중혼의; 중혼(죄를 범)한. ㊞ **~·ly** *ad.*

big·a·my [bígəmi] *n.* Ⓤ 중혼(죄), 이중 결혼.

Bíg Ápple (the ~) 《美俗》 New York 시.

bíg báng (the ~, 종종 the B- B-) 〖天〗 (우주 생성 때의) 대폭발.

bíg báng thèory (the ~) 우주 폭발 기원론.

Bíg Bén 빅벤《영국 국회 의사당 탑 위의 큰 시계(종〔탑〕)》.

Bíg Bóard (the ~, 때로 the b- b-) 《美口》 뉴욕 증권 거래소 (상장의 주가(株價) 표시판).

bíg bróther ① 형. ② 고아·불량 소년 등을 선도하기 위해 형 대신이 되는 남자. ③ (B- B-) 독재 국가의 독재자, 독재 국가. ④ 《美空俗》 관제탑 레이더.

bíg búcks 《口》 많은 돈, 큰돈.

bíg búg 《俗》 중요 인물, 명사, 거물(bigwig).

bíg búsiness 《蔑》 재벌; 대기업.

Bíg C [-síː] 《美俗》 암.

Bíg Dáddy (the ~, 때로 the b- d-) 《俗》 명사(名士); (자기) 아버지.

bíg déal ① 중대 사건, 대규모 거래. ② 〔비꼼·조소를 나타내어, 感歎詞的으로〕 참 대단하군, 그뿐인가, 별거 아니군. ***make a ~ about*** …에 대하여 떠들어대다〔과장하여 생각하다〕. ***make a ~ out of nothing*** 대단치도 않은 것을 가지고 떠들어대다.

Bíg Dípper ① (the ~) 《美》 〖天〗 북두칠성. ② (b- d-) 《英口》 = ROLLER COASTER.

bíg énd 〖機〗 대단부(大端部)《커넥팅 로드의》.

Big·foot [bígfùt] *n.* (때로 b-) = SASQUATCH.

Bíg Fóur (the ~) 4 대국《제2차 대전 후의 미국·영국·옛 소련·프랑스》.

bíg gáme ① 큰 시합. ② 큰 사냥감《사자·코끼리·큰 물고기따위》. ③ (위험이 따르는) 큰 목표.

big·gie [bígi] *n.* Ⓒ 《口》 중요한 것; 중요 인물, 거물: Of all the company's products, this one's the ~. 그 회사의 제품 가운데서 이것이 가장 훌륭한 것이다.

big·gish [bígiʃ] *a.* ① 약간 큰, 큰 편인. ② 중요〔위대〕한 듯한.

bíg gún ① 대포. ② 《俗》 유력〔실력〕자, 중요 인물, 고급 장교; 중요한 사물. ***bring out*** 〔***up***〕 one***'s ~s*** (논쟁·게임 등에서) 결정적인 수〔으뜸패〕를 내놓다.

big·head [bíghèd] *n.* Ⓤ,Ⓒ 《美》 우두머리; 자부심; 《口》 자만(하는 사람).
㊞ **-héad·ed** *a.* 《口》 젠체하는, 우쭐한.

big·heart·ed [bíghɑ́ːrtid] *a.* 마음이 넓은; 활수한. ㊞ **~·ly** *ad.* **~·ness** *n.*

big·horn [bíghɔ̀ːrn] *n.* ① Ⓒ (*pl.* ~, **~*s***) 〖動〗 로키산맥의 야생양(羊)(= ∠ **shèep**). ② (the B-) 빅혼강(= **Bíg Hòrn**)《Wyoming 주 북쪽에서 Yellowstone 강으로 흘러듦》.

bíg hòuse ① 《英》 (종종 B- H-) (마을 제일의) 대가(大家). ② (the ~) 《俗》 교도소.

bight [bait] *n.* Ⓒ 해안선〔강가〕의 완만한 굴곡; 후미, 만(灣); 밧줄의 중간〔고리로 한〕 부분.

bíg léague = MAJOR LEAGUE.

bíg móney 거금(巨金), 큰 이익.

big·mouth [bígmàuθ] *n.* Ⓒ 《俗》 수다스러운 사람: You're got such a ~. 너는 수다스러운 사람이다.

big-mouthed [-ðd, -θt] *a.* 입이 큰; 목소리 큰.

bíg náme〔**nóise**〕 《口》 명사, 중요 인물.

big-name [bígnèim] *a.* 〔限定的〕 《口》 ① 유명한. ② 유명인(그룹)의.

big·ot [bígət] *n.* Ⓒ 고집통이, 괴팍한 사람.

big·ot·ed [bígətid] *a.* 완미(頑迷)한, 편협한, 고집 불통의: He was a ~, narrow-minded fanatic. 그는 편협하고 옹졸한 광신자였다.
㊞ **~·ly** *ad.*

big·ot·ry [bígətri] *n.* Ⓤ ① 완미한 신앙〔행동〕. ② 편협.

bíg shòt 《俗》 거물, 중요 인물(bigwig).

Bíg Smóke ① (the ~) 《英俗》 런던: I wouldn't like to live in the ~. 나는 런던에서 살고 싶지 않다. ② (the b- s-) 《英》 대도시, 멜버른, 시드니.

bíg stíck (정치 또는 경제적인) 압력; 무력·힘의 과시; 《俗》 (소방용의) 긴 사닥다리. ***wield*** 〔***carry***〕 ***a ~*** (***over*** . . .) (…에게) 심하게 힘〔권

력]을 휘두르다.

big-tick·et [bígtíkit] *a.* 〔限定的〕《美口》 비싼 (가격표가 붙은).

bíg tíme (the ~) 《口》 (스포츠·연예계의) 최고 수준, 일류 : He's in *the* ~ now. 그는 현재 일류급 인물이다.

big-time [bígtàim] *a.* 《俗》 일류의, 최고의. ㊕ **-tim·er** [-tàimər] *n.* Ⓒ (the ~) 일류 배우[인물] ; 대사업가, 거물급 인사 ; 메이저리그의 선수.

bíg tóe 엄지발가락(great toe).

bíg tòp 《口》 (서커스의) 큰 천막 ; (the ~) 서커스.

bíg trèe = GIANT SEQUOIA.

bíg whéel = FERRIS WHEEL ; 《俗》 = BIGWIG ; 《美俗》 (대학·학교의) 인기 있는 사람.

big·wig [bígwìg] *n.* Ⓒ 《口》 높은 양반, 거물, 중요 인물 : She has called a meeting of party ~*s* to discussing their strategy for the next election. 그녀는 차기선거에 대비한 전략을 논의하기 위해 정당의 중진회의를 소집했다.

bi·jou [bí:ʒu:, -ˊ] (*pl.* **~s, ~x** [-z]) *n.* Ⓒ 《F.》 보석(jewel) ; 작고 아름다운 장식. — *a.* 〔限定的〕 작고 우미한 : The estate agent described the flat as a ~ residence. 부동산 중개인은 그 아파트를 작고 매력적인 주택이라고 설명했다.

bike [baik] *n.* Ⓒ 《口》 자전거. — *vi.* 자전거를 타고 가다.

bik·er [báikər] *n.* Ⓒ ① 《口》 = BICYCLIST. ② 《美口》 (폭주족 등의) 오토바이 타는 사람.

bike·way [báikwèi] *n.* Ⓒ 《美》 자전거 (전용) 도로.

Bi·ki·ni [bikí:ni] *n.* ① 비키니《마셜 군도에 있는 환초(環礁) ; 미국의 원수폭 실험장(1946-58)》. ② Ⓒ (b-) 투피스의 여자 수영복, 비키니. ㊕ **bi·kí·nied** *a.* 비키니를 입은.

bi·la·bi·al [bailéibiəl] *a.* 〖音聲〗 두 입술의 ; 〖植〗 = BILABIATE. — *n.* Ⓒ 양순음《[p, b, m] 따위》.

bi·la·bi·ate [bailéibièit, -biit] *a.* 〖植〗 두 입술 모양의.

bi·lat·er·al [bailǽtərəl] *a.* 양측의[이 있는], 두 면이 있는 ; 좌우 동형의 ; 〖生〗 좌우 상칭(相稱)의 ; 〖法·商〗 쌍무적인 ; 〖社〗 (부모) 쌍계(雙系)의.

bil·ber·ry [bílbèri, -bəri] *n.* Ⓒ ① 〖植〗 월귤나무속(屬)의 일종. ② 그 열매.

bile [bail] *n.* Ⓤ ① 담즙. ② 기분이 언짢음, 짜증. ***black*** ~ 우울. ***rouse*** 〔***stir***〕 a person***'s*** ~ 아무를 성나게 하다 ; 아무의 기분을 상하게 하다.

bilge [bildʒ] *n.* ① Ⓒ 〖海〗 배 밑 만곡부 ; Ⓤ 뱃바닥에 괸 더러운 물. ② Ⓒ (통의) 중배. ③ Ⓤ 《口》 데데한 이야기[생각], 허튼 소리(nonsense) ; 웃음거리. — *vi.* ① (배 밑에) 구멍을 뚫다 ; 구멍이 나다. ② 불룩하게 하다[되다]. — *vt.* (배 밑)에 구멍을 만들다.

bílge wàter ① 배 밑에 괸 더러운 물. ② 《口》 실없는 소리.

bil·i·ary [bílièri, bíljəri] *a.* 담즙(bile)〔담관, 담낭〕의 ; 《古》 = BILIOUS.

bíliary cálculus 〖解〗 담석.

***bi·lin·gual** [bailíŋgwəl] *a.* 두 나라 말을 하는 ; 2개 국어를 병용하는. — *n.* Ⓒ 2개 국어를 쓰는 사람 ; 2개 국어로 기록한 것. ㊕ **~·ìsm** *n.* Ⓤ 2개 국어 병용. **~·ly** *ad.* **bi·lin·gual·i·ty** [ˊlìŋgwǽləti] *n.*

bil·ious [bíljəs] *a.* ① 담즙(성)의. ② 담즙과다의, 담즙 이상(異常)의[에 의한]. ③ 성마른, 까다로운 ; 매우 불쾌한.

-bility *suf.* '-able, -ible, -uble'로 끝나는 형용사에서 명사를 만듦 : a*bility*, possi*bility*, solu*bility*.

bilk [bilk] *vt.* (갚을 돈·셈할 것)을 떼어먹다, 먹고[돈을 안 내고] 달아나다 ; (추적자 등)에서 용하게 벗어나다, 따돌리다 ; (남)을 속이다, 등치다. — *n.* Ⓤ,Ⓒ 떼어먹기 ; 사기 ; 사기꾼.

†**bill**[1] [bil] *n.* Ⓒ ① 계산서, 청구서. ② 전단, 벽보, 포스터, 광고 (쪽지) ; (연극·흥행물 따위의) 프로(그램) : The sign 'Post no bills' means it is forbidden to stick notices on the wall. '벽보 부착 금지' 표지는 벽에 광고물을 붙이는 것을 금지한다는 의미이다. ③ 목록, 표, 명세서, 메뉴. ④ 〖商〗 증서, 증명서, 증권 ; (환)어음. ⑤ 《美》 지폐 ; 《美俗》 100 달러 (지폐). ⑥ (의회의) 법안, 의안 : A ~ of rights is a statement of the basic laws which are meant to protect a country's citizens from injustice. 권리 장전이란 국민을 권리침해로부터 보호하기 위한 기본법에 관한 규정이다. ⑦ 〖法〗 기소장, 소장(訴狀), 조서(調書). ⑧ (세관의) 신고서.

a ~ at sight 일람출급〔요구불〕 어음. ***a ~ discounted*** 할인 어음. ***a ~ of credit*** 신용장. ***a ~ of debt*** 약속 어음. ***a ~ of entry*** 입항(入港) 신고 ; 통관 신고서. ***a ~ of exceptions*** 〖法〗 항고서(書). ***a ~ of exchange*** 환어음《略 : b. e.》. ***a ~ of fare*** 식단, 메뉴 ; 《比》 예정표, 프로그램. ***a ~ of health*** 〖海〗 (선원·승객의) 건강증명서《略 : B / H》. ***a ~ of lading*** 선하(船荷) 증권《略 : B/L, b.l.》 ; 화물 상환증(《英》 consignment note) : *a* clean 〔foul〕 ~ *of lading* 무고장(無故障)〔고장〕 선하 증권. ***a ~ of work*** 〖宇宙〗 작업 프로그램《특정 비행체의 정비 점검에 필요한 작업을 상세히 기록한 스케줄》. ***a ~ payable*** 〔***receivable***〕 지급〔받을〕 어음. ***a long-dated*** 〔***short-dated***〕 ~ 장기〔단기〕 어음. ***a set of ~s*** = ***a ~ in sets*** 복수 어음. ***draw a ~ on*** a person 아무 앞으로 어음을 떼다〔발행하다〕. ***fill*** 〔***fit***〕 ***the*** ~ 요구를 충족시키다 ; 《英》 인기를 독차지하다. ***find a true*** ~ (대배심이) 기소장을 시인하다《공판에 돌리다》. ***foot the*** ~ 셈을 치르다 ; 《比》 책임을 떠맡다. ***ignore the*** ~ 〖法〗 기소장을 부인하다. ***sell*** a person ***a ~ of goods*** 《美口》 아무를 속이다. ***sole*** ~ 단일 어음. ***the ~ of rights*** (1) 기본적 인권의 선언. (2) (the B- of R-) 《美》 권리 장전. ***top*** 〔***head***〕 ***the*** ~ 《口》 표의 최초〔상단〕에 이름이 나다, 글 머리에 있다.

— *vt.* ① …을 계산서에 기입하다 ; 표로〔목록으로〕 하다. ② …에 계산서〔청구서〕를 보내다〔내다〕. ③ …에 전단을 붙이다. ④ 전단으로 광고〔발표〕하다 ; 프로에 써 넣다, 프로로 짜다 : The film was ~*ed as* a family comedy. 그 영화는 가정희극이라고 선전되었다.

‡**bill**[2] [bil] *n.* Ⓒ ① 부리《특히 가늘고 납작한》. ⓒⓕ beak. ② 부리 모양의 것 ; 가위의 한쪽 날 ; 좁다란 곶(岬). ③ 《美口》 (사람의) 코 ; (모자의) 챙. — *vi.* ① (비둘기 한쌍이) 부리를 서로 비벼대다. ② 서로 애무하다. ~ ***and coo*** (남녀가) 서로 애무하며 사랑을 속삭이다.

bill[3] *n.* Ⓒ 미늘창 ; 밀낫(billhook). — *vt.* …을 베다 ; 쳐서 잘라내다.

bill·board [bílbɔ̀:rd] *n.* Ⓒ (흔히 옥외의 큰) 광고(게시)판.

bíll bròker 《英》 어음〔증권〕 중개인.

bíll collèctor (외상) 수금원.

billed [bild] *a.* 〔흔히 複合語로〕 (…한) 부리를 가진 : a long-~ bird.

bil·let[1] [bílit] *n.* Ⓒ ① 〖軍〗 (민가에의) 숙박 할당 명령서 ; (민가 등의) 군인 숙소. ② 지정 장소, 목적지 : Every bullet has its ~. 《俗談》 총알도 각각 그 숙소가 할당되어 있다 ; 총알에 맞고 안맞고는 팔자 소관. ③ 지위, 일자리. — *vt.*

〖軍〗…에게 숙사를 할당하다, 숙박시키다《*on*; *in*; *at*》: The soldiers were ~*ed on* the villagers. 병사들은 마을 민가에 숙사를 할당받았다.

bil·let² *n.* Ⓒ (굵은) 막대기, 장작; 〖林業〗 짧막한 재목; 〖冶〗 (작은) 강편(鋼片); 압연(壓延).

bil·let-doux [bílidú:, -lei-] (*pl.* ***bil·lets-doux*** [-z]) *n.* Ⓒ 《F.》《옛투·戲》 연애 편지.

bill·fold [bílfòuld] *n.* Ⓒ 둘로 접는 돈지갑.

bill·hook [⌐hùk] *n.* Ⓒ 밀낫.

bil·liard [bíljərd] *a.* 〔限定的〕 당구(용(用))의.
── *n.* 〖美撞球〗 =CAROM.

*__bil·liards__ [bíljərdz] *n.* Ⓤ 당구: play (at) ~ 당구를 치다/have a game of ~ 당구를 한 판 치다.

bill·ing [bíliŋ] *n.* Ⓤ ① 선전, 광고, 게시. ② 청구서 작성〔발송〕. ③ (배우 등의) 광고·프로그램상의 서열.

*__bil·lion__ [bíljən] *n.* ① (*pl.* **~s,** 數詞 뒤에서 ~) 《美》 10 억《million 의 천 배》; 《英·獨·프》 조(兆)《million 의 백만 배; 《英》에서도 1951 년 이후는 보통 10 억의 뜻으로 씀; 略: bn.》. ② (*pl.*) 막대한 수《*of*》: ~*s of* stars 무수한 별.
── *a.* 10 억의; 1 조의; 무수한.

bil·lion·aire [bìljənέər, ⌐-⌐] *n.* Ⓒ 억만 장자.

bil·lionth [bíljənθ] *a.* 10 억〔1 조〕 번째의; 10 억〔1 조〕분의 1 의.
── *n.* Ⓒ 10 억〔1 조〕번째; 10 억〔1 조〕분의 1.

*__bil·low__ [bílou] *n.* Ⓒ ① 큰 물결, 놀; 《詩》 파도; (the ~(s)) 《詩》 바다. ② 굽이치는〔소용돌이치는, 밀어닥치는〕 것.
── *vi.* ① 놀치다, 큰 파도가 일다, 크게 굽이치다. ② 부풀다《*out*》: Her skirt ~*ed out.* 그녀의 치마가 (바람으로) 부풀었다.

bil·lowy [bíloui] (***bil·low·i·er*** ; ***-i·est***) *a.* 놀치는, 물결이 높은, 소용돌이치는; 부풀어 오른.

bill·post·er, bill·stick·er [bílpòustər], [-stìkər] *n.* Ⓒ 전단 붙이는 사람.

Bil·ly [bíli] *n.* 남자이름《William 의 애칭》.

bil·ly¹ [bíli] *n.* Ⓒ 곤봉; 《美》 경찰봉(棒).

bil·ly² *n.* Ⓒ 야외용 주전자《양철로 만든》.

bil·ly·can [-kæ̀n] *n.* =BILLY².

bílly gòat 《口》 숫염소. ⓒⓕ nanny.

bil·ly-o(h) [-òu] *n.* 〔다음 成句로〕 ***like*** ~ 《英口》 맹렬히(fiercely), 비상하게, 마구.

bi·man·u·al [baimǽnjuəl] *a.* 양손을 쓰는.

bim·bo [bímbou] (*pl.* **~s, ~es**) *n.* Ⓒ 《俗·蔑》 ① 머리가 나쁜 사내, 녀석. ② (매력적이지만 지성이 결여된) 고급 창녀.

bi·met·al [baimétl] *a.* =BIMETALLIC.
── *n.* Ⓒ 바이메탈; 두 가지 금속으로 된 물질.

bi·me·tal·lic [bàimətǽlik] *a.* 두 종류의 금속으로 이뤄진; 〖經〗 (금은) 복본위제의.

bi·met·al·lism [baimétəlìzəm] *n.* Ⓤ (금은) 복본위제. ⊕ **-list** *n.* 복본위제론자.

bi·month·ly [baimʌ́nθli] *a., ad.* ① 한 달 걸러의〔서〕, 격월의〔로〕. ② 월 2 회(의).
── *n.* Ⓒ 격월〔월 2 회〕 발행의 간행물.

*__bin__ [bin] *n.* Ⓒ ① 뚜껑 있는 큰 궤; 저장통〔장소〕. ② 《英》 쓰레기통(dust ~); 빵을 넣는 큰 그릇(breadbin).

bi·na·ry [báinəri] *a.* ① 둘〔쌍, 복〕의; 이원(二元)의; 이지(二肢)의, 2 항식의. ② 〖化〗 두 성분으로〔원소로〕 된. ③ 〖數〗 이원의, 2 진법의; 〖컴〗 2 진(법)의, 2 진수의; 〖樂〗 2 악절의〔로 된〕, 2 박자의. ④ 〖天〗 쌍성의. ── *n.* Ⓒ ① 〖天〗 쌍성(雙星)(~ star). ② 2 원체, 쌍체; 2 진수.

bínary céll 〖컴〗 2 진 소자(素子).

bínary chòp 〖컴〗 2 분할법《전(全) 데이터를 하나하나 체크하는 대신, 목적하는 데이터가 중간점 위나 아래에 있는지를 판정하면서 목적하는 데이터를 검색함》.

bínary códe 〖컴〗 2 진 코드〔부호〕.

bí·na·ry-cod·ed décimal [báinərikòudid-] 〖컴〗 2 진화 10 진수《10 진수의 각 자리를 각기 4 비트의 2 진수로 나타낸 것; 略: BCD》.

bínary dígit 〖컴〗 2 진 숫자《0 과 1》.

bínary séarch 〖컴〗 2 진 찾기(dichotomizing search)《1 군의 항목을 두 부분으로 나누어 한 쪽을 골라내는 절차를 반복하여 목적하는 항목을 찾아내는 검색 방식》.

bínary stár 〖天〗 쌍성.

bínary sỳstem 〖天〗 쌍성계(雙星系); 〖物·化〗 이성분계(二成分系), 이원계(二元系); (the ~) 〖數〗 2진법.

bi·na·tion·al [bainǽʃənl] *a.* 두 나라로 이루어진, 「두 나라의.

bin·au·ral [bainɔ́:rəl, bin-] *a.* ① 귀가 둘 있는; 두 귀의〔에 쓰는〕. ② 입체(立體) 음향의.

‡**bind** [baind] (***bound*** [baund]; ***bound,*** 《古》 ***bound·en*** [báundən]) *vt.* ① 《~+목/+목+전+명/+목+부》 …을 묶다, 동이다《*up*; *together*; *with*》; 포박하다《*to*; *on*》: ~ (*up*) one's hair *with* a ribbon 리본으로 머리를 묶다/~ a person's legs *together* 양발을 묶다. ② **a)** 《~+목/+목+전+명/+목+*to* do》 《比》 …을 얽매다, 묶이게 하다, 구속〔속박〕하다《약속·의무 따위로》: be *bound by* a contract 계약에 묶이다. **b)** 〔목적어로 oneself를 취하여〕 구속되다; 약속〔보증〕하다: ~ *oneself by* an agreement 계약에 구속되다. ③ 《比》 …을 맺게 하다, 단결시키다《*together*》. ④ …을 감다, 감싸다; 붕대로 감다《*up*; *with*》. ⑤ (동맹·계약·상담(商談))을 맺다, 체결〔타결〕하다. ⑥ 《~+목/+목+전+명/+목+부》 (시멘트 따위)로 굳히다; (얼음·눈 따위가) 꼼짝 못 하게 하다, 발을 묶다; (약·음식이 창자)를 변비시키다; 〖料〗 (재료)를 엉기게 하다: ~ stones (*together*) *by* cement 시멘트로 돌을 굳히다. ⑦ 《~+목/+목+전+명/+목+부》 (원고·서적 등)을 제본〔장정〕하다: a book *bound in* cloth 〔leather〕 클로스 〔가죽〕 장정의 책. ⑧ 《~+목/+목+전+명》 (의복·카펫 따위)에 가선을 두르다, 가장자리를 달다: ~ the edge of cloth 천의 가장자리를 감치다. ⑨ 《+목+전+명/+목+(*as*)보》 (계약을 맺고) 도제로 보내다《*out*》. ⑩ 〖컴〗 변수에 값을 할당하다.
── *vi.* ① (시멘트·눈 따위가) 굳어지다. ② (약속·계약 등이) 구속력이 있다. ③ (의복 등이) 꼭 끼다.
be bound to …에 매이다; …을 따르다. ***be bound to*** do 확실히 …하다, 반드시 …해야 하다; 《美口》 …하려고 마음먹다. ***be bound up in*** (1) …에 열중하다. (2)=be bound up with. ***be bound up with*** …와 밀접한〔이해〕 관계가 있다. ~ ***down*** 〔종종 受動으로〕 구속하다, 묶다. ~ ***out*** 도제로 내보내다. ~ a person ***over to*** ... 〔*to* do〕 아무에게 서약시키다: ~ a person *over to* good behavior 〔*to* keep the peace〕 행동을 삼갈〔공안을 유지할〕 것을 아무에게 서약시키다. ~ one***self to*** do …할 것을 맹세〔약속〕하다: I *bound myself to* deliver the goods by the end of this month. 물건을 이 달 말까지 보내기로 약속이 돼 있다. ***I dare*** 〔***will***〕 ***be bound.*** 보증한다, 단언한다.
── *n.* ① Ⓒ 묶는〔동여매는〕 것《끈·밧줄 따위》, 묶임새; (식물의) 덩굴. ② Ⓒ 〖樂〗 결합선《slur 및 tie》. ③ Ⓒ 《俗》 성가신 존재, 곤란한〔지루한〕 것〔사람, 일〕; (a ~) 《美》 구속 상태, 곤경. ***in a*** ~ 《美口》 난처하게 되어, 곤경에 처해.

***bind·er** [báindər] *n.* ① Ⓒ 묶는 사람 ; 제본하는 사람. ② Ⓒ 묶는〔동이는, 매는〕 것, 《특히》 실, 끈 ; 붕대 ; (서류 따위를) 철하는 표지, 바인더 ; 산후 복대. ③ Ⓒ 〖農〗 베어서 단으로 묶는 기계, 바인더. ④ Ⓤ,Ⓒ 접합〔고착〕제(劑) ; 〖料〗 엉기게 하는 것 ; 《美俗》 (차의) 브레이크.

***bind·ing** [báindiŋ] *a.* ① 접합〔결합〕하는, 연결의. ② 속박〔구속〕하는 ; 구속력 있는, 의무 지우는. ③ 변비를 일으키는. ── *n.* Ⓤ,Ⓒ 묶음 ; 구속 ; 제본, 장정(裝幀), 표지 ; 묶는 것 ; 선 두르는 재료《리본 따위》 ; 접합재, 결합제 ; 〖스키〗 바인딩, 죄는 기구 : books in cloth ~ 클로스(천)로 제본한 책들. ㊞ **~·ly** *ad.* 속박하여. **~·ness** *n.*

bínding ènergy 〖物〗 결합 에너지《분자·원자(핵) 등의 분할에 필요한》.

bind·weed [báindwi:d] *n.* Ⓤ 메꽃속(屬)의 식물.

bine [bain] *n.* Ⓒ ① 덩굴《특히 hop 의》. ② 〖植〗 =WOODBINE ; BINDWEED.

binge [bindʒ] *n.* Ⓒ 《口》 법석대는 술잔치, 법석.

bin·go [bíŋgou] (*pl.* **~s**) *n.* Ⓤ 빙고《수를 기입한 카드의 빈 칸을 메우는 복권식 놀이》 ; (B-!) 《*int.*》 《口》 맞았다, 해냈다.

bin·na·cle [bínəkəl] *n.* Ⓒ 〖海〗 나침의함(羅針儀函).

bin·oc·u·lar [bənákjələr, bai- / -nɔ́k-] *a.* ① 두 눈(용)의. ② 〔限定的〕 쌍안경(용)의.
── *n.* 〔흔히 *pl.*, 單數 취급도 함〕 쌍안경 : The President was shown using ~*s*, apparently looking across the border to Saudi Arabia. 쌍안경으로 분명히 사우디 아라비아 국경 너머를 주시하고 있는 대통령이 보였다.

bi·no·mi·al [bainóumiəl] *a.* ① 〖數〗 2항(식)의. ② 〖生〗 (속명과 종명(種名)으로 이루어지는) 이명법(二名法)의. ── *n.* Ⓒ ① 〖數〗 이항식. ② 〖生〗 이 명법의 이름.

binómial nómenclature 〔**sýstem**〕 〖生〗 이명법《속명(屬名)·종명(種名)의 두 가지 이름으로 나타내는 방식》.

binómial théorem 〖數〗 이항(二項) 정리.

bi·nom·i·nal [bainámənəl / -nɔ́m-] *a.* 〖生〗 이명법의 (binomial).

bio [báiou] (*pl.* **bí·os**) *n.* Ⓒ 《口》 (특히 짧은) 전기 (biography).

bio- '생명·생물'의 뜻의 결합사 : *bio*logy.

bi·o·a·vail·a·bil·i·ty [bàiouəvèiləbíləti] *n.* Ⓤ (약물의) 생물학적 이용 효능.

biochem. biochemistry.

bi·o·chem·ic [bàioukémik] *a.* =BIOCHEMICAL.

bi·o·chem·i·cal [bàioukémikəl] *a.* 생화학의, 생화학적인.

biochémical óxygen demànd 생화학적 산소 요구량《略 : BOD》.

bi·o·chem·ist [bàioukémist] *n.* Ⓒ 생화학자.

bi·o·chem·is·try [bàioukéməstri] *n.* Ⓤ 생화학 ; 생화학적 조성(組成)〔특징〕.

bi·o·cide [báiəsàid] *n.* Ⓤ,Ⓒ 생명 파괴제.

bi·o·clean [báiouklì:n] *a.* 무균(無菌) (상태)의.

bi·o·cli·ma·tol·o·gy [bàiouklàimətálədʒi / -tɔ́l-] *n.* Ⓤ 생물 기후학.

bi·o·com·pat·i·ble [bàioukəmpǽtəbəl] *a.* 생물학적 적합(성)의.

bi·o·com·put·er [bàioukəmpjú:tər] *n.* Ⓒ 〖컴·生〗 바이오 컴퓨터.

bi·o·crat [báioukræ̀t] *n.* 생물 과학자〔전문가·기사〕.

bi·o·de·grad·a·ble [bàioudigréidəbəl] *a.* 생물 분해성의 : ~ detergents 생물 분해성 세제 / ~ wastes 생물분해성 폐기물 / *Biodegradable* packaging helps to limit the amount of harmful chemicals released into the atmosphere. 생물 분해성 포장은 유독한 화학 물질들이 대기중에 퍼지는 것을 억제하도록 한다.

bi·o·de·grade [bàioudigréid] *vi.* (미생물에 의해) 생물 분해하다.

bi·o·di·ver·si·ty [bàioudivə́:rsəti, -dai-] *n.* Ⓤ 생물의 다양성.

bi·o·e·col·o·gy [bàiouikálədʒi / -kɔ́l-] *n.* Ⓤ 생물 생태학. ㊞ **-gist** *n.* **-èc·o·lóg·i·cal** *a.*

bi·o·e·lec·tro·mag·net·ics [bàiouilèktroumægnétiks] *n.* Ⓤ 생체 전자기학.

bi·o·e·lec·tron·ics [bàiouilektrániks / -trɔ́n-] *n.* Ⓤ 생체 전자 공학.

bi·o·en·gi·neer·ing [bàiouèndʒəníəriŋ] *n.* Ⓤ 생체〔생물〕 공학.

bi·o·eth·ics [bàiouéθiks] *n.* Ⓤ 〖生〗 생명 윤리(학) 《장기 이식 등 윤리 관계 문제를 다룸》.

bi·o·feed·back [bàioufí:dbæ̀k] *n.* Ⓤ 〖醫〗 생체 자기(自己) 제어, 바이오피드백.

bi·o·fu·el [báioufjù(:)əl] *n.* Ⓒ 생물체 연료《석탄·석유 등 전에 생물체였던 물질로 된 연료》.

biog. biographer ; biographical ; biography.

bi·o·gas [báiougæ̀s] *n.* Ⓒ 생물 가스 : *Biogases* like methane are a 21st century fuel. 메탄 같은 생물 가스는 21세기의 연료다. ㊞ **bìo·gàs·i·fi·cá·tion** *n.*

bi·o·gen·e·sis [bàioudʒénəsis] *n.* Ⓤ 속생설(續生說), 생물 발생설.

bi·o·gen·ic [bàioudʒénik] *a.* 생물 기원의 ; 생물 유지에 불가결한.

***bi·og·ra·pher** [baiágrəfər, bi- / -ɔ́g-] *n.* Ⓒ 전기(傳記) 작가.

***bi·o·graph·ic, -i·cal** [bàiougræ̀fik], [-əl] *a.* 전기의, 전기적인.

‡bi·og·ra·phy [baiágrəfi, bi- / -ɔ́g-] *n.* Ⓒ 전기(傳記), 일대기 ; Ⓤ 전기 문학.

bi·o·haz·ard [báiouhæ̀zərd] *n.* Ⓒ ① 생물학 연구에서 사용되는 병원체. ② 생물 위험〔재해〕.

biol. biologic(al) ; biologist ; biology.

***bi·o·log·ic, -i·cal** [bàiəládʒik / -lɔ́dʒ-], [-əl] *a.* 생물학(상)의 ; 응용 생물학의 : recent *biological* breakthroughs 최근의 생물학상의 괄목할 진보.
── *n.* Ⓒ 〖藥〗 생물학적 약제《혈청·백신 등》.

biológical clóck (생물의) 체내 시계.

biológical wárfare 생물〔세균〕전.

***bi·ol·o·gist** [baiálədʒist / -ɔ́l-] *n.* Ⓒ 생물학자.

‡bi·ol·o·gy [baiálədʒi / -ɔ́l-] *n.* Ⓤ ① 생물학. ② (the ~) (어느 지역·환경의) 동식물(상) ; 생태.

bi·o·lu·mi·nes·cence [bàioulù:mənésəns] *n.* Ⓤ 생물 발광(發光). ㊞ **-cent** *a.*

bi·ol·y·sis [baiáləsis / -ɔ́l-] *n.* Ⓤ 생물 분해《미생물에 의한 유기물의 분해》.

bi·o·mass [báioumæ̀s] *n.* Ⓤ 〖生態〗 생물 자원.

bi·o·me·chan·ics [bàioumikǽniks] *n.* Ⓤ 생물 역학.

bi·o·med·i·cine [bàioumédəsin] *n.* Ⓤ 생물 의학《생물 화학과 기능의 관계를 다루는 임상 의학》.

bi·o·me·te·or·ol·o·gy [bàioumì:tiərálədʒi / -rɔ́l-] *n.* Ⓤ 생기상학《생물과 기온·습도 등 대기 상황과의 관계를 연구하는》.

bi·o·met·rics [bàioumétriks] *n.* Ⓤ 생물 측정학〔통계학〕 ; 수명 측정(법).

bi·om·e·try [baiámətri / -ɔ́m-] *n.* Ⓤ ① (인간의) 수명측정(법). ② =BIOMETRICS.

bi·on·ic [baiánik / -ɔ́n-] *a.* ① 생체〔생물〕 공학적인 ; (SF 에서) 신체 기능을 기계적으로 강화한. ② 《口》 초인적인 힘을 지닌, 정력적이고 억센 ; 수준 이상의, 우량한.

bi·on·ics [baiániks / -ɔ́n-] *n.* Ⓤ 생물 공학. [◂ *bio*logy+electro*nics*]

bi·o·nom·ics [bàiounámiks / -nɔ́m-] *n.* [U] 생태학(生態學).

bi·o·phys·ics [bàioufíziks] *n.* [U] 생물 물리학. ㊞ **-phýs·i·cal** *a.* **-phýs·i·cist** *n.*

bi·o·pic [báioupìk] *n.* [C] 전기(傳記) 영화.

bi·op·sy [báiɑpsi / -ɔp-] *n.* [U] 생체 조직 검사.

bi·o·rhythm [báiourìðəm] *n.* [U,C] 바이오리듬, 생체리듬《이를 테면 체온·혈압 등에 일어나는 주기적인 현상으로서, 신체·감정·지력(知力)에 영향을 미친다고 함》.

bi·o·sci·ence [báiousàiəns] *n.* [U] 생물 과학.

bi·o·sphere [báiəsfìər] *n.* (the ~) 〖生〗 생물권(圈).

bi·o·tech·nol·o·gy [bàiouteknálədʒi / -nɔ́l-] *n.* [U] 생물 공학.

bi·ot·ic, -i·cal [baiátik / -ɔ́tik], [-əl] *a.* ① 생물의. ② 생명의.

bi·o·tin [báiətin] *n.* [U] 비오틴《비타민B 복합체》.

bi·o·tite [báiətàit] *n.* [U] 〖鑛〗 흑(黑)운모.

bi·o·tope [báiətòup] *n.* [C] 〖生〗 생태 환경.

bi·par·ti·san, -zan [baipá:rtəzən] *a.* 두 정당의; 《美》 (민주·공화) 양당 제휴의.

bi·par·tite [baipá:rtait] *a.* 〔限定的〕 2 부(部)로 된《조약서 등》; 〖植〗 두 갈래로 째진《잎 등》; 양자가 분담하는, 상호의, 협동의 : a ~ agreement 상호 협정.
㊞ **~·ly** *ad.*

bi·ped [báiped] *a.* 두 발의, 두 발 동물의. ── *n.* [C] 두 발 동물《인간·새 등》.

bi·plane [báiplèin] *n.* [C] 복엽 비행기.

bi·po·lar [baipóulər] *a.* 두 극이 있는, 양극의.

bipólar transìstor 바이폴러 트랜지스터.

bi·ra·cial [bairéiʃəl] *a.* 두 인종의〔으로 된〕.

***birch** [bə:rtʃ] *n.* ① [C] 〖植〗 자작나무(류의 총칭); [U] 자작나무재(材) : ⇨WHITE 〔PAPER〕 BIRCH. ② [C] 자작나무 회초리(=∠ **ròd**)《학생을 벌하기 위한》. ── *a.* 〔限定的〕 자작나무의; 자작나무 재목으로 된. ── *vt.* (자작나무 가지의) 회초리로 때리다. ㊞ **∠·en** [-ən] *a.* 자작나무의, 그 가지로 만든 회초리의.

†**bird** [bə:rd] *n.* ① [C] 새. ② [C] 엽조(獵鳥); (사격의) 클레이(clay pigeon); (배드민턴의) 깃털공(shuttlecock). ③ [C] 〔흔히 修飾語를 수반하여〕《口》 사람, 놈, 《특히》 괴짜 : The early ~ catches the worm. 《俗談》 부지런한 새가 벌레를 잡는다 / I was curious about him. He was a rare ~, I felt sure. 나는 그에게 호기심이 있었다. 그는 드물게 보는 괴짜라고 생각했다 / a queer ~ 별난 놈, 괴짜 / a jail ~ 죄수. ④ [C] 〔burd 와의 혼동에서〕《英俗》 (귀여운) 여자, 아가씨, 여자 친구, 연인; 《美卑》 계집년 : a bonny ~ 예쁜 아가씨. ⑤ (the ~) 《俗》 (극장 따위에서의) 야유, 조롱하는 소리 : give a person *the* ~ 아무를 놀리다. ⑥ [C] 〖空〗《俗》 비행체〔기〕; 헬리콥터; 로켓, 유도탄, 인공위성; 우주선(船)《따위》. ⑦ [U] 《英俗》 옥살이, 형기; 투옥 판결 : in ~ 투옥되어. ⑧ [U] 《美卑》 가운뎃손가락을 세워 손등 쪽을 상대에게 향하게 하는 거동《Fuck you.의 뜻의 비속한 경멸을 표시》.
a ~ in the hand 수중에 든 새, 확실히 들어온 이득 : *A ~ in the hand* is worth two in the bush. 《俗談》 수중의 한 마리 새가 숲속의 두 마리보다 낫다. ***a ~ of ill omen*** 불길한 새; 불운한 사람; 언제나 불길한 말만 하는 사람. ***a ~ of paradise*** 〖鳥〗 풍조과의 각종 새《뉴기니 주변산》; 〖植〗 극락조화; (the B- of P-) 〖天〗 극락조자리(=**Ápus**). ***a ~ of passage*** 철새; 《口》 떠돌이, 뜨내기. ***a ~ of peace*** 비둘기(dove). ***a ~ of prey*** 맹금(猛禽)《독수리·매 등》. ***a ~ of*** one's ***own brain*** 자기 자신의 생각. ***A little ~ has told me.*** = ***I heard a little ~ sing so.*** 어떤 사람에게서 들었다. ***~s of a feather*** 같은 깃털의 새; 《종종 蔑》 비슷한 또래, 동류 : *Birds of a feather* flock together. 《俗談》 유유 상종(類類相從). ***do ~*** 교도소에서 형(刑)을 살다 : They warned him that next time he'd find himself *doing bird.* 그들은 그가 다음번에는 교도소에서 형을 살게 될 것이라고 경고했다. ***eat like a ~*** (새처럼) 적게 먹다. ***for the ~s*** 《俗》 시시한, 자잘한, 하잘것 없는 : I think history is *for the ~s.* 내게 있어서 역사란 그저 그런 것이다. ***kill two ~s with one stone*** 일석 이조하다, 일거양득하다. ***like a ~*** 유쾌하게《일하다》, 명랑하게《노래하다》; 《口》 (기계·차가) 쾌조로. ***my ~*** 귀여운 아이. ***the ~ in*** one's ***bosom*** 양심, 속마음. ***the ~ of freedom*** 자유의 새《미국 국장(國章)에 그려진 독수리》. [cf] bald eagle. ***the ~ of Minerva*** 〔***night***〕 올빼미(owl). ***the ~ of Washington*** =BALD EAGLE. ***the ~ of wonder*** 불사조(phoenix). ***the ~s and the bees*** 《口》《婉》 (아이들에게 가르치는) 생명 탄생의 비밀, 성에 대한 지식《새와 꿀벌을 예로 드는 데서》 : She's only six, but she knows about *the ~s and the bees.* 그녀는 6세 밖에 안되었는데도 성에 관한 기본 지식을 갖고 있다.
── *vi.* 새를 잡다〔쏘다〕; 들새를 관찰하다.

bird·bath [∠bæθ, ∠bà:θ] (*pl.* ***-baths*** [∠bæðz / ∠bà:ðz]) *n.* [C] 새의 미역용 물 쟁반.

bird·brain [∠brèin] *n.* [C] 《美俗》 바보, 멩추.

bird·brained [∠bréind] *a.* 얼빠진, 어리석은.

bird·cage [∠kèidʒ] *n.* [C] 새장, 조롱.

bird·call [∠kɔ̀:l] *n.* [C] ① 새 울음소리. ② 새소리 흉내. ③ 우레.

bírd dòg 《美》 새 사냥개; (탤런트·선수 등의) 스카우트; 정보를 모으는 사람.

bird-dog [∠dɔ̀:g] (***-gg-***) *vi.* 《美口》 BIRD DOG 로서 일하다.
── *vt.* …을 엄중히 감시하다, …을 집요하게 추구하다, …의 뒤를 밟아 탐정하다.

bird-eyed [∠àid] *a.* 새눈 같은; 눈치빠른; (말이) 잘 놀라는.

bírd fàncier 애조가(愛鳥家); 새장수.

bird·house [∠hàus] *n.* [C] 새장; 새집.

***bird·ie** [bɔ́:rdi] *n.* [C] ①《兒》 새, 작은 새《애칭》. ② 〖골프〗 기준 타수(par)보다 하나 적은 타수로 구멍에 넣음. [cf] eagle.
Watch the ~! 자 새를 보세요, 이쪽을 보세요《사진 찍는 신호의 말》.
── *vt.* 〖골프〗 (홀)에 버디를 넣다.

bird·ing [bɔ́:rdiŋ] *n.* [U] 들새 관찰.

bird·lime [∠làim] *n.* [U] 끈끈이; 함정, 감언.

bird·man [∠mæn, ∠mən] (*pl.* ***-men*** [∠mèn, ∠mən]) *n.* [C] ① 조류 연구가; 들새 관찰하는 사람. ②《口》 비행가.

bírd sànctuary 조류 보호구(保護區).

bird·seed [∠sì:d] *n.* [U] 새 모이; 《俗》 우수리.

bird's-eye [bɔ́:rdzài] *a.* ① 위에서 내려다 본, 조감(鳥瞰)적인; 개관적인 : a ~ photo 조감 사진. ② 새눈 무늬의.
── *n.* ① [C] (직물의) 새눈 무늬. ② [C] 〖植〗 설앵초, 복수초; 살담배의 일종. ③ [U] 작은 마름모무늬의 직물.

bírd's-eye vìew ① 조감도(鳥瞰圖); (높은 곳에서 본) 전경. [opp] *worm's-eye view.* ¶Climb to the top of the Eiffel Tower if you want a ~ of Paris. 파리의 전경을 보기를 원한다면 에펠

탑 꼭대기에 올라가라. ②개관 : take a ~ of American history 미국사를 개관하다.

bírd's nèst 새둥지 ; (요리용의) 제비 둥지 ; 야생 당근 ; =CROW'S-NEST ; 《俗》 엉킨 낚싯줄.

bird's-nest [-nèst] *vi.* 새둥지를 뒤지다 : go ~*ing* 새둥지를 뒤지러 가다.

bírds-nest sóup (중국 요리의) 제비 둥지 수프.

bird·song [-sɔ̀(:)ŋ, -sɑ̀ŋ] *n.* [C] 새의 울음소리 : I wake each morning to the sound of ~. 나는 매일 아침 새가 우는 소리를 듣고 일어난다.

bírd strìke 항공기와 새떼의 충돌.

bírd tàble 들새의 먹이(사료)판 : Lots of different birds visit our ~ in the winter months. 여러 종류의 많은 새들이 겨울철에는 우리가 설치해 놓은 먹이판을 찾아온다.

bírd wàtcher 들새 관찰자〔생태 연구가〕.

bírd wàtching 들새 관찰, 탐조(探鳥).

bi·ret·ta [birétə] *n.* [C] 모관(毛冠) (=**ber·rét·ta, bir·rét·ta**)《가톨릭 성직자의 사각모》.

***Bir·ming·ham** [bə́:rmiŋəm] *n.* ① 버밍엄《영국 West Midlands 주의 공업 도시 ; 略 : Birm.》. ② [bə́:rmiŋhæ̀m] 버밍햄《미국 Alabama 주의 도시》.

Bi·ro [báiərou] (*pl.* ~*s*) *n.* [C] 《英》 볼펜의 일종《商標名》.

‡**birth** [bə:rθ] *n.* ① [U,C] 탄생, 출생 : 《比》 신생(新生), 갱생(更生) ; 출산 : More men are present at the ~*s* of their children these days. 요즘에는 더 많은 남성들이 아이가 태어날적에 그 자리에 같이 있다. ② [C] 《古》 태어난 것. ③ [U] 태생, 혈통, 집안, 가문 : a man of ~ 〔no ~〕 가문이 좋은〔좋지 않은〕 사람 / a man of noble 〔humble, mean〕 ~ 명문의〔태생이 미천한〕 사람 / A woman of no ~ may marry into the purple. 《俗談》 여자란 미천해도 명문에 출가할 수 있다 / *Birth* is much, but breeding is more. 《俗談》 가문보다는 가정 교육이 더 중요하다. ④ [U] (사물의) 기원. ***by*** ~ 태생은 ; 타고난. ***give*** ~ ***to*** …을 낳다 ; …을 생겨나게 하다 ; …의 원인이 되다 : The extraordinary experience *gave* ~ *to* his latest novel. 그의 비상한 경험 때문에 최근 소설이 나오게 됐다.

bírth certìficate 출생 증명서〔기록〕.

bírth contròl 산아 제한, 가족 계획.

birth·date [-dèit] *n.* [C] 생년월일.

†**birth·day** [-dèi] *n.* [C] 생일 ; 창립(기념)일.

bírthday hónours 《英》 국〔여〕왕 탄신일에 내리는 영작(榮爵)·서위(敍位)·서훈.

birth·mark [-mɑ̀:rk] *n.* [C] 모반(母斑) ; 특징, 특질.

birth·pang [-pæ̀ŋ] *n.* (흔히 *pl.*) ① (출산의) 진통. ② (변혁 따위를 위한) 고통.

birth pàrent 친부모, 낳아준 부모.

***birth·place** [-plèis] *n.* [C] ①출생지, 고향 : Salzburg is famous as Mozart's ~. 잘츠부르크는 모차르트가 출생한 곳으로 유명하다. ②발상지 : Athens, the ~ of the ancient Olympics. 아테네는 고대 올림픽 경기의 발상지이다.

birth·rate [-rèit] *n.* [C] 출산율.

birth·right [-ràit] *n.* [C] 생득권(生得權) ; 장자 상속권 : Freedom is the natural ~ of every human. 자유는 모든 인간이 천부적으로 태어날 때부터 갖고 있는 권리다. ***sell*** one***'s*** ~ ***for a mess of pottage*** 〔***a pottage of lentils***〕 한 그릇 죽을 위해 장자의 명분을 팔다《창세기 XXV : 29-34》.

birth·stone [-stòun] *n.* [C] 탄생석(石)《태어난 달을 상징하는 보석》.

> birthstone : 1~12월까지의 것을 차례로 열거하면 ; 1. garnet, 2. amethyst, 3. bloodstone (aquamarine), 4. diamond, 5. emerald, 6. pearl (alexandrite, moonstone), 7. ruby, 8. sardonyx (peridot) 9. sapphire, 10. opal (tourmaline), 11. topaz, 12. turquoise (zircon). ※ 괄호안은 20세기에 이르러 추가된 것임.

bis [bis] *ad.* ①두 번, 2회. ②〖樂〗 반복하여.

BIS Bank for International Settlements.

Bis·cay [bískei, -ki] *n.* 비스케이 만.

‡**bis·cuit** [bískit] (*pl.* ~***s***, ~) *n.* ① [C] 비스킷 (《美》 cookie). ② [C] 《美》 (말랑말랑한) 소형 빵. ③ [U] 담갈색. ④ [U] 유약을 안 입힌 도기, 질그릇 (bisque[1]). ***take the*** ~ 《英俗》 극도로 혹은 특별히 즐겁거나 당황하거나 놀라게 되는 일을 하다 : He's done stupid things before, but this really *takes the* ~. 그는 전에도 바보짓을 했지만 이번에는 정말로 큰 바보노릇을 해서 놀랍다.

bi·sect [baisékt] *vt.* …을 양분하다, 이등분하다 : The new road will ~ the town. 새로운 도로로 인해 도시는 양분될 것이다. — *vi.* (도로 등이) 둘로 갈라지다.

bi·sec·tor [baiséktər, báisek-] *n.* [C] 양분하는 것 ; 〖數〗 (선분·각 등의) 2등분선.

bi·sex·u·al [baisékʃuəl] *a.* (자웅(雌雄)) 양성(兩性)의 ; 양성(기관)을 갖춘 ; 양성애(愛)의. — *n.* [C] 양성 동물, 자웅 동체〔동주〕 ; 양성애자.

[파] **bi·sex·u·ál·i·ty, ~·ìsm** *n.* **~·ly** *ad.*

‡**bish·op** [bíʃəp] *n.* ① [C] (가톨릭의) 주교 ; (신교의) 감독 ; (그리스 정교의) 주교. ② [C] 〖체스〗 비숍. ③ [U] 음료의 일종《포도주에 레몬·설탕을 넣어 데운 것》. ④ [C] 〖鳥〗 금란조.

[파] **~·ric** [-rik] *n.* [C] 〖宗〗 bishop의 직〔관구〕.

Bis·marck [bízmɑ:rk] *n.* **Otto von** ~ 비스마르크《독일 제국의 정치가 ; 1815-98》.

bis·muth [bízməθ] *n.* [U] 〖化〗 비스무트.

***bi·son** [báisən, -zən] (*pl.* ~) *n.* [C] 들소《아메리카종은 American bison 또는 American buffalo, 유럽종은 wisent 라는 이칭을 가짐》 : Large herds of ~ used to live on the plains of North America. 많은 들소 떼들이 북아메리카 대륙의 평원에서 살고 있었다.

bisque[1] [bisk] *n.* [U] 설구이한 도기 ; 비스크 구이《인형용의 설구이한 백자》 ; 분홍빛을 띤 황갈색. — *a.* 분홍빛이 도는 황갈색의.

bisque[2], **bisk** *n.* [U] ① 새우〔게, 새고기, 야채 등〕의 크림 수프. ② 으깬 호두가〔마카롱이〕 든 아이스크림.

bis·ter, 《英》 **-tre** [bístər] *n.* [U] 비스터, 고동색 채료 ; 고동색.

bis·tro, -trot [bístrou] *n.* [C] 《F.》 작은 술집〔나이트클럽〕 ; 그 주인.

†**bit**[1] [bit] *n.* ① [C] 작은 조각, 작은 부분 : break into ~*s* 산산이 깨지다 / She broke the shells into little ~*s*. 그녀는 조개를 작은 조각으로 깨뜨렸다. ② (a ~) **a**) 소량, 조금 : The house is *a* (little) ~ like a Swiss chalet. 그 집은 스위스샬레와좀비슷하다. **b**) 〔종종 副詞的으로〕 《口》 잠시, 잠깐 (동안). ③ [C] (음식의) 한 입. ④ [C] 잔돈, 소액 화폐 ; 《美口》 12센트 반 : a long 〔short〕 ~ 《美方》 15〔10〕센트 / two ~*s* 25센트. ⑤ [C] 뜨내기역(役), 단역(端役). ⑥ [C] 소경(小景) ; (풍경화의) 소품. ⑦ [C] 《美》 짧은 공연물 ; 판에 박은 짓거리〔계획, 행사 (등)〕. ***a*** ~ ***much*** 너무한, 지나친 : It's *a* ~ *much* expecting me to finish this job by tomorrow. 이 일을 내일까지 끝

내라고 하다니 지나치군. ***a ~ of*** 한 조각의; 조금의, 소량의(a piece of 보다 '소량'의 뜻이 강하고 더욱 구어적): The Ambassador has received *a bit of* a snub from the municipal authorities. 대사는 시당국으로부터 조금 무시당했다. ***a ~ of a*** (1) 어느 편이냐 하면, 좀(rather a). (2) 작은: *a ~ of a* girl 소녀. ***a ~ on the side*** 《口》 바람 피움. ***a good*** ~ 꽤 오랫동안; 훨씬(연상(年上) 따위). ***a little*** ~ 약간. ***a*** (***little***) ***~ of all right*** 《英口》 즐거운 것, 호감이 가는 사람. ***a nice ~ of*** (money) 꽤 많은 (돈). ***a*** 〔a person***'s***〕 (***nice***) ***~ of goods*** 〔***shirt, stuff, fluff, crumpet, tail, mutton***〕 《俗》 (예쁜) 여자, (성적) 매력이 있는 여자. ***be thrilled to ~s*** 《英口》 몹시 기뻐하다; 크게 감동하다. ***~ by ~***=***by ~s*** 조금씩; 점차. ***~s of*** …하찮은, 작은(가구·아이 등). ***every*** ~ ⇨ EVERY. ***every ~ as*** . . . (***as*** . . .) …와 아주 똑같이 …한(just as): She wanted to prove to them that she was *every ~ as* clever *as* they were. 그녀는 그들과 똑같이 자신이 영리하다는 것을 그들에게 보여주고 싶었다. ***for a ~*** 잠깐 사이. ***give*** a person ***a ~ of*** one***'s mind*** 아무에게 기탄없이 말하다, 잔소리하다, 꾸짖다. ***in ~s*** 낱낱이, 산산히(to pieces). ***not a ~*** (***of it***) 조금도 …하지 않다〔아니다〕, 별말씀을(not at all): He is *not a ~* better. (병이) 조금도 차도가 없다 / Oh no, *not a ~* (*of it*)! 뭘요 별말씀을. ***quite a ~*** (***of***) 《口》 꽤, 상당한. ***tear to ~s*** (1) (물건을) 갈기갈기〔조각조각〕 찢다. (2) (…을) 냉엄하게 비판하다〔조사하다〕. ***to ~s*** 가루가 되게, 조각조각으로, 잘게; 《口》 몹시 (흥분하다).

bit² *n.* Ⓒ ① (말의) 재갈; 구속(물) (restraint). ② (대패·도끼 따위의) 날; (송곳 따위의) 끝; (집게 따위의) 물리는 부분; (열쇠의) 끝; (파이프·궐련의) 빠는 곳. ③ 손으로 돌리는 드릴용의 송곳. ④〖機〗 비트(착암기 따위의 끝 날). ***champ*** 〔***chafe***〕 ***at a*** 〔***the***〕 ~ 《口》 출발〔전진, 개시〕하고 싶어 안달하다(★ 본디 말(馬)에 대하여 썼음). ***take*** 〔***get, have***〕 ***the ~ between*** 〔***in***〕 ***the*** 〔one***'s***〕 ***teeth*** 〔***mouth***〕 (1) (말이) 이빨로 재갈을 물고 반항하다, 날뛰어 어쩔 수 없다. (2) 멋대로 행동하다, 우기다; 결연히 일에 닥뜨리다: She was reluctant to take the responsibility, but once she *got the ~ between her teeth* there was no stopping her. 그녀는 책임지는 것을 주저했으나 한번 일에 덤벼들면 아무도 그녀를 말리지 못했다.

— (***-tt-***) *vt.* 재갈을 물리다; 《比》 억제〔구속〕하다.

bit³ *n.* ①Ⓒ 〖컴〗 비트, 두값 ((1)정보량의 최소 단위. (2) 2 진법에서의 0 또는 1). ② (*pl.*) 정보; 지식: a 32-bit computer, 32 비트 컴퓨터(한번에 32비트의 정보를 처리하는 컴퓨터).

bit⁴ BITE 의 과거·과거분사.

bitch [bitʃ] *n.* Ⓒ 암컷(개·이리·여우 따위의); 《俗》 심술궂은 여자; 음란한 여자; 불평; 불쾌한 것; =a SON of a ~: The ~ told him what I'd said. 그 심술궂은 여자는 내가 한 말을 그에게 말해버렸다.

— *vi.* 《口》 불평하다(*about*).

— *vt.* 《俗》 …을 망쳐놓다, 깨어부수다(*up*); …에게 심술궂게 대하다; …에 대해 불평하다. ~ ***up*** 《美俗》 …을 망쳐놓다.

bitchy [bítʃi] (***bitch·i·er***; ***-i·est***) *a.* 《口》 굴러먹은 여자 같은; 음란한; 심보 고약한, 짓궂은.

bít dènsity 〖컴〗 비트 밀도.

‡**bite** [bait] (***bit*** [bit]; ***bít·ten*** [bítn], ***bit***; ***bít·ing***) *vt.* ① (~+목 / +목+부 / +목+전+명) …을 물다, 물어 뜯다; 물어 끊다(*off*; *away*; *out*): Don't ~ your nails. 손톱을 물어뜯지 마라 / The tiger *bit off* a piece of meat. 범이 고기를 한 조각 물어 뜯었다 / The dog *bit through* the rope. 개가 밧줄을 물어끊었다 / Once *bitten*, twice shy. 《俗談》 자라 보고 놀란 가슴 소댕 보고 놀란다 / The dog *bit* the hare to death. 개는 토끼를 물어죽였다. ② (모기·벼룩 등이) 쏘다, 물다; (개가) 물다. ③ (추위가) 스미다; (후추 따위가) 콕〔톡〕 쏘다, 자극하다. ④ (서리 등이) 상하게 하다; (산(酸) 따위가) 부식하다: The frost *has bitten* the blossom. 서리로 꽃이 결딴났다. ⑤ (톱니바퀴·줄 따위가) 맞물다, 걸리다; (닻 따위가) 바닥에 박히다; (죔쇠·버클 등이) 물고 죄다; (칼이) 베어 들어가다. ⑥ 《口》 〔受動으로〕 속이다. ⑦ 《口》 괴롭히다, 약올리다: What's *biting* 〔*bitten*〕 you? 《口》 무얼 고민해요. ⑧ (사람)을 열중케 하다, 미치게 하다: He *was* completely *bitten with* the angling mania. 그는 완전히 낚시에 미쳐 있었다(★ 흔히 수동으로 '(…에) 미치다, 열중하다'는 뜻이 되며, 전치사로는 by, with 를 수반함. 이 뜻의 능동은 없음).

— *vi.* ① (~ / +전+명) 물다, 대들어 물다(*at*): Barking dogs seldom ~. 《俗談》 짖는 개는 물지 않는다. ② 자극하다: This mustard does not ~ much. 이 겨자는 별로 맵지 않다. ③ 부식하다 (*in*); 뜨끔거리다, 자극하다; (풍자가) 먹히다, 감정을 상하게 하다. ④ (톱니바퀴가) 맞물리다, 걸리다; (칼붙이·톱·송곳 따위가) 들다: Wheels won't ~ on a slippery surface. 바퀴는 미끄러운 표면에서는 물림 작용이 잘 안되어 미끄러지게 될 것이다. ⑤ (물고기가) 미끼를 물다: The fish aren't *biting* today. 오늘은 (고기가) 물지 않는다. ⑥ (+전+명) (유혹 따위에) 걸려들다(*at*): ~ *at* a proposal 제의에 덤벼들다. ⑦ (수수께끼·질문 따위에서) 모름을 자인하다: I'll ~, who is it? 모르겠는데, 대체 누구야. ⑧ (법률·정책 등이) 영향을 미치다, 효과를 나타내다: The tight money policy is really starting to ~. 금융 긴축 정책이 실제로 그 효과를 나타내기 시작하고 있다 / The sanctions are beginning to ~. 제재가 효과를 발휘하기 시작했다. ***be*** (***much***) ***bitten over*** 〔***with***〕 …에 열중하다〔반해버리다, 심취하다〕. ~ ***at*** …에 대들어 물다; …에 대들다. ~ ***back*** (입술을 깨물고) 할 말을 참다; 하품을 참다. ~ ***in*** 〔***into***〕 …을 잠식하다; …을 부식하다. …을 먹기 시작하다. ~ ***off*** 물어 끊다〔뜯다〕; (방송 프로를) 잘라내다. ~ (***on***) ***the bullet*** ⇨ BULLET. ~ ***a*** person***'s head off*** 아무에게 쌀쌀하게 대답하다. ~ one***'s lip***(***s***) 입술을 깨물어 화를〔웃음을〕 꾹 참다. ~ ***the dust*** ⇨ DUST. ~ ***the hand that feeds*** one 은혜를 원수로 갚다. ~ ***the tongue*** 혀를 물다, 침묵하다.

— *n.* ①Ⓒ 묾. ②Ⓒ 한번 깨묾, 한 입; 《口》 먹을 것. ③Ⓒ 물린〔쏘인〕 상처; 자상; 동상; Ⓤ (산의) 부식 (작용). ④Ⓤ (상처 등의) 모진 아픔; (찬 바람의) 스며드는 차가움; (음식의) 얼얼한 맛; (풍자 등의) 신랄한 맛, 통렬미. ⑤Ⓤ (기계의) 맞물림, 걸림. ⑥Ⓒ (낚시질에서 물고기의) 입질, 미끼를 묾; 유혹에 걸려듦. ⑦Ⓒ 《美口》 (급여 등에서) 공제되는 금액(金額): Taxes take a big ~ out of my pay. 급료에서 세금이 상당량 공제된다.

bit·er [báitər] *n.* Ⓒ 무는 사람〔것〕; 물어 뜯는 짐승(특히 개); 미끼를 잘 무는 물고기; 사기꾼: He's always very been keen to expose other people's faults, so the newspaper article about his criminal connections was a clear case of the

~ being bit. 그는 항상 타인의 결점을 폭로하는 데는 아주 신랄했다. 그래서 그의 범죄 관련에 관한 신문기사는 남을 물려다 자기가 물리는 좋은 사례가 되었다.

*__bit·ing__ [báitiŋ] *a.* 쏘는 듯한, 몸에 스미는 ; 얼얼한 ; 날카로운 ; 신랄한 ; 부식성의, 자극성의.

__bít màp__ 〖컴〗 두값본《디스플레이의 1 도트(dot)가 정보의 최소 단위인 1 비트에 대응시키는 것》.

__bit-map·ped__ [bítmæ̀pt] *a.* 〖컴〗 두값본 방식의 《컴퓨터 그래픽스에서 메모리의 1 비트를 화면(畫面)의 1 도트(dot)에 대응시키는 방식》.

__bít pàrt__ 단역(端役).

__bít ràte__ 〖컴〗 비트 전송 속도.

*__bit·ten__ [bítn] BITE 의 과거분사.

‡__bit·ter__ [bítər] (~·*er* ; ~·*est*) *a.* ① 쓴(opp. *sweet*), (맥주가) 쓴(opp. *mild*). ② 모진, 살을 에는 (듯한). ③ 호된, 가차(용서)없는, 신랄한. ④ 견디기 어려운, 괴로운, 쓰라린 ; 몹시 슬픈. ⑤ 원한을 품은 ; 적의(敵意)에 찬 : ~ hatred 적의에 찬 증오. ***a ~ pill*** (***to swallow***) 참아야 할 귀찮은 일. ***to the ~ end*** ⇨ BITTER END.
── *ad.* 쓰게 ; 몹시, 호되게(bitterly).
── *n.* ① (the ~) 쓴 맛 ; 《英》 비터(= ∠ **bèer**) 《홉이 잘 삭은 쓴 맥주》; (*pl.*) 비터즈《칵테일에 섞는 쓴 술》: gin and ~*s* 비터즈를 친 진. ② (종종 *pl.*) 괴로움.

__bítter énd__ ① 막바지, 막다름, 파국(破局). ② [∠∠] 〖船〗 (배 안쪽의) 닻줄의 끝 부분. ***to*** 〔***till, until***〕 ***the ~*** 끝까지 (견디어), 죽을 때까지《싸우다 등》: fight〔struggle〕 *to the ~* 끝까지 싸우다 / stay watching the match *until the ~* 끝까지 경기를 관람하다.

‡__bit·ter·ly__ [bítərli] *ad.* 쓰게 ; 몹시, 통렬히.

__bit·tern__ [bítə(ː)rn] *n.* Ⓤ 〖化〗 간수 ; Ⓒ 〖鳥〗 알락해오라기.

*__bit·ter·ness__ [bítərnis] *n.* Ⓤ 쓴맛, 씀 ; 신랄함, 빈정댐 ; 슬픔, 괴로움.

__bit·ter·sweet__ [bítərswìːt] *a.* 달콤씁쓸한, (초콜릿이) 단맛을 뺀 ; 괴로움도 있고 즐거움도 있는 ; 짙은 붉은 색이 도는 : He's got ~ memories of his first appearance for the team. 그는 팀에 처음 출전했을 때의 괴롭고도 즐거운 추억을 가지고 있다.
── [∠-∠] *n.* Ⓤ 들큼씁쓸함 ; 고통을 수반하는 기쁨 ; Ⓒ 〖植〗 노박덩굴, 배풍등류.

__bit·ty__ [bíti] *a.* ①《종종 蔑》 소부분으로 된, 단편적인. ②《兒·口·方》 조그만.

__bi·tu·men__ [baitjúːmən, bi-] *n.* Ⓤ 역청(瀝靑), 아스팔트 ; 암갈색.

__bi·tu·mi·nous__ [baitjúːmənəs, bi-] *a.* 역청질(瀝靑質)〔아스팔트질〕의.

__bitúminous cóal__ 역청탄(瀝靑炭), 유연탄.

__bi·va·lence, -len·cy__ [baivéiləns, bívə-], [-lənsi] *n.* Ⓤ ① 〖化〗 이가(二價). ② 〖生〗 상동 염색체가 접착하여 쌍을 이룸〔이룬 상태〕.

__bi·va·lent__ [baivéilənt, bívə-] *a.* ① 〖化〗 이가(二價)의. ② (염색체가) 이가인.

__bi·valve__ [báivæ̀lv] *a.* 〖貝〗 양판(兩瓣)〔쌍각〕의.
── *n.* Ⓒ 쌍각류의 조개.

*__biv·ou·ac__ [bívuæ̀k, -vəwæ̀k] *n.* Ⓒ 야영(지).
── (***-acked*** ; ***-ack·ing***) *vi.* 야영하다.

__bi·week·ly__ [baiwíːkli] *a., ad.* ① 2 주(週)에 한 번(의), 격주의〔로〕(fortnightly)《★ 간행물에서는 흔히 이 뜻》. ② 1 주에 두 번의. ── *n.* Ⓒ 격주〔주 2 회〕 간행물.

__bi·year·ly__ [bàijíərli] *a., ad.* 1 년에 두 번(의) (biannual(ly)) ; 2 년에 한 번(의) (biennial(ly)).

__biz__ [biz] *n.* Ⓤ,Ⓒ 《口》 =BUSINESS.

__bi·zarre__ [bizɑ́ːr] *a.* 기괴한(grotesque), 좀 별난, 별스러운 ; (색·스타일 등이) 색다른 ; 기상천외의《결말 따위》: Many of the homeless exhibit ~ behaviour, which reinforces the myth that homelessness is really a psychiatric problem. 많은 집없는 사람들은 특이한 행동을 보이고 있는데 이것은 집없다는 것이 정말 심리적인 문제라는 떠도는 통념을 뒷받침해주고 있다.
㊞ **~·ly** *ad.* **~·ness** *n.*

__Bi·zet__ [bizéi] *n.* **Georges** ~ 비제《프랑스의 작곡가 ; 1838-75》.

__B.L.__ Bachelor of Laws ; Bachelor of Letters 〔Literature〕 ; British Legion. **bl.** bale ; barrel ; black. **B / L, b.l.** bill of lading.

__blab__ [blæb] (***-bb-***) *vt.* (비밀)을 누설하다《*off* ; *out*》: He ~*bed* the story to his mother. 그는 그 이야기를 어머니에게 밝혔다 / He's been ~*bing* to the Press. 그는 신문에 계속 비밀을 누설하고 있다. ── *vi.* 재잘재잘 지껄이다.
── *n.* Ⓤ,Ⓒ 허튼 이야기 ; 수다(떠는 사람).
㊞ **∠·by** *a.*

__blab·ber__ [blǽbər] *vt., vi.* 재잘거리다 : He's always ~*ing* on about computers. 그는 항상 컴퓨터에 대해서 수다떨고 있다. ── *n.* Ⓒ 수다쟁이, 입이 가벼운 사람.

__blab·ber·mouth__ [blǽbərmàuθ] *n.* Ⓒ 지껄이는 사람, 밀고자.

†__black__ [blæk] (∠·***er*** ; ∠·***est***) *a.* ① 검은 (opp. *white*) ; 암흑의, 거무스름한《하늘·물 따위》; 때묻은《손·형겊 따위》. ② 밀크를〔크림을〕 치지 않은, 블랙의《커피》. ③ 살이 검은 ; 흑인의 ; 검은 털의《말》. ④ 검은 옷을 입은. ⑤ 사악한, 속 검은, 엉큼한 : a ~ heart 음험(한 사람) / a ~ augury 흉조(凶兆). ⑥ 어두운, 암담한, 음울한, 불길한 : Since his wife died he has had ~ moods and feelings of despair. 그의 아내가 죽은 뒤 그는 절망감과 실망감에 싸여 있다. ⑦ 찌무룩한 ; 성난 ; 험악한 : ~ in the face (격노로) 안색이 변하여, 얼굴이 새파랗게 질리어 / ~ looks 험악한 얼굴 / Things look ~. 사태는 험악하다 / His father looked as ~ as thunder. 그의 아버지는 몹시 화가 난 것처럼 보였다. ⑧ (농담이나 문학 작품이) 병적인, 불유쾌한, 그로테스크한 : ⇨ BLACK HUMOR. ⑨ 암거래의 ; 내밀한 ; 《英》 비조합원에 의해 다루어지는. ⑩《英》 (노동 조합에 의한) 보이콧 대상의《일·상품 등》. ⑪ 〖會計〗 흑자의. (***as***) ***~ as a crow*** 〔***a raven's wing, death***〕 =***as ~ as ink*** 〔***coal***〕 새까만. ***~ and blue*** 멍이 들어. ***~ as night*** 캄캄한. ***go ~*** (실신해서) 캄캄해지다 ; 안 보이다. ***look ~*** 뚱해 있다, 노려보다《*at* ; *on*》; (사태가) 험악하다. ***not so ~ as*** one ***is painted*** ⇨PAINT. ***of*** (***the***) ***blackest*** 〔***deepest***〕 ***dye*** ⇨DYE.
── *n.* ① Ⓤ 흑(黑), 검은색 (opp. *white*) ; Ⓒ 검은 잉크〔그림 물감〕, 흑색물감 ; 먹. ② Ⓤ,Ⓒ 검은 옷 ; 상복(喪服) : be in ~ 상복을 입고 있다. ③ Ⓒ 흑인(Negro). ④ Ⓤ,Ⓒ (말의) 검은 털 ; 가라말. ⑤ Ⓤ,Ⓒ 검은 얼룩, 검댕 ; 오점. ⑥ Ⓤ 암흑, 어둠. ⑦ (the ~) 사업의 흑자. ⑧ (the ~) 《英》 (노동조합에 의한) 보이콧.
~ or white 백이냐 흑이냐, 중간은 용납 안 되다. ***prove that ~ is white*** = ***talk ~ into white*** = ***swear ~ is white*** 검은 것을 희다고 우기다, 궤변을 농하다.
── *vt.* ① …을 검게 하다 ; 더럽히다. ② (구두약으로 신)을 닦다. ③《英》 (노동조합이 상품·업무 등)을 보이콧하다. ── *vi.* 검어지다, 어두워지다 ; (비행중에) 눈이 아찔해지다 ; 《英》 보이콧하다. ~

out (1) 검은 잉크로 지우다, 말살하다. (2) (무대를) 캄캄하게 하다 ; 등화 관제를 하다. (3) (방송을) 방해〔중지〕하다 ; (전화·송신이) 망그러지다 ; 보도 관제를 하다 ; (일시적으로) 의식을 잃다. (4) 〖空〗 (급강하 따위로) 한동안 시각〔의식〕을 잃다.

bláck África 블랙 아프리카《아프리카 대륙에서 흑인이 지배하고 있는 부분》.

bláck Américan (때로 B-) 미국 흑인.

black-and-blue [-ənd*b*lúː] *a.* 얻어맞아 시퍼렇게 멍든 : He used to beat me ~. 그는 나를 시퍼렇게 멍들게 때리곤 했다.

black-and-white [-ənd*h*wáit] *a.* 펜 그림의 ; 단색(單色)의《지도 따위》; 흑백 얼룩의 ; 흑백의《영화·사진·텔레비전 따위가》; (판단이) 흑과 백〔선과 악〕이 분명한 : ~ horror movies 흑백의 공포 영화.

bláck árt (the ~, 종종 ~s) 마술 ; (미국의) 흑인 예술.

black·ball [-bɔ̀ːl] *n.* Ⓒ 반대 투표. ── *vt.* ① …에 반대 투표를 하다(vote against) : Members can ~ candidates in secret ballots. 회원들은 비밀투표에서 후보들에게 입회 반대투표를 할 수 있다. ② (사회에서) …을 배척〔추방〕하다.

bláck báss 농어 비슷한 담수어《미국산》.

bláck béar 미국의 검은 곰, 히말라야곰.

bláck bèlt ① (미국 남부의) 흑인지대. ② (the ~ ; 종종 B- B-) 《美》 흑인이 태반을 차지하는 남부 제주(諸州) ; (Alabama, Mississippi 양주의) 옥토 지대 ; 흑인가〔거주 지역〕. ③ (체육 유단자의) 검은 띠(의 사람) : President Collor has a ~ in taekwondo. 콜로 회장은 태권도 검은띠다.

***black·ber·ry** [-bèri / -bəri] *n.* Ⓒ 검은 딸기《나무딸기류 ; 열매가 검음》.

bláck bíle 우울 ; 흑담즙.

***black·bird** [-bɜ̀ːrd] *n.* Ⓒ 《英》 지빠귀(의 무리) ; 《美》 찌르레기(의 무리).

†**black·board** [-bɔ̀ːrd] *n.* Ⓒ 칠판.

bláck bòok 주의인물〔전과자〕 명부 ; 《口》 여자 친구의 주소록. ***be in*** a person***'s ~s*** 아무에게 주목〔미움〕받고 있다.

bláck bóx 《口》 블랙박스《(1) 비행 기록 장치 (flight recorder) : They were part of the ~ associated with high-flyer management development. 그것들은 고공 비행 조종 상황결과와 관련된 블랙박스 부품이었다. (2) 핵실험 탐지용 자동 지진계. (3) 속을 알 수 없는 밀폐된 전자 장치》.

bláck bréad (호밀로 만든) 흑빵.

black·cap [-kæ̀p] *n.* Ⓒ ① (머리가 검은) 명조(鳴鳥)《유럽산》; 《美》 박새류. ② 《美》 검은 열매를 맺는 나무딸기류(=⌐ **ràspberry**).

bláck cómedy 블랙 코미디《black humor 를 쓰는 희극》.

Bláck Còuntry (the ~) (영국 중부의) 대공업 지대.

black·damp [-dæ̀mp] *n.* Ⓤ (탄갱 안의) 질식가스.

Bláck Déath (the ~) 흑사병, 페스트.

***black·en** [blǽkən] *vt.* ① …을 검게 하다, 어둡게 하다. ② …에게 오명을 씌우다, 헐뜯다, 중상하다 : ~ a person's name 아무의 명성을 중상하다〔헐뜯다〕/ The financial crash of a well-known bank *~ed* the image of investment for many small investors. 유명한 은행의 금융파탄은 많은 소규모 투자자들의 투자의욕에 찬물을 끼얹었다. ── *vi.* 검게 되다 ; 어두워지다.

Bláck Énglish (미국의) 흑인 영어.

bláck éye ① 검은 눈. ② (a ~) (얻어맞아) 멍든 눈 : He punched her in the face at least once giving her *a* ~. 그는 적어도 한번은 그녀의 얼굴을 때려 눈을 멍들게 했다. ③ (흔히 a ~) 《口》 패배 ; 불명예, 수치 ; 중상 : These quarters are *a* ~ to our town. 이들 지역은 우리 마을의 수치이다.

black-eyed [-àid] *a.* ① 눈이 까만. ② 눈 언저리에 멍이 든.

bláck-eyed Súsan 〖植〗 노랑데이지의 일종《꽃 가운데가 검음》.

black·face [-fèis] *n.* Ⓤ ① 흑인으로 분장한 연예인. ② 〖印〗 굵은〔블랙〕 활자.

㊕ **-faced** [-fèist] *a.* ① 얼굴이 검은 ; 음침한 얼굴을 한. ② 굵은 활자의.

black·fish [-fiʃ] *n.* Ⓒ ① 〖動〗 둥근 머리의 돌고래. ② 〖魚〗 검정색의 물고기 ; 산란후의 연어.

bláck flág (the ~) ① 해적기. ② 검은 기《예전의 사형 종료 신호》.

black·fly [-flài] *n.* Ⓒ 진디등엣과(科)의 곤충《파리매, 털날개, 진딧물 등》: Blackflies lay their eggs in rivers or streams. 파리떼는 강이나 시내에 알을 낳는다.

Black·foot [-fùt] (*pl.* ***-feet*** [-fìːt], 〔集合的〕 ***-foot***) *n.* 북아메리카 인디언의 한 종족 ; Ⓤ 그 언어.

bláck fróst 검은 서리.

bláck gáme 〔**gróuse**〕 멧닭.

black·guard [blǽgɑːrd, -gərd, blǽk-] *n.* Ⓒ 불량, 깡패, 악당 : You ~! 이 악당놈아. ── *vt.* …에게 욕〔악담〕을 퍼붓다.

black·head [blǽkhèd] *n.* Ⓒ ① 머리가 검은 각종 새《물오리 따위》. ② 여드름 : Mark was in the bathroom squeezing the *~s* on his chin. 마크는 목욕탕에서 턱에 있는 여드름을 짜고 있었다. ③ 흑두병(黑頭病)《칠면조 · 닭 따위의 전염병》.

black-heart·ed [-hάːrtid] *a.* 뱃속이 검은, 사악한, 음흉한.

bláck hóle ① 〖天〗 블랙홀《초중력에 의해 빛·전파도 빨려든다는 우주의 가상적 구멍》. ② (the B- H-) 더럽고 비좁은 곳 ; 가두는 곳, 《특히》 군교도소.

bláck húmor 블랙 유머《빈정거리는 병적인 유머》.

bláck íce (지면의) 얇게 굳어진 얼음 : Thousand of motorists have been stranded in southern England by freezing fog and ~. 수천명의 자동차 여행자들이 남부 잉글랜드에서 차가운 안개와 지면 위의 얇게 굳어진 얼음 때문에 오도가도 못하게 되었다.

black·ing [blǽkiŋ] *n.* Ⓤ 검게 함〔닦음〕; 흑색 도료 ; 검정 구두약.

black·ish [blǽkiʃ] *a.* 거무스름한.

black·jack [-dʒæ̀k] *n.* Ⓒ ① 큰 술잔《옛날엔 검은 가죽, 지금은 금속제》. ② 해적기(black flag). ③ 《美》 가죽 곤봉. ④ 〖카드놀이〗 = TWENTY-ONE. ── *vt.* …을 곤봉으로 때리다 ; 협박하여 …하게 하다《*into* do*ing*》.

bláck léad 흑연, 석묵.

black·lead [-léd] *vt.* 흑연(黑鉛)을 바르다〔으로 닦다〕.

black·leg [-lèg] *n.* Ⓒ ① 야바위꾼, 사기꾼. ② 《英》 파업 탈퇴자. ③ 〖獸醫〗 기종저(氣腫疽). ── *vt.* 《英》 (파업 따위)를 반대〔파괴〕하다. ── *vi.* 파업을 파괴하다.

bláck léopard 흑표범.

bláck létter 〖印〗 흑체〔블랙〕 활자.

black-let·ter [-létər] *a.* ① 흑체〔블랙〕 활자(체)의. ② 불길한.

bláck líght 불가시 광선.

bláck lìst 블랙리스트, 요시찰인 명부.

black-list [-lìst] *vt.* …을 블랙리스트에 기재하다 : They were *~ed* because of their extreme right-wing views. 그들의 극단적인 우익 견해 때문에 요주의 인물명단에 들어 있었다.

bláck lúng (탄진에 의한) 흑폐진증.

black·ly [blǽkli] *ad.* ① 검게, 어둡게. ② 음침하게. ③ 사악하게.
bláck mágic 마술·요술.
black·mail [ˊ-mèil] *n.* Ⓤ ① 등치기, 공갈, 갈취(한 돈). ②《古》공납《약탈을 면하고자 산적에게 바쳤던》.
—— *vt.* ① …을 을러서 빼앗다《*for*》: She ~*ed* him *for* $2,000. 그녀는 그를 등쳐 2,000달러를 우려냈다. ② 을러서 …하게 하다《*into*》. ㊞ ~·**er** *n.*
Bláck María 범인 호송차.
bláck márk 벌점.
bláck márket ① 암시장. ② 암거래.
black-mar·ket [ˊ-mɑ́ːrkit] *vt.* …을 암시장에서 팔다. —— *vi.* 암시장에서 매매하다.
bláck marketéer 암상인.
bláck máss ①〖가톨릭〗위령 미사. ② (B-M-) 악마의 〔검은〕미사.
bláck móney 검은 돈, 부정〔음성〕소득.
Bláck Mónk (검은 옷을 입은) 베네딕트회의 수사.
Bláck Múslim 《美》흑인 지상파〔회교도파〕.
black·out [ˊ-àut] *n.* Ⓒ ① 등화 관제《전시 중의》; 정전(停電): We couldn't get home before the ~. 우리는 등화관제 이전에 집에 도착할 수 없었다. ② (무대의) 암전. ③ (비행 중의) 의식〔시각〕의 일시적인 상실, 일시적 시각〔의식, 기억〕상실. ④ 말살, 삭제; (법률 등의) 일시적 기능 정지; (뉴스 따위의) 발표 금지; (보도 기관의 파업에 의한) 보도 두절; 전리층(ionosphere)의 교란으로 전신이 두절됨; 블랙아웃《우주선의 대기권 돌입시 지상과의 통신이 일시 중단되는 일》: Journalists said there was a virtual news ~ about the rally. 언론들은 그 대회에 관해 사실상의 뉴스 보도 통제가 있었다고 말했다.
Bláck Pánther 흑표범당원《미국의 흑인 극좌 과격파》.
bláck pépper 후춧가루《껍질째 빻은》.
bláck plágue 페스트, 흑사병.
bláck pówder 흑색 화약.
Bláck Pówer 《美》평등권의 획득 등 흑인 지위 향상 정치 운동.
Bláck Prínce (the ~) 흑태자《영국 Edward 3세의 왕자 Edward(1330-76)》.
bláck pùdding 《英》= BLOOD SAUSAGE.
Bláck Ród 《英》흑장관(黑杖官).
Bláck Séa (the ~) 흑해.
bláck shéep 검은 양; 악당, (한 집안에서의) 말썽꾸러기, 두통거리.
Bláck shìrt ① 검은 셔츠 당원《이탈리아의 파시스트》. ② (검은 셔츠를 입은) 파쇼단체의 사람.
⁑**black·smith** [ˊ-smìθ] *n.* Ⓒ ① 대장장이. ② 편자공.
black·snake [ˊ-snèik] *n.* Ⓒ ① 먹구렁이. ② 《美》쇠가죽의 긴 채찍.
bláck spót ① (도로의) 위험〔사고 다발(多發), 문제가 많은〕지역: The city is one of Britain's worst unemployment ~*s*. 이 도시는 영국에서 가장 실업률이 높은 지역 중의 하나이다 / Government money should be diverted to unemployment ~*s*. 정부의 예산은 실업자가 많은 지역에 써져야 한다. ②〖植〗흑반병.
Bláck Stréam (the ~) 흑조(黑潮).
bláck stúdies (미국) 흑인 문화 연구 (강좌).
bláck swán 드문〔귀한〕물건〔일〕;〖鳥〗(오스트레일리아의) 흑조(黑鳥).
bláck téa 홍차: ~ fungus 홍차버섯《러시아 카프카스 지방산의 건강 차》.
black·thorn [ˊ-θɔ̀ːrn] *n.* Ⓒ ①〖植〗자두나무의 일종《유럽산》. ② 산사나무의 일종《북미산》.
bláck tíe ① 검은 나비 넥타이. ② 남자용 야회복; 신사, 명사.
black-tie [ˊ-tái] *a.* 약식 정장의, 정식의: a ~ dinner 정찬 / a ~ meeting 반공식적인 모임 / Tonight the college is hosting a ~ dinner for 100 of its former students. 오늘밤 대학당국은 졸업생 100명을 위한 정찬모임을 주최한다.
black·top [ˊ-tɑ̀p / ˊ-tɔ̀p] *n.* ① Ⓤ (도로 포장용의) 아스팔트. ② Ⓒ 아스팔트 도로: waves of heat rising from the ~ 아스팔트 도로에서 발생하고 있는 열파. —— *vt.* (도로)를 아스팔트로 포장하다.
bláck vélvet stout 맥주와 샴페인의 칵테일.
bláck wálnut 〖植〗검은 호두나무《북미산》.
bláck·wa·ter féver [ˊ-wɔ̀ːtər-] 〖醫〗흑수열.
bláck wídow 흑거미《미국산의 독거미》.
blad·der [blǽdər] *n.* Ⓒ ①〖解〗방광: empty the ~ 방뇨(放尿)하다 / Running on a full ~ is not a good idea. 오줌이 마려운데 뛰는것은 현명한 생각이 아니다. ② (물고기의) 부레, 부낭. ③〖植〗(해초 등의) 기포; 물집; 공기 주머니. ④〖醫〗(피부의) 물집.
blad·der·wort [-wə̀ːrt] *n.* Ⓒ〖植〗통발.
⁑**blade** [bleid] *n.* Ⓒ ① (풀의) 잎, (잎꼭지에 대하여) 엽신(葉身), 엽편: a ~ of grass 풀 한 잎. ② **a**) (칼붙이의) 날, 도신(刀身): Many of them will have sharp ~*s*. 그들 대다수는 예리한 칼날을 갖게 된다 / This ~ needs sharpening. 이 칼날은 예리하게 갈아야 한다. **b**) (the ~) 《文語》칼(sword); 검객(swordsman). ③ 노깃; (스크루의) 날개; (혀·뼈의) 평평한 부분; 어깨뼈, 견갑골(scapula). ④ (스케이트화의) 블레이드;〖考古〗돌칼, 블레이드《박편 석기의 하나》; (the ~)〖音聲〗혀끝. ⑤ 기세 있는〔명랑한〕사내; 《美俗》(약은 체하는) 젊은이: a knowing ~ 빈틈없는 사람 / a dashing young ~ 기운찬 젊고 자신만만한 사내.
in the ~ (이삭이 안 난) 잎사귀 때에.
blad·ed [bléidid] 〔종종 複合語를 이루어〕*a.* 잎이 있는; 날이 있는: a two-~ knife 양날이 있는 나이프.
blag [blæg] *n.* Ⓤ 《英口》강도, 강탈; 편취. —— (*-gg-*) *vt.* …을 강탈하다. —— *vi.* 강도짓하다.
blah [blɑː] *n.* Ⓤ 《俗》어리석은 짓, 허튼 소리(= **bláh·blàh**); (the ~s) 시큰둥함, 권태. —— *int.* 시시해! —— *a.* 시덥잖은, 재미도 없는; 《美俗》시큰둥한, 만사 귀찮은《기분》; 우울한, 맥빠진.
Blake [bleik] *n.* **William** ~ 블레이크《영국의 시인·화가; 1757-1827》.
blam·a·ble [bléiməbl] *a.* 비난할 만한.
⁑**blame** [bleim] *vt.* 《~+目/+目+前+名》① (아무)를 나무라다, 비난하다《*for*》: I don't ~ you *for* doing that. 그랬다고 해서 당신을 비난하는 것은 아니오 / She ~*d* herself *for* having been a dull company. 그녀는 재미있게 상대해 주지 못한 것을 후회했다. ② …의 책임〔원인〕으로 돌리다《*on*; *for*》: They ~*d* me *for* the accident. 그들은 내가 그 사고의 책임자라고 했다 / Violence at school is ~*d* on immigrants. 학교 폭력의 책임이 이민온 사람들에게 돌아갔다. ③ …의 죄를 …에게 씌우다, 과실〔허물〕을 더미씌우다: They ~*d* the accident *on* me. 그들은 사고의 책임을 나에게 씌웠다. ④ 《美俗》저주하다, 지옥에 떨어뜨리다《damn 의 대용》: *Blame* this hat! 우라질 모자 같으니라구 / *Blame* the rotten luck. 재수 옴 붙었군!
be to ~ 책임을 져야 마땅하다《*for*》: I *am to* ~ *for* it. 그건 내 잘못이다 / No one *is to* ~. 아무

에게도 죄는 없다. ***Blame it!*** 염병할, 빌어먹을.
— *n.* Ⓤ ① 비난, 나무람. ② 《古》 책임, 죄, 허물 : The ~ lies with him. 죄는 그에게 있다. ***bear*** 〔***take***〕 ***the*** ~ 책임을 지다. ***incur*** (***great***) ~ ***for*** …으로 해서〔때문에〕 비난을 가져오다. ***lay*** 〔***fasten, put***〕 ***the*** ~ ***on*** 〔***upon***〕 a person ***for*** …한 책임을〔죄를〕 아무에게 씌우다 : She *laid* 〔*put*〕 *the* ~ *on* him *for* the accident. 그녀는 그 사고의 책임을 그에게 씌웠다.

blame·a·ble [bléiməbl] *a.* = BLAMABLE.

blame·ful [bléimfəl] *a.* 비난받을.

***blame·less** [bléimlis] *a.* 비난할 점이 없는.

blame·wor·thy [bléimwə̀ːrði] *a.* 질책당할 만한, 비난받을 만한(culpable) : He does not feel that he is ~. 그는 잘못했다고 생각하지 않는다.

***blanch** [blæntʃ, blɑːntʃ] *vt.* ① …을 희게 하다, 바래다, 표백하다(bleach) ; (공포·추위로) 창백하게 하다 ; (채소 등)을 연화(軟化) (재배)하다. ② (껍질을 벗기기 쉽게 과일)을 더운 물에 담그다, (야채·고기 등)을 데치다.
— *vi.* 희어지다 ; 새파래지다《*with* ; *to* do ; *at*》 : While most people would ~ *at* the prospect of so much work, Daniele seems to positively enjoy it. 대다수 사람들이 엄청난 작업을 예상하고 새파랗게 질렸으나 다니엘은 오히려 아주 즐거워 하는듯이 보인다. ~ a thing ***over*** (실책 따위)를 교묘히 속이다〔둘러대다〕. ~ ***with*** …로 새파래지다. ㊞ **∠·er** *n.*

blanc·mange [bləmɑ́ːndʒ / -mɔ́ndʒ] *n.* Ⓤ 블라망주《우유를 갈분·우무로 굳힌 과자》.

***bland** [blænd] *a.* ① (기후가) 온화한(mild). ② (말·태도가) 온후한, 부드러운 ; 침착한, 덤덤한. ③ (약·담배 따위가) 맛이 좋은, 순한, 입에 맞는. ④ 재미없는, 지루한. ㊞ **∠·ly** *ad.* **∠·ness** *n.*

blan·dish [blǽndiʃ] *vt.* …에게 아첨하다, …을 감언으로 속이다.

‡**blank** [blæŋk] (**∠·er** ; **∠·est**) *a.* ① 공백의, 백지의, 기입하지 않은 : Put a word in each ~ to complete the sentence. 문장을 완성하기 위해 각 공란에 단어를 넣어라. ② 〖商〗 백지식의, 무기명의. ③ (공간 등이) 빈, 텅 빈, 휑한. ④ 내용이 없는, 무미 단조로운. ⑤ (창도 장식도 없이) 펀펀한《벽 따위》 ; 채 가공하지 않은《화폐·열쇠 따위》. ⑥ 멍청한, 마음 속이 텅 빈, 생기〔표정〕 없는. ⑦ 아주, 순전한. ⑧ 〖카드놀이〗 (좋은) 패가 없는 : be ~ in spades 스페이드가 한 장도 없다. ⑨ 《俗》 〔damn 대신 완곡한 모욕어로〕 지긋지긋한 : *Blank* him! 엿먹어라. ⑩ 〔명시를 피해〕 모(某)..., ○○. ***go*** ~ (마음 따위가) 텅 비다 ; (텔레비전 화면 등에) 갑자기 사라지다〔백색이 되다〕.
— *n.* Ⓒ ① 공백, 여백 ; 〖컴〗 빈자리 ; 기억의 공백 : If you can't answer the question, leave a ~. 만일 네가 질문에 대답할 수 없으면 공백으로 남겨두어라 / a ~ in one's memory 기억이 상실되어 있는 부분. ② 백지 ; 공지 ; 《美》 (공란에 써 넣는) 기입 용지(《英》 form) ; 《英》 의안 중 사체(斜體)로 씌어진 미결의 부분. ③ 공허(emptiness) ; 단조로움. ④ (제비뽑기의) 꽝. ⑤ (과녁 중심의) 흰 점 ; 목표, 목적. ⑥ 생략을 나타내는 대시. ***draw*** (***a***) ~ (제비에서) 꽝을 뽑다 ; 실패하다《*in*》 ; 무시당하다 ; 물건이 생각나지 않다 ; 찾지 못하다 : He asked me their phone number and I *drew a* ~. 그가 그들의 전화번호를 내게 물었으나, 생각나지 않았다. ***fill in*** 〔***out***〕 ***a*** ~ 빈 곳에 써넣다 ; 기입 용지에 써넣다. ***in*** ~ (수표 따위를) 백지식으로 ; 공백인 채로.
— *vt.* ① …을 희게 하다 ; 지우다, 무효로 하다《*out*》. ② (틈새 등)을 막다, (파이프의 흐름)을 차단하다《*out* ; *off*》. ③ 《美》 영패시키다(shut out).
— *vi.* 점차 흐릿해지다《*out*》 ; (기억·인상 등) 희미해져 가다《*out*》 ; 의식을 잃다, 멍청해지다《*out*》. ㊞ **∠·ness** *n.* 공백, 단조.

blánk bìll 백지 어음.

blánk cártridge 〔**fíring**〕 공포.

blánk chéck ① 백지식〔무기명〕 수표. ② 자유 행동권 ; 백지위임. 「서.

blánk endórsement 〖商〗 백지〔무기명〕 배

‡**blan·ket** [blǽŋkit] *n.* Ⓒ ① 담요. ② 전면을 덮는 것, 피복(被覆). ③ 〖印〗 (오프셋 인쇄기의) 블랭킷. ***throw a cold*** 〔***wet***〕 ~ ***over*** 〔***on***〕 …의 흥을 깨다〔열을 식히다〕, …에 찬물을 끼얹다. ***a wet*** ~ (불을 끄기 위한) 젖은 담요 ; 흥을 깨뜨리는 사람 ; 희망이나 열의를 꺾는 것.
— *a.* 〔限定的〕 ① 총괄적〔포괄적〕인 ; 전면적인 : 'Man' used to be an accepted ~ term for both men and women, but is now often seen as sexist. man 이란 단어는 남자와 여자 모두에 포괄적으로 용인되는 말로 사용되어져 왔으나 현재 그것을 사용하면 성차별주의자로 흔히 여겨진다. ② 전파 방해의.
— *vt.* ① 〔흔히 受動으로 사용되며, 전치사는 *with, in*〕 …을 담요로 싸다〔덮다〕 ; (담요로 덮듯이) 온통 덮다 : The helicopter started down, and immediately they *were* ~*ed in* fog. 헬리콥터는 하향하기 시작하더니 곧바로 안개속에 온통 휩싸여 버렸다. ② 덮어 감추다 ; 《口》 (추문 따위를) 덮어 버리다. ③ (전파·수신 등을) 방해하다, 끄다《*out*》. ④ (법률·비율 따위가) …의 전반에 적용되다. 「서〔계약〕.

blánket (**insúrance**) **pólicy** 총괄 보험 증

blánket stìtch 블랭킷 스티치.

blank·e·ty (**-blank**) [blǽŋkiti(blǽŋk)] *a., ad.* 《美俗》 괘씸한 ; 당치도 않게《damned, bloody 같은 저주하는 어구의 완곡어》.

blank·ly [blǽŋkli] *ad.* ① 망연히, 멍청히. ② 딱 잘라, 단호히, 완전히, 충분히.

blánk vérse 무운시(無韻詩)《약강오보격(弱強五步格)의》.

blánk wáll ① 문이나 창이 없는 전벽(全壁). ② 막다름, 고립무원의 상태 : The attempt to organize a new political party ran into a ~. 새 정당 결성 계획은 막다른 벽에 부딪쳤다.

blare [blɛər] *vi.* (나팔이) 울려 퍼지다 ; (소가) 울다. — *vt.* (나팔·경적 등)을 울리다 ; 외치다, 고래고래 소리지르다.
— *n.* Ⓤ 〔흔히 單數꼴로〕 (나팔의) 울림 ; 귀에 거슬리는 큰 소리 ; 번쩍거리는 색채 ; 요염함 : The music begins with a ~ of trumpets. 그 음악은 트럼펫 소리로 시작된다.

blar·ney [blɑ́ːrni] *n.* Ⓤ 알랑대는 말, 아첨 ; 허튼 소리, 난센스 : He's got a good line in ~, but don't believe a word of it. 그는 아첨으로 좋은 정보를 얻었다. 그렇지만 한마디도 그 말을 믿지 마라. — *vt.* …에게 아첨하는 말을 하다. — *vi.* 아첨하다.

Blárney stòne (the ~) 아일랜드의 Blarney 성에 있는 돌《여기에 입맞추면 아첨을 잘하게 된다 함》.

bla·sé [blɑːzéi, ∠-] *a.* ① 《F.》 환락 등에 물린. ② 무관심〔무감동〕한 ; 세정에 밝은.

***blas·pheme** [blæsfíːm, ∠-] *vt.* (신·신성한 것)에 대해 불경스러운 말을 하다. — *vi.* 모독적인 말을 하다 ; 욕하다《*against*》 : He felt no longer afraid of *blaspheming against* any God. 그는 어떤 신에 대해서도 불경스럽게 말하는 것을 더는 두려워하지 않게 되었다. ㊞ **-phém·er** [-ər] *n.* 모

독자, 벌받을 소리를 하는 사람.

blas·phe·mous [blǽsfəməs] *a.* ① 불경한. ② (말이나 내용 등이) 모독적인; 말씨 사나운.

***blas·phe·my** [blǽsfəmi] *n.* ① Ⓤ 신에 대한 불경, 모독. ② Ⓒ 벌받을 언행; 독설.

‡blast [blæst, blɑːst] *n.* Ⓒ ① 한바탕의 바람, 돌풍, 폭풍, 분사한 공기〔증기 등〕: a ~ of wind 일진의 돌풍. ② (풀무·풍금 따위의) 송풍(送風). ③ (나팔·피리의) 소리, 울려퍼짐, 취주; (*int.*) 뚜우, 붕: a ~ on a trumpet 나팔 소리 / blow a ~ on the siren 사이렌을 울리다 / The headteacher blew three ~*s* on a whistle to summon the pupils. 교장선생은 학생들을 소집하기 위해 호각을 세번 불었다. ④ 폭발, 폭파; (1회분의) 폭약. ⑤ 일진의 바람이 몰고 오는 것《진눈깨비 따위》; (바람에 의한 식물의) 고사병, 독기. ⑥ (감정의) 폭발, 심한 비난; 급격한 재액, 타격. ⑦《美俗》(마시고 소란한) 파티. ⑧《俗》즐거운 한때, 즐거움; 《美俗》대만족, 스릴. ⑨〖野〗맹타, 《특히》홈런; (*int.*) 제기랄: *Blast* and damnation! 이런 젠장할. ***at a*** 〔***one***〕 ~ 단숨에. ***at*** 〔***in***〕 ***full*** ~ 한창 송풍 중에; 전력〔전속력〕을 다하여; (라디오 등) 음량을 (한껏) 올리고. ***in*** 〔***out of***〕 ~ (용광로가) 작동〔정지〕하여.

── *vt.* ① …을 폭파하다, …에 발파약을 놓다; (터널 따위)를 남포를 놓아 만들다. ②《比》(명예·희망 등)을 결딴내다: The news ~*ed* our hopes. 그 소식은 우리의 희망을 꺾어버렸다. ③《口》(상대팀)을 대패시키다; 〖野〗강〔장〕타를 치다. ④ (총으로) 해치우다, 사살하다. ⑤ 이울게 하다; (식물)을 마르게 하다. ⑥ (나팔 따위)를 불다. ⑦ …에 맹공을 가하다; 몹시 비난하다. ⑧〔앞에 (May) God을 생략하고 저주하는 말로〕 …을 저주하다: *Blast* it 〔you, etc.〕! 젠장, 뒈져 버려.

── *vi.* 이울다; 마르다; (명예·희망 등이) 결딴나다; (총을) 쏘다; (소란스러운 소리를) 내다. ~ ***away*** 《口》몹시 나무라다, 호통치다; 맹렬히 공격하다: They heard the guns ~*ing away* all night. 그들은 밤새도록 대포를 쏘아대는 소리를 들었다. ~ ***off*** (1) (로켓·미사일 등을) 쏘아올리다: The rocket is due to ~*off* at two o'clock. 로켓은 2시에 발사될 예정이다. (2)《俗》(연회석 등에서) 뛰쳐나가다. ~ ***the hell out of*** =beat 〔knock〕 the HELL out of.

blast·ed [blǽstid, blɑ́ːst-] *a.* 〔限定的〕 ① 시든, (서리 등의) 해를 입은(ruined); 무너진《희망》: ~ heath (서리로) 말라버린 히스 벌판. ② 지긋지긋한: This ~ pen did never work properly. 이 빌어먹을 놈의 펜은 제대로 써진 적이 없다.

── *ad.* 괘씸하게, 몹시.

blást fùrnace 용광로.

blast·ing [blǽstiŋ, blɑ́ːst-] *n.* Ⓤ 폭파; (서리 따위가 초목을) 말림〔시들게 하기〕; 《俗》호된 비평.

blast-off [blǽstɔ̀ːf / blɑ́ːstɔ̀f] *n.* Ⓤ (로켓·미사일의) 발사: *Blast-off* is in 30 seconds. 30초 지나서 발사된다.

blas·tu·la [blǽstʃələ] (*pl.* ~***s***, ***-lae*** [-lìː]) *n.* Ⓒ 〖生〗포배(胞胚).

㊞ **-lar** [-lər] *a.* **blàs·tu·lá·tion** *n.* 포배 형성.

blat [blæt] (***-tt-***) *vt.* …을 시끄럽게 지껄이다.

── *vi.* (송아지·양이) 울다.

bla·tant [bléitənt] *a.* 소란스러운; 몹시 주제넘게 구는; (복장 따위가) 야한, 난한; 심히 눈에 띄는, 빤한《거짓말 따위》, 뻔뻔스러운: Outsiders will continue to suffer the most ~ discrimination. 국외자들은 아주 심한 차별 대우로 계속 고통을 당할 것이다.

㊞ **blá·tan·cy** *n.* Ⓤ 소란함; 야함; 노골적임; 뻔뻔스러움: the sheer *blatancy* of the crime 진짜 뻔뻔스러운 범죄. ~**·ly** *ad.*

blath·er [blǽðər] *vi.* 지절거리다.

── *n.* Ⓤ 쓸데없는〔허튼〕 말; 소란. ㊞ ~**·er** *n.*

blath·er·skite [-skàit] *n.* Ⓤ 수다(를 떪); Ⓒ 떠버리, 수다쟁이.

‡blaze[1] [bleiz] *n.* Ⓒ ① (흔히 *sing.*) (확 타오르는) 불길, 화재. ② (흔히 *sing.*) 번쩍거림, 광휘. ③ (흔히 *sing.*) 확 타오름; (감정 등의) 격발; (명성의) 발양(發揚); 타오르는 듯한 색채(*of*): The book attracted a ~ *of* publicity. 그 책은 폭발적인 평판을 끌었다. ④ (흔히 *pl.*) 《俗》지옥. ⑤ (the ~s) 〔疑問의 強調〕 도대체: What *the* ~*s* do you mean? 대관절 무슨 뜻이냐. ***in a*** ~ 활활 타올라. ***in a*** ~ ***of anger*** 〔***passion, temper***〕 불같이 노하여. ***like*** ~***s*** 《俗》맹렬히, 바지런히《일을 하다》.

── *vi.* ① 타오르다, 불꽃을 일으키다: Three people died as wreckage ~*d*, and rescuers fought to release trapped drivers. 사고로 대파되면서 일어난 화재로 세 명이 죽었으며 구조대는 차속에 꼼짝달싹 못하고 있던 운전사를 구출하느라 고전했다. ② 빛나다, 번쩍거리다; 밝게 빛나다. ③ 격노하다, 격앙하다《*with*》. ~ ***away*** 〔***off***〕 (1) (총 따위를) 탕탕 쏘아대다《*at*》. (2) 맹렬히〔흥분하여〕 지껄여대다《*at, about*》. (3) 부지런히 일하다《*at*》. (4) 계속 타오르다. ~ ***out*** 〔***up***〕 확 타오르다; 발끈하다, 격분하다. ~ ***with fury*** 화가 머리끝까지 치밀다.

blaze[2] *n.* Ⓒ 나무의 껍질을 벗긴 안표(眼標)《도표(道標)·경계표로서 또는 벌채(伐採) 표시로서》; (말·소의 안면에 있는) 흰 점 또는 줄.

── *vt.* (나무)의 껍질에 안표를 만들다; (길 따위)를 헤쳐 열다. ~ ***a*** 〔***the***〕 ***trail*** 〔***way, path***〕 길잡이 표적을 새기다; (새 분야에의) 길을 열다《*in*》; 선구자로서 활약하다; 선구자가 되다: Elvis Presley ~*d* a trail in pop music. 엘비스 프레슬리는 팝 음악에 선구자로서 활약했다.

blaze[3] *vt.* 〔흔히 受動으로〕 (말)을 퍼뜨리다, 포고(布告)하다. ~ ***about*** 〔***abroad***〕 말을 퍼뜨리다, 퍼지게 하다.

blaz·er *n.* Ⓒ ① 블레이저 코트《화려한 스포츠용 상의》. ② (밑에 불이 담긴) 보온 냄비. ③《美》실수; 새빨간 거짓말.

blaz·ing [bléiziŋ] *a.* 〔限定的〕 불타는 (듯한); 빤한《거짓말》, 대단한: The deer was startled by the ~ headlights of the approaching car. 사슴은 다가오고 있는 자동차의 전조등이 너무 밝아서 깜짝 놀랐다.

bla·zon [bléizən] *n.* Ⓒ ① 문장(紋章); (문장 있는) 방패; 문장 해설〔도해(圖解)〕. ② 과시(誇示).

── *vt.* ① 문장을 그리다〔해설하다〕. ② (색을 써서) 그리다; 치장하다《*with*》; 과시하다. ③ 공표하다, 떠벌려 퍼뜨리다《*abroad*; *forth*; *out*》.

㊞ ~**·er** *n.* ~**·ing** *n.* ~**·ment** [-mənt] *n.*

bla·zon·ry [bléizənri] *n.* Ⓤ ① 문장(紋章) 해설〔화법(畵法)〕. ② 화사한 겉치레, 과시; 미관.

Bldg. E. Building Engineer. **bldg(s).** building(s). **bldr.** builder.

***bleach** [bliːtʃ] *vt.* …을 희게 하다, 표백〔마전〕하다. ── *n.* Ⓤ,Ⓒ 표백; 표백제.

bleach·er [blíːtʃər] *n.* Ⓒ ① 표백업자, 표백하는 사람; 표백용 용기; 표백제. ② (흔히 *pl.*) 《美》외야석《야구장》.

bleach·ing [blíːtʃiŋ] *n.* Ⓤ 표백(법). ── *a.* 표백하는〔성의〕: ~ powder 표백분.

***bleak** [bliːk] (*∠·er*; *∠·est*) *a.* ① 황폐한, 쓸쓸한. ② 바람받이의; 차가운, 살을 에는 듯한. ③

냉혹한, 모진 ; 엄연한. ④ 암담한, 구슬픈(sad).

blear [bliər] *a.* (눈이) 흐린, 침침한 ; 희미한. — *vt.* …을 흐리게 하다, (눈)을 침침하게 하다 ; (윤곽 따위)를 뿌옇게 하다.

blear-eyed, blear·y- [blíəràid], [-ri-] *a.* 흐린 눈의 ; 아둔한, 근시적인.

blear·y [blíəri] (***blear·i·er*** ; ***-i·est***) *a.* 눈이 흐린 ; 어렴풋한.

*__bleat__ [bli:t] *vi.* ① (양·염소·송아지가) 매애 울다. ② 우는 소리를 하다. — *vt.* …을 푸념하듯이 〔징징 울 듯이〕 말하다《*out*》. — *n.* Ⓒ (염소 등의) 울음소리 ; 우는 소리.

bleb [bleb] *n.* Ⓒ 〖醫〗 물집 ; 기포(氣泡).

bled [bled] BLEED 의 과거·과거분사.

‡**bleed** [bli:d] (*p., pp.* ***bled*** [bled]) *vi.* ① 출혈하다 : The cut is ~*ing.* 상처에서 피가 나오고 있다. ② 《~/+젠+몡》 (나라·주의를 위해) 피를 흘리다, 죽다《*for*》: We fought and *bled for* our country. 우리는 나라를 위해 싸워 피를 흘렸다. ③ 《~/+젠+몡》 마음 아파하다《*for, at*》: My heart ~*s for* the poor children. 그 불쌍한 어린이들을 생각하면 가슴이 아프다 / My heart *bled at* the sight. 그 광경에 가슴이 아팠다. ④ 《口》 큰돈을 지불하다, 돈을 뜯기다. ⑤ (염색한 색이) 날다, 번지다. ⑥ (식물이) 진을 흘리다. — *vt.* ① (사람·짐승)에게서 피를 빼다 ; …에게 피나는 느낌을 주다. ② 《口》 (아무)에게서 짜내다《*for*》: ~ a person *for* money 아무에게서 돈을 우려내다. ③ (나무가 진)을 내다 ; …의 진을 채취하다. ④ 〖機〗 …에서 액체를 빼다. ~ ***to death*** 출혈이 많아 죽다. ~ a person ***white*** 〔***dry***〕 아무로부터 짜낼 대로 다 짜내다. ***make*** a person***'s heart*** ~ 아무의 동정을 불러 일으키다.

bleed·er [blí:dər] *n.* Ⓒ ① 피 빼는 사람 ; 출혈성의 사람, 혈우병 환자(hemophiliac). ② 《俗·蔑》 〔흔히 限定詞를 수반〕 (역겨운) 사람, 놈 : You poor ~! 이 가련한 사람아.

bleed·ing [blí:diŋ] *n.* Ⓤ 출혈, 유혈(流血). — *a.* 〔限定的〕 출혈하는, 피투성이의 ; 《英卑》 끔찍한. — *ad.* 《英卑》 몹시.

bléeding héart 〖植〗 금낭화 ; 《蔑》 (사회 문제 따위에서) 동정을 과장해 보이는 사람.

bleep [bli:p] *n.* Ⓒ 삐하는 신호음 ; 《口》 무선 호출기(bleeper)《속칭 삐삐》. — *vi.* 삐삐를 발(發)하다 ; 삐삐로 부르다《*for*》. — *vt.* 삐삐로 (사람)을 부르다 ; (부적당한 곳)을 삐하는 소리로 지우다. ㊕ **∠·er** *n.* 무선 호출기.

*__blem·ish__ [blémiʃ] *n.* Ⓒ 흠, 오점, 결점. ***without*** ~ 완전한〔히〕. — *vt.* …에 흠을 내다, (명예 따위)를 더럽히다.

blench[1] [blentʃ] *vi.* 뒷걸음치다, 움츠리다, 주춤〔움찔〕하다 ; 회피하다(avoid).

blench[2] *vi., vt.* 희게〔새파랗게〕 되다〔하다〕.

‡**blend** [blend] (*p., pp.* ***∠·ed,*** 《詩》 ***blent*** [blent]) *vt.* 《~+몸/+몸+젠+몡》 …을 (뒤)섞다 ; (다른 술·담배·커피 등을 혼합하여) 조제하다 : This tea is ~*ed* by mixing camomile *with* pekoe. 이 차는 카모밀과 피코를 혼합하여 만든 것이다. — *vi.* ① 섞이다, 혼합되다 ; 뒤섞이다, (색 따위가) 한데 어우러지다〔융합하다〕: Oil and water do not ~. ② 《~/+젠+몡》 잘 되다, 조화되다 : The new curtains do not ~ *with* the white wall. 새 커튼은 흰 벽과 조화되지 않는다. ~ ***in*** 조화〔조합〕하다〔시키다〕《*with*》. — *n.* Ⓒ 혼합(물) ; 혼색 ; 〖言〗 혼성어 : Her approach to decor is an exciting ~ of old and new. 그녀의 무대 장식에 대한 접근 방식은 옛 것과 새로운 것을 흥미진진하게 혼합하는 방식이다.

㊕ **~·ed** *a.* 〔限定的〕 (차·술 등) 혼합된 ; (직물이) 혼방인 : ~*ed* coffee 블렌드 커피 / ~*ed* fabric 혼방 직물.

blénded whískey 《美·Ir.》 블렌드 위스키.

blend·er [bléndər] *n.* Ⓒ ① 혼합하는 사람〔기계〕. ② 《美》 (요리용의) 믹서(《英》 liquidizer).

blend·ing [bléndiŋ] *n.* ① Ⓤ 혼합융합, 조합(법). ② Ⓤ 〖言〗 (어·구·구문 등의) 혼성. ③ Ⓒ 〖言〗 혼성어《보기 : *smog* [◂ *sm*oke+f*og*]》.

blent [blent] 《詩》 BLEND의 과거·과거분사.

‡**bless** [bles] (*p., pp.* ***~ed*** [-t], ***blest*** [blest]) *vt.* ① 〔종종 受動으로〕 《~+몸/+몸+젠+몡》 …에게 은총을 내리다 ; …복을 베풀다《*with*》. ② 《+몸+젠+몡》 (악(惡)에서) …을 지키다《*from*》: *Bless* me *from* all evils! 모든 악으로부터 지켜 주소서. ③ …를 위해 신의 은총을〔가호를〕 빌다, 축복하다 : The priest ~*ed* the congregation. 목사는 신도들을 축복했다. ④ (신)을 찬미하다 ; (신 등)에게 행복을 감사하다. ⑤ (종교적 의식에 의해) 신성화하다, 정(淨)하게 하다 : ~ bread at the altar 빵을 제단에 바쳐 정결케 하다. ⑥ 《口》 〔感歎의 표현으로〕 : (God) ~ you! 신의 가호가 있기를 ; 조심조심《상대가 재채기했을 때》; 감사합니다 ; 아이 고마워라 ; 저런, 가엾어라《따위》. ⑦ 〔反語的 ; if 절의 강한 부정·단정〕 …을 저주하다 : I'm ~*ed if* I know. 그런 거 알게 뭐야. ***be ~ed by*** … (기획 등이) …의 찬성〔동의〕을 얻고 있다. ***be ~ed in*** …로 행복하다 : I *am* ~*ed in* my children. 자식복이 있다. ***be ~ed with*** (1) …을 누리다, …복을 받다, 혜택을 입다 : She *is* ~*ed with* immense talent and boundless energy. 그녀는 무한한 재능과 끝없는 정력을 누리고 있다. (2) 〔反語的〕 …으로 곤란받고 있다. ~ one***self*** (성호(聖號)를 그어) 신의 축복을 기원하다 ; 잘 됐구나 하고 생각하다 : I have not a penny to ~ *myself* with. 피천 한 닢도 없다《행운을 빌며 1 페니 동전으로 손바닥에 십자를 그은 데서》.

*__bless·ed__ [blésid] *a.* ① 은총 입은, 행복한, 행운의, 축복 받은 : *Blessed* are the poor in spirit. 〖聖〗 마음이 가난한 자는 복이 있나니라《마태복음 V : 3》. ② 〔限定的〕 즐거운, 고마운. ③ 신성한, 정결한. ④ 〔反語的〕 저주할, 버력 입을 : those ~ noises 지긋지긋한 소음들. ⑤ 〔強意的〕 마지막까지의, 최후의 : the whole ~ day 온 하루〔종일〕 / every ~ cent 한푼 남기지 않고. ***of ~ memory*** 고인이 된. ***the*** ~ 하늘나라에 있는 성도들. ***the land of the*** ~ 천국.

㊕ **~·ly** *ad.* 다행히 ; 행복하게 ; 즐겁게. **~·ness** *n.* Ⓤ 행운, 행복 : single ~*ness* 《戲》 독신(으로 마음 편한 신세).

Bléssed Vírgin (the ~) 성모 마리아.

‡**bless·ing** [blésiŋ] *n.* ① Ⓒ 축복(의 말) ; 식전〔식후〕의 기도. ② Ⓒ 신의 은총〔가호〕; 행복 : It was a ~ that no one was killed in the accident. 그 사고에서 아무도 죽지 않은 것은 신의 은총이었다. ③ Ⓒ 고마운 것, 즐거운 것. ④ Ⓤ 찬성 : with my father's ~ 아버지의 찬성을 얻어. ***a ~ in disguise*** 불행해 보이나 실은 행복한 것 : The ending of that relationship was *a* ~ *in disguise* really. 그 관계의 단절은 불행해 보였지만 실은 행복한 것이었다. ***ask*** 〔***say***〕 ***a*** ~ 식전〔식후〕의 기도를 하다. ***count*** one***'s ~s*** (불행할 때에) 좋은 일〔축복받은 일〕들을 회상하다. ***give*** one***'s ~ to*** …을 시인하다.

*__blest__ [blest] BLESS의 과거·과거분사. — *a.* 《주로 詩》 =BLESSED.

bleth·er [bléðər] *vi., n.* =BLATHER.

‡**blew** [blu:] BLOW[1·3]의 과거.

blg. building.

blight** [blait] *n.* ① Ⓤ (식물의) 마름병(病), 줄기〔잎〕마름병 ; 그 병인(病因)《세균·바이러스·대기오염 등》; 《英》(특히 과수를 해치는) 진딧물 (aphis). ② Ⓒ 해치는〔파괴하는〕 것 ; (사기·희망 따위를) 꺾는 것〔사람〕, (앞길의) 어두운 그림자. ③ Ⓤ (도시의) 황폐(지역). ***cast 〔***put***〕 ***a*** ~ ***on*** 〔***upon***〕 …에 어두운 그림자를 던지다.
— *vt.* …을 마르게 하다, (초목 따위)를 이울게 하다(wither up) ; …을 파괴하다, 황폐시키다 ; (희망 따위)를 꺾다 : Bankruptcy ~*ed* his career. 파산으로 그의 일생은 결딴났다. — *vi.* 마르다 ; 꺾이다 : His career has been ~*ed* by clashes with the authorities. 그의 출세는 당국과의 충돌로 좌절되었다.

blight·er [bláitər] *n.* Ⓒ 《英口》 지긋지긋한〔성가신〕 놈 ; 바보 ; 악당, 놈(fellow).

bli·m(e)y [bláimi] *int.* 《英俗》〔다음 成句로〕 (***cor***) ~ 아뿔싸 !, 빌어먹을 !, 제기랄 ! [◂(God) blind me !]

blimp [blimp] *n.* Ⓒ ①소형 비행선. ② (B-) =COLONEL BLIMP. ㊞ ˊ·**ish** *a.*

†**blind** [blaind] (ˊ·***er*** ; ˊ·***est***) *a.* ①눈 먼. ② 장님(용)의. ③문맹의, 무학의. ④맹목적인, 분별 없는, 마구잡이의 ; 《俗》 취한 : ~ obedience 맹종 / a ~ purchase 충동 구매 / Love is ~. 《俗談》 사랑은 맹목적인 것. ⑤ (결점·미점·이해 따위를) 보는 눈이 없는 ; 몰이해한《*to*》: ~ *to* all arguments 아무리 설명해도 알아듣지 못하는. ⑥ 무감각한, 무의식의 : He was ~ *with* sorrow. 그는 슬픔에 젖어, 망연자실하고 있었다. ⑦시계(視界)가 없는, 어림짐작의, 계기(計器) 비행의 : ~ flying 계기 비행 / a ~ guess 어림짐작. ⑧ (도로·교차점 따위가) 잘 보이지 않는, 숨은. ⑨막다른 ; 출입구〔창구〕가 없는 ; 복잡하여 잘 알 수 없는《밀림·대도시의 길 따위》: a ~ window 봉창, 장식창. ⑩불완전한, 효과가〔효력이〕 없는. ⑪ 〖植〗 (싹·구근 따위가) 꽃·열매를 맺지 않는. ***as*** ~ ***as a bat*** 〔***mole, beetle***〕 장님이나 마찬가지인. ***be*** ~ ***to*** …을 깨닫지 못하다. ***be*** ~ ***with*** …에 눈이 멀다 : He*'s* ~ *with* love〔rage〕. 그는 사랑〔분노〕에 눈이 멀어 있다. ~ ***of an eye*** 〔***in one eye***〕 애꾸눈의. ~ ***to the world*** 《俗》 곤드레 만드레가 되어. ***go*** ~ ***on*** 어림짐작으로 하다. ***not a*** ~ (***bit of***) 《口》 조금도 … 않다 : *not* to take *a* ~ *bit of* notice 조금도 개의치 않다 / He did*n't* take *a* ~ *bit of* notice of what I said. 그는 내 말에 조금도 개의치 않았다. ***the*** ~ ***leading the*** ~ 〖聖〗 장님을 인도하는 장님, 위험천만《마태복음 XV : 14》. ***turn a*** 〔one*'s*〕 ~ ***eye to*** …을 보고도 못 본 체하다.
— *vt.* ①…을 눈멀게 하다 : He was ~*ed* in the accident. 그는 사고로 실명했다. ②…의 눈을 가리게 하다, …에게 눈가림을 하다. ③ (빛 등)을 덮어 가리우다, 어둡게 하다 ; (시야에서) 가리다《*from*》: Clouds ~*ed* the moon *from* our view. 구름으로 달을 볼 수 없었다. ④《~+목 / +목+전+명》…의 판단력을 잃게 하다, …을 맹목적으로 하다 : Love ~*s* us *to* all imperfections. 제 눈에 안경. ⑤…의 광채를 잃게 하다, 무색하게 하다, …보다 강하게 빛나다 : Her beauty ~*ed* all the rest. 그녀의 아름다움 앞에 딴 사람들은 모두 빛을 잃었다. ⑥〔~ oneself 로〕 …을 못 본 체하다 ; 외면하다《*to*》: She has ~*ed* her*self to* her husband's love affairs. 그는 남편의 바람기를 외면해왔다.
— *vi.* 《英俗》 (자동차로) 마구 달리다. ~ ***with science*** 전문적 지식으로 현혹하다, 혼란시키다.
— *ad.* 앞뒤 생각 없이, 맹목적으로. ~ ***drunk*** 억병으로 취하여 (있는). ***fly*** ~ 계기 비행하다. ***go it*** ~=***go*** ~ ***on*** 맹목적으로 하다. ***swear*** ~ 엄숙히 서약하다 ; 단언하다.
— *n.* Ⓒ ①덮어 가리는 물건 ; 차양, 덧문 ; 발. ②《美》 (사냥꾼·동물 관찰자 등의) 잠복소 ; 은신처. ③눈을 속이기 위해 쓰이는 것 ; 속임(수), 책략, 구실 ; 《俗》 미끼.

blínd álley 막다른 골목 ; 《比》 가망 없는 국면〔직업, 연구 따위〕: This sort of thinking just seems to be leading us up a ~. 이런 생각은 이제 우리를 막다른 골목까지 몰고갈 것으로 보인다.

blínd cóal 무연탄.

blínd dáte (소개에 의한) 서로 모르는 남녀간의 데이트(상대) : Jane has arranged for me to go on a ~ this Saturday with a bloke that she knows through work. 제인은 그녀가 직장에서 알고 있는 녀석과 내가 이번 토요일 안면 없는 데이트를 하도록 주선해 놓았다.

blind·er [bláindər] *n.* Ⓒ ① 현혹하는 사람〔것〕. ② (흔히 *pl.*) 《美》 (말의) 곁눈 가리개(blinkers). ③《英俗》 왁자한 파티. ④《英俗》 지난(至難)한〔멋진〕 것, 절묘한 파인플레이.

blind·fold [bláindfòuld] *vt.* …에 눈 가리개를 하다, 보이지 않게 하다 ; …의 눈을 속이다 : She was ~*ed* and taken somewhere in the back of a van. 그녀는 눈이 가리워진 채 자동차 뒤에 실려 어디론가 끌려갔다.
— *n.* Ⓒ 눈 가리개. — *a., ad.* 눈 가리개를 한〔하고〕, 눈이 가리워진〔져서〕; 저돌적인〔으로〕.

blínd gút (the ~) 맹장.

blind·ing [bláindiŋ] *a.* 눈을 어지럽히는, 현혹시키는 ; 사려 분별을 잃게 하는 ; 굉장한, 뚜렷한.

***blind·ly** [bláindli] *ad.* 맹목적으로, 무턱대고 ; 손으로 더듬으며 ; 막다른 골목이 되어.

blind·man [bláindmən] (*pl.* ***-men*** [-mən]) *n.* Ⓒ ①까막잡기하는 사람. ②《英》 (우체국의) 수신인 주소 성명 판독원.

blínd·man's búff 까막잡기.

‡**blind·ness** [bláindnis] *n.* Ⓤ ①맹목. ②무분별 (recklessness) ; 문맹, 무지(ignorance).

blínd síde ① (애꾸눈이의) 안 보이는 쪽 ; 보지〔주의하지〕 않는 쪽 ; 약점, 허(虛) ; 무방비한 곳. ② (the ~) 〖럭비〗 (스크럼 등의) 블라인드 사이드. ***on the*** ~ 약한 곳을, 예기치 않은 곳을.

blind·side [ˊ-sàid] *vt.* (상대)의 무방비한 곳〔약점〕을 치다〔찌르다〕.

blínd spòt ① (눈의) 맹점. ② 자신이 모르는 분야 ; 맹점. ③〖通信〗 텔레비전·라디오의 난시청 지역 ; (경기장·강당 등의) 보이지〔들리지〕 않는 곳. ④ (차의 운전자의) 사각(死角).

blínd stàmping 〔**tòoling**〕 〖製本〗 (표지의) 민누름《금박을 쓰지 않고 형태만을 박기》.

***blink** [bliŋk] *vi.* ①깜작이다(wink), 눈을 깜박거리다 ; 눈을 가늘게 뜨고〔깜박이며〕 보다. ② (등불·별 등이) 깜박이다, 명멸하다 : Little lights were ~*ing* on and off in the distance. 멀리서 작은 불빛들이 깜박거리고 있었다. ③《+전+명》 못 본 체하다, 무시하다, 보아 넘기다《*at*》: She ~*ed at* his mistake. 그의 과실을 그녀는 못 본 체했다. ④놀라서 보다, 깜짝 놀라다《*at*》.
— *vt.* ① (눈)을 깜작이다, (눈물)을 깜박여서 떨다《*away* ; *back* ; *from*》. ② (빛)을 명멸시키다 ; 빛을 명멸시켜 (신호)를 보내다. ③〔종종 否定文으로〕 …을 보고 못 본 체하다, 무시〔묵인〕하다 : You can*not* ~ the fact that there is a war. 전쟁이 터지고 있다는 사실을 무시할 수는 없다.
— *n.* Ⓒ ①깜박임 ; 한 순간 ; 번득임, 섬광. ②

《英·Sc.》 흘끗 봄. ***on the*** ~ 《口》 (기계들이) 파손〔못쓰게〕되어, 컨디션이 나빠서.

blink·er [blíŋkər] *n.* Ⓒ ① 깜작이는 사람 ; 힐끔보는 사람. ② (건널목 따위의) 명멸 신호(등). ③ (흔히 *pl.*) (자동차의) 방향지시등 ; (*pl.*) 《俗》 먼지가리개 안경. ④ (흔히 *pl.*) (말의) 곁눈 가리개 ; 《俗》 =BLACK EYE ; 판단〔이해〕의 장애, 눈가리개. ***be*** 〔***run***〕 ***in*** **~*s*** 《比》 주변 형세를 모르고 있다〔달리다〕.

blink·ing [blíŋkiŋ] *a.* 〖限定的〗 ① 반짝이는 ; 명멸하는. ② 《英俗》 지독한, 심한. — *ad.* 《口》 매우, 몹시, 되게. ㊞ **~·ly** *ad.*

blin·tze, blintz [blíntsə], [blínts] *n.* Ⓒ 블린츠《엷은 팬케이크로 치즈·잼 등을 넣은 유대인 요리》.

blip [blip] *n.* Ⓒ ① 블립《레이더의 스크린에 나타나는 영상》. ②〖TV〗 (불미스러운 말이나 영상을 지워 없앤 테이프 부위에 나타나는 삑삑하는) 짧은 잡음.

:bliss [blis] *n.* Ⓤ (더 없는) 행복, 천국의 기쁨 ; 희열. — *v.* 〔다음 成句로〕 ~ ***out*** 《美俗》 더없는 행복을 맛보다, 황홀해지다〔케 하다〕.

·bliss·ful [blísfəl] *a.* 더없이 행복한, 기쁨에 찬 ; 깨끗이 잊은 : They sat there together in ~ silence. 그들은 너무나 행복하게 아무말 없이 거기에 같이 앉아 있었다.

blíssful ígnorance (현실의 부조리 등을 못 느끼는) 행복한 무지.

·blis·ter [blístər] *n.* Ⓒ ① 물집, 수포, 불에 데어 부푼 것. ② (페인트칠·금속·플라스틱 표면의) 부풀음, 기포 ; (식물면의) 병변(病變). ③〖醫〗 발포제(發泡劑). ④ (비행기의) 반구형 기총 총좌 ; =RADOME. ⑤〖寫〗(필름·인화지 막면의) 물집. ⑥ 《口》 싫은 녀석 ; 《美俗》 여자, 매춘부, 여자 거지.

— *vt.* ① …에 물집이 생기게 하다, 불에 데어 부풀게 하다. ② 《俗》 괴롭히다, 싫증나게 하다 ; (꼬집거나 비평 등으로 사람)에게 상처를 주다.

— *vi.* 물집이 생기다, 불에 데어 부풀다.

blíster còpper 조동(粗銅).

blis·ter·ing [blístəriŋ] *a.* ① 후끈거릴 정도로 뜨거운 : ~ heat 혹서, 혹열. ② 통렬한 ; 맹렬한 ; 호된(비평 등). ③ 〔副詞的으로〕 후끈거릴 만큼.

blíster pàck 블리스터 포장(=**blíster pàckage**)《상품이 보이도록 그 형상대로 뜬 투명 플라스틱으로 씌운 포장》.

·blithe [blaið] *a.* ① 즐거운, 유쾌한 ; 쾌활한. ② 경솔한, 부주의한. ㊞ **∠·ly** *ad.* **~·ness** *n.*

blith·er [blíðər] *vi.* 허튼 소리를 하다.
㊞ **~·ing** [-riŋ] *a.* 《口》 〖限定的〗 허튼 소리 하는, 골빈 소리를 하는 ; 한심한 ; 경멸할 만한.

blithe·some [bláiðsəm] *a.* 쾌활한.

blitz [blits] 《口》 *n.* Ⓒ ① =BLITZKRIEG ; (the B-) (1940-41년의 독일공군에 의한) 런던 대공습. ② 대대적인 캠페인 : a media ~ 대대적인 보도활동 / We're going to have a ~ on the house and get it all decorated by Christmas. 우리는 집안을 대청소하고 성탄절까지 모든 장식을 하려고 한다.
— *vt.* …을 전격적으로 공격하다, 맹공하다. — *vi.* 〖美蹴〗 돌진하다. — *a.* 〖限定的〗 전격적인 : ~ tactics 전격 작전 / a ~ sale (손님을 쇄도케 하는 것 같은) 대봉사 매출. ㊞ **∠·er** *n.*

blitz·krieg [blítskrìːg] *n.* Ⓒ 《G.》 전격전, 급습, 맹격《*on*》.

bliz·zard [blízərd] *n.* Ⓒ ① 눈보라, 폭풍설 : In Chicago, ~ conditions made the main roads almost impassable. 시카고에서는 폭풍설 상태로 인해 주요도로는 거의 통행이 불가능하게 되었다. ② (사건 등의) 돌발 ; 쇄도《*of*》.

blk. black ; block ; bulk.

bloat [blout] *vt.* ① (청어 따위)를 훈제(燻製)로 하다. ② 부풀게 하다(swell)《*with*》. ③ …을 (…으로) 우쭐하게 하다《*with*》.
— *vi.* 부풀다(swell)《*out*》 ; 자부하다《*out*》.

bloat·ed [blóutid] *a.* ① 부푼 ; 부어오른 ; (조직 등이) 팽팽한. ② 거만한, 우쭐하는, 뽐내는《*with*》. ③ 비대한, 뚱뚱한. ④ (생선이) 훈제의.
㊞ **∠·er** *n.* 훈제한 청어〔고등어〕. **~·ness** *n.*

blob [blab / blɔb] *n.* Ⓒ ① (잉크 등의) 얼룩 ; (걸쭉한 액체의) 한 방울 ; 물방울. ② 형태가 뚜렷하지 않은〔희미한〕 것 : He saw a white ~ crossing the street. 그는 길을 건너고 있는 희미한 허연 물체를 보았다.

·bloc [blak / blɔk] *n.* Ⓒ 《F.》 ① 블록, …권(圈) 《정치·경제상의 특수이익을 위해 제휴한 여러 국민, 여러 단체의 일단》. ② 《美》 (특정 목적을 위한 여·야당의) 연합 의원단. ~ ***economy*** 블록 경제. ***en*** ~ 총괄하여, 총체로.

:block [blak / blɔk] *n.* Ⓒ ① **a**) (나무·돌·금속 따위의) 큰 덩이, 큰 토막 ; 건축용 석재. **b**) (장난감의) 집짓기 나무(building ~). **c**) (건축용의) 블록 : concrete ~*s* 콘크리트 블록. ② 받침, 받침나무 ; 도마 ; 모탕 ; 경매대 ; 승마대 ; 단두대 ; 선대(船臺) ; (구두닦이의) 발받침. ③ 〖印〗 판목(版木) ; 〖製本〗 철판면(凸板面), 놋쇠판(版). ④ 모자골 ; 형(型), 식(式). ⑤ 도르래, 겹도르래. ⑥ (표·증권 따위의) 한 조〔벌, 묶음〕 ; (한 장씩 떼어 쓰게 된) 종이철 : a ~ of tickets 한 권의 티켓. ⑦ 《英》 (한 채의) 대(大)건축물《아파트·상점을 포함》 ; 《美》 (시가의 도로로 둘러싸인) 한 구획, 가(街) ; 그 한 쪽의 길이〔가로〕. ⑧ 장애(물), 훼방 ; (교통 따위의) 두절, 폐색 ; 《英》 (의안에 대한) 반대 성명 ; 〖競〗 방해 ; 〖크리켓〗 블록《배터가 배트를 쉬고 있는〔공을 멈추는〕 위치》. ⑨ 《俗》 (사람의) 머리 ; 바보, 멍청이(blockhead). ⑩〖政〗 =BLOC. ⑪〖컴〗 블록, 구역《플로차트상의 기호 ; 한 단위로 취급되는 연속된 언어 집단 ; 일정한 기능을 갖는 기억 장치의 구성 부분》. ⑫〖醫〗 블록《신경 따위의 장애》, 《특히》 심장블록(heart ~) ; 〖精神醫〗 두절. ⑬〖鐵〗 폐색 (구간). ***a*** ~ ***and tackle*** 도르래 장치, 고패. ***a chip off the old*** ~ ⇨ CHIP[1]. ***as like as two*** **~*s*** 아주 닮은, 쏙빼. ***go*** 〔***be sent, come***〕 ***to the*** ~ 단두대에서 목이 잘리다 ; 경매에 부쳐지다. ***in*** (***the***) ~ 일괄하여, 총괄적으로. ***knock*** a person***'s*** ~ ***off*** 《口》 때려눕히다. ***lay*** 〔***put***〕 one***'s head on the*** ~ 《口》 위험을 무릅쓰다 ; 목숨을 걸다 : The government has *laid its head on the* ~ by increasing taxes. 정부는 증세(增稅)에 (정권의) 운명을 걸었다. ***on the*** ~ (1) 경매에〔팔려고〕 내놓은. (2) 단두대 위에서. ***put the*** **~*s on*** …을 저지하다 ; 막다.

— *vt.* ① 《~+목 / +목+전+명 / +목+부》 (통로·관 따위)를 막다, (교통 따위)를 방해하다, 폐색(閉塞)〔봉쇄〕하다《*up*》 ; (빛·조명 등)을 차단하다《*off* ; *out* ; *up*》 : The government has ~*ed* an attempt by the company to sell fifty trainer jets. 정부는 그 회사가 50대의 연습용 젯트기를 판매하려는 기도를 봉쇄했다 / (Road) *Blocked* 《게시》 통행금지. ② (진행·행동)을 방해하다, …의 장애가 되다 ; 〖競〗 (상대 플레이)를 방해하다 ; 〖크리켓〗 (공)을 삼주문(wicket) 바로 앞에서 배트로 쳐 막다 ; 〖美蹴〗 (공을 가지고 뛰는 자)를 가로막다 : Lack of funds is ~*ing* progress in the research. 자금부족이 연구의 진행에 지장을 초래하고 있다. ③ 〔흔히 過去分詞꼴로〕 〖經〗 동결하다,

봉쇄하다: ~*ed* currency [funds] 동결 통화[자금]. ④〖醫〗(신경)을 마비시키다. ⑤《英》(반대 성명을 내어 의안 통과)를 방해하다. ⑥(모자·옷 등)을 본뜨다(shape). ⑦〖컴〗(인접 데이터)를 블록하다. ── *vi.* (각종 경기에서) 상대측 경기자를 방해하다.

~ ***in*** 막다, 폐쇄하다, 가두다; 약도를 그리다, 설계[계획]하다. ~ ***off*** (도로 따위)를 막다, 차단하다. ~ ***out*** 윤곽을 그리다, 대충의 계획을 세우다; (빛·조명 등)을 막다, 어둡게 하다; (생각·정보 등)을 제외하다. ~ ***up*** (길)을 막다; 방해하다; …을 가두다; 틀어막다.

block·ade [blɑkéid / blɔk-] *n.* Ⓒ (항구 따위의) 봉쇄(선), 폐색; 봉쇄대(隊); 폐색물; (교통의) 두절, 방해. ***break a*** ~ 봉쇄를 돌파하다. ***lift*** [***raise***] ***a*** ~ 봉쇄를 풀다. ── *vt.* …을 봉쇄하다, 방해하다.

block·ade-run·ner [-rʌ̀nər] *n.* Ⓒ 봉쇄 돌파선(船)[자]; 밀항선; 밀항자.

block·age [blɑ́kidʒ / blɔ́k-] *n.* Ⓤ 봉쇄, 방해; Ⓒ 방해물, (파이프 따위에) 막혀 있는 것: Angina is usually caused by the narrowing or ~ of one or more of the arteries which supply the heart muscle with blood. 협심증은 보통 심장에 피를 공급하는 한 개 또는 그 이상의 동맥이 막히거나 좁아져서 발생하는 질병이다.

block·bust·er [-bʌ̀stər] *n.* Ⓒ《口》① 대형 고성능 폭탄. ② 압도적[위협적]인 것, 유력자, 큰 영향력을 가진 것[사람], 쇼크를 주는 것. ③ 막대한 돈을 들인 영화[소설]; (신문 따위의) 대광고; 초(超)대작《영화 따위》. ④《美俗》대히트; 대성공; 초(超)베스트셀러. ⑤《美》blockbusting을 하는 악덕 부동산업자.

block·bust·ing [-bʌ̀stiŋ] *n.* Ⓤ《美》블록버스팅《이웃에 흑인 등이 이사온다는 소문을 퍼뜨려, 백인 거주자에게 집이나 땅을 싸게 팔게 함》.

blóck càpital 블록체의 대문자.

blóck dìagram (기기·장치 등의) 분해 조립도, 구성도.

block·head [-hèd] *n.* Ⓒ 멍텅구리, 얼간이: Those ~*s* have screwed up the whole project. 저 바보들이 전체 계획을 망쳐버렸다《★ 흔히 남자 사이에 씀》.

block·house [-hàus] *n.* Ⓒ ① (총구멍을 갖춘) 작은 요새[보루], 토치카. ② (원폭실험 등의) 관측용 피난소. ③ 각재(角材)로 지은 집. ④ (로켓기지 등의) 철조 콘크리트의 건물.

blóck·ing fàctor [blɑ́kiŋ- / blɔ́k-] 〖컴〗 블록화(化) 인수(因數)《단일 블록에 수용 가능한 소정 사이즈 레코드의 최대수》.

block·ish [blɑ́kiʃ / blɔ́k-] *a.* 목석 같은, 우둔한.

blóck lèngth 〖컴〗 블록 길이《블록 크기의 척도》.

blóck lètter 〖印〗 목판 글자; 블록체.

blóck prìnt 목판화.

blóck prìnting 목판 인쇄.

blóck sìgnal 〖鐵〗 폐색 신호기.

blocky [blɑ́ki / blɔ́ki] (***block·i·er*** ; ***-i·est***) *a.* 뭉툭한; 농담(濃淡)이 고르지 않은.

bloc-vote [-vòut] *n.* Ⓒ 블록 투표《투표자의 표가 대표하는 인원수에 비례한 효력을 갖는 투표》(=**blóck vòte**).

bloke [blouk] *n.* Ⓒ《俗》놈, 녀석(fellow).

‡**blond** [blɑnd / blɔnd] (***∠·er*** ; ***∠·est***) *a.* ① 금발의, (머리털이) 아마빛의; (피부가) 희고 혈색이 좋은. ② 금발·흰 살결·푸른 눈의. ── *n.* Ⓒ ① (살결이 흰) 금발의 사람. ② 비단 레이스.

‡**blonde** [blɑnd / blɔnd] *n.* Ⓒ (살결이 흰) 금발의 여성: a blue-eyed ~ 푸른 눈의 금발 여인 / People think I'm a natural ~, but actually my hair's dyed. 사람들은 내가 타고난 금발의 미인이라고 생각하지만 실은 나의 머리카락은 염색을 한 것이다. ── *a.* (여성이) 금발의. ★ blonde는 여성형; 현재는 남녀 모두 blond를 사용하는 경우가 많음.

blónd(e) láce 블론드 레이스.

†**blood** [blʌd] *n.* ① Ⓤ 피, 혈액; 생피, [一般的] 생명; (하등 동물의) 체액: give one's ~ for one's country 나라에 목숨을 바치다 / Both very high ~ pressure and very low ~ pressure can be dangerous to health. 심한 고혈압과 저혈압은 모두 건강에 위태로울 수 있다. ② Ⓤ 붉은 수액(樹液), (붉은) 과즙. ③ Ⓤ 유혈(bloodshed); 살인(murder); 희생. ④ Ⓤ 선정 소설, 폭력 소설. ⑤ Ⓤ 핏줄; 혈통, 가문, 집안, 명문; (the ~) 왕족: *Blood* will tell. 피는 숨길 수 없는 것 / of noble ~ 고귀한 집안에 태어난 / a prince [princess] of *the* ~ 왕자[공주] / *Blood* is thicker than water. 《俗談》피는 물보다 진하다. ⑥ Ⓤ 혈연, 살붙이, 푸네기. ⑦ Ⓤ (말의) 순종. ⑧ Ⓤ 기질(temperament); 혈기, 활력; 기질; 격정: a man of hot ~ 격렬한 감정을 가진 자 / be in [out of] ~ 기운이 있다[없다] / Teaching is in his ~. 그는 선생기질이다. ⑨ Ⓒ《英稀》혈기 왕성한 사람; 멋쟁이(dandy);《美俗》학교 행사 등에 활발한 학생, 학내의 인기자, 젊은이들: fresh ~ =NEW BLOOD.

~ ***and thunder*** 유혈과 폭력: a novel full of ~ *and thunder* 피비린내나는 모험 소설. ~, ***sweat and tears*** 피와 땀, 그리고 눈물; 커다란 희생. ***draw*** ~ 상처 입히다, 고통을 주다. ***flesh and*** ~ ⇨ FLESH. ***freeze*** [***curdle, chill***] a person***'s*** [***the***] ~ 아무를 (공포로) 오싹 소름끼치게 하다. ***get*** [***have***] a person***'s*** ~ ***up*** 아무를 성나게 하다: Injustice of any sort *gets my* ~ *up.* 어떠한 부정도 보고는 못 참는다. ***have*** a person***'s*** ~ ***on*** one***'s hands*** [***head***] 아무의 죽음[불행]에 책임이 있다. ***in cold*** [***cool***] ~ 냉혹하게, 냉정히; 태연히, 예사로: commit murder *in cold* ~ 태연히 사람을 죽이다. ***in hot*** [***warm***] ~ 불끈[격노]하여. ***like getting*** ~ ***from*** [***out of***] ***a stone*** 돈 내려고 생각지도 않는 사람에게서 돈을 얻으려는 것처럼; 떡줄 놈 생각도 않는데 김칫국부터 마시는 것처럼. ***make*** a person***'s*** ~ ***boil*** [***run cold***] 아무를 격앙시키다[오싹하게 하다]. ***out for*** a person***'s*** ~ 아무를 해치울 작정으로. ***put*** one***'s*** ~ ***into*** …에 심혈을 기울이다. ***run*** [***be***] ***in*** one***'s*** ~ 혈통을 이어 받다: The aptitude for language *ran in her* ~. 그녀의 어학적 재능은 혈통을 이어 받은 것이었다. ***stir the*** [a person***'s***] ~ 아무를 흥분[발분]시키다. ***sweat*** ~《口》(1) 피땀 흘리며 일하다. (2) 몹시 걱정하다, 불안해 하다. ***taste*** ~ (1)(야수 등이) 피맛을 알다. (2)처음으로 경험하다, 첫 성공에 맛들이다. ***to the last drop of*** one***'s*** ~ 목숨이 다하기까지. ***warm*** a person***'s*** ~ 아무의 몸을 덥게 하다, 마음 편하게 하다. ***with*** ~ ***in*** one***'s eyes*** 살기 등등하여; 눈에 핏발을 세우고.

── *vt.* ① (사냥개)에게 피를 맛보이다, (군인)을 유혈 행위에 익숙케 하다. ② [종종 受動으로] …에게 새로운 경험을 시키다.

blood-and-thun·der [blʌ́dəndθʌ́ndər] *a.* [限定的] 폭력과 유혈투성이의《극·소설·영화 등》.

blóod bànk ① Ⓒ 혈액 은행. ② Ⓤ (혈액 은행 등의) 저장 혈액.

blóod bàth 피의 숙청, 대학살.

blóod bróther ① 친형제. ② 혈맹자.

blóod cèll [**còrpuscle**] 혈구(血球): a red [white] ~ 적[백]혈구.

blóod còunt 혈구수(數) (측정).
blood·cur·dling [-kə̀ːrdliŋ] *a.* 〔限定的〕 소름이 끼치는, 등골이 오싹하는. ㊞ **~·ly** *ad.*
blóod dònor 헌혈자; 급혈자.
blóod dòping 혈액 도핑《운동선수의 기능을 높이기 위해, 채혈하여 보존해 둔 혈액을 시합 전에 수혈하기》.
blood·ed [blʌ́did] *a.* ① 〔흔히 複合語로〕 …의 피를〔기질을〕 지닌: warm-~ animals 온혈 동물. ② (가축 따위가) 순종의, 혈통이 좋은: a ~ horse 순종의 말. ③ (군대가) 전투를 경험한; 〔一般的〕 새로운 경험을 쌓은.
blóod féud (두 집안 또는 종족끼리의 반복되는) 피의 복수.
blóod gròup 혈액형(blood type).
blóod hèat 피의 온도《평균 37℃》.
blóod hòrse 순종 말.
blood·hound [-hàund] *n.* Ⓒ ① 블러드하운드《후각이 예민한 영국산의 경찰견》. ② 집요한 추적자, 탐정, 형사.
blood·i·ly [blʌ́dəli] *ad.* 피투성이가 되어; 무참하게; 참혹하게.
blood·less [blʌ́dlis] *a.* ① 핏기 없는, 창백한, 빈혈의. ② 피를 흘리지 않는: The rebel soldiers seized power in a ~ coup. 반란군은 무혈 쿠데타로 정권을 장악했다. ③ 냉혈의, 비정한, 냉혹한.
Blóodless Revolútion (the ~) 〖英史〗 무혈〔명예〕 혁명(English Revolution).
blood·let·ting [blʌ́dlètiŋ] *n.* Ⓤ ① 〖醫〗 방혈; 사혈(瀉血). ② (전쟁·복싱 등에서의) 유혈.
blood·lust [-lʌ̀st] *n.* Ⓤ 유혈〔살인〕의 욕망.
blood·mo·bile [-moubìːl] *n.* Ⓒ 이동 채혈차.
blóod mòney ① 사형에 해당하는 큰 죄인을 고발한 사람에게 주는 보상금. ② (청부 살인자에게 주는) 살인 사례금. ③ 피살자의 근친에게 주는 위자료.
blóod plàsma 혈장(血漿).
blóod pòisoning 패혈증(敗血症): In severe cases Salmonella can lead to ~, causing kidney failure and death. 심한 경우에는 살모넬라균은 패혈증을 유발하여 신부전증과 사망의 원인이 될 수 있다.
blóod prèssure 혈압.
blóod púdding =BLOOD SAUSAGE.
blóod rèd 핏빛; 짙은 빨간색.
blood·red [-réd] *a.* 피에 물든, 피처럼 붉은.
blóod relátion 〔**rélative**〕 혈족.
blood·root [-rùːt, -rùt] *n.* Ⓒ (뿌리가 붉은) 양귀비꽃과의 식물.
blóod róyal (the ~) 〔集合的〕 왕족.
blóod sàusage 《美》 블러드 소시지《돼지고기와 그 피를 섞어서 만든 검은색이 도는 소시지》.
blóod sèrum 혈청(血淸).
*__blood·shed__ [-ʃèd] *n.* Ⓤ 유혈(의 참사), 살해; 학살: To prevent further ~, the two sides agreed to a truce. 보다 더 많은 유혈사태를 막기 위해 양측은 휴전에 합의했다 / The government must increase the pace of reforms to avoid further ~. 정부는 유혈 참사의 악화를 피하기 위해 개혁에 박차를 가하지 않으면 안 된다.
blood·shot [-ʃɑ̀t / -ʃɔ̀t] *a.* (눈이) 충혈된, 핏발이 선; 혈안이 된.
blóod spòrt (흔히 *pl.*) 피를 보는 스포츠《투우·권투 등》: *Blood sports* include fox-hunting and cock-fighting. 피를 흘리는 스포츠에는 여우사냥과 닭싸움이 포함된다.
blood·stain [-stèin] *n.* Ⓒ 핏자국; 혈흔(血痕).
blood·stained [-stèind] *a.* ① 핏자국이 있는, 피투성이의. ② 살인죄〔범〕의.
blood·stock [-stɑ̀k / -stɔ̀k] *n.* Ⓤ 〔集合的〕 서러브레드의 경주말.
blood·stone [-stòun] *n.* Ⓤ,Ⓒ 〖鑛〗 혈석(血石), 혈옥수(血玉髓)《3월달 탄생석》.
blood·stream [blʌ́dstrìːm] *n.* Ⓤ (흔히 the ~, one's ~) (인체 내의) 혈류(량).
blood·suck·er [-sʌ̀kər] *n.* Ⓒ ① 흡혈 동물《거머리 따위》. ② 흡혈귀, 탐욕이 많은 사람; 고혈을 빠는 사람.
blóod sùgar 혈당(血糖).
blóod tèst 혈액 검사.
blood·thirsty [-θə̀ːrsti] *a.* 피에 굶주린, 잔인〔흉악〕한; (영화 따위가) 살상 장면이 많은; (구경꾼 등이) 유혈 장면을 좋아하는: The Vikings were cruel and ~ warriors. 바이킹족은 잔인하고 살상을 좋아하는 전사들이었다.
blóod transfùsion 수혈.
blóod tỳpe 혈액형(blood group).
blóod vèssel 혈관: Veins and arteries are ~*s*. 정맥과 동맥은 혈관이다. ***burst a*** ~ (격분하여) 혈관을 파열시키다; 《口》 격분하다.
Bloody [blʌ́di] *n.* 《美俗》 =BLOODY MARY ①.
‡**bloody** [blʌ́di] (***blood·i·er*** ; ***-i·est***) *a.* ① 피나는, 피를 흘리는(bleeding), 유혈의, 피투성이의: He was arrested last October still carrying a ~ knife. 그는 피투성이 칼을 여전히 소지하고 있는 가운데 지난 10월 체포되었다. ② 피의, 피같은, 피에 관한; 피빛(깔)의. ③ 살벌한, 잔인한. ④ 《英俗》 〔強意的〕 어처구니없는, 지독한(damned). ***get a ~ nose*** 자존심이 상처받다.
— *ad.* 《英俗》 굉장히, 무척, 지독하게: All is ~ fine. 다들 무척 원기 왕성하다. ***Not ~ likely!*** 《英俗》 〔종종, 분노를 나타내어〕 말도 안 되는 소리야!, 그걸 누가 해!
— (***blood·ied***) *vt.* …을 피로 더럽히다〔물들이다〕, 피투성이가 되게 하다.
Blóody Máry ① 보드카와 토마토 주스를 섞은 음료. ② 영국 Mary Ⅰ의 별칭《신교도를 다수 처형함》.
‡**bloom** [bluːm] *n.* ① Ⓒ 꽃《특히 관상 식물의》. ★ 집합적으로도 씀. ② Ⓤ 꽃의 만발, 활짝 핌; 개화기; (the ~) 한창때, 최성기《*of*》. ③ Ⓤ (볼의) 도화색, 홍조, 건강미, 건강한 빛; 신선미, 청순함. ④ Ⓤ 〖植〗 (과실·잎 따위에) 생기는 뿌연 가루, 과분(果粉). ⑤ Ⓤ 〖鑛〗 화(華). ⑥ Ⓤ (포도주의) 향기, 부케(bouquet). ***come into*** ~ 꽃피다; (재능 등이) 꽃피다. ***take the ~ off*** 《口》 (…의) 신선미를〔아름다움을〕 없애다. — *vi.* ① 꽃이 피다, 개화하다. ② 번영하다, 한창때이다. ③ 〔흔히 進行形으로〕 (여성이) 건강미가 넘치다《*with*》: She's ~*ing with* health. 그녀는 건강미가 있다. ~ ***into*** …로 되다; 꽃피다: We could not believe that scrawny child had ~*ed into* such a lovely woman. 그 앙상하던 아이가 저렇듯 사랑스러운 여성으로 성장했다니 믿을 수가 없다.
bloom·er[1] [blúːmər] *n.* Ⓒ 여자용 반바지; 반바지식 여자용 속옷, 블루머.
bloom·er[2] *n.* Ⓒ 《英口》 대실패, 실수(blunder).
bloom·er[3] *n.* Ⓒ 〔흔히, 수식어를 수반〕 ① 꽃이 피는 식물. ② (능력적·육체적으로) 성숙한 사람.
*__bloom·ing__ [blúːmiŋ] *a.* ① 꽃이 핀(in bloom). ② 한창인; 청춘의, 젊디젊은; 번영하는《도시 따위》. ③ 《英口》 지독한; 어처구니없는, 굉장한《bloody의 대용어》: a ~ fool 큰 바보.
— *ad.* 《英俗》 지독히, 터무니없이. ㊞ **~·ly** *ad.*
bloop·er [blúːpər] *n.* Ⓒ 《美口》 ① (사람 앞에서의) 큰 실수: make a ~ 큰 실수를 하다. ② 《野球俗》 역회전의 높은 공; 텍사스 히트.

‡**blos·som** [blάsəm / blɔ́s-] *n.* ① Ⓒ《集合的으로는 Ⓤ》꽃《특히 과수의》. 《★ 집합적으로 한 나무의 모든 꽃을 뜻하기도 함》. ② Ⓤ 개화, 만발 ; 개화기 ; (the ~) (발육·발달의) 초기 ; 전성기 : *the* ~ of youth 청춘의 개화기. ***come into*** ~ 꽃이 피기 시작하다. ***in*** ~ 꽃이 피어. ***in full*** ~ 만발하여. (***my***) ***little*** ~ 귀여운 애, 애인.
— *vi.* ① (나무가) 꽃을 피우다 ; 피다《*out* ; *forth*》. 《★ 흔히 blossom은 열매를 맺는 종자식물·과수에, bloom은 열매를 맺지 않은 식물에 쓰이나 《美》에서 양자의 구별 없이 쓰이고 있음》. ② 《+전+명 / +*as* 보 / +부》 번영하다, (한창) 번성하게 되다 ; 발달하여 …이 되다, (이윽고) …으로 되다《*out* ; *into*》: Their friendship ~*ed into* love. 그들의 우정은 무르익어 사랑으로 발전하였다 / He ~*ed* (*out*) *into* 〔~*ed out as*〕 a statesman. 그는 이윽고 훌륭한 정치가가 되었다. ③ 쾌활해지다, 활기 띠다《*forth* ; *out*》. ㊕ ~·**less** *a.* ~**y** [-i] *a.* 꽃이 한창인, 꽃으로 뒤덮인.

‡**blot** [blαt / blɔt] *n.* Ⓒ ① (잉크 등의) 얼룩, 더러움. ② (인격·명성 등의) 흠, 오점 ; 오명《*on*》: This drugs scandal is another ~ *on* the Olympics. 이 약물 비리는 올림픽의 또다른 오점이다.
— (-***tt***-) *vt.* ① …을 더럽히다, …을 얼룩지게 하다 ; (명성 따위)에 오점을 남기다. ② (압지 따위로) 빨아들이다. ③ (경치·소리 등)을 가리다, 지우다《*out*》: A cloud ~*ted out* the mountaintop. 구름이 산봉우리를 가렸다.
— *vi.* ① (잉크·종이 따위가) 번지다 ; (천이) 더럼을 잘 타다. ② (압지가) 잘 빨아들이다. ③ (펜이) 잉크를 흘리다. ~ ***out*** ⇨ *vt.* ③ ; (글자·기억을) 지우다, 없애다 ; (적·도시 등을) 진멸하다 : ~ *out* a person's name from the list 리스트에서 아무의 이름을 지우다 / ~ *out* the enemies 적을 섬멸하다. ~ one***'s copybook*** ⇨ COPYBOOK.

blotch [blαtʃ / blɔtʃ] *n.* Ⓒ 부스럼 ; (피부의) 검버섯 ; (잉크 따위의) 얼룩, 반점. — *vt.* (얼룩으로) …을 더럽히다. ㊕ ~**ed** [-t] *a.* 얼룩진〔이 묻은〕.

blotchy [blάtʃi / blɔ́tʃi] (***blotch·i·er*** ; ***-i·est***) *a.* 얼룩〔부스럼〕투성이의.

blot·ter [blάtər / blɔ́t-] *n.* Ⓒ ① 압지 : Gerald has a big old fashioned desk, with a large ~ on it. 제럴드는 큰 구식 책상을 가지고 있는데 그 위에는 큰 압지가 있다. ② (거래·매상 등의) 기록 장부 ; (경찰의) 사건 기록부.

‡**blót·ting pàper** [blάtiŋ- / blɔ́t-] 압지.

blot·to [blάtou / blɔ́t-] *a.* 〔敍述的〕《俗》 곤드레가 된, 억병으로 취한.

***blouse** [blaus, blauz] *n.* Ⓒ ① 블라우스(《美》 shirtwaist) : She was wearing a navy blue skirt and white ~. 그녀는 짙은 감색 스커트와 흰 블라우스를 입고 있었다. ② 작업복, 덧옷(smock). ③ 군복의 상의.

†**blow**[1] [blou] (***blew*** [bluː] ; ***blown*** [bloun]) *vi.* ① **a**) 《~ / +부》 (바람이) 불다 ; 〔it를 主語로 하여〕 바람이 불다 : The wind is ~*ing* from the east. 동쪽에서 바람이 불어오고 있다 / It is ~*ing* hard. 바람이 세게 불고 있다. **b**) 바람에 날리다. ② **a**) 《~ / +전+명》 숨을 내쉬다, 입김을 내뿜다 ; (송풍기로) 바람을 보내다 : ~ *into* the tube 튜브 안으로 바람을 불어넣다 / ~ *on* a trumpet 트럼펫을 불다 / He *blew on* his red hands. 빨개진 손에 입김을 내뿜었다. **b**) (숨을) 헉헉 쉬다, 헐떡이다. **c**) 휘파람을 불다 ; (선풍기 따위가) 바람을 내다. ③ 《~ / +전+명》《口》 자랑하다 ; 허풍 떨다 : He *blew about* his family. 그는 가족 자랑을 하였다. ④ (피리·나팔 따위가) 울리다. ⑤ 폭발〔파열〕하다《*out* ; *up* ; *in*》; 〖電〗 (퓨즈·진공관·필라멘트 등이) 끊어지다 ; (타이어가) 펑크나다《*out*》; 《俗》 격노하다. ⑥ (고래가) 물을 내뿜다. ⑦ 《俗》 (갑자기〔몰래〕) 가버리다, 뺑소니치다 : *Blow !* 나가, 나가줘요. — *vt.* ① **a**) 《~+목 / +목+전+명 / +목+보 / +목+부》 …을 불다, 불어대다, 불어 보내다 : Don't ~ your breath *on* my face. 내 얼굴에 입김을 내뿜지 말아줘 / She let the breeze ~ her hair dry. 그녀는 머리에 미풍을 받아 말렸다. **b**) 〔同族目的語를 취하여〕 불다. **c**) …에 숨〔바람〕을 불어넣다 ; (불)을 불어 붙이다 ; (풀무로) 바람을 일으키다 ; (비눗방울·유리 기구 따위)를 불어서 만들다 : ~ smoke rings 담배 연기를 뿜어내어 고리를 만든다. ② **a**) (나팔 따위)를 불다, 취주하다. **b**) …의 속을 불어서 빼다 ; 바람을 불어 …하다. ③ 〔흔히 受動으로〕 (말 따위)를 헐떡이게 하다. ④ **a**) 《~+목 / +목+부》 …을 폭파하다《*up*》, 폭발로 날려버리다《*off*》. **b**) 타이어에 펑크를 내다, 타이어를 펑크시키다. ⑤ 《~+목 / +목+전+명》《俗》 (돈)을 낭비하다 ; …에게 한턱 내다《*to*》: ~ a fortune *on* …에 재산을 낭비하다. ⑥ (파리 따위가) …에 쉬를 슬다. ⑦ 《+목+부》 말을 퍼뜨리다, 소문내다 ; 《美俗》 (비밀)을 누설하다, 배신하다, 밀고하다 : They have *blown* all sorts of silly rumors *about*. 그들은 온갖 터무니없는 소문을 퍼뜨리고 다녔다. ⑧ 추어 올리다, 자만심을 품게 하다. ⑨ (*pp.*는 ***blówed***) 《俗》 저주하다(damn). ⑩ 《美俗》 실수〔실패〕하다, 망치다, (좋은 기회 따위)를 놓치다. ⑪ 《俗》 …에서 (갑자기〔몰래〕) 떠나가다, 뺑소니치다 : ~ town 읍을 도망쳐 나가다. ~ ***about*** (잎이) 바람에 흩날리다〔흩어지다〕. ~ a person ***a kiss*** 아무에게 키스를 보내다. ~ ***away*** (불어) 날려버리다, 날리다, 흩뜨리다 ; 사살하다 ; 압도하다(stun) : ~ a person *away* 《美俗》 아무를 압도하다, 감동시키다 / They *blew* the other team *away* in the second half of the game. 그들은 경기 후반에 상대팀을 압도했다. ~ ***down*** 불어 쓰러뜨리다〔떨구다〕; (보일러의 증기를) 배출하다 : Two trees were *blown down* in the storm. 폭풍으로 나무 두 그루가 쓰러졌다. ~ ***high,*** ~ ***low*** 《美》 바람이 불든 안 불든 ; 어떤 일이 일어나든. ~ ***hot and cold*** (추었다 헐뜯다 하며) 태도를 늘 바꾸다, 변덕스럽다《*about*》. ~ ***in*** (1) (바람이) 들어오다 : ~ *in* at the window 창으로 바람이 들어오다. (2) 《口》 (사람이) 느닷없이〔불쑥〕 나타나다. (3) 《美俗》 낭비하다, (돈을) 다 써버리다. (4) (유정이) 석유·가스를 분출하기 시작하다. ~ ***into*** 《口》 …에 불쑥 나타나다. ***Blow it!*** 제기랄. ~ ***it*** 《美俗》 실수하다. ~ ***itself out*** (바람이) 자다. ~ ***off*** (*vt.*) (1) (모자 따위가) 바람에 날리다 ; (먼지 따위)를 불어 날려버리다〔깨끗이 하다〕. (2) (증기·물 따위가) 분출하다. (3) 《口》 노여움을 폭발시키다. (4) (*vi.*) 《口》 허풍 떨다 ; 《英俗》 방귀뀌다. ~ ***off steam*** ⇨ STEAM. ~ ***on*** …에 입김을 불다 ; 평판을 나쁘게 하다, (문장 등을) 고리타분하게 만들다 ; …의 험담을 하다. ~ ***out*** (*vt.*) (1) (불 따위를) 불어 끄다. (2) 〔再歸用法〕 (폭풍이) 자다 : The wind has *blown itself out.* 바람이 (마구 불어제치다 겨우) 잤다. (3) …을 밖으로 불어 날리다 ; 폭파하다, 폭발시키다. (4) 타이어를 펑크내다 ; 퓨즈가 끊어지다. (5) 〔흔히 受動으로〕 (물건·사람 등을) (공기·음식 따위로) 가득 채우다. (*vi.*) (1) (등불이) 바람으로 꺼지다. (2) (전기기구가) 멈추다, 작동하지 않다. (3) (타이어가) 펑크나다 ; 폭발하다 ; (퓨즈가) 끊어지다. (4) (가스·유전 등이) 분출하다, (물건 등이) 날리다. (5) 《美俗》 낭비하다. ~ ***out*** one***'s brains*** (권총으로 머리를 쏘

아) 자살하다. ~ ***over*** (폭풍 따위가) 지나가다, 멎다, 잠잠해지다; (위기·불행·낭설 따위가) 무사히 지나가다〔넘어가다〕, 잊혀지다: Senior government ministers hope that the whole affair will now ~ *over.* 정부 고위 각료들은 모든 사건〔일〕이 이제는 무사히 끝나버리기를 바라고 있다. ~ one*'s* ***cool*** 흥분하다. ~ one*'s* ***cover*** (숨은 집·정체 등을) 드러내다: I was pretending to be her sister until she *blew my cover.* 내가 누구인지 그녀가 사람들에게 드러냈을 때까지 나는 그녀의 자매 행세를 하고 있었다. ~ ***short*** 헐떡이다. ~ one*'s* ***mind*** (1) 냉정을 잃다; (쌓인) 감정을 나타내다. (2) 크게 감동하다, 깊은 감명을 받다. ~ one*'s* ***own trumpet*** 〔***horn***〕 자화자찬하다, 자기선전을 하다, 허풍떨다, 과시하다, 자만하다. ~ one*'s* ***top*** 〔***cap, cork, lid, lump, noggin, roof, stack, topper, wig,*** etc.〕 《俗》 불같이 노하다; 《口》 미치다; 《美俗》 자살하다; 《美俗》 멋대로 지껄이다: My father will ~ *his top* when he sees what happened to the car. 나의 아버지는 자동차에 생긴 일을 보면 불같이 화를 낼 것이다. ~ ***the whistle on...*** ⇨ WHISTLE. ~ a person ***to a drink*** 아무에게 한잔 내다. ~ ***to blazes*** 〔***glory, kingdom come***〕 (폭발물로 사람을) 날려보내다〔죽이다〕. ~ ***to pieces*** 산산조각으로 폭파하다. ~ ***town*** 《美俗》 갑자기 시내를 떠나다. ~ ***up*** (*vt.*) (1) (불을) 불어 일으키다; 부풀리다, (타이어)에 공기를 넣다; 폭파하다; 못쓰게 만들다. (2) 《口》 (사진·지도 등) 확대하다; (소문·능력 등)을 과장해 말하다; (사람)을 심하게 꾸짖다. (*vi.*) (1) 폭발〔파열〕하다, (폭풍이) 더욱 세게 불다, 심해지다: The wind had *blown up* a storm. 바람은 폭풍우를 몰고 왔다. (2) 공기가 꽉 들어가다; 부풀어 오르다. (3) 나타나다, 눈에 띄다. (4) 《口》 뻣성을 내다《*at; over*》; (의론 등이) 들끓다, 격렬해지다. ~ ***upon*** (1) …을 진부하게 하다. (2) …의 신용을 잃게 하다. (3) 《口》 …을 흠구덕하다, 욕하다, …을 고자질하다. ~ (***wide***) ***open*** 《口》 (비밀 등을) 공개하다, 밝히다, 드러내놓다; (신인 등이 경기·승부)의 행방을 알 수 없게 만들다.

── *n.* ① Ⓒ 한 번 불기, 붊; 일진(一陣)의 광풍〔바람〕; 강풍, 폭풍. ② Ⓒ 코를 풀기; (고래의) 물뿜기. ③ Ⓒ 《口》 자만, 허풍. ④ Ⓒ 《口》 휴식, 바람 쐬기. ⑤ Ⓤ 《美俗》 (헤로인·코카인을) 마심; 코카인(cocaine). ⑥ 〖컴〗 (PROM이나 EPROM에 프로그램의) 기입.

‡**blow²** *n.* Ⓒ ① 강타(hit), 구타; 급습: The first ~ is half the battle. 《俗談》 선수(先手)의 일격은 전투의 절반《선수 필승》. ② (정신적) 타격, 불행, 재난(calamity): Her death at twenty came as a ~ to her parents. 스무 살 난 그녀의 죽음은 부모에게 큰 충격을 주었다 / What a ~! 어쩌면 이런 재난을. ***at a*** 〔***one***〕 ~ 일격에, 일거에, 단번에. ***at ~s*** 격투를 하여. ~ ***below the belt*** 비열한 행위. ***come*** 〔***exchange***〕 ***to ~s*** 서로 치기 시작하다〔치고 받다〕; 싸우기 시작하다. ***deal*** 〔***give, strike***〕 ***a ~ against*** 〔***for***〕 …에 반항〔가세(加勢)〕하다. ***get a ~ in*** 《口》 (멋지게) 일격을 가하다; (토론 등에서) 아픈 데를 찌르다. ***without*** (***striking***) ***a*** ~ 힘 안 들이고, 쉬이.

blow³ (***blew*** [bluː]; ***blown*** [bloun]) *vi., vt.* 《古·詩》 꽃이 피다; 피게 하다. ── *n.* Ⓤ 개화(開花). ***in full*** ~ 만발하여.

blow·ball [blóubɔ̀ːl] *n.* Ⓒ (민들레의) 관모구(冠毛球).

blow-by-blow [blóubàiblóu] *a.* 〔限定的〕 묘사가 자세한, 세세한《권투 실황 방송에서 생긴 말》. ***a ~ account*** (***of...***) …에 대한 극히 상세한 설명: I almost fell asleep as he gave me *a ~ account of* his day at the bank. 나는 그가 은행에서의 일과를 세세하게 설명하고 있었을 때 거의 잠들어 있었다.

blow-dry [blóudrài] *vt.* (머리)를 드라이어로 매만지다. ── *n.* Ⓒ 드라이어로 머리를 매만지기.

blów drỳer 헤어 드라이어.

blow·er [blóuər] *n.* Ⓒ ① 부는 사람〔물건〕: a glass ~ 유리를 불어 만드는 직공. ② 송풍기〔장치〕; 헤어 드라이어. ③ 《俗》 허풍선이. ④ (the ~) 《英口》 전화.

blow·fly [⌐flài] *n.* Ⓒ 〖蟲〗 금파리(meat fly).

blow·gun [⌐gʌ̀n] *n.* Ⓒ 불어서 내쏘는 화살(통), 취관(吹管), 바람총; 분무기.

blow·hard [⌐hɑ̀ːrd] *n.* Ⓒ 《美口》 허풍선이; 떠버리.

blow·hole [⌐hòul] *n.* Ⓒ ① (고래의) 분수 구멍. ② (고래·바다표범 따위가 숨을 쉬러 오는) 얼음 구멍. ③ (지하실 등의) 통풍 구멍. ④ (주물의) 기포, 공기집.

blow·ing-up [blóuiŋʌ́p] *n.* Ⓒ 질책, 꾸짖음.

blów jòb 《卑》 =FELLATIO.

blow·lamp [⌐læ̀mp] *n.* =BLOWTORCH.

‡**blown¹** [bloun] BLOW¹·³의 과거분사.

── *a.* ① 부푼; 불어〔부풀려〕 만든: ~ glass. ② 숨이 찬, 기진한. ③ (파리의) 쉬 투성이인. ④ 펑크난, (퓨즈가) 끊어진; 결딴난.

blown² *a.* 〔限定的〕 (꽃이) 만발한, 핀.

blown-up [blóunʌ́p] *a.* 폭파된; (사진이) 확대된; 과장된: a ~ bridge 폭파된 교량.

blow·out [⌐àut] *n.* Ⓒ ① 파열, 폭발; 〖電〗 (퓨즈의) 끊어짐; (타이어의) 펑크(난 곳); (유정(油井) 등의) 분출(에 의한 고갈). ② 《口》 성찬, 큰 잔치(banquet), 성대한 파티: We went out on Saturday night and had a real ~. 우리는 토요일 밤에 외출해서 성대한 파티를 열었다

blow·pipe [⌐pàip] *n.* Ⓒ 불 부는 대롱; (유리 세공용의) 취관(吹管); =BLOWGUN.

blowsy [bláuzi] *a.* 《蔑》 ① (여자가) 붉은 얼굴에 뚱뚱하고 추레한; 어질러진, 누추한《방 따위》. ② 배려가 주도하지 못한 《계획 따위》, 날림인.

blow·torch [blóutɔ̀ːrtʃ] *n.* Ⓒ (용접용) 버너, 토치 램프.

blow·tube [⌐tjùːb] *n.* =BLOWPIPE; BLOWGUN.

blow·up [⌐ʌ̀p] *n.* Ⓒ ① 파열, 폭발(explosion). ② 《口》 발끈 화냄, 야단침. ③ 〖寫〗 확대; 〖映〗 클로즈업; 《美》 파산.

blowy [blóui] (***blow·i·er***; ***-i·est***) *a.* 바람이 센(windy); 바람에 날리기 쉬운.

blowzed, blowzy [blauzd], [bláuzi] *a.* =BLOWSY.

BLS 《美》 Bureau of Labor Statistics (노동 통계국). **bls.** bales; barrels.

blt [blit] *vi.* 《美俗》 한 묶음으로 다루는 정보의 집합(block)을 컴퓨터의 기억 장치 내부에서 이동시키다. [◀ *Bl*ock *T*ransfer]

blub [blʌb] (*-bb-*) *vi.* 《口》 엉엉 울다: All of a sudden I felt very weak and wanted to ~. 별안간 나는 매우 쇠약해졌다고 느꼈고 엉엉 울고 싶었다.

blub·ber [blʌ́bər] *n.* Ⓤ ① 고래의 지방(층); (사람의) 여분의 지방. ② (또는 a ~) 엉엉 울기, 느껴〔늘켜〕울기: be in *a* ~ 흐느껴 울다. ── *vt., vi.* 엉엉〔느껴〕울다; (얼굴·눈)을 울어서 붓게 하다; 울며 말하다《*out*》. ㊞ **~·er** *n.* Ⓒ 울보, 우지.

── *a.* (입술이) 두툼한, 불거진.

㊞ **~y** [-ri] *a.* ① 지방질이 많은, 뚱뚱한. ② (눈이) 울어 부은, (얼굴이) 울어 일그러진.

bludg·eon [blʌ́dʒən] *n.* Ⓒ 곤봉; 공격의 수단.

— *vt.* 《~+목/+목+전+명/+목+보》…을 곤봉으로 때리다; …에서 강제로 빼내다《*out of*》; 위협하다; (남)을 강제로 …하게 하다《*into*》: ~ a person *to* death 아무를 때려 죽이다 / The boss finally ~*ed* him *into* taking responsibility. 상사는 끝내 그에게 억지로 책임을 지게 했다 / ~ a confession *out of* the suspect 피의자에게 강제로 자백시키다 / ~ a person senseless 사람을 때려 실신시키다.

†**blue** [bluː] (***blú·er***; ***blú·est***) *a.* ① 푸른, 하늘빛의, 남빛의: a ~ sky 푸른 하늘. ② (추위·공포 따위로) 새파래진, 창백한: It was freezing outside and her hands were ~ with cold when she came in. 밖은 얼어붙을 듯이 차가운 날씨였다. 그녀가 들어왔을 때 그녀의 손은 추워서 새파래져 있었다. ③ 〔敍述的〕 (사람·기분이) 우울한; (형세 따위가) 비관적인. ④ 푸른 옷을 입은. ⑤ (여자가) 청탑파(靑鞜派)의, 인텔리의. ⑥ 《英》 보수당(Tory)의; (B-) 《美》 (남북 전쟁 때의) 북군의. ⑦ (도덕적으로) 엄격한. ⑧ 추잡한, 외설한: ~ stories. ⑨ (곡이) 블루스조의.
be [***go***] ***~ in the face*** (피로하여) 얼굴이 창백하다; 몹시 노해있다. ***feel ~*** 우울하다. ***once in a ~ moon*** 극히 드물게. ***till all is ~*** 철저하게, 끝까지. ***till*** one ***is ~ in the face*** 얼굴이 창백해지도록; 언제까지나, 끝까지. ***turn ~ with fear*** 공포로 얼굴이 창백해지다, 새파랗게 질리다.
— *n.* ① Ⓤ,Ⓒ 파랑, 청(색), 남빛. ② Ⓤ,Ⓒ 파란〔남빛〕 (그림)물감; 푸른 것《천·옷 따위》; 《美》 (남북 전쟁 때의) 북군의 군복〔병사〕. ③ (the ~) 《文語》 창공, 푸른 바다. ④ Ⓒ 《英》 보수당원(a Tory); Ⓒ 《英》 (Oxford, Cambridge) 대학 대항 경기의 출전 선수(의 청장(靑章)). ⑤ Ⓒ 여자 학자. ⑥ (*pl.*) ⇨ BLUES. ***into the ~*** 아득히 멀리. ***out of the ~*** 뜻밖에, 불시에, 청천 벽력과 같이. cf. bolt[1]. ***the ~ and the gray*** (미국 남북 전쟁의) 북군과 남군. ***win*** one's ***~*** 《英》 (Oxford, Cambridge) 대학의 대표 선수로 뽑히다.
— (*p., pp.* ***blúed***; ***blú***(***e***)***·ing***) *vt.* ① …을 푸른 빛〔청색〕으로 하다〔물들이다〕. ② 《俗》 (돈)을 낭비하다. 파 ∠·**ly** *ad.*

blúe alért 청색 경보《제 2 단계의 경계 경보; yellow alert 의 다음 단계》.
blúe bàby (심장 기형에 의한) 청색아(兒).
Blue·beard [∠bìərd] *n.* ① 푸른 수염의 사나이《6명의 아내를 차례로 죽였다는, 이야기 속의, 잔혹 무정한 남자》. ② Ⓒ 잔인하고 변태적인 남자〔남편〕.
***blue·bell** [∠bèl] *n.* Ⓒ 〚植〛 푸른 종 모양의 꽃이 피는 풀《초롱꽃 등》.
Blúe Berèts 유엔군의 애칭《푸른 베레모를 쓴 데서》.
***blue·ber·ry** [∠bèri / ∠bəri] *n.* Ⓒ 〚植〛 월귤나무《월귤나무속의 총칭》; 그 열매.
***blue·bird** [∠bəːrd] *n.* Ⓒ 〚鳥〛 블루버드, 《특히》 지빠귓과의 일종《미국산》.
blue-black [∠blǽk] *a.* 진한 남빛의: The bird was busy preening his glossy ~ feathers. 그 새는 윤기나는 진한 남빛의 깃털을 부리로 바쁘게 다듬고 있었다.
blúe blòod ① 귀족의 혈통. ② 귀족〔명문〕의 사람.
blue-blood·ed [∠blʌ́did] *a.* 귀족 출신의, 명문의.
blúe bòok ① 《英》 (종종 B- B-) 청서《영국 의회나 정부 발행의 보고서》; 《美》 (푸른 표지의) 정부 간행물. ② 《美口》 신사록(紳士錄). ③ 《美》 (대학에서 쓰는 청색 표지의) 시험 답안철(綴).
blue·bot·tle [∠bàtl / ∠bɔ̀tl] *n.* Ⓒ ① 〚植〛 수레국화. ② 금파리(=∠ **flý**).
blúe chèese 블루 치즈《우유제(製)의 푸른곰팡이로 숙성시킨 치즈》.
blúe chíp ① 〚카드놀이〛 (포커의) 블루칩《높은 점수용》. ② 〚證〛 우량주(株); 우량 사업〔기업〕, 흑자 기업.
blue-chip [∠tʃíp] *a.* (회사들이) 우량한, 일류의; 확실하고 우량한《증권》. cf. gilt-edged.
blue·coat [∠kòut] *n.* Ⓒ 청색 제복을 입은 사람.
blue-col·lar [∠kálər / ∠kɔ́l-] *a.* 〔限定的〕 육체 노동자의; 작업복의, 블루칼라의. cf. white-collar.
blúe-collar wórker 육체 노동자, 공원; 숙련 노동자: Many women whose husbands were ~*s* had white-collar jobs themselves. 남편이 블루칼라 노동자였던 많은 여성들 자신은 화이트 칼라 직장을 가졌다.
Blúe Cróss 《美》 블루 크로스《주로, 고용인과 그 가족의 건강 보험 조합》.
blue-eyed [∠àid] *a.* 푸른 눈의; 마음에 드는: a ~ boy 《英》 마음에 드는 사람 / He was the media's darling, the government's ~ boy. 그는 대중 매체가 가장 사랑하는 사람이었고 정부의 마음에 드는 사람이었다.
blue·fish [∠fìʃ] (*pl.* ~, ~*es*) *n.* Ⓒ 〚魚〛 전갱이류《푸른 빛깔의 물고기류》.
blúe flàg 붓꽃《북아메리카산》.
blue·gill [∠gìl] *n.* Ⓒ 〚魚〛 송어의 일종 《미국 미시시피 강 유역산의 식용어》.
blue·grass [∠græ̀s, ∠grɑ̀ːs] *n.* Ⓤ ① 〚植〛 새포아풀속(屬)의 풀《목초용》. ② 〚樂〛 블루그래스《미국 남부의 컨트리 뮤직의 하나》.
Blúegrass Règion 〔**Còuntry**〕 (the ~) 미국 Kentucky 주의 중부 지방.
Blúegrass Státe (the ~) Kentucky 주 (州)의 속칭.
blue-green [∠gríːn] *n.* Ⓤ 청록색.
blúe-green álga 〚植〛 남색(藍色) 식물.
blúe gùm 유칼리나무(eucalyptus)의 일종.
blúe hélmet (유엔의) 평화 유지 부대원.
Blúe Hèn Státe (the ~) 미국 Delaware 주(州)의 속칭.
blue·ing [blúːiŋ] *n.* ＝BLUING.
***blueish** ⇨ BLUISH.
blue·jack·et [∠dʒæ̀kit] *n.* Ⓒ 수병(水兵).
blúe jày 〚鳥〛 어치의 일종《북아메리카산》.
blúe jèans 청바지《jean 또는 denim 제(製)》. cf. overalls.
blúe làw 《美》 청교도적 엄격한 법률《주일에 음주·오락을 금했던 18 세기의 엄격한 법》.
blúe móld 〔《英》 **móuld**〕 (빵·치즈에 생기는) 푸른곰팡이; 〚植〛 푸른곰팡이병(病).
blúe Mónday 《美口》 (또 일이〔학교가〕 시작되는) 우울한 월요일.
Blúe Móuntains (the ~) 블루 산맥《미국 Oregon 주와 Washington 주에 걸쳐 있는 산맥》.
blue·ness [blúːnis] *n.* Ⓤ 푸르름, 푸름; 멍.
Blúe Níle (the ~) 청나일《나일 강의 지류》.
blue·nose [blúːnòuz] *n.* Ⓒ (극단적인) 청교도적인〔도덕적으로 엄격한〕 사람.
blúe nòte 〚樂〛 블루 노트《블루스에 특징적으로 잘 사용되는 반음 내린 제3〔7〕음》.
blue-pen·cil [∠pénsəl] *vt.* (편집자·검열관이) 파란 연필로 수정〔삭제〕하다.
Blúe Péter (the ~) (종종 b- p-) 〚海〛 출범기(出帆旗).
blue·print [∠prìnt] *n.* Ⓒ ① 청사진. ② 상세한 계획, 설계(도), 청사진: It is unlikely that their ~ for economic reform will be put into action.

경제 개혁의 청사진이 시행될 가망이 없다. — *vt.* ①…의 청사진을 뜨다. ②…의 설계도를 작성하다; 면밀한 계획을 세우다.

blúe rácer 〖動〗 진한 남빛의 독 없는 뱀.

blúe ríbbon ① (Garter 훈장의) 청색 리본. ② 최우수〔최고 영예〕상. ③ (금주 회원의) 청색 리본 기장. ④〖海〗 블루 리본상《대서양을 최고 속도로 횡단한 배에 수여함》; 영예의 표시.

blue-rib·bon [ˊ-ríbən] *a.* 최상의; 정선된, 제1급의, 탁월한: a ~ commission 학식·경험이 풍부한 사람들로 구성된 위원회.

blúe-ríbbon júry 〔pánel〕 《美》 (중대 형사 사건의) 특별 배심원(special jury).

Blúe Rídge Móuntains (the ~) 블루리지 산맥《미국 남동부, 애팔래치아 산맥의 일부》.

blue-rinse(d) [blúːríns(t)] *a.* 《美》 (정갈한 차림으로 사회 활동을 하는) 연로한 여성들의.

blues [bluːz] *n.* Ⓤ ① (the ~) 《口》 울적한 기분, 우울: be in *the* ~ 기분이 울적하다. ② (또 a ~) 〔集合的; 單·複數 취급〕 블루스《노래·곡》.
have* 〔*get*〕 *the ~ 마음이 울적하다.
— *a.* 〔限定的〕 블루스의.

blúe ský ① 푸른 하늘. ② 《美俗》 헤로인.

blue-sky [ˊ-skái] *a.* 〔限定的〕 ① 푸른 하늘의. ② 《美》 막연한, 구체성이 없는 비현실적인, 공상적인, 이상에 치우친. ③ (특히 증권이) 확실하지 않은, 위험한. ④ (법이) 부정 증권 매매를 금지한.

blúe-ský làw 블루스카이법《미국의 부정 증권 거래 금지법》.

blue·stock·ing [ˊ-stɑ̀kiŋ / ˊ-stɔ̀k-] *n.* Ⓒ 《蔑》 여류 문학자; 학자연하는〔문학 취미를 가진〕 여자. cf. highbrow.

blúe tít 〖鳥〗 푸른박새.

blúe wáter (the ~) 먼바다, 공해, 대양.

blúe whàle 큰고래, 장수경(長鬚鯨).

***bluff**[1] [blʌf] (ˊ·*er*; ˊ·*est*) *a.* ① 절벽의, 깎아지른 듯한; (앞부분이) 폭이 넓고 경사진. ② 무뚝뚝한, 예모 없는, 솔직한. — *n.* Ⓒ 절벽, 단애. 파 ˊ·**ly** *ad.* ˊ·**ness** *n.*

bluff[2] *vt.* ①…에 허세부리다, 으르다, (허세부려) 얻다. ② (+목+전+명) (허세부려) …에게 …하게 하다《*into*》; (허세부려) …에게 …하지 못하게 하다《*out of*》: ~ a person *out of going* 아무를 을러서 못가게 하다. ③ 〔~ one's way 로〕 …에서 속여 빠져나오다: John ~*ed his way out of* the tight corner. 존은 허세를 부려 궁지에서 빠져나왔다.
— *vi.* 허세를 부려 아무를 속이다, 엄포 놓다, 남을 으르다: Tony seems to know a lot about music, but sometimes I think he's only ~*ing.* 토니는 음악에 관해 많이 알고 있는 듯이 보이지만 나는 때로는 그가 허세를 부릴 뿐이라고 생각한다.
~ ***it out*** 《口》 그럴듯하게 속여서 궁지를 벗어나다.
— *n.* Ⓤ,Ⓒ 을러메기, 허세, 으름장; 허세부리는 사람. ***call*** a person***'s*** ~ 〖포커〗 허세를 부려 상대와 동액(同額)의 판돈을 걸다; 아무의 허세에 도전하다: It is time to *call their* ~. 그들의 허세에 도전할 때이다.

blu·ing [blúːiŋ] *n.* Ⓤ ① 푸른 색이 도는 표백용 세제(洗劑). ② (강철 표면의) 청소법(青燒法).

***blu·ish, blue-** [blúːiʃ] *a.* 푸른 빛을 띤.

blun·der** [blʌ́ndər] *n.* Ⓒ 큰 실수, 대(大)실책: A woman died of a rare disease yesterday after she was infected as a result of a hospital ~. 그녀는 병원의 큰 실수로 희귀병에 감염되어 어제 사망했다. ***commit* 〔*make*〕 *a ~ 큰 실수를 하다. — *vi.* ① (~/+전+명) (큰) 실수를 〔실책을〕 (범)하다《*in doing*》. ② (~/+부/+전+명) 머뭇거리다; (방향을 몰라) 어정어정하다, 어물어물 하며〔곱드러지며〕 나가다《*about*; *along*; *on*》: ~ *along* 터벅터벅 가다 / ~ *about* 〔*around*〕 in the dark 어둠 속에서 어정버정하다. ③ (+전+명) (…을) 우연히 발견하다《*on*, *upon*》; (…에) 실수로 들어가다《*into*; *in*》: ~ *into* a wrong room 실수로 엉뚱한 방에 들어가다 / The detective ~*ed on* the solution to the mystery. 형사는 우연히 사건 해결의 열쇠를 잡았다.
— *vt.* (+목+부) ① (비밀 등)을 무심코 입 밖에 내다《*out*》: ~ *out* a secret 얼떨결에 비밀을 누설하다. ② 서툰 짓을 하다, 실수하다; 잘못하여 …을 잃다《*away*》: ~ *away* one's fortune 잘못하여 재산을 잃다.

blun·der·buss [blʌ́ndərbʌ̀s] *n.* Ⓒ 나팔총《총부리가 넓은 옛 총》.

blun·der·er [blʌ́ndərər] *n.* Ⓒ 실수하는 자; 얼간이.

blun·der·ing [blʌ́ndəriŋ] *a.* 실수하는; 어줍은; 어색한. 파 ~·**ly** *ad.*

‡**blunt** [blʌnt] (ˊ·*er*; ˊ·*est*) *a.* ① 무딘, 날 없는. opp. *sharp.* ¶ The police think that he was murdered with some kind of ~ instrument. 경찰은 그가 뭉툭한 도구 같은 것으로 살해되었다고 생각하고 있다. ② 둔감한, 어리석은. ③ 무뚝뚝한, 퉁명스러운, 예모 없는; 솔직한. — *n.* Ⓒ 짧고 굵은 것《짧은 엽궐련·굵은 바늘 등》. — *vt.* ①…을 무디게 하다, 날이 안 들게 하다. ② 둔감하게 하다. — *vi.* 무디어지다, (칼날 등이) 들지 않게 되다. 파 *ˊ·**ly** *ad.* ˊ·**ness** *n.*

***blur** [bləːr] *n.* Ⓒ,Ⓤ ① 더러움, 얼룩. ② (도덕적인) 결점, 오점, 오명. ③ (시력·인쇄 따위의) 흐림, 불선명: The car went so fast that the scenery was just a ~. 차가 너무 빨리 달렸기 때문에 주위의 경치는 그저 뿌옇게 보였다 / Everything becomes a ~ when you travel beyond a certain speed. 일정한 속도 이상으로 달리는 경우에는 모든 것이 희미해진다. — (-*rr*-) *vi.* ① (눈·시력·시야·경치가) 희미해지다, 부예지다. ② 더러워지다; 흐려지다. — *vt.* ① (눈·시력·시계 등)을 희미하게〔흐리게〕 하다. ② 또렷하지 않게 하다. ③…에 얼룩을 묻히다, 더럽히다.
~ ***out*** 지워버리다; 흐리게 하다.

blurb [bləːrb] *n.* Ⓒ 《口》 (책 커버 따위의) 선전 문구, 추천문; 추천 광고; 과대 선전.

blur·ry [blə́ːri] *a.* 더러워진; 흐릿한, 또렷하지 않은(blurred): The trees and hedges were just ~ shapes. 나무들과 산울타리들은 아주 희미한 모습이었다. 파 **-ri·ly** *ad.* **-ri·ness** *n.*

blurt [bləːrt] *vt.* …을 불쑥 말하다, 무심결에 입 밖에 내다, 누설하다《*out*》: In his confusion he ~*ed out* the secret. 그는 얼떨결에 비밀을 누설하고 말았다.

‡**blush** [blʌʃ] *vi.* ① (~/+보/+부/+전+명) 얼굴을 붉히다, (얼굴이 …으로) 빨개지다《*at*; *for*; *with*》: Meg ~*ed* fiery red. 메그는 화끈하도록 얼굴을 붉혔다 / He ~*ed* crimson with embarrassment when I kissed him. 내가 그에게 키스했을 때 그는 당황하여 얼굴이 심홍색으로 빨개졌다 / He ~*ed for* 〔*with*〕 shame. 그는 부끄러운 나머지 얼굴을 붉혔다. ② (+전+명/+*to* do) 부끄러워하다〔지다〕《*at*; *for*》: I ~*ed at* my ignorance. 자신의 무지를 부끄럽게 생각했다 / I ~ to admit it. 부끄럽게도 그것은 사실입니다.
— *vt.* …을 붉게 하다; 얼굴을 붉혀 …를 알리다. ~ ***up to the temples* 〔*ears*〕** (부끄러워) 귀까지 새빨개지다.

— *n.* ① Ⓒ 얼굴을 붉힘; 홍조. ② Ⓤ (장미꽃 등의) 붉음. ***at* 〔*on*〕 (*the*) *first* ~** 언뜻 보아. ***put*** a person ***to the* ~** 아무를 부끄럽게 만들다. ***spare*** a person***'s* ~*es*** 《口》 아무에게 수치심을 주지 않도록 하다: *Spare my ~es.* 너무 치켜올리지 말게. ㊕ ∠·**er** *n.* ① Ⓒ 곧잘 얼굴을 붉히는 사람. ② Ⓤ,Ⓒ 볼연지.

blush·ful [blʌ́ʃfəl] *a.* 얼굴을 붉히는, 부끄러워하는; 불그레한. ㊕ ~·**ly** *ad.* ~·**ness** *n.*

blush·ing·ly [blʌ́ʃiŋli] *ad.* 얼굴을 붉히고, 부끄러운 듯이.

blus·ter** [blʌ́stər] *vi.* ① (바람·물결이) 거세게 몰아치다; (사람이) 미친 듯이 날뛰다: A typhoon *~ed* over the area. 태풍이 그 지역 일대를 거세게 몰아쳤다. ② 《~ / +전+명》 고함〔호통〕치다 《*at*》; 뽐내다, 허세 부리다: He *~ed at* her. 그는 그녀에게 호통을 쳤다 / He was still *~ing* but there was panic in his eyes. 그는 아직 허세를 부리고 있었으나 그의 눈에는 크게 놀라는 기색이 있었다. — *vt.* 《+목+부 / +목+전+명》 …에게 고함〔야단〕치다《*out* ; *forth*》; 고함쳐 …하게 하다 《*into*》: ~ *out* a threat 고함치며 으름장을 놓다 / I *~ed* him *into* silence. 일갈하여 그를 침묵게 했다. ~ one's way out of*** 고함을 지르며 …로부터 〔…을 뚫고〕 빠져나오다, (난국 등을) 배포로써 뚫고 나가다. — *n.* Ⓒ (바람이) 사납게 휘몰아침, (파도의) 거센 움직임; Ⓤ 고함; 시끄러움; 허세.

blus·ter·ing [blʌ́stəriŋ] *a.* 사납게 불어대는; 시끄러운; 고함치는, 호통치는, 뽐내는.

blus·ter·ous, -tery [blʌ́stərəs], [-təri] *a.* = BLUSTERING.

blvd. boulevard. **B.M.** Bachelor of Medicine; ballistic missile; 《婉》 bowel movement; British Museum; 〖測〗 bench mark. **B.M.V.** Blessed Mary the Virgin.

BMW [bìːèmdʌ́bljuː] *n.* Ⓒ 베엠베 고급차.

BO, b.o. body odor(몸의 냄새).

boa [bóuə] *n.* Ⓒ ① 보아《남북 아메리카 대륙에 많은 독이 없는 구렁이》, 왕뱀(=∠ **constríctor**). ② 보아《부인용 모피·깃털로 만든 목도리》: Young women in the 1920s often wore feather *~s.* 1920년대의 젊은 여자들은 흔히 깃털 목도리를 했었다.

***boar** [bɔːr] *n.* ① Ⓒ (거세하지 않은) 수퇘지; Ⓤ 그 고기. ⓒⓕ hog. ② Ⓒ 멧돼지(wild ~); Ⓤ 그 고기. ③ Ⓒ 모르모트(guinea pig)의 수컷.

†**board** [bɔːrd] *n.* ① Ⓒ **a)** 널, 판자《엄밀하게 말하면 너비 4.5 인치 이상, 두께 2.5 인치 이하》. ⓒⓕ plank. **b)** 선반 널; (다리미 따위의) 받침; 게시판; 《美》 칠판, 흑판; (체스 따위의) 판; 〖컴〗 기판, 판. **c)** 다이빙판(diving ~); (*pl.*) 하키링의 판자울, 보드; (농구의) 백보드; (파도타기의) 서프보드; (스케이트보드의) 보드(deck). **d)** (the ~s) 무대(stage). ② **a)** Ⓒ 판지(板紙), 두꺼운 마분지; 책의 두꺼운 표지. **b)** 〖카드놀이〗 보드《(1) stud poker 에서 각자 앞에 까놓은 모든 패. (2) 브리지에서 까놓은 것 대신에 내놓은 패》. ③ Ⓒ 식탁; Ⓤ 식사, 식사대: ~ and lodging 식사를 제공하는 하숙 / ⇨ ROOM AND BOARD. ④ Ⓒ 회의용 탁자; 회의, 평의원(회), 중역(회), 위원(회); (증권 거래소) 입회장(boardroom). ⑤ Ⓒ (정부) 부(部), 원(院), 청(廳), 국(局), 성(省); 《美》(종종 B-) 증권거래소. ⑥ Ⓒ 뱃전; 배 안; (기차등) 차안. ***above* ~** 공명정대하게: open and *above ~.* 솔직하고 정직한. ***across the* ~** (1) 〖競馬〗 우승(win)·2착(place)·3 착(show)의 전부에 걸쳐: bet *across the ~.* (2) 전면적으로〔인〕: We're aiming for a 20% reduction *across the ~.* 우리는 전반적으로 20% 할인을 목표로 하고 있다. **~ *and* 〔*by, on*〕 ~** (두 배가) 뱃전을 맞대고. ***full* ~** 세 끼를 제공하는 하숙. ***go* 〔*pass*〕 *by the* ~** (돛대 따위가) 부러져 배 밖〔바닷속〕으로 떨어지다; (풍습 따위가) 무시되다, 버림받다; (계획 등이) 실패하다. ***on* ~** (1) 배 위〔안〕에, 차 안에: go 〔get〕 *on ~* 승선〔승차〕하다 / have *on ~* 실려 있다 / help... *on ~* …을 도와서 승선시키다. (2) 〔前置詞的〕 (배·비행기·기차·버스 등)의 속으로〔에〕; (스텝·일)의 동료〔일원〕으로(서): *On ~* the ship were several planes. 그 선상에는 몇 대의 비행기가 탑재되어 있었다. ***on even* ~ *with*** …와 뱃전을 맞대고; …와 같은 조건으로. ***on the* ~*s*** (1) 채택되어; 토의〔설계〕되어. (2) 배우가 되어; 상연되어〔중이어서〕. ***put on the* ~*s*** 상연하고 있다. ***sweep the* ~** (태운 돈 따위를) 몽땅 쓸다, 전승(全勝)하다. ***take . . . on* ~** (1) (술 등을) 마시다. (2) (생각 등을) 받아들이다, 이해하다. (3) (일·책등을) 맡다. ***the* ~ *of directors*** 이사〔중역, 임원〕회.

— *vt.* ① 《~+목 / +목+부》 …에 널을 대다, 널로 두르다《*up* ; *over*》: a *~ed* ceiling 널을 친 천장 / ~ *up* a door 문을 판자로 치다. ② 《~+목 / +목+전+명》 (아무의) 밥시중을 들다, 하숙시키다; (말·개 등)을 맡아 기르다: ~ a person cheaply 아무를 싸게 하숙시키다 / How much will you ~ me *for ?* 얼마로 식사를 제공해 주시겠습니까 / We always ~ Meg's dog when she is away. 메그가 외출할 때는 언제나 우리가 그녀의 개를 맡는다. ③ (탈것)에 올라타다.

— *vi.* 《~ / +전+명》 하숙하다, 기숙하다; (…에서) 식사를 하다: ~ *at* a hotel 호텔에서 식사하다 / I'm *~ing at* my uncle's(*with* my uncle). 나는 삼촌집에 기숙하고 있다. **~ *in*** 집에서 식사하다. **~ *out*** 외식하다; (아이 등을) 남의 집〔기숙사〕에 맡기다. **~ *up* 〔*over*〕** (…에) 널을 치다, 판자로 두르다〔막다〕. **~ *with*** …의 집에 하숙하다.

‡**board·er** [bɔ́ːrdər] *n.* Ⓒ ① 기숙〔하숙〕인. ② 기숙생: take in *~s* 하숙인을 두다. ⓒⓕ day boy.

bóard fòot 《美》 목재의 계량 단위《1 피트 평방에 두께 1 인치; 略: bd. ft》.

bóard gàme 보드 게임《체스처럼 판 위에서 말을 움직여 노는 게임》.

***board·ing** [bɔ́ːrdiŋ] *n.* Ⓤ ① 널판장 (대기), 판자울; 〔集合的〕 널: We'll have to put the dogs in ~ kennels while we're away. 우리는 외출시에 개들을 판자 개집에 넣어 두어야 하겠다. ② 식사 제공, 하숙(생활·업). ③ 선내 임검. ④ 승선〔차〕, 탑승.

bóarding càrd (여객기) 탑승권; 승선 카드.

board·ing·house [-hàus] *n.* Ⓒ (식사 제공하는) 하숙집; 기숙사: the demise of the traditional ~ 전통있는 하숙집의 양도.

bóarding lìst (여객기의) 탑승객 명부, (여객선의) 승선명부.

bóarding pàss (여객기의) 탑승권, 보딩 패스.

bóarding ràmp (항공기의) 승강대, 램프(ramp).

bóarding schòol 기숙사제 학교: His parents saved up money to send him to ~. 그의 부모는 그를 기숙사제 학교에 보내기 위해 저축을 했다. ⓒⓕ day school.

board·room [∠rùːm] *n.* Ⓒ 중역회의실.

board·sail·ing [∠sèiliŋ] *n.* Ⓤ 보드 세일링.

board·walk [∠wɔ̀ːk] *n.* Ⓒ 《美》 (해변의) 널을 깐 보도〔산책로〕; (공사장의) 발판, 가설된 통로.

‡**boast** [boust] *vi.* 《~ / +전+명》 자랑하다, 떠

벌리다《*of* ; *about*》. ── *vt.* ①《+*that* 절 / +목+(*to be*) 보》…을 자랑하다, 큰소리치다 : He ~*s that* he can swim well. 그는 수영을 잘 한다고 큰소리 친다. ② (자랑거리)를 가지다, …을 자랑으로 삼다 : Ireland ~*s* beautiful beaches, great restaurants and friendly locals. 아일랜드는 아름다운 해안과 훌륭한 식당을 그리고 친절한 지역주민을 자랑거리로 갖고 있다. ③ (물건이) …을 가지고 있다 : The room ~*ed* only one desk. 그 방에는 책상 하나만 있었다.

── *n.* Ⓒ 자랑(거리) ; 허풍 : His claim to be a great director was only an empty ~. 위대한 감독이 되겠다는 그의 주장은 공허한 허풍일 뿐이었다 / It is her proud ~ that she has never missed a single episode of the soap opera. 그녀가 연속멜로 드라마를 단 한번도 빼먹지 않는다는것이 그녀에게는 우쭐거리며 뽐내는 자랑거리인 것이다. ***make a ~ of*** …을 자랑하다, …을 떠벌리다.

***boast·ful** [bóustfəl] *a.* ① 자랑하는, 허풍 떠는, 자화 자찬의《*of*》: in ~ terms 자랑하는 말투로 / He is ~ *of* his house. 그는 집을 자랑한다 / The last thing we want to do is make ~ predictions. 우리가 하고 싶은 최후의 일은 자랑스럽게 여길 수 있는 예보를 하는 것이다. ② 과장된《말 따위》.

†**boat** [bout] *n.* Ⓒ ① 보트, 작은 배, 단정(短艇), 어선, 범선, 모터보트 ; (비교적 소형의) 배, 선박, 기선 ; 〔흔히 複合語로〕 선(船), 정(艇) : take a ~ for ... …행 배를 타다 / Two men were rescued after the ~ capsized. 배가 전복된 뒤 두 사람이 구조되었다 / by ~ 배로, 물길로《무관사》/ ⇨ FERRYBOAT, LIFEBOAT, STEAMBOAT. ②《美口》자동차, 배 모양의 탈 것 : a flying ~ 비행정. ③ 배 모양의 그릇. ***be*** (***all***) ***in the same ~***《口》똑같은 어려움에 처해 있다, 운명〔위험〕을 같이하다 : When the regulations come into force, more families will *be in the same* ~ as the James. 그 규정이 시행에 들어가게 되면 더 많은 가족들이 제임스씨 가족과 똑같은 운명에 처해질 것이다. ***burn*** one***'s ~s*** (***behind***) 배수진을 치다. ***by a ~'s length*** 한 배 길이의 차로. ***have an oar in every man's ~*** 누구의 일에나 참견〔간섭〕하다. ***miss the ~*** 〔***bus***〕《口》배〔버스〕를 놓치다 ; 호기를 놓치다. ***push the ~ out***《英口》떠들썩한 파티를 열다 ; 돈을 (활수하게) 쓰다. ***rock the ~*** 배를 흔들다 ; 문제〔풍파〕를 일으키다. ***row*** 〔***sail***〕 ***in one*** 〔***the same***〕 ***~*** (***with***) =be in the same ~. ***take to the ~*** (난파선에서) 구명 보트로 옮겨 타다 ;《比》갑자기 일을 포기하다.

── *vi.* 《~ / +전+명》배를 젓다〔타다〕, 배로 가다 ; 뱃놀이하다 : go ~*ing* on the lake 호수로 보트 놀이를 가다 / ~ *down*〔*up*〕a river 강을 보트로 내려〔거슬러 올라〕가다. ── *vt.* …을 배에 태우다 ; 배로 나르다 ; 뱃속에 두다〔놓다〕; 배로 건너다. ~ ***it*** 배로 가다 ; 범주(帆走)하다 ; 노를 젓다. ***Boat the oars !***《口令》노 거둬.

boat·a·ble [⌐əbəl] *a.* (강이) 항행 가능한 ; 보트로 건너갈 수 있는.

boat·el [boutél] *n.* Ⓒ ① 부두에 정박하고 있어 호텔로 사용되는 배. ② 보트 여행자들을 위해 부두나 해안에 위치한 호텔《선착장을 구비하고 있음》. [◂ *boat*+hot*el*]

boat·er [bóutər] *n.* Ⓒ 보트 승선자 ; 맥고모.

bóat hòok 갈고리 장대.

boat·house [bóuthàus] *n.* Ⓒ 보트 창고.

boat·ing [bóutiŋ] *n.* Ⓤ 뱃놀이 ; 보트 젓기 ; 작은 배에 의한 운송업.

boat·load [bóutlòud] *n.* Ⓒ 배의 적재량, 한 배분의 짐 : Following the military coup, people are leaving the island in ~*s*. 군사 구데타 발생후에 사람들이 배로 그 섬을 떠나고 있다.

boat·man** [bóutmən] (*pl.* ***-men [-mən]) *n.* Ⓒ 보트 젓는 사람 ; 사공 ; 보트 세놓는 사람.

bóat pèople 보트 피플, 작은 배로 고국을 탈출하는 표류 난민《특히 1970년대 후반의 베트남 난민》: He has expressed his concern over the decision to turn away the ~. 표류난민들을 송환한다는 결정에 대하여 그는 우려를 표명했다.

bóat ràce ① 보트 레이스, 경조(競漕). ② (the B- R-)《英》Oxford 와 Cambridge 대학 대항 보트 레이스《매년 Thames 강에서 부활절 전에 실시함》.

boat·swain [bóusən, bóutswèin] *n.* Ⓒ (상선의) 갑판장(長)《bo's'n, bo'sun, bosun 으로도 씀》.

bóat tràin (기선과 연락하는) 임항(臨港)열차 : We went straight from the ~ to Paddington. 우리들은 임항 열차에서 내려 곧장 패딩톤까지 갔다.

Bob [bɑb / bɔb] *n.* Robert의 애칭. (***and***) ***~'s*** 〔***bob's***〕 ***your uncle***《英口》만사 오케이.

bob**[1] [bɑb / bɔb] (-bb-***) *vi.* ① (상하 좌우로) 홱홱〔깐닥깐닥, 까불까불〕움직이다, (머리·몸을) 갑작스럽게 움직이다, 부동(浮動)하다. ②《+전+명》(머리를 꾸뻑 숙여) 인사하다, (여성이 무릎을 굽혀) 절하다《*at* ; *to*》: ~ *at* 〔*to*〕 a person.

── *vt.* ①《~+목 / +목+부》홱 움직이다〔당기다〕, …을 갑자기 아래위로 움직이다《*up* ; *down*》: The bird ~*bed* its head. 새는 머리를 홱 움직였다. ② (가볍게 움직여) …을 나타내다. ~ ***a greeting*** 머리를 꾸뻑하여 인사하다. ~ ***for cherries*** 〔***apples***〕 매달리거나 물에 띄운 버찌〔사과〕를 입으로 물려하다《유희》. ~ ***up*** 불쑥 떠오르다〔나타나다〕; 벌떡 일어서다. ~ ***up*** (***again***) ***like a cork*** 힘차게 (다시) 일어나다, 세력을 만회하다 : She dived below the surface, then ~*bed up* again *like a cork* a few seconds later. 그녀는 수면 아래로 뛰어들어갔으나 몇초 뒤에 다시 힘차게 불쑥 떠올랐다. ── *n.* Ⓒ 갑자기 움직임〔잡아당김〕; 꾸뻑하는 인사.

bob[2] *n.* Ⓒ ① **a)** (여자·아이들의) 단발(bobbed hair) ; 고수머리(curl) ; 머리를 묶음 ; (말·개 따위의) 자른 꼬리 : have one's hair in a ~ 머리를 단발머리로 하다. **b)**《口·英方》송이, 다발, 묶음. ② (진자(振子)·측연·연꼬리 등의) 추 ; 귀걸이의 구슬. ③ 뭉친 갯지네《낚싯밥》;《美》낚시찌(float). ④ =BOBSLED, SKIBOB.

── (***-bb-***) *vt.* (머리)를 짧게 자르다, 단발로 하다 : She wears her hair ~*bed*. 그녀는 단발머리를 하고있다.

bob[3] *n.* Ⓒ 경타(輕打). ── (***-bb-***) *vt.* …을 가볍게 치다.

bob[4] (*pl.* ~) *n.* Ⓒ《英俗》실링(shilling) ;《英口》순경 ;《美俗》1 달러, 돈.

bobbed [bɑbd / bɔbd] *a.* 꼬리를 자른 ; 단발의〔을 한〕: a girl with blonde ~ hair 금발의 단발머리 소녀.

bob·bin [bɑ́bin / bɔ́b-] *n.* Ⓒ 얼레, 보빈 ;〖電〗전깃줄 감개 ; 가는 끈 ; (문고리) 손잡이.

bóbbin làce 바늘 대신 보빈을 사용하여 짜는 수직(手織) 레이스.

bob·ble [bɑ́bəl / bɔ́bəl] *vt.* ①《美口》…을 실수하다 ; (공)을 놓치다. ②〖野球〗(공)을 범블하다.

── *vi.* ①《英》가볍게 상하로 움직이다. ② 실수를 하다.

── *n.* Ⓒ ①《美口》실수, 실책. ② (가볍게) 상하로 움직이기. ③〖野球〗(공을) 헛잡음, 범블(bumble[1]). ④ (장식용) 작은 털실 방울.

Bob·by [bábi / bɔ́bi] *n.* Robert의 애칭.

bob·by *n.* [C] 《英口》 순경 : The unpleasantness of an innertown *~'s* life is child's play compared to Seoul. 소도시 중심지역에서 경찰관의 불쾌한 근무 여건은 서울에 비유한다면 누워서 떡먹기에 불과하다.

bob·by-daz·zler [bábidæ̀zələr / bɔ́b-] *n.* [C] 《英方》 화려한〔굉장한〕 것 ; 매력적인 아가씨.

bóbby pìn 《美》 머리핀의 일종.

bob·by·socks, -sox [bábisɑ̀ks / bɔ́bisɔ̀ks] *n. pl.* 《美》 소녀용 짧은 양말.

bob·by·sox·er, -sock·er [bábisɑ̀ksər / bɔ́bisɔ̀ksər], [-sɑ̀kər / -sɔ̀k-] *n.* [C] 《흔히 蔑》 사춘기의 소녀, (유행에 열을 올리는) 십대 소녀.

bob·cat [bábkæ̀t / bɔ́b-] *n.* [C] 살쾡이류.

bob·o·link [bábəlìŋk / bɔ́b-] *n.* [C] 〖鳥〗 쌀새류 《북아메리카산》.

bob·sled, -sleigh [bábslèd / bɔ́b-], [-slèi] *n.* [C] 봅슬레이 《앞뒤에 두 쌍의 활주부(runner)와 조타 장치를 갖춘 2-4 인승의 경기용 썰매로, 최고 시속이 130 km 이상이나 됨》; (옛날의) 두 대의 썰매를 이은 연결 썰매. ── (*-dd-*) *vi.* ~를 타다.

bob·sled·ding [bábslèdiŋ / bɔ́b-] *n.* [U] 봅슬레이 경기.

bob·tail [-tèil] *n.* [C] ① 자른 꼬리 ; 꼬리 잘린 동물《개·말 따위》. ② 《軍俗》 면직 ; (the ~) 사회의 쓰레기. ***ragtag and ~*** 〔集合的〕 사회의 지스러기, 하층민. ── *a.* =BOBTAILED. ── *vt.* …의 꼬리를 짧게 자르다.

[파] **~ed** [-d] *a.* 꼬리 자른 ; (짧게) 잘라 버린 ; 불충분한, 불완전한.

Boc·cac·cio [boukáːtʃiòu / bɔk-] *n.* **Giovanni ~** 보카치오《이탈리아의 작가 ; 1313-75》.

bock [bɑk / bɔk] *n.* [U] 독한 흑맥주.

BOD biochemical 〔biological〕 oxygen demand.

bode[1] [boud] *vt.* …의 전조가 되다, 징후를 보이다. ── *vi.* 전조가 있다, 징후를 보이다 : The crow's cry *~s* rain. 까마귀가 우는 것은 비가 올 징조이다. ***~ ill*** 〔***well***〕 흉조〔길조〕다, 조짐이 나쁘다〔좋다〕 : That *~s well* 〔*ill*〕 *for* his future. 그것은 그의 장래에 관한 좋은〔나쁜〕 조짐이다 / If there is agreement between Washington and Moscow, it *~s well for* the rest of the world. 만일 워싱톤과 모스크바 사이에 협정이 체결되면 여타 국가에 대해서는 길조가 되는 것이다.

bode[2] BIDE의 과거.

bod·ice [bádis / bɔ́d-] *n.* [C] 여성복의 몸통 부분《꽉 끼는》; 보디스.

bod·i·less [bádilis / bɔ́d-] *a.* 동체가 〔몸통이〕 없는 ; 실체가 없는 ; 무형의.

‡**bod·i·ly** [bádəli / bɔ́d-] *a.* 〔限定的〕 ① 신체의, 육체상의, 육체적인. ② 유형의, 구체(具體)의. ***in ~ fear*** 몸의 안전을 염려하여. ── *ad.* ① 육체 그대로, 유형〔구체〕적으로. ② 통째로, 송두리째, 몽땅. ③ 일체가 되어, 일제히, 모두 ; 자기 자신이.

bod·kin [bádkin / bɔ́d-] *n.* [C] 뜨개바늘 ; 돗바늘 ; 긴 머리핀 ; 송곳 바늘 ; 〖印〗 핀셋.

†**body** [bádi / bɔ́di] *n.* ① [C] 몸, 신체, 육체 ; 시체 ; (범인 등의) 신병 : The police found a ~ at the bottom of the lake. 경찰은 호수 밑바닥에서 시체를 찾아냈다. ② [C] 《口》 사람, 《특히》 여성, 섹시한 젊은 여성 : a good sort of ~ 호인, 좋은 사람. ③ [C] 〖動〗 동체 ; 나무줄기(trunk). ④ [C] (사물의) 주요부 ; 본체 ; (군대 등의) 주력, 본대(本隊) ; (편지·연설·법문 따위의) 본문, 주문(主文) ; (악기의) 공명부(共鳴部). ⑤ [C] (자동차의) 차체 ; 선체 ; (비행기의) 동체 ; (옷의) 몸통 부분, 동옷. ⑥ [C] 〔集合的〕 통일체, 조직체 ; 〖法〗 법인. ⑧ (the ~) (단체 따위의) 대부분《*of*》. ⑨ [C] 〖數〗 입체 ; 〖物〗 물체 ; (액체·고체 따위로 말할 때의) …체(體). ⑩ [U] (작품 따위의) 실질 ; (음색 따위의) 야무지고 힘참 ; (기름의) 점성(粘性) 밀도, 농도, (술 따위의) 진한 맛 : wine of good ~ 독한 술 / a play with little ~ 내용이 없는 희곡. ⑪ [U] (도기의) 밑바탕. ***as a ~*** 전체로서. ***~ and soul*** 몸과 마음을 다하여, 전적으로, 완전히 : own a person ~ *and soul* 아무를 완전히 지배하에 두다 / give one's ~ *and soul* to the work 일에 전심전력을 다하다. ***here*** 〔***there***〕 ***in ~, but not in spirit*** 비록 몸은 여기 있으나, 마음은 다른 곳에 있다. ***in a ~*** 일단이 되어 : The protesters marched *in a* ~ to the White House. 항의자들은 집단으로 백악관을 향해 행진했다. ***in ~*** 스스로, 친히, 몸소. ***keep ~ and soul together*** 겨우 살아가다 : They scarcely have enough money to *keep ~ and soul together.* 그들은 살아나갈 충분한 돈이 없다. ***over my dead ~*** ⇨ DEAD. ***the ~ of Christ*** 성찬용 빵 ; 교회.

── *vt.* ① …에 형체를 부여하다《*for*》. ② …을 구체화하다, 체현하다 ; 〖哲·心〗 표상(表象)하다《*forth* ; *out*》. ***~ forth*** (…을) 마음에 그리다 ; (…을) 구체적으로 나타내다 ; (…을) 상징〔표상〕하다. ***~ out*** 부연(敷衍)하다.

bódy àrt 보디 아트《인체 자체를 미술의 재료로 하는 예술의 한 양식》.

bódy bàg 시체 운반용 부대《고무류(類) 제품》.

bódy blòw 〖拳〗 보디 강타 ; 통격(痛擊), 큰 타격 ; 대단한 실망 : This vote for independence is another ~ to the unity of the Soviet party. 독립을 위한 이번 선거는 소비에트 당의 결합에 대한 또다른 큰 타격이 되는 것이다.

bod·y-build·er [-bìldər] *n.* [C] 보디빌딩을 하는 사람.

bódy bùilding 보디빌딩, 육체미 조형.

bódy chèck 〖아이스하키〗 몸통 부딪치기 ; 〖레슬링〗 (상대방의 움직임을) 온몸으로 막기.

bódy córporate 〖法〗 법인.

bódy còunt 적의 전사자수, (사건 등의) 사망자수.

bod·y·guard [-gɑ̀ːrd] *n.* [C] 경호원, 호위병 ; 〔集合的〕 호위대, 수행원, 보디가드 : Her ~ was unable to protect her. 그녀의 경호원은 그녀를 보호할 수 없었다.

bódy hèat 〖生理〗 체열, 동물열(animal heat).

bódy lànguage 보디 랭귀지, 신체 언어.

bód·y-line bòwling [-làin-] 〖크리켓〗 타자에게 부딪칠 정도로 접근시키는 속구.

bódy mìke 보디 마이크.

bódy òdor 〔《英》 **òdour**〕 체취, 암내.

bódy pólitic (the ~) 국가(State).

bódy rejéction (장기(臟器) 이식 등에 나타나는) 거부〔거절〕 반응.

bódy scànner 〖醫〗 보디 스캐너《전신 단층 X 선 투시 장치》.

bódy sèarch (공항 등에서 하는) 신체검사.

bod·y-search [-səːrtʃ] *vt.* …의 신체를 검사〔수색〕하다 : Police *~ed* a suspect for weapon. 경찰이 무기의 소지 여부를 조사하기 위해 피의자의 몸을 수색했다 / He was *~ed* at the airport. 그는 공항에서 신체검색을 받았다.

bódy shòp (자동차) 차체 수리〔제조〕 공장 ; 《美俗》 매춘굴, 유곽 ; 직업 소개소.

bódy snàtcher 사체 도둑.

bódy stòcking 보디 스타킹《스타킹식 속옷》.

bod·y·suit [-sùːt] *n.* [C] 몸에 착 붙는 셔츠와 팬티가 붙은 여성용 속옷.

bod·y-surf [-sə̀:rf] *vi.* 보디 서핑을 하다《서프보드 없이》.
bod·y·work [-wə̀:rk] *n.* Ⓤ 차체 제조〔수리〕: My car's engine is in quite good condition, but the ~ is in a terrible state. 내 차는 엔진 상태가 아주 좋지만 차체는 엉망이다.
Boe·ing [bóuiŋ] *n.* 보잉사(社).
Boer [bɔ:r, bouər] *n.* Ⓒ 보어 사람(의).
boff [bɑf / bɔf] *n.* Ⓒ 《美俗》 ① (주먹의) 일격. ② 폭소(를 자아내는 익살). ③ (연극 따위의) 대성공, 히트. ── *vt.* 《美俗》 …을 주먹으로 때리다; …에게 폭소를 자아내게 하다. 「자.
bof·fin [báfin / bɔ́f-] *n.* Ⓒ 《英口》 연구원, 과학
bof·fo [báfou / bɔ́f-] *a.* 《美俗》 아주 인기 있는, 크게 성공〔히트〕한; 호의적인《비평》. ── (*pl.* **~s, ~es**) *n.* 《美俗》 ① = BOFF. ② 1달러.
bog** [bɑg, bɔ(:)g] *n.* ① Ⓤ,Ⓒ 소택지(沼澤地), 습지; 수렁. ② Ⓒ (흔히 *pl.*) 《英俗》 옥외 변소. ── (**-gg-**) *vt.* 〔흔히 受動으로〕 …을 소택지에 가라앉히다. ── *vi.* 수렁에 가라앉다, 수렁에 빠지다. ***be* 〔*get*〕 *~ged 늪에 빠지다; 궁지에 빠지다. ***~ down*** 수렁에 빠져 들다; 막다른 길에 이르다.
bo·gey [bóugi] *n.* ① = BOGY. ② 〖골프〗 보기《(각 구멍의) 기준 타수(par)보다 하나 많은 타수》; 《英》 (범용한 골퍼용의) 기준 타수(par); (경기회 따위의) 기준 횟수. ③ 《軍俗》 국적 불명의 비행기, 적기. ── (**~·ed ; ~·ing**) *vt.* (홀)을 보기로 하다.
bo·gey·man [bóugimæ̀n] (*pl.* **-men** [-mèn]) *n.* Ⓒ 도깨비; 악귀, 무서운 것〔사람〕; 고민거리.
bog·gle [bágəl / bɔ́gəl] *vi.* ① 섬뜩하다, 멈칫〔움찔〕하다, 뒷걸음치다; 망설이다, 난색을 표시하다 《*at ; about*》. ② 속이다; 시치미 떼다, 말을 얼버무리다《*at*》; 실수하다. ── *vt.* …을 깜짝 놀라게 하다, 어리둥절하게 하다. 「믿을 수 없는.
bog·gling [bágliŋ, bɔ́g-] *a.* 경이적인, 압도적인,
bog·gy [bági, bɔ́:gi / bɔ́gi] (***bog·gi·er ; -gi·est***) *a.* 늪이 많은, 소택지의.
bo·gie [bóugi] *n.* Ⓒ ① = BOGY. ② 〖英鐵〗 전향 대차(轉向臺車), 보기차(車)(=⌐ **càr**)《차축이 자유롭게 움직이는 차량》; 〖機〗 (탱크의) 무한 궤도 내륜(內輪). ③ 낮고 견고한 짐수레〔트럭〕; (6륜 트럭의) 구동 후륜(後輪). ④ 《軍俗》 국적 불명의 비행기, 적기. 「비.
bo·gle [bágəl / bɔ́gəl] *n.* Ⓒ 유령, 도깨비; 허수아
Bo·go·tá [bòugətá:] *n.* Colombia의 수도.
bo·gus [bóugəs] *a.* ① 위조〔가짜〕의. ② 《美俗》 (10대 사이에서) 모르는, 뒤지고 있는; 믿을 수 없는.
bo·gy [bóugi] *n.* Ⓒ ① 악귀, 악령; 무서운 사람〔것〕(bogey, bogie); = BOGEYMAN; 사람에게 붙좇아다니는 것; (까닭 없는) 불안. ② 《軍俗》 국적 불명기(機)〔비행 물체〕, 적기. ③ 《俗》 마른 코딱
Boh. Bohemia; Bohemian. ⌊지.
Bo·he·mia [bouhí:miə] *n.* ① 보헤미아《체코의 서부 지방; 원래는 왕국; 중심지 Prague》. ② (종종 b-) (예술가 등의) 자유 분방한 세계〔사교계, 생활〕; 자유 분방하게 사는 사람들의 거주 구역〔사회〕.
***Bo·he·mi·an** [bouhí:miən] *a.* ① 보헤미아(인)의; 체코말의: Brian saw Tim as a romantic bohemian. 브리안은 팀을 낭만적인 보헤미안으로 생각했다. ② (종종 b-) 방랑의; 자유 분방한, 인습에 얽매이지 않은. ── *n.* ① Ⓒ 보헤미아 사람; Ⓤ 체코말. ② Ⓒ (종종 b-) 자유 분방한 사람, 방랑인, 집시. ㊫ **~·ism** *n.* Ⓤ 자유 분방한 생활〔기질, 주의〕.
Bohr [bɔ:r] *n.* **Niels H.D.** ~ 보어《1922년 노벨상을 수상한 덴마크의 물리학자; 1885-1962》.
Bóhr thèory 보어 이론《보어의 원자 구조론》.
‡boil[1] [bɔil] *vi.* ① 끓다, 비등하다. ② 《~/+전+명》 (피가) 끓어오르다; (사람이) 격분하다, 핏대 올리다《*with*》: ~ *with* rage 격분하다 / His attitude really makes me ~. 그의 태도에는 정말로 울화통이 터진다. ③ (바다 따위가) 파도치다, 물결이 일다; (물이) 솟아오르다, 분출하다. ④ 삶아〔데쳐〕지다, 익다. ⑤ (군중 따위가) 돌진하다 (rush): The students *~ed* out of the doorway. 학생들이 문으로 우르르 일시에 몰려 나왔다. ── *vt.* ① …을 끓이다, 비등시키다: If you give water to a small baby to drink, you should ~ it first. 네가 갓난아이한테 먹을 물을 주려고 하면 우선 끓여야 한다. ② 《~+목/+목+보/+목+목》 삶다, 데치다; (…에게) …을 익혀 대접하다. ③ (설탕·소금 등)을 졸여서 만들다. ***~ away*** (물이) 끓어 증발하다; (그릇이 빌 때까지) 계속 끓이다; (흥분 따위가) 식다〔가라앉다〕. ***~ down*** 졸이다, 졸아들다; 요약하다. ***~ down to*** 《口》 결국 …이 되다, 요컨대 …이 되다. ***~ dry*** (액체가) 끓어서 없어지다. ***~ forth*** 입에서 게거품을 뿜으며 마구 떠들어대다. ***~ over*** 끓어 넘치다; 노여움을 터뜨리다; (다툼 따위가) 확대하다; (사태가) 폭발하여 …에 이르다《*in, into*》. ***~ up*** 끓다; 끓여서 소독하다; (분쟁 등이) 일어나다〔일어나려 하고 있다〕. ***keep the pot ~ing*** (이럭저럭) 생계를 꾸려 나가다. ── *n.* (a ~) 끓임, 삶음; (the ~) 끓는점. ***be on* 〔*at*〕 *the ~*** 끓고 있다. ***bring* 〔*come*〕 *to the ~*** 끓게 하다, 끓기 시작하다; 《比》 위기의 사태로 몰다〔이르다〕. ***give a ~*** 끓이다, 삶다. ***go off the ~*** 끓지 않게 되다; 흥분이〔열기가〕 가시다. 「(furuncle).
boil[2] *n.* Ⓒ 〖醫〗 부스럼, 종기, 절양(癤瘍)
boil·a·ble [bɔ́iləbəl] *a.* (물건이) 끓여도 소재에 악영향을 주지 않는.
boiled [bɔild] *a.* 〔限定的〕 끓인, 삶은, 데친.
bóiled shírt (앞가슴이 빳빳한) 예장용 와이셔츠; 《美俗》 딱딱한 사람〔태도〕.
***boil·er** [bɔ́ilər] *n.* Ⓒ 보일러, 기관; 끓이는 그릇 《주전자·냄비·솥 따위》.
boil·er·mak·er [-mèikər] *n.* Ⓒ 보일러 제조인; Ⓤ 《美》 맥주를 chaser로 마시는 위스키, 맥주를 탄 위스키.
bóiler ròom 보일러실. 「all, coverall).
bóiler sùit 《英》 (상하가 붙은) 작업복(over-
***boil·ing** [bɔ́iliŋ] *a.* ① 끓는, 비등하는; 뒤끓는 듯한. ② (바다가 뒤끓듯이) 거칠고 사나운. ③ 찌는 듯이 더운. ④ (정열 따위가) 격렬한. ── *ad.* 찌듯이, 맹렬히, 지독하게. ── *n.* 끓음; 비등.
bóiling pòint ① 〖物〗 끓는점《100℃; 212° F; 略: b.p.》. opp. *freezing point.* ② (the ~) 격노(하는 때); 흥분의 극: The situation in the inner city was reaching ~ so the police were out in force. 시내의 상황은 격렬해져서 경찰은 속수무책이었다.
***bois·ter·ous** [bɔ́istərəs] *a.* ① (비·바람·물결 따위가) 몹시 사나운, 거친. ② 시끄러운, 떠들썩한, 활기 찬: The children were having a ~ game in the playground. 아이들은 운동장에서 떠들썩한 놀이를 하고 있었다. ③ (사람·행위 따위가) 거친, 난폭한.
Bol. Bolivia(n).
bo·la(s) [bóulə(s)] (*pl.* **-las** (**·es**)) *n.* Ⓒ 《Sp.》 쇠뭉치〔돌멩이〕가 달린 올가미《짐승의 발에 던져 휘감기게 해서 잡음》.
bóla tìe ⇨ BOLO TIE.
‡bold [bould] (**⌐·er ; ⌐·est**) *a.* ① 대담한

(daring), 담찬, 용감한. ② 불손(不遜)한, 뻔뻔스러운, 철면피한: a ~ hussy 낯이 두꺼운 닳고 닳은 여자. ③ 용기가 필요한, 과감한. ④ (상상력·묘사 따위가) 힘찬, 분방한. ⑤ (윤곽이) 뚜렷한, 두드러진(striking); (선·글씨가) 굵은. ⑥ (벼랑 따위가) 깎아지른, 가파른(steep). ⑦ 〖印〗 = BOLD-FACED. ***as ~ as brass*** 철면피한. ***be* 〔*make*〕 (*so*) ~ (*as*) *to* do** 감히 …하다: I *make* ~ *to* give you my opinion. 실례지만 제 의견을 말씀드리겠습니다. ***in ~ relief*** 뚜렷이 부상(浮上)하여. ***make ~* (*free*) *with*** (남의 물건을) 멋대로 마구 쓰다; (남에게) 무례한 태도를 취하다. ***put a ~ face on*** …에 대하여 태연한 얼굴을 하다〔체하다〕.

bold·face [ˊ-fèis] *n.* Ⓤ, *a.* 〖印〗〖컴〗 획이 굵은 활자〔글씨〕(의).

bold-faced [ˊ-fèist] *a.* ① 철면피한, 뻔뻔스러운. ② 〖印〗 획이 굵은 활자의. opp. *light-faced.*

***bold·ly** [bóuldli] *ad.* ① 대담하게; 뻔뻔스럽게. ② 뚜렷하게; 굵게.

bold·ness** [bóuldnis] *n.* Ⓤ 대담, 배짱, 무모; 철면피; 호방함; 분방 자재(奔放自在); 두드러짐: The ~ of his approach to the restaurant business led to his sudden rise to fame. 그는 대담하게 식당 사업에 진출하여 갑작스런 명성을 얻었다. ***with ~ 대담하게.

bole [boul] *n.* Ⓒ 나무 줄기(trunk).

bo·le·ro [bəlέərou] (*pl.* **~*s***) *n.* Ⓒ ① 볼레로《스페인 무용의 일종》; 그 곡: The couple danced a romantic ~ together. 그 한쌍은 낭만적인 볼레로 춤을 함께 추었다. ② (여성용) 짧은 웃옷의 일종.

***Bo·liv·i·a** [bəlíviə] *n.* 볼리비아.

boll [boul] *n.* Ⓒ (목화·아마 등의) 둥근 꼬투리.

bol·lard [bálərd / bɔ́l-] *n.* (선창에 있는) 계선주(繫船柱); 《英》 도로 중앙에 있는 안전 지대의 보호주(柱): concrete ~*s* that divide the lanes of the main roads 간선도로의 차선을 구분하는 콘크리트 보호 말뚝.

bol·lix, bol·lox [báliks / bɔ́l-], [-ləks] *vt.* 《口》 …을 엉망으로 하다, 잡치다; 실수하다; 혼란시키다《*up*》. ── *n.* Ⓒ 실수, 혼란. ── *int.* (곤혹·불신을 나타내어) 젠장, 흥.

bol·locks [báləks / bɔ́l-] *n.*, *vt.* = BALLOCKS.

bóll wéevil 〖蟲〗 목화다래바구미; 《美俗》 비조합원, 비협조자; 《美政俗》 보수적인 민주당원. ★ 《美》에서는 큰 해를 끼치는 사람을 비유함.

Bo·lo·gna [bəlóunjə] *n.* ① 이탈리아 북부의 도시. ② Ⓤ (b-)《美》 볼로냐 소시지(=ˊ **sáusage**) 《대형 훈제 소시지》: He made himself a *bologna* and cheese sandwich for lunch. 그는 점심식사 때 먹으려고 볼로냐 소시지와 치즈 샌드위치를 스스로 만들었다.

bo·lo·ney [bəlóuni] *n.* = BALONEY.

bólo〔bóla〕 tìe 《美》 볼로 타이, 끈 넥타이.

Bol·she·vik** [bálʃəvìk, bóul-, bɔ́(:)l-] (*pl.* **~*s*, *-viki [-vìki:]) *n.* 볼셰비키; 옛 소련 공산당원; (때로 b-) 《蔑》 극단적인 과격론자. cf. Menshevik. ── *a.* ① 볼셰비키의: International Socialists maintain the old ~ slogans of arming the workers. 국제 사회주의자들은 노동자의 무장에 관한 옛 볼셰비키 슬로건을 유지하고 있다. ② (때로 b-) 과격파의.

Bol·she·vism [bálʃəvìzəm, bɔ́(:)l-] *n.* Ⓤ 볼셰비키의 정책〔사상〕; 옛 소련 공산주의; (때로 b-) 과격론.

Bol·she·vist [bálʃəvist, bɔ́(:)l-] *n.* Ⓒ, *a.* 볼셰비키의 일원(의); (때로 b-) 과격론〔사상〕(의).

Bol·shie, -shy [bóulʃi:, bál-, bɔ́(:)l-] *a.* ① 《英俗》 과격파의, 체제에 반항하는. ② = Bolshevik. ── *n.* Ⓒ 과격(급진) 주의자; 《蔑》 옛 소련인.

bol·ster [bóulstər] *n.* Ⓒ (베개 밑에 까는 기다란) 덧베개; 덧대는 것, 채우는 것; 떠받침; 〖機〗 받침대, (차량의) 가로대, 장여.
── *vt.* …에 덧베개를 받치다《*up*》; (사람)을 기운나게 하다, …의 기운을 북돋우다; (약한 것)을 받치다, (약한 조직·주의 등)을 지지〔후원〕하다, 보강〔강화〕하다《*up*》: Troop movements on the border have ~*ed* fears that the country is planning to invade its neighbour. 국경에서의 군대 이동으로 그 국가가 인접국가를 침략하려고 계획하고 있다는 불안감을 증폭시켰다.

‡bolt[1] [boult] *n.* Ⓒ ① 빗장, 자물쇠청, 걸쇠; (총의) 놀이쇠. ② 볼트, 나사〔죔〕못. cf. nut. ③ (쇠뇌의) 굵은 화살; (제재 전의) 원목, 짧은 통나무. ④ 전광, 번개; (물 따위의) 분출; 도주, 뺑소니; 결석, (회합에서) 빠져나오기. ⑤ (도배지 따위의) 한 필〔묶음, 통〕. ⑥ 《美》 탈퇴, 탈당; 《美》 자기 당의 정책〔공천 후보〕 거부; 예상하지 못한 뜻밖의 일, 해프닝. ***a ~ of lightning*** 번개: The ancient cathedral was struck by *a ~ of lightning* and nearly burnt to the ground. 오래된 대성당이 벼락을 맞아 지면까지 거의 불타버렸다. ***make a ~ for*** …를 향해 돌진하다. ***do a ~*** = ***make a ~ for it*** 《口》 내빼다. **(*like*) *a ~ from* 〔*out of*〕 *the blue* 〔*sky*〕** 청천 벽력(과 같이): The news of their marriage was *a ~ from the blue.* 그들이 결혼한다는 소식은 전연 예상밖이었다. ***shoot* one's (*last*) ~** (최후의) 큰 살을 쏘다; 최선을 다하다, 마지막 시도를 하다: A fool's ~ *is* soon *shot.* 《俗談》 어리석은 자는 곧 최후 수단을 써버리고 만다《이 구의 기원임》.
── *vi.* ① 《~ / +副 / +前+名》 내닫다, 뛰다; 달아나다, 도망하다: Passengers clearly overheard his shouted warning to the control room and they all ~*ed into* the next carriage. 승객들은 그가 관제실에 소리쳐 경고하는 소리를 분명하게 우연히 듣고는 모두 옆 칸으로 피신했다 / They ~*ed out* with all their money. 그들은 있는 돈을 전부 갖고 도망쳤다. ② 《美》 탈당〔탈퇴, 탈회〕하다; 자당에의 지지를 거부하다. ③ (음식을) 급히 먹다, (씹지도 않고) 삼키다. ④ (문이) 걸쇠로 잠기다; 볼트로 죄어지다: Visitors were ushered out of the church and its two massive wooden doors were closed and ~*ed.* 방문객들은 교회밖에 안내되었다. 그리고 교회의 거대한 두 나무문은 닫혀지고 걸쇠로 잠겨졌다. ⑤ (식물이) 너무 자라다.
── *vt.* ① (문)을 빗장을 걸어 잠그다《*up*》; 볼트로 죄다《*on*》. ② (토끼·여우 따위)를 굴에서 쫓아 내다《*out*》; 가두다《*in*》. ③ …을 불쑥〔무심코〕 말하다《*out*》. ④ 《美》 (정당)을 탈퇴하다; (자당에의 지지·참가를) 거부하다. ⑤ (음식물을) 급하게 먹다, (잘 씹지도 않고) 마구 삼키다《*down*》. ~ a person ***in* 〔*out*〕** 아무를 가두다〔내쫓다〕.
── *ad.* 똑바로, 직립하여. ~ ***upright*** 똑바로, 곧추 서서.

bolt[2] *vt.* …을 체질하여 가르다; 세밀히 조사하다, 음미하다(= **boult**).

bolt·er[1] [bóultər] *n.* Ⓒ 내닫는 사람; 탈주자; 《美》 탈당〔탈회〕자, 당론(黨論) 위반자.

bolt·er[2] *n.* Ⓒ 체(sieve), 체질하는 사람〔기구〕.

bólt hòle 피난 장소, 도피소.

bo·lus [bóuləs] *n.* Ⓒ 둥근 덩어리; 큰 알약《동물용》; 《俗》 싫은 것《고언(苦言) 따위》.

‡bomb [bam / bɔm] *n.* ① Ⓒ 폭탄; 수류탄; (the ~) (최고 병기로서의) 원자〔수소〕 폭탄, 핵무기.

②Ⓒ 방사성 물질을 나르는 납 용기. ③Ⓒ (살충제·페인트 따위의) 분무식 용기, 스프레이, 봄베. ④Ⓒ 폭탄적인 것 ; 돌발 사건 ; 《美俗》 (공연 등의) 대실패. ⑤(a ~) 《英口》 한 재산〔밑천〕; 큰 돈 : make *a* ~ 한 밑천 잡다 / cost *a* ~ 큰 돈이 들다. ***drop a ~ on*** …에 폭탄을 던지다 ; 충격을 주다, 크게 동요시키다. ***go down a ~*** 《口》 대성공하다, 큰 인기를 얻다. ***go like a ~*** 《口》 (1) 대성공하다, 크게 히트치다 ; (일이) 잘 진행되다 : The election campaign seems to be *going like a* ~. 선거 운동은 아주 순조롭게 진행되고 있는 것 같다. (2) (자동차가) 잘 달리다, 초스피드를 내다. ***put a ~ under*** a person 《口》 아무에게 빨리 하도록 재촉하다. ── *vt.* …에 폭탄을 투하하다, …을 폭격〔폭파〕하다 ; 〖競技〗 (아무)를 완패시키다. ── *vi.* ① 폭탄을 투하하다. ②《俗》 큰 실패를 하다, 큰 실책을 범하다. ③ (쇼 등에서) 전연 인기가 없다《*out*》; 《俗》 질주하다 : They ~*ed* around the racetrack at 400 miles an hour. 그들은 시속 400 마일로 경주로를 질주했다. ~ a person ***out*** (아무)를 맹열히 폭격하다 ; 폭격으로 내쫓다. ~ ***up*** (비행기에) 폭탄을 싣다.

***bom·bard** [bɑmbɑ́ːrd / bɔm-] *vt.* ① …을 포격〔폭격〕하다 : The warships ~*ed* the port. 군함들이 항구를 포격했다 / Enemy positions were ~*ed* before our infantry attacked. 적진지는 우리 보병이 공격하기 전에 포격을 당했다. ②《比》 …을 공격하다, 몰아세우다, (질문·탄원 등)을 퍼붓다《*with*》. ③〖物〗 …에 (입자 따위로) 충격을 주다.

bom·bar·dier [bɑ̀mbərdíər / bɔ̀m-] *n.* Ⓒ (폭격기의) 폭격수 ; 《英》 포병 하사관.

***bom·bard·ment** [bɑmbɑ́ːrdmənt / bɔm-] *n.* ⒸⓊ 포격, 폭격 ; 〖物〗 충격.

bom·ba·sine [bɑ̀mbəzíːn, ˊ-ˋ / bɔ́mbəsìːn] *n.* = BOMBAZINE.

bom·bast [bɑ́mbæst / bɔ́m-] *n.* Ⓤ 과장된 말, 호언 장담.

bom·bas·tic [bɑmbǽstik / bɔm-] *a.* 과대한, 과장된. ⊞ **-ti·cal·ly** [-tikəli] *ad.*

Bom·bay [bɑmbéi / bɔm-] *n.* 봄베이《인도 서부의 주 ; 그 수도이며 항구 도시》.

bom·ba·zine [bɑ̀mbəzíːn, ˊ-ˋ / bɔ́mbəzìːn] *n.* Ⓤ 비단·무명·털 따위로 짠 능직(綾織)《주로 여자의 상복지(喪服地)》.

bómb bày (폭격기의) 폭탄 투하실.

bómb dispósal 불발 폭탄 처리〔제거〕; 불발탄 기폭(起爆) : a ~ squad 불발탄 처리반.

bombed [bɑmd / bɔmd] *a.* 《俗》(술·마약에) 취한.

bombed-out [ˊàut] *a.* 공습으로 타버린 ; 큰 타격을 받은 : a ~ economy 큰 타격을 받은 경제.

bomb·er [bɑ́mər / bɔ́m-] *n.* Ⓒ 폭격기〔수〕; 폭파범 : Rajiv Gandhi is believed to have been killed by a suicide ~. 라지브 간디는 자살 폭파범에 의해 살해된 것으로 믿어진다 / Their fighter ~*s* attacked several tankers moored off the island. 그들의 전투 폭격기는 그 섬 앞바다에 계류하고 있던 여러척의 유조선을 공격했다.

bomb·ing [bɑ́miŋ / bɔ́m-] *n.* ⓊⒸ 폭격 ; 《比》 (상대방을) 무찌르기.

bomb·let [bɑ́mlit / bɔ́m-] *n.* 소형 폭탄.

bomb·proof [bɑ́mprùːf / bɔ́m-] *a.* 방탄(防彈)의. ── *n.* Ⓒ (지하 따위의) 방탄 구축(물) : a ~ shelter 방공호.

bómb scàre (전화에 의한) 폭파예고〔협박〕.

bomb·shell [ˊʃèl] *n.* Ⓒ ① 폭탄, 포탄. ② (혼히 *sing.*) 놀라게 하는 일〔사람〕, 폭발적 인기(의 사람), 돌발사건 ; 매우 매력적인 미인 ; 《美俗》 염문으로 유명한 여자〔쇼걸〕: a literary ~ 문단의 총아 / a regular ~ 대소동. ***drop*** 〔***explode***〕 ***a ~*** 폭탄 선언을 하다 ; 사람을 깜짝 놀라게 하다. ***like a ~*** 돌발적으로 ; 기막히게 (잘 되어).

bómb shèlter 방공호.

bomb·sight [ˊsàit] *n.* Ⓒ 폭격 조준기.

bomb·site [ˊsàit] *n.* Ⓒ 피폭(被爆) 구역, 공습 피해지역 : The place looks like a Second World War ~. 그 장소는 세계 2차 대전당시의 공습피해 지역처럼 보인다.

bómb thròwer 폭격수 ; 폭탄 투하〔발사〕 장치.

bo·na fide [bóunə-fáidi, -fàid] 《L.》 진실한, 성의 있는 ; 진실을〔성의를〕 가지고, 선의로〔의〕 (in good faith) : a ~ offer (허위 표시가 아닌) 진정한 제의.

bo·na fi·des [bóunə-fáidiːz] 《L.》 진실, 성의, 선의.

bon ami [bɔ́nɑmíː] 《F.》 좋은 벗 (good friend) ; 애인《남성》.

bo·nan·za [bounǽnzə] *n.* Ⓒ (금·은의) 부광대(富鑛帶) ; 노다지 ; 대성공, 뜻밖의 행운 ; (농장의) 대풍년 ; 보고(寶庫). ***in*** ~ 행운으로, 대성공을 거두어. ***strike a ~*** 대성공을 거두다. ── *a.* 〔限定的〕 크게 수지맞은, 행운의, 대풍의 : a ~ crop 대풍작 / a ~ year for the building trade 건축업이 대호황인 해.

Bo·na·parte [bóunəpɑ̀ːrt] *n.* **Napoleon** ~ 보나파르트《프랑스 황제 ; 1769-1821》.

bon·bon [bɑ́nbɑn / bɔ́nbɔn] *n.* Ⓒ 봉봉《과자》.

‡bond [band / bɔnd] *n.* ①Ⓒ 묶는〔매는〕 것 ; 끈, 띠, 새끼. ②Ⓒ 유대, 맺음, 인연 ; 결속, 결합력 : The experience created a very special bond between us. 그 경험은 우리 사이에 매우 특별한 유대를 맺어주었다 / The moments after birth are vital for the ~ between mother and child. 출생 후의 순간들이 어머니와 아이 사이의 애정유대 관계에 매우 중요한 것이다. ③ (흔히 *pl.*) 속박하는 것, 차꼬 ; 속박, 의리. ④Ⓒ 계약, 약정, 맹약 ; 동맹, 연맹. ⑤Ⓒ (채무) 증서, 계약서 ; 공채 증서, 차용 증서 ; 채권《보통 장기적인 것》, 사채(社債). ⑥Ⓒ 증권 용지. ⑦Ⓤ 보증 ; Ⓒ《古》 보증인(人). ⑧Ⓤ 보세 창고 유치(留置) : take goods out of ~ (관세를 물고) 상품을 보세 창고에서 내다. ⑨〖保險〗 지급 보증계약 ; 〖法〗 ⓊⒸ 보증금, 보석금 : The judge ordered that he post a $5,000 ~ pending his appeal of the verdict. 판사는 그 평결에 대한 그의 항소가 계류중일 때에는 5천 달러를 보증금으로 예치하라고 명령했다. ⑩〖化〗 Ⓒ 결합. ⑪ⓊⒸ 접착〔접합〕제, 본드. ⑫Ⓒ〖建〗 (벽돌 따위의) 맞추어〔포개어〕 쌓기, 조적(組積) 구조〔공법〕; 부착물, 접착물. ***be under*** ~ 담보에 들어 있다 ; 보석중(中)이다. ***enter into a ~*** (***with***) (…와) 계약을 맺다. ***give ~ to*** do 《美俗》 …한다는 보증을 주다〔하다〕. ***in*** ~ 보세 창고에 유치되어. ***in ~s*** 속박〔감금〕되어.

── *vt.* ① …을 담보〔저당〕잡히다 ; (차입금)을 채권으로 대체하다 : be heavily ~*ed* (물건이) 다액의 저당에 들어 있다. ② (채권을 발행하여 차입금 따위의) 지급을 보증하다. ③ (수입품)을 보세 창고에 맡기다. ④ …을 묶다 ; 접착시키다, 접합하다《*to*》; 〖建〗 잇다, (돌·벽돌 따위)를 쌓아 올리다, 조적(組積)하다 : The players are ~*ed* by a spirit that is rarely seen in a Chinese team. 그 선수들은 중국팀에서는 좀처럼 보기드문 정신력으로 결속되어 있다. ── *vi.* 이어지다, 접착〔부착, 고착〕하다《*together*》; (돌·벽돌 따위가 …에) 접합〔접착〕하다《*to*》.

bond·age** [bɑ́ndidʒ / bɔ́nd-] *n.* Ⓤ 농노〔노예〕의 신분, 천역(賤役) ; (정욕 따위의) 노예가 되어 있음 ; 속박 ; 감금, 굴종 : Masters often hired out their slaves and sometimes allowed them to share in earnings and to buy their way out of ~. 주인들은 흔히 노예들을 삯을 받고 빌려 주었는데 때로는 그들에게 소득을 분배해 주고 또한 그들이 노예 신분을 돈을 주고 벗어날 수 있도록 해 주었다. ***in ~ (***to*** . . .) (…에) 감금되어, 노예가 되어.

bond·ed[1] [bándid / bɔ́nd-] *a.* ① 공채〔채권〕에 의하여 보증된 ; 담보가 붙은 : The company is a fully ~ member of the Association of Japanese Travel Agents. 그 회사는 일본여행 협회가 완전히 하자를 보증하고 있는 회원사이다. ②보세 창고에 유치된, 보세품의.

bond·ed[2] *a.* 특수 접착제로 붙인《섬유 따위》.

bónded góods 보세 화물.

bónded wárehouse 〔**stóre**〕 보세 창고.

bónded whískey 《美》 병에 넣은 보세 위스키《최저 4 년간 정부 관리하에 놓아 두었다가 병에 넣은 알코올 함량 50%의 생(生)위스키》.

bond·er [bándər / bɔ́ndər] *n.* Ⓒ 보세화물의 소유주.

bond·hold·er [bándhòuldər / bɔ́nd-] *n.* Ⓒ 사채권 소유자, 공채 증서 소유자.

bond·ing [bándiŋ / bɔ́nd-] *n.*〖建·石工〗조적(組積)식 쌓기 ; 접합, 본드 접착 ;〖電〗결합, 접속 ;〖人類〗(공동 생활로 인한) 긴밀한 유대 : Much of the ~ between mother and child takes place in those early weeks. 어머니와 아이 사이의 긴밀한 관계의 대부분은 출생 초기의 몇 주에 이뤄진다.

bond·maid [-mèid] *n.* Ⓒ 여자 노예〔농노〕.

bond·man [-mən] (*pl.* ***-men*** [-mən]) *n.* Ⓒ 노예 ; 농노.

bónd sèrvant 노예, 종.

bonds·man [bándzmən / bɔ́ndz-] (*pl.* ***-men*** [-mən]) *n.* Ⓒ 노예, 농노 ;〖法〗(채무 증서의) 보증인, 보석인.

bond·wom·an [bándwùmən / bɔ́nd-] (*pl.* ***-wom·en*** [-wìmin]) *n.* Ⓒ 여자 노예.

†**bone** [boun] *n.* Ⓒ ① 뼈 ; 뼈 모양의 것《상아·고래의 수염 따위》: Hard words break no ~*s.* 《格言》 심한 욕으로는 뼈가 부러지지 않는다. ② (*pl.*) 해골, 시체, 유골 ; 골격 ; 신체 : lay one's ~*s* 매장되다, 죽다. ③ Ⓤ 골질 ; 살이 붙은 뼈. ④ (흔히 *pl.*) (이야기 따위의) 골자, (문학 작품의) 뼈대 ; 본질, 핵심 ; (기본적인) 틀 ; (마음의) 깊은 속, 바탕 : the main ~ 골자. ⑤ 골〔상아〕 제품 : They fished with carefully carved ~ harpoons. 그들은 면밀하게 조각된 뼈 작살로 물고기를 잡았다. ⑥ (*pl.*) 《口》 주사위 ; (*pl.*) 〖樂〗 캐스터네츠 ; (*pl.*) 코르셋 따위의 뼈대, 우산 살 ; 《美俗》 1 달러, (*pl.*) 돈. ⑦ 《美俗》 공부만 하는 학생 ; (*pl.*) 《美俗》 말라깽이, 《英口》 (외과) 의사. ***a ~ of contention*** 분쟁〔불화〕의 씨〔초점〕. (***as***) ***dry as a*** ~ 바싹 마른(bone-dry). ***bred in the*** ~ 타고난《성질 따위》; 뿌리 깊은. ***cast*** (***in***) ***a ~ between*** …의 사이에 불화를 일으키다. ***close to the*** ~ =***near the*** ~ 매우 인색한 ; 곤궁한, 빈곤하여 ; (이야기 따위가) 외설스러운, 아슬아슬한. ***cut to the*** ~ (비용 따위를) 최소한도로 줄이다. ***feel in*** one***'s ~s*** 확신하다 ; 직감하다 ; …라는 예감이 들다. ***have a ~ in*** one***'s leg*** 〔***throat***〕 발〔목구멍〕에 가시가 박혔다《갈〔말할〕 수 없을 때의 변명》. ***have a ~ to pick with*** a person 아무에게 불만(不滿)〔할 말〕이 있다. ***keep*** one***'s ~s green*** 젊음을 유지하다. ***make no ~s of*** 〔***about, to*** do, do***ing***〕 …에 구애되지〔…을 꺼리지〕 않다, …쯤은 아무렇지도 않게 여기다, …을 태연히 하다 ; …을 솔직히 인정하다, 숨기거나 하지 않다. ***make old ~s*** 오래 살다. ***my old ~s*** 이 늙은 몸. ***No ~s broken !*** 괜찮다, 대단찮아. ***skin and ~s*** 피골(뿐인 사람). ***spare ~s*** 수고를 아끼다. ***throw a ~ to*** . . . (으르대는 파업자들)에게 얼마 안 되는 임금 인상안을 내걸며 달래려고 하다. ***to the*** ~ 뼛속까지 ; 철두 철미 : I waited for the bus for so long that I was frozen *to the* ~ when it arrived. 나는 버스를 아주 오래 기다려서 버스가 왔을 때는 추위가 뼛속까지 스며들어 있었다 / tax *to the* ~ 중세를 과하다. ***without more*** ~ 그 이상 구애받지 않고. ***with plenty of*** ~ 골격이 좋은.

— *vt.* ①…의 뼈를 발라내다. ② (우산·코르셋 따위)에 고래 수염으로〔뼈로〕 살을 넣다. ③《俗》…을 훔치다. — *vi.* 《美口》 공부만 들이파다, 벼락 공부하다《*up*》.

— *ad.* 《口》 철저하게, 몹시 : I am ~ tired 〔hungry〕. 몹시 피곤하다〔배가 고프다〕. 「안료).

bone·black [-blæ̀k] *n.* Ⓤ 골탄(骨炭)《표백제·

bone-chil·ling [-tʃìliŋ] *a.* 살을 에는 듯한.

bóne chína 골회 자기(骨灰磁器).

boned [bound] *a.* ① 뼈를 제거한. ② 뼈가 …한 : a strong-~ umbrella 살이 튼튼한 우산 / big-~ 뼈대가 굵은. ③ (고래뼈를 넣어) 떠받친《코르셋 따위》.

bone-dry [-drái] *a.* ① (목이) 바싹 마른 ; (샘이) 물이 마른 : A tumble drier gets things ~. 회전 건조기는 물건을 바싹 마르게 한다. ②《美口》 절대 금주의 ; (파티 등이) 술이 없는.

bóne dùst 골분(bone meal)《비료·사료용》.

bone·head [-hèd] *n.* Ⓒ 《口》 바보, 얼간이.

bone·i·dle, bone·la·zy [-áidl], [-léizi] *a.* 매우 게으른.

bone·less [bóunlis] *a.* 뼈 없는 ; 무기력한 ; 알맹이 빠진, 엉성한, 힘〔박력〕 없는《문장 따위》.

bóne màrrow 골수 : to the ~ 골수까지 / There are 2,000 children worldwide who need a ~ transplant. 전세계에 골수 이식이 필요한 어린이는 2,000명에 달하고 있다.

bóne mèal (비료·사료용의) 골분.

bon·er [bóunər] *n.* Ⓒ 《俗》 ① 대실책, 어처구니없는 실수. ② (옷에) 고래뼈를 넣는 공인(工人).

bone·set·ter [-sètər] *n.* Ⓒ (자격 없는) 접골의.

bone·set·ting [-sètiŋ] *n.* Ⓤ 접골술.

bone·shak·er [-ʃèikər] *n.* Ⓒ 《口·戲》 구식 털터리 자전거.

bon·fire** [bánfàiər / bɔ́n-] *n.* Ⓒ (축하·신호의) 큰 화톳불 ; (한데에서의) 모닥불. ***make a ~ of …을 태워 버리다 ; …을 제거하다.

bon·go [báŋgou/bɔ́ŋ-] (*pl.* ~(***e***)***s***) *n.* 봉고《쿠바 음악의 작은북》(=**bongo drum**).

bon·ho(m)·mie [bànəmíː, ---- / bɔ́nəmiː] *n.* 《F.》 Ⓤ 온후, 쾌활 : After a successful meeting he was full of ~. 회담을 성공적으로 끝내고 나서 그는 아주 흐뭇했다.

bon·ism [bánizəm / bɔ́n-] *n.* Ⓤ (현세를 최선은 아니나 선(善)으로 보는) 낙관설.

bo·ni·to [bəníːtou] (*pl.* ~(***e***)***s***) *n.* Ⓒ〖魚〗줄삼치 ; 가다랭이 : a dried ~ 가다랭이포.

bon·jour [bɔ̃ʒúːr] *int.* 《F.》 안녕하십니까.

bonk [baŋk / -ɔ-] *vt., vi.* 탕〔펑, 퍽〕하고 치다 〔두드리다, 때리다, 소리 내다〕.

— *n.* 그런 소리, 일격 ; 《俗》 성행위.

bon·kers [báŋkərz / bɔ́ŋ-] *a.* 〔敍述的〕《俗》 머리가 이상한, 정신이 돈(mad) ; 미친, 빠진.

bon mot [bánmóu / bɔ́n-] (*pl.* ***bons mots***) 《F.》 가구(佳句), 명언, 명문구 : It was Harold Wilson who penned the ~ that "One man's wage increase is another man's price increase." "한 사람의 임금 인상은 다른 사람의 가격 인상이다"

라는 명언을 쓴 사람은 해럴드 월슨이었다.

***Bonn** [ban / bɔn] *n.* 본.

bonne amie [bɔ́nɑmíː] 《F.》 좋은 여자 친구.

‡bon·net [bánit / bɔ́n-] *n.* Ⓒ ① 보닛《턱 밑에서 끈을 매는 여자·어린이용의 챙 없는 모자》. ② 스코틀랜드 모자《남자용의 챙 없는》. ③ (아메리카 인디언의) 깃털 머리 장식. ④ 보닛 모양의 덮개《굴뚝의 갓, 기계의 커버 따위》; 《英》 (자동차의) 엔진 덮개(《美》 hood). ***have a bee in** one**'s** ~* ⇨ BEE. ***throw** one**'s** ~ **over the windmill*** ⇨ WINDMILL.

Bon·nie [báni / bɔ́ni] *n.* 여자 이름.

bon·ny, bon·nie [báni / bɔ́ni] (***-ni·er ; -ni·est***) *a.* 《Sc.》 ① (젊은 처녀 등이) 아름다운, 귀여운, 고운 ; 건강해 보이는. ② 〔限定的〕 교묘한, 멋진, 훌륭한.

bon·soir [bɔ̃swáːr] *int.* 《F.》 안녕하십니까.

***bo·nus** [bóunəs] *n.* Ⓒ ① 상여금, 보너스 ; 특별 수당 ; 장려금 ; 보상 물자. ② 《英》 특별〔이익〕 배당금 ; 할증금. ③ 리베이트(rebate) ; (물건 살 때의) 덤, 경품 : Workers in big firms receive a substantial part of their pay in the form of *~es* and overtime. 큰 회사의 근로자들은 상여금과 초과시간 근무 기준으로 실질급여를 수령한다.

bónus sỳstem 〔**plàn**〕 (초과 노동에 대한) 보상금 제도.

bon vo·yage [bànvwaːjáːʒ / bɔ̀n-] 《F.》 여행길 무사하기를, 안녕(good journey).

bony** [bóuni] (bon·i·er ; -i·est***) *a.* 뼈의, 뼈뿐인, 골질(骨質)의, 뼈와 같은 ; 뼈만 앙상한 ; 여윈.

boo [buː] (*pl.* *~s*) *n.* Ⓒ, *int.* 피이 !《비난·경멸할 때의》; 우와 !《남을 놀라게〔위협〕할 때의 소리》. ***can*** 〔***will***〕 ***not say ~ to a goose*** 《口》 몹시 겁이 많아 할 말도 못하다. — *vi., vt.* 피이하다 ; 야유하다, 놀라게 하다 ; 피이〔우우〕하여 퇴장시키다《*off*》.

boob [buːb] *n.* Ⓒ 《俗》 얼간이, 얼뜨기, 호인 ; 《美俗》 촌뜨기 ; 《口》 실수, 실패 ; (*pl*) 《俗》 젖통(breast).

— *vi.* 《口》 (큰) 실수를 저지르다 : The leaflet *~ed* by calling her a country champion rather than a world champion. 그 호외는 그녀를 세계 챔피언이 아니라 국가 챔피언이라고 지칭함으로써 큰 실수를 했다.

boo-boo [búːbùː] *n.* (*pl.* *~s*) 《美俗》 실수, 실책 ; 《兒》 타박상, 가벼운 부상. ***pull a*** ~ 실수를 하다. ***What's the ~?*** 어디가 잘못됐단 말인가.

bóob tùbe ① (the ~) 텔레비전. ② Ⓒ 텔레비전 수상기.

boo·by [búːbi] *n.* Ⓒ 바보, 얼간이 ; (경기의) 꼴찌 ; 〖鳥〗 가마우지의 일종.

bóoby hàtch 《美俗》 ① 정신 병원. ② 교도소 ; 《英俗》 =WORKHOUSE.

boo·by·ish [búːbiiʃ] *a.* 어리석은, 바보의.

bóoby prìze 꼴찌상, 최하위상.

bóoby tràp ① 〖軍〗 부비트랩, 위장 폭탄《은폐된 폭발물 장치》: Police were checking the area for *~s.* 경찰은 부비트랩을 찾으려고 그 지역을 조사했다. ② 반쯤 열린 문 위에 물건을 얹었다가 문을 열고 들어오는 사람 머리 위에 떨어지게 하는 장난 : They put a bucket of water on top of his door as a ~. 그들은 그의 문위에 맹추 골리기 장난으로 양동이 물을 설치해 놓았다.

boo·by-trap [búːbitræ̀p] (***-pp-***) *vt.* booby trap 에 걸리게 하다.

boo·dle [búːdl] 《俗》 *n.* ① (the ~) 《蔑》 패거리, 동아리, 무리. ② Ⓤ 뇌물, 매수금. ③ 대금(大金). ④ 훔친 물건, 노획품. ***the whole kit and ~*** 어중이떠중이 할 것 없이 모두.

㊞ **~r** [-ər] *n.* 수회자(收賄者).

boog·ie *n.* =BOOGIE-WOOGIE ; 《美俗》 디스코 음악. — *vi.* 《美俗》 (디스코 음악에 맞추어) 몸을 흔들다 ; 급히 가다.

boog·ie-woog·ie [bú(ː)giwú(ː)gi] *n.* 〖樂〗 부기우기《템포가 빠른 재즈 피아노곡 ; 그 춤》.

boo·hoo [bùːhúː] (*pl.* *~s*) *n.* Ⓒ 엉엉 욺〔우는 소리〕. — *vi.* 엉엉 울다.

†book [buk] *n.* Ⓒ ① 책, 책자, 서적 ; 저술, 저작 : 'Robinson Crusoe' is one of the most famous *~s* in the world. '로빈슨 크루소'는 이 세상에서 가장 유명한 책 중의 하나이다. ② (the B-) 성서 (the Bible) : people of *the Book* 유대인. ③ (서적의) 권, 편(篇). ④ (연극의) 대본 ; (오페라의) 가사 (libretto). cf. score. ⑤ 치부책, 장부 ; (전화 번호 따위의) 기입장 ; (수표·차표·성냥 따위의 떼어 쓰는) 묶음철(綴) ; (*pl.*) 회계 장부 ; 명부 : a ~ of tickets (철한) 회수권. ⑥ (경마 따위의) 건 돈을 기입하는 대장, 도박 대장. ⑦ 〖카드놀이〗 6 장 갖추기. ⑧ (담뱃잎 따위의) 한 묶음. ⑨ 기준, 규칙 ; 《比》 지식〔규범〕의 원천 ; (*pl.*) 학과, 과목. ⑩ 전화 번호부 : His name is not in the ~. 전화 번호부에 그의 이름은 없다. ***according to the ~*** =by the ~. ***at** one**'s ~s*** 공부하고 있는 중. ***bring*** 〔***call***〕 a person ***to ~*** 아무에게 해명을 요구하다 ; 책하다《*for*》; 아무를 벌하다《*for ; over ; about*》: Police should be asked to investigate so that the guilty can be *brought to ~* soon. 범인을 조속히 처벌할 수 있도록 경찰의 수사가 요청되고 있다. ***by the ~*** 전거에 의하여, 정확하게 ; 규정에 따라, 정식으로. ***close the ~s*** (1) 회계 장부를 마감하다, 결산하다. (2) (모집을) 마감하다《*on*》. ***come to ~*** 죄〔과실〕에 대한 보상을 하게 되다. ***cook the ~s*** 《口》 장부를 고치다〔속이다〕. ***hit the*** 〔one**'s**〕 ***~s*** ⇨ HIT. ***in my ~*** 나의 의견〔판단〕으로는. ***in*** a person**'s good** 〔***bad, black***〕 ***~s*** 아무의 마음에 들어〔들지 않아, 미움을 받아〕: Sir John was definitely in the Treasury's *bad ~s* for incorrect thinking on economic prospects. 존 경(卿)은 경제전망을 정확히 하지 못하여 재무성의 미움을 받고 있는 것이 틀림없다. ***in the ~(s)*** 명부에 올라 ; 《口》 기록되어, 존재하여. ***keep ~s*** 치부하다. ***like a ~*** 충분히, 모두, 정확하게 ; 주의 깊게 : know *like a ~* 잘 알고 있다 / speak 〔talk〕 *like a ~* 자세히〔깍듯이, 딱딱하게〕 말하다 / read a person *like a ~* 《口》 아무의 성격을 완전히 간파하다, 아무의 언동에 넘어가지 않다. ***make ~*** (노름판에서) 물주가 되다 ; 돈을 걸다《*on*》; …을 보증하다. ***off the ~s*** (회원 명부에서) 제명되어 : take 〔strike〕 a person's name *off the ~s* 아무를 제명〔퇴학〕시키다. ***one for the ~*** 특기할 만한 사건〔물건〕. ***on the ~s*** 명부에 올라, 회원이 되어. ***suit*** a person**'s** ~ 아무의 목적에 적합하다. ***swear on the Book*** 성서를 두고 맹세하다. ***take a leaf out of*** a person**'s** ~ 아무의 행동을 본뜨다. ***the Book of the Dead*** 사자(死者)의 서(書)《고대 이집트인이 사자의 내세의 명복을 빌어 부장(副葬)한 기도문·주문서(呪文書) 등》. ***the ~ of fate*** '운명의 서(書)'《사람의 미래가 기록되어 있다고 함》. ***the ~ of hours*** 기도서. ***the ~ of life*** 〖聖〗 '생명의 책'. ***throw the ~*** (***of rules***) ***at*** …을 종신형에 처하다 ; 엄벌에 처하다. ***without ~*** 전거(典據) 없이 ; 암기하여.

— *vt.* ① (문서·명부에 이름 따위)를 기입〔기장〕하다. ② (예약자)의 이름을 기입하다. ③ (신청자)에게 표를〔예매권을〕 발행하다. ④ 《~+目 / +

목+전+명》 **a**) (방·좌석 따위)를 예약하다 《*to* ; *for*》: ~ a room *for* a person at a hotel 아무를 위해 호텔에 방을 하나 예약해 두다 / ~ *oneself* (through) *to* New York via Los Angeles 로스앤젤레스 경우 뉴욕까지의 (비행기의) 예약을 하다. **b**) (…행 차표)를 사다《*for*》; (화물)을 탁송하다: He ~*ed* a ticket *for* Paris. 그는 파리행 차표를 샀다 / ~ freight *to* New York 짐을 뉴욕까지 탁송하다. ⑤ (아무)에게 약속시키다. ⑥《+목+전+명》《美》(사람·회사)를 계약에 의해 고용하다, …와 출연계약을 하다《*for*》. ⑦ (…을 위해) 시간을 비워두다《*for*》. ⑧ (…의 혐의로) 경찰 기록에 올리다, 입건하다《*for*》. ⑨ (노름에서) …의 물주가 되다.

── *vi.* ① 이름을 등록하다. ② 좌석 등을 예약하다. ③ 표를 사다; 신청하다, 예약하다. ***be ~ed to*** do …하게 되어 있다. ***be ~ed up*** 예매가 매진되다; 선약이 있다《*for*》; (선약 때문에) 바쁘다: I'*m* fully ~*ed up*, I couldn't possibly do it now. 나는 선약으로 빈 시간이 없어 지금으로서는 도저히 그것을 할 수 없다. ~ ***in*** (*vi., vt.*) (아무를 위해) 호텔 방 예약을 하다《*at*》; 《英》 도착시에 숙박부에 (이름을) 기입하다; (출근하여) 서명하다. ~ ***orders*** 주문을 받다. ~ ***out*** 호텔을 나오다, (아무가) 호텔을 나오는 절차를 밟다; (책·물건을) 서명(署名)하고 차용하다. ~ ***up*** (열차·비행기의 좌석이나 호텔 방을) 예약하다.

── *a.* ① 책의〔에 관한〕. ② 책에서 얻은, 탁상의. ③ 장부상의.

book·a·ble [búkəbəl] *a.* 《주로 英》 (좌석 따위가) 예약할 수 있는: Tours leave from Seoul and are ~ at some hotels or any travel agency. 관광여행은 서울에서 출발하는데 몇몇 호텔이나 모든 여행사에서 예약할 수 있다.

book·a·hol·ic [bùkəhɔ́:lik, -hɑ́l-] *n.* ① 독서광. ② 장서광(藏書狂).

book·bind·er [-bàindər] *n.* Ⓒ ① 제본업자〔직공〕, 제본소. ② (서류의) 바인더.

book·bind·ery [-bàindəri] *n.* ① Ⓤ 제본(술). ② Ⓒ 제본소.

book·bind·ing [-bàindiŋ] *n.* Ⓤ 제본술〔업〕.

bóok bùrning 분서, 금서; 사상 탄압.

‡**book·case** [-kèis] *n.* Ⓒ 책장, 책꽂이.

bóok clùb ① 독서 클럽; 서적 반포회. ② 독서회.

book·end [-ènd] *n.* Ⓒ (흔히 *pl.*) 북엔드《여러 책들을 세워 꽂아두는 데》.

book·ie [búki] *n.* Ⓒ 《口》 마권(馬券) 영업자 (bookmaker).

***book·ing** [búkiŋ] *n.* Ⓤ,Ⓒ ① (좌석 따위의) 예약; 출연〔강연〕의 계약. ② 예약 등의 기입; 《口》 경찰의 조서 기입.

bóoking clèrk 출찰계; 예약계.

bóoking òffice 《英》 (역의) 출찰소, 매표소.

book·ish [búkiʃ] *a.* ① 서적상(上)의; 독서의, 문학적인. ② 학구적인; 딱딱한; 학자연하는.

bóok jàcket 책 커버(dust jacket).

***book·keep·er** [-kì:pər] *n.* Ⓒ 부기〔장부〕계.

book·keep·ing** [-kì:piŋ] *n.* Ⓤ 부기. ~ ***by single 〔***double***〕 ***entry*** 단식〔복식〕 부기.

book-learned *a.* ① [-lə̀:rnd] 책으로만 배운, 탁상(卓上) 학문의, 실정에 어두운. ② [-lə̀:rnid] 학문에 정통한, (문학 등에) 조예가 깊은.

bóok lèarning ① 책상물림의《책으로만 배운》 학문. ② 학교 교육.

***book·let** [-lit] *n.* Ⓒ 소책자, 팸플릿: We bought a ~ about the castle from the tourist office. 우리는 관광사무소에서 성에 관한 소책자를 샀다.

book·mak·er [-mèikər] *n.* Ⓒ ① (이익 본위의) 저작자; 서적 제조업자. ② 마권(馬券) 영업자.

book·mak·ing [-mèikiŋ] *n.* Ⓤ ① 서적 제조: The Random House, a ~ firm. 서적 제조회사 랜덤 하우스. ② 마권 영업.

book·man [-mən] (*pl.* ***-men*** [-mən]) *n.* Ⓒ ① 문인, 학자; 독서인. ② 서적상인, 출판업자; 제본소; 편집자.

book·mark(·er) [-mà:rk(ər)] *n.* Ⓒ 갈피표.

bóok màtches 종이 성냥.

book·mo·bile [-moubì:l] *n.* Ⓒ 이동 도서관.

book·plate [-plèit] *n.* Ⓒ 장서표(ex libris).

book·rest [-rèst] *n.* Ⓒ 독서대(臺).

bóok revìew (신간) 서평(書評).

bóok revìewer (신간 서적의) 서평가.

***book·sel·ler** [-sèlər] *n.* Ⓒ 서적상, 서점.

book·shelf** [-ʃèlf] (*pl.* ***-shelves [-ʃèlvz]) *n.* Ⓒ 서가.

‡**book·shop** [-ʃɑ̀p / -ʃɔ̀p] *n.* Ⓒ 《英》 책방, 서점.

***book·stall** [-stɔ̀:l] *n.* Ⓒ ① (보통 노점의) 헌책방. ② (역 등의) 신문·잡지 매점.

book·stand [-stæ̀nd] *n.* Ⓒ ① 책장. ② 독서대(臺). ③ 서점.

‡**book·store** [-stɔ̀:r] *n.* Ⓒ 《美》 =BOOKSHOP.

bóok tòken 《英》 도서 상품권.

bóok vàlue 〖簿記〗 (market value에 대해) 장부 가격《略: b.v.》.

book·work [-wə̀:rk] *n.* Ⓤ 서적〔교과서〕에 의한 연구《실습·실험에 대해》.

***book·worm** [-wə̀:rm] *n.* Ⓒ 반대좀《책에 붙는 벌레》; 《종종 蔑》 독서광, '책벌레'.

‡**boom**[1] [bu:m] *n.* Ⓒ ① (대포·북·천둥·종 따위의) 울리는 소리; 우르르〔쾅, 쿵〕 하는 소리: The stillness of night was broken by ~ of a cannon. 밤의 적막이 대포소리에 의해 깨졌다. ② (벌 따위의) 윙윙거리는 소리. ③ 벼락 경기, 붐; (도시 따위의) 급속한 발전; (가격의) 폭등. opp *slump.* ¶ An economic ~ followed, especially in housing and construction. 특히 주택과 건축분야에서 경제붐이 이어졌다.

── *a.* 〔限定的〕 붐에 의한; 붐을 탄; 급등한.

── *vi.* ① (대포·천둥 따위가) 울리다, 우르르〔쾅, 쿵〕 하다; 소리 높이〔울리는 것처럼〕 말하다〔소리지르다〕《*out*》. ② (벌 따위가) 윙윙거리다. ③ 갑자기 경기가 좋아지다〔발전하다〕; 폭등하다: Business is ~*ing* again. 상거래는 다시 활기를 띠고 있다.

── *vt.* ① 《~+목 / +목+부》 …을 울리는〔우렁찬〕 소리로 알리다《*out*》: The clock ~*ed out* six. ② …을 낭랑하게 외다《*out*》: He ~*ed out* the poem. 그는 소리 높이 시를 낭송했다. ③ 《~+목 / +목+전+명》 …의 붐을 일으키다, 활기를 띠우다; 인기를 올리다, …을 맹렬히 선전하다: That record ~*ed* the singer's popularity. 그 레코드로 가수는 갑자기 인기가 올랐다. ④ (사람을 …로 추대하려고) 활발히 선전〔운동〕하다.

boom[2] *n.* Ⓒ ① 〖海〗 돛의 아래 활대. ② 〖林業〗 흘러내리는 재목을 유도하기 위해 강에 쳐놓은 밧줄; (항구 따위에서 목재의 유실을 방지하는) 방재(防材)(구역). ③ 마이크로폰 〔텔레비전 카메라〕 따위의 조작용 가동 암(可動 arm). ④ 〖工〗 기중기의 암《물건을 수평·수직으로 이동시킴》. ***lower*** 〔***drop***〕 ***the ~ on*** a person 《口》 아무를 호되게 비난하다, 벌하다, 단속하다《*on*》; 《美俗》 한 대 먹이다. ── *vt.* ① 아래 활대에 (돛)을 달다: ~ *out* a sail 돛을 달다. ② …을 기중기로 끌어올리다〔운반하다〕. ── *vi.* 전속력으로 항행하다《*along*》.

bóom bòx 대형 휴대용 카세트.

boom·er [bú:mər] *n.* Ⓒ 《美俗》 경기를 부채질

하는 사람 ; 《美俗》 신흥지 따위에 몰려드는 사람 ; 뜨내기 노동자 ; 부랑자.

*__boom·er·ang__ [búːməræ̀ŋ] *n.* Ⓒ 부메랑(던진사람에게 다시 돌아오는 무기로서 오스트레일리아 원주민이 사용했던 것) ; 《比》 자업자득이 되는 것, 긁어 부스럼.
— *vi.* (부메랑처럼) 되돌아오다《*on*》; 《比》 자업자득이 되다.

__boom·ing__ [búːmiŋ] *a.* 〔限定的〕 벼락 경기의, 급등하는 ; 대인기의 ; 쾅 하는《포성 따위》; 급증하는.

__boom·town__ [búːmtàun] *n.* Ⓒ 신흥 도시.

__boomy__ [búːmi] (***boom·i·er ; -i·est***) *a.* 경제적 붐의 ; 활황(活況)의 ; (재생음이) 저음(低音)을 살린.

*__boon__[1] [buːn] *n.* Ⓒ (흔히 *sing.*) 은혜, 혜택, 이익 : This battery booster is a ~ for photographers. 이 배터리 승압기는 사진가들에게는 유용한 것이다. ***ask a ~ of*** a person 아무에게 부탁하다. ***be* 〔*prove*〕 *a great ~ to. . .*** …에게 큰 은혜가 되다 : This dictionary *is a great ~ to* students. 이 사전은 학생들에게 큰 도움이 된다.

__boon__[2] *a.* 재미있는, 유쾌한, 친밀한 : a ~ companion 술친구, 유쾌한 놀이친구(★ 주로 남성에 대해서 씀).

__boon·docks__ [búːndɑ̀ks / -dɔ̀ks] *n. pl.* (the ~) 《美俗》 숲, 산림, 정글 ; 산간 벽지.

__boon·dog·gle__ [búːndɑ̀gəl / -dɔ̀gəl] *n.* Ⓒ 《美口》 ① (가죽·나뭇가지 따위로 만드는) 간단한 세공품. ② 가죽으로 싼 장식 끈(보이스카우트가 목둘레에 걺). ③ (시간과 돈이 드는) 쓸데없는〔무익한〕 일. — *vi.* 쓸데없는 일을 하다.

__boon·ies__ [búːniːz] *n. pl.* (the ~) 《俗》 오지.

__boor__ [buər] *n.* Ⓒ ① 소작농. ② 시골뜨기, 촌놈. ③ 무례한 사람.

__boor·ish__ [búəriʃ] *a.* 시골 사람의 ; 야비한, 촌스러운 ; 메부수수한.

*__boost__ [buːst] *vt.* ① …을 밀어 올리다. ② …을 격려하다, 밀어주다, 후원하다 ; 후원하여 좋은 일자리에 앉히다《*into*》; 경기를 부양시키다 ; 선전하다《*up*》. ③ (값·삯)을 끌어올리다 ; (생산량)을 증대〔증가〕시키다 : ~ prices 물가를 끌어올리다. ④ (사기·기력)을 높이다. ⑤ (전압)을 올리다, 승압하다. — *n.* Ⓒ ① 밀어올림 ; 로켓 추진. ② (인기 등을) 밀어줌, 후원, 지지 ; 격려 ; 경기의 부추김, 경기의 활성화. ③ (값·임금의) 인상, 등귀 ; (생산량의) 증가 : a tax ~ 증세(增稅) / a ~ in salary 승급. ***give*** a person ***a*** ~ 아무를 후원하다. ***give . . . a*** ~ (1) …을 밀어올리다. (2) …에 활력을 불어넣다 : This news *will give* their spirits *a* ~. 그 소식은 그들에게 활기를 불어넣어 줄 것이다.

__boost·er__ [búːstər] *n.* Ⓒ ① 원조자, 후원자 ; 《美口》 열광적 지지자. ② 〖電〗 승압기 ; 〖라디오·TV〗 증폭기(amplifier). ③ 부스터(로켓 따위의 보조 추진 장치). ④ 〖醫〗 (약의) 효능 촉진제 : Bob had a typhoid vaccination last year but needed a ~ this year before going to New Zealand. 보브는 작년에 장티푸스 예방주사를 맞았지만 금년에 뉴질랜드에 가기 전에 약효촉진제가 필요했다. ⑤ (약협(藥莢)·다이너마이트의) 보조 장약(裝藥), 도폭약(導爆藥).

‡__boot__[1] [buːt] *n.* Ⓒ ① (*pl.*) 《美》 장화, 부츠, 《英》 목이 긴 구두. cf shoe. ② 《英》 (마차·자동차의) 짐 넣는 곳, 트렁크(《美》 trunk) : We loaded the ~ and set off for our holiday. 우리는 트렁크에 짐을 가득 싣고 휴가를 떠났다. ③ 《口》 흥분, 스릴, 유쾌. ④ 《美口》 (해군·해병대의) 신병. ⑤ (구둣발로) 차기(kick). ⑥ (the ~) 《俗》 해고. ⑦ 〖野〗 (내야에서의) 실책, 펌블 ; (*pl.*) 《英》 = BOOTS. ***be in*** a person***'s ~s*** 아무와 같은 처지에 있다. ***bet*** one***'s ~s*** 《口》 꼭〔틀림없이〕 (…다). ***die with*** one***'s ~s on***=***die in*** one***'s ~s*** 변사〔급사〕하다. ***get* 〔*put*〕 *the ~ on the wrong leg*** (의미 따위를) 잘못 알다, 오해하다. ***get too big for*** one***'s ~s*** ⇨ BIG. ***give*** a person ***a*** ~ (1) 아무를 즐겁게〔기쁘게〕 하다. (2) 아무를 차버리다. ***give*** a person 〔***get***〕 ***the*** ~ 《口》 해고〔절교〕하다〔당하다〕. ***have*** one***'s heart* 〔*voice*〕 *in*** one***'s ~s*** ⇨ HEART. ***lick*** a person***'s ~s*** 《口》 …에게 아첨하다. ***like old ~s*** 《俗》 맹렬히. ***Over shoes, over ~s.*** 《俗談》 내친 걸음에 끝까지. ***pull on* 〔*off*〕** one***'s ~s*** 장화를 잡아당기면서 신다〔벗다〕. ***put the ~ in*** 세게 차버리다 ; 단호한 태도를 취하다 ; 《俗》 맹렬히 공격하다, 혹독하게 다루다. ***sink into* 〔*to*〕** one***'s*** ~ (마음·기분 따위가) 가라앉다. ***The ~ is on the other* 〔*wrong*〕 *leg.*** '번지수가 다르다' ; 책임은 상대방에게 있다 ; 사태는 역전했다. ***wipe*** one***'s ~s on*** …을 구둣발로 밟아 버리다, …을 모욕하다. ***You can* 〔*may*〕 *bet your ~s.*** 틀림없다, 틀림없이 …이다.
— *vt., vi.* ① …에게 구두를 신기다 ; 부츠를 신다. ② 《口》 신발로 차다 ; 차내다《*out ; about*》. ③ 〔흔히 受動으로〕 《俗》 내쫓다, 해고하다《*out*》: He *was ~ed out of* the firm. 그는 회사에서 쫓겨났다. ④ 〖野〗 (땅볼을) 펌블하다 ; 《俗》 실수로 (기회를) 놓치다. ⑤ 〖컴〗 띄우다《(운영 체제를) 컴퓨터에 판독시키다 ; 그 조작으로 가동할 수 있는 상태로 하다》《*up*》. ~ ***it*** 걷다, 행진하다 ; 실패하다.

__boot__[2] 《古·詩》 *n.* 이익, 이득 ; 구조 ; 《方》 (교환하기 위한) 덤. ***to*** ~ 그 위에, 또한 : He is kind, handsome and wealthy *to* ~. 그는 친절하고 멋쟁이며 또한 부유하기까지하다. — *vt., vi.* 〔보통 it 를 主語로〕 쓸모 있다, 이롭다. ***It ~s*** (me) ***not* 〔*nothing*〕.** (내게는) 아무 쓸모없다. ***What ~s it to*** (cry) ! (울어서) 무슨 소용 있나.

__boot·black__ [⌐blæ̀k] *n.* Ⓒ 《稀》 구두닦이.

__bóot càmp__ 《口》 (미국 해군·해병대의) 신병 훈련소 : We've just got out of ~ and now we're going to war. 우리는 지금 막 신병훈련소에서 나와 전쟁터로 가는 길이다.

__boot·ed__ [búːtid] *a.* 부츠를 신은 ; 《俗》 해고당한. ***~ and spurred*** 탈 수 있게 준비된(말 따위를) ; 《종종 戱》 여행〔싸울〕 준비가 된.

__boot·ee, -tie__ [búːtiː, ⌐⌐] *n.* Ⓒ (흔히 *pl.*) 가벼운 여성용의 편상화 ; 소아용의 털실 신.

‡__booth__ [buːθ] (*pl.* ~*s* [buːðz]) *n.* Ⓒ ① 노점, 매점. ② 칸 막은 좌석〔방〕 ; (어학 연습실의) 부스 ; 투표 용지 기입소(polling ~). ③ 공중전화 박스(telephone ~) ; 영사실 ; (레코드의) 시청실. ④ 임시로 지은 오두막 ; 초사(哨舍), 초소 ; 파수막, 전시실.

__boot·jack__ [búːtdʒæ̀k] *n.* Ⓒ (V자 꼴의) 장화 벗는 기구.

__boot·lace__ [⌐lèis] *n.* Ⓒ (흔히 *pl.*) 《英》 구두끈.

__boot·leg__ [⌐lèg] (***-gg-***) *vt., vi.* (술 따위를) 밀매〔밀조, 밀수입〕하다 : She ~*ged*, sold drugs and shoplifted to make ends meet. 그녀는 수지를 맞추기 위해 밀조를 하고 마약을 거래하고 좀도둑질까지 했다.
— *a.* 〔限定的〕 밀매〔밀조, 밀수입〕된 ; 불법의, 금제(禁制)의 ; 비밀의 : Police are cracking down on ~ tapes being sold on the streets. 경찰은 시중에서 판매되고 있는 불법 테이프를 엄중

단속하고 있다. ── *n.* Ⓤ 밀매〔밀조〕주(酒); Ⓒ (레코드의) 해적판.

boot·leg·ger [búːtlègər] *n.* Ⓒ (특히, 미국의 금주법 시대의) 주류 밀매〔밀조, 밀수〕자: a group of French ~*s* who smuggled alcohol and whiskey in from the States 미국에서 술과 위스키를 밀수입하던 프랑스인 주류 밀수업자 집단. ㊎ **-ging** *n.*

boot·less [búːtlis] *a.* 무익(無益)한, 헛된. [◂boot²] ㊎ **~·ly** *ad.* **~·ness** *n.*

boot·lick [⌐lìk] *vt., vi.* 《口》 (…에) 알랑거리다, 아첨하다. ㊎ **~·er** *n.* Ⓒ, **~·ing** *n.* Ⓤ 《美俗》 아첨.

bóot pòlish 구두약; 구두닦기(shoeshine).

boots [buːts] *n.* Ⓒ (*pl.* ~) 《英》 (호텔의) 구두닦이《허드렛일도 함》.

boot·strap [búːtstræ̀p] *n.* Ⓒ (흔히 *pl.*) ① 편상화의 손잡이 가죽. ② 《比》 혼자 힘. ③ 〖컴〗 띄우기《예비 명령에 의하여 프로그램을 로딩(loading) 하는》. ***pull*** one***self up by*** one'***s*** (***own***) ~***s*** 〔***bootlaces***〕 자력으로 일을 처리하다: What we're attempting to do is help other countries *pull themselves up by their* ~*s.* 우리가 하려는 것은 다른 나라들이 자력으로 일을 처리하는 것을 돕는 것이다.
── *a.* 〔限定的〕 자력의; 자발〔자급〕의; 〖컴〗 띄우기식의.

***boo·ty** [búːti] *n.* Ⓤ 〔集合的〕 ① **a**) 노획물, 전리〔약탈〕품. **b**) (도둑의) 장물. ② (사업 등의) 이득.

booze [buːz] *vi.* 《口》 말술을 마시다《*up*》.
── *n.* ① Ⓤ 술: on the ~ 술을 퍼마시고, 대취하여 / He's gone off the ~. 술을 끊었다. ② Ⓒ 술잔치, 주연(酒宴).

booz·er [búːzər] *n.* Ⓒ 《口》 술꾼; 《英口》 술집(pub): I used to be a ~ for years during the war. 나는 전쟁 중 수년간 술꾼이었다.

booze-up [búːzʌ̀p] *n.* Ⓒ 《英俗》 주연(酒宴).

boozy [búːzi] (***booz·i·er***; ***-i·est***) *a.* 《口》 몹시 취한, 술꾼의, 술로 지내는: His ~ breath could be smelt as soon as he came into the room. 그가 방에 들어오자마자 입에서 술 냄새가 풍겼다.

bop¹ [bɑp / bɔp] *n.* Ⓤ ＝BEBOP.
── (**-*pp*-**) *vi.* 《英口》 비밥에 맞추어 춤추다.

bop² (**-*pp*-**) *vt.* …을 주먹으로 치다〔때리다〕.
── *n.* Ⓒ 《俗》 주먹으로 침.

bo-peep [boupíːp] *n.* Ⓤ 《英》 '아웅, 깍꿍' 놀이(《美》 peekaboo)《숨어 있다가 갑자기 나타나 아이를 놀래주는 장난》. ***play*** ~ 아웅〔깍꿍〕놀이를 하다.

bor·age [bə́ːridʒ, bɔ́(ː)-, bɑ́-] *n.* Ⓤ 〖植〗 지치의 일종《잎은 샐러드·향미용(香味用)》.

bo·rate [bóureit, bɔ́ː-] *n.* Ⓤ 〖化〗 붕산염(塩).

bo·rax [bóurəks, bɔ́ː-] *n.* Ⓤ 〖化〗 붕사.

Bor·deaux [bɔːrdóu] *n.* Ⓤ 보르도《프랑스 남서부의 항구; 포도주 산지의 중심》; Ⓤ 그 지방산의 포도주.

Bordéaux mìxture 〖園藝〗 보르도액(液)《살균용》.

bor·del·lo [bɔːdélou] *n.* Ⓒ 《美》 매춘굴 (brothel).

†bor·der [bɔ́ːrdər] *n.* ① Ⓒ 테두리, 가장자리: on the ~ of a lake 호숫가에서. ② Ⓒ 경계, 국경(지방); 《美》 변경, 변두리: a ~ army 국경 수비대. ③ (the B-) 잉글랜드와 스코틀랜드의 경계 지방; (the ~) 미국과 캐나다·멕시코와의 국경: south of the ~ 《美》 국경의 남쪽《멕시코》. ④ Ⓒ (종종 *pl.*) 영토, 영역; 국경지대: out of〔within〕 ~*s* 영토 밖〔안〕에. ⑤ (여성복·가구·융단 등의) 선(縇)장식; (화단의) 테두리. ***on the ~ of . . .*** …의 가〔경계〕에; 이제 막 …하려고 하여.
── *vi.* ① 접경하다, 접하다《*on*; *upon*》. ② 거의 …이라고 말할 수 있다, 근사하다《*on*; *upon*》: countries ~*ing on* the Pacific 태평양 연안 나라들 / His behavior ~*s on* insanity. 그의 행동은 광기(狂氣)에 가깝다 / He is ~*ing on* seventy. 그는 이미 나이 일흔에 가깝다. ── *vt.* ① …에 접경하다, …에 접하다. ② …에 테를 두르다《*with*》: ~ a dress *with* lace.

bor·der·er [-rər] *n.* Ⓒ 국경〔변경〕의 주민《특히 잉글랜드와 스코틀랜드 접경의》.

bor·der·land [-læ̀nd] *n.* ① Ⓒ 국경 지대; 분쟁 지역. ② (the ~) 어중간한 상태《*between*》: the ~ *between* physics and chemistry 물리학과 화학의 중간 영역 / be in the ~ *between* fantasy and reality 비몽사몽간에 있다.

***bor·der·line** [-làin] *a.* ① 〔限定的〕 국경선상의; 경계의: a ~ town. ② 결정하기 어려운: a ~ case 이도저도 아닌 사건〔경우〕; 〖精神醫〗 경계례(例)《신경증과 정신병의 경계 상태》. ③ 아슬아슬한: get a ~ pass in the exam 간신히 시험에 합격하다 / a ~ psychotic 거의 정신 이상이 된 사람.

bórder sèrvice 국경 수비대 근무.

‡bore¹ [bɔːr] *vt.* ① …에 구멍을 뚫다, 도려내다: ~ a well 우물을 파다. ② 《~+목/+목+전+명》 (구멍·터널)을 뚫다, 도리다: ~ a hole *through* 〔*in, into*〕 the board 널에 구멍을 뚫다 / He used a drill to ~ a hole in the wall above the fireplace. 그는 벽난로 위의 벽에 구멍을 내기 위해 드릴을 썼다. ③ 밀치고 나아가다: ~ one's way *through* the crowd 군중을 밀치고 나아가다.
── *vi.* ① 《~/+전+명》 구멍을 뚫다《*into*; *through*》; 시굴〔굴착〕하다《*for*》: ~ *for* oil 석유를 시추하다. ② 구멍이 뚫리다: This board ~*s* easily. 이 널은 간단히 구멍이 뚫린다. ③ 밀치고 나아가다; (곤란을 헤치고) 나아가다: In spite of furious antiaircraft fire, waves of planes ~*d in* over the city. 맹렬한 대공(對空) 포화에도 불구하고 수많은 비행기가 그 도시 상공으로 밀려왔다.
── *n.* Ⓒ ① (송곳 따위로 뚫은) 구멍; 시굴공. ② (파이프·튜브 등의) 구멍; 총구멍. ③ ＝BOREHOLE. ④ 굴착〔천공〕기.

‡bore² *vt.* …을 지루하게〔따분하게〕 하다《*with*》: He ~*s* me *with* his endless tales. 그의 끝없는 얘기에 진절머리가 난다 / We *were* ~*d with* watching TV. 텔레비전 보는 데 질렸다.
── *n.* Ⓒ (a ~) 따분한 사람, 싫증나게 하는 사람〔것, 일〕: It's such *a* ~ to have to write this out all over again. 이것을 전부 다시 쓴다는 것은 정말로 지겨운 일이다 / What a ~! 참 따분하군〔따분한 사람이군〕.

bore³ *n.* Ⓒ 고조(高潮), 해일《강어귀 따위에 밀려 오는》.

‡bore⁴ BEAR¹ 의 과거.

bo·re·al [bɔ́ːriəl] *a.* ① 북쪽의; 북풍의. ② (흔히 B-) 〖生態〗 한대(寒帶)의, 《특히》 북방의《동식물》.

Bo·re·as [bɔ́ːriəs] *n.* 〖그神〗 북풍의 신; Ⓤ 《詩》 북풍, 삭풍.

bored [bɔːrd] *a.* 지루한, 싫증나는: She's ~ *with* her job. 그녀는 일에 싫증이 났다 / a ~ expression on his face 그의 지루한 듯한 표정.

***bore·dom** [bɔ́ːrdəm] *n.* Ⓤ 권태, 따분함.

bore·hole [bɔ́ːrhòul] *n.* Ⓒ 〖採鑛〗 (석유·수맥(水脈) 탐사용) 시추공(試錐孔): They obtained information about the rock by drilling ~*s.* 시추공을 뚫어 바위에 관한 자료를 얻었다.

bor·er [bɔ́ːrər] *n.* Ⓒ 구멍을 뚫는 사람〔기구〕, 송곳; 〖蟲〗 나무좀; 〖貝〗 좀조개.

bore·some [bɔ́ːrsəm] *a.* 지루한, 싫증나는.
bo·ric [bɔ́ːrik] *a.* 【化】 붕소의 : ~ ointment 붕산 연고.
bóric àcid 【化】 붕산.
bo·ride [bɔ́ːraid] *n.* 【化】 붕소화물.
***bor·ing**[1] [bɔ́ːriŋ] *n.* Ⓤ 구멍을 뚫음 ; Ⓒ 【採鑛】 보링 ; 보링 작업 ; (*pl.*) 송곳밥.
bor·ing[2] *a.* 지루한, 따분한 : a ~ job (film) 지루한 일(영화) / The lecture was deadly ~. 그 강의는 지독하게 지루했다.
†**born** [bɔːrn] BEAR[1] '낳다'의 과거분사《★ by를 수반하지 않는 수동에만 쓰임》. cf. borne[1]. ***be*** ~ 태어나다 : A baby boy *was* ~ to them. 사내아이가 그들 사이에서 태어났다 / I *was* ~ on March 7 1950. 1950년 3월 7일 태어났다. ***be ~ again*** 다시 태어나다, 갱생하다. ***be ~ before*** one***'s time*** 시대에 앞서다 ; 너무 일찍 태어나다. ***be ~ of*** …에게서 태어나다 ; …에서 생겨나다 : He *was* ~ *of* poor parents. 그는 가난한 양친에게서 태어났다 / Prejudice *is* often ~ *of* ignorance. 편견은 흔히 무지에서 생긴다. ***be ~ to*** (sorrows) (불우)하게 태어나다. ***be ~ to*** (***into***) ***wealth*** 부자로 태어나다. ***be ~ with a silver spoon in*** one***'s mouth*** ⇨ SPOON.
— *a.* ① (限定的) 타고난, 선천적인 : a ~ poet 타고난 시인 / It was obvious from her childhood that Jane was a ~ writer. 제인이 타고난 작가라는 것은 그녀의 어린 시절부터 분명했다. ② (複合語) …으로 태어난, …태생의 : the first-~ 장자 / a Chicago-~ artist 시카고 태생의 예술가 / a poverty-~ crime 가난에 의한 범죄. ③ (…하도록(되도록)) 태어난 : Mozart was ~ *to* be a musician. 모차르트는 음악가로 태어났다. (a Parisian) ~ ***and bred*** (파리) 토박이, 순수한 (파리인). ~ ***of woman*** =***of woman*** ~ 여자에게서(무릇 인간으로) 태어난. ~ ***yesterday*** 경험이 없는, 아무것도 모르는. ***in all*** one***'s ~ days*** 《口》 태어나서 지금까지, 일생 동안(에).
born-a·gain [bɔ́ːrnəgèn] *a.* ①(종교적 체험에 의해) 거듭난 : a ~ Christian. ② 건강을 회복한.
‡**borne** [bɔːrn] BEAR[1] 의 과거분사《★ '낳다'의 뜻으로는 완료형 및 by를 수반하는 수동일 때만 쓰임》. cf. born.
-borne *suf.* '…으로 운반되는'의 뜻. insect (wind)-*borne* 곤충(바람)으로 운반되는 / fly-*borne* disease 파리가 매개하는 질병.
Bor·neo [bɔ́ːrniòu] *n.* 보르네오(섬).
bo·ron [bɔ́ːrɑn / -rɔn] *n.* Ⓤ 【化】 붕소(硼素)《비금속 원소 ; 기호 B ; 번호 5》.
***bor·ough** [bə́ːrou / bʌ́rə] *n.* Ⓒ ①《美》 자치 읍면《어떤 주에서》; (New York 시의) (다섯) 행정구 ; (Alaska 의) 군《다른 주의 county 에 상당》. ② 하원 의원 선거구로서의 도시 : buy (own) a ~ 선거구를 매수(소유)하다. ③《英》 (옛날의) 자치(특권) 도시《Royal Charter (칙허장)에 따라 특권을 가진》.
Bórough Cóuncil 《英》 (borough의 호칭을 가진 지방의) 의회《의장은 mayor》.
†**bor·row** [bɔ́(ː)rou, bɑ́r-] *vt.* 《~+目 / +目+前+名》 ① …을 빌리다, 차용(借用)하다 ; 돈을 꾸다《*from* ; *of*》. cf. lend, loan, rent[1]. ¶ Can I ~ your umbrella? 우산 좀 빌려 주시겠습니까 / ~ money *on* one's house 집을 담보로 돈을 빌리다 / ~ money *at* exorbitant interest 이자 높은 돈을 빌리다 / I ~*ed* this bicycle *from* Charles. 찰스에게서 이 자전거를 빌렸다 / I need *to* ~ seven hundred dollars. 나는 7백 달러를 빌려야 한다《★ 돈·책 따위 이동 가능한 것을 일시적으로 빌리는 것은 borrow, 전화·변소 따위 이동 불가능한 것을 빌리는 것은 use, 집·방·자동차 따위를 빌릴 때는 rent를 씀》. ② (풍습·사상·언어 등)을 빌어쓰다, 모방(차용)하다《*from*》: Rome ~*ed* many ideas *from* Greece. 로마는 그리스에서 많은 사상을 받아들였다 / words ~*ed into* English *from* French 프랑스어에서 차용한 영어. ③《婉》 …을 무단 차용하다, 들고 가다 : Someone has ~*ed* my parasol. 누가 내 양산을 들고 갔다. — *vi.* (…으로부터) 빌리다, 차용하다《*from*》: He neither lends nor ~*s*. 그는 남에게 빌려주지도 않고 빌리지도 않는다 / ~ *from* a bank 은행에서 돈을 빌리다. ***live on ~ed time*** (노인·병자 등이) 기적적으로 연명하다.
bor·row·er [bɔ́(ː)rouər, bɑ́r-] *n.* Ⓒ 차용인 : Neither a ~ nor a lender be. 차용인도 대여인도 되지 마라.
bor·row·ing [bɔ́(ː)rouiŋ, bɑ́r-] *n.* ① Ⓤ 빌림, 차용. ② Ⓒ 빌린 것 ; 【言】 차용(어).
bors(c)h(t), bors(c)h [bɔːrʃt], [bɔ́ːrʃ] *n.* 《Russ.》 보르시치《빨간 순무가 든 러시아 수프》.
bor·stal [bɔ́ːrstl] *n.* Ⓤ,Ⓒ (종종 B-) 《英》 소년원, 감화원《지금은 detention centre라 함》.
bor·zoi [bɔ́ːrzɔi] *n.* Ⓒ 보르조이《러시아 사냥개》.
bosh [bɑʃ / bɔʃ] *n.* 《口》 Ⓤ 허튼 소리, 터무니없는 말. — *int.* 《口》 허튼 소리 마!
bosky [bɑ́ski / bɔ́ski] *a.* 《文語》 숲이 우거진 ; 나무 그늘이 많은(shady) ; 숲의.
bo's'n [bóusn] *n.* 【海】 =BOATSWAIN.
Bos·nia-Her·ze·go·vi·na [bɑ́zniə-hèrtsəgouvíːnə / bɔ́z-] 보스니아 헤르체고비나《유고슬라비아 연방에서 1992년 독립한 공화국 : 수도 Sarajevo》.
‡**bos·om** [búzəm, búː-] *n.* ① Ⓒ 《文語》 가슴. ② Ⓒ (의복의) 흉부, 품 ; 《美》 와이셔츠의 가슴. ③ Ⓒ 《婉》 여성의 유방 : Her ample ~ wobbled as she laughed. 그녀가 웃었을 때 그녀의 풍만한 가슴이 흔들거렸다. ④ Ⓤ 가슴속(의 생각), 내심 ; 친애의 정, 애정 : speak one's ~ 가슴속을 털어놓다 / She keeps something in her ~. 그녀는 무언가를 내심 숨기고 있다 / the wife of one's ~ 애처. ⑤ Ⓤ 속, 내부 ; 깊숙한 곳 ; (바다·호수 따위의) 한복판 : on the ~ of the ocean. ***in the ~ of*** one***'s family*** 한 가족이 단란하여. ***take*** a person ***to*** one***'s*** ~ 아무를 아내로 맞이하다 ; 아무를 마음의 벗으로 삼다, 아무를 따뜻이 맞다.
— *a.* (限定的) 친한, 사랑하는 : a ~ friend (pal) 마음의 벗, 친구.
bos·omy [búzəmi, búːz-] *a.* 《口》 (여성이) 가슴이 풍만한.
Bos·po·rus, -pho·rus [bɑ́spərəs / bɔ́s-], [-fərəs] *n.* (the ~) 보스포러스 해협 ; (b-) 해협.
‡**boss**[1] [bɔ(ː)s, bɑs] *n.* Ⓒ 《口》 ① 두목, 보스 ; 사장, 소장, 주임 (등) : Who is the ~ in this office? 이 사무실 소장은 누구요 / Do you like the new ~? 신임 과장(부장)은 괜찮나. ② 《美·蔑》 (정당의) 영수. ③ 왕초 ; 실력자, 거물.
— *vt.* 《~+目 / +目+副》 …의 두목이(보스가) 되다 ; 지배(감독)하다 ; 쥐고 흔들다, 부려먹다《*around* ; *about*》: He ~*es* the job. 그는 그 업무를 감독하고 있다 / His wife ~*es* him *around*. 그는 아내에게 꼼짝 못 한다 / I wish he's stop ~*ing* me *around*. 그가 내게 이래라 저래라 하지 않았으면 좋겠다. — *vi.* 두목이(보스가) 되다. ~ ***it*** 《口》 마음대로 처리하다, 좌지우지하다. — *a.* ① (限定的) 두목의, 보스의, 주임의. ② 주요한, 지배하는. ③ 일류의, 뛰어난 : a ~ car 고급차.
boss[2] *n.* Ⓒ ① 돌기물, 돌기 ; (방패 한가운데의) 점. ②【建】 (평평한 표면에 붙인) 돋을새김(장식), 부조(浮彫). — *vt.* …을 부조로 장식하다.

bos·sa no·va [básənóuvə / bɔ́s-] 《Port.》 보사노바 음악〔춤〕.
boss·dom [bɔ́(:)sdəm, bás-] *n.* Ⓤ 정계의 보스임 ; 정계 보스의 영향 범위 ; 보스 정치.
boss-eyed [bɔ́(:)sàid, bás-] *a.* 《英口》 애꾸눈의 ; 사팔뜨기의.
boss·ism [bɔ́(:)sizəm, bás-] *n.* Ⓤ 《美》 보스 제도〔정치〕, 영수의 정당 지배.
boss-shot [-ʃàt / -ʃɔ̀t] *n.* Ⓒ 서투른 겨냥〔계획〕.
bossy[1] [bɔ́(:)si, bási] *a.* 부조로 꾸민, 돋을새김(장식)이 붙은 ; 돌기물이 붙은.
bossy[2] (***boss·i·er*** ; ***-i·est***) *a.* 두목 행세하는, 으스대는.
‡**Bos·ton** [bɔ́(:)stən, bás-] *n.* 보스턴《Massachusetts 주의 주도》; (b-) 보스턴 왈츠《사교춤의 하나》.
Bóston bàg 보스턴백.
Bos·to·ni·an [bɔ(:)stóuniən, bɑs-] *a., n.* Ⓒ 보스턴의 ; 보스턴 시민.
Bóston Mássacre (the ~) 〖美史〗 보스턴 학살(虐殺) 사건《1770 년 3월 5일에 있었던 보스턴 시 주둔 영국군과 시민의 충돌 사건》.
bo·sun, bo'sun [bóusən] *n.* =BOATSWAIN.
bot, bott [bɑt / bɔt] *n.* ① Ⓒ 말파리의 유충. ② (the ~s) 말 피부병의 일종.
bot. botanical ; botanist ; botany ; bottle.
***bo·tan·ic, -i·cal** [bətǽnik], [-əl] *a.* 〔限定的〕 식물(학)의 ; 식물성의. ㊞ **-i·cal·ly** [-ikəli] *ad.*
botánical gárden(s) 식물원.
***bot·a·nist** [bátənist / bɔ́t-] *n.* Ⓒ 식물학자.
bot·a·nize [bátənàiz / bɔ́t-] *vi.* 식물 채집을〔실지 연구를〕 하다. ── *vt.* (한 지역의) 식물을 조사하다, 식물학적 목적으로 답사하다.
‡**bot·a·ny** [bátəni / bɔ́t-] *n.* ① Ⓤ 식물학. ② Ⓤ (한 지방의) 식물(전체) ; 식물 생태 : geographical ~ 식물 지리학〔분포학〕. ③ Ⓒ 식물학 서적.
botch [bɑtʃ / bɔtʃ] *vt.* …을 어설프게 깁다〔수선하다〕《*up*》; (실수하여) 망쳐 버리다《*up*》. ── *n.* Ⓒ 서투르게 기운 부분 ; 서투른 손질 ; 서투른 일, 실패작. ***make a ~ of*** …을 실수하다, 망쳐 놓다.
botchy [bátʃi / bɔ́tʃi] (***botch·i·er*** ; ***-i·est***) *a.* 서투른, 실수한, 어설픈.
㊞ **bótch·i·ly** *ad.* **bótch·i·ness** *n.*
bot·fly [bátflài / bɔ́t-] *n.* Ⓒ 〖蟲〗 말파리.
†**both** [bouθ] *a.* ① 〔肯定文 속에서〕 양쪽의, 쌍방〔양방〕의, 둘 다의 : ~ parents 양친 / ~ these gloves 이 장갑 두 짝 / ~ Jack's sisters 잭의 (두) 누이 모두 / on ~ sides of the street 거리의 양쪽에 / *Both* (the) girls smiled. 소녀는 둘 다 미소지었다 / Most of them speak either English or German or ~. 그들 대부분이 영어 혹은 독어를 말하거나 양쪽 언어를 모두 말할 수 있다.

> 語法 (1) both 는 정관사·소유형용사·지시형용사에 앞섬. (2) both 뒤의 the 는 종종 생략됨. (3) both these 〔Jack's〕... 의 경우에도 평이한 말로 both *of* these 〔Jack's〕... 로 함이 보통임.

② 〔not 과 함께 部分否定을 나타내어〕 양쪽 다는 …(아니다) ; 양쪽이 다 …(은 아니다) : I do*n't* want ~ tickets. 표 두 장 다는 필요 없다《한 장만으로 족하다》(≠I do*n't* want *either* ticket.=I want *neither* ticket. 표 두 장이 다 필요 없다). ***have it ~ ways*** 두 가지 논법을 쓰다, 양다리 걸치다《논쟁 따위에서》.
── *pron.* ① 〔肯定文 속에서 ; 複數 취급〕 양(兩)쪽, 양자, 쌍방, 둘 다〔모두〕: *Both* are good. 양쪽 다 좋다 / *Both* of us knew it. 우리는 둘이 다 그것을 알고 있었다《The ~ of us 처럼 both 앞에 the를 붙이는 것은 《美》의 비표준적인 용법임》/ I know ~ of them. =I know them ~. 나는 그들을 둘 다 알고 있다《뒤 문장의 both 는 them 과 동격》/ *Both* of the sisters are beautiful. =The sisters are ~ beautiful. 자매는 둘 다 미인이다《뒷문장의 both는 주어와 동격》.
② 〔not 과 함께 部分否定을 나타내어〕 두 쪽〔양쪽〕 다는 …(아니다) ; 양쪽이 다 …(은 아니다) : I do *not* know ~ of them. 그들 두 사람 다를 알고 있지는 않다《한 쪽만을 알고 있다》/ *Both* of them are *not* coming. 그들 둘이 다 오는 것은 아니다《혼자만이 온다》(≠ *Neither* of them is coming. 둘이 다 안 온다).
── *ad.* 〔and 와 함께 相關接續詞를 이루어〕 …도 ─도(둘 다), …뿐 아니라 ─도 : *Both* Jane *and* Mary play the piano. 제인도 메리도 피아노를 칩니다 / He likes ~ Mary *and* Betty. 그는 메리도 베티도 좋아한다(=《美》... Mary and Betty ~.) / I can ~ cook *and* sew. 요리도 바느질도 할 수 있다 / The book is ~ useful *and* amusing. 그 책은 유익하기도 하고 재미도 있다(=... is not only useful but (also) amusing / ... is amusing as well as useful.) / She is well known ~ in Korea *and* (in) China. 그녀는 한국에서뿐 아니라 중국에도 잘 알려져 있다《★ both와 and 뒤에는 같은 품사 구실을 하는 어구가 오는 것이 원칙이나 《口》에서는 뒤의 in이 생략되기도 함》.
‡**both·er** [báðər / bɔ́ð-] *vt.* ① 《~+目 / +目+前+名 / +目+*to* do》 …을 괴롭히다, …을 귀찮게 하다, 성가시게 하다〔조르다〕《*with*》: He ~*ed* me *with* stupid questions. 바보 같은 질문으로 나를 괴롭혔다 / Does the TV ~ you? TV가 성가시지 않나 / The residents *are ~ed by*〔*with*〕 the noise of the planes. 주민들은 비행기 소음으로 고통받고 있다 / He ~*s* me *to* lend him money. 그는 내게 돈을 꾸어 달라고 조른다. ② …에게 폐를 끼치다 : I'm sorry to ~ you, but would you do me a favor? 폐를 끼쳐 죄송합니다만 부탁 하나 들어주겠소. ③ 《口》 제기랄《가벼운 짜증의 뜻으로》: *Bother* the flies! 우라질 놈의 파리 같으니. ── *vi.* ① 《~ / +前+名》 심히 걱정하다, 근심〔고민〕하다, 걱정하다《*about* ; *with*》: Don't ~ *about* the expenses. 비용 걱정은 마라 / Do your best and don't ~. 최선을 다하면 걱정할 것은 없다 / I have no time to ~ *with*〔*about*〕 such things. 그런 일에 마음쓸 여가가 전혀 없다. ② 《+*to* do / +-*ing*》 〔否定文에서〕 일부러 …하다, …하도록 애쓰다 : Do*n't* ~ *to* answer this note. 이 편지에 일부러 답할 것 없다 / Do*n't* ~ com*ing* to see me off. 일부러 배웅하지 않아도 된다. **~ one's head** 〔**one's brains,** one**self**〕 **about** …에 대하여 근심〔걱정〕하다, 끙끙 앓다. ***Bother you!*** 귀찮다! ***cannot be ~ed to*** do =***not ~ to*** do 《口》 …조차 하지 않다 ; 일부러 …하고 싶지 않다 : He does*n't* ~ *to* read it. 전혀 읽지도 않는다 / The stapler is missing, but I *can't be ~ed to* look for it now. 호치키스가 보이지 않으나, 당장 그것을 찾고 싶지는 않다. ***Don't ~!*** 상관 마세요 ; 내버려둬요.
── *n.* ① Ⓤ 성가심, 귀찮음. ② (a ~) **a**) 귀찮은 일 ; 소동, 말썽 : Planning meals is *a* great ~. 식단(食單) 짜기는 아주 귀찮은 일이다 / What is all this ~ about? 대체 이 무슨 소동이냐 / make *a ~ about* …한 일로 말썽을 일으키다 / have *a ~ with* a person *about* a thing 어떤 일로 아무와 말다툼을 하다. **b**) 골칫덩어리 ; 귀찮은 사람 : What *a* ~ he is! 참 귀찮은 놈이군.
── *int.* 《英》 싫다, 귀찮다 : Oh, ~! 성가시군.
both·er·a·tion [bàðəréiʃən / bɔ̀ð-] *n.* Ⓤ,Ⓒ 《口》

성가심, 속상함; 귀찮은 것. — *int.* 귀찮다; 속상하다: *Botheration*, I forgot my glasses. 젠장, 안경을 잃었다. 「가신.

both·er·some [báðərsəm / bɔ́ð-] *a.* 귀찮은, 성

both-hand·ed [bóuθhǽndid] *a.* 양손을 쓰는; 양손잡이의.

bó trèe [bóu-] 〖植〗 (인도의) 보리수.

Bot·swa·na [bɑtswɑ́:nə / bɔts-] *n.* 보츠와나 《아프리카 남부의 독립국; 수도 Gaborone》.

bott ⇨ BOT.

Bot·ti·cel·li [bɑ̀titʃéli / bɔ̀t-] *n.* **Sandro** ~ 보티첼리《이탈리아의 화가; 1444?-1510》.

†bot·tle [bɑ́tl / bɔ́tl] *n.* ① Ⓒ 병, 술병: uncap a ~ 병마개를 열다 / Give the ~ a shake before you open it. 병을 열기 전에 한번 흔드시오. ② Ⓒ 한 병에 든 양《*of*》: buy by the ~ 한 병에 얼마로 사다 / drink a ~ *of* milk. 우유 한 병을 마시다. ③ 젖병; (젖병의) 우유: The baby went on sucking the ~. 아기는 젖병을 계속 빨고 있었다. ④ (the ~) 술: be fond of *the* ~ 술을 좋아하다 / take to *the* ~ 술에 젖어 지내다. ⑤ Ⓤ《英俗》용기, 배포: lose one's ~ 용기를 잃다, 물러서다 / have〔got〕 a lot of ~ 용기가 있다, 배짱이 좋다. ***bring up*** 〔***raise***〕 (a child) ***on the*** ~ (아이를) 우유로 기르다. ***hit the*** ~《口》술을 많이 마시다;《俗》취하다. ***on the*** ~《口》늘 술에 젖어〔취해〕서. ***over a*** 〔***the***〕 ~ 술을 마시면서.
— *vt.* (주류)를 병에 넣다;《英》(과실·야채 등)을 병에 담아 간수하다, 병조림하다.
Bottle it !《美》조용히, 그만. ~ ***up*** (1) (노여움 등)을 억누르다: ~ *up* one's anger 분노를 참다 / It is far better to cry than to ~*up* your feeling. 감정을 참느니보다 큰소리로 말해버리는 게 훨씬 낫다. (2) (적 따위)를 봉쇄하다: The enemy ships were ~*d up* in port. 적함은 항내에 봉쇄됐다.

bóttle bàby 우유로 키운 아이.

bóttle bànk 《英》(거리 등의) 빈병 회수 용기.

bot·tled [bɑ́tld / bɔ́t-] *a.* 병에 넣은〔든〕: ~ beer 병맥주.

bot·tle-fed [-fèd] *a.* 〔限定的〕 우유로 자란, 인공 영양의. ⓒⓕ breast-fed.

bot·tle-feed [-fi:d] *vt.* (아기)를 우유로 키우다: I decided to ~ Jane rather than breast-feed her. 나는 제인을 모유보다는 우유로 키우기로 했다.

bot·tle·ful [-fùl] *n.* Ⓒ 한 병(의 양)《*of*》.

bóttle gréen 암녹색(deep green).

bot·tle·man [-mæ̀n] (*pl.* ***-men*** [-mèn]) *n.* 《美俗》술꾼, 주정꾼.

bot·tle·neck [-nèk] *n.* Ⓒ ① 병의 목. ② 좁은 통로〔거리〕, 교통 정체가 되는 곳, 병목. ③ 장애, 애로. — *a.* (병목처럼) 좁은, 잘록한.

bóttleneck inflàtion 〖經〗 보틀넥 인플레이션《일부 산업의 생산 부족으로 생기는 물가 상승》.

bóttle nòse 《俗》(술독이 오른) 딸기코.

bóttle òpener 병따개. 「BYOB.

bóttle pàrty 술을 가지고 모이는 파티. ⓒⓕ

bot·tler [bɑ́tlər / bɔ́t-] *n.* Ⓒ 병조림업자.

†bot·tom [bɑ́təm / bɔ́t-] *n.* ① Ⓒ 밑바닥; (우물 따위의) 바닥; 강〔바다〕 바닥; (의자의) 앉는 데; 《口》엉덩이: at 〔in, on〕 the ~ of lake 호수 바닥에 / smack a person's ~ 아무의 볼기를 치다 / Several enemy ships went to the ~. 적함 몇 척은 해저에 침몰했다 / send a ship to the ~. 배를 가라앉히다. ② (the ~) 기초, 토대; 근본; 진상: The desire for money is at *the* ~ of much of the world's violence. 돈에 대한 욕망이 세계 폭력의 원인의 대부분이다. ③ (the ~) 밑바닥 부분, 하부; (나무의) 밑둥; (언덕·산의) 기슭; (페이지의) 아래쪽. ④ (the ~) (학급의) 꼴찌: Sign your name at *the* ~ of the page, please. 페이지 맨 밑에 서명하십시오 / He was at *the* ~ of the class. 그는 학급의 꼴찌였다. ⓞⓟⓟ *top*¹. ⑤ (the ~) (뜰·후미 따위의) 안쪽; (가로의) 막다른 곳: The apple tree at *the* ~ of the garden is beginning to blossom. 정원의 끝에 있는 사과나무가 꽃피기 시작했다. ⑥ Ⓒ (인두·다리미 따위의) 바닥. ⑦ Ⓒ 〖海〗 배 밑, 함선의 바닥, 선복(船腹); 선박. ⑧ (*pl.*) (파자마의) 바지; (양복 바지 등의) 엉덩이 부분. ⑨ Ⓒ 〖野〗 한 회(回)의 말(末)(ⓞⓟⓟ *top*¹); 하위 타자《타순(打順)에서 7번-9번까지의 세 사람》: the ~ of the 9th inning, 9회 말. ***at*** (***the***) ~ 마음속은, 실제는; 본질적으로는: *At* ~ he is very kind and good-natured. 실제로 그는 착하고 심성이 좋은 사람이다. ***at the*** ~ ***of*** (1) …의 기슭〔바닥〕에: *at the* ~ *of* the stairs 계단 밑에서. (2) …의 원인으로: Brake failure was *at the* ~ *of* the accident. 브레이크 고장이 사고의 원인이었다. (3) 말석에. (4) …의 흑막에: Who is *at the* ~ *of* the scheme? 음모의 흑막은 누구냐. ***bet*** one***'s*** ~ ***dollar on*** ⇨ BET. ***Bottoms up !*** 《口》 건배 ! ~ ***up*** 〔***upward***〕 거꾸로(upside down): The boat was floating ~ *up*. 배는 거꾸로 떠 있었다. ***from*** 〔***to***〕 ***the*** ~ ***of*** one***'s*** 〔***the***〕 ***heart*** 마음속으로부터〔까지〕, 진심으로. ***get to the*** ~ ***of*** …의 진상을 규명하다; 탐구하다. ***have no*** ~ 이루 헤아릴 수 없다. ***knock the*** ~ ***out of*** 《口》 (의논·계획 따위)를 송두리째 뒤엎다. ***stand on*** one***'s own*** ~ 독립〔자영〕하다. ***start at the*** ~ ***of the ladder*** 비천한 신분으로부터 입신 출세하다. ***The*** ~ ***drops*** 〔***falls***〕 ***out*** (***of . . .***) (일의) 기반이 무너지다; (시세·가격이) 바닥을 이루다. ***to the*** ~ 밑바닥까지; 철저하게. ***touch*** 〔***hit***〕 ~ 좌초하다; 《口》 (값·운명 따위가) 밑바닥에 닿다, 최악의 사태에 빠지다; 최심부에 미치다.
— *vt.* ① …에 바닥을 대다; (의자에) 앉을 자리를 대다. ② (물가·시세가) 바닥 시세가 되다. ③ …의 진상을 규명하다. ④ (배가) 좌초하다.
— *vi.* ① (…에) 기초를 두다《*on*》. ② (배 따위가) 바닥에 닿다. ***be*** ~***ed on*** 〔***upon***〕 …을 근거로 하다, …에 근거를 두다. ~ ***out*** (1) 강〔바다〕의 바닥에 이르다. (2) (증권 따위가) 바닥 시세가 되다.

bóttom dráwer 《英》 (이전에 혼수감 등을 넣어 두던) 옷장의 맨 아랫서랍(《美》 hope chest); 혼수품. 「low gear).

bóttom gèar 《英》 최저속(最低速) 기어(《美》

***bot·tom·less** [bɑ́təmlis / bɔ́t-] *a.* ① 밑바닥 없는: the ~ pit 지옥. ② 의자의 seat 가 없는. ③ 헤아릴 수 없는: ~ ignorance 형편없는 무지 / a ~ mystery 헤아릴 수 없는 신비. ④ 전라(全裸)의, 누드의. ⑤《美》 근거가 없는: ~ arguments 논거가 없는 의론 / a ~ accusation 이유 없는 비난. ㊖ ~·**ly** *ad.* ~·**ness** *n.*

bóttom lìne (the ~) ① 결산표의 마지막 행 (손익 표시) 숫자, 순이익〔손실〕. ② 최종 결과, 결론. ③ 일의 핵심(점); 요점: *The* ~ is that we mustn't lose this opportunity. 핵심은 우리가 이 기회를 놓치지 말아야 한다는 것이다.

bot·tom·most [bɑ́təmmòust / bɔ́təmməst] *a.* 〔限定的〕 제일 아래의, 최저의: the ~ depths of the sea 바다의 가장 깊은 데.

bot·u·li·num, -nus [bɑ̀tʃəláinəm / bɔ̀tju-], [-nəs] *n.* Ⓤ 보툴리누스균.

bot·u·lism [bɑ́tʃəlìzəm / bɔ̀tju-] *n.* Ⓤ 〖醫〗 보툴리누스 중독《썩은 소시지, 통조림 고기 등에서 생김》.

bou·doir [búːdwɑːr] *n.* Ⓒ 《F.》 (상류) 부인의 내실, 규방.

bouf·fant [buːfɑ́ːnt] *a.* 《F.》 (의상·머리 따위가) 불룩한 : ~ hairdo 부풀린 머리 스타일.

bou·gain·vil·laea [bùːgənvíliə] *n.* Ⓒ 〖植〗 부겐빌레아(빨간 꽃이 피는 열대 식물).

‡**bough** [bau] *n.* Ⓒ 큰 가지 : leafy ~*s* 잎이 많은 큰가지. cf. branch, twig[1].

†**bought** [bɔːt] BUY의 과거·과거분사. 「息子).

bou·gie [búːdʒiː, -́-] *n.* Ⓒ 〖醫〗 부지, 소식자(消

bouil·la·baisse [bùːljəbéis] *n.* ⒸⓊ 《F.》 부야베스(마르세유 명물인 생선 스튜).

bouil·lon [búljɑn / búljɔn] *n.* Ⓤ 《F.》 부용(맑은 고기수프); (세균 배양용의) 고기 국물.

boul. boulevard.

boul·der [bóuldər] *n.* Ⓒ 둥근 돌, 옥석(풍우·빙하 작용 등에 의한 큰 돌).

boul·e·vard [bú(ː)ləvɑ̀ːrd] *n.* Ⓒ 《F.》 ① 불바르, 넓은 가로수 길(산책 길). ② (종종 B-로 가로 이름에 씀) 《美》 큰길, 대로 《略 : blvd, boul.》 : Sunset *Boulevard* 선셋 대로.

***bounce** [bauns] *vi.* ① 《~ / +副 / +前+名》 (공 따위가) 튀다, 바운드하다《*off*》; (사람이) 펄쩍 뛰다《*up*》, 뛰어다니다《*about*》 : ~ *back* 되튀다 / This ball ~*s* well. 이 공은 잘 튄다 / Enormous hailstones ~*d off* the pavements. 엄청난 우박들이 포장 도로에 떨어져 튀었다 / The ball ~*d off* the pitcher's glove. 공이 투수의 글러브에 맞고 튀어 올랐다 / He ~*d out of* bed. 그는 침대에서 벌떡 일어났다 / ~ *about* the garden 정원을 뛰어다니다 / Kate was *bouncing up* and *down* with joy. 케이트는 기뻐서 깡충깡충 뛰고 있었다. ② 《+前+名》 (사람이 거칠게 뛰어 오르다 〔돌아다니다〕, 뛰어들다《*in*》, 뛰어 나오다《*out*》 : ~ *out of* 〔*into*〕 the room 방에서 뛰어 나오다〔방으로 뛰어 들어가다〕 / He ~*d from* job *to* job. 그는 직업을 전전하며 다녔다. ③ 《口》 (어음 따위가) 부도가 나 되돌아오다. ④ 《英俗》 허소리치다, 뻥까다.

── *vt.* ① (공 따위)를 튀게 하다, 바운드시키다 : ~ a ball 공을 튀기다, 공치기하다 / ~ a baby on one's knees 애기를 무릎에서 어르다. ② 《+目+前+名》 …을 올러서 …하게 하다《*into*》; 위협하여 빼앗다 : He was ~*d into* confessing. 그는 위협을 받고 자백했다 / ~ a person *out of* his money 아무를 협박해 돈을 우려먹다. ③ 《+目+ 前+名》 《俗》 (아무)를 내쫓다, 해고하다 : He was ~*d from* his job. 해고당했다. ④ (수표)를 부도처리하다. ~ ***back*** (1) 되튀다. (2) (패배·타격·질병 따위에서) 곧 회복하다 《*from*》; 《口》(…에) 영향을 미치다《*on*》 : ~ *back from* a cold 감기에서 곧 회복하다. ~ ***down*** (the stairs) (계단)에서 굴러 떨어지다.

── *n.* ① ⓊⒸ 되튐, 튐, 바운드; 튀어오름, 뛰어오름. ② Ⓤ 탄력 : This ball has lost its ~. 이 공은 탄력이 없어졌다. ③ Ⓤ 《口》 원기, 활기 : be full of ~ 활기에 넘치다. ④ Ⓤ 《英俗》 허풍, 허세, 으름장. ⑤ (the ~) 《美俗》 추방, 해고 : get 〔give〕 *the* ~ 해고당하다〔시키다〕; 내쫓기다〔내쫓다〕.

── *ad.* 갑자기, 느닷없이.

bounc·er [báunsər] *n.* Ⓒ ① 거대한 사람〔물건〕. ② 튀는 사람〔물건〕. ③ 《口》 (바·나이트클럽 등의) 경비원.

bounc·ing [báunsiŋ] *a.* 〔限定的〕 ① 잘 튀는. ② (아기 등이) 기운 좋은, 씩씩한 : a ~ girl 말괄량이 처녀 / a ~ baby 건강한 어린이. ③ 허풍떠는, 과장된.

bouncy [báunsi] (***bounc·i·er*** ; ***-i·est***) *a.* 활기 있는, 기운 좋은, 쾌활한; 탄력 있는 : a ~ ball 잘 튀는 공 / a ~ personality 활발한 성격.

‡**bound**[1] [baund] *n.* (흔히 *pl.*) ① 경계(선); 출입 허가 구역; 영역내 : within the ~*s* of the territory 영토 안에서 / the farthest ~*s* of the ocean. 대양의 끝. ② 경계 부근의 영토, 경역(境域). ③ (사물의) 범위; 한계 : pass the ~*s* of common sense 상식의 선을 넘다. ***beyond*** 〔***outside***〕 ***the ~s of*** …의 범위를 넘어서; …이 미치지 못하는. ***break ~s*** 도가 지나치다; 경계 밖으로 나가다. ***It is within ~s to say that...*** …라고 해도 과언은 아니다; …은 있음직한 일이다; …인지도 모른다. ***keep within ~s*** 제한내에 머물다; 정도를 넘지 아니하다. *Keep* your hopes *within* ~*s*. 되지도 않을 희망은 갖지 마라. ***know no ~s*** 끝이 〔한도가〕 없다 : His ambition *knows no* ~*s*. 그의 야망에는 한도가 없다. ***out of all ~s*** 터무니없는〔없이〕, 과도한〔히〕. ***out of ~s*** 출입금지의 〔로〕《*to* ; *for*》; (규칙 등의) 제한을 넘어서, 〖스포츠〗 규정경기 구역 밖에서. ***put*** 〔***set***〕 ***~s to*** …을 제한하다. ── *vt.* 〔흔히 受動으로〕 ① …의 경계가 되다, (…와) 경계를 접하다《*by*》 : The village *is* ~*ed* on one side *by* a river. 마을은 한쪽이 강과 경계를 이루고 있다. ② …을 제한하다, 한정하다 : ~ one's desires by reason 이성으로 욕망을 억제하다. ── *vi.* 《+前+名》 인접하다, 접경하다《*on*》 : Canada ~*s on* the United States. 캐나다는 미국과 접경해 있다.

‡**bound**[2] *vi.* ① 《~ / +副 / +前+名》 (사슴·망아지 따위가) 뛰어가다; (가슴이) 뛰다 : The deer ~*ed through* the woods. 사슴은 숲을 뛰어 돌아다녔다 / My heart ~*ed with* joy. 가슴은 기쁨으로 뛰었다 / The kangaroo ~*ed across* the road. 캥거루는 길 건너편으로 뛰어갔다. ② 튀다, 바운드하다, 퉁기다, (공이) 되튀다, 뛰어오르다.

── *n.* ⓊⒸ ① (공 따위의) 튐, 반동 : catch a ball on the ~ 튀어오른 공을 받다. ② 뛰어오름, 도약; 약동. ***at a*** (***single***) ~ = ***with one*** ~ 단숨에, 일약. ***by leaps and ~s*** 착착, 순조롭게.

bound**[3] BIND 의 과거·과거분사. ── *a.* ① **a**) 묶인 : ~ hands 묶인 손 / ~ by one's word 약속에 얽매인 / ~ to one's social standing 사회적 지위에 구속된. **b**) 〔종종 複合語로〕 얽매인 : duty-~ 의무에 얽매인. ② 〔敍述的〕 《~ + *to* do》 …하지 않을 수 없는, …할 의무가〔책임이〕 있는 : a plan ~ *to* succeed 틀림없이 성공할 계획 / I was ~ in duty *to* obey him. 나는 그에게 복종할 의무가 있었다. ③ 《~ + *to* do》 《口》 반드시 …할 결심으로 : He is ~ *to* go. 기어코 갈 작정이다. ④ 제본한, 장정(裝幀)한 : a book ~ in cloth 천으로 장정한 책. ⑤ 〖化〗 결합〔화합〕한. ***be ~ up in …에 열중하다, 깊이 관여하다 : He *was* ~ *up in* his work. 그는 일에 몰두하고 있었다. ~ ***up with*** …와 이해를 같이하여; …와 밀접한 관계로 : My future is closely ~ *up with* the finances of my firm. 내 장래는 회사의 재정상태와 밀접히 관련되어 있다. ***I'll be ~.*** = ***I'm ~.*** 《口》 책임지겠다, 장담한다.

‡**bound**[4] *a.* ① 〔敍述的〕 …행(行)의; (아무가) …로 가는 길인《*for* ; *to*》 : Where are you ~ ? 어디에 갑니까 / The ship is ~ *for* New York. 그 배는 뉴욕행이다 / a train ~ from Rome *to* Paris 로마발(發) 파리행(行) 열차. ② 〔흔히 複合語로〕 …로 가는 : homeward-~ 귀항(歸航)중인 / outward-~ 외국행의 / college-~ 대학 진학 지망의.

‡**bound·a·ry** [báundəri] *n.* Ⓒ ① 경계(선(線)) 《*between*》 : a ~ line 경계선 / The river forms

the ~ *between* the U.S. and Mexico. 그 강은 미국과 멕시코의 국경으로 되어 있다. ② (종종 *pl.*) 한계, 범위, 영역 : the ~ of science 과학의 한계 / something beyond the *boundaries* of understanding 이해의 범위를 넘은 그 무엇.

bound·en [báundən] *a.* 〔限定的〕 의무적인, 필수(必須)의 〔다음 成句로만〕 one'*s* ~ ***duty*** 본분.

bound·er [báundər] *n.* Ⓒ 《英口 · 稀》 버릇없는 놈, 막된 놈.

*__bound·less__ [báundlis] *a.* 무한한, 한없는 : ~ energy 무한한 힘 / the ~ future 무한한 미래.
㊕ ~·**ly** *ad.* ~·**ness** *n.*

*__boun·te·ous__ [báuntiəs] 《文語》 *a.* =BOUNTIFUL.

boun·ti·ful [báuntifəl] *a.* ① 물건을 아까워하지 않는, 활수한 ; 손이 큰 : a ~ giver 활수한 사람. ② 풍부한 : a ~ harvest 풍작 / a ~ supply of food 풍부한 식료품의 공급.
㊕ ~·**ly** *ad.* ~·**ness** *n.*

*__boun·ty__ [báunti] *n.* ① Ⓤ 활수함, 관대함 ; 박애. ② Ⓒ 하사품(下賜品) ; 축하금 ; 상여금. ③ Ⓒ 보상금, 상금 ; (정부의) 장려〔보조, 조성〕금《*on* ; *for*》 : grant a ~ *on* exports 수출품에 조성금을 주다 / There was a ~ *on* his head. 그의 목에는 현상금이 걸려 있었다.

bóunty hùnter 현상금을 탈 목적으로 범인〔야수〕을 쫓는 사람.

bou·quet [boukéi, bu:-] *n.* 《F.》 ① Ⓒ 부케, 꽃다발 : The woman carried a ~ of dried violets. 그녀는 마른 제비꽃다발을 지녔다. ② Ⓤ.Ⓒ (술 따위의) 향기, 방향(芳香) : wine with a rich ~ 향기 진한 포도주. ③ Ⓒ 달콤한 말, 찬사 : throw ~*s* at …에 달콤한 말을 하다, 간살떨다.

bouquét gar·ní [-ga:rní:] (*pl.* ***bouquets garnis*** [-z ga:rní:]) 《F.》 〔料〕 부케가르니《수프 등에 향기를 더하기 위해 넣는 파슬리 따위의 작은 다발》.

Bour·bon [búərbən, bɔ́:r-] *n.* ① Ⓒ (프랑스의) 부르봉 왕가(의 사람). ② Ⓒ (종종 b-) 《美》 (극단적인) 보수주의자. ③ (b-) Ⓤ 버본 위스키(=∠ **whìsky**)《주원료는 옥수수》.

*__bour·geois__ [buərʒwá:, ∠-] (*pl.* ~) *n.* Ⓒ 《F.》 중산계급의 시민《주로 상인 계급》, 유산자, 자본가, 부르주아. opp *proletarian.* ── *a.* 중산〔유산〕 계급의 ; 부르주아 근성의 ; 자본주의의 : He's accusing them of having a ~ and limited vision. 그는 그들이 부르조아 근성과 편협한 견해를 가지고 있다고 비난하고 있다.

bour·geoise [buərʒwá:z, ∠-] *n., a.* BOURGEOIS 의 여성형.

bour·geoi·sie [bùərʒwa:zí:] (*pl.* ~) *n.* (the ~) 《F.》 중산〔시민〕 계급, 상공 계급 ; 부르주아〔유산〕 계급. opp *proletariat*(*e*).

bourn(e) [buərn, bɔ:rn] *n.* Ⓒ 개울.

bourse [buərs] *n.* Ⓒ 《F.》 (유럽의 여러 도시, 특히 파리의) 증권 거래소 ; 금융 시장.

*__bout__ [baut] *n.* Ⓒ ① (권투 등의) 한판 승부 : have a ~ with …와 한판 싸우다〔붙다〕. ② 한바탕의 일《*of*》 : a ~ *of* work 한 차례의 일 / a two-week ~ *of* cramming for exam. 시험준비를 위한 2주간의 벼락공부. ③ (병의) 발작, 발병 기간 : have a long ~ of illness 오랜 병을 앓다 / a bad ~ of malaria 심한 말라리아 발작.

bou·tique [bu:tí:k] *n.* Ⓒ 《F.》 부티크《특히 값비싼 유행 여성복 · 액세서리 따위를 파는 작은 양품점이나 백화점의 매장》.

bou·ton·nière, -niere [bù:tənía̯r, bù:tənjɛ́ər] *n.* Ⓒ 《F.》 단춧구멍에 꽂는 장식꽃.

bo·vine [bóuvain] *a.* 소속(屬)의 ; 소 같은 ; 둔감한. ── *n.* Ⓒ 소속의 동물 ; 느리광이.
㊕ **bo·vin·i·ty** [bouvínəti] *n.*

Bov·ril [bávril / bɔ́v-] *n.* Ⓤ 바브릴《수프 등에 쓰는 (쇠)고기 익스트랙트 ; 商標名》.

bov·ver [bávər / bɔ́v-] *n.* Ⓤ.Ⓒ 《英俗》 (불량 소년들에 의한) 소란, 협박 행위, 난투.

bóvver bòot (흔히 *pl.*) 《英俗》 바브르부츠《바닥에는 징을 박은 불량 소년 구두》.

bóvver bòy 《英俗》 불량 소년, 깡패.

‡**bow**¹ [bou] *n.* Ⓒ ① 활 : shoot an arrow from a ~ 활로 화살을 쏘다 / draw a ~ 활을 당기다. ② (악기의) 활 ; 활로 한 번 켜기 : At the same auction, a record price was paid for a violin ~. 같은 경매에서 바이올린 활에 대해 기록적인 가격이 지불됐다. ③ 활 모양의 것〔곡선〕 ; 무지개 ; 나비 넥타이(~ tie) ; 나비 매듭 : tie a scarf in a ~ 스카프를 나비매듭으로 하다. ④ =BOW WINDOW. ⑤ 《美》 안경의 테〔다리〕. ***have two strings*** 〔***another string***〕 ***to*** one'***s*** ~ 만일의 경우에 대비가 되어 있다.
── *vt., vi.* ① 활 모양으로 휘(어지)다. ② (악기를) 활로 켜다.

‡**bow**² [bau] *n.* Ⓒ 절, 경례 ; 허리를 굽힘 : exchange ~*s* 인사를 교환하다 / make a ~ to … 에게 절〔경례〕하다 / make one's ~ (배우 따위가) 인사하고 물러가다 ; 나와서 인사하다. ***take a*** ~ (지휘자가) 박수에 응하여 무대에 나타나다 ; (배우가) 박수에 답례하여 인사하다. ── *vi.* ① 《~ / +전+명 / +부》 (인사 · 예배 따위를 위해) 허리를 굽히다, 절하다《*to*》 : He ~*ed to* me. 그는 나에게 절을 하였다 / ~ (*down*) *to* the ground 머리를 조아리며 절하다 / I ~*ed* my head and prayed. 나는 머리 숙여 기도했다. ② 《+전+명 / +부》 굴복하다 《(*down*) *before* ; *to*》 : ~ *to* 〔*before*〕 the inevitable (운명 등) 피할 수 없는 것에 굴복하다 / Better ~ than break. 부러지느니 오히려 굽어라 / I ~ *to* your superior knowledge of the classics. 당신의 풍부한 고전 지식에는 손 들었소. ③ 《文語》 (아래를 향해) 굽다, 구부리다 : The branches of the tree ~*ed* low toward the ground. 나뭇가지들이 낮게 땅쪽으로 굽어졌다.
── *vt.* ① (머리)를 숙이다, (허리 · 무릎)을 구부리다 : ~ one's head in prayer 머리 숙이고 빌다. ② 《+목+부》 〔종종 受動으로〕 …을 굽게 하다, …의 기를 꺾다 : She was ~*ed* (*down*) *with* 〔*by*〕 care. 그녀는 걱정으로 기가 꺾여 있었다. ③ (감사 · 동의의 뜻 따위)를 절하여 나타내다 : He ~*ed* his thanks. 그는 인사하며 사의를 표했다. ④ 《+목+부 / +목+전+명》 …을 인사하며 안내하다 《*into*》 ; 인사하며 배웅하다《*out of*》 : He ~*ed* her *into* 〔*out of*〕 the room. 그는 인사를 하고 그녀를 방에 안내하였다〔방에서 배웅했다〕. ⑤ 〔再歸的〕 인사를 하고 들어가다〔나가다〕 : I ~*ed* my*self into* 〔*out of*〕 the room. 나는 인사하고 방으로 들어갔다〔방에서 나왔다〕. ⑥ (몸 · 의지 따위)를 굽히다, 굴복시키다. ***be*** ~***ed*** (***down***) ***with*** (age 〔care〕) (나이 탓으로) 허리가 굽다 〔(근심으로) 기가 꺾이다〕. ~ ***and scrape*** 굽실거리다《오른발을 뒤로 빼면서 절하다는 뜻에서》.
~ ***down*** 인사하다《*to*》 ; 굴복하다《*to* ; *before*》.
~ ***out*** (절하고) 물러나다 ; 사퇴하다, 사직하다 ; 손을 빼다 : He ~*ed out* after two terms as governer. 주(州)지사로서 2기(期)를 역임한 후 사임했다 / I ~*ed out of* the scheme when I realized how much it would cost me. 어느 정도의 비용이 들 것인가를 알고는 그 계획에서 손을 뗐다.
~ ***to no one*** 아무에게도 머리를 숙이지 않다〔뒤지지 않다〕.

*__bow³__ [bau] *n.* Ⓒ ① (종종 *pl.*) 이물, 뱃머리. opp *stern²*. ¶ a lean〔bold, bluff〕 ~ 뾰족한〔평평한〕 뱃머리. ② =BOW OAR. ***a shot across the*** 〔a person's〕 ***~s*** 경고(警告). ***be ~s under*** (1) 뜻대로 되지 않다. (2) 당황하다. ***~s on*** (배가) 쏜살같이 곧장. ***on the*** ~ 이물쪽에《정면에서 좌우 45° 이내에》. ***on the port*** 〔***starboard***〕 ~ 좌현〔우현〕 이물에.

Bów béllѕ [bóu-] 런던의 St. Mary-le-Bow 성당의 종; 그 소리가 들리는 범위. ***born within the sound of*** ~ 보벨스의 종소리를 듣고 태어난; 런던 토박이의.

bowd·ler·ize [bóudləràiz, báud-] *vt., vi.* (저작물의) 야비〔불온〕한 문구를 삭제하다: The version of the play that I saw had been dreadfully ~*d.* 내가 본 연극의 번안은 가차없이 삭제된 것이었다.

‡**bow·el** [báuəl] *n.* Ⓒ ① 창자의 일부; (흔히 *pl.*) 창자, 내장; 《口》 결장(結腸): cancer of the ~ 장암 / have loose ~*s* 설사하다 / move one's ~*s* 배변하다, 변을 보다 / loosen the ~*s* (약 따위로) 변이 나오게 하다. ② (*pl.*) (지구 따위의) 내부: the ~*s* of the earth 땅 밑 / The paintings were stored in the ~*s* of the castle throughout the war. 그림들은 전쟁 중에 성 안 땅 밑에 보관되었다.

bówel mòvement 변통(便通), 배변(排便).

bow·er¹ [báuər] *n.* Ⓒ ① 나무 그늘; 나무 그늘이 있는 휴식소, 정자: They sat under the leafy ~ at the end of the garden and watched the sun set. 그들은 정원 끝의 나뭇잎이 무성한 그늘 아래에 앉아 해넘이를 지켜보았다. ② 내실(內室) (boudoir).

bow·er² *n.* Ⓒ 이물의 닻(=∠ **ànchor**).

Bow·ery [báuəri] *n.* (the ~) 바우어리가(街) 《New York 시의 큰 거리의 하나; 싸구려 술집·여관 따위가 많았던 지구》.

bów·ie (knìfe) [bóui(-), bú:i(-)] 《美》 일종의 사냥칼《칼집 달린 단도》.

bow·ing [bóuiŋ] *n.* Ⓤ 〖樂〗 (바이올린의) 활 놀리는 법, 운궁법(運弓法).

bow·knot [bóunɑ̀t / -nɔ̀t] *n.* (넥타이의) 나비 매듭: tie a ~ 나비 매듭으로 하다.

‡**bowl¹** [boul] *n.* Ⓒ ① 사발, 탕기(湯器), 보시기, 공기, 볼; 큰 (술)잔: a sugar ~ 설탕 단지. ② (보시기·공기 따위의) 한 그릇; 《美俗》 수프 한 그릇: a ~ of rice 밥 한 그릇. ③ (파이프의) 대통; (저울의) 접시; (숟가락의) 우묵한 곳; 수세식 변기; 우묵한 땅. ④ 《美》 (보시기처럼 우묵한) 야외 원형 극장 〔경기장〕.

‡**bowl²** *n.* ① Ⓒ (구기용의) 나무공; (구기의) 투구(投球). ② (*pl.*) 〔單數 취급〕 =LAWN BOWLING; NINEPINS, TENPINS: *Bowls* is one of the most popular sports in Britain. 볼링은 영국에서 가장 대중적인 스포츠의 하나다. ── *vt.* (공·원반 등)을 굴리다; 〖볼링〗 (점수 등)을 얻다; 〖크리켓〗 (공)을 던지다. ── *vi.* 공굴리기를 하다; 볼링을 하다; 〖크리켓〗 투구하다; 데굴데굴 움직이다; 술술〔미끄러지듯〕 나아가다《*along*》: The car ~*ed along* down the street. 차는 미끄러지듯 거리를 달려갔다. ~ ***down*** 〖크리켓〗 공으로 (wicket)을 쳐 넘어뜨리다; 《俗》 (사람)을 해치우다. ~ ***off*** 〖크리켓〗 (wicket 의 가로대를) 쳐 떨어뜨리다. ~ ***out*** 〖크리켓〗 (타자)를 아웃시키다; = ~ down. ~ ***over*** 〖볼링〗 넘어뜨리다; 〔一般的〕 때려눕히다; 《口》 당황하게 하다; 몹시 놀래다: We are ~*ed over* by the news. 그 소식에 당황했다.

bow·leg [bóulèg] *n.* Ⓒ (흔히 *pl.*) 〖醫〗 내반슬(內反膝), O 형 다리. ⓓ **~·ged** [-lègid] *a.*

*__bowl·er¹__ [bóulər] *n.* Ⓒ 〖볼링〗 볼링하는 사람〔선수〕; 〖크리켓〗 투수.

bówl·er² (hát) *n.* Ⓒ 《英》 중산모(帽) (《美》 derby (hat)).

bowl·ful [bóulfùl] *n.* Ⓒ 공기〔보시기〕 한 그릇(의 분량).

bow·line [bóulin, -làin] *n.* Ⓒ ① 〖海〗 가로돛의 양끝을 팽팽하게 당기는 밧줄. ② 〖海〗 일종의 옭매듭(=∠ **knòt**).

*__bowl·ing__ [bóuliŋ] *n.* Ⓤ 볼링 (cf. ninepins, tenpins, lawn ~); 〖크리켓〗 투구.

bówling àlley *n.* Ⓒ 〖볼링〗 레인(lane); (*pl.*) 볼링장《bowling green 또는 레인이 있는 건물》.

bówling grèen lawn bowling 장(場).

bow·man¹ [bóumən] (*pl.* ***-men*** [-mən]) *n.* Ⓒ 활잡이, 궁술가(archer).

bow·man² [báumən] (*pl.* ***-men*** [-mən]) *n.* Ⓒ 이물〔뱃머리〕의 노젓는 사람.

bów òar [báu-] 뱃머리의 노(젓는 사람).

bow·shot [bóuʃɑ̀t / -ʃɔ̀t] *n.* Ⓒ 화살이 미치는 거리, 활쏘기에 알맞은 거리《약 300 m》.

bow·sprit [báusprit, bóu-] *n.* Ⓒ 〖海〗 제 1 사장(斜檣)《이물에서 앞으로 튀어나온 돛대 모양의 둥근 나무》.

bow·string [bóustrìŋ] *n.* Ⓒ 활시위.

bów tíe [bóu-] 보 타이, 나비 넥타이.

bów wíndow [bóu-] 〖建〗 활 모양으로 내민 창.

「[∸∸] 《兒》 멍멍《개》.

bow·wow [báuwáu] *n.* Ⓒ ① 개 짖는 소리. ②

†**box¹** [bɑks / bɔks] *n.* ① Ⓒ 상자. ② (the ~) 돈궤. ③ Ⓒ 상자 가득(한 양). ④ Ⓒ 《英》 (상자들이의) 선물: a Christmas ~ 크리스마스 선물. ⑤ Ⓒ (극장 등의) 박스, 특등석; (법정의) 배심석, 증인석; 운전대, 마부석; (화차·외양간 따위의) 한 칸; 〖野〗 타자〔투수·포수·코치〕석; 활자판의 한 칸. ⑥ Ⓒ 대기소, 경비 초소; 신호소; 파출소; 사냥막; 전화 박스; 고해실(告解室). ⑦ Ⓒ (기계 등의) 상자 모양의 부분: a gear ~ 기어통 / a fire alarm ~ 화재 경보 장치. ⑧ Ⓒ (종이에 그린) 사각(형); 테, 둘레《신문·잡지 등에서 선을 두른 부분》. ⑨ Ⓒ 《俗》 퍼스널 컴퓨터. ⑩ (the ~) 《口》 텔레비전. ⑪ Ⓒ 《美》 사서함; =LETTER BOX. ***a ~ and needle*** 나침반. ***in a*** (***bad*** 〔***hot, tight***〕) ~ 《口》 어찌할 바를 몰라, 궁지에 빠져, ***in the same*** ~ 같은 입장〔상태〕에 있어. ***in the wrong*** ~ (1) 장소를 잘못 알아. (2) 난처한 처지에 놓여.

── *vt.* ① 상자에 (채워) 넣다《*up*》: Shall I ~ it for you? 그것을 상자에 넣어 드릴까요. ② (좁은 곳에) …을 가두다《*in; up*》: I don't like being ~*ed up* in the office. 사무실에 갇혀 있는 것은 질색이다. ~ ***in*** (1) (사람)을 가두다: I feel ~*ed in.* (갇힌 것처럼) 답답하다. (2) (상대주자·경주마의) 진로를 방해하다. ~ ***off*** 칸 막다; (칸을 막아) 격리하다《*from*》. ~ ***the compass*** (1) 나침반의 32 방위를 차례로 읽어가다. (2) (의론 따위가) 다시 원점으로 돌아오다. ~ ***up*** (1) …을 상자에 넣다〔포장하다〕; 비좁은 곳에 밀어넣다. (2) (감정 등)을 억제하다.

box² *n.* Ⓒ 손바닥〔주먹〕으로 침; 따귀 때림: He gave me a ~ on the ear(s). 그는 내 따귀를 쳤다.

── *vt., vi.* 주먹〔손〕으로 때리다; 권투하다《*with, against*》: Paul ~*ed with*〔*against*〕 John. 폴은 존과 권투를 했다.

box³ *n.* Ⓤ,Ⓒ 〖植〗 회양목; Ⓤ 회양목재.

Bóx and Cóx 같은 일을 교대 근무하는 두 사람; 같은 장소에 동시에 있는 일이 없는 두 사람

(Morton 작(作)의 단막희극(1847) 중의 인물에서). 「자가 없음).

bóx cámera 상자 모양의 구식 사진기《주름 상

box·car [-kɑ̀:r] *n.* Ⓒ 《美》 유개 화차(=《英》 **bóx wàggon**).

***box·er** [bɑ́ksər / bɔ́ks-] *n.* Ⓒ ① 복서, 권투 선수. ② 복서《개의 한 품종》. 「지.

bóxer shòrts 《美》 고무 밴드를 단 느슨한 반바

box·ful [bɑ́ksfùl / bɔ́ks-] *n.* Ⓒ 상자 가득(한 양).

‡**box·ing**¹ [bɑ́ksiŋ / bɔ́ks-] *n.* Ⓤ 권투, 복싱: a ~ match 권투 경기.

box·ing² *n.* ①Ⓤ 상자에 담는 작업; 상자 재료. ②Ⓒ 창문틀, 두껍닫이.

Bóxing Dày 《英》 크리스마스 선물의 날《성탄절 다음 날; 일요일이면 그 다음 날; 법정 휴일; 이날 고용인·집배원 등에게 Christmas box를 주는 풍습이 있음》.

bóxing rìng (복싱) 링. 「급.

bóxing wèights 권투 선수의 체중에 따른 등

bóx jùnction 《英》 (노란 선을 그은) 정차 금지의 교차점.

bóx kìte 상자 모양의 연《주로 기상 관측용》.

bóx lùnch (특히 주문받아 만드는) 곽 도시락.

bóx nùmber ①《美》 사서함 번호: Please reply to Box 603, the Times, London. 런던의 타임스사 사서함 603호로 회신해 주세요. ② (신문의) 광고 번호.

bóx òffice ① (극장 따위의) 매표소; 그 매상고, 수익. ② (극장 등의) 대만원, 대인기, 대만원의 흥행, 큰 히트: This show will be good ~. 이 쇼는 크게 히트할 것이다《★ 종종 BO로 생략함: a *BO* film 〔star〕 히트한 영화〔인기 배우〕》.

box-of·fice [-ɔ̀:fis / -ɔ̀fis] *a.* 《口》 흥행면에서의; 흥행적으로 돈을 버는〔히트하는〕: a ~ success 〔hit〕 대성공, 크게 한몫 봄. 「주름.

bóx plèat 〔**plàit**〕 (스커트 따위의) 상자꼴 겹

bóx scòre 〖野〗 박스 스코어《선수명·포지션·성적 등의 데이터를 괘선으로 두른 기록》.

bóx sèat (마차의) 마부석; (극장·경기장의) 박스석.

bóx spànner 《英》 =BOX WRENCH.

bóx stàll (외양간·마구간의) 칸막이.

box·wood [-wùd] *n.* Ⓒ 회양목; Ⓤ 회양 목재.

bóx wrènch 박스 스패너.

boxy [bɑ́ksi / bɔ́ksi] (***box·i·er*** ; ***-i·est***) *a.* 상자 비슷한, 모난: The car has a rather old-fashioned ~ shape, but it's very practical. 그 차는 상자모양의 좀 구식이지만 아주 실용적이다.

†**boy** [bɔi] *n.* ① Ⓒ 소년, 남자 아이《17, 18세까지》; 젊은이, 청년. ⓒⓕ lad, youth. ¶ a ~s' school 남자 학교. ② Ⓒ 소년처럼 미경험·미숙한 사람: a ~ lover 〔husband〕 젊은 연인〔남편〕 / a ~ student 남학생 / a ~ genius 천재 소년. ③ Ⓒ (종종 one's ~) (나이에 관계 없이) 아들, 자식; (the ~s) 한 집안의 아들들: He has two ~*s* and one girl / This is *my* ~. 이 놈이 내 아들이오. ④ Ⓒ 남학생: a college ~ 대학생 / when my father was a young ~ 나의 아버지가 학생이었을 때. ⑤ 《친밀감을 나타내기 위한 호칭으로》 남자, 녀석 (fellow): a nice old ~ 유쾌한〔좋은〕 녀석 / quite a ~ 훌륭한 사내《★ 현재는 거의 쓰이지 않음. 특히 백인이 흑인에 대해 쓸 경우 심한 모욕으로 여겨지고 있음》. ⑥ (흔히 *pl.*) 《俗》 …들, 한패, 동아리: the big business ~*s* 대기업가들 / the ~*s* in the back room 막후의 인물들 / the ~*s* at the office 회사의 남자 동료들. ⑦ (the ~s) 《口》 술〔놀이〕 친구; 《俗》 불량배들; 《口》 추종〔지지〕자들. ⑧ Ⓒ (종종 one's ~) 애인《남자》. ⑨ Ⓒ 사환, 보이《★ 레스토랑에서는 waiter, 호텔에서는 bellboy, bellhop 라고 부름》. ⑩ (the〔our〕 ~s) (특히 전시의) 병사들: *the* ~*s* at the front 출정 병사 / We must not forget *our* ~*s* serving far from home. 우리는 해외 주둔 병사들을 잊어서는 안 된다. ⑪Ⓒ〔修飾語와 함께〕《美口》(어느 지방 출신의) 남자: a country ~ at heart 근본이 시골출신 남자. ***my*** ~ 《호칭》 얘야《자기 아들에게》; 이봐 자네, 여보게《친구에게》. ***one of the ~s*** 《口》 여럿이서 떠들썩하게 지내는 것을 좋아하는 남자. ***That's*** 〔***There's***〕 ***the*** 〔***my***〕 ***~!*** 잘했다, 좋아, 훌륭해. ***the ~s in blue*** 《英口》 〔集合的〕 경찰관. —— *int.* 《口》 여, 이런, 참, 물론《유쾌·놀람·경멸 등을 나타내는 소리; 종종 Oh, ~! 라고도 함》.

boy-and-girl [bɔ́iəndgə́:rl] *a.* 소년소녀의, 어린.

boy·chik, -chick [bɔ́itʃik] *n.* Ⓒ 《美俗》 소년, 아이, 젊은 남자. [Yid.=little boy]

***boy·cott** [bɔ́ikɑt / -kɔt] *vt.* …을 보이콧하다, 불매(不買) 동맹을 하다, 배척하다; (모임 등의) 참가를 거부하다: The main opposition parties are ~*ing* the elections. 주요 야당들이 선거를 보이콧하고 있다. —— *n.* Ⓒ 보이콧, 불매 동맹; 배척: launch a ~ 보이콧을 시작하다 / place〔put〕 foreign goods under a ~ 외국 상품을 보이콧하다.

‡**boy·friend** [bɔ́ifrènd] *n.* Ⓒ (친한), 남자 친구; 보이프렌드: I don't know if she's got a ~ or not. 그녀에게 남자 친구가 있는지 없는지 모른다. ⓒⓕ girlfriend.

‡**boy·hood** [bɔ́ihud] *n.* ①Ⓤ (또는 a ~) 소년기: have *a* happy ~ 즐거운 소년 시절을 보내다 / James Bond was *a* ~ hero of mine. 제임스본드는 내 소년 시절의 영웅이었다. ②〔集合的〕 소년들.

***boy·ish** [bɔ́iiʃ] *a.* 아이 같은; 소년다운; 순진한, 천진 난만한; (계집아이가) 사내아이 같은: a ~ way of thinking 소년다운 사고방식 / He loves to learn, and has a ~ enthusiasm for life. 그는 배우기를 좋아하고 삶에 대해 천진한 열의를 가지고 있다.

ⓜ ~·ly *ad.* ~·**ness** *n.*

boy-meets-girl [bɔ́imi:tsgə́:rl] *a.* (소년이 소녀를 만나면 사랑을 한다는 식의) 정해진, 흔해빠진 (이야기 따위).

***bóy scòut** 보이 스카우트 단원, 소년단원《영국은 1908년, 미국은 1910년에 창설된 the Boy Scouts의 한 사람》. ⓒⓕ girl scout.

bo·zo [bóuzou] (*pl.* ~*s*) *n.* Ⓒ 《美俗》 녀석, 놈 (fellow, guy); 촌스러운 남자.

BP British Petroleum (영국 석유 회사). **B.P.** Bachelor of Pharmacy 〔Philosophy〕. **B.P., BP** balance of payments; blood pressure; blueprint. **Bp.** Bishop. **bp.** bishop. **b.p.** boiling point. **BPD, bpd** barrels per day.

BPI 〖컴〗 Bits Per Inch(비트/인치)《자기(磁氣) 테이프 등의 정보 기억 밀도 단위》.

BPS 〖컴〗 Bits Per Second(비트/초)《회선 등의 정보 전달량〔속도〕의 단위》.

B.R., BR British Rail. **Br** 〖化〗 bromine. **Br.** Breton; Britain; British. **br.** branch; brig; brother; brown.

bra [brɑ:] *n.* =BRASSIERE.

brace** [breis] *n.* ① Ⓒ 버팀대, 지주(支柱). ② Ⓒ 꺾쇠, 거멀못; (brace and bit의) 굽은 자루. ③ (흔히 *pl.*) 중괄호({ }). ④ Ⓒ (흔히 *pl.*) 〖齒〗 치열 교정기. ⑤ (*pl.*) 《英》 바지 멜빵(《美》 suspenders). ***take a ~ 《美口》 (운동 선수 등이) 분발하다.

— *vt.* ① …을 버티다, 떠받치다; 보강하다《*up*; *with*》: ~ the roof *with* poles 지붕을 기둥으로 떠받치다. ② …을 죄다; (활에 시위)를 팽팽히 매다《*up*》; (다리)를 힘껏 디디고 버티다《*up*》: ~ one's feat to keep from falling 넘어지지 않으려고 발에 힘을 주다. ③ 〔再歸的〕 (…하기 위하여) …을 분발〔분기〕시키다, 각오케 하다; (곤란 등)에 대비하다《*for*; *against*》: He *~d himself to* tell her. 그는 용기를 내어 그녀에게 말했다 / He *~d himself for* the shock. 그는 충격에 대비하여 마음을 긴장시켰다 / *~ oneself against* an enemy attack 적의 공격에 대비하다. ④ …을 긴장시키다《*up*》: He *~d* every nerve for a supreme effort. 그는 한층 더 분발하려고 온 신경을 곤두세웠다 / *Brace up* yourself to fight. 분발하여 싸워라.
— *vi.* 기운을 내다《*up*》; 분발하다《*for*》. opp. *relax.*

bráce and bít ㄷ자형(字型) 손잡이가 달린 타래 송곳의 일종.

***brace·let** [bréislit] *n.* ① Ⓒ 팔찌. ② (*pl.*) 《俗》 수갑.

brac·er[1] [bréisər] *n.* Ⓒ 지탱하는 것〔사람〕, 죄는 사람〔것〕; 밧줄; 띠; 《口》 흥분제, 자극성 음료《술 등》; 기운을 돋우는 것.

brac·er[2] *n.* Ⓒ (활쏘기·격검 등의) 팔찌, 손목 보호대.

brac·ing [bréisiŋ] *a.* 긴장시키는; 기운을 돋우는; 상쾌한. — *n.* Ⓒ 〖建〗 가새, 브레이싱, 지주(支柱) (brace).

brack·en [brǽkən] *n.* Ⓤ 〖植〗 고사리(류의 숲).

***brack·et** [brǽkit] *n.* Ⓒ ① 까치발, 선반받이. ② 돌출한 선반; 까치발 붙은 전등〔가스등〕, 브래킷 조명 기구. ③ (*pl.*) 각괄호《[ ], 〔 〕, 드물게 ( ), 〈 〉, { }》: Put your name in *~s* at the top of each page. 각 페이지 위쪽에 있는 괄호 속에 네 이름을 써 넣어라. cf. parenthesis. ④ 하나로 일괄(一括)한 것, 동류, 부류: the 20-30 age ~, 20세에서 30세 사이의 부류. ⑤ (수입으로 구분되는) 납세자의 계층: the high 〔low〕 income *~s* 고액〔저액〕 소득층.
— *vt.* ① …에 까치발을 대다. ② …을 괄호로 묶다《*off*》. ③ 《~+目 / +目+前+名》 하나로 몰아 다루다, 일괄하다: The pupils were *~ed into* five groups. 학생들은 다섯 그룹으로 나뉘었다.

brack·ish [brǽkiʃ] *a.* ① 소금기 있는: a ~ lake 소금기 있는 호수 / These reeds grow best in ~ water. 이 갈대는 소금기 있는 물에서 가장 잘 자란다. ② 맛없는, 불쾌한. 파 **~·ness** *n.*

bract [brækt] *n.* Ⓒ 〖植〗 포(苞), 포엽(苞葉).

brad [bræd] *n.* Ⓒ 곡정(曲釘)《대가리가 갈고리처럼 굽은 못》.

brag** [bræg] (*-gg-*) *vi.* 《~ / +前+名》 자랑하다, 자만하다, 허풍떨다《*of*; *about*》: He *~s of* his rich father. 그는 부자인 그의 아버지를 자랑하고 있다. — *vt.* …을 자랑하다《*that*》: She is *~ing that* she'll win. 그녀는 이길거라고 흰소리 치고 있다. ***be nothing to ~ about 자랑할 것이 못 되다, 그다지 좋지 않다: His work shows *nothing to ~ about.* 그의 일은 자랑할만한 것이 못 된다. — *n.* ① Ⓤ 자랑, 허풍; 자랑거리: make ~ of …을 자랑하다. ② Ⓒ 자랑거리.

brag·ga·do·cio [brægədóuʃiòu] (*pl.* ***~s***) *n.* ① Ⓒ 대허풍(선이). ② Ⓤ 허풍.

brag·gart [brǽgərt] *n.* Ⓒ 허풍선이, 자랑꾼. — *a.* 허풍을 떠는, 자만하는, 자랑하는.

Bra(h)m, Bra(h)·ma [brɑːm], [brɑ́ːmə] *n.* 〖힌두敎〗 범(梵)《세계의 최고 원리》, 창조신(神). cf. Vishnu, Siva.

Brah·man [brɑ́ːmən] (*pl.* ***~s***) *n.* 브라만, 바라문(婆羅門)《인도 사성(四姓)의 제 1 계급인 승려 계급》. cf. caste.

Brah·man·ism [brɑ́ːmənìzəm] *n.* Ⓤ 브라만교, 바라문교. 파 **-ist** *n.* Ⓒ 브라만교도.

Brah·min [brɑ́ːmin] *n.* ① = BRAHMAN. ② 《美口》《때로 蔑》 지식 계급의 사람, 지식인《특히 New England의 명문 출신》.

Brahms [brɑːmz] *n.* **Johannes** ~ 브람스《독일의 작곡가; 1833-97》.

braid** [breid] *n.* ① Ⓒ 노끈, 끈 끈. ② Ⓤ 몰: gold 〔silver〕 ~ 금〔은〕몰. ③ Ⓒ (종종 *pl.*) 땋은 머리, 변발. ***a straw ~ 밀짚으로 꼰 납작한 끈.
— *vt.* ① (머리)를 땋다〔땋아 늘어뜨리다〕, 짜다; 꼰 끈으로 꾸미다〔테두르다〕: wear one's hair in *~s* 머리를 땋아 늘이고 있다. ② …을 몰로 장식하다.

braid·ed [bréidid] *a.* 짠; (머리를) 땋은, 땋아내린.

braid·ing [bréidiŋ] *n.* Ⓤ 〔集合的〕 짠 끈, 꼰 끈; 몰 자수.

braille [breil] *n.* Ⓤ (종종 B-) 브라유식 점자(點字)(법)《프랑스인 Louis Braille(1809-52)의 고안》: The book has been printed in six languages and in ~. 그 책은 6개 국어와 점자로 인쇄되어 있다. — *vt.* …을 점자로 기록〔인쇄〕하다.

†brain [brein] *n.* ① Ⓒ 뇌; 뇌수(腦髓); (*pl.*) 골. ② Ⓤ,Ⓒ (종종 *pl.*) 두뇌, 지력: It takes quite a ~ to (do).... …하기 위해선 머리를 많이 써야 한다 / Ann has both *~s* and beauty. 앤은 재색(才色)을 겸비하고 있다 / The boy has (good) *~s.* 그 아이는 머리가 좋다 / He hasn't got mach (of a) ~ 그는 별로 머리가 좋지 않다. ③ Ⓒ 《口》(the *~s*) (흔히 *pl.*) 《口》 지적 지도자, 브레인; 《口》 머리가 좋은 녀석: She's *the ~s* of the company. 그녀는 회사 브레인이다 / He was the *~s* behind the plot. 그는 그 음모의 막후 지도자였다. ④ Ⓒ (미사일 따위의) 전자 두뇌, (컴퓨터 등의) 중추부. ***beat*** 〔***cudgel, drag, rack***〕 one***'s ~***(***s***) (***out***) 머리를 짜내다. ***beat*** a person***'s ~ out*** …의 머리를 몹시 때리다. ***blow*** one***'s ~s out*** = ***blow out*** one***'s ~s*** 《口》 (총으로) 머리를 쏘아 자살하다; 《美俗》 열심히 일하다. ***crack*** one***'s ~*** 〔***~s***〕 미치다, 발광하다. ***give ~s*** 지혜를 빌려주다. ***have*** (***good***) 〔***have no***〕 ***~s*** 머리가 좋다〔나쁘다〕. ***have*** 〔***get***〕 (something) ***on the*** 〔***one's***〕 ~ (어떤 일)이 언제나 머리에서 떠나지 않다; …에 열중하다. ***pick*** 〔***suck***〕 a person***'s ~*** (***s***) 《口》 아무의 지혜를 빌리다: *picking* the *~s* of colleagues for idea 아이디어를 구하려고 동료의 지혜를 빌리는 것. ***read*** a person***'s ~*** 아무의 생각을 알아채다. ***tax*** one***'s*** 〔a person***'s***〕 ~(***s***) 아무의 머리를 혹사하다. ***turn*** a person***'s ~*** 아무의 머리를 돌게 하다; 아무를 당혹〔아연〕하게 하다; 아무를 우쭐하게 하다. ***use*** one***'s ~s*** 머리를 쓰다, 잘 생각하다.
— *vt.* ① …의 골통을 때려 부수다. ② 《俗》 …의 머리를 때리다.

bráin bòx 《口》 컴퓨터.

bráin cèll 〖解〗 뇌(신경)세포.

brain·child [∸tʃàild] *n.* (*sing.*) 《口》 창작물〔안〕, 아이디어: Building a luxurious new opera house had been the ~ of François Mitterrand. 호화스러운 새 오페라 극장을 건립한 것은 프랑수아 미테랑의 아이디어였다.

brain-dead [∸dèd] *a.* 〖醫〗 뇌사의, 뇌사의 징후를 보이는: She was declared to be ~ and her family allowed the life-support machine to be switched off. 그녀가 뇌사 상태의 판정을 받아 그녀의 가족은 생명 유지 장치의 부착을 중단하는 데 동의했다.

bráin dèath 〖醫〗 뇌사(腦死).

bráin dràin 《口》 두뇌 유출: China has suffered a huge ~ in recent years. 중국은 최근 수년간 막대한 두뇌 유출로 고심하고 있다.

brain-drain [-drèin] *vi., vt.* 《口》 두뇌 유출하다〔시키다〕.

-brained [breind] '…한 머리를 가진'의 뜻의 결합사: mad-~.

bráin fèver 뇌(막)염 (encephalitis).

bráin gàin 두뇌 유입. cf. brain drain.

brain·less [bréinlis] *a.* 머리가 나쁜, 어리석은.

brain·pan [-pæ̀n] *n.* Ⓒ 두개(頭蓋); 《美》 머리.

bráin stèm (the ~) 뇌간(腦幹).

brain·storm [-stɔ̀ːrm] *n.* Ⓒ ① (발작적인) 정신 착란: I can't imagine why I bought it. I must have had a ~. 내가 왜 그것을 샀는지 모르겠다. 깜박 정신이 나갔던 모양이다. ② 《口》 갑자기 떠오른 묘안, 인스피레이션, 영감: have a ~ 굉장한 생각이 떠올랐다. — *vi.* 브레인스토밍하다.

brain·storm·ing [-stɔ̀ːrmiŋ] *n.* Ⓤ 브레인스토밍《회의에서 모두가 차례로 아이디어를 제출하여 그 중에서 최선책을 결정하는 방법》.

bráins trùst 《英》 ① 〖放送〗 (청취자의 질문에 대한) 전문 해답자단(團). ② = BRAIN TRUST.

brain·teas·er, -twist·er [-tìːzər], [-twìstər] *n.* Ⓒ 어려운 문제; 퍼즐: The paper publishes two ~*s* every sunday. 그 신문은 일요일마다 2개의 퍼즐을 게재하고 있다.

bráin trùst 《美》 브레인 트러스트, 두뇌 위원회, (정부의) 전문 고문단: The candidate's ~ is gathering this weekend to plan strategy for the primary election. 그 후보의 고문단은 예비 선거에 대비한 전략을 수립하기 위해 이번 주말에 회합을 가질 것이다《★ 집합체로 볼 때는 단수, 구성 요소로 생각할 때는 복수 취급》.

bráin trùster brain trust의 일원(一員).

brain·wash [-wɑ̀ʃ, -wɔ̀(ː)ʃ] *vt.* ① …을 세뇌하다: They were taken to special camps and ~*ed.* 그들은 특수 수용소에 들어가 세뇌받았다. ② …을 세뇌하여 …시키다《*into*》. — *n.* Ⓒ 세뇌.

brain·wash·ing [-iŋ] *n.* Ⓤ 세뇌, (강제적인) 사상 전향: The United Nations has accused them of ~ prisoners. 국제연합은 포로 세뇌에 대하여 그들을 비난했다.

bráin wàve ① 《英口》 영감, 묘안: I've just have a ~. Here's what we should do! 방금 묘안이 떠올랐다. 이게 우리 할 일이다. ② (*pl.*) 〖醫〗 뇌파.

brainy [bréini] (***brain·i·er; -i·est***) *a.* 《口》 머리가 좋은. ⓜ **bráin·i·ness** *n.*

braise [breiz] *vt.* (고기나 야채)를 기름으로 살짝 튀긴 후 약한 불에 끓이다.

‡**brake**[1] [breik] *n.* Ⓒ ① (종종 *pl.*) 브레이크, 제동기〔장치〕: put on 〔apply〕 the ~(*s*) 브레이크를 걸다 / take off the ~ 브레이크를 늦추다. ② 제동, 억제《*on*》: put the ~*s on* an investigation 조사에 제동을 걸다, 조사를 방해하다. ***slam*** 〔***jam***〕 ***the ~s on*** 《口》 급(急)브레이크를 밟다. — *vt.* …에 브레이크를 걸다: ~ a car. — *vi.* 브레이크가 걸려 차가 서다: The car ~*d* for a traffic light. 차는 교통 신호로 섰다.

brake[2]**, bráke fèrn** *n.* Ⓤ〔集合的〕〖植〗 ① 고사리. ② 봉의 꼬리.

brake[3] *n.* Ⓒ 숲, 덤불; 푸나무서리.

bráke drùm 〖機〗 브레이크 드럼.

bráke flùid (유압 브레이크의) 브레이크액(液).

bráke hórsepower (flywheel 따위의) 브레이크 마력, 제동 마력《略: bhp》.

brake·light [-làit] *n.* Ⓒ (자동차 후미의) 브레이크 등(stoplight).

brake·man, 《英》 **brakes-** [bréikmən], [bréiks-] (*pl.* ***-men*** [-mən]) *n.* Ⓒ 제동수(制動手); 《美》 (대륙 횡단 철도의) 보조 차장.

bráke pèdal 〖機〗 브레이크 페달.

bráke vàn 《英》 (열차의) 제동 장치가 있는 차, 완급차(緩急車).

bráke whèel 브레이크 차륜, 제동륜(輪).

bram·ble [brǽmbəl] *n.* Ⓒ 〖植〗 가시나무, 들장미; 나무딸기; 《英》 검은딸기; 가시 있는 관목(灌木).

bram·bling [brǽmbliŋ] *n.* Ⓒ 〖鳥〗 되새.

bram·bly [brǽmbli] (***bram·bli·er; -bli·est***) *a.* 가시가 많은, 가시덤불의.

bran [bræn] *n.* Ⓤ 밀기울, 겨, 왕겨. ***bolt to the ~*** 정사(精査)하다.

†**branch** [bræntʃ, brɑːntʃ] *n.* Ⓒ ① 가지, 분지(分枝); 가지 모양의 것《사슴뿔 따위》. ② 분파; 지맥(支脈); 지류(支流); 지선(支線); 분가(分家); 분관(分館); 지부, 지국, 지점(~ office), 출장소: an overseas ~ 해외 지점 / a ~ manager 지점장 / This ~ of the river eventually empties *into* the Atlantic. 강의 이 지류는 결국 대서양으로 흘러들어간다. ③ 분과(分科), 분과(分課), 부문; 〖言〗 (언어 분류상의) 어족(語族); 어파(語派): a ~ of study 학문〔연구〕의 한 분야 / Phonology is a ~ of linguistics. 음운론(音韻論)은 언어학의 한 부문이다. ④ 〔컴〕 (프로그램의) 가름; 〖電〗 지로(支路). ***root and ~*** 철저하게, 근본적으로.

— *vi.* ① 가지를 내다〔뻗다〕《*forth; out*》: Their cherry has ~*ed out* over our garden. 그들의 벚나무 가지는 우리집 정원까지 뻗어있다. ② (길·철도·강 등이) 갈라지다《*away; off; out*》; (…로) 분기하다《*into; to*》: The railroad tracks ~ *off* 〔*away*〕 in all directions. 철도는 사방팔방으로 갈라져 있다 / The road ~*es* at the bottom of the hill. 이 길은 산기슭에서 갈라져 있다. ③ (…에서) 파생하다《*from*》: Apes ~*ed from* man's family tree. 유인원(類人猿)은 사람과(科) 계통수에서 갈라져 나왔다. ④ 〖컴〗 가름 명령을 실행하다. ~ ***off*** ⇨ *vi.* ①; (열차·차 등이) 지선으로〔곁길로〕 들다. ~ ***out*** ⇨ *vi.* ①; (장사·사업 따위의) 규모를 확장〔확대〕하다《*into*》; 관심사가 다방면에 걸치다.

branch·let [brǽntʃlit, brɑ́ːntʃ-] *n.* Ⓒ 작은 가지, 「끝가지.

bránch lìne (철도·도로 등의) 지선.

bránch òffice 지점. cf. home office.

bránch wàter 《美》 ① (냇물에서) 끌어들인 물. ② 술에 타는 탄산수가 아닌 맹물: burbon and ~ 물 탄 버본.

branchy [brǽntʃi, brɑ́ːntʃi] (***branch·i·er; -i·est***) *a.* 가지가 많은〔우거진〕.

‡**brand** [brænd] *n.* Ⓒ ① 상표, 브랜드; 품질; (특별한) 종류《*of*》: This type of beer is the ~ leader. 이 종류의 맥주는 특가품이다. ② **a)** (가축 따위의 소유주를 밝히는) 소인(燒印). **b)** 낙인《옛날 죄인에게 찍은》; 오명(disgrace): He had to bear the ~ of a criminal after the event. 그 사건 후 그는 죄인이란 오명을 써야 했다. ③ 타다 남은 나무《동강 따위》. ***the ~ of Cain*** 가인의 낙인《살인죄》.

— *vt.* ① …에 소인을 찍다: ~ cattle 소에 소인

을 찍다. ②《+목+*as* 보》…에 낙인을 찍다, …이란 오명을 씌우다: He was ~*ed as* a thief. 그는 도둑의 누명을 뒤집어썼다 / ~ him with dishonor 그에게 오명을 씌우다. ③《+목+전+명》(기억 따위)에 강한 인상〔감명〕을 주다《*on* ; *in*》: The scene is ~*ed on* 〔*in*〕 my memory. 그 광경은 내 기억에 생생하다 / The war has ~*ed* an unforgettable lesson *on* our minds. 전쟁은 우리들 마음에 잊을 수 없는 교훈을 남겼다.

bránding ìron 낙인 찍는 쇠도장.

bran·dish [brǽndiʃ] *vt.* (검·곤봉·채찍 등)을 휘두르다, 머리 위로 쳐들다《*at*》: ~ one's fist *at* a person 아무를 향해 주먹을 휘두르다.

bránd nàme 상표명(trade name).

brand-name [-nèim] *a.* 〔限定的〕 (유명) 상표가 붙은: a ~ item 메이커 제품.

brand-new [brǽndnjúː] *a.* 아주 새로운, 신품의, 갓 만들어진〔들여온〕: How can he afford to buy himself a ~ car? 그가 어떻게 제 돈으로 새 차를 살 여유가 있을까?

Brandt [brænt] *n.* **Willy** ~ 브란트《구서독의 정치가; 노벨평화상 수상(1971); 1913-1992》.

***bran·dy** [brǽndi] *n.* Ⓤ,Ⓒ 브랜디: a ~ and soda 소다수를 탄 브랜디 한 잔. ── *vt.* (과일 등)을 브랜디에 담그다; …을 브랜디로 맛을 내다.

brándy snàp 《英》 브랜디가 든 생강 과자.

bran-new [brǽnnjúː] *a.* ＝BRAND-NEW.

brash [bræʃ] *a.* ① 성마른, 경솔한; 무모한. ② **a)** 뻔뻔스러운, 건방진: He is ~ in his attitude toward the umpire. 그는 심판에 대한 태도가 건방지다. **b)** 기운찬, 정력적인. ③ (목재가) 부러지기 쉬운, 무른. 㖈 ~**·ly** *ad.* ~**·ness** *n.*

bra·si·er [bréiʒər] *n.* ＝BRAZIER[1,2]. 「도》.

Bra·sil·ia [brɑzíːljə] *n.* 브라질리아《브라질의 수

‡brass [bræs, brɑːs] *n.* ① Ⓤ **a)** 놋쇠, 황동: The instrument is beautifully made in ~. 그 악기는 황동으로 아름답게 만들어졌다. **b)** 놋제품. ② **a)** Ⓒ 〖樂〗 금관 악기. **b)** (the ~) 〔集合的〕 (악단의) 금관 악기부. ③ Ⓤ 《英俗》 돈. ④ (the ~) 《口》 철면피, 뻔뻔스러움: have *the* ~ to do 뻔뻔스럽게도 …하다. ⑤ Ⓤ (the ~) 〔集合的〕 《口》 고급 장교〔경찰관〕 (~ hat); 고관, 높은 사람. ⑥ Ⓒ (초상·문장을 조각한) 놋쇠 패(牌). ── *a.* 〔限定的〕 놋쇠로 만든; 놋쇠빛의: a ~ instrument 금관 악기. **(*as*) *bold as*** ~ 아주 철면피한. ***not ... a ~ farthing*** 《口》 전혀〔조금도〕 …않다: do*n't* care *a ~ farthing* 조금도 상관없다.
── *vt.* 〖冶〗 …에 놋쇠를 입히다. ***be ~ed off*** 《俗》 싫증이 나다, 진절머리가 나다《*with*》.

bráss bánd 취주악단(吹奏樂團).

brass-col·lar [-kálər / -kɔ́lər] *a.* 《美口》 정당에 절대 충실한.

bráss hát 《俗》 고급 장교《금테 모자에서》.

brass·ie [brǽsi, brɑ́ːsi] *n.* 〖골프〗 밑바닥에 놋쇠를 씌운 골프채《우드(wood)의 2 번》. 「(bra).

bras·siere, -sière [brəzíər] *n.* 《F.》 브래지어

bráss knúckles (*pl.*) 《美》 (격투할 때) 손가락 마디에 끼우는 쇳조각.

brass-rub·bing [-rʌ̀biŋ] *n.* Ⓤ (황동 묘비 등의) 탁본을 뜸, 묘비의 탁본.

brass-smith [-smìθ] *n.* Ⓒ 놋쇠 세공사.

bráss tácks 《口》 (사물의) 핵심, 요점. ***get*** 〔***come***〕 ***down to*** ~ 《口》 문제의 핵심을 다루다, 본론으로 들어가다: Now, let's *get down to* ~; how much did we lose? 자 본론으로 들어가서 우리가 얼마를 잃었지.

brass·ware [-wὲər] *n.* Ⓤ 놋쇠 제품.

bráss wìnds 브라스밴드, 금관 악기류.

brassy [brǽsi, brɑ́ːsi] (***brass·i·er*** ; ***-i·est***) *a.* 놋쇠(빛)의; 놋쇠 같은; 겉만 번드레한; 귀에 거슬리는, 쇳소리의; 《口》 뻔뻔스러운, 철면피한.

brat [bræt] *n.* Ⓒ 《蔑》 선머슴, 개구쟁이.

Bra·ti·sla·va [brætəslɑ́ːvə, brɑ̀ːt-] *n.* 브라티슬라바《슬로바키아 공화국의 수도》. 「《⇨BRAVO[1]》.

bra·va [brɑ́ːvɑː, -́-] *int., n.* 여성에 대한 bravo

bra·va·do [brəvɑ́ːdou] (*pl.* ~(***e***)***s***) *n.* ① Ⓤ 허장 성세, 허세. ② Ⓒ 분별없는 행동.

†brave [breiv] (***bráv·er*** ; ***bráv·est***) *a.* ① 용감한. opp. *cowardly*. ¶ She was ~ 〔＝It was ~ of her〕 to bear the threat. 그 협박을 버티어 낸 그녀는 용감했다 / He was very ~ about his operation. 그는 작전에 대해서는 매우 용감했다. ②《文語》 훌륭한, 화려한; 멋진. ◇ bravery *n.* ***a ~ new world*** 놀라운 신세계《Shakespeare작 *The Tempest* 에서》. ── *n.* Ⓒ 용사; 《특히》 아메리카 인디언의 전사. ── *vt.* (위험 따위)를 무릅쓰다, 대수로이 여기지 않다; 무시하다; …에 용감하게 맞서다: ~ misfortune. ~ ***it out*** 태연히〔용감하게〕 밀고 나가다.

‡brave·ly [bréivli] *ad.* 용감〔훌륭〕하게.

‡brav·ery [bréivəri] *n.* Ⓤ ① 용기, 용감(성), 용맹; 용감한 행위: He deserves the highest praise for his ~. 그의 용감한 행위에 대해 최고의 칭찬을 받을만하다. cf. courage. ②《文語》 훌륭함, 화려; 치장: She is decked out *in* all her ~. 아름답게 치장하고 있다.

bra·vo[1] [brɑ́ːvou, -́-] *int.* 잘한다!, 좋아!, 브라보!: "Bravo, Rena! You're right," the students said. '브라보, 레나! 네가 맞았어'라고 학생들은 말했다. ── (*pl.* ~***s*** [-z], ***-vi*** [-viː]) *n.* Ⓒ 브라보〔갈채의〕 소리《★ 여성에 대해선 brava》.

bra·vo[2] [brɑ́ːvou] (*pl.* ~(***e***)***s*** [-z], ***-vi*** [-viː]) *n.* Ⓒ 자객(刺客).

bra·vu·ra [brəvjúərə] *n.* Ⓤ 《It.》 (음악·극에서) 대담하고 화려한 연주〔연기, 연출〕. ── *a.* 〔限定的〕 (연주 등이) 대담한, 화려한.

brawl [brɔːl] *vi.* ① (길거리·공공장소에서) 큰 소리로 싸우다. ② (냇물이) 좔좔 흐르다. ── *n.* Ⓒ 말다툼; 《口》 대소동; 《美俗》 떠들썩한 (댄스) 파티; (냇물 따위의) 좔좔 소리.

brawn [brɔːn] *n.* ① Ⓤ (억센) 근육; 완력: have more regard for brains than for ~ 완력보다는 두뇌를 존중하다. ② Ⓒ,Ⓤ 《英》 브론《삶아서 소금에 절인 돼지고기; 《美》 headcheese》. ***brain before*** ~ 힘보다 머리. ~ ***as well as brain*** 머리도 완력〔체력〕도. 「출.

bráwn dràin 노동 유출; 운동선수의 해외 유

brawny [brɔ́ːni] (***brawn·i·er*** ; ***-i·est***) *a.* 근골(筋骨)이 늠름한, 억센. 㖈 **bráwn·i·ness** *n.*

bray [brei] *n.* Ⓒ ① 당나귀의 울음 소리. ② 시끄러운 나팔 소리.
── *vi.* ① (당나귀가) 울다, 소리 높이 울다. ② (나팔 소리가) 시끄럽게 울리다: The donkey ~*ed* and tried to bolt. 당나귀는 시끄럽게 울면서 도망치려고 했다. ~ ***out*** 고함치듯 말하다.

Braz. Brazil, Brazilian.

braze [breiz] *vt.* …을 납땜하다.

bra·zen** [bréizən] *a.* ① 놋쇠로 만든. ② 놋쇠빛의. ③ 귀따가운, 시끄러운: ~ tones of voice 꽝꽝 울리는 목소리. ④ 철면피한, 뻔뻔스런: He told me a ~ lie. 내게 뻔뻔스러운 거짓말을 했다. ── *vt.* (비난 따위)에 넉살 좋게〔뻔뻔스럽게〕 대처하다: ~ *out* scolding 잔소리를 해도 못들은 척하다. ~ ***it out 〔***through***〕 (욕하건 말건) 뱃심좋게 밀고 나아가다, 넉살 좋게 굴다. ~ one***'s way out*** 배짱으로 곤란을 타개해 나가다. 㖈 ~**·ly** *ad.*

뻔뻔스럽게, 철면피하게. ~·**ness** *n.*
bra·zen·face [-fèis] *n.* Ⓒ 철면피한 사람.
bra·zen·faced [-fèist] *a.* 뻔뻔스러운, 철면피한. ㊕ **-fac·ed·ly** [-fèisidli] *ad.* 뻔뻔스럽게(도).
bra·zier[1] [bréiʒər] *n.* Ⓒ (금속으로 만든 요리용) 화로.
bra·zier[2] *n.* Ⓒ 놋갓장이.
bra·ziery [bréiʒəri] *n.* 놋쇠 세공(장).
‡**Bra·zil** [brəzíl] *n.* ① 브라질《정식 명칭은 the Federative Republic of ~; 수도 Brasilia》. ② Ⓤ (b-) **a)** =BRAZILWOOD. **b)** brazilwood에서 채취되는 적색 염료(=**brazíl réd**); =BRAZIL NUT.
Bra·zil·ian [brəzíljən] *a.* 브라질의. ── *n.* Ⓒ 브라질 사람.
Brazíl nùt 〖植〗 브라질 호두《식용》.
bra·zil·wood [brəzílwùd] *n.* Ⓤ 〖植〗 다목류《바이올린의 활 만드는 데 쓰임》.
Br. Col. British Columbia.
B.R.C.S. British Red Cross Society(영국 적십자사).
*__breach__ [bri:tʃ] *n.* ① Ⓒ (성벽 등의) 터진 곳; 돌파구: We have opened a ~ in the U.S. market. 우리는 미국 시장에 돌파구를 만들었다. ② Ⓤ.Ⓒ (약속·법률·도덕 따위를) 어김, 위반, 불이행, 침해《*of*》: a ~ *of* the law 위법(행위) / a ~ *of* privacy 사생활의 침해 / a ~ *of* duty 배임, 직무태만. ③ Ⓒ 절교, 불화: heal the ~ between the two 두 사람 사이의 불화를 화해시키다. ④ Ⓒ (고래가) 물위로 뛰어오름. ***a ~ of confidence*** 비밀누설. ***a ~ of contract*** 〖法〗 계약 위반〔불이행〕. ***a ~ of duty*** 〖法〗 배임, 직무태만. ***a ~ of faith*** 배신. ***a ~ of prison*** 〖法〗 탈옥. ***a ~ of promise*** 〖法〗 약속 위반〔불이행〕, 위약, 약혼 불이행. ***a ~ of the peace*** 〖法〗 치안 방해. ***in ~ of*** …에 위반하여. ***stand in*** 〔***throw*** one***self into***〕 ***the ~*** 난국에 대처하다, 공격에 맞서다. ***step into the ~*** (위급시에) 구원의 손길을 뻗치다; 대신하다.
── *vt.* (성벽 등)을 깨뜨리고 지나가다; 돌파하다. ── *vi.* (고래가) 물위로 뛰어오르다.
†**bread** [bred] *n.* Ⓤ ① 빵: There is more fiber in whole-wheat ~ than in white ~. 흰 밀가루빵보다 통밀가루빵에 섬유질이 더 많다. ② 생계, 식량: beg one's ~ 빌어먹다 / daily ~ 그날그날의 양식, 생계. ③ 《俗》 돈, 현금(dough). ***~ and butter*** 버터 바른 빵; 생계. ⓒⓕ bread-and-butter. ***~ and circuses*** (대중의 불만을 달래려고 정부가 제공하는) 음식과 오락. ***~ and milk*** 끓인 우유에 빵을 뜯어 넣은 것. ***~ and salt*** 빵과 소금《환대의 상징》. ***~ and scrape*** ⇨ SCRAPE. ***~ and water*** 변변치 않은 식사. ***~ and wine*** 성체(聖體). ***~ buttered on both sides*** 안락한 처지. ***break ~ with*** …와 식사를 함께 하다; …의 음식 대접을 받다. ***cast*** 〔***throw***〕 ***one's ~ upon the waters*** 보상을 바라지 않고 남을 위해서 힘쓰다, 음덕을 베풀다. ***in good ~*** 행복하게 살아. ***know*** (***on***) ***which side one's ~ is buttered*** 자기의 이해 관계를 잘 알고 있다, 빈틈없다. ***make ~ out of*** …로 생계를 이어가다. ***make*** 〔***earn***〕 ***one's ~*** 생활비를 벌다. ***out of ~*** 《俗》 실업(失業)하여. ***take*** (***the***) ***~ out of a person's mouth*** 아무의 생계의 길을 빼앗다. ***the ~ of life*** 〖聖〗 생명의 양식.
── *vt.* 〖料〗 빵부스러기를 묻히다.
bread-and-but·ter [brédnbʌ́tər] *a.* 〔限定的〕 ① 생계를〔생활을〕 위한: ~ problems 생계 유지의 문제. ② 《口》 통속적인, 평범한, 보통의. ③ 환대를 감사하는: a ~ letter (대접에 대한) 답례장. ⓒⓕ roofer.
bread·bas·ket [-bæ̀skit, -bɑ̀:s-] *n.* ① Ⓒ 빵 바구니《식탁용》. ② (the ~) 주요 곡물 생산지, 곡창 지대: The Eastern Province is the country's ~. 동부 지방은 그 나라의 곡창 지대다. ③ (the ~) 《俗》 밥통, 위(胃).
bread·bin [-bìn] *n.* Ⓒ 《英》 뚜껑 달린 빵 그릇.
bread·board [-bɔ̀:rd] *n.* Ⓒ 빵을 반죽하는 대(臺); 빵을 써는 도마.
bréad crùmb ① 빵의 말랑말랑한 부분. ⓒⓕ crust. ② (흔히 *pl.*) 빵부스러기, 빵가루.
bread·fruit [brédfrù:t] *n.* ① Ⓤ.Ⓒ 빵나무의 열매. ② Ⓒ 〖植〗 빵나무《폴리네시아 원산》.
bréad knìfe (톱날식의) 빵칼.
bréad lìne 빵 배급을 받는 실업자·빈민들의 줄. ***on the ~*** 몹시 가난하여.
bread·stuff [-stʌ̀f] *n.* Ⓤ ① 빵의 원료《밀가루 따위》. ② 빵(종류).
‡**breadth** [bredθ, bretθ] *n.* ① Ⓤ.Ⓒ 나비, 폭: eight feet in ~ 폭 8피트 / The board is fifteen inches in ~. 그 판자는 나비가 15인치다. ② Ⓒ (피륙 따위의) 일정한 폭. ③ Ⓒ (수면·토지 등의) 광대한 평면. ④ Ⓤ (마음·견해의) 넓음, 관용(寬容), 활달함: ~ of mind 마음의 여유 / I admire the ~ of his learning. 그의 넓은 학식에는 감탄한다.
breadth·ways, -wise [-wèiz], [-wàiz] *ad., a.* 가로로(의).
bréad trèe 빵나무(breadfruit); 망고(mango); 바오밥(baobab).
bread·win·ner [brédwìnər] *n.* Ⓒ 한 가정의 벌이하는 사람: Mom's the ~ in our family. 어머니가 벌어서 가정을 꾸려나가고 있다.
†**break** [breik] (***broke*** [brouk], 《古》 ***brake*** [breik]; ***bro·ken*** [bróukən], 《古》 ***broke***) *vt.* ① 《~+목/+목+전+명》 …을 깨뜨리다, 부수다; (가지 등)을 꺾다; (로프 따위)를 자르다: ~ a window 유리창을 깨다 / ~ a twig 잔가지를 꺾다〔치다〕 / She dropped the plate and it *broke into* pieces. 그녀는 접시를 떨어뜨려 산산조각을 냈다.
② …의 뼈를 부러뜨리다, 탈구(脫臼)시키다; (살갗을) 벗어지게 하다, 까지게 하다: ~ the neck 목뼈를 부러뜨리다 / ~ the knee 무릎을 깨다〔다치다〕 / ~ the skin 피부를 상처내다.
③ (대열·보조 따위)를 흩뜨리다; (텐트)를 걷다, 접다. ⓒⓕ breaking. ¶ ~ ranks 〔formation〕 대열을 흩뜨리다.
④ (한 벌로 된 것·갖추어진 것)을 나누다, 쪼개다; (큰돈)을 잔돈으로 바꾸다, 헐다: ~ a set 한 벌을 나누다, 낱으로 팔다 / ~ a ten-dollar bill, 10 달러 지폐를 헐다.
⑤ 《~+목/+목+보》 (문 따위)를 부수다, 부수고 열다(~ open); 부수고 들어가다〔나오다〕: ~ a dwelling 집에 침입하다 / ~ jail 탈옥하다 / He *broke* the door open. 문을 부수고 열었다.
⑥ (기계 등)을 부수다, 고장내다.
⑦ (약속·법규 따위)를 어기다, 범하다, 위반하다: ~ a promise 〔one's word〕 / ~ the law 법률을 위반하다.
⑧ (단조로움·침묵·평화 등)을 깨뜨리다, 어지르다: ~ silence.
⑨ (여행 따위)를 중단하다, 끊기게 하다; (전기회로)를 단절하다, (전류)를 끊다: ~ an electric current 전류를 끊다 / The railway communication is *broken.* 열차가 불통이다 / ~ diplomatic relations with …와의 외교 관계를 끊다 / ~ one's journey at …에서 도중하차하다.
⑩ (적)을 무찌르다; 〖테니스〗 (상대방의 서비스게임)에 이기다, 브레이크하다; (기를) 꺾다, 압도하다, 약화시키다: ~ one's heart 비탄에 잠기

다, 실연(失戀)하다 / ~ a person's spirit 아무의 기를 꺾다 / The heavy work will ~ your health. 과로는 건강을 해칠 것이다 / The trees *broke* the wind. 나무들이 바람을 약화시켰다.
⑪ (고기 따위가 수면 위)로 뛰어오르다; (돛·기 따위)를 올리다.
⑫《~+목 / +목+부 / +목+전+명》(말 따위)를 길들이다: ~ a child *in* 어린이를 훈육하다 / ~ a horse *to* the rein (the bridle) 말을 길들이다.
⑬《+목+전+명》 …의 버릇〔습관〕을 고치다《*of*》: The mother tried to ~ her boy *of* the habit of smoking. 어머니는 아들의 담배를 끊게 하려고 애썼다.
⑭ (암호 따위)를 해독하다, 풀다; (사건 따위)를 해결하다; (알리바이 따위)를 깨뜨리다: The police *broke* the case. 경찰은 그 사건을 해결했다.
⑮ (길)을 내다; (땅)을 갈다, 개척하다: ~ a path 길을 내다 / ~ new ground (연구·사업 등의) 새로운 분야를 개척하다.
⑯《~+목 / +목+전+명》(비밀 따위)를 털어놓다, 누설하다; (이야기 따위)를 공표〔공개〕하다: ~ a joke 농담을 하다 / ~ the news *to* a person 아무에게 소식을 전하다.
⑰ …을 파산시키다《과거분사는 broke》; 해직하다; 삭탈 관직하다, 강등시키다: ~ a minister 장관을 해임하다 / ~ a bank 은행을 파산시키다 / The captain was *broken* for neglect of duty. 대위는 의무태만으로 강등처분을 당했다.
⑱ (경기 따위의 기록)을 깨다, 갱신하다: ~ a record / ~ the world 100 meters record 세계 100미터 기록을 갱신하다.
⑲ (투구(投球))를 커브시키다;〖拳〗(서로 껴안고 있는 선수에게) 브레이크를 명하다.
— *vi.* ①《~ / +부 / +전+명》 깨어지다, 쪼개지다, 부서지다; 부러지다; 끊어지다; (파도가) 바닷가를 치다: Glass ~*s* easily. 유리는 깨지기 쉽다 / The plate *broke into* pieces. 접시는 산산조각이 났다 / waves ~*ing* against the rocks 바위에 부딪쳐 부서지는 파도.
② (갑자기) 멈추다, 중지〔중단〕하다; 휴식하다; (전류가) 끊어지다: His voice *broke* with emotion. 감격에 목이 메어 말이 막혔다 / Now, let's ~ for coffee. 자, 잠시 쉬며 커피라도 한잔 하자.
③《~ / +전+명》 갑자기 변하다, (기후가) 변하다; (소리·질·색깔 등이) 돌변하다; (물집·종기 따위가) 터지다《*in*; *into*; *from*; *forth*; *out*》: A boy's voice ~*s* at the age of puberty. 소년은 사춘기에 변성한다 / ~ *into* a gallop (말이 느린 걸음에서) 구보로 달리다 / The low rumble *broke* suddenly *into* a loud peal of thunder. 낮은 천둥소리가 갑자기 요란한 천둥소리로 변했다.
④《~ / +전+명》 교제〔관계〕를 끊다, 헤어지다, …와 관계가 끊어지다《*with*》; 떨어져 나가다《*away*; *off*》, 뿔뿔이 흩어지다, 해산하다《*up*》; 퇴각하다: ~ *with* a friend / ~ *with* old habits 낡은 습관을 끊다 / The cavalry *broke* and fled. 기병대는 패주했다.
⑤ 헤치고 나아가다《*in*; *through*》;《美》돌진하다《*for*; *to*》; 침입하다《*in*》: ~ *through* the enemy 적진을 돌파하다 / ~ *into* a house 집안에 침입하다 / The pass receiver *broke for* the goal line. 패스를 받은 선수는 골라인을 향해 돌진했다.
⑥《~ / +부》 돌발하다, (한숨·웃음이) 터지다, 나타〔일어〕나다: A storm ~*s* (*out*). / A sob *broke* from her. 그녀의 입에서 흐느끼는 소리가 새어나왔다.
⑦ (날이) 새다: The day ~*s*. 날이 샌다.
⑧ 싹이 나다, 움이 트다, (꽃망울이) 봉오리지다: The bough ~*s*. 가지에 움이 튼다.
⑨ (물고기가) 물 위에 떠오르다: Somewhere on the lake a fish *broke*. 호수 어디에선가 물고기 한 마리가 뛰어올랐다.
⑩《~ / +전+명》 분해하다《*off*》, (압력·무게 등으로) 무너지다, (구름·안개 따위가) 사라지다《*away*》; (서리가) 녹다.
⑪ (건강·체력·시력이) 약해지다, 쇠하다; 기력을 잃다, 꺾이다; 못쓰게 되다, 고장나다: One's heart ~*s*. 기가 꺾이다; 비탄에 잠기다.
⑫ (주식·주가가) 폭락하다.
⑬ (군대가) 패주하다, 어지러워지다; 파산하다; (신용·명예·지위 등이) 떨어지다: The bank *broke*. 은행이 파산했다.
⑭〖球技〗(공이) 커브하다.
⑮ (뉴스 등이) 공표되다, 알려지다.
⑯〖拳〗(클린치에서) 떨어지다, 브레이크하다.
⑰《美口》(사건 등이) 생기다, 일어나다, (어떤 상태로) 되다: Things have been ~*ing* well for us. 사태는 우리들에게 유리하게 전개되어 왔다.
~ away (1) (*vt.*) …을 부숴버리다; (습관 따위)를 갑자기 그만두다. (2) (*vi.*) 도망하다, 떠나다, 풀리다, (주제·패거리 등으로부터) 벗어나다, 이탈하다, 정치적으로 독립하다《*from*》; 무너져 떨어지다; (구름 따위가) 흩어지다, 개다; 배반하다,〖競〗상대방의 골에 돌진하다〔을 급습하다〕;〖競馬〗스타트 신호 전에 내닫다. **~ back** 꺾이어 들어가다; (상대방의 수비를 혼란시키기 위하여) 급히 반대 방향으로 달리다. **~ down** (1) (*vt.*) …을 부숴버리다; 압도하다; (장애·적의 따위)를 극복〔억제〕하다; 분석하다; 분류하다: We couldn't ~ *down* their opposition to the scheme. 그 계획에 대한 그들의 반대를 억제할 수가 없었다 / *Break* the data *down* into these six categories. 데이터를 이 여섯 범주로 분류하라. (2) (*vi.*) (기계 따위가) 고장나다, 찌그러지다; (연락 따위가) 끊어지다; 정전(停電)되다; (질서·저항 따위가) 무너지다, (계획·교섭 따위가) 실패하다; 건강을 해(害)치다; 자백하다; 정신 없이 울다; (화학적으로) 분해되다《*into*》: Peace negotiations between the two countries *broke down*. 양국간의 평화 교섭은 실패했다 / Water ~*s down into* hydrogen and oxygen. 물은 수소와 산소로 분해한다. **~ even** 손실과 이득이〔승부가〕 없이 되다, 비기다. **~ forth** 일시에 쏟아져 나오다; 돌진하다; 속박을 벗어나다; (폭풍우 따위가) 갑자기 일어나다; 갑자기 …하기 시작하다《*into, in*》: ~ *forth in* cheers〔*into* singing〕 갑자기 박수를 치다〔노래하기 시작하다〕. **~ in** (1) 뛰어들다, 난입하다; 말참견하다: He *broke in* with a ridiculous objections. 그는 엉뚱한 반론을 가지고 얘기에 끼어들었다. (2) (말 따위)를 길들이다; 단련시키다, (어린아이 등)을 훈육하다《*to*》. (3) (처녀지)를 개간하다. (4)《美俗》옥에 들어가다. **~ in on** 〔**upon**〕 갑자기 …을 습격하다; 중단하다, (회화 등에 끼어들어) 방해하다; 언뜻 (가슴에) 떠오르다: It's impolite to ~ *in on* a conversation. 대화 중에 말참견하는 것은 결례가 된다. **~ into** (1) 망그러져〔깨져서〕 …이 되다. (2) …에 침입〔난입〕하다, (새로운 분야에) 진출하다. (3) (이야기 따위)를 훼방놓다; …에 끼어들다. (4) 갑자기 …하기 시작하다: ~ *into* a run 갑자기 내닫다 / ~ *into* ear-to-ear grin 활짝 웃다 / ~ *into* tears 갑자기 울어대다. (5) (시간 따위를) 빼앗다: My aunt's sudden visit *broke into* my weekend. 숙모의 갑작스러운 방문이 내 주말을 빼앗았다. (6) (큰 돈을) 헐다, (비상용 비축물을) 헐어 쓰다. ~ a person ***of a habit***

아무의 버릇을 고치다. ~ ***off*** (1) (*vt.*) …을 꺾어〔찢어〕내다; 끊다, 그만두다; 약속을 취소하다. (2) (*vi.*) 꺾여 떨어지다; (결혼 등을 파기하고) (…와) 헤어지다, 절교하다《*with*》; (일을 그치고) 휴식하다. ~ ***on***〔***upon***〕…에 돌연 나타나다; (파도가) …으로 밀려오다; …이 분명해지다. ~ ***out*** (전쟁·화재 등이) 일어나다; 탈출하다, 탈주〔탈옥〕하다; 갑자기 소리지르다; (땀·종기 등이) 나오다: ~ *out* in pimples 여드름이 나다. ~ ***out into*** 갑자기 …하기 시작하다: ~ *out into* abuses 욕설하기 시작하다. ~ ***over*** (파도가) 부딪쳐 … 위를 넘다; 《比》 (갈채 따위가) …에게 쏟아지다; 《美俗》 예외를 만들다〔인정하다〕. ~ ***the back of*** ⇨ BACK. ~ ***the ice*** ⇨ ICE. ~ ***through*** …을 헤치고 나아가다; (구멍 따위)를 뚫다; (햇빛이) …의 사이에서 새다〔나타나다〕; 〖軍〗 …을 돌파하다. ~ ***up*** (1) (*vt.*) …을 분쇄하다; 해체하다; 해산하다; 중지하다; 파 일구다; 〔종종 受動으로〕 낙담케 하다, 절망시키다; 티격나게 하다, (부부 등)을 헤어지게 하다; 《口》 매우 재미있게 하다〔웃기다〕; 분배하다; (마음)을 산란하게 하다: His tragic death *broke* her *up*. 그의 비극적인 죽음은 그녀의 마음을 갈기갈기 찢어놓았다. (2) (*vi.*) 무너지다; 해산하다; (일기·상태가) 바뀌다; (학교가) 방학이 되다; 티격나다, (부부 등이) 헤어지다; 쇠약해지다; 《口》 포복 절도하다. ~ ***with*** …와 관계〔교제〕를 끊다; (정당 등에서) 탈퇴하다; (낡은 사고 방식 등)을 버리다.

── *n.* ① Ⓒ 갈라진 틈, 깨진 곳: a ~ in the wall / a ~ in the clouds 구름 틈새기. ② Ⓤ 새벽 (~ of day). ③ Ⓒ 중단, 중지, 끊김; 잠시의 휴식(시간): take a ~ 잠시 쉬다. ④ Ⓒ 단락, 구분. ⑤ Ⓒ 분기점: a ~ in one's life 인생의 분기점. ⑥ Ⓒ 《電》(회로의) 차단, 단절. ⑦ Ⓒ 《英口》 실책, 실수; 실언. ⑧ Ⓒ 《口》 행운; 좋은 기회: Give him a ~. 한 번만 봐 주어라. ⑨ Ⓒ 〖拳〗 브레이크. ⑩ Ⓒ 갑작스런 변화; 시세의 폭락. ⑪ Ⓒ 〖撞球〗 연속 득점; 〖球技〗 커브, 곡구; 〖테니스〗 브레이크《상대방의 서비스 게임에 이김》. ⑫ Ⓒ 내닫기; 돌파; 《특히》 탈옥. ***a bad*** ~ 《口》 불운; 실언, 실태(失態). ***a lucky*** ~ 행운. ***an even*** ~ 《口》 (승부 등의) 비김, 동점, 호각; 공평한 기회. ***at ~ of day*** 새벽에. ***give*** a person ***a*** ~ (1) 아무를 잠시 쉬게 하다. (2) 아무에게 (성공에의) 기회를 주다. (3) 《美口》 우대 조치를 취하다. ***make a*** ~ 실수〔도주〕하다. ***make a ~ for it*** 《口》 탈출〔탈옥〕을 기도하다. ***without a*** ~ 간단(間斷)없이; 쉬지 않고; 잇달아.

break·a·ble [bréikəbəl] *a.* 망가뜨릴〔부술, 깨뜨릴〕 수 있는, 깨지기 쉬운, 무른. ── *n.* (*pl.*) 깨지기〔부서지기〕 쉬운 것, 깨진 것.

break·age [bréikidʒ] *n.* ① Ⓤ 파손, 손상, 파괴. ② Ⓒ 깨진 곳; (*pl.*) 파손물.

break·a·way [bréikəwèi] *n.* Ⓒ 분리, 절단; 탈출, 도주; (무리에서의) 이탈, 결별; 전향(轉向); 〖競走〗 스타트 신호 전에 내달리기; 〖럭비〗 공을 갖고 골로 돌진함. ── *a.* 〔限定的〕 ① 분리한, 독립한: a ~ faction 분파(分派). ② 쉽게 망그러지게 만든.

***break·down** [bréikdàun] *n.* Ⓒ ① (기계의) 고장, 파손. ② (정신적) 쇠약: a nervous ~ 신경 쇠약. ③ 몰락, 붕괴, 와해: the ~ of the family 가정의 붕괴. ④ (교섭 등의) 결렬; 좌절. ⑤ (자료 등의) 분석, 분류.

bréakdown trùck〔**lòrry**〕 《英》 레커차 「(wrecker).

***break·er** [bréikər] *n.* Ⓒ ① (해안·암초 따위의) 부서지는 파도, 쇄파(碎波): *Breakers* ahead! 〖海〗 암초다. ② 깨는 사람〔물건〕, 파괴자: a law-~ 위법자, 범법자; 〖電〗 차단기. ③ 조마사(調馬師), 조련사(調練師).

break-e·ven [bréikíːvən] *a.* 수입액이 지출액과 맞먹는; 이익도 손해도 없는.

†**break·fast** [brékfəst] *n.* ① Ⓤ,Ⓒ 조반: have (one's) ~ 조반을 들다. ② Ⓒ (시간에 관계없이) 그날의 첫번째 식사. ── *vi.* 《+전+명》 조반을 먹다《*on*》: ~ *on* bacon and eggs 베이컨과 달걀로 조반을 먹다. [◂break+fast]

bréakfast fòod 조반용으로 가공한 곡류 식품 《cornflakes, oatmeal 따위》.

break-in [bréikìn] *n.* Ⓒ ① 가택 침입, 밤도둑. ② 시운전. ③ (사업 등의) 개시, 시작. 「(죄).

brèaking and éntering 〖法〗 주거 침입

bréaking pòint (the ~) ① (재질(材質)의) 파괴점; (장력(張力) 등의) 한계점. ② (체력·인내 등의) 극한, 한계점: reach one's ~ 한계에 이르다.

break·neck [bréiknèk] *a.* ① (목이 부러질 정도로) 위험천만한, 무모한: at ~ speed 무서운 속력으로 / a ~ road 사고 다발 도로. ② 몹시 가파른: ~ stairs.

break·out [-àut] *n.* Ⓒ ① 〖軍〗 포위 돌파. ② 탈주; (집단) 탈옥.

break·point [-pɔ̀int] *n.* Ⓒ ① (어느 과정에서의) 중지점, 휴지점. ② 〖컴〗 (일시) 정지 지점. ③ (테니스 등에서) (서비스의) 브레이크포인트.

break·through [-θrùː] *n.* Ⓒ ① 〖軍〗 적진 돌파(작전). ② (과학·기술 등의) 커다란 약진〔진전, 발견〕《*in*》: The invention of the transistor marked a major ~ *in* electronics. 트랜지스터 발명이 전자 공학에 획기적 약진을 가져왔다.

break·up [-ʌ̀p] *n.* (흔히 *sing.*) Ⓒ ① 분리, 분산, 해체; 해산. ② 《英》 (학기말의) 종업. ③ (부부 등의) 불화, 이별.

break·wa·ter [-wɔ̀ːtər, -wɑ̀t-] *n.* Ⓒ 방파제.

‡**breast** [brest] *n.* Ⓒ ① 가슴; 옷가슴. ② 가슴 속, 마음 속, 심정: a troubled ~ 괴로운 심정. ③ 젖통이, 유방. ④ (산·언덕 따위의) 허리; (기물 등의) 옆면: the mountains ~ 산 허리. ***beat the*** ~ 《文語》 가슴을 치며 슬퍼하다. ***make a clean ~ of*** …을 모조리 털어놓다, 고백하다. ***past the*** ~ 젖을 떼고. ***suck*** 〔***take***〕 ***the*** ~ 젖을 빨다.

── *vt.* ① 《~+목 / +목+전+명》 (곤란 등)에 감연히 맞서다. ② (배가 파도)를 가르고 나아가다: The boat ~*ed* the waves. ③ (러너가 가슴으로 테이프)를 끊다. ④ (산 따위)를 끝까지 오르다.

breast-beat·ing [-bìːtiŋ] *n.* Ⓤ (고충·슬픔 등을) 가슴을 치면서 한탄함; 감정을 과장되게 표현함. 「(sternum).

breast·bone [bréstbòun] *n.* Ⓒ 흉골(胸骨)

breast-fed [bréstfèd] *a.* 〔限定的〕 모유로 키운. ⓒⓕ bottle-fed.

breast-feed [-fìːd] *vt.* (아기)를 모유로 기르다: A big advantage of ~*ing* is that the milk is always pure. 모유 양육의 큰 이점은 모유가 항상 순수하다는 점이다.

breast-high [-hái] *a., ad.* 가슴 높이의〔로〕.

breast·pin [bréstpìn] *n.* Ⓒ 가슴에 다는 장식핀, 브로치(brooch).

breast·plate [bréstplèit] *n.* Ⓒ (갑옷·마구 따위의) 가슴받이; (거북 따위의) 가슴패기: members of the Cavalry in red uniforms with gleaming ~*s* 번쩍거리는 가슴받이의 붉은 제복을 입은 기병대원들.

bréast pòcket (상의의 가슴 부위에 있는) 주머니: I kept the list in my ~. 나는 그 명단을 상의 윗주머니에 보관했다. 「평영(平泳).

breast·stroke [bréststròuk] *n.* Ⓤ 개구리 헤엄,

breast·work [bréstwə̀:rk] *n.* Ⓒ 〖軍〗 (급조한 방어용) 흉장(胸牆), 흉벽.

‡breath [breθ] *n.* ① Ⓤ 숨, 호흡 ; Ⓒ 한 호흡, 한 숨. ② Ⓒ (바람의) 한 번 붊 ; 미풍 ; 살랑거림 ; (은근한) 향기 ; 조그만 징조〔암시〕 ; 속삭임 : There is not a ~ of air. 바람 한 점 없다. ③ Ⓤ 〖音聲〗 무성음 《voice(유성음)에 대해》. ④ Ⓤ 생기(生氣), 활기 ; 생명. ⑤ Ⓤ.Ⓒ (일)순간 ; 휴식 시간. ◇ breathe *v.* ***a ~ of fresh air*** 살랑거리는 상쾌한 바람 ; 기운을 북돋아〔기분을 상쾌하게 해〕 주는 사람〔것〕. ***as long as*** one ***has*** ~ 목숨이 붙어 있는 한, 죽을 때까지(=as long as one draws ~). ***at a*** ~ 단숨에. ***below*** 〔***under***〕 one***'s*** ~ 작은 목소리로 : I was cursing him *under my* ~. 나는 낮은 목소리로 그를 저주하고 있었다. ***be short of*** ~ 숨이 차다. ***catch*** one***'s*** ~ (놀라움 따위로) 숨을 죽이다, 움찔하다 ; 숨을 내쉬다, 한 차례 쉬다. ***draw*** ~ 숨을 쉬다, 살아 있다 : *draw* one's last ~ 죽다 / *draw* one's first ~ 태어나다. ***get*** one***'s*** ~ (***back***) (***again***) (운동 따위를 한 후) 호흡이 원상태로 돌아오다. ***hold*** 〔***keep***〕 one***'s*** ~ (1) (놀라움 · 감동으로) 숨을 죽이다, 마른침을 삼키다. (2) (진찰, 뢴트겐 사진을 위해) 호흡을 멈추다. ***in one*** ~ (1) 단숨에 : She said it *in one* ~. 그녀는 단숨에 그것을 말했다. (2) 동시에. ***in the next*** ~ 다음 순간. ***in the same*** ~ (1) 동시에 : She lost her temper and apologized *in the same* ~. 그녀는 벌컥 화를 냈으나 곧 사과했다. (2) (상반되는 것을) 동시에, 잇따라 : say 'yes' and 'no' *in the same* ~ '응' 하고 말하고는 곧 '아니다'라고 말하다. ***knock the ~ out of*** a person***'s body*** 아무를 깜짝 놀라게 하다 ; (아무를 흠씬 때려) 숨을 못쉬게 만들다. ***lose*** one***'s*** ~ 숨을 헐떡이다. ***not a ~ of*** …가 전혀 없는 : *not a* ~ *of* suspicion 의심할 여지가 없는. ***out*** 〔***short***〕 ***of*** ~ 숨이 차서, 헐떡이며. ***save*** one***'s*** ~ 잠자코 있다 : You may as well *save* your ~. — you'll never be able to persuade him. 잠자코 있어라. 그 사람 설득하기는 글렀다. one***'s last*** 〔***dying***〕 ~ 임종, 최후. ***spend*** 〔***waste***〕 one***'s*** ~ 허튼소리 하다. ***take a deep*** 〔***long***〕 ~ 한숨 돌리다, 심호흡하다. ***take*** ~ 한숨 돌리다, 잠시 쉬다. ***take*** a person***'s*** ~ (***away***) 아무를 깜짝 놀라게 하다. ***the ~ of life*** 사는 데에 불가결한 것. ***to the last*** ~ 죽을 때까지. ***with bated*** ~ 숨을 죽이고, 염려하여. ***with one*** ~ = in one ~.

breath·a·ble [brí:ðəbl] *a.* ① (공기가) 호흡에 적당한, 호흡할 수 있는. ② (옷감이) 통기성이 있는.

breath·a·lyze, 《英》 **-lyse** [bréθəlàiz] *vt.* 《英》 …에 음주 운전 여부를 검사하다.

breath·a·lyz·er, 《英》 **-lys·er** [bréθəlàizər] *n.* 음주〔주기(酒氣)〕 검사기《B- 商標名》(= **bréath analỳzer**).

‡breathe [bri:ð] *vi.* ① 호흡하다, 숨을 쉬다 ; 살아 있다 : ~ *in* 〔*out*〕 숨을 들이〔내〕쉬다 : It's good to ~ *in* fresh country air instead of city smoke. 도시의 매연 대신 신선한 시골 공기를 마시는 것이 좋다. ② 휴식하다, 한숨 돌리다 : Let me ~. 숨 좀 돌리자, 이제 그만 해 둬라. ③ (바람이) 살랑살랑 불다 ; (향기가) 풍기다 ; 암시하다 《*of*》 : The wind ~*d of* the sea. 바람에서 바다 냄새가 풍겼다. — *vt.* ① …을 호흡하다 ; 빨아들이다 ; (공기 따위)를 토(吐)해 내다. ② 《+目+前+名》 (생기(生氣) · 생명 · 영혼 따위)를 불어넣다 《*into*》 : ~ new life *into* …에 새로운 생명을〔활기를〕 불어넣다. ③ (향기 따위)를 발산하다 : ~ forth fragrance. ④ …을 (태도로) 나타내다, 표현하다 : Lincoln's Gettysburg Address ~*s* the true spirit of democracy. 링컨의 게티스버그 연설은 민주주의의 참된 정신을 표현하고 있다. ⑤ …을 속삭이다, 작은 소리로 말하다 ; (불평 따위)를 말하다, 토로하다. ⑥ (말 따위)에 한숨 돌리게 하다, 쉬게 하다. ⑦ …을 무성음으로 발음하다. ◇ breath *n.* ***As I live and ~!*** 《口》 어머나, 저런 《놀라움을 나타냄》. ~ ***again*** 〔***easy, easily, freely***〕 안도의 한숨을 내쉬다, 위기를 벗어나다. ~ ***a word against*** …에게 한 마디 불평을 하다. ~ ***down*** a person***'s neck*** =NECK. ~ ***hard*** 괴로운 숨을 쉬다. ~ ***in*** …을 호흡하다, 빨아들이다 ; …에 귀를 기울이다 : ~ *in* every word 한 마디도 빠뜨리지 않고 듣다. ~ ***on*** 〔***upon***〕 (1) …에 입김을 내뿜다, 흐리게 하다 : ~ *on* one's glasses 안경을 닦으려고 입김을 불어 흐리게 하다. (2) 더럽히다 ; 비난하다. ~ one***'s last*** (***breath***) 마지막 숨을 거두다, 죽다. ***do not ~ a word*** 〔***syllable***〕 한 마디도 말하지 않다《비밀 따위를 지킴》 : I promised *not* to ~ *a word* of the secret. 그 비밀을 한 마디도 말하지 않겠다고 약속했다.

breathed [breθt, bri:ðd] *a.* 〖音聲〗 무성음의.

breath·er [brí:ðər] *n.* Ⓒ ① 숨쉬는 사람, 생물 : a heavy ~ 숨이 거친 사람. ② 《口》 잠시의 휴식 : have 〔take〕 a ~ 한숨 돌리다, 잠깐 쉬다 / Relax and take a ~ whenever you feel that you need one. 휴식이 필요하다고 느낄 때마다 긴장을 풀고 잠깐씩 쉬어라. ③ 통기공, 연기 빼는 구멍. ④ 산책 : go out for a ~ 산책하러 가다.

bréath gròup 〖音聲〗 기식군(氣息群)《단숨에 발음하는 음군(音群)》, 기식의 단락.

***breath·ing** [brí:ðiŋ] *n.* ① Ⓤ 호흡, 숨결 : deep ~ 심호흡 / I could hear the sound of heavy ~ as he slowly climbed the stairs. 그가 천천히 계단을 오를 때 심호흡하는 소리를 들을 수 있었다. ② Ⓒ (a ~)한 번 숨쉼〔숨쉴 시간〕, 순간. ③ Ⓒ 잠시 쉼, 휴식.

bréathing capàcity 폐활량.

bréathing spàce 숨 돌릴 여유 ; (움직이거나 일하는) 여유.

***breath·less** [bréθlis] *a.* ① 숨찬, 헐떡이는 : He was ~ from the long run. 오래 뛰어 숨을 헐떡이고 있었다. ② 숨을 거둔, 죽은. ③ 바람 한 점 없는. ④ 숨도 쉴 수 없을 정도의, 숨막히는, 마음 죄는 : at a ~ speed 숨막힐 듯한 속도로 / in ~ haste 숨을 헐떡이며 / with ~ anxiety 조마조마하여 / with ~ interest 숨을 죽이고. ㊕ ~·ly *ad.* 숨을 헐떡이며〔죽이고〕. ~·ness *n.*

***breath·tak·ing** [bréθtèikiŋ] *a.* 움찔〔깜짝〕 놀랄 만한, 굉장한 ; 아슬아슬한 : It's a long climb up the hill but once you're up there the view is ~. 그 언덕까지는 한참 올라가야 하지만 거기 올라만 가면 그 전망은 놀랄 만한 것이다 / a ~ view 굉장한〔놀랄 만한〕 조망 / a ~ performance 손에 땀을 쥐게 하는 아슬아슬한 연기. ㊕ ~·ly *ad.*

bréath tèst 《英》 (음주 운전의) 알코올 농도 검사.

breathy [bréθi] (***breath·i·er*** ; ***-i·est***) *a.* ① 기식음(氣息音)이 섞인 ; 숨소리가 들리는. ② 〖音聲〗 기식의. ㊕ **bréath·i·ly** *ad.* **-i·ness** *n.*

***bred** [bred] BREED의 과거 · 과거분사. — *a.* 〔副詞와 함께〕 …하게 자란 : well-~ 예절 바르게 자란.

breech [bri:tʃ] *n.* Ⓒ 포미(砲尾), 총개머리 ; 《古》 (사람의) 궁둥이.

bréech bìrth 〖醫〗 도산(倒產).

breech·cloth, -clout [ˊklɔ̀(:)θ, ˊklɑ̀θ], [ˊklàut] *n.* Ⓒ (인디언 등의) 허리에 두르는 천.

bréech delìvery = BREECH BIRTH.
breech·es [brítʃiz] *n. pl.* 승마용 바지 ; 《口》 (반)바지 : a pair of ~ 짧은 바지 한 벌 / He wore a tweed jacket and riding ~. 그는 트위드 재킷과 승마용 바지를 입고 있었다. ***wear the*** ~ 내주장하다, (아내가) 남편을 깔아뭉개다.
bréeches bùoy (바지 모양의 즈크제) 구명 부대(浮袋).
breech·load·er [brí:tʃlòudər] *n.* Ⓒ 후장총(後裝銃)〔포〕. cf. muzzleloader.
‡**breed** [bri:d] (*p., pp.* ***bred*** [bred]) *vt.* ① (동물이 새끼)를 낳다, (새가) 알을 까다, 부화시키다. ②《~+目/+目+副/+目+(*to be*) 補/目+to do/+目+前+名》…을 기르다; 양육하다; (…하도록) 가르치다 : be *bred* (*up*) in luxury 사치스럽게 자라다 / He was *bred* (*to be*) a gentleman. 그는 자라서 신사가 되었다 / be *bred to* the law 법률가로 양육되다 / Britain still ~*s* men *to* fight for her. 영국은 아직도 국민을 모국을 위해 싸우도록 육성하고 있다. ③ (품종)을 개량하다, 만들어내다; 번식시키다 : ~ cattle 가축을 사육하다.
— *vi.* ① 새끼를 낳다〔배다〕; 번식하다, 자라다. ②《蔑》자식을 많이 낳다 : ~ like rabbits 다산하다. ~ ***in and in*** 같은 종자로부터 번식하다〔시키다〕, 근친끼리만 결혼하다. ~ ***out and out*** 이종(異種) 번식하다〔시키다〕. ***what is bred in the bone*** 타고난 성질 : *What is bred in the bone* will not (go) out of the flesh. 《俗談》 피는 못 속인다, 씨도둑은 못한다.
— *n.* Ⓒ 종류 ; 유형 ; 품종 ; 종족《*of*》: a different ~ *of* man 다른 유형의 인간 / dogs *of* mixed ~ 잡종개 / Different ~*s of* sheep give wool of varying lengths. 양의 품종이 다르면 양털의 길이도 다르다.
***breed·er** [brí:dər] *n.* Ⓒ ① 종축(種畜), 번식하는 동물〔식물〕. ② 양육〔사육〕자 ; 품종 개량가, 육종가. ③ = BREEDER REACTOR〔PILE〕.
bréeder reàctor〔**pìle**〕 증식형 원자로.
***breed·ing** [brí:diŋ] *n.* Ⓤ ① 번식, 양식(養殖) ; 부화 ; 양육, 사육 : a ~ pond (잉어 등의) 양어지(池) / The ~ season is a very long one. 번식기는 매우 길다. ② 교양, 예의 범절 : a man of fine ~ 교양 있는 사람 / He lacks ~. 그는 예의가 없다. ③〖物〗(원자핵의) 증식.
bréeding gròund〔**plàce**〕 ① 사육장, 번식지《*of* ; *for*》. ② (악 따위의) 온상《*of* ; *for*》: ~*s for* passport forgery 여권 위조의 온상.
‡**breeze**[1] [bri:z] *n.* ① Ⓤ,Ⓒ 산들바람, 미풍 ; 연풍(軟風) ;〖氣〗초속 1.6-13.8 m 의 바람. opp. *gust, gale.* ¶ a land ~ 뭍바람 / a light ~ 남실바람 / a gentle ~ 산들바람 / a moderate ~ 건들바람 / a fresh〔strong〕 ~ 흔들〔된〕바람 / There's not much (of a) ~. 거의 바람이 없다. ② Ⓒ 《英口》 싸움, 분란, 소동 : kick up a ~ 소동을 일으키다. ③ (a ~) 《口》 쉬운 일 : be *a* ~ 여반장이다 / The test was *a* ~. 시험은 식은죽 먹기였다. ***fan the*** ~ 《美俗》 = shoot〔bat〕 the ~. ***shoot*** 〔***bat***〕 ***the*** ~ 《美俗》 허튼소리하다, 종작없이 지껄이다. (***win***) ***in a*** ~ 손쉽게 (이기다).
— *vi.* ①〔It 를 主語로 하여〕 산들바람이 불다 : It ~*d* from the south in the afternoon. 오후에는 남쪽에서 산들바람이 불어왔다. ②《+副/+前+名》《口》(바람처럼) 휙 가다〔나가다, 나아가다, 움직이다〕: She ~*d on by* without a glance at me. 나를 거들떠 보지도 않고 쑥 지나갔다. ~ ***in***〔***out***〕 (1) 재빠르게 들어오다〔나가다〕. (2) 낙승하다 : He ~*d in* with an election plurality of 200,000. 그는 선거에서 20만 표차로 낙승했다. ~ ***through*** (1) 훽 지나치다. (2) …을 어렵지 않게 해치우다 : She ~*d through* the entrance exam. 그녀는 입시를 어렵잖게 통과했다.
breeze[2] *n.* Ⓤ 타다 남은 재 ; 탄(炭)재.
bréeze blòck = CINDER BLOCK.
breeze·less [brí:zlis] *a.* 바람 없는.
breeze·way [brí:zwèi] *n.* Ⓒ (건물 사이를 잇는) 지붕 있는 통로.
breezy [brí:zi] (***breez·i·er*** ; ***-i·est***) *a.* ① 산들바람이 부는, 시원한. ② (성질·태도 등이) 기운찬 ; 쾌활한 : his bright and ~ personality 그의 명랑하고 쾌활한 개성. ㊞ **bréez·i·ly** *ad.* 산들바람이 불어 ; 힘차게. **-i·ness** *n.*
Brén (gùn) 브렌 기관총《제 2 차 세계 대전 중에 영국군이 사용》.
Bret. Breton.
‡**breth·ren** [bréðrən] *n. pl.* (종교상의) 형제, 동일 교회원〔교단원〕; 동일 조합원, 동업자 ; 동포《★ brothers 의 예스러운 말》.
Bret·on [brétən] *a.* 브리타니(Brittany)《프랑스의 한 지방》(사람·어)의. — *n.* Ⓒ 브리타니 사람 ; Ⓤ 브리타니어(語).
breve [bri:v] *n.* Ⓒ 단음(短音) 기호《단모음 위에 붙이는 발음 부호(˘)》;〖樂〗2 온음표《|o|, |=|》.
bre·vet [brəvét, brévit]〖軍〗*n.* Ⓒ 명예 진급 사령장(辭令狀). — *a.*〔限定的〕 명예 진급의〔에 의한〕: a ~ rank 명예 계급.
— (**-t(t)-**) *vt.* …을 명예 진급시키다.
bre·vi·ary [brí:vièri, brév-] *n.* (종종 B-)〖가톨릭〗성무 일도서(聖務日禱書).
***brev·i·ty** [brévəti] *n.* Ⓤ 간결, 간약 ; (시간의) 짧음. cf. brief. ¶ *Brevity* is the soul of wit. 말은 간결함을 으뜸으로 친다《Shakespeare 작(作) *Hamlet* 에서》/ ~ of human life 인생의 짧음.
brew** [bru:] *vt.* ① (맥주 등)을 양조하다 : Beer is ~*ed from* malt. 맥주는 맥아로 양조된다 / ~*ed* beverages 양조주 / This beer has been ~*ed* using traditional methods. 이 맥주는 전통적인 방법으로 양조된 것이다. ② (음모 따위)를 꾸미다, (파란)을 일으키다《*up*》: ~ mischief 나쁜 일을 꾸미다. — *vi.* ① 양조하다 ; 차를 끓이다《*up*》. ②〔흔히 進行形으로〕(음모 따위가) 꾸며지고 있다 ; (소동·폭풍우 따위가) 일어나려고 하다 : Another typhoon is ~*ing.* 또다른 태풍이 일어나려고 한다 / There was trouble ~*ing.* 말썽이 일어나려 하고 있었다. ***You must drink as you have ~ed. 자업 자득이다.
— *n.* Ⓤ,Ⓒ ① 달인 차《커피 등》. ② 양조(량). ③ (주류(酒類)의) 품질. ④ 양조법 ;《美俗》맥주. ***the first ~ of tea*** 첫탕 차(茶). ***the poor ~ of tea*** 잘못 끓인 차.
㊞ **brew·er** [-ər] *n.* 양조자〔회사〕. **brew·ery** [-əri] *n.* Ⓒ (맥주) 양조장 : Most pubs in England are owned by one of only a few large *breweries.* 불과 몇개의 큰 양조장 중의 한 업체가 영국 대부분의 술집들을 소유하고 있다.
bréwer's yéast [brú:ərz-] 양조용 이스트, 양조 효모.
brew·house [brú:hàus] *n.* Ⓒ (맥주) 양조장.
brew·ing [brú:iŋ] *n.* ① Ⓤ (맥주) 양조장. ② Ⓒ (1 회분의) 양조량.
***briar** [bráiər] *n.* = BRIER[1,2].
‡**bribe** [braib] *n.* Ⓒ 뇌물 : give〔offer〕 a ~ 뇌물을 주다 / take〔accept〕 a ~ 수회(收賄)하다. ◇bribable *a.*
— *vt.* ①《~+目/+目+前+名/+目+*to* do》…을 매수하다, 뇌물로 꾀다 ; …에게 뇌물을 쓰다 : ~ a person *with* money 아무를 돈으로 매수하다 / He was ~*d to* vote against the candidate.

그는 그 후보자에 반대 투표하도록 매수당했다. ② 〔~ oneself 또는 ~ one's way 로〕 뇌물을 써서 (지위 따위)를 얻다 : He ~*d himself* 〔*his way*〕 *into* office. 그는 뇌물을 써서 공직에 들어갔다. ── *vi.* 뇌물을 쓰다. ~ a person ***into silence*** 뇌물로 아무의 입을 막다.

***brib·ery** [bráibəri] *n.* [U] 뇌물(을 주는〔받는〕 행위), 증회, 수회 : commit ~ 증회〔수회〕하다 / a ~ case 수회 사건 / He was jailed on charges of ~. 그는 수회죄로 교도소에 수감되었다.

bric-a-brac, bric-à-brac [bríkəbræ̀k] *n.* [U] 《F.》 〔集合的〕 골동품 : The room they entered was crammed with furniture and ~. 그들이 들어간 방은 가구와 골동품으로 꽉 차 있었다.

‡**brick** [brik] *n.* ① [U.C] 벽돌 (한 개) : She built bookshelves out of ~*s* and planks. 그녀는 벽돌과 널빤지로 서가를 늘려 만들었다. ② [C] 벽돌 모양의 덩어리: an ice-cream ~ 아이스크림 덩어리. ③ 《英》 (장난감의) 집짓기 블록 (《美》 block). ④ [C] 《口》 신뢰할 수 있는 사람, 쾌남아, 유쾌한 놈 : a regular ~ 좋은 녀석. ⑤ 〔形容詞的〕 벽돌로 만든, 벽돌과 같은 ; 벽돌색의 : a ~ house. ***as dry as a*** ~ 바싹 마른. (***come down***) ***like a ton*** 〔***pile***〕 ***of*** ~***s*** 《口》 맹렬한 기세로 (떨어지다) ; 무조건 (호통치다). ***drop a*** ~ 《口》 실수하다, 실언하다. ***drop*** a thing 〔a person〕 ***like a hot*** ~ 황급히〔아낌없이〕 버리다. ***hit the*** ~***s*** 《美俗》 스트라이크하다, 파업하다. ***make*** ~***s without straw*** 필요한 재료도 없이 만들려고 하다, 헛수고하다. ── *vt.* 《~+[목] / +[목]+[부]》 …을 벽돌로 에두르다 《*in*》; 벽돌로 막다《*up*》; …에 벽돌을 깔다 : ~ *up* a window 창문을 벽돌로 막다.

brick·bat [bríkbæ̀t] *n.* [C] ① 돌 조각〔부스러기〕. ② 비난, 혹평, 독설, 모욕 : throw a ~ at …을 비난하다.

bríck chéese 《美》 벽돌 모양의 치즈.

brick·field [bríkfi:ld] *n.* [C] 《英》 벽돌 공장 (《美》 brickyard).

brick·kiln [ˊ-kìln] *n.* [C] 벽돌 (굽는) 가마.

brick·lay·er [ˊ-lèiər] *n.* [C] 벽돌공〔장이〕.

brick·lay·ing [ˊ-lèiiŋ] *n.* [U] 벽돌쌓기〔공사〕.

brick-red [ˊ-réd] *a.* 붉은 벽돌빛의.

bríck wáll 벽돌 담 ; 큰 장벽. ***beat*** one***'s head against a*** ~ 성공할 가망이 없는 일을 하다, 헛수고를 하다.

brick·work [ˊ-wə̀:rk] *n.* [U] 벽돌 구조물《집, 담 따위》; 벽돌 쌓기〔공사〕.

brick·yard [bríkjɑ̀:rd] *n.* [C] 벽돌 공장.

***brid·al** [bráidl] *a.* 〔限定的〕 새색시의, 신부의 ; 혼례의 : a ~ veil 신부의 베일 / a ~ party 결혼 피로연 / the ~ march 결혼 행진곡. ── *n.* [C] 혼례, 결혼식.

‡**bride** [braid] *n.* [C] 신부, 새색시 : He returned to New York in 1946 with his lovely young ~. 그는 사랑스러운 젊은 신부를 데리고 1946년에 뉴욕으로 돌아왔다. [cf] bridegroom.

‡**bride·groom** [ˊ-grù(ː)m] *n.* [C] 신랑.

brides·maid [bráidzmèid] *n.* [C] 신부 들러리.

brides·man [ˊ-mən] (*pl.* ***-men*** [-mən]) *n.* [C] 신랑 들러리 (best man).

bride-to-be [ˊ-tə-ˊ] (*pl.* ***brides-***) *n.* [C] 신붓감.

†**bridge**¹ [bridʒ] *n.* [C] ① 다리, 교량 ; 육교 ; 철도 신호교 : build 〔construct〕 a ~ across a river 강에 다리를 놓다. ② 〖船〗 함교(艦橋), 선교, 브리지. ③ 《比》 연결, 연락, 다리(놓기), 중개(자) : He acted as a ~ between the negotiators. 그는 교섭자들의 중개자로서 활동했다. ④ 다리 모양의 것 ; 콧마루 ; (현악기의) 기러기발 ; 〖齒〗 가공 의치(架工義齒), 브리지, (의치의) 틀 ; 〖撞球〗 큐대(臺), 레스트(rest) ; 〖레슬링〗 브리지 ; (안경의) 원산(遠山). ⑤ 〖電〗 전교(電橋) ; 교락(橋絡). ***a*** ~ ***of boats*** 배다리, 부교(浮橋). ***burn*** one***'s*** ~***s*** (***behind*** one) 배수의 진을 치다. ── *vt.* ① …에 다리를 놓다 ; 다리를 놓아 길을 만들다 : ~ a river 강에 다리를 놓다. ② …의 중개역을 하다, (간격 따위)를 메우다 : It is unlikely that the two sides will be able to ~ their differences. 양측은 그들의 의견 차이를 메울 것 같지 않다. ~ a person ***over*** (아무에게) 난관을 뚫고 나가게 하다. ~ ***over difficulties*** 난관을 타개하다.

bridge² *n.* [U] 브리지《카드놀이의 일종》.

bridge·head [ˊ-hèd] *n.* [C] ① 〖軍〗 교두보 : secure a ~ 교두보를 확보하다 / A ~ was established. 교두보가 설치되었다. ② 거점(據點).

Bridg·et [brídʒət] *n.* 브리지드《여자 이름》.

brídge tòwer 교탑(橋塔).

bridge·ward [brídʒwɔ̀:rd] *n.* [C] 다리 감시인.

bridge·work [ˊ-wə̀:rk] *n.* [U] 교량 공사 ; 〖齒〗 가공(架工) 의치(술).

brídging lòan (집을 바꾼다든지 할 때의) 임시적인 융자〔대부금·차입금〕(=**brídge lòan**).

‡**bri·dle** [bráidl] *n.* [C] ① 굴레《재갈·고삐 따위의 총칭》; 고삐. ② 구속, 속박, 제어 ; 구속〔제어〕하는 것(*on*) : put a ~ *on* one's temper 화를 참다. ***draw*** ~ 고삐를 당겨 말을 멈추다 ; 《比》 자제하다. ***give the*** ~ ***to*** = ***lay the*** ~ ***on the neck of*** …의 고삐를 늦추어 주다 ; …을 자유롭게 활동시키다. ── *vt.* ① …에 굴레를 씌우다. ② (감정 따위)를 억제하다 : He ~*d* his anger with a effort. 그는 지그시 분노를 참았다. ── *vi.* 《~ / +[전]+[명] / +[부]》 (여자가) 머리를 곧추 세우며 새치름해 하다《*up*》; (…을 듣고〔보고〕) 화내다, 역정내다《*at*》: She ~*d* (*up*) *at* the insinuation. 그 비꼬는 말에 그녀는 새침해졌다.

brídle pàth 승마길《수레는 못 다님》.

Brie [bri:] *n.* 브리(치즈)《희고 말랑말랑한 프랑스 원산의 치즈》.

‡**brief** [bri:f] (***ˊ·er*** ; ***ˊ·est***) *a.* ① 짧은, 단시간의 ; 덧없는 : a ~ stay in the country 시골에서의 짧은 체류 / take a ~ rest 짧은 휴식을 취하다 / She once made a ~ appearance on television. 그녀는 한때 텔레비전에 잠시 출연했다. ② 간결한, 간단한 ; (사람이) 말수가 적은 ; 무뚝뚝한 : a ~ report on weather conditions 일기 개황 / a ~ welcome 냉담한 환영. ③ (옷이) 짧은 : a ~ skirt (극단적으로) 짧은 스커트. ◇ brevity *n.* ~ ***and to the point*** 간결하고 요령 있는. ***to be*** ~ 간단히 말하면.

── *n.* ① [C] 적요, 대의 ; 〖法〗 소송 사건 적요서 ; 소송 의뢰 사건 ; 이의신청. ② [C] (권한·임무 따위를 규정하는) 지시(사항) ; 《比》 임무, 권한 ; (출격시 내리는) 간결한 지시〔지령〕. ③ [C] 〖가톨릭〗 (교황의) 훈령. ④ (*pl.*) 브리프《짧은 팬츠》. ***have plenty of*** ~***s*** (변호사가) 사건 의뢰를 많이 받다 ; 영업이 잘되다. ***hold a*** ~ ***for*** …을 변호〔지지〕하다. ***in*** ~ 말하자면, 요컨대. ***make*** ~ ***of*** 재빨리 처리하다. ***take a*** ~ (변호사가) 소송사건을 떠맡다.

── *vt.* ① …을 요약하다. ② 《英》 (변호사)에게 소송 사건 적요서에 의한 설명을 하다 ; …에게 변호를 의뢰하다. ③ 《+[목]+[전]+[명]》 …에게 사정을 잘 알리다, 요점을 추려 말하다《*on*》; …에게 간단히 지시하다 : I ~*ed* the crew *on* their new duties. 승무원들에게 새 임무의 개요를 설명해 주었다. [파] ***ˊ·ness*** *n.*

brief·case [brí:fkèis] *n.* Ⓒ (주로 가죽으로 만든) 서류 가방.

brief·ing [brí:fiŋ] *n.* ⓊⒸ ① 상황 설명(회): We had to attend a ~ once a month. 우리는 한 달에 한 번 상황 설명회에 참석해야 했다. ②〖空軍〗(출격 전에 탑승원에게 내리는) 간단한 지시.

brief·less [brí:flis] *a.* 소송 의뢰자가 없는.

‡**brief·ly** [brí:fli] (*more* ~ ; *most* ~) *ad.* ① 짧게, 간단히 : to put it ~ 간단히 말하면. ② He stopped here ~ on his way to America. 그는 미국으로 가는 도중 잠시 이곳에 머물렀다.

***bri·er**[1] [bráiər] *n.* Ⓒ 찔레(가시)나무. *~s and brambles* 우거진 가시나무(덤불).

***bri·er**[2] *n.* Ⓒ〖植〗브라이어《석남과(科) 에리카속의 식물 ; 남유럽산》; (보통 briar) 그 뿌리로 만든 파이프: Will you have a ~ or a weed? 파이프로 하겠니 시가로 하겠니.

bri·er·root [-rù(:)t] *n.* Ⓒ brier² 의 뿌리(로 만든 파이프).

bri·er·wood [-wùd] *n.* =BRIERROOT.

brig [brig] *n.* Ⓒ ① (가로돛의) 쌍돛대 범선의 일종. ②〖美軍〗영창《특히 군함 내의》.

Brig. Brigade ; Brigadier.

***bri·gade** [brigéid] *n.* Ⓒ〖軍〗여단(旅團) ; (군대식 편성의) 대(隊), 조(組) : a fire ~ 소방대 / a mixed ~ 혼성 여단 / John and Kim fought in the same ~ during the war. 존과 킴은 전쟁 중에 같은 여단에서 싸웠다.

brig·a·dier [brìgədíər] *n.* Ⓒ〖英軍〗여단장, 육군 준장《여단장의 계급》;〖美軍〗《口》=BRIGADIER GENERAL.

brígadier géneral 〖美軍〗준장《略 : Brig. Gen.》.

brig·and [brígənd] *n.* Ⓒ 산적, 도적.

brig·and·age [-idʒ] *n.* Ⓤ 강탈 ; 산적 행위.

Brig. Gen. brigadier general.

†**bright** [brait] (*∠·er* ; *∠·est*) *a.* ① (반짝반짝) 빛나는, 광채나는 ; 화창한 ; 밝은 : a ~ day 쾌청한 날씨 / a ~ smile 밝은 미소 / The lights are too ~ in here—they're hurting my eyes. 여기는 불빛이 너무 밝아서, 눈이 아프다. ② 빛이 충만한, 밝은 ; (색깔이) 선명한 ; 빛나는 : a ~ red 선홍색. ③ 유망한 : ~ prospects 밝은 전망 / a ~ future 밝은 미래 / look on the ~ side (of things) 사물의 밝은 면을 보다, 일을 낙관하다. ④ 머리가 좋은, 영리한 ; 민첩한, 기지가 있는 : (as) ~ as a button《口》아주 활발(영리)한. ⑤ 원기 있는, 명랑한. *~ and early* 아침 일찍.
── *ad.* =BRIGHTLY.

‡**bright·en** [bráitn] *vt.* ① …을 반짝이게 하다, 빛내다 : ~ the silver 은식기를 닦아 광내다. ② …을 밝게 하다. ③《~+목 / +목+부》…을 상쾌(쾌활)하게 하다 ; 유망하게 하다 ; 원기있게 하다, 행복하게 하다 : Young faces ~ a home. 젊은이가 있으면 집이 밝아진다 / His presence *~ed up* the party. 그의 참석으로 파티가 즐거워졌다.
── *vi.* ① 반짝이다, 빛나다 ; 밝아지다 : a garden *~ing with* flowers 꽃으로 환한 뜰. ② 개다 : It was rainy and overcast in the morning, but it *~ed up* in the afternoon. 오전에는 비가 오고 흐렸으나 오후에는 맑아졌다. ③《~ / +부》쾌활(유쾌)해지다, 명랑한 기분이 되다《*up*》: His face *~ed* (*up*) at the news. 그 소식에 그의 표정은 밝아졌다.

bright-eyed [∸àid] *a.* ① 눈이(눈매가) 시원한(또렷한). ② 생기가 넘치는.
㊞ **bríght-èyed-and-búsh·y-tàiled** *a.* 생기발랄한, 기운찬.

bríght líghts (the ~) (도시의) 눈부신(화려한) 생활 ; 번화가.

‡**bright·ly** [bráitli] *ad.* ① 반짝거려 ; 밝게 : The full moon shone ~ last night. 어젯밤에는 보름달이 밝게 빛나고 있었다. ② 환하게, 빛나게. ③ 쾌활하게, 밝게 : "Hi!" she called ~. '안녕하세요' 하고 그녀는 쾌활하게 불렀다. ④ 선명히(하게).

‡**bright·ness** [bráitnis] *n.* Ⓤ 빛남, 밝음 ; 휘도(輝度), 광도 ; 선명, 산뜻함 ; 총명, 영특 ; (표정 등의) 밝음.

Bríght's disèase 〖醫〗브라이트병《신장염의 일종》. ⓒⓕ nephritis.

brill[1] [bril] (*pl.* *~s*, 〔集合的〕 ~) *n.* Ⓒ〖魚〗넙치.

brill[2] *a.* =BRILLIANT.

***bril·liance, -cy** [bríljəns], [-i] *n.* Ⓤ 광휘, 광택, 광명 ; 훌륭함 ; 명민, 재기 발랄. ⓒⓕ hue¹, saturation.

‡**bril·liant** [bríljənt] *a.* ① 찬란하게 빛나는, 번쩍번쩍 빛나는 : ~ jewels. ② 훌륭한, 화려한 : a ~ achievement 훌륭한 업적 / She had given us a ~ idea to minimize the company's losses. 그녀는 회사의 손실을 극소화하는 훌륭한 아이디어를 우리에게 제공했다. ③ 두뇌가 날카로운, 재기 있는 : a ~ mind 재사(才士), 천재.
── *n.* ① Ⓒ 브릴리언트형으로 다듬은 다이아몬드(보석). ② Ⓤ 브릴리언트 활자《3.5 포인트》. ⓒⓕ diamond.

bril·lian·tine [bríljəntì:n] *n.* Ⓤ 브릴리언트《포마드의 일종》.

***bril·liant·ly** [bríljəntli] *ad.* ① 번쩍번쩍, 찬연히. ② 훌륭하게 : I've never seen "Hamlet" so ~ performed. 그렇게 훌륭히 연출된 햄릿은 보지 못했다.

‡**brim** [brim] *n.* Ⓒ ① (컵 등의) 가장자리, 언저리 : fill a glass to the ~ 컵에 찰랑찰랑하게 따르다 / The pool was full to the ~ with muddy water. 그 풀장은 흙탕물로 가득 찼다. ②《古》(시내 · 못 등의) 물가. ③ (모자의) 양태 : Her hat had an upturned ~ to show her face. 그녀 모자는 얼굴이 잘 보이게 양태가 위로 치켜져 있었다.
── (*-mm-*) *vi.* 《~ / +부 / +전+명》가장자리까지 차다《*with*》, 넘칠 정도다, 넘치다《*over*》: He was *~ming over* (*with*) health and spirits 원기가 넘쳐 흐를 정도였다 / Her eyes began to ~ *over with* tears. 그녀의 눈에서 눈물이 고이기 시작했다. ── *vt.* 《+목+전+명》…에 넘치도록 채우다, 넘치도록 붓다《*with*》: ~ a glass *with* wine 술로 잔을 가득 채우다.

brim·ful(l) [brímfúl] *a.* 넘칠 정도의《*of* ; *with*》: ~ *of* ideas 재기가 넘치는 / He was holding a bottle ~ of milk. 그는 우유가 넘칠 정도로 담긴 병을 들고 있었다. ㊞ **-fúl·ly** *ad.* **-fúl(l)·ness** *n.*

brim·less [brímlis] *a.* 가장자리 없는 ; 테 없는.

(-)**brimmed** [brimd] *a.* (…한) 테두리의 ; 넘칠 듯한 : a broad-~ hat 테 넓은 모자.

brim·mer [brímər] *n.* Ⓒ 찰랑찰랑 넘치게 따른 잔(그릇 따위) ; 가득 찬 잔.

***brim·ming** [brímiŋ] *a.* 넘칠 듯한, 넘치게 따른 : a ~ stream 가득히 물이 불은 강. ㊞ **~·ly** *ad.*

brim·stone [brímstòun] *n.* Ⓤ 황(黃)《sulfur의 옛이름》. *fire and* ~ (죄인에 대한) 형벌《계시록 XX : 10》.

brin·dle [bríndl] *n.* Ⓒ 얼룩, 얼룩빛 ; 얼룩빼기의 동물《특히 개》. ── *a.* =BRINDLED.
㊞ **~d** *a.* (소 · 고양이 따위가) 얼룩빛의, 얼룩빼기의.

brine [brain] *n.* ① Ⓤ (절임 · 식품 보존용(用)의) 소금물. ② (the ~) 《詩》바닷물, 바다 : the foaming ~ 거친 바다. ── *vt.* …을 소금물에 절이다(담그다).

†**bring** [briŋ] (*p., pp.* ***brought*** [brɔːt]) *vt.* ①《＋목＋목 / ＋목＋전＋명 / ＋목＋부》 (물건)을 가져오다, (사람)을 데려오다 : *Bring* me the book. ＝*Bring* the book *to* me. 그 책을 가져오너라 / *Bring* your friends along tonight. 오늘 밤 친구들을 데리고 오너라 / ～ *out* a handkerchief 손수건을 끄집어내다 / Please ～ your calculator *to* every lesson. 수업시간마다 계산기를 지참하세요. ②《～＋목 / ＋목＋전＋명》 …을 오게 하다 : What ～*s* you here today? 무슨 일로 오늘 여기 왔느냐 / An hour's walk *brought* us *to* our destination. 한 시간 걸어서 목적지에 도착했다. ③《～＋목 / ＋목＋전＋명》 (상태 따위)를 초래하다, 일으키다《*to* ; *into* ; *under*》: The south wind always ～*s* rain. 남풍(南風)이 불면 언제나 비가 온다 / The smoke *brought* tears *to* my eyes. 연기 때문에 눈물이 났다 / The brisk walk *brought* a little color *into* her cheeks. 빨리 걸어서 그녀의 뺨은 불그레해졌다. ④《＋목＋전＋명》 …을 생각나게 하다 : Your story ～*s to* mind an old friend of mine. 자네 이야기로 나의 어느 옛 친구의 생각이 났다. ⑤《＋목＋전＋명》 …하도록 하다, 이끌다 : ～ a person *to* reason 아무에게 도리를 깨닫게 하다 / His radical opinion *brought* him *into* conflict with the other members of the committee. 그의 과격한 의견이 그를 위원회의 다른 위원과 충돌케 했다. ⑥《＋목＋*to* do》〔흔히 否定文・疑問文〕 …할 마음이 생기게 하다 : I can't ～ myself *to* do it. 아무리 해도 그럴 마음이 나지 않는다 / What *brought* you *to* buy the book? 어찌하여 그 책을 살 마음이 생겼는가. ⑦《～＋목 / ＋목＋전＋명》 (이유・증거 따위)를 제시하다 ; 〖法〗 (소송)을 제기하다, 일으키다《*against* ; *for*》: ～ an action 〔a charge〕 *against* a person 아무를 상대로 소송을 제기하다. ⑧《～＋목 / ＋목＋목》 (상태・수입 따위)를 가져오다, 올리다 ; (얼마)로 팔리다 : This article ～*s* a good price. 이 물건은 상당한 값으로 팔린다 / This work *brought* me 10 dollars. 이 일에서 나는 10 달러를 벌었다.

～ ***about*** …을 일으키다 ; 초래하다 ; 〖海〗 (배를) 반대 방향으로 돌리다 : Over-eating *brought about* his stomachache. 과식으로 그는 배탈이 났다 / Their marriage *brought about* many misfortunes. 그들의 결혼은 많은 불행을 가져왔다. ～ ***along*** …을 가지고〔데리고〕 오다《*to*》; (기후가 작물 따위)를 생장시키다 ; (학생・선수・학업 등)을 향상시키다. ～ a person ***around*** (1) (아무)를 데리고 오다. (2) …의 의식〔건강〕을 회복시키다 : A cup of hot coffee will ～ you *around*. 따끈한 커피를 한 잔하면 기운이 날 거다. (3) (아무)를 납득시키다, 설득하다, 생각을 바꾸게 하다《*to*》: I managed to ～ her *around to* my way of thinking. 그럭저럭 그녀를 설득해서 내 생각에 따르게 했다. ～ ***back*** (1) 갖고〔데리고〕 돌아오다 : The dog *brought back* the ball. 개가 공을 물고 돌아왔다. (2) …을 생각나게 하다《*to*》: The old picture *brought back* many pleasant memories. 오래된 사진이 즐거웠던 추억을 생각나게 했다. (3) (제도・습관 등)을 부활시키다 : Many of the students appear to be trying to ～ *back* the crew cut. 대다수의 학생들은 예전의 상고머리 스타일로 되돌아가려는 것으로 보인다. ～ ***down*** (1) (짐)을 내리다 : ～ *down* a flag 기를 내리다. (2) (물가)를 하락시키다 ; (나는 새)를 쏘아 떨어뜨리다, (적기)를 격추하다 : ～ a salesman *down to* a lower price 판매원에게 값을 내리게 하다. (3) (정부・통치자)를 넘어뜨리다 : The people *brought down* the dictator. 국민들은 독재자를 넘어뜨렸다. (4) (재앙)을 초래하다, (벌)을 받게 하다《*on*》: It will ～ *down* trouble *on* your family. 그것은 당신 가정에 재난을 초래할 것이다. ～ ***down the house*** ⇨ HOUSE. ～ ***forth*** (1) …을 낳다 ; 생기다 ; (싹)이 돋다 ; (열매)를 맺다 : The news *brought forth* a cheer. 그 소식에 환호가 쏟아져 나왔다. (2) (증거 등)을 참고로 내놓다 ; 폭로하다 ; 발표하다. ～ ***forward*** 공표하다 ; 제출하다 ; 앞당기다 ; 〖簿記〗 이월하다 : The meeting has been *brought forward* to the 7th. 모임은 7 일로 앞당겨졌다. ～ ***home the bacon*** 〔《美俗》 ***the groceries***〕《口》 생활비를 벌다 ; 《口》 성공〔입상〕하다. ～ a thing ***home to*** 무엇을 …에게 명심시키다, 뼈저리게 느끼게 하다. ～ ***in*** (1) …을 가지고 들어오다, 데려오다 ; (원조자)를 끌어들이다 ; (예로서) 제기하다 ; (풍습 따위)를 소개〔수입〕하다 : ～ *in* a new style of dress. (2) (배심원이 평결)을 답신(答申)하다 ; (법안(法案))을 제출하다. (3) 〖野〗 생환시키다. (4) 수입・이익이 생기다 : Her extra job doesn't ～ *in* much, but she enjoys it. 그녀의 아르바이트는 별로 수입이 많지 않으나 즐거워 하고 있다 / Tourism is a big industry, ～*ing in* over $ 10 million a year. 관광 사업은 주요 산업으로서 1 년에 1000만 달러 이상의 수입을 올리고 있다. (5) …를 경찰로 연행하다, 구속하다. ～ ***. . . into being*** 〔***life, the world***〕 (아이를) 낳다, (조산사로서) (아이)를 받다 ; …을 생기게 하다. ～ ***into play*** 활동시키다 ; 이용하다. ～ ***off*** (1) 날라〔가져〕 가다. (2) 훌륭하게 해내다 : ～ *off* a speech with ease 쉽게 연설을 해치우다. (3) (난파선)에서 사람을 구출하다. ～ ***on*** …을 가져오다 ; (논쟁・전쟁)을 일으키다 ; (병이) 나게 하다 ; (학업 따위)를 향상시키다 ; (화제 따위)를 꺼내다 ; 등장시키다 : Poverty can ～ *on* 〔*about*〕 a war. 빈곤은 전쟁의 원인이 될 수 있다. ～ ***out*** …을 꺼내다 ; (색・성질 등)을 나타내다 ; (뜻)을 분명히 하다 ; 발표하다 ; (능력 따위)를 발휘하다 ; (배우・가수)를 세상에 내놓다 ; 출판하다 ; (딸)을 사교계에 내보내다 ; 상연하다 ; (노동자)에게 파업을 시키다. ～ a person ***out of*** him***self*** 아무를 적극적인 사람이 되게 하다. ～ ***over*** 데려오다 ; 개종시키다, 제편으로 끌어들이다 ; (사람)을 데리고 방문하다 ; 〖海〗 (돛)을 돌리다. ～ ***round*** ＝～ around ; (화제를 딴 데로) 돌리게 하다《*to*》, 회생시키다 : Nobody was making any attempt to ～ her *round*. 아무도 그녀를 소생시키려고 시도하지 않았다. ～ ***through*** (환자)를 살리다 ; (곤란・시험 따위)를 극복하게 하다 : He was *brought through* by his mother's patient nursing. 어머니의 꾸준한 간호로 그는 목숨을 건졌다. ～ ***to*** (1) (*vi.*) 〖海〗 배가 멎다. (2) (*vt.*) (***bring*** a person ***to*** (him***self***)) 아무를 제정신이 들게 하다 ; (***bring*** one***self to*** do) …할 마음이 생기게 하다 (⇨*vt.* ⑥). (***bring . . . to . . .***) (…이 계산 따위)를 합계 …로 만들다 : The purchase *brought* his bill *to* 100 dollars. 그 구매로 그의 계산은 합계 100 달러가 되었다. ～ ***to an end*** 〔***a close, a stop, a halt***〕 …을 끝내다, 멈추게 하다. ～ ***to bear*** ⇨ BEAR[1]. ～ ***. . . to mind*** ⇨ MIND. ～ ***. . . to pass*** ⇨ PASS. ～ ***together*** …을 모으다, 소집하다 ; (특히, 남녀)를 맺어주다, 결합시키다 ; 화해시키다 : ～ strangers *together* 낯선 사람들을 서로 알게 하다. ～ ***under*** 진압하다, 굴복시키다 ; (권력・지배)하에 넣다 ; (…을 ―로) 분류하다 : These points can be *brought under* the same heading. 이들 요점들은 같은 항목으로 분류할 수 있다. ～ ***up*** (1) …을 기르다, 가르치다 : He is well *brought up*. 그는 본

데 있게 자랐다. (2) (논거·화제 등)을 내놓다 : ~ the matter *up* for discussion. (3) (차)를 딱 멈추다, (차가) 멎다 ; 〖海〗 닻을 내리다. (4) 토하다, 토해 내다 : I had some toast but *brought* it *up* again soon after. 나는 토스트 몇 조각을 먹었으나 곧 바로 다시 토했다. (5) (계산)을 이월하다. (6) (재판)에 출두시키다, 기소하다 ; (부대·물자를 전방으로) 보내주다. **~ *up the rear*** ⇨ REAR[1]. **~ *with*** …을 데리고〔갖고〕 오다 : Wealth ~*s with* it many anxieties. 부는 많은 걱정거리를 가져온다.

bríng-and-búy sàle [bríŋəndbái-] 《英》 지참매매 자선 바자《각자 가지고 온 물건을 서로 사고 팔아서 그 매상금을 자선 등에 씀》.

bring·ing-up [bríŋiŋʌ́p] *n.* Ⓤ 양육 ; 훈육 (upbringing).

brink** [briŋk] *n.* Ⓒ ① (벼랑 따위의) 가장자리 ; (산 따위의) 정상. ② (…하기) 직전, (아슬아슬한) 고비. ⓒⓕ edge, verge. ***on*〔*at*〕 *the ~ of (멸망· 죽음 등)에 임하여, …의 직전에 : *on*〔*at*〕 *the ~ of* starvation 아사 직전에.

brink·man·ship, brinks- [ˊ(s)mənʃip] *n.* Ⓤ (아슬아슬한 상태까지 밀고 나가는) 극한 정책.

briny [bráini] (***brin·i·er*** ; ***-i·est***) *a.* 소금물의, 바닷물의 ; 짠.
— *n.* (the ~) 《口》 바다, 대양.

brio [bríːou] *n.* Ⓤ 《It.》 생기 ; 〖樂〗 활발.

bri·oche [bríːouʃ, -ɑʃ / bríːɔʃ] *n.* Ⓒ 《F.》 브리오슈《버터·달걀이 든 롤빵》.

bri·quet(te) [brikét] *n.* Ⓒ 연탄(煉炭).

‡**brisk** [brisk] (ˊ**·er** ; ˊ**·est**) *a.* ① (사람·태도 등이) 팔팔한, 활발한, 기운찬 : He walked on at a ~ pace. 그는 힘찬 보조로 계속 걸었다. ② (장사 따위가) 활기 있는, 활황의 : Business is ~ today. 오늘 장사는 불티 같다. ③ (날씨 따위가) 쾌적한, 상쾌한 : ~ weather 상쾌한 날씨.
— *vt., vi.* (…이〔을〕) 활발해지다〔하게 하다〕, 활기띠다〔띠우다〕《*up*》. **~ *about*** 활발히 돌아다니다.

bris·ket [brískət] *n.* Ⓤ,Ⓒ (소 따위의) 가슴(고기).

‡**brisk·ly** [brískli] *ad.* 활발히, 팔팔하게, 세차게 : He walked ~ down the street. 그는 씩씩하게 길을 걸어 갔다.

bris·tle** [brísəl] *n.* Ⓒ 뻣뻣한 털, 강모(剛毛) : a face covered with ~*s*. ***set up one**'*s ~s*** (짐승이) 골이 나 털을 곤두세우다 ; 사람이 격노하다.
— *vi.* ① (짐승이) 털을 곤두세우다《*up*》. ② 벌컥 화내다, 신경질 내다 : He ~*d* (*with* anger) *at* her defiance. 그녀의 도전적인 태도에 그는 벌컥 화를 냈다〔분노의 빛을 역연히 나타냈다〕. ③ (장소에 건물 등이) 임립하다, 빽빽이 들어서다《*with*》: The town is *bristling with* chimneys. 그 도시엔 굴뚝이 임립해 있다. — *vt.* (털)을 곤두세우다.

bris·tle·tail [-tèil] *n.* Ⓒ 〖蟲〗 반대좀《총칭》.

bris·tly [brísəli] (***bris·tli·er*** ; ***-tli·est***) *a.* ① 뻣뻣한 털의〔이 많은〕. ② 불끈거리는.

Bris·tol [brístl] *n.* ① 브리스틀《영국 서남부의 항구 도시》. ② 브리스틀《영국 Bristol 자동차 회사제의 승용차》.

Brístol Chánnel (the ~) 브리스틀 해협.

brit [brit] *n.* 새끼〔작은〕 청어 ; 바닷속의 작은 생물《고래의 밥이 되는》.

Brit [brit] *n.* Ⓒ 《口》 영국인. — *a.* =BRITISH.

Brit. Britain ; Britannia ; British ; Briton.

‡**Brit·ain** [brítən] *n.* ① =GREAT BRITAIN. ② =BRITISH EMPIRE.

Bri·tan·nia [britǽnjə, -niə] *n.* ① 브리타니아《Britain 의 고대 로마시대의 명칭》. ② =GREAT BRITAIN. ③ =BRITISH EMPIRE. ④ 《文語》 Great Britain 또는 British Empire 를 상징하는 여인상(像).

Bri·tan·nic [britǽnik] *a.* (대)브리튼의, 영국의. ***His*** 〔***Her***〕 **~ *Majesty*** 대브리튼〔영국〕 국왕〔여왕〕 폐하《略 : H.B.M.》.

britch·es [brítʃiz] *n. pl.* 《美》 =BREECHES.

Brit·i·cism [brítəsìzəm] *n.* Ⓤ,Ⓒ 영국 특유의 어구〔어법〕《gasoline 을 petrol, elevator 를 lift 로 부르는 따위》. ⓒⓕ Americanism.

†**Brit·ish** [brítiʃ] *a.* ① 영국의, 영국 국민의. ② 영연방의. ③ 고대 브리튼 사람의.
— *n.* ① Ⓒ (the ~) 〔集合的〕 영국인. ② Ⓤ (영국) 영어. ***The best of ~!*** (종종 비꼬아) 행운을 비네, 잘 해보게.

Brítish Acádemy (the ~) 대영 학사원《略 : B.A.》.

Brítish Áirways 영국 항공.

Brítish Bróadcasting Corporátion (the ~) 영국 방송 협회《略 : B.B.C.》.

Brítish Colúmbia 캐나다 남서부의 주.

Brítish Cómmonwealth (of Nátions) (the ~) 영연방《현재는 그저 the Commonwealth (of Nations) 라고 함》.

Brítish Cóuncil (the ~) 영국 문화 협회.

Brítish Émpire (the ~) 대영 제국《the Commonwealth (of Nations) (영연방)의 옛이름》.

Brítish Énglish 영국 영어.

Brit·ish·er [brítiʃər] *n.* Ⓒ 《美》 영국 사람.

Brítish Ísles (the ~) 영국 제도(諸島)《Great Britain, Ireland, the Isle of Man 기타의 작은 섬을 포함》.

Brit·ish·ism [brítiʃìzəm] *n.* =BRITICISM.

Brítish Líbrary (the ~) 영국 (국립) 도서관.

Brítish Muséum (the ~) 대영 박물관.

Brítish Ópen (the ~) 〖골프〗 영국 오픈《세계 4대 토너먼트의 하나》.

Brítish Súmmer Tìme (시간절약을 위한) 영국 하계 시간《3월-10월 말까지 ; 略 : BST》.

Brítish thérmal ùnit 영국 열량 단위《1 파운드의 물을 화씨 1도 올리는 데 필요한 열량 ; 略 : B.T.U., Btu.》.

***Brit·on** [brítn] *n.* Ⓒ (the ~s) 브리튼족《옛날 브리튼섬에 살았던 켈트계의 민족》; 《文語》 대브리튼 사람, 영국인.

brit·tle** [brítl] (brit·tler*** ; ***-tlest***) *a.* ① (유리 따위가) 부서지기〔깨지기〕 쉬운 : Glass is ~. ② (약속 등이) 미덥지 못한 : His promises turned out ~. 결국 그의 약속은 빈말이었다. ③ (사람이) 걸핏하면 화내는, 차가운 : ~ temper. ④ (소리가) 날카로운 : There was a sharp, ~ tinkling. 날카로운 찌르릉 소리가 들렸다.
㊞ **~·ness** *n.*

broach [broutʃ] *n.* Ⓒ ① 고기 굽는 꼬치 ; (촛대의) 초꽂이. ② (구멍 뚫는) 송곳.
— *vt.* ① (술병·술통 등)에 구멍을 내다. ② 말을 꺼내다, (화제 따위)를 끄집어내다《*to* ; *with*》: It's apt to difficult *to* ~ the subject of sex. 성에 대한 말을 꺼내기는 흔히 쉽지 않다.

†**broad** [brɔːd] (ˊ**·er** ; ˊ**·est**) *a.* ① 폭이 넓은 ; 광대한 : a ~ street 넓은 가로 / a ~ expanse of water 광활한 수면 / She had a ~*er* range of interests than Jane. 그녀는 제인보다 취미가 광범위하다 / The magazine covers a ~ range of subjects, from sewing to psychology. 그 잡지는 재봉에서 심리학까지 광범위한 문제를 다루고 있다. ② (경험·식견 따위가) 넓은, 광범위한 ; (마음이) 관대한 : a man of ~ experience 경험이 다

양한 사람. ③ 마음이 넓은, 도량〔포용력〕이 큰 : a ~ mind 대범한 마음 / have a man of ~ culture 〔outlook〕 교양이〔시야가〕 넓은 사람. ④〔限定的〕 대강의, 대체로의 ; 주요한 : in a ~ sense 넓은 뜻으로, 광의(廣義)로 / ~ outlines 개요(槪要). opp narrow. ◇ breadth *n.* ⑤ (햇빛 따위가) 넘쳐 흐르는 : in the ~ glare of afternoon 오후의 넘쳐 흐르는 햇살 속에. ⑥ 드러낸, 명료한 : ~ distinction 뚜렷한 구별 / a ~ fact 명백한 사실. ⑦ 조심성 없는, 내놓은, (말이) 노골적인 ; 야비한 ; 순사투리의 : a ~ hint 노골적인 암시 / a ~ smile 파안 대소 / a ~ jest 천한 농담 / ~ Scotch 순 스코틀랜드 사투리. ⑧〖音聲〗 개구음(開口音)의 : ~ a 《half, laugh 따위의 [ɑː] 음》. ***as ~ as it is*** 〔***it's***〕 ***long*** 폭과 길이가 같은 ; 결국 마찬가지인. ***in a ~ way*** 대체로 말하면. ***in ~ daylight*** 백주에, 대낮에 : The robbery occured *in ~ daylight*, in a crowded street. 그 강도 행위는 백주의 붐비는 대로상에서 일어났다.
── *ad.* =BROADLY : ~ awake 완전히 잠이 깨어 / speak ~ 순 사투리로 말하다. ── *n.* ① 폭. ② 넓은 부분 ; 손바닥 ; (영국 Norfolk 지방에서 강으로부터 생긴) 늪, 호수. ③《美俗》 여자, 역겨운 여자, 매춘부.

bróad árrow 굵은 화살표인(印) 《영국의 관물(官物)에 찍음》.

broad·ax(e) [brɔ́ːdæ̀ks] *n.* Ⓒ 전부(戰斧), 큰 도끼.

broad·band [-bæ̀nd] *a.* 〖通信〗 광대역(廣帶域)의.

bróad bèan 〖植〗 누에콩, 잠두.

‡**broad·cast** [-kæ̀st, -kɑ̀ːst] (*p.*, *pp.* ~, ~·***ed***) *vt.* ① …을 방송〔방영〕하다 : ~ the news / The performance will be ~ live. 그 공연은 생방송될 것이다 / That news was ~ 〔~*ed*〕 yesterday evening. 그 뉴스는 어제 저녁 방송되었다. ② (씨 따위를) 흩뿌리다 ; (소문 등을) 퍼뜨리다 : ~ a piece of gossip all over the town 온 마을에 소문을 퍼뜨리다. ③ (비밀 등을) 무심코 누설하다《적 따위에게》. ── *vi.* ① 방송〔방영〕하다. ② 씨를 뿌리다. ── *n.* Ⓒ ① 방송, 방영 ; 방송〔방영〕 프로 : listen to the noon news ~ 정오의 뉴스를 듣다. ② (씨를) 뿌리기. ── *a.* 방송의 ; 널리 퍼진 ; 흩뿌린, 살포한. ── *ad.* 광범위하게 ; 흩뿌리어. ⊕ ~·**er** [-ər] *n.* Ⓒ ① 방송자 ; 방송장치·시설 : He was a famous ~*er* in the 1940's. 그는 1940 년대의 유명한 방송인이었다. ② 흩뿌리는 것, (씨) 살포기.

broad·cast·ing [-ìŋ] *n.* Ⓤ 방송, 방영 : a ~ station 방송국.

bróadcast mèdia 전파 매체.

bróadcast sàtellite 방송 위성.

broad·cloth [-klɔ̀ːθ / -klɔ̀θ] *n.* Ⓤ 폭이 넓고 질이 좋은 나사의 일종 ; 《美》 =POPLIN.

‡**broad·en** [brɔ́ːdn] *vi.* 넓어지다, 확장되다《*out*》 ; (넓어지며) …로 되다 : The river ~*s* at its mouth. 강은 하구에서 넓어지고 있다 / The stream ~*s* (*out*) *into* a river here. 시내는 이곳에서 넓어지며 강이 된다 / His face ~*ed* (*out*) *into* a grin. 그의 얼굴이 펴지면서 싱긋이 웃었다. ── *vt.* (지식 등)을 넓히다 : Travel ~*s* mind. 여행은 사람의 마음을 넓힌다.

broad-gauge, -gauged [-gèidʒ], [-gèidʒd] *a.* ① 광궤(廣軌)의. ② 마음이 넓은.

bróad jùmp (the ~) 《美》 멀리뛰기(《英》 long jump) : running 〔standing〕 ~ 도움닫기〔제자리〕 멀리뛰기.

broad·loom [-lùːm] *a.* 〔限定的〕 폭 넓게 짠《융단 따위》.

***broad·ly** [brɔ́ːdli] *ad.* ① 넓게, 널리 : smile ~ 만면에 웃음을 띄우다. ② 노골적으로, 드러내서. ③《문장 전체를 수식하여》 대체로, 총괄적으로 : There are, ~ speaking, four types of champagne. 대체로 말해 샴페인에는 네 가지 유형이 있다.

broad·ly-based [-béist] *a.* (조직·사회운동 등이) 지지층이 넓은, 많은 찬동을 얻은 : He wants it to be a ~ movement. 그는 광범한 지지를 받는 운동이 되기를 바란다.

***broad·mind·ed** [-máindid] *a.* 마음이 넓은, 도량이 큰, 편견이 없는 : At seventy she was surprisingly ~. 나이 70에 그녀는 놀랄 정도로 도량이 넓었다. ⊕ ~·**ly** *ad.* ~·**ness** *n.*

broad·ness [brɔ́ːdnis] *n.* Ⓤ ① 폭넓음, 넓이. ★ '폭, 너비'의 뜻으로는 breadth 를 씀. ② 관대, 너그러움. ③ 야비(함) ; 노골적임 : the ~ of his joke 그의 농담의 노골성.

broad·sheet [-ʃìːt] *n.* Ⓒ 한 면만 인쇄한 대판지(大版紙)《광고·포스터 따위》 ; 보통 크기의 신문《타블로이드 따위와 구별하여 씀》.

broad·side [-sàid] *n.* Ⓒ ① 뱃전 ; 〔集合的〕 우현 또는 좌현의 대포 ; 그 일제 사격. ② (특히 신문에서의) 맹렬한 공격 ; 《比》 퍼붓는 욕설. ③〔形容詞的〕 일제히 행하는. ④ =BROADSHEET.
── *ad.* 뱃전을 돌려대고, (자동차 등의) 측면으로 충돌하는 ; 일제히. ~ ***on*** 〔***to***〕 …에 뱃전을 향하여 : The ship hit the breakwater ~ *on*. 배는 방파제에 측면으로 충돌했다.

broad-spec·trum [-spéktrəm] *a.* 〖藥〗 광역(항균) 스펙트럼의.

broad·sword [-sɔ̀ːrd] *n.* Ⓒ (두 손으로 휘둘러야 하는) 날〔몸〕이 넓은 칼. cf. backsword.

Broad·way** [-wèi] *n.* 브로드웨이《뉴욕시의 남북을 관통하는 큰 거리 ; 부근에 극장이 많음》. ***go to ~ (지방에서 돌다가) 중앙 무대에 진출하다.

broad·wise, -ways [-wàiz], [-wèiz] *ad.* 옆〔측면〕으로, 측면을 향하여.

Brob·ding·nag [brɑ́bdiŋnæ̀g / brɔ́b-] *n.* 브로브딩내그《(Swift 작 걸리버 여행기의) 거인국(巨人國)》.

broc·co·li [brɑ́kəli / brɔ́k-] *n.* Ⓤ,Ⓒ 〖植〗 브로콜리《꽃양배추의 일종》.

bro·chette [brouʃét] *n.* Ⓒ 《F.》 (요리용) 구이꼬치.

bro·chure [brouʃúər, -ʃə́ːr] *n.* Ⓒ 《F.》 가(假)제본책, 소책자, 팸플릿.

bro·gan [bróugən, -gæn] *n.* Ⓒ (흔히 *pl.*) 질기고 투박한 작업용 가죽 단화.

brogue[1] [broug] *n.* Ⓒ (흔히 *pl.*) 생가죽 신, 투박한 신 ; (구멍을 뚫어 장식한) 일상용 단화.

brogue[2] *n.* Ⓒ (흔히 *sing.*) 《특히》 아일랜드 사투리.

***broil**[1] [brɔil] *vt.* ① (고기 따위)를 불에 굽다. ② (햇살이) …에 내리쬐다. ── *vi.* ① (고기가) 구워지다. ②〔흔히 進行形으로〕 타는 듯이 덥다 : It is ~*ing* hot / I was ~*ing* in my overcoat. 외투를 입어서 찜질하듯 더웠다. ★ broiling 은 現在分詞의 副詞的 용법. ── *n.* Ⓤ 굽기, 쬐기 ; 불고기, 구운 고기 ; 염열(炎熱), 혹서(酷暑).

broil[2] 《文語》 *n.* Ⓤ 싸움, 말다툼, 소동.
── *vi.* 싸움하다, 말다툼하다.

broil·er [brɔ́ilər] *n.* Ⓤ ① 고기 굽는 기구, 브로일러 ; (대량 사육에 의한) 구이용 영계. ②《口》 찌는 듯이 더운 날.

broil·ing [brɔ́iliŋ] *a.* 찌는 듯한, 혹서의 : ~ sun 타는 듯한 태양 / ~ hot 찌는 듯이 더운.

†**broke** [brouk] BREAK 의 과거·《古》 과거분사.
── *a.* ①〔敍述的〕 《口》 파산한, 무일푼의 (penniless) : I'm flat 〔《英》 stony〕 ~. 내겐 땡전

한푼 없다 / go ~ 빈털터리가 되다. ②《方》 파 뒤집은 : new ~ ground 새 개간지. ***go for*** ~《俗》(투기·사업 등에) 몽땅 걸다, 끝까지 해보다.

†**bro·ken** [bróukən] BREAK의 과거분사.
— *a.* ① 부서진, 망그러진, 깨어진 : a ~ cup. ② 고장난 : a ~ leg / a ~ television set 고장난 텔레비전. ③ 낙담한 ; 비탄에 잠긴 : a ~ man 실의에 빠진 사람. ④ 파산한 ; (가정 등이) 파괴된, 결딴난 : a ~ marriage 파경 / ⇨ BROKEN HOME / a ~ family 이산 가족. ⑤ (날씨 따위) 불안정한 : ⇨ BROKEN WEATHER. ⑥ (약속·계약 등이) 파기된 : a ~ promise. ⑦ 띄엄띄엄한 : a ~ sleep(자다깨다하는) 옅은 잠. ⑧ (땅이) 기복이 많은 : ~ field. ⑨ 엉터리의 : ~ English. ⑩ 우수리의 : ~ money 잔돈. ⑪ (말이) 길들여진.

bro·ken-down [-dáun] *a.* ① (기계·가구·말 따위가) 쓸모 없게 된, 부서진. ② (사람이) 건강을 해친. ③ 붕괴된, 파괴된.

bróken héart 실의, 절망 ; 실연.

***bro·ken-heart·ed** [-há:*r*tid] *a.* 기죽은 ; 비탄에 잠긴 ; 상심한 ; 실연한. [파] **~·ly** *ad.* **~·ness** *n.*

bróken hóme 결손 가정《사망·이혼 등으로 한쪽 부모가〔양친이〕 없는 가정》.

bróken líne 파선(破線) ; 절선(折線) ; (도로의) 접선《차선(車線)간의 경계선》.

bróken réed 믿을 수 없는 사람〔것〕.

bróken wáter 거센 물결, 놀치는 파도.

bróken wéather 변덕스러운 날씨.

bro·ken-wind·ed [-wíndid] *a.* 〖獸醫〗 (말 따위가) 천식〔폐기종〕에 걸린.

***bro·ker** [bróukə*r*] *n.* [C] ① 중개인, 브로커 ; 증권 중개인 : bill 〔exchange〕 ~ 증권 중개인〔브로커〕. ② (결혼) 중매인. ③《英》(압류물의) 감정인(鑑定人).

bro·ker·age [bróukəridʒ] *n.* [U] ① 거간, 중개(업). ② 중개 수수료, 구전.

brol·ly [bráli / brɔ́li] *n.* 《英口》 박쥐 우산《umbrella의 사투리》.

brom-, bromo- '브롬, 취소(臭素)'의 뜻의 결합사.

bro·mide [bróumaid] *n.* ① [U] 〖化〗 브롬화물. ② [C] 진정제. ③ [C] 《口·比》 평범한 사람, 진부한 생각, 틀에 박힌 문구.

brómide pàper 〖寫〗 브로마이드(인화)지(紙).

bro·mid·ic [broumídik] *a.* 평범〔진부〕한, 낡아 빠진, 하찮은.

bro·mine [bróumi(:)n] *n.* [U] 〖化〗 브롬《비금속 원소 ; 기호 Br ; 번호 35》.

bromo- ⇨BROM-.

bron·chi [bráŋkai / brɔ́ŋ-] BRONCHUS의 복수.

bron·chi·al [bráŋkiəl / brɔ́ŋ-] *a.* 〖解〗 기관지의 : He had been ill for a number of weeks with ~ pneumonia. 그는 수주일 동안 기관지 폐렴을 앓았다. [파] **~·ly** *ad.*

brónchial ásthma 〖醫〗 기관지 천식.

brónchial catárrh 〖醫〗 기관지염(炎).

bron·chi·tis [braŋkáitis, bran- / brɔŋ-, brɔn-] *n.* [U] 〖醫〗 기관지염.

bron·chus [bráŋkəs / brɔ́ŋ-] (*pl.* ***-chi*** [-kai]) *n.* [C] 〖解〗 기관지.

bron·co [bráŋkou / brɔ́ŋ-] (*pl.* ***~s***) *n.* [C] 《美》 브롱코《북아메리카 서부산 야생마》.

bron·co·bust·er [-bʌ̀stə*r*] *n.* [C] 《美口》 브롱코를 길들이는 카우보이(=**búck·a·ròo**).

bronk [braŋk / brɔŋk] *n.* =BRONCO.

Bron·të [brɑ́nti / brɔ́n-] *n.* 영국의 세 자매 소설가《**Charlotte** ~ (1816-55) ; **Emily** ~ (1818-48) ; **Anne** ~ (1820-49)》.

bron·to·sau·rus [brɑ́ntəsɔ̀:rəs / brɔ́n-] *n.* [C] 〖古生〗 브론토사우르스, 뇌룡(雷龍)《공룡의 일종》.

Bronx [braŋks / brɔŋks] *n.* (the ~) 브롱크스 구《뉴욕 시 북부의 한 구》.

Brónx chéer 《美俗》 혀를 입술 사이에 넣고 진동시켜 소리내는 것《경멸을 표시함》.

‡**bronze** [branz / brɔnz] *n.* ① [U] 청동, 브론즈 ; [C] 청동 제품. ② [U] 청동색(의 그림 물감). — *a.* 〔限定的〕 ① 청동제(製)의 : a ~ statue 동상. ② 청동색의. — *vt., vi.* ① 청동색으로 만들다〔되다〕. ② (햇볕에 태우거나 하여) 갈색으로 만들다〔되다〕. [cf] tan. [파] **brónzy, ∠·like** *a.*

Brónze Àge (the ~) ① 〖考古〗 청동기 시대. [cf] Stone 〔Iron〕 Age. ② (b- a-) 〖그·로神〗 청동 시대《silver age에 계속되는 전쟁의 시대》.

brónze médal 동메달《3 등상》.

***brooch** [broutʃ, bru:tʃ] *n.* 브로치.

‡**brood** [bru:d] *n.* [C] ① 〔集合的〕 한 배 병아리 ; (동물의) 한 배 새끼 : a ~ of chickens. ② (한 집안의) 아이들. ③ (사람·동물·물건 따위의) 무리, 종족, 종류, 품종. — *a.* 〔限定的〕 ① 씨 받기 위한, 증식용의. ② 알을 까기 위한. — *vi.* ① 알을 품다 : The hen is ~*ing*. 암탉이 알을 품고 있다. ② 《+[전]+[명]》 생각에 잠기다, 마음을 앓다《*over* ; *on*》: Don't ~ *over* such trifles. 그런 하찮은 일에 신경 쓰지 마라 / The boy was ~*ing over* the death of his father. 소년은 아버지의 죽음에 대한 생각에 잠겨 있었다. ③ 《+[전]+[명]》 (구름·안개 따위가) 낮게 깔리다, 덮다《*over* ; *on*》: Clouds ~*ed over* the mountain. 구름이 산에 낮게 끼어 있었다. — *vt.* ① (알)을 품다. ② 곰곰 생각하다.

brood·er [∠ə*r*] *n.* [C] ① 병아리 보육 상자. ② 알 품은 암탉. ③ 생각에 잠긴 사람.

bróod hèn 알 품은 닭, 씨암탉.

brood·mare [brú:dmὲə*r*] *n.* [C] 씨받이 암말.

broody [brú:di] (***brood·i·er*** ; ***-i·est***) *a.* ① (암탉이) 알을 품고 싶어하는. ② 《英口》 (여자가) 아이를 낳고 싶어하는 ; 번식에 알맞은. ③ 생각에 잠기는.

‡**brook**[1] [bruk] *n.* 시내. [cf] rivulet, stream.

brook[2] *vt.* 《文語》 〔흔히 否定文으로〕 ① (모욕 등)을 참다 : I can*not* ~ his insults. 그의 모욕을 참을 수 없다. ② (일이) 지체를 허용하다 : It ~*s* *no* delay. 촌각을 지체할 수 없다.

brook·let [brúklit] *n.* [C] 실개천, 작은 시내.

***Brook·lyn** [brúklin] *n.* 브루클린 《롱아일랜드에 있는 뉴욕 시의 한 구·공업 지구》.

bróok tròut 〖魚〗 강송어《북아메리카 동부산》.

‡**broom** [bru(:)m] *n.* [C] ① 비 : A new ~ sweeps clean. 《俗談》 신임자는 개혁에 열심인 법《새 비가 잘 쓸리는 데서》. ② 〖植〗 금작화.

broom·stick [∠stik] *n.* [C] 빗자루.

Bros., bros. [brʌ́ðərz] brothers 《★ 형제가 경영하는 회사·상점 이름에 붙임》: Smith *Bros.* & Co. 스미스 형제 상회.

broth** [brɔ(:)θ, brɑθ] (*pl.* ***~s [-s]) *n.* [U,C] (살코기·물고기의) 묽은 수프 ; 고깃국.

broth·el [brɔ́(:)θəl, brɑ́θ-, brɔ́(:)ð-, brɑ́ð-] *n.* [C] 갈봇집.

‡**broth·er** [brʌ́ðə*r*] (*pl.* ***~s,*** ④에서는 종종 ***breth·ren*** [bréðrən]) *n.* ① 형제, 형 또는 아우 : a whole 〔full〕 ~ 양친이 같은 형제 / a half ~ 씨〔배〕 다른 형제 / I have two ~*s* and one sister. 나는 아우 둘과 여동생 하나가 있다. ② 친구, 한패, 동료 : a ~ officer 동료 장교 / a ~ of the angle 낚시 친구 / a ~ of the brush 동료화가. ③ 같은 시민, 동포. ④ (종교상의) 형제, 동신자, 같은 교회〔교단〕원 ; 〖가톨릭〗 평수사(平修士) ; 동일 조합원 ; 동업자, 같은 클럽 회원 : Let us unite,

~*s!* 형제들이여 단결합시다 / He hoped the issue could be resolved between labor union ~*s.* 그는 그 문제가 노조의 동료 조합원 간에서 해결되기를 희망했다. ⑤ 경(卿)《군주·재판관끼리의 호칭》. ⑥《口》(특히 모르는 남성에 대해) 여보시오, 형제 : What can I do for you, ~? 여보세요, 무슨 일이신가요.

— *int.*《口》〔흔히, Oh, ~! 로〕(놀람·혐오·실망을 나타내어) 어럽쇼 ; 이 녀석 ; 실망했군 (등).

***broth·er·hood** [brʌ́ðərhùd] *n.* ① Ⓤ **a)** 형제 관계 ; 형제애. **b)** 맹우(盟友)관계, 우호 관계. ② Ⓒ 단체, 협회, 조합 ; 동료 ; 〔集合的〕 동업자 : the legal ~ 법조단. ③ Ⓒ (함께 생활하는) 성직자〔수도사〕단(團).

broth·er-in-law** [brʌ́ðərinlɔ̀ː] (*pl.* ***brothers-) *n.* 의형(제) ; 처남, 매부, 시숙, 아내 또는 남편의 자매의 남편《따위》.

broth·er·li·ness [brʌ́ðərlinis] *n.* Ⓤ 형제다움 ; 형제애 ; 우애, 우정.

***broth·er·ly** [brʌ́ðərli] *a.* 형제의 ; 형제다운 ; 친숙한 : It was an act of ~ love. 그런 형제애에서 나온 행동이었다.

brough·am [brúːəm, bróuəm] *n.* Ⓒ 브룸형 자동차《운전수석이 차체의 바깥에 있는 상자꼴의 구식 차》.

†**brought** [brɔːt] BRING 의 과거·과거분사.

brou·ha·ha [bruːháːhaː, ⌐-⌐] *n.* Ⓤ《口》 소음 ; 소동.

‡**brow** [brau] *n.* ① Ⓒ 이마 : He mopped his sweating ~. 그는 땀이 난 이마를 닦았다. ② (흔히 *pl.*) 눈썹(eyebrows) : knit〔bend〕 one's ~*s* 눈살을 찌푸리다. ③ Ⓒ《詩》 얼굴 (표정) : an angry ~ 노한 표정. ④ (the ~) 벼랑의 가〔돌출부〕 ; 산〔언덕〕마루 : on *the* ~ of a hill 산마루에.

brow·beat [⌐bìːt] (~ ; ~·**en**) *vt.* (표정·말 따위로) …을 을러대다 ; 위협하여 …하게 하다 : ~ a person *into* agreeing 아무를 을러대어 승낙게 하다.

Brown [braun] *n.* 브라운《남자 이름》.

†**brown** (⌐·**er** ; ⌐·**est**) *a.* ① 다갈색의 : ~ hair 〔shoes〕 갈색 머리〔구두〕. ② (살갗이) 볕에 그을린〔탄〕 : You're quite ~. 꽤 탔군. (**as**) ~ **as a berry**《英》 알맞게 살갗이 그은. **do . . .** ~〖料〗 엷은 갈색으로 굽다 ;《英俗》 감쪽같이 속이다 (cheat). **do it up** ~ 철저히 하다, 완벽하게 하다, 더할 나위없이 하다. **in a ~ study** 상념에 잠겨 있는.

— *n.* ① Ⓤ,Ⓒ 다갈색 ; Ⓒ 갈색의 그림물감〔염료〕. ② Ⓒ 갈색의 옷〔옷감〕.

— *vt., vi.* 갈색으로 하다〔되다〕 ; (빵 따위를) 갈색으로 굽다 ; 거무스름하게 하다 〔되다〕 : Her hands had been ~*ed* by the sun. 그녀의 손은 햇볕으로 거무스름하게 되었었다. **be ~ off**《英口》 낙심하다 ; 싫증이 나다 : He ~*ed off* with his job. 그는 일에 싫증이 났다.

brown-bag [⌐bæ̀g] (**-gg-**) *vt.*《美》 ① (회사 등에) 도시락을 누런 봉투에 싸가지고 가다. ② (식당 등)에 술을 가지고 들어가다.

brówn béar 불곰《북아메리카·유럽산》.

brówn bréad 흑빵 ;《美》 당밀 든 찐빵.

brówn cóal 갈탄(lignite).

Brówn·i·an mòvement 〔**mótion**〕 [bráuniən-] (the ~)〖物〗 브라운 운동《액체 속에 있는 콜로이드 입자의 급속한 진동》.

brown·ie [bráuni] *n.* ①〖Sc. 傳說〗 브라우니《밤에 몰래 농가의 일을 도와준다는 작은 요정(妖精)》. ②《美》 아몬드가 든 판(板)초콜릿. ③ (B-)《美》 Girl Scouts 의 유년 단원,《英》 Girl Guides 의 유년 단원(=**Brównie Guide**). ④ (B-) 브라우니형 사진기《商標名》.

Brównie pòint (흔히 *pl.*) brownie ③이 포상(褒賞)으로서 받는 점수 ;《口》 윗사람에게 환심을 사서 얻은 신용〔총애〕.

Brown·ing [bráuniŋ] *n.* ① **Robert** ~ 브라우닝《영국의 시인(1812-89)》. ② Ⓒ 브라우닝 총.

***brown·ish** [bráuniʃ] *a.* 갈색을 띤 (=**brówny**).

brown·nose [bráunnòuz]《俗》 *vt.* …의 환심을 사다, 알랑거리다, 아첨하다.

brown·out [bráunàut] *n.*《美》 Ⓤ ① 경계〔준비〕 등화 관제《전력 절약·공습 대비의》. cf. blackout. ② (절전을 위한) 전압 저감(低減).

brówn páper 갈색 포장지, 하도롱지.

brówn rát〖動〗 시궁쥐(water rat).

brówn ríce 현미(玄米).

brown·stone [⌐stòun] *n.* Ⓤ 적갈색의 사암(砂岩)《고급 건축용》 ; Ⓒ 그것을 사용한 건축물.

brówn stúdy (a ~) 생각에 잠김, 공상 (reverie) : be in *a* ~ (어떤) 생각에 골몰하다.

brówn súgar 흑설탕.

brówn tróut = BROOK TROUT.

brówn wàre (보통의) 도기(陶器).

brows·a·bil·i·ty [bràuzəbíləti] *n.*〖컴〗 일람(一覽) 가능성《정보 검색 시스템으로 그 내용의 개략을 한 번에 알 수 있는 것》.

***browse** [brauz] *n.* Ⓤ ① 어린 잎, 새싹, 어린 가지《가축의 먹이》. ② (a ~) (책 따위를) 여기저기 골라서 읽음《*through*》.

be at ~ 새 잎을 먹고있다.

— *vt.* ①《+目+副》(가축)이 어린 잎을 먹다 : ~ leaves *away* 〔*off*〕 나뭇잎을 먹다. ② **a)** (책)을 여기저기 읽다《*through*》: He spent half an hour *browsing through* sections he had already read. 그는 이미 읽은 부분을 죽 훑어보면서 1시간 30분을 보냈다. **b)** (살 생각도 없이 상품)을 이것저것 구경하다. — *vi.* ① (소·사슴 등이) 어린 잎을 먹다(graze)《*on*》. ② 막연히 읽다《*through*》.

Bruce [bruːs] *n.* 브루스《남자 이름》.

Bru·in [brúːin] *n.* (동화 따위에 나오는) 곰, 곰아저씨.

‡**bruise** [bruːz] *n.* Ⓒ ① 타박상, 좌상(挫傷) ; 상처 자국. ② (과실·식물 따위의) 흠 ; (마음의) 상처. — *vt.* ① …에게 타박상을 입히다, …에게 멍이 들게 하다 : So how did you ~ your arm? 그래 어쩌다 팔을 다쳤나. ② (감정)을 상하게 하다 : She was badly ~*d* by the remarks. 그 말에 그녀는 몹시 감정이 상했다. ③ (약제·음식물 따위)를 찧다, 빻다. — *vi.* ① 멍이 들다 ; 흠집이 나다 : Apples ~ easily. 사과는 흠이 잘 난다. ② (감정을) 상하다 : His feelings ~ easily.

bruis·er [brúːzər] *n.* Ⓒ ① (프로) 권투 선수. ②《口》 힘세고 덩치 큰 남자, 난폭한 자.

bruit [bruːt] *n.* Ⓒ《古》 풍설 ; 소동. — *vt.* 소문〔말〕을 퍼뜨리다《*about; abroad*》: It's been ~*ed abroad* that he's going to leave the company. 그가 회사를 그만둘 것이라는 이야기가 퍼졌다.

brunch [brʌntʃ] *n.* Ⓤ,Ⓒ《口》 조반 겸 점심, 늦은 아침, 브런치 : have 〔take〕 a ~ 브런치를 먹다. [◂*br*eakfast+l*unch*]

brúnch còat 브런치 코트《집에서 입는 여성용 짧은 코트》.

Bru·nei [brúːnai, -nei] *n.* 브루나이《보르네오 섬 북부의 독립국 ; 1983년 독립》.

bru·net(te) [bruːnét] *n.* Ⓒ *a.* 브루넷 (의) (사람)《살갗·머리·눈이 거무스름함》. cf. blond(e).《★ brunet 은 남성형, brunette 은 여성형이었으나 지금은 구별하지 않음》.

***brunt** [brʌnt] *n.* Ⓒ (the ~) 공격의 예봉〔주력〕

《*of*》. ***bear the* ~ *of*** …을 정면에서 맞다.

‡brush[1] [brʌʃ] *n.* ① Ⓒ 솔, 귀얄《★ 종종 복합어를 만들기도 함》: hair*brush*, paint*brush*, tooth*brush*. ② Ⓒ (a ~) 솔질: give one's clothes *a* good ~ 옷을 깨끗이 솔질하다 / Don't forget to give your hair *a* ~ before you go out. 너는 외출하기 전에 머리를 손질하는 것을 잊지 마라. ③ Ⓒ 붓, 화필; (the ~, one's ~) 화법, 화풍(畫風), 화류(畫流): a picture from the same ~ 같은 화가가 그린 그림 / *the* ~ of Van Gogh 반고흐의 화풍. ④ Ⓒ 〖電〗 브러시 (방전); 〖컴〗 붓. ⑤ (흔히 *sing.*) **a)** 가벼운 접촉: I felt the ~ of her dress. 그녀 옷이 스치는 것을 느꼈다. **b)** 작은 싸움, 작은 충돌《*with*》: have a ~ *with* …와 작은 충돌을 빚다 / Being stopped for speeding was John's first ~ *with* the law. 속도위반으로 정차 당한 것은 존의 첫번째 법을 위반한 경험이었다. ⑥ Ⓒ 여우 꼬리《여우 사냥의 기념》. ⑦ (the ~) 퇴짜, 거절: She gave me *the* ~. 그녀에게서 퇴박맞았다.

── *vt.* ① 《~ +목/+목+보》 …에 솔질을 하다; 털다; …을 닦다: ~ one's hair 〔overcoat〕 머리〔오버코트〕를 솔질하다 / ~ one's teeth clean 이를 깨끗이 닦다. ② 《+목+부》 (솔·손으로) 털어버리다, 털어내다《*away*; *off*》: ~ the dirt *off* 먼지를 털어버리다 / The girl ~*d* the tears from her eyes. 소녀는 흘러내리는 눈물을 훔쳤다. ③ 《+목+전+명》 (페인트 등을) (벽 등에) 칠하다: ~ the paint *onto* the surface 〔~ the surface *with* the paint〕 표면에 페인트를 칠하다. ④ …을 가볍게 스치다, 스치다: His fingers ~*ed* her shoulder. 그의 손가락이 그녀의 어깨를 가볍게 스쳤다. ── *vi.* ① (먼지 따위가) (솔질로) 떨어지다《*off*》. ② (…을) 스치고 지나가다, 스치다《*across*; *against*; *over*》: A big dog ~*ed* past〔by〕 me. 큰 개가 내 곁을 쑥 지나갔다. ③ (말이) 질주하다. **~ *against*** (…을) 스치고 지나가다; (곤란 등을) 만나다. **~ (...) *aside* 〔*away*〕** ⇨*vt.* ②; …을 무시하다, 가볍게 응대하다: She ~*ed aside* his reservations. 그녀는 그가 한 예약을 무시했다. **~ *back*** 〖野〗 (타자)에게 빈볼을 던지다; (머리)를 뒤로 빗어넘기다. **~ *down*** (손으로, 솔로) 먼지를 털다: When she fell off her bike, she just got up, ~*ed* herself *down* and rode off again. 그녀는 자전거에서 떨어졌을 때 바로 일어나서 먼지를 털고는 다시 타고 가버렸다. **~ *off*** (1) (…에서 솔로 먼지 등을) 털어내다, (먼지 따위가) 떨어지다: The mud will ~ *off* easily when it dries. 흙은 마르면 쉽게 떨어진다. (2) (아무)를 무시하다; 와 손을 끊다: He ~*ed off* my objection. 그는 내 반대를 무시했다. **~ *up* (*on*)** (1) (의류 따위)에 솔질을 하다, (물건을) 닦다; 몸단장하다: Let me ~ myself *up* and I'll meet you in the lobby. 옷단장을 하고 로비에서 뵙겠소. (2) (공부)를 다시 하다: ~ *up* (*on*) one's French (잊어버린) 프랑스어를 다시 공부하다《★ 이런 뜻에서 '능력을 향상시킨다'는 뜻은 없음》.

brush[2] *n.* ① Ⓒ 숲, 잡목〔관목〕림(林); Ⓤ 《美》 =BRUSHWOOD ①. ② (the ~) 《美口》 (잡목림의) 미개척지.

brushed [brʌʃt] *a.* (천 따위) 우모(羽毛)가 있는; 기모(起毛)시킨; 솔질한.

brúsh fire 산불, 숲 따위의 소규모의 불《forest fire에 대해》: The dry weather has increased the risk of ~*s*. 건조한 기후 때문에 산불 위험이 높아가고 있다.

brush·fire [ˊ-fàiər] *a.* (전투가) 소규모의, 국지적인. ── *n.* 소규모 전투.

brush-off [ˊ-ɔ̀:f / ˊ-ɔ̀f] *n.* Ⓒ (흔히 the ~) 《口》 거절: give 〔get〕 *the* ~ 퇴짜놓다〔맞다〕.

***brush·up** [ˊ-ʌ̀p] *n.* Ⓒ ① (전에 배웠거나 잊혀진 것을) 다시 하기, 복습: He gave his Spanish a ~ before his trip to Mexico. 그는 멕시코 여행에 앞서 스페인어를 복습했다. ② 닦음; (여행·운동 후 따위의) 몸차림: have a (wash and) ~ (세수하고) 몸차림하다.

brush·wood [ˊ-wùd] *n.* ① Ⓤ 베어 낸 작은 나뭇가지. ② Ⓒ (관목의) 숲, 총림.

brush·work [ˊ-wə̀:rk] *n.* Ⓤ ① 필치(筆致): delicate ~ 섬세한 필치. ② (화가의) 화풍, 화법.

brushy[1] [brʌ́ʃi] (***brush·i·er*; *-i·est***) *a.* 솔 같은; 털 많은.

brushy[2] (***brush·i·er*; *-i·est***) *a.* 떨기나무〔잔디〕가 무성한.

brusque [brʌsk / brusk] *a.* 무뚝뚝한, 퉁명스러운(= **brusk**)《*with*》: She had a ~ manner. 그녀는 태도가 퉁명스러웠다. ㊎ **ˊ·ly** *ad.* **ˊ·ness** *n.*

***Brus·sels** [brʌ́səlz] *n.* 브뤼셀《벨기에의 수도》.

brut [bru:t] *a.* (특히 샴페인이) 달지 않은(very dry).

‡bru·tal [brú:tl] (***more* ~; *most* ~**) *a.* ① 잔인한, 사나운: the government's ~ treatment of political prisoners 정치범에 대한 정부의 가혹한 처우. ② 짐승의(같은). ③ (사실 등이) 냉엄한: a ~ fact / face the ~ truth that …이라는 냉엄한 사실에 직면하다. ◇ brute *n.* ㊎ **~·ly** *ad.* **~·ism** [-təlìzəm] *n.* Ⓤ 야수성, 잔인 무도한 마음; 잔학.

bru·tal·i·ty [bru:tǽləti] *n.* ① Ⓤ 잔인(성), 야만. ② Ⓒ 야만적 행위, 만행: There is so much ~ shown on the television screen. 텔레비전에는 잔인한 행위가 많이 방영되고 있다.

bru·tal·ize [brú:təlàiz] *vt.* …을 짐승처럼 하다; 잔인하게 다루다, 학대하다: The soldiers had been ~*d* by hardships and fatigue. 병사들은 고난과 피로로 잔인해져 있었다 / He ~*d* the child. 그는 아이들을 잔인하게 다뤘다. ── *vi.* 짐승처럼 되다, 잔인하게 굴다.

㊎ **brù·tal·i·zá·tion** [-lizéiʃən] *n.* 야만〔야수〕화.

***bru·tal·ly** [brú:təli] *ad.* 야만스레, 난폭하게.

‡brute [bru:t] *n.* ① Ⓒ 짐승, 금수; (the ~s) 짐승류《인간에 대하여》: Go ahead and hit me, you big ~. 자 어서 나를 쳐라, 짐승같은 놈아. ② Ⓒ 비인간(非人間); 짐승같은 놈: her ~ of a husband 그녀의 짐승같은 남편. ③ (the ~) (인간 속의) 수욕(獸慾), 야수성: *the* ~ in man 인간의 야수성. Ⓒf. beast. ── *a.* 〔限定的〕 ① 금수와 같은, 잔인한; 야만적인(savage). ② 이성이 없는, 맹목적인: ~ courage 만용 / We will never yield to ~ force. 우리는 결코 폭력에 굴복하지 않다. ③ 수욕적인, 육욕의: (a) ~ instinct 동물적 본능. ◇ brutal, brutish *a.* ㊎ **~·hood** *n.*

brut·ish [brú:tiʃ] *a.* 잔인한; 야만적인; 육욕적인. ㊎ **~·ly** *ad.* **~·ness** *n.* Ⓤ 야만.

Bru·tus [brú:təs] *n.* **Marcus Junius** ~ 브루투스《로마의 정치가(85?-42 B.C.); 카이사르 암살자의 한 사람》.

B.S. 《美》 Bachelor of Science; Bachelor of Surgery; British Standard. **b.s., B / S** balance sheet; bill of sale. **B. Sc.** 《英》 Bachelor of Science. **BSI, B.S.I.** British Standards Institution.

B sìde [bí:-] (레코드의) B 면, 뒷면(flip side); 또 그 면의 곡.

Bs / L bills of lading. **BSP** bank settlement plan. **BST** British Summer Time. **Bt, Bt.**

Baronet. **bt.** bolt; bought. **B.T.** Bachelor of Theology. **BT** British Telecom.

B-test [bí:tèst] *n.* (Breathalyzer에 의한) 주기(酒氣) 검사, 음주 검사.

B. Th. Bachelor of Theology. **BTA** British Tourist Authority. **Btry, btry** battery. **Btu, B.T.U., B.Th.U., B.t.u.** British thermal unit(s). **bty.** battery. **bu.** bureau; bushel(s).

bub [bʌb] *n.* Ⓒ《美口》아가, 젊은이《소년·젊은이에 대한 호칭》: That may be what you do at home, but listen ~, you don't do it here! 네가 집에서는 그랬을지 몰라도 여기서는 안된다. 알겠나, 젊은 친구야!

‡**bub·ble** [bʌ́bəl] *n.* ① Ⓒ 거품; 기포(氣泡)《유리 따위 속의》. ② Ⓒ **a**) 꿈〔거품〕 같은 계획〔야심〕. **b**) 실체가 없는 사업〔경영〕, 버블: He lost everything in the real-estate ~. 그는 실속 없는 부동산 사업에 빈털터리가 되었다. ③ Ⓤ 거품이 이는 소리. ④ Ⓒ **a**) 작고 둥근 돔 모양의 건물〔방〕. **b**) 〖空〗 (조종석 위의 투명한) 둥그런 바람막이 뚜껑. ***blow*** (***soap***) ***~s*** 비눗방울을 불다《놀이》; 공상에 잠기다. ***prick the*** 〔***a***〕 ***~*** 비눗방울을 찔러 터뜨리다; 기만을 폭로하다; 환멸을 주다.

— *vi.* ① 거품이 일다; 끓다: The soup is *bubbling* in the pot. 냄비에서 국이 부글부글 끓고 있다. ②《+副》(샘 따위가) 부글부글 솟다〔소리내다〕《*out; up*》: Clear water *~d up* from among the rocks. 맑은 물이 바위틈에서 부글부글 솟고 있었다. ③《+前+名》흥분하다, (감정 따위가) 끓어오르다; 넘치다: Every page *~ed with* thrill. 어느 페이지나 스릴로 넘쳐 있었다. ***~ over*** (1) 거품이 일다〔일어 넘치다〕. (2)〔흔히 進行形으로〕 (기쁨·노염 등이) 끓어오르다, 흥분하다《*with*》: He was *bubbling over with* excitement. 그의 가슴은 흥분으로 차 있었다 / He was quite tireless, *bubbling over with* vitality. 그는 조금도 피곤하지 않았고 활력이 넘쳐 있었다.

búbble bàth 목욕용 발포제(發泡劑)(를 넣은 목욕탕).

búbble cànopy 〖空〗 =bubble ④ b).

búbble càr 돔(dome) 모양의 투명 덮개가 있는 소형 자동차(=**búbbletop càr**).

búbble còmpany 유령 회사.

búbble gùm ① 풍선껌. ② 10 대(代) 취향의 저속한 음악.

búbble gùm machíne 《美俗》경찰차 지붕의 점멸 적등(赤燈).

búbble mèmory 〖컴〗 자기(磁氣) 버블 기억 장치.

búbble pàck (물건이 보이도록) 투명 재료를 쓴 포장.

bub·ble·top [-tɑ̀p / -tɔ̀p] *n.* =BUBBLE CAR.

bub·bly [bʌ́bli] (***bub·bli·er; -bli·est***) *a.* ① 거품 이는, 거품투성이의. ② 기운찬, 명랑한: She had a bright and ~ personality. 그녀는 명랑하고 활기찬 개성을 가졌다. — *n.* Ⓤ (종종 the ~)《口》샴페인 술.

bu·bón·ic plágue [bju:bɑ́nik-]〖醫〗선(腺)페스트.

buc·ca·neer, -nier [bʌ̀kəníər] *n.* Ⓒ 해적《특히 17-18 세기 아메리카 대륙의 스페인령 연안을 휩쓴》; 악덕 정치가.

Bu·cha·rest [bjú:kərèst] *n.* 부쿠레슈티《Rumania 의 수도》.

Buck [bʌk] *n.* **Pearl ~** 펄벅《미국의 여류 작가; 1892-1973》.

***buck**[1] [bʌk] *n.* Ⓒ ① 수사슴(stag); (양·토끼 따위의) 수컷. ⓞⓟⓟ *doe.* ②《口》혈기 넘치는 젊은이;《蔑》흑인 또는 아메리카인디언 남자.

— *a.* 수컷의;《俗》젊은 사내의: a ~ nigger 흑인 남자.

buck[2] *vi.* ① (말이 갑자기 등을 굽히고) 뛰어 오르다: When he tried to put a saddle on it, the horse *~ed* wildly. 말에 안장을 놓으려고 할 때 말은 사납게 뛰어 올랐다. ②《+前+名》《美口》…에 완강(頑強)하게 저항하다, 강력히 반대하다《*at; against*》: ~ *against* fate 운명에 저항하다. ③《美口》(차가) 덜커덕하고 움직이다. ④《英》자랑하다, 뽐내다, 허풍을 떨다《*about*》. ⑤《美》(승진·지위 등을) 구하다, 구하려고 기를 쓰다《*for*》.

— *vt.* ①《+名+副》(말이 탄 사람)을 날뛰어 떨어뜨리다《*off*》: ~ *off* a person. ②《美口》완강하게 반항하다, 강경히 반대하다. ③《美口》(머리·뿔 따위로) …을 받다; 걷어차다, …에 돌격〔돌진〕하다《*against*》. ④ 기운을 북돋우다. ⑤〖美蹴〗 공을 가지고 적진에 돌입하다. ***~ for ...***《美口》…을 얻으려고 기를 쓰다. ***~ up***《口》(1) …을 힘나게 하다, 격려하다; 힘을 내다: The book review *~ed* her *up.* 그 서평은 그녀에게 힘을 주었다. (2) 기운을 내다, 기력을 회복하다. (3)《英口》〔命令法으로〕 힘 내시오; 서두르시오: *Buck up*, or you'll late. 서둘지 않으면 늦는다.

— *n.* Ⓒ (말이 등을 굽히고) 뛰어오름.

buck[3] *n.* ① Ⓒ (포커에서) 카드를 돌릴 차례가 된 사람 앞에 놓는 표지. ② (the ~)《口》책임. ***pass the ~ to***《口》…에 책임을 전가하다. ***The ~ stops here.*** 책임 전가는 여기서 끝난다. — *vt.*《美口》(책임 등)을 남에게 떠맡기다《*to, onto*》.

buck[4] *n.*《美俗》달러《개척 시대의 교역 단위가 buck[1]의 가죽이었던 데서》: one ~ and four 〔six〕 bits, 1 달러 50〔75〕 센트. ***make a fast*** 〔***quick***〕 ***~*** (부정하게) 떼돈을 벌다.

buck[5] *n.*《英》톱질 모탕; (체조용의) 도약대(臺).

buck·board [bʌ́kbɔ̀:rd] *n.*《美》4 륜 짐마차《좌석을 탄력판(板) 위에 얹은》.

bucked [bʌkt] *a.*《口》행복한, 즐거운(happy): I was ~ by her approval. 그녀가 찬성해서 나는 기분이 좋았다.

‡**buck·et** [bʌ́kit] *n.* Ⓒ ① 버킷, 양동이, 두레박: a fire ~ 소화용 버킷 / We drew water in a ~ from the well outside the door. 우리는 문밖에 있는 우물에서 두레박으로 물을 길어올렸다. ② (준설기의) 버킷. ③ **a**) 버킷〔양동이〕 가득한 (양)(bucketful). **b**) (흔히 *pl.*) 대량, 다량《*of*》: The rain came down in *~s.* 억수로 비가 왔다. ④〖컴〗 버킷《직접 액세스(access) 기억 장치에서의 기억 단위》. ***a drop in the ~*** 창해 일속(滄海一粟). ***cry ~s***《口》눈물을 흘리며 엉엉 울다. ***give*** a person ***the ~***《俗》아무를 해고하다. ***kick the ~***《口·종종 戲》죽다; 뻗다.

— *vt.* ① …을 버킷으로 긷다〔나르다, 붓다〕《*up; out*》. ②《英口》(말)을 난폭하게 몰다.

— *vi.* ①〔종종 it를 主語로〕 (비가) 억수로 오다《*down*》. ② (말·차를) 난폭하게 몰다; 달리다《*down*》.

búcket brigàde (불끄기 위해) 줄지은 버킷 릴레이의 열.

buck·et·ful [bʌ́kitfùl] *n.* Ⓒ (*pl.* ***~s, buck·ets·ful***) *n.* 버킷〔양동이〕 가득(한 양)《*of*》: a ~ *of* water 버킷에 가득한 물.

búcket sèat 버킷 시트《자동차·비행기 따위의 1 인용 접의자》.

búcket shòp《口》① (무허가) 거래소. ②《英》(무허가) 할인 항공권 판매소.

buck·eye [bʌ́kài] *n.* Ⓒ ①〖植〗 칠엽수류(七葉

樹類)《미국산》. ②(B-)《美口》 미국 Ohio 주 사람.

Búckeye Státe (the ~) 미국 Ohio 주의 속칭.

buck·horn [⌐hɔ̀:rn] *n.* 사슴뿔.

Búck·ing·ham Pálace [bʌ́kiŋəm-] 버킹엄 궁전《런던의 영국 왕실의 궁전》.

Buck·ing·ham·shire [-ʃìər, -ʃər] *n.* 버킹엄셔《잉글랜드 남부의 주 ; 略 : Bucks.》.

***buck·le** [bʌ́kəl] *n.* Ⓒ ① 죔쇠, 혁대 장식, 버클. ② **a**) (판금(板金) 따위의) 굽음, 휨, 비틀림. **b**) (노면(路面)의) 기복(起伏). — *vt.* ①《~+목 / +목+부》 …을 (죔쇠로) 죄다, (죔쇠)를 채우다《*on* ; *in* ; *up*》: ~ (*up*) one's belt 벨트를 버클로 죄다 / I ~*d* myself *into* my seat. 벨트를 죄어 몸을 좌석에 고정시켰다. ②(열·압력을 가하여) …을 구부리다. — *vi.* ① (열·압력으로) 굽어지다, 뒤틀리다《*up*》. ② (벨트·구두 따위가) 죔쇠로 조여지다 : The cuffs of the raincoat are tightly ~*d*. 비옷의 소맷부리는 단단히 죄어져 있다. ③붕괴하다, 짜부러지다. ④ (공격·압력 등에) 굴종〔양보〕하다《*under* ; *to*》: ~ *under* to pressure from foreign countries 외국으로부터의 압력에 굴복하다. ⑤ (…에) 전력(全力)을 기울이다, 열심히 일하다《*down to*》: She's really *buckling down to* her new job. 그녀는 새 일자리에 정말 열심이었다.

buck·ler [bʌ́klər] *n.* Ⓒ ① (왼손에 드는) 작은 원형의 방패. ②방호물(防護物) (protector).

buck-na·ked [bʌknéikid] *a.* 《美南部》 벌거벗은.

buck-pass·ing [bʌ́kpæ̀siŋ, -pɑ̀:s-] *n., a.* 《美口》 책임 전가(轉嫁) (를 하는) : "The time for ~ has passed." said the politician. '책임 전가할 시기는 지나갔다'고 그 정치인은 말했다.

buck·ram [bʌ́krəm] *n.* Ⓤ 버크럼《아교·고무 따위로 굳힌 발이 성긴 삼베 ; 양복의 심·제본 따위에 씀》.

Bucks. Buckinghamshire.

buck·saw [bʌ́ksɔ̀:] *n.* 버크소《양손을 쓰는 대형 톱》.

buck·shee [bʌ́kʃi:] *a., ad.* 《英軍俗》 무료의〔로〕: travel ~ 공짜로 여행하다.

buck·shot [bʌ́kʃɑ̀t / -ʃɔ̀t] *n.* Ⓤ (사슴 사냥용) 대형 산탄 : Police opened fire with ~ and rubber bullets. 경찰은 대형 산탄과 고무탄으로 사격을 개시했다.

buck·skin [⌐skìn] *n.* ①Ⓤ 녹비《양가죽 따위를 무두질한 것도 말함》: He had white ~ shoes with rubber soles. 그는 고무창이 달린 녹비구두를 신었다. ② (*pl.*) 녹비 바지.

buck·thorn [⌐θɔ̀:rn] *n.* Ⓒ 〖植〗 털갈매나무.

buck·tooth [⌐tú:θ] (*pl.* ***-teeth*** [-tí:θ]) *n.* Ⓒ 뻐드렁니. ㊕ **~ed** [-θt] *a.* 뻐드렁니의.

buck·wheat [⌐hwì:t] *n.* Ⓤ 〖植〗 메밀(의 씨), 메밀가루 : ~ flour.

búcky bíts [bʌ́ki-] 《美俗》〖컴〗 제어 비트.

bu·col·ic, -i·cal [bju:kɑ́lik / -kɔ́l-], [-kəl] *a.* 양치기의, 목가적인(pastoral) : There was a charming *bucolic* print above the fireplace. 벽난로 위에 전원을 그린 아름다운 판화 하나가 있었다. — *n.* Ⓒ (흔히 *pl.*) 목가, 전원시.

‡bud[1] [bʌd] *n.* Ⓒ ① 싹, 눈 : The hedgerows are in ~. 산울타리들이 싹을 내고 있다. ②〖動·解〗 아체(芽體), 아상(芽狀) 돌기. ③ 발달이 덜 된 물건 ; 소녀, 아이. ***come into*** ~ (나무가) 싹을 트다. ***in the*** ~ 봉오리〔싹틀〕 때에 ; 초기에. ***nip*** 〔***check, crush***〕 ***. . . in the*** ~ …을 봉오리 때에 따다 ; 미연에 방지하다.

— (***-dd-***) *vi., vt.* ① 봉오리를 갖(게 하)다 ; 발아하다〔시키다〕《*out*》. ② 발육하기〔자라기〕 시작하다 ; 젊다, 장래가 있다. ③〖園藝〗 눈접(椄)하다.

bud[2] *n.* 《美口》 = BUDDY. cf. sis.

Bu·da·pest [bú:dəpèst, bù:dəpést] *n.* 부다페스트《Hungary 의 수도》.

bud·ded [bʌ́did] *a.* 싹튼, 움튼, 봉오리진 ; 눈접(椄)한.

***Bud·dha** [bú:də] *n.* ① (the ~) 불타, 부처《석가모니의 존칭》. ②Ⓒ 불상(佛像).

Bud·dha·hood [-hùd] *n.* Ⓒ 불교의 깨달음의 경지, 보리(菩提).

***Bud·dhism** [bú:dizəm] *n.* Ⓤ 불교, 불도(佛道).

***Bud·dhist** [bú:dist] *n.* Ⓒ 불교도. — *a.* 불타의 ; 불교(도)의 : a ~ temple 절.

Bud·dhis·tic, -ti·cal [bu:dístik], [-kəl] *a.* 불타의 ; 불교(도)의. ㊕ **-ti·cal·ly** *ad.*

bud·ding [bʌ́diŋ] *a.* 〔限定的〕 ① 싹이 트기 시작한 ; 발육기의 : a ~ beauty 한창 젊은 미소녀 / Our ~ romance was over. 싹트기 시작한 우리의 로맨스는 끝났다. ② 소장(少壯)의, 신진의 : a ~ author 신진 작가 / The ~ journalist was printing his own newspaper at an early age. 그 기자는 일찍이 자신의 신문을 내고 있었다. — *n.* Ⓤ 발아 ; 싹틈 ; 눈접(椄).

bud·dy [bʌ́di] 《口》 *n.* Ⓒ ①《口》 형제, 동료, 친구. ②《美俗》 (호칭으로, 특히 화났을 때) 어이, 이봐 젊은이.

bud·dy-bud·dy [bʌ́dibʌ́di] *a.* 〔敍述的〕《口》 매우 친한, 사이가 좋은 ; 매우 정다운.

búddy sỳstem (사고 방지를 위한) 2인 1조(組) 방식《수영·캠프에서》.

budge [bʌdʒ] *vi.* 〔흔히 否定文〕 ① 몸을 조금 움직이다 : It wo*n't* ~ an inch. 한 치도 움직이지 않는다〔꼼짝도 하지 않는다〕. ② 의견〔생각〕을 바꾸다 : He *never* ~*d* from his opinion. 자기 의견을 추호도 바꾸지 않았다. — *vt.* ① …을 조금 움직이다 : I ca*n't* ~ it. 꼼짝도 않는다. ② …의 의견을 바꾸게 하다.

budg·er·i·gar [bʌ́dʒərigɑ̀:r] *n.* 〖鳥〗 잉꼬《오스트레일리아산》.

‡budg·et [bʌ́dʒit] *n.* Ⓒ ① (종종 B-) (정부) 예산 ; 예산안 : This year's ~ for AIDS prevention probably won't be much higher. 금년도 에이즈 예방 예산은 아마도 크게 증가하지 않을 것이다. ② 〔一般的〕 경비, 운영비 ; 가계(家計) : work out a monthly ~ *for* household expenses 한 달치 가계 예산을 세우다. — *a.* 〔限定的〕《婉》 값이 싼, 싸게 잘 산 : ~ prices 특가(特價) / the ~ floor 특매장. ***balance the*** ~ 수지 균형을 맞추다. ***make a*** ~ 예산을 편성하다. ***on a*** ~ (한정된) 예산으로, 예산을 절약하여, 지출을 억제하여. ***open the*** ~ 의회에 예산안을 제출하다.

— *vi.* 《+전+명》 예산에 계상하다〔짜다〕: ~ *for* the coming year 내년도 예산을 세우다.

— *vt.* ① (…의) 예산〔자금 계획〕을 세우다《*for*》: ~ medical expenses 의료비를 예산에 넣다 / She ~*s* part of her salary *for* clothing. 그녀는 급료의 일부를 의료비에 계상하고 있다. ② …의 사용 계획을 세우다 : ~ one's time carefully 시간의 배분을 신중히 계획하다.

búdget accòunt (백화점의) 할부 방식 ; (은행 등의) 자동 지급 계좌.

budg·et·ary [bʌ́dʒitèri / -təri] *a.* 예산(상)의.

Búdget Mèssage (the ~) (미국 대통령이 의회에 보내는) 예산 교서.

búdget plàn = INSTALLMENT PLAN : on the ~ 할부로.

Bue·nos Ai·res [bwéinəsáiriz, bóunəs-] 부에노스아이레스《아르헨티나의 수도》.

***buff** [bʌf] *n.* ①Ⓤ (물소 등의) 담황색의 연한 가

죽 ; 담황색. ② (the ~) 《口》 (사람의) 맨살 ; 버프(렌즈를 닦는 부드러운 천) ; 높은 양반 ; 《美口》 …팬, …광(狂) : a Hi-Fi ~ 하이파이광. (*all*) ***in the*** ~ 벌거벗고, 알몸으로. ***strip to the*** ~ 발가벗다. — *vt.* …을 연한 가죽으로 닦다 ; (가죽)을 연하게 하다 ; 담황색으로 물들이다. — *a.* 담황색의, 황갈색의 ; 담황색 가죽으로 만든.

‡buf·fa·lo [bʌ́fəlòu] (*pl.* ~(***e***)***s,*** 〔集合的〕 ~) *n.* Ⓒ 물소(water ~) ; 《美》 아메리카들소(bison) ; 《軍俗》 수륙 양용(水陸兩用) 탱크 ; 《美俗》 사내, 놈, 남편 : Great herds of ~ migrated across the plains. 큰 무리의 들소떼가 평원을 가로질러 이주했다. — *vt.* 《美俗》 (남)을 당황하게 만들다, 어리둥절하게 하다.

buff·er[1] [bʌ́fər] *n.* Ⓒ ① (철도 차량 등의) 완충기〔장치〕(《美》 bumper). ② 완충물, 쿠션. ③ 완충국 ; 〖化〗 완충제〔액〕 ; 〖컴〗 사이칸, 버퍼, 완충역(域) : Mongolia stands as a ~ between China and the former Soviet Union. 몽골은 중국과 구소련의 완충국으로 있다. — *vt.* ① (충격·관계 등)을 부드럽게 하다 ; …을 보호하다, 지키다 : ~ oneself against shocks 충격에 대해 자신을 지키다. ② (어린이 등)을 보호하다, 지키다(*from*).

buff·er[2] *n.* Ⓒ 〔흔히 old ~로〕 《英俗》 쓸모없는 사람 : an *old* ~ 늙다리.

búffer mèmory 〖컴〗 완충 기억기.

búffer regíster 〖컴〗 주기억 장치에 넣기 전에 1 차적으로 데이터를 모아 전송하는 컴퓨터의 한 부분.

búffer solùtion 〖化〗 완충액(緩衝液).

búffer stàte〔**zòne**〕 완충국〔지대〕.

buf·fet**[1] [bʌ́fit] *n.* Ⓒ ① (주먹으로 하는) 타격(blow). ② (풍파 따위에 의한) 타격 ; (운명 따위의) 희롱 : the ~*s* of fate 불행의 연속. — *vt.* ① …을 치다, 때려 눕히다. ② 《~+목(+부)》 〔종종 受動으로〕 (풍파·운명이) …을 농락하다, 희롱하다(*about*) : The boat *was* ~*ed* (*about*) by the waves. 보트는 거친 파도에 시달렸다 / The wind was ~*ing* the plane terribly. 바람에 비행기가 심하게 요동치고 있었다. ③ 《~+목 / +목+전+명》 (운명 따위)와 싸우다 : ~ misfortune's billows 불행의 큰 물결과 싸우다 / He ~*ed* his way *to* riches and fame. 그는 악전 고투하여 부와 명성을 얻었다. — *vi.* (주먹·손으로) 싸우다 ; 싸우면서 나아가다. ~ ***the waves 파도와 싸우다.

buf·fet[2] [bəféi, búfei / bʌ́fit] *n.* Ⓒ ① 찬장. ② (식당·다방의) 카운터. ③ [búfei] buffet 가 있는 간이 식당, (역·열차·극장 안의) 식당, 뷔페. ④ 칵테일파티식〔입식(立食)식〕 요리. — *a.* 〔限定的〕 뷔페식의 : ~ lunch 〔supper〕 뷔페식 점심〔저녁〕 식사.

buffét càr (간이) 식당차.

buf·foon [bəfúːn] *n.* Ⓒ 어릿광대, 익살꾼(clown). ***play the*** ~ 익살부리다.

buf·foon·ery [-əri] *n.* Ⓤ 익살, 해학.

bug** [bʌg] *n.* Ⓒ ① 곤충, 벌레 ; 《주로 英》 빈대(bedbug). ② 《口》 병원균 ; 병 : He was laid up by the flu ~. 그는 독감으로 누워 있었다. ③ 《美俗》 (기계 따위의) 고장, 결함. ④ 《口》 도청기. ⑤ 열광(자) ; 〔the ~ ; 修飾語와 함께〕 일시적인 열중 : a movie ~ 영화광 / She's been now bitten by the camera ~. 그녀는 지금 카메라에 열중해 있다. ***put a ~ ***in*** a person***'s ear*** 《口》 아무에게 살짝 알려 주다. — (***-gg-***) *vt.* ① 《俗》 …을 귀찮게 하다 ; 괴롭히다. ② 《口》 …에 도청 장치를 하다, 도청하다 : I found out my phone was ~*ged.* 나는 내 전화가 도청되고 있다는 것을 알았다. ~ ***out*** 《美俗》 급히 〔허둥지둥〕 달아나다. ***Don't*** ~ ***me.*** 나에게 상관 말아주게.

bug·a·boo [bʌ́gəbùː] (*pl.* ~***s***) *n.* =BUGBEAR.

bug·bear [bʌ́gbɛ̀ər] *n.* Ⓒ ① (나쁜 아이를 잡아먹는다는) 도깨비. ② (알 수 없는) 두려움, 공포, 걱정거리 : the ~ of nuclear war 핵전쟁의 공포 / Inflation is the government's main ~. 인플레가 정부의 주된 걱정거리다.

bug-eyed [-àid] *a.* 《俗》 (놀라서) 눈이 둥그레「진.

bug·ger[1] [bʌ́gər] *n.* Ⓒ ① 《卑》 비역〔남색〕쟁이. ② 《俗》 자식, 놈 ; 《英俗》 귀찮은 일. — *vt.* 《卑》 ① …와 비역하다. ② 《英》 몹시 지치게 하다 ; (…을) 고장내다, 못쓰게 만들다. — *vi.* 《卑》 비역하다. ~ ***about*** 〔***around***〕 《英俗》 (1) 남에게 폐를 끼치다, 괴롭히다. (2) 바보같은 짓을 하다. ***Bugger it*** 〔***me, you***〕***!*** 제기랄, 젠장. ~ ***off !*** 《英俗》 꺼져. ~ ***up*** (…을) 엉망으로 만들다, 망쳐놓다.

bug·ger[2] *n.* 《美俗》 도청 전문가.

búgger àll 《英俗》 아무것도 없음, 전무(全無)(nothing) : I (don't) know ~ about it. 그 따위는 전혀 모른다 / Those reckless investment left him with ~. 그 무모한 투자로 그에게 남은 것은 아무것도 없다.「초풍한.

bug·gered [-gərd] *a.* 《英俗》 ① 지친. ② 기절

bug·gery [bʌ́gəri] *n.* Ⓤ 《卑》 비역, 계간, 수간.

Búg·gins's túrn [bʌ́ginziz-] 연공 서열에 의한 승진.

bug·gy[1] [bʌ́gi] (***bug·gi·er*** ; ***-gi·est***) *a.* ① 벌레투성이의. ② 《俗》 미친, 머리가 돈(crazy) ; 열중한(*about*).

***bug·gy**[2] *n.* Ⓒ 《英》 (말 한 필이 끄는 가벼운) 2 륜 마차 ; 《美》 (한〔두〕 필의 말이 끄는) 4 륜 마차 ; 《美》 유모차(baby ~).

bug·house [bʌ́ghàus] *n.* Ⓒ 《美俗》 정신 병원. — *a.* 《美俗》 미치광이의.

bu·gle** [bjúːgəl] *n.* Ⓒ (군대용) 나팔. ***like a ~ ***call*** 갑자기. — *vi., vt.* 나팔을 불(어 모으)다.

bu·gler [bjúːglər] *n.* Ⓒ 나팔수(手).

†build [bild] (*p., pp.* ***built*** [bilt]) *vt.* ① 《~+목 / +목+전+명 / +목+목》 …을 세우다, 건축〔건조, 건설〕하다, (도로·철도 따위를) 부설하다 : ~ a house 집을 짓다 / I *built* a house. 집을 한 채 지었다 / A huge dam has been *built across* the river. 거대한 댐이 그 강에 구축됐다 / The house is *built of* wood. 그 집은 목조 건물이다 / My father has *built* me a house. 아버지는 나에게 집을 지어 주셨다 / John had *built* a house facing the river. 존은 강을 마주하는 집을 지었었다. ② 《~+목 / +목+전+명》 (기계 따위)를 조립하다(construct) ; (둥주리)를 짓다 ; (불)을 일으키다 : This factory ~*s* cars. 이 공장은 차를 조립하고 있다 / ~ a nest *of* dead leaves 마른 잎으로 둥주리를 짓다. ③ 수립하다, 확립하다 ; (사업·재산·명성 등)을 쌓아 올리다 : ~ a fortune 재산을 모으다 / ~ a new social order 새로운 사회 질서를 확립하다. ④ 《+목+전+명》 (기대 따위)를 걸다(*on*) : ~ one's hope *on* the promises 그 약속을 믿고 희망을 가지다.

— *vi.* ① 건축〔건조〕하다 ; 건축〔건설〕사업에 종사하다. ② 〔be ~ing 의 형태〕 건축 중이다(be being built) : The house *is* ~*ing.* 집은 지금 건축 중이다. ③ 《+전+명》 기대하다, 의지하다(*on, upon*) ; (…을) 원금〔밑천〕으로 하다(*on*) : ~ *upon* a promise 〔a person〕 약속을 믿다〔아무를 의지하다〕 / He *built on* his father's fortune. 아버지가 물려준 재산으로 부를 이룩했다. ~ ***a fire*** 불을 지피다. ~ ***a fire under*** …을 격려〔자극〕하다. ~ ***in*** (용재(用材)를) 짜 맞추어 넣다 ; 붙박이

로 짜 넣다 ; 건물로 에워싸다 : The area is now *built in.* 그 지역은 이미 건물로 꽉 차있다. ~ ***into*** (벽에 장식장 따위를) 붙박다 ; (계약 따위에 조건 등을) 끼워넣다 《★ 흔히 受動으로 쓰임》: Book shelves *are built into* the walls. 서가는 벽에 붙박이로 돼있다. ~ (. . .) ***on*** 〔***upon***〕 (1) (희망·의론 따위를) …에 의거하게 하다 ; (성과 따위를) 기초로 일을 추진하다 ; …을 의지하다 : We must try to ~ *on* the success of these growth industries. 우리는 이 성장산업의 성공을 기초로 일을 추진해 나가지 않으면 안된다 / ~ one's hopes *on* … 에 희망을 걸다 / In her composition Susan *built on* her experience as a baby-sitter. 수잔은 작문에서 보모로서의 경험을 기초로 하여 썼다 / Society *is built on* 〔*upon*〕 trust. 사회란 신용을 기초로 하여 성립된다. (2) …에 증축하다《*to*》. ~ ***out*** 증축하다. ~ ***over*** 〔흔히 受動으로〕 (토지를) 건물로 가득 채우다 : What was waste land ten years ago has *been built over* with villas. 10년 전에는 황무지였던 곳이 별장으로 가득찼다. ~ (***a***)***round*** 건물로 둘러싸다. ~ ***up*** (1) (부·명성 따위)를 쌓아 올리다 ; (군비)를 증강하다 ; (사기)를 높이다. (2) 〔흔히 受動으로〕 건물로 막다. (3) (건강)을 증진시키다 : ~ *up* one's health. (4) 《俗》 …을 부추기다 ; 칭찬하다 ; 선전하다 : The movie isn't all it's been *built up to* be. 그 영화는 선전만큼은 못하다. (5) (긴장·압력 등이) 고조되다, (바람 등이) 강해지다 ; (날씨가) 험해지다 ; (교통 따위가) 막히다 ; 체증을 일으키다.

— *n.* U,C ① 만듦새, 구조 ; 건축 양식 : the ~ of a car 자동차의 구조. ② 체격, 골격 : a man of slender 〔stout〕 ~ 체격이 홀쭉한〔튼튼한〕 사람.

‡**build·er** [bíldər] *n.* C ① 건축(업)자, 건설자, 청부업자 : a master ~ 도편수. ② 〔흔히 複合語로〕 증진시키는 것, 증진물 : a health ~ 건강 증진물〔법〕 / Reading is a great character-~. 독서는 인격 형성에 큰 도움이 된다.

†**build·ing** [bíldiŋ] *n.* ① U 건축(술), 건조, 건설 : a ~ area 건평 / a ~ berth 〔slip〕 조선대(臺) / ~ land 건축용지 / a ~ site 부지. ② C 건축물, 빌딩, 가옥, 건조물 : Crowds gathered around the Parliament ~. 군중들은 의회건물 주변에 모여들었다. ③ (*pl.*) 부속 건물.

búilding and lóan assoc̀iation 《美》 =SAVINGS AND LOAN ASSOCIATION.

búilding blòck 건축용 블록 ; (장난감) 집짓기 나무.

búilding socìety 《英》 =SAVINGS AND LOAN ASSOCIATION.

build·up [bíldʌ̀p] *n.* C ① 조립, 조성 ; (병력·체력·산업 등의) 증강, 증진 ; 강화《*of* ; *in*》: ~ *of* the police force 경찰력의 증강 / military ~ 군사 증강 / steady ~ *of* traffic 점증하는 교통량. ② (신인·신상품 등의) 선전, 지나친 찬사의 선전 : give a person a ~ 선전으로 아무의 평판을 높이다. ③ (극의 내용을 최고조로 돋우는) 줄거리 : The press has given the show tremendous ~. 신문이 그 쇼를 대대적으로 떠들어댔다.

†**built** [bilt] BUILD의 과거·과거분사.

— *a.* ① 조립식의. ② 〔限定的 ; 흔히 複合語를 이루어〕 …한 체격의 ; …로 만들어진 : a well-~ man 체격이 훌륭한 사람 / a well-~ house 잘 지은 집.

***built-in** [⌐ín] *a.* 〔限定的〕 ① 박아 넣은, 붙박이로 맞추어 넣은 ; 짜 넣은《카메라의 거리계 따위》: a ~ bookcase 붙박이 책장 / a ~ stabilizer 〖經〗 자동 안정 장치. ② (성질 등이) 타고난, 내재적인, 마음 속에 새겨진 : have a ~ sense of justice 선천적으로 정의감이 강하다.

búilt-in sóftware 〖컴〗 빌트인 소프트웨어 《ROM 칩에 들어 있는 프로그램》.

built-up [⌐ʌ́p] *a.* 〔限定的〕 ① 조립한. ② 건물이 빽빽하게 들어선, 건물로 둘러싸인 ; 계획적으로 만든 ; 가죽을 겹쳐서 만든《구두의 뒤축》: a ~ area 시가지(市街地), 건물 밀집 지역 / Such vehicles could not be brought into ~ areas. 그러한 차량은 건물이 밀집된 지역에 들어오게 할 수 없었다.

‡**bulb** [bʌlb] *n.* C ① (양파 등의) 구근(球根), 알뿌리, 구경(球莖), 알줄기. ② (온도계 등의) 구(球) ; 전구(electric ~) ; 진공관. ③ (카메라의) 벌브 노출. ***the ~ of a hair*** 모근(毛根).

bulb·let [bʌ́lblit] *n.* 〖植〗 구아(球芽), 구슬눈.

bulb·ous [bʌ́lbəs] *a.* ① 〔限定的〕 구근(상)의, 구경(球莖)의 ; 구근에서 성장하는 : a ~ plant 구근식물. ② 불룩한, 구근상의 : his ~ purple nose 그의 새빨간 주먹코. 🄟 ~·**ly** *ad.*

Bul·gar·ia [bʌlgέəriə, bul-] *n.* 불가리아.

Bul·gar·i·an [bʌlgέəriən, bul-] *n.* C, *a.* 불가리아 사람(의) ; U 불가리아 어(의).

***bulge** [bʌldʒ] *n.* C ① 부푼 것, 불룩한 부분 ; (물통 따위의) 중배 : The pistol made a ~ under his coat. 권총 때문에 그의 상의가 불룩했다. ② (수량의) 일시적 증가, 부풀어 오름, 팽창 : the ~ in the birthrate after the war 전후 출생률의 급상승 / a ~ in aircraft sale 항공기 판매의 일시적인 증가. ③ 《英》 (the ~) =BABY BOOM.

— *vi.* ① 《~ / +副 / +전+명》 부풀다, 불룩해지다《*out*》: His muscles ~*d out.* 그의 근육은 불룩 솟아 있었다 / The sack ~*s with* oranges. 자루는 오렌지로 불룩하다 / He shouted at his brother, his neck veins *bulging.* 그는 동생에게 목 혈관이 불룩 튀어 나오도록 소리를 질렀다. ② (눈이) 튀어나오다 : *bulging* eyes 퉁방울눈 / His eyes seemed to ~ *out of* sockets. 그는 (놀라서) 눈이 튀어나올 것만 같았다. ③ 《口》 당황하여〔갑자기〕 뛰어들다〔날아들다〕《*in* ; *into*》. — *vt.* 《~+목 / +목+전+명》 …을 부풀리다《*with*》: He ~*d* his cheeks. 그는 볼을 불룩하게 했다 / He ~*d* his pockets *with* apples. 호주머니가 사과로 불룩해 있었다.

bulgy [bʌ́ldʒi] (**bulg·i·er** ; **-i·est**) *a.* 부푼, 불룩한. 🄟 **búlg·i·ness** *n.*

bu·lim·ia [bjuːlímiə] *n.* U 〖醫〗 다식증(多食症).

‡**bulk** [bʌlk] *n.* ① U 크기, 부피, 용적 : It is not of their weight that makes these sacks hard to carry, it's their ~. 이 부대들이 무거워서가 아니라 부피 때문에 운반이 힘들다. ② (the ~) 대부분, 주요(主要)한 부분《*of*》: *The ~ of* the debt was paid. 빚은 거의 다 갚았다 / *The ~ of* his books are on law. 그의 장서 대부분은 법률책이다. ③ U (선박의) 적하(積荷)(cargo). ④ U 섬유질의 음식물. ***break*** ~ 짐을 부리기 시작하다. ***by*** ~ (저울을 쓰지 않고) 적하한 채로, 눈대중으로. ***in*** ~ (1) (포장하지 않고) 풀린 채로 ; 적하한 그대로 : load *in* ~ (곡물 등을) 포장하지 않고 싣다. (2) 대량으로 : sell〔buy〕 *in* ~ 모개로 팔다〔사다〕.

— *vi.* ① 부피가 부풀다, 커지다《*up*》. ② (흔히 ~ large로) 크게 보이다, (중요성이 있다고) 보여지다 : The trade imbalance ~*s large* in our minds. 무역 불균형이 큰 문제처럼 생각된다. ③ (종이 따위가) …의 두께이다. — *vt.* ① …을 크게 하다, 부풀게 하다. ② ~을 한 무더기로 하다.

bulk-buy·ing [⌐báiiŋ] *n.* U (생산품의) 대량 구입.

búlk càrgo (선박의) 포장하지 않은 짐.

bulk·head [bʌ́lkhèd] *n.* [C] (종종 *pl.*) ①〖船〗 격벽(隔壁), 칸막이; 방수〔방화〕벽. ② (갱내 따위의) 받침벽, 차단벽.
búlk máil 요금별납 우편《대량 인쇄물 등에 적용》.
búlk prodùction 《美》 대량 생산.
***bulky** [bʌ́lki] (*bulk·i·er* ; *-i·est*) *a.* (무게에 비해) 부피가 큰, (커서) 거추장스러운: Her padded coat made her look very ~. 그녀는 솜을 둔 코트를 입고 있어서 아주 거북해 보였다.
[파] **búlk·i·ly** *ad.* **búlk·i·ness** *n.* [U] 부피가 늚, 부피의 크기.
‡bull[1] [bul] *n.* [C] ① (거세 않은) 황소. [cf] ox. ② (코끼리·고래 같은 큰 짐승의) 수컷: Suddenly a massive ~ elephant with huge tusks charged us. 갑자기 큰 엄니를 가진 거대한 수코끼리 한 마리가 우리에게 덤벼들었다. ③〖證〗 사는 쪽, 시세가 오르리라고 내다보는 사람. [cf] bear[2]. ④《美俗》 경관, 교도관. ⑤ (황소처럼) 건장한 남자. ⑥ (과녁의) 중심점(~'s-eye). ⑦ (the B-)〖天〗 황소자리. ***a ~ in a china shop*** 난폭한 사람. ***Bull shit!*** 제기랄, 망할 자식. ***shoot the ~*** 《美口》 쓸데 없는 소릴 하다. ***take the ~ by the horns*** 감연히 난국에 맞서다.
— *a.* 〔限定的〕 ① 수컷의; 황소와 같은; 큰: a ~ whale 수고래. ②〖證〗 사는 쪽의, 시세 상승을 예상하는: a ~ market 강세(強勢) 시장. ~ ***dance*** 남자들만의 댄스.
— *vt.* ①〖證〗 (값이 오르도록) …을 자꾸 사들이다. ② (계획·법안 따위)를 억지로 밀고 나아가다: ~ a bill through Congress 의안을 의회에서 강제로 통과시키다 / ~ ahead 앞쪽으로 나아가다 / ~ one's way through a crowd 군중을 밀치고 나아가다. — *vi.* 밀고 나아가다. ③〖證〗 …의 값을 끌어올리려 하다.
bull[2] *n.* [C] (로마 교황의) 교서.
bull[3] *n.* [C] (언어상의) 우스운 모순(Irish ~)《'이 편지를 받지 못할 경우에는 알려 주십시오'라고 하는 따위》.
***bull·dog** [-dɔ̀ːg / -dɔ̀g] *n.* [C] ① 불독. ② 완강한 사람. ③《英俗》 (Oxford, Cambridge 대학의) 학생감(學生監) 보좌역. ④ = BULLDOG CLIP.
— *a.* 〔限定的〕 불독 같은, 용감하고 끈기 있는. ***the ~ breed*** 영국민《속칭》. — *vt.* ① 불독처럼 (맹렬히)…을 공격하다. ②《美》 (사슴·송아지의 뿔)을 붙들고 넘어뜨리다.
búlldog clìp 큰 종이 집게.
bull·doze [búldòuz] *vt.* ①《口》(+[목]+[전]+[명]) 위협하다; 우격다짐으로 시키다〔못하게 하다〕 《*into* do*ing*》: ~ a person *into* buy*ing* something 아무를 위협하여 물건을 사게 하다. ② **a)** (의안 등)을 강제로 통과시키다. **b)** 〔~ one's way로〕 …을 강제로 밀고나가다, 고집대로 하다. ③ (땅)을 불도저로 고르다: The authorities intend to ~ all damaged buildings. 당국은 파괴된 모든 빌딩들을 불도저로 치우려고 한다.
***bull·doz·er** [búldòuzər] *n.* [C] ① 불도저: Men were using ~*s* to clear the huge piles of snow. 사람들은 커다란 눈덩이를 치우는 데 불도저를 사용하고 있었다. ②《口》 협박자.
‡bul·let [búlit] *n.* [C] (권총, 소총 등의) 탄알, 총탄. [cf] ball[1], shell. ¶ a stray ~ 유탄 / One of them was hit by a ~ in the neck. 그들 중 한 명의 목에 탄환이 명중했다. ***bite (on) the ~*** 《口》 (싫은 일을) 이를 악물고 견디다.
bul·let·head·ed [-hèdid] *a.* (사람이) 작고 둥근 머리의.
‡bul·le·tin [búlətin] *n.* [C] ① 게시, 고시. ② 공보; (방송의) 뉴스 속보: The debate will be screened nationwide after the main evening news ~. 토론은 저녁 주요 뉴스 속보 뒤에 전국에 방영될 것이다. ③ (학회 등의) 보고(서); (협회 등의) 정기 보고; (학회 등의) 회보; (회사 등의) 사보〔잡지〕.
búlletin bòard 《美》 게시판(《英》 notice board): notices on embassy ~ 대사관 게시판의 고지.
bul·let·proof [-prùːf] *a.* ① 방탄의: a ~ vest 〔jacket〕 방탄 조끼 / ~ glass 방탄 유리. ② 완전한, 비판〔실패〕의 여지가 없는: a ~ budget 수정할 여지가 없는 예산.
búll fíddle 《美口》 = CONTRABASS.
bull·fight [búlfàit] *n.* [C] (스페인의) 투우.
[파] ~·**er** *n.* [C] 투우사. ~·**ing** *n.* [U] 투우.
bull·finch [-fìntʃ] *n.* [C]〖鳥〗 피리새.
bull·frog [-fràg, -frɔ̀(ː)g] *n.* [C] (몸집이 크고 우는 소리가 소 같은 북아메리카산) 식용개구리.
bull·head [-hèd] *n.* [C] ①〖魚〗 머리가 큰 물고기 《둑중개·메기류》. ② 완고한 사람.
bull·head·ed [-hédid] *a.* 완고한, 고집센.
[파] ~·**ly** *ad.* ~·**ness** *n.*
bull·horn [-hɔ̀ːrn] *n.* [C] 《美》 휴대용 확성기, 핸드 마이크(《英》 loudhailer).
bul·lion [búljən] *n.* [U] 금은의 지금(地金), 금은괴(塊)〔압연봉〕; 순금, 순은.
bull·ish [búliʃ] *a.* ① 수소와 같은; 완고한. ②〖證〗 오르는 시세의, 상승하는, 오를 것 같은《시세 등》.
búll márket 〖證〗 상승 시세, 강세 시장.
bull-necked [-nèkt] *a.* 굵고 짧은 목의, 자라목의.
bull·nose [-nòuz] *n.* [C] ① 주먹코. ②〖建〗 (벽돌·타일·벽 모서리의) 둥근 면. 「소《식용》.
bul·lock [búlək] *n.* [C] (네 살 이하의 거세한) 수
búll pèn ① 소를 가두어두는 우리. ②《美口》 유치장, 구치소. ③〖野〗 불펜《구원 투수가 워밍업하는 장소》; 구원 투수.
bull·ring [búlrìŋ] *n.* [C] 투우장.
búll sèssion 《美口》 자유 토론(회)《흔히 학생들의》.
bull's-eye [búlzài] *n.* [C] ① (과녁의) 흑점; 정곡; 정곡을 쏜 화살〔탄알〕. ② 둥근 채광창; 반구〔볼록〕 렌즈(가 붙은 휴대용 남포). ③ 눈깔사탕. ④ 정곡을 찌른 발언. ***hit* 〔*make, score*〕 *the* 〔*a*〕 ~** (1) 표적의 중심을 맞히다. (2) 급소를〔정곡을〕 찌르다. (3)《美口》 히트하다, 성공을 거두다.
bull·shit [búlʃit] *n.* [U] 《卑》 허풍, 거짓말, 허튼소리: He's talking ~. 허튼소리를 하고 있다.
— *vt., vi.* 허풍떨다, 거짓말하다. — *int.* 거짓말 마.
bull·ter·ri·er [búltériər] *n.* [C] 불테리어《불독과 테리어의 교배종》.
búll tròut 《英》 송어류.
bul·ly**[1] [búli] *n.* [C] 약한 자를 못살게 구는 사람; 골목대장: Leave that little girl alone, you big ~! 그 여자 아이를 내버려 둬라, 이 못된 놈. ***play the ~ 마구 뽐내다, 약한 사람을 들볶다.
— *a.* 《口》 멋진, 훌륭한: What a ~ car! 정말 멋진 차구나.
— *int.* 《口》 멋지다, 잘했다. ***Bully for you* 〔*us*〕!** 잘한다《★반어(反語)적으로도 쓰임》.
— *vt.* (약한 자)를 들볶다, 위협하다: Our survey indicates that one in four children is *bullied* at school. 우리의 조사에서 보여주듯이 4명 중 1명의 아동이 학교에서 위협받는다. — *vi.* 마구 뽐내다, 으스대다. ~ a person ***into* 〔*out of*〕** do*ing* 아무를 들볶아서 …시키다〔…을 그만두게 하다〕. ~ (a thing) ***out of*** a person 위협하여 아무에게서 (물건을) 빼앗다.
bul·ly[2] *n.* [U] 통조림〔절임〕 쇠고기.

bul·ly³ [búli] *n.* 〖하키〗 불리, 경기 개시. ── *vi.* 경기를 개시하다(*off*).
bul·ly·boy [-bɔ̀i] *n.* Ⓒ 정치 깡패 ; 폭력 단원.
bul·ly-off [-ɔ́(:)f, -ɑ́f] *n.* Ⓒ 〖하키〗 시합 개시.
bul·ly·rag [-ræ̀g] (**-gg-**) *vt.* 《口》…을 위협하다, 들볶다, 꾸짖다, 학대하다.
bul·rush [búlrʌ̀ʃ] *n.* Ⓒ 〖植〗 큰고랭이, 애기부들 《속칭 cat's-tail》; 〖聖〗 파피루스(papyrus).
***bul·wark** [búlwərk] *n.* Ⓒ ① 성채, 보루 ; 방파제 : Democracy is a ~ of freedom. 민주주의는 자유의 보루다. ② 방벽 ; 방어물〔자〕. ③ (*pl.*) 〖船〗 현장(舷墻). ── *vt.* …을 성채로 견고히 하다 ; 방어〔방비〕하다.
bum¹ [bʌm] *n.* Ⓒ 《口》 ① **a**) 부랑자, 거지 ; (the ~) 거지 생활. **b**) 룸펜, 게으름뱅이 : You lazy ~ ! 이 식충아. ② 놀이〔오락〕에 열중하는 사람, …광 : a ski 〔jazz〕 ~. ③ 쓸모없는 〔무능한〕 사람. ***on the*** ~ 부랑 생활을 하여 ; 파손되어, 못쓰게 되어. ── *a.* 〔限定的〕 ① 가치 없는, 쓸모 없는. ② (발 따위) 다친 : a ~ leg. ③ 틀린, 거짓의 : He gave me a ~ steer. 그는 내게 거짓 정보를 흘렸다.
── (**-mm-**) *vi.* 《口》 (일할 수 있는 데도) 놀고 지내다 ; 남의 신세를 지고 살다. ── *vt.* 《口》《+목+전+명》 거저 얻다, 울러 빼앗다, 조르다 (*from* ; *off*) : ~ money *from* a person 아무에게서 꾼 돈을 떼먹다 / Can I ~ a cigarette *off* you? 담배 한 대 줄 수 있소.
bum² *n.* Ⓒ 《英俗》 궁둥이.
bum·ber·shoot [bʌ́mbərʃùːt] *n.* Ⓒ 《美俗》 박쥐우산(umbrella).
bum·ble¹ [bʌ́mbəl] *vi.* ① 실수하다. ② 떠듬거리며 말하다.
bum·ble² *vi.* (벌 따위가) 윙윙거리다.
bum·ble·bee [bʌ́mbəlbìː] *n.* Ⓒ 〖蟲〗 뒝벌.
bumf [bʌmf] *n.* Ⓤ 《英俗》 ① 화장지. ② 〔集合的〕 공문서, 휴지 : The waste-paper basket was full of ~, trivial letters and advertising circulars. 휴지통은 화장지와 하찮은 편지들, 그리고 광고 안내장으로 차 있었다.
bum·kin [bʌ́mkin] *n.* =BUMPKIN.
bum·mer¹ [bʌ́mər] *n.* Ⓒ 《美俗》 건달, 부랑자.
bum·mer² 《美俗》 *n.* Ⓒ ① (마약 등의) 불쾌한 경험. ② 실망(시키는 것) : That concert was a real ~. 그 연주회에 완전히 실망하였다.
‡bump [bʌmp] *vt.* ① 《+목+전+명》 (머리 따위를) …에 부딪치다(*against* ; *on*) : ~ one's head *against* the wall 벽에 머리를 쿵하고 부딪치다. ② …에 부딪다, …와 충돌하다 : They ~*ed* each other on the street. 그들은 길거리에서 서로 부딪쳤다. ③ 《+목+전+명》 부딪쳐서 …을 쿵하고 떨어뜨리다(*off* ; *from*) : The car crash ~*ed* her *from* the seat. 차가 충돌해 그녀는 의자에서 떨어졌다 / ~ a vase *off* the table 테이블을 건드려 꽃병을 떨어뜨리다. ④ (지위 등을 이용해) …을 항공기 예약에서 밀어내다 : He was ~*ed* from his flight to New York. 그는 뉴욕행 항공기 예약에서 밀려났다.
── *vi.* 《+전+명》 ① 충돌하다 (*against* ; *into*) : The canoe ~*ed against* the bank. 카누는 둑에 부딪쳤다. ② (차가) 덜거덕거리며 지나가다 (*along*) : The old car ~*ed along* the rough road. 낡은 차가 울퉁불퉁한 길을 덜거덕거리며 갔다. ③ 《美俗》 (춤에서 도발적으로) 허리를 앞으로 내밀다. ~ ***into*** a person (1) 아무에게 부딪치다, (2) 《口》 아무와 우연히 만나다 : I ~*ed into* an old friend on my way home. 귀가 중에 우연히 옛 친구를 만났다. ~ ***off*** 《美俗》 …을 죽이다, 처치하다 : *Bump* him *off*. 저녀석을 없애라. ~ ***up*** 《口》 (물가 따위)를 올리다.
── *n.* Ⓒ ① 충돌, 추돌 ; (부딪칠 때의) 탕〔딱〕하는 소리 : with a ~ 탕 하고 ; 갑자기. ② 때려 생긴 혹. ③ (도로상의) 융기(隆起) : *Bump* ahead! 전방에 턱이 짐《공사장 등의 게시》. ④ 〖空〗 (돌풍에 의한) 비행기의 동요.
── *ad.* 탕 〔쿵〕 하고 : come ~ on the floor 쿵 하고 마루에 떨어지다.
***bump·er** [bʌ́mpər] *n.* Ⓒ ① 범퍼(《英》 buffer) 《자동차 앞뒤의 완충 장치》; 《美》 (기관차의) 완충기. ② (축배 때의) 가득 찬 잔. ── *a.* 〔限定的〕 매우 큰, 풍작의 : a ~ crop 〔year〕 풍작〔풍년〕 / a ~ Christmas number (잡지의) 크리스마스 특별 증면호.
búmper càr 범퍼 카《유원지 등에서 서로 맞부딪치기하는 작은 전기 자동차》.
bump·er-to-bump·er [-tə-] *a.* ① 자동차가 꼬리를 문. ② (교통이) 정체된 : ~ traffic.
bumph [bʌmf] *n.* = BUMF.
bump·kin [bʌ́mpkin] *n.* Ⓒ 투박한 시골 사람.
bump·tious [bʌ́mpʃəs] *a.* 오만한, 건방진, 거만한 : ~ officials 오만한 관리들.
㊞ ~·**ly** *ad.* ~·**ness** *n.*
bumpy [bʌ́mpi] (***bump·i·er*** ; ***-i·est***) *a.* ① (길 따위가) 울퉁불퉁한 : a ~ road. ② (수레가) 덜컹거리는 : have a ~ ride 덜컹거리며 타고가다 / The track got *bumpier* and muddier the further we went. 통로는 우리가 앞으로 나갈수록 더욱 울퉁불퉁하고 질척거렸다. ③ **a**) 〖空〗 돌풍이 많은, 난기류가 있는. **b**) (인생 등이) 부침이 심한. ④ (음악·시 등이) 박자가 불규칙한.
㊞ **búmp·i·ly** *ad.* **-i·ness** *n.*
búm's rúsh (the ~) 《美口》 강제 추방〔퇴거〕 : When they began to cause a disturbance, they were given *the* ~. 소란을 피우기 시작하자 그들은 내쫓겼다.
bun** [bʌn] *n.* Ⓒ ① 롤빵《건포도를 넣은 달고 둥근 빵》. ② (여성들이 빵 모양으로 뒤에) 묶은 머리. ③ (*pl.*) 《俗》 엉덩이(buttocks). ***get 〔***have***〕 ***a*** ~ ***on*** 취해 있다. ***have a*** ~ ***in the oven*** 《口·戲》 임신하고 있다《남성이 쓰는 표현》.
‡bunch [bʌntʃ] *n.* Ⓒ ① 다발, 송이. ⓒⓕ cluster. ¶ a ~ of grapes 한 송이의 포도 / a ~ of flowers 한 다발의 꽃. ② 《口》 동료, 패거리 ; (마소의) 떼(*of*) : a ~ *of* idlers 빈둥거리는 패거리 / a ~ *of* cattle 소 떼. ***a*** ~ ***of fives*** 《口》 주먹. ***the best of the*** ~ 무리 중의 백미(白眉), 가장 뛰어난 것, 군계일학.
── *vt.* …을 다발로 만들다 ; (한 떼로) 모으다 (*up* ; *together*) : *Bunch up* together and keep warm. 한데 모여 온기(溫氣)를 유지하라. ── *vi.* 다발로 되다 ; 한 떼가 되다.
bunchy [bʌ́ntʃi] (***bunch·i·er*** ; ***-i·est***) *a.* 송이 모양의〔이 된〕, 다발로 된.
bun·co [bʌ́ŋkou] (*pl.* ~***s***) 《美口》 *n.* 사기 ; 속임수 내기, 야바위. ──*vt.* …에게 야바위치다.
buncombe ⇨BUNKUM.
‡bun·dle [bʌ́ndl] *n.* Ⓒ ① 묶음, 묶은 것 : a ~ of letters 편지의 한 묶음 / He tied the wood into a ~. 그는 나무를 한 묶음으로 묶었다. ② 꾸러미(로 만든 것)(*of*) : *a* ~ *of* clothes 옷보따리 / books tied up in ~*s of* twenty 스무 꾸러미로 묶은 책. ③ 〔흔히 a ~ of …로〕 《口》 덩어리, 일단(group) : It's *a* ~ *of* contradiction. 그건 모순 덩어리다〔투성이다〕 / He's *a* ~ *of* nerves. 그는 신경이 곤두서 있다. ④ 《俗》 큰돈 : It cost a ~. 큰돈이 들었다.

— *vt.* ①《~+목/+목+부》…을 다발짓다, 꾸리다, 묶다, 싸다《*up*》: ~ *up* papers 신문을 묶다 / I ~*d up* everything. 모든 것을 한데 꾸렸다 / We ~*d up* some old clothes for the rummage sale. 바자에 내려고 헌 옷가지들을 챙겼다. ② 따뜻하게 옷으로 감싸다《*up*》. ③《+목+전+명》 뒤죽박죽〔마구〕 던져 넣다《*into*》: She ~*d* clothes *into* a drawer. 그녀는 옷을 서랍에 쑤셔넣었다 / He ~*d* everything *into* his pockets. 그는 주머니 속에 이것저것 가리지 않고 쑤셔넣었다. ④《+목+부 / +목+전+명》 (사람을) 거칠게 내어몰다, (…에서) 몰아 내다《*off*; *out*; *away*》; (사람을) 몰아넣다《*into*》: They ~*d* the children *off to* bed. 그들은 어린이들을 잠자리로 쫓아 버렸다 / She ~*d* her boys *out of* the room. 그녀는 아이들을 방에서 내몰았다 / He ~*d* her *into* a taxi. 그는 그녀를 택시안으로 밀어넣었다.
— *vi.* ①《+전+명 / +부》 급히 물러가다〔떠나다〕, 급히 나가다《*off*; *out*; *away*; *out of*》; (무리져서) 들어가다, 타다《*in, into*》: They ~*d off* 〔*out, away*〕 in anger. 그들은 화가 나서 우르르 나가 버렸다 / She ~*d out of* the kitchen. 그녀는 부엌에서 급히 나갔다 / We all ~*d into* the room. 우리는 모두 서둘러 방으로 들어갔다. ② (옷을 두텁게 입고) 따뜻하게 하다《*up*》. ~ a person ***out*** 〔***off, away***〕 아무를 내쫓다, 서둘러 가게 하다: The guards ~*d* him *out of* the building. 수위는 거칠게 그를 건물에서 몰아냈다. ~ (one***self***) ***up*** 옷을 두껍게 입다, 따뜻하게 둘러쓰다.

bung [bʌŋ] *n.* Ⓒ (통 따위의) 마개; =BUNGHOLE. — *vt.* ①…에 마개를 하다; 〔흔히 受動으로〕《俗》…을 막다: My nose *is* all ~*ed up with* a cold. 감기로 코가 잔뜩 막혔다 / The drains are ~*ed* up with dead leaves. 하수구는 마른잎으로 막혀 있다. ②《英口》《俗》(돌 따위)를 던지〔던져주〕다; …을 쑤셔넣다: *Bung* a cigarette over to me. 담배 하나 던져주게.

***bun·ga·low** [bʌ́ŋgəlòu] *n.* Ⓒ 방갈로《보통 별장식의 단층집》; 《Ind.》 주위에 베란다가 있는 작은 목조 단층집.

bung-ho [bʌ́ŋhóu] *int.* 건배; 안녕히《이별의 인사》.

bung·hole [bʌ́ŋhòul] *n.* Ⓒ 통 주둥이.

bun·gle [bʌ́ŋgəl] *vt.* …을 서투른 방식으로 하다, 모양새 없이 만들다; 실패하다, 실수하다: Don't let him fix your bike. He's sure to ~ the job. 그에게 오토바이 수리를 못하게 해라. 일을 망치기 십상이니까.

bun·gler [bʌ́ŋgələr] *n.* Ⓒ 서투른 직공, 손재주 없는 사람.

bun·ion [bʌ́njən] *n.* Ⓒ 〖醫〗 엄지발가락 안쪽의 염증《활액낭(滑液囊)의 염증》.

bunk[1] [bʌŋk] *n.* Ⓒ (배·기차 등의 벽에 붙인) 침대; 《口》 침상; =BUNK BED: Thomas was lying in the lower ~. 토머스는 아래층 침대에 누워 있었다. — *vi.* ① (열차) 침대에서 자다. ②《口》 등걸잠을 자다《*down*》: ~ *down* with friends 친구들과 등걸잠을 자다.

bunk[2] *n.* Ⓤ《俗》 허풍, 남의 눈을 속임. [◂ *bunkum*]

bunk[3] 《口》 *vi.* 도망가다, 달아나다; (수업을) 빼먹다. — *n.* Ⓒ 도망. 〔다음 成句뿐〕 ***do a*** ~ 도망가다, 사라지다: They'd *done a* ~ without paying the rent. 그들은 세도 안내고 도망가 버렸다.

búnk bèd 2단 침대《아이들 방 따위의》: The twins sleep in a ~. 쌍둥이들은 2단 침대에서 잔다.

bunk·er [bʌ́ŋkər] *n.* Ⓒ (배의) 연료 창고, 석탄궤〔상자〕; 〖골프〗 벙커《모래땅의 장애 구역 《美》 sand trap》; 〖軍〗 벙커, 지하 엄폐호: The ~ could only be damaged by a direct hit from a very large bomb. 그 벙커는 대형 폭탄이 직접 명중돼야만 손상된다. — *vt.* 〔흔히 受動으로〕 ① (배)에 연료를 싣다. ②〖골프〗 (공)을 벙커에 쳐넣다. ③…을 궁지에 몰아넣다: She *is* ~*ed*. 그녀는 곤경에 빠져 있다.

Búnker Híll 벙커힐《미국 Boston 근교의 언덕; 여기서 독립 전쟁이 시작》.

búnker òil 벙커유(油).

bunk·house [bʌ́ŋkhàus] *n.* Ⓒ 《美》 (인부·광부 등의) 작은 합숙소.

bun·ko [bʌ́ŋkou] (*pl.* ~***s***) *n.*, *vt.* =BUNCO.

bun·kum, -combe [bʌ́ŋkəm] *n.* Ⓤ ① (선거민에 대해서) 인기를 끌기 위한 연설. ② 부질없는 이야기〔짓〕.

bunk-up [⌐-ʌ̀p] *n.* Ⓒ (흔히 *sing.*) 《英口》 (올라갈 때에) 받쳐 주기, 뒤밀어 주기: give a person a ~ 아무를 뒤에서 받쳐〔밀어〕주다.

***bun·ny** [bʌ́ni] *n.* Ⓒ ①《兒語》 토끼(=⌐ **ràbbit**), 다람쥐. ② 버니 걸(=⌐ **gìrl**)《미국 Playboy Club의 호스티스; 토끼를 본뜬 복장에서》.

Bún·sen búrner [bʌ́nsən-] 분젠 버너.

***bunt** [bʌnt] *n.* Ⓒ ① (소 따위가) 받기, 밀기. ②〖野〗 번트, 연타(軟打). — *vt., vi.* (머리·뿔 따위로) 받다, 밀다; 〖野〗 번트하다. ㊕ ⌐·**er** *n.*

bun·ting [bʌ́ntiŋ] *n.* Ⓤ ① 기포(旗布); (*pl.*) (경축을 위한 가로·건물 따위의) 장식 천. ②〔集合的〕 기 종류; 갓난아이용의 포근한 옷, 포대기.

Bun·yan [bʌ́njən] *n.* **John** ~ 버니언《영국의 설교사로 *Pilgrim's Progress* 의 저자; 1628-88》.

‡buoy [bú:i, bɔi] *n.* Ⓒ ① 부이, 부표: Construction teams began placing ~*s* to mark the route of the bridge. 건설 팀은 교량 가설선을 표시하기 위해 부표를 설치하기 시작했다. ② 구명 부이(life ~). — *vt.* ①…을 뜨게 하다《*up*》: The life-jacket ~*ed* her *up* until help arrived. 구조대가 도착할 때까지 그녀는 구명 재킷 때문에 (물 위에) 떠 있었다. ②《~+목 / +목+부》〖海〗 (암초 등)을 부표로 표시하다, 부표를 달다《*out*; *off*》: ~ an anchor 닻의 위치를 부표로 표시하다 / ~ *off* a channel 수로를 부표로 표시하다. ③《~+목 / +목+부》〔종종 受動으로〕 (희망·용기 따위)를 지속하게〔잃지 않게〕 하다, 지탱하다, 기운을 북돋우다《*up*》: The cheerful music ~*ed* her *up*. 명랑한 음악이 그녀의 기운을 북돋웠다 / Her courage was ~*ed* by the doctor's assurances. 의사가 안심해도 된다는 말에 그녀는 용기가 났다 / He was ~*ed up* with 〔by〕 new hope. 그는 새로운 희망에 힘이 솟았다.

buoy·an·cy [bɔ́iənsi, bú:jən-] *n.* Ⓤ ① 부력, 부양력; 뜨는 성질. ② (타격을 받고도 곧) 회복하는 힘, 쾌활성; 낙천적 기질. ③〖商〗 (시세의) 오를 낌새, 호시세 기미.

***buoy·ant** [bɔ́iənt, bú:jənt] *a.* ① 잘 뜨는, 부력(浮力)이 있는: ~ force 부력. ② 쾌활한, 낙천적인, 탄력 있는, 회복력이 좋은: Despite all the setbacks, she remained ~. 모든 실패에도 불구하고 그녀는 여전히 쾌활했다. ③ (주가·경기 등이) 상승 경향의, (시세가) 강세의: The market for books is relatively ~. 서적 시장은 비교적 호황이다. ㊕ ~·**ly** *ad.*

bur [bəːr] *n.* Ⓒ ① (밤·도꼬마리 따위 열매의) 가시; 가시 돋친 열매를 맺는 식물. ② (가시처럼) 달라붙는 〔성가신〕 것.

bur. bureau.

burb [bə́:rb] *n.* 《俗》=SUBURB.

Bur·ber·ry [bə́:rbəri, -bèri] *n.* Ⓤ 바바리 방수

포(布); 바바리 코트〔방수복〕《商標名》.

bur·ble [bə́ːrbəl] *vi.* ① (시냇물이) 졸졸 흐르다《*on*》. ②《+전+명》(흥분하여) 정신 없이 지껄이다《*on*; *away*》; 킬킬 웃다: ~ *with* mirth 킬킬 웃다. ── *vt.* …을 재잘거리다, 지껄이다.

burbs [bəːrbz] *n. pl.*《美俗》도시의 교외, 주택 지역, 베드 타운. [◂ sub*urbs*]

burd [bəːrd] *n.* Ⓒ《주로 Sc.》숙녀, 소녀.

‡**bur·den**[1] [bə́ːrdn] *n.* Ⓒ.Ⓤ ① 무거운 짐, 짐. ② (정신적인) 짐, 부담; 걱정, 괴로움, 고생: a ~ of responsibility 책임이라는 무거운 짐 / the ~ of proof〖法〗거증〔입증〕 책임 / Many old folks feel they are a ~ to their families. 많은 노인들은 그들의 가족들에게 짐이 된다고 느낀다 / His secretary took on the ~ of his work. 그의 비서는 그가 할 일을 떠맡았다. ③ (배의) 적재량, 적재력.
── *vt.*《~+목 / +목+전+명》① …에게 짐을 지우다《*with*》: ~ a horse *with* firewood 말에 장작을 잔뜩 지우다. ②〔종종 受動으로〕…에게 부담시키다; 괴롭히다《*with*; *by*》: He is ~*ed with* debts. 그는 빚을 지고 있다 / They were ~*ed with* heavy taxes. 그들은 무거운 세금에 시달렸다 / These countries are all ~*ed by* massive foreign debt. 이 국가들은 모두 막대한 외채에 시달리고 있다.

bur·den[2] *n.* ① Ⓒ (노래나 시의) 반복, 후렴(★ refrain이 더 일반적). ② (the ~) (연설 따위의) 본지(本旨), 취지《*of*》: *the* ~ *of* his remarks 그의 의견의 요지. ***like the ~ of a song*** 몇 번이고 되풀이하여.

bur·den·some [bə́ːrdnsəm] *a.* 무거운 짐이 되는; 짐스러운; 어려운, 힘드는, 골치 아픈: a ~ responsibility 번거로운 책임.

bur·dock [bə́ːrdɑ̀k / -dɔ̀k] *n.* Ⓒ〖植〗우엉.

‡**bu·reau** [bjúərou] (*pl.* ~**s** [-z], ~**x** [-z]) *n.* Ⓒ ① 사무소: a ~ of information《美》안내소, 접수처: a travel ~ 여행안내소. ②《주로 美》(관청의) 국; 사무〔편집〕국: the Mint *Bureau* 조폐국 / the *Bureau* of Narcotics 주(州)의 마약 단속국 / the Federal *Bureau* of Investigation 연방 수사국. ③《美》옷장《보통 거울 달린 침실용의》. ④《英》서랍 달린 사무용 책상.

bu·reau·cra·cy [bjuərɑ́krəsi / -rɔ́k-] ① Ⓤ **a)** 관료제. **b)** 관료 정치〔제도, 주의〕. **c)** (관청식의) 번문욕례(red tape): We need to reduce paperwork and ~ in the company. 우리는 회사내의 서류업무와 번문욕례를 줄일 필요가 있다. ② (the ~) 관료사회. ③〔集合的〕관료.

bu·reau·crat [bjúərəkræ̀t] *n.* Ⓒ 관료적인 사람; 관료; 관료〔독선〕주의자: insensitive ~*s* 둔감한 관료들 / a government ~ 관료.

bu·reau·crat·ic [bjùərəkrǽtik] *a.* 관료 정치의; 관료식의〔적인〕; 번문욕례의: I had a lot of ~ hassel trying to get the information I need. 나는 필요한 자료를 구하려고 공무원들과 많이 다투었다. ㊕ **-i·cal·ly** [-ikəli] *ad.*

bu·reau·crat·ism [bjúərəkrætìzəm, bjuərɑ́krəti- / -rɔ́krəti-] *n.* Ⓤ 관료주의, 관료 기질.

bu·reaux [bjúərouz] BUREAU의 복수.

bu·rette, -ret [bjuərét] *n.* Ⓒ〖化〗뷰렛《정밀한 눈금이 있는 분석용 유리관》.

burg [bəːrg] *n.* Ⓒ《美口》읍(town), 시(city);《英》=BOROUGH;《古》성시(城市).

bur·geon, bour- [bə́ːrdʒən] *n.* Ⓒ 싹, 어린 가지(shoot). ── *vi.* ① 싹을 내다, 싹이 트다《*forth*; *out*》: In those happy, carefree days love ~*ed* between them. 행복하고 즐거운 그 때에 사랑이 그들 사이에 싹텄다. ② (급격히) 성장〔발전〕하다: the ~*ing* suburbs (갑자기) 발전하는 교외.

burg·er [bə́ːrgər] *n.* Ⓤ.Ⓒ《美口》=HAMBURGER: I just had a ~ and chips for lunch. 나는 방금 점심으로 햄버거와 감자튀김을 먹었다.

-burger '…을 쓴 햄버거식의 빵, …제(製)의 햄버거'란 뜻의 결합사: cheese*burger* 치즈버거.

bur·gess [bə́ːrdʒis] *n.* Ⓒ ①《英》(자치 도시의) 공민, 시민. ②〖美史〗미국 독립전쟁 전의 Virginia 주 또는 Maryland 주 하원 의원.

burgh [bəːrg / bʌ́rə] *n.* Ⓒ《Sc.》자치 도시(borough); 읍, 시.

burgh·er [bə́ːrgər] *n.* Ⓒ (자치 도시의) 공민, 시민: the ~*s* of New York 뉴욕 시민.

‡**bur·glar** [bə́ːrglər] *n.* Ⓒ (주거 침입) 강도, 빈집털이(★ 전에는 밤도둑만 말했으나 지금은 구별하지 않음): *Burglars* yesterday ransacked the offices of the Deputy Minister. 밤도둑들이 어제 차관 사무실을 샅샅이 뒤졌다.

búrglar alàrm 도난 경보기.

bur·glar·i·ous [bəːrglέəriəs] *a.* 주거 침입(죄)의. ㊕ ~·**ly** *ad.*

bur·glar·ize [bə́ːrgləràiz] *vt., vi.*《美口》불법 침입하여 강도질하다.

bur·glar·proof [bə́ːrglərprùːf] *a.* 도난 예방〔방지〕의.

bur·gla·ry [bə́ːrgləri] *n.* Ⓤ.Ⓒ〖法〗주거 침입(죄), 밤도둑죄, 강도질: commit a ~.

bur·gle [bə́ːrgəl] *vt.* …에 침입하여 강도질하다: ~ a safe 금고를 털다. ── *vi.* 밤도둑질하다.

Bur·gun·dy [bə́ːrgəndi] *n.* Ⓤ 부르고뉴《프랑스의 동남부 지방; 본래 왕국》; (종종 b-) 그곳에서 나는 포도주《보통 적포도주》.

‡**bur·i·al** [bériəl] *n.* ① Ⓤ.Ⓒ 매장: the ~ at sea 수장(水葬): The bodies are brought home for ~. 시체는 매장하려고 집으로 옮겨졌다. ② Ⓒ 매장식. [◂ bury]

búrial gròund〔plàce〕 매장지, 공동 묘지: They objected to plans to expand a golf course on what they say is an ancient ~. 옛 묘지라고 하는 곳에 골프 코스를 확장하려는 계획에 그들은 항의했다.

bu·rin [bjúərin] *n.* Ⓒ 동판용 조각칼, (대리석 조각용) 정; 조각의 작풍〔양식〕.

burk [bɔ́ːrk] *n.*《英俗》=BERK.

Bur·ki·na Fa·so [bəːrkìnəfɑ́sou] 부르키나 파소《아프리카 서부의 공화국; 구칭 Upper Volta, 1984 년 개칭; 수도 Ouagadougou》.

burl [bəːrl] *n.* Ⓒ (피륙의) 올의 마디; 나무의, 옹두리. ── *vt.* 마디를 없애어 마무르다. ㊕ ~**ed** *a.* 마디 있는, 혹이 있는.

burl. burlesque.

bur·lap [bə́ːrlæp] *n.* Ⓤ 올이 굵은 삼베《포장·부대용》.

***bur·lesque** [bəːrlésk] *n.* Ⓤ.Ⓒ 광시(狂詩), 광문(狂文), 희작(戲作); 익살 연극, 해학극;《美》저속한 소극(笑劇), 스트립쇼. ── *a.*〔限定的〕익살부리는, 해학의. ── *vt.* 해학화하다, 우습게 하다; 흉내내다, 익살부리다.

bur·ly [bə́ːrli] (***bur·li·er***; ***-li·est***) *a.* (사람이) 건장한: a ~ workman 다부진 체격의 노동자.

***Bur·ma** [bə́ːrmə] *n.* 버마《Myanmar의 구칭》.

†**burn** [bəːrn] (*p.*, *pp.* ***burned, burnt***) *vi.* ①《~ / +부 / +보》(불·연료가) 타다; (물건이) (불)타다, 눋다: Don't let the meat ~. 고기를 태우지 마라 / ~ *well*〔*badly*〕잘 타다〔타지 않다〕/ Is the fire still ~*ing*? 불이 아직 타고 있니 / The wood was wet and would not ~. 나무가 젖어서 안탔을 것이다 / The house is ~*ing* — call the fire brigade. 집이 타고 있다. 소방서에 전화해

라. ② (돌이 달아서) 열을 내다; 바싹 마르다; (빛이) 빛나다: There was a light ~*ing* in the window. 창에는 불이 켜져 있었다. ③ (난로 따위가) 타오르다《*up*》, 달아 오르다; 〖化〗 연소〔산화〕하다, 〖物〗 (핵연료가) 분열〔융합〕하다; 《俗》 담배를 피우다. ④《~ / +전+명》 타는 듯이 느끼다, 화끈해지다; (혀·입·목이) 얼얼하다《*with* pepper》; (귀·얼굴이) 달아 오르다《*with* fever》: ~ *with* shame 부끄러워 얼굴이 달아 오르다 / His face ~*ed with* embarrassment. 그는 당황하여 얼굴이 화끈해졌다 / My forehead ~*ed with* fever. 열이 나서 이마가 뜨거웠다. ⑤《~ / +전+명 / +*to* do》 흥분하다; 열중하다; 불끈하다, 성나다《*for*》; 열망하다: ~ *with* anger 격분하다 / ~ *with* enthusiasm 열중하다 / be ~*ing to* go 가고 싶어 못 견디다 / She's ~*ing for* a career in politics. 그녀는 정치가로서의 생활을 열망하고 있다. ⑥《+부》 (피부가) 볕에 타다〔그을다〕, (가구나 물들인 천이) 볕에 바래다: She has a skin that ~*s easily* in the sun. 그녀의 피부는 볕에 타기 쉽다. ⑦ (술래가) 숨은 사람〔숨긴 물건〕에 가까이 가다, (퀴즈 따위에서) 정답에 가까워지다: Now you're ~*ing*! 이제 정답에 가까워졌습니다. ⑧〔副詞(句)를 수반하여〕《俗》 차가 쏜살같이 달리다. ⑨〖宇宙〗 (로켓 엔진이) 연소하여 추진력을 내다. ⑩ (기사·일 등이) (마음에) 강한 인상을 주다《*in, into*》. ⑪ (산이) 금속을 부식하다.

── *vt.* ① (연료 따위)를 불태우다, 때다, (가스·초 등에) 점화하다, 불을 켜다. ②《+목+전+명》〔一般的〕 (물건)을 태우다, 불사르다; 눋게 하다, (열에) 데다: The building was *burnt* (down) *to* ashes. 그 건물은 타서 재가 되었다〔전소되었다〕 / He ~*ed* the toast *to* a crisp. 그는 토스트를 바짝 태웠다 / He *burnt* his hand *on* the hot stove. 그는 달아오른 난로에 손을 데었다 / He was badly *burnt in* the blaze. 그는 불길에 심한 화상을 입었다. ③ (구멍)을 달구어 뚫다; 구워서 굳히다, (숯·기와 따위)를 굽다, 구워 만들다: ~ bricks 〔charcoal〕 벽돌〔숯〕을 굽다 / ~ clay *into* bricks 점토로 벽돌을 구워내다. ④ (낙인·명(銘))을 찍다《*into, in*》; 〖컴〗 (PROM, EPROM)에 프로그램을 써넣다. ⑤〔흔히 受動으로〕 …을 감명시키다《*in, into*》: The sight *was* ~*ed into* my mind. 그 광경은 내 마음에 깊이 새겨졌다. ⑥ (색)을 바래게 하다; (태양이 땅)을 바싹 태우다, (초목)을 시들게 하다: He was ~*ed* black in the sun. 그는 햇볕에 검게 탔다. ⑦ …을 화형에 처하다. ⑧ 얼얼하게 하다, 쓰라리게 하다. ⑨ (상처·아픈 부분 등)을 지지다《*away*; *off*; *out*》; 〖化〗 (산·부식제로) …을 부식〔산화〕시키다. ⑩《口》〔종종 受動으로〕 …을 속이다, 사취하다: get ~*ed* 속아넘어가다. ⑪〖物〗 (우라늄·토륨 등의) 원자 에너지를 사용하다; 〖化〗 …을 연소시키다. ⑫〖宇宙〗 (로켓 엔진)을 분사시키다.

be ~ed to death 타 죽다. **~ . . . *alive*** …을 화형에 처하다. **~ *away*** 다 태우다〔타서 없어지다〕, 태워버리다; 계속해 타다: Half the candle had *burnt away*. 양초의 반이 타버렸다. **~ *down*** 다 태워버리다; 전소하다, 소진(燒盡)하다; 불기운이 죽다: My house was *burnt down*. 나의 집은 전소되었다. **~ *in*** 〖寫〗 (인화지의 일부를) 진하게 인화하다; 《比》 마음에 새기다. **~ *into*** …을 부식(腐蝕)하다; (마음에) 새겨지다〔새기다〕: ~ *into* one's memory 기억에 새겨지다. **~ *off*** 불살라 버리다; (페인트의 얼룩·오점 따위를) 달구어 지우다; (햇빛이) 안개 따위를 소산시키다; (개간을 위해) 잡목들을 태워 없애다: Running is an excellent way to ~ *off* excess energy. 달리기는 잉여 에너지를 제거하는 데 썩 좋은 방법이다. **~ *out*** 다 타다, 다 태워버리다; (로켓 따위가) 연료를 다 써버리다; (아무를) 불로 내쫓다: be *burnt out* (of house) 불이 나서 (집을) 잃다. **~ *one's boats*** =**~ *one's bridges* (*behind* one)** 퇴로를 끊다, 배수진을 치다: Think carefully before you resign — if you do that you will have *burnt* your *boats* and you might regret it. 사직하기 전에 신중하게 생각해라. 그렇게 한다면 다시 복직할 수 없으며 후회할지 모른다. **~ *oneself*** 데다. **~ *oneself out*** 다 타버리다; 정력을 다 써버리다. **~ *one's fingers*** 손가락을 데다, 공연히 참견〔무리를〕하여 호되게 혼나다《*over*》. **~ *one's lip*** 열을 올려 지껄이다. **~ *one's money*** 돈을 다 써버리다. **~ *the candle at both ends*** 돈〔정력〕을 심하게 낭비하다. **~ *the midnight oil*** 밤 늦게까지 공부〔일〕하다: She takes her exams next week, so she's ~*ing the midnight oil*. 그녀는 다음 주의 시험 때문에 밤 늦게까지 공부하고 있다. **~ *to the ground*** 전소하다. **~ *up*** (1) 다 태워〔타〕버리다; (불이) 확 타오르다: Meteorites often ~ *up* in the atmosphere before they reach the earth. 운석은 지구에 도달하기 전에 흔히 대기권에서 연소돼버린다 / Put some more wood on the fire to make it ~ *up*. 불길이 확 타오르게 장작을 좀 더 넣어라. (2)《美口》 노(하게) 하다. (3)《俗》 (차가 도로)를 질주하다, (차로) 폭주하다. (4) 연료 등을 소진하다; (차가 가솔린을) 지나치게 소모하다: He eats a lot but ~*s* it all *up*. 그가 많이는 먹지만 에너지로 다 연소시킨다. **~ *up the cinders*** (경주에서) 역주(力走)하다. **~ *up the road*** ⇨ ROAD. **~ *up the telephone*** 전화로 심하게 책망하다. ***Burn you!*** 뒈져라, 제기랄. ***have*** (money) ***to ~*** 주체할 수 없을 만큼 (돈)이 있다. ***Money ~s*** (his) ***fingers* 〔*a hole in*** (his) ***pocket*〕**. (그는) 돈을 헤프게 쓴다〔돈이 몸에 붙지 않는다〕.

── *n.* Ⓒ ① 태워 그슬림; 화상; 볕에 탐; 아릿한 느낌: get 〔have〕 a ~ 화상을 입다〔입고 있다〕 / He died of the ~*s* he received in the fire. 그는 화재로 입은 화상으로 사망했다. ② (벽돌·도자기 따위의) 구움. ③ (숲의) 불탄 자리; 화전(火田). ④ (로켓 엔진의) 분사. ⑤《俗》 사기(詐欺).

burn·a·ble [bə́ːrnəbəl] *a.* 가연성의.

burned-out [bə́ːrndáut] *a.* 〔限定的〕 ① 다 타버린; 화재로 집을 잃은. ② (전구 따위가) 끊어진. ③ (과로로) 지친, 기진 맥진한.

***burn·er** [bə́ːrnər] *n.* Ⓒ ①〔흔히 複合語로〕 태우는〔굽는〕 사람: a brick ~ 벽돌공. ② 버너, 연소기: a gas ~ 가스 버너. ***on the back* 〔*front*〕 ~** ⇨ BACK 〔FRONT〕 BURNER.

‡burn·ing [bə́ːrniŋ] *a.* ① 불타는 (듯한), 열렬한; 뜨거운; 강렬한: a ~ thirst 심한 갈증 / ~ water 뜨거운 물 / ~ hot 타는 듯이 더운 / They waited patiently under the ~*ing* sun. 그들은 뜨거운 태양 아래서 끈기있게 기다렸다. ② (격)심한, 지독한: a ~ scent 〖獵〗 짐승이 남긴 짙은 냄새 / a ~ disgrace 지독한 치욕. ③ 가장 중요한〔심각한〕: a ~ question 가장 중요한 문제.

***bur·nish** [bə́ːrniʃ] *vt.* (금속 등)을 닦다, 갈다. ── *vi.* (갈아서) 빛나다, 번쩍이다; 광나다: ~ well 광이 잘 나다. ── *n.* Ⓤ 광, 광택.

burn·out [bə́ːrnàut] *n.* ① Ⓒ 〖로켓〗 연료 소진(燒盡); 〖電·機〗 소손(燒損). ② Ⓤ (스트레스에 의한) 심신의 피로, 탈진.

Burns [bəːrnz] *n.* **Robert ~** 번스《스코틀랜드의 시인; 1759-96》.

burn·sides [bə́ːrnsàidz] *n. pl.* 《美》 짙은 구레

나릇《턱수염만 깎고 콧수염과 이어짐》.

***burnt** [bəːrnt] BURN 의 과거·과거분사.
—*a.* 탄; 그은; 덴: ~ smell [taste] 탄내[탄 맛] / A ~ child dreads the fire. 《俗談》 불에 한 번 덴 아이는 불을 두려워한다《한번 혼나면 신중해진다》.

búrnt óffering [**sácrifice**] 번제(燔祭)《신에게 구워 바치는 제물》.

burnt-out [bə́ːrntáut] *a.* =BURNED-OUT.

búrnt pláster 소석고(燒石膏).

búrnt siénna 적갈색 (채료).

burp [bəːrp] *n.* Ⓒ, *vt., vi.* 《口》 트림(이 나다); (젖먹이에게 젖을 먹인 후 등을 문질러) 트림을 시키다.

búrp gùn 《美》 자동 권총, 소형 경기관총.

***burr**[1] [bəːr] *n.* Ⓒ ① (동판 조각 따위의) 깔쭉깔쭉한 자리. ② (치과 의사 등의) 리머.

burr[2] *n.* Ⓒ (흔히 *sing.*) ① 드릉드릉, 윙윙《기계 소리》. ②〖音聲〗 r 의 후음(喉音). —*vt., vi.* (…을) 후음으로 발음하다.

bur·ri·to [bəríːtou] (*pl.* ~*s*) *n.* Ⓒ,Ⓤ 부리토《육류·치즈를 tortilla 로 싸서 구운 멕시코 요리》.

bur·ro [bə́ːrou, bʌ́r-, búər-] (*pl.* ~*s*) *n.* Ⓒ (짐나르는) 당나귀.

***bur·row** [bə́ːrou, bʌ́r-] *n.* Ⓒ ① 굴《여우·토끼 따위의》. ② 숨은 곳, 피난[은신]처. —*vi.* ①《+전+명》 (토끼 따위가) 굴을 파다, 진로를 트다 《*into* ; *under* ; *in* ; *through*》: ~ *into* bed 잠자리에 기어들다 / ~ *under* the blanket 담요 밑으로 기어들다 / I saw a fox ~*ing in* the field. 들에서 굴을 파고 있는 여우를 보았다. ② 굴에서 살다, 숨다. ③ 몰두하다; 파고들다[조사하다]《*in, into*》: What are you ~*ing* around *in* my drawer for? 내 서랍에서 무엇을 찾고 있느냐 / She ~*ed into* her pocket for a handkerchief. 그녀는 주머니속을 뒤져 손수건을 찾았다. —*vt.* ① (굴)을 파다, 굴을 파면서 나아가다: ~ its way through the sand 모래속에 굴을 파며 나아가다. ② …을 숨기다, 파묻다. ③ (몸)을 …에 비벼붙이다; 파묻다 《*into*》: She ~*ed* her head *into* my shoulder. 그녀는 내 어깨에 머리를 묻었다.

bur·sar [bə́ːrsər] *n.* Ⓒ (대학의) 회계원, 출납원; (대학의) 장학생.

bur·sa·ry [bə́ːrsəri] *n.* ① Ⓒ (대학의) 회계과(사무실). ② (대학의) 장학금(scholarship).

‡burst [bəːrst] (*p., pp.* ***burst***) *vi.* ①《~ / +전+명》 파열하다, 폭발하다《*into*》: The bomb ~. 폭탄이 터졌다 / The box ~ *into* fragments. 상자는 산산조각이 났다. ②《+전+명》 터지다; (물 따위가) 뿜어 나오다; (싹이) 트다, (꽃봉오리가) 벌어지다; (거품·종기·밤이) 터지다《*into*》: The trees ~ *into* bloom. 나무는 꽃이 활짝 피었다. ③《+*to* do / +전+명》〖進行形〗 (가슴이) 터질 것 같다; …하고 싶어 못 견디다, 안달내다; (터질 것 같이) 충만하다《*with*》: be ~*ing to* tell the story 이야기를 하고 싶어 못 견디다 / He is ~*ing with* health [happiness]. 그는 건강[행복]으로 충만해 있다 / The bag was ~*ing with* corn. 옥수수로 자루는 터질 것 같았다. ④《+전+명 / +부》 갑자기 보이게[들리게] 되다, 갑자기 나타나다, 갑자기 (들어)오다[나가다, 일어나다]: ~ *out of* the room 갑자기 방에서 뛰쳐나오다 / A scream ~ *from* her lips. 그녀의 입에서 비명이 터져나왔다 / ~ *on* [*upon*] one's ears [view] 갑자기 들리다 [보이다] / The sun ~ *through* the clouds. 태양이 구름을 헤치고 번쩍 나타났다 / The police ~ *through* the door. 경찰이 갑자기 문으로 뛰어들어왔다. ⑤《+전+명》 갑자기 …한 상태가 되다, 갑자기 …하다《*into*》: ~ *into* tears [laughter] 울음[웃음]을 터뜨리다. ⑥《俗》 (회사·사업이) 망하다. ⓒⓕ bust[2].
—*vt.* ①《~+목 / +목+보》 …을 파열시키다, 터뜨리다: ~ one's bonds 속박을 끊어 버리다 / ~ a conspiracy 음모를 부셔버리다 / ~ the door open 문을 (부수어) 홱 열다. ② …을 찢다, 끊다; 밀쳐 터뜨리다, (충만하여) 미어지게[뚫어지게] 하다: After ten days of rain the river ~ its banks and flooded the valley. 10일간의 비로 강둑이 터져 계곡에 홍수가 났다. ④〖再歸的〗 (과식·과로로 몸)을 해치다. ~ ***at the seams*** (가득 차서) 터질 것 같아지다; 대만원이다: There were so many people that the hall was ~*ing at the seams.* 사람이 너무 많아서 홀은 대만원이었다. ~ ***forth*** 갑자기 나타나다; 뛰쳐나가다; 돌발하다; (눈물·피가) 와락 흘러나오다; (꽃 따위가) 활짝 피다; (외침 소리가) 갑자기 일어나다. ~ ***forth*** [***out***] ***into*** 갑자기 …을 하기 시작하다: He ~ *forth*[*out*] *into* excuses. 그는 갑자기 변명을 늘어놓기 시작했다. ~ ***in*** (문을 안으로 쾅) 열다; (방 안으로) 뛰어들다, 난입하다. ~ ***in on***[***upon***] (남의 얘기)에 끼어들다, (회화 등을) 갑자기 가로막다; …에게 밀려들다, 난입하다: Excuse me ~*ing in on* you, but … 갑자기 끼어들어 죄송합니다만 … / Don't ~ *in on* Tom while he's studying. 공부하고 있는 톰에게 몰려가지 마라 / They ~ *in on* me while I was working. 그들은 내가 일하고 있을 때 몰려왔다. ~ ***into*** (1) …에 난입하다: ~ *into* a room 방 안으로 뛰어들다. (2) 갑자기 …하다, 저도 모르게 …하다: ~ *into* flames 갑자기 불길이 일다. ~ ***on*** =~ upon. ~ ***open*** (문 따위가) 홱 열리다; (꽃이) 활짝 피다: In spring the young flowers ~ *open.* 봄에는 어린 꽃들이 활짝 핀다. ~ ***out*** =~ forth; 갑자기 …하기 시작하다: ~ *out* laughing [crying] 갑자기 웃기[울기] 시작하다 / Smoke ~ *out.* 갑자기 연기가 솟아올랐다. ~ one***'s sides with laughing*** 포복절도하다. ~ one***'s way*** 급히 나아가다. ~ ***upon*** …에 갑자기 나타나다; …을 엄습하다; (소리가) …의 귀에 쨍 울리다; …을 갑자기 알게 되다: A splendid view ~ *upon* us. 갑자기 눈 앞에 멋들어진 광경이 펼쳐졌다.
—*n.* Ⓒ ① 파열, 폭발(explosion); 파열[폭발]구, 갈라진 틈. ② 돌발, (감정의) 격발: a ~ of applause 갑자기 터지는 갈채 / a ~ of feeling 돌연한 격정. ③ 분발; (말의) 한바탕 달리기: With a final ~ of speed she overtook the leading runner and won the race. 막판 스피드를 내어 그녀는 선두 주자를 따라잡아 경주에서 우승했다. ④ (자동 화기의) 연사(連射), 집중 사격, 연속 발사 탄 수. ⑤〖컴〗 한 단위로 간주되는 일련의 신호. ***at a*** [***one***] ~ 단숨에. ***be*** [***go***] ***on the*** ~ 《口》 술마시고 떠들다.

burst-proof [bə́ːrstprùːf] *a.* (자물쇠 따위가) 강한 충격에 견디는.

bur·ton [bə́ːrtn] *n.* [다음 成句로] ***go for a*** ~ [***Burton***] (1) (물건이) 부서지다, 쓸모없게 되다. (2) (사람이) 살해되다, 행방불명이 되다.

Bu·run·di [burúndi, bərʌ́ndi] *n.* 부룬디《중앙 아프리카의 공화국; 수도: Bujumbura》.

‡bury [béri] (*p., pp.* ***bur·ied*** ; ~***·ing***) 《철자와 발음 차이에 주의》 *vt.* ① …을 묻다《*in* ; *under*》; (흙 따위로) 덮다: be *buried* deep *in* snow [*under* the ground] 눈 속[땅속] 깊이 묻히다 / The house was buried *under* ten feet of snow. 그 집은 10피트의 눈 속에 묻혀 있었다. ② …의 장례식을 하다, 매장하다: She has *buried* her husband. 그녀는 남편을 여의었다. ③《+目+前+名》…을 찔러 넣다《in, into》: ~ one's hands *in* one's pockets / ~ an ax *into* the tree trunk 나무줄기에 도끼를 박아넣다. ④《+目+前+名》〔再歸用法 또는 受動으로〕 생각에 잠기다; 몰두하다: *be buried in* grief 슬픔에 잠기다 / He *buried himself in* his studies. 그는 연구에 몰두했다. ⑤《比》묻어 버리다; (애써) 잊어버리다: ~ an injury 받은 모욕을 잊어버리다. ⑥〔再歸用法 또는 受動으로〕 눈에 안 띄다, 숨다《in》: *be buried in* oblivion 세상에서 잊혀지다 / ~ *oneself in* the country 시골로 은퇴하다. ⑦《~+目 / +目+前+名》…을 덮어 가리다, 숨기다: ~ treasure / ~ one's face *in* one's hands 두 손으로 얼굴을 가리다. ***be buried alive*** 생매장되다; 세상에서 잊혀지다: If an avalanche strikes, skiers can *be buried alive* by snow. 만일 눈사태가 난다면 스키어들은 눈속에 생매장될 수 있다. ~ . . . ***at sea*** …을 수장(水葬)하다. ~ one***'s head in the sand*** ⇨ HEAD. ~ ***the hatchet*** 〔***tomahawk***〕 ⇨ HATCHET.

†bus [bʌs] (*pl.* ***bus·(s)es*** [bʌ́siz]) *n.* Ⓒ ①버스: take a ~ 버스에 타다 / get off a ~ 버스에서 내리다 / go by ~ 버스로 가다 / He missed his last ~ home. 그는 집에 가는 마지막 버스를 놓쳤다. ②《口》비행기, 자동차. ③〖電·컴〗=DATA BUS. ***miss the*** ~ 《口》 기회를 놓치다, 실패하다.
— (*p., pp.* ***bus(s)ed*** [-t]; ***bús·(s)ing***) *vi.* ① 버스에 타다〔로 가다〕. ② (레스토랑 등에서) busboy 〔bus girl〕로서 일하다. — *vt.* ①〔~ it로〕 버스로 가다. ② (인종 차별을 없애기 위해 먼 데 학생)을 강제로 버스로 나르다.

bus. bushel(s); business.

bus·boy [bʌ́sbɔ̀i] *n.* Ⓒ《美》(식당) 웨이터의 조수《요리나르기·접시닦기 등 잡일을 거듦》.

bus·by [bʌ́zbi] *n.* Ⓒ 모피제(毛皮製)의 춤이 높은 모자《영국 기병·포병·공병의 정모》.

bús condùctor 버스 차장.

bús dèpot 《美》(장거리) 버스 정거장(=**bús tèrminal**).

bús gìrl 《美》 busboy 의 여성.

Bush [buʃ] *n.* **George** ~ 부시《미국의 제41대 대통령; 1924- 》.

‡bush¹ [buʃ] *n.* ①Ⓒ 관목(shrub). ②Ⓒ 수풀, 덤불: A bird in the hand is worth two in the ~. 《俗談》 잡은 새 한 마리는 숲속의 새 두 마리(의 가치가 있다) / Trees and ~*es* grew down to the water's edge. 나무와 숲이 아래 물가에까지 자랐다. ③Ⓤ (종종 the ~) (오스트레일리아·아프리카의) 미개간지, 오지(奧地). ④Ⓒ 담쟁이의 가지《옛날 술집의 간판》; 술집: Good wine needs no ~. 《俗談》 술만 좋으면 간판은 필요없다. ⑤Ⓒ 더부룩한 털. ***beat about*** 〔***around***〕 ***the*** ~ (1) 짐승을 몰아내다. (2) 우회하여 간접적으로 말하다: Stop *beating about the* ~ and tell me what you want. 변죽만 울리지 말고 네가 원하는 게 뭐냐. ***beat the ~es for*** 《美》 (인재 등을 찾아) 샅샅이 뒤지다. ***go*** ~ 《Austral.》(도시를 떠나) 오지에 들어가다, 〔一般的〕 모습을 감추다, 없어지다; 난폭해지다. ***take to the*** ~ 산적이 되다; 삼림지로 도망가다.
— *vi.* 무성하게 자라다; 두발이 더부룩해지다.
— *vt.* …을 덤불로 덮다.

bush² *n.* 〖機〗 =BUSHING. — *vt.* ~를 달다.

bush. bushel(s); bushing(s).

bushed [buʃt] *a.* 《口》 지쳐 버린: I'm ~. I'm going to bed. 지쳤다. 가서 자고 싶다.

‡bush·el [búʃəl] *n.* Ⓒ ①부셸《약 36 리터; 略 bu.》. ②대량, 다수《of》: ~*s of* books 많은 책. ***hide*** one***'s light*** 〔***candle***〕 ***under a*** ~ 〖聖〗 등불을 켜서 그것을 됫박으로 덮어두다《마태 복음 V: 15》; 자기의 선행〔재능〕을 감추다, 겸손하게 처신하다.

bush·ing [búʃiŋ] *n.* Ⓒ ①〖機〗 축투(軸套), 베어링통, 끼움쇠테《구멍 안쪽에 끼워서 마멸을 방지하는》. ②〖電〗 투관(套管).

búsh jàcket 부시 재킷《벨트가 달린 긴 셔츠풍의 재킷》.

búsh lèague 《俗》〖野〗 =MINOR LEAGUE.

bush·man [búʃmən] (*pl.* ***-men*** [-mən]) *n.* Ⓒ ①《Austral.》 총림 지대의 주민〔여행자〕. ② (B-) (남아프리카의) 부시맨.

búsh tèlegraph 소문〔정보〕 (등의 빠른 전달) 정보망: The news spread through the whole school by ~. 그 소문은 입에서 입을 타고 학교 전체에 퍼졌다.

bush·whack [búʃhwæ̀k] *vt., vi.* 《美》 (덤불을) 베어 헤치다〔헤치고 나아가다〕; (게릴라병이) 기습하다.

bushy** [búʃi] (bush·i·er*** ; ***-i·est***) *a.* 관목과 같은〔이 무성한〕; 털이 더부룩한.
㊞ **búsh·i·ly** *ad.* **-i·ness** *n.*

‡bus·i·ly [bízəli] *ad.* 분주하게, 바쁘게, 부지런히: My wife is ~ preparing supper. 아내는 바쁘게 저녁 준비를 하고 있다.

†busi·ness [bíznis] *n.* Ⓤ ①실업; 상업, 장사, 거래, 매매: a man of ~ 실무가; 실업가 / Jane has an impressive academic and ~ background. 제인은 훌륭한 학구적 및 실무적 배경을 갖고 있다. ②〔흔히 one's ~로〕 직업; 가업; 직무: a doctor's ~ 의업(醫業) / What ~ is he in? 그 사람 직업이 뭐냐 / That's not in my line of ~. 그것은 내 분야가 아니다 / Everybody's ~ is nobody's ~. 《俗談》 공동 책임은 무책임. ③사무, 업무, 집무(執務), 영업: a place 〔house〕 of ~ 영업소, 사무소. ④Ⓒ 사업, 상업, 실업, 기업, 점포, 상사: open 〔close〕 a ~ 개업〔폐점〕하다: There was nothing left for the teams to do but get on with the ~ of racing. 그 팀에게는 경마업을 계속하는 일 이외에는 해야 할 일이 전연 남아 있지 않았다. ⑤용건, 일, 볼일, 관심사; 〔反語的 또는 否定文으로〕 (관계〔간섭〕할) 권리: know one's own ~ 쓸데없는 간섭을 않다 / It's none of your ~. 네가 알 바 아니다 / I have ~ to deal with. 해야 할 일이 있다 / I have ~ with him. 그에게 볼일이 있다. ⑥Ⓒ 사건, 일; 귀찮은 일: She was exasperated by the whole ~. 그녀는 그 일 전반에 대하여 화내고 있었다 / a bad ~ 불행한 일. ⑦의사(議事)(일정): proceed to 〔take up〕 ~ 의사 일정에 들다. ⑧〖劇〗 몸짓, 연기. ***at*** ~ 집무중, 출근하여. ***be*** (***back***) ***in*** ~ 《口》 재개하다, 다시 형편이 좋아지다. ***be in the ~ of*** (1) …에 종사하고 있다. (2)〔否定文에 쓰여〕 …할 생각은 없다: We *are not in the* ~ *of* yielding to their demand. 그들의 요구에 응할 생각은 없다 / This government *is not in the* ~ *of* cutting taxes simply in order to help the rich. 이 정부는 부자를 도와주려는 의도만으로 감세를 하려는 것은 아니다. ~ ***as usual*** 언제나처럼; 〔게시〕 평상대로 영업합니다; (위기에 대한) 무관심. ***Business is*** ~. 장사는 장사다, 계산은 계산이다; 일이 제일. ***come*** 〔***get down***〕 ***to*** ~ 일을 시작하다; (이야기의) 본론으로 들어가다. ***do ~ with*** …와 거래하다: It's a please to *do* ~ *with* you. 너와 거래하는 것은 즐거운 일이다 / I was fascinated by the different people who *did* ~ *with* me. 나와

거래한 다른 사람들에게 나는 매료되었다. ***do good*** ~ 장사가 잘 되다, 벌다. ***do*** a person***'s*** ~ 아무를 해치우다, 죽이다(=do the ~ for a person) : That *did his* ~. 그것 때문에 그는 파멸하였다. ***do*** one***'s*** ~ 《婉》 배변(排便)하다. ***get the*** ~ 《美俗》 혼나다, 살해되다. ***give . . . the*** ~ 《俗》 …에 최대한의 노력을 기울이다 ; 《美俗》 (아무를) 혼내주다. ***go about*** one***'s*** ~ 자기 할일을 하다 : *Go about your* ~! (남의 일에 참견 말고) 저리 꺼져. ***go into*** ~ 실업계에 발을 들여놓다. ***Good*** ~***!*** 잘했다. ***have*** ~ ***with*** a person 아무에게 용무가 있다, …에게 말[이야기]하고 싶은 것이 있다. ***have no*** ~ ***to*** do …할 자격이[권리가] 없다 : You *have no* ~ *to* complain[complaining] of the matter. 그 일을 네가 불평할 자격이 없다. ***like nobody's***[***no one's***] ~ 《口》 맹렬히, 몹시, 대단히 ; 술술, 훌륭히 : He sings *like nobody's* ~. 그는 노래를 아주 잘 부른다 / He can play the piano *like nobody's* ~. 그는 피아노를 매우 잘 칠 수 있다. ***make a great*** ~ ***of it*** 매우 귀찮아하다, 처치 곤란해하다. ***make it*** one***'s*** ~ ***to*** do … 할 것을 떠맡다 ; 자진하여 …하다, 반드시 …하다 : I *made it my* ~ *to* check the monthly accounts. 나는 월간 계산을 검토하는 일을 맡았다. ***mean*** ~ 《口》 진정이다 : I hope you *mean* ~. 농담은 아니지요. ***mind*** one***'s own*** ~ 남의 일에 상관 않다. ***not in the*** ~ ***of*** do*ing* …하는 것이 목적이 아니다 : We are *not in the* ~ *of* gain*ing* profit. 이익을 취하는 것이 우리 목적은 아니다. ***on*** ~ 상용으로, 볼일이 있어 : No admittance except *on* ~. 무용자 출입 금지. ***send*** [***see***] a person ***about*** his ~ 아무를 쫓아 버리다[해고하다]. one***'s man of*** ~ 대리인(agent), 법률 고문(solicitor). ***out of*** ~ 파산[폐업]하여, 은퇴하여 : These big increases in rents could put a lot of small shops *out of* ~. 이러한 대폭적인 임대료 인상은 많은 소규모 상점을 폐업하게 만들었다. ***talk*** ~ 사업[장사]에 대한 이야기를 하다, 용건에 대해 말하다. ***That's not*** ~. 그것은 가외의 일이다. ***What is your*** ~ ***here?*** 무슨 용건으로 왔느냐.

búsiness addrèss 근무처 주소.

búsiness administràtion 경영학.

búsiness àgent 《英》 대리점[인] ; 《美》 (노동조합의) 집행 위원.

búsiness càrd 업무용 명함.

búsiness clàss (항공기의) 비즈니스 클래스 《tourist class 보다는 고급이고 first class 보다는 값이 쌈》 ; 싼 여행조건 : I always travel ~. 나는 항상 비즈니스 클래스로 여행한다.

búsiness còllege 《美》 (속기·타자·부기 따위를 가르치는) 실업 학교.

búsiness communicátion sỳstem 【컴】 상업용 통신 시스템.

búsiness cỳcle 《美》 경기 순환(《英》 trade cycle).

búsiness dày 영업일, 평일.

búsiness ènd (the ~) 《口》 일을 하는 중요한 부위《총의 총신, 칼의 날 따위》: *the* ~ of a tin tack 징의 끝.

búsiness Ènglish 상업 영어.

búsiness gàme 【컴】 비즈니스 게임《몇 가지 경영 모델을 놓고 의사 결정 훈련을 시키는 게임》.

búsiness hòurs 영업[집무] 시간.

búsiness lètter 상용[업무용] 편지 ; 업무용[사무용] 통신문.

***busi·ness·like** [bíznislàik] *a.* 사무[실제]적인, 능률적인 : in a ~ manner 효율적으로 / The talks were frank and ~. 회담은 솔직하고 사무적이었다.

búsiness machìne 사무 기기《계산기 등》.

‡busi·ness·man [bíznismæ̀n] (*pl.* ***-men*** [-mèn]) *n.* Ⓒ ① 실업가《특히 기업 경영자, 책임 있는 지위의 사람》: I'm not much of a ~. 나는 사업가적 자질이 많지 않다 / He was a successful ~ before becoming a writer. 그는 작가가 되기 전에는 성공적인 사업가였다. ② 실무자, 상인.

búsiness pàrk 상업 지구[단지] ; 오피스 지구.

búsiness pèople 《美》 실업가《남성·여성에 대해 같이 씀》.

búsiness pràctice 상관습(商慣習).

búsiness quàrters 중심가, 번화가.

búsiness schòol 《美》 경영학 대학원 ; = BUSINESS COLLEGE.

búsiness stùdies 경영 따위의 실무 연수.

búsiness sùit 《美》 신사복(《英》 lounge suit).

busi·ness·wom·an [bízniswùmən] (*pl.* ***-wom·en*** [-wìmin]) *n.* Ⓒ 여류 실업가.

búsiness yèar 사업 연도.

bus·ing [bʌ́siŋ] *n.* Ⓤ 《美》 (인종차별 종식을 위한) 학생 버스 수송.

busk·er [bʌ́skər] *n.* Ⓒ 《英》 (거리의) 뜨내기 연예인[악사, 요술쟁이 (등)].

bus·kin [bʌ́skin] *n.* ① (*pl.*) 버스킨《옛 그리스·로마의 비극 배우의 편상 반장화》. ② (the ~) 《文語》 비극. ***put on the*** ~***s*** 비극을 쓰다[연출하다].

bús làne 버스 전용 차선.

bus·man [bʌ́smən] (*pl.* ***-men*** [-mən]) *n.* Ⓒ 버스 운전사.

búsman's hóliday 《口》 (a ~) 평상 근무일처럼 일하며 보내는 휴가[휴일], 이름뿐인 휴가.

buss [bʌs] *n., vt., vi.* 《古·方》 키스(하다).

bus·ses [bʌ́siz] 《美》 BUS의 복수꼴(buses).

bús shèlter 《英》 (지붕 있는) 버스 대기소.

bus·sing [bʌ́siŋ] *n.* = BUSING.

bús stàtion 버스역《버스의 시발·종점이 되는》.

bús stòp (거리의) 버스 정류장.

‡bust[1] [bʌst] *n.* Ⓒ ① 흉상, 반신상. ② 상반신 ; (여성의) 버스트(의 치수), 흉위 : She had a small ~ and long legs. 그녀는 가슴이 작고 다리는 길다. ③ 《婉》 (여성의) 유방.

bust[2] *vt.* ① 《口》 …을 부수다 ; 《口》 파열[폭발]시키다 ; (다리 따위)를 부러뜨리다 : ~ one's leg. ② …을 파산[파멸]시키다. ③ (트러스트)를 해체하여 작은 회사로 분할하다. ④ 《美》 (야생마 등)을 길들이다(tame). ⑤ 《美口》 (장교)를 강등(降等)시키다《*to*》: be ~*ed to* private 사병으로 강등되다. ⑥ 《俗》 (현행범)으로 체포하다, 처넣다 ; 《俗》 (특히 경찰이) 급습하다(raid), (가택)을 수색하다. — *vi.* 《口》 ① 파열되다, 부서지다 : The watch soon ~*ed*. 시계는 곧 못쓰게 됐다. ② 파산하다. ~ ***out*** (*vi.*) 《美》 (1) 갑자기 꽃이 피다[잎이 나다]. (2) 《俗》 도망치다, 탈옥하다《*from*》. (3) 낙제하다, 퇴학당하다. (*vt.*) (사관 생도)를 낙제[퇴학]시키다. ~ ***up*** (*vi.*) 《俗》 (1) 부상하다, 다치다. (2) (부부·친구가) 헤어지다. (3) 파열하다. (4) 파산하다. (*vt.*) (물건)을 결딴내다.

— *n.* Ⓒ ① 《美口》 파열 ; (타이어의) 펑크. ② 실패, 파산, 불황 : boom and ~ 번영과 불황. ③ 《美俗》 낙제[제적] 통지, 강등 명령. ④ **a**) 《俗》 (경찰의) 습격, 검문, 단속 : a drug ~ 마약 단속. **b**) 《美俗》 후려침. ⑤ 마시며 흥청망청 떠듦 : have a ~ =go on the ~ 술마시며 법석떨다.

— *a.* 《英口》 ① 깨진, 망그러진. ② 파산[파멸]한 : go ~ (회사 따위가) 파산하다. [◂burst]

bus·tard [bʌ́stərd] *n.* Ⓒ 【鳥】 능에.

bust·ed [bʌ́stid] *a.* 《口》 ① 파산〔파멸〕한. ② 부상한, 다친.

bust·er [bʌ́stər] *n.* 《口》 ① Ⓒ 파괴하는 사람〔물건〕; 《美》 트러스트〔기업 활동〕 해체를 꾀하는 사람(trust~). ② Ⓒ 《美》 거대한 물건, 굉장한 것. ③ (B-) 이봐, 얘《다소의 경멸 또는 친근감을 나타냄》: Come here, *Buster*! 이봐, 이리 와!

‡bus·tle[1] [bʌ́sl] *vi.* ① 《~+副》 부산떨다, 바쁘게 돌아다니다《*about*; *around*》: ~ *about* cooking breakfast 아침을 짓느라고 부산하다 / People were *bustling* in and out (of the building). 사람들이 부산하게 (빌딩을) 들락거리고 있었다. ② 《+전+명》 (사무실 따위가) 붐비다, 북적거리다《*with*》: The street was *bustling with* shoppers. 거리는 쇼핑객으로 붐비고 있었다. ―*vt.* 《~+목+副》 …을 부산떨게 하다, 재촉하다《*off*》: He ~*d* the maid *off* on an errand. 그는 하녀를 재촉하여 심부름 보냈다. ~ ***up*** 서두르다, 부지런히 일하다. ― *n.* Ⓤ (종종 a ~) 큰 소동, 혼잡《*of*》: be in *a* ~ (사람이) 바쁘게 돌아다니다 / I enjoy the hustle and ~ *of* life in a big city. 나는 거대한 도시의 활기차고 북적거리는 삶을 즐긴다.

bus·tle[2] *n.* Ⓒ 버슬, 허리받이《옛날, 스커트의 뒤를 부풀게 하기 위해 허리에 대던》.

bus·tling [bʌ́sliŋ] *a.* 바쁜 듯한; 분잡한. ⓟ ~·ly *ad.*

bust-up [bʌ́stʌ̀p] *n.* Ⓒ 《口》 ① 《美》 떠들썩한 파티. ② 《英》 드잡이 싸움. ③ (결혼 등의) 파탄, 파경: the ~ of their marriage 그들의 결혼 파탄.

busty [bʌ́sti] *a.* (여자가) 가슴이 풍만한.

†busy [bízi] (***bus·i·er*** [bíziər]; ***-i·est*** [bíziist]) *a.* ① (사람·생활이) 바쁜, 분주(奔走)한《*at*; *over*; *with*》: December is usually the *busiest* time of year. 12월은 1년 중에서 대체로 가장 바쁜 때다 / I'm afraid I'm very ~ this week so I can't see you. 이번 주에는 너무 바빠서 뵙지 못할 것 같습니다. ② 참견하기 잘하는. ③ 사람들의 왕래가 잦은, 교통이 빈번한, 번화한. ④ 《美》 (전화선이) 통화 중인; (방 따위) 사용 중인: Line is ~. 통화 중입니다(《英》 (The) number's engaged.). ⑤ **a**) 번화한: a ~ street 번화가. **b**) (디자인이) 너무 복잡한: a too ~ carpet 무늬가 너무 혼란스러운 카펫. ***be ~ at*** 〔***over, with***〕 …으로 분주하다: I *was* ~ *with*〔*over*〕 my accounts. (돈) 계산관계로 바빴다. ***be*** ~ (***in***) ***doing*** …하기에 바쁘다: John *was* ~ preparing for his trip. 존은 여행준비로 바빴다. ***get*** ~ 《口》 일에 착수하다. ***keep*** one***self*** ~ 바쁘다: I've been *keeping* (my*self*) ~. 연일 바쁘다.
― (*p., pp.* ***bus·ied***; ***~·ing***) *vt.* …을 바쁘게 하다, 바쁘게 일시키다. ~ one***self*** 〔***one's hands***〕 ***with*** 〔***about, at, in***〕 . . . = ~ one***self*** (***in***) do***ing*** …로 바쁘다: She *busied herself* (*in*) clean*ing* the yard. 그녀는 부지런히 마당 청소를 했다. ― *n.* Ⓒ 《英俗》 경찰관, 형사.

búsy bée 대단한 일꾼.

bus·y·body [bízibɑ̀di / -bɔ̀di] *n.* Ⓒ 참견하기 좋아하는 사람, 중뿔난 사람: Some interfering ~ had rung the police. 쓸데없이 참견하는 어떤 중뿔난 사람이 경찰에 전화를 했었다.

bus·y·ness [bízinis] *n.* Ⓤ 다망(多忙), 분주함: Such ~! 되게 바쁘다. ≠business.

búsy sìgnal 〖電話〗 '통화중'의 신호.

bus·y·work [bíziwə̀:rk] *n.* Ⓤ (학교에서) 시간을 보내기 위해 시키는 학습 활동.

†but [bʌt, 弱 bət] *conj.* **A**) ≪等位接續詞≫ ① **a**) 〔앞의 문장·어구와 반대 또는 대조의 뜻을 갖는 대등 관계의 문장·어구를 이끎〕 그러나, 하지만, 그렇지만: a young ~ wise man (나이는) 어리지만 현명한 사람 / a kind ~ strict teacher 친절하긴 하나 엄격한 선생님 / He is poor ~ cheerful. 그는 가난하지만 명랑하다. **b**) 〔(it is) true, of course, indeed, may 따위를 지닌 節의 뒤에 와서 양보를 나타내어〕 (하긴) …하지만: *Indeed* he is young, ~ he is well experienced. 확실히 그는 젊지만 대단히 경험이 많다 / You *may* not believe it, ~ that's true. 그것을 믿지 않을는지 모르겠으나 사실이다.
② 〔앞에 否定語가 있을 때〕 **a**) …하지는 않지만 (그러나): He is *not* young, ~ he is very strong. 그는 젊지는 않지만 몹시 튼튼하다. **b**) …이 아니고〔아니라〕《이 때에는 새길 때 '그러나'로 하지 말 것》: She did*n't* come to help ~ to hinder us. 그녀는 우리를 도우러 온 것이 아니라 훼방놓으러 온 것이다 / He is *not* my friend ~ my brother's. 그는 내 친구가 아니라 형〔동생〕의 친구다.

> 語法 not A *but* B는 B를 앞에 놓으면 B and not A 형식이 된다. 종종 뒤의 and가 생략되어 B, not A가 되기도 한다: He did what his father told him to do *and not* what he thought best. 그는 아버지가 지시한 것을 하였을 뿐 자신이 최상이라고 생각한 것을 한 것은 아니다.

③ 〔感歎詞·감동 표현 따위의 뒤에서 별뜻없이 쓰여〕: Whew! *But* I am tired. 아이구 지쳤다 / Oh, ~ it's awful! 어이구 무서워라 / My, ~ you're nice. 우아 참 멋져요 / Good heavens, ~ she's beautiful! 야아 그 여자 참 예쁜데 / Excuse me, ~ your coat is dusty. 실례지만 선생 상의에 먼지가 묻었소 / Sorry, ~ you must have the wrong number. (전화에서) 안 됐습니다만 전화를 잘못 거신 것 같군요.
④ 〔文頭에서〕 **a**) 〔이의·불만 따위를 나타내어〕 하지만: I'll tip you 10 pence.―*But* that's not enough. 팁으로 10펜스를 주지―하지만 그걸론 충분치가 않습니다. **b**) 〔놀라움·의외의 기분을 나타내어〕 아니, 그거야: He has succeeded!―*But* that's great! 그 사람이 성공했다네―그것 참 굉장하군.
⑤ 《口》 〔이유〕 …하므로, …해서, …하여서 (because): I'm sorry I was late, ~ there's been a lot of work to do. 늦어서 미안합니다, 할 일이 많이 있었거든요.
B) ≪從屬接續詞≫ 〔副詞的 從屬節을 이끌어〕 ① …을 제외하고는〔빼놓고는〕, …외에는: All ~ she are present. 그녀 외에는 모두 출석했다(=All ~ her are present.) / Nobody ~ she knew it. 그녀 이외엔 아무도 그것을 아는 자는 없었다(=Nobody ~ her knew it.) 《★ 예문에서 she 대신 her를 쓰면 but은 전치사임》.
② 〔종종 but that 으로 조건을 나타내는 副詞節을 이끎〕 …이 아니면 (―할 것이다), …하지 않으면 (unless), …(한 것) 외에(는): I would buy the car ~ I am poor. 가난하지 않으면 차를 살 텐데 (=《口》 ... if I were not poor.) / Nothing would do ~ *that* I should come in. 내가 안에 들어가지 않으면 도저히 수습이 안 되겠네 / What can I say ~ (*that*) I hope you may succeed? 당신께서 성공하시기를 바란다는 것 외에 무엇을 말씀드릴 수 있겠습니까.
③ 〔主節이 否定文일 때〕 **a**) …않고는 (―안하다) (*without* do*ing*), …하기만 하면 반드시 (―하다): I *never* pass there ~ I think of you. 그곳을 지나갈 때면 늘 자네를 생각하네 (= ... *without* think*ing* of you) / *Scarcely* a day passed ~ I met

her. 그녀를 만나지 않는 날은 거의 하루도 없었다 《Hardly a day passed *without* my meet*ing* her. 가 보다 일반적》. **b**) 〔종종 ~ that으로, 주절의 so, such 와 상관적으로 쓰여〕 …않을〔못할〕 만큼 (that… not) : *No* man is *so* old ~ (*that*) he may learn. 배울 수 없을 정도로 나이 든 사람은 없다, 아무리 나이가 많더라도 배울 수 있다(= … so old that he may not learn. = 《口》 No man is too old to learn.) / He is *not such* a fool ~ he knows it. 그것을 모를 정도로 바보는 아니다(= … *that* he *does not* know it).

④ 〔종종 ~ that 〔what〕으로, 名詞節을 이끌어서〕 **a**) 〔主節에 doubt, deny, hinder, impossible, question, wonder 따위 否定적인 뜻이 否定되어 있을 때〕 …하다는〔이라는〕 것(that) : I do *not deny* ~ (*that*) he is diligent. 그가 부지런하다는 것은 부정하지 않는다 / I do*n't doubt* ~ that he will do it. 그가 꼭 해 주리라고 믿는다 / *Nothing* will *hinder* ~ (*that*) I will accomplish my purpose. 어떠한 것도 내가 목적을 달성하는 것을 방해할 순 없을 것이다. **b**) 〔흔히 believe, expect, fear, know, say, think, be sure 따위의 否定文・疑問文 뒤에 쓰이어〕 …이 아닌〔아니란〕 (것을), …않(는)다는 (것을) (that…not) : *Never fear* ~ I will go. 꼭 갈 테니 걱정 마라 / I do*n't know* 〔I *am not sure*〕 ~ it is all true. 아마 그것은 사실일 것이다 / Who *knows* ~ *that* everything will come out all right? 만사가 잘 될지도 모른다《문어・수사적 표현》.

— *ad.* ① 단지, 다만, 그저 …일 뿐(only) ; …에 지나지 않는 : He is still ~ a child! 그는 아직 그저 어린애일 뿐이다 / I spoke ~ in jest. 그저 농담으로 말했을 뿐이다 / Life is ~ an empty dream. 인생은 허무한 꿈에 불과하다.
② 그저 …만이라도, 적어도 : If I had ~ known! 그저 알기만이라도 했으면 / If I could ~ see him! 그저 그 사람을 만나보기라도 했으면.
③ 《美口》 〔副詞를 강조해서〕 아주, 절대로, 단연 (absolutely) ; 그것도 : Go there ~ now! 그곳으로 가거라, 그것도 바로 지금 / That horse is ~ fast. 그말은 정말 빠르다 / Oh, ~ of course. 아 물론이지요.

— *prep.* ① **a**) 〔흔히 no one, nobody, none, nothing, anything, all, every one 또는 who 같은 疑問 따위의 뒤에 와서〕 …외엔〔외의〕, …을 제외하고〔제외한〕 (except) : There was *no one* left ~ me. 남은 것은 나뿐이었다 / I never wanted to be *anything* ~ a writer. 오직 작가가 되고만 싶었다 / *Nothing* remains ~ to die. 죽는 일 외에는 길이 없다. **b**) 〔the first 〔next, last〕 ~ one 〔two, three〕의 형태로〕 《英》 첫째〔다음, 마지막〕에서 두〔세, 네〕번째의 : the last house ~ one 〔two〕 끝에서 두〔세〕번째의 집.
② 〔that節을 이끌어〕 …라는 것 이외에는(except that) : I know nothing ~ *that* he is a Russian. 나는 그가 러시아 사람이라는 것 이외에는 아무것도 모른다.

— *rel. pron.* 〔否定文 속의 말을 先行詞로 하여〕 《that 〔who〕 …not 의 뜻을 나타내며 接續詞의 경우와 마찬가지로 but that, but what 이 사용될 때도 있음》 …하지 않는 (바의) : There is no rule ~ has some exceptions. 예외 없는 규칙은 없다 (= *that* does *not* have) / There are few men ~ would risk all for such a prize. 그러한 상을 위해서라면 모든 것을 내걸지 않을 사람이란 거의 없다(= *who* would *not* risk) / Nobody ~ has his faults. 결점이 없는 사람은 없다 ; 원숭이도 나무에서 떨어질 때가 있다.

all ~ (1) …을 빼놓고는 전부. (2) 거의(almost, very nearly) : He is *all* ~ dead. 그는 (거의) 죽은 것이나 다름없다. ***anything*** ~ ⇨ ANYTHING. ~ ***for*** (1) 〔假定法〕 …가 아니라면〔없으면〕 (if it were not for), …가 없었더라면〔아니었더라면〕 (if it had not been for) : I couldn't do it ~ *for* her help. 그녀 도움이 없으면 그건 못할 게다(= As she helps me, I can do it.) / *But for* your help, I'd be stranded. 네 도움이 없었더라면 나는 꼼짝 못했을 것이다. (2) 〔直說法〕 …을 별도로 하면 : The words 'dog' and 'fog' are spelled alike ~ *for* one letter. dog 와 fog 란 말은 한 자를 제외하면 스펠링이 같다. ~ ***then*** ⇨ THEN. ***cannot*** ~ do ⇨ CAN[1] (成句). ***cannot choose*** ~ do = ***have no*** (***other***) ***choice*** ~ ***to*** do …하지 않을 수 없다 : I *cannot choose* ~ go. 갈 밖에 도리가 없다. ***do nothing*** ~ do …하기만 하다 : She *did nothing* ~ complain. 그녀는 불평만 늘어놓았다. (***It is***) ***not that*** . . . , ~ ***that*** __ …라는〔하다는〕 것이 아니고 —인 것이다 ; …라고 해서가 아니라 —이기 때문이다 : *Not that* I like this house, ~ *that* I have no other place to live in. 이 집이 마음에 들어서가 아니라 이 밖에는 살 집이 없기 때문이다. ***not*** ~ ***that*** 〔***what***〕 . . . … 않는다〔아니라〕는 것은 아니다〔아니지만〕 : *Not* ~ *that* I should have gone if I had had time. 시간만 있었더라면 안 갔을 것은 아니지만 / I can't come, *not* ~ *that* I'd like to. 찾아뵐 수가 없습니다, 찾아뵙기 싫은 건 아닙니다만《지금은 I can't come, not that I wouldn't like to.가 일반적임》. ***nothing*** ~ ⇨ NOTHING : *nothing* (else) ~ a joke 그저 농담에 지나지 않는다. ***ten to one*** ~ . . . 틀림없이, 확실히 : *Ten to one* ~ it was you. 확실히 그건 자네였네.

— *n.* (~*s*) 예외, 반대, 이의(異議) : No ~*s* about it. 두말 말고 해.

— *vt.* …을 '그러나'라고 말하다. ***But me no ~s.*** = ***Not so many ~s, please.*** '그러나, 그러나'라고만 말하지 말게《But은 동사, ~s는 명사의 용법》.

bu·tane [bjúːtein, -ˊ] *n.* Ⓤ 〖化〗 부탄《가연성 가스상(狀)의 탄화수소 ; 연료용》.

butch [butʃ] *n.* Ⓒ 《俗》 ① 억센 남자, 터프가이. ② 남자 같은 여자, 레스비언의 남성역. — *a.* 《俗》 (여성이) 남자 같은.

‡butch·er [bútʃər] *n.* Ⓒ ① 푸주한, 고깃간〔정육점〕 주인 : She bought some bacon at the ~*'s* (shop). 고깃간에서 베이컨을 좀 샀다. ② 학살자. ③ 《美》 (열차・관람석에서의) 판매원. ***the ~, the baker, the candlestick maker*** 가지각색의 상인들.

— *vt.* ① (가축 따위를 식용)으로 도살하다. ② 학살하다(massacre). ③ 《比》 (솜씨가 서툴러 일)을 망쳐놓다 : That hairdresser really ~*ed* my hair! 저 이발사가 내 머리를 이꼴로 만들었다.

butch·er·bird [bútʃərbə̀ːrd] *n.* Ⓒ 《口》 〖鳥〗 때까치(shrike)《속칭》.

butch·er·ly [bútʃərli] *a.* 도살자 같은 ; 《比》 잔인한(cruel).

butch·er's [bútʃərz] *n.* Ⓒ 고깃간, 푸줏간, 정육점.

butch·ery [bútʃəri] *n.* Ⓒ 도살장 ; Ⓤ 푸주 ; 도살(업) ; Ⓤ 학살, 살생.

bu·teo [bjúːtiòu] (*pl.* ~***s***) *n.* Ⓒ 〖鳥〗 말똥가리.

***but·ler** [bʌ́tlər] *n.* Ⓒ 집사, 피용자 우두머리《식기류(類)・술창고를 관리》.

bútler's pàntry (부엌과 식당 사이의) 식기실(食器室).

butt[1] [bʌt] *n.* Ⓒ ① (무기・도구 따위의) 굵은 쪽의 끝 ; (총의) 개머리 ; 나무의 밑동 ; 잎자루의 아랫부분. ② 《美》 담배 꽁초(cigar 〔cigarette〕 ~).

③ (*pl.*) 《口》 궁둥이 (buttocks). ④《俗》 = CIGARETTE. ⑤ 남은 조각, 남은 부분, 나머지.

butt² *n.* ① Ⓒ (흔히 *pl.*) (활터의) 무겁; (*pl.*) 표적, 과녁; (*pl.*) 사격장. ② (조소·비평 등의) 대상《*of* ; *for*》: make a person the ~ *of* contempt 아무를 모멸의 대상으로 삼다.

butt³** *vt.* ①《~+목 / +목+전+명》 (머리·뿔 따위로) …을 받다〔밀치다〕: ~ a person *in* the stomach 아무의 배를 들이받다. ② 부딪치다: ~ one's head *against* a wall 머리를 벽에 부딪치다. — *vi.* ①《(+전+명)》 (…에 머리로부터) 부딪치다, (정면에서) 충돌하다《*against* ; *into*》: In the dark I ~*ed into* a man 〔*against* the fence〕. 어둠 속에서 어떤 사람〔담〕에 부딪쳤다. ② 돌출하다《*on* ; *against*》. ~ ***into 《口》 말참견을 하다. — *n.* Ⓒ 머리로 받음; 『펜싱』 찌르기. ***give*** a person ***a*** ~ 아무를 머리로 받다.

butt⁴ *n.* Ⓒ 큰 술통; 한 통《용적 단위; 영국에선 108-140, 미국에선 126 갤런》. ⓒⓕ hogshead.

butte [bju:t] *n.* Ⓒ《美西部·Can.》 뷰트《평원의 고립된 언덕〔산〕》.

†but·ter [bʌ́tər] *n.* Ⓤ ① **a**) 버터. **b**) 버터 비슷한 것: apple ~ (일종의) 사과 잼; 《美方》 능변. ② 《口》 아첨. ***lay on the*** ~ = ***spread the*** ~ ***thick*** 알랑거리다. (***look as if***) ~ ***would not melt in*** one***'s mouth*** 《口》 시치미를 떼다. — *vt.* ① …에 버터를 바르다〔로 맛을 내다〕: ~*ed* toast 버터바른 토스트. ② 《口》 …에 아첨하다《*up*》: *Butter* him *up* a bit. 그에게 조금 아첨해 봐라. ~ ***both sides of bread*** 쓸데없는 낭비를 하다. ***know which side*** one***'s bread is*** ~***ed on*** 어느 쪽이 유리한가를 살펴 알다, 자기의 이해관계에 민감하다.

but·ter·ball [bʌ́tərbɔ̀:l] *n.* Ⓒ ① 《口》 살찐 사람. ② 버터볼《작은 구상(球狀)으로 만든 버터》.

bútter bèan 『植』 (흔히 *pl.*) 리마콩 (lima-bean); 강낭콩 (kidney bean).

but·ter·bur [bʌ́tərbə̀:r] *n.* Ⓒ 『植』 머위.

but·ter·cream [-krì:m] *n.* Ⓤ 버터크림.

***but·ter·cup** [-kʌ̀p] *n.* Ⓒ 『植』 미나리아재비.

but·tered [bʌ́tərd] *a.* 〔限定的〕 버터를 바른, 버터가 딸린.

but·ter·fat [bʌ́tərfæ̀t] *n.* Ⓤ 유지방(乳脂肪)《우유의 지방; 버터의 주요성분》.

but·ter·fin·gered [-fìŋgərd] *a.* ① 물건을 잘 떨어뜨리는. ② 서투른, 솜씨 없는.

but·ter·fin·gers [-fìŋgərz] *n. pl.* 〔單數 취급〕 ① 공〔물건〕을 잘 떨어뜨리는 사람. ② 솜씨가 없는 사람.

‡but·ter·fly [-flài] *n.* Ⓒ ①『蟲』 나비. ② 바람둥이《흔히, 여성》: her gay and ~ existence 그녀의 명랑하고 바람기 있는 생활. ③ (흔히 *pl.*) 《口》 안달, 초조: I always get *butterflies* before an exam. 시험전에는 늘 초조하다. ④ = BUTTERFLY STROKE. ***butterflies dance in*** one***'s stomach*** = ***have butterflies*** (***in the stomach***) 《口》 (걱정으로) 속이 조마조마하다, (가슴이) 두근두근거리다.

búttterfly stróke 『泳』 접영(蝶泳), 버터플라이 「(butterfly).

but·ter·milk [bʌ́tərmìlk] *n.* Ⓤ 버터밀크《버터 채취 후의 우유; 우유를 발효시켜 만든 식품》.

but·ter·nut [bʌ́tərnʌ̀t] *n.* Ⓒ 『植』 호두(나무)의 일종; 버터너트《Guyana 산의 나무》; 그 열매.

bútter sàuce 버터 소스《버터를 녹여, 레몬·달걀 노른자·밀가루 따위를 섞은 소스》.

but·ter·scotch [-skɑ̀tʃ / -skɔ̀tʃ] *n.* Ⓤ 버터를 넣은 캔디, 버터볼; 그 맛을 낸 시럽; 갈색.

bútter sprèader 버터 바르는 나이프.

but·tery¹ [bʌ́təri] *a.* 버터와 같은, 버터를 바른; 《口》 알랑거리는.

but·tery² *n.* Ⓒ 식료품〔술〕 저장실; 《英大學》 학생에게 맥주·빵·과일 등을 파는 간이식당.

but·tock [bʌ́tək] *n.* Ⓒ (흔히 *pl.*) 궁둥이 (nates) 《앉으면 의자에 닿는 부분; hip 보다 좁은 부분》.

‡but·ton [bʌ́tn] *n.* Ⓒ ① 단추, 버튼: sew a ~ on a coat 코트에 단추를 달다 / fasten 〔undo〕 a ~ 단추를 채우다〔끄르다〕. ② 단추 모양의 물건; (벨 따위의) 누름 단추; 배지 (badge); 『펜싱』 칼 끝에 대는 가죽: He pressed the ~ and the doorbell rang. 그가 누름단추를 눌러서 문간의 초인종이 울렸다. ③ (*pl.*) 〔單數 취급〕《英口》 (금단추 제복을 입은 호텔 등의) 사환(page). ④ 봉오리, 싹; (갓이 아직 피지 않은) 어린 버섯. ⑤ 〔a ~ ; 否定形〕 하잘것없는 것, 아주 조금. ***a boy in*** ~***s*** (금단추 제복의) 사환. ***have all*** one***'s*** ~***s*** 〔흔히 否定文으로〕 정상적이다, 제정신이다. ***hold*** 〔***take***〕 a person ***by the*** ~ 아무를 붙들어 두고 놓아주지 않다〔길게 얘기하다〕. ***not care a*** ~ 《口》 조금도 개의치 않는. ***not worth a*** ~ 한푼의 가치도 없는. ***on the*** ~ 정확히, 딱 맞게, 정각에. ***press*** 〔***push***〕 a person***'s*** ~***s*** 《美俗》 아무의 반감을 사다, 아무를 화나게 하다. ***press*** 〔***push, touch***〕 ***the*** ~ (버저 등의) 버튼을 누르다; 단추를 눌러 복잡한 기계장치를 시동하다; 《比》 사건의 실마리를 만들다.
— *vt.* ① 《~+목 / +목+부》 …의 단추를 끼우다, 단추로 잠그다《*up*》: Button (*up*) your coat, it's cold out. 코트단추를 끼워라, 밖은 춥다 / ~ one's blouse 블라우스의 단추를 채우다 / ~ *up* one's coat (to the chin) 옷단추를 (턱까지 꼭) 채우다 / ~ *up* one's purse 지갑을 채우다; 돈을 내놓으려고 하지 않다. ② …에 단추를 달다. ③ 일을 완성하다.
— *vi.* ① 《~ / +전+명》 단추로 채워지다《*up*》: Her new blouse ~*s* at the back. 그녀의 새 블라우스는 단추가 등에 있다 / This jacket ~*s* (*up*) easily. 이 재킷의 단추는 채우기 쉽다. ② 《~+부》 〔흔히 命令法〕 입을 다물다: Button *up*! 입닥쳐. ~ ***up*** 《俗》 잠자코 있다, 입이 무겁다. ~ . . . ***up*** 《口》 〔흔히 受動으로〕 …을 훌륭히 해내다, …의 준비를 마치다: The report is all ~*ed up*. 보고서는 완전히 끝났다. ~ (***up***) one***'s lip*** 〔***mouth***〕 = ~ up.

but·ton-down [-dàun] *a.* 〔限定的〕 ① (깃이) 단추로 채우는. ② (셔츠가) 버튼다운(깃)의. ③ 틀에 박힌, 보수적인.

búttoned úp 〔敍述的〕 말이 없는; 내향성(內「向性)의.

***but·ton·hole** [bʌ́tnhòul] *n.* Ⓒ ① 단춧구멍. ② 단춧구멍에 꽂는 장식 꽃. — *vt.* ① …에 단춧구멍을 내다. ② (아무)를 붙들고 긴 이야기를 하다: Tom ~*d* me about sales figures when I came out of the meeting. 회의에서 나왔을 때 톰은 판매액에 대해서 나를 붙들고 긴 얘기를 했다 / Several people ~*d* television reporters to explain to them their reasons for not voting. 여러 사람들이 투표를 하지 않은 이유를 설명하기 위해 TV 기자들을 붙들고 길게 이야기를 했다.

búttonhole stìtch (단춧구멍의) 사뜨기.

but·ton·less [bʌ́tnlis] *a.* 단추가 없는〔떨어진〕.

but·ton-through [∸θrù:] *a.* (여성복 따위가) 위에서 아래까지 단추가 달린.

but·tress [bʌ́tris] *n.* Ⓒ ①『建』 부축벽(扶築壁), 버팀벽, 부벽(扶壁): a flying ~ 부연(附椽) 벽받이, 벽 날개 / Soon after the church was built ~*es* had to be built along the south wall because it was beginning to collapse. 교회가 건립 직후 붕

괴되기 시작해서 남쪽 벽을 따라 버팀벽을 세워야만 했다. ② 버팀; 의지가 되는〔방호하는〕 것, 지지자〔물〕《of》: the ~ of popular opinion 여론의 지지 / our ~ against dictatorship 독재 정권에서 우리를 지켜주는 사람〔것〕. — vt. …을 버팀벽으로 버티다《up》; 지지하다, 보강하다《up》: The present system serves to ~ the social structure in the country. 현 체제가 이 나라의 사회구조를 받쳐 주고 있다.

but·ty [bʌ́ti] *n.* Ⓒ 《英口》 동료(mate).

bu·týr·ic ácid [bjuːtírik-] 〚化〛 부티르산.

bux·om [bʌ́ksəm] (~·*er* ; ~·*est*) *a.* (여자가) 가슴이 풍만한; 건강하고 매력적인: the ~ ladies in Ruben's paintings 루벤스 회화 속의 가슴이 풍만한 여인들.
㊞ ~·**ly** *ad.* ~·**ness** *n.* Ⓤ 풍만, 쾌활.

†**buy** [bai] (*p., pp.* ***bought*** [bɔːt]) *vt.* ①《~+목 / +목+전+명 / +목+목 / +목+보》 (물건)을 사다, 구입하다. opp *sell.* ¶ I *bought* it *for* cash. 그것을 현금으로 샀다 / *Buy* me the book. 그 책을 사 주시오 / ~ a thing cheap 물건을 싸게 사다 / Eventually he had saved enough money to ~ a small car. 결국 그는 소형차를 사기에 충분한 돈을 저축했다 / I *bought* the used car *from* 〔《口》 *off*〕 Tom. 그 중고차를 톰에게서 샀다 / House prices are low! It's a good time to ~. 집값이 싸다. 지금이 살 때다. ②《~+목 / +목+전+명》 (대가·희생을 치르고) …을 손에 넣다, 획득하다《*with*》: The victory was dearly *bought.* 이 승리를 위해서 비싼 희생이 있었다 / ~ favor *with* flattery 아첨해서 눈에 들다. ③ (사람·투표 등)을 매수하다(bribe): He *bought* the judge *over* to his side. 그는 재판관을 자기편으로 매수했다. ④《口》 (아무의 의견 따위)를 받아들이다, …에 찬성하다: That's a good idea. I'll ~ it. 그거 참 좋은 생각이군요. 채택하겠습니다. ⑤ 살 수 있다, 값어치가 있다: Five dollars won't ~ a decent meal in a restaurant these days. 요사이 5달러로는 식당에서 버젓한 식사를 할 수 없다 / Money can't ~ everything. 돈으로 무엇이나 다 살 수 있는 것은 아니다. — *vi.* 물건을 사다; 사는 쪽이 되다. ~ ***a pig in a poke*** 물건을 잘 보지도 않고 사다; 얼결에 떠맡다. ~ ***back*** 되사다. ~ ***for a song*** 헐값으로 사다. ~ ***in*** (물가상승을 예측하여 물건을 많이) 사들이다; (경매에서, 살 사람이 없거나 부르는 값이 너무 싸서) 자기가 되사다; 《口》 = ~ into. ~ ***into*** (주를 사서) …의 주주가 되다; (돈을 내고 회사 따위)의 임원이 되다. ~ ***it*** 《俗》 살해당하다. ~ ***off*** …을 매수하다, (협박자 등을) 돈을 주어 내쫓다; (의무 따위를) 돈을 주고 모면하다: ~ *off* some members of the House 의원들을 매수하다 / They tried to ~ the guard at the bank *off* but he told the police and the gang were arrested. 그들은 은행 경비원을 매수하려고 했으나 경비원은 경찰에 신고해서 강도는 체포되었다. ~ ***out*** (아무·회사 등의) 주〔권리(등)〕를 사들이다. ~ ***over*** …을 매수하다. ~ ***up*** …을 매점하다; (회사 따위를) 접수하다: ~ *up* stock in a company 어떤 회사의 주(株)를 매점하다. ~ one***'s way into*** 돈을 주고 …에 가입하다, 들어가다: He *bought his way into* college. 그는 돈을 주고 대학에 들어갔다. — *n.* Ⓒ ① 물건사기(purchase); 산 물건. ②《口》 싸게 산 물건: The book is a good ~ at $ 5. 5달러라면 그 책은 아주 싸게 산 거다. ㊞ ∠·**a·ble** [-əbl] *a.* 살 수 있는.

‡**buy·er** [báiər] *n.* Ⓒ 사는 사람, 사는 쪽, 소비자; 바이어, (회사의) 구매원. opp *seller.* ¶ He's still looking for a ~ for his car. 그는 아직도 그의 자동차를 살 사람을 찾고 있다 / Have you found a ~ for your house? 집 살 사람이 나섰소.

búyers' associátion 구매 조합.

búyer's màrket (a ~) (수요보다 공급이 많은) 매주(買主) 시장. opp *sellers' market.*

búyers' strìke (소비자) 불매(不買) 동맹.

búying pòwer 구매력(purchasing power).

buy-out [báiàut] *n.* Ⓒ (회사 주식의) 매점(買占).

‡**buzz** [bʌz] *vi.* ① (벌·기계 따위가) 윙윙거리다《*about*》: A bee was ~*ing about.* 벌 한 마리가 붕붕거리며 날고 있었다 / He complained that his ears were ~*ing.* 그는 귀에서 윙윙 소리가 난다고 호소했다. ②《+전+명》 (장소가) 와글거리다, 북적거리다《*with*》: The place ~*ed with* excitement. 그 자리는 흥분으로 와글거렸다. ③ 바쁘게 돌아다니다《*about* ; *around*》: She ~*ed around* the kitchen making preparations for party. 그녀는 파티 준비하느라고 바쁘게 부엌을 돌아다녔다. ④《+전+명 / +전+명+*to* do》 (아무)를 버저로 부르다《*for*》: ~ *for* one's secretary *to* come soon 비서를 곧 오도록 버저로 부르다. ⑤ (컴퓨터의 프로그램이) 계속 연산을 행하다. — *vt.* ① …을 요란하게 소문내다. ② (날개나 버저)를 울리다: The fly ~*ed* its wings. 파리가 윙윙 날갯짓했다. ③ …에게 버저로 신호하다; 《美口》 …에게 전화를 걸다: The boss ~*ed* his secretary. 사장은 버저로 비서를 불렀다. ④〚空〛 …위를 낮게 날다《경고를 위해》: Chinese fighter planes ~*ed* the islands. 중국 전투기들이 그 섬 위를 낮게 날았다. ~ ***off*** (1)〔命令形〕 꺼져! (2) 전화를 끊다.
— *n.* ① Ⓒ (윙윙) 울리는 소리; 소란스런 소리; (기계의) 소음: The crowd was in a ~ 군중들은 웅성거렸다. ② (a ~) 《口》 전화의 호출(음): I'll give him *a* ~. 그에게 전화를 걸겠다. ③ (the ~) 소문; 쓸데없는 말: *The* ~ went around that ... …라는 소문이 나돌았다. [imit.]

buzz·er [bʌ́zər] *n.* Ⓒ ① 윙윙〔붕붕〕 거리는 것. ② 기적, 사이렌, 버저: I pressed the ~ and after a while someone came to the door. 버저를 눌렀더니 잠시 후 누군가가 문에 나왔다.

búzz sàw 《美》 둥근 톱(circular saw).

buzz·word [bʌ́zwə̀ːrd] *n.* Ⓒ (실업가·정치가·학자 등의) 현학적인 전문 용어, 전문적 유행어: It is an advertising ~ of the eighties. 그건 80년대 광고투의 말이다. 「標名).

B.V.D. [bìːviːdíː] *n.* 비브이디《남성용 내의; 商

B.V.M. *Beata Virgo Maria* 《L.》 (=Blessed Virgin Mary 성모 마리아).

bx(s). box(es).

†**by**[1] [bai] *ad.* ①〔위치〕 곁에, 가까이에: Many were standing *by* at the time. 그 때 많은 사람이 곁에 서 있었다 / He happened to be *by.* 그는 공교롭게 옆에 있었다.
② **a)**〔흔히 동작의 動詞와 함께〕 곁을 (지나서), 지나서, (때가) 흘러가서: pass *by* 곁〔옆〕을 지나가다, 통과하다 / go *by* 지나가다 / in days 〔years〕 gone *by* 옛적에 / The car sped *by.* 차가 (옆을) 스치듯 질주했다 / Time goes *by.* 시간은 흐른다 / Let me *by!* 실례합니다《사람을 제치고 지나갈 때》. **b)**〔흔히 come, drop, stop 따위를 수반하여〕 《美口》 남의 집에〔으로〕: *stop by* the cleaner's on one's way home 귀가길에 세탁소에 들르다.
③〔흔히 lay, put, set 과 함께〕 (대비를 위해) 곁〔옆〕으로, 따로 (떼어): keep... *by* ⇨ 관용구 / put 〔lay〕... *by* ⇨ 관용구. ***by and by*** 얼마 안 있어, 곧(soon), 잠시 후(後), 이윽고(before long):

By and by you will understand. 자네는 곧 알게 될 것일세. ***by and large*** (1) 전반적으로 (보아), 대체로(on the whole) : Taking thing *by and large,* … 전반적으로 보아…, 대체로… / Full employment was *by and large* achieved. 대체로 완전고용은 성취되었다. (2)〖海〗(돛배가) 바람을 받았다 안 받았다 하며. ***close* 〔*hard, near*〕 *by*** 바로 곁에. ***keep*** a thing ***by*** 물건을 따로 떼어두다, 간수해〔챙겨〕 두다. ***put* 〔*set, lay*〕** a thing ***by*** (1) (무엇을) 따로 떼어〔챙겨〕 두다 : We *put* money *by* for a rainy day. 우리는 만일의 경우에 대비해서 저금한다〔돈을 챙겨둔다〕. (2) 무엇을 곁에 제쳐놓다 : *Put* your work ~ for the moment. 잠시 일을 제쳐놓게. ***stand by*** ⇨STAND.

— *prep.* ①〔위치〕…의 (바로) 옆에, …곁에〔의〕, …에 가까이《near 보다 더 접근》;〔흔히 have, keep과 함께〕 수중〔신변〕에 (갖고) : a house *by* the seaside 해변가의 집 / sit *by* the fire 난로 곁에 앉다 / I *haven't* got it *by* me. 그건 지금 수중에 없다 / You should always *have* a good dictionary *by* you. 항상 곁에 좋은 사전을 갖고 있어야 한다.

> 語法 at은 by보다 더 가까운 접근을 나타냄. 또 by, beside는 접근이 우연임에 대해서, at은 목적 있는 접근을 나타냄 : There is a cherry tree *by* the gate. 문 곁에 벚나무가 있다 / maid-servant is *at* the well. 하녀가 우물가에 있다.

②〔방위〕(약간) …쪽인 : north *by* east 약간 동쪽인 북, 북미동(北微東).

③〔통과 · 경로를 나타내어〕 **a)** …의 옆을, …을 지나(…쪽으로)《past가 보통임》: go *by* me 〔the school〕 내〔학교〕 옆을 지나가다 / The car sped *by* the house. 차는 집 옆을 지나쳐 달렸다. **b)** (…)을 지나, …을 따라서〔끼고서〕: pass *by* the river 강변을 지나다 / She came *by* the highway. 그는 고속도로를 타고 왔다. **c)** …을 거쳐: travel *by* (way of) Siberia 시베리아를 거쳐 여행하다 / The thief came in *by* the back door. 도둑은 뒷문으로 들어왔다.

④〔때〕 **a)**〔기간〕…동안에, …사이(during): work *by* night and sleep *by* day 밤에 일하고 낮에 자다《★ by 뒤의 명사는 무관사임》. **b)**〔시한〕(어느 때) 까지는(not later than) : Finish this work *by* the end of the week. 주말까지는 이 일을 마쳐라 / The ship will arrive *by* five o'clock. 배는 다섯 시까지는 도착할 거다 / We had all arrived *by* the time he came. 그가 오기 전에 우리는 모두 도착해 있었다.

⑤〔수단 · 방법 · 원인 · 매개〕 **a)**〔수송· 전달의 수단을 나타내어〕 …에 의해(서), …로 : *by* post 〔telegram, air mail, special delivery〕 우편〔전보, 항공편, 속달〕(으)로 / go *by* train 〔ship, bus〕 열차〔배, 버스〕로 가다 / (travel) *by* water 〔air, land, sea〕 수로〔공로, 육로, 해로〕로 (여행하다).

> 語法 1) by 뒤에 교통 · 통신기관 등을 나타내는 명사는 冠詞가 없지만, 특정의 시간을 나타내거나 명사가 형용사로 수식되거나 할 때에는 관사가 붙음 : *by an* early train 새벽 열차로 / *by the* 6:30 train, 6시 30분발 열차로.
> 2) 소유격 · 不定冠詞가 붙는 경우라면 on 이나 in 을 씀 : *in* my car 내 차로 / *on* a bicycle 자전거로, 자전거를 타고.

b)〔수단 · 매개를 나타내어〕…(으)로, …에 의하여 : leave *by* will 유언으로 남기다 / a machine driven *by* electricity 전력으로 움직이는 기계 / *by* hand 손으로, 수제(手製)로 / sell *by* auction 경매로 팔다 / read *by* lamplight 등잔불빛으로 독서하다 / learn 〔get〕 *by* heart 외(우)다 / What do you mean *by* that? 그것은 무엇을 말하는 겁니까〔무슨 뜻입니까〕. **c)**〔do*ing* 을 목적어로〕(…)함에 의해서, …함으로써 : He solved the problem *by* consult*ing* his brother. 그는 형과 상의함으로써 그 문제를 해결했다 / She passed the examination *by* work*ing* hard. 그녀는 열심히 공부해서 시험에 합격했다. **d)**〔원인 · 이유를 나타내어〕…때문에, …으로(인해) : die *by* poison 독(毒)으로 죽다 / *by* reason of… …때문에 / *by* mistake 잘못해서 / *by* dint〔virtue〕 of hard work 열심히 일한 결과〔덕분에〕.

⑥〔動作主를 보이어〕…에 의해서, …에 의한《수동형을 만드는 데 쓰임》: a novel (written) *by* Hemingway 헤밍웨이의〔가 쓴〕 소설 / She has many pictures *by* Picasso. 그녀는 피카소의 그림을 많이 가지고 있다 / The book was translated *by* a well-known author. 그 책은 저명한 작가에 의해서 번역되었다 / The building was destroyed *by* fire. 그 건물은 화재로 파괴되었다.

⑦〔준거〕 **a)**〔규칙 · 허가 따위〕…에 따라(서), …에 의거하여, …에 의해서 : *by* your leave 〔consent〕 당신의 허락을 받고〔동의를 얻어〕 / work *by* the rule 규칙에 따라 일하다. **b)**〔척도 · 표준〕…에 의해, …에 따라(서) : 3 : 30 *by* my watch 내 시계로는 3시 30분 / judge a person *by* his appearance 〔= *by* appearances〕 사람을 외양으로 판단하다 / A man is known *by* the company he keeps. (사람의) 인품은 그 친구를 보면 알 수(가) 있다. **c)**《*by* the… 의 형태로 단위를 나타내어》…을 단위로〔기준으로〕, …로, …에 따라, (…)에 얼마로 정하고 : board *by the* month 한 달에 얼마로 하숙하다 / work *by the* day 일급(日給)제로 일하다 / hire horses *by the* hour 시간당 얼마로 말을 세내다 / sell *by the* yard 〔gallon〕 한 야드〔갤런〕에 얼마로 팔다 / be sold *by the* dozen 다스 단위로 팔(리)다 / *by the* hundred = *by* (the) hundreds 몇백이나 되게.

⑧〔연속〕(…)씩, (조금)씩 : *by* degrees 조금씩, 서서히 / one *by* one 하나〔한 사람〕씩 / two *by* two 두 사람씩 / page *by* page 한 페이지씩 / step *by* step 한 걸음 한 걸음 / drop *by* drop 한 방울씩 / piece *by* piece 한 개씩 / little *by* little 조금씩 / He used to read *by* the hours. 그는 몇시간씩이나 계속 독서하곤 했다.

⑨ **a)**〔차(差) · 정도 · 비율〕…만큼, …정도만큼, …의 차로, …하게 : miss the train *by* five minutes 5분의 차로 열차를 놓치다 / reduce *by* half 절반으로 줄이다 / The number of university students should be cut *by* a third. 대학생의 수는 3분의 1로 줄여야 할 것이다 / exceed the estimate *by* $2,000, 예산을 2천 달러 초과하다 / too many *by* one 하나 더 많은(one too many) / win *by* a boat's length 1 정신(艇身)의 차로 이기다 / She is taller than he (is) *by* four centimeters. 그녀는 그보다 4센티만큼 키가 크다 / The production of foodstuffs increased *by* 30 percent. 식량은 30 퍼센트 정도 증산되었다 / He is my senior 〔junior〕 *by* four years. 그는 나보다 네 살이나 위〔아래〕다. **b)**〔곱하기와 나누기 · 치수를 나타내어〕…로, …하여 : multiply〔divide〕 15 *by* 3, 15에 3을 곱하다〔15를 3으로 나누다〕 / a room 10ft. *by* 18ft. = a 10-*by*-18 foot room 너비 10피트 안 길이 18피트의 방.

⑩〔동작을 받는 몸 · 옷의 부분〕(사람 · 무엇의) …

을 (붙잡고, 잡아 끌고 따위)《흔히 定冠詞가 붙음》: He caught me *by the* arm. 그는 나의 팔을 잡았다 / seize the hammer *by the* handle 해머의 자루를 쥐다 / He led the old man to the church *by the* hand. 그는 그 노인의 손을 잡고 교회까지 모시고 갔다.
⑪〔관계 따위를 나타내어〕…에 관하여는〔관해서 말하면〕, …점에서는, …은《by 뒤의 명사는 관사가 붙지 아니함》: Ted *by* name 이름은 테드 / *by* birth an Englishman＝an Englishman *by* birth 태생은 영국 사람 / I am a lawyer *by* profession. 나의 직업은 변호사다 / He is kind *by* nature. 천성이 친절하다 / They are cousins *by* blood. 그들은 한 핏줄의 사촌이다 / I know him *by* name. (교제는 없지만) 그의 이름은 알고 있다 / It's OK *by* me. 나는 됐다〔괜찮다〕.
⑫〔흔히 do, act, deal과 함께〕…에 대하여, …을 위하여 : do one's duty *by* one's parents 부모에게 본분〔책임〕을 다하다 / He did well *by* his children. 그는 (제) 아이들에게 잘 해 주었다 / Do (to others) as you would be done *by*. 남이 그렇게 해 주기를 바라는 것처럼 남에게 하여라.
⑬ **a**) (부모로서의 남자〔여자〕)에게서 태어난 : He had a child *by* his first wife. 그는 전실 몸에서 난 자식이 하나 있었다. **b**) (말 따위가 혈통상) …을 아비로 가진 : Justice *by* Rob Roy 로브 로이를 아비로 가진 저스티스.
⑭〔맹세·기원〕…에 맹세코, (신)의 이름을 걸고 : I swear *by* (almighty) God that .... …하다는 것을 하늘에〔하느님께〕 맹세합니다 / *By* God, I never knew that. 절대로 그것을 몰랐다.
⑮ …별 : density *by* regions 지역별 인구 밀도.
(all) by oneself ⇨ ONESELF. ***by far*** ⇨ FAR.

by² ⇨ BYE[1,2].

by- *pref.* ① 곁〔옆〕의, 곁〔옆〕을 지나는 : a *by*-dweller 근처에 사는 사람 / a *by*-passer 지나가는 사람, 통행인. ② 곁의, 곁으로의 : a *by*-door 협문 / a *by*-glance 곁눈 / a *by*-step 옆으로의 한 걸음. ③ 부대적인, 이차적인 : a *by*-product 부산물 / *by*-work 부업 / a *by*-incident 부대 사건.

by-and-by [báiəndbái] *n.* Ⓤ (the ~) 미래, 장래(future).

by-coun·try [ˊ-kʌ̀ntri] *a.* 국별(國別)의.

bye¹, by² [bai] *int.* 《口》 안녕(good-bye) : *Bye* now! 《美口》 그럼, 안녕.

bye², by² *n.* Ⓒ 종속적인 것〔일〕, 지엽 ; 《英》〖골프〗 match play에서 패자가 남긴 홀 ; (토너먼트에서) 짝지을 상대가 없는 사람, 남은 사람〔팀〕 ; 〖크리켓〗 공이 타자와 수비자 사이를 지나간 경우의 득점. ***by the*** ~ 말이 나왔으니 말이지, 그건 그렇다 치고, 그런데. ***draw a*** ~ 제비로 부전승이 되다.

bye-bye¹ [báibài] *n.* Ⓤ,Ⓒ 이별, 바이바이. ── *ad.* 밖에〔으로〕 : Baby wants to go ~. 애기가 밖에 나가고 싶어하다. ── *int.* 《口》 안녕, 바이바이(Good-bye!)

bye-bye² *n., ad.* 《兒》 코(하러) ((to) sleep). ***go to*** ~***(s)*** ＝***go*** ~ 코하다. [imit. ; 자장가 중의 말]

by-e·lec·tion [ˊ-ilèkʃən] *n.* Ⓒ 《英下院·美議會의》 보궐 선거.

Bye·lo·rus·sia [bjèlourʌ́ʃə] *n.* ＝BELORUSSIA.

***by·gone** [ˊ-gɔ̀ːn, ˊ-gɑ̀n / ˊ-gɔ̀n] *a.* 〔限定的〕 과거의, 지나간 : ~ days 지난날 / The empty factories are relics of a ~ age, no longer required by the modern world. 그 텅빈 공장은 지난 시대의 유물로서 현대에는 소용이 없게 되었다.
── *n.* (*pl.*) 과거(사) : Let ~*s* be ~*s.* 《俗談》 과거사는 물에 흘려 보내라, 과거는 잊어라.

by·law, bye·law [ˊ-lɔ̀ː] *n.* Ⓒ (지방 자치 단체·회사 등의) 내규 ; (법인의) 정관.

by-line [báilàin] *n.* Ⓒ (신문〔잡지〕 기사의 표제 밑의) 필자명을 넣는 행.

by-name [ˊ-nèim] *n.* Ⓒ ① (first name에 대하여) 성(姓). ② 별명.

B.Y.O.B., BYOB bring your own booze 〔bottle〕 (파티 등 안내장에) 주류(酒類) 각자 지참할 것.

***by·pass** [báipæ̀s, -pɑ̀ːs] *n.* Ⓒ ① 바이패스《도심(都心)을 피해 설치된 자동차용 우회도로》. ② (가스·수도의) 측관(側管), 보조관. ③〖電〗 측로(側路). ④〖醫〗 바이패스 형성 수술(＝ˊ **operá·tion**). ── *vt.* ① (도심·장애 등)을 우회하다 : If we take the ~ we'll avoid the town center. 우회로를 이용하면 도심을 피해 갈 수 있다. ② **a**) …에 우회로를 만들다. **b**) (액체·가스)를 측관으로 보내다. ③ …을 회피하다. (절차 등)을 무시하다 : He ~*ed* his immediate boss and appealed to the manager directly. 그는 직속 상관을 거치지 않고 곧장 지배인에게 호소했다.

by·path [ˊ-pæ̀θ, ˊ-pɑ̀ːθ] (*pl.* ~***s*** [-pæ̀ðz, -pæ̀θs, -pɑ̀ːðz]) *n.* ＝BYWAY ①.

by·play [ˊ-plèi] *n.* Ⓤ,Ⓒ (대사가 없는) 조연(助演) ; (본 줄거리에서 벗어난) 부차적인 사건.

by-prod·uct [ˊ-prɑ̀dəkt, -dʌkt / -prɔ̀d-] *n.* Ⓒ 부산물 : Silver is often obtained as a ~ during the separation of lead from rock. 은(銀)은 흔히 암석에서 납을 분리하는 과정에서 얻어진다.

Byrd [bəːrd] *n.* **Richard Evelyn** ~ 버드《미국의 해군 장교·극지 탐험가 ; 1888-1957》.

by-road [báiròud] *n.* Ⓒ 샛길, 옆길.

By·ron [báiərən] *n.* **Lord George Gordon** ~ 바이런《영국의 낭만파 시인 ; 1788-1824》.

***by·stand·er** [báistæ̀ndər] *n.* Ⓒ 방관자, 구경꾼 : Police interviewed several ~*s* after the accident. 경찰은 사건 후 몇 사람의 목격자들을 면접했다.

by·street [ˊ-strìːt] *n.* Ⓒ 뒷골목, 뒷거리.

byte [bait] *n.* Ⓒ〖컴〗 바이트《정보 단위로서 8비트로 됨》: ~ mode 바이트 단위 전송 방식 / a ~ storage 바이트 기억기(機).

by-time [ˊ-tàim] *n.* Ⓤ 여가.

by·way [ˊ-wèi] *n.* Ⓒ ① 옆길, 빠지는 길, 샛길. When we're on holiday we prefer to travel on ~*s* rather than main roads. 우리는 휴일이면 큰 길보다는 샛길로 여행하는 것을 더 좋아한다. cf. bypass, highway. ② (the ~s) (학문·연구 따위의) 별로 알려지지 않은 측면〔분야〕《*of*》.

by·word [ˊ-wə̀ːrd] *n.* Ⓒ ① 유행어, 시체말, (일반적인) 통용어 : The political system had become a ~ for fraud. 정치 조직이란 말은 협잡의 대명사가 됐다. ② (나쁜 것의) 본보기《*for*》: a ~ *for* inequity 부정의 전형.

Byz. Byzantine.

***By·zan·tine** [bízəntìːn, -tàin, báizen-, bizǽn-tin] *a.* ① 비잔티움(Byzantium)의 ; 동로마 제국의 ; 비잔틴식의《건축 따위》. ②《때로 b-》 미로같이 복잡한 ; 권모술수의 : a *byzantine* of mind 복잡한 성격 / the *bysantine* maneuvers of party politics 정당정치의 복잡기괴한 책략. ── *n.* Ⓒ 비잔틴 사람 ; 비잔틴파의 건축가·화가.

Býzantine Émpire (the ~) 동로마 제국.

Býzantine schóol (the ~)〖美術〗 비잔틴파.

By·zan·tin·ism [bizǽntənìzəm] *n.* Ⓤ 비잔틴식 ;〖宗〗 국가 지상권(至上權)주의.

By·zan·ti·um [bizǽnʃiəm, -tiəm] *n.* 비잔티움《Constantinople의 옛 이름 ; 지금의 Istanbul》.

C

C, c [siː] (*pl.* **C's, Cs, c's, cs** [-z]) *n.* ① U,C 시《영어 알파벳의 셋째 글자》. ② U 〖樂〗 다 음(音) ; 다조(調) : *C* clef 다음 기호 / *C* major 다장조. ③ C C자 모양의 것. ④ U (로마 숫자의) 100 : CXV=115. ⑤ U,C 《美》 (학업 성적의) C, 양(良) : He got a *C* in biology. 그는 생물에서 양을 받았다. ⑥ U (품질의) C 급. ⑦ U 〖컴〗 (16 진수의) C《10 진법의 12》.

C calorie ; 〖化〗 carbon ; 〖文法〗 complement ; 〖數〗 constant ; 〖電〗 coulomb. **C.** Cape ; Catholic ; Celsius ; Celtic ; Chancellor ; College ; Congress ; Corps ; Court. **C., c.** candle ; carat ; 〖野〗 catcher ; cent(s) ; center ; centigrade ; centimeter ; century ; chapter ; chief ; child ; church ; circa ; city ; cloudy ; copper ; copy ; corps ; cubic ; current.

¢ cent(s).

© copyright (저작권〔판권〕 소유).

Ca 〖化〗 calcium. **CA** 〖美郵〗 California. **C.A.** Central America ; Court of Appeal. **C.A., c.a.** chartered accountant ; chief accountant ; commercial agent ; consular agent. **ca.** cathode ; circa. **C/A** 〖商〗 capital account ; cash account ; credit account (대변 계정) ; current account (당좌 예금 계정). **CAA** 《美》 Civil Aeronautics Administration (민간 항공 관리국).

Caaba ⇨KAABA.

cab [kæb] *n.* C ① 택시 : catch 〔grab〕 a ~ 택시를 잡다. ② 승합 마차(hansom). ③ (기관차의) 기관사실 ; (트럭·기중기 등의) 운전대.
── (*-bb-*) *vi.* 택시로 가다.

CAB 《美》 Civil Aeronautics Board (민간 항공 위원회).

ca·bal [kəbǽl] *n.* C ① (정치적) 음모, 권모술수. ② 〔集合的〕 비밀결사 ; (정치적) 음모단.

cab·a·la [kǽbələ, kəbɑ́ːlə] *n.* ① U 유대교〔중세 기독교〕의 신비철학. ② C 〔一般的〕 비법 ; 비의(祕義) ; 비교(祕敎).
㊫ **càb·a·lís·tic, -ti·cal** [-lístik], [-əl] *a.*

ca·bal·le·ro [kæbəljέərou] (*pl.* **~s**) *n.* C 《Sp.》 (스페인의) 신사, 기사(knight).

ca·bana [kəbǽnjə, -bɑ́ː-] *n.* C 《Sp.》 ① (바닷가의) 탈의장. ② 작은 별장.

cab·a·ret [kæbəréi / ⌐-⌐] *n.* 《F.》 ① C 카바레 (《美》는 보통 nightclub). ② U,C 카바레의 쇼.

cab·bage [kǽbidʒ] *n.* ① C,U 양배추. ② U 《美俗》 지폐(buck). ③ C 《英口》 무관심파, 무기력한 사람.

cábbage bùtterfly 〖蟲〗 배추흰나비(류).

cábbage pàlm 〔trèe〕 〖植〗 야자나무의 일종.

cab·bage·worm [-wə̀ːrm] *n.* C 〖蟲〗 배추벌레, 배추흰나비의 유충.

cabbala ⇨ CABALA.

cab·by, -bie [kǽbi] *n.* 《口》 =CABDRIVER.

cab·driv·er [kǽbdràivər] *n.* C ① 택시 운전사. ② 승합마차의 마부.

ca·ber [kéibər] *n.* C 《Sc.》 (통나무 던지기에 쓰는) 통나무.

cab·in [kǽbin] *n.* C ① 오두막(hut). ② (1·2 등 선객용의) 선실, 객실 : a ~ deluxe 특등 선실. ③ 〖空〗 (비행기의) 객실, 조종실 ; (우주선의) 선실. ④ 《美》 (트레일러의) 거실. ── *ad.* (객선의) 특별 2등으로 : travel ~ 특별 2등으로 여행하다.
── *vi.* 오두막에 살다〔틀어박히다〕. ── *vt.* …을 (좁은 데에) 가두다(confine).

cábin bòy 선실 보이.

cábin clàss (객선의) 특별 2 등, 캐빈 클래스.

cab·in-class [kǽbinklæ̀s, -klɑ̀ːs] *a.*, *ad.* 특별 2 등의〔으로〕.

cábin crùiser (거실이 있는) 행락용 대형 모터 보트.

cab·i·net [kǽbənit] *n.* C ① (일용품을 넣는) 장, 캐비닛 ; 진열용 선반 ; 진열용 유리장 : a record ~ 레코드판의 정리선반. ② (전축·TV 등의) 케이스. ③ 회의실, 《특히》 각의실. ④ (박물관의) 소진열실. ⑤ (흔히 C-) 《英》 내각(cf. shadow cabinet) ; 《美》 (대통령의) 고문단 : form a ~ 조각(組閣)하다. ── *a.* 〔限定的〕 ① (종종 C-) 《英》 내각의 : a ~ meeting 〔council〕 각의(閣議) / a *Cabinet* minister 〔member〕 각료. ② 진열장용의 ; 가구(제작)용의 ; 가구장이〔소목〕용의. ③ 카비네판의 : a ~ photograph 카비네판 사진.

cab·i·net·mak·er [kǽbənitmèikər] *n.* C (고급) 가구상, 소목장이.

cábinet pùdding 카스텔라·달걀·우유로 만든 푸딩.

cab·i·net·work [-wə̀ːrk] *n.* U ① 〔集合的〕 고급 가구류. ② 고급 가구 제조〔세공〕.

cábin féver 벽지나 좁은 공간에서 생활할 때 생기는 극도의 정서 불안.

ca·ble [kéibəl] *n.* U,C ① **a)** (철사·삼 따위의) 케이블, 굵은 밧줄, 강삭(鋼索). **b)** 케이블《피복(被覆)전선·해저 전선》. ② C 해저 전신 ; 해외전보, 외전 : send a ~ 외전을 치다. ③ C 〖海〗 닻줄. ④ C 〖海〗 =CABLE('S) LENGTH. ⑤ U 〖編物〗 CABLE-STITCH. ⑥ U 《美》= CABLE TELEVISION.
── *vt.* ① **a)** 《+목+전+명》(연락사항)을 전신으로 치다 : ~ one's condolence *to* a person 아무에게 조전을 치다. **b)** 《+목+ *to* do》…에게 (…하도록) 타전하다 : I was ~*d to* start. 나는 출발하라는 전보를 받았다. **c)** 《(+목) + *that* 절》…에게 (…라고) 타전하다 : He ~*d* (me) *that* he would come back soon. 그는 곧 돌아오겠다고 (나에게) 타전했다. ② …에 밧줄 장식을 달다. ── *vi.* ① 외전을 치다, 전신으로 통신하다. ② 밧줄무늬로 뜨다.

cáble càr 케이블 카.

ca·ble·cast [-kæ̀st, -kɑ̀ːst] (*p., pp.* ***-cast, -cast·ed***) *vt., vi.* (…을) 유선 텔레비전으로 방송하다. ── *n.* C 유선 텔레비전 방송.

ca·ble·gram [-græ̀m] *n.* C 해저 전신 ; 해외 전보, 외전(外電).

cáble ràilway 케이블〔강삭〕 철도.

cáble('s) lèngth 〖海〗 연(鏈) (《美》 219.6 m, 《英》 185.4 m).

ca·ble-stitch [-stìtʃ] *n.* U 밧줄무늬 (뜨개질).

cáble télevision 유선 텔레비전.

cáble trànsfer 《美》 전신환 (송금).

cáble TV [-tíːvíː] =CABLE TELEVISION.

ca·ble·way [-wèi] *n.* C 공중 삭도〔케이블〕.

cab·man [kǽbmən] (*pl.* ***-men*** [-mən]) *n.* = CABDRIVER.

ca·boo·dle [kəbúːdl] *n.* U 《口》 무리, 패(거

리). *the whole* ~ 전부, 모조리.
ca·boose [kəbúːs] *n.* Ⓒ ①《美》(화물열차 등의 맨끝의) 승무원차(《英》guard's van). ②《英》(상선(商船) 갑판 위의) 요리실(galley).
cab·rank [kǽbræ̀ŋk] *n.* 《英》=CABSTAND.
cab·ri·o·let [kæ̀briəléi] *n.* Ⓒ 《F.》① 한 마리가 끄는 2 륜 포장마차. ② (쿠페(coupé)형의) 접포장이 붙은 자동차.
cab·stand [kǽbstæ̀nd] *n.* Ⓒ 택시 주차장.
ca'can·ny [kɔːkǽni, kə-] *n.* Ⓤ 《英》 태업.
ca·cao [kəkáːou, -kéi-] (*pl.* **~s**) *n.* Ⓒ ① 카카오. ② 카카오나무.
cacáo bèan =CACAO ①.
cacáo bùtter 카카오 기름(화장품·비누 원료).
cacáo trèe =CACAO ②.
cach·a·lot [kǽʃəlàt, -lòu / -lɔ̀t] *n.* Ⓒ 〖動〗 향유고래.
cache [kæʃ] *n.* Ⓒ ① (귀중품 등의) 숨겨두는 장소; 저장소. ② 장물, 은닉물. ③〖컴〗 시렁.
— *vt.* …을 은닉처에 저장하다; 숨기다(hide).
cáche mèmory 〖컴〗 시렁 기억 (장치).
ca·chet [kæʃéi, ⌐-] *n.* 《F.》 ① Ⓒ 공식 인가의 표시; (공문서 등의) 봉인(seal). ② Ⓒ 양질(良質)〔순수함·우수함 등〕을 표시하는 것〔인(印), 특징〕. ③ Ⓤ 위신; 높은 신분; 명성(名聲): In place name, Park has more ~ than Road. 지명으로는 무슨무슨 Park 라고 하는 것이 무슨무슨 Road 라고 하는 것보다 고급스럽게 들린다. ④ Ⓒ 〖藥〗 교갑(膠匣), 캡슐(capsule).
ca·chou [kəʃúː, kǽʃuː] *n.* Ⓒ 《F.》 구중 향정(口中香錠).
cack-hand·ed [kǽkhǽndid] *a.* 《英口》 ① 왼손잡이의. ② 어색한. 파 **~·ly** *ad.* **~·ness** *n.*
cack·le** [kǽkəl] *n.* ① Ⓤ (종종 the ~) 꼬꼬댁〔꽥꽥〕하고 우는 소리. ② Ⓒ 깨지는 듯한 웃음(소리): break into a ~ of laughter 갑자기 깔깔 웃어대다. ③ Ⓤ 수다. ***Cut the **~.** 《口》 입 닥쳐.
— *vi.* ① 꼬꼬댁〔꽥꽥〕 울다《암탉 등이》. ② 깔깔대다〔웃다〕. — *vt.* …을 재잘거리다《*out*》.
파 **-ler** *n.* 수다쟁이.
ca·cog·ra·phy [kækágrəfi / -kɔ́g-] *n.* Ⓤ ① 오기(誤記); 오철(誤綴). ② 악필.
ca·coph·o·nous [kækáfənəs / -kɔ́f-] *a.* 불협화음의; 귀에 거슬리는.
ca·coph·o·ny [kækáfəni / -kɔ́f-] *n.* (*sing.*) 〖樂〗 불협화음; 불쾌한 음조. opp. *euphony.*
cac·tus** [kǽktəs] (*pl.* **~·es,** ***-ti [-tai]) *n.* Ⓒ 〖植〗 선인장.
CAD [kæd, siːéidíː] computer-aided design(전산 (도움) 설계).
cad [kæd] *n.* Ⓒ 상스러운〔비열한〕 사내.
ca·dav·er [kədǽvər, -déi-] *n.* Ⓒ 송장, (특히 해부용) 시체(corpse).
ca·dav·er·ous [kədǽvərəs] *a.* ① 시체와 같은. ② 창백한(pale). ③ 여윈, 수척한.
cad·die, -dy [kǽdi] *n.* Ⓒ 〖골프〗 ① 캐디. ② = CADDIE CART. — (*p., pp.* ***-died*** **;** ***cad·dy·ing***) *vi.* 캐디의 일을 보다.
cáddie càrt 〔**càr**〕 캐디 카트《골프 도구를 나르는 2 륜차》.
cad·dis·fly [kǽdisflài] *n.* Ⓒ 〖蟲〗 날도래.
cad·dish [kǽdiʃ] *a.* 비신사적인, 비열한, 예절없는, 천한: ~ behavior 비열한 행동.
cad·dy[1] [kǽdi] *n.* Ⓒ 차통(茶筒)(tea ~).
caddy[2] ⇨CADDIE.
***ca·dence** [kéidəns] *n.* Ⓤ,Ⓒ ① 운율(韻律), 리듬. ② (낭독하는) 억양. ③〖樂〗 (악장·악곡의) 종지(법).
ca·denced [kéidənst] *a.* 운율적인.
ca·den·za [kədénzə] *n.* Ⓒ 《It.》〖樂〗 카덴차《협주곡·아리아 따위에서 독주〔독창〕자의 기교를 나타내기 위한 장식(부)》.
ca·det [kədét] *n.* Ⓒ ①《美》 사관 학교 생도; 사관〔간부〕 후보생: an air-force ~ 공군 사관 후보생. ② 막내아들; 동생. ③《美俗》 펨프(pander, pimp). — *a.* 〔限定的〕 ① (장남 이외의) 아들의; 동생의. ②《美》 견습〔실습〕생의: a ~ teacher 교육 실습생.
cadét còrps 《英》〔集合的; 單·複數 취급〕 학도 군사 훈련단.
cadge [kædʒ] 《口》 *vi.* ① 구걸하다(beg). ② 달라고 조르다: ~ for drinks 마실 것을 달라고 조르다. — *vt.* …을(…에게) 졸라서 입수하다《*from*; *off*》: He ~*d* a cigarette *from* me. 그는 나에게서 담배 한 대를 얻어 갔다. 파 **cádg·er** *n.*
Cad·il·lac [kǽdilæ̀k] *n.* Ⓒ 캐딜락《미제(美製) 고급 승용차의 商標名》.
Cad·me·an [kædmíːən] *a.* 〖그神〗 Cadmus 의: ~ victory (패자측 만큼) 큰 희생을 치르고 얻은 승리. cf. Pyrrhic victory.
cad·mi·um [kǽdmiəm] *n.* Ⓤ 〖化〗 카드뮴《금속 원소; 기호 Cd; 번호 48》. 파 **cad·mic** *a.*
cádmium céll 카드뮴 전지.
cádmium yéllow 카드뮴 옐로, 선황색.
Cad·mus [kǽdməs] *n.* 〖그神〗 카드모스《용을 퇴치하여 Thebes 를 건설한 페니키아의 왕자》.
ca·dre [kǽdri, káːdrei] *n.* Ⓒ 《F.》 ① 〔集合的; 單·複數 취급〕 기간 요원《편성·훈련을 맡은 장교·하사관들》; 간부단; (정치·종교 단체 등의) 중핵(中核). ② 간부의 일원. ③ 뼈대, 구조.
ca·du·ce·us [kədjúːsiəs, -ʃəs] (*pl.* ***-cei*** [-siài]) *n.* 〖그神〗 Zeus 의 사자(使者) Hermes 의 지팡이《두 마리의 뱀이 감기고 꼭대기에 쌍날개가 있는 지팡이; 평화·상업·의술의 상징; 미육군 의무대의 기장》.
caecal ⇨ CECAL.
caecum ⇨ CECUM.
***Cae·sar** [síːzər] *n.* ① **Julius** ~ 카이사르《로마의 장군·정치가·역사가; 100-44 B.C.》. ② 로마 황제. ③ (일반적으로) 황제, 전제 군주(autocrat, dictator).
Cae·sar·e·an, -sar·i·an [sizɛ́əriən] *a.* ① Caesar 의. ② 로마 황제의. — *n.* Ⓒ ① 카이사르파 사람; 전제(專制) 주의자. ② =CAESAREAN SECTION.
Caesárean séction 〔**operátion**〕〖醫〗 제왕 절개(술).
Cae·sar·ism [síːzərìzəm] *n.* Ⓤ 전제군주주의(autocracy); 제국주의(imperialism).
Cae·sar·ist [síːzərist] *n.* Ⓒ 제국주의자, 독재〔전제〕주의자.
Cáesar sálad 샐러드의 일종.
caesium ⇨ CESIUM.
cae·su·ra, ce- [siʒúrə, -zúrə, -zjúː-] (*pl.* **~s,** **~·rae** [-riː]) *n.* Ⓒ ① 휴지(休止), 중단. ②〖韻〗 행(行)중 휴지(休止). 파 **-ral** *a.*
CAF cost and freight(운임 포함 가격).
***ca·fé, ca·fe** [kæféi, kə-] *n.* Ⓒ 《F.》 ① (가벼운 식사도 할 수 있는) 커피점(coffeehouse), 경식당, 레스토랑. ②《美》 바, 나이트클럽.
café au lait [kæfeiouléi, kɑːféi-] 《F.》 ① 우유를 탄 커피. ② 옅은 갈색.
café noir [-nwáːr] 《F.》 블랙커피.
‡**caf·e·te·ria** [kæ̀fitíəriə] *n.* Ⓒ 《美》 카페테리아《셀프 서비스 식당》.
caf·feine [kǽfíːn, kǽfiːin] *n.* Ⓤ 〖化〗 카페인.
caf·tan, kaf·tan [kǽftən, kɑːftáːn] *n.* Ⓒ (터키 사람의) 띠 달린 긴 소매 옷.
‡**cage** [keidʒ] *n.* Ⓒ ① 새장(birdcage); 우리. ②

포로 수용소. ③ (격자로 두른 은행 등의) 창구. ④ (승강기의) 칸; (기중기의) 운전실; 〖鑛山〗 (곧은 바닥의) 승강대. ⑤ 〖野〗 (타격 연습용의) 배팅 케이지(batting ~); 〖籠〗 바스켓; 〖하키〗 골.
— *vt.* …을 장〔우리〕에 넣다; 감금하다: a ~*d* bird 새장의 새. ~ ***in*** 〔종종 受動으로〕 (동물 등)을 가두다; (사람)의 자유를 구속하다.
cáge bìrd 새장에서 기르는 새.
cage·ling [kéidʒliŋ] *n.* Ⓒ 새장의 새.
cag·ey, cagy [kéidʒi] (***cag·i·er*** ; ***-i·est***) *a.* 《口》 ① 빈틈없는, 조심성 있는(cautious). ② 〔敍述的〕 (…에 대하여) 꺼리는, 삼가는, 분명히 말하지 않는《*about*》: He was ~ *about* who he'd vote for. 그는 누구에게 투표할 것인가에 대하여 별로 말하려 하지 않았다.
㊞ **cág·i·ly** *ad.* **cág·ey·ness, cág·i·ness** *n.*
ca·goule, ka·gool [kəgúːl] *n.* Ⓒ 카굴《무릎까지 오는 얇고 가벼운 아노락(anorak)》.
cagy ⇨ CAGEY.
ca·hoot [kəhúːt] *n.* (*pl.*) 《俗》 공동; 공모, 한패. ***in*** ~***(s)*** 《俗》 공모하여, 한통속이 되어《*with*》.
CAI computer-assisted instruction(전산 (도움) 교수).
cai·man [kéimən, keimǽn] (*pl.* ~***s***) *n.* =CAYMAN.
Cain [kein] *n.* ① 〖聖〗 카인《아우 Abel을 죽인, Adam의 장남》. ② Ⓒ 살인자. ***raise*** ~ 《俗》 큰 소동을 일으키다; 노발대발하다.
ca·ique, -ïque [kɑːíːk] *n.* Ⓒ 카이크, (터키의) 경주(輕舟); (지중해의) 작은 범선.
cairn [kɛərn] *n.* Ⓒ ① 케른《기념·이정표로서의 원추형 돌무덤》. ② =CAIRN TERRIER.
cáirn térrier 몸집이 작은 테리어의 일종.
***Cai·ro** [káiərou] *n.* 카이로《이집트 아랍 공화국의 수도》.
cais·son [kéisən, -sɑn / -sɔn] *n.* Ⓒ ① 〖軍〗 탄약 상자; 폭약차; 지뢰상자. ② 〖工〗 케이슨, (수중공사의) 잠함(潛函). ③ 〖工〗 (dock 등의) 철판 수문.
cáisson disèase 케이슨병, 잠함병.
ca·jole [kədʒóul] *vt.* ① …을 구슬리다; 구워삶다; 구슬려서 하게 하다《*into*》: She ~*d* her father *into* agree*ing*. 그녀는 아버지를 구워삶아 동의〔승낙〕하게 했다. ② …을 구슬려서 빼앗다《*from* ; *out of*》: He ~*d* the knife (away) *from* the child. 그는 살살 구슬려서 그 아이에게서 나이프를 빼앗았다. ㊞ ~**·ment** [-mənt] *n.*
ca·jol·ery [kədʒóuləri] *n.* Ⓤ 감언, 아첨.
Ca·jun, -jan [kéidʒən] *n.* ① Ⓒ Acadia 출신의 프랑스인의 자손인 루이지애나 주의 주민. ② **a)** Ⓒ 앨라배마 주·미시시피 주 남동부의 백인과 인디언 및 흑인의 혼혈인. **b)** Ⓤ 이 사람들의 방언.
†**cake** [keik] *n.* ① Ⓤ,Ⓒ 케이크, 양과자; 둥글넓적하게 구운 과자: You cannot eat your ~ and have it. 《俗談》 먹은 과자는 손에 남지 않는다《양쪽 다 좋을 수는 없다》. ② Ⓒ (딱딱한) 덩어리; (고형물의) 한 개: a ~ 〔two ~*s*〕 of soap 비누 한〔두〕 개. ③ Ⓒ 어육(魚肉) 단자. ***a piece of*** ~ (1) 케이크 한 조각. (2) 쉬운 〔유쾌한〕 일. ***a slice*** 〔***cut, share***〕 ***of the*** ~ 《口》 이익의 몫. ~***s and ale*** 인생의 쾌락, 속세의 재미. ***like hot*** ~***s*** 날개 돋친 듯이 팔리다. ***take the*** ~ 《口》 (1) 상을 타다. (2) 빼어나다. (3) 보통이 아니다, 뻔뻔스럽다: That *takes the* ~. 정말 질렸다〔너무하다〕.
— *vt.* 을 두텁게 바르다《*with*》: His shoes were ~*d with* mud. 그의 구두에는 진흙덩어리가 달라붙어 있었다. — *vi.* 굳다, 덩어리지다.
cake·walk [kéikwɔ̀ːk] *n.* Ⓒ ① (남녀 한 쌍의) 걸음걸이 경기《흑인의 경기; 상으로 과자를 줌》. ② 일종의 스텝댄스(곡). ③ 《俗》 식은죽 먹기, 누워서 떡먹기.
CAL computer-assisted learning(전산(도움) 학습). **Cal.** California ; 〖物〗 large calorie(s).
cal. calendar ; caliber ; 〖物〗 calorie(s).
cal·a·bash [kǽləbæ̀ʃ] *n.* Ⓒ ① 호리병박. ② 호리병박 제품《술잔·파이프 따위》.
cal·a·boose [kǽləbùːs, ⏑⏑́] *n.* Ⓒ 《美口》 교도소; 유치장(lockup).
ca·la·di·um [kəléidiəm] *n.* Ⓒ 〖植〗 칼라듐《토란속(屬)의 관상 식물》.
Cal·ais [kǽlei, ⏑́, kǽlis] *n.* 칼레《Dover 해협에 면한 북프랑스의 항구 도시》.
cal·a·mine [kǽləmàin, -min] *n.* Ⓤ 〖藥〗 칼라민《연고 또는 물약으로 된 피부염증 치료제》.
cálamine lótion 칼라민 로션《햇볕에 탄 자리 등에 바르는 로션》.
ca·lam·i·tous [kəlǽmitəs] *a.* 몹시 불행한, 비참한; 재난을〔참사를〕 초래하는.
ca·lam·i·tous·ly [kəlǽmitəsli] *ad.* 비참하게.
‡**ca·lam·i·ty** [kəlǽməti] *n.* ① Ⓒ 큰 불행〔재난〕, 참사: "How was your holiday?" — "It was a ~." '휴가는 어땠습니까?' — '참담한 것이었습니다.' ② Ⓤ 비참(한 상태); 참화: the ~ of war 전쟁의 참화, 전화(戰禍).
cal·a·mus [kǽləməs] (*pl.* ***-mi*** [-mài]) *n.* Ⓒ ① 〖植〗 창포. ② 창포의 뿌리 줄기.
ca·lan·do [kɑːlɑ́ːndou] *a., ad.* (It.) 〖樂〗 칼란도, 점점 느린〔느리게〕, 점점 약한〔하게〕.
ca·lash [kəlǽʃ] *n.* Ⓒ 2륜 또는 4륜 포장 마차.
cal·car·e·ous, -i·ous [kælkɛ́əriəs] *a.* 석회(질)의; 칼슘(질)의: ~ earth 석회질의 흙.
cal·ces [kǽlsiːz] *n.* CALX의 복수.
cal·cic [kǽlsik] *a.* 칼슘의; 칼슘을 함유한.
cal·cif·er·ous [kælsífərəs] *a.* 탄산 칼슘을 생성하는〔함유한〕.
cal·ci·fi·ca·tion [kæ̀lsəfikéiʃən] *n.* Ⓤ ① 석회화(化). ② 〖生理〗 석회성 물질의 침착(沈着).
cal·ci·fy [kǽlsəfài] (*p., pp.* ***-fied*** ; ~***·ing***) *vt., vi.* (…을) 석회질화하다.
cal·ci·na·tion [kæ̀lsənéiʃən] *n.* Ⓤ ① 〖化〗 하소(煆燒). ② 〖冶〗 배소(焙燒)법.
cal·cine [kǽlsain, -sin] *vt.* …을 구워서 생석회(가루)로 만들다, 하소(煆燒)하다: ~*d* lime 생석회 / ~*d* alum 백반(白礬). — *vi.* 구워져서 생석회가 되다.; 구워져서 회(灰)〔횟가루〕가 되다.
cal·cite [kǽlsait] *n.* Ⓤ 〖鑛〗 방해석(方解石).
***cal·ci·um** [kǽlsiəm] *n.* Ⓤ 〖化〗 칼슘《금속 원소; 기호 Ca; 번호 20》.
cálcium cárbide 탄화 칼슘, (칼슘)카바이드.
cálcium cárbonate 탄산 칼슘.
cálcium óxide 산화 칼슘, 생석회(quicklime).
cal·cu·la·ble [kǽlkjələbəl] *a.* ① 계산〔예측〕할 수 있는. ② 신뢰할 수 있는. ㊞ **-bly** *ad.*
‡**cal·cu·late** [kǽlkjəlèit] *vt.* ① 《~+目 / +目+전+명》 …을 계산하다(reckon), 산정〔산출〕하다, 추계하다: ~ the speed of light 빛의 속도를 산출하다. ② 《+目+전+명 / +目+*to* do》 〔흔히 受動으로〕 (어느 목적에) …을 적합하게 하다; 의도(意圖)하다: This movie *is* ~*d for* younger people. 이 영화는 청소년을 위해 만들어진 것이다 / That remark *was* ~*d to* hurt her feeling. 그 말은 그녀의 감정을 상하게 할 의도에서 한 것이었다 / This machine is not ~*d to* serve such purposes. 이 기계는 그런 목적에 맞도록 만들어진 것은 아니다. ③ (장래의 일)을 계산해 내다, 예측하다, 어림하다 (estimate), 추정하다, 평가하다: ~ a lunar eclipse 월식의 일시(日時)를 (미리) 계산해 내다 / We shall win by a narrow majority, I

C

~. 근소한 투표차로 우리가 이길 것이다 / It is difficult to ~ the results of the election. 선거의 결과를 예측하기는 어렵다. ④ 《+(*that*) 節 / +*to* do》《美口》…라고 생각하다, 상상하다; …을 꾀하다, 기도하다: I ~ (*that*) you are wrong. 나는 당신이 잘못이라고〔틀렸다고〕 생각한다 / I ~ you couldn't find him there. 거기에 가도 그는 없으리라고 생각한다 / He ~*d to* do it. 그는 그것을 할 속셈이었다. — *vi.* ① 계산하다; 어림잡다. ② 《+前+名》 기대하다, 기대를 걸다(rely)《*on*》: ~ *on* a large profit 큰 이익을 기대하다 / Don't ~ *on* me〔my〕 helping you. 나의 도움은 기대하지 말게 / You can ~ *on* success. 너는 꼭 성공한다. ③ 생각하다(guess): I ~ so. 나는 그렇게 생각한다. ◇ calculation *n.*

cal·cu·lat·ed [kǽlkjəlèitid] *a.* ① 〔限定的〕 계산된; 계획적인, 고의적인(intentional). ② 예측〔추정〕된: a ~ risk 예측된 위험. ③ 〔敍述的〕 …할 것 같은(likely)《*to* do》: The team is ~ *to* win. 그 팀은 이길 것 같다. ④ 〔敍述的〕 …에 적합한(fit)《*for*》: This book is not ~ *for* girls. 이 책은 소녀들에겐 부적합하다. 副 ~·**ly** *ad.*

cal·cu·lat·ing [kǽlkjəlèitiŋ] *a.* ① 〔限定的〕 계산하는, 계산용의: a ~ machine 계산기 / a ~ scale 〔rule〕 계산자〔척(尺)〕. ② 신중한, 빈틈없는. ③ 타산적인, 이기적인: He is a cold, ~ man. 그는 냉정하고 타산적인 사람이다.

‡**cal·cu·la·tion** [kæ̀lkjəléiʃən] *n.* ① **a**) U.C 계산(하기): make a ~ 계산하다. **b**) C 계산(의 결과): What are those ~*s* based on? 그 계산은 무엇을 근거로 한 것이냐. ② U.C 추정(하기), 추계; 예상(하기): According to my ~, he should be in Katmandu by now. 나의 예상으로는 그는 지금〔이젠〕 카트만두에 있을게다. ③ U 숙려(熟慮); 신중한 계획; 타산. ◇ calculate *v.*

cal·cu·la·tive [kǽlkjəlèitiv, -lətiv] *a.* ① 계산(상)의; 예상〔추측〕의. ② 타산적인; 빈틈없는.

cal·cu·la·tor [kǽlkjəlèitər] *n.* C ① 계산자(者). ② 계산기. ③ 계산표.

cal·cu·lus [kǽlkjələs] (*pl.* ~·**es**, -**li** [-lài]) *n.* ① C 〖醫〗 결석(結石): urethral ~ 요도 결석. ② U 〖數〗 미적분학: ⇨ DIFFERENTIAL CALCULUS.

Cal·cut·ta [kælkʌ́tə] *n.* 캘커타《인도 북동부의 항구》.

cal·de·ra [kældí:rə, kɔ:l-] *n.* C 〖地質〗 칼데라.

cal·dron [kɔ́:ldrən] *n.* C =CAULDRON.

Cald·well [kɔ́:ldwel, -wəl] *n.* **Erskine** ~ 콜드웰《미국의 소설가; 1903-87》.

Cal·e·do·nia [kæ̀lidóuniə] *n.* 《주로 詩》 칼레도니아《스코틀랜드의 옛 이름》. cf. Albion.

Cal·e·do·nian [kæ̀lidóuniən] *a., n.* C (고대) 스코틀랜드의 (사람).

‡**cal·en·dar** [kǽləndər] *n.* C (흔히 the ~) ① 달력(almanac): a ~ for the coming year 내년의 달력. ② 역법(曆法): the solar〔lunar〕 ~ 태양〔태음〕력. cf. Gregorian 〔Jewish, Julian, French Revolutionary, Roman〕 calendar. ③ (흔히 *sing.*) **a**) 일정표, 연중 행사표; 일람표; (공문서의) 연차(年次)목록. **b**) 법정 일정(法廷日程); 《美》 (의회의) 의사일정(표): put a bill on the ~ 의안을 일정에 올리다. **c**) 《英》 (대학의) 요람(《美》 catalog): a university ~ 대학 행사 예정표. — *vt.* …을 달력에 적다; (연)표에 올리다.

cálendar dáy 역일(曆日)《자정에서 자정까지의 24시간》.

cálendar mónth 역월(曆月)《1년의 12분(分)의 1》. cf. lunar month.

cálendar yéar 역년《fiscal year 따위에 대하여》; 1년간.

cal·en·der [kǽləndər] *n.* C 〖機〗 캘린더《윤내는 기계》. — *vt.* …을 윤내다.

cal·ends, kal- [kǽləndz] *n. pl.* 초하룻날《고대 로마력의》.

‡**calf**[1] [kæf, kɑ:f] (*pl.* **calves** [-vz]) *n.* ① **a**) C 송아지. **b**) U 송아지 가죽: bound in ~ 송아지 가죽으로 장정한. ② C (하마·무소·사슴·코끼리·고래 따위의) 새끼. ③ C 《口》 어리석은 젊은이; 얼간이. ***in*** 〔***with***〕 ~ (소가) 새끼를 배어. ***kill the fatted*** ~ ***for*** (…을 맞아) 최대로 환대하다, 성찬을 마련하다《누가 XV: 27》.

calf[2] (*pl.* **calves**) *n.* C 장딴지, 종아리.

cálf lòve (보통 연상(年上)의 이성(異性)에게 품는, 또는 사춘기 남녀의 일시적인) 풋사랑.

calf·skin [kǽfskìn, kɑ́:f-] *n.* U 송아지 가죽.

*__cal·i·ber, 《英》 -bre__ [kǽləbər] *n.* ① C **a**) (원통꼴 물건의) 직경. **b**) (총포의) 구경; (탄알의) 직경: a 38-~ revolver, 38구경의 리볼버. ② U **a**) (인물의) 국량, 재간(ability), 관록: a man of excellent ~ 수완가 / a man of great〔high〕 ~ 큰 인물, 대기(大器). **b**) (사물의) 품질; 가치의 정도: books of this ~ 이 정도의 책.

cal·i·brate [kǽləbrèit] *vt.* ① …의 사정거리를 측정하다. ② 《英》(총포)의 구경을 측정하다; ③ (온도계·계량기 등)의 눈금을 조사〔조정〕하다; …에 눈금을 긋다.

cal·i·bra·tion [kæ̀ləbrèiʃən] *n.* ① U 사정 거리〔눈금〕 측정. ② C 눈금.

cal·i·bra·tor [kǽləbrèitər] *n.* C 구경〔눈금〕 측정기.

cal·i·bre [kǽləbər] *n.* 《英》 =CALIBER.

*__cal·i·co__ [kǽlikòu] (*pl.* ~(**e**)**s**) *n.* U.C ① 《美》 사라사《여러가지 무늬를 날염한 평직(平織)의 무명 직물》. ② 《英》 캘리코, 옥양목. — *a.* 〔限定的〕 ① 《美》 사라사의; 《英》 캘리코의. ② 《美》 얼룩얼룩한: a ~ cat 얼룩 고양이.

Calif. California. ★ Cal.은 비공식 생략형.

calif ⇨ CALIPH.

‡**Cal·i·for·nia** [kæ̀ləfɔ́:rnjə, -niə] *n.* 캘리포니아《미국 태평양 연안의 주; 주도는 Sacramento; 略: Calif., Cal., 〖美郵〗 CA; 속칭 the Golden State》.

Cal·i·for·nian [kæ̀ləfɔ́:njən, -niən] *n., a.* 캘리포니아주(州) 사람(의).

Califórnia póppy 〖植〗 금영화(金英花)《California의 주화(州花)》.

cal·i·for·ni·um [kæ̀ləfɔ́:rniəm] *n.* C 〖化〗 칼리포르늄《방사성 원소; 기호 Cf; 번호 98》.

cal·i·per [kǽləpər] *n.* C 〔흔히 *pl.* 또는 a pair of ~s로〕 캘리퍼스《내경(內徑)·두께 따위를 재는 기구》, 측경기(測徑器): three *pairs of* ~*s* 캘리퍼스 3개. — *vt.* …을 캘리퍼스로 재다.

*__ca·liph, -lif__ [kéilif, kǽl-] *n.* C 칼리프.

cal·i·phate, -if- [kǽləfèit, -fit, kéilə-] *n.* U.C caliph의 지위〔직, 영토〕.

cal·is·then·ic [kæ̀ləsθénik] *a.* 미용〔유연〕체조의.

cal·is·then·ics [kæ̀ləsθéniks] *n.* ① U 미용〔건강〕 체조법. ② 〔複數취급〕 미용〔유연〕 체조.

calk[1] [kɔ:k] *vt.* =CAULK.

calk[2] *n.* C 뾰족징, (편자·구두 따위의) 바닥징. — *vt.* …에 뾰족징을 박다.

†**call** [kɔ:l] *vt.* ① 《~+目 / +目+副 / +目+前+名》 …을 부르다, (아무)를 소리내어 부르다, 불러일으키다(awake); 아무에게 전화를 걸다; …을 불러내다《무선 통신으로》: He ~*ed* me *out.* 그는 나를 불러내었다 / *Call* me at six. 여섯 시에 전화 주시오 / ~ a person *by* name 아무의 이름을 부르다《직접 본인에게》. ② (이름)을 부르다: ~ a person's name 아무의

이름을 부르다〔불러보다〕《찾을 때 따위》.
③《~+목/+목+전+명/+목+목》…을 불러오다, 오라고 하다, 초대하다; 재청하다, 앙코르를 청하다: He ~*ed* my family *to* dinner. 그는 우리 가족을 식사에 초대했다 / *Call* me a taxi. = *Call* a taxi *for* me. 택시를 불러주게.
④《~+목/+목+전+명》(관청 따위에) …을 불러내다; (회의 따위)를 소집하다: ~ a meeting 회의를 소집하다.
⑤ (아무의 주의 따위)를 불러일으키다: ~ a person's attention to the fact 그 사실에 대해서 아무의 주의를 환기시키다.
⑥ (아무)에게 주의를 주다, 비난하다《*on*》: She ~*ed* him *on* his vulgar language. 그녀는 그의 저속한 말을 비난하였다.
⑦《+목+보》…라고 이름짓다, …라고 부르다 (name): We ~ him Tom. 우리는 그를 톰이라고 부른다 / He ~*ed* me a fool. 그는 나를 바보라고 불렀다 / "What do you ~ this stone?" — "We ~ it granite." '이 돌은 무엇이라고 합니까?' — '화강암이라고 합니다.'
⑧《+목+보》…라고 말하다, …라고 생각하다, …으로 여기다: Can we ~ it a success? 그것을 성공이라고 말할 수 있느냐 / I ~ that a mean remark. 그것은 비열한 소견이라고 생각한다 / You may ~ him a scholar. 그를 학자라고 해도 좋다.
⑨ (소리내어) …을 읽다, 부르다: ~ a list 목록을 읽다 / ~ a roll 출석을 부르다, 점호하다.
⑩《~+목/+목+보》…을 명하다; (채권 등)의 상환을 청구하다; (경기)의 중지〔개시〕를 명하다; (심판이) …에게 판정을 내리다;〖카드놀이〗(상대방의 패)를 보이라고 하다, 콜하다: ~ a halt 정지를 명하다 / a ~*ed* game 〖野〗 콜드게임 / The umpire ~*ed* him out. 심판은 그에게 아웃을 선언했다.
— *vi.* ①《+전+명/+전+명+*to* do》소리쳐 부르다, 외치다(shout)《*to*》; (멀리 있는 사람을) 어이 하고 부르다《*to*》: I ~*ed to* him *to* stop. 나는 그에게 멈추라고 소리쳤다.
② 전화를 걸다(telephone), 통신을 보내다: Has anyone ~*ed*? 누구한테서 전화 안 왔냐.
③《~/+전+명》들르다, 방문하다; 정차하다, 기항하다《*at*; *on*》. cf. visit. ¶ He ~*ed* while I was away. 그는 내가 없는 사이에 찾아왔다 / I'll ~ *on* you on Sunday. 일요일에 방문하겠다.
④〖카드놀이〗상대방의 패를 보이라고 요구하다.
⑤ (새가) 힘차게 울다; 신호를 울리다.
~ *a spade a spade* 곧이 곧대로 말하다. **~ *away*** 불러서 가게 하다, 불러내다: I am ~*ed away* on business. 볼일로 나가봐야 한다. **~ *back*** (1) 뒤돌아보고 부르다. (2) 되부르다; 생각나게 하다. (3) (실언 따위를) 취소하다. (4) 소환하다. (5) …에게 회답의 전화를 걸다; (후에) 다시 전화하다: I'll ~ you *back*. 나중에 또 전화하겠소. **~ *by*** (지나는 길에) 들르다《*at*》. **~ *down*** (1) (신께 가호 따위를) 기구하다; (천혜·천벌 등을) 내리라고 빌다《*on*》. (2) 야단치다, 꾸짖다: The boss ~*ed* us *down* for lateness. 사장은 우리의 지각을 꾸짖었다. (3) 비방하다. **~ *for*** (1) …을 불러오다, (갈채하여 배우 등)을 불러내다. (2) (술 따위)를 청하다, (물건 따위)를 가져오게 하다. (3) …을 요구하다, …을 필요로 하다: Your plan will ~ *for* a lot of money. 자네 계획의 실현에는 많은 돈이 필요하겠네. (4) (아무를) 데리러〔부르러〕 가다〔들르다〕; …을 들러서 받다: I'll ~ *for* you a little before ten. 열 시 조금 전에 모시러 가겠습니다. **~ *forth*** (용기 따위)를 불러일으키다, 환기하다. **~ *in*** (1) 불러들이다; (의사 따위)를 초청하다: ~ *in* the police 〔an expert〕 경찰을〔전문가를〕 부르다. (2) (통화·외상값·빚돈 등)을 회수하다. (3) (…에) 들르다, 기항하다《*at*》. **~ *in sick*** (근무처에) 전화로 병결(病缺)을 알리다. **~ . . . *into play*** …을 이용하다, 활동케 하다. **~ *off*** (1) (약속)을 취소하다, 손을 떼다; …의 중지를 명하다: ~ *off* a strike 파업을 중지하다. (2) …을 불러 떠나게 하다: Please ~ *off* your dog. 개 좀 쫓아 주십시오. **~ *on* 〔*upon*〕** (1) (아무)를 방문하다: ~ *on* a friend at his house 친구 집을 방문하다. (2) (아무)에게 요구하다, 부탁하다(appeal to)《*for*; *to* do》: ~ *on* 〔*upon*〕 a person *for* a song 〔*to* sing a song〕 아무에게 노래를 청하다. (3) (아무)에게 발언을 허락〔지명〕하다: He ~*ed on* me *to* make a speech. 그는 나에게 연설을 지명〔부탁〕했다. **~ *out*** (1) 외쳐 구하다; 큰 소리로 부르다; 불러내다; 꾀어내다; (노동자를 파업에) 몰아넣다; (군대·소방대를) 출동시키다; = ~ forth; 〖野〗 (심판이) …에게 아웃을 선언하다. (2) (상대)에게 도전하다, 결투를 신청하다. **~ *round*** (집을) 방문하다, 들르다《*at*》. **~ *to order*** (의장이) …에게 정숙을 명하다; 《美》 …의 개회를 선언하다: ~ a speaker *to order* 《英》 (의장이) 연설자에게 의사규칙위반을 주의하다 / The chairman ~*ed* the meeting *to order*. 의장이 회의의 개회를 선언했다. **~ *up*** (1) (위층에 대고) 부르다. (2) 전화로 불러내다 (《英》 ring up): *Call* me *up* anytime you like. 아무 때나 전화해 주게. (3) 상기시키다. (4) (병역(兵役)에) 소집하다: be ~*ed up* 응소하다. (5) (정보 등을 컴퓨터 화면에) 불러내다. ***Don't ~ us, we'll ~ you.*** 전화하지 마세요, 이쪽에서 걸테니까《응모자에게 관심이 없을 때 쓰이는 말》. ***what** one **~s** = **what is ~ed** = **what we 〔you, they〕 ~*** 소위, 이른바: He is *what is ~ed* a walking dictionary. 그는 말하자면 걸어 다니는 사전이다.
— *n.* Ⓒ ① 부르는 소리, 외침(cry, shout); (새의) 지저귐; (나팔·피리의) 신호 소리: I heard a ~ for help. 사람 살리라고 외치는 소리를 들었다.
② (전화의) 통화, 전화를 걺, 걸려온 전화; (무선의) 호출; (기·등불 따위의) 신호; 〖컴〗 불러내기: I have three ~*s* to make. 전화를 세 군데 걸어야 한다.
③ (짧은) 방문, 내방, 들름《*on*》; (배의) 기항, (열차의) 정차: pay a formal ~ *on* a person 아무를 정식 방문하다.
④ 초청, 초대; 앙코르; 소집(명령); 점호, 출석 호명(roll ~): a ~ to arms 군대로의 소집.
⑤ (하느님의) 소명(召命), 사명(감); 천직: feel a ~ to be a minister 성직자가 되겠다는 사명감을 느끼다.
⑥ 매력, 유혹; 충동: feel the ~ of the sea 〔the wild〕 바다〔야성〕의 매력에 끌리다.
⑦ 요구(demand)《*on*》; 필요(need)《*to*》, 기회; (주금(株金)·사채 등의) 납입 청구; (거래소의) 입회(立會); 〖證〗 콜, 매수 선택권 (opp. *put*[1]); 요구불(拂); 〖카드놀이〗 콜《패를 보이라〔달라〕는 요구》: I have many ~*s on* my time 〔income〕. 시간〔수입〕을 뺏기는 일이 많다 / You have no ~ *to* meddle〔interfere〕. 참견〔간섭〕할 필요가 없다.
a ~ of nature 대소변이 마려움. ***at*** ~ ⇨ on ~. ***at** a person**'s** ~* 아무의 부름에 응하여; 대기하여. ***on* 〔*at*〕 ~** (1) 당좌로, 요구불로. (2) (의사 등) 부르면 곧 응할 수 있는, 언제나 준비되어 있는: The nurse is *on* ~ for emergency cases. 간호사

는 긴급시에 부르면 곧 올 수 있다〔항상 준비되어 있다〕. ***pay a*** ~ (1) 방문하다. (2)《口·婉》 화장실에 가다. ***within*** ~ 부르면 들리는 곳에 ; 아주 가까이.

cal·la [kǽlə] *n.* Ⓒ 〖植〗 칼라《관상용》.

cálla lìly =CALLA.

call·back [kɔ́:lbæ̀k] *n.* Ⓒ (자동차 등의 결함 제품의 수리를 위한, 메이커의) 제품 회수.

call·board [kɔ́:lbɔ̀:rd] *n.* Ⓒ 고지판(告知板)《극장에서 리허설·배역 변경을 알리는 판 따위》.

cáll bòx ①《美》 (우편의) 사서함 ; (거리의) 경찰〔소방〕서 연락용 비상전화. ②《英》 공중전화 박스(《美》 telephone booth).

call·boy [kɔ́:lbɔ̀i] *n.* Ⓒ ① (무대로의) 배우 호출원. ② =BELLBOY, PAGE².

cálled gáme 〖野〗 콜드 게임.

‡call·er [kɔ́:lər] *n.* Ⓒ ① 방문자. ② 호출인 ; 초청인 ; 소집자. ③《美》 전화 거는 사람. ④ (빙고 게임 등에서) 숫자를 부르는 사람.

cáller ÍD 발신자 번호 통지 서비스.

cáll fórwarding 자동 전송《어떤 번호로 걸려온 통화가 자동적으로 지정된 번호로 연결되는 서비스》.

cáll gìrl 콜걸.

cal·lig·ra·pher [kəlígrəfər] *n.* Ⓒ 달필가, 서예가.

cal·li·graph·ic, -i·cal [kæ̀ligrǽfik], [-əl] *a.* 서예의 ; 달필의. ㊞ **-i·cal·ly** *ad.*

cal·lig·ra·phist [kəlígrəfist] *n.* =CALLIGRAPHER.

cal·lig·ra·phy [kəlígrəfi] *n.* Ⓤ ① 달필. opp *cacography.* ② 서도, 서예. ③ 필적.

call-in [kɔ́:lìn] *a.* 〔限定的〕 콜인, TV·라디오에서 시청자〔청취자〕가 참여하는.

***call·ing** [kɔ́:liŋ] *n.* ① U,C 부름, 외침 ; 점호 ; 소집 ; 소환(summons) ; 초대 : the ~ of Congress 의회의 소집. ② Ⓒ 신의 부르심, 소명, 천직 ; 직업, 생업(profession) : He finally found his ~. 그는 마침내 그의 천직을 발견했다. ③ Ⓒ (어떤 직업·활동 등에 대한) 강한 충동, 욕구《*for* ; *to* do》: have a ~ *for* the ministry 성직자가 되고자 하는 욕구를 갖다.

cálling càrd 《美》 =VISITING CARD.

Cal·li·o·pe [kəláiəpi] *n.* ①〖그神〗 칼리오페《웅변과 서사시의 여신 ; Nine Muses 의 하나》. ② (c-) [+kǽliòup] Ⓒ 증기로 울리는 건반악기.

cal·li·per [kǽləpər] *n.* =CALIPER.

cal·lis·then·ic *a.* =CALISTHENIC.

cal·lis·then·ics *n.* =CALISTHENICS.

cáll lòan 〖商〗 콜론, 요구불 단기 대부금.

cáll mòney 〖商〗 콜머니, 요구불 단기 차입금.

cáll nùmber 〔**màrk**〕 (도서관의) 도서 정리〔신청〕 번호〔기호〕. cf. pressmark.

cal·los·i·ty [kəlásəti / -lɔ́s-] *n.* ① 〖醫〗 a) Ⓤ (피부의) 경결(硬結). b) Ⓒ 못. ② Ⓤ 무감각 ; 냉담.

***cal·lous** [kǽləs] *a.* ① (피부가) 굳은, 못이 박힌. ② 무감각한, 무정한, 냉담한《*to*》. ㊞ **~·ly** *ad.* 무정하게. **~·ness** *n.* 무정.

call-over [kɔ́:lòuvər] *n.* Ⓒ 《英》 점호.

cal·low [kǽlou] *a.* ① (새가) 깃털이 나지 않은. ② 경험이 없는, 풋내기의. ㊞ **~·ly** *ad.* **~·ness** *n.*

cáll ràte 콜레이트《콜론의 이율》.

cáll sìgn 〔**sìgnal**〕 〖通信〗 콜사인, 호출 부호.

call-up [kɔ́:lʌ̀p] *n.* Ⓒ 징집〔소집〕령.

cal·lus [kǽləs] (*pl.* **~·es, -li** [-lai]) *n.* Ⓒ ① 〖醫〗 굳은살, 못. ② 〖植〗 유합(癒合) 조직, 가피(假皮). ㊞ **~ed** *a.*

cáll wáiting 《美》 통화 중에 걸려온 상대방과 통화할 수 있는 방식의 전화.

‡calm [kɑ:m] *a.* ① 고요한, 조용한(quiet), 온화한, 바람이〔파도가〕 잔잔한(opp *windy*) : a ~ sea. ② 침착한, 냉정한. ③《英》 자신만만한, 우쭐해 하는. ── *n.* Ⓤ ① 고요함 ; 잔잔함 : the region of ~ (적도 부근의) 무풍 지대. ② 평온, 무사. ③ 냉정, 침착 : He replied with complete ~. 그는 아주 침착하게 답변했다. ***the ~ before the storm*** 폭풍 전의 정적.

── *vt.* (분노·흥분)을 진정시키다 ; 달래다 ; 가라앉히다《*down*》: ~ *down* a child 어린애를 달래다 / ~ one's nerves 신경을 가라앉히다.

── *vi.* (바다·기분·정정(政情) 등이) 가라앉다 ; 진정하다《*down*》: The sea soon ~*ed down.* 바다는 곧 조용〔잔잔〕해졌다. ~ one***self*** 마음을 가라앉히다.

‡calm·ly [kɑ́:mli] *ad.* 온화하게 ; 조용히 ; 냉정히.

***calm·ness** [kɑ́:mnis] *n.* Ⓤ 평온, 냉정, 침착.

cal·o·mel [kǽləməl, -mèl] *n.* Ⓤ 〖化〗 감홍(甘汞)《염화 제 1 수은》.

ca·lor·ic [kəlɔ́:rik, -lár- / -lɔ́r-] *a.* ① 열의, 열에 관한. ② 칼로리의, 열량의. ③ 고(高)칼로리의.

***cal·o·rie, -ry** [kǽləri] *n.* Ⓒ 〖物·化〗 칼로리《열량 단위》.

cal·o·rif·ic [kæ̀lərífik] *a.* 〔限定的〕 ① 열을 내는, 발열의 ; 열의, 열에 관한 : ~ value〔power〕 발열량. ② (음식물이) 칼로리가 높은.

cal·o·rim·e·ter [kæ̀lərímitər] *n.* Ⓒ 열량계.

cal·u·met [kǽljəmèt] *n.* Ⓒ 북아메리카 인디언이 쓰는 긴 담뱃대《평화의 상징》.

ca·lum·ni·ate [kəlʌ́mnièit] *vt.* …을 비방하다, 중상하다(slander).

ca·lum·ni·a·tion [kəlʌ̀mniéiʃən] *n.* U,C 중상〔비방〕함 ; 중상, 비방.

ca·lum·ni·a·tor [kəlʌ́mnièitər] *n.* Ⓒ 중상〔비방〕자.

ca·lum·ni·ous [kəlʌ́mniəs] *a.* 중상적인.

cal·um·ny [kǽləmni] *n.* U,C 중상, 비방.

Cal·va·ry [kǽlvəri] *n.* ① 예수가 십자가에 못 박힌 땅. ② (c-) Ⓒ 예수 십자가상(像). ③ (c-) Ⓒ 수난, 고통, 시련.

calve [kæv, kɑ:v] *vi., vt.* (송아지를) 낳다 ; (사슴·고래 따위가 새끼를) 낳다.

***calves** [kævz, kɑ:vz] *n.* CALF[1,2]의 복수.

Cal·vin [kǽlvin] *n.* **John** ~ 칼뱅《프랑스의 종교 개혁자 ; 1509-64》.

Cal·vin·ism [kǽlvənìzəm] *n.* Ⓤ 칼뱅교(敎), 칼뱅주의.

Cal·vin·ist [-nist] *n.* Ⓒ 칼뱅교도 ; 칼뱅파(派).

Cal·vin·is·tic, -ti·cal [kæ̀lvənístik], [-əl] *a.* Calvin 의 ; 칼뱅주의〔파〕의.

calx [kælks] (*pl.* **∠·es, cal·ces** [kǽlsi:z]) *n.* Ⓒ 〖化〗 금속회, 광회(鑛灰).

cal·y·ces [kǽləsi:z, kéilə-] CALYX 의 복수.

ca·lyp·so [kəlípsou] (*pl.* **~(*e*)*s***) *n.* ① Ⓒ 칼립소《서인도 제도 Trinidad 원주민이 춤추면서 부르는 즉흥적인 노래》. ② (C-) 〖그神〗 칼립소《Odysseus 를 유혹한 바다의 요정》.

ca·lyx [kéiliks, kǽl-] (*pl.* **~·es, ca·ly·ces** [-ləsi:z]) *n.* Ⓒ 〖植〗 꽃받침.

cam [kæm] *n.* Ⓒ 〖機〗 캠《회전운동을 왕복 운동 또는 진동으로 바꾸는 장치》.

CAM computer-aided manufacturing(전산 (도움) 제조). **Cam., Camb.** Cambridge.

ca·ma·ra·de·rie [kæ̀mərǽdəri, -rɑ́:d-, kɑ̀:mərɑ́:d-] *n.* Ⓤ《F.》 동지애, 우정.

cam·ber [kǽmbər] *n.* U,C ① (도로·갑판(甲板) 따위의) 위로 봉긋한 볼록꼴, 퀸셋형. ② 〖空〗 캠버《날개의 만곡》. ③ 〖自動車〗 캠버. ── *vt.* …을 가운데가 돋게 만들다. ── *vi.* (가운데가) 위로 휘다〔불룩해지다〕.

Cam·bo·dia [kæmbóudiə] *n.* 캄보디아《아시아

남동부의 공화국 ; 수도는 Phnom Penh).

Cam·bo·di·an [kæmbóudiən] *a.* 캄보디아(인)의. — *n.* ① Ⓒ 캄보디아인. ② Ⓤ 캄보디아어.

Cam·bria [kǽmbriə] *n.* 캠브리어(Wales 의 옛 이름).

Cam·bri·an [kǽmbriən] *a.* ① Cambria 의. ② 〖地質〗 캄브리아기(紀)〔계〕의 : the ~ period 캄브리아기. — *n.* ① Ⓒ Wales 사람. ② (the ~) 〖地質〗 캄브리아기〔계〕.

cam·bric [kéimbrik] *n.* Ⓤ 일종의 흰 삼베 또는 무명(손수건 따위에 쓰임).

cámbric téa 《美》 홍차 우유(어린이용 음료).

***Cam·bridge** [kéimbridʒ] *n.* 케임브리지((1) 영국 남동부의 지명. (2) 미국 동부의 지명).

Cámbridge blúe 《英》 담청색. cf. Oxford blue.

Cam·bridge·shire [kéimbridʒʃiər, -ʃər] *n.* 케임브리지셔(잉글랜드 동부의 주(州)).

Cámbridge Univèrsity 케임브리지 대학(Oxford 대학과 함께 오랜 전통을 갖는 영국의 대학 ; 12세기에 창립).

Cambs. Cambridgeshire.

cam·cord·er [kǽmkɔ̀ːrdər] *n.* Ⓒ 캠코더(일체형 비디오 카메라).

†**came** [keim] COME 의 과거.

‡**cam·el** [kǽməl] *n.* ① Ⓒ 〖動〗 낙타. ② Ⓤ 낙타색, 엷은 황갈색. ③ Ⓒ 〖海〗 부함(浮函) (얕은 물을 건널 때 배를 띄우는 장치). — *a.* 담황갈색의, 낙타색의.

cam·el·back [kǽməlbæ̀k] *n.* Ⓒ 낙타의 등. ★ 보통 다음의 성구(成句)로. ***on*** ~ 낙타를 타고.

cámel hàir =CAMEL'S HAIR.

ca·mel·lia [kəmíːljə] *n.* Ⓒ 〖植〗 동백나무.

Cam·e·lot [kǽməlɑ̀t / -lɔ̀t] *n.* 캐밀롯(영국 전설에 Arthur 왕의 궁전이 있었다는 곳).

cámel's hàir ① 낙타털. ② 낙타털로 느슨하게 짠 모직물.

Cám·em·bert (chèese) [kǽməmbɛ̀ər (-)] *n.* Ⓤ 카망베르(프랑스산의 크림치즈).

cam·eo [kǽmiòu] (*pl.* ***-e·os***) *n.* Ⓒ ① **a**) 조가비·마노(瑪瑙) 따위에 한 돋을새김, 카메오 세공. **b**) 이런 세공을 한 조가비〔마노〕. ② (연극 따위의) 인상적 장면〔묘사〕, (관객을 끌기 위해 단역으로 나오는 명배우의) 특별 출연.

‡**cam·era** [kǽmərə] *n.* Ⓒ ① (*pl.* ***-er·as***) 카메라 ; 텔레비전카메라. ② (*pl.* ***-er·ae*** [-əriː]) 판사실. ***in*** ~ (1) 〖法〗 (공개가 아닌) 판사(判事)의 사실(私室)에서. (2) 비밀로. ***on*** 〔***off***〕 ~ 〖TV·映〗 (주로 배우가) 촬영 카메라 앞에서〔에서 벗어나〕.

cam·era·man [kǽmərəmæ̀n] (*pl.* ***-men*** [-mèn]) *n.* Ⓒ 카메라맨, 촬영 기사.

cámera ob·scú·ra [-ɑbskjúərə / -ɔb-] (사진기 등의) 어둠상자.

cam·era-shy [-ʃài] *a.* 사진 찍기를 싫어하는.

Cam·e·roon, Cam·e·roun [kæ̀mərúːn] *n.* 카메룬(서아프리카의 공화국 ; 수도 Yaoundé).

Cam·e·roon·i·an [-iən] *a.* 카메룬의 ; 카메룬 사람의. — *n.* Ⓒ 카메룬 사람.

cam·i·knick·ers [kǽminìkərz] *n. pl.* 《英》 (여성용의) 콤비네이션식 속옷.

cam·i·sole [kǽmisòul] *n.* Ⓒ 캐미솔(여자용 속옷의 일종) : a silk ~ 실크 캐미솔.

cam·o·mile [kǽməmàil] *n.* Ⓒ 〖植〗 카밀레(말린 꽃은 건위제·발한제).

cámomile tèa 카밀레꽃을 달인 약.

***cam·ou·flage** [kǽməflɑ̀ːʒ, kǽmə-] *n.* Ⓤ,Ⓒ ① 〖軍〗 위장(僞裝), 미채(迷彩), 카무플라주 : use the branches of trees as ~ 위장으로 나뭇가지를 쓰다. ② 변장 ; 기만, 속임. — *vt.* …을 위장하다 ; 속이다 : ~ one's anger with a smile (억지) 웃음으로 노여움을 숨기다.

†**camp**[1] [kæmp] *n.* ① Ⓒ **a**) (군대의) 야영지, 주둔지, 막사 : The soldiers in the ~ were all tired. 야영하고 있는 병사들은 모두 지쳐 있었다. **b**) (포로) 수용소 : a refugee ~ 난민 수용소 / The prisoners were put into a ~. 포로들은 수용소에 수용되었다. **c**) (산·해안 따위의) 캠프장 : a ~ by a river 강변의 캠프장. ② Ⓒ **a**) 〔종종 集合的〕 텐트 ; 오두막 : pitch (a) ~ =set up a ~ 텐트를 치다 / strike (a) ~ (철수하기 위해) 텐트를 걷다. **b**) 〔集合的〕 야영대, 야영하는 사람들. ③ Ⓤ **a**) 캠프(생활), 천막 생활 ; 야영 : be in ~ 캠프(생활)중이다. **b**) 군대생활, 병역(兵役). ④ Ⓒ 〔集合的〕 진영(陣營), 동지, 동아리 : be divided into two ~*s*, 2개 진영으로〔파로〕 나뉘다 / You and I are in the same ~. 너와 나는 동지이다. ⑤ Ⓒ 《美》 (시골의) 피서지. — *vi.* ① 천막을 치다 ; 야영〔캠프〕하다 : go ~*ing* 캠프하러 가다 / Let's ~ here. 여기에 텐트를 치자. ② (어떤 곳에) 임시로 살다(*in* ; *with*) : ~ *in* an apartment house 아파트에 임시로 살다. ③ (어떤 장소에서) 버티다. — *vt.* ① …을 야영시키다. ② …에게 임시 거처를 제공하다 : We ~*ed* her with relatives. 우리는 그녀를 친척집에 거처하게 했다. ~ ***out*** 야영하다, 캠프 생활을 하다.

camp[2] *n.* Ⓤ 《口》 ① 과장되게 체하는 태도〔행동, 예술 표현〕. ② 호모의 과장된 여성적인 몸짓. — *a.* ① 점잔 빼는 ; 과장된. ② **a**) 동성애의. **b**) (남자가) 여자 같은 : a ~ voice 여자 같은 목소리. — *vi.* 일부러 과장되게 행동하다. ~ ***it up*** 《口》 일부러 눈에 띄게 행동〔연기〕하다.

‡**cam·paign** [kæmpéin] *n.* Ⓒ ① 캠페인, (조직적인) 운동, 《특히》 사회 운동 ; 유세 : an election ~ 선거 운동 / a fund-raising ~ 모금 운동 / a ~ *for* world peace 세계 평화 운동 / a ~ *against* air pollution 〔alcohol〕 대기 오염 반대〔금주(禁酒)〕 운동. ② (일련의) 군사 행동 ; 회전(會戰), 전역(戰役) ; 작전 : the Waterloo ~ 워털루 회전. ***on*** ~ (1) 종군하여. (2) 캠페인에 나서. (3) 선거운동에 나서. — *vi.* ① 종군하다. ② 《+전+명》 (선거 등의) 운동을 하다〔에 참가하다〕(*for* ; *against*) : ~ *for* the presidency 대통령 선거 운동을 하다. ***go ~ing*** 종군하다 ; 운동하다.

cam·paign·er [kæmpéinər] *n.* Ⓒ ① 종군자 ; 노련가 ; 노병(veteran) : an old ~ (일반적으로) 노련한 사람. ② (사회·정치 따위의) 운동가.

cam·pa·ni·le [kæ̀mpəníːli] (*pl.* ***~s, -li*** [-níːliː]) *n.* Ⓒ 종루(鐘樓), 종탑(bell tower).

cam·pa·nol·o·gy [kæ̀mpənɑ́lədʒi / -nɔ́l-] *n.* Ⓤ ① 명종술(鳴鐘術). ② 주종술(鑄鐘術).

cam·pan·u·la [kæmpǽnjələ] *n.* Ⓒ 〖植〗 초롱꽃속의 식물(풍경초·잔대 따위).

cámp bèd (캠프용) 접침대, 야전 침대.

cámp chàir (캠프용) 접의자.

Cámp Dávid 《美》 Maryland 주에 있는 대통령 전용 별장 : ~ accords 캠프 데이비드 협정.

***camp·er** [kǽmpər] *n.* Ⓒ ① 야영자, 캠프 생활자. ② 캠프용 트레일러.

***camp·fire** [kǽmpfàiər] *n.* Ⓒ ① 모닥불, 캠프파이어. ② 《美》 (모닥불 둘레에서의) 모임.

cámp fòllower ① 부대 주변 민간인(상인·매춘부 등). ② (단체·주의(主義) 등의) 동조자.

camp·ground [-gràund] *n.* Ⓒ 《美》 ① 야영지, 캠프장. ② 야외 전도(傳道) 집회소.

***cam·phor** [kǽmfər] *n.* Ⓤ 장뇌(樟腦).

cam·phor·at·ed [kǽmfərèitid] *a.* 장뇌가 든, 장뇌를 넣은 : ~ oil 장뇌유(화농 방지).

cámphor bàll 장뇌알(방충용).

cam·phor·ic [kæmfɔ́(ː)rik, -fɑ́r-] *a.* 장뇌(질)의, 장뇌를 넣은. 「원료로 쓰임).
cámphor trèe 〔**làurel**〕 〖植〗 녹나무《장뇌의
camp·ing [kǽmpiŋ] *n.* Ⓤ 천막 생활 ; 야영, 캠핑.
cam·pi·on [kǽmpiən] *n.* Ⓒ 〖植〗 석죽과의 식물《장구채·전추라 따위》.
cámp mèeting 《美》 야외〔텐트〕 전도(傳道) 집회.
cam·po·ree [kæ̀mpəríː] *n.* Ⓒ 《美》 캠퍼리《보이스카우트〔걸스카우트〕 지방 대회》. ⓒⓕ jamboree.
camp·site [´-sàit] *n.* Ⓒ 캠프장, 야영지.
camp·stool [´-stùːl] *n.* Ⓒ 캠프스툴《X 형의 다리에 범포(帆布)를 깐 휴대용의 접의자》.
cam·pus [kǽmpəs] *n.* Ⓒ ① (주로 대학의) 교정, 구내, 캠퍼스 : the university ～ 대학교정. ② 대학, 학원 ; 대학의 분교(分校) : the Berkeley ～ of the University of California 캘리포니아 대학 버클리 분교. ③ 〔形容詞的〕 대학의, 학원〔학교〕의.
cam·shaft [kǽmʃæ̀ft, -ʃɑ̀ːft] *n.* Ⓒ 〖機〗 캠축.
Ca·mus [kæmjúː] *n.* **Albert** ～ 카뮈《프랑스의 작가·노벨 문학상 수상(1957) ; 1913-60》.
†**can**[1] [kæn, 弱 kən] *aux. v.* (현재 부정형 ***cannot*** [kǽnɑt, kænɑ́t / kǽnɔt, -nət], 현재 부정 간약형 ***can't*** [kænt / kɑːnt] ; 과거 ***could*** [kud, 弱 kəd], 과거 부정형 ***could not,*** 과거 부정 간약형 ***could·n't*** [kúdnt]). ① 〔능력〕 **a)** …할 수 있다 : The child *can't* walk yet. 그 아이는 아직 못 걷는다 / I will do what I *cán.* 내가 할 수 있는 일이라면 무슨 일이라도 하겠습니다《can 다음에 do 가 생략돼 있음》 / *Can* he speak English? 그는 영어를 할 줄 압니까《상대방에게 직접 물을 때, can 을 쓰면 노골적으로 들리므로 *Do* you speak…? 이 보통》. **b)** …하는 법을 알고 있다 : *Can* you play the piano? 피아노를 칠 줄 아십니까.

> 語法 지각동사 see, hear, smell, taste, feel 따위 및 remember 와 함께 쓰이어 종종 '능력'의 뜻이 약화되어 진행형과 같은 뜻이 됨 : *Can* you smell something burning? 뭐 타는 냄새가 나지 않는가 / *Can* you hear that noise? 저 소리가 들리는가 / I ～ remember it well. 그 일은 잘 기억하고 있다.

② 〔가능〕 …할 수 있다 : I ～ attend the conference tomorrow. 내일 회의에 참석할 수 있다 / It ～ be had for nothing. 거저〔공짜로〕 얻을 수 있다.
③ 〔허가〕 …해도 좋다 : You ～ smoke here. 여기서 담배를 피우셔도 괜찮〔좋〕습니다《You *may* smoke here. (=I allow you to smoke.)로 하면 '내가 허락하니까 피워도 좋다'의 뜻임》 / *Can* I speak to you a moment? 잠깐 이야기좀 해도 괜찮겠습니까.

> 語法 (1) '허락하다, 허가하다'의 can 과 may : 위의 예문들에서 can 은 모두 may 와 바꿔칠 수 있음. 허가를 바라는 의문문에서는 일반적으로 may 가 공손하며, can 은 허물없는 표현으로 볼 수가 있음 : *May* I come in?=*Can* I come in? 들어가도 좋습니까.
> (2) can 은 주어가 무생물일 때도 있음 : Pencils *can* be red. 연필은 빨강도 좋다.
> (3) 과거 때의 허가는, 특히 獨立文에 있어서는 could 가 일반적임 : In those days, anyone *could* 〔《드물게》 might〕 enroll for this course. 당시에는 이 코스에 등록하는 것이 인정되고 있었다.
> (4) 다음과 같은 관용구에서는 보통 may 만을 씀 : How old are you, *if I may ask?* '실례지만, 연세가 얼마나 되셨습니까' 《글자 그대로는 '만약 물어봐도 괜찮다면…'》.

④ 〔가벼운 명령〕 **a)** 〔肯定文에서〕 하시오, …하면 좋다, 해야 한다 : You ～ go. 가거라. ⓒⓕ ③. **b)** 〔否定文에서〕 …해서는 안 된다, …하지 말아야 한다《may not 보다 일반적 ; 강한 금지를 나타낼 때에는 must not 이 쓰임》 : You *can't* run here. 여기서는 뛰어서는 안 된다.
⑤ 〔가능성·추측〕 **a)** 〔肯定文에서〕 …이 있을 수 있다, …할〔일〕 때가 있다 : Anybody ～ make mistakes. 누구나 틀리는 수가 있다 / You ～ get a burn if you are not careful. 주의를 하지 않으면 화상(火傷)을 입을 수가 있다. **b)** 〔否定文에서〕 (…은 있을 수가 없다 →) …할〔일〕 리가 없다, …이면 곤란하다 : This *can't* happen. 이런 일이 있으면 곤란하다 / Mary *can't* fail (in) the examination. 메리가 시험에 떨어질 리 없다. **c)** 〔疑問文에서〕 …일〔할〕 리가 있을까, (도대체) …일 수(가) 있을까, 대체 …일까 : *Can* it be true? 도대체 정말일 수 있을까 / What ～ he be doing? 대체 무얼하고 있는 거야 / Who ～ he be? 대체 그 사람은 누구일까 / *Can* he have done so? 과연 그 사람이 그런 짓을 했을까. **d)** 〔cannot have+過去分詞로〕 …했을 리가 없다 : He *cannot have been* there. 그가 거기에 있었을 리가 없다 / He *cannot have told* a lie. 그가 거짓말을 했을 리가 없다. **e)** 〔can have ＋ 過去分詞〕 …하기를 다 마치고 있을 거다《미래를 나타내는 副詞句를 동반함》 : I ～ *have got* the dinner ready by 10 o'clock. 열시까지는 오찬의 준비를 다 끝내고 있을 거다《I'll be able to get the dinner ready …. 가 보통》.
⑥ 〔Can you …로 의뢰를 나타내어〕 …해 주(시)겠습니까《Could you…가 보다 공손한 표현임》 : *Can* you give me a ride? 차에 태워주실 수 없습니까.

> 參考 (1) be able to 에 의한 보충 : ⓐ can 에서 없는 여러 형태는 다음과 같이 보충함 : 〔未來形〕 *will*〔*shall*〕 be able to ; 〔不定詞〕 (*to*) be able to ; 〔動名詞·現在分詞〕 be*ing* able to ; 〔完了形〕 *have* 〔*has, had*〕 *been* able to. ⓑ 이 방법으로 다른 조동사와 결합도 할 수 있음 : He *may* be able to swim. 그는 헤엄칠 줄 알지도 모른다. ⓒ 다만, be able to 의 형식은 사람〔동물〕 이외의 주어에는 일반적으로 부자연스러움. 또 be able to be done 과 같은 수동태도 일반적으로 자연스럽지 못함.
> (2) 과거형 could 와 was 〔were〕 able to : can 에는 본래의 과거형 could 가 있는데, could 는 가정법으로 쓰일 때가 많음. 그 때문에 예를 들어 I *could* buy it.은 '살 수 있었다' 인지 '살 수 있을 텐데' 인지 분간이 안가서 전자의 뜻을 분명히 해 주기 위해서 I *was able to* buy it.을 쓰는 수가 많음.
> (3) How can …?의 의문문에서 can은 단순히 가능성을 묻는 뜻에서 바뀌어 '잘도 (태연히) …하실 수 있군요'와 같이 놀라움·의외·기가 참을 나타냄 : How *can* you stand all these noises? 이와 같은 소음에 잘도 견디시는 군요. 이와 같은 경우에 대해 비난·비웃음 따위를 나타내는 경우라면 How dare…? : *How dare* you stand all these noises? 이런 시끄러운 소음에 용케도 배겨낼 수 있군(어딘가 잘못된 것 아냐).
> (4) so that 節 안에서는 can 〔could〕과 may

〔might〕는 서로 바뀌칠 수 있음. 다만, 전자(前者)가 보다 구어적임 : I stepped aside *so that* he *could* 〔might〕 come in. 그가 들어올 수 있도록 옆으로 비켰다(=I stepped aside for him to come in.).

as . . . as (. . .) ~ ***be*** 더없이 …, 그지없이 …, 아주 … : I am *as* happy *as* (happy) ~ *be.* 나는 아주〔무척〕 행복하다. ~ ***but*** do 단지〔그저〕 …할 따름이다, …할 수밖에 없다 : We ~ *but* wait. 그저 기다릴 수밖에 없다 / I ~ *but* ask your favor. 그저 부탁이나 드릴 수밖에 없소. ***cannot but*** do=***cannot help*** do***ing*** …하지 않을 수 없다, …하지 않고는 못 배기다, …할 (수)밖에 없다 : I *could not help* smil*ing* at the child. 그 아이에게는 미소를 짓지 않을 수 없었다. ★《美口》에서는 can not help but (do) 형식도 종종 쓰이지만 정식은 아니며《文語》에서는 cannot CHOOSE but ... 도 사용됨. ***cannot . . . too*** ⌴ ⇨ TOO(成句).

‡**can²** [kæn] *n.* Ⓒ ① **a)** 양철통, (통조림의) 깡통 ; 통조림《*of*》(《英》 tin) : a ~ *of* sardines 정어리 통조림. **b)** 한 깡통(분량)《*of*》: a ~ *of* milk 한 깡통의 밀크. ②《英》 금속제의 액체 용기《손잡이·뚜껑·주둥이가 있는》; (물)컵. ③ 깡통 그릇, 용기 : a coffee 〔milk〕 ~ 커피〔우유〕통. ④ (the ~) 《美俗》 **a)** 교도소, 유치장 : be sent to *the* ~ 유치장에 처 넣어지다. **b)** 변소. ***a ~ of worms*** 《口》 귀찮은 문제 ; 복잡한 사정 : I wish you'd never found the missing files — you've opened up *a* whole ~ *of worms.* 자네가 없어진 서류철을 찾지 못했으면 좋으련만 — 아주 골치아픈 문제를 일으켜 놨군. ***get a ~ on*** 《美俗》 취하다. ***in the*** ~ ⑴〖映〗 준비가 다 되어, 개봉 단계가 되어. ⑵ 교도소에 갇히어. ***take*** 〔***carry***〕 ***the*** ~ 《美俗》 책임지다. ── (*-nn-*) *vt.* ① …을 통조림으로 만들다(《英》 tin) : ~*ned* beer 캔 맥주. ② (핵연료)를 밀봉하다. ③《口》(음악 등)을 (테이프 등에) 녹음하다. ④《美俗》 **a)** …을 해고하다 (fire) : get ~*ned* 해고 당하다. **b)** (학생)을 퇴학시키다. **c)** (이야기 따위)를 그만두다 : Let's ~ the chatter. 이야기는 그만하자. ***Can it!*** 《俗》 입 닥쳐 ; 그만 해.

Can. Canada ; Canadian. **can.** cannon ; canto.

Ca·naan [kéinən] *n.* ①〖聖〗 가나안《지금의 서(西)팔레스타인》; 약속의 땅. ② Ⓒ 낙원, 이상향.

Ca·naan·ite [-àit] *n.* Ⓒ 가나안 사람.

†**Can·a·da** [kǽnədə] *n.* 캐나다《수도 Ottawa》.

Cánada Dày 캐나다 데이《캐나다 자치기념일로, 캐나다의 경축일 ; 7월 1일》.

Cánada góose〖鳥〗 캐나다기러기.

‡**Ca·na·di·an** [kənéidiən] *a.* 캐나다(사람)의 : ~ whiskey 캐나디안 위스키. ── *n.* Ⓒ 캐나다 사람.

Canádian bácon 캐나디안 베이컨《돼지 허리 살을 소금에 절여 훈제한 것》.

Canádian Frénch 캐나다 프랑스어《프랑스계 캐나다인이 말하는 프랑스어》.

Ca·na·di·an·ism [-nìzm] *n.* Ⓤ,Ⓒ ① 캐나다 특유의 풍속·습관. ② 캐나다 영어《어법, 단어》.

‡**ca·nal** [kənǽl] *n.* Ⓒ ① 운하 ; 수로 : the Panama *Canel* 파나마 운하. ② (동식물 체내의) 관(管), 도관(導管) (duct) : the alimentary ~ 소화관.

canál bòat (운하용의 좁고 긴) 짐배.

ca·nal·i·za·tion [kənæ̀lizéiʃən, kæ̀nəl-] *n.* Ⓤ ① 운하 개설〔화(化)〕. ② 운하망(網). ③ (수도·가스·전기 등의) 배관 계통.

ca·nal·ize [kənǽlaiz, kǽnəlàiz] *vt.* **a)** (육지)에 운하〔수로〕를 파다. **b)** (하천)을 운하화하다. ② (물·감정 따위)의 배출구를 마련하다 ; …을 어떤 방향으로 이끌다.

Canál Zòne (the ~) 파나마 운하 지대.

ca·na·pé [kǽnəpi, -pèi] *n.* Ⓒ《F.》 카나페《작은 정어리·치즈 따위를 얹은 크래커 또는 빵》.

ca·nard [kənɑ́ːrd] *n.* Ⓒ《F.》 허위 보도, 와전.

Ca·nar·ies [kənɛ́əriz] *n. pl.* (the ~) =CANARY ISLANDS.

‡**ca·nary** [kənɛ́əri] *n.* ① Ⓒ〖鳥〗 카나리아(=∠ bird). ② Ⓤ 카나리아빛, 샛노랑(~ yellow). ③ Ⓒ《俗》 밀고자(informer).

ca·nary-col·ored [-kʌ̀lərd] *a.* 카나리아색의, 선황색(鮮黃色)의.

Canáry Íslands (the ~) 카나리아 제도.

canáry yéllow 카나리아 빛《선황색》.

ca·nas·ta [kənǽstə] *n.* Ⓤ 두 벌의 패〔카드〕를 가지고 하는 카드놀이.

Ca·nav·er·al [kənǽvərəl] *n.* =CAPE CANAVERAL.

Can·ber·ra [kǽnbərə] *n.* 캔버라《오스트레일리아의 수도》.

canc. cancel ; canceled ; cancellation.

can·can [kǽnkæ̀n] *n.* Ⓒ《F.》 캉캉춤.

‡**can·cel** [kǽnsəl] (*-l-*, 《英》 *-ll-*) *vt.* ① …을 지우다, 삭제하다 ; 말소하다 : ~ two lines 두 줄을 말소하다. ② **a)** …을 무효로 하다, 취소하다 : ~ permission 허가를 취소하다 / ~ one's order for books 책 주문을 취소하다. **b)** (계획 따위)를 중지하다 : ~ a trip〔game〕 여행을 〔경기를〕 중지하다. ③ **a)** (차표 등)에 펀치로 찍다. **b)** (우표 등)에 소인을 찍다 : ~ a stamp 우표에 소인을 찍다. ④ …을 소멸시키다, 상쇄하다 ; (빚 따위)를 에끼다《*out*》: Our losses at home have ~*ed out* the profit made overseas. 우리 회사의 국내에서의 손실은 해외에서 올린 이익을 상쇄해버렸다. ⑤〖數〗 …을 맞줄임〔약분〕하다.
── *vi.* ① 상쇄되다《*out*》. ②〖數〗 약분되다 : The two *a*'s on each side of an equation ~. 방정식의 두 변의 *a*는 약분된다. ── *n.* ① Ⓤ 취소 ; (계약의) 해제. ② Ⓤ,Ⓒ〖印〗 삭제 부분. ③〖컴〗 없앰.

can·cel·la·tion [kæ̀nsəléiʃən] *n.* ① **a)** Ⓤ 취소 : Heavy snow has caused the ~ of several matches. 폭설로 경기가 몇 개 취소되었다. **b)** Ⓒ 취소된 것《방 따위》. ② Ⓒ 소인(消印)(된 것).

‡**can·cer** [kǽnsər] *n.* ① Ⓤ,Ⓒ〖醫〗 암 ; 암종 : get ~ 암에 걸리다 / die of lung ~ 폐암으로 죽다. ② Ⓒ (사회의) 적폐(積弊), 사회적인 암. ③ Ⓤ,Ⓒ〖動〗 게류(類). ④ (C-) Ⓤ〖天〗 게자리 (the Crab¹). ***the Tropic of Cancer*** 북회귀선, 하지선.

can·cer·ous [kǽnsərəs] *a.* 암의 ; 암에 걸린.

cáncer stìck 《俗》 궐련(cigarette).

can·de·la [kændíːlə] *n.* Ⓒ 칸델라《광도 단위》.

can·de·la·brum [kæ̀ndilɑ́ːbrəm] (*pl.* ***-bra*** [-brə], ~***s***) *n.* Ⓒ 가지촛대, 큰 촛대.

can·des·cence [kændésəns] *n.* Ⓤ 백열.

can·des·cent [kændésənt] *a.* 백열(白熱)의, 작열의.

C. & F., c. & f.〖商〗 cost and freight(운임 포함 가격).

*__can·did__ [kǽndid] (***more ~ ; most ~***) *a.* ① 정직한, 솔직한 ; 노골적인, 거리낌 없는 : a ~ friend 싫은 소리를 거리낌 없이 하는 친구 / in my ~ opinion 내 솔직한 의견으로는, 숨김없이 말한다면. ② 공정한, 공평한(impartial) : Give me a ~ hearing. (사심없이) 공평하게 들어주시오. ③〖寫〗 포즈를 취하지 않은 ; 있는 그대로의. ***to be quite*** 〔***perfectly***〕 ~ (***with you***) 솔직히 말하면《흔히 문두(文頭)에 씀》.

can·di·da [kǽndidə] *n.* Ⓒ 칸디다균(菌)《아구창의 원인이 됨》.

C

can·di·da·cy [kǽndidəsi] *n.* U,C 《美》 입후보 《*for*》.

‡**can·di·date** [kǽndidèit, -dit] *n.* C ① **a)** 후보자《*for*》: a presidential ~ 대통령 후보 / run a ~ *for* Parliament 국회의원 후보자를 세우다. **b)** 지원자《*for*》: a ~ *for* admission to a school 입학 지원자. ② …이 될〔을 얻을〕 듯한 사람《*for*》: a ~ *for* fame 〔wealth〕 장차 이름을 날릴〔부자가 될〕 사람. 「CANDIDACY.

can·di·da·ture [´-dətʃùər, -tʃər] *n.* 《英》 =

cándid cámera 소형스냅 사진기.

can·did·ly [-li] *ad.* ① 솔직히, 기탄없이: She answered his questions fully and ~. 그녀는 그의 질문에 완전하고 솔직하게 대답했다. ② 〔文章修飾〕 솔직히〔터놓고〕 말한다면: *Candidly,* Daniel, I hoped I might manage to avoid going to her party this time. 다니엘, 솔직히 나는 이번에 어떻게 해서든 그녀의 파티에 가지 않고자 했네.

can·died [kǽndid] *a.* 〔限定的〕 ① 당화(糖化)한; 설탕절임한; 설탕을 뿌린: ~ plums 설탕 절임한 자두. ② 휘황한; 달콤한, 발림말의: ~ words 달콤한 말.

‡**can·dle** [kǽndl] *n.* C ① (양)초: light〔put out〕 a ~ 촛불을 켜다〔끄다〕. ② 빛을 내는 것; 등불; (특히) 별. ***burn the ~ at both ends*** ⇨BURN. ***cannot*** 〔***be not fit to***〕 ***hold a ~*** 〔***stick***〕 ***to*** …와는 비교도 안 되다, …의 발밑에도 못 따라가다: She write well enough but she *can't hold a ~ to* the more serious novelists. 그녀는 정말 잘 쓰지만 보다 본격적인 소설가와는 비교가 안 된다. ***hide one's ~ under a bushel*** ⇨ BUSHEL. ***not worth the ~*** 애쓴 보람이 없는, 돈들일 가치가 없는.

***can·dle·light** [-làit] *n.* U ① 촛불(빛). ② 불 켤 무렵, 저녁.

Can·dle·mas [kǽndlməs, -mæ̀s] *n.* U 〖가톨릭〗 주의 봉헌 축일《1년간 쓸 초를 축복; 2월 2일》.

can·dle·pin [-pìn] *n.* C 캔들핀, 십주희(十柱戲) (tenpins)에서 쓰는 핀.

can·dle·pow·er [-pàuər] *n.* U 〖光〗 촉광.

can·dle·stick [-stìk] *n.* C 촛대.

can·dle·wick [-wìk] *n.* C 초의 심지.

can-do [kǽndú:] *a.* 《美俗》 의욕적인, 할 마음이 있는. —*n.* 의욕적임.

***can·dor,** 《英》 **-dour** [kǽndər] *n.* U 공정; 정직, 솔직: With refreshing ~ , he admitted that he had lied repeatedly. 그는 솔직 담백하게 자기가 누차 거짓말했다고 시인했다.

C & W country-and-western.

†**can·dy** [kǽndi] *n.* ① U,C 《美》 캔디, 사탕(《英》 sweets): a piece of ~ 캔디 한개 / mixed *candies* 종합 캔디. ② 《英》 얼음 사탕(sugar ~). —*vt.* ① …에 설탕을 뿌리다; (과일 따위)를 설탕절임으로 하다. ② (당밀)을 얼음사탕처럼 굳히다. ③ (표현 등)을 달콤하게〔즐겁게〕 하다. —*vi.* 설탕에 둘러싸이다; 설탕절임으로 만들어지다.

cándy àss 《美俗》 소심한 사람, 겁쟁이.

cándy flòss 《英》 솜사탕(《美》 cotton candy).

cándy strìpe 흰 색과 붉은 색으로 된 줄무늬.

can·dy-striped [-stràipt] *a.* (의복 따위) 흰 색과 (흔히) 붉은 색의 줄 무늬가 든. 「봉사자.

cándy strìper 《美》 간호사를 돕는 10대 자원

can·dy·tuft [-tʌ̀ft] *n.* C 《植》 이베리스꽃《여러 색깔의 꽃이 피는 겨잣과(科)의 관상 식물》.

‡**cane** [kein] *n.* ① **a)** C (등나무로 만든) 지팡이, 단장(walking stick). **b)** C (처벌용의) 회초리, 막대기. ② **a)** (마디 있는) 줄기《등(籐)·대·종려나무·사탕수수 등》. **b)** U 등류(類)《용재로서》. —*vt.* ①《+목+전+명》 (학생 등)을 매로 치다; 매로 가르치다: ~ a lesson *into* a person 아무에게 매질하여 학과를 가르치다. ② (바구니·의자 등받이 따위)를 등나무로 만들다〔엮다〕.

cane·brake [´-brèik] *n.* C 《美》 등나무 숲.

cáne cháir 등나무 의자.

cáne sùgar 사탕수수 설탕. cf. BEET SUGAR.

cane·work [´-wə̀:rk] *n.* U 등(籐)세공(품).

can·ful [kǽnfùl] *n.* C (깡)통 가득함, 그 분량.

ca·nine [kéinain, kǽn-] *a.* 개의, 개와 같은; 갯과(科)의: ~ madness 광견병 / a man with ~ features 개와 같은 얼굴을 한 남자. —*n.* C ① 개; 갯과의 짐승. ② =CANINE TOOTH.

cánine tòoth 송곳니, 견치.

can·ing [kéiniŋ] *n.* U,C 매질.

Cá·nis Májor [kéinis-] 〖天〗 큰개자리.

Cánis Mínor 〖天〗 작은 개자리.

can·is·ter [kǽnistər] *n.* C ① 양철통, (차·담배·커피의) 통: a tea ~ 차 (깡)통. ② (가스탄(彈) 등의) 원통탄(圓筒彈).

***can·ker** [kǽŋkər] *n.* ① U,C 〖醫〗 옹(癰); 구강궤양(암). ② U 〖獸醫〗 말굽 종창. ③ U 〖植〗 (과수의) 암종병(癌腫病); 뿌리혹병. ④ C 해독; (마음을 좀먹는) 고민. —*vt.* ① …을 canker에 걸리게 하다. ② 정신적으로 해치다; 서서히 파괴하다. —*vi.* canker에 걸리다.

can·ker·ous [kǽŋkərəs] *a.* ① canker 의〔같은〕; canker 가 생기는. ② 마음을 좀먹는.

can·ker·worm [´-wə̀:rm] *n.* C 〖蟲〗 자벌레.

can·na [kǽnə] *n.* C 〖植〗 칸나.

can·na·bis [kǽnəbis] *n.* U ① 〖植〗 대마(大麻). ② 칸나비스《마약의 원료》; 마리화나.

***canned** [kænd] CAN²의 과거·과거분사. —*a.* ① 통조림한(《英》 tinned): ~ fruit 과일 통조림 / ~ goods 통조림 제품. ② 《俗》 녹음〔녹화〕한: ~ music 레코드〔테이프〕 음악 / a ~ program 녹음〔녹화〕프로그램 / ~ laughter (효과음으로) 녹음된 웃음소리. ③ 《俗》 (연설 따위가) 미리 준비된. ④ 〔敍述的〕 《俗》 취한; 마약을 쓴.

can·nel [kǽnl] *n.* U 촉탄(燭炭)(=∠ **còal**).

can·nel·lo·ni [kæ̀nəlóuni] *n.* U 《It.》 〖料〗 원통형의 대형 pasta 또는 그 요리.

can·ner [kǽnər] *n.* C 통조림 제조업자.

can·nery [kǽnəri] *n.* C 통조림 공장.

Cannes [kænz] *n.* 〖地〗 칸《프랑스 남동부의 보양지; 매년 열리는 국제 영화제로 유명》.

***can·ni·bal** [kǽnəbəl] *n.* C ① 인육을 먹는 사람, 식인자. ② 서로 잡아먹는 동물. —*a.* 〔限定的〕 ① 식인의: a ~ tribe 식인종. ② 서로 잡아먹는.

can·ni·bal·ism [kǽnəbəlizəm] *n.* U ① 식인(풍습). ② 서로 잡아먹기.

can·ni·bal·is·tic [kæ̀nəbəlístik] *a.* ① 식인의〔과 같은〕. ② 서로 잡아먹는 (습성의).

can·ni·bal·ize [kǽnəbəlàiz] *vt.* ① (사람)의 고기를 먹다; (동물이) 서로 잡아먹다. ② **a)** (낡은 차·기계 등)을 분해하다, 해체하다; 해체하여 이용 가능한 부분을 사용하다. **b)** (낡은 차량 등)에서 (부품)을 떼내다: Parts are frequently ~*d* from one aircraft to put on another. 종종 한 항공기에서 부품을 떼내어 다른 항공기에 쓴다. —*vi.* 식인하다; 서로 잡아먹다.

can·ni·kin [kǽnəkin] *n.* C 작은 양철통〔깡통〕; 작은 컵.

can·ning [kǽniŋ] *n.* U 통조림 제조(업).

‡**can·non**¹ [kǽnən] (*pl.* **~s,** 〔集合的〕 ~) *n.* C ① 대포《지금은 흔히 gun》. ② 〖空〗 기관포. —*vi.* 포격하다; 대포를 쏘다.

can·non² *n.* C 《英》 〖撞球〗 캐넌(《美》 carom)

《친 공이 두 표적공에 맞는 일》. ── *vi.* ①〚撞球〛 캐넌을 치다. ② (…에) 부딪히다, 충돌하다 《*against* ; *into*》: She came running and ~*ed into* me. 그녀는 달려와서 내게 부딪혔다.

can·non·ade [kæ̀nənéid] *n.* Ⓒ 연속 포격(★ 지금은 보통 bombardment). ── *vt.* …을 연속 포격하다(bombard).

can·non·ball [-bɔ̀:l] *n.* Ⓒ ① (옛날의 구형(球形)의) 포탄《지금은 보통 shell》. ② 무릎을 껴안고 하는 다이빙, 캐넌볼 : do a ~ 캐넌볼을 하다. ③ 〚테니스〛 강속 서브 ; 탄환 서브. ④ 《美口》 특급〔탄환〕 열차. ── *a.* 〔限定的〕 고속의, 재빠른.

cánnon fòdder 〔集合的〕 대포의 밥, 병사들.

can·not** [kǽnɑt, -ˊ, kənɑ́t / kǽnɔt, kənɔ́t] (간약형 ***can't [kænt / kɑ:nt]) can not 의 연결형 : Can you swim? — No, I ~. 당신은 헤엄칠 줄 아십니까 — 아뇨, 못 칩니다. ★ 《美》에서나 또는 not 에 강세를 둘 때에는 can not 으로 씀. 또, 회화에서는 can't 를 씀 : You can go, or you *can nót* go. 넌 가도 좋고 안 가도 좋다.

can·nu·la [kǽnjələ] (*pl.* ~*s*, *-lae* [-lì:]) *n.* Ⓒ 〚醫〛 캐뉼러《환부에 꽂아 넣어 액을 빼내거나 약을 넣는 데 씀》.

can·ny [kǽni] (***can·ni·er*** ; ***-ni·est***) *a.* ① 약은, 영리한. ② (금전 문제에 있어서) 빈틈없는 ; 검약한 ; 주의 깊은, 세심한. ㊕ **-ni·ly** [-nəli] *ad.* **-ni·ness** *n.*

‡**ca·noe** [kənú:] *n.* Ⓒ 카누 ; 마상이, 가죽배 : paddle a ~ 카누를 젓다. ***paddle one's own*** ~ 독립해서 해 나가다 ; 자활하다. ── (*p.*, *pp.* ***-noed*** ; ***-noe·ing***) *vi.* 카누를 젓다 ; 카누로 가다. ㊕ **~·ist** [-ist] *n.* Ⓒ 카누를 젓는 사람.

can·on[1] [kǽnən] *n.* ① Ⓒ 〚基〛 교회법 ; 교회 법규집. ② Ⓒ (흔히 *pl.*) 규범, 기준, 표준 : the ~*s* of conduct 행동의 기준. ③ (the ~) **a**) 〚基〛 (외전(外典)에 대한) 정전(正典) : *the* Books of *Canon* 정전 ; 정경서(正經書). **b**) 진짜 작품 (목록). ④ (the ~) 〚가톨릭〛 **a**) 미사 전문(典文). **b**) 성인록(錄). ⑤ Ⓒ 〚樂〛 카논, 전칙곡(典則曲).

can·on[2] *n.* Ⓒ 〚基〛 대성당 참사회 의원.

ca·non·i·cal [kənɑ́nəkəl / -nɔ́n-] *a.* ① 교회법에 의한. ② 정전(正典)으로 인정된. ③ 정규의, 표준〔기준〕적인. ── *n.* (*pl.*) (성직자의) 제의(祭衣). ㊕ **~·ly** [-li] *ad.*

canónical hóurs (the ~) 〚가톨릭〛 성무 일도(聖務日禱) 시간 ; 《英》 (교회에서) 결혼식을 하는 시간《오전 8시-오후 6시》.

can·on·ic·i·ty [kæ̀nənísəti] *n.* Ⓤ ① 교회법에 맞음. ② 규범〔기준〕성.

can·on·i·za·tion [kæ̀nənizéiʃən / -naiz-] *n.* ① Ⓤ 시성(諡聖). ② Ⓒ 시성식(式).

can·on·ize [kǽnənàiz] *vt.* …을 시성(諡聖)하다 ; …을 성인(聖人)으로 추앙하다.

cánon láw 교회법, 종규(宗規).

ca·noo·dle [kənú:dl] *vi.* 《英俗》 키스하다, 껴안다, 애무하다(fondle).

cán òpener 《美》 깡통따개(《英》 tin opener).

***can·o·py** [kǽnəpi] *n.* Ⓒ ① 닫집 ; 닫집 모양의 덮개〔차양〕. ② (the ~) 하늘 : *the* ~ of heaven 하늘, 창공. ③ 〚空〛 (조종석의 투명한) 덮개. ④ 낙하산의 갓. ── *vt.* …을 닫집(같은 것)으로 덮다.

canst [kænst, 弱 kənst] *aux. v.* 《古》 =CAN[1]《주어가 thou 일 때》.

cant[1] [kænt] *n.* Ⓤ ① 위선적인〔젠체하는〕 말투. ② 변말, 은어 : thieves' ~ 도둑의 은어. ③ (한때의) 유행어(~ phrase). ── *vi.* ① 청승맞은 소리를 내다 ; 점잔을 빼고 말하다. ② 변말을 쓰다.

cant[2] *n.* Ⓒ ① 경사(slope), 기울 ; (둑 · 결정체 따위의) 사면(斜面)(slant) ; 경각(傾角). ② (기울어지게 할 정도로) 갑자기 밀기 ; 홱 굴리기. ③ 〚鐵〛 캔트《커브에서 바깥쪽 레일을 높게 만든 것》. ── *a.* 〔限定的〕 경사진 ; 모서리를 잘라낸. ── *vt.* ① …을 비스듬히 베다〔자르다〕《*off*》. ② …을 (갑자기) 기울이다 ; 뒤집다, 전복시키다《*over*》. ③ …을 비스듬히 찌르다〔밀다〕. ── *vi.* ① 기울다, 기울어지다. ② 뒤집히다《*over*》.

†**can't** [kænt / kɑ:nt] CANNOT 의 간약형(★ 구어에선 mayn't 대신 많이 씀) : *Can't* I go now? 이제 가도 되지요.

Can·tab [kǽntæb] *n.* 《口》 =CANTABRIGIAN.

can·ta·bi·le [kɑ:ntɑ́:bilèi / kɑ:ntɑ́:bilè] *a.*, *ad.* 〚樂〛 《It.》 칸타빌레, 노래하듯 (한). ── *n.* ① Ⓒ 칸타빌레 (의 악장). ② Ⓤ 칸타빌레 양식.

Can·ta·brig·i·an [kæ̀ntəbrídʒiən] *a.* ① Cambridge 의 ; Cambridge 대학의. ② (미국 Massachusetts 주의) Cambridge 의 ; Harvard 대학의. ── *n.* Ⓒ ① (영국의) Cambridge 대학의 학생〔출신자〕. ② (미국의) Cambridge 사람〔주민〕 ; Harvard 대학의 재학생〔출신자〕. cf. Oxonian.

can·ta·loup(e) [kǽntəlòup / -lù:p] *n.* Ⓒ,Ⓤ 캔털로프《멜론의 일종》.

can·tan·ker·ous [kəntǽŋkərəs, kæn-] *a.* 심술궂은(ill-natured), 툭하면 싸우는. ㊕ **~·ly** *ad.*

can·ta·ta [kəntɑ́:tə] *n.* Ⓒ 〚樂〛 《It.》 칸타타, 교성곡(交聲曲).

cánt dòg =CANT HOOK.

can·teen [kæntí:n] *n.* Ⓒ ① **a**) 영내 매점 (《美》 Post Exchange). **b**) (군인의) 위안소〔오락장〕. **c**) (광산 · 바자 등의) 매점. **d**) (회사 · 학교 등의) 식당 : a factory ~ 공장 식당. ② (군인 · 하이커(hiker)용의) 수통, 빨병. ③ 《英》 나이프 · 포크 · 스푼의 세트.

can·ter [kǽntər] *n.* (a ~) 〚馬〛 캔터, 느린 구보. ***win at*** 〔***in***〕 ***a*** ~ (경주에서 말이) 낙승하다. ── *vi.*, *vt.* (…을) 느린 구보로 나아가(게 하)다.

***Can·ter·bury** [kǽntərbèri, -bəri] *n.* 캔터베리《잉글랜드 Kent 주의 도시 ; 영국 국교(國敎)의 중심인 캔터베리 대성당의 소재지》.

Cánterbury Tàles (The ~) 캔터베리 이야기《중세 영어로 씌어진 Chaucer 작의 이야기집》.

cánt hòok (통나무를 다루는) 갈고랑 장대.

can·ti·cle [kǽntikəl] *n.* ① Ⓒ 찬(송)가. ② Ⓒ 영국 국교의 기도서 중의 송영 성구(頌詠聖句)의 하나. ③ (the C-s 또는 the C- of C-s) 〔單數 취급〕 〚聖〛 솔로몬의 아가(雅歌)(the Song of Solomon) ; 소곡(小曲).

can·ti·lev·er [kǽntəlèvər, -lì:vər] *n.* Ⓒ 〚建〛 캔틸레버, 외팔보.

cántilever brìdge 캔틸레버식 다리.

can·til·late [kǽntəlèit] *vt.* (전례문(典禮文))을 영창하다, 가락을 붙여서 창화(唱和)하다. ㊕ **can·til·la·tion** [kæ̀ntəléiʃən] *n.*

can·tle [kǽntl] *n.* Ⓒ 《美 · 英古》 ① 안미(鞍尾), 안장 뒷가지. ② 조각, 끄트러기, 쪼가리.

can·to** [kǽntou] (*pl.* ~s***) *n.* Ⓒ (장편시의) 편(篇)《산문의 chapter 에 해당》. cf. book, stanza.

Can·ton [kæntɑ́n, ˊ- / kæntɔ́n, ˊ-] *n.* 광둥(廣東)《중국 남부 도시》.

can·ton [kǽntn, -tɑn, kæntɑ́n / kǽntɔn, -ˊ] *n.* Ⓒ (스위스의) 캉통, 주(州).

Can·ton·ese [kæ̀ntəní:z] *a.* 광둥(廣東)(말)의 : ~ cuisine 광둥 요리. ── (*pl.* ~) *n.* ① Ⓒ 광둥 사람. ② Ⓤ 광둥 사투리.

can·ton·ment [kæntóunmənt, -tɑ́n- / -tú:n-] *n.* Ⓒ 〚軍〛 숙영지.

can·tor [kǽntər] *n.* Ⓒ (성가대의) 선창자.

Ca·nuck [kənʌ́k] *n.* Ⓒ《蔑》 캐나다인, 《특히》 프랑스계 캐나다인. ── *a.* 캐나다(인)의 ; 《특히》 프랑스계 캐나다인의.

Ca·nute [kənjúːt] *n.* 카뉴트《영국 · 덴마크 · 노르웨이 왕 ; 994 ? -1035》.

ː can·vas [kǽnvəs] *n.* ① Ⓤ 즈크, 범포(帆布) : ~ shoes for tennis 테니스용 즈크화. ② Ⓒ 텐트, 덮개. ③ **a)** Ⓒ 캔버스, 화포. **b)** Ⓒ (화포에 그려진) 유화(油畫) (oil painting), 그림(picture). **c)** Ⓤ (역사 따위의) 배경, 무대(*of*) : the ~ *of* a narrative 이야기의 배경. ④ (the ~) 권투〔레슬링〕의 링바닥 : He was knocked to *the* ~. 그는 링바닥에 나가 떨어졌다. ⑤ Ⓤ 〔集合的〕 돛. ***on the*** ~ (1) (권투에서) 다운되어. (2) 패배 직전에. ***under*** ~ (1) (배가) 돛을 달고(under sail). (2) (군대가) 천막을 치고 ; 야영 중에.

can·vas·back [kǽnvəsbæ̀k] *n.* Ⓒ (북아메리카산) 들오리의 일종.

***can·vass** [kǽnvəs] *vt.* ①《~+목 / +목+전+명》 (투표 · 기부 · 주문 등을 어느 지역 · 사람들)에게 간청하다, 부탁하다 ; (어느 지역)을 (부탁하며) 다니다, 유세하다 : ~ a district *for* votes 투표를 부탁하러 선거구를 유세하다. ② …을 정사(精査)하다, 검토하다 ; 토의〔토론〕하다 : ~ a suggestion 제안을 검토하다 / They ~*ed* the pros and cons of euthanasia. 그들은 안락사의 찬부를 토의했다. ③《美》 (투표)를 공식적으로 점검하다. ── *vi.* ①《~ / +전+명》 선거운동을 하다 ; 권유하다(*for*). ②《美》 투표(수)를 점검하다. ③ 토론하다. ── *n.* Ⓤ 선거운동, 유세 ; 권유 ; 조사, 《美》 (투표의) 점검 : make a ~ of a neighborhood 지역 유세를 하다.

can·vass·er [kǽnvəsər] *n.* Ⓒ ① (호별 방문에 의한) 권유원, 주문받으러 다니는 사람. ② 선거 운동원, 호별 방문하는 운동원.

can·yon** [kǽnjən] *n.* Ⓒ (개울이 흐르는 깊은) 협곡. ***the Grand Canyon ⇨ GRAND CANYON.

can·zo·ne [kænzóuni / -tsóu-] (*pl.* **~s, -ni** [-niː]) *n.* Ⓒ 《It.》 칸초네, 민요풍의 가곡.

can·zo·net [kæ̀nzənét], **-net·ta** [-nétə] *n.* Ⓒ 칸초네타《서정적인 소(小)가곡》.

caou·tchouc [kautʃúːk, káuːtʃuk] *n.* Ⓤ 탄성고무(India rubber) ; 생고무(pure rubber).

†cap [kæp] *n.* Ⓒ ① **a)** (양태 없는) 모자 ; 제모. cf. hat. ¶ a baseball ~ 야구모. **b)** 《英》 선수 모자 : get〔win〕 one's ~ 선수가 되다. ② 씌우는 (모자 같은) 것. **a)** 뚜껑 ; (칼)집, (만년필 따위의) 두겁 ; (시계의) 속딱지 ; (병의) 쇠붙이 마개 : take the ~ off the bottle 병마개를 따다. **b)** (버섯의) 갓 ; (구두의) 코(toe ~) ; 종지뼈. ③ **a)** 〖建〗 대접받침. **b)** 〖船〗 장모(檣帽). ④ **a)** 뇌관(percussion ~). **b)** (소량의 화약을 종이에 싼) 딱총알. ⑤ 최고부, 정상(top) : the ~ of fools 바보 중의 바보. ⑥ 〔흔히 複合語를 이루어〕 《英》 피임용 페서리 : ⇨ Dutch cap. **~ *and bells*** (예전에 궁전의 어릿광대가 쓴) 방울(달린) 모자. **~ *and gown*** 대학의 제복 제모 ; 학자. **~ *in hand*** 《比》 (1) 모자를 벗고, 공손한 태도로. (2) 황공하여. ***feather in*** one***'s*** ~ 자랑할 만한 공적. ***put on*** one***'s thinking*** 〔***considering***〕 ~ 《口》 숙고하다, 차분히 생각하다. ***set*** one***'s*** ~ ***for*** 〔***at***〕 《口》 (남자의) 애정을 사려고 하다. ***The ~ fits.*** (비평이) 적중하다 : If *the* ~ *fits,* wear it. 그 비평이 마땅하다면 순순히 받아들이시오.

── (**-pp-**) *vt.* ① …에 모자를 씌우다 : ~ a nurse 《美》 (간호학교 졸업생)에게 간호사 모자를 씌우다. ② (기구 · 병)에 마개를 하다 : ~ a bottle 병에 마개를 하다. ③《~+목 / +목+전+명》 …의 위를〔표면을〕 덮다(*with*) : Snow has ~*ped* Mt. Halla. 눈이 한라산을 덮었다 / ~ cherries *with* cream 체리에 크림을 바르다. ④ …보다 낫다(surpass), 능가하다 : His singing ~*ped* the others. 그의 노래(솜씨)는 다른 사람들보다 나았다. ⑤ (일화 · 인용구 등)을 다투어 꺼내다 : ~ one joke *with* another 번갈아가며 농담을 잇달아 주고받다. ⑥ …을 매듭짓다 ; …의 유종의 미를 거두다(*with* ; *with* doing). ⑦ 《Sc.》 …에게 학위를 수여하다 ; (경기자)를 멤버에 넣다.

── *vi.* (경의를 표하여) 모자를 벗다. ***to*** ~ (***it***) ***all*** 필경은, 결국〔마지막〕에는 : I had a rotten day at the office, and *to* ~ *it all* my car broke down on the way home! 나는 사무실에서 기분나쁜 하루를 보냈고, 필경은 귀갓길에 내 차까지 고장이 났다.

cap. [kæp] capacity ; capital ; capitalize ; captain ; caput 《L.》 (=chapter).

***ca·pa·bil·i·ty** [kèipəbíləti] *n.* ① Ⓤ,Ⓒ **a)** 할 수 있음 ; 능력, 역량, 재능(ability)(*of* do*ing* ; *to* do) : He had no ~ *to* deal with the matter. 그는 그 일을 처리할 능력이 없었다. **b)** 역량, 자격(*for*) : His ~ *for* this job is not in question. 그가 이 일(을 하기)에 충분한 역량이 있다는 것은 의심할 여지가 없다. ② Ⓤ (…하는) 특성, 성능(*for*) : the ~ of gases *for* compression 기체가 압축되는 성질. ③ (*pl.*) (뻗을 수 있는) 소질, 장래성 : 성능 ; 〖電〗 가능 출력 : a man of great *capabilities* 장래가 유망한 사람. ④ Ⓤ (나라의) 전투 능력 : nuclear ~ 핵전쟁 능력.

ː ca·pa·ble [kéipəbəl] (***more*** ~ ; ***most*** ~) *a.* ① 유능한, 역량 있는(*for*) : a ~ businessman 유능한 사업가. ② (…할) 능력이 있는(*of* ; *of* do*ing*) : a man ~ *of* judg*ing* arts 예술을 판정할 능력이 있는 사람. ③ (나쁜 짓 따위)까지도 (능히) 할 수 있는, …도 불사하는(*of*) : He is ~ *of* treachery. 그는 능히 배반까지도 할〔서슴지 않을〕 사람이다. ④ …할 수 있는 ; …될 수 있는, (…이) 가능한(*of*) : a verse ~ *of* many interpretations 여러 가지로 해석될 수 있는 시의 1절.

ca·pa·bly [kéipəbəli] *ad.* 유능〔훌륭〕하게, 잘.

***ca·pa·cious** [kəpéiʃəs] *a.* ① (방 따위가) 널찍한, 너른(wide). ② (용량이) 큰, 듬뿍 들어가는 : a ~ handbag 큰 핸드백. ③ 도량이 큰, 너그러운 : a ~ mind 너그러운 마음.

ca·pac·i·tance [kəpǽsətəns] *n.* Ⓤ 〖電〗 정전(靜電)〔전기〕 용량 ; 콘덴서(condenser)의 용량.

ca·pac·i·tate [kəpǽsətèit] *vt.* …을 가능하게 하다(enable)(*to* do), …에게 능력〔자격〕을 주다(make competent)(*for*).

ca·pac·i·tor [kəpǽsətər] *n.* Ⓒ 〖電〗 축전기.

ː ca·pac·i·ty [kəpǽsəti] *n.* ① Ⓤ (또는 a ~) **a)** 수용량 ; (최대) 수용 능력 : have *a* seating ~ of five persons, 5 사람을 수용할 수 있다. **b)** 용적, 용량 : a box with *a* ~ of twenty liters 용적 20리터의 상자. ② Ⓤ (또는 a ~) (공장 등의) 최대 생산력. ③ **a)** Ⓤ 포용력, 도량 ; 재능 : a man of great ~ 대수완가. **b)** Ⓤ,Ⓒ 능력, 이해력(*for* ; *to* do) : beyond one's ~ 자기의 능력을 넘어 / have ~ *to* pay 지불 능력이 있다. **c)** Ⓤ,Ⓒ (…에 대한) 적응력, 내구력 ; 가능성, 소질(*for*) : a ~ *for* resisting heat 내열성. ④ **a)** Ⓒ 《흔히 in one's ~ as …로》 자격, 입장 : *in* one's ~ *as* a critic 비평가로서의 입장에서. **b)** Ⓤ 〖法〗 (행위) 능력, 법정 자격. ★ 일반적으로 capacity 는 '받아들이는' 능력, ability 는 '행위하는' 능력. 비교 : He has great *capacity* for learning / He shows unusual *ability* in science. ── *a.* 〔限定的〕 최대한의 ; 만원

인 : a ~ crowd 만원 / (a) ~ yield 최대 산출량.

‡**cape**¹ [keip] *n.* Ⓒ 곶(headland), 갑(岬) : the *Cape* of Good Hope 희망봉.

***cape**² *n.* Ⓒ 케이프, 어깨 망토, 소매 없는 외투.

Cápe Canáveral 케이프 캐나베랄《미 Florida 주에 있는 곶 ; 미공군의 로켓 발사기지. 1963-73 년에는 Cape Kennedy라고 불렸음》.

Cápe Cód 케이프 코드《미국 Massachusetts 주의 반도》.

Cápe Hórn 〖地〗 케이프혼《남아메리카의 최남단 ; the Horn이라고도 함》.

ca·per**¹ [kéipər] *vi.* 뛰어돌아다니다, 깡충거리다. ── *n.* Ⓒ ① 뛰어돌아다님. ② 장난, 희롱거림 ; (종종 *pl.*) 광태(spree). ③《俗》(강도 등의) 나쁜 짓, 범죄(계획). ***cut ~s 〔***a*** ~〕 뛰어돌아다니다, 깡충거리다, 장난치다, 광태부리다.

ca·per² *n.* ① Ⓒ 풍조목속(風鳥木屬)의 관목《지중해 연안산》. ② (*pl.*) 그 꽃봉오리의 초절임.

cap·er·cail·lie, -cail·zie [kæ̀pərkéilji], [-kéilzi] *n.* Ⓒ 〖鳥〗 유럽산 뇌조의 일종.

Ca·per·na·um [kəpɔ́ːrneiəm, -niəm] *n.* 가버나움《팔레스타인의 옛 도시 ; 그리스도의 갈릴리 전도의 중심지》.

cape·skin [kéipskìn] *n.* ① Ⓤ 케이프스킨《남아프리카산(産) 양가죽》. ② Ⓒ 케이프스킨 제품.

Cape·town, Cape Town [kéiptàun] *n.* 케이프타운《남아프리카 공화국의 입법부 소재지》. ㊂ Pretoria.

Cápe Vérde 카보베르데《남아프리카의 공화국, 1975 년 포르투갈로부터 독립 ; 수도 Praia》.

cap·ful [kǽpfùl] *n.* Ⓒ 모자 가득(한 양).

cap·il·lar·i·ty [kæ̀pəlǽrəti] *n.* Ⓤ 〖物〗 모세관 현상.

cap·il·lary [kǽpəlèri / kəpíləri] *a.* 〔限定的〕 털(모양)의 ; 모세관(현상)의 : a ~ vessel 모세관. ── *n.* Ⓒ ① 모세관. ② 〖解〗 모세 혈관.

cápillary attráction 모세관 인력(引力).

†**cap·i·tal** [kǽpitl] *n.* ① Ⓒ 수도 ; 중심지. ② Ⓒ 대문자, 머리글자 : in ~*s* 대문자로. ③ **a)** Ⓤ 자본, 자산 : foreign ~ 외자(外資) / idle ~ 유휴 자본 / liquid ~ 유동 자본. **b)** Ⓤ (또는 a ~) 자본금, 원금, 밑천 : ~ and interest 원금과 이자. ④ Ⓤ (종종 C-) 〔集合的〕 자본가 (계급) : the relations between *Capital* and Labor 노자〔노사〕 관계. ⑤ Ⓒ 〖建〗 대접받침. ≠capitol. ***make ~ (out) of*** …을 이용하다, …에 편승하다 : They were trying to *make* political ~ *out of* this murder. 그들은 이 살인 사건을 정치적으로 이용하려 하고 있었다. ── *a.* 〔限定的〕 ① **a)** 주요한, 매우 중요한 : a ~ ship 주력함 / an issue of ~ importance 대단히 중요한 문제. **b)** 으뜸〔수위〕의 : a ~ city 〔town〕 수도. ② 우수한 ; 훌륭한 (excellent), 일류의 : ~ dinners 성찬 / a ~ idea 명안 / *Capital !* 잘한다, 근사하다. ③ 원래의 (original) ; 밑천의, 원금의, 자본의 : a ~ account 자본금 계정. ④ 대문자의 : a ~ letter 대문자. ⑤ 사형에 처할 만한《죄 따위》; 중대한, 치명적인(fatal) : a ~ error 치명적인 실수 / a ~ crime 죽을 죄 / a ~ sentence 사형 선고.

cápital expénditure 〖商〗 자본 지출.

cápital gáin 자본 이득, 자산 매각 소득.

cápital góods 자본재.

cap·i·tal-in·ten·sive [kǽpitlinténsiv] *a.* 자본 집약적, 자본을 많이 필요로 하는 : ~ industry 자본 집약형 산업.

cápital invéstment 자본 투자.

***cap·i·tal·ism** [kǽpitəlìzəm] *n.* Ⓤ 자본주의.

***cap·i·tal·ist** [kǽpitəlist] *n.* Ⓒ ① 자본가, 전주. ② 자본주의자. ── *a.* =CAPITALISTIC : a ~ country 자본주의 국가.

cap·i·tal·is·tic [kæ̀pitəlístik] *a.* 자본주의의〔자본가〕의.

cap·i·tal·is·ti·cal·ly [-tikəli] *ad.* 자본주의적으로, 자본가적으로.

cap·i·tal·i·za·tion [kæ̀pitəlizéiʃən] *n.* ① Ⓤ **a)** 자본화. **b)** 투자. **c)** 현금화. ② (a ~) **a)** 자본금. **b)** 자본 견적액, 현가 계상액. ③ Ⓤ 대문자 사용.

cap·i·tal·ize [kǽpitəlàiz] *vt.* ① …을 대문자로 쓰다〔인쇄하다〕, 대문자로 시작하다. ② …에 투자〔출자〕하다 ; …을 자본화하다, 자본으로 산입하다 : The industry is under-*capitalized.* 산업투자가 부족하다. ③ (수입·재산 따위)를 현가 계상하다. ── *vi.* 이용〔편승〕하다《*on*》: ~ *on* another's weakness 남의 약점에 편승하다 / ~ (*on*) one's opportunities 기회를 잡다.

cápital lèvy 자본 과세.

cap·i·tal·ly [kǽpətəli] *ad.* 《英》 ① 훌륭하게, 멋있게. ② 극형(極刑)으로 : punish a person ~ 아무를 극형으로 처벌하다.

cápital stóck (회사) 주식 자본.

cápital súm (지급되는 보험금의) 최고액.

cápital térritory 수도권.

cápital tránsfer tàx 《英》 증여세(gift tax) 《1974-86 년까지의 세금으로서, 1986 년부터는 inheritance tax 로 바뀌었다》.

cap·i·ta·tion [kæ̀pətéiʃən] *n.* ① Ⓤ 머릿수 할당. ② Ⓒ 인두세(稅)(poll tax) ; 머릿수 요금.

capitátion grànt (교육 등의) 인두(人頭) 보조금.

***Cap·i·tol** [kǽpitl] *n.* ① 카피톨《옛 로마의 주피터 신전》. ②《美》 **a)** (the ~) 국회의사당. **b)** (보통 c-) 주의회 의사당(statehouse). ≠capital.

Cápitol Híll ① 미국 국회 의사당이 있는 작은 언덕. ② Ⓤ 미국 의회 : on ~ 의회에서.

Cap·i·to·line (Híll) [kǽpitəlàin-] (the ~) 옛 로마 7 언덕의 하나.

ca·pit·u·late [kəpítʃəlèit] *vi.* ① 〖軍〗 (조건부로) 항복하다. ② (본의 아니게) 굴복하다, 따르다 《*to*》.

ca·pit·u·la·tion [kəpìtʃəléiʃən] *n.* ① **a)** Ⓤ,Ⓒ (조건부) 항복《*to*》. **b)** Ⓒ 항복 문서. ② Ⓒ (회의·조약 등의) 합의 사항. ③ Ⓤ 복종《*to*》.

Cap'n [kǽpən] *n.* 《口》 =CAPTAIN.

ca·pon [kéipən, -pɑn] *n.* Ⓒ (거세한) 식용 수탉.

Ca·po·ne [kəpóuni] *n.* **Al(phonso)** ~ 카포네 《미국 마피아단의 두목 ; 1899-1947》.

cap·puc·ci·no [kæ̀putʃíːnou, kɑ̀ːpu-] (*pl.* ~***s***) *n.* Ⓒ 《It.》 카푸치노《espresso coffee 에 뜨거운 밀크를 가한 것》.

Ca·pri [kɑ́ːpri, kǽp-, kəpríː] *n.* 카프리 섬《이탈리아 나폴리만의 명승지》.

ca·pric·cio [kəpríːtʃiòu] (*pl.* ~***s***) *n.* Ⓒ 〖樂〗 카프리치오, 광상(狂想)곡.

***ca·price** [kəpríːs] *n.* ① Ⓤ 변덕, 종작 없음 (whim), 줏대 없음, 무정견 : act from ~ 변덕스럽게 굴다. ② Ⓒ 예상〔설명〕하기 어려운 급변. ③ 〖樂〗 =CAPRICCIO.

***ca·pri·cious** [kəpríʃəs] *a.* ① 변덕스러운. ② 갑자기 변하기 쉬운. ㊎ **~·ly** *ad.* **~·ness** *n.*

Cap·ri·corn [kǽprikɔ̀ːrn] *n.* 〖天〗 염소자리(the Goat) ; 마갈궁(磨羯宮)《황도(黃道)의 제 10 궁》. ***the Tropic of*** ~ 남회귀선, 동지선.

cap·ri·ole [kǽprìoul] *n.* Ⓒ ① (댄스 등의) 도약. ② 〖馬〗 카프리올, 수직 도약. ── *vi.* 도약하다 ; 껑충 뛰다 ; (말이) 카프리올을 하다.

Caprí pánts 카프리 팬츠《바짓부리가 좁은 홀쭉한 여성용 캐주얼 바지》.

Ca·pris [kəpríːz] *n.* (*pl.*) =CAPRI PANTS.

caps. [kæps] 〖印〗 capital letters.
cap·si·cum [kǽpsikəm] *n.* Ⓒ 고추 (열매).
cap·size [kǽpsaiz, -ˊ] *vt.* (배)를 전복시키다 : A large wave ~*d* our boat. 큰 파도에 우리 보트가 뒤집혔다. — *vi.* (배가) 뒤집히다 : The yacht 〔We〕 ~*d* in heavy seas. 우리 요트는〔우리는〕 큰 파도에 뒤집혔다.
cáp sléeve 캡 슬리브《어깨에서 조금 나온 아주 짧은 소매》.
cap·stan [kǽpstən] *n.* Ⓒ 캡스턴《(1) 닻 따위를 감아 올리는 장치. (2) 테이프 리코더에서 테이프를 일정 속도로 주행시키는 회전체》.
cap·stone [kǽpstòun] *n.* Ⓒ ① (돌기둥·담 등의) 갓돌, 관석(冠石) (coping). ② 최고점, 절정, 정점 : the ~ of one's political career 아무의 정치 생활의 절정.
cap·su·lar [kǽpsələr / -sju-] *a.* 캡슐의, 캡슐 모양의 ; 캡슐에 든.
cap·su·lat·ed [kǽpsəlèitid, -sju-] *a.* 캡슐에 「든.
***cap·sule** [kǽpsəl / -sju:l] *n.* Ⓒ ① (약·우주 로켓 등의) 캡슐. ② 꼬투리, 삭과(蒴果). ③〖生理〗 피막(被膜). ④ (강연 등의) 요지, 개요(digest). — *vt.* ① …을 캡슐에 넣다, 캡슐로 싸다. ② …을 요약하다. — *a.* ① 소형의. ② 요약한 : a ~ report 간결한 보고.
capt. captain ; caption.
†**cap·tain** [kǽptin] *n.* Ⓒ ① 장(長), 두령(chief) ; 지도자(leader) ; 거물 : a ~ of industry 산업계의 거물, 대실업가. ② **a**) 선장, 함장, 정장(艇長). **b**) (민간 항공기의) 기장(機長). ③〖陸軍〗 대위 ; 〖海軍〗 대령 ; 〖空軍〗 대위. ④ **a**) (공장 등의) 감독 ; 단장, 반장. **b**) 소방서장〔대장〕 ; 《美》 (경찰의) 지서장, 경위(警衛). **c**) 《美》 (호텔·레스토랑의) 보이장, 급사장. **d**) (스포츠 팀의) 주장. ⑤ 명장, (육해군의) 지휘관 : the great ~*s* of antiquity 고대의 명장들. — *vt.* …의 주장〔지휘관〕이 되다, …을 통솔하다.
cap·tion [kǽpʃən] *n.* Ⓒ ① (기사 따위의) 표제, 제목(heading). ② (삽화의) 설명문(legend). ③ 〖映〗 자막(subtitle) : a cinema ~ 영화의 자막. ④ (법률 문서의) 머리말, 전문(前文). — *vt.* …에 표제를〔설명문을, 타이틀을〕 붙이다 ; 〖映〗 …에 자막을 넣다.
cap·tious [kǽpʃəs] *a.* ① (공연히) 헐뜯는, 흠〔탈〕잡기 좋아하는, 잔소리가 심한. ② 심술궂은, 말꼬리 잡고 늘어지는 : a ~ question 심술궂은 질문. ㊕ **~·ly** *ad.* **~·ness** *n.*
cap·ti·vate [kǽptəvèit] *vt.* 〔종종 受動으로〕 …의 넋을 빼앗다, …을 현혹시키다, 뇌쇄〔매혹〕하다 : *be* ~*d with*〔*by*〕 her charms 그녀의 아름다움에 매혹〔매료〕되다.
cap·ti·vat·ing [kǽptəvèitiŋ] *a.* 매혹적인 : a ~ smile 매혹적인 미소. ㊕ **~·ly** *ad.*
cap·ti·va·tion [kæ̀ptəvéiʃən] *n.* Ⓤ ① 매혹(함). ② 매료(된 상태). ③ 매력.
‡**cap·tive** [kǽptiv] *n.* Ⓒ ① 포로 ; 감금된 사람. ② (사랑 따위의) 노예, (…에) 매료된〔사로잡힌〕 사람《*to* ; *of*》 : a ~ *to* love 사랑의 포로 / a ~ *of* selfish interests 제 실속만 차리는 사람.
— (*more* ~ ; *most* ~) *a.* ① **a**) 포로의〔가 된〕 : the ~ soldiers 포로가 된 병사들. **b**) 사로잡힌, 속박된, 유폐된 ; (동물이) 우리에 갇힌 : a ~ bird 새장의 새. ② 매혹된 : Her beauty held him ~. 그는 그녀의 아름다움에 매혹되었다. ③ 고정된, 정위치의 : a ~ balloon 계류 기구. ④ 싫든 좋든 들어야〔보아야〕 하는 : a ~ audience 싫어도 들어야 하는 청중《스피커 등을 갖춘 버스의 승객 따위》.
***cap·tiv·i·ty** [kæptívəti] *n.* Ⓤ 사로잡힘, 사로잡힌 몸(기간), 감금 ; 속박 : hold〔keep〕 a person in ~ 아무를 감금〔속박〕하다.
cap·tor [kǽptər] (*fem.* **-tress** [-tris]) *n.* Ⓒ 잡는 사람, 체포자(opp. *captive*).
‡**cap·ture** [kǽptʃər] *n.* ① **a**) Ⓤ 포획, 체포 ; 빼앗음. **b**) Ⓒ 포획물〔동물〕, 포획선(船). ② Ⓤ〖컴〗 포착, 갈무리 : ⇨ DATA CAPTURE.
— *vt.* ① …을 붙잡다, 생포하다 : ~ three of the enemy 적병 3명을 포로로 잡다. ② …을 점령〔공략〕하다. ③ …을 획득하다, 손에 넣다 : ~ a prize 상을 타다. ④ (마음·관심)을 사로잡다. ⑤〖컴〗 (데이터)를 검색하여 포착하다.
†**car** [kɑ:r] *n.* Ⓒ ① 차, 자동차. ★ car 는 automobile, motorcar의 뜻이며 보통 truck 이나 bus 는 포함되지 않음. ②〔흔히 複合語를 이루어〕 《美》 (전차·기차의) 차량 ; (*pl.*) 《美》 열차(the train) ; 객차, 화차 ; 《英》 …차. cf. carriage, coach, van¹. ¶ a 16-~ train 16 량(輛) 연결의 열차 / a passenger ~ 객차. ③ 궤도차 : ⇨ STREETCAR, TRAMCAR. ④ (비행선·기구(氣球)의) 곤돌라 ; 《美》 (엘리베이터의) 칸.
car·a·bi·neer, -nier [kæ̀rəbiníər] *n.* Ⓒ 기총병(騎銃兵). 「zuela 의 수도》.
Ca·ra·cas [kərɑ́:kəs, -rǽ-] *n.* 카라카스《Vene-
ca·rafe [kərǽf, -rɑ́:f] *n.* Ⓒ (식탁·침실·연단(演壇)용) 유리 물병.
***car·a·mel** [kǽrəməl, -mèl] *n.* ① Ⓤ 캐러멜, 구운 설탕《색깔·맛을 내는 데 씀》. ② Ⓒ 캐러멜 과자. ③ Ⓤ 캐러멜빛, 담갈색.
car·a·mel·ize [kǽrəməlàiz] *vt., vi.* (…을) 캐러멜로 만들다〔이 되다〕.
car·a·pace [kǽrəpèis] *n.* Ⓒ ① (게 따위의) 딱지. ② (거북 따위의) 등딱지.
***car·at** [kǽrət] *n.* Ⓒ ① 캐럿《보석류의 무게 단위 ; 200 mg》. ② =KARAT.
‡**car·a·van** [kǽrəvæ̀n] *n.* Ⓒ ①〔集合的〕 (사막의) 대상(隊商) ; 여행대(隊) ; 대열(隊列) : a ~ of camels 낙타의 일대(一隊) / a refugee ~ 피난민 대열. ② (서커스·집시 등의) 포장 마차. ③ 《英》 (자동차로 끄는) 이동 주택, 트레일러 하우스(trailer). — (~*ned*, 《美》 ~*ed* ; ~·*ning*, 《美》 ~·*ing*) *vi.* 《英》 트레일러로 여행하다〔생활하다〕.
cáravan pàrk〔**sìte**〕 《英》 이동 주택용 주차장(《美》 trailer park).
car·a·van·sa·ry, car·a·van·se·rai [kæ̀rəvǽnsəri], [-rài] *n.* Ⓒ ① (중앙에 큰 안뜰이 있는) 대상(隊商) 숙박소. ② 큰 여관, 호텔.
car·a·vel, -velle [kǽrəvèl] *n.* Ⓒ (15-16 세기경 스페인·포르투갈의) 경쾌한 돛배.
car·a·way [kǽrəwèi] *n.* ① Ⓒ〖植〗 캐러웨이《회향풀의 일종》. ② Ⓤ〔集合的〕 캐러웨이 열매.
car·barn [kɑ́:rbɑ̀:rn] *n.* Ⓒ 《美》 전차〔버스〕 차고. 「드.
car·bide [kɑ́:rbaid, -bid] *n.* Ⓤ 탄화물, 카바이
car·bine [kɑ́:rbin, -bain] *n.* Ⓒ ① 카빈총. ② (옛날의) 기병총(銃).
***car·bo·hy·drate** [kɑ̀:rbouhάidreit] *n.* Ⓒ ① 탄수화물, 함수탄소. ② (흔히 *pl.*) 탄수화물이 많이 든 식품《많이 먹으면 살이 찜》.
***car·bol·ic** [kɑ:rbάlik / -bɔ́l-] *a.* 탄소의 ; 콜타르성(性)의 : ~ acid 석탄산, 페놀.
cár bòmb (테러에 쓰이는) 자동차 폭탄.
‡**car·bon** [kɑ́:rbən] *n.* ① Ⓤ〖化〗 탄소《비금속 원소 ; 기호 C ; 번호 6》. ② Ⓒ〖電〗 탄소봉. ③ **a**) Ⓤ,Ⓒ 카본지, 복사지, 묵지(~ paper). **b**) Ⓒ =CARBON COPY ①.
car·bo·na·ceous [kɑ̀:rbənéiʃəs] *a.* 탄소(질)

의 ; 탄소를 함유하는.

car·bon·ate [ká:*r*bənèit] *vt.* ① …을 탄산염으로 바꾸다 ; 탄화하다. ② …에 탄산가스를 함유시키다. ── [-nèit, -nit] *n.* Ⓒ 탄산염. **~ *of lime* 〔*soda*〕** 탄산 석회〔소다〕. ㊎ **càr·bon·á·tion** [-ʃən] *n.* Ⓤ 탄산염화〔포화〕; 탄(산)화.

cárbon blàck 카본 블랙《인쇄 잉크 원료》.

cárbon cópy ① (복사지에 의한) 복사본, 사본《略 : c.c.》. ②《比》꼭 닮은 사람〔물건〕《*of*》.

cárbon cỳcle (the ~) (생물권의) 탄소 순환, 탄소 사이클.

car·bon-date [-dèit] *vt.* …의 연대를 방사성 탄소로 측정하다.

cárbon dàting 〖考古〗 방사성 탄소 연대(年代) 측정법《carbon 14 를 이용》.

cárbon dióxide 이산화탄소, 탄산가스.

cárbon 14 〖化〗 탄소 14《탄소의 방사성 동위원소 ; 기호 ^{14}C ; tracer 등에 이용》.

***car·bon·ic** [kɑ:*r*bánik / -bɔ́n-] *a.* 탄소의 : ~ acid 탄산(炭酸).

Car·bon·if·er·ous [kà:*r*bənífərəs] *n.* 〖地質〗 (the ~) 석탄기(紀) ; 석탄층. ── *a.* ① 석탄기의. ② (c-) 석탄을 함유〔산출〕하는.

car·bon·i·za·tion [kà:*r*bənizéiʃən] *n.* Ⓤ 탄화(법), 석탄 건류(乾溜).

car·bon·ize [ká:*r*bənàiz] *vt.* ① …을 숯으로 만들다, 탄화하다. ② …에 탄소를 함유시키다, …을 탄소와 화합시키다. ③ (종이)에 탄소를 바르다. ── *vi.* 탄화하다.

cárbon monóxide 〖化〗 일산화탄소.

cárbon pàper 카본지《복사용》.

cárbon tetrachlóride 〖化〗 4 염화탄소《드라이클리닝 약품 · 소화용(消火用)》.

cár-boot sále [ká:*r*bù:t-] =SWAP MEET.

Car·bo·run·dum [kà:*r*bərʌ́ndəm] *n.* Ⓤ 《美》 카보런덤《연마재(硏磨材) 따위로 사용하는, 탄화규소(硅素) ; 금강사(金剛砂) ; 商標名》.

car·boy [ká:*r*bɔi] *n.* Ⓒ 상자〔채롱〕에 든 대형 유리병《강(強)한 산(酸) 용액 등을 담음》.

car·bun·cle [ká:*r*bʌŋkəl] *n.* Ⓒ ①〖醫〗 옹(癰). ② (머리 부분을 둥글게 간) 석류석 (보석).

car·bu·ret [ká:*r*bərèit, -bjərèt] (*-t-,* 《주로 英》 *-tt-*) *vt.* ① (원소)를 탄소와 화합시키다. ② (공기 · 가스)에 탄소 화합물을 혼입하다.

car·bu·re·tor, ret·er, 《英》 **-ret·tor** [ká:*r*bərèitə*r*, -bjə-, -re-] *n.* Ⓒ (내연기관의) 기화기(氣化器), 카뷰레터.

***car·cass,** 《英》 **car·case** [ká:*r*kəs] *n.* Ⓒ ① **a**) (짐승의) 시체 ; (죽인 짐승의 내장 따위를 제거한) 몸통. **b**) (사람의) 시체 ; (살아 있는) 인체. ② (건물 · 배 따위의) 뼈대《*of*》: ~ roofing (이지 않은) 민지붕. ③《比》형해(形骸), 잔해(殘骸)《*of*》.

car·cin·o·gen [kɑ:*r*sínədʒən] *n.* Ⓒ 〖醫〗 발암(發癌)(성) 물질, 발암 인자(因子).

car·ci·no·gen·e·sis [kà:*r*sənoudʒénəsis] *n.* Ⓤ 〖醫〗 발암 (현상). 「암성의.

car·ci·no·ge·nic [kà:*r*sənoudʒénik] *a.* 〖醫〗 발

car·ci·no·ma [kà:*r*sənóumə] (*pl.* **~·ta** [-tə], **~s** [-z]) *n.* Ⓒ 〖醫〗 암(종) (cancer) ; 악성 종양.

cár còat 카코트《짧은 외투》.

†**card**[1] [kɑ:*r*d] *n.* ① Ⓒ **a**) 카드 ; 판지(板紙), 마분지. **b**) 〖컴〗 =PUNCH CARD. **c**) …장 ; …권 ; …증 : an invitation ~ 초대장, 안내장 / an application ~ 신청 카드 / a student ~ 학생증 / an identity ~ 신분증. **d**) 명함《★ 정식으로는《美》 calling card, 《英》 visiting card ; 영 · 미에서는 세일즈맨 이외에는 별로 명함을 사용하지 않음》: a business ~ (상용) 명함. **e**) 엽서 : ⇨ POSTCARD. ② **a**) Ⓒ 카드, 놀이 딱지. **b**) (*pl.*) 〔單 · 複數취급〕 카드놀이. ③ Ⓒ 목록(표) ; 식단. ④ Ⓒ (스포츠·경마의) 프로그램 ; (극장 등의) 상연표 ; 행사, 흥행 ; 시합 : a drawing ~ 인기물〔거리〕, 특별 프로(attraction). ⑤ **a**) Ⓒ 〖카드놀이〗 좋은 수 ; 〔一般的〕 수단, 방책 : a doubtful 〔safe, sure〕 ~ 불확실〔안전, 확실〕한 방책〔수단〕. **b**) (the ~) 적절한 일〔것〕, 어울리는〔그럴듯한〕 일〔것〕: That's *the* ~ for it. 그것이 제일 좋다. ⑥ Ⓒ《口》〔여러 가지 形容詞를 붙여서〕 …한 녀석〔인물〕; 재미있는〔별난〕 사람〔것〕: He is a knowing 〔queer〕 ~. 빈틈없는〔별난〕 친구다. ⑦ (*pl.*)《口》(고용주측이 보관하는) 피고용자에 관한 서류.

have a ~ up one***'s sleeve*** 비책을 간직하고 있다. ***in*** 〔***on***〕 ***the ~s*** 《口》(카드점(占)에 나와 있는→) 예상되는, 있을 수 있는, 아마 (…인 듯한). ***make a*** ~ (카드놀이에서) 한 장의 패로 한 판의 패를 모두 차지하다. ***No ~s.*** (신문의 부고(訃告) 광고에서) 개별 통지 생략. ***play*** one***'s best*** 〔***trump***〕 ~ (비장의) 수법〔방책〕을 쓰다. ***play*** one***'s ~s well*** 〔***right, badly***〕《口》일을 잘〔적절히, 서툴게〕 처리하다 : You could end up running this company if you *play* your *~s right.* 일을 잘 처리하면 끝내 당신은 이 회사를 운영할 수 있습니다. ***put*** 〔***lay*** (***down***)〕 (***all***) one***'s ~s on the table*** 계획을 공개하다〔드러내다〕, 의도를 밝히다 : We can only reach agreement if we both *put* our *~s on the table.* 우리 둘 다 의중을 털어놓아야만 합의에 이를 수 있다. ***show*** one***'s ~s*** 〔***hand***〕 (손에) 든 패를 보이다, 계획〔비밀〕을 말하다.

── *vt.* ① …에게 카드를 도르다. ② …에 카드를 붙이다. ③ …을 카드에 적다〔표하다〕; 카드에〔로〕 붙이다.

card[2] *n.* Ⓒ ① 금속빗〔솔〕《양털 · 삼 따위의 헝클어짐을 없앰》; 와이어브러시. ② (직물의) 괴깔〔보풀〕 세우는 기계. ── *vt.* ① (양털 따위)를 빗(질하)다, 가리다. ② …의 보풀을 일으키다.

car·da·mom, -mum [ká:*r*dəməm] *n.* Ⓒ 〖植〗 생강과의 다년생 식물(의 열매)《약용 또는 향료》.

***card·board** [ká:*r*dbɔ̀:*r*d] *n.* Ⓤ 판지, 마분지. ── *a.* 〔限定的〕 ① 판지의〔로 된〕: a ~ box 판지 상자. ②《比》명색뿐인, 비현실적인, 실질(實質)이 없는 : a ~ character 깊이가 없는 사람.

cárdboard cíty 부랑자들이 모여드는 구역《이들이 냉기를 피하기 위해 땅바닥에 판지를 까는 데서》.

card-car·ry·ing [ká:*r*dkæ̀riiŋ] *a.* 〔限定的〕 ① 회원증을 가진 ; 정식 당원〔회원〕인. ②《口》 진짜의 ; 전형적인.

cárd càtalog (도서관의) 카드식 목록.

card·er [ká:*r*də*r*] *n.* Ⓒ ① (털 따위를) 빗는 사람, 보풀 일으키는 직공. ② 소모기(梳毛機).

cárd file 《美》 =CARD CATALOG ; CARD INDEX.

cárd gàme 카드놀이.

cardi-, cardio- '심장'의 뜻의 결합사《모음 앞에서는 cardi-》.

car·di·ac [ká:*r*diæ̀k] *a.* 〔限定的〕〖醫〗 ① 심장(병)의 : ~ surgery 심장 외과. ② 분문(噴門)의. ── *n.* Ⓒ 심장병 환자. 「항구》.

Car·diff [ká:*r*dif] *n.* 카디프《영국 웨일스 남부의

car·di·gan [ká:*r*digən] *n.* Ⓒ 카디건《앞을 단추로 채우는 스웨터(=∠ **swèater**)》.

***car·di·nal** [ká:*r*dənl] *a.* ① 〔限定的〕 주요〔중요〕한 ; 기본적인 : a matter of ~ importance 극히 중요한 문제〔일〕. ② 심홍색의, 붉은, 주홍색의.

C

—*n.* ① Ⓒ 〖가톨릭〗 추기경. ② Ⓤ 심홍색. ③ = CARDINAL NUMBER. ④ = CARDINAL BIRD.

cárdinal bìrd 〖鳥〗 홍관조(紅冠鳥).

cárdinal flòwer 〖植〗 빨간 로벨리아, 잇꽃.

cárdinal númber 〔**númeral**〕 〖數〗 기수(基數)《one, two, three 따위》. cf. ordinal number.

cárdinal pòints (*pl.*) (the ~) 〖天〗 기본 방위 《북남동서(NSEW)의 순서로 부름》.

cárdinal vírtues (the ~) 기본 도덕, 덕목 《justice, prudence, temperance, fortitude의 4덕목, 종종 여기에 faith, hope, charity를 더하여 7 덕목》. cf. the seven DEADLY sins.

cárd ìndex 카드식 색인〔목록〕.

card-in·dex [káːrdìndeks] *vt.* ① (자료·책 등)의 카드식 색인을 만들다. ② (체계적으로) …을 분류〔분석〕하다.

cardio- ⇨CARDI-.

car·di·o·gram [káːrdiəgræ̀m] *n.* =ELECTROCARDIOGRAM.

car·di·o·graph [káːrdiəgræ̀f, -grɑ̀ːf] *n.* = ELECTROCARDIOGRAPH.

car·di·ol·o·gy [kɑ̀ːrdiɑ́lədʒi / -ɔ́l-] *n.* Ⓤ 심장(병)학(學). ⊕ **càr·di·ól·o·gist** *n.*

car·di·o·pul·mo·nary [kɑ̀ːrdioupʌ́lməneri / -nəri] *a.* 심폐의, 심장과 폐의.

card·phone [káːrdfòun] *n.* Ⓒ 《英》 카드식 공중 전화.

card·play·er [káːrdplèiər] *n.* Ⓒ 카드놀이하는 사람, 카드 도박사.

cárd púnch 〖컴〗 《英》 =KEY PUNCH.

cárd shàrk 《口》 ① 카드놀이 명수. ② 카드놀이 사기꾼(=**cárd·shàrp(·er)**).

cárd tàble 카드놀이용 테이블.

cárd vòte 〔**vòting**〕 《英》 대표 투표《노동조합 대회 등에서 대표 투표자가 한 투표는 그 조합원 수와 같은 효력을 지님》.

CARE [kɛər] *n.* 케어《미국 원조 물자 발송 협회》: ~ goods 케어 물자. [◂ *C*ooperative for *A*merican *R*elief to *E*verywhere]

†**care** [kɛər] *n.* ① **a)** Ⓤ 걱정, 근심. **b)** Ⓒ (종종 *pl.*) 걱정거리: worldly ~*s* 이 세상의 근심 걱정 / without a ~ in the world 이 세상에 아무 근심거리도 없이. ② Ⓤ 주의, 조심(attention), 배려: give ~ to ⇨(成句) / exercise extreme ~ 극도로 조심하다. ③ Ⓤ 돌봄, 보살핌, 보호; 관리: The baby was left in Betty's ~. 아기를 돌보는 것은 베티에게 맡겨져 있었다 / under a doctor's ~ 의사의 치료를 받고. ④ Ⓒ 관심사, 책임 (대상): one's greatest ~ 최대의 관심사 / That shall be my ~. 그것은 내가 맡겠습니다. ~ **of** = 《美》 **in ~ of** …씨 댁〔방(方)〕, 전교(轉交)《略: c/o》: Mr. A. *c/o* Mr. B., B씨방〔전교〕 A씨 귀하. **give ~ to** …에 주의하다. **have a ~** 조심〔주의〕하다. **have the ~ of** =take ~ of(1). **take ~** 조심〔주의〕하다: *Take* ~ that you don't catch cold. 감기들지 않도록 조심해라. **take ~ of** (1) …을 돌보다, …을 보살피다; …에 조심하다: He *takes* good ~ *of* my goats. 그는 내 염소를 잘 돌본다. (2) 《口》 …을 처리〔해결〕하다: The job must be *taken* ~ *of* today. 그 일은 오늘 처리해야 한다. (3) 《俗》 …을 제거하다, 죽이다.

—*vi.* ① 《~ / +*wh.* 절 / +전+명》 〔흔히 否定文·疑問文으로〕 걱정〔염려〕하다, 관심을 갖다, 마음을 쓰다《*about* ; *for*》: I do*n't* ~ *what* happens now. 이젠 무슨 일이 일어나든 상관없다. ② 《+전+명》 돌보다, 보살피다; 병구완을 하다《*for*》; 감독하다; (기계 따위를) 유지하다《*for*》: His wife ~*d for* him during his illness. 그가 병중에 있는 동안 그의 아내가 돌보아 주었다 / I'll ~ *for* his education. 그의 학자금을 내가 대어 주지. ③ 《+전+명 / +*to* do》 〔疑問·否定文으로〕 하고자 하다, 좋아하다《*for*》: Do you ~ *for* a cup of coffee? 커피 한 잔 하시렵니까 / Would you ~ *to* go for a walk? 산책하실 마음은 없으신지요. ***A*** (***fat***) ***lot you*** 〔***I***〕 ~***!*** 전혀 상관 없다, 아무렇지 않다. ***for all I*** ~ 《口》 (1) 나는 상관하지 않는다, 내 알 바가 아니다: It may go to the devil *for all I* ~. (그것이) 어떻게 되든 내 알 바가 아니다. (2) 어쩌면, 혹시 …일지도 모르다.

ca·reen [kəríːn] *vt.* 〖海〗 ① (바람이 배)를 기울이다. ② (배)를 기울이다《뱃바닥의 수리·청소 따위를 위하여》; 기울여서 수리(따위)를 하다.

—*vi.* ①〖海〗 (바람 따위로 배가) 기울(어지)다. ② 《美》 (차가) 기우뚱거리며 질주하다.

‡**ca·reer** [kəríər] *n.* ① Ⓒ (직업상의) 경력, 이력, 생애: start one's ~ as a newsboy 신문팔이로서 인생의 첫발을 내딛다 / He sought a ~ as a lawyer. 그는 변호사를 평생 직업으로 하려고 했다. ② (일생의) 직업(profession)《군인·외교관 등》: ~*s* once closed to women 한때 여자들에게는 닫혀져 있었던 직업. ③ Ⓤ 질주, 쾌주: in 〔at〕 full ~ 전속력으로. —*a.* 〔限定的〕 직업적인, 전문의, 본직의(professional) : a ~ diplomat 〔soldier〕 직업 외교관〔군인〕 / a ~ woman 직업 여성, 커리어 우먼.

—*vi.* 질주하다《*about*》; 돌진하다: He ~*ed* into a wall. 그는 담으로 돌진했다.

ca·reer·ism [-ríərizəm] *n.* Ⓤ 출세(제일)주의.

ca·reer·ist [-rist] *n.* Ⓒ 출세 제일주의자.

***care·free** [kɛ́ərfrìː] *a.* 근심〔걱정〕이 없는; 무관심한《*with*》: a ~ laugh 태평스러운 웃음.

†**care·ful** [kɛ́ərfəl] (***more*** ~ ; ***most*** ~) *a.* ① **a)** (사람이) 주의 깊은, 조심스러운(cautious) : a ~ driver 조심스러운 운전자. **b)** 〔敍述的〕 …에 조심스러운, 신중한《*in; with; to* do》: He is ~ *in* his speech〔*with* his words〕. 그는 말을 조심하고 있다 / Be ~ not *to* break it. 그것을 깨뜨리지 않도록 조심하여라. **c)** 〔敍述的〕 …을 소중히 하는, …에 신경을 쓰는《*of; about*》: He is ~ *about* his appearance. 그는 외모에 신경을 쓰고 있다. ② 〔限定的〕 꼼꼼한, 면밀한(thorough), 정성들인: ~ work 꼼꼼한 일 / a ~ examination 면밀한 검사 / a ~ piece of work 고심(苦心)한 작품. ③ 〔敍述的〕 《英口》 (돈에 대하여) 인색한, 째째한: She's ~ *with* her money. 그녀는 금전에 인색하다. ⊕ ***~·ness** *n.* Ⓤ 조심, 신중함, 용의주도.

‡**care·ful·ly** [kɛ́ərfəli] (***more*** ~ ; ***most*** ~) *ad.* ① 주의 깊게; 면밀히, 신중히. ② 정성들여, 고심하여: a ~ written report 정성들여 쓴 리포트.

cáre làbel (의류 따위에 단) 취급 표시 라벨.

‡**care·less** [kɛ́ərlis] (***more*** ~ ; ***most*** ~) *a.* ① **a)** (사람이) 부주의한, 경솔한, 조심성 없는: a ~ driver 조심성 없는 운전사 / a ~ mistake 경솔한 실수. **b)** 〔敍述的〕 …에 부주의한《*about; in; of*》: It was ~ *of* you to leave the door unlocked. 문을 잠그지 않았다니 네가 부주의했다. ② **a)** (일이) 소홀한, 적당히 해두는: ~ work 적당히 아무렇게나 하는 일. **b)** (생활 따위가) 걱정이 없는, 속이 편한, 태평한: a ~ life 태평한 인생 / ~ days 편안한 하루하루. **c)** (태도 따위가) 자연스러운, 꾸밈 없는, 신경을 쓰지 않는, 무관심한: a ~ attitude 무관심한 태도. ⊕ ***~·ness** *n.*

***care·less·ly** [-li] *ad.* 부주의〔소홀〕하게; 아무렇게나.

car·er [kɛ́ərər] *n.* Ⓒ 돌보는 사람, 간호사.

***ca·ress** [kərés] *n.* Ⓒ 애무《키스·포옹·쓰다듬기 따위》. —*vt.* …을 애무하다; 쓰다듬다: She lovingly ~*ed* the baby's cheek. 아기의 볼을 사랑스럽게 쓰다듬었다. 「래듯이.

ca·ress·ing·ly [kərésiŋli] *ad.* 애무하듯이, 달

car·et [kǽrət] *n.* Ⓒ〖校正〗 탈자(脫字) 부호《∧》.

care·tak·er [kέərtèikər] *n.* Ⓒ ① 돌보는 사람; (건물·토지 등의) 관리인, (집)지키는 사람. ②《英》(학교·공공시설 등의) 관리인.

cáretaker gòvernment (총사직 후의) 과도 정부, 선거 관리 내각.

care·worn [kέərwɔ̀:rn] *a.* 근심 걱정으로 여윈, 고생에 찌든: He looked ~ and refused to talk. 그는 고생에 찌들어 보였고 말하기를 거부했다.

car·fare [ká:rfὲər] *n.* Ⓤ《美》전(동)차 요금, 버스 요금, 승차 요금.

cár fèrry 카페리《(1) 자동차 등을 건네는 연락선. (2) 바다 건너로 자동차를 나르는 비행기》.

‡**car·go** [ká:rgou] (*pl.* ~(*e*)*s*) *n.* Ⓤ,Ⓒ (선박·항공기 등의) 적하(積荷) (load), 뱃짐, 선하(船荷), 화물.

car·hop [ká:rhàp / -hɔ̀p] *n.* Ⓒ《美》드라이브인에서 일하는 급사《특히 여급사》.

Car·ib [kǽrəb] (*pl.* ~*s*, 〔集合的〕 ~) *n.* ① **a)** (the ~(s)) 카리브 족(族)《서인도 제도 남부·남아메리카 북동부의 원주민》. **b)** Ⓒ 카브리족 사람. ② Ⓤ 카리브 말.

Car·ib·be·an [kæ̀rəbí:ən, kəríbiən] *a.* 카리브해〔사람〕의: the ~ Sea 카리브 해.

car·i·bou [kǽrəbù:] (*pl.* ~*s*, 〔集合的〕 ~) *n.* Ⓒ 순록《북아메리카산》.

***car·i·ca·ture** [kǽrikətʃùər, -tʃər] *n.* ① Ⓒ (풍자) 만화, 풍자〔만화〕 예술, 풍자하는 글〔그림〕: a harsh ~ 신랄한 만화. ② Ⓤ 만화화(化); 우스운〔익살맞은〕 얼굴. ③ Ⓒ 서투른 모방. ── *vt.* …을 만화식〔풍자적〕으로 그리다〔묘사하다〕, 희화화하다.

car·i·ca·tur·ist [-rist] *n.* Ⓒ 풍자 (만)화가.

car·ies [kέəri:z] *n.* Ⓤ《L.》〖醫〗 카리에스, 골양(骨瘍); (특히) 충치: dental ~ 충치.

car·il·lon [kǽrəlàn, -lən / kəríljən] *n.* Ⓒ ① (한 벌의) 편종(編鐘), 차임. ② 명종곡(鳴鐘曲).

car·ing [kέəriŋ] *n.* ① Ⓤ 동정(함), 다정함. ② 돌봄. ── *a.* 〔限定的〕 돌보아주는.

car·i·o·ca [kæ̀rióukə] *n.* Ⓒ 카리오카《삼바 비슷한 브라질 춤》; 그 곡.

car·i·ous [kέəriəs] *a.* 〖醫〗 ① 카리에스에 걸린, 골양(骨瘍)의. ② 충치의.

car·jack·ing [ká:rdʒæ̀kiŋ] *n.* Ⓤ 자동차 강탈.

Carl [ká:rl] *n.* 칼《남자 이름》.

car·load [ká:rlòud] *n.* Ⓒ ① 화차 한 대 분(의 화물)《*of*》. ② 자동차 한 대 분.

***Car·lyle** [ka:rláil] *n.* **Thomas** ~ 칼라일《영국의 평론가·사상가·역사가; 1795-1881》.

car·mak·er [ká:rmèikər] *n.* Ⓒ 자동차 제조업자〔회사〕 (automaker). 「사〔수녀〕.

Car·mel·ite [ká:rməlàit] *n.* Ⓒ 카르멜회의 수

car·min·a·tive [ka:rmínətiv, ká:rmənèi-] *a.* 〖藥〗 위장내의 가스를 배출시키는. ── *n.* Ⓒ 구풍제(驅風劑).

car·mine [ká:rmin, -main] *n.* Ⓤ ① 카민, 양홍(洋紅)《채료》. ② 양홍색. ── *a.* 양홍색의.

car·nage [ká:rnidʒ] *n.* Ⓤ 살육, 대량 학살: a scene of ~ 수라장.

***car·nal** [ká:rnl] *a.* 〔限定的〕 ① 육체의(fleshly). ② 육감적인, 육욕적인: ~ appetite 〔desire〕 성욕. ③ 현세〔세속〕적인(worldly). ㊞ **~·ly** *ad.*

car·nal·i·ty [ka:rnǽləti] *n.* Ⓤ 육욕(행위); 음탕; 세속성(worldliness).

‡**car·na·tion** [ka:rnéiʃən] *n.* ① Ⓒ 〖植〗 카네이션. ② Ⓤ 연분홍, 핑크색, 살색(pink).

***Car·ne·gie** [ká:rnəgi, ka:rnéigi] *n.* **Andrew** ~ 카네기《미국의 강철왕; 1835-1919》.

Cárnegie Háll 카네기홀《New York시에 있는 연주회장; 1890년 설립》.

car·nel·ian [ka:rní:ljən] *n.* Ⓒ 〖鑛〗 카넬리안, 홍옥수(紅玉髓)《보석》.

car·ney, car·nie [ká:rni] *n.* =CARNY.

‡**car·ni·val** [ká:rnəvəl] *n.* ① Ⓤ 카니발, 사육제(謝肉祭)《일부 가톨릭교국에서 사순절(Lent) 직전 3일 내지 1주일간에 걸친 축제》. ② Ⓒ 법석떨기, 광란: the ~ of bloodshed 유혈의 참극. ③ Ⓒ (여흥·회전 목마 등이 있는) (순회) 오락장; 순회 흥행물. ④ Ⓒ 행사, 축제, 제전, …대회; 경기, 시합: a water ~ 수상(水上) 대회.

car·ni·vore [ká:rnəvɔ̀:r] *n.* Ⓒ ① 육식 동물. ⓒⓕ herbivore. ② 식충(食蟲) 식물.

car·niv·o·rous [ka:rnívərəs] *a.* ① **a)** (동물이) 육식(성)의: ~ animals 육식 동물. **b)** (식물이) 식충성의. ② **a)** 육식 동물의. **b)** 식충 식물의.

car·ny [ká:rni] (*pl.* **-nies, ~s**) *n.* Ⓒ《美俗》 ① =CARNIVAL ③. ② 순회 오락장에서 일하는 사람, 순회 배우.

car·ob [kǽrəb] *n.* Ⓒ 〖植〗 쥐엄나무 비슷한 교목《지중해 연안산》.

‡**car·ol** [kǽrəl] *n.* Ⓒ ① (종교적) 축가; 찬가. ② 크리스마스 캐럴. ── (**-l-**, 《英》 **-ll-**) *vt.* ① (노래)를 즐겁게 부르다. ② (사람 등)을 노래를 불러 찬양하다. ── *vi.* ① 축가를 부르다; (특히 크리스마스 이브에) 크리스마스 캐롤을 부르며 다니다. ② (사람이) 즐겁게 노래부르다.
㊞ **~·er,** 《英》 **~·ler** *n.* ~을 부르는 사람.

Car·ol [kǽrəl] *n.* 캐롤《여자 이름》.

Car·o·li·na [kæ̀rəláinə] *n.* 캐롤라이나《미국 동남부 대서양 연안의 주(州); North ~와 South ~가 있음》.

Car·o·line [kǽrəlàin, -lin] *n.* 캐롤라인《여자 이름; 애칭 Carrie, Lynn》. ── *a.* 〖英史〗 Charles 1세 및 2세(시대)의.

Cároline Íslands (the ~) 캐롤라인 제도.

Car·o·lin·i·an [kæ̀rəlíniən] *a.* 미국의 남〔북〕 Carolina 주의. ── *n.* 남〔북〕 Carolina 주의 주민.

car·om [kǽrəm] *n.* 《美》〖撞球〗 =CANNON[2].

car·o·tene, car·o·tin [kǽrəti:n] *n.* Ⓤ 〖化〗 카로틴《일종의 탄수화물》.

ca·rot·id [kərátid / -rɔ́t-] *n.* Ⓒ 경동맥(頸動脈). ── *a.* 경동맥의: the ~ arteries 경동맥.

ca·rous·al [kəráuzəl] *n.* Ⓤ,Ⓒ 큰 술잔치.

ca·rouse [kəráuz] *n.* =CAROUSAL. ── *vi.* 술을 진탕 마시다; 마시고 떠들다.

car·ou·sel [kæ̀rusél, -zél] *n.* Ⓒ ① 회전 목마. ② (공항에서 승객의 짐을 나르는) 회전식 컨베이어.

***carp**[1] [ka:rp] (*pl.* **~s,** 〔集合的〕 ~) *n.* Ⓒ 잉어(과의 물고기).

carp[2] *vi.* 시끄럽게 잔소리하다; 흠을 잡다《*at*》.

car·pal [ká:rpəl] *a.* 〖解〗 손목(관절)의, 완골(腕骨)의. ── *n.* Ⓒ 완골.

cár pàrk 《英》 주차장(《美》 parking lot).

Car·pa·thi·an [ka:rpéiθiən] *a.* (중부 유럽의) 카르파티아 산맥의. ── *n.* (the ~*s*) 카르파티아 산맥(=the ~ **Móuntains**).

‡**car·pen·ter** [ká:rpəntər] *n.* Ⓒ ① 목수, 목공: a ~'s son 목수의 아들《예수》/ a ~'s tool 목수의 연장. ② 〖劇〗 무대 장치원(員). ── *vi.* 목공 일을 하다. ── *vt.* …을 나무를 다루어 만들다.

car·pen·try [ká:rpəntri] *n.* Ⓤ ① 목수직; 목공일. ② 목공품〔세공〕.

‡**car·pet** [ká:rpit] *n.* Ⓒ ① 융단, 양탄자; 깔개.

C

cf. rug. ② 융단을 깐 듯한 것《꽃밭·풀밭 따위》: a ~ of flowers 온통 양탄자를 깔아놓은 듯한 꽃밭. ***be on the*** ~ (문제 따위가) 심의〔연구〕 중이다 ;《口》(하인 등이) 야단맞고 있다(cf. be on the MAT). ***pull the*** ~ 〔***rug*** (***s***)〕 (***out***) ***from under*** …에 대한 원조〔지지〕를 갑자기 중지하다. ***sweep*** 〔***brush, push***〕 ***under*** 〔***underneath, beneath***〕 ***the*** ~ 《口》(수치스런〔난처한〕 일을) 숨기다.

— *vt.* ①《~+[목] / +[목]+[전]+[명]》…에 융단을 깔다. ② (꽃 따위로) …을 온통 덮다: The stone is *~ed with* moss. 그 돌은 이끼로 덮여 있다. ③《口》(하인 등을 불러서) 야단치다: He was *~ed* by his boss for failing to turn up to work last week. 그는 지난 주에 일하러 나오지 못해서 상사에게 야단을 맞았다.

car·pet·bag [-bæ̀g] *n.* Ⓒ 융단제 손가방《구식 여행 가방》.

car·pet·bag·ger [-bæ̀gər] *n.* Ⓒ《蔑》①〖美史〗 뜨내기 북부인《남북 전쟁 후 이익을 노려 북부에서 남부로 간》. ② **a**) (선거구에 연고가 없는) 뜨내기 정치인. **b**) 뜨내기.

cárpet bòmbing 융단 폭격.

car·pet·ing [kɑ́ːrpitiŋ] *n.* Ⓤ ① 깔개용 직물, 양탄자 감. ②〔集合的〕 깔개.

cárpet slìpper (흔히 *pl.*) 가정용 슬리퍼.

cárpet swèeper 양탄자 (전기) 청소기.

cár phòne 자동차 전화, 이동 전화, 카폰.

car·pi [kɑ́ːrpai] CARPUS 의 복수형.

carp·ing [kɑ́ːrpiŋ] *a.* 흠잡는, 시끄럽게 구는, 잔소리하는: a ~ tongue 독설. ㊎ **~·ly** *ad.*

cár pòol 《美》 카풀, 자가용차의 합승 이용.

car·pool [kɑ́ːrpùːl] *vi.* 자가용차를 합승(이용)하다: ~ to work 자동차를 합승하여 통근하다.

car·port [kɑ́ːrpɔ̀ːrt] *n.* Ⓒ 카포트《벽이 없고 기둥과 지붕만 있는 간단한 차고》.

car·pus [kɑ́ːrpəs] (*pl.* **-pi** [-pai]) *n.* Ⓒ ① 손목(wrist). ② 손목뼈. 「〔실〕.

car·rel (**l**) [kǽrəl] *n.* Ⓒ (도서관의) 개인 열람석

‡**car·riage** [kǽridʒ] *n.* ① Ⓒ **a**) 차, 탈것;《특히》 (자가용) 4륜 마차. **b**)《英》(철도의) 객차, (객차의) 차량: a railway ~ 철도 객차. **c**)《美》 유모차(=**báby** ∠). ② Ⓒ **a**) (기계의) 운반대, 대가(臺架). **b**) (대포의) 포가(砲架)(gun ~). **c**) (타자기의) 캐리지《타자 용지를 이동시키는 부분》. ③ Ⓤ 운반, 수송. ④ Ⓤ 운임, 송료: the ~ *on* parcels 소화물 운임 / £10 including packaging and ~ 포장비와 송료 포함하여 10파운드. ⑤ Ⓤ (또는 a ~) 몸가짐, 자세; 태도(bearing): have *a* graceful ~ 몸가짐이 우아하다.

cárriage fórward 《英》 운임〔송료〕 수취인 지급으로(《美》 collect).

car·riage·way [kǽridʒwèi] *n.* Ⓒ 《英》 ① 차도. ② 차선(車線).

‡**car·ri·er** [kǽriər] *n.* Ⓒ ① **a**) 나르는 사람, 운반선. **b**)《美》 우편 집배원(《英》 postman); 신문 배달(원). **c**) 운수업자, 운수 회사《철도·기선·항공 회사 등을 포함》: a ~('s) note 화물 상환증. ② **a**) 운반차, 운반 설비〔기계〕. **b**) (자전거의) 짐받이. ③〖醫〗 보균자〔물〕(disease ~); 전염병 매개체(germ ~)《모기·파리 따위》. ④ 항공 모함. ⑤ =CARRIER WAVE.

cárrier bàg 《英》 =SHOPPING BAG.

cárrier pìgeon 전서구(傳書鳩).

cárrier wàve 〖電〗 반송파(搬送波).

car·ri·ole [kǽriòul] *n.* Ⓒ ① 말 한 필이 끄는 소형 마차. ② 유개(有蓋) 짐수레.

car·ri·on [kǽriən] *n.* Ⓤ 사육(死肉), 썩은 고기.

— *a.* 〔限定的〕 ① 썩은 고기의〔같은〕. ② 썩은 고기를 먹는.

cárrion cròw 〖鳥〗 (유럽산) 까마귀.

Car·roll [kǽrəl] *n.* **Lewis** ~ 캐롤《영국의 동화 작가; *Alice's Adventures in Wonderland* 의 저자; 1832-98》.

˙**car·rot** [kǽrət] *n.* ① ⒸⓊ 당근. ② Ⓒ《比》 설득의 수단, 미끼; 포상. ③ (*pl.*)〔單數취급〕《俗》 붉은 머리털(의 사람). (***the***) ~ ***and*** (***the***) ***stick*** 상(賞)과 벌, 당근과 채찍《회유와 위협의 비유》: use (*the*) ~ *and* (*the*) *stick* 으르기도 하고 달래기도 하다.

car·rot-and-stick [kǽrətəndstík] *a.* 〔限定的〕 당근과 채찍의: ~ diplomacy 당근과 채찍 외교.

car·roty [kǽrəti] (***car·rot·i·er*** ; ***-i·est***) *a.* ① 당근 같은, 당근색의. ②《俗》(머리털이) 붉은.

car·rou·sel [kæ̀rusél, -zél] *n.* =CAROUSEL.

†**car·ry** [kǽri] (*p., pp.* ***car·ried*** ; ***car·ry·ing***) *vt.* ①《~+[목] / +[목]+[전]+[명] / +[목]+[부]》…을 운반하다, 나르다(transport), 실어 보내다, (동기(動機)·여비(旅費)·시간 등이 사람)을 가게 하다; 휴대하다, (소리·소문 따위)를 전하다, (병 따위)를 옮기다: Please ~ this trunk for me. 이 트렁크를 운반해 주세요 / Let me ~ that for you. 그것을 내가 운반해 드리겠어요 / Business *carried* me *to* America. 사업차 미국에 갔다.

②《+[목]+[전]+[명] / +[목]+[부]》《比》…을 (…까지) 이끌다; (…까지) 이르게 하다(conduct), 추진하다, (안전하게) 보내다: Young people often ~ logic *to* extremes. 젊은이들은 종종 논리를 극단에까지 끌고 간다 / Such a discussion will ~ us *nowhere.* 그러한 토론은 소득이 없을 것이다 / The gas was not enough to ~ us *through* the land. 그 지방을 통과할 만큼 충분한 휘발유가 없었다 / This money will ~ us *for* another week. 이 돈이면 또 한 주일을 지낼 수 있을 것이다.

③《+[목]+[전]+[명] / +[목]+[부]》(도로 등)을 연장하다; (건물)을 확장〔증축〕하다; (전쟁)을 확대하다; (일·논의 등)을 진행시키다: ~ the road *into* the mountains 길을 산속까지 연장하다 / The war was *carried into* Asia. 전쟁은 아시아까지 확대되었다 / You *carried* the joke too *far.* 농담이 지나쳤다.

④ …을 (손에) 가지고 있다, 들다, 안다, 메다: She is *~ing* a child in her arms. 그녀는 아기를 안고 있다 / He is *~ing* a suitcase on his shoulder. 여행 가방을 어깨에 메고 있다.

⑤《~+[목] / +[목]+[전]+[명]》…을 휴대하다, 몸에 지니다; (장비 등)을 갖추다; (아이)를 배다: ~ a gun 〔sword〕 총〔검〕을 가지고 있다 / I never ~ much money *with* me. 나는 많은 돈을 몸에 지니지 않는다 / The tiger *carries* a wound. 호랑이는 상처를 입었다 / She *carries* a baby. 그녀는 아이를 뱄다.

⑥《+[목]+[부] / +[목]+[전]+[명]》(몸의 일부)를 …한 자세로 유지하다;〔再歸用法으로〕…한 몸가짐을 하다, 행동하다: She *carries* her head *high.* 그녀는 머리를 꼿꼿이 (쳐)들고 있다 / He *carried* his head *on* one side. 그는 머리를 한 쪽으로 기울이고 있었다.

⑦《~+[목] / +[목]+[전]+[명]》…을 따르다; (의무·권한·벌 등)을 수반하다, (의의·무게)를 지니다, 내포하다; (이자)가 붙다: ~ authority 권위를 지니다 / Freedom *carries* responsibility *with* it. 자유에는 책임이 따른다 / He used the word so that it *carried* a profound meaning. 그 말에 깊은 뜻을 두고 썼다 / The loan *carries* 3 percent interest. 그 대부금은 3퍼센트 이자가 붙는다.

⑧ …을 실어가다, 빼앗다 ; 손에 넣다, 쟁취하다(win), (선거에) 이기다 ; 〖軍〗 (요새 등)을 함락시키다 ; (관중)을 감동시키다 : ~ Ohio 오하이오주에서 이기다《선거에서》/ ~ the house 만장의 갈채를 받다 / The soldiers rushed forward and *carried* the fort. 병사들은 돌진해 들어가서 요새를 점령했다 / He *carried* the audience with him. 그는 청중을 매혹시켰다.

⑨ …의 위치를 옮기다, 《比》 …을 나르다, 옮기다 : ~ a footnote to a new page 각주를 새 페이지로 옮기다 / She *carried* her eyes along the edge of the hill. 그녀는 언덕 능선을 따라 눈길을 옮겼다.

⑩ (주장·의견 따위)를 관철하다 ; 납득시키다 ; (의안·동의 따위)를 통과시키다 ; (후보자)를 당선시키다 : The bill has been *carried.* 법안이 통과되었다.

⑪ 《~+목 / +목+전+명》 (무거운 물건)을 받치고 있다, 버티다(support), (…파운드의 압력)에 견디다 : These columns ~ the weight of the roof. 이들 기둥이 지붕 무게를 받치고 있다 / The boiler *carries* 200 pounds per square inch. 보일러는 1평방인치당 200파운드의 압력에 견딘다 / The bridge is *carried on* firm bases. 그 다리는 견고한 토대로 받쳐지고 있다.

⑫ 《美》 (정기적으로 기사)를 게재하다, 내다, 싣다, (정기적으로) 방송하다 ; (명부·기록 등에) 올리다 : ~ a person on a payroll 급료 지급부에 이름을 올리다.

⑬ 《+목+전+명》 …을 기억해 두다 : Can you ~ all these figures *in* your head? 이 숫자를 모두 욀 수 있습니까.

⑭ 《美》 (물품)을 가게에 놓다, 팔다, 재고품을 두다 : We ~ a full line of canned goods. 통조림이라면 뭐든지 있습니다.

⑮ (가축 따위)를 기르다(support) ; (토지가 작물)의 재배에 적합하다 : The ranch will ~ 1,000 head of cattle. 이 목장에서는 가축을 천 마리 기를 수 있다.

⑯ (술)을 마셔도 취하지 않다 : He *carries* his liquor like a gentleman. 술을 얌전히 마신다 / He has had a drop more than he can ~. 고주 망태가 되었다.

⑰ …의 책임을 떠맡다 ; …을 재정적으로 떠받치다〔원조하다〕 : ~ a magazine alone 혼자서 잡지를 재정적으로 떠받치고 있다.

⑱ (수)를 한 자리 올리다 ; 〖簿記〗 (다음 면으로) 전기(轉記)하다, 이월하다 ; …에 신용 대부하다, 외상 판매를 하다.

⑲ (나이 등)을 숨기다 : He *carries* his age very well. 그는 나이를 용케 숨기고 있다.

── *vi.* ① 들어 나르다 ; 운송업(業)을 경영하다. ② 〔흔히 進行形〕 임신하고 있다. ③ (소리·탄알 따위가) 미치다, 달하다 ; 〖골프〗 (공이 힘차게〔정확하게〕) 날다 : His voice *carries* well. 그의 목소리는 잘 들린다. ④ (신·말굽 등에 흙이) 묻다(stick). ⑤ (말 따위가) 고개를 쳐들다. ⑥ (법안 등이) 통과되다 : The law *carried* by a small majority. 그 법률은 근소한 표차로 통과됐다. ⑦ 〖拳〗 약한 상대와 팔을 늘어뜨리고 싸우다. ⑧ (사냥개가) 냄새를 좇다 ; (땅이) 냄새 흔적을 간직하다. ⑨ (선수가) 팀 승리의 원동력이 되다. **~ *all* 〔*everything, the world*〕 *before*** one 무엇 하나 성공 않는 것이 없다 ; 파죽지세로 나아가다. **~ *away*** 〔受動으로의 경우가 많음〕 (1) …에 넋을 잃게 하다, 도취시키다 : He *was carried away by* his enthusiasm. 그는 열중한 나머지 스스로를 잊었다. (2) …에 빠지게 하다 : He *was carried away* into idleness. 그는 게으름에 빠졌다. (3) 가지고 가버리다, 휩쓸어가다 : The bridge *was carried away by* the flood. 다리가 홍수로 떠내려갔다. (4) …의 목숨을 뺏다 : He *was carried away by* a disease. 그는 병으로 죽었다. **~ *back*** (1) 되가져가〔오〕다. (2) (아무에게) 옛날을 회상〔상기〕시키다《*to*》 : The picture *carried* me *back to* my childhood (days). 그 사진은 나의 어린 시절을 상기시켰다. **~ *forward*** (1) (사업 등을) 진척시키다, 앞으로 나아가게 하다. (2) (금액·숫자를) 차기〔다음 해〕로 이월하다 ; 다음 페이지로 넘기다. **~ *it off* (*well*)** 태연히 버티어 나가다, 시치미를 떼다. **~ *off*** (1) 빼앗아〔채어〕 가다 ; (아무를) 유괴하다 ; (병 따위가 사람의) 목숨을 빼앗다. (2) (상품 따위를) 타다, 획득하다(win) : Tom *carried off* all the school prizes. 톰은 학교의 상을 독차지했다. (3) 해치우다, 이룩하다, 밀고 나가다 : ~ things *off* with a high hand 만사 고자세로 굴다. (4) 남에게 받아들이게 하다 : Her wit *carried off* her unconventionality. 그 여자는 꾀로써 상례를 벗어난 일을 밀고 나갔다. **~ *on*** (1) 계속하다, 속행하다 : They decided to ~ *on.* 그들은 계속하기로 결정했다. (2) (장사 따위를) 경영〔영위〕하다, (회의 등을) 열다. (3) 성행하다 ; 꾸준히 해나가다. (4) (낱말 따위를) 다음 행(行)에 잇다. (5) 《口》 어리석은〔분별 없는, 난잡한〕 짓을 하다. (6) 《口》 화내다, 이성을 잃다. (7) 《口》 떠들다《*about*》 : He was shouting and ~*ing on.* 그는 소리지르며 떠들어대고 있었다. (8) 〖海〗 (날씨에 비해서) 지나치게 돛을 펴고 나아가다. (9) (일·곤경 등을) 끈기있게 견디다. **~ *out*** (1) 성취하다, 실행하다, (의무 따위를) 다하다 : These orders must be *carried out* at once. 이 명령은 곧 실행되어야 한다. (2) 들어내다, 실어내다 : They are ~*ing* their things *out.* 그들은 소지품을 실어내고 있다. **~ *over*** (1) 넘기다, 넘겨주다. (2) 이월하다(~ forward) ; 뒤로 미루다. (3) 미치(게 하)다《*into*》. **~ *the day*** 승리를 거두다. **~ *through*** (1) (일·계획을) 완성하다, 성취하다 : The money is not enough to ~ *through* the undertaking. 그 사업을 완성시키기에는 돈이 모자란다. (2) (아무에게) 난관을 극복하게 하다, 지탱해 내다, 버티어 내다 : His strong constitution *carried* him *through* his illness. 그는 체질이 튼튼해서 병을 이겨냈다.

── (*pl.* ***-ries***) *n.* ① Ⓤ (또는 a ~) (총포의) 사정(射程) ; (골프 공 따위가) 날아간 거리(flight). ② Ⓤ (또는 a ~) (두 수로를 잇는) 육로 운반, 그 육로. ③ Ⓤ 〖컴〗 올림.

car·ry·all[1] [kǽriɔ̀ːl] *n.* Ⓒ ① 한 필이 끄는 마차. ② 《美》 (양쪽에 마주 향한 좌석이 있는) 버스.

car·ry·all[2] *n.* Ⓒ 《美》 대형의 가방〔백〕(《英》 holdall).

car·ry-cot [-kɑ̀t / -kɔ̀t] *n.* Ⓒ 《英》 (아기용) 휴대「침대.

cár·ry·ing capàcity [kǽriiŋ-] ① **a)** 수송력, 적재량. **b)** (케이블의) 송전력(送電力). ② 〖生態〗 (목초지 등의) 동물 부양 능력, 목양력(牧養力).

cárrying chàrge 《美》 월부 판매 할증금.

car·ry·ings-on [kǽriiŋzɑ́n / -ɔ́n] *n. pl.* 《口》 ① 떠들썩한〔어리석은〕 짓거리, (눈에 거슬리는) 행실. ② (남녀의) 농탕치기, 새롱거리기.

cárrying tràde 운수업, 해운업.

car·ry-on [-ɑ̀n / -ɔ̀n] *n.* ① Ⓒ (비행기내로) 휴대할 수 있는 소지품. ② (a ~) 《英口》 =CARRYINGS-ON. ── *a.* 〔限定的〕 기내에 가지고 들어갈 수 있는 : ~ baggage 기내에 가지고 들어가는 짐.

car·ry·out [kǽriàut] *a., n.* 《美口》 =TAKEOUT.

car·ry-o·ver [-òuvə*r*] *n.* Ⓒ (흔히 *sing.*) ① 〖簿記〗 이월(移越)(액). ② 〖商〗 이월품, 잔품(殘品).

car·sick [ká:rsìk] *a.* 탈것에 멀미난 : get ~ 차멀미하다. [파] ~·**ness** *n.*
Cár·son Cíty [ká:rsn-] 카슨 시티《미국 Nevada 주의 주도(州都)》.
‡**cart** [ka:rt] *n.* [C] ① 짐마차, 달구지 : a water ~ 살수차. ② 2 륜 경마차. ③ 손수레. ***in the*** ~ 《英口》 곤경에 빠지어, 혼이 나. ***put*** 〔***set, get, have***〕 ***the*** ~ ***before the horse*** 《口》 본말(本末)을 전도하다.
— *vt.* ① **a**) …을 수레로 나르다《*out of*》: ~ (*away*) rubbish *out of* the backyard 뒤뜰에서 쓰레기를 짐수레로 날라가다. **b**) (사람)을 (탈것에 태워) 나르다. **c**) (성가신 짐 따위)를 (고생스럽게) 나르다. ② (사람)을 (강제로) 끌고가다, 데려가다.
cart·age [ká:rtidʒ] *n.* [U] 짐수레〔트럭〕 운송(료) ; 짐마차 삯.
carte blanche [ká:rtblá:nʃ] (*pl.* ***cartes blanches*** [ká:rtsblá:nʃ]) *n.* 《F.》 (서명이 있는) 백지 위임(장).
car·tel [ka:rtél] *n.* [C] ①〖經〗카르텔, 기업 연합. ②〖政〗당파 연합.
car·tel·ize [-aiz] *vt., vi.* 카르텔로 하다〔되다〕, 카르텔화(化)하다.
cart·er [ká:rtər] *n.* [C] 짐마차꾼, 마부 ; 운송인.
Car·te·sian [ka:rtí:ʒən] *a.* 데카르트(Descartes)의. — *n.* [C] 데카르트 학도.
Car·thage [ká:rθidʒ] *n.* 카르타고《아프리카 북부에 있던 고대 도시 국가》. [파] **Car·tha·gin·i·an** [kà:rθədʒíniən] *a., n.*[U] 카르타고의 (사람).
cárt hòrse 짐마차 말.
Car·thu·sian [ka:rθú:ʒən] *n.* ① (the ~*s*) 카르투지오 수도회《1086년 St. Bruno 가 프랑스의 Chartreuse 에 개설》. ② [C] 카르투지오 수도회의 수사〔수녀〕. — *a.* 카르투지오 수도회의.
car·ti·lage [ká:rtilidʒ] *n.*〖解〗① [C] 연골. ② [U] 연골 조직.
car·ti·lag·i·nous [kà:rtilǽdʒənəs] *a.* ①〖解〗연골성〔질〕의. ②〖動〗(물고기가) 골격이 연골로 된.
cart·load [ká:rtlòud] *n.* [C] ① 한 바리(의 짐). ② 《口》 대량《*of*》.
car·tog·ra·pher [ka:rtágrəfər / -tɔ́g-] *n.* [C] 지도 제작자, (지도의) 제도사.
car·to·graph·ic, -i·cal [kà:rtəgrǽfik], [-əl] *a.* 지도 제작법〔제작 관계〕의.
car·tog·ra·phy [ka:rtágrəfi / -tɔ́g-] *n.* [U] 지도 제작(법), 제도(법).
car·ton [ká:rtən] *n.* [C] (판지로 만든) 상자 ; (우유 등을 넣는) 납지〔플라스틱〕 용기, 카턴.
***car·toon** [ka:rtú:n] *n.* [C] ① (한 컷짜리) 시사만화 ; (신문 등의) 연재 만화 ; 만화 영화. ② (벽화 등의) 실물 크기 밑그림. — *vi.* 만화를 그리다 ; 밑그림을 그리다.
car·toon·ist [-ist] *n.* [C] 만화가.
***car·tridge** [ká:rtridʒ] *n.* [C] ① 탄약통, 약포(藥包) ; 약협(藥莢) : a live ~ 실탄. ② 카트리지. **a**) 만년필의 잉크나 녹음기의 테이프 등의 교환·조작을 쉽게 하기 위한, 끼우는 식의 용기. **b**)〖寫〗(카메라에 넣는) 필름통. **c**) (전축의) 카트리지《바늘을 꽂는 부분》.
cártridge bèlt (소총·기관총용의) 탄띠.
cártridge pàper 약포지(藥包紙) ; 하도롱지.
cárt ròad 〔**tràck, wày**〕 (울퉁불퉁한) 짐수렛길.
cart·wheel [ká:rthwì:l] *n.* [C] ① (짐마차의) 바퀴. ② 《美俗》 1 달러짜리 은화, 대형 주화. ③ (곡예사의) 옆재주 넘기. — *vi.* ① (손을 짚고) 옆으로 재주넘다. ② (수레)바퀴처럼 움직이다.
cart·wright [ká:rtràit] *n.* [C] 수레 제작인.
Ca·ru·so [kərú:sou, -zou] *n.* **Enrico** ~ 카루소《이탈리아의 테너 가수 ; 1873-1921》.
‡**carve** [ka:rv] *vt.* ①《+[목]+[전]+[명]》…을 새기다, 파다, …에 조각하다(inscribe) : ~ wood *into* 〔*for*〕 a statue 나무를 새겨 상(像)을 만들다. ② 《+[목]+[전]+[명]》 …을 새겨 넣다〔만들다〕: ~ a name *in* 〔*on*〕 marble 대리석에 이름을 새기다 / ~ a statue *out of* wood 나무로 상(像)을 조각하다. ③《~+[목] / +[목]+[부]》 (진로·운명 등)을 트다, 타개하다《*out*》: ~ *out* a career for oneself 혼자 힘으로 진로를 개척하다. ④ (식탁에서 고기 등)을 베다, 저미다 : ~ the meat 고기를 썰다.
— *vi.* ① 고기를 베어 나누다. ② 조각을 하다 : This marble ~*s* well. 이 대리석은 조각하기가 쉽다. ~ ***up*** (1) (고기 따위를) 가르다, 저미다. (2) 《蔑》 (토지·유산 따위를) 분할하다 : When the old man died the estate was ~*d up* and sold. 그 노인이 죽자 재산은 분할되어 매각되었다. (3) 《英俗》 (나이프로) 마구 찌르다. (4) 《英俗》 (다른 차를) 빠른 속도로 추월하다.
***carv·er** [ká:rvər] *n.* ① [C] 조각사. ② [C] 고기를 써는 사람. ③ **a**) [C] 고기 베는 나이프. **b**) (*pl.*) 고기 써는 나이프와 포크.
car·ve·ry [ká:rvəri] *n.* [C] 고기(요리)를 제공하는 레스토랑.
carve-up [ˊ-ʌ̀p] *n.* (a ~) 《英俗·蔑》 (훔친 물건 등의) 분배.
***carv·ing** [ká:rviŋ] *n.* ① [U] 조각(술). ② [C] 조각물. ③ [U] 고기 베기〔썰기〕.
cárving fòrk 고기를 써는 데 쓰는 큰 포크.
cárving knìfe 고기 베는〔써는〕 큰 칼.
cár wàsh 세차(장), 세차기(機).
car·y·at·id [kæ̀riǽtid] (*pl.* ~***s***, ~·***es*** [-ì:z]) *n.* [C]〖建〗여상주(女像柱). [cf.] atlas.
ca·sa·ba, cas·sa·ba [kəsá:bə] *n.* [C,U]〖植〗카사바《머스크멜론의 일종》.
Cas·a·blan·ca [kæ̀səblǽŋkə, kà:səblá:ŋkə] *n.* 카사블랑카《모로코 서북부의 항구》.
Cas·a·no·va [kæ̀zənóuvə, -sə-] *n.* ① **Giovanni Giacomo** ~ 카사노바《1725-98 ; 엽색꾼으로서 알려진 이탈리아의 소설가》. ② [C] (*or* c-) 엽색(獵色)꾼, 색마(lady-killer).
***cas·cade** [kæskéid] *n.* [C] ① (작은) 폭포([cf.] cataract) ; (계단 모양의) 분기(分岐) 폭포, 단폭(段瀑) ; (정원의) 인공 폭포. ② 폭포 모양의 레이스 장식. ③〖園藝〗현애(懸崖) 가꾸기. ④〖電〗종속(縱續). ⑤〖컴〗층계형. — *vi.* 폭포가 되어 떨어지다, 폭포처럼 떨어지다. — *vt.* …을 폭포처럼 떨어뜨리다.
Cascáde Ránge (the ~) 캐스케이드 산맥《California 주 북부에서 캐나다의 British Columbia 주에 이르는 산맥》.
cas·ca·ra [kæskɛ́ərə] *n.* ① [C]〖植〗카스카라《털갈매나무의 일종》. ② [U] 카스카라 나무껍질(로 만든 완하제(緩下劑)).
CASE [keis] *n.*[U] 컴퓨터를 사용한 소프트웨어 제작. [◂ *c*omputer-*a*ided *s*oftware *e*ngineering]
‡**case**¹ *n.* ① [C] 경우(occasion), 사례(事例) : in this ~ 이 경우에는. ② [U,C] 사정, 입장, 상태, 상황 : in sorry ~ 비참한 처지에 / Circumstances alter ~*s*. 《俗談》 사정에 따라 입장도 바뀐다. ③ (the ~) 실정, 진상, 사실(fact) : That is not *the* ~. 실은 그렇지 않다 / It is also *the* ~ with children. 그것은 아이들에게도 해당된다. ④ [C] 사건(occurrence), 문제(question) : a ~ between them 양자간의 문제 / the ~ before us 우리가 당면한 문제〔사건〕. ⑤ [C] 귀찮은 문제를 안고 있는 사람 : This family is a hardship ~. 이 가정은 가

난한 가정이다. ⑥ Ⓒ 병증(disease); 환자: explain one's ~ 증상을 설명하다. ⑦ Ⓒ 〖法〗 판례; 소송 (사건) (suit); (소송의) 신청: a divorce ~ 이혼 소송 / a criminal 〔civil〕 ~ 형사〔민사〕 사건. ⑧ Ⓒ (사실·이유의) 진술, 주장; 정당한 논거: the ~ for the defendant 피고의 주장. ⑨ Ⓤ,Ⓒ 〖文法〗 격(格). ⑩ Ⓒ 《口》 …한 사람〔녀석〕; 괴짜, 다루기 힘든 놈: He is a ~. 놈은 괴짜다. ***as is often the*** ~ (…에) 흔히 있는 일이지마는《*with*》. ***as the*** ~ ***may be*** (그때의) 사정〔경우〕에 따라서: There may be an announcement about this tomorrow — or not, *as the ~ may be.* 내일 아마 이에 관한 발표가 있을지도 모른다 — 경우에 따라서는 없을 수도 있지만. ~ ***by*** ~ 하나하나, 한 건(件)씩: The President has decided the issue, ~ *by* ~, as it was raised by Congress. 대통령은 문제가 국회에서 제기되었을 때마다 하나하나 해결하여 왔다. ***in any*** ~ 어떠한 경우에도, 어쨌든, 어떻든(anyhow): There's no point complaining about the hotel room — we'll be leaving tomorrow *in any* ~. 호텔 방에 대해 불평할 필요 없다 — 어떻든 우리는 내일 떠날 테니까. ***in*** ~ 만일에 대비하여: I will wait another ten minutes *in* ~. 만약의 경우도 있으니까 10 분 더 기다리겠다. ***in*** ~ ***of*** …의 경우에는(in the event of). ***in nine ~s out of ten*** 십중 팔구. ***in no*** ~ 결코 …이 아니다: You should *in no* ~ forget it. 결코 그것을 잊어서는 안 된다. ***in that*** 〔***such a***〕 ~ 그러한 경우에는. ***just in*** ~ 만일에 대비하여, …하면 안 되므로: Wear a raincoat, *just in* ~. 만일에 대비하여 우비를 입어라. ***meet the*** ~ 적합하다. ***put*** 〔***set***〕 ***the*** ~ 설명하다《*to a* person》; (…라고) 가정(假定)〔제안〕하다《*that*》.

†**case**² *n.* Ⓒ ① 상자(box), 갑, 짐상자(packing ~); 한 상자의 양《*of*》: a ~ *of* wine 포도주 한 상자《한 다스들이》. ② 용기(容器), 그릇, 케이스, …주머니(bag); (칼)집(sheath), 통; 서류함, 가방(briefcase); (기계의) 덮개, 뚜껑; (시계의) 딱지(watch ~); (진열물의) 유리 상자〔장〕. ③ (창·문)틀(window ~). ④ 〖印〗 활자 케이스: upper〔lower〕 ~ 대〔소〕문자 케이스; 대〔소〕문자 활자《略: u.c. 〔l.c.〕》.
— (*p., pp.* ***cased***; ***cas·ing***) *vt.* ① …을 상자〔집·주머니 따위〕 속에 넣다. ② (…으로 벽 따위)를 싸다(cover), 에워싸다, 덮다《*with*》. ③ 《俗》 (범행 장소 등)을 미리 조사해 두다. ~ ***the joint*** (도둑이) 목표(건물 따위)를 미리 조사하다.

case·book [kéisbùk] *n.* Ⓒ 케이스북《법·의학 등의 구체적 사례집》, 판례집.

case·bound [⊿bàund] *a.* 표지를 판지로 제본한, 하드커버(hard cover)의.

cáse ènding 〖文法〗 격(변화)어미《소유격의 *'s* 따위》.

case·hard·en [kéishà:rdn] *vt.* ① 〖冶〗 (쇠)를 담금질하다, 열처리하다, 표면을 경화시키다. ② (아무)를 철면피〔무신경〕하게 만들다.

cáse hístory 〔**recórd**〕 ① 개인 경력〔기록〕, 신상 조사(서). ② 병력(病歷).

ca·sein [kéisi:n, -siən] *n.* Ⓤ 〖生化〗 카세인, 건락소(乾酪素)《우유 속의 단백질; 치즈의 원료》.

cáse knìfe ① 칼집이 있는 나이프(sheath knife). ② 식탁용 나이프(table knife).

cáse làw 〖法〗 판례법. ⓒⓕ statute law.

case·load [kéislòud] *n.* Ⓒ (법정·병원 등의 일정기간 중의) 취급〔담당〕 건수.

***case·ment** [kéismənt] *n.* Ⓒ ① 두 짝 여닫이 창(문) (=⊿ **wíndow**); 여닫이창문 틀. ② 《詩》 창. ③ 테; 덮개; 싸개. 「은」, 건락성의.

ca·se·ous [kéisiəs] *a.* 〖生化〗 치즈질(質)의〔같

cáse shòt (대포의) 산탄(散彈). ⓒⓕ shrapnel.

cáse stúdy ① 〖社〗 사례(事例) 연구. ② = CASE HISTORY ②.

***case·work** [kéiswə̀:rk] *n.* Ⓤ 케이스워크《사회 복지 대상자의 생활 실태 조사 및 그 지도》.

case·work·er [-wə̀:rkər] *n.* Ⓒ 케이스워커, casework에 종사하는 사람.

‡**cash**¹ [kæʃ] *n.* Ⓤ ① 현금; 현찰; 《口》 돈; 〖證〗 현물. ② 즉시불《현금·수표에 의한》, 맞돈: buy 〔sell〕 a thing for ~ 현금으로 사다〔팔다〕. ~ ***and carry*** 현금 판매(주의) ⓒⓕ cash-and-carry. ~ ***down*** 맞돈으로, 즉시불(로): pay ~ *down* 맞돈으로 지급하다. ~ ***on delivery*** 《英》 화물 상환불(拂), 대금 상환 인도(《美》 collect (on delivery))《略: C.O.D., c.o.d.》. — *a.* 〔限定的〕 현금〔맞돈〕의: a ~ price 현금 가격 / a ~ payment 〔sale〕 현금 지불〔판매〕. — *vt.* …을 현금으로〔현찰로〕 하다; (수표·어음 따위)를 현금으로 바꾸다: ~ a check / get a check ~*ed* 수표를 현금으로 바꾸다. ~ ***in*** (1) 현금을 예금하다. (2) (수표 따위를) 현금으로 바꾸다. (3) 《口》 (돈을) 벌다. ~ ***in on*** 《口》 (1) …에서 이익을 얻다: The shops are ~*ing in on* temporary shortages by raising prices. 상점들은 가격 인상으로 인한 일시적 품귀로 이익을 얻고 있다. (2) …을 이용하다: *in on* one's experience 경험을 살리다. (3) …에 돈을 걸다〔내다〕. ~ ***in*** one***'s checks*** 〔***chips***〕 《美口》 (1) (포커에서) 칩을 현금으로 바꾸다. (2) 죽다. ~ ***up*** (1) (상점에서, 그날의 매상을) 계산하다. (2) 《口》 (필요한 비용을) 치르다〔내다〕.

cash² *n.* Ⓒ 〔單·複數동형〕 (중국·인도 등의) 구멍 뚫린 동전. 「꿀 수 있는.

cash·able [kǽʃəbl] *a.* (어음 등을) 현금으로 바

cash-and-carry [kǽʃənkǽri] *n.* Ⓤ,Ⓒ 현금 판매 방식〔상점〕. — *a.* 〔限定的〕 배달 없이 현금 판매 방식의: a ~ market 현금 거래 시장.

cásh bàr 캐시 바《파티 등에서 돈을 받고 술을 파는 가설(假設) 바》. ⓒⓕ open bar.

cash·book [kǽʃbùk] *n.* Ⓒ 현금 출납장.

cash·box [⊿bὰks / ⊿bɔ̀ks] *n.* Ⓒ 돈궤; 금고.

cásh càrd 캐시〔현금 인출〕 카드.

cásh còw 《俗》 (기업의) 재원(財源), 달러 박스, 돈벌이가 되는 부문〔상품〕.

cásh cróp 환금〔시장용〕 작물(=《美》 **móney cròp**).

cásh dèsk 《英》 카운터, 계산대.

cásh díscount 현금 할인.

cásh dìspenser 《英》 현금 자동 지급기(《美》 automated-teller machine).

cash·ew [kǽʃu:, kəʃú:] *n.* Ⓒ ① 캐슈《열대 아메리카산 옻나뭇과 식물; 점성 고무를 채취하고 열매는 식용》. ② =CASHEW NUT.

cáshew nùt 캐슈의 열매《식용》. 「금 자금.

cásh flòw (또는 a ~) 〖會計〗 현금 유출입, 현

***cash·ier**¹ [kæʃíər, kə-] *n.* Ⓒ ① 출납원; 회계원. ② 《美》 (은행의 현금 운용을 관장하는) 지배인. 「추방〔해고〕하다.

cash·ier² [kæʃíər] *vt.* (사관·관리)를 면직하다;

cash·less [kǽʃlis] *a.* 현금 불요(不要)의.

cásh machìne =CASH DISPENSER.

cash·mere [kǽʃmiər, kǽʒ-] *n.* ① Ⓤ **a**) 캐시미어《캐시미어 염소의 부드러운 털》; 그 옷감, 캐시미어직(織). **b**) 모조 캐시미어《양모제(製)》. ② Ⓒ 캐시미어제의 숄.

cash·point [kǽʃpɔ̀int] *n.* =CASH DISPENSER.

cásh règister 금전 등록기.

cas·ing [kéisiŋ] *n.* ① Ⓤ 상자〔집〕 등에 넣기, 포장재. ② Ⓒ 싸개, 덮개 ; 케이스, (전깃줄의) 피복. ③ Ⓒ (창·문짝 등의) 틀 ; 액자틀 ; 테두리. ④ Ⓒ **a**) (소시지의) 껍질. **b**) 《美》 타이어 외피.
ca·si·no [kəsí:nou] (*pl.* **~s, -ni** [-ni:]) *n.* Ⓒ 《It.》 카지노《연예·댄스 따위를 하는 도박장》.
***cask** [kæsk, kɑ:sk] *n.* Ⓒ ① 통(barrel). ② 한 통(의 양)《*of*》: a ~ *of* beer 맥주 한 통.
***cas·ket** [kǽskit, kɑ́:s-] *n.* Ⓒ ① (귀중품·보석 등을 넣는) 작은 상자, 손궤. ② 《美》 관(coffin).
Cás·pi·an Séa [kǽspiən-] (the ~) 카스피 해.
casque [kæsk] *n.* Ⓒ 〖史〗 투구(helmet).
Cas·san·dra [kəsǽndrə] *n.* ① 〖그神〗 카산드라 《Troy 의 여자 예언자》. ② Ⓒ 흉사(凶事)의 예언자, 세상이 용납하지 않는 예언자.
cas·sa·va [kəsɑ́:və] *n.* ① Ⓒ 〖植〗 카사바《열대산》. ② Ⓤ 카사바 녹말《tapioca의 원료》.
cas·se·role [kǽsəròul] *n.* 《F.》 ① Ⓒ 식탁에 올리는 뚜껑있는 찜냄비. ② Ⓒ,Ⓤ 냄비요리, 카세롤. ③ 〖化〗 카세롤《자루 달린 실험용 냄비》. ── *vt.* …을 찜냄비로 요리하다, 카세롤을 만들다.
***cas·sette** [kəsét, kə-] *n.* Ⓒ ① (녹음·녹화용의) 카세트 (테이프) ; 카세트 플레이어〔리코더〕. ② (사진기의) 필름 통. 「아자리.
Cas·si·o·pe·ia [kæ̀siəpí:ə] *n.* 〖天〗 카시오페이
cas·sock [kǽsək] *n.* Ⓒ (성직자의) 통상복.
cas·so·wary [kǽsəwὲəri] *n.* Ⓒ 〖鳥〗 화식조(火食鳥)《오스트레일리아·뉴기니산》.
‡cast [kæst, kɑ:st] (*p., pp.* ***cast***) *vt.* ① 《~+목/+목+전+명》 …을 던지다 : ~ a stone *at* a person 아무에게 돌을 던지다. ② (그물)을 던지다, 치다 ; (낚싯줄)을 드리우다 ; (닻·측연)을 내리다 : ~ the lead 수심을 재다. ③ 《+목+전+명/+목+목》 **a**) (빛·그림자)를 던지다, 투사하다 : ~ a shadow *on* the wall 벽에 그림자를 던지다. **b**) (시선)을 돌리다, (마음·생각)을 쏟다, 향하다 : ~ a glance *at* …을 흘끗 보다. ④ 《+목+전+명》 (…에게 비난·저주)를 퍼붓다《*on*; *over*》: ~ a spell *on* 〔*over*〕 a person 아무에게 저주를 하다. ⑤ **a**) (불필요한 것)을 내던져버리다, 물리치다 : ~ a problem from one's mind 문제를 잊다. **b**) (옷)을 벗다 ; (뱀이 허물)을 벗다(shed) ; (새가 깃털을, 사슴이 뿔)을 갈다 ; (말이 편자)를 빠뜨리다 ; (나무가 잎·과실)을 떨어뜨리다. ⑥ 《~+목/+목+전+명》 …을 (거푸집에다) 뜨다, 주조하다 : ~ a statue *in* bronze 청동으로 상(像)을 주조하다. ⑦ 《+목+전+명》 …의 배역을 정하다 ; (역)을 맡기다, 배역하다 : ~ an actor *for* a play 연극의 배우를 정하다. ⑧ 《~+목/+목+부》 (숫자)를 계산하다 ; 가산하다 《*up*》: ~ accounts 계산하다 / ~ *up* a column of figures 한 난의 숫자를 합하다. ⑨ (운수)를 판단하다, 점치다 ; (점괘)를 뽑다(draw) ; 예언하다 : ~ lots 제비 뽑다 / ~ a horoscope 별점을 치다.
── *vi.* ① **a**) 물건을 던지다. **b**) 투망을 치다 ; 낚싯줄을 드리우다. ② 주조되다.
~ ***about*** 〔***around***〕 (1) 두루 찾다《*for*》: ~ *about for* something to do 뭐 할 일이 없을까 하고 찾다. (2) 궁리하다, 연구하다 : ~ *about* how to do 어떻게 하면 될까 하고 궁리하다. ~ ***aside*** (1) (친구 등)을 버리다 ; 물리치다. (2) (원한 따위)를 잊어버리다. ~ ***away*** (1) 버리다 ; 배척하다. (2) 〔흔히 受動으로〕 (배가 난파하여, 사람을) 표류시키다 : They *were* ~ *away* on an island. 그들은 어느 섬에 표류되었다. ~ ***down*** (1) (시선을) 떨어뜨리다, (눈을) 내리깔다. (2) 〔흔히 受動으로〕 낙담시키다 : Don't *be* ~ *down by* that news. 그 소식에 낙심해서는 안 된다. ~ ***loose*** (배를) 풀어놓다 ; 밧줄을 풀다. ~ ***off*** (1) 포기하다, 버리다. (2) (옷을) 벗어버리다. (3) 〖海〗 (밧줄 따위를) 풀어 놓다 ; (배가) 출항하다. (4) (=~ ***off stitches***) (편물의 코를) 풀리지 않도록 마무르다(finish off). (5) (스퀘어 댄스에서) 다른 커플의 위치와 바꾸다. ~ ***on*** (1) 재빠르게 입다. (2) (=~ ***on stitches***) 뜨개질의 첫 코를 잡다〔뜨다〕. ~ one***self on*** 〔***upon***〕 (1) …에 몸을 맡기다, …에 의지하다. (2) (소파 따위에) 몸을 내던지다. (3) 운수를 하늘에 걸고 해보다. ~ ***out*** 내던지다 ; 추방하다. ~ ***up*** (1) (파도가) …을 기슭으로 밀어 올리다. (2) 합계하다.
── *n.* ① Ⓒ **a**) (주사위·돌·그물 따위를) 던지기. **b**) 던진 거리, 사정(射程). **c**) (주사위의) 한 번 던지기, 모험(적 시도) : try another ~ 다시 한 번 해보다. ② Ⓒ **a**) 던져진〔던져지는〕 것. **b**) (뱀·벌레 따위의) 허물. **c**) (지렁이의) 똥. ③ **a**) 주형(鑄型), 거푸집. **b**) 주조물. **c**) 깁스 : put a person in a ~ 아무에게 깁스 붕대를 하다. ④ (*sing.*) **a**) (얼굴 생김새·성질 등의) 특색, 생김새 : He had somewhat Slavic ~ of features. 그는 좀 슬라브적인 얼굴을 하고 있었다. **b**) 색조(色調), …의 기미(氣味) : a yellowish ~ 누르스름한 빛. ⑤ Ⓒ 〔集合的〕 배역, (the ~) 출연 배우들《★ 집합체로 생각할 때에는 단수, 구성 요소를 생각할 때에는 複數 취급》: a good ~ 좋은 배역 / an all-star ~ 인기 배우 총출연. ⑥ (흔히 *sing.*) 사팔뜨기 : have a ~ in the right eye 오른쪽 눈이 사팔뜨기이다.
cas·ta·net [kæ̀stənét] *n.* Ⓒ (흔히 a pair of ~*s*) 캐스터네츠《타악기》.
cast·a·way [kǽstəwèi, kɑ́:st-] *n.* Ⓒ ① 난파한 사람, 표류자. ② 버림받은 사람 ; 무뢰한. ── *a.* ① 난파한(wrecked). ② (세상에서) 버림받은.
***caste** [kæst, kɑ:st] *n.* ① **a**) Ⓒ 카스트, 4성(姓)《인도의 세습적인 계급 ; Brahman, Kshatriya, Vaisya, Sudra》. **b**) Ⓤ 4성 제도. ② Ⓒ 〔排他的〕 특권 계급. ③ Ⓤ 사회적 지위 : lose ~ 사회적 지위를 잃다, 위신〔면목〕을 잃다.
cas·tel·lat·ed [kǽstəlèitid] *a.* ① (건물·교회 등이) 성곽풍의, 성 같은 구조의. ② (지역이) 성이 많은.
***cast·er** [kǽstər, kɑ́:stər] *n.* Ⓒ ① **a**) 던지는 사람. **b**) 투표자. **c**) 계산자(者). ② **a**) 주조자, 주물공. **b**) 배역 담당자. ③ 피아노·의자 등의 다리 바퀴, 캐스터. ④ **a**) 양념병. **b**) 양념병대(臺)(cruet stand). ★ ③④ 는 castor로도 씀.
cáster sùgar 《英》 =CASTOR SUGAR.
cas·ti·gate [kǽstəgèit] *vt.* ① …을 매질하다, 견책하다, 벌하다(punish). ② …을 혹평하다 : She ~*d* him for having no intellectual interests. 그녀는 그를 지적인 관심이 없다고 혹평했다.
㊞ **cás·ti·gà·tor** [-ər] *n.* **cás·ti·ga·tò·ry** [-gətɔ̀:ri / -gèitə-] *a.* 「② 혹평.
cas·ti·ga·tion [-géiʃən] *n.* Ⓤ,Ⓒ ① 가책, 징계.
Cas·tile [kæstí:l] *n.* ① 카스티야《스페인 중부에 있던 옛 왕국》. ② =CASTILE SOAP.
Castíle sóap 카스틸 비누《올리브유로 만드는 고급 비누》.
Cas·til·ian [kæstíljən] *a.* 카스티야의. ── *n.* ① Ⓒ 카스티야 (사람). ② Ⓤ 카스티야어(語)《스페인의 표준어》.
cast·ing [kǽstiŋ, kɑ́:st-] *n.* ① **a**) Ⓤ 주조. **b**) Ⓒ 주물 : a bronze ~ 청동 주물. ② Ⓤ 낚싯줄 드리우기. ③ Ⓒ **a**) (뱀의) 허물, 탈피. **b**) (지렁이의) 똥. ④ Ⓤ 〖劇〗 배역, 캐스팅.
cásting nèt 투망, 쟁이(cast net).
cásting vóte 캐스팅 보트《찬부 동수인 경우에

의장이 던지는 결정 투표》: have 〔hold〕 a ~ 캐스팅 보트를 쥐다.

cást íron 주철, 무쇠. ⓒⓕ wrought iron.

cast-iron [⌐áiərn] *a.* ① 주철〔무쇠〕로 된. ② (규칙 따위가) 엄격한. ③ 튼튼한, 불굴의.

†**cas·tle** [kǽsl, káːsl] *n.* Ⓒ ① 성, 성곽: An Englishman's house is his ~. 《俗談》 영국 사람의 집은 그의 성이다《영국인은 사생활의 간섭을 허락하지 않음》. ② 대저택, 관(館) (mansion). ③ 〖체스〗 성장(城將) (rook)《장기의 차(車)에 해당함》. (*build*) *a* ~ *in the air* 〔*in Spain*〕 공중 누각(을 쌓다), 공상(에 잠기다). ★ (build) an air castle 이라고도 함. — *vt., vi.* ① (…에) 성을 쌓다, 성곽을 두르다. ② (체스에서) 성장(城將)으로 (왕을) 지키다.

cas·tled [-d] *a.* (어떤 지역에) 성이 있는.

cást nèt =CASTING NET.

cast·off [kǽstɔ̀ːf, káːs- / -ɔ̀f] *a.* 〔限定的〕 ① (옷 따위가 낡아서) 버려진; 벗어버린. ② (사람이) 버림받은. — *n.* Ⓒ ① 버림받은 사람〔것〕. ② (흔히 *pl.*) 헌 옷.

cas·tor[1] [kǽstər, káːstər] *n.* =CASTER ③,④.

cas·tor[2] *n.* ① Ⓤ 비버〔해리(海狸)〕향(香)《약품·향수 원료용》. ② Ⓒ 비버털 모자.

cástor bèan 아주까리(열매).

cástor óil 아주까리 기름, 피마자유.

cás·tor-óil plànt [kǽstərɔ́il-, káːst-] 〖植〗 아주까리.

cástor sùgar 《英》 가루 백설탕《양념병(caster)에 담아서 치는 데서》.

cas·trate [kǽstreit] *vt.* ① (남성, 동물의 수컷)을 거세하다(geld). ② …을 알맹이 없는 빈껍데기로 만들다. 「물의) 빈껍데기.

cas·tra·tion [kæstréiʃən] *n.* Ⓤ ① 거세. ② (사

cas·tra·to [kæstráːtou] (*pl.* **-ti** [-ti]) *n.* Ⓒ 〖樂〗 카스트라토《주로 17-18 세기의 이탈리아에서, 변성 전의 고음 유지를 위해 거세된 남성 가수》.

Cas·tro [kǽstrou] *n.* **Fidel** ~ 카스트로《쿠바의 혁명가·수상(1959-); 1927- 》.

‡**cas·u·al** [kǽʒuəl] (*more* ~; *most* ~) *a.* ① 우연한(accidental), 뜻밖의: a ~ meeting 뜻밖의 만남 / a ~ visitor 불쑥 찾아온 방문객 / a ~ fire 실화. ② 그때그때의, 일시적인, 임시의(occasional): ~ expenses 임시 지출, 잡비. ③ 무심결의: a ~ remark 무심결에 해버린〔문득 떠오른〕 말. ④ **a**) 무(관)심한; 변덕스러운: a ~ air 무심한 태도 / a very ~ sort of person 형편없는 변덕쟁이. **b**) 〔敍述的〕 (…에) 무관심한, 대범한 《*about*》: She's ~ *about* her clothes. 그녀는 의복에 대범하다. ⑤ 격식을 차리지 않는, 가벼운, 허물없는; (옷 따위가) 약식의, 평상시에 입는: ~ wear 평상복.

— *n.* ① Ⓒ 임시〔자유〕 노동자, 부랑자. ② (*pl.*) 《英》 임시 보호를 받고 있는 사람. ③ (흔히 *pl.*) **a**) 평상복, 캐주얼 웨어(=⌐ **clóthes**). **b**) 캐주얼 슈즈(=⌐ **shóes**). ㉻ ~**·ness** *n.*

***cas·u·al·ly** [kǽʒuəli] *ad.* ① 우연히; 불쑥, 어쩌다가, 문득; 별생각 없이, 무의식적으로. ② 임시로, 가끔, 부정기적으로. ③ 평상복으로.

***cas·u·al·ty** [kǽʒuəlti] *n.* ① Ⓒ (불의의) 사고 (accident), 재난, 상해(傷害): ~ insurance 상해보험. ② Ⓒ 사상자, 희생자, 부상자. ③ (*pl.*) 사상자 수; (전시의) 손해.

cásualty wàrd 《英》 (병원의) 응급 의료실〔병동〕(=**cásualty depàrtment**).

cas·u·ist [kǽʒuist] *n.* Ⓒ ① 결의론자(決疑論者), 도학자. ② 궤변가(sophist).

cas·u·is·tic, -ti·cal [kæ̀ʒuístik], [-əl] *a.* 결의론(決疑論)적인; 궤변의. ㉻ **-ti·cal·ly** *ad.*

cas·u·ist·ry [kǽʒuistri] *n.* Ⓤ ① 〖哲〗 결의론(決疑論). ② 궤변, 부회.

ca·sus bel·li [kéisəs-bélai, káːsəs-béliː] 《L.》 개전(開戰)의 이유(가 되는 사건·사태).

†**cat** [kæt] *n.* Ⓒ ① 고양이; 고양잇과의 동물《lion, tiger, panther, leopard 따위》: A ~ has nine lives. 《俗談》 고양이는 목숨이 아홉 있다《여간해서 죽지 않는다》 / A ~ may look at a king. 《俗談》 고양이도 왕을 뵈올 수 있다《누구나 다 그에 상당한 권리는 있다》, 보는 것은 자유이다 / Curiosity killed the ~. 《俗談》 호기심은 몸을 그르친다 / When the ~'s away, the mice will 〔do〕 play. 《俗談》 호랑이 없는 골에는 토끼가 스승이다. ② 고양이 같은 사람; 심술궂은 여자. ③ 구승편(九繩鞭) (~-o'-nine-tails)《아홉 가닥의 채찍》. ④ 《俗》 사내, 놈(guy), 《특히》 재즈 연주자, 재즈광(狂) (hepcat).

bell the ~ ⇨ BELL[1] *vt.* ***fight like ~s and dogs=fight like Kilkenny*** [kilkéni] ***~s*** 쌍방이 쓰러질 때까지 싸우다. ***grin like a Cheshire*** ~ 《口》공연히 능글맞게 웃다. ***Has the ~ got your tongue?*** 《口》 입이 없어, 왜 말이 없지《흔히 겁먹고 말 안하는 아이에 대해서》. ***let the*** ~ 〔***the ~ is***〕 ***out of the bag*** 《口》 무심결에 비밀을 누설하다〔이 새다〕. ***like a ~ on hot tin roof=like a ~ on hot bricks*** 《口》 안절부절 못 하여. ***not a ~ in hell's chance=not a ~'s chance*** 《口》 전혀 기회가〔가망이〕 없는. ***play ~ and mouse with*** (1) …을 가지고 놀다, 곯리다. (2) …을 불시에 치다, 앞지르다. ***put*** 〔***set***〕 ***the ~ among the pigeons*** 〔***the canaries***〕 《英 口》 소동〔내분〕을 불러일으키다〔도록 시키다〕. ***rain*** 〔***come down***〕 ***~s and dogs*** (비가) 억수로 쏟아지다. ***see*** 〔***watch***〕 ***which way the ~ will jump=see how the ~ jumps=wait for the ~ to jump*** 《口》 형세를 관망하다, 기회를 엿보다.

— (*-tt-*) *vt.* 〖海〗 (닻)을 닻걸이에 끌어올리다.

— *vi.* 《英俗》 여자를 찾아〔낚으러〕 어슬렁거리다 《*around*》.

cat. catalog(ue). **CAT** computer-aided testing (컴퓨터에 의한 제품 검사); 〖印〗 computer-assisted type-setting(컴퓨터 사식(寫植)); computerized axial tomography(컴퓨터 X선 체축(體軸) 단층 촬영).

cat(a)-, cath- *pref.* '하(下), 반(反), 오(誤), 전(全), 측(側)'의 뜻.

cat·a·bol·ic [kæ̀təbálik / -bɔ́l-] *a.* 〖生化〗 이화(異化) 작용의.

ca·tab·o·lism, ka- [kətǽbəlìzəm] *n.* Ⓤ 〖生化〗 이화(異化) 작용. ⓞⓟⓟ *anabolism.*

cat·a·clysm [kǽtəklìzəm] *n.* Ⓒ ① 대홍수 (deluge). ② 〖地質〗 지각 변동. ③ (정치·사회적) 대변동, 격변. ㉻ **càt·a·clýs·mic** [-mik] *a.*

cat·a·comb [kǽtəkòum] *n.* ① (흔히 *pl.*) 지하 묘지. ② (the ~*s*, the C-*s*) (로마의) 카타콤《초기 기독교도의 박해 피난처》.

cat·a·falque [kǽtəfæ̀lk] *n.* ① Ⓒ 영구대(靈柩臺). ② 무개(無蓋) 영구차(open hearse).

Cat·a·lan [kǽtələn, -læ̀n] *n.* ① Ⓒ 카탈로니아 지방의 주민. ② Ⓤ 카탈로니아 말《Andorra의 공용어》. — *a.* 카탈로니아(사람〔말〕)의.

cat·a·lep·sis, cat·a·lep·sy [kæ̀təlépsis], [kǽtəlèpsi] *n.* Ⓤ 〖醫〗 강경증(強硬症), 카탈렙시.

cat·a·lep·tic [-tik] *a., n.* Ⓒ 강경증의 (환자).

‡**cat·a·log, -logue** [kǽtəlɔ̀ːg, -làg / -lɔ̀g] *n.* Ⓒ ① 목록, 카탈로그, 일람표; (도서의) 출판 목록; 도서관의 색인 목록〔카드〕: a library ~ 도서 목

록. ② 열기(列記)한 것, 일람표《*of*》: a ~ *of* gifts 기부 일람. ③《美》(대학의) 요람, 편람(《英》 calendar). ★ 미국에서도 catalogue로 철자하는 수가 종종 있으나《특히》②의 뜻으로 씀.
— (*p., pp.* ***-log(u)ed*** ; ***-log(u)·ing***) *vt., vi.* (…의) 목록을 만들다; (…을) 분류하다; 목록에 싣다〔실리다〕: Books are ~*ed* on white cards that are filed alphabetically. 책들은 알파벳 순으로 철해진 흰 카드에 목록이 만들어져 있다.
㊣ **cát·a·lòg(u)·er** [-ər] *n.* Ⓒ 목록 편집자.

Cat·a·lo·nia [kæ̀təlóuniə, -njə] *n.* 카탈로니아 《스페인 북동부 지방》.

ca·tal·pa [kətǽlpə] *n.* Ⓒ 〖植〗 개오동나무.

cat·a·lyse [kǽtəlàiz] *vt.* 《英》 =CATALYZE.

ca·tal·y·sis [kətǽləsis] (*pl.* ***-ses*** [-sìːz]) *n.* ① Ⓤ 〖化〗 촉매 현상〔작용〕, 접촉 반응: by ~ 촉매 작용에 의해. ② Ⓒ 유인(誘因).

cat·a·lyst [kǽtəlist] *n.* Ⓒ ①〖化〗 촉매. ② 기폭제; 《比》 촉매 작용을 하는 사람〔것, 사건〕.

cat·a·lyt·ic [kæ̀təlítik] *a.* 촉매의〔에 의한〕.

catalýtic convèrter 촉매 컨버터《자동차 배기 가스 속의 유해 성분을 감소시키는 장치》.

catalýtic crácker (석유 정제의) 접촉 분해기 (=**cát cràcker**).

cat·a·lyze [kǽtəlàiz] *vt.* 〖化〗 …에 촉매 작용을 미치게 하다; (화학 반응)을 촉진시키다.

cat·a·ma·ran [kæ̀təmərǽn] *n.* Ⓒ ① 뗏목(배). ② (2개의 선체를 나란히 연결한) 배의 일종, 쌍동선(雙胴船). ③《口》 바가지 긁는 여자.

cat·a·mount [kǽtəmàunt] *n.* Ⓒ 고양잇과의 야생 동물《퓨마·아메리카표범(cougar) 따위》.

cat·a·moun·tain [kæ̀təmáuntən] *n.* Ⓒ ① 살쾡이. ② 싸움꾼.

cat-and-dog [kǽtəndɔ́ːg / -dɔ́g] *a.* 〔限定的〕 심한, 사이가 나쁜: a ~ competition 심한 경쟁 / be on ~ terms 견원지간이다.

cat-and-mouse [kǽtənmáus] *a.* 〔限定的〕 ① 쫓고, 쫓기는. ② 습격의 기회를 엿보는.

***cat·a·pult** [kǽtəpʌ̀lt] *n.* Ⓒ ① 노포(弩砲), 쇠뇌. ② 투석기; 《英》 (장난감) 새총(《美》 slingshot). ③〖空〗 캐터펄트《항공 모함의 비행기 사출 장치》. ④ 글라이더 시주기(始走器). — *vt.* ① …을 ~로 쏘다; (돌 등)을 ~로 날리다. ② …을 갑자기 방출하다, 내던지다《부사구(句)》: be ~*ed from* one's seat 자리에서 내던져지다. ③ (비행기)를 캐터펄트로 발진시키다. — *vi.* ① (비행기가) 캐터펄트로 발진하다. ② (갑자기) 힘차게 움직이다〔뛰어오르다, 튀다〕《부사구(句)》: ~ *into* the air 공중으로 튀어오르다.

***cat·a·ract** [kǽtərӕkt] *n.* ① Ⓒ **a**) 큰 폭포. ⓒⓕ cascade. **b**) 억수, 호우; 홍수(deluge). **c**) (흔히 *pl.*) 분류(奔流). ② Ⓤ.Ⓒ 〖醫〗 백내장(白內障).

***ca·tarrh** [kətɑ́ːr] *n.* Ⓤ ①〖醫〗 카타르; 《특히》 코〔인후〕 카타르. ② 콧물; 《英》 코감기.
㊣ **~·al** [-rəl] *a.* 카타르성의.

***ca·tas·tro·phe** [kətǽstrəfi] *n.* Ⓒ ① (희곡의) 대단원(大團圓); (비극의) 파국(denouement). ② 대이변; 큰 재해. ③ 대실패, 파멸. ④〖地質〗 (지각(地殼)의) 격변, 대변동〔이변〕(cataclysm).

cat·a·stroph·ic [kæ̀təstrɑ́fik / -strɔ́f-] *a.* ① 대변동〔큰 재해〕의. ② 대단원의; 파멸적인, 비극적인. ㊣ **-i·cal·ly** *ad.*

Ca·taw·ba [kətɔ́ːbə] (*pl.* **~s** ; ~) *n.* ① **a**) (the ~*s*) 카토바족(族)《남·북 Carolina 주에 사는 인디언》. **b**) 카토바족 사람. ② Ⓤ 카토바어(語).

cat·bird [kǽtbə̀ːrd] *n.* Ⓒ 〖鳥〗 개똥지빠귀의 일종.

cátbird sèat 〔**posìtion**〕《美口》 유리한〔부러운〕 입장〔상태, 지위〕.

cat·boat [kǽtbòut] *n.* Ⓒ 외대박이 작은 돛배.

cát bùrglar (천창(天窓)이나 이층 창으로 침입하는) 밤도둑.

cat·call [kǽtkɔ̀ːl] *n.* Ⓒ (집회·극장 따위에서의) 고양이 울음 소리를 흉내내어 하는 야유〔휘파람〕. — *vi., vt.* (…을) 야유하다.

†**catch** [kætʃ] (*p., pp.* ***caught*** [kɔːt]) *vt.* ①《+목+전+명》 …을 붙들다, (붙)잡다, 쥐다: ~ a person *by* the arm 아무의 팔을 붙들다.
② …을 좇아가서 잡다, (범인 따위)를 붙잡다; (새·짐승·물고기 따위)를 포획하다: ~ a thief 도둑을 잡다 / ~ a lion alive 사자를 산 채로 잡다.
③ (아무)를 따라잡다; (열차·버스 따위)의 시간에 (맞게) 대다, …에 타다.
④ (기회 따위)를 포착하다, 잡다.
⑤《~+목 / +목+전+명 / +목+-*ing*》 …을 (갑자기) 달려들어 붙들다, 잡아채다, (—가 …하고 있는 것을) 붙들다, 발견하다: He *caught* her *in* her fall. 그녀가 넘어지려는 것을 꼭 붙들었다 / He was *caught* steal*ing*. 훔치는 현장에서 잡혔다.
⑥《+목+부》 …을 불시에 습격하다; 함정에 빠뜨리다, 올가미에 걸다; (감언 따위로) 속이다: I *caught* him unawares. 그가 방심하고 있는 걸 붙들었다 / You don't ~ me! 그 수엔 안 넘어가.
⑦《~+목/+목+전+명》〔종종 受動으로〕 (사고·폭풍 따위가) …을 엄습하다, 휘말다, 말려들게 하다: We *were caught in* a fog. 안개에 휩싸였다.
⑧ (던진 것·가까이 온 것)을 받다: ~ a fast ball 속구를 받다.
⑨ (물)을 긷다; (돛이 바람)을 받다, 안다.
⑩ (빛)을 받다; (시선)을 끌다: Beauty ~*es* the eyes. 미인은 사람들의 시선을 끈다.
⑪《+목+전+명》 (낙하물·던진 것·가까이 온 것 따위가) …에 미치다, …에 맞다; …을 맞히다〔치다〕: A stone *caught* me *on* the head. 돌이 머리에 맞았다.
⑫ (소리·냄새 따위가 귀·코)에 미치다, …의 주의를 끌다: A distant sound *caught* my ear. 멀리서 소리가 들려왔다.
⑬ (빛이) …을 비치다; (시선이) …에 미치다, 마주치다: His eyes *caught* mine. 그의 눈이 내 눈과 마주쳤다.
⑭ …을 파악하다, 이해하다; (말·소리)를 알아듣다: ~ a melody 멜로디를 이해하다.
⑮ (성격·분위기 따위)를 정확히 나타내다〔묘사하다〕《그림·작품 따위가》: ~ her expression perfectly 그녀의 표정을 정확히 묘사하다.
⑯ (남의 이목·주의)를 끌다, 매혹하다, …의 마음에 들다.
⑰ (물건이) …을 걸리게 하다, 휘감기게 하다: A nail *caught* her dress. 못에 옷이 걸렸다.
⑱《+목+전+명》〔受動으로〕 (못·기계 따위에) 걸리다, 휘감기다, 말려들다: *be caught in* a machine 기계에 휘감기다.
⑲《+목+전+명》 (사람이) …을 (—에) 걸다, 휘감다: He *caught* his foot *on* a root and fell. 발이 나무 뿌리에 걸려 넘어졌다.
⑳ (불이) …에 붙다〔옮겨 붙다〕, (불)을 댕기다: Papers ~*es* fire easily. 종이는 불이 잘 댕긴다.
㉑ (버릇)이 몸에 배다, (말에 사투리)를 띠다.
㉒ (병)에 걸리다: ~ (a) cold 감기에 걸리다.
㉓〔종종 it을 目的으로 수반하여〕 (타격·비난)을 받다, 꾸지람 듣다, 벌을 받다: He *caught it* right *in* the chest. 《口》 가슴팍을 얻어맞았다 / You'll ~ *it* ! 꾸지람 들을 게다.
㉔《+목+목》 (타격)을 주다, 때리다, 치다: I

caught him one on the nose. 그놈 코를 한 대 갈겨 주었다.
㉕〔종종 再歸用法〕(숨)을 죽이다, 억누르다, 그만두다 : ~ *oneself* 갑자기 말하는〔하는〕 것을 중지하다.
㉖《口》(연극·텔레비전 등)을 보다, 듣다 : ~ a radio program 라디오를 듣다.
㉗〔受動으로〕《英口》 …을 임신하게 하다 : *be* 〔*get*〕 *caught* (out) 임신하다.
— *vi.* ①《+前+名》붙들려고 하다, (붙)잡으려고 하다, 급히 붙들다《*at*》: ~ *at* an opportunity 기회를 붙잡다. ②《+前+名》기대다, 매달리다《*at*》: ~ *at* a hope 희망에 매달리다. ③《+前+名》걸리다, 휘감기다 : The kite *caught in* the trees. 연이 나무에 걸렸다. ④(자물쇠·빗장이) 걸리다 ; (톱니바퀴가) 서로 물리다 ; (요리의 재료가) 들러붙다, 눌어붙다《냄비에》. ⑤퍼지다 ; (불이) 댕기다, 번지다 ; (물건이) 발화하다 ; (병이) 전염〔감염〕하다 : This match will not ~. 이 성냥은 불이 잘 안 붙는다. ⑥〖野〗 캐처 노릇을 하다.
~ ***on*** (1) …을 붙잡다《*to*》. (2)《口》…을 이해하다 : You were expected to ~ *on* quick. 너는 빨리 이해하리라고 생각했다. (3)《口》 인기를 얻다《*with*》; 유행하다 : Ballroom dancing *caught on.* 사교춤이 유행했다. (4)《口》(일 따위를) 익히다, 터득하다. (5)《口》일자리를 얻다, 고용되다. ~ ***out*** (1)〖野·크리켓〗 포구(捕球)하여 아웃시키다. (2)(아무의) 잘못〔거짓〕을 간파하다. ~ ***one's breath*** (놀라서) 숨을 죽이다, 헐떡거리다. ~ ***one's death of cold*** 지독한 감기에 걸리다. ~ ***up*** (1) …을 급히 집어〔들어〕 올리다 ; 움켜잡다 ; (비평·질문으로) …을 방해하다〔가로막다〕: ~ *up* a person (in a speech) 아무의 말을 가로막다. (2) …을 따라잡다, …에게 뒤쫓아 미치다《*with*》; (수면 부족 등을) 되찾다《*on* ; *with*》: He *caught* us *up.* = He *caught up with* us. 그는 우릴 따라잡았다 / I was ~*ing up on* my sleep. 나는 밀린 잠을 자고 있었다. (3)(곧) 채택〔채용〕하다, …을 받아들이다 : He *caught up* the habit of smoking. 곧 담배 피우는 습관을 붙였다. (4)《美》(탈 말을) 준비하다. (5)잘못을 지적하다《*on*》. (6)《美俗》 부정의 현장을 덮치다. (7)(최신 정보에) 정통하게 되다《*on*》. (8)(악인 등을 붙들어) 처벌〔체포〕하다《*with* ; *on*》. (9)응보가 있다. (10)(옷소매·머리 등을) 올려서 고정시키다 ; (옷·머리 등을) …에 걸다, 감다《*in*》. (11)〔受動으로〕(군중·사건 등에) 휘말리다, (활동·생각에) 열중케 하다, 몰두시키다《*in*》: We *were caught up* in this wave of enthusiasm. 우리는 이 열광의 파도속에 휩쓸려 버렸다.
— *n.* Ⓒ ①붙듦, 잡음, 포획, 어획, 포착 ; 파악. ② **a)**〖野〗 포구, 포수(catcher). **b)** Ⓤ 캐치볼(놀이). ③잡은 것, 포획물〔고〕, 어획물〔고〕: a good ~ of fish 풍어. ④횡재물 ; 인기물 ; 〔否定的〕 대단한 것 : a great ~ 인기 있는 사람. ⑤붙들 만한 가치가 있는 사람〔물건〕, 《특히》 좋은 결혼 상대 : a good ~ 좋은 결혼 상대. ⑥(숨·목소리의) 막힘 ; 끊김. ⑦(문의) 걸쇠, 고리, 손잡이, (기계의) 톱니바퀴 멈추개. ⑧함정, 올가미, 책략 : There's a ~ in it. 속지 마라. ⑨〖樂〗 (익살맞은 효과를 노리는) 윤창곡, 돌려 부르기.
— *a.* 〔限定的〕 ①(질문 등) 함정이 있는, 사람을 속이는 것 같은 : a ~ question (시험에서) 함정이 있는 문제, 난문. ②사람을 매혹시키는, 흥미를 돋구는 : a ~ line 흥미를 자아내는 선전 문구.

catch·all [ˊɔ̀:l] *n.* Ⓒ ①잡낭, 잡동사니 주머니〔그릇〕; 쓰레기통. ②포괄적인 것. — *a.* 〔限定的〕 일체를 포함하는, 다목적의.

catch-as-catch-can [ˊəzkǽtʃkǽn] *n.* Ⓤ 자유형 레슬링. — *a.* 〔限定的〕《口》 닥치는 대로의, 계획성 없는 : in a ~ fashion 무계획적으로.

cátch cròp 간작(間作) 작물.

‡catch·er [kǽtʃər] *n.* Ⓒ ① **a)** 잡는 사람〔도구〕. **b)**〖野〗 포수, 캐처. ②(고래잡이의) 포경선.

catch·fly [kǽtʃflài] *n.* Ⓒ〖植〗 끈끈이대나물.

catch·ing [kǽtʃiŋ] *a.* ①전염성의 : Yawns are ~. 하품은 옮는다. ②매력적인.

catch·ment [kǽtʃmənt] *n.* ① Ⓤ 집수(集水), 담수(湛水), 집수된 물. ② Ⓒ 집수〔저수〕량. ③ =CATCHMENT AREA ①.

cátchment àrea 〔**bàsin**〕 ①(저수지의) 집수 지역, 유역(流域). ②《英》 담당〔관할〕 구역.

catch·pen·ny [ˊpèni] *a.* 〔限定的〕 싸구려의 ; 일시적 유행을 노린 : a ~ book 〔show〕 속된 인기를 노린 책〔쇼〕. — *n.* Ⓒ 일시적 유행을 노린 상품 ; 한때 인기를 노린 것 ; 싸구려 물건.

cátch phràse 캐치프레이즈, 사람의 주의를 끄는 글귀, (짤막한) 유행어, 경구, 표어.

catch-22 [ˊtwènti:tú:] *n.* Ⓒ (때로 C-)《口》(착잡한 법으로) 꼭 묶인 상태, 꼼짝할 수 없는 상태, 딜레마. — *a.* 〔限定的〕 꼼짝할 수 없는.

catch·up [kǽtʃəp, kétʃ-] *n.* =KETCHUP.

catch-up [kǽtʃʌ̀p] *n.* Ⓤ 따라잡으려는 노력, 회복 ; 격차 해소 : After the slowdown there was a ~ in production. 감산(減産) 후 생산이 회복되었다 / play ~ 만회를 꾀하다 ; (상위 팀을 쫓아가려고) 위험을 무릅쓰고 싸우다. 「(의).

catch·weight [ˊwèit] *n.* Ⓤ, *a.* 〖競〗 무제한급

catch·word [ˊwə̀:rd] *n.* Ⓒ ①(정치·정당의) 표어, 슬로건. ②(사서류의) 난외 표제어, 색인어 (guide word). ③〖劇〗 상대 배우가 이어받도록 넘겨 주는 대사.

catchy [kǽtʃi] (***catch·i·er*** ; ***-i·est***) *a.* ①인기를 끌 만한. ②(재미있어) 외기 쉬운《곡조 등》. ③걸려들기 알맞은, 틀리기 쉬운 ; 현혹되기 쉬운. ④(바람 등이) 변덕스러운, 단속적인.

cat·e·chet·ic, -i·cal [kæ̀təkétik], [-əl] *a.* 〖宗〗 (교수법이) 문답식의 ; 교리 문답의.

cat·e·chism [kǽtəkìzəm] *n.* ① **a)** Ⓤ 교리 문답. **b)** Ⓒ 교리 문답책. ② Ⓒ 〔一般的〕 문답식 교과서, 문답집. ③ Ⓒ 계속적인 질문 공세.

cat·e·chist [kǽtəkist] *n.* Ⓒ 교리 문답 교수자 ; 전도사.

cat·e·chize, -chise [kǽtəkàiz] *vt.* ① …을 문답식으로 가르치다《특히 기독교 교의에 대하여》. ② …을 심문하다, 캐묻다. ㊞ **-chìz·er** *n.*

cat·e·chu [kǽtətʃù:] *n.* Ⓤ 아선약(阿仙藥)《지사제(止瀉劑)》.

cat·e·chu·men [kæ̀təkjú:mən / -men] *n.* Ⓒ 〖敎會〗 (교의 수강 중인) 예비 신자 ; 입문자.

cat·e·gor·i·cal [kæ̀təgɔ́:rikəl, -gár- / -gɔ́r-] *a.* ①절대적인, 무조건의, 무상(無上)의, 지상의. ②명백한(explicit), 명확한, 솔직한 : a ~ denial 〔refusal〕 단호한 부인(否認)〔거절〕. ③〖論〗 직언적인, 단언적인(positive). ④범주에 속하는. ㊞ **~·ly** *ad.*

cat·e·go·rize [kǽtigəràiz] *vt.* …을 분류하다, 유별하다 : Though I sympathize with the women's movement I prefer not to be ~*d* as a feminist. 나는 여성운동에 동조하지만 여권주의자로 분류되지 않기를 바란다.

cat·e·go·ry [kǽtəgɔ̀:ri / -gəri] *n.* Ⓒ ①〖論〗 범주, 카테고리. ②종류, 부류, 부문 : They were put into two *categories.* 그들은 두 부분으로 나눠었다.

cat·e·nary [kǽtənèri / kətí:nəri] *n.* Ⓒ ①〖數〗

현수선(懸垂線). ② (전차의 가선(架線)을) 달아매는 선, 카테나리. ── *a.* 〔限定的〕 현수선의.

cat·e·nate [kǽtənèit] *vt.* …을 연쇄(連鎖)하다, 쇠사슬(꼴)로 연결하다. ㊈ **càt·e·ná·tion** *n.*

ca·ter [kéitər] *vi.* 《+전+명》 ① 음식물을 조달〔장만〕하다《*for*》: ~ *for* a feast 연회용 요리를 장만하다. ② 요구〔분부〕에 응하다, 만족을 주다; 영합하다《*for* ; *to*》: ~ *for* a person's enjoyments 아무에게 오락을 제공하다 / ~ *to* their needs 그들의 필요에 응하다. ── *vt.* …의 음식을〔요리를〕 준비하다, …을 조달하다.

cat·er·cor·ner, -cor·nered [kǽtərkɔ̀rnər, kǽti-], [-nərd] *a., ad.* 대각선상의〔으로〕, 비스듬한〔히〕: walk ~ across the road 도로를 비스듬히 횡단하다.

ca·ter·er [kéitərər] (*fem.* ***-ess*** [-ris]) *n.* Ⓒ ① 요리 조달자, 음식을 마련하는 사람. ② (호텔 따위의) 연회 담당자.

‡**cat·er·pil·lar** [kǽtərpìlər] *n.* Ⓒ ① 모충(毛蟲), 풀쐐기《유충》. ②〖機〗 **a)** 무한 궤도(차); 캐터필러. **b)** (C-) 무한 궤도식 트랙터《商標名》.

cáterpillar trèad 무한 궤도.

cat·er·waul [kǽtərwɔ̀ːl] *vi.* ① (고양이가) 암내나서 울다. ② (고양이처럼) 서로 으르렁대다, 아우성치다, 서로 꽥꽥거리다. ── *n.* Ⓒ ① 암내난 고양이의 울음소리. ② 서로 으르렁대는 소리.

cat·fish [kǽtfìʃ] (*pl.* ~(***es***)) *n.* Ⓒ 메기의 일종.

cat·gut [kǽtgʌ̀t] *n.* Ⓤ 장선(腸線), 거트《현악기·라켓에 쓰이는》.

Cath. Cathedral ; Catherine ; Catholic.

ca·thar·sis** [kəθáːrsis] (*pl.* ***-ses [-siːz]) *n.* Ⓤ,Ⓒ ①〖醫〗 통리(通利), 배변(排便). ②〖文〗 카타르시스《작위적 경험, 특히 비극에 의한 정신의 정화》. ③〖精神醫〗 정화(법)《정신요법의 일종》.

ca·thar·tic [kəθáːrtik] *n.* Ⓒ 하제(下劑). ── *a.* ① 통리(通利)의, 설사의. ② 정화의.

Ca·thay [kæθéi, kə-] *n.* 《古·詩》 중국.

cat·head [kǽthèd] *n.* Ⓒ〖海〗 닻걸이, 양묘가.

ca·the·dra [kəθíːdrə] (*pl.* ***-drae*** [-driː], ~***s***) *n.* Ⓒ (대성당의) 주교좌.

‡**ca·the·dral** [kəθíːdrəl] *n.* Ⓒ 주교좌 성당, 대성당《주교좌가 있는 교구의 중심 교회》. ── *a.* 〔限定的〕 ① **a)** 주교좌가 있는. **b)** 대성당의〔이 있는〕: a ~ city 대성당이 있는 도시. ② 권위 있는.

Cáth·e·rine whèel [kǽθərin-] ①〖建〗 바퀴 모양의 원창. ② 윤전 불꽃(pinwheel).

cath·e·ter [kǽθətər] *n.* Ⓒ〖醫〗 카테터.

cath·ode [kǽθoud] *n.* Ⓒ〖電〗 ① (전해조·전자관의) 음극. ② (축전지 등의) 양극. opp *anode.*

cáthode rày 〖電〗 음극선.

cáth·ode-ray tùbe [kǽθoudrèi-]〖電子〗 음극선관, 브라운관《略: CRT》.

‡**Cath·o·lic** [kǽθəlik] (***more*** ~ ; ***most*** ~) *a.* ① 《특히》 (로마) 가톨릭교의, 천주교의; (신교에 대해) 구교의; (동방 정교회에 대해) 서방 교회의. ② (동서 교회 분열 이전의) 전(全)그리스도 교회의. ③ (c-) (관심·흥미·취미 따위가) 광범위한, 다방면의, 보편적인, 전반적인(universal); 포용적인; 마음이 넓은, 관대한(broad-minded)《*in*》: He's *catholic in* his tastes. 그는 취미가 다방면에 걸쳐 있다. ── *n.* Ⓒ 《특히》 (로마) 가톨릭교도, 구교도, 천주교도.

ca·thol·i·cal·ly [kəθálikəli / -θɔ́l-] *ad.* 보편적〔전반적〕으로; 가톨릭교적으로; 관대히.

Cátholic Chúrch (the ~) (로마) 가톨릭 교회.

Cátholic Epístles (*pl.*) (the ~)〖聖〗 공동서한《James, Peter, Jude 및 John 이 일반 신도에게 보낸 7 교서》.

***Ca·thol·i·cism** [kəθáləsìzəm / -θɔ́l-] *n.* Ⓤ 가톨릭교의 교의(敎義); 가톨릭주의.

cath·o·lic·i·ty [kæ̀θəlísəti] *n.* Ⓤ ① 보편성; 관심〔흥미〕의 다방면성; 관용, 도량(generosity). ② (C-) 가톨릭교의 교의〔신앙〕(Catholicism).

ca·thol·i·cize [kəθáləsàiz / -θɔ́l-] *vt.* ① …을 일반화〔보편화〕하다. ② (C-) …을 가톨릭교도로 하다. ── *vi.* ① 일반화〔보편화〕되다. ② (C-) 가톨릭교도가 되다.

cat·house [kǽthàus] *n.* Ⓒ 《美俗》 갈봇집.

cat·i·on [kǽtàiən] *n.* Ⓒ〖化〗 양(陽)이온, 카티온. opp *anion.*

cat·kin [kǽtkin] *n.* Ⓒ〖植〗 (버드나무·밤나무 등의) 유제 화서(葇荑花序).

cat·like [kǽtlàik] *a.* 고양이 같은; 재빠른, 몰래 다니는.

cat·mint [kǽtmìnt] *n.* Ⓒ〖植〗 개박하.

cat·nap [kǽtnæ̀p] *n.* Ⓒ 선잠. ── *vi.* 선잠〔풋잠, 노루잠〕을 자다.

cat·nip [kǽtnìp] *n.* =CATMINT.

cat-o'-nine-tails [kæ̀tənáintèilz] *n.* Ⓒ 〔單·複數동형〕 아홉 가닥으로 된 채찍《체벌용》.

CAT scàn [sìːèitíː-, kǽt-]〖醫〗 컴퓨터 엑스선 체축(體軸) 단층 사진.

CAT scànner〖醫〗 컴퓨터 엑스선 체축 단층 촬영 장치, CT 스캐너.

cát's cràdle 실뜨기 (놀이).

cat's-eye [kǽtsài] *n.* Ⓒ ①〖鑛〗 묘안석(猫眼石)《보석》. ② 야간 반사경〔반사 장치〕《도로상·자동차 뒤 따위의》.

cát's pajámas (the ~) =CAT('S) WHISKER.

cat's-paw [kǽtspɔ̀ː] *n.* Ⓒ ①〖海〗 미풍, 연풍(軟風). ② 앞잡이, 끄나풀, 괴뢰.

cat·suit [kǽt-sùːt] *n.* Ⓒ 점프슈트《비행복처럼 위아래가 연결된 옷》.

cat·sup [kǽtsəp, kétʃəp] *n.* =KETCHUP.

cát('s) whìsker (the ~*s*) 《俗》 자랑거리, 굉장한 것〔사람〕.

cat·tail [kǽttèil] *n.* Ⓒ〖植〗 부들(개지).

cat·tery [kǽtəri] *n.* Ⓒ 고양이 사육장.

cat·tish [kǽtiʃ] *a.* 고양이 같은; (언동이) 심술궂은, 악의 있는: a ~ remark 악의 있는 비평.

‡**cat·tle** [kǽtl] *n.* 〔集合的〕 ① 소, 축우(cows and bulls): twenty (head of) ~ 소 20 마리 / Are all the ~ in? 소는 모두 들여놓았느냐. ② 《蔑》 하층민, 짐승같은 것들, 벌레 같은 인간.

cáttle càke 《英》 소에게 줄 덩어리로 된 사료.

cáttle grìd 《英》 =CATTLE GUARD.

cáttle guàrd 《美》 가축 탈출 방지용의 도랑.

cat·tle·man [kǽtlmən, -mæ̀n] (*pl.* ***-men*** [-mən]) *n.* Ⓒ 《美》 ① 목장 주인, 목축업자. ② 소치는 사람, 목동, 소몰이꾼.

cat·tle·ya [kǽtliə] *n.* Ⓒ〖植〗 카틀레야《양란(洋蘭)의 일종》.

cat·ty [kǽti] (***cat·ti·er*** ; ***-ti·est***) *a.* =CATTISH.

CATV community antenna television 유선〔공동 안테나〕 텔레비전. cf. cable TV.

cat·walk [kǽtwɔ̀ːk] *n.* Ⓒ ① 좁은 통로《건축장의 발판·비행기 안·교량 등의 한 쪽에 마련된》. ② (패션쇼 따위의) 객석으로 튀어나온 좁은 무대.

Cau·ca·sia [kɔːkéiʒə, -ʃə / -zjə] *n.* 카프카스, 코카서스《흑해와 카스피 해 사이의 한 지방》.

Cau·ca·sian [kɔːkéiʒən, -ʃən / -zjən] *a.* 카프카스〔코카서스〕 지방〔산맥〕의; 카프카스 사람의; 백색 인종의. ── *n.* Ⓒ 백인; 카프카스〔코카서스〕 사람.

Cau·ca·soid [kɔ́ːkəsɔ̀id] *n., a.* Ⓒ 카프카스 인종〔백색 인종〕(의).

***Cau·ca·sus** [kɔ́ːkəsəs] *n.* (the ~) 카프카스〔코카서스〕 산맥〔지방〕.

cau·cus [kɔ́:kəs] *n.* Ⓒ 〔集合的〕 ①《美》 (정당의 정책 결정·후보지명 등을 토의하는) 간부 회의. ②《英》 정당 지부 간부회(제도).
— *vi.* 《美》 간부회를 열다.
cau·dal [kɔ́:dəl] *a.* 〖解·動〗 꼬리의 ; 미부(尾部)의 ; 꼬리 비슷한. ㊕ **~·ly** [-dəli] *ad.*
†**caught** [kɔ:t] CATCH 의 과거·과거 분사.
caul [kɔ:l] *n.* Ⓒ 〖解〗 대망막(大網膜)《태아가 간혹 머리에 뒤집어쓰고 나오는 양막(羊膜)의 일부》.
caul·dron [kɔ́:ldrən] *n.* Ⓒ 큰 솥〔냄비〕.
***cau·li·flow·er** [kɔ́:ləflàuər] *n.* ① Ⓒ 콜리플라워, 꽃양배추. ② Ⓤ (식용으로서의) 콜리플라워.
cáuliflower éar (권투선수 등의) 찌그러진 귀.
caulk [kɔ:k] *vt.* ① (뱃널 틈)을 뱃밥으로 메우다. ② (창틀 등의 틈)을 메우다, 코킹하다.
caulk·ing [kɔ́:kiŋ] *n.* Ⓤ (뱃밥 등으로) 틈·이음매 등을 메우기, 코킹.
caus·al [kɔ́:zəl] *a.* 원인의 ; 원인이 되는 ; 원인을 나타내는 ; 인과 (관계)의 : a ~ conjunction 원인을 나타내는 접속사《since, because, for 따위》.
㊕ **~·ly** *ad.* 원인으로서 ; 인과 관계로.
cau·sal·i·ty [kɔ:zǽləti] *n.* Ⓤ ① 인과 관계 ; 인과율(the law of ~). ② 작인(作因).
cau·sa·tion [kɔ:zéiʃən] *n.* Ⓤ ① 원인(작용). ② 인과 관계 : the law of ~ 인과율.
caus·a·tive [kɔ́:zətiv] *a.* ① **a)** 원인이 되는 : a ~ agent 작인(作因). **b)** (…을) 일으키는《*of*》: Slums are often ~ *of* crime. 슬럼가는 종종 범죄를 야기시킨다. ②〖文法〗 원인 표시의 ; 사역(使役)의 : ~ verbs 사역동사《make, let 따위》.
— *n.* Ⓒ 사역동사, 사역형.
㊕ **~·ly** *ad.* 원인으로서 ; 〖文法〗 사역적으로.
†**cause** [kɔ:z] *n.* ① Ⓤ,Ⓒ 원인. opp *effect.* ¶ the ~ of death 사인. ② Ⓤ 이유(reason) ; 까닭, 근거, 동기《*for*》: a ~ *for* a crime 범죄의 동기 / show ~ 〖法〗 정당한 이유를 제시하다. ③ Ⓒ 주의, 주장 ; … 운동《*for ; of*》: the temperance ~ 금주 운동 / work *for* a good ~ 대의를 위해서 일하다. ④ Ⓒ 〖法〗 소송 (사건) ; 소송의 이유 : a ~ of action 소인(訴因). ***in* 〔*for*〕 *the* ~ *of*** …을 위해서 : They were fighting *in the* ~ *of* justice. 그들은 정의를 위해 싸우고 있었다. ***make* 〔*join*〕 *common* ~ *with*** …와 제휴〔협력〕하다, 공동 전선을 펴다《*against*》.
— *vt.* ① …의 원인이 되다 ; …을 일으키다. ② 《+목+*to* do》 …로 하여금 …하게 하다 : This ~*d* her *to* change her mind. 이것 때문에 그녀는 마음이 변했다. ③ (남에게 걱정 따위)를 끼치다.
'cause [kɔ:z, kʌz, kəz] *conj.* 《口》 =BECAUSE.
cause·less [kɔ́:zlis] *a.* 우발적인, 까닭 없는 : ~ anger 이유 없는 분노. ㊕ **~·ly** *ad.*
cau·se·rie [kòuzəríː] *n.* Ⓒ 《F.》 ① 잡담, 한담. ② (신문 등의) 수필, 만필, 《특히》 문예 한담.
cause·way [kɔ́:zwèi] *n.* Ⓒ ① 둑길. ② (차도보다 높게 돋운) 인도 ; 포도.
caus·tic [kɔ́:stik] *a.* ① 〔限定的〕 부식성의, 가성(苛性)의 : ~ alkali 가성 알칼리 / ~ lime 생석회. ② 신랄한(sarcastic), 통렬한 : ~ remark 신랄한 비평 / a ~ tongue 독설. — *n.* Ⓤ,Ⓒ 부식제, 소작제(燒灼制). ㊕ **-ti·cal·ly** *ad.*
cau·ter·i·za·tion [kɔ̀:tərizéiʃən] *n.* Ⓤ 〖醫〗 소작(법) ; 부식 ; 뜸.
cau·ter·ize [kɔ́:təràiz] *vt.* …을 소작(燒灼)하다 ; …에 뜸을 뜨다 ; 부식시키다.
cau·tery [kɔ́:təri] *n.* ① Ⓤ 〖醫〗 소작(燒灼)법 ; 뜸질 ; 부식(제). ② Ⓒ 소작기, 소작 인두.
‡**cau·tion** [kɔ́:ʃən] *n.* ① Ⓤ 조심, 신중(carefulness) : use ~ 조심하다. ② Ⓒ 경고, 주의(warning) ; 계고(戒告). ③ (a ~) 《口》 괴짜 ; 놀라운〔우스꽝스러운〕 것〔사람〕 : Well, you're *a* ~*!* 너 여간내기가 아니구나. ***throw* ~ 〔*discretion*〕 *to the winds*** 대담하게 행동하다.
— *vt.* ① 《~+목 / +목+전+명 / +목+*to* do》 …에게 조심시키다, 경고하다(warn)《*against*》: The policeman ~*ed* the driver. 경관은 운전사에게 주의를 주었다 / I ~*ed* him *against* 〔*to* avoid〕 dangers. 그에게 위험을 피하도록 경고하였다. ② (사람)에게 (…에 대하여) 주의를 주다《*about*》: The flight attendant ~*ed* the passengers *about* smoking. 비행기의 승무원이 승객들에게 흡연에 대하여 주의를 주었다.
cau·tion·ary [-nèri / -nəri] *a.* 〔限定的〕 경계〔주의〕의, 훈계의 : a ~ tale 훈화(訓話).
‡**cau·tious** [kɔ́:ʃəs] (***more* ~ ; *most* ~**) *a.* ① 조심스러운, 신중한 : a ~ driver 조심스러운 운전사. ② 〔敍述的〕 주의 깊은, 신중한, 조심하는《*of ; in ; about*》: He was ~ *in* all his movements. 그는 일거수 일투족에 신경을 썼다 / He's very ~ *of* 〔*about*〕 giving offense to others. 그는 다른 사람의 감정을 상하지 않도록 매우 조심하고 있다.
㊕ ***~·ly** *ad.* **~·ness** *n.*
cav. cavalier ; cavalry ; cavity.
cav·al·cade [kæ̀vəlkéid] *n.* Ⓒ ① 기마〔마차〕 행렬〔행진〕 ; (화려한) 행렬, 퍼레이드 : a ~ of limousins and police motorcycles 리무진과 경찰 오토바이의 행렬. ② (행사 등의) 연속《*of*》.
***cav·a·lier** [kæ̀vəlíər] *n.* Ⓒ ① 《美·英古》 기사(knight). ② 예절 바른 신사《기사도 정신을 가진》 ; (여성을 에스코트하는) 호위자(escort). ③ (C-) 〖英史〗 (Charles 1세 시대의) 기사당원. opp *Roundhead.* — *a.* 〔限定的〕 ① 대범한, 호방(豪放)한. ② 거만한, 오만한(arrogant). ㊕ **~·ly** *ad., a.* 기사답게〔다운〕 ; 호탕〔거만〕하게〔한〕.
***cav·al·ry** [kǽvəlri] *n.* Ⓤ 〔集合的〕 ① 기병, 기병대 : heavy 〔light〕 ~ 중〔경〕기병. ② 《美》 기갑 부대. ★ 집합체로 생각할 때는 단수, 구성요소로 생각할 때는 복수 취급. cf. infantry.
cav·al·ry·man [kǽvəlrimən] (*pl.* ***-men*** [-mən]) *n.* Ⓒ 기병.
cav·a·ti·na [kæ̀vətíːnə] (*pl.* ***-ne*** [-nei]) *n.* Ⓒ 《It.》 〖樂〗 카바티나《짧은 서정 가곡·기악곡》.
‡**cave**[1] [keiv] *n.* Ⓒ ① 굴, 동굴. ② (땅의) 함몰(陷沒). — *vt.* ① …에 굴을 파다. ② 《+목+부》 …을 꺼지게 하다, 함몰시키다, 욱이다《*in*》: He ~*d* my hat *in.* 그는 내 모자를 우그러뜨렸다. ③ 《口》 (사람을) 녹초가 되게 하다. — *vi.* ① 《+부》 꺼지다, 함몰하다, 움푹 들어가다, 욱다《*in*》: After the long rain the road ~*d in.* 오랜 장마 끝에 도로가 내려앉았다. ② 《+부》 《口》 양보하다, 굴복하다, 항복하다《*in*》: Germany ~*d in* due to lack of goods. 독일은 물자 결핍 때문에 굴복했다. ③ 《口》 동굴을 탐험하다.
ca·ve[2] [kéivə] *int.* 《英學生俗》 《L.》 (선생이 왔으니) 주의해라(look out !).
ca·ve·at [kéiviæ̀t] *n.* Ⓒ ① 〖法〗 소송 절차 정지 통고《*against*》. ② 경고, 제지.
cáveat émp·tor [-émptɔ:r] 《L.》 〖商〗 매주(買主)의 위험 부담.
cáve dwèller ① (선사 시대의) 동굴 주거인 ; 《比》 원시인. ② 《口》 (도시의) 아파트 거주자.
cave-in [kéivìn] *n.* Ⓒ (광산의) 낙반 ; (토지의) 함몰(장소).
cáve màn ① (석기 시대의) 동굴 거주인. ② 《口·比》 (여성에 대해) 난폭한 사람.
***cav·ern** [kǽvərn] *n.* Ⓒ ① 동굴, 굴(cave). ② 〖醫〗 (폐 따위의) 공동(空洞).

cav·ern·ous [kǽvərnəs] *a.* ① 동굴의, 동굴이 많은. ② 동굴 모양의 : a ~ chamber 휑뎅그렁한 큰 방. ③ 움푹 들어간《눈 따위》.
[파] ~·ly *ad.*

cav·i·ar(e) [kǽviɑ̀ːr, ⌐-⌐] *n.* [U] 캐비아《철갑상어의 알젓》; 진미, 별미. ~ ***to the general*** 《文語》 보통 사람은 그 가치를 모를 일품(逸品), 돼지에 진주.

cav·il [kǽvəl] (*-l-*, 《英》 *-ll-*) *vi.* 《+[전]+[명]》 흠잡다, 트집잡다《*about* ; *at*》: I found nothing to ~ *about.* 흠잡을 데가 없었다. ── *n.* [U] 흠잡기, 트집(잡기), 오금박기.

*__cav·i·ty__ [kǽvəti] *n.* [C] ① 구멍(hole), 공동. ② 〖解〗 (신체의) 강(腔) : the mouth 〔oral〕 ~ 구강 / the nasal ~ 비강. ③ 충치(의 구멍) : I have three *cavities.* 나는 충치가 세 개 있다.

cávity wàll 〖建〗 중공벽(中空壁)《단열·방음용》.

ca·vort [kəvɔ́ːrt] *vi.* 《口》 ① (말 따위가) 날뛰다. ② (사람이) 껑충거리다 ; 신나게 뛰놀다.

ca·vy [kéivi] *n.* [C] 〖動〗 기니피그, 모르모트《남미산》.

caw [kɔː] *vi.* (까마귀가) 울다 ; 까악까악 울다 《*out*》. ── *n.* [C] 까악까악《까마귀의 소리》.

Cax·ton [kǽkstən] *n.* ① **William** ~ 캑스턴 《영국 최초의 활판 인쇄·출판업자 ; 1422? -91》. ② 캑스턴판의 책 ; [U] 캑스턴 활자(체).

cay [kei, kiː] *n.* [C] 작은 섬, 암초, 사주(砂洲).

cay·énne (pépper) [kaién(-), kei-] 고추 (red pepper), 고춧가루.

cay·man [kéimən] (*pl.* ***~s***) *n.* [C] 〖動〗 큰 악어 《라틴아메리카산》.

CB 〖通信〗 citizens band ; 《英》 Companion (of the Order) of the Bath(바스 훈작사(勳爵士)). **Cb** 〖化〗 columbium ; 〖氣〗 cumulonimbus. **CBC** Canadian Broadcasting Corporation(캐나다 방송 협회). **C.B.E.** Commander of the British Empire (영제국 훈작사(勳爵士)). **CBS** Columbia Broadcasting System《현재의 정식 명칭은 CBS Inc.임》. **cc, cc., c.c.** carbon copy 〔copies〕 ; cubic capacity, cubic centimeter(s). **cc.** centuries ; chapters ; copies. **C.C.** Chamber of Commerce ; Circuit Court ; County Council(lor) ; Cricket Club.

C clèf *n.* 〖樂〗 다음 기호.

CCTV closed-circuit television (유선 텔레비전). **CD** compact disc. **Cd** 〖化〗 cadmium. **cd., cd** cord(s). **cd** 〖光〗 candela(s). **C.D.** Civil Defense. **CDR, Cdr.** Commander.

CD-ROM [síːdìːrɑ́m / -rɔ́m] *n.* [U] compact disk read-only memory(콤팩트 디스크형 판독 전용 메모리).

CD-video [síːdìːvídiou] *n.* [C] 콤팩트 디스크 비디오.

Ce 〖化〗 cerium. **C.E.** Christian Endeavor ; Church of England ; Civil 〔Chief, Chemical〕 Engineer.

-ce *suf.* 추상 명사를 만듦 : diligen*ce*, intelligen*ce*. ★ 미국에서는 -se로 쓰는 수가 있음 : defen*se*, offen*se*, preten*se*.

‡**cease** [siːs] *vt.* 《~+[목] / +*-ing* / +*to* do》 …을 그만두다(desist), 멈추다, …하지 않게 되다. [opp.] *begin, continue.* ¶ ~ work 일을 그만하다 / ~ fire 포화를 거두다, 전투를 중지하다 / ~ *to* be novel 진귀하지 않게 되다. ── *vi.* ① 그치다, 끝나다(stop) : The rain ~*d* at last. 비는 마침내 그쳤다. ② 《~ / +[전]+[명]》 그만두다, 중지하다 《*from*》: ~ *from* fighting 싸움을 그만두다. ★ 현재는 주로 문어적이며, 보통은 stop을 씀. ── *n.* 중지, 정지《다음 관용구로 씀》. ***without*** ~ 끊임없이.

cease-fire [síːsfáiər] *n.* [C] ① '사격 중지'의 구령 : The ~ was sounded. 사격 중지의 나팔이 울렸다. ② 정전, 휴전 : call a ~ 휴전을 명하다.

*__cease·less__ [síːslis] *a.* 끊임없는.

Ce·cil·ia [sisí(ː)ljə] *n.* 세실리아《여자 이름》.

ce·cum, cae- [síːkəm] (*pl.* ***-ca*** [-kə]) *n.* 〖醫〗 맹장.
[파] **cé·cal** *a.* 맹장의.

*__ce·dar__ [síːdər] *n.* ① [C] 〖植〗 히말라야 삼목, 삼목 ; 삼목 비슷한 각종 나무. ② [U] 삼목재.

ce·dar·wood [síːdərwùd] *n.* = CEDAR ②.

cede [siːd] *vt.* ① 《~+[목] / +[목]+[전]+[명]》 …을 인도(引渡)하다, (권리)를 양도하다, (영토)를 할양하다《*to*》: Hong Kong was ~*d to* Britain in 1842. 홍콩은 1842년에 영국에 할양되었다. ② (권리·요구 따위)를 인정하다, 허용하다.

ce·dil·la [sidílə] *n.* [C] 《F.》 세디유, ç 처럼 c 자 아래 붙이는 부호《c 가 a, o, u 앞에서 [s]로 발음됨을 표시함 ; 보기 : façade, François》.

†**ceil·ing** [síːliŋ] *n.* [C] ① 천장(널) ; 〖船〗 내장 판자 : put up a ~ 천장을 붙이다. ② (가격·임금 따위의) 최고 한도(top limit)《*on*》: an 8% ~ *on* wage increases, 8%의 임금인상 최고 한도. [opp.] *floor.* ③ 〖空〗 상승 한도 ; 시계(視界) 한도 ; 〖氣〗 운저(雲底) 고도 : fly *at* the ~ 한계 고도로 날다. ***hit*** 〔***go through***〕 ***the*** ~ 《口》 (1) (가격이) 최고에 달하다 〔허용 한도를 넘다〕. (2) 《口》 뱃성을 내다.

cel·a·don [sélədɑ̀n, -dn / -dɔ̀n] *n.* [U] ① 청자(青磁). ② 청자색, 엷은 회록색.

cel·an·dine [séləndàin] *n.* [C] 〖植〗 애기똥풀 ; 미나리아재비의 일종.

cel·e·brant [séləbrənt] *n.* [C] ① (미사·성찬식의) 집례 사제. ② 종교 식전의 참석자 ; 축하자《이 뜻으로는 celebrator 가 보통》.

‡**cel·e·brate** [séləbrèit] *vt.* ① 《~+[목] / +[목]+[전]+[명]》 (식을 올려) …을 경축〔축하〕하다 ; (의식)을 거행하다 : ~ a festival 축제를 거행하다. ② 《+[목]+[전]+[명]》 (용사·훈공 따위)를 찬양하다 (praise), 기리다 : People ~*d* him *for* his glorious victory. 사람들은 그의 영광스러운 승리를 찬양했다. ③ …을 세상에 알리다, 공표하다.
── *vi.* ① 축전〔의식〕을 행하다. ② 《口》 축제 기분에 젖다, 쾌활하게 법석거리다. ◇ celebration *n.*

*__cel·e·brat·ed__ [séləbrèitid] *a.* ① 고명한, 유명한 : a ~ painter 〔writer〕 유명한 화가〔작가〕 / Churchill's ~ remark 처칠의 유명한 말. ② 〔敍述的〕 (…으로) 세상에 알려진《*for*》: The place is ~ *for* its hot springs. 그 곳은 온천으로 유명하다.

*__cel·e·bra·tion__ [sèləbréiʃən] *n.* ① **a)** [U] 축하 : in ~ of …을 축하하여. **b)** [C] 축전, 의식 ; 축하회 : hold a ~ 축하회를 열다. ② [U] (의식, 특히 미사 등의) 거행, 집행.

cel·e·bra·tor, -brat·er [séləbrèitər] *n.* [C] ① 축하하는 사람. ② 의식 거행자.

*__ce·leb·ri·ty__ [səlébrəti] *n.* ① [U] 명성(名聲) (fame). ② [C] 유명인, 명사 : Lots of *celebrities* have stayed here. 많은 명사들이 여기에 머물렀다. ③ 〔形容詞的〕 명사적인, 유명한.

ce·ler·i·ty [səlérəti] *n.* [U] 《古·文語》 신속, 민첩.

*__cel·ery__ [séləri] *n.* [U] 〖植〗 셀러리.

ce·les·ta [səléstə] *n.* [C] 〖樂〗 첼레스타《종소리 같은 음을 내는 작은 건반 악기》.

*__ce·les·tial__ [səléstʃəl] (***more*** ~ ; ***most*** ~) *a.* ① 하늘의 ; 천체의([opp.] *terrestrial*) : ~ blue 하늘빛 / a ~ map 천체도 / ~ mechanics 천체 역학.

② 천국의(heavenly) ; 거룩한(divine) ; 절묘한, 뛰어나게 아름다운, 굉장한 : ~ beauty 절묘한 미(美) / ~ bliss 지복(至福). ── *n.* Ⓒ 천인(天人), 천사(angel). ㊞ ~·**ly** *ad.*

celéstial equátor (the ~) 천구상의 적도.

celéstial sphére (the ~) 천구(天球).

cel·i·ba·cy [séləbəsi] *n.* Ⓤ 독신(생활) ; 독신주의 ; 금욕.

cel·i·bate [séləbit, -bèit] *n.* Ⓒ 독신(주의)자 《특히 종교적 이유에 의한》. ── *a.* 독신(주의)의.

‡**cell** [sel] *n.* Ⓒ ① 작은 방 ; (수도원 따위의) 독방, (교도소의) 독방, 〖軍〗 영창. ② 〖生〗 세포 ; 《比》 (공산당 따위의) 세포 ; 〖컴〗 낱칸, 셀(비트 기억 소자) : ⇨ BRAIN CELL / a Communist ~. ③ (벌집의) 봉방(蜂房). ④ 〖電〗 전지《cell 이 모여서 battery를 이룸》 ; =FUEL CELL : a dry ~ 건전지.

‡**cel·lar** [sélər] *n.* ① Ⓒ 지하실, 땅광, 움 ; (지하의) 포도주 저장실(wine ~). ② Ⓒ 포도주 저장 ; 저장한 포도주 : keep a good ~ 좋은 포도주를 많이 저장하고 있다 / keep a small but select ~ 적지만 좋은 포도주를 저장하고 있다. ③ (the ~) 《口》 〖競〗 최하위 : be *the* ~ 맨 꼴찌다.
── *vt.* …을 지하실에 저장하다.

cel·lar·age [-ridʒ] *n.* Ⓤ ① 〔集合的〕 지하(저장)실 ; 지하(저장)실 설비. ② 지하실의 평수〔총면적〕. ③ 지하(저장)실 보관(료).

céll biólogy 세포 생물학.

cell·block [sélblɑ̀k / -blɔ̀k] *n.* Ⓒ (교도소의) 독방동(棟).

cel·list, 'cel·list [tʃélist] *n.* Ⓒ 첼로 연주가, 첼로주자.

céll mèmbrane 〖生〗 세포막.

*__cel·lo, 'cel·lo__ [tʃélou] (*pl.* ~*s*) *n.* Ⓒ 《It.》 〖樂〗 첼로(violoncello).

cel·lo·phane [séləfèin] *n.* Ⓤ 셀로판.

cell·phone [sélfòun] *n.* 《英》 =CELLULAR TELEPHONE.

cel·lu·lar [séljələr] *a.* ① 세포로 된, 세포질〔모양〕의 : ~ tissue 세포 조직. ② 성기게 짠《셔츠 따위》 ; 다공(多孔)성의《바위》 : ~ blankets 성기게 짠 모포. ③ 〖通信〗 셀 방식의, 지역별 이동전화 시스템의. ④ 독방 사용의.

céllular phóne〔télephone〕 셀식 무선 전화.

cel·lule [sélju:l] *n.* Ⓒ 〖生〗 작은 세포.

cel·lu·lite [séljəlàit, -li:t] *n.* Ⓤ 셀룰라이트《지방·물·노폐물로 된 물질》.

*__cel·lu·loid__ [séljəlɔ̀id] *n.* Ⓤ ① 셀룰로이드《원래 商標名》. ② 《口》 영화(필름)《*on*》 : *on* ~ 영화로 / the ~ world of Hollywood 할리우드의 영화계.

*__cel·lu·lose__ [séljəlòus] *n.* Ⓤ 〖化〗 셀룰로오스, 섬유소(素).

céllulose ácetate 〖化〗 아세트산 셀룰로오스《사진 필름용》.

céllulose nítrate 〖化〗 질산 섬유소《폭약용》.

céll wàll 〖生〗 세포벽.

Cel·si·us [sélsiəs, -ʃəs] *n.* **Anders** ~ 셀시우스《스웨덴의 천문학자 ; 1701-44》.

Célsius thermómeter 섭씨 온도계.

*__Celt, Kelt__ [selt, kelt], [kelt] *n.* ① Ⓒ 켈트 사람. ② (the ~*s*) 켈트족《아리안 인종의 한 분파》.

*__Celt·ic, Kelt·ic__ [séltik, kélt-], [kélt-] *a.* 켈트의, 켈트 사람〔족〕의, 켈트 말의. ── *n.* ① Ⓒ 켈트 사람. ② Ⓤ 켈트 말.

Céltic cróss 켈트 십자가《중심부에 고리가 있음》.

cem·ba·lo [tʃémbəlòu] (*pl.* **-ba·li** [-li:], ~*s*) *n.* Ⓒ 〖樂〗 쳄발로(harpsichord) ; 덜시머(dulcimer).

‡**ce·ment** [simént] *n.* Ⓤ ① 시멘트, 양회 ; (치과용) 시멘트. ② 접합제〔물〕. ③ (우정 따위의) 유대. ④ 〖解〗 =CEMENTUM. ── *vt.* ① …을 시멘트로 접합하다《*together*》 ; …에 시멘트를 바르다. ② (우정 따위)를 굳게 하다 : We would do the company some good by ~*ing* relationships with business contacts. 우리는 사업상의 접촉을 통한 유대 강화로 회사에 이익을 가져올 것이다.

ce·men·ta·tion [sì:mentéiʃən, -mən-] *n.* Ⓤ 시멘트 결합 ; 접합 ; 교착(膠着).

cemént mìxer =CONCRETE MIXER.

ce·men·tum [siméntəm] *n.* Ⓤ 〖解〗 (이의) 시멘트질.

‡**cem·e·tery** [sémətèri / -tri] *n.* Ⓒ (교회 묘지가 아닌) 묘지, 《특히》 공동 묘지. cf. churchyard, graveyard.

cen. central ; century.

ce·no·bite, coe- [sí:nəbàit, sénə-] *n.* Ⓒ (공동생활하는) 수도자, 수사. cf. anchorite, hermit.

cen·o·taph [sénətæ̀f, -tɑ̀:f] *n.* ① Ⓒ 기념비(monument). ② (the C-) 런던에 있는 제 1·2 차 세계 대전의 전사자 기념비.

Ce·no·zo·ic, Cae- [sì:nəzóuik, sènə-] *a.* 〖地質〗 신생대의 : the ~ era 신생대. ── *n.* (the ~) 신생대(층).

cen·ser [sénsər] *n.* Ⓒ (쇠사슬에 매달아 흔드는) 향로(香爐).

*__cen·sor__ [sénsər] *n.* ① Ⓒ 검열관《출판물·영화·서신 따위의》. ② Ⓒ 〖古로〗 감찰관《풍기 단속을 담당한》. ③ Ⓤ 〖精神分析〗 검열《잠재의식에 대한 억압력》. ── *vt.* ① (출판물·영화·서신 등)을 검열하다. ② (출판물 등)을 검열하여 삭제하다.

cen·so·ri·al [sensɔ́:riəl] *a.* 검열(관)의.

cen·so·ri·ous [sensɔ́:riəs] *a.* 검열관 같은 ; 비판적인 ; 탈잡(기 좋아하)는 : There is no need to be ~ about such activities. 그런 활동에 대해 비판적일 필요는 없다. ㊞ ~·**ly** *ad.* ~·**ness** *n.*

cen·sor·ship [sénsərʃìp] *n.* Ⓤ ① 검열 (계획, 제도) : pass ~ 검열에 통과하다 / put ~ on …을 검열하다. ② 검열관의 직〔직권, 임기〕. ③ 〖精神分析〗 검열《잠재의식에 대한 억압력》.

cen·sur·a·ble [sénʃərəbəl] *a.* 비난할 (만한). ㊞ **-bly** *ad.*

*__cen·sure__ [sénʃər] *vt.* 《~+목 / +목+전+명》 …을 비난하다, 나무라다 ; (비평가가) 혹평하다 ; 견책하다 : ~ a person *for* a fault 아무의 잘못을 책하다. ── *n.* Ⓤ,Ⓒ 비난 ; 혹평 ; 질책, 책망, 견책 : lay oneself open to public ~ (자신에 대한) 대중의 비난을 무릅 쓰다〔돌보지 않다〕 / pass a vote of ~ 불신임 결의를 통과시키다.

*__cen·sus__ [sénsəs] *n.* Ⓒ (통계) 조사 ; 인구〔국세〕 조사 : ~ paper 국세 조사표 / take a ~ (of the population) 인구〔국세〕 조사를 하다.

‡**cent** [sent] *n.* ① Ⓒ 센트《미국·캐나다 등의 화폐 단위, 1 달러의 100 분의 1》 ; 1 센트짜리 동전 : 5 ~*s* 5센트. ② (a ~) 〔흔히 否定文〕 《美》 푼돈, 조금 : I *don't* care *a* (red) ~. 걱정할 것 없다, 상관 없다. ③ 백(百)《단위로서의》.

cent. centered ; centigrade ; centimeter ; central ; century.

Cent. centigrade.

cen·taur [séntɔ:r] *n.* ① 〖그神〗 켄타우로스《반인반마(半人半馬)의 괴물》. ② (the C-) 〖天〗 켄타우루스자리.

Cen·tau·rus [sentɔ́:rəs] *n.* 〖天〗 켄타우루스자리.

cen·ta·vo [sentɑ́:vou] (*pl.* ~*s*) *n.* Ⓒ 센타보《멕시코·필리핀·쿠바 따위의 화폐 단위 ; 1 페소의 100분의 1》.

cen·te·nar·i·an [sèntənɛ́əriən] *a.* 100 년 의 ; 100년 이상의. ── *n.* Ⓒ 100 살(이상)의 사람.

*__cen·ten·ary__ [séntənèri, senténəri / sentí:nəri] *a.* 100 의 ; 100 년(마다)의 ; 100 년제의. ── *n.* Ⓒ ① 100 년 간. ② 100 년제(祭), 100 주년 기념일 : The

club will celebrate its ~ next year. 그 클럽은 내년에 100주년 기념일을 경축할 것이다.
★ 이백년제 (2)부터 천년제 (10)까지의 순으로 : (2) bicentenary, (3) tercentenary, (4) quatercentenary, (5) quincentenary, (6) sexcentenary, (7) septingenary, (8) octocentenary = octingentenary, (9) nongenary, (10) millenary.

***cen·ten·ni·al** [senténiəl] *a.* 100 년마다의 ; 100 년제의 ; 100 세의, 100 년(간)의. ── *n.* Ⓒ 100 년제(祭). ㊕ **~·ly** *ad.* 100 년마다.

†**cen·ter,** 《英》 **-tre** [séntər] *n.* ① Ⓒ (흔히 the ~) 중심 ; 핵심 ; 중앙 ; (중)축 ; 중추 ; 〖數〗 중점 : *the* ~ of a circle 원의 중심 / walk in *the* ~ of the path 길 한가운데를 걷다. ② Ⓒ 중심지(구) ; 종합 시설, 센터 ; 인구 밀집지 : a trade ~ 무역의 중심지. ③ Ⓒ 〖球技〗 중견(수) ; 센터 ; 센터로 보내는 공〔타구〕. ④ (the C-) 〖政〗 중도파, 온건파. ⓒⓕ the Left, the Right. ⑤ Ⓒ 〖軍〗 (양익에 대하여) 중앙 부대, 본대. ⑥ Ⓒ 본원(本源) (source) : an earthquake ~ 진원지(震源地). ⑦ Ⓒ (the ~) (사건·흥미 따위의) 중심 ; 중심 인물 ; 표적 : The actress was *the* ~ of attention at the party. 그 여배우가 파티에서 주목의 표적이었다. ⑧ Ⓒ (과일·캔디 등의) 속. ◇ central *a.*
── *vt.* ① 《+목+전+명》 …을 중심에 두다 ; 중심으로 모으다 ; (렌즈)의 광학적 중심과 기하학적 중심을 일치시키다 ; …을 집중시키다《*on* ; *in*》 : ~ a vase *on* the table 꽃병을 테이블 가운데에 놓다 / Her research is ~*ed on* the social effects of unemployment. 그녀의 연구는 실업의 사회적 영향에 중점을 두고 있다. ② …의 중심을 차지하다〔장식하다〕 : A pond ~*s* the garden. 연못이 정원의 중심을 차지하고 있다. ③ 〖蹴·하키〗 (공·퍽)을 센터로 차다〔보내다〕, 센터링하다.
── *vi.* 《+전+명》 중심에 있다, 중심이 되다, 집중되다, (문제 따위가 …을) 중심으로 하다《*on* ; *about* ; *at* ; *around* ; *round* ; *in*》 : a discussion ~*ing around* student life 학생 생활을 중심으로 한 토론 / Their talks ~*ed on* the Middle East issue. 그들의 이야기는 중동문제에 집중되었다 / The worker's demands ~*ed around* overtime pay. 노동자측의 요구는 초과 근무 수당에 관한 것이 중심이 되었다. ── *a.* 〔限定的〕 ① 중심의. ② 중도파의《★ 최상급은 centermost》.

cénter bìt 〖機〗 타래송곳.

cen·ter·board [séntərbɔ̀:rd] *n.* Ⓒ 〖船〗 센터보드, 자재 용골(自在龍骨).

cénter fíeld 〖野〗 센터(의 수비 위치).

cénter fíelder 〖野〗 중견수, 센터필더.

cen·ter·fold [séntərfòuld] *n.* Ⓒ ① 잡지의 중간에 접어서 넣은 페이지《그림·사진 따위를 접어 넣은 것》. ② 접어 넣은 페이지에 실린 것〔사람〕.

center·piece [-pì:s] *n.* Ⓒ ① (테이블 등의) 중앙 장식, 테일블피스. ② (계획·연설 등의) 핵심.

cénter sprèad (신문·잡지의) 중앙의 마주보는 양면(의 기사·광고).

cen·tes·i·mal [sentésəməl] *a.* ① 100 분의 1 의. ② 〖數〗 백분법의, 백진법의. ⓒⓕ decimal.

centi-, cent- '100, 100분의 1'의 뜻의 결합사. ⓒⓕ hecto-.

***cen·ti·grade** [séntəgrèid] *a.* (종종 C-) 섭씨의 (ⓒⓕ Fahrenheit) : twenty degrees ~ 섭씨 20 도(20℃). ── *n.* = CENTIGRADE THERMOMETER.

céntigrade thermómeter 섭씨 온도계.

cen·ti·gram, 《英》 **-gramme** [séntəgræ̀m] *n.* Ⓒ 센티그램《略 : cg ; 100 분의 1 그램》.

cen·ti·li·ter, 《英》 **-li·tre** [séntəlì:tər] *n.* Ⓒ 센티리터《略 : cl. ; 100 분의 1 리터》.

cen·time [sɑ́:nti:m] *n.* Ⓒ 《F.》 상팀《프랑스의 화폐(단위) ; 1 프랑의 100 분의 1》.

‡**cen·ti·me·ter,** 《英》 **-tre** [séntəmì:tər] *n.* Ⓒ 센티미터《略 : cm ; 1 미터의 100 분의 1》.

cen·ti·mo [séntəmòu] (*pl.* **~s**) *n.* Ⓒ 센티모《스페인어권 나라들의 화폐 단위》.

***cen·ti·pede** [séntəpì:d] *n.* Ⓒ 〖動〗 지네.

‡**cen·tral** [séntrəl] (***more*** **~ ;** ***most*** **~**) *a.* ① 중심의, 중앙의 ; 중심부〔중앙부〕의. ② 중심적인 ; 기본적인 ; 주요한 : the ~ idea 중심 사상. ③ 〔敍述的〕 (…에게는) 중심인《*to*》 : This theme is ~ *to* our study. 이 테마는 우리 연구의 중심이다. ④ **a**) (장소 등이) 중심에 가까워서 편리한 : open a store in a ~ location 편리한 중심부에 상점을 열다. **b**) 〔敍述的〕 (어떤 장소에 가는 데에) 편리한 《*for*》 : My apartment house is very ~ *for* the shopping district. 우리 아파트는 상점가에 가는 데에 아주 편리하다. ⑤ 집중 방식의 : ⇨ CENTRAL HEATING. ⑥ 중추 신경계의. ⑦ 〖音聲〗 중설(中舌)의.

Céntral Áfrican Repúblic (the ~) 중앙 아프리카 공화국《수도 Bangui》.

Céntral América 중앙 아메리카.

Céntral Américan *a., n.* 중앙 아메리카의 (사람).

céntral bánk 중앙 은행 : ~ rate 공정 금리.

Céntral Européan Tìme 중부 유럽 표준시간《GMT 보다 1시간 빠름 ; 略 : CET》.

céntral góvernment (지방 정부에 대해) 중앙 정부.

céntral héating 집중〔중앙〕 난방 (장치).

Céntral Intélligence Àgency (the ~) 《美》 중앙 정보국《略 : CIA》.

cén·tral·ism [séntrəlìzəm] *n.* Ⓤ 중앙 집권주의〔제도〕. ㊕ **cèn·tral·ís·tic** *a.*

cen·tral·i·ty [sentrǽləti] *n.* Ⓤ ① 중심임 ; 중심성. ② 중요한 지위.

cen·tral·i·za·tion [sèntrəlizéiʃən] *n.* Ⓤ ① 중앙으로 모임, 집중(화). ② 중앙 집권.

cen·tral·ize [séntrəlàiz] *vt.* ① **a**) …을 중심에 모으다, 한 점에 집합시키다. **b**) …을 집중시키다 《*in*》. ② (국가 등)을 중앙 집권제로 하다. ── *vi.* ① **a**) 중심〔중앙〕에 모이다. **b**) 집중하다《*in*》. ② 중앙 집권화하다.

céntral nérvous sỳstem 〖解〗 중추 신경계.

Céntral Párk 센트럴 파크《뉴욕시의 대공원》.

céntral prócessing ùnit 〖컴〗 중앙 처리 장치《略 : CPU》.

céntral prócessor 〖컴〗 = CENTRAL PROCESSING UNIT.

céntral reservátion 《英》 (도로의) 중앙 분리대(《美》 median strip).

Céntral (Stándard) Tìme 《美》 중부 표준시《略 : C.(S.)T.》.

céntral vówel 〖音聲〗 중설음(中舌音).

†**cen·tre** 《英》 = CENTER.

cen·tric, -tri·cal [séntrik], [-əl] *a.* 중심의, 중추적인.

cen·trif·u·gal [sentrífjəgəl] *a.* ① 원심(성)의 ; 원심력을 응용한 : ~ force 원심력 / a ~ machine 원심 분리기. ② 지방 분권적인. ⓞⓟⓟ *centripetal.* ── *n.* 〖機〗 원심 분리기. ㊕ **~·ly** *ad.*

cen·tri·fuge [séntrəfjù:dʒ] *n.* Ⓒ 원심 분리기.

cen·trip·e·tal [sentrípətl] *a.* 구심(성)의 ; 구심력을 응용한. ⓞⓟⓟ *centrifugal.* ¶ ~ force 구심력. ㊕ **~·ly** *ad.*

cen·trism [séntrizəm] *n.* Ⓤ (종종 C-) 중도〔온건〕주의, 중도 정치.

cen·trist [séntrist] *n.* Ⓒ (종종 C-) 중도파〔온건파〕 의원〔당원〕.

cen·tu·ri·on [sentjúəriən] *n.* Ⓒ 〖古로〗 백부장(百夫長). ⓒⓕ century.

†**cen·tu·ry** [séntʃuri] *n.* Ⓒ ① 1 세기, 백년: the twentieth ~, 20세기《1901년 1월 1일부터 2000년 12월 31일까지》/ in the last ~ 전(前) 세기에. ② 『古로』 백인조(組)《투표 단위; 100 명이 한 표를 가짐》; 백인대(百人隊)《군대의 단위; 60 centuries 가 1 legion을 이룸》. ③ 백, 100개; 『크리켓』 100 점(=100 runs).

céntury plànt 『植』 용설란(龍舌蘭)《북아메리카 남부산; 백년에 한 번 꽃이 핀다고 함》.

CEO, C.E.O. chief executive officer(최고 경영자(經營者))《사장, 전무》.

ce·phal·ic [səfǽlik] *a.* 〔限定的〕 머리의, 두부의.

ceph·a·lo·pod [séfələpàd / -pɔ̀d] *n.* Ⓒ 두족류(頭足類)의 동물《오징어·문어 따위》.

ce·ram·ic [sərǽmik] *a.* 요업의, 세라믹의, 도기(陶器)의; 제도술의: the ~ industry 요업 / ~ manufactures 도깨그릇, 도자기 / Our kitchen floor is covered with ~ tiles. 우리 부엌 바닥에는 사기타일을 깔았다. ── *n.* Ⓒ 도예품, 요업제품.

ce·ram·ics [sərǽmiks] *n. pl.* ① 〔單數취급〕 제도술(製陶術), 요업. ② 〔複數취급〕 도자기류: Korean ~ are popular in America. 미국에서는 한국도자기가 인기 있다.

cer·a·mist [sérəmist] *n.* Ⓒ 제도업자, 요업가; 도예가.

Cer·ber·us [sə́:rbərəs] *n.* 『그神』 케르베로스《지옥을 지키는 개; 머리가 셋, 꼬리는 뱀》; 무서운 문지기. ***throw*** 〔***give***〕 ***a sop to*** ~ 골치 아픈 사람을 매수하다.

‡**ce·re·al** [síəriəl] *n.* ① Ⓒ **a)** (흔히 *pl.*) 곡물, 곡류. **b)** 곡초류. ② Ⓤ,Ⓒ 곡물식(穀物食), 시리얼: An English breakfast includes fruit juice, ~, smoked fish or bacon. 영국의 아침 식사에는 과일주스, 곡물식, 훈제 물고기나 베이컨이 포함된다. ── *a.* 곡류〔곡물〕의〔로 만든〕: ~ crops 곡물.

cer·e·bel·lum [sèrəbéləm] (*pl.* **~s, -bel·la** [-bélə]) *n.* Ⓒ 『解』 소뇌.

cer·e·bra [sérəbrə] CEREBRUM 의 복수.

cer·e·bral [sérəbrəl, sərí:-] *a.* ① 『解』 대뇌의; 뇌의: a ~ hemisphere 대뇌 반구. ② 지성에 호소하는, 지적인; 사색적인: a ~ poem 지적인 시.

cérebral áccident 〔**ápoplexy**〕 『醫』 뇌졸중.

cérebral anémia 『醫』 뇌빈혈.

cérebral córtex 대뇌 피질.

cérebral déath 『醫』 뇌사(腦死) (brain death).

cérebral hémorrhage 『醫』 뇌일혈.

cérebral pálsy 『醫』 뇌성 (소아) 마비.

cer·e·brate [sérəbrèit] *vi.* 뇌를 쓰다, 생각하다.

cer·e·bra·tion [sèrəbréiʃən] *n.* Ⓤ ① (대)뇌 작용; 사고(思考) (작용). ② (심각한) 사색(思索).

cer·e·bric [sérəbrik, sərí:-] *a.* (대)뇌의.

cer·e·bri·tis [sèrəbráitis] *n.* Ⓤ 뇌염.

cer·e·bro·spi·nal [sèrəbrouspáinəl, sərì:-] *a.* 『解』 ① 뇌척수의. ② 중추 신경계의.

cer·e·brum [sérəbrəm, sərí:-] (*pl.* **~s** [-z], **-bra** [-brə]) *n.* Ⓒ 『解』 대뇌; 뇌.

***cer·e·mo·ni·al** [sèrəmóuniəl] *a.* ① 의식의; 의례상의: a ~ visit 의례적 방문 / ~ dress 예복. ② 격식을 차린; 정식의, 공식의 (formal). ── *n.* ① Ⓒ 의식, 의례; 『가톨릭』 전례서(典禮書), 전례. ② Ⓤ 의식 순서. ㊞ **~·ism** [-izəm] *n.* Ⓤ 의식〔형식〕 존중주의. **~·ist** *n.* Ⓒ 예법가; 형식주의자. **~·ly** *ad.*

cer·e·mo·ni·ous [sèrəmóuniəs] *a.* 예의의; 예의바른; 격식을 차리는, 딱딱한: ~ politeness 지나치게 공손함 / He bid her an unusually ~ farewell. 그는 그녀에게 평소와는 달리 격식을 차려 작별을 고했다. ㊞ **~·ly** *ad.* **~·ness** *n.*

‡**cer·e·mo·ny** [sérəmòuni / -məni] *n.* ① Ⓒ 식, 의식: a marriage 〔wedding, nuptial〕 ~ 결혼식 / have 〔hold, perform〕 a ~ 식을 올리다. ② Ⓤ 의례, 예법, (사교상의) 형식, 예의; 허례, 딱딱함: Let's out ~ between friends. 우리 친구간에 딱딱한 형식은 그만 치워버리세 / His low bow was mere ~. 그의 정중한 절은 의례에 지나지 않았다. ***master of ceremonies*** 사회자《略: M.C.》; 《英》 의전(儀典) 장관. ***stand on*** 〔***upon***〕 ~ 《口》 너무 의식적이다, 〔흔히 反語的〕 딱딱하다: Please don't *stand on* ~. 편히 쉬세요〔지내세요〕.

Ce·res [síəri:z] *n.* 『로神』 케레스《농업의 여신; 그리스의 Demeter 에 해당》.

ce·rise [sərí:s, -rí:z] *n.* Ⓤ 《F.》 버찌빛, 선홍색. ── *a.* 선홍색의.

cer·i·um [síəriəm] *n.* Ⓤ 『化』 세륨《희토류 원소; 기호 Ce; 번호 58》.

cert [sə:rt] *n.* Ⓒ (흔히 *sing.*) 《英俗》 ① 확실함, 반드시 일어남: a dead ~ 틀림없이 일어남. ② (경마의) 강력한 우승 후보.

†**cer·tain** [sə́:rtən] (***more*** ~; ***most*** ~: ①②③) *a.* ① 〔敍述的〕 (아무가) 확신하는, 자신하는 (sure)《*of; that*...》: I am ~ *of* his honesty. =I am ~ (*that*) he is honest. 그의 성실함을 확신하고 있다. ② (일이) 확실한, 신뢰할 수 있는, 반드시 일어나는; (지식·기술이) 정확한: It is ~ 〔a ~ fact〕 that.... …함〔임〕은 확실하다〔의심할 여지가 없는 사실이다〕 / War is ~. 전쟁은 불가피하다 / His touch on the piano is very ~. 그의 피아노의 터치는 정확하다. ③ 〔敍述的〕 반드시 …하는, …하게 정해져 있는《*to* do》: The plan is ~ *to* succeed. 계획은 꼭 성공하게 되어 있다. ④ 〔限定的〕 (어떤) 일정한, 어떤 정해진 (definite): on a ~ day 어떤 정해진 날에 / receive a ~ percentage of the profit 이익의 일정률을 받다. ⑤ (막연히) 어떤: a ~ naval base 모 해군 기지 / for a ~ reason 어떤 이유로 / a ~ gentleman 어떤 신사《★ 알고 있으나 일부러 이름 따위를 밝히지 않을 때에 씀. 다만, 사람일 경우에는 a Mr. Smith 또는 a Henry Smith의 형식이 a ~ 〔one〕 Mr. Smith 또는 a ~ Henry Smith 보다 일반적임》. ⓒⓕ some. ⑥ 어느 정도의, 다소의: I felt a ~ anxiety. 어딘지 모르게 불안을 느꼈다. ⑦ 〔代名詞的으로 쓰이어〕 몇 개의 물건, 몇몇 사람: ~ of his colleagues 그의 동료 중 몇 사람인가. ◇ certainty *n.*

cer·tain·ly** [sə́:rtənli] (more*** ~; ***most*** ~) *ad.* ① 〔文章修飾〕 확실히, 꼭; 의심없이, 반드시, 〔強意的〕 정말: You'll ~ get well if you take this medicine. 이 약을 먹으면 틀림없이 낫습니다. ② 〔대답으로〕 물론이오, 그렇고 말고요; 〔부탁을 받고〕 좋고 말고요; 알았습니다《《美》에서는 sure를 흔히 씀》: May I borrow your umbrella?— *Certainly*. 우산을 좀 빌려 주시겠습니까. — 예, 그러세요.

cer·tain·ty** [sə́:rtənti] *n.* ① Ⓤ (객관적인) 확실성: objective ~ 객관적 확실성. ② Ⓒ 확실함; 필연적(必然的) 사물: It is a ~ that price will continue to rise. 물가가 계속 오를 것은 틀림없는 일이다. ③ 확신 (conviction)《*of; that*...》: I borrowed the money in the ~ *that* I could repay it within a few months. 2, 3개월 내에는 갚을 수 있으리라는 확신 속에서 그 돈을 빌렸다. ***for 〔***to***〕 ***a*** ~ 틀림없이, 분명히.

cer·ti·fi·a·ble [sə́:rtəfàiəbəl] *a.* ① 증명〔보증〕할 수 있는. ② 《英口》 정신병으로 인정할 수 있는: a ~ desire 당치도 않은 욕망.

***cer·tif·i·cate** [sərtífəkit] *n.* Ⓒ ① 증명서 ; 검정서 ; 면(허)장 : a birth〔death〕 ~ 출생〔사망〕 증명서. ② (학위 없는 과정(課程)의) 수료〔이수〕 증명서. ── [-kèit] *vt.* 《~+목 / +*that* 절》 …에게 증명서를 주다《★ 종종 과거분사로서 형용사적으로 씀》: a ~*d* teacher 유자격 교원.

cer·ti·fi·ca·tion [sə̀ːrtəfəkéiʃən] *n.* ① Ⓤ 증명, 검정, 보증 : ~ of payment 지급 보증. ② Ⓒ 증명서. ③《英》정신이상 증명.

***cer·ti·fied** [sə́ːrtəfàid] *a.* ① 증명된(testified), 보증된 ; 《美》(공인 회계사 따위가) 공인한 : a ~ check 보증 수표 / ~ mail 《美》 배달증명 우편 / a ~ public accountant 《美》 공인 회계사《略 : C.P.A.》. cf. chartered accountant. ② 《英》 (법적으로) 정신 이상자로 인정된.

***cer·ti·fy** [sə́ːrtəfài] *vt.* ① 《~+목 / +목+보 / +목+*as* 보 / +*that* 절》 …을 증명〔보증〕하다 ; 증언하다 ; 검정〔허가〕하다, 공인하다 : His report was *certified* (*as*) correct. 그의 보고는 정확하다고 증명되었다 / He *certified* the truth of his claim. 그는 자기 주장의 정당함을 증명하였다. ② 《美》 (은행이 수표)의 지급을 보증하다. ③ …에게 증명서를〔면허증을〕 교부〔발행〕하다. ④ (의사가) …가 정신병자임을 증명하다. ◇ certification *n.*

cer·ti·tude [sə́ːrtətjùːd] *n.* Ⓤ 확신 ; 확실성《★ certainty가 더 일반적임》.

ce·ru·le·an [sərúːliən] *a.* 하늘색의.

Cer·van·tes [sərvǽntiːz] *n.* **Miguel de ~ Saavedra** 세르반테스《스페인의 작가(1547-1616) ; *Don Quixote* 의 작자》.

cer·vi·cal [sə́ːrvikəl] *a.* 〖解〗 ① 목의, 경부(頸部)의. ② 자궁 경관(頸管)의.

cer·vix [sə́ːrviks] (*pl.* **~·es, cer·vi·ces** [sərváisiːz, sə́ːrvəsìːz]) *n.* Ⓒ 〖解〗 ① 목, 경부(頸部). ② 자궁 경부.

Ce·sar·e·an, -i·an [sizέəriən] *a., n.* =CAESAREAN.

ce·si·um, cae- [síːziəm] *n.* Ⓤ 〖化〗 세슘《금속 원소 ; 기호 Cs ; 번호 55》.

césium clòck 세슘 시계《원자 시계의 일종》.

***ces·sa·tion** [seséiʃən] *n.* Ⓤ,Ⓒ 정지, 휴지, 중지 : a ~ of hostilities 휴전 / continue without ~ 끊임없이 계속되다.

ces·sion [séʃən] *n.* ① Ⓤ (영토의) 할양(割讓), (권리의) 양도; (재산 따위의) 양여(讓與). ② Ⓒ 할양된 영토. ≠session.

Cess·na [césnə] *n.* Ⓒ 세스너기(機)《미제(美製)의 경비행기》.

cess·pit [séspit] *n.* =CESSPOOL.

cess·pool [séspùːl] *n.* Ⓒ ① 구정물 구덩이, 시궁창 ; 분뇨 구덩이. ② 불결한 장소《*of*》. ***a ~ of iniquity*** 죄악의 소굴.

ces·tode [séstoud] *n.* Ⓒ 〖動〗 촌충(寸蟲).

cesura ⇨ CAESURA.

CET 《略》 Central European time(중앙 유럽 표준시)《G.M.T.보다 1시간 빠름》.

ce·ta·cean [sitéiʃən] *a., n.* Ⓒ 고래류(Cetacea)의 (동물).

ce·ta·ceous [sitéiʃəs] *a.* =CETACEAN.

Cey·lon [silɑ́n / -lɔ́n] *n.* 실론《인도 남방의 섬나라 ; 1972년 스리랑카(Sri Lanka) 공화국으로 개칭 ; 수도 Colombo》.

Cey·lon·ese [sìːləníːz, sèi-] *a.* 실론(인)의. ── (*pl.* ~) *n.* Ⓒ 실론 사람.

Cé·zanne [sizǽn] *n.* **Paul** ~ 세잔《프랑스의 후기 인상파 화가 ; 1839-1906》.

Cf 〖化〗 californium.

‡**cf.** [síːéf, kəmpέər, kənfə́ːr] 《L.》 *confer* (=compare).

CFC [síːèfsìː] *n.* Ⓤ,Ⓒ chlorofluorocarbon(s)《클로로 플루오로카본, 프레온(가스); 냉매(冷媒)로 사용되는데, 오존층 파괴의 원인이 됨》.

CFC-free [-fríː] *a.* CFC 〔프레온(가스)〕를 쓰지 않은.

C.F.I., c.f.&i. cost, freight and insurance 《★ 보통 CIF 라 함》.

cg. centigram(s). **C.G.** Coast Guard ; Commanding General ; Consul General(총영사).

CGI computer-generated imagery (컴퓨터에 그리게 한 화상). **C.G.S., c.g.s., cgs** centimeter-gram-second《길이 · 질량 · 시간의 기본 단위, CGS 단위》. **Ch.** Chaplain ; Charles ; China ; Chinese ; Christ. **Ch., ch.** chain ; champion ; chaplain ; chapter ; check ; chemical ; chemistry ; chief ; child ; church.

Cha·blis [ʃǽbli(ː), ʃɑːblíː] *n.* Ⓤ 흰포도주의 일종《프랑스 Chablis 원산》.

cha-cha(-cha) [tʃɑ́ːtʃɑː(tʃɑ́ː)] *n.* Ⓒ 〖樂〗 차차차《라틴 아메리카에서 시작된 빠른 리듬의 춤곡》. ── *vi.* 차차차를 추다.

cha·conne [ʃəkɔ́(ː)n, -kɑ́n] (*pl.* **~s**, *F.* ~) *n.* Ⓒ 《F.》 샤콘《(1) 스페인 기원의 오랜 춤. (2) 3박자 변주곡의 하나》.

Chad [tʃæd] *n.* 차드《아프리카 중북부의 공화국 ; 공식명 the Republic of ~ ; 수도 N'Djamena》. ★ Tchad라고도 적음. 파 **Chád·i·an** *a., n.*

chad [tʃæd] *n.* Ⓤ 〖컴〗 차드《펀치 카드에 구멍을 뚫을 때 생기는 종이 부스러기》, 천공(穿孔)밥.

cha·dor, -dar [tʃʌ́dər] *n.* Ⓒ 차도르《인도 · 이란 등지의 여성이 숄로 사용하는 커다란 천》.

***chafe** [tʃeif] *vt.* ① (손 따위)를 비벼서 따뜻하게 하다 : The boy ~*d* his cold hands. 소년은 차가워진 손을 비볐다. ② …을 쓸려서 벗겨지게 하다 : The stiff collar ~*d* my neck. 딱딱한 칼라 때문에 목이 쓸려 아프게 되었다. ③ …을 노하게 하다 ; 안달나게 하다. ── *vi.* 《~ / +전+명》 ① 쓸려서 벗어지다〔끊어지다〕, 쓸려서 아프다《*from* ; *against*》: The rope ~*d against* the branch. 밧줄이 나뭇가지에 쓸려 끊어졌다. ② 노하다, 안달나다《*at* ; *under* ; *over*》: ~ *at* an injustice 부정에 분노하다 / He ~*d at* the delay. 그는 지체되어 안달이 났다. ③ (짐승이) 몸을 비비다《*on* ; *against*》; (냇물이 벼랑 등에) 부딪치다《*against*》: The river ~*s against* the rocks. 냇물이 바위에 세차게 부딪친다. ── *n.* ① Ⓒ 마찰 ; 찰상. ② (a ~) 약오름 ; 안달, 초조 : in *a* ~ 약이 올라 ; 안달나서.

chaf·er [tʃéifər] *n.* Ⓒ 〖蟲〗 풍뎅이류(類)《특히 cockchafer》.

***chaff**[1] [tʃæf / tʃɑːf] *n.* Ⓤ ① 왕겨 ; 여물《사료》. ② 폐물, 찌꺼기 ; 하찮은 것. ***separate* (*the*) *wheat* 〔*grain*〕 *from* (*the*) ~** 가치있는 것과 그렇지 않은 것을 구별하다. ── *vt.* (짚 등)을 썰다.

chaff[2] *n.* Ⓤ (악의 없는) 놀림, 희롱. ── *vt.* …을 놀리다, 희롱하다.

chaff·cut·ter [tʃǽfkʌ̀tər / tʃɑ́ːf-] *n.* Ⓒ 작두.

chaf·fer [tʃǽfər] *n.* Ⓤ 흥정 ; 값을 깎음. ── *vi.* 흥정하다 ; 값을 깎다(haggle) 《*down*》: ~ *with* the shopkeeper *about*〔*over*〕 the price 가게 주인과 값을 흥정하다.

chaf·finch [tʃǽfintʃ] *n.* Ⓒ 〖鳥〗 되새 · 검은방울새류의 작은 새.

chaffy [tʃǽfi, tʃɑ́ːfi] (***chaff·i·er*** ; ***-i·est***) *a.* ① 왕겨 같은 ; 왕겨가 많은. ② 시시한.

cháf·ing dìsh [tʃéifiŋ-] 풍로가 달린 냄비.

cha·grin [ʃəgrín / ʃǽgrin] *n.* Ⓤ 분함, 유감 : to one's ~ 유감스럽게도. ── *vt.* …을 유감스럽게〔분하게〕 하다《★ 종종 受動으로 써서 "분해하다, 유감으로 생각하다"의 뜻으로 쓰임 ; 전치사는 *at*; *by*》: He *is* ~*ed at* having lost the money. 그는

그 돈을 잃고 분해하고 있다.

†chain [tʃein] *n.* ① **a**) Ⓤ,Ⓒ 사슬 : The prisoners were kept in ~*s.* 죄수들은 쇠사슬에 묶여 있었다. **b**) Ⓒ 목걸이. **c**) Ⓒ (자전거의) 체인 : a bicycle ~. **d**) =DOOR CHAIN. ② Ⓒ 연쇄(連鎖), 일련(一連), 연속(물) ; (방송의) 네트워크 : a ~ of mountains = a mountain ~ 연산(連山), 산맥 / a ~ of events 일련의 사건 / a ~ of broadcasting stations 방송국 네트워크. ③ Ⓒ 연쇄점, 체인스토어. ④ (흔히 *pl.*) 매는 사슬, 속박 ; 구속, 구금 ; 족쇄 : put a person in ~*s* 아무를 (붙잡아) 사슬로 속박하다. ⑤ 〖測〗 측쇄. ⑥ Ⓒ 〖化〗 (원자의) 연쇄. ⑦ Ⓒ 〖生〗 (세균의) 연쇄. ***in ~s*** 쇠사슬에 묶여, 감금되어 ; 노예가 되어.
— *vt.* ①《~+목 / +목+부 / +목+전+명》 …을 사슬로 매다《*up* ; *down*》: prisoners ~*ed to* a wall 쇠사슬로 벽에 묶어둔 죄수들 / *Chain up* the dog. 개를 사슬로 매둬라. ②《+목(+부)+전+명》 …을 묶다《*down* ; *to*》; 속박〔구속〕하다, 감금하다 : With a sick husband, she's ~*ed to* the house all day. 앓는 남편 때문에 그녀는 종일 집에 묶여 있다. ③ 〖測〗 …을 측쇄로 재다.

cháin ármor 사슬 갑옷.

cháin brìdge 사슬 적교(吊橋).

cháined líst 〖컴〗 연쇄 리스트.

cháin gàng 한 사슬에 매인 죄수.

cháin gèar 〖機〗 체인 톱니바퀴.

chain·ing [tʃéiniŋ] *n.* 〖컴〗 체이닝, 연쇄.

cháin lètter 행운의〔연쇄〕 편지.

cháin máil =CHAIN ARMOR.

cháin reàction 〖物〗 연쇄반응 ; (사물의) 연쇄반응 : set off〔up〕 a ~ 연쇄 반응을 일으키다.

cháin sàw (휴대용) 동력(動力) 사슬톱.

chain-smoke [ˊ-smòuk] *vi.* 줄담배를 피우다. — *vt.* (담배)를 연거푸 피우다.

cháin smòker 줄담배를 피우는 사람.

cháin stìtch 〖裁縫·手藝〗 사슬 모양으로 뜨기.

chain·stitch [ˊ-stìtʃ] *vt., vi.* (…을) 사슬(모양) 뜨기로 뜨다.

cháin stòre 체인 스토어, 연쇄점(連鎖店) (《英》 multiple shop 〔store〕).

†chair [tʃɛər] *n.* ① Ⓒ (1인용의) 의자. cf. armchair. ¶ sit on 〔in〕 a ~ 의자에 앉다 / Won't you take a ~? 앉으시지 않겠습니까. ② Ⓒ (대학의) 강좌 ; 대학 교수의 직(professorship) : He holds the ~ of history. 그는 역사학 교수이다. ③ (the ~) 의장석〔직〕 ; 의장, 위원장 ; 《英》 시장의 직 : in *the* ~ 의장자리에 앉아, 의장직을 맡아 / support *the* ~ 의장을 지지하다. ④ (the ~) 《美口》 전기 의자 : send 〔go〕 to *the* ~ 사형에 처하다〔처해지다〕. ⑤ Ⓒ 〖鐵〗 좌철(座鐵), 레일 고정쇠. ***take the*** ~ 의장석에 앉다 ; 개회하다 ; 취임하다. — *vt.* ① …을 착석시키다. ② …을 (권위 있는) 직〔지위〕에 앉히다. ③《口》 …의 의장직을 맡다 : He ~*s* the committee. 그가 그 위원회의 의장직을 맡고 있다. ④ (시합에 이긴 사람 등)을 의자에〔목말을〕 태우고 다니다.

cháir bèd 긴의자 겸용 침대.

chair·borne [tʃɛ́ərbɔ̀ːrn] *a.* 《口》 지상 근무의 : a ~ pilot 정비원 ; 비전투 조종사.

cháir càr 〖美鐵〗 ① 리클라이닝 시트를 설치한 객차. ② =PARLOR CAR.

chair·la·dy [tʃɛ́ərlèidi] *n.* =CHAIRWOMAN.

cháir lìft 체어 리프트《케이블에 의자를 달아매고, 손님을 태워 산에 오르내리게 한 것》.

‡chair·man [ˊ-mən] (*pl.* ***-men*** [ˊ-mən]) *n.* Ⓒ ① **a**) 의장 ; 사회자 ; 회장, 위원장 : the ~ of the board 중역회장, 이사회장《★ 남자에게는 Mr. *Chairman,* 여자에게는 Madam *Chairman*이라고 부름》. cf. chairwoman. **b**) (대학 학부의) 학과장, 주임 교수. ② **a**) 휠체어(Bath chair)를 미는 사람. **b**) (sedan chair 의) 교군꾼.

chair·man·ship [-ʃip] *n.* ① Ⓒ (흔히 *sing.*) chairman의 직〔지위〕. ② Ⓤ chairman의 재능.

chair·per·son [tʃɛ́ərpə̀ːrsn] *n.* Ⓒ ① 의장, 사회자, 회장. cf. chairman. ② (대학의) 학과장〔주임〕.

chair·wom·an [tʃɛ́ərwùmən] (*pl.* ***-wom·en*** [ˊ-wìmin]) *n.* Ⓒ 여자 의장〔회장, 위원장, 사회자〕 (chairlady). cf. chairman.

chaise [ʃeiz] *n.* Ⓒ 2륜〔4륜〕의 경쾌한 유람마차.

cháise lóngue (*pl.* ***~s, chaises longues***) 《F.》 긴 (침대) 의자의 일종.

cha·la·za [kəléizə] (*pl.* ***~s, -zae*** [-ziː]) *n.* Ⓒ 〖動〗 (알의) 컬레이저, 알끈 ; 〖植〗 합점(合點).

chal·ced·o·ny [kælsédəni, kǽlsidòuni] *n.* Ⓤ,Ⓒ 〖鑛〗 옥수(玉髓).

Chal·de·an [kældíː(ː)ən] *a.* 칼데아(사람)의 ; 점성술(占星術)의. — *n.* ① Ⓒ 칼데아 사람. ② Ⓤ 칼데아 말. ③ Ⓒ 점성가 ; 마법사.

cha·let [ʃæléi, ˊ-] *n.* Ⓒ 《F.》 ① 샬레《스위스의 양치기들의 오두막집》; 스위스의 농가(풍의 집). ② (스위스풍의) 산장, 별장 ; 방갈로.

chal·ice [tʃǽlis] *n.* Ⓒ ① 〖基〗 성작(聖爵). ② 〖植〗 잔 모양의 꽃.

†chalk [tʃɔːk] *n.* ① Ⓤ 백악(白堊). ② Ⓤ,Ⓒ 초크, 분필 ; (크레용 그림용의) 색분필 : a (piece of) ~ 분필 1자루 / write in yellow ~ 노란색 분필로 쓰다 / mark with ~ 분필로 표를 하다 / They were drawing patterns on the board in colored ~*s.* 그들은 색분필로 판자에 무늬를 그리고 있었다. ③ Ⓒ **a**) (점수 등) 분필로 적은 기호. **b**) 《英》 (승부의) 득점(score). ***(as) different*** 〔***like***〕 ***as*** ~ ***from*** 〔***and***〕 ***cheese*** (겉은 비슷하나 본질은) 전혀 다른. ***by a long*** ~ = ***by*** (***long***) ~***s*** 《英口》 훨씬, 단연(by far). ~ ***and talk*** (칠판과 대화하는) 전통적 교수법. ***not by a long*** ~ 《英口》 전혀 …아니다. ***walk the*** ~ (***line*** 〔***mark***〕) 《美口》 (1) (취하지 않은 증거로) 똑바로 걷다. (2) 올바르게 행동하다 ; 명령을 좇다. — *vt.* ① …을 분필로 표를 하다〔적다〕《*down*》. ② …에 분필칠을 하다. ③ …을 초크로 쓰다〔그리다〕. ~ ***out*** (1) 초크로 윤곽을 그리다. (2) 계획하다《종종 ~ *out for oneself* 라고도 함》. ~ ***up*** (1) (칠판 따위에) 초크로 쓰다 ; (득점 등)을 기록으로 적어두다, 기록하다 : Every day they ~ the day's menu (*up*) on a board on the wall of the restaurant. 그들은 매일 레스토랑 벽에 있는 칠판에 그날의 메뉴를 분필로 적는다. (2) (득점·승리 등)을 얻다, 거두다, 달성하다 : They ~*ed up* several victories. 그들은 몇 차례 승리를 거두었다. (3) 탓으로 돌리다.

chalk·board [ˊ-bɔ̀ːrd] *n.* Ⓒ 《美》 칠판.

chalky [tʃɔ́ːki] (***chalk·i·er*** ; ***-i·est***) *a.* ① 백악질의 ; 백악이 많은. ② 백악색(色)의.

‡chal·lenge [tʃǽlindʒ] *n.* ① Ⓒ 도전, 시합〔결투〕의 신청 ; 도전장《*to*》: a ~ *to* civilization 문명에의 도전 / accept 〔take up〕 a ~ 도전에 응하다 / He took her request for an explanation as a ~ *to* his authority. 그는 그녀의 설명 요구를 자기의 권한〔권위〕에 대한 도전으로 받아들였다. ② Ⓒ (보초의) 수하 : give the ~ (보초가) 수하하다. ③ Ⓒ 해 볼 만한 일, 노력의 목표, 난제 ; 야심작(野心作) : It's not enough of a ~. 그것은 그다지 보람있는〔해 볼 만한〕 일이 아니다. ④ Ⓒ **a**) 설명〔증거〕의 요구 ; 항의, 힐난《*to*》: **b**) 《美》 투표(자의 자격)에 대한 이의(異議) 신청. ⑤ Ⓒ 〖法〗

(배심원에 대한) 기피. ── *vt.* ①《~+목/+목+전+명/+목+*to* do》…에 도전하다; (논전·시합 따위)를 신청하다; (아무)에게 …하도록 도전〔요구〕하다: Who will ~ the champion? 누가 챔피언에게 도전할 것인가/~ a person *to* a duel 아무에게 결투를 신청하다. ②…에게 사죄를 요구하다: ~ a person *for* insult*ing* 모욕당한 일에 대하여 아무에게 사죄를 요구하다. ③…을 수하하여 불러 세우다. ④(정당성·가치 등)을 의심하다; 조사하다; 논의하다: She ~*d* the authority of the court. 그녀는 그 법정의 권위를 의심했다. ⑤〖法〗(배심원·진술 따위)에 이의를 신청하다, 기피하다; (증거 따위)를 거부하다(deny). ⑥《美》(투표(자)의 유효성〔자격〕 따위)에 이의를 제기하다. ⑦…을 감히 요구하다; …에 견딜 수 있다, …에 대항할 수 있다: ~ criticism 비평할 테면 해보라고 하다; 비평에 견디다/forgery that ~*s* discovery 간파〔발견〕되지 않을 정도의 교묘한 위조. ⑧(감탄·비판)을 불러일으키다; (관심)을 환기하다; 자극하다; (난제 등이 아무의 능력)을 시험하다: a matter that ~*s* attention 주목할 만한 일/This task will ~ your abilities. 이 일은 너의 능력을 필요로 할 것이다.

chal·leng·er [tʃǽlindʒər] *n.* [C] ①도전자. ②수하하는 사람. ③〖法〗 기피자, 거부자.

chal·leng·ing [tʃǽlindʒiŋ] *a.* ①도전적인; 도발적인. ②의욕을 돋우는, 곤란하지만 해〔맞붙어〕볼 만한: a ~ work of art 난해(難解)하지만 흥미를 자아내는 예술 작품.

‡**cham·ber** [tʃéimbər] *n.* ①[C] 방, 독방; 《특히》 침실. ②[C] (공관 등의) 응접실. ③(*pl.*) 판사실; (특히, 영국 법학원(Inns of Court) 내의) 변호사 사무실. ④[C] 회관(hall); 회의소, 의장(議場). ⑤(the ~) 의원, 의회: *the* lower〔upper〕 ~ 하〔상〕원. ⑥[C] **a**) (총의) 약실(藥室). **b**)〖機〗(공기·증기 따위의) 실(室). ⑦[C] (동물 체내의) 소실(小室), 공동(空洞): The heart has four ~*s.* 심장에는 4개의 심방〔실〕이 있다. ***~ of commerce*** 상공 회의소. ── *a.* 〔限定的〕 실내용으로 만들어진; 실내악〔연주〕의: ⇨CHAMBER MUSIC.

cham·bered [tʃéimbərd] *a.* 〔合成語로〕 …(의) 실(室)〔약실〕이 있는.

·**cham·ber·lain** [tʃéimbərlin] *n.* [C] ①시종(侍從). ②(귀족의) 가령(家令). ③《英》(시·읍·면 등의) 출납 공무원.

cham·ber·maid [tʃéimbərmèid] *n.* [C] (호텔의) 객실 담당 여종업원.

chámber mùsic 실내악.

chámber òrchestra 실내악단.

chámber pòt 침실용 변기, 요강.

cha·me·le·on [kəmíːliən, -ljən] *n.* [C] ①〖動〗 카멜레온. ②변덕쟁이, 경박한 사람.

cha·me·le·on·ic [kəmìːliánik/-ɔ́n-] *a.* 카멜레온 같은; 변덕스러운, 무절조(無節操)한.

cham·fer [tʃǽmfər] *n.* [C]〖建〗(가구 등의 모서리를 깎은) 목귀. ── *vt.* 〖建〗 목귀질하다.

cham·my [ʃǽmi] =CHAMOIS②.

cham·ois [ʃǽmi/ʃǽmwɑː] (*pl.* ~, ***-oix*** [-z]) *n.* ①[C]〖動〗 샤무아《남유럽·서남 아시아산 영양류(類)》. ②[英+ʃǽmi] **a**) [U] 섀미 가죽《영양·양·염소·사슴 등의 부드러운 가죽》. **b**) [C] 섀미 가죽제 행주.

cham·o·mile [kǽməmàil, -miːl] *n.* =CAMOMILE.

champ[1] [tʃæmp] *vt., vi.* ①(말이 재갈을) 자꾸 씹다〔물다〕. ②**a**) (여물을) 우적우적 씹다. **b**) (사람이) 말처럼 우적우적 먹다. ③**a**) (흥분하여) 이를 갈다《*with*》: ~ *with* anger 화가 나서 이를 갈다. **b**) 〔흔히 進行形으로〕 (…하고 싶어) 안달복달하다《*to* do》: They *are* ~*ing to* start at once. 그들은 어서 출발하고 싶어서 안달하고 있다. ***~ at a*** 〔***the***〕 ***bit*** (말이) 재갈을 씹다; (…하고 싶어) 안달하다《*to* do》: They were ~*ing at the bit to* get in to the baseball stadium. 그들은 야구장에 들어가고 싶어 안달하고 있었다.

champ[2] *n.* 《口》 =CHAMPION.

·**cham·pagne** [ʃæmpéin] *n.* ①[U.C] 샴페인. ②[U] 샴페인 빛깔《황록색 또는 황갈색》.

cham·paign [ʃæmpéin] *n.* [C]《文語》 평야, 평원.

cham·pers [ʃǽmpərz] *n.* 《英口》 =CHAMPAGNE.

cham·pi·gnon [ʃæmpínjən] *n.* [C] 샴피뇽《송이과의 식용 버섯; 유럽 원산》.

‡**cham·pi·on** [tʃǽmpiən] (*fem.* ~·***ess*** [-is]) *n.* [C] ①**a**) (경기의) 선수권 보유자, 챔피언; 우승자. **b**) (품평회 따위에서) 최우수품. ②《口》 남보다 뛰어난 사람〔동물〕. ③투사, 옹호자: a ~ of peace 평화의 옹호자. ── *a.* ①〔限定的〕 우승한; 선수권을 획득한: a ~ boxer 권투의 챔피언. ②《口·方》 일류의, 다시없는: a ~ idiot 지독한 바보. ── *ad.* 《口·方》 그 이상 더 없이, 멋지게. ── *vt.* 투사로서 활동하다, 옹호하다: ~ the cause of human right 인권 운동을 옹호하다.

chámpion bèlt 챔피언 벨트.

‡**cham·pi·on·ship** [-ʃip] *n.* ①[C] 선수권, 우승, 우승자의 명예〔지위〕: the ~ cup 우승컵/win the world chess ~ 세계 체스 선수권을 획득하다. ②[C] (종종 *pl.*) 선수권 대회, 결승전: the 1994 US Open tennis ~, 1994년도 전미 오픈 테니스 선수권 대회. ③[U] (사람·주의 등의) 옹호: the ~ of women's rights 여성의 권리 옹호.

Champs Ély·sées [ʃɑ̃ːnzeilizéi] (the ~) 《F.》 샹젤리제《파리의 번화가》.

†**chance** [tʃæns, tʃɑːns] *n.* ①[U.C] 우연; 우연한 일, 운: by ill ~ 운수 나쁘게, 재수없이/*Chance* governs all. 모든 것은 운에 달렸다. ②[C] **a**) 기회《*to* do》; 호기: a fair ~ 좋은 기회/Now is your ~. 자, 호기를 놓치지 마라/I had a ~ *to* do. …할 기회가 있었다. **b**)〖野〗 척살〔포살〕의 호기;〖크리켓〗 타자를 아웃시킬 호기. ③[U.C] (종종 *pl.*) 가망, 승산, 가능성: nine ~*s* out of ten 십중 팔구. ④[C] **a**) 위험, 모험《*of*》: run a ~ *of* failure 실패의 위험을 무릅쓰다/take a ~〔~*s*〕 성공하든 실패하든 해보다. **b**) 복권의 추첨권. ⑤《美口》 상당수〔량〕《*of*》: a smart〔powerful〕 ~ *of* apples 많은 사과. ***as ~ would have it*** 우연히; 공교롭게도. ***by any ~*** 혹시; 만약에: Are you Mrs. Grant, *by any ~*? 혹시 그랜트 부인 아니세요? ***by ~*** 우연히, 공교롭게: He had met Mr. Brown *by ~*. 그는 우연히 브라운씨를 만났다. ***Chances are*** (***that***) .... 아마 …일 것이다: The ~*s are* (ten to one) (that) the bill will be rejected. 의안은 아마도 (십중 팔구) 부결될 것이다. ***Chance would be a fine thing!*** 그런 기회가 있으면 좋으련만. ***given half a ~*** 조금만 기회가 주어진다면. ***on the ~ of*** 〔***that***...〕 …을 기대(期待)하고, …을 믿고. ***stand a good*** 〔***fair***〕 ***~*** (***of***) (…의) 가망성이 충분히 있다: Being very good at science subjects, I *stood a good ~ of* gaining high grades. 나는 과학 과목을 아주 잘 했기 때문에 높은 점수를 받을 가능성이 충분히 있었다. ***take a*** (***long***) ***~*** = ***take*** (***long***) ***~s*** 운명에 맡기고 해보다. ***take*** one's 〔***the***〕 ***~*** 결연히 해보다; 기회를 잡다. ── *a.* 〔限定的〕 우연한: a ~ meeting 우연한 만남〔해후〕/a ~ companion 우연한 길동무/a ~ customer 지나다가 들른 손님. ── *vi.* ①《+

to do / + *that* 절》 어쩌다가 …하다 ; 우연히 일어나다 : He ~*d to* be out then. = It ~*d that* he was out then. 마침 그는 그 때 외출중이었다. ②《+전+명》 우연히 만나다〔발견하다〕《*on, upon*》: I ~*d on* Paul in the park yesterday. 나는 어제 공원에서 우연히 폴을 만났다 / I ~*d upon* this book. 우연히 이 책을 발견했다. ── *vt.* …을 해보다, 운에 맡기고 하다, 부닥쳐 보다《종종 it 을 수반함》: I'll have to ~ *it* whatever the outcome. 결과야 어찌 되든 해봐야겠다.

chan·cel [tʃǽnsəl, tʃɑ́:n-] *n.* Ⓒ 성단소(聖壇所), (교회의) 성상 안치소.

chan·cel·lery, chan·cel·lory [tʃǽnsələri, tʃɑ́:n-] *n.* Ⓒ ① chancellor(법관·장관〔대신〕 등)의 지위. ② chancellor 의 관청〔법정, 사무국〕. ③ 대사관〔영사관〕 사무국(직원들).

chan·cel·lor** [tʃǽnsələr, tʃɑ́:n-] *n.* Ⓒ ① (C-) 《英》 대법관·재무장관의 칭호. ② (독일 등의) 수상 : *Chancellor* Kohl 콜 수상. ③ **a**) 《美》 대학 총장, 학장《흔히 President 라고 함》. **b**) 《英》 명예 총장. cf. vice-chancellor. ④《美》 (형평법 재판소의) (수석) 판사. ⑤《英》 대사관 일등 서기관. ***the Chancellor of the Exchequer (영국의) 재무장관. ***the Lord*** (***High***) ***Chancellor*** = ***the Chancellor of England*** (영국의) 대법관.

chance-med·ley [tʃǽnsmèdli, tʃɑ́:ns-] *n.* Ⓤ ①〖法〗 과실 살인. ② 우연한 행위.

chan·cery [tʃǽnsəri, tʃɑ́:n-] *n.* ① Ⓒ 《美》 형평법(衡平法) 재판소. ② (C-) 《英》 대법관청《지금은 고등 법원의 일부》; 대법관 법정 ; 대법관 기록소. ③ Ⓒ 공문서 보관소. ***in*** ~ 형평법 재판에서 소송 중인 ; 대법관의 지배하의.

chan·cre [ʃǽŋkər] *n.* Ⓤ 〖醫〗 하감(下疳).

chancy [tʃǽnsi, tʃɑ́:n-] (***chanc·i·er ; -i·est***) *a.* ① 우연의 ; 불확실한, 불안(정)한. ②《口》 위험한(risky) : a ~ investment 위험한 투자.

***chan·de·lier** [ʃæ̀ndəlíər] *n.* Ⓒ 샹들리에.

chan·dler [tʃǽndlər, tʃɑ́:n-] *n.* Ⓒ 《美·英古》 ① 양초 제조인〔장수〕. ② 잡화상 : a corn ~ 잡곡상 / a ship ~ 선구상(船具商).

chan·dl·er·y [-ləri] *n.* ① Ⓤ 잡화상. ② (*pl.*) 잡화(류).

Cha·nel [ʃənél] *n.* **Gabrielle** ~ 샤넬《프랑스의 여류 복식 디자이너(1883-1971)》.

Chang [tʃɑ:ŋ] *n.* = YANGTZE.

†**change** [tʃeindʒ] *vt.* ①《~+목 / +목+전+명》 …을 바꾸다, 변경하다, 고치다, 갈다 : ~ one's opinion〔mind〕 자기 의견〔마음〕을 바꾸다 / You can't ~ human nature. 인성을 바꿀 수는 없다. ②《+목+전+명》 …을 바꿔 …으로 하다 ; (재산 따위)를 다른 형태로 하다《*into*》: ~ jewels *into* land 보석을 처분해 토지로 바꾸다. ③《~+목 / +목+전+명》 …을 교환하다, 갈다 : ~ places 〔seats〕 *with* a person 아무와 자리를 바꾸다 / ~ a dirty shirt *for*〔*into*〕 a clean one 때묻은 셔츠를 깨끗한 것으로 갈아입다. ④ …의 장소를 옮기다 ; (아무)를 경질하다 : ~ one's weight from one foot to the other 몸무게를 한쪽 발에서 다른 발로 옮기다. ⑤《~+목 / +목+목 / +목+전+명》 …을 환전하다, 잔돈으로 바꾸다 ; (수표·어음)을 현금으로 바꾸다 : Can you ~ me this ten-dollar bill? 이 10 달러짜리 지폐를 잔돈으로 바꾸어 주시겠소 / I can ~ this bill *for* 50 dollars. 이 어음을 50 달러에 바꿀 수가 있다. ⑥《+목+전+명》 …을 갈아타다《*for*》: ~ trains *for* London 런던행 열차로 갈아타다. ⑦ (침대)의 시트를 갈(아대)다, (아기)의 기저귀를 갈아채우다 : ~ a bed 〔baby〕.

── *vi.* 《~ / +전+명》 ① 변하다, 바뀌다, 변화하다, 바뀌어 …이 되다 : ~ *in* appearance 모습이 바뀌다 / The rain has ~*d to* snow. 비가 눈으로 바뀌었다 / Water ~*s into* vapor. 물은 증기로 변한다. ② 변경되다, 갈리다, 고쳐지다 ; (역할·자리·차례 따위를) 바꾸다《*with*》: If you cannot see from your seat, I'll ~ *with* you. 당신 자리에서 안 보이면 자리를 바꿉시다. ③ (열차·버스 등을) 갈아타다 : ~ here 〔at Ch'ŏnan〕 여기서〔천안(에)서〕 갈아타다 / ~ *for* Boston 〔*to* express〕 보스턴행〔급행〕으로 갈아타다. ④ (…로) 갈아입다《*into*》: I ~*d out of* my wet clothes. 젖은 옷을 갈아입었다 / I have nothing to ~ *into*. 갈아입을 옷이 없다. ⑤ (소리가) 낮아지다 ; 변성하다. ⑥ (자동차의) 기어를 바꾸다. ~ ***back into*** . . . (모양·성격 따위가) 본래의 …으로 (되)돌아가다 〔되돌리다〕. ~ ***gear*** (자동차의) 기어를 바꿔 넣다. ~ ***off*** 교대하다《*at ; with*》: ~ *off at* driving 교대로 운전하다. ~ ***over*** (1) (아무가 …을) (…에서 ─로) 바꾸다, 변경(變更)하다《*from ; to*》: ~ *over from* gas *to* electricity 가스에서 전기로 바꾸다. (2) (기계 장치 따위가) (자동적으로 …에서 ─로) 바뀌다, 전환되다. (3) (두 사람이) 역할을〔입장, 위치(따위)를〕 서로 바꾸다. (4)〖體〗 (선수·팀이) 코트(따위)를 바꾸다. ~ ***round*** (1) (바람의) 방향이 (…에서 ─로) 바뀌다《*from ; to*》: The wind ~*d round from* south *to* west. 바람이 남에서 서쪽으로 바뀌었다. (2) = ~ over (3)(4). (3) (항목 등의) 순서를 바꾸다, (…을) 바꿔 넣다. ~ one***'s tune*** 태도를 바꾸다.

── *n.* ① Ⓤ,Ⓒ 변화 ; 변경, 변천 ; 색다른〔새로운〕 것 : a ~ of heart 변심 ; 전향 / We cannot make a ~ *in* our schedule. 우리 계획은 변경할 수 없다 / Anything for a ~. 《俗談》 새로운 것은 모두 좋다. ② Ⓒ **a**) 교환, 교체 ; 이동 : a ~ of bandages 붕대 갈아대기 / ~(*s*) in personnel 직원의 이동. **b**) 갈아타기. **c**) 갈아입기. ③ Ⓤ 거스름돈, 우수리 ; 잔돈 : Here's your ~ . 거스름돈 여기 있습니다 / I have no (small) ~ about 〔on〕 me. 잔돈을 갖고 있지 않다. ④ (C-) 거래소《Exchange 의 간약체로 잘못 생각하여, 'Change 라고 쓰기도 함》. ⑤ Ⓒ (흔히 *pl.*) 〖樂〗 여러 가지 다른 종을 치는 법 ; 전조(轉調), 조바꿈. ***a ~ of pace*** 항상 하던 방법을 바꿈 ; 기분 전환 ; 〖野〗 (투수가) 구속(球速)을 바꾸는 일. ***get no ~ out of*** a person 《英口》 아무에게서 아무것도 알아〔얻어〕 내지 못하다. ***get short*** ~ 무시당하다, 냉대받다. ***give*** a person ~ 아무를 위해 애쓰다 ; 앙갚음하다. ***give*** a person ***short*** ~ 《口》 아무를 무시하다, 냉대하다. ***It makes a ~.*** 평소와 다른 것은 즐겁다. ***ring the ~s*** 여러 가지 수단을 바꿔 시도해 보다 ; 같은 말을 여러 가지로 바꿔 말하다.

change·a·bil·i·ty [tʃèindʒəbíləti] *n.* Ⓤ 변하기 쉬운 성질, 가변성 ; 불안정.

‡**change·a·ble** [tʃéindʒəbəl] *a.* ① 변하기 쉬운, (날씨 따위가) 변덕스러운 ; 불안정한 : He was as ~ as the weather. 그는 날씨처럼 변덕스러웠다. ② (조약의 조항 등) 가변성의. ③ (비단 따위가 광선·각도에 의하여) 색이 여러 가지로 변화하여 보이는. 파 **-bly** *ad.* **~·ness** *n.*

change·ful [tʃéindʒfəl] *a.* 변화가 많은 ; 변하기 쉬운, 불안정한. 파 **~·ly** *ad.*

chánge gèar 〖機〗 변속기〔장치〕.

change·less [tʃéindʒlis] *a.* 변화 없는 ; 불변의, 일정한(constant). 파 **~·ly** *ad.*

change·ling [tʃéindʒliŋ] *n.* Ⓒ 바꿔친 아이(elf child)《요정이 빼앗아간 예쁜 아이 대신 두고 가는 작고 못난 아이》.

change·o·ver [ˊ-òuvər] n. Ⓒ ①(정책 따위의) 변경, 전환. ②(내각 따위의) 경질, 개각. ③(형세의) 역전《*from* ; *to*》. ④(설비의) 대체.

cháange rìnging 조(調)바꿈 타종법.

change-up [tʃéindʒʌ̀p] n. Ⓒ 〖野〗 체인지업.

cháng·ing ròom [tʃéindʒiŋ-] 《英》 (운동장 등의) 탈의실.

‡**chan·nel** [tʃǽnl] n. ① Ⓒ 해협《strait 보다 큼》; 수로《하천·항만 따위의 물이 깊은 부분》: the (English) *Channel* 영국 해협. ② Ⓒ **a**) 액체를 통하는 도수관. **b**) (길가의) 도랑. ③ (*pl.*) 경로, 루트《지식·보도 등의》: ~*s* of trade 무역 루트. ④ Ⓒ (화제·행동·사상의) 방향; (활동의) 분야: direct the conversation to a new ~ 화제를 새로운 방향으로 돌리다 / a new ~ for his abilities 그의 능력을 살릴 수 있는 새로운 분야. ⑤ Ⓒ **a**) 〖放送〗 채널; (할당된) 주파수대. **b**) 〖電〗 채널. **c**) 〖컴〗 통신로, 채널. ⑥ Ⓒ 하상(河床), 강바닥. ── (*-l-*, 《英》 *-ll-*) vt. 《~+목/+목+전+명》 ① **a**) …에 수로를 열다〔트다〕; (길)을 열다. **b**) …에 홈을 파다: The river ~*ed* its way *through* the rocks. 강물이 바위산을 뚫고 흐르고 있었다 / ~ a chair leg 의자 다리에 홈을 파다. ② 수로〔경로〕를 통해서 나르다〔보내다〕; 《比》 이끌다, 일정 방향으로 돌리다〔이끌다〕; 보내다, (정보 등을) 전하다: ~ more money *into* welfare 복지에 더 많은 돈을 돌리다 / He ~*ed* all his energy *into* fixing his bicycle. 그는 온 힘을 자전거 수리에 돌렸다.

Chánnel Íslands (the ~) (영국 해협의) 해협〔채널〕 제도(諸島).

Chánnel Túnnel (the ~) 영불해협 터널, 도버 터널《1994년 개통; 별명 Eurotunnel》. 「송.

chan·son [ʃǽnsən / ʃɑːŋsɔ́ːŋ] n. Ⓒ 《F.》 노래, 샹

***chant** [tʃænt, tʃɑːnt] n. Ⓒ ① 노래, 멜로디. ② 성가; 영창《시편 따위의 글귀를 단조롭게 읊는 일》. ③ 영창조(調); 단조로운 말투〔어조〕; 슬로건. ── vt. ① (노래·성가)를 부르다. ② …을 (시가(詩歌)로) 기리어 노래하다; 칭송하다. ③ (찬사 따위)를 되풀이하다; 단조로운 말을 하다. ── vi. ① 영창하다; 성가를 부르다. ② 단조로운 말투로 이야기하다.

chant·er [tʃǽntər, tʃɑ́ːnt-] n. Ⓒ ① (chant 를) 읊조리는 사람; 영창자. ② 성가대원〔장〕.

chant·ey [ʃǽnti, tʃǽn-] (*pl.* ~*s*) n. Ⓒ (선원의) 뱃노래.

chan·ti·cleer [tʃǽntəkliər] n. Ⓒ 수탉(rooster) 《cock[1]의 의인화》.

chan·try [tʃǽntri, tʃɑ́ːn-] n. Ⓒ ① (명복을 빌기 위한 미사 또는 기도료로서의) 연보(捐補). ② (그 연보로 지어진) 예배당. ③ (교회의) 부속 예배당.

chan·ty [ʃǽnti, tʃǽn-] (*pl.* ***-ties***) n. ＝CHANTEY.

***cha·os** [kéiɑs / -ɔs] n. Ⓤ ① (C-) (천지 창조 이전의) 혼돈. opp *cosmos*. ② 무질서, 대혼란: The accident left the street in ~. 사고로 도로는 큰 혼란에 빠졌다.

***cha·ot·ic** [keiɑ́tik / -ɔ́t-] a. 혼돈된; 무질서한, 혼란한: the ~ economic situation 혼돈된 경제 상태 / With no one to keep order the situation in the classroom was ~. 질서를 유지할 사람이 아무도 없어서 교실 상태는 혼란스러웠다. 파 **-i·cal·ly** [-ikəli] ad.

‡**chap**[1] [tʃæp] n. Ⓒ 《口》 놈, 녀석(fellow, boy); 사나이: old ~ 《英》 여보게《★ 형용사를 수반할 때가 많고, 호칭으로도 쓰임》.

chap[2] n. Ⓒ (흔히 *pl.*) 동창(凍瘡). ── (*-pp-*) vt., vi. (살갗이) 트게 하다; 트다: have ~*ped* lips 입술이 텄다 / My skin soon ~*s* in cold weather. 날씨가 차면 내 피부는 금세 튼다.

chap[3] n. ＝CHOP[2].

chap. chapel; chaplain; chapter.

chap·ar·ral [tʃæ̀pərǽl, ʃæ̀p-] n. Ⓒ 《美》 작은 떡갈나무의 덤불.

chap·book [tʃǽpbùk] n. Ⓒ 가두 판매되는 싸구려 책《이야기·가요 따위 책자》. 「모자.

cha·peau [ʃæpóu] (*pl.* ~***x*** [-z], ~***s***) n. Ⓒ 《F.》

‡**chap·el** [tʃǽpəl] n. ① Ⓒ 채플, 예배당《큰 교회·학교·병원·개인 저택내의》. ② Ⓒ 《英》 (영국 비국교도의) 교회당. ③ Ⓤ 〔無冠詞〕 (대학 따위의) 예배(에의 출석): We go to ~ at nine. 우리는 9시에 예배 드리러 (채플에) 간다. ④ 인쇄공 조합. ── a. 〔敍述的〕 《英》 비국교도의.

chápel gòer 《英》 채플에 잘 가는 사람.

chap·er·on(e) [ʃǽpəròun] n. Ⓒ 샤프롱, (사교계에 나가는 젊은 여성의) 보호자. ── vt. (젊은 여성)의 보호자로서 동반하다. ── vi. 샤프롱 역할을 하다. 「노릇.

chaper·on·age [ʃǽpəròunidʒ] n. Ⓤ 샤프롱

chap·fall·en [tʃǽpfɔ̀ːlən] a. 풀이 죽은, 낙담한.

***chap·lain** [tʃǽplin] n. Ⓒ ① 예배당 목사《궁정·학교 따위의 예배당에 소속》. ② (교도소의) 교회사(敎誨師). ③ 군목(軍牧).

chap·lain·cy [-si] n. Ⓒ ① chaplain 의 직〔임기〕. ② chaplain 이 근무하는 곳.

chap·let [tʃǽplit] n. Ⓒ ① 화관(花冠). ② 〖가톨릭〗 묵주. ③ 구슬 목걸이. 파 **~·ed** a. 화관을 쓴.

Chap·lin [tʃǽplin] n. **Charles Spencer** ~ 채플린《영국의 영화 배우·감독; 1889-1977》.

chap·man [tʃǽpmən] (*pl.* ***-men*** [-mən]) n. Ⓒ 《英》 행상인.

chap·pie [tʃǽpi] n. ＝CHAP[1].

chap·py [tʃǽpi] a. 피부가 많이 튼.

chaps [tʃæps] n. *pl.* 《美》 챕스《카우보이가 다리를 보호하기 위해 바지 위에 덧입는 가죽 바지》.

‡**chap·ter** [tʃǽptər] n. Ⓒ ① (책·논문 따위의) 장(章)《略: chap., ch., c.》: the first ~＝~ one 제1장. ② **a**) (역사상·인생 등의) 중요한 한 시기〔한 부분〕: in this ~ of his life 그의 생애의 이 시기에. **b**) 《英》 (일련의) 사건, 연속《*of*》: a ~ *of* disaster 계속되는 참사 / Their trip was a ~ *of* accidents. 그들의 여행은 사건의 연속이었다. ③ 〔集合的〕 참사회《cathedral 또는 대학 부속 교회의 성직자 canons 가 조직하는》; (수도회의 최고 권한을 갖는) 총회, 수도회 총회; 〔一般的〕 총회. ④ 지부, 분회. ~ ***and verse*** (1) 〖聖〗 장과 절; 정확한 출처, 전거: I think I'm right, though I can't cite you ~ *and verse* what the law says on this point. 이 점에 관하여 법에 무엇이라고 되어 있는지 전거는 댈 수 없으나 내가 옳다고 생각한다. (2) 《美俗》 규칙집; 상세한 정보. (3) 상세히.

chápter hòuse ① 성당 참사회 회의장. ② 《美》 (대학 동창회 등의) 지부 회관.

char[1] [tʃɑːr] (*-r-*, 《英》 *-rr-*) vi. 날품으로 잡역부 일을 하다. ── n. Ⓒ 날품팔이 잡역부.

char[2] (*-rr-*) vt. …을 숯으로 만들다, 숯이 되도록 굽다; (시꺼멓게) 태우다. ── vi. 숯이 되다, 시꺼멓게 타다〔눋다〕. ── n. ① Ⓤ 숯, 목탄(charcoal); (제당용) 골탄. ② Ⓒ 새까맣게 탄 것.

char[3] (*pl.* ~*s*, 〔集合的〕 ~) n. Ⓒ 〖魚〗 차, 곤들매기류(類). 「잔.

char[4] n. Ⓤ 《英俗》 차(tea): a cup of ~ 차 한

char·a·banc [ʃǽrəbæ̀ŋk] n. Ⓒ 《英》 대형 관광〔유람〕 버스.

†**char·ac·ter** [kǽriktər] n. ① Ⓤ,Ⓒ 특성, 특질, 성질, 성격: the ~ of the Americans 미국 사람의 국민성. ② Ⓤ 인격, 품성: build 〔form〕 one's ~ 품성을 기르다. ③ Ⓤ 고결함, 고아한 품격, 기골(氣骨): a man of ~ 인격자, 기골이 있는 사

람. ④Ⓒ 성망, 명성 ; 평판 : get a good〔bad〕 ~ 좋은〔나쁜〕 평판을 얻다. ⑤Ⓒ **a)**〔修飾語와 함께〕(유명한) 사람, 인물(person) : a public ~ 공인(公人) / a good〔bad〕 ~ 선〔악〕인 / an international ~ 국제적 인물. **b)**《口》개성이 강한 사람, 기인, 괴짜 : He is quite a ~. 그는 정말 재미있는 사람이다. ⑥Ⓒ (소설의) 등장 인물, (연극의) 역(role) : leading ~ 주역 / The book teems with colorful ~*s*. 그 책에는 다채로운 인물이 많이 나온다. ⑦Ⓒ (흔히 *sing.*) 신분, 자격, 지위 : in the ~ of〔as〕 Ambassador 대사로서. ⑧Ⓒ 인물 증명서, 추천장《전의 고용주가 사용인에게 주는》. ⑨Ⓒ (물건의 성질을 나타내는) 부호, 기호 : a musical ~ 악보 기호. ⑩Ⓒ 문자(letter), 자체, 서체 ;〖컴〗 문자, 캐릭터 : a Chinese ~ 한자 / write in large ~*s* 큰 글씨로 쓰다 / a ~ reader〖컴〗 문자 판독 장치. ⑪Ⓒ〖遺〗형질 : inherited ~ 유전 형질. ***in*** ~ 격에 맞는, 걸맞는 ; 어울리는《*with*》: The work is *in* ~ *with* him. 그 일은 그 사람에게 어울린다. ***out of*** ~ 격에 맞지 않는, 걸맞지 않는 ; (옷 등이) 어울리지 않는.

cháracter àctor〔àctress〕 성격 배우〔여배우〕.

cháracter assassinátion 중상, 비방.

char·ac·ter-based [kǽriktərbéist] *a.*〖컴〗문자 단위 표시 방식의.

cháracter dènsity〖컴〗문자 밀도.

‡**char·ac·ter·is·tic** [kæ̀riktərístik] (***more*** ~ ; ***most*** ~) *a.* ①독특한, 특징적인. ②〔敍述的〕…에 특유한, …의 특징을 나타내는 : The violent temper was ~ *of* him. 과격한 기질은 그의 특징이었다 / It is ~ *of* him to go to work before breakfast. 아침 식사 전에 일을 시작한다는 것은 과연 그답다. ── *n.* Ⓒ 특질, 특색, 특징 ; 특성 : Noise is a ~ of big cities. 소음은 대도시의 특징이다 / Ambition is a ~ of all successful businessman. 야망은 모든 성공적인 사업가의 특성이다.

char·ac·ter·is·ti·cal·ly [-kəli] *ad.* 특징으로서 ; 개성적으로 ; 과연 …답게 : *Characteristically,* he refused. 과연 그답게 거절해 버렸다.

char·ac·ter·i·za·tion [kæ̀riktərizéiʃən] *n.* Ⓤ,Ⓒ ①특징을 나타냄, 특성짓기. ②(연극이나 소설에서의) 성격 묘사.

*__char·ac·ter·ize__ [kǽriktəràiz] *vt.* ①…의 특색을 이루다, 특징지우다 ; …의 성격을 나타내다 : The relationship between them was ~*d* by tension and rivalry from the first. 그들의 관계는 처음부터 긴장과 경쟁 관계인 것이 특징이다. ②…의 특성을 기술〔묘사〕하다 : ~ her in a few words 몇 마디로 그녀의 성격을 규정하다 / ~ a person *as* a coward 아무를 겁쟁이로 보다.

char·ac·ter·less [kǽriktərlis] *a.* 특징 없는.

cháracter skètch 인물 촌평 ; 성격 묘사.

cha·rade [ʃəréid / -rɑ́:d] *n.* ①(*pl.*로 *sing.* 취급) 제스처 놀음《몸짓으로 판단하여 말을 한 자씩 알아 맞히는 놀이》. ②Ⓒ (그 게임의) 몸짓 ; 몸짓으로 나타내는 말.

char·broil [tʃɑ́:rbrɔ̀il] *vt.* (고기)를 숯불에 굽다.

*__char·coal__ [tʃɑ́:rkòul] *n.* ①Ⓤ 숯, 목탄. ②Ⓒ 목탄화(~ drawing). ③ =CHARCOAL GRAY.

chárcoal bùrner ①숯 굽는 사람, 숯꾼. ②숯풍로, 화로.

chárcoal gràу 진회색.

chard [tʃɑ:rd] *n.* Ⓤ,Ⓒ〖植〗근대.

*__charge__ [tʃɑ:rdʒ] *vt.* ①(차·배 따위)에 짐을 싣다. ②《~+목/+목+전+명》(전지)에 충전하다 ; (총)에 장전하다《*with*》: ~ a storage battery 축전지에 충전하다 / ~ a gun *with* a shot 총에 탄알을 재다. ③《+목+전+명》…에 담다, 채우다 : *Charge* your glasses *with* wine. 술로 잔을 채우시오. ④《+목+전+명》(의무·책임 등)을 …에게 지우다, 과(課)하다 ; 위탁하다《*with*》: ~ a person *with* a task 아무에게 임무를 과하다. ⑤《+목+*to* do》…에게 명령〔지시〕하다 : I am ~*d to* give you this letter. 당신에게 이 편지를 전하도록 분부받았습니다. ⑥《+목+전+명 / +*that* 절》(죄·실태 따위)를 …에 돌리다, …의 탓으로 하다 ; (죄 따위)를 …에게 씌우다(impute) ; 책망하다 ; 고발하다, 고소하다 : ~ a person *with* a crime 아무에게 죄를 씌우다 ; 범죄 혐의로 아무를 고발하다 / ~ a person *with* carelessness 아무의 부주의를 책망하다 / He ~*d that* they had infringed his copyright. 그는 그들이 판권을 침해했다고 고발했다. ⑦《+목+전+명 / +*that* 절》…을 비난하다《*with*》: Some people ~*d that* the hospital was unclean. 그 병원은 불결하다고 비난하는 사람도 있었다. ⑧《+목+전+명 / +목+목》(세금·요금 등 또는 일정액)을 …에게 부담시키다, 청구하다, 물리다《*for*》: They ~*d* me five dollars *for* the book. 나는 이 책에 5달러 치렀다 / How much do you ~ *for* this? 이 요금〔값〕은 얼마요 / ~ a tax *on* an estate 재산에 세금을 부과하다. ⑨《+목+전+명》…의 요금을 과하다〔징수하다〕; …의 대가를 징수하다 : ~ the postage *to* the customer 송료를 산 사람 부담으로 하다 / ~ steel *at* $ 150 a ton 톤당(當) 150 달러로 강철을 팔다. ⑩《~+목 / +목+전+명》…의 앞으로 달아 놓다, …의 차변(借邊)에 기입하다《*to*》: *Charge* it, please. (가게에서) 대금을 내 앞으로 달아 놓으시오. ⑪ (총검)을 겨누다 ; (적)을 향하여 돌격하다, …을 공격하다 : *Charge* bayonets! 착검 / They ~*d* the enemy. 그들은 적을 향하여 돌격했다.

── *vi.* ①요금을 받다, 지불을 청구하다《*for*》: They don't ~ *for* delivery. 배달료를 받지 않는다, 배달은 무료이다. ②돌격하다, 돌진하다《*on* ; *at*》: ~ *into* a room 방으로 뛰어들다. ③충전되다.

── *n.* ①Ⓒ 짐, 화물. ②Ⓤ,Ⓒ **a)** 충전 ; 전하 : (a) positive〔negative〕 ~ 양〔음〕전하. **b)** (총의) 장전, (1 발분의) 장약 ; (용광로 1 회분 원광(原鑛)의) 투입량 ; 충전〔장약, 투입〕량. ③Ⓤ,Ⓒ 책임, 의무 ; 책무, 직무 : assume a responsible ~ 책임 있는 직책을 맡다. ④Ⓤ 위탁, 관리, 돌봄, 보호 ; 담임《*of*》: a child in ~ *of* a nurse 유모에게 맡겨진 아이 / I've got ~ *of* this class this school year. 나는 이번 학년 이 학급의 담임을 맡고 있다. ⑤Ⓒ 맡고 있는 것〔사람〕; 담당한 학생〔신도〕. ⑥Ⓤ 명령, 지시(指示) : receive one's ~ 지시를 받다. ⑦Ⓒ 비난 ; 고발, 고소 ; 죄과 : He is wanted *on* a ~ of burglary〔murder〕. 그는 강도〔살인〕 혐의로 수배된 자이다 / face a ~ 혐의를 받다. ⑧Ⓒ 부담, 요금, (치러야 될) 셈 : a ~ *on* the state 국가의 부담 / a list of ~*s* 요금표(表) / No ~ is made for the service. 서비스료는 받지 않습니다 / put down a sum *to* a person's ~ 총액을 아무 앞으로 달다. ⑨Ⓒ 청구 금액 ; 부과금, 돈 ; (종종 *pl.*) (제반) 비용. ⑩Ⓒ〖軍〗돌격, 진격 : make a ~ (at ...) (…에) 돌격하다. ⑪Ⓒ (흔히 *sing.*)《俗》스릴, 즐거운 경험, 흥분 : get a ~ out of dancing 댄스를 즐기다. ***give*** a person ***in*** ~《英》아무를 경찰에 넘기다. ***in*** ~ ⑴ 담당의, 담임의《*of*》. ⑵《英》체포되어. ***in the*** ~ ***of*** =***in*** a person***'s*** ~ …에 맡겨져 있는.

charge·a·ble [tʃɑ́:rdʒəbəl] *a.*〔敍述的〕①(세금이) 부과되어야 할《*on*》: A duty is ~ *on* whiskey. 위스키는 과세의 대상이 된다. ②돌려져

야 할(*to*); 지워져야 할(*on*; *with*): The damage is ~ *on*[*to*] him. 그 손해는 그가 부담해야 한다. ③ 비난받아야 할, 고발되어야 할(*with*): He is ~ *with* the crime. 그는 그 죄로 고발되어야 한다.

chárge accòunt 《美》 외상 거래 계정(《英》 credit account).

chárge càrd (특정 점포의) 크레디트 카드.

char·gé d'af·faires [ʃɑːrʒéidəféər] (*pl.* ***char·gés d'af·faires*** [ʃɑːrʒéiz- / ʃáːrʒeizdəféərz]) *n.* Ⓒ (F.) 대리 대사[공사].

chárge hànd 《英》 조장(직공장 아래 노동자).

chárge nùrse (병동의) 수석간호사.

charg·er [tʃáːrdʒər] *n.* Ⓒ ① 습격자; 돌격자. ② (장교용의) 군마. ③ 탄약 장전기. ④ 충전기.

chárge shèet 《英》 (경찰의) 사건 기록부(簿); 기소용 범죄자 명부.

char·i·ly [tʃéərili] *ad.* ① 조심스럽게, 경계하면서. ② 아까운 듯이.

Chár·ing Cróss [tʃǽriŋ-] 채링 크로스(런던시 중심부에 있는 번화한 광장).

***char·i·ot** [tʃǽriət] *n.* Ⓒ ① (고대의) 전차(戰車). ② (18 세기의) 4 륜 경마차.

char·i·o·teer [tʃæ̀riətíər] *n.* Ⓒ 전차 모는 전사.

cha·ris·ma [kərízmə] (*pl.* **~·ta** [-mətə]) *n.* ① Ⓒ 〖神學〗 성령의 은사(恩賜), 특별한 능력. ② Ⓤ 카리스마, (특정 개인이나 지위에 따라붙는) 권위; (대중을 신복시키는) 교조적(敎祖的) 매력[지도력].

char·is·mat·ic [kæ̀rizmǽtik] *a.* ① 카리스마적인: With her striking looks and ~ personality, she was noticed far and wide. 그녀는 인상적인 용모와 카리스마적 인품으로 널리 이목을 끌었다. ② 〖基〗 카리스마파의(병 치료 따위 성령의 초자연력을 강조하는 일파). — *n.* Ⓒ 카리스마파 신자. ㊞ **-i·cal·ly** *ad.*

***char·i·ta·ble** [tʃǽrətəbəl] *a.* ① 자비로운: ~ work for the handicapped 장애자를 위한 자선 사업 / He is ~ to the poor. 그는 가난한 자들에게 자비롭다. ② 관대한: ~ treatment 관대한 조치 / He's a ~ judge of character. 그는 사람(의 성격)을 관대하게 본다. ③ 〔限定的〕 자선의[을 위한]: ~ institutions 자선 시설. ㊞ **~·ness** *n.*

char·i·ta·bly [-təbli] *ad.* 자애롭게, 자비롭게; 관대하게.

‡**char·i·ty** [tʃǽrəti] *n.* ① Ⓤ 자애, 자비, 박애(심), 사랑: Christian ~ 기독교적(的) 자애 / *Charity* begins at home. 《俗談》 자비는 내 집부터 시작한다(기부 등을 사절하는 변명으로 흔히 씀). ② Ⓤ 관용, 관대함: treat a person with ~ 사람을 관대하게 다루다. ③ Ⓤ 자선 (행위); 보시(布施), 자선을 위한 기부: a man of ~ 자선가. ④ (*pl.*) 자선 사업. ⑤ Ⓒ 자선 단체; 양육원, 요양원.

chárity schòol (옛날의) 자선 학교.

chárity shòw 자선쇼[흥행].

cha·riv·a·ri [ʃərìvəríː, ʃìvəríː / ʃɑ̀ːrəváːri] *n.* Ⓒ 결혼 축하로 시끌벅적함. — *vt.* …을 시끌벅적하게 떠들다.

char·la·dy [tʃáːrlèidi] *n.* 《英》 =CHARWOMAN.

char·la·tan [ʃáːrlətən] *n.* Ⓒ 크게 풍떠는 협잡꾼, 《특히》 돌팔이 의사(quack): The doctor was either a ~ or a shrewd old rogue. 그 의사는 돌팔이 아니면 약싹빠른 늙은 악한이었다. ㊞ **chár·la·tan·ism** [-lətənìzəm], **chár·la·tan·ry** [-tənri] *n.* Ⓤ 허풍, 아는 체함; 사기적인 행위.

Char·le·magne [ʃáːrləmèin] *n.* 샤를마뉴 대제(大帝)(서로마제국 황제; 742-814).

Charles [tʃɑːrlz] *n.* 찰스(남자 이름).

Charles's Wain [tʃáːrlzizwéin] 《英》 〖天〗 ① 북두칠성. ② 큰곰자리.

Charles·ton [tʃáːrlztən, -ls-] *n.* ① Ⓒ 《美》 찰스턴(춤의 일종). ② 미국 West Virginia 주의 주도. ③ 미국 South Carolina 주의 항구 도시.

Char·ley [tʃáːrli] *n.* =CHARLIE.

chárley hòrse 《美俗》 (운동 선수 등의) 근육 경직.

Char·lie [tʃáːrli] *n.* ① 찰리(남자 이름 Charles의 애칭). ② 찰리(여자 이름 Charlotte의 애칭).

char·lie *n.* 《英俗》 ① Ⓒ 바보. ② (*pl.*) (여자의) 유방.

char·lock [tʃáːrlək, -lɑk / -lɔk] (*pl.* ~) *n.* Ⓒ 배추속(屬)의 식물, 겨자류의 잡초.

Char·lotte [ʃáːrlət] *n.* 샬럿(여자 이름; Charley, Lottie, Lotty의 애칭).

char·lotte *n.* Ⓤ.Ⓒ 샬럿(찐 과일 등을 빵·케이크로 싼 푸딩). 「넣은 케이크.

chárlotte rússe [-rúːs] 커스터드를[크림을]

‡**charm** [tʃɑːrm] *n.* ① Ⓤ.Ⓒ 매력(fascination); (흔히 *pl.*) 아름다운 점; 미관; (여자의) 아름다운 용모, 요염함: feminine ~*s* 여성미. ② Ⓤ.Ⓒ 마력(spell); 주문(呪文): chant a ~ 주문을 외다. ③ Ⓒ 부적(*against*): a good luck ~ (재난을 물리치고) 행복을 불러들이는 부적. ④ Ⓒ 작은 장식물(시곗줄 따위). ***like a*** ~ 《口》 마법에 걸린 것처럼; 신기하게, 감쪽같이: act [work] *like a* ~ (약[일] 등이) 용하게 잘 듣다[진행되다]. — *vt.* ① 《~+目/+目+前+名》 …을 매혹하다, 호리다, 황홀하게 하다; 기쁘게 하다: be ~*ed with* [*by*] the music 그 음악에 매혹되다 / I was ~*ed by* his courtesy. 나는 그의 공손함에 마음이 끌렸다. ② 《+目+補/+目+副/+目+前+名》 …을 마법에 걸다; …을 마력으로 지키다; (비밀·동의 따위)를 교묘히 이끌어 내다(*out of*): ~ a person asleep 아무를 마력으로 잠들게 하다 / ~ a secret *out of* a person 속여서 아무에게서 비밀을 알아내다. ③ (뱀)을 길들이다, 부리다. — *vi.* ① 매력적이다, 매력을 갖다. ② 마법을 걸다.

chárm bràcelet 작은 장식이 달린 팔찌.

charmed [-d, 《詩》 -id] *a.* ① 매혹된; 마법에 걸린; 저주받은. ② 마력으로 지켜진: lead a ~ life 언제나 운좋게 사고를 모면하다, 불사신이다.

charm·er [tʃáːrmər] *n.* Ⓒ ① 매혹하는 사람; 마법사: ⇨SNAKE CHARMER. ② 매력적인 사람.

‡**charm·ing** [tʃáːrmiŋ] (***more*** ~; ***most*** ~) *a.* ① 아주 멋있는, 매력적인, 아름다운; 호감이 가는: a ~ smile 매력적인 미소. ② (사물이) 멋진, 아주 재미있는[즐거운].

charm·ing·ly [-li] *ad.* 매력적으로, 멋있게: The house has a ~ medieval atmosphere. 그 집은 멋있게 중세풍의 분위기를 지녔다.

char·nel [tʃáːrnl] *n.* =CHARNEL HOUSE.

chárnel hòuse 영안실; 납골당.

Char·on [kéərən] *n.* ① 〖그神〗 카론(삼도내(Styx)의 나루지기): ~'s boat[ferry] 삼도내의 나룻배; 임종(臨終). ② Ⓒ 《戲》 나루지기.

‡**chart** [tʃɑːrt] *n.* ① Ⓒ 해도, 수로도. ② Ⓒ 도표, 그래프, 표: a statistical ~ 통계표 / a pie[bar] ~ 원[막대] 그래프 / a weather ~ 일기도. ③ (the ~s) 잘 팔리는 음반의 리스트; 히트 차트: His song topped *the* ~*s* for over ten weeks. 그의 노래는 10주 이상 히트 차트의 톱을 차지했다. ④ Ⓒ 〖醫〗 병력(病歷), 카르테. — *vt.* ① …을 해도·도표로 만들다[나타내다]. ② …을 계획[입안]하다.

‡**char·ter** [tʃáːrtər] *n.* ① Ⓒ 헌장, (목적·강령 등의) 선언서: the *Charter* of the United

Nations 유엔 헌장 / the Great *Charter* (영국의) 대헌장, 마그나카르타. ② Ⓒ (회사 등의) 설립 강령(서), 설립. ③ Ⓒ 특허장, 면허장《주권자가 자치도시의 창설 때 주는》; (협회·조합·대학 등의) 지부 설립 허가(장). ④ Ⓒ 특권, 특별면제. ⑤ [U.C] (버스·비행기 등의) 대차계약(서), 전세; (선박의) 용선계약: tankers on short-term ~ 단기간의 용선 계약이 된 유조선. ── *a.* 〔限定的〕 ① 특허에 의한; 특권을 가진. ② 전세 낸《비행기·선박 따위》: a ~ plane 전세기. ── *vt.* ① …에게 특허〔면허〕를 주다. ② (회사 등)을 설립하다. ③ (비행기·버스·선박 등)을 전세 내다(hire): The group ~*ed* a coach. 그 일행은 장거리버스를 전세냈다.

chárter còlony 〖美史〗 특허 식민지《영국왕이 교부한 특허장으로 건설된 식민지》.

char·tered [tʃáːrtərd] *a.* ① 전세낸, 용선계약을 한: a ~ ship 용선(傭船). ② 특허 받은, 공인된: ~ rights 특권. ③ 세상에서 공인된: a ~ libertine 천하에 이름난 방탕꾼〔아〕.

chártered accóuntant 《英》 공인 회계사 (《美》 certified public accountant; 略: C.A.).

chárter mémber (협회 등의) 창립 위원.

chárter pàrty 용선 계약(서)《略: C/P》.

Chart·ism [tʃáːrtizəm] *n.* Ⓤ 〖英史〗 차티스트 운동《인민 헌장을 내건 운동; 1837-48》.

Chart·ist [-ist] *n.* Ⓒ 차티스트 운동 참가자.

char·treuse [ʃaːrtrúːz / -trúːs] *n.* ① [U.C] 샤르트뢰즈 주(酒). ② Ⓤ 연둣빛.

char·wom·an [tʃáːrwùmən] (*pl.* **-wom·en** [-wìmin]) *n.* Ⓒ 《英》 날품팔이 잡역부(婦), 파출부; 《美》 (큰 빌딩의) 청소부(婦).

chary [tʃέəri] (**char·i·er** ; **-i·est**) *a.* ① 조심스러운, 신중한《*of*》: be ~ *of* catching cold 감기 걸리지 않도록 조심하다. ② 몹시 망설이는, 쉽사리 행동하지 않는《*in* do*ing*》; 부끄럼(을) 타는 《*of*》: a ~ girl 내성적인 소녀. ② 〔敍述的〕 물건을 아끼는; 아까워하는, 인색한《*of* ; *in*》: Jane is ~ *of* giving praise. 제인은 좀처럼 남을 칭찬하지 않는다. ㊕ **chár·i·ly** *ad.* **-i·ness** *n.*

Cha·ryb·dis [kəríbdis] *n.* 카리브디스《Sicily섬 앞바다의 큰 소용돌이》.

‡**chase**[1] [tʃeis] *vt.* ① …을 쫓다, 추적하다; 추격하다: My dog ~*d* the thief. 우리 개가 도둑을 쫓았다. ② 《+목+전+명 / +목+부》 …을 쫓아버리다《*away* ; *off*》; 몰아내다《*from* ; *out of*》; 몰아넣다《*into* ; *to*》: ~ fear *from* one's mind 공포심을 몰아내다 / ~ flies *off* 파리를 쫓다. ③ 《口》 …을 손에 넣으려고 애쓰다, …의 뒤를 좇다; (여자)를 귀찮게 따라다니다: He's always *chasing* women. 그는 항상 여자 꽁무니를 따라다닌다. ④ …을 사냥하다. ── *vi.* ① 《+전+명》 뒤쫓다, 추적하다《*after*》: The police ~*d after* the murderer. 경찰은 살인범을 추적했다. ② 《口》 서두르다, 달리다, 뛰어다니다: ~ all over town looking for a hotel 호텔을 찾아 온 시내를 뛰어다니다. ~ **down** (1) (독한 술 뒤에 …을) 마시다 《*with*》: ~ *down* a whiskey *with* a glass of water 위스키를 마신 뒤 곧 물을 한 잔 마시다. (2) = ~ up. ~ **up** 《口》 (사람·정보 등을 서둘러) 찾아내다〔내려 하다〕. ***Go*** (***and***) ~ ***yourself !*** 《口》 꺼져! ── *n.* ① [U.C] 추적, 추격, 추구: the ~ for fame 명성의 추구 / We lost him in the narrow streets and had to give up the ~. 우리는 좁은 길에서 그를 놓쳐 추적을 포기해야만 했다. ② (the ~) 사냥, 수렵: enjoy the thrill of *the* ~ 사냥의 스릴을 즐기다. ③ Ⓒ 쫓기는 사람〔짐승, 배〕; 사냥감.

chase[2] *vt.* ① (금속)에 돋을새김을 하다; (무늬)를 양각하다(emboss): ~*d* silver 돋을새김을 한 은(銀). ② …에 보석을 박다.

chase[3] *n.* Ⓒ ① (벽면(壁面)의) 홈. ② (포신(砲身)의) 앞부분.

chas·er[1] [tʃéisər] *n.* Ⓒ ① 쫓는 사람, 추적자. ② 사냥꾼. ③ 《美》 여자의 뒤꽁무니를 쫓아다니는 사내. ④ 《口》 독한 술 뒤에 마시는 음료《물·탄산수》, 체이서.

chas·er[2] *n.* Ⓒ 양각사(陽刻師); 조각 도구.

***chasm** [kǽzəm] *n.* Ⓒ ① (지면·바위 따위의) 깊게 갈라진 틈; 깊은 구렁; 균열: a ~ in the earth 지면의 균열. ② (의견 따위의) 소격(疎隔), 차이《*between*》: the ~ *between* capital and labor 노사간의 골〔의견 차이〕.

chas·sis [ʃǽsiː] (*pl.* ~ [-z]) *n.* Ⓒ ① (자동차·마차 따위의) 차대. ② (비행기의) 각부(脚部). ③ (포가(砲架)가 이동하는) 포좌(砲座). ④ 라디오·텔레비전 세트를 조립하는 대, 밑판.

***chaste** [tʃeist] (**chást·er** ; **chást·est**) *a.* ① 정숙한, 순결한: In the past, a woman needed to be ~ to make a good marriage. 과거에는 여자가 결혼을 잘 하려면 순결해야 했다. ② 고상한. ③ 순정(純正)한. ④ 조촐한, 간소한. ◇ chastity *n.* ㊕ **∠·ly** *ad.* **∠·ness** *n.*

***chas·ten** [tʃéisən] *vt.* ① **a**) (신이 사람)을 징벌하다. **b**) (고생이 사람)을 단련하다. ② **a**) (감정 따위)를 억제하다, 누그러지게 하다; 순화시키다. **b**) (작품 따위)를 세련하다. ㊕ **~ed** *a.* 징벌을 받은; 원만해진, 누그러진. **~·er** *n.* 응징자.

***chas·tise** [tʃæstáiz] *vt.* 《文語》 …을 응징하다; 매질하여 벌하다, 질책하다.

chas·tise·ment [tʃæstáizmənt, tʃǽstiz-] *n.* [U.C] 응징, 징벌; 엄한 질책.

***chas·ti·ty** [tʃǽstəti] *n.* Ⓤ ① 정숙; 순결: As a monk, he had taken vows of ~, poverty and obedience. 그는 수사로서 순결, 청빈, 복종의 서약을 하였다. ② 고상; 순정(純正). ③ (문체·취미 따위의) 간소.

chástity bèlt 정조대.

chas·u·ble [tʃǽzjəbəl, tʃǽs-] *n.* Ⓒ 〖가톨릭〗 제의(祭衣)《사제가 미사 때 alb 위에 입음》.

‡**chat** [tʃæt] (**-tt-**) *vi.* 《~ / +전+명》 잡담하다, 담소하다, 이야기하다: ~ *with* a friend 친구와 잡담하다 / We ~*ted away* in the lobby. 로비에서 잡담을 벌였다 / Let's ~ *over* a cup of tea. 차라도 마시며 이야기하세. ── *vt.* (허물없이 여자)에게 말을 건네다《*up*》: ~ *up* a girl 여자에게 말을 걸다 / If you need some more money, why don't you ~ your mother *up?* 돈이 좀더 필요하면 어머니한테 잘 말씀 드리는 게 어때? ── *n.* [U.C] 잡담, 한담, 세상 얘기.

châ·teau [ʃætóu] (*pl.* **~s, ~x** [-z]) *n.* Ⓒ 《F.》 ① **a**) 성(城). **b**) 대저택, 별장. ② (C-) 샤토《프랑스의 보르도주(酒) 산지(産地)의 포도원(園)》.

chat·e·laine [ʃǽtəlèin] *n.* Ⓒ ① **a**) 성주의 마님; 여자 성주. **b**) 대저택의 여주인; 여주인(hostess). ② (여성용) 허리띠의 장식용 사슬.

chát shòw 《英》 토크쇼.

chat·tel [tʃǽtl] *n.* Ⓒ 〖法〗 동산; 소지품; (*pl.*) 가재(家財): goods and ~*s* ⇨ GOODS.

cháttel mòrtgage 《美》 동산 저당.

‡**chat·ter** [tʃǽtər] *vi.* ① (뜻도 없이) 재잘재잘 지껄이다: ~ over one's needlework 바느질을 하면서 재잘재잘 지껄이다 / She spent the morning ~*ing away* to her friends. 그녀는 친구에게 수다를 떨며 아침을 보냈다 / Who ~*s* to you will ~ of you. 《俗談》 남의 소문을 자네에게 말하는 자는 자네의 소문도 말할 게다. ② (새가) 지저귀다;

(원숭이가) 캑캑 울다 : Monkeys ~. 원숭이가 캑캑거린다. ③ (기계 따위가) 달각달각 소리내다 ; (이 따위가) 딱딱 맞부딪치다《with》: My teeth ~*ed with* the cold. 추워서 이가 딱딱 맞부딪쳤다. — *n.* Ⓤ ① 지껄임, 수다. ② 지저귐 ; 캑캑 우는 소리. ③ (기계 따위의) 달각달각하는 소리, (이 따위가) 맞부딪쳐 딱딱하는 소리.

chat·ter·box [tʃǽtərbɑ̀ks / -bɔ̀ks] *n.* Ⓒ 수다쟁이. 「우는 새.

chat·ter·er [tʃǽtərər] *n.* Ⓒ ① 수다쟁이. ② 잘

chat·ty [tʃǽti] (***chat·ti·er*** ; ***-ti·est***) *a.* ① 수다스러운, 이야기 좋아하는. ② 기탄없는, 잡담(조)의 : a ~ letter 기탄없이 쓴 편지.

Chau·cer [tʃɔ́:sər] *n.* **Geoffrey** ~ 초서《영국의 시인 ; 1340 ? -1400》.

Chau·ce·ri·an [tʃɔ:síəriən] *a.* Chaucer 의〔에 관한〕. — *n.* Ⓒ Chaucer 연구가〔학자〕.

***chauf·feur** [ʃóufər, ʃoufə́:r] *n.* Ⓒ《F.》(주로 자가용차의) 운전사 : a ~-driven limousine 기사가 딸린 리무진. — *vt.* ① …의 운전사로서 일하다. ② …을 (차에) 태우고 가다. — *vi.* 자가용차 운전사 노릇을 하다.

chau·tau·qua [ʃətɔ́:kwə] *n.* Ⓒ《美》셔토쿼, (교육과 오락을 겸한) 여름철 야외 강습회《현재는 쇠퇴되었음》.

chau·vin·ism [ʃóuvənìzəm] *n.* Ⓤ 쇼비니즘. ① 맹목〔호전〕적 애국〔배외〕주의. ② 극단적인 배타〔우월〕주의 : ⇨ MALE CHAUVINISM.
㊎ **-ist** *n.* **chàu·vin·ís·tic** *a.* **-ti·cal·ly** *ad.*

†cheap [tʃi:p] (**∠·er** ; **∠·est**) *a.* ① 싼, 값이 싼. ⓞⓟⓟ *dear.* ¶ a ~ car 싼 차 / It is always ~*er* in the end to buy the best. 제일 좋은 것을 사는 것이 결국은 싸게 먹힌다. ② 싸게 파는, 싼 것을 파는 : a very ~ store 값이 아주 싼 가게. ③ 값싸게 손에 들어오는〔들어온〕; 힘들이지 않은 : a ~ victory 낙승(樂勝). ④ 싸구려의, 시시한, 속악(俗惡)한 : ~ quality 저급(低級) / a ~ novel 시시한〔삼류〕 소설 / ~ emotion 값싼 감동 / a ~ joke 저속한 농담. ⑤ (인플레 등으로) 구매력이 〔교환 가치가〕 떨어진 ; 저리(低利)의 : ~ money 저리의 돈〔자금〕. ⑥《英》할인한 : a ~ ticket 할인표. ⑦《美口》인색한(stingy). ***(as) ~ as dirt = dirt ~***《口》대단히〔퍽〕 싼, 헐값의. ***feel ~*** 멋쩍게 느끼다, 풀이 죽다, 손들다 : *feel* ~ about one's mistake 자기 잘못에 멋쩍어 하다. ***hold*** a person 〔thing〕 ~ 아무를〔무엇을〕 깔보다. — *ad.* 싸게 : buy 〔get, make〕 a thing ~ 물건을 싸게 사다〔손에 넣다, 만들다〕. — *n.* ★ 다음 成句로만 쓰임. ***on the ~*** 싸게(cheaply), 경제적으로 : travel *on the* ~ 싸게 여행하다.

cheap·en [tʃí:pən] *vt.* ①(물건)을 싸게 하다 ; …의 값을 깎아 주다. ② (물건·사람)을 경시하다, 얕보다 : Constant complaining ~*s* you. 늘 불평만 하고 있으면 사람이 천해진다. ③〔再歸的〕 자신의 평판을 떨어뜨리다. — *vi.* (값)싸지다.

cheap·ie [tʃí:pi] *n.* Ⓒ《美口》① 싸구려 물건〔영화〕. ② 인색한 사람. —《美口》*a.* 싸구려의.

cheap-jack [tʃí:pdʒæ̀k] *n.* Ⓒ 행상인 ; 싸구려 물건을 파는 사람. — *a.* 〔限定的〕 싸구려의, 품질이 나쁜. ㊎ **~·ly** *ad.* **~·ness** *n.*

cheapo [tʃí:pou] *n., a.* = CHEAPIE.

chéap shòt《美俗》비열〔부당〕한 언행.

cheap·skate [tʃí:pskèit] *n.* Ⓒ《口》구두쇠.

‡cheat [tʃi:t] *vt.* ① …을 기만하다, 속이다. ②《+목+전+명》…을 사취하다, 사기하다《(*out*) *of*》; …을 속여서 …하게 하다《(*into*) do*ing*》: He ~*ed* me (*out*) *of* my money. 그는 나를 속여 돈을 사취했다 / She ~*ed* me *into* accept*ing* the story. 그녀는 나에게 그 이야기를 감쪽같이 믿게 했다. ③ 용케〔계략을 써서〕 면하다〔벗어나다〕: ~ death 용케 죽음을 면하다.
— *vi.* ①《~ / +전+명》 부정(不正)한 짓을 하다, 협잡질하다《*at* ; *in* ; *on*》: ~ *at* cards 카드놀이에서 속임수를 쓰다 / ~ *in*〔*on*〕 an exam 시험에서 부정행위를 하다. ②《口》부정(不貞)을 저지르다《*on*》: His wife was ~*ing on* him while he was away. 그의 아내는 그가 없는 동안에 바람을 피우고 있었다. — *n.* ① Ⓤ,Ⓒ 속임수, 사기 ; (시험의) 부정 행위. ② Ⓒ 사기꾼.

cheat·er [∠ər] *n.* Ⓒ 사기〔협잡〕꾼.

†check [tʃek] *n.* ① Ⓤ,Ⓒ 저지, 억제, 정지 ; (돌연한) 방해 ; 반격 ; 좌절 : The enemy met with a ~. 적은 저지당했다 / The rain put a ~ to our plans. 비 때문에 우리의 계획은 중지되었다. ② Ⓒ 저지물, 막는 물건. ③ Ⓤ 감독, 관리, 지배. ④ Ⓒ 대조, 점검 ; 대조 표시(✓), 체크 ; 〖컴〗 검사《*on*》: make 〔run〕 a ~ *on* a report 보고의 사실 여부를 체크하다. ⑤ Ⓒ 꼬리표 ; 부신(符信) ; 물표, 상환권 : ⇨ BAGGAGE CHECK. ⑥ Ⓒ《美》수표(《英》 cheque) ;《美》(상점·식당 등의) 회계 전표 : a certified 〔crossed〕 ~ 보증〔횡선〕 수표. ⑦ Ⓤ,Ⓒ 바둑판〔체크〕 무늬(의 천). ⓒⓕ chequer. ⑧ 〖체스〗 장군, 체크 : put one's opponent in ~ 상대방에게 장군을 부르다. ⑨ Ⓒ 〖카드놀이〗 칩 : hand〔pass, cash〕 in one's ~*s* 칩을 현금으로 바꾸다. ***~s and balances***《美》억제와 균형《미국의 정치 원리》.
— *vt.* ① …을 저지하다(hinder), 방해하다; 반격하다 : The advance was ~*ed* by the river. 강 때문에 전진할 수 없었다. ② 억제하다, 억누르다 (restrain) : ~ one's laugh 웃음을 참다. ③《~ +목 / +목+전+명 / +목+부》 대조〔검사〕하다, 점검하다 : ~ a copy *with* the original 사본을 원본과 대조해 보다 / *Check* your accounts. 계산서를 점검하십시오 / Did you ~ them *off* ? 그것을 대조했습니까. ④ …에 대조 표시를 하다《*off*》. ⑤《~+목 / +목+전+명 / +목+부》 …에 꼬리표를 달다 ;《美》(물건을) 물표를 받고 보내다〔맡기다〕;《美》영수증과 맞바꾸어 넘겨주다 ;《美》(일시적으로) 두다, 맡(기)다 : Have you ~*ed* your baggage? 짐을 수화물로 하셨습니까 / *Check* your coat *at* the cloakroom. 코트는 휴대품 보관소에 보관해 주십시오. ⑥ …에 바둑판〔체크〕 무늬를 놓다. ⑦ 〖체스〗 장군을 부르다 : ~ a king.
— *vi.* ①《美》 일치〔부합〕하다《*with*》: The report ~*s* (*out*) *with* the facts in every detail. 보고서는 사실과 완전히 일치한다. ②《~ / +전+명》 조사하다, 체크하다《*on, upon*》: I'll ~ to make it sure. 다지기 위해 조사하겠다. ③ 조회하다《*with*》: I ~*ed with* him to see if his address was right. 그의 주소가 정확한지 어떤지 알아보기 위해 그에게 조회했다. ④ 〖체스〗 장군을 부르다 ; 〖포커〗 체크하다. ***~ in*** (1) (*vi.*) **a**) (호텔·공항 등에 도착하여) 기장하다, 체크인하다 : ~ *in* at a hotel 호텔에 체크인하다. **b**)《美口》(타임리코더를 기록하여) 출근하다, 도착하다 : I ~ *in* at the office at nine. 나는 9시에 회사에 출근한다. (2) (*vt.*) …을 위해 (호텔)에 예약을 잡다《*at*》; (손님 등)의 도착을 기록하다 ; 체크하여〔절차를 밟아〕 (책·짐 따위를) 수납하다〔맡기다, 돌려주다〕. ***~ into***《美口》(호텔 등)에 기장하다, 체크인하다. ***~ off*** (*vi.*)《英》퇴사하다. (*vt.*)《美》(1) 체크〔점검〕하다, 대조필의 표를 하다. (2) 떼다, 공제하다《급료에서 공제 조합비 등을》. ***~ out*** (*vi.*) (1) (호텔 따위에서) 셈을 치르고 나가다, 체크아웃하다《*from*》. (2) (타임리코더로 기록하고) 퇴사하다,

떠나다. (3)《俗》 사직하다 ; 죽다. (4) (조사하여) 잘 갖추어져 있음을 알다, (사실 따위와) 꼭 일치하다《with》; 능력〔성능〕 테스트에 합격하다. (vt.) (1) (손님 등)의 출발을 기록하다 ; 체크하고 〔절차를 밟고〕 (책·짐 등을) 빌려주다〔찾아 내다, 빌려 받다〕《of ; from》. (2) 조사하여 확인〔승인〕하다. (3) (슈퍼마켓 등에서 총액 계산을 하고) 상품의 대금을 받다〔지급하다〕. ~ **over** 철저하게 조사하다. ~ **up** (1) 대조하다 ; 자세히 조사하다. (2)《美》(양·능률·정확도 등을) 검사하다《on》. ── *int.* ①《美口》좋아 !, 옳지 !, 알았어 ! ②〖체스〗 장군 !

── *a.* 〔限定的〕 ① 검사〔대조〕용의. ② 바둑판〔체크〕 무늬의 : a ~ suit 체크 무늬 옷.

check·book [∠bùk] *n.* Ⓒ《美》수표장(《英》 chequebook) : ~ assistance 재정 지원.

chéckbook jóurnalism 큰 돈을 지불하고 기사나 인터뷰를 독점하는 관행.

chéck càrd《美》체크 카드, (은행이 발행하는) 크레디트 카드.

checked [tʃekt] *a.* 바둑판 무늬의, 체크 무늬의 : a ~ dress 체크 무늬의 드레스.

***check·er**[1] [tʃékər] *n.* ① Ⓒ 바둑판 무늬. ② (*pl.*)《美》서양 장기(《英》 draughts), 체커. ── *vt.* …을 바둑판 무늬로 하다 ; …에 변화를 주다.

check·er[2] *n.* Ⓒ ① 검사자. ② (휴대품 따위) 일시 보관원. ③ (슈퍼마켓 따위의) 현금 출납원.

check·er·board [-bɔ̀ːrd] *n.* Ⓒ《美》체커판 (《英》 draughtboard).

check·ered [tʃékərd] *a.* ① 바둑판 무늬의 ; 가지각색의. ② 변화가 많은 : a ~ career〔life〕 파란만장한 생애〔인생〕.

check·ers [-z] *n.* Ⓤ《美》서양 장기, 체커(《英》 draughts).

check·in [∠ìn] *n.* Ⓤ,Ⓒ (호텔 따위에서의) 숙박 절차, 체크인 ; (공항에서의) 탑승 절차. ── *a.* 〔限定的〕 체크인의.

chéck·ing accòunt [tʃékiŋ]《美》당좌예금 계정, 수표 계정 : ~ deposits 요구불 어음.

chéck lìst《美》대조표, 점검표, 체크리스트.

chéck màrk 대조 표시(✓).

check-mark [∠mɑːrk] *vt.* …에 대조 표시를 하다.

check·mate [∠mèit] *n.* Ⓤ,Ⓒ ①〖체스〗 장군 (mate) : give ~ (to) …에게 장군을 부르다. ② 좌절 : It looks like ~ for this particular scheme. 이 특별 계획은 좌절될 것 같다. ── *int.*〖체스〗 장군 !(★ Mate! 라고도 함). ── *vt.* ①〖체스〗 …에게 장군하다, 장군으로 이기다. ② …을 저지하다 ; 격파하다, 좌절〔실패〕시키다.

check·off [tʃékɔ̀ːf, -ɑ̀f] *n.* Ⓤ (급료에서의) 조합비 공제.

check·out [∠àut] *n.* ① Ⓤ,Ⓒ (호텔 등에서의) 퇴숙 절차〔시각〕. ② Ⓒ (기계·항공기 등의) 점검, 검사. ③ Ⓤ (슈퍼마켓의) 계산(대). ④ Ⓒ《美》 (도서관의) 도서 대출 절차.

chéck-out cóunter 계산대.

chéck-out dèsk (도서관의) 도서 대출 데스크.

check·point [∠pɔ̀int] *n.* Ⓒ ① 검문소, 체크포인트. ②〖컴〗 체크포인트, 검사점.

check·rein [∠rèin] *n.* Ⓒ (말이 머리를 숙이지 못하게 하는) 제지 고삐.

check·roll [∠ròul] *n.* =CHECK LIST.

check·room [∠rù(ː)m] *n.* Ⓒ《美》(외투·모자·가방 등의) 휴대품 보관소(cloakroom).

check·up [∠ʌ̀p] *n.* Ⓒ ① 대조 ; 점검, 검사. ② 건강 진단 : get〔have〕 a ~ 건강 진단을 받다.

check·writ·er [∠ràitər] *n.* Ⓒ 수표금액 인자기 (印字器).

Chéd·dar (chéese) [tʃédər (-)] *n.* Ⓤ 체더 (치즈)《잉글랜드 Somerset 주의 원산지명에서》.

†**cheek** [tʃiːk] *n.* ① Ⓒ 뺨, 볼 ; (*pl.*) 양볼 : She kissed him on the ~. 그녀는 그의 뺨에 키스를 했다. ② (*pl.*) 기구의 측면. ③ Ⓤ (또는 a ~)《口》 뻔뻔스러움, 건방진 말씨〔태도〕 : have *a* ~ 뻔뻔하다, 건방지다 / You've got *a* ~, coming in here. 여기에 들어오다니, 너 건방지구나 / None of your ~ ! 건방진 소리 마라 ! / He had the ~ to ask me to lend him some money. 그는 뻔뻔스럽게도 내게 돈을 꾸어달라고 말했다. ④ Ⓒ《俗》 궁둥이. ~ ***by jowl*** 꼭 붙어서 ; 정답게《with》: Bookstores stand ~ *by jowl* in this street. 이 거리에는 책방이 줄줄이 들어서 있다. ***turn the other*** ~ 부당한 처우를〔모욕을〕 얌전히 받다. ***with*** one***'s tongue in*** one***'s*** ~ = (***with***) ***tongue in*** ~ ⇨TONGUE. ── *vt.* 《口》 …에게 건방진 말을 하다, …에게 거만하게 굴다.

cheek·bone [∠bòun] *n.* Ⓒ 광대뼈.

cheeked [tʃiːkt] *a.* 〔흔히 複合語로〕 볼이 …한, …한 볼의 : red-~ 볼이 빨간.

cheeky [tʃíːki] (***cheek·i·er ; -i·est***) *a.* 《口》 건방진, 뻔뻔스러운(impudent) : They're such ~ boys. 그 애들 참 건방진 녀석들이군. ㊕ **chéek·i·ly** *ad.* **-i·ness** *n.*

cheep [tʃiːp] *vi.* (병아리 따위가) 삐악삐악 울다, (쥐 따위가) 찍찍 울다. ── *n.* Ⓒ 삐악삐악〔찍찍〕 우는 소리. ㊕ **∠·er** *n.* 새끼 ; 갓난아기.

‡**cheer** [tʃiər] *n.* ① Ⓒ 환호, 갈채, 만세 : give 〔raise〕 a ~ 갈채하다 / I heard a great ~ go up. 나는 크게 환호하는 소리를 들었다. ② Ⓤ 격려 : speak words of ~ 격려의 말을 하다 / two ~*s*《戲》건성으로 하는 격려, 마음이 없는 열의 (熱意). ③ Ⓒ (스포츠의) 응원, 성원 : a ~ section《美》응원단. ④ Ⓤ 활기, 쾌활, 원기 ; 기분 ;《古》표정, 안색 : What ~ ? (환자 등에게) 기분이 어떠세요 / Be of good ~ !《文語》기운 내라, 정신차려라. ⑤ Ⓒ 성찬, 음식 : make 〔enjoy〕 good ~ 성찬을 먹다 / The fewer the better ~. 《俗談》맛있는 음식은 사람이 적을수록 좋다. ⑥ (C-s !) 〔感歎詞的〕《口》**a)** 건배. **b)**《英口》안녕 : *Cheers* Paul. Bye bye mate. 안녕, 폴. 그럼 잘 있어. **c)** 고맙소 : Nice to talk to you. *Cheers*, thank you. 얘기 나누어 기쁩니다. 고마워요, 정말 고맙습니다.

── *vt.* ①《+목+전+명》…에 갈채를 보내다, …을 성원하다, 응원하다 : ~ a team *to* victory 팀을 응원하여 이기게 하다. ②《+목+부》…을 격려하다, 기쁘게 하다, …의 기운을 북돋우다 (encourage) ; …을 위로하다(comfort)《up》: One glance at her face ~*ed* him *up* again. 그녀의 얼굴을 보자 그는 다시 기운이 났다. ── *vi.* ① 갈채를 보내다. ②《+부》기운이 나다《up》: *Cheer up !* 기운을 내라 / ~ *up* at good news 희소식에 기운이 나다.

‡**cheer·ful** [tʃíərfəl] (***more*** ~ ; ***most*** ~) *a.* ① 기분좋은, 기운찬. ② 마음을 밝게 하는, 즐거운, 기분이 상쾌한 : ~ surroundings 쾌적한 환경. ③ 기꺼이 …하는, 마음으로부터의 : a ~ giver 선뜻 물건을 주는 사람.

cheer·ful·ly [-li] *ad.* 쾌활하게 ; 즐겁게.

cheer·ful·ness [-nis] *n.* Ⓤ 유쾌〔쾌활〕함, 기분좋음.

cheer·i·ly [tʃíərəli] *ad.* 기운차게, 쾌활하게, 밝게〔명랑하게〕.

cheer·ing [tʃíəriŋ] *a.* ① 원기를 돋우는, 격려하는, 신나게 하는. ② 갈채하는 : a ~ crowd 갈채하는 군중.

cheer·io(h) [tʃìərióu] *int.* 《英口》 ① 잘 있게, 또 봄세《작별인사》. ② 축하합니다, 건배!.
***cheer·lead·er** [tʃíərlì:dər] *n.* Ⓒ 《美》 (보통 여성인) 응원단장.
cheer·less [tʃíərlis] *a.* 음산한, 쓸쓸한, 어두운. ㊕ ~·**ly** *ad.* ~·**ness** *n.*
***cheery** [tʃíəri] (*cheer·i·er ; -i·est*) *a.* 기분이 좋은; (보기에) 원기있는(lively), 명랑한, 유쾌한. 《★ cheerful 은 기분에 대하여, cheery 는 외견에 대하여 이를 때가 많음》. ㊕ **chéer·i·ness** *n.*
†**cheese**[1] [tʃi:z] *n.* ① Ⓤ.Ⓒ 치즈: a piece of ~ 치즈 한 개[조각]. ② Ⓒ 치즈 모양의[비슷한] 것. ***hard*** ~ 《英》 불운: *Hard* ~ ! 참 안됐군요. ***Say "cheese"!*** '치즈'라고 말하세요, 자 웃으세요《사진을 찍을 때 하는 말》.
cheese[2] *n.* Ⓒ 《俗》 (the big ~) 높은 사람, 보스(boss).
cheese[3] *vt.* 《口》 …을 그만 두다. 《★ 주로 다음 成句로》. ***Cheese it !*** (1) 그만둬!; 튀어라! (2) 조심해!
cheese·board [-bɔ̀:rd] *n.* Ⓒ ① 치즈보드《치즈를 담는 판》. ② (판 위의) 여러 가지 치즈.
cheese·burg·er [-bə̀:rgər] *n.* Ⓤ.Ⓒ 치즈버거《치즈와 햄버거를 넣은 샌드위치》.
cheese·cake [-kèik] *n.* Ⓤ.Ⓒ ① 치즈케이크《과자》. ② Ⓤ 《俗》 [集合的] 성적 매력을 강조한 누드 사진.
cheese·cloth [-klɔ̀:θ, -klɑ̀θ] *n.* Ⓤ 일종의 투박한 무명(《英》 butter muslin).
cheesed [tʃi:zd] *a.* [敍述的] 《英俗》 진절머리나는, 아주 싫증나는(*off*): I did get a bit ~ *off* with the movie's rather plodding pace. 나는 그 영화의 다소 느린 페이스에 좀 진력이 났다.
cheese·mon·ger [-mʌ̀ŋgər] *n.* Ⓒ 치즈·버터 장수.
cheese·par·ing [-pɛ̀əriŋ] *n.* Ⓤ 인색함, 쩨쩨함. ── *a.* [限定的] 인색한(stingy).
chéese stràws 치즈스트로《가루 치즈를 발라 구운 길쭉한 비스킷》.
cheesy [tʃí:zi] (*chees·i·er ; -i·est*) *a.* ① 치즈질(質)의, 치즈 맛이 나는: ~ biscuits 치즈맛 비스킷. ② 《俗》 하치의, 하찮은, 싸구려의.
chee·tah [tʃí:tə] *n.* Ⓒ 치타《표범 비슷한 동물; 길들여 사냥에 씀; 남아시아·아프리카산》.
chef [ʃef] *n.* Ⓒ 《F.》 주방장; 요리사, 쿡.
chef-d'oeu·vre [ʃeidə́:vər] (*pl.* ***chefs-*** [—]) *n.* Ⓒ 《F.》 걸작.
Che·khov [tʃékɔ:f / -ɔf] *n.* **Anton** ~ 체호프《러시아의 소설가·극작가; 1860-1904》. 「집게발.
che·la [kí:lə] (*pl.* ***-lae*** [-li:]) *n.* (새우·게 등의)
chem. chemical; chemist; chemistry.
‡**chem·i·cal** [kémikəl] *a.* 화학의, 화학상의; 화학용의; 화학적인: ~ analysis 화학 분석 / the ~ industry 화학 공업 / ~ reaction 화학 반응 / ~ textile 화학 섬유 / ~ weapons 화학 무기 / a ~ works 제약 공장. ── *n.* Ⓒ (종종 *pl.*) 화학 제품[약품].
chem·i·cal·ly [-kəli] *ad.* 화학 작용으로; 화학적으로: *Chemically*, the two substances are very similar. 화학적으로 그 두 물질은 아주 비슷하다.
Chémical Máce =MACE《商標名》.
***che·mise** [ʃəmí:z] *n.* Ⓒ 슈미즈《여성용 속옷의 일종》.
‡**chem·ist** [kémist] *n.* Ⓒ ① 화학자. ② 《英》 약사, 약장수(《美》 druggist): a ~'s shop 《英》 약국(《美》 drugstore).
‡**chem·is·try** [kémistri] *n.* Ⓤ ① 화학: applied ~ 응용 화학. ② 화학적 성질, 화학 작용. ③ 《比》 이상한 변화. ④ 궁합(이 맞음); 공명공감; 죽이 맞음, 마음이 통함.
che·mo·ther·a·py [kèmouθérəpi, kì:-] *n.* Ⓤ 화학요법.
㊕ **che·mo·ther·a·peu·tic** [kì:mouθèrəpjú:tik] *a.*
chem·ur·gy [kémə:rdʒi] *n.* Ⓤ 농산화학. ㊕ **che·mur·gic** *a.* 「로 꼰 실의 일종》.
che·nille [ʃəní:l] *n.* Ⓤ 슈닐《가장자리 장식용으
***cheque** [tʃek] *n.* Ⓒ 《英》 수표(《美》 check).
cheque·book [-bùk] *n.* 《英》 =CHECKBOOK.
chéque càrd 《英》 =CHECK CARD.
***cheq·uer** [tʃékər] *n.* 《英》 =CHECKER[1].
cher [ʃɛər] *a.* 《俗》 매력적인; 유행에 정통한.
‡**cher·ish** [tʃériʃ] *vt.* ① …을 소중히 여기다, 귀여워하다: ~ one's family 가족을 소중히 여기다 / She ~*es* her grandson. 그녀는 손자를 귀여워하고 있다. ② 《~+目/+目+前+名》 (소원 등)을 품다: ~ the religion in the heart 그 종교를 마음속으로 몰래 신봉하다 / ~ a grudge *against* a person 아무에게 원한을 품다.
Cher·no·byl [tʃə:rnóubil] *n.* 체르노빌《우크라이나 공화국의 Kiev 북쪽 130 km에 위치한 도시; 1986년 원자로 사고가 남》.
Cher·o·kee [tʃérəki:, ⌐-⌐] (*pl.* ~(***s***)) *n.* ① **a)** (the ~(s)) 체로키족《북아메리카 인디언》. **b)** Ⓒ 체로키 사람. ② Ⓤ 체로키어.
che·root [ʃərú:t] *n.* Ⓒ 양끝을 자른 여송연.
‡**cher·ry** [tʃéri] *n.* ① Ⓒ 버찌; 체리. ② Ⓒ 벚나무. ③ Ⓤ 벚나무 재목. ④ Ⓤ 버찌색. ⑤ (*sing.*) 《卑》 처녀막[성]: lose one's ~ 처녀성을 잃다. ***make*** [***take***] ***two bites at*** [***of***] ***a*** ~ 한 번에 될 일을 두 번에 하다; 꾸물거리다. ── *a.* ① 버찌(빛깔)의; 버찌가 든: ~ lips 빨간 입술. ② [限定的] 벚나무 재목으로 만든. ③ 《俗》 **a)** 처녀의. **b)** 경험이 없는; 새것인.
‡**chérry blòssom** (흔히 *pl.*) 벚꽃.
chérry brándy 버찌를 넣어 만든 브랜디.
chérry pìcker 사람을 올리고 내리는 이동식 크레인.
chérry píe 체리 파이.
cher·ry·stone [-stòun] *n.* Ⓒ 버찌씨.
chérry tomàto 체리 토마토, 방울 토마토.
‡**chérry trèe** 벚나무.
cherry wood =CHERRY ③.
chert [tʃə:rt] *n.* Ⓤ 〖鑛〗 수암(燧岩), 각암(角岩).
cher·ub** [tʃérəb] (*pl.* ***~s, cher·u·bim [-ìm]) *n.* Ⓒ ① 지품천사(智品天使), 게루빔《제 2 계급에 속하는 천사; 지식을 맡음》. ② (*pl.* ~***s***) 〖美術〗 천동(天童)《날개를 가진 귀여운 아이의 그림》. ③ (천사처럼) 순진한 어린이, 통통히 살찐 귀여운 아이; 동안(童顔)인 사람. cf. seraph. ㊕ ~·**like** *a.*
che·ru·bic [tʃərú:bik] *a.* 천사의, 천사같은; 천진스러운, 귀여운: a ~ child 천사 같은 아이 / The child had a round, ~ face. 그 애는 얼굴이 둥그스름하고 천진스러웠다. ㊕ **-bi·cal·ly** *ad.*
cher·u·bim [tʃérəbìm] *n.* cherub 의 복수형.
cher·vil [tʃə́:rvil] *n.* Ⓤ 〖植〗 파슬리류(類)《샐러드용》.
Ches. Cheshire.
Chés·a·peake Báy [tʃésəpì:k-] 체서피크 만《미국 Maryland 주와 Virginia 주 사이의 만》.
Chesh·ire [tʃéʃər] *n.* 체셔《잉글랜드 북서부의 주; 주도 Chester; 略: Ches.》. ***grin like a ~ cat*** 《口》 공연히 능글맞게 웃다.
Chéshire chéese Cheshire 에서 나는 크고 둥글넓적한 치즈. 「~ 체스를 하다.
‡**chess** [tʃes] *n.* Ⓤ 체스, 서양 장기: play (at)
chess·board [-bɔ̀:rd] *n.* Ⓒ 체스판.
ches·sel [tʃésəl] *n.* Ⓒ 치즈 제조용의 틀.
chess·man [tʃésmæ̀n, -mən] (*pl.* ***-men*** [-mèn,

-mən]) *n.* Ⓒ (체스의) 말.

‡**chest** [tʃest] *n.* Ⓒ ① (뚜껑 달린) 대형 상자, 궤 : a medicine ~ 약궤 / a carpenter's ~ 목수의 연장통. ② (공공 단체의) 금고 ; 《比》 자금. ③ 흉곽, 가슴 : ~ trouble 폐병 / a cold on the ~ 기침 감기 / What size are you round the ~? 너의 가슴둘레 사이즈는 얼마냐? ④ (가스 등의) 밀폐 용기. ***get ... off** one's* ~ (염려되던 것을) 털어 놓아 시원하다. ***have ... on** one's* ~ 《口》 … 이 마음에 걸리다.

chest·ed [tʃéstid] *a.* 〔주로 複合語로〕 가슴이 … 한 : broad-〔flat-〕~ 가슴이 넓은〔납작한〕.

ches·ter·field [tʃéstərfi:ld] *n.* Ⓒ 체스터필드. ① (벨벳깃을 단) 싱글 외투의 일종. ② 침대 겸용의 대형 소파.

‡**chest·nut** [tʃésnʌ̀t, -nət] *n.* ① Ⓒ 밤 ; 밤나무(= ∠ **trèe**) : roast ~*s* 밤을 굽다. ② Ⓤ 밤나무 재목 (~ wood). ③ Ⓤ 밤색, 고동색. ④ Ⓒ 구렁말. ⑤ Ⓒ 《口》 케케묵은 이야기〔재담, 곡(曲)〕: Oh no, not that old ~! 오, 그만. 그 케케묵은 이야긴 그만둬! ***pull** a person's ~s **out of the fire*** 불속의 밤을 꺼내다, 남을 위해 위험을 무릅쓰다. — *a.* 밤색의, 적갈색의.

chést vòice 〖樂〗 흉성(胸聲), 가슴소리.

chesty [tʃésti] (***chest·ier ; -i·est***) *a.* ① 《口》 가슴이 넓은 ; (특히, 여성의) 가슴이 풍만한. ② 《美俗》 뽐내는, 거만한. ③ 《英口》 가슴 질환의 징후가 있는 ; 가슴을 앓은.

che·vál glàss [ʃəvǽl-] 체경(體鏡).

chev·a·lier [ʃèvəlíər] *n.* Ⓒ 《F.》 ① (중세의) 기사(knight). ② (프랑스 등의) 훈작사(勳爵士). ③ 기사다운 사나이, 의협적인 사람.

chev·i·ot [tʃéviət, tʃí:v-] *n.* Ⓤ 체비엇 양털로 짠 두꺼운 모직물.

chéviot Hílls (the ~) 체비엇 산맥《잉글랜드와 스코틀랜드의 경계에 있는 구릉 지대》.

Chev·ro·let [ʃèvrəléi, ʃévrəlèi] *n.* Ⓒ 시보레《자동차 이름 ; 商標名》.

chev·ron [ʃévrən] *n.* Ⓒ 갈매기표 수장(袖章)《영국에서는 근무 연한, 미국에서는 계급을 표시》.

chevy, chev·vy [tʃévi] *n., v.* =CHIV(V)Y.

‡**chew** [tʃu:] *vt.* ① …을 씹다 : This meat so tough I can hardly ~ it. 이 고기는 너무 질겨서 씹을 수가 없다. ② **a)** …을 깊이 생각하다, (심사) 숙고하다《*over ; on*》: ~ the problem *over* 그 문제를 숙고하다. **b)** …을 충분히 의논하다《*over*》: Let's sit down and ~ this *over.* 앉아서 이것을 잘 의논해 보자. — *vi.* ① 씹다《*at*》: The dog was ~*ing at* a large bone. 개가 큰 뼈다귀를 깨물고 있었다. ② 《美口》 씹는 담배를 씹다. ***be ~ed up*** …을 몹시 걱정하다. ***bite off more than** one **can*** ~ 《口》 힘에 겨운 일〔큰 일〕을 하려고 하다〔에 손을 대다〕. ~ ***out*** 《美俗》 호되게 꾸짖다, 호통치다 : I know I'm late, you don't have to ~ me *out!* 그래, 내가 늦었어. 그렇다고 나를 야단칠 것까지야 없지 않나! ~ ***the cud*** ⇨ CUD. ~ ***the fat*** 《口》 지껄이다, 재잘거리다. ~ ***the rag*** 《美俗》 지껄이다, 논하다 ; 《英口》 불평하다, 투덜거리다. ~ ***up*** (1) 짓씹다. (2) 파괴하다, 못쓰게 만들다. — *n.* ① (a ~) 저작, 씹기 ; 한 번 씹기 : have *a* ~ of gum 껌을 씹다. ② Ⓒ 씹는 과자《캔디 따위》.

chew·a·ble [-əbəl] *a.* 씹을 수 있는. — *n.* Ⓒ 씹을 수 있는 것.

chéwing gùm 껌.

chewy [tʃú:i] (***chew·i·er ; -i·est***) *a.* ① 잘 씹어지지 않는. ② 잘 씹을 필요가 있는.

Chey·enne [ʃaién, -ǽn] (*pl.* ~(***s***)) *n.* ① **a)** (the ~(s)) 샤이엔족《북아메리카 원주민》. **b)** Ⓒ 샤이엔 사람. ② Ⓤ 샤이엔어(語).

chg., chge. change ; charge. ⌈《X, *x*》.

chi [kai] *n.* Ⓤ,Ⓒ 그리스어 알파벳의 22 번째 글자

Chiang Kai-shek [tʃǽŋkaiʃék] 장 제스(蔣介石)《중국의 정치가 ; 1887-1975》.

Chi·an·ti [kiǽnti, -á:n-] *n.* Ⓤ,Ⓒ 《It.》 키안티《이탈리아 원산의 붉은 포도주》.

chi·a·ro·scu·ro [kiɑ̀:rəskjú:rou] *n.* 《It.》 ① Ⓤ 〖美術〗 명암〔농담〕의 배합 ; 〖文藝〗 명암(대조)법. ② Ⓒ 명암의 배합을 노린 그림〔목판화〕.

chic [ʃi(:)k] *n.* Ⓤ 《F.》 멋, 스마트함 : She dresses with ~. 그녀는 맵시있게 옷을 입는다. — *a.* (***chíc·quer ; ∠·quest***) 멋진, 스마트한, 세련된.

Chi·ca·go [ʃiká:gou, -kɔ́:-] *n.* 시카고《미국 중부의 대도시》.

Chi·ca·go·an [-ən] *n.* Ⓒ 시카고 시민.

chi·cane [ʃikéin] *n.* ① =CHICANERY. ② Ⓒ 〖카드놀이〗 으뜸패가 한 장도 없는 사람(에게 주어지는 득점). ③ Ⓒ 시케인《자동차 경주 도로의 감속용 장애물》. — *vi.* 궤변으로 얼버무리다, 둘러대다. — *vt.* ① …을 속이다. ② (사람)을 속여서 … 하게 하다〔빼앗다〕.

chi·can·ery [ʃikéinəri] *n.* Ⓤ,Ⓒ 꾸며댐, 발뺌, 속임수, 궤변 ; 책략 : political ~ 정치적 책략.

Chi·ca·no [tʃiká:nou] (*pl.* ~***s***) *n.* Ⓒ 치카노《멕시코계 미국인》.

Chich·es·ter [tʃítʃəstər] *n.* 치체스터《잉글랜드 West Sussex 주의 주도(州都)》.

chi·chi [tʃí:tʃi:] *a.* ① (복장 등) 현란한 ; 멋을 부린. ② 멋진, 세련된. — *n.* ① Ⓤ 멋을 부림. ② Ⓒ (현란한) 장식, 멋진 것.

***chick** [tʃik] *n.* Ⓒ ① 병아리, 새새끼. ② 《애칭》 어린애. ③ 《俗》 아가씨, 계집애.

chick·a·dee [tʃíkədi:] *n.* Ⓒ 〖鳥〗 박새류.

†**chick·en** [tʃíkin] (*pl.* ~(***s***)) *n.* ① Ⓒ 새새끼 ; 《특히》 병아리 : hatch ~*s* 병아리를 까다〔부화하다〕. ② **a)** Ⓒ 닭(fowl). **b)** Ⓤ 닭고기. ③ Ⓒ 〔흔히 no ~으로〕 《口》 아이, 애송이 ; 《특히》 계집아이 : She is *no* ~. 그녀는 이젠 어린애가 아니다 ; 《口》 이젠 젊지 않다, 웬만한 나이다. ④ Ⓒ 《俗》 겁쟁이 ; 신병(新兵). ***count** one's ~s **before they are hatched*** 떡줄 놈은 생각도 않는데 김칫국부터 마신다. ***go to bed with the ~s*** 일찍 자다. ***play*** ~ 《美俗》 상대가 물러서기를 기대하면서 서로 도전하다.

— (***more*** ~ ; ***most*** ~) *a.* ① 〔限定的〕 닭고기의〔가 든〕 : ~ soup 닭고기국. ② 〔限定的〕 작은, 사소한 : a ~ lobster 잔 새우. ③ 〔敍述的〕 《俗》 겁많은, 비겁〔비열〕한 : He's ~. 그는 겁쟁이다. — *vi.* 〔다음 成句로〕 ~ ***out*** 《口》 겁을 먹고 (…에서) 물러서다, 꽁무니 빼다《*of*》: ~ *out of* jumping 겁이 나서 점프하는 것을 그만두다.

chick·en-and-egg [tʃíkinəndég] *a.* (논의 따위가) 닭이 먼저냐 달걀이 먼저냐의, 해결이 되지 않는.

chícken brèast 새가슴.

chick·en-breast·ed [-brèstid] *a.* 새가슴의.

chícken fèed 《口》 잔돈 ; 푼돈 : He's earning ~ compared to what you get. 그는 네가 버는 것에 비하면 쥐꼬리만큼 벌고 있다.

chick·en-fried [∠fraid] *a.* 《美》 닭을 튀김옷을 입혀서 튀긴.

chick·en-heart·ed 〔**-liv·ered**〕 [-há:rtid 〔-lívərd〕] *a.* 겁많은, 소심한(timid).

chícken pòx 〖醫〗 수두(水痘), 작은 마마.

chícken wìre (그물눈이 육각형으로 된) 철망. 《★ 닭장에 잘 쓰이는 데서》.

chick·pea [tʃíkpi:] *n.* Ⓒ 이집트콩, 병아리콩.

chick·weed [tʃíkwi:d] *n.* Ⓤ 〖植〗 별꽃.

chic·le [tʃíkəl] *n.* Ⓤ 치클《sapodilla에서 채취하

는 껌의 원료》.

chic·o·ry [tʃíkəri] *n.* Ⓤ 〖植〗 치코리《유럽산 ; 잎은 샐러드용, 뿌리는 커피의 대용》.

***chide** [tʃaid] (**chid** [tʃid], **chid·ed** [tʃáidid] ; **chid·den** [tʃídn], **chid, chid·ed**) *vt.* ① …을 꾸짖다(scold), 나무라다《*for* do*ing*》: She ~*d* her child *for* cutt*ing* in. 그녀는 아이가 이야기에 불쑥 끼어든다고 나무랐다. ② 꾸짖어서 …하게 하다《*into*》: ~ a person *into* apologiz*ing* 아무를 꾸짖어 사과하도록 하다. ── *vi.* 사람을 꾸짖다.

†**chief** [tʃi:f] (*pl.* ~**s**) *n.* Ⓒ ① 장(長), 우두머리, 지배자. ② (종족의) 추장, 족장. ③ 장관, 국장, 과장, 소장. ④《俗》상사, 보스(boss), 두목. ***in*** ~ (1) 최고위의, 주된 : the editor *in* ~ 편집장 / ⇨ COMMANDER IN CHIEF. (2) 주로(chiefly) ; 특히. ── *a.* 〔限定的〕 ① 최고의, 우두머리의, 제 1 위의 : ~ engineer 〔nurse〕 기사장〔수간호사〕. ② 주요한, 주된 : the ~ reason 주된 이유.

chíef cónstable 《英》 (시·주의) 경찰서장.

chíef inspéctor 《英》 (경찰의) 경위.

chíef jústice (the ~) 재판장 ; 법원장. ***the Chief Justice of the United States*** 미연방 대법원장.

‡**chief·ly** [tʃí:fli] *ad.* ① 주로(mainly) : be ~ made of wood 주로 나무로 만들어져 있다. ② 무엇보다도, 우선, 특히 : *Chiefly* I want you to be more frank. 무엇보다도 자네가 좀 더 솔직히 말해주기를 바라네.

***chief·tain** [tʃí:ftən] *n.* Ⓒ ① 지도자 ; (산적 등의) 두목 : the legendary British ~, King Arthur 영국의 전설적인 지도자 아서왕. ② (스코틀랜드 고지의 씨족, 인디언 부족의) 족장, 추장. ㊞ ~·**cy** [-si], ~·**ship** [-ʃìp] *n.*

chif·fon [ʃifán, ⌐-/⌐fɔn] *n.* 《F.》 ① Ⓤ 시퐁, 견(絹) 모슬린. ② (*pl.*) (여성복의) 가장자리 장식《레이스·리본 따위》. ── *a.* ① 시퐁과 같이 얇은 〔부드러운〕. ② (거품 흰자 따위를 넣어) 말랑한 《파이·케이크 등》.

chif·fo·nier [ʃìfəníər] *n.* Ⓒ 양복장《폭이 좁고 높으며, 대개 거울이 달림》.

chig·ger [tʃígər] *n.* Ⓒ ① 진드기의 일종. ② 벼룩의 일종(chigoe).

chi·gnon [ʃí:njɑn, ʃi:nʌ́n] *n.* Ⓒ 《F.》 시뇽《뒷머리에 땋아 붙인 여성의 쪽머리의 하나》.

chig·oe [tʃígou] *n.* Ⓒ 모래벼룩(sand flea)《사람·가축의 피부에 기생》.

chi·hua·hua [tʃiwɑ́:wɑ:, -wə] *n.* Ⓒ 치와와《멕시코 원산의 작은 개의 품종》.

chil·blain [tʃílblèin] *n.* Ⓒ (흔히 *pl.*) 동상(凍傷) 《frostbite보다 가벼움》.

chil·blained [-d] *a.* 동상에 걸린.

†**child** [tʃaild] (*pl.* **chil·dren** [tʃíldrən]) *n.* Ⓒ ① 아이 ; 사내〔계집〕 아이, 어린이, 아동 ; 유아 : *children's* diseases 소아병(小兒病) / The ~ is (the) father of 〔to〕 the man. 《俗談》 세살 적 버릇이 여든까지 간다. ② 자식, 아들, 딸《연령에 관계 없이》; 자손(offspring)《*of*》: an only ~ 외아들 / the eldest ~ 장자 / a ~ *of* Abraham 아브라함의 자손, 유대인. ③ 어린애 같은 사람, 유치하고 경험 없는 사람 : Don't be a ~! 바보 같은 짓 마라. ④《比》제자(disciple), 숭배자《*of*》: a ~ *of* God 하느님의 아들, 선인, 신자 / a ~ *of* the Devil 악마의 자식, 악인. ⑤ (어느 특수한 환경에) 태어난 사람, (어느 특수한 성질에) 관련 있는 사람《*of*》: a ~ *of* the Renaissance 르네상스가 낳은 인물. ⑥ (두뇌·공상 등의) 소산, 산물 : a fancy's ~ 공상의 산물. ***with*** ~ 임신하여 : be *with* ~ by …의 아이를 배고 있다 / get a woman *with* ~ 임신시키다 / go *with* ~ (여자가) 임신하고 있다. ── *a.* 어린이의 ; 어린이인 : ~ welfare 아동 복지 / a ~ wife 나이어린 아내.

chíld abùse 어린이 학대.

child·bear·ing [⌐bὲəriŋ] *n.* Ⓤ 해산. ── *a.* (나이가) 임신 가능한 : women of ~ age 임신 가능한 나이의 여자들.

child·bed [⌐bèd] *n.* Ⓤ 산욕(産褥) ; 해산, 분만 : die in ~ 해산중에 죽다 / ~ fever 산욕열.

chíld bénefit 《英》 (국가에서 지급하는) 아동 수당.

child·birth [⌐bə̀:rθ] *n.* Ⓤ,Ⓒ 분만, 해산(parturition) : a difficult ~ 난산.

chíld càre 《英》 아동 보호.

child·care [⌐kὲər] *a.* 육아의, 보육의.

‡**child·hood** [tʃáildhùd] *n.* Ⓤ,Ⓒ ① 어린 시절, 유년 시절 : Her early ~ had been very happy. 그녀의 초기 유년 시절은 아주 행복했었다. ② 초기의 시대, 초기 단계. ***in** one′**s*** ~ 어릴 적에. ***in** one′**s second*** ~ 늘그막에.

‡**child·ish** [tʃáildiʃ] (**more** ~ ; **most** ~) *a.* ① 어린애 같은, 앳된, 유치한 ; 어른답지 못한 ; 어리석은 : a ~ idea 유치한 생각 / ~ innocence 어린애 같은 천진성 / It's ~ of you to say that. 그런 말을 하다니 자네도 어린애 같구려 그래. ② 어린애의, 어린. Ⓒⓕ childlike. ㊞ ~·**ly** *ad.* ~·**ness** *n.*

chíld lábor 미성년 노동《미국서는 15 세 이하》.

child·less [tʃáildlis] *a.* 아이가 없는.

***child·like** [⌐làik] *a.* 〔좋은 뜻으로〕 어린애 같은〔다운〕; 순진한, 귀여운.

child·mind·er [⌐màindər] *n.* Ⓒ 《英》 애보는 사람 ; 보모.

child·proof [⌐prù:f] *a.* 어린애는 다룰 수 없는 ; 어린애에게 안전한 : ~ caps 어린애는 열 수 없는 병(마개) / Medicines should be kept in ~ containers. 약은 애들이 다룰 수 없는 용기에 보관되어야 한다.

chíld psychólogy 〖心〗 아동 심리학.

†**chil·dren** [tʃíldrən] *n.* CHILD의 복수.

chíld's plày 〔항상 無冠詞〕《口》 ① 아이들 장난(같이 쉬운 일) : It's mere ~ for him. 그에게 있어서 그건 식은죽 먹기다. ② 시시한 일.

chile ⇨CHILI.

***Chile** [tʃíli] *n.* 칠레《남아메리카 남서부의 공화국 ; 수도 Santiago》.

Chíl·e·an [-ən] *a.* 칠레(사람)의. ── *n.* Ⓒ 칠레 사람.

Chíle saltpéter 〔**níter**〕 〖鑛〗 칠레 초석.

chili, chile, chil·li [tʃíli] (*pl.* ~**s, chíll·ies**) *n.* **a)** Ⓒ 〖植〗 칠레고추《열대 아메리카 원산》. **b)** Ⓤ 이 열매로 만든 향신료.

chíli pèpper =CHILI.

chíli sàuce 칠레 고추를 넣은 토마토 소스.

‡**chill** [tʃil] *n.* ① Ⓒ (흔히 *sing.*) **a)** 냉기, 한기 : the ~ of early dawn 새벽의 냉기. **b)** 으스스함, 오싹함 : I feel a ~ creep over me. 몸이 오싹오싹한다 / The sight sent a ~ to my heart. 그것을 보고 오싹 소름이 끼쳤다. ② Ⓒ 오한, 한기 ; 감기 : take〔catch〕 a ~ 오한이 나다〔감기가 들다〕. ③ (*sing.*) 냉담, 쌀쌀함 ; 흥을 깸, 불쾌 : cast a ~ over 〔upon〕 …의 흥을 깨다 ; …에 찬물을 끼얹다. ***take the** ~ **off*** (물·술 따위를) 약간 데우다, 거냉하다. ── (⌐·**er** ; ⌐·**est**) *a.* ① 차가운, 냉랭한 ; 오싹하는 : The night is ~. 냉랭한 밤이다. ②《文語》 냉담한, 쌀쌀한 : a ~ reception 쌀쌀한 대접. ③ 〔副詞的〕《美俗》 완전한〔히〕, 정확한〔히〕, 완벽한〔히〕. ── *vt.* ① …을 식히다, 냉각하다, (음식물·포도주)를 차게 하여 맛있게 하다 ; 냉장하다. ② …을 춥게 하다, 오싹하게 하다 : be ~*ed* to the bone 추위가 뼛속까지 스며들다 ;

오싹 소름이 끼치다 / They were *~ed* at the prospect of a long and bitter war. 그들은 처참한 장기전이 예상되어 흠칫하였다. ③ (정열 따위)를 식히다 ; …의 흥을 깨다, 낙담시키다 : ~ a person's hopes 아무의 희망을 꺾어버리다. ④〖冶〗(쇳물)을 급랭 응고시키다. ⑤《美俗》…을 (때려) 기절시키다, 죽이다. — *vi.* ① 차지다, 식다. ② 추위를 느끼다, 으스스〔오싹〕해지다 : My very blood *~s* at the thought of it. 그것을 생각하면 오싹하고 소름이 끼친다. ③〖冶〗(쇳물이) 급랭 응고하다. ~ ***out*** 《美俗》 침착해지다, 냉정해지다. ~ ***a person's blood*** 아무의 간담을 서늘하게 하다.

chilled [-d] *a.* ① 차가워진, 냉각한, 냉장한 : a ~ wind 찬바람 / ~ milk 차게 한 우유 / ~ meat 냉장육. ②〖冶〗(강철 등이) 냉경(冷硬)된, 급랭 응고된 : ~ casting 냉경 주물.

chi·ller [-lər] *n.* Ⓒ ① 냉동〔냉장〕 장치, 냉장실〔담당원〕. ②《口》 오싹하게 하는 이야기〔영화〕, 괴기 소설.

chil·li [tʃíli] (*pl.* ***~es***) *n.* 《英》 =CHILI.

chil·li·ly [tʃíləli] *ad.* 쌀쌀하게, 냉담하게.

chill·i·ness [tʃílinis] *n.* Ⓤ 냉기, 한기 ; 냉담.

ː**chil·ly** [tʃíli] (***-li·er ; -li·est***) *a.* ① (날·날씨 따위) 차가운, 으스스한 : a ~ morning 차가운 아침. ② (사람이) 추위를 타는 : feel〔be〕 ~ 추위를 느끼다, 으스스하다. ③ 냉담한, 쌀쌀한. — *ad.* 냉담하게.

chi·mae·ra [kimíːrə, kai-] *n.* =CHIMERA.

ː**chime** [tʃaim] *n.* ① Ⓒ 차임, (조율을 한) 한 벌의 종 ; (흔히 *pl.*) 관종(管鐘)《오케스트라용(用) 악기》; (종종 *pl.*) 그 종소리 : ring〔listen to〕 the *~s* 차임을 울리다〔듣다〕. ② Ⓒ **a)** (문·시계 등의) 차임(장치). **b)** (종종 *pl.*) 차임 소리. ③ Ⓤ 해조(諧調), 선율(melody). ④ Ⓤ 조화, 일치 : fall ~ with …와 조화하다. — *vt.* ① (차임·종)을 울리다. ② (선율·음악)을 차임으로 연주하다. ③ 《~+목 / +목+부 / +목+전+명》 (시간)을 차임으로 알리다 ; (사람)을 차임으로 모이게 하다 : The clock *~d* one. 시계가 한 시를 쳤다 / The bells *~d* me home. 종소리가 귀가를 재촉했다. — *vi.* ① (차임이) 울리다. ② (차임처럼) 조화되어 울려퍼지다. ③ 조화하다, 일치하다(agree) 《*with*》: The music *~d with* her mood. 그 음악은 그녀의 기분과 잘 맞았다. ~ ***in*** (1) 맞장구치다, (사람·계획 등에) 찬성하다《*with*》. (2) (노래에) 맞추다. (3) 이야기에 끼어들어 (의견 따위를) 말하다《*with*》, (…라고 말하며) 끼어들다《*that*》: He kept *chiming in with* his own opinions. 그는 계속 이야기에 끼어들어 자기 의견을 말했다. (4) (…와) 조화하다《*with*》.

chi·me·ra [kimíːrə, kai-] *n.* ① (C-) (그리스 신화의) 키메라. ② Ⓒ 망상(妄想), 기괴한 환상(wild fancy) : Is the ideal of banishing hunger throughout the world just a ~. 세상에서 기아를 추방한다는 생각은 단지 망상인가? ③ Ⓒ〖發生〗(이조직(異組織)의) 공생체.

chi·mer·ic, -i·cal [kimérik, kai-], [-əl] *a.* 공상적인, 괴물 같은 ; 정체 불명의, 터무니없는 : This hope proved to be *chimerical.* 이 희망은 터무니없음을 알았다. 파 **-i·cal·ly** [-ikəli] *ad.*

ː**chim·ney** [tʃímni] *n.* Ⓒ ① 굴뚝. ② 굴뚝 모양의 것. **a)** (화산의) 분연구(噴煙口). **b)** (램프의) 등피. **c)**〖登山〗(몸을 넣고 기어오를 정도의) 암벽의 세로로 갈라진 틈.

chímney brèast 벽난로의 방에 돌출한 부분.

chímney còrner 난롯가, 노변《옛날식의 큰 난로 앞의 따뜻한 자리》.

chímney pìece =MANTELPIECE.

chímney pòt 굴뚝 꼭대기의 연기 나가는 구멍.

chímney stàck ① 여러 개의 굴뚝을 한데 모아 맞붙인 굴뚝. ② (공장 따위의) 높은 굴뚝.

chímney swàllow ①《英》(굴뚝에 둥지를 치는) 제비. ②《美》〖鳥〗칼새(~ swift).

chímney swèep(er) 굴뚝 청소부.

chimp [tʃimp] *n.* 《口》 =CHIMPANZEE.

*****chim·pan·zee** [tʃìmpænzíː, -pǽn-] *n.* Ⓒ〖動〗침팬지《아프리카산》.

ː**chin** [tʃin] *n.* Ⓒ 턱 ; 턱끝. cf. jaw. ¶ She sat with her ~ in her hand. 그녀는 손으로 턱을 괴고 앉아 있었다. ~ ***in air*** (화가 나서) 턱을 내밀고. ***Chin up !*** 힘내라 : *Chin up !* It'll be over soon. 힘내! 곧 끝난다. ***keep*** one***'s ~ up*** 낙담하지 않다. ***stick*** 〔***put***〕 one***'s ~ out*** 《口》= stick one's NECK[1] out(成句). ***take . . .*** 〔***take it***〕 (***right***) ***on the ~*** 《口》 (턱·급소를) 얻어맞다 ; 패배하다, 완전히 실패하다 ; (고통·벌을) 참고 견디다 : It's no use whining about the pain — you'll just have to *take it on the* ~ and carry on walking. 아프다고 우는 소리해도 소용없어 — 너는 그저 참고 견디며 계속 걸어야만 돼. ***up to the ~*** 턱(밑)까지 ; 깊이 빠져 들어《*in*》: He is *up to* his ~ *in* debt. 빚 때문에 옴쭉을 못 하고 있다. — (***-nn-***) *vt.* ① (바이올린 등)을 턱에다 갖다 대다, 턱으로 누르다. ②〔再歸的〕(철봉에서) 턱걸이하다. — *vi.* ① 턱걸이를 하다. ② 지껄이다(talk).

Chin. China ; Chinese.

†**Chi·na** [tʃáinə] *n.* 중국. ***from ~ to Peru*** 세계 도처에. ***the People's Republic of ~*** 중화 인민 공화국, 중국. — *a.* 〔限定的〕 중국(산)의.

ː**chi·na** [tʃáinə] *n.* Ⓤ ① 자기(porcelain). ②〔集合的〕 도자기 : a ~ shop 도자기 가게, 옹기전 / a piece of ~ 한 개의 자기. — *a.* 〔限定的〕 도자기제(製)의 : a ~ vase 도자기 꽃병.

chína cábinet = CHINA CLOSET.

chína clày 도토(陶土), 고령토(kaolin(e)).

chína clòset 찬장《특히 유리를 낀》.

Chi·na·man [tʃáinəmən] (*pl.* ***-men*** [-mən]) *n.* Ⓒ 중국인《Chinese 보다 좀 경멸적》.

Chína Séa (the ~) 중국해(海).

Chína sỳndrome 중국 증후군(群)《원자로의 노심용융(爐心溶融)에 의한 가설적 원전 사고 ; 용융물이 대지에 침투, (미국의) 지구 반대쪽인 중국에까지 미친다는 상상에 의거한 말》.

Chína téa 중국차(茶).

Chi·na·town [tʃáinətàun] *n.* Ⓒ 중국인 거리.

chi·na·ware [-wɛ̀ər] *n.* Ⓤ 도자기.

chinch [tʃintʃ] *n.* Ⓒ ① 빈대. ② =CHINCH BUG.

chínch bùg〖蟲〗긴노린재류(類)《밀의 해충》.

chin·chil·la [tʃintʃílə] *n.* ① Ⓒ 친칠라《다람쥐 비슷한 짐승 ; 남아메리카산》. ② Ⓤ 친칠라 모피.

chin-chin [tʃíntʃìn / ⌐⌐] *int.* 《英口》 ① 야아, 안녕하세요, 안녕히 가세요. ② 건배, 축배를 듭시다.

chine [tʃain] *n.* Ⓒ ① 등뼈(backbone). ② (요리용의) 살이 붙은 등뼈, 등(뼈)살.

*****Chi·nese** [tʃainíːz, -níːs] *a.* 중국의 ; 중국풍의 ; 중국인의 ; 중국어의. — (*pl.* ~) *n.* ① Ⓒ 중국인. ② Ⓤ 중국어.

Chínese bóxes 크기의 차례대로 포개 넣을 수 있게 만든 그릇이나 상자.

Chínese cábbage 배추.

Chínese cháracter 한자.

Chínese chéckers, 《英》 **chequers** 다이아몬드 게임.

Chínese lántern (장식용의) 종이 초롱.

Chínese púzzle ① 매우 복잡한 퀴즈. ② 난문(難問).

Chínese Wáll (the ~) 만리 장성.

Chink [tʃiŋk] *n.* Ⓒ 《俗·蔑》 중국인.
chink[1] [tʃiŋk] *n.* Ⓒ ① 갈라진 틈, 금, 틈새 : Through a ~ she could see a bit of blue sky. 갈라진 틈을 통해서 그녀는 푸른 하늘을 좀 볼 수 있었다. ② 틈새로 들어오는 광선. ③ (법률 등의) 빠져나갈 구멍, 맹점(盲點). ***a* 〔*the*〕 *~ in one's armor*** 《口》 (작으나 치명적인) 약점.
— *vt.* …의 갈라진 틈〔금〕을 메우다《*up*》.
chink[2] *n.* (a ~) 짤랑짤랑, 땡그랑《화폐·유리 그릇 등의 소리》. — *vi., vt.* (…을) 쨍그랑〔땡그랑〕 울리다 : Empty bottles *~ed* as the milkman put them into his crate. 우유 배달원이 빈병들을 상자에 넣을 때 쨍그랑 울렸다.
chin·less [tʃínlis] *a.* 용기 없는, 나약한.
Chino- '중국'의 뜻의 결합사 : *Chino*-Korean 중한(中韓)의《★ Sino-Korean이 더 일반적임》.
Chi·nook [ʃinúːk, -núk, tʃi-] (*pl.* ***~s,*** ~) *n.* ① **a**) (the ~(s)) 치누크족《미국 북서부 컬럼비아 강 유역에 살던 아메리카 원주민》. **b**) Ⓒ 치누크 사람. ② Ⓤ 치누크 말. ③ Ⓒ (c-) 〖氣〗 치누크 바람 (wet ~)《미국 북서부에서 겨울부터 봄까지 부는 따뜻한 남서풍》.
chín stràp (모자의) 턱끈.
chintz [tʃints] *n.* Ⓤ 사라사 무명.
chintzy [tʃíntsi] (***chintz·i·er, more ~ ; -i·est, most ~***) *a.* ① chintz 같은 ; chintz 로 꾸민(것 같은). ② 《口》 값싼, 싸구려의. ③ 인색한.
chin-up [tʃínʌ̀p] *n.* Ⓒ 턱걸이.
chin·wag [tʃínwæ̀g] *n.* Ⓒ 《俗》 수다, 잡담.
chip** [tʃip] *n.* Ⓒ ① (나무) 토막, 지저깨비, (금속의) 깎아낸 부스러기 ; (모자·상자 등을 만드는) 대팻밥, 무늬목. ② (도자기 등의) 이빠진 자국, 흠 : This bowl has a ~ in it. 이 사발은 한군데 떨어진 데가 있다. ③ (흔히 *pl.*) (음식의) 얇은 조각 : potato *~s* 얇게 썬 감자 튀김. ④ (연료용) 가축의 말린 똥 ; 무미 건조한 것 ; 시시한 것 : I don't care〔mind〕 a ~ . 나는 조금도 개의치 않는다. ⑤ (포커 따위의) 칩. ⑥ 《口》 알이 잔 다이아몬드. ⑦ (*pl.*) 《俗》 돈. ⑧ 〖골프〗 =CHIP SHOT. ⑨ 〖컴〗 칩《집적 회로를 붙인 반도체 조각》 ; 집적 회로. ***a ~ of* 〔*off*〕 *the old block (기질·외모 등이) 아버지를 꼭 닮은 아들. ***a ~ on one's shoulder*** 《口》 시비조 ; 원한〔불만〕을 지님 : He's got *a ~ on his shoulder* about not having been to university. 그는 대학에 다니지 못한 것이 불만이었다. ***cash* 〔*hand, pass*〕 *in one's ~s*** (1) (포커에서) 칩을 현금으로 바꾸다. (2) 《俗·婉》 죽다. ***have had one's ~s*** 《口》 실패하다, 패배하다 ; 살해당하다. ***in the ~s*** 《美俗》 돈 많은, 유복한. ***let the ~s fall where they may*** 결과야 어쨌든〔남이야 뭐라 하든〕 (상관 않다). ***when the ~s are down*** 《口》 위급할 때, 일단 유사시 : *When the ~s are down,* she's very tough. 위급할 때에 그녀는 아주 강인하다.
— (***-pp-***) *vt.* ① …을 잘게 썰다, 깎다, 자르다, 쪼개다《*off* ; *from*》 : ~ ice 빙수 얼음을 만들다. ② 깎아서 …을 만들다《*out of*》 : ~ a toy *out of* wood 나무를 깎아 장난감을 만들다. ③ (병아리가 달걀껍데기)를 깨다. ④ (감자)를 얇게 썰어 튀기다. ⑤ (포커 따위에서) 칩을 내고 걸다. — *vi.* ① (돌·사기 그릇 등이) 이가 빠지다, 떨어져 나가다《*off*》. ② 〖골프〗 chip shot 을 치다. ③ (병아리가) 달걀 껍데기를 깨다. ***~ (away) at*** …을 조금씩 깎아내다〔쪼아내다, 갉아내다〕, …을 조금씩 못쓰게 하다 : Mr. Shultz has been trying to ~ *away at* these apparently irreconcilable differences. 슐츠씨는 명백히 조화될 수 없는 이 차이점들을 조금씩 없애려고 노력하고 있다. ***~ in*** 《口》 (1) (논쟁·싸움 등에) 말참견하다, 끼어들다《*with*》. (2) 《口》 기부하다, 원조하다, 추렴하다《*for* ; *forward*(*s*)》 ; (포커 등에서) 판돈〔칩〕을 지르다 : They all *~ped in* to pay the doctor's bill. 그들은 모두 의사의 치료비를 치르기 위해 추렴하였다.
chíp bàsket 《英》 대팻밥〔무늬목〕으로 결은〔만든〕 바구니.
chip·board [tʃípbɔ̀ːrd] *n.* Ⓤ 칩 보드. ① 두꺼운 판지. ② (지저깨비로 만든) 합성판(合成板).
chip·munk [tʃípmʌŋk] *n.* Ⓒ 얼룩다람쥐.
chípped béef 잘게 썬 훈제 쇠고기.
Chip·pen·dale [tʃípəndèil] *n.* Ⓤ 〔集合的〕 치펜데일풍의 가구. — *a.* 치펜데일풍의《곡선이 많고 장식적인 디자인을 일컬음》.
chip·per [tʃípər] *a.* 《美口》 활기찬, 쾌활한 : He looked unusually ~ this morning. 그는 여느때와 달리 오늘 아침에는 쾌활해 보였다. — *vt.* …의 기운을 돋우다《*up*》.
chippie =CHIPPY.
chip·ping [tʃípiŋ] *n.* (흔히 *pl.*) (나무나 돌 등을 도끼·정 따위로) 깎아낸 부스러기, 단편(斷片).
chípping spàrrow 작은 참새의 일종.
chip·py [tʃípi] *n.* Ⓒ ① 《英口》 fish-and-chips 가게. ② 《英口》 목수. ③ 《美俗》 창녀.
chíp shòt 〖골프〗 칩샷《그린을 향하여 짧고 낮게 공을 쳐 올리는 일》.
chi·rog·ra·pher [kairάgrəfər] *n.* Ⓒ 서도가.
chi·rog·ra·phy [kairάgrəfi / -rɔ́g-] *n.* Ⓤ ① 필법 ; 서체 ; 필적. ② 서도(書道).
chi·ro·man·cy [káirəmæ̀nsi] *n.* Ⓤ 수상술(手相術), 손금보기. ㊕ **-màn·cer** [-sər] *n.*
chi·rop·o·dist [kirάpədist, kai- / -rɔ́p-] *n.* Ⓒ 발 치료 전문의사.
chi·rop·o·dy [kirάpədi, kai- / -rɔ́p-] *n.* Ⓤ 발 치료(학).
chi·ro·prac·tic [kàirəprǽktik] *n.* Ⓤ 〖醫〗 척추 조정〔지압〕 요법, 카이로프랙틱.
chi·ro·prac·tor [káirəprǽktər] *n.* Ⓒ 척추 지압사(師).
‡**chirp** [tʃəːrp] *n.* Ⓒ 찍찍, 짹짹《새·벌레의 울음소리》. — *vi.* ① 짹짹〔찍찍〕 울다〔지저귀다〕 : Birds began to ~ among the trees. 새들이 나무에서 짹짹 울기 시작했다. ② (새된 음성으로) 이야기하다. — *vt.* …을 새된 음성으로 말하다《*out*》 : ~ (*out*) a hello 새된 소리로 이봐라고 외치다.
chirpy [tʃə́ːrpi] (***chirp·i·er ; -i·est***) *a.* ① 짹짹 우는. ② 《口》 쾌활한, 활발한. ㊕ **chírp·i·ly** *ad.* **chírp·i·ness** *n.*
chirr [tʃəːr] *vi.* (여치·귀뚜라미 따위가) 찌르르 찌르르〔귀뚤귀뚤〕 울다. — *n.* Ⓒ 찌르르찌르르〔귀뚤귀뚤〕 우는 소리.
chir·rup [tʃírəp, tʃə́ːrəp] *n.* Ⓒ 짹짹 ; 쩟쩟《새 울음 소리 또는 혀 차는 소리》. — *vi., vt.* (새·벌레 따위가) 짹짹 울다, 지저귀다 ; (아기를) 혀를 차며 어르다 ; (말 따위를) 혀를 차서 격려하다.
***chis·el** [tʃízl] *n.* ① Ⓒ 끌, 조각칼, (조각용) 정 : a cold ~ (금속용) 정. ② (the ~) 조각술.
— (***-l-***, 《英》 ***-ll-***) *vt.* ① 《+목+전+명》 …을 끌로 깎다, 끌로 파다〔새기다〕; 끌로 만들다 ; 마무르다《*out* (*of*) ; *from* ; *into*》 : ~ a statue *out of* 〔*from*〕 marble 대리석으로 상(像)을 만들다. ② 《+목+전+명》 《俗》 …을 속이다 ; 사취하다《*out of*》 : ~ a person *out of* something 아무를 속여 물건을 빼앗다. — *vi.* ① 끌을 쓰다, 조각하다. ② 《+전+명》 부정한 짓을 하다《*for*》 : ~ *for* good marks 좋은 점수를 따려고 커닝을 하다. ***~ in*** …에 끼어 들다《*on*》 : ~ *in on* a person's profit 아무의 수익에 (한몫) 끼어 들다.

chis·el·er, 《英》 **-el·ler** [tʃízlər] *n.* Ⓒ ① 끌로 세공하는 사람 ; 조각하는 사람. ②《口》부정을 하는 사람, 사기꾼.

chit[1] [tʃit] *n.* Ⓒ ① 어린아이. ② (a ~ of a girl 「로) 계집아이.

chit[2] *n.* Ⓒ ① (짧은) 편지, 메모. ② (음식점 따위에서의) 청구 전표.

chit·chat [tʃíttʃæt] *n.* Ⓤ 한담, 잡담 : They spent the afternoon in idle ~. 그들은 한담을 하며 오후를 보냈다. — *vi.* 한담〔잡담〕하다.

chi·tin [káitin] *n.* Ⓤ 〖生化〗 키틴질(質), 각소(角素)《곤충·갑각류의 표면 껍질의 성분》.

chi·tin·ous [-əs] *a.* 키틴질의.

chit·ter [tʃítər] *vi.* 지저귀다.

chit·ter·lings [tʃítlinz, -liŋz] *n. pl.* (돼지 따위의) 곱창 요리.

chi·val·ric [ʃivǽlrik / ʃívəl-] *a.* 《詩》 기사도(정신)의, 기사적인 ; 의협적인.

***chiv·al·rous** [ʃívəlrəs] *a.* ① 기사적인 ; 용기 있고 예의바른 ; 의협적(義俠的)인 ; 여성에게 정중한 : a ~ old gentleman 의협적인 노신사. ② 기사도 시대〔제도〕의. ◇ chivalry *n.* ㊞ **~·ly** *ad.* **~·ness** *n.*

***chiv·al·ry** [ʃívəlri] *n.* Ⓤ ① 기사도, 기사도적 정신《여성에게 상냥하고 약자를 돕는》. ② Ⓤ (중세의) 기사도 제도.

chive [tʃaiv] *n.* Ⓒ 〖植〗 (흔히 *pl.*) 골파《잎은 조「미료》.

chiv(·v)y [tʃívi] *n.* Ⓒ 추적, 사냥. — *vt.* ① 사람들)을 좇아다니다 ; 몰다. ② …을 귀찮게 괴롭히다《*along* ; *up*》; 귀찮게 해 …시키다《*into*》: His mother kept on *~ing* him to get his hair cut. 그의 어머니는 그에게 자꾸 이발하라고 성화였다.

chlo·ral [klɔ́:rəl] *n.* Ⓤ 〖化〗 ① 클로랄《무색의 유상(油狀) 액체》. ② = CHLORAL HYDRATE.

chlóral hýdrate 〖化〗 함수 클로랄《수면제》.

chlo·rate [klɔ́:reit, -rit] *n.* Ⓤ 〖化〗 염소산염.

chlo·rel·la [klərélə] *n.* Ⓤ,Ⓒ 〖植〗 클로렐라《녹조(綠藻)의 일종, 우주식(食)으로 연구되고 있음》.

chlo·ric [klɔ́:rik] *a.* 〖化〗 염소(塩素)의, 염소를 함유하는 : ~ acid 염소산.

chlo·ride [klɔ́:raid, -rid] *n.* Ⓤ 〖化〗 염화물.

chlo·ri·nate [klɔ́:rənèit] *vt.* (물 따위)를 염소로 처리〔소독〕하다. ㊞ **chlò·ri·ná·tion** [-ʃən] *n.* Ⓤ

chlo·rine [klɔ́:rin] *n.* Ⓤ 〖化〗 염소, 클로르《비금속 원소 ; 기호 Cl ; 번호 17》.

chlo·ro·form [klɔ́:rəfɔ̀:rm] *n.* Ⓤ 클로로포름《무색 휘발성 액체 ; 마취약》. — *vt.* ① (사람 등)을 클로로포름으로 마취시키다〔죽이다〕. ② …을 클로로포름으로 처리하다.

Chlo·ro·my·ce·tin [klɔ̀:roumaisí:tn] *n.* Ⓤ 〖藥〗 클로로마이세틴《chloramphenicol 의 商標名》.

chlo·ro·phyl(l) [klɔ́:rəfil] *n.* Ⓤ 〖植〗 클로로필, 엽록소(葉綠素), 잎파랑이.

chlo·ro·plast [klɔ́:rouplæ̀st] *n.* Ⓒ 〖植〗 엽록체.

chlo·ro·quine [klɔ̀:roukwí:n, -kwáin] *n.* Ⓤ 클로로퀸《말라리아 특효약의 일종》.

choc [tʃak / tʃɔk] *n.* 《英口》 = CHOCOLATE ①.

choc-bar [⌐bà:r] *n.* Ⓒ 《英口》 아이스초코바.

choc-ice [tʃákàis / tʃɔ́k-] *n.* Ⓒ 《英口》 초코아이스크림.

chock [tʃak / tʃɔk] *n.* Ⓒ ① 굄목, 쐐기《통·바퀴 밑에 괴어 움직임을 막음》. ② 〖海〗 뿔 모양의 밧줄걸이 ; 받침 나무《갑판 위의 보트를 얹는》. — *vt.* ① …을 쐐기로 괴다. ② (보트)를 받침 나무에 얹다. ③《英》…로 꽉 채우다《*up*》: The car park was *~ed up* (with lorries). 주차장은 (트럭으로) 꽉 차 있었다. — *ad.* 꽉, 잔뜩, 빽빽하게 ; 아주.

chock-a-block [tʃákəblák / tʃɔ́kəblɔ́k] *a.* ① 〖海〗 (겹도르래에서) 위아래의 도르래가 꽉 당겨진, 완전히 감아올려진. ② 〔敍述的〕 꽉 (들어)찬 《*with*》: The street were ~ *with* tourists during the festival. 도로는 축제 기간 중 관광객으로 꽉 차 있었다. 「찬《*of*》.

chock-full [tʃákfúl / tʃɔ́k-] *a.* 〔敍述的〕 꽉 들어

choc·o·hol·ic [tʃɔ̀:kəhɔ́:lik, -hálik, tʃàkə-] *n.* Ⓒ 초콜릿을 유난히 좋아하는 사람.

‡choc·o·late [tʃɔ́:kəlit, tʃák- / tʃɔ́k-] *n.* ① Ⓤ,Ⓒ **a**) 초콜릿 : a ~ bar 판초콜릿. **b**) 초콜릿 음료 : drink a cup of ~ 초콜릿을 한잔 마시다. ② Ⓤ 초콜릿빛. — *a.* ① 초콜릿(빛)의. ② 〔限定的〕 초콜릿으로 만든, 초콜릿이 든.

choc·o·late-box [-bàks] *a.* (초콜릿 상자처럼) 장식적이며 감상적인, 아름다운.

Choc·taw [tʃáktɔ: / tʃɔ́k-] (*pl.* ~(*s*)) *n.* ① **a**) (the ~ (s)) 촉토족《아메리카 원주민의 한 종족 ; 현재는 Oklahoma 에 삶》. **b**) Ⓒ 촉토족 사람. ② Ⓤ 촉토어(語).

‡choice [tʃɔis] *n.* ① Ⓤ,Ⓒ 선택(하기), 선정 : the ~ of one's company 친구의 선택 / It's a difficult ~ to make. 그것은 하기 어려운 선택이다 / The ~ is yours. 네가 선택해야 한다. ② Ⓤ 선택권, 선택의 자유〔여지〕: Let him have the first ~. 그에게 먼저 골라잡게 하십시오. ③ (흔히 a ~ of …로) (골라잡을 수 있는) 종류, 범위, 선택의 풍부함 : *a* wide 〔great〕 ~ *of* candidates 다양한 후보자 / The store offers *a* wide ~ *of* the latest fashions. 저 상점에서는 최근에 유행하는 물건들을 풍부하게 갖추고 있다. ④ Ⓒ 선발된 것〔사람〕; 특선품 : Which is your ~? 어느 것으로 하겠습니까. ⑤ 선택의 신중 : with ~ 신중히. ⑥ Ⓤ 《美》 (쇠고기의 등급에서) 상등육.

at** one**'s own** ~* 멋대로, 자유 선택으로. ***by** ~* 좋아서, 스스로 택하여 : I live here *by* ~. 나는 좋아서 이곳에 살고 있다. ***for** ~* 고른다면, 어느 쪽이냐 하면. ***from** ~* 자진하여. ***have no** ~ **but to** do* …할 수밖에 없다 : We *have no* ~ *but to* close the hospital. 우리는 병원 문을 닫을 수밖에 없다. ***have no** (**particular, special**) ~* 어느 것이 특히 좋다고 할 수 없다, 무엇이나 상관없다. ***have** one**'s** ~* 자유로 선택할 수 있다. ***make** ~ **of …을 고르다. ***make** 〔**take**〕 one**'s** ~* 골라잡다, 어느 하나를 택하다. ***of** ~* 고르고 고른, 특상의. ***of** one**'s** (**own**) ~* 자기가 좋아서 〔고른〕.

— (***chóic·er*** ; ***chóic·est***) *a.* ① 〔限定的〕 고르고 고른, 정선한 ; 《美》 (쇠고기가) 상등의 : the *choicest* Turkish tobacco 특선 터키 담배 / my *choicest* hours of life 내 생애 최고의 때 / in ~ words 적절한 말로 / a ~ spirit 뛰어난 사람, 지도자. ② 가리는, 까다로운 : He is ~ *of* his food. 식성이 까다롭다.

choice·ly [⌐li] *ad.* 정선(精選)하여, 신중히.

choice·ness [-nis] *n.* Ⓤ 정선 ; 정교〔우량〕함.

‡choir [kwáiər] *n.* Ⓒ ① 〔集合的〕 합창단, 《특히》 성가대. ② (흔히 *sing.*) (교회의) 성가대석.

choir·boy [kwáiərbɔ̀i] *n.* Ⓒ (성가대의) 소년 성가 대원.

chóir lòft (교회의) 1·2층 중간의 성가대석(席) (~ stall). cf. organ loft.

choir·mas·ter [-mæ̀stər, -mà:s-] *n.* Ⓒ 성가대〔합창단〕 지휘자.

chóir schòol 《英》 (대성당부속) 성가대 학교《성가대 소년 대원을 중심으로 한 preparatory school》.

‡choke [tʃouk] *vt.* ① 《~+목/+목+전+명》 …을 질식시키다, …을 숨막히게 하다 : ~ a person *into* unconsciousness 목졸라 기절케 하다 / I was almost *~d by* 〔*with*〕 the smoke. 나는 연기 때문에 거의 질식할 지경이었다. ② 《~+목/+목+

부 / +목+전+명》 …을 막다, 메우다《*up*》: Sand is *choking* the river. 모래 때문에 강이 메워지고 있다 / The drainpipe was ~*d up with* rubbish. 하수관이 쓰레기로 막혔다. ③ (성장·행동 등)을 저지〔억제〕하다《*off*》: ~ *off* the economic recovery 경제 회복을 저해하다. ④《+목+부》《比》(감정·눈물)을 억누르다: ~ *down* one's rage 분노를 꾹 참다. ⑤ (흔히 ~ up) (식물)을 시들게〔마르게〕 하다; (불)을 끄다. ⑥ (엔진)의 초크를 당기다《혼합기(氣)를 진하게 하기 위하여 카뷰레터에 흘러들어가는 공기를 막다》. ⑦《英口》(남)을 실망시키다, 넌덜나게 하다.
— *vi.* ①《~ / +전+명》 숨이 막히다, 목메다; 막히다; (파이프 따위가) 메다: ~ *with* smoke 연기로 숨이 막히다 / ~ *on* 〔*over*〕 one's food 음식이 목에 걸리다. ② (감정이 격하여) 말을 못하다《*with*》: He 〔His voice〕 ~*d with* rage. 그는 화가 나서 말이 나오지 않았다. ~ ***back*** (감정 등을) 억제하다, 참다: I ~*d back* my anger. 나는 화를 억눌렀다. ~ ***down*** (음식물을) 겨우 삼키다; (감정·눈물 등을) 꾹 참다. ~ ***off*** ⑴ 목을 졸라 죽이다. ⑵ 그만두게 하다, (계획 따위를) 포기시키다; (공급 등을) 정지시키다. ⑶《口》(…한 일로) 야단치다《*for*》. ~ ***up*** ⑴ 막다, 막히게 하다《*with*》; 말라 죽게 하다. ⑵《口》감정이 격하여 말을 못하(게 하)다. ⑶ (긴장하여) 얼다; 흥분하여 실력을 발휘하지 못하다: He ~*d up* and dropped the ball. 그는 긴장하여 공을 떨어뜨리고 말았다.
— *n.* Ⓒ ① 질식. ② (파이프 등의) 폐색부(閉塞部) (=**chóke·bòre**). ③〖電〗초크 코일(~ coil). ④〖機〗초크《엔진의 공기 흡입을 조절하는 장치》.

choked [tʃoukt] *a.* ① 꽉 막힌; 질식한. ②《英口》〔敍述的〕 넌더리나는, 실망한: be 〔feel〕 ~ 넌더리나다.

choke·point [tʃóukpɔ̀int] *n.* Ⓒ《美》험한 곳; 「교통 정체 지점.

chok·er [tʃóukər] *n.* Ⓒ ① 숨을 멈추게〔죄게〕 하는 것〔사람〕. ② **a**) 초커《목 둘레에 바짝 붙는 목거리》. **b**) 높은 스탠드 칼라.

cho·key [tʃóuki] *n.* =CHOKY².

chok·ing [tʃóukiŋ] *a.* 〔限定的〕 ① 숨막히는. ② (감동으로) 목이 멘 듯한: a ~ voice. — *n.* Ⓤ 숨막힘. ⓟ ~·**ly** *ad.*

choky¹ [tʃóuki] (***chok·i·er*** ; ***-i·est***) *a.* ① 숨막히는, 답답한: a ~ room 숨막힐 듯한 방. ② 목이 메는 듯한; 감정을 억제하는 기질의: in a ~ voice 목이 메는 듯한 목소리로.

choky² *n.*《英俗》(the ~) 유치장, 교도소.

chol·er [kálər / kɔ́l-] *n.* Ⓤ ①《詩》성질 급함; 불뚱이. ②《古》담즙《옛날, 이것이 너무 많으면 성질이 급해지는 것으로 생각했음》.

***chol·era** [kálərə / kɔ́l-] *n.* Ⓤ 콜레라.

chol·er·ic [kálərik / kɔ́l-] *a.* 성질 급한; 성 잘 내는: a man of ~ temper 툭하면 골내는 남자.

cho·les·ter·ol [kəléstərɔ̀ul, -rɔ̀:l / -rɔ̀l] *n.* Ⓤ〖生化〗콜레스테롤《지방·혈액 따위에 있음》.

chomp [tʃamp / tʃɔmp] *vt., vi., n.* (…을) 물다; (어적어적) 깨물다; 어적어적 씹음.

Chong·qing [tʃɔ́:ŋtʃíŋ] *n.* 충칭(重慶)《중국 쓰촨(四川)성 남동부의 도시》.

choo-choo [tʃú:tʃù:] *n.* Ⓒ《美兒》칙칙폭폭(《英》「puff-puff).

†**choose** [tʃu:z] (***chose*** [tʃouz]; ***cho·sen*** [tʃóuzn]) *vt.* ①《~+목 / 목+전+명 / +목+목》 (많은 것 가운데서) …을 고르다, 선택하다; 선정하다: ~ whatever one likes 아무거나 마음에 드는 것을 고르다 / ~ Sunday *for* one's departure 출발 날짜를 일요일로 잡다 / I *chose* her a nice present. 그녀에게 좋은 선물을 골라 주었다. ②《+목+보 / +목+전+명 / +목+*as* 보 / +목+*to be* 보》…을 …으로 선출하다: ~ a person President 아무를 대통령으로 선출하다 / They *chose* him *for* their leader. =They *chose* him *as* their leader. =They *chose* him *to be* their leader. 그들은 그를 자기들의 지도자로 선출했다. ③《+*to* do》(…하는 편이 좋다고) 결정하다; (…하려고) 결심하다: You *chose to* do it. 네가 좋아서 한 일이 아니냐 / He *chose to* run for the election. 그는 출마하기로 결심했다. ④ …을 원(願)하다, 바라다: Do you ~ any drink? 무엇 좀 마시겠소.
— *vi.* ①《~ / +전+명》 고르다: ~ *between* the two 둘 중에서 고르다. ② 원하다: You may stay here if you ~. 원한다면 여기 머물러도 좋소. ***cannot ~ but*** do …하지 않을 수 없다. ~ ***up*** (***sides***)《美口》두 팀으로 만들다, 선수를 뽑다; (야구 등 시합을 위해) 두 팀으로 갈리다. ***pick and*** ~ 정성들여 고르다. ***There is nothing*** 〔***not much***〕 ***to ~ between*** (them). (양자)간에 우열은 전혀〔거의〕 없다. ⓟ **chóos·er** *n.* Ⓒ 선택자; 선거인.

choosy [tʃú:zi] (***choos·i·er*** ; ***-i·est***) *a.*《口》가리는, 까다로운《*about*》.

chop**¹ [tʃap / tʃɔp] (-pp-***) *vt.* ①《~+목 / +목+부 / +목+전+명》…을 파팍 찍다, 자르다, 빼개다, 잘게〔짧게〕 자르다, 잘라 만들다《도끼·식칼 따위로》: He ~*ped* the tree down. 그는 그 나무를 베어 쓰러뜨렸다 / ~ wood in the yard 마당에서 장작을 패다 / ~ a path *through* the forest 숲의 나무를 베어 작은 길을 내다. ② (고기·야채 따위)를 저미다, 썰다《*up*》. ③《英口》(경비 등)을 삭감〔절감〕하다. ④〖테니스〗 **a**) (공)을 깎아치다. **b**) 수도(手刀)로 치다. ⑤ (말)을 짧게 끊어 하다, 띄엄띄엄 말하다: ~ one's words 말을 띄엄띄엄〔또박또박 끊어서〕 하다. ⑥《英口》(계획 등)을 갑자기 중지하다《★ 종종 受動으로 쓰임》. — *vi.* ①《~ / +전+명》 찍다, 자르다, 베다. ②〖테니스〗공을 깎아치다. ③ 촙으로〔수도로〕 내리치다: He ~*ped at* my neck. 내 목에 수도로 가격했다.
— *n.* ① Ⓒ **a**) 절단. **b**) (프로레슬링 등의) 촙, 수도(手刀). ② Ⓒ 잘라 낸 한 조각; 두껍게 베어 낸 고깃점《흔히 뼈가 붙은》. ③ Ⓤ 역랑(逆浪), 삼각파(波). ④ Ⓒ〖테니스〗깎아치기, 촙. ***be for the*** ~《英口》⑴ (건물이) 무너질 듯하다. ⑵ 살해〔해고〕될 듯 싶다. ***get the*** ~《英口》⑴ 해고되다: I was disappointed when I *got the* ~ from the Wales team. 나는 웨일스 팀에서 해고당했을 때 실망했다. ⑵ 살해되다.

chop² *n.* ① (흔히 *pl.*) 턱. ② (*pl.*)《俗》입, 구강. ③ (*pl.*) (관악기 등의) 부는 부분, 마우스피스. ④ (*pl.*)《美俗》음악적 재능; 악기 연주 솜씨. ***lick*** 〔***smack***〕 one***'s ~s*** ⑴《俗》입맛 다시다〔다시며 기대하다〕《*over*》. ⑵《美俗》남의 불행을 고소해하다.

chop³ (***-pp-***) *vi.* ①《~+부 / +전+명》(바람 등이) 갑자기 바뀌다《*about* ; *around*》: The wind ~*ped round* from west to north. 풍향이 갑자기 서에서 북으로 바뀌었다. ② 생각이 흔들리다, 마음이 바뀌다《*about*》. ~ ***and change***《口》(방침·직업·의견 등)을 자꾸 바꾸다, 줏대가 없다《*about*》. ~ ***logic*** 〔***words***〕 구실을 늘어놓다, 생떼쓰다. ⓒⓕ choplogic. — *n.*〔다음 成句로〕 ~***s and changes*** 변전(變轉), 우유 부단, 무정견.

chop⁴ *n.* Ⓒ ①《古》(인도·중국에서) 인감, 관인(官印); 출항〔양륙, 여행〕 허가증, 인가장: put one's ~ on …에 인감을 찍다. ②《英口》품종, 품질, 등급: the first ~ 1급(품) / a writer of the first ~ 일류작가.

chop-chop [tʃáptʃáp / tʃɔ́ptʃɔ́p] *ad.*《俗》급히,

빨리빨리. —— *int.* 빨리빨리!

chop·fall·en [tʃápfɔ̀ːlən / tʃɔ́p-] *a.* =CHAPFALLEN.

chop·house [tʃáphàus / tʃɔ́p-] *n.* Ⓒ (육류 전문의) 간이 음식점.

Cho·pin [ʃóupæn / ʃɔ́pæn] *n.* **Frédéric François** ~ 쇼팽《폴란드의 피아니스트·작곡가; 1810-49》.

chop·log·ic [tʃáplàdʒik / tʃɔ́plɔ̀-] *n.* Ⓤ, *a.* 궤변(의) (⇨ CHOP³ logic).

chop·per [tʃápər / tʃɔ́p-] *n.* Ⓒ ① 자르는 사람. ② 도끼; 고기 자르는 큰 식칼(cleaver). ③ (흔히 *pl.*) 《俗》 이(teeth), 《특히》 틀니. ④《口》 헬리콥터: These days we usually go by ~. 요즈음 우리는 보통 헬리콥터로 간다. ⑤『電子』 초퍼《직류나 광선을 단속하는 장치》. ⑥《俗》 (특별히 맞춘) 개조 자동차[오토바이]. ⑦『野』 높이 바운드하는 타구(打球). —— *vt., vi.* 《俗》 (…을) 헬리콥터로 날다[나르다].

chóp·ping blòck [tʃápiŋ- / tʃɔ́p-] 도마.

chópping knìfe 잘게 써는 식칼.

chop·py [tʃápi / tʃɔ́pi] (***-pi·er*** ; ***-pi·est***) *a.* ① 삼각파가 이는, 파도가 치는: The sea suddenly turned from smooth to ~. 잔잔하던 바다에 갑자기 파도가 쳤다. ② (손 따위가) 터서 갈라진. ③ **a**) (바람이) 갑자기 변하는. **b**) (시세 따위가) 변동이 심한. ④ **a**) 뚝뚝 끊어진, 관련성이 없는. **b**) (문체 등이) 고르지 못한, 일관성이 없는.

chop·stick [tʃápstìk / tʃɔ́p-] *n.* (흔히 *pl.*) 젓가락: eat with ~*s* 젓가락으로 먹다.

chóp sú·ey [tʃápsúːi / tʃɔ́p-] 《Chin.》 잡채《미국식 중국 요리》.

cho·ral [kɔ́ːrəl] *a.* ① 합창대의; 합창(곡[용])의: the *Choral* Symphony 합창 교향곡《Beethoven의 제 9 교향곡의 별칭》. ② 일제히 소리내는《낭독》.

cho·rale [kərǽl, kourɑ́ːl / kɔrɑ́ːl] *n.* Ⓒ ① 합창곡; 성가. ② 합창단(= ~ **society**).

***chord**¹ [kɔːrd] *n.* Ⓒ ① (악기의) 현, 줄. ② 심금(心琴), (특수한) 감정: strike [touch] the right ~ 심금을 울리다. ③『數』 현(弦). ④『解』 힘줄, 건(腱).

chord² *n.* Ⓒ『音』 화음, 화현(和絃).

chore [tʃɔːr] *n.* ① Ⓒ 귀찮은[지루한, 싫은] 일: It's such a ~ to change diapers. 기저귀를 갈아 채우는 것은 아주 귀찮은 일이다. ② (*pl.*) (일상 가정의) 잡일, 허드렛일: Does your husband do his fair share of the household ~*s*? 당신의 남편은 적당한 자기 몫의 가사를 합니까?

cho·rea [kɔːríːə, kə-] *n.* Ⓤ『醫』 무도(舞蹈)병.

cho·re·o·graph [kɔ́ːriəgræ̀f, -grɑ̀ːf] *vt.* (음악·시 따위)에 안무하다.

cho·re·og·ra·pher [kɔ̀ːriágrəfər / kɔ̀ːriɔ́g-] *n.* Ⓒ 안무가; 무용가[교사].

cho·re·o·graph·ic [kɔ̀ːriəgrǽfik] *a.* 무용술의.

cho·re·og·ra·phy [kɔ̀ːriágrəfi / kɔ̀ːriɔ́g-] *n.* Ⓤ (무용·발레의) 안무(법); 안무 기술법; 무용술.

cho·ric [kɔ́ːrik, kár- / kɔ́r-] *a.*『그劇』 합창곡의; 가무단(歌舞團)의, 합창 가무식의.

cho·rine [kɔ́ːriːn] *n.* 《美口》 =CHORUS GIRL.

cho·ris·ter [kɔ́ːristər, kár- / kɔ́r-] *n.* Ⓒ ① 성가대원《특히 소년 대원》. ②《美》 성가대 지휘자.

chor·tle [tʃɔ́ːrtl] *vi.* 《口》 (만족한 듯이) 크게 웃다, 우쭐해지다《*about* ; *over*》: He ~*d* with delight. 그는 기뻐서 크게 웃었다. —— *n.* 《口》 (a ~) 의기 양양한 홍소.

‡cho·rus [kɔ́ːrəs] *n.* Ⓒ ①『樂』 합창; 합창곡; (노래의) 합창 부분, 후렴(refrain). ②〔集合的〕 합창대;『古그劇』 (종교의식·연극의) 합창 가무단; (뮤지컬의) 합창단, 군무(群舞)단. ③ 제창; 일제히 발하는 소리[웃음, 외침]: a ~ of protest 일제히 일어나는 반대 / The proposal was greeted with a ~ of approval. 그 제안은 일제히 찬성하여 받아들여졌다. ***in*** ~ 이구동성으로, 일제히: sing *in* ~ 합창하다 / protest *in* ~ 일제히 항의하다. —— *vt., vi.* ① (…을) 합창하다. ② (…을) 이구동성으로[일제히] 말하다: The crowd ~*ed* their approval (of the decision). 군중은 일제히 (그 결정에) 찬성한다고 말했다.

chórus gìrl 코러스 걸《가극·뮤지컬 따위의 가수 겸 댄서》.

‡chose [tʃouz] CHOOSE 의 과거.

‡cho·sen [tʃóuzn] CHOOSE 의 과거분사. —— *a.* ① **a**) 선발된; 정선된; 좋아하는: a ~ book 선정(選定) 도서 / one's ~ field 자기가 선택한[좋아하는] 분야. **b**) (the ~) 〔名詞的·集合的; 複數 취급〕 신의 선민. ② 신에게 선발된: *the* ~ *people* 신의 선민.

chow [tʃau] *n.* Ⓤ 《俗》 ① 음식물(food); 식사(때): It was 10 o'clock before we finally got our ~ that night. 그날 밤 우리는 10시가 지나서야 드디어 식사를 하였다. ② Ⓒ (중국산) 개의 일종(chow chow)《혀가 검음》 —— *vi.* 먹다《*down*》.

chow chow [tʃáutʃàu] =CHOW ②.

chow·der [tʃáudər] *n.* Ⓤ 차우더《조개[생선]에 감자·양파를 곁들여 끓인 것》.

chow mein [tʃáuméin] 《Chin.》 초면(炒麵).

Chr. Christ; Christian.

Chris [kris] *n.* 크리스. ① 남자 이름《Christopher의 애칭》. ② 여자 이름《Christiana, Christina, Christine 의 애칭》.

chrism [krízəm] *n.* Ⓤ『가톨릭』 성유(聖油). ⓟ **chrís·mal** [-əl] *a.* 성유의.

Chris·sie [krísi] *n.* 크리시《여자 이름; Christiana, Christina, Christine의 애칭》.

‡Christ [kraist] *n.* 그리스도《구약 성서에서 예언된 구세주의 출현으로서 기독교 신도들이 믿은 나사렛 예수(Jesus)의 호칭; 뒤에 Jesus Christ 로 고유명사화됨》: before ~ 기원전《略: B. C.; 20 B. C. 처럼 씀》. ***by*** ~ 맹세코, 꼭, 절대로. —— *int.* 《卑》 저런, 제기랄, 뭐라고《놀람·노여움 따위를 표시》: ~, it's cold. 제기랄, 되게 추우네!

***chris·ten** [krísn] *vt.* ① …에게 세례를 주다, (세례를 주어) …을 기독교도로 만들다(baptize): She's being ~*ed* in June. 그녀는 6월에 세례를 받는다. ②《+目+補》 …에게 세례를 주고 이름을 붙여주다: The baby was ~*ed* Luke. 그 아기는 누가라는 세례명을 받았다. ③ (배 따위)에 이름을 붙이다, 명명하다. ④《口》 (연장·새 차 따위)를 처음으로 사용하다.

Chris·ten·dom [krísndəm] *n.* Ⓤ〔集合的〕 ① 기독교계(界), 기독교국(國). ② 기독교도 전체.

chris·ten·ing [krísniŋ] *n.* ① Ⓤ 세례. ② Ⓒ 명명[세례]식.

Chris·tian [krístʃən] *n.* Ⓒ ① 기독교도, 기독교신자, 크리스천. ②《口》 문명인, 훌륭한 사람; 《口·方》 (짐승에 대하여) 인간(opp *brute*.). —— (***more*** ~; ***most*** ~) *a.* ① 그리스도의 (가르침의); 기독교의; 기독교적인[다운]: the ~ religion 기독교, 그리스도교 / his ~ conduct 그의 그리스도 교인다운 행위. ② 문명인다운; 《口》 인간적인, 점잖은; 《口》 훌륭한.

Chris·ti·a·na, Chris·ti·na [krìstiǽnə, -ɑ́ːnə], [kristíːnə] *n.* 여자 이름.

Chrístian Éra (the ~) 서력 기원.

***Chris·ti·an·i·ty** [krìstʃiǽnəti] *n.* Ⓤ 기독교 신앙, 기독교적 정신[주의, 사상]; 기독교.

Chris·tian·ize [krístʃənàiz] *vt., vi.* 기독교도가 되다; 기독교화하다.

Chris·tian·ly [krístʃənli] *a., ad.* 기독교도다운[답게].

:Chrístian náme 세례명(given name)《세례 때 명명되는 이름; ⇨NAME》.

Chrístian Scíence 크리스찬 사이언스《신앙 요법을 특색으로 하는 기독교의 한 파; 그 신자는 Christian Scientist》.

Chris·tie [krísti] *n.* 크리스티. ① 남자 이름. ② 여자 이름《Christiana, Christine 의 애칭》.

Chris·tie's [krístiz] *n.* 런던의 미술품 경매 회사《정식명은 Christie, Mason & Woods, Ltd.》.

Christ·like [kráistlàik] *a.* 그리스도 같은; 그리스도적인.

†Christ·mas [krísməs] *n.* Ⓤ (종종 a ~)크리스마스, 성탄절(~ Day)《12 월 25 일; 略: X mas》: *a* green ~ 눈이 오지 않는 〔따뜻한〕 크리스마스 / *a* white ~ 눈이 내린 크리스마스 / keep ~ 크리스마스를 축하하다 / *A* merry ~ to you. — The same to you. '성탄을 축하합니다' — '저 역시 축하드립니다.' — *a.* 〔限定的〕 크리스마스(용)의.

Chrístmas bòx 《英》 크리스마스 축하금〔선물〕《하인·우편집배원 등에게 줌》. cf Boxing Day.

Chrístmas càke 크리스마스 케이크.

Chrístmas càrd 크리스마스 카드.

Chrístmas càrol 크리스마스 송가〔캐롤〕.

Chrístmas Dày 성탄절《12월 25일》.

Chrístmas Éve 크리스마스 전야〔전일〕: We met on ~. 우리는 크리스마스 이브에 만났다.

Chrístmas hólidays (the ~) 크리스마스 휴가《Christmastide 의 휴가·겨울 방학》.

Chrístmas púdding 《英》 크리스마스 푸딩.

Chrístmas stócking 크리스마스 스타킹《산타클로스 선물을 받기 위해 내거는 양말》.

Christ·mas·tide [krísməstàid] *n.* Ⓤ 크리스마스 계절《12월 24일-1월 6일》.

Christ·mas·time [-tàim] *n.* = CHRISTMASTIDE.

Chrístmas trèe 크리스마스 트리.

Chrístmas vacátion (the ~) 《美》 = CHRISTMAS HOLIDAYS

Chris·to·pher [krístəfər] *n.* 크리스토퍼《남자 이름; 애칭은 Chris, Kit》.

chro·mat·ic [kroumǽtik] *a.* ① 색채의; 채색한. opp *achromatic.* ¶ ~ color 유채색 / ~ printing 색채 인쇄 / ~ aberration 〖光〗 색수차(色收差). ② 〖生〗 염색성의. ③ 〖樂〗 반음계의: the ~ scale 반음계 / a ~ semitone 반음계적 반음. ㊞ **-i·cal·ly** [-ikəli] *ad.*

chro·mate [króumeit] *n.* Ⓤ 〖化〗 크롬산염.

chro·mat·ics [kroumǽtiks] *n.* Ⓤ 색채론, 색채학.
「염색질(染色質).

chro·ma·tin [króumətin] *n.* Ⓤ 〖生〗 크로마틴,

chro·ma·tog·ra·phy [kròumətágrəfi / -tɔ́g-] *n.* Ⓤ 〖化〗 색층(色層) 분석, 크로마토그래피.

chrome [kroum] *n.* Ⓤ ① 〖化〗 크롬(chromium). ② = CHROME YELLOW. ③ **a)** 크롬 합금. **b)** 크롬 도금.

chróme stéel 크롬강(鋼).

chróme yéllow 크롬황(黃); 황연.

chro·mic [króumik] *a.* 〖化〗 (3 가(價)의) 크롬을 함유하는, 크롬의: ~ acid 크롬산.

chro·mite [króumait] *n.* ① Ⓤ 〖鑛〗 크롬철광. ② Ⓒ 〖化〗 아(亞)크롬산염.

chro·mi·um [króumiəm] *n.* Ⓤ 〖化〗 크롬, 크로뮴《금속 원소; 기호 Cr; 번호 24》.

chro·mo·so·mal [kròuməsóuməl] *a.* 〖生〗 염색체의: ~ abnormality 염색체 이상.

chro·mo·some [króuməsòum] *n.* Ⓒ 〖生〗 염색체. cf chromatin. ¶ Each cell of our bodies contains 46 ~s. 우리 몸의 세포는 각기 46개의 염색체를 포함하고 있다.

chrómosome màp 〖生〗 염색체 지도《염색체상의 유전자의 상대적 위치관계를 나타낸 그림》.

Chron. 〖聖〗 Chronicles.

***chron·ic, -i·cal** [kránik / krɔ́n-], [-kəl] *a.* ① 〖醫〗만성의, 고질의. opp *acute.* ¶ a *chronic* disease 만성병 / a *chronic* case 만성병 환자 / *chronic* depression 〔unemployment〕 만성적 불황〔실업〕. ② 오래 끄는《내란 등》: a *chronic* rebellion 오랜 반란. ③ 〔限定的〕 습관이 된, 상습적인: a *chronic* grumbler 늘 불평만 늘어놓는 사람. ④ 《英口》 싫은, 지독한. ⑤ (버릇 따위가) 몸에 밴, 고치기 힘든: a *chronic* smoker. ㊞ **-i·cal·ly** [-ikəli] *ad.* 만성적으로; 오래 끌어; 상습적으로.

***chron·i·cle** [kránikl / krɔ́n-] *n.* ① Ⓒ 연대기(年代記); 편년사(編年史). ② (the C-s) 〔單數취급〕 〖聖〗 역대기(歷代記)《구약성서 중의 한 편》. ③ (C-) … 신문《보기: *The Daily Chronicle*》. — *vt.* …을 연대기에 올리다; 연대순으로 기록하다.
「편자; 기록자.

chron·i·cler [krániklər / krɔ́n-] *n.* Ⓒ 연대기

chron·o·graph [kránəgrӕf, -grɑ̀:f / krɔ́n-] *n.* Ⓒ 크로노그래프《시간의 경과를 도형적으로 기록하는 장치》.

chron·o·log·ic, -i·cal [krànəládʒik / krɔ̀nəlɔ́dʒik], [-kəl] *a.* ① 연대순의: I have arranged these stories in *chronological* order. 나는 이 이야기들을 연대순으로 정리했다. ② 연대학의, 연대기의: *chronological* period 〔table〕 연대〔연표〕. ㊞ **-i·cal·ly** [-kəli] *ad.* 연대순으로; 연대기적으로.

chro·nol·o·gist [krənálədʒist / -nɔ́l-] *n.* Ⓒ 연대학자, 연표(年表)학자, 편년사가(編年史家).

chro·nol·o·gy [krənálədʒi / -nɔ́l-] *n.* ① Ⓤ 연대학. ② Ⓒ 연대기, 연표. ③ Ⓒ (사건의) 연대순 배열.

chro·nom·e·ter [krənámitər / -nɔ́m-] *n.* Ⓒ ① 크로노미터《천문·항해용의 정밀 시계》. ② 정밀 시계.

chron·o·scope [kránəskòup / krɔ́n-] *n.* Ⓒ 크로노스코프《극미 시간 측정기; 광속 등을 잼》.

chrys·a·lis [krísəlis] (*pl.* **~·es, chry·sal·i·des** [krisǽlədì:z]) *n.* Ⓒ ① 번데기, 유충《특히 나비의》. ② 미숙기, 준비 시대, 과도기.

***chry·san·the·mum** [krisǽnθəməm] *n.* Ⓒ ① 〖植〗 국화; (C-) 국화속(屬). ② 국화의 꽃.

Chrys·ler [kráislər] *n.* Ⓒ 크라이슬러《미국제 고급 자동차의 이름》.
「欖石).

chrys·o·lite [krísəlàit] *n.* Ⓤ,Ⓒ 귀감람석(貴橄

chub [tʃʌb] (*pl.* **~s**; ~) *n.* Ⓒ 〖魚〗 황어속(屬)의 물고기.

chub·by [tʃʌ́bi] (**chub·bi·er; -bi·est**) *a.* 토실토실 살이 찐, 오동통한: a ~ face 토실토실한 얼굴. ㊞ **-bi·ness** *n.*

chuck**[1] [tʃʌk] *vt.* ① (턱 밑 따위)를 가볍게 치다〔어루만지다〕, 다독거리다: He ~*ed* the cat under the chin. 그는 고양이 턱 밑을 다독거렸다〔쓰다듬었다〕. ② …을 휙 던지다, 팽개치다: ~ a ball *to* a person 아무에게 공을 던지다. ③ 《口》 《~ +목 / +목+부 / +목+전+명》 (친구 등)을 버리다; (…에서 아무)를 쫓아내다; 해고(解雇)하다 《*out of*》: Why don't you ~ him? 그를 감원하는 것이 어떤가 / ~ a drunken man *out of* a bar 술집에서 취객을 쫓아내다. ④ 《~ +목 / +목+부》 (일·계획 따위)를 버리다, 단념〔포기〕하다, 중지하다《*up*》: ~ (*up*) one's job 사직하다. ~ ***away 내버리다; (돈·시간)을 헛되이 써버리다; (기회)를 놓치다: The clock had to be ~*ed away* because it didn't work. 시계가 고장났기 때문에 버려야만 했다. ~ ***it*** 《俗》 그만두다; 〔命令

形) 그만둬, 잔소리마라. ~ ***up***《口》(싫어져서) 그만두다, 단념하다, 내던지다.
— *n.* ① Ⓒ (턱 밑을) 가볍게 침, 다독거림. ② Ⓒ 《口》 휙 던짐; 포기. ③ (the ~) 《美口》 해고: get *the* ~ 해고당하다 / give a person *the* ~ 《俗》 갑자기 아무를 면직시키다; (아무와) 느닷없이 관계를 끊다.

chuck[2] *n.* ① Ⓒ 【機】 척(선반(旋盤)의 물림쇠); 척, 지퍼(zipper). ② Ⓤ (쇠고기의) 목과 어깨의 살. ③ Ⓒ (쐐기·꺾쇠 등으로 쓰는) 통나무.

chuck[3] *vi.* (암탉이) 꼬꼬하고 울다.
— *vt.* (사람이 닭)을 구구하고 부르다.
— *n.* Ⓒ 꼬꼬하는 소리.

chuck·hole [tʃʌ́khòul] *n.* Ⓒ 도로 위의 구멍.

‡**chuck·le** [tʃʌ́kl] *n.* Ⓒ 낄낄 웃음, 미소: give a ~ 낄낄 웃다. — *vi.* 낄낄 웃다; (혼자서) 기뻐하다 《*at* ; *over*》: ~ while reading 책을 읽으면서 낄낄 웃다 / ~ to oneself 혼자서 싱글벙글 웃다 / They were *chuckling over* the photographs. 그들은 사진을 보며 낄낄 웃었다.

chuck·le·head [tʃʌ́klhèd] *n.* Ⓒ 《口》 바보, 얼간이.

chúck wàgon 《美》 ① (농장·목장용) 취사차. ② 도로변의 작은 식당.

chuff [tʃʌf] *n., vi.* =CHUG.

chuffed [tʃʌft] *a.* 〔敍述的〕《英俗》 매우 기쁜, 즐거운: He's really ~ about passing the exam. 시험에 통과해 아주 기뻐하고 있다.

chug [tʃʌg] *n.* Ⓒ 칙칙, 폭폭《열차·엔진 등의 소리》. — (*-gg-*) *vi.* 《口》 칙칙〔폭폭〕 소리를 내다; 칙칙 소리내며 나아가다《*along* ; *away*》.

chug-a-lug [tʃʌ́gəlʌ̀g] (*-gg-*) *vt., vi.* 《美俗》 (…을) 단숨에 마시다, 꿀꺽꿀꺽 마시다.

chúk·ka bòot [tʃʌ́kə-] (흔히 *pl.*) 처커부츠, 복사뼈까지 오는 부츠.

‡**chum**[1] [tʃʌm] 《口》 *n.* Ⓒ 단짝, 짝: In Dublin he met an old school ~. 더블린에서 그는 옛 학교 친구를 만났다. — (*-mm-*) *vi.* 《+副 / +前+名》 사이좋게 지내다《*together* ; *up* ; *with*》: Tom ~*ed up with* me. 톰은 나와 친해졌다〔단짝이 되었다〕.

chum[2] *n.* Ⓤ (낚시의) 밑밥. — (*-mm-*) *vt.* (고기)를 밑밥을 뿌려 유인하다. — *vi.* 밑밥을 뿌리어 고기를 유인하다.

chum·my [tʃʌ́mi] (*-mi·er* ; *-mi·est*) *a.* 《口》 사이가 좋은, 아주 친한; …와 단짝인《*with*》.

chump [tʃʌmp] *n.* Ⓒ ① 큰 나무 토막. ② 《口》 얼간이, 바보; 잘 속는 사람, 봉. ***go off*** one***'s*** ~ 《口》 머리가 좀 돌다, 미치다; 흥분하다.

chunk [tʃʌŋk] *n.* Ⓒ 《口》 ① (장작 따위의) 큰 나무 토막; (치즈·빵·고기 따위의) 큰 덩어리: a ~ of bread 빵 덩어리. ② 상당한 액수〔양〕《*of*》: a ~ *of* money 상당한 금액. ③ 《美》 땅딸막한〔튼실한〕 사람〔말·짐승〕: a fine ~ of a man 크고 훌륭한 체격의 사람.

chunky [tʃʌ́ŋki] (*chunk·i·er* ; *-i·est*) *a.* 《口》 ① 짧고 두터운; 모착한; 덩어리진: a ~ man 땅딸막한 사람. ② (천·옷 따위) 두툼한.

Chun·nel [tʃʌ́nəl] *n.* (the ~) 《英口》 영불 해협 터널. 〔◂ *C*hannel+t*unnel*〕

†**church** [tʃəːrtʃ] *n.* ① **a)** Ⓒ (흔히 기독교의) 교회(당), 성당. ★ 영국에서는 국교의 교회당을 말함. cf. chapel. **b)** Ⓤ 예배: ~ time 예배 시간 / after ~ 예배 후 / ~ music 교회 음악 / *Church* begins 〔is〕 at 9 o'clock. 예배는 9시에 시작한다〔있다〕. ② 〔集合的〕 기독교도; 회중; 특정 교회의 신도들: She is a member of this ~. 그녀는 이 교회의 신도이다. ③ (the C-) (조직체로서의) 교회: *the Church* and the State 교회와 국가; 교권과 국권. ④ (the C-) 성직(聖職): be brought up for *the Church* 목사가 되기 위하여 교육받다. ⑤ (C-) 교파: the Methodist *Church* 감리교파. cf. Broad Church, High Church, Low Church. (***as***) ***poor as a ~ mouse*** 몹시 가난하여. ***go into*** 〔***enter***〕 ***the Church*** 성직에 앉다, 목사가 되다. ***go to*** 〔***attend***〕 ~ 예배에 참석하다. ★ 단지 교회에 간다는 뜻으로는 다음과 같이 씀. ¶ go to *the church* to sweep the chimney 굴뚝 청소하러 교회에 가다. — *vt.* ① …을 교회에 데리고 가다; 교회원으로 만들다. ② …에게 교회 규율을 따르게 하다. ③ 〔흔히 受動으로〕 …을 교회에 참석시키다《순산(順產) 감사·세례 따위의 의식을 위해》.

Chúrch Commíssioners (the ~) 《英》 국교 재무 위원회.

church·go·er [⌐gòuər] *n.* Ⓒ 교회에 잘 다니는 사람.

church·go·ing [⌐gòuiŋ] *n.* Ⓤ 교회에 다니기.
— *a.* 교회에 잘 다니는.

***Church·ill** [tʃə́ːrtʃil] *n.* Sir **Winston** ~ 처칠《영국의 정치가(1874-1965); 1953년 Nobel 문학상 수상》.

chúrch kèy (끝이 삼각형으로 뾰족한) 깡통따개, 병따개.

church·less [tʃə́ːrtʃlis] *a.* ① 교회가 없는. ② 교회에 안 다니는〔속하지 않는〕, 무종교의.

church·ly [tʃə́ːrtʃli] *a.* 교회의; 종교상의; 교회에 어울리는.

church·man [⌐mən] (*pl.* ***-men*** [⌐mən]) *n.* Ⓒ ① 성직자, 목사. ② **a)** 교회 신도. **b)** 《英》 영국 국교도.

chúrch régister 《美》 (교구민의 세례·결혼 등을 기록한) 교회 기록부, 교적.

chúrch sèrvice ① 예배(식). ② (영국 국교의) 기도서.

chúrch schòol 교회(부속) 학교.

church·ward·en [⌐wɔ̀ːrdn] *n.* Ⓒ (영국 국교회의) 교구 위원《평신도 중에서 교구를 대표하여 목사를 보좌하고 회계 사무 등을 담당》.

church·wom·an [⌐wùmən] (*pl.* ***-wom·en*** [-wìmin]) *n.* Ⓒ (열성적인) 여자 신도; (특히 영국 국교회의) 여자 신도.

‡**church·yard** [⌐jɑ̀ːrd] *n.* Ⓒ 교회 부속 뜰, 교회 경내; (교회 부속) 묘지. cf. cemetery, graveyard. ¶ a ~ cough 다 죽어가는 맥없는 기침 / A green Christmas 〔Yule〕 makes a fat ~. 《俗談》 크리스마스에 눈이 안 오면 병이 돌아 죽는 이가 많아진다.

churl [tʃə(ː)rl] *n.* Ⓒ ① 야비한 사람; 버릇없는 사람. ② 촌뜨기.

churl·ish [⌐iʃ] *a.* 야비한; 버릇이 없는; 촌뜨기의: They invited me to dinner and I thought it would be ~ to refuse. 그들은 나를 저녁 식사에 초대했고 나는 거절하는 것은 무례하다고 생각했다. 㽕 **~·ly** *ad.* **~·ness** *n.*

churn [tʃəːrn] *n.* Ⓒ ① 교유기(攪乳器)《버터를 만드는 큰 (양철)통》. ② 《英》 큰 우유통.
— *vt.* ① **a)** (우유·크림)을 교유기로 휘젓다. **b)** 휘저어 (버터)를 만들다. ② (물·흙 따위)를 세차게 휘젓다; 휘저어 거품을 일게 하다; (바람 따위가) (물결)을 일게 하다: The ship's screws ~*ed* (*up*) the sea. 배의 스크류가 물결을 일으켰다. — *vi.* ① 교유기로 버터를 만들다. ② (물결 따위가) 기슭에 철썩거리다, 거품이 일다; 거품을 일으키며 나아가다; 파도가 일다. ③ (스크류 따위가) 세차게 돌아가다. ~ ***out*** 《口》 대량으로 생산〔발행〕하다; (변변치 못한 것을) 마구 만들어 내다.

churr [tʃəːr] *vi.* (쏙독새·자고새·귀뚜라미 따위가) 쪽쪽〔찍찍〕하고 울다. — *n.* Ⓒ 쪽쪽〔찍찍〕 우는 소리.

chut [tʃʌt] *int.* 체, 쯧쯧《마땅찮음·경멸 따위를 나타냄》. cf. tut.

chute [ʃuːt] *n.* Ⓒ ① 활강로(滑降路), 비탈진 (물)도랑, 자동 활송(滑送) 장치《물·재목·광석 따위를 아래로 떨어뜨리는 경사진 길·파이프 따위》; 투하 장치: a letter〔garbage〕 ~ 우편물〔쓰레기〕 투하 장치. ② 낙수, 급류(rapids), 폭포(fall). ③《口》 낙하산(parachute).
chut·ist [ʃúːtist] *n.* 《口》 =PARACHUTIST.
chut·ney [tʃʌ́tni] *n.* Ⓤ 처트니《인도의 달콤하고 매운 양념》.
chutz·pah, -pa [hútspə] *n.* Ⓤ 《口》 ① 뻔뻔스러움, 후안무치. ② 대담함, 호방함.
chyme [kaim] *n.* Ⓤ 〖生理〗 (위에서 십이지장으로 보내는) 반유동체의 소화물, 유미죽.
Ci curie. **C.I.** Channel Islands. **CIA, C.I.A.** Central Intelligence Agency.
ciao [tʃau] *int.* 《It.》《口》 차오, 안녕《만남·작별 인사》.
***ci·ca·da** [sikéidə, -káːdə] (*pl.* **~s, -dae** [-diː]) *n.* Ⓒ 매미.
ci·ca·la [sikáːlə] *n.* =CICADA.
cic·a·trice, -trix [síkətris], [-trìks] (*pl.* ***cic·a·tri·ces*** [sìkətráisiːz]) *n.* Ⓒ ①〖醫〗 흉터; 상처 자국. ②〖植〗 엽흔(葉痕); 탈리흔(脫離痕).
Cic·e·ro [sísəròu] *n.* **Marcus Tullius** ~ 키케로《로마의 웅변가·정치가·철학자; 106-43 B.C.》.
cic·e·ro·ne [sìsəróuni, tʃìtʃə-] (*pl.* **~s, -ni** [-niː]) *n.* Ⓒ 《It.》 (명승지의) 관광 안내인.
Cic·e·ro·ni·an [sìsəróuniən] *a.* 키케로적인, 키케로풍의; 웅변의(eloquent), (문체가) 전아(典雅)한(classical).
C.I.D., CID Criminal Investigation Department (《美》 검찰국; 〖軍〗 범죄 수사대; 《英》 경찰국 따위의) 수사과.
-cide *suf.* '…살해범'의 뜻: homi*cide*.
***ci·der** [sáidər] *n.* Ⓤ,Ⓒ 사과즙; 사과술: ~ brandy (사과술로 만든) 모조 브랜디. ★ 알코올성 음료로서 사과즙을 발효시킨 것은 hard ~, 발효시키지 않은 것은 sweet ~; 한국의 '사이다'는 탄산수(soda pop).
cíder prèss 사과 착즙기(搾汁機).
C.I.F., c.i.f. [síːáiéf, sif] 〖商〗 cost, insurance and freight(보험료·운임 포함 가격).
cig [sig] *n.* Ⓒ =CIGARETTE, CIGAR.
‡**ci·gar** [sigáːr] *n.* Ⓒ 여송연, 엽궐련, 시가.
‡**cig·a·ret(te)** [sìgərét, ⌐-⌐] *n.* Ⓒ 궐련: a pack of ~*s* 담배 한 갑.
cigarétte càse 담뱃갑.
cigarétte lìghter 담배용 라이터.
cigár hòlder (여송연) 물부리.
cig·a·ril·lo [sìgərílou] (*pl.* **~s**) *n.* Ⓒ 가늘고 작은 여송연.
cig·gy [sígi] *n.* Ⓒ =CIGARETTE.
cil·ia [síliə] (*sing.* ***-i·um*** [-iəm]) *n. pl.* ① 속눈썹(eyelashes). ②〖生〗 섬모(纖毛). ③ (잎·깃 따위의) 솜털. ㊕ **cil·i·ary** [sílièri / -əri] *a.* 속눈썹 같은; (눈의) 모양체(毛樣體)의.
CIM computer-integrated manufacturing(컴퓨터에 의한 통합 생산).
C in C, C. in C. Commander in Chief.
cinch [sintʃ] *n.* ① Ⓒ 《美》 안장띠, (말의) 뱃대끈. ② (a ~) 《美口》 꽉 쥠: have *a* ~ on …을 꽉 쥐다. ③ (a ~) **a)** 《口》 확실한 일; 우승〔유력〕 후보: He's *a* ~ to win. 그가 이길 것은 틀림없다. **b)** 《口》 쉬운 일, 식은 죽 먹기. ── *vt.* ① 《美》 (말)에 뱃대끈을 매다; 《美口》 …을 꽉 쥐다. ② 《口》 …을 확실히 하다.
cin·cho·na [siŋkóunə, sin-] *n.* ① Ⓒ 〖植〗 기나나무. ② Ⓤ 기나피《키니네 원료》; 기나피 제제.
Cin·cin·nati [sìnsənǽti] *n.* 신시내티《미국 Ohio 주의 도시》.
cinc·ture [síŋktʃər] *n.* Ⓒ ① 둘레를 둘러싸는〔감는〕 것. ② 《文語》 띠(girdle); 〖가톨릭〗 장백의 위로 매는 띠. ── *vt.* ① …을 띠로 감다. ② …을 둘러싸다, 에워싸다.
***cin·der** [síndər] *n.* ① **a)** Ⓒ 타다 남은 찌꺼기; 뜬숯: burned to a ~ (요리 따위) 시꺼멓게 탄. **b)** (*pl.*) 재, 석탄재: burn ... to ~*s* …을 태워서 재로 만들다. **c)** Ⓤ (용광로에서 나오는) 쇠똥, 광재(鑛滓). ② Ⓒ (화산에서 분출한) 분석(噴石).
cínder blòck 《美》 (속이 빈 건축용) 콘크리트 블록(《英》 breeze block).
Cin·der·el·la [sìndərélə] *n.* ① 신데렐라《계모와 자매에게 구박받다가, 마침내 행복을 얻은 동화 속의 소녀》. ② Ⓒ **a)** 의붓자식 취급을 당하는 사람; 숨은 재원〔인재〕. **b)** 별안간 유명해진 사람.
cine- '영화'의 뜻의 결합사.
cin·e·ast, cin·e·aste [síniæ̀st, -əst], [-æ̀st] *n.* Ⓒ (열광적인) 영화팬.
cin·e·cam·era [sínəkæ̀mərə] *n.* Ⓒ 《英》 영화 촬영기(《美》 movie camera).
‡**cin·e·ma** [sínəmə] *n.* ① Ⓒ 《英》 영화관(《美》 movie theater): go to the 〔a〕 ~ 영화보러 가다. ② Ⓤ (the ~) **a)** 〔集合的〕 영화(《美》 movies). **b)** 영화 제작〔산업〕: He has recieved a special award for his achievements in ~. 그는 영화 산업에 기여한 공로로 특별상을 탔다. **c)** (예술로서의) 영화: a ~ actor〔star〕 영화 배우.
Cin·e·ma·Scope [sínəməskòup] *n.* Ⓤ,Ⓒ 〖映〗 시네마스코프《와이드스크린에 영사하여 입체감·현실감을 줌; 商標名》.
cin·e·ma·tic [sìnəmǽtik] *a.* ① 영화의, 영화에 관한. ② 영화와 같은, 영화적인.
cin·e·mat·o·graph [sìnəmǽtəgræ̀f, -gràːf] *n.* Ⓒ 《英》 ① 영사기. ② 영화 촬영기.
cin·e·mat·o·graph·ic [sìnəmæ̀təgrǽfik] *a.* ① 영화(촬영술)의. ② 영사의. ㊕ **-i·cal·ly** *ad.*
cin·e·ma·tog·ra·phy [sìnəmətágrəfi / -tɔ́g-] *n.* Ⓤ 영화 촬영술〔법〕.
cin·e·pro·jec·tor [sínəprədʒèktər] *n.* Ⓒ 《英》 영사기.
Cin·er·ama [sìnəráːmə, -rǽmə] *n.* Ⓤ 〖映〗 시네라마《대형 호상(弧狀) 스크린에 3대의 영사기로 동시에 영사하여 파노라마 효과를 냄; 商標名》.
cin·e·rar·ia [sìnəréəriə] *n.* Ⓒ 〖植〗 시네라리아《국화과의 일종》.
cin·e·rar·i·um [sìnəréəriəm] (*pl.* ***-ia*** [-iə]) *n.* Ⓒ 납골당(納骨堂).
cin·er·ary [sínərèri / -rəri] *a.* 유골의, 유골을 넣는.
cin·na·bar [sínəbàːr] *n.* Ⓤ ① 〖鑛〗 진사(辰砂)《수은(水銀)의 원광》. ② 주홍색(vermilion).
***cin·na·mon** [sínəmən] *n.* ① **a)** Ⓤ 육계(肉桂); 계피. **b)** Ⓒ 〖植〗 육계나무. ② Ⓤ 육계색, 황갈색, ── *a.* 육계색의, 갈색의.
cinque·foil [síŋkfɔ̀il] *n.* Ⓒ ① 〖植〗 양지꽃속(屬)의 일종. ② 〖建〗 매화 무늬.
***ci·pher,** 《英》 **cy-** [sáifər] *n.* ① Ⓒ 영(零)의 기호, 제로. ② Ⓒ 아라비아 숫자《특히 자릿수를 표시하는 것으로서의》: a number of 5 ~*s* 5 자리의 수. ③ Ⓤ,Ⓒ 암호(문), 부호; 암호 해독서: a ~ code〔telegram〕 암호표〔전보〕/ in ~ 암호로. ── *vt.* (통신 등) …을 암호문으로 쓰다. ⓞⓟⓟ *decipher*.
cir., circ. circa.
cir·ca [sə́ːrkə] *prep.* 《L.》 대략, …쯤, 경《略: C., ca, cir., circ.》: Plato was born ~ 427 B.C. 플라톤은 기원전 427년경에 태어났다.
cir·ca·di·an [səːrkéidiən] *a.* 〔限定的〕 〖生理〗 24시간 주기의: ~ rhythms 24시간 주기 리듬.
Cir·ce [sə́ːrsi] *n.* ① 〖그神〗 키르케《Homer(作) *Odyssey* 에서, 남자를 돼지로 만든 마녀》. ② Ⓒ 요

부 ; 매혹적인 여성(enchantress).

‡cir·cle [sə́:rkl] *n.* [C] ① 원, 원주 : draw a ~ 원을 그리다. ② 원형의 것. **a**) 환(環), 고리(ring). **b**) 원진(圓陣). **c**) (철도의) 순환선 ; (주택가의) 순환 도로 ; (C-) (London의) 지하철 순환선. **d**) 《美》 로터리. ③ (시간 따위의) 주기(週期) (period), 순환(循環), 주행(周行), 일주《*of*》: the ~ *of* the seasons 사계(四季)의 순환. ④〖地〗 위도(권(圈)) ; 위선(緯線) ; 권(圈) : the arctic *Circle* 북극권. ⑤ (극장의) 원형 관람석 : the dress ~ 2층 정면석(席). ⑥ (서커스의) 곡마장 (=**círcus rìng**). ⑦ (교제·활동·세력 등의) 범위 (sphere) : a large ~ of friends 광범한 교우(交友). ⑧ (종종 *pl.*) 집단, 사회, …계(界) (coterie), 패, 동아리 : literary ~*s* 문인들, 문학계 / the family ~ 친족 / the upper ~*s* 상류사회. ⑨ (전)계통, 전역, 전체 : the ~ of the sciences 학문의 전계통 / He gave up a ~ of pleasures. 그는 일체의 쾌락과 담을 쌓았다. ⑩〖論〗 순환논법. ***come full*** ~ 빙 돌아 제자리로 오다. ***go round in ~s*** 《口》 (1) 제자리를 맴돌다. (2) 애쓴 만큼의 진보가 없다. ***in a*** ~ 원형을 이루어 ; 순환 논법으로 : The students sit *in a* ~ on the floor. 학생들은 마룻바닥에 둥그렇게 앉는다. ***run ~s around*** a person 아무보다 훨씬 잘하다〔힘을 보이다〕. ***run round in ~s*** 《口》 하찮은 일에 안달복달하다. ***square the*** ~ 불가능한 일을 꾀하다.

— *vt.* ① (하늘)을 선회하다, 돌다 ; …의 둘레를 돌다 : Galileo saw four moons *circling* Jupiter in 1610. 갈릴레오는 1610년에 네 개의 위성이 목성 주위를 도는 것을 보았다. ② **a**) …을 에워〔둘러〕싸다(encircle) : He ~*d* her waist with his arm. 그는 그녀의 허리에 팔을 둘러감았다. **b**) 동그라미를 치다 : *Circle* the correct answer. 옳은 답에 동그라미를 쳐라. ③ (위험을 피하여) 우회하다.

— *vi.* 《~ / +[전]+[명] / +[부]》 돌다, 선회하다 : ~ *round* 빙빙 돌다. ~ ***back*** (출발점을 향해) 되돌아 오다.

cir·clet [sə́:rklit] *n.* [C] ① 작은 원. ② (금·보석 등의) 장식 고리 ; 반지(ring) ; 헤드밴드.

circs [sə:rks] *n. pl.* 《英口》 =CIRCUMSTANCES.

‡cir·cuit [sə́:rkit] *n.* [C] ① 순회, 회전 ; 순회 여행, 주유(周遊) : She ran four ~*s* of the track. 그녀는 트랙을 네 바퀴 달렸다. ② 우회로〔코스〕. ③ 주위, 범위 : A lake about 10 miles in ~ 주위〔둘레〕 약 10마일의 호수. ④ 순회 재판(구) ;〔集合的〕 순회 재판 변호사 ; (목사의) 순회 교구 ; 정기적인 순회 : a ~ judge 순회 판사 / go on ~ 순회 재판을 하다. ⑤〖電〗 회로, 회선 ; 배선(도) ;〖컴〗 회로. [cf] short circuit. ¶ open〔break〕 the ~ 회로를 열다 / make〔close〕 the ~ 회로를 닫다. ⑥ (극장·영화관 따위의) 흥행 계통, 체인. ⑦ 리그, (축구·야구 등의) 연맹 : a baseball ~ 야구 연맹. ⑧ (자동차 경주의) 경주로.

círcuit brèaker〖電〗 회로 차단기.

círcuit cóurt 순회 재판소.

cir·cu·i·tous [sə:rkjú:itəs] *a.* ① 돌아가는 길의, 우회(로)의. ② (말 따위를) 빙 둘러서 하는, 에두르는, 완곡한. [파] ~·**ly** *ad.*

círcuit rìder 《美》 (개척 시대의 감리 교회의) 순회 목사.

cir·cuit·ry [sə́:rkitri] *n.* [U]〖電〗 (전기·전자의) 회로 (설계) ; 회로 소자(素子).

cir·cu·i·ty [sə:rkjú:əti] *n.* [U] ① 멀리 돌아감. ② 에두름, 에둘러 말하기.

‡cir·cu·lar [sə́:rkjələr] (***more*** ~ ; ***most*** ~) *a.* ① 원형의, 둥근 ; 빙글빙글 도는 : a ~ stair 나선 계단 / a ~ motion 원운동. ② 순환(성)의 : a ~ argument〔reasoning〕 순환 논법 / a ~ number〖數〗 순환수 / a ~ ticket〔tour〕 회유권(回遊券)〔여행〕. ③ 순회하는 ; 회람의 : a ~ letter 회장(回章). ④ 완곡한, 에두른, 간접적인 : a ~ expression 에두른 표현.

— *n.* [C] ① 회장(回章) ; 안내장. ② 광고 전단. [파] ~·**ly** *ad.* 원을〔고리를〕 이루어, 둥글게 ; 순환적으로.

cir·cu·lar·i·ty [sə̀:rkjəlǽrəti] *n.* [U] ① 원형, 원상, 환상(環狀). ② (논지(論旨) 등의) 순환성.

cir·cu·lar·ize [sə́:rkjələràiz] *vt.* ① …에 광고 전단을〔안내장, 회람을〕 돌리다 ; 앙케트를 보내다 : All our branch offices have been ~*d* with details of the changes in the company. 회사의 변동 사항 명세서를 우리의 모든 지사에 돌렸다. ② …을 회람하다.

círcular sáw 둥근 톱(buzz (saw)).

‡cir·cu·late [sə́:rkjəlèit] *vi.* 《~ / +[전]+[명]》 ① 돌다, 순환하다《*through ; among ; in*》: Blood ~*s* *through* the body. 피는 체내를 순환한다. ② **a**) 원운동을 하다, 빙글빙글 돌다. **b**) (술잔이) 차례로 돌다. ③〖數〗 (소수가) 순환하다. ④ **a**) 여기저기 걸어다니다 ; (특히 모임 등에서) 부지런히 돌아다니다 : He ~*d* *among* the guests at the party. 그는 파티에서 이야기를 나누면서 손님들 사이를 돌아다녔다. **b**) (소문 등이) 퍼지다 ; (신문 등이) 배부〔판매〕되다 : The story ~*d* *among* the people. 그 이야기는 사람들 사이에 퍼졌다 / This magazine ~*s* widely. 이 잡지는 널리 보급되고 있다. ⑤ (화폐·어음 따위가) 유통하다. ⑥ 《美》 순회하다. — *vt.* ① …을 돌리다, 순환시키다 ; (술잔 등)을 차례로 돌리다. ② (풍문 따위)를 유포시키다 ; (신문·책자 따위)를 배부〔반포〕하다 ; (통화 따위)를 유통시키다, 발행하다 ; …에게 회람시키다 : The rumor was widely ~*d* through the town. 그 소문은 읍내에 널리 퍼졌다 / Has everyone been ~*d* with details of the conference? 회의의 세부 내역을 모두에게 회람시켰느냐? ◇ circulation *n.*

cir·cu·lat·ing [sə́:rkjəlèitiŋ] *a.* 순환하는, 순회하는 : ~ capital 유동 자본.

círculating líbrary 대출〔이동〕 도서관.

‡cir·cu·la·tion [sə̀:rkjəléiʃən] *n.* ① [U,C] 순환 : the ~ of the blood 혈액의 순환 / have (a) good ~ (혈액의) 순환이 좋다. ② [U] (화폐 따위의) 유통 ; (풍설 따위의) 유포 : Two-dollar bills are not in ~ now. 2달러짜리 지폐는 이제 유통되지 않고 있다. ③ (*sing.*) (서적·잡지 따위의) 발행 부수, 보급(도) ; (도서의) 대출 부수 : The paper has a large〔small, limited〕 ~. 그 신문은 발행 부수가 많다〔적다〕. ④〔集合的〕 통화 ; 유통 어음. ◇ circulate *v.* ***be in*** ~ 유포〔유통〕되고 있다 : Several thousand of the fake notes *are in* ~. 수많은 위조 지폐가 통용되고 있다. ***be out of*** ~ (1) (책·통화 등이) 나와 있지 않다, 사용되지 않다. (2) 《美口》 (사람이) 활동하지 않다, 남과 사귀지 않다 : She *is out of* ~ until after her exams. 그녀는 시험이 끝날 때까지 친구들과 어울리지 않는다. ***put in***〔***into***〕 ~ 유포〔유통〕시키다 : *put* a commemorative coin *in* ~ 기념 주화를 유통시키다.

cir·cu·la·tor [sə́:rkjəlèitər] *n.* [C] ① (보도·소문·병균 따위를) 유포시키는 사람, 전달자. ② 순환기. ③〖數〗 순환 소수.

cir·cu·la·to·ry [sə́:rkjələtɔ̀:ri / ˌ--léitəri] *a.* (혈액·물·공기 따위의) 순환의 ; 순환성의.

circum- *pref.* '주(周), 회(回), 여러 방향으로' 따위의 뜻.

cir·cum·am·bi·ent [sə̀:rkəmǽmbiənt] *a.* (특히 공기·액체가) 에워싸는, 주위의.

cir·cum·am·bu·late [sə̀:rkəmǽmbjəlèit] *vi.* 두루 돌아다니다, 순행하다. ㊍ **-àm·bu·lá·tion** [-ʃən] *n.* Ⓤ 두루 돌아다님, 순행.

cir·cum·cise [sə́:rkəmsàiz] *vt.* ① …에게 할례(割禮)를 베풀다. ②〖醫〗…의 포피(包皮)를 자르다, 음핵 포피를 자르다.

cir·cum·ci·sion [sə̀:rkəmsíʒən] *n.* Ⓤ,Ⓒ ① 할례《유대교 따위의 의식》. ②〖醫〗포경 수술.

***cir·cum·fer·ence** [sərkʌ́mfərəns] *n.* Ⓤ,Ⓒ ① **a**) 원주(圓周) : the ~ of a circle 원주 / Draw a circle 30 centimeters in ~. 원주 30cm 의 원을 그려라. **b**) 주위, 주변 : a lake about two miles in ~ 주위 약 2마일의 호수. ② 주변의 길이, 주위의 거리, 영역 ; 경계선.

cir·cum·fer·en·tial [sərkʌ̀mfərénʃəl] *a.* 원주의 ; 주위의 ; 주위〔주변〕를 둘러싸고 있는.

cir·cum·flex [sə́:rkəmflèks] *n.* = CIRCUMFLEX ACCENT. ⓒⓕ accent. ── *a.* 곡절(曲折) 악센트가 있는. ── *vt.* …에 곡절 악센트를 붙이다.

círcumflex áccent 곡절(曲折) 악센트 (기호)《^, ˜, ˉ》.

cir·cum·flu·ent [sərkʌ́mfluənt] *a.* 돌아 흐르는, 물에 에워싸인.

환류(環流)하는.

cir·cum·flu·ous [sərkʌ́mfluəs] *a.* 환류하는 ;

cir·cum·fuse [sə̀:rkəmfjú:z] *vt.* ① (빛·액체·기체 등)을 주위에 붓다〔쏟다〕《*about* ; *round*》. ② …을 에워싸다(surround), 감싸다《*with*》. ㊍ **-fu·sion** [-fjú:ʒən] *n.*

cir·cum·lo·cu·tion [sə̀:rkəmloukjú:ʃən] *n.* Ⓤ,Ⓒ 에두름 ; 에두른〔완곡한〕 표현 : use ~ 빙빙 에둘러서 말하다.

cir·cum·loc·u·to·ry [sə̀:rkəmlɑ́kjətɔ̀:ri / -lɔ́kjətəri] *a.* (표현이) 에두른 ; 완곡한.

cir·cum·lu·nar [sə̀:rkəmlú:nər] *a.* 달을 에워싼, 달의 주위를 도는 : a ~ flight 달궤도 비행.

cir·cum·nav·i·gate [sə̀:rkəmnǽvəgèit] *vt.* …을 배로 일주하다, (세계·섬 따위)를 주항(周航)하다. ㊍ **cìr·cum·nàv·i·gá·tion** [-ʃən] *n.*

cir·cum·po·lar [sə̀:rkəmpóulər] *a.* 〖天〗극에 가까운 ; 천극(天極)을 도는 ; 〖地質〗극지(방)의.

cir·cum·scribe [sə̀:rkəmskráib, ⌐⌐⌐] *vt.* ① …의 둘레에 선을 긋다, …의 둘레를 (선으로) 에두르다 ; …의 경계를 정하다. ② …을 제한하다(limit) : The patient's activities are ~*d*. 그 환자의 행동은 제한되어 있다 / Their life was extremely ~*d*, with long hours of study and few of play. 그들의 생활은 장시간 공부해야 하고 놀 시간은 거의 없어 극단적으로 제약을 받았다. ③ …을 외접(外接)시키다 : a ~*d* circle 외접원.

cir·cum·scrip·tion [sə̀:rkəmskrípʃən] *n.* Ⓤ ① 한계를 정함 ; 제한 ; 경계선. ② 범위, 영역, 구역. ③〖數〗외접(시킴).

cir·cum·spect [sə́:rkəmspèkt] *a.* ①〖敍述的〗신중한(prudent), 주의 깊은 : The banks should have been more ~ in their dealings. 은행들은 거래에 더 신중해야 했다. ② 충분히 숙고한 끝의《행동 따위》, 용의 주도한. ㊍ **~·ly** *ad.*

cir·cum·spec·tion [sə̀:rkəmspékʃən] *n.* Ⓤ 세심한 주의 ; 용의 주도함 ; 신중함 : with ~ 신중하게, 용의 주도하게.

‡cir·cum·stance [sə́:rkəmstæ̀ns / -stəns] *n.* ① (흔히 *pl.*) 상황, 환경 ; 주위의 사정 : if ~*s* admit 사정이 허락한다면 / depend upon ~*s* 사정 여하에 달리다 / I was forced by ~*s* to do it. 나는 사정상 어쩔 수 없이 그렇게 했다. ② (*pl.*) (경제적인) 처지, 생활 형편 : live in easy ~*s* 편안하게 살고 있다. ③ Ⓒ 사건(incident), 사실(fact) : His arrival was a fortunate ~. 그가 와 주어서 다행이었다 / the whole ~*s* 자초지종, 상세한 내용. ④ Ⓤ 부대 상황 ; 상세한 내용, 제목 : Tell me every ~ of what happened. 자초지종을 모두 말해주세요. ⑤ Ⓤ 형식〔격식〕에 치우침(ceremony), 요란함(fuss) : The procession advanced with pomp and ~. 행렬은 위풍 당당하게 나아갔다.
according to ~s 경우에 따라, 임기 응변으로.
under* 〔*in*〕 *no ~s 여하한 일이 있어도 …않다 : *Under no ~s* are you to leave the house. 어떤 일이 있어도 집을 나가서는 안 된다. ***under* 〔*in*〕 *such* 〔*the, these*〕 *~s*** 그러한〔이러한〕 사정으로(는) : What can I do *under the ~s* ? 이런 상황에서 내가 무엇을 할 수 있겠는가?

cir·cum·stanced [sə́:rkəmstæ̀nst / -stənst] *a.* 〔敍述的〕〔흔히 副詞를 동반하여〕(…한) 사정에 있는 ; (경제적으로 …한) 처지에 있는 : They were well ~. 그들은 생활 형편이 좋았다.

cir·cum·stan·tial [sə̀:rkəmstǽnʃəl] *a.* ① (증거 등이) 상황에 의한, 추정상의 : ~ evidence 〖法〗상황 증거. ② 상세한(detailed). ③ 우연한, 부수적인 : a ~ conjunction (of events) (사건의) 우연한 동시 발생. ④ 형식에 치우친, 딱딱한.

cir·cum·stan·tial·ly [-li] *ad.* ① 상황〔경우〕에 따라. ② 부수적으로, 우연히. ③ 상세하게. ④ 상황 증거에 의하여.

cir·cum·stan·ti·ate [sə̀:rkəmstǽnʃièit] *vt.* ① …을 상세하게 설명하다. ② (상황 증거에 의하여) …을 실증하다.

cir·cum·vent [sə̀:rkəmvént] *vt.* ① …의 의표를 찌르다, …보다 선수를 쓰다, …을 꼭뒤지르다 : ~ one's enemies 적의 의표를 찌르다. ② …을 함정에 빠뜨리다(entrap) ; (교묘하게) 회피하다 : ~ dangers 위험을 회피하다. ③ …을 우회하다 ; 일주하다 : We went north in order to ~ the mountains. 우리는 그 산맥을 우회하기 위해서 북으로 갔다. ④ …을 에워싸다, 포위하다.
㊍ **~·er, -vén·tor** *n.*

cir·cum·ven·tion [sə̀:rkəmvénʃən] *n.* Ⓤ ① 우회(迂廻), ② 회피.

‡cir·cus [sə́:rkəs] *n.* Ⓒ ① 서커스, 곡마, 곡예 ; 곡마단 : a flying ~ 공중 곡예 / run a ~ 서커스의 흥행을 하다 / We were going to take the children to the ~. 우리는 아이들을 서커스에 데리고 가려고 했다. ② (원형의) 곡마장, 흥행장 ; (옛 로마의) 경기장(arena). ③《英》(방사상으로 도로가 모이는) 원형 광장. ⓒⓕ square. ¶ ⇨PICCADILLY CIRCUS. ④《口》유쾌하고 소란스러운 사람〔일〕; 즐거운 한때 ; 구경거리 : have a real ~ 마구 유쾌하게 소란을 떨다.

cirque [sə:rk] *n.* Ⓒ〖地質〗권곡(圈谷), 원형의 협곡, 카르.

cir·rho·sis [siróusis] *n.* Ⓤ〖醫〗(간장 등의) 경변(증)《硬變(症)》: ~ of the liver 간경변.

cir·ri [sírai] CIRRUS의 복수.

cir·ro·cu·mu·lus [sìroukjú:mjələs] (*pl.* ***-li*** [-lài, -lì]) *n.* Ⓒ〖氣〗권적운(卷積雲), 조개구름, 털쌘구름《기호 Cc》.

cir·ro·stra·tus [sìroustréitəs, -strǽ:-] (*pl.* ***-ti*** [-tai], ~) *n.* Ⓒ〖氣〗권층운(卷層雲), 털층구름, 솜털구름《기호 Cs》.

cir·rus [sírəs] (*pl.* ***-ri*** [-rai]) *n.* Ⓒ ①〖植〗덩굴손, 덩굴(tendril). ② (원생(原生) 동물의) 모상돌기(毛狀突起), 극모(棘毛). ③〖氣〗권운(卷雲), 털구름《기호 Ci》.

CIS the Commonwealth of Independent States 〔(독립 국가 연합).

cis·al·pine [sisǽlpain, -pin] *a.* (로마에서 보아) 알프스 산맥 이쪽의, 알프스 산맥 남쪽의.

cis·lu·nar [sislúːnər] *a.* 달과 지구 사이의.
cis·sy [sísi] *n., a.* 《英》 = SISSY.
Cis·ter·cian [sistə́ːrʃən, -ʃiən] *n.* Ⓒ 시토 수도회의 수사(수녀). ── *a.* 시토 수도회의.
***cis·tern** [sístərn] *n.* Ⓒ ① 물통, 수조(水槽), 물탱크(특히 송수용의): The water supply to the ~ was turned off. 물탱크의 물공급이 끊겼다. ② (천연의) 저수지.
cit. citation; cited; citizen; 〖化〗 citrate.
***cit·a·del** [sítədl] *n.* Ⓒ ① (도시를 지키는) 성채; 요새. ② 최후의 거점.
ci·ta·tion [saitéiʃən] *n.* ① **a)** Ⓤ (구절·판례·예증(例證) 따위의) 인증, 인용. **b)** Ⓒ 인용문(quotation). ② Ⓤ,Ⓒ (사실·예 따위의) 언급, 열거(enumeration). ③〖法〗 **a)** Ⓤ 소환. **b)** Ⓒ 소환장. ④ Ⓒ 표창장, 감사장(군인·부대 따위에 주어지는): a military ~ for (one's) bravery 용감한 행위에 대한 군의 표창장. ◇ cite *v.*
***cite** [sait] *vt.* ① **a)** …을 인용하다(quote), 인증하다; 예증하다(mention); 열거하다: Can you ~ another example? 다른 예를 들 수 있습니까. **b)** (권위자 등)을 증언하게 하다. ②〖法〗 …을 소환하다(summon); 소집하다: ~ a person for contempt 아무를 법정 모욕을 이유로 소환하다. ③ (공보(公報) 등)에 특기하다; 표창하다: He was ~*d* for his research work. 그는 그 연구로 표창장을 받았다. ④ …에 언급하다, 상기시키다. ◇ citation *n.*
cit·i·fy [sítəfài] *vt.* 《口》 …을 도시(인)화하다; 도시풍으로 하다. ㊞ **cít·i·fied** [-fàid] *a.* 도시(인)화한, 도시풍의(티가 나는).
‡**cit·i·zen** [sítəzən] (*fem.* **~·ess** [-is]) *n.* Ⓒ ① (도시의) 시민(townsman). ② (한 나라의) 공민, 국민: a naturalized American ~ 귀화한 미국 국민 / She is German by birth but is now a French ~. 그녀는 태생은 독일인이나 지금은 프랑스 국민이다. ★ 미국 따위 공화국인 경우 citizen '시민'은 '국민'이란 뜻인 경우가 있음. ③ 주민(resident) 《*of*》; 《널리》 구성원, 멤버: a ~ *of* Washington 워싱턴의 주민. ④ 《美》 일반인, 민간인(civilian) 《군인·경찰 따위와 구별하여》. ***a ~ of the world*** 세계인(cosmopolitan).
cit·i·zen·ry [sítəzənri, -sən-] *n.* Ⓤ 〔集合的; 單·複數 취급〕 (the ~) (일반) 시민.
Cítizens Advíce Búreau 《英》 시민 상담 협회.
Cítizens(') Bánd (때로 c- b-) 시민 밴드《트랜스시버 등을 위한 개인용 주파수대(帶) 및 그 라디오; 略: CB, C.B.》.
cit·i·zen·ship [-ʃìp] *n.* Ⓤ 시민의 신분(자격); 시민(공민)권.
cit·rate [sítreit, sáit-] *n.* Ⓤ 〖化〗 구연산염(枸櫞酸塩), 시트르산염.
cit·ric [sítrik] *a.* 〖化〗 레몬의, 레몬에서 채취한; 시트르산(성)의: ~ acid 시트르산.
cit·rine [sítriːn] *a.* 레몬(빛)의, 담황색의.
── *n.* Ⓤ ① 레몬빛. ②〖鑛〗 황수정(黃水晶).
cit·ron [sítrən] *n.* 〖植〗 ① Ⓒ 시트런《레몬 비슷한 식물; 불수감(佛手柑) 따위》; 또, 그 열매. ② Ⓤ (설탕에 절인) 시트런 껍질. ③ Ⓤ 시트런빛, 레몬빛, 담황색.
cit·rous [sítrəs] *a.* = CITRUS.
cit·rus [sítrəs] (*pl.* **~, ~·es**) *n.* Ⓒ 〖植〗 밀감속(屬), 감귤류. ── *a.* 〔限定的〕 감귤류의: a ~ fruit 감귤류의 과일.
cit·tern [sítərn] *n.* Ⓒ 시턴《기타 비슷한 옛날 현악기; 16-17세기경에 유행》.
†**city** [síti] *n.* ① Ⓒ **a)** 도시, 도회. ★ town 보다 큼. **b)** 시《영국에서는 bishop 이 있는 도시 또는 왕의 특허장에 의하여 city 로 된 town, 미국에서는 주로부터 자치권을 인가받은 시장·시의회가 다스리는 자치 단체, 캐나다는 인구에 입각한 고위의 자치체》: the *City* of Chicago 시카고시《Chicago City 라고는 하지 않는다》. ② (the ~) 〔集合的; 보통 單數 취급〕 전(全)시민: *The* entire ~ turned out to welcome him. 전시민이 그를 환영하러 나갔다. ③ **a)** (the C-) 시티《런던의 상업·금융의 중심 지구》. **b)** 《英》 재계, 금융계. ***the City of God*** 천국.
cíty bànk 시중 은행.
Cíty Cómpany 런던시 상업 조합《옛날의 여러 상업 조합을 대표하는 단체》.
cíty cóuncil 시의회.
cíty cóuncilor 시의회 의원.
cíty éditor ① 《美》 (신문사의) 사회부장; 지방기사 편집장. ② (종종 C- e-) 《英》 (신문사·잡지사의) 경제 기사 편집장.
cíty fáther (흔히 *pl.*) 시의 유지(유력자).
cíty háll ① Ⓒ 시청, 시의회 의사당. ② Ⓤ 시당국. ③ Ⓤ 관료 지배.
cíty mánager 《美》 (시의회에서 임명한) 시정 담당관.
cíty páge 《英》 (신문의) 경제란(欄) (=《美》 **fináncial páge**).
cíty plánning 도시 계획.
cit·y·scape [sítiskèip] *n.* Ⓒ ① 도시 풍경(경관). ② 도시의 풍경화.
cíty slícker 《口》 도회지 물이 든 사람, (닳아빠진) 도시인.
cit·y-state [sítistéit] *n.* Ⓒ (옛 그리스의) 도시 국가《고대 아테네, 스파르타 따위》.
civ·et [sívit] *n.* ① Ⓒ = CIVET CAT. ② Ⓤ 사향고양이에서 채취되는 향료.
cívet cát 사향고양이.
***civ·ic** [sívik] *a.* 〔限定的〕 ① 시의, 도시의: ~ life(problem) 도시 생활(문제). ② 시민(공민)의: ~ duties 시민의 의무 / ~ rights 시민(공민)권. ㊞ **-i·cal·ly** [-ikəli] *ad.* 시민으로서, 공민답게.
cívic cénter 도시의 관청가, 도심.
civ·ic-mind·ed [sívikmáindid] *a.* 공덕심이 있는; 사회 복지에 관심이 있는.
civ·ics [síviks] *n.* Ⓤ ① (학교의) 도덕 과목. ② 시정(市政)학, 시정 연구.
civ·ies [síviz] *n.* = CIVVIES.
‡**civ·il** [sívəl] (***civ·i·ler, more~; -i·est, most~***) *a.* ① 〔限定的〕 시민(공민(公民))의, 공민으로서의, 공민적인. ② 문명(사회)의(civilized); 시민 사회의; 집단 활동을 하는. ③ 정중한, 예의바른, 친절한: ~ but not friendly 정중하지만 친밀감이 없는 / Be more ~ to me. 좀 더 예의바르게 굴어라. ④ 〔限定的〕 (무관에 대하여) 문관의; (군에 대하여) 민간의, 일반인의; (성직에 대하여) 세속의: ~ administration 민정 / ~ airport (aviation) 민간 비행장(항공). ⑤ 국가의, 국내의, 사회의, 내정의: ~ affairs 내정 문제 / a ~ war 내란. ⑥ 〖法〗 민사의: a ~ case 민사 사건. Ⓒⓕ criminal. ⑦ 보통력(曆)의: the ~ day 역일(曆日) / the ~ year 역년(曆年). Ⓒⓕ astronomical, solar. ***keep a ~ tongue*** (***in*** one'***s head***) 입을 조심하다.
cívil defénse 민방공(民防空); 민방위 대책(활동): a ~ corps 민방위대.
cívil disobédience 시민적 저항(불복종)《납세 거부 등의 시민의 공동 반항》.
cívil enginéer 토목 기사《略: C.E.》.
cívil enginéering 토목 공학(공사).
***ci·vil·ian** [sivíljən] *n.* Ⓒ ① (군인·성직자가 아닌) 일반인, 민간인. ② 비전투원, 군무원. ③ (무

관에 대하여) 문관. — *a.* 〔限定的〕 ① 일반인의, 민간의; 비군사적인: a ~ airman〔aviator〕 민간 비행가 / ~ clothes 평복, 신사복. ② (군인에 대하여) 문관의, 문민(文民)의: a ~ government 문민 정치〔정부〕 / ~ control 문민 지배.

***ci·vil·i·ty** [sivíləti] *n.* ① Ⓤ (형식적인) 정중함, 공손함; 예의바름. ② (*pl.*) 정중한 말〔행위〕: exchange *civilities* 정중한 말로 인사를 교환하다.

‡**civ·i·li·za·tion,** 《英》 **-sa-** [sìvəlizéiʃən] *n.* ① Ⓤ,Ⓒ 문명(文明), 문화: Western ~ 서양 문명. ② Ⓤ 문명화, 교화, 개화. ③ Ⓤ 〔集合的〕 문명국(민); 문명 사회〔세계〕; 문화 생활: All ~ was horrified by〔at〕 the event. 문명 국민은 모두 그 사건에 전율을 느꼈다. ◇ civilize *v.*

‡**civ·i·lize,** 《英》 **-lise** [sívəlàiz] *vt.* ① …을 문명화하다; (야만인)을 교화하다(enlighten): try to ~ the tribes in Africa 아프리카의 부족을 교화하려고 하다. ② …을 세련되게 하다; 《戱》 (사람)을 예의바르게 하다: City life has ~*d* her. 도시생활로 그녀는 때를 벗었다 / She had a *civilizing* effect on her younger brother. 그녀의 영향을 받아 그녀의 남동생은 얌전해졌다.

civ·i·lized [sívəlàizd] *a.* ① 문명화된, 개화된. ② 예의바른, 교양이 있는, 세련된.

cívil láw ① 민법, 민사법《criminal law 에 대하여》. ② (종종 C- L-) 로마법(Roman law). ③ 국내법《국제법에 대하여》.

cívil líberty (흔히 *pl.*) 시민적 자유; 시민적 자유에 관한 기본적 인권.

cívil líst 《英》 (the ~) (의회가 정한) 연간 왕실 「비(費).

civ·il·ly [sívəli] *ad.* ① 시민적으로, 시민〔공민〕답게. ② 예의바르게, 정중하게. ③ 민법상, 민사적으로.

cívil márriage 민법상 결혼, 민사혼(民事婚), (종교 의식에 의하지 않은) 신고 결혼.

cívil párish 《英》 = PARISH ④.

cívil ríghts ① 시민권, 공민권; 공민권 운동. ② 《美》 (특히 흑인 등 소수 민족 그룹의) 평등권.

civ·il-rights [-ráits] *a.* 〔限定的〕 시민권〔공민권〕의, 시민적 권리의.

cívil sérvant 공무원, 문관.

cívil sérvice (the ~) ① 행정부(기관). ② 〔集合的〕 문관, 공무원: join〔enter〕 the ~ 공무원이 되다.

***cívil wár** ① 내란, 내전. ② (the C- W-) **a)** 《美》 남북 전쟁《1861-65》. **b)** 《英》 Charles 1세와 의회의 분쟁《1642-46, 1648-52》.

civ·vies [síviz] *n.* (*pl.*) (군복에 대한) 사복, 평 「복.

C.J. Chief Judge; Chief Justice. **Cl** 〔化〕 chlorine. **cl.** centiliter(s); claim; class; classification; clause; clergyman; clerk; cloth.

clack [klæk] *vi.* ① 찰칵 소리를 내다: Her high heels ~*ed* down the hall. 그녀의 하이힐이 홀에 또닥또닥 소리를 냈다. ② 재잘재잘 지껄이다(chatter). ③ (암탉이) 구구구 울다. — *n.* (*sing.*) ① 찰칵하는 소리. ② 수다(chatter).

***clad**[1] [klæd] 《古·文語》 CLOTHE 의 과거·과거분사. — *a.* 〔종종 複合語로〕 장비한, 입은, 덮인: She was ~ in white. 그녀는 흰옷을 입고 있었다 / iron*clad* vessels 철갑선 / jeans-~ boy 진을 입은 소년.

clad[2] (*p., pp.* ~; *∠***ding**) *vt.* (금속)에 다른 금속을 입히다〔씌우다〕, 클래딩하다.

clad·ding [klǽdiŋ] *n.* Ⓤ 클래딩. ① 금속표면에 다른 금속을 입히는 일. ② 건물 외벽에 타일 따위를 붙이기, 외장(外裝).

‡**claim** [kleim] *vt.* ① (당연한 권리로서) …을 요구하다, 청구하다: He ~*ed* ownership of the land. 그는 그 토지의 소유권을 요구했다. ② (유실물)을 제것이라고 주장하다, 되찾다, (기탁물)을 찾(아 내)다: Does anyone ~ this umbrella? 이 우산 주인은 안 계십니까. ③ (권리·사실)의 승인을 요구하다, 주장하다. ④ 《+*to* do / +*that* 節》 …을 공언하다; 자칭하다; 주장하다: I ~ *to* be 〔*that* I am〕 the rightful heir. 나는 정당한 상속인임을 주장한다. ⑤ (남의 주의)를 끌다, 구하다(call for); (주의·존경 따위의) 가치가 있다(deserve): The problem ~*s* our attention. 그 문제는 주의할 가치가 있다. ⑥ (병·재해 등이 인명)을 빼앗다: Death ~*ed* him. 그는 죽었다 / Traffic accidents ~*ed* thousands of lives last year. 작년에는 교통사고로 수천명의 사람이 죽었다.

— *vi.* 《+前+名》 권리를 주장하다; (손해 배상을) 요구하다《*against*》: ~ *against* a person 아무에게 배상을 요구하다 / I ~*ed on* my insurance. 나는 내가 든 보험의 지급을 요구했다. ~ ***back*** …의 반환을 요구하다; 되찾다.

— *n.* ① Ⓒ (당연한 권리로서의) 요구, 청구(demand)《*for*》; (배상·보험금 등의) 지급 요구, 지급 청구, 클레임; (기탁물의) 인도 요구: a ~ *for* damages 손해배상(청구) / We have put in the ~ to the maker. 메이커에게 클레임을 냈다. ② Ⓤ,Ⓒ (요구하는) 권리, 자격《*on*; *to*》: I have no ~ *on* you. 나는 너에게 요구할 권리는 없다 / He has no ~ *to* scholarship. 그는 학자로 불릴 자격이 없다. ③ Ⓒ 청구물; (특히 광구 따위의) 불하 청구지: jump a ~ 다른 사람의 토지〔채광권〕를 횡령하다. ④ Ⓒ (소유권·사실 등의) 주장《*to* do》: His ~ *to* be promoted to the post was quite legitimate. 그 지위에 승진시켜 달라는 그의 주장은 전적으로 정당한 것이었다. ⑤ Ⓒ 필요한 일《*on*》: I have many ~*s on* my time. 여러 가지 일에 시간을 뺏긴다. ***lay*** 〔***make***〕 ~ ***to*** (1) …에 대한 권리를〔소유권을〕 주장하다: Spain had long *laid* ~ *to* the colony. 스페인은 오랫동안 그 식민지에 대한 권리를 주장했다. (2) 〔흔히 否定文으로〕 을 자칭하다: *lay* ~ *to* being the finder 자기가 발견자라고 주장하다. ***put in*** 〔***send in, file***〕 ***a*** ~ ***for*** …에 대하여 요구를 제출하다. ***stake a*** 〔***one's***〕 ~ (…의) 권리를〔소유권을〕 주장하다《*to*; *on*》: He has *staked his* ~ *to* the premiership. 그는 수상직을 자기가 맡아야 한다고 주장했다.

claim·a·ble [kléiməbəl] *a.* 요구〔청구, 주장〕할 수 있는.

***claim·ant, claim·er** [kléimənt], [kléimər] *n.* Ⓒ ① 요구자, 청구〔주장〕자. ② 〖法〗 (배상 따위의) 원고.

clair·voy·ance [klɛərvɔ́iəns] *n.* Ⓤ ① 투시(력); 천리안. ② (비상한) 통찰(력).

clair·voy·ant [klɛərvɔ́iənt] *a.* ① 투시의; 투시력이 있는. ② 통찰력이 있는. — (*fem.* ***-ante*** [-ənt]) *n.* Ⓒ 천리안의 사나이, 투시자.

clam** [klæm] *n.* Ⓒ ① 대합조개: shut up like a ~ 갑자기 입을 다물다. ② 《口》 뚱한 사람, 말이 없는 사람. — (-mm-***) *vi.* 대합조개를 잡다. ~ ***up*** 《口》 (상대의 질문에 대해) 입을 다물다〔다물고 있다〕, 침묵을 지키다; 묵비(默祕)하다: Then I ~*med up* and said nothing for the rest of the meal. 그래서 나는 하던 식사가 끝날 때까지 입을 다물고 아무 말도 하지 않았다.

clam·bake [klǽmbèik] *n.* Ⓒ 《美》 ① (대합을 구워 먹는) 해변의 피크닉〔파티〕(의 요리), (해변에서의) 대합 구워 먹기. ② 《口》 떠들썩한 회합〔파티〕.

***clam·ber** [klǽmbər] *vi.* 기어오르다, (애쓰며) 기어오르다[내려가다]《*up; down; over,* etc.》: ~ *up* a wall 담을 기어오르다 / ~ *down* from a tree 나무를 타고 내려오다. ── *n.* (a ~) 등반, 기어올라가기. ㊎ ~·**er** *n.* Ⓒ 등반자.

clam·my [klǽmi] (*clam·mi·er* ; *-mi·est*) *a.* 끈끈한, 끈적끈적한 ; (날씨 따위가) 냉습한. ㊎ **clám·mi·ly** *ad.* **-mi·ness** *n.*

‡**clam·or,** 《英》 **-our** [klǽmər] *n.* Ⓒ ① (흔히 *sing.*) 외치는 소리(shout) ; 왁자지껄 떠듦, 소란(uproar) : the ~ of voices. ② 소리 높은 불평 [항의] ; (여론의) 아우성소리《*against* ; *for*》: raise a ~ *for* reform 개혁의 외침 소리를 올리다.
── *vi.* 《~ / +副 / +前+名 / + *to* do》 와글와글 떠들다, (반대하여) 시끄럽게 굴다[요구하다] 《*against; for*》: They ~*ed out.* 그들은 크게 외쳤다 / The soldiers ~*ed to* go home. 병사들은 귀환한다고 떠들어댔다 / The workers ~*ed for* higher wages. 노동자들은 시끄럽게 임금인상을 요구했다 / The newspapers ~*ed against* the government's policy. 신문들이 정부 정책에 시끄럽게 반대했다. ── *vt.* 《~+目 / +目+副 / + *that*節》 …을 시끄럽게 말하다, 와글와글 떠들다 ; 고함쳐 …에게 ─하게 하다 : They ~*ed* their demands. 그들은 떠들면서 요구했다 / ~ a person out of office 시끄럽게 떠들어서 사람을 직책에서 물러나게 하다 / They ~*ed that* the accident was caused by carelessness. 그들은 그 사고가 부주의 때문에 일어난 것이라고 떠들어댔다.

***clam·or·ous** [klǽmərəs] *a.* 시끄러운, 소란스런, 떠들썩한(noisy) : be ~ for better pay 임금 인상을 요구하여 떠들다. ㊎ ~·**ly** *ad.* ~·**ness** *n.*

***clamp**[1] [klæmp] *n.* ① Ⓒ 꺾쇠, 거멀장, 죔쇠 ; (나사로 죄는) 죔틀. ② Ⓒ 〖建〗 접합부에 대는 오리목. ③ (*pl.*) **a)** 집게. **b)** (외과용) 겸자(鉗子).
── *vt.* ① …을 (꺾쇠로) 고정시키다, (죔쇠로) 죄다 : ~ two pieces of wood together 두 판자를 죔틀로 죄다. ② …을 강제로 시키다, 강제하다 《*on*》. ~ **down** (**on**) 《口》 죄다 ; (강력히) 단속하다, (폭도 등을) 탄압[압박]하다 : The authorities have got to ~ *down on* these troublemakers. 당국은 이들 분쟁 선동자를 단속해야 한다.

clamp[2] *n.* Ⓒ 《英》 ① (쓰레기 · 벽돌 따위의) 퇴적(堆積). ② (겨울철 보존을 위해 흙 · 짚을 덮은 감자 따위의) 더미(pile).

clamp·down [klǽmpdàun] *n.* Ⓒ 《口》 엄중 단속, 탄압(*on*).

clam·shell [klǽmʃèl] *n.* Ⓒ ① 대합조개(clam)의 조가비. ② =CLAMSHELL BUCKET.

clámshell bùcket 〖機〗 (준설기의) 흙 푸는 버킷.

***clan** [klæn] *n.* Ⓒ ① (스코틀랜드 고지인의) 씨족(氏族), 일문(一門), 벌족(閥族). ㊅ sib. ② 당파, 도당 ; 파벌(clique).

clan·des·tine [klændéstin] *a.* [限定的] 비밀의(secret), 은밀한(underhand), 남모르게 하는 : a ~ meeting 비밀 회합. ★ 보통 떳떳지 못한 목적에 대해 씀. ㊎ ~·**ly** *ad.* 은밀히, 남몰래.

***clang** [klæŋ] *vt., vi..* (…을) 쩽그렁[뗑그렁] 울리다 ; 뗑그렁 울다 : He ~*ed* the gong. 그는 쩽그랑하고 공을 울렸다 / A little later the church bell ~*ed.* 잠시 후 교회 종이 뗑그렁 울렸다. ── *n.* (*sing*) 쩽그렁, 뗑그렁 (소리) ; 〖樂〗 악음(樂音), 복합음.

clang·er [klǽŋər] *n.* Ⓒ ① 뗑그렁 울리는 것[사람]. ② 《英口》 큰 실책[실수]. ***drop a*** ~ 《口》 큰 실수를 저지르다.

clan·gor, 《英》 **-gour** [klǽŋgər] *n.* (*sing.*) 쩽그렁[뗑그렁] 울리는 소리. ── *vi.* 쩽그렁[뗑그렁] 울다, 울리(어 퍼지)다.

clan·gor·ous [klǽŋgərəs] *a.* 울리(어 퍼지)는. ㊎ ~·**ly** *ad.* 쩽그렁[뗑그렁]하고.

clank [klæŋk] *vt., vi.* (무거운 쇠붙이 따위가 [를]) 절거덕하고 소리나(게 하)다 : The swords clashed and ~*ed.* 칼과 칼이 맞부딪쳐 쩽그렁 소리가 났다. ── *n.* (*sing.*) 철꺽, 탁, 철커덩(하는 소리).

clan·nish [klǽniʃ] *a.* ① 당파적인 ; 배타적인. ② 씨족의. ㊎ ~·**ly** *ad.* ~·**ness** *n.*

clan·ship [klǽnʃip] *n.* Ⓤ ① 씨족 제도. ② 씨족 정신 ; 족벌적 감정.

clans·man [klǽnzmən] (*pl.* ***-men*** [-mən]) *n.* Ⓒ 종씨 ; 같은 씨족[문중]의 사람.

‡**clap**[1] [klæp] (*-pp-*) *vt.* ① …을 쾅[철썩] 때리다 [부딪치다] : He ~*ped* his head on the door. 그는 머리를 쾅하고 문에 부딪쳤다. ② (손뼉)을 치다 ; 박수갈채하다 : ~ one's hands 박수를 치다. ③ 《+目+前+名》 …을 찰싹 때리다, 가볍게 치다 : I ~*ped* him *on* the shoulder. 나는 그의 어깨를 툭 쳤다. ④ …을 탁탁[찰싹, 쾅] 소리를 내다 ; (새 따위가) 홰치다 : ~ a book shut 탁하고 책을 덮다 / A bird ~*s* its wings. 새가 홰를 친다. ⑤ 《+目+副 / +目+*done* / +目+前+名》 …을 쾅하고 놓다[움직이다], 갑자기 움직이다《*to* ; *on*》: He ~*ped* the door *to* [*shut*]. 문을 쾅 닫았다 / ~ one's hat *on* 모자를 홱 쓰다. ── *vi.* ① 쾅[철썩]하고 소리를 내다 ; (문 등이) 쾅하고 닫히다 : The door ~*ped to.* 문이 쾅하고 닫혔다. ② 손뼉을 치다, 박수하다. ~ ***eyes on*** 《口》 …을 우연히 보다, …을 보다《흔히 never 따위의 부정사를 수반함》: I have*n't* ~*ped eyes on* him for months. 수개월 동안 그를 만나지 못했다.
── *n.* ① Ⓒ 콰르릉, 쾅, 짝짝《천둥 · 문 닫는 소리 따위》: a ~ of thunder 천둥 소리. ② (a ~) (손바닥으로 우정 · 칭찬 등의 표로 잔등 따위를) 가볍게 침《*on*》: He gave me *a* ~ *on* the back. 그는 나의 등을 (가볍게) 탁 쳤다. ③ (a ~) 박수(소리) : give a person *a* good ~ 사람에게 많은 박수를 보내다.

clap[2] *n.* (the ~) 《俗》 임질(gonorrhea).

clap·board [klǽbərd, klǽpbɔ̀ːrd] *n.* Ⓤ 《美》 미늘벽판자 : a ~ house. ── *vt.* 《美》 …에 미늘벽판자를 붙이다.

clapped-out [klǽptàut] *a.* 《英俗》 ① (사람이) 지친, 녹초가 된 : feel ~ 몹시 지치다. ② (차 등이) 낡은, 덜거덕거리는 : a ~ car 다 낡은 차.

clap·per [klǽpər] *n.* Ⓒ ① 박수치는 사람. ② (종 · 방울의) 추(tongue). ③ 딱딱이. ④ 《俗》 혀 ; 수다쟁이. ***like the*** (***merry***) ~***s*** 《英俗》 매우 빨리, 맹렬히 : She ran *like the* ~*s* down the hill. 그녀는 언덕을 쏜살같이 달려 내려갔다.

clapper·board [-bɔ̀ːrd] *n.* Ⓒ (흔히 *pl.*) 〖映〗 (촬영 개시를 알리고 촬영 순서를 표시한) 딱딱이.

clap·trap [klǽptræ̀p] *n.* Ⓤ ① 인기를 끌기 위한 말[짓, 술책]. ② 허튼 소리 : A lot of ~ is talked about the 'dignity of labor'. '노동의 존엄성'에 관해 허튼 소리들을 많이 한다.

claque [klæk] *n.* Ⓒ 《F.》 [集合的 ; 單 · 複數 취급] (극장 등에 고용된) 박수 부대 ; 아첨 떠는 무리.

Clar·a [klé(ə)rə, klǽrə / kléərə] *n.* 클라라《여자 이름 ; 애칭 Clare》.

Clare [klɛər] *n.* 클레어《Clara, Clarence 등의 애칭》.

Clar·ence [klǽrəns] *n.* 클래런스《남자 이름 ; 애칭 Clare》.

clar·et [klǽrit] *n.* ① Ⓤ,Ⓒ (프랑스 Bordeaux산)

붉은 포도주. ②Ⓤ 붉은 자줏빛.

clar·i·fi·ca·tion [klæ̀rəfikéiʃən] *n.* Ⓤ ① 정화; 청징; (액체 등을) 깨끗이 하기. ② 명시, 해명, 설명: The press asked for a ~ of his position. 보도진은 그의 입장에 관한 설명을 요청했다.

clar·i·fi·er [klǽrəfàiər] *n.* Ⓒ ① **a**) 정화하는 것. **b**) 정화기(器)〔제(劑)〕. ② 청징제(淸澄劑).

***clar·i·fy** [klǽrəfài] *vt.* ① (의미·견해 따위)를 분명〔명료〕하게 하다, 해명하다(explain). ② (공기·액체 따위)를 맑게 하다, 정하게 하다, 정화하다(purify): *clarified* butter 정제 버터. ③ (사고(思考) 따위)를 명쾌하게 하다. ── *vi.* ① (의미 따위가) 분명〔명료〕해지다. ② (액체가) 맑아지다.

***clar·i·net** [klæ̀rənét, klǽrinət] *n.* Ⓒ 〖樂〗 클라리넷.

clar·i·net·(t)ist [-tist] *n.* Ⓒ 클라리넷 연주자.

***clar·i·on** [klǽriən] *n.* Ⓒ ① 클라리온《예전에 전쟁 때 쓰인 나팔》. ②《詩》 낭랑히 울리는 클라리온 소리; (오르간의) 클라리온 음전. ── *a.* 〔限定的〕 낭랑하게 울려 퍼지는, 명쾌한: a ~ voice 낭랑하게 울려퍼지는 목소리.

***clar·i·ty** [klǽrəti] *n.* Ⓤ ① (사상·문체 따위의) 명석, 명료, 명확: with great ~ 대단히 명쾌하게 / have ~ of mind 두뇌가 명석하다. ② (액체 따위의) 투명(도), 맑음; (음색의) 맑고 깨끗함.

‡**clash** [klæʃ] *n.* ① (*sing.*) 쟁그랑 울리는 소리; 서로 부딪치는 소리. ② Ⓒ (의견·이해 따위의) 충돌, 불일치(disagreement); 부조화: a ~ of viewpoints 견해의 불일치 / a ~ of colors 색의 부조화. ③ (행사·시간 따위의) 겹침. ── *vi.* ① 《~/+전+명》 부딪치는〔쨍그렁〕 소리를 내다, (소리를 내며) 충돌하다《*into; against; upon*》: The swords ~*ed.* 칼이 짤그랑하고 부딪쳤다 / Shield ~*ed against* shield as the warriors met in battle. 전사들이 교전을 시작하자 방패와 방패가 서로 부딪쳤다. ② 《~/+전+명》 (의견·이해·시간 등이) 충돌하다, 겹치다; (규칙 등에) 저촉되다《*with*》: Their interests ~. 그들의 이해는 서로 용납되지 않는다 / This plan ~*es with* his interests. 이 계획은 그의 이익과 상충된다. ③ 격렬한 소리를 내다. ④ 《+전+명》 (색이) 조화되지 않다: This color ~*es with* that. 이 색깔은 저 색깔과 맞지 않는다. ── *vt.* ① 《~+목/+목+전+명》 (종 따위)를 치다. ② (소리를 내어) (맞)부딪치다《*against*》: ~ cymbals together 쟁그렁하고 심벌즈를 울리다 / He ~*ed* his head *against* the wall. 벽에 머리를 세게 부딪쳤다.

‡**clasp** [klæsp, klɑːsp] *n.* Ⓒ ① 걸쇠, 버클, 죔쇠, 메뚜기, 훅: the ~ of a brooch 브로치의 걸쇠. ② 악수, 포옹(embrace).

── *vt.* ① …을 걸쇠로 걸다〔잠그다〕; …에 걸쇠를 달다; (띠 따위)를 버클로 죄다: ~ a necklace round one's neck 목에 네크리스를 감아 걸다. ② 《~+목/+목+전+명》 …을 (손으로) 꽉 잡다; 끌어안다: The mother ~*ed* her baby hard *in* her arms 〔*to* her bosom〕. 어머니는 아기를 팔〔가슴〕에 꼭 껴안았다. ③ (덩굴 따위가) …에 휘감기다. ── *vi.* (걸쇠 등으로) 걸다, 잠그다; 꽉 쥐다〔껴안다〕.

clásp knìfe 대형 접칼.

†**class** [klæs, klɑːs] *n.* ① Ⓒ (공통 성질의) 종류, 부류: an inferior ~ of novels 저급한 소설류. ② Ⓒ 등급: a first ~ restaurant 일류 레스토랑 / We traveled second ~. 우리는 2등으로 여행했다. ③ Ⓒ (흔히 *pl.*) (사회) 계급: the upper 〔middle, lower, working〕 ~*es* 상류〔중류, 하류, 노동〕 계급 / the educated ~ 지식 계급 / people of all ~*es* 모든 계급의 사람들. ④ (the ~es) 유산〔지식〕 계급; 상류사회. cf. the MASSES. ⑤ Ⓒ 학급, 반, 학년(《美》 grade; 《英》 form, standard): He is (at the) top of the ~. 그는 반의 수석이다 / Half the ~ are girls. 학급의 반은 여자이다 / We were in the same ~ at school. 우리는 학교에서 같은 반이었다. ⑥ Ⓤ,Ⓒ (클래스의) 학습 시간, 수업(lessons): We have no ~ today. 오늘은 수업이 없다 / in ~ 수업중에 / go to ~ 수업에 나가다. ⑦ Ⓒ 〔集合的〕《美》 동기 졸업생〔학급〕; (군대의) 동기병(同期兵): the ~ of 1990, 1990년도 졸업생 / the 1990 ~, 1990년 (입대)병. ⑧ Ⓤ **a**) 《口》 고급, 우수; 제일류(의 기술 따위): a ~ tennis player 일류급 테니스 선수 / She's a good performer, but she lacks ~. 그녀는 연주는 잘 하나 일류라고는 할 수 없다. **b**) (복장·행위〔매너〕 등의) 우아함, 기품: She has ~. 그녀는 기품이〔품위가〕 있다. ⑨ Ⓒ 《英》 우등학급《특별 전공이 허락되는 우등생 후보의 반》; 우등 (등급). ⑩ Ⓒ 〖生〗 강《phylum과 order의 중간》. ◇ classify *v.*

in a ~ by itself 〔one*self*〕 = ***in a ~ of*** 〔***on***〕 ***its*** 〔***his***〕 ***own*** 비길 데 없이, 단연 우수하게: Pele was *in a ~ of his own* as a footballer. 펠레는 축구 선수로서 비길 사람이 없었다. ***no*** ~ 《口》 등외로, 열등한, 형편없는.

── *vt.* ① 《~+목/+목+보/+목+*as* 보/+목+전+명》 …을 분류하다(classify); …의 등급을 정하다: a ship ~*ed* A 1, 최고급의 배 / Immigrant workers were ~*ed as* resident aliens. 이주해 온 근로자는 거주 외국인으로 분류되었다 / ~ one thing *with* another 어떤 것을 다른 것과 동류로 치다. ② 반(班)으로 나누다; (학생 등을) …급〔부류〕에 넣다《*with; among*》. ③ 〖英大學〗 …에게 우등급을 주다. ── *vi.* 《+*as* 보》 (어느 class로) 분류되다, 속하다: those who ~ *as* believers 신앙인으로 꼽히는 사람들.

class. classic(al); classification; classified.

cláss áction 〖法〗 집단 소송(class suit).

class·book [-bùk] *n.* Ⓒ 《美》 동기생(졸업 기념) 앨범.

class-con·scious [-kάnʃəs/-kɔ́n-] *a.* 계급의식이 있는.

cláss cónsciousness 계급 의식.

class-feel·ing [-fíːliŋ] *n.* Ⓤ 계급간의 적대감정, 계급(적) 감정.

‡**clas·sic** [klǽsik] *a.* 〔限定的〕 ① (예술품 따위가) 일류의, 최고 수준의, 걸작의: a ~ work of art 최고급의 예술 작품. ② (학문연구·연구서 따위가) 권위있는, 정평이 나 있는; 전형적인(typical) 《예 따위》, 모범적인: a ~ study of Dante 권위 있는 단테 연구서 / a ~ method 대표적인 방법. ③ 고전의, 그리스·로마 문예(文藝)의; 고대 그리스·로마의 예술 형식을 본받은; 고전풍의, 고전적인(classical); 전아(典雅)한, 고상한: ~ architecture 고전 건축 / ~ myths 그리스·로마의 신화. ④ 전통적인, 역사적〔문화적〕 연상(聯想)이 풍부한, 유서 깊은; 고전적인: ~ ground (*for* ...) (…으로) 유서 깊은 땅, 사적(史跡) / ~ Oxford 〔Boston〕 옛 문화의 도시 옥스퍼드〔보스턴〕 / a ~ event 전통적인 행사《시합·경기 따위》. ⑤ (복장 따위가) 전통적인 스타일의; 유행에 매이지 않는, 싫증이 나지 않는.

── *n.* ① Ⓒ 고전 (작품) 《특히 고대 그리스·로마의》; 〔一般的〕 명작, 걸작: "Hamlet" is a ~. '햄릿'은 고전이다 / She did 〔read〕 *Classics* at university. 그녀는 대학교에서(그리스·로마시대의) 고전을 전공했다. ② Ⓒ 고전 작가《특히 옛 그리스·로마의》; 《古》 고전 학자〔주의자〕. ③ Ⓒ (고전적) 대문학자, 문호(文豪); 대예술가; (특정 분야의) 권위자. ④ (the ~s) 고전 문학, 고전어. ⑤

Ⓒ 전통적 행사〔시합〕; 〖野〗 =WORLD SERIES. ⑥ Ⓒ 최고의 것〔작품〕; 전통적 스타일의 옷 〔자동차, 도구〕; 유행을 초월한 스타일의 옷. ⑦ Ⓒ 《美口》 클래식 카《1925-42년 형의 자동차》.

‡**clas·si·cal** [klǽsikəl] (***more*** ~; ***most*** ~) *a.* ① (문학·예술에서) 고전적인, 정통파의: a ~ education 고전교육 / ~ architecture 고전 건축 / the ~ school 〖經〗 고전학파, 정통학파 《Adam Smith 계통의 학자들; Mill, Malthus 등》. ② (문학·미술에서) 고전주의〔풍〕의, 의고적(擬古的)인; 고전 음악의. ⓒⓕ romantic. ¶ ~ music 고전 음악(ⓒⓕ popular music) / ~ literature 고전주의 문학. ③ 고대 그리스·라틴 문화〔문학, 예술〕의; 고전어의: the ~ languages 고전어《옛 그리스어·라틴어》. ④ 모범적인, 표준적인, 제 1 급의. ⑤ (방법 따위가) 전통적인, 종래의; 낡은: ~ arms 재래식 무기. ⑥ 인문적인, 일반 교양적인(ⓞⓟⓟ *technical*). ㊕ ~·**ly** *ad.* 고전적으로, 의고(擬古)적으로. ~·**ness** *n.*

clas·si·cism [klǽsəsìzəm] *n.* Ⓤ ① 고전주의; 고전 숭배, 의고(擬古)주의. ② 고전적 어법; 고전학; 고전의 지식. ⓒⓕ romanticism.

clas·si·cist [klǽsəsist] *n.* Ⓒ ① 고전학자, 고전문학자. ② 고전주의자; 고전어 교육 주장자.

clássic ráces (the ~) 클래식 레이스. **a**) 《英》 5대(大) 경마《Derby, Oaks, St. Leger, Two Thousand Guineas, One Thousand Guineas》. **b**) 《美》 3대 경마《Kentucky Derby, Preakness Stakes, Belmont Stakes》.

clas·si·fi·a·ble [klǽsəfàiəbəl] *a.* 분류할 수 있는.

***clas·si·fi·ca·tion** [klæ̀səfikéiʃən] *n.* Ⓤ,Ⓒ ① 분류(법), 유별(법), 종별; 등급별, 급수별, 등급〔등차〕 매기기: There are six ~*s* of hotel from simple to de luxe. 호텔에는 저급에서 덜럭스까지 6급이 있다. ② 〖圖書〗 도서 분류법. ③ 《美》 (공문서의) 기밀 종별《restricted, confidential, secret, top secret 따위》. ④ 〖生〗 (동식물의) 분류. ★ 동·식물 분류는 다음과 같음. 〖動〗 phylum 〔〖植〗 division〕 문(門), class 강(綱), order 목(目), family 과(科), genus 속(屬), species 종(種), variety 변종(變種). ◇ classify *v.*

***clas·si·fied** [klǽsəfàid] *a.* 〔限定的〕 ① 분류된, 유별의; (광고 따위가) 항목별의; 《英》 분류 번호가 붙은 《도로 따위》: a ~ catalog(ue) 분류 목록 / a ~ telephone directory 직업별 전화 번호부. ② 《美》 기밀 취급으로 지정된; 《口》 (서류 따위가) 비밀의 (ⓒⓕ confidential, top secret): ~ information 비밀 정보 / a highly ~ project 극비의 계획. ③ 《英》 스포츠〔축구 등〕의 경기 결과가 실려 있는《신문》. ── *n.* =CLASSIFIED AD.

clássified ád 〔**ádvertising**〕 항목별 소(小)광고(란), 3행 광고, 분류 광고《구인·구직·임대·분실물 등 항목별로 분류된》.

‡**clas·si·fy** [klǽsəfài] *vt.* ① …을 분류하다, 유별하다; 등급으로 나누다《*into*; *under*》: ~ books by subjects 책을 주제별로 분류하다 / Words are *classified into* parts of speech. 낱말은 품사로 분류된다. ② 《美》 (공문서)를 기밀 취급으로 하다.

class·ism [klǽsizm] *n.* Ⓤ 계급주의; 계급 차별의 태도, 계급적 편견.

class·less [klǽslis, klɑ́ːs-] *a.* ① (사회가) 계급이 없는. ② 특정 계급에 속하지 않는. ㊕ ~·**ness** *n.*

cláss lìst ① 학급 명부. ② 〖英大學〗 우등생 명부.

‡**class·mate** [⌐mèit] *n.* Ⓒ 동급생, 급우.

†**class·room** [⌐rù(ː)m] *n.* Ⓒ 교실.

cláss strífe 〔**strúggle, wár(fare)**〕 (the ~) 계급 투쟁.

class·work [⌐wəːrk] *n.* Ⓤ 교실 학습. ⓞⓟⓟ *homework.*

classy [klǽsi, klɑ́ːsi] (***class·i·er*** ; ***-i·est***) *a.* 《俗》 ① 고급〔상류〕의, 세련된, 멋진: a ~ car 고급차. ② 신분이 높은.

clas·tic [klǽstik] *a.* 〖地質〗 쇄설(碎屑)성의.

‡**clat·ter** [klǽtər] *n.* Ⓤ ① (나이프·포크·접시·기계·말굽 따위의) 덜걱덜걱〔덜커덕덜커덕, 딸그락딸그락〕하는 소리: the ~ of dishes being washed 접시 씻는 딸그락 소리. ② 시끄러움, 시끄러운 (말)소리《*of*》: the ~ *of* the street 거리의 소음〔시끄러움〕. ── *vi.* ① 덜걱덜걱〔덜커덕덜커덕〕 소리나다: The window ~*ed* in the wind. 유리창이 바람에 덜거덕거렸다. ② 《+副》 소란스런 소리를 내며 움직이다: A truck ~*ed along* (in the street). 트럭이 덜커덕거리며 (거리를) 지나갔다. ③ 재잘대다: They ~*ed away* (about their discontents). 그들은 (그들의 불만 사항에 대해) 지껄였다. ── *vt.* …을 덜걱덜걱〔덜커덕덜커덕〕 소리나게 하다: Don't ~ cups and saucers. 찻잔이나 받침 접시를 달가닥거리게 하지 마라. ㊕ ~·**er** *n.* 덜커덕 소리를 내는 것; 수다쟁이.

‡**clause** [klɔːz] *n.* Ⓒ ① (조약·법률 등의) 조목, 조항: a penal ~ 벌칙 / a saving ~ 유보 조항, 단서 / We went over the contract ~ by ~. 그 계약을 조목조목 검토했다. ② 〖文法〗 절(節). ⓒⓕ phrase. ¶ a noun ~ 명사절.

claus·tro·pho·bia [klɔ̀ːstrəfóubiə] *n.* Ⓤ 〖醫〗 밀실 공포, 폐소 공포증. ⓞⓟⓟ *agoraphobia.*

claus·tro·pho·bic [-bik] *a.* 〖醫〗 폐소 공포증의. ── *n.* Ⓒ 폐소 공포증 환자.

clav·i·chord [klǽvəkɔ̀ːrd] *n.* Ⓒ 〖樂〗 클라비코드《피아노의 전신》.

clav·i·cle [klǽvəkəl] *n.* Ⓒ 〖解〗 쇄골(鎖骨).

clav·ier [klǽviər] *n.* Ⓒ 〖樂〗 ① 건반(鍵盤). ② [kləvíər] 건반 악기《피아노 따위》.

‡**claw** [klɔː] *n.* Ⓒ ① (고양이·매 따위의) 발톱(talon). ② (게·새우 따위의) 집게발. ③ 발톱 모양의 것《장도리의 노루발 따위》. ***cut*** 〔***clip, pare***〕 ***the ~s of*** …의 발톱을 잘라 내다, …을 무력하게 만들다. ***get*** one'***s ~s into*** …을 붙잡다; 공격하다; 《口》 (불쾌한 말로써) 반감을 표시하다; 《口》 (남자를) 낚다《결혼하기 위해》.

── *vt., vi.* ① **a**) (…을) 손〔발〕톱으로 할퀴다; (구멍을) 후비어 파다〔헤집다〕: ~ a hole 손톱 따위로 구멍을 내다〔파다〕. **b**) (…을) 잡으려고 손으로 더듬다: ~ *for* a light switch in the dark 어둠 속에서 스위치를 더듬다. ② (…을) 손〔발〕톱으로 움켜잡다; 《美俗》 체포〔포박〕하다; (돈 따위를) 그러모으다: *Claw* me and I'll ~ thee. 《俗談》 오는 말이 고와야 가는 말이 곱다. ③ (가려운 곳을) 긁다. ~ ***back*** 《英》 (1) 서서히〔애써서〕 되찾다. (2) 《英》 (부적절한 급부금 따위를) 부가세의 형식으로 회수하다. ~ one'***s way*** 기듯이 나아가다: From the flooded depths of the ship some did manage to ~ *their way* up iron ladders to the safety of the upper deck. 몇 사람은 물이 찬 배 밑에서 쇠사닥다리를 타고 안전한 상갑판으로 간신히 기어 올라갔다.

claw-back [klɔ́ːbæ̀k] *n.* Ⓒ,Ⓤ 《英》 (교부금을) 세금으로 환수하기; 회수, 회수금.

cláw hàmmer ① 노루발 장도리. ② 《美口》 연미복.

‡**clay** [klei] *n.* Ⓤ ① 점토(粘土), 찰흙; 흙(earth): potter's ~ 도토(陶土) / a lump of ~ 한 덩이의 흙 / ~ eater 《美俗》 미국 남부의 농민. ② **a**) (육체의 재료라고 생각한) 흙; (죽으면 흙이 되는) 육체: be dead and turned to ~ 죽어서 흙으로 돌아가다. **b**) 자질, 천성; 인격, 인품: a

man of common ~ 보통 사람. ***as ~ in the hands of the potter*** (사람·물건이) 마음대로 되는. ***feet of*** ~ (사람·사물이 지니는) 인격상의〔본질적인〕 결점; 뜻밖의 결점〔약점〕.

cláy cóurt 〖테니스〗 클레이 코트. ⓒⓕ hard 〔grass〕 court.

clay·ey [kléii] (***clay·i·er*** ; ***-i·est***) *a.* ① 점토질〔점토 모양〕의. ② 점토를 바른〔로 더러워진〕.

clay·ish [kléiiʃ] *a.* 점토같은, 점토가 좀 포함된〔들어 있는〕.

clay·more [kléimɔ̀ːr] *n.* Ⓒ ① (옛날 스코틀랜드 고지인이 사용한) 양날의 큰 칼. ② 큰 칼을 찬 사람. ③ =CLAYMORE MINE.

cláymore mìne 〖軍〗 클레이모어 지뢰.

cláy pígeon 〖射擊〗 클레이 피전《클레이 사격 연습의 표적으로서 점토로 만든 것》.

cláy pípe 토관(土管); 사기 담뱃대.

-cle ⇨ -CULE.

†**clean** [kliːn] (***∠·er*** ; ***∠·est***) *a.* ① 청결한, 깨끗한, 더럽이 없는; 갓〔잘〕 씻은. ⓞⓟⓟ *dirty.* ¶ keep one's hands ~ 손을 청결하게 하다. ② (방사능 따위에) 오염 안 된; 감염되어 있지 않은; 병이 아닌: a ~ bomb '깨끗한'(핵)폭탄 / ~ energy 무공해 에너지《태양열 따위》. ③ 혼합물이 없는, 순수한. ④ 새로운; 아무것도 씌어 있지 않은《종이 따위》, 백지의: a ~ sheet of paper 백지. ⑤ 결점(缺點)〔흠〕 없는: a ~ record 〔slate〕 깨끗한 이력. ⑥ (거의) 정정 기입이 없는《원고·교정쇄 따위》, 읽기 쉬운: a ~ copy 청서 / a ~ proof 고친 데 없는 교정쇄. ⑦ 장애물 없는: a ~ harbor 안전한 항구. ⑧ 순결한(chaste), 청정 무구한; 부정이 없는, 전과 없는, 정직한: a ~ life 깨끗한 생활 / a ~ fighter 정정 당당히 경기에 임하는 운동선수. ⑨ 깔끔한, 단정한; 《口》 추잡하지〔외설되지〕 않은. ⑩ 몸매가〔모양이〕 좋은, 미끈〔날씬〕한, 균형 잡힌(trim): ~ limbs 미끈한 팔다리. ⑪ (유대인 사이에서) 몸에 부정(不淨)이 없는; (고기·생선이) 식용으로 허가된〔적합한〕: ~ fish 먹을 수 있는 생선《산란기가 아닌》. ⑫ 교묘한, 솜씨좋은, 능숙한, 멋진: ~ fielding 〖野〗 훌륭한 수비 / a ~ hit 〖野〗 클린히트. ⑬ 완전한(complete), 철저한, 남김 없는. ⑭ 당연한(proper): a ~ thing to do 당연히 해야 할 일. ⑮ 〖海〗 배 밑바닥에 해초나 조개가 붙지 않은; (배가) 짐을 싣지 않는. ⑯ 《美俗》 권총을 몸에 지니지 않은; 범죄와 관련 없는. ⑰ 방사성 낙진이 없는〔적은〕.

come ~ 《口》 자백〔실토〕하다(confess): She decided to *come* ~. 그녀는 자백하기로 결심했다. ***keep*** one***'s nose*** ~ 《口》 귀찮은〔성가신〕 일에 말려들지 않게 하다. ***make a ~ breast of*** …을 몽땅 털어 놓(고 이야기하)다.

— *ad.* ① 아주, 전혀, 완전히: ~ mad 완전히 실성하여. ② 보기 좋게, 멋지게; 정통으로: jump ~ 보기 좋게 뛰어넘다 / be hit ~ in the eye 눈을 정통으로 얻어맞다. ③ 청결하게, 깨끗이; 공정하게: sweep a room ~ 방을 깨끗이 쓸다 / play the game ~ 공정하게 게임을 하다.

— *vt.* ① …을 깨끗하게 하다, 정결〔말끔〕히 하다, 청소하다; 세탁하다; 손질하다; (이를) 닦다: ~ one's shoes 신을 깨끗이 닦다 / ~ one's teeth 이를 닦다 / ~ one's shirt of dirt 와이셔츠를 빨아 때를 빼다 / ~ for dinner 식사하기 위해 손 따위를 씻다. ② **a)** (먹어서 접시 등)을 비우다(empty): ~ one's plate 접시에 있는 것을 깨끗이 먹어치우다. **b)** (요리전에 닭·생선 등)의 창자를 빼내다. — *vi.* 청소를 하다, 깨끗이 하다. ~ ***down*** (벽 따위를) 깨끗이 쓸어 내리다; (말 따위를) 씻어 주다. ~ ***out*** (1) 깨끗이 청소하다; (방을) 치우다, 비우다; (재고품 따위를) 일소하다. (2) (아무를) 쫓아내다; (돈을) 다 써버리다. (3) 《口》 (도박에서) 아무를 빈털터리로 만들다, (돈을) 털어먹다. ~ ***up*** (1) 청소하다; 몸을 깨끗이 하다: *Clean up* food spills at once. 즉시 음식 흘린 것을 깨끗이 치워라. (2) (부패·정계 등을) 정화〔숙정〕하다: ~ *up* the political scandal 정계의 독직(사건)을 일소하다. (3) (잔적·진지 등을) 일소〔소탕〕하다. (4) 《口》 (일 따위를) 마무르다. (5) 《口》 큰 돈을 벌다. ~ ***up on*** 《美俗》 (1) (장사 따위)로 벌다: ~ *up on* a business deal 장사로 한 몫 벌다. (2) 지우다; 해치우다. — *n.* (a ~) 깨끗이 함, 손질, 청소: give one's shoes *a* daily ~ 구두를 매일 닦다. ㊕ **∠·a·ble** *a.* **∠·ness** *n.*

clean-cut [ˊkʌ́t] *a.* ① 윤곽이 뚜렷한〔선명한〕: ~ features 이목구비가 (반듯하고) 뚜렷한 얼굴. ② 미끈한, 말쑥한, 단정한: a ~ gentleman 단정한 신사. ③ (뜻이) 명확한, 분명한: a ~ explanation 명확한 설명.

‡**clean·er** [klíːnər] *n.* Ⓒ ① 깨끗이 하는 사람; 청소부, 청소 작업원. ② **a)** 세탁 기술자, 세탁소 주인. **b)** (흔히 the ~s, the ~'s) 세탁소. ③ 진공 청소기(vacuum ~). ④ 세제(洗劑). ***take*** 〔***send***〕 a person ***to the ~s*** 《俗》 (1) 아무를 빈털터리로 만들다. (2) 혹평하다.

clean-hand·ed [ˊhǽndid] *a.* 결백한.

cléan hánds (금전 문제·선거 등에서) 부정을 저지르지 않음; 결백: have ~ 결백하다.

‡**clean·ing** [klíːniŋ] *n.* Ⓤ 청소; (옷 따위의) 손질, 세탁, 클리닝: general ~ 대청소.

cléaning wòman 〔**làdy**〕 (가정·사무소의) 청소부(婦).

clean·li·ly [klénlili] *ad.* 깨끗이, 말끔히.

clean-limbed [klíːnlímd] *a.* 팔다리의 균형이 잘 잡힌, 미끈한, 날씬한.

***clean·li·ness** [klénlinis] *n.* Ⓤ 청결(함); 깨끗함을 좋아함: *Cleanliness* is next to godliness. 《俗談》 깨끗함을 좋아하는 것은 경신(敬神)에 버금가는 미덕.

clean-liv·ing [klíːnlíviŋ] *a.* (도덕적으로) 깨끗한 생활을 하는, 청렴 결백한.

‡**clean·ly**[1] [klénli] (***clean·li·er*** ; ***-li·est***) *a.* 깔끔한, 청결한, 깨끗한(것을 좋아하는). ◇ cleanliness *n.*

clean·ly**[2] [klíːnli] (more*** ~ ; ***most*** ~) *ad.* ① 청결하게, 깨끗하게, 정하게: live ~ 깨끗하게 살다. ② 솜씨 있게, 멋지게: The boy caught the ball ~. 소년은 공을 멋지게〔솜씨좋게〕 잡았다.

cléan ròom (우주선·병원 등의) 청정(淸淨)실, 무균실.

cleans·a·ble [klénzəbəl] *a.* 깨끗이 할 수 있는.

***cleanse** [klenz] *vt.* ① (상처 따위)를 정결하게〔깨끗이〕 하다: ~ a wound 상처를 소독하여 깨끗이 하다. ② **a)** (죄 따위)를 씻어 깨끗이 하다; 정화하다《*of*》. **b)** (좋지 않은 것·사람)을 제거하다; 숙청하다《*of*》: ~ one's garden *of* weeds 정원의 잡초를 뽑다. — *vi.* 깨끗해지다.

cleans·er [klénzər] *n.* ① Ⓒ 청소〔세정〕담당자. ② Ⓤ,Ⓒ 세제(洗劑), 세척제, 연마분(研磨粉).

clean-shav·en [klíːnʃéivən] *a.* 수염을 깨끗이 민〔기르지 않은〕.

cleans·ing [klénziŋ] *n.* Ⓤ 깨끗이 함; 죄를 정화함. — *a.* 깨끗이〔맑게〕 하는, 정화하는.

cléansing crèam 세안(洗顔) 크림.

cléansing depàrtment (시의) 청소국〔과〕.

clean·up [klíːnʌ̀p] *n.* ① (a ~) **a)** 대청소: This room could do with *a* good ~. 이 방을 말끔히 청소하면 좋겠다. **b)** (손발을 씻고) 몸을 단정히 하

기. c) 일소; 숙청. d) 재고정리. ② Ⓒ《口》큰 벌이. ③ U.C 〖野〗4번 (타자) : John bats ~ in our team. 우리 팀에서는 존이 4번을 친다. ── a. 〔限定的〕〖野〗4번(타자)의.

†**clear** [kliər] (∠·**er** ; ∠·**est**) a. ① 맑은, 투명한 (transparent), 갠, 깨끗한 : ~ water 맑은 물.
② (색·음 따위가) 청아한, 산뜻한, 밝은 : a ~ star 밝은 별 / a ~ yellow 밝은 노란 색 / a ~ tone 맑은 음색.
③ (모양·윤곽 등이) 분명한, 뚜렷한(distinct) : a ~ outline 뚜렷한 윤곽 / a ~ image 분명한 영상(映像) / write with 〔in〕 a ~ hand 분명한 글씨로 쓰다.
④ (사실·의미·진술 따위가) 명백한(evident), 확연한, 의심할 여지 없는 : a ~ case of bribery 명백한 뇌물 사건 / It's ~ that he has misunderstood your intention. 그가 당신의 의도를 오해하고 있는 것은 틀림없다.
⑤ (두뇌 따위가) 명석한, 명료한, 명쾌한(lucid) : a ~ head 명석한 두뇌 / have a ~ mind 머리가 좋다 / a ~ judgment 명석한 판단.
⑥ (명료하게) 이해된 : Is this ~ *to* you? 이 점 확실히 이해하시겠습니까 / The causes are ~. 원인은 명백하다.
⑦ (눈을) 가리는 것이 없는, 통찰력이 있는 : get a ~ view 주위가 잘 보이다 / a ~ vision of the future 미래에 대한 명철한 통찰.
⑧ 거칠 것이 없는, 자유로이 움직일 수 있는 : a ~ space 빈터, 공백 / a ~ channel 전용 채널 / The road is ~. 도로는 자유로이 통행할 수 있다.
⑨ (…에) 방해받지 않는《*of*》: see one's way ~ 전도에 장애가 없다 / The horizon was ~ *of* haze. 지평선에는 안개가 끼어 있지 않았다 / The way was ~ for us to carry out our plan. 우리 계획을 실행하는 데 아무런 장애도 없었다.
⑩ 흠〔결점〕없는. **a**) 결백한, 죄없는, …가 없는 : a ~ conscience 꿀릴 데 없는 양심 / ~ from suspicion 혐의의 여지없는 / be ~ of the murder 살인과 무관하다. **b**) (목재 따위) 마디〔옹이〕가 없는 : ~ lumber 〔timber〕 흠이 없는 재목.
⑪ (…을) 지고 있지 않은, (…에) 시달리지 않는; (…에서) 떨어진《*of* ; *from*》: be ~ *of* worry 〔debt〕 걱정〔빚〕이 없다 / sit 〔stand〕 ~ *of* …에서 떨어져 앉다〔서다〕 / get ~ *of* a person 사람을 피하다; 사람과 관련이 되지 않도록 하다.
⑫ 확신을 가진, 분명히 알고 있는《*on* ; *about*》: I am ~ *on* this point. 이 점에 대해서는 의문이 없다 / If I could be ~ what she means, … 그녀가 말하는 것을 분명히 알 수 있다면….
⑬ 깔축 없는, 정량의(net), 완전한 : three ~ months 꼬박 석 달 / a hundred pounds ~ profit 백 파운드의 순익.
⑭ (숫적으로) 압도적인 : ~ majority 절대 다수.
⑮ 짐 따위를 내려놓은, 빈; 특별히 할〔볼〕 일이 없는, 한가한 : return ~ (배가) 빈 채로 돌아오다 / I have a ~ day today. 오늘은 할 일이 없는 한가한 날이다. (**as**) ~ **as a bell** ⇨ BELL[1](成句). (**as**) ~ **as day** 〔**crystal**〕 대낮처럼 밝은; 지극히 명료한, 명약 관화한. ***The coast is*** ~. ⇨ COAST.

── *ad.* ① 분명히, 명료하게, 흐림 없이, 뚜렷하게 : speak loud and ~ 큰 소리로 분명히 말하다. ② 완전히, 전혀, 아주(utterly) : go ~ round the globe 지구를 한바퀴 빙 돌다 / ~ *to* the top 꼭대기까지 쭉. ③ 떨어져서, 닿지 않고 : jump three inches ~ *of* the bar 바보다 3인치 더 높이 뛰어넘다. ④《美》줄곧, 계속해서 쭉(all the time 〔way〕) : ~ up to the minute 그때까지 줄곧.

── *vt.* ① (물·공기 등)을 맑게 하다, 깨끗이 하다, (하늘)을 맑게 하다《*up*》: ~ the muddy water 흙탕물을 맑게 하다 / ~ (*up*) a person's skin (비누·크림 따위가) 사람의 피부를 깨끗이 하다.
②《~+목 / +목+전+명》…을 깨끗이 치우다, (…의 장애)를 제거하다(remove)《*of*》; (토지 따위)를 개간하다, 개척하다(open) : ~ the table 식탁을 치우다 / ~ the pavement *of* snow 길의 눈을 치우다 / ~ land 토지를 개간하다. ★ clear the land와 혼동하지 말 것. ⇨ *vt.* ⑥.
③《+목+전+명》…을 해제하다, 풀다《*from* ; *of*》: ~ one's property *of* debt 부채를 갚고 재산을 저당에서 해제하다.
④《~+목 / +목+부 / +목+전+명》…을 밝히다, 해명하다; (의심 등)을 풀다, 떨어버리다; (의문·문제)를 해소〔해결〕하다 : ~ one's honor 명예를 회복하다 / ~ *up* ambiguity 미심쩍은 점을 밝히다〔풀다〕 / ~ oneself *of* 〔*from*〕 a charge 자기의 결백을 입증하다.
⑤ …의 결말을 내다; (빚)을 갚다; (문제·헝클어진 실 따위)를 풀다(disentangle); 〖軍〗 (암호)를 해독하다 : ~ one's debts 빚을 갚다 / ~ an examination paper 시험 문제를 모두 풀다.
⑥ (~+목 / +목+전+명) (육지)를 떠나다; (출항·입항 절차)를 마치다; 〖商〗 (관세)를 납입하다, …의 통관 절차를 마치다; (법안이 의회)를 통과하다; (선박)의 출입항을 허가〔승인〕하다, (관제탑에서 비행기)의 이착륙을 허가하다《*for*》; (당국의〔이〕) 허가를 받다〔하다〕 : ~ the land (배가) 육지를 떠나다 / be ~*ed for* takeoff 이륙허가가 내리다 / We ~*ed* the plan *with* the council. 계획은 의회의 승인을 얻었다.
⑦〖商〗 (어음)을 교환에 의해 결제하다; (셈)을 청산하다; (재고품)을 정리하다, 투매하다 : ~ the cheque 수표를 현금으로 바꾸다.
⑧ (순익)을 올리다 : ~ $ 100, 백달러를 벌다.
⑨ …을 이익으로 지변(支辨)하다 : ~ expenses 이익으로 비용을 쓰다.
⑩ …와 떨어지다, 충돌을 피하다; (장애물 따위)를 거뜬히〔깨끗이〕 뛰어넘다 : My car only just ~*ed* the truck. 내 차는 아슬아슬하게 트럭과의 충돌을 피했다.
⑪ (목)의 가래를 없애다; (목소리)를 또렷하게 하다 : ~ one's throat 헛기침을 하다.
⑫〖컴〗 (자료·데이터)를 지우다.

── *vi.* ①《~ / +부》(액체가) 맑아지다; (하늘·날씨가) 개다, (구름·안개가) 걷히다 (disperse); (안색 등이) 밝아지다《*away* ; *off* ; *up*》: It ~*ed off*. 하늘이 개었다 / Her face ~*ed* (of doubt). (의혹이 사라져) 그녀의 얼굴은 밝아졌다 / My head ~*ed*. 머리가 맑아졌다. ② (입국·출국의) 통관 절차를 마치다; 출항하다 : ~ *for* New York 뉴욕으로 출항하다. ③《+전+명》《俗》떠나다, 물러가다 : ~ *out of* the way 방해가 안 되게 물러나다. ④〖商〗 재고를 정리하다. ⑤〖商〗 (어음 교환소에서) 교환 청산하다.
~ **away** (1) (구름·안개가) 걷히다, 개다. (2) 제거하다, (걷어) 치우다; 일소(一掃)하다 : ~ *away* the dishes 접시를 치우다. ~ **off** (1) 제거하다, 치우다; (빚 따위를) 갚다. (2) (구름·안개 따위가) 걷히다; 《俗》 (침입자가) 도망쳐 버리다; 떠나다, 작별하다 : He ~*ed off* as soon as he saw the policeman coming. 그는 경찰관이 오는 것을 보자 곧 도망쳐 버렸다. ~ **out** (1) 청소하다; 비우다; 《口》 지갑을 톡톡 털다, 빈털터리가 되게 하다. (2) (배가) 출항하다; 《口》 갑자기 떠나다. (3) 《口》 (힘으로) 배제하다; (장애·불필요한 것을) 제거하다; 버리다. ~ ***the air*** (1) 공기를 맑게

하다. (2)《口》 암운〔의혹, 걱정 등〕을 일소하다 : A frank discussion can help to ~ *the air.* 솔직한 토론이 의혹을 일소하는 데 도움이 될 수 있다. ~ ***the decks*** (갑판 위를 치우고) 전투 준비를 하다 ; 갑판의 짐을 부리다. ~ ***up*** (1) (날씨가) 개다. (2) 깨끗이 치우다, 정돈하다 : He ~*ed up* his desk before leaving the office. 그는 퇴근하기 전에 책상을 정돈했다. (3) (빚)을 갚다. (4) (난문제·의심 따위)를 풀다, 해결하다. (5) (병 따위)를 고치다, 낫게 하다.

— *n.* Ⓒ ① 빈 터, 공간. ②〖배드민턴〗 클리어 샷《호를 그리며 상대방 등 뒤, 엔드라인 안으로 떨어지는 플라이트》. ③〖컴〗 지움, 지우기. ***in the*** ~ (1) (암호가 아닌) 명문(明文)으로《★ in ~ 로도 쓰임》. (2)《口》 (혐의 등이) 풀리어, 결백하여 : Evidence put him *in the* ~. 그의 결백함이 증거에 의해 증명되었다. (3) 빚지지 않고, 자유로워(free). (4) 위험을 벗어나서.

clear·a·ble [klíərəbəl] *a.* 깨끗하게 할 수 있는.

cléar-áir tùrbulence [klíərέər-]〖氣〗 청천(晴天) 난기류《略 : CAT》.

***clear·ance** [klíərəns] *n.* ① Ⓤ (또는 a ~) 치워버림, 제거 ; 정리 ; 재고 정리 (판매) ; (개간을 위한) 산림 벌채 : make *a* ~ of …을 깨끗이 정리하다〔처분하다〕/ The city council has finally agreed to a slum ~ program. 시의회는 마침내 빈민굴 정리 계획에 동의했다. ② Ⓤ,Ⓒ 출항〔출국〕 허가(서) ; 통관절차 ;〖航空〗 관제(管制) 승인《항공 관제탑에서 내리는 승인》: ~ inward 〔outward〕 입항〔출항〕 절차 / ~ notice 출항 통지. ③ Ⓒ〖機〗 빈틈, 틈새 ; 여유 공간《굴·다리 밑을 지나가는 선박·차량과 그 구조물의 천장과의 공간》. ④ Ⓤ〖商〗 어음 교환(액) ; (증권 거래소의) 청산 거래 완료. ⑤ (비밀 정보 이용·보도 등의) 허가.

cléarance sàle 재고 정리 판매, 떨이로 팖.

clear-cut [klíərkʌ́t] *a.* ① 윤곽이 뚜렷한〔선명한〕: ~ features 윤곽이 뚜렷한 용모. ② 명쾌한 : give a ~ answer 명쾌하게 답하다.

clear-eyed [klíəráid] *a.* ① 눈이 맑은. ② 명민한, 통찰력이 있는. ③ 시력이 좋은.

clear·head·ed [klíərhédid] *a.* 명민한, 두뇌가 명석한. 파 ~·**ly** *ad.* ~·**ness** *n.*

***clear·ing** [klíəriŋ] *n.* ① Ⓤ **a**) 청소. **b**) (장애물의) 제거 ;〖軍〗 소해(掃海). ② Ⓒ (산림을 벌채해 만든) 개간지, 개척지. ③ **a**) Ⓤ〖商〗 청산, 어음 교환. **b**) (*pl.*) 어음 교환액.

cléaring hòuse ① 어음 교환소. ②《比》 정보센터.

‡clear·ly [klíərli] (***more*** ~ ; ***most*** ~) *ad.* ① 똑똑히, 분명히 ; 밝게(빛나는) : Pronounce it more ~. 좀더 똑똑히 발음하시오 / I can't hear you ~. 잘 안 들립니다《전화 등에서》. ② 의심할 여지 없이, 확실히 : *Clearly,* it is a mistake. =It is ~ a mistake. 의심할 여지 없이, 그것은 잘못이다. ③ 아무렴, 그렇고 말고요《대답으로서》. ***put it*** ~ 분명히 말하면.

***clear·ness** [klíərnis] *n.* Ⓤ 맑음, 밝음 ; 분명함, 명료, 명확 ; 무장애 ; 결백.

clear-sight·ed [ˊ-sáitid] *a.* ① 시력이 날카로운. ② 명민한(discerning) ; 선견지명이 있는. 파 ~·**ly** *ad.* ~·**ness** *n.* Ⓤ

clear·sto·ry [ˊ-stɔ̀:ri, ˊ-stòuri] *n.* 《美》 =CLERESTORY.

clear·way [ˊ-wéi] *n.* Ⓒ ①《英》 주차〔정차〕 금지 도로. ② (긴급용의) 대피로.

cleat [kli:t] *n.* Ⓒ ① 쐐기 모양의 보강재(補強材). ② (구두창 따위의) 미끄럼〔마멸〕막이. ③〖船〗 지삭전(止索栓) (wedge), 밧줄걸이, 삭이(索耳), 클리트. ④〖電〗 (사기제(製)의) 전선 누르개.
— *vt.* ① …에 쐐기 모양의 보강재를 붙이다 ; (구두창)에 미끄럼〔마멸〕막이 〔스파이크〕를 붙이다〔박다〕: ~*ed* shoes 창에 미끄럼막이를 붙인 구두. ② 클리트를 달다.

cleav·age [klí:vidʒ] *n.* ① **a**) Ⓤ 분할 ; 갈라짐. **b**) Ⓒ (정당 등의) 분열. ② **a**) Ⓤ〖鑛〗 벽개(劈開). **b**) Ⓒ 벽개면(面). ③ Ⓤ〖生〗 난할(卵割). ④ Ⓤ,Ⓒ《口》 (드레스 사이로 드러난) 유방 사이의 오목한 곳.

cleave**[1] [kli:v] (cleft*** [kleft], ***cleaved, clove*** [klouv], 《古》 ***clave*** [kleiv] ; ***cleft, cleaved, clo·ven*** [klóuvən]) *vt.* ①《~+목 / +목+부 / +목+보 / +목+전+명》 …을 쪼개다, 찢다 ; 쪼개어 가르다 ; 분열시키다 ; …에 금을 내다, …을 떼어놓다 : ~ it asunder 그것을 갈기갈기 찢다 / ~ it open 그것을 베어 가르다 / ~ a piece of wood *in* two 장작을 둘로 쪼개다 / The dispute ~*d* the party asunder. 그 논쟁으로 당은 두 동강이로 갈라졌다. ②《~+목 / +목+전+명》 (공기·물 등)을 가르고 나아가다 ; 헤치고 나가다《one's way》: ~ one's *way through* the crowd 군중 속을 헤치고 나아가다 / ~ the water 물을 가르고 나아가다. ③《+목+전+명》 길을 트다 : ~ a path *through* the wilderness 황야에 길을 트다. ④《~+목+전+명》 (사람·장소를 …으로부터) 격리하다 : ~ those boys *from* the others 그 소년들을 다른 사람들로부터 떼어놓다. — *vi.* ① 쪼개지다, 찢어지다 ; 트다 ; (단체가) 분열하다. ② 헤치고 나아가다.

cleave[2] (~***d,*** 《古》 ***clave*** [kleiv], ***clove*** [klouv] ; ~***d***) *vi.* ① (주의·주장 따위를) 고수하다 ; (…에) 집착하다 ; (남에게) 충실하다《*to*》: ~ *to* one's principles 주의에 충실하다. ② 부착〔점착(粘着)〕하다《*to*》.

cleav·er [klí:vər] *n.* Ⓒ ① 쪼개는 사람〔물건〕. ② 고기를 토막내는 큰 칼.

clef [klef] *n.* Ⓒ〖樂〗 음자리표 : a C ~ 다 음자리표《가온음자리표》/ an F〔a bass〕 ~ 바 음자리표《낮은음자리표》/ a G〔treble〕 ~ 사 음자리표《높은음자리표》.

***cleft** [kleft] CLEAVE[1]의 과거·과거분사.
— *a.* 쪼개진, 갈라진, 터진 : a ~ chin 오목하게 패인 자국이 있는 턱.
in a ~ stick 진퇴 양난에 빠져 ; 궁지에 몰려.
— *n.* Ⓒ ① 터진 금, 갈라진 틈 ; 쪼개진 조각 ; (두 부분 사이의 V 형의) 오목한 곳 : a ~ in a rock 바위의 갈라진 틈. ② (당파간의) 분열, 단절 : a ~ between labor and management 노사간의 단절.

cléft pálate =PALATE.

cléft séntence 분리문《It... that로 분리된 문장》.

clem·a·tis [klémətis] *n.* Ⓤ〖植〗 참으아리속(屬)의 식물《위령선(威靈仙)·큰꽃으아리 따위》.

clem·en·cy [klémənsi] *n.* Ⓤ ① (성격·성질의) 온화, 온순, 관대, 자비 ; 자비 깊은 행위〔조처〕: show ~ to a person 아무에게 온정을 보이다. ② (날씨의) 온화함. opp. *inclemency.*

clem·ent [klémənt] *a.* ① 온후한 ; 자비스러운, 관대한(merciful). ② (기후가) 온화한, 온난한(mild).

Clem·en·tine [kléməntàin, -ti:n] *n.* 클레멘타인《여자 이름》.

clem·en·tine *n.* Ⓒ 클레멘타인《tangerine과 sour orange의 잡종인 작은 오렌지》.

***clench** [klentʃ] *vt.* ① (이)를 악물다 ; (주먹)을 꽉 쥐다 : ~ one's fist 주먹을 꽉 쥐다. ② (물건)을 단단히 〔움켜〕잡다〔쥐다〕: The man suddenly ~*ed* my arm. 그 남자는 갑자기 내 팔을 꽉 잡았다. — *vi.* (입·손 따위가) 굳게 다물어지다 〔쥐어지다〕. — *n.* (a ~) ① 이를 악묾, (분해서) 이를 갊. ② 단단히 잡기〔쥐기〕.

***Cle·o·pat·ra** [klìːəpǽtrə, -páːtrə] *n.* 클레오파트라《이집트 최후의 여왕 : 69-30 B.C.》.

clere·sto·ry [klíərstɔ̀ːri, -stòuri] *n.* Ⓒ ①〖建〗(채광용의) 고창층(高窓層)《Gothic 건축 대성당의 높은 창이 달려 있는 층》, 클리어스토리. ②〖美鐵〗(차량의 천장 양쪽의) 통풍·채광창.

***cler·gy** [klə́ːrdʒi] *n.* 〔集合的·複數 취급〕(the ~) 목사, 성직자들《목사·신부·랍비 등》《★ 이 말의 복수꼴은 없으며, 한 사람의 경우에는 clergyman을 씀》: *The* ~ have opposed the plan. 성직자들은 그 계획에 반대했다.

‡**cler·gy·man** [-mən] (*pl.* **-men** [-mən]) *n.* Ⓒ 성직자, 목사《영국 국교회에서는 bishop(주교) 이외의 성직자》.

cler·ic [klérik] *n.* Ⓒ 성직자, 목사(clergyman).

***cler·i·cal** [klérikəl] *a.* ① 목사의, 성직(자)의 : a ~ collar 성직자용 칼라, 로만 칼라《빳빳하고 가는 띠 모양의 백색칼라》. ② 서기의, 사무원의 : a ~ error 오기(誤記), 그릇 베낌 / the ~ staff 사무직원 / ~ work 서기〔사무원〕의 일, 사무.
— *n.* ① Ⓒ 성직자, 목사. ②《口》(*pl.*) 사제복(服). ㊔ **~·ly** *ad.* ① 성직자답게. ② 서기로서.

cler·i·cal·ism [klérikəlìzəm] *n.* Ⓤ ① 성직자〔성직권〕 존중주의, 교권주의. ②《蔑》 성직자의 (부당한 정치적) 세력.

cler·i·hew [klérihjùː] *n.* Ⓒ 클레리휴 4행시《익살스런 내용의 사행 연구(四行聯句)의 일종》.

†**clerk** [kləːrk / klɑːrk] *n.* Ⓒ ① (관청·회사 따위의) 사무원〔관〕, 사원, (은행의) 행원; (법원·의회·각종 위원회 따위의) 서기 : a bank ~ 은행원 / the head ~ 사무장 / a front desk ~ 접수 담당자〔계원〕. ②《美》 점원, 판매원(salesclerk)《남녀 공히》. ③〖宗〗 교구의 집사,《英》 교회의 서기.
a ~ in holy orders《英》(영국 국교회의) 성직자, 목사(clergyman). ***a ~ of*** (***the***) ***work***(***s***)《英》(청부 공사의) 현장 감독.
— *vi.* 《+前+名》 사무원〔서기, 점원〕으로 근무하다 : ~ *for*〔*in*〕 a store 점원 일을 보다.

clerk·ly [klə́ːrkli / klɑːrk-] (***clerk·li·er ; -li·est***) *a.* ① 서기〔사무원〕의〔같은〕. ②《美》 점원의. — *ad.* 사무원답게 ; 점원 답게.

clerk·ship [-ʃip] *n.* Ⓤ,Ⓒ ① 서기〔사무원, 점원〕의 직〔신분〕. ② 목사의 직〔신분〕; 성직자의 신분.

Cleve·land [klíːvlənd] *n.* 클리블랜드《(1) 잉글랜드 북부의 주 ; 1974년 신설. (2) 미국 Ohio 주의 항구·공업 도시》.

†**clev·er** [klévər] (*~·er ; ~·est*) *a.* ① 영리한(bright), 똑똑한, 재기 넘치는 ; (…에서) 유능한《*at*》: a ~ child 똑똑한 아이 / a student ~ *at* mathematics 수학을 잘하는 학생 / How ~ of you to know that. 그걸 알다니 너 참 영리하구나. ② (말·생각·행위 등을) 잘하는, 솜씨 있는 ; 재치 있는 : The chimpanzees did ~ tricks for the audience. 침팬지는 관객들에게 재치 있는 묘기를 보여주었다. ③ (손)재주 있는(adroit), 잘하는 ; 솜씨가 훌륭한, 멋진 ; 숙련된《*with ; at*》: a ~ carpenter 재주 있는 목공 / ~ fingers 재주 있는 손 / be very ~ *with* one's pen 글을 아주 잘 쓰다 / Her mother was ~ *at* many things. 그녀의 어머니는 여러가지 일을 잘 한다. ④ 독창적인, 창의력이 풍부한 ; 훌륭한. ***too ~ by half***《英口·蔑》(좀) 지나치게 똑똑한, 재주를 내세우는〔자랑하는〕, 너무 똑똑한 체 하는.

clev·er-clev·er [klévərklévər] *a.* 똑똑한 체하는 ; 겉으로 영리한 체하는.

cléver Dìck《英口》(자칭) 똑똑한 사람 ; 똑똑한 체 하는〔아는 체 하는〕 사람.

***clev·er·ly** [klévərli] *ad.* ① 영리하게. ② 솜씨있게, 잘.

***clev·er·ness** [klévərnis] *n.* Ⓤ ① 영리함. ② 솜씨 있음.

clev·is [klévəs] *n.* Ⓒ U자형의 연결기, U 링크 ; 「U자형 갈고리.

clew [kluː] *n.* ① Ⓒ 실꾸리 ; 길잡이 실몽당이《그리스 신화에서, 미궁에서 빠져 나오는 길잡이》. ② Ⓒ〖海〗 돛귀《가로돛의 아랫구석, 세로돛의 뒷구석》; 돛귀의 고리. ③ (*pl.*) 해먹(hammock)을 달아매는 줄. — *vt.* ① (실)을 둥글게 감다《*up*》. ② (돛)을 활대에 끌어 올리다《*up*》.

***cli·ché** [kli(ː)ʃéi] *n.* Ⓒ《F.》 ① 진부한 표현〔사상, 행동〕. ② 상투적인 문구.

cli·ché(′)d [kliʃéid] *a.* 진부해진, 오래 써먹은, 「낡은 투의.

***click** [klik] *vi* ① 짤까닥〔째깍〕 소리나다〔소리내며 움직이다〕: The phone ~*ed* dead. 전화가 뚝 끊어졌다. ②《口》 **a**) (극 따위가) 성공하다, 히트하다《*with*》: The song ~*ed with* teenagers. 그 노래는 10대의 아이들에게 호평을 받았다. **b**) 마음이 맞다, 의기 상통하다 ; (서로) 반하다《*with*》: They ~*ed with* each other. 그들은 서로 의기 투합했다. **c**) (사물이 갑자기) 알아지다, 이해되다 ; 퍼뜩 깨닫다《*with*》: The play ~*ed with* every elderly man in the audience. 그 연극은 관객 중 나이 지긋한 사람들에게는 모두 얼른 이해가 되었다. ③〖컴〗 마우스의 단추를 누르다. — *vt.* ① …을 째깍〔찰깍〕 하고 울리게 하다〔움직이게 하다〕: He ~*ed* his glass against hers. 그는 잔을 그녀의 잔에 쨍하고 맞부딪쳤다. ②〖컴〗(마우스의 단추)를 누르다, (마우스의 조작으로 화면의 항목)을 선택하다.
— *n.* Ⓒ ① 째깍(하는 소리). ②〖機〗 제동자(制動子), 기계의 후진을 막는 장치.

clíck bèetle〖蟲〗 방아벌레.

click·e·ty-clack [klíkətiklǽk] *n.* (*sing.*) 덜컹덜컹, 찰칵찰칵《기차·타자기 등의 소리》.

***cli·ent** [kláiənt] *n.* Ⓒ ① 소송〔변호〕 의뢰인. ② 고객, 단골 손님. ③ 사회 복지 혜택을 받는 사람. ④ =CLIENT STATE.

cli·en·tele [klàiəntél, klìːɑːntéil] *n.* Ⓒ 〔集合的 ; 單·複數 취급〕 ① 소송 의뢰인. ② 고객 ; 단골 손님 : a banks ~ 은행의 고객들 / a wealthy ~ 부유한 단골 손님들. ③ (병원의) 환자.

clíent stàte (대국의) 종속국 ; 예속〔의존〕국.

‡**cliff** [klif] *n.* Ⓒ (특히 해안의) 낭떠러지, 벼랑.

clíff dwèller ① (흔히 C- D-) 암굴(岩窟) 거주민《유사 이전의 미국 남서부의 원주민의 하나》. ②《美口》 고층 아파트 거주자.

cliff·hang·er [-hæ̀ŋər] *n.* Ⓒ ① (영화·텔레비전·소설 따위의) 연속 모험물(物), 스릴 만점의 영화. ② 마지막 순간까지 손에 땀을 쥐게 하는 경기〔경쟁〕.

cliff·hang·ing [-hæ̀ŋiŋ] *a.* ① (영화·텔레비전 등이) 관객의 손에 땀을 쥐게 할 만큼 모험적인 : ~ series =CLIFFHANGER ①. ② 경기가 마지막까지 접전을 벌이는〔손에 땀을 쥐게 하는〕.

cli·mac·ter·ic [klaimǽktərik, klàimæktérik] *n.* Ⓒ ① 갱년기, 폐경기(閉經期). ② 액년(厄年)《7년마다의》. ③ 위기, 전환기. — *a.* ① 전환기에 있는, 위기의(critical). ② 액년의. ③〖醫〗 갱년기의, 월경 폐쇄기의.

cli·mac·tic [klaimǽktik] *a.* 클라이맥스의 ; 정점(頂點)의, 절정의 : the film's ~ scene 그 영화의 클라이맥스 장면. ㊔ **-ti·cal·ly** *ad.*

‡**cli·mate** [kláimit] *n.* Ⓒ ① 기후《★ climate는 한 지방의 연간에 걸친 평균적 기상 상태. weather는 특정의 때·장소에서의 기상 상태를 말함》: the hot and humid ~ of Cyprus 키프로스의 덥고 습기가 많은 기후 / The country has a mild ~. 그 나라는 기후가 온난하다. ② 풍토 ;《比》 환

경, 분위기, (회사 따위의) 기풍, (어느 지역·시대의) 풍조, 사조(思潮) : an intellectual ~ 지적 풍토 / a ~ of opinion 여론 / in the present economic ~ 현재의 경제 정세〔상태〕하에서는. ③ (기후상으로 본) 지방, 지대(region) : a dry 〔humid, mild〕 ~ 건조한〔습기가 많은, 온화한〕 지방. ◇ climatic *a.*

cli·mat·ic, -i·cal [klaimǽtik], [-ikəl] *a.* ① 기후상의. ② 풍토적인. ㊞ **-i·cal·ly** *ad.*

cli·ma·tol·o·gy [klàimətɑ́lədʒi / -tɔ́l-] *n.* Ⓤ 기후〔풍토〕학.

‡cli·max [kláimæks] *n.* ① Ⓒ (사건·극 따위의) 최고조, 절정(peak) ; 정점, 극점《*of*》: reach 〔come to〕 a ~ 절정에 달하다 / He is at the ~ *of* his happiness. 그는 행복의 절정에 있다. ② Ⓤ 〖修〗 점층법《점차로 문세(文勢)를 높여 가는》. ③ ⓊⒸ 오르가슴 ; 성적 흥분의 절정. ── *vi., vt.* (…을) 정점에 달하(게 하)다 : The play ~*ed* gradually. 그 연극은 점차로 클라이맥스에 달했다 / I want to ~ the party with a song. 노래로 파티를 절정에 이르게 하고자 합니다.

†climb [klaim] (*p., pp.* ~*ed,* 《古》 *clomb* [kloum]) *vt.* ① (산 따위)에 오르다, 등반하다 : ~ a mountain 등산을 하다 / My car ~*ed* the hill with difficulty. 차는 간신히 그 언덕을 올라갔다. ★ climb은 어려움을 참고 노력하여 높은 곳에 오른다는 뜻임. ascend는 노력이나 어려움이 내포되어 있지 않은 상태에서 높은 곳에 오른다는 뜻임. ②《~+목 / +목+부》 (손발을 써서) …을 기어오르다《*up*》: ~ a tree 나무에 기어오르다 / ~ a ladder (*up*) 사다리를 오르다. ③ (식물이 벽 따위)를 기어오르다 : Roses are ~*ing* (*up*) the wall. 장미 넝쿨이 담장을 기어오르고 있다《★ up이 수반되면 *vi.* 취급이 됨》.

── *vi.* ①《~ / +부 / +전+명》 (나무·로프 따위를) 기어오르다, (산·계단 따위를) 오르다 : Monkeys ~ *well.* 원숭이는 나무타기를 잘한다 / ~ *to* the top 정상에 오르다. ② (해·달·연기·비행기 따위가 서서히) 솟다, 뜨다, 상승하다 ; (물가가) 뛰다, 오르다 : The smoke ~*ed* slowly. 연기가 서서히 올라갔다 / Prices ~*ed* sharply. 물가가 뛰었다. ③《+전+명》 (노력하여 높은 지위에) 오르다, 승진하다, 출세하다《*to*》: ~ *to* power 출세하여 권력을 잡다 / ~ *to* the head of the section 과장으로 승진하다. ④ (식물이) 휘감아〔덩굴이 되어〕 뻗어오르다 : The ivy ~*ed* to the roof. 담쟁이 덩굴이 지붕을 타고 올라갔다. ⑤ (길이) 오르막이 되다. ⑥《+부 / +전+명》 (손발을 써서 자동차·비행기 등에) 타다 ; …에서 내리다 : ~ *into* a jeep 지프차를 타다 / ~ *out* (*of* a car) (차에서) 내리다. ⑦《+전+명》 (옷을) 급히 입다《*into*》; (옷을) 급히 벗다《*out of*》: ~ *into* pajamas 급히 파자마를 입다. ~ ***down*** ⑴ (…을) 내리다, (…을) 기어 내리다 : ~ *down* from a tree 나무에서 내려오다. ⑵《口》 (지위에서) 떨어지다《*from*》; 물러나다, 양보하다 ; 주장을〔요구를〕 버리다〔철회하다〕: They were forced to ~ *down* from their untenable position. 그들은 근거가 박약한 그들의 주장〔의견〕을 철회하지 않을 수 없었다.

── *n.* Ⓒ (흔히 *sing.*) ① 오름, 기어오름, 등반. ② (기어오르는) 높은 곳 ; 오르막길. ③ (물가·비행기의) 상승《*in*》: a ~ *in* prices 물가의 상승. ④ 승진, 영달《*to*》: one's ~ *to* wealth and fame 출세하여 부와 명성을 얻음. ㊞ **~·a·ble** [-əbəl] *a.* (기어)오를 수 있는.

climb-down [-dàun] *n.* Ⓒ ① 기어내림. ②《口》 양보 ; (주장·요구 등의) 철회, 단념.

***climb·er** [kláimər] *n.* Ⓒ ① 기어오르는 사람 ; 등산가(mountaineer). ②《口》 출세주의자, 야심가. ③ 등산용 스파이크. ④ 반연(攀緣) 식물《담쟁이 따위》. cf. creeper. ⑤ 반금류(攀禽類)《딱따구리 따위》.

climb·ing [kláimiŋ] *a.* 기어오르는 ; 등산용의 : ~ boots 등산화. ── *n.* Ⓤ 기어오름, 등반 ; 등산 (mountain ~) : ~ accident 등반 사고.

clímbing fràme 정글짐《운동 시설》.

clímbing ìrons (등산용의) 슈타이크아이젠.

clime [klaim] *n.* Ⓒ 《詩》 ① (종종 *pl.*) 나라, 지방. ② 기후, 풍토.

***clinch** [klintʃ] *vt.* ① (박은 못)의 끝을 두드려 구부리다 ; …을 못박다 ; 고정시키다, 죄다 : ~ two planks together 두 개의 널판자를 포개어 여기에 긴 못을 박고 꿰뚫어 나온 끝을 구부려 판자를 고정시키다. ② (의론·계약 따위)의 매듭을 짓다, 결말을 내다 : ~ a deal 거래를 매듭짓다 / This proof ~*es* the argument. 이 증거로 의론(議論)은 결말이 난다. ③〖海〗 …을 밧줄 끝을 반대로 접어서 동여매다. ④ (입)을 굳게 다물다 ; (이)를 악물다 : with ~*ed* teeth 이를 악물고. ⑤〖拳〗 (상대)를 클린치하다, 껴안다. ── *vi.* ①〖拳〗 껴안다, 클린치하다. ②《口》 격렬하게 포옹하다.

── *n.* ① Ⓒ 못 끝을 두드려 구부림 ; 두드려 구부린 못〔나사〕; 고착(시키는 것). ② (a ~) 〖拳〗 클린치 : The boxers got into *a* ~ and had to be seperated by the referee. 권투 선수들이 클린치가 되어 심판이 떼어 놓아야만 했다. ③ (a ~) 《俗》 격렬한 포옹.

clinch·er [klíntʃər] *n.* Ⓒ ① 두드려 구부리는 도구 ; (볼트 따위를) 죄는 도구, 클램프(clamp), 꺾쇠. ②《口》 결정적인 의론〔요인, 행위〕, 상대를 꼼짝 못하게 하는 말 : That was the ~. 그 한 마디로 결말이 났다.

clinch·er-built [-bilt] *a.* =CLINKER-BUILT.

clin·da·my·cin [klìndəmáisin] *n.* Ⓤ 〖藥〗 클린다마이신《항균제》.

cline [klain] *n.* Ⓒ 〖生·言〗 클라인, (지역적) 연속 변이(變異).

cling** [kliŋ] (*p., pp.* ***clung [klʌŋ]) *vi.* 《+전+명》 ① 착 들러〔달라〕붙다, 고착〔밀착〕하다《*to*》: The wet clothes *clung to* my skin. 젖은 옷이 살에 달라붙었다. ② 매달리다, 붙들고 늘어지다, 서로 껴안다《*onto* ; *to*》: She *clung onto* his arm. 그녀는 그의 팔에 매달렸다 / The children *clung to* each other in the dark. 어린이들은 어둠속에서 서로 꼭 붙어〔껴안고〕 있었다. ③ (습관·생각 따위에) 집착〔애착〕하다, 고수하다《*to*》: ~ *to* the last hope 끝까지 희망을 버리지 않다 / ~ *to* power 권력에 집착하다. ④ (냄새·편견 따위가) …에 배어들다《*to*》: The smell of manure still *clung to* him. 비료 냄새가 아직 그의 몸에 배어 있었다. ~ ***together*** ⑴ (물건이) 서로 들러붙다, 떨어지지 않게 되다. ⑵ 단결하다.

cling·film [klíŋfilm] *n.* Ⓤ 클링필름《식품 포장용의 폴리에틸렌 막》.

cling·ing [klíŋiŋ] *a.* ① 들러붙는, 점착성의. ② (옷이) 몸에 찰싹 달라붙는. ③ 남에게 의존하는 〔매달리는〕. ㊞ **~·ly** *ad.*

cling·stone [klíŋstòun] *n.* Ⓒ 과육이 씨에 밀착해 있는 복숭아.

clingy [klíŋi] (***cling·i·er*** ; ***-i·est***) *a.* =CLINGING.

***clin·ic** [klínik] *n.* Ⓒ ① **a)** 임상 강의〔실습〕; 임상. **b)** 〔集合的〕 임상 강의 수강 학생. **c)** 〔集合的〕 진료소의 의사들. ② (외래 환자의) 진료소, 진찰실 ; (대학 등의) 부속 병원 ; 개인〔전문〕 병원, 클리닉 ; (병원내의) 과(科) : a maternity ~ 산과(產科) 병원 / a dental ~ 치과 진료소〔의원〕 / a diabetic ~ 당뇨병과(科). ③《美》 상담소; (어떤 특정 목적으로 설립된) 교정소(矯正所): a speech ~ 언어 장애 교정소 / a family-planning ~ 가족 계획 상담소 / a vocational ~ 직업 상담소. ④《美》(의학 이외의) 실지 강좌, 세미나, …교실: a golf ~ 골프 강습회.

***clin·i·cal** [klínikəl] *a.* ① 진료소의; 임상(강의)의; 병상의; 병실용의: a ~ diary 병상 일지 / ~ lectures 임상 강의 / ~ medicine 임상 의학. ②《比》(태도·판단·묘사 따위가 극도로) 객관적인, 분석적인, 냉정한; 실제적인, 현실적인. [파] ~·**ly** *ad.* 임상적으로.

clínical thermómeter 체온계.

cli·ni·cian [kliníʃən] *n.* [C] 임상의(醫).

clink¹ [kliŋk] *vi., vt.* (금속편·유리 따위가) 쨍그랑〔짤랑〕하다; 쨍〔짤랑〕 소리내다: They ~*ed* glasses in a toast. 그들은 건배를 위해 잔을 쨍하고 맞댔다. ── *n.* (*sing.*) 쨍그랑하는 소리.

clink² *n.* (the ~) 《口》 교도소, 구치소(lockup).

clink·er¹ [klíŋkər] *n.* [C] ①《美俗》 큰 실패, 실수, (영화 따위의) 실패작, 《특히》 연주의 실수. ②《英口》 특상품, 일품.

clink·er² *n.* ① [C] (단단한) 클링커 벽돌; 투화(透化) 벽돌. ② [U,C] 용재(溶滓) 덩이, (용광로의) 클링커, 광재(鑛滓). 「덧붙여 댄.

clink·er-built [-bìlt] *a.* 〖船〗 (뱃전을) 겹붙인,

cli·nom·e·ter [klainámitər / -nɔ́m-] *n.* [C] 〖測〗 경사계(傾斜計), 클리노미터.

Clin·ton [klíntn] *n.* **William Jefferson** ~ 클린턴《미국의 제 42 대, 43 대 대통령; 1946- 》.

Clio [kláiou] *n.* 〖그神〗 클레이오《역사의 여신; Nine Muses 의 하나》.

‡**clip**¹ [klip] (-*pp*-) *vt.* ① …을 자르다, 베다, 가위질하다, (털)을 깎다(shear)《*off* ; *away*》: ~ the baby's fingernails 아기의 손톱을 깎다 / ~ a person's hair 아무의 머리를 깎다 / He got his hair ~*ped* close〔short〕. 그는 머리를 짧게 깎았다《미용사에게 시켜서》/ ~ a hedge 생울타리를 깎아 다듬다. ② **a**) (신문·잡지 기사 따위)를 오려내다《*out*》: ~ *out* a photo 사진을 오려내다. **b**) (검표를 위해 표의 한쪽 끝)을 찢어내다, (표)에 구멍을 내다. ③ **a**) (기간 따위)를 단축하다 (curtail). **b**) (경비 따위)를 삭감하다. **c**) (권력 따위)를 제한하다. **d**) (말의 끝 부분)을 생략하다: ~ one's g's, g음을 빼먹다《'ŋ'을 'n'으로 발음》. ④《口》 …을 세게 때리다. ⑤ …에게서 (부당하게) 돈을 빼앗다: I was ~*ped* in that nightclub. 그 나이트클럽에서 나는 바가지를 썼다. ── *vi.* ① 잘라내다. ②《美》 (신문·잡지 따위의) 오려내기를 하다. ③《口》 질주하다; 빨리 날다. ~ **a person's wings** 아무의 활동력을 뺏다, 아무를 무력하게 하다. ── *n.* ① [C] (머리·양털 따위의) 깎(아 내)기. ② [C] 깎아낸 것; 《특히》 (한철에 깎아낸) 양털의 분량. ③ [C] 《口》 강타: give a person a ~ on the head 아무의 머리를 후려갈기다. ④ (a ~) 《口》 잰 걸음, 속도: at *a* rapid〔good〕 ~ 빠른 걸음으로. ⑤ [C] 〖컴〗 오림, 오리기, 클립.

‡**clip**² *n.* [C] ① 클립. **a**) 종이〔서류〕집게〔끼우개〕: a paper-~. **b**) 머리에 꽂아 고정시키는 핀: a hair-~. **c**) (만년필의) 끼움쇠. ② 클립으로 고정하는 장신구《귀고리·브로치 따위》. ── (-*pp*-) *vt.* ① (물건)을 클립으로 고정시키다, (서류 따위)를 클립으로 철하다《*on* ; *together*》: ~ *on* a pair of earrings 귀고리를 달다 / ~ papers 서류를 클립으로 철하다 / ~ two sheets of paper *together* 종이 두 장을 클립으로 한데 철하다. ② …을 꽉 쥐다〔집다〕. ── *vi.* (장신구 따위가 …에) 클립으로 고정되다《*on* ; *to*》: Do those earrings ~ *on?* 그 귀고리는 클립으로 다느냐?

clip·board [-bɔ̀:rd] *n.* [C] ① 종이 끼우개(판)《필기용》. ② 〖컴〗 오려둠판, 오림판.

clip-clop [-klɑ̀p / -klɔ̀p] *n.* (a ~) 다가닥다가닥(하는 말굽 소리), 그 비슷한 리드미컬한 발소리. ── (-***clopped, -clop·ping***) *vi.* 다가닥다가닥하며 걷다〔달리다, 소리를 내다〕.

clíp jòint 《美俗》 바가지 씌우는 카바레.

clip-on [-ɑ̀n / -ɔ̀n] *a.* (장신구 따위가) 클립으로 고정되는: ~ earrings 클립식 귀고리.

clipped [klipt] *a.* ① (머리 따위가) 짧게 자른〔깎은〕. ② (말이) 빠르고 시원스러운, 발음이 빠른. ③ (낱말이) 단축된, 발음을 생략한: a ~ word 단축어《advertisement를 ad로 하는 따위》.

clip·per [klípər] *n.* [C] ① 가위질하는 사람; 깎는〔치는〕 사람. ② (흔히 *pl.*) 나뭇가지를 치는 가위, 큰 가위: hedge ~*s* 전정가위 / No ~*s* on this side, please. 이 쪽은 깎지 마시오. ③ **a**) 〖海〗 쾌속 범선. **b**) 〖空〗 (옛날의 프로펠러식) 장거리 쾌속 비행정; 대형 여객기. ④ 발 빠른 사람〔말〕.

clip·pie [klípi] *n.* [C] 《英口》 (버스의) 여차장.

clip·ping [klípiŋ] *n.* ① [U] 가위질, 깎기. ② [C] **a**) (종종 *pl.*) 가위로 베어 낸 털〔풀 따위〕. **b**) 《美》 (신문·잡지의) 오려낸 기사(《英》 cutting): He read the newspaper ~ I gave him. 그는 내가 준 오려낸 신문기사를 읽었다. **c**) 〖컴〗 오려냄, 오려내기, 클리핑. ── *a.* 〔限定的〕 ① 베어내는, 잘라내는. ② 《口》 빠른.

clique [kli:k, klik] *n.* [C] 《F.》 (배타적인) 도당, 파벌: an academical ~ 학벌 / a military ~ 군벌 / They have formed a ~ of feminists within the party. 그들은 당내에 여권신장론자의 파벌을 결성했다.

cli·quey [klí:ki] (***cli·qu·i·er*** ; ***-i·est***) *a.* = CLIQUISH.

cli·quish [klí:kiʃ] *a.* 당파심이 강한, 파벌〔배타〕적인. [파] ~·**ness** *n.* [U] 당파심, 파벌 근성.

cli·to·ris [klítəris, klái-] *n.* [C] 〖解〗 음핵(陰核), 클리토리스.

clk. clerk; clock. **Cllr.** 《英》 Councillor.

‡**cloak** [klouk] *n.* ① [C] (흔히 소매가 없는) 외투, 망토. ② (*sing.*) **a**) 덮는 것(covering): under a ~ of snow 눈에 덮여. **b**) 가면, 구실(pretext), 은폐하는 수단《*for*》: use a pizza shop as a ~ *for* trafficking in drugs 피자가게를 마약 거래의 아지트로 이용하다 / Preparations *for* the wedding were made under a ~ of secrecy. 결혼 준비가 비밀리에 이루어졌다. ***under the ~ of*** (1) …의 가면을 쓰고, …을 빙자하여: prejudice and hypocrisy hiding *under the ~ of* religion 종교의 미명 아래 가려진 편견과 위선. (2) …을 틈타서: *under the ~ of* night 야음을 틈타서. ── *vt.* ① …에게 외투를 입히다. ② (사상·목적 등)을 가리다, 숨기다: The mission was ~*ed* in mystery. 그 임무는 비밀속에 가려져 있었다.

cloak-and-dag·ger [-əndǽgər] *a.* 〔限定的〕 스파이 활동의, 음모의; (연극·소설 따위가) 스파이〔첩보〕물의.

cloak·room [-rù(:)m] *n.* [C] ① (극장·호텔 따위의) 휴대품 보관소; (역의) 수화물 임시 예치소. ②《英婉》 (호텔·극장 등의) 변소. ③《美》 의사당 안의 휴게실(《英》 lobby): a ~ deal 의원 휴게실에서의 협정〔거래〕.

clob·ber¹ [klɑ́bər / klɔ́b-] *n.* [U] 〔集合的〕 《英俗》 ① 옷. ② 소지품.

clob·ber² *vt.* 《俗》 ① (사람)을 사정 없이 치다, 때려눕히다: I'll ~ you if you do that kind of thing again. 그런 짓을 다시 하면 사정없이

때려 줄 테다. ② **a**) (상대)를 참패시키다 : The Tigers ~*ed* the Giants. 타이거즈 팀은 자이언츠 팀에게 압승했다. **b**) (진지 따위)에 큰 타격을 주다 : The construction industry was ~*ed* by recession. 건설업은 경기 후퇴로 큰 타격을 받았다. ③ (…을) 호되게 꾸짖다, 신랄하게 비판하다.

cloche [klouʃ] *n.* Ⓒ ① 원예용(園藝用) 종 모양의 유리덮개. ② 종 모양의 여성 모자(=∠ **hàt**).

†**clock**[1] [klɑk / klɔk] *n.* Ⓒ ① 시계《괘종 · 탁상 시계 따위 ; 휴대하지 않는 점에서 watch 와 구별됨》: an eight-day ~ 8 일에 한 번 태엽을 감는 시계 / read 〔set〕 a ~ 시계를 보다〔맞추다〕/ wind (up) a ~ 태엽을 감다 / The ~ struck seven. 시계가 7 시를 쳤다 / The ~ is half-hour fast〔slow〕. 이 시계는 30분 빠르다〔늦다〕. ② 《口》 지시 계기《속도계 · 택시 미터 따위》, (자동) 시간 기록기, 스톱워치. ③ 《英俗》 사람의 얼굴. ***against the*** ~ 시간을 다투어 : work *against the* ~ 어느 시간까지 끝내려고 열심히 일하다. ***around*** 〔***round***〕 ***the*** ~, 24 시간 내내 ; 쉬지 않고. ***beat the*** ~ 예정 시간 이내에 일을 마치다. ***kill*** 〔***run out***〕 ***the*** ~ (축구 등의 경기에서 리드하고 있는 쪽이) 시간 끌기 작전을 펴다. ***like a*** ~ 아주 정확하게, 규칙적으로. ***put*** 〔***set, turn***〕 ***the*** ~ ***back*** (1) 시계를 늦추다. (2) 《比》 진보를 방해하다, 역행하다, 구습을 고수하다. ***put the*** ~ ***on*** 〔***forward,*** 《美》 ***ahead***〕 (여름 · 겨울에 시간을 바꾸는 제도의 지역에서) 시계 바늘을 앞당겨 놓다. ***watch the*** ~ 끝나는 시간에만 정신을 쓰다 : I started to *watch the* ~ about halfway through the class. 나는 수업이 절반 쯤 지나자 끝나는 시간만 기다려지기 시작했다.

— *vt.* ① …의 시간을 재다〔기록하다〕: The winds then were ~*ed* at 100 mph. 그때의 바람은 시속 100 마일로 기록되었다. ② …의 기록을 내다 : He ~*ed* 9.9 seconds in the 100-meter dash. 그는 100 m 경주에서 9.9 초의 기록을 냈다. ③ 《英俗》 (아무의) 얼굴을 때리다. ~ ***in*** 〔***on***〕 (타임 리코더로) 출근 시각을 기록하다 ; 출근하다 : I have to ~ *in* by eight. 나는 8시까지 출근해야 한다. ~ ***out*** 〔***off***〕 (타임 리코더로) 퇴근 시각을 기록하다 ; 퇴근하다. ~ ***up*** 《口》 기록을 내다, 기록〔달성〕하다 ; (스포츠 기록 등을) 쌓다, 보유하다 : He ~*ed up* a new world record for 100 meters. 100 미터 경주에서 세계 신기록을 냈다 / He's ~*ed up* a number of world records. 그는 여러 개의 세계 기록을 보유하고 있다.

clock[2] *n.* Ⓒ 양말 목의 자수 장식.

clock·face [∠fèis] *n.* Ⓒ 시계의 문자판.

clóck gòlf 클록 골프《원둘레의 12 지점에서 중앙의 홀에 공을 퍼팅하는 게임》.

clock·like [∠làik] *a.* 시계처럼 규칙적인, 정확한 ; 단조로운.

clock·mak·er [∠mèikər] *n.* Ⓒ 시계공.

clóck ràdio 시계〔타이머〕가 있는 라디오.

clóck tòwer 시계탑.

clock-watch [∠wɑ̀tʃ] *vi.* 일이 끝나는 시각에만 신경을 쓰고 일하다. ㊞ **clóck·wàtch·ing** *n.*

clock-watch·er [∠wɑ̀tʃər / ∠wɔ̀tʃ-] *n.* Ⓒ (일) 끝나는 시간에만 마음을 쓰는 직장인〔학생〕, 태만한 사람.

clock·wise [∠wàiz] *a., ad.* (시계 바늘처럼) 오른쪽으로 도는 〔돌아서〕, 시계바늘(도는) 방향의 〔으로〕. opp *counterclockwise, anticlockwise.*

clock·work [∠wə̀ːrk] *n.* Ⓤ 시계〔태엽〕 장치 : (as) regular as ~ 매우 규칙적인〔적으로〕. ***like*** ~ 《口》 규칙적으로, 정확히 ; 자동적으로, 원활하게 : All our plans went (off) *like* ~. 우리의 계획은 모두 잘 진행되었다. — *a.* 〔限定的〕 ① 시계〔태엽〕 장치의 : a ~ toy 태엽 장치가 되어 있는 장난감. ② 기계적인, 자동적인, 정밀한.

***clod** [klɑd / klɔd] *n.* ① **a**) Ⓒ (흙 따위의) 덩어리《*of*》: a ~ *of* earth〔turf〕 한 덩이의 흙〔뗏장〕. **b**) (the ~) 흙. ② Ⓒ 소의 어깨살. ③ Ⓒ 바보 ; 시골뜨기.

clod·dish [klɑ́diʃ / klɔ́d-] *a.* 바보 같은 ; 투미한, 어리석은. ㊞ ~**·ly** *ad.* ~**·ness** *n.*

clod·hop·per [∠hɑ̀pər / ∠hɔ̀p-] *n.* Ⓒ ① 《口》 시골뜨기 ; 무지렁이. ② (흔히 *pl.*) (농부들이나 신는, 발에 안 맞는) 털럭거리는 (투박한) 신발.

***clog** [klɑg / klɔg] *n.* ① Ⓒ 방해물, 장애물 ; (짐승 · 사람의 다리에 다는) 차꼬. ② (*pl.*) 나막신 : a pair of ~*s* 한 켤레의 나막신 / in ~*s* 나막신을 신고. ③ Ⓒ =CLOG DANCE.

— (**-gg-**) *vt.* 《~+목 / +목+부 / +목+전+명》 ① **a**) (…의 움직임〔기능〕)을 방해하다《*up*》: ~ a person's movement 아무의 동작을 방해하다 / The trade is ~*ged with* restriction. 무역은 제한을 받아 활동이 저해되고 있다 / The machine got ~*ged* (*up*) *with* grease. 기계는 그리스가 엉겨 작동이 나빠졌다. **b**) 차 따위로 (도로)를 막다《*up*》: The street was ~*ged with* cars. 도로는 자동차로 꽉 막혔다. **c**) (파이프 따위)를 막히게 하다《*up*》: His rifle was ~*ged with* sand. 그의 라이플은 모래로 총구가 막혔다. ② (근심 · 걱정 · 불안 등으로 마음 · 기분)을 무겁게 하다, 괴롭히다 : Fear ~*ged* his mind. 불안으로 그의 마음은 무거웠다 / Don't ~ (*up*) your mind *with* worries. 걱정거리로 끙끙 앓지 말게. — *vi.* ① 막히다, 메다 ; 들러붙다 ; 잘 안 움직이게〔돌아가지 않게〕 되다 : This pipe ~*s* easily. 이 파이프는 잘 멘다 / The heater ~*s* with dust. 그 히터는 먼지가 많이 끼면 잘 작동하지 않게 된다. ② 나막신춤을 추다.

clóg dànce (마루를 구르며 박자를 맞추는) 나막신춤.

clog·gy [klɑ́gi / klɔ́gi] (***-gi·er*** ; ***-gi·est***) *a.* ① 막히기 쉬운. ② 잘 들러붙는. ③ 덩어리 투성이의, 울룩불룩한.

cloi·son·né [klɔ̀izənéi / klwɑ̀ːzɔnéi] *n.* Ⓤ 《F.》 칠보. — *a.* 칠보의 : ~ work〔ware〕 칠보 세공〔자기〕.

***clois·ter** [klɔ́istər] *n.* ① Ⓒ 수도원《★ 남자 수도원은 monastery, 여자 수도원은 convent 또는 nunnery》. ② Ⓒ (흔히 *pl.*) (수도원 따위의 안뜰을 에우는) 회랑(回廊). ③ (the ~) 은둔〔수도원〕 생활. — *vt.* ① 〔再歸的〕 …에 틀어박히다《★ 과거분사로서 형용사적으로도 쓰임》. cf. cloistered ①. ¶ He ~*ed himself* in his study. 그는 서재에 틀어박혀 있었다. ② …에 회랑을 만들다.

clois·tered [klɔ́istərd] *a.* 〔限定的〕 ① 수도원에 틀어박혀 있는 ; 은둔한 : ~ monks 수도원에 틀어박혀 사는 수(도)사들. ② 회랑이 있는.

clois·tral [klɔ́istrəl] *a.* ① 수도원의 ; 수도원에 사는. ② 속세를 떠난 ; 고독한.

clone [kloun] *n.* ① Ⓤ,Ⓒ 〖生〗 분지계(分枝系), 영양계(系), 클론《어떤 생물의 한 개체로부터 무성 생식에 의해 증식된 자손》. ② Ⓒ (복사한 것처럼) 빼쏜 사람〔것〕; 복제 생물 : a Bergman ~ 버그만을 빼쏜 사람. ③ Ⓒ 〖컴〗 복제품. — *vt., vi.* 〖生〗 (무성 생식을) 하다〔시키다〕, (단일 개체로 부터) 클론을 만들다 ; 꼭 닮게 만들다 : They are now using genetic engineering to ~ these genes. 그들은 지금 이들 유전자로부터 클론을 만들기 위해 유전자 공학을 응용하고 있다.

clonk [klɑŋk, klɔːŋk] *n.* Ⓒ 쿵〔탁〕 하는 소리. — *vi.* 쿵하는 소리가 나다. — *vt.* …을 탁하고 치

다[때리다].

clop [kláp / klɔ́p] *n.* (a ~) 따가닥 소리《말발굽 소리 따위》. ── (**-pp-**) *vi.* 따가닥 소리를 내다, 따가닥따가닥 걷다.

clop-clop [klápklàp / klɔ́pklɔ̀p] *n., vi.* = CLOP.

†**close**[1] [klouz] *vt.* ① 《~+목/+목+전+명/+목+부》 (눈)을 감다, (문·가게 따위)를 닫다(shut); (우산)을 접다; (책)을 덮다; (통로·입구·구멍 따위)를 막다, 차단하다, 메우다; (가게·사무소)를 폐쇄하다, 휴업하다: ~ the window 창문을 닫다 / ~ a wound *with* stitches 상처를 꿰매다 / ~ a gap 갈라진 틈을 메우다 / The firm has ~*d* (*down*) its Paris branch. 그 회사는 파리 지점을 폐쇄하였다 / The school was ~*d* because of the flu. 학교는 인플루엔자 때문에 휴교하게 되었다 / ~ the woods *to* picnickers 소풍객들에게 산림 출입을 금지하다 / Darkness ~*d* her *round.* 어둠이 그녀의 주변을 감쌌다. ② …을 종결하다, 끝내다; (회합)을 폐회하다; (계산·장부)를 마감하다, (셈)을 청산하다: ~ a speech 연설을 끝마치다 / They ~*d* the discussion at ten o'clock. 그들은 10시에 토의를 끝냈다. ③ (교섭)을 마치다, 타결하다; (계약)을 맺다, 체결하다: ~ a contract[deal] 계약을 맺다 / ~ a deal *with*... …와 거래를 매듭짓다. ④ (대열)의 간격을 좁히다: ~ (*up*) the ranks (줄을 지어 행진하는 부대가) 줄[열]의 간격을 좁히다. ⑤ 〖海〗 …에 다가가다, 옆으로 대다.

── *vi.* ① 《~/+전+명》 (문 따위가) 닫히다; (꽃이) 오므라들다; (상처가) 아물다; (사무소 따위가) 폐쇄되다, 폐점하다; (극장이) 휴관하다: The door ~*d with* a bang. 문이 탕하고 닫혔다 / The school ~*d for* the summer. 학교는 여름 방학에 들어갔다 / The factory ~*d down* for lack of business. 그 공장은 일감이 없어서 폐쇄하게 되었다. ② 완결하다, 끝나다(end); (말하는 사람·필자가) 연설을[인사를, 문장을] 끝맺다: School ~*s* at three. 학교는 3시에 끝난다 / Let me ~ with a quote from Shakespeare. 셰익스피어의 말을 인용하면서 제 이야기를 끝내겠습니다. ③ 《+부》 접근[결합]하다, 한데 모이다, 결속하다; …와 합의[타결]하다: ~ about the movie star 인기영화 배우 주위에 모이다 / These five lines ~ *together* in a center. 이 다섯 줄은 중심에서 만난다. ④ 다가서다, 다가가다; 육박하다; (팔 따위가 …을) 조르다[죄다]《(*a*)*round*》: His arms ~*d* tightly *round* her. 그의 팔이 그녀를 꽉 껴안았다. ◇ closure *n.*

~ **down** 폐쇄하다, 중지하다; 《英》 방송을 끝내다; (반란 따위를) 진압하다; 《美》 안개가 끼다 《*on*》: The magazine was forced to ~ *down.* 그 잡지는 강제적으로 폐간되었다. ~ **in** (1) 포위하다. (2) 《口令》 집합! (3) (적·밤·어둠 따위가) 다가오다, 몰려[밀려]오다《*on, upon*》; (문·창 따위를) 안에서 닫다: As the enemy ~*d in,* the resistance of the villagers shrank to nothing. 적이 밀려오자 마을 사람들의 저항은 점점 줄어 없어졌다. ~ **out** 《美》 (재고품을) 팔아 치우다; 떨이로 팔다; 폐점하다, (업무를) 폐쇄하다. ~ **a person's eye** 아무의 눈을 쳐서 붓게 하다. ~ **the ranks** [**lines**] 대열의 간격을 좁히다; (정당 따위가) 동지의 결속을 굳히다. ~ **up** (1) 끝내다, 결말을 짓다. (2) 폐업하다, 폐쇄하다; 막다. (3) 간격을 좁히다, 간격이 좁아지다. (4) (상처가) 아물다. ~ **with** (1) …에 바짝 다그다, …에 육박하다; …와 격투[교전]하다. (2) …와 협정을 맺다, …와 거래를 결정짓다; …에 응하다.

── *n.* Ⓒ ① (*sing.*) 끝, 종결, 결말; 끝맺음; (우편의) 마감: the complimentary ~ (편지의) 맺음말 / since the ~ of World War Ⅱ 제 2 차 대전 종결 이래 / come to a ~ 끝나다 / bring ... to a ~ …을 끝내다. ② 〖컴〗 닫음, 닫기.

†**close**[2] [klous] (**clós·er; clós·est**) *a.* ① (거리적·시간적으로) 가까운(near), 접근한《*to*》: ~ *to* the house 바로 집 근처에 / a ~ cut 지름길 / Don't stand so ~ *to* the fire. 그렇게 불 가까이 서 있지 마라. ② (관계가) 밀접한, 친밀한(intimate): I could not feel ~ *to* Jane. 제인과는 친해질 수 없었다 / ~ relatives 근친. ③ (성질·수량이) 가까운, 근소한 차의, 거의 호각(互角)의, 유사한《*to*》: a ~ resemblance 아주 비슷함 / a ~ election 《美》 백중(伯仲)한 선거전 / something ~ *to* hostility 적의에 가까운 감정 / You are very ~. 매우 가깝지만 틀렸습니다《수수께끼의 답 따위에》. ④ **a**) 닫은, 밀폐한. **b**) (방 따위) 통풍이 나쁜, 숨이 막힐 듯한(stifling): a hot, ~ room 덥고 답답한 방. ⑤ (날씨가) 찌는 듯이 더운, 답답한(oppressive). ⑥ 빽빽한, (직물의 올이) 촘촘한; 밀집한; (비가) 세찬: a ~ texture 올이 밴 천 / a ~ thicket 밀림 / ~ print 빽빽이 행간을 좁혀서 조판한 인쇄. ⑦ (머리털·잔디 등이) (짧게) 깎인: a ~ haircut 짧게 깎은 머리. ⑧ 좁은, 옹색한; (옷 따위가) 꼭 끼는: a ~ coat 몸에 꼭 끼는 웃옷 / a ~ place 옹색한 장소 / a ~ alley 좁은 골목길. ⑨ 정밀한, 면밀한, 주도한; 원전에 충실한: a ~ translation 직역(直譯). ⑩ 숨은, 내밀한; 비공개의, 일반에게 입수될 수 없는; 감금된: ~ privacy 비밀, 극비 / a ~ design [plot] 음모 / a ~ prisoner 엄중히 감시당하고 있는 죄수. ⑪ (성질이) 내성적인; 말 없는; 입이 무거운: a ~ disposition 입이 무거운 성질. ⑫ 인색한(stingy)《*with*》: He is ~ *with* his money. 그는 인색한 녀석이다. ⑬ 금렵(禁獵)의(《美》 closed). ⑭ 입수하기 어려운, (금융이) 핍박한: Money is ~. 돈의 융통이 잘 안 된다. ⑮ 〖音聲〗 (모음이) 입을 좁게 벌리는. opp. *open.* ¶ ~ vowels 폐(閉)모음《[i, u] 등》. **at ~ quarters** 접근하여, 육박하여.

── (**clós·er; clós·est**) *ad.* ① 밀접하여, 곁에, 바로 옆에《*to*》: sit [stand] ~ *to*... …의 바로곁에 앉다[서다] / Come *closer to* me. 좀 더 가까히 오시오. ② 딱들어맞게, 꼭: fit ~ ⇨ (成句). ③ 촘촘히, 빽빽이, 꽉 들어차서: pack things ~ 차곡차곡 빈틈 없이 채워 넣다. ④ 면밀히, 주도하게; 친밀히: listen [look] ~ 경청[주시]하다. ⑤ 짧게; 좁혀서, 죄어. ⑥ 비밀히. ⑦ 검소하게: live ~ 검소하게 살다.

~ **at hand** 아주 가까이에: There was a very nice restaurant ~ *at hand.* 바로 근처에 좋은 식당이 있었다. ~ **by** 바로 곁에: There was a small lamp on the table ~ *by.* 바로 곁에 있는 테이블에는 작은 램프가 하나 있었다. ~ **on** [**upon**] 거의, 약, 대략; …에 가까운: The pile of wood was ~ *on* ten feet in height. 목재 더미는 높이가 10 피트 가까웠다 / It is ~ *on* ten o'clock. 거의 10시다. ~ **to** (1) …에 가까운. (2) 거의, 대략: a profit of ~ *to* ten thousand dollars 만 달러에 가까운 이익. (3) 곧 …할 것같이: She was ~ *to* tears. 그녀는 곧 울 것 같았다. ~ **to home** 《口》 (발언이) 정곡을 찔러, 통절히, 마음에 사무치도록: His advice hit [came, was] ~ *to home.* 그의 충고는 마음에 통절하게 와 닿았다. **fit** ~ (옷 따위가) 딱 맞다. **go** ~ 〖競馬〗 이기다, 신승하다. **press** a person ~ 아무를 호되게 추궁[압박]하다. **run** a person ~ 바싹 따라붙다, 거의 맞먹다.

── *n.* Ⓒ ① (개인 소유의) 울 안의 땅(enclosure).

②《英》구내, 경내(境內). ③교정(校庭). ④ **a)** 막다른 골목. **b)**《Sc.》골목.

close-by [klóusbái] *a.* 〔限定的〕바로 곁의, 인접한.

clóse cáll 〔**sháve**〕《口》위기 일발, 구사일생 (narrow shave 〔squeak〕, near shave 〔squeak〕) : have a ~ (of it) 구사일생으로 살아나다 / by a ~ 위기 일발로.

close-cropped [⌐krάpt / -krɔ́pt] *a.* (머리·잔디를) 짧게 깎은.

‡**closed** [klouzd] *a.* ①닫힌, 밀폐한; 폐쇄한; 비공개의; 배타적인; 업무를 정지한; 교통을 차단한: with ~ eyes 눈을 감고 / "*Closed* today."《게시》오늘 휴업/ a ~ society 폐쇄 사회 / a ~ conference 비공개의 회의. ②(차의) 지붕을 씌운, 상자형의. ③《美》(수렵기가) 금지 중인, 금렵 기간 중의: the ~ season 금렵기. ④자급(자족)의: a ~ economy 자급 경제. ⑤(전기 회로·냉난방이) 순환식의. ⑥〖音聲〗(음절이) 자음으로 끝나는: a ~ syllable 폐음절. ⑦〖數〗닫혀 있는: ~ curve 폐곡선(閉曲線). ***behind ~ doors*** 비공개로, 내밀하게. ***with ~ door*** (1)문을 걸어 잠그고. (2)방청을 금지하여.

clósed bóok《口》(*sing.*) ①까닭을 알 수 없는 일; 정체를 알 수 없는 인물. ②이미 끝난〔확정된〕일: The affair is a ~. 그 건(件)〔일〕은 이미 끝난 일이다.

clósed cìrcuit ①〖電〗폐쇄 회로, 닫힌 회로. ②〖TV〗유선(有線) 텔레비전 방식.

clósed-cír·cuit télevision [⌐-sə́:*r*kit-] 유선〔폐쇄 회로〕텔레비전《略: CCTV》: The bank uses ~ for security. 그 은행은 보안을 위해 폐쇄 회로 텔레비전을 이용한다.

closed-door [klóuz*d*dɔ́:*r*] *a.* 〔限定的〕비밀의; 비공개의.

closed-loop [klóuzdlù:p] *a.* ①(자동 제어가) 피드백 기구에서 자동 조정되는. ②(컴퓨터가) 폐회로의.

close·down [klóuzdàun] *n.* ①Ⓒ **a)** 작업〔조업〕정지. **b)**《美》공장 폐쇄. ②ⓊⒸ《英》방송 종료.

clósed prímary《美》제한 예비 선거《당원 유자격자만 투표하는 직접 예비 선거》. opp *open primary.*

clósed shóp ①클로즈드 숍《노동 조합원만을 고용하는 사업장》. opp *open shop.* ②〖電子〗컴퓨터 사용법의 하나《프로그램 작성 및 조작 등을 전문 담당자가 하는 방식》.

close·fist·ed [klóusfístid] *a.* 인색한, 구두쇠의, 다라운.

close-fit·ting [klóusfítiŋ] *a.* (옷이) 꼭 맞는. opp *loose-fitting.*

close-grained [klóusgréind] *a.* 촘촘한, 결이 고운.

close-hauled [klóushɔ́:ld] *a., ad.* 〖海〗(돛배·돛이 바람을 옆으로 받도록) 돛을 눕혀 편〔펴서〕, 활짝 편〔펴서〕.

close-knit [klóusnít] *a.* ①(사회적·문화적으로) 긴밀하게 맺어진, 굳게 단결한; (정치·경제적으로) 밀접하게 조직된. ②(이론 등이) 논리적으로 빈틈 없는.

close-lipped [klóuslípt] *a.* 입이 무거운; 말수가 적은(close-mouthed).

‡**close·ly** [klóusli] (***more ~; most ~***) *ad.* ①바싹, 접근하여: resemble ~ 아주 비슷하다 / The child clung ~ to me. 그 아이는 나한테 바싹 달라붙었다. ②친밀히: be ~ allied with... …와 친밀한 동맹 관계에 있다. ③(몸에) 꼭맞게; 빽빽이; 꽉 차서〔채워서〕: Her skirt fits ~. 그녀의 스커트는 (몸에 착 붙게) 딱 맞는다 / a ~ printed page 빽빽이 활자가 들어 찬 페이지. ④면밀히, 주도하게; 엄밀히: The detective was watching him ~, waiting for a reply. 형사는 대답을 기다리면서 면밀하게 그를 살펴보고 있었다. ⑤열심히, 주의하여: listen ~ 주의해서 듣다.

close-mouthed [klóusmáuðd, -θt] *a.* 말 없는, 서름서름한; 입이 무거운.

close·ness [klóusnis] *n.* Ⓤ ①접근, 친밀; 근사(近似). ②(천 따위의) 올이 촘촘함〔고움〕. ③정확, 엄밀〔치밀〕함. ④밀폐; 숨막힘, 답답함; (날씨·마음등이) 찌무룩함. ⑤인색(stinginess).

close-out [klóuzàut] *n.* Ⓒ (폐점 등을 위한) 재고 정리 (상품): a ~ sale 폐점 대매출.

close-pitched [klóuspítʃt] *a.* (싸움이) 호각(互角)의: a ~ battle 접전.

clóse quárters (*pl.*) ①비좁은 장소, 옹색한 곳. ②접근; 육박(전); 드잡이: come to ~ 육박전이 되다, 드잡이하게 되다 / be at ~ 싸움〔논쟁〕이 절정에 이르고 있다. ***at ~*** 접근하여, 육박하여.

close-set [klóussét] *a.* (서로) 가지런히 근접해 있는, 다닥다닥 붙어 있는, 밀집한.

clóse sháve (a ~) 위기 일발: I had *a* ~ with death. 까딱하면 죽을뻔했다.

clóse shòt〖映〗접사(接寫), 근사(近寫) (close-up). opp *long shot.*

‡**clos·et** [klάzit / klɔ́z-] *n.* Ⓒ ①《美》반침, 벽장, 찬장, 찬방(《英》cupboard). ②작은 방; 사실(私室); 서재. ③변소(water ~). ***come out of the ~***《美俗》자기가 호모임을 드러내다; (숨겼던 것을) 공개하다. ── *a.* 〔限定的〕①비밀의, 내밀한: I suspect he's a ~ fascist. 나는 그가 비밀 파시스트 당원이 아닌가 의심하고 있다. ②탁상 공론의, 비현실적인. ── *vt.* 《+目+前+名 / +目+副》①〔흔히 受動으로〕(사업이나 정치상의 일로) (아무)를 밀담케 하다《*with; together*》: She's ~*ed with* Smith. 그녀는 스미스와 밀담 중이다 / He and the manager *were ~ed together* for three hours. 그와 지배인은 세 시간 동안 서로 밀담을 나누었다. ②〔흔히 再歸用法〕(방 등)에 틀어 박히다: He ~*ed himself* in his study. 그는 서재에 틀어박혀 있었다.

clóse thíng (a ~) =CLOSE SHAVE.

close-up [klóusʌ̀p] *n.* ⓊⒸ ①〖映·寫〗대사(大寫), 근접 촬영, 클로즈업: a picture of his face *in* ~ 클로즈업한 그의 얼굴 사진. ②상세한 조사〔검사, 관찰〕.

close-wov·en [klóuswóuvən] *a.* 촌촌하게 짠.

***clos·ing** [klóuziŋ] *n.* ①Ⓤ 폐쇄. ②ⓊⒸ 종결, 종료; 마감. ③Ⓤ **a)** 결산. **b)**〖證〗종가. ── *a.* 〔限定的〕①끝의, 마지막의; 폐회의; 결산의: one's ~ years 만년(晩年) / a ~ adress 폐회사 / at ~ time 폐점〔종업〕시간에 / the ~ day 마감 날(짜). ②〖證〗마감하는, 종장의: ~ price (거래소의) 종가(終價).

clo·sure [klóuʒə*r*] *n.* ①ⓊⒸ 마감, 폐쇄, 폐지; 종지; 폐점, 휴업: The threat of ~ affected the workers' morale. 휴업의 우려는 근로자들의 근로 의욕에 영향을 미쳤다. ② Ⓒ (흔히 *sing.*)《英》(의회 등의) 토론 종결(《美》cloture). ── *vt.*《英》(의회에서 토론)을 종결시키다.

clot [klɑt / klɔt] *n.* Ⓒ ①(엉긴) 덩어리《*of*》: a ~ *of* blood 핏덩이. ②떼, 무리《*of*》. ③《英口》바보. ── (***-tt-***) *vi.* 덩어리지다; 응고하다: Aspirin apparently thins the blood and inhibits ~*ting.* 아스피린은 피를 현저하게 묽게 하여 응고되는 것을 억제한다. ── *vt.* ①…을 응고시키다,

굳히다. ② 〔종종 受動으로〕 (…이 굳어져서, 가득하여) …을 움직일 수 없게 하다 : The street *was ~ted with* traffic. 도로는 교통이 정체되어 있었다.

†cloth [klɔ(:)θ, klɑθ] (*pl.* **~s** [-ðz, -θs]) *n.* ① [U] **a)** 천, 헝겊, 직물, 양복감 ; 나사 : two yards of ~ 옷감 2 야드 / cotton ~ 면직물. **b)** 책의 표지포, 클로스. ② [C] 〔흔히 複合語로 사용하여〕 천조각 ; 식탁보 ; 행주, 걸레 : lay the ~ ⇨ (成句) / ⇨ DISHCLOTH, TABLECLOTH / Clean the surface with a damp ~. 젖은 걸레로 표면을 닦아라. ③ **a)** [C] (종교상의 신분을 나타내는) 검은 사제복. **b)** (the ~) 성직, 〔集合的〕 성직자(the clergy). ◇ clothe *v.* ***lay the ~*** 식탁 준비를 하다. — *a.* 〔限定的〕 ① 천의, 천으로 만든. ② 클로스 장정의.

cloth·bound [-báund] *a.* 〖製本〗 (책이) 클로스 장정의.

clóth càp 《英》 헝겊 모자《노동자 계급의 상징》.

‡clothe [klouð] (*p., pp.* **~d** [-ðd], 《古·文語》 ***clad*** [klæd]) *vt.* ① …에게 옷을 주다 : She was on her own with two kids to feed and ~. 그녀는 자기가 먹이고 입혀야 할 애가 둘 있었다. ② 《+[목]+[전]+[명]》 《比》 싸다, 덮다 ; (말로) 표현하다 : The trees are *~d in* fresh leaves. 나무들은 새 잎으로 뒤덮혀 있다 / ~ thoughts 〔ideas〕 *in* 〔*with*〕 words 사상〔생각〕을 말로 표현하다 / ~ face *in* smiles 만면에 미소를 띄우다. ③ 《~+[목] / +[목]+[전]+[명]》 …에게 옷을 입히다 : The man was elegantly *~d.* 그 남자는 세련된 복장을 하고 있었다 / He *~d* himself *in* his best. 그는 나들이옷을 입었다《★ 이 뜻으로는 구어에서 dress 를 씀이 보통》. ④ 《+[목]+[전]+[명]》 (권력·영광 따위)를 주다《*with*》 : A judge is *~d with* the power to perform marriage. 판사는 결혼식을 집행할 권한을 부여받고 있다. ◇ cloth *n.*

cloth-eared [-ìərd] *a.* 《口》 약간 귀가 먼, 난청의.

†clothes [klouðz] *n. pl.* ① 옷, 의복 : a suit of ~ 옷 한 벌 / put on 〔take off〕 one's ~ 옷을 입다〔벗다〕 / wear elegant〔comfortable〕 ~ 품위있는〔편한〕 옷을 입고있다 / *Clothes* do not make the man. 《俗談》 옷이 사람을 만들지 않는다《옷으로 인품이 바뀌지 않는다》 / Fine ~ make the man. 《俗談》 옷이 날개. ② (침대용의) 시트·담요《따위》, 침구 (bed clothes).

clothes·bas·ket [-bæskit / -bɑ̀:s-] *n.* [C] 빨랫광주리.

clothes·brush [-brʌ̀ʃ] *n.* [C] 옷솔.

clóthes hànger = COAT HANGER.

clothes·horse [-hɔ̀:rs] *n.* [C] ① 빨래 말리는 틀. ② 《俗》 옷치장하는 사람, 몸치장밖에 모르는 사람.

clothes·line [-làin] *n.* [C] 빨랫줄.

clóthes mòth 〖蟲〗 옷좀나방.

clóthes pèg 《英》 = CLOTHESPIN.

clothes·pin [-pìn] *n.* [C] 빨래 무집게.

clothes·pole [-pòul] *n.* [C] ① 《英》 (빨랫줄을 매기 위한) 빨랫줄 기둥. ② 《美》 (빨랫줄을 받치기 위한) 바지랑대.

clothes·press [-près] *n.* [C] 옷장, 양복장.

clóthes pròp 《英》 = CLOTHESPOLE ②.

clóthes trèe 《美》 (가지가 있는) 기둥 모양의 모자〔외투〕 걸이.

cloth·ier [klóuðjər, -ðiər] *n.* [C] ① (남자용) 양복 소매상. ② 옷(감)장수.

‡cloth·ing [klóuðiŋ] *n.* [U] 〔集合的〕 의복, 의류, 피복(cloth) : an article of ~ 의류 한 점 / food, ~, and shelter 의식주.

Clo·tho [klóuθou] *n.* 〖그神〗 클로토《생명의 실을 잣는 운명의 신》. [cf] the Fates.

clóth yàrd 피륙을 잴 때의 야드《현재는 yard와 같은 길이인 3 피트》.

clót·ted créam [klátid- / klɔ́t-] (지방분이 많은) 고형(固形) 크림.

clo·ture [klóutʃər] *n.* [C] (흔히 *sing.*) 《美》 (의회의) 토론 종결. [cf] closure. — *vt.* (토론)을 종결하다.

†cloud [klaud] *n.* ① [C,U] 구름 : a dark〔rain〕 ~ 암운〔비구름〕 / a sea of *~s* 온통 하늘을 뒤덮은 구름, 구름의 바다 / covered with ~(*s*) 구름에 덮이어 / Every ~ has a silver lining. 《俗談》 어떤 구름이라도 그 뒤쪽은 은빛으로 빛난다《괴로움 뒤에는 즐거움이 있는 법》. ② [C] 구름 같은〔모양의〕 것 ; (자욱한) 먼지〔연기 따위〕 ; 연무(煙霧) : a ~ of dust〔smoke〕 자욱한 먼지〔연기〕. ③ [C] 다수, (벌레·새 따위의) 떼 : a ~ of witnesses 수많은 증인 / a ~ of flies 파리 떼. ④ [C] (거울·보석 따위의) 흐림, 흠. ⑤ [C] (안면·이마에 어린) 어두움 ; (의혹·불만·비애 등의) 암영(暗影) ; (덮어씌워) 어둡게 하는 것, 암운, (어두운) 그림자. ***in the ~s*** (1) 마음이 들떠, 건성으로 : have one's head *in the ~s* 공상에 빠져 있다. (2) 가공적인, 비현실적인. ***on a ~*** 득의〔행복〕의 절정에 ; 《美俗》 마약에 취해. ***on ~ nine*** 〔***seven***〕 = on a ~. ***under a ~*** 의심을〔혐의를〕 받아.
— *vt.* ① 《+[목] / +[목]+[전]+[명]》 …을 흐리게 하다 ; (하늘 따위)를 구름으로 뒤덮다 : Her breath *~ed* the mirror. 그녀의 입김으로 거울이 흐려졌다 / He lit a cigar and soon *~ed* the room in smoke. 그가 시가에 불을 붙이자 이내 방안은 연기로 자욱해졌다. ② **a)** (마음·얼굴 등)을 어둡게 하다, 우울하게 하다《*with*》 : Her mind *was ~ed with* anxiety. 그녀 마음은 걱정으로 어두워져 있었다. **b)** (명성·평판)을 더럽히다. ③ (기억 등)을 모호하게 하다 ; (시력·판단 등)을 흐릿하게 하다, 무디게 하다 : Tears *~ed* her vision. 눈물로 그녀의 시계가 흐려졌다. — *vi.* 《~ / +[부]》 (하늘·마음 등이) 흐려지다 : It's beginning to ~ (*over*). 하늘이 흐려지기 시작했다.

cloud·bank [-bæŋk] *n.* [C] 〖氣〗 운제(雲堤), 구름둑《제방처럼 보이는 길게 연결된 구름떼〔층운(層雲)〕》.

cloud·burst [-bə̀:rst] *n.* [C] (갑작스러운) 호우, 억수 : Some reports speak of hail the size of pebbles falling in twenty minute *~s.* 몇몇 보도에 의하면 조약돌만한 크기의 우박이 20분 동안 억수로 쏟아졌다고 한다.

cloud-capped [-kæpt] *a.* (산이) 구름을 머리에 인, 구름 위에 솟은.

cloud-castle [-kæsl] *n.* [C] 공상, 몽상.

clóud chàmber 〖物〗 안개 상자.

cloud-cuck·oo-land [-kúku:læ̀nd] *n.* (때로 C-C-L-) [U] 이상〔공상〕향 ; 공상의 세계, (속세와 동떨어진) 꿈나라.

cloud·ed [kláudid] *a.* ① 흐린, 구름에 덮인 : ~ glass 젖빛 유리. ② 암영이 감도는 ; (마음이) 우울한(gloomy). ③ (머리·생각·의미 따위가) 흐릿한, 애매한. ④ 구름 모양의 (무늬가 있는) : ~ leopard 대만 표범《동남 아시아산》.

cloud·land [-læ̀nd] *n.* ① [U,C] 꿈나라, 선경, 이상향. ② (the ~) 하늘.

***cloud·less** [kláudlis] *a.* ① 구름 없는, 맑게 갠 : a ~ day〔sky〕 맑게 갠 날〔하늘〕. ② 어두운 그림자가 없는, 밝은 : a ~ future 밝은 장래. [파] **~·ly** *ad.* 구름(한 점) 없이.

cloud·let [kláudlit] *n.* [C] 작은 구름, 구름조각.

cloud·scape [∠skèip] *n.* Ⓒ 구름 경치(그림).

†**cloudy** [kláudi] (***cloud·i·er ; -i·est***) *a.* ① 흐린 : a ~ sky 흐린 하늘 / It is ~. 날이 흐리다 / in pleasant and in ~ weather 좋은 날이나〔에도〕 흐린날이나〔에도〕. ② 구름의〔같은〕 : ~ smoke 구름 같은 연기. ③ 구름이 낀 ; (다이아몬드 등) 흐린 데가 있는 ; 탁한 : ~ marble 흐린 데〔구름 무늬〕가 있는 대리석 / a ~ picture 흐린 그림〔사진〕. ④ 몽롱〔멍청〕한 : ~ recollection 막연한〔몽롱한〕 기억. ⑤ 걱정스러운, 기분이 언짢은 : ~ looks 우울한 얼굴.

clout [klaut] *n.* ① Ⓒ (손에 의한) 강타, 타격. ② Ⓒ 《野球俗》 안타, 장타. ③ Ⓤ 《口》 강한 영향력, (특히) 정치적 영향력 : He has a lot of ~ with the board of direction. 그는 이사회에 큰 영향력을 가지고 있다. — *vt.* 《口》 ① (주먹·손바닥으로) …을 때리다 : He was ~*ed* on the head. 그는 머리를 탁 얻어맞았다 / He ~*ed* me across the face. 그는 내 얼굴을 후려갈겼다. ②〖野〗 (공)을 강타하다.

clove[1] [klouv] *n.* Ⓒ〖植〗 (백합 뿌리 등의) 소인경(小鱗莖) : a ~ of garlic 마늘 한 쪽.

clove[2] *n.* Ⓒ ①〖植〗 정향(丁香)나무. ② (흔히 *pl.*) 정향《정향나무 꽃봉오리를 말린 것 ; 향신료》.

clove[3] CLEAVE[1,2]의 과거.

clo·ven [klóuvən] CLEAVE[1]의 과거분사. — *a.* (발굽이) 갈라진, 쪼개진.

clóven hóof 〔**fóot**〕〖動〗 (반추 동물의) 우제(偶蹄). ***show the*** ~ (악마가) 본성을 드러내다 《악마는 염소로 상징되었고, 발굽이 갈라져 있다는 데서》.

‡**clo·ver** [klóuvər] *n.* Ⓤ,Ⓒ〖植〗 클로버, 토끼풀 : ⇨ FOUR-LEAF CLOVER. ***in*** (***the***) ~ 호화롭게 : He has been *in* ~ since receiving the inheritance. 그는 유산을 받고부터는 호화롭게 살고 있다.

clo·ver·leaf [-lìːf] (*pl.* ***~s, -leaves***) *n.* Ⓒ ① 클로버 잎. ② 클로버 잎 모양의 것 ; (특히) (네 잎 클로버꼴의) 입체 교차로〔점〕.

*****clown** [klaun] *n.* Ⓒ ① 어릿광대. ② 익살꾼, 괴사스러운 사람, 뒤틈바리 : play the ~ 익살떨다. — *vi.* 어릿광대 노릇〔짓〕을 하다, 익살부리다 : He ~*ed* and joked with the children. 그는 익살을 부리며 애들과 농담을 했다.

clown·ery [kláunəri] *n.* Ⓤ 어릿광대짓 ; 익살.

clown·ish [kláuniʃ] *a.* 어릿광대의, 익살맞은 ; 괴사스러운. ㊕ **~·ly** *ad.* **~·ness** *n.*

cloy [klɔi] *vt.* ① …을 물리게 하다 ; 싫증나도록 먹이다《*with*》: be ~*ed with* sweets 과자에 물리다. ② …을 (쾌락·사치 등에) 넌더리나게 만들다 《*by ; with*》: *Cloyed with* pleasure and luxury, he decided to become a monk. 쾌락과 사치에 신물이난 그는 수도사가 될 결심을 했다. — *vi.* 물리다, 싫증나다 ; 배가 가득 차다.

cloy·ing [klɔ́iiŋ] *a.* 물리는, 넌더리나는. ㊕ **~·ly** *ad.*

cloze [klouz] *a.* 클로즈법(=∠ **procèdure**)《글중의 결어(缺語)를 보충하는, 독해력 테스트》의.

clr. clear.

†**club** [klʌb] *n.* Ⓒ ① 곤봉 ; 타봉(打棒)《골프·하키 따위의》. ② (사교 따위의) 클럽, 동호회 ; 클럽실〔회관〕: ⇨ ALPINE 〔COUNTRY〕 CLUB / join a swimming ~ 수영 클럽에 가입하다. ③ 특별 회원 판매 조직 : a record ~. ④ 나이트클럽, 카바레. ⑤ (카드놀이의) 클럽(♣) ; (*pl.*) 클럽의 패(suit). ***in the*** (***pudding***) ~ 《俗》 임신하여. ***Join the*** ~ ***!*** 《英口·戲》 (운이 나쁘기는) 나도〔피차〕 마찬가질세 : "I lost fifty dollars on the race," "*Join the* ~, I lost sixty dollars." '경마에서 50 달러를 잃었어.' '나도 마찬 가지야, 난 60달러를 잃었어.' ***on the*** ~ 《口》 공제회의 구제를 받아.

— (***-bb-***) *vt.* 《~+목/ +목+전+명》 …을 곤봉으로 치다, 때리다 ; (총 따위)를 곤봉 대신으로 쓰다 : ~ a rifle 총을 거꾸로 쥐다. ~ ***together*** (공동 목적을 위해) 협력하다, 추렴하다 : ~ *together* to rent the gymnasium 체육관을 빌리기 위해 돈을 추렴하다.

club·ba·ble [∠əbəl] *a.* 클럽회원 되기에 적합한 ; 사교적인.

clúb càr (안락 의자·바 등을 갖춘) 특별〔사교〕 열차(lounge car).

clúb chàir 〔**sòfa**〕 키가 낮고 푹신한 안락 의자〔소파〕.

club·foot [∠fùt] (*pl.* ***-feet***) *n.* ① Ⓒ 안짱다리. ② Ⓤ 발이 안으로 굽음《상태》. ㊕ **~·ed** *a.* 발이 안으로 굽은.

club·house [∠hàus] *n.* Ⓒ ① 클럽 회관. ② 운동 선수용 라커 룸.

club·man [∠mən, ∠mæ̀n] (*pl.* ***-men*** [∠mən, ∠mèn]) *n.* Ⓒ 클럽 회원.

clúb sándwich 《美》 클럽 샌드위치《흔히 토스트 3 조각 사이에 고기·야채 등을 넣음》.

*****cluck** [klʌk] *vi.* (암탉이) 꼬꼬 울다. — *vt.* (혀)를 차다, (비난·반대 따위)를 혀를 차서 나타내다. — *n.* Ⓒ ① 꼬꼬 우는 소리. ② 《美俗》 얼간이(dumb ~).

*****clue** [kluː] *n.* Ⓒ (수수께끼를 푸는) 실마리, (십자말풀이의) 열쇠, (조사·연구의) 단서《*to*》: The murderer left a ~ in the room. 살인범은 방에 단서를 하나 남겼다. ⓒⓕ clew. ***do not have a*** ~ 《口》 어림이 안 잡히다, 《口》 무지〔무능〕하다 : I do*n't have a* ~ what he wants. 그가 무엇을 원하는지 전혀 모르겠다. — *vt.* …을 암시로 보여 주다, …에게 단서를 주다, 실마리를 제공하다 《*about ; on*》: Please ~ me *in on* what to do. 어떻게 해야 좋은지 가르쳐 주시오. ***be*** (***all***) **~*d up*** (…에 대해) 잘 알고 있다.

clue·less [∠lis] *a.* ① 단서 없는. ② 《口》 어리석은, 무지한, 무능한. ㊕ **~·ly** *ad.* **~·ness** *n.*

*****clump**[1] [klʌmp] *n.* Ⓒ ① 수풀, (관목의) 덤불 : a ~ of lilacs 라일락의 수풀. ② (건물의) 집단 : a little ~ of buildings 몇몇 빌딩의 작은 집단. ③ **a**) (흙의) 덩어리 : a ~ of earth 흙덩어리. **b**) 세균 덩어리. — *vt.* ① 떼를 짓게 하다. ② (세균 따위)를 응집시키다. — *vi.* ① 떼짓다, 무리짓다. ② (세균 따위가) 응집하다.

clump[2] *n.* (*sing.*) 무거운 발걸음 소리 : I heard the ~ of his boots on the stairs. 쿵쿵 계단을 올라오는 그의 구두 소리가 들렸다.
— *vi.* 쿵하고 밟다, 쿵쿵(무겁게) 걷다.

clumpy [klʌ́mpi] (***clump·i·er ; -i·est***) *a.* ① 덩어리의〔가 많은〕, 덩어리 모양의. ② 나무가〔덤불이〕 많은, 울창하게 우거진.

*****clum·sy** [klʌ́mzi] (***-si·er ; -i·est***) *a.* ① 솜씨 없는, 서투른 : He's ~ at tennis. 그는 테니스가 서투르다 / offer a ~ apology 서투른 변명을 하다. ② 꼴사나운 ; 다루기〔사용하기〕 힘든 : ~ shoes 신기 어려운 구두. ㊕ **-si·ly** *ad.* **-si·ness** *n.*

‡**clung** [klʌŋ] CLING 의 과거·과거분사.

clunk [klʌŋk] *n.* ① (a ~) (금속 따위가 부딪치는) 땡하는 소리. ② Ⓒ 《口》 강타 ; 일격. ③ Ⓒ 《口》 털털이 기계〔자동차〕.

clunk·er [klʌ́ŋkər] *n.* Ⓒ 《美俗》 ① 털털이 기계〔자동차〕. ② 하찮은 것 ; 쓸모없는 것 ; 바보.

‡**clus·ter** [klʌ́stər] *n.* Ⓒ ① (과실·꽃 따위의) 송이, 한덩어리(bunch)《*of*》: a ~ *of* grapes 포도 한 송이. ② (같은 종류의 물건·사람의) 떼, 집단(group)《*of*》: a ~ *of* spectators 일단의 관객 / a

~ *of* butterflies 나비 떼 / in a ~ 한덩어리가 되어, 떼를 지어서. ③〖컴〗다발《데이터 통신에서 단말 제어장치와 그에 접속된 복수 단말의 총칭》. — *vi.* ① 송이를 이루다, 줄줄이 열리다. ② (…의 주변에) 군생하다《*around*》; 밀집하다, 무리짓다 : The skiers ~*ed around* the stove. 스키어들은 난로 주위에 모여들었다. — *vt.* …을 군생시키다 ; 밀집시키다, 무리짓게 하다 : Several outbuildings were ~*ed* around the farmhouse. 농가 주위에 몇몇 부속 건물이 무리져 있었다.

clúster bòmb 집속탄(集束彈).

clúster hèadache 〖醫〗 군발성(群發性) 두통《일정 기간 동안 여러 번 일어나는 심한 두통》.

‡**clutch**[1] [klʌtʃ] *vt.* 《~+목/+목+전+명》 …을 (꼭) 잡다, 단단히 쥐다 ; 붙들다, 부여잡다 : She ~*ed* her daughter *to* her breast. 그녀는 자기 딸을 품 안에 꼭 부둥켜 안았다. — *vi.* 《+전+명》 꼭 잡다 ; 붙잡으려고 하다, 와락 붙잡다《*at*》: He ~*ed at* the branch but couldn't reach it. 그는 나뭇가지를 붙잡으려 했으나 손이 미치지 않았다 / A drowning man will ~ *at* a straw. 물에 빠지면 지푸라기라도 움켜쥔다《俗談》. — *n.* ① (a ~) 붙잡음, 움켜쥠 : His ~ made my arm numb. 그는 내 팔을 저릴 정도로 꽉 붙잡았다. ② **a**) (*sing*) (잡으려는) 손《*of*》: a mouse in the ~ *of* an owl 부엉이 발톱에 걸린 생쥐. **b**) Ⓒ (흔히 *pl.*) 수중, 지배력《*of*》: fall into the ~*es of* …의 수중에 떨어지다. ③ Ⓒ《美俗》위기, 위급 : in the ~ 일단 유사시에. ④ Ⓒ **a**) 〖機〗 클러치, (자동차의) 전동 장치. **b**) =CLUTCH BAG. ***fall* [*get*] *into the ~es of*** …의 손아귀에 붙잡히다. ***get out of* (*the*) *~es of*** …의 손아귀[독수(毒手)]에서 벗어나다. — *a.* [限定的]《美俗》핀치의[에 강한].

clutch[2] *n.* Ⓒ ① **a**) (암탉이) 한번에 품는 알. **b**) 한배에 깐 병아리. ② (사람 등의) 한 떼, 일단(一團) : a ~ of ladies at tea (오후의) 차 마시러 모인 여자들.

clútch bàg 클러치 백 (=**clútch pùrse**)《손잡이나 멜빵이 없는 소형 핸드백》.

clut·ter [klʌ́tər] *n.* ① Ⓤ [集合的] 어질러진 것 : How can you work with so much ~ on your desk? 책상에 그렇게 많은 것을 어질러 놓고 너는 어떻게 일을 할 수 있느냐? ② (a ~) 혼란 ; 난잡 : in *a* ~ 어질러져[진], 혼란하여[한]. — *vt.* (장소)를 어지르다, 어질러 놓다, 흩뜨리다 ; 혼란케 하다《*up* ; *with*》: Books and papers ~*ed up* his desk. 그의 책상에는 책과 서류가 흩어져 있었다.

Clw·yd [klúːid] *n.* 클루이드《1974년에 신설된 Wales 동북부의 주》.

Clyde [klaid] *n.* ① (the ~) 클라이드강《스코틀랜드 남부의 강》. ② (the Firth of ~) 클라이드만(灣)《클라이드강이 흘러드는 후미》.

Clydes·dale [kláidzdèil] *n.* Ⓒ 클라이즈 데일 말《힘센 복마(卜馬) ; 스코틀랜드 원산》.

Cly·tem·nes·tra [klàitəmnéstrə] *n.* 〖그神〗 클리템네스트라《Agamemnon 의 부정한 아내 ; 그 아들 Orestes에 의해 살해됨》.

Cm 〖化〗 curium. **cm, cm.** centimeter(s). **Cmdr.** Commander. **cml.** commercial. **c'mon** [kman, kəmʌ́n]《美口》come on 의 간약형. **CNC** computer numerical control(컴퓨터 수치 제어). **CND** Campaign for Nuclear Disarmament. **CNN**《美》Cable News Network(케이블 뉴스 방송망). **CNS, cns** 〖解〗 central nervous system.

co- *pref.* '공동, 공통, 상호, 동등'의 뜻 : (1) [名詞에 붙여] *co*author, *co*partner. (2) [形容詞·副詞에 붙여] *co*operative, *co*eternal. (3) [動詞에 붙여] *co*(-)operate, *co*adjust.

CO 〖美郵〗 Colorado. **Co** 〖化〗 cobalt. **c/o, c.o.** (in) care of ; carried over. **Co., co.** 〖商〗 [kou, kʌ́mpəni] company(★ 회사명을 나타낼 때는 Co.) ; county. **C.O.** Commanding Officer ; conscientious objector.

‡**coach** [koutʃ] *n.* Ⓒ ① 4륜 대형마차 ; (철도가 생기기 전의) 역마차 : a ~ and four[six] 대형 4두[6두] 마차. ② **a**) 세단형 자동차. **b**)《英》장거리 버스(★ 보통, 단층 버스를 말함. 단거리용에는 2층인 double decker 가 사용됨). ③ **a**)《美》(parlor car, sleeping car 와 구별하여) 보통 객차. **b**)《英》객차. ④ =COACH CLASS. ⑤〖競〗 코치 ; 지도원 ; 연기[성악] 지도자 : a baseball ~. ⑥ 가정 교사《수험 준비를 위한》. ***drive a ~ and horses* [*four, six*] *through . . .*** 《口》(법률·규칙 따위)를 피해 가다[빠져 나가다]. — *vt.* ① (경기 지도원이) …을 코치하다 ; 〖野〗 (주자)에게 지시를 내리다. ② (가정 교사가) …에게 수험 지도를 하다. — *vi.* ① 코치 노릇을 하다 ; 코치가 되다. ② 수험지도를 하다 ; 가정 교사가 되다.

coach·build·er [⌐bìldər] *n.* Ⓒ《英》자동차 차체 제작공(工).

coach-built [⌐bìlt] *a.*《英》(자동차의 차체가) 숙련공에 의해 손으로 만들어진.

cóach clàss《美》(여객기의) 2등, 이코노미 클래스(★ economy class 가 더 일반적임).

***coach·man** [⌐mən] (*pl.* **-men** [⌐mən]) *n.* Ⓒ 마부 ; (버스) 운전사.

coach·work [⌐wə̀ːrk] *n.* Ⓤ (자동차·철도 차량 등의) 차체(제작).

co·ad·ju·tor [kouǽdʒətər, kòuədʒúːtər] *n.* Ⓒ ① 조수, 보좌인(補佐人). ②〖가톨릭〗 보좌 주교.

co·ag·u·lant [kouǽgjələnt] *n.* Ⓤ,Ⓒ 응고제 ; 응혈 [지혈]약.

co·ag·u·late [kouǽgjəlèit] *vt., vi.* (…을) 응고시키다[하다](clot), 굳(히)다 : The blood ~*s* to stop wounds bleeding. 피는 상처의 출혈을 멎게 하기 위해서 응고한다.

co·ag·u·la·tion [kouæ̀gjəléiʃən] *n.* Ⓤ 응고(작용), 응집, 엉김 : Blood becomes stickier to help ~ in case of a cut. 베인 상처가 났을 경우 피는 응고하기 쉽게 더 끈적끈적해진다.

†**coal** [koul] *n.* ① Ⓤ 석탄 : brown ~ 갈탄 / hard ~ 무연탄 / small ~ 분탄(粉炭) / soft ~ 역청탄. ② (*pl.*)《주로 英》석탄의 작은 덩어리《연료용》: put ~*s* in the stove 난로에 석탄을 넣다. ③ Ⓤ 목탄, 숯(charcoal). ④ (장작 따위의) 타다 남은 것, 잉걸불. ***call* [*drag, fetch, haul, rake, take*] a person *over the ~s*** 아무를 야단치다. ***carry* [*take*] *~s to Newcastle*** 괜한 짓을 하다, 헛수고하다. ***heap* [*cast, gather*] *~s of fire on* a person*'s head*** 〖聖〗 (악을 선으로써 갚아) 아무를 매우 부끄럽게 하다《로마서(書) XII : 20》. — *vt.* ① (배 따위)에 석탄을 공급하다[싣다]. ② …을 태워서 숯으로 만들다. — *vi.* (배 따위가) 석탄 보급을 받다.

cóal bèd 탄층.

coal-black [⌐blæ̀k] *a.* 새까만, 칠흑의.

cóal bùnker 석탄 저장고(庫) ; (배의) 저탄고.

coal·er [kóulər] *n.* Ⓒ ① 석탄 배 ; 석탄 수송 철도[차]. ② (배의) 석탄 싣는 인부.

co·a·lesce [kòuəlés] *vi.* ① (부러진 뼈가) 유합(癒合)하다. ② (정당 등이) 합체(合體)하다, 합동하다, 연합하다 : There is a tendency for industrial systems to ~ into large units. 산업 조직들은 큰 단위로 연합하려는 경향이 있다.

co·a·les·cence [kòuəlésns] *n.* Ⓤ ① 유합(癒合). ② 합체, 합동, 연합.
co·a·les·cent [-nt] *a.* ① 유합하는. ② 합체한, 합동한.
coal·face [kóulfèis] *n.* Ⓒ 〖鑛〗 막장.
coal·field [ˊ-fìːld] *n.* Ⓒ 탄전(炭田).
cóal gàs 석탄 가스.
coal·hole [ˊ-hòul] *n.* Ⓒ ① 석탄 투입구. ② 《英》 (지하의) 석탄 저장소.
cóal hòuse 석탄 저장고.
cóaling bàse 〔**stàtion**〕 석탄 보급지〔항〕.
*__co·a·li·tion__ [kòuəlíʃən] *n.* ① Ⓤ 연합, 합동. ② Ⓒ (정치적) 연립, 제휴(提携) : the ~ cabinet 〔ministry〕 연립 내각 / form a ~ government.
cóal mèasures (*pl.*) 〖地質〗 석탄계(系), 협탄층(夾炭層).
cóal mìne 탄갱 ; 탄광.
cóal mìner 광원.
cóal òil 《美》 ① 석유(petroleum). ② 《특히》 등유(kerosene ; 《英》 paraffin oil).
coal·pit [ˊ-pìt] *n.* Ⓒ 탄갱(coal mine).
coal·sack [ˊ-sæ̀k] *n.* Ⓒ 석탄 포대.
cóal scùttle (실내용) 석탄 그릇〔통〕.
cóal sèam 탄층(coal bed).
cóal tàr 콜타르.
coam·ing [kóumiŋ] *n.* Ⓒ (때로 *pl.*) 〖船〗 (갑판 승강구 등의) 테두리판《물이 들어옴을 막음》.
‡**coarse** [kɔːrs] (*cóars·er ; -est*) *a.* ① 조잡한, 조악(粗惡)한, 열등한 : ~ fare 〔food〕 조식(粗食). ② **a)** (천·그물·살결 따위가) 거친, 올이 성긴 : ~ cloth 올이 성긴 천 / ~ skin 거친 살결. **b)** (알갱이 등이) 굵은 : ~ sand. ③ (태도 따위가) 거칠고 야비한, 상스러운 ; (언사 따위가) 음탕한, 추잡한 : a ~ joke 음탕한 농담 / I objected to her ~ remarks. 그녀의 상스러운 말이 딱 질색이었다.
㊕ ˊ·**ly** *ad.* ˊ·**ness** *n.*
cóarse físh (*pl.* ~, ~·*es*) 《英》 잡고기《연어와 송어 이외의 담수어》.
coarse-grained [ˊ-gréind] *a.* ① 올이 성긴. ② 무무한, 상스러운, 거칠고 막된 : ~ prose 조잡한 산문.
coars·en [kɔ́ːrsən] *vt., vi.* ① (피부 따위)를〔가〕 거칠게 하다〔되다〕. ② 조잡〔야비〕하게 하다〔되다〕 : My whole nature ~*ed*. 내 성격이 거칠어졌다.
†**coast** [koust] *n.* ① **a)** Ⓒ 연안, 해안 : on the ~ 해안에서, 연안에. **b)** (the ~) 연안 지방. **c)** (the C-) 《美口》 태평양 연안 지방. ② **a)** (a ~) (언덕을 내릴 때의) 자전거 타력 주행(惰力走行) ; (썰매의) 활강(滑降), 활주(滑走) : The next twenty miles will be *an* easy ~. 다음 20 마일은 타력으로써 쉽게 갈 수 있을 게다. **b)** Ⓒ 《美》 활주용의 사면(斜面). ***from ~ to ~*** 《美》 대서양 연안에서 태평양 연안까지, 전국 방방곡곡에. ***The ~ is clear.*** 《口》 (상륙하는 데) 아무도 방해하는 사람이 없다《밀수꾼의 용어》.
── *vt.* …의 연안을 항행〔비행〕하다. ── *vi.* ① 연안 항행〔무역〕을 하다. ② (썰매로) 활강하다 ; (자전거·자동차로) 타주(惰走)하다 《*along ; down*》 ; (비행기가) 활공하다 : The children ~*ed down* the snowy hills on their sleds. 아이들은 썰매를 타고 눈 덮인 언덕을 미끄러져 내려갔다. ③ 아무 노력도 없이 순조로이 해나가다 : ~ *through* college 제대로 공부도 않고 대학을 나오다 / ~ *to* victory 낙승하다.
*__coast·al__ [kóustəl] *a.* 〔限定的〕 연안〔해안〕의, 근해의 : a ~ nation 〔city〕 연안국〔도시〕 / a ~ plain 해안 평야 / ~ defense (ship) 연안경비(함).
㊕ ~·**ly** *ad.*
coast·er [kóustər] *n.* Ⓒ ① 연안(무역)선. ② 《美》 썰매, 터보건. ③ (유원지의) 코스터. ④ 《美》 (술잔 따위의) 받침 접시.
cóast guàrd (종종 the C- G-) 〔集合的 ; 單·複數 취급〕 연안 경비대.
coast·guard [ˊ-gɑ̀ːrd] *n.* 《英》 =COASTGUARDSMAN.
coast·guards·man [ˊ-gɑ̀ːrdzmən] (*pl.* ***-men*** [-mən]) *n.* Ⓒ 《美》 연안 경비대원(《英》 coastguard).
coast·land [ˊ-læ̀nd] *n.* Ⓤ 연안 지역.
*__coast·line__ [ˊ-làin] *n.* Ⓒ 해안선 : a rocky and treacherous ~ 바위가 많고 위험한 해안선.
coast-to-coast [ˊ-təkóust] *a.* 〔限定的〕 《美》 대서양 연안에서 태평양 연안에 이르는, 전미국의 : a ~ TV network 전미(국) 텔레비전망.
coast·ward [ˊ-wərd] *a.* 해안을 향한. ── *ad.* 해안을 향하여, 해안 쪽으로.
coast·wards [ˊ-wərdz] *ad.* =COASTWARD.
coast·wise [ˊ-wàiz] *a.* 연안의 : ~ trade 연안 무역. ── *ad.* 연안을 따라.
†**coat** [kout] *n.* Ⓒ ① (양복의) 상의 ; 외투, 코트. ⓒⓕ overcoat, greatcoat, topcoat. ② (짐승의) 외피《모피·털·깃털》 : It was a long shaggy ~. 그것은 길고 텁수룩한 털이 있다. ③ 가죽(skin, rind), 껍질(husk) ; (먼지 따위의) 층 : the ~*s* of an onion 양파 껍질 / a thick ~ of dust 두껍게 쌓인 먼지. ④ (페인트 등의) 칠, (금속의) 도금 : a new ~ of paint. ⑤ 〖解〗 막, 외막(外膜).
a ~ of arms (방패 꼴의) 문장 ; (전령·기사가 갑옷 위에 덧입는) 문장 박힌 겉옷. ***a ~ of mail*** 쇠미늘 갑옷. ***cut*** one***'s ~ according to*** one***'s cloth*** 분수에 알맞게 살다. ***trail*** one***'s ~*** 〔***coattails***〕 싸움〔말다툼〕을 걸다《옷자락을 끌어 남이 밟게 하는 데서》. ***turn*** 〔***change***〕 one***'s ~*** 변절하다 ; 개종하다.
── *vt.* ① …을 덮다, (상의)를 입히다, (상의 따위로) 가리다 ; …에 씌우다 : pills ~*ed with* 〔*in*〕 sugar 당의정(糖衣錠). ② 《~+목 / +목+전+명》 (페인트 따위)를 칠하다, (주석 따위)를 …에 입히다 ; (먼지 따위가) …의 표면을 덮다 : ~ the wall *with* paint / The furniture is ~*ed in* 〔*with*〕 dust. 가구는 온통 먼지로 뒤덮여 있다.
coat·dress [kóutdrès] *n.* Ⓒ 코트드레스《코트처럼 앞이 타지고 밑까지 단추가 달림》.
coat·ed [kóutid] *a.* ① 상의를 입은. ② **a)** 겉에 바른〔입힌〕. **b)** 광을 낸《종이 따위》 : ~ paper 아트지(紙). **c)** (혀가) 이끼가 낀 것처럼 하얗게 된 : ~ tongue 설태가 낀 혀.
coat·ee [koutíː] *n.* Ⓒ (여자·어린이 등의) 몸에 꼭 끼는 짧은 상의.
cóat hànger 양복걸이.
co·a·ti [kouɑ́ːti] *n.* Ⓒ 〖動〗 코아티《곰의 일종 ; 라틴아메리카산》.
*__coat·ing__ [kóutiŋ] *n.* ① ⓊⒸ **a)** 덮음, 입힘, 씌우개. **b)** (음식물의) 겉에 입히는 것. **c)** 칠, 덧칠, 도장(塗裝) : It needs another ~ of paint. 한 번 더 겉에다 페인트칠을 할 필요가 있다. ② Ⓤ 코트용 옷감 : new woolen ~ 새로운 모직 코트감.
coat·room [ˊ-rùːm] *n.* =CLOAKROOM.
coat·tail [ˊ-tèil] *n.* Ⓒ (흔히 *pl.*) (야회복·모닝 등의) 상의의 뒷자락. ***on*** a person***'s ~s*** 아무(의 명성 등)에 힘입어. ── *a.* 《美》 〔限定的〕 타인과의 연합으로 얻어진, 약한 후보자도 함께 당선시킬 수 있는 : ~ power.
co·au·thor [kouɔ́ːθər] *n.* Ⓒ 공저자, 공동 집필자. ── *vt.* …을 공동 집필하다.
*__coax__ [kouks] *vt.* ① 《~+목+부 / +목+*to* do / +목+전+명》 …을 감언으로 설득하다, 어르다, 달래다, 꾀다 : ~ a person *away* 〔*out*〕 아무를 꾀어서 데리고 나가다, 유혹하다 / ~ a child *to* take

〔*into* tak*ing*〕 his medicine 아이를 달래어서 약을 먹이다. ②《+목+전+명》…을 감언으로 얻어〔우려〕 내다: ~ a thing *out of* a person=~ a person *out of* a thing 감언으로 아무로부터 무엇을 우려내다. ③《+목+*to* do / +목+전+명》(물건)을 잘 다루어 뜻대로 되게 하다: ~ a fire *into* burn*ing*〔*to* burn〕 불을 잘 피우다 / He ~*ed* the large chair *through* the door. 큰 의자를 이리저리 하여 문을 통과하게 했다.

co·ax·i·al [kouǽksiəl] *a.* 【數·機·電】 공축(共軸)의, 동축(同軸)의〔을 가진〕: ~ cable 동축 케이블. ⊕ **-áx·i·al·ly** *ad.*

cob [kab / kɔb] *n.* Ⓒ ① 옥수수속(corncob) : eat corn on the ~ 옥수수속에 붙어 있는 채로의 옥수수를 먹다. ② 다리가 짧고 튼튼한 말; 《美》 다리를 높이 올리며 걷는 말. ③ 백조의 수컷. cf. pen¹. ④【植】 =COBNUT.

***co·balt** [kóubɔːlt] *n.* Ⓤ ①【化】 코발트《금속 원소; 기호 Co; 번호 27》. ② 코발트 채료〔그림물감〕; 코발트색.

cóbalt blùe ① 코발트청(靑)《안료》. ② 암청색, 짙은 청색.

cob·ble¹ [kábəl / kɔ́bəl] *n.* Ⓒ (흔히 *pl.*) 조약돌, 자갈: The cart clattered over the ~*s.* 달구지가 자갈 위로 덜거덕거리며 갔다. ── *vt.* (도로)에 자갈을 깔다.

cob·ble² *vt.* ① (구두)를 수선하다, 깁다. ② …을 조잡하게 주어 맞추다《*up*; *together*》: He hastily ~*d together* an essay from some old lecture notes. 그는 묵은 강연 원고에서 그러모아 재빨리 에세이를 하나 썼다.

***cob·bler** [káblər / kɔ́bl-] *n.* ① Ⓒ 신기료 장수, 구두장이: The ~'*s* wife goes the worst shod. 《俗談》 대장장이 집에 식칼이 논다. ② Ⓒ 서투른 장색. ③ ⓊⒸ 청량 음료의 일종. ④ ⓊⒸ 《美》 과실 파이의 일종.

cob·ble·stone [-stòun] *n.* Ⓒ (철도·도로용의) 조약돌, (밤) 자갈(cobble¹).

co·bel·lig·er·ent [kòubəlídʒərənt] *n.* Ⓒ 공동 참전국. ── *a.* 협동하여 싸우는.

cob·nut [kábnʌt / kɔ́b-] *n.* Ⓒ 개암나무속(屬)의 나무; 그 열매, 개암.

COBOL, Co·bol [kóubɔːl] *n.* Ⓤ【컴】 코볼《사무용 프로그래밍 언어》. [◂ *co*mmon *b*usiness *o*riented *l*anguage]

***co·bra** [kóubrə] *n.* Ⓒ【動】 코브라《인도·아프리카산의 독사》.

cob·web** [kábwèb / kɔ́b-] *n.* ① Ⓒ 거미집〔줄〕. ② (*pl.*) 헝클어짐; (머리의) 혼란, (자다 일어난 때의) 흐리마리함: get the ~*s* out of one's eyes 졸리는 눈을 비비며 정신을 차리다. ③ Ⓒ 올가미, 함정. ***blow 〔***clear***〕 ***the ~s away*** 《口》 (바깥 바람을 쐬어) 기분을 일신하다.

cob·web·by [kábwèbi / kɔ́b-] *a.* ① 거미집의〔같은〕; 가볍고 얇은. ② 거미줄투성이의.

co·ca [kóukə] *n.* ① Ⓒ【植】 코카나무《남아메리카산의 약용 식물》. ② Ⓤ〔集合的〕 코카 잎.

Co·ca-Co·la [kóukəkóulə] *n.* ⓊⒸ《美》 코카콜라(Coke)《청량 음료의 일종; 商標名》.

co·cain(e) [koukéin, kóukein] *n.* Ⓤ【化】 코카인《coca의 잎에서 채취하는 마취제, 마약》.

coc·cus [kákəs / kɔ́k-] (*pl.* ***-ci*** [káksai/kɔ́k-]) *n.* Ⓒ【菌】 구균(球菌).

coc·cyx [káksiks / kɔ́k-] (*pl.* ***-cy·ges*** [-sidʒìːz, kaksáidʒiːz]) *n.* Ⓒ【解】 미저골.

co·chair [koutʃέər] *vt.* (위원회·토론회 따위)의 공동 의장을 맡다. ── *vi.* 공동 의장이〔사회자가〕 되다. ── *n.* Ⓒ 공동 의장이〔사회자가〕 되는 사람.

coch·i·neal [kátʃəniːl, ⌐-⌐, kóutʃə-] *n.* ① Ⓤ 양홍(洋紅)《연지벌레로 만드는 물감》. ② Ⓒ【蟲】 연지벌레《선인장에 기생하는 깍지진디》.

coch·lea [kákliə, kóuk-] (*pl.* ***-le·ae*** [-liìː]) *n.* Ⓒ【解】(내이(內耳)의) 달팽이관(管).

‡cock¹ [kak / kɔk] *n.* ① Ⓒ 수탉. opp. *hen.* ★ 미국에서는 rooster를 흔히 씀. ¶ As the old ~ crows, the young ~ learns. 《俗談》 서당개 3년에 풍월한다 / Every ~ crows on its own dunghill. 《俗談》 이불 속에서 활개친다. ② Ⓒ〔보통 複合語를 이루어〕(새의) 수컷: ~ robin 울새의 수컷 / a pea*cock* 공작《수컷》. ③《英俗》(남자들끼리 상대를 부를 때) 이 사람, 자네: old ~ 여보게. ④ Ⓒ (통·수도·가스 따위의) 마개, 전(栓), 꼭지(《美》 faucet): turn on〔off〕 a ~. ⑤ Ⓒ (총의) 공이치기, 격철(擊鐵). ⑥ Ⓒ (수탉 모양의) 바람개비, 풍향계(weathercock). ⑦ Ⓒ **a**) (코끝이) 위로 젖혀짐. **b**) 눈을 칩떠보기, 눈짓. **c**) (모자챙의) 위로 젖혀짐. ⑧ Ⓤ《英俗》 실없는 말, 허튼소리《cock-and-bull story에서》: talk a load of old ~ 허튼소리를 하다. ⑨ Ⓒ《卑》 음경(陰莖). (***the***) ***~ of the walk*** 〔***dunghill***〕 유력자; 두목, 독불장군. ***go off at half ~*** ⇨ HALF COCK. ***live like fighting ~s*** 잘먹고 호사하며 지내다.
── *vt.* ① (총)의 공이치기를 당기다; (때리려고 주먹 따위)를 뒤로 끌다; (카메라 셔터 따위)를 누를 준비하다. ② (모자의 챙)을 치켜 올리다; (모자)를 삐딱하게 쓰다. ③ (귀·꽁지)를 쫑긋 세우다《*up*》: The dog ~*ed up* its ears. ④ 눈을 칩떠 …을 보다. ⑤ (코)를 위로 치올리다《경멸을 나타냄》. ── *vi.* (귀·꼬리 따위가) 쫑긋〔곧추〕 서다. **~ *up*** (1) (위로) 치올리다; 쫑긋 서다. (2)《英俗》 (계획·의식 등)을 엉망으로 만들다: Seems like I've ~*ed* it *up*. 내가 망쳐놓은 것 같군.

cock² *n.* Ⓒ (원뿔 모양의) 건초〔곡물, 두엄, 이암(泥岩), 장작 따위〕의 더미, 가리.
── *vt.* (건초 따위)를 원뿔 모양으로 쌓다, 가리다.

cock·ade [kakéid / kɔk-] *n.* Ⓒ 꽃 모양의 모표《특히 영국 왕실의 종복용(從僕用)》.

cock-a-doo·dle-doo [kákədùːdldúː / kɔ́k-] (*pl.* **~*s***) *n.* Ⓒ 꼬끼오《수탉의 울음소리》; 《兒》 꼬꼬, 수탉(cock).

cock-a-hoop [kàkəhúːp / kɔ̀kə-] *a.* ①〔敍述的〕 의기양양한; 뽐내는: He was ~ about his promotion. 그는 승진하여 의기양양하였다. ②《美》 혼란한, 난잡하게 된: The factory was all ~. 그 공장은 온통 난잡하게 되었다.

cock-a-leek·ie [kàkəlíːki / kɔ̀k-] *n.* 《Sc.》 Ⓤ 부추를 넣은 닭고기 수프.

cóck-and-búll stòry [kákənbúl- / kɔ́k-] 엉터리없는〔황당무계한〕 이야기.

cock·a·too [kàkətúː / kɔ̀k-] (*pl.* **~*s***) *n.* Ⓒ ①【鳥】 앵무새의 일종《동인도·오스트레일리아산》. ②《Austral.口》 소농(小農), 소농장주(主).

cock·a·trice [kákətris / kɔ́k-] *n.* Ⓒ 코카트리스《머리와 발과 날개는 닭, 동체와 꼬리는 뱀인 전설상의 괴물로, 한 번 노려보기만 하여도 사람이 죽는다고 함》. cf. basilisk.

cock·chaf·er [⌐tʃèifər] *n.* Ⓒ 풍뎅이의 일종.

cock·crow, -crow·ing [⌐kròu], [-iŋ] *n.* Ⓤ 새벽, 이른 아침, 여명: at ~ 새벽에.

cócked hát ① 삼각모《해군장교 등의 정장용》. ② (좌우 또는 앞뒤의) 챙이 젖혀진 모자. ***knock*** 〔***beat***〕 ***into a ~*** (1) …을 완전히 때려눕히다〔제압하다〕. (2) (계획 따위)를 망치게〔잡치게〕 하다.

cock·er [kákər / kɔ́kər] *n.* =COCKER SPANIEL.

cock·er·el [kákərəl / kɔ́k-] *n.* Ⓒ (1년 미만의) 어린 수탉.

cócker spániel 코커 스패니얼《사냥·애완용 개》.

cock·eyed [ˊ-àid] *a.* ① 사팔뜨기의. ②《俗》기울어진, 비뚤어진 : dusty photographs hanging at ~ angles on the walls 벽에 비딱하게 걸려 있는 먼지 낀 사진들. ③ 바보 같은 ; 괴짜의 : a ~ story. ④ 취한, 인사 불성의 ; 제정신이 아닌.
cock·fight [ˊ-fàit] *n.* Ⓒ 투계, 닭싸움.
cock·figting [ˊ-fàitiŋ] *n.* Ⓤ 투계.
cock·horse [ˊ-hɔ̀ːrs] *n.* Ⓒ ① 흔들목마(木馬). ② (장난감) 말《지팡이나 빗자루 따위》. —— *ad.* 말 타듯 올라 타고 : ride ~ on a broomstick 빗자루에 올라 타다《★ 마녀가 하늘을 나는 모습》.
cock·le[1] [kákəl / kɔ́kəl] *n.* Ⓒ ①〖貝〗새조개. ② =COCKLESHELL. ***the ~s of*** a person***'s*** 〔***the***〕 ***heart*** 마음 속 : The scene delighted 〔warmed〕 *the ~s of my heart.* 나는 그 광경으로 마음 속 깊이 기뻤다〔훈훈해졌다〕.
cock·le[2] *n.* Ⓒ〖植〗선옹초《잡초》.
cock·le·shell [-ʃèl] *n.* Ⓒ ① 새조개의 조가비. ② 바닥이 얕은 배. 「다락방.
cock·loft [káklɔ̀ːft / kɔ́k-] *n.* Ⓒ (조그만) 고미
***cock·ney** [kákni / kɔ́k-] *n.* (종종 C-) ① Ⓒ 런던내기《특히 East End 방면의》. ⓒⓕ Bow bells. ¶ a *Cockney* cab driver. ② Ⓤ 런던 사투리〔말씨〕. —— *a.* 런던내기(풍)의 ; 런던 말씨의 : He speaks with a ~ accent. 그의 말씨에는 런던 사투리가 있다.
cock·ney·ism [kákniìzəm / kɔ́k-] *n.* ⓊⒸ 런던 말씨〔사투리〕('plate'를 [pláit], 'house'를 [ǽus]로 발음하는 따위).
***cock·pit** [kákpìt / kɔ́k-] *n.* Ⓒ ① **a**) 투계장(鬪鷄場). **b**) 싸움터, 전란의 터 : the ~ of Europe 유럽의 고전장(古戰場)《벨기에를 말함》. ② (비행기·우주선·요트 따위의) 조종〔조타〕실.
cóckpit vóice recòrder〖空〗조종실 음성 기록 장치《사고 원인 분석을 목적으로 함 ; 略 : CVR》.
cock·roach [ˊ-ròutʃ] *n.* Ⓒ〖蟲〗바퀴.
cocks·comb [kákskòum / kɔ́ks-] *n.* Ⓒ ① (닭의) 볏. ②〖植〗맨드라미. ③ (어릿광대의) 깔때기 모자. 「드는 팔팔한 사내.
cóck spárrow ① 수참새. ② 걸핏하면 싸우려
cock·sure [kákʃúər / kɔ́k-] *a.* ① (사람·태도 따위가) 독단적인, 자만심이 강한. ②〔敍述的 ; 종종 강조어를 동반하여〕 확신하는, 꼭 믿는《*of* ; *about*》: He is so ~ *of* success. 그는 성공한다고 자신 만만하다. 「COXSWAIN.
cock·swain [káksən, -swèin / kɔ́k-] *n.* =
***cock·tail** [káktèil / kɔ́k-] *n.* ① Ⓒ 칵테일. ② ⒸⓊ (전채(前菜)로서의) 칵테일. **a**) 프루츠 칵테일《식욕을 돋우기 위해 식전에 내는 전채(前菜)·주스 따위》. **b**) 새우〔굴〕 칵테일《새우·굴 따위에 소스를 친 전채 요리》: (a) shrimp ~ 새우 칵테일.
cócktail drèss 칵테일 드레스《여성의 약식 야회복》.
cócktail lòunge 칵테일 라운지《호텔·공항 따위에서 칵테일을 제공하는 휴게실》.
cócktail pàrty 칵테일 파티.
cock-up [kákʌ̀p / kɔ́k-] *n.* Ⓒ《英俗》실수, 혼란 (상태), 지리멸렬 : make a complete ~ of … 을 엉망으로 만들다 / There has been a series of ~*s.* 실수가 연속 있었다.
cocky [káki / kɔ́ki] (***cock·i·er*** ; ***-i·est***) *a.* 《口》건방진, 자만심이 센 : Don't be too ~. 너무 자만하지 마라. ㊎ **cóck·i·ly** *ad.* **-i·ness** *n.*
cock·y·leeky [kàkilíːki / kɔ̀k-] *n.* =COCK-A-LEEKIE.
co·co [kóukou] (*pl.* ~*s* [-z]) *n.* Ⓒ ①〖植〗(코코)야자나무(coconut palm). ② =COCONUT.
‡**co·coa** [kóukou] *n.* Ⓤ ① 코코아《cacao 씨의 가루》. ② 코코아 (음료) : a cup of ~ 코코아 한 잔. ③ 코코아색, 다갈색. —— *a.* 코코아(색)의.
cócoa bèan 카카오 콩《카카오나무의 열매 ; 코코아·초콜릿의 원료》.
cócoa bùtter =CACAO BUTTER.
***co·co·nut** [kóukənʌ̀t] *n.* Ⓒ 코코넛《코코야자의 열매 ; 배젖으로부터 야자기름(= **cóconut òil**)을 채취함》.
cóconut màtting 코코야자 깔개《코코야자 열매의 섬유로 만든 깔개》.
cóconut pàlm 〔**trèe**〕 야자나무.
cóconut shỳ《英》코코넛 떨어뜨리기《공을 던져서 야자열매를 맞쳐 떨어뜨리는 유원지 등에서의 게임》.
co·coon [kəkúːn] *n.* Ⓒ ① 고치. ② (거미 따위의) 난낭(卵囊). ③ (고치처럼) 폭 감싸는 것, 보호하는 것 ; 보호 피막(被膜)《기계류·함선 따위가 녹슬지 않도록 입히는 피복제》: I lived in a ~ of love and warmth. 나는 사랑과 온정의 보호 속에서 살았다. —— *vi.* 고치를 만들다. —— *vt.* ① (고치처럼) …을 꼭 덮다, 감싸다 : The baby was ~*ed* in a large shawl. 어린애는 큰 숄로 감싸져 있었다. ② (총·비행기 따위)에 보호 피막을 입히다. ③ …을 감싸서 보호하다 ; 격리하다.
co·coon·ing [-iŋ] *n.* Ⓤ《美》(사회와의 접촉보다) 가족과의 생활을 중시하는 일, 마이홈 주의.
co·cotte [koukát / -kɔ́t] *n.* Ⓒ《F.》① (파리의) 매춘부. ② 소형 내화(耐火) 냄비.
cod**[1] [kad / kɔd] (*pl.* ~s,*** 〔集合的〕 ~) *n.* ① Ⓒ〖魚〗대구(codfish). ② Ⓤ 대구 살.
cod[2] (***-dd-***) *vt.*《英俗》① …을 속이다. ② …을 놀리다.
COD〖化〗chemical oxygen demand(화학적 산소 요구량). **C.O.D., c.o.d.** collect 〔《英》cash〕 on delivery 대금 상환불(相換拂).
co·da [kóudə] *n.* Ⓒ《It.》①〖樂〗코다, (악곡·악장 등의) 종결부. ② (연극 등의) 종결 부분.
cod·dle [kádl / kɔ́dl] *vt.* ① (사람·동물)을 어하여〔소중히〕 기르다《*up*》: Teachers shouldn't ~ their pupils. 선생님들은 학생들의 응석을 받아주어서는 안 된다. ② (계란·과일 따위)를 뭉근한 불로 삶다.
†**code** [koud] *n.* Ⓒ ① 법전 : the civil 〔criminal〕 ~ 민〔형〕법. ② (어떤 계급·사회·동업자 등의) 규약, 규칙 : the ~ of the school 학칙 / moral ~ 도덕률. ③ 신호법 ; 암호, 약호 : a ~ telegram 암호 전보 / break the enemy's ~*s* 적의 암호를 해독하다 / The messages were typed in ~. 서신은 암호로 타이프 쳐져 있었다. ④〖컴〗코드, 부호. ⑤〖遺〗(생물의 특징을 정하는) 암호 : a genetic ~ 유전 암호.
—— *vt.* ① …을 법전으로 작성하다. ② (전문(電文))을 암호〔신호〕화하다 : ~ a message 통신을 암호로 하다. ③〖컴〗(프로그램)을 컴퓨터 언어로 고치다, 코드화하다.
códe bòok 전신 약호장 ; 암호책.
códe convérsion〖컴〗코드 변환.
códe convérter〖컴〗코드 변환기.
co·deine [kóudiːn] *n.* Ⓤ 코데인《아편에서 채취되는 진통·진해·수면제》.
códe nàme 암호용 문자〔이름〕, 코드명(名).
códe nùmber 코드 번호《하나하나의 이름 대신에 붙여진 번호》. 「람》.
cod·er [kóudər] *n.* Ⓒ〖컴〗코더《coding 하는 사
códe wòrd ① =CODE NAME. ② 겉으로는 온당하나 공격적인 뜻을〔의도를〕 내포한 완곡한 말, 완

곡 어구.

co·dex [kóudeks] (*pl.* ***-di·ces*** [-disìːz]) *n.* [C] (성서·고전의) 사본.

cod·fish [kádfiʃ / kɔ́d-] (*pl.* **~·es,** 〔集合的〕 ~) *n.* [CU] 〖魚〗 대구(cod[1]).

codg·er [kádʒər / kɔ́dʒər] *n.* [C] 《口》 괴짜, 괴팍한 사람《주로 노인에 대하여》: You old ~ ! 이 (괴팍한) 늙은이 같으니.

co·di·ces [kóudisìːz] CODEX 의 복수형.

cod·i·cil [kádəsil / kɔ́d-] *n.* [C] ① 〖法〗 유언 보족서(補足書). ② 추가 조항, 부록.

cod·i·fi·ca·tion [kàdəfikéiʃən, kòu-] *n.* [U,C] 법전 편찬; 성문화, 법전화.

cod·i·fy [kádəfài, kóu-] *vt.* (법률)을 법전으로 편찬하다; 성문화하다.

cod·ing [kóudiŋ] *n.* [U,C] ① 법전화. ② 전문의 암호화; 〖컴〗 부호화《정보를 계산 조작에 편리한 부호로 바꾸는 일》.

cod·ling[1], **-lin** [kádliŋ / kɔ́d-], [-lin] *n.* [C] ① 덜 익은 작은 사과. ② 갸름한 요리용 사과.

cod·ling[2] (*pl.* ~, ~***s***) *n.* [C] 〖魚〗 새끼 대구.

cód-liv·er óil [kádlìvər- / kɔ́d-] 간유.

cod·piece [kádpìːs / kɔ́d-] *n.* [C] 코드피스《15-16 세기에 남자 바지(breech)의 앞이 터진 부분을 가리는 것》.

co-driv·er [kòudráivər] *n.* [C] (특히 자동차 경주 따위에서) 교대로 운전하는 사람.

cods·wal·lop [kádzwáləp / kɔ́dzwɔ̀ləp] *n.* [U] 《英俗》 어처구니 없음; 허튼소리, 난센스.

co·ed, co-ed [kóuéd] (*pl.* ~***s***) *n.* [C] 《美口》 ① (남녀 공학 대학의) 여학생. ② 남녀 공학 학교〔대학〕. ── *a.* 〔限定的〕 ① 남녀 공학의: a ~ school 남녀 공학 학교 / go ~ (학교가) 공학이 되다. ② (남녀 공학의) 여학생의.

co·ed·i·tor [kouéditər] *n.* [C] 공편자(共編者).

***co·ed·u·ca·tion** [kòuedʒukéiʃən] *n.* [U] 남녀 공학. [파] ***~·al** [-əl] *a.*

co·ef·fi·cient [kòuəfíʃənt] *n.* [C] ① 〖數〗 계수(係數): In 3*xy*, 3 is the ~ of *xy*. 3*xy*에서 3은 *xy*의 계수이다. ② 〖物〗 계수, 율(率): a ~ of expansion〔friction〕 팽창〔마찰〕 계수. ③ 〖컴〗 계수.

coe·la·canth [síːləkæ̀nθ] *n.* [C] 〖魚〗 실러캔스《현존하는 중생대의 강극어(腔棘魚)의 일종》.

coe·len·ter·ate [siːléntərèit, -rit] *n.* [C] 강장동물《히드라·해파리 등》. ── *a.* 강장동물의.

co·e·qual [kouíːkwəl] *a.* 동등한, 동격의《*with*》: Women should be treated as ~ *with* men in every way. 여성은 모든 면에서 남성과 동등하게 다루어져야〔대접받아야〕 한다. ── *n.* [C] 동등한 사람, 동격인 사람《*with*》. [파] **~·ly** [-əli] *ad.*

***co·erce** [kouə́ːrs] *vt.* ① 《~+[목] / +[목]+[전]+[명] / +[목] *to* do》 …을 강요하다, 강제하다(force) 《*into*》: ~ obedience 복종을 강요하다 / The boy was ~*d into* learning Latin. 그 아이는 무리하게 라틴어 공부를 강요당했다. ② (법률·권위 따위로) …을 억압하다, 구속하다, 지배하다.

co·er·cion [kouə́ːrʃən] *n.* [U] ① 강제, 강요: I refuse to act under ~. 나는 강요당해서 행동하고 싶지는 않다. ② 위압; 압제 정치.

co·er·cive [kouə́ːrsiv] *a.* 강제적인, 위압적인: ~ measures 강제 수단. [파] **~·ly** *ad.* **~·ness** *n.*

co·e·ter·nal [kòuitə́ːrnəl] *a.* 〖神學〗 영원히 공존하는. [파] **~·ly** *ad.*

co·e·val [kouíːvəl] *a.* 같은 시대의; 동연대의; 동기간의《*with*》. ── *n.* [C] 동시대〔동연대〕의 사람〔것〕.

co·ev·o·lu·tion [kòuevəlúːʃən / -iːvə-] *n.* [U] 〖生〗 공진화(共進化)《계통적으로 관계없는 생물체가 상호 연관하여 동시에 진화하는 일》.

co·ex·ist [kòuigzíst] *vi.* ① **a)** (같은 장소에) 동시에 존재하다. **b)** …과 공존하다《*with*》: A violent temper cannot ~ *with* a love of peace. 사나운 기질은 평화를 사랑하는 마음과 공존할 수 없다. ② (두 나라가) 평화 공존하다.

co·ex·ist·ence [kòuigzístəns] *n.* [U] 공존(共存), 병립(併立): peaceful ~ 평화 공존.

co·ex·ist·ent [kòuigzístənt] *a.* 공존하는《*with*》.

co·ex·ten·sive [kòuiksténsiv] *a.* 같은 시간〔공간〕에 걸치는《*with*》: The District of Columbia is ~ *with* the city of Washington. 컬럼비아 특별구는 워싱턴시와 동일한 지역을 차지한다. [파] **~·ly** *ad.*

C. of C. Chamber of Commerce. **C. of E.** Church of England.

†cof·fee [kɔ́ːfi, káfi / kɔ́fi] *n.* ① [U,C] 커피《음료》: have〔drink〕 ~ 커피를 마시다 / Let's discuss this over a cup of ~. 커피를 마시면서 이 일에 대하여 의논합시다《★ '커피 몇 잔'의 뜻으로는 복수형을 씀: order four ~*s* 커피 넉 잔 주문하다》. ② [U] 〔集合的〕 커피콩(~ bean). ③ [U] 커피색, 흑갈색. ④ [C] 커피나무.

cóffee bàr 《英》 다방 겸 경양식점.

cóffee bèan 커피콩.

cóffee brèak (오전·오후의) 차 마시는 시간, 휴게 (시간). [cf] tea break. ¶ take〔have〕 a ~ 커피를 마시면서 잠깐 쉬는 시간을 갖다.

cóffee càke 커피케이크《아침 식사에 먹는 과자 빵 종류》.

cóffee cùp 커피 잔.

cóffee grìnder ＝COFFEE MILL.

cóffee hòur ① (특히 정례의) 딱딱하지 않은 다과회. ② ＝COFFEE BREAK.

cof·fee·house [-hàus] *n.* [C] (가벼운 식사를 할 수 있는) 커피점, 커피하우스《영국에서는 17-18 세기엔 문인·정객의 사교장》.

cóffee klàt(s)ch 《美》 커피를 마시며 잡담하는 모임.

cóffee màker 커피 끓이는 기구.

cóffee mìll 커피 가는 기구.

cóffee mòrning 아침의 커피 파티《자선 모금을 위해 열림》.

cof·fee·pot [-pàt / -pɔ̀t] *n.* [C] 커피포트, 커피(끓이는) 주전자.

cóffee shòp ① 다방; (호텔 등의 간단한 식당을 겸한) 다실. ② 커피콩 파는 가게.

cóffee spòon demitasse cup 용의 작은 스푼.

cóffee tàble (소파 따위의 앞에 놓는) 낮은 테이블.

cóf·fee-ta·ble bòok [-tèibəl-] coffee table 용의 호화본(本)《그림이나 사진이 많음》.

cof·fer [kɔ́ːfər, káf-] *n.* ① [C] 귀중품 상자, 돈궤. ② (*pl.*) 금고; 자산, 재원(funds): the state ~*s*＝the ~*s* of the state 국고(國庫). ③ [C] 〖建〗 (소란반자 등의) 소란(小欄), 정간(井間). ④ ＝COFFERDAM.

cof·fer·dam [-dæ̀m] *n.* [C] ① (일시적으로 물을 막는) 방축. ② 〖工〗 잠함(潛函).

‡cof·fin [kɔ́ːfin, káf-] *n.* [C] 관(棺), 널. ***drive a nail into*** one's ~ (부절제·고민 등으로) 수명을 줄이다. ── *vt.* …을 관에 넣다, 입관하다.

C. of S. chief of staff; chief of section; Church of Scotland.

cog [kag / kɔg] *n.* [C] ① (톱니바퀴의) 이. ② 큰 조직 속에서 톱니바퀴의 이와 같이 작은 역할을 하는 사람, 필요하지만 그리 중요하지 않은 사람: be just a ~ in the (corporate) machine (회사) 조직의 일원〔톱니바퀴〕에 불과하다.

co·gen·cy [kóudʒənsi] *n.* [U] (의론·추론의) 적

절함, 설득력.

co·gen·er·a·tion [kòudʒenəréiʃən] *n.* Ⓤ 열전병급(熱電併給), 열병합(熱倂合) 발전《발전시에 생긴 배열(排熱)을 난방 따위에 이용하는 일》; (증기 난방과 발전 등) 연료를 이중 목적으로 쓰는 일.

co·gent [kóudʒənt] *a.* 적절한, 설득력 있는 : a ~ argument 설득력 있는 의론 / He produced ~ reasons for the change of policy. 그는 정책변동에 대한 적절한 이유를 제시했다. ㊉ **~·ly** *ad.*

cogged [kagd / kɔgd] *a.* 톱니바퀴가 달린.

cog·i·tate [kádʒətèit / kɔ́dʒ-] *vi.* (…에 대하여) 숙고하다, 궁리하다《*about*; *on*, *upon*》: I was just *cogitating about*〔*on*, *upon*〕 the meaning of life. 나는 인생의 의의에 대해 좀 생각하고 있었다.

cog·i·ta·tion [kàdʒətéiʃən / kɔ̀dʒ-] *n.* Ⓤ,Ⓒ 사고(력), 숙고, 명상 : After much ~, we decided to live in the Isle of Wight. 많은 생각 끝에 우리는 와이트 섬에서 살기로 결정했다.

cog·i·ta·tive [kádʒətèitiv / kɔ́dʒətə-] *a.* 사고력 있는 ; 숙고하는 ; 생각에 잠기는.

co·gi·to er·go sum [kádʒitòu-ɔ́:rgousʌ́m] 《L.》 (=I think, therefore I exist.) 나는 생각한다, 그러므로 나는 존재한다《Descartes의 말》.

co·gnac [kóunjæk, kán-] *n.* Ⓤ,Ⓒ 코냑《프랑스산 브랜디》; 〔一般的〕 (양질의) 브랜디 : a bottle of *Cognac* 코냑 한 병 / one of the world's finest ~*s* 세계에서 가장 좋은 브랜디의 하나.

***cog·nate** [kágneit / kɔ́g-] *a.* ① 조상이 같은, 동족의(kindred) : ~ families 동족 가족 / a family ~ *with*〔*to*〕 the royal family 왕가와 같은 혈통의 가족. ② 같은 기원의 ; 같은 성질의, 동종의 : ~ tastes 같은 종류의 취미 / a science ~ *with*〔*to*〕 economics 경제학과 동종의 과학. ③ 〖言〗 같은 어원〔어족〕의 《*with*》: ~ words 어원이 같은 말들 / The English "father" is ~ *with* the German "Vater". 영어의 'father'는 독일의 'Vater'와 어원이 같다. ── *n.* Ⓒ ① 동계자(同系者) ; 친족(relative). ② 기원〔성질〕이 같은 것. ③ 〖言〗 같은 어원〔어계, 어파〕의 말.

cógnate óbject 〖文法〗 동족 목적어《보기 : *live* a happy *life* 의 'life'》.

cog·ni·tion [kagníʃən / kɔg-] *n.* ① Ⓤ 인식(력·작용), 인지(認知). ② Ⓒ 인식〔인지〕된 것.

cog·ni·tive [kágnətiv / kɔ́g-] *a.* 인식〔인지〕의 ; 인식력이 있는 : ~ power 인식력.

cog·ni·za·ble [kágnəzəbl, kagnái- / kɔ́gnə-] *a.* ① 인식〔인지〕할 수 있는. ② 사법 관할 내에 있는, 심리되어야 할. ㊉ **-bly** *ad.*

cog·ni·zance [kágnəzəns / kɔ́g-] *n.* Ⓤ ① 인식 ; 지각 ; (사실의) 인지 : have ~ of …을 알고 있다 / take ~ of …을 인정하다, 고려하다. ② 인식범위 : be 〔lie〕 within 〔beyond, out of〕 one's ~ 인식의 범위 안〔밖〕에 있다.

cog·ni·zant [kágnəzənt / kɔ́g-] *a.* 〔敍述的〕 인식하고 있는《*of*》: He's ~ *of* his situation. 그는 자신의 처지를 알고 있다.

cog·no·men [kagnóumən / kɔgnóumen] (*pl.* ~*s*, ***-nom·i·na*** [-námənə / -nɔ́m-]) *n.* ① 성(姓). ② 이름, 명칭 ; 별명, 칭호.

cóg ràilway 톱니꼴 레일 철도(rack railway).

cog·wheel [kágʰwì:l / kɔ́g-] *n.* Ⓒ 〖機〗 톱니바퀴 : ~ railway 아프트식 철도.

co·hab·it [kouhǽbit] *vi.* ① (미혼 남녀가) 동거하다, (이종 동물 따위가) 함께 서식하다《*with*》. ② (두 가지 일〔것〕이) 양립하다 : More people choose to ~ rather than marry. 더 많은 사람들이 결혼보다는 오히려 동거를 택한다.
㊉ **co·hàb·i·tá·tion** [kouhæ̀bətéiʃən] *n.*

co·hab·i·tant [kouhǽbətənt], **co·hab·it·er** [-hǽbətər] *n.* Ⓒ 동서자(同棲者).

co·heir [kouέər] (*fem.* ~**·*ess*** [-ris]) *n.* Ⓒ 〖法〗 공동 상속인.

co·here [kouhíər] *vi.* ① 밀착하다 ; (분자가) 응집(凝集)하다. ② (문체·이론 등이) 조리가 서다, 시종 일관하다 : Your story does not ~. ③ (생각·이해 관계 등이) 일치하다《*with*》: This new view does not ~ *with* their other beliefs. 이 새로운 견해는 그들의 다른 신조와 일치하지 않는다.

co·her·ence, -en·cy [kouhíərəns], [-ənsi] *n.* Ⓤ ① 부착(성) ; 응집(성) ; 결합. ② (문체·이론 등의) 통일, 시종 일관성 : (a) lack of ~ 일관성의 결여 / lack ~ 일관성이 없다.

co·her·ent [kouhíərənt] *a.* ① 응집성의, 밀착한《*with*; *to*》. ② (이야기 등이) 조리가 선, 시종 일관한 : a ~ explanation 논리 정연한 설명.
㊉ **~·ly** *ad.*

***co·he·sion** [kouhí:ʒən] *n.* Ⓤ ① 점착(粘着) ; 부착, 결합(력). ② 〖物〗 (분자의) 응집(력).

***co·he·sive** [kouhí:siv] *a.* ① 점착력이 있는 ; 밀착〔결합〕하는 : a ~ organization 단결된 조직. ② 〖物〗 응집력의〔있는〕. ㊉ **~·ly** *ad.* **~·ness** *n.*

co·hort [kóuhɔ:rt] *n.* Ⓒ ① 〖古로〗 보병대《300-600 명으로 구성》. ⓒⓕ legion. ② (종종 *pl.*) 군세, 군대. ③ 《美》 친구, 동료. ④ 〖人口統計〗 코호트《통계 인자를 공유하는 집단 ; 동시출생 집단 등》. ⑤ 〖生〗 코호트《보조적인 분류상 계급의 하나》; 아강(亞綱)《아과(亞科)의 하위 계급》.

COI 《英》 Central Office of Information(중앙 공보국).

coif [kɔif] *n.* Ⓒ (수녀 등의) 두건 ; (옛 병사가 투구 밑에 쓴) 금속제 쓰개.

coif·feur [kwa:fɔ́:r] *n.* Ⓒ 《F.》 이발사.

coif·feuse [kwa:fɔ́:z] *n.* Ⓒ 《F.》 여자 이발사.

coif·fure [kwa:fjúər] *n.* Ⓒ 《F.》 이발의 양식, 머리 모양 ; 조발(調髮) ; (여성용) 머리 장식(headdress). ── *vt.* (머리)를 세트하다, 조발하다.

coign [kɔin] *n.* Ⓒ (벽 따위의) 돌출한 모서리, 뿌다구니. ***a ~ of vantage*** (관찰·행동 따위에) 유리한 지점 ; 유리한 처지, 우위(優位).

‡**coil**[1] [kɔil] *n.* Ⓒ ① (밧줄·철사 등의) 둘둘 감은 것 ; 그 한 사리 ; wind up a rope in ~*s* 로프를 둥그렇게 둘둘 말다. ② 피임링. ③ 곱슬털 : Her hair hung in ~*s*. 그녀의 머리는 곱슬곱슬하게 말려서 드리워져 있었다. ④ 〖電〗 코일.
── *vi.* 《~ / +副 / +前+名》 ① 사리를 틀다, 고리를 이루다, 감기다 : The snake ~*ed up*. / The rope had ~*ed around* his ankle. 로프가 그의 발목을 휘감았다. ② 꾸불꾸불 움직이다〔나아가다〕: The river ~*ed through* the valley. 강은 꾸불꾸불 계곡을 흘러갔다. ── *vt.* ① 《~+目 / +目+前+名》 …을 똘똘 말다〔감다〕《*around*; *round*》: ~ a rope / He ~*ed* a wire *around* 〔*round*〕 a stick. 막대기에 철사를 똘똘 감았다. ② 《~+目 / +目+副》 (몸)을 사리다, 똘똘 휘감다 : The snake ~*ed itself up* to strike. 뱀이 공격을 하려고 몸을 사렸다.

coil[2] *n.* Ⓒ 《古·詩》 혼란, 소란. ***this mortal ~*** 이 속세의 괴로움 : shuffle off *this mortal* ~ 속세의 괴로움을 벗다 ; 죽다.

†**coin** [kɔin] *n.* ① Ⓒ,Ⓤ 〔個別的 또는 集合的〕 경화(硬貨), 주화(鑄貨) : a copper ~동전 / toss a ~

> 參考 인물의 두상(頭像)이 있는 겉〔앞〕(head)과 숫자 등이 있는 안〔뒤〕(tail)으로 이루어져 있다. 미국의 경화는 1센트(penny), 5센트(nickel), 10센트(dime), 25센트(quarter), 50

센트(fifty-cent piece), 1달러가 있고, 영국에서는 1페니, 2펜스, 5펜스, 10펜스, 20펜스, 50펜스, 1파운드가 있다. cf paper money.

(순번을 정하기 위해) 경화를 던지다 / change a pound note for ~, 1파운드짜리 지폐를 경화로 바꾸다. ② U《口》금전, 돈 : small ~ 잔돈 / Much ~, much care.《俗談》돈이 많으면 걱정도 많다. ***pay** a person (**back**) **in** his **own** 〔**the same**〕 ~* 아무에게 대갚음하다. ***the other side of the ~*** (사물의) 다른 면〔처지, 입장〕: Children should learn to respect the police, but *the other side of the ~* is that the police should earn that respect. 아이들은 경찰을 존경하는 것을 배워야 하고, 반면에 경찰은 존경을 받도록 힘써야 한다.
— *vt.* ① (경화)를 주조하다(mint) ; (지금(地金))을 화폐로 주조하다. ② (신어·신표현)을 만들어 내다 : a *~ed* word 신조어(新造語). — *vi.* ①《英》가짜 돈을 만들다. ② 화폐를 주조하다. ***~ a phrase*** 새 표현을 만들어 내다 : to ~ *a phrase* 〔反語的〕 참신한 표현을 쓴다면《상투구를 쓰는 구실》. ***~ (the) money*** 〔***it***〕 (***in***)《口》마구 돈을 벌다.

***coin·age** [kɔ́inidʒ] *n.* ① U 화폐 주조. ② U 〔集合的〕 주조 화폐. ③ U 화폐 주조권 ; 화폐 제도. ④ **a)** U (낱말 등의) 신조 : a word of recent ~ 최근의 신조어. **b)** C 신(조)어 ; 만들어 낸 것.

cóin bòx ① (공중 전화·자동 판매기 따위의) 동전〔요금〕 상자. ② 공중 전화 (박스).

***co·in·cide** [kòuinsáid] *vi.* ①《~ / +前+名》동시에 같은 공간을 차지하다, (장소가) 일치하다 ; 동시에 일어나다《*with*》; (둘 이상의 일이) 부합〔일치〕하다《*with*》: The fire *~d with* the earthquake. 화재가 지진과 동시에 일어났다 / The two events *~d with* each other. 두 사건이 동시에 발생했다. ②《~ / +前+名》(의견·취미·행동 따위가) 맞다, 조화〔일치〕하다《*with*》; 의견을〔견해를〕 같이하다《*in*》: ~ *in* opinion 의견이 일치하다 / My ideas ~ *with* yours. 내 생각은 네 생각과 일치한다 / His words don't ~ *with* his deeds. 그는 언행이 일치하지 않는다. ◇ coincidence *n.*

***co·in·ci·dence** [kouínsədəns] *n.* ① U,C (우연의) 일치, 부합 : a casual ~ 우연의 일치. ② **a)** U (일이) 동시에 발생함, 동시 발생 : the ~ of two accidents 두 사고의 동시 발생. **b)** C 동시에 일어난 사건. ◇ coincide *v.*

***co·in·ci·dent** [kouínsədənt] *a.* ① 일치〔부합〕하는 : My opinion was ~ *with* hers. 나의 의견은 그녀의 의견과 일치했다. ② 동시에 일어나는 : ~ accidents 동시에 발생한 사고 / His death was ~ *with* his son's birth. 그가 죽은 것과 아들이 탄생한 일은 동시였다. 派 **~·ly** *ad.*

co·in·ci·den·tal [kouìnsədéntl] *a.* ① (우연의) 일치에 의한 : a ~ encounter 우연한 조우〔만남〕. ② 동시에 일어나는. 派 **~·ly** *ad.*

coin·er [kɔ́inər] *n.* C ① **a)** 화폐 주조자. **b)**《英》사전(私錢)꾼(《美》counterfeiter). ② (신어 등의) 안출자.

cóin làundry 경화(硬貨) 투입식 세탁기를 갖춘 세탁소(《美》Laundromat, launderette).

coin-op [kɔ́ináp / -ɔ̀p] *n.* C ① =COIN LAUNDRY. ② 자동 판매기.

co·in·sur·ance [kòuinʃúərəns] *n.* U 공동 보험.

coir [kɔiər] *n.* U 야자 껍질 섬유《로프·돗자리 등을 만듦》.

co·i·tal [kóuitəl] *a.* 성교(性交)의.

co·i·tion [kouíʃən] *n.* =COITUS.

co·i·tus [kóuitəs] *n.* U 【醫】 성교.

coke[1] [kouk] *n.* U 코크스. — *vt.* (석탄)을 코크스로 만들다.

coke[2] *n.* ① U《俗》코카인. ② C 콜라 한 병〔잔〕.

coke·head [kóukhèd] *n.* C《美俗》① 코카인 중독자. ② 얼간이, 바보.

col [kal / kɔl] *n.* C (산과 산 사이의) 안부(鞍部), 고갯마루.

Col. Colombia ; Colonel ; Colorado ; 【聖】 Colossians ; Columbia. **col.** collected ; collector ; college ; colonel ; colony ; color(ed) ; column.

col- *pref.* =COM-《l자 앞에 씀》.

co·la[1] [kóulə] *n.* ① C 【植】 콜라《아프리카산》. ② U,C 콜라(음료).

co·la[2] COLON[2]의 복수형의 하나.

COLA [kóulə]《美》cost-of-living adjustment (생계비 조정(제도)).

col·an·der [kʌ́ləndər, kál-] *n.* C (씻은 채소 따위의) 물기 거르는 그릇, 여과기.

col·chi·cum [káltʃikəm / kɔ́l-] *n.* ① C 【植】 콜키쿰. ② U 그 알줄기나 씨로 만든 약제《통풍(痛風)·류머티즘 약》.

†**cold** [kould] *a.* ① 추운, 찬, 차게 한. opp *hot.* ¶ a ~ bath 냉수욕 / It's bitterly ~. 되게 춥다 / Don't let the soup get ~. 수프가 식지〔수프를 식히지〕 않도록 해라 / Are you ~ ? =Do you feel ~ ? 추운가. ② 냉정한, 냉담한 ; 냉혹한, 무정한. opp *warm.* ¶ a ~ manner 냉담한 태도 / ~ reason 냉정한 이성. ③ (마음이) 불타지 않는, 내키지 않는 : She was ~ *to* the advance. (결혼의) 제의에 대해서 냉담했다. ④《俗》죽은 ;《俗》(때려 눕혀져) 의식을 잃은 : knock a person (out) ~ 사람을 때려서 의식을 잃게 하다. ⑤ (관능적으로) 불감증의 ;《俗》(여성이) 성교를 혐오하는. ⑥ 마음을 침울케 하는 ; 흥을 깨는, 관심을〔흥미를〕 보이지 않는, 시들한, (분위기가) 쌀쌀한 ; (자극·맛이) 약한 : a ~ kiss 시들한 키스 / a ~ audience 무관심한 청중 / ~ news 언짢은 소식. ⑦ 【美術】 찬 색의 : ~ colors 한색(寒色)《청색·회색 따위》. ⑧ 【獵】 (짐승이 남긴 냄새가) 희미한 : pick up a ~ scent (개 따위가) 희미한 냄새를 포착하다. ⑨ (찾는 물건·알아맞히기 놀이에서) 어림이 빗나간. opp *hot.* ¶ You're getting *~er* 정답에서 점점 더 멀어져 가고 있습니다. ***get*** 〔《美》***have***〕 *a person* ***~***《口》(약점을 잡고) 아무를 찍소리 못하게 하다. ***in ~ blood*** 냉정하게, 냉혹하게, 예사로 : He murdered the old man *in ~ blood.* 그는 노인을 냉혹하게 살해했다. ***leave*** *a person* ***~*** 아무의 흥미를 돋우지 않다, 감명을 주지 않다 : That *leaves* me ~. 그런 것은 흥미 없다. ***throw*** 〔***pour***〕 ***~ water on*** (계획 따위에) 트집을 잡다, 찬물을 끼얹다 : He loves to *pour ~ water on* everybody's plans. 그는 다른 사람의 계획에 트집잡기를 좋아한다.
— *ad.* ① 아주(entirely), 완전히, 확실하게 : refuse a person's offer ~ 사람의 제의를 딱〔완전히〕 거절하다. ② 준비 없이 ; 예고 없이, 돌연 : quit a job ~ 갑자기 사직하다. — *n.* ① U (흔히 the ~) 추움, 추위, 한랭. opp *heat.* ¶ shiver with (the) ~ 추위에 떨다 / die from ~ 얼어 죽다. ② U 어는점 이하의 한기 : twenty degrees of ~ 영하 20°. ③ C,U 감기, 고뿔 : a ~ sufferer 감기 걸린 사람 / Don't give me your ~. 나한테 감기 옮겨주지 말게. ***catch*** 〔***take***〕 (***a***) ***~*** 감기들다《★ take cold는 '감기 걸리다'의 약간 고어적인 표현법이며, 보통은 catch cold 쪽이 많이 쓰임. get cold는 미국의 속어임. have a cold는 '감기에 걸려 있다'라는 상태를 나타냄》. ***come*** 〔***bring*** a

person) *in from* (*out of*) *the* ~《比》 고립무원의 상태에서 벗어나다. (*out*) *in the* ~ 따돌림을 당하여, 무시당하여 : They left me *out in the* ~. 나는 그들에게 따돌림을 당했다.

cóld áir màss 〖氣〗 한랭 기단.

cold-blood·ed [-blʌ́did] *a.* ① 냉혈의 : a ~ animal 냉혈 동물. ② 추위에 민감한〔약한〕. ③ 냉혹한, 냉담한, 냉혈적인. [opp] *warmblooded.* ¶ a ~ murderer 냉혹한 살인범. [파] ~·**ness** *n.* 냉담 ; 냉정.

cóld bòot 〖컴〗 첫띄우기《컴퓨터를 처음 켜거나 껐다가 다시 켜 운영 체재를 올리는 일》.

cóld cáll (물건을 살 듯한 손님에 대한) 권유 전화〔방문〕.

cóld chìsel (가열하지 않은 보통 상태의 금속을 절단하거나 깎거나 할 수 있는) 정.

cóld cómfort (위로가 될 것 같으면서도) 전혀 위로가 되지 않는 일 : It's ~ to be told so. 그런 말을 들어도 위로가 되지 않는다.

cóld crèam 콜드 크림《화장용 크림》.

cóld cùts 콜드 커츠《얇게 저민 냉육(冷肉)과 치즈로 만든 요리》.

cóld féet 《口》 겁내는 모양, 도망칠 자세 : have 〔get〕 ~ 겁을 먹다, 도망치려 하다.

cóld físh 《口》 쌀쌀한 사람.

cóld fràme 〖園藝〗 냉상(冷床).

cóld frònt 〖氣〗 한랭 전선. [opp] *warm front.*

cold-heart·ed [-hɑ́:rtid] *a.* 냉담한, 무정한. [파] ~·**ly** *ad.* ~·**ness** *n.*

cold·ish [kóuldiʃ] *a.* 약간 추운 ; 꽤 추운.

cóld líght 무열광(無熱光)《인광·형광 등》.

‡**cold·ly** [kóuldli] *ad.* ① 차게, 춥게. ② 냉랭하게, 냉정〔냉담〕하게 : answer ~ 냉담하게 대답하다.

cóld méat 냉육(冷肉).

cóld móon·er [-mú:nər] 월면(月面) 운석설 주장자《달의 크레이터는 운석의 충돌에 의해 생겼다고 주장함》. [cf.] hot mooner.

*__cold·ness__ [kóuldnis] *n.* [U] ① 추위, 차가움. ② 냉랭함, 냉담. ③ 냉정(冷靜) : She was hurt by his ~ towards her. 그녀는 그가 냉담하게 대해 주어 상처를 입었다.

cóld pàck ① 냉습포. ② (통조림의) 저온 처리.

cóld sàw 상온(常溫) 톱《상온에서 강재(鋼材)를 절단하는 톱》. [cf.] hot saw.

cóld shóulder (*sing.*) (the ~) 《口》 냉대 ; 무시 : give 〔show, turn〕 *the* ~ to a person 아무에게 냉담〔무정〕하게 대하다, 아무를 냉대하다.

cold-shoul·der [-ʃóuldər] *vt.* 《口》 …을 냉대〔무시〕하다.

cóld snàp 한파(寒波) ; 갑작스러운 추위의 엄습.

cóld sòre (코감기·열병 따위로) 입가에 나는 발진.

cóld stéel 날붙이《칼·총검 등》.

cóld stórage ① (식품 등의) 냉장. ② (사태의) 동결, (계획 따위의) 보류 : put a problem into ~ 문제를 일시 보류해 두다〔뒤로 미루다〕.

cóld swéat (a ~) (공포·충격에 의한) 식은땀 : in *a* ~ 식은땀을 흘려.

cóld túrkey 《美俗》 ① (약물 치료 없이) 갑자기 마약을 끊기 ; (마약 중독 환자의) 금단 증세. ② 〔副詞的〕 준비 없이, 갑자기 : give a speech ~ 준비없이 스피치〔연설〕하다.

cóld wár 냉전. [opp] *hot war.*

cold-wa·ter [-wɔ́:tər] *a.* 〔限定的〕 ① 냉수의 〔를 사용하는〕 ; (술이 아니고) 물을 마시는, 금주(禁酒)의. ② 온수 공급 설비가 없는《아파트 등》 : a ~ flat (온수 공급 설비가 없는) 하급 아파트.

cóld wàve ① 〖氣〗 한파. [opp] *heat wave.* ② 콜드 파마.

cole [koul] *n.* [C] 평지속(屬)의 식물《양배추·평지 따위》.

co·le·op·ter·ous [kàliáptərəs, kòul- / kɔ̀liɔ́p-] *a.* 〖動〗 갑충류(甲蟲類)의, 초시류(鞘翅類)의.

Cole·ridge [kóulridʒ] *n.* **Samuel Taylor** ~ 콜리지《영국의 시인·비평가 ; 1772–1834》.

cole·slaw [kóulslɔ̀:] *n.* [U] 양배추 샐러드.

co·le·us [kóuliəs] *n.* [C] 〖植〗 콜레우스《꿀풀과의 관엽식물》.

cole·wort [kóulwə̀:rt] *n.* ＝COLE.

col·ic [kálik / kɔ́l-] *n.* [U] (종종 the ~) 복통, 배앓이 ; 산통(疝痛). ── *a.* ＝COLICKY.

col·icky [káliki / kɔ́l-] *a.* 산통(疝痛)의, 산통을 일으키는〔일으킨〕.

col·i·se·um [kàlisí:əm / kɔ̀l-] *n.* ① [C] 체육관, (대)경기장. ② (the C-) ＝COLOSSEUM.

co·li·tis [kəláitis, kou-] *n.* [U] 대장염, 결장염.

coll. colleague ; collect(ion) ; collective; college ; colloquial.

*__col·lab·o·rate__ [kəlǽbərèit] *vi.* ① 《~/+[전]+[명]》 공동으로 일하다, 협력〔협동〕하다 ; 합작하다, 공동 연구하다 ; (일 따위)를 공동으로 하다《*on* ; *in*》 : ~ *on* a work with a person 아무와 공동으로 일을 하다 / I ~*d* with him *in* writing a play. 나는 그와 공동으로 극을 썼다. ② 《+[전]+[명]》 (자기편을 배반하고 적에게) 협력하다《*with*》 : He was suspected of *collaborating with* the enemy. 그는 적에게 협력한 혐의를 받았다.

*__col·lab·o·ra·tion__ [kəlæ̀bəréiʃən] *n.* ① **a**) [U] 함께 일하기 ; 협력, 공동 연구 ; 협조, 제휴. **b**) [C] 합작, 공저(共著). ② [U] 이적(利敵) 협력〔행위〕. ***in ~ with*** …와 협력하여 : She wrote the book *in ~ with* her sister. 그녀는 자기 언니와 공동으로 그 책을 썼다.

col·lab·o·ra·tor [kəlǽbərèitər] *n.* [C] ① 협력자, 합작자, 공저자(共著者). ② 이적(利敵) 협력자, 이적 행위자.

col·lage [kəlɑ́:ʒ] *n.* 《F.》 〖美術〗 ① [U] 콜라주, 붙이기《인쇄물 오려낸 것·눌러 말린 꽃·헝겊 등을 화면(畫面)에 붙이는 추상 미술의 수법》. ② [C] 콜라주 작품.

col·la·gen [kálədʒən / kɔ́l-] *n.* [U] 〖生化〗 교원질(膠原質), 콜라겐《결합 조직의 성분》 : ~ disease 교원병(膠原病).

col·lap·sar [kəlǽpsɑ:r / kɔl-] *n.* 〖天〗 ＝BLACK HOLE.

‡**col·lapse** [kəlǽps] *vi.* ① (건물·지붕 따위가) 무너지다, 내려앉다 ; (풍선·타이어 따위가) 찌부러지다, 터지다 : The tunnel ~*d*, trapping several of the miners. 갱도가 무너져서 몇 사람의 광원이 갇혀 버렸다. ② (제도·계획 따위가) 무너지다, 실패하다 ; (교섭 따위가) 결렬되다 : Your business will be sure to ~ within a year. 당신의 사업은 1년 이내에 틀림없이 실패할 것이다 / The negotiations have ~*d*. 교섭은 결렬되었다. ③ (가격이) 폭락하다 : The price of rubber ~*d* within a year. 고무 값이 1년 내에 폭락했다. ④ (사람이) 맥없이 쓰러지다〔주저앉다〕, 실신하다 ; (갑작스레) 쇠약해지다 ; 의기가 소침해지다 ; (폐·혈관 등이) 허탈 상태가 되다 : His health had ~*d* because of stress. 그의 건강은 스트레스 때문에 쇠약해졌다 / Soon after that he ~*d*. 그 후 조금 지나서 그는 쓰러졌다. ⑤ (의자 따위가) 접어지다 : This chair ~*s*. 이 의자는 접었다 폈다 한다.

── *vt.* ① …을 무너뜨리다, 붕괴시키다. ② (기구)를 접다 : ~ a folding chair 접의자를 접다. ③ (폐·혈관 등)을 허탈케 하다. ── *n.* [U] ① 붕괴, 와해 : the ~ of an old bridge 오래된 다리의 붕괴. ② (제도의) 도괴(倒壞) ; (계획의) 좌절 ; (가격의) 폭

락: Negotiations between the two countries are on the brink〔verge〕 of ~. 양국간의 협상은 결렬 위기에 있다. ③〖醫〗 (건강의) 쇠약; 의기 소침; 허탈: suffer a nervous ~ 신경 쇠약에 걸리다.

col·laps·i·ble [kəlǽpsəbəl] *a.* 접는 식의: a ~ chair 접의자 / a ~ umbrella 접는 우산.

‡**col·lar** [kɑ́lər / kɔ́lər] *n.* Ⓒ ①칼라, 깃, 접어 젖힌 깃: a turndown ~ 접어넘긴 깃 / turn up one's ~ 윗도리〔코트〕의 깃을 세우다《추울 때 등》. ② (훈장의) 경식장(頸飾章); (여자의) 목걸이; (개 등의) 목걸이; 목에 대는 마구(馬具). ③ (동물의 목둘레의) 변색부; 〖植〗 경령(頸領)《뿌리와 줄기와의 경계부》. ④〖機〗 칼라, 이음고리. ⑤ **a)** 속박: wear〔take〕 a person's ~ 아무의 명령에 따르다. **b)** 《美口》 체포: have one's ~ felt 체포되다. ***hot under the*** ~ 《美俗》 화가 나서; 흥분하여; 당혹하여: Don't get *hot under the* ~. 그렇게 흥분하지 마라.
— *vt.* ①…에 깃을〔목걸이를〕 달다: Keep your dog ~*ed* and on a leash. 개에 목걸이를 하고 줄에 묶어 두어라. ②…의 목덜미를 잡다; …을 체포하다: He was ~*ed* at the airport. 그는 비행장에서 체포되었다. ③《口》…을 붙들어 세우고 이야기하다. ④《俗》…을 훔치다, 슬쩍하다.

col·lar·bone [-bòun] *n.* Ⓒ 〖解〗 쇄골(鎖骨).

col·lard [kɑ́lərd / kɔ́l-] *n.* ① Ⓒ 〖植〗 칼러드《미국 남부에서 재배되는 kale의 한 변종》. ② (*pl.*) 칼러드의 잎《식용》.

cóllar stùd 《英》 칼라 단추.

col·late [kəléit, kou-, kɑ́leit] *vt.* ①《~+目/+目+前+名》 …을 맞추어 보다, 대조하다: ~ the latest *with* the earliest edition 신판본을 초판본과 대조하다. ②〖製本〗 (책 따위)의 페이지를 추려 가지런히 하다, 페이지의 순서를 확인하다; …을 합치다.

***col·lat·er·al** [kəlǽtərəl / kɔl-] *a.* ① 평행한. ② **a)** 부차적인; 부수적인: a ~ surety 부(副)보증인 / ~ circumstance 부수 사정. **b)** 직계(直系)가 아닌, 방계(傍系)의. cf lineal. ¶ ~ relatives 방계 친족. ③ 담보로 한: a ~ loan 담보부 대부 / a ~ security 근저당; 부가 저당물《약속 어음 지급의 담보로서 내놓는 주권 따위》. — *n.* ① Ⓒ 방계친(傍系親), 분가(分家). ② Ⓒ 부대(附帶) 사실〔사정〕. ③ Ⓤ (또는 a ~) 담보물, 대충(代充) 물자: as (*a*) ~ for a loan 대부금의 담보로서. ㊞ ~·**ly** *ad.*

colláting séquence 〖컴〗 조합(組合) 순서《일련의 데이터 항목의 순서를 정하기 위해 쓰는 임의의 논리적 순서》.

col·la·tion [kəléiʃən, kou-, kɑl-] *n.* ① Ⓤ 대조; (책의) 페이지〔낙장〕 조사. ② Ⓒ 〖가톨릭〗 (단식일에 허용되는) 가벼운 식사.

col·la·tor [kəléitər, kou-, kɑ́leitər] *n.* Ⓒ ① 대조〔교정〕자. ②〖製本〗 낙장 유무를 조사하는 사람〔기계〕. ③〖컴〗 (천공 카드의) 조합기(組合機).

***col·league** [kɑ́liːg / kɔ́l-] *n.* Ⓒ (같은 관직·전문직 등의 직업상의) 동료.

†**col·lect**[1] [kəlékt] *vt.* ①…을 모으다, 수집하다: ~ the waste paper lying about 널려 있는 휴지를 그러모으다 / ~ materials *into* a volume 자료를 모아서 한 권의 책을 만들다 / My brother ~*s* stamps for a hobby. 내 동생〔형〕은 취미로 우표를 수집하고 있다. ② (세금·기부금·요금 따위)를 수금하다, 모으다, …의 대금을 징수하다: ~ a bill / His job is to ~ taxes from them. 그의 일은 그들로부터 세금을 징수하는 일이다. ③ (생각)을 집중〔정리〕하다, (마음)을 가라앉히다; (용기)를 불러일으키다; (기력 따위)를 회복하다: *Collect* your thoughts before you begin your work. 일을 시작하기 전에 생각을 잘 정리하시오. ④《口》 (수화물 따위)를 받으러 가다〔받아오다〕, (사람)을 부르러〔맞으러〕 가다: ~ one's child from the kindergarten 유치원에서 아이를 데려오려고 가다 / I'm going to ~ the gloves I left at the store. 나는 가게에 놓고 온 장갑을 찾으러 가는 길입니다. ◇ collection *n.*
— *vi.* ① 모이다, 모아지다: Crowds of people ~*ed* there. 많은 사람들이 거기에 모였다. ② (눈·쓰레기 따위가) 쌓이다: Dust ~*s* on the shelf. 선반에는 먼지가 쌓인다. ③ 기부금을 모금하다; 수금하다《*for*》: He went ~*ing for* a charity. 그는 자선을 위해 모금하러 나갔다.
— *a., ad.* 《美》 요금 수신인 지급의〔으로〕(《英》 carriage forward): a ~ call 요금 수신인 지급 전화, 컬렉트 콜 / send a telegram ~ 요금 수신인 지급으로 전보를 치다.

col·lect[2] [kɑ́lekt / kɔ́l-] *n.* Ⓒ 〖가톨릭〗 본기도(本祈禱)《말씀의 전례 직전의 짧은 기도》.

col·lect·a·ble [kəléktəbəl] *a.* ① 모을 수 있는. ② 징수할 수 있는, 거둘 수 있는. — *n.* Ⓒ (흔히 *pl.*) 수집 대상품, 고유의 가치는 없으나 희소하기 때문에 수집되는 물건: He deals small ~*s.* 그는 자잘한 수집품 장사를 한다.

col·lect·ed [kəléktid] *a.* ① 모은, 모인: the ~ edition (한 작가의) 전집 / ~ papers 논문집. ② (집중력을 잃지 않고) 침착한, 냉정(冷靜)한: The interviewee appeared cool, calm and ~ despite aggressive questioning. 피회견자는 공격적인 질문에도 불구하고 냉정하고 조용하고 침착해 보였다. ㊞ ~·**ly** *ad.* 침착하게, 태연하게.

col·lect·i·ble [kəléktəbəl] *a., n.* =COLLECTABLE.

‡**col·lec·tion** [kəlékʃən] *n.* ① U.C 수집, 채집: make a ~ of stamps 우표를 수집하다. ② Ⓒ 수집〔채집〕물, (표본·미술품 등의) 소장품, 컬렉션: The museum's ~ of French paintings is famous. 그 미술관에 수장되어 있는 프랑스 그림들은 유명하다. ③ U.C 우편물의 수집; 수금, 징세: the ~ of national taxes 국세의 징수. ④ U.C 기부금 모집; 기부금, 헌금. ⑤ Ⓒ 쌓인 것, 퇴적: a ~ of soot in a chimney 굴뚝에 낀 검댕. ◇ collect *v.*

***col·lec·tive** [kəléktiv] *a.* ① 집합적; 집합된: a ~ effort 결집된 노력. ② 집단적; 공동적: ~ property 공유 재산 / a ~ note (여러 나라가 서명한) 공동 각서 / ~ ownership 공동 소유권. ③〖文法〗 집합적인. — *n.* Ⓒ ① 집단, 공동체; 집단 농장. ②〖文法〗 집합명사(~ noun). ㊞ *~·**ly** *ad.*

colléctive bárgaining 〔**agréement**〕 (노사의) 단체 교섭〔협약〕.

colléctive fárm (소련의) 집단 농장, 콜호스.

colléctive frúit 〖植〗 집합과(集合果)《오디·파인애플 따위》.

colléctive nóun 〖文法〗 집합명사《crowd, people 따위》.

colléctive secúrity 집단 안전 보장.

colléctive uncónscious 〖心〗 (개인의 마음에 잠재하는) 집단〔보편〕적 무의식.

col·lec·tiv·ism [kəléktəvìzəm] *n.* Ⓤ 집산(集産)주의《토지·생산 수단 따위를 국가가 관리함》.

col·lec·tiv·i·ty [kɑ̀lektívəti / kɔ̀l-] *n.* ① Ⓤ 집합성; 집단성; 공동성. ② Ⓒ 집단, 집합체. ③ Ⓤ 〔集合的〕 민중, 전국민.

col·lec·tiv·ize, 《英》 **-ise** [kəléktəvàiz] *vt.* ① (사회 등)을 집산주의화하다. ② (토지)를 집단 농장화하다. ㊞ **col·lèc·ti·vi·zá·tion** *n.*

***col·lec·tor** [kəléktər] *n.* Ⓒ 〔흔히 複合語를 이

루어〕 ① 수집자〔가〕 ; 채집자 : an art ～ 미술품 수집가. ② 수금원 ; 징세원 ; 《美》 세관원 ; (역의) 집찰계 : a bill ～ 수금원 / a tax ～ 징세(공무)원. ③ 수집기〔장치〕 : a solar ～ 태양열 수집기. ④〖電〗 컬렉터, 집전자(集電子).

colléctor's ìtem 〔**pìece**〕 수집가의 흥미를 끄는 물건, 일품(逸品).

col·leen [kɑ́liːn, kɑlíːn / kɔ́liːn] *n.* 《Ir.》 소녀 : a ～ bawn [bɔːn] 피부가 흰 소녀.

‡**col·lege** [kɑ́lidʒ / kɔ́l-] *n.* ① U.C 《美》 칼리지 ; 학부, (단과) 대학 : a women's ～ 여자 대학 / go to 〔attend〕 ～ 대학에 가다 / Mary went to ～. 메리는 대학을 다녔다 / be at 〔《美》 in〕 ～ 대학에 재학하다. ② C 《英》 (Oxford, Cambridge 등의 대학을 구성하는) 학료(學寮)(★ 학료는 학부와 같은 전문별 단위는 아니고, 각각 독립된 자치체로서 전통적인 특색이 있고, 여기에서 여러 전문 분야의 교사와 학생이 기숙(寄宿)함) : live in ～ 학료에서 살다. ③ U.C 《英》 (일부의) 공공 학교 (public school) : Eton *College* / Winchester *College*. ④ C 특수 전문 학교 : a ～ of music 음악 학교 / the Royal Naval *College* 《英》 해군 사관 학교 / a ～ of theology 신학교. ⑤ C 단체, 협회 : the American *College* of Surgeons 미국 외과 의사회.
— *a.* 〔限定的〕 college의, 대학의 ; 대학생 취향의 : a ～ student 대학생 / a ～ paper 대학 신문.

cóllege bòards (*pl.*) 《美》 대학 입학 자격 시험 : take (the) ～ 대학 입학 자격 시험을 치다.

cóllege pùdding 1 인분씩의 작은 plum pudding.

cóllege trý 《美口》 (the old ～로) 최대의 노력 : Let's give it *the old* ～. (학생 시절로 돌아간 기분으로) 최대한 열심히 노력하자.

col·le·gian [kəlíːdʒiən] *n.* C college의 학생, 대학생.

col·le·giate [kəlíːdʒit, -dʒiit] *a.* ① college(의 학생)의 ; 대학 정도의 : I enjoy ～ life. 나는 대학 생활을 즐겁게 하고 있다 / a ～ dictionary 대학생용 사전. ② 《英》 (대학이) 학료(學寮) 조직으로 된 ; 몇 개의 학료로 이루어지는 : a ～ university 학료 조직의 대학. ③ collegiate church의.

collégiate chúrch ① 《美》 협동〔합동〕 교회 (여러 교회의 연합). ② 《英》 참사회(參事會) 관리 〔조직〕의 교회(bishop(주교)이 아니고 dean(성당 참사 회장)이 관리하는 교회).

col·lide [kəláid] *vi.* ① (～/+前+名) 충돌하다 (*against* ; *with*) : Two bicycles ～*d* at the corner. 두 대의 자전거가 모퉁이에서 충돌했다 / The boat ～*d with* a rock. 보트는 바위에 충돌하였다. ② (의견·이해 등이) 일치하지 않다, 상충〔저촉〕되다(*with*) : We ～*d with* each other over politics. 우리는 서로 정견이 달랐다. — *vt.* …을 충돌시키다. ◇ collision *n.*

col·lie [kɑ́li / kɔ́li] *n.* C 콜리(원래 양 지키는 개 ; 스코틀랜드 원산).

col·lier [kɑ́ljər / kɔ́l-] *n.* C 《주로 英》 ① 탄광원. ② 석탄선 ; 석탄선의 선원.

col·liery [kɑ́ljəri / kɔ́l-] *n.* C 《英》 탄광(★ 관련되는 모든 설비를 포함하여 말함).

‡**col·li·sion** [kəlíʒən] *n.* U.C ① 충돌, 격돌 : His car had a ～ with a truck. 그의 차는 트럭과 충돌했다 / a head on ～ 정면 충돌. ② (의견·이해 따위의) 불일치, 충돌 : a ～ of interests between the two companies 두 회사간의 이해의 상충. ③ 〖컴〗 부딪힘. ◇ collide *v.* ***come into*** ～ (***with***) (…와) 충돌하다 : The two ships *came into* ～. 두 배가 충돌했다. ***in*** ～ ***with*** …와 충돌하여 : The liner was *in* ～ *with* an oil-tanker. 정기선이 유조선과 충돌했다.

collísion còurse (그대로 나가면 다른 물체와 충돌하게 될) 충돌 진로 : His policy is on a ～ with the public interests. 그의 정책은 공공의 이익과 상충될 것이 뻔하다.

col·lo·cate [kɑ́ləkèit / kɔ́l-] *vt.* ① …을 한 곳에 두다, 나란히 놓다. ② …을 (적절히) 배치하다, 배열하다. — *vi.* 〖文法〗 연결되다, 연어를 이루다 (*with*) : "Strong" ～*s with* "tea" but "powerful" does not. 'strong'은 'tea'와 잘 연결되지만, 'powerful'은 그렇지 않다(★ strong tea 라고는 말하지만 powerful tea 라고는 하지 않는다).

***col·lo·ca·tion** [kɑ̀ləkéiʃən / kɔ̀l-] *n.* ① U 병치(竝置) ; 배열, 배치 ; (문장 속의) 말의 배열. ② C 〖文法〗 연어(連語).

> 參考 연어란, commit a crime (죄를 범하다), form a judgment (판단을 내리다) 등과 같이 idiom (숙어)만큼 긴밀한 결합은 아니나 비교적 자연스럽게 결합하는 말을 가리킨다. 부사+형용사(예 : abundantly clear (아주 명백한), 형용사+명사(예 : heavy debt) (큰 빚) 등의 연어도 있다.

col·loid [kɑ́lɔid / kɔ́l-] *n.* U 〖化〗 콜로이드, 교상체(膠狀體), 교질(膠質). OPP. *crystalloid.*
— *a.* ＝COLLOIDAL.

col·loi·dal [kəlɔ́idl] *a.* 콜로이드(모양)의.

colloq. colloquialism ; colloquial(ly).

‡**col·lo·qui·al** [kəlóukwiəl] *a.* 구어(口語)의, 일상 회화의 ; 구어체의, 회화체의. cf. literal, vulgar.

col·lo·qui·al·ism [kəlóukwiəlizəm] *n.* ① U 구어체, 회화체. ② C 구어(적) 표현.

col·lo·qui·al·ly [kəlóukwiəli] *ad.* ① 구어로, 구어적으로. ② 구어 표현을 사용하여.

col·lo·qui·um [kəlóukwiəm] (*pl.* **～s, -quia** [-kwiə]) *n.* C (대학 등에서의) 연구 토론회, 세미나.

col·lo·quy [kɑ́ləkwi / kɔ́l-] *n.* U.C ① 대화, 대담. ② 회담, 회의.

col·lo·type [kɑ́loutàip / kɔ́l-] *n.* 〖印〗 ① U 콜로타이프(판). ② C 콜로타이프 인쇄물.

col·lude [kəlúːd] *vi.* (…와) 결탁하다, 공모하다 (*with*) : His sisters ～*d* in keeping it secret. 그의 자매는 그것을 비밀로 해 두기로 짰다.

col·lu·sion [kəlúːʒən] *n.* U ① 공모, 결탁, 담합(談合)(*with* ; *between*) : We know that you acted in ～ to control the market. 너희들이 시장을 지배하려고 공모한 사실을 우리는 알고 있다. ② 통모(通謀).

col·lu·sive [kəlúːsiv] *a.* 공모의, 담합의 : a ～ agreement on prices 가격 협정. 派 **～·ly** *ad.*

col·ly·wob·bles [kɑ́liwɑ̀blz / kɔ́liwɔ̀b-] *n. pl.* (the ～) 〔單·複數 취급〕 《口》 ① (신경성) 복통, 복명(腹鳴). ② 정신적 불안.

Colo. Colorado.

Co·logne [kəlóun] *n.* ① 쾰른(독일의 Rhine 강변에 있는 도시 ; 독일어 Köln). ② U (c-) ＝EAU DE COLOGNE.

Co·lom·bia [kəlʌ́mbiə] *n.* 콜롬비아(수도 Bogotá). 派 **-bi·an** *a.* 콜롬비아(사람)의. — *n.* C 콜롬비아 사람.

***co·lon**[1] [kóulən] *n.* C 콜론(: 의 기호 ; 구두점의 하나). cf. semicolon.

> 參考 콜론의 용법 (1) 대구(對句)의 사이, 또는 설명문(구)·인용문(구), 환언(換言)하는 말 등

의 앞에 쓴다. ¶ She has been to numerous countries: England, France, Spain, to name but a few. 그녀는 많은 나라에 간 일이 있다. 몇 나라만 든다면 영국, 프랑스, 스페인 등.
(2) 시(간)·분·초를 나타내는 숫자 사이에 쓴다. ¶ 10 : 30 : 25, 10시 30분 25초 / 9 : 10 train, 9시 10분발 열차.
(3) 성서의 장·절 사이에 쓴다. ¶ Matt. 5 : 7 마태복음 5장 7절.
(4) 대비를 나타내는 숫자 사이에 쓴다. ¶ 4 : 3, 4대 3《four to three 라고 읽는다》/ 2 : 1 = 6 : 3, 2대 1은 6대 3《★ Two is to one as six is to three. 라 읽음》.

co·lon² (*pl.* **~s, co·la** [kóulə]) *n.* [C] 〖解〗 결장(結腸).

co·lon³ [kouloún] (*pl.* **co·lo·nes** [-eis], **~s**) *n.* [C] 콜론《코스타리카 및 엘살바도르의 화폐 단위》.

***colo·nel** [kə́ːrnəl] *n.* [C] 〖美陸軍·空軍·海兵隊·英陸軍〗 대령.

Cólonel Blímp 구시대적인 인물; 아주 반동적 인물《★ 신문 만화의 주인공에서》.

‡co·lo·ni·al [kəlóuniəl] *a.* ① 〔限定的〕 식민(지)의; 식민지풍의: Various parts of Africa have suffered under ~ rule. 아프리카의 여러 곳이 식민 통치를 받아왔다. ② 〔限定的〕 (종종 C-) 《美》 (미국 독립 이전의) 영국 식민지 시대의; (건축 등) 식민지 시대풍의: the old ~ days 미국의 영국 식민지 시대 / ~ architecture 미국 초기의 건축 양식. ③ 〖生〗 군락〔군체〕의. ◇colony *n.*
— *n.* [C] ① 식민지 주민. ② 콜로니얼식 건축.
[파] **~·ism** [-ìzəm] *n.* [U] ① 식민지주의, 식민(지화) 정책. ② 식민지풍〔기질〕. **~·ist** *n., a.* 식민지주의자(의).

‡col·o·nist [kálənist / kɔ́l-] *n.* [C] 식민지 사람, (해외) 이주민, 입식자(入植者), 식민지 개척자.

col·o·ni·za·tion [kɑ̀lənizéiʃən] *n.* [U] 식민지 건설, 식민지화; 입식(入植).

col·o·nize [kálənàiz / kɔ́l-] *vt.* ① 식민지로 만들다; …에 입식(入植)하다: Peru was ~*d* by the Spanish in the sixteenth century. 페루는 16세기에 스페인 사람들에 의해서 식민지가 되었다. ② (사람들)을 이주(移住)시키다.

col·o·niz·er [kálənàizər / kɔ́l-] *n.* [C] ① 식민지를 개척하는 나라. ② 식민지 개척자, 입식자(入植者).

col·on·nade [kɑ̀lənéid / kɔ̀l-] *n.* [C] ① 〖建〗 (지붕을 받치는) 열주(列柱), 주랑(柱廊). ② (도로 양쪽의) 가로수. [cf] avenue.
[파] **-nád·ed** [-id] *a.* 열주〔가로수〕가 있는.

‡col·o·ny [káləni / kɔ́l-] *n.* ① [C] 식민지. ② [C] 〔集合的; 單·複數 취급〕 식민〔이민〕단. ③ [C] 재류 외(국)인, 거류민; 거류지(구); …인(人) 거리: the Italian ~ in New York 뉴욕의 이탈리아인 거리. ④ [C] (같은 인종·동업자 따위의) 집단 거주지, 촌락: a ~ of artists 미술가촌(村). ⑤ [C] 〖生〗 군체(群體), 군생(群生), 집단, 콜로니: The caterpillars feed in large *colonies.* 풀쐐기는 큰 무리를 이루며 산다. ⑥ (the Colonies) **a)** 《英》 구(舊)대영 제국령. **b)** 〖美史〗 독립 이전의 북아메리카 동부 13 주의 영국 식민지.

col·o·phon [káləfɑ̀n / kɔ́ləfən, -fɔ̀n] *n.* [C] ① (책의 등이나 표제지(表題紙)에 넣는) 출판사 마크. ② (옛날 책의) 간기(刊記), 판권 페이지.

‡col·or, 《英》 **-our** [kʌ́lər] *n.* ① [C, U] 색, 빛깔, 색채; 채색, 색조; (그림의) 명암: What ~ is your car? =What is the ~ of your car? 당신 차는 무슨 색깔입니까 / be bright in ~ 색깔이 선명하다 / Are the photos in ~ or black and white? 컬러 사진이냐, 흑백 사진이냐 / ⇨COMPLEMENTARY COLOR, SECONDARY COLOR. ② (*pl.*) 안료, 물감; 그림물감: oil ~ 유화 그림물감. ③ [U] (또는 a ~) 안색, 혈색, (얼굴의) 붉은 기; 홍조: have *a* high ~ 혈색이 좋다 / gain ~ 혈색이 좋아지다 / have no ~ 핏기가 없다 / *Color* showed in her face. 그녀는 얼굴이 빨개졌다. ④ [U] (피부의) 빛, 유색, 《특히》 흑색: a man of ~ 유색인, 《특히》 흑인 / ~ prejudice 흑인에 대한 편견. ⑤ [U] **a)** (고장의) 특색; (개인의) 개성; (문학 작품 따위의) 특색, 문채(文彩): local ~ 지방색 / His writing shows considerable ~. 그의 작품은 꽤 개성이 있다. **b)** 〖樂〗 음색: the rich ~ of a Stradivarius 스트라디바리우스의 풍부한 음색. ⑥ [U] (또는 a ~) 외관, …의 맛; 가장, 겉치레, 구실: some ~ of truth 다소의 진실미(味) / give ~ to … (이야기 따위를) 진실한 것처럼 꾸며 보이다 / have the ~ of …인 듯한 기미가 보이다. ⑦ [C] (*pl.*) (보통 one's true ~s로) 입장; 본성, 본심: see a thing in *its true ~s* …의 진상(眞相)을 알다. ⑧ **a)** (*pl.*) 국기; 군기, 군함기, 선박기: a ship under British ~*s* 영국 국기를 단 선박 / capture the enemy's ~*s* 적의 군기를 빼앗다. **b)** (the ~s) 군대: join 〔follow〕 *the ~s* 입대하다 / serve (with) *the ~s* 현역에 복무하다.
change ~ 안색이 변하다; 빨개〔파래〕지다. ***give*** 〔***lend***〕 ~ ***to*** (이야기 등을) 그럴싸하게 만들다: The scars on his body *lent ~ to* his claim that he had been tortured. 몸의 상처 자국으로 보아 그가 고문을 당했다는 주장은 맞는 것 같다. ***have the ~ of*** …같은 눈치〔낌새〕가 보이다. ***lay on the ~s*** (***too thickly***) (1) (더덕더덕) 분식(粉飾)하다. (2) 대서특필하다, 극구 칭찬하다, 과장해서 말하다. ***lose*** one***'s*** ~ 핏기가 가시다; 색깔이 바래다. ***lower*** 〔***haul down, strike***〕 one***'s ~s*** 기를 내리다; 항복하다; 주장을 철회하다. ***nail*** one***'s ~s to the mast*** 태도를 분명히 하다, 주장을 꺾지 않다. ***off*** ~ 기분이 개운찮은, 꺼림칙한; 건강이 좋지 않은; 퇴색한. ***paint*** (a thing) ***in bright*** 〔***dark***〕 ***~s*** (1) 칭찬하여〔헐뜯어〕 말하다. (2) 낙관〔비관〕적으로 말하다. ***sail under false ~s*** (1) 국적을 속이고 항해하다. (2) 세상을 속이고 살아가다. ***see the ~ of*** a person***'s money*** 아무의 지급 능력〔주머니 사정〕을 확인하다: Don't let him have the car until you've *seen the ~ of his money.* 그의 지급 능력을 확인할 때까지는 그에게 차를 주지 마라. ***show*** 〔***display***〕 one***'s*** (***true***) ***~s*** 태도를 분명히 하다; 실토하다. ***stick to*** one***'s ~s*** 자기의 주의를 굳게 지키다. ***under ~ of*** …을 구실삼아. ***with flying ~s*** ⇨ FLYING COLORS.
— *vt.* ① …에 착색〔채색〕하다; 물들이다(dye): ~ a wall gray 벽을 회색으로 칠하다 / ~ one's hair 머리를 염색하다. ② (얼굴)을 붉히다《*up*》: The fever ~*ed* her cheeks. 열 때문에 그녀의 볼이 빨개졌다. ③ …에 색채〔광채〕를 더하다; …을 분식(粉飾)하다; (이야기 따위)에 윤색하다; …에 영향을 끼치다: an account ~*ed* by prejudice 편견으로 왜곡된 보고. ④ …을 특색짓다: Love of nature ~*ed* all of the auther's writing. 자연에 대한 사랑이 그 작가의 작품 전체의 특징이 되어 있었다. — *vi.* ① 빛을 띠다, (색으로) 물들다. ② (얼굴이) 붉어지다, 얼굴을 붉히다《*up*》: She ~*ed up* to her temples. 그녀는 관자놀이까지 빨개졌다 / She ~*s* with embarrassment every time she sees him. 그녀는 그를 만나면 언제나 수줍어 얼굴을 붉힌다. ~ ***in*** …에 색을 칠하다.

col·or·a·ble [kʌ́lərəbəl] *a.* ① 착색할 수 있는. ② 그럴듯한, 겉치레의. ③ 거짓의. ㊎ **-bly** *ad.*

Col·o·ra·do [kɑ̀lərǽdou, -rɑ́ː- / kɔ̀lərɑ́ː-] *n.* ① 콜로라도《미국 서부에 있는 주(州); 略: Colo., Col., 〖郵〗 CO》. ② (the ~) 콜로라도 강《콜로라도 주에서 발원, Grand Canyon 으로 유명》.

Colorádo (potáto) bèetle 열줄잎벌레《감자의 해충》.

col·or·ant [kʌ́lərənt] *n.* Ⓤ 《美》 착색제(劑).

col·or·a·tion [kʌ̀ləréiʃən] *n.* Ⓤ ① 착색법; 배색; 채색. ② (생물의) 천연색: protective ~ 보호색.

col·o·ra·tu·ra [kɑ̀lərətjúərə, kʌ̀l- / kɔ̀l-] *n.* 《It.》 〖樂〗 ① Ⓤ **a)** 콜로라투라《성악곡의 장식적인 부분》. **b)** 콜로라투라곡(曲). ② Ⓒ 콜로라투라 가수: the world's leading ~ soprano 세계 일류의 콜로라투라 소프라노 가수.

cólor bàr 흑·백인 차별 장벽.

col·or·bear·er [kʌ́lərbɛ̀ərər] *n.* Ⓒ 기수(旗手).

col·or-blind [kʌ́lərblàind] *a.* ① 색맹의. ② 피부색으로 인종 차별을 않는: The law should be ~. 법은 인종적 편견이 없어야 한다.

cólor blìndness 색맹.

cólor bòx 그림물감통(paint box).

col·or·cast [kʌ́lərkæ̀st, -kɑ̀ːst] *n.* Ⓒ 컬러 텔레비전 방송. ── (~, ~·***ed***) *vt., vi.* (…을) 컬러로 텔레비전 방송을 하다.

cólor còde (식별용의) 색 코드.

col·or-code [kʌ́lərcòud] *vt.* …을 색 코드로 구별〔분류〕하다.

***col·ored** [kʌ́lərd] *a.* ① 착색한, 채색된: ~ glass 색유리 / ~ printing 컬러 인쇄. ② 〔흔히 複合語로〕 색의: orange-~ 오렌지색의 / cream-~ 크림색의. ③ 유색(인)의, 《美》 《특히》 흑인의: ~ people 유색 인종, 흑인. ④ 수식한《문체 따위》, 과장한. ⑤ 편견의, 색안경으로 본: a ~ view 비뚤어진 견해, 편견 / a highly ~ attitude toward Jews 유대인에 대한 몹시 비뚤어진 태도.
── *n.* ① Ⓤ (the ~) 유색인종. ② Ⓒ 유색인; 유색 혼혈인《남미의》.

col·or·fast [kʌ́lərfæ̀st, -fɑ̀ːst] *a.* 색깔이 바래지 않는. ㊎ **~·ness** *n.* 「이 강조된.

col·or·field [kʌ́lərfìːld] *a.* (추상화에서) 색채면

‡**col·or·ful** [kʌ́lərfəl] (***more ~; most ~***) *a.* ① 색채가 풍부한, 다채로운; 극채색(極彩色)의: ~ folk costumes 다채로운 민속 의상. ② 그림 같은; 호화로운, 화려한: a ~ life 화려한 일생.
㊎ **~·ly** *ad.* **~·ness** *n.*

cólor guàrd 〖軍〗 군기 호위병.

***col·or·ing** [kʌ́ləriŋ] *n.* ① Ⓤ 착색(법); 채색(법): artificial ~ 인공 착색. ② Ⓤ.Ⓒ 착색제(着色劑), 안료, 그림물감, 색소: food ~ 식품 착색제. ③ Ⓤ (얼굴의) 혈색; 안색. 「그림책.

cóloring bòok (윤곽만 인쇄해 놓은) 칠하기

col·or·ist [kʌ́lərist] *n.* Ⓒ ① 채색자, 채색을 잘하는 사람. ② 채색파 화가〔디자이너 등〕.

col·or·i·za·tion [kʌ̀lərizéiʃən, -aiz-] *n.* Ⓤ 전자 채색《흑백 영화를 컬러 영화로 재생하는 기법》: the ~ of old film classics 오래된 고전적 영화 작품의 착색.

col·or·ize [kʌ́ləràiz] *vt.* (흑백 필름)을 (컴퓨터 처리로) 착색하다.

***col·or·less** [kʌ́lərlis] *a.* ① 흐릿한; 무색의: Water is a ~ liquid. 물은 무색의 액체이다. ② 핏기가 없는. ③ 정채(精彩)가 없는, 특색이 없는, 시시한, 재미가 없는: a ~ personality 재미 없는 성격(의 사람). ④ 한쪽에 치우치지 않은, 중립적인.
㊎ **~·ly** *ad.* **~·ness** *n.*

cólor lìne =COLOR BAR.

cólor schème (실내 장식·복식(服飾) 따위의) 색채 배합 설계.

cólor sùpplement (신문 따위의) 컬러 부록 페이지〔면〕.

cólor télevision 〔**TV**〕 ① 컬러 텔레비전 방송. ② 컬러 텔레비전 수상기.

cólor wàsh 수성(水性) 페인트〔도료〕.

col·or-wash [-wɑ̀ʃ / -wɔ̀(ː)ʃ] *vt.* …을 수성 페인트로 칠하다.

***co·los·sal** [kəlɑ́səl / -lɔ́sl] *a.* ① 거대한: a ~ high-rise office building 거대한 고층 오피스 빌딩. ② 《口》 어마어마한, 굉장한: a ~ fool 큰 바보 / a ~ fraud 어마어마한 사기 / ~ sums of money 어마어마한 액수의 돈. ㊎ **~·ly** *ad.* 대단히, 굉장히, 어마어마하게: a ~*ly* popular singer 대단한 인기 가수.

Col·os·se·um [kɑ̀ləsíːəm / kɔ̀lə-] *n.* (the ~) 콜로세움《고대 로마의 큰 원형 경기장》.

Co·los·sian [kəlɑ́ʃən / -lɔ́ʃ-] *a.* 골로사이 (사람)의. ── *n.* ① Ⓒ 골로사이 사람; 골로사이의 그리스도 교회의 교인. ② (the ~s) 〔單數취급〕 〖聖〗 골로새서(書)《신약성서 중의 한 편; 略: Col.》.

co·los·sus [kəlɑ́səs / -lɔ́s-] (*pl.* ***-si*** [-sai], ~·***es***) *n.* ① **a)** Ⓒ 거상(巨像). **b)** (the C-) Apollo의 거상《세계 7대 불가사의 중의 하나》. ② Ⓒ **a)** 거인; 거대한 것. **b)** 큰 인물, 위인: He is a ~; there is no denying his brilliance. 그는 큰 인물이다. 그의 훌륭함을 부인할 수 없지.

co·los·to·my [kəlɑ́stəmi / -lɔ́s-] *n.* Ⓤ.Ⓒ 〖醫〗 인공 항문 형성(술).

‡**colour** ⇨COLOR.

Colt [koult] *n.* Ⓒ 콜트식 자동 권총(商標名).

***colt** *n.* Ⓒ ① 망아지《4살 미만의 수컷》. ⓒⓕ filly. ★ 성장한 말로서 작은 말은 pony. ② 애송이, 미숙한 자, 신출내기. 「날.

col·ter [kóultər] *n.* Ⓒ (보습 앞에 단) 풀 베는

colt·ish [kóultiʃ] *a.* ① 망아지 같은: ~ high spirits (날뛰는) 망아지 같은 기운. ② 날뛰며 장난치는; 다루기 어려운. ㊎ **~·ly** *ad.*

colts·foot [kóultsfùt] (*pl.* **~*s***) *n.* Ⓒ 〖植〗 머위.

Co·lum·bia [kəlʌ́mbiə] *n.* ① 《詩》 미국〔미대륙〕을 의인화한 이름. ② 미국 South Carolina 의 주도. ≠Colombia. ③ (the ~) 컬럼비아 강. ④ 〖宇宙〗 컬럼비아호《미국의 우주 왕복선 제 1호》. ***the District of*** ~ 컬럼비아 특별지구《미국 수도 워싱턴의 소재지; 略: D. C.》.

Co·lum·bi·an [kəlʌ́mbiən] *a.* 미국의.

col·um·bine [kɑ́ləmbàin / kɔ́l-] *n.* ① Ⓒ 〖植〗 매발톱꽃. ② (C-) 〖劇〗 콜롬바인《이탈리아의 옛날 희극 등에서, Pantaloon의 딸로서, Harlequin의 애인의 이름》. 「의 구칭.

co·lum·bi·um [kəlʌ́mbiəm] *n.* Ⓤ 〖化〗 NIOBIUM

***Co·lum·bus** [kəlʌ́mbəs] *n.* **Christopher** ~ 콜럼버스《서인도 제도를 발견한 이탈리아의 탐험가; 1451?-1506》.

Colúmbus Dày 《美》 콜럼버스(아메리카 대륙 발견) 기념일《1971년까지는 10월 12일, 지금은 10월의 둘째 월요일로 지킴; 법정 휴일》.

‡**col·umn** [kɑ́ləm / kɔ́l-] *n.* Ⓒ ① 기둥, 원주, 지주. ② 기둥 모양의 것: a ~ of smoke 한 줄기의 연기 / the spinal ~ 척추, 등뼈. ③ (신문 등 인쇄물의) 세로 단(段), 세로줄; 칼럼, 난, 특별 기고란: the advertisement〔sports〕 ~*s* 광고〔스포츠〕란 / Mr. Reston's ~ in the New York Times 뉴욕 타임스지의 레스턴 씨의 칼럼 / Bill used to write a ~ for the Evening News. 빌은 이브닝 뉴스지의 칼럼을 썼었다. ④ 〖數〗 (행렬식의) 열.

⑤ a) 〖軍〗 종대; (함선의) 종렬: ⇨ FIFTH COLUMN. b) (사람·자동차 등의) 행렬, 대열: a long ~ of cars 길게 늘어서 있는 자동차 행렬. ⑥〖컴〗세로(칸), 칼럼. ***dodge the*** ~《口》 의무를 게을리하다, 일을 게을리하다.

co·lum·nar [kəlʌ́mnər] *a.* 원주(모양)의; 원주로 된. 「기둥꼴의.

col·umned [kɑ́ləmd / kɔ́l-] *a.* 원주의〔가 있는〕;

co·lum·ni·a·tion [kəlʌ̀mniéiʃən] *n.* Ⓤ 두리기둥 사용(법); 원주식 구조.

col·um·nist [kɑ́ləmnist / kɔ́l-] *n.* Ⓒ (신문·잡지 등의) 특별 기고가, 칼럼니스트: an advice ~ (신문 등의) 인생 상담 조언 칼럼니스트.

col·za [kɑ́lzə / kɔ́l-] *n.* Ⓒ 〖植〗 평지의 일종.

COM [kɑm / kɔm] computer-output microfilm (컴퓨터 출력 마이크로필름). **Com.** Commander; Commodore. **com.** comedy; comic; comma; commerce; commercial; commission (-er); committee; common(ly); communication; community.

com- *pref.* '함께, 전혀'의 뜻《b, p, m 의 앞》.

co·ma[1] [kóumə] *n.* Ⓤ,Ⓒ 〖醫〗 혼수(昏睡)(상태): go into a ~ 혼수 상태에 빠지다.

co·ma[2] (*pl.* ***-mae*** [miː]) *n.* Ⓒ ①〖天〗 코마《혜성의 핵 둘레의 대기(大氣)》. ②〖植〗 씨(에 난) 솜털.

Co·man·che [kouméntʃiː] (*pl.* ~, ~***s***) *n.* ① Ⓒ (북아메리카 인디언 중의) 코만치족. ② Ⓤ 코만치어(語).

com·a·tose [kóumətòus, kɑ́m-] *a.* ①〖醫〗 혼수성의, 혼수 상태의: Patients who are ~ or mentally deranged need careful nursing. 혼수 상태나 정신 착란인 환자는 조심스러운 간호가 필요하다. ② 졸리는, 졸려서 견딜 수 없는; 기운이 없는, 무기력한: in a ~ sleep 죽은 듯이 깊이 잠들어(있는).

‡**comb** [koum] *n.* ① a) Ⓒ 빗: the teeth of a ~ 빗살 / ⇨ FINE-TOOTH COMB. b) Ⓒ (양털 등을) 빗는 기구; 소모기(梳毛機). c) (a ~) 빗으로 빗는 일, 빗질: Her hair needs *a* good ~. 그녀의 머리는 빗질을 잘 해야 한다. ② a) (닭의) 볏. b) (물마루·산마루 따위의) 볏 모양의 것. ③ 벌집 (honeycomb). ── *vt.* ① (머리카락·동물의 털 따위)를 빗질하다, 빗다: ~ one's hair back 머리를 뒤로 빗어넘기다. ② …을 빗처럼 사용하다: ~ one's finger through one's hair 손가락으로 머리를 빗질하다. ③ (먼지 따위)를 빗질하여 제거하다《비유적으로도 씀》: The cowards were ~*ed* from the group. 겁쟁이들은 그룹에서 제거되었다. ④《+목+전+명》 (찾느라고) …을 뒤지다, 철저히〔샅샅이〕 찾다: She ~*ed* the files *for* the missing letter. 없어진 편지를 찾느라고 서류철을 샅샅이 뒤졌다. ── *vi.* (파도가) 흰 물결을 일으키며 치솟다〔부닥쳐 흩어지다〕: ~*ing* waves 치솟는 흰 물보라. ~ ***out*** (1) (머리를) 빗다, 빗질하여 매만지다. (2) (불순물 따위를) 골라내다, 제거하다. (3) (불필요한 인원을) 정리하다. (4) 철저히 수색하다; (자료 따위를) 면밀히 조사하다.

comb. combination(s); combined.

‡**com·bat** [kɑ́mbæt, kʌ́m-] *n.* Ⓤ,Ⓒ ① 전투, 격투, 싸움: do ~ with …와 싸우다 / be killed in ~ 전투하다〔중에〕 죽다. ② 항쟁, 투쟁: ~ between capital and labor 노사간의 투쟁.
── [kəmbǽt, kɑ́mbæt, kʌ́m-] (***-tt-***) *vt.* …와 싸우다, …을 상대로 항쟁하다: ~ the enemy 적과 싸우다 / ~ crime 범죄와 싸우다. ── *vi.* 《~ / +전+명》 싸우다, 격투하다; 투쟁하다《*with*; *against*》: ~ *for* freedom of speech 언론의 자유를 위해 싸우다 / ~ *against* injustice 부정에 항거하여 싸우다 / We ~*ed* with them for our rights. 우리의 권리를 위해 그들과 싸웠다.

***com·bat·ant** [kəmbǽtənt, kɑ́mbət-, kʌ́m-] *a.* ① 격투하는; 싸우는; 교전 중의; 전투에 임하는: the ~ armies 실전 부대. ② 전투적, 호전적.
── *n.* Ⓒ ① 전투원. opp. *non-combatant.* ¶ a ~ officer 병과(兵科) 장교 / As many civilians as ~*s* have died in the war. 전투원만큼이나 많은 민간인이 전쟁에서 죽었다. ② 투사, 격투자.

cómbat fatìgue 〔**exhàustion**〕 전투 신경증《장기간의 전투에서 겪는 스트레스 때문에 일어나는 병사들의 정신 장애》.

com·bat·ive [kəmbǽtiv, kɑ́mbətiv, kʌ́m-] *a.* 전쟁〔싸움〕을 좋아하는, 호전적; 투쟁적: a ~ lawyer 투쟁적인 변호사. ㊎ ~·**ly** *ad.* ~·**ness** *n.*

cómbat jàcket 전투복.

combe [kuːm] *n.* =COOMB.

comb·er [kóumər] *n.* Ⓒ ① 빗질하는 사람; 빗질하는 틀, 소모기(梳毛機). ② 밀려 오는 물결.

‡**com·bi·na·tion** [kɑ̀mbənéiʃən / kɔ̀m-] *n.* ① Ⓤ,Ⓒ 결합, 짝맞추기; (색 등의) 배합: a ~ of inflation and recession 인플레와 불황의 이중고. ② (*pl.*) 《英》 콤비네이션《아래위가 붙은 속옷》. ③ a) Ⓤ (…와의) 연합, 동맹, 제휴 동작《*with*》: enter into ~ *with* …과 협력하다. b) Ⓒ 연합체, 공동체. ④〖化〗 Ⓤ,Ⓒ 화합(물). ⑤ Ⓒ〖數〗 조합, 결합; 〖컴〗 짜맞춤, 조합. ⑥ Ⓒ (자물쇠 따위를 열기 위해) 맞추는 번호: =COMBINATION LOCK. ◇ combine *v.* ***in*** ~ ***with*** …와 공동〔협력〕하여: We'll be working *in* ~ *with* another company on this project. 우리는 이 프로젝트를 다른 회사와 공동으로 추진할 것이다.

combinátion lòck 숫자 맞춤 자물쇠.

‡**com·bine** [kəmbáin] *vt.* ①《~+목 / +목+전+명》 …을 결합시키다, 연합〔합병, 합동〕시키다; (색 따위)를 배합하다: ~ two companies 두 회사를 합병하다 / ~ factions *into* a party 파벌을 한 당으로 합체하다 / Opera ~*s* music and drama. 오페라는 음악과 연주를 결합시킨다 / If you ~ blue and yellow, you will get green. 노랑과 파랑을 섞으면 초록이 된다. ②《~+목 / +목+전+명》 …을 겸하다, 겸비하다, 아울러 가지다《*with*》: ~ work *with* pleasure 일에 재미도 겸하게 하다 / She ~*s* marriage and a career very ably. 그녀는 결혼과 일을 훌륭히 양립시키고 있다. ③〖化〗 …을 화합시키다: The acid and alkali are ~*d* to form salt. 산과 알칼리는 화합하여 소금이 된다.
── *vi.* ①《~ / +전+명》 결합하다, 합동하다: ~ *in* 〔*into*〕 a large mass 결합하여 큰 덩어리가 되다 / Oil and water do not ~. 기름과 물은 혼합되지 않는다 / Everything ~*d against* him. 모든 것이 그를 곤경에 빠뜨렸다. ② 연합하다, 합체하다, 합병하다, 협력하다: The two firms ~*d* to attain better management. 그 두 회사는 경영의 합리화를 위하여 합병하였다 / England and France ~*d* against Germany. 영국과 프랑스는 연합하여 독일에 대항했다. ③《+전+명》〖化〗 화합하다《*with*》: Hydrogen ~*s with* oxygen to form water. 수소는 산소와 화합하여 물이 된다. ◇ combination *n.* ── [kɑ́mbain / kɔ́m-] *n.* Ⓒ ①《美口》 기업 합동, 카르텔; (정치상의) 연합. cf. syndicate. ② 〖農〗 콤바인(~ harvester)《수확과 탈곡을 동시에 할 수 있는 기계》.

com·bined [kəmbáind] *a.* 〔限定的〕 결합〔연합, 화합〕된, 화합〔협동〕의: a ~ squadron 연합 함대 / ~ operations 〔exercises〕 합동〔연합〕작전 / It took a ~ effort of four men to move the piano. 피아노를 움직이는 데는 네 사람의 결합된 힘이 필요했다.

「확기.

cómbine hàrvester 〖農〗 콤바인, 합성식 수

comb·ing [kóumiŋ] *n.* ① U,C 빗으로 빗음: give one's hair regular ~ 보통 때와 같이 머리를 빗다. ② (*pl.*) 빗질하여 빠진 머리카락.

com·bín·ing fòrm [kəmbáiniŋ-] 〖文法〗 연결형(복합어를 만드는 연결 요소; cf. homo-, -graph 등).

com·bo [kámbou / kɔ́m-] (*pl.* **~s**) *n.* C ① ((口)) 결합, 연합: Those two make a strange ~. 저 두 사람은 조금 색다른 짝이다. ② 〔集合的; 單·複數 취급〕 캄보((소(小)편성의 재즈 밴드)).

com·bus·ti·bil·i·ty [kəmbʌ̀stəbíləti] *n.* U 연소력, 가연성.

com·bus·ti·ble [kəmbʌ́stəbəl] *a.* ① 타기 쉬운, 가연성의. ② (사람·성격이) 격하기 쉬운. — *n.* C (흔히 *pl.*) 가연물.

***com·bus·tion** [kəmbʌ́stʃən] *n.* U,C ① 연소; 발화(發火): spontaneous ~ 자연 발화 / an incomplete ~ 불완전 연소. ② 격동; 소동.

com·bus·tive [kəmbʌ́stiv] *a.* 연소(성)의.

COM·DEX [kámdèks / kɔ́m-] Computer Dealers Expo((컴덱스; 컴퓨터와 그 관련 업자를 대상으로 하는 전시회)).

comdg. commanding. **Comdr.** Commander. **Comdt.** Commandant.

†come [kʌm] (***came*** [keim]; ***come***) *vi.* ① ((~ / +副 / +*to* do / +전+명 / +do*ing*)) 오다; (상대방에게 또는 상대방이 가는 쪽으로) 가다(★ come, go 는 각기 '오다', '가다'라는 우리 말과 반드시 일치하지는 않음): I'm *coming* in a minute. 지금 곧 가겠다((네가 있는 곳으로)) / I'm *coming* with you. 함께 가겠다((네가 가는 쪽으로)) / May I ~ to your house? 댁으로 찾아가도 되겠습니까 / He's *coming.* 그가 온다((그가 오는 것을 보고)) / *Come* here (this way), please. 이리 오십시오 / *Come to* see me. 놀러 오십시오 / Will you ~ *to* the dance tonight? 오늘 밤 댄스파티에 오시지 않겠습니까 / He *came* runn*ing.* 그는 달려왔다. ② ((+전+명 / +副)) 도착하다, 도달하다(arrive): He *came to* the end of the road. 그는 길 끝에 이르렀다 / At last they *came to* a village. 마침내 그들은 한 마을에 도착했다 / The train is *coming in* now. 열차가 지금 들어오고 있다. ③ (시기·계절 등이) 도래하다, 돌아오다, 다가오다; 〔*to* ~을 形容詞的으로 써서〕 앞으로 올, 장래〔미래〕의: Winter has ~. 겨울이 왔다 / the years *to* ~ 다가올 세월 / the world *to* ~ 미래의 세계, 내세 / in time(s) *to* ~ 장차. ④ ((+전+명)) 이르다, 미치다, 닿다((*to*)): ~ *to* the age of marriage 결혼 적령기에 달하다 / The dress ~*s to* her knees. 옷이 무릎까지 닿는다. ⑤ ((~ / +*to* do)) (순서로서) 오다: My turn has ~. 내 차례가 왔다 / I now ~ *to* consider the next subject. 이제 다음 문제를 생각할 때다. ⑥ ((~ / +전+명)) 보이다, 나타나다: The light ~*s* and goes. 빛이 나타났다 가는 사라진다 / A smile *came to* his lips. 그의 입술에 미소가 떠올랐다. ⑦ ((~ / +전+명)) 손에 들어오다, 팔고 있다; 공급되다; 〔現在分詞 꼴로〕 당연히 받아야 할: Easy ~, easy go. ((俗談)) 쉽게 얻는 것은 쉽게 잃는다 / He has another dollar *coming* to him. 1달러 더 받게 되어 있다. ⑧ ((~ / +전+명 / +*that* 절)) (일이) 생기다, 일어나다; (일·사물이) 돌아오다, 찾아오다: After pain ~*s* joy. 고생 끝에 낙이 온다 / Success ~*s to* those who strive. 성공은 노력하는 자에게 찾아온다 / How ~*s* it 〔How does it ~〕 *that* you didn't know? 네가 그 소식을 몰랐다니 어떻게 된 거야. ⑨ ((+전+명)) (어떤 때에) 해당하다, …에 들다: Christmas *came on* a Monday that year. 그 해의 크리스마스는 월요일이었다. ⑩ ((~ / +전+명)) (생각 따위가) 떠오르다: The inspiration never *came.* 도무지 영감이 떠오르지 않았다 / The idea just *came to* me. 문득 그 생각이 떠올랐다. ⑪ ((~ / +전+명)) (사물이) 세상에 나타나다, 생기다, 발생하다, 이루어지다, (아이가) 태어나다: The wheat began to ~. 밀이 싹트기 시작하였다 / A chicken ~*s from* an egg. 알에서 병아리가 깬다. ⑫ ((+전+명)) (결과로서) 생기다, …으로 말미암다, …에 원인이 있다((*of*; *from*)): Your illness ~*s of* drinking too much. 네 병은 과음이 원인이다. ⑬ ((+전+명)) (…의) 출신〔자손〕이다, 태생이다((*from*; *of*)): I ~ *from* Seoul. 서울 출신이다 / She ~*s of* a good family. 양가 태생이다 / Where do you ~ *from?* 고향이 어딘가. ⑭ ((+*to* do)) …하게 되다, …하기에 이르다: You will soon ~ *to* like this town. 너는 곧 이 동네〔소도시〕가 마음에 들게 될 것이다 / I have ~ *to* understand what you said. 자네가 한 말을 알게 되었네 / How did you ~ *to* know that? 어떻게 그것을 알게 되었느냐. ⑮ ((+보 / +*done*)) …의 상태로 되다, …이 되다: ~ true (꿈이) 현실이 되다; (예감 등이) 들어맞다 / Things will ~ all right. 만사가 잘 될 거다 / The work will ~ easy with a little practice. 그 일은 좀 해보면 쉬워질 거다 / ~ untied 〔undone〕 풀어지다 / ~ ten years old 열 살이 되다. ⑯ ((+전+명)) …의 상태로 되다, 들어가다, 이르다((*into*, *to*)): ~ *into* sight 보이기 시작하다 / ~ *into* use 사용할 수 있게 되다 / ~ *into* play 활동하기 시작하다 / ~ *to* a conclusion 결론에 도달하다. ⑰ ((+전+명)) 합계 …이 되다; 요컨대 …이 되다, …와 같다: Your bill ~*s to* $ 20. 계산은 20 달러가 됩니다 / What you say ~*s to* this. 요컨대 이렇다는 뜻이지. ⑱ 〔명령·재촉·제지·주의 따위〕 자, 이봐; ((美)) (문을 두드리는 사람에게) 들어와(Come in!): *Come,* tell me all about it. 자, 그것을 나에게 모두 말해다오 / *Come,* that will do. 그만, 그것으로 됐어. ⑲ 〔가정법 현재를 接續詞的으로 써서〕 …이 오면: He will be six ~ April. 4월이 오면 여섯 살이 된다((if April come(s) …의 뜻에서)) / a week ago ~ Tuesday 다음 화요일로 꼭 일주일 전. ★ and 를 넣어 쓰기도 함. ¶ *Come* summer *and* we shall meet again. 여름이 오면 다시 만나자. ⑳ ((卑)) 오르가슴에 이르다, 사정(射精)하다.

— *vt.* ① …을 하다, 행하다, 성취하다: He cannot ~ that. 그는 그것을 못한다 / ~ a joke 〔a trick〕 on a person 아무를 조롱하다. ② ((口)) …인 체하다, …인 것처럼 행동하다: ~ the moralist 군자인 체하다 / ~ the swell 잘난 체하다. ★ 보통 정관사 붙은 명사가 따름. ***as . . . as they*** ~ 특별히 뛰어나게 …한. ~ ***about*** (1) (일이) 일어나다, 실현하다: How did the accident ~ *about?* 그 사고는 어떻게 (해서) 일어났습니까. (2) (바람 방향이) 바뀌다; 〖海〗 (배가) 뱃머리를 바람이 불어오는 쪽으로 돌리다. ~ ***across*** (1) (사람·물건을) 뜻밖에 만나다, 우연히 발견하다: I *came across* a very interesting book at that bookshop. 나는 그 서점에서 아주 재미 있는 책을 발견했다. (2) (말·소리가) 전해지다, 이해되다: Your meaning didn't ~ *across* clearly. 무슨 말씀이신지 잘 이해가 되지 않습니다. (3) …라는 인상을 주다((*as*)): He *came across as* a sincere person. 그는 성실한 사람처럼 보인다. (4) …을 가로지르다, 횡단하다. (5) (생각 등이 머리에) 떠오르다: The thought *came across* my mind that …라는 생각이 (퍼뜩) 내 머리에 떠올랐다. (6) (요구하는 것을) 주다; (빚을) 갚다《*with*》: She *came across with* the money she owed him. 그녀는 그에게 빌린 돈을 갚았다. ~ ***after*** (1) …의 뒤로 오다. (2) …의 뒤를 잇다, …의 뒤를 쫓다: A big dog was *coming after* me. 큰 개가 나를 쫓아오고 있었다. (3) …에 계속되다. ~ ***again*** (1) 다시 오다, 되돌아오다. (2) 〔Come again?으로서〕 뭐라고, 다시 한 번 말해주세요. ~ ***along*** (1) 따라오다, 함께 가다《*with*》: *Come along* this way. 이리 오세요《함께 가세요》/ He *came along* (*with* me). 그는 (나와) 함께 왔다. (2) (일 따위가) (잘) 진행되다: How's the work *coming along?* 일은 잘 되어 가고 있습니까. (3) 〔命令形〕 따라와, 자 빨리. (4) (일이) 일어나다, 나타나다. ***Come and get it!*** 《口》 식사 준비가 되었어요. ~ ***and go*** 오가다: Money will ~ *and go*. 돈이란 돌고 도는 것 / People ~ *and* (people) *go*. 사람들이 왔다갔다 하다. ~ ***apart*** 낱낱이 흩어지다, (육체적·정신적으로) 무너지다. ~ ***apart at the seams*** 《美口》 놀라서 어찌할 바를 모르다, (계획 등이) 실패로 돌아가다; 건강이 나빠지다. ~ ***around*** 《美》 =~ round. ~ ***at*** (1) …에 이르다, …에 손을 뻗치다, …을 얻다. (2) …을 알게 되다, 파악하다: ~ *at* the truth 진실을 알게 되다. (3) …을 향해 오다, 공격하다: He *came at* me with a gun. 그는 총을 들고 나를 향해 엄습해 왔다. ~ ***away*** (1) (감정·인상을 품고) 떠나다, 돌아가다《*with*》: He *came away with* a feeling of sadness. 그는 슬픈 마음으로 떠났다. (2) (절로) 떨어지다《*from*》. (3) 《英》 (…에서) 나오다《*from*》: He *came away from* the meeting in excellent spirits. 그는 몹시 흡족한 마음으로 회의에서 나왔다. ~ ***back*** (1) 돌아오다. (2) 《口》 (원상태로) 복귀하다, 회복하다; (스타일 등이) 다시 유행하다: Miniskirts have ~ *back*. 미니스커트가 다시 유행하기 시작했다. (3) 생각나다. (4) 말대답하다, 대들다《*at*; *with*》: He *came back at* me *with* bitter words. 그는 신랄한 말로 나에게 대꾸했다〔대들었다〕. ~ ***before*** (1) …의 앞에〔먼저〕 오다〔나타나다〕. (2) …의 앞에 제출되다, …의 의제가 되다: That question *came before* the commitee. 그 문제는 위원회에 제출되었다. (3) …보다 앞서다. ~ ***between*** (1) …의 사이에 끼다. (2) …의 사이를 이간하다. ~ ***by*** (1) (…의 곁을) 지나다. (2) …을 손에 넣다: ~ *by* money 돈이 손에 들어오다. (3) 《美俗》 들르다. ~ ***clean*** 모두 말해 버리다; 자백하다. ~ ***close to*** do***ing*** 거의 …하게 되다; 자칫 …할 뻔하다. ~ ***down*** (1) 내려가다; (위층에서) 내려오다. (2) 떨어지다; (비 따위가) 내리다; (머리카락이) 드리워지다, 흘러내리다; (값이) 내리다, 하락하다; (비행기가) 착륙〔불시착〕하다, 격추되다. (3) (사람이) 영락하다; 영락하여〔면목 없게도〕 …하게 되다《*to* do*ing*》. (4) (건물·사람이) 쓰러지다. (5) 전래하다, 전해지다《*from*; *to*》. (6) 〔handsomely, generously 따위를 수반하여〕 《口》 (아끼지 않고) 돈을 내다. (7) 의사 표시를 하다, 결정을 내리다. (8) (London 따위의) 대도시를 떠나다, 시골로 가다; 낙향하다《*from*; *to*》. (9) 총계해서〔결국은〕 …이 되다, 귀착하다《*to*》. (10) 《英》 (대학을) 졸업하다, 나오다《*from*》. (11) 각성제〔마약〕 기운이 깨다〔떨어지다〕. (12) 《美俗》 일어나다, 생기다: What's *coming down?* 무슨 일이 있었나? ~ ***down on*** 〔***upon***〕 (1) …을 급습하다. (2) …을 호되게 꾸짖다《*for*》. (3) …에게 청구〔강요〕하다. ~ ***down with*** (1) (병에) 걸리다. (2) 《英》 (돈을) 내다: He *came down with* some money for the society. 그는 그 회(會)에 돈을 기부했다. ~ ***for*** (1) …할 목적으로 오다: What have you ~ *for?* 무슨 목적으로 〔일로〕 오셨어요. (2) …을 가지러 오다, …을 맞이하러 오다. (3) 덮치다, 덮치려 하다. ~ ***forward*** (1) 앞으로 나서다; (후보자로서) 나서다, 지원하다. (2) (…에) 쓸모가 있다, 소용되다. (3) (문제가) 검토〔제출〕되다. ~ ***in*** (1) 집〔방〕에 들어가다; 도착하다; 입장하다: *Come in!* Take a seat! 들어오시오, 앉으세요 / The train will ~ *in* at platform nine. 열차가 9번 플랫폼에 도착합니다. (2) (밀물이) 들어오다. (3) (…등으로) 결승점에 들어오다, 입상하다. (4) (잘못 따위가) 생기다. (5) (돈·수입이) 생기다; 자금이 걷히다. (6) (계절로) 접어들다; (식품 따위가) 제철이 되다, 익다: Oysters have just ~ *in*. 굴이 제철이다〔막 입하(入荷)하였습니다〕. (7) 유행하기 시작하다: Miniskirts have ~ *in*. 미니스커트가 유행하기 시작했다. (8) 입장이 (…하게) 되다; 쓸모있게 되다, 힘을 발휘하다; 간섭하다: Odds and ends will ~ *in* some day. 잡동사니도 언젠가는 쓸모가 있게 된다. (9) 취임하다; 당선되다; (정당이) 정권을 잡다: Will the Republicans ~ *in?* 공화당이 정권을 잡을까. (10) 〖放送〗 (해설자 등이) 방송〔토론〕에 가담하다; 말참견하다; (신호에 대해서) 응답하다: *Come in*, Seoul, please. 서울 나오세요. (11) 〔補語를 수반하여〕 (라디오·TV가) (…하게) 들리다〔비치다〕: ~ *in* clear 〔strong〕 선명하게 되다. (12) 《美》 (유정(油井)이) 생산을 시작하다. ~ ***in for*** (1) (몫·유산 따위)를 받다. (2) (칭찬·비난 따위)를 받다: You'll ~ *in for* a reprimand if you do that. 그런 짓을 하면 야단맞는다. ~ ***in on*** (계획·사업 등)에 참가하다. ~ ***into*** (1) …에 들어오다, …에 들어가다: ~ *into* the world 태어나다. (2) (재산 따위)를 물려받다: ~ *into* a fortune 재산을 물려받다. ~ ***it*** (***over*** 〔***with***〕 . . .) 《英口》 (…에 대하여) 잘난 체〔대담하게〕 행동하다, 뻔뻔스럽게〔건방지게〕 굴다: If you keep *coming it over* 〔*with*〕 me, you are out. 계속 나한테 건방지게 굴면 넌 모가지다. ~ ***it strong*** 《俗》 과감하게 하다; 과장하다. ~ ***near*** (…에) 맞먹다. ~ ***near*** (***to***) (do***ing***) 하마터면 …할 뻔하다: ~ *near* be*ing* run over 거의 치일 뻔하다. ~ ***of age*** 성년이 되다. ~ ***off*** (1) 떠나다, (배 등에서) 내리다; (말에서) 떨어지다. (2) (단추·자루·신발굽 등이) 떨어지다; (머리·이 따위가) 빠지다; (도료가) 벗겨지다; (얼룩이) 빠지다; (뚜껑이) 열리다: The door knobs *came off* in our hands. 문 손잡이들을 당기니까 빠져버렸다. (3) (어떤 일이) 행해지다; 실현되다, 성공하다: The game will ~ *off* next week. 경기는 내주 거행된다 / ~ *off* well 〔badly〕 성공〔실패〕하다. (4) (일 따위)에서 손을 떼다; …을 해내다; 공연을 그만두다. (5) (가격·세)에서 공제되다, (세금 등이 물품 따위)에서 면제되다. (6) (특별한 상태 뒤에) 정규 활동으로 돌아오다. (7) 〔補語를 수반하여〕 …이 되다: ~ *off* a victor 〔victorious〕 승리자가 되다 / ~ *off* cheap 별다른 손해를 안 보고 그치다; 큰 욕을 보지 않고 끝나다. (8) 《卑》 사정(射精)하다, 오르가슴에 이르다. ~ ***off it!*** 《口》 (1) 젠체하지마; 허튼 생각 그만해. (2) 사실을 말해. ~ ***on*** 〔on이 副詞일 때는 on 만을, 前置詞일 때에는 upon도 씀〕 (1) 다가오다; (밤·겨울 따위가) 오다; (발작·병·고통이) 엄습하다; 시작되다; (비 등이) 내리기 시작하다: It *came on* to rain. 비가 내리기 시작했다. (2) 뒤에서 따라오다: Go first. I'll ~ *on*. 먼저 떠나라, 나중에 갈께. (3) 달려들다, 돌진하다. (4) 전진하다, 진보하다, 진척하다; 발전하다; (아이 따위가) 자라다: The team is *coming on*.

그 팀은 손발이 맞기 시작한다 / The harvest is *coming on.* 농작물이 잘 자라고 있다. (5) …의 부담이 되다 ; …에게 요구하다. (6) (극·영화 따위가) 상연〔상영〕되다 ; (TV 따위에서) 보이다, (전화 따위에서) 들리다. (7) (배우가) 등장하다 ; (축구 따위에서, 선수가) 도중에〔교체하여〕 출장하다. (8) 〔形容詞 또는 as 구를 수반하여〕《口》 (…라는) 인상을 주다. (9) 성적 관심을 나타내어 보이다《*to* ; *with*》. (10) (장치가) 작동하기 시작하다, (전기·수도 따위가) 사용 가능하게 되다. (11) …을 우연히 만나다, …을 발견하다. (12) (문제가) 제기되다, (의안이) 상정되다 : ~ *on* for trial 공판에 회부되다. (13) 〔命令形〕 이리로 오시오, 이리 와, 자 오라, 덤벼라 ; 〔재촉〕 자아 : *Come on,* let's play. 자, 놉시다. (14) 〔感歎詞的〕 무슨 소리야, 설마, 말도 안 된다. ~ ***on down*** 〔***in, out, round, up***〕 〔命令形〕 자자 들어오세요《come 보다 더 열성스런 권유》. ~ ***out*** (1) (밖으로) 나가다 ; 사교계에 처음으로 나가다, 첫무대에 서다 ; (싹이) 나다, (꽃이) 피다 ; (별 따위가) 나타나다 ; (책이) 출판되다 ; 공매에 붙여지다 ; (새 유행이) 나타나다, (비밀·본성 등이) 드러나다 ; (수학의 답이) 나오다, 풀리다. (2) (사진이) 현상(現像)되다 ; 사진이〔에〕 …하게 찍히다. (3) 〔結果〕 …이 되다 : ~ *out* first 일등〔수석〕이 되다. (4) 스트라이크를 하다(= ~ *out on* strike). (5) (얼룩 따위가) 지워지다, (이 따위가) 빠지다. (6) 지지하다《*for*》 ; 반대하다《*against*》. (7)《美俗》 호모인 것을 감추지 않다. ~ ***out against*** 〔***for***〕 …에 반대〔찬성〕하다 : He *came out* strongly *against* 〔*for*〕 the plan. 그는 그 계획에 강력히 반대〔찬성〕했다. ~ ***out in*** (얼굴 등이 부스럼 따위)로 뒤덮히다 : I *came out in* a rash. 발진(發疹)이 생겼다. ~ ***out of*** (1) …에서 나오다 : ~ *out of* a room 방에서 나오다. (2) (병·곤경 등에서) 벗어나다. (3) …에서 발(發)하다. ~ ***out on the right*** 〔***wrong***〕 ***side*** (장사꾼이) 손해를 안 보다〔보다〕. ~ ***out with*** (1) …을 보여주다 ; …을 공표하다 : The newspapers *came out with* the story on the front page. 신문들은 그 기사를 일면에 냈다. (2) …을 입 밖에 내다, …을 토로하다 : *Come out with* it. 빨리 말해. ~ ***over*** (1) …을 건너오다 ; 멀리서〔이주해〕 오다. (2) 갑작스레 방문하다. (3) 전해지다, 이해되다. (4) (적이) 이쪽으로 붙다, (다른 측·견해로) 바뀌다《*to*》. (5) 속이다. (6) (감정·구역질 등이) 엄습하다 ; (어떤 기분에) 휩싸이다 : As I entered the corridor which led to my room that eerie feeling *came over* me. 내 방으로 통하는 복도로 들어섰을 때 그처럼 섬뜩한 기분이 들었다. (7)《英口》〔補語를 수반해〕 갑자기 (어떤 기분 따위로) 되다 : ~ *over* dizzy 어지러워지다. ~ ***round*** 〔***around***〕 (1) (돌아) 오다, 훌쩍 오다《*to*》. (2) (정기적으로) 일어나다. (3) (다른 의견·입장으로) 바꾸다, 동조〔동의〕하다《*to*》. (4) 시초로〔근본으로〕 되돌아가다. (5) 의식을 회복하다 ; 기운〔기분〕을 되찾다. (6) (바람이) 방향을 바꾸다. (7) (아무)를 속이다, 구워 삶다. ~ ***round to . . .*** 《口》 (지연된 뒤에) 겨우 …에 착수하다《do*ing*》. ~ ***through*** (1) 해내다, 성공하다. (2)《口》 …로 요구에 응하다, 긴급함을 해결하다, …을 제공하다, (돈을) 치르다, (약속 등을) 이행하다《*with*》. (3) 기대한 대로〔순조로이〕 모습을 나타내다. (4) (병·위기 따위를) 헤쳐나가다, 견디어 내다. (5) 전해지다, (통신 등이) 다다르다, (전화 따위로) 연락해 오다《*on*》. ~ ***to*** (1) …에 달하다, …에 이르다 : ~ *to* an end 끝장 나다. (2) 결국〔합계〕 …이 되다 ; (말 따위가) 갑자기 떠오르다. (3) [kʌ́mtúː] 의식을 되찾다, 제정신 들다 ; (배가) 바람을 안고 달리다 ; (배가) 닻을 내리다, 정박하다. (4) (…의 상태)가 되다 : ~ *to* grief 불행하게 되다, 실패하다 / ~ *to* life 되살아나다 / ~ *to* light 명백해지다 / ~ *to* nothing 헛되다, 수포로 돌아가다 / ~ *to* a point 끝이 빨다. (5) 〔when it ~*s to*로서〕 …에 관하여는〔관한〕. (6) (어떤 태도·생각을 가지고 문제 따위)에 임하다《*with*》. ~ ***to*** one***self*** 〔one***'s senses***〕 되살아나다 ; 의식을 되찾다 ; 본심으로 되돌아가다. ~ ***to that*** 《口》= ***if it*** ~(***s***) ***to that*** 그 일에 관해서는, 또한 : He looks just like his dog — ~ *to that,* so does his wife ! 그는 꼭 자기 개를 닮았다 — 또한, 자기 부인도 그렇고 ! ~ ***to think of it*** 생각해 보니 ; 그러고 보니 : When I ~ *to think of it,* he's the very man for the post. 생각해 보니, 그이야말로 적임자다. ~ ***true*** 사실이 되다 ; (예감 등이) 들어맞다. ~ ***under*** (1) …의 밑으로 오다〔들어가다〕 ; …의 부문〔항목〕에 들다 ; …에 편입〔지배〕되다 ; …에 상당〔해당〕하다. (2) …의 영향을〔지배를〕 받다 : ~ *under* a person's notice 아무에게 눈치채이다. ~ ***up*** (1) 오르다, (해 따위가) 뜨다. (2) (씨·풀 따위가) 지상으로 머리를 내밀다, 싹을 내다, (수면 따위에) 떠오르다 ; 《口》 (먹은 것이) 올라오다. (3)《比》 두드러지다, 빼어나다. (4) 상경하다, 북상하다 ; 《英》 (대학에) 진학하다《*to*》 ; 출세〔승진〕하다. (5) 오다, 다가오다《*to* ; *on*》 ; 모습을 나타내다 ; 출두하다 : He *came up to* me and said : "*Come on,* John." 그는 나에게 다가와 '존, 이리 와.' 라고 말했다. (6) (…까지) 달하다《*to* ; *as far as*》. (7) (물자 따위가 전선에) 송달되다. (8) (폭풍 등이) 일어나다, (기회·결원 등이) 생기다. (9) 유행하기 시작하다. (10) (화제(話題)에) 오르다 ; (선거·입회 등의) 후보〔지망〕자로서 나오다《*for*》. (11)《口》 (추첨 따위에서) 당선되다, 뽑히다. (12) (닦는다든지 해서) 광택 등이 나다, (곱게) 마무리되다. (13) 더 빨리 (나아) 가다《특히, 말에 대한 명령으로 쓰임》. (14)〖海〗 (돛줄 따위)를 서서히 늦추다. ~ ***up against*** (곤란이나 반대)에 직면하다 : We expect to ~ *up against* a lot of opposition to the scheme. 우리는 그 계획에 대해 많은 반대에 직면할 것으로 예상한다. ~ ***upon*** ⇨ ~ on. ~ ***up to*** (1) …쪽으로 오다. (2) …에 달하다, …에 이르다. (3) (기대)에 부응하다, (표준·견본)에 맞다 ; …에 필적하다 : ~ *up to* expectations 기대에 부응하다. ~ ***up with*** (1) …을 따라잡다〔따라붙다〕. (2) …을 제안〔제공〕하다. (3) (해답 등)을 찾아내다 ; 생각해내다 : Several of the members have ~ *up with* suggestions of their own. 회원 몇 명이 자신들의 제안을 했다. ~ ***what may*** 어떠한 일이 일어날지라도. ***coming up*** 《口》 (요리 따위가) '다 되었습니다'《주문받은 것이 곧 나간다는 뜻으로 웨이터 등이 쓰는 말》. ***First*** ~, ***first*** 〔***best***〕 ***served.*** 《俗談》 빠른 놈이 장땡. ***have . . . coming*** (***to*** one) ⇨ HAVE. ***How*** ~ *. . . ?* 《口》 왜 그런가 : *How* ~ you didn't join us? 왜 우리 측에 들지 않았나. ***How ~s it*** (that…) ? 왜 그렇게 (…하게) 되었나. ***Light***(***ly***) ~, ***light***(***-ly***) ***go.*** ⇨ LIGHT[2]. ***not know if*** 〔***whether***〕 one ***is coming or going*** 《口》 어떻게 된 것인지〔뭐가 뭔지〕 전혀 모르다. ***when it ~s*** (***down***) ***to . . .*** …(의 이야기·문제)라 하면 : *When it ~s to* (playing) golf, he is next to none. 골프(치기)라면, 그는 아무에게도 뒤지지 않는다.

come-at-a·ble [kʌmǽtəbəl] *a.* 《口》 ① 가까이 하기 쉬운. ② 입수하기 쉬운, 입수할 수 있는.

come·back [kʌ́mbæ̀k] *n.* Ⓒ ① 회복 ; 복귀, 컴백 ; (인기 따위의) 재봉춘(再逢春) : a ~ victory 역전승. ② 말대답 ; 《口》 응구 첩대의 명답, 되받아 쏘기.

COMECON, Com·e·con [kámikən / kɔ́m-] *n.* 코메콘, 동유럽 경제 상호 원조 회의《1991년 해체》. [◂ *C*ouncil for *M*utual *Econ*omic Assistance]

***co·me·di·an** [kəmíːdiən] *n.* Ⓒ 희극 배우, 코미디언; 익살꾼.

co·me·dic [kəmíːdik, -méd-] *a.* 코미디의[에 관한]; 희극풍의, 희극적인.

co·me·di·enne [kəmiːdién, -mèid-] *n.* Ⓒ《F.》 희극 여우(女優).

com·e·do [kámədòu / kɔ́m-] (*pl.* **~·nes** [ˌ--ˊniːz], **~s**) *n.* Ⓒ 여드름.

come·down [kʌ́mdàun] *n.* Ⓒ《口》① (지위·명예의) 하락, 실추(失墜), 영락, 몰락. ② 실의(失意); 실망시킴; 기대에 어긋남: His defeat was quite a ~ for all of us. 그의 패배는 우리 모두를 실망시켰다.

‡com·e·dy [kámədi / kɔ́m-] *n.* Ⓒ,Ⓤ 희극, 코미디; 희극적인 장면[사건]; 희극적 요소: ⇨ HIGH (LOW) COMEDY / a light ~ 경(輕)희극 / The play had plenty of excitement as well as ~. 그 연극은 희극적 요소뿐만 아니라 스릴도 있었다. ◇ comic *a.*

come-hith·er [kʌ̀mhíðər, kəmíðər] *a.* 〔限定的〕《口》(특히 성적으로) 도발적인, 유혹적인.

come·ly** [kʌ́mli] (more ~, come·li·er; most ~, -li·est***) *a.* 잘생긴, 미모의, 아름다운《얼굴 따위》. ㉺ **-li·ness** *n.*

come-on [ˊàn / ˊɔ̀n] *n.* Ⓒ《口》① 유혹하는 듯한 태도[눈]. ② 유혹하는 것; 선전 삐라; 눈길을 끄는 싸구려 상품.

***com·er** [kʌ́mər] *n.* ① **a)** Ⓒ 〔흔히 修飾語와 함께〕 오는 사람; 새로 온 사람: a late ~ 지각자. **b)** 〔all ~s로〕 누구든지 오는 사람은 모두《희망자·응모자 등》. ② Ⓒ《口》 유망한 사람[것].

co·mes·ti·ble [kəméstəbəl] *a.* 먹을 수 있는 (edible). ── *n.* Ⓒ (흔히 *pl.*) 식료품.

‡com·et [kámit / kɔ́m-] *n.* Ⓒ〖天〗혜성, 살별.

come·up·pance [kʌ̀mʌ́pəns] *n.* Ⓒ (흔히 *sing.*)《口》 당연한 벌.

COMEX Commodity Exchange, New York (뉴욕 상품 거래소).

com·fit [kʌ́mfit] *n.* Ⓒ (눈깔)사탕《속에 과일·호두 조각 등이 있음》.

‡com·fort [kʌ́mfərt] *n.* ① Ⓤ 위로, 위안. opp *irritation.* ¶ ⇨ COLD COMFORT / words of ~ 위로의 말 / give ~ to …을 위로하다 / take [find] ~ in …으로 낙을 삼다. ② **a)** Ⓒ 위안이 되는 것[사람]: She's a great ~ to her parents. 그녀는 부모에게 큰 위안이 된다. **b)** (*pl.*) 생활을 편케 하는 것, 즐거움. ③ Ⓤ 안락, 편함; 마음 편한 신세: ⇨CREATURE COMFORT / live in ~ 안락하게 지내다.

── *vt.* ①《+목 / +목+전+명》…을 위로하다, 위문하다《*for*》: I tried to ~ him but it was no use. 그를 위로해 주려고 했으나 소용 없었다 / They ~*ed* me *for* my failure. 그들은 나의 실패를 위로해 주었다. ② (몸)을 편(안)하게 하다.

‡com·fort·a·ble [kʌ́mfərtəbəl] (***more ~; most ~***) *a.* ① 기분 좋은, 편한, 위안의; 고통[불안]이 없는. ②《口》(수입이 안락한 생활을 하기에) 충분한: She has a ~ income. 그녀는 충분한 수입이 있다. ③ 〔敍述的〕 마음 편한, 느긋한; 불안[의문]을 안 느끼는: Are you ~ with this decision? 이 결정에 의문이 없습니까. ── *n.* Ⓒ《美》 이불(comforter). ㉺ **~·ness** *n.*

***com·fort·a·bly** [kʌ́mfərtəbəli] *ad.* 기분 좋게; 안락하게, 고통[곤란, 부자유] 없이: I was sitting ~. 나는 편안하게[기분 좋게, 느긋하게] 앉아 있었다 / live ~ 안락하게 살다 / win ~ 낙승하다 / be ~ off 꽤 잘 살고 있다.

***com·fort·er** [kʌ́mfərtər] *n.* ① **a)** Ⓒ 위로하는 사람[것], 위안자. **b)** (the C-)〖神學〗성령(聖靈) (the Holy Spirit)《요한 복음 XIV: 16, 26》. ② Ⓒ《美》 이불. ③ Ⓒ《英》 고무 젖꼭지.

com·fort·ing [kʌ́mfərtiŋ] *a.* 격려가 되는, 기운을 돋우는, 위안이 되는. ㉺ **~·ly** *ad.*

com·fort·less [kʌ́mfərtlis] *a.* 위안[낙]이 없는; 쓸쓸한: a ~ room 쓸쓸한 방.

cómfort stàtion《美》 공중 변소.

com·frey [kʌ́mfri] *n.* Ⓒ〖植〗캄프리.

com·fy [kʌ́mfi] *a.*《口》=COMFORTABLE.

‡com·ic [kámik / kɔ́m-] *a.* ① 희극의, 희극적인. opp *tragic.* ¶ a ~ actor 희극 배우. ② 익살스런, 우스운: have a ~ look on one's face 익살스러운 표정을 짓다. ③ 〔限定的〕《美》 만화의: ⇨ COMIC STRIP. ◇ comedy *n.*

── *n.* ① Ⓒ 희극 배우, 코미디언: When the ~ comes on they'll all laugh. 희극 배우가 등장하면 그들은 모두 웃을 것이다. ② Ⓒ =COMIC BOOK; COMIC STRIP. ③ (the ~s) (신문·잡지 등의) 만화란.

com·i·cal [-ikəl] *a.* 익살맞은; 우스꽝스러운. ㉺ **cómi·cal·ly** *ad.*

cómic bòok 만화책[잡지].

cómic ópera 희가극(의 작품).

cómic relíef〖劇·映〗(비극적 장면에 삽입하는) 기분 전환 (장면).

cómic strìp 연재 만화(comic)《1회에 4컷》.

‡com·ing [kʌ́miŋ] *a.* 〔限定的〕 ① (다가)오는, 다음의: the ~ generation [week] 다음 세대[주]. ②《口》 신진의, (지금) 한창 팔리기 시작한, 장래성 있는《배우 등》: a ~ singer [writer] 지금 한창 팔리고 있는 가수[작가]. ── *n.* ① (*sing.*) 도래: with the ~ of spring 봄이 오면. ② (the Second) C-) 그리스도의 재림. ***~s and goings***《口》 오고 감, 왕래: the ~*s and goings* of tourists 여행자의 왕래.

com·ing-out [-áut] *n.* Ⓤ (젊은 여성의) 사교계 데뷔: a ~ party 사교계 데뷔의 축하 파티.

Com·in·tern [káminτə̀ːrn / kɔ́m-] *n.* (the ~) 코민테른《제 3 〔적색〕 인터내셔널(1919-43)》. [◂ (Third) *Com*munist *Intern*ational]

com·i·ty [káməti / kɔ́m-] *n.* Ⓤ 예의, 예양(禮讓).

‡com·ma [kámə / kɔ́mə] *n.* Ⓒ ① 쉼표, 콤마(,). ②〖樂〗콤마《큰 음정 사이의 미소한 음정차》.

†com·mand [kəmǽnd, -máːnd] *vt.* ①《~+목 / +목+*to* do / +(*that*) 절》…에게 명(령)하다, …에게 호령[구령]하다, 요구하다. opp *obey.* ¶ He ~*ed* his men *to* attack. = He ~*ed* (*that*) his men (should) attack. 그는 부하에게 공격하라고 명령하였다. ★ that 절의 경우 구어에서는 흔히 should를 쓰지 않음. ② …을 지휘하다, …의 지휘권을 갖다; …을 통솔하다: A ship is ~*ed* by its captain. 배는 선장이 지휘한다 / ~ the air [sea] 제공[제해]권을 장악하다. ③ (감정 따위)를 지배하다, 누르다, 제어하다: ~ one's passion 감정을 억제하다. ④ (남의 존경·동의 따위)를 모으다, 일으키게 하다; (사물이) …을 강요하다; …할 만하다, …의 값어치가 있다: ~ respect 존경할 만하다, 존경을 얻다[모으다]. ⑤ …을 자유로이 쓸 수 있다, 마음대로 하다, 소유하다; (어느 가격)으로 팔리다: ~ a good price 좋은 값으로 팔리다 / ~ a ready sale 날개 돋치듯 팔리다 / I cannot ~ the sum. 그만한 돈은 내 마음대로 쓸 수 없다. ⑥ …을 내려다보다, 전망하다: The tower ~*s* a fine view. 그 타워는 전망이 참 좋다 / a hill

~*ing* the sea 바다를 한눈에 내려다볼 수 있는 언덕.
— *vi.* 명령하다. ~ one***self*** 자제〔극기〕하다. ***Yours to*** ~ 《古》 여불비례(餘不備禮), 경백 (Yours obediently)《편지의 맺음말》.
— *n.* ① Ⓒ 명령, 분부 : at 〔by〕 a person's ~ 아무의 명령〔지시〕에 따라 / give the ~ 명령을 내리다 / Her ~*s* were quickly obeyed. 그녀의 명령은 즉각 이행되었다 / I have his ~ to do so. 그렇게 하라는 그의 명령을 받고 있다. ② Ⓤ 지휘(권), 지배(권), 통제 : give a person ~ 아무에게 지휘권을 주다 / I had thirty men under my ~. 내 지휘하에 30명의 사람이 있었다 / Who is in ~ here? 여기는 누가 지휘하고 있느냐? ③ Ⓤ **a**) 억제, 제어력 : have ~ of oneself 자제할 수 있다. **b**) 지배권 : get〔have〕 ~ of the air 제공권을 쥐다〔쥐고 있다〕. **c**) (또는 a ~) (언어의) 구사력 (mastery), 유창함 ; (자본 등의) 운용(액), 시재액 : She has (*a*) perfect ~ of French. 그녀는 프랑스어를 자유롭게 구사할 수 있다. ④ Ⓤ **a**) 〖軍〗 (요새 따위를) 내려다보는 위치〔고지〕(의 점유). **b**) 조망(眺望), 전망 : The hill has ~ of the whole city. 그 언덕에서는 시 전체를 조망할 수 있다. ⑤ Ⓒ 〖軍〗 〔集合的 ; 單·複數취급〕 관구, 예하 부대〔병력, 선박 등〕 ; (흔히 C-) 사령부. ⑥ Ⓒ 〖컴〗 명령, 지시, 지령. ***at*** ~ 장악하고 있는, 자유로 쓸 수 있는. ***at*** 〔***by***〕 a person***'s*** ~ 아무의 명령에 의해. ***at the word of*** ~ 명령 일하(命令一下). ***in*** ~ ***of*** …을 지휘하여. ***on*** 〔***upon***〕 ~ 명령을 받고. ***take*** ~ ***of*** …을 지휘하다. ***under*** (***the***) ~ ***of*** …의 지휘하에.

com·man·dant [kάmәndæ̀nt, -dὰ:nt / kɔ̀mәndǽnt, -dά:nt] *n.* Ⓒ 지휘관, 사령관.

com·man·deer [kὰmәndíәr / kɔ̀m-] *vt.* ① 〖軍〗 (장정 등)을 징집〔징용〕하다 ; (물자)를 징발하다. ② 《口》 강제로 뺏다, (남의 것)을 제멋대로 쓰다 : The hijacker ~*ed* the plane on a domestic flight. 공중 납치범이 국내선 비행기를 탈취했다.

‡com·mand·er [kәmǽndәr, -mά:nd-] *n.* Ⓒ ① 지휘관, 사령관 ; 명령자 ; 지휘자, 지도자. ② (해군·미국 해안 경비대의) 중령 ; (군함의) 부함장 ; 런던 경찰국의 총경급 경찰관 ; 경찰 서장.

commánder in chíef (*pl.* ***commanders in chief***) ① (전군의) 최고 사령관. ② (육·해군의) 총사령관. ③ (나라의) 최고 지휘관《미국은 대통령 ; 略 : C.I.C., C. in C., Com. in Chf.》.

***com·mand·ing** [kәmǽndiŋ, -mά:nd-] *a.* ① 〔限定的〕 지휘하는 : What is your ~ officer? 당신의 지휘관은 누굽니까. ② (태도·풍채 따위가) 당당한, 위엄이 있는, 위압하는 것 같은 : Jack was a tall, ~ man with a mustache. 잭은 훤칠한 키에 콧수염을 기른 당당한 남자였다. ③ 〔限定的〕 전망이 좋은 ; 유리한 장소를 차지한. ㊕ ~·**ly** *ad.*

***com·mand·ment** [kәmǽn*d*mәnt, -mά:n*d*-] *n.* Ⓒ ① 율법, 계율. ⓒⓕ Ten Commandments. ② 명령.

commánd mòdule (우주선의) 사령선《略 : CM》. ⓒⓕ lunar excursion module.

com·man·do [kәmǽndou, -mά:n-] (*pl.* ~(***e***)***s***) *n.* Ⓒ 기습 부대(원), 특공대(원).

Commánd Pàper 《英》 (의회에 대한) 칙령서 (勅令書)《略 : Cmnd.》.

commánd perfórmance (국가 원수의 요청으로 이루어지는) 특별 연주〔연극〕.

commánd pòst 〖美陸軍〗 (전투) 지휘소《略 : C.P.》.

comme il faut [kɔmi:lfóu] 《F.》 예의에 맞는, 우아한 ; 어울리는 ; 적당한.

***com·mem·o·rate** [kәmémәrèit] *vt.* ① (축사·의식 등으로) …을 기념하다, 축하하다, …의 기념식을 거행하다. ② (기념비·날 등이) …의 기념이 되다 : a monument *commemorating* a great soldier 위대한 군인을 기념하는 비.

***com·mem·o·ra·tion** [kәmèmәréiʃәn] *n.* ① Ⓤ 기념, 축하 : They issued a new coin in ~ of the Royal marriage. 왕실의 결혼을 기념하여 새 경화〔주화〕가 발행되었다. ② Ⓒ 기념식〔축제〕, 축전 ; 기념물. ◇ commemorate *v.*

com·mem·o·ra·tive [kәmémәrèitiv, -rә-] *a.* ① 기념의 : a ~ stamp 기념 우표. ② 〔敍述的〕 …을 기념하는《*of*》 : a series of stamps ~ *of* the Olympic Games 올림픽 기념 우표 한 세트.
— *n.* Ⓒ 기념품, 기념 우표, 기념 화폐.

‡com·mence [kәméns] *vt.* 《~+목 / +-*ing* / +*to* do》 …을 시작하다, 개시하다 : The factory will ~ operation next month. 그 공장은 다음 달에 조업을 개시할 것이다 / ~ study*ing* 〔*to* study〕 law 법률 공부를 시작하다. — *vi.* ① 《~ / +전+명》 시작되다 : The performance will ~ soon. 연주는 곧 시작될 것이다 / ~ *on* a research 조사에 착수하다. ② 《+전+명》《英》 (M.A. 등의) 학위를 받다.

***com·mence·ment** [kәménsmәnt] *n.* Ⓤ (또는 a ~) ① 시작, 개시 ; 착수. ② (Cambridge, Dublin 및 미국 여러 대학의) 학위 수여식(날) ; 졸업식(날) : hold the ~ 졸업식을 거행하다.

com·mend** [kәménd] *vt.* ① 《~+목 / +목+전+명》 …을 칭찬하다(praise)《*for*》 : be highly ~*ed* 격찬받다. ② 《+목+전+명》 권하다, 추천〔천거〕하다《*to*》 : ~ a person *to* one's friends 아무를 친구에게 추천하다. ③ 《+목+전+명》 맡기다, 위탁하다《*to*》 : He ~*ed* his children *to* his brother's care. 그는 아이들을 형에게 맡겼다 / ~ one's soul *to* God 신에게 영혼을 맡기다《안심하고 죽다》. ◇ commendation *n.* ***Commend me to... (1)《古》 …에게 안부 전해 주십시오《★ remember me to... 가 보통임》. (2)《口》 나에게는 …이 제일 좋다 : *Commend me to* a simple country life. 나는 시골의 검소한 생활이 제일 좋다. ~ one***self*** 〔it***self***〕 ***to*** …에게 좋은 인상을 주다, …의 마음을 끌다 : a plan which is unlikely to ~ *itself to* the public 국민이 받아들일 것 같지 않은 계획.

com·mend·a·ble [kәméndәbәl] *a.* 칭찬할 만한, 훌륭한, 기특한 : The committee acted with ~ fairness. 그 위원회는 찬탄할 만큼 공정히 활동했다. ㊕ **-bly** *ad.*

***com·men·da·tion** [kὰmәndéiʃәn / kɔ̀m-] *n.* ① Ⓤ **a**) 칭찬 : be worthy of ~ 칭찬할 만하다. **b**) 추천. ② Ⓒ 상, 상장《*for*》. ◇ commend *v.*

com·mend·a·to·ry [kәméndәtɔ̀:ri / -tәri] *a.* 칭찬의 ; 추천의 : a ~ letter 추천장.

com·men·su·ra·ble [kәménʃәrәbәl] *a.* ① 〔敍述的〕 …와 같은 기준으로〔척도로〕 잴 수 있는, 동일 단위로 계량할 수 있는《*with* ; *to*》 : Universities today are not ~ *with* those of the past. 오늘날의 대학은 옛날의 대학과 같은 척도로 잴 수는 없다. ② 〖數〗 약분〔통약〕할 수 있는《*with*》 : 10 is ~ *with* 30. 10은 30과 약분할 수 있다.

com·men·su·rate [kәménʃәrit] *a.* 〔敍述的〕 ① …과 같은 양〔면적, 크기〕의, 같은 정도의《*with*》 : The losses were ~ *with* the winnings. 손실과 이익이 같았다. ② …과 비례한, 균형이 잡힌, 상응한《*to* ; *with*》 : clothes ~ *with* one's position in life 신분에 상응한 의복. ③ =COMMENSURABLE ①, ②.

‡**com·ment** [káment / kɔ́m-] *n.* ① U,C (시사 문제 등의) 논평, 평언(評言), 비평, 견해, 의견 《*on, upon*》: He always gives frank ~*s on* 〔*upon, about*〕 my work. 그는 언제나 내 작품에 대하여 솔직한 의견을 말해 준다 / No ~. 할 말 없다, 노 코멘트. ② U,C 주석, 설명, 해설: ~*s* on a text 본문의 주석. ③ U (항간의) 소문, 풍문, 평판: excite considerable ~ 물의를 빚다. ── *vi.* 《+전+명》 비평하다, 논평하다, 의견을 말하다; 주석하다; 이러니저러니하다《*on, upon; about*》: They ~*ed* humorously *about* 〔*on*〕 her hat. 그들은 그녀의 모자에 대해 이러쿵저러쿵 재미있게 평했다. ── *vt.* 《+ *that* 절》 …이라고 의견을 말하다〔논평하다〕: He ~*ed that* her new novel is the best of the year. 그는 그녀의 신작 소설이 금년의 최고 작품이라고 논평했다.

***com·men·tary** [kámәntèri / kɔ́mәntәri] *n.* ① C 주석서(書); 논평, 비평: a Bible ~ 성서 주해. ② U,C 〖放送〗 (시사) 해설; 실황 방송: We were gathered round a radio to hear the ~. 우리는 라디오 주위에 모여 실황 방송을 들었다. ③ (*pl.*) 실록, 회고록《*on*》.

com·men·tate [kámәntèit / kɔ́mәn-] *vi.* ① 해설자로서 일하다, 해설자가 되다. ② 《+전+명》 …의 해설〔논평〕을 하다《*on, upon*》: He ~*d on* the present political situation. 그는 현재의 정치 정세에 대해서 해설했다. ──*vt.* …을 해설〔논평〕하다.

***com·men·ta·tor** [kámәntèitәr / kɔ́mәn-] *n.* C ① 평론자, 주석자. ② 〖放送〗 (시사) 해설자; 실황 방송원: a news ~ 뉴스 해설자 / a sports ~ 스포츠 실황 방송 아나운서.

‡**com·merce** [kámәrs / kɔ́m-] *n.* U ① 상업; 통상, 무역, 거래: foreign〔international〕 ~ 해외〔국제〕 무역 / the world of industry and ~ 상공업계(界) / promote ~ 상업을 촉진하다. cf. business, trade. ② 교섭, 교제: have no ~ *with* others 다른 사람과의 교제가 전연 없다. ◇ commercial *a.*

‡**com·mer·cial** [kәmә́ːrʃәl] (***more*** ~ ; ***most*** ~) *a.* ① 〔限定的〕 상업〔통상, 무역〕의, 상업〔무역〕상의; 상업에 종사하는, 거래에 쓰이는: a ~ transaction 상거래 / ~ English 상업 영어 / ~ flights (군용이 아닌) 민간 항공편 / a ~ school 상업 학교. ② 〔限定的〕 영리적인, 돈벌이 위주인: a ~ company 영리 회사 / ~ applications of scientific technology 과학 기술의 영리적 이용. ③ (화학 제품 등이) 공업용〔시판용〕의; 대량 생산된; 덕용(德用)의, 중간치의: ~ soda 시판용 소다 / a ~ grade of beef 일반 등급의 쇠고기. ④ 〖라디오·TV〗 민간 방송의; 광고〔선전〕용의: ~ television 〔TV〕 민간 방송 텔레비전 / ~ broadcasting 상업 방송, 민간 방송. ── *n.* C 〖라디오·TV〗 광고〔상업〕 방송: a TV ~ 텔레비전의 광고 방송. (파) ~·**ly** *ad.*

commércial árt 상업 미술.

commércial bánk 시중〔상업〕 은행.

commércial brèak 〖放送〗 (TV·라디오 방송 프로 중의) 광고 방송 시간.

com·mer·cial·ism [kәmә́ːrʃәlìzәm] *n.* U ① 상업주의〔본위〕, 영리주의, 상인 근성. ② 상관습(商慣習); 상용어(商用語)(법).

com·mer·cial·i·za·tion [kәmә̀ːrʃәlizéiʃәn] *n.* U 상업〔상품〕화, 영리화.

com·mer·cial·ize [kәmә́ːrʃәlàiz] *vt.* ① …을 상업〔영리〕화하다: New scientific discoveries are quickly ~*d.* 과학상의 새로운 발견은 곧 상업화된다. ② …을 상품화하다; 시장에 내놓다.

commércial pàper 상업 어음.

commércial tráveler, 《英》 **tráveller** 순회〔지방 담당〕 외판원(traveling salesman).

commércial véhicle (요금을 받는) 상업〔영업〕용차, 상품 수송차.

com·mie [kámi] (*pl.* ***-mies***) *n.* C (종종 C-) 《口·흔히 蔑》 공산당원, 빨갱이.

com·mi·na·tion [kàmәnéiʃәn / kɔ̀m-] *n.* U (신벌이 내린다는) 위협, 협박.

com·min·gle [kәmíŋgl] *vt.* …을 혼합하다. ── *vi.* (뒤)섞이다《*with*》.

com·mi·nute [kámәnjùːt / kɔ́m-] *vt.* …을 가루로 만들다(pulverize); 분쇄하다. ── *a.* 분쇄한.

com·mis·er·ate [kәmízәrèit] *vt.* 《~+목/+목+전+명》 …을 가엾게 여기다, 불쌍하게〔딱하게〕 생각하다: ~ another's misfortune 남의 불행을 가엾게 여기다. ── *vi.* 《+전+명》 동정하다; 불쌍하게 여기다《*with*》: ~ *with* her *on* her misfortune 그녀의 불행에 동정하다.

com·mis·er·a·tion [kәmìzәréiʃәn] *n.* ① U 가엾게 여김, 동정(compassion)《*on; for*》. ② (*pl.*) 동정의 말: Thank you for your ~*s.* 동정해 주시니 고맙습니다.

com·mis·sar·i·at [kàmәsέәriәt / kɔ̀m-] *n.* C 〔集合的; 單·複數 취급〕 〖軍〗 병참부.

com·mis·sary [kámәsèri / kɔ́mәsәri] (*pl.* ***-saries***) *n.* C ① 〖軍〗 병참 장교. ② 《美》 (군대·광산·산판 따위의) 물자 배급소, 매점. ③ 《美》 영화〔텔레비전〕 스튜디오의 식당〔찻집〕.

‡**com·mis·sion** [kәmíʃәn] *n.* ① **a**) U (임무·직권의) 위임, 위탁: ~ of powers 〔authority〕 to …에 대한 권한의 위임. **b**) C 위임장. ② C (위임된) 일, 임무; 의뢰, 주문: go beyond one's ~ (위임된) 권한 밖의 일을 하다 / She has received many ~*s* to design public buildings. 그녀는 공공건물의 설계 주문을 많이 받았다. ③ C **a**) (종종 C-) 위원회: the Atomic Energy *Commission* 원자력 위원회 / a *Commission* of inquiry 조사 위원회. **b**) 〔集合的; 單·複數 취급〕 위원회 위원. ④ C 〖軍〗 (장교의) 임관, 장교의 계급; 임관 사령: get a 〔one's〕 ~ 장교로 임관되다. ⑤ C 의뢰, 부탁, 청탁: I have a few ~*s for* you. 당신에게 부탁할 일이 두 세 가지 있습니다. ⑥ **a**) U 〖商〗 중개, 거간, 대리(권). **b**) U,C 수수료, 구전, 커미션: allow 〔get〕 a ~ of 5 percent, 5%의 수수료를 내다〔받다〕 / You get (a) 10% ~ on everything you sell. 당신이 파는 것마다 10%의 커미션을 받습니다. ⑦ U 죄를〔과실을〕 범하기, 범행《*of*》. cf. commit. ¶ the ~ *of* a crime 범행 / be charged with the ~ *of* murder 살인죄로 고소를 당하다. ***in*** ~ (1) 현역의; (군함이) 취역 중의; (무기 등이) 아직 쓸 수 있는: put a radio *in* ~ again 라디오를 다시 소리나게 하다 / Some wartime vessels are still *in* ~. 전시의 함정 중에는 아직도 취역 중인 것이 있다. (2) 위임된: have it *in* ~ *to* do …하도록 위탁받고 있다. ***on*** ~ (1) 위탁을 받고: sell *on* ~ 위탁판매하다. (2) 수수료를 받고: work *on* a 10% ~ 수수료 1할을 받고 일하다. ***out of*** ~ (1) 퇴역한, 예비의: take a ship *out of* ~ (해군의) 배를 퇴역시키다. (2) (무기 따위) 사용 불능의. (3) 《口》 (사람이) 일하지 못하는, 쓸모없는.

── *vt.* ① 《+목+보/+목+*to* do》 …에게 위탁〔위임〕하다, 위촉하다; (일 따위)를 의뢰하다, 주문하다: He ~*ed* the artist to paint his wife for him. 그는 그 화가에게 자기 아내의 초상화를 그려 달라고 부탁했다. ② 《~+목/+목+보》 …을 장교로 임명하다: ~ a graduate of a military academy 사관학교 졸업생을 임관시키다. ③ (군함)을 취역시키다; (기계 따위)를 작동시키다.

commíssion àgent ① 중개인, 거간꾼. ② 사설 마권(馬券) 영업자(bookmaker).

com·mis·sion·aire [kəmìʃənέər] *n.* Ⓒ 《英》 (극장·호텔 따위의) 제복 입은 수위〔사환〕.

com·mis·sioned [kəmíʃənd] *a.* ① 임명된. ② (군함이) 취역된: a ~ ship 취역함(艦).

commíssioned ófficer 사관, 장교.

‡**com·mis·sion·er** [kəmíʃənər] *n.* Ⓒ ① (정부가 임명한) 위원, 이사. ② (관청의) 장, 국장. ③ (식민지의) 판무관. ④ 커미셔너《직업 야구 따위의 최고 책임자》.

commíssion plàn (the ~) 《美》 위원회제.

‡**com·mit** [kəmít] (*-tt-*) *vt.* ① 《+목+전+명》 …을 위임하다, 위탁하다《*to*》; …을 회부하다《*to*》: ~ one's child *to* a person 〔a person's care〕 아이 돌보는 일을 아무에게 부탁하다 / ~ a bill *to* a committee 의안을 위원회에 회부하다. ② 《+목+전+명》 (기록·기억·처분·망각 등에) …을 맡기다, 부치다《*to*》: ~ one's ideas *to* paper 〔writing〕 자신의 착상을 글로 적어두다 / *Commit* these words *to* memory. 이 말을 기억해 두어라. ③ 《~+목 / +목+전+명》 〔再歸的〕 (문제·질문에 대해) 처지〔태도〕를 분명히 하다, (의향·감정 등)을 언명하다: He refused to ~ *himself on* the subject. 그는 그 문제에 대하여 분명한 태도를 나타내려 하지 않았다. ④ (죄·과실)을 범하다, 저지르다: ~ a blunder 큰 실수를 하다 / ~ an error 잘못을 저지르다 / ~ a crime 죄를 범하다 / ~ suicide 〔murder〕 자살〔살인〕하다. ⑤ 〔再歸的 또는 受動으로〕 (위험한 일 따위)에 관계하다, 말려들다《*in*》: He ~*ted himself in* the affair. 그는 그 사건에 관여했다 / I was ~*ted in* the matter. 나는 그 일에 말려들었다. ⑥ 《+목+전+명》 〔종종 受動으로〕 (정신 병원·시설·싸움터 따위에) …을 보내다, 수용〔구류〕하다《*to*》: ~ a troop *to* the front 부대를 전방에 보내다 / The man *was* ~*ted to* prison 〔*to* a mental hospital〕. 그 남자는 투옥〔정신 병원에 수용〕되었다. ⑦ 《~+목 / +목+전+명 / +목+ *to* do》 〔再歸的 또는 受動으로〕 (약속·단언 따위로 자신)을 구속하다, 의무를 지우다; 공약하다, 약속하다, 언질을 주다; (명예·체면)을 위태롭게 하다; 전념하다: ~ *oneself to* a promise 확약하다 / Do not ~ *yourself*. 언질을 주지 마라 / He *was* ~*ted to* the cause of world peace. 그는 세계 평화를 위하여 전념하였다 / He ~*ted himself to* make a fresh start in life. 그는 새출발할 것을 맹세하였다.

***com·mit·ment** [kəmítmənt] *n.* ① Ⓤ.Ⓒ 범행; (범죄의) 실행, 수행. ② Ⓤ 위임; 위원회 회부. ③ Ⓤ.Ⓒ 공약〔서약〕함, 언질을 줌; (…한다는) 공약, 서약, 약속《*to*; *to* do》: He gave a clear ~ *to* reopen disarmament talks. 그는 군축 회담을 재개할 것을 확약하였다. ④ Ⓒ 책임, 책무, 의무: Now that you have married, you have various ~*s*. 자네는 결혼을 했으니까 여러 가지 책임이 있네. ⑤ Ⓤ.Ⓒ (…에의) 참가, 연좌; (주의·운동 등에의) 몰두, 헌신《*to*》; (작가 등의) 현실 참여: make a ~ *to* …에 마음을 쏟다 / They have a ~ *to* politics. 그들은 정치에 깊이 관여하고 있다. ⑥ Ⓤ.Ⓒ (정신 병원으로의) 인도; 투옥, 구류(拘留)《*to*》.

com·mit·tal [kəmítl] *n.* Ⓤ.Ⓒ (정신 병원으로의) 인도.

com·mit·ted [kəmítid] *a.* ① (어떤 주의·주장·목적·일에) 전념하는, 헌신적인: a ~ nurse 헌신적인 간호원 / a ~ Christian 헌신적인 기독교인. ② 〔敍述的〕 약속을 한〔해 놓고 있는〕, 언질을 준: I've been ~ to helping him. 나는 그를 도울〔돕겠다는〕 약속을 했다〔해 놓고 있다〕.

‡**com·mit·tee** [kəmíti] *n.* Ⓒ ① 위원회: a budget ~ 예산 위원회 / an executive ~ 실행 위원회 / The ~ meets today at three. 위원회는 오늘 3시에 열린다. ② 〔集合的; 單·複數 취급〕 위원(전원): The ~ *is* united on this question. 이 문제에 대해서는 위원 전원(의 의견)이 일치되어 있다 / The ~ *get* together with difficulty. 위원이 잘 모이지 않는다. ***in*** ~ (1) (의안이) 위원회에 회부되어: This was discussed *in* ~. 이것은 위원회에서 논의되었다. (2) 위원회에 출석하여.

com·mit·tee·man [-mən, -mæ̀n] (*pl.* ***-men*** [-mən, -mèn]) *n.* Ⓒ 위원(의 한 사람).

com·mit·tee·wom·an [-wùmən] (*pl.* ***women*** [-wìmin]) *n.* Ⓒ 여성 위원.

com·mode [kəmóud] *n.* Ⓒ ① (서랍·선반이 있는 낮은) 장. ② (의자식) 실내 변기. ③ (아래에 장이 달린) 이동식 세면대.

com·mo·di·fi·ca·tion [kəmɑ̀dəfikéiʃən / -mɔ̀d-] *n.* Ⓤ 상품화.

com·mo·di·ous [kəmóudiəs] *a.* 넓은, 널찍한 《집 따위》. ㊞ ~·**ly** *ad.* ~·**ness** *n.*

‡**com·mod·i·ty** [kəmɑ́dəti / -mɔ́d-] (*pl.* ***-ties***) *n.* Ⓒ ① (흔히 *pl.*) 일용품, 상품: prices of *commodities* 물가 / Trading in *commodities* was brisk. 상품의 교역이 활발하다. ② 유용한 물건, 쓸모 있는 것.

***com·mo·dore** [kɑ́mədɔ̀ːr / kɔ́m-] *n.* Ⓒ ① (미해군의) 준장. ② 《英》 함대 사령관. ③ 《경칭》 제독《선임〔고참〕 선장〔함장〕·요트 클럽의 회장 등》.

†**com·mon** [kɑ́mən / kɔ́m-] (~·*er*, ***more*** ~; ~·***est***, ***most*** ~) *a.* ① **a**) (둘 이상에) 공통의, 공동의, 공유(共有)의: ~ ownership 공유(권) / a ~ language 공통의 언어 / ~ interests 공통의 이해 관계. **b**) 〔敍述的〕 《+*to*+목》 (…에) 공통인: Love of fame is ~ *to* all people. 명예욕은 만인에게 공통된다. ② 협동의, 협력의: a ~ defense 공동 방위. ③ 공유(公有)의, 공공의, 공중의: ~ welfare 공공의 복지 / the ~ good 공익(公益) / a ~ highroad 공로(公路). ④ **a**) 일반의; 만인의, 일반적으로 보급되어 있는: It's ~ knowledge that some politicians are receiving bribes. 일부 정치인들이 뇌물을 받고 있다는 것은 주지의 사실이다. **b**) 보통의, 일반적인, 평범한, 흔히 있는, 자주 일어나는(ⓞⓟⓟ *rare*): the ~ people 평민, 서민 / a ~ soldier 병졸 / a ~ event 흔히 있는 사건 / a ~ being 보통 사람 / a person of no ~ ability 비범한 능력의 사람. ⑤ 비속한, 품위 없는, 하치의: an article of ~ make 변변치 않은 제품 / ~ manners 버릇없는 태도. ***(as)*** ~ ***as muck*** 〔***dirt***〕 품위 없는, 교양 없는. ***make*** ~ ***cause with*** ⇨ CAUSE(成句). ***to use a*** ~ ***phrase*** 〔***word***〕 이른바, 흔히 말하는.

── *n.* ① (the ~) (마을 따위의) 공유지, 공용지(公用地)《울타리 없는 황무지》; (도시 중앙부의) 공원. ② Ⓤ 〖法〗 (목장 등의) 공유권, 공동 사용권(right of ~): ~ of piscary 〔fishery〕 (공동) 어업권, 입어권(入漁權). ③ (*pl.*) = COMMONS. ④ 《俗》 = COMMON SENSE. ***above*** 〔***beyond***〕 ***the*** ~ = ***out of*** (***the***) ~ 비범한; 진귀한. ***in*** ~ 공동으로, 공통으로〔의〕: He and I have nothing *in* ~. 그와 나는 공통점이 전혀 없다. ***in*** ~ ***with*** … 와 같은〔같게〕, 공유의, 공통하여, 공통한: *In* ~ *with* many other people, he thought it was true. 다른 많은 사람과 같이 그도 그것이 진실이라고 생

각했다.

com·mon·age [kámənidʒ / kɔ́m-] *n.* Ⓤ ① 공동 소유, 공동 사용권. ② 공유지.

com·mon·al·i·ty [kàmənǽləti / kɔ̀m-] *n.* Ⓤ ① 공통성(共通性). ② =COMMONALTY.

com·mon·al·ty [kámənəlti / kɔ́m-] *n.* (the ~) 〔集合的 ; 單·複數 취급〕 평민 ; 서민.

cómmon cárrier 운송업자.

cómmon cáse 〖文法〗통격(通格)《영어의 명사처럼 주격·목적격의 어형이 같은 것》.

cómmon denóminator ①〖數〗공분모 : the least〔lowest〕 ~ 최소 공분모. ② 공통점.

cómmon divísor 〖數〗 공약수.

com·mon·er [kámənər / kɔ́m-] *n.* Ⓒ ① 평민, 서민 : It's only the second time a potential heir to the throne has married a ~. 장래 왕위 계승자가 평민과 결혼한 것은 딱 두 번째이다. ②《英》(Oxford 대학 따위의) 자비생 ; 보통 학생.

Cómmon Éra (the ~) 서력 기원(Christian era).

cómmon fáctor 〖數〗=COMMON DIVISOR.

cómmon fráction 〖數〗 분수.

cómmon génder 〖文法〗 통성(通性)《남녀 양성에 통용되는 parent, baby 등》.

cómmon gróund (이익·상호 이해 등의) 공통점, 견해의 일치점 : be on ~ 견해가 일치하다.

cómmon júry 〖法〗 보통 배심《일반인으로 구성됨》.

cómmon knówledge 주지의 사실, 상식. ⓒⓕ general knowledge.

com·mon·land [kámənlæ̀nd / kɔ́m-] *n.* Ⓤ 〖法〗 공공 용지, 공유지.

cómmon láw 관습법, 불문율, 코먼로. ⓒⓕ statute law.

com·mon-law [kámənlɔ̀: / kɔ́m-] *a.* 〔限定的〕 ① common law 의, 관습법의. ② 관습법상의 : (a) ~ marriage 관습법상의 결혼, 내연 관계.

‡**com·mon·ly** [kámənli / kɔ́m-] *ad.* ① 보통, 일반적으로, 상례로 : The Executive Mansion is ~ called the White House. 미국 대통령 관저는 보통 화이트하우스라고 불린다. ②《蔑》천하게, 품위 없게, 싸구려로 : a girl ~ dressed 천한〔품위 없는〕 복장을 한 아가씨.

cómmon mán 일반인.

Cómmon Márket ① (the ~) 유럽 공동시장 《the European Union의 구칭》. ② (c- m-) 공동시장.

cómmon múltiple 〖數〗 공배수 : the lowest 〔least〕 ~ 최소 공배수《略 : L.C.M.》.

cómmon nóun 〖文法〗 보통 명사.

com·mon-or-gar·den [kámənərgá:rdn / kɔ́m-] *a.*《英口》보통의, 흔해 빠진, 일상의 ; 표준형의 : It's just a ~ daisy. 그것은 그저 흔해빠진 데이지에 불과하다 / a ~ house 표준형 주택.

‡**com·mon·place** [kámənplèis / kɔ́m-] (***more*** ~ ; ***most*** ~) *a.* ① 평범한, 개성이 없는. ② 진부한, 흔해빠진 : a ~ topic 평범한 화제. ── *n.* Ⓒ 평범한 물건〔일〕 ; 진부한 말, 상투어 ; 평범〔진부〕함 : We exchanged ~*s* about the weather over countless cups of tea. 우리는 차를 여러 잔 마시면서 날씨에 관한 평범한 이야기를 나눴다 / The computer is now a ~. 컴퓨터는 이제 (진)귀한 것이 아니다. ㊞ ~·**ness** *n.*

cómmonplace bòok 메모 수첩, 비망록.

cómmon pléas ① 민사 소송. ② (the C- P-) 〔單數취급〕 민사 법원(the COURT of Common Pleas).

cómmon práyer 〖英國國敎〗 ① 공통 기도문《모든 공적 교회 집회의 예배의식을 위한 기도문》. ② (the C- P-) =the Book of Common PRAYER : *the* Sealed Book of *Common Prayer* 〖英國國敎〗 기도서 표준판(版)《찰스 2세의 국새(國璽)가 찍혀 있음》.

cómmon ròom ① (학교 등의) 휴게실, 사교실. ②《英》(대학의) 특별 연구원 사교〔휴게〕실 ; 학생의 사교〔휴게〕실.

com·mons [kámənz / kɔ́m-] *n. pl.* ① 평민, 서민. ② **a**) (C-) (영국의) 하원 의원. **b**) (the C-) =HOUSE of Commons(成句). ③ 〔單數취급〕 공동 식탁(이 있는 식당) ; (많은 인원에 배분되는) 음식. ***on short*** ~ 《英》 불충분한 식사로.

cómmon sált 식염, 소금.

***cómmon sénse** 상식, 양식《체험하여 얻은 사려·분별》; 일반인 공통의 견해〔감정〕《*of*》. ⓒⓕ common knowledge. ¶ It's ~ to carry an umbrella in this weather. 이런 날씨에는 우산을 갖고 가는 것이 상식이다〔당연하다〕.

com·mon·sense [kámənséns / kɔ́m-] *a.* 〔限定的〕 상식적인, 상식〔양식〕이 있는.

cómmon stóck 《美》 보통주(株). ⓒⓕ preferred stock.

cómmon tíme 〖樂〗 보통 박자《4/4 박자》.

cómmon tòuch (the ~) 사람들에게 호감을 주는 성질〔재능〕, 붙임성, 서민성.

com·mon·weal [kámənwì:l / kɔ́m-] *n.* (the ~) 공익, 공공의 복지, 일반 대중의 복리.

com·mon·wealth** [kámənwèlθ / kɔ́m-] *n.* ① **a**) Ⓒ 국가(body politic), 민주국가, 공화국(republic). **b**) Ⓤ 〔集合的 ; 單·複數 취급〕 국민. ② **a**) Ⓒ (공통의 목적과 이익으로 맺어진) 연방(聯邦). **b**) (the C-) 영국 연방, 영연방(the Commonwealth of Nations). ③ (공통의 목적·이익으로 맺어진) 단체, 사회 : the ~ of learning 학계. ④ (the C- of…) 《美》 주(州)《공식명으로서 Massachusetts, Pennsylvania, Virginia, Kentucky의 4개 주에서는 State 대신에 쓰임》. ***the Commonwealth (***of Australia***) 오스트레일리아 연방. ***the Commonwealth*** (***of England***) 잉글랜드 공화국《왕정이 폐지되었던 1649-60년간》. ***the Commonwealth of Independent States*** 독립 국가 연합《소련의 해체 이후에 발족, 略 : CIS》.

cómmon yèar 평년. ⓒⓕ leap year.

***com·mo·tion** [kəmóuʃən] *n.* ⓊⒸ 동요 ; 흥분 ; 소동, 소요, 폭동 : be in ~ 동요하고 있다.

com·mu·nal [kəmjú:nl, kámjə- / kɔ́m-] *a.* ① 자치 단체의, 시읍면(市邑面)의. ② 공공의 ; 공동의, 공용의 : ~ life〔property〕 공동 생활〔재산〕. ③ 코뮌(commune)의. ㊞ ~·**ly** *ad.*

com·mu·nal·ism [kəmjú:nəlìzəm, kámjə- / kɔ́m-] *n.* Ⓤ 지방자치주의.

***com·mune**[1] [kəmjú:n] *vi.* ①《+전+명 / +부》 친하게 사귀다《*together*》; …와 친하게 이야기〔교제〕하다《*with*》: friends *communing together* 친밀하게 서로 이야기하는 사이의 친구들 / ~ *with* nature 자연을 벗삼다 / ~ *with* oneself 〔one's own heart〕 심사숙고하다. ②《美》성찬(聖餐)을 받다, 영성체(領聖體)하다. ◇ communion *n.*

com·mune[2] [kámju:n / kɔ́m-] *n.* Ⓒ ① 코뮌《프랑스·벨기에 등의 최소 지방 자치체》. ② **a**) 지방 자치체. **b**) 〔集合的 ; 單·複數 취급〕 지방 자치체의 주민. ③ (중국 등의) 인민 공사, 집단 농장. ④ 공동 생활체, (히피 따위의) 생활 공동체.

com·mu·ni·ca·ble [kəmjú:nikəbəl] *a.* ① (생각 따위를) 전달할 수 있는. ② (질병이) 전염성의 : a ~ disease 전염병. ㊞ **-bly** *ad.*

com·mu·ni·cant [kəmjú:nikənt] *n.* Ⓒ 성찬을

받을 (자격이 있는) 사람 ; 영성체하는 사람.

:com·mu·ni·cate [kəmjúːnəkèit] *vt.* ① (사상·지식·정보 따위)를 전달하다, 통보하다《*to*》: He ~*d* his secret *to* me. 그는 비밀을 나에게 말해 주었다. ②《+目+前+名》(열 따위)를 전도하다, 전하다 ; (병)을 감염시키다《*to*》; 〔再歸的〕(감정 등이) 전해지다, 분명히 알다《*to*》: Her enthusiasm ~*d itself to* him. 그녀의 열의를 그도 분명히 알았다. ③〖基〗…에게 성찬을〔성체를〕 주다. ④《+目+前+名》…을 서로 나누다《*with*》: ~ opinions *with* …와 의견을 교환하다. ── *vi.* ①《+前+名》(길·방 따위가) 통해 있다, 이어지다《*with*》: The lake ~*s with* the sea by a canal. 호수는 운하로 바다와 연결되어 있다 / The living room ~*s with* the dining room. 거실은 식당과 통해 있다. ②《~/+前+名》통신하다, 교통하다, 의사를 서로 통하다《*with*》: Parents often find it difficult to ~ *with* their children. 부모는 아이들과 말이 잘 통하지 않는 일이 종종 있다. ③〖基〗성찬을〔성체를〕 받다.

:com·mu·ni·ca·tion [kəmjùːnəkéiʃən] *n.* ①Ⓤ 전달, 보도 ; 공표, 발표 ; (병의) 전염 : mass ~ 대중 전달, 매스컴. ②Ⓤ,Ⓒ 통신, 교신 ; 정보, 소식, 편지 : receive a ~ 통신문을〔정보를〕 받다 / be in ~ with …와 교신〔통신〕하고 있다. ③Ⓤ,Ⓒ 교통, 교통 수단〔기관〕: a means of ~ 교통 기관. ④Ⓤ 왕래, 연락, 교제, (개인간의) 친밀한 관계 : be in ~ with a person 아무와 연락을 취하고 있다. ⑤(*pl.*) 보도 기관《신문·라디오 등》, 통신 기관《전신·전화 등》: an international ~*s* network 국제 통신망.

communicátion còrd 《英》(열차 내의) 비상 통보줄, 긴급 정지삭(停止索).

communicátion engineèring 통신 공학.

communicátions sàtellite 통신 위성.

communicátion(s) thèory 정보 이론.

com·mu·ni·ca·tive [kəmjúːnəkèitiv, -kətiv] *a.* ① 수다스러운(talkative), 이야기(하기)를 좋아하는 : She's not very ~. 그녀는 그다지 수다스럽지 않다. ② 통신〔전달〕의.

***com·mun·ion** [kəmjúːnjən] *n.* ①Ⓤ 친교 ; (영적) 교섭. ② **a**) Ⓤ 신앙·종파 등을 같이함 : in ~ with …과 같은 종파에 속한〔하여〕. **b**) Ⓒ (같은 신앙·종파의) 한 동아리, 신우(信友) ; 종교 단체 : ⇨ ANGLICAN COMMUNION. ③Ⓤ (C-) 〖基〗성찬식 (~ service), 영성체 : take 〔receive〕 *Communion* 성체를 영하다. ◇ commune[1] *v.*

commúnion tàble 성찬대.

com·mu·ni·qué [kəmjúːnikèi, -⌐-⌐] *n.* Ⓒ 《F.》 공식 발표, 성명, 코뮈니케 : A joint ~ was issued at the end of their talks. 그들의 회담 끝에 공동 성명이 발표되었다.

:com·mu·nism [kámjənìzəm / kɔ́m-] *n.* Ⓤ (종종 C-) 공산주의.

:com·mu·nist [kámjənist / kɔ́m-] *n.* Ⓒ ① 공산주의자. ② (C-) 공산당원. ── *a.* ① 공산주의(자)의. ② (C-) 공산당의 : a ~ cell 공산당 세포.

Cómmunist Chína 중공(中共)《중화 인민공화국의 속칭》.

com·mu·nis·tic [kàmjənístik / kɔ̀m-] *a.* 공산주의(자)의, 공산주의적인. ㊕ **-ti·cal·ly** [-kəli] *ad.* 공산주의적으로.

Cómmunist párty 공산당.

:com·mu·ni·ty [kəmjúːnəti] *n.* ①Ⓒ **a**) (정치·문화·역사를 함께 하는) 공동 사회, 공동체, 지역(공동) 사회. **b**) (큰 사회 중에서 공통의 특징을 갖는) 집단, 사회, …계(界) : the financial ~ 재계 / the Jewish 〔foreign〕 ~ 유대인〔거류 외국인〕 사회. **c**) (이해 관계 등을 공유하는) 국가군(群) : the Pacific Rim ~ 환태평양 국가군. ② (the ~) 일반 사회, 공중. ③Ⓒ (생물) 군집(群集) ; (동물의) 군서(群棲) ; (식물의) 군락. ④Ⓤ (사상·이해 따위의) 공통(성), 일치 ; (재산의) 공유, 공용 : ~ of interests 이해 (관계)의 일치〔공통〕. ⑤Ⓒ 일정한 계율에 따라 공동 생활을 하는 집단 : religious ~ 교단.

commúnity anténna télevision 공동시청 안테나 텔레비전《略 : CATV》.

commúnity cènter 지역 문화회관 ; 공회당 ; 코뮤니티 센터《교육·문화·후생·오락 등의 설비가 있는 사회 사업 센터》.

commúnity chàrge 《英》지방 부담금《지방자치 단체가 성인에게서 징수하는 세금 ; 1993년 council tax로 변경됨》.

commúnity chèst 《美》공동 모금.

commúnity cóllege 《美》(지방 자치 단체가 운영하는 2년제의) 지역 초급 대학.

commúnity hòme 《英》소년원(《美》reformatory).

commúnity mèdicine ＝FAMILY MEDICINE (PRACTICE).

commúnity próperty 〖美法〗(부부의) 공동재산.

commúnity sérvice òrder (경범자에게 벌로서 과해지는) 사회 봉사 활동 명령.

commúnity sínging (참석자 일동의) 전원합창, 제창.

commúnity spírit 공동체 의식.

com·mut·a·ble [kəmjúːtəbəl] *a.* ① 전환〔대체, 교환〕할 수 있는. ②〖法〗감형할 수 있는.

com·mu·tate [kámjətèit / kɔ́m-] *vt.* 〖電〗(전류)의 방향을 전환하다, …을 정류(整流)하다.

com·mu·ta·tion [kàmjətéiʃən / kɔ̀m-] *n.* ①Ⓤ 교환, 변환. ②Ⓤ,Ⓒ (지불 방법 따위의) 대체, 환산《물납을 금납으로 하는 등》. ③Ⓤ,Ⓒ (형벌 등의) 감면, 감형. ④Ⓤ〖電〗정류(整流). ⑤Ⓤ《美》(정기〔회수〕권) 통근 ; 2 지점간의 반복 왕복.

commutátion tìcket 《美》횟수(回數) 승차권. ⓒⓕ season ticket.

com·mu·ta·tive [kəmjúːtətiv, kámjətèi-] *a.* ① 교환의. ②〖數〗교환 가능한, 가환(可換)의.

com·mu·ta·tor [kámjətèitər / kɔ́m-] *n.* Ⓒ 〖電〗정류〔전환〕기(器), 정류자(子).

com·mute [kəmjúːt] *vt.* ①《+目+前+名》(돈 따위)를 …로 교환〔변환〕하다《*for* ; *to* ; *into*》; …의 지급 방법을 바꾸다, …을 대체(對替)하다《*for* ; *into*》: ~ dollars *to* won 달러를 원으로 바꾸다. ②《+目+前+名》(벌·의무 따위)를 감형〔경감〕하다《*for* ; *into* ; *to*》: Her death sentence was later ~*d to* life imprisonment. 뒤에 그녀의 사형은 종신형으로 감형되었다. ③〖電〗(전류)의 방향을 바꾸다, …을 정류(整流)하다. ── *vi.* ① (열차 등으로) 통근하다 : She ~*s* from Reading to London. 그녀는 레딩에서 런던으로 통근하고 있다. ② 돈으로 대신 갚다《*for* ; *into*》; 분할불 대신 일괄 지불하다. ③〖數〗교환 가능하다. ── *n.* Ⓒ 통근 ; 통근 거리 : black workers making a long ~ to rich white areas 부유한 백인 지역으로 먼 거리를 통근하는 흑인 근로자들.

com·mut·er [-tər] *n.* Ⓒ (교외) 통근자, 정기권 사용자 : ~ trains 통근 열차 / The strike left thousands of ~*s* stranded. 파업으로 수천 명의 통근자들은 궁지에 빠졌다.

commúter bèlt 통근 가능 지대.

Com·o·ros [kámərὸuz / kɔ́m-] *n.* (the ~) (Comoro Islands 의) 코모로 이슬람 연방 공화국《1975 년 독립 ; 수도는 Moroni》.

comp. comparative ; compare ; comparison ;

compilation; compiled; composer; composition; compositor; compound.

‡**com·pact**[1] [kəmpǽkt, kámpækt] (***more*** ~; ***most*** ~) *a.* ① 빽빽하게 찬, 밀집한 : a ~ head of cabbage 속이 꽉 찬 양배추 / a ~ formation 밀집 대형. ② **a**) (천 따위가) 날이 촘촘한, 바탕이 치밀한. **b**) (체격이) 꽉 짜인 : He is a ~ build. 그는 몸이 올차다〔체격이 단단하다〕. ③ (집 따위가) 아담한 ; (자동차가) 소형(이고 경제적)인 : a ~ car 소형 자동차. ④ (문체 따위가) 간결한 : write in ~ style 간결한 문체로 쓰다. ── *vt.* ① …을 빽빽이 채워 넣다. ② …을 압축하다 ; 굳히다 : The soil settles and is ~*ed* by the winter rain. 땅은 겨울비로 가라앉아 굳어진다. ── [kámpækt / kɔ́m-] *n.* Ⓒ ① 콤팩트《휴대용 분갑》. ②《美》소형 자동차(=∠ **càr**). ㊕ **~·ly** *ad.* ① 꽉 (차게), 밀집하여. ② 간결하게. **~·ness** *n.* Ⓤ ① 긴밀함. ② 간결함 ; 소형이고 경제적임.

*__com·pact__[2] [kámpækt / kɔ́m-] *n.* Ⓒ 계약, 맹약.

cómpact dísc ① 콤팩트 디스크. ②〖컴〗압축 (저장)판 ; 짜임 (저장)판《略 : CD》.

cómpact dísc plàyer 콤팩트 디스크 플레이어(CD player).

com·pac·tion [kəmpǽkʃən] *n.* Ⓤ ① 꽉 채움〔찬 상태〕. ② 간결화. ③〖農〗다지기. ④〖컴〗압축.

com·pac·tor [kəmpǽktər] *n.* Ⓒ ① 굳히는 사람〔물건〕; 압축기. ② (묘포·노반을 만들 때 쓰는) 다지는 기계.

‡**com·pan·ion**[1] [kəmpǽnjən] *n.* Ⓒ ① 동료, 상대, 친구 ; 반려(comrade, associate) : a ~ of one's misery 불행을 함께 하는 사람 / make a ~ of …을 반려자로 하다, …을 벗삼다. ② 말동무 ; (우연한) 벗, 동반자 : a travel ~ 여행의 길동무. ③ (귀부인 등의) 말상대로서 고용되는 안잠자기. ④ 쌍〔조〕의 한 쪽, 짝《*to*》: a ~ volume *to* …의 자매편 / the ~ *to* a picture 2 매가 한 벌인 그림의 한 쪽. ⑤ (C-) 최하급 나이트〔훈작사〕. ⑥ (책 이름으로서의) 지침서(guide), 안내서, '…의 벗' : Teacher's ~ 교사용 지침서.
── *vt.* …을 모시다, …와 동반하다(accompany).

com·pan·ion[2] *n.* Ⓒ〖海〗① (갑판의) 지붕창. ② =COMPANION HATCH ; COMPANIONWAY.

com·pan·ion·a·ble [kəmpǽnjənəbəl] *a.* 벗삼기에 좋은, 친하기 쉬운, 사교적인.

com·pan·ion·ate [kəmpǽnjənit] *a.* ① 동료의 ; 우애적인 : ~ marriage 우애 결혼. ② (옷이) 잘 어울리는, 잘 조화된.

compánion hàtch (갑판 승강구의) 뚜껑.

compánion hàtchway 갑판 승강구.

*__com·pan·ion·ship__ [kəmpǽnjənʃìp] *n.* Ⓤ 교우 관계, 교제 : enjoy the ~ of a person 아무와 가까이 사귀다.

com·pan·ion·way [kəmpǽnjənwèi] *n.* Ⓒ〖海〗갑판 승강구 계단.

†**com·pa·ny** [kʌ́mpəni] *n.* ① **a**) Ⓒ〔集合的 ; 單·複數 취급〕(…의) 일행 ; 일단(一團), 일대(一隊), 극단 : a ~ of tourists 관광단 / a theatrical ~ 극단 / a large ~ of teachers 많은 교사들의 일행 / a ~ of birds 새 떼. **b**) Ⓤ〔集合的〕친구, 동아리 : get into bad ~ 못된 친구와 사귀다 / keep good ~ 좋은 친구와 사귀다 / Two's ~, three's none.《俗談》⇨ TWO(成句). ② Ⓤ〔集合的〕모인 사람들, 한 자리의 사람들 : mixed ~ 남녀〔여러 사람들〕의 모임 / in ~ 사람틈〔앞〕에서. ③ Ⓒ 회사, 상사, 상회, 조합(guild) ; Ⓤ〔集合的〕(회사명에 인명이 표시되지 않은) 사원들《略 : Co. [kóu, kʌ́mpəni]》: a publishing ~ 출판사.

> 參考 (1) 인명을 포함하는 회사명으로서는 and Company《원래 '및 그 동료'의 뜻》의 형태로 쓰이는 일이 많음 : McCormick & Co., Inc. 매코믹 유한 책임 회사.
> (2) 회사명으로 쓰이지 않을 때는 firm 이 보통임 : get a job in a *firm* downtown 도심지의 회사에 취직하다.

④ Ⓤ〔集合的〕동석한 사람(들), (한 사람 또는 두 사람 이상의) 내객. ⑤ Ⓤ 교제, 사귐 ; 동석 : in ~ (with a person) (아무와) 함께 / give a person one's ~ 아무와 교제를 하다 / Will you favor me with your ~ at dinner? 함께 저녁 식사를 하시지 않겠습니까. ⑥ Ⓒ〖軍〗〔集合的〕보병〔공병〕중대 : a ~ commander 중대장 / a ~ first sergeant 중대 선임 하사. ⑦ Ⓒ〔集合的〕(흔히 a ship's ~ 의 꼴로)〖海〗전 승무원. ⑧ (the C-)《美俗》중앙 정보국(CIA) ; 연방 수사국(FBI). ***for*** ~ (적적할 때의) 상대로 ; 교제상 : He has only a cat *for* ~. (외로운) 그는 상대라고는 고양이 한 마리 뿐이다. ***in good*** ~ (1) 좋은 친구와 사귀어. (2)《口》(어떤 일을 못하여도) 다른〔잘난〕사람들과 마찬가지로 : I err 〔sin〕 *in good* ~. 나도 다른 사람들과 마찬가지로 실수를 저지른다, 실수하는 것도 당연하다. ***keep*** a person ~ 아무와 사귀다, 아무의 말벗이 되다 ; 아무와 동석〔동행, 동반〕하다 : I'll *keep* you ~ till the train comes. 열차가 올 때까지 나는 너와 함께 있겠다. ***keep*** ~ ***with*** …와 교제하다 ; …와 다정하게 사귀다《특히 애인으로서》. ***keep to*** one'***s own*** ~ 홀로 있다. ***part*** ~ ***with*** …와 갈라지다, 절교하다 ; 의견을 달리하다.

cómpany làw《英》회사법 (《美》corporation law).

cómpany mànners 남 앞에서의 예의.

cómpany sécretary《英》(주식 회사의) 총무 이사 중역, 총무부장.

cómpany stóre (회사의) 매점, 구매부.

cómpany ùnion《美》(외부와 연계 관계가 없는) 단독 조합 ; 특히, 어용 조합.

compar. comparative.

*__com·pa·ra·ble__ [kámpərəbəl / kɔ́m-] *a.* ① 비교되는《*with*》; 필적하는《*to*》: There is no jewel ~ *with*〔*to*〕a diamond. 다이아몬드와 비교될〔에 필적할〕만한 보석은 없다. ② 유사한, 동등한, 상당하는 : Man and ape have ~ anatomies. 사람과 유인원은 유사한 해부학적 구조를 가지고 있다 / They have much lower fuel consumption than ~ petrol-engined cars. 그것들은 가솔린 엔진차보다 훨씬 연료 소모가 적다. ㊕ **-bly** *ad.* 동등하게, 비교될 정도로. **còm·pa·ra·bíl·i·ty** [-bíləti] *n.*

*__com·par·a·tive__ [kəmpǽrətiv] *a.* ① 비교의, 비교에 의한 : ~ analysis 비교 분석 / a ~ method 비교 연구법. ② 비교적인, 비교상의 : ~ merits 딴 것과 비교해 나은 점. ③ 상당한, 상대적인 : live in ~ comfort 비교적 편하게 살다 / They hoped they could spend the night in ~ safety. 그들은 그날밤을 비교적 안전하게 지낼 수 있기를 바랐다. ④〖文法〗비교(급)의 : the ~ degree 비교급. ── *n.* (the ~)〖文法〗비교급.

compárative linguístics 비교 언어학.

compárative líterature 비교 문학.

com·par·a·tive·ly [kəmpǽrətivli] *ad.* ① 비교적 ; 꽤, 상당히 : The task is ~ easy. 그 일은 비교적 쉽다〔간단하다〕. ② 비교하여, 비교하면 : ~ speaking 비교해 말하면.

‡**com·pare** [kəmpέər] *vt.* ①《~+목 / +목+전+명》…을 비교하다, 대조하다《*with*》: ~ two

documents 문서 2통을 비교〔대조〕해 보다 / This place cannot be ~*d with* Naples. 이 곳은 나폴리와는 비교가 되지 않는다. ★[1] 'A를 B와 비교하다'는 *compare* A *with* B가 옳으나, *compare* A *to* B라고 하는 일도 있음. ★[2] cp.라고 생략함. ② 《+목+전+명》…을 비유하다, 비기다《*to*》: Life is ~*d to* a voyage. 인생은 항해에 비유된다. ③ 〖文法〗(형용사·부사)의 비교 변화형《비교급, 최상급》을 나타내다. cf. inflect.
— *vi.* 《+전+명》 ① 〔흔히 否定文〕 비교되다, 필적하다《*with*》: *No* book can ~ *with* the Bible. 성서에 필적하는 책은 없다 / Silk can*not* ~ *with* nylon for good wear. 질기기〔오래 가기〕로 말하면 견(絹)은 나일론과는 비교가 되지 않는다. ② 〔양태(樣態)의 副詞를 동반하여〕 (…와) 비교하여 …하다《*with*》: His school record ~*s* favorably 〔poorly〕 *with* hers. 그의 학교 성적은 그녀와 비교하여 우수하다〔못하다〕. ◇ comparison *n.* (**as**) **~d with**〔**to**〕 …와 비교하여: Breast milk always looks thin, ~*d to* cow's milk. 사람 젖은 우유와 비교하여 항상 묽어 보인다. ***not to be* ~*d with*** …와 비교할 수 없는; …보다 훨씬 못한. ~ ***notes*** ⇨ NOTE(成句).
— *n.* 비교. ★ 다음 성구(成句)로 쓰임. ***beyond*** 〔***past, without***〕 ~ 비할 바 없이, 비교가 안 되는: The scenery is beautiful *beyond* ~. 그 경치는 비할 바 없이 아름답다.

:com·par·i·son [kəmpǽrisən] *n.* ① U.C 비교, 대조《*between* ; *with* ; *to*》: by ~ 비교하면, 비교하여 / draw 〔make〕 a ~ *between* London and Paris 런던과 파리를 비교해 보다. ② U 〔흔히 否定文으로〕 유사, 필적(하는 것)《*between* ; *with*》: There's *no* ~ *between* them. 그(것)들은 전혀 다르다〔유사한 데가 없다〕. ③ U.C 비유(하는 일), 비김《*to*》: The ~ of the heart *to* a pump is an apt one. 심장을 펌프에 비유하는 것은 아주 적절한 비유이다. ④ U.C 〖文法〗(형용사·부사의) 비교, 비교 변화. ◇ compare *v.* ***bear*** 〔***stand***〕 ~ ***with*** …에 필적하다: His work *bears* ~ *with* the best of the modern novelists. 그의 작품은 현대 작가의 최고 작품에 필적한다. ***beyond*** 〔***past, without***〕 ~ 비할〔비길〕 데 없이〔없는〕. ***in* ~ *with*** 〔***to***〕 …와 비교하여 (보면).

***com·part·ment** [kəmpɑ́ːrtmənt] *n.* C ① 칸막이, 구획: the ice ~ in a refrigerator 냉장고의 제빙실 / ⇨ GLOVE COMPARTMENT. ② (객차·객선 내의) 칸막이방: a smoking ~ (열차의) 흡연실 / I had a first-class ~ to myself. 내 전용으로 1등 칸막이 방이 하나 있었다. ★ 미국의 경우는 침대차의 화장실이 달린 특별 사실(私室); 영국 등 그 밖의 나라에서는 객차를 가로로 칸막이한 방으로서 3, 4인용 좌석이 마주보도록 설치되어 있음.

com·part·men·tal·ize [kəmpɑ̀ːrtméntəlàiz] *vt.* …을 구획으로 나누다, 구분하다, 칸을 막다. ㊕ **com·part·mèn·tal·i·zá·tion** [-lizéiʃən] *n.*

:com·pass [kʌ́mpəs] *n.* C ① 나침반, 나침의; (the C-es) 〖天〗 나침반자리: a mariner's ~ 선박용 나침의. ② (흔히 *pl.*) (제도용(用)) 컴퍼스: a pair of ~*es* 컴퍼스 하나 / draw a circle with ~*es* 컴퍼스로 원을 그리다. ③ (*sing.*) **a**) 한계, 범위(extent, range); 둘레, 주위: in a small ~ 조촐하게, 간결하게 / within ~ 정도껏, 분수에 맞게 / It is beyond the ~ of my power. 그것은 내 능력으로는 불가능하다. **b**) 〖樂〗 음역: a voice of great ~ 음역이 넓은 목소리 / The clarinet has a ~ of three-and-a-half octaves. 클라리넷은 3옥타브 반의 음역을 갖고 있다. ***box the*** ~ (1) 〖海〗 나침반의 방위를 차례로 읽어 나가다. (2) (의견·의론 따위가) 결국 출발점으로 돌아오다.
— *vt.* ① (담 등)을 두르다《*with*》; 〔흔히 受動으로〕 …을 에워싸다《현재는 encompass 라고 함》; …을 돌아서 가다: a country ~*ed* by the sea 바다로 둘러싸인 나라. ② …을 이해하다: Can man ~ the meaning of life? 인간은 인생의 의미를 잘 이해할 수 있을까. ③ (음모 등)을 꾸미다, 계획하다, 궁리하다(plot). ④ …을 달성하다, 수행하다.

cómpass càrd 컴퍼스 카드, 나침반의 지침면(指針面).

***com·pas·sion** [kəmpǽʃən] *n.* U 불쌍히 여김, (깊은) 동정(심): have 〔take〕 ~ (up) on …을 불쌍히 여기다 / Out of ~ for her terrible suffering they allowed her to stay. 그들은 그녀의 극심한 고통을 동정하여 그녀를 묵게 했다.

***com·pas·sion·ate** [kəmpǽʃənit] *a.* 자비로운, 동정심이 있는; 정상을 참작한, 온정적인; 〖英軍〗 특별 배려에 의한: ~ leave 특별 휴가 / They allowed her to stay on ~ grounds. 그들은 불쌍해서 그녀를 묵게 했다. ㊕ ~**·ly** [-nitli] *ad.*

compássion fatìgue 동정 피로《참상(慘狀)을 많이 보는 동안에 동정심이 점차 희박해져가는 사회적 현상》.

cómpass sàw (끝이 뾰족한) 곡선 절단용의 톱, 실톱.

com·pat·i·bil·i·ty [kəmpæ̀təbíləti] *n.* U ① 적합(성)《*with*》. ② 〖TV·라디오〗 양립성. ③ (컴퓨터 따위의) 호환성(互換性).

***com·pat·i·ble** [kəmpǽtəbəl] *a.* ① 〔敍述的〕 양립하는, 모순되지 않는, 조화되는, 적합한《*with*》: He and his wife aren't ~. 그와 그의 아내는 (성격이) 잘 맞지 않는다 / drive a car at a speed ~ *with* safety 안전속도로 차를 몰다. ② 〖TV〗 양립성의. ③ 〖컴〗 호환성 있는. ㊕ **-bly** *ad.* 사이좋게; 적합하게.

com·pa·tri·ot [kəmpéitriət / -pǽtri-] *n.* C 동국인, 동포: The Australians claimed their ~*s* worked harder than the British. 오스트레일리아인은 자기 동포들이 영국인보다 더 열심히 일했다고 주장했다. — *a.* 같은 나라의, 동포의.

com·peer [kəmpíər, kʌ́mpiər / kɔ́m-] *n.* C ① (지위·신분이) 대등한 사람, 동배. ② 동료.

:com·pel [kəmpél] (**-ll-**) *vt.* ① 《+목+전+명 / +목+*to* do》 …을 강제하다, 억지로 …시키다: ~ a person *to* 〔*into*〕 submission 아무를 굴복시키다 / His disregard of the rules ~*s* us *to* dismiss him. 그는 규칙을 좇지 않으므로 해고하지 않을 수 없다. ② 《+목+*to* do》 〔受動으로〕 …하지 않을 수 없다, 할 수 없이 …하다: He *was* ~*led to* go. 가지 않을 수 없었다. ③ 《~+목 / +목+전+명》 …을 강요〔강제〕하다: No one can ~ obedience. 아무도 남에게 복종을 강요할 수는 없다 / They ~*led* silence *from* us. 그들은 우리에게 침묵을 강요하였다. ④ 《~+목 / +목+전+명》 (강제적으로) …을 끌어들이다, 끌어내다: ~ attention 〔applause〕 주의〔칭찬〕하지 않을 수 없게 하다 / ~ tears *from* the audience 관객의 눈물을 자아내다 / His courage ~*led* universal admiration. 그의 용기는 만인의 존경을 샀다.

***com·pel·ling** [kəmpéliŋ] *a.* ① …하지 않을 수 없는, 강제적인, 강력한: a ~ order 강제적인 명령 / My second and more ~ reason for going to Dearborn was to see the Henry Ford Museum. 내가 디어본에 간 두번째 더 절실한 이유는 헨리 포드 박물관을 관람하기 위해서였다. ② 강한 흥미를 돋우는, 감탄을 금할 수 없는. ㊕ ~**·ly** *ad.*

com·pen·dia [kəmpéndiə] COMPENDIUM 의 복수.

com·pen·di·ous [kəmpéndiəs] *a.* (책 등이) 간결한, 간명한. ㊐ ~·**ly** *ad.* ~·**ness** *n.*

com·pen·di·um [kəmpéndiəm] (*pl.* ~**s**, **-dia** [-diə]) *n.* Ⓒ 대요, 개략, 요약, 개론.

***com·pen·sate** [kámpənsèit / kɔ́m-] *vt.* ① 《~+목/+목+전+명》 …에게 보상하다, 변상하다; 《美》 보수〔급료〕를 주다《*for*》: ~ a person *for* loss 아무에게 손실을 배상하다 / The insurance company ~*d* him *for* his injuries. 보험 회사는 그에게 상해 보상을 하였다. ② 《+목+전+명》 (손실·결점 등)을 (…로) 보충〔벌충〕하다, 상쇄하다《*with*》: He ~*d* his homely appearance *with* great personal charm. 그는 못생긴 용모를 인간적인 매력으로 벌충했다.
── *vi.* 《+전+명》 보충하다, 벌충되다《*for*》; 보상하다《*to*》: Industry and loyalty sometimes ~ *for* lack of ability. 근면과 성실이 때로는 재능의 부족을 메워 준다. ◇ compensation *n.*

‡com·pen·sa·tion [kàmpənséiʃən / kɔ̀m-] *n.* ① **a)** Ⓤ 배상, 변상, 벌충《*for*》: monetary ~ 금전에 의한 배상 / make ~ *for* …에 대한 배상〔보상〕을 하다. **b)** Ⓒ 보충이 되는 것, 대상물: Middle age has its ~*s*. 중년은 중년대로의 대상물〔즐거움 (등)〕이 있다. ② Ⓤ (또는 a ~) **a)** 보상〔배상〕금《*for*》: *a* ~ *for* removal 퇴거 보상금 / *a* ~ *for* damage 손해 배상. **b)** 《美》 보수; 급료, 수당: work without ~ 무보수로 일하다. ◇ compensate *v.* ***in*** **~ *for*** …의 보상으로서; …의 보수로서: receive £ 5000 *in* ~ *for* injury 상해 보상금으로 5000 파운드를 받다.

compensátion tràde 구상(求償)무역.

com·pen·sa·tive [kámpənsèitiv, kəmpénsə- / kɔ́m-] *a.* =COMPENSATORY.

com·pen·sa·to·ry [kəmpénsətɔ̀:ri / -təri] *a.* 보상의, 대상적인; 보충의: She was awarded a large sum in ~ damages. 그녀는 많은 손해 보상금을 받았다.

com·pere [kámpɛər / kɔ́m-] *n.* Ⓒ 《英》 (방송 연예의) 사회자. ── *vt., vi.* 《英》 (…의) 사회를 하다, 사회를 맡다《*to*》.

‡com·pete [kəmpí:t] *vi.* 《~/+전+명》 ① 겨루다, 경쟁하다; 서로 맞서다《*against*; *for*》: Several candidates were *competing against* 〔*with*〕 each other *for* the nomination. 몇 사람의 후보자가 지명을 받으려고 서로 겨루고 있었다. ② 〔흔히 否定文〕 필적하다, 어깨를 겨루다《*with*; *in*》: Few countries can ~ *with* Switzerland in natural scenic beauty. 자연 경치의 아름다움으로는 스위스에 필적할 만한 나라가 많지 않다. ◇ competition *n.*

***com·pe·tence, -ten·cy** [kámpətəns / kɔ́m-], [-si] *n.* ① Ⓤ 적성, 자격, 능력《*for*; *to* do》: one's ~ *for* the task 그 일을 할 능력 / I doubt his ~ *to* do the work. 그가 그 일을 할 능력이 있는지 어떤지 의심스럽다. ② Ⓤ 〖法〗 권능, 권한: beyond 〔within〕 the ~ of the court 법정의 권한을 넘어〔권한 내에서〕 / exceed one's ~ 월권 행위를 하다. ③ Ⓤ 〖言〗 언어 능력. ④ (a ~) 상당한 자산: acquire *a* ~ 상당한 살림을 할 만한 재산을 얻다.

com·pe·tent** [kámpətənt / kɔ́m-] (more*** ~; ***most*** ~) *a.* ① **a)** 유능한, 능력 있는: a ~ player 〔teacher〕 유능한 선수〔교사〕. **b)** 〔敍述的〕 …할 능력이 있는《*for*》: Jane is ~ *for* teaching physics. 제인은 물리학을 가르칠 능력이 있다 / He is ~ to act as chairman. 그는 의장을 맡을 역량이 있다. ② 충분한, 상당한: a ~ knowledge of English 충분한 영어지식 / a ~ income 상당한 수입. ③ (법정) 자격이 있는《법관·증인 따위》; 관할권 있는: the ~ authorities 소관 관청 / the ~ minister 소관〔주무〕 장관. ④ 〔敍述的〕 (행위 등이) 합법적인, 정당한: It is ~ for you to take the post. 자네가 그 지위에 앉는 것은 정당하다. ◇ competence *n.* ㊐ ~·**ly** *ad.*

‡com·pe·ti·tion [kàmpətíʃən / kɔ̀m-] *n.* ① Ⓤ 경쟁, 겨루기《*between*; *for*; *with*》: keen ~ 치열한 경쟁 / ~ *between* nations 국가간의 경쟁 / be 〔put〕 in ~ *with* …와 경쟁하다〔시키다〕. ② Ⓒ 시합, 경기(대회); 경쟁시험: the Olympic ~ 올림픽 경기 / a wrestling ~ 레슬링 경기 / enter a ~ 경기에 참가하다. ③ Ⓤ 〔集合的〕 경쟁자, 경쟁 상대자, 라이벌: The ~ is very strong this time. 이번 경쟁 상대는 대단히 강하다. ◇ compete *v.*

***com·pet·i·tive** [kəmpétətiv] *a.* 경쟁의, 경쟁적인, 경쟁에 의한: ~ games 경기 종목 / Universities are very ~ for the best students. 대학교들은 최우수 학생을 확보하기 위해 치열한 경쟁을 한다.
㊐ ~·**ly** *ad.* 경쟁하여. ~·**ness** *n.*

com·pet·i·tor [kəmpétətər] (*fem.* ***-tress*** [-tris]) *n.* Ⓒ 경쟁자, 경쟁 상대(rival).

com·pi·la·tion [kàmpəléiʃən / kɔ̀m-] *n.* ① Ⓤ 편집, 편찬《*of*》: the ~ *of* a dictionary 사전의 편찬. ② Ⓒ 편집물. ◇ compile *v.*

***com·pile** [kəmpáil] *vt.* ① …을 편집하다, 편찬하다: ~ an encyclopedia 백과 사전을 편찬〔편집〕하다. ② 《~+목/+목+전+명》 (자료 따위)를 수집하다; 집계하다: ~ materials *into* a magazine 자료를 모아 잡지를 만들다. ③ 〖컴〗 (프로그램)을 컴퓨터 언어로 번역하다.

com·pil·er [kəmpáilər] *n.* Ⓒ ① 편집〔편찬〕자. ② 〖컴〗 옮김틀, 번역기, 컴파일러《BASIC, COBOL, PASCAL 등의 프로그래밍〔고급〕 언어를 기계어로 번역하는 프로그램》.

compíler lànguage 〖컴〗 컴파일러 언어 《ALGOL, FORTRAN 따위》.

com·píl·ing routíne [kəmpáiliŋ-] =COMPILER ②.

com·pla·cence, -cen·cy [kəmpléisəns], [-sənsi] *n.* Ⓤ 안심, 자기 만족; 만족감을 주는 것, 위안이 되는 것: She warned that there is no room for ~ on inflation. 그녀는 인플레이션에 대해 안심할 여지가 없다고 경고했다.

com·pla·cent [kəmpléisənt] *a.* 만족한, 자기 만족의; 안심한: We cannot afford to be ~ about the energy problem. 우리는 에너지 문제에 대해 안심할 수 없다. ㊐ ~·**ly** *ad.* 만족하여.

‡com·plain [kəmpléin] *vi.* ① 《~/+전+명》 불평하다, 우는소리하다, 한탄하다《*of*; *about*》: ~ *of* little supply 공급이 적다고 불평하다. ② 《+전+명》 (경찰 등에) 고소〔고발〕하다《*to*》: He ~*ed to* the police *about* his neighbor's dog. 그는 이웃집 개의 일로 경찰에 고발했다. ③ 《+전+명》 (병고·고통을) 호소하다《*of*; *about*》: She ~*ed of* a headache. 그녀는 두통을 호소했다.
── *vt.* 《~+*that*절/+전+명+*that*절》 …라고 불평〔한탄〕하다: He ~*ed to* his mother *that* his allowance was too small. 어머니에게 용돈이 너무 적었다고 투덜거렸다. ◇ complaint *n.* ~ ***against*** …에 관하여 하소연하다, …을 고소하다.

com·plain·ant [kəmpléinənt] *n.* Ⓒ 〖法〗 원고, 고소인(plaintiff).

com·plain·ing·ly [kəmpléiniŋli] *ad.* 불만스레, 불평하며.

‡com·plaint [kəmpléint] *n.* ① Ⓤ,Ⓒ 불평, 불만, 찡찡거림, 우는소리; 불평거리, 고충: a ~*s* box (고충) 투서함 / make a ~ about …의 일로 불평을 말하다 / have ~*s* about one's teacher 교사에

게 불만이 있다 / have cause for ~ 불평을 말할 충분한 이유가 있다 / If you have any ~*s*, please speak out. 무슨 불만이 있으면 털어놓고 말해 주시오. ② Ⓒ 병 : have〔suffer from〕 a heart ~ 심장병을 앓고 있다, 심장이 나쁘다. ③ Ⓒ 〖法〗 (민사의) 고소, 항고 ; 《美》 (민사소송에서) 원고의 최초의 진술 : make 〔lodge, file, lay〕 a ~ against …을 고소하다. ◇ complain *v.*

com·plai·sance [kəmpléisəns, -zəns, kámpləzæ̀ns] *n.* Ⓤ 은근함(civility), 사근사근〔싹싹〕함, 공손, 친절.

com·plai·sant [kəmpléisənt, -zənt, kámpləzæ̀nt] *a.* 사근사근한, 고분고분한 ; 공손한, 친절한. ㊁ **~·ly** *ad.*

‡com·ple·ment [kámpləmənt / kɔ́m-] *n.* Ⓒ ① 보충〔보족〕물, 보완하는 것. cf supplement. ¶ Good brandy is a ~ to an evening meal. 저녁식사는 고급 브랜디가 따라야 완전하다 / Love and justice are ~*s* each of the other. 사랑과 정의는 서로 더불어야 완전해진다. ② 〖文法〗 보어(補語). ③ 〖數〗 여각(餘角), 여호(餘弧), 여수(餘數) ; 여집합 ; 〖컴〗 채움수. ④ (필요한) 전수, 전량 ; 〖海〗 승무원 정원 ; (직공·공장 인원의) 정수(定數) : The ship has taken in its full ~ of fuel. 배는 연료를 만재하였다. ◇ complete *v.* ── [-mènt] *vt.* …을 보충〔보완〕하다, …의 보충이 되다.

com·ple·men·tal [kàmpləméntl / kɔ̀m-] *a.* = COMPLEMENTARY.

***com·ple·men·ta·ry** [kàmpləméntəri / kɔ̀m-] *a.* ① 보충하는, 보족(補足)의 ; 서로 보완하는 : ~ colors 보색 / a ~ angle 여각(餘角). ② 〔敍述的〕 …을 보족하는《*to*》: Discipline and love should be ~ *to* each other. 훈육과 사랑은 상호 보완해야 한다. ㊁ **-ri·ly** *ad.* 보충으로.

‡com·plete [kəmplí:t] (***more ~, com·plet·er ; most ~, -est***) *a.* ① 완전한, 완벽한 ; 흠잡을 데 없는, 완비된 : Sun, sand and romance — her holiday was ~. 태양과 모래와 낭만 — 그녀의 휴일은 흠잡을 데 없었다. ② 전부의, 전부 갖춘《*with*》: the ~ works of Shakespeare 셰익스피어 전집 / a ~ set (식기 등의) 완전한 한 벌〔세트〕/ a flat ~ *with* furniture 가구가 완비된 아파트 / It comes ~ *with* all fittings. 그것은 모든 부속품이 딸려 온다. ③ 전면적인, 철저한 : a ~ failure 완(전한 실)패 / a ~ stranger 생소한 타인. ★ complete는 의미상 비교를 할 수 없는 형용사이지만 특히 '완전함'의 정도를 강조하기 위해 비교 변화를 쓰는 수가 있음. ④ 《稀》 능란한, 숙달한 : a ~ angler 낚시의 명수. ⑤ 〖文法〗 완전한 : a ~ verb 완전 동사.

── *vt.* ① …을 완성하다, 마무르다, (작품 따위)를 다 쓰다 ; 완결하다 ; (목적)을 달성하다 : ~ one's toilet 화장을 마치다 / ~ the whole course 졸업하다. ② …을 완전한 것으로 만들다 ; 전부 갖추다 ; (수·양)을 채우다 ; (기간)을 만료하다 ; (계약 등)을 이행하다 : Have you ~*d* your application form yet? 이제 신청서에 다 적어넣었느냐. ◇ complement, completion *n.* ㊁ **~·ness** *n.* 완전함.

com·plete·ly [-li] *ad.* ① 완전히, 철저히, 완벽하게, 아주 : I ~ forgot it. 나는 그것을 완전히 잊어버렸다. ② 〔否定文에서〕 완전히 …한 것은 아니다 : I *don't* ~ agree with him. 나는 그에게 전적으로 찬성하는 것은 아니다.

***com·ple·tion** [kəmplí:ʃən] *n.* Ⓤ 성취, 완성, 완결 ; (목적의) 달성 ; 졸업 ; (기간의) 만료 : bring ... to ~ …을 완성시키다, 완성하다 / The bridge is due for ~ in 1999. 그 다리는 1999년에 완성될 예정이다.

com·ple·tist [kəmplí:tist] *n.* Ⓒ 완전주의자. ── *a.* 완전주의자의.

‡com·plex [kəmpléks, kámpleks / kɔ́mpleks] (***more ~ ; most ~***) *a.* ① 복잡한, 착잡한. opp simple. ¶ The plot of the novel is quite ~. 그 소설의 줄거리는 아주 복잡하다. ② 복합(체)의, 합성의(composite). ③ 〖文法〗 복문의 : ⇨ COMPLEX SENTENCE. ◇ complexity *n.*

── [kámpleks / kɔ́m-] *n.* Ⓒ ① (밀접하게 관련된 조직·부분·활동 등의) 복합〔연합〕체, 합성물(~ whole)《*of*》: Conflicts usually develop out of a ~ *of* causes. 다툼은 보통 복합적인 이유에서 생긴다. ② (건물 따위의) 복합〔집합〕체 ; 공업 단지, 콤비나트 : a building ~ 종합 빌딩 / a great industrial ~ 대공업 단지 / a petrochemical ~ 석유화학 콤비나트. ③ 〖精神分析〗 콤플렉스, 복합 ; 《口》 고정관념, 과도한 혐오〔공포〕《*about*》: He has a ~ *about* spiders. 그는 거미를 이상하게〔대단히〕 혐오한다 / ⇨ INFERIORITY COMPLEX. ㊁ **~·ly** *ad.* 복잡하여, 뒤얽혀.

cómplex fráction 〖數〗 번분수(繁分數).

***com·plex·ion** [kəmplékʃən] *n.* ① Ⓒ 안색, 피부색, 얼굴의 윤기 ; 얼굴의 살갗 : a ruddy〔pallid〕 ~ 혈색이 좋은〔창백한〕 얼굴 / He said I had a good ~. 그는 내 안색이 좋다고 말했다. ② (*sing.*) (사태의) 외관, 모양 ; 양상, 국면 : the ~ of the war 전황 / That puts a new ~ on the matter. 그렇게 되면 문제가 또 달라진다.

com·plex·ioned [kəmplékʃənd] *a.* 〔주로 合成語〕 …한 안색〔피부색〕을 한 : dark-~ 가무잡잡한 / fair-~ 살갗이 흰.

***com·plex·i·ty** [kəmpléksəti] *n.* ① Ⓤ 복잡성, 착잡 : problems of varying ~ 여러 가지 복잡한 문제. ② Ⓒ 복잡한 것〔일〕 : the *complexities* of tax law 세법의 복잡성.

cómplex séntence 〖文法〗 복문.

com·pli·ance, -an·cy** [kəmpláiəns], [-i] *n.* Ⓤ ① 승낙, 응낙 : secure a person's ~ 아무의 승낙을 얻다. ② 사람의 말〔청〕을 잘 받아들임, 고분고분함 ; 추종 ; 순종 : I don't think punishment is always a good way of getting children's ~. 나는 벌이 반드시 아이들을 순종시키는 좋은 방법이라고는 생각지 않는다. ◇ comply *v.* ***in ~ with …에 따라 : The company said that it had always acted *in ~ with* environment laws. 그 회사는 항상 환경법을 준수해왔다고 했다.

com·pli·ant [kəmpláiənt] *a.* 남이 시키는 대로 하는, 고분고분한 : a more ~ attitude 더 고분고분한 태도. ㊁ **~·ly** *ad.* 고분고분하게.

***com·pli·cate** [kámplikèit / kɔ́m-] *vt.* ① …을 복잡하게 하다, 까다롭게 하다 : That ~*s* matters. 그렇게 되면 일이 복잡하게〔까다롭게〕 된다. ② 〔흔히 受動으로〕 (병)을 악화시키다 : His disease *was* ~*d by* pneumonia. 그의 병은 폐렴의 병발로 더욱 악화되었다. ── [-kit] *a.* 복잡한, 성가신.

‡com·pli·cat·ed [kámplikèitid / kɔ́m-] (***more ~ ; most ~***) *a.* 복잡한, 까다로운 ; 번거로운, 알기 어려운 : a ~ machine 복잡한 기계 / a ~ fracture 〖醫〗 복잡 골절 / a ~ question 어려운〔까다로운〕 질문. ㊁ **~·ly** *ad.* **~·ness** *n.*

***com·pli·ca·tion** [kàmplikéiʃən / kɔ̀m-] *n.* ① Ⓤ 복잡(화) ; (사건의) 분규, 혼란. ② Ⓒ (종종 *pl.*) (예상 외로) 곤란한 일〔문제〕, 말썽거리 : run into new ~*s* 새로운 귀찮은 문제에 직면하다 / A ~ has arisen. 곤란한 문제가 생겼다. ③ Ⓒ 〖醫〗 합병증, 여병(餘病) : a ~ of diabetes 당뇨병의

여병〔합병증〕/ A ~ set in. 여병(餘病)이 병발했다.

com·plic·i·ty [kəmplísəti] *n.* Ⓤ 공모, 연루《*in*》: ~ with another *in* crime 공범 관계.

‡com·pli·ment [kámpləmənt / kɔ́m-] *n.* ① Ⓒ 찬사, 칭찬의 말; (사교상의) 인사치레의 (칭찬의) 말. ★ compliment 는 사교상의 찬사, flattery 는 아첨하는 기분으로 하는 간살(부림)을 말함. ¶ a heartfelt ~ 마음속으로부터의 찬사 / lavish 〔shower〕 ~ on …에게 칭찬을 아끼지 않다 / deserve a ~ 칭찬할 만하다〔찬사를 받을 만하다〕. ② Ⓒ 경의의 표시; 영광스러운 일: Your presence is a great ~. 왕림해 주셔서 큰 영광입니다 / He paid me the ~ of consulting me about the affair. 그는 나에게 경의를 표하고 그 일에 관해서 의견을 물어왔다. ③ (*pl.*) 치하, 축사; (의례적인) 인사: the ~*s* of the season 계절의 (문안) 인사 / Give 〔Send, Present〕 my ~*s* to your wife. 부인에게 안부 전해 주세요 / make 〔pay, present〕 one's ~*s* to a person 아무에게 인사하다 / With the ~*s* of (the author). =With (the author's) ~*s*. (저자) 근정(謹呈)《증정본의 속표지에 쓰는 말》.

— [-mènt] *vt.* 《+목+전+명》 ① …에게 찬사를 말하다, 칭찬하다《*on*》; …에게 인사치레의 (칭찬의) 말을 하다: My supervisor ~*ed* me *on* my work. 상사가 일에 관해서 나를 칭찬해 주었다. ② …에게 축사를 하다, 축하하다《*on*》: ~ a person *on* his success 아무의 성공을 축하하다. ③ …에게 증정하다《*with*》: ~ a person *with* a book 아무에게 책을 증정하다.

***com·pli·men·ta·ry** [kàmpləméntəri / kɔ̀mplə-] *a.* ① 칭찬의, 찬사의, 찬양하는: a ~ address 축사, 찬사 / a ~ remark 칭찬의 말, 찬사 / He was ~ about my picture. 그는 내 그림을 칭찬해 주었다. ② (호의 또는 경의를 표한) 초대의, 무료의, 우대의: a ~ copy 기증본 / ~ beverage (비행기 안에서 손님에게 제공하는) 무료 음료 / a ~ ticket 우대권, 초대권《*to*》/ Wine is ~. 포도주는 무료.

compliméntary clóse 편지의 결구(結句)《Sincerely yours 등》.

cómpliment slìp 근정(謹呈) 쪽지《증정본이나 선물 등에 첨부하는 쪽지》.

com·pline, -plin [kámplin, -plain / kɔ́m-], [-plin] *n.* Ⓤ (종종 C-) 〖가톨릭〗 (성무일도(聖務日禱)의) 저녁 기도, 만과(晩課). ⓒⓕ matins.

‡com·ply [kəmplái] *vi.* 《~/+전+명》 (요구·희망·규칙 등)에 응하다, 따르다《*with*》: ~ *with* a rule 규칙에 따르다. ◇ compliance *n.*

com·po [kámpou / kɔ́m-] (*pl.* ~*s*) *n.* Ⓤ,Ⓒ 혼합물; 《특히》 회반죽, 모르타르. [◂ *compo*sition]

***com·po·nent** [kəmpóunənt] *a.* 구성하고 있는, 성분을 이루는: ~ parts 구성 요소〔부분〕, 성분.
— *n.* Ⓒ ① 성분, 구성 요소〔부분〕, 부품: Enriched uranium is a key ~ of a nuclear weapon. 농축 우라늄은 핵무기의 기본 성분이다. ② 〖物〗 성분.

com·port [kəmpɔ́:rt] *vt.* 〔再歸的〕 처신하다, 행동하다(behave): ~ *oneself* with dignity 위엄 있게 거동〔행동〕하다. — *vi.* 《+전+명》 일치하다, 어울리다, 적합하다《*with*》: His behavior does not ~ *with* his status. 그의 거동은 신분에 어울리지 않는다.

com·port·ment [-mənt] *n.* Ⓤ 거동, 태도.

‡com·pose [kəmpóuz] *vt.* ① 《~+목/+목+전+명》 〔흔히 受動으로〕 …을 조립하다, 조직하다, 구성하다: The troop *was* ~*d* entirely *of* American soldiers. 그 부대는 전부 미국 병사로 구성되어 있었다. ② (시·글)을 만들다, 작문하다; 작곡하다; (그림)의 구도(構圖)를 잡다: ~ an opera 오페라를 만들다 / ~ a poem 시작(詩作)하다 / He started at once to ~ a reply to Jane. 그는 즉시 제인에게 답장을 쓰기 시작했다 / The drawing is beautifully ~*d*. 그 그림은 아름답게 구도가 잡혀있다. ③ 〖印〗 …을 식자〔조판〕하다; (활자)를 짜다(set up). ④ (논쟁·쟁의 따위)를 진정시키다, 조정하다, 수습하다. ⑤ 《~+목/+목+전+명》 (안색·태도 따위)를 부드럽게 하다, 누그러뜨리다: ~ one's figures 표정을 부드럽게 하다. ⑥ 《+목+*to* do》 〔再歸的〕 마음을 가라앉히다〔안정시키다〕: ~ *oneself to* sleep 마음 편히 자기로 하다. — *vi.* ① 문학〔음악〕 작품을 창작하다, (글·시를) 짓다, 작곡하다. ② 활자를 짜다, 식자〔조판〕하다. ◇ composition *n.*

***com·posed** [kəmpóuzd] *a.* ① (마음이) 가라앉은, 침착한: a ~ face 침착한 얼굴 / Laura was standing beside him, very calm and ~. 로라는 그의 옆에 아주 조용하고 침착하게 서 있었다. ② 〔敍述的〕 (…으로) 성립된, 구성된《*of*》: Switzerland is ~ *of* twenty three cantons. 스위스는 23 주(州)로 이루어져 있다.
㊞ **com·pós·ed·ly** [-idli] *ad.* 마음을 가라앉혀, 태연하게, 침착하게, 냉정하게. **compós·ed·ness** [-idnis] *n.*

‡com·pos·er [kəmpóuzər] *n.* Ⓒ ① 작곡가. ② (소설·시 등의) 작자(作者).

***com·pos·ite** [kəmpázit, kαm- / kɔ́mpɔzit] *a.* ① 여러 가지의 요소를 함유하는; 혼성〔합성〕의: a ~ photograph 합성 사진 / a ~ carriage (한 차량을 여러 등급으로 칸막이한) 혼합 객차. ② (C-) 〖建〗 혼합식의: the *Composite* order 혼합 양식, 콤퍼지트 오더. — *n.* Ⓒ ① 합성물, 복합물; 혼합 객차. ② 〖建〗 혼합식.

‡com·po·si·tion [kàmpəzíʃən / kɔ̀m-] *n.* ① Ⓤ 구성, 조립; 조직; 합성, 혼합; 성분: the ~ of the atom 원자의 구조. ② Ⓤ 기질, 성질: He has a touch of genius in his ~. 그의 성질에는 조금은 천재적인 데가 있다. ③ Ⓤ,Ⓒ 〖美術〗 구성, 배치(配置), 배합(arrangement). ④ Ⓤ 작문(법), 작시(법); 저작, 저술: a ~ book 《美》 작문 공책 / She's good at English ~. 그녀는 영작문을 잘 한다. ⑤ **a)** Ⓤ 작곡(법): He played a piano sonata of his own ~. 그는 자기가 작곡한 피아노 소나타를 연주했다. **b)** Ⓒ (음악·미술의) 작품. ⑥ Ⓤ 〖畫·寫〗 구도《*of*》: The ~ *of* this painting is poor. 이 그림은 구도가 신통치 않다. ⑦ Ⓤ 〖文法〗 (말의) 복합(법), 합성. ⑧ Ⓒ 구성물, 합성물〔품〕, 혼합물; 모조품《종종 compo 로 생략》. ⑨ Ⓒ 화해, 타협; 화해금; (채무의) 일부 변제(금): make a ~ with (one's creditors) (채권자들과) 화해하다. ⑩ Ⓤ 〖印〗 식자, 조판. ◇ compose *v.*

com·pos·i·tor [kəmpázitər / -pɔ́z-] *n.* Ⓒ 〖印〗 식자공(植字工); 식자기(機).

com·pos men·tis [kàmpəs-méntis / kɔ́m-] 《L.》 〖法〗 심신이 건전한, 제정신의(sane).

com·post [kámpoust / kɔ́m-] *n.* Ⓤ ① 혼합물, 합성물. ② 퇴비. — *vt.* …에 퇴비를 주다; (풀 따위)를 썩혀서 퇴비로 만들다.

***com·po·sure** [kəmpóuʒər] *n.* Ⓤ 침착, 냉정, 평정, 자제: keep 〔lose〕 one's ~ 마음의 평정을 유지하다 〔잃다〕 / recover 〔regain〕 one's ~ 평정을 되찾다 / with ~ 아주 침착하게, 태연히. ◇ compose *v.*

com·pote [kámpout / kɔ́m-] *n.* 《F.》 ① Ⓤ 설탕 조림 과일. ② Ⓒ (과자나 과일 담는) 굽달린 접시.

:com·pound[1] [kəmpáund, kámpaund / kɔ́m-paund] *vt.* ① 〔종종 受動으로〕 …을 (하나로) 합성하다, 조합(調合)하다, (요소·성분)을 혼합하다(mix) : The new plastic has *been ~ed of* unknown materials. 새로운 플라스틱은 미지의 재료를 혼합하여 만든 것이다. ② …을 (하나로) 만들어 내다, 조성하다 ; (약)을 조제하다 : ~ a medicine 약을 조제하다. ③ (분쟁)을 가라앉히다 ; 〖法〗 (돈으로) 무마하다, 화해하다. ④ 〔종종 受動으로〕 …을 증가〔배가〕하다, 더욱 크게〔심하게〕 하다 : Our firm's financial difficulties *were ~ed by* the president's sudden death. 사장의 갑작스런 사망으로 우리 회사의 재정적 어려움이 더욱 가중되었다. ⑤ (이자)를 복리로 지급〔계산〕하다.
— *vi.* ① 《+[전]+[명]》 타협하다 ; 화해하다《*with*》 : ~ *with* a person *for* a thing 어떤 일로 아무와 타협하다. ② 서로 섞이다, 혼합하다《*with*》 : Hydrogen ~*s with* oxygen to form water. 수소는 산소와 화합하여 물을 형성한다.
— [kámpaund, -ˊ / kɔ́m-] *a.* ① 합성의, 복합의, 혼성의([opp] *simple*) ; 복잡한, 복식의 ; 화합한 ; 집합의 : ~ ratio 〔proportion〕 복비례. ② 〖文法〗 (문장이) 중문(重文)의 ; (말이) 복합의 : a ~ noun 복합 명사.
— [kámpaund / kɔ́m-] *n.* [C] ① 합성〔혼합〕물. ② 화합물. ③ 복합어(~ word). [opp] *simple.*

com·pound[2] [kámpaund / kɔ́m-] *n.* [C] ① 구내(構內) ; (동양에서) 울타리친 백인 거주 구역. ② (수용소 따위의) 울을 친 구역.

cómpound éye 〖動〗 복안(複眼), 겹눈.

cómpound flówer 〖植〗 두상화(頭狀花)《국화꽃 따위》.

cómpound fráction 〖數〗 번(繁)분수(complex fraction).

cómpound frácture 〖醫〗 복잡 골절.

cómpound ínterest 복리(複利).

cómpound léaf 〖植〗 복엽(複葉), 겹잎.

cómpound pérsonal prónoun 〖文法〗 복합 인칭 대명사《인칭 대명사 뒤에 -self 가 붙은 것》.

cómpound séntence 〖文法〗 중문(重文).

cómpound wórd 복합〔합성〕어.

:com·pre·hend [kàmprihénd / kɔ̀mpr-] *vt.* ① …을 (완전히) 이해하다, 파악하다, 깨닫다 : I didn't ~ its full meaning. 나는 그 뜻을 충분히 이해하지 못하고 있었다. ② …을 포함〔내포〕하다 : Science ~*s* many disciplines. 과학에는 많은 분야가 있다. ◇ comprehension *n.* [파] **~·ing·ly** *ad.* 이해하여.

com·pre·hen·si·bil·i·ty [kàmprihènsəbíləti / kɔ̀m-] *n.* [U] ① 이해할 수 있음, 알기 쉬움. ② 포용성(包容性).

com·pre·hen·si·ble [kàmprihénsəbəl / kɔ̀m-] *a.* ① 이해할 수 있는, 알기 쉬운 : It's written in clear, ~ English. 그것은 명확하고 알기 쉬운 영어로 쓰여 있다. ② 포괄(包括)할 수 있는. [파] **-bly** *ad.* 알기 쉽게.

:com·pre·hen·sion [kàmprihénʃən / kɔ̀m-] *n.* [U] ① 이해 ; 터득 ; 이해력 : without ~ 까닭도 모르고 / He has no ~ of the size of the problem. 그는 문제의 진상을 알지 못한다. ② 포함, 함축. ◇ comprehend *v.*

:com·pre·hen·sive [kàmprihénsiv / kɔ̀m-] *a.* ① 포괄적인, 포용력이 큰 : a ~ mind 넓은 마음. ② 범위가 넓은 : a ~ knowledge 〔survey〕 광범위한 지식〔조사〕. ③ 이해(력)의, 이해력이 있는, 이해가 빠른 : the ~ faculty 이해력. ◇ comprehend *v.* — *n.* 《英》 =COMPREHENSIVE SCHOOL. [파] **~·ly** *ad.* 포괄적으로, 광범위하게. **~·ness** *n.*

comprehénsive schòol 《英》 종합 (중등) 학교.

> [參考] 공립 중등 학교가 grammar school이나 technical school 등의 계열로 나누어져 있는 것은 폐해가 있다고 보고, 지능이나 능력에 관계없이 일정 지역의 11세 이상의 학생에게 교육을 실시할 목적으로 만들어졌음. 많은 학생들이 이 학교에 진학했는데, 보통과·직업과 등 여러 가지 과정이 있어서, 능력·적성·진로에 부응한 교육이 이루어짐.

***com·press** [kəmprés] *vt.* ① …을 압축하다, 압착하다 ; …을 단축하다, 축소하다《*into*》 : ~ one's lips 입술을 굳게 다물다 / The gas *was ~ed into* liquid. 그 가스는 압축되어 액체가 되었다. ② (말·사상 따위)를 요약하다《*into*》 : I managed to ~ ten pages of notes *into* four paragraphs. 나는 10페이지의 기록을 네 문단으로 요약해 냈다.
— [kámpres / kɔ́m-] *n.* [C] (혈관을 압박하는) 압박 붕대 ; 습포(濕布) : a cold 〔hot〕 ~ 냉〔온〕습포.

***com·pressed** [kəmprést] *a.* 압축〔압착〕된 ; (사상·문체 따위가) 간결한 : ~ air 압축 공기 / a ~ expression 간결한 표현.

com·press·i·bil·i·ty [kəmprèsəbíləti] *n.* [U] 압축 가능성 ; 〖物〗 압축성〔률〕.

com·press·i·ble [kəmprésəbəl] *a.* 압축〔압착〕할 수 있는, 압축성의.

***com·pres·sion** [kəmpréʃən] *n.* [U] ① 압축, 압착, 가압. ② (사상·언어 등의) 요약.

com·pres·sive [kəmprésiv] *a.* 압축력이 있는, 압축의〔을 가하는〕. [파] **~·ly** *ad.*

***com·pres·sor** [kəmprésər] *n.* [C] ① 컴프레서, (공기·가스 등의) 압축기〔펌프〕 : an air ~ 공기 압축기. ② 〖醫〗 지혈기(止血器), 혈관 압박기.

***com·prise** [kəmpráiz] *vt.* ① …을 함유하다, 포함하다 ; …으로 이루어져 있다 : The United States ~*s* 50 states. 미국은 50주로 이루어져 있다. ② 〔종종 受動으로〕 …의 전체를 형성하다 ; …을 구성하다《*of*》 : The committee *is ~ed of* eight members. 위원회는 8명으로 구성된다 / Three chapters ~ Part One. 세 장이 제1부를 구성한다.

:com·pro·mise [kámprəmàiz / kɔ́m-] *n.* ① [U,C] 타협, 화해, 양보 : make a ~ with …와 타협하다 / It is hoped that a ~ will be reached 〔agreed, arrived at, worked out〕 in today's talks. 오늘 회담에서 타협이 이루어지기를 바란다. ② [C] 타협〔절충〕안 ; 절충〔중간〕물《*between*》 : a ~ *between* opposite opinions 대립하는 의견의 절충안. — *vt.* ① 《+[목]+[전]+[명]》 …을 타협〔절충〕하여 처리하다, 화해하다 : ~ a dispute *with* a person 아무와 타협하여 분쟁을 해결하다. ② (주의·원칙)을 양보하다, 굽히다 : Don't ~ your beliefs〔principles〕 for the sake of being accepted. 인정을 받기 위해서 소신〔원칙〕을 굽히지 마라. ③ **a)** (명예·평판·신용 따위)를 더럽히다, 손상하다. **b)** 〔再歸的〕 (폭행 따위로) 자기 체면을 손상하다, 신용을 떨어뜨리다. — *vi.* 《~ / +[전]+[명]》 타협하다, 화해하다, 절충하다《*with* ; *on* ; *over*》 ; (불리한·불명예스러운) 양보를 하다《*with*》 : ~ *on* these terms 이들 조건으로 타협하다 / ~ *with* a person 〔a principle〕 아무와〔주의에〕 타협하다 / choose prison rather than ~ *with* one's beliefs 자기의 신념을 굽히느니 차라리 감옥을 택하다.

com·pro·mis·ing [kámprəmàiziŋ / kɔ́m-] *a.* 명예를〔평판을〕 손상시키는, 의심받을 : He is in a ~ situation. 그는 의심을 받아도 어쩔 수 없는 상황에 빠져 있다.

comp·trol·ler [kəntróulər] *n.* Ⓒ (회계, 은행의) 검사관, 감사관. ⓒⓕ controller ①.

compu- 'computer'의 뜻의 결합사 : *compu*word 컴퓨터 용어.

***com·pul·sion** [kəmpʌ́lʃən] *n.* ① Ⓤ 강요, 강제 : by ~ 강제적으로 / under (on, upon) ~ 강제되어, 부득이. ② Ⓒ 〖心〗 강한 충동, 누르기 어려운 욕망《*to* do》: driven by a ~ *to* see what is inside 내용물을 보고자 하는 충동에 사로잡혀서. ◇ compel *v.*

***com·pul·sive** [kəmpʌ́lsiv] *a.* ① 강제적인, 억지로의. ② 강박감에 사로잡힌(것 같은) : a ~ drinker 술을 마시지 않고는 못 배기는 사람. ㊕ ~·**ly** *ad.* 강제적으로. ~·**ness** *n.*

com·pul·so·ri·ly [kəmpʌ́lsərili] *ad.* 강제적으로, 의무적으로.

***com·pul·so·ry** [kəmpʌ́lsəri] *a.* ① 강제된, 강제적인 : ~ measures 강제 수단. ② 의무적인 ; 필수의. ⓞⓟⓟ *elective, optional.* ¶ ~ service 징병 / a ~ subject 《英》 필수 과목(《美》 required subject) / In Britain, ~ education(schooling) begins at the age of five. 영국에서 의무교육은 다섯살에 시작된다. ── *n.* Ⓒ 〖競〗 (피겨 스케이트 · 체조 등의) 규정(연기). ◇ compel *v.*

com·punc·tion [kəmpʌ́ŋkʃən] *n.* Ⓤ (흔히 否定 · 疑問文) 양심의 가책, 후회, 회한 : *without* (the slightest) ~ (아무) 거리낌 없이, (조금도) 미안해 하지 않고.

com·punc·tious [kəmpʌ́ŋkʃəs] *a.* 후회하는, 양심에 가책되는. ㊕ ~·**ly** *ad.* 후회하여.

com·put·a·ble [kəmpjú:təbəl] *a.* 계산할 수 있는. ㊕ **com·pùt·a·bíl·i·ty** [-əbíləti] *n.*

com·pu·ta·tion [kὰmpjutéiʃən / kɔ̀m-] *n.* ① Ⓤ,Ⓒ 계산, 평가. ② Ⓒ 계산의 결과, 산정(算定) 수치 : It will cost £5000 by my ~*s.* 내 계산으로는 5000 파운드 들겠다. ㊕ ~·**al** *a.*

computátional linguístics 〖言〗 컴퓨터 언어학.

***com·pute** [kəmpjú:t] *vt.* ① 《~+目/+目+前+名》 (수 · 양)을 계산(측정)하다, 산정(算定)하다, 평가하다 ; 어림잡다《*at*》; (…이라고) 추정하다《*that*》: It is difficult to ~ the loss in revenue. 수익의 감소를 계산하기는 어렵다 / We ~*d* the distance *at* 200 miles. 거리를 200 마일로 어림잡았다. ② …을 컴퓨터로 계산하다.
── *vi.* 계산하다 ; 컴퓨터를 사용하다.

com·pút·ed tomógraphy [kəmpjú:tid-] 〖醫〗 컴퓨터 단층 촬영(略 : CT).

‡com·put·er [kəmpjú:tər] *n.* Ⓒ 전산기(電算機) (electronic ~), 셈틀, 컴퓨터 : ~ crime 컴퓨터 범죄 / ~ dating 컴퓨터 맞선(결혼 중매) / a ~ game 컴퓨터 게임. ⓒⓕ analog, digital.

compúter abúse 컴퓨터 (시스템의) 부정 이용.

com·pút·er-aid·ed desígn [-èidid-] 컴퓨터 보조 설계(略 : CAD).

com·pút·er-based léarning [-bèist-] 컴퓨터를 학습 도구로 이용하는 일(略 : CBL).

compúter-based méssaging sỳstem 컴퓨터를 사용한 정보 전달 시스템(略 : CBMS).

compúter bréak-in 컴퓨터에 의한 불법 침해 《허가 없이 데이터 뱅크에 침입하여, 데이터를 도용하거나 개변(改變)하는 일》.

com·put·er-en·hanced [-inhǽnst, -hὰ:nst] *a.* (천체 사진 등) 컴퓨터 처리로 화질(畫質)을 향상시킨.

com·put·er·ese [kəmpjù:tərí:z] *n.* Ⓤ,Ⓒ 컴퓨터 전문 용어 ; 컴퓨터 기술자의 전문 용어, (컴퓨터의) 프로그램 언어, 기계어.

compúter flùency 컴퓨터를 자유로이 사용할 수 있음.

compúter gràphics 컴퓨터 그래픽스《컴퓨터에 의한 도형 처리》.

compúter hácker 컴퓨터 해커《컴퓨터 시스템에 불법 침입해서 피해를 입히는 사람》.

com·put·er·hol·ic [kəmpjù:tərhɔ́(:)lik, -hάlik] *n.* 《口》 =COMPUTERNIK.

compúter illìterate 컴퓨터 사용에 익숙지 않은 사람. ★ 형용사적으로는 computer-illiterate.

com·put·er·ist [kəmpjú:tərist] *n.* Ⓒ 컴퓨터 일을 하는 사람 ; 컴퓨터에 열중하는 사람.

com·put·er·ize [kəmpjú:təràiz] *vt.* …을 컴퓨터로 처리(관리, 자동화)하다 ; (정보)를 컴퓨터에 기억시키다 ; (어떤 과정)을 전산화하다 : The office hasn't ~*d* yet. 그 사무실은 아직 전산화되지 않았다. ── *vi.* 컴퓨터를 도입(사용)하다.

com·put·er·ized [kəmpjú:təràizd] *a.* (사무실 등이) 컴퓨터화(化)된 ; (자료 등이) 컴퓨터에 입력된 : ~ diagnosis 컴퓨터(화 된) 진단법.

compúter jùnkie 《美俗》 컴퓨터광(狂).

compúter lànguage 컴퓨터(용) 언어. ⓒⓕ ALGOL, COBOL, FORTRAN.

com·put·er·like [kəmpjú:tərlàik] *a.* 컴퓨터 같은 : with ~ precision 컴퓨터 같은 정확성으로.

compúter lìteracy 컴퓨터 언어의 이해 능력, 컴퓨터 사용 능력.

com·put·er-lit·er·ate [-lítərət] *a.* 컴퓨터를 사용할 수 있는, 컴퓨터에 숙달된.

com·put·er·man [kəmpjú:tərmæ̀n] (*pl.* ***-men*** [-mèn]) *n.* Ⓒ 컴퓨터 전문가.

compúter mòdel 컴퓨터 모델《시뮬레이션 따위를 하기 위해 시스템이나 프로젝트의 내용 동작을 프로그램화한 것》.

com·put·er·nik [kəmpjú:tərnìk] *n.* Ⓒ 《口》 컴퓨터 전문가 ; 컴퓨터에 관심을 가진 사람, 컴퓨터화(化) 추진자.

com·put·er·ol·o·gy [kəmpjù:tərάlədʒi / -rɔ́l-] *n.* Ⓤ 컴퓨터학.

com·pu·ter·phobe [kəmpjú:tərfòub] *n.* Ⓒ 컴퓨터 공포증의(컴퓨터를 싫어하는) 사람.

com·pu·ter·phone [kəmpjú:tərfòun] *n.* Ⓒ 컴퓨터폰《컴퓨터와 전화를 합친 통신 시스템》.

compúter revolùtion 컴퓨터 혁명《컴퓨터의 발전에 의한 정보 혁명을 중심으로 한 사회 혁명》.

com·put·er·scam [kəmpjú:tərskæ̀m] *n.* Ⓤ (컴퓨터에 관한) 스파이 (행위).

compúter scìence 컴퓨터 과학《컴퓨터 설계, 자료 처리 등을 다루는 과학》.

compúter scìentist 컴퓨터 과학자(전문가).

compúter scrèen 컴퓨터 스크린《컴퓨터로부터의 출력을 나타내는 장치의 화면》.

compúter secùrity 컴퓨터 보안《컴퓨터와 그 관련 사항을 고장, 파괴, 범죄 등으로부터 지키기 위한 보안 대책(조치)》.

com·pu·ter·speak [kəmpjú:tərspì:k] *n.* Ⓤ,Ⓒ 컴퓨터어, 컴퓨터 언어.

compúter tỳpesetting 〖印〗 전산(컴퓨터) 사식(寫植) (automatic typesetting).

compúter vìrus 컴퓨터 바이러스, 셈틀균《기억 장치 등에 숨어들어 정보나 기능을 훼손시키는 프로그램》.

com·put·e·ry [kəmpjú:təri] *n.* Ⓤ 〖集合的〗 컴퓨터(시설) ; 컴퓨터 사용(기술 · 조작).

com·pu·tis·ti·cal [kὰmpjətístikəl / kɔ̀m-] *a.*

컴퓨터 집계의; 컴퓨터로 통계 처리한.

com·pu·toc·ra·cy [kàmpjutákrəsi / kɔ̀m-pjutɔ́k-] *n.* Ⓤ 컴퓨터 중심의 정치(사회).

com·pu·to·pia [kàmpjutóupiə / kɔ̀m-] *n.* 컴퓨토피아((컴퓨터 발달로 실현되리라는 미래의 이상적 사회)). [◂ *compu*ter + u*topia*]

com·pu·to·po·lis [kàmpju:tápəlis / kɔ̀mpju-tɔ́p-] *n.* Ⓒ 컴퓨터 도시((컴퓨터 기술로 고도의 정보 기능을 갖는 미래 도시)).

‡**com·rade** [kámræd, -rid / kɔ́m-] *n.* Ⓒ ① 동료, 동지, 친구, 벗 : ~*s* in arms 전우들. ② ((口)) (공산당의) 당원, 동지 : *Comrade* Smith 스미스 동지 / the ~*s* 공산당원, 빨갱이들((외부에서 말할 때)). ⊕ ~·**ly** *a.* 동지의(에 걸맞는).

com·rade·ship [-ʃìp] *n.* Ⓤ 동지로서의 교제, 동료 관계, 우애, 우정 : a sense of ~ 동료의식.

coms [kamz / kɔmz] *n. pl.* ((英口)) =COMBINATION ②.

Com·sat [kámsæt / kɔ́m-] *n.* ① 콤샛((미국 통신위성 회사; 商標名)). ② Ⓒ (c-) 콤샛((대륙간 등의 통신위성)). [◂ *Com*munications *Sat*ellite]

Co·mus [kóuməs] *n.* 〖그神·로神〗 코머스((주연·축제를 관장하는 젊은 신)).

con[1] [kan / kɔn] (*-nn-*) *vt.* ((美·英古)) …을 정독(숙독)하다; 배우다; 암기하다; 자세히 조사하다 ((*over*)) : ~ by rote 무턱대고 암기하다.

con[2] (*-nn-*) *vt.* (배)의 조타(操舵)를 지휘하다, 침로를 지령하다. cf. conning tower.

con[3] *ad.* 반대하여 : pro and ~ 찬성 및 반대로. ── *n.* Ⓒ (흔히 *pl.*) 반대 투표(자); 반대론(자). opp. *pro*[2]. ¶ (the) pros and ~*s* 찬부 양론(兩論), 이해 득실.

con[4] *n.* Ⓒ 횡령; 신용 사기(((美)) confidence game); 사기(꾼) : This so-called bargain is just a big ~! 소위 계약이라지만 이건 큰 사기일 뿐이야. ── (*-nn-*) *vt.* ① …을 속이다(swindle), 사기하다(cheat) : You can't ~ me — you're not really sick! 넌 나를 속일 수 없어 — 넌 정말로 아픈 게 아냐. ② …을 속여서 (…을) 하게 하다 ((*into*)); …을 속여서 (…을) 빼앗다((*out of*)) : She was ~*ned into* buying imitation pearls. 그녀는 속아서 모조 진주를 샀다 / ~ a person *out of* his money 아무를 속여서 돈을 우려내다.

con[5] *n.* Ⓒ 죄수, 전과자(convict).

con- *pref.* =COM- ((b, h, l, p, r, w 이외의 자음 글자 앞에서)).

con brio [kan-brí:ou / kɔn-] ((It.)) 〖樂〗 활발(쾌활)하게, 생기 있게.

con·cat·e·nate [kankǽtənèit / kɔn-] *vt.* …을 사슬같이 잇다, (사건 따위)를 연결시키다.

con·cat·e·na·tion [kankæ̀tənéiʃən / kɔn-] *n.* ① Ⓤ 연쇄, 연결. ② Ⓒ (사건 따위의) 연속 : a ~ of accidents 사고의 연속.

*__con·cave__ [kankéiv, ⌐- / kɔn-] *a.* 옴폭한, 오목한, 요면(凹面)의. opp. *convex.* ¶ a ~ lens 오목렌즈 / a ~ mirror 요면경(鏡), 오목 거울 / a ~ tile 둥근 기와, 암키와. ── [⌐-] *n.* ① Ⓒ 요면; 요면체. ② (the ~) 하늘.

con·cav·i·ty [kankǽvəti / kɔn-] *n.* ① Ⓤ 가운데가 옴폭함, 요상(凹狀). ② Ⓒ 요면(凹面); 함몰부(部).

con·ca·vo-con·cave [kankéivoukankéiv / kɔnkéivoukɔnkéiv] *a.* 양면이 옴폭한, 양요(兩凹)의(biconcave).

con·ca·vo-con·vex [kankéivoukanvéks / kɔnkéivoukɔnvéks] *a.* 요철(凹凸)의, 한 면은 오목하고 한 면은 볼록한.

‡**con·ceal** [kənsí:l] *vt.* ((~+目/+目+前+名)) ① …을 숨기다, 비밀로 하다 : ~ something *from* a person 무언가를 아무에게 숨기다 / The tree ~*ed* her *from* view. 나무 때문에 그녀의 모습은 보이지 않았다 / I have ~*ed* nothing *from* you. 나는 너에게는 아무것도 숨기지 않고 있다 / ~ one's emotions 감정을 겉으로 나타내지 않다. ② 〔再歸的〕 숨다 : He ~*ed himself* behind a tree. 그는 나무 뒤에 숨었다.

*__con·ceal·ment__ [kənsí:lmənt] *n.* Ⓤ 숨김, 은폐; 숨음, 잠복 : without any attempt at ~ 숨길 의도 없이 / be〔remain〕 in ~ 숨어 있다 / *Concealment* of income from the tax office is illegal. 수입을〔의 일부를〕 세무서에 보고하지 않는 것은 위법이다.

*__con·cede__ [kənsí:d] *vt.* ① ((~+目/+目+前+名/+that 節)) …을 인정하다, 시인하다(admit) : ~ defeat 패배를 인정하다 / He ~*d* (to us) *that* he was wrong. 그는 (우리에게) 자기가 잘못된〔틀린〕 것을 인정했다. ② …을 양보하다 : ~ a point *to* a person in argument 토론에서 아무에게 어떤 점을 양보하다. ③ ((~+目/+目+目/+目+前+名)) …을 (권리·특권으로) 용인하다; (특권 등)을 양여하다, 부여하다((*to*)) : He ~*d* us the right to walk through his land. 그는 우리에게 그의 소유지를 지나갈 권리를 부여해 주었다 / ~ a longer vacation *for*〔*to*〕 all employees 종업원 전원에게 더 긴 휴가를 주다. ④ (경기 따위에서 득점 따위)를 허용하다 : We ~*d* two points *to* our opponents. 상대에게 2점을 허용했다. ⑤ …의 패배를 인정하다((공식 결과가 나오기 전에)) : ~ an election 선거에서 상대방의 승리를 인정하다. ── *vi.* ① ((+前+名)) (…에게) 양보하다, (…을) 용인하다 : ~ *to* a person 아무에게 양보하다 / ~ *to* his request 그의 요구에 응해주다. ② ((美)) (경기·선거 따위에서) 패배를 인정하다. ◇ concession *n.*

con·ced·ed·ly [kənsí:didli] *ad.* 명백히.

‡**con·ceit** [kənsí:t] *n.* ① Ⓤ 자부심, 자만, 자기 과대 평가. opp. *humility.* ¶ with ~ 자만하여, 우쭐해서 / be full of ~ 한껏 자만에 빠져 있다 / Judy knew she was a good student, and that was not just a ~. 주디는 자기가 훌륭한 학생이란 것을 알고 있었고, 또 그것은 자만만은 아니었다. ② Ⓒ 마음에 떠오른〔생각난〕 것, 생각. ③ Ⓒ 〖文〗 (시문 등의) 기발한 착상, 기상(奇想), 기발한 표현. ***in one's own*** ~ 제딴에는 : He is a big man *in his own* ~. 저 사람은 제딴에는 거물인 줄로 알고 있다.

*__con·ceit·ed__ [kənsí:tid] *a.* 자만심이 강한, 젠체하는 : I thought him ~ and arrogant. 나는 그를 거만하고 건방지다고 생각했다. ⊕ ~·**ly** *ad.*

*__con·ceiv·a·ble__ [kənsí:vəbəl] *a.* 생각〔상상〕할 수 있는; 있을 법한 : by every ~ means 가능한 모든 수단으로 / It is the best ~. 그 이상의 것은 생각할 수 없다 / It's hardly ~ that he will fail. 그가 실패하리라는 것은 좀처럼 생각할 수 없다.

con·ceiv·a·bly [-vəbəli] *ad.* 생각되는 바로는, 상상으로는, 생각건대, 아마 : I can't ~ beat him. 나는 그에게는 도저히 이길 것 같지 않다.

*__con·ceive__ [kənsí:v] *vt.* ① (감정·의견 따위)를 마음에 품다, 느끼다 : ~ a hatred 증오를 느끼다 / ~ a love 〔dislike〕 for a person 아무가 좋아지다〔싫어지다〕. ② (계획 등)을 착상하다, 고안하다 : ~ a plan 입안하다 / a badly ~*d* scheme 졸렬한 기획. ③ 이해하다 : I ~ you. 기분은 잘 압니다. ④ ((+目+(*to be*) 補/+*that* 節/+*wh.*節/+*wh.* +*to* do)) …을 마음속에 그리다, 상상하다, 생각하다, …라고 생각하다 : ~ something (*to be*) possible 어떤 일을 가능하다고 생각하다 / The ancients ~*d* the earth as afloat in water. 옛날 사람은 지구가 물에 떠 있다고 생각했다 / I can't ~ *that* it would be of any use. 그것이 무슨 소용이 된다고는 생각지 않는다. ⑤ 〔보통 受動으로〕 …을 말로 나타내다, 진술하다 : ~*d* in plain terms 쉬운 말로 표현된〔씌어진〕. ⑥ (아이)를 임신하다, 배다 : ~ a child 아이를 배다. ― *vi.* ① 〔종종 否定文〕 《+전+명》 (…을) 상상하다 ; 생각하다 ; 생각이 나다《*of*》 : ~ *of* a plan 하나의 계획이 떠오르다 / I can*not* ~ *of* his killing himself. 그가 자살하다니 생각도 할 수 없는 일이다 / People used to ~ *of* disease as a punishment for sin. 사람들은 옛날에는 병이 죄에 대한 벌이라고 생각하고 있었다. ② 임신하다 : About one in six couples has difficulty *conceiving.* 여섯 쌍 중 한 쌍은 임신에 어려움이 있다. ◇ conception *n.*

‡con·cen·trate [kánsəntrèit / kɔ́n-] *vt.* ① 《~+목 / +목+전+명》 (주의·노력 따위)를 집중〔경주〕하다 ; 한 점에 모으다《*on, upon*》 : ~ one's attention 〔efforts〕 *on* 〔*upon*〕 …에 주의를〔노력을〕 집중하다 / A convex lens ~*s* rays of light. 볼록 렌즈는 광선을 한 점에 모은다. ② 《+목+전+명》 (부대 등)을 집결시키다《*at*》 : ~ troops *at* one place 군대를 한 곳에 집결시키다. ③ (액체)를 농축하다 ; 응집하다. ― *vi.* ① 《+전+명》 …에 집중하다 ; 한 점에 모이다《*at ; in*》 : Population tends to ~ *in* large cities. 인구는 대도시에 집중하는 경향이 있다. ② (부대 등이) 집결하다. ③ 《+전+명》 전념하다, 주의〔노력 따위〕를 집중하다, 전력을 기울이다《*on, upon*》 : *Concentrate on* your driving. 운전에 전념해라. ◇ concentration *n.* ― *n.* U.C 농축물〔액〕 : a ~ of grape juice 농축 포도 주스.

con·cen·trat·ed [-id] *a.* 〔限定的〕 ① 집중한 : ~ hate 모진 증오 / a ~ attack on …에 대한 집중 공격. ② 농축〔응집, 응축〕된 ; 농후한 : ~ milk 농축 우유 / ~ feed 농축 사료.

***con·cen·tra·tion** [kànsəntréiʃən / kɔ̀n-] *n.* ① U.C (사람이나 물건의) 집중 ; (군대 등의) 집결 : the ~ of population in large cities 인구의 대도시로의 집중. ② U (노력·정신 등의) 집중, 집중력, 전념 : This book needs great ~. 이 책을 읽는 데는 대단한 집중력을 요한다. ③ **a**) U 농축. **b**) (*sing.*) (액체의) 농도. ◇ concentrate *v.*

concentrátion càmp (정치범·포로 등의) 강제 수용소《특히 나치스의》.

con·cen·tric [kənséntrik] *a.* 동심(同心)의, 중심이 같은. opp. *eccentric.* ¶ ~ circles 〖數〗 동심원(同心圓). 파 **-tri·cal·ly** *ad.*

***con·cept** [kánsept / kɔ́n-] *n.* C ① 개념, 생각 : the ~ that all men are created equal 모든 사람은 평등하게 창조되었다고 하는 생각. ② 〖哲〗 개념 : the ~ (of) 'horse' '말'이라는 개념.

‡con·cep·tion [kənsépʃən] *n.* ① U 개념, 생각 (concept) : my ~ of freedom 내가 가지고 있는 자유의 개념 / I have no ~ (of) what it's like. 그것 무엇인지 전혀 모른다. ② U 개념 작용 ; 파악, 이해. cf. perception. ③ C 구상, 착상, 창안, 고안, 계획 : a grand ~ 웅대한 구상 / It was a clever ~. 그것은 좋은 착상〔생각〕이었다. ④ U 임신 : a method of preventing ~ 피임의 방법 / the nine months between ~ and birth 임신과 출산 사이의 9개월. ◇ conceive *v.*

concéption contròl 임신 조절, 피임.

con·cep·tu·al [kənséptʃuəl] *a.* 개념상의 : the ~ framework of the play 연극의 개념 구성.

con·cep·tu·al·i·za·tion [kənsèptʃuəlizéiʃən] *n.* C 개념화.

con·cep·tu·al·ize [kənséptʃuəlàiz] *vt.* …을 개념화하다, 개념적으로 설명하다.

cóncept vìdeo 컨셉트 비디오《음악과 그 이미지를 전달하는 영상을 조화시킨 비디오》.

‡con·cern [kənsə́ːrn] *vt.* ① …에 관계하다, …에 관계되다 ; …의 이해에 관계되다(affect), …에 있어서 중요하다 : The problem does not ~ us. 그 문제는 우리들에겐 관계가 없다 / It ~*s* him to know that…. 그는 …라는 것을 알고 있을 필요가 있다. ② 《+목+전+명》 〔受動 또는 再歸的으로〕 관계하다, 관여하다, 종사하다《*in ; with ; about*》. cf. concerned. ¶ I *am* not ~*ed with* that matter. = I do not ~ *myself with* that matter. 나는 그 일과는 관계 없다 / You'd better not ~ *yourself in* such things. 너는 그런 일에는 관여하지 않는 것이 좋다. ③ 《~+목 / +목+전+명》 〔受動 또는 再歸的으로〕 관심을 갖다, 염려하다, 걱정하다 《*about ; for ; over*》 : He doesn't have to ~ *himself with* money. 그는 돈 때문에 걱정할 필요는 없다 / You must not ~ *yourself about* me. 제 일로 염려하지는 마십시오 / I *am* ~*ed about* his health. 그의 건강이 걱정이다. ***as ~s. . .*** …에 대〔관〕해서는. ***be ~ed to*** do (1) …하여 유감이다 : I *am* (much) ~*ed to* hear that…. …라는 것을 듣고 (매우) 유감으로 생각합니다. (2) …하고 싶다, …하기를 원하다〔노력하다〕 : We *are* not particularly ~*ed to* trace their history. 우리는 그 역사를 특히 더듬으려고 생각하는 것은 아니다. ***as*** 〔***so***〕 ***far as . . . be ~ed*** …에 관한 한 : This is all rubbish *as far as* I'*m* ~*ed*. 나에 관한 한 이것은 모두 하찮은 것이다. ***To whom it may*** ~ 관계자 제위(諸位). ***where . . . be ~ed*** …에 관한 한, …에 관한 일이라면.

― *n.* ① C 관계, 관련《*with*》; 이해 관계《*in*》 : I have a ~ *in* the business. 나는 그 사업에 (이해) 관계가 있다 / They have no ~ *with* the dispute. 그들은 그 분쟁과는 아무런 상관도 없다. ② U (보통 of ~) 중대한 관계, 중요성 : a matter *of* the utmost ~ 매우 중대한 사건. ③ U (또는 a ~) 관심 ; 염려, 걱정《*for ; over ; about*》 : with 〔without〕 ~ 염려하여〔걱정없이〕 / show deep ~ at the news 그 뉴스에 깊은 관심을〔우려를〕 나타내다 / a matter of ~ 관심사. ④ C (종종 *pl.*) 관심사, 용건, 사건 : It's none of my ~. =It is no ~ of mine. 내 알 바 아니다 / Mind your own ~*s.* 쓸데 없는 간섭 마라. ⑤ C 사업, 영업 : a paying ~ 수지가 맞는〔벌이가 되는〕 장사. ⑥ C 회사, 상회 ; 콘체른, 재벌. ⑦ C 《口》 (막연한) 일, 것 ; 《蔑》 사람, 놈 : The war smashed the whole ~. 전쟁이 모든 것을 망쳐 버렸다 / I'm sick of the whole ~. 이것엔 진저리가 난다 / everyday ~*s* 일상의 일들 / a selfish ~ 이기적인 놈.

***con·cerned** [kənsə́ːrnd] *a.* ① 걱정하는, 염려하는 ; 걱정스러운 : feel ~ 염려하다 / with a ~ air 걱정스러운 태도로. ② **a**) 〔흔히 名詞 뒤에서〕 관계하고 있는, 당해(當該)… : the authorities 〔parties〕 ~ 당국〔관계〕자. **b**) 〔敍述的〕 …에 관계가 있는 ; 관심을 가진《*in ; with*》 : He's ~ *with* the real estate business. 그는 부동산업에 관계하고 있다.

con·cern·ed·ly [-sə́ːrnidli] *ad.* 염려하여.

‡con·cern·ing [kənsə́ːrniŋ] *prep.* …에 관하여, …에 대하여 : He refused to answer questions ~ his private life. 그는 자기 사생활에 관한 질문에는 대답하기를 거절했다.

con·cern·ment [kənsə́ːrnmənt] *n.* U ① 중요

성, 중대성 : a matter *of* (vital) ~ (대단히) 중대한 일. ② 걱정, 근심, 우려. ③ 관계, 관여.

:con·cert [kάnsə(:)rt / kɔ́n-] *n.* ① Ⓒ 연주회, 음악회, 콘서트 : a ~ hall 연주회장 / give a ~ 연주회를 개최하다. ② Ⓤ 〖樂〗 협화음. ③ Ⓤ 협력, 협조, 제휴, 협약(協約). ***in*** ~ (1) 소리를 맞추어, 일제히. (2) 제휴하여《*with*》. ── [kənsə́:rt] *vt.* …을 협정〔협조〕하다. ── *vi.* (…와) 협력〔협조〕하다《*with*》.

con·cert·ed [kənsə́:rtid] *a.* ① 합의한, 협정된 ; 협력한, 일치된 : take ~ action 일치된 행동을 취하다 / Everyone makes a ~ effort to help. 돕기 위해서 모두 협력한다. ② 〖樂〗 합창용〔합주용〕으로 편곡된. ㊕ **~·ly** *ad.*

con·cert·go·er [kάnsə(:)rtgòuər / kɔ́n-] *n.* Ⓒ 음악회에 자주 가는 사람 ; 음악 애호가.

cóncert gránd 연주회용 그랜드 피아노.

con·cer·ti [kəntʃérti:] CONCERTO 의 복수.

con·cer·ti·na [kὰnsərtí:nə / kɔ̀n-] *n.* Ⓒ 〖樂〗 콘서티나《아코디언 비슷한 6 각형 악기》. ── *a.* 〔限定的〕 콘서티나의〔같은〕. ── *vi.* ① 콘서티나처럼 접을 수 있다. ② (차가 충돌하여 콘서티나처럼) 납짝하게 찌부러지다 : In the accident, several cars ~*ed* into each other. 그 사고에서 자동차 몇 대가 서로 부딪혀 납짝하게 찌부러졌다.

con·cert·mas·ter [kάnsə(:)rtmæ̀stər / kɔ́nsərtmὰ:s-] *n.* Ⓒ 〖樂〗 (오케스트라의) 수석 바이올린 주자, 콘서트마스터.

con·cer·to [kəntʃértou] (*pl.* ***-ti*** [-ti:], ~***s***) *n.* Ⓒ 〖樂〗 협주곡, 콘체르토 : a piano 〔violin〕 ~ 피아노〔바이올린〕 협주곡.

cóncerto grós·so [-gróusou] (*pl.* ~***s***, ***concérti grόssi*** [-gróusi]) 〖樂〗 합주 협주곡, 콘체르토 그로소.

cóncert òverture 〖樂〗 연주회용 서곡.

cóncert pìtch 〖樂〗 연주회용 표준음. ***at*** ~ (1) 몹시 흥분〔긴장〕한 상태에서. (2) (…에) 대해 만반의 준비가 갖추어져《*for*》: The new musical is *at* ~ *for* its opening on Saturday. 그 최신 뮤지컬은 토요일의 개연(開演)을 앞두고 만반의 준비가 갖추어져 있다.

***con·ces·sion** [kənséʃən] *n.* ① Ⓤ,Ⓒ 양보, 용인 《*to*》: We will never make any ~*s to* terrorists. 테러리스트들에게 절대로 양보하지 않겠다. ② Ⓒ 용인된 것 ; (주로 정부에 의한) 허가, 면허, 특허, 이권(利權), 특권 : have oil ~*s* in the Middle East 중동에서 석유 채굴권을 갖다. ③ Ⓒ 거류지, 조계(租界), 조차지(租借地). ④ Ⓒ 《美》 (공원 따위에서 인정되는) 영업 허가, 영업 장소, 구내 매점. ◇ concede *v.*

con·ces·sion·aire [kənsèʃənέər] *n.* Ⓒ ① (권리의) 양수인(讓受人). ② 특허권 소유자. ③ 《美》 (극장·공원 등의) 영업권 소유자, 구내 매점업자 ; (학교·공장 등의) 급식업자.

con·ces·sion·ary [kənséʃənèri / -nəri] *a.* 양보의, 양여된 것〔권리〕의.

con·ces·sive [kənsésiv] *a.* ① 양보의, 양여의. ② 〖文法〗 양보를 나타내는 : a ~ clause 양보절 《matter what, even if, although 따위로 시작되는 절》.

conch [kaŋk, kantʃ / kɔŋk, kɔntʃ] (*pl.* ~***s*** [kaŋks / kɔŋks], ***conch·es*** [kάntʃiz / kɔ́n-]) *n.* Ⓒ 소라류(類) ; 《詩》 조개, 조가비.

con·chie [kάntʃi / kɔ́n-] *n.* ＝CONCHY.

con·chol·o·gy [kaŋkάlədʒi / kɔŋkɔ́l-] *n.* Ⓤ 패류학. ㊕ **-gist** *n.* 패류학자.

con·chy [kάntʃi / kɔ́n-] *n.* Ⓒ 《俗》 양심적〔종교적〕 참전〔병역〕 거부자(conscientious objector).

con·ci·erge [kὰnsiέərʒ / kɔ̀n-] *n.* Ⓒ 《F.》 수위 (doorkeeper) ; (아파트 따위의) 관리인.

con·cil·i·ate [kənsílièit] *vt.* ① …을 달래다, 무마〔회유〕하다 : The boy's apology ~*d* his angry father. 아이가 잘못을 빌었기 때문에 아버지의 노여움도 풀렸다. ② (친절을 다하여) …의 호의를〔존경을〕 얻다, (아무)의 환심을 사다《*with*》: I ~*d* her *with* a promise to take her out to dinner. 저녁 식사에 데리고 나가기로 약속을 하여 그녀의 비위를 맞추었다. ③ …을 화해시키다, 알선〔조정〕하다. ㊕ **~·a·tor** *n.*

con·cil·i·a·tion [kənsìliéiʃən] *n.* Ⓤ 회유 ; 달램, 위무 ; 화해, 조정 : a ~ board 조정 위원회.

con·cil·i·a·to·ry [kənsíliətɔ̀:ri / -təri] *a.* 달래는 (듯한), 회유적인, 타협적인 : a ~ gesture 회유적인 언동, 달래는 제스처 / She spoke in a ~ tone. 그녀는 타협적인 투로 말했다.

con·cise** [kənsáis] (more*** ~, ***con·cis·er*** ; ***most*** ~, ***con·cis·est***) *a.* 간결한, 간명한 : a ~ statement 간결한 진술 / a ~ survey of English literature 영국 문학의 간단한 개관. ㊕ **~·ly** *ad.* **~·ness** *n.*

con·ci·sion [kənsíʒən] *n.* Ⓤ 간결, 간명 : with ~ 간결〔간명〕하게.

con·clave [kάnkleiv, kάŋ- / kɔ́n-, kɔ́ŋ-] *n.* Ⓒ ① 비밀 회의. ② 〖가톨릭〗 콘클라베, (비밀로 행하여지는) 교황 선거 회의 (장소) : The cardinals were in secret ~. 추기경들은 비밀 교황 선거 회의 중이었다. ── *vi.* 협의하다.

:con·clude [kənklú:d] *vt.* ① 《~+목 / +목+전+명》 …을 마치다, 끝내다, …에 결말을 짓다, …을 종결하다《*by* ; *with*》: ~ an argument 논증을 마치다 / ~ a speech *with* a quotation from the Bible 성서에서의 인용구로 연설을 마치다. ② 《+*that* 절》 …이라고 결론을 내리다 ; 단정하다 : We ~*d that* this plan was best. 우리는 이 계획이 제일 좋다는 결론을 내렸다. ③ 《+*that* 절 / +목+*to be* 보》 …이라고 추단〔추정〕하다 : ~ a rumor *to be* true 소문이 사실이라고 판단하다. ④ 《+*that* 절》 《美》 …이라고 결정하다, 결의하다 : He ~*d that* he would go. 그는 가기로 결정했다. ⑤ 《~+목 / +목+전+명》 (협약 등)을 체결하다, 맺다《*with*》: After months of negotiations they ~*d* a trade agreement. 수개월간의 교섭 끝에 무역 협정을 맺었다.
── *vi.* ① (…으로써) 말을 맺다 : The letter ~*d* as follows. 편지는 이렇게 끝맺고 있었다. ② (글·이야기·모임 등이) 끝나다 : The meeting ~*d* at five o'clock in the evening. 회합은 저녁 5 시에 끝났다. ③ 결론을 내다《*to* do》; 합의에 도달하다 : The jury ~*d to* set the accused free. 배심원들은 피고를 석방키로 결론을 내렸다. ◇ conclusion *n.* (***and***) ***to*** ~ (그리고) 마지막으로 ; 결론으로 말하면.

con·clud·ing [kənklú:diŋ] *a.* 최종적인 ; 종결의, 끝맺는 : ~ remarks 끝맺는 말.

:con·clu·sion [kənklú:ʒən] *n.* ① Ⓒ 결말, 종결, 끝(맺음), 종국《*of*》; (분쟁 따위의) 최종적 해결 : bring ... to a ~ …을 마치다, 끝내다 / The story came to a happy ~. 이야기는 해피엔딩으로 끝났다. ② Ⓒ **a)** 결론, 단정 : draw a ~ from evidence 증거에 의해 단정하다 / jump to ~*s* 〔a ~〕 속단하다, 지레짐작하다. **b)** 결론, 귀결. OPP. *premise.* ③ Ⓤ (조약 따위의) 체결《*of*》. ◇ conclude *v.* ***a foregone*** ~ 처음부터 뻔한 결론 : The result should be *a foregone* ~. 그 결과는 처음부터 뻔하다. ***come to*** 〔***reach***〕 ***the*** ~ ***that...*** …라는 결론에 달하다. ***in*** ~ (논의·진술을) 마치

면서, 결론으로서(finally). ***try ~s with*** …와 결전을 시도하다, 우열을 겨루다.

***con·clu·sive** [kənklúːsiv] *a.* 결정적인, 확실한, 단호한; 종국의: a ~ answer 최종적인 답변 / ~ proof 결정적인 증거. ◇ conclude *v.* [파] **~·ly** *ad.* **~·ness** *n.*

con·coct [kankákt, kən- / kənkɔ́kt] *vt.* ① (재료를 혼합하여 음식물 따위)를 만들다, 조합(調合)하다: ~ a salad of fruit and nuts 과일과 너트로 샐러드를 만들다. ② (이야기 따위)를 조작하다; (음모 따위)를 꾸미다: ~ a story 이야기를 날조하다 / ~ an excuse for being late 지각한 이유〔핑계〕를 꾸며 대다.

con·coc·tion [kankákʃən, kən- / kənkɔ́k-] *n.* ① [U] 혼합, 조합(調合). ② [C] 조합물, 조제약; 혼합 수프〔음료〕: a ~ of potatoes and leeks 감자와 부추 요리. ③ [U] 날조. ④ [C] 꾸며낸 이야기; 책모, 음모.

con·com·i·tance [kankámətəns, kən- / kənkɔ́m-] *n.* [U] 수반, 부수(accompaniment).

con·com·i·tant [kankámətənt, kən- / kənkɔ́m-] *a.* 부수〔수반〕하는, 동시에 일어나는: travel and all its ~ discomforts 여행과 그에 따른 모든 불편. — *n.* [C] 부수물; (흔히 *pl.*) 부수 사정: the infirmities that are the ~*s* of old age 노령에 부수되는 질병. [파] **~·ly** *ad.* 부수적으로.

Con·cord [káŋkərd / kɔ́ŋ-] *n.* ① 콩코드《미국 Massachusetts 주 동부의 마을; 독립 전쟁의 시발이 된 곳》. ② [káŋkɔːrd] 콩코드《미국 New Hampshire 주의 주도》.

‡**con·cord** [kánkɔːrd, káŋ- / kɔ́ŋ-, kɔ́n-] *n.* ① [U] (의견·이해 따위의) 일치; 화합, 조화(harmony). [opp] *discord.* ¶ live in ~ *with* one's neighboring countries 이웃 나라와 싸우지 않고 지내다. ② [C] (국제간의) 협조, 협정; 친선 협약. ③ [U] 〖樂〗 어울림음. [opp] *discord.* ④ [U] 〖文法〗 (수·격·성·인칭 따위의) 일치, 호응《many a book 은 단수로, many books 는 복수로 받는 따위》. — *vi.* [-ˊ] 일치〔조화〕시키다.

***con·cord·ance** [kankɔ́ːrdəns, kən- / kən-] *n.* ① [U] 조화, 일치, 화합. ② [C] (성서·시작(詩作) 등의) 용어 색인: a ~ to Shakespeare 셰익스피어 용어 색인.

con·cord·ant [kankɔ́ːrdənt, kən- / kən-] *a.* 화합하는, 조화하는, 일치하는《*with*》. [파] **~·ly** *ad.*

con·cor·dat [kankɔ́ːrdæt / kən-] *n.* [C] 협약, 화친 조약; (교회와 정부 사이의) 정교(政敎) 협약.

Con·corde [kankɔ́ːrd / kən-] *n.* [C] 콩코드《영국·프랑스 공동 개발의 초음속 제트 여객기》.

***con·course** [kánkɔːrs, káŋ- / kɔ́ŋ-, kɔ́n-] *n.* [C] ① (사람·물질·분자의) 집합; (강 따위의) 합류(점); 군집: a vast ~ of pilgrims 순례자의 대집단. ② (공원 등의) 중앙 광장; (역·공항의) 중앙 홀: The ticket office is at the rear of the station ~. 매표소는 역 중앙홀 뒤쪽에 있다.

‡**con·crete** [kánkriːt, káŋ-, kankríːt / kɔ́ŋ-] (***more*** ~; ***most*** ~) *a.* ① 〔限定的〕 유형의, 구체적인, 구상(具象)의. [opp] *abstract.* ¶ a ~ example 구체적인 실례 / a ~ noun 〖文法〗 구상명사. ② 현실의, 실제의, 명확한: Our project is not yet ~. 우리의 계획은 아직 구체화되지 않았다. ③ **a)** 콘크리트(제)의: a ~ block 콘크리트 블록. **b)** 응고한, 고체의. — *n.* ① [C] 구체물; 응고물. ② [U] **a)** 콘크리트: reinforced 〔armored〕 ~ 철근 콘크리트. **b)** 콘크리트 포장면. ③ (the ~) 구체(성), 구상(성). ***in the*** ~ 구체적으로〔인〕. — *vt.* ① …에 콘크리트를 바르다, …을 콘크리트로 굳히다: ~ a path (over) 길을 콘크리트로 포장하다. ② [kankríːt, kaŋ-] …을 굳히다, 응결시키다. — *vi.* 굳다, 응결하다. ◇ concretion *n.*

[파] **~·ly** *ad.* 구체적〔실제적〕으로. **~·ness** *n.*

cóncrete júngle 콘크리트 정글《약육 강식하는 도시》.

cóncrete míxer 콘크리트 믹서.

cóncrete músic 〖樂〗 구체 음악, 뮈지크 콩크레트 (《F.》 *musique concrète*)《테이프에 녹음한 인공음·자연음을 합성한 전위 음악》.

cóncrete númber 〖數〗 명수(名數)《*two* men, *five* days 따위; 단순한 *two*나 *five*는 abstract number》.

cóncrete póetry 구체시, 구상시(具象詩)《문자·기호를 회화적으로 배열한 전위시》.

con·cre·tion [kankríːʃən, kaŋ-, kən-] *n.* ① [U] 응결. ② [C] 응고물. ③ [C] 〖醫〗 결석(結石).

con·cu·bi·nage [kankjúːbənidʒ / kən-] *n.* [U] 내연 관계, 동서(同棲).

con·cu·bine [káŋkjəbàin, kán- / kɔ́ŋ-, kɔ́n-] *n.* [C] ① 첩; 내연의 처. ② (일부(一夫) 다처제에서) 제 1 부인 이외의 처.

con·cu·pis·cence [kankjúːpisəns, kaŋ- / kɔŋ-, kən-] *n.* [U] 강한 욕망; 《특히》 색욕, 정욕.

con·cu·pis·cent [kankjúːpisənt, kaŋ- / kɔŋ-, kən-] *a.* ① 색욕이 왕성한; 호색의. ② 탐욕한.

***con·cur** [kənkə́ːr] (*-rr-*) *vi.* ① 《~ / +[전]+[명]》 진술이 같다, 일치하다, 동의하다《*with*》; 시인하다《*in*; *on*》: ~ *with* a person's proposal 아무의 제의에 동의하다 / ~ *in* a person's statement 아무의 진술을 시인하다. ② 《~ / +*to* do》 서로 돕다, 협력하다: Everything ~*red to* make him happy. 모든 사정이 서로 작용하여 그를 행복하게 했다. ③ (…와) 동시에 일어나다, 일시에 발생하다《*with*》: Her wedding day ~*red with* her birthday. 그녀의 결혼식날은 그녀의 생일과 겹쳤다. — *vt.* (…이라는 사실)에 동의하다《*that*》. ◇ concurrence *n.*

con·cur·rence [kənkə́ːrəns, -kʌ́rəns] *n.* [U,C] ① 찬동, (의견의) 일치: a ~ of opinion 의견의 일치. ② 동시 발생, 병발: Parades are often held in ~ with national holidays. 퍼레이드는 종종 국경일에 함께 거행된다. ③ 〖컴〗 병행성《2개 이상의 동작 또는 사상(事象)이 동일 시간대에 일어나는 일》. ◇ concur *v.*

con·cur·rent [kənkə́ːrənt, -kʌ́rənt] *a.* ① 동시(발생)의, 동반하는《*with*》: the student meeting ~ *with* the ceremony 그 식과 병행해서 거행되는 학생 집회 / ~ insurance 동시 보험. ② 공동으로 작용하는, 협력의. ③ 일치의; 찬동의, 같은 의견의. [파] **~·ly** *ad.* (…와) 동시에, 함께, 일치하여, 겸임하여《*with*》.

con·cuss [kənkʌ́s] *vt.* ① 〔흔히 受動으로〕 …에게 (뇌)진탕을 일으키게 하다: He spent the night after being badly ~*ed.* 그는 심한 뇌진탕을 일으킨 후 그 날 밤을 병원에서 보냈다. ② …을 세차게 흔들다, 격동케 하다.

con·cus·sion [kənkʌ́ʃən] *n.* [U] ① 진동, 충격(shock). ② 〖醫〗 진탕(震盪): ~ of the brain 뇌진탕.

‡**con·demn** [kəndém] *vt.* ① 《~+[목] / +[목]+[전]+[명] / +[목]+*as* [보]》 …을 비난하다, 나무라다; 규탄〔매도〕하다: ~ a person *for* his idleness 아무의 나태를 꾸짖다 / He is often ~*ed as* arrogant. 그는 종종 거만하다고 비난을 받는다. ② 《~+[목] / +[목]+[전]+[명] / +[목]+*to* do》 …에게 유죄 판결을 내리다; 형을 선고하다: He was ~*ed for* murder. 그는 살인죄의 판결을 받았다 / ~ a

person *to* death (*to* be beheaded) 아무에게 사형(참수형) 선고를 내리다. ③ (얼굴·행동 따위가 아무)의 죄를 추정케 하다: His looks ~ him. 그가 했다고 얼굴에 써 있다. ④ (환자)를 불치라고 선고하다. ⑤ (물품)을 불량품으로 결정하다, 폐기처분하다: The bridge was *~ed* and closed. 그 다리는 통행 불가능으로 인정되어 폐쇄되었다. ⑥ 《+목+전+명/+목+*to* do》 …을 운명지우다 《*to*》: be *~ed to* lead a hopeless life 희망 없는 생활을 하게 운명지워져 있다. ⑦ 〖美法〗 (공용을 위해) …을 접수하다, 수용하다. ◇ condemnation *n.*

con·dem·na·ble [kəndémnəbəl] *a.* 비난(규탄)할 만한; 벌받아 마땅한; 폐기할.

***con·dem·na·tion** [kàndemnéiʃən / kɔ̀n-] *n.* ① U,C 비난: their strong ~ of her conduct 그녀의 행위에 대한 그들의 맹비난. ② U,C 유죄 판결, 죄의 선고. ③ C (흔히 *sing.*) 비난(선고) 이유(근거): His total disregard for the feelings of others was his ~. 다른 사람의 감정을 완전히 무시하는 것이 그가 비난을 받는 이유였다. ◇ condemn *v.*

con·dem·na·to·ry [kəndémnətɔ̀ːri / -təri] *a.* ① 비난의, 비난을 나타내는. ② 유죄 선고의.

con·demned [kəndémd] *a.* ① 유죄를 선고받은; 사형수의: ~ cell 사형수 감방. ② 불량품으로 선고된; 몰수로 정해진: a ~ building 사용 금지된 건물.

con·dens·a·ble [kəndénsəbəl] *a.* ① 압축(응축)할 수 있는. ② 요약(단축)할 수 있는.

***con·den·sa·tion** [kàndenséiʃən / kɔ̀n-] *n.* U,C ① 압축, 응축; 응결(한 것); 액화(한 것). ② 응축 상태, 응축물. ③ (사상·문장의) 간략화, 요약(한 것). ◇ condense *v.*

‡con·dense [kəndéns] *vt.* ① 《~+목/+목+전+명》 …을 응축하다, 압축(축합(縮合))하다; 농축하다《*to, into*》: ~ milk 우유를 농축하다 / be *~d into* thick soup (졸아서) 걸쭉한 수프가 되다. ② (렌즈가 광선)을 모으다; (전기의 세기)를 더하다: a *condensing* lens 집광(集光) 렌즈. ③ 《~+목/+목+전+명》 (사상·문장 따위)를 요약하다; (표현)을 간결히 하다: ~ an answer *into* a few words 답을 몇 마디로 요약하다 / ~ a paragraph *into* a line 한 단락을 한 줄로 줄이다.
— *vi.* ① 요약하다, 단축하다. ② 응결(응축)하다 《*into*》: The steam *~ed into* waterdrops. 증기는 응축하여 물방울이 되었다. ◇ condensation *n.*

***con·densed** [kəndénst] *a.* 응축(응결)한; 요약한, 간결한: ~ type 〖印〗 폭이 좁은 활자체.

condénsed mílk 연유(煉乳).

***con·dens·er** [kəndénsər] *n.* C ① 응결기, 응축기, 냉각기. ② 〖電〗 축전기, 콘덴서.

***con·de·scend** [kàndisénd / kɔ̀n-] *vi.* ① 《+전+명/+*to* do》 겸손하게 굴다; 으스대지 않고 …하다. cf. deign. ¶ He *~s to* no one. 아무에게도 겸손하게 굴지 않는다 / The king *~ed to* eat with the beggars. 왕의 몸으로 거지들과 식사를 같이 하였다. ② 《+전+명》 (우월감을 의식하면서) 짐짓 친절(겸손)하게 굴다, 생색을 내다: He always *~s to* his inferiors. 그는 늘 아랫사람들에게 생색을 낸다. ③ 《+*to* do/+전+명》 자신을 낮추다《*to*》; 부끄럼을 무릅쓰고 …하다: ~ *to* accept bribes 지조를 버리고 뇌물을 받다 / ~ *to* trickery 영락하여 사기를 치다. ◇ condescendence, condescension *n.*

con·de·scend·ing [kàndiséndiŋ / kɔ̀n-] *a.* ① (아랫 사람에게) 겸손한. ② 짐짓 겸손하게 구는, 생색을 부리는: in a ~ manner 짐짓 생색을 내는 듯한 태도로. 파 **~·ly** *ad.*

con·de·scen·sion [kàndisénʃən / kɔ̀n-] *n.* U (아랫 사람에 대한) 겸손, 정중; 생색을 내는 태도(행동): with an air of ~ 생색을 내듯이.

con·dign [kəndáin] *a.* 당연한, 적당한, 타당한 《형벌 따위》. 파 **~·ly** *ad.*

con·di·ment [kándəmənt / kɔ́n-] *n.* U,C 양념(seasoning)《고추·겨자 따위》, 조미료.

†con·di·tion [kəndíʃən] *n.* ① C 조건; 필요조건; (*pl.*) (제)조건, 조목, 조항: the ~ of all success 모든 성공의 필수 요건. ② (종종 *pl.*) 주위의 상황, 형세, 사정: housing *~s* 주택 사정 / *Conditions* aren't right for launching a new product. 신제품을 발매하기 시작할 형편이 아니다. ③ U 상태; 《특히》 건강 상태, (경기자의) 컨디션: the ~ of weightlessness 무중력 상태 / be out of ~ 컨디션이 나쁘다. ④ C 지위, 신분; 《특히》 좋은 신분; 사회적 지위, 처지: a man of ~ 신분 있는 사람 / live according to one's ~ 분수에 맞는 생활을 하다 / improve one's ~ 지위를 향상시키다. ⑤ C 〖法〗 조건, 규약, 규정: the *~s* of peace 강화 조건 / This contract imposes several *~s.* 이 계약에는 몇 가지 조건이 붙어 있다. ⑥ (*pl.*) 지불조건: the *~s for* a loan 대부금의 지불 조건. ⑦ C 《美》 (가(假)입학·가진급 학생의) 재시험 (과목): work off *~s* 추가 시험을 치르다. ⑧ C 《口》 병, 질환: have a heart ~ 심장이 나쁘다.
be in no ~ to do …하기에 적당치 않다: She *was* clearly *in no ~ to* see anyone. 그녀는 분명히 누구를 만나도 될 상태가 아니었다. ***in a delicate*** (***a certain, an interesting***) ~ 《英古》 임신하여. ***in*** (***out of***) ~ 건강(건강치 못)하여; 양호(불량)한 상태로; 사용할 수 있는(없는) 상태로: He was too *out of ~ to* clamber over the top. 그는 건강이 나빠서 꼭대기에 오르지 못했다. ***on that...*** …이라는 조건으로, 만약 …이라면. ***on no*** ~ 어떤 조건으로도 …않은, 결코 …않은: I will *on no* ~ work with him. 어떤 조건으로도 그와 함께 일하고 싶지 않다.
— *vt.* ① 《~+목/+목+전+명/+목+*to* do》 (사물이) …의 필요 조건이 되다, (사정 따위가) …을 결정하다, 제약하다, 좌우하다; …의 생존에 절대 필요하다: Ability and effort ~ success. 능력과 노력이 성공의 조건이다 / The gift is *~ed on* your success. 선물은 자네가 성공하면 주겠다 / Fear *~ed* the boy *to* behave in such a way. 공포가 그 소년에게 그 같은 행동을 하도록 하였다. ② 《+목+전+명/+*that* 절/+*to* do》 …을 조건부로 승낙하다; …을 조건으로 하다; (…이라는) 조건을 설정하다: He *~s* his going *on* (*upon*) the weather. 날씨가 좋으면 간다고 한다 / ~ *that* they (should) marry 결혼한다는 조건을 설정하다 / ~ *to* observe the rule 규약을 지킨다는 조건을 붙이다. ③ 《+목+전+명》 개량하다《*for*》; (자기·소·말 등)의 컨디션을 조절하다; (상품)의 신선도를 유지하다; (실내 공기의 습도·온도)를 조절하다(air-~): ~ a horse *for* a race 경마에 대비하여 말을 조교(調敎)하다 / Her studies *~ed* her *for* her job. 공부가 그녀의 일에 도움이 됐다. ④ 《+목+*to* do/+목+전+명》 …하도록 습관화시키다, 적응시키다, 훈련하다; 〖心〗 …에 조건 반사를 일으키게 하다: ~ a dog *to* bark at strangers 낯선 사람을 보면 짖도록 개를 훈련하다 / Poverty *~ed* him *to* hunger. 그는 가난 때문에 굶주림에 익숙해졌다. ⑤ 《美》 (재시험을 치른다는 조건부로) …을 가진급시키다, …으로 가진급(입학)을 허가하다.
— *vi.* 조건을 붙이다.

***con·di·tion·al** [kəndíʃənəl] (*more* ~; *most* ~) *a.* ① **a**) 조건부의; 잠정적인, 가정적인, 제한이 있는: a ~ contract 조건부 계약, 가계약. **b**) 〔敍述的〕 (…을) 조건으로 한, …하기 나름인《*on, upon*》: *It is* ~ *on* your ability. 그건 너의 능력 여하에 달렸다. ② 조건을 나타내는: a ~ clause 조건을 나타내는 조항; 〖文法〗 조건절《보통 if, unless, provided 따위로 시작됨》. ── *n.* Ⓒ 〖文法〗 조건 어구《provided that 등》; 조건문〔절〕; 조건법. ㊞ **~·ly** *ad.* 조건부로.

conditional discharge 〖法〗 조건부 석방.

con·di·tioned [kəndíʃənd] *a.* ① 조건부의: a ~ reflex 조건 반사. ② 〔흔히 well, ill 등의 부사와 함께〕 (…한) 상태에 있는: *well-*〔*ill-*〕~ 양호〔불량〕한 상태의. ③ 조절〔냉방, 난방〕된. ④《美》(조건부) 가진급의.

con·di·tion·er [kəndíʃənər] *n.* Ⓒ ① 조절기(器)〔자(者)〕, 냉방〔난방〕 장치. ② (스포츠의) 트레이너, 코치; (동물의) 조련자〔사〕. ③ (화장용·조발용의) 크림, 화장수.

con·di·tion·ing [kəndíʃəniŋ] *n.* Ⓤ ① **a**) 조건부. **b**) (심신의) 조정. **c**) (동물 등의) 조련, 조교. ② (공기) 조절.

con·do [kándou / kɔ́n-] (*pl.* **~s**) *n.* Ⓒ《美口》맨션, 분양 아파트. [◂ *condo*minium]

con·do·la·to·ry [kəndóulətɔ̀:ri / -təri] *a.* 조상(弔喪)〔조위, 애도〕의.

con·dole [kəndóul] *vi.* 조상(弔喪)하다, 조위(弔慰)하다; 위로하다, 동정하다《*with*》: ~ *with* a person *on* 〔*upon*〕 his affliction 아무의 불행에 대해 위로하다. ㊞ **-dól·er** *n.* 애도자, 조문자.

con·do·lence [kəndóuləns] *n.* ① Ⓤ 애도, 조문《*on*》. ② Ⓒ (종종 *pl.*) 애도의 말, 조사: Please accept my sincere ~*s*. 충심으로 애도의 말씀을 드립니다.

con·dom [kándəm, kʌ́n- / kɔ́n-] *n.* Ⓒ (피임용의) 콘돔.

con·do·min·i·um [kàndəmíniəm / kɔ̀n-] *n.* ① Ⓒ《美》구분 소유 공동 주택, 콘도미니엄; 분양 아파트. ② **a**) Ⓤ 공동 주권(joint sovereignty). **b**) Ⓒ 〖國際法〗 공동 통치〔관리〕국〔지〕.

con·do·na·tion [kàndounéiʃən / kɔ̀n-] *n.* Ⓤ (죄, 특히 간통의) 용서, (죄를) 눈감아 줌, 너그러이 봐줌.

con·done [kəndóun] *vt.* (죄·과실 특히 간통)을 용서하다, 너그럽게 봐주다.

con·dor [kándər, -dɔ:r / kɔ́ndɔ:r] *n.* Ⓒ 〖鳥〗 콘도르《남아메리카산(産)의 독수리》.

con·duce [kəndjú:s] *vi.* 《+전+명》 도움이 되다, 이바지〔공헌〕하다, (어떤 결과로) 이끌다《*to; toward*》: Regular exercise ~*s to* good health. 규칙적인 운동은 건강에 좋다.

con·du·cive [kəndjú:siv] *a.* 〔敍述的〕 도움이 되는, 이바지하는, 공헌하는《*to*》: Exercise is ~ *to* health. 운동은 건강을 돕는다. ㊞ **~·ness** *n.*

‡con·duct [kándʌkt / kɔ́n-] *n.* Ⓤ ① 행위; 행동, 품행, 행상(行狀): bad 〔shameful〕 ~ 나쁜〔부끄러운〕 행동 / a prize for good ~ 선행상. ② 지도, 지휘, 안내. ③ 경영, 운영, 관리: the ~ of state affairs 국사의 운영. ── [kəndʌ́kt] *vt.* ① 《~+목 / +목+전+명 / +목+부》 …을 인도하다, 안내하다, 호송하다: ~ a guest *to* his room 손님을 방으로 안내하다 / ~ a person home 아무를 집까지 바래다 주다 / I ~ tours. 나는 여행 가이드 일을 하고 있다. ② …을 지도하다, 지휘하다: ~ an orchestra 악단을 지휘하다. ③ (업무 등)을 집행하다; 처리〔경영, 관리〕하다: ~ business 사무를 처리하다. ④ 〔再歸的; 양태(樣態)의 부사와 함께〕 행동하다, 거동하다, 처신하다: He always ~*s himself* like a gentleman. 그는 항상 신사답게 처신하다. ⑤ 〖物〗 (열·전기·음파 등)을 전도하다: a ~*ing* wire 도선 / Glass does not ~ electricity. 유리는 전기를 전도하지 않는다. ── *vi.* 지휘하다.

con·duct·ance [kəndʌ́ktəns] *n.* Ⓤ 〖電〗 컨덕턴스《전기 저항의 역수》.

con·dúct·ed tóur [kandʌ́ktid- / kɔn-] 안내인이 딸린 여행.

con·duct·i·ble [kəndʌ́ktəbəl] *a.* (열 따위를) 전도(傳導)할 수 있는, 전도성의; 전도되는.

con·duc·tion [kəndʌ́kʃən] *n.* Ⓤ ① (파이프로 물 따위를) 끌기; 유도 (작용). ② 〖物〗 (전기·열 등의) 전도: the ~ of electricity through gases 기체를 통한 전기의 전도.

con·duc·tive [kəndʌ́ktiv] *a.* 전도(성)의, 전도력이 있는: Copper is a very ~ metal. 구리는 전도성이 강한 금속이다.

con·duc·tiv·i·ty [kɑ̀ndʌktívəti / kɔ̀n-] *n.* Ⓤ ① 〖電〗 도전(導電)율. ② 〖物〗 전도성〔력, 율, 도〕.

‡con·duc·tor [kəndʌ́ktər] (*fem.* **-tress** [-tris]) *n.* Ⓒ ① (여행) 안내자. ② 관리자, 경영자. ③ (전차·버스·《美》 열차의) 차장. cf. guard. ④ 〖樂〗 지휘자, 컨덕터. ⑤ 〖物·電〗 전도체; 도체, 도선(導線): a good 〔bad〕 ~ 양〔불량〕도체.

condúctor ràil 도체(導體)레일《전차에 전류를 보내는 데 쓰이는 레일》.

cónduct shèet 품행 기록 카드.

con·duit [kándjuit, -dit / kɔ́n-] *n.* Ⓒ ① 도관(導管). ② 도랑. ③ 〖電〗 콘딧.

***cone** [koun] *n.* Ⓒ ① 원뿔체, 원뿔꼴; 〖數〗 원뿔. ② **a**) 원뿔꼴의 것. **b**) (아이스크림을 넣는) 콘. **c**) 폭풍 경보구(球) (storm ~). **d**) 〖植〗 구과(毬果), 솔방울.

Con·es·to·ga (wàgon) [kɑ̀nəstóugə(-) / kɔ̀n-] 대형 포장마차《미국 서부 개척 때 서부로의 이주자들이 사용함》.

coney ⇨ CONY.

Có·ney Ísland [kóuni-] 코니아일랜드《뉴욕시 Long Island에 있는 해안 유원지》.

con·fab [kánfæb / kɔ́n-] 《口》 *n.* =CONFABULATION. ── (**-bb-**) *vi.* =CONFABULATE.

con·fab·u·late [kənfǽbjəlèit] *vi.* 이야기하다, 담소하다《*with*》.

con·fab·u·la·tion [kənfæ̀bjəléiʃən] *n.* Ⓤ 간담, 담소; 허물없이 하는 의논.

con·fec·tion [kənfékʃən] *n.* Ⓒ 과자, 캔디.

con·fec·tion·er [kənfékʃənər] *n.* Ⓒ 과자〔캔디〕 제조인; 과자 장수, 제과점: at a ~*'s* (shop) 과자점에서.

conféctioners' súgar 정제(精製) 가루설탕.

con·fec·tion·ery [kənfékʃənèri / -nəri] *n.* ① Ⓤ 〔集合的〕 과자류《pastry, cake, jelly, pies 따위의 총칭》. ② Ⓤ 과자 제조〔판매〕. ③ Ⓒ 제과점, 과자〔빵〕 공장.

***con·fed·er·a·cy** [kənfédərəsi] *n.* Ⓒ ① 동맹, 연합(league). ② 연합체, 연맹국, 동맹국, 연방. ③ 도당: a ~ of thieves 절도단.

***con·fed·er·ate** [kənfédərit] *a.* ① 동맹한, 연합한; 공모한. ② (C-) 〖美史〗 남부 연방의: the *Confederate* army 〖美史〗 남군. ── *n.* Ⓒ ① 동맹국, 연합국. ② 공모자, 일당, 한패: his ~*s* in the crime 그의 공범자들. ③ (C-) 〖美史〗 남부 연방측의 사람, 남군 병사. opp. *Federal.* ── [kənfédərèit] *vt.* …을 동맹〔연합〕시키다; 도당에 끌어들이다. ── *vi.* 동맹〔연합〕하다; 도당을 맺다《*with*》. ◇ confederation *n.*

***con·fed·er·a·tion** [kənfèdəréiʃən] *n.* ① Ⓤ 동맹, 연합. ② Ⓒ 동맹국, 연합국 ; 《특히》 연방. ③ (the C-) 【美史】 아메리카 식민지 동맹.

***con·fer** [kənfə́:r] (*-rr-*) *vt.* 《+목+전+명》 (칭호·학위 등)을 수여하다, 증여하다, 베풀다《*on, upon*》: ~ a thing *on* 〔*upon*〕 a person 아무에게 물건을 주다 / The President *~red* the Medal of Freedom *on* her. 대통령은 그녀에게 자유 훈장을 수여했다. — *vi.* 《+전+명》 의논하다, 협의하다 《*with*》: I *~red with* my lawyer *about* the affair. 나는 그 문제에 관하여 변호사와 협의했다. ◇ conference *n.*

con·fer·ee [kɑ̀nfərí: / kɔ̀n-] *n.* Ⓒ ① 의논 상대 ; 회의 출석자 ; 평의원. ② (칭호나 기장을) 받는〔타는〕 사람.

‡con·fer·ence [kɑ́nfərəns / kɔ́n-] *n.* ① Ⓤ 회담, 협의, 의논: meet in ~ 협의하러 모이다. ② Ⓒ 회의, 협의회: a general ~ 총회 / hold a ~ 회의를 개최하다. ③ Ⓒ 《美》 경기 연맹, 리그, 콘퍼런스. ◇ confer *v.* ***be in*** ~ 협의〔회의〕중이다《*with*》: Mr. Smith *is in* ~ *with* his lawyer. 스미스씨는 변호사와 협의중이다.

cónference càll (여럿이 하는) 전화에 의한 회의.

con·fer·en·tial [kɑ̀nfərénʃəl / kɔ̀n-] *a.* 회의의.

con·fer·ment [kənfə́:rmənt] *n.* Ⓤ,Ⓒ 수여, 증여, 서훈(敍勳): the ~ of a B.A. degree 문학사 학위의 수여.

con·fer·rer [kənfə́:rər] *n.* Ⓒ (학위·칭호 등의) 수여자.

‡con·fess [kənfés] *vt.* ① 《~+목 / +목+전+명 / (+전+명) + *that* 절》 (과실·죄)를 고백〔자백〕하다, 실토하다, 털어놓다: ~ one's fault *to* a person 아무에게 자기의 과실을 고백하다 / He *~ed* (*to* me) *that* he had broken the vase. 꽃병을 깨뜨린 것은 자기라고 그는 (내게) 실토했다. ② 《+*that* 절 / +목+(*to be*) 보》 …을 인정하다, 자인하다 ; 사실을 말하면 …이다: I must ~ *that* I dislike him. 사실을 말한다면 그를 좋아하지 않는다 / The man *~ed* himself (*to be*) guilty. 그는 죄를 범했음을 인정했다. ③ 【가톨릭】 (신부에게 죄)를 고해하다 ; (신부가) …의 고해를 듣다: The priest *~ed* her. 신부는 그녀의 고해를 들어주었다.

— *vi.* ① 《~ / +전+명》 죄를 인정하다 ; 자백하다《*to*》: He refused *to* ~. 그는 자백하려 하지 않았다. ② (과실·약점을) 인정하다: He *~ed to* a weakness for whisky. 위스키엔 사족을 못 쓴다고 실토했다 / I ~ *to* (having) a dread of spiders. 실은 거미가 무섭습니다. ③ (신부에게) 고해하다 ; (신부가) 고해를 듣다.

to ~ the truth 사실은《독립구》.

con·fessed [kənfést] *a.* (일반에게) 인정된, 정평 있는(admitted), 의심할 여지가 없는, 명백한 ; 자백한: a ~ fact 명백한 사실 / a ~ thief 스스로 도둑이라고 자백한 사람. ***stand ~ as*** …하다는 것이〔…의 죄상이〕 명백하다: He *stands* ~ *as* a notorious gambler. 그가 유명한 도박꾼이라는 것은 명백하다.

con·fess·ed·ly [-sidli] *ad.* 명백하게, 널리 인정되어 ; 스스로 인정한 대로, 자백에 의하면.

‡con·fes·sion [kənféʃən] *n.* ① Ⓤ,Ⓒ 고백, 실토, 자백, 자인: a ~ of guilt 죄의 자백 / The suspect made a full ~. 용의자는 모든 것을 다 자백했다 / I'm afraid I have a ~ to make — I lost the pen you lent me. 실토할 게 좀 있는데 — 네가 내게 빌려준 만년필을 잃어버렸다. ② Ⓒ 신앙 고백: a ~ of faith 신앙 고백. ③ Ⓤ 【가톨릭】 고해: go to ~ 고해하러 가다 / hear ~ (신부가) 고해를 듣다. ◇ confess *v.*

con·fes·sion·al [kənféʃənəl] *a.* ① 자백에 의한 ; 고해의. ② 신앙 고백의. — *n.* 【가톨릭】 ① Ⓒ 고해소. ② (the ~) 고해 (제도).

con·fes·sor [kənfésər] *n.* Ⓒ ① 고백자. ② (기독교) 신앙 고백자 ; 참회자 ; (종종 C-) (신앙을 지킨) 증거자. ③ 고해 신부(father ~).

con·fet·ti [kənféti(:)] *n. pl.* 《It.》 ① 〔單數 취급〕 색종이 조각《혼례·축제 같은 때에 뿌림》. ② 〔集合的〕 사탕, 캔디, 봉봉.

con·fi·dant [kɑ̀nfidǽnt, -dɑ́:nt, kɑ́nfidæ̀nt / kɔ̀nfidǽnt, ⌐-⌐] *n.* Ⓒ 《F.》 막역한 친구《연애 비밀 따위도 털어놓을 수 있는》.

con·fi·dante [kɑ̀nfidǽnt, -dɑ́:nt, ⌐-⌐ / kɔ̀n-, ⌐-⌐] *n.* Ⓒ CONFIDANT의 여성형.

‡con·fide [kənfáid] *vt.* ① 《+목+전+명 / +목+*that* 절》 (비밀 따위)를 털어놓다《*to*》: He *~d* his secret *to* me. 비밀을 나에게 털어놓았다 / He *~d* (*to* me) *that* he had done it. 그것을 했다고 (나에게) 털어놓았다. ② 《목+전+명》 (믿고) …을 맡기다, 부탁하다《*to*》: ~ a task *to* a person's charge 일을 아무에게 맡기다 / I *~d* my children *to* my mother's care. 나는 아이들의 시중을 어머니에게 부탁했다. — *vi.* 《+전+명》 ① 신용하다, 신뢰하다《*in*》: You can ~ *in* his good faith. 그의 성실함은 신뢰해도 좋다. ② 비밀을 털어놓다 《*in*》: The girl always *~d in* her mother. 소녀는 어머니에게 무엇이든지 털어놓았다 / I'm glad you have *~d in* me. 나에게 털어놓고 말해주니 기쁘다.

‡con·fi·dence [kɑ́nfidəns / kɔ́n-] *n.* ① Ⓤ (남에 대한) 신용, 신임, 신뢰: have〔enjoy〕 one's employer's ~ 고용주에게 신뢰를 받고 있다 / I have great ~ *in* you. 나는 당신을 크게 신뢰하고 있습니다 / a vote of (no) ~ (불)신임 투표 / a want of ~ *in* the Cabinet 내각 불신임. ② Ⓒ 속내말 ; 비밀, 내밀한 일: exchange *~s* with … 와 서로 비밀을 털어놓다 / betray a ~ 비밀을 누설하다. ③ Ⓒ (자기에 대한) 자신, 확신. opp *diffidence.* ¶ be full of ~ 자신만만하다 / have ~ *in* one's ability 자기의 능력에 자신이 있다 / She doesn't have enough ~ to do it all on her own. 그녀는 그것 모두를 자신의 힘으로 해낼 자신이 없다. ④ 대담, 배짱: He had the ~ to say clearly that I was wrong. 그는 대담하게도〔넉살좋게도〕 내가 틀렸다고 분명히 말했다.

in (***strict***) ~ (절대) 비밀로. ***in the ~ of*** …에게 신임을 받아 ; …의 기밀에 참여하여. ***make ~s*** 〔***a ~***〕 ***to*** a person = ***take*** a person ***into*** one***'s*** ~ 아무에게 자신의 비밀을 털어놓다.

— *a.* 신용 사기〔야바위〕의.

cónfidence gàme 〔《英》 **trìck**〕 (호인을 기화로 한) 신용 사기(con game 〔trick〕).

cónfidence màn 〔**trìcker**〕 사기꾼, 협잡꾼 (con man).

‡con·fi·dent [kɑ́nfidənt / kɔ́n-] (***more*** ~ ; ***most*** ~) *a.* ① 〔敍述的〕 확신하는《*of* ; *that*》: I am ~ *of* his success. 그의 성공을 확신하고 있다 / I feel ~ *that* our team will win. 우리 팀이 이길 것을 확신하고 있다. ② 자신이 있는, 자신만만한《*in*》: a ~ manner〔smile〕 자신만만한 태도〔미소〕 / He's ~ *in* his abilities. 그는 자기의 재능에 자신을 가지고 있다. ◇ confide *v.* — *n.* = CONFIDANT. 파 ***~·ly** *ad.* 확신을 갖고, 대담하게, 자신만만하게.

con·fi·den·tial** [kɑ̀nfidénʃəl / kɔ̀n-] (more*** ~ ; ***most*** ~) *a.* ① **a)** 은밀한, 내밀한(secret), 기밀의: a ~ remark 내밀한 말 / ~ inquiry 비밀 조

사 / ~ papers [documents] 기밀 서류 / a ~ price list 내시(內示) 가격표. **b**) (C-) 친전《겉봉에 씀》; 3급 비밀의《문서》. ② 속사정을 터놓을 수 있는, 친한 : in a ~ tone 친밀한[터놓고 말하는] 어조로 / become ~ *with* strangers 낯선 사람과 친한 사이가 되다. ③ 신임이 두터운, 심복의, 신뢰할 수 있는 : a ~ clerk 비서, 심복 점원 / a ~ secretary 심복 비서. ◇ confide *v.*

con·fi·den·ti·al·i·ty [kὰnfidènʃiǽləti / kɔ̀n-] *n.* Ⓤ 비밀[기밀]성 ; 신임이 두터움 : The relationship between attorneys and their clients is based on ~. 변호사와 의뢰인의 관계는 비밀보장에 있다.

con·fi·den·tial·ly [kὰnfidénʃəli / kɔ̀n-] *ad.* ① 은밀히, 내막적으로 : Speaking ~, …을 은밀히 (당신한테만) 하는 말인데. ② 털어놓고, 격의 없이.

con·fid·ing [kənfáidiŋ] *a.* 남을 (쉽게) 믿는, 믿고 의심하지 않는 : have [be of] a ~ nature 남을 쉽게 믿는 성질을 가지고 있다. ㊕ **~·ly** *ad.* 신뢰하여, 철석같이 믿고.

con·fig·u·ra·tion [kənfìgjəréiʃən] *n.* Ⓒ ① (지표 등의) 형상, 지형(地形) ; (전체의) 형태, 윤곽《*of*》: the ~ *of* the earth's surface 지구 표면의 형상, 지형. ②〖컴〗구성.

‡**con·fine** [kənfáin] *vt.* ①《+목+전+명》 **a**) …을 제한하다, 한정하다《*to* ; *within*》: ~ a talk *to* ten minutes 얘기를 10분으로 제한하다. **b**) [再歸的] …에 한정되다, …에 그치다 : I will ~ *myself* to making a few short remarks. 두세마디만 짧게 말하겠다. ②《~+목 / +목+전+명》 …을 가둬 넣다, 감금하다《*in* ; *within*》; 들어박히게 하다《*to*》: ~ a convict *in* jail 죄수를 구치소에 가두다 / The heavy snow ~*d* the climbers *to* the cottage. 폭설 때문에 등산객들은 산막에 갇혀 옴짝 못 하고 있었다. ◇ confinement *n.*

── [kάnfain / kɔ́n-] *n.* Ⓒ (흔히 *pl.*) ① 경계, 국경 ; 경계지[선] : within[beyond] the ~*s* of the country 국내[국외]에(서). ② 한계, 범위 : on the ~*s* of bankrupcy 파산 직전에(서) / The narrow ~*s* of a life in the church proved too difficult for him. 그는 좁게 한정된 교회내에서의 생활이 너무 어렵다는 것을 알았다.

con·fined [kənfáind] *a.* ① 제한된, 좁은 : It wasn't easy to sleep in such a ~ space. 그렇게 좁은 공간에서 잠자기란 쉽지 않았다. ② [敍述的] 산욕(産褥)에 있는 : She expects to be ~ in May. 5월에 해산할 예정이다.

***con·fine·ment** [kənfáinmənt] *n.* ① Ⓤ 제한, 국한. ② Ⓤ 감금, 유폐, 금고, 억류 : He is under ~. 그는 (교도소에) 갇혀 있다. ③ Ⓤ,Ⓒ 해산 (delivery). ◇ confine *v.*

‡**con·firm** [kənfə́ːrm] *vt.* ① …을 확실히 하다, 확증하다, 확인하다, …이 옳음[정확함]을 증명하다 : This report ~*s* my suspicions. 이 보고로 내 의심이 정확했음이 입증되었다 / ~ a reservation 예약을 확인해 두다. ②《~+목 / +목+전+명》 (재가(裁可)·비준(批准) 등으로) …을 승인[확인]하다 ; 추인(追認)하다 : ~ an agreement [a treaty] 협정[조약]을 승인하다 / The appointment was ~*ed* by Congress. 그 임명은 의회에서 승인되었다. ③ (결심 등)을 굳히다 : His support ~*ed* my determination to run for mayor. 그의 지지가 나의 시장 출마의 결의를 더욱 굳혔다. ④《+목+전+명》(소신·의지·버릇 등)을 더욱 굳게 하다《*in*》: The experience ~*ed* him *in* his dislike of music. 그 경험으로 인해 그는 더욱더 음악이 싫어졌다. ⑤〖敎會〗…에게 견진 성사를 베풀다. ◇ confirmation *n.*

***con·fir·ma·tion** [kὰnfərméiʃən / kɔ̀n-] *n.* Ⓤ,Ⓒ ① 확인 ; 확증 : in ~ of …의 확증으로서, …을 확인하여 / see ~ of …의 확인을 구하다 / We have (a) ~ that he is going to resign. 그가 사임하려하고 있다는 확증을 가지고 있다. ②〖敎會〗견진(성사) ;〖유대敎〗성인식(成人式). ◇ confirm *v.*

con·firm·a·tive [kənfə́ːrmətiv] *a.* =CONFIRMATORY.

con·firm·a·to·ry [kənfə́ːrmətɔ̀ːri / -təri] *a.* 확실히[확증]하는, 확인하는.

***con·firmed** [kənfə́ːrmd] *a.* [限定的] ① 확립된 ; 확인된 : a ~ report 확인된 보고. ② 굳어 버린, 만성의, 상습적인 : a ~ drunkard 모주꾼, 주정뱅이 / a ~ disease 고질, 만성병 / a ~ habit 아주 굳어 버린 버릇.

***con·fis·cate** [kάnfiskèit, kənfís- / kɔ́n-] *vt.* …을 몰수[압수, 압류]하다 : The government ~*s* the illegally imported goods. 정부는 밀수품을 압수한다.

con·fis·ca·tion [kὰnfiskéiʃən / kɔ̀n-] *n.* Ⓤ,Ⓒ 몰수, 압수, 압류.

con·fis·ca·tor [kάnfiskèitər / kɔ́n-] *n.* Ⓒ 압류자, 몰수자.

con·fis·ca·to·ry [kənfískətɔ̀ːri / -təri] *a.* ① 몰수의, 압수[압류]의. ② (세금 등) 모질게 징수하는.

***con·fla·gra·tion** [kὰnfləgréiʃən / kɔ̀n-] *n.* Ⓒ 큰불, 대화재.

con·flate [kənfléit] *vt.* (이본(異本))을 하나로 정리하다, 합성(合成)하다.

con·fla·tion [kənfléiʃən] *n.* Ⓒ,Ⓤ〖書誌〗이문융합(異文融合)《이본(異本)을 몇 가지 대교(對校)하여 하나로 정리하기》.

‡**con·flict** [kάnflikt / kɔ́n-] *n.* Ⓒ,Ⓤ ① 싸움, 투쟁, 전투, 분쟁 : a border ~ 국경 분쟁 / engage in armed ~ 교전하다. ② (의견·사상·이해(利害) 등의) 충돌, 대립, 불일치, 쟁의 ; 알력, 마찰 : a ~ of opinions 의견의 충돌 / (a) ~ of interest 이해(관계)의 대립 / avoid ~ with one's friends 친구들과의 충돌을 피하다. ③〖心〗(마음의) 갈등 : undergo[suffer] a mental ~ 심리적 갈등을 겪다, 번민하다 / Frequently he is in a state of ~ or indecision. 종종 그는 심리적 갈등이나 주저 상태에 빠진다. ***come into ~ with*** …와 싸우다 ; …와 충돌[모순]되다. ***in ~ with*** …와 충돌[상충]하여 : His statements are *in* ~ *with* his actions. 그의 말은 행동과 일치하지 않는다. ── [kənflíkt] *vi.* ①《+전+명》 충돌하다, 모순되다, 양립하지 않다《*with*》: His testimony ~*s with* yours. 그의 증언은 너의 것과 어긋난다. ② 다투다, 싸우다.

con·flict·ed [kənflíktid] *a.* 《美》 정신적 갈등을 지닌.

con·flict·ing [kənflíktiŋ] *a.* 서로 싸우는 ; 충돌하는, 일치하지 않는 : ~ emotion 상반되는 감정 / ~ views 대립되는 의견 / They have ~ interests. 그들은 이해 관계가 일치하지 않는다.

con·flu·ence [kάnfluəns / kɔ́n-] *n.* ① Ⓤ,Ⓒ (강 따위의) 합류(점)《*of*》: the ~ *of* the rivers Darwen and Ribble 다원강과 리블강의 합류 지점. ② Ⓒ (사람 등의) 집합, 군중.

con·flu·ent [kάnfluənt / kɔ́n-] *a.* 합류하는, 만나 합치는.

con·flux [kάnflʌks / kɔ́n-] *n.* =CONFLUENCE.

con·fo·cal [kanfóukəl / kɔn-] *a.*〖數〗초점이 같은, 초점을 공유하는.

***con·form** [kənfɔ́ːrm] *vt.* ①《+목+전+명》(규범·관습 따위)에 적합[순응]시키다 ; 따르게 하다《*to* ; *with*》: ~ oneself *to* the fashion 유

행을 따르다. ② …을 같은 모양〔성질〕이 되게 하다 《to》. ── vi. 《+전+명》 ① 적합하다《to》; 따르다, 순응하다《to》: ~ to 〔with〕 the laws 법률에 따르다 / We must ~ to the customs of the country. 우리는 그 나라의 관습에 따라야 한다. ② 같은 모양〔성질〕이 되다《to》: ~ in shape to another part 다른 부분과 형태가 같아지다. ◇ conformity n.

con·form·a·ble [kənfɔ́:rməbəl] a. 〔敍述的〕 ① 적합한, 일치된; 따르는《to》: development plans ~ to community needs 지역 사회의 요구에 적합한 개발 계획 / be ~ to reason 도리에 맞다 / medicines ~ to government regulations 정부 규정에 따른 약품. ② 순종〔순응〕하는, 유순한《to》: We seek employees who are ~ to company needs. 우리는 회사의 요구에 맞는〔잘 따르는〕 사원을 구하고 있다. ③ 〖地質〗 (지층이) 정합(整合)의. ㊞ **-bly** ad. 일치하여; 유순히.

con·form·ance [kənfɔ́:rməns] n. Ⓤ 적합, 일치, 순응《to; with》.

con·for·ma·tion [kànfɔ:rméiʃən / kɔ̀n-] n. ① Ⓤ,Ⓒ 구조(構造), 형태. ② Ⓤ 적합, 일치《to》.

con·form·ist [kənfɔ́:rmist] n. Ⓒ ① 순응자(順應者), 준봉자(遵奉者). ② (종종 C-) 〖英史〗 영국 국교도. ⓒⓕ dissenter, nonconformist.

***con·form·i·ty** [kənfɔ́:rməti] n. Ⓤ ① 적합, 일치; 상사(相似), 유사《to; with》. ② 준거, 복종; 순응주의《with; to》. ③ (종종 C-) 〖英史〗 국교 신봉. ◇ conform v. **in ~ with** 〔**to**〕 …와 일치하여; …에 따라서: We must act in ~ with the local regulation. 그 고장의 관습에 따라야 한다.

***con·found** [kənfáund, kɑn- / kɔn-] vt. ① 《~+목 / +목+전+명》 …을 혼동하다, 뒤죽박죽으로 하다《with》: ~ right and wrong 옳고 그름을 분간 못 하다 / ~ means with end 수단을 목적과 혼동하다. ② …을 논파(論破)하다; 《古》 (계획·희망 등)을 깨뜨리다, 좌절시키다, 실패하게 하다: ~ an imposter 사기꾼의 정체를 까발리다. ③ (아무)를 당황케 하다, 어리둥절케 하다: be ~ed at 〔by〕 the sight of …을 보고 당황하다 / His strange behavior ~ed us. 그의 기묘한 행동에 우리는 당혹했다. ④ 《口》 …을 저주하다. ◇ confusion n.

***con·found·ed** [kənfáundid, kɑn- / kɔn-] a. ① 곤혹스러운; 당황한: I was temporarily ~ by my new software. 새로운 소프트웨어에 잠시 당황했다. ② 〔限定的〕 《口》 말도 안 되는; 엄청난, 지독한: She is a ~ nuisance. 그녀는 아주 귀찮은 존재다. ㊞ **~·ly** ad. 《口》 지독하게, 엄청나게, 지겹게: It's ~ly difficult. 정말〔지독하게〕 어렵다.

con·fra·ter·ni·ty [kànfrətə́:rnəti / kɔ̀n-] n. Ⓒ (종교·자선 사업 등의) 단체, (어떤 목적·직업 따위의) 조합, 협회; 결사.

con·frere [kánfrɛər / kɔ́n-] n. Ⓒ 《F.》 조합원, 회원; 동지; (전문 직업의) 동업자, 동료.

‡con·front [kənfrʌ́nt] vt. ① 《~+목 / +목+전+명》 …에 직면하다, …와 마주 대하다; …와 만나다《with》: I was ~ed with 〔by〕 a difficulty. 나는 어려움에 직면했었다. ② (적·위험 따위)에 대항하다, …와 맞서다: Wellington ~ed Napoleon at Waterloo. 웰링턴은 워털루에서 나폴레옹에게 대항했다. ③ 《+목+전+명》 (아무)를 마주 대하게 하다, 맞서게 하다《with》; (법정에서) 대결시키다《with》; (증거 등을) …에게 들이대다: They ~ed him with evidence of his crime. 그들은 범죄의 증거를 그에게 댔다. ④ 《+목+전+명》 …을 대조하다, 비교하다《with》: ~ an account with another 한 계정을 딴 계정과 대조하다. ◇ confrontation n.

con·fron·ta·tion [kànfrəntéiʃən / kɔ̀n-] n. Ⓤ,Ⓒ ① (군사적·정치적인) 대립, 충돌《between; with》: a military ~ 군사 충돌 / a ~ between labor and management 노사간의 대립 / in ~ with …와 대립한〔하여〕; …에 직면한〔하여〕. ② (법정에서의) 대면, 대결.

Con·fu·cian [kənfjú:ʃən] a. 공자의; 유교의. ── n. Ⓒ 유생(儒生).

Con·fu·cian·ism [-ìzəm] n. Ⓤ 유교.

Con·fu·cius [kənfjú:ʃəs] n. 공자《552-479 B.C.; 중국의 사상가, 유교의 시조》.

‡con·fuse [kənfjú:z] vt. ① 《~+목 / +목+전+명》 …을 혼동하다, 헛갈리게 하다, 잘못 알다: I ~d their names. 나는 그들의 이름을 혼동했다 / Even their own mother sometimes ~d the twins. 어머니조차도 때때로 그 쌍둥이 아이를 혼동하였다. ② (순서·질서 등)을 혼란시키다, 어지럽히다: ~ an enemy by a rear attack 배후 공격으로 적을 혼란시키다. ③ 〔흔히 受動으로〕 …을 어리둥절케 하다, 당황케 하다: He was ~d at the news. 그 소식을 듣고 그는 어리둥절했다. ◇ confusion n.

***con·fused** [kənfjú:zd] a. ① 혼란한, 헛갈리는; 지리 멸렬한: give a ~ explanation 뭐가 뭔지 알 수 없는 설명을 하다. ② 〔敍述的〕 당혹〔곤혹〕스러운, 어리둥절한: I was ~ by her sudden anger. 그녀의 갑작스러운 노염에 나는 어리둥절했다. ㊞ **-fú·sed·ly** [-zidli] ad. ① 혼란스럽게. ② 당황하여.

***con·fus·ing** [kənfjú:ziŋ] a. 혼란시키는; 당황케 하는. ㊞ **~·ly** ad.

‡con·fu·sion [kənfjú:ʒən] n. Ⓤ ① 혼동《of》: the ~ of liberty with license 자유와 방종의 혼동. ② 혼란 (상태); 혼잡; 분규; 착잡: I lost my purse in the ~. 그 혼잡 속에서 나는 지갑을 잃어버렸다. ③ 당황, 얼떨떨함: She stopped in ~ as everyone turned to look at her. 그녀는 사람들이 자신을 돌아보자 당황하여 걸음을 멈추었다. ◇ confuse v.

con·fu·ta·tion [kànfjutéiʃən / kɔ̀n-] n. Ⓤ,Ⓒ 논파, 논박.

con·fute [kənfjú:t] vt. …을 논파〔논박〕하다; 끽소리 못 하게 만들다(silence): ~ his argument 그의 의론을 논박하다 / He ~d his opponent. 그는 상대방의 잘못을 입증하여 끽소리 못하게 했다.

Cong. Congregation(al); Congregationalist; Congress; Congressional.

con·ga [káŋgə / kɔ́ŋ-] n. Ⓒ 콩가《아프리카에서 전해진 쿠바의 춤》; 그 곡; 그 반주에 쓰는 북(=∠ drùm).

cón gàme [kán- / kɔ́n-] 《口》 =CONFIDENCE GAME.

con·gé [kánʒei / kɔ́:n-] n. Ⓒ 《F.》 ① (돌연한) 면직, 해임: give a person his ~ 아무를 면직하다 / get one's ~ 해직되다. ② 작별 (인사); 출발〔퇴거〕 허가: take one's ~ 작별 인사를 하다.

con·geal [kəndʒí:l] vt. …을 얼리다, 응결시키다. ── vi. 얼다, 응결하다: The jelly has not yet ~ed. 젤리는 아직 굳지 않았다 / The blood had ~ed round the cut on her knee. 피가 그녀의 무릎 상처에 응고되었다. ◇ congelation n.

con·ge·la·tion [kàndʒəléiʃən / kɔ̀n-] n. ① Ⓤ 동결, 응결. ② Ⓒ 동결물, 응결물. ◇ congeal v.

***con·gen·ial** [kəndʒí:njəl] a. ① 같은 성질의, 마음이 맞는, 같은 정신의, 같은 취미의《to》: ~ spirits 뜻이 맞는 동지 / I found my new boss ~ to me. 새로 온 사장은 나와 마음이 잘 맞았다. ② 〔敍述的〕 (건강·취미 따위에) 적합한, 기분 좋은, 쾌적한《to》: a climate ~ to one's health 건강에

적합한 풍토 / a new task ~ *to* him 그에게 적합한 새로운 일. ③ 붙임성있는, 인상이 좋은 : a ~ host. ◇ congeniality *n.*

con·ge·ni·al·i·ty [kəndʒìːniǽləti] *n.* Ⓤ,Ⓒ ① (성질·취미 등의) 합치. ② 적응〔적합〕성 ; 쾌적함.

con·gen·ial·ly [kəndʒíːnjəli] *ad.* 성질이〔성미가, 취미가〕 맞아 : They work ~ together. 그들은 함께 화기애애하게 일한다.

con·gen·i·tal [kəndʒénətl] *a.* (병·결함 등) 타고난, 선천적인 : a ~ deformity〔idiot〕 선천적 불구〔백치〕. ㊐ **~·ly** [-li] *ad.* 선천적으로.

cón·ger (èel) [káŋgər(-) / kɔ́ŋ(-)] 〖魚〗 붕장어류.

con·ge·ries [kándʒəriːz / kəndʒíəriːz] (*pl.* ~) *n.* Ⓒ 집적(集積), 퇴적.

***con·gest** [kəndʒést] *vt.* ① …에 충만시키다 ; 넘치게 하다; …을 혼잡하게 하다 : The parade *~ed* the street. 퍼레이드로 거리는 혼잡했다. ② 〖醫〗 충혈〔울혈〕시키다. ── *vi.* 〖醫〗 충혈〔울혈〕하다. ◇ congestion *n.*

con·gest·ed [kəndʒéstid] *a.* ① (사람·교통 등이) 혼잡한 ; 밀집한 ; (화물 등이) 정체한 : a ~ area〔district〕 인구 과밀 지역 / Traffic was very ~. 교통이 무척 혼잡했다. ② 〖醫〗 울혈〔충혈〕된.

***con·ges·tion** [kəndʒéstʃən] *n.* Ⓤ ① 혼잡, 붐빔 ; (인구) 과잉, 밀집 ; (화물 따위의) 폭주 : traffic ~ 교통 정체〔혼잡〕. ② 〖醫〗 충혈, 울혈 : ~ of the brain 뇌충혈. ◇ congest *v.*

con·ges·tive [kəndʒéstiv] *a.* 〖醫〗 충혈(성)의.

con·glom·er·ate [kənglámərət / -glɔ́m-] *a.* ① 밀집하여 뭉친, 뭉치어 덩이진, 집괴(集塊)를 이루는. ② 복합기업의, 복합적인. ③ 〖地質〗 역암질(礫岩質)의. ── *n.* Ⓒ ① 집성체, 집괴, 집단. ② 〖經〗 (거대) 복합기업《많은 다른 기업들을 흡수 병합한 다각 경영의 대회사》: a mining〔chemical〕 ~. ③ 〖地質〗 역암(礫岩). ── [-rèit] *vt., vi.* (…을) 모아서 군히다, 결합시키다 ; 집괴〔덩이〕를 이루다, 결합하다.

con·glom·er·a·tion [kənglàməréiʃən / -glɔ̀m-] *n.* Ⓒ ① 덩이, 집괴(集塊). ② 잡다한 혼합〔집합〕물, 여러 가지 것을 (그러) 모은 것 : The book is a ~ of ideas by many people. 그 책은 많은 사람들의 사상의 집합이다.

Con·go [káŋgou / kɔ́ŋ-] *n.* ① (the ~) 콩고 강《중부 아프리카의 강》. ② (흔히 the ~) 콩고 인민 공화국《아프리카 중부에 있는 공화국 ; 정식명 People's Republics of the Congo ; 수 도 Brazzaville》.

Con·go·lese [kàŋgəlíːz / kɔ̀ŋ-] *a.* 콩고의, 콩고 사람의. ── (*pl.* ~) *n.* ① Ⓒ 콩고 사람. ② Ⓤ 콩고 말.

con·grats [kəngrǽts] *int.* 《口》 축하합니다.

‡con·grat·u·late [kəngrǽtʃəlèit] *vt.* ①《~+목 / +목+전+명》 …을 축하하다, …에 축사를 하다《*on*》: I ~ you *on* passing the examination. 시험에 합격한 것을 축하합니다 / Let me ~ you *on* your success. 성공을 축하합니다. ② 〔再歸的〕 기뻐하다《*on, upon*》: He *~d himself on* his escape. 그는 용케도 탈출한 것을 기뻐했다 / He *~d himself that* he had found a job. 그는 직장〔직업〕을 얻게 된 것을 기뻐했다. ◇ congratulation *n.*

‡con·grat·u·la·tion [kəngrætʃəléiʃən] *n.* ① Ⓒ 축하, 경하《*on*》: a speech of ~ 축사, 축하의 말 / It is a matter for ~ that... …은 기뻐할 일이다. ② **a**) (*pl.*) 축사 : Please accept my sincere *~s upon* your success. 성공하신 것을 진심으로 축하합니다. **b**) 〔*Congratulations !* ; 感嘆詞的〕 축하합니다. ◇ congratulate *v.*

con·grat·u·la·tor [kəngrǽtʃəlèitər] *n.* Ⓒ 축하하는 사람, (축)하객.

con·grat·u·la·to·ry [kəngrǽtʃələtɔ̀ːri / -təri] *a.* 축하의 : a ~ address 축사 / send a ~ telegram 축전을 치다.

***con·gre·gate** [káŋgrigèit / kɔ́ŋ-] *vt.* …을 모으다, 집합시키다. ── *vi.* 모이다, 집합하다 : A large crowd *~d* to watch the parade. 많은 군중이 퍼레이드를 구경하려고 모였다.

***con·gre·ga·tion** [kàŋgrigéiʃən / kɔ̀ŋ-] *n.* ① Ⓤ 모이기, 집합, 회합. ② Ⓒ **a**) (사람의) 모임 ; (종교적인) 집회. **b**) 〔集合的 ; 單·複數 취급〕 (교회의) 회중(會衆), 신도들 : deliver a sermon to the ~ 신도들에게 설교하다.

con·gre·ga·tion·al [kàŋgrigéiʃənəl / kɔ̀ŋ-] *a.* ① 집회의, 회중(會衆)의. ② (C-) 회중파(會衆派) 교회제(制)의, 조합(組合) 교회의 : the *Congregational* Churches 회중파 교회, 조합 교회. ㊐ **~·ìsm** *n.* Ⓤ 회중파 교회제〔주의〕, 조합 교회주의. **~·ist** *n.* Ⓒ 회중파 교회 신자, 조합 교회원.

‡con·gress [káŋgris / kɔ́ŋgris] *n.* ① Ⓒ (대표자·사절·위원 따위의) 회의, 대회, 대의원회, 학술대회 : an international P. E. N. ~ 국제 펜클럽 대회 / the annual ~ 연차 대회. ② (C-) Ⓤ 〔흔히 無冠詞〕 의회, 국회《미국 및 라틴 아메리카 공화국의》; 국회의 개회기 : a member of *Congress* 국회 의원 / in *Congress* 국회 개회중에. ★ 긴 형태인 *the Congress* of the United States of America 에는 관사가 붙음. ◇ congressional *a.*

***con·gres·sion·al** [kəngréʃənəl, kəŋ- / kɔŋ-] *a.* ① 회의의 ; 입법부의 : ~ debates 회의〔국회〕의 토론. ② (종종 C-) 《美》 의회의, 국회의 : a *Congressional* Record 《美》 국회 의사록 / He won ~ approval for his tax cuts. 그는 세금 삭감안에 대한 의회의 승인을 얻었다.

con·gress·man** [káŋgrismən / kɔ́ŋ-] (*pl.* ***-men [-mən]) *n.* Ⓒ (종종 C-) 《美》 국회 의원, 《특히》 하원 의원.

con·gress·per·son [káŋgrispə̀ːrsn / kɔ́ŋ-] (*pl.* ***-pèo·ple***) *n.* Ⓒ (종종 C-) 《美》 하원 의원《남녀 공통어》.

con·gress·wom·an [káŋgriswùmən / kɔ́ŋ-] (*pl.* ***-wom·en*** [-wìmin]) *n.* Ⓒ 《美》 여자 국회 의원《특히 하원의》.

con·gru·ence [káŋgruəns, kəngrúːəns / kɔ́ŋ-] *n.* Ⓤ ① 일치, 합치 ; 조화(성). ② 〖數〗 (도형의) 합동.

con·gru·ent [káŋgruənt, kəngrúː- / kɔ́ŋ-] *a.* = ⌈CONGRUOUS.

con·gru·i·ty [kəngrúːiti, kəŋ- / kɔŋ-] *n.* ① **a**) Ⓤ 적합(성), 일치, 조화. **b**) Ⓒ (흔히 *pl.*) 일치점. ② Ⓤ 〖數〗 (도형의) 합동(성).

con·gru·ous [káŋgruəs / kɔ́ŋ-] *a.* ① …와 일치하는, 적합한, 어울리는, 조화하는《*with* ; *to*》: His actions are ~ *with* his principles. 그의 행동은 그의 주의와 일치한다. ② 〖數〗 합동의. ㊐ **~·ly** *ad.*

con·ic [kánik / kɔ́n-] *a.* 원뿔의 ; 원뿔꼴의 : a ~ section 원뿔 곡선.

con·i·cal [-kəl] *a.* 원뿔꼴의 : a ~ hat 원뿔꼴의 모자. ㊐ **~·ly** *ad.*

co·ni·fer [kóunəfər, kánə- / kɔ́n-] *n.* Ⓒ 〖植〗 구과(毬果) 식물, 침엽수《소나무류》.

co·nif·er·ous [kounífərəs] *a.* 구과(毬果)를 맺는, 침엽수의 : a ~ tree 침엽수 / Much of the forest is ~. 그 숲의 태반이 침엽수이다.

conj. conjugation ; conjunction ; conjunctive.

con·jec·tur·al [kəndʒéktʃərəl] *a.* ① 추측적인, 추측상의. ② 억측〔추측〕을 좋아하는.

***con·jec·ture** [kəndʒéktʃər] *n.* U.C 추측, 억측; (사본 따위의) 판독: hazard a ~ 추측해〔헤아려〕 보다, 짐작으로 말하다. — *vt.* 《~+목/+*that* 절》…을 추측〔억측〕하다: ~ the fact from … 그 사실을 …에서 추측하다. — *vi.* 추측하다, 짐작으로 말하다. cf. guess, surmise.

con·join [kəndʒɔ́in] *vt., vi.* (…을) 결합하다, 합치다; 합쳐지다.

con·joint [kəndʒɔ́int, kan- / kɔndʒɔint] *a.* ① 연합한, 결합한. ② 공동〔연대〕의. 파 **~·ly** *ad.* 결합〔공동〕하여; 연대하여.

con·ju·gal [kándʒəgəl / kɔ́n-] *a.* 〔限定的〕 부부(간)의; 결혼의, 혼인(상)의: ~ affection 부부애(愛) / ~ family 부부 가족, 핵가족. 파 **~·ly** *ad.* 부부로서.

con·ju·gal·i·ty [kàndʒəgǽləti / kɔ̀n-] *n.* U 혼인 (상태), 부부임, 부부 생활.

cónjugal ríghts 〖法〗 부부의 권리《부부 동거권〔성교권〕》.

***con·ju·gate** [kándʒəgèit / kɔ́n-] *vt.* 〖文法〗 (동사)를 활용〔변화〕시키다. — *vi.* ① 〖文法〗 (동사가) 활용〔변화〕하다. ② 교미〔교접〕하다; 〖生〗 접합하다. — [kándʒəgit, -gèit / kɔ́n-] *a.* ① (쌍으로) 결합된. ② 〖植〗 (잎이) 쌍을 이룬, (한) 쌍의. ③ 〖文法〗 어원이 같은. ④ 〖生〗 접합의.

con·ju·ga·tion [kàndʒəgéiʃən / kɔ̀n-] *n.* ① U.C 〖文法〗 (동사의) 활용, 어형 변화. ② U.C 결합, 연결, 배합. ③ U 〖生〗 (단세포생물의) 접합. ◇ conjugate *v.*

con·junct [kəndʒʌ́ŋkt, kándʒʌŋkt / kɔ́n-] *a.* 결합된, 연결된; 공동의. 파 **~·ly** *ad.*

***con·junc·tion** [kəndʒʌ́ŋkʃən] *n.* ① U.C 결합, 연결, 접속; 합동; 관련: in ~ with …와 관련〔접속〕하여; …와 합동〔연락〕하여, …와 함께 / The accident was caused by a ~ of three mistakes. 그 사고는 세 가지 실수가 겹쳐져서 발생했다. ② C 〖文法〗 접속사. ③ U 〖天〗 합삭(合朔).

con·junc·ti·va [kàndʒʌŋktáivə / kɔ̀n-] (*pl.* **-vas, -vae** [-vi:]) *n.* C 〖解〗 (눈알의) 결막.

***con·junc·tive** [kəndʒʌ́ŋktiv] *a.* ① 연결〔결합〕하는; 연결된, 결합된; 공동의. ② 〖文法〗 접속(사)적인. ◇ conjunction *n.* — *n.* C 〖文法〗 접속사〔어〕. 파 **~·ly** *ad.* 결합하여, 접속적으로.

con·junc·ti·vi·tis [kəndʒʌ̀ŋktəváitis] *n.* U 〖醫〗 결막염. cf. conjunctiva.

con·junc·ture [kəndʒʌ́ŋktʃər] *n.* C ① (중대한) 국면, 위기, 비상 사태: at this ~ 이 위기에. ② (여러 가지 사건·사정 등의) 복합.

con·jur·a·tion [kàndʒəréiʃən / kɔ̀n-] *n.* U 주술, 마법; 주문; 요술.

con·jure**¹ [kándʒər, kʌ́n-] *vt.* ① 주문(呪文)을 외어 (영혼)을 불러내다《*up*》: ~ (*up*) the dead man's spirit (강신술 등을 사용하여) 사자의 영을 불러내다. ② **a)** 마법〔요술〕을 써서 (…에서) …을 꺼내다, 출현시키다《*out of*》: He ~*d* a dove *out of* a hat. 그는 요술로 모자에서 비둘기를 꺼냈다. **b)** …을 마법〔주문〕으로 쫓아내다《*away*》: ~ evil spirits *away* 마법을 써서 악령을 쫓다. — *vi.* 마법〔요술〕을 쓰다. ***a name to ~ with 중요한〔영향력 있는〕 이름: By 1920, Fox and Universal were already *names to ~ with.* 1920년에 이르러서는 이미 폭스사와 유니버설사는 영향력 있는 이름이 되었다. **~ *up*** (1) 주문을 외어〔마법으로〕 죽은 사람의 영혼을 불러내다. (2) …을 눈앞에 떠올리다.

con·jure² [kəndʒúər] *vt.* 《+목+*to* do》 …을 탄원하다, 기원하다: I ~ you *to* help me. 제발 나를 도와 주십시오.

con·jur·er [kándʒərər, kəndʒúərər, kʌ́ndʒər-] *n.* C ① 마법사; 강신술사. ② 요술쟁이.

con·jur·ing [kándʒəriŋ, kʌ́n-] *n.* U, *a.* 요술〔마술〕(의).

conk¹ [kaŋk / kɔŋk] 《俗》 *n.* C ① **a)** 머리. **b)** 코. ② 머리〔코〕를 때리기. — *vt.* …의 머리〔코〕를 때리다. ~ a person ***one*** 아무의 머리에 한 방 먹이다.

conk² *vi.* 《口》 ① (기계가) 망그러지다《*out*》: The engine ~*ed out* in the middle of the road 엔진이 도로 한가운데서 갑자기 고장이 났다. ② **a)** (사람이) 실신하다; 죽다《*out*》. **b)** 《美》 깊이 잠들다《*off*; *out*》.

conk·er [káŋkər / kɔ́ŋ-] *n.* 《英》 ① (*pl.*) 〔單數 취급〕 도토리 놀이《실에 매단 도토리를 상대편 것에 부딪쳐서 깨뜨린 사람이 이김》. ② =HORSE CHESTNUT.

cón màn 《口》 =CONFIDENCE MAN.

Conn. Connacht; Connecticut.

Con·nacht [kánɔ:t / kɔ́n-] *n.* 코노트《아일랜드 공화국의 북서부 지역; 略: Conn.》.

con·nate [káneit / kɔ́n-] *a.* ① 타고난, 선천적인. ② 쌍생의, 동시 발생의. ③ 〖生〗 합착(合着)의, 합생(合生)의. 파 **~·ly** *ad.*

‡**con·nect** [kənékt] *vt.* ① 《~+목/+목+전+명》 …을 잇다, 연결〔접속〕하다: ~ this wire *to* 〔*with*〕 that 이 철사를 그것에 잇다 / The trailer was ~*ed to* the car. 트레일러는 차에 연결되었다. ② 《~+목/+목+전+명》 (사람·장소 등)을 전화로 연결하다: You are ~*ed*. 〖電話〗 (상대가) 나왔습니다(=《美》 You're through.) / Will you please ~ me *with* Mr. Jones? 존스씨를 대 주십시오. ③ 《~+목/+목+전+명》 〔흔히 受動으로 또는 再歸的〕 (사업 따위로) …을 (…와) 관계시키다; (결혼 따위로) …을 (…와) 인척 관계로 하다 《*with*》: I am distantly ~*ed with* the family. 그 집안과는 먼 일가가 된다 / He ~*s himself with* the firm. 그는 그 회사에 관계하고 있다. ④ 《+목+전+명》 …을 연상하다, 결부시켜 생각하다 《*with*》: We generally ~ Switzerland *with* the Alps. 우리는 보통 스위스하면 알프스를 연상한다 / ~ prosperity *with* trade 번영을 무역과 결부시켜 생각하다. ⑤ (논설 따위)의 조리를 세우다, …을 시종 일관되게 하다. — *vi.* ① 이어지다, 연속〔접속〕하다《*with*》: The two rooms ~ by a corridor. 그 두 방은 복도로 이어져있다. ② 《+전+명》 (열차·항공기 따위가) 연락〔접속〕하다《*with*》: This train ~*s with* another at Albany. 이 열차는 올버니에서 딴 열차와 접속된다. ③ 《+전+명》 (문맥·생각 따위가) 연결되다: This paragraph doesn't ~ *with* the others. 이 구절은 다른 구절과 연결이 안 된다. ④ 《口》〖野〗 강타하다《*for*》; 〖競〗 득점과 연결하다; 《美俗》 잘 하다, 성공하다《*for*》. ◇ connection *n.*

con·nect·ed [kənéktid] *a.* ① 연결된, 일관된, 관계가 있는: a ~ account 조리 있는 설명 / ~ idea 서로 관련이 있는 사상. ② 〔敍述的〕 (직무 등으로 …에) 관계〔관련〕하고 있는《*with*》: He's ~ *with* a newspaper. 그는 어떤 신문에 관계하고 있다. ③ (…의) 친척인, (…와) 친척〔연고〕 관계가 있는《*with*》: She's ~ *with* the family by marriage. 그녀는 그 일족과 인척 관계가 있다. 파 **~·ly** *ad.*

Con·nect·i·cut [kənétikət] *n.* 코네티컷《미국 북동부의 주(州); 略: Conn., 〖郵〗 CT》.

con·nec·ting [kənéktiŋ] *a.* 연결〔연락〕하는: a

~ door (두 방 사이의) 연결〔연락〕문.

connécting ròd 〖機〗 (엔진의) 커넥팅 로드, 연접봉.

con·nec·tion, 《英》 **-nex·ion** [kənékʃən] *n.* ① Ⓤ 연결, 결합《*to* ; *with*》: the ~ of a hose *to* a faucet 호스를 수도 꼭지에 연결하기. ② Ⓤ,Ⓒ 관계, 관련 ; (문장의) 전후 관계, 앞뒤 : There's a ~ between smoking and cancer. 흡연과 암 사이에는 인과 관계가 있다. ③ Ⓤ,Ⓒ (흔히 *pl.*) (열차·항공기 등의) 연락, 접속 : There are good ~*s* between buses in Seoul. 서울에서는 버스의 접속이 잘 된다. ④ Ⓤ,Ⓒ (인간 상호의) 관계 ; 교섭, 교제 ; 연고(緣故), 연줄 ; (흔히 *pl.*) 연고 관계의 사람, 친척 (관계) : a ~ of mine 나의 연고자 / an intimate ~ 가까운 친척 / a man of good ~ 좋은 연줄이 있는 사람 / The ~ between Mary and me is strictly business. 메리와 나와의 관계는 순전히 사업상의 것일 뿐이다 / cut one's ~ with … 와의 관계를 끊다. ⑤ Ⓒ 거래처, 단골 : a business with a good ~ 좋은 단골이 있는 장사. ⑥ Ⓤ,Ⓒ (기계·도관 등의) 연접, (전신·전화의) 연결, 접속 : a pipe ~ 파이프의 이음매〔연결부〕/ have a bad ~ (전화의) 접속 상태가 나쁘다. ⑦ Ⓒ 마약 밀매인 ; (마약 따위의) 밀수 조직, 비밀 범죄 조직, 커넥션. ◇ connect *v.* ***in ~ with*** …와 관련하여 ; …에 관한 ; …와 연락하여 : They say they want to talk to you *in ~ with* an unpaid tax bill. 그들은 미납세금 고지서에 관해 당신에게 말하고자 한답니다. ***in this ~*** 이와 관련하여, 이 점에 대해서. ***make ~ at*** …에서 연락〔접속〕하다.

con·nec·tive [kənéktiv] *a.* ① 연결하는, 접속의. ② 〖文法〗 연결의. ── *n.* Ⓒ ① 연결물, 연계(連繫). ② 〖文法〗 연결사《접속사·관계사·전치사 따위》. ㊞ **~·ly** *ad.* 연결하여, 접속적으로.

connéctive tìssue 〖解〗 결합 조직.

con·nec·tiv·i·ty [kànektívəti] *n.* Ⓤ ① 연결성. ② 〖컴〗 상호 통신 능력.

con·nec·tor [kənéktər] *n.* Ⓒ ① 연결하는 것〔사람〕. ② (철도의) 연결기 (coupling), 연결수, 커넥터. ③ 〖電〗 접속용 소켓 ; 〖컴〗 이음기, 연결기.

connexion 《英》 ⇨CONNECTION.

cón·ning tòwer [kániŋ- / kɔ́n-] (군함·잠수함의) 사령탑. Ⓒⓕ con².

con·nip·tion [kənípʃən] *n.* Ⓒ (흔히 *pl.*) 《美口》 발작적 히스테리〔격노〕(=∠ **fit**).

con·niv·ance [kənáivəns] *n.* Ⓤ ① 묵인, 묵과 《*at* ; *in*》: The soldiers commited many atrocities with the ~ of their officers. 병사들은 장교들의 묵인 아래 많은 잔학 행위를 범했다. ② 공모(共謀)《*with*》: in ~ *with* …와 공모하여.

con·nive [kənáiv] *vi.* ① 눈감아주다, 묵인하다 《*at*》: She ~*d at* his embezzlement. 그녀는 그의 횡령을 묵인했다. ② 공모〔묵계〕하다, 서로 짜다《*with*》: They ~*d* to kill him. 그들은 공모하여 그를 죽이려 했다 / ~ *with* a person in crime 아무와 공모하여 범죄를 저지르다.

con·nois·seur [kànəsə́ːr, -súər / kɔ̀n-] *n.* Ⓒ (미술품 등의) 감식가 ; 전문가, 권위자《*of* ; *in*》: a ~ *of* Italian operatic music 이탈리아 오페라 음악의 권위자. ㊞ **~·shìp** *n.* Ⓤ 감식안.

con·no·ta·tion [kànoutéiʃən / kɔ̀n-] *n.* ① Ⓤ,Ⓒ 함축, 언외(言外)의 의미 : Celibacy carries ~*s* of asceticism and religious fervor. 수도자의 독신주의에는 금욕과 종교적 열정이 함축되어 있다. ② Ⓤ 〖論〗 내포(內包). ⓞⓟⓟ *denotation.*

con·no·ta·tive [kánoutèitiv, kənóutə- / kɔ́noutèi-] *a.* ① 함축적인 ; (다른 뜻을) 암시하는 《*of*》: a ~ sence 함축적인 의미 / The word 'marble' is ~ *of* coldness. '대리석'이라는 말은 차가움을 암시한다. ② 〖論〗 내포적. ⓞⓟⓟ *denotative.* ㊞ **~·ly** *ad.*

con·note [kənóut] *vt.* ① (말이 언외(言外)의 뜻)을 갖다, 함축하다, 암시하다. ② (결과·부수 상황으로서) …을 수반하다 : Crime ~*s* punishment. 범죄에는 벌이 따르기 마련이다. ③ 〖論〗 …을 내포하다. ⓞⓟⓟ *denote.*

con·nu·bi·al [kənjúːbiəl] *a.* 〔限定的〕 결혼(생활)의 ; 부부의, 배우자의. ㊞ **~·ly** *ad.* 혼인상 ; 부부로서.

:con·quer [káŋkər / kɔ́ŋ-] *vt.* ① …을 정복하다, 공략하다 : ~ the enemy 적을 치다. ② (명예 따위)를 획득하다 : ~ fame in the literary world 문학계에서 명성을 획득하다. ③ (어려운 고비·곤란·격정·유혹·버릇 따위)를 극복하다, …을 이겨내다 : ~ a bad habit 나쁜 버릇을 극복〔타파〕하다 / a tremendous international effort to ~ cancer 암을 정복하기 위한 엄청난 국제적 노력. ④ (이성)을 따르게 하다 : ~ a woman. ── *vi.* ① 정복하다. ② 승리를 얻다, 이기다 : Justice will ~. 정의는 승리한다. ◇ conquest *n.* ㊞ **~·a·ble** [-rəbəl] *a.* 정복 가능한, 이겨낼 수 있는 ; 타파할 수 있는.

:con·quer·or [káŋkərər / kɔ́ŋ-] *n.* ① Ⓒ 정복자 ; 승리자, 극복자 : the European ~*s* of Mexico 유럽의 멕시코 정복자들. ② (the C-) 〖英史〗 정복왕 William Ⅰ세《1066년 영국을 정복함》.

:con·quest [káŋkwest / kɔ́ŋ-] *n.* ① Ⓤ 정복 《*of*》: The ~ *of* cancer is imminent. 암의 정복은 곧 이루어질 것이다. ② Ⓤ 획득 ; 성〔애정〕의 획득 : the ~ of fame 명성의 획득. ③ Ⓒ 획득물 ; 전리품, 정복지 ; 애정에 끌린 이성. ④ (the C-) =NORMAN CONQUEST. ◇ conquer *v.* ***make*** 〔***win***〕 ***a ~ of*** …의 애정을 획득하다.

con·quis·ta·dor [kɑnkwístədɔ̀ːr, kɔ(ː)ŋ-, kən-] (*pl.* **~s, -do·res** [-kwìstədɔ́ːris, -kì(ː)s-]) *n.* Ⓒ 정복자(conqueror), 《특히》 16세기에 멕시코·페루를 정복한 스페인 사람.

Con·rad [kánræd / kɔ́n-] *n.* ① 남자 이름. ② **Joseph** ~ 콘래드《폴란드 태생의 영국 해양 소설가 ; 1857-1924》.

Cons 「Consul. Conservative ; Constable ; Constitution ;

con·san·guin·e·ous [kànsæŋgwíniəs / kɔ̀n-] *a.* 혈족의, 혈연의, 동족의 : ~ marriage 혈족 결혼, 근친혼. ㊞ **~·ly** *ad.*

con·san·guin·i·ty [kànsæŋgwínəti / kɔ̀n-] *n.* Ⓤ 혈족 (관계) ; 밀접한 관계〔결합〕: degrees of ~ 촌수.

:con·science [kánʃəns / kɔ́n-] *n.* Ⓤ ① 양심, 도의심, 도덕 관념 : a case〔matter〕 of ~ 양심이 결정할 일, 양심의 문제 / Be guided by your ~. 양심에 따라 하라. ② 의식, 자각. ◇ conscientious *a.* ***ease*** a person***'s ~*** 아무를 안심시키다. ***for ~(') sake*** 양심에 걸려, 양심 때문에 ; 핑계〔위안〕삼아 ; 제발. ***have ... on*** one***'s ~*** 을 심로(心勞)하다, …을 떳떳지 않게 생각하다 : He *has* a lot *on his* ~. 그는 여러 가지 일에 신경을 쓰고 있다. ***in*** (***all***) ***~*** 《口》 ⑴ 양심에 비추어, 도의상 : *In all* ~, I couldn't make things difficult for him. 양심상 나는 일을 그에게 어렵게 만들 수는 없었다. ⑵ 확실히, 꼭(surely). ***on*** 〔***upon***〕 one***'s ~*** 양심에 걸고, 기필코.

cónscience clàuse 〖法〗 양심 조항《신교의 자유 등을 규정》.

con·science·less [kánʃənslis / kɔ́n-] *a.* 비양심적인, 파렴치한.

cónscience mòney 보상의 헌금《탈세자 등

이 양심의 가책을 면하기 위해 헌금하는 돈》.

con·science-smit·ten [kánʃənssmìtn / kɔ́n-] *a.* =CONSCIENCE-STRICKEN.

con·science-strick·en [kánʃənsstrìkən / kɔ́n-] *a.* 양심에 찔린, 마음에 꺼림칙한: She hurried home, ~ at leaving her mother alone. 그녀는 어머니를 혼자 계시게 한 것이 꺼림칙해서 서둘러 집으로 돌아갔다.

***con·sci·en·tious** [kànʃiénʃəs / kɔ̀n-] *a.* ① 양심적인, 성실한: a ~ study 양심적인 연구 / a ~ worker 성실하게 일하는 사람. ② 주의깊은, 신중한, 면밀한: a ~ description 면밀〔세밀〕한 묘사 / Be more ~ about your work. 더욱 신중하게 일하거라. ◇ conscience *n.* [파] ~·**ly** *ad.* ~·**ness** *n.*

consciéntious objéction 양심적 병역 거부.

consciéntious objéctor (종교적·도의적 신념에 따른) 양심적 병역 거부자《略: C.O.》.

con·scion·a·ble [kánʃənəbəl / kɔ́n-] 《古》 *a.* 양심적인; 바른, 정당한.

‡**con·scious** [kánʃəs / kɔ́n-] (***more*** ~ ; ***most*** ~) *a.* ① 〔敍述的〕 의식〔자각〕하고 있는, 알고 있는《*of* ; *that*》. [opp] *unconscious*. ¶ He was not ~ *of* my presence in the room. 그는 내가 방에 있는 것을 알아차리지 못했다. ② 의식적인: with ~ superiority 우월감을 갖고 / a ~ liar 나쁜 줄 알면서 거짓말하는 사람. ③ 〔敍述的〕 지각〔의식〕 있는, 제정신의: become ~ 제정신이 들다 / He's still ~. 그는 아직 의식이 (남아) 있다. ④ 〔限定的〕 의식적인; 자의식이 강한, 남을 의식하는: a ~ smile (겸연쩍은) 억지 웃음 / speak with a ~ air (남을 의식하여) 조심스럽게 말하다. —— *n.* (the ~) 〖心〗 의식. [파] *~·**ly** *ad.* 의식적으로, 자각하여.

‡**con·scious·ness** [kánʃəsnis / kɔ́n-] *n.* [U] ① 자각, 의식; 알고 있음, 알아챔: lose ~ 의식을 잃다 / raise one's ~ 사회적·정치적 의식을 높이다 / It was some time before he recovered ~. 잠시 후 그는 제정신이 들었다 / Doubts were starting to enter my ~. 내심 의심이 들기 시작했다. ② 〖心〗 의식, 지각: moral ~ 도덕 의식. ***the stream of*** ~ 〖心〗 의식의 흐름.

con·scious·ness-rais·ing [-rèiziŋ] *n.* [U] (정치·사회 문제에 대한) 의식 고양(법), 의식 확대.

con·script [kánskript / kɔ́n-] *a.* 〔限定的〕 징집된: a ~ soldier 신병, 징집병. —— *n.* [C] 징집병. —— [kənskrípt] *vt.* …을 군인으로 뽑다; 징집하다; 징용하다: ~*ed* laborers from Indochina 인도차이나에서 징발된 노무자들.

con·scrip·tion [kənskrípʃən] *n.* [U] ① 징병 (제도), 모병; 징모, 징집: ~ age 징병 적령 / the ~ system 징병 제도 / evade ~ 징병을 기피하다. ② 징발, 징용: ~ of wealth 재산의 징발.

***con·se·crate** [kánsikrèit / kɔ́n-] *vt.* ① 《~+[목] / +[목]+[전]+[명]》 **a**) …을 신성하게 하다, 성화(聖化)하다; 〖가톨릭〗 (미사에서 빵과 포도주를) 축성(祝聖)하다: ~*d* bread and wine 축성한 빵과 포도주. **b**) 봉헌하다: ~ a church *to* divine service 헌당(獻堂)하다. ② 《+[목]+[전]+[명]》 (어떤 목적)에 …을 바치다, 전념하다: He ~*d* himself to study. 그는 연구에 일생을 바쳤다 / She ~*d* her life *to* church. 그녀는 교회를 위해 일생을 바쳤다.

***con·se·cra·tion** [kànsikréiʃən / kɔ̀n-] *n.* ① [U] 신성화, 정화《*of*》. ② **a**) (the ~ ; 종종 C-) 〖가톨릭〗 축성(祝聖). **b**) [U,C] (교회의) 헌당(식); 성직 수임. ③ [U] 헌신, 정진(精進).

***con·sec·u·tive** [kənsékjətiv] *a.* ① 연속적인, 잇따른; (논리적으로) 모순·비약이 없는, 시종일관된: It rained four ~ days. 나흘 계속해서 비가 왔다 / ~ numbers 일련 번호 / ~ holidays 연휴 / on three ~ days, Monday, Tuesday and Wednesday 월요일, 화요일, 수요일 연속 3일. ② 〖文法〗 결과를 나타내는: a ~ clause 〖文法〗 결과를 나타내는 부사절. [파] ~·**ly** *ad.* 연속적으로.

con·sen·su·al [kənsénʃuəl] *a.* 〖法〗 합의에 의하여 성립된: a ~ divorce 합의 이혼.

***con·sen·sus** [kənsénsəs] *n.* [U] (또는 a ~) (의견·증언 등의) 일치; 총의; 컨센서스: *a* ~ *of* opinion 의견의 일치 / The two parties reached (*a*) ~. 양측은 합의에 이르렀다.

‡**con·sent** [kənsént] *vi.* 《~ / +[전]+[명] / +*to* do / +*that* [절]》 동의하다, 찬성하다, 승인하다, 허가하다《*to*》: ~ *to* a plan 계획에 동의하다 / ~ *to* give a lecture 강연할 것을 승낙하다 / Her father reluctantly ~*ed to* marriage. 그녀의 아버지는 마지못해 결혼에 동의했다. —— *n.* [U] ① 동의, 허가, 승낙《*to*》: He gave his ~ *to* the proposal. 그는 그 제안에 동의했다 / Silence gives ~. 《俗談》 침묵은 승낙의 표시. ② (의견·감정의) 일치: by common 〔general〕 ~ =with one ~ 만장일치로, 이의 없이 / give 〔refuse〕 one's ~ 승낙하다〔않다〕. ***the age of*** ~ 〖法〗 승낙 연령《결혼 따위가 법적으로 인정되는 나이》.

‡**con·se·quence** [kánsikwèns / kɔ́nsikwəns] *n.* ① [C] 결과; 결말: take 〔answer for〕 the ~*s* (자기 행동의) 결과를 감수하다〔책임지다〕 / I decided to make it public regardless of the ~*s*. 나는 결과가 어떻게 되든 그것을 공표하기로 했다. ② [U] (영향의) 중대성, 중요함; (사람의) 사회적 지위〔중요성〕: of (great) ~ (매우) 중대한 / It's a matter of no ~. 그것은 하찮은 것이다. ③ [C] 〖論〗 귀결, 결론. ***as a*** ~ (***of***) =***in*** ~ (***of***) …의 결과, …때문에. ***with the*** ~ ***that***... 그 결과로서 당연히 …이 되다.

***con·se·quent** [kánsikwènt / kɔ́nsikwənt] *a.* 결과로서 일어나는《*on*, *upon*》; (논리상) 필연의, 당연한: the confusion ~ *upon* administrative reform 행정 개혁의 결과로 일어나는 혼란 / This increase of the unemployed is ~ *on* the business depression. 실업자의 이러한 증가는 불경기의 당연한 결과이다.
[파] ~·**ly** *ad.* 따라서, 그 결과로서.

con·se·quen·tial [kànsikwénʃəl / kɔ̀n-] *a.* ① 결과로서 일어나는; 당연한, 필연의. ② **a**) 중요한, 중대한: From a medical standpoint a week is usually not a ~ delay. 의학적 입장에서는 1주일은 보통 중대한 지연이 아니다. **b**) 거드름부리는, 젠체하는. [파] ~·**ly** [-ʃəli] *ad.* 그 결과로서, 필연적으로; 짐짓 젠체하여.

con·serv·an·cy [kənsə́ːrvənsi] (*pl.* ***-cies***) *n.* ① [U] (자연 등의) 보존, 보호, 관리. ② [C] 《英》 〔集合的; 單·複數취급〕 (하천 등의) 관리 위원회〔사무소〕.

con·ser·va·tion [kànsəːrvéiʃən / kɔ̀n-] *n.* [U] ① (자연·자원의) 보호, 관리; 보존, 유지, 존속: nature ~ 자연 보호 / ~ area (자연·사적 등의) 보호 지역. ② 〖物〗 보존《*of*》: ~ *of* energy 에너지 보존 / ~ *of* mass 〔matter〕 〖物〗 질량 보존. ◇ conserve *v.*
[파] ~·**ist** *n.* [C] (자연·자원) 보호론자.

***con·serv·a·tism** [kənsə́ːrvətìzəm] *n.* [U] ① 보수주의; 보수적 경향. ② (종종 C-) (영국) 보수당의 주의〔강령〕.

‡**con·serv·a·tive** [kənsə́ːrvətiv] (***more*** ~ ;

most ~) *a.* ① 보수적인, 보수주의의. opp. *progressive.* ¶ ~ politics (views) 보수적인 정책(의견) / He is very ~ in his attitude to women. 그의 여성에 대한 태도는 아주 보수적이다. ② (C-) 영국 보수당의. ③ 전통적인, 인습적인 : The Harrises still follow the ~ customs of their grandparents. 해리스가(家)의 사람들은 아직도 조부모 시대의 인습적인 관습을 지키고 있다. ④ 조심스러운, 신중한 : a ~ estimate 줄잡은 어림. ⑤ (옷차림 등이) 수수한 : He prefers ~ clothes. 그는 수수한 옷을 좋아한다. ── *n.* Ⓒ ① 보수주의자, 보수적인 경향의 사람. ② (C-) 보수당원(특히 영국). ◇ conserve *v.*
㊕ **~·ly** *ad.* 보수적으로 ; 조심스레. **~·ness** *n.*

Consérvative Párty (the ~) 《英》 보수당. cf. Labour Party.

consérvative súrgery 〖醫〗 보존 외과(조직을 되도록 보존함).

con·ser·va·toire [kənsə́:rvətwɑ́:r, ----] *n.* Ⓒ 《F.》 (주로 프랑스의) 국립 음악(미술, 연극) 학교, 콩세르바투아르.

con·ser·va·tor [kɑ́nsərvèitər, kənsə́:rvətər / kɔ́n-] (*fem.* ***-trix*** [-triks]) *n.* Ⓒ ① 보호자, 보존자. ② (박물관 등의) 관리인.

con·serv·a·to·ry [kənsə́:rvətɔ̀:ri / -təri] (*pl.* ***-ries***) *n.* Ⓒ ① 온실. ② 음악(미술, 연극) 학교.

***con·serve** [kənsə́:rv] *vt.* ① …을 보존하다 ; 보호하다 ; 낭비하지 않다 : ~ natural resources 천연 자원을 보호(보존)하다 / ~ one's strength for …에 대비하여 힘을 기르다 / ~ gasoline (water) 가솔린(물)을 아껴 쓰다. ② …을 설탕 절임으로 보존하다. ◇ conservation *n.* ── [kɑ́nsə:rv, kənsə́:rv / kənsə́:rv, kɔ́nsə:rv] *n.* U,C (흔히 *pl.*) (과일 따위의) 설탕 절임 ; 잼 : strawberry ~ 딸기 잼.

†con·sid·er [kənsídər] *vt.* ① 《~+목 / +*that* 절 / +*wh.* 절 / +*wh. to* do / +*-ing*》 …을 숙고하다, 두루 생각하다, 고찰하다 : ~ a matter in all its aspects 일을 여러 면에서 생각하다 / I ~ *that* he ought to help me. 그가 나를 도와야 할 것이라고 생각한다 / You must ~ *whether* it will be worthwhile. 그게 그만한 가치가 있는지를 생각해야 한다 / I am ~*ing going* to London. 런던으로 갈까 생각하고 있다. ② 《+목+*as* 보 / +목+ (*to be*) 보》 …을 (…으로) 생각하다(간주하다) : I ~ him (*to be*(*as*)) a coward. 나는 그를 겁쟁이라고 생각한다 / *Consider* it *as* done. 그것은 끝난 일로 생각해라. ③ …을 참작하다, 고려에 넣다 : We should ~ his youth. 그의 젊음을 참작해야 할 것이다. ④ …에 주의를 기울이다, …을 염려하다 : He never ~*s* others. 그는 남의 일은 전혀 생각지 않는다 / You must ~ the feelings of other people. 다른 사람의 감정을 생각해야 한다. ⑤ …을 존경하다, 존중하다 : He is greatly ~*ed* by townsmen. 그는 읍민으로부터 매우 존경받고 있다. ⑥ (구입·채택)에 대해 고려하다 : ~ an apartment 아파트를 살(세(貰)들) 생각을 하다. ── *vi.* 잘 생각하다, 숙려하다 : *Consider* carefully before you decide. 결정하기 전에 잘 생각하세요. ◇ consideration *n.* ***all things ~ed*** 만사를 고려하여 (보니), 이것 저것 생각해 보니 : *All things ~ed* it was quite a productive meeting. 이것 저것 생각해보니 정말 생산적인 모임이었다.

‡con·sid·er·a·ble [kənsídərəbəl] (***more*** ~ ; ***most*** ~) *a.* ① (사람이) 중요한, 유력한, 고려할, 무시할 수 없는 : a ~ personage 저명 인사. ② (수량이) 꽤 많은, 적지 않은 ; 상당한 : a ~ distance 상당한 거리 / We suffered ~ losses in the battle. 우리는 그 전투에서 상당한 손실을 입었다. ── *n.* Ⓤ 《美口》 다량 : He did ~ for the company. 그는 회사에 다대한 공헌을 했다 / A ~ of a trade was carried on. 상당한 거래가 이루어졌다.

‡con·sid·er·a·bly [kənsídərəbəli] *ad.* 적지 않게, 매우, 꽤, 상당히 : Prices have risen ~ . 물가가 상당히 올랐다 / He's ~ older than I (am). 그는 나이가 나보다는 상당히 위다.

con·sid·er·ate** [kənsídərit] (more*** ~ ; ***most*** ~) *a.* 동정심 많은, 인정이 있는(*of*) : He is very ~ *of* (*to* ; *toward*) others. 그는 다른 사람을 생각하는 마음이 아주 대단하다. ◇ consider *v.* ***It is very ~ of you to*** do …해 주셔서 정말 고맙습니다. ㊕ **~·ly** *ad.* **~·ness** *n.*

‡con·sid·er·a·tion [kənsìdəréiʃən] *n.* ① Ⓤ 고려, 숙려(熟慮), 고찰 : This problem deserves careful ~. 이 문제는 신중한 고려를 할 만한 가치가 있다. ② Ⓤ (남에 대한) 동정, 헤아림(*for*) : Have more ~ *for* the old. 좀더 노인을 생각할 줄 아는 마음을 가지십시오. ③ (*sing.*) 보수, 사례, 팁 ; 〖法〗 대가(對價) : a ~ paid for the work 일에 대하여 지급되는 보수 / for a ~ 보수를 받고. ***in ~ of*** (1) …을 고려하여 : *in ~ of* his youth 연소함을 감안하여. (2) …의 사례(보수)로서 : He was given a large bonus *in ~ of* his services to the company. 그는 회사에 공헌한 데 대한 사례로 많은 상여금을 받았다. ***leave . . . out of*** ~ …을 도외시하다. ***on*** (***under***) ***no*** ~ 결코 …않는 : *On no* ~ must you divulge this to him. 이 일은 그에게 절대로 누설해서는 안 된다. ***take . . . into*** ~ 고려에 넣다, …을 참작하다. ***under*** ~ 고려 중에(의) : The plan is now *under* ~ by the government. 그 계획은 현재 정부가 검토 중이다.

con·sid·ered [kənsídərd] *a.* 〔限定的〕 ① 충분히 고려한 끝의, 신중한 : ~ judgment 숙려한 끝의 판단. ② 〔바로 앞에 副詞를 수반하여〕 존경받는, 중히 여기는 : *a highly* ~ scholar 매우 존경받고 있는 학자.

‡con·sid·er·ing [kənsídəriŋ] *prep.* …을 고려하면, …을 생각하면 ; …에 비해서 : *Considering* her age, she looks very young. 그녀는 나이에 비해서는 퍽 젊어 보인다. ── *conj.* 〔흔히 that 을 수반하여〕 …임을 생각하면, …임에 비해서, …이니까 : *Considering that* he is an American, he speaks Korean fluently. 미국인치고는 한국말이 유창하다. ── *ad.* 《口》 그런대로, 비교적 : That is not so bad, ~. 그것은 그런대로 그렇게 나쁘지는 않다 / He does very well, ~. 비교적 잘 한다.

***con·sign** [kənsáin] *vt.* ① 《+목+전+명》 …을 건네주다, 인도하다 ; 교부하다 ; 위임하다, (돈)을 맡기다(*to*, *into*) : ~ the body *to* the flames 시체를 화장하다 / ~ money *in* a bank 은행에 예금하다 / ~ one's soul *to* God 영혼을 신(神)에게 맡기다(죽다) / He was ~*ed to* prison. 그는 교도소에 수감되었다 / ~ a child *to* his care 아이의 시중을 그에게 위탁하다 / The police ~*ed* the lost child *to* (*into*) its guardian. 경찰은 미아를 보호자에게 인도했다 / ~ a letter *to* the post 편지를 우송하다. ② 《~+목 / +목+전+명》 〖商〗 (상품을) 위탁하다 ; 탁송하다(*to*) : ~ goods *to* an agent 상품 판매를 대리점에 위탁하다 / The goods have been ~*ed to* you by railway. 상품은 귀하 앞으로 철도편(便)으로 발송되었습니다. ◇ consignation *n.*

con·sign·ee [kɑ̀nsainí: / kɔ̀n-] *n.* Ⓒ (판매품의) 수탁자, 수탁 판매자 ; 수하인(受荷人).

con·sign·er [kənsáinər] *n.* =CONSIGNOR.

con·sign·ment [kənsáinmənt] *n.* 〖商〗 ① Ⓤ 위탁 (판매), 탁송(託送): on ~ 위탁 판매로〔의〕. ② Ⓒ 위탁 화물, 적송품(積送品); 위탁 판매품.

consígnment nòte (철도·항공편의) 화물 송장(送狀).

con·sign·or [kənsáinər] *n.* Ⓒ (판매품의) 위탁자, 적송인(積送人)(shipper), 하주.

‡**con·sist** [kənsíst] *vi.* 《+전+명》 ① (…으로) 되다, (부분·요소로) 이루어지다《*of*》: This class ~*s of* 20 boys and 21 girls. 이 학급은 20명의 남학생과 21명의 여학생으로 구성되어 있다 / Water ~*s of* hydrogen and oxygen. 물은 수소와 산소로 되어 있다. ② (…에) 존재하다, (…에) 있다《*in*》: Happiness ~*s in* contentment. 행복은 족함을 아는 데 있다《★ '*consists of*' = is made of. '*consists in*' =is》. ③ (…와) 양립하다, 일치하다《*with*》: Health does not ~ *with* intemperance. 건강과 부절제는 양립하지 않는다 / ~ *with* reason 도리에 합치하다.

con·sist·ence [kənsístəns] *n.* =CONSISTENCY.

***con·sist·en·cy** [kənsístənsi] *n.* ① Ⓤ 일관성; 언행 일치; 모순이 없음《*of* ; *with*》: Their policy lacks ~. 그들의 정책에는 일관성이 없다. ② ⓊⒸ 농도, 밀도; 경도(硬度): Melt the chocolate to a pouring ~. 초콜릿을 부을 수 있을 정도로 녹여라.

***con·sist·ent** [kənsístənt] *a.* ① (의견·행동·신념 등이) (…와) 일치〔조화·양립〕하는《*with*》: a policy ~ *with* public welfare 공공복지와 합치되는 정책 / His views are ~ *with* his action. 그의 말과 행동은 일치하고 있다. ② (주의·방침·언행 등이) 불변한, 견지하는, 시종일관된, 견실한《*in*》: An explanation must be ~. 설명은 시종 일관해야 한다 / a ~ advocate of political reform 정치 개혁의 일관된 주창자. ③ (성장 등이) 착실한, 안정된: ~ growth 착실한 성장. ㊞ **~·ly** *ad.*

con·sis·to·ry [kənsístəri] *n.* Ⓒ ① 종교 법원(회의실). ② 〖가톨릭〗 추기경 회의. ③ (영국 국교의) 감독 법원; (장로 교회의) 장로 법원.

con·sol [kɑnsɑ́l / kɔnsɔ́l] *n.* =CONSOLS.

con·sol·a·ble [kənsóuləbəl] *a.* 위안이 되는, 마음이 가라앉는.

***con·so·la·tion** [kɑ̀nsəléiʃən / kɔ̀n-] *n.* ① Ⓤ 위로, 위안: a letter of ~ 위문 편지 / find ~ in one's work 일에서 위안을 찾다 / take ~ in reading 독서에서 위안을 얻다. ② Ⓒ 위안이 되는 것〔사람〕: She was his only ~. 그녀는 그의 유일한 위안이었다. ③ 〔形容詞的〕 패자 부활의: a ~ race 패자 부활전.

consolátion prìze 애석상(賞), 감투상.

con·sol·a·to·ry [kənsɑ́lətɔ̀:ri / kənsɔ́lətəri] *a.* 위문의, 위로가 되는: a ~ letter.

***con·sole**[1] [kənsóul] *vt.* 《~+목 / +목+전+명》 …을 위로하다, 위문하다《*for* ; *on*》: ~ oneself by thinking… …라고 생각하여 자위하다 / ~ a person *for* his misfortune 아무의 불행을 위로하다 / Nothing can ~ me *for* the loss of my son. 그 무엇으로도 아들을 잃은 내 마음을 위로할 수는 없다.

con·sole[2] [kɑ́nsoul / kɔ́n-] *n.* Ⓒ ① 〖建〗 소용돌이꼴 까치발. ② (파이프오르간의) 연주대(臺)《건반·페달 포함》. ③ (전축·TV 등의) 콘솔형 캐비닛. ④ 〖컴〗 조종대, 제어 탁자. ⑤ =CONSOLE TABLE.

cónsole tàble [kɑ́nsoul- / kɔ́n-] 벽에 붙여 놓는 테이블.

***con·sol·i·date** [kənsɑ́lədèit / -sɔ́l-] *vt.* ① 《~+목 / +목+전+명》 …을 결합하다, 합체(合體)시키다; (토지·회사·부채 따위)를 통합 정리하다: ~ one's estates 재산을 통합하다 / ~ two companies *into* one 두 회사를 하나로 합병하다. ② …을 굳게 하다, 공고〔견고〕히 하다, 강화하다: ~ one's power 권력을 강화하다 / ~ one's social position 자기의 사회적 지위를 공고히 하다.
── *vi.* ① 합체〔통합〕하다: The two banks ~*d* and formed a single large bank. 그 두 은행은 합병하여 하나의 큰 은행을 만들었다. ② 굳어지다.

con·sol·i·dat·ed [kənsɑ́lədèitid / -sɔ́l-] *a.* 합병 정리된, 통합된; 고정〔강화〕된: a ~ ticket office 《美》 (각 철도의) 연합 차표 판매소 / a ~ balance sheet 연결 대차 대조표.

consólidated annúities 《英》 =CONSOLS.

consólidated fúnd (the ~) 《英》 정리공채 기금《각종 공채 기금을 합병 정리한 것으로, 공채 이자 지불 기금》.

consólidated schòol 《美》 연합 학교《여러 개 학군의 아동을 수용함》.

***con·sol·i·da·tion** [kənsɑ̀lədéiʃən / -sɔ̀l-] *n.* Ⓤ ① 굳게 함; 강화: the long-term ~ of party power 당세의 장기적 강화. ② 합동, 합병; (회사 등의) 정리 통합(cf. merger): ~ funds 정리 기금 / the ~ of small businesses 소기업의 합병.

con·sols [kɑ́nsɑlz, kənsɑ́lz / kɔ́nsɔlz] *n. pl.* 《英》 콘솔〔정리〕 공채(consolidated annuities)《1751 년 각종 공채를 정리해 만든 영구공채》.

con·som·mé [kɑ̀nsəméi / kɔnsɔ́mei] *n.* Ⓤ 《F.》 〖料〗 콩소메, 맑은 수프. cf. potage.

con·so·nance [kɑ́nsənəns / kɔ́n-] *n.* ① Ⓤ 조화, 일치: in ~ with …와 조화〔일치〕하여, …와 공명하여. ② ⓊⒸ 〖樂〗 협화(음); 〖物〗 공명.

‡**con·so·nant** [kɑ́nsənənt / kɔ́n-] (***more*** ~; ***most*** ~) *a.* 〔敍述的〕 ① 일치하는, 조화하는《*with* ; *to*》: behavior ~ *with* one's words 말과 일치하는 행동, 언행 일치. ② 〖樂〗 협화음의. ③ 〔限定的〕 〖音聲〗 자음의: a ~ letter 자음자.
── *n.* Ⓒ 〖音聲〗 자음; 자음 글자.

con·so·nan·tal [kɑ̀nsənǽntl / kɔ̀n-] *a.* 자음의; 자음적인.

con·sort** [kɑ́nsɔ:rt / kɔ́n-] *n.* Ⓒ ① (특히 국왕·여왕 등의) 배우자. cf. queen 〔prince〕 consort. ② 요선(僚船), 요함, 요정(僚艇); 동료. ③ 〖樂〗 콘소트《옛날 악기를 연주하는 합주단 또는 그 악기군(群)》. ***in ~ (with) (…와) 함께.
── [kənsɔ́:rt] *vi.* 《+전+명》 ① 교제하다, 사귀다《*together* ; *with*》: Do not ~ *with* thieves. 도둑과 어울리지 마라. ② 일치하다, 조화하다: His actions in office rarely ~*ed with* his public promises. 재임 중의 그의 행동은 그의 공약과 합치되는 일이 별로 없었다 / Pride does not ~ well *with* poverty. 자부심과 빈곤은 양립하지 않는다.
── *vt.* …을 조화 있게 결합하다.

con·sor·ti·um [kənsɔ́:rʃiəm, -sɔ́:rtiəm] (*pl.* ***-tia*** [-ʃiə], ~***s***) *n.* Ⓒ ① (국제) 협회, 조합. ② (국제) 차관단.

con·spec·tus [kənspéktəs] *n.* Ⓒ ① 개관. ② 개요, 적요.

‡**con·spic·u·ous** [kənspíkjuəs] (***more*** ~; ***most*** ~) *a.* ① 눈에 띄는, 똑똑히 보이는: a ~ star 잘 보이는 별 / a ~ error 분명한 착오 / a ~ road sign 보기 쉬운 도로 표지 / She was ~ for her beauty. 그녀는 아름답기 때문에 사람의 눈에 띄었다. ② 특징적인, 이채를 띠는; 저명한: He is ~ by his booming laughter. 그는 호탕하게 웃는 것이 특징이다 / make oneself ~ 사람 눈에 띄는 짓을 하다, 별나게 행동하다. ㊞ **~·ness** *n.*

conspícuous consúmption 〖經〗 과시적 소비〔낭비〕.

***con·spir·a·cy** [kənspírəsi] *n.* ① Ⓤ,Ⓒ 모의 ; 음모 : in ~ 공모〔작당〕하여 / a ~ to overthrow the government 정부를 전복하려는 음모. ② Ⓒ 음모단. ◇ conspire *v.* 「조〔결탁〕.

conspíracy of sílence 묵인〔묵살〕하자는 약

***con·spir·a·tor** [kənspírətər] (*fem.* **-tress** [-tris]) *n.* Ⓒ 공모자 ; 음모자. ◇ conspire *v.*

con·spir·a·to·ri·al [kənspìrətɔ́:riəl] *a.* 음모의, 공모의 : a ~ wink 음모의〔공모하는 듯한〕 눈짓 / a ~ group 음모 집단. ㊉ **~·ly** *ad.*

***con·spire** [kənspáiər] *vi.* ① 《~ / +전+명 / *to* do》 공모(共謀)하다, 작당하다《*against*》; (…와) 기맥(氣脈)을 통하다《*with*》: ~ *against* the state 〔a person's life〕 반란〔암살〕을 꾀하다 / They ~*d to* drive him out of the country. 그를 국외로 추방하려고 공모했다. ② 《+*to* do》 협력하여〔서로 도와〕 …하다 ; (어떤 결과를 초래하도록 사정이) 서로 겹치다, 일시에 일어나다 : Things ~*d to* improve the situation. 여러 사정〔일〕들이 잘 어우러져서 사태는 개선되었다 / Events ~*d to* bring about his ruin. 여러 사건들이 어우러져 그의 파멸을 가져왔다. ── *vt.* (음모)를 꾸미다, 꾀하다(plot) : ~ his downfall 그의 실각(失脚)을 기도하다. ◇ conspiracy *n.*

***con·sta·ble** [kánstəbl / kʌ́n-] *n.* Ⓒ ① 치안관 ; 《英》 순경 ; 경관(policeman). ② 〖英史〗 옛날의 성주(城主).

con·stab·u·lary [kənstǽbjəlèri / -ləri] *a.* 경찰관의 : the ~ force 경찰력. ── *n.* Ⓒ 〔集合的 ; 單·複數 취급〕 (한 지구의) 경찰대〔력〕.

Con·stance [kánstəns / kɔ́n-] *n.* 콘스턴스《여자 이름, 애칭 : Connie》.

***con·stan·cy** [kánstənsi / kɔ́n-] *n.* Ⓤ ① 불변성, 항구성. ② 지조 견고 ; 절조, 성실 ; 정절.

‡con·stant [kánstənt / kɔ́n-] (*more* ~ ; *most* ~) *a.* ① 변치 않는, 일정한. opp. *variable.* ¶ ~ attention 부단한 주의 / at a ~ temperature 〔speed〕 일정한 온도〔속도〕로 / a ~ wind 항풍(恆風). ② 끊임없는, 부단한 : ~ hard work 끊임없는 중노동 / my wife's ~ complaints 아내의 끊임없는 불평불만. ③ (…에) 성실한, 충실한 : a ~ friend 충실한 벗 / a ~ sweetheart 마음이 변하지 않는 애인. ── *n.* Ⓒ 〖數·物〗 상수(常數), 불변수〔량〕.

Con·stan·tine [kánstəntàin, -tì:n / kɔ́nstəntàin] *n.* ① 콘스탄틴《남자 이름》. ② ~ **the Great** 콘스탄티누스 대제(280 ? -337).

***Con·stan·ti·no·ple** [kànstæntinóupl / kɔ̀n-] *n.* 터키의 도시《지금은 Istanbul》.

‡con·stant·ly [kánstəntli / kɔ́n-] (*more* ~ ; *most* ~) *ad.* 변함없이 ; 항상 ; 끊임없이 ; 빈번히 : She is ~ finding fault with others. 그녀는 언제나 남의 허물만 찾고 있다.

***con·stel·la·tion** [kànstəléiʃən / kɔ̀n-] *n.* Ⓒ ① 〖天〗 별자리 : the ~ Orion 오리온 자리. ② 멋진 차림의 신사 숙녀〔쟁쟁한 인사〕들의 무리(galaxy) : a ~ of beauties 눈부시게 아름다운 미녀들의 무리 / a ~ of influential businesspeople 쟁쟁한 실업가들의 모임〔무리〕. ③ (사상·관념의) 집단, 배치.

con·ster·nate [kánstərnèit / kɔ́n-] *vt.* 〔흔히 受動으로〕 …을 (깜짝·섬뜩) 놀라게 하다.

con·ster·na·tion [kànstərnéiʃən / kɔ̀n-] *n.* Ⓤ 섬뜩 놀람, 소스라침, 당황 : We looked at each other *in* ~. 우리는 당황하여 서로 바라보았다 / throw a person into ~ 아무를 깜짝 놀라게 하다.

con·sti·pate [kánstəpèit / kɔ́n-] *vt.* 〔흔히 受動으로〕 〖醫〗 …을 변비에 걸리게 하다 : The baby *is* ~*d.* 아기는 변비증이 있다. ㊉ **-pat·ed** [-id] *a.* 변비증이 있는.

con·sti·pa·tion [kànstəpéiʃən / kɔ̀n-] *n.* Ⓤ 변비 : relieve ~ 변이 잘 나오게 하다.

con·stit·u·en·cy [kənstítʃuənsi] *n.* Ⓒ 〔集合的 ; 單·複數 취급〕 ① (한 지구의) 선거인, 유권자 ; 선거구, 지반. ② 단골, 고객 ; (정기 간행물의) 구독자 ; 후원자, 지지자들. ***nurse* one's ~** 《英》 (의원이) 선거구의 기반을 보강하다.

***con·stit·u·ent** [kənstítʃuənt] *a.* 〔限定的〕 ① 구성하는, 만들어내는 ; 조직하는 ; …의 성분을〔요소를〕 이루는 : the ~ parts of water 물의 성분 / Analyse the sentence into its ~ parts. 문장을 그 구성 요소로 분석하여라. ② 선거권〔지명권〕을 갖는 ; 헌법 제정〔개정〕의 권능이 있는 : a ~ body 선거 모체 / a ~ assembly 헌법 제정〔개정〕 의회. ── *n.* Ⓒ ① 요소, 성분 ; 구성〔조성〕물 : the chemical ~*s* of a substance 물질의 화학적 성분 / Milk and sugar are the main ~*s* of candy. 우유와 설탕이 캔디의 주성분이다. ② 선거인, 선거구 주민. ③ 〖言〗 구성 요소. ◇ constitute *v.*

‡con·sti·tute [kánstət*j*ù:t / kɔ́n-] *vt.* ① **a)** …을 구성하다, 조직하다 ; …의 구성 요소가 되다 ; (상태)를 성립시키다, 만들어 내다 : Twelve months ~ one year. 1년은 12개월로 되어 있다 (=One year consists of twelve months.). **b)** 《+목+부》〔受動으로〕 …한 성질〔체질〕이다 : She *is* so ~*d* that she cannot forgive and forget things. 그녀는 지난 일을 물에 흘려버리지〔용서하고 잊어버리지〕 못하는 성미이다 / *be* strongly ~*d* 몸이 튼튼하다. ② 《+목+보》 **a)** …을 (…로) 선정하다, …을 (…로) 임명〔지명〕하다 : ~ a person an arbiter 아무를 조정인으로 지명하다. **b)** 〔再歸的〕 자진해서〔자칭하고〕 나서다 : He ~*d himself* their representative. 그는 스스로 그들의 대표라고 자칭하고 나섰다. ③ (법령 등)을 제정하다 ; (단체 등)을 설립하다 : ~ an acting committee 임시 위원회를 설치하다. ◇ constitution *n.*

‡con·sti·tu·tion [kànstət*j*ú:ʃən / kɔ̀n-] *n.* ① Ⓤ 구성(構成), 조성 ; 구조, 조직《*of*》; the ~ *of* society〔the earth〕 사회〔지구〕의 구조. ② Ⓤ 정체(政體) ; 헌법 : monarchical 〔republican〕 ~ 군주〔공화〕 정체 / a written 〔unwritten〕 ~ 성문〔불문〕 헌법. ③ Ⓤ (단체·회사 따위의) 설립, 설치 ; 제정 : the ~ of law 법의 제정. ④ Ⓤ 체질, 체격 : a good 〔poor〕 ~ 건전한〔허약한〕 몸. ⑤ Ⓒ 소질, 성질, 성격 : a nervous ~ 신경질 / have a cold ~ (성격적으로) 냉혹하다 / by ~ 나면서, 체질적으로. ◇ constitute *v.*

***con·sti·tu·tion·al** [kànstət*j*ú:ʃənəl / kɔ̀n-] *a.* ① **a)** 체질상의, 소질의, 타고난 : a ~ disease 〔disorder〕 체질병, 체질성 질환 / ~ infirmity 선천적 허약. **b)** (산책 등) 건강을 위한, 보건의 : a ~ walk 건강을 위한 산책. ② 구조상의, 조직의 : a ~ formula 〖化〗 구조식. ③ 헌법의, 합헌(合憲)의 ; 입헌적인, 법치(法治)의. opp. *autocratic.* ¶ a ~ law 헌법. ── *n.* Ⓒ 보건 운동, 산책 : take 〔go for〕 a ~ 산책을 하다〔하러 가다〕.
㊉ **~·ism** [-ìzəm] *n.* Ⓤ 입헌 제도〔정치〕; 입헌주의, 헌법 옹호. **~·ist** *n.* Ⓒ ① 헌법학자. ② 입헌주의자, 헌법 옹호자. **~·ize** [-ʃənəlàiz] *vt., vi.* 입헌 제도로〔입헌적으로〕 하다. **~·ly** [-ʃənəli] *ad.*

con·sti·tu·tion·al·i·ty [kànstət*j*ù:ʃənǽləti / kɔ̀n-] *n.* Ⓤ 합헌성, 합법성 : test the ~ of a law 법률의 합헌성을 알아보다.

con·sti·tu·tive [kánstət*j*ù:tiv / kɔ́n-] *a.* ① 구성하는, 조직하는, 구성 성분인, 본질의. ② 설정권〔제정권〕이 있는. ㊉ **~·ly** *ad.*

꞉con·strain [kənstréin] *vt.* 《~ +目 / +目+ *to* do》〔흔히 受動으로〕 …을 강제하다, 강요하다, 무리하게 …시키다《*to*》: ~ obedience 복종을 강요하다 / ~ a person *to* work 아무를 억지로 일을 시키다 / My conscience ~*ed* me *to* apologize to him. 양심의 가책에 견디지 못해 그에게 사과했다. ***feel ~ed to*** do …하기를 거북하게 느끼다 ; …하는 것은 부득이하다고 생각하다 : He *felt* ~*ed to* apologize. 그는 부득이 사과해야겠다고 생각했다.

con·strained [kənstréind] *a.* ① 강제된, 강제적인 : a ~ confession 강제 자백. ② 부자연스러운, 무리한 ; 어색한 : ~ manner 어색한 태도 / a ~ laugh〔smile〕 어색한〔억지〕 웃음.

con·strain·ed·ly [kənstréinidli] *ad.* 억지로, 무리하게, 강제적으로 ; 부자연스럽게.

***con·straint** [kənstréint] *n.* ① Ⓤ 강제, 압박, 속박 : by ~ 무리하게, 억지로 / He went *under* ~. 그는 강제〔강요〕되어서 갔다. ② Ⓒ 제약〔속박〕하는 것《*on*》: There are few legal ~*s on* the sale of firearms in the U.S. 미국에는 소화기(消火器) 판매에 관한 법률상의 제약은 거의 없다. ③ Ⓤ 거북함, 조심스러움. ◇ constrain *v.*

con·strict [kənstríkt] *vt.* ① (혈관 등)을 압축하다 ; 죄다 ; 수축시키다 : The tight collar ~*s* my neck. 칼라가 너무 꼭 끼어서 목이 거북하다. ② (활동 등)을 억제하다, 제한하다.

con·stric·tion [kənstríkʃən] *n.* ① Ⓤ 압축, 수축 : ~ of a blood vessel 혈관의 수축. ② Ⓤ 죄어드는 느낌, 압박감 : have a ~ around the neck 목 주위에 압박감〔죄어드는 느낌〕을 느끼다. ③ Ⓒ 죄(어지)는 것.

con·stric·tive [kənstríktiv] *a.* 압축하는 ; 수축성의, 괄약적(括約的)인.

con·stric·tor [kənstríktər] *n.* Ⓒ ① 압축하는 물건〔사람〕. ② 〖解〗 괄약근(括約筋), 수축근. cf. dilator. ③ (동물을 졸라 죽이는) 왕뱀.

꞉con·struct [kənstrʌ́kt] *vt.* ① …을 조립하다 ; 세우다, 건조〔축조·건설〕하다. opp. *destroy.* ¶ The factory *was* ~*ed* two years ago. 그 공장은 2년 전에 건설되었다 / a building ~*ed* of brick 벽돌로 지은 빌딩. ② (기계·이론 등)을 꾸미다, 구성하다, 연구〔고안〕하다 : ~ a theory 이론〔학설〕을 세우다 / a well ~*ed* novel 구성이 잘된 소설. ③〖數〗 …을 작도하다, 그리다. ── [kánstrʌkt / kɔ́n-] *n.* Ⓒ ① 구조물, 건조물. ②〖心〗 구성 (개념). ◇ construction *n.*

꞉con·struc·tion [kənstrʌ́kʃən] *n.* ① Ⓤ,Ⓒ 건설, 건조, 건축, 구성 ; (건조·건축·건설) 공사, 작업 : a building under ~ 건설중인 빌딩 / the ~ of a ship 선박의 건조 / a ~ engineer 건축 기사 / of steel ~ 철골 구조의 / *Construction* ahead. 《美》 전방 공사중《게시》. ② Ⓤ,Ⓒ 구조, 구성 : a toy of simple ~ 간단한 구조의 장난감. ③ Ⓒ 건조물, 건축물 : This ~ is of ferroconcrete. 이 건조물은 철근 콘크리트로 되어 있다. ④ Ⓒ (어구·법률·행위 등의) 해석 : a charitable ~ of an action 어떤 행위에 대한 호의적 해석 / put a false ~ on …을 곡해하다 / put a good〔bad〕 ~ on〔upon〕 …을 선의〔악의〕로 해석하다. ⑤ Ⓒ 〖文法〗 구문, (어구의) 구성. ◇ construct *v.*, ④는 construe *v.* 派 **~·al** [-ʃənəl] *a.* 건설의, 구조상의, 해석상의. **~·al·ly** *ad.* **~·ist** *n.* Ⓒ (법률 따위의) 해석(학)자.

constrúction pàper 두터운 미술 용지.

***con·struc·tive** [kənstrʌ́ktiv] *a.* ① 건설적인, 적극적인. opp. *destructive.* ¶ ~ criticism 건설적〔전향적〕인 비평 / I did not have anything ~ to say. 나는 도움이 되게 해줄 말이 아무 것도 없었다. ② 구조상의, 조립의, 구성적인. ③〖法〗 해석에 의한, 추정〔인정〕의, 준(準)… : a ~ contract 인정 계약 / ~ crime 준범죄. 派 **~·ly** *ad.* 건설적으로. **~·ness** *n.* **-tiv·ism** [-ìzəm] *n.* Ⓤ 〖美術〗 구성파, 구성주의.

con·struc·tor [kənstrʌ́ktər] *n.* Ⓒ 건설〔건조〕자, 건축업자 ; 조선(造船) 기사.

***con·strue** [kənstrúː] *vt.* ① 《~+目 / +目+ *as* 補》 …을 해석하다, 추론하다 : What he said was wrongly ~*d.* 그가 말한 것이 잘못 해석〔오해〕되었다 / His silence may be ~*d as* agreement. 그의 침묵은 동의하는 것으로 해석될 수 있다 / I ~ from his conduct that he has a grudge against me. 그의 행동으로 보아 그는 나를 원망하고 있는 것 같다. ② …을 축어적으로〔구두로〕 번역하다. ③ (문장)의 구문법을 설명하다, (문장)을 구성 요소로 분석하다. ④ 《+目+前+名》 (어·구)를 짜 맞추다, 문법적으로 결합하다《*with*》: 'Rely' is ~*d with* 'on'. 'rely'는 'on'과 결합되어 사용된다. ── *vi.* (구문을) 해석〔해부〕하다, 해석되다 ; (문법상) 분석〔해부〕되다 : This passage won't ~. 이 절은 분석할 수 없다. ◇ construction *n.*

con·sue·tude [kánswitjùːd / kɔ́n-] *n.* Ⓤ (사회적) 관습, (법적 효력이 있는) 관례, 관행, 불문율.

***con·sul** [kánsəl / kɔ́n-] *n.* Ⓒ ① 영사 : an acting〔honorary〕 ~ 대리〔명예〕 영사 / The British ~, John Francis, is visiting both girls in prison today. 영국 영사 존 프란시스는 오늘 교도소에 있는 두 소녀를 찾아볼 예정이다. ②〖로史〗 집정관. ③〖프史〗 집정(執政).

con·su·lar [kánsələr / kɔ́nsjul-] *a.* ① 영사(관)의 : a ~ assistant 영사관보(補) / a ~ attaché〔clerk〕 영사관원. ② 집정관의.

con·su·late [kánsəlit / kɔ́nsju-] *n.* ① Ⓤ 영사의 직〔임기〕. ② Ⓒ 영사관.

cónsul géneral (*pl.* ***consuls general, ~s***) 「총영사.

꞉con·sult [kənsʌ́lt] *vt.* ① …의 의견을 듣다, …의 충고를 구하다 ; …의 진찰을 받다 : ~ one's lawyer 변호사의 자문을 구하다 / ~ a doctor 의사의 진찰을 받다. ② (사전·서적 등)을 참고하다, 찾아보다, 보다 : ~ a dictionary 사전을 찾아보다 / ~ a mirror〔watch〕 거울을〔시계를〕 보다. ③ (득실·편의 등)을 고려하다, 염두에 두다(consider) : ~ one's own interest 자기의 이해(관계)를 고려하다. ── *vi.* ① 의논하다, 협의하다 ; (변호사 등에게) 조언을 구하다《*with*》. ★ '전문가와 상의하다, 의견을 듣다'라는 뜻일 때, 《英》에서는 *vt.*를 쓰는 것이 일반적이고, 《美》에서는 *vi.*, *vt.* 양쪽이 다 쓰이는데, *vi.*가 더 일반적임 : The doctor ~*ed with* his colleagues *about* the operation on the patient. 의사는 그 환자의 수술에 관해 동료들과 상의했다. ② (회사 등의) 고문〔컨설턴트〕 노릇을 하다《*for*》. ◇ consultation *n.*

con·sult·an·cy [kənsʌ́ltənsi] *n.* Ⓤ,Ⓒ 컨설턴트업(業), 상담 ; 고문 ; 고문 의사직(職) : He has a ~ in Harley Street. 그는 할리가에서 고문 의사의 일을 하고 있다.

***con·sult·ant** [kənsʌ́ltənt] *n.* Ⓒ ① (전문적인) 상담역, 컨설턴트, 고문 : a management ~ 경영 컨설턴트. ② 고문 의사(consulting physician) : Her brother is now a heart ~ surgeon in Sweden. 그녀 오빠는 지금 스웨덴의 심장 고문 외과 의사이다.

***con·sul·ta·tion** [kɑ̀nsəltéiʃən / kɔ̀n-] *n.* ① Ⓤ,Ⓒ 상담, 협의 ; 자문 ; 진찰〔감정〕을 받음《*with*》: The President is in ~ *with* his advisers. 대통령은 고문들과 협의 중이다. ② Ⓒ 전문가의 회의, 협의〔심의〕회. ③ Ⓤ (책 따위를) 참고하기, 찾아보

기, 참조《*of*》. ◇ consult *v.*

con·sult·a·tive, -ta·to·ry [kənsʌ́ltətiv], [-tɔ̀:ri / -təri] *a.* 상담〔협의, 평의〕의, 자문의, 고문의 : a ~ body 자문 기관 / the ~ committee on local government finance 지방 정부 재정 자문 위원회.

con·sult·ing [kənsʌ́ltiŋ] *a.* 〔限定的〕 전문적 조언을 주는, 자문의, 고문(자격)의 ; (의사가) 진찰 전문의 : a ~ engineer 고문 기사 / ~ hours 진찰 시간 / a ~ physician 고문 의사《왕진·투약하지 않는》/ a ~ lawyer 고문 변호사.
── *n.* Ⓒ 상담, 조언 ; 진찰.

con·sum·a·ble [kənsú:məbəl] *a.* 소비〔소모〕할 수 있는 : a ~ ledger 소모품 대장 / demand for ~ articles 소모품에 대한 수요.
── *n.* Ⓒ (흔히 *pl.*) 소모품. ◇ consume *v.*

ː con·sume [kənsú:m] *vt.* ① …을 다 써버리다 ; 소비하다, 소모하다 ; 낭비하다 : ~ a whole roll of film 필름 한 통을 다 써버리다 / She ~*s* many hours on the telephone. 그녀는 전화에 매달려 많은 시간을 낭비한다. ② …을 다 마셔〔먹어〕 버리다 : ~ a whole bottle of whisky 위스키 한 병을 다 마셔버리다. ③ …을 다 태워 버리다(destroy) : The fire ~*d* all I owned. 그 화재로 내가 가지고 있던 것이 몽땅 불타버렸다. ④ 〔흔히 受動 또는 再歸的〕 …의 마음을 빼앗다, …을 열중시키다, 사로잡다《*with* ; *by*》: He *was* ~*d with* rage and hatred. 그의 마음은 분노와 증오로 불타고 있었다. ◇ consumption *n.*

***con·sum·er** [kənsú:mər] *n.* Ⓒ 소비자(消費者), 수요자. opp *producer.* ¶ an association of ~*s* =《美》 a ~*s'* union 소비자 협동조합.

consúmer crédit 〖商〗 (은행·소매상 등의) 소비자 신용《월부 구매자에 대한》.

consúmer dúrables 〖經〗 내구(耐久) 소비「재.

consúmer gòods 〖經〗 소비재.

con·sum·er·ism [kənsú:mərìzəm] *n.* Ⓤ 소비자 중심주의 ; 소비자 (보호) 운동.

consúmer príce ìndex 〖經〗 소비자 물가 지「수《略 : CPI》.

consúmer reséarch 소비자 (수요) 조사.

***con·sum·mate** [kánsəmèit / kɔ́n-] *vt.* ① …을 성취〔완성〕하다 ; 극점에 달하게 하다 : ~ one's ambition 대망을 성취하다. ② 신방에 들어감으로써 (결혼)을 완성하다. ──[kənsʌ́mət] *a.* ① 완성된, 더할 나위 없는, 완전한(perfect) : ~ happiness 더할 나위 없는 행복. ② 〔限定的〕 **a**) 매우 심한, 형편없는 : a ~ ass 지지리 바보. **b**) 유능한 : a ~ artist 명화가. 파 **~·ly** *ad.*

con·sum·ma·tion [kànsəméiʃən / kɔ̀n-] *n.* ① Ⓤ 완성, 완료 ; (목적·소망 따위의) 달성, 성취 : the ~ of a contract 계약의 완료. ② Ⓒ (흔히 *sing.*) 정점, 도달점, 극치 : Death is the ~ of life for all. 죽음은 만인에게 생의 종점이다. ③ (첫날밤〔신방〕 치르기에 의한) 결혼의 완성 : the ~ of marriage.

ː con·sump·tion [kənsʌ́mpʃən] *n.* Ⓤ ① **a**) 소비 ; 소비량(액). opp *production.* ¶ our annual ~ of sugar 우리나라의 연간 설탕 소비량 / a ~ guild 〔association〕 소비 조합. **b**) 소모, 소진, 멸실. ② 소모성의 병, (특히) 폐병(pulmonary ~) : The poet Keats died of ~ at the age of 26. 시인 키츠는 26세에 폐병으로 죽었다. ◇ consume *v.*

con·sump·tive [kənsʌ́mptiv] *a.* ① 소비의 ; 소모성의. ② 폐병(질)의. ── *n.* Ⓒ 폐병 환자 : She didn't live very long — she was a ~. 그녀는 그리 오래 살지 못했다. 폐병 환자였다.

Cont. Continental. **cont.** containing ; content(s) ; continent(al) ; continue(d) ; contract.

ː con·tact [kántækt / kɔ́n-] *n.* ① **a**) Ⓤ 접촉, 서로 닿음 ; 인접 : It explodes by ~ *with* other objects. 그것은 다른 물건과 접촉하면 폭발한다 / avoid eye ~ 시선을 피하다. **b**) Ⓒ 접촉물 ; = CONTACT LENS. ② Ⓤ,Ⓒ 관계, 교제, 연락, (무선) 교신《*with*》: He has many ~*s.* 그는 교제가 넓다 / have little ~ with the outside world 바깥 세상과 거의 교제가 없다 / maintain radio ~ with …와 계속 무선 연락을 갖다. ③ Ⓒ 연줄, 유력한 지인(知人) ; 《口》 (거래상의) 사이에 서는 사람, 중개자 : a good business ~ 좋은 사업상의 연줄. ④ Ⓤ 〖電〗 접촉, 혼선 : the ~ of two wires 두 전선의 접촉〔혼선〕. ⑤ Ⓤ 〖數〗 접촉, 상접(相接). ⑥ Ⓒ 〖醫〗 보균 용의자, 접촉자. ⑦ Ⓤ 〖軍〗 접전 ; (비행기에 의한 지상 부대와의) 연락 ; (비행기로부터의) 육안에 의한 지상 관찰 : fly by ~ 시계(視界) 비행을 하다. ***break*** ~ 전류를 끊다, 회로를 끊다. ***come in*** 〔***into***〕 ~ ***with*** …와 접촉하다, …와 만나다 : everyone who *came into* ~ *with* her 그녀와 접촉한 사람은 누구나. ── *a.* 〔限定的〕 ① 접촉의 ; 접촉에 의한 ; 경기자의 몸과 몸이 서로 부딪치는 ; 접하고 있는《토지》. ② 〖空〗 시계(視界) 비행의 : ⇨ CONTACT FLYING. ── *ad.* 〖空〗 시계 비행으로 : fly ~ 〖空〗 시계 비행하다.
──[kántækt, kəntǽkt / kɔ́ntækt] *vt.* …와 접촉하다, 연락하다 ; …에 다리를 놓다, …와 만나다 : *Contact* the police immediately. 곧 경찰에 연락하세요 / We'll ~ you by mail or telephone. 편지나 전화로 연락하리다. ── *vi.* 접촉하다.

cóntact flỳing 〖空〗 시계(視界) 비행.

cóntact lèns 콘택트렌즈.

cóntact màn (거래 따위의) 중개인.

cóntact prìnt 밀착 인화.

cóntact spòrt 콘택트 스포츠《축구·복싱 등, 몸을 부딪히게 되는 스포츠》.

con·ta·gion [kəntéidʒən] *n.* ① Ⓤ 접촉 전염, 감염. cf. infection. ¶ Smallpox spreads *by* ~. 천연두는 접촉 전염으로 퍼진다. ② Ⓒ (접촉) 전염병 : a ~ ward 전염 병동. ③ Ⓒ 나쁜 영향《*of*》: a ~ *of* fear 공포의 전염.

***con·ta·gious** [kəntéidʒəs] *a.* ① (접촉) 전염성의 ; 만연하는, 전파하는 : a ~ disease (접촉) 전염병 / Is the disease ~? 그 병은 전염됩니까. ② 〔敍述的〕 (사람이) 전염병을 가지고 있는, 보균자인. ③ 옮기 쉬운(catching) : Yawning is ~. 하품은 잘 옮는다 / Her cheerfulness is ~. 그녀가 쾌활하니까 주위의 사람들도 명랑해진다. 파 **~·ly** *ad.* 전염하여, 전염적으로. **~·ness** *n.* 전염성.

† con·tain [kəntéin] *vt.* ① **a**) …을 (속에) 담고 있다, 함유하다, 포함하다 : The box ~*s* diamonds 〔apples〕. 이 상자에는 다이아몬드〔사과〕가 들어 있다 / This rock ~*s* a high percentage of iron. 이 광석은 철의 함유량이 높다. **b**) (얼마)가 들어가다 ; (수량이) …에 상당하다〔와 같다〕 : A pound ~*s* 16 ounces. 1파운드는 16 온스이다 / A yard ~*s* 36 inches. 1야드는 36인치다. ② 〔흔히 否定文〕 **a**) (감정 따위)를 억누르다, 참다 : I can*not* ~ my anger. 화가 나서 견딜 수가 없다. **b**) 〔再歸的〕 자제하다, 참다 : She could *not* ~ *herself* for joy. 그녀는 기뻐서 가만히 있을 수가 없었다. ③ (적 등)을 견제하다 ; 억제하다, 저지하다 ; 봉쇄하다 : The police couldn't ~ the crowd. 경찰은 군중을 억제할 수가 없었다 / a ~*ing* attack 〔force〕 견제 공격〔부대〕. ④ 〖數〗 **a**) (변이 각)을 끼고 있다, (도형)을 둘러싸다 : a ~*ed* angle 끼인각. **b**) (어떤 수)로 나누이다 : 10 ~*s* 5 and 2. 10은 5와 2로 나누인다.

con·tained [kəntéind] *a.* 자제〔억제〕하는 ; 침착

한, 조심스러운 : speak in a ~ manner 침착한 태도로 말하다.

*__con·tain·er__ [kəntéinər] *n.* [C] ① 그릇, 용기 : Food will last longer if stored in an airtight ~. 음식물을 공기가 통하지 않는 용기에 저장하면 더 오래 갈 것이다. ② 컨테이너《화물 수송용의 큰 금속 상자》.

__contáiner càr__ 컨테이너용 차량.

__con·tain·er·ize__ [kəntéinəràiz] *vt.* (화물)을 컨테이너로 수송하다 ; (항만 시설 따위)를 컨테이너 수송 방식으로 고치다.

__con·tain·er·port__ [kəntéinərpɔ̀:rt] *n.* [C] 컨테이너 항(港)《컨테이너 적하 설비가 되어 있음》.

__con·tain·er·ship__ [kəntéinərʃip] *n.* [C] 컨테이너선(船).

__con·tain·ment__ [kəntéinmənt] *n.* [U] ① 봉쇄 : adopt a policy of ~ 봉쇄 정책을 쓰다. ② 억제, 견제.

__con·tam·i·nant__ [kəntǽmənənt] *n.* [C] 오염물질〔균〕: environmental ~*s* 환경 오염물질.

__con·tam·i·nate__ [kəntǽmənèit] *vt.* ① …을 (접촉하여) 더럽히다 ; (방사능·독가스 따위로) 오염되게 하다 : ~*d* drinking-water 오염된 식수 / be ~*d* by radioactivity 방사능에 오염되다 / Automobile fumes ~ the air. 자동차의 배기가스는 공기를 오염시킨다. ② (사람·마음 등)을 악에 물들게 하다, 타락시키다 : Our students are being ~*d* by his subversive ideas. 우리 대학의 학생들은 그의 파괴주의적 사상의 악영향을 받고 있다.

*__con·tam·i·na·tion__ [kəntæ̀mənéiʃən] *n.* ① [U] (특히 방사능에 의한) 오염(상태) ; 더러움, 오탁(pollution) : radioactive ~ 방사능 오염. ② [C] 오탁물, 해독을 끼치는 것. ③ [U,C] 〖言〗 혼성(混成), 혼성어(blending).

__con·tam·i·na·tor__ [kəntǽmənèitər] *n.* [C] 더럽히는 사람〔것〕, 오염물.

__contd.__ continued.

conte [kɔ̃:nt] *n.* 《F.》 [C] 콩트, 단편(短篇).

__con·temn__ [kəntém] *vt.* 《文語》 …을 경멸하다, 업신여기다.

‡__con·tem·plate__ [kántəmplèit / kɔ́ntem-] *vt.* ① …을 찬찬히 보다, 정관하다, 관찰하다 : She ~*d* her face in the mirror. 그녀는 거울 속의 자기 얼굴을 찬찬히 보았다. ② …을 잘 생각하다, 심사숙고하다 : ~ a problem 문제를 숙고하다. ③ 《~+[목] / ~+-*ing*》 …을 계획〔기도〕하다, …하려고 생각하다 : ~ a tour around the world 세계 일주 여행을 꾀하다 / I ~ visit*ing* France. 프랑스로 갈까 생각하고 있다 / She's *contemplating* a job change. 그녀는 전직을 고려하고 있다. ④ …을 예측〔예기〕하다, 기대하다 : Do you ~ any difficulty in the work? 그 일에 무슨 어려움이 있을 것 같습니까. —— *vi.* 명상하다, 깊이 생각하다 : All day he did nothing but ~. 하루 종일 그는 오직 생각에만 잠겨 있었다. ◇ contemplation *n.*

*__con·tem·pla·tion__ [kàntəmpléiʃən / kɔ̀ntem-] *n.* [U] ① 주시, 응시 ; 정관(靜觀) : in the ~ of beautiful pictures 아름다운 그림을 바라보고. ② 숙고, 명상 : He was lost〔sunk〕 in ~. 그는 명상에 잠겨 있었다. ③ 기대, 예기 : in ~ of great rewards 큰 보수를 기대하고 / in ~ of the cold 추위에 대비하여. ④ 의도, 계획 : I could not tell what he had in ~. 나는 그가 무엇을 기도하고 있는지 알 수 없었다. ◇ contemplate *v.*

__con·tem·pla·tive__ [kəntémplətiv, kántəmplèi- / kɔ́ntemplèi-] *a.* 명상적인, 정관적인, 명상에 잠기는《*of*》: a ~ life (은자(隱者) 등의) 묵상 생활, 명상적인 생활. [파] __~·ly__ *ad.*

__con·tem·pla·tor__ [kántəmplèitər, -tem- / kɔ́ntem-] *n.* [C] 명상자, 정관자, 숙고하는 사람.

__con·tem·po·ra·ne·ous__ [kəntèmpəréiniəs] *a.* 동시 존재〔발생〕의 ; 동시대의《*with*》: The two ancient civilizations were more or less ~. 이 두 고대 문명은 대체로 같은 시대에 존재했다. [파] __~-ly__ *ad.* 같은 시대에. __~·ness__ *n.* [U] 동시대성.

‡__con·tem·po·rary__ [kəntémpərèri / -pərəri] *a.* ① (…과) 동(同)시대의 ; (그) 당시의《*with*》: ~ accounts 당시의 기록 / Keats was ~ *with* Byron. 키츠는 바이런과 동시대의 사람이었다. ② (우리와 동시대인) 현대의, 당대의 ; 최신의《★ ①의 뜻과의 혼동을 피하기 위해 modern, present-day를 대신 쓰는 경우도 있음》: ~ literature 〔writers〕 현대 문학〔작가〕/ ~ opinion 시론(時論). —— *n.* [C] ① 동시대〔동년대〕의 사람〔것〕; 현대인 : a ~ of Beethoven 베토벤과 동시대의 사람 / our *contemporaries* 현대〔동시대〕의 사람들. ② 동갑내기, 동기생 : He's a ~ of mine. 그는 나와 동갑이다 / my *contemporaries* at school 나의 동기생들. [파] __con·tèm·po·rár·i·ly__ [-rérəli] *ad.*

‡__con·tempt__ [kəntémpt] *n.* [U] ① 경멸, 모욕《*for*》: show ~ *for* the new rich 졸부를 경멸하다 / He has a great ~ *for* pop. 그는 대중음악을 대단히 경멸하고 있다. ② 치욕, 체면 손상 : bring 〔fall〕 into ~ 창피를 주다〔당하다〕. ③ 〖法〗 모욕죄 : ~ of court 법정 모욕죄.

*__con·tempt·i·ble__ [kəntémptəbəl] *a.* 멸시할 만한, 경멸할 만한, 비열한 ; 말할 거리도 안 되는, 하찮은 : You are a ~ worm! 너는 경멸할 비열한 녀석이다 / What a ~ thing to say. 그런 말을 하다니 그 무슨 비열한 짓인가. ◇ contempt *n.* [파] __-bly__ *ad.* 비열하게.

*__con·temp·tu·ous__ [kəntémptʃuəs] *a.* 남을 얕보는, (…을) 경멸하는《*of*》: a ~ smile 남을 얕보는 듯한 웃음 / He is ~ *of* his boss's narrow mind. 그는 상사의 옹졸한 마음씨를 경멸하고 있다. ◇ contempt *n.* [파] __~·ly__ *ad.* __~·ness__ *n.* 오만무례.

‡__con·tend__ [kənténd] *vi.* 《+[전]+[명]》 ① 다투다, 경쟁하다 ; (적·곤란 따위와) 싸우다 : We ~*ed with* them *for* the prize. 우리는 그 상을 타려고 그들과 경쟁하였다 / ~ *against* drought 〔one's fate〕 가뭄〔운명〕과 싸우다 / ~ *with* the enemy 적과 싸우다. ② 논쟁하다《*with*》; 주장〔옹호〕하다《*for*》: He ~*ed with* his friends *about* trifles. 그는 친구들과 하찮은 일로 논쟁하였다 / He ~*ed* on every point raised. 그는 제기된 모든 점에 대해 논박했다. —— *vt.* 《+*that* [절]》 …을 (강력히) 주장하다 : He ~*ed that* reform was urgently needed. 그는 개혁이 시급히 요구된다고 주장했다 / I ~ *that* honesty is always worthwhile. 정직은 항상 그만한 가치가 있다고 주장합니다. ◇ contention *n.* [파] __~·er__ *n.* 경쟁자, 주창자.

‡__con·tent__[1] [kəntént] (***more*** ~ ; ***most*** ~) *a.* 〔叙述的〕 (…에) 만족하는《*with*》; (…함에) 불평 없는, 기꺼이 …하는《*to* do》: Let us rest ~ *with* a small success. 작은 성공으로 만족해 하자 / He is not ~ *to* accept failure. 그로서는 실패를 받아들일 마음이 없다 / I feel very ~ *with* my life. 나는 내 인생에 아주 만족하고 있다. —— *vt.* 《~+[목] / +[목]+[전]+[명]》〔주로 再歸代名詞와 결합〕 …에 만족을 주다, 만족시키다 : Nothing ~*s* her. 그녀는 무슨 일에나 만족하는 일이 없다 / There was no beer, so I had to ~ *myself with* a glass of water. 맥주가 없었기 때문에 나는 물 한 컵으로 만족해야만 했다.

—— *n.* [U] 만족 : live in ~ 만족하고〔불만없이〕 살다 / smile with ~ 만족스레 웃다. ***to*** one's *heart's* ~ 마음껏, 만족할 때까지 : I had the chance to play the piano *to my heart's* ~. 실컷 피아노를 칠 기회가 있었다.

‡**con·tent²** [kántent / kɔ́n-] *n.* ① (*pl.*) (구체적인) 내용(물), 알맹이 : the ~*s* of a box 상자 속의 내용물 / the ~*s* of a pocket 주머니 속에 있는 것 / Don't worry about your spelling ; it's the ~*s* that count. 철자 같은 건 걱정하지 말아요, 중요한 것은 내용이니까요. ② (*pl.*) (서적 따위의) 목차, 목록, 내용 (일람) (table of ~*s*). ③ Ⓤ (문서 등의) 취지, 요지, 진의 ; (형식에 대한) 내용 ; 〖哲〗 개념 내용 : *Content* determines form. 내용이 형식을 결정한다. ④ Ⓒ 함유량, 산출량 : the iron ~ of an ore 광석의 철 함유량 / the vitamin ~ of …의 비타민 함유량 / moisture ~ of a gas 기체의 습도. ⑤ Ⓤ (때로 *pl.*) (어떤 용기의) 용량, 용적 : solid 〔cubic〕 ~(*s*) 용적, 부피.

cón·tent-ad·drèss·a·ble mémory [-əd-rèsəbəl-] 〖컴〗 연상(聯想) 기억 장치.

***con·tent·ed** [kənténtid] *a.* 만족하고 있는 《*with; in*》, 느긋해 하는 ; 기꺼이 …하는《*to* do》 : a ~ look 만족스러운 표정 / We had *to* be ~ *in* our job. 우리는 자기의 일〔직업〕에 만족해야 했다 / He is 〔rests〕 ~ *with* his lot. 제 분수에 만족하고 있다. ㊕ ~·**ly** *ad.* ~·**ness** *n.*

con·ten·tion** [kənténʃən] *n.* ① Ⓤ 싸움, 투쟁 ; 말다툼, 논쟁 ; 논전 : This is not a time for ~. 지금은 논쟁할 때가 아니다. ② Ⓒ 논쟁점, 주장 ; 취지 : Is it your ~ that I was responsible for it? 그것이 내 책임이라는 것이 당신의 주장입니까. ◇ contend *v.* ***a bone of ~ 쟁인(爭因).

con·ten·tious [kənténʃəs] *a.* ① 다투기 좋아하는, 토론하기 좋아하는. ② 이론(異論) 있는 ; 논쟁거리가 되는 : a ~ issue 논쟁이 있을 만한 문제. ③〖法〗 계쟁(係爭)의 : a ~ case 계쟁〔소송〕 사건. ㊕ ~·**ly** *ad.* ~·**ness** *n.*

***con·tent·ment** [kənténtmənt] *n.* Ⓤ 만족(하기) : live in ~ 만족하게 살다 / *Contentment* is better than riches. 《俗談》 족(足)함을 아는 것은 부(富)보다 낫다.

con·ter·mi·nous, con·ter·mi·nal [kən-tə́ːrmənəs / kɔn-], [-nəl] *a.* ① 인접하는《*with ; to*》. ② 같은 범위 안의. ㊕ ~·**ly** *ad.*

†**con·test** [kántest / kɔ́n-] *n.* Ⓒ ① 논쟁, 논전. ② 경쟁, 경기, 경연, 콘테스트 : a beauty ~ 미인 콘테스트 / win a musical ~ 음악 콩쿠르에서 우승하다. ③ 다툼, 싸움 : a bloody ~ *for* power 피비린내 나는 권력 투쟁. ― [kəntést] *vt.* ① …을 목표로 싸우다 ; …에 관하여 논쟁하다, …을 (의론으로) 다투다 : ~ a point 어떤 점에 관해 논쟁하다 / ~ a suit 소송을 다투다 / There was an election ~*ed* by six candidates. 여섯 명의 후보가 다투는 선거가 있었다. ② …에 이의를 제기하다, …을 의문시하다 : ~ a decision 결정에 대하여 이의를 제기하다. ③《~+목/+목+전+명》 …을 얻고자 겨루다 : ~ a seat 의석을 다투다 / ~ a victory *with* a person 아무와 승리를 다투다. ― *vi.* 다투다 ; 겨루다 ; 논쟁하다《*with ; against*》 : ~ *with* a person (*for* a prize) 아무와 (상을) 다투다.

con·test·ant [kəntéstənt] *n.* Ⓒ ① 경쟁자, 경쟁 상대 ; 경기 참가자. ② 논쟁자, 항의자 ; 《美》 이의 신청자《선거 결과·유언 등의》.

con·tes·ta·tion [kɑ̀ntestéiʃən / kɔ̀n-] *n.* Ⓤ 논쟁, 쟁론, 소송 ; 쟁점, 주장 : in ~ 계쟁 중(인).

***con·text** [kántekst / kɔ́n-] *n.* ⓊⒸ ① (글의) 전후 관계, 문맥, 맥락 : in this ~ 이 문맥에서(는) / You should be able to tell the meaning of this word from its 〔the〕 ~. 문맥으로 봐서 이 말의 뜻을 알 수 있을 게다. ② 상황, 사정, 환경《*of*》 : in the ~ *of* politics 정치라는 면에서(는) / In what ~ did he say that? 어떤 상황에서 그는 그렇게 말했는가.

con·tex·tu·al [kəntékstʃuəl] *a.* 문맥상의, 전후 관계의〔로 판단되는〕 : ~ analysis 문맥의 분석. ㊕ ~·**ize** *vt.* 상황〔문맥〕에 들어 맞추다, 맥락화하다. ~·**ly** *ad.*

con·ti·gu·i·ty [kɑ̀ntəgjúː(ː)iti / kɔ̀n-] *n.* Ⓤ 접촉, 접근, 인접 : in ~ with …와 근접하여.

con·tig·u·ous [kəntígjuəs] *a.* ① 접촉하는 ; 접근하는, 인접한《*to ; with*》 : Canada is ~ *with* the US along much of its border. 캐나다는 국경의 대부분이 미국과 인접해 있다. ②〔敍述的〕 끊이지 않는, 연속된. ㊕ ~·**ly** *ad.* ~·**ness** *n.*

con·ti·nence [kántənəns / kɔ́n-] *n.* Ⓤ ① 자제, (성욕의) 절제. ② 배설 억제능력. ◇ contain *v.*

†**con·ti·nent¹** [kántənənt / kɔ́n-] *n.* Ⓒ ① 대륙 : on the African ~ 아프리카 대륙에서《★ 보통은 Asia, Europe, Africa, North America, South America, Australia, Antarctica 의 7대륙으로 나눔》. ② (the C-) 유럽 대륙《영국의 입장에서》 : travel on the *Continent* 유럽 대륙을 여행하다.

con·ti·nent² *a.* ① 자제하는, 욕망〔성욕〕을 절제할 수 있는, 금욕적인. ② 배설을 억제할 수 있는.

‡**con·ti·nen·tal** [kɑ̀ntənéntl / kɔ̀n-] *a.* ① 대륙의 ; 대륙성의. opp. *insular.* ¶ a ~ climate 대륙성 기후. ② (흔히 C-) 유럽 대륙(풍)의 ; 비(非)영국적인 : scientific co-operation between Britain and ~ Europe 영국과 유럽 대륙간의 과학 협력. ③ (C-) 《美》 (독립 전쟁 당시의) 아메리카 식민지의. ④《美》 북아메리카(대륙)의. ― *n.* Ⓒ ① 대륙 사람 ; (흔히 C-) 유럽 대륙의 사람. ②《美》(독립 전쟁 당시의) 아메리카 대륙의 병사. ***not worth a*** ~ 한 푼의 가치도 없는. ㊕ ~·**ly** *ad.*

continéntal bréakfast 빵과 뜨거운 커피〔홍차〕 정도의 간단한 아침 식사. cf. English breakfast.

continéntal divíde (the ~) 대륙 분수령 ; (the C- D-) 로키 산맥 분수령.

continéntal dríft 〖地質〗 대륙 이동설.

continéntal quílt 《英》 새털 이불(duvet).

continéntal shélf 대륙붕.

con·tin·gen·cy [kəntíndʒənsi] *n.* ① Ⓤ 우연(성), 우발(성), 가능성 : not... by any possible ~ 설마 …아니겠지. ② Ⓒ 우발 사건, 뜻하지 않은 사고 ; (어떤 사건에 수반되는) 부수적인 사건〔사태〕 : future *contingencies* 장래 있을지도 모를 우발사건 / prepare for every ~ 모든 불의의 사건〔사태〕에 대비하다 / the *contingencies* of war 전쟁에 수반되어 일어나는 사건.

contíngency fùnd 우발 위험 준비금.

con·tin·gent [kəntíndʒənt] *a.* ① 혹 있을 수 있는(possible) ; 우발적인, 불의의, 우연의 ; 부수적인《*to*》, 본질적이 아닌 : a ~ event 불의의 사건 / ~ expenses 임시비 / Such risks are ~ *to* the trade. 그 영업에는 그런 위험이 따른다. ② 사정 나름의, …을 조건으로 하는(conditional)《*on, upon*》 : a fee ~ *on* success 성공 사례금 / The punctual arrival of an airplane is ~ *on* the weather. 비행기가 제 시간에 도착하느냐는 날씨에 달려 있다. ③〖法〗 불확정의 ;〖論〗 우연적〔경험적〕인 ;〖哲〗 자유로운, 결정론에 따르지 않는 : ~ remainder 불확정 잔여금 / a ~ truth 우연적 진리《'영원한 진리'에 대한》. ― *n.* Ⓒ ① 우연한 일, 뜻하지 않은 사건 ; 부수적인 사건. ② 분견대〔함대〕 ; 파견단, 대표단. ㊕ ~·**ly** *ad.* 우연히, 불

시에 ; 부수적으로, 경우에 따라서.
contíngent fèe (변호사 등의) 성공 사례금.
con·tin·ua [kəntínjuə] CONTINUUM의 복수형.
‡**con·tin·u·al** [kəntínjuəl] (***more*** ~ ; ***most*** ~) *a.* ① 잇따른, 계속되는, 연속적인 : ~ invitations 잇따른 초대 / a week of ~ sunshine 내리 좋은 날씨의 일주일간 / I'm tired of this ~ rain. 내리 계속되는 비에 진절머리가 난다. ② 계속 되풀이되는, 빈번한 : ~ interruptions 계속 거듭되는 방해 / She suffered ~ police harassment. 그녀는 계속 되풀이되는 경찰의 괴롭힘을 받았다. ◇ continue *v.*
‡**con·tin·u·al·ly** [kəntínjuəli] (***more*** ~ ; ***most*** ~) *ad.* 계속적으로, 잇따라, 끊임없이 ; 빈번히.
*__con·tin·u·ance__ [kəntínjuəns] *n.* ① Ⓤ (또는 a ~) **a)** 계속, 연속 ; (이야기의) 계속, 속편 : *a* ~ of bad weather 악천후의 연속. **b)** (어떤 상태·장소 등에) 머무름, 체재 ; 지속, 존속《*in*》: during one's ~ *in* office 재직 중에. **c)** 계속 기간. ② Ⓤ 〖法〗 (재판의) 연기. ◇ continue *v.*
con·tin·u·ant [kəntínjuənt] 〖音聲〗 *a.* 계속음의. ── *n.* Ⓒ 계속〔연속〕음《[f, s, z, m, l] 따위》.
*__con·tin·u·a·tion__ [kəntìnjuéiʃən] *n.* ① Ⓤ 계속(하기), 연속 ; 지속, 존속《*of*》: request the ~ *of* a loan 계속 대부를 부탁하다. ② Ⓤ,Ⓒ (이야기의) 계속 ; 속편 ; 연속 간행물 ; (중단 후의) 재개《*of*》: a ~ *of* hostilities 전투의 재개 / *Continuation* follows. 다음 호에 계속(To be continued). ③ Ⓒ 연장(부분) ; 이어댐, 증축《*to*》: It's really just a ~ of the bigger river but called by a different name for a few miles. 그것은 사실 더 큰 강의 연장에 불과하지만 몇 마일에 대해서는 다른 이름으로 불리어진다. ◇ continue *v.*
con·tin·u·a·tive [kəntínjuèitiv, -ətiv] *a.* ① 연속〔계속〕적인 ; 연달은. ②〖文法〗 진행을 나타내는, 계속 용법의, 비제한적인 : the ~ use 〖文法〗 (관계사의) 계속 용법(cf. restrictive use).
†**con·tin·ue** [kəntínju:] *vt.* ①《~+목 / +-*ing* / +*to* do》 …을 계속하다, 지속하다 : They ~*d* their journey. 그들은 여행을 계속하였다 / She ~*d to* keep a diary till she died. 그녀는 죽을 때까지 계속해서 일기를 썼다 / ~ smil*ing* 계속 미소짓다 / ~ *to* be friendly 언제까지나 우호적이다. ②《~+목 / +목+전+명》(중단 후 다시) …을 계속하다, 속행하다 ; (지위 등)에 머물러 있게 하다 : He took a short rest and ~*d* his journey. 그는 잠시 쉬었다가 다시 여행을 계속했다 / ~*d on* 〔*from*〕 page 7, 7 페이지에(서) 계속 / ~ a person *in* office 유임시키다. ③ …을 계속시키다, 존속시키다, 연장하다(prolong) : ~ a boy at school 소년을 학교에 계속 다니게 하다. ④ …을 (앞에) 이어서 말하다 : "Well," he ~*d*, "what I want to say is …" '그런데, 내가 말하고 싶은 것은 …' 하고 그는 말을 계속했다. ⑤〖商〗 …을 이월〔이연〕하다. ⑥〖法〗 (재판)을 연기하다.
── *vi.* ①《~ / +전+명》 연속하다, 계속되다 ; (도로 등이) 계속되어 있다 ; (일 따위를 쉬지 않고) 계속하다《*with*》: His speech ~*d* an hour. 그의 연설은 한 시간 계속되었다 / ~ *on* one's course 원방침대로 계속하다 / How long will the play ~? 연극은 시간이 얼마나 걸릴까 / The ribbon of road ~*d* as far as the eye could see. 한 줄기의 도로가 눈길이 가 닿는 한 저 멀리까지 이어져 있다 / Do you intend to ~ *with* your studies? 너는 학업을 계속할 생각이냐? ② (한번 정지한 뒤에) 다시 계속되다 : The dancing ~*d* after dinner. 댄스는 만찬 후 다시 계속되었다. ③《+전+명》 존속하다 ; 체재하다 ; 머무르다 ; 유임하다《*at* ; *in*》: ~ *at* one's post 유임하다 / ~ *in* power 권좌에 계속 머무르다 / He ~*d in* London. 런던에 머물렀다. ④《+보》 여전히 …이다 ; 계속 …하다 : ~ impenitent 여전히 회개하지 않다 / He ~*s* well. 여전히 잘 있다 / They have ~*d in* the faith of their fathers. 그들은 조상의 신앙을 계속 지켜오고 있다. ~***d story*** 연재 소설.
*__con·ti·nu·i·ty__ [kàntənjú:əti / kɔ̀n-] *n.* ① Ⓤ 연속(성), 연속 상태, 계속 ; (논리의) 밀접한 관련《*in* ; *between*》: the ~ *between* the two chapters 두 장의 연속성 / There is no ~ *between* the two paragraphs. 그 두 절〔단락〕 사이에는 연속성이 없다 / break the ~ of a person's speech 남의 얘기의 허리를 끊다. ② Ⓒ 연속된 것, 일련《*of*》: a ~ *of* scenes 일련의 연속된 장면. ③ Ⓒ 〖映·TV〗 **a)** 촬영용 대본 : a ~ writer 촬영 대본 작가. **b)** (방송 프로그램 사이의) 이음, 연결《방송자의 말이나 음악》. ◇ continue *v.*
continúity gìrl 〔**màn**〕 〖映〗 촬영 기록원.
con·tin·uo [kəntínjuòu] (*pl.* ***-u·òs***) *n.* Ⓒ 《It.》 〖樂〗 통주(通奏) 저음, 콘티누오《화성(和聲)은 변하지만 저음은 일정한 것》.
‡**con·tin·u·ous** [kəntínjuəs] (***more*** ~ ; ***most*** ~) *a.* (시간·공간적으로) 연속〔계속〕적인, 끊이지 않는, 부단한, 잇단 : a ~ procession of cars 계속 이어지는 자동차 행렬 / a ~ performance (영화 등의) 연속 상연 / have ~ rain 계속 비가 내리다. ◇ continue *v.*
contínuous asséssment 《英》 계속 평가《학생의 성적을 정기시험에 의하지 않고 평소의 학습 단계마다 평가하는 방법》.
‡**con·tin·u·ous·ly** [kəntínjuəsli] *ad.* 잇따라, 연속〔계속〕적으로, 간단〔끊임〕없이.
con·tin·u·um [kəntínjuəm] (*pl.* ***-tin·ua*** [-njuə]) *n.* Ⓒ ①〖哲〗 (물질·감각·사건 따위의) 연속(체). ②〖數〗 연속체.
con·tort [kəntɔ́:rt] *vt.* ① …을 비틀다, 뒤틀다 ; 구부리다, (의미 등)을 왜곡〔곡해〕하다《*out of*》: ~ one's limbs 수족을 비틀다. ②〔종종 受動으로〕 일그러뜨리다《*with*》: a face ~*ed with* pain 고통으로 일그러진 얼굴. ── *vi.* (얼굴 등이) 일그러지다 ; 일그러져서 (…하게) 되다《*into*》: His lips ~*ed into* a grimace. 그의 입(술)이 일그러져서 찡그린 얼굴이 되었다.
con·tor·tion [kəntɔ́:rʃən] *n.* Ⓤ,Ⓒ ① 뒤틂, 뒤틀림, 일그러짐 ; 찡그림 : the ~*s of* a pitcher throwing a ball 공을 던지는 투수의 몸의 비틀림 / make ~*s of* the face 얼굴을 찡그리다. ② (어구·사실 등의) 곡해, 왜곡 : verbal ~*s* 말의 억지(로 갖다 붙임).
con·tor·tion·ist [-ist] *n.* Ⓒ (몸을 맘대로 구부리는) 곡예사.
*__con·tour__ [kántuər / kɔ́n-] *n.* ① Ⓒ (종종 *pl.*) 윤곽, 외형《*of*》: a woman with beautiful ~*s* 몸의 선이 아름다운〔아름다운 곡선미의〕 여성. ② = CONTOUR LINE. ── *a.* 〔限定的〕 ① **a)** 윤곽을〔등고를〕 나타내는 : a ~ map 등고선 지도. **b)**〖農〗 등고선을 따라서 고랑이나 두둑을 만든 : ~ ploughing 등고선 경작 / ~ farming 등고선 농업〔재배〕. ② (의자 따위를) 체형에 맞게 제작한. ── *vt.* …의 윤곽을 그리다 ; 등고선을 기입하다 ; (길 따위를, 산중턱의) 자연 지형을 따라 만들다 ; (경사지)를 등고선을 따라 경작하다.
cóntour lìne 〖地〗 등고선.
contr. contract(ed) ; contraction.
contra- *pref.* '반대, 역, 대응' 따위의 뜻.
con·tra·band [kántrəbæ̀nd / kɔ́n-] *n.* Ⓤ 금(禁)제품 ; 암거래(품), 밀매(품), 밀수(품) : ~ of war 전시 금제품 / He might be carrying ~. 그는

밀수품을 운반하고 있을지도 모른다. —— *a.* (수출입) 금지의, 금제의, 불법의 : a ~ trader 밀수업자 / ~ weapons (수출입) 금지 무기. ㊕ ~·ist *n.* Ⓒ 금제품 매매자 ; 밀수업자.

con·tra·bass [kántrəbèis / kɔ́n-] *n.* Ⓒ 【樂】 콘트라베이스(double bass)《최저음의 대형 현악기》. ㊕ ~·ist *n.* 콘트라베이스 연주자.

con·tra·cep·tion [kàntrəsépʃən / kɔ̀n-] *n.* Ⓤ 피임(법).

con·tra·cep·tive [kàntrəséptiv / kɔ̀n-] *a.* 피임(용)의 : a ~ device 피임 용구. —— *n.* Ⓒ 피임약 ; 피임 용구.

‡con·tract [kántrækt / kɔ́n-] *n.* Ⓒ ① 계약, 약정 ; 계약서 : a temporary ~ 가계약 / a breach of ~ 계약 위반, 위약 / on ~ 청부로 / under ~ *with* (…와) 계약을 맺고 / make 〔enter into〕 a ~ *with* …와 계약을 맺다 / get an exclusive ~ *with* …와 독점 계약을 맺다 / sign 〔draw up〕 a ~ 계약서에 서명하다〔계약서를 작성하다〕 / cancel 〔annul〕 a ~ 계약을 취소하다. ② 청부 ; 《俗》 살인 청부, 살인 명령 : a ~ for work 공사의 도급 / ~ price 도급 가액 / put out a ~ 《俗》 살인 청부업자를 고용하다. ③ (정식) 약혼 : a marriage ~ 혼약, 약혼. ④ 【카드놀이】 =CONTRACT BRIDGE.
—— [kəntrǽkt] *vt.* ① [kántrækt] …와 계약하다, 계약을 맺다, …을 도급〔청부〕맡다 : We have ~*ed* that firm *for* the job. 우리는 그 회사와 그 일의 계약을 맺었다 / The architect ~*ed* to build the houses at a fixed price. 그 건축가는 일정한 예산으로 그 집들을 짓기로 계약하였다. ② 《~+목/+목+전+명》 〔흔히 受動으로〕 (약혼·친교)를 맺다 : ~ amity *with* …와 친교를 맺다. ③ (나쁜 습관)에 물들다 ; (병)에 걸리다 ; (빚)을 지다 : ~ bad habits 나쁜 버릇이 들다 / I have ~*ed* a bad cold. 독감에 걸렸다. ④ (근육 따위)를 수축시키다 ; 죄다 ; 축소하다 : ~ one's (eye)brows 〔forehead〕 눈살〔이맛살〕을 찌푸리다. ⑤ …을 좁히다, 제한하다 ; 줄이다 ; (글이나 말)을 단축〔축약〕하다 : In talking we ~ "do not" *to* "don't". 구어에서는 do not 을 don't 로 줄인다. —— *vi.* ① 줄(어 들)다 ; 좁아지다, 수축하다 : Things ~ when they cool. 물체는 식으면 줄어든다 / Business ~*ed* a lot recently. 최근 사업이 많이 줄었다. OPP *expand.* ② [kántrækt] 계약하다 ; 도급맡다《*for*》 : I ~*ed for* a new car. 나는 새 차의 구매 계약을 맺었다 / We ~*ed with* the city governments *for* a new city hall. 우리는 시 당국과 새로운 시 청사 건설 계약을 체결했다. ③ 약혼하다. ~ ***in*** 계약을 하고 참가하다. ~ ***out*** 계약에 의해 (일을) 주다, 하청으로 내다, 외주(外注)하다《*to*》. ~ (one***self***) ***in*** 참가 계약을 하다《*to* ; *on*》. ~ (one***self***) ***out*** (***of*** . . .) 《英》 (계약·협약)을 파기하다, …에서 탈퇴하다, …의 적용 제외 계약을 하다.

cóntract brìdge 카드놀이의 일종《auction bridge 의 변종》.

con·tract·ed [kəntrǽktid] *a.* 〔限定的〕 ① 수축된, 오그라든, 줄어든, 단축된, 축약된 : a ~ form 【文法】 단축〔축약〕형. ② (얼굴 등을) 찡그린 : a ~ brow 찡그린 이마〔얼굴〕.

con·tract·i·ble [kəntrǽktəbəl] *a.* 줄일 수 있는, 줄어드는. ㊕ ~·ness *n.*

con·trac·tile [kəntrǽktil] *a.* 줄어드는, 수축성이 있는 : ~ muscles 수축근. ㊕ **con·trac·til·i·ty** [kàntræktíləti / kɔ̀n-] *n.* Ⓤ 수축성.

***con·trac·tion** [kəntrǽkʃən] *n.* ① U,C 수축, 단축 ; 위축, (자궁의) 수축 : the ~ of a muscle 근육의 수축 / more signs of ~ in the service industries 서비스 산업 위축의 보다 많은 징후. ② a) Ⓤ (말이나 글의) 단축, 축약. b) Ⓒ 단축〔축약〕형. ③ Ⓤ a) (병에) 걸림. b) (버릇이) 붙기. c) (빚을) 걸머짐.

con·trac·tive [kəntrǽktiv] *a.* 줄어드는.

con·trac·tor [kəntrǽktər / kántræktər] *n.* Ⓒ 계약자 ; 도급자, (공사) 청부인 : a general ~ 청부업자.

con·trac·tu·al [kəntrǽktʃuəl] *a.* 계약(상)의, 계약적인.

***con·tra·dict** [kàntrədíkt / kɔ̀n-] *vt.* ① (진술·보도 따위)를 부정〔부인〕하다, 반박하다 ; (남의 말)에 반대하다, 반론하다 ;…이 옳지 않다고 〔잘못이라고〕 언명하다 : These facts cannot be ~*ed.* 이 사실들은 부정할 수 없다 / ~ his statement 그의 말〔진술〕을 반박하다 / I'm sorry to ~ you, but… 말씀에 반론하는 것 같지만…. ② …와 모순되다 ; …에 반하는 행동을 하다 : His behavior ~*s* his principles. 그의 행동은 그의 주의와 모순된다. —— *vi.* 반대하다, 부인〔반박〕하다. ◇ contradiction *n.*

***con·tra·dic·tion** [kàntrədíkʃən / kɔ̀n-] *n.* U,C ① 부인, 부정 ; 반박, 반대 : in ~ to …와 정반대로. ② 모순, 당착 ; 모순된 행위〔사실, 사람〕 ; 【論】 모순 원리〔율(律)〕 : There is a ~ between the two laws. 그 두 법 사이에는 모순이 있다.

con·tra·dic·tious [kàntrədíkʃəs / kɔ̀n-] *a.* 반대〔반박〕하기 좋아하는, 논쟁을 좋아하는.

con·tra·dic·to·ry [kàntrədíktəri / kɔ̀n-] *a.* ① 모순된, 양립지 않는, 자가 당착의 : ~ statements 서로 모순되는 진술 / be ~ *to* each other 서로 모순되다. ② (성격 등) 논쟁〔반대〕하기 좋아하는, 반항〔반박〕적인《★ contradictious보다 더 일반적임》 : My son is going through a ~ stage. 내 아들은 반항기를 맞고 있다. ㊕ **-ri·ly** *ad.*

con·tra·dis·tinc·tion [kàntrədistíŋkʃən / kɔ̀n-] *n.* U,C 대조 구별, 대비(對比) : in ~ to 〔from〕 …와 대비하여, …와는 구별되어.

con·tra·dis·tin·guish [kàntrədistíŋgwiʃ / kɔ̀n-] *vt.* …을 비교하여 구별하다 ; 대비(對比)하다《*from*》 : ~ A *from* B, A와 B를 대비하여 구별하다.

con·tra·flow [kántrəflòu / kɔ́n-] *n.* Ⓒ 《英》 (도로 공사를 위한) (일시적) 일방 통행.

con·trail [kántreil / kɔ́n-] *n.* Ⓒ (로켓·비행기 따위의) 비행운(雲).

con·tra·in·di·cate [kàntrəíndikeit / kɔ̀n-] *vt.* 【醫】 (약·요법 따위)에 금기(禁忌)를 보이다.

con·tra·in·di·ca·tion [kàntrəindikéiʃən / kɔ̀n-] *n.* Ⓤ 【醫】 금기(禁忌).

con·tral·to [kəntrǽltou] (*pl.* ~*s* [-z], ***-ti*** [-tiː]) 【樂】 *n.* ① Ⓤ 콘트랄토, 최저 여성음(부). ② Ⓒ 콘트랄토 가수. —— *a.* 콘트랄토의.

con·tra·po·si·tion [kàntrəpəzíʃən / kɔ̀n-] *n.* U,C 대치(對置) ; 대조 ; 대립. ***in ~ to*** 〔***with***〕 …에 대치하여, …와 대조하여.

con·trap·tion [kəntrǽpʃən] *n.* Ⓒ 《口》 새로운 고안, 신안(新案) ; 기묘한 기계〔장치〕.

con·tra·pun·tal [kàntrəpʌ́ntl / kɔ̀n-] *a.* 【樂】 대위법(對位法)의〔적인〕. ㊕ ~·ly *ad.*

con·tra·ri·e·ty [kàntrəráiəti / kɔ̀n-] *n.* ① Ⓤ 반대, 모순. ② Ⓒ 상반되는 점, 모순된 사실.

con·tra·ri·ly [kántrerəli / kɔ́n-] *ad.* ① 이에 반해, 반대로. ② 《口》 [+kəntrέərəli] 완고하게 ; 심술궂게.

con·tra·ri·ness [kántrerinis / kɔ́n-] *n.* Ⓤ ① 반대, 모순. ② 《口》 [+kəntrέərinis] 외고집, 옹고집, 심술.

con·tra·ri·wise [kántreriwàiz / kɔ́n-] *ad.* ① 반대로, 반대 방향으로. ② 이에 반(反)하여. ③ 고

집 세게, 심술궂게.

:con·tra·ry [kántreri / kɔ́n-] (**more** ~; **most** ~) *a.* ① 반대의, …에 반(反)하는, 반대 방향의, …와 서로 용납치 않는 ; 역(逆)의《*to*》: look the ~ way 외면하다 / a ~ current 역류 / ~ propositions 모순되는 명제 / ~ *to* fact 〔reason〕 사실과 상반되는 〔도리에 어긋나는〕 / a statement ~ *to* all sense 몰상식하기 짝이 없는 진술〔말〕 / This is quite ~ *to* what I want. 이것은 내가 바라는 것과는 반대〔아주 딴판〕이다 / It's ~ *to* rules. 그것은 규칙 위반이다. ② 적합치 않은, 불순(不順)한, 불리한 : ~ weather 악천후 / The ship was delayed by ~ winds. 배는 역풍 때문에 늦었다. ③ [+kəntrέəri] 《口》 고집 센, 옹고집의, 빙퉁그러진 : He sometimes behaves like a ~ child. 그는 이따금 떼쟁이 아이처럼 굴 때가 있다. — *n.* (the ~) (정)반대, 모순 ; (종종 *pl.*) 반대〔상반되는〕 것〔일〕 ; 반대어 : courage and its ~ 용기와 그 반대(즉 비겁) / He is neither tall nor *the* ~. 키가 크지도 작지도 않다 / It's quite *the* ~. 그것은 정반대이다 / *The* ~ of "high" is "low". '높은〔높다〕'의 반대(어)는 '낮은〔낮다〕'이다. ***by contraries*** 정반대로, 거꾸로 ; 예상과는 달리 : Dreams go *by contraries.* 꿈은 실제와는 반대. ***on the*** ~ 이에 반하여, 도리어, …은 커녕 : "You'll get tired of it." — "*On the* ~, I shall enjoy it." '넌 그것이 싫증날 거다.' — '반대로 난 즐길 걸.' ***to the*** ~ 그와 반대로〔의〕, 그렇지 않다는, 그와는 달리〔다른〕, …임에도 불구하고 : an evidence *to the* ~ 반증.
— *ad.* 반대로, 거꾸로《*to*》: act ~ *to* rules 규칙에 반하는 행동을 하다.

:con·trast [kántræst / kɔ́ntrɑːst] *n.* ① Ⓤ 대조, 대비《*with* ; *to* ; *between*》: the ~ *between* light and shade 명암(明暗)의 대조 / by ~ *with* …와의 대조〔대비〕에 따라 / in ~ *with* 〔*to*〕 …에 견주어, …와 대조를 이루어, …와는 크게 달리 / His composition is excellent in ~ *to*〔*with*〕 mine. 그의 작문은 나의 작문과는 대조적으로 훌륭하다. ② Ⓤ,Ⓒ 현저한 차이〔상이〕《*between*》: a great ~ *between* city life and country life. 도시 생활과 전원 생활의 큰 차이. ③ Ⓒ 대조가 되는 것, 정반대의 물건〔사람〕《*to*》: What a ~ *to* the days of old! 옛날에 비하면 사뭇 다르구나 / She is a great ~ *to* her sister. 동생과는 아주 딴판이다.
— [kəntrǽst, kán-] *vt.* ① 《~+목 / +목+전+명》 …을 대조〔대비〕시키다《*with*》: ~ two things 둘〔두 개의 것〕을 대조하다 / ~ light and shade 명암을 대조하다. ② …을 대조하여 뚜렷이 드러나게 하다《*with*》: Her white dress was well ~*ed* by the red rose. 그녀의 흰 옷은 붉은 장미로 해서 더욱 잘 드러났다. — *vi.* 《+전+명》 (두 개의 것이) 대조적이다, (…와) 좋은 대조를 이루다 : Her white face and her dark dress ~ sharply. 그녀의 흰 얼굴과 검은 드레스가 유난히 대조적이다 / This color ~*s* well *with* green. 이 색은 녹색과 뚜렷이 대조를 이룬다《★ compare 는 유사·차이 어느 쪽에도 쓰이나, contrast 는 차이에만 쓰임》. ***as ~ed* (*with* A)**, (A와) 대조해 보면.

con·tras·tive [kəntrǽstiv] *a.* ① 대조적인. ② 〖言〗 (두 언어 사이의) 일치·상위를 연구하는, 대비 연구하는 : a ~ grammar 대조 문법 / ~ linguistics 대조 언어학.

con·trasty [kántræsti, kəntrǽsti / kəntrɑ́ːsti] (***contrastier*** ; ***-iest***) *a.* 〖寫〗 경조(硬調)의, 명암이 두드러진. opp. *soft.*

con·tra·vene [kàntrəvíːn / kɔ̀n-] *vt.* ① (법률 따위)를 위반하다 ; (남의 자유·권리 따위)를 무시하다 : This fence ~*s* our common right to pasturage. 이 울타리는 우리들의 목초지 공유권을 침해하고 있다. ② (의론 따위)를 부정하다, 반박하다. ③ (주의 따위)와 모순되다, 일치하지 않다.

con·tra·ven·tion [kàntrəvénʃən / kɔ̀n-] *n.* Ⓤ,Ⓒ ① 위반 (행위), 위배 : act in ~ of the law 법률을 위반하다. ② 반대, 반박.

con·tre·temps [kántrətɑ̀ːŋ / kɔ́n-] (*pl.* ~ [-z]) *n.* Ⓒ 《F.》 뜻하지 않은 불행, 뜻밖의 사고〔고장〕.

contrib. contribution ; contributor.

:con·trib·ute [kəntríbjuːt] *vt.* ① 《~+목 / +목+전+명》 (금품 따위)를 기부하다, 기증하다《*to* ; *for*》: ~ money *to* relieving the poor 빈민 구제를 위해 돈을 기부하다. ② (조언·원조 따위)를 제공하다, 주다, 기여〔공헌〕하다《*to* ; *for*》: He did not ~ anything *to* the work. 그는 그 일에 아무 공헌도 하지 못했다. ③ 《+목+전+명》 (글·기사)를 기고하다《*to*》: ~ an article *to* a magazine 잡지에 논문을 기고하다. — *vi.* 《+전+명》 ① 기부를 하다《*to*》: ~ *to* the community chest 공동 모금에 기부하다. ② (…에) 힘을 빌리다, (…에) 도움이 되다, (…의) 한원인이 되다, 기여〔공헌〕하다《*to* ; *toward*》: Gambling ~*d to* his ruin. 도박도 그의 파산의 한 원인이 되었다 / ~ greatly *to* the progress of science 과학의 진보에 크게 기여하다. ③ 기고〔투고〕하다《*to*》: I ~ *to* a newspaper once a month. 나는 한 달에 한번 신문에 기고한다. ◇ contribution *n.*

:con·tri·bu·tion [kàntrəbjúːʃən / kɔ̀n-] *n.* ① Ⓤ **a**) (또는 a ~) 기부, 기증 ; 공헌, 기여《*to* ; *toward*》: the ~ of money *to* charity 자선 헌금 / make *a* ~ *to* one's church 교회에 기부를 하다 / His ~ *to* science is great. 과학에 대한 그의 공헌은 크다. **b**) 기고, 투고《*to*》. ② Ⓒ **a**) 기부금, 기증품 : political ~*s* 정치 헌금. **b**) 기고 작품〔기사〕. ◇ contribute *v.*

con·trib·u·tor [kəntríbjətər] *n.* Ⓒ ① 기부〔공헌〕자《*to*》. ② 기고〔투고〕가《*to*》.

con·trib·u·to·ry [kəntríbjətɔ̀ːri / -təri] *a.* ① 기여하는 : a ~ cause of the accident 사고의 유력한 원인. ② 〔敍述的〕 …에 공헌하는, 이바지하는, (…에) 도움이 되는《*to*》: Many factors were ~ *to* the project's success. 많은 요인이 작용하여 그 계획의 성공을 가져왔다. ③ 기부의, 출자의, 의연(義捐)적인. ④ (연금·보험이) 갹출〔분담〕제의.

con·trite [kəntráit, kántrait / kɔ́ntrait] *a.* 죄를 깊이 뉘우치고 있는 ; 회개한 ; 회오의 : ~ tears 회오의 눈물. ㊞ **~·ly** *ad.*

con·tri·tion [kəntríʃən] *n.* Ⓤ 통회(痛悔), 회개 ; (깊은) 회한. cf. attrition.

con·triv·a·ble [kəntráivəbəl] *a.* 고안〔안출〕할 수 있는, 궁리할 수 있는.

***con·triv·ance** [kəntráivəns] *n.* ① Ⓤ 고안, 발명 ; 고안〔연구〕의 재간. ② Ⓒ 고안품 ; 장치. ③ Ⓒ (흔히 *pl.*) 계획, 음모 ; 계략. ◇ contrive *v.*

:con·trive [kəntráiv] *vt.* ① …을 연구하다 ; 고안〔발명〕하다 ; 설계하다 : ~ a lock that cannot be picked 억지로 비집어 열 수 없는 자물쇠를 고안하다 / ~ an excuse 구실을 마련하다. ② 《~+목 / +*to* do》 용케 …하다, 이럭저럭 …을 해내다 (manage) ; 〔反語的〕 일부러 (불리한 일)을 저지르다, 불러들이다 : He ~*d to* persuade me. 그에게 결국 설득당했다 / He ~*d* an escape. 용케 도망쳤다 / He ~*d to* arrive in time. 그는 이럭저럭 간신히 시간 내에 도착했다. ③ 《~+목 / +*to* do》 …을 꾀하다, 하고자 획책〔도모〕하다 : ~ a plan for an escape 도망 계획을 세우다 / ~ *to* kill her 그녀를 죽이려고 꾀하다. — *vi.* ① 궁리하다, 고

안하다 ; 획책하다. ② (살림 따위를) 잘 꾸려나가다 : cut and ~ (살림 따위를) 용케 꾸려나가다 / Can you ~ without it? 그것 없이도 해내겠소. ◇ contrivance *n.*

con·trived [kəntráivd] *a.* 인위적인, 부자연스러운, 무리를 한 : a ~ ending of a play〔story〕 극〔이야기〕의 부자연스러운 결말 / There was nothing ~ or calculated about what he said. 그가 한 말에는 무리하거나 계산된 것은 없었다.

con·triv·er [kəntráivər] *n.* Ⓒ ① 연구자, 고안자. ② 계략자. ③ 변통을 잘 하는 사람.

†con·trol [kəntróul] *n.* ① Ⓤ 지배(력) ; 관리, 통제, 다잡음, 단속, 감독(권) 《*on* ; *over* ; *of*》 : ~ *of* foreign exchange 외국환 관리 / government ~ *over*〔*of*〕 prices 정부의 물가 통제〔관리〕 / gain ~ *of*〔*over*〕 the armed forces 군의 지휘권을 잡다, 군대를 장악하다 / Nobody knows who is in ~ *of* the club. 그 클럽을 누가 관리하는지 아무도 모른다. ② Ⓤ 억제, 제어 ; (야구 투수의) 제구력(制球力) : thought ~ 사상 통제 / inflation ~ 인플레 억제 / He's completely out of ~. 그는 전혀 어떻게 할 도리가 없다 / He kept his temper under ~. 그는 울화를 꾹 참고 있었다. ③ Ⓒ (흔히 *pl.*) **a**) 통제〔관리〕 수단 : wage ~*s* 임금 억제책. **b**) (기계의) 조종장치 ; (텔레비전 등의) 조정용 스위치 : adjust the ~*s* for tone and volume 조정 스위치를 조정하여 음색과 음량을 맞추다. ④ Ⓒ (실험 결과의) 대조 표준 ; 대조부(簿), (기록 따위의) 부본(副本). ⑤ Ⓒ (심령술에서) 영매(靈媒)를 지배하는 영혼. ⑥ 〖컴〗 제어(制御).
— (*-ll-*) *vt.* ① …을 지배하다 ; 통제〔관리〕하다, 감독하다 : The price of rice is ~*led by* the government. 쌀값은 정부에 의해 통제되고 있다. ② **a**) …을 제어〔억제〕하다 : ~ one's anger 분노를 억제하다. **b**) 〔再歸的〕 자제하다. ③ …을 검사하다 ; (실험 결과를 딴 실험이나 표준과) 대조하다. ④ (지출 등)을 제한〔조절〕하다.

contról expèriment 대조 실험《다른 실험에 조사(照査) 기준을 제공하기 위한 실험》.

con·trol·la·ble [kəntróuləbəl] *a.* 지배〔제어, 조종〕할 수 있는.

***con·trol·ler** [kəntróulər] *n.* Ⓒ ① 관리인, 지배자. ② 감사, (회계) 감사관, 감사역, (회사의) 경리부장 《관명으로는 comptroller》. ③ (항공) 관제관. ④ 제어〔조종〕 장치. ⑤ 〖컴〗 제어기.

contról·ling ìnterest [kəntróuliŋ-] 지배적 이권(利權)《회사 경영을 장악하기에 충분한 주식의 보유 따위》.

contról ròd (원자로의) 제어봉.

contról ròom ① 관제실. ② (방송·녹음의) 조정실. ③ (원자로 등의) 제어실.

contról stìck 〖空〗 조종간(桿).

contról stòrage 〖컴〗 제어 기억장치.

contról tòwer (공항의) 관제탑.

contról ùnit 〖컴〗 제어장치《하드웨어의 일부》.

con·tro·ver·sial [kàntrəvə́ːrʃəl / kɔ̀n-] *a.* 논쟁의 ; 논의의 여지가 있는, 논쟁의 대상인, 물의를 일으키는 : a ~ decision〔statement〕 물의를 일으킬 만한 결정〔진술〕. ㊞ **~·ly** *ad.* **~·ist** *n.* Ⓒ 논객 ; 논쟁자.

***con·tro·ver·sy** [kántrəvə̀ːrsi / kɔ́n-] *n.* Ⓤ,Ⓒ 논쟁, 논의, (특히 지상(紙上)의) 논전 : ~ about〔over〕 educational reform 교육 개혁에 관한 논쟁 / arouse〔cause〕 much ~ 크게 물의를 일으키다 / He was engaged *in* a ~ *with* politicians. 그는 정치가들과 논쟁을 하고 있었다. ◇ controvert *v.*

con·tro·vert [kántrəvə̀ːrt / kɔ́n-] *vt., vi.* ① (…을) 논의〔논쟁〕하다. ② (…을) 반박하다, 부정하다. ◇ controversy *n.*

con·tu·ma·cious [kàntjuméiʃəs / kɔ̀n-] *a.* ① (법정의 명령 등에) 응하지 않는, 반항적인. ㊞ **~·ly** *ad.*

con·tu·ma·cy [kántjuməsi / kɔ́n-] *n.* Ⓤ (법정 명령 등에) 불응하는 일, 관명 항거.

con·tu·me·li·ous [kàntjumíːljəs / kɔ̀n-] *a.* 오만 불손한, 무례한. ㊞ **~·ly** *ad.*

con·tu·me·ly [kəntjúːməli, kántjumə̀ːli / kɔ́n-] *n.* Ⓤ,Ⓒ (언어·태도 따위의) 오만 무례 ; 모욕적 언동.

con·tuse [kəntjúːz] *vt.* …에게 타박상을 입히다.

con·tu·sion [kəntjúːʒən] *n.* Ⓒ,Ⓤ 〖醫〗 타박상 : The victim's left arm was broken and there was a large ~ to the right shoulder. 희생자의 왼쪽 팔이 부러졌고 오른쪽 어깨에는 큰 타박상이 있었다.

co·nun·drum [kənʌ́ndrəm] *n.* Ⓒ ① 수수께끼, 재치문답. ② (수수께끼처럼) 어려운 문제.

con·ur·ba·tion [kànəːrbéiʃən / kɔ̀n-] *n.* Ⓒ 집합 도시《몇 개의 도시가 팽창 접근하여 한 개의 대도시로 간주되는 것》, 대도시권, 광역 도시권.

con·va·lesce [kànvəlés / kɔ̀n-] *vi.* (병이) 차도가 있다, (병후 차차) 건강을 회복하다, 병후 요양하다 : He's still *convalescing* from his heart attack. 그는 아직 심장 발작 병후 요양중이다.

con·va·les·cence [kànvəlésns / kɔ̀n-] *n.* Ⓤ (또는 a ~) 차도가 있음 ; 회복(기), 요양(기간) : John wasn't allowed to visit me during my ~. 내 요양 기간 중 존의 방문이 허용되지 않았다.

con·va·les·cent [kànvəlésnt / kɔ̀n-] *a.* 차도를 보이는, 회복기(환자)의 : a ~ patient 회복기 환자 / a ~ hospital〔home〕 병후 요양소.
— *n.* Ⓒ 회복 환자.

con·vec·tion [kənvékʃən] *n.* Ⓤ 〖物〗 (열·전기의) 대류(對流), 환류(環流) ; 〖氣〗 대류.

con·vec·tive [kənvéktiv] *a.* 대류(對流)〔환류(環流)〕의 ; 전달성의. 「난방기〔방열기〕.

con·vec·tor [kənvéktər] *n.* Ⓒ 대류식(對流式)

con·vene [kənvíːn] *vt.* …을 모으다, (회·회의)를 소집하다 : ~ (the members of) a committee 위원회를 소집하다. — *vi.* 모이다, 회합하다 : The Diet will ~ at 2 p.m. tomorrow. 국회는 내일 오후 2시에 개회할 것이다.

con·ven·er, -ve·nor [kənvíːnər] *n.* Ⓒ (위원회 따위의) 소집자, (회의의) 주최자.

‡con·ven·ience [kənvíːnjəns] *n.* ① Ⓤ 편리, 편의 ; 편익 : a marriage of ~ 물질을 노린 결혼, 정략 결혼 / for ~ of explanation 설명의 편의상 / as a matter of ~ 편의상 / make a ~ of …을 멋대로 이용하다 / We use frozen food for ~. 우리는 편의상 냉동식품을 쓴다. ② Ⓤ 형편이 좋음, 형편이 좋은 기회, 유리〔편리〕한 사정 : It is a great ~ to keep some good reference books in your study. 서재에 좋은 참고 서류를 비치하는 것은 매우 편리한 일이다. ③ Ⓒ 편리한 것〔도구〕, (문명의) 이기(利器) ; (*pl.*) (편리한) 설비, (의식주의) 편의 : gas, electricity, TV, radio and other ~*s* 가스, 전기, 텔레비전, 라디오와 그 밖의 문명의 이기들 / The house has all the modern ~*s*. 그 집은 현대적인 설비를 모두 갖추고 있다. ④ Ⓒ 《英》 (공중) 변소 : a public ~ 공중 변소. ◇ convenient *a.*

convénience fòod 인스턴트 식품.

convénience stòre (24시간) 편의점.

‡con·ven·ient [kənvíːnjənt] (***more*** ~ ; ***most*** ~) *a.* ① (물건이) 편리한, 사용하기 좋은〔알맞은〕 : a ~ tool〔kitchen〕 편리한 도구〔부엌〕 /

We must arrange a ~ time and place for the meeting. 우리는 모임을 위해 편리한 시간과 장소를 정해야 한다. ② 〔敍述的〕(물건·시간 따위가 …에) 계제가 좋은《to ; for》: If it is ~ to you, … 형편이 좋다면 … / make it ~ to (do) 형편을〔계제를〕 보아서 …하다 / When will it be ~ for you to go there? 언제 가는 게 좋겠나 / Come tomorrow if it is ~ for you. 형편이 좋으시다면 내일 오시오. ◇ convenience n. 《★ 서술적 용법에서는 사람을 주어로 하지 않음. 《美》에서는 전치사로 to보다는 for가 더 일반적》. ③ 〔敍述的〕(…에) 가까이에《to ; for》: My house is ~ to 〔for〕 the station. 내 집은 역 근처에 있다.

***con·ven·ient·ly** [-li] ad. ① 편리하게, 형편좋게: a bus stop ~ placed 편리한 곳에 있는 버스 정류장 / The date was ~ arranged. 날짜는 편리하도록 정해졌다. ② 〔文章修飾〕(아주) 편리하게도: *Conveniently* enough, there's a supermarket near my house. 편리하게도 우리집 가까이에 슈퍼마켓이 있다.

***con·vent** [kánvənt / kɔ́n-] n. Ⓒ ① 여자 수도회. ② 수녀원: a ~ school 수녀원 부속 학교 / go into 〔enter〕 a ~ 수녀가 되다.

con·ven·ti·cle [kənvéntikəl] n. Ⓒ 비밀 집회(소); 〖英史〗(비국교도·스코틀랜드 장로파의) 비밀 집회(소).

‡con·ven·tion [kənvénʃən] n. ① Ⓒ **a)** (정치·종교 따위의) 집회, 대표자 회의, 정기 총회: an annual ~ 연차 총회 / a nominating ~ 《美》 대통령 후보 지명대회 / hold a ~ 대회를 열다. **b)** 〔集合的; 單·複數 취급〕 대회 참가자, 대표자. ② Ⓒ 《美》(전국·주·군 등의) 당대회: ⇨ NATIONAL CONVENTION. ③ Ⓒ 조약, 협정: Universal Copyright *Convention* 만국 저작권 조약 / the Geneva *Convention* 제네바 협정 / a postal ~ 우편 협정. ④ C,U 풍습, 관례; 인습: social ~ 사회적 관습 / a slave to ~ 인습의 노예〔에 얽매인 사람〕 / disregard the ~ 관례를 무시하다. ⑤ U,C (무대 따위의) 약속; (카드놀이 따위의) 규칙, 규약: stage ~s 무대 위에서의 약속. ◇ convene v.

‡con·ven·tion·al [kənvénʃənəl] (**more** ~ ; **most** ~) a. ① 전통적인; 인습적인, 관습적인: ~ morality 인습적인 도덕 / ~ ways 종래의 방법. ② 형식적인, 판에 박인, 상투적인, 진부한, 독창성〔개성〕이 결여된: exchange ~ greetings 형식적인 인사를 교환하다. ③ (무기가) 재래식인, 보통의, 비핵(非核)의: ~ war 재래식 무기에 의한 전쟁 / ~ forces (핵장비를 안 갖춘) 통상 전력 / ~ weapons 재래식 무기 / a ~ power plant (비핵의) 재래형 발전소. ④ 협정〔조약〕에 관한, 협정〔협약〕상의: a ~ tariff 협정 세율. ⑤ 〖藝〗 양식화된. ㊞ ~·**ly** [-nəli] ad. 인습적으로, 판에 박은 듯이.

con·ven·tion·al·ism [kənvénʃənəlìzəm] n. ① U 인습〔전통〕주의, 관례 존중주의. ② Ⓒ 관례, 판에 박힌 관습; 상투적인 말. ㊞ **-ist** [-ʃənəlist] n. Ⓒ 인습주의자; 관례 답습자; 평범한 사람.

con·ven·tion·al·i·ty [kənvènʃənǽləti] n. ① U 관례〔전통, 인습〕 존중, 인습성. ② Ⓒ 인습, 관례: observe〔break through〕 the *conventionalities* 인습을 지키다〔타파하다〕.

con·ven·tion·al·ize [kənvénʃənəlàiz] vt. ① …을 인습〔관례〕에 따르게 하다. ② 〖藝〗 양식화하다.

convéntional wísdom 일반 통념.

con·ven·tion·eer [kəvènʃəníər] n. Ⓒ 《美》 대회 참가자〔출석자〕.

con·verge [kənvə́:rdʒ] vi. ① 《+전+명》 한 점〔선〕에 모이다: All these roads ~ *on* the city. 이 길들은 모두 그 도시로 모아진다. ② 《+전+명 / +*to* do》 (사람·차 등이) 몰려 들다; (의견·행동 따위가) 한데 모아지다, 집중하다: Squad cars ~d *on*〔*at*〕 the scene of the crime. 경찰 순찰차들이 범행 현장으로 몰려 들었다 / Our interest ~d *on* that point. 우리 흥미는 그 점에 집중되었다. ③ 〖物·數·生〗 수렴(收斂)하다. OPP *diverge*. — vt. …을 한 점에 모으다, 집중시키다.

con·ver·gence, -gen·cy [kənvə́:rdʒəns], [-i] n. U,C ① 집중성(상태). ② 〖數·物〗 수렴(收斂); 〖生理〗 폭주(輻輳).

con·ver·gent [kənvə́:rdʒənt] a. ① 점차 한 점으로 향하는. ② 〖物·數·生理〗 수렴성의.

con·vers·a·ble [kənvə́:rsəbəl] a. 이야기하기 좋아하는; 말붙이기 쉬운; 붙임성 있는.

con·ver·sance [kənvə́:rsəns] n. U 친교, 친밀; 숙지, 정통《*with*》.

con·ver·sant [kənvə́:rsənt, kánvər- / kɔ́nvər-] a. 〔敍述的〕 정통하고 있는《*with*》: He is ~ *with* Greek literature. 그는 그리스 문학에 정통하다. ㊞ ~·**ly** ad.

†con·ver·sa·tion [kànvərséiʃən / kɔ̀n-] n. ① U,C 회화, 대담, 대화, 좌담《*with*》: ~ in English 영어 회화 / hold〔have〕 a ~ *with* …와 회담〔담화〕하다 / make ~ 잡담하다; 이야기 꽃을 피우다 / I was in ~ *with* a friend. 나는 친구와 이야기하고 있었다 / *Conversation* is verbal give-and-take. 회화란 말을 주고 받는 일이다. ② U,C 〖컴〗 (컴퓨터와의) 대화. ③ Ⓒ (외교상의) 비공식 회담. ◇ converse[1] v.

***con·ver·sa·tion·al** [kànvərséiʃənəl / kɔ̀n-] a. ① 회화(체)의, 좌담식의; (말씨가) 스스럼없는: in a ~ voice 좌담식의 (스스럼없는) 목소리로 / writing in a ~ style 회화체의 문장. ② 이야기하기 좋아하는, 말 잘하는. ㊞ ~·**ly** [-i] ad. 회화투로; 스스럼없이. ~·**ist** [-ʃənəlist] n. Ⓒ 이야기하기 좋아하는 사람, 입담 좋은 사람, 좌담가: a good ~ 좌담 잘하는 사람.

conversátional móde 〖컴〗 대화(對話) 형식《단말장치를 통하여 컴퓨터와 정보를 교환하면서 정보처리를 하는 형태》.

conversátion pìece ① 화제가 되는 물건《진귀한 가구·장식품 따위》. ② (18세기 영국의) 단란도(團欒圖), 풍속도.

con·ver·sa·zi·o·ne [kànvərsà:tsióuni / kɔ̀n-vərsǽ-] (pl. ~**s** [-ni:z], **-ni** [-ni:]) n. Ⓒ 《It.》 (특히 학자·예술가 등의) 좌담〔간담〕회.

‡con·verse[1] [kənvə́:rs] vi. ① 《~ / +전+명》 …와 담화하다, 서로 이야기하다(talk)《*with* ; *on* ; *about*》: ~ *with* a person 아무와 이야기를 하다 / We ~d *with* him *on*〔*about*〕 it. 우리는 그 일에 관해서 그와 이야기했다. ② 〖컴〗 컴퓨터와 교신하다. ◇ conversation n.

***con·verse**[2] [kənvə́:rs, kánvə:rs / kɔ́nvə:rs] a. 역(逆)의, 반대의, 뒤죽박죽인: The two men held ~ opinions. 그 두 사람은 정반대의 의견을 가지고 있었다 / His opinions are ~ to mine. 그의 의견은 나의 의견과 정반대이다. — [kánvə:rs / kɔ́n-] n. U (the ~) ① 역, 반대; 역의 진술: He argued *the* ~ of her view. 그는 그녀와는 정반대의 의견을 말했다. ② 〖論〗 전환 명제《*of*》. ③ 〖數〗 역. ㊞ ~·**ly** ad. ① 거꾸로, 반대로; 그것에 비해. ② 〔文章修飾〕 거꾸로 말하면.

***con·ver·sion** [kənvə́:rʒən, -ʃən] n. ① U,C 변환, 전환, 전화(轉化)《*of* ; *from* ; *to* ; *into*》: the ~ *of* farmland *to* residential property 농지의 택지로의 전환(轉換) / the ~ *of* goods *into* money

상품의 현금화. ② U.C (건물 등의) 용도변경 ; 개장(改裝), 개조《*of* ; *from* ; *to*; *into*》: the ~ *of* stables *to* 〔*into*〕 flats 마구간을 아파트로 개조. ③ U.C (의견·신앙·당파 등의) 전환, 전향, 개종 《특히 기독교로》《*of* ; *from* ; *to*》: the ~ *of* pagans *to* Christianity 이교도의 그리스도교로의 개종. ④ U (지폐의) 태환 ; (외국 화폐간의) 환산, 환전 : ~ of won into dollars 원의 달러로의 교환〔환전〕/ the ~ rate 환산율. ⑤ U 〖컴〗 (데이터 표현의) 변환 ; 이행(移行)《데이터 처리 시스템〔방법〕의 변환》; (테이프를) 펀치카드에 옮기기. ⑥ U 〖物〗 전환《핵연료 물질이 다른 핵연료 물질로 변화하기》. ⑦ U.C 〖럭비 · 美蹴〗 콘버트《트라이 · 터치다운한 후 주어진 보너스 득점 플레이를 성공시키기》; 그 득점. ◇ convert *v.*

convérsion tàble (이종(異種)의 척도· 중량의) 환산표 ; 〖컴〗 변환표.

‡con·vert [kənvə́ːrt] *vt.* ①《+목+전+명》…을 전환하다, 전화(轉化)시키다, 바꾸다 ; 화학 변화시키다 : ~ cotton *into* cloth 면사를 천으로 가공하다 / ~ sugar *into* alcohol 설탕을 알코올로 변화시키다 / ~ water power *to* electricity 수력을 전기로 전환하다. ②《~+목 / +목+전+명》…을 개장〔개조〕하다, 가공하다, 전용(轉用)하다 : ~ a study *into* a nursery 서재를 육아실로 개조하다. ③《+목+전+명》…을 개심〔개종〕시키다 ; 전향시키다《*to*》: ~ a Roman Catholic *to* Protestantism 가톨릭 교도를 신교로 개종시키다 / His mother was *~ed to* Christianity. 그의 어머니는 기독교로 개종했다. ④《+목+전+명》…을 태환하다 ; 환산하다, 환전하다 ; 현금화하다 : ~ francs *into* dollars 프랑을 달러로 바꾸다 / Can I ~ won *into* dollars here? 여기서 원을 달러로 바꿀 수 있습니까. ⑤〖商〗 (증권 따위)를 교환하다 ; (공채 따위)를 차환하다 : ~ some shares *into* cash 주권을 환금하다. ⑥〖컴〗 …을 변환하다. ⑦〖럭비 · 美蹴〗 (트라이 · 터치다운)을 콘버트하다. ── *vi.* ① 개종하다, 전향하다 : He has *~ed from* Catholicism *to* Judaism. 그는 가톨릭에서 유대교로 개종했다. ② 바꾸다 ; 바뀌다 ; 개조되다 : This sofa *~s into* a bed. 이 소파는 침대로도 쓴다 / They have *~ed from* solid fuel *to* natural gas. 고체연료를 천연가스로 바꿨다. ③ 〖美 · 蹴〗 콘버트하다. ◇ conversion *n.* ~ . . . ***to one's own use*** (공금 등을) 횡령하다.
── [kɑ́nvəːrt / kɔ́n-] *n.* C 개심자 ; 개종자 ; 귀의자《*to*》; 전향자 : a Catholic ~ 가톨릭 개종자 / make a ~ of …을 개종〔전향〕시키다.

con·vert·ed [kənvə́ːrtid] *a.* 전환(轉換)된 ; 개조된 ; 전향한, 개종한.

con·vert·er [kənvə́ːrtər] *n.* C ① 개종〔전향〕시키는 사람, 교화자. ②〖冶〗 전로(轉爐), (연료의) 전환기. ③〖電〗 변환기, 변류기. ④〖컴〗 변환기 《데이터 형식을 변환하는 장치》. ⑤〖라디오 · TV〗 주파수〔채널〕 변환기.

con·vert·i·bil·i·ty [kənvə̀ːrtəbíləti] *n.* U ① 전환〔변환〕할 수 있음. ② 전향〔개종〕 가능성. ③〖金融〗 태환성.

***con·vert·i·ble** [kənvə́ːrtəbəl] *a.* ① 바꿀 수 있는, 개조〔전용(轉用)〕할 수 있는 : a ~ sofa (침대 따위로) 전용할 수 있는 소파 / This sofa is ~ *into* a bed. 이 소파는 베드로 바꿀〔전용할〕 수 있다. ② 교환〔태환〕할 수 있는 : ~ note 〔paper money〕 태환지폐. ③ (말 · 표현이) 같은 의미의 : ~ terms 동의어. ④ (자동차가) 접는 포장이 달린. ── *n.* C 접는 포장이 달린 자동차. 파 **-bly** *ad.*

con·ver·tor [kənvə́ːrtər] *n.* =CONVERTER ②-⑤.

***con·vex** [kɑnvéks, kən- / kɔnvéks] *a.* 볼록한, 철면(凸面)의. OPP *concave.* ¶ a ~ lens 〔mirror〕 볼록렌즈〔거울〕. ── [kɑ́nveks / kɔ́nveks] *n.* C 볼록렌즈. 파 **~·ly** *ad.*

con·vex·i·ty [kənvéksəti / kɔn-] *n.* U.C 볼록꼴, 볼록형〔체〕.

con·vexo-con·cave [kənvéksoukɑnkéiv / -kɔnkéiv] *a.* (렌즈의) 한 면은 볼록하고 다른 면은 오목한, 요철(凹凸)의 : a ~ lens 요철 렌즈.

con·vexo-con·vex [kənvéksoukɑnvéks / -kɔn-] *a.* (렌즈가) 양쪽이 볼록한, 양철(兩凸)의.

‡con·vey [kənvéi] *vt.* ① …을 나르다, 운반하다 : ~ goods by truck 트럭으로 물건을 운반하다 / An ambulance *~ed* the wounded man from the airport to the hospital. 구급차가 부상한 남자를 공항에서 병원까지 날랐다. ②《~+목 / +목+전+명》…을 전달하다 ; (전갈·지식 등)을 전하다 ; (사상 · 감정 따위)를 전하다 ; (말 · 기술(記述)·몸짓 따위가) …을 뜻하다 : ~ the expression of grief *to* a person 아무에게 애도의 뜻을 전하다 / Words cannot ~ my gratitude. 말로는 나의 감사의 심정을 표현할 수가 없다. ③ (소리·열·전류 따위)를 전하다 ; (전염병)을 옮기다 : Air *~s* sound. 공기는 소리를 전한다 / ~ a disease to a person 아무에게 병을 옮기다. ④《~+목 / +목+전+명》〖法〗 (재산 등)을 양도하다 : The farm was *~ed to* his son. 농장은 그의 아들에게 양도되었다. 파 **~·a·ble** [-əbəl] *a.*

***con·vey·ance** [kənvéiəns] *n.* ① U 운반, 수송 : ~ of goods from factories to stores 공장에서 상점까지의 상품의 운반 / means of ~ 수송 기관. ② C 수송 기관, 탈것 : public *~s* 교통기관. ③ U 전달, 통달, 통신. ④ **a)** U 〖法〗 (부동산의) 양도. **b)** C 양도 증서.

con·vey·anc·er [-sər] *n.* C 〖法〗 부동산 양도 취급인 ; 양도 증서 작성 변호사.

con·vey·anc·ing [-siŋ] *n.* U (부동산) 양도 절차, 양도 증명 작성(업).

con·vey·er, -or [kənvéiər] *n.* C ① 운반 장치 ; (유동 작업용) 컨베이어《★ 주로 conveyor》: by *conveyor* 컨베이어(벨트)로. ② 운송업자 ; 운반인 ; 전달자. ③〖法〗 양도인《★ 주로 conveyor》.

convéyor bèlt 컨베이어 벨트.

***con·vict** [kənvíkt] *vt.* 〔흔히 受動으로〕《~+목 / +목+전+명》① …의 유죄를 입증하다, …을 유죄라고 선고하다《*of*》: There was insufficient evidence to ~ him. 그의 유죄를 입증할 충분한 증거가 없었다 / He was *~ed of* murder. 그는 살인죄의 판결을 받았다. ② …에게 죄〔과오〕를 깨닫게 하다 : I *~ed* him *of* his mistake. 나는 그에게 자기의 잘못을 깨닫게 했다 / His conscience *~ed* him. 그는 양심의 가책을 받았다. ── [kɑ́nvikt / kɔ́n-] *n.* C 죄인 ; 죄수, 기결수.

‡con·vic·tion [kənvíkʃən] *n.* ① U.C 신념, 확신 : hold a strong ~ 강한 확신을 가지다 / speak with ~ 확신〔신념〕을 가지고 말하다. ② U 설득(력), 설득 행위 : His argument does not have 〔carry〕 much ~. 그의 의론에는 그다지 설득력이 없다. ◇ convince *v.* ③ C.U 유죄의 판결〔선고〕: a murder ~ 살인의 유죄 판결 / previous *~s* 전과(前科). ◇ convict *v.*

‡con·vince [kənvíns] *vt.* 《+목+전+명 / +목+*that* 절》…을 납득시키다, 깨닫게 하다, 확신시키다《*of*》: ~ a person *of* his fault 아무에게 잘못을 깨닫게 하다 / I *~d* him *of* my innocence (= I *~d* him *that* I was innocent). 나는 그에게 나의 무죄를 확신시켰다. ◇ conviction *n.*

con·vinced [kənvínst] *a.* 확신을 가진, 신념이 있는 : a ~ believer 신념이 있는 신자 / I am ~

of the truth of my reasoning. 내 추리에 잘못이 없다고 확신한다. 「는, 도리에 따르는.
con·vin·ci·ble [kənvínsəbəl] *a.* 설득할 수 있
***con·vinc·ing** [kənvínsiŋ] *a.* 설득력 있는, 납득〔수긍〕이 가는《증거 따위》: a ~ explanation 납득이 가는 설명 / a ~ lie 그럴 듯한 거짓말 / a ~ argument 설득력 있는 논지.
con·viv·i·al [kənvíviəl] *a.* ① 주연〔연회〕의 : a ~ party 친목회(親睦會). ② 연회를 좋아하는 ; 명랑한, 쾌활한. [파] ~·ly *ad.*
con·viv·i·al·i·ty [kənvìviǽləti] *n.* [U] 주연, 연회 ; 유쾌함, 기분 좋음.
con·vo·ca·tion [kànvəkéiʃən / kɔ̀n-] *n.* [U] ① (회의·의회의) 소집. ② (C-) **a)**《美》(감독교회의) 성직 회의, 주교구(主教區) 회의. **b)**〖英國教〗(Canterbury 또는 York의) 성직자 회의, 대주교구 회의. ③《英》(대학의) 평의회. ◇ convoke *v.* [파] ~·**al** [-ʃənəl] *a.* 소집〔집회〕의.
con·voke [kənvóuk] *vt.* (회의·의회 따위)를 소집하다. ◇ convocation *n.*
con·vo·lute [kánvəlùːt / kɔ́n-] *a.* 회선상(回旋狀)의, 서려 감긴 ;〖動〗포선(包旋)하는 ;〖植·貝〗한쪽으로 말린. ── *vt., vi.* (…을) 둘둘 감다〔말다〕; 회선하다.
con·vo·lut·ed [kánvəlùːtid / kɔ́n-] *a.* ①〖動〗회선상의(spiral), 둘둘 말린, 소용돌이 모양의. ② 뒤얽힌, 매우 복잡한 : ~ reasoning 복잡한 추론(推論) / Her book is full of long, ~ sentences. 그녀의 책은 길고 복잡한 문장투성이이다.
con·vo·lu·tion [kànvəlúːʃən / kɔ̀n-] *n.* [C] (흔히 *pl.*) ① 소용돌이, 회선(回旋)(상태) : the ~*s* of a snake 뱀의 사림. ②〖解〗뇌회(腦回)《흔히 말하는 대뇌의 주름》. ③ 언쟁, 분규.
con·vol·vu·lus [kənválvjələs / -vɔ́l-] (*pl.* ~·**es**, **-li** [-lài, -liː]) *n.* [C] 메꽃·나팔꽃류.
con·voy** [kánvɔi / kɔ́n-] *n.* ① [U] 호송, 호위 : under ~ (of ...) (…에) 호위되어. ② [C]〔集合的 ; 單·複數 취급〕호위자〔대〕; 호위함〔선〕; (호송되는) 수송차대(隊) ; 피호송선(단) : The killer escaped from a prison ~ which was taking him to jail. 그 살인범은 감옥으로 데리고 가던 교도소 호송대에서 탈출했다. ***in ~ 호위집단〔선단〕을 조직하여. ──[kánvɔi, kənvɔ́i / kɔ́nvɔi] *vt.* …을 호위〔경호, 호송〕하다(escort).
con·vulse [kənvʌ́ls] *vt.* ① **a)** …을 진동시키다 : The island *was* ~*d by* the eruption. 섬은 화산의 폭발로 몹시 진동하였다. **b)**〔흔히 受動으로〕…에 큰 소동을 일으키다《*by* ; *with*》: The country *was* ~*d with* civil war. 나라는 내란으로 격동하고 있었다. ②〔흔히 受動으로〕…에게 경련을 일으키게 하다 ; 몸부림치게 하다《*by* ; *with*》: He was ~*d with* pain. 그는 고통으로 몸부림쳤다. ③《+[목]+[전]+[명]》(농담 등으로 사람)을 몹시 웃기다 : be ~*d with* laughter 포복 절도하다 / He ~*d* the audience *with* his jokes. 그는 농담을 하여〔익살을 떨어〕청중들이 배꼽을 빼게 만들었다. ◇ convulsion *n.*
***con·vul·sion** [kənvʌ́lʃən] *n.* [C] ① (흔히 *pl.*) 경련, (특히 소아의) 경기(驚氣). ② (*pl.*) 포복절도, 터지는 웃음 : ~*s* of laughter 터져나오는 웃음 / It's such a funny film — I was in ~*s.* 정말 웃기는 영화야. — 난 포복 절도했다니까. ③ **a)** (자연계의) 격동, 변동 : a ~ of nature 천재지변. **b)** (사회·정계 등의) 이변, 동란. ◇ convulse *v.*
con·vul·sive [kənvʌ́lsiv] *a.* ① 경련을 일으키는, 경련성의. ② 격동적인 ; 발작적인 ; 급격한 : a ~ effort 필사의 노력 / a ~ rage 발작적인 격노. [파] ~·ly *ad.*

co·ny, co·ney [kóuni] *n.* ① [C] 토끼. ② [U,C] 토끼의 모피.
coo**[1] [kuː] (*p., pp.* ***cooed ; ***cóo·ing***) *vi.* ① (비둘기 따위가) 꾸꾸꾸 울다 : Outside we heard the doves ~*ing.* 밖에서 우리는 비둘기 우는 소리를 들었다. ② (아기가) 옹알거리며 좋아하다. ③ (연인들이) 정답게 말을 주고 받다 : He was ~*ing* in her ear. 그는 그녀의 귀에 속삭이고 있었다. ── *vt.* …을 달콤하게 속삭이다. ***bill and*** ~ ⇨ BILL[2]. ── (*pl.* ~*s*) *n.* [C] 꾸꾸꾸《비둘기 울음소리》.
coo[2] *int.*《英俗》거참, 허《놀람·의문을 표시》.
Cook [kuk] *n.* **James** ~ 쿡《오스트레일리아를 탐험한 영국 항해가(1728-79) ; 통칭 Captain ~》.
†**cook** [kuk] *vt.* ① …을 요리〔조리〕하다, 음식을 만들다 : ~ fish 〔meat〕 생선을 〔고기를〕 요리하다 / ~ food for oneself 자취하다 / I'll ~ you a good dinner = I'll ~ a good dinner for you. 맛있는 저녁을 지어 줄께 / He ~*ed* her some sausages. = He ~*ed* some sausages for her. 그는 그녀에게 소시지를 요리해 주었다. ② …을 열〔불〕에 쬐다 ; 굽다 : *Cook* the ice-cream mixture before freezing. 아이스크림 믹스처는 얼리기 전에 한 번 불에 쬐세요. ③《~+[목] / +[목]+[부]》《口》(장부·이야기 따위)를 조작하다, 날조하다《*up*》: ~ accounts 장부를 조작하다 / ~ *up* a story 이야기를 날조하다. ④《英俗》〔흔히 受動으로〕…을 몹시 지치게 하다, 못쓰게 하다. ── *vi.* ①《~ / +[부]》요리를 만들다 ; 요리사로 일하다 : Do you like to ~? 요리 만드는 일을 좋아하십니까. ②《~ / +[부]》삶아지다, 구워지다 : Early beans ~ *well.* 햇콩은 잘 삶아진다 / I could smell vegetables ~*ing* in the kitchen. 나는 부엌에서 채소 삶는 냄새를 맡을 수 있었다. ③《口》생기다, 일어나다(happen) : What's ~*ing?* 무슨 일이야, 어떻게 됐어, 어쩔 셈이야 / I'm sure something is ~*ing.* 아무래도 무엇인가 있을〔일어날〕 것 같다. ~ *a person's* ***goose***《俗》아무를 해치우다, 실패케 하다. ~ ***out*** 밖〔야외〕에서 요리하다. ~ ***the books*** 장부를 속이다. ~ ***up*** …을 속이다 ; (이야기 따위)를 조작〔날조〕하다.
── *n.* [C] 쿡, 요리사《남녀》: a man ~ 쿡《남자》/ a head ~ 주방장 / My sister is a good〔bad〕~. 내 누이는 요리 솜씨가 좋다〔나쁘다〕/ Too many ~*s* spoil the broth.《俗談》사공이 많으면 배가 산으로 오른다《★ 자기 집에서 고용하고 있는 쿡을 가리킬 때에는 보통 관사를 붙이지 않고 고유명사 취급을 함》.
cook·book [kúkbùk] *n.* [C]《美》요리 책(《英》cookery book).
cóok-chíll [kúktʃíl] *a.*《英》조리(調理) 후 냉동한 : ~ foods 조리된 냉동 식품.
cook·er [kúkər] *n.* [C] ①《美》요리〔조리〕기구《냄비·솥 따위》: a pressure ~ 압력솥. ②《英》오븐, 레인지 : a gas ~ 가스 레인지. ③ (흔히 *pl.*) (삶거나 굽거나 하는) 요리용 과일.
***cook·ery** [kúkəri] *n.* ① [U]《英》요리법 : a ~ course 요리 강좌. ② [C]《美》조리실.
cóokery bòok《英》= COOKBOOK.
cook·house [kúkhàus] *n.* [C] ① (배의) 취사장. ②〖軍〗야외 취사장.
cook·ie** [kúki] *n.* [C] ①《美》쿠키《비스킷류》;《Sc.》롤빵 : homemade oatmeal ~*s* 가정에서 만든 오트밀 쿠키. ②《美俗》귀여운 소녀, 애인《애정을 표시하는 호칭》. ③《美俗》놈, 사내, 사람 : a clever〔smart〕 ~ 영리한 놈〔녀석〕. ***That's the way the ~ ***crumbles.***《口》이런 것이 인간 세상이다《불행한 일이 생겼을 때 쓰는 말》. ***toss*** 〔***drop***〕 *one's* ~***s***《美俗》토하다.

cook·ie-cut·ter [kúkikʌ̀tər] *a.* ① 같은 모양〔생김새〕의, 빼쏜. ② 개성이 없는, 판에 박힌.

‡**cook·ing** [kúkiŋ] *n.* Ⓤ 요리(법).
— *a.* 요리(용)의 : a ~ stove = COOKSTOVE / ~ facilities 요리용 설비 / a ~ apple 요리용 사과.

cook·out [kúkàut] *n.* Ⓒ《美口》야외 요리(파티).

cook·stove [⌐stòuv] *n.* Ⓒ《美》요리용 레인지.

cooky [kúki] *n.* = COOKIE ①.

†**cool** [ku:l] *a.* ① 서늘〔시원〕한 ; 좀 찬 ; (의복 따위가) 시원스러운. ⓞⓟⓟ *warm.* ¶ a thin, ~ dress 얇고 시원해 보이는 드레스 / a ~ drink 찬 음료 / a ~ day〔breeze〕 서늘한 날〔시원한 바람〕/ get ~ 서늘해지다. ② 식은 : The coffee isn't ~. 커피는 식지 않았다. ③ 냉정한, 침착한, 태연한 ; 냉담한 ; 뻔뻔스런, 넉살 좋은《*to*》: a ~ head 냉정한 두뇌(의 소유자) / a ~ customer 뻔뻔스러운 녀석 / stay ~ in the face of disaster 재해를 당해도 침착하다 / Keep ~ ! 침착해라, 냉정(冷靜)해라 / She kept〔remained〕 ~. 그녀는 냉정을 잃지 않았다 / He has become ~ toward her. 그는 그녀에 대하여 냉담해졌다 / She was decidedly ~ about the proposal. 그녀는 그 제안에 대해 단연 냉담했다. ④《口》정미(正味)…, 에누리없는 : The car cost a ~ seventy thousand dollars. 그 차는 에누리없이 7만 달러나 들었다. ⑤ (사냥감의 냄새 따위가) 희미한. ⑥ (재즈가) 조용한 클래식조의 ⇨ COOL JAZZ. ⑦《口》훌륭한, 근사한 : a real ~ comic 본격적인 훌륭한 희극 / You look pretty ~ in that new outfit. 그 새 의상을 입으니까 상당히 근사해 보인다. ***as ~ as a cucumber*** 아주 냉정〔침착〕한. ~, ***calm, and collected***《口》매우 침착하여 : keep ~, *calm, and collected* 냉정함을 잃지 않다.
— *n.* Ⓤ ① (the ~) 서늘한 기운, 냉기 ; 서늘한 장소〔때〕: in *the* ~ of the evening 저녁 나절의 서늘한 때에 / enjoy *the* ~ of the evening 시원한 저녁 바람을 쐬다. ② (one's ~)《俗》냉정함, 침착함 : keep *one's* ~ 침착하다, 냉정하다 / blow〔lose〕 *one's* ~ 냉정을 잃다, 흥분하다.
— *ad.*《口》냉정하게. ***play it ~***《口》(난국·위험에 처하여) 냉정한 태도를 취하다, 아무렇지도 않은 체하다. — *vt.* ① …을 차게 하다 ; 식히다 ; 시원하게 하다 : ~ soup 수프를 식히다 / This rain will soon ~ the air. 이 비로 곧 시원해질 것이다. ② …을 냉정하게 하다, 진정시키다 ; 가라앉(히)다《*down* ; *off*》: Her words ~*ed* my anger. 그녀의 말로 나의 화가 가라앉았다. — *vi.* ① 시원해지다. ② 진정되다 ; 냉정해지다 : My enthusiasm for the plan gradually ~*ed* (*down*). 그 계획에 대한 나의 열의는 점차 식어갔다. ~ ***it***《俗》냉정하게 되다, 침착해지다 : *Cool it.* 침착해요, (그렇게) 흥분하지 말아요.

cool·ant [kú:lənt] *n.* Ⓤ,Ⓒ【機】냉각제(劑) ; 냉각수.

cóol bàg〔**bòx**〕 쿨러《피크닉 등에 쓰이는 식품 보냉(保冷) 용기》.

‡**cool·er** [kú:lər] *n.* ① Ⓒ 냉각기 ; 냉장용 용기, 아이스 박스 : ⇨ WINE COOLER. ② Ⓒ 냉방 장치. ③ Ⓒ (차가운) 청량 음료. ④ (the ~)《俗》교도소.

cool-head·ed [kú:lhédid] *a.* 냉정〔침착〕한.

coo·lie [kú:li] *n.* Ⓒ (인도·중국 등지의) 쿨리, 막노동자.

cool·ing-off [kú:liŋɔ́(:)f, -áf] *a.*【限定的】① (분쟁·격정 등을) 냉각시키기 위한 : Our union is opposed to any ~ period. 우리 노조는 냉각 기간 같은 것에는 반대한다. ② 할부 판매 계약 취소 제도의.

cóoling tòwer 냉각탑, 냉수탑.

cool·ish [kú:liʃ] *a.* 약간 차가운〔싸늘한〕.

cóol jázz 쿨 재즈《모던 재즈의 한 형식》.

*__cool·ly__ [kú:*l*li] *ad.* ① 서늘하게. ② 냉정하게, 침착하게 : take it ~ 냉정하게 받아들이다. ③ 냉담하게, 쌀쌀하게.

cool·ness [kú:lnis] *n.* Ⓤ ① 시원함, 서늘함, 선선함 : the ~ of the night 밤의 선선함. ② 냉정함, 침착함 : show ~ in behavior 행동에 냉정함을 보이다. ③ 냉담, 쌀쌀함.

coomb, comb(e) [ku:m] *n.* Ⓒ《英》험하고 깊은 골짜기 ; 산 중턱의 골짜기.

coon [ku:n] *n.* Ⓒ ①【動】《口》너구리의 일종 (raccoon). ②《蔑》깜둥이(negro) : a ~ song 흑인 노래.

coon·hound [⌐hàund] *n.* Ⓒ 아메리카너구리《사냥개》.

coon·skin [⌐skìn] *n.* ① Ⓤ 아메리카 너구리의 털가죽. ② Ⓒ 그 털가죽으로 만든 제품〔모자〕.

coop [ku(:)p] *n.* Ⓒ ① 닭장, 우리, 장. ② 비좁아서 답답한 곳. ***fly the ~***《美俗》탈옥하다, 도망치다. — *vt.*〔흔히 受動으로〕① …을 (좁은 곳에) 가두다《*up* ; *in*》: The children *were ~ed up in* the house by the rain. 비 때문에 아이들은 집 안에 갇혀 있었다. ② (닭)장〔우리〕에 가두어 넣다.

co-op [kóuɑ̀p, ⌐⌐ / kóuɔ̀p] *n.* Ⓒ《口》소비〔협동〕조합(의 매점).

co-op. co(-)operation ; co(-)operative.

coop·er [kú(:)pər] *n.* Ⓒ 통메장이, 통장이, 통제조업자.

‡**co(-)op·er·ate** [kouɑ́pərèit / -ɔ́p-] *vi.* ①《~ / +전+명》협력하다, 협동하다《*with* ; *for* ; *in* ; *in doing*》: ~ *with* them 그들과 협력하다 / The children ~*d with* their mother *in* cleaning the rooms. 아이들은 어머니와 협력해서 방 청소를 했다. ②《~ / + *to* do》(여러 사정 등이) 서로 작용하여〔겹쳐져서, 합쳐져서〕…하다 : Everything ~*d to* make our plan a success. 모든 일이 잘 협조되어 계획은 성공하였다. ◇ co(-)operation *n.*

‡**co(-)op·er·a·tion** [kouɑ̀pəréiʃən / -ɔ̀p-] *n.* ① Ⓤ 협력, 협동, 제휴 : economic ~ 경제 협력 / technical ~ 기술 제휴 / in ~ with …와 협력하여 / Thank you for your ~. 협력해 주셔서 고맙습니다. ② Ⓤ 협조성 ; 원조. ③ Ⓒ 협동 조합. ◇ co(-)operate *v.*

*__co(-)op·er·a·tive__ [kouɑ́pərèitiv, -ərətiv / -ɔ́pərətiv] (***more ~ ; most ~***) *a.* ① 협력적인, 협조적인, 협동의 : ~ research 협동 연구 / They are very ~. 그들은 대단히 협조적이다. ② 협동조합의 : a ~ farm 협동 농장 / a ~ movement 협동조합 운동 / a ~ society 협동 조합 / a ~ store 협동 조합 매점. — *n.* Ⓒ ① 협동 조합(매점) : The restaurant is run as a ~. 그 식당은 협동 조합으로 운영된다. ②《美》조합식 (공동) 아파트. ㊕ ~·**ly** *ad.*

co(-)op·er·a·tor [kouɑ́pərèitər / -ɔ́p-] *n.* Ⓒ ① 협력자. ② 협동 조합원.

co-opt [kouɑ́pt / -ɔ́pt] *vt.* ① (위원회 따위가 사람)을 신(新)회원으로 선출〔선임〕하다《*onto*》: ~ a person *onto* a committee 아무를 위원회의 새 위원으로 선출하다. ②《美》(사람·분파 등)을 흡수하다.

co-op·ta·tion, co-op·tion [kòuɑptéiʃən / -ɔp-], [-ʃən] *n.* Ⓤ ① 신(新)회원 선출. ②《美》(사람·분파 등을) 흡수함.

*__co·or·di·nate__ [kouɔ́:rdənit, -nèit] *a.* ① 동등한, 동격의, 동위의《*with*》: a man ~ *with* him *in* rank 그와 같은 계급의 사람. ②【文法】등위(等位)의. ⓞⓟⓟ *subordinate.* ¶ a ~ clause 등위절 / a ~ conjunction 등위 접속사《and, but, or 따위》. ③

〖數〗 좌표의 ; 〖컴〗 대응시키는, 좌표식의 : ~ indexing 정합(整合) 색인법. ── *n.* ① Ⓒ 동등한 것, 동격자. ② Ⓒ 〖文法〗 등위 어구. ③ (*pl.*) 〖數〗 좌표 ; 위도와 경도(로 본 위치) : What are the ~*s* of the ship in distress? 조난선(遭難船)의 정확한 위치는 어디입니까. ④ (*pl.*) 〖服飾〗 코디네이트《색깔·소재·디자인 따위가 서로 조화된 여성복》. ── [kouɔ́ːrdənèit] *vt.* ① …을 동위(同位)로 하다, 대등하게 하다. ② …을 조정하다, 조화시키다 : ~ our schedules 우리의 예정을 조정하다 / She ~*s* her clothes well. 그녀는 입는 것을 잘 조화시킨다. ── *vi.* ① 대등하게 되다. ② 조화하다 ; 동조하다. ㊔ ~·**ly**

co·ór·di·nat·ing conjúnction [-nèitiŋ-] 〖文法〗 등위 접속사《and, but, or, for 따위》.

***co·or·di·na·tion** [kouɔ̀ːrdənéiʃən] *n.* Ⓤ ① 동등(하게 함) ; 대등(의 관계) ; 동위, 등위(等位) ; (작용·기능의) 조정, 일치. ② 〖生理〗 (근육 운동의) 협조, 공동 작용. ◇ coordinate *v.*

co·or·di·na·tive [kouɔ́ːrdənèitiv, -nət-] *a.* 동위의, 동격의, 동등한.

co·or·di·na·tor [kouɔ́ːrdənèitər] *n.* Ⓒ ① 동격으로 하는 사람〔것〕. ② 조정자 ; 진행계(進行係), 코디네이터.

coot [kuːt] *n.* Ⓒ ① 큰물닭《유럽산》 ; 검둥오리《북아메리카산》. ② 《口》 얼간이 (노인).

coot·ie [kúːti] *n.* Ⓒ 《俗》 이(louse).

cop[1] [kap / kɔp] *n.* Ⓒ 《口》 순경(policeman) : play ~*s* and robbers 술래잡기 놀이를 하다.

cop[2] (*-pp-*) *vt.* ① 《英俗》 (범인)을 잡다 : ~ a person stealing 아무가 훔치고 있는 것을 붙잡다 / He was ~*ped* for driving without a licence last week. 그는 지난 주에 무면허 운전으로 체포되었다. ② (~ it로) 꾸지람을 듣다, 벌을 받다. ③ 《美俗》 …을 훔치다. ~ ***hold of*** …을 (꽉) 잡다, 붙잡다. ~ ***out*** 《俗》 (싫은 일·약속에서) 손을 떼다 ; 책임을 회피하다. ***Cop that !*** 저것 봐 !

cop. copyright(ed).

co·pa·cet·ic, -pe·set- [kòupəsétik] *a.* 《美俗》 훌륭한, 만족스러운, 순조로운.

co·pal [kóupəl, -pæl] *n.* Ⓤ 코펄《천연 수지 ; 니스·래커 등의 원료》.

co·part·ner [koupáːrtnər] *n.* (기업 따위의) 협동자, 공동 출자자 ; 조합원.

‡**cope**[1] [koup] *vi.* ① 《+前+名》 (어려운 일 등을) 잘 처리하다, 대처하다, 극복하다《*with*》 : ~ *with* a difficulty 어려운 문제를 잘 처리하다 / It must be difficult to ~ *with* three small children and a job. 어린 세 자식과 직장을 감당하기란 어려운 일임에 틀림없다. ② 대항하다, 맞서다, 만나다《*with*》 : ~ *with* a disability 신체 장애와 싸우다〔에 지지 않다〕. ③ 《口》 그럭저럭 잘 해 나가다.

cope[2] *n.* Ⓒ ① 덮개 : the ~ of night 밤의 장막. ② 코프《성체 강복(降福) 때 성직자가 걸치는 망토 모양의 긴 겉옷》.

copeck ⇨ KOPE(C)K.

***Co·pen·ha·gen** [kòupənhéigən, -háː-] *n.* 코펜하겐《덴마크의 수도》.

Co·per·ni·can [koupə́ːrnikən] *a.* ① 코페르니쿠스(설)의. cf. Ptolemaic. ¶ the ~ theory 〔system〕 지동설. ② 코페르니쿠스적인 ; 획기적인 : a ~ revolution (사상·기술 따위의) 코페르니쿠스적 대변혁.

***Co·per·ni·cus** [koupə́ːrnikəs] *n.* **Nicolaus** ~ 코페르니쿠스《지동설을 제창한 폴란드의 천문학자 ; 1473-1543》.

cope·stone [kóupstòun] *n.* Ⓒ 갓돌, 관석(冠石).

cop·i·er [kápiər / kɔ́p-] *n.* Ⓒ ① 복사기 ; 복사하는 사람. ② 사자생(寫字生)(transcriber). ③ 모방자, 표절자.

co·pi·lot [kóupàilət] *n.* Ⓒ 〖空〗 부조종사.

cop·ing [kóupiŋ] *n.* Ⓒ 〖建〗 ① (난간·담장 등의 위에 대는) 가로대, 횡재(橫材). ② (돌담·벽돌담 따위의) 정층(頂層), 갓돌, 관석(冠石).

cóping stòne =COPESTONE.

***co·pi·ous** [kóupiəs] *a.* ① 매우 많은, 풍부한 : a ~ stream 수량이 풍부한 개울 / ~ profits 막대한 이익 / Plants need ~ sunshine. 식물은 아주 많은 햇빛이 필요하다. ② 내용〔지식〕이 풍부한 ; 어휘수가 많은 ; (작가가) 다작인, 자세히 서술하는. a ~ speaker 능변가 / a ~ writer 다(多)작가. ㊔ ~·**ly** *ad.* ~·**ness** *n.*

Cop·land [kóuplənd] *n.* **Aaron** ~ 코플런드《미국의 작곡가 ; 1900-90》.

cop-out [kápàut / kɔ́p-] *n.* Ⓒ 《俗》 책임 회피 ; (일·약속 등에서) 손을 떼기, (비겁한) 도피 : Quitting the race like that was a ~. 그런 식으로 레이스를 포기했다는 것은 비겁하다.

‡**cop·per**[1] [kápər / kɔ́pər] *n.* ① Ⓤ 구리, 동(銅)《금속 원소 ; 기호 Cu ; 번호 29》 : red ~ 적동광 / ~ nitrate 질산구리. ② Ⓒ 동전 ; (*pl.*) 《俗》 잔돈 : a ~ coin 동전 / It only cost a few ~*s*. 그것은 몇 푼 들었을 뿐이다. ③ Ⓒ 구리 그릇 ; 《英》 (본디는 구리로 된) 취사용〔세탁용〕 보일러〔큰 가마〕 ; (*pl.*) 배의 목욕물 끓이는 솥, 구리 단지 ; 동판. ④ Ⓤ 구릿빛, 적갈색. ── *a.* 〔限定的〕 구리의 ; 구릿빛의, 적갈색의 ; 구리로 만든. ── *vt.* …에 구리를 씌우다〔입히다〕 ; (배 밑바닥)에 동판을 대다.

cop·per[2] *n.* Ⓒ 《俗》 경찰관, 순경(cop[1]).

cop·per·as [kápərəs / kɔ́p-] *n.* Ⓤ 〖化〗 녹반(綠礬)(green vitriol).

cop·per-bot·tomed [kápərbátəmd, kɔ́pər- / kápərbɔ́t-, kɔ́pər-] *a.* ① (배·보일러 따위) 바닥에 동판을 댄〔깐〕, 바닥이 동판으로 된. ② 《口》 (재정적으로) 신뢰할 수 있는, 건전한 ; 진짜의 : a ~ guarantee〔promise〕 절대 확실한 보증〔약속〕.

cop·per·head [-hèd] *n.* Ⓒ 〖動〗 독사의 일종《북아메리카산》.

cop·per·plate [-plèit] *n.* ① Ⓤ 구리판, 동판. ② Ⓤ 동판 조각(彫刻). ③ Ⓒ 동판 인쇄. ④ Ⓤ (동판 조각처럼) 가늘고 예쁜 초서체의 글씨 : write like ~ 예쁘게 쓰다.

cop·per·smith [-smìθ] *n.* Ⓒ 구리 세공인 ; 구리 그릇 제조인.

cópper súlfate 〔《英》 **súlphate**〕 〖化〗 황산구리.

cop·pery [kápəri / kɔ́p-] *a.* ① 구리를 함유한 ; 구리제(製)의. ② 구리 같은. ③ 구릿빛의, 적갈색의 : ~ leaves.

cop·pice [kápis / kɔ́p-] *n.* Ⓒ 작은 관목 숲, 잡목 숲(copse).

cop·ra [káprə / kɔ́p-] *n.* Ⓤ 코프라《야자의 과육(果肉)을 말린 것 ; 야자유의 원료》.

copse [kaps / kɔps] *n.* =COPPICE.

cóp shòp 《口》 파출소, 경찰서.

Copt [kapt / kɔpt] *n.* Ⓒ ① 콥트 사람《고대 이집트인의 자손》. ② 콥트 교도.

cop·ter [káptər / kɔ́p-] *n.* Ⓒ 《口》 =HELICOPTER.

Cop·tic [káptik / kɔ́p-] *a.* 콥트 인〔어〕의 ; 콥트 교회의. ── *n.* Ⓤ 콥트어(語)《현재는 스러져서, 콥트 교회의 전례(典禮)에만 쓰임》. ***the ~ Church*** 콥트 교회《이집트 재래의 기독교파》.

cop·u·la [kápjələ / kɔ́p-] (*pl.* ***-las, -lae*** [-liː]) *n.* Ⓒ 〖文法〗 계합사(繫合詞), 연사(連辭)《subject와 predicate를 잇는 be 동사 등》.

cop·u·late [kápjəlèit / kɔ́p-] *vi.* 성교하다 ; (동물이) 교접〔교미〕하다.

㊀ **còp·u·lá·tion** [-léiʃən] *n.* Ⓤ
cop·u·la·tive [kápjəlèitiv, -lə- / kɔ́p-] *a.* ① 연결하는, 결합의. ② 성교의; 교접〔교미〕의.
— *n.* Ⓒ 〖文法〗 계합사《be 따위》; 계합 접속사《and 따위》. ⓒⓕ disjunctive. ㊀ ~·**ly** *ad.*
†**copy** [kápi / kɔ́pi] *n.* ① Ⓒ 사본, 부본(副本); 복사; 카피: make a ~ of an article on a copying machine 복사기로 기사를 복사하다. ⓒⓕ script. ② Ⓒ (책 따위의) 부, 권: a ~ 〔two *copies*〕 of *Life* magazine 라이프지 한〔두〕 권. ③ Ⓤ 원고, 초고: follow ~ 원고대로 짜다 / knock up ~ (신문 따위의) 원고를 정리하다. ④ Ⓤ 〖新聞〗 기사; 〔good, bad 를 붙여서〕 제재(題材), 기삿거리: It will make *good* ~. 그것은 좋은 기삿거리가 될 것이다. ⑤ Ⓤ 광고문(안), 카피.
— *vt.* ① …을 베끼다, 복사하다; 모사하다; 표절하다: Please ~ this report. 이 보고서를 복사해 주십시오 / Helen *copied* their addresses from the phone book. 헬렌은 전화 번호부에서 그들의 주소를 베껴썼다. ② …을 모방하다: He *copied* his father's good points. 그는 아버지의 장점을 모방했다.
— *vi.* 《~ / +전+명》 ① **a**) 복사하다, 베끼다: ~ *into* a notebook 노트에 베끼다 / ~ *off* 〔*out of*〕 a text book 교과서에서 베끼다. **b**) 〔양태(樣態)의 부사를 동반하여〕 (…에) 복사가 되다: Pencilled notes ~ poorly on a fax. 연필로 쓴 메모는 팩스에 잘 나오지 않는다. ② 모방하다, 흉내내다; 《英》 (시험에서 남의 답안을) 몰래 베끼다 《*after*; *from*; *out of*; *off*》: ~ *after* a good precedent 좋은 선례(先例)를 따르다 / pictures *copied from* Picasso 피카소를 모방한 그림 / She was caught ~*ing from* the student next to her. 그녀는 옆의 학생의 것을 몰래 베껴 쓰다가 발각되었다.
cop·y·book [-bùk] *n.* Ⓒ ① 습자책; 습자〔그림〕본. ② (문서 등의) 복사부(簿), 비망록. ***blot*** one'***s*** ~ 이력에 오점을 남기다, (경솔한 짓을 해서) 평판을 잃다.
— *a.* 〔限定的〕 ① 인습적인, 진부한, 판〔틀〕에 박힌: ~ maxims (습자책에 있는 것 같은) 진부한 격언〔교훈〕. ② 본보기대로의.
cop·y·boy [-bɔ̀i] (*fem.* ***-girl*** [-gə̀ːrl]) *n.* Ⓒ (신문사의) 원고 심부름하는 사람.
cop·y·cat [-kæ̀t] *n.* Ⓒ 모방하는〔흉내 내는〕 사람. — *a.* 흉내 낸, 모방한: a ~ crime 모방 범죄. — *vt.* …을 마구 흉내 내다.
cópy dèsk 《美》 (신문사의) 편집자용 책상.
cop·y-ed·it [-èdit] *vt.* (원고)를 정리하다.
cópy èditor =COPYREADER.
cop·y·hold [-hòuld] *n.* Ⓤ 〖英史〗 등본 보유권(에 의해 소유하는 부동산). ⓒⓕ freehold. ¶ in ~ 등본 소유권에 의해.
cop·y·hold·er [-hòuldər] *n.* Ⓒ ① 〖英史〗 (등본 보유권에 의한) 토지 보유자. ② 보조 교정원. ③ (타자기의) 원고 누르개; (식자공의) 원고걸이.
cóp·y·ing machìne [kápiiŋ- / kɔ́pi-] 복사기.
cop·y·ist [kápiist / kɔ́pi-] *n.* Ⓒ ① (고문서 따위의) 필생, 필경(생). ② 모방자. 「하다.
cop·y·read [kápirìːd / kɔ́p-] *vt.* (원고)를 정리
cop·y·read·er [-rìːdər] *n.* Ⓒ (신문사의) 원고 정리〔편집〕 부원.
*__cop·y·right__ [-ràit] *n.* Ⓤ,Ⓒ 판권, 저작권: a ~ holder 판권 소유자. — *a.* 판권〔저작권〕을 갖고 있는, 판권으로 보호된(copyrighted). — *vt.* …의 판권을 얻다; (작품)을 저작권으로 보호하다: Lawyers say the play used ~*ed* music without permission. 변호사들은 그 연극에서 허가 없이 저작권 있는 음악을 썼다고 말한다.
cópyright líbrary 《英》 납본 도서관《영국내에서 출판되는 모든 서적을 1부씩 기증받는 도서관; British Library(대영 도서관) 등》.
*__cop·y·writ·er__ [-ràitər] *n.* Ⓒ 광고문안 작성자, 카피라이터.
co·quet [koukét] (*-tt-*) *vi.* (여자가) 교태를 짓다, 아양을 부리다, '꼬리치다'(flirt)《*with*》.
co·quet·ry [kóukitri, -´-] *n.* ① Ⓤ 아양부리기. ② Ⓒ 아양, 교태.
co·quette [koukét] *n.* Ⓒ 교태 부리는 여자; 바람둥이 여자, 요부(妖婦)(flirt).
co·quet·tish [koukétiʃ] *a.* 요염한, 교태를 부리는: She gave him a ~ glance. 그녀는 그에게 요염한 눈길을 보냈다. ㊀ ~·**ly** *ad.*
cor [kɔːr] *int.* 《英俗》 앗, 이런《놀람·감탄·초조할 때》.
Cor. 〖聖〗 Epistles to the Corinthians. **cor.** corner; corpus; correct(ed).
cor- *pref.* =COM-.
cor·a·cle [kɔ́ːrəkəl, kár- / kɔ́r-] *n.* Ⓒ (고리로 엮은 뼈대에 짐승 가죽을 입힌) 작은 배《웨일스나 아일랜드의 호수 따위에서 씀》.
*__cor·al__ [kɔ́ːrəl, kár- / kɔ́r-] *n.* ① **a**) Ⓤ,Ⓒ 산호. **b**) Ⓒ 〖動〗 산호충. ② Ⓒ 산호 세공. ③ Ⓤ 산호빛. — *a.* ① 산호(제)의: a ~ necklace 산호 목걸이. ② 산호빛의: ~ lipstick.
córal ísland 산호섬.
córal rèef 산호초.
Córal Séa (the ~) 산호해(海)《오스트레일리아의 북동방》. 「카산(産)》
córal snàke 산호뱀《작은 독사의 일종; 아메리
cor an·glais [kɔ̀ːrɔːŋgléi] (*pl.* ***cors anglais*** [—]) 《F.》 〖樂〗 잉글리시 호른(English horn)《목관악기의 일종》.
cor·bel [kɔ́ːrbəl] *n.* 〖建〗 무게를 받치기 위한 벽의 돌출부, 까치발, 코벨.
cor·bie·step [kɔ́ːrbistèp] *n.* Ⓒ 〖建〗 박공단(段)《박공 양편에 붙이는》(corbel-step, crowstep).
‡**cord** [kɔːrd] *n.* ① Ⓤ,Ⓒ **a**) 줄, (노)끈《★ rope 보다 가늘고 string 보다 굵음》: This hat has ~*s* attached. 이 모자는 끈이 달려 있다. **b**) 〖電〗 코드: connect ~*s* 코드를 잇다 / We need a longer ~ for this telephone. 이 전화기에는 더 긴 코드가 필요하다. ② Ⓒ (종종 *pl.*) 구속, 기반(羈絆)《*of*》: the ~*s of* love 사랑의 기반〔유대〕. ③ Ⓒ 〖解〗 삭상(索狀) 조직, 인대(靭帶): the spinal ~ 척수 / the umbilical ~ 탯줄. ④ **a**) Ⓒ 골지게 짠 천의 골. **b**) Ⓤ 코르덴. **c**) (*pl.*) 코르덴 바지.
— *vt.* …을 밧줄로〔끈으로〕 묶다.
cord·age [-idʒ] *n.* 〔集合的〕 ① 밧줄, 삭조(索條). ② (배의) 삭구(索具).
cor·date [kɔ́ːrdeit] *a.* 〖植〗 심장형의, 하트형의.
cord·ed [kɔ́ːrdid] *a.* ① 밧줄로 묶은〔동인〕. ② 골지게 짠. ③ (근육 따위가) 힘줄이 불거진.
Cor·de·lia [kɔːrdíːljə] *n.* 코딜리어. ① 여자 이름. ② Shakespeare 작 *King Lear* 에 나오는 Lear 왕의 효녀 막내딸.
‡**cor·dial** [kɔ́ːrdʒəl / -diəl] (***more*** ~; ***most*** ~) *a.* ① 충심으로부터의, 따뜻한, 성심성의의; 친절한, 간곡한: a ~ welcome 따뜻한 환영 / a ~ reception 진심에서 우러나온 환대 / express one's ~ thanks 충심으로 부터의 감사를 표하다. ② (혐오·미움이) 마음속으로 부터의: The two statesmen are known to have a ~ dislike for each other. 그 두 정치인은 진심으로 서로 증오하는 것으로 알려져 있다. — *n.* Ⓤ,Ⓒ 코디얼《알코올 음료》. ㊀ ~·**ness** *n.*

cor·di·al·i·ty [kɔ̀ːrdʒiǽləti, kɔːrdʒǽl- / -diǽl-] *n.* ① Ⓤ 진심, 온정 ; 진정한 우정 : They greeted me with genuine ~. 그들은 정말 따뜻하게 나를 맞아주었다. ② (*pl.*) 친절한 말[행위] ; 진정이 깃들인 인사.

cor·dial·ly** [kɔ́ːrdʒəli] *ad.* ① 진심으로 ; 성심껏 : The two leaders shook hands ~ in front of the cameras. 그 두 지도자는 카메라 앞에서 다정하게 악수했다. ② 정말, 몹시《미워하다》: dislike [hate] a person ~ 아무를 정말 싫어하다[미워하다]. ***Cordially yours = ***Yours*** ~ 여불비례(餘不備禮), 경구(敬具)《편지의 끝맺음》.

cor·dil·le·ra [kɔ̀ːrdəljέərə, kɔːrdílərə] *n.* Ⓒ《Sp.》(대륙을 종단하는) 큰 산맥, 산계(山系).

cord·ite [kɔ́ːrdait] *n.* Ⓤ 끈 모양의 무연 화약.

cord·less [kɔ́ːrdlis] *a.* 『通信』 전화선 없는, 코드가 (필요) 없는 : a ~ phone 무선 전화기.

cor·don [kɔ́ːrdn] *n.* Ⓒ ① 『軍』 초병선(哨兵線) ; (경찰의) 비상[경계]선 ; (전염병 발생지의) 교통 차단선, 방역선(sanitary ~) : escape through a police ~ (=pass a ~ of police) 경찰의 비상선을 돌파하다. ② 장식끈 ; (어깨에서 겨드랑 밑으로 걸치는) 수장(綬章) : the grand ~ 대수장. — *vt.* …에 비상선을 치다 ; 교통을 차단하다《*off*》: The area surrounding the office had been ~*ed off.* 그 관청 주변지역에는 비상선이 쳐졌다.

cor·don bleu [kɔ́ːrdɔ̃ŋbləː] (*pl.* ***cor·dons bleus*** [—]) 《F.》① 청수장(靑綬章)《부르봉 왕조의 최고 훈장》. ② (그 방면의) 일류 ; 《특히》 일류 요리사. — *a.* [限定的] 일류 요리사가 만든 ; (요리사가) 일류인 : a ~ cook. 「(의).

cor·do·van [kɔ́ːrdəv(ə)n] *n.*, *a.* 코도반 가죽

***cor·du·roy** [kɔ́ːrdərɔ̀i, ⌐-⌐] *n.* ① Ⓤ 코르덴. ② (*pl.*) 코르덴 양복[바지]. — *a.* [限定的] 코르덴제(製)의 ; 코르덴 같은, 골이 진 : ~ trousers 코르덴 바지.

córduroy róad 《美》(습지 따위에) 통나무를 놓아 만든 길.

CORE [kɔːr] 《美》Congress of Racial Equality (인권 평등 회의).

core** [kɔːr] *n.* ① Ⓒ (과일의) 응어리, 속 : remove the ~ from the apple 사과 속을 떼[도려]내다. ② Ⓒ 중심(부) ; (나무의) 고갱이 ; (부스럼 따위의) 근 ; (끈목·전선 따위의) 심 ; (변압기 따위의) 철심 ; (주물의) 심형(心型). ③ (the ~) (사물의) 핵심, 안목(gist)《*of*》: *the* ~ *of* the problem 문제의 핵심. ④ Ⓒ 『地』 (지구의) 중심핵. cf. mantle, crust. ⑤ Ⓒ (원자로의) 노심(=**reáctor** ~). ⑥ Ⓒ 『컴』 알맹이, (자기(磁氣)) 코어, 자심(磁心)(magnetic core). ***to the ~ 속속들이, 철두철미하게 : true *to the* ~ 진짜의, 틀림없는. — *vt.* (과일)의 속을[응어리를] 빼[도려]내다《*out*》: ~ an apple 사과 속을 떼[도려]내다.

Co·rea [kəríːə, kouríːə] *n.* =KOREA.

Co·re·an [kəríːən, kouríːən] *a.*, *n.* =KOREAN.

córe currìculum 『敎』 코어 커리큘럼, 핵심 교육 과정《개별 과목에 구애하지 않고 사회 생활을 널리 경험시키는 데 중점을 둔 교과 과정》.

co·re·late [kòuriléit] *vt.* 《英》 =CORRELATE.

co·re·li·gion·ist [kòurilídʒənist] *n.* Ⓒ 같은 종교를 믿는 사람, 같은 신자《*of*》.

córe mèmory 『컴』 =CORE STORAGE.

co·re·op·sis [kɔ̀ːriápsis / kɔ̀riɔ́p-] *n.* Ⓒ (*pl.* ~) 『植』 기생초 종류.

cor·er [kɔ́ːrər] *n.* Ⓒ (사과 등의) 속을 빼[도려]내는 기구 : an apple ~ 사과 속 빼 내는 기구.

co·re·spond·ent [kòurispándənt / -pɔ́nd-] *n.* Ⓒ 『法』 (특히 간통으로 인한 이혼 소송의) 공동 피고인 : He was cited as ~ in the divorce. 그는 이혼 소송의 공동 피고인으로 소환[지명]되었다.

córe stòrage 『컴』 자심(磁心) 기억 장치(core).

córe tìme 코어 타임《flextime 에서 반드시 근무해야 하는 시간대》.

cor·gi [kɔ́ːrgi] *n.* 코르기 개《웨일스산의 다리가 짧고 몸통이 긴 개》(=**Wélsh córgi**).

co·ri·an·der [kɔ̀ːriǽndər / kɔ̀ri-] *n.* Ⓤ,Ⓒ 『植』 고수풀《열매는 양념·소화제로 씀 ; 미나릿과》.

Cor·inth [kɔ́ːrinθ, kár- / kɔ́r-] *n.* 코린트《옛 그리스의 예술·상업의 중심지》.

***Co·rin·thi·an** [kərínθiən] *a.* ① 코린트의 ; 코린트 사람의[과 같은]. ② 『建』 코린트식의 ; 우아한 : the ~ order 코린트(주)식((柱)式)《Doric order, Ionic order 와 함께 그리스의 건축 양식》. — *n.* ① Ⓒ 코린트 사람. ② [~*s* ; 單數 취급] 『聖』 고린도서(=**Epístles to the** ⌐**s**)《略 : Cor.》.

co·ri·um [kɔ́ːriəm] (*pl.* ***-ria*** [-riə]) *n.* Ⓤ ① 『解』 진피(眞皮)(dermis). ② 『蟲』 (반시초(半翅鞘)의) 혁질부(革質部).

‡**cork** [kɔːrk] *n.* ① Ⓤ 코르크 ; 『植』 코르크질(층)(phellem)《나무 껍질의 내면 조직》. ② Ⓒ 코르크 마개 ; 코르크 부표(浮標)(float) : draw[pull out] the ~ (병의) 코르크 마개를 빼다. ③ =CORK OAK. — *a.* [限定的] 코르크로 만든 : a ~ stopper 코르크 마개. — *vt.* ① …에 코르크 마개를 하다[로 밀폐하다]《*up*》. ② (얼굴·눈썹)을 태운 코르크로 까맣게 칠하다.

cork·age [kɔ́ːrkidʒ] *n.* Ⓤ (손님이 가져온 술병의) 마개 뽑아 주는 서비스료.

corked [kɔːrkt] *a.* ① 코르크 마개를 한 : a ~ bottle 코르크 마개를 한 병. ② (포도주가) 코르크 탓으로 맛이 떨어진.

cork·er [kɔ́ːrkər] *n.* Ⓒ ① (코르크) 마개를 막는 사람[기계]. ②《俗》(상대의 반박 여지를 두지 않는) 결정적 의론 ; 결정적 일격. ③《口》놀랄만한 사람[것] ; 굉장한 물건[사람] : He's a ~ of an athlete. 그는 굉장한 스포츠맨이다.

cork·ing [kɔ́ːrkiŋ] 《美俗》 *a.* 굉장한, 아주[썩] 좋은 ; 대단히 큰. — *ad.* 굉장히, 대단히.

córk òak 『植』 코르크나무.

cork·screw [kɔ́ːrkskrùː] *n.* Ⓒ 타래송곳《마개뽑이·목공용》. — *a.* [限定的] 나사 모양의 : a ~ staircase 나사 층층대, 나선 계단 / a ~ dive 『空』 선회 강하. — *vt.* …을 빙빙 돌리다 ; 나사 모양으로 구부리다. — *vi.* 누비고 나아가다 : He ~*ed* through the traffic jam on his motorcycle. 그는 정체하고 있는 차들의 사이사이를 오토바이로 누비고 지나갔다.

cork-tipped [kɔ́ːrktìpt] *a.* 《英》(담배가) 코르크(모양의) 필터가 달린.

corky [kɔ́ːrki] (***corki·er*** ; ***-i·est***) *a.* ① 코르크의[같은]. ② (술이) 코르크 냄새가 나는(corked).

corm [kɔːrm] *n.* Ⓒ 『植』 구경(球莖), 알뿌리.

cor·mo·rant [kɔ́ːrmərənt] *n.* Ⓒ ① 『鳥』 가마우지(sea crow). ② 대식가 ; 욕심 사나운 사람.

†**corn**[1] [kɔːrn] *n.* ① Ⓒ 낟알 : a ~ of wheat 한 알의 밀알 / a pepper ~ 후추 알. ② [集合的] 곡물, 곡류, 곡식《영국에서는 밀·옥수수류의 총칭》: Up ~, down horn. 《俗談》 곡식 값이 오르면 쇠고기 값이 떨어진다. ③ [集合的] (특정 지방의) 주요곡물. **a)** 《Can.·Austral.·美》 옥수수 : eat ~ on the cob 옥수수 속대에 붙은 옥수수를 먹다. **b)** 《英》 밀. **c)** 《Sc.·Ir.》 귀리. ④ Ⓤ 곡초(穀草)《밀·보리·옥수수 따위》. ⑤ Ⓤ 《美口》 옥수수 위스키(corn whiskey). ⑥ Ⓤ 《口》 **a)** 하찮은 것 ; 진부[평범]한것. **b)** 감상적인 음악. — *vt.* …에 소금을 뿌리다, …을 소금에 절이다.

corn² *n.* [C] (발가락의) 못, 티눈, 물집. ***tread*** 〔***step, trample***〕 ***on*** a person***'s ~s*** 《口》 남의 아픈 데를 찌르다, 기분을 상하게 하다.
Corn. Cornish ; Cornwall.
Córn Bèlt (the ~) (미국 중서부의) 옥수수 재배 지대.
córn brèad 《美》 옥수수빵(Indian bread).
córn chìp 《美》 콘칩《옥수수가루를 반죽하여 엷게 튀긴 식품》.
corn·cob [ˊ-kɑ̀b / ˊ-kɔ̀b] *n.* [C] ① 옥수수의 속대. ② 그것으로 만든 곰방대(=ˊ-**pípe**).
córn còckle 〖植〗 선옹초.
corn·crake [ˊ-krèik] *n.* [C] 〖鳥〗 흰눈썹뜸부기.
corn·crib [ˊ-krìb] *n.* [C] 《美》 옥수수 창고.
córn dòg 《美》 콘도그《꼬챙이에 끼운 소시지에 옥수수가루 튀김옷을 입힌 핫도그》.
cor·nea [kɔ́ːrniə] *n.* [C] 〖解〗 각막(角膜) : It is possible to transplant a new ~ into the eye. 눈에 새 각막을 이식하는 것은 가능한 일이다.
[파] **cór·ne·al** [-niəl] *a.* 각막의 : a *corneal* transplant 각막 이식.
***corned** [kɔːrnd] *a.* 소금에 절인(salted).
córned béef 콘비프《쇠고기 소금절이》.
Cor·neille [kɔːrnéi] *n.* **Pierre** ~ 코르네유《프랑스의 극작가 ; 1606-84》.
cor·nel [kɔ́ːrnəl] *n.* [C] 〖植〗 산딸나무속(屬) 관목의 일종, 꽃층층나무. 「髓).
cor·nel·ian [kɔːrníːljən] *n.* [C] 〖鑛〗 홍옥수(紅玉
cor·ne·ous [kɔ́ːrniəs] *a.* 각질의(horny).
†**cor·ner** [kɔ́ːrnər] *n.* [C] ① 모퉁이, 길모퉁이 : a store at〔on〕 the ~ (길) 모퉁이의 가게 / Turn (to the) left at the next ~. 다음 모퉁이에서 왼쪽으로 도시오. ② **a**) (방·상자 따위의) 구석, 귀퉁이 : put〔stand〕 a boy in the ~ of a room (벌로서) 소년을 방구석에 세워놓다. ③ 한쪽 구석, 사람 눈에 띄지 않는 곳 ; 인가에서 떨어진 곳, 변두리 : a quiet ~ of the village 마을의 조용한 구석진 곳. **b**) 비밀 장소 : dark deeds done in ~*s* 몰래 행해진 갖가지 악행들. ④ (때로 *pl.*) 지방, 방면 : every ~ of the land 방방곡곡. ⑤ (흔히 a ~) 궁지 : drive 〔force, put〕 a person into *a* ~ 아무를 궁지에 몰다 / be in *a* tight ~ 곤경에 처하다. ⑥ (흔히 *sing.*) 사재기, 매점(買占) : have 〔make〕 a ~ on〔in〕 wheat 밀을 사재기하다. ⑦ 〖蹴〗 코너킥(~ kick). ***around*** 〔***round***〕 ***the*** ~ (1) 길모퉁이를 돈 곳에 ; 바로 어귀〔근처〕에 : Her house is (just) *round the* ~. 그녀의 집은 (바로) 근처에 있다. (2) 임박하여 : Christmas is just *round the* ~. 이제 곧 크리스마스이다. ***cut ~s*** = ***cut*** (***off***) ***the***〔***a***〕 ~ 질러 가다 : The lawn is damaged here because people *cut* (*off*) *the* ~. 사람들이 질러가기 때문에 이곳 잔디가 상한다. ***turn the*** ~ 모퉁이를 돌다 ; (병·불경기 등이) 고비를 넘기다.
── *a.* 〔限定的〕 ① 길모퉁이의〔에 있는〕 : a ~ drugstore 길모퉁이의 약방. ② 구석에 두는〔에서 사용하는〕 : a ~ table 코너 테이블《방의 구석에 놓는 3각 테이블》. ③ 〖競〗 코너의.
── *vt.* ① 《~+[목] / +[목]+[전]+[명]》 …에 모(서리)를 내다 : The walls are ~*ed* with brick. 벽 모서리는 벽돌로 되어 있다. ② …을 구석에 밀어붙이다〔몰아넣다〕 ; 궁지에 빠뜨리다 : ~ a thief in a dead-end alley 도둑을 막다른 골목에 몰아넣다. ③ …을 사재기〔매점(買占)〕하다 : ~ the market 주식을〔(시장의) 상품을〕 매점하다. ── *vi.* ① (운전자·자동차가) 모퉁이를 돌다 : He ~*s* well. 그는 코너를 도는 솜씨가 좋다 / The car ~*s* well. 그 차는 코너링이 좋다.

cor·ner-back [kɔ́ːrnərbæ̀k] *n.* [C] 〖美蹴〗 코너백《디펜스의 가장 바깥쪽을 지키는 하프백 ; 좌우 각 1인씩 배치됨 ; 略 : CB》.
cor·nered [kɔ́ːrnərd] *a.* ① 구석〔궁지〕에 몰린, 진퇴 유곡의 : like a ~ rat 궁지에 몰린 쥐처럼. ② 〔흔히 複合語로〕 모가 진 ; (…의) 경쟁자가 있는 : a three-~ hat 삼각모 / a four-~ contest for a prize 상을 둘러싼 네 사람의 경합.
córner kìck 〖蹴〗 코너킥.
córner shóp 《英》 (길 모퉁이의) 작은 상점.
cor·ner·stone [kɔ́ːrnərstòun] *n.* [C] 모퉁잇돌, 초석, 귓돌(quoin) ; 토대, 기초, 요긴한 것〔사람〕, 근본적인 것 : lay the ~ 정초식을 거행하다 / Science is the ~ of modern civilization. 과학은 근대 문명의 토대이다.
cor·ner·wise, -ways [-wàiz], [-wèiz, -wəz] *ad.* 비스듬하게, 대각선으로.
cor·net [kɔːrnét, kɔ́ːrnit] *n.* [C] ① 코넷《악기》. ② (과자 따위를 담는) 원뿔꼴의 종이 봉지. ③ 《英》 = ICE-CREAM CONE.
cor·net·(t)ist [kɔːrnétist, kɔ́ːrnit-] *n.* [C] 코넷 주자(奏者).
córn exchànge 《英》 곡물 거래소. 「매상.
corn·fac·tor [kɔ́ːrnfæ̀ktər] *n.* [C] 《英》 곡물 도
corn·fed [ˊ-fèd] *a.* ① 《美》 옥수수로 기른. ② 《美口》 뚱뚱하고 건강해 보이는.
***corn·field** [ˊ-fìːld] *n.* [C] ① 《美》 옥수수밭. ② 《英》 밀밭.
corn·flakes [ˊ-flèiks] *n. pl.* 콘플레이크《옥수수를 으깨어 만든 가공 식품 ; 아침 식사용》.
córn flòur ① 《英》 = CORNSTARCH. ② 《美》 옥수수 가루.
corn·flow·er [ˊ-flàuər] *n.* [C] 〖植〗 ① 수레국화. ② 선옹초.
corn·husk [ˊ-hʌ̀sk] *n.* [C] 《美》 옥수수 껍질.
corn·husk·ing [ˊ-hʌ̀skiŋ] *n.* ① [U] 옥수수 껍질 벗기기. ② = HUSKING BEE.
cor·nice [kɔ́ːrnis] *n.* [C] ① 〖建〗 배내기《벽 윗부분에 장식으로 두른 돌출부》, 처마 언저리의 벽에 수평으로 낸 쇠시리 모양의 장식. ② 〖登山〗 벼랑 끝에 처마 모양으로 얼어 붙은 눈더미.
Cor·nish [kɔ́ːrniʃ] *a.* Cornwall의 ; Cornwall 사람〔말〕의. ── *n.* [U] Cornwall 말《지금은 사어(死語)》.
Cor·nish·man [kɔ́ːrniʃmən] (*pl.* **-men** [-mən]) *n.* [C] Cornwall 사람.
Córnish pásty 양념을 한 야채와 고기를 넣은 Cornwall 지방의 파이 요리.
córn lìquor 《英》 = CORN WHISKEY.
córn mèal ① 《美》 옥수수 가루. ② 《Sc.》 = OATMEAL.
córn òil 옥수수 기름.
córn pòne 《美南中部》 옥수수 빵.
córn pòppy 〖植〗 개양귀비.
corn·row [kɔ́ːrnròu] *n.* [C] 콘로(헤어스타일) 《머리칼을 가늘고 단단하게 세 가닥으로 땋아 붙인 흑인의 머리형》. ── *vt.* (머리)를 콘로형(型)으로 땋다.
córn sìlk 《美》 옥수수의 수염. 「밀짚.
corn·stalk [ˊ-stɔ̀ːk] *n.* [C] 《美》 옥수수대 ; 《英》
corn·starch [ˊ-stɑ̀ːrtʃ] *n.* [U] 《美》 옥수수 녹말.
córn sùgar 《美》 옥수수 녹말당(dextrose).
cor·nu·co·pia [kɔ̀ːrnjukóupiə] *n.* ① (the ~) 〖그神〗 풍요의 뿔(horn of plenty) 《어린 Zeus에게 젖을 먹였다는 염소의 뿔》. ② [C] 뿔 모양의 장식품《뿔 속에 과일, 곡물 따위를 가득히 담은 모양으로 표현되는, 풍요의 상징》. ③ (a ~) 풍요(abundance), 풍부(*of*) : *a* ~ *of* good things to eat 맛있는 많은 음식. ④ [C] 원뿔꼴의 종이 봉지.

Corn·wall [kɔ́:rnwɔ:l] *n.* 콘월《잉글랜드 남서부의 주; 주도 Bodmin》.

córn whìskey 《美》 옥수수 위스키.

corny [kɔ́:rni] (***corn·i·er*** ; ***-i·est***) *a.* ① 곡물〔옥수수〕의; 곡물이 풍부한. ②《口》촌스러운, 세련되지 않은, 시시한; 진부한, 구식의: ~ jokes 시시한 농담. ③《口》(재즈 따위) 감상적인; 멜로드라마적인. 「리.

co·rol·la [kərɑ́lə / -rɔ́lə] *n.* Ⓒ 〖植〗 화관, 꽃부

cor·ol·lary [kɔ́:rəlèri, kɑ́r- / kərɔ́ləri] *n.* Ⓒ 〖論·數〗 계(系); 추론(推論); 당연한 결과.

co·ro·na** [kəróunə] (*pl.* ***~s, -nae [-ni:]) *n.* Ⓒ ①〖天〗 코로나《태양의 개기식(皆旣蝕) 때 그 둘레에 보이는 광관(光冠)》. ②〖氣〗(해·달의 둘레의) 광환(光環), 무리(cf halo).

cor·o·nal [kɔ́:rənəl, kɑ́r- / kɔ́r-] *n.* Ⓒ ① 보관(寶冠). ② 화관; 화환.
── [kəróunəl, kɔ́:rə-, kɑ́rə- / kɔ́rə-] *a.* 〖天〗 코로나의; 광환(光環)의.

cor·o·nary [kɔ́:rənèri, kɑ́r- / kɔ́rənəri] *a.* 〖解〗 ① 관상(冠狀)(동맥)의: the ~ arteries〔veins〕(심장의) 관상동맥〔정맥〕. ② 심장의: ~ trouble 심장병. ── *n.* =CORONARY THROMBOSIS.

córonary thrombósis 〖醫〗 관상 동맥 혈전증(血栓症).

***cor·o·na·tion** [kɔ̀:rənéiʃən, kɑ̀r- / kɔ̀r-] *n.* Ⓒ 대관(식), 즉위(식): the ~ of Queen Elizabeth 엘리자베스 여왕의 대관(식).

cor·o·ner [kɔ́:rənər, kɑ́r- / kɔ́r-] *n.* Ⓒ 〖法〗 검시관(檢屍官): ~'s inquest 검시 / ~'s jury 검시 배심원.

***cor·o·net** [kɔ́:rənit, kɑ́r- / kɔ́r-] *n.* Ⓒ ① (왕자·귀족 등의) 소관(小冠), 보관. ② (여자의) 소관 모양의 머리 장식《보석이나 꽃을 붙임》.

Corp., corp. Corporal; Corporation.

cor·po·ra [kɔ́:rpərə] CORPUS의 복수.

***cor·po·ral**[1] [kɔ́:rpərəl] *a.* 육체의, 신체의; 개인의: a ~ possession 사유물 / ~ punishment 체형《주로 태형》. ⊞ **~·ly** [-i] *ad.* 육체적으로.

cor·po·ral[2] *n.* Ⓒ 〖軍〗 상병.

***cor·po·rate** [kɔ́:rpərit] *a.* ①〔限定的〕법인〔회사〕(조직)의, 단체〔협회〕의: a ~ body=a body ~ 법인 / ~ bonds 사채(社債) / a ~ town 자치도시 / ~ right(s) 법인권(權) / ~ property 법인재산 / in one's ~ capacity 법인의 자격으로. ② 단체의, 집합적인, 공동의: ~ action 공동 행위, 단체 행동 / ~ responsibility 공동 책임. ◇ corporation *n.* ⊞ **~·ly** *ad.* 법인으로서.

‡**cor·po·ra·tion** [kɔ̀:rpəréiʃən] *n.* Ⓒ ①〖法〗 법인, 사단 법인: a private ~ 사법인 / a religious ~ 종교 법인 / a ~ sole 단독 법인《국왕·교황 따위》. ② (때로 C-) 《英》 도시 자치체; 시(市)의회; 시제(市制) 지구: ~ houses 시영 주택 / the *Corporation* of the City of London 런던시 자치체. ③《美》 유한 회사, 주식 회사(joint-stock ~): a trading ~ 상사(商事) 회사 / the ~ law 《美》 회사법. ④ (자치) 단체; 조합. ⑤《口》 올챙이배(potbelly). ◇ corporate *a.*

corporátion làw 《美》 회사법(《英》 company law).

corporátion tàx 법인세.

cor·po·re·al [kɔ:rpɔ́:riəl] *a.* ① 육체적인, 신체상의(bodily); 물질적인: ~ needs 육체적 필요물《음식물》. ②〖法〗 유형〔유체(有體)〕의: ~ property 유체 재산. ⊞ **~·ly** *ad.*

‡**corps** [kɔ:r] (*pl.* ***corps*** [kɔ:rz]) 《單·複數의 발음 차이에 주의》 *n.* Ⓒ 〔單·複數 취급〕 ①〖軍〗 군단, 병단; 특수 병과, …부〔대〕; (특수 임무를 띤) …단(團); 부대: a flying ~ 항공대 / the medical ~ 의료대 / the U.S. Marine *Corps* 미 해병대. ② (행동을 같이하는) 단체, 집단, 단: a press ~ 기자단 / the diplomatic ~ 외교단.
~ ***de ballet*** [-dəbæléi / -bǽlei] 코르드 발레, 무용단《전원의 군무(群舞)》.

***corpse** [kɔ:rps] *n.* Ⓒ (특히 사람의) 시체.

córpse càndle ① 도깨비불(=∠ lìght). ② 시체 곁에 켜 놓는 촛불.

corps·man [kɔ́:rmən] (*pl.* ***-men*** [-mən]) *n.* Ⓒ 〖美陸軍〗 위생병; 〖美海軍〗 위생 하사관.

cor·pu·lence, -len·cy [kɔ́:rpjələns], [-si] *n.* Ⓤ 비만, 비대.

cor·pu·lent [kɔ́:rpjələnt] *a.* 뚱뚱한, 비만한 (fat): a rather ~ farmer. ⊞ **~·ly** *ad.*

cor·pus** [kɔ́:rpəs] (*pl.* ***-po·ra [-pərə], ~***·es***) *n.* Ⓒ 《L.》 ① 신체; (사람·동물의) 시체. ② (문서 따위의) 집성, 전집; (지식·증거의) 집적.

Córpus Chrís·ti [-krísti] 《L.》 〖가톨릭〗 성체 성혈 대축일《Trinity Sunday의 다음 목요일》.

cor·pus·cle [kɔ́:rpəsəl, -pʌsəl] *n.* Ⓒ 〖生理〗 소체(小體); 혈구(血球): red〔white〕 ~*s* 적〔백〕혈구. ⊞ **cor·pus·cu·lar** [kɔ:rpʌ́skjulər] *a.*

córpus de·líc·ti [-dilíktai] (*pl.* ***-po·ra-***) 《L.》 〖法〗 범죄의 주체, 죄체(罪體)《범죄의 실질적 사실》.

corr. ⇨ COR.

cor·ral [kərǽl / kɔrɑ́:l] *n.* Ⓒ 《美》 ① 가축 우리, 축사(pen). ② (야영할 때 습격에 대비하여) 수레로 둥글게 둘러친 진. ── (*-ll-*) *vt.* ① (가축)을 우리에 넣다. ② (수레)를 둥글게 늘어놓아 진을 치다. ③《美口》 …을 손에 넣다, 잡다.

†**cor·rect** [kərékt] (***more*** ~ ; ***most*** ~) *a.* ① 옳은, 정확한. ② 정당한; 예절에 맞는, 품행 방정한; 의당한, 온당〔적당〕한: say the ~ thing 도리에 맞는 말을 하다 / ~ manners 합당한 예절 / ~ behavior 예절에 맞는 행동. ◇ correctness *n.*
── *vt.* ① …을 바로잡다, 고치다, 정정하다; 첨삭하다; 교정하다: *Correct* errors, if any. 잘못이 있으면 고쳐라《출제(出題)의 문구》/ Please ~ me if I'm wrong. 제가 하는 말이 틀렸으면 정정해 주십시오 / ~ one's watch by the radio 라디오(시보)에 시계를 맞추다 / ~ an examination paper 답안지를 첨삭하다. ② …의 잘못을 지적하다: He always ~*s* my English. 그는 언제나 내 영어의 잘못을 지적해 준다. ③《+목+전+명》 …을 꾸짖다, 나무라다, 징계〔제재〕하다: She ~*ed* her child *for* talking back. 그녀는 아이를 말대꾸한다고 꾸짖었다. ④〖數·物·光〗(계산·관측·기계(器械) 등)을 수정하다, 조정하다, 보정(補正)하다. ◇ correction *n.* ***stand ~ed*** 정정을 승인하다: I *stand* ~*ed.* 내가 잘못했습니다.
⊞ **~·a·ble** *a.* 정정 가능한. **~·ness** *n.* 정확함; 방정, 단정.

cor·rec·tion** [kərékʃən] *n.* Ⓤ,Ⓒ ① 정정, 수정, (틀린 것을) 바로잡기; 첨삭; 교정(校正): ~ of spelling 철자의 정정 / make ~*s* in a sentence 문장의 잘못을 고치다 / marks of ~ 교정 기호. ② 교정(矯正); 제재; 징계, 벌. ③〖數·物·光〗 보정(補正), 조정. ④〖컴〗 바로잡기. ◇ correct *v.* ***a house of ~ 감화원, 소년원. ***under*** ~ 정정의 여지를 인정하고: I speak *under* ~. 제 말에 틀림이 있을지 모르나〔잘못이 있으면 정정〔지적〕해 주시기 바라면서〕 말씀드리겠습니다. ⊞ **~·al** *a.* 정정〔수정〕의; 교정의; 제재의.

cor·rect·i·tude [kəréktətjù:d] *n.* Ⓤ (품행의) 바름, 방정; (동작 따위의) 단정함.

cor·rec·tive [kəréktiv] *a.* 고치는, 개정하는; 바로잡는, 교정(矯正)의. ── *n.* Ⓒ 개선〔조정〕책; 교정물: an important ~ to the traditional view

전통적 견해에 대한 중대한 수정. ㊍ ~·**ly** *ad.*

corréctive máintenance 〖컴〗 고장 수리.

cor·rect·ly** [kəréktli] (more*** ~ ; ***most*** ~) *ad.* ① 바르게, 정확히: answer a question ~ 질문에 바르게 대답하다. ② 〖文章 修飾〗 정확히 말하면, 바르게는: *Correctly* (speaking), the gorilla is not a monkey, but an ape. 정확히 말하면 고릴라는 원숭이가 아니고 유인원이다.

cor·rec·tor [kəréktər] *n.* Ⓒ ① 바로잡는 사람, 첨삭자; 교정(校正)자: ~ of the press 교정원(校正員). ② 교정(矯正)자; 징벌자.

ˈcor·re·late [kɔ́:rəlèit, kάr- / kɔ́r-] *n.* Ⓒ 서로 관계 있는 것〔말〕, 상관 있는 물건〔사람〕, 상관 현상: Hatred is a ~ of love. =Hatred and love are ~*s.* 애증(愛憎)은 상호 관계에 있다. ── *vt.* 《~+目/+目+前+名》 …을 서로 관련시키다 《*with* ; *to*》: ~ the two 둘을 연관시키다 / He was the first to ~ lung cancer *with* smoking. 그는 폐암과 흡연을 연관지은 최초의 사람이다. ── *vi.* 《~/+前+名》 서로 관련하다, 상관하다 《*to* ; *with*》: Her research ~*s with* his. 그녀의 연구는 그의 것과 관련이 있다.

ˈcor·re·la·tion [kɔ̀:rəléiʃən, kὰr- / kɔ̀r-] *n.* Ⓤ,Ⓒ 상호 관계, 상관성, 상관 (관계) 《*between* ; *with*》: There is a ~ *between* smoking and lung cancer. 흡연과 폐암 사이에는 상호 관계가 있다.

correlátion coefficient 〖統〗 상관 계수.

cor·rel·a·tive [kərélətiv] *a.* 상호 관계 있는, 상관적인: ~ terms 〖論〗 상관 명사(名辭) 《'아버지'와 '아들' 따위》 / ~ words 〖文法〗 상관어(구) 《either 와 or ; the former... the latter ; the one... the other 따위》 / ~ conjunction 〖文法〗 상관 접속사《both... and ; either... or 등》. ── *n.* Ⓒ ① 상관물(物) 《*of*》: Man has rights only in so far as they are a ~ *of* duty. 인간은 권리가 의무와 상관된 것일 때에 한해서만 권리를 갖는다. ② 〖文法〗 상관 어구. ㊍ ~·**ly** *ad.* 상관하여.

cor·rel·a·tiv·i·ty [kərèlətívəti] *n.* Ⓤ 상호 관계; 상관성.

cor·re·spond [kɔ̀:rəspάnd, kὰr- / kɔ̀rəspɔ́nd] *vi.* ① 《+前+名》 (구조·기능·양 등이) 같다, 상당하다, (…에) 해당하다 《*to*》: The broad lines on the map ~ *to* roads. 지도상의 굵은 줄은 도로에 해당한다 / Our arms ~ *to* the wings of a bird. 우리들의 팔은 새의 날개에 상당한다. ② 《~/+前+名》 부합〔일치〕하다, 조화하다 《*to* ; *with*》: His words and actions do not ~. 그의 언행은 일치하지 않는다 / Her white hat and shoes ~ *with* her white dress. 그녀의 흰 모자와 구두는 흰 옷에 잘 어울린다. ③ 《~/+前+名》 교신하다, 서신 왕래를 하다 《*with*》: We have ~*ed* but never met. 서신 교환은 있었으나 아직 만난 일은 없다 / He earnestly wishes to ~ *with* her. 그는 그녀와의 서신 왕래를 열렬히 바라고 있다. ◇ correspondence *n.*

cor·re·spond·ence [kɔ̀:rəspάndəns, kὰr- / kɔ̀rəspɔ́nd-] *n.* Ⓤ ① 대응, 해당, 상사(相似) 《*to*》: the ~ *of* the punishment *with* the sin 죄와 벌의 상응. ② 일치, 조화, 부합: the ~ *of* one's words *with* 〔*to*〕 one's actions 언행 일치 / There is a ~ *between* our ideas. 우리들의 생각은 일치한다. ③ 통신, 교신, 서신 왕래; 편지, 서한집: commercial ~ 상업 통신문, 상용문 / be in ~ with …와 서신 왕래를 하고 있다 / enter 〔get〕 into ~ with …와 서신 왕래를 시작하다 / keep up ~ 서신 왕래를 계속하다. ◇ correspond *v.*

correspóndence còlumn (신문·잡지의) 독자 통신란, 투고란.

correspóndence còurse 통신 강좌, 통신 교육 (과정): take a ~ in …의 통신 교육을 받다.

correspóndence schòol 통신 교육 학교; (대학의) 통신 교육부.

‡cor·re·spond·ent [kɔ̀:rəspάndənt, kὰr- / kɔ̀rəspɔ́nd-] *n.* Ⓒ ① 통신자, 편지를 쓰는 사람: He is a good 〔bad, negligent〕 ~. 그는 자주 편지를 쓰는〔안 쓰는〕 사람이다. ② (신문·방송 등의) 특파원, 통신원, 기자; (신문의) 투고자: a special ~ (*for*) (…신문사의) 특파원 / a war ~ 종군 기자 / our London ~ 본사 런던 통신원《신문 용어》. ③ 〖商〗 (특히 원거리의) 거래처〔선〕. ④ 일치〔상응, 대응〕하는 것. ≠corespondent. ── *a.* 일치〔대응, 상응〕하는 (corresponding) 《*to* ; *with*》: The results were ~ *with* my expectations. 결과는 나의 예상과 일치했다. ㊍ ~·**ly** *ad.*

***cor·re·spond·ing** [kɔ̀:rəspάndiŋ, kὰr- / kɔ̀r-əspɔ́nd-] *a.* ① 대응하는, 상응하는; 유사한: duties ~ *to* rights 권리에 상응하는 의무 / the ~ period of last year 지난 해의 같은 시기. ② 부합하는, 일치하는, 조화하는 《*to* ; *with*》: two statements ~ in every detail 세부에 이르기까지 일치하는 두 진술. ③ 통신 (관계)의: a ~ clerk 〔secretary〕 (회사 따위의) 통신계 / a ~ member (학회 등의) 통신 회원, 객원(客員). ㊍ ~·**ly** *ad.* 상응하여, 상당하도록, 거기에 상응하게.

‡cor·ri·dor [kɔ́:ridər, kάr-, -dɔ̀:r / kɔ́ridɔ:r] *n.* Ⓒ ① 복도, 회랑(回廊), 통로: walk along a ~ 복도를 걷다 / a ~ train 《英》 객차의 한쪽에 통로가 있고 옆에 칸막이 방(compartment)이 있는 열차. ② 회랑 지대《내륙국 등이 타국내를 통과하여 바다에 이르는 좁은 지역》. ③ =AIR CORRIDOR.

córridors of pówer (the ~) 권력의 회랑, 정치 권력의 중심《정계·관계의 고관 따위》.

cor·ri·gen·dum [kɔ̀:ridʒéndəm, kὰr- / kɔ̀ri-] (*pl.* **-da** [-də]) *n.* Ⓒ ① (정정해야 할) 잘못; 오식(誤植). ② (*pl.*) 정오표. ⓒⓕ errata.

cor·ri·gi·ble [kɔ́:ridʒəbəl, kάr- / kɔ́r-] *a.* 고칠 수 있는, 바로잡을 수 있는, 교정(矯正) 가능한.

cor·rob·o·rate [kərάbərèit / -rɔ́b-] *vt.* (소신·진술 등)을 확실히 하다, 확증〔확인〕하다; (법률 따위)를 정식으로 확인하다: *corroborating* evidence 보강 증거 / The evidence ~*s* his story. 그 증거가 그의 말이 진실임을 뒷받침한다.

cor·rob·o·ra·tion [kərὰbəréiʃən / -rɔ̀b-] *n.* Ⓤ ① 확실히 하기; 확증; 확증적인 사실〔진술〕: in ~ of …을 확증하기 위하여〔확인하여〕. ② 〖法〗 보강 증거.

cor·rob·o·ra·tive [kərάbərèitiv, -rət- / -rɔ́bə-] *a.* 확인의, 확증적인, 뒷받침하는: The police did not have enough ~ evidence for a probable conviction. 경찰은 개연적인 확신을 뒷받침할 충분한 증거가 없었다. ㊍ ~·**ly** *ad.*

cor·rob·o·ra·tor [kərάbərèitər / -rɔ́b-] *n.* Ⓒ 확증하는 사람〔물건〕.

cor·rob·o·ra·to·ry [kərάbərətɔ̀:ri / -rɔ́bərətəri] *a.* 확실히 하는, 확증하는.

cor·rob·o·ree [kərάbəri / -rɔ́b-] *n.* Ⓒ 《Austral.》 ① 코로보리《원주민이 축제 때 추는 노래와 춤》. ② 《口》 법석떨기.

cor·rode [kəróud] *vt., vi.* ① (…을) 부식〔침식〕시키다: Sea water has ~*d* the anchor chain. 해수로 닻줄이 부식되었다 / Acid rain destroys trees and ~*s* buildings. 산성비는 나무를 죽이고 건물을 부식시킨다. ② (마음을) 좀먹다; 마음에 파고들다; (힘·성격을) 약화시키다: Failure ~*d* his selfconfidence. 그는 실패하여 점차 자신

을 잃었다 / He warns that corruption is *corroding* Russia. 그는 부패가 러시아를 좀먹고 있다고 경고한다. ◇ corrosion *n.*

cor·ro·sion [kəróuʒən] *n.* Ⓤ ① 부식(작용), 침식 ; 부식에 의해 생긴 것《녹 따위》. ② (걱정이) 마음을 좀먹기. ◇ corrode *v.*

cor·ro·sive [kəróusiv] *a.* ① 부식하는, 부식성의 : ~ action 부식 작용. ② (정신적으로) 좀먹는 : Poverty can have a ~ influence on the human spirit. 가난은 인간의 정신을 좀먹는 작용을 할 수가 있다. ③ (말 따위가) 신랄한. — *n.* Ⓤ,Ⓒ 부식물, 부식제. ㊕ **~·ly** *ad.* **~·ness** *n.*

corrósive súblimate 〖化〗 승홍(昇汞).

cor·ru·gate [kɔ́:rəgèit, kár- / kɔ́r-] *vt.* …을 주름〔골〕지게 하다 ; 물결 모양으로 만들다. — *vi.* 주름〔골〕지다.

cor·ru·gat·ed [kɔ́:rəgèitid, kár- / kɔ́r-] *a.* 주름살 잡힌, 골진 ; 물결 모양의 : ~ cardboard 골판지.

cor·ru·ga·tion [kɔ̀:rəgéiʃən, kàr- / kɔ̀r-] *n.* Ⓤ,Ⓒ 주름잡음 ; 주름(짐) ; (함석 등의) 골.

‡cor·rupt [kərʌ́pt] (***more*** ~ ; ***most*** ~) *a.* ① 부정한, 뇌물이 통하는 ; 독직(瀆職)의 ; 타락한, 퇴폐한 ; 부도덕한 ; 사악한 : a ~ press 악덕 신문(계) / a ~ judge 수회(收賄) 판사 / ~ practices (선거 따위의) 매수 행위. ② (언어가) 사투리화한 ; 전와(轉訛)된, 틀린 ; (텍스트 등이) 원형이 훼손된, 틀린 데 투성이인 : a ~ form of Latin 전와된 라틴어 / a ~ manuscript 원형이 훼손된 사본. ③ 부패한, 썩은 ; 더러워진, 오염된 : ~ blood 불순한 혈액 / ~ air 오염된 공기.
— *vt.* ① …을 매수하다 : ~ a politician 정치가를 매수하다. ② (아무)를 타락시키다 ; (품성)을 더럽히다 : Power ~*s* those who hold it. 권력은 그것을 가진 자를 타락시킨다. ③ (원문)을 개악하다 ; (언어)를 불순화하다, 전와시키다. ④ …을 부패시키다. — *vi.* ① 타락〔부패〕하다. ② (원문이) 개악되다. ③ (언어가) 전와되다. ◇ corruption *n.* ㊕ **~·ly** *ad.* **~·ness** *n.*

cor·rupt·i·ble [kərʌ́ptəbəl] *a.* 부패〔타락〕하기 쉬운 ; 뇌물이 통하는 : a ~ official 매수하기 쉬운 공무원. ㊕ **-bly** *ad.*

***cor·rup·tion** [kərʌ́pʃən] *n.* ① Ⓤ 타락 ; 퇴폐. ② Ⓤ 증회, 수회, 매수, 독직 : official ~ 공무원의 독직 / He is proof against ~. 그는 뇌물이 통하지 않는다. ③ Ⓒ (흔히 *sing.*) (언어의) 전와(轉訛) ; (원문의) 개악, 변조 : a ~ of the Gaelic word 게일어의 전와. ④ Ⓤ (시체·유기물의) 부패. ◇ corrupt *v.*

cor·rup·tive [kərʌ́ptiv] *a.* 부패시키는, 부패성의 ; 타락시키는《*of*》: be ~ *of* …을 타락시키다.

cor·sage [kɔ:rsá:ʒ] *n.* Ⓒ ① (여성복의) 가슴 부분 조끼. ②《美》(여성이 허리·어깨에 다는) 꽃장식, 코르사주.

cor·sair [kɔ́:rsɛər] *n.* Ⓒ ① (특히 Barbary 연안에 출몰했던) 사략선(私掠船) (privateer) ; 해적선. ② 해적.

corse [kɔ:rs] *n.* 《古·詩》 =CORPSE.

corse·let(te), cors·let [kɔ́:rslit] *n.* Ⓒ ① 허리에 두르는 갑옷. ② 〖蟲〗 곤충의 흉부. ③ [kɔ̀:rsəlét] 코르셋과 브래지어를 합친 속옷.

***cor·set** [kɔ́:rsit] *n.* Ⓒ 코르셋. — *vt.* ① …에 코르셋을 착용하다 ; 죄다. ② …을 엄중히 규제하다. ㊕ **~·ed** [-id] *a.* 코르셋을 착용한.

Cor·si·ca [kɔ́:rsikə] *n.* 코르시카《이탈리아 서해안 프랑스령의 섬 ; 나폴레옹 1세의 출생지》.

Cor·si·can [kɔ́:rsikən] *a.* 코르시카 섬〔사람, 방언〕의. — *n.* Ⓒ 코르시카 사람.

cor·tege, cor·tège [kɔ:rtéiʒ] *n.* Ⓒ 《F.》 ① 수행원. ② 행렬 ; 장례 행렬.

cor·tex [kɔ́:rteks] (*pl.* ***-ti·ces*** [-təsì:z], **~·*es***) *n.* Ⓒ ① 〖解〗 외피 ; (대뇌) 피질 : the cerebral ~ 대뇌 피질. ② 〖植〗 피층, 나무 껍질.

cor·ti·cal [kɔ́:rtikəl] *a.* 외피의 ; 피질〔피층〕의.

cor·ti·sone [kɔ́:rtəsòun, -zòun] *n.* Ⓤ 코티손《부신(副腎) 피질 호르몬의 일종 ; 류머티즘·관절염의 치료약》.

co·run·dum [kərʌ́ndəm] *n.* Ⓤ 강옥(鋼玉).

cor·us·cate [kɔ́:rəskèit, kár- / kɔ́r-] *vi.* ① 번쩍이다 (glitter), 번쩍번쩍 빛나다 (sparkle). ② (재치 따위가) 번득이다 : *coruscating* wit 그 번득이는 재치.
㊕ **-ca·tion** [kɔ̀:rəskéiʃən, kàr- / kɔ̀r-] *n.*

cor·vette [kɔ:rvét] *n.* Ⓒ 코르벳함(艦)《옛날의 평갑판·일단 포장(一段砲裝)의 목조 범장(帆裝)의 전함 ; 오늘날엔 대공·대잠수함 장비를 갖춘 소형 쾌속 호위함》.

cor·vine [kɔ́:rvain, -vin] *a.* 까마귀의〔같은〕.

co·ry·za [kəráizə] *n.* Ⓤ 〖醫〗 코감기.

cos[1] [kas / kɔs] *n.* Ⓒ,Ⓤ 〖植〗 상추의 일종(cos lettuce).

cos[2], **'cos** [kaz / kɔz] *conj.* 《口》 =BECAUSE.

cos 〖數〗 cosine.

co·sec [kóusi:k] 〖數〗 =COSECANT.

co·se·cant [kousí:kənt, -kænt] *n.* Ⓒ 〖數〗 코시컨트《略 : cosec》.

cosh [kaʃ / kɔʃ] *n.* Ⓒ 《英口》 (납 따위를 채운) 곤봉. — *vt.* …을 곤봉으로 치다. 「다《*up*》.

cosh·er [káʃər / kɔ́ʃ-] *vt.* …을 귀여워하다, 어하

co·sign [kousáin] *vt., vi.* (약속 어음 등의) 연대 보증인으로 서명하다 ; 연서(連署)하다.

co·sig·na·to·ry [kousígnətɔ̀:ri / -təri] *a.* 〔限定的〕 연서(連署)한 : the ~ Powers 연서국(連署國). — *n.* Ⓒ 연서인, 연판자(連判者) ; 연서국.

co·sine [kóusàin] *n.* Ⓒ 〖數〗 코사인《略 : cos》.

cós léttuce 양상추의 일종.

***cos·met·ic** [kazmétik / kɔz-] *n.* Ⓒ (흔히 *pl.*) 화장품 : buy some ~*s* at a shop 가게에서 화장품을 사다 / There is no beauty ~ like happiness. 행복처럼 사람을 아름답게 하는 화장품은 없다. — *a.* ① 〔限定的〕 화장용의 ; 미용의 : ⇨ COSMETIC SURGERY. ② 장식〔표면〕적인 : a ~ compromise 표면상의 타협 / denounce the government's efforts as ~ 정부의 노력을 눈비음일 뿐이라고 비난하다.

cos·me·ti·cian [kàzmətíʃən / kɔ̀z-] *n.* Ⓒ ① 화장품 제조〔판매〕인. ② 미용사, 화장 전문가.

cosmétic súrgery 미용(성형) 외과(plastic surgery).

cos·me·tol·o·gy [kàzmətáləd͡ʒi / kɔ̀zmətɔ́l-] *n.* Ⓤ 화장품학, 미용술.

***cos·mic, -mi·cal** [kázmik / kɔ́z-], [-əl] *a.* ① 우주의 ; 우주론의. ② 광대 무변한 : The earthquake was a disaster of *cosmic* scale. 지진은 막대한 규모의 재난이었다. ㊕ **cós·mi·cal·ly** [-kəli] *ad.* 우주 법칙에 따라서 ; 우주적으로 ; 대규모로.

cósmic dúst 〖天〗 우주진(塵).

cósmic ráys 우주선(線).

cos·mog·o·ny [kazmágəni / kɔzmɔ́g-] *n.* ① Ⓤ 우주〔천지〕의 발생〔창조〕. ② Ⓒ 〖天〗 우주 진화론, 우주 기원론.

cos·mog·ra·phy [kazmágrəfi / kɔzmɔ́g-] *n.* Ⓤ 우주 지리학, 우주 구조론.

cos·mol·o·gy [kazmáləd͡ʒi / kɔzmɔ́l-] *n.* Ⓤ 우주 철학, 우주론. ㊕ **-gist** *n.*

cos·mo·naut [kázmənɔ̀:t / kɔ́z-] *n.* Ⓒ (특히

러시아의) 우주 비행사, 우주 여행자. ⓒⓕ astronaut.

cos·mop·o·lis [kɑzmɑ́pəlis / kɔzmɔ́p-] *n.* Ⓒ 「국제 도시.

***cos·mo·pol·i·tan** [kɑ̀zməpɑ́lətən / kɔ̀zməpɔ́l-] *n.* Ⓒ 세계인, 국제인, 세계주의자. ── *a.* ① 세계를 집으로 삼는〔여기는〕, 세계주의의 : a ~ outlook 세계주의적 견해. ② 세계 공통의, 전세계적인, 국제적인 : New York is a ~ city. 뉴욕은 국제적인 도시이다. ③〖生〗전세계에 분포하는 : ~ species 범존종(汎存種). ㊕ **~·ìsm** *n.* Ⓤ 세계주의, 사해 동포주의.

cos·mop·o·lite [kɑzmɑ́pəlàit / kɔzmɔ́p -] *n.* 「=COSMOPOLITAN.

***cos·mos** [kɑ́zməs / kɔ́zmɔs] (*pl.* **~, ~·es**) *n.* ① (the ~) (질서와 조화의 구현으로서의) 우주, 천지 만물. ② Ⓤ (관념 등의) 질서 있는 체계, 완전 체계 ; 질서, 조화. ⓞⓟⓟ *chaos.* ③ Ⓒ〖植〗코스모스.

Cos·sack [kɑ́sæk, -sək / kɔ́sæk] *n.* ① (the ~s) 코사크족(族). ② Ⓒ 코사크〔카자흐〕 사람 ; 코사크 기병.

cos·set [kɑ́sit / kɔ́s-] *n.* Ⓒ 손수 기르는 새끼양〔동물〕, 페트. ── *vt.* …을 응석부리게 하다, 귀여워하다(pet).

‡cost [kɔ:st / kɔst] *n.* ① (*sing.*, 종종 the ~) 가격, 원가 ; (상품·서비스에 대한) 대가 : *the* ~ of production 생산비 / sell below ~ 원가 이하로 팔다. ② Ⓒ (종종 *pl.*) 비용, 지출, 경비 : the ~ of living 생계비 / the prime 〔first, initial〕 ~ 매입원가 / cut ~*s* 비용을 절감하다 / the huge increases in fuel ~*s* 연료비의 대폭 증가. ③ Ⓤ (흔히 the ~) (돈·시간·노력 등의) 소비, 희생, 손실 : at *the* ~ of many lives 많은 생명을 희생으로 하여 / *The* ~ of the flood in lives and property was great. 홍수로 인한 인명과 재산상의 손실은 컸다. ④ (*pl.*)〖法〗소송 비용. ***at a ~ of*** …의 비용으로 : The house was built *at a ~ of* $150,000. 그 집은 15만 달러를 들여서 건설되었다. ***at all ~s = at any ~*** 어떤 희생을 치르더라도, 반드시 : Confrontation and violence had to be avoided *at all ~s.* 대결과 폭력은 꼭 피해야 했다. 《★ 《美》에서는 in any cost 라고도 함》. ***at ~*** 원가로 : sell *at* ~ 원가로 팔다. ***at the ~ of*** …을 희생하여 : work *at the ~ of* health 건강을 해칠 정도로 일하다. ***count the ~*** 비용을 어림잡다 ; 앞일을 여러 모로 내다보다. ***to*** one***'s ~*** 자신의 부담으로, 피해〔손해〕를 입고 ; 쓰라린 경험을 하여 : as I know it *to my ~* 나의 쓰라린 경험으로 아는 일이지만. ── (*p.*, *pp.* ***cost*** ; ***cóst·ing***) *vt.* ①《~+目 / +目+目》〔受動 불가〕 …의 비용이 들다, 값이 …하다〔들다〕 : It will ~ five dollars. (비용이) 5 달러 들 것이다 / The car must have ~ you at least 7,000 dollars. 그 차는 적어도 7천 달러는 들었을 것이다. ②《~+目 / +目+目》(노력·시간 따위)가 걸리다, 요하다 ; (귀중한 것)을 희생시키다, 잃게 하다 : It ~ us much time. 많은 시간이 걸렸다 / It may ~ him his life. 그것으로 그는 생명을 잃을지도 모른다. ③《+目+目》…에 부담을〔수고를〕 끼치다, …에 짐이 되다 : It ~*s* me much to tell you that. 그걸 얘기하긴 매우 괴롭소. ④《口》〔受動 불가〕 비싸게 먹히다 : It'll ~ you to go by plane. 비행기로 가는 데는 비용이 상당히 많이 들 것이다. ⑤ (*~, ~·ed*)〖商〗…의 원가〔생산비〕를 견적하다. 《★ cost는 본래 자동사이므로 수동으로 쓸 수 없음》 : They ~*ed* construction at $50,000. 그들은 그 공사비를 5만 달러로 예정했다〔대중 잡았다〕. ── *vi.* 원가를 산정〔계산〕하다. ***~ an arm and leg*** 굉장히 많은 돈이 들다. ***~ out*** 경비의 견적을 내다. ***~ the earth*** 막대한 양, 큰돈.

cóst accòuntant 원가 계산 담당자.

cóst accòunting 원가 계산.

cóst and fréight〖商〗운임 포함 가격《略 : C.A.F., C. & F., CF》.

co·star [kóustɑ̀:r] *n.* Ⓒ 공연 스타, (주역의) 공연자 : Her ~ was Paul Newman. 그녀의 공연자는 폴 뉴먼이었다. ── [ˊˊ] (*-rr-*) *vi.* 공연하다 《*with*》 : He ~*red with* Dustin Hoffman in that movie. 그는 그 영화에서 더스틴 호프만과 공연했다. ── *vt.* (스타)를 공연시키다 : a movie that ~*s* two famous actresses 유명한 두 여배우가 공연하는 영화.

Cos·ta Ri·ca [kɑ́stərí:kə, kɔ́:s- / kɔ́s-] 코스타리카《중앙아메리카의 공화국 ; 수도 San José》.

Cósta Rícan [-rí:kən] *a.* 코스타리카(인)의. ── *n.* Ⓒ 코스타리카인.

cost-ben·e·fit [kɔ́:stbénəfit / kɔ́st-] *a.*〖經〗비용과 편익(便益)의 : ~ analysis 비용 편익 분석 《최소의 비용으로 최대의 편익을 얻을 방법을 찾기 위한 분석》.

cóst clèrk =COST ACCOUNTANT.

cost-ef·fec·tive [ˊiféktiv] *a.* 비용 효율이 높은, 비용 효과가 있는〔높은〕 : ~ analysis 비용 효과 분석. ㊕ **~·ness** *n.* 비용 효과.

cos·ter, cos·ter·mon·ger [kɑ́stər / kɔ́s-], [-mʌ̀ŋgər] *n.* Ⓒ《英》과일〔생선〕 행상인.

cóst, insúrance and fréight〖商〗운임 보험료 포함 가격《略 : C.I.F.》.

cos·tive [kɑ́stiv / kɔ́s-] *a.* ① 변비(성)의, 변비를 하고 있는. ② 인색한, 쩨쩨한.

‡cost·ly [kɔ́:stli / kɔ́st-] (***-li·er*** ; ***-li·est***) *a.* ① 값이 비싼, 비용이 많이 드는 ; 사치스런, 호사스런 : ~ jewels〔furniture〕 값비싼 보석〔가구〕 / a ~ enterprise 비용이 드는 사업. ② 희생이 큰, 타격이 큰《실패》 : a ~ victory 희생이 컸던 승리 / He made a ~ mistake. 그는 큰 손실을 보게 될 잘못을 저질렀다. ㊕ **-li·ness** *n.*

cóst-of-lív·ing ìndex [kɔ́:stəvlíviŋ-] (종종 the ~) 생계비 지수, 소비자 물가 지수 (consumer price index).

cost-plus [ˊplʌ́s] *a.* 이윤 가산 생산비의, 코스트 플러스 방식의 : ~ contract 원가 가산 계약 / ~ pricing 코스트 플러스 가격 결정《총비용에 이익 마진을 더한 가격 설정 방법》.

cóst príce 원가, 매입 가격 : at ~ 원가로.

cóst-push inflátion [ˊpùʃ(-)]〖經〗코스트푸시 인플레이션《생산 요소 비용중 주로 임금의 상승으로 인한 인플레이션》.

cóst rísk anàlysis〖컴〗코스트 리스크 분석《컴퓨터 시스템에서 데이터 상실의 발생 위험을, 데이터 보호를 행할 때와 행치 않을 때를 대비하여 코스트적으로 평가하는 일》.

‡cos·tume [kɑ́stju:m / kɔ́s-] *n.* ① ⓊⒸ **a)** (어떤 시대·민족·계급·직업 등에 특유한) 복장, 의상, 복식 ; 풍속《헤어스타일·장식 등을 포함하는》 : the national ~ of Korea 한국의 민족의상 / academic ~ 대학의 정장《졸업식 등에 입음》. **b)**〖劇〗(무대) 의상, 시대 의상 : stage ~ 무대 의상 / players in sixteenth century ~, 16세기 의상을 입은 배우들. ② Ⓒ **a)** 상의와 스커트를 같은 복지로 만든 여성복, 슈트. **b)** (특수한 목적의) …복, …옷 : a street ~ 외출복 / a hunting ~ 사냥옷 / a swimming ~ 수영복 / a summer ~ 하복.

cóstume bàll 가장 무도회(fancy dress ball).

cóstume jéwelry (값싼) 인조 장신구.

cóstume pìece 〔**plày**〕 시대극《시대 의상을

입고 연기하는》.

cos·tum·er [kástju:mər, -ˊ-/kɔ́s-, -ˊ-] *n.* Ⓒ 의상업자《연극·무용 등의 의상을 제조·판매 또는 세놓음》; (연극의) 의상계(係)〔담당자〕.

cos·tum·i·er [kɑstjú:miər/kɔs-] *n.* =COSTUMER.

co·sy [kóuzi] *a.* =COZY.

cot¹ [kɑt/kɔt] *n.* Ⓒ ① (양·비둘기 등의) 집, 우리(cote). ②《詩》 시골집, 오두막집. ③《美》 (손가락에 끼우는) 고무색(sack).

cot² *n.* Ⓒ ①《美》 (캠프용의) 간이 침대(《英》camp bed). ②《英》 어린이용 흔들침대(《美》 crib).

cot, co·tan [kóutæ̀n] 〖數〗 =COTANGENT.

co·tan·gent [koutǽndʒənt] *n.* Ⓒ〖數〗 코탄젠트《略 : cot》.

cót dèath 《英》 요람사(搖籃死)(sudden infant death syndrome).

cote [kout] *n.* Ⓒ 〔흔히 複合語를 이루어〕 (양 따위의) 우리, (비둘기 따위의) 집. ⓒⓕ dovecote.

Côte d'I·voire [*F.* kotdivwa:r] 코트디부아르《아프리카 서부에 있는 공화국; 구명(舊名) Ivory Coast; 수도 Yamoussoukro》.

Côte d'Or [*F.* kotdɔ:r] 코트도르《프랑스 중앙부의 현; Burgundy 와인의 산지》.

co·ten·ant [kouténənt] *n.* Ⓒ 공동 차지인(借地人)〔차가(借家)인〕.

co·te·rie [kóutəri] *n.* Ⓒ (F.) (사교·문학 연구 등을 위해 자주 모이는) 한패, 동인(同人), 그룹 : a literary ~ 문학 동인.

co·ter·mi·nous [koutə́:*r*mənəs] *a.* ① 공통 경계의, 경계가 접해 있는. ② (시간·공간·의미 따위가) 동일 한계의, 동일 연장의, 완전히 겹치는. ㊞ ~·ly *ad.*

co·til·lion [koutíljən] *n.* Ⓒ ① 코티용《quadrille 비슷한 활발한 춤; 프랑스 기원》; 그 곡. ②《美》 (debutantes 등을 소개하는) 정식 무도회.

Cots·wold [kátswould, -wəld/kɔ́ts-] *n.* Ⓒ 몸이 크고 털이 긴 양(羊)의 일종.

‡**cot·tage** [kátidʒ/kɔ́t-] *n.* Ⓒ ① 시골 집, 작은 집, 아담한 집; (양치기·사냥꾼 등의) 오두막. ② (시골풍의) 소별장;《美》 (피서지 등의) 별장, 산장. ***love in a*** ~ 가난하지만 행복한 부부 생활.

cóttage chèese (탈지유(脫脂乳)로 만드는) 연하고 흰 치즈.

cóttage hòspital 《英》 지방의 작은 병원.

cóttage ìndustry 가내 공업, 영세 산업.

cóttage lòaf 《英》 크고 작은 두 개를 포갠 빵.

cóttage píe 시골 파이《일종의 고기만두》.

cóttage púdding 달콤한 과일 즙을 바른 카스텔라.

cot·tag·er [kátidʒər/kɔ́t-] *n.* Ⓒ ① 시골 집에 사는 사람. ②《美·Can.》 (피서지의) 별장객, 산장에 사는 사람.

cot·ter [kátər/kɔ́t-] *n.* Ⓒ ①〖機〗 코터, 가로 쐐기, 쐐기전(栓). ② 비녀못, 코터핀(cotter pin).

cótter pìn 〖機〗 코터핀(cotter).

†**cot·ton** [kátn/kɔ́tn] *n.* Ⓤ ① **a**) 솜, 면화 : raw ~ 원면, 면화 / ⇨ ABSORBENT COTTON. **b**) 〖植〗 목화 : ~ grower 목화 재배자 / a ~ field 목화밭. ② 무명실 : a needle and ~ 무명실을 꿴 바늘 / ⇨ SEWING COTTON. ③ 무명, 면직물 : ~ goods 면제품. ④ (식물의) 솜털. ── *vt.* …을 솜으로 싸다. ──《口》 *vi.* 의견이 일치하다《*with*》; 친해지다《*to*; *with*》; (…이) 좋아지다《*to*》, (제안 등에) 호감을 갖다, 찬성하다《*to*》: Her grandchild ~*ed* (*up*) *to* me right away. 그녀의 손자는 곧 나와 친해졌다 / I ~*ed* (*on*) *to* the idea of going by boat. 배로 간다는 그 제안이 마음에 들었다. ~ ***on*** (***to***) 《口》(…이) 좋아지다, (…을) 이해하다, (…을) 깨닫다;《口》 (…을) 이용하다 : At long last he has ~*ed on to* the fact that I don't want him! 마침내 그는 내가 자기를 원치 않는다는 사실을 깨달았다.

Cótton Bèlt (the ~) (미국 남부의) 목화.

Cótton Bòwl (the ~) ① Texas주 Dallas에 있는 미식축구 경기장. ② 그곳에서 매년 1월 1일에 열리는 대학 대항 미식축구 경기.

cótton cándy 《美》 솜사탕.

cótton gìn 조면기(繰綿機).

cótton mìll 방적 공장, 면직 공장.

cot·ton·mouth [-màuθ] *n.* Ⓒ water moccasin의 별명《그 입이 흰 데서》.

cot·ton-pick·ing, -pickin' [kátnpìkən, -kiŋ/kɔ́tn-], [-pìkin] *a.* 《美俗》 변변찮은, 쓸모없는.

cot·ton·seed [-si:d] *n.* Ⓤ,Ⓒ 목화씨.

cóttonseed òil 면실유(綿實油).

Cótton Státe (the ~) 미국 Alabama 주의 별칭.

cot·ton·tail [-tèil] *n.* Ⓒ〖動〗 (부풀부풀한 흰 꼬리가 있는) 야생 토끼의 일종《미국산》.

cot·ton·wood [-wùd] *n.* Ⓒ〖植〗 사시나무의 일종《북아메리카산》.

cótton wóol ① 원면, 솜. ②《英》 탈지면(《美》 absorbent cotton).

cot·tony [kátni/kɔ́t-] *a.* ① 솜 같은, 부풀부풀한; 보드라운. ② 솜털이 있는〔로 뒤덮인〕.

cot·y·le·don [kɑ̀təlí:dən/kɔ̀t-] *n.* Ⓒ〖植〗 자엽(子葉), 떡잎. ㊞ **~·ous** [-dənəs] *a.* 떡잎이 있는, 떡잎 모양의.

‡**couch** [kautʃ] *n.* Ⓒ ① **a**) 침대의자, 소파. **b**) (정신과 의사 등이 환자를 눕히는) 베개 달린 소파. ② **a**)《文語·詩》 침상, 잠자리 : retire to one's ~ 잠자리에 들다. **b**) 휴식처《풀밭 따위》. ***on the*** ~ 정신 분석을〔정신병 치료를〕 받고. ── *vt.* 〔흔히 受動으로〕 ① …을 누이다, 재우다 : *be* ~*ed* on the grass 풀 위에 눕다. ②《+目+前+名》 …을 말로 표현하다, 변죽 울리다 : a refusal ~*ed in* polite terms 정중한 말로 한 완곡한 거절 / His thoughts *were* ~*ed in* beautiful language. 그의 사상은 아름다운 말로 표현되어 있다. ── *vi.* ① 쉬다, 눕다. ② (달려들려고) 웅크리다, 쭈그리다; 매복하다.

couch·ant [káutʃənt] *a.* 〖紋章〗 (사자 따위가) 머리를 쳐들고 웅크린《★ 흔히 명사 뒤에 놓음》: a lion ~ 머리를 쳐들고 웅크리고 있는 사자.

cou·chette [ku:ʃét] *n.* Ⓒ〖鐵〗 침대찻간; 그 침대《낮에는 접으면 의자가 됨》.

cóuch gràss 〖植〗 개밀의 일종.

cóuch potàto 《美俗》 소파에 앉아 TV만 보며 많은 시간을 보내는 사람.

cou·gar [kú:gər] *n.* Ⓒ〖動〗 쿠거《남북 아메리카 산지에 사는 고양잇과 동물로, 퓨마, 판다라고도 함》.

‡**cough** [kɔ(:)f, kɑf] *n.* ① (a ~) 기침, 헛기침, 기침 병 : *a* dry ~ 마른 기침 / have *a* bad ~ 기침을 몹시 하다〔기침이 나다〕/ give *a* warning ~ 헛기침을 하여 주의를 촉구하다. ② Ⓒ 콜록거림, 기침 (같은) 소리. ── *vi.* ① (헛)기침을 하다 : a spasm of ~*ing* 기침의 발작. ② (내연 기관이) 불연소음을 내다 : Then suddenly, the engine ~*ed* spluttered and died. 그때 갑자기 엔진이 덜덜거리다가 툭 꺼졌다. ③《俗》 (죄를) 자백하다. ── *vt.* ①《+目+副》 (기침을 하여) …을 뱉어내다《*up*; *out*》: ~ *out* phlegm (헛)기침을 하여 담을 뱉어내다. ②《+目+보/+目+副》 (기침을 하여) …을 ─이 되게 하다 : ~ *oneself hoarse* 기침을 하여 목소리를 쉬게 하다 / ~ *down* a speaker〔=~ a speaker *down*〕 (청중이) 헛기침을 하여 연설자에

게 입을 다물게 하다〔연설자를 방해하다〕. ③ 기침을 하면서 …을 말하다, 마지 못해 고백하다: *Cough* it up! 어서 고백해〔말해〕. ④ (돈 따위)를 마지못해 건네주다〔지불하다〕.

cóugh dròp 〔**lòzenge**〕 진해정(鎭咳錠).

cóugh sỳrup 진해(鎭咳) 시럽, 기침약.

†**could** [kud, 弱 kəd] (could not의 간약형 ***could·n't*** [kúdnt]; 2인칭 단수 《古》 (thou) ***couldst*** [kudst], ***could·est*** [kúdist]) *aux. v.*

A) ≪直說法에서≫ ① 〔능력·가능의 can의 과거형으로〕 …할 수 있었다《否定文의 경우, hear, see 따위의 知覺動詞와 함께 쓰인 경우, 습관적인 뜻을 나타내는 경우 이외에는 肯定文의 could는 **B**) ③의 용법과 혼동되므로 was〔were〕 able to do, managed to do, succeeded in doing으로 대용함》: I ~ run faster 〔swim well〕 in those days. 당시 나는 더 빨리 달릴〔헤엄을 잘 칠〕 수 있었다 / He ~ hear even a pin drop when he was young. 젊었을 땐 핀 하나 떨어지는 소리도 들을 수 있었다 / When I lived by the station I ~ (always) reach the office on time. 역 근처에 살고 있을 때엔 (언제나) 제시간에 회사에 도착할 수 있었다《습관적이 아니고 특정의 경우에는 could를 쓰지 않고, I *was able to* reach the office on time this morning. 처럼 한다》.

② 〔과거시의 가능성·추측〕 **a**) 〔주어+could do〕 …하였을〔이었을〕 게다: She ~ sometimes be annoying as a child. 어렸을 때 그녀는 가끔 속을 태웠을 게다(=It was possible that she was sometimes annoying as a child.). **b**) 〔주어+could have+과거분사〕 …이었을는지도 모른다《현재에서 본 과거의 추측》: You figure the blow ~ *have killed* him? — *Could have.* 그 일격이 그를 죽게 했다고 보십니까 — 그럴 수 있죠(=You *figure* it *was* possible that the blow (*had*) *killed* him?) / It seemed like hours, but it *~n't have been* more than three or four minutes. 몇 시간이나 지난 것처럼 생각되었으나 실은 3,4분 이상은 되지 않았었다.

③ 〔과거시의 허가〕 …할 수 있었다, …하는 것이 허락되어 있었다: When she was 15, she ~ only stay out untill 9 o'clock. 15살 때, 그녀는 밤의 외출이 9시까지밖엔 허락되지 않았다(=… she was allowed only to stay out …).

④ **a**) 〔시제 일치를 위하여 종속절의 can이 과거형으로 됨〕 …할 수 있다, …해도 되다: I thought he ~ drive a car. 나는 그가 차 운전을 할 수 있는 줄로 알았었다. **b**) 〔간접화법에서 can이 과거형으로 쓰이어〕 …할 수 있다, …해도 좋다: He said (that) he ~ go. 그는 갈 수 있다고 말했다. 《비교: He said, "I can go." / He asked me if he ~ go home. 집에 가도 되느냐고 내게 물었다》.

B) ≪假定法에서≫ ① 〔가정법 1: 사실에 반하는 가정·바람〕 (만일) …할 수 있다면, …할 것을: If he ~ come, I should be glad. 그가 올 수 있다면 나는 기쁠 텐데《실제는 올 수 없다》 / How I wish I ~ see her! (그녀를 만날 수 있기를 얼마나 바라고 있는지→) 그녀를 만날 수 있다면 얼마나 좋으랴《만날 수 없음은 확실하다》《★ 이상의 예문은 실제의 때가 過去이면 각기 다음과 같이 됨: If he *had been able to* come, I should have been glad. '만약 그가 올 수 있었더라면 나는 기뻤을 텐데'. How I wished that I ~ see her! '그녀를 만날 수 있기를 얼마나 바랐던가'. 이처럼 主節의 동사가 과거형(wished)으로 되어 있어도 that에 이끌리는 名詞節 속의 could는 had been able to로 되지 않는 점에 주의할 것. 즉 법은 시제에 우선한다는 원칙에 따름》.

② 〔가정법 2: 가정에 대한 결과의 상상〕 할 수 있을 텐데: I ~ do it if I tried. 하면 할 수 있을 텐데 / It is so quiet there that you ~ hear a pin drop. 그곳은 핀이 떨어지는 소리도 들을 수 있을 정도로 조용한 곳이다《★ 이상의 예문은 실제의 때가 과거이면, 각기 다음과 같이 됨: I ~ *have done* it if I had tried. '했더라면 할 수 있었을 텐데'. It was so quiet there that you ~ *have heard* a pin drop. '그곳은 핀 떨어지는 소리도 들을 수 있을 정도로 조용한 곳이었다'. 이 때의 that 節(부사절)에서는, *could* hear가 *could* have heard로 바뀜에 주의할 것》.

③ 〔가정법 3: 감정적인 표현〕《가정법 could의 가장 주요한 용법으로서 문법적으로는 ②의 if 이하의 생략으로 설명할 수 있음. 뜻은 can에 '의념, 가능성; 허가를 요구하는 겸손'이 가미되고, could not의 경우는 '절대의 불가능' 또는 '극히 희박한 가능성'을 의미함》: It ~ be (so). 어쩌면〔아마〕 그럴지도 몰라 / I ~ have come last evening. 간밤에 (오려고만 했으면) 올 수 있었을 텐데 / I ~ smack his face! 그의 얼굴을 한대 갈기고 싶을 정도다《그만큼 화가 난다》 / *Could* I go? 가도 괜찮을까요《Can I go? 보다 공손》 / *Could* you spare me a copy? 한 권만 주실 수 있겠습니까 / I *~n't* think of that. 그런 일은 도저히 생각할 수조차도 없다.

> 參考 (1) **could**와 **might** could와 might는 마음대로 바꿔칠 수 있을 때가 있다: We *could* 〔*might*〕 get along without his help. 그의 도움 없이도 잘 해나갈 수 있을 것 같다.
> (2) **if ... could have done**의 형태 would, should, might 등에는 "if ... would〔should, might〕 have done"의 형식은 없으나, could에 한해서 if ... could have done의 형식을 취할 수 있음: *If* I *could have found* him, I would have told him that. 그를 볼 수 있었다면 그에게 그것을 말해 주었을 것을.

†**could·n't** [kúdnt] could not의 간약형.

couldst, could·est [kudst], [kúdist] 《古·詩》 =COULD《주어가 thou일 때》.

cou·lee [kú:li] *n.* Ⓒ ①〖地質〗 용암류(熔岩流). ②《美》쿨리《호우·눈녹은 물 등으로 생긴 깊은 협곡으로, 여름에는 보통 바싹 마른 상태임》.

cou·lomb [kú:lɑm / -lɔm] *n.* Ⓒ〖電〗 쿨롱《전기량의 실용 단위; 略: C》.

coul·ter [kóultər] *n.* 《英》 =COLTER.

‡**coun·cil** [káunsəl] *n.* Ⓒ ① 회의; 심의회, 평의회: a faculty ~ (대학의) 교수회 / in ~ 회의중에 / hold〔go into〕 (a) ~ 회의를 열다, 협의하다. ② 지방 의회《시의회, 읍의회 따위》: a county ~ 《英》 주(州)의회 / a municipal〔city〕 ~ 시의회. ③ (대학 등의) 평의원회.

coun·cil·man [káunsəlmən] (*pl.* ***-men*** [-mən]) *n.* Ⓒ 《美》 시〔군〕 의회 의원 (《英》 councillor).

***coun·cil·or, -cil·lor** [káunsələr] *n.* Ⓒ ① (시의회 등의) 의원: ⇨ CITY COUNCILOR. ② 평의원; 고문관. ③ (대사관의) 참사관.

cóuncil schòol 《英》 공립 학교《★ 현재는 주로 state school 이라고 함》.

‡**coun·sel** [káunsəl] *n.* ① Ⓤ 의논, 협의, 평의 (consultation). cf. council. ¶ take ~ together 같이〔함께〕 의논하다〔협의하다〕. ② Ⓤ 조언, 권고, 충언: ask ~ of ... 의 조언을 구하다 / give ~ 조언하다 / His parishioners saught his ~ and loved him. 교구민들은 그의 조언을 구했고 그를 사랑했다. ③ Ⓒ 〔單·複數 동형〕 법률 고문, 변

호인(단) ; 변호사 : ⇨KING'S COUNSEL / the ~ for the prosecution [the defense] 검찰[피고]측 변호사 / Her ~ were unable to agree. 그녀의 변호인단은 의견의 일치를 보지 못했다. ***keep** one's* (***own***) ~ 자기의 생각을 남에게 털어놓지 않다.
— (**-l-**, 《英》 **-ll-**) *vt.* ① 《~+목/+목+*to* do》 …에게 조언[충고]하다《*to* do》 : ~ prudence 신중하라고 충고하다 / He ~*ed* me *to* quit smoking. 그는 내게 담배를 끊으라고 충고하였다. ② (물건·일)을 권하다 : ~ patience 인내하도록 권하다 / He ~*ed* the student *to* take a physical examination. 그는 그 학생에게 건강 진단을 받을 것을 권했다. — *vi.* ① 의논하다, 협의[심의]하다《*about*》. ② 《+전+명》 (…하도록) 권하다《*for*》; (…하지 않도록) 권하다《*against*》: She ~*ed against* [*for*] issuing a vehement denial. 그녀는 강하게 부정하지 않도록[부정하도록] 권했다.

coun·sel·ing, 《英》 **-sel·ling** [káunsəliŋ] *n.* Ⓤ 카운슬링《학교 등에서의 개인 지도·상담》.

‡**coun·se·lor**, 《英》 **-sel·lor** [káunsələr] *n.* Ⓒ ① 고문, 상담역; 의논 상대. ② 《美》 카운슬러《연구·취직·신상 문제 등에 관하여 개인적으로 지도하는 교사 등》. ③ 《美》 법정 변호사. ④ (대·공사관의) 참사관. ⑤ 캠프의 지도원.

†**count**¹ [kaunt] *vt.* ① …을 세다, 계산하다 ; 세어 나가다 : ~ the number of people present 출석자의 인수를 세다 / When you are angry, ~ ten before you speak. 화가 났을 때는 말하기 전에 열까지 세시오. ② …을 셈에 넣다, 포함시키다《*in* ; *among*》: twenty people, ~*ing* the children 아이들을 포함하여 20명. ③ 《+목+보 / +목+*as* 보 / +목+전+명》 …이라고 생각하다, …으로 보다[간주하다]《*as* ; *for*》: I ~ it an honor to serve you. 도울 수 있음을 영광으로 생각합니다 / Ned has been ~*ed as* a fool. 네드는 지금까지 바보로 여겨져 왔다 / We ~*ed* our father *for* lost. 우리는 아버지가 돌아가신 것으로 간주했다. ④ (공적 따위)를 돌리다, …의 탓으로 하다. ⑤ 《+*that* 절》 《美口》 …라고 추측하다, 생각하다 : I ~ *that* she will come. 그녀가 올 것이라고 생각한다.
— *vi.* ① (수를) 세다, 계산하다 ; 수[계정]에 넣다 : The child can't ~ yet. 그 아이는 아직 수를 세지 못한다. ② 수적으로 생각하다, 합계 …이 되다. ③ 《+*as* 보》 …로 보다[간주되다], 축에 들다 : This picture ~*s as* a masterpiece. 이 그림은 걸작의 하나로 꼽힌다. ④ 《~ / +전+명》 중요성을 지니다, 가치가 있다 : He does not ~ *for* much. 그는 대단한 사람이 아니다 / Every minute ~*s.* 1분이라도 소홀히 할 수 없다 / What ~*s* is how you feel about yourself. 중요한 것은 네 자신을 어떻게 생각하느냐이다. ⑤ 《+전+명》 의지하다, 기대하다, 믿다《*on, upon*》: ~ *on* others 남에게 의지하다 / He ~*ed on* inheriting the fortune. 그는 그 재산을 상속할 수 있을 것으로 기대하고 있었다. ~ ***against*** …에게 불리해지다[하다고 생각하다]: There are other factors which may ~ *against* you. 너에게 불리한 다른 요소들이 있다. ~ ***down*** (로켓 발사 따위에서) 초(秒)읽기를 하다《*to*》: ~ *down to* lift-off 발사까지 초읽기를 하다. ~ ***for*** …의 가치가 있다 : ~ *for* little [nothing] 대단치 않다. ~ ***in*** …을 셈[동료]에 넣다 : If you're all going to the party, you can ~ me *in* too. 너희 모두 파티에 간다면 나도 같이 가겠다. ~ ***off*** (1) (…의) 수를 확인하다. (2) 《美》 〖軍〗 [종종 命令法으로] (병사가 정렬하여) 번호를 부르다(《英》 number off). (3) 세어서 따로 하다, 세어서 반(半)으로 가르다. ~ ***out*** (1) (하나하나) 세어서 꺼내다 ; (세어서) 덜다 ; 소리내어 세다. (2) 《口》 제외하다, 따돌리다 ; (아이들 놀이에서) 셈노래를 불러 놀이에서 떼내다[술래로 지명하다] : *Count* me *out.* (게임에서) 나는 빼 주시오. (3) 〖英議會〗 (정족수의 부족으로 의장이) 토의를 중지시키다, 유회를 선포하다. (4) 《美口》 (개표시에) 득표의 일부를 빼내 …를 낙선시키다. (5) 〖拳〗 (10초를 세어) 녹아웃을 선언하다. ~ ***up*** 총계하다 ; 일일이 세다.
— *n.* ① Ⓤ,Ⓒ 계산, 셈, 집계 : beyond[out of] ~ 다 셀 수 없는, 무수한 / A ~ of hands showed 5 in favor and 4 opposed. 거수 결과는 찬성 5 반대 4였다. ② Ⓒ (흔히 *sing.*) 총계, 총수 : blood ~ 혈구수 / hold a census ~ 인구 조사를 하다. ③ Ⓒ 〖法〗 (기소장의) 소인(訴因), 기소 조항 ; 문제점, 논점 : I agree with you on that ~. 그 점에서는 당신과 의견이 같습니다. ④ Ⓤ (the ~) 〖拳〗 카운트 : get up at *the* ~ of five 카운트 5에서 일어나다 / take *the* ~ ⇨ (成句). ⑤ Ⓒ 〖野〗 볼카운트, 스코어 ; 〖볼링〗 스페어 후의 제1투로 쓰러뜨린 핀의 수. ⑥ 〖컴〗 계수.
keep ~ of . . . (1) …을 계속 세다, …의 수를 세어 나가다. (2) …의 수를 외고 있다. ***lose ~ of*** …을 셀 수 없게 되다 ; …수를 잊어버리다 : *lose* ~ *of* time 시간을 알 수 없게 되다, 시간이 지나감을 잊다. ***out for the ~*** (1) 〖拳〗 녹아웃되어. (2) 《口》 의식을 잃어, 숙면하여. (3) 《口》 몹시 지쳐, 활동을 계속 못 할. ***out of ~*** 셀 수 없는, 무수한. ***set ~ on*** …을 중시하다. ***take the ~*** 〖拳〗 10초를 세다[셀 때까지 못 일어나다], 카운트아웃이 되다 ; 패배하다 : *take the* last [long] ~ 《美俗》 죽다.

count**² (*fem.* ***cóunt·ess [-is]) *n.* Ⓒ (종종 C-) (영국 이외의) 백작《영국에서는 earl. 단 earl의 여성은 countess》.

***count·a·ble** [káuntəbəl] *a.* 셀 수 있는 : a ~ noun 가산 명사. opp *uncountable.* — *n.* Ⓒ 셀 수 있는 것.

count·down [káuntdàun] *n.* Ⓒ (로켓 발사 때 등의) 초(秒)읽기, 카운트다운.

coun·te·nance [káuntənəns] *n.* ① Ⓒ 생김새, 용모, 안색, 표정 : a pleasing ~ 귀여운 얼굴 / a sad ~ 슬픈 표정 / His ~ fell. 〖聖〗 실망한 빛이 보였다, 안색이 변했다《창세기 Ⅳ : 5》. ② Ⓤ 침착함, 냉정함 : lose ~ 냉정을 잃다, 감정을 나타내다 / in ~ 침착하게. ③ Ⓤ 장려, 지지, 찬조, 후원 : I gave him[his plan] no ~. 나는 그를[그의 계획을] 조금도 지지하지 않았다. ***change ~*** (노여움 등으로) 안색이 변하다. ***out of ~*** 당혹하여 : put a person *out of* ~ 아무를 당황케 하다 ; 아무에게 면목을 잃게 하다. — *vt.* …에게 호의를 보이다 ; …을 찬성[지지]하다 ; 후원하다 ; 묵인하다, 허락하다 : ~ dishonesty 부정을 묵인하다 / ~ the use of nuclear weapons 핵무기의 사용을 허락하다.

‡**count·er**¹ [káuntər] *n.* Ⓒ ① (은행·상점 등의) 계산대, 판매대, 카운터 : a girl behind the ~ 여점원. ② (식당·바의) 카운터, 스탠드 ; (주방(廚房)의) 조리대 : a lunch ~ 《美》 간이 식당. ③ 계산하는 사람 ; (기계의) 회전 계수기 ; 계산기. ④ 〖컴〗 계수기. ⑤ 산가지《카드놀이 등에서 득점계산용 칩(chip)》. ***over the ~*** (1) 판매장에서 ; (거래소에서가 아니고) 증권업자의 점포에서《주식 매매에 이름》; (도매업자가 아니라) 소매업자를 통해. (2) (약을 살 때) 처방전 없이. ***under the ~*** 몰래, 부정하게, 암거래(시세)로.

***coun·ter**² *a.* ① 반대의, 역의 : the ~ direction 반대 방향 / a ~ statement 반대 성명(聲明) / His

opinion is ~ to mine. 그의 의견은 내 의견과 정반대다. ② 짝의, 한 쪽의 ; 버금〔부(副)〕의 : a ~ list 비치 명부.
— *ad.* 반대로, 거꾸로 : run 〔go, act〕 ~ (to) (…에) 반하다, 거스르다. — *vt.* ① …에 반대하다, …에 거스르다 : ~ a plan 계획에 반대하다. ② …에 반격하다, 반론하다 : I ~*ed that* he was to blame. 나는 그 사람이 나쁘다고 반박했다. ③ (권투·체스 등에서) …을 되받아 치다, 역습하다.
— *vi.* 〖拳〗 되받아 치다, 카운터를 먹이다.
— *n.* Ⓒ ① 역, 반대의 것 ; 대항력〔활동〕. ②〖拳〗 받아치기, 카운터블로(counterblow). ③〖펜싱〗 칼 끝으로 원을 그리며 받아넘기기.

coun·ter·act [kàuntərǽkt] *vt.* ① …와 반대로 행동하다, …을 방해하다 ; 좌절시키다 ; 반작용하다. ② (효과 등)을 없애다 ; 중화(中和)하다 : This is an antidote to ~ the poison. 이것은 그 독을 중화시키는 해독제이다 / Drinking a lot of water ~*s* the dehydrating effects of sweating. 많은 물을 마시면 땀의 탈수 효과를 없앤다.

coun·ter·ac·tion [-ʃən] *n.* Ⓤ,Ⓒ ① (약의) 중화(작용) ; (계획의) 방해, 저항. ② 반작용, 반동.

coun·ter·ac·tive [kàuntərǽktiv] *a.* 반작용의 ; 방해하는 ; 중화성의. — *n.* Ⓒ 반작용제(劑), 중화제.

coun·ter·ar·gu·ment [káuntərɑ̀ːrgjəmənt] *n.* Ⓒ 반론(反論) : offer a ~ 반론을 제기하다.

coun·ter·at·tack [káuntərətæ̀k] *n.* Ⓒ 반격, 역습 : mount a ~ 반격을 제시하다. — [⌐-⌐] *vt., vi.* …을 반격〔역습〕하다.

coun·ter·at·trac·tion [kàuntərətrǽkʃən] *n.* Ⓤ 반대 인력.

coun·ter·bal·ance [kàuntərbǽləns] *vt.* ① …의 균형을 맞추다, 평형시키다 : The two weights ~ each other. 그 두 개의 추는 서로 균형이 잡힌다. ② (…의 부족)을 메우다 ; (효과)를 상쇄하다.
— [⌐-⌐-] *n.* Ⓒ ① 평형량(平衡量) ; 〖機〗 평형추(錘) (counterweight). ② 평형 균형을 이루는 세력, 평형력, 대항세력.

coun·ter·blast [káuntərblæ̀st, -blɑ̀ːst] *n.* Ⓒ 심한 반발, 맹렬한 반대《*to*》《★ 신문에 잘 쓰임》.

coun·ter·blow [káuntərblòu] *n.* Ⓒ ① 반격, 역습, 보복. ②〖拳〗 카운터 블로.

coun·ter·change [kàuntərtʃéindʒ] *vt.* ① …의 위치를〔특성을〕 바꾸다. ② 체크 무늬〔다채로운 무늬〕로 하다, 다채롭게 하다.

coun·ter·charge [káuntərtʃɑ̀ːrdʒ] *n.* Ⓒ 역습, 반격 ; 반론 : make a ~ 역습〔반론〕하다.
— [⌐-⌐] *vt.* …을 반격〔역습〕하다 ; 반론하다.

coun·ter·check [káuntərtʃèk] *n.* Ⓒ ① 대항〔억제〕 수단, 저지, 방해. ② (정확·안전을 기하기 위한) 재대조(再對照). — [⌐-⌐] *vt.* ① …을 저지〔방해〕하다. ② …을 재대조하다.

coun·ter·claim [káuntərklèim] *n.* Ⓒ 반대 요구, 《특히》 반소(反訴). — [⌐-⌐] *vi.* 반소하다, 반소를 제기하다《*for* ; *against*》. — *vt.* 반소하여 …을 청구하다.

coun·ter·clock·wise [kàuntərklɑ́kwàiz / -klɔ́k-] *a., ad.* 시계 바늘과 반대 방향의〔으로〕, 왼쪽으로 도는〔돌게〕. OPP *clockwise.* ¶ a ~ rotation 왼쪽으로 돌기.

coun·ter·cul·ture [káuntərkʌ̀ltʃər] *n.* Ⓤ 반체제 문화, 대항(對抗) 문화《기성 가치관·관습 등에 반항하는, 특히 젊은이의 문화》. ㊕ **-tur·al** *a.*

coun·ter·cur·rent [káuntərkə̀ːrənt] *n.* Ⓒ 역류(逆流).

coun·ter·es·pi·o·nage [kàuntəréspiənidʒ, -nɑ̀ːʒ] *n.* Ⓤ (적의 스파이 활동에 대한) 대항적 스파이 활동, 방첩.

coun·ter·ex·am·ple [káuntərigzæ̀mpəl, -zɑ̀ːm-pəl] *n.* Ⓒ (공리·명제에 대한) 반례, 반증.

***coun·ter·feit** [káuntərfit] *a.* ① 모조〔가짜〕의 ; 허울만의, 겉치레의 : a ~ note 위조 지폐 / a ~ signature 가짜 서명 / a ~ diamond 모조 다이아몬드. ② 허위(虛僞)의 : ~ illness 꾀병. — *n.* Ⓒ 가짜 ; 모조품, 위작(僞作). — *vt.* ① (화폐·문서 따위)를 위조하다. ② (감정)을 속이다, 가장하다. ㊕ **~·er** [-ər] *n.* 《특히》 화폐 위조자(《英》 coiner).

coun·ter·foil [káuntərfɔ̀il] *n.* Ⓒ 부본(副本) (stub)《수표·영수증 따위를 떼어 주고 남겨두는 쪽지》.

coun·ter·force [káuntərfɔ̀ːrs] *n.* Ⓒ 반대로 작용하는 힘, 반대〔저항〕 세력.

coun·ter·in·sur·gen·cy [kàuntərinsə́ːrdʒən-si] *n.* Ⓤ 대(對)게릴라 계획〔활동〕.

coun·ter·in·tel·li·gence [kàuntərintélə-dʒəns] *n.* Ⓤ 대적(對敵) 정보 활동, 방첩 활동.

coun·ter·ir·ri·tant [kàuntərírətənt] *n.* Ⓤ,Ⓒ 유도(誘導)〔반대〕 자극제《겨자 따위》.

count·er·man [káuntərmæ̀n] (*pl.* **-men** [-mèn]) *n.* Ⓒ (cafeteria 의) 카운터에서 손님 시중드는 사람 ; 점원.

coun·ter·mand [kàuntərmǽnd, -mɑ́ːnd] *vt.* ① (명령·주문)을 취소〔철회〕하다 ; 반대 명령에 의해 …에 대한 명령을〔요구를〕 취소하다 : The instruction was immediately ~*ed*. 그 명령은 즉각 철회되었다. ② (군대 등)에 철수를 명하다.
— [⌐-⌐] *n.* Ⓤ,Ⓒ ① 반대〔철회, 취소〕 명령. ② (주문〔명령〕의) 취소.

coun·ter·march [káuntərmɑ̀ːrtʃ] *n.* Ⓒ 〖軍〗 반대 행진 ; 후퇴. — [⌐-⌐] *vi.* 뒤로 돌아서 행진하다.

coun·ter·meas·ure [káuntərmèʒər] *n.* Ⓒ (상대방의 책략·행동 등에 대한) 대책, 대응책, 대항〔보복〕 수단 : specific ~*s* 특별 대책.

coun·ter·move [káuntərmùːv] *n.* Ⓒ 반대 운동, 대항 수단(counter measure). 「역습, 반격.

coun·ter·of·fen·sive [kàuntərəfénsiv] *n.* Ⓒ

coun·ter·of·fer [kàuntərɔ́(ː)fər, -ɑ́f-, ⌐-⌐-] *n.* Ⓒ ① 대안(代案·對案). ②〖商〗 반대〔수정〕 신청, 카운터오퍼.

coun·ter·pane [káuntərpèin] *n.* Ⓒ 침대의 겉덮개, (장식적인) 이불.

***coun·ter·part** [káuntərpɑ̀ːrt] *n.* Ⓒ ① 정부(正副) 두 통 중의 한 통, 《특히》 부본, 사본. ② 짝의 한 쪽. ③ 상대물〔인〕, 대응물〔자〕, 동(同)자격자 : The Korean foreign minister met his German ~. 한국 외무 장관이 독일 외무 장관과 회담했다 / It has no ~ in the world. 이 세상에 그것에 대응〔필적〕할 만한 것은 없다.

coun·ter·plot [káuntərplɑ̀t / -plɔ̀t] *n.* Ⓒ 적의 의표를 찌르는 계략, 대항책《*to*》. — (**-tt-**) *vt.* (적의 계략)에 계략으로 대항하다, (적의 책략)의 의표를 찌르다. — *vi.* 대항책을 강구하다.

coun·ter·point [káuntərpɔ̀int] *n.* 〖樂〗 ① Ⓤ 대위법. ② Ⓒ 대위 선율.

coun·ter·poise [káuntərpɔ̀iz] *vt.* …와 걸맞게 하다, 평형(平衡)시키다, 평형〔균형〕을 이루게 하다. — *n.* ① Ⓒ 평형추(錘) (counterbalance). ② Ⓒ 균세물(均勢物), 평형력(counterbalance). ③ Ⓤ 균형, 균세, 안정 : be in ~ 평형을 유지하다, 균형이 잡혀 있다.

coun·ter·pro·duc·tive [kàuntərprədʌ́ktiv] *a.* 역효과의〔를 초래하는〕 : The censorship was ~. 검열은 역효과였다.

coun·ter·pro·pos·al [kàuntərprəpóuzəl] *n.* U,C 반대 제안.

coun·ter·punch [káuntərpʌ̀ntʃ] *n.* C 반격 (counterblow), 역습.

Cóunter Reformátion (the ~) 반종교 개혁《종교개혁에 유발된 16-17 세기 가톨릭 내부의 자기개혁 운동》.

coun·ter·rev·o·lu·tion [kàuntərrèvəlú:ʃən] *n.* U,C 반혁명 : stage a ~ 반혁명을 꾀하다 / the forces of ~ 반혁명군.

coun·ter·rev·o·lu·tion·ary [-èri] *a.* 반혁명의 : a ~ rebellion 반혁명 폭동. ── *n.* C 반혁명주의자.

coun·ter·scarp [káuntərskɑ̀:rp] *n.* C 〖築城〗 (해자의) 외벽(外壁), 외안(外岸).

coun·ter·sign [káuntərsàin] *n.* C ① 〖軍〗 암호 (password)《보초의 수하에 대답하는》; 응답 신호 : give the ~ 암호를 말하다. ② 부서(副署). ── [ㅗ-sáin] *vt.* …에 부서하다 ; …을 확인〔승인〕하다 : ~ a check 수표에 부서하다.

coun·ter·sig·na·ture [kàuntərsígnətʃər] *n.* C 부서(副署), 연서(連署) ; 확인 도장.

coun·ter·sink [káuntərsìŋk, ㅗㅡㅡ] (**-sank** [-sæ̀ŋk] ; **-sunk** [-sʌ̀ŋk]) *vt.* ① (구멍)의 아가리를 넓히다 ; …에 나사못대가리 구멍을 파다. ② (나사못 등의 대가리)를 구멍에 박아 넣다. ── *n.* C ① (못대가리 구멍을 파는) 송곳. ② 입구를 넓힌 구멍.

coun·ter·spy [káuntərspài] *n.* C 역(逆)스파이.

coun·ter·stroke [káuntərstròuk] *n.* C 되받아〔맞받아〕 치기, 반격.

coun·ter·ten·or [kàuntərténər] *n.* 〖樂〗 ① **a)** U 카운터테너《남성의 최고음부》. **b)** C 카운터테너 목소리. ② C 카운터테너 가수.

coun·ter·trade [káuntərtrèid] *n.* U 대응 무역 《수입측이 그 수입에 따르는 조건을 붙이는 거래》.

coun·ter·vail [kàuntərvéil] *vt.* …을 상쇄하다, 상계(相計)하다 ; 메우다, 보상하다 ; …에 대항하다《*against*》. ── *vi.* 대항하다《*against*》.

countervàiling dùty (수출 장려금에 대한) 상계(相計) 관세.

coun·ter·weight [káuntərwèit] *n.* =COUNTERBALANCE.

cóunter wòrd 전용어(轉用語)《본뜻 외에 막연한 뜻으로 쓰이는 통속어 ; *awful*=very, *swell* =first-rate, *affair*=thing 따위》.

†**count·ess** [káuntis] *n.* C (종종 C-) ① 백작 부인《count² 및 영국의 earl 의 부인》. ② 여(女)백작.

cóunting hòuse (회사 등의) 회계과, 경리부 ; 회계〔경리〕실.

‡**count·less** [káuntlis] *a.* 셀 수 없는, 무수한 (innumerable) : There are ~ arguments against this ridiculous proposal. 이 터무니없는 제안에 대해 수많은 논란이 있다.

cóunt nòun 〖文法〗 가산 명사(countable).

coun·tri·fied [kʌ́ntrifàid] *a.* ① (사람이) 촌티가 나는, 촌스러운. ② (경치 따위가) 전원〔시골〕풍의, 야취(野趣)가 있는.

†**coun·try** [kʌ́ntri] (*pl.* **-tries**) *n.* ① C 나라, 국가 ; 국토 : an industrialized ~ 공업국 / a developing ~ 발전〔개발〕도상국. ② (the ~) 시골, 교외, 지방, 전원 : live in *the* ~ 시골에서 살다 / So many *countries*, so many customs. 《俗談》 지방이 다르면 풍속도 다르다. ③ (흔히 one's ~) C 조국, 고국 ; 고향 : love of *one's* ~ 조국애, 애국심 / fight for *one's* ~ 조국을 위해 싸우다 / *My* ~ (of birth) is Ireland. 나의 고향은 아일랜드이다. ④ U (지세적(地勢的)으로 본, 또는 특정인물과 관계가 깊은) 지방, 지역, 고장 : mountainous ~ 산악지 / open ~ 광활한 지역 / Wordsworth ~ 워즈워스와 관계가 깊은 지방〔고장〕. ⑤ U (어떤) 영역, 분야, 방면 : Shakespear is unknown ~ to me. 셰익스피어는 나에게는 미지의 분야이다. ⑥ (the ~) 〔集合的 ; 單數취급〕 국민, 선거민, 민중 : *The* whole ~ celebrated the signing of the peace treaty. 전국민은 평화 조약 조인을 경축했다. ⑦ U 《口》 =COUNTRY MUSIC. ***across*** ~ 들을 가로질러, 단교(斷郊)의《경주 따위》. ***appeal*** 〔***go***〕 ***to the*** ~ 《英》 (의회를 해산하여) 국민의 총의를 묻다 : The Prime Minister has decided to *go to the* ~. 수상은 국민의 총의를 묻기로 결정했다. ── *a.* ① 시골(풍)의 ; 시골에서 자란 : ~ life 전원 생활 / a ~ boy 시골에서 자란 소년. ② 컨트리뮤직의 : a ~ singer 컨트리뮤직 가수.

coun·try-and-west·ern [-ənwéstərn] *n.* U 《美》 =COUNTRY MUSIC.

cóuntry bùmpkin 시골뜨기, 촌놈.

cóuntry clùb 컨트리 클럽《테니스·골프 따위의 설비를 갖춘 교외 클럽》.

cóuntry cóusin 《蔑》 시골 친척, 도회지에 갓 올라온 시골 사람.

coun·try-dance [-dæ̀ns, -dɑ̀:ns] *n.* C (영국의) 컨트리댄스《남녀가 두 줄로 마주 서서 춤》.

countryfied [kʌ́ntrifàid] *a.* =COUNTRIFIED.

cóuntry géntleman 시골에 토지를 소유하고 넓은 주택에 거주하는 신사〔귀족〕 계급의 사람, 지방의 명사〔대지주〕(squire).

cóuntry hòuse 《英》 시골에 있는 대지주의 저택 (cf. town house) ; 《美》 별장.

***coun·try·man** [-mən] (*pl.* **-men** [-mən]) *n.* C ① (one's ~) 동국인, 동포, 동향인. ② 어떤 지방의 주민〔출신자〕. ③ 시골 사람, 촌 사람.

cóuntry mùsic 《口》 컨트리 뮤직《미국 남부에서 발달한 민속 음악》.

cóuntry ròck 〖樂〗 로큰롤조(調)의 웨스턴 뮤직(rockabilly).

coun·try·seat [-sì:t] *n.* C 시골에 있는 대저택 (country house).

‡**coun·try·side** [-sàid] *n.* ① U 시골, 지방, 전원 지대 : the ~ bright with wild flowers 야생꽃이 화려하게 피는 전원 지대. ② (the ~) 〔集合的 ; 單數 취급〕 지방민.

coun·try·wide [-wáid] *a.* 전국적인. ── *ad.* 전국적으로. cf. nationwide.

coun·try·wom·an [-wùmən] (*pl.* **-women** [-wìmin]) *n.* C ① (one's ~) 같은 나라〔고향〕 여자 ; 한지방 출신의 여성. ② 시골 여자.

‡**coun·ty** [káunti] *n.* C ① 《美》 군(郡)《State 밑의 행정 구획 ; Louisiana와 Alaska 주 제외》. ② 《英》 주(州)《최대의 행정·사법·정치 구획》《★ 주(州)의 이름을 말할 때에는, the *County* of York, 또는 -shire 를 붙여서 Yorkshire 등과 같이 말한다》. ③ (the ~) 〔集合的〕 《美》 군민, 《英》 주민(州民). ── *a.* 《英》 주(州) 명문(名門)의.

cóunty bórough 《英》 특별시《인구 10만 이상의 행정상 county 와 동격인 도시 ; 1974년 폐지》.

cóunty cóuncil 《英》 주의회.

cóunty cóurt ① 《美》 군(郡)법원. ② 《英》 주(州) 법원.

cóunty crícket 《英》 주 대항 크리켓 경기.

cóunty fáir 《美》 (연 1 회의) 군의 농·축산물 품평회.

cóunty fámily 《英》 주〔지방〕의 명문.

cóunty schòol 《英》 주립 학교, 공립 학교.

cóunty séat 《英》 군청 소재지.

cóunty tówn ① 《英》 주(州)의 행정 중심지, 주

청(州廳) 소재지. ②《英》 = COUNTY SEAT.

coup [ku:] (*pl.* ~*s* [ku:z]) *n.* Ⓒ 《F.》 ① 멋진〔불의의〕 일격; (사업 등의) 대히트, 대성공: make〔pull off〕 a ~ 대성공을 거두다. ② 쿠데타.

coup de grâce [ku:dəgrá:s] (*pl.* ***coups de grâce*** [—]) 《F.》 ① 최후의 일격, 결정적인 일격: deliver the ~ to one's adversary 적에게 최후의 일격을 가하다. ② 인정〔자비〕의 일격《중상을 입고 신음하는 사람·동물을 즉사시키는 일격》.

coup d'é·tat [kù:deitá: / kú:-] (*pl.* ***coups d'état*** [kù:z- / kú:z-]) 《F.》 쿠데타, 무력 정변.

cou·pé, -pe [ku:péi] *n.* Ⓒ 《F.》 ① 쿠페형(型) 마차《2인승 4륜 유개마차》. ② (흔히 coupe [ku:p]) 쿠페형 자동차《문 2, 유개, 2-5 인승; 세단보다 소형》.

†cou·ple [kʌ́pəl] *n.* Ⓒ ① (짝〔쌍〕이 되어 있는) 둘, 두 사람, 한 쌍《*of*》: a ~ *of* players 2인 1조(組)의 경기자. ② 부부, 약혼한 남녀; (남녀의) 한 쌍: a loving ~ 사랑하는 한쌍의 남녀 / a young ~ 젊은 부부 / a newly wedded ~ 신혼 부부 / The ~, who met two years ago, plan to wed next month. 두 남녀는 2년 전에 만났는데, 내달 결혼할 예정이다.

> 語法 '한 쌍을 이루고 있는 두 사람'에 중점이 주어져 있을 때는 단수형이나 복수 취급을 하는 일이 있다: The ~ seem to be happy. 그 부부는 행복해 보인다 / A ~ are dancing in the hall. 한 쌍의 남녀가 홀에서 춤을 추고 있다.

③ (같은 종류의 것) 둘, 두 사람《*of*》: a ~ *of* apples 사과 두 개 / for a ~ *of* days 2일간. ④ 〖物〗 짝힘, 우력(偶力). ⑤〖電〗 커플. ***a ~ of*** (1) 두 개〔사람〕의 (two). (2) 《口》 몇몇의, 두셋의(a few)《of를 생략하기도 함》: *a ~ of* miles〔days〕, 2, 3 마일〔일〕. ── *vt.* ① …을 (두 개씩) 잇다, 연결하다(link); 연결기로 (차량)을 연결하다《*up; on; onto*》; 〖電〗 커플러로 잇다: ~ two coaches (together) 객차 2량을 연결하다 / ~ a trailer *on to* a truck 트럭에 트레일러를 연결하다. ② …을 결혼시키다; 짝지우다; (짐승)을 흘레붙이다. ③《~ +목 / +목+전+명》 …을 연상하다, 결부시켜 생각하다《*together*》: We ~ her name *with* that of Chaplin. 그녀의 이름이 나오면 채플린을 연상한다 / ~ A *with*〔*and*〕 B, A와 B를 결부시켜 생각하다. ── *vi.* ① 연결되다, 협력하다. ② 짝이 되다, 교미하다. ③ 결혼하다 (marry).

cou·pler [kʌ́plər] *n.* Ⓒ ①〖鐵〗 연결수; 연결기〔장치〕. ② 커플러《오르간 등의 연동 장치》. ③〖電〗 (회로의) 결합기, 커플러.

cou·plet [kʌ́plit] *n.* Ⓒ (시(詩)의) 대구(對句), 2행 연구(連句). cf. heroic couplet.

cou·pling [kʌ́pliŋ] *n.* ① Ⓤ 연결, 결합. ② Ⓒ 〖機〗 커플링, 연결기〔장치〕.

***cou·pon** [kjú:pɑn / -pɔn] *n.* Ⓒ ① 회수권의 한 장; (철도의) 쿠폰식 (연락) 승차권; (광고·상품 등에 첨부된) 우대권, 경품권; 식권(a food ~); 배급권: a ~ system 경품부 판매법 / a ~ ticket 쿠폰식 유람〔승차〕권. ② (판매 광고에 첨부된) 떼어 쓰는 신청권〔용지〕; 《英》 (내기 등에의) 참가 신청 용지. ③〖商〗 (무기명 이자부 채권의) 이표(利票).

†cour·age [kə́:ridʒ, kʌ́r-] *n.* Ⓤ 용기, 담력, 배짱. 《★ courage는 정신력을, bravery는 대담한 행위를 강조함》. ¶ Dutch ~ 술김의 용기, 허세 / lose ~ 낙담하다 / take ~ in …에 용기를 내다 / have the ~ to do …할 용기가 있다 / I think he has the ~ to tell the truth. 그에게는 진실을 말할 만큼의 용기가 있다고 나는 생각한다. ◇ courageous *a.* ***take one's ~ in both hands*** 대담하게 해보다.

‡cou·ra·geous [kəréidʒəs] (***more ~; most ~***) *a.* 용기 있는, 용감한, 담력 있는, 씩씩한. opp. *cowardly.* ¶ It was ~ of you to say "No" to that. 그것에 대해 '노'라고 말한 것은 용기있는 일이었어. 파 **~·ly** *ad.* **~·ness** *n.*

cour·gette [kuərdʒét] *n.* 《英》 = ZUCCHINI.

cou·ri·er [kúriər, kə́:ri-] *n.* ① Ⓒ 급사(急使), 특사; 밀사, 스파이; 밀수꾼. ② Ⓒ 여행 안내인, (단체 여행의) 안내원, 가이드. ③ (C-) (신문의 이름에 붙여서) …신문, 신보(新報): the Liverpool *Courier* 리버풀 신보.

†course [kɔ:rs] *n.* Ⓒ ① 진로, 행로; 물길, (물의) 흐름; (경주·경기의) 주로(走路), 코스, 《특히》 경마장(race course), 골프코스(golf course): the ~ of a river 강의 수로 / hold〔change〕 one's ~ 침로를 그대로 유지하다〔바꾸다〕 / The plane was many miles off ~. 비행기는 몇 마일이나 항로를 벗어나 있었다. ② Ⓤ 진행, 진전, 추이; (시간의) 경과; (사건의) 되어감; (일의) 순서; (인생의) 경력(career): the ~ of life 인생 행로 / the ~ of a disease 병의 추이〔경과〕 / allow events to follow their ~ 사태를 되어가는 추세에 맡기다. ③ Ⓒ (행동의) 방침, 방향, 방식, 수단; (*pl.*) 행동, 행실: hold〔change〕 one's ~ 자기 방식을 밀고 가다〔바꾸다〕 / mend one's ~*s* 행실을 고치다. ④ Ⓒ (연속) 강의, (학교의) 교육과정; 〖美大學〗 과목, 단위, 강좌: a ~ of lectures 연속 강의 / a ~ of study 교과〔연구〕 과정. ⑤ Ⓒ 〖料〗 (차례로 한 접시씩 나오는) (일품)요리: the fish ~ 생선 요리 / the main ~ 주된 요리, 메인 코스 / a dinner of six ~*s*, 6 품 요리. 《★ 보통 soup, fish, meat, sweets, cheese, dessert의 6 품》. ⑥ Ⓤ 〖獵〗 사냥개의 추적. ⑦ Ⓒ 〖建〗 (벽돌 따위의) 옆으로 줄지은 층. ⑧ Ⓒ 〖海〗 큰 가로돛: the main〔fore, mizzen〕 ~ 큰 돛대〔앞 돛대, 뒷 돛대〕의 가로돛. ⑨ Ⓒ (*pl.*) 월경. **(*as*) *a matter of*** ~ 당연한 일(로서). ***in due*** ~ 당연한 추세로, 순조롭게 나가면; 미구에. ***in the ~ of*** …의 경과 중에, …동안에(during): *in the ~ of* the next two or three weeks 다음 2, 3주 내에. ***in* (*the*) *~ of time*** 때가 경과함에 따라, 마침내, 불원간에. ***of ~*** (1) 당연한, 예사로운. (2) 당연한 귀추로서. (3) 〔문장 전체에 걸려〕 물론, 당연히; (아) 그래, 그렇군요, 확실히: *Of* ~ not. 물론 그렇지 않다. ***run*** 〔***take***〕 ***its*** 〔***their***〕 ~ 자연의 경과를 좇다; 자연히 소멸하다. ***stay the*** ~ (1) 끝까지 버티다. (2) 쉽사리 체념〔단념〕하지 않다.
── *ad.* 《口》 = of ~(='course). ── *vt.* (토끼 등)을 뒤쫓다, 추적하다, (사냥개에게) …을 좇게 하다; (말 따위)를 달리게 하다; (사냥개로) …을 사냥하다. ── *vi.* (말·개·아이가) 뛰어다니다; (사냥개로) 사냥을 하다.

cours·er [kɔ́:sər] *n.* Ⓒ 《文語》 준마, 군마.

†court [kɔ:rt] *n.* ① Ⓒ 안뜰, 뜰(yard, courtyard) 《담·건물로 둘려 있는》: There are children playing in the ~. 아이들이 안뜰에서 놀고 있다. ② Ⓒ (뜰에 세워진) 건물, 큰 저택; 《美》 모텔 (motor ~). ③ Ⓒ 궁전, 왕실: a ~ etiquette 궁중 예법. ④ Ⓤ (the ~, one's ~) 〔集合的〕 조정의 신하: the king and *the*〔*his*〕 whole ~ 왕과 모든 조정의 신하. ⑤ Ⓤ,Ⓒ 알현(식); 어전 회의. ⑥ Ⓤ (군주에 대한) 충성; 아첨: pay ~ to the king 왕에게 문안을 드리다. ⑦ Ⓤ (여성에 대한) 구애: pay ~ to a woman 여자에게 구애하다. ⑧ (테니

스·농구 등의) 코트. ⑨ Ⓒ (비교적 넓은) 골목길, 막다른 골목. ⑩ Ⓒ 법정(法廷); Ⓤ 공판; 〔集合的〕 법관: a ~ of justice〔judicature, law〕 법원, 법정 / I told them I could take them to ~. 나는 그들에게 재판을 걸 수도 있다고 말했다 / The ~ dismissed the charges. 법관은 고소를 기각했다. ***at*** ~ 궁정에서: be presented *at* ~ (외교사절·사교계 자녀 등이) 알현하다. ***go to*** ~ 소송을 제기하다. ***hold*** ~ 《比》 숭배자와〔팬과〕 이야기를 나누다. ***out of*** ~ 법정 밖에서, 비공식으로; 각하된; 《比》 하찮은, 문제가 되지 않는: laugh *out of* ~ 일소에 부치다, 문제시하지 않다. ***put*** 〔***rule***〕 ***... out of*** ~ …을 문제삼지 않다; 무시하다. ***take*** a person ***to*** ~ 아무를 법정에 고소하다. ***The ball is in your*** ~. ⇨ BALL¹.
— *vt.* ① …의 환심을 사다, 비위를 맞추다. ② …을 지싯거리다, …에게 구혼하다. ③ (칭찬 따위)를 구하다, 받고자 하다: ~ a person's approbation 아무의 찬동을 구하다. ④ (화를) 자초하다: You are *~ing* disaster〔ruin〕. 너는 재난〔파멸〕을 자초하는 일을 하고 있다. — *vi.* 구애하다, 서로 사랑하다.

cóurt càrd 《英》 (카드의) 그림패(face card).

cóurt drèss (입궐용의) 대례복, 궁중복.

‡**cour·te·ous** [kɔ́:rtiəs / kɔ́:r-] (***more*** ~; ***most*** ~) *a.* ① 예의바른, 정중한: ~ greetings 정중한 인사 / I received a ~ reply from the manager. 지배인으로부터 정중한 회답을 받았다. ② 〔敍述的〕 친절한: She was very ~ to me. 그녀는 나에게 대단히 친절했다. ◇ courtesy *n.* ㊞ *~·**ly** *ad.* ~·**ness** *n.*

cour·te·san [kɔ́:rtəzən, kɔ́:r-] *n.* Ⓒ 고급 창부; (옛 왕후(王侯) 귀족의) 정부(情婦).

*__cour·te·sy__ [kɔ́:rtəsi] *n.* ① Ⓤ 예의(바름), 공손〔정중〕함, 친절함: by ~ 예의상 / as a matter of ~ 의례상, 관례상 / *Courtesy* costs little〔nothing〕. 《속담》 예의에 돈은 들지 않는다. ② Ⓒ 정중〔친절〕한 말〔행위〕: do a person many *courtesies* 아무에게 여러 가지로 친절을 베풀다 / The President welcomed the Queen with usual *courtesies.* 대통령은 통례적으로 정중히 여왕을 환영했다. ③ Ⓒ 호의(favor), 우대, 특별 취급: a ~ member 회원 대우자: through the ~ of =(by) ~ of …의 호의로《삽화·기사 등의 전재(轉載) 허가를 명기하는 문구》 / by ~ of the author 저자의 호의로《전재의 경우 등에 허가를 받았음을 나타내는 말》.

cóurtesy càrd (호텔·은행·클럽 등의) 우대 카드.

cóurtesy lìght (문을 열면 켜지는) 자동차의 차내등.

cóurtesy tìtle 관례·의례적인 경칭《귀족 자녀의 성 앞에 붙이는 Lord, Lady 나 모든 대학 교수를 professor 라 부르는 등》: Both were accorded the ~ of Lady. 두 사람 모두에게 숙녀란 의례적인 칭호가 붙여졌다. 「군청사.

court·house [kɔ́:rthàus] *n.* Ⓒ ① 법원. ② 《美》

cour·ti·er [kɔ́:rtiər] *n.* Ⓒ ① 정신(廷臣), 조신(朝臣). ② 따리꾼. 「a ~ couple.

court·ing [kɔ́:rtiŋ] *a.* 연애중인, 결혼할 것 같은:

*__court·ly__ [kɔ́:rtli] (***court·li·er*** ; ***-li·est***) *a.* ① 궁정의; 예절 있는, 품격 있는; 우아한: ~ manners 품위 있는〔우아한〕 예법 / ~ love (중세의) 궁정풍의 연애, 기사도적 사랑. ② 아첨하는.
— *ad.* ① 궁정풍으로; 우아하게, 품위 있게. ② 아첨하여. ㊞ **-li·ness** *n.*

court-mar·tial [kɔ́:rtmɑ́:rʃəl] (*pl.* ***courts***- [kɔ́:rts-]; ~***s***) *n.* Ⓒ 군법 회의. — (***-l-***, 《英》 ***-ll-***) *vt.* 군법 회의에 회부하다.

cóurt òrder 법원 명령.

court·room [kɔ́:rtrù(:)m] *n.* Ⓒ 법정.

court·ship [kɔ́:rtʃìp] *n.* ① Ⓤ (여자에 대한) 구애, 구혼; (새·동물의) 구애 (동작): *Courtship* will include displays in which the male fluffs up his feathers. 수놈이 깃털을 부풀려 과시하는 것도 구애 동작에 포함될 것이다. ② Ⓒ 구혼 기간.

cóurt tènnis 《美》 실내 테니스《lawn tennis 에 대하여》.

court·yard [kɔ́:rtjɑ̀:rd] *n.* Ⓒ 안뜰, 안마당.

†**cous·in** [kʌ́zn] *n.* ① 사촌: a first 〔full, own〕 ~ 친사촌 / a (first) ~ once removed 사촌의 자녀, 종질(從姪) / a second ~ 육촌, 재종; 종질 / a third ~ 팔촌, 삼종(first ~ twice removed). ② **a**) 재종, 삼종; 친척, 일가. **b**) 근연(近緣) 관계에 있는 것: Monkeys are obvious *~s* of man. 원숭이가 사람과 근연 관계에 있는 것은 분명하다 / The French and Italian languages are *~s.* 프랑스어와 이탈리아어는 근연 관계의 언어이다.

cous·in-ger·man [kʌ́zndʒə́:rmən] (*pl.* ***cous-ins-***) *n.* Ⓒ 친사촌(first cousin).

cous·in-in-law [kʌ́zninlɔ̀:] (*pl.* ***cous·ins-***) *n.* Ⓒ 사촌의 아내〔남편〕. 「은〔같이〕.

cous·in·ly [kʌ́znli] *a., ad.* 사촌 간의; 사촌 같

cou·ture [ku:tjúər] *n.* Ⓤ 《F.》 고급 여성복 조제〔디자인〕; 〔集合的〕 고급 여성복 양재사들.

cou·tu·ri·er [ku:túərièi] (*fem.* ***-rière*** [-riər]) *n.* Ⓒ 《F.》 (남자) 고급 여성복 양재사, 드레스메이커: She is dressed by a famous ~. 그녀는 유명한 양재사가 만든 옷을 입는다.

*__cove__¹ [kouv] *n.* Ⓒ ① 후미, 작은 만(灣): The *~s* and isolated beaches of West Wales have long been a target for drugs smugglers. 웨스트 웨일스의 후미와 외딴 해변은 오랫동안 마약 밀수업자들의 목적지가 되어 왔다. ② (작은 산간의) 골짜기, 협곡, 산모롱이(nook).

cove² *n.* Ⓒ 《英俗》 녀석, 자식. 「마녀단.

cov·en [kʌ́vən, kóu-] *n.* Ⓒ 마녀 집회; 13 인의

*__cov·e·nant__ [kʌ́vənənt] *n.* ① Ⓒ 계약, 서약, 맹약. ② Ⓒ 계약서, 날인 증서, 계약 조항. ③ (the C-) 〖聖〗 (하느님과 인간 사이의) 계약: the Land of *the Covenant* 약속의 땅. — *vi.* 《+전+명》 계약〔서약, 맹약〕하다《*with*》: ~ *with* an inventor *for* a percentage of the gross profits 매출 총이익의 일정률의 지급을 발명자와 계약하다.
— *vt.* 《~+목 / +*to* do》 계약에 의해 …을 동의하다: He *~ed to* do it. 그는 그것을 하겠다고 서약하였다.

Cóv·ent Gárden [kʌ́vənt-, kʌ́v- / kɔ́v-] ① 런던 중심 지구의 하나《전에, 이곳에 청과물·화초 도매 시장이 있었음》. ② 이곳의 오페라 극장《정식으로는 the Royal Opera House 라고 함》.

Cov·en·try [kʌ́vəntri, kʌ́v- / kɔ́v-] *n.* 코번트리《영국 West Midlands 의 중공업 도시》. ***send*** a person ***to*** ~ 아무를 축에서 따돌리다, 절교하다.

†**cov·er** [kʌ́vər] *vt.* ① 《~+목 / +목+전+명》 …을 덮다, 씌우다, 싸다: *Cover* your knees *with* this rug. 무릎을 이 무릎 덮개로 싸세요 / The players were soon *~ed in*〔*with*〕 mud. 선수들은 곧 온몸이 진흙투성이가 되었다 / Snow *~ed* the highway. 간선 도로는 눈으로 뒤덮였다 / ~ one's face *with* one's hands 손으로 얼굴을 가리다. ② 《~+목 / +목+전+명》 …에 모자를 씌우다, 뚜껑을 하다; 온통 뒤바르다; …의 표지를 붙이다: ~ one's head 〔*oneself*〕 모자를 쓰다 / ~ a wall *with* wallpaper 벽에 벽지를 바르다 / Her boots were *~ed with* mud. 그녀의 부츠는 온통 흙탕으로 뒤덮여 있었다. ③ 《~+목 / +목+전+명》 …

을 덮어 가리다, 감추다, 숨기다 : ~ one's feelings 감정을 숨기다 / He laughed to ~ his confusion. 그는 당혹스러움을 감추려고 웃었다 / ~ one's bare shoulder *with* a shawl 드러난 어깨를 숄로 가리다. ④《~+目/+目+前+名》…을 감싸다, 보호하다(shield, protect) ; 〖軍〗 호위하다, …의 엄호 사격〔폭격〕을 하다, …을 방위하다 ; (길 따위)를 감시〔경비〕하다 ; 〖競〗 …의 후방을 지키다 ; (상대방)을 마크하다 ; 〖野〗 커버하다《잠시 비어 있는 베이스를》; 〖테니스〗 (코트)를 지키다 ; 〖美蹴〗 (패스 플레이에서) …을 마크하다 : ~ the landing 상륙 작전을 엄호하다 / The patrol cars ~ the whole areas. 순찰차는 그 지역 전체를 감시한다 / The cave ~*ed* him *from* the snow. 동굴에서 눈을 피했다. ⑤《+目+前+名》〔再歸用法〕…을 짊어지다, 몸으로 받다, 뒤집어쓰다 : ~ *oneself with* honors 명예를 누리다 / He ~*ed himself with* disgrace. 창피를 당했다. ⑥ …을 떠맡다, …의 대신 노릇을 하다 ; (판매원이 어느 지역)을 담당하다 : He wanted someone to ~ his post during the vacation. 그는 휴가 동안 누가 자기의 자리를 대신해 주기를 바랐다. ⑦ (어느 범위)에 걸치다(extend over), …을 포함하다(include), 망라하다 : The city ~*s* ten square miles. 시역(市域)은 10제곱 마일에 이른다 / This rule ~*s* all cases. 이 규칙은 모든 경우에 해당된다. ⑧ (기자가 사건 등)을 뉴스로 보도하다, 취재하다 : The reporter ~*ed* the accident. 기자는 그 사고를 취재했다. ⑨ (어느 거리)를 가다, (어떤 지역)을 여행〔답파〕하다(travel) : You can ~ the distance in an hour. 그 거리라면 한 시간에 갈 수 있다. ⑩ (물건·위험)에 보험을 들다 ; (어음)의 지불금을 준비하다 ; (채권자)에게 담보를 넣다 ; (내기에서 상대)와 같은 돈을 태우다 : Are you ~*ed* against 〔for〕 fire? 화재 보험에 들어 있습니까 / Can you ~ the check? 그 수표를 커버할 만큼의 예금이 있습니까. ⑪ (손실)을 메우다 ; (경비)를 부담하다, …하기에 충분하다 : Will $300 ~ our expenses for the weekend? 300달러면 주말의 비용을 댈 수 있을까. ⑫〖商〗 (선물(先物))을 되사다. ⑬ (닭이 알)을 품다 ; (동물의 수컷이 암컷)에 올라타다. ⑭《~+目/+目+前+名》〖軍〗 (대포 따위가 목표)를 부감하다(command) ; (사람)을 겨누다 ; …을 사정 안에 두다 : The battery ~*ed* the city. 포대는 그 시를 사정권 내에 두었다 / ~ a person *with* a pistol 아무에게 권총을 들이대다. ⑮〖카드놀이〗 (상대)보다 높은 패를 내다.

── *vi.* (부재자의) 대신 노릇을 하다 : *Cover* for me a few minutes, will you? 잠깐 나를 대신해 주세요. ~ ***in*** (1) (무덤 따위에) 흙을 덮다. (구멍을) 흙으로 메우다. (2) (하수도 따위에) 뚜껑을 하다. (3) (집에) 지붕을 이다. ~ ***over*** (1) (물건의 흠 등을) 덮어 가리다. (2) (실책 등을) 숨기다. ~ ***up*** (1) 완전히 덮다〔싸다〕: *Cover* yourself *up* with something warm. 뭐 따뜻한 것으로 몸을 푹 싸라. (2) (형적·감정·과오 등을) 덮어 가리다 〔숨기다〕: The government is trying to ~ *up* the full extent of the scandal. 정부는 그 스캔들의 전모를 감추려 하고 있다. (3) 감싸다, 비호하다《*for*》: She tried to ~ *up for* Ted. 그녀는 테드를 감싸려고 애썼다.

── *n.* ① Ⓒ 덮개 ; 뚜껑 ; 책의 표지《소위 '커버'는 jacket》; 봉투 ; 포장지 : a sofa ~ 소파 씌우개 / put a ~ on a chair 의자에 커버를 씌우다 / take the ~ from〔off〕 a pan 냄비 뚜껑을 잡다 / send a letter in sealed ~ 봉서(封書)로 편지를 보내다. ② Ⓤ 은신처, 잠복처(shelter) ; (사냥감의) 숨는 곳《숲이나 덤불 따위》; 〖軍〗 엄호물, 은폐물 ; 상공 엄호 비행(air ~) ; (폭격기의) 엄호 전투기대 ; (어둠·밤·연기 따위의) 차폐물 : A theater provides good ~ for a fleeting thief. 도망가는 도둑에게는 극장이 좋은 은신처가 된다 / There was no ~ from the enemy fire. 적의 포화를 차폐할 물건이라고는 아무 것도 없었다. ③ Ⓤ 구실, 핑계. ④ Ⓒ (식탁 위의) 1인분 식기《나이프·포크 따위》: *Covers* were laid for six. 식탁에는 6인분의 식기가 준비되어 있었다. ⑤ =COVER CHARGE. ⑥ Ⓤ (손해) 보험 ; 보험에 의한 담보 ; 보증금(deposit), 담보물. ***break*** ~ (동물이) 숨은 곳에서 튀어나오다(break covert). ***from*** ~ ***to*** ~ 책의 처음부터 끝까지《읽는 따위》. ***take*** ~ 〖軍〗 지형(지물)을 이용하여 숨다〔피난하다〕. ***under*** ~ (1) 엄호〔보호〕 아래. (2) 봉투에 넣어서, 편지에 동봉하여《*to*》. (3) 숨어서 ; 몰래 : We sent an agent *under* ~ to investigate. 우리는 조사를 위해 은밀히 스파이를 파송했다. ***under separate*** ~ 별편(別便)으로 : The list and other documents are being sent *under separate* ~. 일람표와 그 밖의 서류는 별편으로 보냈습니다.

***cov·er·age** [kʌ́vəridʒ] *n.* ① 적용〔통용, 보증〕 범위. ② 보도〔취재〕(의 규모) ; (라디오·TV 의) 유효 시청 범위(service area) ; (광고의) 유효 도달 범위 : radio and TV ~ 라디오와 텔레비전에 의한 보도 / pull a large press ~ 신문 등에 대대적으로 보도되다. ③ (보험의) 전보(塡補) (범위), 보상 범위, 보상액 : I have good insurance ~ on my house. 나는 내 집에 대하여 충분한 보험에 들어 있다.

cov·er·all [kʌ́vərɔ̀:l] *n.* Ⓒ (흔히 *pl.*) 커버롤《벨트가 달린 내리닫이 작업복》. cf. overall.

cóver chàrge (카바레 따위의) 서비스료.

cóver cròp 피복(被覆) 작물《겨울철, 토질을 보호하기 위해 밭에 심는 클로버 따위》.

cov·ered [kʌ́vərd] *a.* ① 지붕〔뚜껑〕이 있는 : a ~ vehicle 지붕이 있는 마차《따위》. ② 모자를 쓴.

cóvered brídge 지붕이 있는 다리.

cóvered wágon 《美》 (개척 시대에 사용한) 포장 마차.

cóver gìrl 잡지 표지에 나오는 미인, 커버 걸.

‡**cov·er·ing** [kʌ́vəriŋ] *n.* ① Ⓒ 덮개 ; 지붕. ② Ⓤ 덮기, 피복 ; 엄호 ; 차폐(遮蔽).

cóvering lètter 〔nòte〕 (봉함물의) 설명서, 첨부장 ; (동봉물(同封物)·구매 주문서에 붙인) 설명서.

***cov·er·let, cov·er·lid** [kʌ́vərlit], [-lid] *n.* Ⓒ 침대의 덮개 ; 베드 커버.

cóver nòte 〖保險〗 가(假)증서.

cóver stòry 잡지 표지의 그림이나 사진에 관련된 특집 기사.

cov·ert [kʌ́vərt, kóu-] *a.* 숨은 ; 암암리의, 은밀한. opp. overt. ¶ ~ negotiations 비밀 교섭 / ~ operations 비밀 작전. ── *n.* Ⓒ ① 덮어 가리는 것 ; 구실. ② (사냥감의) 은신처(cover) : draw a ~ (사냥감을 찾아) 덤불을 뒤지다. 파 **~·ly** *ad.* 남몰래.

cóvert còat 《英》 커버트 코트《사냥·승마용의 짧은 외투》.

cov·er·ture [kʌ́vərtʃər] *n.* ① Ⓤ,Ⓒ 덮개, 피복물(被覆物) ; 엄호물 ; 은신처, 피난처. ② Ⓤ 〖法〗 (남편 보호하의) 아내의 지위〔신분〕.

cov·er-up [kʌ́vərʌ̀p] *n.* ① (a ~) 숨김 ; 은닉 ; 은폐《*for*》: His chatter is *a* mere ~ *for* his nervousness. 그의 지껄임은 단순히 자기의 신경질을 숨기기 위한 것에 지나지 않는다. ② Ⓒ 위에 걸치는 옷《수영복 위에 걸치는 비치 코트 따위》.

***cov·et** [kʌ́vit] *vt.* ① (남의 것)을 몹시 탐내다, 바라다, 선망하다 : The presidency is surely a job that every politician ~*s.* 대통령직은 틀림없이 모든 정치인이 선망하는 직업이다 / All ~, all lose. 《俗談》 대탐대실(大貪大失). ② …을 갈망하다, 절망〔열망〕하다.

cov·et·ous [kʌ́vitəs] *a.* 탐내는《*of* ; *to* do》; 탐욕스러운; 열망하는: be ~ *of* another person's property 다른 사람의 재산을 탐내다 / ~ eyes 탐욕스런 눈길. [파] ~·**ly** *ad.* ~·**ness** *n.*

cov·ey [kʌ́vi] *n.* [C] ① 한 배의 병아리; (메추라기 등의) 무리, 떼: a ~ of quail 메추라기의 떼. ② (사람의) 일단(一團), 일대(一隊), 한 무리.

†**cow**[1] [kau] (*pl.* **~s,** 《古》 ***kine*** [kain]) *n.* [C] ① 암소; (특히) 젖소: keep ~*s* 소를 기르다 / milk a ~ 소젖을 짜다 / A ~ moos. 소가 음매 하고 운다.

> [參考] bull은 거세하지 않은 황소, ox는 거세한 황소로, 소의 총칭으로도 사용됨. calf는 송아지, 쇠고기는 beef, 송아지 고기는 veal, 우는 소리는 moo.

② **a**) (코끼리·무소·고래 따위의) 암컷. **b**) 〔複合語로 사용하여〕 암…: a ~ elephant 암코끼리. ③ 《俗》 여자. ***have a*** ~ 《美口》 흥분하다, 화내다. ***till the ~s come home*** 《口》 오랫동안, 영구히.

cow[2] *vt.* ① …을 으르다, 위협〔협박〕하다《*down*》: He was ~*ed* by her intelligence. 그는 그녀의 총명함에 겁을 먹었다 / a ~*ed* look 겁먹은 얼굴〔표정〕. ② 올러서 …하게 하다《*into*》: She ~*ed* him *into* doing things her way. 그녀는 그를 위압하여 무슨 일이나 그녀의 방식〔생각〕대로 하게 했다.

‡**cow·ard** [káuərd] *n.* [C] 겁쟁이; 비겁한 자: play the ~ 비겁한 짓을 하다 / turn ~ 겁나다, 겁내다, 겁나서 도망치다 / Don't be a ~. 겁내지 마, 벌벌 떨지 마 / I was basically a dreadful ~. 나는 본래 아주 겁쟁이었다. ── *a.* 겁많은, 비겁한; 두려워하는.

*__cow·ard·ice__ [káuərdis] *n.* [U] 겁, 소심, 비겁: He despised them for their ~ and ignorance. 그는 그들을 비겁하고 무지해서 멸시했다.

*__cow·ard·ly__ [káuərdli] *a.* 겁 많은, 소심한, 비겁한: a ~ man 겁쟁이 / a ~ retreat 비겁한 퇴각 / corrupt and ~ generals 부패하고 비겁한 장군들. ── *ad.* 겁내어, 비겁하게.
[파] **-li·ness** [-linis] *n.*

cow·bell [káubèl] *n.* [C] ① (있는 곳을 알 수 있도록) 소의 목에 단 방울. ② 〖樂〗 카우벨《무용음악에 쓰이는 타악기》.

cow·bird [-bə̀ːrd] *n.* [C] 〖鳥〗 북미산의 찌르레기 (= **ców bláckbird**)《흔히 소와 함께 있음》.

‡**cow·boy** [-bɔ̀i] *n.* [C] ① 카우보이, 목동. ② **a**) 무모한〔무서운 줄 모르는, 턱도 없는 짓을 서슴지 않는〕 남자: We can't put foreign policy in the hands of ~*s.* 카우보이 같은 놈에게 외교를 맡길 수는 없다. **b**) 스피드광, 난폭한 운전수. ***~s and Indians*** 서부극놀이.

cówboy hàt 카우보이 모자.

cow·catch·er [káukæ̀tʃər] *n.* [C] 《美》 (기관차의) 배장기(排障器) (fender, 《英》 plough)《선로 위의 소나 그 밖의 장애물을 제거함》.

cow·er [káuər] *vi.* 움츠러들다; 《英》 웅크리다: The children were ~*ing* in fear during the storm. 아이들은 폭풍우가 몰아치는 동안 몸을 움츠리고 있었다 / Jane ~*ed* in her seat. 제인은 자기 의자에 웅크리고 있었다.

cow·girl [káugə̀ːrl] *n.* [C] 《美》 ① 목장에서 일하는 여자. ② 소 치는 여자.

cow·hand [-hæ̀nd] *n.* [C] 《美》 = COWBOY ①.

cow·heel [-hìːl] *n.* [C U] 족편, 카우힐《쇠족을 양파 따위로 양념하여 곯인 요리》.

cow·herd [-hə̀ːrd] *n.* [C] 소치는 사람.

cow·hide [-hàid] *n.* ① [U C] (털 달린) 우피(牛皮); 쇠가죽. ② [C] 《美》 쇠가죽 채찍.

cow·house [-hàus] *n.* [C] 외양간(cowshed).

cowl [kaul] *n.* [C] ① 두건이 달린 수사(修士)의 겉옷; 그 두건. ② (굴뚝의) 갓; (증기 기관의 연통 꼭대기에 댄) 불똥막이 철망. ③ 카울《자동차의 앞창과 계기판(板)을 포함하는 부분》. ④ = COWLING. 「머리털.

cow·lick [káulìk] *n.* [C] (이마 위 등의) 일어선

cowl·ing [káuliŋ] *n.* [C] (비행기의) 엔진 커버.

cow·man [káumən] (*pl.* ***-men*** [-mən]) *n.* [C] ① 소치는 사람(cowherd). ② 목축 농장주, 목장주, 목축업자(ranchman).

co-work·er [kóuwə̀ːrkər, ⌐⌐⌐] *n.* [C] 함께 일하는 사람, 협력자, 동료(fellow worker).

cow·pat [káupæ̀t] *n.* [C] 쇠똥.

cow·pea [-pìː] *n.* [C] 〖植〗 광저기《소의 사료》.

cow·poke [-pòuk] *n.* [C] 《美俗》 = COWBOY.

cow·pox [-pɑ̀ks / -pɔ̀ks] *n.* [U] 〖醫〗 우두.

cow·punch·er [-pʌ̀ntʃər] *n.* 《美》 = COWBOY ①.

cow·rie, -ry [káuri] *n.* [C] 자패(紫貝).

cow·shed [-ʃèd] *n.* = COWHOUSE.

cow·slip [-slìp] *n.* [C] 〖植〗 ① 앵초(櫻草)의 일종. ② 《美》 눈동이나물의 일종.

cox [kɑks / kɔks] 《口》 *n.* [C] (특히, 경기용 보트의) 키잡이(~swain), 콕스. ── *vt., vi.* (…의) 키잡이가 되다: She ~*ed* for her college for three seasons. 그녀는 세 시즌에 걸쳐 자기 대학의 콕스 노릇을 했다.

cox·comb [kɑ́kskòum / kɔ́k-] *n.* [C] ① 멋쟁이, 맵시꾼(dandy). ② 〖植〗 = COCKSCOMB.

cox·swain, cock·swain [kɑ́ksən, -swèin / kɔ́k-] *n.* [C] 정장(艇長); (보트의) 키잡이《略: cox》: a ~'s box 키잡이석(席).

*__coy__ [kɔi] *a.* ① 수줍어하는, 스스럼을 타는; (여자의 태도 등이) 짐짓 부끄러운 체하는: Don't be 〔play〕 ~. 너무 부끄러운 체하지 말아요. ② 너무 말이 없는, 일부러 숨기려 하는, 비밀주의의: He's ~ about his income. 그는 자기의 수입에 관해서는 좀처럼 말을 하지 않는다. [파] ⌐·**ness** *n.*

coy·ly [kɔ́ili] *ad.* 부끄러운 듯이.

coy·ote [káiout, kaióuti / kɔ́iout, -⌐] (*pl.* **~s,** 〔集合的〕 ~) *n.* [C] 코요테《북아메리카 서부 대초원에 사는 이리의 일종》.

coy·pu [kɔ́ipuː] (*pl.* **~s,** 〔集合的〕 ~) *n.* [C] 코이푸, 뉴트리아(nutria)《남아메리카산의 물쥐; 고기는 식용하며, 모피는 귀하게 여겨짐》.

coz·en [kʌ́zn] *vt., vi.* (…을) 속이다; 속여 빼앗다《*of* ; *out of*》; 속여 …하게 하다《*into*》: ~ a person *out of* his money 아무에게서 돈을 사취하다 / He ~*ed* the old man *into* signing the document. 그는 노인을 속여 그 서류에 서명하게 했다.

coz·en·age [kʌ́zənidʒ] *n.* [U] ① 속임(수), 기만, 사기. ② 속음.

*__co·zy__ [kóuzi] (***co·zi·er*** ; ***-zi·est***) *a.* ① (방·장소 등이) 아늑한, 포근한, 아담한, 안락한: a ~ corner (실내의) 아늑한 구석 / a ~ little house 아담한 작은 집. ② (사람이) 편안한, 기분 좋은, 마음이 탁 풀리는: I felt ~ watching the hearth fire. 그 난로 불을 보고 있노라니까 마음이 탁 풀리면서 기분이 좋아졌다. ── *n.* [C] 보온 커버: a tea ~ 찻주전자 보온 커버.
── *vt.* ① (거실 등)을 아늑하게 만들다《*up*》. ②

《英口》 (사람)을 (속여서) 안심시키다《*along*》. ── *vi.* 〔다음 成句로〕 **~ *up to*** 《美口》 …와 친해지려고〔가까워지려고〕 하다, …의 마음에 들고자 하다. ⓐ **có·zi·ly** *ad.* **có·zi·ness** *n.*

cp. compare ; coupon. **cp., c.p.** candlepower. **C.P.** Command Post ; Common Prayer ; Communist Party ; Court of Probate. **c / p** charter party. **CPA** 〖컴〗 critical path analysis ; Certified Public Accountant (공인 회계사). **cpd.** compound. **CPI** consumer price index. **Cpl., cpl.** corporal. **CPM** 〖컴〗 monitor control program for microcomputers. **CPO, C.P.O.** Chief Petty Officer (해군상사). **cps, c.p.s** cycles per second. **CPU** 〖컴〗 central processing unit (중앙 처리 장치). **CQ** 《CB俗》 call to quarters (통신 교환 호출 신호) **CR** 〖컴〗 carriage return《CR 키 ; 명령어가 끝났음을 표시하기 위하여 입력하는 키》. **Cr** 〖化〗 chromium. **cr.** credit ; crown.

‡**crab**[1] [kræb] *n.* ① Ⓒ 〖動〗 게 ; 게 비슷한 갑각류. ② Ⓤ 게의 살 : ~ salad 게 샐러드 / canned ~ 게 통조림. ③ Ⓒ 이동 윈치(=∠ **wìnch**). 〖蟲〗 사면발이(~ louse). ④ (the C-) 〖天〗 게자리. ***catch a ~*** 노를 잘못 저어 배가 균형을 잃다. ── (**-bb-**) *vi.* 게를 잡다 : go *crabbing* 게 잡으러 가다.

crab[2] (**-bb-**) 《口》 *vt.* (남)을 기분 나쁘게 하다, 화나게 하다. ── *vi.* 푸념을 하다, 불평을 말하다 《*about*》.

cráb àpple 〖植〗 야생 사과, 능금, 그 나무.

crab·bed [krǽbid] *a.* ① 심술궂은 ; 까다로운 : He met a ~, cantankerous director. 그는 까다롭고 심술궂은 지도자를 만났다. ② (문체 등이) 난해한, 어려운 : a ~ style 난삽한 문체. ③ (필적 등이) 알아보기 힘든. ⓐ **~·ly** *ad.* **~·ness** *n.*

crab·by[1] [krǽbi] (***crab·bi·er ; -bi·est***) *a.* 게 같은, 게가 많은.

crab·by[2] (***crab·bi·er ; -bi·est***) *a.* 심술궂은, 까다로운(crabbed).

cráb gràss 〖植〗 바랭이류의 잡초.

cráb lòuse 〖蟲〗 사면발이.

crab·wise, -ways [krǽbwàiz], [-wèiz] *ad.* 게같이, 게걸음으로, 옆으로, 비스듬히 : shuffle ~ across the floor 마루를 가로질러 옆으로 발을 끌며 걷다.

‡**crack** [kræk] *vt.* ① …을 날카롭게 소리나게 하다 ; (채찍)을 쌩 울리다 ; 《口》 (아무)를 철썩 때리다 : ~ a whip 채찍을 쌩〔휙〕 하고 울리다 / ~ a person on the head 남의 머리를 찰싹 때리다. ② (호두 따위)를 우두둑 까다 ; 금가게 하다 : ~ a walnut 호두를 까다 / ~ an egg 달걀을 깨다 / The sidewalk was *~ed*. 보도에 금이 가 있었다. ③ (책)을 펼치다 ; (병·깡통 따위)를 열다, 따고 마시다 ; 《俗》 (금고)를 비집어 열다 : ~ open a bottle of champagne 샴페인을 한 병 따다 / The safe had been *~ed* open. 금고가 (누가 비집어 열어서) 열려 있었다. ④ (목)을 쉬게 하다 ; (신용 따위)를 떨어뜨리다, 손상시키다 : I've *~ed* my voice trying to speak too loud. 너무 큰 목소리로 말하려 하다가 목소리를 망가뜨리고 말았다. ⑤ 〖化〗 (석유·타르 등)을 (열)분해하다, 분류(分溜)하다. ⑥ (사건 해결·수수께끼)의 실마리를 열다 ; (사건)을 해결하다 ; 《口》 (암호)를 해독하다 : ~ a code 암호를 해독하다. ⑦ (농담)을 지껄이다 : ~ a joke 농담을 지껄이다.

── *vi.* ① (총·채찍 따위가) 딱 소리를 내다, 쨍그렁〔우지끈〕 소리나다 : The gun *~ed*. 총소리가 날카롭게 울렸다. ② 금가다 ; 쪼개지다, 탁 깨지다. ③ (목이) 쉬다, 변성하다 : Her voice *~ed*. 그녀의 목소리는 쉬어 버렸다 / The boy's voice has not *~ed* yet. 그 소년은 아직 변성하지 않았다. ④ 《+전+명》 엉망이 되다, 맥을 못추다 ; (압력을 받고) 물러앉다, 항복하다 : ~ *under* a strain 과로로 지쳐버리다, (정신적) 중압을 이기지 못하다. ⑤ 〖化〗 (석유가) 크래킹하다, (열)분해하다.

~ a crib 《俗》 (강도가) 집에 침입하다. ***~ a smile*** 《口》 씽긋 미소짓다. ***~ down* (*on*)** 《口》 단호한 조처를 취하다, (…을) 엄하게 단속하다, (…을) 탄압하다 : They have *~ed down on* thieves. 그들은 도둑을 엄하게 단속했다. ***~ up*** 〔흔히 受動으로〕 《口》 (1) (…이라고) 칭찬하다, 평판하다 《*to be ; as*》. (2) 《口》 (차·비행기가〔를〕) 부서지다〔부스러뜨리다〕, 분쇄하다(crash) : The airplane *~ed up*. 그 비행기는 엉망으로 부서졌다. (3) 《口》 (육체적·정신적으로) 질리다, 지치다, 기진하다. (4) 갑자기 웃기〔울기〕 시작하다 ; 《俗》 배꼽이 빠지게 웃다, 크게 웃기다. ***get ~ing*** ⇨ CRACKING.

── *n.* ① Ⓒ (돌연한) 날카로운 소리《딱·탕·우지끈 등》 ; 채찍 소리 ; 총소리 : the ~ of whip 딱〔휙〕 하는 채찍 소리 / the ~ of a rifle 라이플총의 발사 소리. ② Ⓒ (찰싹 하고) 치기, 타격 : give a person a ~ on the head 남의 머리를 탁 치다 / get a ~ on the cheek 뺨을 찰싹 얻어맞다. ③ Ⓒ 갈라진 금, 금 ; 틈 ; (문 등의) 조금 열림 : a ~ in the curtains 커튼의 틈새 / Open the window a ~. 창문을 조금 열어라. ④ Ⓒ 사소한 결함〔결점〕. ⑤ Ⓒ 변성 ; 목쉼. ⑥ Ⓒ (흔히 *sing.*) 《口》 (…에 대한) 호기, 찬스 ; 노력, 시도《*at*》 : have〔take〕 a ~ *at* …을 시도해 보다. ⑦ Ⓒ 재치 있는 말, 경구(警句) (*about*) : make a ~ *about* …에 재치 있는 말을 하다. ⑧ Ⓒ 《英口》 수다 떪, 잡담. ⑨ Ⓤ 《俗》 코카인을 정제한 환각제.

a fair ~ of the whip 《英口》 공평한 기회〔취급〕. ***at* (*the*) *~ of dawn*** 〔***day***〕 새벽에. ***paper*** 〔***paste, cover***〕 ***over the ~s*** 결함〔난점〕을 감싸 숨기다, 호도하다. ***the ~ of doom*** 최후의 심판날의 천둥 소리 ; 모든 종말의 신호. ── *ad.* 날카롭게(sharply), 찰싹, 딱, 탁, 광. ── *a.* 《口》 훌륭한 ; 일류의(first-rate), 가장 뛰어난 : a ~ shot 사격의 명수 / a ~ player 명수(名手), 명선수 / a ~ unit 정예 부대.

crack·brained [∠brèind] *a.* ① 머리가 돈. ② 어리석은, 분별없는 : a ~ scheme 분별 없는 계획.

crack·down [∠dàun] 《口》 *n.* Ⓒ 엄중한 단속, 탄압.

cracked** [krækt] *a.* ① 금이 간, 깨진 : a ~ cup 금이 간 컵 / a badly scrached and ~ record 몹시 긁히고 깨진 레코드. ② (인격·신용 따위가) 손상된, 떨어진. ③ 목이 쉰 ; 변성(變聲)한. ④ 〔敍述的〕 《口》 미친(crazy) ; 바보 같은. ***be ~ up to be . . . 《口》 〔흔히 否定文〕 …라는 평판이다 : I'm afraid it's not all it *was ~ up to be*. 그것은 평판보다 훨씬 못한 것 같다.

***crack·er** [krǽkər] *n.* ① Ⓒ 크래커《얇고 파삭파삭한 비스킷》. ② Ⓒ 딱총, 폭죽 ; 크래커 봉봉(=∠ **bònbon**)《당기면 폭발하며 과자·장난감 등이 나오는 통》. ③ **a**) Ⓒ 파쇄기(破碎器). **b**) (*pl.*) 호두 까개(nut-~s). ④ Ⓒ 《英口》 대단한 미인.

crack·er-bar·rel [-bærəl] *a.* 《美》 격의없는 ; 시골풍의, 소박한.

crack·er·jack [-dʒæk] 《美口》 *n.* Ⓒ 우수한 물품 ; 출중한 사람. ── *a.* 아주 우수한, 초일류의 ; a ~ stunt pilot 초인류 곡예 비행사.

crack·ers [krǽkərz] *a.* 《英口》 〔敍述的〕 ① 머

리가 돈(crazy) : go ~ 머리가 돌다. ② 열중한 《*over; about*》: He's gone ~ *over* her. 그는 그녀에게 미쳐버렸다.

crack·head [-hèd] *n.* Ⓒ 《俗》 마약 상용자.

cráck hòuse 《俗》 마약 거래점〔밀매소〕.

crack·ing [krǽkiŋ] *n.* Ⓤ 〖化〗 분류(分溜), (석유의) 열분해(=⊿ **distillátion**). —— *a.* 멋있는, 굉장한. —— *ad.* 〔흔히 ~ good으로〕 매우, 아주, 굉장히 : a ~ *good* football match 아주 멋진 축구 경기. ***get*** ~ 《口》 서두르다, 신속히 시작하다.

crácking plànt (석유) 분류소.

crack·jaw [-dʒɔ̀ː] *a., n.* Ⓒ 《口》 아주 발음하기 힘든 (어구·이름 따위) ; 야릇한.

*__crack·le__ [krǽkəl] *n.* Ⓤ ① 딱딱〔바삭바삭·꽝〕 하는 소리 : the ~ of distant rifle fire 땅땅 하고 멀리서 들려오는 라이플 총소리. ② (도자기의) 잔금 무늬, 잔금이 나게 굽기. —— *vi.* 딱딱 소리를 내다 ; (도기 등에) 금이 가다 : A fire ~*d* in the fireplace. 난로에서 장작불이 딱딱 소리를 냈다. —— *vt.* …을 딱딱 소리나게 하다 ; 딱딱 부수다〔깨뜨리다〕 ; …에 금을 내다, 잔금 무늬를 넣다.

crack·le·ware [-wὲər] *n.* Ⓤ 잔금이 나게 구운 도자기.

crack·ling [krǽkliŋ] *n.* ① Ⓤ 딱딱 소리를 냄. ② **a**) Ⓤ 구운 돼지고기의 바삭바삭한 살가죽. **b**) Ⓒ (흔히 *pl.*) (비계에서 기름을 빼버리고 난) 찌꺼기. ③ Ⓤ 《口》 〔集合的〕 매력적인 여성들 : a bit of ~ 매력적인 여성.

crack·ly [krǽkli] (***crack·li·er*** ; ***-li·est***) *a.* 바삭바삭한.

crack·nel [krǽknəl] *n.* Ⓒ ① 얇은 비스킷의 일종. ② (*pl.*) 《美》 바싹 튀긴 돼지고기.

crack·pot [krǽkpɑ̀t / -pɔ̀t] 《口》 *n.* Ⓒ 좀 돈 것 같은 별난 사람. —— *a.* 〔限定的〕 정신이 돈 것 같은, 별난, 괴상한.

cracks·man [krǽksmən] (*pl.* ***-men*** [-mən]) *n.* Ⓒ 《俗》 밤도둑, 강도(burglar) ; (특히) 금고털이.

crack-up [krǽkʌ̀p] *n.* Ⓒ ① (차·비행기 등의) 충돌, 격돌(collision) ; 대파손. ② **a**) 《口》 (정신적·육체적) 파탄, 쇠약 ; 신경 쇠약. **b**) (단체·관계의) 붕괴 : the ~ of a marriage 이혼.

-cracy *suf.* '정체, 정치, 사회 계급, 정치 세력, 정치 이론'의 뜻 : demo*cracy*. ★ 주로 그리스말의 o로 끝나는 어간에 붙지만, 때로 영어 단어에 -ocracy의 꼴로 결합함 : cotton*ocracy* 면업(綿業) 왕국.

‡**cra·dle** [kréidl] *n.* ① Ⓒ 요람, 소아용 침대(cot). ② (the ~) 요람 시절, 어린 시절 : from *the* ~ to the grave 요람에서 무덤까지, 한평생 / in *the* ~ 초기에 / What is learned in *the* ~ is carried to the tomb. 《속담》 어릴 때 배운 것은 죽을 때까지 잊혀지지 않는다, 세살 적 버릇이 여든까지 간다. ③ (the ~) 《比》 (예술·국민 따위를 육성한) 요람의 땅, (문화 따위의) 발상지 : *the* ~ of Egyptian culture 이집트 문명의 발상지. ④ Ⓒ (전화 수화기·배·비행기·대포 등을 얹는) 대(臺) ; 자동차 수리용대《그 위에 누워서 차 밑으로 기어듦》: replace the receiver on its ~ 수화기를 대 위에 (도로) 올려놓다. ⑤ Ⓒ 〖鑛〗 선광대(選鑛臺). ⑥ Ⓒ 〖造船〗 (진수할 때의) 진수가(架). ***from the*** ~ 어린 시절부터. ***rob*** 〔***rock***〕 ***the*** ~ 《口》 자기보다 훨씬 젊은 상대〔배우자〕를 고르다. —— *vt.* ① …을 요람에 넣다 ; 흔들어 재우다, 흔들어 어르다 : ~ a baby in one's arms 아기를 안고 흔들어 어르다. ② (수화기)를 전화기 위에 올려놓다. ③ (배·비행기 등)을 받침대에 올리다.

crádle snàtcher 《口》 훨씬 연하(年下)인 사람과 결혼하는〔에게 반하는〕 사람.

cra·dle·song [-sɔ̀ːŋ / -sɔ̀ŋ] *n.* Ⓒ 자장가.

‡**craft** [kræft, krɑːft] *n.* ① Ⓤ 기능 ; 기교 ; 기술, 솜씨(skill) : with great ~ 탁월한 기술로, 아주 솜씨 있게. ② Ⓒ (특수한 기술을 요하는) 직업 ; (특수한) 기술, 재간 ; 수공업 ; 공예 : arts and ~*s* 미술 공예 / workmen in the ~ 그 직업의 사람들. ③ Ⓒ〔集合的 ; 單·複數 취급〕 동업 조합 ; 동업자들. ④ Ⓤ 교활, 간지, 술책(cunning) : a man full of ~ 술책가, 책사(策士) / get industrial information *by* ~ 교묘한 술책으로 산업 정보를 입수하다. ⑤ Ⓒ 〔흔히 單·複數 동형〕 선박, 항공기 ; 우주선 : *Craft* of all kinds come into this port. 이 항구에는 모든 종류의 배가 들어온다 / a squadron of fifteen ~ 15기(機)의 비행 대대.

-craft *suf.* '기술·기능, 재능, 업(業), 탈것' 등의 뜻을 가진 결합사 : state*craft*, space*craft*.

*__crafts·man__ [krǽftsmən, krɑ́ːfts-] (*pl.* ***-men*** [-mən]) *n.* Ⓒ ① 장인(匠人), 기공(技工) : It is clearly the work of a master ~. 그것은 분명히 거장의 작품이다. ② 기예가 ; 명공(名工).

crafts·man·ship [-ʃìp] *n.* Ⓤ (장인(匠人)의) 솜씨, 기능, 숙련.

cráft ùnion 직업별 조합(horizontal union). ⓒⓕ industrial union.

*__crafty__ [krǽfti, krɑ́ːf-] (***craft·i·er*** ; ***-i·est***) *a.* 교활한(cunning) ; 간악한 : (as) ~ as a fox (여우같이) 아주 교활한 / a ~ look 교활한 얼굴〔눈〕 표정. ㊕ **cráft·i·ly** [-tili] *ad.* **-i·ness** *n.*

*__crag__ [kræg] *n.* Ⓒ 울퉁불퉁한 바위, 험한 바위산.

crag·ged [krǽgid] *a.* =CRAGGY.

crag·gy [krǽgi] (***crag·gi·er*** ; ***-gi·est***) *a.* ① 바위가 많은 ; (바위가) 울퉁불퉁하고 험한. ② (얼굴이) 딱딱하고 위엄 있는 : his handsome ~ face. ㊕ **crág·gi·ness** *n.*

crags·man [krǽgzmən] (*pl.* ***-men*** [-mən]) *n.* Ⓒ 바위 잘 타는 사람, 바위타기 전문가.

crake [kreik] (*pl.* ~**s**, ~) *n.* Ⓒ 〖鳥〗 뜸부기.

*__cram__ [kræm] (***-mm-***) *vt.* ① 《~+目 / +目+前+名》 (장소·용기 등)에 억지로 채워 넣다, 밀어넣다《*with*》: ~ a hall *with* people 홀 안에 사람들을 잔뜩 몰아넣다. ② 《~+目 / +目+前+名》 …을 (장소·용기 속에) 채워넣다, 다져넣다, 밀어넣다(stuff) 《*into* ; *down*》: ~ books *into* a bag : 백 안에 책을 가득 넣다. ③ 《~+目 / +目+前+名》 …에게 배가 터지도록 먹이다(overfeed) : ~ oneself *with* food 걸신들린 듯 먹다. ④ 《口》 (시험을 위해) …에게 주입식 공부를 시키다 ; (학과)를 건성으로 외우다《*up*》: ~ history (*for* an exam) (시험에 대비하여) 역사를 그냥 암기하다. —— *vi.* ① 잔뜩 먹다. ② 《口》 (시험을 위해) 주입식〔당일치기〕 공부를 하다 : ~ *for* the exam 시험 때문에 무조건 암기식 공부를 하다. ③ (와) 몰려들다, 밀어닥치다《*into*》: Several hundred students *crammed into* the lecture hall. 수백 명의 학생이 그 강당에 몰려들었다. —— *n.* 《口》 ① Ⓤ 주입식 공부, 벼락 공부. ② (사람을) 빽빽이 넣기, 북적임.

cram-full [krǽmfúl] *a.* 〔敍述的〕 꽉 찬《*of* ; *with*》: Her suitcase was ~ *of* clothes. 그녀의 슈트케이스는 옷으로 꽉 차 있었다.

cram·mer [krǽmər] *n.* Ⓒ ① 주입 제일주의의 교사〔학생〕 ; 당일치기 공부를 하는 학생. ② 주입식 공부를 시키는 학교〔학원〕 ; 주입식 공부용의 책.

*__cramp__[1] [kræmp] *n.* Ⓒ ① 꺾쇠(~ iron) ; 죔쇠(clamp). ② 속박(물). —— *a.* ① 답답한, 비좁은. ② (글씨체가) 읽기 어려운. —— *vt.* ① …을 꺾쇠로

죄다. ② **a)** …을 속박하다, 제한하다: Worry and lack of money ~ the lives of the unemployed. 근심과 돈의 결핍 때문에 실업자들의 생활은 옹색하다. **b)** …을 가두다《*up*》. ~ *a person's style* 《口》 아무를 방해하다, 아무의 능력을 충분히 발휘하지 못하게 하다.

***cramp**² *n.* ① Ⓤ,Ⓒ (손발 등의) 경련, 쥐: have a ~ in one's leg 다리에 경련이 일어나다 / a ~ in the calf (수영할 때) 종아리에 나는 쥐. ② (*pl.*) 갑작스런 복통. — *vt.* 〔흔히 受動으로〕 …에 경련을 일으키다.

cramped [kræmpt] *a.* ① 비좁은, 답답한, 꽉 끼는: ~ quarters 비좁은 숙사 / feel ~ 비좁아서 답답하다 / We have six desks in this room so we're rather ~ for space. 우리는 이 방에 책상 여섯 개가 있어서 비좁아 좀 답답하다. ② (글씨가 너무 다닥다닥 붙어서) 알아보기 어려운.
㊥ ∠·**ness** *n.* Ⓤ 갑갑함, 회삽(晦澁).

crámp ìron 꺾쇠, 꺾쇠(cramp).

cram·pon, 《美》 **-poon** [krǽmpən], [-pú:n] *n.* ① (*pl.*) (구두 바닥에 대는) 스파이크창; 〖登山〗 아이젠, 동철(冬鐵). ② Ⓒ (흔히 *pl.*) (무거운 물건을 집어 올리는) 쇠집게, 매다는 쇠갈고리.

crám schòol (보습) 학원.

cran·ber·ry [krǽnbèri / -bəri] *n.* Ⓒ 〖植〗 덩굴월귤; 그 열매.

‡crane [krein] *n.* Ⓒ ① 두루미, 학; 《美》 왜가리. ② 기중기, 크레인: a traveling 〔bridge〕 ~ 이동〔교형(橋形)〕 기중기. — *vt.* ① (목)을 쑥 빼다: ~ one's neck to see better 잘 보려고 목을 길게 빼다. ② 기중기로 나르다〔옮기다〕. — *vi.* 목을 길게 빼다《*out* ; *over* ; *down*》: people *craning* to see a car accident 자동차 사고를 잘 보려고 목을 길게 빼고 있는 사람들.

cráne flỳ 〖蟲〗 꾸정모기(daddy-longlegs).

cra·nia [kréiniə] CRANIUM의 복수.

cra·ni·al [kréiniəl, -njəl] *a.* 두개(골)의: the ~ bones 두개골 / the ~ index 두개 지수 / the ~ nerves 뇌신경.

cra·ni·um [kréiniəm] (*pl.* **~s, -nia** [-niə]) *n.* Ⓒ 〖解〗 두개(頭蓋); 두개골(skull).

***crank**¹ [kræŋk] *n.* Ⓒ ① 〖機〗 크랭크. ② 《口》 괴짜, 괴팍한 사람(faddist); 《美口》 꾀까다로운 사람: He looked like a ~. 그는 괴짜처럼 보인다. — *vt.* ① …을 크랭크 모양으로 구부리다; 크랭크로 연결하다. ② 크랭크를 돌려 시동걸다〔촬영하다〕: The chauffeur got out to ~ the motor. 운전사는 엔진에 시동을 걸려고 나왔다. ~ **in** …을 시작하다. ~ **out** (기계적으로) 척척 만들다: In 1933 the studio ~*ed out* fifty feature films. 1933년에 그 촬영소는 50편의 장편 특작 영화를 척척 만들어냈다. ~ **up** (1) (*vi.*) 《口》 시작하다; 준비하다《*for*》. (2) (*vt.*) (일의) 능률을 (애써) 높이다; 시동시키다, (엔진에 시동을 걸기 위해) 크랭크를 돌리다; 자극하다, 활성화하다; 흥분시키다: The incident that ~*ed up* the fear was the murder of Brian Smith. 더욱 두렵게 한 사건은 브라이언 스미스의 살해였다.

crank² *a.* ① =CRANKY ③. ② 〔限定的〕 《美》 괴짜의, 괴짜 같은.

crank·case [∠kèis] *n.* Ⓒ (내연 기관의) 크랭크실(室).

crank·shaft [∠ʃæ̀ft, ∠ʃɑ̀:ft] *n.* Ⓒ 크랭크축(軸).

cranky [krǽŋki] (**crank·i·er ; -i·est**) *a.* ① 색다른; 변덕스러운: a ~ old man 좀 색다른 노인. ② 《美》 성미 까다로운, 꾀까다로운: The baby's in a ~ mood today. 아기가 오늘은 칭얼거린다〔까다롭게 군다〕. ③ (기계 등이) 불안정한, 흔들흔들하는, 덜거덩거리는, 수리를 요하는.

cran·nied [krǽnid] *a.* 금이 간, 갈라진.

cran·ny [krǽni] *n.* Ⓒ 벌어진 틈, 갈라진 틈, 틈새기: search every ~ 샅샅이 뒤지다 / The fish have underwater *crannies* where they hide. 그 물고기는 물밑에 숨는 갈라진 틈이 있다.

crap *n.* ① Ⓤ 《俗》 쓰레기; 잡동사니. ② Ⓤ 《卑》 배설물, 똥; (a ~) 배변(排便): have〔take〕 a ~ 배변하다. ③ Ⓤ 《俗》 실없는 소리; 거짓말; 허풍: Cut the ~. 그만해, 헛소리 마라 / That's a lot of ~. 그건 순전히 엉터리다, 그건 새빨간 거짓말이다. — *vi.* 《卑》 똥누다. — *int.* 엉터리다.

***crape** [kreip] *n.* Ⓤ,Ⓒ 검정 크레이프의 상장(喪章).

crápe mỳrtle 〖植〗 백일홍.

crap·py [krǽpi] (**crap·pi·er ; -pi·est**) *a.* 《俗》 질이 나쁜, 변변치 못한, 시시한: They watch those ~ old films on TV. 그들은 TV로 그 묵은 저질 영화를 본다.

craps [kræps] *n.* Ⓤ 〔單數 취급〕 《美》 크랩스《주사위 2개로 하는 노름의 일종》: shoot ~ 크랩스 놀이를 하다.

crap·shoot·er [krǽpʃù:tər] *n.* Ⓒ 《美》 craps 도박꾼.

crap·u·lence [krǽpjələns] *n.* Ⓤ 과음〔과식〕으로 인한 메슥거림.

crap·u·lent, -lous [krǽpjələnt], [-ləs] *a.* 과음·과식하여 거북한〔몸을 버린〕.

‡crash¹ [kræʃ] *n.* Ⓒ ① 갑자기 나는 요란한 소리 《쨍그랑·와르르》; 〖劇〗 그 음향 효과 장치: a ~ of thunder 요란한 뇌성 / fall with a ~ 요란한 소리를 내면서 쓰러지다. ② (차 등의) 충돌; (비행기의) 추락: an automobile ~ 자동차의 충돌 사고 / Twenty people were killed in the car 〔plane〕 ~. 그 자동차 충돌〔비행기 추락〕 사고로 20명이 사망했다. ③ (사업·장사 등의) 도산, 파멸; (시세) 급락. ④ 〖컴〗 (시스템의) 고장, 폭주.
— *vi.* ① 《~/+副/+전+명》 와르르 소리내며 무너지다〔망가지다, 깨지다, 부서지다〕: The roof ~*ed in.* 지붕이 와르르 내려앉았다 / The dishes ~*ed to* the floor. 접시가 쨍그랑 하고 마룻바닥에 떨어져서 산산조각이 났다. ② 《~/+전+명》 (충돌하여) 요란한 소리를 내다; (요란한 소리를 내면서) 돌진하다; 충돌하다: The tank ~*ed through* the jungle. 탱크가 요란한 소리를 내며 밀림을 뚫고 돌진했다 / The bus and the truck ~*ed.* 버스와 트럭이 충돌했다 / The car ~*ed into* the train. 자동차가 열차를 들이받았다. ③ (비행기가) 추락하다, 불시착하다: The plane ~*ed* a few minutes after take-off. 비행기는 이륙 몇 분만에 추락했다. ④ (장사·계획 따위가) 실패하다, 파산하다: The business ~*ed.* 그 가게는 망했다. ⑤ 〖컴〗 (시스템·프로그램이) 갑자기 기능을 멈추다, 폭주하다. ⑥ 《口》 (초대받지 않은 파티 따위에) 밀고 들어가다. ⑦ 《俗》 (어떤 곳에, 일시적으로) 묵다, 자다, 눕다《*in; on*》: Can I ~ *in* your room? 자네 방에 묵게 해 주지 않겠나. ⑧ 《俗》 (마약이 떨어져서) 불쾌감을 경험하다, 마약의 효과가 떨어지다.
— *vt.* ① 《~+목/+목+전+명》 …을 쨍그랑 부수다; 산산이 부수다: ~ a window 유리창을 쨍그랑 하고 산산이 부수다 / ~ a cup *against* a wall 찻잔을 벽에 던져 산산조각을 내다. ② 《~+목/+목+전+명》 (요란한 소리를 내면서) …을 달리다, 밀고 나가다《*in ; through ; out*》: ~ one's way *through* the crowd 사람들 속을 마구 밀고 나가다. ③ (비행기)를 불시착〔격추〕시키다; (자동차 등)을 충돌시키다: The driver ~*ed* his car into the wall. 운전사는 차를 벽에다 (일부러) 충돌시켰다. ④ (극장·파티 따위)에 표 없이〔불청

객으로] 들어가다, 밀어닥치다 : ~ a dance 댄스 파티에 밀어닥치다. ── *ad.* 요란하게 소리내며, 쨍그랑 하고 : go ~ 와르르 무너지다. ── *a.* 〔限定的〕 응급(應急)의 ; 속성(速成)의 : a ~ program 단기 집중 계획 / a ~ diet 응급 감식 / a ~ course in German 독일어 속성 코스.

crash² *n.* Ⓤ (타월·커튼용의) 성긴 삼베.

crásh bàrrier 《英》 (도로·경주로 등의) 가드레일, 중앙 분리대.

crásh dìve (잠수함의) 급속 잠항.

crash-dive [-dàiv] *vi.* (잠수함이) 급속히 잠항하다. ── *vt.* (잠수함)을 급속 잠항시키다.

crásh hàlt =CRASH STOP.

crásh hèlmet (자동차 경주자용의) 안전 헬멧.

crash·ing [-iŋ] *a.* 〔限定的〕 《口》 완전한, 철저한 : She's just had a ~ row with a friend. 그녀는 방금 친구와 아주 심한 말다툼을 했다 / I found him a ~ bore. 나는 그가 정말 따분한 사람임을 알았다.

crash-land [-lǽnd] *vt., vi.* 동체 착륙시키다〔하다〕.

crásh lànding 불시착, 동체 착륙 : make a ~ 동체 착륙을 하다.

crásh pàd ① (자동차 내부의) 안전 패드. ② 《俗》 (긴급할 때의) 임시 숙박소, (가출자 등의) 무료 숙박소.

crash·proof [-prùːf] *a.* (차 따위) 충돌해도 안전한 : a ~ car.

crásh stòp 급정거(crash halt).

crash·wor·thy [-wəːrði] *a.* 충돌〔충격〕에 강한 : ~ motorcycle helmet.

crass [kræs] *a.* ① 아둔한, 우둔한, 매우 어리석은 : the ~ questions that all disabled people get asked 모든 장애인들이 받는 어리석은 질문. ② (어리석은 정도가) 심한, 지독한 : ~ ignorance 〔stupidity〕 심한 무지〔우둔〕. ㊕ ~·ly *ad.*

crate [kreit] *n.* Ⓒ ① 크레이트《가구·유리그릇·과실 따위의 운송용 상자》: a ~ of bananas 〔milk, wine〕. ② (수리를 요하는) 고물 자동차〔비행기〕. ── *vt.* …을 크레이트에 넣다.

***cra·ter** [kréitər] *n.* Ⓒ ① (화산의) 분화구. ② (달 표면의) 크레이터 ; 운석공(隕石孔). ③ (폭발로 인한 지상의) 폭탄 구멍.

cra·vat [krəvǽt] *n.* Ⓒ 크라바트, 넥타이.

***crave** [kreiv] *vt.* ① 《~+목 / +*that* 절 / +*to* do》 …을 열망〔갈망〕하다 : I ~ water. 목이 말라 못견디겠다 / I ~ *that* she (should) come. 그녀가 꼭 오기를 바란다 / I ~ *to* hear her voice. 그녀의 목소리가 꼭 듣고 싶다. ② (사정이) …을 필요로 하다, 요구하다(require). ③ 《~+목 / +목+전+명》 (열심히) 아무에게 …을 구하다, 간절히 원하다 : ~ mercy *of* 〔*from*〕 a person 아무에게 관대한 처분을 빌다. ── *vi.* 간절히 원하다, 갈망〔열망〕하다《*for* ; *after*》 《★ wish, desire, long for 등보다 뜻이 강함》: He ~*s for* recognition from his higher-ups. 그는 상사로부터 (공적을) 인정받기를 몹시 바라고 있다.

cra·ven [kréivən] *n.* Ⓒ 겁쟁이, 소심한 사람 ; 비겁자. ── *a.* 겁많은, 비겁한 : admit to a ~ fear of spiders 거미가 겁나고 두렵다는 것을 인정하다. ㊕ **~·ly** *ad.* 겁이 나서, 비겁하게도. **~·ness** *n.*

***crav·ing** [kréiviŋ] *n.* Ⓒ 갈망, 열망. ── *a.* 갈망〔열망〕하는.

craw [krɔː] *n.* Ⓒ ① (새의) 모이주머니, 소낭. ② (동물의) 밥통. ***stick in*** a person***'s*** ~ 화가 나다, 참을 수 없다 : His slight still *sticks in* my ~. 그가 나를 경멸한 말에 아직도 화가 난다.

craw·fish [krɔ́ːfiʃ] (*pl.* ~, ~·***es***) *n.* Ⓒ ① = CRAYFISH. ② 《美口》 꽁무니 빼는 사람 ; 변절자. ── *vi.* 《美俗》 손떼다 ; 《美口》 꽁무니 빼다《*out*》.

‡crawl [krɔːl] *vi.* ① 《~ / +부 / +전+명》 (네 발로) 기다, 포복하다 : ~ *about on* all fours 〔*on* hands and knees〕 네 발로 기어다니다. ② 구물구물 움직이다, 천천히 가다, 서행(徐行)하다 ; (시간이) 천천히 흐르다 : The train ~*ed along.* 열차는 천천히 달렸다 / The work ~*ed.* 일이 지지 부진하였다. ③ 《+전+명 / +부》 비굴하게 굴다, 굽실거리다《*to* ; *before*》; 살살 환심을 사다《*into*》; (사냥감에) 슬금슬금 다가가다《*on, upon*》: ~ *to* 〔*before*〕 one's superiors 상사에게 굽실거리다 / ~ *into* a person's favor 아무에게 빌붙다. ④ 《+전+명》 (벌레 따위가 지면·마룻바닥에) 득실거리다《*with*》: The floor ~*s with* vermin. 마루에 벌레가 득실거린다 / Cambridge ~*s with* tourists in the summer. 케임브리지에는 여름에 여행객들이 붐빈다. ⑤ (벌레가 기듯이) 스멀스멀하다 : ~ all over 온몸이 근질거리다 / A glance at the snake made her skin ~. 흘끗 뱀을 본 그녀는 살갗이 스멀스멀했다. ⑥ 크롤로 헤엄치다. ── *n.* ① (a ~) 기어〔느릿느릿〕 가기 : go at *a* ~ 슬슬 걷다 ; (자동차가) 손님을 찾아 슬슬 달리다 / go for *a* ~ 어슬렁어슬렁 산책을 나가다. ② Ⓤ (흔히 the ~) 크롤 수영법(=∠ **stròke**) : swim *the* ~ 크롤로 헤엄치다.

crawl·er [krɔ́ːlər] *n.* ① Ⓒ **a)** 기는 사람〔동물〕; 파충류 : Bill is walking, but his little sister is still a ~. 빌은 걷지만 그의 누이동생은 아직 기어다니는 애다. **b)** =CRAWLER TRACTOR. ② (흔히 *pl.*) 아기가 길 무렵에 입는 옷, 롬퍼스. ③ Ⓒ 크롤 수영자. ④ Ⓒ 《俗》 아첨꾼.

cráwler tràctor 무한 궤도(형) 트랙터.

crawl·y [krɔ́ːli] (***crawl·i·er*** ; ***-i·est***) *a.* 《口》 근실근실한 ; 오싹한 : The sight made me feel ~. 나는 그 광경을 보자 (온몸이) 오싹했다.

cray·fish [kréifiʃ] (*pl.* ~, ~·***es***) *n.* Ⓒ 가재 ; 왕새우, 대하.

‡cray·on [kréiən, -ɑn / -ɔn] *n.* Ⓒ ① 크레용 : a box of ~*s* 크레용 한 통 / draw with a ~ 〔~*s*〕 크레용으로 그리다. ② 크레용화.
── *vt., vi.* (…을) 크레용으로 그리다.

***craze** [kreiz] *vt.* ① 〔흔히 受動으로〕 …을 미치게 하다 ; 발광시키다 ; 열광〔열중〕하게 하다《*with*》: He was half ~*d with* grief. 그는 슬픔으로 미칠 지경이었다. ② (도자기)를 잔금이 가게 굽다. ── *n.* Ⓒ 광기, 발광 ; (일시적인) 열광, 열중 ; 대유행(rage) : Large women's hats are the ~ this year. 금년엔 대형의 여성 모자가 대유행이다 / He has a ~ for jazz. 그는 재즈에 열중〔열광〕해 있다. ◇ crazy *a.*

cra·zi·ly [kréizili] *ad.* 미친 듯이, 미친 사람처럼 ; 열광하여.

‡cra·zy [kréizi] (***-zi·er*** ; ***-zi·est***) *a.* ① 미친, 미치광이의 : a ~ man 미친 사람 / Are you ~? 돌았나 / He was nearly ~ with worry. 그는 근심으로 거의 미칠 지경이었다. ② 얼빠진 짓의, 무리한, 무분별한 : a ~ scheme 무모한 계획 / It was ~ of him to cut a red light. 그는 적신호를 무시하다니 얼간이 같은 짓을 했다. ③ 《口》 열중한, 열광한, 홀딱 빠진《*for* ; *about* ; *over*》: He is ~ *about* 〔*over*〕 that girl. 그는 그 여자에게 열을 올리고 있다. ④ 《口》 아주 좋은, 최고의 : "How did you like the party?"—"*Crazy,* man." '파티는 어땠어.' '참 멋있었어.' ***like*** ~ 《口》 무서운 기세로, 맹렬히 : run *like* ~ 필사적으로 달리다 / The stuff was selling *like* ~. 그 물건은 불티나게 팔려 나갔다.

crázy bòne 《美》 =FUNNY BONE.

crázy pàving (정원의) 다듬지 않은 돌·타일로 만든 산책길. 「work).

crázy quilt 조각보 이불 ; 쪽모이 세공(patch-

***creak** [kriːk] *n.* Ⓒ 삐걱(거리는) 소리 : The wooden flooring gave a ~ at each step. 마루 판자는 한 발 내디딜 때마다 삐걱 소리를 냈다 / The door was pulled open with a ~. 문은 삐거덕 소리를 내면서 열렸다. ── *vi.* 삐걱거리다 ; 삐걱삐걱 소리를 내며 움직이다 : The door ~*s* on its hinges. 출입문 경첩이 삐걱 소리를 낸다 / The door ~*ed* open. 문이 삐거덕 하고 열렸다 / *Creaking* doors hang the longest. 《俗談》 고로롱 팔십, 쭈그렁 밤송이 3년 간다.

creaky [kríːki] (***creak·i·er*** ; ***-i·est***) *a.* 삐걱거리는. 파 **créak·i·ly** *ad.* **créak·i·ness** *n.*

‡cream [kriːm] *n.* ① Ⓤ 크림 ; 우유의 뻑뻑한 더껑이 : With ~? (커피에) 크림을 넣습니까. ② Ⓤ,Ⓒ 크림이 든 과자(요리) ; (크림을 함유하는) 진한 수프 ; 크림 모양의 물건 : a chocolate ~ 초콜릿 크림 / (an) ice ~ 아이스크림. ③ Ⓤ,Ⓒ 화장용(약용) 크림 : ⇨ COLD CREAM, VANISHING CREAM. ④ (the ~) 가장 좋은 부분, 정수(精髓) : *the* ~ of youth 고르고 고른 젊은이들 / *the* ~ of the joke 그 농담의 가장 재미있는 곳(부분). ⑤ Ⓤ 크림색. **~ *of tartar*** 주석영(酒石英)《타르타르산칼륨》. ***the ~ of the crop*** 《口》 최상의 것(사람들). ── *vt.* ① (우유)에 더껑이를 앉히다 ; (크림 따위)를 떠내다. ② …의 가장 좋은 부분을 취하다. ③ (커피 따위)에 크림을 넣다(치다). ④ …을 크림 모양으로 만들다 ; 크림으로(우유·크림 소스로) 요리하다 : ~*ed* spinach 시금치를 크림에 익힌(찐) 요리. ⑤ 《美俗》 (경기에서 상대)를 완패시키다 : We ~*ed* them 5 to nothing. 우리는 그들을 5대 0으로 완패시켰다. ── *vi.* ① (우유에) 더껑이가 생기다. ② 크림이 되다. **~ *off*** (…에서 가장 좋은 것을) 골라내다, 정선(精選)하다《*from*》.
── *a.* 《俗》 ① 크림(색)의 : The shell was deep ~ touched here and there with pink. 그 조개는 군데군데 핑크색을 띤 짙은 크림색이었다. ② 크림으로 만든, 크림이 든 ; 크림 모양의.

créam càke 《英》 크림 케이크.

créam chèese 크림 치즈.

cream-col·ored [-kʌ̀lərd] *a.* 크림색의.

créam cràcker 《英》 크래커.

cream·er [kríːmər] *n.* Ⓒ ① (식탁용) 크림 그릇. ② **a**) 유피(乳皮) 떠내는 접시. **b**) 크림 분리기. ③ 크리머《커피에 넣는 크림 대용품》.

cream·ery [kríːməri] *n.* Ⓒ ① 버터·치즈 제조소 ; 낙농장(酪農場). ② 우유제품 판매점 ; 우유 저장실.

créam hòrn 크림혼《원뿔 모양의 크림 과자》.

créam làid 《英》 크림색의 가로줄이 비치게 뜬 종이《필기 용지》. cf. laid paper.

créam pùff ① 슈크림. ② 《口》 여자 같은 사내, 암사내(sissy). ③ 《美》 성능이 좋은 중고차 : This car's a ~. 이 중고차는 아직 충분히 탈 수 있어요.

créam sàuce 크림 소스.

créam sóda 소다수(水).

créam téa 《英》 크림 티《잼과 고형(固形) 크림이 발린 빵을 먹는 오후의 차》.

cream·ware [-wὲər] *n.* Ⓤ 크림빛 도자기.

creamy** [kríːmi] (cream·i·er*** ; ***-i·est***) *a.* ① 크림 같은 ; 매끄럽고 보드라운. ② 크림이 (많이) 든 ; 크림맛이 나는. ③ 크림색의. 파 **créam·i·ness** *n.* 크림질(質).

crease [kriːs] *n.* Ⓒ ① (옷 따위에 생기는) 주름(살) ; (종이·천 따위의) 접은 금 ; (양복 바지의) 주름 : She smoothed down the ~*s* in her dress. 그녀는 자기 옷의 주름을 폈다. ② 〖크리켓〗 투수(타자)의 한계선. ◇ creasy *a.* ── *vt., vi.* ① 접어 금을 내다(이 나다) ; 주름 잡(히)다 : ~ easily 잘 구겨지다 / His brow was ~*d* with thought. 무얼 생각하느라 그의 이마에는 주름이 잡혔다. ② 《俗》 매우 재미있어 하게 하다(재미있어 하다), 배꼽을 쥐게 하다(쥐다)《*up*》.

‡cre·ate [kriːéit] *vt.* ① …을 창조하다 ; 창시하다 ; 〖컴〗 만들다 : All men are ~*d* equal. 만인은 평등하게 창조되었다《미국 독립 선언에서》. ② (독창적인 것)을 창작하다 ; 안출(고안)하다 ; (유행형 등)을 디자인하다 : ~ a work of art 예술품을 창작하다 / ~ a new fashion 새 유행을 만들어내다. ③ 《~+목 / +목+보》 …에게 위계(작위)를 수여하다 : He was ~*d* a baron. 그는 남작의 작위를 받았다. ④ (배우가 어떤 역)을 초연(初演)하다 : ~ a part 어떤 역을 최초로 연기하다. ⑤ (소동·상태·기회·욕구 따위)를 일으키다, 만들어내다 : ~ a sensation 센세이션을 일으키다. ── *vi.* ① (자못) 창조적인 일을 하다 : I want a job where I can ~. 나는 무엇인가 창조적인 일을 할 수 있는 직업을 갖고 싶다. ② 《俗》 법석떨다, 불평(불만)을 말하다《*about*》. ◇ creation, creature *n.*

‡cre·a·tion [kriːéiʃən] *n.* ① **a**) Ⓤ 창조 ; 창작 ; 창설 : the ~ of a new company 새로운 회사의 창설 / the ~ of a novel design 참신한 디자인의 창작. **b**) (the C-) 천지 창조 : since *the Creation* (of the world) 천지 창조 이래. ② Ⓤ 〔集合的〕 (신의) 창조물 ; 우주, 삼라만상 : the whole ~ 만물, 전우주 / lower ~ 하등 동물. ③ Ⓒ 창작품, 고안물 ; (유행의) 새 디자인 : a literary(artistic) ~ 문학(예술) 작품. ④ Ⓤ 작위 수여 : a peer of recent ~ (새로 작위를 받은) 신귀족. ◇ create *v.*

cre·a·tion·ism [-ìzm] *n.* Ⓤ ① 〖神學〗 영혼 창조설. ② 〖生〗 특수 창조설《만물은 신의 특수한 창조에 의한 것이라는 설 ; 진화론의 대(對)가 됨》.

cre·a·tive** [kriːéitiv] (more*** ~ ; ***most*** ~) *a.* ① 창조적인, 창조력이 있는, 창작적인, 독창적인 (originative) : ~ power 창조력 ; 창작력 / ~ writing 창작(문학). ② 〔敍述的〕 (…을) 빚어내는, 낳는《*of*》 : His speech was ~ *of* controversy. 그의 연설은 물의를 빚어냈다(일으켰다). ◇ create *v.* 파 **~·ly** *ad.* **~·ness** *n.*

cre·a·tiv·i·ty [krìːeitívəti] *n.* Ⓤ 창조성(력) ; 독창력 ; 창조의 재능 : show(display) ~ 창조성(독창성)을 보이다.

cre·a·tor** [kriːéitər] (*fem.* ***-tress [-tris]) *n.* ① Ⓒ 창조자 ; 창작가 ; 창설자. ② Ⓒ 새 디자인 고안자. ③ (the C-) 조물주, 신.

‡crea·ture [kríːtʃər] *n.* Ⓒ ① (신의) 창조물, 피조물. ② 생물, 《특히》 동물 ; 《美》 마소, 가축 : dumb ~*s* 말 못하는 동물, 가축류. ③ 〔경멸·동정·애정을 곁들여〕 놈, 녀석, 년, 자식 : Poor ~ ! 가엾어라, 가엾게도 / a pretty ~ 귀여운 아가씨 / an odd ~ 괴짜. ④ 예속자, 부하, 앞잡이 ; 괴뢰 : a ~ of circumstance(s)(habit) 환경(습관)의 노예. ⑤ (시대의) 산물, 소산(所産)《*of*》 : a ~ *of* the age 시대의 산물(소산). ◇ create *v.* (***all***) ***God's ~s*** (***great and small***) 모든 생물.

créature cómforts (종종 the ~) 육체적인 안락을 주는 것 ; 의식주.

crèche [kreiʃ] *n.* Ⓒ 《F.》 ① 탁아소 ; 고아원. ② (크리스마스에 흔히 장식하는) 구유 속의 아기 예수상(像).

cre·dence [kríːdəns] *n.* Ⓤ 신용 : a letter of ~ 신용장 / find ~ 신임받다 / I give little ~ to such rumors. 나는 그런 소문을 별로 믿지 않는다.

cre·den·tial [kridénʃəl] *n.* (*pl.*) ① 자격 증명서, 성적(인물) 증명서 : show one's ~*s* 증명서를 보

이다. ② (대사 등에게 주는) 신임장 : present one's ~s (대사 등이) 신임장을 제출하다.

cred·i·bil·i·ty [krèdəbíləti] *n.* Ⓤ 믿을 수 있음 ; 신용, 신뢰성, 신빙성, 위신 : After the recent scandal the government has lost all ~. 최근 스캔들이 있은 후 정부는 신뢰성을 몽땅 잃었다.

credibílity gàp ① (정부 등에 대한) 불신감. ② (정치가 등의) 언행 불일치.

cred·i·ble [krédəbəl] *a.* 신용〔신뢰〕할 수 있는, 확실한 : a ~ story 믿을 수 있는 말 / The rumor hardly seems ~. 그 소문은 아무래도 거짓말인 것 같다. ◇ credit *v.*

cred·i·bly [krédəbəli] *ad.* 확실히, 확실한 소식통에서 : I am ~ informed that he is dead. 그가 죽었다는 것을 확실한 소식통으로부터 들었다.

‡**cred·it** [krédit] *n.* ① Ⓤ 신용, 신뢰 : a letter of ~ 신용장 / gain 〔lose〕 ~ (with ...) (…의) 신용을 얻다〔잃다〕 / The rumor deserves no ~. 그 소문은 믿을 만한 것이 못 된다. ② Ⓤ 명성, 평판, 신망 : a man of ~ 평판이 좋은 사람, 신망이 있는 사람 / get ~ for …의 명성을 얻다. ③ Ⓤ **a**) 영예, 공적 ; 칭찬 : The ~ of the discovery belongs to him. 그 발견의 공적은 그의 것이다. **b**) (a ~) 명예가 되는 것〔사람〕: He is a ~ to the school. 그는 학교의 자랑〔명예〕이다. ④ Ⓤ (금융상의) 신용 ; 신용 대부〔거래〕, 외상 판매 ; 채권 ; 예금 : give a person ~ 아무에게 신용 대부하다, 신용하다 / have ~ with …에 신용이 있다 / He has ~ of $50,000 at his bank. 그는 은행에 5만 달러의 예금이 있다. ⑤ Ⓒ 〖簿〗 대변(貸邊)《略 : cr.》, 대변 기입액. opp. *debit.* ⑥ Ⓒ 《美》 (과목의) 이수 증명 ; 이수 단위, 학점《학과의》. ⑦ (흔히 *pl.*) 크레디트《출판물 · 연극 · 라디오〔텔레비전〕 프로 등에 사용된 자료(資料)의 제공자에 대한 치사》. ***take (the) ~ (to oneself) for*** …을 자신의 공로로 삼다, …의 공을 인정받다. ***to the ~ of*** a person = ***to*** a person***'s*** ~ (1) 아무의 명예가 되게. (2) 자기 이름으로〔이 붙는〕: He already has ten published books *to his* ~. 그는 자기 이름이 붙는 책을 이미 10권이나 출판하고 있다. (3) 〖簿〗 (아무의) 대변에.

— *vt.* ① …을 신용하다, 신뢰하다, 믿다. ② …의 명예가 되다, …에게 면목을 세워주다. ③ 《+목+전+명》 (공적 · 명예 등을) …에게 돌리다《*to*》, …의 소유자〔공로자, 행위자〕로 생각하다《*with*》: Mr. Smith ~*s* his success *to* his wife. 스미스 씨는 자기의 성공을 아내의 덕분이라고 생각한다 / I ~*ed* you *with* more sense. 너에겐 좀더 분별이 있는 줄 알았다 / ~ something *to* a person = ~ a person *with* something 어떤 물건을 아무의 소유로 여기다. ④ 《+목+전+명》 〖簿〗 (금액을 아무의) 대변에 기입하다 : ~ a sum *to* a person's account = ~ a person's account *with* a sum 금액을 아무의 대변에 기입하다. ⑤ 《+목+전+명》 《美》 …에게 (이수) 학점을 주다《*with*》: be ~*ed with* three hours in history 주(週) 3시간의 역사 학점을 따다.

***cred·it·a·ble** [kréditəbəl] *a.* 명예로운 ; 칭찬할 만한, 훌륭한 : a ~ achievement 훌륭한 업적 / Our team came in a ~ third. 우리 팀은 명예로운 3등을 했다. 㘿 **-bly** [-bəli] *ad.* 훌륭히, 썩 잘. **cred·it·a·bil·i·ty** [krèditəbíləti] *n.*

crédit accòunt 《英》 = CHARGE ACCOUNT.

crédit bùreau 신용 조사소, 상업 흥신소.

crédit càrd 크레디트 카드.

crédit crùnch 금융 경색〔핍박〕.

crédit lìmit 신용 한도(credit line).

crédit lìne 크레디트 라인. ① 뉴스 · TV프로 · 영화 · 사진 · 그림 등에 곁들이는 제작자 · 연출자 · 기자 · 제공자의 이름. ② (신용 대부의) 대출 한도액, 신용 한도(credit limit).

crédit nòte 대변 전표. opp. *debit note.*

***cred·i·tor** [kréditər] *n.* Ⓒ 채권자, 대주(貸主) : The company couldn't pay its ~*s.* 그 회사는 채권자들에게 빚을 갚을 수 없었다. ② 〖簿〗 대변《略 : cr.》. opp. *debtor.*

crédit ràting (개인 · 법인의) 신용 등급〔평가〕.

crédit sàle 외상 판매.

crédit sìde 〖簿〗 대변. opp. *debit side.* ¶ 「the ~ 대변에. on

crédit squèeze 금융 긴축.

crédit tìtles 〖映 · TV〗 원작자〔제작 관계자 · 자료 제공자〕 등의 이름의 자막.

crédit trànsfer 은행 계좌 대체.

crédit ùnion 소비자 신용 조합.

cred·it·wor·thy [kréditwə̀ːrði] *a.* 〖商〗 신용 있는, 지불 능력이 있는 : The bank refused to give me the loan because they said I wasn't ~. 그들이 나는 지불 능력이 없다고 했기 때문에 은행은 나에게 대출을 거부했다. 㘿 **-thi·ness** *n.*

cre·do [kríːdou, kréi-] (*pl.* **~s**) *n.* ① Ⓒ 신조 (creed) : It's a ~ I live by. 그것은 나의 생활 신조의 하나다. ② (the C-) 사도 신경.

***cre·du·li·ty** [kridjúːləti] *n.* Ⓤ (남을) 쉽사리 믿음, 고지식함, 경신(성)(輕信(性)).

***cred·u·lous** [krédʒələs] *a.* ① (남을) 쉽사리 믿는, 고지식한, 속아 넘어가기 쉬운 : a ~ person 고지식한 사람 / He's ~ of rumors. 그는 쉽게 소문을 믿어버린다. ② 쉽게 믿는 데서 오는〔기인하는〕. 㘿 **~·ly** *ad.* **~·ness** *n.*

Cree [kriː] (*pl.* ~(***s***)) *n.* ① **a**) (the ~(s)) 크리족(族)《본디 캐나다 중앙부에 살았던 아메리카 원주민》. **b**) Ⓒ 크리족 사람. ② Ⓤ 크리어(語).

‡**creed** [kriːd] *n.* ① **a**) Ⓒ (종교상의) 신경 : the Athanassian *Creed* 아타나시오 신경. **b**) (the C-) 사도 신경(the Apostles' Creed). ② Ⓒ 신조, 신념, 주의, 강령.

Creek [kriːk] *n.* 크리크 사람《Oklahoma 지방에 사는 아메리카 원주민》; Ⓤ 크리크어(語).

‡**creek** [kriːk, krik] *n.* Ⓒ ① 《美》 시내, 크리크, 샛강《brook¹보다 약간 큼》. ② 《英》 (해안 · 강기슭 등의) 후미, 소만(小灣), 작은 항구. ***up the ~*** 《俗》 (1) 꼼짝달싹 못하게 되어, 궁지〔곤경〕에 빠져. (2) 미친 듯한, 상궤를 벗어난.

creel [kriːl] *n.* Ⓒ ① (낚시질의) 물고기 바구니. ② 통발.

‡**creep** [kriːp] (*p., pp.* ***crept*** [krept]) *vi.* ① 기다, 포복하다. ② 《~ / +부 / +전+명》 살금살금 걷다, 몰래 다가서다, 발소리를 죽이며 가다 ; 천천히 나아가다〔걷다〕: ~ *on* tiptoe 발끝으로 살금살금 걷다 / When did he ~ *out ?* 그는 언제 몰래 빠져 나갔는가 / Sleepiness *crept over* me. 졸음이 닥쳐 왔다 / Age ~*s up* on us. 노년은 부지불식간에 다가오는 법이다. ③ 스멀스멀하다 ; 섬뜩하다 : Just thinking about snakes makes my flesh ~. 뱀을 생각만 해도 나는 소름이 끼친다. ④ 《+전+명》《口》 비굴하게 굴다, 은근히 환심을 사다 : ~ *into* a person's favor 남에게 살살 빌붙다〔비위를 맞추다〕. ⑤ 《+전+명》 (덩굴 · 뿌리 따위가) 휘감겨 붙다, 뻗어 나가다 : Ivy *crept along* 〔*over*〕 the walls. 담쟁이덩굴이 벽을 타고 뻗어 나갔다. ~ ***in*** 〔***out***〕 몰래〔가만히, 살며시〕 기어들다〔나가다〕: Mist had *crept in* again from the sea. 안개가 다시 바다에서 서서히 몰려들었다. ~ ***into*** …에 몰래 들어가다 : ~ *into* bed 살며시 침대에 들어가다. — *n.* ① Ⓒ 김, 배를 깖, 포복 ; 서행. ② Ⓒ (흔히 the ~s) 《口》 섬뜩한 느낌 : I

always hated that statue. It gave me *the* ~*s.* 나는 그 상(像)이 항상 싫었다. 그것은 나를 섬뜩하게 했다. ③ Ⓒ 《俗》 아니꼬운〔시시한〕 녀석. ④ Ⓤ 〖地質〗 하강 점동(下降漸動).

creep·er [kríːpər] *n.* ① Ⓒ 기는 것; 곤충; 파충류(reptile). ② ⒸⓊ 〖植〗 덩굴 식물, 만초(蔓草), 《특히》 양담쟁이(Virginia ~). ③ Ⓒ 〖鳥〗 나무에 기어오르는 새, 《특히》 나무발바리. ④ (*pl.*) (갓난 아이의) 내리닫이. ⑤ (*pl.*) (구두창의 미끄럼 방지용) 스파이크 달린 철판. ⑥ (*pl.*) 《俗》 (도둑이 신는) 고무창 구두.

creep·ered [kríːpərd] *a.* 담쟁이로 덮인.

creep·ing [kríːpiŋ] *a.* ① 기어 돌아다니는: ~ plants 덩굴 식물 / ~ things 파충류. ② 느린, 서서히〔슬며시〕 다가오는: ~ inflation 서서히 진행하는 인플레이션. ③ 근실거리는 느낌의, 섬뜩한. ④ 살살 빌붙는, 비루한.

créeping Jésus 《英俗》 숨어 다니는 사람, 비겁자; 위선자.

creepy [kríːpi] (***creep·i·er*** ; ***-i·est***) *a.* ① 기어 다니는; 느릿느릿 움직이는. ② 근실거리는, 근지러운; 오싹하는: feel ~ 섬뜩하다 / a ~ old house 섬뜩한 느낌이 드는〔귀신이라도 나올 것 같은〕 오래된 집. ㊞ **créep·i·ly** *ad.* **-i·ness** *n.*

creep·y-crawly [kríːpikrɔ́ːli] *a.* ① 기어다니는. ② 섬뜩한, 오싹한. ── *n.* Ⓒ 《口》 기어다니는 벌레, 곤충: Mummy, Mummy, there's a ~ on my bed! 엄마, 엄마, 내 침대에 벌레가 있어요.

cre·mains [kriméinz] *n. pl.* (화장한) 유골.

cre·mate [kríːmeit, kriméit] *vt.* (시체)를 화장하다.

cre·ma·tion [kriméiʃən] *n.* ⓊⒸ 화장.

cre·ma·tor [kríːmeitər, kriméitər] *n.* Ⓒ ① (화장터의) 화부. ② 화장로(爐).

cre·ma·to·ri·um [krìːmətɔ́ːriəm, krèmə-] (*pl.* ***-ria*** [-riə]) *n.* Ⓒ =CREMATORY.

cre·ma·to·ry [kríːmətɔ̀ːri, krémə- / krémətəri] *n.* Ⓒ 《美》 화장터. ── *a.* 화장의.

crème de la crème [krémdəlɑːkrém] 《F.》 빼어난 사람들, 사교계의 꽃; 정화(精華).

crème de menthe [krèmdəmɑ́ːnt] 《F.》 박하 넣은 리큐어 술.

cren·el, cre·nelle [krénl], [krinél] *n.* ① Ⓒ 총안(銃眼). ② (*pl.*) 총안이 있는 흉벽(胸壁).

cren·el·(l)at·ed [krénəlèitid] *a.* (성벽 따위) 총안을 설치한.

Cre·ole [kríːoul] *n.* ① Ⓒ 크리올 사람《(1) 미국 Louisiana 주에 이주한 프랑스 사람의 자손. (2) 남아메리카 제국·서인도 제도·Mauritius 섬 태생의 프랑스 사람·스페인 사람. (3) (c-) 프랑스 사람·스페인 사람과 흑인의 트기(=↗ **Négro**). (4) (c-) 《古》 (서인도·미대륙 태생의) 토착 흑인》. ② Ⓤ 크리올 말《Louisiana 말투의 프랑스 말》. ③ (종종 c-) 크리올 요리. ── *a.* ① 크리올 사람의. ② (토마토·피망·양파 등 각종 향료를 쓴) 크리올식의.

cre·o·sol [krí(ː)əsòul] *n.* Ⓤ 〖化〗 크레오솔《방부제》.

cre·o·sote [krí(ː)əsòut] *n.* Ⓤ ① 〖化〗 크레오소트《목재 방부·의료용》. ② =CREOSOTE OIL. ── *vt.* …을 크레오소트로 처리하다: Wooden gates will last a long time if you ~ them every now and then. 나무문은 가끔 크레오소트를 바르면 오래 간다.

créosote òil 크레오소트유《목재 방부용》.

***crepe, crêpe** [kreip] *n.* 《F.》 ① Ⓤ 크레이프, 축면사(縮緬紗). ② Ⓒ 검은 크레이프 상장(喪章)(crape). ③ =CREPE PAPER. ④ =CREPE RUBBER. ⑤ Ⓒ 크레이프《얇게 구운 팬케이크》.

crêpe de Chine [krèipdəʃíːn] 《F.》 크레이프 드신《바탕이 오글오글한 비단의 일종》.

crépe pàper (조화용의) 오글오글한 종이.

crépe rùbber 크레이프 고무《구두창용》.

crèpe su·zétte [krèipsu(ː)zét] (*pl.* ***crèpes suzétte*** [krèips-], ~***s*** [-su(ː)zéts]) 《F.》 크레이프 수젯《크레이프에 리큐어를 넣은 뜨거운 소스를 쳐서 내놓음; 디저트용》.

crep·i·tate [krépətèit] *vi.* 딱딱 소리나다.

‡**crept** [krept] CREEP의 과거·과거분사.

cre·pus·cu·lar [kripʌ́skjələr] *a.* ① 황혼의, 새벽〔해질〕 무렵의; 어스레한. ② 어스레한 때에 활동〔출현〕하는《박쥐 따위》. ③ (시대가) 반(半)개화한, (문명의) 여명기의.

cres., cresc. 〖樂〗 crescendo.

cre·scen·do [kriʃéndou] *ad.* 《It.》 ① 〖樂〗 점점 세게, 크레센도로《略: cres(c).; 기호 <》. opp. *diminuendo.* ② (감정·동작을) 점차로 세게. ── *a.* 〖樂〗 점강음(漸強音)의. ── (*pl.* ~(***e***)***s***) *n.* Ⓒ ① 〖樂〗 크레센도; 점강음(절). ② (감동 등의) 점고(漸高); 클라이맥스: Voices rose in a ~ and drowned him out. 목소리들이 점점 높아져 그의 소리가 들리지 않았다. ── *vi.* (소리·감정 등이) 점점 세어지다.

***cres·cent** [krésənt] *n.* ① Ⓒ 초승달. ② Ⓒ 초승달 모양의 물건; 《주로 英》 초승달 모양의 가로〔광장〕; 《美》 초승달 모양의 빵. ③ Ⓒ 초승달 모양의 기장(旗章)《터키 국기》. ④ (the C-) 이슬람교: the Cross and *the Crescent* 기독교와 이슬람교. ── *a.* 〔限定的〕 ① 초승달 모양의. cf. decrescent. ② (달이) 점점 더 커지는.

cre·sol [kríːsoul, -sɔːl] *n.* Ⓤ 〖化〗 크레졸.

cress [kres] *n.* Ⓤ 겨자과의 야채, 《특히》 다닥냉이(garden cress)《샐러드용》.

cres·set [krésit] *n.* Ⓒ 쇠초롱《화톳불용》.

Cres·si·da [krésidə] *n.* 〖中世傳說〗 크레시다《애인인 Troilus를 배반한 Troy의 여인》.

‡**crest** [krest] *n.* Ⓒ ① 볏; 도가머리, 관모(冠毛). ② (투구의) 깃장식, 장식털; (투구의) 앞꽂이 장식. ③ **a)** 〖紋章〗 꼭대기 장식. **b)** (봉인(封印)·접시·편지지의) 문장(紋章). ④ 〖建〗 마룻대 장식. ⑤ 꼭대기; 산꼭대기; (파도의) 물마루; 최상, 극치, 최고조, 클라이맥스: at the ~ of one's fame 명성의 절정에 서서. ***on the*** **~ *of a wave*** (성공·행복 따위의) 절정에: After its election victory, the party is *on the* ~ *of a wave.* 그 당은 선거 승리 후 기세가 절정에 달해 있다. one***'s*** **~ *falls*** 풀이 죽다, 의기 소침하다. ── *vt.* ① …의 꼭대기 장식을 달다. ② (산)의 꼭대기에 달하다. ③ (파도)의 물마루를 타다. ── *vi.* (파도가) 놀치다, 물마루를 이루다.

crest·ed [↗-id] *a.* 관모(冠毛)〔볏, 마룻대 장식 따위〕가 있는.

crest·fall·en [↗-fɔ̀ːlən] *a.* 풀이 죽은; 기운이 없는: The cricket player strode confidently out on to the pitch, but returned ~ a few minutes later, with a score of only two. 그 크리켓 선수는 자신만만하게 피치로 걸어 나갔으나, 몇 분 후에 겨우 2점을 득점하고 풀이 죽어 돌아갔다.

cre·ta·ceous [kritéiʃəs] *a.* ① 백악(白堊)(질)의 (chalky). ② (C-) 〖地質〗 백악기(紀)의. ── *n.* (the C-) 백악기〔계(系)〕.

Cre·tan [kríːtn] *a.* Crete 섬 (사람)의. ── *n.* Ⓒ Crete 섬 사람.

Crete [kriːt] *n.* 크레타《지중해의 섬; 그리스령(領)》.

cre·tin [kríːtn / krétin] *n.* Ⓒ ① 크레틴병 환자. ② 《口》 바보; 백치: Why did you do that, you ~? 왜 그런 짓을 했어, 이 바보야.

cre·tin·ism [-ìzəm] *n.* Ⓤ 크레틴병《알프스 산지

등의 풍토병; 갑상선 호르몬의 결핍에 의한 것으로 소인증과 정신박약을 특징으로 함》.

cre·tin·ous [kríːtnəs / krétin-] *a.* ① 크레틴병의〔에 걸린〕. ② 바보 같은.

cre·tonne [kritάn, kríːtɑn / kretɔ́n, krétɔn] *n.* Ⓤ 《F.》 크레톤사라사《커튼·의자 커버 등에 쓰이는 튼튼한 사라사 무명》.

cre·vasse [krivǽs] *n.* Ⓒ 《F.》 ① 갈라진 틈, (빙하의) 균열, 크레바스: He fell down a ~. 그는 크레바스 아래로 떨어졌다. ② 《美》 (둑의) 터진〔파손된〕 곳.

***crev·ice** [krévis] *n.* Ⓒ (벽·바위 등의) 갈라진 틈새, 균열, 터진 곳: a huge boulder with rare ferns growing in every ~ 갈라진 틈새마다 희귀한 양치류가 자라고 있는 거대한 표석(漂石).

***crew**[1] [kruː] *n.* Ⓒ 〔集合的; 單·複 취급〕 ① (배·열차·비행기의) 탑승원, 승무원; (흔히 고급 선원을 제외한) 선원: The whole ~ was 〔All the ~ were〕 saved. 승무원은 모두 구조되었다. ② (보트) 선수단; =CREW CUT. ③ 《口》 동료, 패거리; (노동자의) 일단: a noisy, disreputable ~ 시끄럽게 떠드는 좋지 않은 패거리.
── *vt., vi.* (…의) 승무원으로 일하다.

crew[2] 《古》 CROW[2]의 과거.

créw cùt (선원 등의) 상고머리.

crew·el [krúːəl] *n.* Ⓤ 겹실, 자수용 털실.

crew·el·work [-wə̀ːrk] *n.* Ⓤ 털실 자수.

crew·man [krúːmən] (*pl.* ***-men*** [-mən]) *n.* Ⓒ (배·비행기·우주선 등의) 탑승〔승무〕원.

crib** [krib] *n.* Ⓒ ① **a**) 구유, 여물 시렁; 마구간, 외양간. **b**) 구유 속의 아기 예수상(像) (crèche). ② 《美》 (소아용) 테두리 난간이 있는 침대, 베이비 베드(《英》 cot). ③ **a**) 《美》 (곡식·소금 따위의) 저장통, 저장소, 곳간, 헛간. **b**) 조그마한 집〔방〕. ④ 《口》 (남의 글·학설 따위의) 도용, 표절. ⑤ 《口》 커닝 페이퍼. ⑥ **a**) (the ~) 선(先)이 가지는 패. **b**) 《口》 =CRIBBAGE. ── (-bb-***) *vt.* ① …에 ~를 갖추다; …을 재목으로 보강하다. ② (좁은 곳에) …을 가두다. ③ 《口》 …을 좀도둑질하다, 도용하다, 표절하다, (답)을 커닝하다. ── *vi.* ① 《口》 좀도둑질하다; 표절하다; 커닝하다: He had been caught ~*bing* in an exam. 그는 커닝하다 들켰다. ② (말이) 구유를 물어뜯다.

crib·bage [kríbidʒ] *n.* Ⓤ 2-4 명이 하는 카드놀이.

críb dèath 《美》 유아 돌연사 (증후군) (《英》 cot death).

crick [krik] *n.* Ⓒ (흔히 *sing.*) (목·등 따위의) 근육〔관절〕 경련, 급성 경직, 쥐《*in*》: get〔have〕 a ~ *in* one's neck 목 근육에 경련을 일으키다.
── *vt.* …에 경련을 일으키다, 삐다.

‡**crick·et**[1] [kríkit] *n.* Ⓒ 〖蟲〗 귀뚜라미: We lay in our tent listening to the ~*s*. 우리는 귀뚜라미 소리를 들으며 텐트에 누워 있었다. ***(as) chirpy*** 〔***lively, merry***〕 ***as a*** ~ 《口》 아주 쾌활〔명랑〕하게.

‡**crick·et**[2] *n.* Ⓤ ① 크리켓《영국에서 하는 구기의 하나》: ~ bag 크리켓 백《크리켓 용구를 넣음》/ ~ bat 크리켓 배트. ② 《口》 공정한 시합 (태도), 정정당당한 태도(fair play). ***not*** (***quite***) ~ 《口》 공정을 결한, 비열한. ── *vi.* 크리켓을 하다. ㊫ ~**·er** [-ər] *n.* Ⓒ 크리켓 경기자.

cri·er [kráiər] *n.* Ⓒ ① 외치는〔우는〕 사람; 잘 우는 아이, 울보. ② (법정의) 경위(警衛). ③ 큰 소리로 포고(布告)를 알리고 다니던 고을의 관원 (town ~). ④ 외치며 파는 장사꾼. ◇ cry *v.*

cri·key [kráiki] *int.* (종종 By ~!) 《俗》 야, 이것 참 (놀랐다).

‡**crime** [kraim] *n.* ① **a**) Ⓒ (법률상의) 죄, 범죄(행위): a ~ against the State 국사범 / a capital ~ 사형에 해당하는 중죄 / commit a ~ 죄를 범하다. **b**) Ⓤ 〔集合的〕 범죄: organized ~ 조직 범죄 / the prevention of ~ 범죄 방지. ㉹ sin. ② Ⓒ 죄악, 반도덕적 행위(sin): a ~ against humanity 인도(人道)에 대한 죄《집단 대학살 따위》. Ⓒ 《口》 못된〔수치스러운〕 짓; 우행(愚行). ◇ criminal *a.*

Cri·mea [kraimíːə, kri-] *n.* (the ~) 크림《흑해 북안의 반도; 우크라이나 공화국의 한 주》.
㊫ **Cri·mé·an** [-ən] *a.*

Criméan Wár (the ~) 〖史〗 크림 전쟁《러시아 대(對) 영·프·오스트리아·터키·프로이센·사르디니아 연합국의 전쟁; 1853-56》.

críme fiction 범죄〔추리〕 소설.

críme wrìter 범죄〔추리〕 소설 작가.

‡**crim·i·nal** [krímənl] (***more*** ~; ***most*** ~) *a.* ① 범죄의; 죄있는; 죄되는: a ~ act 범죄 행위 / a ~ person 범인 / have a ~ record 전과가 있다. ② 형사상의《civil 에 대해》: a ~ case 〔action〕 형사 사건〔소송〕 / a ~ court 형사 법원 / a ~ offense 형사범. ③ 《口》 〔叙述的; 주로 it's ~ to do로〕 어리석은; 괘씸한, 한심스러운: *It's* ~ *to* waste so much time. 그렇게 많은 시간을 낭비하다니 한심한 일이다. ◇ crime *n.*
── *n.* Ⓒ 범인, 범죄자: a habitual ~ 상습범.
㊫ ~**·ly** *ad.* ① 죄를 범하여. ② 형사〔형법〕상.

crim·i·nal·i·ty [krìmənǽləti] *n.* ① Ⓤ 범죄성; 유죄(guiltiness). ② Ⓒ 범죄(행위).

crim·i·nal·ize [krímənəlàiz] *vt.* …을 법률로 금지하다; (사람·행위)를 유죄라고 하다.

críminal láw 형법. ⓞⓟⓟ *civil law.*

crim·i·nate [krímənèit] *vt.* ① …에게 죄를 지우다; …을 고발〔고소〕하다: ~ oneself 스스로 죄가 있다고 밝히다. ② …을 비난하다.

crim·i·na·tion [krìmənéiʃən] *n.* Ⓤ,Ⓒ ① 고발, 고소. ② 비난.

crim·i·nol·o·gy [krìmənάlədʒi / -nɔ́l-] *n.* Ⓤ 범죄학, 《널리》 형사학. ㊫ **-gist** *n.*

crimp [krimp] *vt.* ① **a**) (머리)를 곱슬곱슬하게 하다, 지지다. **b**) (천 따위)에 주름을 잡다. **c**) (철판·판지)에 물결무늬를 넣다. **d**) (어육)에 칼집을 내다. ② 《美口》 …을 가로막다, 방해하다.
── *n.* Ⓤ,Ⓒ ① 주름잡기; 주름(살); 접은 금. ② (*pl.*) 고수머리, 파마 머리. ***put*** 〔***throw***〕 ***a*** ~ ***in*** 〔***into***〕 《美口》 …을 방해하다: His illness *put a* ~ *in* our plans. 그의 병 때문에 우리의 계획에 지장이 생겼다.

crim·ple [krímpl] *vt.* …에 주름을 잡다; …을 오글오글하게 하다. ── *vi.* 주름지다; 오글오글해지다.

Crimp·lene [krímpliːn] *n.* Ⓤ 크림플린《주름이 잘 지지 않는 합성 섬유; 商標名》.

crimpy [krímpi] (***crimp·i·er*** ; ***-i·est***) *a.* 곱슬곱슬한; 물결 모양의: ~ hair 곱슬머리.

‡**crim·son** [krímzən] *n.* Ⓤ 심홍색: The western sky glowed (with) ~. 서쪽 하늘은 빨갛게 불타고 있었다. ── *a.* 심홍색의, 연지색의(deep red). ── *vt.* …을 심홍색으로 물들이다; 붉게 하다: Sunset ~*ed* the lake. 석양이 호수를 붉게 물들였다. ── *vi.* 심홍색이 되다; 붉어지다(blush).

crímson láke 크림슨레이크《심홍색 안료》.

cringe [krindʒ] *vi.* ① 굽송그리다, 움츠리다 《*at*》: ~ *at* the sight a snake 뱀을 보고 움츠리다〔무르춤하다〕 / ~ *away*〔*back*〕 (from ...) (…에서) 무서워 물러나다, 꽁무니빼다. ② 굽실거리다, 아첨하다(fawn)《*before; to*》: He ~*d to* his employer. 그는 고용주에게 굽실굽실했다.

crin·kle [kríŋkl] *n.* Ⓒ ① 주름, 물결 모양, 굴곡. ② (종이 따위가) 버스럭거리는 소리. ── *vt., vi.* ① 물결치(게 하)다 ; 파동치다 ; 주름잡(히)다 ; 주춤하다, 손을 떼다(cringe) : ~ the paper into a ball 종이를 꼬깃꼬깃 구겨서 동글게 하다 / the dead plant's ~*d* leaves 죽은 나무의 오그라든 잎. ② 버스럭거리다(rustle).

crin·kly [kríŋkli] (***more*** ~, ***crin·kli·er*** ; ***most*** ~, ***-kli·est***) *a.* ① 주름(살)이 진, 주름투성이의 ; 오글오글〔곱슬곱슬〕한 ; 물결 모양의 : ~ plastic packing material 오글오글한 플라스틱 포장재. ② 버스럭거리는. ㊞ **crín·kli·ness** *n.*

crin·o·line [krínəli:n] *n.* ① Ⓤ 크리놀린, 빳빳한 천, (말총을 넣어 짠) 심 감. ② Ⓒ 그것으로 만든 페티코트 ; 버팀테를 넣은 페티코트〔스커트〕.

cripes [kraips] *int.* 《俗》〔때로 by ~로서〕 (놀람을 표시하여) 저런저런, 이것 참.

ː crip·ple [krípl] *n.* Ⓒ 불구자, 지체 장애자, 다리 병신, 절뚝발이. ── *vt.* ① …을 불구〔절름발이〕가 되게 하다《★ 종종 과거분사로서 형용사적으로 쓰임 ; ⇨ crippled ①》: The injury ~*d* him for life. 그 상처로 일생 그는 불구가 되었다. ② …을 무력하게 하다, 불능〔무능〕케 하다.

crip·pled [-d] *a.* ① **a**) 불구의 : a ~ person 불구자. **b**) 〔敍述的〕 불구가 된, 부자유한 몸이 되어 : The old man was ~ *with* rheumatism. 그 노인은 류머티즘 때문에 보행이 부자유한 몸이 되어 있었다. ② 무능력한.

crip·pling [kríplíŋ] *a.* (기능을 상실할 정도의) 큰 손해를〔타격을〕 주는 : a ~ blow 재기 불능케 할 정도의 강타 / the country's ~ debts 그 나라의 파탄을 초래할지도 모를 큰 부채.

ː cri·sis [kráisis] (*pl.* ***-ses*** [-si:z]) *n.* Ⓒ ① 위기 ; (정치상·재정상 따위의) 중대 국면, 난국 : a financial ~ 금융〔재정〕 위기 / come to 〔reach〕 a ~ 위기에 이르다 / bring to a ~ 위기로 몰아 넣다 / face a ~ 난국을 맞다. ② (운명의) 갈림길 ; (병의) 위기, 고비 : He's passed the ~. 그는 고비를 넘겼다. ◇ critical *a.*

crísis mànagement 《美》 위기 관리《주로 국제적 긴급 사태에 대처하는 일》.

ː crisp [krisp] (∠·***er*** ; ∠·***est***) *a.* ① **a**) 파삭파삭한, 딱딱하고 부서지기 쉬운 : ~ crackers 파삭파삭한 크래커. **b**) (야채·과일 등이) 신선한 : a ~ leaf of lettuce 신선한 양상추 잎. ② (종이 따위) 빠각빠각 소리나는 ; (지폐 따위) 빳빳한 : ~ bills 빳빳한 지폐. ③ 힘찬《동작·문체 따위》; (말씨가) 또렷하고 시원시원한 : walk at a ~ pace 힘찬 걸음으로 걷다 / give a ~ reply 또렷하고 시원시원한 답변을 하다. ④ (공기·날씨 등이) 상쾌한, 서늘한 : a ~ autumn day 상쾌한 가을날. ⑤ (머리가) 곱슬곱슬한 ; 잔물결 이는. ── *n.* Ⓒ ① 파삭파삭한 것 : be burned to a ~ 파삭파삭하게 구워지다 ; (먹을 수 없을 정도로) 검게 타다. ② (the ~) 《俗》 (손이 베일 듯 빳빳한) 지폐, 지폐 뭉치. ③ (*pl.*) 《英》 파삭파삭한 포테이토칩. ── *vt., vi.* ① 파삭파삭하게 하다〔되다〕. ② (머리를) 곱슬곱슬하게 하다〔되다〕. ③ 잔물결이 일(게 하)다. ㊞ *∠·**ly** *ad.* *∠·**ness** *n.*

crispy [kríspi] (***crisp·i·er*** ; ***-i·est***) *a.* =CRISP ①. ㊞ **crísp·i·ness** *n.*

criss·cross [krískrɔ̀:s / -krɔ̀s] *n.* Ⓒ ① 열십자(十)《글씨 못 쓰는 사람의 서명 대신》; 십자 모양. ② 십자형(교차). ── *a.* 〔限定的〕 열십자 모양의 ; 교차된 : a ~ pattern 십자 무늬. ── *ad.* ① 열십자로 ; 교차하여. ② 어긋나게 : go ~ (일이) 잘 안 되다, 어긋나다. ── *vt.* ① 종횡으로 통하다〔움직이다〕: Bus routes ~ the city. 버스 노선이 시내를 종횡으로 통해〔달리고〕 있다 / They ~*ed* the country by bus. 그들은 버스로 전국을 종횡으로 누비고 다녔다. ② …에 열십자를 그리다 ; …을 십자 모양으로 하다. ── *vi.* 십자 무늬가 되다 ; 십자로 교차하다 ; 자주 교차하다.

cri·te·ri·on** [kraitíəriən] (*pl.* ***-ria [-riə], ***~s***) *n.* Ⓒ (비판·판단의) 표준, 기준《*of* ; *for*》: The most important ~ *for* entry is that applicants must design and make their own work. 가장 중요한 참가 기준은 신청자가 자신의 작품을 디자인하여 만들어야 한다는 것이다.

ː crit·ic [krítik] *n.* Ⓒ ① 비평가, 평론가, (고문서 등의) 감정가 : an art ~ 미술 평론가 / a Biblical ~ 성서(聖書) 비평학자. ② 혹평가, 흠잡는 〔탈잡는〕 사람(faultfinder) : a ruthless ~ of the Establishment 현체제파를 가차없이 비판하는 사람.

ː crit·i·cal [krítikəl] (***more*** ~ ; ***most*** ~) *a.* ① 비평의, 평론의 ; 비판적인 : a ~ writer 평론가 / a ~ essay 평론. ② 비판력 있는, 감식력 있는 ; 정밀한 : a ~ reader 비평력이 있는 독자. ③ 꼬치꼬치 캐기 좋아하는, 흠잡기를 좋아하는, 혹평적인 : a ~ disposition 남의 흠잡기를 좋아하는 성질 / He was ~ of her behavior. 그는 그녀의 행동을 비난했다. ④ 위기의, 위험기의, 위급한 ; 위독한 : a ~ wound 중상 / a ~ moment 위기 / a ~ condition 위험〔위독〕한 상태 / ~ eleven minutes 위험한 11분간《항공기 사고가 일어나기 쉬운 시간대(帶)로, 착륙전 8분간과 착륙후 3분간》. ⑤ 운명의 갈림길의, 결정적인, 중대한 : the ~ age 폐경기, 갱년기 / a ~ situation 중대한 국면〔형세〕 / 〖物·數〗 임계(臨界)의 : the ~ angle 임계각 / the ~ temperature 임계 온도. ◇ ①-②는 criticism *n.* ④는 crisis *n.*

crit·i·cal·i·ty [krìtikǽləti] *n.* Ⓤ 〖物〗 임계(臨界)《핵분열 연쇄 반응이 일정한 비율로 유지되는 상태》.

***crit·i·cal·ly** [krítikəli] *ad.* ① 비평〔비판〕적으로 ; 혹평하여. ② 정밀하게 : abserve ~ 정밀하게 관찰하다. ③ 위급하게, 위태롭게, 위독 상태로 ; 아슬아슬하게 : She's ~ ill. 그녀는 위독하다.

crítical máss 〖物〗 ① 임계(臨界) 질량. ② 바람직한 결과를 얻기 위해 충분한 양.

ː crit·i·cism [krítisìzəm] *n.* ① Ⓒ,Ⓤ 비판, 비난, 흠잡기 : his frank ~ of my attempts 나의 시도에 대한 그의 솔직한 비판 / be above〔beyond〕 ~ 나무랄 데가 없다, 비판〔비난〕의 여지가 없다. ② Ⓤ 비평, 평론 : literary ~ 문학 평론. ③ Ⓒ 비평문〔서〕. ◇ critical *a.*

ː crit·i·cize, 《英》 **-cise** [krítisàiz] *vt., vi.* ① (…을) 비평하다, 비판〔평론〕하다 : ~ a novel favorably 소설을 호의적으로 비평하다. ② (…의) 흠을 찾다 ; (…을) 비난하다 : The police were ~*d for* failing to capture the criminal. 경찰은 범인 체포에 실패했다고 비난을 받았다. ◇ critic *n.*

cri·tique [krití:k] *n.* Ⓒ,Ⓤ (문예 작품 따위의) 비평, 비판 ; 평론, 비판문 ; 비평법.

crit·ter [krítər] *n.* 《方》 =CREATURE.

***croak** [krouk] *n.* ① Ⓒ 깍깍〔개골개골〕 우는 소리《까마귀·개구리 등》. ② (a ~) 쉰 목소리. ── *vi.* ① (까마귀·개구리 등이) 개골개골〔깍깍〕 울다 : A frog was ~*ing* in the distance. 개구리가 먼데서 개골개골 울고 있었다. ② 목쉰 소리를 내다. ③ 불길한 예언을 하다. ④ 《俗》 뻗다, 죽다(die). ── *vt.* ① …을 목쉰 소리로 말하다 : He ~*ed* her name. 그는 목쉰 소리로 그녀의 이름을 불렀다. ② 《俗》 …을 죽이다(kill). ㊞ ∠·**er** *n.* Ⓒ ① 까옥까옥〔개골개골〕 우는 동물. ② 불길한 예언

자, 재수 없는 말을 하는 사람.

Cro·at [króuæt,-ət] *n., a.* =CROATIAN.

Cro·a·tia [krouéiʃiə] *n.* 크로아티아(공화국)《구 유고슬라비아에서 독립한 공화국의 하나》.

Cro·a·tian [-n] *a.* 크로아티아의; 크로아티아 사람〔말〕의. — *n.* ① [C] 크로아티아 사람. ② [U] 크로아티아 말.

cro·chet [krouʃéi / ´--, -ʃi] *n.* [U] 코바늘 뜨개질: a ~ hook〔needle〕 코바늘. —(*p., pp.* **~ed** [-d]) *vt., vi.* (…을) 코바늘(로) 뜨개질하다.

cro·ci [króusai, -kai] CROCUS의 복수형.

crock[1] [krak / krɔk] *n.* [C] ① 단지, 항아리: a ~ of butter. 버터 한 단지. ② (화분(花盆)의 밑구멍을 막는) 사금파리.

crock[2] *n.* [C] ① 폐마(廢馬), 늙어빠진 말. ② 노약자, 병약자. ③ 고물차, 털털이 차. — *vt., vi.* 《口》 폐인이 되(게 하)다, 쓸모없게 하다〔되다〕, 결딴나다〔내다〕《*up*》. ~ ***of shit*** 《美俗》 엉터리, 난센스. [파] **~ed** [-t] *a.* ① 《俗》 술취한. ② 《英》 부상한.

crock·ery [krákəri / krɔ́k-] *n.* [U] 〔集合的〕 도자기, 토기.

***croc·o·dile** [krákədàil / krɔ́k-] *n.* ① [C] (아프리카·아시아산) 악어. [cf.] alligator. ② [U] 악어 가죽. ③ [C] 《英口》 (두 줄로 걸어가는) 학생 행렬; (자동차 따위의) 긴 행렬.

crócodile bìrd 악어새.

crócodile tèars 거짓 눈물: shed〔weep〕 ~ 거짓 눈물을 흘리다.

croc·o·dil·i·an [kràkədíliən / krɔ̀k-] *a.* ① 악어의〔같은〕. ② 위선적인, 불성실한. — *n.* [C] 악어류.

***cro·cus** [króukəs] (*pl.* **~·es, -ci** [-sai, -kai]) *n.* [C] 〖植〗 크로커스《사프란속(屬)》.

Croe·sus [kríːsəs] *n.* ① 크리서스《기원전 6 세기의 Lydia 최후의 왕; 큰 부자로 유명》. ② [C] 큰 부자. (***as***) ***rich as*** ~ 굉장한 부호인.

croft [krɔːft / krɔft] *n.* [C] ① 《英》 (주택에 인접한) 작은 농장. ② (특히, crofter 의) 소작지.

croft·er [´ər] *n.* [C] 《英》 (스코틀랜드 고지(高地) 등의) 소작인.

crois·sant [krəsάːnt] *n.* [C] 《F.》 크루아상《초승달 모양의 롤빵》: the traditional French breakfast of coffee and ~*s* 커피와 크루아상의 전통적 프랑스 아침 식사.

Cro-Mag·non [kroumǽgnən, -mǽnjən] *n.* [U,C] 《F.》 크로마뇽 인종〔사람〕《구석기 시대의 인간》. — *a.* 〔限定的〕 크로마뇽 사람의.

crom·lech [krámlek / krɔ́m-] *n.* [C] 〖考古〗 ① 크롬렉《환상열석(環狀列石)》. ② =DOLMEN.

Crom·well [krámwel / krɔ́mwəl] *n.* **Oliver** ~ 크롬웰《영국의 정치가·군인·청교도; 1599-1658》.

crone [kroun] *n.* [C] 쭈그렁 할멈.

Cro·nos, Cro·nus [króunəs] *n.* 〖그神〗 크로노스《제우스의 아버지, 제우스 이전에 우주를 지배한 거인; 로마 신화의 Saturn》.

cro·ny [króuni] *n.* [C] 친구, 옛벗(chum). [파] **~·ìsm** *n.* [C] 편파, 편애, (정치상의) 연줄, 연고.

crook** [kruk] *n.* [C] ① 굽은 것〔물건〕; 갈고리; (불 위에 냄비를 거는) 만능 갈고리; (양치는 목동의) 손잡이가 구부러진 지팡이: a shepherd's ~. ② (길·강 따위의) 굴곡(부), 만곡: a ~ in a stream 개울의 만곡(부) / in the ~ of one's arm 구부린 팔꿈치의 안쪽에 / have a ~ in one's nose 코가 굽어 있다. ③ 《口》 악한, 도둑, 사기꾼: He is a real ~. 그는 진짜 사기꾼이다. ***by hook or (***by***) ~ ⇨ HOOK. ***on the*** ~ 부정직하게, 부정수단으로. — *a.* ① =CROOKED. ② 싫은, 지독한, 부정한, 기분 나쁜: I'm feeling a bit ~. 나는 기분이 좀 나쁘다. — *vt.* ① …을 구부리다; 굴곡시키다: She ~*ed* her finger at him. 그녀는 그를 향하여 (이리 오라고) 손가락을 갈고리 모양으로 구부렸다. ② 《~+[목] / +[목]+[전]+[명]》 …을 사취하다; 《美俗》 훔치다(steal): ~ a thing *from* a person 아무로부터 물건을 사취하다. — *vi.* 구부러지다, 굴곡하다.

crook·back [´bæ̀k] *n.* [C] 꼽추(hunchback). [파] **~ed** [-t] *a.* 꼽추의〔인〕.

‡**crook·ed** [krúkid] *a.* ① **a**) 꼬부라진, 구부러진, 굴곡된, 비뚤어진: a ~ road 굽은 길. **b**) 늙어 허리가 꼬부라진: a man with a ~ back 등이 굽은 남자. **c**) 기형(畸型)의. ② 부정직한, 마음이 비뚤어진; 부정 수단으로 얻은: a ~ business deal 부정한 상거래 / All the officials are ~. 모든 관리들이 부정하다. [파] **~·ly** [-idli] *ad.* 구부러져서; 부정(不正)하게. **~·ness** *n.* 굽음; 부정.

crook·neck [krúknèk] *n.* [C] 목이 길고 굽은 호박《관상용》.

croon [kruːn] *vt., vi.* (…을) 작은 소리로 노래하다〔중얼대다〕, 읊조리다; 작은 소리로 노래하여 …하게 하다《*to*》: ~ a lullaby 작은 소리로 자장가를 부르다 / She ~*ed* her baby *to* sleep. 그녀는 자장가를 흥얼거려 아기를 (잠)재웠다 / 'What a beautiful little baby,' she ~*ed*. '정말 예쁜 어린애군.' 그녀는 작은 소리로 중얼거렸다.

croon·er [´ər] *n.* [C] 낮은 소리로 감상적으로 노래하는 사람〔유행가수〕.

†**crop** [krap / krɔp] *n.* ① [C] **a**) 수확(고): a wheat ~ 밀수확 / an average ~ 평년작 / an abundant 〔a poor〕 ~ 풍〔흉〕작 / We've got a bumper potato ~ this year. 금년 감자는 풍작이다. **b**) 농작물, 《특히》 곡물: harvest〔gather in〕 a ~ 작물을 수확하다 / a rice ~ 미작. ② (the ~s) 한 지방〔한 계절〕의 전 농작물〔총수확고〕. ★ 아주 통속적인 말이므로 harvest 처럼 '결과·응보' 등의 비유적인 뜻으로 쓰이는 일은 없음. ③ (a ~) (일시에 모이는 물건·사람 등의) 한 떼, 다수; 속출: *a* ~ of questions 질문의 속출 / *a* ~ of troubles 속출하는 난문제. ④ [C] (새의) 멀떠구니. ⑤ [C] (끝에 가죽 고리가 달린) 채찍; 채찍의 손잡이. ⑥ (*sing.*) 단발; 5 푼 덧빗대기(로 깎은 머리), 몽구리: have a ~, 5 푼 덧빗대기로 깎다 / She had a very short ~. 그녀는 아주 짧게 커트한 머리를 하고 있었다. ⑦ [C] 〖採鑛〗 노두(露頭), 광맥의 노출. — (***-pp-***) *vt.* ① (나무·가지 따위)의 우듬지를〔끝을〕 잘라내다, 베어내다, …의 털을 깎다: Don't ~ my hair too short. 머리를 너무 짧게 깎지 마세요. ② (물건)의 끝〔일부분〕을 베어내다: ~ a photograph 사진의 가장자리를 잘라내다. ③ 《~+[목] / +[목]+[보]》 …을 짧게 베다〔자르다〕, (짐승이 풀 끝)을 뜯어먹다: The sheep have ~*ped* the grass very short. 양이 풀을 아주 짧게 뜯어먹었다. ④ (귀)의 끝을 자르다《표시·본보기로》. ⑤ …을 수확하다, 거두어들이다(reap). ⑥ 《~+[목] / +[목]+[전]+[명]》 …에 작물을 심다《*with*》: ~ a field *with* potatoes 밭에 감자를 재배하다 / The land here has been *over-cropped* and the soil is exhausted. 이곳 땅에는 작물을 너무 심어서 토양이 메마르다. — *vi.* ① (농작물이) 나다, 되다: Wheat ~*ped* well last year. 작년에는 밀 수확이 좋았다. ② 작물을 심다. ~ ***out*** (암석 따위가) 노출하다: A bed of coal ~*ped out*〔*up*〕 there. 저기 석탄층이 드러나 있다. ~ ***up*** (1) = ~ out. (2) 문제 따위가 일어나다: A problem ~*ped up*. 뜻밖에 문제가 발생했다.

cróp dùster 농약 살포 비행기(의 조정사).

crop-dust·ing [ˊ-dʌ̀stiŋ] *n.* Ⓤ 농약의 공중살포.

crop-eared [ˊ-ìərd] *a.* 귀를 벤(가축).

crop-full [ˊ-fúl] *a.* 배가 잔뜩 부른.

crop·per [krápər / krɔ́p-] *n.* Ⓒ ① **a**) 농작물을 심는 사람. **b**) 작물을 베는〔수확하는〕 사람; 베는 기계. ②《美》(반타작의) 소작인 (sharecropper). ③ 수확이 있는 작물 : a good 〔bad〕 ~ 잘 되는〔되지 않는〕 농작물. ***come* 〔*fall, get*〕 *a* ~**《口》(1) (말 따위로부터) 털썩 떨어지다. (2) (사업 등에서) 크게 실패하다.

cróp rotàtion〖農〗윤작(輪作).

crop-spray·ing [ˊ-sprèiŋ] *n.* =CROP-DUSTING.

cro·quet [kroukéi / ˊ-, -ki] *n.* Ⓤ 크로케《잔디 위에서 목구(木球)를 나무 망치로 쳐서, 작은 아치형(形)의 철문을 차례로 통과시키는 놀이》.

cro·quette [kroukét] *n.* Ⓒ,Ⓤ《F.》〖料〗크로켓.

cro·sier, -zier [króuʒər] *n.* Ⓒ〖가톨릭〗목장(牧杖), 주교장(主教杖).

†**cross** [krɔːs / krɔs] *n.* ① Ⓒ 십자형, 열십자 기호 : St. George's ~ 흰 바탕에 빨간 색의 정(正)십자형《잉글랜드의 기장(旗章)》. ② **a**) Ⓒ 십자가, 책형대(磔刑臺). **b**) (the C-) (예수가 처형된) 십자가 : *the* holy *Cross* 성십자가. **c**) Ⓤ,Ⓒ 예수의 수난(도), 속죄; 기독교(국) : a follower of the *Cross* 기독교도 / a soldier of the *Cross* 그리스도교(전도)의 군병 / a preacher of the *Cross* 그리스도교 선교사. ③ Ⓒ (흔히 *sing.*) 수난, 고난; 시련 : bear one's ~ ⇨ (成句) / We all have a ~ to bear in life. 인생에 있어서 시련〔고난〕은 누구에게나 있게 마련 / No ~, no crown.《俗談》고난 없이는 영광도 없다. ④ Ⓒ 십자형의 것; 열십자 장식; 십자 훈장; (대주교의) 십자장(杖); (시장·묘비 따위를 표시하는) 십자표; 십자로(路), 교차점(부근) : a boundary 〔market〕 ~ 경계를〔시장을〕 표시하는 십자표. ⑤ Ⓒ **a**) ×표《무식쟁이의 서명 대용》. **b**) (맹세·축복할 때 공중 또는 이마·가슴 위에 긋는) 십자 : make the sign of the ~ 십자를 긋다. **c**) 키스《편지에서 ××로 씀》; 가로획《t 자 등의》, (수표의) 횡선. ⑥ Ⓒ 잡종; 이종(異種) 교배; 혼혈, 튀기 (hybrid) : a ~ *between* a Malay and a Chinese 말레이인과 중국인과의 혼혈아. ⑦ Ⓒ 중간물, 절충《*between*》: Brunch is a ~ *between* breakfast and lunch. 브런치는 아침도 점심도 아닌 어중간한 것이다. ⑧ Ⓒ《俗》야바위, 짬짜미, 부정, 사기, 협잡. ⑨〖天〗(the C-) 십자성(星) : *the* Southern 〔Northern〕 *Cross* 남〔북〕십자성. ***bear* 〔*carry, take up*〕 *one's* ~** 십자가를 지다, 고난을 견디다. ***on the* ~** (1) 십자가에 매달려서. (2) 엇결리게. (3)《俗》부정(직)하게.

── (*ˊ·er* ; *ˊ·est*) *a.* ① 교차된; 비스듬한, 가로지르는, 가로의 : go down a ~ street 교차로를 지나가다. ② 반대의, 역(逆)의; 엇갈린; (…에) 반하는, 위배되는《*to*》: a ~ wind 역풍 / be at ~ purpose with each other 서로 목적이 엇갈려 있다. ③ 불쾌한, 화내는, 찌무룩한; 짓궂은《*with*》: The baby is ~. 아기가 칭얼거린다 / I am ~ *with* the teacher. 나는 그 선생님에게 화가 난다 / Why are you ~ *with* me all the time? 왜 당신은 언제나 내게 짓궂게 구는 거요. ④ 상호의 : a ~ marriage 교차 결혼《오뉘가 다른 오뉘와 결혼하는 따위》. ⑤ 잡종의, 교배된. (***as***) **~ *as two sticks*** 몹시 화를 낸.

── *vt.* ① …을 교차시키다; (손·발 따위)를 엇걸다 : with one's legs ~*ed* 다리를 꼬고. ② …와 교차하다; 서로 엇갈리다 : ~ each other on the road 노상에서 서로 엇갈리다. ③ …을 가로지르다; (강·바다·다리 따위)를 건너다; (문턱·경계선 따위)를 넘다 : ~ a road 〔river〕 길〔강〕을 건너다 / ~ a border 국경을 넘다. ④《~+목/+목+부》…에 횡선을 긋다, (수표)를 횡선으로 하다; (선을 그어) …을 지우다, 말살하다《*out* ; *off*》: ~ a check 수표에 횡선을 긋다 / ~ names *off* a list 명부에서 이름을 지우다. ⑤《~+목/+목+전+명》…을 방해하다; …에 반대하다 : be ~*ed in* one's plans 아무의 계획이 방해당하다. ⑥ …에 십자를 긋다; 열십자를 쓰다 : ~ one's heart 가슴에 십자를 긋다. ⑦ (동식물)을 교잡하다《*with*》; 잡종조성〔형성〕하다, 잡종으로 하다 : ~ a tiger and 〔*with*〕 a lion 호랑이와 사자를 교잡하다. ⑧〖海〗(활대)를 돛대에 대다. ⑨《俗》(안장 따위)에 걸터앉다 : ~ a horse 말에 올라앉다. ⑩《俗》…을 배신하다, 속이다.

── *vi.* ① 교차하다《*with*》: a spot where two roads ~ 두 도로가 교차하는 지점. ② 가로지르다, 넘다, 건너다《*over*》;〖劇〗무대를 가로지르다 : *Cross* at the intersection. 교차로를 건너가시오 / They ~*ed from* England to France. 그들은 영국에서 프랑스로 건너갔다. ③ (편지가) 서로 엇갈리다 : Our letters ~*ed* in the mail. 우리들의 편지는 서로 엇갈렸다. ④ 잡종이 되다. **~ *out* 〔*off*〕** (선을 그어) 지우다, 껵자치다. **~ *over*** (1) 건너(가)다. (2) (반대파로) 돌다, 이동하다《*to*》. (3) (연주자·가수가) 스타일·장르를 바꾸다. **~ *one's fingers* =*keep* 〔*have*〕 *one's fingers* ~*ed*** ⇨ FINGER. **~ *a person's hand* =~ *a person's palm*** ⇨ PALM[1]. **~ *one's* 〔*the*〕 *t's,*** t자의 가로선을 긋다; 언행이 용의주도하다. **~ *swords* (*with*)** (…와) 칼을 맞부딪치다, 싸우다; 논쟁을 벌이다 : The chairman and I have ~*ed swords* before over this issue. 의장과 나는 이 문제로 전에 다툰 적이 있다. **~ *the path of a person* = ~ *a person's path*** (1) 아무를 만나다 : He is one of the rottenest fellows that have ever ~*ed my path*. 그는 내가 지금까지 만난 타락한 사람들 중에서 가장 심한 사람의 하나이다. (2) 아무의 앞길을 가로막다; 아무의 계획을 방해하다.

── *prep.* =ACROSS. ㊕ **ˊ·ness** *n.* 언짢음.

cross·bar [ˊ-bàːr] *n.* Ⓒ 가로대, (높이뛰기 등의) 바, 빗장; (골포스트의) 크로스바.

cross·beam [ˊ-bìːm] *n.* Ⓒ〖建〗대들보.

cross·bench [ˊ-bèntʃ] *n.* Ⓒ (흔히 *pl.*) 무소속〔중립〕 의원석. ── *a.* 중립의.

cross·bench·er [-ər] *n.* Ⓒ 무소속〔중립〕 의원.

cross·bill [ˊ-bìl] *n.* Ⓒ〖鳥〗잣새《부리가 교차함》.

cross·bones [ˊ-bòunz] *n. pl.* 2 개의 대퇴골(大腿骨)을 교차시킨 그림《죽음·위험의 상징》. ***skull and* ~** ⇨ SKULL AND CROSSBONES.

cross·bow [ˊ-bòu] *n.* Ⓒ (중세의) 격발식 활.

cross·bred [ˊ-brèd] *n.* Ⓒ, *a.* 잡종(의).

cross·breed [ˊ-brìːd] *n.* Ⓒ 잡종 (hybrid).

── (*p., pp.* **-bred**) *vt., vi.* 교잡하다, 잡종을 만들다, 교잡 육종(交雜育種)하다 : ~ sheep 양을 이종(異種) 교배시키다 / improve crops by ~*ing* 교잡 육종하여 수확을 늘리다.

cróss bùn《英》십자가 무늬가 찍힌 과자 (hot ~)《Good Friday에 먹음》.

cross-check [ˊ-tʃék] *vt., n.* Ⓒ (데이터·보고 등을) 다른 관점에서 체크하다〔함〕.

*__cross-coun·try__ [ˊ-kʌ́ntri] *a.* (도로가 아닌) 들을 횡단하는; 전국적인 : a ~ race 크로스컨트리 경주. ── *ad.* 들판을〔나라를〕 지나. ── *n.* Ⓤ,Ⓒ 크로스컨트리 경주.

cross-cul·tur·al [ˊ-kʌ́ltʃərəl] *a.* 문화 상호간의, 이(異)문화간의.

cross·cur·rent [ˊ-kəːrənt, ˊ-kʌ̀rənt] *n.* Ⓒ ① 본류와 교차하는 물줄기, 역류. ② (흔히 *pl.*) 반주류

적(反主流的) 경향, 상반되는 경향《*of*》: the ~*s of* public opinion 여론의 상반되는 경향.

cross·cut [ˊkʌ̀t] *a.* ① 〔限定的〕 가로 켜는: a ~ saw 동가리톱. ② 가로로 자른. ── *n.* Ⓒ 샛길, 지름길. ── (*p., pp.* ***-cut*** ; ***-cut·ting***) *vt.* …을 가로지르다.

cross-dress [ˊdrés] *vi.* 이성(異性)의 옷을 입다.

crosse [krɔːs / krɔs] *n.* Ⓒ lacrosse 용 라켓.

crossed [krɔːst / krɔst] *a.* ① 열십자로 된, 교차된. ② (수표가) 횡선을 그은; (열십자 따위를 그어) 지운: a ~ check 횡선수표.

cross-ex·am·i·na·tion [ˊigzæ̀mənéiʃən] *n.* Ⓤ,Ⓒ ① 힐문, 추궁. ②〖法〗 반대 신문.

cross-ex·am·ine [ˊigzǽmin] *vt.* ①〖法〗 …에게 반대 신문하다: The accussed's lawyers will get a chance to ~ him. 피고측 변호인은 그에게 반대 신문할 기회를 갖을 것이다. ② …을 힐문하다, 추궁하다.

cross-eye [ˊài] *n.* Ⓤ 내사시(內斜視).

cross-eyed [ˊàid] *a.* 내사시(內斜視)의.

cross-fer·ti·li·za·tion [ˊfəːrtəlizéiʃən] *n.* Ⓤ ①〖動〗 타가 수정. ② (이질 문화의) 교류.

cross-fer·ti·lize [ˊfəːrtəlàiz] *vt., vi.* ①〖生〗 타가(他家) 수정시키다〔하다〕. ② (이질 문화를 〔가〕) 상호 교류시키다〔하다〕.

cróss fire ①〖軍〗 십자 포화. ② (질문 따위의) 일제 공격: be caught in a ~ of questions 질문 공세를 받다. ③ 둘 사이에 끼어 꼼짝 못함: He was caught in the ~ between the two parties. 그는 두 당 사이에 끼어 꼼짝 못하게〔이러지도 저러지도 못하게〕 되었다.

cross-grained [ˊgréind] *a.* ① (목재가) 나뭇결이 불규칙한. ② (사람이) 비뚤어진, 빙퉁그러진, 꾀까다로운.

cróss hàirs (망원경 따위의 초점에 표시된) 십자선(線).

cross-hatch [ˊhæ̀tʃ] *vt., vi.* (도판(圖版) 등에) 그물눈의 음영(陰影)을 넣다. ⓒⓕ hatch³.

cross·head [ˊhèd] *n.* Ⓒ ①〖新聞〗 중간 표제《긴 기사의 매듭을 구분키 위해 세로 난의 중간에 둠》. ②〖機〗 크로스헤드《피스톤의 꼭지》.

cross·head·ing [ˊhèdiŋ] *n.* =CROSSHEAD ①.

cross-in·dex [ˊíndeks] *vt.* (참고서·색인 등)에 참조를 붙이다. ── *n.* Ⓒ 참조.

‡cross·ing [krɔ́ːsiŋ / krɔ́s-] *n.* ① Ⓒ 교차점, 건널목, 십자로; 횡단 보도: a pedestrian ~ 횡단보도 / a railroad ~ (철도의) 건널목 / a ~ gate 건널목 차단기. ② Ⓤ,Ⓒ 횡단, 도항(渡航): the Channel ~ 영국 해협 횡단 / the night ~ 밤의 도항(편) / have a good〔a rough〕 ~ (해협 등을) 건널 때 바다가 잔잔하다〔거칠다〕. ③ 교잡(交雜), 이종 교배.

cross-leg·ged [ˊlégid] *a., ad.* 다리를 포갠〔포개고〕; 책상다리를 한〔하고〕: sit ~ 다리를 꼬고 걸상에 앉다; 책상다리를 하고 앉다.

***cross·ly** [krɔ́ːsli / krɔ́s-] *ad.* ① 가로, 옆으로; 비스듬히. ② 거꾸로, 반대로. ③ 심술궂게; 비뚤어져, 지르퉁하여.

cross-match [ˊmæ̀tʃ] *vt.* 〖醫〗 (공혈자(供血者)·수혈자의 혈액)의 적합 검사를〔시험을〕 하다.

cróss mátching 〖醫〗 교차 (적합) 시험《수혈 전에 행하는 적합성 검사》.

cross·o·ver [ˊòuvər] *n.* ① Ⓒ (입체) 교차로; 육교. ② Ⓒ 《英》〖鐵〗 전철(轉轍)선로《상행선과 하행선을 연락하는》. ③ (the ~)〖樂〗 크로스오버《재즈와 다른 음악과의 혼합; 그 음악이나 연주자》. ④ Ⓒ 크로스오버 가수〔연주자〕.

cross·patch [ˊpæ̀tʃ] *n.* Ⓒ 《口》 꾀까다로운 사람; 토라지기 잘하는 여자〔어린이〕.

cross·piece [ˊpìːs] *n.* Ⓒ 가로장, 가로대(나무).

cróss-ply [ˊplài-] *a.* 〔限定的〕 (자동차 타이어가) 크로스 플라이인《코드를 대각선 모양으로 교차시켜서 강화한 것》.

cross-pol·li·nate [ˊpálənèit / ˊpɔ́l-] *vt.* 〖生〗 타화(他花)〔이화(異花)〕 수분(受粉)시키다.

cross-pol·li·na·tion [ˊpàlənéiʃən / ˊpɔ̀l-] *n.* Ⓤ 〖植〗 타화〔이화〕 수분.

cross-pur·pose [ˊpə́ːrpəs] *n.* Ⓒ 상반되는 목적, 엇갈린 의향: They were talking at ~*s*. 그들은 서로 엇갈린 이야기를 하고 있었다.

cross-ques·tion [ˊkwéstʃən] *n.* Ⓒ 반대 신문; 힐문. ── *vt.* …을 반대 신문하다, 힐문하다.

cross-re·fer [ˊrifə́ːr] (***-rr-***) *vt., vi.* 앞뒤를 참조하다〔시키다〕.

cróss réference (한 책 안의) 앞뒤 참조.

***cross·road** [ˊròud] *n.* ① (흔히 *pl.*) 〔單·複數 취급〕 **a)** 십자로, 네거리: traffic accidents at a ~*s* 네거리에서의 교통사고. **b)** 기로: stand〔be〕 at the ~*s* 기로에 서다. ② Ⓒ 교차 도로; 갈림〔골목〕길《간선 도로와 교차되는》.

cróss sèction ① 횡단(면); 단면도. ② (사회의) 단면, 대표적인 면, 축도《*of*》: a ~ *of* American city life 미국 도시 생활의 한 단면.

cross-stitch [ˊstìtʃ] *n.* Ⓒ (X형의) 십자뜨기, 크로스스티치 (한 땀); Ⓤ 크로스스티치 자수, 십자수(十字繡). ── *vt., vi.* (…을) 십자뜨기로 하다.

cróss strèet 교차(도)로.

cróss tàlk ①〖通信〗 혼선, 혼신. ②《英》 임기응변의 문답〔대화, 응답〕.

cross·town [ˊtàun] *a.* 도시를 가로지르는: a ~ road 〔bus〕 시내 횡단 도로〔버스〕. ── *ad.* 《美》 도시를 가로질러.

cross·walk [ˊwɔ̀ːk] *n.* Ⓒ 《美》 횡단 보도(《英》 pedestrian crossing).

cross·ways [ˊwèiz] *ad.* =CROSSWISE.

cross·wind [ˊwìnd] *n.* Ⓒ 〖空〗 옆바람: ~ landing 〔takeoff〕 옆바람 착륙〔이륙〕.

***cross·wise** [ˊwàiz] *ad.* ① 옆으로, 비스듬히: sit ~ in a chair 의자에 비스듬히〔옆을 향해〕 앉다. ② 거꾸로, 거슬러, 심술궂게.

***cróss·word (pùzzle)** [ˊwə̀ːrd(-)] 크로스워드 퍼즐, 십자말풀이: do a ~ 크로스워드 퍼즐을 풀다.

crotch [kratʃ / krɔtʃ] *n.* Ⓒ ① (인체의) 샅. ② (나무의) 아귀. ③ (바지·팬츠 등의) 사타구니 부분〔천〕.

crotch·et [krátʃit / krɔ́tʃ-] *n.* Ⓒ ① 별난〔묘한〕 생각; 변덕. ② 《英》〖樂〗 4 분 음표(《美》 quarter note).

crotch·ety [krátʃiti / krɔ́tʃ -] (***-et·i·er*** ; ***-eti·est***) *a.* ① 별난 생각을 갖고 있는, 변덕스러운. ② (노인이) 꾀까다로운, 푸념이 많은.

‡crouch [krautʃ] *vi.* ① 쭈그리다, 몸을 구부리다; 웅크리다《*down*》: ~ *down* to talk to a child 아이에게 말을 걸려고 몸을 구부리다. ⓒⓕ cower, squat. ② 《+전+명》 굽실거리다《*to*》: He ~*ed to* his master. 그는 주인에게 굽실거렸다. ── *n.* (a ~) 쭈그림; 웅크림; 쭈그린 자세: The runners started from *a* ~. 주자들은 쭈그린 자세에서 달리기 시작했다.

croup¹ [kruːp] *n.* Ⓤ (종종 the ~) 〖醫〗 크루프, 위막성 후두염(僞膜性喉頭炎).

croup² [kruːp] *n.* Ⓒ (말의) 엉덩이.

crou·pi·er [krúːpiər] *n.* Ⓒ (노름판의) 진행 보좌《판돈을 그러모으고 지급하고 하는 일을 맡음》.

Crow [krou] (*pl.* ~(**s**)) *n.* ① **a)** (the ~(s)) 크로족《아메리카 원주민의 한 종족; Montana 주에 삶》. **b)** Ⓒ 크로족 사람. ② Ⓤ 크로 말.

‡**crow**[1] [krou] *n.* Ⓒ 〖鳥〗 까마귀《raven[1], rook[1], jackdaw, chough, carrion crow 따위의 총칭》. ★ 울음 소리는 caw 또는 croak. ***as the ~ flies***=***in a ~ line*** 일직선으로, 직선 거리로: The place is about ten miles from here *as the ~ flies.* 그곳은 여기서 직선 거리로 약 10마일이다. ***eat (boiled) ~*** 《美》 ⑴ (마지못해) 하기 싫은 것을 하다〔말하다〕. ⑵ 굴욕을 참다, 과오를〔잘못을〕 인정하다. ***Stone*** 〔***Starve, Stiffen***〕 ***the ~s !*** 《英口》 어럽쇼《놀람·불신·혐오의 표현》.

*__crow__[2] (***crowed,*** 《古》 ***crew*** [kru:]; ***crowed***) *vi.* ① (수탉이) 울다, 홰를 쳐 때를 알리다: The cock ~*ed.* 수탉이 홰를 치면서 울었다. ② (아기가) 까르륵 웃다; 기뻐하며 소리치다. ③《~/+전+명》 의기양양해지다, 환성을〔개가를〕 올리다《*over*》; 자랑〔자만〕하다(boast)《*about*》: ~ *over* one's victory 자기의 승리를 크게 기뻐하다 / ~*about* one's success 성공을 자만하다.
— *n.* Ⓒ (흔히 *sing.*) ① 수탉의 울음 소리. cf. cockcrow. ② (아기의) 까르륵거리는 웃음소리.

crow·bar [⌐bɑ̀:r] *n.* Ⓒ 〖機〗 쇠지레.

†**crowd** [kraud] *n.* ① Ⓒ 〔集合的; 單·複數 취급〕 군중; (사람의) 붐빔, 북적임《★ 많은 사람을 강조하기 위하여 복수로 쓰는 경우도 있음》: large ~*s* in the streets 도로상의 많은 군중들 / The police dispersed the ~. 경찰은 군중을 분산시켰다 / a holiday ~ 휴일의 사람들의 북적임. ② (the ~) 민중, 대중: Many newspapers try to appeal to *the* ~. 많은 신문들은 대중의 호평을 얻으려고 노력한다. ③ 〔a (whole) ~ of... 또는 ~s of로; 複數 취급〕 다수, 많음: There were ~*s of* applicants. 많은 신청자가 있었다. ④ Ⓒ 《口》 패거리, 한 동아리: a good〔the wrong〕 ~ 좋은〔나쁜〕 동아리 / the college ~ 대학생 패거리. ***follow*** 〔***go with***〕 ***the*** ~ 대중에 따르다, 여럿이 하는 대로 하다. ***pass in a*** ~ 그만그만한 정도다, 특히 이렇다 할 흠은 없다. — *vt.* ① (방·탈것 등)에 빽빽이 들어차다, 밀어닥치다, 몰려 들다: People ~*ed* the small room. =The small room *was* ~*ed with* people. 작은 방에 사람들이 꽉 찼다 / People ~*ed* the beaches on holidays. 휴일에는 많은 사람들이 해안에 몰려들었다. ② …을 밀치락달치락하다《*together*》. ③《+목+전+명》 …을 꽉꽉 채우다, 쑤셔 넣다《*into*》: ~ books *into* a box= ~ a box *with* books 책을 상자 속에 채워 넣다 / The little boy ~*ed* the shelf *with* his toys. =The little boy ~*ed* his toys *onto* the shelf. 남자 아이는 선반 위에 장난감을 가득 두었다. ④《+목+전+명》《美口》 …에게 강요하다; (귀찮게) 요구〔재촉〕하다: ~ a debtor *for* immediate payment 채무자에게 즉시 갚으라고 채근하다. — *vi.* 《+전+명》 ① 떼지어 모이다, 붐비다《*around* ; *round*》: They ~*ed around* the woman. 그들은 그녀 주위에 몰려들었다. ② 밀어닥치다, 밀치락달치락하며 들어가다《*into* ; *through* ; *to*》: People ~*ed through* the gate. 사람들은 서로 밀치며 문을 빠져 나갔다. ~ ***on*** 〔***upon, in upon***〕 (생각이) 자꾸 떠오르다; …에 쇄도하다. ~ ***out*** 〔흔히 受動으로〕 (장소가 좁아서) 밀쳐내다, 밀어 젖히다; 내쫓다《*of* ; *from*》: Her contribution to the magazine *was* ~*ed out.* 그 잡지에의 그녀의 기고는 (스페이스 부족 때문에) 채택되지 않았다.

‡**crowd·ed** [kráudid] (***more*** ~; ***most*** ~) *a.* ① 〔空間的〕 붐비는, 혼잡한, 꽉 찬; 만원의: a ~ bus 만원 버스 / a page ~ *with* misprints 오식투성이인 쪽 / The room was ~ with furniture. 방에는 가구가 꽉 들어차 있었다. ② 〔時間的〕 (일 따위로) 꽉 짜인: a ~ schedule 바쁜 일정 / a year ~ *with* events 다사다난했던 일년. ㊀ ~·**ness** *n.*

crówd pùller 《口》 많은 관객을 끌어들이는 사람〔것〕, 인기인〔물〕.

crow·foot [króufùt] (*pl.* ***-feet*** [-fi:t]) *n.* Ⓒ ① (*pl.* 흔히 ~***s***) 〖植〗 미나리아재비(buttercup) 따위의 속칭. ② 〖海〗 (천막 따위의) 달아매는 밧줄. ③ (흔히 *pl.*) 눈초리의 주름(crow's-feet).

‡**crown** [kraun] *n.* ① **a)** Ⓒ 왕관: wear the ~ 왕관을 쓰다. **b)** (the ~; the C-) 제왕〔여왕〕의 신분, 왕위(王位); 왕권; (군주국의) 주권, 국왕의 지배〔통치〕: succeed to *the* ~ 왕위를 잇다. ② Ⓒ (승리의) 화관, 영관; 영광, 명예: a ~ of victory 승리의 화관 / the martyr's ~ 순교자의 영예. ③ Ⓒ 왕관표; 왕관표가 붙은 것. ④ Ⓒ 화폐의 이름《영국의 25 펜스 경화, 구 5 실링 은화》. ⑤ Ⓒ 꼭대기; (모자의) 춤; (산의) 정상; 최고부, 중앙부; 정수리; 머리; 볏, 계관: the ~ of a hill 산꼭대기. ⑥ (the ~) 절정, 극치: *the* ~ of Renaissance architecture 르네상스 건축의 극치. ⑦ Ⓒ 〖醫〗 치관(齒冠), 금관(金冠). ***a ~ of thorns*** (예수가 쓴) 가시관. — *vt.* ①《~+목/+목+보》 …에게 왕관을 씌우다; …을 왕위에 앉히다: George Ⅵ was ~*ed* in 1936. 조지 6 세는 1936 년에 즉위했다 / The people ~*ed* him king. 국민은 그를 왕위에 앉혔다. ②《+목+전+명》 …의 꼭대기에 얹다〔올려 놓다〕《*with*》: the scattered rocks that ~*ed* the hill 언덕 꼭대기에 흩어져 있는 바위들 / a mountain ~*ed with* snow 꼭대기에 눈을 이고 있는 산. ③《~+목/+목+전+명》 …에게 영관(榮冠)을 주다; (종국에 가서) 갚다, 보답하다; …의 최후를 장식하다, …을 마무르다, 성취하다: Success had ~*ed* his efforts. =His efforts have been ~*ed with* success. 그의 노력이 끝내 결실을 이루어 성공하였다 / Her singing ~*ed* the party. 그녀의 노래가 파티의 말미를 장식하였다. ④ (이에) 금관을 씌우다. ⑤ 《口》 (머리)를 때리다. ***to*** ~ (***it***) ***all*** 결국에 가서, 게다가, 그 위에 더: And, *to* ~ *all*, we missed the bus and had to walk home. 게다가 버스마저 놓치니 걸어서 돌아가지 않으면 안 되었다.

crówn cólony (종종 C- C-) (영국 국왕의) 직할 식민지.

(-)**crowned** [kraund] *a.* ① 왕관을 쓴, 왕위에 오른; 왕관 장식이 있는: the ~ heads of Europe 유럽의 국왕과 여왕들. ② 〔흔히 複合語로〕 (…이) 꼭대기 부분에 있는; (모자의) 운두가〔춤이〕 있는: snow-~ mountains 정상에 눈을 이고 있는 산들 / a high-〔low-〕~ hat 춤이 높은〔낮은〕 모자.

crown·ing [kráuniŋ] *a.* 〔限定的〕 ① 정상(頂上)을 이루는: a ~ point 정점. ② 최후를 장식하는, 최고의, 더없는: the ~ glory 〔folly〕 더없는 영광〔바보〕 / the ~ moment of my life 내 생애 최고의 순간.

crówn lánd 《英》 왕실 소유지.

Crówn Óffice 〖英法〗 (the ~) ① 고등법원의 형사부. ② Chancery 의 국새부(國璽部).

crówn prínce (영국 이외의 나라의) 왕세자. ★ 영국 왕세자는 the Prince of Wales.

crówn príncess ① 왕세자비(妃). ★ 영국에서는 the Princess of Wales. ② 여성의 왕위 계승 자격자.

crow's-foot [króuzfùt] (*pl.* ***-feet***) *n.* Ⓒ (흔히 *pl.*) 눈꼬리의 주름.

crow's-nest [króuznèst] *n.* Ⓒ 〖海〗 돛대 위의

망대.

crozier ⇨ CROSIER.

CRT cathode-ray tube(음극(선)관).

cru·ces [krú:si:z] CRUX 의 복수형의 하나.

***cru·cial** [krú:ʃəl] *a.* 결정적인, 중대한《*to* ; *for*》: a ~ moment 결정적 순간, 위기 / a ~ decision 최종 결정 / a ~ problem 매우 중대한 문제 / This is ~ *to*〔*for*〕 our future. 이것은 우리의 장래에 대단히 중요한 일이다 / It is ~ that the problem is tackled immediately. 그 문제가 즉시 조처되는 것이 중요하다. 파 **~·ly** [-i] *ad.* 결정적으로.

cru·ci·ble [krú:səbl] *n.* Ⓒ ①〖冶〗 도가니. ② 호된 시련 : in the ~ of …의 모진 시련을 겪어.

cru·ci·fer [krú:səfər] *n.* Ⓒ ①〖植〗 평지과의 식물. ② (행렬의 앞에서) 십자가를 드는 사람.

cru·ci·fix [krú:səfìks] *n.* Ⓒ ① 십자가에 못박힌 예수상(像), 십자 고상(苦像). ② 십자가.

cru·ci·fix·ion [krù:səfíkʃən] *n.* ① Ⓤ 십자가에 못박음, 책형(磔刑). ② **a**) (the C-) 십자가에 못박힌 예수. **b**) Ⓒ 그 그림 또는 상(像). ③ Ⓤ 괴로운 시련 ; 정신적 고뇌.

cru·ci·form [krú:səfɔ̀:rm] *a.* 십자형의, 십자가 모양의 : a ~ church 십자형 교회당.

***cru·ci·fy** [krú:səfài] *vt.* ① …을 십자가에 못박다, 책형에 처하다. ② …을 몹시 괴롭히다 ; 박해하다 : If they ever find out her secret, they'll ~ her. 그녀의 비밀을 알기라도 하면 그들은 그녀를 괴롭힐 것이다. ③ …을 혹평하다.

crud [krʌd] *n.* 《俗》 ① Ⓒ 불쾌한 인물, 지겨운 놈. ② Ⓤ 굳어진 침전물, 부착물 : Don't step on my nice clean floor with that ~ on your boots! 그렇게 더러운 신발로 깨끗한 내 집 마루에 올라서지 마라! ③ Ⓒ 무가치〔무의미〕한 것 : This is just the sort of ~ you read in the tabloid press. 이건 네가 타블로이드판 신문에서 읽는 그저 그런 유의 시시한 것이다.

crud·dy [krʌ́di] *a.* 추접스러운 ; 지겨운 ; 지독한.

‡**crude** [kru:d] (***crúd·er*** ; ***crúd·est***) *a.* ① 가공하지 않은, 천연 그대로의, 생짜의 : ~ oil 원유 / ~ sugar 흑설탕 / ~ material(s) 원료 / ~ rubber 생고무. ② (생각·이론 등) 미숙한, 미완성의, 생경(生硬)한 : ~ theories 미숙한 이론. ③ 조잡하게 만든, 투박한 : a ~ computing device 조잡한 계산 장치. ④ 점잖지 못한, 조야(粗野)한, 버릇없는 : a ~ person 〔manner, answer〕 거친〔막된〕 사람〔태도, 대답〕 / a ~ joke 상스러운〔천한〕 농담. ⑤ 노골적인 ; 있는 그대로의 : ~ reality 있는 그대로의 현실. ― *n.* Ⓤ 원유. 파 **∠·ness** *n.*

crude·ly [krú:dli] *ad.* ① 천연 그대로. ② 천박하게 ; 노골적으로.

cru·di·ty [krú:dəti] *n.* ① Ⓤ 생짜임, 미숙 ; 생경(生硬) ; 조잡. ② Ⓒ 막된 말〔행위〕. ③ Ⓒ (예술 따위의) 미숙한 것, 미완성품.

‡**cru·el** [krú:əl] (**~·er** ; **~·est** ; 《英》 **~·ler** ; **~·lest**) *a.* ① 잔혹〔잔인〕한 ; 무자비한 : a ~ person〔act〕 잔인한 사람〔행동〕 / It's ~ of you to say that. 그런 말을 하다니 당신은 잔혹한 사람이다 / Don't be ~ to animals. 동물을 학대해서는 안된다. ② 참혹한, 비참한 : a ~ sight 참혹한 광경 / He met with a ~ death. 그는 비참한 최후를 마쳤다. ③《口》 냉혹한, 대단한, 지독한 : the ~ struggle for existence in the wild 자연의 냉혹한 생존 경쟁. 파 ***~·ly** *ad.* ① 참혹히, 박정하게, 냉혹하게. ② 지독하게, 몹시.

‡**cru·el·ty** [krú:əlti, krúəl-] *n.* ① Ⓤ 잔학〔잔인〕함, 무자비함 ; 끔찍함 : treat a person with ~ 사람을 잔인하게 다루다. ② Ⓒ 잔인한 행위 ; 학대 : *cruelties* to the prisoners of war 포로에 대한 잔학 행위.

cru·el·ty-free [-frí:] *a.* (화장품·약품 등의) 동물 실험을 생략한.

cru·et [krú:ət] *n.* Ⓒ ① (식탁용) 양념병 ; 또, 양념병 스탠드(=**crúet stànd**). ②〖가톨릭〗 주수병(酒水瓶)《미사 용의 술과 물을 담는 병》.

***cruise** [kru:z] *vi.* ① (배가) 순항하다 ; 바다 위를 떠돌아다니다. ② (비행기·자동차가) 순항〔경제〕 속도로 비행하다〔달리다〕. ③ (택시 등이 손님을 찾아) 돌아다니다 : a ~ taxi 손님을 찾아 천천히 돌아다니는 택시. ④ **a**) (사람이) 이렇다 할 목적도 없이 돌아다니다, 주유(周遊)하다. **b**) 《口》 (이성을 구하며) 어슬렁거리다. ― *vt.* (특정 구역)을 순항하다, 돌아다니다 : They spent a year *cruising* the Indian Ocean. 그들은 인도양을 순항하며 1년을 보냈다. ― *n.* Ⓒ 순항, 떠돌아다님 ; 주유, 선박 여행 : go on〔for〕 a ~ 배로 유람 여행을 떠나다〔에 나서다〕.

crúise mìssile 크루즈〔순항〕 미사일.

***cruis·er** [krú:zər] *n.* Ⓒ ① 순양함. ② (캐빈과 그밖의 설비를 갖춘) 대형 모터보트〔요트〕 (cabin ~). ③ **a**) (손님을 찾아) 돌아다니는 택시. **b**) 순항 비행기. ④《美》 경찰(순찰차).

crúis·ing spèed [krú:ziŋ-] (차 따위의) 경제(주행)속도 ; (배·비행기의) 순항 속도.

crul·ler [krʌ́lər] *n.* Ⓒ 《美》 크럴러《비튼 모양의 「도넛」》.

***crumb** [krʌm] *n.* ① Ⓤ (흔히 *pl.*) 작은 조각, 빵부스러기 ; 빵가루. ② Ⓒ 소량, 약간《*of*》 : ~*s of* knowledge 약간의 지식 / I failed my exam, and my only ~ *of* comfort is that I can take it again. 나는 시험에 실패했고, 나의 유일한 작은 위안은 재시험을 치를 수 있다는 것이다. ③ Ⓤ 빵의 속《빵의 껍데기가 아닌 말랑말랑한 부분》. cf. crust. ④ Ⓒ 《美俗》 변변치 않은 놈 ; 같잖은 놈. ― *vt.* ① (빵)을 부스러뜨리다. ②〖料〗 …에 빵가루를 묻히다. ③《口》 (식탁)에서 빵부스러기를 떨다.

‡**crum·ble** [krʌ́mbl] *vt.* (빵 등)을 부스러뜨리다, 부수다, 가루로 만들다 : ~ one's bread(*up*) 빵을 부스러뜨리다. ― *vi.* ① 부서지다, 가루가 되다. ②《~ / +副 / +前+名》 (건물·세력·희망 따위가) 무너지다 ; 망하다 ; 허무하게 사라지다 : The temples ~*d into* ruin. 신전은 무너져서 폐허가 되었다 / The great empire began to ~. 그 대제국은 망하기 시작했다 / His dearest hopes ~*d to* nothing. 그의 가장 큰〔소중한〕 희망도 수포로 돌아갔다. ― *n.* ⒸⓊ 〔흔히 과일 등의 이름과 함께〕 크럼블《익힌 과일에 밀가루·버터·설탕을 개어 얹은 것》 : apple ~ 애플 크럼블.

crum·bly [krʌ́mbli] (***more*** ~, ***-bli·er*** ; ***most*** ~, ***-bli·est***) *a.* 부서지기 쉬운, 무른.

crumby [krʌ́mi] (***crumb·i·er*** ; ***-i·est***) *a.* ① 빵가루투성이의 ; 빵가루를 묻힌. ② 말랑말랑하고 연(軟)한(opp. *crusty*).

crum·my [krʌ́mi] (***-mi·er*** ; ***-mi·est***) *a.* 《口》 ① 하찮은, 값싼, 지저분한 : a ~ film 시시한 영화 / It's a ~ job but somebody has to do it. 하찮은 일이지만 누군가가 해야 한다. ② 언짢은.

crump [krʌmp] *vt.* (폭탄)을 폭발〔작렬〕시키다, 대형 폭탄으로 폭격하다 ; 강타하다. ― *vi.* ① 우두둑우두둑〔뿌드득뿌드득〕 소리를 내다. ② 폭음을 내며 폭발하다. ― *n.* Ⓒ ① 우두둑우두둑 하는 소리. ② **a**) 폭발음, 폭음, 쾅. **b**) 폭탄.

***crum·ple** [krʌ́mpl] *vt.* ①《~ +目 / +目+副 / +目+前+名》 …을 구기다, 쭈글쭈글하게 하다 ; 찌부러뜨리다《*up*》 : He ~*d* (*up*) a letter *into* a ball. 그는 편지를 구깃구깃 구겨서 뭉쳤다 / The front of the car was ~*d*. 차의 앞부분이 찌부러

져 있었다. ② (상대)를 압도하다《up》: ~ up the enemy 적군을 압도하다. ── vi. ① 구겨지다, 쭈글쭈글하게 되다; 찌부러지다: This cloth ~s easily. 이 천은 잘 구겨진다〔구김이 잘 간다〕. ②《+전+명 / +부》 압도되다, 짜부라지다, 붕괴되다, 굴하다《up》: The paper cup ~d under his foot. 종이컵은 그의 발에 밟혀 짜부라졌다 / He ~d up under the news. 그 소식을 듣고 그는 풀이 죽었다 / She burst into tears and ~d on to her chair. 그녀는 울음을 터뜨리며 의자에 풀썩 주저앉았다. ── n. Ⓒ 구김살.

crunch [krʌntʃ] vt. ① …을 파삭파삭〔어적어적〕 깨물다, 우지끈〔우지직〕 부수다: ~ potato chips 포테이토 칩을 파삭파삭 깨물어먹다. ② (자갈길이나 얼어붙은 눈 위 등)을 저벅저벅 밟다《through》/ He ~ed his way through the snow to the school. 눈을 저벅저벅 밟고 학교에 갔다. ── vi. ① 파삭파삭〔어적어적〕 먹다《on》: A dog was ~ing on a bone. 개가 뼈를 어적어적 소리를 내며 씹고 있었다. ② 버적버적 부서지다; 버적버적 소리를 내며 가다: The hard snow ~ed under our feet. 딱딱한 눈은 우리 발에 밟혀 버적버적 부서졌다 / The gravel ~ed under our feet. 자갈을 밟으니 버적버적 소리가 났다. ── n. ① (sing.) 우두둑우두둑 깨무는 소리; 어적어적 소리를 내며 밟는 소리. ② (the ~) 《口》 위기, 고빗사위: when 〔if〕 it comes to the ~ =when the ~ comes 만일의 경우. ③ (a ~) 부족, 경제적 위기: an energy ~ 에너지 부족 / a credit ~ 신용위기.

crunchy [krʌ́ntʃi] (crunch·i·er; -i·est) a. 우두둑우두둑〔저벅저벅〕 소리를 내는.

crup·per [krʌ́pər] n. Ⓒ ① (말의) 껑거리끈. ② (말의) 궁둥이. ③ (사람의) 엉덩이.

***cru·sade** [kru:séid] n. Ⓒ ① (종종 C-) 〖史〗 십자군. ② (종교상의) 성전(聖戰). ③ 강력한 개혁〔숙청, 박멸〕 운동: a ~ against drinking=a temperance ~ 금주 운동. ── vi. ① 십자군에 참가하다. ② (개혁·박멸 따위) 운동을 (추진)하다: ~ for 〔against〕 ... …에 찬성〔반대〕하는 운동을 하다. ㊞ ***cru·sád·er** [-ər] n. Ⓒ ① 십자군 전사(戰士). ② 개혁(운동)가.

‡crush [krʌʃ] vt. ①《~+목 / +목+보 / +목+전+명》 …을 눌러서 뭉개다, 짓밟다, 짜부라뜨리다: My hat was ~ed flat. 모자가 납작하게 짜부라졌다 / ~ a person to death 아무를 압사시키다. ②《+목+전+명》 …을 억지로 밀어넣다, 밀치고 들어가다〔나가다〕: He ~ed his way through the crowd. 그는 군중 틈을 헤치고 나아갔다. ③ …을 갈아서〔찧어서〕 가루로 만들다, 분쇄하다; 깨뜨려서 …으로 만들다: ~ (up) rock 암석을 분쇄하다 / ~ (up) stone into gravel 돌을 깨뜨려 자갈을 만들다. ④《~+목 / +목+부》 …을 짜다, 압착하다《up; down》: ~ nuts for oil 호두를 빠개어 기름을 짜다 / ~ (out) the juice from grapes 포도에서 과즙을 짜내다. ⑤《+목+부 / +목+전+명》 …을 짓구기다《up》; (힘있게) 포옹하다: She ~ed her child to her breast. 그녀는 아이를 힘껏 끌어안았다. ⑥《~+목 / +목+전+명》 …을 진압(鎭壓)하다, 격파하다; (희망 따위를) 꺾다《out》: ~ a rebellion 반란을 진압하다 / ~ a person's ambition 아무의 야망을 꺾다 / My hopes were ~ed. 내 희망은 산산조각이 났다 / They ~ed all their enemies out of existence. 그들은 적군을 전멸시켰다.
── vi. ①《+부》 (내리 눌려서) 짜부라지다; 깨지다; 짓구겨지다: The crate ~ed under her weight. 그 나무틀은〔상자는〕 그녀의 무게에 눌려 짜부라졌다 / Eggs ~ easily. 계란은 쉽게 깨진다. ②《+전+명》 서로 밀치며 들어가다, 쇄도하다《into; through》: People ~ed toward the bargain counter. 사람들은 특매장에 쇄도했다.
── n. ① Ⓤ 으깸; 분쇄(粉碎); 진압, 압도. ② (sing.) 밀치락달치락, 쇄도(殺到), 붐빔: be〔get〕 caught in the ~ 군중의 붐빔 속에 휘말리다. ③ Ⓤ 〔흔히 修飾語와 함께〕 과즙 음료, 스쿼시 (squash): lemon ~ 레몬 스쿼시. ④ Ⓒ 《口》 (젊은 이성에) 홀딱 반함, 홀려 제 정신을 잃음; 열중하는〔열을 올리는〕 대상: He has a ~ on your sister. 그는 네 여동생에게 홀딱 반했다.
㊞ ∠·a·ble a.

crúsh bàr (막간에 이용하는) 극장 안의 바.

crúsh bàrrier 《英》 군중 제지용 철책.

crush·er [krʌ́ʃər] n. Ⓒ ① **a)** 눌러서 짜부라뜨리는〔으깨는〕 것〔사람〕. **b)** 분쇄기, 쇄석기(碎石機), 파쇄기(破碎機). ② 《口》 **a)** 맹렬한 일격. **b)** 압도하는 것, 꼼짝 못하게 하는 논쟁 〔사실〕: The decision was a ~ on us. 우리는 그 결정에 대해 찍소리 못했다.

crush·ing [krʌ́ʃiŋ] a. ① 눌러 짜부라뜨리는, 분쇄하는, 박살내는. ② 압도적인, 궤멸적인: a ~ reply 두말 못하게 하는 대답 / a ~ defeat 재기불능의 패배. ③ 결정적인: a ~ blow 결정적인 일격 / a ~ victory 결정적 승리.

Cru·soe [krú:sou] n. ⇨ ROBINSON CRUSOE.

‡crust [krʌst] n. ① Ⓤ,Ⓒ (딱딱한) 빵 껍질《crumb에 대해》; 파이 껍질: ~ of bread 빵 껍질. ② Ⓒ 딱딱해진 빵 한 조각; 생활의 양식; 《Austral. 俗》 생계: without even a ~ of bread 한 조각의 빵도 없이 / beg for ~s 매일의 양식을 구걸하다. ③ Ⓤ,Ⓒ **a)** (물건의) 딱딱한 외피〔표면〕. **b)** 〖地質〗 지각(地殼): the ~ of the earth 지각, 지표 / ~ movement 지각 운동. **c)** 쌓인 눈의 얼어붙은 표면(表面), 크러스트. **d)** (포도주 등의) 술버캐 (scum); 탕(湯)더께. ④ Ⓤ,Ⓒ 〖動〗 갑각(甲殼), 외각(外殼). ⑤ Ⓤ 《俗》 철면피, 뻔뻔스러움: He had the ~ to ask for a raise. 그는 뻔뻔스럽게도 승급을 요구했다. ***off** one's* ~ 《俗》 미쳐서, 실성해서.
── vt. …을 외피로〔외각으로〕 덮다〔싸다〕: The ground was ~ed with frost. 지면은 서리로 덮여 있었다. ── vi. 딱딱한 외피가〔외각이〕 생기다; (눈이) 딱딱해지다.

crus·ta·cean [krʌstéiʃən] a. 갑각류의. ── n. Ⓒ 갑각류의 동물《게·새우 따위》.

crust·ed [krʌ́stid] a. ① 외피〔외각〕가 있는. ② (포도주가) 술버캐가 앉은; 오래된, 묵은; 예스러운. ③ (습관·사람 등) 오래 된, 예스러운; (아주) 굳어버린: ~ habits 구습, 굳어버린 습관 / a ~ joke 진부한 농담.

crusty [krʌ́sti] (crust·i·er; -i·est) a. ① 피각질(皮殼質)의, 외피〔외각(外殼)〕이 있는. ② (빵의) 거죽이 딱딱하고 두꺼운(opp. crumby). ③ (눈이) 표면이 딱딱해진. ④ 심술궂은; 꾀까다로운; 무뚝뚝한.

***crutch** [krʌtʃ] n. Ⓒ ① 목다리, 협장(脇杖)《★ 흔히 a pair of ~es 라고 함》: walk〔go about〕 on ~es 목발을 짚고 걷다〔다니다〕. ② 버팀, 지주(支柱); 의지; (가랑이진) 버팀나무. ③ (사람·옷의) 샅, 가랑이(crotch). ── vt. …을 ~로 버티다; …에 ~를 대다: ~ (up) a leaning tree 기울어진 나무에 버팀목을 대다. ── vi. 목다리를 짚고 걷다.

crux [krʌks] (pl. ~·es [krʌ́ksiz], ***cru·ces*** [krú:si:z]) n. ① Ⓒ 가장 중요한 점, 핵심; 가장 어려운 점: That's the ~ of the problem. 그것이 문제의 핵심이다. ② (the C-) 〖天〗 남십자성(the Southern Cross).

cru·zei·ro [kru:zéirou] (*pl.* ~***s***) *n.* Ⓒ 브라질의 화폐 단위.

†**cry** [krai] (*p., pp.* ***cried*** ; ***crý·ing***) *vi.* ① 《~ / +전+명 / +부》 소리치다, 외치다 ; 큰소리로 말하다 ; 소리쳐 부르다《*to* ; *into*》: He *cried after* me *to* return. 그는 뒤에서 나에게 돌아오라고 외쳤다 / I *cried out for* my mother. 큰소리로 어머니를 불렀다 / The drowning man *cried* (*out*) *for* help. 물에 빠진 남자는 도와 달라고 큰 소리를 질렀다.
② (새·동물이) 울다, 짖다 : A kitten was ~*ing* outside my window. 새끼 고양이가 창 밖에서 울고 있었다.
③ 《~ / +전+명 / +부》 (소리내어) 울다, 탄성을 올리다 ; 훌쩍거리며 울다 : The child was ~*ing with* hunger. 그 아이는 배가 고파서 울고 있었다 / Stop ~*ing*. 그만 울어라.
④ 삐걱거리다.
— *vt.* ① 《~+목 / +*that* 절》 …을 큰 소리로 말하다〔부르다〕, 소리쳐 알리다 : "That's good." he *cried*. '좋았어' 라고 그는 소리쳤다 / She *cried* (*out*) *that* she was happy. 그녀는 기쁘다고 큰소리로 말했다 / We *cried* his name in vain. 그의 이름을 큰소리로 불렀으나 헛일이었다. ② …을 광고하며 다니다 ; 소리치며 팔다 : ~ the news all over the town 그 뉴스를 온 동내방내에 알리며 다니다 / ~ fish 생선을 외치며 팔다 / He was ~*ing* his wares. 그는 소리를 지르며 물건을 팔고 있었다. ③ …을 구하다, 요구하다, 애원하다 : ~ shares 몫을 요구하다. ④ 《~+목 / +목+보 / +목+전+명》 (눈물)을 흘리다 ; 울어서 (어떤 상태에) 이르게 하다 : ~ bitter tears 피〔비통의〕 눈물을 흘리다 / ~ a person *into* ... 울어서 아무에게 …하게 하다 / The boy *cried* him*self* asleep. 소년은 울다가 잠들어버렸다. ~ ***down*** 비난하다, 야유를 퍼붓다, 매도하다. ~ ***for*** …의 다급함을 호소하다 ; …을 울면서 청하다 ; …을 애걸하다 ; …을 꼭 필요로 하다 : ~ *for* mercy 자비를 구하다. ~ ***off*** (교섭·계약 등에서) 손을 떼다《*from*》; (계약 등을) 파기하다 ; 《英》 핑계를 대어 거절하다 : They *cried off* from the deal. 그들은 그 거래에서 손을 떼었다. ~ ***out*** (1) 소리치다, 울부짖다 ; 소리높이 항의하다《*against*》: I heard Mary ~ *out* in fright. 나는 메리가 놀라 소리치는 것을 들었다 / ~ *out against*〔*on*〕 a person 아무를 비난 공격하다. (2) 소리쳐 요구하다《*for*》; (사태 따위가) 필요로 하다《*for* ; *to* do》: The field is ~*ing out for* rain. 밭에는 지금 비가 절실히 요구된다. ~ ***over*** (불행 등을) 한탄하다 : It is no use ~*ing over* spilt milk. 《俗談》 엎지른 물은 다시 주워 담지 못한다. ~ one***self blind*** 눈이 퉁퉁 붓도록 울다 : I *cried* my*self blind*. 나는 눈이 퉁퉁 붓도록 울었다. ~ one***'s eyes*** 〔***heart***〕 ***out*** 몹시 울다, 하염없이 울다. ~ ***up*** 칭찬하다. ~ ***wolf*** ⇨ WOLF. ***for ~ing out loud*** 《口》 (1) 이거 참, 뭐라고, 야 잘됐다《불쾌감·놀람·기쁨 따위를 나타냄》. (2) 〔명령을 강조하여〕 알았지, 꼭 …하는 거야. ***give . . . something to ~ for*** 〔***about***〕 ⇨ GIVE.
— *n.* Ⓒ ① 고함, 환성 : give a ~ of pain〔joy〕 아파서〔기뻐서〕 소리지르다. ② (사람의) 울음 소리 ; 소리내서 욺, 한 바탕 욺 : A baby usually has a ~ after waking. 아기는 잠을 깬 뒤에는 대개 한바탕 운다. ③ (새·짐승의) 울음소리 : the *cries of* gulls 갈매기 우는 소리 / the ~ *of* (the) hounds 사냥개 짖는 소리. ④ 알리며 다니는 소리 ; 함성 ; 표어, 슬로건 : ⇨ WAR CRY / 'Safety first' is their ~. '안전 제일'이 그들의 표어다. ⑤ 외치며 파는 소리 : street *cries* 거리의 행상〔노점상〕의 외치는 소리. ⑥ 소문, 평판 ; 여론(의 소리), 요구《*for* ; *against*》: a ~ *for*〔*against*〕 reform 개혁에 찬성〔반대〕하는 여론 / a ~ *to* raise wages 임금 인상 요구. ***a far*** ~ 먼 거리 ; 큰 격차〔차이〕, 아주 다른 것. ***a hue and*** ~ 범인 추적의 함성 ; 비난의 소리. ***all ~ and no wool=more ~ than wool=much*** 〔***a great***〕 ***~ and little wool*** 헛소동. ***in full*** ~ (사냥개가) 일제히 추적하여 ; 모두 달려들어(서), 일제히. ***within ~ of*** …에서 부르면 들릴 곳에, 지호지간(指呼之間)에.

cry·ba·by [-̀bèibi] *n.* Ⓒ 울보, 겁쟁이, 우는 소리를 늘어놓는 사람 : He's a dreadful ~. 그는 지독한 울보다 / You're a lot of *crybabies* and sissies. 이 툭하면 우는 바보들 같으니라구.

cry·ing [kráiiŋ] *a.* 〔限定的〕 ① 부르짖는 ; 울부짖는. ② **a)** 긴급한, 내버려 둘 수 없는 : a ~ evil 내버려둘 수 없는 해악 / a ~ need 긴요한 일. **b)** (나쁜 것이) 심한, 너무한 : a ~ shame 큰 수치.

cryo- '저온, 냉동'의 뜻의 결합사 : *cryo*surgery. ★ 모음 앞에서는 cry-.

cry·o·bi·ol·o·gy [kràiəbaiálədʒi / -ɔ́l-] *n.* Ⓤ 저온 생물학.

cry·o·gen·ic [kràiədʒénik] *a.* 저온학의 ; 극저온의 ; 극저온을 요하는 : ~ engineering 저온 공학.

cry·o·gen·ics [kràiədʒéniks] *n.* Ⓤ 저온학(低溫學).

cry·o·sur·gery [kràiəsə́:rdʒəri] *n.* Ⓤ 〖醫〗 동결〔냉동〕 외과 ; 저온 수술.

crypt [kript] *n.* Ⓒ (주로 성당의) 지하실《납골소(納骨所)·예배용 등》.

cryp·tic, -ti·cal [kríptik], [-əl] *a.* ① 숨은, 비밀의. ② 신비스러운, 불가해한, 수수께끼같은 : a *cryptical* doctrine 신비적인 교의. ③ 〖動〗 몸을 숨기기에 알맞은 : *cryptical* coloring 보호색. 파 **-ti·cal·ly** [-ikəli] *ad.* 은밀히 ; 불가해하게.

cryp·to·gram [kríptougræ̀m] *n.* Ⓒ ① 암호(문). ② 비밀 기호.

cryp·to·graph [kríptougræ̀f, -grɑ̀:f] *n.* ① Ⓤ 암호 통신(해독)법. ② =CRYPTOGRAM.

cryp·to·graph·ic [krìptougrǽfik] *a.* 암호(해독)법의.

cryp·tog·ra·phy [kriptágrəfi / -tɔ́g-] *n.* Ⓤ 암호(해독)법.

‡**crys·tal** [krístl] *n.* ① **a)** Ⓤ,Ⓒ 수정(水晶) (rock ~) : liquid ~ 액정(液晶). **b)** Ⓒ (장식·보석용의) 수정(구슬), 수정 제품 : a necklace of ~*s* 수정 목걸이. ② Ⓤ 크리스털 유리(~ glass) ; 〔集合的〕 크리스털 유리제 식기류 : silver and ~ 은식기와 유리 식기. ③ Ⓤ,Ⓒ 〖鑛·化〗 결정, 결정체 : ~*s* of snow 눈의 결정 / Salt forms in ~*s*. 소금은 결정체를 이룬다 / Pure copper is made up of layers of ~. 순동은 결정의 층으로 이루어져 있다. ④ Ⓒ 《美》 (시계의) 유리 뚜껑(《英》 watch-glass). ⑤ Ⓒ 〖電子〗 (검파용) 광석, 광석 검파기 ; 결정 정류기(整流器). (***as***) ***clear as*** ~ 맑고 깨끗한. — *a.* ① 수정의〔과 같은〕 ; 크리스털 유리제의. ② (수정과 같이) 투명한 : ~ water 투명한 물 / a ~ stream 맑은 개울. ③ 〖電子〗 **a)** 수정 발진식(發振式)의 : a ~ watch〔clock〕 쿼츠 시계 《★ quartz watch〔clock〕가 더 일반적임》. **b)** 광석을 사용하는, 광석식의 : a ~ receiver 광석 (라디오) 수신기.

crýstal báll (점쟁이의) 수정 구슬 : peer into 〔dust off〕 the ~ 점치다, 예언하다.

crys·tal-clear [-klíər] *a.* ① (물 따위) 아주 맑은(투명한). ② 명명백백한.

crýstal gàzer ① 수정 점쟁이. ② 《美》 예상가.

crýstal gàzing ① 수정점《수정 구슬에 나타나는 환영(幻影)으로 점침》. ② 미래의 예측.

crýstal gláss 크리스털 유리《고급 납유리》.

***crys·tal·line** [krístəiin, -təlàin] *a.* ① 결정(질)의, 결정체로 이루어진. ② 수정과 같은, 투명한 : a huge plain, crisscrossed by rivers and dotted with ~ lakes 강이 종횡으로 흐르고 수정같은 호수가 점재하는 대평원.

crýstalline léns 〖解〗 (안구의) 수정체.

crys·tal·li·za·tion [krìstəlizíʃən] *n.* ① **a)** Ⓤ 결정화 : To make diamond, the ~ of carbon must be done at extremely high pressure. 다이아몬드를 만들려면 초고압 상태에서 탄소의 결정이 이루어져야 한다. **b)** Ⓒ 결정체. ② **a)** Ⓤ 구체화. **b)** Ⓒ 구체화된 것.

***crys·tal·lize** [krístəlàiz] *vt.* ① …을 결정(화)시키다 : Low temperature may ~ rain *into* snow. 저온으로 비는 결정하여 눈이 될 것이다. ② (사상·계획 등)을 구체화하다《*into*》: The event helped to ~ my thoughts. 그 사건은 내 생각을 구체화하는 데 도움이 되었다. ③ …을 설탕 절임으로 만들다 : ~*d* fruits 설탕 절임한 과일. —— *vi.* ① 《~ / +*to* do》 결정(結晶)하다 : Water ~*s to* form ice. 물은 결정하여 얼음이 된다. ② 《~ / +전+명》 (사상·계획 따위가) 구체화하다 : Her vague fear ~*d into* a reality. 그녀의 막연한 두려움이 현실로 나타났다.

crys·tal·loid [krístəlɔ̀id] *a.* 결정과 같은 ; 정질(晶質)의. —— *n.* Ⓤ 〖化〗 정질(晶質). opp *colloid.*

crýstal wédding 수정혼식《결혼 15주년 기념》.

Cs 〖化〗 cesium ; 〖氣〗 cirrostratus. **C.S.** Christian Science 〔Scientist〕; Civil Service. **C.(S).T.** 《美》 Central (Standard) Time. **CT** 〖醫〗 computed 〔computerized〕 tomography (컴퓨터 단층 촬영) ; Central time ; 〖美郵〗 Connecticut. **ct.** carat(s) ; cent(s) ; county ; court. **C.T.C.** centralized traffic control (열차 중앙 제어 장치). **cts.** centimes ; cents.

CT scànner [sí:tì:-] = CAT SCANNER.

Cu 〖化〗 copper, cuprum. **cu.** cubic.

***cub** [kʌb] *n.* Ⓒ ① (곰·이리·여우·사자·호랑이 따위 야수의) 새끼 ; 고래〔상어〕의 새끼. ② 애송이, 젊은이 : an unlicked ~ 버릇 없는 젊은이. ③ =CUB SCOUT. ④《口》 수습〔풋내기〕 기자(~ reporter).

***Cu·ba** [kjú:bə] *n.* 서인도 제도의 최대의 섬 ; 쿠바 공화국《수도 Havana》.

Cu·ban [kjú:bən] *a.* 쿠바 (사람)의. —— *n.* Ⓒ 쿠바 사람.

cub·by·hole [kʌ́bihòul] *n.* Ⓒ 아담하고 기분 좋은 방〔장소〕; 반침 : My office is a ~ in the basement. 내 사무실은 지하실에 있는 아담한 방이다.

‡cube [kju:b] *n.* Ⓒ ① 입방체, 정 6 면체 ; 입방체의 물건《주사위·벽돌 등》: ~ sugar 각설탕 / Cut the meat into ~*s.* 고기를 모나게 썰어라. ② 〖數〗 입방, 세제곱. cf. square. ¶ 6 feet ~, 6 피트 입방 / The ~ of 3 is 27. 3의 세제곱은 27.
——*vt.* ① …을 입방체로 하다 ; 입방체 모양으로 베다 : ~ potatoes 감자를 모나게 썰다. ② …을 세제곱하다 ; …의 체적을 구하다 : 5 ~*d* is 125, 5의 세제곱은 125이다 / To ~ 2 is to get 8. 2를 세제곱하면 8이 된다 / ~ a solid 어떤 입방체의 체적을 구하다.

cúbe róot 입방근, 세제곱근.

‡cu·bic [kjú:bik] *a.* ① 입방의 ; 세제곱 〔3차〕의. a ~ meter 입방 미터 / ~ crossing 입체 교차 / a ~ equation, 3차 방정식. ② 입방체의, 정육면체의 : ~ measure 체적 용적. —— *n.* Ⓒ 3차 곡선〔방정식, 함수〕.

cu·bi·cal [kjú:bikəl] *a.* 입방체의, 정육면체의 ; 체적〔용적〕의.

cu·bi·cle [kjú:bikl] *n.* Ⓒ ① 칸막이한 작은 방〔침실〕: a seperate shower ~ 칸막이한 샤워실. ② (도서관의) 특별〔개인〕 열람실.

cub·ism [kjú:bizəm] *n.* Ⓤ 〖美術〗 입체파, 큐비즘.

cub·ist [kjú:bist] *n.* Ⓒ 입체파 화가〔조각가〕. —— *a.* 입체파의.

cúb repórter 풋내기〔신출내기〕 기자.

cúb scòut (때로 C- S-) (Boy Scouts 의) 유년단원《미국은 8-10 세, 영국은 8-11 세》.

cuck·old [kʌ́kəld] *n.* Ⓒ 오쟁이진 남편, 부정한 아내의 남편. —— *vt.* (남편)을 속여 서방질하다 : His wife had ~*ed* him. 그의 아내는 그를 속여 서방질했다.

‡cuck·oo [kú(:)ku:] (*pl.* ~*s*) *n.* Ⓒ ① 뻐꾸기 ; 《넓리》 두견잇과의 새. ② 뻐꾹《뻐꾸기의 울음소리》. ③《俗》 얼간이, 멍청이. ***the ~ in the nest*** 평화로운 부모·자식 관계를 어지럽히는 침입자.
—— *a.* 《俗》 멍청한, 어리석은 ; 미친.

cúckoo clòck 뻐꾹 시계.

cúckoo spìt 〔**spìttle**〕 〖蟲〗 좀매미 ; 그 거품.

cu. cm. cubic centimeter(s).

cu·cum·ber** [kjú:kəmbər] *n.* ⒸⓊ 오이. ***(as) cool as a ~ (1) 아주 냉정하게, 침착하게. (2) 기분좋게 신선한〔서늘한〕.

cud [kʌd] *n.* Ⓤ 새김질 감《반추 동물이 위에서 입으로 되내보낸》. ***chew the*** 〔one'***s***〕 ~ (1) (소 따위가) 새김질하다, 반추하다. (2)《口》 숙고〔반성〕하다.

***cud·dle** [kʌ́dl] *vt.* …을 꼭 껴안다, 부둥키다, (어린아이 등)을 껴안고 귀여워하다 : He ~*d* the newborn girl. 그는 새로 태어난 여자애를 꼭 껴안았다. —— *vi.* 바짝〔꼭〕 붙어 자다, 바싹 달라붙다 《*up together* ; *up to*〔*against*〕》: The children ~*d up together* for warmth. 아이들은 몸이 따뜻해지도록 바짝 다가 붙어서 잤다. —— *n.* (a ~) 포옹 : have *a* ~ 포옹하다.

cud·dle·som [-səm] *a.* =CUDDLY.

cud·dly [-i] *a.* 꼭 껴안고 싶은, 아주 귀여운 : a ~ little boy 아주 귀여운 사내아이.

cudg·el** [kʌ́dʒəl] *n.* Ⓒ 곤봉, 몽둥이. ***take up the ~s for …을 강력히 변호〔지원〕하다.
——(*-l-*, 《英》 *-ll-*) *vt.* …을 곤봉으로 치다. ~ one'***s brains*** 머리를 짜내어 생각하다《*for*》.

***cue**[1] [kju:] *n.* Ⓒ ① 〖劇〗 큐《대사의 마지막 말 ; 다음 배우 등장 또는 연기의 신호가 됨》: I have never known him miss a ~. 나는 그가 큐를 놓치는 것을 한 번도 본 적이 없다. ② 〖樂〗 (연주의) 지시 악절(樂節). ③ 단서, 신호, 계기, 실마리 : He cleared his throat and she took her ~ from it and retired. 그가 헛기침을 하면 그녀는 그 뜻을 알아차려 방에서 물러갔다.
——(***cú(e)·ing***) *vt.* ① …에게 신호〔지시〕하다. ② 〖劇〗 …에게 큐를 주다. ③ 〖樂〗 …에 큐를 넣다 《*in* ; *into*》; (음·효과 따위)를 삽입하다《*in*》.

cue[2] *n.* Ⓒ ① =QUEUE. ② 〖撞球〗 큐.

cuff**[1] [kʌf] *n.* ① Ⓒ 소맷부리, 소맷동, 커프스 ; (긴 장갑의) 손목 윗부분. ② Ⓒ 《美》 바지의 접어 젖힌 아랫단. ③《口》 (흔히 *pl.*) 수갑(handcuffs). ***off the ~ 《口》 즉흥적인〔으로〕, 즉석의〔에서〕: speak *off the* ~ before an audience 청중 앞에서 즉석에서 이야기하다. ***on the ~*** 《口》 (1) 외상의〔으로〕, 월부의〔로〕. (2) 무료의〔로〕.

── *vt.* ① …에 커프스를 달다. ② …에 수갑을 채우다. ⊞ ~**ed** [kʌft] *a.* ∠·**less** *a.*

cuff² *n.* Ⓒ 손바닥으로 때리기(slap) : be at ~*s* with …와 서로 주먹다짐하다 / give someone a ~ on the head 어떤 사람의 머리를 손바닥으로 때리다. ── *vt.* …을 손바닥으로 때리다.

cúff lìnk (흔히 ~s) 커프스 단추(《英》 sleeve link)(《★ cuff buttons 라고는 하지 않음》).

cu. ft. cubic foot (feet). **cu. in.** cubic inch (-es).

cui·sine [kwizíːn] *n.* Ⓤ 요리 솜씨, 요리(법) : French ~ 프랑스 요리.

cul-de-sac [kʌ́ldəsæ̀k, kúl-] (*pl.* **~*s*, *culs-*** [kʌ́lz-]) *n.* Ⓒ 《F.》 ① 막힌 길, 막다른 골목 : live in a quiet ~ 조용한 막다른 골목에 살다. ② (피할 길 없는) 곤경, 궁지 : This particular brand of socialism had entered a ~. 이 독특한 유형의 사회주의는 막다른 골에 몰리게 되었다.

-cule *suf.* '작은'의 뜻 : animal*cule*.

cu·li·nary [kʌ́lənèri, kjúː- / -nəri] *a.* 주방(용)의 ; 요리(용)의 : the ~ art 요리법 / ~ implements 주방 용구.

cull [kʌl] *vt.* ① (꽃)을 따다, 따 모으다(pick). ② 《~+目 / +目+前+名》 …을 고르다 ; …에서 발췌하다《*from*》 : ~ the choicest lines *from* poems 시에서 가장 잘된 행을 발췌하다 / Big business ~*s* the brightest *from* among college graduates. 대기업은 대졸자 중에서 가장 우수한 인재를 뽑는다. ③ (무리 중에서 노약한 양 따위)를 가려 내다, 도태하다 : They start to ~ the herds in dry years. 그들은 가문 해에는 가축 무리 중에서 약한 것을 골라 죽이기 시작한다. ──*n.* Ⓒ ① 선택, 선별 ; 도태. ② (열등품·찌꺼기로서) 가려낸 것.

cul·len·der [kʌ́ləndər] *n.* =COLANDER.

cul·let [kʌ́lit] *n.* Ⓤ (재활용(再活用)의) 지스러기 유리.

culm [kʌlm] *n.* Ⓤ ① (질이 나쁜) 가루 무연탄. ② (C-) 〖地質〗 쿨름층(하부 석탄층의 혈암(頁岩)〔사암〕층).

***cul·mi·nate** [kʌ́lmənèit] *vi.* ① 《~ / +前+名》 정점에 이르다 ; 절정에 달하다, 전성을 극하다《종종 내리막을 암시함》《*in*》 : His career ~*d in* the presidency. 그는 출세하여 마침내 대통령이 되었다 / ~ *in* amount 최고량에 달하다. ② 〖天〗 남중(南中)하다, (천체가) 자오선상에 오다.

cul·mi·na·tion [kʌ̀lmənéiʃən] *n.* Ⓤ ① (흔히 the ~) 최고점, 최고조, 극점, 정상 ; 절정, 극치 《*of*》 : *the* ~ *of* his political career 그의 정치 생활의 절정. ② 〖天〗 남중(南中), (천체의) 자오선 통과. ◇ culminate *v.*

cu·lottes [kjuːláts / -lɔ́ts] *n. pl.* 《F.》 퀼로트《여성의 운동용 치마바지》.

cul·pa·ble [kʌ́lpəbl] *a.* 비난할 만한〔해야할〕, 과실〔허물〕 있는, 괘씸한 ; 부주의 : hold a person ~ 아무를 나쁘다고 생각하다 / Was Hearst ~? To what extent? 허스트에게 과실이 있더냐. 어느 정도로.
⊞ **-bly** [-bli] *ad.* 괘씸하게도, 무법하게도.

***cul·prit** [kʌ́lprit] *n.* Ⓒ 죄인, 범인 : The main ~*s* were caught and heavily sentenced. 중죄인들은 체포되어 중벌을 선고받았다.

***cult** [kʌlt] *n.* Ⓒ ① (종교상의) 예배(식), 제사 : the ~ of Apolo 아폴로 신앙. ② (사람·물건·사상 따위에 대한) 숭배, 예찬 ; 유행, …열(熱) ; 숭배의 대상 : an idolatrous ~ 우상 숭배 / the Kennedy ~ 케네디가(家) 예찬 / the ~ of golf 골프열 / Jogging has become a ~ with us. 조깅은 우리들 사이에서 유행이 되었다. ③ 〔集合的〕 숭배자〔예찬자〕의 무리 : a nudist ~ 나체주의 예찬〔신봉〕자. ④ **a)** 신흥 종교, 사이비 종교. **b)** 〔集合的〕 신흥〔사이비〕 종교의 신자들. ── *a.* 〔限定的〕 ① 신흥 종교의. ② 소수 열광자 그룹의.

cult·ist [kʌ́ltist] *n.* Ⓒ (종교·유행 따위의) 숭배자, 예찬자, 열광자.

cul·ti·va·ble, -vat·a·ble [kʌ́ltəvəbəl], [-vèitəbəl] *a.* ① 경작〔재배〕할 수 있는. ② (사람·능력 따위를) 계발〔교화〕할 수 있는.

‡**cul·ti·vate** [kʌ́ltəvèit] *vt.* ① (땅)을 갈다, 경작하다 ; (재배 중인 작물·밭)을 사이갈이하다 : ~ the field to grow vegetable 채소를 재배하기 위해 밭을 갈다. ② **a)** …을 재배하다 : ~ tomatoes 토마토를 재배하다. **b)** (물고기·진주 등)을 양식하다 : ~ oysters 굴을 양식하다. **c)** (세균)을 배양하다. ③ **a)** (재능·정신 따위)를 신장하다, 계발〔연마〕하다 : ~ the moral sense 도의심을 기르다 / ~ one's mind 정신을 도야하다. **b)** (문학·기예)를 닦다, 연마하다 : ~ an art 기예를 닦다. **c)** (사람)을 교화하다. **d)** (예술·학술 등)을 장려하다. ④ (면식·교제)를 깊게 하다 : ~ a person 〔a person's acquaintance〕 아무와의 교제를 돈독히 하다 / The student decided to ~ the professor. 그 학생은 그 교수와 가까워지려고 결심했다. ◇ cultivation *n.*

***cul·ti·vat·ed** [kʌ́ltəvèitid] *a.* ① 경작된 ; 개간된 ; 재배된 ; 양식된 ; 배양된 : ~ land 경(작)지 / ~ strawberries 재배된 딸기. ② (사람·취미가) 교양있는, 세련된, 품위있는 : ~ manners 세련된 예절〔태도〕 / She was a ~ and beautiful girl. 그녀는 교양있고 아름다운 소녀였다.

‡**cul·ti·va·tion** [kʌ̀ltəvéiʃən] *n.* Ⓤ ① 경작 ; 개간 : put new land into ~ 〔bring new land under ~〕 새 땅을 경작하다〔개간하다〕. ② (작물의) 재배. ③ (굴 따위의) 양식(養殖) ; (세균 따위의) 배양 : the ~ of oysters 굴의 양식. ④ 교화, 양성 ; 장려. ⑤ 수련 ; 교양 ; 세련. ◇ cultivate *v.*

***cul·ti·va·tor** [kʌ́ltəvèitər] *n.* Ⓒ ① 경작자, 재배자. ② 양성자 ; 개척자 ; 연구자. ③ 경운기.

‡**cul·tur·al** [kʌ́ltʃərəl] *a.* ① 문화의, 문화적인 : ~ development 문화의 발달 / ~ history 문화사 / ~ assets〔goods〕 문화재. ② 교양의 ; 계발적인 : ~ studies 교양 과목. ③ 배양하는 ; 경작의 ; 재배의 ; 개척의. ⊞ **~·ly** *ad.* ① 교양적으로, 교양상. ② 문화적으로. ③ 재배상.

cúltural revolútion ① 문화 혁명. ② (the C-R-) (중국의) 문화 대혁명(1966-71).

‡**cul·ture** [kʌ́ltʃər] *n.* ① Ⓤ,Ⓒ 문화, 정신 문명(《★ civilization 이 주로 물질 문명을 지칭하는 데 대하여, culture 는 정신면을 강조함》) : Greek ~ 그리스 문화. ② Ⓤ 교양 ; 세련 : a man of ~ 교양 있는 사람. ③ Ⓤ 수양 ; 교화 ; 훈육 : moral ~ 덕육(德育) / physical 〔intellectual〕 ~ 체육〔지육〕. ④ Ⓤ 재배 ; 양식 ; 경작 : the ~ of cotton 면화 재배. ⑤ **a)** Ⓤ (세균 등의) 배양. **b)** Ⓒ 배양균〔조직〕.

cul·tured [kʌ́ltʃərd] *a.* ① 교양있는, 수양을 쌓은 ; 세련된 ; 점잖은. ② 배양〔양식〕된 : a ~ pearl 양식 진주.

cúlture gàp (보통 두 문화간의) 문화의 차이.

cúlture shòck 문화 쇼크(《다른 문화에 처음 접했을 경우에 받는 충격》) : suffer〔experience〕 ~ 문화 쇼크를 받다〔경험하다〕.

cul·vert [kʌ́lvərt] *n.* Ⓒ ① 암거, 배수 도랑, 지하 수로. ② 전선용(電線用) 매설구(溝).

cum [kʌm] *prep.* 《L.》 …이 붙은〔딸린〕, …와 겸용의(《★ 흔히 複合語를 만듦》). OPP *ex.* ¶ a house-

~-farm 농장이 딸린 주택 / a dwelling-~-workshop 주택 겸 공장 / Chorlton-~-Hardy 촐튼하디구(區)《Manchester 의 주택 지구》.

cum·ber [kʌ́mbər] *vt.* ① …을 방해하다《*with*》: I was ~*d with* heavy clothing. 나는 무거운 복장으로 몸을 자유롭게 움직일 수가 없었다. ② …를 성가시게 하다, 괴롭히다. ── *n.* Ⓤ 방해.

Cum·ber·land [kʌ́mbərlənd] *n.* 컴벌랜드《이전의 잉글랜드 북서부의 한 주(州)》.

cum·ber·some [kʌ́mbərsəm] *a.* (무거워서, 또는 너무 부피가 커서) 다루기 힘든, 귀찮은: a ~ trunk〔package〕 (너무 커서) 다루기 힘든 트렁크〔화물〕. ㊞ **~·ly** *ad.* **~·ness** *n.*

Cum·bria [kʌ́mbriə] *n.* 컴브리아《잉글랜드 북부의 주; 주도는 Carlisle》.

cum·brous [kʌ́mbrəs] *a.* =CUMBERSOME.

cùm dívidend 〖證〗 배당부(配當附)《略: c.d., cum div.》. ⓒⓕ ex div.

cum·in [kʌ́min] *n.* Ⓤ ① 커민《미나릿과의 식물》. ② 그 열매《요리용 향료·약용》.

cum lau·de [kʌm-lɔ́:di, -láudə] 《L.》 우등으로.

cum·mer·bund [kʌ́mərbʌ̀nd] *n.* Ⓒ 《Ind.》 폭넓은 띠, 장식띠; 허리띠《턱시도를 입을 때 조끼 대신 두름》.

cum·quat [kʌ́mkwɑt / -kwɔt] *n.* Ⓒ 〖植〗 금귤.

***cu·mu·la·tive** [kjú:mjəlèitiv, -lət-] *a.* 점증적인, 누가적인, 누적하는: ~ offense 〖法〗 누범 / The ~ effect of using so many chemicals on the land could be disastrous. 땅에 그렇게 많은 화학약품을 사용하면 그 누적된 결과는 비참해질 수 있다. ㊞ **~·ly** *ad.*

cu·mu·li [kjú:mjəlài] CUMULUS 의 복수.

cu·mu·lo·nim·bus [kjù:mjəlounímbəs] *n.* Ⓤ,Ⓒ 〖氣〗 적란운(積亂雲), 쎈비구름, 소나기구름《略: Cb》.

cu·mu·lo·stra·tus [-stréitəs] *n.* Ⓤ,Ⓒ 〖氣〗 =STRATOCUMULUS.

cu·mu·lous [kjú:mjələs] *a.* 적운(積雲)〔산봉우리 구름〕 같은.

cu·mu·lus [kjú:mjələs] (*pl.* **-li** [-lài, -lì:]) *n.* ① (a ~) 퇴적, 누적. ② Ⓤ,Ⓒ 〖氣〗 적운(積雲), 쎈구름, 산봉우리구름, 뭉게구름《略: Cu》.

cu·ne·i·form [kjú:niəfɔ̀:rm, kju:ní:ə-] *a.* ① 쐐기 모양의: ~ characters 쐐기 문자. ② 쐐기〔설형〕 문자의〔로 쓰인〕. ── *n.* Ⓤ (바빌로니아·아시리아 등지의) 쐐기〔설형〕 문자.

cun·ni·lin·gus [kʌ̀nilíŋgəs] *n.* Ⓤ 쿤닐링구스《여성 성기에의 구강(口腔) 성교》.

‡**cun·ning** [kʌ́niŋ] (***more*** ~; ***most*** ~) *a.* ① 약삭빠른; 교활한, 간교한: He is (as) ~ as a fox. 그는 여우처럼 교활〔간교〕하다 / a ~ look 교활한 눈짓. ② 《美口》 (아이·웃음 따위가) 귀여운: a ~ baby 귀여운 아기. ── *n.* Ⓤ ① (솜씨의) 교묘함: His hand lost its ~. 그의 손은 옛날처럼 재지 못하다. ② 교활함, 간교함; 잔꾀. ㊞ **~·ly** *ad.*

cunt [kʌnt] *n.* Ⓒ 《卑》 ① 여성 성기; 성교. ② **a**) 여자. **b**) 비열한 놈.

†**cup** [kʌp] *n.* ① Ⓒ (홍차·커피용의, 귀가 달린) 찻종, 찻잔: a coffee ~ 커피잔 / a breakfast ~ 조식용 컵《보통의 약 2배 크기》. ② Ⓒ 찻잔 한 잔(의 양)《요리에서는 반 파인트(pint)》: a ~ of tea〔coffee〕 홍차〔커피〕 한 잔 / a ~ of flour 밀가루 컵 하나. ③ **a**) Ⓒ 성찬배(聖餐杯). **b**) (the ~) 성찬의 포도주. ④ Ⓒ (때로 the C-) 우승컵, 상배: win *the* ~ 우승컵을 타다. ⑤ (the ~) 술; (*pl.*) 음주: He's fond of *the* ~. 그는 술을 좋아한다. ⑥ Ⓒ 운명의 잔; 운명; 경험: drink a bitter ~ 고배를〔인생의 쓴 잔을〕 마시다. ⑦ Ⓒ 찻종 모양의 물건; 분지(盆地); (꽃의) 꽃받침; (도토리 따위의) 깍정이; 〖醫〗 흡각(吸角), 부항(附缸); 〖解〗 배상와(杯狀窩); 〖골프〗 (그린 위의 공 들어가는) 금속통, 홀; (브래지어의) 컵. ⑧ Ⓤ,Ⓒ 컵《샴페인·포도주 따위에 향료·단맛을 넣어 얼음으로 차게 한 음료》: cider ~ 사이다 컵《사과술을 넣은 컵》. ***in** one'**s** ~**s*** 취하여, 거나한 기분으로: He talked too freely when he was *in his* ~*s*. 그는 취하면 너무 아무렇게나 말을 했다. **one's ~ of tea** 《口》 기호에 맞는 것, 마음에 드는 것, 취미: Golf isn't *his* ~ *of tea*. 골프는 그의 성미에 맞지 않는다.

── (**-pp-**) *vt.* ① 《~+目/+目+前+名》 …을 찻종에 받다〔넣다〕; (오목한 것에) 받아 넣다: ~ water *from* a brook 시내에서 물을 떠내다. ② (손바닥 따위)를 찻종 모양으로 하다〔하고 …을 덮다〔받치다〕〕: ~ one's hand behind one's ear 귀에 손을 대다《잘 들리도록》 / He ~*ped* his hands around his mouth and shouted. 그는 손나발을 하고 소리질렀다 / ~ one's chin in one's hand 손으로 턱을 괴다. ③ 〖醫〗 …에 흡각〔부항〕을 대다.

‡**cup·board** [kʌ́bərd] *n.* Ⓒ ① 찬장. ② 《英》 작은 장, 벽장.

cúpboard lòve 타산적인 애정《용돈 타려고 어머니에게 '엄마가 좋아'하는 따위》.

cup·ful [kʌ́pfùl] (*pl.* **~s, cúps·fùl**) *n.* Ⓒ 찻종〔컵〕으로 하나 (가득)《약 반 파인트(half pint); 약 220 cc》: two ~*s of* milk 두 컵의 우유.

***Cu·pid** [kjú:pid] *n.* ① 〖로神〗 큐피드《사랑의 신》. ② (c-) Ⓒ **a**) 큐피드의 그림〔조상(彫像)〕. **b**) 사랑의 사자.

cu·pid·i·ty [kju:pídəti] *n.* Ⓤ 물욕, 탐욕: His eyes gave him away, shining with ~. 탐욕으로 번뜩이는 그의 눈은 그의 본심을 드러냈다.

Cúpid's bòw ① (그림 등에 있는) 큐피드의 활. ② 활 모양의 것《특히 윗 입술의 윤곽을 이름》.

cu·po·la [kjú:pələ] *n.* Ⓒ ① 둥근 지붕〔천장〕; (특히 지붕 위의) 돔. ② =CUPOLA FURNACE.

cúpola fúrnace 용선로(溶銑爐), 큐폴라.

cup·per [kʌ́pər] *n.* Ⓒ 《英口》 한 잔의 차.

cup·ping [kʌ́piŋ] *n.* Ⓤ 〖醫〗 (부항으로) 피를 빨아내기, 흡각법(吸角法).

cúpping glàss 흡각(吸角).

cu·pre·ous [kjú:priəs] *a.* 구리(빛)의.

cu·pric [kjú:prik] *a.* 〖化〗 구리의, 구리를 함유하는: ~ sulfate 황산구리.

cu·pro·nick·el [kjú:prənìkəl] *n.* Ⓤ 백(白)통.

cu·prum [kjú:prəm] *n.* Ⓤ 〖化〗 구리《금속 원소; 기호 Cu; 번호 29》.

cur [kə:r] *n.* Ⓒ ① 들개; 똥개. ② 불량배, 건달; 「겁쟁이.

***cur·a·ble** [kjúərəbəl] *a.* 치료할 수 있는, 고칠 수 있는, 낫는: Some types of cancer are ~. 어떤 유형의 암은 고칠 수 있다. ㊞ **-bly** *ad.*

cur·a·bil·i·ty [kjùərəbíləti] *n.* Ⓤ 치료 가능성.

cur·a·cy [kjúərəsi] *n.* Ⓤ,Ⓒ curate의 직〔지위·임기〕.

cu·rate [kjúərit] *n.* Ⓒ ① 〖英國國教會〗 목사보(補), 부목사. ② 〖가톨릭〗 보좌 신부.

cúrate's égg (the ~) 《戱》 장단점이 있는 것, 옥석 혼효.

cur·a·tive [kjúərətiv] *a.* 치료용의; 치료력(力)이 있는. ── *n.* Ⓒ 치료(법); 의약.

cu·ra·tor [kjuəréitər] *n.* Ⓒ (특히 박물관·도서관 따위의) 관리자, 관장; 감독, 관리인〔지배〕인.

cu·ra·tor·ship [kjuəréitərʃìp] *n.* Ⓤ curator 의 직〔신분〕.

***curb** [kə:rb] *n.* Ⓒ ① (말의) 재갈, 고삐. ② 구속, 억제, 제어《*on*》: place〔put〕 a ~ *on* expend-

itures 경비를 제한하다 / put〔keep〕 a ~ *on* one's anger 분노를 억제하다. ③ (보도(步道)의) 연석(緣石) (《英》 kerb) : Cars are parked along the ~. 자동차는 보도에 잇대어 주차되어 있다.
— *vt.* ① (말)에 재갈을 물리다. ② …을 억제하다 : ~ one's desires 욕망을 억제하다 / ~ inflation 인플레이션을 억제하다 / *Curb* your tongue! 입〔말〕 조심하게. ③ (길)에 연석을 깔다.

cúrb ròof 〖建〗 망사르드(mansard) 지붕《물매를 2단으로 냄》.

curb·side [kə́ːrbsàid] *n.* (the ~) 《美》 연석(緣石)이 있는 보도(步道) 가장자리.

curb·stone [kə́ːrbstòun] *n.* Ⓒ 《美》 (보도의) 연석(緣石) (《英》 kerbstone).

*__curd__ [kəːrd] *n.* Ⓤ ① (종종 *pl.*) 엉겨 굳어진 것, 응유(凝乳), 커드《치즈의 원료》. cf. whey. ② 응유 모양의 식품 : bean ~ 두부.

cur·dle [kə́ːrdl] *vi.* ① (우유가) 응유(凝乳)가 되다, 엉기다, 응결하다 : Milk ~*s* when kept too long. 우유는 너무 오래 두면 응결한다. ② (피가, 공포로) 응결하다 : The shriek made my blood ~. 고함 소리에 몸이 오싹했다. — *vt.* ① (우유)를 엉기게 하다. ② (공포로 피)를 응결시키다.

‡**cure** [kjuər] *n.* ① U.C 치료 ; 요양 ; 치료법〔제〕 : go to the country for a ~ 요양하러 시골에 가다 / undergo a ~ 치료를 받다 / an effective ~ for cancer 암의 효과적인 치료법〔약〕 / a ~ for headache 두통약. ② Ⓤ 치유, 회복. ③ U.C 구제책, 해결법《*for*》 : a ~ *for* unemployment 〔inflation〕 실업〔인플레〕 대책. ④ U.C (영혼의) 구원 ; 신앙 감독 ; 성직. ⑤ U.C (생선·고기 등의) 저장(법), 소금절이. — *vt.* ①《~+목 / +목+전+명》 (병이나 환자)를 치료하다, 고치다 : The doctor ~*d* him of rheumatism. 의사는 그의 류머티즘을 고쳐주었다 / I was ~*d of* cancer. 암이 나았다. ② (나쁜 버릇 등)을 교정하다, 고치다 : ~ bad habit 나쁜 버릇을 고치다 / He tried to ~ his child of the habit. 그는 자기 아이의 버릇을 고쳐 주고자 노력했다. ③ (건조·훈제·소금 절이 등을 하여, 고기·물고기 등)을 보존 처리하다 : ~ meat 고기를 소금에 절이다〔훈제 처리하다〕. — *vi.* ① (병이) 낫다. ② (생선·고기 등이) 보존에 적합한 상태가 되다.

cure-all [kjúərɔ̀ːl] *n.* Ⓒ 만능약, 만병 통치약 (panacea).

cure·less [kjúərlis] *a.* ① 치료법이 없는, 불치의. ② 교정(矯正)이 불가능한, 구제할 수 없는.

cu·rette [kjurét] *n.* Ⓒ 〖醫〗 소파기(搔爬器), 퀴레트《소파 수술에 쓰는 숟가락 모양의 기구》.
— *vt.* …을 퀴레트로 긁어내다, 소파하다.

cur·few [kə́ːrfjuː] *n.* U.C ① (중세기의) 소등(消燈)〔소화〕 신호의 만종(晩鐘) ; 그 종이 울리는 시각. ② (부모·기숙사 등이 정하는) 폐문 시간, 야간 외출 금지 시간 : It's past ~. 폐문 시간이 지났다. ③ (계엄령 시행중의) (야간) 통행 금지 (시각) ; 〖美軍〗 귀영(歸營) 시간 : clamp a ~ over the city 시에 야간 통행 금지령을 발하다 / lift the ~ 야간 통행〔외출〕 금지령을 해제하다.

Cu·rie [kjúəri, kjuríː] *n.* 퀴리. ① **Pierre** ~ (1859-1906), **Marie** ~ (1867-1934)《라듐을 발견한 프랑스 물리학자 부부》. ② Ⓒ (c-) 〖物〗 방사능 계량(計量) 단위《기호 Ci》.

Cúrie pòint 〖物〗 퀴리점《자기 전이(磁氣轉移)가 일어나는 온도》.

cu·rio [kjúəriòu] (*pl.* ~*s*) *n.* Ⓒ 골동품 ; 진품(珍品) : a ~ dealer 골동품상.

cúrio shòp = CURIOSITY SHOP.

‡**cu·ri·os·i·ty** [kjùəriɑ́səti / -ɔ́sə-] *n.* ① Ⓤ 호기심, 캐기 좋아하는 마음 : from 〔out of〕 ~ 호기심에서 / I was burning with ~ (*to* know) *about* her past. 나는 그녀의 과거에 대해서 알고 싶어하는 호기심으로 근질근질했다 / satisfy one's ~ 호기심을 만족시키다. ② **a)** Ⓤ 진기함 : a thing of little ~ 진기하지도 않은 물건〔것〕. **b)** Ⓒ 진기한 물건, 골동품(curio) : It is a ~ in this district. 그것은 이 지방에서는 진기한 것이다 / I was so different that they regarded me as a ~. 나는 너무 괴이했기 때문에 여러 사람들에게 골동품 취급을 당했다.
◇ curious *a.*

curiósity shòp 골동품점.

‡**cu·ri·ous** [kjúəriəs] (***more*** ~ ; ***most*** ~) *a.* ① 호기심 있는, 사물을 알고 싶어하는 ; 꼬치꼬치 캐기 좋아하는 : ~ neighbors 남의 일을 호비기 좋아하는 이웃 사람들 / I am ~ *to* know who he is. 그가 누군지 알고 싶다 / Children are ~ *about* everything. 애들은 무엇이나 알고 싶어한다 / I was ~ (to see) *what* would happen. 무엇이 일어날지 궁금했다 / Stop being ~ *about* other people's affairs. 다른 사람의 일에 꼬치꼬치 캐묻는 짓은 그만해요. ② 진기한 ; 호기심을 끄는 ; 기묘한 ; 《口》 별난 : a ~ fellow 괴짜 / a ~ sight 진기한 광경 / ~ old coins 진귀한 고전(古錢) / a ~ sound 이상한 소리 / It is ~ that she should have asked you that question. 그녀가 너에게 그런 질문을 했다는 것은 기묘한〔이상한〕 일이다. ~ ***to say*** (좀) 이상한 얘기지만. ***~er and ~er*** 《俗》 갈수록 신기해지는. 파 **~·ness** *n.*

*__cu·ri·ous·ly__ [kjúəriəsli] *ad.* ① 진기한 듯이, 호기심에서 : The dog stared ~ at me. 개는 이상한 듯이 나를 물끄러미 보았다. ② 〔文章修飾〕 이상하게도 : *Curiously* (enough), he already knew. 이상하게도 그는 이미 알고 있었다.

cu·ri·um [kjúəriəm] *n.* Ⓤ 〖化〗 퀴륨《방사성 원소 ; 기호 Cm ; 번호 96》.

‡**curl** [kəːrl] *vt.* ① (머리털)을 곱슬곱슬하게 하다, 컬하다 : She ~*ed* her hair for the party. 그녀는 그 파티를 위해 머리를 컬했다. ②《~+목+전》 …을 꼬다, 비틀다《*up*》 : He had his mustache ~*ed up*. 그는 콧수염을 꼬아 올리고 있었다. ③ **a)** 〔再歸的〕 동그랗게 하고 눕다 : The cat ~*ed itself* (up) into a ball. 고양이는 동그랗게 몸을 웅크렸다. **b)** (종이·잎) 따위를 동그랗게 말다, 감다.
— *vi.* ① 곱슬털 모양이 되다 : Her hair ~*s* naturally. 그녀의 머리는 자연히 곱슬곱슬해진다. ②《~ / +전+명》 비틀리다, 뒤틀리다 ; 웅크리다 ; (연기가) 소용돌이치다 ; (길이) 굽이치다 ; (종이·잎 등이) 동그랗게 말리다 : I like to ~ *up* with a book. 나는 누워서 웅크리고 책을 읽는 것이 좋다 / Smoke ~*ed out of* the chimney. 연기가 굴뚝에서 소용돌이치며 올라갔다 / The road ~*ed around* the side of the hill. 도로는 작은 산 주위를 구불구불 구비치고 있었다 / Leaves tend to ~ in autumn. 나뭇잎은 가을이 되면 말라서 동그랗게 말리게 된다. ~ a person***'s hair*** = ***make*** a person***'s hair*** ~ 아무를 놀라게〔간담을 서늘하게〕 하다.
— *n.* ① Ⓒ 고수머리, 컬 : Mary's hair has a natural ~. 메리의 머리털은 자연적으로 곱슬곱슬하다. ② Ⓤ 곱슬머리 상태, 곱슬곱슬하게 되어〔비틀려〕 있음 : keep the hair in ~ 머리를 곱슬하게 해두다 / go out of ~ (머리의) 컬이 풀리다. ③ Ⓤ 컬하기, 말기. ④ Ⓤ (감자 따위의) 위축병.

curled [kəːrld] *a.* 고수머리의 ; 소용돌이진.

curl·er [kə́ːrlər] *n.* Ⓒ ① curl 하는 사람〔물건〕. ② (종종 *pl.*) 컬클립 : in ~*s* (머리에) 컬 클립을 붙이고. ③ curling 경기자.

cur·lew [kə́:rlu:] (*pl.* **~s,** ~) *n.* Ⓒ 〖鳥〗 마도요.

curl·i·cue [kə́:rlikjù:] *n.* Ⓒ 소용돌이 (장식); (글자의) 장식체로 쓰기.

curl·ing [kə́:rliŋ] *n.* Ⓤ 《Sc.》 컬링《얼음판에서 둥근 대리석을 미끄러뜨려 과녁 주위의 하우스(house)에 넣어 득점을 겨루는 놀이》.

*__curly__ [kə́:rli] (**curl·i·er; -i·est**) *a.* ① 오그라든, 고수머리의 : ~, brown hair 컬한〔곱슬곱슬한〕 갈색 머리. ② **a)** 소용돌이 모양의. **b)** (잎이) 말린 ; (뿔 따위) 꼬부라진. ㊞ **-li·ness**

cur·mudg·eon [kərmʌ́dʒən] *n.* Ⓒ 노랭이, 구두쇠 ; 심술궂은 사람〔노인〕.

cur·rant [kə́:rənt, kʌ́r-] *n.* Ⓒ ① (알이 잘고 씨 없는) 건포도. ② 〖植〗 까치밥나무《red ~, white ~, black ~ 따위의 종류가 있음》.

‡**cur·ren·cy** [kə́:rənsi, kʌ́r-] *n.* ① Ⓤ (화폐의) 통용, 유통 ; (사상·말·소문 등의) 유포 ; 유통〔유행〕 기간 ; 현재성 : acquire 〔attain, gain, obtain〕 ~ 통용〔유포〕되다, 널리 퍼지다 / pass out of ~ 쓰이지 않게 되다 / accept a person at his own ~ 아무를 그 자신이 말하는 대로 인정하다 / be in common 〔wide〕 ~ 일반에〔널리〕 통용되고 있다 / The rumor has wide ~. 소문이 널리 유포되어 있다. ② Ⓤ,Ⓒ 통화, 화폐《경화·지폐를 포함》; 통화 유통액 : (a) metalic ~ 경화 / (a) paper ~ 지폐 / change foreign ~ (은행 등에서) 외국의 통화를 교환하다.

‡**cur·rent** [kə́:rənt, kʌ́r-] (**more ~; most ~**) *a.* ① 통용하고 있는 ; 현행의 : ~ money 통화 / a ~ deposit 당좌 예금 / ~ news 시사 뉴스 / the ~ price 시가 / ~ events 시사(時事) / ~ English 현대〔시사〕 영어 / The shilling is not in ~ use in Britain. 실링은 현재 영국에서는 통용되지 않는다. ② (의견·소문 등) 널리 행해지고 있는, 유행〔유포〕되고 있는 : the ~ practice 일반적인 습관 / follow the ~ fashions 오늘날의 패션을 따르다. ③ (시간이) 지금의, 현재의 : the ~ month 〔year〕 이 달〔금년〕 / the 5th ~ 이달 5일 / ~ topics 오늘의 화제 / the ~ issue 〔number〕 (잡지 따위의) 이달〔금주〕호 / his ~ interest 그의 목하〔현재〕의 관심. ***go*** 〔***pass, run***〕 ~ 일반적으로 통용되다, 세간에 인정되고 있다, 널리 행해지다.
── *n.* ① Ⓒ 흐름 ; 해류 ; 조류 : air ~*s* 기류 / an ocean ~ 해류 / The ~ of traffic moved very slowly. 교통의 흐름은 대단히 느렸다. ② Ⓒ (여론·사상 따위의) 경향, 추세, 풍조 : the ~ of events 사건의 추이 / swim with the ~ 시류에 따르다. ③ Ⓤ,Ⓒ 전류(electric ~) : a direct ~ 직류 / an alternating ~ 교류 / switch on the ~ 전류를 통하다 / turn off the ~ 전류를 끊다.

cúrrent accóunt 당좌 예금, 당좌 계정.

cúrrent ássets 유동〔단기성〕 자산.

cur·rent·ly [kə́:rəntli, kʌ́r-] *ad.* ① 일반적으로, 널리 : It is ~ recognized that dolphins are very intelligent. 일반적으로 돌고래는 대단히 머리가 좋은 것으로 인식되고 있다. ② 현재, 지금은 : I am ~ working on the problem. 나는 지금 그 문제에 달라붙어 있다.

cur·ric·u·lar [kəríkjələr] *a.* 교육 과정의.

cur·ric·u·lum [kəríkjələm] (*pl.* **~s, -la** [-lə]) *n.* Ⓒ 커리큘럼, 교육〔교과〕 과정 ; 이수 과정.

currículum ví·tae [-váiti:] (*pl.* ***cur·ric·u·la vitae*** [-lə-]) 이력(서).

cur·rish [kə́:riʃ, kʌ́r-] *a.* ① 들개 같은 ; 딱딱거리는, 심술궂은. ② 상스러운. ㊞ **~·ly** *ad.*

cur·ry¹ [kə́:ri, kʌ́ri] *n.* ① Ⓤ 카레가루(= ∠ **pòwder**). ② Ⓒ,Ⓤ 카레요리 : ~ and rice 카레라이스. ── *vt.* …을 카레로 맛을 내다〔요리하다〕.

cur·ry² *vt.* ① (말 따위)를 빗질하다. ② (무두질한 가죽)을 다듬다. **~ *favor with*** …의 비위를 맞추다 ; …에게 빌붙다.

‡**curse** [kə:rs] (*p., pp.* **~d** [-t], 《古》 ***curst*** [-t]) *vt.* ① …을 저주하다, 악담〔모독〕하다. Ⓞⓟⓟ *bless.* ¶ The witch ~*d* the girl with horrible words. 마녀는 무서운 말로 소녀를 저주했다. ② …에게 욕설을 퍼붓다, …의 욕을 하다 : She ~*d* him for causing the accident. 그녀는 사고를 일으켰다고 해서 그에게 욕을 했다 / He ~*d* himself for his stupidity. 그는 자신의 어리석음에 화를 냈다. ③ 〔흔히 受動으로〕 …에 빌미붙다 ; …을 괴롭히다 《*with*》: We *were* ~*d with* bad weather during the tour. 우리는 여행 중 악천후로 실컷 속만 태웠다. ④ 〖宗〗 …을 파문하다. ── *vi.* 《~ / +前+名》 저주하다 ; 욕설을 퍼붓다 ; 함부로 불경한 말을 하다《*at*》: ~ *at* a person 아무를 매도(罵倒)하다 / The woman began to ~ and swear. 그 여자는 온갖 욕지거리를 다 하기 시작했다. ***Curse it !*** 제기랄, 빌어먹을. ***Curse you !*** 뒈져라.
── *n.* ① Ⓒ 저주 ; 악담, 욕설 ; 저주〔독설〕의 말 《Blast !, Deuce take it !, Damn !, Confound you ! 등》: call down 〔lay, put〕 a ~ on 〔upon〕 a person = lay a person under a ~ 아무를 저주하다 / shout ~*s* at a person 아무에게 악담을 하다 / *Curses* (, like chickens,) come home to roost. 《俗談》 저주는 (새새끼처럼) 둥지로 돌아온다, 남잡이가 제잡이. ② Ⓒ 재해, 화(禍), 불행 ; 불행〔재해〕의 씨 ; 저주받은 것, 골칫거리 : Ill health was a ~ all his life. 건강이 좋지 못한 것이 일생 동안 그의 불행의 근원이었다 / Drinking is a ~. 술은 재해의 근원. ③ Ⓒ 〖宗〗 파문. ④ (the ~) 《口》 월경(기간) : She's got *the* ~. 그녀는 월경중이다.

*__curs·ed__ [kə́:rsid, kə́:rst] *a.* ① 〔限定的〕 저주를 받은, 빌미붙은. Ⓞⓟⓟ *blessed.* ¶ Let us fly from this ~ place at once. 곧 이 저주받은 곳에서 빠져 나가자. ② 저주할, 지겨운, 지긋지긋한 : This ~ fellow ! 이런 염병할 놈 / The ~ machine stopped going again. 이 빌어먹을 기계가 또 멎었네.

curs·ed·ly [kə́:rsidli] *ad.* ① 저주받아. ② 《口》 지독하게, 지겹게도.

cur·sive [kə́:rsiv] *a.* 필기체의, 흘림으로 쓰는.
── *n.* Ⓒ 필기체 글자. ㊞ **~·ly** *ad.*

cur·sor [kə́:rsər] *n.* Ⓒ 커서《(1) 계산자·측량기기 등의 눈금이 달린 투명한 움직이는 판. (2) 깜박이, 모니터화면 위에서 입력 위치를 나타내는 이동 가능한 빛의 점》.

cur·so·ri·al [kə:rsɔ́:riəl] *a.* 〖動〗 달리기에 알맞은(발을 가진), 주행성(走行性)의 : ~ birds 주금류(走禽類)《타조·화식조 등》.

cúrsor kèy 〖컴〗 깜박이(글)쇠〔키〕, 반디(글)쇠〔키〕《키보드 상의 키의 하나. 이를 누르면 커서가 이동하게 됨》.

cur·so·ry [kə́:rsəri] *a.* 몹시 서두른, 조잡한, 엉성한 : They signed with only a ~ glance at what I had written. 그들은 내가 쓴 것을 슬쩍 한 번만 보고 서명했다. ㊞ **-ri·ly** [-rili] *ad.*

curst [kə:rst] 《古》 CURSE 의 과거·과거 분사.
── *a.* =CURSED.

curt [kə:rt] *a.* ① 간략한, 간결한. ② 무뚝뚝한, 퉁명스런 : a ~ answer 퉁명스러운 대답 / be ~ *to* a person 아무에게 무뚝뚝하다〔퉁명스럽다〕. ㊞ **∠·ly** *ad.* **∠·ness** *n.*

*__cur·tail__ [kə:rtéil] *vt.* ① …을 짧게 줄이다 ; 생략하다 ; (원고 따위)를 간략하게 하다 ; 삭감하다 : ~*ed* words 단축어 / ~ a program 예정 계획을

단축하다 / ~ government expenditure 정부 지출을 삭감하다. ②《~+목 / +목+전+명》 …을 박탈하다, 빼앗다《*of*》: ~ a person *of* his privilege 아무에게서 특권을 박탈하다.

cur·tail·ment [kəːrtéilmənt] *n.* Ⓤ,Ⓒ 줄임, 단축, 삭감.

†**cur·tain** [kə́ːrtən] *n.* ① Ⓒ 커튼, 휘장: open (close) a ~ 커튼을 열다(닫다) / draw the ~(*s*) 커튼을 잡아 당기다《대개의 경우 닫는 것을 의미함》. ② **a)** Ⓒ (극장의) 막: The ~ rises. 막이 오르다, 개막되다 / The Wright brothers raised the ~ on the age of mechanical flight. 라이트 형제는 비행기 시대의 막을 열었다. **b)** Ⓤ 개막(개연(開演)) (시간). ③ Ⓒ 막 모양의 것; 뒤덮는(가리우는) 것《*of*》: a ~ *of* mist 자욱한 안개 / a ~ *of* fire 탄막(彈幕) / a ~ *of* secrecy 비밀의 베일. ④ (*pl.*) 《俗》 죽음, 최후, 종말: If you fail this time, it'll be ~*s* for you. 이번에 실패하면 너는 끝장이다. ***behind the*** ~ 음으로, 배후에서; 비밀히; 남몰래. ***draw the*** ~ ***on*** …에 커튼을 치고 가리다, …을 (다음은 말 않고) 끝내다. ***lift the*** ~ ***on . . .*** (1) 막을 올리고 …을 보이다. (2) …을 시작하다. (3) …을 터놓고 이야기하다. ***ring up*** (***down***) ***the*** ~ 벨을 울려서 막을 올리다 (내리다); 개시를 (종말을) 고하다《*on*》. — *vt.* 《~+목 / +목+부》 …에 (장)막을 치다; …을 (장)막으로 덮다; (장)막으로 가리다(막다)《*off*》: ~*ed* windows 커튼을 친 창문 / That part of the room has been ~*ed off.* 방의 그 부분은 커튼으로 막혀 있다.

cúrtain càll 커튼 콜《한 막이 끝났을 때, 관객이 갈채하여 배우를 막 앞으로 다시 불러오는 일》.

cúrtain ràil(**ròd**) 커튼 레일《커튼을 달아 매는 막대》.

cúrtain ràiser ① 개막극《본극이 시작되기 전에 하는 짧은 극》. ② 큰 사건을 예고하는 작은 사건, 전조: For Americans Pearl Harbor was the ~ for World War Ⅱ. 미국인에게는 진주만 공격은 세계 제2차 대전을 예고하는 사건이었다.

cúrtain wàll 〖建〗 칸막이 벽《건물의 무게를 지탱하지 않는》.

*__curt·sy, curt·sey__ [kə́ːrtsi] (*pl.* ***curt·sies, -seys***) *n.* Ⓒ (여성이 무릎과 상체를 살짝 굽히고 하는) 인사, 절: make (drop, bob) a ~ (여성이) 인사(절)하다.

— (***curt·sied, curt·sy·ing ; curt·seyed, curt·sey·ing***) *vi.* (여성이) 무릎을 굽혀 인사하다《*to*》: The ladies *curtsied to* him. 숙녀들이 그에게 무릎을 굽혀 인사했다.

cur·va·ceous, -cious [kəːrvéiʃəs] *a.* 《口》 곡선미가 있는, 섹스어필하는: a ~ blonde 날씬한 금발 미인.

cur·va·ture [kə́ːrvətʃər] *n.* Ⓤ,Ⓒ ① 굴곡, 만곡(彎曲). ② 〖數〗 곡률(曲率). ③ 〖醫〗 (신체 기관의) 비정상적인 만곡: spinal ~ 척추의 만곡.

‡**curve** [kəːrv] *n.* Ⓒ ① 만곡(부), 굽음, 커브, 곡선: go round a ~ 커브를 돌다 / You must slow down for ~*s* in the road. 도로의 커브진 곳에서는 속도를 줄여야 한다 / draw a ~ 곡선을 그리다. ② **a)** 곡선 모양의 것. **b)** (제도용의) 곡선자: a French ~ 운형자. ③ 〖野〗 곡구(曲球) (curve ball). ④ 〖統〗 곡선도표, 그래프. ⑤ 〖敎〗 상대평가, 커브 평가《학생의 인원 비례에 의함》: mark on a(the) ~ 상대 평가로 평점하다. ⑥ 책략, 속임. ⑦ (흔히 *pl.*) (여성의) 곡선미: a woman with ample ~*s* 곡선미가 풍부한 여성. — *vt.* ① …을 구부리다; 만곡시키다. ② 〖野〗 …을 커브시키다. — *vi.* 《~ / +전+명》 구부러지다, 만곡하다; 곡선을 그리다: The road ~*s round* (*around*) the gas station. 길이 주유소 둘레를 돌아서 나 있다.

cúrve bàll 〖野〗 커브, 곡구(曲球).

curved [kəːrvd] *a.* 굽은, 만곡한, 곡선 모양의: a ~ line 곡선 / the ~ surface of a lens 렌즈의 만곡한 면.

cur·vi·lin·e·al, -e·ar [kəːrvilíniəl], [-niər] *a.* 곡선의(으로 된), 곡선을 이루는: *curvilinear* motion 곡선운동 / a *curvilinear* angle 곡선각.

curvy [kə́ːrvi] (***curv·i·er ; -i·est***) *a.* ① (도로 등) 구불구불 구부러진: Eileen has a ~ figure. 에일린은 자세가 굽었다. ② 곡선미의.

‡**cush·ion** [kúʃən] *n.* Ⓒ ① 쿠션, 방석; (쿠션) 베개. ② 쿠션 모양의 물건; 받침 방석; 바늘겨레 (pin-~); (스커트 허리에 대는) 허리받이. ③ 완충물, 완충재(材); 충격을 완화하는 것; 완화책(제(制))《*against*》: a ~ *against* inflation 인플레 완화책. ④ (당구대의) 쿠션. — *vt.* ① …에 쿠션을 대다; …을 방석 위에 놓(앉히)다: ~*ed* seats 쿠션이 있는 좌석. ② (충격·자극·악영향 등)을 완화시키다, 흡수하다: The thick carpet ~*ed* my fall. 두꺼운 융단이 나의 넘어진 충격을 완화해 주었다. ③ 《+목+전+명》 (…으로부터 사람)을 지키다, 보호하다《*from, against*》: We try to ~ our children *from* the hard realities of life. 우리는 아이들을 인생의 냉엄한 현실로부터 지키려고(보호하려고) 한다.

cushy [kúʃi] (***cush·i·er ; -i·est***) *a.* 《口》 ① 편한, 편하게 돈버는《일·지위 따위》: a ~ job 편한 일. ② 《美》 (좌석 따위가) 부드러운, 쾌적한.

cusp [kʌsp] *n.* Ⓒ ① 뾰족한 끝; (특히, 치아·잎 따위의) 첨단, 첨두(尖頭). ② 〖天〗 (초승달의) 끝.

cus·pid [kʌ́spid] *n.* Ⓒ 〖解〗 (특히 사람의) 송곳니 (canine tooth).

cus·pi·date [kʌ́spədèit] *a.* 첨단(尖端)이 있는, 끝이 뾰족한.

cus·pi·dor [kʌ́spədɔ̀ːr] *n.* Ⓒ 《美》 타구(唾具) (spittoon).

cuss [kʌs] 《口》 *n.* Ⓒ ① 저주, 욕설, 악담. ② 놈, 녀석, 새끼: an odd ~ 이상한 녀석. — *vt., vi.* (…을) 저주하다, 악담하다; 비방하다.

cuss·ed [kʌ́sid] *a.* 《口》 ① =CURSED. ② 심술궂은, 고집통이의. ⊕ ~·**ly** *ad.* ~·**ness** *n.*

cus·tard [kʌ́stərd] *n.* Ⓤ,Ⓒ ① 커스터드《우유·달걀·설탕 따위를 섞어 찌거나 구운 과자》. ② 커스터드소스《우유·달걀 또는 곡식 가루를 섞어 찐 단맛이 나는 소스》.

cus·to·di·al [kʌstóudiəl] *a.* 보관(보호)의; 관리인의.

cus·to·di·an [kʌstóudiən] *n.* Ⓒ ① (공공 건물 등의) 관리인; 수위. ② 후견인, 보호자.

*__cus·to·dy__ [kʌ́stədi] *n.* Ⓤ ① 보관, 관리: have (the) ~ of …을 보관(관리)하다 / The diamond ring is kept in police ~. 그 다이어몬드 반지는 경찰에 보관되어 있다. ② 보호(후견)(의 권리): The orphan is in his aunt's ~. 그 고아는 그의 숙모(백모)가 후견인이 되어 있다(보호하고 있다) / The court awarded ~ of the children to the mother. 법원에서는 아이들의 보호의 권리를 어머니에게 주었다. ③ 구류, 구치, 감금: He was taken into ~. 그는 구류되었다.

†**cus·tom** [kʌ́stəm] *n.* ① Ⓤ,Ⓒ **a)** 관습, 풍습, 관행: keep up a ~ 관습을 지키다 / follow an old ~ 구습에 따르다 / manners and ~*s* of a country 한 나라의 풍속 습관 / *Custom* makes all things easy. 《俗談》 배우기보다 익혀라. **b)** 〖法〗 관례, 관습(법). ② Ⓤ,Ⓒ (개인의) 습관, 습관적 행위《★ 이 의미로는 habit 이 일반적임》: *Custom* is second nature. 습관은 제2의 천성 / It is my ~ to take a bath in the morning. 아침에 목욕을 하는 것이 나

의 습관이다. ③ Ⓤ (상점 등에 대한 손님의) 애호, 애고(愛顧) ; 〔集合的〕 고객 : increase〔lose〕~ 단골을 늘리다〔잃다〕/ withdraw〔take away〕 one's ~ from a store 어느 가게에 단골로 다니기를 그만하다. ④ (*pl.*) 관세 : pay ~*s* on jewels 보석에 관세를 물다. ⑤ (the ~s) 〔單數 취급〕 세관 : pass〔go through〕 (*the*) ~*s* 세관을 통과하다.
as is one'***s*** ~ 여느 때처럼 : He left his house at nine exactly, *as is his* ~. 그는 여느 때처럼 정각 9시에 집을 나섰다. ── *a.* 〔限定的〕《美》(기성품에 대해) 맞춘, 주문한 : ~ clothes 맞춤 옷 (tailor-made〔made-to-measure〕 clothes) / a ~ tailor〔dressmaker〕 맞춤 전문의 양복점〔양장점〕/ a ~ car 특별 주문차.

cus·tom·ar·i·ly [kʌ̀stəmérəli / -mərili] *ad.* 습관적으로, 관례상.

‡**cus·tom·ary** [kʌ́stəmèri / -məri] *a.* 습관적인, 재래의, 통례의 ; 〖法〗 관례에 의한, 관습상의 : a ~ practice 관행 / It is ~ *for* her *to* get up early. 일찍 일어나는 것은 그녀의 습관이다 / It is ~ to tip bellboys in hotels. 호텔에서는 보이에게 팁을 주는 것이 관례이다 / a ~ law 관습법.

cus·tom-built [-bílt] *a.* =CUSTOM-MADE.

‡**cus·tom·er** [kʌ́stəmər] *n.* Ⓒ ① (가게의) 손님, 고객 ; 단골, 거래처 : a regular ~ 단골 손님 / The ~ is king〔always right〕. 손님은 왕이다〔언제나 옳다〕《고객을 소중하게 여기라는 표어》. ② 《口》〔修飾語와 함께〕 놈, 녀석 : a queer ~ 이상한 녀석 / a cool ~ 냉정한 놈.

cus·tom·house, cus·toms·house [kʌ́stəmhàus], [-təmz-] (*pl.* ***-hous·es*** [-hàuziz]) *n.* Ⓒ 세관.

cus·tom·ize [kʌ́stəmàiz] *vt.* …을 주문을 받아 만들다, 개인의 희망에 맞추다.

cus·tom-made [-méid] *a.* (기성품에 대하여) 주문품의, 맞춤의. [opp] *ready-made.* ¶ ~ furniture 주문 가구.

†**cut** [kʌt] (*p., pp.* ~ ; ∠·***ting***) *vt.* ①《~+목 / +목+보》(칼 따위로) …을 베다 : ~ one's finger 손가락을 베다 / I ~ myself on the chin while shaving. 나는 면도를 하다가 턱을 베고 말았다 / ~ something open 무엇을 절개하다.
② **a)**《~+목 / +목+목 / +목+전+명 / +목+보 / +목+부》…을 절단하다《*away* ; *off* ; *out*》; (나무)를 자르다 ; (풀·머리 등)을 깎다 ; (책의 페이지)를 자르다 ; (고기·빵 등)을 베어 가르다 : ~ the tape 테이프를 끊다 / He ~ the string *with* a pair of scissors. 그는 가위로 끈을 잘랐다 / ~ the lawn 잔디를 깎다 / *Cut* me a slice of bread. =*Cut* a slice of bread *for* me. 빵 한 조각을 잘라 줘요 / ~ the cake *in* two 케이크를 반분하다 / ~ one's hair close 머리를 짧게 깎다 / ~ *away* the dead wood *from* a tree 나무에서 죽은 가지를 치다. **b)**《+목(+up)》(이익)을 분할하다, 분배하다 : Let's ~ (*up*) the profits 60-40. 이익은 6대 4로 나누자.
③ (선 따위가 다른 선 따위)와 교차하다 ; (강 따위가) …을 가로질러 흐르다《*through*》: Draw line AB so that it ~*s* line XY at point P. 점 P에서 선분 XY와 교차하도록 선분 AB를 그으시오 / The path ~*s* a cornfield. 길은 옥수수밭을 가로지르고 있다.
④《~+목 / +목+전+명》〔~ one's 〔a〕 way의 꼴로〕(물 등)을 헤치고 나아가다《*through*》; (길)을 내다, 파다《*through*》: He ~ *his way through* the jungle *with* machete. 긴 칼을 휘둘러 정글을 헤치고 나갔다 / ~ a canal〔trench〕 운하를 개척하다〔도랑을 파다〕.
⑤《~+목 / +목+전+명》(보석)을 잘라서 갈다, 깎다 ; (상(像) 등)을 새기다, 파다 ; (천·옷)을 재단하다, 마르다 : ~ a diamond 다이아몬드를 갈다 / a figure ~ *in* stone 돌에 새긴 상(像) / He ~ his initials *on*〔*into*〕 the tree. 그는 (이름의) 머리글자를 나무에 새겼다 / ~ a dress from a pattern 본에 따라서 드레스를 재단하다.
⑥ …을 긴축하다, (값·급료)를 깎다《*down*》; (비용)을 줄이다 : ~ the pay 급료를 삭감하다 / Automation will ~ production cost. 자동화하면 생산비를 줄일 수 있을 것이다.
⑦ (이야기 따위)를 짧게 하다 ; (영화·각본 따위)를 컷〔편집〕하다 : ~ a speech 연설을〔이야기를〕 짧게 하다 / ~ bedroom scenes (영화 등의) 베드신을 컷하다.
⑧〖라디오·TV〗〔命令形〕(녹음·방송)을 그만두다, 중단하다, 컷하다《*out*》.
⑨ (두드러진 동작·태도 따위)를 보이다, 나타내다 : ~ a poor figure 초라하게 보이다.
⑩《+목+전+명》(채찍 따위로) …을 세게 치다 ; (찬 바람 따위가) …의 살을 에다 ; …의 마음을 도려내다 : The cold wind ~ me *to* the bone. 찬 바람이 뼛속까지 스며들었다 / ~ a person *to* the heart 아무에게 골수에 사무치도록 느끼게 하다.
⑪《口》…을 짐짓 모른 체하다, 몽따다, 무시하다 ; 《比》…와 관계를 끊다, 절교하다《*off*》; 《口》…을 포기〔단념〕하다 ; 《口》(회합·수업 등)을 빼먹다, 빠지다 : His friends ~ him in the street. 그의 친구들은 거리에서 그를 만나도 모른 체했다 / ~ an acquaintance 남과 절교하다 / ~ *off* a relationship 관계를 끊다 / ~ the English class 영어 수업을 빼먹다.
⑫ …을 용해하다 ; (술 따위)를 묽게 하다 : Soap ~*s* grease. 비누는 유지를 녹이는 성질이 있다.
⑬ (어린이가 새 이)를 내다 : ~ a tooth 이가 나다.
⑭〖카드놀이〗(패)를 떼다 ; (공)을 깎아치다, 컷하다.
⑮ (테이프로) …을 녹음하다.
⑯ …을 차단하다, 방해하다 ; (엔진·수도)를 끄다, 끊다《*off*》: ~ (*off*) the (supply of) gas 가스를〔의 공급을〕 끊다.
⑰ (말 따위)를 거세하다.
── *vi.* ①《+부》베어지다, (날이) 들다 : Cheese ~*s* easily with a knife. 치즈는 칼로 쉽게 베어진다〔잘라진다〕/ This knife ~*s well.* 이 칼은 잘 든다 / This razor won't ~. 이 면도는 잘 들지 않는다. ②《+전+명》곧바로 헤치고 나아가다, 뚫고 나아가다《*through*》: The ship ~ *through* the waves. 배가 파도를 헤치고 나아갔다. ③《+전+명》지름길로 가다, 가로지르다《*across*》: A truck ~ *across* the road in front of my car. 트럭 한 대가 내 차 앞을 가로질러갔다. ④《+부 / +전+명》(채찍 따위로) 세차게 치다 ; (배트 등을) 휘두르다 ; (찬바람 따위가) 살을 에다 ; 남의 감정을 해치다, 골수에 사무치다 ; 핵심을 찌르다 : The wind ~ bitterly. 바람이 살을 에는 듯 몹시 찼다 / The criticism ~ *at* me. 그 비평은 심히 견디기 어려웠다 / His insight ~ *to* the heart of the problem. 그의 통찰은 문제의 핵심을 찔렀다. ⑤《口》급히 떠나다〔가다〕, 질주하다, 도망치다 : I must ~. 나는 빨리 돌아가야 해 / He ~ *out of* the party. 그는 파티에서 살짝 모습을 감추었다. ⑥ (이가) 나다. ⑦〖카드놀이〗(패를) 떼다. ⑧ (구기에서) 공을 깎아치다. ⑨〖映〗〔흔히 命令法으로〕 촬영을 그만하다, 컷하다 : The director said "*~!*" (영화) 감독은 '컷〔촬영 그만〕'이라고 말했다.
be ~ out for 〔***to*** be, ***to*** do〕〔흔히 否定文으로〕 …에〔하기에〕 적합하다〔적임이다, 어울리다〕: He

isn't ~ *out for* business. 그는 장사에는 어울리지 않는다. ~ ***a caper* (*s*)** ⇨ CAPER[1]. ~ ***across*** (1) (들판 따위를) 질러가다. (2) …와 엇갈리다. (3) 《比》 …을 초월하다. ~ ***a dash*** ⇨ DASH. ~ ***a* (*fine*) *figure*** 두각을 나타내다, 이채를 띠다. ~ ***and run*** (1) (배가) 닻줄을 끊고 급히 출범(出帆)하다. (2) 《口》 허둥지둥 달아나다. ~ ***back*** (1) (나뭇가지 따위를) 치다. (2) (계약 따위를) 중도에서 파기하다; (생산 경비 따위를) 줄이다(reduce), 중지하다: ~ *back* expenditure on unnecessary items 불필요한 품목의 경비를 삭감하다. (3) (영화·소설 등에서, 앞에 묘사한 장면·인물 등으로) 되돌아가다, 컷백하다. cf. cutback. ~ ***both ways*** 유리·불리의 양면을 지니다, 좋은 면도 나쁜 면도 있다. ~ ***corners*** 빠른 길〔지름길〕을 택하다, 시간〔노력, 비용〕을 절감하다; 값싸게〔쉽게〕 일을 끝내다. ~ a person ***dead*** 아무를 아주 모르는 체하다. ~ ***down*** (1) (나무)를 베어 넘기다. (2) (적)을 베어 죽이다, 때려눕히다. (3) (값)을 깎다, 에누리하다《*to*》; (비용·수당)을 삭감하다. (4) (헌 옷)을 줄여 고치다, 줄이다. (5) (질병 따위가 사람)을 쓰러뜨리다: Cancer ~ him *down* in the prime of life. 그는 한창나이에 암으로 목숨을 잃었다. ~ ***. . . down to size*** (과대 평가된 사람·능력·문제 등을) 그에 상응한 수준에까지 내리다, …의 콧대를 꺾다. ~ ***in*** (1) 끼어들다; (남의 이야기 따위에) 참견하다《*on*》: Don't ~ *in on* me while I'm speaking. 내가 말하고 있을 때에 끼어들지 말아주게. (2) (사람·자동차가) 새치기하다《*on*》. (3) (춤 추는데) 춤 상대를 가로채다《*on*》. ~ ***into*** (1) (고기·케이크 등)에 칼을 대다. (2) (이야기·줄 따위)에 끼어들다, …을 방해하다. (3) (일 등이 시간을) 잡아먹다. (4) (예금 등을 하는 수 없이) 헐어서 쓰다, (이익·가치 등을) 줄이다: We had to ~ *into* our savings. 우리는 예금에 손을 대지 않을 수 없었다. ~ ***it*** (1) 《美俗》 (주어진 처지에서) 훌륭히〔잘〕 하다. (2) 《俗》 달리다, 내빼다. (3) 〔命令法〕 그만둬라, 입닥쳐. ~ ***it fine*** (돈·시간 따위를) 바짝〔최소 한도로〕 줄이다. ~ ***loose*** (1) 사슬〔구속〕을 끊고 놓아 주다; 관계를 끊다; 도망치다. (2) 《口》 거리낌없이 행동하다, 방자하게 굴다; 법석을 떨다, 통음(痛飮)하다. (3) 활동〔공격〕을 개시하다. ~ ***no ice*** 《俗》 아무런 효과도 없다. ~ ***off*** (*vt.*) (1) …을 베어〔잘라〕내다, 떼어내다; 삭제하다《*from*》. (2) …을 중단하다, (가스·수도·전기 따위)를 끊다; (수당 등)을 끊다: If this bill is not paid within five days, your gas supply will be ~ *off*. 5일 내에 이 청구서 셈을 치르지 않으면 귀하의 가스 공급은 중단됩니다. (3) (통화·연락 등)을 방해하다; (통화중) 상대의 전화를 끊다: If you are having a phone conversation and you are ~ *off*, phone the operator. 전화 통화중 끊어지면 교환원에게 전화주시오. (4) (퇴로·조망 등)을 차단하다; (사람·마을·부대 따위)를 고립시키다《*from*》: The aim was to ~ *off* the enemy's escape route. 목적은 적의 퇴로를 차단하는 것이었다. (5) (엔진 등)을 멈추다. (6) 〔흔히 受動으로〕 (병 따위가 아무)를 쓰러뜨리다: He *was* ~ *off* in the prime of manhood. 그는 한창나이에 죽었다. (7) 폐적(廢嫡)〔의절〕하다. (8) 〖野〗 (외야로부터의 공)을 컷하다. (*vi.*) (1) 서둘러 떠나다. (2) (기계가) 서다. ~ ***off*** one***'s nose to spite*** one***'s face*** 짓궂게 굴다가 오히려 자기가 손해보다, 남을 해치려다 도리어 제가 불이익을 받다. ~ ***out*** (1) 오려내다, 잘라내다《*of*》; 제외하다, 제거하다; (차량을) 분리하다. (2) 잘라서 만들다, (옷을) 재단하다. (3) 〔흔히 *pp.*〕 예정하다, 준비하다; 알맞게 하다. (4) 《比》 (아무)를 대신하다, (경쟁 상대를) 앞지르다, (상대를) 제쳐놓다, 이기다. (5) 〖海軍〗 (적의 포화를 뚫고 가서, 또는 항구 안에서 적의 배를) 나포하다; 〖카드놀이〗 (패를 떼어) 게임을 쉴 사람을 정하다, 쉬게 하다; 게임을 쉬다; 《美·Austral.》 (동물을) 그 무리에서 떼어놓다, 고르다; 《Austral.》 양털 깎기를 마치다; (활동을) 마치다, (재잘거림 등을) 그만하다; (흡연 등을) 그만두다; (앞차를 추월하려고) 차선을 벗어나다: *Cut out!* 그만둬 / ~ *out* tobacco 〔smoking〕 담배를 끊다. (6) (엔진이) 멈추다; (기계를) 세우다; (히터 따위가) 저절로 정지하다; 《Austral.》 (도로 등이) 막다르다: The helicopter crash landed when one of its two engines ~ *out*. 그 헬리콥터는 두 개의 엔진 중 하나가 멎자 불시착했다. (7) 《口》 급히 떠나다〔도망하다〕. (8) 〖印〗 컷을〔삽화를〕 넣다. (9) (침식(浸蝕)에 의하여) 형성하다. ~ ***short*** ⇨ SHORT. ~ one***'s teeth on*** ⇨ TOOTH. ~ ***up*** (1) 근절하다; 째다, 난도질하다; 분할하다; 《口》 …에게 자상을 입히다; (적군)을 괴멸시키다. (2) 《口》 매섭게 혹평하다. (3) 《口》 〔흔히 受動으로〕 (몹시) …의 마음을 아프게 하다, 슬프게 하다《*at*; *about*》. (4) (몇 벌로) 재단되다, 마를 수 있다《*into*》. (5) 《美》 (소란을) 일으키다, 장난치다. (6) 《俗》 짬짬이 시합을 하다. (7) 《美口》 까불다, 익살 떨다(clown): I hate it when Jane ~*s up* in class. 나는 제인이 수업중에 까불때 싫다. ~ ***up rough*** 〔***savage, rusty, stiff, ugly, nasty***〕 《口》 성내다; 난폭하게 굴다, 설치다.

── *a.* 〔限定的〕 ① 벤; 베인 상처가 있는; 베어낸: ~ flowers (꽃꽂이용으로) 자른〔베어 낸〕 꽃. ② 짧게 자른, 잘게 썬: ~ tobacco 살담배. ③ 새긴, 판. ④ 삭감한, 바짝 줄인, 할인한: ~ prices 할인 가격, 특가(特價). ⑤ 거세한. ⑥ 《俗》 술취한. ~ ***and dried*** 〔***dry***〕 =CUT-AND-DRIED.

── *n.* ① Ⓒ 절단; 한 번 자르기, 일격; 《美野球俗》 타격, 치기, 스윙: give a horse a ~ 말을 한 대 치다. ② Ⓒ 베인 상처: I got a ~ on the left cheek while shaving. 나는 면도를 하다가 왼편 볼에 상처를 냈다. ③ Ⓒ 단편, 절단〔삭제〕 부분. ④ Ⓒ **a**) (각본·필름 등의) 컷, 삭제; 〖映·TV〗 급격한 장면 전환, 컷: make ~*s* in a play 극본의 몇 군데〔군데군데〕를 삭제하다. **b**) (값·경비 등의) 삭감, 깎음, 할인, 임금 인하: a ~ in government spending 정부지출의 삭감 / a ~ in price(s) 값을 깎음, 가격 인하. **c**) 〖컴〗 자르기. ⑤ Ⓒ (철로의) 개착; 해자(垓字), 수로; (배경을 올리고 내리는) 무대의 홈. ⑥ Ⓒ 지름길(shortcut); 횡단로. ⑦ Ⓒ 한 조각, 고깃점, 베어낸 살점; 큰 고깃덩어리: a ~ of beef 쇠고기 한 덩어리 / a ~ of a pie 파이 한 조각. ⑧ Ⓒ 《口》 (이익·약탈품의) 배당, 몫(share): His ~ is 20%. ⑨ (*sing.*) **a**) (옷의) 재단(법): a suit of poor ~ 재단을 잘못한 옷. **b**) (조발의) 형. **c**) (사람의) 형, 종류: We need a man of his ~. 저런 타입의 인간을 원한다. ⑩ Ⓒ 목판(화); 삽화, 컷. ⑪ Ⓒ 신랄한 비꼼; 냉혹한 취급《*at*》: give a ~ *at* a person 아무의 마음을 모질게 상처 주다. ⑫ Ⓒ 《口》 **a**) (아는 사람에게) 모르는 체함: give a person the ~ 아무에게 모르는 체하다. **b**) (수업 따위의) 무단 결석, 빼먹기. ⑬ Ⓒ 〖카드놀이〗 패를 떼기, 패떼는 차례. ⑭ Ⓒ 〖球技〗 공을 깎아치기, 커트; (공의) 회전. ⑮ (*sing.*) **a**) (목재의) 벌채량. **b**) (양털 등의) 깎아낸 양, 수확량. ***a ~ above*** 〔***below***〕 《口》 …보다 한 수 위〔아래〕: *a* ~ *above* one's neighbors 이웃사람들보다 한층 높은 신분. ***make the*** ~ 목적에 도달하다; 성공하다. ***the ~ of*** a person***'s jib*** ⇨ JIB[1].

cut-and-dried, -dry [´-əndd ráid], [-drái] *a.* 틀에 박힌, 평범한 : one's *cut-and-dried* opinions 어떤 사람의 틀에 박힌〔판에 박은〕 의견.

cut-and-paste [´-əndpéist] *a.* 있는 조각으로 짜 맞춘 ; 〖컴〗 잘라붙이는.

cut·a·way [kʌ́təwèi] *a.* ① (웃옷의) 앞자락을 뒤쪽으로 어슷하게 재단한. ② (설명도 등) 안이 보이게 표층부를 잘라낸. ── *n.* Ⓒ ① 모닝코트(= ∠ **cóat**). ② 절단면《안이 보이는 설명도》.

cut·back [´-bæ̀k] *n.* Ⓒ ① 〖映〗 컷백《두 장면의 평행 묘사》. ② (생산·주문·인원 등의) 삭감, 축소 : Many factories have made production ~*s*. 많은 공장들이 생산을 축소하고 있다.

***cute** [kju:t] (*cút·er* ; *cút·est*) *a.* ①《口》 기민, 〔영리〕한, 빈틈없는 : a ~ marchant 빈틈없는 상인 / a ~ lawyer 기민한〔머리가 영리한〕 변호사. ②《口》 (아이·물건 등이) 귀여운, 예쁜 : a ~ little girl 귀여운 여자애 / a ~ watch 예쁜 시계. ③《美口》 젠체하는, 태깔스러운, 거드럭거리는, 점잔빼는 : Don't get ~ with me! 내 앞에서 젠체해 봐야 소용없네. ㊊ ∠·**ly** *ad.* ∠·**ness** *n.*

cu·ti·cle [kjú:tikl] *n.* Ⓒ ① 〖解〗 표피(表皮), 외피. ② 〖植〗 상피(上皮). ③ (손톱 뿌리 쪽의) 연한 살갗.

cu·tie, 《美》 **cut·ey** [kjú:ti] *n.* Ⓒ ① 《美口》 〔호칭으로〕 귀여운 소녀. ② 《俗》 (상대의 의표를 찌르려는) 사람〔선수〕, 모사(謀士) ; 아는 체하는 〔건방진〕 놈. ③ 《俗》 교묘한 작전 ; 책략.

cu·tis [kjú:tis] (*pl.* ~·**es**, *-tis* [-ti:z]) *n.* Ⓒ 《L.》 〖解〗 피부, 진피(眞皮).

cut·las(s) [kʌ́tləs] *n.* Ⓒ (예전에 선원 등이 사용한) 칼날이 넓고 위로 휜〔뒨〕 단도.

cut·ler [kʌ́tlər] *n.* Ⓒ (특히 식탁용의) 칼붙이 장인(匠人), 칼장수.

cut·lery [kʌ́tləri] *n.* Ⓤ 〔集合的〕 칼붙이 ; 칼 제조〔판매〕업 ; 식탁용 철물《나이프·포크 따위》 : She arranged plates and ~ on a small table. 그녀는 작은 식탁 위에 접시와 나이프, 포크, 수푼을 정돈해 놓았다.

***cut·let** [kʌ́tlit] *n.* Ⓒ (특히 소·양의) 얇게 저민 고기 ; 커틀릿 : lamb ~*s*.

cut·line [kʌ́tlàin] *n.* Ⓒ (신문·잡지의 사진 등의) 설명 문구(caption).

cut·off [´-ɔ̀:f, ´-ɑ̀f / ´-ɔ̀f] *n.* ① Ⓒ **a**) 절단, 차단. **b**) (회계의) 마감일, 결산일. ② Ⓒ 〖機〗 (파이프를 통하는 물·가스·증기 등의) 차단 장치. ③ Ⓒ 《美》 지름길, (고속 도로의) 출구. ④ (*pl.*) 컷오프《무릎 위에서 잘라내어 올을 푼 블루진 바지》. ── *a.* 마감하는.

cut·out [´-àut] *n.* Ⓒ ① 도려내기〔오려내기〕 세공 ; 오려낸 그림 ; (각본·필름 등의) 삭제 부분. ② 〖電〗 안전기(器), 개폐기.

cut-price [´-pràis] *a.* ① 할인 가격의, 특가(特價)의 : ~ goods 특가품. ② 〔限定的〕 특가품을 파는, 할인 판매하는 : a ~ store 할인 판매점.

cut·purse [´-pə̀:rs] *n.* Ⓒ 소매치기(pickpocket).

cut-rate [´-réit] *a.* 할인한 : a ~ ticket 할인표.

cut·ter [kʌ́tər] *n.* Ⓒ ① **a**) 자르는〔베는〕 사람 ; 재단사. **b**) 〖映〗 필름 편집자. ② 절단기, 재단기. ③ **a**) 군함용의 소정(小艇), 커터. **b**) 《美》 밀수 감시선, 연안 경비선.

cut·throat [kʌ́tθròut] *n.* Ⓒ ① 살인자(murderer). ② 《英》 (날 덮는 집이 없는) 서양 면도날(= **cútthroat rázor** ; 《美》 **stráight rázor**). ── *a.* 〔限定的〕 ① 살인의, 흉포한 : a ~ rogue 흉포〔흉악〕한 악한. ② (경쟁 따위가) 격렬〔치열〕한, 살인적인 : rival companies engaged in ~ competition 치열한 경쟁에 휘말린 경쟁사들 / the ~ world of professional tennis 프로테니스의 인정사정 없는 세계.

‡**cut·ting** [kʌ́tiŋ] *n.* ① Ⓤ,Ⓒ 절단, 재단, 도려〔베어〕내기 ; 벌채. ② Ⓒ 《英》 (철도 등을 위한 산중의) 깎아낸〔파서 뚫은〕 길. ③ Ⓒ 꺾꽂이 묘목, 삽목묘(插木苗) : take a ~ from a rose 장미에서 꺾꽂이 묘목을 자르다. ④ Ⓒ 《英》 (신문 등의) 오려낸 것(《美》 clipping). ⑤ Ⓤ 〖映〗 필름 편집. ── *a.* ① 〔限定的〕 (날이) 잘 드는, 예리한 : a ~ blade 예리한 (칼)날. ② (눈 등이) 날카로운. ③ (바람 등이) 살을 에는 듯한 : a ~ wind 살을 에는 듯한 찬바람. ④ (말 따위) 통렬한, 신랄한 : a ~ review 신랄한 서평.

cut·ting·ly [kʌ́tiŋli] *ad.* 살을 에는 듯이 ; 날카롭게 ; 통렬히.

cútting ròom (필름·테이프 등의) 편집실.

cut·tle [kʌ́tl] *n.* = CUTTLEFISH.

cut·tle·fish [-fiʃ] (*pl.* *-fish·es*, 〔集合的〕 *-fish*) *n.* ① Ⓒ 〖動〗 오징어. ② Ⓤ 오징어의 몸.

cút·ty sárk [kʌ́ti-] ① 《Sc.》 짧은 여성복《셔츠, 스커트, 슬립 등》. ② (C- S-) 커티 사크《스카치 위스키의 한 종류 ; 商標名》.

cut·up [kʌ́tʌ̀p] *n.* Ⓒ 《口》 개구쟁이, 장난꾸러기.

cut·wa·ter [´-wɔ̀:tər, ´-wɑ̀t-] *n.* Ⓒ ① 이물〔뱃머리〕의 물결 헤치는 부분. ② (물살이 갈라져 쉽게 흐르게 하기 위한) 교각(橋脚)의 모난 가장자리.

CVR 〖空〗 Cockpit Voice Recorder (조종실 음성 녹음기). **cwt.** hundredweight. **cy, cy.** 〖컴〗 cycle(s).

cy·an [sáiæn, -ən] *n.* Ⓤ, *a.* 청록색(의).

cy·an·ic [saiǽnik] *a.* 시안의〔을 함유한〕 : ~ acid 시안산(酸).

cy·a·nide [sáiənàid, -nid] *n.* Ⓤ 〖化〗 시안화물 ; 《특히》 청산칼리 : mercury ~ 시안화수은.

cy·a·no·sis [sàiənóusis] (*pl.* *-ses* [-si:z]) *n.* Ⓤ 〖醫〗 청색증(青色症), 치아노오제《혈액중의 산소 결핍 때문에 피부나 점막이 암자색(暗紫色)으로 변하는 상태》.

Cyb·e·le [síbəlì:] *n.* 〖그神〗 키벨레《Phrygia 의 대지(大地)의 여신》. ㊂ Rhea.

cy·ber·nate [sáibərnèit] *vt., vi.* (…을) 사이버네이션화〔인공 두뇌화〕하다, 컴퓨터로 자동 제어화(化)하다. ㊊ **-nat·ed** [-nèitid] *a.* 컴퓨터로 자동 제어화한, 인공 두뇌화한.

cy·ber·na·tion [sàibərnéiʃən] *n.* Ⓤ 사이버네이션《컴퓨터에 의한 자동 제어》.

cy·ber·net·ic, -i·cal [sàibərnétik], [-əl] *a.* 인공 두뇌학의 : ~ organism 특수 환경 적응 생체.

cy·ber·net·ics [sàibərnétiks] *n.* Ⓤ 인공 두뇌학, 사이버네틱스《제어와 전달의 이론 및 기술을 비교 연구하는 학문》.

cy·ber·pho·bia [sàibərfóubiə] *n.* Ⓤ 컴퓨터 공포증〔알레르기〕.

cy·ber·re·la·tion·ship [sàibərriléiʃənʃip] *n.* Ⓤ 컴퓨터로 메시지를 주고받아 맺는 관계.

cy·borg [sáibɔ:rg] *n.* Ⓒ 사이보그《우주 공간처럼 특수한 환경에서도 살 수 있게 신체기관의 일부가 기계로 대치된 인간·생물체》.

cy·cla·mate [síkləmeit] *n.* Ⓤ,Ⓒ 〖化〗 사이클러메이트《무영양의 인공 감미료 ; 발암성이 있으며, 일반 사용 금지》.

cy·cla·men [síkləmən, sái-, -mèn] *n.* Ⓒ 〖植〗 「시클라멘.

‡**cy·cle** [sáikl] *n.* Ⓒ ① 순환, 한 바퀴 : ⇨ BUSINESS CYCLE / the ~ theory 〖經〗 경기 순환설 / the ~ of the seasons 계절의 순환〔변동〕. ② 주기, 순환기 : on a five year ~ 5년 주기로. ③ 한 시대, 긴 세월. ④ (사시(史詩)·전설 따위의) 일군(一群) : the Arthurian ~ 아서왕의 전설집 /

the Trojan ~ 트로이 전쟁 사시 대계(大系). ⑤ 〖電〗 사이클, 주파: a current of 60 ~s 60 사이클의 전류 / ~s per second 초당〔매초〕 사이클《略; Cps, c.p.s.》. ⑥ 자전거; 3륜차(tricycle); 오토바이: by ~ 자전거〔3륜차, 오토바이〕로《★ by ~은 관사가 붙지 않음》. ⑦〖컴〗 주기, 사이클《(1) 컴퓨터의 1회 처리를 완료하는 데 필요한 최소 시간 간격. (2) 1단위로서 반복되는 일련의 컴퓨터 동작》. — *vi.* ① 순환〔윤회〕하다, 주기를 이루다. ② 자전거〔오토바이〕를 타고 가다〔여행하다〕: ~ to school 학교에 자전거를 타고가다 / ~ into town 자전거를 타고 읍내에 들어가다.

cy·cle·track, -way [sáikltræ̀k], [-wèi] *n.* Ⓒ 자전거용 도로, 자전거 길.

cy·clic, -li·cal [sáiklik, sík-], [-əl] *a.* ① 주기(周期)의, 주기적인, 순환하는; 윤전하는. ② (cyclic) 사시(史詩)〔전설〕에 관한: the ~ poets 호메로스에 이어 트로이 전쟁을 읊은 시인들 / ~ fluctuations in investment 투자의 주기적 변동. ㊞ **cý·cli·cal·ly** *ad.*

***cy·cling** [sáikliŋ] *n.* Ⓤ ① 사이클링, 자전거 타기, 자전거 여행: go ~ 자전거 여행을 가다. ② 〖競〗 자전거 경기〔경주〕.

***cy·clist** [sáiklist] *n.* Ⓒ 자전거 타는 사람〔선수〕.

cy·clone [sáikloun] *n.* Ⓒ ①《口》 선풍, 큰 회오리바람. ⓒⓕ tornado. ②〖氣〗 구풍(颶風), (인도양 방면의) 폭풍우, 사이클론《★ 열대성 저기압을 멕시코만 방면에서는 hurricane, 서태평양 방면에서는 typhoon, 인도양 방면에서는 cyclone이라고 함》.

cy·clon·ic, -i·cal [saiklánik / -klɔ́n-], [-əl] *a.* ① 사이클론〔선풍(성)〕의. ② 세찬, 강렬(強烈)한.

Cy·clo·pe·an, Cy·clop·ic [sàikləpí:ən], [saikláp ik / -lɔ́p-] *a.* ① Cyclops의〔와 같은〕. ② (종종 c-) 거대한.

cy·clo·pe·dia, -pae- [sàikloupí:diə] *n.* Ⓒ 백과 사전《★ encyclopedia의 생략형》. ㊞ **-dic** *a.* 백과 사전의; 백과적인, 여러 방면에 걸친, 다양한.

Cy·clops [sáiklaps / -klɔps] (*pl.* ***Cy·clo·pes***) [saiklóupi:z]) *n.* Ⓒ ①〖그神〗 키클롭스《외눈의 거인》. ② (c-) 외눈박이.

cy·clo·tron [sáiklətràn / -trɔ̀n] *n.* Ⓒ 〖物〗 사이클로트론《하전(荷電) 입자 가속 장치》.

cy·der [sáidər] *n.*《英》 =CIDER.

cyg·net [sígnit] *n.* Ⓒ 백조〔고니〕의 새끼.

Cyg·nus [sígnəs] *n.* 〖天〗 백조자리.

cyl. cylinder; cylindrical.

‡**cyl·in·der** [sílindər] *n.* Ⓒ ① 원통; 〖數〗 원기둥; 주면체(柱面體). ②〖機〗 실린더, 기통: a five ~ engine 5기통 엔진 / This car has six ~*s*. 이 자동차는 6기통이다. ③ (회전식 권총의) 회전 탄창(彈倉). ④〖컴〗 원통, 실린더《자기(磁氣) 디스크 장치의 기억 장소의 단위》. ***function*** 〔***click, hit, operate***〕 ***on all*** 〔***four, six***〕 ***~s*** (엔진이) 모두 가동하고 있다; 《比》 전력을 다하고 있다, 풀 가동이다. ***miss on all*** 〔***four***〕 ***~s*** 상태가 나쁘다, 저조하다.

cy·lin·dric, -i·cal [silíndrik], [-əl] *a.* 원통 (모양)의; 원주 (모양)의: a *cylindrical* tank 원통형 탱크. ㊞ **-cal·ly** *ad.*

***cym·bal** [símbəl] *n.* Ⓒ (흔히 *pl.*) 〖樂〗 심벌즈《타악기》: They sang songs to the accompaniment of drums and ~*s*. 그들은 드럼과 심벌즈에 맞추어 노래를 불렀다. ㊞ **~·ist** *n.* Ⓒ 심벌즈 연주자.

Cym·ric [kímrik, sím-] *a.* 웨일스 사람〔말〕의. — *n.* Ⓤ 웨일스 말《略: Cym.》.

***cyn·ic** [sínik] *n.* ① Ⓒ (C-) 키니코스〔견유(犬儒)〕학파의 사람. ② (the C-s) 키니코스〔견유〕학파《Antisthenes가 창시한 고대 그리스 철학의 한 파》. ③ Ⓒ 냉소하는 사람, 비꼬는 사람. — *a.* ① (C-) 키니코스학파의〔적인〕. ② =CYNICAL.

***cyn·i·cal** [sínikəl] *a.* 냉소적인, 비꼬는; 인생을 백안시하는: a ~ smile 냉소적인 웃음 / He is ~ *about* love. 그는 사랑에 대하여 냉소적이다〔참된 사랑이 있는 것을 인정하지 않는다〕. ㊞ **~·ly** *ad.*

cyn·i·cism [sínəsizəm] *n.* ① Ⓤ (C-) 견유(犬儒)주의. ② **a)** Ⓤ 냉소, 비꼬는 버릇: The mood of political ~ and despair deepened. 정치에 대한 냉소와 실망의 풍조가 깊어졌다. **b)** Ⓒ 꼬집는 말〔생각, 행위〕.

cy·no·sure [sáinəʃùər, sínə-] *n.* Ⓒ (만인의) 주목〔찬미〕의 대상.

Cyn·thia [sínθiə] *n.* ①〖그神〗 킨티아《달의 여신 Artemis 〔Diana〕의 별명》. ② Ⓤ《詩》 달.

cypher ⇨ CIPHER.

***cy·press** [sáipris] *n.* ① Ⓒ 〖植〗 삼(杉)나무의 일종; 그 가지《애도의 상징》. ② Ⓤ 그 재목.

Cyp·ri·an [sípriən] *a.* ① Cyprus의. ② 사랑의 여신 Aphrodite 〔Venus〕의. — *n.* ① Ⓒ Cyprus 사람. ② (the ~) 여신 Aphrodite 〔Venus〕《★ Cyprus인의 뜻으로는 지금은 Cypriot가 보통》.

Cyp·ri·ot, -ote [sípriət] *n.* ① Ⓒ Cyprus 사람. ② Ⓤ Cyprus 말. — *a.* =CYPRIAN.

Cy·prus [sáiprəs] *n.* 키프로스《지중해 동단의 섬·공화국; 수도 Nicosia》.

Cy·ril·lic [sirílik] *a.* 키릴 자모〔문자〕의. — *n.* (the ~) 키릴 자모(字母)《현 러시아어 자모의 모체》.

cyst [sist] *n.* Ⓒ ①〖生〗 포낭(包囊). ②〖醫〗 낭포(囊胞), 낭종(囊腫): the urinary ~ 방광.

cys·tic [sístik] *a.* ① 포낭이 있는. ②〖醫〗 방광의; 담낭의.

cýstic fibrósis 〖醫〗 낭포성 섬유증(纖維症).

cys·ti·tis [sistáitis] *n.* Ⓤ 방광염.

cy·tol·o·gist [saitálədʒist / -tɔ́l-] *n.* Ⓒ 세포학자.

cy·tol·o·gy [saitálədʒi / -tɔ́l-] *n.* Ⓤ 세포학.

cy·to·plasm [sáitouplæ̀zm] *n.* Ⓤ 〖生〗 세포질.

***czar** [zɑ:r] *n.* Ⓒ ① 황제, (종종 C-) 차르, 러시아 황제. ② 전제 군주(autocrat); 독재자. ③ 제일인자, 권위, 대가: a ~ of industry=an industrial ~ 공업왕《★ tsar, tzar라고도 씀》.

cza·ri·na [zɑ:rí:nə] *n.* Ⓒ ① (제정 러시아의) 황후. ② (제정 러시아의) 여제(女帝).

czar·ism [zá:rizəm] *n.* Ⓤ (특히 제정 러시아 황제의) 독재〔전제〕 정치.

cza·rit·za [zɑ:rítsə] *n.* =CZARINA.

***Czech, Czekh** [tʃek] *n.* ① 체코 공화국《수도는 Prague》. ② Ⓒ 체크인《Bohemia와 Moravia에 사는 슬라브 민족》. ③ Ⓤ 체크어(語). — *a.* 체코 (공화국)의; 체크인의; 체크어의.

Czech. Czechosl. Czechoslovakia.

Czech·o·slo·vak, -Slo·vak [tʃèkəslóuvɑ:k, -væk] *n.* Ⓒ, *a.* 체코슬로바키아 사람(의).

***Czech·o·slo·va·kia, -Slo·va·kia** [tʃèkəsləvá:kiə, -vǽk-] *n.* 체코슬로바키아《Bohemia, Moravia, Silesia, Slovakia로 이루어진 유럽 중부의 공화국: 1993년 체코 공화국, 슬로바키아 공화국으로 각기 분리 독립함》.

Czech·o·slo·va·ki·an [-ən] *n., a.* =CZECHOSLOVAK.

Czéch Repúblic (the ~) 체코 공화국《유럽 중부의 독립국; 1993년 체코슬로바키아가 해체되면서 분리 독립; 수도는 Prague》.

Czer·ny [tʃérni, tʃə́:rni] *n.* **Karl** ~ 체르니《오스트리아의 피아니스트; 1791-1857》.

D

D, d [di:] (*pl.* **D's, Ds, d's, ds** [-z]) ① U,C 디《영어 알파벳의 넷째 글자》. ② U,C (D)《美》 가(可)《학업 성적의 최저 합격점》: He passed algebra with a *D*. 그는 대수에 최저점으로 합격했다. ③ U,C (연속된 경우의) 네번째 사람〔것〕. ④ U 〖樂〗 라음《고정 도창법의 '레'》; 라조(調): *D* major 〔minor〕 라장조〔단조〕. ⑤ C D자형의 것: a *D* valve, D형 밸브. ⑥ U (로마 숫자의) 500: *CD*=400. ⑦ U 〖컴〗 (16 진수의) D《10 진법에서 13》.

d- [di:, dæm] ⇨ DAMN.

d' [də]《口》 do 의 간약형.

'd [d]《口》 ① 대명사(특히 I, we, you, he, she, they 뒤에 오는) had, would, should 의 간약형《보기: I'*d*》. ② 조동사 did의 간약형《보기: Where'*d* they go?》.

D density; deuterium. **D.** December; Democrat(ic); *Deus*《L.》(=God); Dutch. **d** deci-; dated; daughter; dead *or* died; degree; dele; denarius *or* denarii; diameter; dime; dividend; dollar(s); dose. **DA**《美》 District Attorney.

dab[1] [dæb] (**-bb-**) *vt.* ①《~+목/+목+전+명》…을 가볍게 대다〔두드리다〕(tap)《*with*》: ~ one's cheek *with* powder 〔a powder puff〕 볼에 분을 토닥거리며 바르다 / ~ one's eyes *with* a hankerchief 손수건을 가볍게 눈에 대다. ② (페인트·고약 등)을 아무렇게나 쓱 바르다《*on*; *on to*; *over*》: He ~*bed* paint *on* the wall. 그는 벽에 페인트를 발랐다. ── *vi.* 《+전+명》 가볍게 두드리다〔닿다, 대다〕《*with*》: ~ *at* one's face *with* a puff 분첩을 얼굴에 갖다 대다.
── *n.* ① C 가볍게 두드리기. ② C (페인트·약 따위를) 가볍게 (쓱) 바르기. ③ C《口》 소량《*of*》: a ~ *of* butter 소량의 버터. ④《英俗》 지문(指紋).

dab[2] *n.* C 〖魚〗 작은 가자미류(類).

dab[3] *n.* =DAB HAND.

***dab·ble** [dǽbəl] *vt.* (물속에서 손발)을 철벅거리다. ── *vi.* 《+전+명》 ① 물장난하다; 물장구치다: ~ *in* water 물장난을 치다. ② 장난삼아 해보다《*in*; *at*; *with*》: ~ *at* painting 재미로 그림을 그리다 / ~ *in* stock 주식에 손대다.

dab·bler [-ər] *n.* 취미삼아 하는 사람.

dab·chick [dǽbtʃìk] *n.* C 〖鳥〗 농병아리.

dáb hánd《英俗》 명인(名人)《*at*》: He's a ~ *at* chess. 그는 체스의 명수다.

DAC《美》 Development Assistance Committee (개발 원조 위원회; OECD 의 하부 기관).

da ca·po [dɑːkɑ́ːpou] *ad.*《It.》〖樂〗 처음부터 반복하여《略: D.C.》.

Dac·ca [dǽkə, dɑ́ːkə] *n.* =DHAKA.

dace [deis] (*pl.* **~s**, ~) *n.* C 〖魚〗 황어.

dachs·hund [dɑ́ːkshùnt, dǽkshùnd, dǽʃhùnd] *n.* C《G.》 닥스훈트《짧은 다리에 몸이 긴 독일산 개》.

Da·cron [déikrɑn, dǽk- / -krɔn] *n.* U《美》 데이크론《합성 섬유의 일종; 데트론; 商標名》.

dac·tyl [dǽktil] *n.* C 〖韻〗 ① (영시(英詩)의) 강약약격(強弱弱格)(´××). ② (고전시의) 장단단격(長短短格)(—⏑⏑).
㊎ **dac·tyl·ic** [dæktílik] *a.*, *n.* ~의 (시구).

dac·ty·lol·o·gy [dæ̀ktəlɑ́lədʒi / -lɔ́l-] *n.* U,C (농아자의) 수화(手話)(법), 지화(指話)법〔술〕.

***dad** [dæd] *n.* C《口》 아빠, 아버지: The children said, "Oh, *Dad* is back." and rushed to the door. 아이들은 '아빠 오셨다' 하며 문으로 뛰어갔다.

da·da(·ism) [dɑ́ːdɑː(ìzəm), dɑ́ːdə(-)] (때로 D-) *n.* U 다다이즘《허무적 예술의 한 파》.

Da·da·ist [-ist] *n.* C 다다이즘의 예술가, 다다이스트.

***dad·dy** [dǽdi] *n.* C《口》 아버지; 아빠(dad). 「cf. mammy.

dad·dy-long·legs [dæ̀dilɔ́ːŋlegz / -lɔ́ŋ-] (*pl.* ~) *n.* ①《美》 장님거미(harvestman). ②《英》 꾸정모기(crane fly).

da·do [déidou] (*pl.* **~(e)s**) *n.* C ① 〖建〗 징두리 판벽《벽면의 하부》. ② 기둥뿌리《둥근 기둥 하부의 네모난 데》.

Daed·a·lus [dédələs / díː-] *n.* 〖그神〗 다이달로스《Crete섬의 미로(迷路) 및 비행 날개를 만든 명장(名匠)》.

dae·mon [díːmən] *n.* ① 〖그神〗 다이몬《신과 인간 사이에 개재하는 이차적인 신》. ② C 수호신. ③ =DEMON ①.

dae·mon·ic [diːmɑ́nik / -mɔ́n-] *a.* =DEMONIC.

‡daf·fo·dil [dǽfədìl] *n.* ① C 〖植〗 나팔수선화. ② U 담황색.

daf·fy [dǽfi] (**daf·fi·er**; **-fi·est**) *a.*《口》 ① 어리석은(silly). ② 미친(crazy).

daft [dæft, dɑːft] *a.* ① 어리석은, 얼빠진, 미친; 발광하는. ②〔敍述的〕 (…에) 열중〔골몰〕한. ***go*** ~ 발광하다. ㊎ **´·ly** *ad.* **´·ness** *n.*

‡dag·ger [dǽgər] *n.* C ① (양날의) 단도, 단검. ② 〖印〗 칼표; 대거(†). ***at* ~*s drawn*** 몹시 적의를 품고; 견원지간의 사이로서. ***look* ~*s at*** …을 노려보다.

da·go [déigou] (*pl.* **~(e)s**) *n.* (종종 D-)《俗·蔑》 이탈리아〔스페인, 포르투갈〕(계의) 사람.

da·guerre·o·type [dəgέərətàip, -riə-] *n.* ① U (옛날의) 은판 사진술. ② C 은판 사진.

Dag·wood [dǽgwud] *n.* U,C《美俗》 (종종 d-) 대그우드 샌드위치《여러 층으로 포갠 샌드위치; Blondie의 남편 Dagwood가 직접 만드는 데서》.

***dahl·ia** [dǽljə, dɑ́ːl- / déil-] *n.* C 〖植〗 달리아; 달리아 꽃.

Dail (Eir·eann) [dɔ́ːl(έərən), dáil(-)] *n.* (the ~) 아일랜드 공화국의 하원.

†dai·ly [déili] *a.* 〔限定的〕 ① 매일의: 일상적인: ~ exercise 매일의 운동 / ~ life 일상 생활. ② 날마다의, 일당으로 하는: a ~ wage 일당 / in ~ installments 일부(日賦)로 / ~ interest 일변(日邊). ③ (신문 등) 일간의: a ~ (news)paper 일간 신문.
── (*pl.* **-lies**) *n.* C ① 일간 신문. ②《英》 통근하는 파출부(=´ **hélp**). ── *ad.* 매일, 날마다.

dáily bréad (흔히 one's ~) 그날그날 필요한 양식, 생계: earn *one's* ~ 생활비를 벌다.

dáily dózen (one's ~, the ~)《口》 매일 (아침)의 체조《원래 12 종으로 구성했음》: do *one's* ~ 일과인 체조를 하다.

‡dain·ty [déinti] *a.* ① 우미한, 고상한, 미려한: a ~ dress 우아한 옷 / ~ flowers 아름다운 꽃. ②

맛좋은 : a ~ dish 맛있는 요리. ③ (기호가) 까다로운, 사치를 좋아하는, (음식을) 가리는《*about*》: a ~ eater 음식에 까다로운 사람 / be ~ *about* one's food 식성이 까다롭다.
— *n.* [C] 맛좋은 것, 진미(珍味).
[파] **-ti·ly** [-tili] *ad.* **-ti·ness** [-tinis] *n.*

dai·qui·ri [dáikəri, dǽk-] *n.* [U,C] 다이커리《칵테일의 일종 ; 럼·설탕·레몬즙을 섞어 만듦》.

‡**dairy** [dɛ́əri] *n.* [C] ① (농장 안의) 착유장 ; 버터·치즈 제조장. ② 우유〔버터〕 판매점. — *a.* 〔限定的〕 낙농의 : ~ products 낙농〔유〕제품 / a ~ farmer 낙농업자 / ~ farming 낙농업.

dáiry càttle 〔集合的 ; 複數 취급〕 젖소. [cf.] beef cattle.

dáiry còw 젖소.

dáiry fàrm 낙농장.

dair·y·maid [-mèid] *n.* [C] 낙농장에서 일하는 여자, 젖짜는 여자.

dair·y·man [-mən] (*pl.* **-men** [-mən]) *n.* [C] ① 낙농장 일꾼. ② 우유 장수 ; 낙농제품 판매업자.

da·is [déiis, dái-] *n.* [C] (흔히 *sing.*) ① (홀 등의) 상단(上段). ② (강당의) 연단.

‡**dai·sy** [déizi] *n.* [C] ① 데이지 (《美》 English ~) ; 프랑스 국화(=**óxeye** ∠). ② 《俗》 훌륭한〔제 1 급의〕 물건〔사람〕, 일품, 귀여운 여자. ***(as) fresh as a*** ~ 발랄하여, 매우 신선하여. ***push up (the) daisies*** 《俗》 죽다, 죽어서 매장되다.

dáisy chàin ① 데이지 화환《아이들이 목걸이로 함》. ② 일련의 관련된 사건.

Da·kar [dɑːkɑ́ːr] *n.* 다카르《Senegal 의 수도》.

Da·ko·ta [dəkóutə] *n.* ① (the ~s) 다코타《미국의 중북부 지역명 ; North Dakota 와 South Dakota의 두 주 ; 略 : Dak.》. ② **a**) (the ~(s)) 다코타 족(族)《Great Plains 에 거주하는 아메리카 인디언의 일부》. **b**) [C] 다코타족 사람.

Da·lai La·ma [dɑ́ːlailɑ́ːmə] ⇨ LAMA.

***dale** [deil] *n.* [C] 《詩·北英》(구릉 지대 등의 널찍한) 골짜기. [cf.] vale, valley.

Dal·las [dǽləs] *n.* 댈러스《미국 Texas 주 북동부의 도시》.

dal·li·ance [dǽliəns] *n.* [U,C] ① (남녀간의) 희롱, 장난, 농탕(flirtation). ② 빈들거림.

dal·ly [dǽli] *vi.* 《~ / +[전]+[명]》 ① **a**) (생각·문제 등을) 우물쭈물하다《*with*》: Bob *dallied with* the offer for days. 보브는 며칠이나 그 제안을 두고 꾸물거렸다. **b**) (이성과) 농탕치다 : ~ *with* a lover. ② 빈들거리다 ; (시간 따위를) 허비하다《*over*》: Don't stand ~*ing*. 빨리빨리 해라 / ~ *over* one's work 흥뚱항뚱하게 일하다.
— *vt.* 《+[목]+[부]》 (시간 따위)를 낭비하다, 헛되이하다《*away*》: ~ *away* one's chance 호기(好機)를 헛되이 놓치다. [파] **dál·li·er** *n.*

Dal·ma·tian [dælméiʃiən] *n.* [C] (흔히 d-) 달마티아 개(=∠ **dóg**)《흰 바탕에 검거나 적갈색의 작은 반점이 있는 큰 개》.

‡**dam**[1] [dæm] *n.* [C] 댐, 둑 : the Hoover *Dam* 후버댐 / build a ~ across the river 강을 가로질러 댐을 건설하다. — (**-mm-**) *vt.* 《~+[목] / +[목]+[부]》 ① …에 댐을 건설하다 ; (흐름)을 둑으로 막다 : ~ off the flow of the river 강의 흐름을 댐으로 막다. ② (감정 따위)를 억누르다《*in ; up ; back*》: ~ *back* one's tears 눈물을 참다 / ~ *up* one's anger 분노를 억누르다.

dam[2] *n.* [C] (특히 네발짐승의) 어미. [cf.] sire.

‡**dam·age** [dǽmidʒ] *n.* ① [U] 손해, 손상, 피해 (injury) : do〔cause〕~ to …에 손해〔피해〕를 끼치다 / The storm did considerable ~ to the crops. 폭풍은 농작물에 상당한 피해를 주었다. ② (the ~(s)) 《口》 대가(代價), 비용(cost)《*for*》: What's *the* ~*?* 비용은 얼마냐〔얼마나 주면 되겠소〕. ③ (*pl.*) 〖法〗 손해액, 배상금 : claim〔pay〕 ~*s* 손해배상을 요구〔지불〕하다. — *vt.* ① …에 손해를 입히다, (건강)을 해치다 : Severe frost ~*s* fruit. 심한 서리는 과일에 해를 준다 / Too much drinking can ~ your health. 과음은 네 건강을 해칠 수 있다. ② (남의 명예·체면)을 손상시키다 : ~ one's reputation.
— *vi.* 손해를〔손상을〕 입다. ★ damage는 '물건'의 손상, '사람·동물'의 손상은 injure.

dam·ag·ing [dǽmidʒiŋ] *a.* ① 손해〔피해〕를 입히는, 해로운. ② (법적으로) 불리한 : a ~ statement 불리한 진술 / ~ evidence 불리한 증거.

dam·a·scene [dǽməsìːn, ⌐-⌐] *a.* (강철이) 물결무늬가 있는.

Da·mas·cus [dəmǽskəs, -mɑ́ːs-] *n.* 다마스쿠스《Syria의 수도》.

dam·ask [dǽməsk] *n.* [U], *a.* ① 단자(緞子)(의), 능직(綾織)(의). ② 연분홍색(의).

dámask róse ① 다마스크 로즈《향기로운 연분홍색 장미의 일종》. ② 연분홍색.

dame [deim] *n.* ① [C] **a**) (특히 남성의 희극역을 하는) 중년 여자. **b**) 《美俗》 여자 : an old ~ 노부인. ② 《英》 (D-) knight 에 맞먹는 작위가 수여된 여자의 존칭 ; knight 또는 baronet의 부인의 정식 존칭. ③ (D-) (자연·운명 등) 여성으로 의인화된 것에 붙이는 존칭 : *Dame* Fortune〔Nature〕 운명〔자연〕의 여신.

dam·mit [dǽmit] *int.* 《口》 염병할, 빌어먹을 (damn it).

‡**damn** [dæm] *vt.* ① …을 비난하다, 매도하다 ; 악평하다 : The reviewers ~*ed* his new novel. 비평가들은 그의 신작 소설을 혹평했다. ② …을 (damn 이라 하며) 욕지거리하다 : He ~ his men right and left. 그는 부하들을 마구잡이로 호통쳤다. ③ (신이 사람)을 지옥에 떨어뜨리다, 벌주다 ; 저주하다. ④ 〔感歎詞的〕 제기랄, 젠장칠 : *Damn* the flies! 젠장칠 파리 같으니 / *Damn* you!=God ~ you! 이 염병할 놈아. — *vi.* '제기랄, 젠장맞을'하고 매도하다《★ damn 을 속어로 여겨 그냥 d—n [dæm, diːn] 또는 d—[diː, dæm]이라 말하기도 함》. ***Damn it !*** 빌어먹을〔염병할〕 것 같으니. ~ ***with faint praise*** 치살리는 체하면서 비난하다. ***I'll be*** 〔***I am***〕 ~***ed if*** ***. . .*** 〔否定을 강조〕 절대로 …않다 : *I'll be* ~*ed if* I('ll) do such a thing. 그 따위 짓은 절대로 않겠다. ***(Well,) I'll be*** ~***ed !*** 《口》 저런, 어머나, 허《놀람·초조·노염 따위를 나타내는 감탄사》.
— *n.* ① [C] damn 이라고 말하기, 저주, 매도. ② 《口》 (a ~) 〔否定語와 함께〕 조금도 (않다) : do *not* care *a* ~ =do*n't* give *a* ~ 《口》 조금도 개의치 않다 / *not* worth *a* ~ 한푼의 가치도 없는.
— *a., ad.* 《口》 =DAMNED : ~ cold 지독히 추운. ***a*** ~ ***thing*** 《俗》 =ANYTHING. ~ ***all*** 《英俗》 아무것도 …않다 : You'll get ~ *all* from him. 그에게서 아무것도 얻을 게 없다. ~ ***well*** 《俗》 확실히 (certainly).

dam·na·ble [dǽmnəbəl] *a.* ① 지옥에 갈. ② 《口》 가증한, 지겨운 ; 지독한 : ~ weather 지독한 날씨 / a ~ liar 형편없는 거짓말쟁이.
[파] **-bly** [-bəli] *ad.* 언어 도단으로 ; 《口》 지독하게 : *damnably* unkind 아주 불친절한.

dam·na·tion [dæmnéiʃən] *n.* ① [U,C] 비난, 악평《*of*》. ② [U] 지옥에 떨어뜨림, 천벌 ; 파멸(ruin) : (May) ~ take you! 이 벼락맞을 놈. — *int.* 이 뿔싸, 빌어먹을, 첫.

dam·na·to·ry [dǽmnətɔ̀ːri / -təri] *a.* 저주의 ; 파멸적인 ; 비난의(condemning).

damned** [dæmd, 《詩》 dǽmnid] (∠·er*** ; ∠·***est***, ***dámnd·est***) *a.* ① **a**) 저주받은. **b**) (the ~) 〔名詞的 ; 複數 취급〕 지옥의 망자들. ② 〔종종 d—d

라고 써서 [di:d, dæmd]라발음)《口》 지겨운, 지독한: None of your ~ nonsense! 시시한 소리 작작 해라 / You ~ fool! 이 천치바보야. — *ad.* 〔強意語〕《口》 지독하게, 몹시: It's ~ hot. 지독하게 덥다.

damned·est, damnd·est [dǽmdist] *n.* (one's ~) 최선, 최대한. ***do* 〔*try*〕 *one's* ~** 최선을 다하다. — *a.* 〔限定的〕(the ~) 매우 놀라운, 아주 이상한: That's *the* ~ story I ever heard. 그런 얘기는 난생 처음 듣는다.

damn·ing [dǽmiŋ, dǽmniŋ] *a.* 파멸적인; (증거 등이) 죄를 모면할 수 없는: The evidence is ~ against her. 그 증거는 그녀에게 아주 불리하다.

Dam·o·cles [dǽməkli:z] *n.* 〖그神〗 Syracuse 의 왕 Dionysius 의 신하. ***the sword of* ~=~' *sword*** 신변에 따라다니는 위험《Dionysius왕이 연석에서 Damocles 머리 위에 머리카락 하나로 칼을 매달아, 왕위에 따르는 위험을 보여준 일에서》.

Da·mon and Pyth·i·as [déimənəndpíθiəs] 막역한 벗, 둘도 없는 친구.

‡damp [dæmp] *a.* 축축한, 습한, 습기찬: ~ air 〔weather〕 습한 공기〔날씨〕/ a ~ cloth 축축한 천/Don't put that ~ towel into the bag. 그 젖은 수건을 가방에 넣지 마라. — *n.* Ⓤ ① 습기; 물기: catch a chill in the evening ~ 저녁의 습기로 한기를 느끼다. ② 기세를 꺾는 것〔일〕; 실의, 낙담《*over*》: cast a ~ *over* a person 아무의 기세를 꺾다. — *vt.* ① …을 적시다, 축이다. ②《~+목/+목+뿐》 (기)를 꺾다, 좌절시키다; 낙담시키다: The rain ~*ed* the player's enthusiasm. 비가 선수들의 열기를 꺾었다. ③ (불·소리 등)을 약하게 하다, 끄다, (불)을 잿속에 묻다《*down*》: ~ a fire 불을 끄다 / ~ *down* an agitation 소동을 가라앉히다. ④〖樂〗(현(絃) 따위)의 진동을 멈추게 하다. — *vi.*〖園藝〗(식물이) 습기 때문에 썩다《*off*》. ㊞ **∠·ly** *ad.* **∠·ness** *n.* 습기.

dámp còurse 〖建〗 벽 속 하단부의 방습층.

damp·en [dǽmpən] *vt.* ① …을 축이다. ② …을 풀이 죽게 하다, 기를 꺾다: The bad weather has ~*ed* her spirits. 궂은 날씨로 그녀는 풀이 죽었다. — *vi.* 축축해지다; 기죽다.

damp·er [dǽmpər] *n.* Ⓒ ① 헐뜯는〔기를 꺾는〕 사람〔것〕; 악평, 야료, 생트집: put a ~ on the show 쇼의 흥을 깨다. ② (난로 따위의) 바람문, 통풍 조절판(瓣), 댐퍼. ③ **a)** (피아노의) 소음 장치, 댐퍼. **b)** (바이올린의) 약음기(弱音器). **c)** (자동차의) 댐퍼, 충격 흡수 장치. — *vt.*《口》…의 흥을 깨다.

damp·proof [dǽmpprù:f] *a.* 습기를 막는, 방습성의.

dámp squíb《英口》불발로 끝난〔헛짚은〕 계획.

dam·sel [dǽmzəl] *n.* Ⓒ《古·詩》처녀.

dam·sel·fly [dǽmzəlflài] *n.* Ⓒ〖蟲〗실잠자리.

dam·son [dǽmzən] *n.* Ⓒ〖植〗서양자두(나무).

Dan [dæn] *n.* 댄《남자 이름; Daniel 의 애칭》.

†dance [dæns, da:ns] *vi.* ①《~/+전+명》 춤추다《*with*》: go *dancing* 춤추러 가다 / I ~*d with* her to the piano music. 피아노곡에 맞춰 그녀와 춤을 추었다. ②《~/+뿐》 뛰어 돌아다니다, 기뻐서 껑충껑충 뛰다; (파도·나뭇잎 등이) 흔들리다: ~ *about* for joy 기뻐 날뛰다 / ~ *with* anger 분해서 펄펄 뛰다 / ~ *up* and *down* 뛰어 돌아다니다 / leaves *dancing* in the wind 바람에 흔들리는 나뭇잎. — *vt.* ① (어떤 춤)을 추다: ~ a〔the〕 waltz 왈츠를 추다. ② (아무)를 춤추게 하다, …을 리드하다; (아이)를 춤추듯 어르다: ~ a baby on one's knee 아이를 무릎에 태워 어르다. ③《+목+보/+목+전+명/+목+뿐》 (…이 될 때까지) 춤추게 하다: ~ a person weary 아무가 녹초가 되도록 춤의 상대를 시키다 / ~ the night *away* 밤새도록 춤추다 / ~ the new year *in*=~ *in* the new year 춤추며 새해를 맞이하다. **~ *attendance on* 〔*upon*〕** …의 뒤를 따라다니다, …의 비위를 맞추다. **~ *to* a person*'s pipe* 〔*tune, whistle*〕** 남이 시키는 대로 행동하다. — *n.* ① Ⓒ **a)** 댄스, 춤: a social ~ 사교 댄스 / I did a ~. 나는 춤을 추었다. **b)** 댄스곡. ② Ⓒ 댄스파티(dancing party); 무도회《★ 영어로는 다른 파티(a cocktail party 등)와 구별하는 경우 아니면 a dance party 라고 하지 않음》: go to a ~ 댄스파티에 가다 / give a ~ 무도회를 개최(開催)하다 / It was a great ~. 굉장한 댄스파티였다. ***lead* a person *a* (*pretty, merry*) ~** 남을 여기저기 끌고 다니다 〔계속 애먹이다〕.

dance·a·ble [dǽnsəbəl, dá:ns-] *a.* (곡 등이) 댄스〔춤〕에 적합한, 댄스용의.

dánce hàll 댄스홀.

‡danc·er [dǽnsər, dá:ns-] *n.* Ⓒ ① 춤추는 사람, 무용가: She is a good ~. 그녀는 춤을 잘 춘다. ② (직업적인) 댄서, 무희, 무용가: a ballet ~.

danc·er·cise [dǽnsərsàiz, dá:nsə-] *n.* Ⓤ《美》(fitness를 위한) 격렬한 댄스 운동.

***dan·de·li·on** [dǽndəlàiən] *n.* Ⓒ〖植〗민들레.

dan·der [dǽndər] *n.* Ⓤ《口》노여움, 분노(temper). ***get* one*'s* 〔a person*'s*〕 ~ *up***《口》성내다〔아무를 성나게 하다〕.

dan·di·fied [dǽndifàid] *a.* 번드르르하게 차린; 멋부린.

dan·dle [dǽndl] *vt.* (갓난 아이)를 안고 어르다; 귀여워하다.

dan·druff, -driff [dǽndrəf], [-drif] *n.* Ⓤ 비듬.

dan·dy** [dǽndi] *n.* Ⓒ ① 멋쟁이; 댄디. ②《口》훌륭한 물건, 일품. — (-di·er; -di·est***) *a.*《口》굉장한, 일류의.

dándy brùsh (말 손질에 쓰는 빳빳한) 솔.

***Dane** [dein] *n.* ① Ⓒ 덴마크 사람. ② **a)** (the ~s)〖英史〗데인족(族)《9-11 세기경 영국에 침입한 북유럽인》. **b)** Ⓒ 데인족의 사람.

†dan·ger [déindʒər] *n.* ① Ⓤ,Ⓒ 위험 (상태), 위난(peril): the ~*s* of a polar expedition 북극 탐험에 따르는 위험 / His life is in ~. 그는 위독하다〔생명이 위험하다〕/ *Danger* past, God forgotten.《俗談》뒷간에 갈 적 마음 다르고 올 적 마음 다르다. ② Ⓒ 위험 인물; 위험물, 위협; 장애물: He is a ~ to the government. 그는 정부에 위험 인물이다 / the ~ of drug abuse 약 남용의 위험. ***at* ~** (신호가) 위험을 나타내어. ***be in* ~ *of*** …의 위험이 있다: He *is in* ~ *of* losing the use of his right eye. 그는 오른쪽 눈을 실명할 우려가 있다. ***out of* ~** 위험을 벗어나서: The patience is *out of* ~ now. 환자는 이제 고비를 넘겼다.

dánger lìst《口》중증 입원 환자 명부: on the ~ 중태로; 위독하여.

dánger mòney《英》위험 수당.

†dan·ger·ous [déindʒərəs] (***more* ~; *most* ~**) *a.* 위험한, 위태로운: a ~ drug 마약 / a ~ road / A little learning is a ~ thing.《俗談》선무당이 사람 잡는다 / Smoking is ~ *to* health. 흡연은 건강에 해롭다 / The man looks ~. 그 남자는 인상이 험악하다.
㊞ ***~·ly** *ad.* ① 위험하게. ② 위험할 정도로: be ~*ly* ill 위독하다. **~·ness** *n.*

***dan·gle** [dǽŋgəl] *vi.*《+전+명》① 매달리다, 흔들흔들하다《*from*》: ~ *from* the ceiling 천장에 매달려 있다. ② 붙어다니다, 좇아다니다《*about; after; around*》: ~ *after* a girl 여자 뒤꽁무니를

따라다니다. ── *vt.* ①…을 매달다: ~ one's legs in the water 물속에 발을 늘어뜨리다. ② (유혹물)을 자랑삼아 보이다: ~ a carrot before a horse 말에게 당근을 내보이다. ***keep*** a person ***dangling*** 아무에게 확실한 것을 알리지 않고 두다, 아무를 애타게 하다.

dán·gling párticiple [dǽŋgliŋ-] 〖文法〗 현수(懸垂)분사《participle의 의미상의 주어가 주절의 주어와 같지 않은 분사; 보기: *Coming to the river,* the bridge was gone. 강에 와 보니 다리는 없었다》.

Dan·iel [dǽnjəl] *n.* ① 남자 이름. ② 〖聖〗 다니엘 《히브리의 예언자》; 다니엘서《구약성서 중의 한 편》. ③ Ⓒ (다니엘 같은) 명재판관.

***Dan·ish** [déiniʃ] *a.* 덴마크(사람·어)의. ── *n.* ① Ⓤ 덴마크 어. ② =DANISH PASTRY. cf. Dane.

Dánish pástry 과일·땅콩 등을 가미한 파이 비슷한 과자빵.

dank [dæŋk] *a.* (차갑고) 축축한, 몹시 습한: a ~ basement 차갑고 습한 지하실.

Dan·ny [dǽni] *n.* 대니《남자 이름; Daniel의 애칭》.

***Dan·te** [dǽnti] *n.* ~ **Alighieri** 단테《이탈리아의 시인; 1265-1321; *La Divina Commedia* (신곡)의 작자》.

***Dan·ube** [dǽnju:b] *n.* (the ~) 다뉴브 강《남서 독일에서 흘러 흑해로 들어감; 독일명 Donau》.

Daph·ne [dǽfni] *n.* ① 대프니《여자 이름》. ② 〖그神〗 다프네《Apollo에게 쫓기어 월계수가 된 요정》. ③ Ⓒ (d-) 〖植〗 월계수; 팥꽃나무.

dap·per [dǽpər] *a.* (작은 몸집의 남자가) 말쑥한, 단정한; (동작이) 날렵한: a ~ little man 작은 몸집의 동작이 잰 사람.

dap·ple [dǽpəl] *n.* ① Ⓒ,Ⓤ 얼룩. ② Ⓒ 얼룩이 《말·사슴 따위》. ── *a.* 얼룩진; 얼룩이 있는. ── *vt., vi.* …을[이] 얼룩지게 하다[되다].

dap·pled [dǽpəld] *a.* 얼룩진, 얼룩덜룩한: a ~ horse 얼룩말 / the ~ shade of a maple 드문드문 햇살이 든 단풍나무 그늘.

dap·ple-gray, -grey [dǽpəlgréi] *n.* Ⓒ, *a.* 회색의 검은 돈점박이 말(의).

Dar·by and Joan [dá:rbiəndʒóun] *n.* 〔複數취급〕 금실 좋은 노(老)부부《옛 노래에서》.

Dar·da·nelles [dà:rdənélz] *n.* (the ~) 다르다넬스 해협《Marmara 해와 에게 해 사이를 연결하는 유럽·아시아 대륙간의 해협》.

‡**dare** [dɛər] (*p.* **~d,** 《古》 ***durst*** [də:rst]) *aux. v.* 감히 …하다, 대담하게〔뻔뻔스럽게도〕 …하다: *Dare* he do it? 감히 할 수 있을까 / I ~*n't* go there. 난 거기에 갈 용기가 없다 / *Dare* you fight me? 그래, 나와 한판 붙을테냐 / *Dare* he admit it? 그가 그걸 인정해줄까.

> 用法 to 없는 부정사와 함께 특히 부정문·의문문에 쓰이며, 3인칭 단수 현재형은 dares가 아니고 dare임. 부정형 daren't는 현재·과거·미래형으로서도 쓰임《다만 과거형으로는 daren't 보다 didn't *dare* (to)가 최근에 흔히 쓰임》.

How ~ you...! 〔*?*〕 감히〔뻔뻔스럽게도〕 …하다니: *How ~ you* speak to me like that? 어떻게 감히 내게 그런 소릴 하느냐.

── (**~d,** 《古》 ***durst ; ~d***) *vt.* ① 《+*to* do》 감히 …하다, 대담하게〔뻔뻔스럽게도〕 …하다, …할 수 있다: He ~*d to* doubt my sincerity. 무례하게도 그는 나의 성실을 의심했다 / Don't (you) ~ go into my room! 내 방에 들어오는(뻔뻔한) 일은 절대로 없어야 한다. ★ 본동사로서의 dare는 부정·의문에 do를 취함. dare 다음에는 to 부정사나 to 없는 부정사 모두 쓰임. ② **a**) (위험 등)을 무릅쓰다, 부딪쳐 나가다: He was ready to ~ any danger. 어떠한 위험도 무릅쓸 각오가 되어 있었다 / I will ~ your anger and say. 네가 화낼 것을 각오하고 말하겠다. **b**) (새로운 일 등)을 모험적으로 해보다: He ~*d* a dive he had never before attempted. 그는 여태까지 해본 적이 없는 다이빙을 과감하게 해보았다. ③ 《+목+*to* do / +목+전+명》 …에 도전하다, …에게 할 수 있거든 …해 보라고 하다: I ~ you *to* jump from this wall. 이 담에서 뛰어내릴 수 있으면 뛰어내려 봐 / He ~*d* me *to* a fight. 덤빌테면 덤비라고 나에게 도전했다. ── *vi* (…할) 용기가 있다: Let him try it if he ~. 그가 할 수 있다면 하게 해라. ***Don't you ~! = Just you ~!*** 그만 둬라. ── *n.* Ⓒ 감히 함, 도전: take a ~ 도전에 응하다.

dare·dev·il [dɛ́ərdèvəl] *n.* Ⓒ 무모한〔물불을 안 가리는〕 사람. ── *a.* 〔限定的〕 무모한.

daren't [dɛərnt] dare not의 간약형.

dare·say [dɛ̀ərséi] *vi., vt.* 〔I를 主語로 하여〕 아마 …일 것이다. cf. dare. ¶ *I* ~ we will soon be finished. 아마 곧 끝날 것이다 / *I* ~ that's true. =That's true, *I* ~. 아아 그건 사실이겠지.

‡**dar·ing** [dɛ́əriŋ] *n.* Ⓤ 대담 무쌍, 호담(豪膽). ── *a.* 대담한, 용감한; 앞뒤를 가리지 않는; 참신한: a ~ act 대담한 행동 / Her neckline is rather ~. 그녀의 네크라인은 꽤 대담하다 / a ~ idea 참신한 생각. 파 **~·ly** *ad.*

Dar·jee·ling [da:rdʒí:liŋ] *n.* Ⓤ 다르질링 홍차 (=∠ **téa**)《인도 동부 다르질링산의 고급 홍차》.

†**dark** [da:rk] (***∠·er ; ∠·est***) *a.* ① 어두운, 암흑의. opp. *light.* ¶ a ~ room 〔alley〕 어두운 방〔뒷골목〕 / It is getting ~. 날이 어두워진다. ② 거무스름한; (피부·머리털·눈이) 검은(brunette); 가무잡잡한: a ~-skinned woman 피부가 가무잡잡한 여인 / a ~ suit 검은 옷. ③ (색이) 짙은: (a) ~ green 진초록. ④ 비밀의; (문구 따위가) 모호한, 알기 어려운: keep one's purpose ~ 목적을 비밀로 해두다 / a ~ passage 이해하기 어려운 한 구절. ⑤ 무지한, 어리석은: the ~*est* ignorance 일자 무식 / ~ souls 어리석은 자들. ⑥ (안색이) 흐린, 슬픈 듯한; (사태가) 음울한, 암담한: have a ~ expression on one's face 어두운〔우울한〕 얼굴을 하고 있다 / *Dark* days lie ahead. 전도는 암담하다 / His face went ~. 표정이 어두워졌다. ⑦ 사악한, 음험한: ~ deeds 나쁜 짓, 비행 / ~ designs 〔plots〕 흉계.

── *n.* ① (the ~) 암흑, 어둠: Cats can see in *the* ~ 고양이는 어둠 속에서도 볼 수 있다. ② Ⓤ 땅거미(nightfall), 밤: *Dark* fell over the countryside. 시골에 밤이 찾아왔다. ③ Ⓤ,Ⓒ 어두운 색; 어두운 부분〔장소〕, 음영(陰影): lights and ~*s* (그림의) 명암. ***in the ~*** 어둠 속에(서); 비밀히〔로〕; (…을) 알지 못하고: keep the thing *in the* ~ 일을 비밀로 하다.

Dárk Áges (the ~) (중세) 암흑 시대.

‡**dark·en** [dá:rkən] *vt.* ① …을 어둡게 하다; 거뭇하게 하다: She flicked the switch and ~*ed* the room. 그녀는 스위치를 꺼서 방을 어둡게 했다 / The stage lights were slowly ~*ed*. 무대 조명이 서서히 어두워졌다. ② …을 애매하게 하다. ③ (마음·얼굴 등)을 우울〔험악〕하게 하다: Anxiety ~*ed* his face. 근심으로 그의 안색이 흐려졌다. ── *vi.* ① 어두워지다: ~*ing* skies 어두워지는 하늘. ② (얼굴 등이) 우울〔험악〕해지다: His face ~*ed* with anger. 분노로 그의 얼굴이 험악해졌다. ~ a person***'s door*** (***s***) 〔***the door***〕 〔흔히 否定文〕 아무를 방문하다: Don't 〔*Never*〕

~ *my door(s)* again. 내 집에 두 번 다시 발을 들여놓지 마라.

dark·ey, dark·ie [dɑ́ːrki] *n.* =DARKY.

dárk glásses 선글라스.

dárk hórse 다크 호스(경마 · 경기 · 선거 따위에서 뜻밖의 유력한 경쟁 상대).

dark·ie [dɑ́ːrki] *n.* =DARKY.

dark·ish [dɑ́ːrkiʃ] *a.* 어스름한 ; 거무스름한.

dark·ling [dɑ́ːrkliŋ] *ad., a.* 《詩》 어둠 속에[의].

***dark·ly** [dɑ́ːrkli] *ad.* ① 어둡게 ; 검게. ② 음침[험악]하게 : She looked at me ~. 그녀는 험한 눈길로 나를 보았다. ③ 막연히, 넌지시, 어렴풋하게 ; 희미하게.

‡dark·ness [dɑ́ːrknis] *n.* Ⓤ ① 암흑, 검음 : The cellar was in complete ~. 지하실은 칠흑같은 암흑이었다. ② 무지 ; 미개 ; 맹목. ③ 속 검음. ④ 애매, 불명료 : All of his past is ~. 그의 과거는 일체 불분명하다.

dark·room [-rù(ː)m] *n.* Ⓒ 〖寫〗 암실.

darky [dɑ́ːrki] *n.* Ⓒ 《口 · 蔑》 검둥이.

‡dar·ling [dɑ́ːrliŋ] *n.* Ⓒ 가장 사랑하는 사람 ; 귀여운 사람 ; 소중한 것 : She is papa's ~. 그녀는 아버지의 귀동딸이다 / the ~ of fortune 운명의 총아(寵兒) / the ~ of his heart 그의 애인. ***My ~!*** 여보, 당신, 얘야(부부 · 연인끼리 또는 자식에 대한 애칭). — *a.* 〔限定的〕 ① 마음에 드는 ; 가장 사랑하는 ; 귀여운. cf. dear. ¶ one's ~ child. ② 《口》 훌륭한, 멋진(주로 여성어) : What a ~ dress! 어마, 멋진 드레스네요.

darn[1] [dɑːrn] *vt.* …을 감치다, 깁다, 꿰매다 : ~ (a hole in) a socks 양말(의 구멍)을 깁다. — *n.* Ⓒ 꿰맨 곳.

darn[2] *v., n., a., ad.* 《美口 · 婉》 =DAMN.

darned [dɑːrnd] *a., ad.* 《美口 · 婉》 =DAMNED.

dar·nel [dɑ́ːrnl] *n.* Ⓒ 〖植〗 독보리.

darn·ing [dɑ́ːrniŋ] *n.* Ⓤ ① 감침질. ② 〔集合的〕 기운 것, 꿰맨 것.

dárning nèedle (감치는) 바늘.

***dart** [dɑːrt] *n.* Ⓒ ① 던지는 창[살] : throw a ~. ② (*pl.* ~*s*) 〔單數취급〕 창 던지기놀이(둥근 판에 끝이 뾰족한 쇠살을 던져 점수를 다툼) : have a game of ~*s*. ③ (a ~) 급격한 돌진 : make *a* sudden ~ at …에 갑자기 달려들다 / make *a* ~ for exit 출구로 돌진하다. ④ Ⓒ (양재의) 다트. — *vt.* 《~+목 / +목+부 / +목+전+명》 (창 · 시선 · 빛 따위)를 던지다, 쏘다 ; (혀 따위)를 쑥 내밀다(*around* ; *at*) : ~ one's eyes *around* 재빨리 둘러보다 / ~ an angry look *at* a person 성이 난 눈으로 아무를 힐끗 보다. — *vi.* 《+전+명 / +부》 돌진하다, 휙 날아가다(*through* ; *away*) : A bird ~*ed through* the air. 새가 공중을 휙 날아갔다 / The deer saw us and ~*ed away*. 사슴은 우리를 보자 쏜살같이 달아났다.

dart·board [-bɔ̀ːrd] *n.* Ⓒ 다트판(창 던지기 놀이의 표적판).

Dart·moor [dɑ́ːrtmuər] *n.* ① 다트무어(영국 Devon 주의 바위가 많은 고원 ; 선사 유적이 많고 국립공원 Dartmoor National Park 가 있음). ② 다트무어 교도소(=∠ **Príson**).

Dart·mouth [dɑ́ːrtməθ] *n.* 다트머스(영국 Devon 주의 항구 ; 해군 사관 학교가 있음).

***Dar·win** [dɑ́ːrwin] *n.* **Charles** ~ 다윈(영국의 생물학자 ; 진화론의 주창자 ; 1809-82).

Dar·win·i·an [dɑːrwíniən] *a.* ① 다윈의. ② 다윈설의. — *n.* Ⓒ 다윈의 신봉자, 다윈설의 (신봉자).

Dar·win·ism [dɑ́ːrwinìzəm] *n.* Ⓤ 다윈설, 진화론.

Dar·win·ist [dɑ́ːrwinist] *n.* =DARWINIAN.

DASD 〖컴〗 direct access storage device(직접 접근 기억장치 ; 임의의 정보에 직접 도달함).

‡dash [dæʃ] *vt.* ① 《+목+전+명 / +목+부》 …을 내던지다, 부딪뜨리다(*against* ; *to* ; *at* ; *away* ; *down*) : He ~*ed* his elbow *against* the door. 그는 팔꿈치를 문에 부딪뜨렸다 / The boat was ~*ed to* pieces on the rocks. 배는 암초에 부딪쳐 산산이 부서졌다. ② 《~+목 / +목+전+명》 …을 때려 부수다 ; (희망)을 꺾다, (계획 따위)를 좌절시키다 ; 실망시키다 : His hope was ~*ed* by the news. 그 소식으로 그의 희망은 좌절되고 말았다 / ~ a mirror *to* [*in*] pieces 거울을 산산조각으로 부수다. ③ 《+목+전+명》 (물 등)을 끼얹다, 튀기다(*in* ; *over* ; *with*) ; (색)을 칠하다(*on*) : She ~*ed* water *in* his face. 그녀는 그의 얼굴에 물을 끼얹었다 / A car ~*ed* me *with* mud. 차가 내게 흙탕물을 끼얹었다. ④ 세차게 …하다, 급히 …하다[쓰다, 그리다, 만들다](*down* ; *off*) : ~ *down* a letter 편지를 급히 쓰다. ⑤ 《+목+전+명》 …에 조금 섞다, …에 가미하다(*with*) : ~ tea *with* brandy 홍차에 브랜디를 좀 타다 / cream ~*ed with* vanila 바닐라를 가미한 크림. ⑥ 《英口 · 婉》 …을 꾸짖다, 저주하다(★ damn을 'd—'로 줄이는 데서) : I'll be ~*ed* if he is right. 그가 옳다면 내가 천벌을 받을 것이다.

— *vi.* ① 《+전+명 / +부》 돌진하다(*along* ; *forward* ; *on*, etc.) : He ~*ed* to catch the last train. 그는 막차를 타려고 전속력으로 달려갔다. ② **a)** (세게) 충돌하다(*against* ; *into* ; *on*, etc.) : A sparrow ~*ed into* the windowpane. 참새 한 마리가 (날아와) 유리창에 부딪쳤다. **b)** 《+부》 부딪쳐 깨어지다 : The cup ~*ed to* pieces *against* the floor. 컵은 마룻바닥에 부딪쳐 산산조각이 났다. ***Dash it !*** 빌어먹을. ~ ***off*** (1) 급히 쓰다 ; 단숨에 해치우다. (2) 돌진하다, 급히 떠나다 : I must ~ *off* now. 지금 급히 가야 된다. (3) 부딪쳐 쓰러뜨리다.

— *n.* ① **a)** (a ~) 돌진 ; 충돌 ; 돌격 : make *a* ~ *at* the enemy[*for* shelter] 적을 향해[숨을 곳을 찾아] 돌진하다. **b)** Ⓒ (흔히 *sing.*) 단거리 경주 : a hundred meter ~. ② Ⓤ (흔히 the ~) (파도 · 비 따위의) 세차게 부딪치는 소리 : *the* ~ of the waves *against* the rocks 바위에 부딪는 파도 소리. ③ Ⓤ 예기(銳氣), 위세 : with ~ and spirit 기운차게. ④ **a)** (a ~ of ...) (가미하는) 소량(少量) ; (…의) 기미 : red with *a* ~ *of* purple 보랏빛을 띤 빨강. **b)** (a ~) 〔흔히 否定文〕 조금도 (…않다) : I do*n't* care *a* ~ about him. 나는 그에게 조금도 관심이 없다. ⑤ Ⓒ 일필휘지(一筆揮之), 필세(筆勢). ⑥ Ⓒ 〖電信〗 (모스 부호의) 장음(長音). ⑦ Ⓒ 대시(—). ⑧ 《口》=DASHBOARD ①. ⑨ (a ~) 외양 ; 훌륭한 외관. ***at a*** ~ 단숨에. ***cut a*** ~ 《口》 멋부리다 ; 허세부리다.

dash·board [-bɔ̀ːrd] *n.* Ⓒ ① (조종석 · 운전석 앞의) 계기반[판]. ② (마차 · 썰매 등의 앞에 단) 흙받이, 널가래판 ; (이물의) 파도막이판.

dash·er [dǽʃər] *n.* Ⓒ ① 돌진하는 사람[것]. ② 교반기(攪拌器). ③ 씩씩한 사람.

DAT digital audio taperecorder. **dat.** dative.

‡da·ta [déitə, dɑ́ːtə, dǽtə] (*sing.* ***-tum*** [-təm]) *n. pl.* ① 〔單 · 複數취급〕 자료, 데이터 : The ~ was collected by various researchers. 데이터는 여러 조사원들에 의해 수집되었다. ② (관찰에 의해 얻어진) 사실, 지식, 정보 : These ~ are [This ~ is] doubtful. 이 데이터는 의심스럽다. ③ (흔히 *sing.*) 〖컴〗 데이터.

dáta acquisìtion 〖컴〗 자료[데이터] 수집.

D

dáta bànk, data·bank [déitəbæ̀ŋk] *n.* Ⓒ 〖컴〗 자료 은행, 데이터 뱅크.

da·ta·base [déitəbèis], **dáta bàse** *n.* Ⓒ 데이터 베이스《컴퓨터에 쓰이는 데이터의 집적; 그것을 사용한 정보 서비스》: the *database* industry 데이터 베이스 산업.

dáta bìnder 데이터 바인더《컴퓨터의 프린트 아웃을 수납하는 바인더식 커버》. 「있는.

dat·a·ble [déitəbəl] *a.* 시일(時日)을 추정할 수

dáta bùs 〖컴〗 데이터 모선(母線).

dáta càpture 〖컴〗 데이터〔자료〕 수집.

dáta carríer 〖컴〗 데이터〔자료〕 기억 매체.

dáta collèction 〖컴〗 데이터〔자료〕 수집《단말 장치에서》.

da·ta-driv·en [déitədrívən] *a.* 〖컴〗 (프로그램이) 데이터에 의거하여 처리하는.

dáta fòrmat 데이터〔자료〕 형식《컴퓨터에 입력하는 데이터의 배열》.

dáta intégrity 〖컴〗 데이터〔자료〕 보전성《입력된 데이터가 변경·파괴되지 않은 상태》.

dáta lìnk 〖컴〗 데이터 링크《데이터 전송에 있어 두 장치를 잇는 접속로; 略: D/L》.

dáta lògging 〖컴〗 데이터〔자료〕 이력 기록.

da·ta·ma·tion [dèitəméiʃən, dɑ̀ːtə-, dæ̀tə-] *n.* Ⓒ〖컴〗 ① 자동 데이터 처리. ② 데이터 처리재(材) 제조〔판매, 서비스〕 회사.

da·ta·phone [déitəfòun] *n.* Ⓒ 데이터폰《컴퓨터에 데이터를 보내는 전화》.

dáta prínt óut file 〖컴〗 필요한 데이터를 검색하고, 소요 형식으로 프린트 아웃된 기록 보지(保持)용 파일.

dáta pròcessing 데이터〔자료〕 처리: the ~ industry 정보 처리 산업.

dáta pròcessor 데이터〔자료〕 처리 장치.

dáta secúrity 〖컴〗 데이터〔자료〕 보호.

dáta sèt 데이터 세트《데이터 처리상 한 단위로 취급하는 일련의 기록; 데이터 통신에 쓰이는 변환기》.

dáta transmìssion 〖컴〗 데이터〔자료〕 전송(傳送), 자료 내보냄.

†date[1] [deit] *n.* ① Ⓒ 날짜, 연월일: the ~ of birth 생년월일 / What's the ~ (today)? 오늘이 며칠날인가《★ 요일을 물을 때는 What day is it?》/ letter bearing the ~ July 8, 7월 8일자의 편지 / We've agreed to meet again at a later ~. 우리는 후일 다시 만나기로 합의했다. ② Ⓒ 기일(期日); (사건 따위가 일어난) 시일; (예정)날짜: at an early ~ 일간 / fix the ~ for a wedding 결혼 날짜를 정하다. ③ Ⓒ 《口》 (일시를 정한) 면회 약속; 데이트《특히 이성과 만나는 약속》: a coffee 〔picnic〕 ~ 커피 마시는〔피크닉〕 데이트 / a dinner ~ 디너 약속 / have〔make〕 a ~ with …와 데이트(약속을)하다. ④ Ⓒ 《美口》 데이트의 상대: Mary is my ~ for tonight. 메리가 오늘 밤 내 데이트 상대다. ⑤ Ⓤ 시대, 연대: of an early ~ 초기〔고대〕의 / of recent ~ 최근의. ⑥ (*pl.*) 생존 기간, 생몰년《★ 연월일 쓰는 법은 《美》에서는 August 15, 1988《略: 8/15/88》; 《英》에 서 는 15(th) August, 1988《略: 15/8/88》》. ***out of*** ~ 시대에 뒤진, 구식의: Your dictionary's terribly *out of* ~ — it hasn't got any of the latest words. 네 사전은 형편없는 구닥다리다. 최신 단어가 하나도 없다. ***to*** ~ 지금까지(로서는). ***up*** 〔***down***〕 ***to*** ~ 〔敍述的〕 최신(식)의, 최근의, 지금 유행하는. ⓒⓕ up-to-date.

— *vt.* ①《~+목 / +목+보 / +목+전+명》 …에 날짜를 적다: ~ a letter 편지에 날짜를 적다 / a Kennedy silver ~*d* 1964, 1964 년의 각인이 있는 케네디 은화. ② **a)** (사건·미술품 따위)의 연대를 정〔추정〕하다: Can you ~ this Koryŏ celadon? 이 고려청자의 연대를 알겠나. **b)** …의 연대〔나이〕를 나타내다: Her clothes ~ her. 옷차림이 그녀의 나이를 말해준다. ③《美口》…와 데이트(의 약속을) 하다.

— *vi.* ①《+전+명》 날짜가 적혀 있다; (…부터) 시작하다《*from*》: This tradition ~*s from* medieval times. 이 전통은 중세 시대부터 존재하고 있다 / This church ~*s back to* 1527. 이 교회(의 건축)는 1527년으로 거슬러 올라간다. ② 연대가 오래 되다, 낡아빠지다: His car is beginning to ~. 그의 차는 구식이 되어가고 있다. ③《口》 데이트(약속을) 하다《*with*》: She ~*s with* many boys. 그녀는 많은 남자와 데이트한다.

date[2] *n.* Ⓒ 대추야자(~ palm) (의 열매).

date·a·ble [déitəbəl] *a.* =DATABLE.

dat·ed [déitid] *a.* ① 날짜가 있는〔붙은〕. ② 진부한, 구식의(old-fashioned). ㊎ **~·ness** *n.*

date·less [déitlis] *a.* ① 날짜가 없는; 오래 되어 연대를 모르는. ② 무한〔영원〕한. ③ 언제나 흥미있는. ④《美口》 데이트(상대)가 없는. 「변경선.

dáte lìne (the ~) ① 날짜 변경선. ② 국제 날짜

date·line [déitlàin] *n.* Ⓒ (신문·편지 등의) 날짜〔발신지〕 표시란《보기: Paris, Oct. 15, 파리발 10월 15일》. — *vt.* …에 날짜〔발신지〕를 표시하다.

dáte pàlm 〖植〗 대추야자.

dat·er [déitər] *n.* Ⓒ 날짜 스탬프.

dáting bàr 《美》 독신 남녀용 바.

da·tive [déitiv] *a.* 〖文法〗 여격의: the ~ case 여격《명사·대명사 따위가 간접 목적어가 될 때의 격》. — *n.* Ⓒ 여격. 「[-tə]) 자료.

da·tum** [déitəm, dɑ́ː-, dǽ-] *n.* Ⓒ 《L.》 (*pl.* ***-ta

daub [dɔːb] *vt.* ① …을 뒤바르다, 매대기치다《*on; with*》: ~ paint *on* a wall = ~ a wall *with* paint 벽에 페인트를 처바르다. ② …을 더럽히다《*with*》: ~ mud *on* the wall 벽에 흙을 묻히다.

— *vi.* 서투른 그림을 그리다. — *n.* ① **a)** Ⓤ,Ⓒ (질척한) 도료(塗料). **b)** Ⓒ (질척한 물건의) 소량《*of*》: a ~ *of* plaster 소량의 회반죽. ② Ⓒ 서툴게 그린 그림.

daub·er [dɔ́ːbər] *n.* Ⓒ ① 칠하는 사람; 서투른 환쟁이. ② 그림 도구.

†daugh·ter [dɔ́ːtər] *n.* Ⓒ ① 딸. ⓞⓟⓟ son. ¶ She is the ~ of a retired Army officer. 그녀는 퇴역 육군 장교의 딸이다. ② (한 집단·종족의) 여자 자손; 부녀자. ③ 양녀(養女). ④ 딸에 비유된 것; 소산(所產): a ~ of Greek civilization 그리스 문명의 소산. ⑤ (단체 등의) 여성 구성원(*of*).

dáughter élement (방사성 원소의 붕괴에 의해 생기는) 딸원소. ⓒⓕ parent element.

daugh·ter-in-law [dɔ́ːtərinlɔ̀ː] (*pl.* ***daughters-***) *n.* Ⓒ 며느리; 의붓딸.

daunt** [dɔːnt] *vt.* 〔종종 受動으로〕 …을 주춤〔움찔〕하게 하다, …의 기를 꺾다《*by*》: Illnesses did not ~ him at all. 그는 거듭되는 병에도 조금도 굴하지 않았다 / They *were* ~*ed by* the difficulties. 그들은 여러 고난에 꺾이고 말았다. ***nothing ~ed 조금도 굴하지 않고《nothing 은 부사》.

***daunt·less** [dɔ́ːntlis] *a.* 불굴의, 겁 없는, 용감한(brave): a ~ explorer 불굴의 탐험가. ㊎ **~·ly** *ad.* **~·ness** *n.* 「칭).

Dave [deiv] *n.* 데이브《남자 이름; David 의 애

dav·en·port [dǽvənpɔ̀ːrt] *n.* Ⓒ ① 《英》 (경사진 뚜껑과 측면에 서랍이 달린) 작은 책상. ② 《美》 침대 겸용의 대형 소파.

Da·vid [déivid] *n.* ① 데이비드《남자 이름; 애칭 Dave, Davy》. ② 〖聖〗 다윗《이스라엘의 제2 대

왕). ~ ***and Jonathan*** 막역한 친구.

da Vin·ci [dəvíntʃ(i)] *n.* **Leonardo** ~ 다빈치《이탈리아의 화가·조각가·건축가·과학자; 1452-1519》.

Da·vis [déivis] *n.* 데이비스《남자 이름》.

Dávis Cùp (the ~) 데이비스컵《1900 년 미국 정치가 D. F. Davis가 기증한 국제 테니스 경기의 우승 은배》.

dav·it [dǽvit, déivit] *n.* Ⓒ 〖海〗 (보트·닻을 달아 올리고 내리는) 철주, 대빗.

Da·vy [déivi] *n.* 데이비《남자 이름; David의 애칭》.

Dávy Jónes 바다 귀신.

Dávy Jónes'(s) lócker 해저, 《특히》 무덤으로서의 바다: go to ~ 물고기의 밥이 되다.

daw [dɔː] *n.* Ⓒ 〖鳥〗 갈가마귀(jackdaw).

daw·dle [dɔ́ːdl] *vi.* 《~/+전+명》 빈둥거리다, 꾸물거리다《*along*》: ~ all day 종일 빈둥거리다 / ~ *along* a street 거리를 어슬렁거리다. ── *vt.* 《+목+부》 (시간)을 부질없이〔헛되이〕 보내다《*away*》: ~ *away* one's time〔life〕 빈둥빈둥 시간〔일생〕을 보내다.

daw·dler [dɔ́ːdlər] *n.* Ⓒ 빈둥빈둥 노는 사람, 게으름뱅이; 태평한 사람.

‡**dawn** [dɔːn] *n.* ① Ⓤ,Ⓒ 새벽, 동틀녘; 여명: *Dawn* breaks. 날이 샌다 / at ~ =at (the) break of ~ 동틀〔새벽〕녘에 / She woke at ~. 그녀는 새벽에 깨었다. ② (the ~) 단서, 처음, 시작: since〔before〕 *the* ~ of history 유사 이래〔이전에〕 / at *the* ~ of a new era 새 시대의 시작. ***from ~ till dusk*** 〔***dark***〕 새벽부터 저녁까지.
── *vi.* ① 날이 새다; 밝아지다: It 〔Day, Morning〕 ~*s.* 날이 샌다 / John left his house just as the day was ~*ing.* 존은 그날 막 동틀녘에 집을 떠났다. ② 시작하다, (사물이) 나타나기 시작하다: The age of space science has ~*ed.* 우주과학 시대가 열렸다. ③ 《+전+명》 (일이) 점점 분명해지다, (생각이) 떠오르다《*on, upon*》: The truth began to ~ *on* me. 나는 진실을 알기 시작했다 / It ~*ed on*〔*upon*〕 me that he was a fool. 그가 바보라는 것을 나는 알기 시작했다.

dáwn chòrus (새들의) 새벽 합창.

†**day** [dei] *n.* ① Ⓤ 낮, 주간; 일광. opp. *night.* ¶ work during the ~ 낮에 일하다 / at break of ~ 동틀녘에 / in broad ~ 대낮에 / When he awoke it was ~ . 그가 눈 떴을 때는 낮이었다. ② Ⓒ 하루, 일주야, 날; (행성의) 자전 주기: the ~ before 그 전날 / once a ~ 하루 한 번 / every ~ 매일 / He waited for a ~ or two. 그는 하루 이틀 기다렸다. ③ Ⓒ 기일, 약속일; (특정한) 날; 축제일: keep one's ~ 기일을 지키다 / Mother's *Day* 어머니날 / pay ~ 봉급날 / New Year's *Day* 설날. ④ Ⓒ 하루의 노동 시간: an eight-hour ~ 하루 8시간 노동(제) / put in a hard ~*'s* work 종일 중노동을 하다. ⑤ Ⓒ **a**) (종종 *pl.*) 시대, 시절, (그 때의) 세상: in my school ~*s* 나의 학교 시절에 / in olden〔the old〕 ~*s*=in ~*s* of old 옛날(엔) / in ~*s* to come 장차, 장래는. **b**) (the ~) 그 시대, 당시; 현대: men and women *of the* ~ 당시의 사람들 / the topics *of the* ~ 시사적인 화제. ⑥ (흔히 the ~, one's ~) **a**) (아무의) 전성 시대: *His* ~ is over 〔done〕. 그의 (전성) 시대는 끝났다 / Every dog has *his* ~. 《俗談》 쥐구멍에도 볕들 날이 있다. **b**) (*pl.*) (사람의) 일생: spend *one's* ~*s* in study 일생을 연구로 보내다 / end *one's* ~ *s* 일생을 마치다, 죽다. ⑦ (the ~) 어느 날의 사건; 《특히》 싸움, 승부, 승리: *The* ~ is ours. 승리는 우리의 것이다 / lose〔win〕 *the* ~ 지다〔이기다〕 / carry *the* ~ 승리를 얻다; 성공하다 / How goes *the* ~? 승패의 전망은 어떠냐.
a ~ of ~s 중대한 날. ***all ~*** (***long***) = ***all the ~*** 종일: *all* ~ yesterday 어제 온 종일. ***any ~*** (***of the week***) 어떤 날〔오늘〕이라도; 어떤 경우〔조건이〕라도; 아무리 생각해 보아도: He's a better driver than you are *any* ~ (*of the week*). 아무리 생각해도 그가 너보다 운전을 잘한다. (***as***) ***clear as ~*** 낮과 같이 밝은; 대낮같이 분명한. ***at the end of the ~*** 여러 모로 고려해서, 결국. ***by ~*** 낮에는, 주간에는. ***by the ~*** 하루〔일당〕 얼마에《일〔지급〕하다 등》. ***call it a ~*** 《口》 하루를〔의 일을〕 마치다: Let's *call it a* ~ and go home. 오늘은 이걸로 끝내고 집에 가자. ***~ after ~*** 매일 매일. ***~ and night*** 주야로, 끊임없이. ***~ by ~***=***from ~ to ~*** 나날이. ***~ in, (and) ~ out*** 날이면 날마다, 언제나. ***every other*** 〔***second***〕 ***~*** 하루 걸러. ***for a rainy ~*** 비오는 날을 위해; 만일에 대비하여. ***from one ~ to next*** 이틀 계속하여. ***get*** 〔***have, take***〕 ***a ~*** 〔***. . . ~s***〕 ***off*** 하루〔…일〕의 휴가를 얻다. ***Have a good*** 〔***fine, nice***〕 ***~.*** (그럼) 잘있어《작별 인사》. ***have one's ~*** 때를 만나다, 번영하다. ***if a ~*** ⇨IF. ***in all one's born ~s*** 오늘에 이르기까지. ***in broad ~*** 백주에. (***in***) ***these*** 〔***those***〕 ***~s*** 요즈음〔그 당시〕. ***in this ~ and age*** 오늘날은, 요즘은. ***make a person's ~*** 《口》 아무를 유쾌하게 하다: He *made my* ~ by coming such a long way to see me. 그가 그렇게 먼 데서 일부러 와주어 정말 고마웠다. ***name the ~*** (특히 여자가) 결혼 날짜를 지정하다, 결혼을 승낙하다. ***not have all ~*** 《口》 시간적 여유가 없다: Hurry up. I do*n't have all* ~, you know. 빨리해라. 나는 시간이 없단 말이다. ***of the ~*** 당시의; 현대의: the best actors *of the* ~ 당대 일류의 배우들. ***one ~*** 어느 날; 다른 날. ★ one day는 과거에 있어서의 '어느 날'의 뜻. some day는 미래의 '언젠가' 닥칠 날의 뜻. ***one ~ or other*** 언젠가는. ***one of these*** (***fine***) ***~s*** 근일 중에. ***one of those ~s*** 운이〔재수〕없는 날. ***some ~*** 머지않아, 언젠가. ***That'll be the ~!*** 《口·戲》 설마 그럴 수 있을까. ***the ~ after tomorrow*** 〔***before yesterday***〕 모레〔그저께〕. ★ 미국 구어에서는 the를 생략하기도 함. ***the other ~*** 요전에, 며칠 전에. ***this ~ week*** 〔***month, year***〕 내주〔내달, 내년〕의 오늘; 지난 주〔지난 달, 작년〕의 오늘. ***Those were the*** (***good old***) ***~s!*** 그 시절은 좋았었다〔즐거웠지〕. ***till*** 〔***up to***〕 ***this ~*** 오늘(날)까지. ***to a ~*** 하루도 어김 없이, 꼬박. ***to this*** 〔***that***〕 ***~*** 오늘〔그 당시〕에 이르기까지. ***without ~*** 무기한(無期限)으로, 날짜를〔기한을〕 정하지 않고.

dáy bèd 침대 겸용의 소파.

day·book [déibùk] *n.* Ⓒ ① 일기. ② 〖商〗 (거래) 일기장.

dáy bòy 《英》 (기숙사제 학교의) 남자 통학생.

‡**day·break** [déibrèik] *n.* Ⓤ 새벽녘, 동틀녘: at ~ 새벽녘에 / *Daybreak* came. 날이 샜다.

day·care [déikὲər], **dáy càre** *n.* Ⓤ 데이케어《미취학 아동·고령자·신체 장애자 등에게 행하는 주간만의 보살핌》.

day-care *a.* 〔限定的〕 (일나간 부모의 아이를 맡는) 주간 탁아의: a ~ center (주간) 탁아소.

dáy còach 《美》 보통 객차.

***day·dream** [déidrìːm] *n.* Ⓒ 백일몽, 공상: He is often lost in ~*s.* 그는 곧잘 공상에 잠긴다.
── *vi.* 공상에 잠기다.

day·dream·er [-ər] *n.* Ⓒ 공상가.

dáy gìrl 《英》 (기숙사제 학교의) 여자 통학생.
dáy làbo(u)rer 날품팔이꾼.
dáy lètter 《美》 주간 발송 전보《요금이 싸지만 시간이 걸림》. cf. night letter.
‡day·light [-làit] n. Ⓤ ① **a)** 일광. **b)** 낮(동안), 주간 : by ~ 어두워지기 전에 / in broad ~ 대낮에, (백주에) 공공연히. ② Ⓤ 새벽 : at ~ 새벽에 / before ~ 날새기 전에. ③ Ⓤ (똑똑히 보이는) 틈, 간격. ④ Ⓤ 주지(周知), 공공연함 : bring a scandal into the ~ 추문을 공개하다. ⑤ (*pl.*) 《俗》 의식, 제정신 : beat the (living) ~*s* out of a person 사람을 실신하도록까지 패다. ***see*** ~ (1) 납득〔이해〕하다. (2) (물건이) 햇빛을 보다, 세상에 알려지다 ; (사람이) 태어나다. (3) 해결의 서광〔가망〕이 비치다.
dáylight róbbery 터무니 없는 대금 (청구), 바가지 씌우기.
dáylight sàving (tìme) 일광 절약 시간, 서머타임 (《英》 summer time).
day·long [déilɔ̀(ː)ŋ, -lɑ̀ŋ] a., ad. 온종일(의, 계속되는).
dáy núrsery 탁아소, 보육원.
dáy retùrn 《英》 당일 왕복 할인 요금〔표〕. cf. round-trip.
day·room [déirùːm] n. Ⓒ (학교·병원 등의) 오락실.
days [deiz] ad. 《美口》 낮에는 (매일). opp. *nights.* ¶ work ~ and go to school nights.
dáy schòol ① 주간 학교. opp. *night school.* ② 통학 학교. opp. *boarding school.*
dáy shìft ① 주간 근무(시간). ②〔集合的 ; 單·複數취급〕 주간 근무자 : The ~ comes off at 4 : 30. 주간 근무자는 4시 30분에 퇴근한다.
day·star [déistɑ̀ːr] n. ① Ⓒ 샛별. ② (the ~) 《詩》 태양.
dáy stùdent (대학 기숙사생에 대한) 통학생.
‡day·time [-tàim] n. (the ~) 주간. opp. *night time.* ¶ in *the* ~ 주간에, 낮에 / The forests were dark even in *the* ~. 숲은 낮인데도 어두웠다. ── a. 〔限定的〕 주간의 : ~ activities 낮동안의 활동 / ~ burglaries 백주의 강도.
day-to-day [déitədéi] a. ① 매일의, 일상적인 : ~ occurances 일상적인 일. ② 하루살이의, 그날그날의 : lead a ~ existence 그날 벌어 그날 살다.
dáy trìp 당일치기 (행락) 여행.
day-trip·per [-trìpər] n. Ⓒ 당일치기 여행자〔손님〕.
‡daze [deiz] vt.〔종종 受動으로〕 (남)을 멍〔얼떨떨〕하게 하다(stupefy)《*by* ; *with*》: *be* ~*d by* a blow 얻어맞고 멍해지다 / Everyone *was* ~*d by* the news of her sudden death. 모든 사람들은 갑작스런 그녀의 사망 소식으로 얼떨떨했다. ── n. (a ~) 멍한 상태《★ 흔히 다음 成句로 쓰임》. ***in a*** ~ 눈이 부셔서〔아찔하여〕, 현기증이 나서; 멍하니.
daz·ed·ly [déizidli] ad. 눈이 부셔, 멍하니.
‡daz·zle [dǽzəl] vt. ① (강한 빛 따위가) …의 눈을 부시게 하다 : Our eyes〔We〕 *were* ~*d* by the car's headlights. 그 차의 헤드라이트로 우리는 눈이 부셨다. ② (화려함 따위로) …을 현혹시키다, 감탄시키다, 압도하다 : The guests *were* ~*d* by the splendid hall. 손님들은 그 홀의 화려함에 감탄했다 / I *was* ~*d* by her charm. 나는 그녀의 매력에 현혹되었다. ── n. Ⓤ,Ⓒ 현혹 ; 눈부신 빛.
***daz·zling** [dǽzliŋ] a. 눈부신, 현혹적인 : ~ advertisement 현혹적인 광고 / ~ sunlight〔diamonds〕 눈부신 햇빛〔다이아몬드〕. 㖈 ~·**ly** *ad.*
DB 〖컴〗 data base. **dB, db.** decibel(s).
DBMS 〖컴〗 data base management system. (데이터 베이스 관리 시스템). **D.C.** da capo ; District of Columbia. **D.C., d.c.** direct current. **DD** 〖컴〗 double density (배(倍)기록 밀도).
d — d [diːd, dæmd] a., ad. ⇨ DAMNED.
D.D. Doctor of Divinity.
D-day [díːdèi] n. Ⓒ 〖軍〗 공격 개시일 ; 〔一般的〕 계획 개시 예정일.
DDP 〖컴〗 distributed data processing. **DDT** 〖컴〗 dynamic debugging tool(디버그 작업에 쓰이는 프로그램).
DDT, D.D.T. [dìːdìːtíː] n. Ⓤ 〖藥〗 살충제의 일종. [◂ *d*ichloro-*d*iphenyl-*t*richloro-ethane]
DDX 〖컴〗 digital data exchange.
de- *pref.* ① '…에서 ; 분리, 제거'의 뜻 : *de*pend, *de*tect. ② '저하, 감소'의 뜻 : *de*mote, *de*value. ③ '비(非)…, 반대'의 뜻 : *de*merit, *de*nationalize. ④ '완전히' 의 뜻 : *de*scribe, *de*finite.
DE 〖美郵〗 Delaware.
***dea·con** [díːkən] n. Ⓒ ① 〖가톨릭〗 부제(副祭). ② (개신교의) 집사.
dea·con·ess [díːkənis] n. Ⓒ 여성 deacon.
†dead [ded] a. ① 죽은, 생명이 없는 ; (식물이) 말라 죽은. opp. *alive, live, living.* ¶ a ~ body〔man〕 시체〔죽은 사람〕 / shoot a person ~ 사람을 사살하다 / My father has been ~ (for) five years. 아버지가 돌아가신지 5년이 된다 / *Dead* men tell no tales〔lies〕. 《俗談》 죽은 사람은 말이 없다 / ~ leaves 마른 잎 / ~ flowers 시든 꽃. ② **a)** 죽은 듯한 ; 무감각한, 조용해진 : a ~ sleep 깊은 잠 / the ~ hours (of the night) 한밤중 / a ~ faint 실신(失神) / The village was ~ after sunset. 일몰 후 마을은 조용해졌다. **b)** (바람이) 잠잠해진 : The wind fell ~. 바람이 잠잠해졌다. **c)** 〔敍述的〕 느낌이 없는, 마비된《*to*》 : He's ~ *to* reason. 그에게는 이치가 안 통한다. **d)** (빛깔이) 산뜻하지 않은 ; (소리 따위가) 맑지 않은 : the ~ sound of a cracked bell 깨진 종의 맑지 못한 소리. ③ **a)** 활기가〔생기가, 기력이〕 없는 ; 잠잠한. **b)** (술이) 김빠진 : ~ beer 김빠진 맥주. ④ (석탄 따위가) 불이 꺼진 ; (화산 따위가) 활동하지 않는 : ~ coals 불꺼진 석탄 / a ~ volcano 사화산. ⑤ (시장 따위가) 활발치 못한 ; (상품 따위가) 안 팔리는 : the ~ season in the tourist trade 관광업계의 한산기〔시즌오프〕 / a ~ market 침체 상태의 시장. ⑥ (땅이) 메마른 ; 쓸모 없는 ; 비생산적인 : ~ soil 메마른 땅 / ~ capital 유휴자본. ⑦ (법률 따위가) 폐기된 ; (관습 따위가) 없어진 ; 무효의 ; 〖法〗 재산권〔시민권〕을 빼앗긴〔잃은〕 : a ~ language 사어(死語) 《라틴어 따위》 / a ~ law 사문(死文) / a ~ mine 폐광. ⑧ 출입구가 없는, 막힌 : a ~ wall. ⑨ 《口》 녹초가 된 : We are quite ~. 우린 녹초가 됐다. ⑩ **a)** 〖골프〗 (공이) 홀(hole) 가까이 있는. **b)** (공이) 튀지 않는. **c)** (그라운드가) 공이 잘 굴러가지 않는. ⑪ 〔限定的〕 순전한, 절대의 ; 돌연한 : The train came to a ~ stop. 열차가 딱 멈췄다 / (a) ~ silence 완전한 침묵〔정적〕. ⑫ **a)** 〖電〗 전류가 통하지 않는 : a ~ circuit 전류가 흐르지 않는 회선. **b)** (전화가) 끊어진, 불통의 : The phone went ~ . 전화가 끊어졌다〔불통이다〕. ***(as)*** ~ ***as mutton*** 〔***a herring, a doornail***〕 아주 죽은 ; 완전히 쇄락하여〔한〕. ~ ***and buried*** 완전히 죽어〔끝나〕. ~ ***and gone*** (이미) 죽어버린, 땅에 묻혀. ~ ***from the neck up*** = ~ ***above ears*** 《口》 우둔한, 머리가 텅 빈. ***flog a*** ~ ***horse*** 헛수고하다. ~ ***to rights*** 《美》 현행범. ~ ***to the world*** 〔***the wise***〕 의식이 없는, 푹 잠들어 버린. ***over my*** ~ ***body*** 살아 생전에는〔내 눈에 흙이 들어가기 전에는〕 …하지 못한다 ; 《口》 마음대로 해라, 될 대로 되라. ***would*** 〔***will***〕 ***not be seen*** ~ = ***refuse to be seen*** ~ 《口》

참을 수 없다.
— *ad.* ① 완전히, 아주, 전연 : He was ~ asleep. 정신 없이 잠들어 있었다 / ~ drunk 억병으로 취하여 / ~ sure 절대로 확실한 / I am ~ tired. 나는 완전히 지쳤다. ② 정확히 ; 곧장 ; 직접 : The station is ~ ahead. 정거장은 바로 요 앞이다 / Go ~ ahead. 곧장 가거라. ③ 갑자기, 돌연 ; 딱 : stop ~ 딱 서다〔멈추다〕. ***be ~ set*** …을 굳게 결심하고 있다《*on*》; (…에 반대할) 결심이다 : He*'s* ~ *set on* visiting France. 무슨 일이 있어도 프랑스를 방문할 작정으로 있다. ***drop*** ~ ⇨DROP.
— *n.* ① (the ~) 〔集合的〕 사자(死者) : *the* ~ and the living 죽은 자와 산 자. ② Ⓤ 한창 (…하는 중) ; 죽은 듯한 고요 : at (the) ~ of night 한밤중에 / in the ~ of winter 한겨울에.
㊞ ∠·ness *n.*

dead-and-a·live [dédənəláiv] *a.* 《英》 재미없는, 따분한.
déad béat 《口》 몹시 지친.
dead·beat[1] [dédbìːt] *n.* Ⓒ ① 게으름뱅이. ② 《口》 빈털터리 ; 식객 : He's a real ~ who's never had a proper job. 그는 제대로 직업 한번 가진 적이 없는 진짜 빈털터리다. ③ 《美俗》 늘 빚지는 사람 ; 빚을 떼먹는 사람.
dead·beat[2] [∠bíːt] *a.* 〖機〗 (계기의 지침이) 흔들리지 않고 바로 눈금을 가리키는, 속시(速示)의.
déad cénter (the ~) 정확한 중심, 한복판.
déad dúck (성공할 가망이 없는) 계획, 사람 : You're a ~, if your sale record doesn't improve. 매상(기록)이 오르지 않으면 넌 해고다.
dead·en [dédn] *vt.* ① (소리·고통·광택·속도·힘 따위)를 누그러 뜨리다, 줄이다, 약하게 하다 : ~ a persons enthusiasm 남의 의욕을 꺾다 / This drug will ~ the pain. 이 약을 먹으면 고통이 덜해질 것이다. ② 방음 장치를 하다 : Thick walls ~ noise. 두꺼운 벽은 방음을 한다.
déad énd ① 막다른 골목 ; (관(管) 따위의) 막힌 끝. ② 막다름, 궁지 : reach〔come〕 to a ~ 막다르다.
dead-end [dédénd] *a.* ① 막다른 : a ~ street 막다른 길. ② 빈민가의, 뒷골목의 : a ~ kid 빈민가의 소년. ③ (정책·일 등의) 장래〔발전〕성이 없는 : a ~ job 장래성이 없는 직업.
dead·eye [∠ài] *n.* Ⓒ ① 〖海〗 세 구멍 도르래. ② 《美》 명사수.
dead·fall [∠fɔ̀ːl] *n.* Ⓒ 《美》 ① (위에서 통나무 등이 떨어져 짐승을 잡게 된) 함정. ② (산림의) 쓰러진 나무.
déad hánd ① 〖法〗 =MORTMAIN. ② 망자(亡者)의 영향력〔압박감〕.
dead·head [∠hèd] *n.* Ⓒ ① (초대권·우대권을 쓰는) 무료 입장자〔승객〕. ② 무용지물《사람》. ③ 《美》 회송차(回送車). ④ 가라앉은〔가라앉으려는〕 유목(流木). — *vi.* 《美》 회송차를 운전하다.
déad héat 동시 도착(의 경주), 데드히트.
déad létter ① 배달 불능 우편물. ② (법률 따위의) 공문(空文), 사문(死文).
***dead·line** [∠làin] *n.* Ⓒ (신문·잡지의) 원고 마감 시간 ; 최종 기한 : There's no way I can meet that ~. 그 마감 시간에 댈 방법이 없다 / set a ~ *for* …의 기한을 정하다.
dead·li·ness [dédlinis] *n.* Ⓤ 치명적임.
***dead·lock** [∠làk / ∠lɔ̀k] *n.* ① Ⓤ,Ⓒ **a)** (교섭 등의) 정돈(停頓), 정돈 상태 : be at〔come to〕 a ~ 정돈 상태에 있다〔빠지다〕. **b)** 〖컴〗 수렁, 교착《두 사람〔둘〕 이상의 사람〔작업〕이 동시에 진행하려 하여 컴퓨터가 응할 수 없음》. ② Ⓒ 이중 자물쇠.
déad lóss ① 전손(全損). ② 《口》 쓸모없는 사람〔물건〕.
‡**dead·ly** [dédli] (***dead·li·er, more*** ~; ***-li·est, most*** ~) *a.* ① 죽음의, 생명에 관계되는, 치명적인 : a ~ poison 맹독 / a ~ wound 치명상 / a ~ weapon 흉기. ② 〔限定的〕 죽은 것〔사람〕 같은 : a ~ pallor 죽은 사람같은 창백 / a ~ silence 죽음 같은 고요. ③ 〔限定的〕 (정신적으로) 죽어야 마땅한, 용서할 수 없는. ④ 죽이고야 말, 앙심 깊은 ; 살려둘 수 없는 : a ~ enemy 불구대천의 원수. ⑤ 활기 없는, 따분한 : a ~ lecture 지루한 강의. ⑥ 〔限定的〕 《口》 **a)** 맹렬한, 심한, 지독한 : ~ dullness 참을 수 없는 무료함 / in ~ haste 몹시 서둘러, 부랴부랴. **b)** 아주 정확한 : a ~ shot 아주 정확한 사격. ***the*** (***seven***) ~ ***sins*** 〖神〗 일곱 가지의 큰 죄《pride, covetousness, lust, anger, gluttony, envy, sloth》. ⓒⓕ cardinal virtues. — (***dead·li·er, more*** ~; ***-li·est, most*** ~) *ad.* ① 죽은 것 같이. ② 《口》 대단히, 몹시 : ~ tired 기진맥진한.
déadly ágaric 독버섯.
déad·man's hándle [dédmæ̀nz-] 〖機〗 데드맨 장치(裝置)《손을 떼면 자동적으로 동력원이 끊어지는 조작 핸들》.
déad màrch (특히 군대의) 장송 행진곡.
déad mén 《俗》 빈 술병 (=**déad maríne**).
dead-on [dédán, -ɔ́ːn] *a.* 아주 정확한, 완벽한.
dead·pan [∠pæ̀n] *a., ad.* 《口》 (특히 농담을 할 때도) 무표정한〔하게〕, 천연스러운〔스럽게〕 : a ~ face〔expression〕 포커 페이스(poker face) / in a ~ manner 태연히.
déad réckoning 〖海·空〗 추측 항법.
déad rínger 《俗》 똑같이 닮은 사람〔물건〕.
Déad Séa (the ~) 사해《Palestine 의 염수호》.
déad shót ① 명사수. ② 명중탄.
déad sóldier 《俗》 빈 술병 (dead men).
dead·stock [∠sták / ∠stɔ́k] *n.* Ⓤ 《英》 〔集合的〕 죽은〔도살된〕 가축. ⓒⓕ livestock.
déad tìme 〖電子〗 (연속된 동작이 서로 간섭하지 않도록 두 동작 사이에 설정되는) 불감(不感) 시간, 대기 시간, 데드타임.
dead·weight [∠wéit] *n.* Ⓤ (또는 a ~) ① 무거운〔육중한〕 것. ② (부채 등) 무거운 짐《*of*》. ③ 중책(重責). ④ 〖鐵〗 자중(自重).
déadweight tón 중량톤《2,240 파운드》.
dead·wood [dédwùd] *n.* Ⓤ ① 말라 죽은 가지〔나무〕, 삭정이. ② 〔集合的〕 쓸모 없는 것〔사람〕 : She cleared out the ~ as soon as she took over the company. 그녀는 회사를 인수하자마자 쓸모없는 사람들은 정리했다.
‡**deaf** [def] *a.* ① 귀머거리의 ; 귀먹은 ; (the ~) 〔名詞的 用法〕 청각 장애인 : He is ~ *of* 〔*in*〕 one ear. 한 쪽 귀가 안 들린다 / a ~ person 청각 장애인 / a school for the ~ 농아 학교 / He's been totally ~ since birth. 그는 날때부터 완전 청각 장애인이다 / Many of the TV programmes are broadcast with subtitles for the deaf. 많은 텔레비전 프로그램이 청각 장애인을 위해 자막을 넣어 방영하고 있다. ② 귀를 기울이지 않는, 무관심한《*to*》: He is ~ *to* all advice. 그는 어떤 충고도 들으려 하지 않는다 / The provincial assembly were ~ to all pleas for financial help. 지방 의회는 재정 원조를 해달라는 어떤 호소도 들으려 하지 않았다. ◇ deafen. *v.* (***as***) ~ ***as a post*** 전혀 듣지 못하는. ***turn a*** ~ ***ear to*** …에 귀를 기울이지 않다. ㊞ ∠·ness *n.*
deaf-aid [défèid] *n.* Ⓒ 보청기 (hearing aid).
deaf-and-dumb [défəndʌ́m] *a.* 〔限定的〕 농아(聾啞)의 : the ~ alphabet 지화(指話) 문자.
***deaf·en** [défən] *vt.* (사람)의 귀를 안들리게〔먹먹하게〕 하다 : The noise of the typewriters ~*ed* her. 타이프라이터의 소음이 그녀의 귀를 멍

멍하게 했다.

deaf·en·ing [-iŋ] *a.* 귀청이 터질 것 같은: ~ cheers 귀청이 터질 정도의 환성. ㊞ ~·**ly** *ad.*

deaf-mute [défmjùːt, ⌐⌐] *n.* Ⓒ 농아자.

— *a.* 농아〔청각 장애〕의.

‡**deal**[1] [diːl] (*p., pp.* ***dealt*** [delt]) *vt.* ①《~+목/+목+전+명》…을 분배하다, 나누(어 주)다《*out*》: ~ *out* alms *to*〔*among*〕 the poor 빈민에게 구호물자를 분배하다 / ~ *out* justice 공평한 재판을 하다 / The money was not *dealt out* fairly. 돈은 공평하게 분배되지 않았다. ②《+목+전+명/+목+목》(타격)을 가하다: ~ a blow *to*〔*at*〕 a person=~ a person a blow 아무에게 일격을 가하다 / The typhoon *dealt* a powerful blow *to* Cheju-do. 태풍은 제주도에 엄청난 타격을 주었다. ③《~+목/+목+목》(카드)를 도르다: I have been *dealt* four aces. 내게는 에이스가 넉 장 왔다 / *Deal* the cards. 패를 도르시오. ④《俗》(마약)을 매매하다, 취급하다.

— *vi.* ①《+전+명》 **a**) 다루다, 처리하다, 관계하다, 논하다《*with*》: ~ *with* a question 문제를 다루다 / ~ *with* a situation 사태에 대처하다. **b**) (책·강연 등이) (주제 등을) 다루다: This book ~*s with* economics. 이 책은 경제학을 다루고 있다. ②《+전+명/+부》(사람에 대하여) 행동하다, 다루다, 상대〔교제〕하다《*with; by*》: Let me ~ *with* him. 그 사람은 내가 상대하지 / He's hard to ~ *with*. 그는 까다로운 사람이다. ③《+전+명》 장사하다, 취급하다《*in; with; at*》: ~ *in* wool 양털 장사를 하다 / Our firm ~*s* largely *in* electronic games. 우리 회사는 주로 전자 게임 기기를 취급하고 있다. ★ '…을 상대로 …장사를 하다' 는 *deal with* a person *in* an article. ④ 카드를 도르다: Whose turn to ~? 패는 누가 도를 차례입니까. ⑤《俗》마약을 매매〔취급〕하다.

— *n.* ① Ⓒ 《口》(상업상(上)의) 거래; 관계: close〔open〕 a ~ 거래를 끝내다〔트다〕 / conduct a ~ *with* …와 거래하다. ② Ⓒ 타협, 협정《종종 비밀 또는 부정한》. ③ (a ~)《口》취급, 대우: get *a* raw〔rough〕 ~ 심한 대우를 받다 / give a person *a* fair ~ 남을 공평히 다루다. ④ Ⓒ 정책, 계획. ⑤ (the ~, one's ~) (카드놀이의) 패 도르기〔도를 차례〕; 한 판: It's *your* ~. 당신이 도를 차례요. ***It's*〔*That's*〕 *a*** ~. 좋아 알았다; 계약하자, 결정 짓자.

*****deal**[2] *n.* (a ~) 분량(quantity), 다량; 정도; 액(額). ***a good*** 〔***great***〕 ~ =《口》***a*** ~ (1) 많은 (양), 상당량; 다량의《*of*》. (2)〔副詞句〕 상당히, 꽤: *a good* ~ better 훨씬 나은. ***a vast*** ~ 대단히.

deal[3] *n.* Ⓤ (소나무·전나무의) 제재목(木).

— *a.* 〔限定的〕 소나무〔전나무〕 재목의: a ~ table 소나무〔전나무〕로 된 테이블.

‡**deal·er** [díːlər] *n.* Ⓒ ① 상인, …상(商)《*in*》: a wholesale ~ 도매상 / a car ~=a ~ in cars 자동차 판매업자. ② (the ~) (카드를) 도르는 사람. ③ (주식 시장의) 딜러. ④ 마약 판매인.

deal·er·ship [díːlərʃìp] *n.* ① Ⓤ 판매권, 허가권. ② Ⓒ 판매 대리점, 특약점.

*****deal·ing** [díːliŋ] *n.* ① (*pl.*) (거래) 관계, 상거래, 교제《*with*》: have〔have no〕 ~*s with* …와 (거래) 관계가 있다〔없다〕. ② Ⓤ (남에게 대한) 취급, 처사: fair〔honest〕 ~ 공평한 처사.

‡**dealt** [delt] DEAL[1]의 과거·과거분사.

*****dean** [diːn] *n.* Ⓒ ① (cathedral 등의) 수석 사제(司祭); (영국 국교의) 지방 부감독. ② (대학의) 학부장; (Oxford, Cambridge 대학의) 학생감; 《美》(대학·중학교) 학생 과장: a ~ of men〔women, freshmen〕 남자〔여자, 신입생〕 학생 과장. ③ (단체의) 최고참자, 장로.

dean·ery [díːnəri] *n.* ① Ⓒ dean 의 관구〔저택〕. ② Ⓤ dean 의 직〔직위〕.

déan's lìst《美》(대학의 학기말·학년말) 우등생 명단: be on the ~ 우등생 명단에 실려 있다.

*****dear** [diər] (⌐·***er***; ⌐·***est***) *a.* ① 친애하는, 친한 사이의, 사랑하는, 귀여운: my ~ friend Smith 내 친구 스미스군 / my ~ daughter 사랑하는 나의 딸 / Maggie was very ~ to her father. 매기는 아버지에겐 아주 귀여운 아이였다. ② 귀중한, 소중한: hold a person〔life〕 ~ 아무를〔생명을〕 소중히 하다 / Life is ~ to me. 나는 목숨이 아깝다; 내게는 인생이 소중하다. ③ **a**) 비싼, 고가의(★ 현재는《英》에서 쓰는 일이 많으며,《美》에서는 expensive를 많이 씀). OPP. *cheap*. ¶ ~ cigars 비싼 여송연 / Beef is too ~. 쇠고기가 너무 비싸다. ★ dear 에는 '가격'의 뜻이 포함되므로, The price is *dear*. 라고는 별로 안 하며, The price is *high*. 가 옳음. **b**) 물건을 비싸게 파는: a ~ shop 비싸게 파는 가게. ④ **a**) 중요한, 귀한: one's ~*est* wish 간절한 소원 / He lost every thing that he held ~. 소중히 여기던 모든 것을 잃었다. **b**)〔敍述的〕(…에게) 소중해서, 중요해서《*to*》: He lost all that was ~ *to* him. 그는 소중한 모든 것을 잃었다. ***Dear*** 〔***My*** ~〕 ***Mr.*** 〔***Mrs., Miss***〕 A (1) 저 여보세요 A 씨〔씨 부인, 양〕《회화에서 정중한 호칭; 때로 빈정댐이나 항의 등의 뜻을 내포함》. (2) 근계《편지의 허두;《英》에서는 My dear… 의 편이 Dear… 보다 친밀감이 강하나《美》에서는 그 반대임》. ***Dear Sir***(***s***) 근계《편지의 허두; 단수형은 미지의 남성〔여성〕에 대한 격식차린 말씨. 복수형은 회사·단체 앞으로 보낼 때 씀》.

— *n.* Ⓒ 친애하는 사람, 귀여운 사람; 애인; (호칭으로 써서) 여보, 당신: What ~*s* they are! 정말 귀엽기도 하지 / Come here, (my) ~*s*. 모두 이리 오세요 / Come on in, my ~. 자아, 이리 들어온 / Yes ~〔No, ~〕 아 그렇단다〔아니 그렇지 않단다〕. ***There's*** 〔***That's***〕 ***a*** ~. 착하기도 해라《해주렴, 울지 말고》; (잘했어, 울지 말고) 착해라.

— (⌐·***er***; ⌐·***est***) *ad.* 비싸게; 큰 대가를 치르고: They buy cheap and sell ~. 싸게 사서 비싸게 판다(★ 이 경우 dearly는 쓰지 않음) / That mistake may〔will〕 cost him ~. 그 과실로 그는 경치게 될지 모른다.

— *int.* 어머(나), 아이고, 저런《놀라움·근심·슬픔·동정 따위를 나타냄》: *Dear*, ~*!* = *Dear me!* =Oh ~*!* 어어, 야 참, 저런(★ Oh ~*!* 가 일반적) / Oh ~(,) no! 아니, 당치도 않다〔천만에〕.

㊞ ⌐·**ness** *n.*

dear·est [díərist] *n.* Ⓒ 친애〔사랑〕하는 사람; 여보, 당신.

dear·ie [díəri] *n.* Ⓒ 사랑하는〔귀여운〕 사람.

Déar Jóhn (**lètter**)《美口》(여성의, 애인·약혼자에 대한) 절교장, 파혼장.

‡**dear·ly** [díərli] (***more*** ~; ***most*** ~) *ad.* ① 끔찍이, 애정으로, 마음으로부터: She *loved* him ~. 그녀는 그를 끔찍이 사랑했다. ② 비싼 값으로: a ~ bought victory 막대한 희생을 치르고 얻은 승리. ★ 흔히 sell〔buy〕 *dear*(비싸게 팔다〔사다〕)에는 *dearly*를 쓰지 않음.

sell one***'s life*** ~ 적에게 큰 손해를 입히고 죽다.

*****dearth** [dəːrθ] *n.* (a ~) 부족, 결핍(lack)《*of*》: *a* ~ *of* housing〔food〕 주택〔식량〕난 / *a* ~ *of* information 정보 부족.

‡**death** [deθ] *n.* Ⓤ,Ⓒ ① 죽음, 사망: be burnt

〔frozen, starved〕 to ~ 타〔얼어, 굶어〕 죽다 / die a natural ~ 천수를 다하다 / shoot 〔strike〕 a person to ~ 아무를 쏴〔때려〕 죽이다 / a violent ~ 변사, 사고사. ② (the ~) **a)** 죽음의 원인, 사인, 생명을 앗아가는 것《*of*》: Overwork was *the* ~ *of* him. 과로가 그의 목숨을 앗아갔다. **b)** 죽도록 괴롭히는 것《*of*》: The problem was *the* ~ *of* me. 그 문제로 나는 죽을 지경이었다. ③ (the ~) 절멸, 소멸, 파멸《*of*》: *the* ~ *of* a word 어떤 언어의 소멸 / This means *the* ~ *of* our hopes 〔plans〕. 이건 우리들 희망의 종말〔계획의 파멸〕을 의미한다. ④ 살인, 살해; 사형: put a person to ~ …을 처형하다. ⑤ (D-) 사신(死神)《큰 낫을 든 해골로 상징함》. ⑥ 사망 사건〔사례〕: notify a ~ 사망을 통지하다 / Traffic ~*s* are increasing. 교통 사고사가 늘고 있다. ***(as) pale as*** ~ (송장같이) 창백하여. ***(as) sure as*** ~ 틀림없이, 확실히. ***be*** ~ ***on*** 《口》 (1) …에 대해서 놀라운 솜씨를 가지고 있다, …에 백발 백중이다: The cat *is* ~ *on* rats. 저 고양이는 쥐를 잘 잡는다. (2) …을 무척 싫어하다: She *was* ~ *on* dust. 그녀는 먼지가 딱 질색이었다. (3) …을 매우 좋아하다: She *is* ~ *on* her aunt. 그녀는 숙모를 매우 좋아한다. (4) (약 따위가) …에 잘 듣다. ***be in at the*** ~ (여우 사냥에서) 여우의 죽음을 지켜보다; (사건의) 전말을 최후까지 보다. ***catch*** 〔***take***〕 ***one's*** ~ (***of cold***) 《口》 심한 감기에 걸리다. ***do*** . . . ***to*** ~ …을 죽이다; 《口》 …을 물리도록 반복하다: This sort of story has been *done to* ~. 이런 유의 이야기는 이제 신물이 난다. ***hang*** 〔***hold, cling,*** etc.〕 ***on like grim*** ~ 죽어도 놓지 않다, 결사적으로 달라붙다. ***like*** ~ (***warmed up***) 《口》 중병으로, 노그라져서, 몹시 지쳐서: feel 〔look〕 *like* ~ (*warmed up* 〔*over*〕) 몹시 지쳐 있다〔보이다〕. ***put to*** ~ 죽이다, 처형하다. ***to*** ~ (1) 죽도록 까지: They froze〔starved〕 *to* ~. 그들은 얼어〔굶어〕 죽었다 / bleed *to* ~ 출혈 과다로 죽다. (2) 몹시, 아주, 극도로: tired *to* ~ 아주 녹초가 되어서 / done *to* ~ 지나친; 손을 너무 댄.

death·bed [déθbèd] *n.* Ⓒ (흔히 *sing.*) 죽음의 자리; 임종: one's ~ confession 임종의 고백 / a ~ will 임종 유언. ***on*** 〔***at***〕 ***one's*** ~ 임종에〔의〕.

death·blow [déθblòu] *n.* Ⓒ (흔히 *sing.*) 치명적인 타격, 치명상《*to*》: The word processor has dealt a ~ *to* typewriter. 워드프로세서는 타자기에 치명적 타격을 주고 있다.

déath cèll 사형수 독방.

déath certìficate (의사가 서명한) 사망 진단서.

déath gránt 《英》 (국민 보험에 의한) 사망 급부금.

déath hòuse 《美》 사형수 감방(이 있는) 건물.

déath knèll ① 죽음을 알리는 종. ② (종말·파멸의) 조짐.

death·less [déθlis] *a.* 불사〔불멸, 불후〕의: ~ fame 불후의 명성. ⓜ ~**·ly** *ad.* ~**·ness** *n.*

death·like [déθlàik] *a.* 죽은 듯한, 죽은 사람 같은.

death·ly [déθli] *a.* 죽음 같은; 치명적인: a ~ wound 치명상.

── *ad.* ① 죽은 듯이: ~ pale〔cold〕 죽은 듯이 창백한〔차가운〕. ② 몹시, 극도로: He's ~ afraid of earthquake. 그는 지진을 몹시 겁낸다.

déath màsk 데스마스크, 사면(死面).

déath pènalty (the ~) 사형.

déath ràte 사망률.

déath ràttle 임종 때의 가래 끓는 소리.

déath ròll 《英》 ① 사망자 명부; 과거장. ② 사망자수.

déath rów (한 줄로 된) 사형수 감방.

death's-head [déθshèd] *n.* Ⓒ (죽음의 상징으로서의) 해골.

déath squàd (군사 정권하에서 경범자·좌파 등에 대한) 암살대.

déath tàx 《美》 유산 상속세 (= **déath dùty**).

déath tòll (사고 등으로 인한) 사망자수.

death·trap [déθtræ̀p] *n.* Ⓒ 《口》 죽음의 함정《위험한 건물·탈것·장소·상황》.

Déath Válley 죽음의 계곡《미국의 California 주와 Nevada 주에 걸쳐 있는 해면보다 86m 낮은 메마른 혹서(酷暑)의 저지대》.

déath wàrrant ① 〖法〗 사형집행 영장. ② 치명적 타격.

death·watch [déθwɑ̀tʃ / -wɔ̀tʃ] *n.* Ⓒ ① (초상집의) 경야(經夜). ② 〖蟲〗 살짝수염벌레《그 소리를 죽음의 전조로 믿었음》.

déath wìsh 자기〔남〕의 죽음을 바람.

deb [deb] *n.* 《口》 = DEBUTANT(E).

dé·bâ·cle, de·ba·cle [deibɑ́:kl, -bǽkl, də-] *n.* Ⓒ 《F.》 ① (군대·군중 따위의) 와해, 패주; (정부 등의) 붕괴. ② (시장의) 폭락, 도산. ③ (강의 얼음이 깨져) 쏟아져 내림.

de·bag [di:bǽg] *vt.* 《英俗》 (장난·벌로서, 아무개)의 바지를 벗기다.

de·bar [dibɑ́:r] (*-rr-*) *vt.* ① (어떤 장소·상태)에서 내쫓다, 제외하다《*from*》. ② (…하는 것)을 방해하다; 금하다《*from* do*ing*》: If found guilty, she could be ~*red from* politics for seven years. 유죄로 되면 그녀는 7년간 정치 활동이 금지된다.

de·base [dibéis] *vt.* ① (품질·가치 따위)를 떨어뜨리다, 저하시키다: ~ the franc 프랑의 가치를 떨어뜨리다 / ~ the coinage (귀금속 함유량을 줄여) 화폐의 질을 낮추다. ② (품성·평판 등)을 떨어뜨리다: ~ one's name 이름을 더럽히다.

de·base·ment [dibéismənt] *n.* Ⓤ (인품·품질 따위의) 저하; (화폐의) 가치 하락.

de·bat·a·ble [dibéitəbəl] *a.* ① 논쟁의 여지가 있는, 문제 되는: a ~ argument 논쟁의 여지가 있는 의론. ② 미해결의; 논쟁중인: a ~ land 〔ground〕 (국경 따위의) 계쟁지(係爭地).

‡de·bate [dibéit] *n.* Ⓤ,Ⓒ ① 토론, 논쟁, 토의; 숙고: open the ~ 토론을 개시하다 / the unending ~ between pros and cons 찬반 양논의 끊임없는 논쟁 / hold a ~ on the subject 그 문제에 대해 토론하다. ② 토론회.

── *vi.* ① 《+전+명》 토론하다, 논쟁하다, 토론에 참가하다《*on; about*》: ~ hotly *on* 〔*about*〕 a question 어떤 문제에 대해 격론을 벌이다. ② 숙고하다, 검토하다《*about; of*》: She ~*d about* his offer. 그녀는 그의 제의를 잘 생각해봤다.

── *vt.* ① (문제 등)을 토의〔논의〕하다: ~ an issue 어떤 문제를 토론하다. ② 《+*wh. to* do》 숙고〔숙의〕하다: I am just *debating whether to* go or stay. 갈까 머무를까 생각하고 있는 중이오.

de·bat·er [dibéitər] *n.* Ⓒ ① 토론자. ② 논객.

de·bauch [dibɔ́:tʃ] *vt.* ① 〔종종 受動으로〕 (도덕적으로) …을 타락시키다; (생활·취미 등)을 퇴폐시키다. ② 〖經〗 (가치)를 저하시키다.

── *n.* Ⓒ 방탕, 난봉; 폭음 폭식.

de·bauched [dibɔ́:tʃt] *a.* 방탕한: a ~ person.

deb·au·chee [dèbɔ:tʃí:] *n.* Ⓒ 방탕아, 난봉꾼.

de·bauch·ery [dibɔ́:tʃəri] *n.* Ⓤ,Ⓒ 방탕, 주색에 빠짐, 도락: a life of ~ 방탕 생활.

de·ben·ture [dibéntʃər] *n.* Ⓒ ① (공무원이 서명한) 채무증서. ② 《英》 사채(社債), 사채권(券) (= ∠ **bònd**). ③ 《美》 무담보 사채.

de·bil·i·tate [dibílətèit] *vt.* …을 쇠약하게 하다: a *debilitating* climate 몸에 아주 나쁜 기후.

de·bil·i·ty [dibíləti] *n.* Ⓤ (더위·질병 등으로 인

한) 쇠약.

deb·it [débit] *n.* Ⓒ ① 차변(借邊)((略 : dr.)). opp *credit*. ② 차변 기입 : a ~ slip 출금 전표.
— *vt.* (금액)을 차변에 기입하다((*against* ; *with* ; *to*)) : ~ $ 100 *to* 〔*against*〕 him 〔his account〕 = ~ him 〔his account〕 *with* $ 100, 백 달러를 그의 차변에 기입하다.

débit sìde (the ~) 차변, 장부의 좌측((略 : dr)). opp *credit side*. ¶ on *the* ~ 차변에.

de·bone [di:bóun] *vt.* (새·물고기 등)의 뼈를 발라내다.

Deb·o·rah [débərə] *n.* 데버라((여자 이름)).

de·bouch [dibú:ʃ, -báutʃ] *vi.* ① (군대가 좁은 곳에서 넓은 데로) 나오다. ② (강이 넓은 곳으로) 흘러나오다, 유출하다 : The river ~*es* into the sea at …. 그 강은 …에서 바다로 흘러든다.

de·bouch·ment [dibú:ʃmənt, -báutʃ-] *n.* ① Ⓤ 진출 ; (하천의) 유출. ② Ⓒ 진출하는 데(곳) ; (하천의) 유출구.

de·brief [di:brí:f] *vt.* (특수 임무를 끝낸 비행사·외교관 등으로부터) 보고를 듣다.

de·bris, dé- [dəbrí:, déibri: / déb-] (*pl.* ~ [-z]) *n.* Ⓤ (파괴물의) 부스러기, 파편(의 더미) : the ~ of buildings after an air raid 공습 뒤의 건물의 잔해.

‡**debt** [det] *n.* ① **a)** Ⓒ 빚, 부채 : contract 〔incur〕 ~*s* 빚이 생기다 / I have a ~ of 100 dollars outstanding. 내겐 아직 백달러의 빚이 남아 있다 / pay (back) a ~ 빚을 갚다. **b)** Ⓤ 빚(진 상태) : fall in ~ 빚지다. ② U,C 의리, 은혜((*for*)) : I owe him a ~ of gratitude *for* what he did. 나는 그가 해준 일로 해서 은혜를 입고 있다. ***a ~ of honor*** 신용(信用)빚, ((특히)) 노름빚. ***be in*** a person*'s* ~ = ***be in*** ~ ***to*** a person 아무에게 빚이 있다 ; 아무에게 신세를 지고 있다 : I*'m* always *in* ~ *to* him for his help. 나는 늘 그의 도움을 받아 신세를 지고 있다.

***debt·or** [détər] *n.* Ⓒ ① 채무자 ; 차주(借主) : I'm your ~. 네게 빚이 있다. ② 〖簿記〗 차변((略 : dr.)). opp *creditor*.

débtor nàtion 채무국.

de·bug [di:bʌ́g] (**-gg-**) *vt.* ① (정원수 등)에서 해충을 없애다. ② ((口)) (기계·계획 등)의 결함〔잘못〕을 조사하여 제거하다 : I'll need a couple of hours to ~ this program. 이 프로그램의 결함을 제거하기 위해 여러 시간이 필요하다. ③ ((口)) (방·건물에서) 도청 장치를 제거하다. ④ 〖컴〗 (프로그램의) 결함을 발견해 수정하다.
— *n.* Ⓒ 〖컴〗 벌레잡기, 오류 수정.

de·bunk [di:bʌ́ŋk] *vt.* ((口)) (사람·제도·사상 등)의 정체를 폭로하다, 가면을 벗기다.

***de·but, dé·but** [deibjú:, di-, déi-, déb-] *n.* Ⓒ ((F.)) 무대〔사교계〕에 첫발 디디기, 첫 무대〔출연〕, 데뷔, (사회생활의) 제 1보 : make one's ~ 첫 무대를 밟다 ; 사교계에 처음으로 나서다 / She made her ~ as a singer. 그녀는 가수로서 데뷔했다.
— *vi.* 데뷔하다, 첫 무대를 밟다.

deb·u·tant, dé- [débjutɑ̀:nt, -bjə-] (*fem.* ***-tante*** [-tɑ̀:nt]) *n.* Ⓒ ((F.)) 첫 무대에 서는 사람〔배우〕 ; 사교계에 처음 나서는 사람.

deb·u·tante [débjutɑ̀:nt] *n.* Ⓒ 처음으로 사교계에 나오는〔왕궁에 사후(伺候)하는〕 소녀 ; 첫 무대의 여배우 ; 첫 출연하는 여류 음악가.

DEC Digital Equipment Corp. ***Dec.** December. **dec.** deceased ; decimeter ; declaration ; declension ; decrease.

dec(a)- *pref.* '10 배'의 뜻. cf. hecto-. ¶ *deca*syllable. ★ deci-는 '10 분의 1'.

***dec·ade** [dékeid / dəkéid] *n.* ① 10 년간 : for (the last) several ~*s* (지난) 수 10 년 간 / Pollution has been steadily increasing during the past ~, 지난 10년 동안 공해는 꾸준히 증가하고 있다. ② [dékəd] 〖가톨릭〗 로사리오의 한 단(端).

dec·a·dence, -cy [dékədəns, dikéidns], [-i] *n.* Ⓤ ① 쇠미 ; 타락 : The *decadence* of their life is shocking. 그들 생활의 타락상은 충격적이다. ② (문예상의) 퇴폐, 데카당.

dec·a·dent [dékədənt, dikéidənt] *a.* 쇠퇴기에 접어든 ; 퇴폐적인 ; 데카당파의.
— *n.* Ⓒ ① 퇴폐적인 사람. ② 데카당파의 예술가 ((특히 19 세기 말 프랑스의)).

de·caf [di:kǽf] *n.* Ⓤ 카페인을 제거한〔줄인〕 커피〔콜라 등〕. — *a.* (커피·홍차가) 카페인을 제거한.

de·caf·fein·ate [di:kǽfiənèit] *vt.* (커피 등에서) 카페인을 제거하다〔줄이다〕 : ~*d* coffee.

dec·a·gon [dékəgɑ̀n / -gən] *n.* Ⓒ 〖數〗 10 변형, 10각형. ㊞ **de·cag·on·al** [dikǽgənəl] *a.*

dec·a·gram, ((英)) -gramme [dékəgræ̀m] *n.* Ⓒ 데카그램((10 그램)).

de·cal [dí:kæl, dikǽl] *n.* = DECALCOMANIA ②.

de·cal·co·ma·nia [dikælkəméiniə] *n.* ① Ⓤ 데칼코마니((특수한 종이에 그린 도안·무늬를 유리나 도자기 같은 데 넣는 법)). ② Ⓒ 그 도안·무늬.

dec·a·li·ter, ((英)) -tre [dékəlì:tər] *n.* Ⓒ 데카리터((10 리터)).

Dec·a·logue, -log [dékəlɔ̀:g, -lɑ̀g] *n.* (the ~) 〖聖〗 (모세의) 십계명 (the Ten Commandments).

de·camp [dikǽmp] *vi.* ① 캠프를 거두고 물러나다((*with*)). ② (갑자기 몰래) 도주하다 (run away) ((*with*)) : ~ *with* money 돈을 가지고 달아나다. ㊞ **~·ment** *n.* Ⓤ 철영(撤營) ; 도망.

de·cant [dikǽnt] *vt.* (포도주 등)을 가만히 따라서 디캔터에 옮기다.

de·cant·er [dikǽntər] *n.* Ⓒ 디캔터((장식적 마개가 있는 식탁용 포도주병)).

de·cap·i·tate [dikǽpətèit] *vt.* …의 목을 베다, 참수하다((특히 처형으로)).

de·cap·i·ta·tion [dikæ̀pətéiʃən] *n.* Ⓤ 목베기, 참수.

dec·a·pod [dékəpɑ̀d / -pɔ̀d] *n.* Ⓒ 〖動〗 십각목(十脚目)((게·새우 따위)) ; 십완목(十腕目)((오징어 따위)). — *a.* 십각목의 ; 십완목의.

de·cath·lete [dikǽθli:t] *n.* Ⓒ 10 종 경기 선수.

de·cath·lon [dikǽθlɑn, -lən / -lɔn] *n.* Ⓤ (흔히 the ~) 10 종 경기. cf. pentathlon.

‡**de·cay** [dikéi] *vi.* ① 썩다, 부패〔부식〕하다((★ rot 가 일반적)) : ~*ing* food 썩어가는 음식. ② 충치가 되다 : Don't leave your teeth ~*ing*. 이가 벌레먹게 내버려 두어서는 안된다. ③ 쇠하다, 감쇠〔쇠미, 쇠퇴〕하다 : As you get old, your mental and physical powers will ~. 나이가 들면 기력도 체력도 쇠한다 / Spain's power ~*ed* after her Armada was destroyed. 스페인은 무적함대의 파멸 후 그 세력이 쇠미했다. ④ 〖物〗 (방사성 물질이) (자연) 붕괴하다. — *vt.* ① …을 썩이다 ; (이가) 벌레먹게 하다 : a ~*ed* tooth 충치. ② 쇠하게 하다 : a ~*ed* civilization 쇠퇴한 문명.
— *n.* Ⓤ ① 부패, 부식 ; (충치의) 부식부((*of*)) : the ~ *of* the teeth 치아의 부식, 충치가 됨 / the ~ *of* apples. ② 감쇠, 쇠미, 쇠약, 쇠퇴 ; (도덕 등의) 퇴락 : the ~ *of* civilization 문명의 쇠퇴 / mental ~ 지력 감퇴 / The war caused the ~ *of* our trade. 그 전쟁으로 나라의 무역은 쇠퇴해버렸다. ***be in*** ~ 쇠퇴하고 있다. ***go to*** ~ = ***fall into*** ~ 썩다, 부패하다 ; 쇠미하다.

Dec·can [dékən, -æn] *n.* (the ~) 데칸 《(1) 인도의 반도부를 이루는 고원. (2) 인도의 Narmada 강 이남의 반도부》.

de·cease [disíːs] *n.* Ⓤ, *vi.* 〖法〗 사망(하다).

***de·ceased** [disíːst] *a.* 〖法〗 ① 죽은, 고(故)…: one's ~ father 아무의 망부(亡父). ② (the ~) 〔名詞的 ; 單·複數 취급〕 고인(故人): *The* ~ was respected by all who knew him. 고인은 그를 아는 모든 사람의 존경을 받았다. 「고인.

de·ce·dent [disíːdənt] *n.* Ⓒ 〖美法〗 사자(死者),

‡de·ceit [disíːt] *n.* ① Ⓤ 속임 ; 사기 ; 허위, 불성실: practice ~ on one's friend 친구를 속여먹다. ② Ⓒ 책략, 계략. ◇ deceive *v.*

***de·ceit·ful** [disíːtfəl] *a.* ① 사람을 속이는, 거짓의: A ~ person cannot keep friends for long. 거짓말쟁이에게는 친구가 오래 못간다. ② 남을 오해하게〔현혹하게〕 할 만한《언동·외견 따위》: a ~ action 남을 오해하게 만드는 행위 / Appearances are often ~. 외관은 자칫 사람들을 오해하게 만든다. ㊞ ~·**ly** *ad.* ~·**ness** *n.*

‡de·ceive [disíːv] *vt.* ① 《~+목 / +목+전+명》 (사람)을 속이다, 기만하다, 현혹시키다 ; (…의 기대)를 저버리다, 배반하다 ; (남)을 속여서 …하게 만들다《*into* do*ing*》: We were entirely ~*d* by the advertisement. 우리는 그 광고에 감쪽같이 속아버렸다 / Don't be ~*d* by appearances. 외양에 현혹되어서는 안된다 / He was ~*d into* buy*ing* such a thing. 그는 속아서 저런 물건을 샀다. ② 〔再歸的〕 잘못 생각하다《★ 종종 수동으로 써서 '잘못 생각하다, …을 잘못 보다'(*in*)의 뜻이 됨》: He ~*d himself* into believing she loved him. 그는 그녀가 사랑해 주는 것으로 믿고 있었다 / I've *been* ~*d in* you. 나는 너를 잘못 보고 있었다. ── *vi.* 사기치다, 속이다.
◇ deceit, deception *n.*

de·ceiv·er [disíːvər] *n.* Ⓒ 사기꾼.

de·ceiv·ing·ly [disíːviŋli] *ad.* 속여서, 거짓으로: It looked ~ easy to do. 그건 쉽게 되는 걸로 보였으나 그렇지는 않았다.

de·cel·er·ate [diːséləreìt] *vt.* …의 속력을 늦추다〔줄이다〕. ── *vi.* 감속하다. opp *accelerate.*

de·cel·er·a·tion [diːsèləréiʃən] *n.* Ⓤ ① 감속. ② 〖理〗 감속도(度). opp *acceleration.*

†De·cem·ber [disémbər] *n.* 12월《略: Dec.》: in ~, 12월에 / on ~ 9th=on 9 ~=on the 9th of ~, 12월 9일에.

***de·cen·cy** [díːsnsi] *n.* ① Ⓤ (사회적 기준에서) 보기 싫지 않음, 품위 ; 체면 ; 예절바름, (언동이) 고상함: for ~*'s* sake 체면상 / She does not have the ~ to say "Excuse me." 그녀는 '미안합니다' 라는 말을 할 정도의 예절도 없는 여자다. ② (the decencies) **a**) 예의, 예절: observe *the decencies* 예의를 지키다. **b**) 보통의 살림에 필요한 것《의류·가구 등》. ③ (the ~) 친절, 관대.

de·cen·ni·al [diséniəl] *a.* 10 년간의 ; 10 년 마다의. ── *n.* Ⓒ 《美》 10 년제(祭).

‡de·cent [díːsənt] (**more** ~ ; **most** ~) *a.* ① (복장·집 등이) 버젓한, 알맞은, 볼꼴 사납지〔남부끄럽지〕 않은: ~ clothes 단정한 복장 / quite a ~ house 꽤 훌륭한 집 / That dress of yours isn't very ~. 당신의 그 드레스는 보기에 그다지 좋지 않다. ② (태도·사상·언어 등이) 예의 바른, 예법에 의거한, 도덕에 걸맞은 ; 품위 있는, 점잖은: be ~ in manner 태도가 단정하다 / It's not ~ to laugh at a funeral. 장례식에서 웃는 것은 예의가 아니다. ③ 어지간한, 남만한, 일정 수준의: a ~ salary 상당한 급료 / get ~ marks (학교에서) 꽤 좋은 점수를 받다. ④ 《口》 (남 앞에 나설 정도의) 옷을 입은, 벗은 상태가 아닌: Are you ~? (방 앞에서) 들어가도 되나요 / I'm not ~. (기다리세요) 아직 옷을 덜 입었습니다. ⑤ 친절한, 관대한 ; 호감이 가는: He's quite a ~ fellow. 아주 좋은 사람이다 / It is ~ of you to grant my request. 내 청을 들어주셔서 고맙습니다.

de·cent·ly [díːsəntli] *ad.* ① 보기싫지 않게, 단정히. ② 꽤, 상당히. ③ 친절하게, 예의 바르게: Treat your friends ~. 친구들에게 친절히 해라.

de·cen·tral·i·za·tion [diːsèntrəlizéiʃən] *n.* Ⓤ ① 집중 배제, 분산. ② 지방 분권. ③ 인구 분산.

de·cen·tral·ize [diːséntrəlàiz] *vt.* (행정권·인구)를 분산시키다 ; 지방 분권으로 하다: ~ authority 권력을 분산시키다.

***de·cep·tion** [disépʃən] *n.* ① Ⓤ 사기, 속임 ; 기만: practice ~ on a person〔the public〕 사람〔세상〕을 기만하다 / fall an easy prey to ~ 감쪽같이 속다. ② Ⓒ 사기 수단, 속임수: There is no ~. 아무 속임수도 없다. ◇ deceive *v.*

de·cep·tive [diséptiv] *a.* (사람을) 현혹시키는, 거짓의 ; 믿지 못할: Appearances are very often ~. 외관은 왕왕 믿을게 못된다.
㊞ ~·**ly** *ad.* ~·**ness** *n.*

deci- *pref.* '10 분의 1'의 뜻.

dec·i·bel [désəbèl, -bəl] *n.* Ⓒ 데시벨《음향 강도의 단위 ; 略: db. ; 가청 범위는 1-130 db.》.

†de·cide [disáid] *vt.* ① 《+*to* do / +*that* 절 / +*wh. to* do / +*wh.* 절》 …을 결심〔결의〕하다: She has ~*d to* become a teacher. = She has ~*d that* she will become a teacher. 그녀는 선생이 되려고 결심했다 / He could not ~ *which to* choose. = He could not ~ *which* he should choose. 어느 쪽을 택할 것인지 결심하지 못했다. ② 《~+(*that*)절》 …하는 것을 (결)정하다: It has been ~*d that* the conferance shall be held next month. 회의는 내달에 갖기로 결정됐다 / We have not ~*d what* to do. 우리가 무엇을 할 것인지 정한 바 없다. ③ 《~+목 / +목+전+명》 (문제·논쟁·투쟁 등)을 해결하다, 재결〔결정〕하다, (판사가) 판결하다, (승부를) 정하다: I leave that matter for you to ~. 그 문제의 해결은 네게 맡긴다 / The court ~*d* the case *against* the plaintiff. 법원은 원고에게 불리한 판결을 했다 / That battle ~*d* the war. 그 싸움으로 전쟁의 승패가 판가름났다. ④ 《~+목 / +목+*to* do》 …을 결심시키다: That ~*s* me. 그것으로 결심이 선다 / His advice ~*d* me *to* carry out my plan. 그의 충고로 계획을 실천하려고 결심했다 / What has ~*d* you *to* give up smoking? 어째서 금연하기로 마음먹었나. ── *vi.* ① 《~ / +*to* do / +전+명》 결심하다, 결정하다: I have ~*d to* go. = I have ~*d on* 〔*for*〕 going. 가기로 정했다 / I haven't ~*d* yet. 아직 결정하지 않았다. ② 《+전+명》 판결을 내리다: The judge ~*d against*〔*for, infavor of*〕 the defendent. 판사는 피고에게 불리〔유리〕한 판결을 내렸다.

‡de·cid·ed [disáidid] (**more** ~ ; **most** ~) *a.* ① 분명한, 명확한(distinct): a ~ difference 뚜렷한 차이 / Her plan has the ~ advantage of low cost. 그녀의 계획은 비용이 적다는 분명한 이점이 있다. ② (성격 등이) 단호〔확고〕한, 과단성 있는: in a ~ tone 〔attitude〕 단호한 어조〔태도〕로 / She holds a very ~ view of the world. 그녀는 세상에 관해 매우 확고한 견해를 갖고 있다.

de·cid·ed·ly [-li] (**more** ~ ; **most** ~) *ad.* ① 확실히, 분명히, 단연: answer ~ 분명히 대답하다 / This is ~ better than that. 이것이 저것보다 단연 우수하다. ② 단호〔확고〕하게.

D

de·cid·er [disáidər] *n.* Ⓒ ① 결정자, 결재자. ② 《英》 (동점자끼리의) 결승 경기.
de·cid·ing [disáidiŋ] *a.* 결정적인 ; 결승〔결전〕의 : She cast the ~ vote. 그녀는 찬부를 결정하는 한 표를 던졌다.
de·cid·u·ous [disídʒuːəs] *a.* ①〖生〗 **a)** 낙엽성의 : a ~ tree 낙엽수. **b)** (이·뿔 등이 어느 시기에) 빠지는 : a ~ tooth 젖니(milk tooth). ② 일시적인, 덧없는, 영존하지 않는.
dec·i·gram, 《英》 -gramme [désigræ̀m] *n.* Ⓒ 데시그램《1 그램의 10 분의 1 ; 기호 dg》.
dec·i·li·ter, 《英》 -tre [désilìːtər] *n.* Ⓒ 데시리터《1 리터의 10 분의 1 ; 기호 dl》.
***dec·i·mal** [désəməl] *a.* 〖數〗 ① 십진법의 : the ~ system 십진법 / (a) ~ classification 십진 분류법 《도서의》 / go ~ (통화에서) 십진제를 채용하다 / The United Kingdom went ~ in 1971. 영국(의 화폐 제도)은 1971년에 십진법으로 바뀌었다. ② 소수의 : a ~ point 소수점. ── *n.* Ⓒ 소수(~ fraction) : a circulating 〔recurring, repeating〕 ~ 순환 소수.
㊞ **~·ly** *ad.* 십진법으로 ; 소수로.
décimal arìthmetic 십진산.
décimal fràction 〖數〗 소수. ⓒⓕ common fraction.
dec·i·mal·i·za·tion [dèsəməlizéiʃən] *n.* Ⓤ (화폐·도량형의) 십진법화(十進法化).
dec·i·mal·ize [désəməlàiz] *vt.* (통화·도량형)을 십진법으로 하다.
dec·i·mate [désəmèit] *vt.* ① (특히 고대 로마에서 반란죄 등의 처벌로) 10 명에 1 명꼴로 제비뽑아 죽이다. ② (전쟁·역병 따위가) …의 많은 사람을 죽이다 : The population was ~*d* by the war. 그 전쟁으로 많은 사람이 죽었다.
㊞ **dèc·i·má·tion** *n.*
dec·i·me·ter, 《英》 -tre [désəmìːtər] *n.* Ⓒ 데시미터《1 미터의 10 분의 1 ; 기호 dm》.
de·ci·pher [disáifər] *vt.* ① (암호문 등)을 해독하다(decode). ⓞⓟⓟ *cipher, encipher*. ¶ I'm still no closer to ~*ing* the code. 나는 아직 암호를 해독하는 데 조금도 진전이 없다. ② (판독이 어려운 문자 등)을 판독하다. ㊞ **~·ment** *n.*
‡de·ci·sion [disíʒən] *n.* ① Ⓤ,Ⓒ 결정, 결단 ; 해결, 판결 : (a) ~ by majority 다수결 / This is a time of ~. 지금이야말로 결단의 시간이다 / the ~ of a matter 〔question〕 문제의 해결 / hand down a ~ of not guilty 무죄 판결을 내리다. ② Ⓤ,Ⓒ (…하려는) 결심, 결의《*to*》: He made known his ~ *to* resign. 그는 사임 결심을 밝혔다 / Her ~ *to* move to country surprised us. 시골로 옮기겠다는 그녀의 결심에 우리는 놀랐다. ③ Ⓤ 결단력, 과단성 : act with ~ 결연히 행동하다 / He lacks ~. 그는 결단력이 없다.
decísion màker 의사(意思) 결정자.
de·ci·sion-mak·ing [disíʒənmèikiŋ] *n.* Ⓤ *a.* 정책〔의사〕 결정(의).
decísion suppórt sỳstem 〖컴〗 (경영의) 의사 결정 지원 시스템《略 : DSS》.
decísion trèe 〖컴〗 의사 결정(을 위한) 분지도(分枝圖)《여러 가지 전략·방법 등을 나뭇가지 모양으로 도시(圖示)한 것》.
‡de·ci·sive [disáisiv] (*more* ~ ; *most* ~) *a.* ① 결정적인, 결정하는 힘이 있는 ; 중대한 : ~ evidence 〔proof〕 확증, 결정적인 증거 / ~ ballots 〖法〗 결선 투표 / the ~ battle in a war 전쟁의 승패를 가름하는 결정적인 회전 / We are at a ~ point in our lives. 우리들은 인생의 기로(岐路)에 서있다. ② 결단력이 있는 ; 단호한, 확고한 : a ~ tone of voice 단호한 어조 / a ~ character 과단성 있는 성격 / refuse a request in a ~ manner 요구를 단호히 거절하다. ③ 명백한, 의심할 여지가 없는 : a ~ superiority 명백한 우위 / We had a ~ advantage over them. 우리는 그들보다 분명히 유리했다. ◇ decide *v.* ㊞ **~·ness** *n.*
de·ci·sive·ly [-li] *ad.* ① 결정적으로. ② 단호히.
‡deck [dek] *n.* Ⓒ ① 갑판 : the lower 〔upper〕 ~ 하〔상〕갑판 / the forecastle 〔quarter, main〕 ~ 앞〔후(後), 주(主)〕갑판 / Let's go up to the ~ for some air. 갑판에 올라가 바람이나 쐬자. ② (전차·버스 따위의) 바닥 ; 층 : the upper 〔top〕 ~ of a bus 버스의 위층 / a parking ~ 주차장의 지면. ⓒⓕ decker. ③ 《美》 카드의 한 벌(《英》 pack) 《52 매》 : a ~ of cards 카드 한 벌. ④ 〖컴〗 덱, 대(臺), 천공(穿孔) 카드를 모은 것. ⑤ 《俗》 작은 마약 봉지. ⑥ 테이프 덱 : ⇨ TAPE DECK. ***clear the ~s*** (***for action***) (1) 갑판을 청소하다. (2) 전투〔활동〕 준비를 하다. ***hit the*** ~ 《口》 (1) 일어나다, 기상하다. (2) 전투〔활동〕 준비를 하다. (3) 바닥에 쓰러지다〔엎드리다〕. ***on*** ~ (1) 〖海〗 갑판에 나가 ; 당직하여 : be *on* ~ 갑판에 나가 있다 / go (up) *on* ~ 갑판에 나가다 ; 당직하다. (2) 《주로 美》 (활동) 준비가 된 ; 〖野〗 다음 차례에〔의〕.
── *vt.* ① 《~+목 / +목+전+명 / +목+부》 〔흔히 受動 또는 再歸的〕 …을 (…로) 장식하다《*out* ; *in* ; *with*》: They are ~*ed out in* their Sunday best. 그들은 나들이옷으로 미끈하게 차려 입었다. ② 《美俗》 …을 때려눕히다, 녹다운시키다.
déck chàir 데크체어《즈크로 된 접(摺)의자》.
deck·er [dékər] *n.* Ⓒ 〔複合語를 이루어〕 (…층의) 버스·선박 (등) : a double-~ (bus), 2 층 버스 / a triple-~ sandwich, 3층으로 된 샌드위치.
deck·hand [dékhæ̀nd] *n.* Ⓒ 갑판원, 평선원.
déck·le édge [dékəl-] 〖製紙〗 손으로 뜬 종이의 (도련(刀鍊)하지 않은) 들쭉날쭉한 가장자리.
deck·le-edged [-édʒd] *a.* (사진·종이 등) 도련하지 않은.
de·claim [dikléim] *vt.* (시·문장을) 과장해서 낭독하다《*to*》. ── *vi.* 낭독〔연설〕조로 이야기하다 ; 열변을 토하다 ; 격렬하게 공격〔비난〕하다 《*against*》: ~ *against* political corruption 정치적 부패를 맹렬이 비난하다.
dec·la·ma·tion [dèkləméiʃən] *n.* ① Ⓤ 낭독(법) ; 웅변(술). ② Ⓒ 거침없는 과장된 연설, 열변.
de·clam·a·to·ry [diklǽmətɔ̀ːri / -təri] *a.* 연설조의, 웅변가투의 ; 낭독조의 ; (문장이) 미사 여구를 늘어놓은 : speak in ~ tones 연설조로 이야기하다.
de·clar·a·ble [dikléərəbəl] *a.* ① 선언〔언명〕할 수 있는. ② (물품을 세관에서) 신고해야 할 : ~ goods (통관시) 신고해야 할 물품.
‡dec·la·ra·tion [dèkləréiʃən] *n.* ① Ⓤ,Ⓒ 선언(서), 포고(문) ; 공표, 발표 ; (사랑의) 고백《*of*》: a ~ *of* war 선전 포고 / make a ~ *of* love 사랑을 고백하다 / a ~ *of* one's political views 정견 발표 / a ~ *of* war neutrality 중립 선언. ② Ⓒ (세관·세무서에의) 신고(서) : a ~ of income 소득(의) 신고. ③ Ⓒ 〖法〗 (원고의) 최초 진술 ; 신청서. ④ Ⓒ 〖카드놀이〗 (브리지의) 으뜸패 선언. ◇ declare *v.* ***the Declaration of Human Rights*** 세계 인권 선언《1948년 12월 유엔 제 3 차 총회에서 채택》. ***the Declaration of Independence*** (미국) 독립 선언《1776년 7월 4일 채택》.
***de·clar·a·tive** [diklǽrətiv] *a.* 진술의 ; 서술의 : a ~ sentence 〖文法〗 평서문. ㊞ **~·ly** *ad.*
‡de·clare [dikléər] *vt.* ① 《~+목 / +목+보 / +목+(*to be*) 보 / +목+전+명 / + *that* 절》 …을 선언〔언명〕하다, 발표〔포고, 단언, 성명, 공언〕하

다 ; …을 밝히다, 분명히 하다, 표시하다 : ~ one's position 입장을 분명히 하다 / She was ~*d* the winner of the first prize. 그녀가 일등상의 수상자로 발표되었다 / We ~ Mr. Palmer elected. 팔머 씨가 선출되었음을 선언합니다 / ~ war *against* 〔*on, upon*〕 a country 어떤 나라에 선전을 포고하다 / These footprints ~ *that* somebody came here. 이 발자국들은 누가 여기 왔었다는 것을 나타내고 있다. ② (세관·세무서에서 과세품·소득액)을 신고하다 : Have you anything to ~? 신고할 과세품을 가지고 계십니까 / I have nothing to ~. 나는 신고할 아무 물건도 없습니다. ③〖카드놀이〗 (손에 든 패)를 알리다 ; (어떤 패)를 으뜸패로 선언하다. — *vi.* ①《~/+전+명》 선언〔언명, 단언〕하다 ; 의견〔입장〕을 표명하다《*against ; for*》: ~ *against* 〔*for*〕 war 반전〔주전(主戰)〕론을 부르짖다 / He ~*d for* our idea. 그는 우리 의견에 찬성한다고 분명히 밝혔다. ②〖크리켓〗 (중도에서) 회(回)의 종료를 선언하다.
~ one***self*** 소신을 말하다 ; 신분을 밝히다. ***Well, I*** (*do*) ~*!* 저런, 설마.

de·clared [dikléərd] *a.* 〔限定的〕 ① 공언한, 공표된, 공공연한 : a ~ candidate 입후보를 선언〔표명〕한 사람. ② 신고된 ; 가격을 표기한 : ~ value (수입품의) 신고 가격.

de·clar·ed·ly [dikléəridli] *ad.* 공공연히.

de·clar·er [dikléərər] *n.* Ⓒ ① 선언자 ; 신고자. ②〖카드놀이〗 (브리지에서) 으뜸패의 선언자.

de·clas·si·fy [di:klǽsəfài] *vt.* …을 기밀 정보 리스트에서 삭제하다. ㊞ **de·clàs·si·fi·cá·tion** [-fikéiʃən] *n.* Ⓤ 비밀 취급의 해제.

de·clen·sion [diklénʃən] *n.* 〖文法〗 ① Ⓤ 어형변화《명사·대명사·형용사의 성(性)·수(數)·격에 의한 굴절》. ② Ⓒ 동일 어형변화의 어군(語群), 변화형. cf. inflection.

de·clin·a·ble [dikláinəbəl] *a.* 〖文法〗 격변화〔어형변화〕를 하는.

dec·li·na·tion [dèklənéiʃən] *n.* ① U,C 내리받이, 경사(傾斜). ② U,C **a)**〖物〗 (자침의) 편차 (variation). **b)**〖天〗 적위(赤緯). ③ Ⓤ 《美》 (정식) 사퇴, 정중한 사절.

‡de·cline [dikláin] *vi.* ① (정중히) 사절〔거절〕하다 : She ~*d* with thank. 모처럼이지만 하고 그녀는 거절했다 / If he is invited, he will ~. 초대받으면 그는 사절할 것이다. ② (아래로) 기울다, 내리막이 되다 ; (해가) 져가다 ; (인생 따위) 끝에 다가서다 : The sun had ~*d* nearly to the horizon. 해는 거의 지평선까지 기울고 있었다 / The road ~*s* sharply. 길이 가파르게 내리받이가 된다. ③ (힘·건강 등이) 쇠하다, 감퇴하다 : He has ~*d* in health. 건강이 쇠약해졌다. ④ (인기·물가 등이) 떨어지다 : Demand for 〔The price of〕 this software has ~*d*. 이 소프트웨어의 수요가〔값이〕 떨어졌다 / His reputation is *declining*. 그의 평판이 떨어지고 있다. ⑤〖文法〗 어형〔격(格)〕변화하다. — *vt.* ①《~+목 / +*to* do / +-*ing*》 (초대·제의 등)을 정중히 사절하다, 사양하다 : ~ an offer 제의를 정중하게 거절하다 / He ~*d to* explain. =He ~*d* explain*ing*. 그는 해명하기를 거절했다 / ~ *to* accept the appointment 임명을 사절하다. ★ 목적어로서는 《+*to* do》의 형이 보통. ② …을 기울이다, (머리)를 숙이다 : with one's head ~*d* 머리를 숙이고 / He ~*d* his head. 그는 고개를 숙였다. ③〖文法〗 (명사·대명사·형용사)를 (격)변화시키다. cf. conjugate. ◇ declination *n.*
— *n.* Ⓒ (흔히 *sing.*) ① 쇠퇴, 쇠미, 퇴보 ; 만년 : in the ~ of a person's life 만년에 / a ~ in the power of Europe 유럽 세력의 쇠퇴 / the ~ and fall of Roman Empire 로마 제국의 쇠망. ② (가격의) 하락, (혈압, 열 등의) 저하《*in*》: a (sharp) ~ *in* prices 물가의 하락〔급락〕/ a ~ *in* the quality of employees 종업원들의 질의 저하. ③ 경사, 내리받이 : a gentle ~ in the road 길의 완만한 경사. ***go*** 〔***fall***〕 ***into a*** ~ 쇠퇴하다 ; 폐병에 걸리다. ***on the*** ~ 기울어져 ; 내리받이〔내리막길〕로 ; 적어져 : Absenteeism is *on the* ~. 장기 결근〔결석〕은 감소하고 있다.

de·clin·ing [dikláiniŋ] *a.* 〔限定的〕 기우는 ; 쇠약해지는 : ~ fortune 쇠운(衰運) / one's ~ years 만년(晩年).

de·cliv·i·ty [diklívəti] *n.* U,C (내리받이의) 경사, 내리받이. opp. *acclivity*. ¶ a sudden ~ 급한〔가파른〕 내리받이. 「를 풀다.

de·clutch [di:klʌ́tʃ] *vi.* 《英》 (자동차의) 클러치

de·coct [di:kɑ́kt / -kɔ́kt] *vt.* (약초 등)을 달이다, 끓여 우리다.

de·coc·tion [dikɑ́kʃən / -kɔ́k-] *n.* ① Ⓤ 달이기. ② Ⓒ 달인 즙(약). 「*encode, code.*

de·code [di:kóud] *vt.* (암호 등)을 해독하다. opp.

de·cod·er [di:kóudər] *n.* Ⓒ ① 암호 해독자〔해독기〕. ②〖컴〗 디코더, 새김기, 복호기(復號器)《부호화된 신호를 원형으로 환원시킴》.

de·cod·ing [di:kóudiŋ] *n.* Ⓤ 〖컴〗 디코딩《코드화(化)된 데이터나 명령을 처리할 수 있도록 해독하는 일》.

dé·col·le·tage [dèikɑlətɑ́:ʒ, dèkələ- / -kɔl-] *n.* U,C 《F.》 (목과 어깨를 드러낸) 깊이 판 옷깃 (의 여성복).

dé·col·le·té [deikɑ̀lətéi / deikɔ́lətei] (*fem.* ***-tée*** [—]) *a.* 《F.》 어깨와 목을 많이 드러낸《옷》; 데콜테옷을 입은. ***a robe*** ~ 로브데콜테《여성의 야회복》.

de·col·o·nize [di:kɑ́lənàiz / -kɔ́l-] *vt.* (식민지)에 자치를〔독립을〕 허락하다 : We believe that these countries should be ~*d*. 우리는 이 국가들이 식민지에서 독립을 해야 한다고 믿는다. ㊞ **de·còl·o·ni·zá·tion** [-nizéiʃən / -nai-] *n.* Ⓤ 비식민지화.

de·col·or, 《英》 **-our** [di:kʌ́lər] *vt.* …에서 색을 지우다, 탈색〔표백〕하다. cf. discolor.

de·col·or·ize [di:kʌ́lərὰiz] *vt.* =DECOLOR.

de·com·mis·sion [dì:kəmíʃən] *vt.* ① (배·비행기 등)을 퇴역시키다. ② (원자로)를 폐로(廢爐) 조치하다.

de·com·mu·nize [dì:kɑ́mjunàiz / -kɔ́m-] *vt.* ① …을 비(非)공산화하다. ② (국가·제도 등)을 비생산화(非生産化)하다.
㊞ **de·còm·mu·ni·zá·tion** [-nizéiʃən] *n.*

***de·com·pose** [dì:kəmpóuz] *vt.* ①《~+목 / +목+전+명》 …을 (성분·요소로) 분해시키다《*into*》: The bacteria ~ the impurities *into* a gas and solids. 박테리아는 불순물을 기체와 고체로 분해시킨다. ② …을 썩게 하다, 변질시키다.
— *vi.* ① 분해하다. ② 썩다, 부패하다 : There was a smell of *decomposing* vegetable matter. 야채물이 썩는 냄새가 났다.

***de·com·po·si·tion** [dì:kɑmpəzíʃən / -kɔm-] *n.* Ⓤ ① 분해(작용). ② 부패, 변질.

de·com·press [dì:kəmprés] *vt.* ① …의 압력을 줄이다 ; 감압하다. ② (잠수부 등)을 보통 기압으로 되돌리다. — *vi.* ① 감압하다. ②《口》 긴장이 풀리다, 편해지다.

de·com·pres·sion [dì:kəmpréʃən] *n.* Ⓤ 감압《심해 다이버 등을 정상 기압으로 되돌리는》: ~ chamber 감압실.

de·con·gest·ant [dì:kəndʒéstənt] *n.* U,C 〖醫〗 (특히 코의) 울혈〔충혈〕 제거〔완화〕제(劑).

de·con·struct [dìːkənstrʌ́kt] *vt.* ① (구조·체계 등)을 해체[분해]하다. ② (문학 작품 등)을 탈(脫)구축(deconstruction)의 방법으로 분석하다.

de·con·struc·tion [dìːkənstrʌ́kʃən] *n.* Ⓤ 〖文藝〗 탈(脫)구축, 해체 구축《구조주의 문학 이론 이후에 유행한 비평 방법》.

de·con·tam·i·nate [dìːkəntǽmənèit] *vt.* ① …을 정화(淨化)하다. ② (독가스·방사능 따위)의 오염을 제거하다.

de·con·tam·i·na·tion [dìːkəntæ̀mənéiʃən] *n.* Ⓤ ① 정화. ② (독가스·방사능 등의) 오염 제거.

de·con·trol [dìːkəntróul] (*-ll-*) *vt.* (정부)의 관리를 해제하다, 통제를 풀다. ── *n.* Ⓤ,Ⓒ 관리[통제] 해제 : (the) ~ of domestic oil prices 국내 석유 가격의 통제 해제.

de·cor, dé·cor [deikɔ́ːr, ⌐-] *n.* Ⓤ,Ⓒ 《F.》 장식, 실내 장식 ; 무대 장치.

:dec·o·rate [dékərèit] *vt.* ①《~+목 / +목+전+명》…을 꾸미다, 장식하다《*with*》: a beautifully ~*d* room 아름답게 꾸며진 방 / Those pictures ~ the walls very well. 그림들이 아주 좋은 벽장식이 되고 있다. ② (방·집)에 칠을 하다, 도배하다. ③《+목+전+명》(아무)에게 훈장을 주다《*for* ; *with*》: ~ a person *with* the Order of the Bath *for* eminent services 현저한 공로에 대해 아무에게 바스 훈장을 주다 / a heavily ~*d* general 가슴에 훈장을 잔뜩 단 장군.
── *vi.* 벽[방]에 도배하다, 칠을 하다.

:dec·o·ra·tion [dèkəréiʃən] *n.* ① Ⓤ 장식(법) : ~ display (상점의) 장식 진열 / interior ~ 실내 장식. ② Ⓒ (흔히 *pl.*) 장식물 : Christmas (tree) ~*s* 크리스마스(트리)의 장식물. ③ Ⓒ 훈장.

Decorátion Dày 《美》 =MEMORIAL DAY.

***dec·o·ra·tive** [dékərèitiv, -rə-] *a.* 장식(용)의, 장식적인 : ~ art 장식 미술.
㊕ **~·ly** *ad.* **~·ness** *n.*

***dec·o·ra·tor** [dékərèitər] *n.* Ⓒ 장식자 ; 실내 장식가[장식업자](interior ~).

dec·o·rous [dékərəs] *a.* 예의 바른 ; 점잖은, 단정한. ㊕ **~·ly** *ad.* **~·ness** *n.*

de·co·rum [dikɔ́ːrəm] *n.* Ⓤ ① (동작의) 단정 ; 예의 바름 : observe proper ~ 단정하고 예의바르게 처신하다. ② Ⓒ (종종 *pl.*) 예법.

de·cou·page, dé- [dèikuːpɑ́ːʒ] *n.* Ⓤ 《F.》 오려 낸 종이 쪽지로 만드는 장식(의 기법).

***de·coy** [díːkɔi, dikɔ́i] *n.* Ⓒ ① 유인하는 장치, 미끼, 후림새 : a ~ bird 후림새. ② 미끼로 쓰이는 것[사람] : a police ~ 위장 잠입 형사. ③ (오리 사냥 따위의) 유인 못, 꾀어들이는 곳.
── [dikɔ́i] *vt.* 《~+목 / +목+전+명》…을 (미끼로) 유혹[유인]하다 ; 꾀어내다[들이다]《*into* (do*ing*) ; *out of*》: ~ a person *out of* a place 아무를 어떤 장소에서 꾀어내다 / ~ a person *into* a place [do*ing* something] 아무를 꾀어 어떤 곳에 데려가다[어떤 일을 시키다].

:de·crease [díːkriːs, dikríːs] *n.* ① Ⓤ,Ⓒ 감소, 축소, 감퇴《*in*》: a ~ *in* export 수출 감소 / a rapid ~ *in* population 인구의 급감. ② Ⓒ 감소량[액]. opp *increase*. ***be on the*** ~ 점점 줄어가다, 점감하다 : Travel by train has *been on the* ~. 열차 여행은 감소하는 추세에 있다.
── [dikríːs] *vi.* 《~ / +전+명》 줄다 ; 감소[저하]하다 : ~ *in* number 수가 줄다 / ~ *by* one half 반감하다. ── *vt.* …을 줄이다, 감소시키다, 저하시키다 : ~ pollution 오염을 감소시키다 / ~ speed 속도를 줄이다 / This medicine will ~ your pain. 이 약을 먹으면 고통이 덜해질 것이다.

de·creas·ing·ly [dikríːsiŋli] *ad.* 점점 줄어, 점감적으로.

:de·cree [dikríː] *n.* Ⓒ ① 법령, 포고, 명령 : issue a ~ 법령을 발포하다 / forbid selling guns by ~ 법령으로 총기판매를 금하다. ② 〖法〗 판결, 명령.
── *vt.* 《~+목 / +*that* 절》 ① …을 법령으로 포고하다 ; 판결하다 : ~ the abolition of slavery 노예 제도 폐지를 포고하다. ② (하늘·운명)이 정하다 : Fate ~*d that* Ulysses (should) travel long and far. 운명의 신은 율리시스에게 오랜 동안 먼 여행을 계속하도록 했다. ── *vi.* 법령을 공포(公布)하다.

dec·re·ment [dékrəmənt] *n.* ① Ⓤ 점감, 감소, 소모. ② Ⓒ 감소량 ; 감소율. opp *increment*.

de·crep·it [dikrépit] *a.* ① 노쇠한, 늙어빠진. ② (낡아서) 터덜[덜커덩]거리는.

de·crep·i·tude [dikrépitjùːd] *n.* Ⓤ ① 노쇠(상태), 늙어빠짐, 허약. ② 노후(老朽).

decresc. 〖樂〗 decrescendo.

de·cre·scen·do [dìːkriʃéndou, dèi-] *a.*, *ad.* 《It.》〖樂〗 데크레센도, 점점 여린, 점점 여리게《略 : decres(c).》. opp *cresendo*.
── (*pl.* **~s**) *n.* Ⓒ 데크레센도(의 악절).

de·cres·cent [dikrésnt] *a.* (달이) 이지러져가는, 하현(下弦)의. opp *increscent*.

de·crim·i·nal·ize [dìːkrímənəlàiz] *vt.* (포르노·약물 등)을 해금(解禁)하다 ; (사람·행위)를 기소[처벌] 대상에서 제외하다.

de·cry [dikrái] *vt.* …을 공공연히 비난[중상]하다, 헐뜯다, 비방하다 : ~ the violence of modern films 현대 영화의 폭력물을 비난하다.

dec·u·ple [dékjupl] *n.*, *a.* 10 배(의)(tenfold).
── *vt.* …을 10 배로 하다.

:ded·i·cate [dédikèit] *vt.* ①《+목+전+명》…에 바치다《시간·생애 등을》: She ~*s* her spare time *to* her children. / He ~*d* his life *to* medical work. 그는 의료 사업에 생애를 바쳤다 / Mornings were ~*d to* reading and afternoons *to* writing. 매일 오전은 독서에 오후는 집필에 전념했다. ②《~+목 / +목+전+명》 봉납[헌납]하다 : ~ a new church building 새로운 교회당을 헌당하다 / a Museum ~*d to* the memory of the British nurse, Florence Nightingale 영국의 간호사 플로렌스 나이팅게일을 추모하기 위하여 헌납된 박물관. ③《+목+전+명》(저서·작곡 따위를) 헌정(獻呈)하다《*to*》: *Dedicated to* Mr. Brown. (이 책을) 브라운씨에게 드립니다《Dedicated는 생략하는 일이 많음 ; 책의 속표지에 적음》. ~ one***self to*** …에 몸을 바치다, 전념하다 : He ~*d himself to* study bacteria. 그는 박테리아 연구에 전념했다.

ded·i·cat·ed [dédikèitid] *a.* ① (이상·주의(主義) 등에) 일신을 바친, 헌신적인 : a ~ nurse 헌신적인 간호사. ② 〖컴〗 (컴퓨터나 프로그램이) 어떤 특정 목적에만 쓰이는, 전용의 : a ~ system 전용 시스템. ③ 〔敍述的〕 …에 봉납되어 : a chapel ~ to the Virgin Mary 성모 마리아에게 봉납된 예배당.

***ded·i·ca·tion** [dèdikéiʃən] *n.* ① Ⓤ,Ⓒ 헌신, 전념《*to*》: ~ *to* one's duty 의무(수행)에의 전념. ② Ⓤ,Ⓒ 봉납, 봉헌 : at the ~ of the national cemetery 국립 묘지의 헌납에 즈음하여. ③ Ⓒ 헌정의 말 ; 헌당식(獻堂式) ; 제막식.

ded·i·ca·tor [dédikèitər] *n.* Ⓒ ① 봉납자, 헌납자. ② (저서 등의) 헌정자.

ded·i·ca·to·ry [dédikətɔ̀ːri, -touri] *a.* ① 봉납[헌납]의. ② 헌정의.

***de·duce** [didjúːs] *vt.* 《~+목 / +목+전+명 / +*that* 절》(결론·진리 따위)를 연역(演繹)하다, 추론[추측]하다(infer)《*from*》. opp *induce*.

¶ *From* this we ~ a method for the construction. 이것을 기초로 하여 그 건조 방법을 이끌어 낸다 / The police ~*d from* the evidence *that* Mike was the murderer. 경찰은 그 증거로 마이크가 살인범이라고 추정했다. ◇ deduction *n.*

de·duc·i·ble [didjú:səbəl] *a.* 연역〔추론〕할 수 있는《*from*》: It is ~ *from* the known facts. 그것은 이미 아는 사실들에서 추론할 수 있다.

***de·duct** [didʌ́kt] *vt.* 《~+目/+目+前+名》(세금 따위)를 공제하다, 빼다《*from* ; *out of*》: ~ 10 % *from* the salary 급료에서 1 할을 공제하다 / ~ tax at source 세금을 원천징수하다.

de·duct·i·ble [-əbəl] *a.* 공제할 수 있는, 세금 공제를 받을 수 있는.

***de·duc·tion** [didʌ́kʃən] *n.* ① **a)** U,C 뺌, 공제. **b)** C 차감액, 공제액 : There was no profit left after the ~ of expenses. 비용을 빼고나니 이익은 한푼도 남지 않았다. ② **a)** U,C 〖論〗 연역(법). opp. *induction*. **b)** C 연역에 의한 결론 ; 추론(推論)(에 의한) 결론.

de·duc·tive [didʌ́ktiv] *a.* 〖論〗 추리의, 연역적인. opp. *inductive*. ¶ (the) ~ method 연역법 / ~ reasoning 연역적 추리, 연역법. 㖈 **~·ly** *ad.*

‡**deed** [di:d] *n.* C ① 행위, 소위(所爲) ; 공훈, 공적 : do a good 〔bad〕 ~ 선행〔악행〕을 하다 / *Deeds*, not words, are needed. 말이 아니라 행동이 필요하다 / You are always judged by your ~*s*. 사람은 언제나 그 행위에 의해 판단된다. ② 〖法〗 (서명 날인한) 증서, 권리증 : a ~ of covenant 약관 날인 증서 / a ~ to a piece of real estate 한 부동산의 권리증. ── *vt.* 《美》 증서를 작성하여 (재산을) 양도하다.

déed póll (*pl.* ***déeds póll***) 〖法〗 (당사자의 한쪽만이 작성하는) 단독 날인 증서.

dee·jay [dí:dʒèi] *n.* 《口》 =DISK JOCKEY.

***deem** [di:m] *vt.* 《文語》 《+目+(*to be*)補/+*that* 節》 …으로 생각하다(consider), …로 간주하다〔보다〕: We ~ it our duty to do so. 그리 하는 게 우리의 의무라 생각한다 / He ~*ed* it wise to accept the offer. 그는 제의를 수락하는 것이 현명하다고 생각했다.

†**deep** [di:p] (*∠·er* ; *∠·est*) *a.* ① 깊은(opp. *shallow*) ; 깊이가 있는 : a pond ten feet ~ 깊이 10 피트의 못 / The sea is ~ here. 여기 바다는 깊다 / a ~ shelf 깊숙한 선반. ② 속으로 깊은 데〔깊숙이〕 있는 : from the ~ bottom 깊은 밑바닥에서. ③ 깊이 파묻힌 : ~ *in* snow 깊이 눈에 파묻힌 / He is ~ 〔deeply〕 in debt. 그는 빚 때문에 옴쭉을 못하고 있다. ④ 몰두〔골몰〕하고 있는 : ~ *in* love 사랑에 빠진 / He is ~ *in* thought〔conversation〕. 그는 생각에 잠겨〔이야기에 열중해〕 있다. ⑤ (정도가) 강한, 심한 ; (사상 등이) 깊은, 심원한 ; (슬픔·감사 등이) 깊은, 마음으로부터의 : a man of ~ learning 학문이 깊은 사람 / ~ sleep 깊은 잠 / We have ~ interest in this work. 우리는 이 일에 깊은 관심을 가지고 있다 / Your wound is not so ~. 네 상처는 그리 깊지 않다 / a ~ drinker 술고래. ⑥ (색깔이) 짙은 (opp. *faint, thin*) ; (음성이) 낮고 굵은 : This flower has a ~*er* color than pink. 이 꽃은 핑크보다 좀 짙은 색이다 / ~, sonorous tones 낮고 낭랑한 음조. ⑦ 낮게 늘어진, 낮은 데까지 달하는 : a ~ bow 큰절 / a ~ dive 급강하. ⑧ (심원해서) 헤아리기 어려운, 은밀한 ; 《口》 속 검은 : a ~ secret 극비 / a ~ meaning 심원한 의미 / thoughts too ~ for words 말로는 표현 못할 심원한 사상 / a ~ politician 속검은 정치가 / a ~ person 알 수 없는 인물 / a ~ one 교활한 놈. ⑨ 〖敍述的〗 (시간·공간적으로) 멀리 떨어져 : ~ in the past 먼 옛날 / a house ~ in the country 멀리 시골에 있는 집. ⑩ 〖醫〗 신체 심부의 : ~ therapy (X 선에 의한) 심부 치료. ⑪ 〖野·크리켓〗 타자에게서 멀리 떨어진 : a ~ fly 깊숙한 외야 플라이. ***throw*** a person ***in at the ~ end*** ⇨ END.

── *ad.* ① 깊이, 깊게 : Still waters run ~. 《俗談》 잔잔한 물이 깊다 / Dig a little ~*er*. 좀더 깊이 파거라. ② (밤) 늦게까지 : read ~ into the night 밤늦도록 독서하다.

── *n.* (the ~) 《詩》 바다, 대양 : *the* great ~ 창해(滄海) / monsters 〔wonders〕 of *the* ~ 대해의 괴물〔경이〕. 㖈 **∠·ness** *n.*

‡**deep·en** [dí:pən] *vt.* ① …을 깊게 하다 : ~ a well 우물을 깊게 파 내려가다. ② (인상·지식 등)을 깊게 하다. ③ (불안 등)을 심각하게 하다. ④ (색)을 짙게 하다. ── *vi.* ① 깊어지다, 짙어지다 : the ~*ing* colors of leaves 차츰 색깔이 짙어지는 나뭇잎들. ② (불안 등)이 심각해지다 : Their antagonism ~*ed* day by day. 그들의 대립은 일익 심각해졌다.

déep fréeze ① 냉동 보존. ② =DEEP FREEZER.

deep-freeze [∠frí:z] (**~*d*, *-froze* ; *-fro·zen***) *vt.* (식품)을 급속 냉동하다 ; 냉동 보존하다.

déep fréezer 급속 냉동 냉장고〔실〕(freezer).

deep-fry [∠frái] *vt.* 기름을 듬뿍 넣고 튀기다. cf. sauté.

déep kíss 혀 키스(soul kiss, French kiss).

deep-laid [∠léid] *a.* 비밀리에 교묘히〔면밀히〕 꾸민《음모 따위》: a ~ plan 〔scheme〕.

‡**deep·ly** [dí:pli] (***more*** ~ ; ***most*** ~) *ad.* ① 깊이 ; 철저히, 대단히, 몹시 : study the problem ~ 문제를 깊이 연구하다 / He was ~ sunburned. 그는 새까맣게 볕에 타있었다 / a ~ lined forehead 깊이 주름진 이마 / He was ~ moved. 그는 깊이 감동되었다. ② (음모 등이) 교묘히 꾸며져 : a ~ laid intrigue 교묘하게 꾸민 음모. ③ (소리가) 굵고 낮게. ④ (색이) 짙게.

déep móurning ① 정식 상복(喪服)《검고 무광택의》. cf. half mourning. ② (고인에의) 깊은 애도 : He was in ~ for his father. 그는 부친의 사망으로 비탄에 빠져 있었다.

deep-root·ed [∠rú:tid, -rút-] *a.* 깊이 뿌리박은, 뿌리 깊은(deeply-rooted) : ~ hatred 뿌리깊은 증오 / a ~ social problem 심각한 사회문제.

deep-sea [∠sí:] *a.* 〔限定的〕 심해〔원양〕의 : ~ fishery 원양 어업 / a ~ diver 심해 잠수사.

deep-seat·ed [∠sí:tid] *a.* 심층(深層)의 ; (원인·병 따위가) 뿌리 깊은, 고질적인《병 따위》; a ~ distrust 〔fear〕 뿌리깊은 불신감〔공포〕.

deep-set [∠sét] *a.* (눈이) 움푹 들어간.

déep síx 《美俗》 ① 매장, 《특히》 해장(海葬). ② 폐기(처분).

deep-six [∠síks] *vt.* 《美俗》 …을 배에서 바다에 내던지다 ; 폐기하다.

Déep Sóuth (the ~) (미국의) 최남부 지방《특히 멕시코 만에 접한 Georgia, Alabama, Louisiana, Mississippi 의 4 주》.

déep spáce (지구에서 아주 먼) 우주 공간, 심(深)우주(=**déep ský**).

déep strúcture 〖文法〗 심층 구조《생성 변형 문법에서, 표현 생성의 근원이 되는 기본 구조》.

‡**deer** [diər] (*pl.* ~, ~*s*) *n.* ① C 사슴 : *Deer* are found throughout the world, except in Africa and Australia. 사슴은 아프리카와 오스트레일리아를 제외하고는 세계 어디에서나 볼 수 있다. ★ 수사슴 stag, hart, buck ; 암사슴 hind, doe, roe ; 새끼사슴 calf, fawn. ② U 사슴 고기.

deer·hound [díərhàund] *n.* Ⓒ greyhound 비슷한 개《스코틀랜드 원산; 원래 사슴사냥개》.
deer·skin [∠skìn] *n.* ⓊⒸ 사슴 가죽(의 옷).
deer·stalk·er [∠stɔ̀:kər] *n.* Ⓒ ① 사슴 사냥꾼. ② 헌팅캡의 일종(=∠ **hàt**).
de-es·ca·late [di:éskəlèit] *vt.* (범위·규모 등)을 단계적으로 줄이다[축소하다]. ── *vi.* 단계적으로 축소되다. ㊞ **de-ès·ca·lá·tion** [-ʃən] *n.*
def [def] *a.* 《美俗》 멋진, 모양 좋은.
def. defective; defendant; deferred; defined; definite; definition.
de·face [diféis] *vt.* ① …의 외관을 손상하다; 흉하게 하다. ② (비석 따위의 표면)을 마멸시키다: The graves of soldiers have been ~*d.* 병사들의 묘석이 마멸되어 있다. ③ (문지르거나 낙서를 하거나 하여) …을 판독하기 어렵게 하다: ~ a poster 포스터에 낙서를 하여 읽기 어렵게 만들다. ㊞ **~·ment** *n.*
de fac·to [di:-fǽktou, dei-] *ad., a.* 《L.》 사실상(의): a ~ government 사실상의 정부.
de·fal·cate [difǽlkeit, -fɔ́:l-] *vi.* 〖法〗 유용[횡령]하다.
de·fal·ca·tion [dì:fælkéiʃən, -fɔ:l-] *n.* ① Ⓤ 위탁금 횡령. ② Ⓒ 부당 유용액.
def·a·ma·tion [dèfəméiʃən] *n.* Ⓤ 명예 훼손, 중상, 비방: ~ of character 명예 훼손.
de·fam·a·to·ry [difǽmətɔ̀:ri / -təri] *a.* 명예 훼손의, 중상적인: ~ statement 중상적 진술.
de·fame [diféim] *vt.* (사람·단체)를 비방[중상]하다, …의 명예를 훼손하다: Mr. Johnson claimed the editorial had ~*d* him. 존슨씨는 그 사설이 자신을 비방했다고 주장했다.
de·fault [difɔ́:lt] *n.* Ⓤ ① **a**) (의무·약속 따위의) 불이행. **b**) 채무 불이행: go into ~ 채무 불이행 상태에 빠지다. ②〖法〗 (법정에의) 불출두, 결석: make ~ 결석하다 / judgment by ~ 궐석 재판. ③〖競〗 경기 불참가, 불출장, 기권: win a game by ~ 부전[기권]승하다. ④〖컴〗 **a**) 애초(=∠ **òption**)《지정이 생략된 경우의 선택》. **b**) 애초값(=∠ **válue**)《생략시의 값》. ***go by*** **~** 결석[결장]하다; (권리 등이) 태만으로 인해 무효화되다. ***in ~ of*** …이 없어서, …의 불이행시(時)에는: *In ~ of* evidence there was no trial. 증거가 없어 재판에 이르지는 못했다.
── *vi.* ① 《+전+명》 (약속·채무 따위를) 이행하지 않다, 태만히[게을리] 하다《*on*》: ~ *on* £5000 in loans, 5천 파운드의 채무를 이행하지 않다. ②〖法〗 (재판에) 결석하다. ③ 경기에 출장하지 않다; 부전패로 되다.
de·fault·er [-ər] *n.* Ⓒ ① 태만자; 채무[계약, 약속] 불이행자, 체납자. ② (재판의) 결석자.
de·fea·si·ble [difí:zəbəl] *a.* 무효로 할 수 있는, 해제 가능한.
ꜝde·feat [difí:t] *vt.* ① 《~+목 / +목+전+명》 쳐부수다, 지우다(beat)《*at*》: Napoleon was ~*ed* by the Duke of Wellington *at* the battle of Waterloo. 나폴레옹은 워털루 전투에서 웰링턴 공작에게 패배했다 / She ~*ed* her brother *at* tennis 그녀는 오빠를 테니스에서 이겼다. ② 《~+목 / +목+전+명》 (계획·희망 등)을 좌절시키다; (사람)의 기를 꺾다[죽이다]: be ~*ed in* one's plan 계획이 무너지다 / ~ a person *of* his hopes 아무의 희망을 짓밟다 / His lack of cooperation ~*ed* our plan. 그의 협조가 없어서 우리들 계획은 좌절되었다.
── *n.* ① Ⓤ (상대)를 지우기, 격파, 타파《*of*》: our ~ *of* the enemy 아군의 적군 격파. ② ⓊⒸ 패배: four victories and [against] three ~*s,* 4승 3패 / acknowledge [admit] ~ 패배를 인정하다. ③ Ⓤ 좌절, 실패《*of*》: The ~ *of* his plan was a shock to his wife. 그의 계획의 실패는 그의 아내에게는 충격이었다 / the ~ *of* one's hopes 희망의 좌절.
de·feat·ism [-izəm] *n.* Ⓤ 패배주의(적 행동).
de·feat·ist [-ist] *n.* Ⓒ 패배주의자. ── *a.* 패배주의(자)적인.
def·e·cate [défikèit] *vi.* 배변(排便)하다.
def·e·ca·tion [dèfikéiʃən] *n.* Ⓤ 배변.
ꜝde·fect [difékt, ∠-] *n.* Ⓒ 결점, 결함; 단점, 약점; 흠: ~ in one's character 성격상의 결함 / a speech [hearing] ~ 언어[청각] 장애 / A report has pointed out the ~*s* of the present system. 보고서는 현 제도의 결함을 지적했다 / Every man has the ~*s* of his qualities. 《俗談》 사람마다 장점과 그에 따르는 결점이 있는 법.
── [difékt] *vi.* (주의·당 따위를) 이탈하다; 변절하다《*from*》, 망명하다《*from*; *to*》: A Cuban diplomat ~*ed to* the United States. 어떤 쿠바 외교관이 미국에 망명했다 / She ~*ed from* the party. 그녀는 당을 떠났다.
de·fec·tion [difékʃən] *n.* ⓊⒸ 이반(離反); 탈당, 탈회《*from*》; 변절.
de·fec·tive** [diféktiv] (more*** **~**; ***most*** **~**) *a.* ① **a**) 결함[결점]이 있는, 불완전한: a ~ car 결함차 / ~ hearing 불완전한 청력. **b**) [敍述的] 결여되어 있는: He's ~ in humor. 그에겐 유머가 없다. ② (사람이) 지능이 평균 이하의. ③〖文法〗 어형변화의 일부가 없는.
── *n.* Ⓒ ① 심신 장애자, 《특히》 정신 장애자: a mental ~ 지능 장애자. ②〖文法〗 결여어.
㊞ **~·ly** *ad.* **~·ness** *n.*
deféctive vérb 〖文法〗 결여동사《어형 변화가 불완전한 shall, will, can, may, must 등》.
de·fec·tor [diféktər] *n.* Ⓒ 도망[탈당]자; 배반자, 망명자, 탈락자.
ꜝde·fence [diféns] *n.* 《주로 英》 =DEFENSE.
ꜝde·fend [difénd] *vt.* ① 《~+목 / +목+전+명》 …을 지키다, 방어[방위]하다《*against*; *from*》: ~ one's country *against* its enemy 외적으로부터 나라를 지키다 / ~ oneself *from* danger 위험에서 몸을 방어하다. ② (언론 등에서, 의견·주의·행동 등)을 옳다고 주장하다, 변호하다: ~ one's ideas 자기 의견을 옹호하다 / He ~*ed* himself against all charges. 그는 모든 혐의에 대하여 결백을 주장했다. ③〖法〗 항변[답변]하다: ~ the accused (변호사가) 피고의 변호를 맡다 / I will ~ your behavior in the court. 법정에서 네 행동을 변호해 주마. ④ (포지션·타이틀 등)을 지키다, 방어하다.
── *vi.* ① 방어[변호]하다. ②〖競〗 지키다.
***de·fend·ant** [diféndənt] *n., a.* 〖法〗 피고(의). ⓞⓟⓟ *plaintiff.* ¶ How does the ~ plead? 피고는 죄상을 인정하는가(아니면 부인하는가).
de·fend·er** [diféndər] *n.* Ⓒ ① 방어자; 옹호자. ②〖競〗 선수권 보유자. ⓞⓟⓟ *challenger*. ***the Defender of the Faith 신교 옹호자《Henry 8세(1521) 이후의 영국 왕의 전통적 칭호》.
ꜝde·fense [diféns, dí:fens] *n.* ① Ⓤ 방위, 방어, 수비. ⓞⓟⓟ *offense, attack.* ¶ legal ~ 정당 방위 / national ~ 국방 / make a ~ *against* an attack 공격에 대하여 방어하다 / a line of ~ 〖軍〗 방어선 / The best ~ is offense. =Óffense is the best *défense.* 《俗談》 공격은 최선의 방어다. ★ offense와 대조시킬 경우 《美》에서는 종종 [dí:fens]라고 발음됨. ② **a**) Ⓒ 방어물. **b**) (*pl.*) 〖軍〗 방어 시설: build up ~*s* 방어 시설을 증강하다. ③〖法〗 ⓊⒸ

(흔히 *sing.*) 변명; 변호, 답변(서); (피고의) 항변: He made no ~ of his actions. 그는 자기 행동에 대해 전혀 변명을 하지 않았다. ④ (the ~) 〔集合的; 單·複數 취급〕 피고측《피고와 그의 변호인》. opp. *prosecution*. ⑤ 〖競〗 **a)** Ⓤ 수비(방법): Our football team is weak in ~. 우리 축구팀은 수비에 약하다. **b)** (the ~) 〔集合的; 單·複數 취급〕 수비측. ◇ defend *v.*

***de·fense·less** [difénslis] *a.* 무방비의; 방어할 수 없는: a ~ city 무방비 도시. ㊕ **~·ness** *n.*

defénse mèchanism 〖生理·心〗 방어 기구(機構)〔기제(機制)〕. cf. escape mechanism.

de·fen·si·bil·i·ty [difènsəbíləti] *n.* Ⓤ 방어〔변호〕 가능성.

de·fen·si·ble [difénsəbəl] *a.* 방어할 수 있는; 옹호할 수 있는; 변호할 수 있는.

‡de·fen·sive [difénsiv] *a.* 방어의, 자위(自衛)상의, 수비의: take ~ measure 방어책을 강구하다 / ~ weapons 방어〔호신용〕 무기 / a ~ alliance 방위 동맹 / ~ war(fare) 수비전 / ~ lines 수비〔방어〕 진지. opp. *aggresive, offensive.* — *n.* (the ~) 수세; 방어; 변호: assume *the* ~ 수세를 취하다. ***be* 〔*stand, act*〕 *on the* ~** 수세에 서다. ***on the* ~** 수세에, 방어에 힘써: Their questions put him *on the* ~. 그들의 질문에 그는 쩔쩔 맸다. ㊕ **~·ly** *ad.* **~·ness** *n.*

***de·fer¹** [difə́:r] (**-rr-**) *vt.* ①《~+目/+-*ing*》 …을 늦추다, 물리다, 연기하다(postpone): ~ departure 출발을 연기하다 / I will ~ mak*ing* the final decision until next week. 최종 결정을 내주까지 미루겠다. ②《美》 …의 징병을 일시 유예하다. — *vi.* 늦춰지다, 연기〔지연〕되다. ◇ deferment *n.*

de·fer² (**-rr-**) *vi.* (경의를 표하여) 양보하다, 따르다《*to*》: ~ *to* a person's opinion 남의 의견에 따르다. ◇ deference *n.*

def·er·ence** [défərəns] *n.* Ⓤ 복종; 존경, 경의《*to*; *toward*》: blind ~ 맹종 / ~ for one's elders 윗사람에 대한 경의. ***in* 〔*out of*〕 ~ *to …을 존중〔고려〕하여, …에게 경의를 표하여, …에 따라서: *in* ~ *to* your wishes 당신의 희망을 존중하여〔에 따라서〕. ***pay* 〔*show*〕 ~ *to* 〔*toward*〕** …에게 경의를 표하다. ***with all* (*due*) ~ *to you*** 지당한 말씀이오나, 죄송하오나.

def·er·en·tial [dèfərénʃəl] *a.* 경의를 표하는, 공경하는: offer〔receive〕 ~ treatment 예의를 갖춘 대접을 하다〔받다〕. ㊕ **~·ly** *ad.*

de·fer·ment [difə́:rmənt] *n.* U,C ① 연기; 거치. ②《美》 징병 유예.

de·fer·ral [difə́:rəl] *n.* =DEFERMENT.

de·ferred [difə́:rd] *a.* 연기한; 거치(据置)된: ~ payment 연불, 분할급 / ~ savings 거치 저금.

de·fi·ance** [difáiəns] *n.* U,C ① (공공연한) 도전; 저항; 반항〔도전〕적 태도: He shouted ~ to me. 그는 소리치며 내게 도전해왔다 / show ~ toward …에 대하여 반항〔도전〕적인 태도를 보이다. ② (명령 등에 대한 공공연한) 반항, 무시《*of*》. ◇ defy *v.* ***bid* ~ *to*. . . =*set*. . . *at* ~** …에 도전〔반항〕하다; …을 무시하다. ***in* ~ *of …을 무시하여, …에 상관치 않고: *in* ~ *of* the law 법률을 무시하고 / *in* ~ *of* the warning 경고를 무시하고.

de·fi·ant [difáiənt] *a.* 도전적인, 반항적인, 싸움조의, 오만한: a ~ attitude 도전적인 태도 / his ~ answer 그의 반항적인 대답. ㊕ **~·ly** *ad.*

de·fi·cien·cy [difíʃənsi] *n.* ① U,C **a)** 결핍, 부족, 결여《*of*》. opp. *sufficiency.* ¶ vitamine ~ 비타민 결핍(증) / a nutrition ~ 영양 부족 / a ~ *of* food 식량 부족 / serious *deficiencies in* housing 심각한 주택난 / a ~ *of* good sense 양식의 결여. **b)** (정신·육체적) 결함: *deficiencies in* character 성격상의 결함 / mental ~ 지능 장애. ② Ⓒ 부족분(액·량): supply a ~ 부족분을 메우다 / a ~ *of* £500, 오백 파운드의 부족(액).

defíciency disèase 결핍성 질환, 결핍증.

de·fi·cient** [difíʃənt] (more* ~; *most* ~**) *a.* ① (…이) 모자라는; 불충분한《*in*》: a ~ supply *of* food 식량의 불충분한 공급 / He is ~ *in* judgment 〔initiative〕. 그는 판단력〔독창력〕이 모자란다. ② 결함이 있는; 머리가 모자라는, 불완전한: He is mentally ~. 그는 정신 박약자다〔저능아다〕. ㊕ **~·ly** *ad.*

***def·i·cit** [défəsit] *n.* Ⓒ ① 부족(액)《*in*; *of*》《★《美》에서는 *in* 이 일반적》: a ~ *in* 〔*of*〕 oil 석유 부족. ② (금전의) 부족, 결손, 적자. opp. *surplus.* ¶ trade ~*s* 무역 적자.

déficit fináncing (특히 정부의) 적자 재정.

déficit spénding (적자 공채 발행에 의한) 적자 재정 지출.

de·fi·er [difáiər] *n.* Ⓒ 도전자, 반항자.

de·file¹ [difáil] *vt.* ① …을 더럽히다《*with*; *by*》: The factory ~*d* the river *with* its waste. 그 공장은 폐기물로 강을 오염시켰다 / These books ~ the mind of young people. 이런 책들은 젊은이의 정신을 더럽히고 있다. ② …의 신성을 더럽히다《*with*; *by*》: ~ a holy place *with* blood 성지를 피로 더럽히다.
㊕ **~·ment** [-mənt] *n.* U,C 더럽히기, 오염.

de·file² [difáil, dí:fail] *vi.* 일렬 종대로 행진하다. — *n.* Ⓒ (종대가 지나갈 정도의) 좁은 길.

de·fin·a·ble [difáinəbəl] *a.* 한정할 수 있는, 정의를 내릴 수 있는.

‡de·fine [difáin] *vt.* ①《~+目/+目+*as* 補》 (어구·개념 등)의 정의를 내리다, 뜻을 밝히다: Ice can be ~*d as* solid water. 얼음은 물의 고체라고 정의할 수 있다. ② …의 경계를 정하다: (경계·범위 등)을 한정하다; …의 윤곽을 뚜렷이 하다: ~ the boundaries between the two estates 그 두 소유지의 경계를 명확히 하다 / The hilltop was sharply ~*d* against the sky. 산꼭대기는 하늘을 배경으로 선명한 모습을 보였다. ③ (진의·입장 등)을 분명하게 하다: ~ one's position 〔meaning〕 자기 처지를〔진의를〕 명확히 하다.

‡def·i·nite [défənit] (***more* ~; *most* ~**) *a.* ① 명확하게 한정된, 일정한: a ~ period of time 정해진 기간. ② 확정적인, 명확한, 확실한: a ~ answer 확답 / ~ evidence 확증 / It is ~ *that* mayor will resign. 시장의 사임은 확정적이다. ③〖文法〗 한정적인, 한정하는. opp. *indefinite.* ◇ define *v.*

définite árticle (the ~) 〖文法〗 정관사《the》. cf. *indefinite article.*

def·i·nite·ly [défənitli] (***more* ~; *most* ~**) *ad.* ① 명확히, 확실히: refuse ~ 딱 잘라 거절하다. ② **a)** 〔대답으로〕《口》 그렇고 말고(certainly): "So you think he is correct?"—"Yes, ~ 〔*Definitely*〕." '그래, 그의 말이 맞다는 거지' '응, 그렇고말고.' **b)** 《口》 〔否定語와 함께〕 절대로 (…아니다): "You don't want it, do you?" "*Definitely not.*" '그건 싫단 말이지' '응, 질색이다.'

***def·i·ni·tion** [dèfəníʃən] *n.* ① Ⓒ 정의(定義): Give me the ~ of the word "communication." 커뮤니케이션이란 말의 정의는 무엇이냐. ② Ⓤ (TV·렌즈·녹음 등의) 선명도; (윤곽 등의) 명확도. ◇ define *v.* ***by* ~** (1) 정의에 의하면〔의하여〕. (2) 정의상, 당연히: A pianist *by* ~ plays

D

the piano. 피아니스트라면 (의당) 피아노를 칠 줄 알 것이다.

de·fin·i·tive [difínətiv] *a.* ① 결정적인, 최종적인 : a ~ proof 결정적 증거 / a ~ answer 최종적인 답변. ② (전기(傳記)·연구 등이) 가장 권위있는, 정확한 : a ~ edition 결정판(版). ⓟ ~·**ly** *ad.*

de·flate [difléit] *vt.* ① (타이어·기구 등)의 공기〔가스〕를 빼다. ② (자신·희망 등을) 꺾다. ③ 〖經〗 (통화)를 수축시키다. opp. *inflate.* ¶ ~ the currency (팽창한) 통화를 수축시키다. ―*vi.* ① 공기가 빠지다. ② (통화가) 수축하다.

***de·fla·tion** [difléiʃən] *n.* ① Ⓤ 공기〔가스〕를 빼기. ② Ⓤ.Ⓒ 〖經〗 통화 수축, 디플레이션. opp. *inflation.*

de·fla·tion·ary [difleíʃənèri / -əri] *a.* 통화 수축의 : ~ measure 통화수축 정책.

de·flect [diflékt] *vt.* ① (탄알 등)을 (한쪽으로) 비끼게 하다, 빗나가게 하다《*from*》: ~ a bullet *from* its course 탄환을 탄도에서 빗나가게 하다. ② (생각 등)을 편향(偏向)시키다 : ~ a person's criticism 남의 비판을 피하다 / ~ a person *from* his purpose 아무가 목적을 이루지 못하게 하다. ―*vi.* 빗나가다, 편향하다《*from* ; *to*》: The ball ~*ed to* the left. 공은 왼쪽으로 빗나갔다.

de·flec·tion, 《英》 **-flex·ion** [diflékʃən] *n.* Ⓤ.Ⓒ ① 비낌, 기울어짐 ; 편향도(度). ② 〖物〗 (계기 바늘의) 편향 ; 편차.

de·flec·tive [difléktiv] *a.* 편향적인, 비낌〔기울어짐〕의.

de·flo·ra·tion [dèfləréiʃən, dìːflɔː-] *n.* Ⓤ ① 꽃을 땀. ② (처녀) 능욕.

de·flow·er [difláuər] *vt.* …의 처녀성을 빼앗다.

De·foe [difóu] *n.* **Daniel** ~ 디포《영국 소설가 ; *Robinson Crusoe*의 저자 ; 1660?-1731》.

de·fog [difɔ́ːg / -fɔ́g] *vt.* 《美》 (차창·거울 등에 서린) 김〔물방울〕을 제거하다.

de·fog·ger [difɔ́ːgər] *n.* Ⓒ (자동차 유리·거울 등의) 김 제거기.

de·fo·li·ant [di(ː)fóuliənt] *n.* Ⓤ.Ⓒ 고엽제.

de·fo·li·ate [di(ː)fóulièit] *vt.* …에 고엽제를 뿌리다.

de·fo·li·a·tion [di(ː)fòuliéiʃən] *n.* Ⓤ ① 잎이 떨어지게 함. ② 〖軍〗 고엽 작전.

de·for·est [diːfɔ́ːrist, -fár- / -fɔ́r-] *vt.* 산림을 벌채하다, 수목을 베어내다. opp. *afforest.*

de·for·es·ta·tion [diːfɔ̀ːristéiʃən] *n.* Ⓤ ① 산림 벌채, 산림 개척. ② 남벌(濫伐) : *Deforestation* leads to erosion of the soil. 남벌은 토양 침식(浸蝕)을 가져온다.

de·form [difɔ́ːrm] *vt.* ① …의 외관〔외형〕을 흉하게 만들다, 일그러뜨리다 : Her face was ~*ed* with pain. 고통으로 그녀의 얼굴은 일그러졌다. ② …을 기형으로 만들다.

***de·for·ma·tion** [dìːfɔːrméiʃən, dèf-] *n.* ① Ⓤ.Ⓒ 모양을 망침 ; 기형. ② Ⓤ 〖美術〗 변형, 데포르마시옹.

***de·formed** [difɔ́ːrmd] *a.* 볼품없는 ; 보기 흉한 ; 기형의《사람인 경우에는 handicapped 라 함이 좋음》: a ~ baby 기형아 / The accident left him ~. 사고로 그는 몸이 기형이 됐다.

***de·form·i·ty** [difɔ́ːrməti] *n.* ① Ⓤ 모양이 흉함. ② Ⓒ (몸의) 기형. ③ Ⓤ.Ⓒ (인격·예술품 등의) 결함.

***de·fraud** [difrɔ́ːd] *vt.* 《~+목 / +목+전+명》 (남의 것)을 편취하다, 사취하다《*of*》: ~ a widow *of* her property 미망인에게서 재산을 편취하다. ◇ defraudation *n.*

de·fray [difréi] *vt.* (비용)을 지불〔지출〕하다 : ~ the cost 비용을 지불하다. ⓟ ~·**al** [-əl], ~·**ment** *n.*

de·frock [di(ː)frák / -frɔ́k] *vt.* …의 성직을 박탈하다(unfrock).

de·frost [diːfrɔ́ːst, -frást / -frɔ́st] *vt.* ① (냉장고 등)의 서리를〔얼음을〕 제거하다. ② (냉동 식품 등)을 녹이다. ―*vi.* ① (냉장고 등의) 성에가 〔얼음이〕 없어지다. ② (냉동 식품 등이) 녹다.

de·frost·er [diːfrɔ́ːstər, -frástər / -frɔ́stər] *n.* Ⓒ (자동차·냉장고 등의) 성에 제거 장치.

deft [deft] *a.* (일의) 솜씨가 좋은, 능란한, 능숙한(skillful) : a ~ blow 멋진 일격 / with a ~ hand 능숙하게 / be ~ at this kind of work 이런 일에 능숙하다. ⓟ ∠·**ness** *n.*

deft·ly [déftli] *ad.* 능숙하게 : She ~ threaded the needle. 그녀는 능숙하게 바늘에 실을 꿨다.

de·funct [difʌ́ŋkt] *a.* ① 고인이 된, 죽은. ② (법률 등이) 소멸한 ; 현존하지 않는.

de·fuse [di(ː)fjúːz] *vt.* ① (폭탄·지뢰)의 신관을 제거하다. ② …의 위협〔불안〕을 제거하다 ; …의 긴장)을 완화하다 : ~ the crisis 위기를 회피하다 / She was unable to ~ the situation. 그녀는 그 자리의 긴장감을 어찌할 수가 없었다.

ː de·fy [difái] (*p., pp.* **-fied** ; **~·ing**) *vt.* ① 《+목+*to* do》 …에 도전하다 : I ~ you *to* do so. 할 테면 해 봐 / I ~ you *to* solve the problem 그 문제를 풀 수 있다면 어디 풀어 봐. ② (적·공격 등)에 굴하지 않다, 용감히 맞서다 : ~ the enemy's repeated attacks 적의 파상 공격에 버티어 내다. ③ (연장자·정부·명령 등)에 반항하다 ; (법률·권위 따위를) 무시하다 : ~ one's superiors 〔the Government〕 윗사람〔정부〕에 반항하다 / He *defied* the policeman's order to stop. 그는 경찰의 서라는 명령을 무시했다. ④ (사물이) …을 거부하다, 받아들이지 않다 : The disaster *defies* (all) description. 그 재해의 광경은 필설로 다할 수 없다 / The fortress *defied* every attack. 그 요새는 아무리 공격을 해도 함락되지 않았다.

deg, deg. degree(s).

De·gas [dəgáː] *n.* **Hilaire Germain Edgar** ~ 드가《프랑스의 인상파 화가 ; 1834-1917》.

de·gas [diːgǽs] (**-ss-**) *vt.* …에서 가스를 빼다.

de Gaulle [dəgóul] *n.* **Charles** ~ 드골《프랑스의 장군·정치가·대통령 ; 1890-1970》.

de·gauss [diːgáus] *vt.* (군함 따위에) 자기(磁氣) 기뢰 방어 장치를 하다.

de·gen·er·a·cy [didʒénərəsi] *n.* Ⓤ ① 〖生〗 퇴화. ② 타락. ③ 성적 도착.

***de·gen·er·ate** [didʒénərèit] *vi.* ① 《~ / +전+명》 나빠지다, 퇴보하다《*from*》; 타락하다《*into*》: Liberty often ~*s into* lawlessness. 자유는 종종 타락하여 방종에 빠진다 / Her behavior has ~*d* a lot recently. 그녀의 행동은 최근에 많이 타락했다. ② 〖生〗 퇴화하다《*to*》.

―[-nərit] (***more*** ~ ; ***most*** ~) *a.* ① 타락한 ; 퇴보한 ; 퇴폐한 : He's a ~ young man, who's never done a day of honest work. 그는 타락한 젊은이로 하루도 착한 일을 결코 하지 않았다 / ~ places of amusement 퇴폐적인 오락장. ② 〖生〗 퇴화한 : ~ forms of life 퇴화한 생물류.

―[-nərit] *n.* Ⓒ ① 퇴화 동물 ; 타락자. ② 변질자 ; 성욕 도착자.

***de·gen·er·a·tion** [didʒènəréiʃən] *n.* Ⓤ ① 퇴보 ; 악화, 타락, 퇴폐. ② 〖醫〗 변성, 변질 ; 〖生〗 퇴화. ◇ degenerate *v.*

de·gen·er·a·tive [didʒénərèitiv, -rət-] *a.* ① 퇴화적인 ; 퇴행성의. ② 〖生〗 변질〔변성(變性)〕의.

de·grad·a·ble [digréidəbəl] *a.* 〖化〗 (화학적으

로) 분해 가능한.

*__de·gra·da·tion__ [dègrədéiʃən] *n.* U,C ① 강직(降職), 좌천; 강등. ② (명예·가치의) 하락; 타락; 퇴폐: live in ~ 영락한 생활을 하다. ③ 〖生〗 퇴화. ④ 〖化〗 분해, 변질. ◇ degrade *v.*

*__de·grade__ [digréid] *vt.* ① …의 지위를 낮추다, 격하하다, 좌천시키다; 강등시키다: ~ an officer for dishonesty 부정 행위로 관리를 강등시키다. ② …의 품위를 떨어뜨리다. ③ 〖生〗 퇴화시키다. — *vi.* 〖生〗 퇴화하다.

__de·grad·ing__ [digréidiŋ] *a.* 품위를〔자존심을〕 떨어뜨리는, 비열한, 불명예스런: a ~ job 품위에 관계되는 치사한 일.

†__de·gree__ [digrí:] *n.* ① U,C 정도; 등급, 단계: a matter of ~ 정도의 문제 / a high ~ of skill 고도의 기술 / in 〔to〕 some ~ 다소, 어느 정도 / To what ~ can we trust him? 어느 정도까지 그를 믿을 수 있을까. ② C 칭호, 학위: get〔obtain, receive, take〕 the doctor's 〔master's, bachelor's〕 ~ 박사〔석사, 학사〕 학위〔칭호〕를 얻다. ③ U 《古》 계급, 지위: a soldier of high ~ 계급이 높은 군인. ④ C (온도·각도·경위도 등의) 도(度)《부호 °》: zero ~*s* centigrade 섭씨 0도《★ 0이라도 복수형을 씀》/ an angle of 90 ~*s*, 90도 각도 / ~*s* of latitude 위도. ⑤ C 〖文法〗 급(級)《형용사·부사의 비교의》: the positive 〔comparative, superlative〕 ~ 원(原)〔비교, 최상〕급. ⑥ C 〖美法〗 (범죄의) 등급: murder in the first 〔second〕 ~ 제 1 〔2〕급 살인. ⑦ C 〖法〗 촌수: a relation in the fourth ~, 4촌. ***by ~s*** 점차, 차차로: *by* slow ~*s* 서서히, 조금씩. ***not in the slightest*** 〔***least, smallest***〕 ~ 조금도 …않는: He is *not* pleased *in the slightest* ~. 그는 조금도 기뻐하지 않고 있다. ***to a*** ~ 다소는; 《口》 꽤, 몹시. ***to the last*** ~ 극도로.

__de·horn__ [di:hɔ́:rn] *vt.* …의 뿔을 자르다.

__de·hu·man·i·za·tion__ [di:hjù:mənizéiʃən] *n.* U 인간성 말살, 비인간화.

__de·hu·man·ize__ [di:hjú:mənàiz] *vt.* …의 인간성을 빼앗다, (사람)을 비인간화하다.

__de·hu·mid·i·fi·er__ [dì:hju(:)mídəfàiər] *n.* C 탈습기〔장치〕, 제습기.

__de·hu·mid·i·fy__ [dì:hju(:)mídəfài] *vt.* (대기에서) 습기를 없애다, (공기를) 건조시키다.

__de·hy·drate__ [di:háidreit] *vt.* …을 탈수하다; 건조시키다: ~*d* eggs〔foods, vegetables〕 탈수 계란〔식품, 야채〕. — *vi.* 수분이 빠지다.

__de·hy·dra·tion__ [dì:haidréiʃən] *n.* U ① 탈수, 건조. ② 〖醫〗 탈수증. 「건조제(劑).

__de·hy·dra·tor__ [dì:háidreitər] *n.* C 탈수기;

__de·ice__ [di:áis] *vt.* ① (항공기 날개·자동차 앞유리·냉장고 등)에 제빙(除氷) 등 장치를 하다. ② … 에서 얼음을 제거하다.

__de·ic·er__ [di:áisər] *n.* C 제빙 장치.

__de·i·fi·ca·tion__ [dì:əfəkéiʃən] *n.* U ① 신으로 섬기기, 신격화. ② 신성시(神聖視).

__de·i·fy__ [dí:əfài] *vt.* ① …을 신으로 삼다〔모시다〕; 신격화하다. ② 신성시하다.

__deign__ [dein] *vt.* 〔흔히 否定文〕 (지체 높은 사람, 윗사람이) 황송하게도 …하시다, 해주시다《*to* do》: ~ *to* grant a private audience 내밀한 알현을 허락하시다 / They would *never* ~ *to* notice me. 그들은 나를 거들떠보지도 않을 거다.

__de·i·on·ize__ [di:áiənàiz] *vt.* 〖化〗 …을 탈이온화(脫ion化)하다.

__de·ism__ [dí:izəm] *n.* U (종종 D-) 이신론(理神論), 자연신교(自然神敎).

__de·ist__ [dí:ist] *n.* C 이신론자(理神論者), 자연신교 신봉자.

*__de·i·ty__ [dí:əti] *n.* ① C 신(god): pagan *deities* 이교(異敎)의 신들. ② U 신위, 신성, 신격. ③ (the D-) 천제(天帝) (God).

dé·jà vu [dèiʒɑ:vjú:] 《F.》 〖心〗 기시감(旣視感)《처음 경험한 것이 이전에도 경험한 것처럼 생각되는 착각》.

__de·ject__ [didʒékt] *vt.* …을 낙담시키다.

*__de·ject·ed__ [didʒéktid] *a.* 낙담〔낙심(落心)〕한 (depressed): a ~ look 낙심한 표정 / He went home, ~ in heart. 그는 풀이 죽어 집으로 돌아갔다. 파 ~·**ly** *ad.*

__de·jec·tion__ [didʒékʃən] *n.* U 낙담, 실의 (depression): in ~ 낙담하여.

__de ju·re__ [di:-ʒúəri] 《L.》 정당하게〔한〕, 적법하게〔한〕, 법률상(의). opp *de facto.*

__deka-__ *pref.* =DECA-.

__dek·ko__ [dékou] (*pl.* ~*s*) *n.* C 《英俗》 일별 (glance): have a ~ at …을 일별하다.

__Del.__ Delaware. __del.__ delegate; 〖校正〗 delete.

*__Del·a·ware__ [déləwὲər] *n.* 델라웨어《미국 동부의 주; 略: Del., 〖郵〗 DE; 주도는 Dover》.

__Del·a·war·e·an__ [dèləwέəriən] *a.* 델라웨어주(사람)의. — *n.* C 델라웨어주 사람.

‡__de·lay__ [diléi] *vt.* ① 《~+목/+-*ing*》 …을 미루다, 연기하다: You'd better ~ your departure. 출발을 연기하는 쪽이 좋다. ② …을 늦게〔지체하게〕 하다: The mails were ~*ed by* heavy snow. 폭설로 우편이 늦어졌다. — *vi.* 꾸물대다, 지체하다: Write the letter now! Don't ~. 편지를 지금 써라, 꾸물대지 말고.

— *n.* U 지연, 지체; 연기, 유예; 〖컴〗 늦춤: I won't tolerate any more in ~ paying. 더 이상의 지불 연체는 용서 않는다 / Do it without ~. 그걸 지금 곧 해라 / a ~ of ten minutes, 10분간의 지연.

__de·layed-ac·tion__ [diléidǽkʃən] *a.* 〔限定的〕 (폭탄·카메라 등) 지연 작동식의: a ~ bomb 시한 폭탄 / a ~ camera 셀프타이머 카메라.

__de·le__ [dí:li] *vt.* 《L.》 〖校正〗 〔흔히 命令文〕 (지시한 부분을) 삭제하라, 빼라. cf. delete.

__de·lec·ta·ble__ [diléktəbəl] *a.* 《종종 戲》 ① 즐거운, 유쾌한. ② 맛있는, 맛좋은. 파 -**bly** *ad.*

__de·lec·ta·tion__ [dì:lektéiʃən, dilèk-] *n.* U 환희; 유쾌, 쾌락, 즐거움: for one's ~ 재미로.

__del·e·ga·cy__ [déligəsi] *n.* ① U 대표 임명〔파견〕; 대표 임명〔파견〕제(도). ② C 〔集合的; 單·複數 취급〕 대표단, 사절단.

‡__del·e·gate__ [déligit, -gèit] *n.* C 대표(자)《★ 대표 개인을 가리킴; 대표단은 delegation》, 사절(단원); 파견 위원: send 〔appoint〕 a ~ 사절을 파견〔임명〕하다.

— [-gèit] *vt.* ① 《+목+*to* do / +목+전+명》 …을 대표〔사절〕로 보내다〔파견하다〕: ~ a person *to* perform a task 일을 수행하기 위하여 아무를 파견하다 / ~ a person *to* a convention 아무를 대표로서 회의에 파견하다 / We ~*d* him *to* negotiate *with* them. 우리는 그를 그들과 협상하는 대표로 내세웠다. ② 《+목+전+명》 (권한 등)을 위임하다: He ~*d* his authority *to* his competent assistant. 그는 권한을 그의 유능한 조수에게 위임했다. — *vi.* 권한〔책임〕을 위임하다.

*__del·e·ga·tion__ [dèligéiʃən] *n.* ① C 〔集合的; 單·複數 취급〕 대표단, 파견 위원단: a member of the ~ 대표단의 일원. ② U 대표 임명〔파견〕. ③ U (직권 등의) 위임《*of*》.

__de·lete__ [dilí:t] *vt.* …을 삭제하다, 지우다《★ 교정용어로서 del. 로 약해서 씀》.

del·e·ter·i·ous [dèlətíəriəs] *a.* 심신에 해로운, 유독한. [파] ~·**ly** *ad.* ~·**ness** *n.* 「분.

de·le·tion [dilíːʃən] *n.* ① [U] 삭제. ② [C] 삭제 부

delf(t), delft·ware [delf(t)], [délftwὲər] *n.* [U] 델프 도자기《네덜란드 Delft 산 도기》.

***de·lib·er·ate**[1] [dilíbərit] *a.* ① 계획적인, 고의의 : Murder is ~ homicide. 모살(謀殺)이란 고의의 살인이다 / ~ tax evasion 계획적 탈세. ② 생각이 깊은, 신중한 : take ~ action 신중하게 행동하다 / He is ~ in speaking 〔speech〕. 그는 말에 신중하다. ③ 침착한, 유유한 : speak in a ~ way 침착하게 말하다. [파] ~·**ness** *n.*

***de·lib·er·ate**[2] [dilíbərèit] *vt.* 《~+[목] / +*wh. to* do / +*wh.* [절]》 …을 잘 생각하다, 숙고하다 ; 심의하다 : ~ *how to* do it 그것을 하는 방법을 숙고하다 / He ~*d whether to* buy a new car. 그는 새 차를 사도 괜찮은가를 곰곰이 생각했다. ── *vi.* 《~ / +[전]+[명]》 숙고하다 ; 숙의〔심의〕하다《*on* ; *over*》 : ~ *on* what to do 무엇을 할 것인가를 잘 생각하다 / The jury ~*d* for six hours. 배심원들은 여섯 시간에 걸쳐 협의했다.

:de·lib·er·ate·ly [dilíbəritli] (***more*** ~ ; ***most*** ~) *ad.* ① 신중히 : He spoke ~, watching the audience's reaction. 그는 청중의 반응을 보면서 신중하게 말했다. ② 일부러, 계획적으로. ③ 천천히, 유유히.

***de·lib·er·a·tion** [dilìbəréiʃən] *n.* ① [U,C] 숙고 ; 협의, 심의, 토의 : after deep ~ 숙고한 연후에. ② [U] 신중 ; 유장(悠長), 침착 : speak with ~ 천천히 신중하게 말하다 / without ~ 무심코 / with (great) ~ (아주) 신중히.

de·lib·er·a·tive [dilíbərèitiv, -rit-] *a.* ① 신중한. ② 심의의, 협의의 : a ~ assembly 심의회. [파] ~·**ly** *ad.*

***del·i·ca·cy** [délikəsi] *n.* ① [U] 섬세(함), 정치(精緻), (기계 따위의) 정교함 ; (취급의) 정밀함 : the ~ of her taste in music 그녀의 음악 취미의 섬세함. ② [U] 우미, 우아함 : This outfit lacks ~. 이 옷은 우아한 데가 없다. ③ [U] (또는 a ~) 민감, 예민 ; (남의 감정에 대한) 동정(심), 배려, (세심한) 마음씨 : *Delicacy* kept her from reminding him of his poverty. 그녀의 자상한 배려는 그가 가난하다는 생각이 나지 않게 했다 / Hunger knows no ~. 시장하면 체면도 물러간다. ④ [U] (문제 따위의) 미묘함, 다루기 힘듦 : matters of great ~ 대단히 신중을 요(要)하는 일. ⑤ [U,C] (신체의) 허약, 가냘픔 : ~ of health 병약 / (a) ~ of constitution 가냘픈 체격. ⑥ [C] 맛있는 것, 진미 : all *delicacies* of the season 계절의 온갖 진미. ◇ delicate *a.*

:del·i·cate [délikət, -kit] (***more*** ~ ; ***most*** ~) *a.* ① 섬세한, 우아한, 고운(fine) : the ~ skin of a baby 아기의 고운 피부 / a ~ figure 우아한 모습 / ~ manners 품위있는 예의 범절(禮儀凡節). ② 민감한, 예민한 ; (남의 감정에 대하여) 세심한, 이해심이 있는, 자상한 : a man of ~ feelings 배려가 깊은 사람 / a ~ sense of color 예민한 색감. ③ (차이 등이) 미묘한(subtle), (취급에) 신중을 요하는 ; (사람이) 까다로운 : a ~ situation 미묘한 사태, 난처한 처지 / a ~ difference 미묘한 차이 / a ~ operation (세심한 주의를 요하는) 어려운 수술. ④ (기계 등이) 정밀한, 정교한, 감도(가) 높은 : a ~ instrument 정밀한 기구 / Human bodies are very ~ machines. 인간의 몸은 아주 정교한 기계다. ⑤ (빛·향기·맛 따위가) 은은한, 부드러운 : a ~ hue 은은한 색깔 / Heliotropes have a ~ fragrance. 헬리오트로프에서는 은은한 향기가 난다. ⑥ 가냘픈 ; 허약한 ; (기물 등이) 깨지기 쉬운 : a ~ child 허약한 아이 / ~ china 깨지기 쉬운 자기. ⑦ 맛있는. ◇ delicacy *n.* [파] *~·**ly** *ad.* ~·**ness** *n.*

del·i·ca·tes·sen [dèlikətésn] *n.* ① [U] 〔集合的〕 조제(調製) 식품《손쉽게 식탁에 내놓을 수 있는, 요리한 고기·샐러드·훈제 생선·소시지·통조림 등》. ② [C] 조제 식품 판매점.

:de·li·cious [dilíʃəs] (***more*** ~ ; ***most*** ~) *a.* ① 맛있는, 맛좋은 ; 향기로운 : a ~ meal 〔dish〕 맛있는 식사〔요리〕 / It looks ~. 맛있겠다 / a ~ smell 향기로운 냄새. ② 유쾌한, 즐거운 ; (이야기 등이) 재미있는 : What a ~ story ! 정말 재미있는 이야기군 / a ~ breeze 기분좋은 산들바람. ── *n.* [U] (종종 D-) 딜리셔스《사과의 한 품종》. [파] ~·**ly** *ad.* ~·**ness** *n.*

:de·light [diláit] *n.* ① [U] 큰 기쁨, 즐거움《★ pleasure 보다 뜻이 강하고 단기간의 생생한 쾌감을 말함》 : with ~ 기쁘게 / to one's ~ 기쁘게도 / take ~ in music 음악을 즐기다. ② [C] 기쁨을 주는 것, 즐거운 것 : What a ~ it is to see you! 너를 만나니 이렇게 기쁠 수가 / the ~*s* of country life 시골생활의 즐거움. ── *vt.* …을 매우 기쁘게 하다, (귀·눈을) 즐겁게 하다 : ~ the eye 눈을 즐겁게하다 ; 눈요기가 되다 / Eliza ~*ed* us with her singing. 엘리자는 노래를 불러 우리들을 매우 기쁘게 했다. ── *vi.* 《+[전]+[명] / +*to* do》 매우 기뻐하다〔즐기다〕《*in*》 : ~*s in* music 음악을 즐기다 / David ~*s to* put difficult questions to his teacher. 데이비드는 선생님에게 어려운 질문을 하고는 좋아한다.

de·light·ed** [diláitid] (more*** ~ ; ***most*** ~) *a.* 아주 기뻐하는《*to*》 : a ~ look 〔voice〕 기쁜듯한 표정〔음성〕 / be ~ *to* hear 〔learn〕 …을 듣고〔알고〕 기뻐하다. ***be ~ to do*** …하여 기뻐하다 ; 기꺼이 …하다 : I'*m* ~ *to* see you. 만나뵈어 반갑습니다 / I *shall be* ~ *to* do it for you. 당신을 위해 기꺼이 하겠습니다. [파] ~·**ly** *ad.* 기뻐하여, 기꺼이.

:de·light·ful [diláitfəl] (***more*** ~ ; ***most*** ~) *a.* 매우 기쁜, 즐거운, 매우 유쾌한, 쾌적한 ; 애교 있는《★ delighted 와 달리 남을 기쁘게 하는 뜻으로 쓰임》 : a ~ room 쾌적한 방 / She is ~. 그녀는 남을 기쁘게 하는 사람이다 / ~ news to the freshmen 신입생에게 아주 기쁜 소식. [파] ~·**ly** [-li] *ad.* ~·**ness** *n.*

De·li·lah [diláilə] *n.* ①【聖】 델릴라《Samson 을 배신한 여자》. ② [C] 요부, 배신한 여자.

de·lim·it, de·lim·i·tate [dilímit], [dilímitèit] *vt.* …의 범위〔한계, 경계〕를 정하다.

de·lim·i·ta·tion [dilìmitéiʃən] *n.* ① [U] 경계〔한계〕 설정 : territorial ~ 영토 확정. ② [C] 한계, 분계(分界).

de·lim·it·er [dilímitər] *n.* [C] 【컴】 구분 문자《자기(磁氣) 테이프 등에서 데이터의 시작〔끝〕을 나타내는 문자〔기호〕》.

de·lin·e·ate [dilínièit] *vt.* ① (선으로) …의 윤곽을〔약도를〕 그리다. ② (말로 날카롭고 생생하게) 묘사〔기술〕하다.

de·lin·e·a·tion [dilìniéiʃən] *n.* ① [U] 묘사 ; 기술, 서술. ② [C] 도형 ; 약도.

de·lin·quen·cy [dilíŋkwənsi] *n.* [U,C] ① 의무 불이행, 태만. ② 과실, 범죄, 비행 : juvenile ~ (청)소년 비행.

de·lin·quent [dilíŋkwənt] *a.* ① 의무를 다하지 않는, 태만의 ; (세금 등이) 체납된. ② 과실이 있는 ; 비행(자)의 ; 비행 소년의〔같은〕. ── *n.* [C] 과실자 ; 비행자 : a juvenile ~ 비행 소년

del·i·quesce [dèlikwés] *vi.* ① 녹다, 용해하다

②〖化〗 조해(潮解)하다.

del·i·ques·cence [dèlikwésns] *n.* Ⓤ ① 용해. ②〖化〗 조해(潮解)(성).

del·i·ques·cent [dèlikwésnt] *a.* 조해(성)의.

***de·lir·i·ous** [dilíriəs] *a.* ① (일시적인) 정신 착란의; 헛소리하는: ~ words 헛소리 / He was ~ *with* fever. 고열로 헛소리를 했다. ② 기뻐서 흥분한〔어쩔 줄 모르는〕: ~ *with* joy 미칠 듯이 기뻐하여. ㊔ ~·**ly** *ad.*

de·lir·i·um [dilíriəm] (*pl.* **~s, -li·ria** [-riə]) *n.* ① Ⓤ,Ⓒ 정신 착란, 헛소리하는 상태: go into ~ 정신 착란에 빠지다 / words spoken in ~ 헛소리. ② (a ~) 흥분〔열중〕(한 상태).

delírium tré·mens [-trí:mənz, -menz]〖醫〗 (알코올 중독에 의한) 섬망증(譫妄症)《略: d.t.('s), D.T.('s)》.

ː**de·liv·er** [dilívər] *vt.* ①《~+目/+目+副/+目+前+名》…을 인도하다, 교부하다《*up*; *over*; *to*; *into*》: ~ (*up*) a fortress *to* the enemy 요새를 적에게 내주다 / The murderer was ~*ed* to police. 살인범은 경찰에 인계되었다. ② (물품·편지)를 배달〔송달〕하다: ~ letters〔a package〕 편지〔소포〕를 배달하다 / I ~*ed* the parcel *to* him in person. 그 소포를 직접 그에게 배달했다. ③ (전언(傳言) 따위)를 전하다; (의견)을 말하다; (연설)을 하다: ~ a speech 연설하다 / Will you ~ this message *to* her? 그녀에게 이 전갈을 전해 주겠나. ④《~+目/+目+前+名》(공격·포격)을 가하다, (타격 등)을 주다; (공)을 던지다(pitch): ~ a blow *to* the jaw 턱에 일격을 가하다 / The pitcher ~*ed* a fast ball. 투수는 속구를 던졌다 / ~ an attack *against*〔*on*〕 an enemy 적에게 공격을 가하다. ⑤《+目+前+名》…을 해방시키다, 구해내다《*from*; *out of*》: ~ a person *from* danger 아무를 위험에서 구해내다 / *Deliver* us *from* evil.〖聖〗 우리를 악에서 구하옵소서《주기도문의 한 절》. ⑥《~+目/+目+前+名》…에게 분만시키다《*of*》: ~ a woman *of* a child 여인으로 하여금 아기를 낳게 하다 / The baby was ~*ed* by Caesarean. 아기는 제왕 절개로 태어났다. ⑦《美口》(어느 후보자·정당 등을 위하여 표)를 모으다: Let's ~ him all our support. = Let's ~ all our support *to* him. 우리는 한 덩어리가 되어 그를 지지합시다.

— *vi.* ① 분만하다, 낳다. ② (상품을) 배달하다: Do you ~? (이 가게는) 배달해 줍니까. ③《美》 잘해내다; (약속 등을) 이행하다《*on*》: He'll never ~ *on* his promise. 그는 결코 약속을 이행할 남자가 아니다. ◇ deliverance, delivery *n.* ~ one***self of*** (의견 등을) 진술하다, 말하다. ~ ***the goods*** ⇨ GOODS(成句).

de·liv·er·a·ble [dilívərəbəl] *a.* ① 구조할 수 있는. ② 배달할 수 있는.

***de·liv·er·ance** [dilívərəns] *n.* Ⓤ 구출, 구조; 석방, 해방《*from*》.

***de·liv·er·er** [dilívərər] *n.* Ⓒ ① 구조자. ② 인도인, 교부자. ③ 배달인.

ː**de·liv·ery** [dilívəri] *n.* ① Ⓤ,Ⓒ **a**) 배달; 전달, …편(便): express ~《英》=《美》 special ~ 속달 / make a ~ of letters 편지를 배달하다 / There are no *deliveries* on Sundays. 일요일에는 배달을 않습니다. **b**) (성 따위의) 인도, 명도《*to*》. ② Ⓒ 배달 횟수; 배달 물건: How many postal *deliveries* do you have around here every day? 이 부근에서는 하루 몇 차례 우편배달을 하나요. ③ (a ~) 이야기투, 강연(투): *a* telling ~ 효과적인 이야기투 / *a* good〔poor〕 ~ 능란한〔서투른〕 연설〔이야기 솜씨〕. ④ Ⓤ,Ⓒ **a**) 방출, 발사. **b**)〖野〗 투구(법). ⑤ Ⓤ 구출, 해방. ⑥ Ⓒ 분만, 해산: an easy〔a difficult〕 ~ 순산〔난산〕. ***on*** ~ 배달시에, 인도와 동시에.

de·liv·ery·man [dilívərimæ̀n] (*pl.* **-men** [-mèn]) *n.* Ⓒ《주로 美》(상품의) 배달인.

delívery nòte《英》(상품 배달) 수령증.

delívery ròom 분만실.

dell [del] *n.* Ⓒ (수목이 우거진) 작은 골짜기.

de·louse [di:láus, -láuz] *vt.* …에서 이를 잡다.

Del·phi [délfai] *n.* 델포이《그리스의 옛 도시; 유명한 Apollo 신전이 있었음》.

Del·phi·an, -phic [délfiən], [-fik] *a.* ① 델포이(신탁(神託))의. ② (뜻이) 애매한, 수수께끼 같은.

***del·ta** [déltə] *n.* Ⓤ,Ⓒ ① 그리스 알파벳의 넷째 글자《Δ, δ; 로마자의 D, d에 해당함》. ② Δ자꼴〔삼각형, 부채꼴〕의 것; 삼각주.

délta rày〖物〗 델타선(線).

délta wìng〖空〗 (제트기의) 삼각 날개.

de·lude** [dilú:d] *vt.*《~+目/+目+前+名》 미혹시키다; 속이다; 속이어 …시키다《*into* do*ing*》: ~ a person *into* belief〔believ*ing* that ...〕 아무를 속여 …라고 믿게 만들다 / Don't be ~*d* by appearances. 외관에 현혹되지 마라. ◇ delusion *n.* ~ oneself*** 잘못 알다, 착각하다: Don't ~ *yourself* with false hopes. 되지도 않을 일을 실현된다고 착각해서는 안 된다.

del·uge** [délju:dʒ] *n.* ① **a**) Ⓒ 대홍수; 호우; 범람: The rain turned to a ~. 비는 호우로 변하였다. **b**) (the D-)〖聖〗 Noah의 홍수《창세기 Ⅶ》. ② Ⓒ (흔히 a ~) (편지·방문객 등의) 쇄도《*of*》: *a* ~ *of* mail〔visitors〕 쇄도하는 우편물〔방문객〕. ***After me 〔***us***〕 ***the*** ~. 나〔우리〕 사후에야 홍수나면 나라지; 나중 일이야 내 알 게 뭐냐.

— *vt.* ① …에 범람하다, 침수시키다. ②《+目+前+名》 …에 쇄도하게 하다《*with*》: The town was ~*d with* tourists in summer. 여름이면 그 마을에는 관광객이 밀어닥쳤다.

***de·lu·sion** [dilú:ʒən] *n.* ① Ⓤ 미혹, 기만. ② Ⓤ,Ⓒ 혹함, 잘못, 미망(迷妄); 잘못된 생각; 망상: ~*s* of persecution〔grandeur〕 피해〔과대〕 망상 / He has a ~ *that* he is the king. 그는 자기가 왕이라는 망상을 가지고 있다. ◇ delude *v.* ㊔ ~·**al** [-ʒənəl] *a.* 망상적인.

de·lu·sive [dilú:siv] *a.* ① 미혹시키는; 기만의; 그릇된: ~ appearances 실제와 다르게 보이는 외관. ② 망상적인, 잘못된. ㊔ ~·**ly** *ad.* ~·**ness** *n.*

de·lu·so·ry [dilú:səri] *a.* = DELUSIVE.

de·luxe, de luxe [dəlúks, -lʌ́ks] *a.* (F.) 딜럭스한, 호화로운: a ~ edition (of a book) 호화판 / a hotel ~ 고급 호텔 / articles ~ 사치품.

— *ad.* 호화롭게.

delve [delv] *vi.* (서류·기록 등을) 탐구하다, 정사(精査)하다《*in*, *into*》: ~ *into* old documents 고문서를 조사하다 / ~ *into*〔*in*〕 the past 과거를 파헤치다.

Dem. 《美》 Democrat; Democratic.

de·mag·net·i·za·tion [di:mæ̀gnətizéiʃən] *n.* Ⓤ ① 소자(消磁), 멸자(滅磁). ② (자기(磁氣) 테이프의) 소음(消音).

de·mag·net·ize [di:mǽgnətàiz] *vt.* …의 자성(磁性)을 없애다; (자기 테이프의) 녹음을 지우다.

dem·a·gog [déməgɔ̀:g, -gàg / -gɔ̀g] *n.*《美》= DEMAGOGUE.

dem·a·gog·ic, -i·cal [dèməgádʒik, -gágik / -gɔ́gik, -gɔ́dʒik], [-əl] *a.* 선동적인.

dem·a·gogue [déməgɔ̀:g, -gàg / -gɔ̀g] *n.* Ⓒ ① 선동(정치)가. ② (고대 그리스의) 민중 지도자.

dem·a·gogu·ery [déməgɔ̀:gəri, -gàg-/-gɔ̀g-] *n.* Ⓤ 민중 선동.

dem·a·gogy [déməgòudʒi, -gɔ̀:gi, -gàgi/-gɔ̀gi, -gɔ̀dʒi] *n.* =DEMAGOGUERY.

†**de·mand** [dimǽnd, -mɑ́:nd] *vt.* ①《~+목/+목+전+명/+*to* do/+*that* 절》(당연한 권리로서) …을 요구하다, 청구하다: ~ a thing *from* 〔*of*〕 a person 아무에게 무엇을 요구하다 / He ~*ed* payment.=He ~*ed* to be paid. 그는 돈을 지급할 것을 요구했다 / He ~*ed that* I (should) help him. 그는 나에게 도와달라고 요구했다.

> 語法 (1) demand는 사람을 목적어로 삼지 않으며, 《~+목+*to* do》의 형태로는 쓰지 않음. 곧, 위의 용례에서 *that* 절 대신 He ~*ed* me *to* help him. 이라고는 쓰지 않음. (2)《口語》에서는 should를 쓰지 않는 경우가 많음.

② (사물이) …을 요하다, 필요로 하다: Training a puppy ~*s* patience. 강아지를 길들이는 데는 인내가 필요하다 / This work ~*s* (a) great care. 이 일은 극히 주의를 요한다. ③ 묻다, 힐문하다, 말하라고 다그치다: ~ a person's business (아무에게) 무슨 용건인가 묻다 / "What have you been doing here all this time?" he ~*ed*. '여기서 죽 무엇하고 있었나' 하고 그는 따졌다.

── *n.* ①Ⓒ (권리로서의 강한) 요구, 청구《*for* ; *on*》; (흔히 *pl.*) 요구 사항, 필요 사항〔요건〕: Their ~*s for* higher wages seem reasonable. 그들의 임금 인상 요구는 타당하다고 생각된다 / I'll make no ~*s on* him. 그에게 무엇 하나 요구할 생각이 없다 / a completely unreasonable ~ 당찮은 요구. ②Ⓤ【經】수요, 판로《*for* ; *on*》; 수요액〔량〕: laws of supply and ~ 수요 공급의 법칙 / meet public ~ 대중의 수요에 부응하다. ***in*** ~ 수요가 있는, 잘 팔리는: Oil is *in* great ~ all over the world. 석유는 세계적으로 수요가 대단하다. ***on*** ~ 요구〔수요〕가 있는 대로.

demánd bìll〔**dràft**〕 일람 출급 어음.

de·mand·ing [dimǽndiŋ, -mɑ́:nd-] *a.* ① (사람이) 너무 많은 요구를 하는. ② (일이) 힘든, 벅찬.

demánd lòan =CALL LOAN.

de·mánd-pull (**inflátion**) [-pùl(-)]【經】수요 과잉 인플레이션.

de·mand-side [-sàid] *a.* 수요 중시(重視)의.

de·mar·cate [dimɑ́:rkeit, dí:mɑ:rkèit] *vt.* ① …의 경계를 정하다. ② …을 분리하다, 구별하다.

de·mar·ca·tion [dì:mɑ:rkéiʃən] *n.* ①Ⓤ 경계 설정; 경계(선): draw a line of ~ 경계선을 긋다. ②Ⓒ 한계, 구획; 구분. ③Ⓒ《英》【勞動】(노동 조합의) 관할.

demarcátion dispùte 관할〔세력권〕 분쟁.

de·mean[1] [dimí:n] *vt.* 〔再歸的〕 품위를 떨어뜨리다《*by*》, 천하게 하다: I wouldn't ~ *myself by* taking bribes. 뇌물 따위를 받아 내 품위를 떨어뜨리고 싶지 않다.

de·mean[2] *vt.* 〔再歸的〕 행동〔처신〕하다(behave): ~ *oneself* well 〔ill, like a man〕 훌륭하게〔잘못, 남자답게〕 처신하다.

***de·mean·or,**《英》**-our** [dimí:nər] *n.* Ⓤ ① 태도(manner): an arrogant ~ 오만한 태도 / He's of quiet ~. 그의 태도는 조용하다. ② 품행, 행실.

de·ment·ed [diméntid] *a.* 발광한. ㊞ **~·ly** *ad.*

de·men·tia [diménʃiə] *n.* Ⓤ【醫】치매(癡呆): senile ~ 노인성 치매증. ㊞ **-tial** *a.*

de·mer·it [di:mérit] *n.* Ⓒ ① 결점, 결함, 단점. opp. *merit.* ¶ the merits and ~*s* 장점과 결점; 상벌. ②《美》(학교의) 벌점(=∠ **màrk**).

de·mesne [diméin, -mí:n] *n.* ①Ⓤ【法】토지의 점유, 소유. ②Ⓒ 점유지; 영지, 장원: a royal ~《英》왕실 소유지(=a ~ of the Crown). ③Ⓒ (활동 등의) 범위, 영역.

De·me·ter [dimí:tər] *n.* 【그神】 데메테르《농업·풍요(豐饒)·결혼의 여신》. cf. Ceres.

demi- *pref.* '반(半) …, 부분적 …'의 뜻.

dem·i·god [démigàd/-gɔ̀d] (*fem.* **~·dess** [-is]) *n.* Ⓒ ① (신화 등의) 반신 반인(半神半人). ② 숭배받는 인물; 신격화된 영웅.

dem·i·john [démidʒàn/-dʒɔ̀n] *n.* Ⓒ 채롱에 든 목이 가는 큰 병.

de·mil·i·ta·ri·za·tion [di:mìlətərizéiʃən] *n.* Ⓤ 비군사화, 비무장화.

de·mil·i·ta·rize [di:mílətəràiz] *vt.* 비군사〔비무장〕화하다; 군정에서 민정으로 이양하다: a ~*d* zone 비무장 지대《略: D.M.Z.》.

dem·i·monde [démimànd/ ˊ-mɔ̀nd] *n.* 《F.》 (the ~) 〔集合的〕 화류계; (고급) 매춘부들.

de·mise [dimáiz] *n.* Ⓤ ① 붕어, 서거, 사망. ② (기업 등의) 소멸, 활동 정지.

dem·i·semi·qua·ver [dèmisémikwèivər] *n.* Ⓒ《英》【樂】32분 음표(《美》 thirty-second note).

de·mist [di:míst] *vt.*《英》(차의 창유리 등)에서 흐림을〔서리를〕 제거하다(defrost). ㊞ **~·er** *n.*《英》~하는 장치(defroster).

dem·i·tasse [démitæ̀s, -tɑ̀:s] *n.* Ⓒ 작은 찻종《식후에 나오는 블랙 커피용의》.

demo [démou] (*pl.* **~s**) *n.* Ⓒ《口》① 데모, 시위 운동. ② 시청(試聽)용 음반〔테이프〕.

de·mob [di:mɑ́b/-mɔ́b] *n.*《英口》=DEMOBILIZATION. ── (**-bb-**) *vt.* =DEMOBILIZE.

de·mo·bi·li·za·tion [di:mòubəlizéiʃən] *n.* Ⓤ 복원, 동원 해제, 부대 해산.

de·mo·bi·lize [di:móubəlàiz] *vt.* 【軍】 …을 복원(復員)〔제대〕시키다; 부대를 해산하다.

‡**de·moc·ra·cy** [dimɑ́krəsi/-mɔ́k-] *n.* ①Ⓤ 민주주의; 민주 정치〔정체〕: *Democracy* came from ancient Greece. 민주 정치는 고대 그리스에서 연유한다 / direct 〔representative〕 ~ 직접〔대의〕 민주주의. ②Ⓤ 사회적 평등, 민주제. ③Ⓒ 민주주의 국가, 민주 사회.

***dem·o·crat** [déməkræ̀t] *n.* Ⓒ ① 민주주의자; 민주 정체론자. ② (D-)《美》민주당원; 민주당 지지자. cf. Republican. ¶ the *Democrats* 민주당.

‡**dem·o·crat·ic** [dèməkrǽtik] (***more*** ~; ***most*** ~) *a.* ① 민주주의의; 민주정체의: ~ government 민주정치〔정체〕. ② 민주적인, 사회적 평등의; 서민적인: ~ art 대중〔민중〕 예술 / Your way of doing isn't ~. 당신의 방식은 비민주적이다. ③ (D-)《美》민주당의. cf. Republican.

dem·o·crat·i·cal·ly [-kəli] *ad.* 민주적으로: decide an issue ~ 일을 민주적으로 해결하다.

Democrátic párty (the ~)《美》민주당. cf. Republican party.

de·moc·ra·ti·za·tion [dimɑ̀krətizéiʃən/-mɔ̀k-] *n.* Ⓤ 민주화.

de·moc·ra·tize [dimɑ́krətàiz/-mɔ́k-] *vt., vi.* (…을) 민주화하다, 민주적으로 하다: ~ the election system 선거제도를 민주화하다.

dé·mo·dé [dèimɔ:déi] *a.*《F.》시대〔유행〕에 뒤진, 구식의.

de·mog·ra·pher [dimɑ́grəfər/di:mɔ́g-] *n.* Ⓒ 「인구 통계학자.

de·mo·graph·ic [di:məgrǽfik] *a.* 인구통계학의.

de·mog·ra·phy [dimágrəfi / di:mɔ́g-] *n.* [U] 인구통계학.

***de·mol·ish** [dimáliʃ / -mɔ́l-] *vt.* ① (개축 등을 목적으로, 건물 등)을 부수다, 헐다(pull down): ~ an old building 낡은 건물을 헐다. ② (계획·제도·지론 따위)를 뒤엎다, 분쇄하다. ③《戲》(음식물)을 다 먹어 치우다(eat up).

dem·o·li·tion [dèməlíʃən, dì:-] *n.* [U,C] ① 해체, 파괴: an old house scheduled for ~ 헐기로 예정된 고가(古家). ② (특권·제도 등의) 타파; 타도.

demolítion dèrby 자동차 파괴 경기《자동차를 서로 박치기 하여, 주행 가능한 마지막 한 대가 우승》.

de·mon** [dí:mən] (*fem.* ***de·mon·ess [-is, -es]) *n.* [C] ① 악마, 귀신, 사신(邪神). ② 극악인, 악의 화신: the little ~ (*of* a child) 장난꾸러기 / the ~ *of* jealousy〔greed〕 질투〔탐욕〕의 화신. ③ 비범한 사람, 명인《*for* ; *at*》: a ~ *at* golf 골프의 명수 / He is a ~ *for* work. 일하는 데는 귀신이다. ── *a.* =DEMONIAC.

de·mon·e·ti·za·tion [di:mànətizéiʃən, -mʌ̀n- / -mɔ̀n-] *n.* [U] (화폐의) 통용 폐지, 폐화(廢貨).

de·mon·e·tize [di:mánətàiz, -mʌ́n- / -mʌ́ni-, -mɔ́n-] *vt.* 화폐의 자격을 박탈하다; 통화〔우표〕로서의 통용을 폐지하다.

de·mo·ni·ac [dimóuniæ̀k, dì:mənáiæk] *a.* 악마의; 악마와 같은; 귀신들린, 광란의; 흉악한. ── *n.* [C] 귀신들린 사람; 미치광이.

de·mo·ni·a·cal [dì:mənáiəkəl] *a.* =DEMONIAC. [파] ~·**ly** [-əkəli] *ad.*

de·mon·ic [dimánik / -mɔ́n-] *a.* 악마의; 악마와 같은; 마력을 지닌: ~ possession 귀신 들림.

de·mon·ism [dí:mənìzəm] *n.* [U] 귀신 숭배; 사신교(邪神教); 귀신학(學). [파] **-ist** [-ist] *n.*

de·mon·ol·a·try [dì:mənálətri / -nɔ́l-] *n.* [U] 귀신〔마귀〕 숭배.

de·mon·ol·o·gy [dì:mənálədʒi / -nɔ́l-] *n.* [U] 귀신학〔론〕, 악마 연구.

de·mon·stra·bil·i·ty [demɑ̀nstrəbíləti / -mɔ̀n-] *n.* [U] 논증〔증명〕 가능성.

dem·on·stra·ble [démənstrəbəl, dimán- / démən-, dimɔ́n-] *a.* ① 논증〔증명〕할 수 있는. ② 명백한. [파] **-bly** *ad.*

‡dem·on·strate [démənstrèit] *vt.* ①《~+[목] / +*that* [절] / +*wh.* [절]》 …을 증명하다, 논증하다, (사물이) …의 증거가 되다; (모형·실험에 의해) 설명하다; (기술)을 시범 교수하다: ~ a scientific principle 과학적 원리를 증명하다 / This ~*s* his integrity. 이것이 그의 정직함을 증명한다 / How can you ~ *that* the earth is round? 지구가 둥글다는 것을 어떻게 증명할 수 있는가 / I'll ~ *how* this machine works. 이 기계의 조작법을 실제로 보여주겠다. ② (상품)을 실물 선전하다: He ~*d* the new car. 새 차를 실물로 선전했다. ③ (감정·의사 등)을 밖으로 나타내다, 드러내다: He ~*d* his displeasure by kicking a chair. 그는 의자를 걷어차서 불만을 나타냈다. ── *vi.* ①《~ / +[전]+[명]》 시위 운동을 하다, 데모를 하다《*against* ; *for*》: A great number of people ~*d for* reform. 엄청난 수의 사람들이 개혁을 요구하는 시위를 했다. ②〖軍〗 양동(陽動) 작전을 하다.

‡dem·on·stra·tion [dèmənstréiʃən] *n.* ① [U,C] 증명; 논증; 증거: a ~ that the earth is round. 지구가 둥글다는 증거〔증명〕. ② 실물 교수〔설명〕, 시범, 실연(實演), (상품의) 실물 선전: a cooking ~ 요리의 실연 / ~ of a new personal computer 새 퍼스컴의 실물 선전. ③ [C] (감정의) 표현《*of*》: a ~ *of* love. ④ [C] 데모, 시위 운동: Four policemen and ten students were injured during the ~. 네 명의 경찰관과 열 명의 학생이 시위 도중에 부상당했다.

***de·mon·stra·tive** [dimánstrətiv / -mɔ́n-] *a.* ① 감정을 노골적으로 나타내는, 표정이 강한: a ~ person 곧 감정을 드러내는 사람. ② 명시하는; 설명적인; 증명하는《*of*》: a work ~ *of* his genius 그의 천재성을 보여주는 작품 / That is ~ of our progress. 그것은 우리의 진보를 실증하고 있다. ③ 시위적인《*of*》. ④〖文法〗 지시의: a ~ pronoun 〔adverb〕 지시 대명사〔부사〕. ── *n.* [C]〖文法〗 지시사《this, that 따위》.

de·mon·stra·tive·ly [-li] *ad.* ① 입증〔논증〕적으로. ② 감정을 드러내어. ③ 지시적으로.

de·mon·stra·tor [démənstrèitər] *n.* [C] ① 논증자, 증명자. ② (실기·실험 과목의) 시범 교수자〔조수〕. ③ **a**) (상품·기기(機器)의) 실지 설명자, 실물 선전원. **b**) 실물 선전용의 제품. ④ 시위 운동자, 데모 참가자.

de·mor·al·i·za·tion [dimɔ̀:rəlizéiʃən, -mɑ̀r- / -mɔ̀r-] *n.* [U] (군대 등의) 사기 저하.

de·mor·al·ize [dimɔ́:rəlàiz, -már- / -mɔ́r-] *vt.* (군대 등)의 사기를 저하시키다.

De·mos·the·nes [dimásθənì:z / -mɔ́s-] *n.* 데모스테네스《그리스의 웅변가; 384?-322 B.C.》.

de·mote [dimóut] *vt.* …의 지위를〔계급을〕 떨어뜨리다, 강등시키다《*to*》. [opp] *promote.* ¶ He was ~*d to* private. 그는 병졸로 강등되었다.

de·mot·ic [dimátik / -mɔ́t-] *a.* (언어 따위가) 민중의, 통속적인, 서민의: ~ Greek 현대 통속 그리스어.

de·mo·tion [dimóuʃən] *n.* [U,C] 좌천, 강등, 격하. [opp] *promotion.*

de·mo·ti·vate [di:móutəvèit] *vt.* (아무)의 의욕을 잃게 하다.

de·mount [di:máunt] *vt.* (대좌(臺座)·대지(臺紙) 따위에서) …을 떼어내다.

de·mur** [dimə́:r] (**-rr-**) *vi.* ①《+[전]+[명]》 **a**) 이의(異議)를 말하다, 반대하다《*to* ; *at* ; *about* ; *at* do*ing*》: ~ *at* work*ing* on Sunday 일요일 출근에 반대하다. **b**) (…에) 난색을 보이다, 대답을 꺼리다《*at* ; *to*》: ~ *to* a demand 요구에 난색을 보이다. ②〖法〗 항변하다. ── *n.* [U] 〔흔히 否定的 語句와 함께〕 이의 (신청), 반대: make *no* ~ 이의를 제기하지 않다. ***without 〔***with no***〕 ~ 이의 없이.

de·mure [dimjúər] (**-mur·er** ; **-est**) *a.* ① (주로 여자나 아이가) 내향적이고 수줍어하는, 얌전한. ② 새침떼는, 점잔빼는. [파] ~·**ly** *ad.* ~·**ness** *n.*

de·mur·rage [dimə́:ridʒ, -mʌ́r-] *n.* [U] (배의) 초과 정박; 체선료(滯船料).

de·mur·ral [dimə́:rəl, -mʌ́r-] *n.* [U] 이의 신청.

de·mys·ti·fy [di:místəfài] *vt.* …의 신비〔수수께끼〕를 풀다; 계몽하다. [파] **de·mỳs·ti·fi·cá·tion** [-fikéiʃən] *n.*

‡den [den] *n.* [C] ① (야수의) 굴: a fox ~ 여우굴. ② (도둑의) 소굴; 초라한 살림집; 밀실: a gambling ~ 도박굴 / an opium ~ 아편굴. ③《口》 (남성의) 사실(私室)《서재·침실 따위》.

Den. Denmark.

de·nar·i·us [dinέəriəs] (*pl.* ***-nar·ii*** [-riài]) *n.* [C] 고대 로마의 은화. ★ 그 약어 d. 를 영국에서는 구 penny, pence 의 약어로 썼음.

de·na·tion·al·i·za·tion [di:næ̀ʃənəlizéiʃən] *n.* [U,C] ① 국적 박탈〔상실〕. ② 비국유화.

de·na·tion·al·ize [di:nǽʃənəlàiz] *vt.* ① (산업·국영기업 등)을 비국유화하다. ② …의 국적을 빼앗다.

de·nat·u·ral·i·za·tion [diːnætʃərəlizéiʃən] *n.* Ⓤ 변성(變性), 변질, 부자연하게 함; 시민권〔국적〕 박탈.

de·nat·u·ral·ize [diːnǽtʃərəlàiz] *vt.* ① …을 부자연하게 하다; …의 본성〔특질〕을 바꾸다. ② …의 귀화권〔국적·시민권〕을 박탈하다.

de·na·ture [diːnéitʃər] *vt.* …의 성질을 바꾸다, 변성(變性)시키다: ~*d* alcohol 변성 알코올.

den·drol·o·gy [dendráləd ʒi / -drɔ́l-] *n.* Ⓤ 수목학(樹木學)〔론(論)〕.

den·gue [déŋgi, -gei] *n.* Ⓤ 〖醫〗 뎅기열(熱) (= ∠ **fèver**)《관절·근육이 아픈 열대성 전염병》.

Deng Xiao·ping [dʌ́ŋʃáupíŋ] 덩샤오핑(鄧小平)《중국의 정치가; 1904-97 》.

de·ni·a·bil·i·ty [dinàiəbíləti] *n.* Ⓤ 《美》 부인권《대통령 등 정부 고관은 불법활동과의 관계를 부인해도 좋다는》.

de·ni·a·ble [dináiəbəl] *a.* 부인〔거부〕할 수 있는.

***de·ni·al** [dináiəl] *n.* ① Ⓤ,Ⓒ 부인, 부정; 거절; 거부《*to*》: She gave a ~ *to* the rumor. 그녀는 그 소문을 부인했다. ② Ⓤ 극기, 자제(self-~). ◇ deny *vt.*

de·ni·er[1] [dináiər] *n.* Ⓒ 부인자, 거부〔거절〕자.

de·nier[2] [diníər] *n.* Ⓒ 데니르《생사·인조 견사·나일론 따위의 굵기의 단위》.

den·i·grate [dénigrèit] *vt.* …을 비방〔중상〕하다.

den·i·gra·tion [dènigréiʃən] *n.* Ⓤ 비방, 중상.

den·im [dénim] *n.* ① Ⓤ 데님《능직의 두꺼운 무명》. ② (*pl.*) 데님제(製) 작업복; 진(jeans) 바지.

Den·is [dénis] *n.* 데니스《남자 이름》.

den·i·zen [dénəzən] *n.* Ⓒ ① 《詩》(특정 지역의) 주민; 사는 것《*of*》: the ~*s of* the sea 바다에 사는 것《물고기》. ② 《英》 거류민, 특별 귀화인.

***Den·mark** [dénmaːrk] *n.* 덴마크《수도 Copenhagen》.

de·nom·i·nate [dinámənèit / -nɔ́m-] *vt.* 《+目+보》 …의 이름을 붙이다, …이라고 일컫다〔부르다〕, 명명하다: They did not ~ him a priest. 그들은 그를 목사라고 부르지 않았다.

***de·nom·i·na·tion** [dinàmənéiʃən / -nɔ̀m-] *n.* ① **a)** Ⓒ 명칭, 이름, 명의(名義). **b)** Ⓤ 명명. ② Ⓒ 조직체, 종파, 《특히》 교단, 교파: clergy of all ~*s* 모든 종파의 목사 / Protestant ~*s* 신교 제파(諸派). ③ Ⓒ 종류, 종목; 종명(種名). ④ Ⓒ (도량형의) 단위; 액면 금액: money of small ~*s* 소액 화폐, 잔돈.

de·nom·i·na·tion·al [dinàmənéiʃənəl / -nɔ̀m-] *a.* (특정) 종파〔파벌〕의; 교파의: a ~ school 종파 경영의 학교.

de·nom·i·na·tive [dinámənèitiv, -mənə-/ -nɔ́m-] *a.* ① 명칭적인; 이름 구실을 하는. ② 〖文法〗 명사〔형용사〕에서 파생한. ── *n.* Ⓒ 〖文法〗 명사〔형용사〕에서 온 낱말《특히 동사; to *eye*, to *man*, to *blacken* 따위》.

de·nom·i·na·tor [dinámənèitər / -nɔ́m-] *n.* Ⓒ ① 〖數〗 분모. opp. *numerator*. ¶ a common ~ 공통 분모. ② 《比》 공통의 특징, 통성(通性).

de·no·ta·tion [diːnoutéiʃən] *n.* ① Ⓒ (언어의) 명시적 의미, 원뜻. ② Ⓤ 지시, 표시. ③ Ⓤ 〖論〗 외연(外延). opp. *connotation*.

de·no·ta·tive [dinóutətiv, díːnoutèi-] *a.* 지시하는, 표시하는《*of*》; 〖論〗 외연적인. ㊞ ~·**ly** *ad.*

***de·note** [dinóut] *vt.* ① …을 나타내다, 표시하다, …의 표시이다; 의미하다: A nod ~*s* approval. 고개를 끄덕이면 승낙한다는 뜻이다 / A quick pulse often ~*s* fever〔that you have fever〕. 맥의 빠름은 종종 열이 있다는 표시다. ② 〖論〗 …의 외연을 표시하다. opp. *connote*.

de·noue·ment, dé- [deinúːmaːŋ] *n.* Ⓒ 《F.》 ① (소설·희곡의) 대단원. ② (사건의) 고비; (분쟁 따위의) 해결, 낙착, 결말.

***de·nounce** [dináuns] *vt.* ① 《~+目/+目+전+명/+目+*as* 보》 …을 공공연히 비난〔공격〕하다, 탄핵하다, 매도하다: ~ a heresy 이교를 탄핵하다 / ~ a person *for* neglect of duty 아무를 근무 태만이라고 비난하다 / He was ~*d as* a coward. 그는 비겁하다고 비난받았다. ② 《+目+전+명》 고발하다, 고소하다: ~ a person *to* the authorities 아무를 관헌에 고발하다. ③ (조약·휴전 등의) 실효(失效)를 통고하다. ◇ denunciation *n.* ㊞ ~·**ment** *n.* ＝DENUNCIATION.

de no·vo [diːnóuvou] 《L.》 새로이, 다시.

‡dense [dens] (***dens·er*** ; ***dens·est***) *a.* ① 밀집〔밀생〕한; (인구가) 조밀한. opp. *sparse*. ¶ a ~ population 조밀한 인구 / a ~ forest 밀림 / The grass was ~ on the ground. ＝The ground was ~ with grass. 풀이 땅에 무성(茂盛)해 있었다. ② 밀도가 높은, 짙은; 농후한: a ~ fog 짙은 안개 / ~ smoke 자욱한 연기. ③ 아둔한, 어리석은; (어리석음 따위가) 심한, 극단적인: a ~ head 잘 돌지 않는 머리 / ~ ignorance 지독한 무식 / Don't be so ~! 머리를 좀 써라〔굴려라〕. ④ (문장이) 치밀한, 이해하기 어려운. ⑤ 〖寫〗 (현상한 음화가) 불투명한, 짙은: a ~ negative. ◇ density *n.* ㊞ ∠·**ness** *n.*

dense·ly [dénsli] *ad.* 짙게, 밀집해서: a ~ populated area 인구밀도가 높은 지역.

***den·si·ty** [dénsəti] *n.* ① Ⓤ 밀집 상태; (인구의) 조밀도: the ~ of population＝population ~ 인구밀도 / traffic ~ 교통량. ② Ⓤ,Ⓒ 〖物〗 밀도; 비중: high ~ 고밀도 / What is the ~ of iron? 철의 비중은 얼마냐. ③ Ⓤ 아둔함. ④ Ⓤ,Ⓒ 〖컴〗 밀도《자기(磁氣)디스크나 테이프 등의 데이터 기억 밀도》. ◇ dense *a.*

dent**[1] [dent] *n.* Ⓒ ① 움푹 팬 곳, (부딪거나 해서) 들어간 곳, 눌린 자국《*in*》: a ~ *in* a helmet (부딪쳐서 생긴) 헬멧의 들어간 곳. ② 큰 타격, 깊은 상처: The war expenses left a ~ *in* the national economy. 전쟁비용은 국가 경제에 깊은 상처를 남겼다. ***make a ~ in (1) …이 움푹 들어가게 하다: *make a* ~ *in* a car 부딪쳐 차체가 움푹 들어가게 하다. (2) …에 경제적 영향을 주다; …을 줄이다: The party has *made a* ~ *in* my pocket. 그 파티로 내 주머니에 큰 구멍이 났다. (3) 〔흔히 否定文〕 《口》 약간 진척시키다; (일 따위)의 돌파구를 만들다: I have*n't* even *made a* ~ *in* the work. 그 일은 어떻게 해야 할지 손도 못대고 있다.
── *vt.* ① …을 움푹 들어가게 하다. ② …을 약화시키다, 기가 죽게 하다, 쏙 들어가게〔납작하게〕 만들다. ── *vi.* 움푹 들어가다; 쏙 들어가다.

dent[2] *n.* Ⓒ (톱니바퀴의) 이, (빗의) 살.

***dent·al** [déntl] *a.* ① 이의; 치과(용)의: a ~ clinic 〔office〕 치과 의원 / ~ surgery 구강 외과, 치과 / a ~ plate 의치. ② 〖音聲〗 치음(齒音)의: a ~ consonant 치음. ── *n.* Ⓒ 치음《영어의 [t, d, θ, ð] 따위》.

déntal flòss 치간(齒間) 오물 제거용 견사(絹絲).

déntal hygíene 치과 위생.

déntal mechánic 치과 기공사(技工士) (= **déntal technícian**).

déntal sùrgeon 치과 의사《★ dentist가 더 일반적임》.

den·tate [dénteit] *a.* 〖動〗 이가 있는; 〖植〗 톱니 모양의 돌기가 있는.

den·ti·frice [déntəfris] *n.* Ⓤ,Ⓒ 치약.

den·tin, -tine [déntin], [-tiːn] *n.* Ⓤ (이의) 상아질.

⁑den·tist [déntist] *n.* Ⓒ 치과 의사 : go to the ~('*s*) 치과 의사에게 가다 / consult〔see〕 a ~ 치과 의사의 진찰을 받다. 「〔업〕.

den·tist·ry [déntistri] *n.* Ⓤ 치과학 ; 치과 의술

den·ture [déntʃər] *n. pl.* 틀니《전체》, 총(總)의치 : wear a full set of ~*s* 총의치를 하다《★ false teeth 가 일반적임》.

de·nu·cle·a·ri·za·tion [di:njù:kliərizéiʃən] *n.* 비핵화 ; 핵무기 금지〔철거〕.

de·nu·cle·ar·ize [di:njú:kliəràiz] *vt.* (지역·국가 등)을 비핵화하다 : a ~*d* zone 비핵무장 지대 / a ~*d* nation 비핵무장국.

de·nu·da·tion [dì:nju(:)déiʃən, dèn-] *n.* Ⓤ ① 발가벗기기 ; 노출. ②〖地質〗 삭박(削剝), 침식, 나지화(裸地化).

de·nude [dinjú:d] *vt.* ①《+[목]+[전]+[명]》 …을 발가벗기다 ; (껍질)을 벗기다, 노출시키다 ; (…로부터 껍질)을 벗기다 ; 박탈하다《*of*》: ~ a person *of* his clothing 아무의 옷을 벗기다 / He was ~*d of* every penny he had. 돈을 몽땅 빼앗겼다 / His father's death ~*d* him *of* all his hopes for the future. 그는 아버지의 사망으로 장래에 대한 희망을 완전히 잃고 말았다. ② (땅에서) 나무를 일체 없애다, 나지화(裸地化)하다《*of*》: ~ a bank *of* trees 둑에서 나무를 없애다 / the ~*d* land 황폐한 땅 / a ~*d* hill 민둥산. ③〖地質〗 (하안(河岸) 따위를) 표면 침식하다, 삭박(削剝)하다.

***de·nun·ci·a·tion** [dinʌ̀nsiéiʃən, -ʃi-] *n.* Ⓤ,Ⓒ ① 탄핵 ; 비난. ② 고발. ③ (조약 등의) 폐기 통고.

de·nun·ci·a·tor [dinʌ́nsièitər, -ʃi-] *n.* Ⓒ 비난〔탄핵〕자 ; 고발자.

de·nun·ci·a·to·ry [dinʌ́nsiətɔ̀:ri, -ʃiə-/ -təri] *a.* ① 비난의〔하는〕, 탄핵하는. ② 위협적인.

Den·ver [dénvər] *n.* 덴버《미국 Colorado 주의 주도》.

⁑de·ny [dinái] *vt.* ①《~+[목] / +-*ing* / + *that* [절] / +[목]+ *to be* [보]》 …을 부정하다 ; 취소하다 ; 진실이 아니라고 주장하다 ; (신의 존재·교리 등을) 부인하다, 믿지 않다 : ~ an accusation 비난이 근거 없는 것이라고 말하다 / The accused man *denies* ever hav*ing* met her 〔*that* he has ever met her〕. 그 피고인은 그녀를 만난 적이 없다고 부인한다 / He strongly *denied* himself *to be* a Jew. 그는 강경하게 자기가 유대인이 아니라고 말했다. ②《~+[목] / +[목]+[목] / +[목]+[전]+[명]》 (권리·요구 등)을 인정하지 않다, 거절하다, 물리치다 ; 주지 않다 : ~ a request 부탁을 들어주지 않다 / ~ a beggar 거지에게 돈을 주지 않다 / We were *denied* access. 접근이 허락되지 않았다 / She *denies* her son nothing. =She *denies* nothing *to* her son. 아들의 요구는 뭐든지 들어준다. ◇ denial *n.* ~ one***self*** (1) 헌신하다 : ~ *oneself for* one's children 자식을 위해 제 자신을 희생하다. (2) (음식·쾌락 등)을 극기〔자제〕하다 : ~ *oneself* the comforts of life 인생의 즐거움을 버리다.

de·o·dar [dí:ədà:r] *n.* ① Ⓒ〖植〗 히말라야삼(杉)나무. ② Ⓤ 히말라야삼나무 목재.

de·o·dor·ant [di:óudərənt] *a.* 방취(防臭)효과가 있는. ── *n.* Ⓤ,Ⓒ 방취제(劑) ; (특히) 암내 제거〔제취(除臭)〕제(劑).

de·o·dor·i·za·tion [di:òudərizéiʃən] *n.* Ⓤ 탈취, 방취, 제취(除臭) (작용).

de·o·dor·ize [di:óudəràiz] *vt.* …의 악취를 없애다, 탈취〔방취〕하다. ㊎ **-iz·er** *n.* =DEODORANT.

Deo gra·ti·as [dí:ou-gréiʃiæs] 《L.》 하느님 은혜로, 고맙게도《略 : D.G.》.

de·or·bit [di:ɔ́:rbit] *vi.* 궤도에서 벗어나다. ── *vt.* (인공위성 따위)를 궤도에서 벗어나게 하다.

Deo vo·len·te [déiou-vouléntі, dí:-] 《L.》 하나님의 뜻이라면, 사정이 허락하면《略 : D.V.》.

de·ox·i·dize [di:ɑ́ksədàiz / -ɔ́ks-] *vt.* 〖化〗 …의 산소를 제거하다 ; (산화물)을 환원하다.

de·óx·y·ri·bo·nu·clé·ic ácid [di:ɑ́ksəràibounju:klí:ik- / -ɔ́ks-] 〖生化〗 디옥시리보핵산《세포핵 염색체의 중요 물질로 유전 정보를 가지고 있음 ; 略 : DNA》.

dep. department ; departs ; departure ; deponent ; 〖銀行〗 deposit ; depot ; deputy.

⁑de·part [dipɑ́:rt] *vi.* ①《~ / +[전]+[명]》 (열차 따위)가 출발하다(start), 떠나다《*from* ; *for*》《★ leave, start 보다 격식차린 말》: They ~*ed for* America. 그들은 미국으로 떠났다 / ~ *from* Paris *for* London 파리를 떠나 런던으로 가다. ②《+[전]+[명]》 (습관·원칙 등)에서 벗어나다, 이탈하다, 다르다《*from*》: ~ *from* the truth 진실에서 벗어나다 / His story ~*ed from* his main theme. 그의 이야기는 본제를 벗어났다 / He ~*ed from* the old custom. 그는 종래의 습관과는 다른 짓을 했다.

── *vt.* 《美》 …을 출발하다 : ~ Korea *for* Japan 한국을 떠나 일본으로 향하다. ◇ departure *n.* ~ ***this life*** 이승을 떠나다, 죽다.

***de·part·ed** [dipɑ́:rtid] *a.* 과거의 ; 죽은 : ~ glory 과거의 영광 / one's ~ friend 지금은 가고 없는 친구. ── *n.* (the ~) 〔單·複數취급〕 고인(故人)(들) : Let's pray for *the* dear ~. 사랑하는 고인(들)의 명복을 빕시다.

⁑de·part·ment [dipɑ́:rtmənt] *n.* ① Ⓒ (공공 기관·회사·기업 등의) 부, 과, 부문 : the export ~ 수출부 / the accounting 〔the personal〕 ~ 회계〔인사〕과 / the police 〔fire〕 ~ 경찰〔소방〕서. ② Ⓒ 《英》 국(局), 과(課) ; 《英·美》 성(省)《★ 영국의 성은 Department 이외에 Ministry, Office 를 쓰는 곳도 있음》. ③ Ⓒ (프랑스의) 현(縣). ④ Ⓒ (대학의) 학부, 과(科) : the ~ of sociology 사회학과 / the ~ of economics=the economics ~ 경제학부. ⑤ (*sing* ; 흔히 one's ~로) 《口》 (지식·활동의) 분야 : That's *your* ~. 그것은 자네 일이다 / in every ~ of *one's* life 생활의 모든 분야에서. ⑥ Ⓒ (백화점 따위의) 매장 : the men's clothing ~ 신사복 매장. ***the Department of State*** 〔***Agriculture, Commerce, Defense, Education, the Interior***〕 《美》 국무〔농무, 상무, 국방, 교육, 내무〕부. ***the Department of Trade*** 〔***Education and Science, Environment***〕 《英》 통상〔교육 과학, 환경〕성.

de·part·men·tal [dipɑ:rtméntl, dì:pɑ:rt-] *a.* 부〔성, 국, 과〕의, 부문별의.

de·part·men·tal·ize [dipɑ:rtméntlàiz, dì:pɑ:rt-] *vt.* 각 부문으로 나누다, 세분하다.

†depártment stòre 백화점《★ depart(ment)로 생략하지는 않음 ; 《英》에서는 그냥 (the) stores 라고도 함》: go shopping at a ~ 백화점에 쇼핑 가다.

⁑de·par·ture [dipɑ́:rtʃər] *n.* Ⓤ,Ⓒ ① 출발, 떠남 ; 발차 ; 출항(出航·出港) : the time of ~ 출발 시간 / He took his ~ from London for Dover. 그는 런던을 떠나 도버로 향했다. ② (표준 등에서의) 이탈, 벗어남 ; 배반《*from*》: a radical ~ *from* past practices 이전의 관행과의 결정적 결별 / a ~ *from* the norm 기준에서의 일탈. ◇ depart *v.* ***a new*** ~ 새 방침, 신기축(新機軸) : This line makes *a new* ~ *for* the firm. 이 방침이 회사로서는 하나의 신기축을 이룬다.

⁑de·pend [dipénd] *vi.* ①《~ / +[전]+[명]》 …나름이다, (…에) 달려 있다, 좌우되다《*on, upon*》:

~*ing on* conditions 조건 여하로 / His success here ~*s upon* effort and ability. 그가 여기에서 성공하느냐 못하느냐는 노력과 능력 여하에 달려 있다 / Consumption of beer largely ~*s upon* the weather. 맥주 소비량은 날씨에 크게 좌우된다. ②《+전+명》 의뢰〔의지〕하다, 의존하다《*on, upon*》: She ~*s on* her piano for her livelihood. 피아노에 의해 생활해 가고 있다 / Children ~ *on* their parents. 아이들은 부모를 의지한다 / I must ~ *upon* myself *for* success. 성공은 내 자력으로 할 수 밖에 없다. ③《+전+명》 믿다, 신뢰하다《*on, upon*》: You can ~ *upon* him. 그 사람 같으면 믿을 수 있다 / The man 〔old map〕 is not to be ~*ed on*〔*upon*〕. 그 사람은〔낡은 지도는〕 믿을 수 없다. ◇ dependent *a.* ***Depend on*** 〔***upon***〕 ***it.*** 걱정 마라; 틀림 없다《말머리나 말끝에서》: *Depend on it.* He'll come. 걱정마라, 그는 온다 / *Depend upon it,* it will be all right. 그것은 틀림 없이 잘 될거다. ***That ~s.*** = ***It*** (***all***) ***~s.*** 그건 때와 형편에 달렸다; 사정 나름이다: "Will you go to the party?" "Well, *it* ~*s.*" '파티에 가나?' '글쎄, 사정을 봐서.'

de·pend·a·bil·i·ty [dipèndəbíləti] *n.* Ⓤ 신뢰할 「〔믿을〕 수 있음.

***de·pend·a·ble** [dipéndəbəl] *a.* 신뢰할〔믿을〕 수 있는; 신빙성 있는: a ~ person 〔report〕. ㊞ **~·ness** *n.* **-bly** *ad.*

de·pend·ant [dipéndənt] *n.* = DEPENDENT.

***de·pend·ence** [dipéndəns] *n.* Ⓤ ① 의지함, 의존《*on*》: mutual ~ 상호 의존 / one's ~ *on* one's parents 부모에의 의존 / live in ~ *on* another 남에게 기대서 살다. ② 신뢰, 신용《*on, upon*》: put 〔place〕 ~ *on* a person 아무를 믿다. ③【醫】 의존(증): drug 〔alcohol〕 ~ 약물〔알코올〕 의존증. ◇ depend *v.*

de·pend·en·cy [dipéndənsi] *n.* ① Ⓒ 속국, 보호령. ② Ⓤ 의존(상태)《★ dependence가 일반적임》.

‡**de·pend·ent** [dipéndənt] (***more ~; most ~***) *a.* ① 의지하고 있는, 의존하는《*on, upon*》: He is ~ *on* his wife's earnings. 아내의 수입에 의존하고 있다 / He remained ~ *on*〔*upon*〕 his parents even after getting married. 그는 결혼하고도 여전히 부모 신세를 지고 있었다. ② …나름의, …에 좌우되는《*on, upon*》: Crops are ~ *upon* weather. 수확은 날씨에 좌우된다 / When we start is ~ *upon* you. 언제 출발하느냐는 것은 네 생각에 달려 있다. ◇ depend *vi.* ── *n.* Ⓒ 의존하고 있는 사람; 종자(從者); 부양가족. ㊞ **~·ly** *ad.* 남에게 의지하여, 의존〔종속〕적으로.

depéndent cláuse 【文法】 종속절(節) (subordinate clause). opp. *principal clause.*

de·per·son·al·i·za·tion [di:pə̀:rsənəlizéiʃən] *n.* Ⓤ 비개인화, 비인격화; 몰개성화.

de·per·son·al·ize [di:pə́:rsənəlàiz] *vt.* (남)을 비인격화하다; (남)의 개성을 빼앗다.

***de·pict** [dipíkt] *vt.* ① (그림·조각 등으로) …을 그리다, 그림으로 나타내다: The picture ~*ed* the battle vividly. 그 그림에는 그 전투가 생생하게 그려져 있었다. ② …을 (말로) 묘사〔서술〕하다 (describe): ~ him as a hero 그를 영웅으로 묘사하다.

de·pic·tion [dipíkʃən] *n.* Ⓤ,Ⓒ 묘사; 서술.

dep·i·late [dépəlèit] *vt.* …의 털을 뽑다, 탈모(脫毛)하다.

dep·i·la·tion [dèpəléiʃən] *n.* Ⓤ 탈모, 털뽑기.

de·pil·a·to·ry [dipílətɔ̀:ri / -təri] *a.* 탈모용의; 탈모 효과가 있는. ── *n.* Ⓤ,Ⓒ 탈모제.

de·plane [di:pléin] *vi.* 비행기에서 내리다. opp. *enplane.*

de·plete [diplí:t] *vt.* (세력·자원 따위를) 다 써버리다, 고갈시키다. 「渴), 소모.

de·ple·tion [diplí:ʃən] *n.* Ⓤ (자원 등의) 고갈(枯

***de·plor·a·ble** [diplɔ́:rəbəl] *a.* 개탄할, 한심한, 비참한: It is ~ that he should act that way. 그가 그런 짓을 하다니 한심하다.

de·plor·a·bly [-əbəli] *ad.* 통탄〔유감〕스럽게, 한심하게도, 지독히: ~ poor 지독하게 가난한 / behave ~ 한심하게 굴다.

***de·plore** [diplɔ́:r] *vt.* ① …을 한탄〔개탄〕하다; 유감으로 여기다: I ~ their taking drugs. 그들이 마약을 쓰고 있다는 것은 유감 천만이다. ② (사람의 죽음)을 애통해〔애도〕하다: ~ the death of a close friend 친한 친구의 죽음을 애통해하다.

de·ploy [diplɔ́i] *vt.* 【軍】 (부대·병력)을 전개시키다, 배치하다: ~ troops for battle 군대를 전투 배치하다. ── *vi.* 전개하다, 배치되다. ㊞ **~·ment** *n.*

de·po·lit·i·cize [dì:pəlítəsàiz] *vt.* …에서 정치적 색채를 제거하다; …에서 정치적 관심을 없애다.

de·pol·lute [dì:pəlú:t] *vt.* …의 오염을 제거하다.

de·po·nent [dipóunənt] *n.* Ⓒ【法】 (특히, 문서에 의한) 선서 증인.

de·pop·u·late [di:pápjəlèit / -pɔ́p-] *vt.* (전쟁·질병 등이) …의 인구를〔주민을〕 감소시키다: The country has been ~*d* by war and disease. 전쟁과 질병으로 나라의 인구가 감소되었다.

de·pop·u·la·tion [di:pàpjəléiʃən / -pɔ̀p-] *n.* Ⓤ 인구감소〔격감〕; 과소화(過疎化).

de·port [dipɔ́:rt] *vt.* 《~+목 / +목+전+명》 ① 처신〔행동〕하다《종종 oneself 를 수반》: ~ *oneself like* a gentleman 신사답게 행동하다 / ~ *oneself* prudently 신중하게 처신하다. ② (바람직하지 못한 외국인)을 국외로 퇴거시키다, 추방하다: The diplomat was ~*ed for* espionage. 그 외교관은 스파이 행위로 국외 퇴거당했다.

de·por·ta·tion [dì:pɔ:rtéiʃən] *n.* Ⓤ 국외 추방: a ~ order 퇴거 명령.

de·por·tee [dì:pɔ:rtí:] *n.* Ⓒ 피(被)추방자.

***de·port·ment** [dipɔ́:rtmənt] *n.* Ⓤ ①《美》 (특히, 젊은 여성의, 사람들 앞에서의) 태도, 행동, 예의. ②《英》 (젊은 여성의) 행동거지: graceful ~ 우아한 행동 거지.

***de·pose** [dipóuz] *vt.* ① (고위층 사람)을 면직〔해임〕하다, (권력의 자리에서) 물러나게 하다: ~ a person *from* office 아무를 파직시키다. ②《+*that* 절》【法】 …라고 〔또는, …할 것〕을 선서 증언〔진술〕하다: He ~*d that* he had seen the accused before. 그는 피고를 전에 본 일이 있다고 증언했다. ── *vi.* 선서 증언하다, 입증하다《*to*》: ~ *to* having seen it 그것을 보았다고 증언하다.

‡**de·pos·it** [dipázit / -pɔ́z-] *vt.* ① (어떤 자리에) …을 놓다, 두다; (알)을 낳다: These insects ~ their eggs *in* the ground. 이들 곤충들은 땅속에 알을 낳는다 / He ~*ed himself* on the sofa. 그는 소파에 앉았다. ②【地】 (바람·물 따위가, 모래 등)을 침전시키다, 퇴적시키다: The flood ~*ed* a layer of mud on the farm. 그 홍수로 농장에 진흙의 층이 퇴적했다. ③《~+목 / +목+전+명》 (돈 따위를) 맡기다, 예금하다; 공탁하다; 착수금으로서 주다〔걸다〕: ~ money *in* 〔*with*〕 the bank 은행에 예금하다. ④《~+목 / +목+전+명》 (귀중품 등)을 맡기다: ~ a thing *with* a person 아무에게 무엇을 맡기다 / ~ a suitcase *at* the cloakroom 슈트케이스를 휴대품 보관소에 맡기다. ⑤ …을 착수금으로 지불하다.

── *n.* Ⓤ,Ⓒ ① 부착물; 퇴적물, 침전물; (광석·

석유·천연 가스 등의) 매장물, 광상(鑛床) : glacial ~*s* 빙하 퇴적물 / uranium ~*s* 우라늄 광상. ② Ⓒ (흔히 *sing*) (은행) 예금 ; 공탁금, 보증금, 계약금, 착수금 : a current (fixed) ~ 당좌(정기)예금 / a ~ of six months rent, 6개월분 집세의 보증금. ③ Ⓒ 저장소 ; 보관소, 창고. ***make a ~ on*** (a car) (자동차)의 계약금을 치르다. ***on ~*** 저축하여, 예금하여.

depósit accòunt 《英》 저축 계정 (《美》 savings account) ; 《美》 예금 계정(계좌).

de·pos·i·ta·ry [dipázitèri / -pɔ́zitəri] *n.* = DEPOSITORY.

dep·o·si·tion [dèpəzíʃən, dìːp-] *n.* ① Ⓤ 면직, 파면 ; 폐위. ② **a)** Ⓤ 〖法〗 선서 증언. **b)** Ⓒ 증언(진술) 조서.

de·pos·i·tor [dipázitər / -pɔ́z-] *n.* Ⓒ 공탁자 ; 예금자.

de·pos·i·to·ry [dipázitɔ̀ːri / -pɔ́zitəri] *n.* Ⓒ ① 보관소, 창고, 저장소. ② 수탁(보관)자. ***a ~ of learning*** 지식의 보고(寶庫).

depósitory líbrary 《美》 관청 출판물 보관 도서관.

***de·pot** [díːpou / dépou] *n.* Ⓒ ① 《美》 (철도의) 정거장, (버스) 정류소. ② [dépou] 저장소 ; 보관소, 창고. ③ 〖軍〗 병참부 ; 《英》 연대 본부.

dep·ra·va·tion [dèprəvéiʃən, dìːprei-] *n.* Ⓤ 악화 ; 부패, 타락.

de·prave [dipréiv] *vt.* (사람)을 타락(악화)시키다, 부패시키다.

de·praved [dipréivd] *a.* 타락(부패)한, 사악한, 비열한 : a man of ~ morals 품행이 나쁜 사람 / a ~ criminal 흉악범.

de·prav·i·ty [diprǽvəti] *n.* ① Ⓤ = DEPRAVATION. ② Ⓒ 악행, 비행, 부패 행위.

dep·re·cate [déprikèit] *vt.* ① (~+目/+*-ing* /+目+*as* 보) …에 불찬성을 주장하다, …을 비난하다, 반대하다 : ~ war 전쟁을 반대하다 / ~ sexual discrimination 성차별을 반대(비난)하다. ② …을 경시하다, 얕보다.

dep·re·cat·ing·ly [déprikèitiŋli] *ad.* 비난하듯이, 나무라는 듯이, 반대를 표명하여, 애원해서.

dep·re·ca·tion [dèprikéiʃən] *n.* Ⓤ,Ⓒ 불찬성, 반대 ; 비난, 항의.

dep·re·ca·to·ry [déprikətɔ̀ːri / -təri] *a.* ① 탄원(애원)적인 ; 변명의, 사죄의 : a ~ letter 사과(변명의) 편지. ② 비난의, 불찬성의 : ~ remarks 비난조의 말.

***de·pre·ci·ate** [dipríːʃièit] *vt.* ① (물품)의 (시장) 가치(평가)를 떨어뜨리다. ② …을 경시하다, 얕보다 : ~ oneself (자기) 비하하다 / ~ the value of being healthy 건강의 고마움을 경시하다.
—— *vi.* 가치가(가격이) 떨어지다 : This sports car will never ~ in ten years. 이 스포츠카는 10년 지나도 결코 값이 내리지 않을 것이다.

de·pre·ci·at·ing·ly [dipríːʃièitiŋli] *ad.* 낮추어, 얕보아, 깔보아.

***de·pre·ci·a·tion** [diprìːʃiéiʃən] *n.* Ⓤ,Ⓒ ① 가치(가격) 저하, 하락 : ~ of the currency 통화 가치의 하락. ② 〖商〗 감가 상각. ③ 경시 : in ~ 얕보아, 경시하여.

de·pre·ci·a·tive [dipríːʃièitiv] *a.* = DEPRECIATORY.

de·pre·ci·a·to·ry [dipríːʃiətɔ̀ːri / -təri] *a.* ① 감가적인 ; 하락 경향의. ② 얕보는, 경시의.

dep·re·da·tion [dèprədéiʃən] *n.* ① Ⓤ 약탈. ② Ⓒ (흔히 *pl.*) 약탈 행위, 파괴(된 흔적).

ːde·press** [diprés] *vt.* ① …을 풀이 죽게 하다, 우울하게 하다 : Her death ~*ed* him. 그는 그녀의 죽음으로 완전히 풀이 죽었다. ② …을 불경기로 만들다 ; (시세 따위)를 떨어뜨리다 : Trade is ~*ed.* 시황(市況)은 부진하다 / A tight money policy ~*es* the economy. 금융 긴축 정책은 경제계에 불황을 가져온다. ③ (힘·기능 따위)를 약화시키다 ; (소리)를 낮추다 : ~ nervous faculty 신경 기능을 약화시키다. ④ (버튼·레버 등)을 내리누르다 : ~ the keys of a piano 피아노의 키를 누르다.

de·pres·sant [diprésənt] *a.* 〖醫〗 억제(진정) 작용이 있는.
—— *n.* Ⓒ 억제제(劑), 진정제.

ːde·pressed** [diprést] *a.* ① 내리눌린, 낮아진, 패인(노면 따위). ② 풀이 죽은, 의기 소침한 : I feel very ~ this morning. 오늘 아침은 몹시 우울하다 / We were ~ by(at) the news. 그 소식에 우리는 실망했다. ③ 궁핍한, 빈곤에 허덕이는. ④ 불경기의, 불황의 ; (주식) 값이 떨어진 : a ~ industry 불황 산업. ⑤ 〖植·動〗 평평한, 낮고 폭이 넓은.

depréssed área 불황 지역(실직자가 많은).

de·press·ing [diprésiŋ] *a.* 울적해지는, 침울한 : ~ news 우울한 뉴스 / ~ weather 찌무룩한 날씨. ㊞ ~·ly *ad.*

ːde·pres·sion** [dipréʃən] *n.* ① Ⓤ,Ⓒ 의기 소침, 침울, 우울 ; 〖醫〗 울병(鬱病) : in a state of deep ~ 의기 소침하여 / nervous ~ 신경쇠약 / He was in a mood of ~. 그는 기분이 우울해 있었다. ② **a)** Ⓤ,Ⓒ 불경기, 불황. **b)** (the D-) = GREAT DEPRESSION. ③ Ⓤ,Ⓒ 내리누름(눌림), 하강, 침하(沈下). ④ Ⓒ 구렁, 저지(低地). ⑤ Ⓒ 〖氣〗 저기압 : an atmospheric (a barometric) ~ 저기압. ◇ depress *v.*

de·pres·sive [diprésiv] *a.* ① 내리누르는, 억압적인. ② 우울하게 하는 ; 우울해진 ; 불경기의.
—— *n.* Ⓒ 울병환자.

de·pres·sur·ize [diːpréʃəràiz] *vt.* (비행기·우주선 등)의 기압을 내리다, 감압하다.

dep·ri·va·tion [dèprəvéiʃən] *n.* Ⓤ,Ⓒ ① 박탈 ; 상속인의 폐제(廢除) ; (성직자) 파면. ② 상실, 손실 ; 결핍. ③ 궁핍, 빈곤.

ːde·prive** [dipráiv] *vt.* 《+目+前+名》 …에게서 …을 빼앗다, 박탈하다(*of*) : ~ a person *of* a title 아무에게서 칭호를 박탈하다 / A new building ~*d* their house *of* sunlight. 그 새 건물 때문에 그들의 집엔 볕이 들지 않게 되었다 / Poverty ~*d* the boy *of* education. 가난 때문에 소년은 교육을 받지 못했다.

de·prived [dipráivd] *a.* 혜택받지 못한, 가난한, 불우한 : the ~ 가난한 사람들 / culturally ~ children 문화적인 혜택을 못 받는 아이들.

de pro·fun·dis [dìː-prəfʌ́ndis] 《L.》 (슬픔·절망 따위의) 구렁텅이에서(의 절규).

dept. department ; deputy.

ːdepth** [depθ] (*pl.* ~**s** [depθs, deps]) *n.* ① Ⓤ (또는 Ⓒ ; 흔히 *sing.*) **a)** 깊이, 깊음 ; 심도 : The well has a ~ of 50 feet(is 50 feet in ~). 이 우물의 깊이는 50피트다 / The snow was two feet in ~. 눈은 깊이가 2피트였다. **b)** Ⓒ (방 등의) 안길이. opp. *breadth, width.* ¶ That stage is twenty feet in ~. 무대의 안길이는 20피트다 / the ~ of a room 방의 안길이. ② (the ~ ; 종종 *pl.*) 깊은 곳, 깊은 정도 ; 안쪽의 곳, 오지(奧地) (inmost part) : in *the* ~*s of* the forest 숲속 깊은 곳에 / treasures in *the* ~*s of* the sea 바닷속 깊은 데에 있는 보물. ③ Ⓤ (학문 따위의) 심원함(profundity) ; (인물·성격 따위의) 깊은 맛 ; (감정의) 심각성, 강도(*of*) : a question *of* great ~ 심오한 문제 / with a ~ *of* feeling 깊은 감정을 담아서 / I was impressed by his ~ *of* knowledge. 그의 깊은 지식에 감명받았다 / a person *of* great ~ 아주 깊이 있는 사람. ④ Ⓤ,Ⓒ (종종 the ~s) (사

회적·도덕적·지적인) 밑바닥, 타락(의 심연); (절망 따위의) 구렁텅이: How could he sink to such ~s? 어쩌면 그토록 타락했을까 / (down) in the ~s (of despair) (절망의) 구렁텅이에 빠져서. ⑤Ⓤ (빛깔 등의) 짙음, 농도; (소리의) 낮은 가락. ⑥ (the ~; 종종 pl.) 계절의 한창때《한여름 따위》: in the ~ of winter 한겨울에. ◇ deep a. **be out of** 〔**beyond**〕 one**'s** ~ (1) 깊어서 키가 모자라다, 깊은 곳에 빠져 있다. (2) 이해가〔역량이〕 미치지 못하다, 힘에 겹다: Physics is *out of my* ~. 물리에는 손들었다. **in** ~ 넓고 깊게, 철저히: explore a subject *in* ~ 문제를 깊이 탐구하다.

dépth chàrge 〔**bòmb**〕 폭뢰(爆雷), 수중 폭탄《잠수함 공격용》.

dépth psychòlogy 〖心〗 심층(深層) 심리학.

dep·u·ta·tion [dèpjətéiʃən] *n.* ①Ⓤ 대리 (행위); 대리 파견. ②Ⓒ 대표단《★ 개인은 deputy》.

de·pute [dipjúːt] *vt.* ①《~+목 / +목+*to* do》 …을 대리로 명하다, 대리(자)로 하다, 대리로서 …을 시키다: I ~*d* him *to* look after the factory during my absence. 내가 없는 동안 그를 공장 관리의 대행자로 임명했다. ② (일·직권)을 위임하다: ~ the running of the shop *to* one's son 아들에게 가게 운영을 맡기다.

dep·u·tize [dépjətàiz] *vt.* 《美》 …을 대리로 임명하다. — *vi.* 대리〔대행〕하다《*for*》.

***dep·u·ty** [dépjəti] *n.* Ⓒ ① 대리인; 대리역, 부관: Mr. Hart will act as my ~. 하트씨가 내 대리를 할 것이다. ② (프랑스·이탈리아 등의) 대의원, 민의원. **by** ~ 대리로, 대리인으로서.
— *a.* 〔限定的〕 대리의, 부(副)의 (acting, vice-): a ~ chairman 부의장, 의장 대리 / a ~ governor 부지사 / a ~ mayor 부시장 / a ~ prime minister 부총리.

deque [dek] *n.* Ⓒ 〖컴〗 데크《양끝의 어느 쪽에서도 데이터를 입출할 수 있게 된 데이터의 행렬》. [◂ *d*ouble-*e*nded *que*ue]

der. derivation; derivative; derive(d).

de·rail [diréil] *vt.* 〔흔히 受動으로〕 (기차 따위)를 탈선시키다: The train *was* ~*ed*. 열차가 탈선했다. — *vi.* 탈선하다.
㊞ ~**·ment** *n.* Ⓤ,Ⓒ 탈선.

de·range [diréindʒ] *vt.* ① (상태(常態)·계획 등)을 혼란〔교란〕시키다, 어지럽히다: His stomach is ~*d*. 그는 위장에 탈이 났다. ② …을 미치게 만들다《★ 흔히 과거분사로 形容詞的으로 씀》. ㊞ ~**·ment** *n.* Ⓤ,Ⓒ 혼란, 교란; 착란, 발광: mental ~*ment* 정신 착란.

de·ranged [diréindʒd] *a.* 미친, 발광한(insane): Her mind is ~. =She has a ~ mind. 그녀는 미쳤다.

***Der·by** [də́ːrbi / dáːr-] *n.* ① 더비《영국 Derbyshire의 도시》. ② **a)** (the ~) 더비 경마《영국 Surrey 주의 Epsom Downs에서 매년 거행됨》. **b)** Ⓒ 대경마《미국 Kentucky 주 Louisville에서 거행되는 Kentucky Derby 따위》: The ~ Day 《英》 더비 경마일. ③ (a d-) (누구나 참가할 수 있는) 경기, 경주: *a* bicycle ~ 자전거 경주. ④ (d-) 《美》 =DERBY HAT.

dérby hát 《美》 중산 모자(《英》 bowler (hat)).

Der·by·shire [də́ːrbiʃər / dáːr-] *n.* 더비셔《영국 중부의 주》.

de·reg·u·late [diːrégjulèit] *vt.* (경제·가격 등)의 규제〔통제〕를 철폐〔완화〕하다: ~ imports 수입품의 규제를 풀다.

de·reg·u·la·tion [diːrègjəléiʃən] *n.* Ⓤ 통제 해제, 규제 철폐, 자유화.

der·e·lict [dérəlikt] *a.* ① (건물·선박 등이) 유기〔방치〕된, 버려진. ②《美》 의무〔직무〕 태만의, 무책임한. — *n.* Ⓒ ① 유기물《특히 바다에 버려진 배》. ② 사회〔인생〕의 낙오자, (집도 직업도 없는) 부랑자.

der·e·lic·tion [dèrəlíkʃən] *n.* ①Ⓤ 유기, 방기(放棄). ② Ⓤ,Ⓒ (직무〔의무〕) 태만: ~ of duty.

de·re·strict [dìːristríkt] *vt.* …에 대한 통제를 해제하다, 《특히》 (도로)의 속도 제한을 철폐하다.

***de·ride** [diráid] *vt.* …을 조소〔조롱〕하다, 비웃다 (mock): I was ~*d* for making such a stupid suggestion. 나는 그러한 어리석은 제안을 했다 하여 조롱을 받았다.

de ri·gueur [dərigə́ːr] 《F.》 예절상 필요한; 유행하는: Formal dress is ~ at the coming party. 이번 파티 때는 정장 착용이 필요하다.

***de·ri·sion** [diríʒən] *n.* ①Ⓤ 조소, 조롱: hold a person in ~ 남을 업신여기다 / treat a person with ~ 남을 우롱하다. ②Ⓒ 조소〔웃음〕거리. ◇ deride *v.*

de·ri·sive [diráisiv, -ziv / -ríziv, -rís-] *a.* ① 조소〔조롱〕하는(mocking): ~ laughter 조소 / a ~ gesture 비웃는 태도. ② 가소로운, 보잘것 없는: a ~ salary 보잘것없는 봉급. ㊞ ~**·ly** *ad.* 비웃듯이, 업신여기어. ~**·ness** *n.*

de·ri·so·ry [diráisəri] *a.* =DERISIVE.

deriv. derivation; derivative; derive(d).

de·riv·a·ble [diráivəbəl] *a.* ① 유도할〔끌어낼〕 수 있는. ② (유래 등을) 추론할 수 있는《*from*》.

***der·i·va·tion** [dèrəvéiʃən] *n.* ①Ⓤ 끌어 내기, 유도. ②Ⓤ 유래, 기원(origin). ③〖言〗 **a)** Ⓤ (말의) 파생, 어원: a word of Latin ~ 라틴어에서 파생한 말. **b)** Ⓒ 파생어. ④ Ⓒ 파생물.

***de·riv·a·tive** [dirívətiv] *a.* ① 끌어낸, 파생적인. ② (생각 등이) 독창적이 아닌, 신선미가 없는. opp. *primitive.* cf. original. — *n.* Ⓒ ① 파생물: Some say Australia is a cultural ~ of Britain. 오스트레일리아는 문화적으로는 영국의 분가라고 하는 사람도 있다. ②〖文法〗 파생어. ③〖化〗 유도체. ④〖數〗 도함수. ㊞ ~**·ly** *ad.* 파생적으로.

‡de·rive [diráiv] *vt.* ①《+목+전+명》 …을 이끌어 내다《*from*》; 획득하다《*from*》: He ~*s* his character *from* his father. 그는 성격을 아버지로부터 이어받고 있다 / We ~ knowledge *from* books. 우리는 책에서 지식을 얻는다. ②《+목+전+명》〔종종 受動으로〕 …의 기원을〔유래를〕 찾다《*from*》: Many English words *are* ~*d from* Latin. 영어 단어에는 라틴어에서 파생된 것이 많다 / Her character *was* ~*d from* her mother. 그녀의 성격은 어머니를 닮았다.
— *vi.* 《+전+명》 유래〔파생〕하다《*from*》: This slang word ~*s from* a foreign word. 이 속어는 어떤 외국말에서 유래한다.

der·ma [də́ːrmə] *n.* Ⓤ 〖解〗 진피(眞皮); 〔一般的〕 피부(skin), 외피.

der·mal [də́ːrməl] *a.* 진피의; 피부의.

der·ma·ti·tis [dəːrmətáitis] *n.* Ⓤ 〖醫〗 피부염.

der·ma·tol·o·gist [dəːrmətálədʒist / -tɔ́l-] *n.* Ⓒ 피부병 학자; 피부과 (전문) 의사.

der·ma·tol·o·gy [dəːrmətálədʒi / -tɔ́l-] *n.* Ⓤ 〖醫〗 피부 의학, 피부병학.

der·mis [də́ːrmis] *n.* 〖解〗 =DERMA.

der·o·gate [dérougèit] *vi.* 《+전+명》 ① (가치·명예 따위를) 떨어뜨리다, 훼손하다(detract) 《*from*》: The scandle ~*d from* his reputation 그 스캔들로 그의 명성은 손상됐다. ② (사람이) 타락하다《*from*》.

der·o·ga·tion [dèrougéiʃən] *n.* Ⓤ (가치·권위 등의) 감손, 저하, 하락, 실추; 타락《*from*; *of*》.

de·rog·a·tive [dirágətiv / -rɔ́g-] *a.* 가치〔명예〕를 손상하는《*to* ; *of*》. ㊀ **~·ly** *ad.*

de·rog·a·to·ry [dirágətɔ̀:ri / -rɔ́gətəri] *a.* (명예·인격 따위를) 손상시키는《*from*》; 가치를 떨어뜨리는《*to*》; 경멸적인 : ~ *from* authority 권위를 손상시키는 / ~ *to* a person's dignity 아무의 품위를 떨어뜨리는 / (make) ~ remarks 욕(을 하다). ㊀ **-ri·ly** *ad.*

der·rick [dérik] *n.* Ⓒ ① 데릭《주로 선박 화물을 싣고 부리는 대형 기중기》. ② (석유갱의) 유정탑(油井塔).

der·ri·ere, -ère [dèriέər] *n.* Ⓒ 《F.》《口》 엉덩이(buttocks).

der·(r)in·ger [dérindʒər] *n.* Ⓒ 데린저식 권총《구경이 크고 총열이 짧음》.

derv [də:rv] *n.* Ⓤ 《英》 디젤용 연료유(油). [◂ *d*iesel *e*ngined *r*oad *v*ehicle]

der·vish [də́:rviʃ] *n.* Ⓒ 회교 금욕파의 수도사.

de·sal·i·nate [di:sǽlənèit] *vt.* =DESALT.

de·sal·in·ize [di:sǽlənàiz, -séil-] *vt.* =DESALT.

de·salt [di:sɔ́:lt] *vt.* (바닷물 따위)의 염분을 제거하다 ; 담수화하다.

de·scale [di:skéil] *vt.* …의 물때를 벗기다.

des·cant [déskænt] *n.* ① Ⓒ 《詩》 가곡. ② Ⓤ,Ⓒ 〖樂〗 (정선율(定旋律)의) 수창부(隨唱部) ; (다성 악곡의) 최고 음부, 소프라노부.
── [deskǽnt, dis-] *vi.* ① 상세히 설명하다, 길게 늘어놓다《*on, upon*》. ② 〖樂〗 (정선율에 맞추어) 수창하다 ; 노래하다.

Des·cartes [deiká:rt] *n.* **René** ~ 데카르트《프랑스의 철학자·수학자 ; 1596-1650》. ◇ Cartesian *a.*

ᵗ**de·scend** [disénd] *vi.* ①《~ / +전+명》 내리다, 내려가다〔오다〕《*from*》《★ 일반적으로는 go 〔come〕 down, climb down 등이 쓰임》. opp. *ascend.* ¶ ~ *from* a tree 나무에서 내려오다 / The valley becomes more exquisite as we ~. 아래로 내려감에 따라 계곡은 더욱 절경이 된다 / This river ~*s to* a lake. 이 강은 호수에 흘러든다. ②《~ / +전+명》 (길이) 내리받이가 되다 ; 경사지다《*to*》: The hill gradually ~*s to* the lake. 언덕은 완만한 경사를 이루어 호수로 이어진다 / The road ~*s* steeply. 도로는 가파른 내리막으로 되어 있다. ③《+전+명》 (…의) 자손이다, 계통을 잇다《*from*》《★ 이 뜻으로는 지금 be descended 가 일반적. ⇨ DESCENDED》. ④ (토지·재산·성질 등이) 전하여지다《*from*》: The heirloom ~*ed from* father *to* son. 가보는 부친에게서 아들로 전해졌다. ⑤《+전+명》 채신을 떨어뜨리다, 영락하다《*to*》: ~ *to* lying 야비하게 거짓말까지 하다 / He ~*ed to* begging. 그는 거지로까지 영락〔전락〕했다. ⑥《+전+명》 **a**) 갑자기 습격하다 ;《比》 불시에 방문하다〔몰려오다〕《*on, upon*》: The guerrillas have ~*ed on* the capital. 게릴라들이 수도를 급습했다 / Twenty-five guests ~*ed upon* us on Monday evening. 25 명의 손님이 월요일 저녁 우리가 있는 곳에 몰려 왔다. **b**) (노여움 등이) …에 떨어지다《*on, upon*》: His anger ~*ed upon* me, not *upon* her. 그의 노여움은 그녀가 아니라 내게 떨어졌다. ── *vt.* (계단·언덕 등)을 내려가다 : ~ a flight of stairs 계단을 내려가다 / We went on ~*ing* the hill. 우리는 계속 언덕을 내려갔다. ◇ descent *n.*

ᵗ**de·scend·ant** [diséndənt] *n.* Ⓒ 자손, 후예. opp. *ancestor.*

de·scend·ed [diséndid] *a.* 〔敍述的〕 …의 자손인〔혈통을 이은〕《*from*》: He's ~ *from* a distinguished family. 그는 훌륭한 가문의 자손이다.

de·scen·dent [diséndənt] *a.* ① 내리는, 낙하〔강하〕하는. ② 세습의, 조상으로부터 전해 오는.

de·scend·ing [diséndiŋ] *a.* 내려가는, 강하적인, 하향성의. opp. *ascending.*

ᵗ**de·scent** [disént] *n.* ① Ⓤ,Ⓒ 하강, 내리기 ; 하산(下山). opp. *ascent.* ¶ He made a slow ~ into the hole. 구덩이 속으로 천천히 내려갔다. ② Ⓒ 내리막 길 : a gentle〔steep〕 ~ 완만한〔가파른〕내리막길. ③ Ⓤ 가계, 혈통, 출신 : a colored man of African ~ 아프리카계의 흑인 / an American of Irish ~ 아일랜드계 미국인. ④ Ⓤ 〖法〗 세습 ; 상속 ; 유전 : by ~ 상속에 의해. ⑤ Ⓤ,Ⓒ 전락, 몰락 ; 하락 : a sudden ~ in the price of shares 주가(株價)의 급락. ⑥ Ⓤ (또는 a ~) **a**) (불의의) 내습《*on, upon*》. **b**) (경찰관의) 불시 검문, 임검(raid)《*on*》. ◇ descend *v.*

de·scrib·a·ble [diskráibəbəl] *a.* 묘사〔기술〕할 수 있는.

ᵗ**de·scribe** [diskráib] *vt.* ①《~ +목 / +목+전+명》 …을 묘사하다, 기술하다, 말로 설명하다 : He ~*d* the surface of the moon *to*〔*for*〕 us. 그는 달 표면의 모양을 설명해 주었다 / Words cannot ~ the scene. 말로는 그 광경을 표현 못한다. ②《+목+*as* 보》 (인물)을 평하다, …라고 말하다 : He ~*d* her *as* clever 〔a clever woman〕. 그는 그녀를 현명한 여자라고 했다 / He ~*d* himself *as* a lawyer. 그는 자기를 변호사라고 말했다. ③ (도형)을 그리다(draw) ; (곡선 등)을 그리며 나아가다《★ draw가 일반적》: ~ a triangle 삼각형을 그리다 / The ball ~*d* a parabola in the air. 공은 공중에서 포물선을 그렸다. ◇ description *n.*

ᵗ**de·scrip·tion** [diskrípʃən] *n.* ① Ⓤ,Ⓒ 기술, 묘사, 서술(account) : excel in ~ 묘사가 뛰어나다 / give a brief〔detailed〕 ~ of …을 간단〔상세〕히 묘사하다. ② Ⓒ (물품 등의) 설명서 ; (경찰 등의) 인상서 : answer (*to*) 〔fit〕 the ~ 인상서와 〔기재 사항과〕 부합하다. ③ Ⓒ 종류, 타입 : people of every ~ 모든 종류〔부류〕의 사람들. ◇ describe *v.* ***beggar all*** ~ = ***be beyond*** ~ 이루 다 말할 수 없다.

de·scrip·tive** [diskríptiv] (more*** ~ ; ***most*** ~) *a.* 기술적인 ; 묘사적인 ; 설명적인 ; 도형(묘사)의 : ~ bibliography 기술 서지학(書誌學) / a ~ style 기술체 / ~ writing 서사문(敍事文). ~ ***of*** …을 기술〔묘사〕한 : a book ~ *of* (the) wonders of nature 자연의 경이를 기술한 책. ㊀ **~·ly** *ad.* **~·ness** *n.*

de·scrip·tor [diskríptər] *n.* Ⓒ 〖컴〗 정보의 분류·색인에 사용하는 어구〔영숫자(英數字)〕.

de·scry [diskrái] *vt.* (먼 데의 희미한 것)을 보다, 식별하다 : He *descried* an island far away. 저 멀리 섬 하나를 보았다.

des·e·crate [désikrèit] *vt.* (신성한 물건)을 속된 용도에 쓰다 ; …의 신성을 더럽히다, 모독하다. opp. *consecrate.* ¶ It's a crime to ~ the country's flag. 국기를 모독하는 것은 범죄행위다.

des·e·cra·tion [dèsikréiʃən] *n.* Ⓤ 신성 모독.

de·seg·re·gate [di:ségrigèit] *vt., vi.* (학교 등 시설물의) 인종차별 대우를 폐지하다. opp. *segregate.* cf. integrate.

de·seg·re·ga·tion [di:sègrigéiʃən] *n.* Ⓤ 《美》 인종차별 대우 철폐.

de·se·lect [di:silékt] *vt.* ①《美》 …을 훈련에서 제외하다, 연수 기간 중에 해고하다. ②《英》 (현직 의원 등)의 재선을 거부하다.

de·sen·si·ti·za·tion [di:sènsətizéiʃən] *n.* Ⓤ ① 〖醫〗 탈감작(脫感作). ② 〖寫〗 감감(減感).

de·sen·si·tize [di:sénsətàiz] *vt.* ① …의 감도를

줄이다, 둔감하게 만들다. ②〖寫〗(필름 등)의 감도를 줄이다. ③〖醫〗…의 과민성을 줄이다.

‡des·ert¹ [dézərt] *n.* U,C ① 사막; 황무지: the ship *of* ~ 사막의 배《낙타》/ the Sahara *Desert.* ② 불모의 지역〔시기·시대〕; 무미건조한 화제(話題)《따위》: a cultural ~ 문화적 불모의 땅.
— *a.* ① 사막의; 불모의(barren); 황량한. ② 사람이 살지 않는: a ~ island 무인도.

***de·sert**² [dizə́:rt] *vt.* ① (처자 등)을 버리다, 돌보지 않다(abandon): ~ one's wife and children. ② (무단히 자리)를 뜨다, 도망하다, 탈주(脫走)하다: ~ one's post 무단 이석하다 / ~ the army 탈영하다 / ~ a ship 배에서 도망치다. ③ (신념 따위가 아무에게서) 사라지다: His courage ~*ed* him at the last moment. 마지막 순간에 그는 용기를 잃었다. — *vi.* 《~ / +전+명》 의무〔직무〕를 버리다, 자리〔지위〕를 떠나다, 도망하다, 탈주하다《*from* ; *to*》: ~ *from* the barracks 탈영하다.

de·sert³ [dizə́:rt] *n.* (*pl.*) 당연한 보답, 응분의 상〔벌〕: get〔meet with〕 one's (just) ~*s* 응분의 보답〔상, 벌〕을 받다 / The thief got his just ~*s.* 그 도둑은 마땅히 받아야 할 벌을 받았다.

***de·sert·ed** [dizə́:rtid] *a.* ① 사람이 살지 않는, 황폐한: a ~ street 인적이 끊긴 거리 / a ~ house 폐옥. ② 버림받은: a ~ wife.

de·sert·er [dizə́:rtər] *n.* C ① 도망자, 탈영병, 탈함자(脫艦者). ② (의무·가족 등을) 버린 사람, 유기자, 직장 이탈자; 탈당자.

de·sert·i·fi·ca·tion, des·ert·i·za·tion [dizə̀:rtəfikéiʃən], [dèzə:rtəzéiʃən] *n.* U 사막화(化).

***de·ser·tion** [dizə́:rʃən] *n.* U,C ① 버림, 유기. ② 탈주, 탈함(脫艦). ③〖法〗 처자.

‡de·serve [dizə́:rv] *vt.* 《~+목 / +*to* do / +-*ing* / +*that* 절》…할 만하다, 받을 가치가 있다, …할 가치가 있다: The question ~*s* your attention. 그 문제는 주목할 만하다 / He ~*s* help*ing.* = He ~*s that* we should help him. =He ~*s to* have us help him. 그는 도움받을 자격이 있다 / The lion ~*s to* be the king of beasts. 사자는 백수의 왕이 될 만하다.
— *vi.* 《~ / +전+명》 상당하다, 보상받을 가치가 있다《*of*》: She ~*s* (*to* win) first prize. 그녀는 일등상을 받아 마땅하다. **~ *ill*** 〔***well***〕 ***of*** …으로부터 벌〔상〕받을 만하다, …에 대하여 죄〔공로〕가 있다: He ~*d well of* his country. 그는 나라에 공로가 있었다.

de·served [dizə́:rvd] *a.* 당연한《상·벌·보상 등》: a ~ promotion 당연한 승진 / receive ~ praise 당연한 칭찬을 듣다.

de·serv·ed·ly [dizə́:rvidli] *ad.* 당연히, 정당히: He was ~ punished. 그는 당연한 벌을 받았다.

de·serv·ing [dizə́:rviŋ] *a.* ①〔敍述的〕 당연히 …을 받아야 할, …할 만한《*of*》: be ~ *of* sympathy 동정받을 만하다. ②〔限定的〕 공적이 있는; 도움을 주어야 할: needy and ~ students 도와줄 가치가 있는 가난한 학생들.
㊕ **~·ly** *ad.* 당연히; (…할 만한) 공이 있어.

de·sex [di:séks] *vt.* ① …을 거세하다. ② …의 성적 매력을 잃게 하다. ③ (어구·표현 등)을 중성화하다, 성차별을 배제하다.

de·sex·u·al·ize [di:sékʃuəlàiz] *vt.* =DESEX.

des·ha·bille [dèzəbí:l, -bíl] *n.* =DISHABILLE.

des·ic·cant [désikənt] *a.* 건조시키는(힘이 있는). — *n.* U,C 건조제(劑).

des·ic·cate [désikèit] *vt.* ① …을 건조시키다: a ~*d* skin 건조한 피부. ② (음식물)을 말려서 보존하다; 탈수하여 가루모양으로 만들다: ~*d* milk 분유(粉乳).

des·ic·ca·tion [dèsikéiʃən] *n.* U 건조(작용).

des·ic·ca·tor [désikèitər] *n.* C 건조기〔장치〕.

de·sid·er·a·tum [disìdəréitəm, -rά:-, -zid-] (*pl.* ***-ta*** [-tə]) *n.* C 《L.》 바라는 것, 꼭 있었으면 하는 것; 절실한 요구.

†de·sign [dizáin] *n.* ① U,C 디자인, 의장(意匠), 도안; 밑그림, 소묘(素描); 무늬, 본(pattern): art of ~ 디자인〔의장〕술(術) / a vase with a ~ of roses (*on* it) 장미 무늬가 있는 꽃병 / interior ~ 실내장식 / a ~ for an advertisement 광고도안 / a flower ~ 꽃무늬. ② U,C 설계(도): a ~ *for* a bridge 다리의 설계도 / machine ~ 기계 설계. ③ U,C (소설·극 따위의) 구상, 복안, 착상, 줄거리. ④ C 의도, 목적, 계획: a ~ for marriage 결혼할 계획. ⑤ (*pl.*) 속마음, 음모《*on, upon ; against*》: He has ~*s on* her property. 그는 은밀히 그녀의 재산을 노리고 있다.
***by* ~** 고의로, 계획적으로.
— *vt.* ① …을 디자인하다, …의 도안〔의장〕을 만들다: ~ a dress. ② …을 설계하다: ~ a stage sets. ③ 《~+목 / +*to* do / +*that* 절》 계획하다, 안을 세우다, …하려고 생각하다: ~ a new kind of dictionary 새로운 종류의 사전을 고안하다 / He ~*ed to* study law. 그는 법률 공부에 뜻을 두었다 / He is ~*ing that* he will study abroad. 그는 외국에 가서 공부하려고 생각하고 있다. ④ 《+목+전+명 / +목+*to be* 보 / +*that* 절 / +목+*as* 보》…을 의도하다, 예정하다: He is ~*ing* his son *for* 〔*to be*〕 a lawyer. =He is ~*ing that* his son shall be a lawyer. 아들을 법률가로 만들려고 마음먹고 있다 / This book is ~*ed as* a text book. 이 책은 교과서로 쓰여졌다.
— *vi.* 《~ / +전+명》 디자인하다, 설계하다; 계획하다: She ~*s for* a famous dressmaking firm. 그녀는 유명한 양장점의 디자이너로 일한다.

‡des·ig·nate [dézignèit] *vt.* ① …을 가리키다, 지시〔지적〕하다, 표시〔명시〕하다, 나타내다: ~ boundaries 경계를 명시하다 / On this map red lines ~ main roads. 이 지도에서 붉은 선은 주요 도로를 나타내고 있다. ② 《+목+보》 …라고 부르다(call), 명명하다: Trees, moss and ferns are ~*d* plants. 수목·이끼·양치류는 식물이라고 불린다. ③ 《+목+전+명 / +목+*as* 보》 지명하다, 임명〔선정〕하다《*to* ; *for*》; 지정하다: ~ a person *as* 〔*for*〕 one's successor 아무를 후계자로 지명하다 / The officer was ~*d for* 〔*to*〕 the command. 그 장교는 지휘관으로 임명되었다.
— [dézignit, -nèit] *a.* 〔名詞 뒤에서〕 지명된; 임명되고 아직 취임하지 않은: an ambassador ~ 지명된〔미취임〕 대사.

dés·ig·nat·ed hítter [dézigneitid-] 〖野〗 지명타자《略: DH》.

***des·ig·na·tion** [dèzignéiʃən] *n.* ① U 지시, 지명, 임명, 선임; 지정. ② C 명칭; 칭호.

des·ig·na·tor [dézignèitər] *n.* C 지명〔지정〕자.

de·signed [dizáind] *a.* 고의의, 계획적인.

de·sign·ed·ly [dizáinidli] *ad.* 고의로, 일부러.

‡de·sign·er [dizáinər] *n.* C 디자이너, 도안가, 설계자: dress ~ 의상 디자이너 / an interior ~.
— *a.* 〔限定的〕 유명한 디자이너의 이름이 붙은, 디자이너 브랜드의: ~ shirts 디자이너 브랜드의 셔츠.

desígner drùg 합성 항생물질, 합성 마약.

de·sign·ing [dizáiniŋ] *a.* 계획적인, 흉계가 있는. — *n.* U ① 설계; 도안; 계획. ② 음모.

‡de·sir·a·ble [dizáiərəbəl] (***more*** **~ *;*** ***most*** ~) *a.* ① 바람직한; 탐나는, 갖고 싶은. cf. desirous. ¶ ~ surroundings 바람직한 환경 / It is ~ that he (should) stop smoking. 그는 담배를

끊는 편이 좋다. ② 매력 있는. [파] **-bly** [-bəli] *ad.* ~**·ness** *n.* **-bíl·i·ty** [-̀əbíləti] *n.* [U] 바람직함.

†**de·sire** [dizáiər] *vt.* ①《~+[목] / +*to* do》…을 바라다, 욕구(欲求)하다(long); 구하다: ~ a college education 대학교육 받기를 원하다 / Everybody ~*s to* be happy. 누구나 행복해지기를 원한다. ②《+*that* [절] / +[전]+[명]+*that* [절] / +*to* do / +[목]+*to* do》…을 요망하다 (entreat), 원하다, 희망하다: He ~*s that* his family may live happily. 그는 가족이 행복하게 살기를 바라고 있다 / He ~*d to* go at once. 그는 곧 가고자 했다 / He ~*d of* me *that* I (should) go at once. 그는 내가 곧 가기를 바랬다〔나보고 곧 가라고 말했다〕. ③ …와 성적 관계를 갖고 싶어하다. ***leave much*** 〔***nothing***〕 ***to be ~d*** 유감스러운 점이 많다〔더할 나위 없다〕: His acting *left nothing to be ~d.* 그의 연기는 나무랄 데 없었다.
—*n.* ① [UC] 욕구; 원망(願望), 욕망《*to* do; *for*》: have a strong ~ *for* wealth 부자가 되고 싶다는 강한 욕구를 가지다 / He has a 〔no〕 ~ *for* fame. 그는 명성을 바라고 있다〔바라지 않는다〕. ② [UC] 성적 욕망, 정욕: sexual ~ 성욕. ③ [C] 바라는 것: get one's ~ 바라던 것을 손에 넣다, 소망이 이루어지다.

de·sired [dizáiərd] *a.* 원하고 바라던; 바람직한: have the ~ effect 바라던 대로의 효과를 얻다.

***de·sir·ous** [dizáiərəs] *a.* 〔敍述的〕 원하는, 열망하는《*of*; *to* do; *that*》. [cf.] desirable. ¶ I am ~ *to* know further details. 더 자세한 것을 알고 싶다 / He is ~ *of* the position. 그는 그 직책을 얻기를 바라고 있다 / She was ~ *of* her son's success. 그녀는 자식의 성공을 바랐다.

de·sist [dizíst] *vi.*《文語》…을 그만두다, 단념하다《*from*》: He ~*ed from* printing radical propaganda. 그는 과격파의 선전물 인쇄를 그만뒀다.

†**desk** [desk] *n.* ① [C] (공부·사무용의) 책상: an office ~ 사무용 책상 / be at one's ~ 책상에 앉아 있다《공부, 사무 등을 위해》/ Mr. Black is away from his ~ right now. 블랙씨는 지금 자리에 없습니다. ② [C] **a)** 〖樂〗 보면대(譜面臺). **b)** 《美》 성서대(聖書臺). ③ (the ~) (신문사의) 편집부, 데스크: *the* city ~ 사회부 / *the* sports ~ 스포츠 편집부. ④ [C] (호텔 등의) 접수처, (프런트) 데스크: a reservation ~ 예약 접수 창구. —*a.* 〔限定的〕 ① 책상의; 탁상용의: a ~ dictionary 탁상판 사전 / a ~ lamp 탁상 전기 스탠드. ② 탁상에서 하는, 사무직의, 내근의: a ~ job 사무직 / a ~ policeman 내근 경관.

desk·bound [-̀bàund] *a.* 책상에 매어서 일을 하는.

désk clèrk 《美》 (호텔의) 접수계원〔담당자〕.

desk·top [-̀tàp / -̀tɔ̀p] *a.* 탁상용의: a ~ computer 탁상용 컴퓨터. —*n.* [C] 탁상 컴퓨터.

désk wòrk 사무; 문필업.

‡**des·o·late** [désəlit] (***more*** ~; ***most*** ~) *a.* ① 황폐한; 황량한; 사는 사람이 없는: a ~ moor 황량한 광야. ② 쓸쓸한, 외로운, 고독한: with ~ hearts 쓸쓸한 마음으로 / live a ~ life 외롭게 지내다. —[-lèit] *vt.* ① (건물·토지 등)을 황폐케 하다. ② 쓸쓸하게〔외롭게〕 하다《★ 흔히 과거분사형으로 형용사적으로 쓰임; ⇨ DESOLATED》. [파] ~**·ly** [-litli] *ad.* ~**·ness** *n.*

***des·o·lat·ed** [désəlèitid] *a.* 〔敍述的〕 외로운, 쓸쓸한: She is ~ without you. 그녀는 네가 없어서 외로워하고 있어.

***des·o·la·tion** [dèsəléiʃən] *n.* ① [U] 황폐(화), 황량. ② [C] 황폐지, 폐허. ③ [U] 쓸쓸함, 외로움.

‡**de·spair** [dispέər] *n.* ① [U] 절망; 자포자기. [opp.] *hope.* ¶ He is *in* ~ at the loss of his child. 아이를 잃고 절망에 빠져 있다. ② [C] 절망의 원인: He is my ~. 그에게는 두 손 들었다《구제하기 어렵다는 뜻》. —*vi.* 《+[전]+[명]》 절망하다, 단념하다《*of*》: ~ *of* succeeding 성공할 가망이 없다 / I ~*ed of* being rescued. 나는 구조받을 희망도 잃었다.

de·spair·ing [dispέəriŋ] *a.* 〔限定的〕 자포자기의; 절망적인, 가망 없는: a ~ sigh 절망적인 한숨 / a ~ look 절망한 듯한 표정. [파] ~**·ly** *ad.*

des·patch [dispǽtʃ] *n.*, *vt.* 《英》 = DISPATCH.

des·per·a·do [dèspəréidou, -pərɑ́ː-] (*pl.* ~(***e***)***s*** [-z]) *n.* [C] 《Sp.》 무법자, 악한《특히 개척 시대의 미국 서부의》.

‡**des·per·ate** [déspərit] (***more*** ~; ***most*** ~) *a.* ① 자포자기의; 무모한, 목숨 아까운 줄 모르는: become 〔grow〕 ~ at the failure 그 실패로 자포자기하다 / a ~ criminal 자포자기로 무슨 일을 저지를지 모르는 범인. ② 필사적인; 혈안이 된, …하고 싶어 못 견디는《*for*》: a ~ remedy 궁여지책 / in a ~ effort to (do) 기를 쓰고 …하려고 / I was ~ *for* a glass of water. 물 한 잔 마시고 싶어 죽을 지경이었다. ③ 절망적인; (좋아질) 가망이 없는: The situation is ~. 사태는 절망적이다 / Most of the settlers are ~ because life is very, very hard for them. 대다수의 이주자들은 삶이 너무나 가혹해서 절망적이었다. ◇ despair *v.* [파] ~**·ness** *n.*

‡**des·per·ate·ly** [déspəritli] *ad.* ① 필사적으로, 혈안이 되어: The soldiers fought ~. 병사들은 필사적으로 싸웠다. ② 절망적으로: be ~ ill 〔sick〕 위독하다, 중태다. ③ 자포자기하여: dash ~ 돌진하다. ④《口》 몹시, 지독하게 (excessively): I need your help ~. 네 도움이 절실하다 / ~ miserable 말할 수 없이 비참한.

des·per·a·tion** [dèspəréiʃən] *n.* [U] 필사적임; 자포자기. ***drive a person ***to*** ~ 아무를 절망으로 몰아 넣다, 필사적이 되게 하다; 《口》 노발대발케 하다. ***in*** ~ 필사적으로; 자포자기하여.

des·pi·ca·ble [déspikəbəl, dispík-] *a.* 야비한, 비열한: a ~ crime 비열한 범죄. [파] **-bly** *ad.*

‡**de·spise** [dispáiz] *vt.* …을 경멸하다, 얕보다; 혐오하다, 싫어하다: Don't ~ the poor. 가난한 사람을 멸시해서는 안된다 / ~ a hypocrite 위선자를 경멸하다 / Industrious people ~ laziness. 부지런한 사람은 게으른 것을 싫어한다.

‡**de·spite** [dispáit] *prep.* …에도 불구하고 (in spite of): He is very well ~ his age. 노령임에도 불구하고 매우 정정하다. —*n.* [U] 무례, 멸시; 악의, 원한. (***in***) ~ ***of*** … 《古》 …에도 불구하고《현재는 in spite of 또는 despite 를 씀》.

de·spoil [dispɔ́il] *vt.* 《~+[목] / +[목]+[전]+[명]》 …으로부터 탈취하다, 약탈하다: ~ a person *of* his land 〔rights〕 아무에게서 토지〔권리〕를 빼앗다 / ~ a village 마을을 약탈하다. [파] ~**·er** [-ər] *n.* 약탈〔강탈〕자. ~**·ment** *n.* [U] 약탈.

de·spo·li·a·tion [dispòuliéiʃən] *n.* [U] 약탈.

de·spond [dispɑ́nd / -spɔ́nd] *vi.* 실망하다, 낙담〔비관〕하다: ~ *of* one's future 장래를 비관하다. —*n.* [U] 《古》 낙담, 실망.

de·spond·ence, -en·cy [dispɑ́ndəns / -spɔ́nd-], [-ənsi] *n.* [U] 낙담, 의기 소침: fall into *despondency* 의기 소침하다.

de·spond·ent [dispɑ́ndənt / -spɔ́nd-] *a.* 낙담한, 기운없는, 풀죽은, 의기소침한《*about*; *over*; *at*》: Bill was ~ *over* the death of his wife. 빌은 아내의 죽음으로 풀이 죽어있었다. [파] ~**·ly** *ad.*

***des·pot** [déspət, -pɑt / -pɔt] *n.* [C] 전제 군주, 독재자; 폭군: He is a ~ in his own household.

그는 집안에서는 폭군이다.

des·pot·ic, -i·cal [dispátik / despɔ́t-], [-əl] *a.* 전제의, 독재적인 ; 횡포한, 포학한 : ~ rule 독재 정치 / He is utterly *despotic to* (*toward*) his subordinates. 그는 부하에 대하여 몹시 냉혹하다. ㊞ **-i·cal·ly** [-ikəli] *ad.*

des·pot·ism [déspətìzəm] *n.* ① Ⓤ 독재, 전제 ; 전제 정치 ; 폭정. ② Ⓒ 전제국, 독재군주국.

des·pot·ist [-tist] *n.* Ⓒ 전제주의자.

‡**des·sert** [dizə́ːrt] *n.* ⓊⒸ 디저트, 후식《식후의 푸딩·파이 따위, 영국에서는 주로 과자류(sweets) 뒤의 과일을 가리킴》. ≠desert.

des·sert·spoon [dizə́ːrtspùːn] *n.* Ⓒ 디저트용 스푼《teaspoon 과 tablespoon 의 중간 크기》.

des·sert·spoon·ful [-fùl] (*pl.* ~*s*) *n.* Ⓒ 디저트용 스푼 하나의 분량.

dessért wìne 디저트 와인《디저트나 식사 중에도 나오는 달콤한 포도주》.

de·sta·bi·lize [diːstéibəlàiz] *vt.* …을 불안정하게 하다, 동요시키다 : ~ the regime 체제〔정권〕을 흔들다. ㊞ **de·stà·bi·li·zá·tion** [-lizéiʃən] *n.*

‡**des·ti·na·tion** [dèstənéiʃən] *n.* Ⓒ (여행 등의) 목적지, 행선지 ; 도착지〔항〕; (편지·하물 등의) 보낼 곳 : arrive at 〔reach〕 one's ~ 목적지에 도착하다 / What's the ~ of this train? 이 열차는 어디로 가는 차입니까. ◇ destine *v.*

‡**des·tine** [déstin] *vt.* ①《+목+전+명 / +목+*to* do》〔흔히 受動으로〕 운명으로 정해지다, 운명지어지다《*for* ; *to*》: *be* ~*d to* failure 실패할 것이 뻔하다 / *be* ~*d for* the ministry = *be* ~*d to* enter the ministry 성직자가 될 몸이다 / They *were* ~*d* never *to* meet again. 두 번 다시 못 만날 운명이었다. ②〔흔히 受動으로〕…행이다《*for*》: a ship ~*d for* Hong Kong 홍콩으로 갈 배. ③《+목+전+명》 예정하다, (어떤 목적·용도에) 충당하다 : ~ the day *for* a reception 그 날을 환영회 날로 정해 두다 / The space is ~*d for* the garage. 그 자리는 차고로 쓸 예정이다.

des·tined [déstind] *a.* 운명지워진, 정해진, 예정된 : Their loveless marriage came to its ~ end. 그들의 애정없는 결혼은 예정된 결과로 끝났다 / one's ~ course in life 숙명적인 인생 행로.

‡**des·ti·ny** [déstəni] *n.* ① ⓊⒸ 운명, 숙명 : work out one's own ~ 혼자 힘으로 제 운명을 개척하다 / *Destiny* appointed it so. 그렇게 될 운명이었다 / *Destiny* pulled them apart. 운명이 그들을 갈라놨다. ② **a**) (D-) 하늘, 신(神)〔하느님〕의 뜻 (Providence). **b**) (the Destinies) 〖그 神〗 운명의 세 여신.

***des·ti·tute** [déstətjùːt] *a.* ① 빈곤한 : the ~ 빈곤한 사람들 / a ~ family 극빈 가족. ②〔敍述的〕(…이) 결핍한, (…을) 갖지 않은, (…이) 없는《*of*》: an island ~ *of* inhabitants 무인도 / be ~ *of* money 돈이 없다 / They are ~ *of* common sense. 그들은 상식이 없다.

des·ti·tu·tion [dèstətjúːʃən] *n.* Ⓤ 빈곤, 궁핍, 결핍(상태) : live in ~ 가난하게 살다.

†**de·stroy** [distrɔ́i] *vt.* ① …을 파괴하다, 부수다, 분쇄하다 ; 소실(消失)시키다. opp. *construct.* ¶ The earthquake ~*ed* the village. 지진으로 그 마을은 괴멸했다 / be ~*ed* by fire 〔the flood〕 소실(燒失)〔유실〕되다. ② …을 죽이다, …의 목숨을 빼앗다 ; 멸망〔절멸〕시키다 ; (해충 따위)를 구제(驅除)하다 : ~ the enemy 적을 격멸하다 / Many lives were ~*ed* in the war. 그 전쟁으로 많은 사람이 죽었다 / ~ rats 쥐를 구제하다. ③ (계획·희망 등)을 못쓰게 만들다 : The accident ~*ed* all his hopes for success. 불의의 사고로 그의 성공에의 희망은 깨지고 말았다. ◇ destruction *n.*

***de·stroy·er** [distrɔ́iər] *n.* Ⓒ ① 파괴자 ; 구제자(驅除者) ; 박멸자. ②〖軍〗 구축함.

de·struct [distrʌ́kt] *n.* Ⓒ (로켓·미사일 등의) 공중 폭파. ── *vt.* (미사일 등)을 파괴하다, 자폭시키다. ── *vi.* (미사일 등이) 자폭하다. ── *a.* 〔限定的〕(미사일) 파괴용의.

de·struct·i·bil·i·ty [distrʌ̀ktəbíləti] *n.* Ⓤ (피(被)) 파괴성 ; 파괴력.

de·struct·i·ble [distrʌ́ktəbəl] *a.* 파괴〔궤멸, 구제〕할 수 있는.

‡**de·struc·tion** [distrʌ́kʃən] *n.* Ⓤ ① 파괴 ; (대량) 살인 ; 절멸, 구제(驅除). opp. *construction.* ¶ inflict〔wreak〕 ~ on …을 파괴시키다 / environmental ~ 환경 파괴 / The king ordered the total ~ of the enemy. 왕은 적을 전멸시키라고 명령했다. ② 파멸의 원인 : Gambling 〔Drink〕 was his ~. 도박으로〔술 때문에〕 신세를 망쳤다. ◇ destroy, destruct *v.*

‡**de·struc·tive** [distrʌ́ktiv] *a.* ① 파괴적인, 파괴주의적인 ; 파멸적인. opp. *constructive.* ¶ ~ criticism 파괴적 비평 / the ~ forces of nature 자연의 파괴적 맹위. ②〔敍述的〕 파괴시키는, 해로운 : Smoking is ~ *to* your health. 흡연은 건강에 해롭다. ㊞ ~**·ly** *ad.* ~**·ness** *n.*

destrúctive réading〖컴〗 파괴성 판독《데이터를 끄집어내어 판독하면 그 데이터가 파괴〔소거〕되는 내용》.

de·struc·tiv·i·ty [dìːstrʌktívəti] *n.* Ⓤ 파괴성.

de·struc·tor [distrʌ́ktər] *n.* Ⓒ ①《英》 폐기물〔쓰레기〕 소각로. ② (미사일) 파괴〔폭파〕 장치.

des·ue·tude [déswitjùːd] *n.* Ⓤ 폐지 (상태), 폐절(廢絕) : fall into ~ 폐절되다, 쇠퇴하다.

des·ul·to·ry [désəltɔ̀ːri / -təri] *a.* 산만한, 되는 대로의 : ~ reading 산만한 독서, 남독(濫讀) / a ~ talk〔conversation〕 만담(漫談) / a ~ kiss 그저 형식적인 키스. ㊞ **-ri·ly** [-li] *ad.* **-ri·ness** *n.*

***de·tach** [ditǽtʃ] *vt.* ①《~+목 / +목+전+명》…을 떼다, 떨어지게 하다, 분리하다《*from*》. opp. *attach.* ¶ ~ a locomotive *from* a train 열차에서 기관차를 분리하다 / ~ the key *from* its chain 사슬에서 열쇠를 벗기다. ②《~+목 / +목+*to* do / +목+전+명》 (군대·군함 등)을 파견〔분견〕하다《*from*》: Soldiers were ~*ed to* guard the visiting princess. 병사들은 내방한 왕녀를 경호하기 위해 파견되었다 / ~ a ship *from* a fleet 함대로부터 배 한 척을 파견하다.
㊞ ~**·a·ble** [-əbəl] *a.* 분리〔파견〕할 수 있는.

***de·tached** [ditǽtʃt] *a.* ① 떨어진, 분리한《*from*》: a ~ house 독립 가옥, 단독 주택 / a ~ palace 별궁(別宮). ② 초연한, 편견이 없는, 공평한 : a ~ view 공평한 견해. ③ 분견〔파견〕된 : a ~ troop 〔force〕 분견대.

de·tach·ed·ly [-tʃidi, -tʃtli] *ad.* ① 떨어져서, 고립하여. ② 사심없이, 공평히 ; 초연히.

***de·tach·ment** [ditǽtʃmənt] *n.* ① Ⓤ 분리, 이탈 ; 고립. ② Ⓒ 〔集合的 ; 單·複數취급〕 분견대, 지대(支隊). ③ Ⓤ (세속·이해 따위로부터) 초연함 ; 공평.

‡**de·tail** [díːteil, ditéil] *n.* ① Ⓒ 세부, 세목(item) ; 지엽(枝葉)말절 : a matter of ~ 하찮은〔자질구레한〕 일 / (*down*) *to* the smallest ~ 극히 사소한 세목에 이르기까지 / Attention to ~ is vital in this job. 이 직업에서는 사소한 데까지 신경쓰는 것이 매우 중요하다. ② Ⓤ 〔集合的〕 **a**) 상세 (particulars), 상세한 면〔것〕: I was impressed by the ~ of your report. 네 상세한 보고에 감명을 받았다. **b**)〖美術·建〗 세부의 묘사〔장식〕. ③ Ⓒ 〔集合的〕 **a**)〖軍〗 분견대, 선발대(選拔隊). **b**)

《美》(경찰 등의) 특파대. ***go* 〔*enter*〕 *into* ~(*s*)** 상술하다 : *go into* ~ about one's trip 자기 여행에 대해 상세히 이야기하다. ***in* ~** 상세하게, 자세히 : He explained his plan *in* (further) ~. 그는 자기의 계획을 (더욱) 상세히 설명했다.
— *vt.* ① …을 상술하다 : ~ a plan *to* a person 아무에게 계획을 상세히 설명하다. ②《~+목/+목+*to* do/+목+전+명》〖軍〗(병사·소부대)를 파견〔분견〕하다 : The soldiers were ~*ed to* guard the bridge. 병사들이 다리를 경비하도록 파견되었다.

***de·tailed** [dí:teild, ditéild] *a.* 상세한 : a ~ explanation 상세한 설명 / give a ~ report 상보(詳報)하다. ⊕ **~·ly** *ad.* **~·ness** *n.*

***de·tain** [ditéin] *vt.* ① …을 붙들다 ; 기다리게 하다 : Since you are busy, I won't ~ you. 바쁘실 테니 붙들진 않겠소. ②〖法〗…을 억류〔유치, 구류〕하다 : They were ~*ed* under the Prevention of Terrorism Act. 그들은 테러행위 방지법으로 구금되었다.

de·tain·ee [ditèiní:] *n.* Ⓒ (정치적 이유에 의한 외국인) 억류자. 「치〕. ② 구금, 감금.

de·tain·er [ditéinər] *n.* Ⓒ ①〖法〗불법 유치〔구

‡de·tect [ditékt] *vt.* ①《+목+-*ing*》(나쁜 짓 따위)를 발견하다, (…하고 있는 것)을 보다 : I ~*ed* the man steal*ing* money. 그자가 돈을 훔치는 것을 보았다 / The burglars were ~*ed* break*ing* into the shop. 강도들은 그 가게에 침입하다가 들켰다. ② 간파하다, …임을 발견하다 : I ~*ed* a change in her attitude. 그녀의 태도에 변화가 있는 것을 알아차렸다. ③〖化〗…을 검출하다.

de·tect·a·ble [ditéktəbəl] *a.* 발견〔탐지〕할 수 있는 : a barely ~ change 겨우 알아볼 수 있을 정도의 변화.

de·tec·tion [ditékʃən] *n.* Ⓤ ① 발견 ; 간파, 탐지 ; 발각. ②〖化〗검출.

‡de·tec·tive [ditéktiv] *a.* ① 탐정의 : a ~ story 〔novel〕 탐정〔추리〕소설. ② 탐지용의 : a ~ device 탐지 장치. — *n.* Ⓒ 탐정 ; 형사 : put a ~ on a person 아무에게 탐정을 붙이다.

***de·tec·tor** [ditéktər] *n.* Ⓒ ① 발견자 ; 간파자. ② 탐지기 ; (누전) 검전기 ; 검파기 : a lie ~ 거짓말 탐지기 / a crystal ~ 광석 검파기.

de·tent [ditént] *n.* Ⓒ〖機〗역회전 멈추개 ; (시계 톱니바퀴의) 걸쇠, 톱니바퀴 멈추개.

dé·tente, de- [deitá:nt] *n.* Ⓤ,Ⓒ 《F.》 (국제간의) 긴장 완화, 데탕트.

de·ten·tion [diténʃən] *n.* Ⓤ,Ⓒ ① 붙듦 ; 저지. ② 구류, 구금, 유치 ; (벌로서) 방과 후 잡아두기 : hold a person in ~ 아무를 구금하다. ◇ detain *v.*

deténtion cènter 《英》 = DETENTION HOME.

deténtion hòme 《美》 불량 소년 수용소.

de·ter [ditə́:r] (*-rr-*) *vt.* (공포·의혹 따위로) …을 제지〔만류〕하다, 단념시키다 ; 방해하다 ; 저지〔억지〕하다《*from* ; *from* do*ing*》: Nothing can ~ him *from* (do*ing*) his duty. 어떤 일도 그의 의무 수행을 막을 수는 없다.

de·ter·gent [ditə́:rdʒənt] *a.* 세정성(洗淨性)의. — *n.* Ⓤ,Ⓒ (중성) 세제 : synthetic ~*s* 합성 세제.

***de·te·ri·o·rate** [ditíəriərèit] *vt.* (질)을 나쁘게 하다 ; 열등하게 하다, (가치)를 저하시키다 ; 타락시키다.
— *vi.* (질·가치가) 떨어지다, 악화하다, 저하하다 ; (건강이) 나빠지다 ; 타락하다. opp *ameliorate.* ¶ Their rivalry ~*d into* enmity. 그들의 대항 의식은 악화되어 적의(敵意)로 변했다 / The weather conditions are *deteriorating.* 기상 상태가 악화되고 있다.

de·te·ri·o·ra·tion [ditìəriəréiʃən] *n.* Ⓤ (또는 a ~) 악화, (질의) 저하, 열화(劣化), 가치의 하락 ; 타락 : (*a*) ~ in the quality of goods 물건의 품질 저하. 「할 수 있는.

de·ter·min·a·ble [ditə́:rmənəbəl] *a.* 결정〔확정〕

de·ter·mi·nant [ditə́:rmənənt] *a.* 결정하는 ; 한정적인. — *n.* Ⓒ ① 결정 요소. ②〖生〗결정 인자(決定因子), 유전소. ③〖數〗행렬식(行列式).

de·ter·mi·nate [ditə́:rmənit] *a.* ① 한정된, 명확한. ② 확정된, 결정적인. ③ 확고한, 결연한. ④〖數〗기지수의. ⊕ **~·ly** *ad.* **~·ness** *n.*

‡de·ter·mi·na·tion [ditə̀:rmənéiʃən] *n.* ① Ⓤ 결심 ; 결의 ; 결단(력) : a man of great ~ 결심이 굳은 사람 / carry out a plan with ~ 단호하게 계획을 실행하다. ② Ⓤ 결정 ; 확정 : The ~ *of* a name for the club took a long time. 클럽의 이름을 결정하는 데 많은 시간이 걸렸다. ③ **a)** Ⓤ (범위·양·위치 등의) 한정 ; 측정 : the ~ of the amount of gold in a sample of rock 암석 표본 속의 금 함유량의 측정. **b)** Ⓒ〖法〗판결, 재결, 결정. ◇ determine *v.*

de·ter·mi·na·tive [ditə́:rmənèitiv, -nətiv] *a.* 결정력 있는 ; 확정적인 ; 한정하는.
— *n.* Ⓒ ① 결정적 요인. ② = DETERMINER.

‡de·ter·mine [ditə́:rmin] *vt.* ①《+목+*to* do/+목+전+명》…에게 결심시키다, …에게 결의하게 하다《*to* go》: The letter ~*d* him *to* go. 그 편지로 그는 가기로 결심했다 / What ~*d* you *to* become a docter? 어째서 의사가 될 결심을 했나. ②《+*to* do/+*that* 절》…을 결심하다, 결의하다 : He firmly ~*d to* try again. 그는 한 번 더 해보려고 굳게 결심했다 / He ~*d that* nobody should dissuade him from doing it. 그는 누가 뭐라 해도 그것을 하기로 결심했다. ③《~+목/+*wh.* 절/+*wh. to* do》…을 결정하다, 정하다 ; 확정하다 : The incident ~*d* the whole of his career. 그 사건은 그의 일생의 운명을 결정지었다 / Demand ~*s* supply 〔the price〕. 수요는 공급〔가격〕을 좌우〔결정〕한다 / We have not yet ~*d what to* do. 우리들은 무엇을 할 것인가를 아직 정하지 않았다. ④ …을 측정〔단정〕하다 : ~ the ship's position by the stars 별에 의해 배의 위치를 측정하다 / ~ the cause of his death 그의 사망 원인에 대한 단정을 내리다. — *vi.* 《+전+명》 결심하다 ; 결정하다《*on, upon*》: ~ *on* a course of action 행동 방침을 결정하다.

de·ter·mined** [ditə́:rmind] (more*** ~ ; ***most*** ~) *a.* ①〔敍述的〕《+*to* do》(…할 것을) 굳게 결심한 : I am ~ *to* go. 기어코 갈 작정이다 / She is firmly ~ *to* be independent. 그녀는 자립하려고 굳게 결심하고 있다. ② 결의가 굳은, 단호한 (resolute) : a ~ look 단호한 표정 / in a ~ manner 결연하게. ⊕ **~·ly** *ad.* 결연히, 단호히. **~·ness** *n.*

de·ter·min·er [ditə́:rminər] *n.* Ⓒ ① 결정하는 사람〔물건〕. ②〖文法〗한정사《a, the, this, your 따위》. ③〖生〗= DETERMINANT.

de·ter·min·ism [ditə́:rminìzəm] *n.* Ⓤ〖哲〗결정론. ⊕ **-ist** [-ist] *n.* Ⓒ, *a.* 결정론자(의).

de·ter·min·is·tic [ditə̀:rminístik] *a.* 결정론(자)적인.

de·ter·rence [ditə́:rəns, -tér-] *n.* Ⓤ ① 단념시킴, 제지, 억지. ② 전쟁 억지.

de·ter·rent [ditə́:rənt, -tér-] *a.* 제지〔방지〕하는, 못 하게 하는 ; 전쟁 억지의 : ~ weapons 전쟁 억지 무기. — *n.* Ⓒ 억지하는 것, 방해물 ; (전쟁) 억지력〔물〕《핵무기 따위》: the nuclear ~ (전쟁 억지력으로서의) 핵무기 / Punishment is a strong ~ *to* crime. 처벌은 강력한 범죄 억지력이 된다.

***de·test** [ditést] *vt.* 《~+목/+-*ing*》 …을 몹시 싫어하다, 혐오하다. cf. abhor, loathe. ¶ I ~ dishonest people. 나는 부정직한 사람은 아주 싫다 / She ~*s* hav*ing* to talk to people at parties. 그녀는 파티에서 남들과 이야기해야 하는 것이 질색이다.

de·test·a·ble [ditéstəbəl] *a.* 혐오(嫌惡)〔증오〕할, 몹시 싫은 : He's the most ~ man I've ever met. 지금까지 내가 만난 사람 중 가장 싫은 놈이다. ㊕ **-bly** *ad.*

de·tes·ta·tion [dìːtestéiʃən] *n.* ① Ⓤ (또는 a ~) 아주 싫어함, 혐오(hatred) : have *a* ~ of liars 거짓말쟁이를 아주 싫어하다. ② Ⓒ 몹시 싫은 사람〔것〕.

de·throne [diθróun] *vt.* ① (왕)을 폐위시키다 : He was ~*d* and went into exile forty-two years ago. 그는 42년 전 왕위에서 물러나 망명했었다. ② (사람)을 (권위 있는 지위 등)에서 밀어 내다 《*from*》. ㊕ **~·ment** *n.* 폐위, 강제 퇴위.

det·o·nate [détənèit] *vt.* (폭약)을 (굉음과 함께) 폭발시키다 : ~ a charge of dynamite 다이너마이트를 폭발시키다. ― *vi.* (굉음과 함께) 대폭발을 하다.

det·o·na·tion [dètənéiʃən] *n.* Ⓤ,Ⓒ 폭발 ; 폭발음.

det·o·na·tor [détənèitər] *n.* Ⓒ 기폭 장치《뇌관·신관 등》; 기폭약.

de·tour [díːtuər, ditúər] *n.* Ⓒ ① 우회(迂廻) : make a ~ 우회하다. ② 우회로(路) ; 도는 길 : take a ~ 도는 길로 가다. ― *vi.* 돌아가다.

de·tox·i·fi·ca·tion [diːtɑ̀ksəfikéiʃən / -tɔ̀k-] *n.* Ⓤ 해독(작용).

de·tox·i·fy [diːtɑ́ksəfài / -tɔ́k-] *vt.* …의 독성을 제거하다, 해독하다.

de·tract [ditrǽkt] *vi.* (가치·명성 등을) 떨어뜨리다, 손상하다《*from*》: This may ~ *from* his popularity. 이로 해서 그의 인기가 떨어질지도 모른다 / That ugly building ~*s from* the beauty of the view. 저 보기 흉한 건물로 인해 풍경의 아름다움이 손상되고 있다.

de·trac·tion [ditrǽkʃən] *n.* Ⓤ,Ⓒ (가치 등을) 손상함〔하는 것〕; 욕(slander), 비방.

de·trac·tive [ditrǽktiv] *a.* 욕하는, 비난하는. ㊕ **~·ly** *ad.* **~·ness** *n.*

de·trac·tor [ditrǽktər] *n.* Ⓒ 비방하는 사람.

de·train [diːtréin] *vt., vi.* (…을) 열차에서 내리(게 하)다. opp. *entrain.* ¶ All the passengers were requested to ~. 모든 승객은 열차에서 내려달라는 말을 들었다. ㊕ **~·ment** *n.*

det·ri·ment [détrəmənt] *n.* ① Ⓤ 손해, 손상《*to*》. ② Ⓒ (흔히 a ~) 손해〔손실〕의 원인 : Overeating is *a* ~ to your stomach. 과식은 위에 해롭다. ***to the ~ of*** …을 손상시켜 ; …을 해칠 정도로. ***without ~ to*** …을 손상하지 않고 ; …에 손해 없이.

det·ri·men·tal [dètrəméntl] *a.* 유해한《*to*》: Smoking is ~ *to* health. 흡연은 건강에 해롭다. ㊕ **~·ly** [-təli] *ad.*

de·tri·tion [ditríʃən] *n.* Ⓤ 마멸(작용), 마모.

de·tri·tus [ditráitəs] *n.* Ⓤ ①〖地質〗암설(岩屑); 쇄암(碎岩). ② 파편(의 더미).

***De·troit** [ditrɔ́it] *n.* 디트로이트《미국 Michigan 주 남동부의 자동차 공업 도시》.

de trop [dətróu] 《F.》 군더더기의, 쓸데없는, 오히려 방해가 되는(not wanted).

deuce[1] [djuːs] *n.* ① Ⓒ (카드놀이) 2 점의 패, (주사위의) 2 점의 눈, 2점. ② Ⓤ〖테니스〗듀스.

deuce[2] *n.* 《口》 ① Ⓤ (흔히 the ~)〔感歎詞的으로〕 악마 ; 제기랄 : *The* ~ it is 〔you are, etc.〕! 그것이〔자네가, …이〕 그렇다니 놀랐다〔심하다, 괘씸하다, 설마〕. ② (the ~) 〔疑問詞의 힘줌말로서〕 도대체 ; 〔否定〕 전혀〔하나도, 한 사람도〕 없다〔않다〕(not at all). cf. devil ⑤,⑥,⑦. ¶ *The* ~ he isn't. 그가 그렇지 않을리는 결코 없다 / Who 〔What〕 *the* ~ is that? 도대체 그것은 어떤 놈이냐〔뭐냐〕.
a* 〔*the*〕 *~ of a* . . .** 굉장한 …, 지독한 …, 어처구니 없는 …. ***~ a bit 결코 …아니다(not at all). ***like the ~*** 굉장한 기세로, 맹렬히. ***play the ~ with*** …을 망쳐 버리다. ***the ~ to pay*** =the DEVIL to pay.

deuc·ed [djúːsid / djuːst] *a.* 《口》〔限定的〕 지긋지긋한, 심한 ; 굉장한 : in a ~ hurry 부랴부랴, 황급히 / Throw the ~ thing away! 그까짓것 내버려라. ― *ad.* 《口》 엄청나게, 굉장히 : a ~ fine girl 굉장히 예쁜 아가씨. ㊕ **~·ly** [-sidli] *ad.*

de·us ex ma·chi·na [díːəs-eks-mǽkinə] 《L.》 ① (소설·연극의 줄거리에서) 절박한 장면을 해결하는 사건·등장 인물 또는 신의 힘《따위》. ② 절박한 장면의 해결책. [◂god from the machine (기계 장치의 신)].

Deut. 〖聖〗 Deuteronomy. 「듀테륨.

deu·ter·i·um [djuːtíəriəm] *n.* Ⓤ〖化〗중수소,

deu·ter·on [djúːtərɑ̀n / -rɔ̀n] *n.* Ⓤ〖物·化〗중양성자(重陽性子), 듀테론《듀테륨의 원자핵》.

Deu·ter·on·o·my [djùːtərɑ́nəmi / -rɔ́n-] *n.* 〖聖〗신명기(申命記)《구약성서 중의 한 편》.

Deut·sche mark, Deut·sche·mark [dɔ́itʃəmɑ̀ːrk] (*pl.* ~, ~*s*) *n.* 《G.》 독일 마르크《독일의 통화 단위 : =100 pfennigs ; 기호 DM》.

Deutsch·land [dɔ́itʃlɑːnd] *n.* 《G.》 독일(Germany).

de·val·u·ate, de·val·ue [diːvǽljuèit], [diːvǽljuː] *vt.* ① …의 가치를 내리다. ②〖經〗(화폐)의 평가를 절하하다. opp. *revalue.* ¶ ~ the pound 파운드의 평가를 절하하다.

de·val·u·a·tion [dìːvæljuéiʃən] *n.* Ⓤ ① 가치의 저하. ②〖經〗평가 절하. opp. *revaluation.*

***dev·as·tate** [dévəstèit] *vt.* ① (국토·토지 따위)를 유린〔파괴〕하다, 황폐시키다 : A hurricane had ~*d* the plantation. 허리케인이 대농원을 황폐시켰다. ② (사람)을 망연 자실하게 하다, 곤혹스럽게 하다, 놀라게 하다.

dev·as·tat·ing [dévəstèitiŋ] *a.* ① 황폐시키는, 파괴적인 : a ~ earthquake. ② 《比》 (의론 따위가) 압도적인, 통렬한 : a ~ reply 통렬한 응수. ③ 《口》 매우 훌륭한, 굉장한, 효과적인 ; 지독한 : a ~ beauty 굉장한 미인. ㊕ **~·ly** *ad.*

dev·as·ta·tion [dèvəstéiʃən] *n.* Ⓤ 황폐하게 함 ; 유린, 황폐 (상태); 참화.

†de·vel·op [divéləp] *vt.* ① 《~+목/+목+전+명》 …을 발전시키다, 발달시키다, 발육시키다 《*from* ; *into*》: ~ one's business 사업을 확장하다 / ~ an area *into* an industrial center 지역을 개발하여 공업 중심지로 만들다 / Rain and sun ~ plants. 비와 태양은 식물을 발육시킨다 / ~ the muscles 근육을 발달시키다. ② (자원·기술·토지 따위)를 개발하다, (택지)를 조성하다 ; (자질·지능 따위)를 계발(啓發)하다, 신장시키다 : ~ natural resources 천연 자원을 개발하다 / ~ idle land 유휴지를 개발하다 / ~ one's faculties 재능을 계발하다. ③ (의론·사색 따위)를 전개하다, 진전시키다 : ~ one's argument (further) 의론을 더 진전시키다 / ~ a theory of language learn-

ing 언어 학습 이론을 전개하다. ④ (사실 따위)를 밝히다; (자질 따위)를 나타내다, 발휘하다: The detective's inquiry did not ~ any new facts. 그 형사의 조사는 아무런 새로운 사실을 밝혀내지 못했다. ⑤〖寫〗(필름)을 현상하다: print the ~*ed* films 현상된 필름을 인화하다. ⑥ (습관·취미 따위)를 몸에 붙이다, (성질을) 갖게〔띠게〕되다; (병)에 걸리다: ~ a habit 버릇이 들다 / As he grew older, he ~*ed* a tendency to obstinacy. 나이 먹어감에 따라 그는 점점 고집이 세어졌다 / My trousers have ~*ed* a shine. 바지가 반질반질하게 됐다 / He ~*ed* a tumor. 종기가 났다.
— *vi.* ①《~/+전+명》 발전〔진전〕하다, 발달〔발육〕하다: The situation ~*ed* rapidly. 국면은 급속히 진전했다 / A bud ~*s into* blossom. 꽃봉오리는 발육하여 꽃이 된다 / His cold ~*ed into* pneumonia. 감기가 심해져 폐렴이 됐다. ② (병 등이) 나타나다: Symptoms of cancer ~*ed*. 암 증상이 나타났다. ③ (사태 등)이 밝혀지다: It ~*ed* that he was a murderer. 그가 살인범임이 밝혀졌다. ④〖寫〗현상되다.

de·vel·oped [divéləpt] *a.* 발달한, 선진의: (the) ~ countries 선진국 / a highly ~ industry 고도로 발달된 산업.

de·vel·op·er [divéləpər] *n.* ① Ⓒ 개발자; (택지 등의) 조성업자. ② Ⓤ.Ⓒ〖寫〗현상액〔약〕.

de·vel·op·ing [divéləpiŋ] *a.* (국가·지역 등이) 개발 도상에 있는, 발전 도상의: a ~ country 〔nation〕 개발 도상국《an underdeveloped country (저개발 국가)라는 표현을 피해 쓰게 됐음》.

‡de·vel·op·ment [divéləpmənt] *n.* ① **a)** Ⓤ 발달, 발전; 발육, 성장(growth): economic ~ 경제 발전〔개발〕/ the ~ of language 언어의 발달. **b)** Ⓒ 발달〔발전〕한 것: recent ~*s in* nuclear physics 핵물리학의 최근의 발달. ② Ⓤ (자원·기술 따위의) 개발; (재능 따위의) 계발(啓發): the ~ of reading ability 독서력의 계발 / a land ~ program 토지 개발 계획. ③ **a)** Ⓤ (택지의) 조성, 개발. **b)** Ⓒ 조성지, 단지. ④ Ⓒ (사태의) 진전; 새로운 사실〔사태〕: new political ~*s* 새로운 정치 정세. ⑤ Ⓤ〖寫〗현상. ⑥ Ⓤ.Ⓒ〖樂〗전개(부).
~ *area* 《英》 개발 촉진 지역. ***Development Assistance Committee*** 개발 원조 위원회.

de·vel·op·men·tal [divèləpméntl] *a.* 개발의; 발달〔발육〕상의: ~ psychology 발달 심리학 / ~ aid to Southeast Asia 동남 아세아에의 개발 원조.

de·vi·ance, -an·cy [díːviəns], [-ənsi] *n.* Ⓤ 일탈, 이상: sexual *deviance* 성적 이상.

de·vi·ant [díːviənt] *a.* 정상이 아닌, 일탈한.
— *n.* Ⓒ 일탈한 사람〔것〕; (특히, 성적(性的)) 이상 성격자.

de·vi·ate [díːvièit] *vi.* (상도·표준 따위에서) 벗어나다, 일탈하다《*from*》: ~ *from* the truth 진실에서 일탈하다.

***de·vi·a·tion** [dìːviéiʃən] *n.* ① Ⓤ.Ⓒ 탈선, 일탈(逸脫)《*from*》; 편향. ② Ⓒ (정치 신조로부터의) 일탈 행위. ③ Ⓒ (자침(磁針)의) 자차(自差). ④ Ⓒ〖統〗편차.

de·vi·a·tion·ism [-ʃənìzəm] *n.* Ⓤ (특히 공산당 등의 노선으로부터의) 일탈.

de·vi·a·tion·ist [-ʃənist] *n.* Ⓒ ((당) 노선으로부터의) 일탈자.

‡de·vice [diváis] *n.* Ⓒ ① 고안; 계획, 방책: They used television advertising as a ~ for stimulating demand. 그들은 수요를 자극하기 위한 방안으로 텔레비전 광고를 이용했다. ② 장치, 설비; 고안물: a safety ~ 안전 장치 / a new ~ for opening cans 새로 고안한 깡통따개. ③ (종종 *pl.*) 책략, 간계, 지혜: see through a person's petty ~*s* 아무의 잔꾀를 간파하다. ④ 상표; 도안, 의장, 무늬. ◇ devise *v.* ***leave*** a person ***to his own ~s*** 아무에게 제멋대로 하게 내버려 두다《조언이나 원조를 하지 않고》.

‡dev·il [dévl] *n.* ① Ⓒ 악마; 악귀; 악령; (the D-) 마왕, 사탄(Satan): The ~ has the best tunes. 《俗談》 악마는 멋진 가락을 지니고 있다; 나쁜 짓일수록 즐거운 법 / Talk 〔Speak〕 of *the* ~, and he will 〔is sure to〕 appear. 《俗談》 호랑이도 제말하면 온다《종종 and 이하를 생략하여 씀》. ② Ⓒ (악덕의) 화신; 악당, …광(狂): the ~ of greed 탐욕의 화신 / a veritable ~ for golf 골프광. ③ Ⓒ 무모한〔저돌적인〕 사람; 비상한 정력가. ④ Ⓒ 〔흔히 修飾語를 동반〕《口》 …한 사람〔놈〕: a poor ~ 불쌍한 녀석. ⑤ (the ~) 〔疑問詞의 힘줌말〕 도대체: What *the* ~ are you doing? 너는 도대체 무얼 하고 있는 거냐. ⑥ Ⓤ (종종 the ~) 〔힘줌말로서 否定의 뜻〕 결코 (…아닌): "He's a liar."—"*The* ~ he is!" "그는 거짓말쟁이다"—"천만에. 절대로 아니다." ⑦ (the ~) 제기랄, 설마《저주·놀람 따위》: *The* ~ you did! 자네가 했다니 (설마)《★ deuce² 의 관용구에선 이것을 devil 로 바꿔 놓을 수 있음》. ***a*** 〔***the***〕 ***~ of a ...*** 《口》 굉장한 …, 엄청난 …, 터무니없는 …, 통쾌한: *a* ~ *of a* wind 굉장한 바람 / *the* ~ *of a* way 터무니없이 먼 길. ***be a ~ for*** …광(狂)이다: *be a* ~ *for* gambling 도박광이다. ***be between the ~ and the deep (sea)*** 진퇴 양난에 빠지다. ***Devil take it!*** 제기랄, 빌어먹을. ***give the ~ his due*** 아무리 보잘것 없는〔싫은〕 사람일지라도 공평히 대하다〔비평하다〕: *to give the ~ his due* (삽입구로) 공평하게 봐준다면, 솔직히 말해서. ***go to the ~*** 멸망〔타락〕하다: *Go to the ~!* 뒈져라, 꺼져라. ***have the luck of the ~*** =***have the ~'s own luck*** 《口》 매우 운이 좋다, 운이 억세게 질기다. ***like the ~*** 맹렬히, 결사적으로. ***play the ~ with*** 《口》 …을 산산이 짓밟다, …을 엉망으로 만들다. ***raise the ~*** (주문으로) 악마를 불러 내다; 소동을 벌이다. ***the ~ to pay*** 《口》 앞으로 닥칠 큰 곤란, 뒤탈; 큰 어려움, 《美俗》 심한 벌: There'll be *the* ~ *to pay*. 나중에 혼이 날거다; 앞 일이 무섭다. — (***-l-***, 《英》 ***-ll-***) *vt.* ①《美口》 …을 괴롭히다: ~ a person *with* questions 아무에게 질문공세를 퍼붓다. ② (불고기 등)에 겨자를 많이 발라 굽다.

dev·il·fish [dévlfiʃ] *n.* Ⓒ〖魚〗① 쥐가오리; 아귀. ② 오징어, 《특히》 낙지.

***dev·il·ish** [dévliʃ] *a.* ① 악마 같은; 극악무도한. ②《口》 굉장한, 심한, 대단한: I had a ~ time fixing the tool. 그 도구를 수리하는 데 굉장한 시간이 걸렸다. — *ad.* 《口》 지독하게, 굉장히: It's ~ hot. 굉장히 덥다. ㊕ **~·ly** *ad.* **~·ness** *n.*

dev·il-may-care [dévlmeikέər] *a.* 저돌적인; 무모한; 태평한.

dev·il·ment [dévlmənt] *n.* ① Ⓤ.Ⓒ 심한〔못된〕 장난. ② Ⓤ 원기; 위세: full of ~ 기운찬; 위세 좋은.

dev·il·ry, dev·il·try [dévlri], [-tri] *n.* = DEVILMENT.

dévil's ádvocate ① (의론이나 제안의 타당성을 시험하기 위해) 일부러 반대 의견을 말하는 사람: play the ~ 일부러 반대 입장을 취하다. ② 심통사나운 사람〔비평가〕.

dévil's fòod (càke) 초콜릿이〔코코아가〕 들어 있는 케이크.

de·vi·ous [díːviəs] *a.* ① 우회한, 꾸불꾸불한; 에두른, 빙 둘러서 하는, 번거로운: take a ~ route

〔course〕 우회하다, 돌아가다 / a ~ explanation 에두른〔번거로운〕 설명. ② 솔직〔순진〕하지 않은, 속임수의, 교활한 : There is something ~ *about* him. 그에겐 어딘가 솔직하지 못한 데가 있다. ㊞ ~·**ly**

:de·vise [diváiz] *vt.* ① …을 궁리하다, 고안〔안출〕하다(think out) ; 발명하다 : We ~*d* how to prevent water pollution. 물의 오염 방지법을 고안했다. ◇ device *n.* ②〖法〗(부동산)을 유증(遺贈)하다《*to*》. ㊞ **de·vís·er** *n.*

de·vi·tal·ize [di:váitəlàiz] *vt.* …의 생명〔활력〕을 빼앗다〔약화시키다〕. ㊞ **de·vì·tal·i·zá·tion** [-li-zéiʃən] *n.* Ⓤ 활력 탈실〔약화〕.

de·vo·cal·ize [di:vóukəlàiz] *vt.* 〖音聲〗 (유성음)을 무성음화하다(=**de·vóice**).

***de·void** [divɔ́id] *a.* 〔敍述的〕 …이 전혀 없는, …이 결여된《*of*》: a man ~ *of* good sense 양식이 없는 남자 / He's ~ *of* humor. 그는 유머가 없다.

de·vo·lu·tion [dèvəlú:ʃən / dì:v-] *n.* Ⓤ ①〖法〗(권리·의무·지위 따위의) 상속인에의 이전. ② 권한 이양《중앙정부로부터 지방 자치체로의》. ③〖生〗퇴화(退化). opp *evolution.*

de·volve [diválv / -vɔ́lv] *vt.* (의무·책임 따위)를 양도하다, 지우다 ; 맡기다 ; (권력 따위)를 위양하다《*upon* ; *to*》: ~ the duty *upon* another person 그 임무를 남에게 맡기다 / ~ authority *on* the branch office 권한을 지점에 위양하다. ── *vi.* ① (직책 따위가 남에게) 넘어가다, (…에게) 귀속하다《*to* ; *upon*》: The responsibility ~*d on* the manager. 책임은 지배인이 지도록 되었다. ② (사후 재산 등이) 계승되다, 이전되다《*to* ; *on*》.

Dev·on [dévən] *n.* ① 데번《잉글랜드 남서부의 주 ; 略 : Dev.》. ② Ⓒ 데번종(種) (의 소)《유육(乳肉) 겸용의 붉은 소》.

De·vo·ni·an [dəvóuniən] *a.* ① Devon 주의. ②〖地質〗데번기(紀)의. ── *n.* ① Ⓒ 데번 주 사람. ② (the ~) 데번기(층).

Dev·on·shire [dévənʃiə*r*] *n.* Devon ① 의 구칭.

:de·vote [divóut] *vt.* 《+목+전+명》 ① (노력·돈·시간 따위)를 바치다《*to*》; 내맡기다, (전적으로) 쏟다〔돌리다〕, 충당하다《*to*》: ~ one's life *to* education 교육에 일생을 바치다 / She ~*d* much of her time *to* reading. 그녀는 많은 시간을 독서에 충당했다. ②〔再歸的〕…에 헌신하다, 전념하다, 몰두하다, …을 열애하다《*to*》: He was ~*d himself to* studying〔study〕. 그는 연구에 몰두했다 / She ~*d herself to* her children. 그녀는 아이들에게 애정을 다 쏟았다.

***de·vot·ed** [divóutid] (*more* ~ ; *most* ~) *a.* 충실한, 헌신적인 ; 몰두〔열애〕하(고 있)는 ; 헌신하(고 있)는《*to*》: a ~ mother 자모(慈母) / the queen's ~ subjects 여왕의 충신들 / be ~ *to* making money 돈벌이에 전념하다.
㊞ ~·**ly** *ad.* 한마음으로, 충실히. ~·**ness** *n.*

dev·o·tee [dèvoutí:] *n.* Ⓒ ① 열애가(熱愛家) ; 열성가《*of*》. ② (광신적인) 귀의자(歸依者)《*of*》.

:de·vo·tion [divóuʃən] *n.* ① Ⓤ 헌신 ; 전심, 전념《*to*》; 강한 애착, 헌신적인 애정, 열애《*to*》: one's ~ *to* the cause of justice 정의를 위한 헌신. ② Ⓤ 귀의(歸依), 신앙심. ③ (*pl.*) 기도, (개인적인) 예배 : a book of ~*s* 기도서 / be at one's ~*s* 기도를 드리고 있다.

de·vo·tion·al [divóuʃənəl] *a.* 〔限定的〕 믿음의 ; 기도의 : a ~ life 신앙 생활.

:de·vour [diváuə*r*] *vt.* ① …을 게걸스럽게 먹다 : ~ sandwiches / Hyenas were ~*ing* the dead zebra. 하이에나가 죽은 얼룩말을 게걸스럽게 먹고 있었다. ② (질병·화재 등)이 멸망시키다 ; (바다·어둠 따위)가 삼켜 버리다, 휩쓸어 넣다 : The fire ~*ed* two hundred houses. 불은 200 채의 집을 소진시켰다 / The raging sea ~*ed* the boat. 거친 바다는 보트를 삼켜 버렸다 / The flood ~*ed* the village. 홍수가 마을을 쓸어버렸다. ③ 탐독하다 ; 뚫어지게 보다 ; 열심히 듣다 : ~ with one's eyes 뚫어지게 보다 / He ~*ed* every word (I said). 그는 (내 말을) 한 마디도 빠뜨리지 않을 듯이 열심히 들었다. ④〔受動으로〕(호기심·근심 따위가) …의 이성〔주의력〕을 빼앗다, 열중케 하다, 괴롭히다 : *be* ~*ed by* fears 무서워서 제정신이 아니다 / *be* ~*ed with* curiosity 호기심에 완전히 사로잡히다 / I *am* ~*ed by* anxiety. 걱정이 돼 안절부절못하다.

de·vour·ing [diváuəriŋ] *a.* ① 게걸스레 먹는(것 같은). ② 사람을 괴롭히는, (사람을) 열중시키는 ; 맹렬한, 열렬한, 격렬한. ㊞ ~·**ly** *ad.*

***de·vout** [diváut] *a.* ① 독실한, 경건한(pious) : a ~ Roman Catholic 독실한 가톨릭 교도. ② (the ~) 〔名詞的 ; 複數취급〕 신앙심이 깊은 사람들, 신자. ③〔限定的〕 진심으로부터의 ; 열렬한 : one's ~ hope (마음으로부터의) 간절한 희망.
㊞ ~·**ly** *ad.* ~·**ness** *n.*

DEW [dju:] Distant Early Warning (원거리 조기 경계).

:dew [dju:] *n.* Ⓤ ① 이슬 : morning ~(*s*) 아침 이슬 / wet with ~ 이슬에 젖은. ② (눈물·땀 등) 방울 : *Dew* glistened in her eyes. 그녀 눈에 눈물이 빛나고 있었다. ③ 상쾌함 ; 신선한 맛, 싱싱함(freshness) : the ~ of youth 청춘의 싱그러움.

dew·claw [∸klɔ̀:] *n.* Ⓒ (개·소 따위의) 며느리발톱 ; (사슴 등의) 며느리발굽.

dew·drop [djú:dràp / -drɔ̀p] *n.* Ⓒ 이슬방울 ; 「《英戲》 콧물.

Dew·ey [djú:i] *n.* **John** ~ 듀이《미국의 철학자·교육가 ; 1859–1952》.

Déwey (décimal) classificàtion 〔sỳstem〕〖圖書館學〗 듀이식 10진(進) 분류법《1876년 미국의 Melvil Dewey가 창안》.

dew·lap [djú:læp] *n.* Ⓒ (소·칠면조 따위의) 목정 ; 군턱.

DEW lìne [djú:-] 듀 라인《미국이 북쪽 국경에 설치한 원거리 조기 경보 레이더망》.

déw pòint (the ~)〖氣〗 이슬점(點).

déw pònd 《英》 노지(露池), 이슬 못《이슬이나 안개의 수분을 저장하는 (인공) 못》.

***dewy** [djú:i] (*dew·i·er* ; *-i·est*) *a.* ① 이슬의 ; 이슬에 젖은, 이슬을 머금은, 이슬 많은 ; 이슬 내리는 : ~ tears 이슬 같은 눈물. ② (눈이) 눈물에 젖은. ③ 《詩》 (잠 따위가) 상쾌한 : ~ sleep.
㊞ **déw·i·ly** [-ili] *ad.* 이슬처럼, 조용히, 덧없이. **-i·ness** [-inis] *n.*

dewy-eyed [djú:iàid] *a.* 천진난만한 (눈을 가진), 순진한, 감상적인.

dex·ter [dékstə*r*] *a.* ① 오른쪽의. ②〖紋章〗 (방패의) 오른쪽의《보는 쪽에서는 왼쪽》. opp *sinister.*

***dex·ter·i·ty** [dekstérəti] *n.* Ⓤ ① 솜씨 좋음, 능란함 : with ~ 솜씨있게, 교묘하게. ② 영리함, 기민함, 빈틈없음.

***dex·ter·ous** [dékstərəs] *a.* ① 솜씨 좋은, 교묘한, 능란한 : a ~ pianist / with ~ fingers 능란한 손놀림으로 / a ~ juggler 능란한 요술사. ② 기민한 ; 빈틈없는. ㊞ ~·**ly** *ad.* ~·**ness** *n.*

dex·tral [dékstrəl] *a.* ① 오른쪽의 ; 오른손잡이의. ② (고동이) 오른쪽으로 감긴. opp *sinistral.*
㊞ ~·**ly** [-i] *ad.*

dex·trin, -trine [dékstrin], [-tri(:)n] *n.* Ⓤ〖化〗 덱스트린, 호정(糊精).

dex·trose [dékstrous] *n.* Ⓤ〖化〗 포도당.

dex·trous [dékstrəs] *a.* =DEXTEROUS.

DF, D/F, D.F. direction finder (방위(方位) 측정 장치). **D.G.** *Deo gratias* 《L.》 (=thanks to God). **dg.** decigram(me)(s). **DH, dh** 〖野〗 designated hitter (지명 타자).

Dha·ka [dǽkə, dɑ́:-] *n.* 다카《방글라데시의 수도》《★ Dacca라고도 씀》.

dhar·ma [dɑ́:rmə, də́:r-] *n.* Ⓤ 〖힌두教·佛教〗 (지켜야 할) 규범, 계율; 법(法).

dho·ti [dóuti] (*pl.* **~s**) *n.* Ⓒ 《Ind.》 허리에 두르는 천《남자용》.

dhow, dow [dau] *n.* Ⓒ 아라비아 해 등에서 쓰이는 대형 삼각돛을 단 연안 항행용 범선.

D.I. 《英》 Defence Intelligence (국방 정보국).

di-[1] *pref.* =DIS-《b, d, g, l, m, n, r, s, v의 앞에서》.

di-[2] 〖化〗 '2(중)의'의 뜻의 결합사: *di*archy.

di-[3], **dia-** *pref.* '…해내는, 철저한, 완전한〔히〕, …에서 떨어져 나가는, …을 가로질러'의 뜻: *di*orama; *dia*meter《★ di-는 모음 앞에서 쓰임》.

di·a·be·tes [dàiəbí:tis, -ti:z] *n.* Ⓤ 〖醫〗 당뇨병.

di·a·bet·ic [dàiəbétik] *a.* 당뇨병의. ── *n.* Ⓒ 당뇨병 환자.

di·a·bol·ic [dàiəbɑ́lik / -bɔ́l-] *a.* ① 악마의; 악마 같은. ② 교활한.

di·a·bol·i·cal [dàiəbɑ́likəl] *a.* ① 극악무도한: a ~ crime 흉악한 범죄. ②《英口》 아주 불쾌한, 지독한, 화딱지 나는.
㊞ **~·ly** [-ikəli] *ad.*

di·ab·o·lism [daiǽbəlìzəm] *n.* Ⓤ ① 마법, 요술. ② 악마 같은 짓〔성질〕. ③ 악마주의〔숭배〕.
㊞ **-list** *n.* Ⓒ 악마주의자〔연구가, 신앙가〕.

di·ab·o·lo [di:ǽbəlòu] *n.* ① Ⓤ 디아볼로, 공중 팽이《손에 든 두 개의 막대 사이에 켕긴 실 위에서 팽이를 굴리기》. ② Ⓒ 디아볼로의 팽이.

di·a·chron·ic [dàiəkrɑ́nik / -krɔ́n-] *a.* 〖言〗 통시적(通時的)인《언어 사실을 사적(史的)으로 연구·기술하는 입장》. [opp.] *synchronic.*

di·a·crit·ic [dàiəkrítik] *a.* =DIACRITICAL.
── *n.* =DIACRITICAL MARK.

di·a·crit·i·cal [dàiəkrítikəl] *a.* 발음을 구별하기 위한; 구별〔판별〕할 수 있는.

diacrítical márk 〔**sígn**〕 발음 구별 부호, 분음(分音)부호《a 자를 구별해서 읽기 위해 ā, â, ä, å 와 같이 붙이는 부호》. 「위.

di·a·dem [dáiədèm] *n.* Ⓒ ① 왕관. ② 왕권, 왕

di·aer·e·sis, di·er·e·sis [daiérəsis] (*pl.* **-ses** [-sì:z]) *n.* Ⓒ ① (음절의) 분철. ② 분음(分音) 기호《coöperate, naïve 따위와 같이 문자 위에 붙이는 ¨》.

diag. diagonal; diagram.

di·ag·nose [dáiəgnòus, ˌ-ˌ-ˊ] *vt.* 《~/+목/+목+*as* 보》〖醫〗 ① …을 진단하다《★ 사람은 목적어가 안 됨》: The doctor ~*d* her case *as* tuberculosis. 의사는 그녀의 병을 결핵으로 진단하였다 / His illness was ~*d as* a nervous breakdown. 그의 병은 노이로제로 진단되었다. ② (사태·기계 등의 이상)의 원인을 규명하다: ~ the fault in a motor 모터의 결함의 원인을 규명하다.

***di·ag·no·sis** [dàiəgnóusis] (*pl.* **-ses** [-si:z]) *n.* ① **a)** Ⓤ,Ⓒ 〖醫〗 진단(법). **b)** Ⓒ 진단 결과, 진단서. ② Ⓒ (문제·상황 등) 분석, 진단: a ~ of the economy 〔circumstances〕 경제 분석〔상황 판단〕 / a ~ of an election 선거 결과에 대한 진단.

di·ag·nos·tic [dàiəgnɑ́stik / -nɔ́s-] *a.* ① 진단상의. ② 〔敍述的〕 진단에 도움이 되는, 증상을 나타내는《*of*》.

di·ag·nos·ti·cian [dàiəgnɑstíʃən / -nɔs-] *n.* Ⓒ 진단(전문) 의(醫).

diagnóstic routìne 〖컴〗 진단 경로《다른 프로그램의 잘못을 추적하거나 기계의 고장난 곳을 찾기 위한 프로그램》.

di·ag·nos·tics [dàiəgnɑ́stiks / -nɔ́s-] *n. pl.* 〔單數 취급〕 ① 진단학〔법〕. ② 〖컴〗 진단《다른 프로그램의 오류를 진단 추적하거나 기계의 고장난 곳을 찾아 내기 위해 쓰인 프로그램》.

di·ag·o·nal [daiǽgənəl] *a.* ① 대각선의: a ~ line 대각선. ② 비스듬한; 사선(斜線)무늬의: a ~ weave 능직(綾織). ── *n.* Ⓒ ① 〖數〗 대각선; 사선. ② 능직(綾織).

di·ag·o·nal·ly [-əli] *ad.* 대각선으로, 비스듬히: a slice of bread cut ~ 비스듬히 자른 빵 조각.

‡**di·a·gram** [dáiəgræ̀m] *n.* Ⓒ 그림, 도형; 도표, 일람표; 도식, 도해: draw a ~ 그림을 그리다.
── (**-m-**, 《英》 **-mm-**) *vt.* …을 그림으로〔도표로〕 표시하다.

di·a·gram·mat·ic [dàiəgrəmǽtik] *a.* 도표〔도식〕의. ㊞ **-i·cal·ly** [-tikəli] *ad.* 도식으로.

‡**di·al** [dáiəl] *n.* Ⓒ ① 다이얼; 문자판(~ plate); 눈금판. ② (계량기·시계·라디오 등의) 다이얼, 지침반: a turning ~ 선국(選局) 다이얼. ③ (전화기의) 숫자판, 다이얼: work〔spin〕 the ~ 전화기 다이얼을 돌리다. ── (**-l-**, 《특히 英》 **-ll-**) *vt.* ① (라디오·텔레비전)의 다이얼을 돌려 파장에 맞추다. ② (전화기)의 다이얼을 돌리다; (상대방의 번호)를 돌리다: ~ the wrong number 틀린 번호를 돌리다. ③ …에 전화를 걸다: *Dial* me at home. 집으로 전화하시오. ── *vi.* 다이얼을 돌리다; 전화를 걸다: ~ home 집에 전화하다.

dial. dialect(al); dialectic(al); dialog(ue).

***di·a·lect** [dáiəlèkt] *n.* Ⓤ,Ⓒ ① 방언, 지방 사투리: the Negro ~ 흑인 방언 / speak in Southern ~ 남부 사투리로 말하다. ② (특정 직업·계층의) 통용어.

di·a·lec·tal [dàiəléktl] *a.* 방언〔사투리〕의; 방언 특유의. ㊞ **~·ly** [-əli] *ad.* 방언으로(는).

díalect àtlas 방언 (분포) 지도.

di·a·lec·tic [dàiəléktik] *a.* 변증(법)적인.
── *n.* Ⓤ 〖哲〗 변증법; (종종 *pl.*) 〔單數 취급〕 변증법적 토론.

di·a·lec·ti·cal [dàiəléktikəl] *a.* =DIALECTIC.
㊞ **~·ly** [-əli] *ad.* 변증법적으로.

dialéctical matérialism 변증법적 유물론.

di·a·lec·ti·cian [dàiəlektíʃən] *n.* Ⓒ 변증가; 변론가(logician).

di·a·lec·tol·o·gy [dàiəlektɑ́lədʒi / -tɔ́l-] *n.* Ⓤ 방언학, 방언 연구. ㊞ **-gist** *n.* 「번호.

dí·al·ing còde [dáiəliŋ-] (전화의) 국번, 지역

díaling tòne 《英》 =DIAL TONE.

***di·a·log,** 《英》 **di·a·logue** [dáiəlɔ̀:g, -lɑ̀g / -lɔ̀g] *n.* Ⓤ,Ⓒ ① 문답, 대화, 회화(會話): Then a short ~ took place between them. 그리고 그들 사이에는 짧은 대화가 있었다. ② (수뇌자 간의) 의견교환, (건설적인) 토론, 회담: a ~ between management and labor 노사간의 회담.

díal tòne 《美》 (전화의) 발신음.

di·al-up [dáiəlʌ̀p] *a.* 다이얼 호출의《전화회선으로 컴퓨터의 단말기 등과 연락하는 경우에 이름》.

di·al·y·sis [daiǽləsis] (*pl.* **-ses** [-sì:z]) *n.* Ⓤ,Ⓒ 〖化·醫〗 투석(透析), 다이알리시스.

di·a·lyt·ic [dàiəlítik] *a.* 〖化·物〗 투석의; 투석성(透析性)의. ㊞ **-i·cal·ly** [-kəli] *ad.*

di·a·lyze, 《英》 **-lyse** [dáiəlàiz] *vt., vi.* 〖化·物〗 (…을) 투석(透析)하다.

diam. diameter. 「(反磁性體).

di·a·mag·net [dáiəmæ̀gnit] *n.* Ⓒ 〖物〗 반자성체

di·a·mag·net·ic [dàiəmægnétik] *a.* 〖物〗 반자성

(反磁性)의.

di·a·man·té [dì:əmɑ:ntéi] *n.* Ⓤ 《F.》 ① 다이아만테《반짝이는 모조 다이아몬드·유리 등의 작은 알을 점점이 박아 넣은 장식》. ② 다이아만테로 장식한 직물〔드레스〕. ── *a.* 다이아만테로 장식한.

‡di·am·e·ter [daiǽmitər] *n.* Ⓒ ① 직경, 지름. ⓒⓕ radius. ¶ a circle〔sphere〕 five inches in ~ 직경 5인치의 원〔구〕. ② (렌즈의) 배율 : magnify 2,000 ~*s* 배율 2천으로 확대하다.

di·a·met·ric, -ri·cal [dàiəmétrik], [-əl] *a.* ① 직경의. ② 정반대의, 서로 용납되지 않는, 대립적인《상위(相違) 따위》.

di·a·met·ri·cal·ly [dàiəmétrikəli] *ad.* 정반대로 ; 전혀, 바로(exactly) : a view ~ opposed 정반대의 견해.

‡di·a·mond [dáiəmənd] *n.* ① Ⓤ,Ⓒ 다이아몬드, 금강석(金剛石). ② Ⓒ 다이아몬드 장신구. ③ Ⓒ 다이아몬드 모양, 마름모꼴. ④ Ⓒ (카드의) 다이아. ⓒⓕ club, heart, spade. ⑤ Ⓒ 〖野〗 내야(infield) ; 야구장. ~ ***cut*** ~ 불꽃 튀기는 막상막하의 경기〔대결〕. ~ ***in the rough***=***rough*** ~ (1) 가공하지 않은 다이아몬드. (2) 세련미는 없으나 우수한 소질을 가진 사람.
── *a.* 〔限定的〕 ① 다이아몬드의〔와 같은〕, 다이아몬드제의〔를 박은〕 : a ~ ring 다이아몬드 반지. ② 마름모〔능형〕의.

di·a·mond·back [-bæ̀k] *a., n.* 등에 마름모〔다이아몬드 형〕 무늬가 있는(뱀·거북 따위).

díamond jubilée 60〔75〕 주년 기념식〔식전〕.

díamond wédding 다이아몬드 혼식《결혼 60 또는 75 주년 기념》.

Di·an [dáiən] *n.* 《詩》 =DIANA ②.

Di·ana [daiǽnə] *n.* ① 다이애나《여자 이름》. ② 〖로神〗 다이애나《달의 여신 ; 처녀성과 사냥의 수호신》. ⓒⓕ Artemis.

di·an·thus [daiǽnθəs] *n.* Ⓒ 〖植〗 패랭이속(屬)의 각종 식물.

di·a·pa·son [dàiəpéizən, -sən] *n.* Ⓒ 〖樂〗 ① 선율. ② (악기·음성의) 음역. ③ 음차(音叉).

di·a·per [dáiəpər] *n.* ① Ⓤ 마름모 무늬(의 삼베). ② Ⓒ 《美》 기저귀(《英》 nappy).

di·aph·a·nous [daiǽfənəs] *a.* (천 따위가) 내비치는, 투명한.

di·a·phragm [dáiəfræ̀m] *n.* Ⓒ ① 〖解〗 횡격막 ; 격막. ② (전화기의) 진동판. ③ 〖寫〗 (렌즈의) 조리개. ④ (피임용) 페서리(pessary).

di·a·rist [dáiərist] *n.* Ⓒ 일기를 쓰는 사람 ; 일지 기록원 ; 일기 작자.

di·ar·rhea, 《英》 -rhoea [dàiərí:ə] *n.* Ⓤ 〖醫〗 설사 : have ~ 설사하다. ㊞ **-rh(o)é·al** [-ríəl] *a.*

†di·a·ry [dáiəri] *n.* Ⓒ 일기, 일지 ; 일기장 : keep a ~ 일기를 쓰다 / She wrote it down in her ~. 그녀는 그것을 일기에 적었다 / I forgot to write a ~ for May 1. 오월 초하루는 일기쓰는 것을 잊었다.

Di·as·po·ra [daiǽspərə] *n.* (the ~) ① 디아스포라《Babylon 유폐(幽閉) 후의 유대인의 이산(離散)》. ② 〔集合的〕 이산한 유대인 ; 이산한 장소 ; 이스라엘 이외의 유대인 거주지.

di·a·stase [dáiəstèis] *n.* Ⓤ 디아스타아제, 녹말당화〔소화〕 효소.

di·a·tom [dáiətəm] *n.* Ⓒ 〖植〗 규조류(硅藻類)《수중에 나는 단세포 식물》.

di·a·ton·ic [dàiətánik / -tɔ́n-] *a.* 온음계의 : the ~ scale 온음계. ㊞ **-i·cal·ly** [-ikəli] *ad.*

di·a·tribe [dáiətràib] *n.* Ⓤ 통렬한 비난〔비평〕《*against*》.

dib·ber [díbər] *n.* =DIBBLE.

dib·ble [díbəl] *n.* Ⓒ 디블《씨뿌리기·모종내기에 쓰이는 구멍 파는 연장》. ── *vt.* ① 디블로 (지면)에 구멍을 파다. ② 디블로 구멍을 파고 …을 파종하다〔심다〕.

di·bit [dáibit] *n.* Ⓒ 〖컴〗 쌍(雙)비트.

dibs [dibz] *n. pl.* 《美口》 ① (소액의) 돈. ② 받을〔할〕 권리《*on*》 : have first ~ *on* …을 최초로 받을〔할〕 권리를 가지다.

˚dice [dais] (흔히 *sing.* ***die*** [dai]) *n. pl.* ① 주사위 ; 주사위놀이, 노름 : one of the ~ 주사위 하나《흔히 두 개를 같이 쓰기 때문에 a die 대신에 이렇게 씀》/ roll〔cast, throw〕 ~ 주사위를 굴리다〔던지다〕/ play ~ 주사위 놀이를 하다《유희 또는 도박을 하다》. ② 작은 입방체 : cut potatoes into ~ 감자를 주사위 모양으로 썰다. ***load the*** ~ 특정 숫자가 나오도록 주사위에 추를 달다 ; (…에게) 불리〔유리〕하게 짜놓다《*against* ; *for*》. ***no*** ~ 《口》 안돼, 싫다(no)《부정·거절의 대답》 ; 잘 안 되다, 헛수고다.
── (*p., pp.* ***diced; díc·ing***) *vi.* ① 주사위놀이를 하다《*with*》. ② 노름〔내기〕하다《*for*》 : ~ *for* drinks 술을 걸고 내기하다. ── *vt.* ① (야채 등)을 주사위 모양으로 썰다 ; 주사위 무늬로 장식하다. ②《+목+부》 주사위놀이로〔노름으로〕 (돈 등)을 잃다 : ~ *away* a fortune 노름으로 큰 돈을 잃다. ~ ***with death*** (목숨 걸고) 큰 모험을 하다.

dic·ey [dáisi] (***dic·i·er; -i·est***) *a.* 《口》 위험한, 아슬아슬한, 위태로운.

di·chot·o·my [daikátəmi / -kɔ́t-] *n.* ① Ⓒ 둘로 갈림 ; 분열《*between*》 : a ~ *between* words and deeds 언행의 분열, 언행의 불일치. ② Ⓤ 〖論〗 이분법.

Dick [dik] *n.* 딕《남자 이름 ; Richard 의 애칭》.

dick[1] *n.* Ⓒ 《俗》 형사, (사립) 탐정(detective).

dick[2] *n.* Ⓒ ① 《英口》 놈, 녀석. ② 《卑》 =PENIS.

Dick·ens [díkinz] *n.* **Charles** ~ 디킨스《영국의 소설가 ; 1812-70》.

dick·ens [díkinz] *n.* 《口》 =DEUCE², DEVIL《가볍게 저주·매도하는 말》. ***The ~!*** 어렵쇼 ; 빌어먹을. ***What the ~ is it ?*** 도대체 뭐냐(What on earth…?).

dick·er [díkər] *vi.* 거래를 하다, 흥정하다, 값을 깎다, 교섭하다《*with*》 : ~ *with* a person *for* a thing 아무와 흥정해 물건 값을 깎다. ── *n.* Ⓤ,Ⓒ 거래, 흥정 ; (정치상의) 타협, 협상.

dick·ey[1], **dick·ie**, **dicky**[1] [díki] (*pl.* ***dick·eys, dick·ies***) *n.* Ⓒ ① (뗄 수 있는) 와이셔츠의 가슴판 ; 장식용 가슴판《여성용》. ② 《英》 (마차의) 마부석 ; (마차 뒤의) 종자석 ; (자동차 뒤의) 임시 좌석. ③ =DICKYBIRD.

dick·ey[2], **dicky**[2] [díki] *a.* 《英口》 흔들흔들하는, 위태로운, 약한, 불안한.

dick·y·bird [díkibə̀:rd] *n.* Ⓒ ① 《兒》 작은 새. ② (말) 한 마디《흔히, 否定文에 쓰임》. ***not say a*** ~ 잠자코 있다, 말 한마디 않다.

di·cot·y·le·don [daikàtəlí:dən, dàikɑtəl- / -kɔ̀t-] *n.* Ⓒ 쌍자엽 식물. ㊞ **~·ous** [-əs] *a.*

dict. dictated ; dictation ; dictator ; dictionary.

dic·ta [díktə] DICTUM 의 복수.

Dic·ta·phone [díktəfòun] *n.* Ⓒ 딕터폰《속기용 구술 녹음기 ; 商標名》.

‡dic·tate [díkteit, -´] *vt.* 《~+목 / +목+ 전+명》 ① …을 구술하다, …에게 받아쓰게 하다《*to*》 : ~ a letter *to* the secretary 편지를 비서에게 구술하다 / The teacher ~*d* a short paragraph *to* us. 선생님은 짧은 글을 우리에게 받아쓰게 했다. ② …을 명령〔요구〕하다, 지시하다《*to*》 : ~ terms *to* a vanquished enemy 항복한 적에게 조건을 지시하다 / ~ rules (*to* the workers) (노동자에게) 규칙에 따르도록 요구하다.

— *vi.* 《+전+명》 ① 받아쓰게 하다, 구술하다《*to*》: ~ *to* a stenographer 구술하여 속기사에게 받아쓰게 하다. ② 〔흔히, 否定文으로 강제적으로〕 지시〔명령〕하다《*to*》: *No* one shall ~ *to* me. = I will *not* be ~*d to*. 나는 누구의 지시〔명령〕도 받지 않겠다.

— [díkteit] *n.* Ⓒ (흔히 *pl.*) (양심·이성 따위의) 명령, 지령, 지시: follow〔obey〕 the ~*s* of one's conscience 양심의 명령에 따르다.

‡**dic·ta·tion** [diktéiʃən] *n.* ① **a)** Ⓤ 구술; 받아쓰기: The secretary can take ~ in shorthand. 그 비서는 구술을 속기로 받아 쓸 수 있다. **b)** Ⓒ 받아 쓴 것; 받아쓰기 시험: Our teacher was always giving us French ~*s*. 우리 선생님은 항상 불어 받아쓰기를 시켰다. ② Ⓤ 명령, 지령, 지시: do (something) at the ~ of... 의 지시에 따라 (어떤 일)을 하다.

***dic·ta·tor** [díkteitər, -ˊ-] *n.* Ⓒ ① 독재자; 〖로史〗 집정관. ② 구수자(口授者), 받아쓰게 하는 사람.

dic·ta·to·ri·al [dìktətɔ́:riəl] *a.* ① 독재자의; 전제적인: a ~ government 독재 정부. ② 전단(專斷)하는; 오만한, 명령적인. ◇ dictate *v.*

***dic·ta·tor·ship** [díkteitərʃìp, -ˊ--] *n.* ① Ⓒ 독재 정부〔국가〕, 독재 제도: live under a ~ 독재 제도하에서 살다. ② ⓊⒸ 독재자의 지위〔임기〕; 독재(권).

***dic·tion** [díkʃən] *n.* Ⓤ ① 말씨; 용어의 선택, 어법, 말의 표현법: poetic ~ 시어(법) / archaic ~ 예스러운 말씨. ② 《美》 화법, 발성법.

†**dic·tio·nary** [díkʃənèri / -ʃənəri] *n.* Ⓒ 사전, 사서: a French-English ~ 불영 사전 / look up a word in a ~ 한 낱말을 사전에서 찾다 / a walking〔living〕 ~ 살아 있는 사전, 박식한 사람 / If you want to know how a word is spelt, look it up in a ~. 어떤 단어의 철자가 어떻게 되어 있는지 알고 싶으면 사전에서 그 단어를 찾아보시오.

Dic·to·graph [díktəgræ̀f, -grɑ̀:f] *n.* Ⓒ 딕토그래프(도청용 또는 녹음용 고감도 송화기; 商標名).

dic·tum [díktəm] (*pl.* **-ta** [-tə], ~**s**) *n.* Ⓒ ① (권위자, 전문가의) 공식 견해, 언명, 단정. ② 〖法〗 재판관의 부수적 의견. ③ 격언, 금언.

†**did** [did] DO[1]의 과거.

di·dac·tic, -ti·cal [daidǽktik], [-əl] *a.* ① 교훈적〔설교적〕인(말, 책 따위). ② 《蔑》 남을 훈계하기 좋아하는, 교사인 척하는. ㊞ **-ti·cal·ly** [-əli] *ad.*

di·dac·tics [daidǽktiks] *n.* Ⓤ 교수법.

did·dle[1] [dídl] 《口》 *vt.* …을 속이다, 편취하다《*out of*》: ~ a person *out of* his money 아무를 속여 돈을 빼앗다.

did·dle[2] *vt.* …을 상하로 빨리 움직이다. — *vi.* ① 상하로 움직이다〔흔들다〕. ② 《俗》 가지고 놀다《*with*》. ③ 《美》 시간을 낭비하다《*around*》.

did·dly [dídli] *n.* Ⓤ 《美俗》 조금, 소용이 안되는 분량: not worth ~ 아무 가치도 없는.

†**did·n't** [dídnt] did not 의 간약형.

di·do [dáidou] (*pl.* ~(*e*)*s*) *n.* Ⓒ 《口》 농담, 장난; 희롱거림, 법석: cut (up) ~(*e*)*s* 장난치다, 야단법석을 떨다.

didst [didst] 《古》 = DID (thou 와 더불어 쓰임).

†**die**[1] [dai] (*p., pp.* **died**; **dý·ing**) *vi.* ① 《~ / +전+명》 (사람·짐승이) 죽다; (식물이) 말라 죽다: ~ *of* illness〔hunger〕 병사〔아사〕하다 / ~ *from* wounds 부상으로 죽다 / ~ *in* battle〔an accident〕 전사하다〔사고로 죽다〕(★ 전쟁이나 사고일 때는 be killed가 일반적) / The bird ~*d through* neglect. 그 새는 돌봐주지 않아서 죽었다 / The flowers have ~*d*. 꽃이 말라 죽었다. ★ '…으로 죽다'의 경우, die *of*… 는 병·굶주림·노쇠가 원인, die *from*…은 부주의·외상(外傷)이 원인일 때에 쓰는 경향이 있으나, 후자의 경우에도 of를 쓰는 일이 많음. ② 《+보》 …한 상태로〔모습으로〕 죽다: ~ a hero 영웅으로서 생을 마치다, 용감하게 죽다 / He ~*d* young〔a bachelor〕. = He was young〔a bachelor〕 when he ~*d*. 그는 젊어서〔총각으로〕 죽었다. ③ 《~ / +부 / +전+명》 (불이) 꺼지다, (제도가) 없어지다, (예술·명성 등이) 사라지다; (소리·빛 따위가) 희미해지다, (서서히) 엷어지다; (기계 따위가) 멎다 《*away*; *down*; *off*; *out*》: The plane's engine ~*d* on takeoff. 이륙하자 비행기의 엔진이 꺼져버렸다 / Don't let the fire ~. 불을 꺼뜨리지 마라 / The wind slowly ~*d down*. 바람이 서서히 잤다 / His secret ~*d with* him. 그 비밀은 그의 죽음과 함께 묻혀 버렸다, 그는 죽을 때까지 그 비밀을 지켰다 / This memory will never ~. 이 기억은 결코 잊혀지지 않을 것이다. ④ 《+*to* do / +전+명》 〔흔히 現在分詞꼴로〕 《口》 간절히 바라다, 애타다: She is *dying to* go. 몹시 가고 싶어한다 / I'm *dying for* a drink. 술 한잔 하고 싶어 죽겠다. ⑤ 《+전+명》 〔進行形으로〕 (고통·괴로움으로) 죽을 것 같다: The injured man is *dying*, but not dead. 부상자는 죽어가고 있으나 죽지는 않았다 / I'm *dying of* boredom. (나는) 따분해서 죽을 지경이다.

— *vt.* 〔同族目的語를 취하여〕 …한 죽음을 하다: ~ a glorious death 명예롭게 죽다 / ~ a natural death 자연사하다 / ~ a martyr 순교하다. ~ ***away*** (바람·소리 등이) 잠잠해지다. ~ ***back*** (초목이) 가지 끝에서부터 말라죽어서 뿌리만 남다. ~ ***down*** (1) 점점 조용해지다〔꺼지다, 그치다〕: The wind has finally ~*d down*. 바람은 마침내 멎었다. (2) = ~ back. ~ ***hard*** (1) 최후까지 저항하다, 좀처럼 죽지 않다. (2) (습관·신앙 따위가) 좀처럼 사라지지 않는다. ~ ***in harness*** 현직에서 죽다; 죽을 때까지 일하다. ~ ***in*** one***'s bed*** 제명에 죽다, 집에서 죽다. ~ ***in*** one***'s shoes*** 〔***boots***〕 = ~ ***with*** one***'s shoes*** 〔***boots***〕 ***on*** 변사〔횡사〕하다. ~ ***off*** 차례로 죽다, 죽어 없어지다; (소리 따위가) 점점 희미해지다: Her whole family ~*d off* one by one. 그녀 가족은 하나씩 모두 죽었다. ~ ***out*** 사멸하다; (풍습 등이) 소멸하다; (강점·사실 등이) 사라지다; (불이) 꺼지다. ***Never say*** ~***!*** 죽는 소리 마라, 비관하지 마라.

die**[2] (*pl.* ***dice [dais]) *n.* ① Ⓒ 주사위: The ~ is cast〔thrown〕. 《俗談》 주사위는 이미 던져졌다, 벌인 춤이다. ② (*pl.*) 주사위 노름. ③ Ⓒ 주사위 모양으로 자른〔벤〕 것.

die[3] (*pl.* ~**s** [daiz]) *n.* Ⓒ ① 철인(鐵印); 거푸집; 찍어내는 본, 형판(型板). ② 다이스틀, 수나사 깎개. (***as***) ***straight as a*** ~ 똑바른, 정직한.

die-a·way [dáiəwèi] *a.* 힘 없는, 초췌한: a ~ look 초췌한 표정.

díe càsting 〖工〗 ① 다이캐스팅. ② 다이캐스팅 「제품〔주조물〕.

die·hard [dáihɑ̀:rd] *n.* Ⓒ 완고한 사람; 완고한 보수파 정치가. — *a.* = DIE-HARD.

die-hard *a.* 〔限定的〕 완고한.

di·e·lec·tric [dàiiléktrik] 〖電〗 *n.* Ⓒ 유전체(誘電體); 절연체. — *a.* 유전성의; 절연성의.

dieresis ⇨ DIAERESIS.

die·sel [dí:zəl, -səl] *n.* Ⓒ ① 디젤 엔진. ② 디젤 기관차〔자동차·선박(등)〕.

die·sel-e·lec·tric [dí:zəlilèktrik] *n.* Ⓒ 디젤 전기 기관차(=ˊ~ **locomótive**).

***díesel èngine** 디젤 엔진.

díesel òil 〔fùel〕 디젤유〔연료〕.

Di·es Irae [dí:eis-í:rei] 《L.》 Dies Irae (노여움의 날)로 시작되는 위령 미사 때의 찬미가.

‡**di·et**[1] [dáiət] *n.* ① U.C (일상의) 식품, 음식물: a meat 〔vegetable〕 ~ 육식〔채식〕/ a low-calorie ~ 저칼로리식 / a rich ~ 미식(美食). ② C (치료·체중 조절을 위한) 규정식; 식이 요법, 다이어트; (병원 등의) 특별식 일람표(=∠ **shèet**): an invalid ~ 환자용의 특별식 / go on a strict ~ 엄격한 식사제한을 하다 / be on a ~ 식이(食餌) 요법을 하고 있다, 규정식(食)을 먹고 있다 / put a person on a special ~ 아무에게 규정식을 먹게 하다.
— *vt.* …에게 규정식을 주다. — *vi.* 규정식을 먹다, 식이 요법을 하다《*on*》: Don't pass me the cake; I'm ~*ing*. 내게 과자는 주지마, 다이어트 중이니. ~ one***self*** 식사요법을 하다; 감식(減食)하다.

‡**di·et**[2] *n.* (흔히 the D-) 국회, 의회《덴마크·스웨덴·일본 등의》. cf. congress, parliament.

di·e·tary [dáiətèri / -təri] *a.* ① 식사의, 음식의. ② 규정식의, 식이(食餌) 요법의: a ~ cure 식이 요법. — *n.* C 규정식.

di·et·er [dáiətər] *n.* C 다이어트를 하는 사람.

di·e·tet·ic [dàiətétik] *a.* 영양의; 영양학의.

di·e·tet·ics [dàiətétiks] *n.* U 영양학.

di·e·ti·tian, -ti·cian [dàiətíʃən] *n.* C 영양사; 영양학자.

diff. difference; different; differential.

‡**dif·fer** [dífər] *vi.* 《~ / +전+명》 ① 다르다, 틀리다《*from*》: Tastes ~. 《俗談》 오이를 거꾸로 먹어도 제멋, 취미는 사람마다 다르다 / Dogs ~ *from* wolves in shape. 개는 모양이 늑대와 다르다 / The temperature indoors and out ~*ed* by ten degrees. 옥내와 옥외는 10도의 온도차가 있었다. ② 의견이 다르다《*with*; *from*》: I beg to ~ (*from* you). 실례지만 (당신의 의견에) 찬성할 수 없습니다 / He ~*s with* me entirely. 그는 나와 완전히 의견이 다르다 / She always ~*s with* her husband *about* what to eat for supper. 그녀는 저녁에 무엇을 먹느냐로 항상 남편과 의견이 맞지 않는다. ◇ difference *n.* ***agree to*** ~ ⇨ AGREE.

†**dif·fer·ence** [dífərəns] *n.* ① U.C 다름, 차, 상위; 차이〔상위〕점《*between*》. cf. distinction. ¶ the ~ *of* this book *from* that one 이 책과 그 책의 차이 / the ~ *between* man *and* woman 남녀의 차 / I see little ~ *in* quality *between* the two. 그 둘 사이의 품질에는 거의 차이가 없다고 본다. ② C (종종 *pl.*) 의견의 차이; 불화, 다툼; (국제간의) 분쟁: iron out ~*s* 장애를 제거하다 / They settled their ~*s*. 그들은 분쟁을 해결했다 / We had a serious ~ of opinion. 의견의 중대한 차이가 있었다. ③ U (또는 a ~) 〖數〗 차; 〖經〗 (주식의 가격변동의) 차액; 간격; 〖論〗 차이: There's *a* ~ of 5 dollars in price. 값에 5달러의 차가 있다 / pay the ~ (요금 등의) 차액을 지불하다. ◇ differ *v.* ***make a*** 〔***the***〕 ~ (1) 차이를 낳다; 차별을 두다《*between*》. (2) 효과를 내다, 영향을 미치다; 중요하다《*to*》: The flower *make* all *the* ~ *to* the room. 방은 그 꽃으로 크게 달라진 것 같다. ***split the*** ~ (1) 차액을 등분하다. (2) (서로) 양보하다; 타협하다. ***What's the*** ~**?** (1) 어떻게〔무엇이〕 다릅니까. (2) 상관 없지 않나. ***with a*** ~ 특별한 점을 가진: an artist *with a* ~ 특이한 예술가.

†**dif·fer·ent** [dífərənt] (***more*** ~; ***most*** ~) *a.* ① 다른, 상이한, 딴《*from; in*》: Man is ~ *from* other animals. 인간은 다른 동물과 다르다 / Don't count us among you. We are ~. 너희들과 한가지로 취급하면 곤란한데. 우리는 다르니까《숨겨진 뜻은 *from* you '너희들과는' 따위. ② 의 첫째 보기와 비교》. ★ different from 이 보통인데, 영국 구어에서는 different to, 미국 구어에서는 different than으로 쓰는 경우도 많음; 수식어는 much 〔very〕 different. ② 서로 다른(~ from each other), 여러가지의《*in*》; 각각의: We are all ~. 우리는 다 각각 다르다 / *Different* men, ~ ways. 십인 십색 / *Different* nations have ~ customs. 민족이 다르면 풍속도 다르다. ③ 《口》 색다른, 특이한(unusual), 특별한: Father is quite ~. He rarely reads a newspaper. 아버지는 참 별나다. 좀처럼 신문을 안 보신다.

dif·fer·en·tia [dìfərénʃiə] (*pl.* ***-ti·ae*** [-ʃiì:]) *n.* C ① (본질적) 차이, 특이성. ② 〖論〗 종차(種差).

***dif·fer·en·tial** [dìfərénʃəl] *a.* ① 차별〔구별〕의, 차이를 나타내는, 차별적인《임금·관세 등》, 격차의: ~ duties 차별〔특별〕 관세 / ~ wages 격차 임금. ② 특이한《특징 따위》. ③ 〖數〗 미분의. cf. integral. — *n.* C ① 차이, 격차; 임금 격차. ② 〖數〗 미분. ③ =DIFFERENTIAL GEAR. 파 **~·ly** [-ʃəli] *ad.* 특이하게, 차별적으로.

differéntial cálculus (the ~) 〖數〗 미분학.

differéntial géar 〖機〗 차동 기어〔장치〕.

***dif·fer·en·ti·ate** [dìfərénʃièit] *vt.* ① 《~+목 / +목+전+명》 …을 구별짓다, 구별〔차별〕하다, 식별하다《*from*》: ~ L *from* 〔and〕 R, L과 R을 구별하다 / Language ~*s* man *from* animals. 언어의 유무가 인간과 동물을 구별한다. ② …을 분화시키다; 특수화시키다.
— *vi.* ① 식별〔구별〕하다; 차별하다《*between*》: How do you ~ *between* these two mushrooms? 어떻게 이 두 종류의 버섯을 식별할 수 있나 / ~ *between* people according to their classes 계급으로 사람을 차별하다. ② (생물 등이) 분화하다.

dif·fer·en·ti·a·tion [dìfərènʃiéiʃən] *n.* U.C ① 차별(의 인정), 구분; 차별 대우. ② 분화(分化), 특수화. ③ 〖數〗 미분. cf. integration.

***dif·fer·ent·ly** [dífərəntli] *ad.* ① 다르게, 같지 않게: Different people behave ~. 사람마다 행동하는 것이 다르다 / My jacket is made ~ *from* yours. 내 재킷은 네 것과 바느질이 다르다. ② 따로따로, 서로 달리, 여러가지로: They answered the question ~. 그들은 질문에 가지각색으로 대답을 했다.

†**dif·fi·cult** [dífikʌ̀lt, -kəlt] (***more*** ~; ***most*** ~) *a.* ① 곤란한, 어려운, 힘드는, 난해(難解)한 《*of*》. opp. *easy.* ¶ a ~ task 힘든 일 / a ~ book 난해한 책 / This problem is ~ *to* solve. 이 문제는 풀기 어렵다 / It's ~ for me *to* stop smoking. 담배 끊기가 내겐 어려운 일이다. ② (사람이) 까다로운, 다루기 힘든: He is a ~ person *to* get on with. 사귀기 어려운 사람이다 / Don't be so ~. 그렇게 까다롭게 굴지 말게. ③ 불리한, 괴로운: a ~ position 괴로운 처지.

†**dif·fi·cul·ty** [dífikʌ̀lti, -kəl-] *n.* ① U 곤란; 어려움; 고생(苦生); 수고: I have ~ (*in*) remembering names. 남의 이름 외기가 매우 힘들다 / the ~ of finding employment 취직난. ② C (흔히 *pl.*) 어려운 일, 난국: face many *difficulties* 많은 어려움에 직면하다. ③ C (종종 *pl.*) 곤경, 《특히》 재정 곤란: be in *difficulties* for money 돈에 어려움을 겪고 있다. ④ C 불평, 이의; 다툼, 분규; 장애: labor *difficulties* 노동 쟁의 / make a ~ =make〔raise〕 *difficulties* 고충〔불평〕을 말하다; 난색을 표하다 / iron out *difficulties* 장애를

제거하다, 일을 원활하게 하다. ***with*** **(*great*)** ~ 간신히, 겨우 : It was only *with* ~ that he passed the exam. 그는 간신히 시험에 합격했다.

***dif·fi·dence** [dífidəns] *n.* [U] 자신 없음, 망설임, 사양, 내성적임 : with ~ 자신이 없는 듯이, 몹시 조심스럽게 〔주저하면서〕.

***dif·fi·dent** [dífidənt] *a.* 자신 없는, 조심스러운, 머뭇거리는, 내성적인《*about*》: She was ~ *about* offering her opinion. 그녀는 조심스럽게 제 의견을 말했다 / I was ~ *about* saying so. 그렇게 말하는 나는 주눅이 들어 있었다.
[파] ~·**ly** *ad.*

dif·fract [difrǽkt] *vt.* 〖物〗 (빛·전파·소리 따위)를 회절(回折)시키다.

dif·frac·tion [difrǽkʃən] *n.* [U] 〖物〗 회절.

***dif·fuse** [difjúːz] *vt.* ① (빛·열 따위)를 발산하다 : ~ heat〔a smell〕 열을〔냄새를〕 발산하다. ② 《~+[목] / +[목]+[전]+[명]》 (지식·소문 따위)를 퍼뜨리다, 유포하다, 보급(普及)시키다 ; (친절·행복 따위)를 두루 베풀다, 널리 미치게 하다 : ~ kindness 친절을 두루 베풀다 / ~ a feeling *of* happiness 행복감을 주위에 감돌게 하다 / His fame is ~*d throughout* the city. 그의 명성은 시중에 널리 퍼져 있다. ③〖物〗 (기체·액체)를 확산(擴散)시키다. ── *vi.* ① 퍼지다, 보급되다. ② 〖物〗 확산하다. ◇ diffusion *n.*
── [difjúːs] *a.* ① 흩어진 ; 널리 퍼진. ② (문체 따위가) 산만한, 말(수가) 많은 : a ~ speech 산만한 연설.
[파] ~·**ly** [-fjúːsli] *ad.* ~·**ness** [-fjúːsnis] *n.*

dif·fus·er [difjúːzər] *n.* [C] ① 유포〔보급〕하는 사람. ② (기체·광선 등의) 확산기, 방산기 ; 살포기.

dif·fus·i·ble [difjúːzəbəl] *a.* ① 퍼지는, 전파〔보급〕될 수 있는. ②〖物〗 확산성의.

***dif·fu·sion** [difjúːʒən] *n.* [U] ① 산포 ; 전파, 보급, 유포《*of*》: ~ *of* knowledge 지식의 보급. ② 〖物〗 확산 : the ~ *of* a scent 냄새의 발산.
◇ diffuse *v.*

dif·fu·sive [difjúːsiv] *a.* ① 산포되는 ; 보급력이 있는, 널리 퍼지는. ② (문체·말 따위가) 장황한, 산만한. ③ 확산성의. [파] ~·**ly** *ad.* ~·**ness** *n.*

‡dig [dig] (*p., pp.* ***dug*** [dʌg], 《古》 ***digged ; dig·ging***) *vt.* ① 《~+[목] / +[목]+[보] / +[목]+[부] / +[목]+[전]+[명]》 (땅 따위)를 파다, 파헤치다 ; (구멍·무덤)을 파다 : ~ a well 우물을 파다 / ~ the ground before a planting 심기 전에 땅을 파다 / ~ a grave *open* 무덤을 파헤치다 / ~ a field *up* 밭을 파 일구다 / ~ a tunnel *through* the hill 언덕에 터널을 파다. ② 《+[목]+[부]》 (광물)을 채굴하다 ; (보물 따위)를 발굴하다 ; (감자 따위)를 캐다《*up; out*》: ~ (*up*) potatoes 감자를 캐다 / They *dug* Mayan artifacts *out of* the ruins. 그들은 폐허에서 마야족의 공예품을 발굴했다. ③ 《+ [목]+[부] / +[목]+[전]+[명]》 …을 탐구하다 ; 찾아〔밝혀〕내다, 발견하다《*out*》: ~ *out* the truth 진실을 탐색해내다 / ~ (*out*) facts *from* books 책에서 사실을 찾아내다 / ~ *out* a reference 참고자료를 발견하다. ④ 《+[목]+[전]+[명]》 《口》 (손발·칼 따위)를 지르다 ; (손가락·팔굽 등)으로 찌르다《*in, into*》: ~ one's hands *into* the pockets 호주머니에 손을 지르다 / ~ one's fingers *into* the soft earth 부드러운 흙에 손가락을 찔러넣다. ⑤ 《俗》 …을 좋아하다 ; 이해하다 ; 알다 : He just doesn't ~ modern jazz. 그는 모던 재즈를 통 모른다 / Do you ~ that kind of music? 너는 저런 음악을 좋아하니.
── *vi.* 《~ / +[전]+[명]》 ① (손이나 연장을 써서) 파다 ; 구멍을 파다 : ~ deep 깊이 파다 / ~ *for* gold 〔treasure〕 금〔보물〕을 찾아 땅을 파다 / ~ *through* a mine 갱도를 파다. ② 캐내다, 찾아내다 《*against*》; 캐내려고 하다 ; 파내려고 하다《*for*》: ~ *for* information 정보를 얻으려고 하다. ③ **a)** 《口》 (자료 등을) 꼼꼼히 조사하다 ; (…을) 탐구〔연구〕하다 : ~ *down into* a person's mind 아무의 흉중을 깊숙이 살피다. **b)** 《美口》 (…을) 꾸준히 연구하다, (…에) 힘쓰다《*in, into ; at*》: ~ *into* one's work 착실히 일을 하다. ~ one***'s heels in*** ⇨ HEEL[1] (成句). ~ a person ***in the ribs*** 아무의 옆구리를 팔꿈치로〔손가락으로〕 찌르다《친밀감 따위의 표시로》. ~ ***into*** (비료 따위를) …에 파묻다 ; …을 철저하게 조사하다 ; 《口》 …을 열심히 공부하다 ; (일을) 열심히 하다 ; 게걸스럽게 먹기 시작하다 ; 《口》 (자금 따위에) 손을 대다. ~ ***out*** (1) 파내다《*of*》. (2) 찾아 내다. ~ ***over*** (1) 파 일구다. (2) 《口》 재고하다. ~ one***self in*** (1) 참호를〔구멍을〕 파 자기 몸을 숨기다. (2) 《口》 (취직하여) 자리 잡다, 지위를〔입장을〕 굳히다. ~ ***up*** (1) (황무지 등을) 파서 일구다. (2) (고구마 등을) 캐다. (3) 조사해 내다, 찾아내다. (4) 발굴하다 ; 발견하다.
── *n.* ① [C] (한 번) 찌르기, 쿡 찌름《*in*》: give a person a ~ *in* the ribs 아무의 옆구리를 쿡 찌르다. ② [C] 빈정거림, 빗댐《*at*》: That's a ~ *at* me. 그것은 나에 대한 빈정거림이다. ③ [C] **a)** 파는 일, 파기. **b)** (고고학상의) 발굴(작업) ; 발굴 현장 ; 발굴물. ④ (*pl.*) 《英口》 하숙(diggings) : live in ~*s* 하숙하다.

‡di·gest [didʒést, dai-] *vt.* ① (음식)을 소화하다 ; (약·술 따위가) …의 소화를 촉진하다. ② …의 뜻을 잘 음미하다, 이해〔납득〕하다 ; 숙고하다 : Read the poem several times and ~. 그 시를 여러 번 읽고 잘 음미해라. ③ (모욕 따위)를 참다, 견디다 : The insult is more than I can ~. 그 모욕은 참지 못하겠다. ④ …을 요약하다, 간추리다 : The original *was* ~*ed into* 100 pages. 원작은 100페이지로 요약돼 있었다. ── *vi.* ① 《~ / +[부]》 소화되다, 삭다 : This food ~*s well* 〔*ill*〕. 이 음식은 소화가 잘〔안〕 된다. ② 음식을 소화하다.
── [dáidʒest] *n.* [C] 요약 ; 적요 ; (문학 작품 따위의) 개요 ; 요약, 다이제스트 : a readable ~ of *War and Peace* '전쟁과 평화'의 요약.

di·gest·i·bil·i·ty [didʒèstəbíləti, dai-] *n.* [U] 소화 능력 ; 소화율〔성〕.

***di·gest·i·ble** [didʒéstəbəl, dai-] *a.* ① 소화할 수 있는 ; 삭이기 쉬운. ② 간추릴〔요약할〕 수 있는.

***di·ges·tion** [didʒéstʃən, dai-] *n.* ① **a)** [U] 소화(작용〔기능〕). **b)** [C] (흔히 *sing.*) 소화력 : have a strong 〔weak, poor〕 ~ 위가 튼튼〔약〕하다 / It is easy 〔slow〕 of ~. 그건 소화가 잘 된다〔더디다〕. ② [U] (정신적인) 동화 흡수 ; 동화력.

***di·ges·tive** [didʒéstiv, dai-] *a.* 〔限定的〕 소화의 ; 소화를 돕는, 소화력이 있는 : the ~ system 소화기 계통 / ~ organs 〔juice, fluid〕 소화 기관〔액〕.
── *n.* [C] ① 소화제. ② = DIGESTIVE BISCUIT.

digéstive bíscuit 소화 비스킷《보리로만 만든 별로 달지 않은 비스킷》.

***dig·ger** [dígər] *n.* [C] ① 파는 사람 ; (금광 따위의) 갱부(坑夫). ② 구멍 파는 도구〔기계〕. ③ (때로 D-) 《俗》 오스트레일리아〔뉴질랜드〕 사람〔병사〕.

dig·ging [dígiŋ] *n.* ① [U] 파기 ; 채굴, 채광 ; 발굴. ② (*pl.*) 광산, 채광장〔지〕 ; 폐광. ③ (*pl.*) 《英口》 하숙.

dig·it [dídʒit] *n.* [C] ① 손가락, 발가락 ; 손가락폭 《약 0.75인치》. ② 아라비아 숫자《0 에서 9 까지의 각 숫자 ; 본래 손가락으로 세었음》.

dig·it·al [dídʒitl] *a.* 〔限定的〕 ① 손가락의 ; 손가락이 있는 ; 손가락 모양의. ② 숫자로 표시하는, 숫자를 사용하는, 디지털의 : a ~ watch 디지털 시계. ③〖電子〗(통신·녹음 등이) 디지털 방식의. ── *n.* Ⓒ ① 손〔발〕가락. ② (피아노·오르간의) 건(鍵). ③〖컴〗수치형, 디지털.

dígital áudio tàpe 디지털 오디오(녹음) 테이프《略 : DAT ; CD와 같은 종류의 음질로 녹음이 가능》.

dígital communicátion〖컴〗디지털 통신《디지털 신호를 사용하는 통신체계》.

dígital compúter 디지털 컴퓨터, 수치형 전산기. cf. analog(ue) computer.

dig·i·tal·is [dìdʒitǽlis, -téi-] *n.* ① Ⓒ〖植〗디기탈리스. ② Ⓤ 디기탈리스 제제(製劑)《강심제》.

dígital plótter 디지털 플로터《컴퓨터에서 보내오는 디지털 신호에 따라 그림·표 등을 그리는 출력 장치》.

dígital recórding 디지털 녹음.

dig·i·tate [dídʒitèit] *a.* ①〖動〗손가락이 있는 ; 손가락 모양의. ②〖植〗(잎이) 손바닥 모양의.

dig·i·tize [dídʒitàiz] *vt.* (데이터)를 디지털화하다, 수치화하다.
㊕ **-tìz·er** *n.* Ⓒ 수치기《기계로는 읽을 수 없는 데이터를 디지털 형식으로 변환하는 장치》. **dìg·i·ti·zá·tion** [-ʃən] *n.* Ⓤ 디지털화(化).

***dig·ni·fied** [dígnəfàid] *a.* 위엄〔품위〕있는, 당당한 : a ~ old gentleman 기품있는 노신사 / his ~ air 그의 위엄있는 태도. ㊕ **~·ly** *ad.*

***dig·ni·fy** [dígnəfài] *vt.* ① …에 위엄이 있게 하다《*with*》. ② 고귀〔고상〕하게 (보이게) 하다 : ~ a school *with* the name of an academy 학교를 아카데미라는 그럴 듯한 이름으로 부르다.

dig·ni·tary [dígnətèri / -təri] *n.* Ⓒ 고귀한 사람 ; (정부의) 고관 ; 《특히》 고위 성직자.

‡**dig·ni·ty** [dígnəti] *n.* ① Ⓤ 존엄, 위엄 ; 존엄성 ; 품위, 기품 : the ~ of labor 〔the Bench〕 노동〔법관〕의 존엄성〔위엄〕/ human ~ 인간으로서의 존엄 / with ~ 위엄 있게 ; 엄숙하고 무게 있게. ② Ⓤ (태도 따위가) 무게 있음, 장중함 : a man of ~ 관록〔위엄〕 있는 사람 / answer〔walk〕 with ~ 당당하게 대답하다〔걷다〕. ③ Ⓒ 고위 ; 위계(位階), 작위. ***be beneath*** 〔***below***〕 ***one's ~*** 위엄을 손상시키다, 품위를 떨어뜨리다. ***stand*** 〔***be***〕 ***upon one's ~*** 점잔 빼다 ; 뽐내다.

di·graph [dáigræf, -grɑːf] *n.* Ⓒ 2자 1음, 이중자(二重字)《ch [k, tʃ, ʃ], ea [iː, e]와 같이 두 글자가 한 음(音)을 나타내는 것》.

di·gress [daigrés, di-] *vi.* (이야기·의제 따위가) 옆길로 빗나가다, 본제를 벗어나다, 여담을 하다, 지엽(枝葉)으로 흐르다, 탈선하다《*from*》: ~ *from* the main subject 주제에서 벗어나다 / if I may ~ 좀 여담이 되지만.

di·gres·sion [daigréʃən, di-] *n.* Ⓤ,Ⓒ 본제를 벗어나 지엽으로 흐름, 여담, 탈선 : to return from the ~ 본제로 되돌아가서 / ..., if I make a ~ … 여담으로 들어가도 괜찮으시다면.

di·gres·sive [daigrésiv, di-] *a.* (본제에서) 옆길로 벗어나기 쉬운 ; 본론을 떠난, 지엽적인.
㊕ **~·ly** *ad.* **~·ness** *n.*

dike, dyke [daik] *n.* Ⓒ ① 둑, 제방. ② 도랑, 해자, (배)수로. ③《比》방벽(防壁), 방어 수단. ── *vt., vi.* (…에) 제방을 쌓다 ; (…의) 주위에 해자를 둘러 지키다.

di·lap·i·date [dilǽpədèit] *vt., vi.* (건물 따위를 방치하여) 황폐케 하다〔황폐해지다〕.

di·lap·i·dat·ed [dilǽpədèitid] *a.* (집·차 따위가) 황폐해진, 황폐한, 무너져가는 ; 낡아빠진 : a ~ old house 무너져 가는 고옥 / a ~ car 고물차.

di·lap·i·da·tion [dilæ̀pədéiʃən] *n.* Ⓤ (건물 등의) 황폐.

dil·a·ta·tion [dìlətéiʃən, dàil-] *n.* Ⓤ ① 팽창, 확장. ②〖醫〗비대〔확장〕(증).

***di·late** [dailéit, di-] *vt.* (몸의 일부)를 팽창시키다 ; 넓히다 : with ~*d* eyes 눈을 크게〔동그랗게〕 뜨고 / ~ one's nostrils with pride 우쭐해서 콧구멍을 벌름거리다. ── *vi.* 《~ / +전+명》 ① 넓어지다 ; 팽창하다 : His eyes ~*d with*〔*from*〕 excitement. 흥분으로 그의 눈은 동그래졌다. ② 상세히 설명〔부연〕하다《*on, upon*》: ~ *on* 〔*upon*〕 one's views 의견을 상세히 진술하다.

di·la·tion [diléiʃən] *n.* =DILATATION.

dil·a·to·ry [dílətɔ̀ːri / -təri] *a.* ① (사람·태도가) 느린, 꾸물거리는, 늦은(belated) : be ~ *in* paying one's bill 청구서 지불이 늦다 / You're more ~ than I (am) in answering letters. 당신이 나보다 편지의 답장쓰는 것이 느리다. ② 지연시키는, 늦추는 : a ~ measure 지연책.
㊕ **dìl·a·tó·ri·ly** [-rili] *ad.* 꾸물거리며, 느릿느릿. **díl·a·tò·ri·ness** *n.* Ⓤ 지연, 지체.

‡**di·lem·ma** [dilémə] *n.* Ⓒ 진퇴 양난, 궁지, 딜레마 : the ~ of whether to break one's promise or to tell a lie 약속을 깨느냐 거짓말을 하느냐의 딜레마. ***be in a ~=be on the horns of a ~=be put into a ~*** 딜레마〔진퇴유곡〕에 빠지다 : I'*m in a ~* about〔over〕 this problem. 이 문제로 나는 진퇴유곡이다.

dil·et·tan·te [dìlətɑ́ːnt, -tǽnti] (*pl.* ***~s, -ti*** [-tiː]) *n.* Ⓒ 《종종 蔑》 딜레탕트《문학·예술의 아마추어 애호가》. ── *a.* 예술을 좋아하는 ; 전문가가 아닌 ; 수박 겉핥기식의.

dil·et·tant·ism, -tan·te·ism [dìlətǽntizəm, -tɑ́ːnt-], [-tiizəm] *n.* Ⓤ 딜레탕티즘, 아마추어 예술, 수박 겉핥기(의 지식).

‡**dil·i·gence**[1] [dílədʒəns] *n.* Ⓤ 근면, 부지런함 : work〔study〕 with ~ 부지런히 일〔공부〕하다.

dil·i·gence[2] [dìləʒɑ́ːns, -dʒəns] *n.* Ⓒ 《F.》 (옛 프랑스 등지에서 사용된) 승합 마차《장거리용》.

‡**dil·i·gent** [dílədʒənt] (***more ~ ; most ~***) *a.* ① 근면한, 부지런한, 열심히 공부하는《*in*》: a ~ worker 근면한 사람, 열심히 공부하는 사람 / He is ~ *in* his studies. 그는 열심히 공부하고 있다. ② (일 따위가) 공들인, 애쓴 : a ~ search 면밀한 수색. ㊕ ***~·ly** *ad.* 부지런히, 열심히.

dill [dil] *n.* Ⓤ〖植〗시라(蒔蘿)(의 열매·잎)《향미료》.

dil·ly [díli] *n.* 《口》 훌륭한〔근사한〕 것〔사람〕《종종 反語的으로 쓰임》.

dil·ly·dal·ly [dílidæ̀li] *vi.* (결심을 못하고) 꾸물거리다, 미적거리다《*over*》: ~ *over* the choice 선택을 못하고 꾸물거리다.

di·lute [dilúːt, dai-] *vt.* ① (액체)를 (물을 타서) 묽게 하다 ; (빛깔)을 엷게 하다《*with*》: ~ wine *with* water 포도주를 물로 희석하다. ② (효과·영향력 등)을 약화시키다, 감쇄(減殺)하다.
── *a.* 묽게 한, 희석한 ; 싱거운. ◇ dilution *n.*

di·lu·tion [dilúːʃən, dai-] *n.* ① Ⓤ 묽게 하기, 희석, 희박(稀薄). ② Ⓒ 희박해진 것, 희석액〔물〕.

di·lu·vi·al [dilúːviəl, dai-] *a.* ① 홍수의, 《특히》 Noah의 대홍수의. ②〖地質〗홍적기〔층〕의.

‡**dim** [dim] (***dím·mer ; dím·mest***) *a.* ① **a**) (빛이) 어둑한, 어스레한 : a ~ room 어두운 방 / read by the ~ light of a candle 희미한 촛불 아래서 독서하다. **b**) (사물의 형태가) 잘 안 보이는, 희미한, 흐릿한 : the ~ outline of a mountain 산의 흐릿한 윤곽. ② (기억 따위가) 희미한, 어렴풋

한 : as far as my ~ memory goes 나의 희미한 기억으로는. ③ (눈·시력이) 희미해서 잘 안 보이는, 흐린, 침침한 : eyes ~ with tears 눈물로 흐려진 눈 / His eyesight is getting ~. 그의 시력이 약해졌다. ④《口》(사람이) 우둔한(stupid). ⑤《口》가망성이 희박한 : His chances of survival are ~. 그의 생존 가능성은 희박하다. ~ ***and distant past*** 아득한 옛날〔과거〕. ***take a ~ view of*** …을 의심스럽게〔회의적으로〕 보다 : Her parents *takes a ~ view of* her going out with me. 그녀의 부모는 그녀가 나와 사귀는 것을 달가와하지 않는다.

── (***-mm-***) *vt.* ① …을 어둑하게 하다, 흐리게 하다. ②《美》(상대차가 눈부시지 않도록) 헤드라이트를 아래로 내리다(《英》dip) : ~ the headlights. ③ (기억 따위)를 희미하게 하다 ; (눈)을 흐리게〔침침하게〕 하다 : Twenty years had not ~*med* his memory. 20년이 되었어도 그의 기억은 흐려지지 않았다. ── *vi.*《~ / +전+명》어둑해지다, (눈이) 흐려지다, 침침해지다 : ~ *with* tears (눈이) 눈물로 흐려지다. ~ ***down*** 〔***up***〕 (조명을) 점차 약〔강〕하게 하다. ~ ***out*** (무대 등) 조명을 약하게 하다 ; (도시 등) 등화 관제하다.

㊞ ***∠·ly** *ad.* 희미하게, 어슴푸레하게. **∠·ness** *n.* 어스름 ; 불명료.

dim. dimension ; diminuendo ; diminutive.

dime** [daim] *n.* ① Ⓒ 10센트 은화, 다임《미국·캐나다의 ; 略 : d.》: He had only three ~*s*. 그에게 30센트밖에 없었다. ② (a ~) 〔否定文에서〕《口》단돈 한 푼 : We did*n't* earn *a* ~ from the transaction. 그 거래에서는 한푼도 벌지 못했다. ***a ~ a dozen 《口》싸구려의, 흔해빠진.

díme nóvel 《美》삼문(三文) 소설.

***di·men·sion** [dimén∫ən, dai-] *n.* Ⓒ ① (길이·폭·두께의) 치수 : take〔measure〕 the ~*s* of a window 창문의 치수를 재다. ② (흔히 *pl.*) **a)** 용적, 면적, 크기 : a stadium of vast ~*s* 굉장히 큰 스타디움. **b)** 규모, 범위, 정도 ; 중요성 : a problem of serious ~*s* 중대한 문제. ③ (문제·사항 등의) 면(面), 국면, 양상 : That adds a new ~ to our problem. 그 일이 우리가 안고 있는 문제에 새로운 면을 더해 준다. ④〖數·物·컴〗차원(次元) : A line has one ~, a surface two ~*s*, a solid body three ~*s*. 선은 1차원, 면은 2차원, 입체는 3차원을 가진다 / of two ~*s*, 2차원의, 평면의 / ⇨ FOURTH DIMENSION.

di·men·sion·al [dimén∫ənəl] *a.* 치수의 ; …차원의 : three-~ film〔picture〕 입체 영화(3-D picture) / four-~ space 4차원 공간.

díme stòre 《美》10센트 스토어, 싸구려 가게(fire-and-ten).

dimin. diminuendo ; diminutive.

‡di·min·ish [dəmíni∫] *vt.* (수량·힘·중요성 따위)를 줄이다, 감소시키다, 떨어뜨리다. opp. *increase.* ¶ Illness had seriously ~*ed* his strength. 병으로 그의 힘은 몹시 쇠약해졌다 / The failure ~*ed* his worth as a diplomat. 그 실패로 그의 외교관으로서의 가치가 떨어졌다.

── *vi.* 《~ / +전+명》 감소〔축소〕하다 : The food supplies were ~*ing* rapidly. 식량 공급이 급속히 감소되고 있었다. ***the law of ~ing returns*** 수확 체감의 법칙.

di·mín·ished responsibílity [dəmíni∫t-]〖法〗한정 책임 능력《정신 장애 따위로 올바른 분별력이 현저히 감퇴한 상태 ; 감형의 대상이 됨》.

di·min·u·en·do [dimìnjuéndou] (*pl.* ~*s*) *n.* Ⓒ《It.》〖樂〗디미누엔도(의 악절).

── *a., ad.* 점점 약한〔약하게〕《부호 >》.

***dim·i·nu·tion** [dìmənjú:∫ən] *n.* ① Ⓤ 감소, 감손, 축소. ② Ⓒ 감소액〔량, 분〕.

***di·min·u·tive** [dimínjətiv] *a.* ① 소형의, 작은 ; 자그마한, 《특히》 아주 작은 : a man ~ in stature 몸집이〔키가〕 작은 사내. ②〖言〗지소(指小)의, 작음을 표시하는. ── *n.* Ⓒ ① 애칭(Betsy, Kate, Tom 따위). ②〖文法〗지소사 ; 지소어《gos*ling*, stream*let*, lamb*kin* 따위는 지소어, ling, let, kin 따위는 지소(접미)사》. ㊞ **~·ly** *ad.* 축소적으로, 작게 ; 지소사로서 ; 애칭으로.

dim·i·ty [díməti] *n.* Ⓤ 돋을(줄)무늬 무명《침대·커튼용》.

dim·mer [dímər] *n.* ① Ⓒ 어둑하게 하는 사람〔물건〕; (무대 조명·헤드라이트 따위의) 제광(制光) 장치, 조광기(調光器). ②《美》(*pl.*) **a)** (자동차의) 주차 표시등(parking lights). **b)** 근거리용 하향 헤드라이트.

***dim·ple** [dímpəl] *n.* Ⓒ ① 보조개 : She's got ~*s* in her cheeks. 그녀 볼에는 보조개가 있다. ② 옴폭 들어간 곳 ; (빗방울 등으로 수면에 생기는) 잔물결. ── *vi., vt.* ① (…에) 보조개가 생기다, (…에) 보조개를 짓다. ② (…을) 움푹 들어가(게 하)다. ③ (…에) 잔물결이 일다 ; (…에) 잔물결을 일으키다.

dím súm 고기·야채 따위를 밀가루 반죽에 싸서 찐 중국 요리.

dim·wit [dímwìt] *n.* Ⓒ《口》멍청이, 바보.

dim-wit·ted [∠wítid] *a.* 《口》얼간이〔바보〕의.

din** [din] *n.* Ⓤ (종종 a ~) 떠듦, 소음, (쾅쾅·쟁쟁하는) 시끄러운 소리 : make〔rise, kick up〕 (*a*) ~ 쾅쾅 소리를 내다. ── (-nn-***) *vt.* 《+목+전+명》(소음으로) (귀)를 멍멍하게 하다 ; …을 시끄럽게 말하다〔되풀이하다〕《*into*》: He ~*ned into* her mind the importance of money. 그는 그녀에게 돈의 중함을 귀가 따갑도록 일러줬다.

── *vi.* (귀가 멍멍하도록) 울리다.

din-, dion- '무서운'의 뜻의 결합사.

DIN *Deutsche Industrie Normen* 《G.》(=German Industry Standard) (독일 공업 규격).

Di·na(h) [dáinə] *n.* 다이너《여자 이름》.

di·nar [diná:r] *n.* Ⓒ 디나르《유고슬라비아·이란·이라크 등지의 화폐 단위》.

‡dine [dain] *vi.* 《~ / +부 / +전+명》정찬을 들다 《have dinner 가 일반적》, 《특히》 저녁 식사를 하다 ; 〔一般的〕 식사하다 : We ~ at seven. 우리는 저녁을 일곱시에 먹는다. ── *vt.* (사람)을 정찬〔저녁 식사〕에 초대하다. cf. dinner. ~ ***in*** 집에서 식사하다. ~ ***on*** 〔***off***〕 …을 만찬〔저녁〕으로 들다 : I ~*d on*〔*off*〕 a steak. 저녁에 비프스테이크를 먹었다. ~ ***out*** 밖에서 식사하다, 외식하다《특히, 레스토랑 등에서》. ~ ***out on . . .*** (재미있는 이야기·경험 따위)의 덕분으로 여러 곳에서 식사에 초청받다〔향응을 받다〕.

din·er [dáinər] *n.* Ⓒ ① 식사하는 사람 ; 정찬〔만찬〕 손님. ② (기차의) 식당차(dining car). ③《美》식당차 모양의 간이 식당.

din·er-out [dáinəràut] (*pl.* ***dín·ers-out***) *n.* Ⓒ 외식하는 사람 ; 만찬에 초대를 받는 사람.

di·nette [dainét] *n.* Ⓒ ① (가정의, 부엌 구석 등의) 소(小) 식당. ② 소식당 세트(=∠ **sèt**)《식탁과 의자의 세트》.

ding [diŋ] *vi.* (종이) 땡 울리다.

── *vt.* ① (종)을 땡하고 울리다. ②《口》(같은 말)을 되풀이하여 일러주다《*into*》. ── *n.* Ⓒ 땡《종소리》.

ding·bat [díŋbæ̀t] *n.* Ⓒ ① (돌·벽돌 등) 투척물이 되기 쉬운 것. ②《美俗》바보, 미친 사람 ; 괴짜.

ding·dong [díŋdɔ̀(:)ŋ, -dɑ̀ŋ] *n.* Ⓤ 땡땡《종소리

등). — *ad.* 땡땡(하고). — *a.* 〔限定的〕 격전의, 막상막하의《경기 따위》: a ~ race 앞서거니 뒤서거니 하는 접전《경주》.

din·ghy [díŋgi] *n.* Ⓒ ① 딩기《경주·오락용 소형 보트》. ② 함재 소형 보트; 구명용 고무 보트.

din·gle [díŋgəl] *n.* Ⓒ 수목이 우거진 작은 협곡.

din·go [díŋgou] (*pl.* ~***es***) *n.* Ⓒ 들개의 일종《오스트레일리아산》.

din·gus [díŋgəs] *n.* Ⓒ 《口》 (이름은 잘 모르는) 무어라던가 하는 것〔장치〕.

din·gy** [díndʒi] (-gi·er*** ; ***-gi·est***) *a.* (옷·방 등이) (더러워진 듯) 거무스름한; 더러워진, 지저분한: a dark, ~ room 어둡고 지저분한 방. ㊞ **dín·gi·ly** *ad.* **-gi·ness** *n.*

din·ing [dáiniŋ] *n.* Ⓤ 식사(를 함).

díning càr (열차의) 식당차.

†**díning ròom** 식당《가정·호텔의 정식 식사의》.

díning tàble 식탁.

DINK, dink [diŋk] *n.* Ⓒ (흔히 *pl.*) 《口》 딩크(스) 《아이가 없는 맞벌이 부부의 한쪽; 생활 수준이 높음》. [◂ *D*ouble *I*ncome *N*o *K*ids]

din·key [díŋki] (*pl.* ~***s***, ***dínk·ies***) *n.* Ⓒ 《口》 소형 기관차; 소형 전차(電車); 자그마한 것.

dinky [díŋki] (***dink·i·er; -i·est***) *a.* ① 《美口》 자그마한, 하찮은. ② 《英口》 작고 예쁜〔귀여운〕, 깔끔한. — *n.* =DINKEY.

†**din·ner** [dínər] *n.* ① Ⓤ,Ⓒ 정찬《하루 중 제일 주요한 식사; 원래는 오찬, 지금은 흔히 만찬》; 저녁 식사: an early 〔a late〕 ~ 오찬〔만찬〕. ② Ⓒ 공식만찬〔오찬〕(회): throw a ~ 만찬회를 열다. ③ Ⓒ 정식(table d'hôte). ◇ dine *v.*

dínner bèll 정찬을〔식사를〕 알리는 종.

dínner jàcket 《英》 약식 야회복(tuxedo).

dínner pàrty 만찬〔오찬〕회.

dínner sèrvice 〔**sèt**〕 정찬용 식기류 일습.

dínner tàble (식사 중인) 식탁.

dínner thèater 《美》 극장식 식당.

din·ner·ware [dínərwὲər] *n.* Ⓤ 식기류.

***di·no·saur** [dáinəsɔ̀ːr] *n.* Ⓒ 〖古生〗 공룡.

di·no·sau·ri·an [dàinəsɔ́ːriən] *n.* Ⓒ, *a.* 공룡(의).

dint** [dint] *n.* ① Ⓤ 힘, 폭력. ② Ⓒ 맞은 자국, 움푹 팬 곳. ***by ~ of …의 힘〔덕〕으로; …에 의하여: He succeeded *by ~ of* patience. 그는 인내함으로써 성공했다.

di·oc·e·san [daiásəsən / daiɔ́s-] *a.* diocese 의.

di·o·cese [dáiəsis, -sìːs] *n.* Ⓒ 주교 관구.

di·ode [dáioud] *n.* Ⓒ 〖電子〗 ① 다이오드《2단자(端子)의 전자 소자》. ② 이극(二極) (진공)관.

Di·og·e·nes [daiádʒəniːz / -ɔ́dʒ-] *n.* 디오게네스《그리스의 철학자; 412 ? -323 B.C.》.

Di·o·ny·si·an [dàiəníʃiən, -siən] *a.* 디오니소스(Dionysus)의〔같은〕; 분방(奔放)한; 격정적인.

Di·o·ny·sus, -sos [dàiənáisəs] *n.* 〖그神〗 디오니소스《주신(酒神); 로마 신화에서는 Bacchus》.

di·o·ra·ma [dàiərǽmə, -rɑ́ːmə] *n.* Ⓒ ① 디오라마, 투시화(透視畫). ② (소형 모형) 실경(實景). ③ 디오라마관(館).

***di·ox·ide** [daiáksaid, -sid / -ɔ́ksaid] *n.* Ⓤ,Ⓒ 〖化〗 이산화물(二酸化物).

di·ox·in [daiáksin / -ɔ́k-] *n.* Ⓤ 〖化〗 다이옥신《독성이 강한 유기염소 화합물; 제초제 등》.

‡**dip** [dip] (*p., pp.* ~***ped*** ; ***∠·ping***) *vt.* ① 《~+목/+목+전+명》 …을 담그다, 적시다, 살짝 담그다: ~ the bread *in* 〔*into*〕 the milk 빵을 밀크에 적시다 / ~ a brush *into* paint 솔을 페인트에 살짝 담그다 / She ~*ped* the towel *into* the water and wiped the table. 그녀는 수건을 물에 적셔 탁자를 닦았다. ② 〖基〗 …에게 침례를 베풀다. ③ **a**) (양(羊))을 살충 약물에 넣어 씻다; (양초)를 만들다《녹은 초에 심지를 넣어서》: hand ~*ped* candles 수제 양초. **b**) (옷 따위)를 적셔서 염색하다: ~ a sweater 스웨터를 물감에 담가 염색하다. ④ **a**) (기 따위)를 잠깐 내렸다 곧 올리다《경례·신호 등을 위하여》: ~ the flag in salute (다른 배에 대한) 경례로 기를 잠깐 내리다. **b**) (머리)를 숙이다, (인사로) 무릎을 조금 꺾다: ~ a curtsy 무릎을 살짝 굽혀 인사하다. **c**) 《英》 (대형차가 눈부시지 않게 헤드라이트)를 아래로 비추다(《美》 dim). ⑤ 《~+목/+목+전+명》 …을 퍼〔떠〕내다《*out* ; *up*》: ~ water *out of* a boat 보트에서 물을 퍼내다 / ~ *out* soup with a ladle 국자로 국을 뜨다.

— *vi.* ① (물 따위에) 잠겼다 나오다, 잠깐 잠기다《*into*》: The bird ~*ped in* the water. 새는 잠깐 물에 잠겼다가 떠올랐다. ② 《+전+명》 (무엇을 꺼내려고) 손 따위를 집어넣다《*into*》: ~ *into* a bag 부대 속에 손을 집어넣다. ③ (해가) 지다, 내려가다; 내리막이 되다: The sun ~*ped* behind the hills. 해가 산넘어로 졌다 / The bird ~*ped* in its flight. 새는 날면서 휘익 내려갔(다가 다시 올라갔)다. ④ 무릎을 약간 굽혀 인사하다. ⑤ 띄엄띄엄 주워 읽다; 대충 조사하다《*into*》: ~ *into* a book 잠시 책을 훑어보다. ⑥ (값 따위가) 떨어지다. ~ ***in*** 자기의 몫을 받다. ~ ***into*** one***'s pocket*** 〔***purse, money, savings***〕 (필요가 있어서) 돈을 내다 〔저금 등에 손을 대다〕.

— *n.* ① Ⓒ 잠깐 담그기, 잠깐 잠기기; 한번 멱 감기: How about (taking) a ~ in the lake? 연못에서 한번 멱을 감지 않겠나. ② Ⓒ (한번) 푸기〔떠내기〕; 잠깐 들여다봄. ③ Ⓤ,Ⓒ 침액(浸液); (양의) 침세액(浸洗液) (sheep-~): give the sheep a ~ 양을 침세액에 넣어 씻다. ④ Ⓒ (실심지) 양초. ⑤ Ⓒ (지층의) 경사; (땅의) 우묵함; (지반의) 침하(沈下); 내리막길: a ~ in the ground 지면의 침하. ⑥ Ⓒ (값 따위의) 하락: a ~ in price 값의 하락. ⑦ Ⓒ 〖測〗 딥, 부각(俯角). ⑧ Ⓒ 《俗》 소매치기.

Dip., dip. diploma.

***diph·the·ria** [difθíəriə, dip-] *n.* Ⓤ 〖醫〗 디프테리아. ㊞ **-the·rit·ic** [dìfθərítik, dìp-] *a.*

diph·thong [dífθɔːŋ, díp- / -θɔŋ] *n.* Ⓒ ① 〖音聲〗 이중 모음《[ai, au, ɔi, ou, ei, uə] 따위》. OPP. *monophthong.* ② 모음의 연자(連字)〔합자(合字)〕(ligature)《æ, œ, fi 등》. ㊞ **diph·thon·gal** [difθɔ́ːŋgəl, dip- / -θɔ́ŋ-] *a.*

di·plo·ma** [diplóumə] (*pl.* ~s***) *n.* Ⓒ ① 면허증; 졸업 증서, 학위 수여증: get one's ~ 면허장을 얻다 / have a ~ in nursing 간호사 자격증이 있다. ② 상장, 감사장.

***di·plo·ma·cy** [diplóuməsi] *n.* Ⓤ ① (국가간의) 외교: abolish secret ~ 비밀 외교를 철폐하다. ② 외교적 수완, 흥정: use ~ 외교적 수완을 발휘하다.

diplóma mìll 《美口》 학위 남발 대학.

***dip·lo·mat** [dípləmæ̀t] *n.* Ⓒ ① 외교관: a career ~ 직업 외교관. ② 외교적 수완이 있는 사람, 외교가.

dip·lo·mat·ic** [dìpləmǽtik] (more ~; most ~***) *a.* ① **a**) 외교(상)의, 외교 관계의: enter into 〔break〕 ~ relations 외교관계〔국교〕를 맺다〔단절하다〕. **b**) 외교관의: the ~ crops〔body〕 외교단, 외국 사절단. ② **a**) 외교 수완이 있는, 책략에 능한(tactful): exercise one's ~ skill 외교 수완을 발휘하다. **b**) (남과의 응대에) 실수가 없는, 눈치〔재치〕 있는: She gave a ~ reply. 그녀는 재치있게 대답했다. ③ 〔限定的〕 고문서학의; 원전(原典)대로의.

dip·lo·mat·i·cal·ly [dìpləmǽtikəli] *ad.* 외교상; 외교적으로.

diplomátic bàg 외교 행낭.

diplomátic immúnity 외교관 면책 특권《관세·체포·가택 수색 따위에 대한》.

di·plo·ma·tist [diplóumətist] *n.* =DIPLOMAT.

***dip·per** [dípər] *n.* ① Ⓒ 국자, 퍼〔떠〕내는 도구. ② (the D-) 북두 칠성(the Big Dipper)《큰곰자리의 일곱 별》; 소북두칠성(the Little Dipper)《작은곰자리의 일곱 별》. ③ Ⓒ 담그는 사람〔것〕. ④ Ⓒ 잠수하는 새《물총새·물까마귀 따위》.

dip·py [dípi] *a.* 《俗》 미친, 머리가 돈〔이상한〕.

dip·so [dípsou] *n.* 《口》 =DIPSOMANIAC.

dip·so·ma·nia [dìpsouméiniə] *n.* Ⓤ 〖醫〗 갈주증(渴酒症), 음주광(狂), 알코올 중독.

dip·so·ma·ni·ac [-niæ̀k] *n.* Ⓒ 알콜 중독자.

dip·stick [dípstìk] *n.* Ⓒ (crankcase 안의 기름 따위를 재는) 계심(計深)〔계량〕봉(棒).

díp swìtch 《英》 (자동차의) 감광(減光) 스위치《헤드라이트를 숙이는》.

dip·ter·ous [díptərəs] *a.* 〖蟲〗 쌍시류의.

***dire** [daiər] (*dír·er* [dáirər / dáiərər]; *dír·est*) *a.* ① 무서운(terrible); 비참한(dismal), 음산한: a ~ news 비보(悲報) / a ~ calamity 대참사. ② 긴박한, 극단적인: in ~ financial straits 몹시 돈에 궁해 / There's a ~ need for food. 식량〔식료품〕이 긴급히 필요하다.

†di·rect [dirékt, dai-] *vt.* ① 《+目+前+名》 **a)** (주의·노력 등)을 (똑바로) 돌리다, 향하게 하다 《*against; at; to; toward(s)*》: ~ one's attention *to* 〔*toward*〕 …에 주의를 돌리다 / He ~*ed* all his energy to his business. 그는 온 정력을 사업에 경주했다. **b)** 《+目+副》 (발걸음·시선)을 …에 돌리다, 향하게 하다: I didn't know where to ~ my steps. 나는 어디로 발길을 돌려야 할지 몰랐다. ② 《+目+前+名》 …에게 길을 가리키다: Will you ~ me *to* the station? 정거장으로 가려면 어디로 갑니까. ③ 《~+目/+目+前+名》 …에 겉봉을 쓰다, (편지 등)을 …앞으로 내다(address): ~ a letter 편지에 겉봉을 쓰다 / *Direct* this letter *to* his business address. 이 편지는 그의 근무처 주소로 해라. ④ …을 지도하다(instruct); 관리하다; 지휘〔감독〕하다(control): A teacher ~*s* the work of the pupils. 선생은 학생들의 공부를 지도한다 / A policeman is ~*ing* (the) traffic. 경찰관이 교통 정리를 하고 있다. ⑤ 《~+目/+目+*to* do》 …에게 명령하다(order); 지시하다; (영화·극 따위)를 감독하다: ~ a play 극의 감독을 하다 / ~ an orchestra 오케스트라를 지휘하다 / ~ a person *to* do 아무에게 …하도록 명령하다.
— *vi.* ① 《美》 〖樂〗 지휘하다: Who will ~ at tomorrow's concert. 내일 연주회에서는 누가 지휘를 할까. ② (극·영화에서) 연출〔감독〕하다.
— (*more* ~, ~·*er*; *most* ~, ~·*est*) *a.* ① **a)** 똑바른; 곧장 나아가는; 직행의: a ~ line 직선; 직통 전화 / a ~ train 직행 열차 / a ~ way to the station 역으로 곧장 가는 길. **b)** 직계의 (lineal): a ~ descendant 직계 비속(卑屬). ② 직접의(immediate). OPP *indirect*. ¶ a ~ hit 〔shot〕 직격(탄) / the ~ rays of the sun 직사 일광 / a ~ election 직접 선거 / The medicine had a ~ effect on the disease. 그 약은 그 병에 직방 효험이 있었다. ③ 솔직한; 단도직입적인: Give me a ~ answer. 솔직히 대답해라 / ask ~, brief questions 단도 직입적으로, 그리고 간단하게 묻다. ④ 진정한, 절대의: the ~ contrary〔opposite〕 정반대(의 것). — *ad.* ① 똑바로; 곧바로, 직행적으로: go 〔fly〕 ~ to Paris 파리로 직행하다 / Look at me ~. 나를 똑바로 보시오. ② 직접(적으로).
㊞ ~·**ness** *n.* Ⓤ 똑바름; 직접(성); 솔직.

diréct àccess stórage devìce 〖컴〗 직접 접선 기억 장치《略: DASD》.

diréct áction 직접 행동, 실력 행사《위법한 정치 행동; 특히 파업》.

diréct cúrrent 〖電〗 직류《略: DC》. OPP *alternating current.*

diréct débit 예금자를 대신하여 은행 계좌에서 하는 공납금 대리 납부: You can pay by ~. 계좌에서 자동 납부가 됩니다.

†di·rec·tion [dirékʃən, dai-] *n.* ① Ⓤ **a)** 지도, 지휘; 감독; 관리: under the ~ of a person = under a person's ~ 아무의 지휘〔지도, 감독〕 아래. **b)** 〖映·劇〗 감독; 연출. ② Ⓒ (흔히 *pl.*) **a)** 지시, 명령: obey a person's ~ 아무의 지시에 따르다 / at the ~ of the boss 상관의 지시로. **b)** 지시서, 설명서, 사용법: Read the ~*s* before using it. 그것을 사용하기 전에 설명서를 읽으시오. ③ Ⓒ 방향, 방위; 방면: a ~ indicator 〖空〗 방향 지시기 / lose one's sense of ~ 방향 감각을 잃다. ④ (사상 등의) 동향, 경향: new ~*s* in art 예술의 새로운 경향.

di·rec·tion·al [dirékʃənəl, dai-] *a.* 방향의; 지향성의: a ~ antenna 〔aerial〕 지향성 안테나 / ~ light (자동차 따위의) 방향 지시등.

diréction finder 〖通信〗 방향 탐지기, 방위 측정기.

di·rec·tive [diréktiv, dai-] *a.* 〔限定的〕 지시하는; 지도〔지휘, 지배〕하는《*of*》; 〖通信〗 지향성의.
— *n.* Ⓒ 지령(order); 명령: follow a ~ 지령에 따르다.

***di·rect·ly** [diréktli, dai-] (*more* ~; *most* ~) *ad.* ① 똑바로, 직접: He looked ~ before〔ahead of〕 him. 그는 똑바로 앞을 봤다 / go ~ to the head office 본사로 직행하다. ② 곧, 즉시: Do that ~. 곧 그것을 해라 / I will be there ~. 곧 그리로 가겠다. ③ 머지 않아: Summer will be here ~. 머지 않아 여름이 된다. ④ 바로: ~ opposite the store 그 가게의 바로 맞은편에. — *conj.* 《英口》 …하자마자(as soon as): *Directly* he arrived, he mentioned the subject. 그는 오자마자 이 이야기를 꺼냈다.

diréct máil 다이렉트 메일《직접 개인이나 가정으로 보내는 광고 우편물》.

diréct méthod (the ~) 직접 (교수)법《모국어는 안 쓰는 외국어 교수법》.

‡di·rec·tor [diréktər, dai-] (*fem.* **-tress** [-tris]) *n.* Ⓒ ① 지도자, …장; 관리자. ② (고등학교의) 교장; (관청 등의) 장관, 국장; (단체 등의) 이사; (회사의) 중역, 이사: the board of ~*s* 이사회. ③ 〖樂〗 지휘자; 〖映〗 감독; 〖美劇〗 연출가(《英》 producer). ㊞ ~·**shìp** *n.* Ⓤ ~의 직〔임기〕.

di·rec·tor·ate [diréktərət, dai-] *n.* Ⓒ ① director 의 직, 관리직. ② 〔集合的; 單·複數 취급〕 중역회, 이사회(board of directors).

diréctor géneral (*pl.* ***directors general,* ~*s***) 총재, 회장, 장관.

di·rec·to·ri·al [direktɔ́:riəl, dàirek-] *a.* 지휘〔지도〕상의, 지휘(자)의, 관리자의.

diréctor's chàir (앉는 자리와 등받이에 캔버스를 댄) 접의자《영화 감독들이 사용한 데서》.

***di·rec·to·ry** [diréktəri, dai-] *n.* Ⓒ ① 주소 성명록, 인명부. ② 전화 번호부(telephone ~). ③ 〖컴〗 자료방, 디렉토리《(1) 외부 기억 장치에 들어있는 파일 목록. (2) 특정 파일의 특징적 기술서(記述書)》.

diréct propórtion 〖數〗 정비례〔정비(正比)〕.

diréct táx 직접세.

dire·ful [dáiərfəl] *a.* 무서운; 비참한; 불길한. ㊞ **~·ly** [-li] *ad.* **~·ness** *n.*

dirge [dəːrdʒ] *n.* Ⓒ 만가(輓歌), 애도가.

dir·i·gi·ble [díridʒəbəl, dirídʒə-] 〖空〗 *a.* 조종할 수 있는 : a ~ balloon 〔airship〕 비행선. ― *n.* Ⓒ 비행선(airship).

‡dirt [dəːrt] *n.* Ⓤ ① **a)** 진흙(mud); 쓰레기, 먼지; 때, 불결물, 오물 : wash the ~ off one's boots 부츠의 진흙을 털다 / Are your hands free of ~? 손은 깨끗하니〔더러워지지 않았니〕. **b)** 배설물, 똥 : dog ~ 개똥. ② 흙(soil) : The wind picked up some ~. 바람으로 흙먼지가 좀 일었다. ③ **a)** 불결〔비열〕한 언동; 욕, 중상 : fling〔throw〕 ~ at …을 매도하다, 욕을 하다. **b)** 음담 패설. ④ 무가치한 것, 경멸할 만한 것. ***(as) cheap as ~*** 《口》 굉장히 싼(~-cheap). ***(as) common as ~*** (여성이) 하층 계급의, 미천한《lady 가 아닌》. ***dish the ~*** 《美俗》 험담을 하다, 소문을 퍼뜨리다. ***do* 〔*play*〕** a person ~ 《口》 아무에게 비열한 짓을 하다, 중상하다. ***eat ~*** 굴욕을 당하다〔참다〕. ***treat*** a person ***like (a piece of) ~*** 아무를 쓰레기같이 취급하다.

dirt·bike [dəːrtbàik] *n.* Ⓒ (비포장 도로용) 오토바이.

dirt-cheap [dəːrttʃíːp] *a., ad.* 《口》 턱없이 싼〔싸게〕.

dírt fàrmer 《美口》 (gentleman farmer 에 대해서) 실제로 경작하는 농부, 자작농.

dírt póor 몹시 가난한, 찰가난의.

dírt ròad 《美》 포장되지 않은 도로.

dírt tràck 석탄재를〔진흙을〕 깐 경주로.

†dirty [dəːrti] (***dirt·i·er; dirt·i·est***) *a.* ① 더러운, 불결한; (손발이) 더러워지는《일 따위》. OPP *clean.* ¶ a ~ hand 〔room〕 더러운 손〔방〕 / The park was ~ *with* litter. 공원은 쓰레기 투성이로 더러웠다. ② 흙투성이의; (길이) 진창인. ③ 음란한, 추잡한, 외설한; 더러운 : ~ talk 음담 / a ~ book 음란 서적. ④ 불쾌한, 유감천만인 : be in a ~ temper 기분이 좋지 않다. ⑤ (행동 등이) 공정하지 못한, 치사한; 부정한 : He played a ~ trick on me. 그는 비열한 수법으로 나를 속였다 / I cannot accept ~ money. 나는 부정한 돈을 받을 수 없다. ⑥ (날씨 따위) 사나운, 궂은(stormy) : ~ weather 사나운 날씨. ⑦ (빛깔이) 우중충한, 칙칙한; (목소리가) 잠긴. ⑧ (수폭 등) 방사성 강하물이 많은 : a ~ bomb (방사능이 많은) 더러운 폭탄. OPP *clean bomb.* ***a ~ look*** 화난〔원망하는〕 듯한 눈초리 : Don't give me *a ~ look.* 그렇게 노려보지 마라. ***do the ~ on...*** 《口》 …에게 더러운 짓을 하다; (여자)를 꼬셔낸 후에 버리다.

― *ad.* ① 더럽게, 부정하게, 비열하게 : fight ~. ② 《俗》 몹시 : ~ great 무척 큰. ― *vt.* (손발, 인격, 명성 따위)를 더럽히다. ― *vi.* 더러워지다 : White cloth *dirties* easily. 흰 천은 쉬 더러워진다. ㊞ **dírt·i·ly** *ad.* **-i·ness** *n.* Ⓤ 불결; 천함; 비열.

dírty dóg 《俗》 비열한 놈.

dírty línen 집안의 수치. ***wash one's ~ in public*** 남 앞에서 집안의 수치를 드러내다.

dírty tríck 비겁한 수법〔짓〕.

dírty wórk ① 더러운 일; 사람이 싫어하는 일 : He left the ~ for me. 그는 궂은 일은 내게 시켰다. ② 《口》 부정행위; 비열한 짓 : She made me do her ~. 그녀는 내게 부정 행위를 시켰다.

Dis [dis] *n.* 〖로神〗 디스《저승의 신으로 그리스 신화의 Pluto》.

dis [dis] (***-ss-***) *vt.* 《美俗》 …을 경멸하다; 비난하다. ― *n.* Ⓤ 비난. [◂ *dis*respect]

dis- *pref.* '비(非)…, 무…, 반대, 분리, 제거' 따위의 뜻을 나타내고, 또 부정의 뜻을 강조함 : *dis*content, *dis*entangle.

***dis·a·bil·i·ty** [dìsəbíləti] *n.* ① Ⓤ 무력, 무능; (법률상의) 무능력, 무자격. ② Ⓒ (신체 등의) 불리한 조건, 장애 : ~ insurance 신체 장애 보험.

***dis·a·ble** [diséibəl] *vt.* ① 《~+목 / +목+전+명》 …을 쓸모 없게 만들다, 무능〔무력〕하게 하다 《*from* do*ing*; *for*》 : people ~*d* by age 나이가 들어 쓸모 없게 된 사람들 / The loss of his arm ~*d* him *from* work*ing.* 그는 한쪽 팔을 잃어 일을 못하게 됐다. ② (사람)을 불구로 만들다; 〖法〗 무능력〔무자격〕하게 하다 : He was ~*d* in the war〔by polio〕. 그는 전쟁으로〔소아마비로〕 불구가 됐다. ③ 〖컴〗 불능케 하다 《(1) (하드웨어·소프트웨어상의) 기능을 억지하다. (2) IC 의 특정 핀에 전압을 가하여 출력 기능을 억지하다》.

dis·a·bled [diséibəld] *a.* ① 불구가〔무능력하게〕 된; 결함이 있는 : a ~*d* soldier 상이병 / a ~*d* car 고장차, 폐차. ② (the ~) 〔名詞的; 集合的; 複數취급〕 신체 장애자들.

dis·a·ble·ment [diséibəlmənt] *n.* U,C 무력화; 무능; 불구(가 됨).

dis·a·buse [dìsəbjúːz] *vt.* 《~+목 / +목+전+명》 …의 어리석음을 깨우치다, (그릇된 관념·잘못 따위)를 깨닫게 하다《*of*》 : ~ a person *of* superstition 아무를 미신에서 깨어나게 하다.

dis·ac·cord [dìsəkɔ́ːrd] *vi.* 일치하지 않다, 화합하지 못하다《*with*》. ― *n.* Ⓤ 불일치, 불화.

dis·ad·van·tage** [dìsədvǽntidʒ, -vɑ́ːn-] *n.* ① U,C 불리, 불이익; 불리한 사정〔입장, 조건〕, 핸디캡 : Uneducated people are at a ~. 못배운 사람들은 불리한 입장에 있다. ② Ⓤ 손해, 손실 : sell ... to one's ~ (물건 등)을 밑지고 팔다. ***to a person***'s ~=to the ~ of*** a person 아무에게 불리한, 불리하도록 : a rumor *to his ~* 그에게 불리한 소문.

― *vt.* (아무)를 불리하게 하다.

dis·ad·van·taged [-tidʒd] *a.* ① 불리한 조건에 놓인, 불우한 : ~ children. ② (the ~) 〔名詞的; 集合的; 複數취급〕 불우한 사람들.

dis·ad·van·ta·geous [disæ̀dvəntéidʒəs, dìsæd-] *a.* 불리한, 손해 되는; 형편이 나쁜 : a settlement ~ *to* him 그에게 불리한 해결. ㊞ **~·ly** *ad.*

dis·af·fect·ed [dìsəféktid] *a.* 불만을 품은, 불평이 있는; 모반심을 품은(disloyal) : ~ *to* 〔*toward*〕 the government 반(反)정부적인 / ~ elements 불평 분자.

dis·af·fec·tion [dìsəfékʃən] *n.* Ⓤ (특히 정부에 대한) 불만, 불평; (인심의) 이반; 모반심.

dis·af·fil·i·ate [dìsəfílièit] *vt., vi.* (사람을) (…에서) 탈퇴시키다〔하다〕.

dis·af·for·est [dìsəfɔ́ːrist, -fɑ́r- / -fɔ́r-] *vt.* = DEFOREST.

dis·a·gree** [dìsəgríː] *vi.* ① 《~ / +전+명》 일치하지 않다, 다르다《*with*; *in*》 : Your theory ~*s with* the facts. 당신의 설은 사실과 일치하지 않소. ② 《~ / +전+명》 의견이 맞지 않다《*with*》 : ~ *with* a person *about* …에 대해 아무와 의견이 맞지 않다. ③ 《+전+명》 (기후·음식 등이) …에게 맞지 않다《*with*》 : Garlic ~*s with* me. 마늘은 내 체질에 맞지 않는다 / This climate ~*d with* him. 여기 기후가 그에게는 맞지 않았다. ***agree to ~ ⇨AGREE.

dis·a·gree·a·ble** [dìsəgríːəbəl] (more ~; most ~***) *a.* ① 불쾌한, 마음에 들지 않는, 싫은 : a ~ person 불쾌한 사람 / have a ~ experience 불쾌한 경험을 하다. ② 까다로운, 사귀기 힘든 : a ~ fellow to deal with 다루기 힘든 놈. ㊞ **-bly**

ad. ~·**ness** *n.*

dis·a·gree·ment** [dìsəgrí:mənt] *n.* ① U,C 불일치, 의견의 상위(dissent) : ~*s* between husbands and wives 부부간의 의견 차이 / The two reports are in ~. 그 두 보고는 서로 다르다. ② U (기후·음식 등이 체질에) 안 맞음, 부적합. ***be in ~ with …와 의견이 맞지 않다 ; (음식·풍토가) …에 맞지 않다 : I'*m in* total ~ *with* my wife about our son's education. 아들 교육 문제로 아내와 통 뜻이 맞지 않는다.

dis·al·low [dìsəláu] *vt.* …을 허가〔인정〕하지 않다, 금하다 ; 각하하다(reject) : ~ a claim 요구를 거절하다. ㊥ ~·**ance** [-əns] *n.* U

dis·am·big·u·ate [dìsæmbígjuèit] *vt.* (문장·서술 따위)의 애매한 점을 없애다, 명확하게 하다.

dis·an·nul [dìsənʌ́l] *vt.* …을 완전히 취소하다.

‡**dis·ap·pear** [dìsəpíər] *vi.* 《~ / +전+명》 ① 사라지다, 모습을 감추다. OPP *appear.* ¶ ~ *in* the crowd 군중 속으로 사라지다 / ~ *from* sight 〔view〕 시야에서 사라지다. ② 없어지다, 소멸하다 ; 실종되다 : The custom has ~*ed*. 그 습관은 없어지고〔스러지고〕 말았다.

dis·ap·pear·ance [dìsəpíərəns] *n.* U,C 소실, 소멸 ; 실종 : ~ from home 가출.

***dis·ap·point** [dìsəpɔ́int] *vt.* ① …을 실망시키다, 낙담시키다, …의 기대에 어긋나게 하다 : The result ~*ed* us. 결과는 우리를 실망시켰다. ② …의 실현을 방해하다 ; (계획 따위)를 좌절시키다 (upset) : His illness ~*ed* all his hopes. 병으로 그의 희망은 모조리 좌절됐다. ③ 〔be ~ed로〕 (…에) 실망하다《*about* ; *at* ; *in* ; *with*》; (…이므로) 낙심하다《*to* do ; *that*》: I have to say I'*m ~ed with* your work. 네가 한 일에 실망했다고 말하지 않을 수 없다 / We *were ~ed that* it was raining. 비가 오고 있어 우리는 낙심 천만이었다.

dis·ap·point·ed [dìsəpɔ́intid] (***more ~ ; most ~***) *a.* ① 실망한, 낙담한 : the ~ mother 실망한 어머니 / be ~ in love 실연하다. ② (계획·희망 등이) 빗나간, 실현되지 않은 : He was ~ of his purpose. 그는(그의) 목표〔의도〕가 빗나갔다. ㊥ ~·**ly** *ad.* 실망하여, 낙담하여.

***dis·ap·point·ing** [dìsəpɔ́intiŋ] *a.* 실망시키는, 기대에 어긋나는, 맥 풀리는, 하잘것 없는 : a ~ result 실망스러운 결과 / *Disappointing* sales left the company short of cash. 매상이 시원찮아 회사는 현금이 부족해졌다.

dis·ap·point·ment** [dìsəpɔ́intmənt] *n.* ① U 실망, 기대에 어긋남 : His heart sank with ~. 실망하여 그의 마음은 침울해졌다. ② C 실망시키는 것, 생각보다 시시한 일〔것, 사람〕. ***to **one's ~** 낙심천만하게도. 「DISAPPROVAL.

dis·ap·pro·ba·tion [disæproubéiʃən] *n.* U =

***dis·ap·prov·al** [dìsəprú:vəl] *n.* U 안 된다고 하기 ; 불찬성 ; 비난 : The teacher shook his head in ~. 선생은 안된다고 고개를 가로저었다.

***dis·ap·prove** [dìsəprú:v] *vt.* …을 안 된다고 하다, 찬성하지 않다 ; 비난하다 : The committee ~*d* the project. 위원회는 그 계획을 인가하지 않았다. ── *vi.* 《+전+명》 찬성하지 않다《*of*》: I ~ *of* his going alone. 나는 그가 혼자 가는 것에는 찬성하지 않는다. OPP *approve.*

dis·ap·prov·ing·ly [dìsəprú:viŋli] *ad.* 불찬성하여 ; 비난하여 ; 비난하듯.

***dis·arm** [disá:rm, diz-] *vt.* ① 《~+목 / +목+전+명》 …의 무기를 거두다, 무장 해제하다 : ~ a person *of* his weapons 아무에게서 무기를 빼앗다 / ~ a prisoner 포로를 무장해제시키다. ② (노여움·의혹 등)을 누그러뜨리다, 진정시키다 ; (적의)를 없애다 : Her frankness ~*ed* me. 그녀의 솔직함에 마음이 누그러졌다. ── *vi.* 무장을 해제하다 ; 군비를 축소〔철폐〕하다.

***dis·ar·ma·ment** [disá:rməmənt, diz-] *n.* U ① 무장 해제. ② 군비 철폐〔축소〕. OPP *armament.* ¶ a ~ conference 〔talk〕 군축회의.

dis·arm·ing [disá:rmiŋ, diz-] *a.* (적의·의혹 따위를) 가시게 하는, 경계심을 풀게 하는 ; 천진한 : a ~ smile 상냥한 미소. ㊥ ~·**ly** *ad.*

dis·ar·range [dìsəréindʒ] *vt.* …을 어지럽히다, 혼란시키다. ㊥ ~·**ment** *n.* U,C

dis·ar·ray [dìsəréi] *vt.* …을 혼란에 빠뜨리다, 어지럽히다. ── *n.* U 혼란, 난잡 ; 단정치 못한 복장〔모습〕: The Russian economy is in total ~. 러시아 경제는 대혼란에 빠져 있다.

dis·as·sem·ble [dìsəsémbəl] *vt.* (기계 따위)를 해체하다, 분해하다. 「DISSOCIATE.

dis·as·so·ci·ate [dìsəsóuʃièit, -si-] *vt.* =

‡**dis·as·ter** [dizǽstər, -zá:s-] *n.* ① U,C 천재 ; 재해, 재난, 참사 ; 큰 불행 : a natural ~ 천재 / a man-made ~ 인재 / a railway ~ 큰 철도 사고 / A leak in a storage tank caused the ~. 저장 탱크의 누출이 대참사를 불러일으켰다. ② C 큰실패 ; 실패작 : The exploration ended in ~. 원정은 대실패로 끝났다.

disáster àrea 《美》 (홍수·지진 따위의) 재해지구《구조법의 적용 지구》.

***dis·as·trous** [dizǽstrəs, -á:s-] *a.* 비참한 ; 재난의, 재해의, 손해가 큰 : make a ~ mistake 치명적인 잘못을 저지르다 / a ~ accident 대참사 / The climate was ~ to his health. 그 기후는 그의 건강에는 아주 나빴다. ㊥ ~·**ly** *ad.*

dis·a·vow [dìsəváu] *vt.* …을 부인〔부정〕하다. ㊥ ~·**al** [-əl] *n.* U,C 부인, 거부.

dis·band [disbǽnd] *vt.* (군대·조직 등)을 해산하다 ; (군인)을 제대시키다. ── *vi.* 해산하다. ㊥ ~·**ment** *n.* U

dis·bar [disbá:r] (**-*rr*-**) *vt.* 〖法〗 …의 변호사 자격을 박탈하다.

***dis·be·lief** [dìsbilí:f] *n.* U ① 믿지 않음, 불신, 의혹《*in*》: He looked at her *in* ~. 그는 못믿겠다는 표정으로 그녀를 바라보았다. ② 불신앙.

dis·be·lieve [dìsbilí:v] *vt., vi.* (…을) 믿지 않다 ; 진실성 등을 의심하다《*in*》: ~ every word 한 마디도 믿지 않다 / I ~ him 〔his story〕. 나는 그의 얘기를 믿지 않는다《★ I don't believe him〔his story〕. 가 더 일반적임》. ㊥ **-líev·er** [-ər] *n.* C 믿지 않는 사람 ; 불신자.

dis·bud [disbʌ́d] (**-*dd*-**) *vt.* (모양을 만들기 위해) …의 싹을〔봉오리를〕 따내다.

dis·bur·den [disbə́:rdn] *vt.* ① …에서 짐을 내리다〔풀다〕: ~ a horse 말에서 짐을 내리다. ② (마음의) 무거운 짐을 벗다 ; (심중)을 토로하다 : ~ oneself *of* the secret 〔debts〕 비밀을 털어놓아〔빚을 갚아〕 마음이 후련해지다.

dis·burse [disbə́:rs] *vt.* (자금·기금 등에서) …을 지급〔지출〕하다.

㊥ ~·**ment** *n.* ① U 지급, 지출. ② C 지급금.

***disc** ⇨DISK.

***dis·card** [diská:rd] *vt.* ① …을 버리다, 처분하다《쓸데없는 것·습관 따위를》: ~ old beliefs 낡은 신앙을 버리다 / ~ old clothes〔clothing〕 헌옷을 처분하다. ②〖카드놀이〗 (쓸데없는 패)를 버리다. ── *vi.* 〖카드놀이〗 쓸데없는 카드를 버리다. ── [ˊ-] *n.* ① **a)** C 버려진 것〔사람〕. **b)** U 폐기, 버림. ② C 〖카드놀이〗 버리는 패.

dísc bràke (자동차 등의) 디스크 〔원판〕 브레이크.

꞉dis·cern [disə́ːrn, -zə́ːrn] *vt.* ①《~+목/+목+전+명》…을 분별하다, 식별하다 : ~ good *and* 〔*from*〕 evil 선악을 분별하다. ② …을 인식하다, …을 깨닫다 ; 발견하다 : ~ a distant figure 멀리 있는 사람의 모습을 알아보다 / I soon *~ed that* she was lying. 나는 곧 그녀가 거짓말을 하고 있다는 것을 간파했다. ── *vi.* 《+전+명》 분별하다, 식별하다 : ~ *between* the true and the false 참과 거짓을 식별하다.
㊕ **~·i·ble** [-əbəl] *a.* 식별〔분간〕할 수 있는. **~·ing** [-iŋ] *a.* 식별〔통찰〕력이 있는. **~·ment** *n.* Ⓤ 식별(력), 안식, 통찰력.

꞉dis·charge [distʃɑ́ːrdʒ] *vt.* ① (배)에서 짐을 부리다 : ~ a ship *of* its cargo = ~ a cargo *from* a ship 배에서 짐을 부리다. ② (차량·배 등의 짐·승객)을 내리다 : The airplane *~d* its passengers. 비행기는 승객들을 내렸다. ③《+목+전+명》 (책임·의무로부터 사람)을 해방하다, 면제하다 : ~ a debtor *from* his debts 채무자의 채무를 면제해 주다 / ~ a person *of* an obligation 아무를 의무로부터 해방시키다. ④〔~ oneself of 의 꼴로〕 (자기의 책임·약속 따위)를 이행〔실행〕하다 : ~ *oneself of* one's duty 의무를 다하다. ⑤ (의무·직분 따위)를 이행하다, 다하다 ; (약속)을 실행하다 ; (빚)을 갚다 : He *~d* his duties faithfully. 그는 충실하게 자기 직무를 수행했다. ⑥《~+목/+목+전+명/+목+*as* 보》 (아무)를 해임하다, 해고하다(dismiss)《*from*》; 제대시키다 ; (죄수)를 석방하다 : ~ a housemaid for dishonesty 성실하지 않다고 하녀를 내보내다 / ~ a soldier honorably 군인을 명예 제대시키다 / He was *~d from* office *as* incompetent. 무능하다고 면직당했다. ⑦ (물·연기 등)을 방출하다, 뿜어내다 ; (고름 등)을 나오게 하다 : ~ industrial waste into a river 공장폐수를 강에 방류하다 / ~ smoke 연기를 내다 / ~ pus (상처가) 고름을 내다. ⑧ (장전한 총포)를 발사하다 : ~ a gun 발사하다 / ~ an arrow *at* a target 과녁에 화살을 쏘다. ⑨〖電〗 방전하다. ⑩〖法〗 (명령)을 취소하다.
── *vi.* ① 짐을 내리다〔부리다〕. ②《+전+명》 (강이) 흘러 들어가다《*into*》: The river *~s* (itself) *into* a lake. 강물은 호수로 흘러 들어간다. ③ (눈물·콧물·고름 따위가) 나오다. ④ (전지가) 방전하다.
── *n.* ① Ⓤ 양륙, 짐풀기. ② Ⓒ,Ⓤ 발사, 발포 ; 〖電〗 방전 ; 쏟아져나옴 ; 〖醫〗 방출, 유출 ; 배설물, (종기 따위의) 고름 ; 유출량〔률〕 : a ~ *from* the ears 〔eyes, nose〕 귀고름〔눈곱, 콧물〕. ③ Ⓤ 해방, 면제 ; 방면 ; 제대 ; 해직, 해고. ④ Ⓒ 해임장 ; 제대증. ⑤ Ⓤ (의무의) 수행 ; (채무의) 이행, 상환.

dis·chárged bánkrupt [distʃɑ́ːrdʒd] 면책(免責) 파산자.

***dis·ci·ple** [disáipəl] *n.* Ⓒ ① 제자, 문하생. ② (종종 D-) 그리스도의 12사도(Apostles)의 한 사람. ㊕ **~·shìp** *n.* Ⓤ 제자의 신분〔기간〕.

dis·ci·plin·a·ble [dísəplìnəbəl] *a.* ① 훈련할 수 있는. ② (죄질 등이) 징계받아야 할.

dis·ci·pli·nar·i·an [dìsəplənέəriən] *n.* Ⓒ 규율을 엄격히 지키게 하는 사람, 엄격한 교사.
── *a.* = DISCIPLINARY.

dis·ci·pli·nary [dísəplənèri / -nəri] *a.* ① 훈련(상)의. ② 규율의 ; 훈계〔징계〕의 : a ~ committee 징계 위원회. ③ 학과의 ; 학문 과목의.

꞉dis·ci·pline [dísəplin] *n.* ① **a)** Ⓤ 훈련, 단련, 수양. **b)** Ⓒ 훈련법 : a Spartan ~ 스파르타식 훈련법. ② Ⓤ 규율, 풍기, 자제(自制), 계율 : military ~ 군기 / keep〔preserve〕 school ~ 학칙을 지키다. ③ Ⓤ 징계, 처벌 : Your son needs ~. 당신 아들에겐 징계가 필요해요. ④ Ⓒ 학과, 교과, (학문의) 분야. ── *vt.* ① …을 훈련〔단련〕하다 : ~ oneself 자기단련을 하다. ②《~+목/+목+전+명》…을 징계하다, 징벌하다 : ~ a child *for* bad behavior 버릇이 나빠 아이를 벌주다.

dísc jòckey 디스크 자키《略 : DJ, D.J.》.

dis·claim [diskléim] *vt.* ① (책임 등)을 부인하다 : He *~ed* any responsibility for the accident. 그는 그 사고에 아무런 책임이 없다고 했다. ②〖法〗 (권리 등)을 포기하다, 기권하다. ㊕ **~·er** *n.* Ⓒ (권리) 포기, 기권 ; 부인 ; 기권자 ; 부인〔거부〕자.

꞉dis·close [disklóuz] *vt.* ① (숨을 것)을 나타내다 ; 드러내다 : The lid went off and *~d* the contents of the box. 뚜껑이 벗겨지고 상자의 내용물이 보였다. ② …을 들추어내다, 폭로〔적발〕하다 : ~ a secret 비밀을 폭로하다. ③《+목+전+명》…을 분명히 하다, 발표하다 : He *~d* his intentions to us. 그는 우리에게 자기의 의도를 밝혔다.

***dis·clo·sure** [disklóuʒər] *n.* ① Ⓤ 발각, 폭로 ; 발표. ② Ⓒ 발각〔폭로〕 된 일, 숨김 없이 털어놓은 이야기.

dis·co [dískou] (*pl.* **~s**) *n.* ① Ⓒ《口》 디스코 (discotheque). ② Ⓤ 디스코 음악〔춤〕.

dis·col·or [diskʌ́lər] *vt.* …을 변색〔퇴색〕시키다, …의 색을 더럽히다 : The building was *~ed* by smoke. 건물은 연기 때문에 변색돼 있었다.
── *vi.* 변색〔퇴색〕하다.

dis·col·or·a·tion [diskʌ̀ləréiʃən] *n.* ① Ⓤ 변색, 퇴색. ② Ⓒ (변색으로 인해 생긴) 얼룩.

dis·com·bob·u·late [dìskəmbɑ́bjəlèit / -bɔ́b-] *vt.* 《美口》 (사람의 머리)를 혼란하게 만들다.

dis·com·fit [diskʌ́mfit] *vt.* ① (계획·목적)을 깨뜨리다, 좌절시키다, 의표를 찌르다. ② 당혹게 하다(disconcert), 쩔쩔매게 하다 : The news of the defeat *~ed* the Government. 패배의 소식은 정부를 당혹게 했다.

dis·com·fi·ture [-fitʃər] *n.* Ⓤ ① 계획 따위의 실패, 좌절. ② 당황, 당혹.

***dis·com·fort** [diskʌ́mfərt] *n.* ① Ⓤ 불쾌 ; 불안, 당혹 : ~ caused by noises 소음으로 인한 불쾌. ② Ⓒ 싫은〔불안한〕 일 ; 불편.
── *vt.* …을 불쾌〔불안〕하게 하다, 괴롭히다.

discómfort ìndex 불쾌 지수《略 : DI》.

dis·com·mode [dìskəmóud] *vt.* …에게 불편을 느끼게 하다, …에게 폐를 끼치다 ; 곤란하게 하다, 괴롭히다 : We were *~d* by his late arrival. 그가 늦게 와서 우리는 애를 먹었다.

dis·com·pose [dìskəmpóuz] *vt.* …을 불안하게 하다, 뒤숭숭하게 하다.

dis·com·po·sure [dìskəmpóuʒər] *n.* Ⓤ 뒤숭숭함, 심란, 불안 ; 당황, 당혹.

***dis·con·cert** [dìskənsə́ːrt] *vt.* ① …을 당황케 하다, 쩔쩔매게 하다 : He was *~ed* to hear the news. 그 소식을 듣고 그는 당황했다. ② (계획 따위)를 뒤엎다, 혼란시키다.

dis·con·cert·ed [dìskənsə́ːrtid] *a.* 당혹한, 당황한 : He was ~ *to* discover that he had lost the papers. 그는 서류를 잃어버린 것을 알고 당황했다.

dis·con·cert·ing [dìskənsə́ːrtiŋ] *a.* 당황케 하는, 당혹게 하는. ㊕ **~·ly** *ad.*

dis·con·nect [dìskənékt] *vt.* ① **a)** …의 연락〔접속〕을 끊다, 분리하다《*from* ; *with*》: ~ a wire 철사를 끊다. **b)** 〔再歸的〕 …와 인연을 끊다《*from*》: I've *~ed myself from* him now. 이로써 그와는 결별이다. ② …의 전원을 끊다, 전화를 끊다 : ~ a plug 플러그를 뽑다 / I've been *~ed*. (통화 중) 전화가 끊겼다.

dis·con·nect·ed [dìskənéktid] *a.* 전후 맥락이 없는, 따로따로 떨어진, 끊어진《말·문장 따위》. ㉥ **~·ly** *ad.*

dis·con·nec·tion [dìskənékʃən] *n.* Ⓤ,Ⓒ 단절, 분리, 절연; 〖電〗 절단, 단선.

dis·con·so·late [diskɑ́nsəlit / -kɔ́n-] *a.* ① 쓸쓸한, 위안이 없는, 슬픔에 잠긴: a ~ look 수심에 잠긴 표정 / She was ~ *about* her son's death. 그녀는 아들의 죽음으로 비탄에 잠겨 있었다. ② (분위기 등) 우울한, 침체된: ~ prospects 어두운 전망. ㉥ **~·ly** *ad.*

***dis·con·tent** [dìskəntént] *n.* ① Ⓤ 불만, 불평: *Discontent with* his job led him to resign. 일이 불만이어서 사직할 생각이 들었다. ② Ⓒ (흔히 *pl.*) 불평〔불만〕 거리〔의 원인〕. ── *a.* 〔敍述的〕 …이〔으로〕 불만인《*with*》: He seems ~ *with* his job. 일이 마음에 안드는 모양이다. ── *vt.* …에 불만〔불평〕을 품게 하다: Is there anything to ~ you? 무언가 불만이 있나.

***dis·con·tent·ed** [dìskənténtid] *a.* 불만스러운, 불만〔불평〕이 있는《*with*》: a young man ~ *with* his job 자기 일에 불만이 있는 청년 / He was ~ *with* his salary. 그는 급료에 불만이 있었다. ㉥ **~·ly** *ad.*

dis·con·tent·ment [dìskənténtmənt] *n.* Ⓤ 불평, 불만.

dis·con·tin·u·ance [dìskəntínjuəns] *n.* Ⓤ 정지, 중지, 폐지; 단절.

dis·con·tin·u·a·tion [dìskəntìnjuéiʃən] *n.* =DISCONTINUANCE.

***dis·con·tin·ue** [dìskəntínju:] *vt.* …을 (계속하는 것을) 그만두다, 중지〔중단〕하다: ~ correspondence 편지 왕래를 그만두다 / He had to ~ tak*ing* lessons. 그는 레슨 받는 것을 중지해야만 했다 / ~ one's subscription to a newspaper 신문 구독을 중지하다. ── *vi.* 중지되다, 휴지(休止)되다: The local paper ~*d* three years ago. 그 지방지는 3년 전에 폐간〔휴간〕이 됐다.

***dis·con·ti·nu·i·ty** [dìskɑntənjú:əti / -kɔn-] *n.* ① Ⓤ 단절, 중단; 불연속(성), 불규칙: a line of ~ 〖氣象〗 불연속선. ② Ⓒ 끊어진〔잘린〕 데, 틈사이《*between*》.

dis·con·tin·u·ous [dìskəntínju:əs] *a.* ① 계속되지 않는, 끊어지는, 단속적인. ② 〖數〗 불연속의. ㉥ **~·ly** *ad.*

dis·co·phile [dískəfàil] *n.* Ⓒ 레코드 수집가.

***dis·cord** [dískɔ:*r*d] *n.* ① Ⓤ 불일치: Your answer is in ~ with mine. 네 답은 내것과 다르다. ② Ⓤ,Ⓒ 불화, 내분, 알력: domestic strife and ~ 집안의 내분 / marital ~ 부부간의 불화. ③ Ⓤ,Ⓒ 〖樂〗 불협화음. ④ Ⓒ 소음, 잡음: create ~*s* 소음을 내다. OPP. *accord, harmony.* ── [dískɔ:*r*d, -ˊ] *vi.* 일치하지 않다; 사이가 나쁘다《*with*; *from*》.

dis·cord·ance, -an·cy [diskɔ́:*r*dəns], [-i] *n.* Ⓤ ① 부조화; 불화; 불일치. ② 〖樂〗 불협화.

dis·cord·ant [diskɔ́:*r*dənt] *a.* ① 조화〔일치〕하지 않는, 각기 다른: Our views are ~ *to* 〔*from*〕 each other. 우리들의 견해는 서로 다르다. ② (소리·음성이) 조화되지 않는; 불협화의; 시끄러운. ㉥ **~·ly** *ad.*

dis·co·theque [dískətèk] *n.* Ⓒ 디스코테크.

‡**dis·count** [dískaunt] *n.* Ⓒ〔때로 Ⓤ〕 할인; 〖商〗 할인액; 할인율: get 〔obtain〕 a ~ 할인해 받다 / sell at a 5 percent ~ off the list price 정가의 5 퍼센트 할인하여 팔다. ***accept*** (a story) ***with*** ~ (이야기를) 에누리해서 듣다. ***at a*** ~ (1) 할인하여; 액면〔정가〕 이하로; 값이 내려. (2) 경시되어, 인기가 떨어져.
── [ˊ-, -ˊ] *vt.* ① …을 할인하다; (어음 등)을 할인하여 팔다〔사다〕: ~ bills at two percent 어음을 2% 할인하다 / They are ~*ing* butter at the store. 그 가게에서는 버터를 싸게 팔고 있다. ② 에누리해서 듣다〔생각하다〕; 신용하지 않다; 무시하다, 고려에 넣지 않다: You must ~ what he tells you. 그의 말은 에누리해서 듣지 않으면 안 된다.

díscount bròker 어음 할인 중개인.

***dis·coun·te·nance** [diskáuntənəns] *vt.* ① …을 당황하게 만들다, 쩔쩔매게 하다. ② (계획 따위)에 찬성하지 않다, …을 승인하지 않다.

díscount hòuse ①《美》 (상품의) 할인 매점. ②《英》 (환어음의) 할인 상회(bill broker).

díscount ràte (어음) 할인율.

díscount stòre 〔shòp〕《美》 싸구려 상점, 할인 판매점(discount house).

***dis·cour·age** [diskə́:ridʒ, -kʌ́r-] *vt.* ① 용기를 잃게 하다(deject), …를 실망〔낙담〕시키다: We were ~*d* at the news. 그 소식에 우리는 낙담했다 / Repeated failures ~*d* him. 거듭된 실패에 그는 사기를 잃었다. ②《+目+前+名》 (…하는 것)을 그만두게 하다《*from* do*ing*》: ~ smok*ing* 담배를 끊으라고 권하다 / We should ~ him *from* mak*ing* the trip. 여행을 안 가도록 설득해야 한다. ③ (불찬성의 뜻을 표하여, 계획·행동 따위)를 단념하게 하다, 방해〔억제〕하다, 반대하다: It's our company policy to ~ office romances. 사내 연애를 인정하지 않는 것이 회사 방침이다. OPP. *encourage.*

dis·cour·age·ment [-mənt] *n.* ① Ⓤ 낙담, 실망시킴. ② Ⓒ 실망시키는 것, 지장, 방해. ③ Ⓤ 단념시킴, 반대.

dis·cour·ag·ing [diskə́:ridʒiŋ, -kʌ́r-] *a.* 낙담시키는; 용기를 꺾는: ~ remarks 낙심하게 하는 말. ㉥ **~·ly** *ad.*

***dis·course** [dískɔ:*r*s, -ˊ] *n.* ① Ⓒ 강연, 설교; 논문《*on, upon*》: He gave us a long ~ *on* the realities of power politics. 그는 무력외교의 실상에 대하여 장시간에 걸쳐 강연했다. ② Ⓤ 이야기, 담화; 의견의 교환《*with*》: hold ~ *with* a person 아무와 회담하다. ③ Ⓤ 〖文法〗 화법(narration).
── [-ˊ] *vi.* ① 말하다, 담화하다《*together*》. ②《+前+名》 강연〔설교〕하다; 논술하다《*on, upon; of*》: ~ *upon* international affairs 국제문제에 대해 강연〔논술〕하다.

díscourse anàlysis 〖言〗 담화 분석.

dis·cour·te·ous [diskə́:*r*tiəs] *a.* 실례되는, 버릇없는. OPP. *courteous.* ¶ It is ~ of you to say such a thing. 그런 말을 하는 것은 실례다. ㉥ **~·ly** *ad.* **~·ness** *n.*

dis·cour·te·sy [diskə́:*r*təsi] *n.* ① Ⓤ 비례(非禮), 버릇없음(rudeness). ② Ⓒ 무례한 언행.

†**dis·cov·er** [diskʌ́vər] *vt.* ① …을 발견하다: ~ an island 섬을 발견하다 / ~ a new scientific law 새로운 과학의 법칙을 발견하다. ②《+目+*to be* 補 / +(*that*) 節 / +*wh.* 節》 (…인〔이라는〕 것)을 알다, 깨닫다(realize): His love was ~*ed to be* false. 그의 사랑은 거짓이었음을 알았다 / He ~*ed* (*that*) he was surrounded. 그는 포위됐음을 알았다 / I never ~*ed where* he had died. 그가 어디서 죽었는지 끝내 알지 못했다 / He ~*ed* the girl *to be* his real daughter. 그는 그 소녀가 자기의 친딸임을 알았다.
㉥ **~·a·ble** [-kʌ́vərəbəl] *a.* ***~·er** [-rər] *n.* 발견자.

‡**dis·cov·ery** [diskʌ́vəri] *n.* ① Ⓤ,Ⓒ 발견, 발각: make a ~ 발견하다 / the ~ of mineral resources 광물 자원의 발견 / for fear of ~ 발견될 것이 두려워 / I'm safe here from ~. 여기 있

으면 들킬 염려가 없다. ② Ⓒ 발견물 : a recent ~ 최근에 발견한 것. ◇ discover *v.*

Discóvery Dày (the ~) =COLUMBUS DAY.

***dis·cred·it** [diskrédit] *n.* ① Ⓤ 불신, 불신임 ; 의혹 : This fact throws ~ on his story. 이 사실은 그의 이야기에 의심을 갖게 한다. ② (a ~) (…에게) 면목이 없음〔없는 사람·것〕, 불명예, 수치 ; 망신거리 : be *a* ~ *to* the family 가문에 수치가 되다. ── *vt.* ① …을 믿지 않다, 의심하다 : His theory is ~*ed* by scientists. 그의 이론을 과학자들은 믿지 않고 있다. ② 《~+목 / +목+전+명》 …의 신용을 해치다, …의 평판을 나쁘게 하다 : The divorce ~*ed* them *with* the public. 이혼으로 그들의 세상에 대한 체면이 떨어졌다.

dis·cred·it·a·ble [diskréditəbəl] *a.* 신용을 떨어뜨리는, 불명예〔수치〕스러운. ㊕ **-bly** *ad.*

***dis·creet** [diskríːt] *a.* ① 분별 있는, 생각이 깊은 ; 신중한《태도·행동 따위》: make ~ inquiries into …을 신중히 조사하다 / He is very ~ in giving his opinion. 그는 자기 의견을 말하는 데에 아주 신중하다. ◇ discretion *n.* ≠discrete. ② 눈에 띄지 않는 : a ~ passageway 잘 눈에 띄지 않는 통로. ㊕ **~·ly** *ad.*

dis·crep·an·cy [diskrépənsi] *n.* Ⓤ.Ⓒ (진술·계산 등의) 상위, 불일치 ; 어긋남, 모순《*between* ; *in*》: There's a ~ *between* the two reports. 그 두 보고서에는 차이가 있다.

dis·crep·ant [diskrépənt] *a.* 상위하는, 어긋나는, 모순된.

dis·crete [diskríːt] *a.* 따로따로의, 별개의, 분리된 ; 구별된 ; 불연속의 : two ~ objects 별개의 두 가지 물체.
── *n.* Ⓤ 〖컴〗 불연속형.
㊕ **~·ly** *ad.* **~·ness** *n.*

dis·cre·tion** [diskréʃən] *n.* Ⓤ ① 신중, 사려 분별 : *Discretion* is the better part of valor. 《俗談》 신중은 용기의 태반《종종 비겁한 행위의 구실로도 쓰임》/ show 〔use〕 ~ in choosing one's friends 벗을 고르는데 신중을 기하다. ② 판단〔선택·행동〕의 자유, (자유) 재량. ◇ discreet *a.* ***age* 〔*years*〕 *of ~ 분별 연령《영미에서는 14 세》. ***at*** ~ 마음대로, 임의로. ***at the*** ~ ***of*** =***at*** one's ~ …의 재량으로, …의 생각대로, …의 임의로 : *at the* ~ *of* the court 법정의 재량으로.

dis·cre·tion·ary [diskréʃənèri / -əri] *a.* 임의(任意)의, 자유 재량의, 무조건의 : ~ power 자유 재량의 권한 / ~ income 가계의 여유 있는 돈, 자유 재량 소득.

***dis·crim·i·nate** [diskrímənèit] *vt.* 《+목+전+명》 …을 구별하다 ; 판별〔식별〕하다 ; …의 차이를 나타내다《*from*》: ~ synonyms 유의어의 뜻을 구별하다 / They cannot ~ liberty *from* license. 그들은 자유와 방종을 구별할 줄 모른다. ── *vi.* 《+전+명》 ① 식별하다 ; 구별하다 : He couldn't ~ *between* a tiger *and* a leopard in the dark. 어둠 속에서는 호랑이와 표범을 구별할 수 없었다. ② **a)** 차별 대우하다《*against*》: ~ *against* women employees 여성 종업원을 차별 대우하다. **b)** 역성들다, 편애하다 : He always ~*s* in favor of his friends. 그는 언제나 친구의 편을 든다.
── [-minət] *a.* 주의 깊게 식별하는.
㊕ **~·ly** [-nitli] *ad.*

dis·crim·i·nat·ing [diskrímənèitiŋ] *a.* ① 식별하는 ; 식별력이 있는 : ~ characteristics 〔features〕 식별에 도움이 되는 특징. ② 〔限定的〕 차별적인 : ~ duties 차별 관세. ㊕ **~·ly** *ad.*

***dis·crim·i·na·tion** [diskrìmənéiʃən] *n.* Ⓤ ① 구별 ; 식별(력), 안식《*in*》. ② 차별 (대우) : racial ~ 인종 차별 / without ~ 차별 없이, 평등하게.

dis·crim·i·na·tive [diskrímənèitiv, -nətiv] *a.* =DISCRIMINATING.

dis·crim·i·na·tor [diskrímənèitər] *n.* Ⓒ ① 식별〔차별〕하는 사람. ② 〖電子〗 판별 장치《주파수·위상(位相)의 변화에 따라 진폭을 조절하는》.

dis·crim·i·na·to·ry [diskrímənətɔ̀ːri / -təri] *a.* ① 차별적인 : a ~ attitude 차별적인 태도. ② 식별력이 있는.

dis·cur·sive [diskə́ːrsiv] *a.* ① (문장·이야기 등이) 산만한, 종잡을 수 없는. ② 〖哲〗 추론적인.
㊕ **~·ly** *ad.* **~·ness** *n.*

dis·cus [dískəs] (*pl.* **~·es, *dis·ci*** [dískai]) *n.* ① Ⓒ (경기용) 원반(圓盤). ② =DISCUS THROW.

‡**dis·cuss** [diskʌ́s] *vt.* 《~+목 / +목+전+명 / +*wh. to* do / +*wh.* 절》 …을 토론〔논의〕하다 (debate) ; …에 관하여 (서로) 이야기하다 ; …에 대해 의논하다(talk over) ; 검토하다 : ~ literature 문학을 논하다 / I ~*ed* politics *with* them. 정치에 대해 그들과 토론했다 / ~ *how to* do it 그것을 어떻게 행할 것인지를 검토하다 / They ~*ed where* they should go 〔*where to* go〕. 그들은 어디로 갈 것인가를 놓고 의논했다.

dis·cus·sant [diskʌ́snt] *n.* Ⓒ (심포지움·토론회 따위의) 토론(참가)자.

‡**dis·cus·sion** [diskʌ́ʃən] *n.* Ⓤ.Ⓒ 토론, 토의, 논의, 의논 ; 심의, 검토《*about* ; *on* ; *of*》: have 〔hold〕 a family ~ *as to* where to go next summer 이번 여름에 어디로 갈지를 가족끼리 이야기하다 / come up for ~ (문제 등이) 토의에 붙여지다 / a stimulating ~ *on* global warming 지구 온난화에 대한 자극적인 토론.

díscus thròw (the ~) 원반 던지기.

***dis·dain** [disdéin] *n.* Ⓤ 경멸(輕蔑), 모멸(의 태도) ; 오만 : have ~ for a rude person 무례한 인간을 경멸하다. ── *vt.* ① …을 경멸하다, 멸시하다 : She ~*ed* my offer of money. 내가 돈을 제공하겠다고 했더니 그녀는 거들떠보지도 않았다. ② 《+*to* do / +*-ing*》 …할 가치가 없다고 생각하다, 떳떳지 않게 여기다 : ~ *to* notice an insult 모욕을 무시해 버리다 / He ~*ed* shoot*ing* an unarmed enemy. 그는 무장하지 않은 적을 쏘는 것을 떳떳지 않게 여겼다.

dis·dain·ful [disdéinfəl] *a.* 경멸적(輕蔑的)인 (scornful), 오만한 ; 무시〔경멸〕하는 : be ~ *of* …을 경멸〔무시〕하다 / a ~ look 경멸의 눈빛.
㊕ **~·ly** *ad.* 경멸하여.

‡**dis·ease** [dizíːz] *n.* Ⓤ.Ⓒ ① 병, 질병. cf. ailment, illness, malady. opp. *health.* ¶ catch 〔suffer from〕 a ~ 병에 걸리다 / a serious ~ 중병 / a family 〔hereditary〕 ~ 유전병 / die of a heart ~ 심장병으로 죽다. ② (정신·도덕 따위의) 불건전(한 상태), 병폐 : ~*s* of society 〔the mind〕 사회 〔정신〕적 병폐.

dis·eased [dizíːzd] *a.* 병의, 병에 걸린 ; 병적인 : the ~ part 환부 / a ~ mind 병적인 마음.

dis·em·bark [dìsembɑ́ːrk] *vt.* (배·비행기 등에서, 화물·승객 등)을 내리게 하다《*from*》: The troops were ~*ed* during the night. 군대는 밤중에 비행기에서 내렸다. ── *vi.* 하선하다, 상륙하다 ; 내리다《*from*》.

dis·em·bar·ka·tion [dìsembɑːrkéiʃən] *n.* Ⓤ 양륙(揚陸) ; 상륙 ; 하선.

disembarkátion càrd (여행자 등의) 입국「카드.

dis·em·bar·rass [dìsembǽrəs] *vt.* (사람)을 (곤란·책임 등에서) 해방시키다(free), (걱정·무거운 짐 따위)를 덜어 주다《*of*》: ~ oneself *of* a burden 무거운 짐을 벗다.

㊞ ~·ment n. [U] 해방, 이탈.

dis·em·bod·ied [dìsimbɑ́did / -bɔ́d-] a. 〔限定的〕 ① 육체에서 분리된; 실체 없는: a ~ spirit 육체를 떠난 혼, 유령. ② (소리 따위) 안보이는 사람으로부터의.

dis·em·bow·el [dìsembáuəl] (-l-, 《英》 -ll-) vt. …의 창자를 빼내다(★ 생선·닭 따위에는 clean 이라 함). ㊞ ~·ment n. [U]

dis·em·broil [dìsembrɔ́il] vt. (혼란·얽힘 등에서) …을 해방하다.

dis·en·chant [dìsentʃǽnt, -tʃɑ́:nt] vt. ① …의 마법을 풀다. ② …을 미몽(迷夢)에서 깨어나게 하다; …에게 환멸을 느끼게 하다: ~ a person *of* his childish dreams 아무를 유치한 꿈에서 깨어나게 하다 / be ~*ed* with one's husband 남편에게 환멸을 느끼다.

㊞ ~·ment n. [U] 각성, 눈뜸.

dis·en·cum·ber [dìsenkʌ́mbər] vt. (장애물·무거운 짐)을 제거하다, (사람)을 (고생·장애에서) 해방하다《*from*; *of*》: He had ~*ed* himself *of* his stammer. 그는 말을 더듬지 않게 되었다.

dis·en·fran·chise [dìsenfrǽntʃaiz] vt. = DISFRANCHISE. ㊞ ~·ment n.

dis·en·gage [dìsengéidʒ] vt. ① …을 자유롭게 하다, (의무·속박 등)에서 해방하다《*from*》: I quietly ~*d* myself *from* the discussion. 나는 토론장에서 몰래 빠져나왔다. ② …을 풀다, 떼다, 벗다《*from*》: She ~*d* her hand *from* the sleeping child's. 그녀는 잠자는 아기의 손에서 자신의 손을 뗐다. ③ (부대로 하여금) 전투를 중지하고 철퇴하게 하다.

— vi. ① (기계 등이) 연결이 벗겨지다, 풀리다, 떨어지다. ② 교전(交戰)을 중지하다, 철퇴하다.

dis·en·gaged [-d] a. 〔敍述的〕 약속〔예약〕이 없는, 짬이 있는, 한가한: I shall be ~ tomorrow. 내일은 한가하다.

dis·en·tan·gle [dìsentǽŋgl] vt. ① …의 엉킨 것을 풀다: ~ the threads 실을 풀다. ② (분규)를 해결하다, (얽힘·분쟁 등)에서 이탈시키다: ~ oneself *from* politics 정치에서 손을 떼다.

— vi. 풀리다, 해결되다. ㊞ ~·ment n. [U]

dis·en·thral(l) [dìsenθrɔ́:l] (-ll-) vt. …의 속박을 풀다.

dis·equi·lib·ri·um [dìsi:kwilíbriəm] (pl. ~s, -ria [-riə]) n. [U,C] (경제상의) 불균형, 불안정.

dis·es·tab·lish [dìsistǽbliʃ] vt. ① (기존의 제도)를 폐지하다. ② (교회의) 국교제(國敎制)를 폐지하다. ㊞ ~·ment n. [U]

dis·es·teem [dìsestí:m] vt. …을 얕〔깔〕보다; 경시하다. — n. [U] 냉대; 경멸: hold a person in ~ 아무를 깔보다.

dis·fa·vor [disféivər] n. [U] ① 싫어함, 마음에 안 듦; 냉대: regard a person with ~ 아무를 싫어하다. ② 인기〔인망〕 없음: be in ~ 인기가 없다 / fall 〔come〕 into ~ 인기를 잃다; 미움을 사다.

— vt. …을 냉대하다; 싫어하다, 못마땅해하다.

***dis·fig·ure** [disfígjər / -fígər] vt. …의 모양을 손상하다, 볼꼴 사납게 하다, …의 가치를 손상시키다: a face ~*d* by a scar 흉터 때문에 못쓰게 된 얼굴. ㊞ ~·ment n. ① [U] 미관〔외관〕을 해침. ② [C] 미관〔외관〕을 해치는 것.

dis·for·est [disfɔ́:rist, -fɑ́r- / -fɔ́r-] vt. = DEFOREST.

dis·fran·chise [disfrǽntʃaiz] vt. …의 공민〔선거〕권을 빼앗다: A ~*d* person cannot vote or hold office. 공민권이 박탈된 사람은 선거도 못하고 공직을 가질 수도 없다. ㊞ ~·ment n. [U]

dis·frock [disfrɑ́k / -frɔ́k] vt. = UNFROCK.

dis·gorge [disgɔ́:rdʒ] vt. ① (먹은 것)을 토하다; (연기·물 등)을 토해 내다. ② (강·물)을 (…에) 흘려보내다, 흘러 들다《*into*》: The river ~*s* its water *into* the Black Sea. 그 강은 흑해로 흘러든다. ③ 《比》 (훔친 것)을 도로 내놓다, 토해내다.

— vi. ① (강 따위가) 흘러들다《*into*》: ~ *into* the Pacific 태평양에 흘러들다. ② 훔친 것을 도로 내놓다.

‡**dis·grace** [disgréis] n. ① [U] 창피, 불명예, 치욕: the ~ of being arrested for bribery 수회로 체포된다는 불명예 / Poverty is no ~. 가난은 수치가 아니다. ② (a ~) 치욕이 되는 것, 망신거리: The prodigal son is *a* ~ to the family. 그 탕아는 집안의 망신거리다. [cf.] dishonor, shame. ***fall into*** ~ 망신당하다; 총애를 잃다《*with*》. ***in*** ~ 비위를 거슬러; 면목을 잃어.

— vt. ① …을 망신시키다, …의 수치가 되다: Do not ~ the 〔your〕 family name. 가문을 더럽히는 짓을 해서는 안된다. ② …을 면직〔파면〕하다. ~ one***self*** 창피당하다, 망신하다.

***dis·grace·ful** [disgréisfəl] a. 면목 없는, 수치스러운, 불명예스러운. ㊞ ~·ly ad. ~·ness n.

dis·grun·tled [disgrʌ́ntld] a. 불만스러운; 기분 상한, 시무룩한《*at*; *with*》.

‡**dis·guise** [disgáiz] n. ① [U,C] 변장, 가장, 위장; 가장복: a policeman in ~ 변장한 경관 / a fraud in ~ 번드레한 사기. ② [U] 겉치레; 기만; 구실(口實): make no ~ of one's feelings 감정을 노골적으로 드러내다. ***in*** ~ 변장한: a blessing *in* ~ 외면상 불행해 보이는 행복. ***in*** 〔***under***〕 ***the*** ~ ***of*** …이라 속이고, …을 구실로: He made money *under the* ~ *of* charity. 그는 자선이라 속이고 돈을 벌었다. — vt. 《~+[목] / +[목]+[전]+[명] / +[목]+*as* [보]》 ① …을 변장〔가장〕시키다, 위장시키다《*as*; *with*》: ~ oneself *with* a wig 가발로 변장하다 / ~ oneself *as* a beggar 거지로 변장하다. ② 겉모습을 바꾸어 속이다: ~ one's voice 자기의 목소리를 바꾸다, 남의 목소리를 흉내내다 / horseflesh ~*d as* beef 쇠고기로 꾸며 속인 말고기. ③ (사실 등)을 꾸미다, 숨기다; (의도·감정 따위)를 감추다, 속이다: ~ one's sorrow *beneath* a careless manner 아무렇지도 않은 듯한 태도로 슬픔을 감추다.

‡**dis·gust** [disgʌ́st] n. [U] (심한) 싫증, 혐오, 불쾌감《*at*; *for*》: I can never smell cheese without ~. 치즈 냄새를 맡기만 하면 메스꺼워진다 / look at a person with ~ 아무를 혐오의 눈으로 보다 / in ~ 싫어져서, 정떨어져 / to one's ~ 넌더리나게도, 정떨어지게(도). — vt. …을 싫어지게〔정떨어지게; 넌더리나게〕 하다; 메스껍게 하다: Your manners would ~ anyone. 네 행동 거지엔 누구든 정떨어질 게다.

dis·gust·ed [disgʌ́stid] a. 정떨어진, 넌더리난. ㊞ ~·ly ad.

dis·gust·ful [disgʌ́stfəl] a. 진저리〔구역질〕 나는, 정떨어지는. ㊞ ~·ly [-fəli] ad.

‡**dis·gust·ing** [disgʌ́stiŋ] a. 구역질나는, 정말 싫은, 정떨어지는, 지겨운: a ~ smell 구역질나는 냄새 / You are ~! 정말 정떨어지는 놈이다. ㊞ ~·ly ad.

†**dish** [diʃ] n. [C] ① (깊은) 접시, 큰 접시《금속·사기·나무제》, 푼주; (the ~es) 식기류(★ plate, bowl, cup, saucer 등 일체): clear away *the* ~*es* 식탁의 그릇들을 치우다 / do〔wash〕 *the* ~*es* 설거지하다.

② 한 접시(의 요리); (접시에 담은) 음식물; 요리: a ~ of meat 고기 요리 한 접시 / a nice ~ 맛있는 요리 / What's your favorite ~? 좋아하는

요리는 뭐요 / a heavy〔a plain〕 ~ 느끼한〔담백한〕 요리.
③ 주발 모양의 것 ; 파라볼라 안테나(의 반사판).
④《口》 매력있는〔귀여운〕 여자.
— *vt.* ① (요리)를 접시에 담다《*up, out*》. ②《口》 (희망·계획 따위)를 좌절시키다, 못쓰게 만들다. ~ *it out* 《口》 꾸짖다, 벌하다 ; 때리다. ~ *out* …을 각자 접시에 덜어내다 ; 분배하다 : She ~*ed out* the salad. 그녀는 샐러드를 접시에 덜어냈다. ~ *up* (1) (음식)을 접시에 담다. (2)《比》 (이야기 따위)를 그럴 듯하게 꺼내다〔꾸며 말하다〕 : ~ *up* an old story 옛날 이야기를 그럴듯하게 꾸며대어 말하다.

dis·ha·bille [dìsəbí:l] *n.* Ⓤ 약복(略服), 단정치 못한 옷차림. *in* ~ (특히, 여성이) 단정치 못한 옷차림으로, 맨살을 반쯤 드러낸 몰골로.

dísh anténna 〖通信〗 접시형 안테나, 파라볼라 안테나.

dis·har·mo·ni·ous [dìshɑ:rmóuniəs] *a.* 부조화의, 화합이 안 되는 ; 불협화의.

dis·har·mo·ny [dishɑ́:rməni] *n.* Ⓤ ① 부조화, 불일치. ② 불협화(음), 가락이 안 맞음.

dish·cloth [díʃklɔ̀(:)θ, -klɑ̀θ] *n.* Ⓒ 접시 닦는 헝겊, 《英》 행주(《美》 dish towel).

díshcloth góurd 〖植〗 수세미외.

***dis·heart·en** [dishɑ́:rtn] *vt.* …을 낙담시키다, 실망시키다《*by* ; *at*》 : He was ~*ed by* a single failure. 단 한 번의 실패로 그는 낙심하고 말았다. ㊞ ~·**ing** *a.* 낙심시키는, 기를 꺾는. ~·**ing·ly** *ad.* 낙담하게〔할 만큼〕. ~·**ment** *n.* 낙담.

dished [diʃt] *a.* ① 오목한 : a ~ face 주걱턱 얼굴. ②《俗》 지친, 몹시 피곤한.

di·shev·eled, 《英》 **-elled** [diʃévəld] *a.* ① (머리가) 헝클어진 ; 봉두난발의. ② (옷차림이) 단정치 못한.

dish·ful [díʃfùl] *n.* Ⓒ 접시에 하나 가득(한 양).

‡**dis·hon·est** [disɑ́nist / -ɔ́n-] (*more* ~ ; *most* ~) *a.* ① 부정직한, 불성실한 : a ~ answer 부정직한 대답 / It was ~ of you not to tell the truth to them. 그들에게 진실을 말하지 않은 너는 정직하지 않았다. ② 눈속이는, 부정한 : ~ money 부정하게 번 돈. ㊞ ~·**ly** *ad.*

***dis·hon·es·ty** [disɑ́nisti] *n.* ① Ⓤ 부정직, 불성실. ② Ⓒ 부정(행위), 사기 ; 거짓말.

‡**dis·hon·or,** 《英》 **-our** [disɑ́nər / -ɔ́n-] *n.* Ⓤ ① 불명예 ; 치욕, 굴욕(shame) : live in ~ 욕되게 살다 / prefer death to ~ 치욕보다는 죽음을 택하다 / bring ~ on one's family 가문을 욕되게 하다. ② (또는 a ~) 불명예스러운 일, 치욕이 되는 일, 망신거리 : That rascal is *a* ~ to our family. 저 깡패같은 놈은 집안의 망신거리다. cf. disgrace, shame. ③〖商〗 (어음·수표의) 부도.
— *vt.* ① …에게 굴욕을 주다 ; …의 이름을 더럽히다. ② (어음 등)의 지급을〔인수를〕 거절하다, 부도내다. opp. *accept*. ¶ a ~*ed* check 부도수표.

dis·hon·or·a·ble [-rəbəl] *a.* 불명예스러운, 수치스러운, 천한 ; 비열한 : a ~ discharge 불명예 제대. ㊞ **-bly** *ad.*

dish·pan [díʃpæ̀n] *n.* Ⓒ 《美》 개수통.

dish·rag [´ræ̀g] *n.* = DISHCLOTH.

dísh tòwel 《美》 행주《접시 닦기용》.

dish·wash·er [´wɑ̀ʃər, ´wɔ̀(:)ʃ-] *n.* Ⓒ 접시 닦는 사람〔기계〕.

dish·wa·ter [´wɔ̀:tər, -wɑ̀t-] *n.* Ⓤ 개숫물. (*as*) *dull as* ~ 몹시 지루한. (*as*) *weak as* ~ (차 따위가) 아주 싱거운.

dishy [díʃi] (*dísh·i·er* ; *-i·est*) *a.* 《英俗》 (사람이) 성적으로 매력있는.

***dis·il·lu·sion** [dìsilú:ʒən] *n.* Ⓤ 미몽을 깨우치기, 각성 ; 환멸. — *vt.* …의 미몽을 깨우치다, 각성시키다 ; …에게 환멸을 느끼게 하다 : be ~*ed at* 〔*about, with*〕 …에 환멸을 느끼다 / I hate to ~ you. (사실을 말해서) 너를 실망시키고 싶지 않다. ㊞ ~·**ment** *n.* = DISILLUSION.

dis·in·cen·tive [dìsinséntiv] *n.* Ⓒ 행동〔의욕〕을 방해〔억제〕하는 것〔관행·제도 등〕.

dis·in·cli·na·tion [dìsinklinéiʃən, ----´-] *n.* Ⓤ (또는 a ~, one's ~) 기분이 내키지 않음, 싫음《*for* ; *to* do》 : with ~ 마지못해 / have *a* ~ *for* 〔*to*〕 work 일을 싫어하다 / He felt *a* ~ *to* continue his music lessens. 그는 음악 레슨을 계속할 마음이 내키지 않았다.

dis·in·cline [dìsinkláin] *vt.* …에게 싫증나게 하다《★ 보통 과거분사로, 형용사적으로 씀 ; ⇨ DISINCLINED》.

dis·in·clined [dìsinkláind] *a.* 〔敍述的〕 …하고 싶지 않은, 내키지 않는《*for* ; *to* do》 : be ~ *to* work 일할 마음이 내키지 않다 / He was ~ *to* go. 그는 갈 마음이 나지 않았다 / I am ~ *to* try. 해 볼 생각이 없다.

dis·in·fect [dìsinfékt] *vt.* …을 소독〔살균〕하다 : ~ a hospital room 병실을 소독하다.

dis·in·fect·ant [dìsinféktənt] *a.* 소독력이 있는, 살균성의. — *n.* Ⓤ,Ⓒ 소독제, 살균제.

dis·in·fec·tion [dìsinfékʃən] *n.* Ⓤ 소독(법).

dis·in·fest [dìsinfést] *vt.* (집·배 등)에서 해충을〔쥐 따위를〕 잡아 없애다. ㊞ **dìs·in·fes·tá·tion** [-éiʃən, ----´-] *n.*

dis·in·fla·tion [dìsinfléiʃən] *n.* Ⓤ 디스인플레이션《인플레이션의 완화》. ㊞ ~·**ary** [-èri / -əri] *a.*

dis·in·for·ma·tion [dìsinfərméiʃən, dìsin-] *n.* Ⓤ 역(逆)정보, 허위정보《적측을 속이기 위한》.

dis·in·gen·u·ous [dìsindʒénju:əs] *a.* 부정직한, 불성실한, 엉큼한 : make a ~ remark 엉큼한 말을 하다. ㊞ ~·**ly** *ad.* ~·**ness** *n.*

dis·in·her·it [dìsinhérit] *vt.* 〖法〗 …의 상속권을 박탈하다, 폐적(廢嫡)하다.
㊞ **-i·tance** [-əns] *n.* Ⓤ 폐적, 상속권 박탈.

dis·in·te·grate [disíntigrèit] *vt.* …을 분해〔풍화〕시키다, 붕괴시키다 : The rock was ~*d* by frost and rain. 그 바위는 서리와 비로 인해 풍화됐다. — *vi.* 분해하다, 붕괴하다《*into*》.

dis·in·te·gra·tion [disìntigréiʃən] *n.* Ⓤ ① 분해 ; 붕괴. ②〖物〗 (방사성 원소의) 붕괴. ③〖地質〗 (암석 따위의) 풍화 (작용).

dis·in·ter [dìsintə́:r] (*-rr-*) *vt.* ① (시체 따위)를 파내다, 발굴하다. ② (숨겨진 것)을 드러 내다, 햇빛을 보게 하다.
㊞ ~·**ment** *n.* Ⓤ,Ⓒ 발굴 ; 발굴물.

dis·in·ter·est [disíntərist, -rèst] *n.* Ⓤ 이해 관계가 없음 ; 공평 무사 ; 무관심.

***dis·in·ter·est·ed** [disíntəristid, -rèst-] *a.* ① 사욕이 없는, 공평한 : a ~ empire〔decision〕 공평한 심판〔결정〕. ② 〔敍述的〕 무관심한, 흥미없는 《*in*》《★ 이 뜻으로는 uninterested가 일반적임》.
㊞ ~·**ly** *ad.* ~·**ness** *n.*

dis·in·vest [dìsinvést] *vt.* 〖經〗 …의 투자를 중지하다〔철수하다〕. ㊞ ~·**ment** *n.* Ⓤ

dis·join [disdʒɔ́in] *vt.* …을 분리시키다.

dis·joint [disdʒɔ́int] *vt.* ① …의 관절을 삐게 하다, 탈구(脫臼)시키다. ② …을 뜯다, 해체하다. ③ …을 지리멸렬이 되게 하다. — *vi.* ① 관절이 삐다. ② 뿔뿔이 흩어지다.

dis·joint·ed [disdʒɔ́intid] *a.* ① 관절을 삔. ② 뿔뿔이 된. ③ 뒤죽박죽의, 체계가 서지 않는, 지리

멸렬한《사상·문체·이야기 따위》.
㊕ ~·ly *ad.* ~·ness *n.*

dis·junc·tion [disdʒʌ́ŋkʃən] *n.* ⓊⒸ 분리, 분열.

dis·junc·tive [disdʒʌ́ŋktiv] *a.* ① 나누는, 떼는; 분리적인. ②〖文法〗 이접적(離接的)인: a ~ conjunction 이접적 접속사. ── *n.* Ⓒ〖文法〗 이접적 접속사《but, yet 따위》. ㊕ ~·ly *ad.*

***disk, disc** [disk] *n.* Ⓒ ① **a**) 원반 (모양의 것). **b**) (경기용) 원반. ② (흔히 disc) 디스크, 레코드. ③〖컴〗 저장판, 디스크《(자기(磁氣)) 기억장치》. ④〖解·動〗 추간 연골, 추간판. ⑤ 평원형(形)의 표면: the sun's ~ 태양면.

dísk BASIC [-béisik, -zik]〖컴〗 디스크 베이식《디스크에 기억된 베이식 언어》. ⓒⓕ DOS.

dísk bràke (자동차 등의) 원판 브레이크.

dísk càche〖컴〗 (저장)판 시렁《주기억 장치와 자기 디스크 사이의 완충 기억장치》.

dísk drìve〖컴〗 디스크 드라이브《디스크에 정보를 기입하거나 판독하거나 하는 장치》.

dis·kette [diskét] *n.* Ⓒ〖컴〗 (저장)판, 디스켓, 플로피 디스크(floppy disk).

dísk hàrrow 원판 써레《트랙터 용》.

dísk jòckey =DISC JOCKEY.

dísk magazìne〖컴〗 디스크 매거진《종이 대신 플로피 디스크를 매체로 한 잡지》.

dísk operáting sỳstem〖컴〗 =DOS.

dísk pàck〖컴〗 디스크 팩《자기 디스크 기억 장치에 뗐다 붙였다 할 수 있는 한 벌의 자기(磁氣) 디스크》.

‡dis·like [disláik] *vt.* 《~+目/+-*ing*/+目+*to* do》…을 싫어〔미워〕하다《★ '싫어하다'의 일반적인 말; dislike, hate, detest, abhor, loathe, abominate 순으로 혐오의 정도가 강해짐》: get oneself ~*d* 남에게 미움을 사다 / I ~ him *to* drink so much. 나는 그가 그렇게 많이 마시는 것이 싫다 / I ~ be*ing* kept waiting. 기다리기는 싫다. ── *n.* ⓊⒸ 싫음, 혐오, 반감《*for*; *to*; *of*》: She is full *of* likes and ~*s*. 그녀는 가리는 것이 많다, 까다롭다 / look at a person with ~ 혐오감을 가지고 사람을 보다. ***take a ~ to*** …을 싫어하게 되다, …이 싫어지다.

dis·lo·cate [dísloukèit, -ˊ-ˋ] *vt.* ① …의 관절을 삐다, …을 탈구시키다: He fell and ~*d* his shoulder. 넘어져서 어깨뼈를 삐었다. ② (계획·교통 등)을 혼란시키다: a ~*d* economy 혼란에 빠진 경제 / Traffic was badly ~*d* by the heavy snowfall. 폭설로 교통이 마비되었다.

***dis·lo·ca·tion** [dìsloukéiʃən] *n.* ⓊⒸ ① 탈구: suffer a ~ 탈구하다. ② 혼란.

dis·lodge [dislɑ́dʒ/-lɔ́dʒ] *vt.* 《~+目/+目+前+名》 ① …을 (어떤 장소에서) 이동시키다 (remove); 제거하다《*from*》: ~ a fox *from* its den 굴에서 여우를 몰아내다 / ~ a heavy stone *from* the ground 큰 돌을 마당에서 치우다. ② (적·상대 팀 따위)를 (진지·수비 위치로부터) 몰아내다〔격퇴하다〕(drive)《*from*》: They ~*d* the enemy *from* the hill. 그들은 적을 언덕에서 퇴각시켰다. ㊕ **dis·lódg(e)·ment** [-mənt] *n.*

***dis·loy·al** [dislɔ́iəl] *a.* 불충한, 불성실한, 충실하지 못한《*to*》: He's ~ *to* the party. 그는 당에 충실하지 않다. ㊕ ~·ly *ad.*

dis·loy·al·ty [-ti] *n.* ①Ⓤ 불충, 불성실. ②Ⓒ 불충실한 행위.

dis·mal** [dízməl] (more*** ~; ***most*** ~) *a.* ① 음침한, 어두운; 우울한, 쓸쓸한: ~ news 우울한 뉴스 / ~ weather 음침한 날씨 / I feel ~. 기분이 울적하다 / a ~ smile 쓸쓸해 보이는 미소. ② 참담한, 비참한: a ~ failure 참담한 실패(를 한 사람) / a ~ performance 형편없는 연기〔연주〕. ㊕ *~·ly [-i] *ad.*

Dísmal Swámp (the ~) 디즈멀 대습지 (Great ~)《미국 남부 대서양 연안의》.

dis·man·tle [dismǽntl] *vt.* ① (집·요새 등에서, 가구·장비·방비 등)을 치우다, 철거하다《*of*》: The house was ~*d of* its furnishings and fixtures. 집에서 가구랑 비품들이 철거됐다. ② (기계 등)을 분해하다, 해체하다: ~ a steel mill 철공소를 해체하다. ㊕ ~·ment *n.*

dis·mast [dismǽst, -mɑ́:st] *vt.* (폭풍 따위가 배)의 돛대를 넘어뜨리다〔부러뜨리다〕.

‡dis·may [disméi] *n.* Ⓤ 당황, 경악; 낙담: to one's ~ 당황한 것은, 놀랍게도 / She flopped down in ~. 그녀는 놀란 나머지 털썩 주저앉았다. ── *vt.* 〔종종 受動으로〕 당황케 하다; 실망〔낙담〕시키다: He *was* ~*ed to* learn the truth. 그는 진상을 알고 당황했다.

dis·mem·ber [dismémbər] *vt.* ① …의 손발을 자르다〔잡아떼다〕: ~ a body 시체를 토막토막 잘라〔떼어〕내다. ② (국토 따위)를 분할하다. ㊕ ~·ment *n.* Ⓤ ① 수족 절단. ② 국토 분할.

‡dis·miss [dismís] *vt.* ① (사람)을 떠나게 하다, 가게 하다; (집회·대열 등)을 해산시키다: The maid was ~*ed* for the night. 하녀는 가서 자도 좋다는 말을 들었다 / The teacher ~*ed* the class at noon. 선생은 정오에 수업을 끝내고 아이들을 보냈다 / Class (is) ~*ed*. (이것으로) 수업 끝《교사가 하는 말》. ②《~+目/+目+前+名》 …을 해고〔면직〕하다《*from*》: He was ~*ed* for drunkenness. 그는 술버릇이 나빠서 해고당했다 / He ~*ed* his secretary. 그는 비서를 해고했다 / You are ~*ed*. 넌 해고다. ③《~+目/+目+前+名》 (생각 따위)를 (염두에서) 쫓아내다, 버리다, 잊어버리다《*from*》: ~ an idea *from* one's mind 어떤 생각을 버리다 / ~ the proposal as trivial 하찮은 제안이라고 염두에 두지 않다. ④ **a**) (토의 중의 문제 따위)를 간단히 처리하다, 결말을 내리다: The possibility is not lightly to be ~*ed*. 그 가능성은 간단히 처리할 것은 아니다. **b**)〖法〗 …을 각하〔기각〕하다: The case was ~*ed* for lack of evidence. 그 소송은 증거 불충분으로 기각되었다. ⑤〖크리켓〗 (타자·팀)을 아웃시키다.

***dis·miss·al** [dismísəl] *n.* ⓊⒸ ① 해산, 퇴거. ② 면직, 해고; 해고통지; 추방, 출학. ③ (소송의) 각하, (상소의) 기각.

dis·mis·sive [dismísiv] *a.* 거부〔멸시〕하는 듯한, 경멸적인: a ~ gesture 거부〔경멸〕하는 듯한 태도.

***dis·mount** [dismáunt] *vt.* ① …을 말·자전거 따위에서 내리우다; (적 따위)를 말에서 떨어뜨리다. ② …을 대좌(臺座) 따위에서 떼내다, 내리다; (대포)를 포차에서 내리다. ③ (그림 따위)를 틀에서 떼다. ④ (기계 따위)를 분해하다, 해체하다. ── *vi.* (말·자전거 따위에서) 내리다《*from*》: ~ *from* one's horse 말에서 내리다.

Dis·ney [dízni] *n.* **Walt(er E.)** ~ 디즈니《미국의 (만화) 영화 제작자; 1901-66》.

Dis·ney·land [-lǽnd] *n.* 디즈니랜드《1955년에 W. Disney 가 Los Angeles 에 만든 유원지》.

***dis·o·be·di·ence** [dìsəbí:diəns] *n.* Ⓤ ① 불순종; 반항; 불효《*to*》. ② (규칙의) 위반, 반칙《*to*》: ~ *to* the law 법률 위반. ◇ disobey *v.*

***dis·o·be·di·ent** [dìsəbí:diənt] *a.* 순종치 않는; 말을 듣지 않는; 위반〔반항〕하는《*to*》: be ~ *to* one's parents 부모 말을 듣지 않다 / He was ~ *to* the government. 그는 정부에 반항했다. ㊕ ~·ly *ad.*

***dis·o·bey** [dìsəbéi] *vt.* (명령 등)에 따르지 않다, 위반하다, 어기다 ; 반항하다 : ~ orders 명령에 따르지 않다 / ~ a superior 상사에 반항하다. ― *vi.* 복종하지 않다. ◇ disobedience *n.*

dis·o·blige [dìsəbláidʒ] *vt.* …에게 불친절하게 하다 ; (아무)의 뜻을 거스르다 ; …에게 폐를 끼치다 : I'm sorry to ~ you. 뜻대로 해드리지 못해 미안합니다.

dis·o·blig·ing [dìsəbláidʒiŋ] *a.* 불친절한 ; 폐가 되는 : It was ~ of you to refuse his request. 그의 부탁을 거절하다니 너도 너무 했다. ㊞ **~·ly** *ad.*

‡dis·or·der [disɔ́:rdər] *n.* ① Ⓤ 무질서, 어지러움, 혼란 : His room was in great ~. 그의 방은 아주 어지러웠다. ② Ⓤ.Ⓒ (사회적·정치적) 불온, 소동, 소란. ③ Ⓤ.Ⓒ (심신의) 부조(不調), 장애, 질환, 이상 : a ~ of the digestive tract 소화 기관의 병 / (a) stomach ~ 위장 장애 / (a) mental ~ 정신병. ― *vt.* ① (질서 등)을 어지럽히다, 혼란시키다. ② (심신)의 장애를 일으키다 : Overwork ~*s* the stomach. 과로는 위의 상태를 나쁘게 한다.

dis·or·dered [-d] *a.* ① 혼란된, 어지러운. ② 순조롭지 못한 ; 병에 걸린 : a ~ brain 이상해진 머리 / ~ digestion 소화 불량.

***dis·or·der·ly** [disɔ́:rdərli] *a.* ① 무질서한, 난잡(亂雜)한 : a ~ room. ② 난폭한, 무법의 : ~ mob 폭도. ③〖法〗안녕을 해치는 ; 풍기를 문란케 하는. ㊞ **-li·ness** *n.* Ⓤ ① 무질서, 혼란. ②〖法〗공안 방해.

disórderly hóuse 매춘 업소 ; 도박장.

dis·or·gan·i·za·tion [disɔ̀:rgənizéiʃən] *n.* Ⓤ ① (조직의) 붕괴, 해체. ② 혼란, 무질서.

dis·or·gan·ize [disɔ́:rgənàiz] *vt.* …의 조직을〔질서를〕 문란케 하다, …을 혼란시키다.

dis·or·gan·ized [-gənàizd] *a.* 조직·질서가 어지러워진, 되는 대로의 : a ~ worker 일을 아무렇게나〔되는 대로〕하는 사람.

dis·o·ri·ent [disɔ́:riənt, -ènt] *vt.* ①〔흔히 受動으로〕《美》…에게 방향 감각을 잃게 하다. ②〔흔히, 과거분사로 형용사적으로 쓰임〕(사람)을 혼란하게 만들다, 당황하게 하다 : be〔feel〕 ~*ed* after a long jet flight 오랜 제트 비행끝에 머리가 이상하게 멍해지다〔느껴지다〕.

dis·o·ri·en·tate [disɔ́:riəntèit] *vt.* =DISORIENT.

dis·o·ri·en·ta·tion [disɔ̀:riəntéiʃən] *n.* Ⓤ 방향 감각의 상실 ; 혼미.

dis·own [disóun] *vt.* ① …을 제 것이 아니라고 말하다 : ~ a gun 자기 총이 아니라고 하다. ② …와 자기와의 관계를 부인하다, (자식)과 의절하다 : He ~*ed* his spendthrift son. 그는 방탕한 아들과 의절했다.

dis·par·age [dispǽridʒ] *vt.* ① …을 깔보다, 얕보다. ② …을 헐뜯다, 비방〔비난〕하다.

dis·par·age·ment [-mənt] *n.* Ⓤ.Ⓒ ① 경멸, 깔봄, 업신여김. ② 비난.

dis·par·ag·ing [dispǽridʒiŋ] *a.* 깔보는 (듯한) ; 비난하는 (듯한). ㊞ **~·ly** *ad.*

dis·pa·rate [díspərit, dispǽr-] *a.* (두 가지 것이 본질적으로) 다른, 공통점이 없는, (완전히) 이종(異種)의 : the two ~ thoughts 전혀 다른 두 사상. ㊞ **~·ly** *ad.* **~·ness** *n.*

dis·par·i·ty [dispǽrəti] *n.* Ⓤ.Ⓒ 부동, 부등, 불균형, 불일치 ; 상위《*between* ; *in* ; *of*》: a ~ *in* prestige 신분의 차이 / (a) ~ *between* word and deed 언행의 불일치 / the ~ *between* the rich and the poor 빈부의 심한 격차.

dis·pas·sion [dispǽʃən] *n.* Ⓤ 냉정 ; 공평.

dis·pas·sion·ate [dispǽʃənit] *a.* ① 감정에 좌우되지 않는, 침착한, 냉정한. ② 공평한 : a ~ arbiter 공평한 조정자. ㊞ **~·ly** *ad.* **~·ness** *n.*

‡dis·patch [dispǽtʃ] *vt.* ① (편지·사자 등)을 급송하다 ; 급파〔특파〕하다《*to*》: ~ a letter 편지를 급송하다 / A squad of policemen was ~*d to* the troubled area. 소요 지역에 경찰대가 급파되었다. ② **a)** (일)을 신속히 처리하다. **b)** 《口》(식사)를 빨리 마치다. ③ (사람)을 죽이다, 처치하다(kill) ; (사형수 등)을 처형하다. ― *n.* ① Ⓤ 급파, 특파, 급송. ② Ⓒ **a)** 급송 공문서. **b)** 급보, 특전. ③ Ⓤ 재빠른 처리 ; 신속한 조치 : with ~ 지급으로, 속히. ***be mentioned in ~es***〖英軍〗수훈(殊勳) 보고서 안에 이름이 오르다.

dispátch bòx〔**càse**〕(공문서의) 송달함.

dis·patch·er, des- [dispǽtʃər] *n.* Ⓒ ① 발송계(係)〔담당자〕; 급파하는 사람. ② (철도·버스 따위의) 발차계, 배차계.

***dis·pel** [dispél] (*-ll-*) *vt.* ① (근심·의문 등)을 쫓아버리다 ; 없애다(disperse) : ~ one's worries with jokes 농담으로 근심을 달래다 / His encouraging words ~*led* my worry. 그의 격려의 말로 내 걱정은 사라졌다. ② (안개 등)을 흩다 : The wind ~*led* the fog. 바람으로 안개가 개었다.

dis·pen·sa·ble [dispénsəbəl] *a.* 없어도 좋은, 중요치 않은. OPP *indispensable.*

dis·pen·sa·ry [dispénsəri] *n.* Ⓒ ① (공장·학교 등의) 의무실. ② (병원 따위의) 약국.

dis·pen·sa·tion [dìspənséiʃən, -pen-] *n.* ① **a)** Ⓤ.Ⓒ 분배, 시여(施與)《*of*》: the ~ *of* charity 자선을 베풂 / the ~ *of* food and clothing 의식의 분배. **b)** Ⓒ 분배품, 시여품. ② Ⓒ (신의) 섭리, 하늘의 배제(配劑) ; 하늘이 준 것. ③ Ⓤ 통치, 제도, 체제 : under the new ~ 신체제하에(서는). ④ Ⓤ.Ⓒ〖法〗(법의) 적용, 면제. ⑤ Ⓤ〖가톨릭〗**a)** 관면(寬免). **b)** Ⓒ 관면장. ◇ dispense *v.*

dis·pense** [dispéns] *vt.* ①《~+목 / +목+전+명》…을 분배하다, 나누어 주다, 베풀다 : ~ food and clothing *to* the poor 빈민에게 의복과 식량을 베풀다. ② (약 등)을 조제하다, 시약〔투약〕하다 : ~ medicines 약을 조제하다 / ~ a prescription 처방대로조제하다. ③ (법)을 시행하다. ④《+목+전+명》…에게 면제하다(exempt)《*from*》: ~ a person *from* an obligation 아무의 의무를 면제해 주다. ― *vi.*〔다음 성구(成句)로 사용〕 ***~ with (1) …을 필요없게 하다, …할 수고〔절차〕를 덜다 ;〔흔히 can ~〕…없이 때우다(do without) : Robots ~ *with* much labor. 로봇은 많은 노력을 덜어준다. (2) …없이 하다〔때우다〕, …을 면제하다.

dis·pens·er [-ər] *n.* Ⓒ ① 약사, 조제사. ② 분배자, 시여자(施與者). ③ **a)** 디스펜서《종이컵·휴지·향수·정제 등을 필요량만큼 꺼내는 용기》. **b)** 자동 판매기. 「제사, 약사.

dispéns·ing chémist [dispénsiŋ-]《英》약

dis·per·sal [dispə́:rsəl] *n.* ⇨DISPERSION ① a).

***dis·perse** [dispə́:rs] *vt.* ① …을 흩뜨리다, 해산시키다 ; 분산시키다 : The police ~*d* the demonstrators〔the mob of workers〕. 경찰은 시위 군중〔폭도화한 노동자들〕을 해산시켰다. ② …을 퍼뜨리다, 전파시키다(diffuse) : ~ rumors 소문을 퍼뜨리다. ③ (구름·안개 등)을 흩어 없어지게 하다 : The wind ~*d* the fog. 바람에 안개가 흩어졌다. ④〖光〗(빛)을 분산시키다. ― *vi.* ① 흩어지다, 해산하다 : The rebels ~*d* at the sight of the troops. 반도들은 군대를 보자 뿔뿔이 흩어졌다. ② (구름·안개 등이) 소산하다.

dis·per·sion [dispə́:rʒən, -ʃən] *n.* Ⓤ ① **a)** 분산 ; 산란(散亂), 이산. **b)** (the D-) ⇨DIASPORA ①. ②

〖光〗 분산. ③〖統〗 (평균값 따위와의) 편차.

dis·per·sive [dispə́:rsiv] *a.* 분산하는 ; 소산하는 ; 산포성의, 전파성의. ㊞ **~·ness** *n.*

di·spir·it [dispírit] *vt.* …의 기력을〔의기를〕 꺾다 ; 낙담시키다.

di·spir·it·ed [dispíritid] *a.* 기운 없는, 기가 죽은, 의기 소침한 : He looked ~. 그는 풀이 죽어 있었다. ㊞ **~·ly** *ad.* **~·ness** *n.*

di·spir·it·ing [-tiŋ] *a.* 낙담케 하는〔할 만한〕.

***dis·place** [displéis] *vt.* ① (정상적인 자리에서) …을 바꾸어 놓다, 이동시키다, 옮기다 : ~ a bone 탈구하다 / Many people were ~*d* by the flood. 홍수 때문에 많은 사람들이 (마을을) 떠나게 되었다. ② …에 대신 들어서다 : In this city buses have ~*d* streetcars. 이 도시에서는 시가 전차 대신에 버스가 등장했다. ③ (직위 등에서, 사람)을 해임〔해직〕하다《*from*》. ④ …의 배수〔배기〕량이 …이다 : This ship ~*s* 20,000 tons. 이 배의 배수량은 2만 톤이다.

dis·pláced pérson [displéist-] (전쟁·박해 등으로 나라를 잃은) 난민, 유민(流民), 강제 추방자《略 : D.P.》.

***dis·place·ment** [displéismənt] *n.* ① Ⓤ 환치(換置), 전위 ; 이동. ② Ⓤ 배제 ; 해직 ; 퇴거. ③ ⓊⒸ (선박의) 배수량〔톤〕 ; (엔진의) 배기량 : a ship of 3,000 tons ~ 배수량 3 천 톤의 배 / a car of 1,800 cc ~ 배기량 1,800cc의 차.

ː dis·play [displéi] *vt.* ① …을 전시〔진열〕하다 : ~ goods for sale 상품을 진열하다 / Various goods were ~*ed in* the shopwindows. 다양한 상품이 진열창에 진열돼 있었다. ② (기·돛 따위)를 달다, 게양하다 ; 펴다 : ~a flag 기를 게양하다 / ~ a map 지도를 펼치다. ③ (감정 등)을 밖에 나타내다, 드러내다 ; (능력 등)을 발휘하다 : ~ fear 공포의 빛을 나타내다 / ~ bravery 용기를 과시하다 / ~ one's immaturity 미숙함을 드러내다. ── *n.* ① ⓊⒸ 표시, 표명 ; (감정 등의) 표현 : without ~ 과시함이 없이 / She is fond of ~. 그녀는 허식을 좋아한다. ② **a)** ⓊⒸ 진열 ; 전시 : put the students' paintings on ~ 학생들의 그림을 전시하다. **b)** Ⓒ 〖集合的〗 전시품. ③ ⓊⒸ 과시 ; 발휘 ; 디스플레이《새 등의 위협·구애 행동 따위》 : a ~ of courage 용기의 발휘. ④ Ⓒ 〖컴〗 화면 표시《출력 표시 장치》. ***make a ~ of*** …을 과시하다 : He never *made a ~ of* his knowledge. 그는 결코 자기 지식을 과시한 일이 없었다.

ː dis·please [displí:z] *vt.* …을 불쾌하게 하다 ; 화나게 하다 : His impudence ~*d* me. 그의 뻔뻔스러움에 나는 화가 났다.

dis·pleased [displí:zd] *a.* 불쾌한, 화내고 있는 《*at* ; *with*》 : She is ~ *with* you. 그녀는 네게 화내고 있다 / He was ~ *at* his son's behavior. 그는 아들의 행실이 마음에 안 들었다.

dis·pleas·ing [displí:ziŋ] *a.* 불쾌한, 마땅찮은, 화나는《*to*》 : His voice is ~ *to* me. 그의 음성이 도무지 듣기 싫다. ㊞ **~·ly** *ad.* 불유쾌하게.

***dis·pleas·ure** [displéʒər] *n.* Ⓤ 불쾌 ; 불만 ; 골 : feel〔show〕 ~ at …에 불쾌감을 느끼다〔보이다〕 / He incurred her ~ by forgetting her birthday. 그는 그녀의 생일을 잊어버려 그녀의 기분을 상하게 했다.

dis·port [dispɔ́:rt] *vi., vt.* (…을) 즐기게 하다 ; 즐기다. ~ one***self*** 장난치며〔흥겹게〕 놀다, 즐기다.

dis·pos·a·ble [dispóuzəbəl] *a.* ① **a)** 처분할 수 있는 ; 마음대로 되는. **b)** (세금 등을 낸 후) 자유로 쓸 수 있는 : ~ income 가처분 소득. ② 사용 후 버리는 : ~ chopsticks 〔syringes〕 일회용 소독저〔주사기〕. ── *n.* Ⓒ 일회용품.

ː dis·pos·al [dispóuzəl] *n.* ① Ⓤ 처분, 처리《*of*》 : the ~ *of* property by sale 매각에 의한 재산 처분 / the ~ *of* radioactive waste 방사성 폐기물의 처리. ② Ⓤ 처분의 자유 ; 처분권 : have the full ~ of one's own property 자기 재산의 자유 처분권을 가지다. ③ Ⓤ 배치, 배열(配列). ④ Ⓒ 디스포저(disposer). ◇ dispose *v.* ***at*** a person***'s*** ~ = ***at the ~ of*** a person 아무의 뜻〔마음〕대로 되는 : My services are *at your* ~. 무엇이나 말씀〔분부〕하십시오. ***put*** 〔***leave***〕 something ***at*** a person***'s*** ~ 무엇을 아무의 재량에 맡기다 : I'll *leave* the money *at your* ~. 그 돈(의 사용)은 당신에게 일임하겠소. 「처리 주머니.

dispósal bàg (탈것·호텔 등에 비치된) 오물

ː dis·pose [dispóuz] *vt.* ① …을 배치하다, 배열하다 : ~ furniture tastefully around the room 방에 가구를 취향에 맞게 배치하다 / ~ troops *for* immediate action 군대를 즉시 출동할 수 있도록 배치하다. ② 《+목+*to* do / +목+전+명》 **a)** (…할) 마음이 내키게 하다 : Her poverty ~*d* me *to* help her. 그녀의 가난한 것을 보고 도울 생각이 들었다. **b)** …에게 자칫 …하게 하다, …하는 경향이 있다 : She was ~*d to* colds. 그녀는 감기에 잘 걸렸다 / Pollutied air ~*s* you *to* various diseases. 오염된 공기는 여러가지 병에 걸리기 쉽게 한다.
── *vi.* 처분〔처리〕하다 ; 어떤 일의 형세를 정하다《*of*》 : Man proposes, God ~*s.* 《俗談》 일은 사람이 꾸미되, 성패는 하늘에 달렸다. ***~ of*** (1) …을 처분하다《매각·양도 등에 의해》 ; …을 처리하다 : ~ *of* garbage 쓰레기를 처리하다 / He ~*d of* his old house. 그는 낡은 집을 처분했다〔팔아치웠다〕. (2) (승부에서) …을 패배시키다 ; …을 죽이다 : ~ *of* one's opponent in the debate 논쟁에서 상대를 꺽소리 못하게 하다. (3) …을 다 먹어〔마셔〕버리다.

***dis·posed** [dispóuzd] *a.* 〔敍述的〕 ① …할 마음이 있는《*for*》 : Are you ~ *for* a walk? 산책하고 싶나 / I'm not ~ *for* work. 일할 생각이 없다. ② …하는 경향이 있는《*to*》 : He was ~ *to* sudden fits of anger. 그는 갑자기 벌컥 화내는 성질이 있었다.

dis·pos·er [dispóuzər] *n.* Ⓒ 디스포저《부엌의 수채통에 설치하는 찌꺼기 분쇄 처리기》.

ː dis·po·si·tion [dìspəzíʃən] *n.* ① Ⓤ (또는 a ~) 성벽(性癖), 성질, 기질 ; 경향 : He has a quarrelsome ~. 그는 걸핏하면 싸우려드는 성질이다 / the ~ of sugar *to* dissolve in water 설탕의 물에 잘 녹는 성질. ② (a ~) (…하고 싶은) 기분, 의향《*to* do》 : feel *a ~ for* a drink 〔*to* drink〕 한잔하고 싶은 생각이 나다. ③ ⓊⒸ 배열, 배치 ; 작전계획 : the ~ of troops 군대의 배치 / the ~ of chairs 의자의 배치. ④ Ⓤ 처분, 정리 ; 처분〔재량〕권 : Her property is at her (own) ~. 그녀의 재산은 그녀가 마음대로 처분할 수 있다. ◇ dispose *v.*

dis·pos·sess [dìspəzés] *vt.* …의 소유권〔재산〕을 박탈하다, 빼앗다, …에게 명도를 청구하다, …을 쫓아내다(oust)《*of*》 : ~ a person *of* his property 아무에게서 재산을 빼앗다.

dis·pos·sessed [dìspəzést] *a.* 재산을〔지위를〕 빼앗긴 : the ~ 재산을 빼앗긴 사람들 / people ~ of their lands 땅을 빼앗긴 사람들.

dis·pos·ses·sion [dìspəzéʃən] *n.* Ⓤ 내쫓음, 명도 신청 ; 강탈, 탈취.

dis·praise [dispréiz] *vt.* …을 헐뜯다, 비난하다. ── *n.* ⓊⒸ 트집 ; 비난 : speak in ~ of …을 헐뜯다.

dis·proof [disprúːf] *n.* ① Ⓤ 반박, 논박, 반증을 들기. ② Ⓒ 반증(물건).

dis·pro·por·tion [dìsprəpɔ́ːrʃən] *n.* ① Ⓤ (또는 a ~) 불균형, 불균등, 불평균《*between* ; *in*》: *a* ~ *between* the price and the value 값과 가치의 불균형. ② Ⓒ 불균형인 점.

dis·pro·por·tion·al [dìsprəpɔ́ːrʃənəl] *a.* = DISPROPORTIONATE. ㊞ **~·ly** [-əli] *ad.*

dis·pro·por·tion·ate [dìsprəpɔ́ːrʃənit] *a.* 불균형의, 어울리지 않는《*to*》. ㊞ **~·ly** *ad.*

***dis·prove** [disprúːv] *vt.* …의 반증을 들다, …의 그릇됨을 증명하다, …을 논박하다(refute).

dis·put·a·ble [dispjúːtəbəl] *a.* 논의할〔의문의〕 여지가 있는; 의심스러운: a highly ~ theory 극히 의심스러운 이론.

dis·pu·tant [dispjúːtənt] *n.* Ⓒ 논쟁자, 논객. ── *a.* 논쟁의, 논쟁중의.

dis·pu·ta·tion [dìspjutéiʃən] *n.* Ⓤ,Ⓒ 논쟁, 논의, 토론, 반박. ◇ dispute *v.*

dis·pu·ta·tious [dìspjutéiʃəs] *a.* 논쟁적인, 논쟁을 좋아하는. ㊞ **~·ly** *ad.*

‡dis·pute [dispjúːt] *vi.* 《~ / +전+명》 논쟁하다, 언쟁하다《*with* ; *against*》; 논의하다《*about* ; *over*》: ~ *with*〔*against*〕 one's boss *about*〔*on, over*〕 the project 상사와 그 기획에 대하여 논쟁하다 / Mr. and Mrs. Long often ~ *over* the household budget. 롱씨 부부는 가계(家計) 문제로 자주 언쟁한다. ── *vt.* ① 《~+목 / +*wh.* 절》 …에 대해 논하다, 논의하다(discuss): ~ the case 그 건에 대해 논하다 / We ~*d whether* we would adopt the proposal. 우리는 그 제안의 채택 여부에 대해 논의했다. ② …을 의문시하다, 문제삼다: The fact cannot be ~*d.* 그 사실은 의심할 여지가 없다 / The will was ~*d.* 그 유언장이 의심스럽다는 이의가 제기되었다. ③ …에 항쟁〔저항〕하다; …을 저지하려고 하다(oppose): ~ the enemy's seizure of one's land 적에게 영토를 점령당하지 않으려고 싸우다. ④ 《~+목 / +목+전+명》 (승리·우위 등)을 (얻으〔잃지 않으〕려고) 다투다, 경쟁하다(contend for): ~ every inch *of* ground 촌토(寸土)를 다투다 / ~ a prize *with* a person 아무와 상을 다투다. ◇ disputation *n.*
── *n.* ① Ⓤ,Ⓒ 논쟁, 논의《*with* ; *about* ; *over*》: be in ~ *with* a person *about* labor problems 노동문제로 아무와 논쟁 중이다. ② Ⓒ 분쟁, 말다툼, 싸움(quarrel): the ~ *between* Britain and Argentina 영국과 아르헨티나간의 분쟁. ***beyond*** 〔***out of, past, without***〕 ~ 의론〔의문〕의 여지없이, 분명히: This is *beyond* ~ the best one. 이것은 명백히 최선의 것이다. ***in***〔***under***〕 ~ 논쟁중의, 미해결로〔의〕: a point *in* ~ 논쟁점.
㊞ **-pút·er** *n.* 논쟁자.

dis·qual·i·fi·ca·tion [diskwɑ̀ləfikéiʃən / -kwɔ̀l-] *n.* ① Ⓤ 자격 박탈, 실격; 무자격, 결격. ② Ⓒ 실격 사유, 결격 조항《*for*》.

dis·qual·i·fy [diskwɑ́ləfài / -kwɔ́l-] *vt.* ① …의 자격을 박탈하다; 실격시키다; 적임이 아니라고 판정하다《*for, from*》: be *disqualified from* …의 자격을 잃다 / His weak heart *disqualified* him *for* the work. 심장이 약해서 그 일은 못했다. ② 〖競〗 출전 자격을 박탈〔취소〕하다: The hurdler was *disqualified for* taking drugs. 그 허들 선수는 약물 복용으로 출전 자격을 박탈당했다.

dis·qui·et [diskwáiət] *vt.* …을 불안〔동요〕하게 하다, 걱정시키다: ~ oneself 조바심하다 / He was ~*ed* by the rumor. 그 소문을 듣고 그는 불안해졌다. ── *n.* Ⓤ 불안; 불온, 동요; 걱정.
㊞ **~·ing** *a.* 불안한, 걱정되는.

dis·qui·e·tude [diskwáiətjùːd] *n.* Ⓤ = DISQUIET.

dis·qui·si·tion [dìskwəzíʃən] *n.* Ⓒ (긴 또는 장황한) 연설, 논문, 장광설《*on* ; *about*》.

***dis·re·gard** [dìsrigɑ́ːrd] *vt.* …을 무시하다, 경시하다(ignore): ~ a traffic signal 교통 신호를 무시하다 / They ~*ed* my objections to the proposal. 그들은 그 제안에 대한 나의 이의를 무시했다.
── *n.* Ⓤ (또는 a ~) 무시, 경시(ignoring)《*of* ; *for*》: in total ~ *of* one's own interest 자기의 이해(利害)를 전혀 도외시하고 / ~ *of* a rule 규칙 무시.

dis·rel·ish [disréliʃ] *n.* Ⓤ (또는 a ~) 싫어함, 혐오《*for*》: have *a* ~ *for* …을 아주 싫어하다.
── *vt.* …을 혐오하다, 싫어하다(dislike).

dis·re·pair [dìsripέər] *n.* Ⓤ (수리·손질 부족에 의한) 파손(상태), 황폐《*in, into*》: fall *into* ~ 상하다, 파손하다, 황폐해지다 / an old village office *in* ~ 낡을대로 낡은 오래된 마을사무소.

dis·rep·u·ta·ble [disrépjətəbəl] *a.* ① 평판이 나쁜, 남우세스러운, 좋지 않은: a ~ district (창녀 등이 많은) 좋지 않은 지역. ② 보기 흉한, 추레한, 초라한: in ~ clothes 초라한 옷차림으로.
㊞ **-bly** *ad.* **~·ness** *n.*

dis·re·pute [dìsripjúːt] *n.* Ⓤ 악평, 평판이 나쁨; 불명예: be in ~ 평이 나쁘다 / bring a person into ~ 아무의 평판을 떨어뜨리다 / fall into ~ 평판이 나빠지다.

dis·re·spect [dìsrispékt] *n.* Ⓤ 실례, 무례.

dis·re·spect·ful [dìsrispéktfəl] *a.* 실례되는; 무례한《*to, toward*》: He was ~ *to* me. 내게 대한 그의 태도는 무례했다. ㊞ **~·ly** *ad.*

dis·robe [disróub] *vt.* ① …의 옷〔제복〕을 벗기다. ② …을 빼앗다《*of*》: The autumn winds ~*d* the trees *of* their leaves. 가을 바람에 나뭇잎들이 떨어졌다. ── *vi.* 옷〔특히 관복 등〕을 벗다.

***dis·rupt** [disrʌ́pt] *vt.* ① (국가·제도·동맹 따위)를 붕괴〔분열〕시키다: a ~*ed* party 분열된 정당 / The conflict seemed likely to ~ the government. 그 분쟁은 정부를 붕괴시킬 듯했다. ② (회의 등)을 혼란케 하다; (교통·통신 등)을 일시 불통케 하다, 중단시키다: Railway was ~*ed* by the storm. 폭풍우로 철도가 불통되었다 / His antics ~*ed* the meeting. 그의 괴상한 행동으로 집회는 잠시 혼란스러웠다.

***dis·rup·tion** [disrʌ́pʃən] *n.* Ⓤ,Ⓒ ① 분열; 붕괴, 와해: environmental ~ 환경 파괴. ② 혼란, 중단, 두절: a ~ of railway service 철도 수송의 두절.

dis·rup·tive [disrʌ́ptiv] *a.* 분열〔붕괴〕시키는, 파괴적인; 혼란을 가져오는: ~ pupils of the class 학급에서 파괴적 활동을 하는 학생.

***dis·sat·is·fac·tion** [dissæ̀tisfǽkʃən] *n.* ① Ⓤ 불만(족), 불평《*at* ; *with*》: mothers ~ that I come home late〔*at* my coming home late〕 내 귀가가 늦는 데 대한 어머니의 불만. ② Ⓒ 불만의 원인, 불평거리.

dis·sat·is·fac·to·ry [dissæ̀tisfǽktəri] *a.* 마음에 안 차는, 만족스럽지 않은《*to*》.

dis·sat·is·fied [dissǽtisfàid] *a.* 불만스런; 불만을 나타내는: a ~ look 불만스러운 표정.

dis·sat·is·fy** [dissǽtisfài] *vt.* …을 만족시키지 못하다; 불만을 느끼게 하다, 불쾌하게 하다. ***be dissatisfied with 〔***at***〕 …을 불만으로 여기다, …이 불만이다: The laborers *were* ~ *with*〔*at*〕 their wages. 노동자들은 임금에 불만을 나타냈다.

***dis·sect** [disékt, dai-] *vt.* ① …을 해부〔절개(切

開)〕하다. ② …을 자세히 분석〔음미, 비평〕하다.

dis·sect·ed [-id] *a.* ① 해부〔절개〕한. ②〖植〗 전열(全裂)의《잎》: ~ leaves 끝이 갈라진 잎.

dis·sec·tion [disékʃən, dai-] *n.* ① **a)** U,C 해부, 절개, 해체. **b)** C 해부체〔모형〕. ② U,C 분석, 정밀 검사〔조사〕.

dis·sem·ble [disémbəl] *vt.* (본디의 감정·사상·목적 등)을 숨기다, 감추다 ; 꾸미다, …인 체하다(feign) : ~ fear by smiling 웃어서 공포를 숨기다 / ~ one's anger 노여움을 감추다. ── *vi.* 본심을 속이다, 시치미떼다. 「람.

dis·sem·bler [-bələr] *n.* C 위선자, 가면 쓴 사

dis·sem·i·nate [disémənèit] *vt.* ① (씨)를 흩뿌리다. ② …을 널리 퍼뜨리다, 보급시키다 : ~ information〔dangerous idea〕 지식〔위험한 사상〕을 퍼뜨리다.

dis·sem·i·na·tion [disèmənéiʃən] *n.* U ① 흩뿌림, 파종. ② 보급, 선전.

dis·sem·i·na·tor [disémənèitər] *n.* C ① 파종자. ② 선전자. ③ 살포기.

***dis·sen·sion** [disénʃən] *n.* U,C 의견 차이 : internal ~ 내분 / create〔cause〕 ~ 의견 차이를 낳다〔야기하다〕. ◇ dissent *v.*

***dis·sent** [disént] *vi.* ①《~ / +전+명》 (아무와) 의견을 달리하다, 이의를 말하다《*from*》. opp *assent, consent.* ¶ I ~ *from* what he said. 나는 그의 말에 반대한다. ② 영국 국교에 반대하다《*from*》. ── *n.* U ① 불찬성, 이의《*from*》. ② (흔히 D-) 영국 국교 반대.

dis·sent·er [-tər] *n.* C ① 불찬성자, 반대자. ② (흔히 D-)《英》 비국교도, 국교 반대자.

dis·sen·tient [disénʃiənt] *a., n.* C 의견을 달리하는 (사람), (다수 의견에) 반대하는 (사람).

dis·sent·ing [diséntiŋ] *a.* ① 의견을 달리하는, 이의를 말하는, 반대하는 : a ~ opinion 반대 의견 / without a ~ voice 한 사람의 이의도 없이. ② (종종 D-) (영국) 국교에 반대하는.

dis·ser·ta·tion [dìsərtéiʃən] *n.* C 논문 ;《특히》 학위 논문 : a doctoral ~ 박사 논문.

dis·serv·ice [dissə́ːrvis] *n.* U (또는 a ~) 해, 손해, 폐 ; 불친절한 행위, 학대, 구박 : do a person *a* ~ 아무에게 해를 주다. ◇ disserve *v.* 「다.

dis·sev·er [disévər] *vt.* …을 분리하다 ; 분할하

dis·sev·er·ance [disévərəns] *n.* U 분리.

dis·si·dence [dísədəns] *n.* U (의견·성격 등의) 상위, 불일치 ; 부동의(不同意), 이의.

dis·si·dent [dísədənt] *a.* 의견을 달리하는 ; 반체제(反體制)의 : a ~ voice 반대 의견 / a ~ newspaper 반체제의 신문. ── *n.* C 의견을 달리하는 사람 ; 반체제자.

dis·sim·i·lar [dissímələr] *a.* 같지〔닮지〕 않은, 다른《*to* ; *from*》. 파 ~**·ly** *ad.*

dis·sim·i·lar·i·ty [dissìmələ́rəti] *n.* ① U 부동(不同)(성), 차이. ② C 차이점. 「LARITY.

dis·si·mil·i·tude [dìssimílətjùːd] *n.* =DISSIMI-

dis·sim·u·late [disímjulèit] *vt.* (감정)을 숨기다. ── *vi.* 시치미떼다.

dis·sim·u·la·tion [disìmjuléiʃən] *n.* U,C (감정을) 감춤 ; 시치미뗌.

dis·si·pate [dísəpèit] *vt.* ① (안개·구름 따위)를 흩뜨리다 : The wind ~*d* the fog. 바람이 안개를 흩었다. ②〔종종 受動으로〕 (열 따위)를 방산하다. ③ (의심·공포 따위)를 사라지게 하다. ④ (재산 따위)를 낭비하다, 다 써 버리다(waste) : He ~*d* his fathers fortune. 그는 아버지의 재산을 탕진했다. ── *vi.* ① 사라지다, 흩어져 없어지다《구름 따위가》: The haze has ~*d.* 아지랑이가 걷혔다. ② (음주·도박 등으로) 재산을 탕진하다.

dis·si·pat·ed [dísəpèitid] *a.* 난봉피우는, 방탕한 : lead〔live〕 a ~ life 방탕한 생활을 하다.

dis·si·pa·tion [dìsəpéiʃən] *n.* U ① (구름 따위의) 소산(消散). ② 낭비 ; 방탕. ◇ dissipate *v.*

dis·so·ci·ate [disóuʃièit] *vt.* ① …을 분리하다, 떼어놓다 ; 떼어서 생각하다《*from*》: It's impossible to ~ language *from* culture. 언어를 문화와 분리해서 생각할 수는 없다. ②〔再歸的〕 …와의 관계를 끊다 : He ~*d himself from* the movement. 그는 그 운동과 손을 끊었다. opp *associate.*

dis·só·ci·at·ed personálity [disóuʃièitid-] 〖精神醫〗 분열 인격. 「상태).

dis·so·ci·a·tion [disòusiéiʃən] *n.* U 분리 (작용,

dis·so·ci·a·tive [disóuʃièitiv, -ʃiə-] *a.* 분리적인, 분열성의.

dis·sol·u·ble [disáljəbəl / -sɔ́l-] *a.* ① 용해〔분해〕할 수 있는. ② 해소〔해제〕할 수 있는《계약 등》. 파 **dis·sòl·u·bíl·i·ty** [-bíləti] *n.* U

dis·so·lute [dísəlùːt] *a.* 방종한, 홀게늦은 ; 방탕한, 난봉피우는. 파 ~**·ly** *ad.* ~**·ness** *n.*

***dis·so·lu·tion** [dìsəlúːʃən] *n.* U ① 용해 ; 분해 ; 분리. ② (때로 a ~) **a)** (의회·단체 등의) 해산. **b)** (계약 등의) 해소, 취소. ③ 붕괴 ; 소멸 ; 사멸.

‡**dis·solve** [dizálv / -zɔ́lv] *vt.* ①《~+목 / +목+전+명》 …을 (…에) 녹이다, 용해시키다 ; (물질 등)을 분해 시키다 : Water ~*s* salt. 물은 소금을 녹인다 / ~ salt *in* water 소금을 물에 녹이다 / These chemicals ~ fat. 이들 화학약품은 지방을 분해한다. ② (의회·모임)을 해산하다 : Parliament was ~*d* and a general election was held. 의회는 해산되고 총선거가 실시됐다. ③ (관계·결혼 등)을 해소하다 ; 취소하다 : Her smile ~*d* all his bitter feelings. 그녀의 미소로 그의 모든 악감정은 사라졌다 / ~ a marriage 결혼을 취소하다. ④〖映·TV〗 (화면)을 디졸브〔오버랩〕시키다《fade-out 과 fade-in 이 동시에 행해짐》. ── *vi.* ①《~ / +전+명》 (…에) 녹다 ; (…으로) 분해하다《*in, into*》: Salt ~*s in* water. 소금은 물에 녹는다. ② (의회·단체 등이) 해산하다 : Parliament (has) ~*d.* 의회는 해산했다. ③ (힘·공포·경치 따위가) 점점 사라지다〔희미해지다〕: His courage ~*d* in the face of the danger. 그 위험에 직면하여 그의 용기는 사라졌다. ④〖映·TV〗 (화면이) 디졸브〔오버랩〕하다. ◇ dissolution *n.* ~ ***in*** 〔***into***〕 감정을 억제하지 못하고 …하다 : She ~*d in*〔*into*〕 tear〔laughter〕. 그녀는 와락 울음〔웃음〕을 터뜨렸다. ── *n.* U〖映·TV〗 디졸브, 오버랩(lap ~).

dis·so·nance, -nan·cy [dísənəns], [-i] *n.* ① U,C〖樂〗 불협화(음). opp *consonance.* ② U (때로 a ~) 불일치, 부조화.

dis·so·nant [dísənənt] *a.* ①〖樂〗 불협화(음)의. ② 부조화의, 동조하지 않는.

***dis·suade** [diswéid] *vt.* (…에게) …을 단념시키다《*from*》. opp *persuade.* ¶ Father ~*d* his daughter *from* keeping company with him. 아버지는 딸을 타일러 그와 사귀는 것을 단념시켰다.

dis·sua·sion [diswéiʒən] *n.* U 마음을 돌리게 함, 간(諫)하여 말림.

dis·sua·sive [diswéisiv] *a.* 마음을 돌리게 하는 〔하기 위한〕; 말리는《충고·몸짓 등》.

dissyllable ⇨ DISYLLABLE.

dist. distant ; district ; distinguish(ed).

dis·taff [dístæf, -tɑːf] (*pl.* ~**s** [-fs, -vz]) *n.* C 실톳대《옛날 실 잣는 데 쓰던》, 실 감는 막대 ; (물레의) 가락.

dístaff sìde (the ~) 모계, 외가 쪽. opp *spear side.* ¶ a cousin on *the* ~ 외사촌.

dis·tal [dístəl] *a.* 〖解·植〗 말초(부)의, 말단의. opp. *proximal.*

†dis·tance [dístəns] *n.* ① Ⓒ,Ⓤ 거리, 간격 《*between* ; *to* ; *from*》: a long〔short〕 ~ 장〔단〕 거리 / keep a safe ~ *between* cars 안전한 차간 거리를 유지하다 / What's the ~ *from* here *to* the station? 여기서 정거장까지의 거리는 얼마요 / The hospital is some ~ away. 그 병원은 꽤 멀다. ② (*sing.*) 원거리, 먼 데〔곳〕; (그림 등의) 원경(遠景) : I just saw her from a ~. 그녀를 먼데서 보았을 뿐이다 / He works quite a ~ from home. 그의 직장은 집에서 아주〔꽤〕 멀다. ③ (*sing.*) (시일의) 동안, 사이, 경과 : look back over a ~ *of* thirty years, 30년 전을 회고하다. ④ Ⓤ,Ⓒ **a**) (혈연·신분 따위의) 현저한 차이, 현격《*between*》. **b**) (기분·태도의) 격의, 서먹서먹함, 사양 : keep a person at a ~ (서먹하여) 아무를 멀리하다. ⑤ (a ~, 또는 *pl.*) 구역, 넓이 : *a* country of great ~*s* 광대한(땅을 가진) 나라. ***at a*** ~ 얼마간 떨어져서. ***gain*** ~ ***on*** … (쫓아가서) …와의 거리를 좁히다. ***go*** 〔***last***〕 ***the*** (***full***) ~ 끝까지 해 내다 ; 〖野〗 완투(完投)하다. ***in the*** ~ 먼 곳에, 저 멀리 : What do you see *in the* ~? 저 멀리 무엇이 보이느냐. ***keep*** one***'s*** ~ ⑴ 거리를 두다 : *Keep your* ~! 가까이 오지 마. ⑵ 친숙하게 굴지 않아, 서먹하게 대하다. ***within*** . . . ~ …의 거리내에 : *within* jumping 〔easy〕 ~ 엎어지면 코 닿을 곳에. ── *vt.* ① (경주·경쟁에서) …을 앞지르다(outdistance) ; (거리)를 (많이) 떼어놓다. ② (정신적으로) …에 거리를 두다, 멀리하다 《*from*》: He tried to ~ himself *from* students' political activities. 그는 학생운동에서 떨어져 있으려고 했다. 「교육.

dístance lèarning 《英》 (TV 를 이용한) 통신

dístance rùnner 장〔중〕거리 선수.

†dis·tant [dístənt] (***more*** ~ ; ***most*** ~) *a.* ① (거리적으로) 먼, 떨어진《*from*》: a ~ view of the sea 바다의 원경 / The station is about two miles ~ *from* here. 역은 여기서 약 2 마일 떨어져 있다. ② (시간적으로) 먼 : ~ ages 먼 옛날 / a ~ memory 먼 옛날의 기억 / at no ~ date 머지 않아. ③ 〔限定的〕 먼 친척의 : a ~ relative of mine 나의 먼 친척. ④ (유사·관계 등, 정도가) 희미한, 약간의 : a ~ resemblance 희미한 유사. ⑤ (태도 따위가) 소원(疏遠)한, 데면데면한, 냉담한 : a ~ air 냉담한 태도.

dis·tant·ly [dístəntli] *ad.* ① 멀리, 떨어져서. ② 냉담하게, 서먹하게. ③ 희미하게, 약간. ④ 혈연이〔촌수가〕 먼 : be ~ related 먼 친척이다.

***dis·taste** [distéist] *n.* Ⓤ (때로 a ~) 싫음, 혐오, 염증(dislike) : in ~ 싫어서《외면하다 등》/ He has *a* ~ for work〔carrots〕. 그는 일〔당근〕을 싫어한다.

dis·taste·ful [distéistfəl] *a.* 맛없는 ; 불유쾌한, 싫은(disagreeable)《*to*》: a job ~ *to* me 나에게 싫은 일.
㊕ ~**·ly** [-i] *ad.* ~**·ness** *n.*

dis·tem·per[1] [distémpər] *n.* ① Ⓤ 디스템퍼《강아지의 전염병》. ② Ⓤ,Ⓒ (심신의) 병.

dis·tem·per[2] *n.* ① Ⓤ 디스템퍼《물과 노른자위 또는 아교로 갠 채료 ; 벽화·무대 배경용》. ② Ⓤ 디스템퍼 화법 : paint in ~ 디스템퍼 화법으로 그리다. ③ Ⓒ 템페라 그림(tempera). ── *vt.* ① …에 디스템퍼를 칠하다. ② …을 디스템퍼로 그리다.

dis·tend [disténd] *vt.* (내압으로 위·장·혈관 등)을 팽창시키다 : a ~*ed* stomach 팽창한 위. ── *vi.* 부풀다, 팽창하다.

dis·ten·si·ble [disténsəbəl] *a.* 팽창성의.

dis·ten·sion, **-tion** [disténʃən] *n.* Ⓤ 팽창.

***dis·till**, 《英》 **-til** [distíl] (**-*ll*-**) *vt.* ① 《~+목/+목+전+명》 …을 증류하다 ; (위스키 등)을 증류하여 만들다. cf. brew. ¶ ~*ed* water 증류수 / ~ fresh water *from* sea water 바닷물을 증류하여 담수로 만들다 / Whisky is ~*ed from* malt. 위스키는 맥아로부터 증류된다. ② 《+목+부》 (불순물 따위)를 증류하여 제거하다《*off* ; *out*》: ~ *out* 〔*off*〕 impurities 증류하여 불순물을 제거하다. ③ …의 정수(精粹)를 뽑다, …을 이끌어 내다 : ~ a moral from a story 설화에서 교훈을 이끌어 내다. ── *vi.* ① 증류되다. ② 듣다 ; 스며나오다.

dis·til·late [dístəlit, -lèit, distílit] *n.* Ⓤ,Ⓒ 증류액 ; 추출된 것, 정수(精粹).

dis·til·la·tion [dìstəléiʃən] *n.* ① Ⓤ 증류(법) : dry ~ 건류(乾溜). ② Ⓤ,Ⓒ 추출된 것, 증류물, 정수(精粹). 「증류기.

dis·till·er [distílər] *n.* Ⓒ ① 증류주 제조업자. ②

dis·till·er·y [-əri] *n.* Ⓒ 증류주 제조장.

‡dis·tinct [distíŋkt] (~**·*er*** ; ~**·*est***) *a.* ① (다른 것과 전혀) 별개의, 다른(separate)《*from*》; 독특한(individual) : Reading a book is quite ~ *from* glancing at it. 책을 읽는 것과 훑굿 보는 것은 전혀 다르다 / Mules and donkeys are ~ animals. 노새와 당나귀는 다르다. ② 뚜렷한, 명백한 ; 명확한, 틀림없는 : She gave me a ~ refusal. 그녀는 분명하게 내게 거절했다 / a ~ outside 뚜렷한 윤곽. opp. *vague.*
㊕ ‡~**·ly** *ad.* 명료〔뚜렷〕하게. ~**·ness** *n.*

‡dis·tinc·tion [distíŋkʃən] *n.* ① Ⓤ,Ⓒ 구별, 차별 : without ~ 구별없이, 무차별로 / You should make〔draw〕 a ~ *between* good and evil. 선악을 확실히 구별해야 한다. ② Ⓤ,Ⓒ 상위, 차이(점) (difference) ; (구별이 되는) 특질, 특징 : the ~ *between* poetry and prose 시와 산문의 차이 / What is the ~ *between* hares and rabbits? 산토끼와 집토끼의 차이점은 무엇이냐 / His style lacks ~. 그의 문체는 특징이 없다. ③ Ⓤ 탁월(성), 우수(성) ; 고귀, 저명 : a writer of ~ 저명한 작가 / She has ~ of manner. 그녀는 매너가 아주 고상하다 / achieve ~ as a statesman 정치가로서 두각을 나타내다. ④ Ⓤ,Ⓒ 수훈 ; 영예, 명예(honor) ; 영예의 표시 : win ~*s* 많은 영예를 얻다 / Many ~*s* were conferred upon him for his work. 그 업적으로 해서 그에게 많은 상이 주어졌다. ◇ distinct *a.* distinguish *v.* ***a*** ~ ***without a difference*** 차이 없는 구별, 쓸데없는 구별. ***with*** ~ ⑴ 공훈을 세워서 ; 훌륭한 성적으로. ⑵ 훌륭하게 ; 품위있게.

dis·tinc·tive** [distíŋktiv] (more*** ~ ; ***most*** ~) *a.* 독특한, 특이한, 구별이 분명한 ; 차이를〔차별을〕 나타내는 : a ~ taste 특유의 맛 / ~ features 두드러진 특징 / He has a ~ way of speaking. 그의 말씨는 독특하다. ㊕ *~**·ly** *ad.* 특수〔독특〕하게. ~**·ness** *n.*

dis·tinct·ly [distíŋktli] *ad.* ① 명백히, 분명히 ; 틀림없이 : a ~ American pronunciation 분명히 미국식(인) 발음 / He is ~ of Latin origin. 그는 틀림없이 라틴계 사람이다. ② 참으로, 정말 : It's ~ warm today. 오늘은 정말 덥다.

‡dis·tin·guish [distíŋgwiʃ] *vt.* 《~+목/+목+전+명》 ① …을 구별하다, 분별〔식별〕하다《*from* ; *by*》; 분류하다《*into*》: ~ right *from* wrong 정사(正邪)를 분별하다 / ~ mankind *into* races 인류를 인종으로 분류하다 / I can ~ them *by* their uniforms. 그들의 제복으로 그들을 식별할 수 있

다 / I cannot ~ French vowels. 나는 프랑스어의 모음을 구별 못한다. ② …을 특징지우다; …의 차이를 나타내다《*from*》: It is his Italian accent that ~*es* him. 그의 특징은 이탈리아어 어투다 / His style is ~*ed* by verbiage. 장황한 것이 그의 문체의 특징이다 / Speech ~*es* man *from* animals. 말을 함으로써 인간은 동물과 구별된다. ③ 〔흔히 再歸用法 또는 受動으로〕 눈에 띄게 하다, 두드러지게 하다《*by*; *in*; *for*》: ~ *oneself in* literature 문학으로 이름을 떨치다 / She ~*ed herself by* winning one award after another. 그녀는 잇달아 상을 받아 유명해졌다.
— *vi.* 《+전+명》 구별〔식별〕하다《*between*》: Can animals ~ *between* colors? 짐승이 색깔을 구별할 수 있나. ◇ distinction *n.*

dis·tin·guish·a·ble [distíŋgwiʃəbəl] *a.* 구별〔식별〕할 수 있는《*from*》: Your dog is not ~ *from* mine at a glance. 네 개는 언뜻 봐서는 내 개와 구별이 안된다.

‡**dis·tin·guished** [distíŋgwiʃt] *a.* ① 눈에 띄는, 현저한(eminent): a politician ~ *for* his diplomatic skill 그의 외교 수완으로 알려진 정치가. ② 출중한, 수훈(殊勳)이 있는: ~ services 수훈. ③ 유명한, 고귀한: ~ visitors 귀빈 / a ~ family 명문(名門) / He is ~ *as* an economist. 그는 경제학자로서 유명하다.

***dis·tort** [distɔ́:rt] *vt.* ① (얼굴 따위)를 찡그리다, 비틀다《*by*; *with*》: Pain ~*ed* his face. 고통으로 그의 얼굴이 일그러졌다. ② (사실)을 곱새기다, 왜곡하다: ~ the truth 진실을 왜곡하다 / You have ~*ed* what I said. 너는 내가 한 말을 곡해하고 있다. ③ (라디오·TV 등이 소리·화상)을 일그러뜨리다.

dis·tort·ed [distɔ́:rtid] *a.* 일그러진, 비틀어진: a ~ view 편견 / ~ vision 난시(亂視).

dis·tor·tion [distɔ́:rʃən] *n.* ① **a**) Ⓤ 일그러짐. **b**) Ⓒ 일그러진 것〔모양〕. ② **a**) Ⓤ (사실·뉴스 내용 등의) 왜곡; 곡해. **b**) Ⓒ 왜곡된 이야기〔전언〕.

***dis·tract** [distrǽkt] *vt.* 《~+목 / +목+전+명》 ① (마음·주의 등)을 빗가게 하다, 흩뜨리다, (딴 데로) 돌리다(divert). opp *attract.* ¶ The television ~*s* me *from* my studies〔grief〕. 텔레비전 때문에 공부가 방해된다〔슬픔이 (일시) 잊혀진다〕 / Don't ~ me! 산만하게 하지 마. ② 〔흔히 受動으로〕 어지럽게 하다, 괴롭히다(perplex)《*with*》; (정신)을 혼란케〔미치게〕 하다《*with*; *by*; *at*; *over*》: He *was* ~*ed between* duty and humanity. 그는 직무와 인정 사이에서 갈피를 못 잡았다. ◇ distraction *n.*

dis·tract·ed [distrǽktid] *a.* 괴로운, 마음이 산란한; 미친 (듯한)《*by*; *with*》: a ~ look 심란한 표정 / She was so ~ *with*〔*by*〕 worry that she didn't hear the phone. 그녀는 걱정거리로 마음이 산란해 전화소리도 못들었다. ㊞ ~·**ly** *ad.*

dis·tract·ing [distrǽktiŋ] *a.* 마음 산란한; 미칠 듯한; 마음에 걸리는. ㊞ ~·**ly** *ad.*

dis·trac·tion** [distrǽkʃən] *n.* ① **a**) Ⓤ 정신이 흐트러짐; 주의 산만. **b**) Ⓒ 마음을 흩트리는 것: a quiet place free of ~*s* 딴 데다 신경을 쓸 일이 없는 조용한 곳. ② Ⓒ 기분 전환, 오락: A large city has many kinds of ~*s.* 대도시에는 여러 가지 오락거리가 있다. ③ Ⓤ 심란, 정신 착란(madness). ◇ distract *v.* ***to ~ 미친 듯이; 이상할 정도로: love a person *to* ~ 아무를 미치도록 사랑하다.

dis·train [distréin] *vt.* 〖法〗 …을 압류하다.
— *vi.* 압류하다《*upon*》: ~ *upon* a person's furniture for rent. 집세 대신에 가구를 압류하다.

dis·traint [distréint] *n.* Ⓤ 〖法〗 동산 압류.

dis·trait [distréi] (*fem.* ***dis·traite*** [-tréit]) *a.* 《F.》 멍한, 방심(放心)한, 건성의(absent-minded).

dis·traught [distrɔ́:t] *a.* =DISTRACTED.

‡**dis·tress** [distrés] *n.* ① **a**) Ⓤ 고뇌, 고통, 비통, 비탄: suffer ~ 비탄에 젖다 / feel acute ~ at … 에 몹시 마음 아파하다. **b**) (a ~) 고민거리《*to*》: He is *a* great ~ *to* his parents. 그는 부모에게 큰 애물이다. ② Ⓤ 가난, 곤궁: He's *in* ~ for money. 돈에 쪼들리고 있다. ③ Ⓤ 고난, 재난, 불행: a ship in ~ 난파선 / a signal of ~ 조난 신호.
— *vt.* 《~+목 / +목+전+명》 ① …을 괴롭히다, 고민케 하다; 슬프게 하다: I am ~*ed at* the news. =The news ~ me. 그 소식을 들으니 마음이 괴롭다 / He was deeply ~*ed at* my failure. 나의 실패에 그는 몹시 상심했다. ② …을 곤란하게〔고통스럽게〕 하다: After the bankruptcy poverty ~*ed* him. 파산 후 가난이 그를 고통스럽게 했다. ~ one***self*** 걱정하다《*about*》: Don't ~ *yourself.* 걱정마라.

dis·tressed [distrést] *a.* 괴로워하는, 고민하는; 곤궁한: a ~ area 《美》 재해 지구; 《英》 빈민 지구 / a ~ situation 어려운 상태 / the ~ 곤궁한 사람들.

dis·tress·ful [distrésfəl] *a.* 고민이 많은, 비참한, 고통스러운; 곤궁에 처한. ㊞ ~·**ly** *ad.*

dis·tress·ing [distrésiŋ] *a.* 괴롭히는, 비참한: ~ news 가슴 아픈 소식 / a ~ incident 참혹한 사건. ㊞ ~·**ly** *ad.* 비참하리만큼, 참혹하게 (도).

distréss sàle 〔**sèlling**〕 출혈 판매, 투매.

distréss sìgnal 조난 신호.

‡**dis·trib·ute** [distríbju:t] *vt.* ① 《~+목 / +목+전+명》 …을 분배하다, 배포하다, 도르다, 배급〔배부〕하다《*among*; *to*》: ~ clothes *to* 〔*among*〕 the sufferers 이재민에게 의류를 분배하다 / ~ the questionnaires *to* the committee members 위원들에게 앙케트지를 도르다. ② 《+목+전+명》 …을 살포하다《*at*》, 분포시키다, 뿌리다《*over*; *through*》: ~ ashes *over* a field 온 밭에 재를 뿌리다. ③ 《~+목 / +목+전+명》 …을 분류하다, 구분하다《*into*》: ~ mail 우편물을 분류하다 / He ~*d* the plants *into* twenty-two genera. 그는 그 식물을 22 속(屬)으로 분류했다.

‡**dis·tri·bu·tion** [dìstrəbjú:ʃən] *n.* ① Ⓤ,Ⓒ 분배, 배분; 배포, 배당, 배급《*to*》: the ~ of food *to* the flood victims 수재민에 대한 식료품 배급. ② Ⓤ 살포, 산포(散布). ③ Ⓤ (또는 a ~) **a**) (생물·언어의) 분포(구역, 상태): have a wide ~ 널리 분포되어 있다. **b**) 〖統〗 (도수) 분포. ④ Ⓤ 분류; (우편의) 구분. ⑤ Ⓤ,Ⓒ 〖經〗 (부(富)의) 분배; (상품의) 유통: the even〔fair〕 ~ of wealth 부의 공평한 분배 / the ~ structure 유통기구. ◇ distribute *v.*
㊞ ~·**al** [-ʃənəl] *a.*

dis·trib·u·tive [distríbjutiv] *a.* 〔限定的〕 ① 배포의, 분배의; (상품의) 유통의: ~ trades 유통 운송업. ② 〖文法〗 배분적인: a ~ word 배분적인 (뜻을 나타내는) 말, 배분사.
— *n.* Ⓒ 〖文法〗 배분사(配分詞)(each, every, either 따위).

***dis·trib·u·tor** [distríbjətər] *n.* Ⓒ ① 분배〔배포, 배달〕자. ② 운송업자; 도매 상인. ③ 〖電〗 배전기(配電器)《내연 기관용》.

‡**dis·trict** [dístrikt] *n.* Ⓒ ① (행정·사법·선거·교육 등을 위해 나눈) 지구, 관구(管區): school ~ 학구 / a judicial〔police〕 ~ 재판〔경찰〕 관할구 / an election 〔《美》 Congressional〕 ~ 선거

구 / a postal ~ 우편 배달구. ② [一般的] 지방, 지대, 지역 : an agricultural ~ 농업지대 / a mountain ~ 산악 지방 / a coal ~ 탄광 지대 / ⇨ LAKE DISTRICT. ***the District of Columbia*** ⇨ COLUMBIA.

dístrict attórney 《美》 지구 (수석) 검사《略 : D.A.》.

dístrict cóurt 《美》 ① 연방 지방 법원《연방 제 1심 법원》. ② (각 주의) 지방 법원.

dístrict héating 지역 난방.

dístrict núrse 《英》 지구 간호사, 보건원《특정 지구에서 환자의 가정을 방문하는》.

dístrict vísitor 《英》 분교구 전도사《교구목사를 보좌하는 사람》.

***dis·trust** [distrʌ́st] *n.* [U] (때로 a ~) 불신 ; 의혹 : have *a* ~ of …을 신용하지 않다. —— *vt.* …을 믿지〔신용하지〕 않다, 의심하다, 의아스럽게 여기다 : ~ a person's words 아무의 말을 믿지 않다 / ~ one's own eyes 자기 눈을 의심하다.

dis·trust·ful [distrʌ́stfəl] *a.* 의심 많은, (좀체) 믿지 않는, 회의적인《*of*》: I'm ~ *of* such cheap goods. 나는 그런 싸구려 물건은 못믿는다. [파] ~·**ly** *ad.* 의심스럽게, 수상히 여겨. ~·**ness** *n.*

‡**dis·turb** [distə́:rb] *vt.* ① (휴식·일·생각 중인 사람)을 방해하다 ; …에게 폐를 끼치다 : I'm sorry to ~ you. 방해를 하여 죄송합니다 / ~ a person *in* his work 아무의 일을 방해하다. ② …의 마음을 어지럽히다 ; 불안하게 하다 : The rumor ~*ed* our village. 그 소문은 마을을 불안하게 만들었다. ③ …을 혼란시키다 ; 휘저어 놓다 : ~ the smooth surface of the water 잔잔한 수면을 뒤흔들어 놓다 / ~ papers 서류를 어질러놓다. ④ (질서)를 어지럽히다, 교란하다 : ~ the peace 평화를 깨뜨리다 ; (밤에) 소음을 내다. —— *vi.* (휴식·일 등을) 방해하다. ***Don't*** ~. 《揭示》 깨우지 마시오《호텔 등의 문에 거는 팻말의 문구》.

‡**dis·turb·ance** [distə́:rbəns] *n.* [U,C] ① 소동, 평화〔질서〕를 어지럽히기 ; 방해 ; 장애 : cause 〔make, raise〕 a ~ 소동을 일으키다 / political ~*s* 정치적 소란 / be arrested for ~ of the peace 치안 방해로 체포되다 / (a) digestive ~ 위장 장애. ② **a)** [U,C] 불안. **b)** [C] 걱정거리. ◇ disturb *v.*

dis·turbed [distə́:rbd] *a.* ① 정신〔정서〕 장애의 ; 노이로제 징후가 있는 : a deeply ~ child 중증의 정신 장애아. ② 불안한, 동요된《마음 등》; 어지러운, 소란스러운 : the ~ state of the country 그 나라의 불온한 상태 / I'm very ~ *about* him. 그의 일이 몹시 불안하다.

dis·turb·ing [distə́:rbiŋ] *a.* 불온한 ; 불안하게 하는 : ~ news 걱정스러운 소식 / It's very ~ that we haven't heard from him. 그에게서 연락이 없는 것은 몹시 불안하다.

dis·un·ion [disjú:njən] *n.* [U] ① 분리, 분열. ② 불통일 ; 불화, 내분, 알력.

dis·unite [dìsju:náit] *vt.* …을 분리〔분열〕시키다. —— *vi.* 분리〔분열〕하다.

dis·uni·ty [disjú:nəti] *n.* [U] 불통일 ; 불화, 분열 : ~ in the party 당내의 불화.

***dis·use** [disjú:s] *n.* [U] 쓰이지 않음 ; 폐지 : The custom has fallen into ~. 그 관습은 스러졌다.

dis·used [-jú:zd] *a.* 쓰이고 있지 않는, 폐지된, 스러진 : a ~ warehouse 쓰이지 않는 창고.

di·syl·lab·ic [dàisilǽbik, dìsil-] *a.* 2음절의.

di·syl·la·ble [dáisìləbəl, disíl-] *n.* [C] 2음절어 (語).

‡**ditch** [ditʃ] *n.* [C] 도랑 ; 해자, 호(濠) ; (천연의) 수로 ; 배수구 : an irrigation ~ 용수로(用水路) / a drainage ~ 배수구. ***die in a*** ~ 객사하다.

—— *vt.* ① 《+[목]+[부]》 …에 도랑을 파다 ; …에 해자를 두르다 : ~ a city *around* 〔*about*〕 도시를 해자로 두르다. ② **a)** (탈것)을 도랑에 빠뜨리다. **b)** 《美》 (열차)를 탈선시키다. **c)** 《俗》 (비행기)를 불시 착수(不時着水)시키다 ; 몰락시키다. ③ 《俗》 (곤경에 있는 동료)를저버리다 ; (고장난 비행기)를 버리고 가다. —— *vi.* ① 도랑을 파다. ② (비행기가) 물 위에 불시 착수하다.

ditch·wa·ter [dítʃwɔ̀:tər, -wɑ̀t-] *n.* [U] 도랑에 괸 물. ***(as) dull as*** ~ (사람·물건이) 아주 따분한〔형편없는〕.

dith·er [díðər] *vi.* (근심·흥분 등으로) 어찌할 바를 모르다, 벌벌 떨다, 당황하다《*about*》. —— *n.* (a ~ ; 《주로 英》 the ~s) 벌벌 떪 ; 당황, 안절부절 못하는〔어쩔 줄 모르는〕 상태 : be all of *a* ~ 벌벌 떨다 / have *the* ~*s* 몹시 동요하다〔불안해 하다〕, 어쩔 줄 모르다.

dit·to [dítou] (*pl.* ~**s** [-z]) *n.* ① [U] 동상(同上), 위와〔앞과〕 같음(the same)《略 : d°, do. ; 일람표 등에서는 〃 (ditto mark)나 ―를 씀》: Paid $10 to Mr. smith, *do* to Mrs. Brown. 스미스씨에게 10달러 지불하고, 브라운 부인에게도 같음. ② ＝ DITTO MARK. ③ [U] 《口》 같은 것〔일〕 : do ~ 같은 일을 하다. ④ [C] 사본, 복사. ***say*** ~ ***to*** 《口》 …에 전적으로 동의를 표하다. —— *ad.* 마찬가지로 : "I like her."—"*Ditto.*" "나는 그녀가 좋다"—"나도."

dítto màrk 동상(同上) 부호(〃).

dit·ty [díti] *n.* [C] 소가곡(小歌曲), 소곡.

di·u·ret·ic [dàijuərétik] *n.* [U,C] 이뇨제. —— *a.* 이뇨의.

di·ur·nal [daiə́:rnəl] *a.* ① 주간〔낮〕의 ; 〖植〗 낮에 피는 ; 〖動〗 낮에 활동하는. [opp] *nocturnal.* ② 매일의(daily) ; 1 주야의 ; 〖天〗 일주(日周)의. [파] ~·**ly** [-nəli] *ad.* 매일, 날마다 ; 주간에.

div. divide(d) ; dividend ; division ; divorce.

di·va [dí:və] (*pl.* ~**s**, **-ve** [-vei]) *n.* [C] 《It.》 (오페라의) 프리마돈나, 주역 여성가수.

di·va·gate [dáivəgèit] *vi.* 《文語》 ① 헤매다, 방황하다. ② (얘기가, …에서) 벗어나다《*from*》.

di·va·ga·tion [dàivəgéiʃən] *n.* ① [U] 방황. ② [U,C] 여담(이 됨).

di·van [daivǽn, di-] *n.* [C] ① 긴 의자, 소파《보통 벽에 붙여 놓으며, 등받이나 팔걸이는 없음》. ② ＝DIVAN BED.

diván béd *n.* [C] (divan ① 비슷한) 소파베드.

‡**dive** [daiv] (***dived,*** 《美》 ***dove*** [douv] ; ***dived***) *vi.* 《~ / +[전]+[명]》 ① (물속에 머리부터) 뛰어들다 ; (물속으로) 잠기다 ; (잠수사·잠수함 등이) 급히 잠수하다 : ~ *into* a river 강에 뛰어들다 / ~ for shellfish 잠수하여 조개를 따다 / I can swim but cannot ~. 헤엄은 치지만 다이빙은 못한다. ② (높은 데서) 뛰어내리다, 돌진하다《*into*》, 달려들다 : ~ *into* a doorway 출입구로 돌진하다. ③ (무엇을 끄집어내려고) 손을 쑤셔 넣다 : He ~*d into* his pocket and fished out a penny. 주머니에 손을 집어넣더니 1페니 동전을 끄집어냈다. ④ (새나 비행기가) 급강하하다 : An eagle ~*d down on* a mouse. 독수리 한마리가 급강하하여 쥐를 덮쳤다. ⑤ (연구·사업·오락 등에) 전념〔몰두〕하다《*into*》: ~ *into* a mystery 신비를 파고들다 / ~ *into* politics 정치에 몰두하다. —— *vt.* (잠수함)을 잠수시키다 ; (손 따위)를 쑤셔 넣다 ; (비행기)를 급강하시키다.

—— *n.* [C] ① 뛰어듦, 다이빙, 잠수 : a fancy ~ 곡예 다이빙. ② 〖空〗 급강하(nose ~) ; 돌진. ③ 《口》 (지하실 따위에 있는) 비정상적인 술집·은신처·도박장《따위》: an opium-smoking ~ 아편굴. ***take a*** ~ 《俗》(미리 짜고 하는 엉터리 권투 시

합에서) 녹아웃 당한 척하다.

dive-bomb [dáivbàm / -bɔ̀m] *vt., vi.* (…을) 급강하 폭격하다. ㊎ **~·ing** *n.*

díve bòmber 급강하 폭격기.

div·er [dáivər] *n.* Ⓒ ① (물에) 뛰어드는 사람, 다이빙 선수; 잠수부, 해녀. ②〖鳥〗 무자맥질하는 새《아비(loon) 따위》.

***di·verge** [divə́:rdʒ, dai-] *vi.* ① (길·선로 등이) 갈리다, 분기(分岐)하다: Our paths ~*d* at the fork in the road. 우리가 가는 길은 도로의 갈림길에서 둘로 갈라져 있었다. ② (정상 상태에서) 빗나가다, (진로 등을) 벗어나다《*from*》: ~ *from* the main topics (the beaten track) 본제에서(상도(常道)를) 벗어나다. ③ (의견 따위가) 갈라지다, 다르다《*from*》. opp *converge.*

di·ver·gence, -gen·cy [divə́:rdʒəns, dai-], [-dʒənsi] *n.* U,C ① (길 따위의) 분기; 일탈. ② (의견 등의) 상이.

di·ver·gent [divə́:rdʒənt, dai-] *a.* ① (길 따위가) 갈라지는, 분기하는. opp *convergent.* ② (의견 등이) 서로 다른, 상이한: ~ opinions 이론. ㊎ **~·ly** *ad.*

di·verse** [divə́:rs, dai-, dáivə:rs] (more*** *~;* ***most*** *~*) *a.* ① 다양한, 가지각색의, 여러가지의: Responses were ~. 반향은 가지각색이었다. ② 다른, 딴: He is of a ~ nature *from* his friends. 그는 친구들과는 전혀 다른 성격의 사람이다. ◇ diversify *v.* ㊎ **~·ly** *ad.*

di·ver·si·fi·ca·tion [divə̀:rsəfikéiʃən, dai-] *n.* ① Ⓤ 다양화; 다양성, 잡다함. ② Ⓒ 변화, 변형. ③ U,C (투자의) 분산, (사업의) 다각화.

di·ver·si·fied [divə́:rsəfàid, dai-] *a.* 변화 많은, 다양한, 다채로운, 다각적인.

di·ver·si·fy [divə́:rsəfài, dai-] *vt.* …을 다양화하다, 다채롭게 하다: ~ business 사업(경영)을 다각화하다 / We must ~ our products. 우리는 제품을 다양화해야 한다. ── *vi.* 다양한 것을 만들다; 다양(다각)화하다.

***di·ver·sion** [divə́:rʒən, -ʃən, dai-] *n.* ① U,C 딴 데로 돌림, 전환; (자금의) 유용: the ~ of funds *from* the housing program 주택 건설 계획으로부터의 자금의 유용. ② U,C 소창, 기분 전환, 오락; 유희: You need some ~. 넌 (일만 하지 말고) 기분전환을 좀 해야겠다. ③ Ⓒ〖軍〗견제, 양동(陽動) (작전). ④ Ⓒ《英》(통행 금지시의) 우회로: set up a ~ 우회로를 만들다. ◇ divert *v.*

di·ver·sion·ar·y [divə́:rʒənèri, -ʃən-, dai- / -nəri] *a.* ① 주의를 딴 데로 쏠리게 하는. ②〖軍〗견제적인, 양동(陽動)의: a ~ attack 양동작전.

***di·ver·si·ty** [divə́:rsəti, dai-] *n.* ① Ⓤ 다양성. ② (a ~) 여러가지, 잡다(variety): *a* ~ of languages(opinions) 여러가지 언어(의견).

di·vert [divə́:rt, dai-] *vt.* 《~+목 / +목+전+명》 ① …을 (딴 데로) 돌리다, 전환하다《*from ; to*》: ~ a river *from* its course 강의 흐름을 바꾸다. ② …을 전용(유용)하다: ~ funds *to* 자금을 …에 전용(유용)하다. ③ (주의·관심)을 돌리다《*from ; to*》; …의 기분을 풀다, …을 위로하다, 즐겁게 하다: ~ children *by* telling stories 이야기를 하여 아이들을 즐겁게 하다 / My attention was ~*ed from* work by the noise. 그 소음 때문에 나의 주의가 산만해졌다. ◇ diversion *n.*

di·ver·ti·men·to [divə̀:rtəméntou, -vɛ̀ərt-] (*pl.* ***-men·ti*** [-ménti]) *n.* Ⓒ《It.》〖樂〗디베르티멘토, 희유곡(嬉遊曲).

di·vert·ing [daivə́:rtiŋ, di-] *a.* 기분 전환(풀이)의, 재미나는(amusing). ㊎ **~·ly** *ad.*

di·ver·tisse·ment [divə́:rtismənt] *n.* Ⓒ《F.》 ①〖樂〗디베르티스망《연극·오페라 등의 막간의 짧은 발레·무곡(舞曲) 따위》. ② 기분 전환, 오락, 연예.

Di·ves [dáivi:z] *n.*〖聖〗큰 부자, 부호《누가복음 「XVI : 19-31」》.

di·vest [divést, dai-] *vt.* 《+목+전+명》 ① (옷)을 벗기다, …에게 벗게 하다《*of*》: The robbers ~*ed* the traveler *of* his clothes. 도둑들은 나그네의 옷을 몽땅 벗겨(털어) 버렸다. ② (지위·권리 등)을 빼앗다(deprive)《*of*》: The officer was ~*ed of* his rank. 그 장교는 지위를 박탈당했다. ~ one***self of*** . . . (1) …을 벗어버리다. (2) …을 버리다, 포기하다: He couldn't ~ *himself of* pride even after his downfall. 그는 몰락한 후에도 자존심은 버릴 수가 없었다. ㊎ **~·ment** *n.* =DIVESTITURE.

di·ves·ti·ture [divéstitʃər, dai-] *n.* Ⓤ 박탈.

†**di·vide** [diváid] *vt.* ① 《~+목 / +목+전+명 / +목+부》 …을 나누다, 분할하다, 가르다; 분류하다《*into*》. opp *unite.* ¶ ~ the class *into* five groups 반을 다섯 그룹으로 나누다 / ~ books according to subject matter 책을 내용별로 분류하다 / A wall used to ~ Berlin *into* two sections. 이전엔 벽이 베를린을 양분하고 있었다 / ~ one's hair *in* the middle 가르마를 가운데로 타다. ②〖數〗(수)를 나누다, 나눠어 떨어지게 하다: 8 ~*d by* 2 is 4, 8÷2=4 / ~ 16 *by* 4 = ~ 4 *into* 16, 16을 4로 나누다. ③ 《~+목 / +목+전+명》 (의견 따위)를 분열시키다; …의 사이를 갈라놓다: A small matter ~*d* the friends. 작은 일로 그 친구들 사이가 나빠졌다 / Don't let it ~ us. 그 일로 사이가 틀어져서는 안된다 / The teachers were ~*d* on the issue. 선생님들은 그 문제에 관해 찬반으로 갈렸다. ④ 《~+목 / +목+전+명》《英》 …을 두 패로 나눠 찬부를 결정하다《*on*》: ~ the House *on* the point 그 항목을 의회의 표결에 묻다. ⑤ 《+목+전+명》 …을 분배하다(distribute)《*among ; between*》, …을 (아무와) 나누다(share)《*with*》: ~ profits *with* workmen 이익을 노동자와 분배하다 / The robbers ~*d* up the money *among* themselves. 도둑들은 그 돈을 나누어 가졌다. ⑥ 《+목+전+명》 …을 분리(격리)하다《*from*》: ~ the sick *from* the others 환자를 격리하다 / *Divide* that group *from* other. 그 그룹을 다른 패들과 분리시켜라. ── *vi.* ① 《~ / +부 / +전+명》 나눠다, 갈라지다《*into*》: The students ~*d* (*up*) *into* small groups. 학생들은 작은 그룹으로 나뉘었다 / The railroad ~*s into* two lines at Taejon. 철도는 대전에서 두 선으로 갈라진다. ② 찬부의 표결을 하다《*on*》: The house ~*d on* the issue. 하원은 그 문제의 찬부를 표결했다. ③ 나눗셈을 하다; 나누어 떨어지다. ④ 의견이 갈리다, 대립하다《*on ; over*》: The party ~*d on*(*over*) its platform. 당은 강령을 둘러싸고 의견이 갈렸다. ***be ~d against itself*** (단체 등에) 내분이 있다. ── *n.* Ⓒ ①《美》 분수계(界), 분수령. cf. Great Divide. ② 분할, 분열. ~ ***and rule*** 분할 통치(하다).

di·vid·ed [diváidid] *a.* ① 분할된; 분리된: ~ ownership (토지의) 분할 소유 / ~ payments 분할 지급. ② (의견 등이) 제각각인, 분열한: ~ opinions 여러 가지로 갈라진 의견. ③〖植〗(잎이) 깊이 째진.

divíded híghway《美》중앙 분리대가 있는 고속도로.

divíded skírt〖服〗퀼로트 스커트.

div·i·dend** [dívidènd] *n.* Ⓒ ①〖數〗피제수(被除數). cf. divisor. ② (주식·보험의) 배당(금): a high(low) ~ 높은(낮은) 배당 / declare a ~ 배당을 발표하다. ~ ***off 배당락(落)(ex ~). ~ ***on***

배당부(附)(cum ~). **pass a** ~ 무배당으로 하다. **pay ~s** (1) (회사가) 배당을 지급하다. (2) 좋은 결과를 낳다, (장차) 득이 되다.

di·vid·er [diváidər] *n.* ① Ⓒ 분할자, 분배자. ② Ⓒ 분열의 씨; 이간자. ③ (*pl.*) 〔(a pair of) ~s〕 분할기, 분할 컴퍼스, 양각기, 디바이더.

div·i·na·tion [divənéiʃən] *n.* Ⓤ 점(占), 예언.

‡**di·vine** [diváin] (***di·vin·er; -est***) *a.* ① **a)** 신의; 신성(神性)의; 하늘이 준: the ~ Being 〔Father〕 신, 하느님 / the ~ will 신의(神意) / ~ judgment 신의 심판 / ~ nature 신성(神性) / possess ~ powers 신통력이 있다 / ~ grace 신의 은총 / ~ inspiration 하늘이 준 영감. **b)** 신에게 바친, 신성한, 종교적인: the ~ service 예배(식) / a ~ vocation 성직(聖職). **c)** 성스러운; 비범한: ~ beauty〔purity〕 성스러운 아름다움〔순결〕. ②《口》 아주 멋진《★ 주로 여성이 쓰는 강조어》: What ~ weather! 정말 멋진 날씨군. — *n.* Ⓒ 성직자, 목사; 신학자. — *vt.* ① (직관이나 점으로) …을 예언〔예지〕하다, 점치다: ~ the future from the stars 별을 보고 미래를 점치다. ② (진상 등)을 맞히다, 간파하다: ~ the truth 진실을 간파하다 / He ~*d* my plans. 그는 내 계획을 알아차렸다. — *vi.* ① 점을 치다. ② 점지팡이로 (수맥·광맥 등을) 발견하다.

Divíne Cómedy (The ~) 신곡(神曲)《Dante 「작》.

di·vine·ly [-li] *ad.* ① 신의 힘〔은덕〕으로, 신과 같이, 거룩하게. ②《口》 멋지게: You dance ~. 멋있게 춤을 추는구나.

divíne óffice (종종 D- O-) (the ~) 〖가톨릭〗 성무 일과(聖務日課).

di·vin·er [diváinər] *n.* Ⓒ ① 점치는 사람, 점쟁이. ② (점지팡이로) 수맥〔광맥〕을 찾아내는 사람.

divíne ríght 〖史〗 왕권 신수(설) (=**divíne ríght of kíngs**).

‡**div·ing** [dáiviŋ] *n.* Ⓤ ① 잠수. ② 〖水泳〗 다이빙.

díving bèll 〖海〗 (종 모양의) 잠수기(器).

díving bòard 다이빙대: jump〔dive〕 off a ~ 다이빙대에서 뛰어내리다.

díving sùit 〔**drèss**〕 잠수복.

di·vin·ing [diváiniŋ] *n.* 점, 예언.

divíning ròd 점지팡이《수맥이나 광맥 탐지에 쓰는 끝이 갈라진 개암나무 지팡이》.

***di·vin·i·ty** [divínəti] *n.* ① Ⓤ 신성(神性), 신격. ② **a)** (the D-) 신, 하느님(God). **b)** (종종 D-) Ⓒ (이교의) 신. ③ Ⓤ 신학: a Doctor of *Divinity* 신학 박사《略: D.D.》.

di·vis·i·ble [divízəbəl] *a.* ① 나눌〔분할할〕 수 있는《*into*》. ② 〖數〗 나누어 떨어지는《*by*》: 10 is ~ *by* 2. 10은 2로 나누어 떨어진다. ㊕ **-bly** *ad.*

‡**di·vi·sion** [divíʒən] *n.* ① Ⓤ 분할; 분배《*between; among; into*》: ~ of powers 삼권분립, 권력의 분립 / ~ of labor 분업 / the ~ of a year *into* four seasons 일년을 네 계절로 나누기. ② Ⓤ 〖數〗 나눗셈, 제법. opp. *multiplication.* ③ Ⓒ (분할된) 구분, 부분; 구(區), 부(部), 단(段), 절(節). ④ Ⓒ 경계(선), 구획하는 것: This river marks the ~ *between* two cities. 이 강이 두 도시의 경계가 된다. ⑤ Ⓒ **a)** 〖生〗 (유(類), 과(科), 속(屬) 따위의) 부문. **b)** 〖植〗 문(門). ⑥ Ⓒ 〔集合的; 單·複數취급〕 〖陸軍·空軍〗 사단; 〖海軍〗 분함대《보통 4 척》. ⑦ Ⓤ (또는 a ~) 불일치, 불화, (의견 따위의) 분열《*of*》: There was *a* ~ *of* opinion on the matter. 그 문제에서는 의견이 갈렸다. ⑧ Ⓒ (찬부 양파로 갈라지는) 채결(採決)《*on*》: There will be a ~ *on* the motion tomorrow. 그 동의의 채결이 내일 있을 것이다. ⑨ Ⓒ (관청·회사 등의) 부, 국, 과: the sales ~ of the company 회사의 판매부. ◇ divide *v.*

di·vi·sion·al [divíʒənəl] *a.* ① 분할상의, 구분을 나타내는; 부분적인. ② 〖軍〗 사단의.

divísion lòbby 〖英議會〗 투표 대기 복도.

divísion sìgn 〔**màrk**〕 나눗셈표(÷); 분수(分數)를 나타내는 사선(斜線)《/》.

di·vi·sive [diváisiv] *a.* 불화를〔분열을〕 일으키는. ㊕ **~·ly** *ad.* **~·ness** *n.* 대립, 분열.

***di·vi·sor** [diváizər] *n.* Ⓒ 〖數〗 제수(除數), 법(法) (opp. *dividend*); 약수: ⇨ COMMON DIVISOR.

‡**di·vorce** [divɔ́ːrs] *n.* ① Ⓤ,Ⓒ 이혼, 이연(離緣); 별거(limited ~): get 〔obtain〕 a ~ from one's wife 아내와 이혼하다 / sue for ~ 이혼 소송을 내다. ② Ⓒ (흔히 *sing.*) (완전한) 분리, 절연《*between; from*》: the ~ *between* religion and science 종교와 과학의 분리. — *vt.* 《~+목/+목+전+명》 ① …와 이혼하다〔시키다〕; 이연하다〔시키다〕: He ~*d* his wife. 그는 처와 이혼했다 / The court ~*d* the couple. 법원은 그 부부의 이혼을 인정했다. ② …을 (완전히) 분리〔절연〕하다《*from*》: ~ church and〔*from*〕 state 교회와 국가를 분리하다. — *vi.* 이혼하다: Mary and Tom ~*d*. 메리와 톰은 이혼했다.

di·vor·cé [divɔːrséi, -ˊ-ˋ] (*fem.* ***-cée, -cee*** [divɔːrséi, -síː, -ˊ-ˋ]) *n.* Ⓒ (F.) 이혼한 남자.

divórce còurt 이혼 법정.

div·ot [dívət] *n.* Ⓒ 〖골프〗 (타구봉 헤드에 맞아 뜯긴) 잔딧조각, 디벗: replace one's ~ 디벗을 본디 자리에 옮기다.

di·vulge [divʌ́ldʒ, dai-] *vt.* (비밀)을 누설하다, 밝히다; 폭로하다: ~ secrets to a foreign agent 외국 간첩에게 비밀을 누설하다.

di·vul·gence [divʌ́ldʒəns] *n.* Ⓤ 폭로, 누설.

div·vy [dívi] *vt.* 《口》 …을 나누다, 분배하다《*up*》: Let's ~ it *up* between us. 우리끼리 그걸 나누자. — *n.* Ⓤ,Ⓒ 분할, 분배; 《英》 배당.

Dix·ie [díksi] *n.* ① 〔集合的〕 미국 남부 제주(~-land). ② Ⓤ 딕시《남북 전쟁 때 유행한, 남부를 찬양한 노래》.

dix·ie [díksi] *n.* Ⓒ (야영용의) 큰 냄비.

Dix·ie·land [díksilæ̀nd] *n.* ① Ⓤ 딕시랜드(=**Dixieland jazz**)《New Orleans에서 시작된 재즈 음악의 일종》. ② =DIXIE ①.

D.I.Y., d.i.y. 《주로 英》 do-it-yourself.

diz·zy** [dízi] (diz·zi·er; diz·zi·est***) *a.* ① 현기증 나는; 머리가 어찔어찔하는, 핑핑 도는; 아찔한: a ~ spell 일순간의 현기증 / She felt ~. 그녀는 현기증이 났다 / a ~ speed〔height〕 아찔해질 만한 속도〔높은 곳〕. ② 《口》 철딱서니 없는, 바보의.

— *vt.* ① …을 현기증나게 하다; 핑핑 돌게 하다: at a ~*ing* pace 머리가 어지러울 정도의 속도로. ② (사람)을 당혹하게 만들다.

㊕ **-zi·ly** [-zili] *ad.* 현기증나게; 어지럽게. **-zi·ness** *n.* Ⓤ 현기증.

DJ, D.J. dinner jacket; disc jockey

Dja·kar·ta [dʒəkáːrtə] *n.* =JAKARTA.

Dji·bou·ti, Ji·b(o)u- [dʒibúːti] *n.* 지부티《아프리카 동부의 공화국; 수도 Djibouti》. ㊕ **~·an** *a., n.*

djinn [dʒin] *n.* =JINN.

dl, dl. deciliter(s). **D/L** 〖컴〗 data link.

D làyer [díː-] D층(層)《전리층의 최하층》.

D. Lit(t). Doctor of Literature 〔Letters〕.

dm, dm. decimeter(s). **DM, D-mark** Deutschemark. **DMA** 〖컴〗 direct memory access(기억 직(접) 접근). **DMZ** demilitarized zone.

d—n [dæm, di:n] ⇨ DAMN.
DNA [dì:ènéi] *n.* ＝DEOXYRIBONUCLEIC ACID.
DNA fíngerprints DNA〔유전자〕 지문《DNA의 구조에 따라 개인을 식별함》.
DNA fíngerprinting DNA 지문 감정법.
DNA pròbe 〖生化〗 DNA프로브《화학적으로 합성한, 사슬 길이 10내지 20의 특정 염기배열을 갖는 한 줄 사슬 올리고머》.
D nòtice [dí:-] 《英》 D통고《기밀 보전을 위해 보도 금지를 요청하는 정부 통고》.
†**do**[1] [du:, 弱 du, də] (현재 ***do***, 직설법 현재 3인칭 단수 ***does*** [dʌz, 弱 dəz]; 과거 ***did***) *aux. v.* ① 〔肯定疑問文〕 《일반 동사·have 동사와 함께, 보통 약하게 발음됨》: *Do* you hear me? 내 말이 들리는가 / *Does* he know? 그는 알고 있나 / Where *did* she go? 그녀는 어디 갔습니까 / *Do* you have any brothers? 형제분이 있습니까《종래 영국에서는 Have you …? 이었음》 / Who *do* you think came? 누가 왔다고 생각하느냐《비교: Who came? 누가 왔느냐》.

> 語法 (1) 疑問詞가 주어로 되어 있든가 주어를 꾸미는 문장에서는 do를 쓰지 않음: Who opened [×did open] the door? 문을 누가 열었나 / Which boy hit [×did hit] the dog? 개를 때린 것은 어느 아이냐.
> (2) 간접의문문에서는 보통 do를 쓰지 않음: I asked him if he cleaned [×did clean] the room. 그에게 방 청소를 하느냐고 물었다(=I said to him, "Do you clean the room?").
> (3) do는 조동사 can, must, may, will, shall, have와 함께는 쓰지 않음: Can you [×Do you can] swim? 넌 헤엄칠 줄 아느냐.
> (4) 《英》에서는 '소유·상태'의 뜻을 나타내는 have와 함께는 do를 쓰지 않는 것이 보통이나 최근에는 do를 쓰는 경향이 있음.

② 〔否定文(平敍·命令·疑問)〕 (간약형: do not → ***don't*** [dount]; does not → ***does·n't*** [dʌ́znt]; did not → ***did·n't*** [dídnt]): I *do not*〔*don't*〕 think so. 난 그렇게는 생각하지 않는다 / War *doesn't* pay. 전쟁은 타산이 맞지 않는다 / *Don't* worry. 걱정하지 마라 / *Don't* yóu touch me. 내 몸을 건드리지 마라《(1) Don't touch me! 보다 비난의 정도가 강함. (2) (외칠 때) 주어가 있는 문장에서는 Do not… 은 쓸 수 없음》 / *Don't* ánybody move! 아무도 움직이지 마라 / *Don't* be afraid. 두려워하지 마라《명령문에 한해서 be의 부정에 do가 쓰임》 / *Didn't*〔*Did not*〕 your father come? 자네 아버지는 안 오셨나.

> 語法 (1) 분사나 不定詞의 부정에는 do를 쓰지 않음: I asked him not [×do not] to make a noise. 그에게 떠들지 말도록 요청했다(=I said to him, "Please *don't* make a noise."
> (2) do의 부정에는 not를 쓰며, never, hardly 따위의 부사는 흔히 쓰이지 않음: I *do not* [×*do never*] drink wine. 나는 포도주는 안 마신다(비교: He *cannot* 〔*can never*〕 drive a car. 그는 차의 운전을 못한다). never 따위를 쓰려면 do는 불필요함: I *never* drink wine. 다만, 강조의 do를 사용해서 I *never do* drink wine. 은 가능함.
> (3) be 동사를 do와 함께 쓸 수 있는 것은 위에 보인 否定의 명령문과 肯定의 명령문을 강조할 때뿐임. 단(但), *Why don't* you be quiet! (조용히 해라)와 같이 형식은 명령문은 아니면서 명령의 뜻을 나타내는 문장에서는 be와 do를 함께 사용할 때도 있음.
> (4) 흔히 문어는 비간약형을, 구어는 간약형을 쓰는데, 평서문에서 특히 부정을 강조할 때에는 구어에서도 비간약형을 쓸 때가 있음: I *dó nót* agree. 아무래도 찬동할 수 없소.

③ 〔強調文〕 《do를 강하게 발음함》 정말, 꼭, 확실히, 역시: I *do* know. 나는 정말 알고 있다 / Why didn't you come yesterday? — But I *did* come. 어제 왜 오지 않았나—아냐 갔었어 / *Do* come in! 어서 들어 오세요 / Sit down. Please *do* sit down. 앉으시지요, 자 앉아주세요 / *Do* be quiet! 조용히 하라니까《명령문에 한해 be의 강조엔 do를 씀》 / Tell me, *do*. 말씀해 주세요, 제발 부탁이에요《do가 뒤에 올 때도 있음》.
④ 〔倒置法〕 《副詞(句)가 문두에 나올 때》: Little *did* she eat. 그녀는 거의 먹지 않았다 / Only yesterday *did* I see him. 어제야 비로소 그를 만났다 / Never *did* I dream of seeing you again. 자넬 다시 만나리라고는 꿈에도 생각 못했네 / Well *do* I remember it. 잘 기억하고 있다네 / Not only *did* he understand it, but he remembered it. 그는 그것을 이해했을 뿐 아니라 기억하기도 했다.
— (***did*** ; ***done*** [dʌn]; ***do·ing*** [dú:iŋ]; 직설법 현재 3인칭 단수 ***does***) *pro-verb* (代動詞) 《be, have 이외 동사의 되풀이를 피하기 위해 쓰이며, 흔히 세게 발음됨》.
① 〔動詞 및 그것을 포함한 어구의 반복을 피하여〕: I think as you *do* (=think). 나는 당신이 생각하는 것처럼 생각합니다 / I speak French as well as she *does* (=speaks French). 그녀만큼 나도 프랑스어를 할 수 있다 / She studies French harder than he *does* English. 그가 영어를 공부하는 것보다 그녀는 더 열심히 프랑스어를 공부한다 / I wanted to go to bed, and I *did* so 〔so I *did*〕 immediately. 나는 자고 싶었다. 그래서 곧 잤다 / Does she play tennis? — Yes, I've seen her *doing* so 〔that〕. 그녀는 테니스를 치니 — 응, 하는 것을 본 적이 있어.
② 〔疑問文에 대한 대답 중에서〕 《흔히 do에 강세》: Do you like music? — Yes, I *do* (=like music)〔No, I *don't* (=don't like music)〕. 음악을 좋아하십니까 — 네, 좋아합니다 〔아뇨, 좋아하지 않습니다〕 / Who won the race? — John *did* (=won the race). 누가 경주에서 이겼나 — 존입니다.
③ 〔付加疑問文 중에서〕 …이죠(그렇죠), …이 틀림없죠: He works in a bank, *doesn't* he? 그는 은행에 근무하죠《↘이면 확인해 보는 기분, ↗이면 확실히 모르므로 물어보는 기분》 / You didn't read that book, *did* you? 자넨 그 책을 읽지 않았지(안 그래). ★ 부가의문문은 보통 주절이 긍정이면 부정, 주절이 부정이면 긍정임.
④ 〔상대의 말에 맞장구를 칠 때〕 (아) 그렇습니까: I bought a car. — Oh, *did* you? 차를 샀습니다 —아, 그러십니까 / I don't like coffee. — *Don't* you? 커피는 싫다 — 그러니.
— (***did*** ; ***done*** ; ***dó·ing*** ; ***does***) 《보통 세게 발음됨》 *vt.* ① 하다, 행하다. **a)** 《+目》 (행동 따위)를 하다; (일·의무 따위)를 다하다, 수행〔실행, 이행〕하다: *do* a good deed 선행을 하다 / *do* repairs 수리를 하다 / *do* something wrong 무언가 나쁜 짓을 하다 / *do* research on history 역사 연구를 하다 / We must *do* something about it. =Something must be *done* about it. 그것은 어떻게든 해야만〔손을 써야만〕 한다 / What can I *do* for you? (점원이 손님에게) (무엇을 도와드릴까요 →)어서 오십시오, 무엇을 드릴까요; (의사가 환자에게) 어디가 편찮으십니까 / What can

you *do* about it? (↘)그 일에 자네는 도대체 무엇을 할 수 있는가((할 수 없지 않은가)) / *do* one's best(utmost) 자신의 최선을 다하다 / *Do* your duty. 본분을(의무를) 다하시오 / *do* one's military service 병역에 복무하다 / *do* business with ... …와 거래하다. **b)** ((+-ing)) (-ing형에 보통 the, any, some, one's, much를 수반하여) (…행위)를 하다 : *do the* wash*ing* (shop*ping*) 빨래를(쇼핑을) 하다 / I'll *do* some read*ing* today. 오늘은 책을 읽겠다 / She *did* almost all the talk*ing*. 그녀는 혼자서 거의 모든 이야기를 도맡아 했다. **c)** ((+-ing)) (직업으로서) …을 하다 : *do* lectur*ing* 강의를 하다 / *do* teach*ing* 교사를 하다. **d)** ((+目)) (흔히 have *done*, be *done*의 형태로) …을 끝내다, (다) 해버리다 : I *have done* my work. 나는 일을 다 마쳤다((구어에선 have가 생략될 때가 있음)) / *Have* you *done* reading? 다 읽으셨습니까 / His speech *was* finally *done*. 그의 연설은 마침내 끝났다 / The work *is done*. 일이 끝났다((결과로서의 상태를 나타내며, The work *has been done*. 은 완료를 강조)).

② ((+目+目 / +目+前+名)) 주다. **a)** (…에게) (이익·(손)해 따위)를 주다(inflict), 가져오다 ((*to*)), 가하다, 끼치다 : Too much drinking will *do* you harm. 과음은 몸에 해롭다 / The medicine will *do* you good. 그 약을 복용하시면 좋아질 겁니다. **b)** (…에게) (명예·경의·호의·옳은 평가 따위)를 표하다, 베풀다, 주다((*to*)) : *do* a person a service 아무의 시중을 들다(돌보아주다) / *do* a person a kindness 아무에게 친절하게 하다 / *do* homage *to* the King 왕에게 경의를 표하다 / *do* honor *to* a person =do a person HONOR / *do* justice *to* a person(thing)=do a person (thing) JUSTICE. **c)** (아무에게) (은혜 따위)를 베풀다, (부탁·소원 등)을 들어주다((*for*)) : Will you *do* me a favor?=Will you *do* a favor *for* me? (부탁 좀 들어주겠나→) 부탁이 있는데.

③ (어떤 방법으로든) 처리하다((목적어에 따라 여러 가지 뜻이 됨. cf 成句 do up)). **a)** ((+目)) (답장을 써서) (편지)의 처리를 하다 : *do* one's correspondence 편지 답장을 쓰다. **b)** ((+目)) (방·침대 등)을 치우다, 청소하다, 정리하다, (접시 따위)를 닦다, (이)를 닦다 : *do* the room 방을 청소하다 / *do* one's teeth 이를 닦다 / I'll *do* the dishes. (먹고 난) 접시 설거지는 내가 하겠다. **c)** ((+目)) …을 꾸미다, 손질하다, 꽃꽂이하다, (머리)를 매만지다, (얼굴)을 화장하다, (식사·침구)를 제공하다, 준비하다 : *do* one's hair 머리를 빗다(감다) / *do* the garden 정원(뜰)을 손질하다 / *do* the room in blue 방의 벽을 청색으로 칠하다 / She *did* the flowers. 그녀는 꽃꽂이를 했다 / She usually spends two hours *doing* her face. 그녀는 보통 화장을 하는 데 두 시간은 소비한다 / The restaurant doesn't *do* lunch. 그 음식점에서는 점심은 팔지 않는다. **d)** ((+目)) (학과)를 공부(전공·준비)하다 : *do* one's lessons 예습을 하다 / He is *doing* electronics. 그는 전자 공학을 전공하고 있다 / I have to *do* my math tonight. 오늘밤은 수학을 공부해야 한다. **e)** ((+目)) (문제·계산)을 풀다(solve) : *do* a problem 문제를 풀다 / Will you *do* this sum for me? 이 계산 좀 해주시겠습니까. **f)** ((+目)) (작품 따위)를 만들다, (책)을 쓰다, (그림)을 그리다, (영화)를 제작하다 : *do* a lovely oil portrait 훌륭한 유화 초상화를 그리다 / *do* a movie 영화를 제작하다. **g)** (((+目)+目 / +目+前+名)) (남을 위해) (복사·리포트 따위)를 만들다, 번역하다((*for*)), (책 따위를 다른 형식으로) 바꾸다((*into*)) : *do* two copies of it 그것의 복사를 2부 만들다 / *do* a book from Latin *into* English 책을 라틴어(語)에서 영어로 번역하다 / *do* the book *into* a play 그 책을 각색하다 / We asked her to *do* us a translation.=We asked her to *do* a translation for us. 그녀에게 번역을 해달라고 했다.

④ **a)** ((+目)) (고기·야채 따위)를 요리하다 ; (요리)를 만들다 : *do* the salad (dessert) 샐러드(디저트)를 만들다 / They *do* fish very well here. 이 집은 생선 요리를 잘 한다. **b)** ((+目(+副))) (고기 등을 …하게) 요리하다, 굽다. cf well-done, overdone, underdone. ¶ a steak *done* medium rare 중간 정도로 설구워진 스테이크 / *do* meat brown 고기를 갈색으로 굽다 / This meat is *done* to a turn. 이 고기는 알맞게 구워졌다 / Mind you *do* the beef thoroughly. 고기를 바싹 구워라.

⑤ ((+目)) (will과 함께) (아무)에게 도움이 되다, 쓸 만하다, 소용에 닿다, 충분하다(serve, suffice for) ((수동형은 불가능)) : This will *do* us for the present. 당분간 이것이면 된다 / That will *do* me very well. 그건 내게 퍽 도움이 될 것이다 / Will this one *do* you? 이것이면 괜찮겠느냐 / Fifty dollars will *do* me. 50 달러면 충분하다.

⑥ ((+目)) ((口)) …을 두루 돌아보다, 구경(참관)하다 : *do* the sights 명승지를 구경하다 / *do* the British Museum 대영(大英)박물관을 구경(참관)하다 / You can't *do* Korea in a week. 한 주일로는 한국을 구경할 수 없다.

⑦ ((+目)) **a)** (어느 거리)를 답파(踏破)하다(traverse), (나아)가다, 여행하다(cover, travel) : We *do* twenty miles a day on foot. 우리는 도보로 하루 20마일 걷는다. **b)** (…의 속도로) 나아가다(travel at the rate of) : This car *does* 120 m.p.h. 이 차는 시속 120 마일로 달린다 / The wind is *doing* ninety miles an hour.

⑧ **a)** ((+目)) ((英口)) (아무)에게 서비스를 제공하다((보통 수동형은 불가능)) : I'll *do* you next, sir. (오래 기다리셨습니다) 다음 손님 앉으십쇼((이발소 등에서)). **b)** (보통 well 따위와 함께) (아무)를 (잘) 대접하다, 대(우)하다((보통 수동형·진행형은 불가능)) : *do* a person *handsomely* 아무를 융숭히 대접하다 / They *do* you very *well* at that hotel. 저 호텔에서는 서비스가 아주(썩) 좋다. **c)** (do oneself로 ; well 따위와 함께) 사치를 하다(부리다)((수동형은 불가능)) : *do oneself well* 호화롭게 살다, 사치한 생활을 하다.

⑨ ((口)) **a)** ((+目)) (아무)를 속이다, 야바위치다(cheat) : I've been *done*. 감쪽같이 당했다 / He has *done* me many a time. 그는 여러번 나를 속이고 있다. **b)** ((+目+前+名)) (아무에게서 …을) 속여 빼앗다, 사취하다((*out of*)) : *do* a person *out of* his inheritance (job) 아무에게서 유산(일)을 빼앗다.

⑩ ((+目)) (극)을 상연하다(produce) : We *did* Hamlet. 햄릿을 상연했다.

⑪ ((+目)) **a)** …의 역(役)을 (맡아서) 하다, 연기하다 : *do* Polonius 폴로니우스 역을 하다 / She *did* the leading in several comedies. 그녀는 몇 개의 희극에서 주역을 맡아했다 / She always *does* the hostess admirably(very well). 그녀는 언제나 여주인역을 (아주) 훌륭히 해낸다. **b)** …처럼 행동하다, …인 체하다, …을 흉내내다 : *do a* Chaplin 채플린 같은 짓거리를 하다 / Can you *do* a frog? 너 개구리 흉내를 낼 줄 아느냐. **c)** (the+形容詞를 수반하여) ((英口)) …하게 굴다 : *do* the amiable 붙임성 있게 굴다 / *do* the grand 잘난 듯이 굴다.

⑫ ((+目)) ((口)) (형기)를 살다, 복역하다 : *do* time

(in prison) 복역하다 / He *did* five years *for* robbery. 그는 강도죄로 5년형을 살았다. ★ 미국에서는 다른 '임기'에 관해서도 씀: He is *doing* another year *as* chairman. 그는 1년 더 의장직을 맡고 있다.
⑬《+目》《英口》(아무)를 혼내주다, (아무)에게 뜨끔한 맛을 뵈다(punish), (아무)를 죽이다.
⑭《口》(여행·운동 등이) …을 지치게 하다(wear out, exhaust) : The last round *did* me. 마지막 회에서 난 녹초가 됐다 / The long journey has *done* him. 긴 여행으로 그는 완전히 지쳤다.
⑮《英俗》(아무)를 기소(起訴)〔고소〕하다 ; (아무)에게 유죄를 선고하다.
⑯《美俗》(아무)와 성교하다 ; (마약)을 쓰다.
⑰《英俗》(점포 따위)에 침입하다, …을 털다 (rob).
— *vi.* ① 하다. **a**) 행하다, 활동하다(act) : Don't talk. Only *do.*=*Do,* don't talk. 말은 그만두고 실행하라 / Let us be up and *doing.* 자 정신 차려서 하자. **b**) 〔well, right 따위 양태를 나타내는 副詞(節)과 함께〕 행동하다, 처신하다(behave) : *do like* a gentleman 신사답게 행동하다 / You would *do well* to refuse. 자넨 거절하는 게 좋을 거다 / You've only to *do as* you are told. 자넨 그저 시키는 대로 하기만 하면 된다 / *Do* in Rome *as* the Romans *do.*《俗談》입향순속(入鄕循俗).
②《+副》〔well, badly, how 따위를 수반하여〕 **a**) (아무가) 해나가다, 지내다(get along) ; (사물이) 돼나가다 : *do wisely* 현명하게 해나가다 / He had *done badly* on the day's racing. 그날 경마에선 잡쳤다 / *How* did you *do* in the examination? 시험성적은 어땠나 / *How* are you *doing* these days?《주로 美口》요즘 건강은〔경기는〕 어떤가 / Our company is *doing* very *well.* 우리 회사 실적은 아주 좋다. **b**) (식물이) 자라다(grow) : Wheat *does best* in this soil. 이 땅에서는 밀이 잘 된다.
③〔보통 will, won't 와 함께〕 **a**)《+前+名》(…에) 도움이 되다, 쓸 만하다, 족(足)하다, 충분하다 《*for*》: This box *will do for* a seat. 이 상자는 의자로 십상이다. **b**)《+前+名+*to* do》(아무가 …하는 데) 충분하다 : These shoes *won't do for* us *to* mountaineer〔=*for* mountaineering〕. 이 신으로는 등산하기에 무리다. **c**) 좋다, (…면, …으로) 되다 : *Will* this *do*? 이거면 되겠나 / That *will do.* 그것으로 충분하다 ; 이제 됐으니 그만 둬 / This car *won't do.* 이 차는 안되겠다〔못쓰겠다〕/ It *won't* 〔doesn't〕 *do* to eat too much. 과식은 좋지 않다.
④〔完了形으로〕 (아무가) (행동·일 등을) 끝내다, 마치다(finish) cf. 成句 have done with. ¶ Now I *have done.* 자, 끝났다 / Have *done* !《古》그만 둬라〔해라〕.
⑤〔現在分詞形으로〕 일어나(고 있)다(happen, take place) : What's *doing* here? 이거 어찌된 일이야 / What's *doing* at the office? 회사에 무슨 일이 있나 / Anything *doing* tonight? 오늘밤 뭔가 있느냐. ***be done with*** =have done with. ***do away with***《수동형 가능》(1) …을 없애다, …을 폐지〔제거〕하다 : That sort of thing should be *done away with.* 그와 같은 일은 없어져야 된다 / We should *do away with* these old rules. 이 낡은 규칙(規則)들은 폐지(廢止)하여야 한다. (2) …을 죽이다, …을 없애다 : *do away with* oneself 자살하다. ***do . . . by***〔흔히 well, badly 등과 함께〕《口》(아무를) …하게 대하다〔대우해 주다〕《수동형은 가능, 진행형은 불가능》: He *does* well *by* his friends. 그는 친구들에게 잘 한다 / He complains that he has been hard *done by.* 심한 대우를 받았다고 불평이다《hard 를 쓰면 항상 수동형》. ***do*** a person ***down*** (1) 아무를 속이다, 아무를 부정한 수단으로 지게 하다, 해치우다. (2) 아무를 부끄럽게 하다. (3) (자리에 없는 사람의) 험담을 하다, 헐뜯다. ***do for*** (1) ⇨ *vi.* ③ a). (2)《英口》(아무)를 위해 살림을〔신변을〕 돌보다 : Jane *does for* her father and brother. 제인은 아버지와 오빠를 위해 살림을 돌보고 있다. (3)〔종종 be done〕《口》(아무)를 몹시 지치게 하다, 파멸시키다 ; (사물)을 못쓰게 만들다 : I'm afraid these gloves are *done for.* 아무래도 이 장갑은 못쓰게 된 것 같다 / I'm *done for.* 이제 틀렸어〔글렀어〕, 기진맥진이다. ***do in*** (1)《口》(아무)를 녹초가 되게〔지치게〕 하다(wear out, exhaust) : The tropical climate *did* him *in.* 열대의 기후가 그를 녹초가 되게 만들었다 / I'm really *done in.* 완전히 지쳤다. (2) (사물)을 못 쓰게 만들다, 망가뜨리다 : *do* one's car *in* 차를 부수다〔못쓰게 만들다〕. (3)《俗》(아무)를 죽이다 : *do* oneself *in* 자살하다 / You know bloody well why I came.—To *do* me *in,* perhaps. 왜 왔는지 잘 알 테지—날 죽이려고 왔을 테지. ***do it*** (1) 효과를 나타내다, 주효하다《형용사·부사가 주어(主語)로 됨》: Steady *does it.* 착실히 하는 것이 좋다. (2)《口》성교하다. ***do or die*** 죽을 각오로 하다, 필사적으로 노력하다. cf. do-or-die. ***do out***《口》(방 따위)를 쓸어내다, 청소하다 ; (서랍 따위)를 치우다, 정리하다. ***do over*** (1) (벽 등)을 덧칠〔다시 칠〕하다, 개장(改裝)하다. (2)《美》…을 되풀이하다, 다시 하다, 고쳐 만들다. (3)《俗》…를 혼내다, 때려눕히다. ***do*** a person ***proud*** ⇨ PROUD. ***do right*** (…하는 것은) 옳다, 당연하다, (…은) 잘 하는 일이다 : You *do right* to think so. 네가 그렇게 생각하는 것은 당연하다 / You *did right* in telling me. 내게 잘 말해 주었다. ***do one's bit*** ⇨ BIT[1]. ***do oneself well*** ⇨ WELL[2]. ***do the . . .*** …처럼 행동하다:Don't *do the* big. 잘난 체하지 마라. ***do the trick*** ⇨ TRICK. ***do . . . to death*** ⇨ DEATH. ***do up*** (1) …을 수리하다, 손보다 : This house must be *done up.* 이 집은 손 좀 봐야겠다. (2) (머리)를 매만져 다듬다〔손질하다〕, 머리를 땋다 : *do up* one's hair 머리를 손질하다〔땋다〕. (3)〔do oneself up으로〕 멋부려 치장하다, 화장하다, 옷을 차려 입다. (4) …을 싸다, 꾸리다, 포장하다 : *do up* a parcel 소포를 꾸리다. (5) (…의) 단추〔후크 (따위)〕를 채우다, 끼우다, (끈 따위)를 매다 ; (*vi.*) (옷 따위가) 단추〔지퍼〕로 채워지다. opp. *undo.* ¶ Will you *do up* my dress at the back, please? 내 드레스 등의 단추를 좀 끼워 주시겠습니까 / She *did up* the zip on her dress. 그녀는 옷의 지퍼를 잠갔다 / My dress *does up* at the back. 내 드레스는 등에서 단추를 끼우게 되어 있다. (6)〔흔히 受動으로〕《口》(아무)를 녹초가 되게 하다, 지치게 하다 : He was quite *done up.* 그는 완전히 지쳐버렸다. (7) …을 세탁하여 다림질을 하다 : *do up* one's shirts 셔츠를 빨아 다리다. ***do well*** ⇨ WELL[2]. ***do well to*** do ⇨ WELL[2]. ***do well out of*** ⇨ WELL[2]. ***do with***〔疑問代名詞 what 을 목적어로 하여〕 (1) …을 처치〔처분〕하다, …을 다루다 (deal with) : *What* did you *do with* my bag? 내 백을 어떻게 하셨죠 / I don't know *what* to *do with* her. 그녀와는 어떻게 상대해야 할지 모르겠다《사귀기 어려운 여자다》; 그녀를 어떻게 다루어야〔처우해야〕 할지 모르겠다. (2)〔what (to) do with oneself〕 어떻게 (때를) 보내다, 어떻게 행동하다《진행형은 불가능》: *What* did you *do with yourself* during your vacation? 휴가를 어떻게 보

내셨습니까. (3)〔can, could 와 함께 ; 否定・疑問文에서〕…을 참고 견디다 ; (불만이지만) …한 대로 참다 : *Can* you *do with* cold meat for dinner? 저녁 식사는 냉육(冷肉)인데, 그런대로 잡수시겠습니까 / I *can't do with* the way he speaks. 너석의 말하는 태도엔 참을 수가 없다. (4)〔can, could 를 수반하여〕《口》…했으면 좋을 성싶다, …하고 싶다 : I think you *can do with* a rest. 너에게는 휴식이 필요하다고 생각된다 / I *could do with* whisky and soda. 하이볼이 있으면 한 잔 했으면 싶다. ***do without*** (…)없이 때우다, 없는 대로 해나가다〔지내다〕(dispense with) : I can't *do without* this dictionary. 이 사전 없이는 해나갈 수가 없다 / The store hasn't any ; so you will have to *do without.* 가게에서 팔지 않으니 없는 대로 지내야 한다. ***have*** 〔***be***〕 ***done with*** (1) (일 따위)를 끝내다, 마치다 : I *have done with* the book. 그 책은 다 읽었다 / Let's start at once and *have done with* it. 빨리 해서 끝내도록 합시다. (2) (…에서) 손을 떼다, 그만두다 ; (…와) 관계를 끊다 : I *have done with* smoking. 담배를 끊었다 / I *have* 〔*am*〕 *done with* him. 그 녀석과는 관계가 없다. ***have something*** 〔***nothing, little,*** etc.〕 ***to do with*** …와(는) 좀 관계가 있다〔전연, 거의 (따위) 관계가 없다〕: He *has something* 〔*nothing*〕 *to do with* the firm. 그는 그 회사와 어떤〔무언가〕 관계가 있다〔아무런 관계도 없다〕/ Smoking *has* a great deal 〔quite a lot〕 *to do with* cancer. 흡연은 암과 크게 관계가 있다 / What do I *have to do with* you? 자네와 나는 무슨 관계가 있는가. ***How do you do?*** 처음 뵙겠습니다, 안녕하십니까《소개될 때의 상투 어구. 같은 말로 되받아도 됨》. ***make do*** ⇨ MAKE. ***nothing doing*** ⇨ NOTHING. ***That does it !*** 《口》 그건 너무하다, 이제 됐다〔그만〕, 더는 참을 수 없다. ***That's done it !*** (1) 이젠 글렀다, 만사 끝장이다, 아뿔싸. (2) 해냈다, (잘) 됐다. ***to do with . . .*** 〔흔히 something, nothing, anything 따위 뒤에 와서〕 (…에) 관계하다, 관계가 있다 : He is interested in *anything to do with* (= *anything* that has *to do with*) cats. 고양이에 관계 있는 것이라면 무엇에나 흥미를 갖고 있다 / I want *nothing to do with* him. 그와 상관하고 싶지 않다. ***Well done !*** 잘 했다, 용하다. ***What*** 〔《英》 ***How***〕 ***will you do for . . . ?*** …의 준비는 어떻게 하나 : *What will you do for* food while you're climbing the mountain? 등산 중 식량 준비는 어떻게 하지.

── [du:] (*pl.* **~s, ~'s**) *n.* Ⓒ ①《英口》 사기, 협잡 : It's all a *do.* 순전한 협잡이다. ②《英口》 축연, 파티 : There is a big *do* on. 큰 잔치판이 벌어지고 있다. ③ (*pl.*) 지켜야 할 일, 명령〔희망〕 사항 : *do's* and *don'ts* 지켜야 할 사항들. ④ 법석, 대소동(commotion, fuss). ⑤《美俗》 머리형(型) (hairdo). ***do one's do*** 할 일을 다하다, 본분〔직분〕을 다하다. ***Fair dos***〔***do's***〕***!*** 《英俗》 공평〔공정〕히 하세.

do[2] [dou] (*pl.* **~s, ~'s**) *n.* Ⓤ,Ⓒ 〖樂〗 도《장음계의 제1음》, 주음조(主音調).

do., d° [dítou] ditto. **D.O.A.** dead on arrival(도착시 이미 사망). ★ 의사 용어.

do·a·ble [dúːəbəl] *a.* 할〔행할〕 수 있는.

DOB, D.O.B., d.o.b. date of birth.

dob·bin [dábin / dɔ́bin] *n.* Ⓒ (순하고 일 잘하는) (농사)말 ; 복마(卜馬)《흔히 애칭으로 쓰임》.

Do·ber·man(n) (pin·scher) [dóubərmən (pínʃər)] 도베르만《테리어 개의 일종 ; 경찰・군용견으로 쓰임》.

doc[1] [dɑk / dɔk] *n.* 《口》 =DOCTOR《흔히 (특히, 의사에 대한) 호칭으로서》.

doc[2] *n.* 《俗》= DOCUMENT.

DOC 〖生化〗 deoxycorticosterone. **Doc.** Doctor. **doc.** document(s).

do·cent [dóusənt, dousént] *n.* Ⓒ 《美》 ① (대학의) 강사. ② (미술관・박물관 등의) 안내인.

doc·ile [dásəl / dóusail] *a.* 유순한, 다루기 쉬운 : the ~ masses 다루기 쉬운 대중. ㊔ **~·ly** *ad.*

do·cil·i·ty [dɑsíləti, dou-] *n.* Ⓤ 유순함, 다루기 쉬움.

‡**dock**[1] [dɑk / dɔk] *n.* Ⓒ ① 독, 선거(船渠) : a dry ~ 건식 선거 / a floating ~ 부양식(浮揚式) 독 / a wet ~ 계선(繫船)독. ② 선창, 선착장, 부두, 안벽, 잔교(pier). ***in*** ~ (1) 수리 공장〔독〕에 들어가. (2)《英口》 입원중(인). ***out of*** ~ (1) (배가) 독에서 나와. (2)《英》 퇴원하여. (3)《英口》 (차 따위의) 수리가 끝나.

── *vt., vi.* ① (배를〔가〕) 독에 넣다〔들어가다〕. ② (두 우주선을〔이〕) 결합〔도킹〕시키다〔하다〕.

dock[2] *n.* (the ~) (형사 법정의) 피고석 : be in *the* ~ 피고인석에 앉아 있다, 재판을 받고 있다 ; 비난〔비판〕을 받고 있다.

dock[3] *n.* Ⓤ,Ⓒ 〖植〗 참소리쟁이속(屬)의 식물《수영・소리쟁이 따위》.

dock[4] *n.* Ⓒ ① (짐승의) 꼬리심《털 부분과 구별하여》. ② 짧게 자른 꼬리. ── *vt.* ① (동물의 꼬리・털 따위)를 짧게 자르다. ② **a)** …을 삭감〔감액〕하다 : The president *~ed* his secretary *of* his wages. 사장은 비서의 급료를 깎았다. **b)** (…에서) …을 차감하다〔빼다〕: Two dollars were *~ed from*〔*off*〕 his pay. 그의 급료에서 2달러 차감됐다.

dock·age [dákidʒ / dɔ́k-] *n.* Ⓤ (때로 a ~) 독〔선거〕사용료, 입거료(入渠料).

dock·er [dákər / dɔ́k-] *n.* Ⓒ 부두 노동자, 독 작업원(《美》 longshoreman).

dock·et [dákit / dɔ́k-] *n.* Ⓒ ① 〖法〗 (미결의) 소송 사건 일람표. ②《美》 (사무 상의) 처리예정표 ; (회의 등의) 협의 사항. ③ (서류에 붙이는) 각서, 부전 ; (화물의) 꼬리표. ── *vt.* ① (사건 등)을 소송 사건 일람표에 기입하다. ② (문서)에 부전을 붙이다 ; (소포)에 꼬리표를 붙이다.

dock·glass [dákglæ̀s, -glɑ̀ːs / dɔ́k-] *n.* Ⓒ (와인 시음용의) 대형 글라스.

dock·ing [dákiŋ / dɔ́k-] *n., a.* Ⓤ 입거(入渠)(의) ; 〖宇宙〗 두 우주선의 결합(의).

Dock·lands [dáklæ̀ndz / dɔ́k-] *n.* 《英》 독랜즈《런던 동부, 템스 강변의 신흥 도시 지역 ; 본디 부두 지역이었음》.

dock·side [dáksàid / dɔ́k-] *n.* Ⓒ 부두쪽 지역, 「부둣가.

dock·yard [∸jɑ̀ːrd] *n.* Ⓒ ① 조선소. ②《英》 해군 공창(《美》 navy yard).

†**doc·tor** [dáktər / dɔ́k-] *n.* Ⓒ ① 박사《略 : D., Dr.》; 박사 칭호 : a *Doctor* of Law 〔Divinity, Medicine〕 법학〔명예 신학, 의학〕 박사. ② 의사《★ 《美》에서 surgeon(외과의), dentist(치과의), veterinarian(수의) 등에도 쓰이나 《英》에서는 보통 physician(내과의)을 가리킴》: send for a ~ 의사를 부르러 보내다 / Go and see a ~ at once. 곧 의사한테 가서 진찰을 받아라 / How is she, ~? 의사 선생님, 그 여자는 어떻습니까. ③《口》 (흔히 수식어와 함께) …수리공 : a car 〔radio〕 ~ 자동차〔라디오〕 수리공.

be under the ~ 의사의 치료를 받고 있다. (***just***) ***what the ~ ordered*** 《口》 (바로) 필요한 것, (마침) 바라던 것. ***You're the ~.*** 《口》 당신에게 달렸습니다 ; 당신의 말씀이 맞습니다.

── *vt.* ①《~ + 目 / + 目 + 副》 (사람・병)을 치료

하다 : ~ small wounds at home 가벼운 상처를 집에서 치료하다 / ~ oneself 스스로 치료하다. ② (기계 따위)의 손질[수선]을 하다(mend) : ~ an old clock 낡은 시계를 수리하다. ③ (음식물)에 다른 것을 섞다《*up*》. ④ **a**) (문서·증거 따위)를 멋대로 고치다 : ~ a report 보고서를 조작하다. **b**) (극 따위)를 개작(改作)하다. ⑤《英》…에게 박사 학위를 주다. ⑥ (짐승)을 거세하다.
— *vi.* 《口》 ① (의사가) 개업을 하다. ② 치료를 받다.

doc·tor·al [dáktərəl / dɔ́k-] *a.* [限定的] 박사의 : a ~ dissertation 박사 논문.

doc·tor·ate [dáktərit / dɔ́k-] *n.* Ⓒ 박사 학위 : take one's ~ in law 법학 박사 학위를 따다 / hold a ~ 박사 학위를 갖고 있다.

doc·tri·naire [dàktrənέər / dɔ̀k-] *n.* Ⓒ《蔑》 공론가(空論家), 순이론가.
— *a.* 공론적인, 순리파(純理派)의, 이론 일변도의.

doc·tri·nal [dáktrənəl / dɔktrái-] *a.* [限定的] ① 교의[교리](상)의. ② 학리상의.

doc·tri·nar·i·an [dàktrənέəriən / dɔ̀k-] *n.* = DOCTRINAIRE.

‡**doc·trine** [dáktrin / dɔ́k-] *n.* Ⓤ,Ⓒ ① 교의, 교리. ⓒⓕ dogma. ¶ the Christian ~ 기독교의 교의. ② 주의, (정치·종교·학문상의) 신조, 학설 ; 공식(외교)정책 : the Monroe *Doctrine* 먼로주의.

doc·u·dra·ma [dákjədrὰ:mə, -drǽmə / dɔ́k-] *n.* Ⓒ 사실을 바탕으로 한 TV 드라마. [◂ *docu*mentary + *drama*]

‡**doc·u·ment** [dákjəmənt / dɔ́k-] *n.* Ⓒ 문서, 서류, 기록, 증거자료, 증서, 문헌 : legal ~*s* 법률서류 / an official[a public] ~ 공문 / draw up [write out] a ~ 서류를 작성하다.
— [-mènt] *vt.* ① …을 문서로 증명하다 ; (저서·논문 등)에 (각주 등으로) 전거를 보이다 : a well ~*ed* book 충분한 자료의 뒷받침이 있는 책. ② (…에게) 문서[증서]를 교부[제공]하다.

doc·u·men·tal [dàkjəméntl / dɔ̀k-] *a.* = DOCUMENTARY ①.

***doc·u·men·ta·ry** [dàkjəméntəri / dɔ̀k-] *a.* ① 문서의, 서류[증서]의, 기록자료가 되는[에 있는, 에 의한] : ~ evidence 증거 서류. ② 사실을 기록한《영화·TV 등》: a ~ film 기록영화. — *n.* Ⓒ 기록영화, 다큐멘터리(=∠ **film**); (라디오·TV 등의) 기록물《*on* ; *about*》.

doc·u·men·ta·tion [dàkjəmentéiʃən, -mən- / dɔ̀k-] *n.* Ⓤ ① 증서 교부 ; 문서[증거 서류] 제시 : His claim was supported by full ~. 그의 주장은 완전한 문서에 의해서 뒷받침되고 있었다. ② 증거서류[자료], 고증(考證). ③ 【컴】 문서화《소프트웨어의 사용·조작·보수·설비에 관해 기록한 입문서·표·그림. 그 외 hard[soft] copy로 쓰인 도형화된 자료》.

dócument prὸcessing 【컴】 도큐먼트 프로세싱, 문서 처리.

DOD 《美》 Department of Defense(국방부).

dod·der [dádər / dɔ́d-] *vi.* (중풍이나 노령으로) 떨다, 휘청거리다, 비실비실하다.

dod·der·ing [dádəriŋ / dɔ́d-] *a.* 비실비실하는, 휘청휘청하는. ㊞ **~·ly** *ad.*

dod·dery [dádəri / dɔ́d-] *a.* = DODDERING.

dod·dle [dádl / dɔ́-] *n.* Ⓒ (흔히 *sing.*) 《英口》 식은 죽 먹기. 「[변]형.

do·dec·a·gon [doudékəgὰn / -gɔ̀n] *n.* Ⓒ 12각

do·dec·a·pho·ny [doudékəfòuni, dòudikǽfə-] *n.* Ⓒ 12음 음악. ㊞ **-phon·ic** [dòudekəfánik, doudèkə- / -fɔ́n-] *a.*

***dodge** [dadʒ / dɔdʒ] *vi.* ①《~ / +副 / +前+名》 핵 몸을 피하다, 살짝 비키다《*about* ; *between* ; *into* ; *round* ; *under*》: He ~*d into* a doorway to escape the rain. 비를 피해 후딱 문간[출입구]에 들어섰다. ② 교묘하게 둘러대다, 속이다.
— *vt.* ① (타격 등)을 핵 피하다, 날쌔게 비키다(avoid) : The boxer ~*d* the blow. 복서는 상대의 일격을 핵 피했다. ② (책임 따위)를 교묘히 회피하다, (질문 따위)를 교묘히 얼버무려 넘기다, 교묘히 둘러대다 : ~ the law 교묘히 법망을 피하다 / ~ a reporter's question 기자의 질문을 얼버무려 넘기다 / Don't ~ the issue! 문제를 어물쩍 넘기지 마.
— *n.* Ⓒ (흔히 *sing.*) ① 살짝 몸을 피하기 : make a ~ 살짝 몸을 비키다. ②《口》 교묘한 속임수 ; 회피책, 발뺌 : a tax ~ 탈세 / He's always pulling the same old ~. 놈은 언제나 그런 식으로 발뺌을 한다.

dódge bàll 도지볼, 피구(避球).

dodg·em [dádʒəm / dɔ́-] *n.* (the ~s) 다젬놀이《유원지 등에서 소형 전기 자동차(dodgem car)를 맞부딪는 놀이》.

dodg·er [dádʒər / dɔ́-] *n.* Ⓒ ① 획 몸을 피하는 사람. ② 속임수를 잘 쓰는 사람 ; 사기꾼 : a tax ~ 탈세자.

dodgy [dádʒi / dɔ́dʒi] (***dodg·i·er*** ; ***-i·est***) *a.* ① (계획·일 등이) 위태로운 ; (기구(器具)가) 안전하지 못한, 위험한. ② (사람이) 교활한, 믿을 수 없는.

do·do [dóudou] (*pl.* ~(*e*)*s*) *n.* Ⓒ 도도《지금은 멸종한 날지 못하는 큰 새의 이름》. (***as***) ***dead as a*** [***the***] ~ (1) 완전히 죽은[효력을 잃은]. (2) 구닥다리의, 시대에 뒤진.

DOE 《美》 Department of Energy ; 《英》 Department of the Environment.

Doe [dou] *n.* = JOHN DOE.

doe [dou] (*pl.* ~**s**, ~) *n.* Ⓒ (사슴·토끼·양·염소 등의) 암컷. ⓒⓕ buck[1].

***do·er** [dú:ər] *n.* Ⓒ 행위자 ; 실행가 : a ~ of evil deeds 못된 짓을 하는 사람.

†**does** [強 dʌz, 보통은 弱 dəz] *v.* DO[1]의 3인칭·단수·직설법·현재형.

doe·skin [dóuskìn] *n.* ① Ⓤ,Ⓒ 암사슴 가죽 ; 암사슴의 무두질한 가죽. ② Ⓤ 사슴가죽 비슷한 나사(羅紗).

‡**does·n't** [dʌ́znt] does not 의 간약형.

do·est [dú:ist] *v.* 《古》 DO[1] (동사)의 2인칭·단수·직설법·현재형《주어가 thou 일 때》.

do·eth [dú:iθ] *v.* 《古》 DO[1] (동사)의 3인칭·단수·직설법·현재형 : he ~ = he does.

doff [daf, dɔ(:)f] *vt.* 《古》 (인사하려고 모자)를 벗다 ; (옷)을 벗다. ⓞⓟⓟ *don*[2]. [◂ *do* + *off*]

†**dog** [dɔ(:)g, dag] *n.* ① Ⓒ 개 ; 수캐 ; 수컷《★ 친밀하게 의인화해 it 대신 he 로 받는 때가 많음》: a ~ wolf 수이리 / Every ~ has his [its] day. 《俗談》 쥐구멍에도 볕들 날이 있다 / Give a ~ a bad name and hang him. 《俗談》 한 번 낙인찍히면 벗어나기 힘들다 / Let sleeping ~*s* lie. 《俗談》 긁어 부스럼 만들지 마라 / Love me, love my ~. 《俗談》 내가 고우면 내 개도 고와해라, '아내가 귀여우면 처갓집 말뚝 보고 절한다' / Barking ~*s* do not bite. 《俗談》 짖는 개는 물지 않는다.

> 參考 hound 는 사냥개, cur 는 들개. 또, 암캐는 bitch, female dog, she-dog ; 강아지는 puppy, pup 또는 whelp 라고 함.

② Ⓒ 갯과의 동물《이리·승냥이 따위》. ③ Ⓒ a) 너절한〔매력없는〕 남자 ; 못생긴 여자 ; (수식어를 붙여) …한 놈 : a dirty〔sly〕 ~ 치사한〔교활한〕 놈 / a jolly ~ 유쾌한 놈. b) 《美俗》 형편없는 것, 실패작. ④ 〖天〗 (the D-) 큰개자리 ; 작은개자리. ⑤ Ⓒ 무집게, 쇠갈고리. ⑥ (*pl.*) 《美口》 핫도그. ⑦ (the ~s) 《英口》 개 경주, 도그 레이스.
a ~ in the manger (제게 불필요한 것도 남 주기는 싫어하는) 심술쟁이《이솝 우화에서》. ***a ~'s chance*** (부정적으로) 한가닥의 가망〔희망〕 : You don't have〔stand〕 *a ~'s chance* to win. 넌 이기기는 다 틀렸다. ***a ~'s life*** ⇨ DOG'S LIFE. ***(as) sick as a ~*** 아주 기분이 나쁜. ***blush like a black ~*** 전혀 얼굴을 붉히지 〔부끄러워하지〕 않다. ***die like a ~*** 개 죽음하다. ***~ tied up*** 《Austral. 俗》 밀린 계산서. ***~ eat ~*** (먹느냐 먹히느냐의) 치열한 경쟁. ***dress up like a ~'s dinner*** 《英口》 한껏 치장하다《남보기에는 꼴같잖음》. ***go to the ~s*** 《口》 파멸〔타락, 영락〕하다. ***put on*** (***the***) ~ 《美口》 으스대다, 허세부리다. ***throw*** 〔***give***〕 ***to the ~s*** 버리다, 희생시키다. ***treat*** a person ***like a ~*** 《口》 남을 푸대접하다 : She *treats* her husband *like a ~*. 그녀는 남편을 우습게 안다.
— (**-gg-**) *vt.* ① …을 미행하다 (shadow) ; (귀찮게) 따라다니다 : The police *~ged* the suspect 〔the suspect's footsteps〕. 경찰은 용의자를 미행했다. ② (재난·불행 따위가) …에게 따라다니다 : Bad luck *~ged* him all his life. 그에게는 평생 악운이 따라다녔다.

dóg bìscuit 개먹이 비스킷 ; 《美俗》 건빵.
dog·cart [dɔ́(ː)gkɑ̀ːrt, dɑ́g-] *n.* Ⓒ ① 개수레. ② 등을 맞대게 된 좌석이 있는 2 륜〔4 륜〕 마차《옛날 좌석 밑에 사냥개를 태웠음》.
dog·catch·er [-kæ̀tʃər] *n.* Ⓒ 들개 포획인.
dóg còllar ① 개 목걸이. ② 《口》 (목사 등의) 세운 칼라.
dóg dàys (흔히 the ~) 복중, 삼복《7 월초부터 8 월 중순경까지의 무더운 때》 : *in the ~* 복중에.
dog-ear [dɔ́(ː)gìər, dɑ́g-] *n.* Ⓒ 책장 모서리의 접힘. — *vt.* 책장 모서리를 접다.
dog-eared [-ìərd] *a.* ① 책장 모서리가 접힌. ② 오래 사용하여 낡은.
dog-eat-dog [-ìːt-] *a.* 〔限定的〕 먹느냐 먹히느냐의, 사리사욕에 눈이 먼 : It's a ~ world. 먹느냐 먹히느냐의 세상이다.
dóg ènd 《英俗》 담배 꽁초.
dog·fight [-fàit] *n.* Ⓒ ① 개싸움 ; 난전(亂戰), 난투. ② 〖軍〗 전투기의 공중전〔접근전〕.
dog·fish [-fìʃ] *n.* 〖魚〗 돔발상어류.
***dog·ged** [dɔ́(ː)gid, dɑ́g-] *a.* 완강한 ; 집요한, 끈질긴 : with ~ determination 불퇴전의 각오로 / It's ~ (that) does it. 《格言》 끈기는 성공의 비결.
㊞ **~·ly** *ad.* **~·ness** *n.*
Dóg·ger Bànk [dɔ́(ː)gər-, dɑ́g-] (the ~) 영국과 네덜란드 사이의 북해 중앙의 얕은 바다《유명한 대(大)어장》.
dog·ger·el [dɔ́(ː)gərəl, dɑ́g-] *n.* Ⓤ (내용도 부실하고 운(韻)도 맞지 않는) 서투른 시. 「멍.
dog·gie [dɔ́(ː)gi, dɑ́g-] *n.* Ⓒ 강아지 ; 《兒》 멍
dóggie bàg (음식점 등에서) 먹다 남은 음식을 넣어 갖고 가는 봉지《개에게 주는 데서》.
dog·go [dɔ́(ː)gou, dɑ́g-] *ad.* 《英俗》 가만히 숨어서, 꼼짝하지 않고. ***lie ~*** 꼼짝하지 않고 숨어 있다〔기다리다〕.
dog·gone [dɔ́(ː)gɔ́(ː)n, -gɑn, dɑ́g-] *int.* 《美俗》 제기랄, 빌어먹을, 염병할. — *vt.* …을 저주하다 (damn) : *Doggone* it! 빌어먹을, 제기랄 / I'll be *~d* if I'll go! (빌어먹을) 내가 가나 봐라. — *a.* 〔限定的〕 저주할, 괘씸한, 지긋지긋한.
dog·gy [dɔ́(ː)gi, dɑ́gi] (**-gi·er ; -gi·est**) *a.* ① 개의, 개 같은. ② 개를 좋아하는. ③ 《美俗》 화려한, 멋(들어)진. — *n.* =DOGGIE.
dóggy bàg =DOGGIE BAG.
dog·house [dɔ́(ː)ghàus, dɑ́g-] *n.* Ⓒ 개집. ***in the ~*** 《口》 면목을 잃고, 노여움을 사서.
dog·leg [dɔ́(ː)glèg, dɑ́g-] *n.* Ⓒ ① 개 뒷다리같이 구부러진 것. ② (도로나 경주장의) 급각도로〔'〈' 모양으로〕 굽은 길〔코스〕.
dog·like [-làik] *a.* 개 같은 ; 충실한.
***dog·ma** [dɔ́(ː)gmə, dɑ́g-] (*pl.* **~s, ~·ta** [-mətə]) *n.* ① Ⓤ,Ⓒ 교의, 교리, 도그마. ② Ⓒ 독단적 주장〔견해〕 : political ~ 정치적 독단.
***dog·mat·ic, -i·cal** [dɔ(ː)gmǽtik, dɑg-], [-əl] *a.* ① 독단적인. ② 교의〔교리〕의.
㊞ **-i·cal·ly** [-əli] *ad.* 「론, 교의학.
dog·mat·ics [dɔ(ː)gmǽtiks, dɑg-] *n.* Ⓤ 교리
***dog·ma·tism** [dɔ́(ː)gmətìzəm, dɑ́g-] *n.* Ⓤ 독단(론) ; 독단주의 ; 독단적인 태도.
dog·ma·tist [-tist] *n.* Ⓒ 독단가 ; 독단론자.
dog·ma·tize [dɔ́(ː)gmətàiz, dɑ́g-] *vi.* 독단적으로 주장하다. — *vt.* (주의 등)을 교의화하다.
㊞ **dòg·ma·ti·zá·tion** [-tizéiʃən] *n.* Ⓤ **dóg·ma·tiz·er** [-tàizər] *n.*
do-good·er [dúːgùdər] *n.* Ⓒ 《흔히 蔑》 (선의이긴 하지만) 공상적인 자선가〔개혁 운동가〕.
dóg pàddle (*sing.*) 개헤엄.
dogs·body [dɔ́ːgzbɑ̀di, dɑ́gz- / dɔ́gzbɔ̀di] *n.* Ⓒ 《英俗》 마구 부림을 당하는 사람, 하바리.
dóg's brèakfast 〔**dìnner**〕 《口》 엉망진창.
dóg slèd [-slèd] 개썰매 (=**dóg slèdge**).
dóg's lìfe 비참한 생활 : lead a ~ 비참한 생활을 하다.
dóg's mèat 개에게 주는 고기《말고기·고기 부스러기 따위》. 「ius).
Dóg Stàr (the ~) 〖天〗 천랑성(天狼星) (Sir-
dóg tàg ① 개패. ② 《軍俗》 인식표. 「친.
dog-tired [-táiərd] *a.* 《口》 녹초가 된, 몹시 지
dog·tooth [-tùːθ] (*pl.* **-teeth**) *n.* Ⓒ ① 송곳니. ② 〖建〗 (영국, 고딕 건축 초기의) 송곳니 장식.
dog·trot [-trɑ̀t / -trɔ̀t] *n.* Ⓒ (흔히 *sing.*) 종종걸음 : run at a ~ 종종걸음치다.
dog·wood [-wùd] *n.* Ⓒ 〖植〗 말채나무.
DOH 《英》 Department of Health (보건성).
DOI 《美》 Department of the Interior (내무부).
doi·ly [dɔ́ili] *n.* Ⓒ 도일리《린네르 따위로 만들며, 꽃병 따위의 밑에 깖》.
do·ing** [dúːiŋ] *n.* ① a) Ⓤ,Ⓒ 함, 행함, 실행 ; 행실, 행동, 소행 : This must be his ~. 이건 그가 한 짓임이 분명하다 / Talking is one thing, ~ is another. 말하기와 행하기는 별개의 문제다. b) Ⓤ 대단한 일, 힘듦 : It will take some ~ to finish it in time. 그걸 시간내에 해내자면 꽤나 힘들겠다. ② (*pl.*) 《英口》 꾸짖음, 질책 : give a person a good ~ 아무를 호되게 꾸짖다. ③ (*pl.*) 《英俗》 (이름을 모르는) 무어라 하는 것, 그것 : Where's the *~s* to cut this with. 이거 자르는 그거 어디 있나. ***take 〔***want***〕 ***some*** 〔***a lot of***〕 ~ 꽤 어렵다.
do-it-your·self [dùːətʃərsélf] *a.* 〔限定的〕 (수리·조립 등을) 손수하는 : a ~ repair kit 아마추어용 수리 공구 일습. — *n.* Ⓤ (수리 등을) 손수함 ; 손수하는 취미. ㊞ **~·er** *n.*
DOJ 《美》 Department of Justice (법무부).
dol. (*pl.* **dols.**) dollar.
Dól·by Sỳstem [dɔ́ːlbi, dóul-] 돌비 방식《테

이프 리코더로 재생시 잡음 저감 방식 ; 商標名》.

dol·drums [dóuldrəmz, dál-, dɔ́(:)l-] *n. pl.* (the ~) ① 우울, 의기 소침 ; 침체, 정체 상태〔기간〕. ②〖海〗(적도 부근의) 무풍대(無風帶). ***be in the*** ~ (1) 침울해 있다. (2) 정체 상태에 있다, 불황이다. (3) (배가) 무풍대에 들어 있다.

***dole** [doul] *n.* ①Ⓒ (흔히 *sing.*) 시여물(施與物), 분배물 ; 얼마 안 되는 몫. ② (the ~) 《英口》 실업 수당 : be on *the* ~ 실업수당을 받고 있다《★ 미국에서는 be on welfare라고 함》.
— *vt.* 《+目+副》 …을 (조금씩) 베풀어〔나누어〕 주다《*out*》.

***dole·ful** [dóulfəl] *a.* 슬픈, 쓸쓸한 ; 음울한. ㊐ **~·ly** [-i] *ad.* **~·ness** *n.*

†doll [dal, dɔ(:)l] *n.* Ⓒ ① 인형 : She dressed her ~. 그녀는 인형에게 옷을 입혔다. ② 백치미의 〔예쁘지만 어리석은〕 젊은 여자. ③ 귀여운 여자 애. ④《美俗》 고마운〔친절한〕 사람.
— *vt.* 《+目+副》《口》 …을 화려하게 차려 입다《*up*》: ~ oneself *up* 예쁘게 차려 입다 / She was all ~*ed up* in furs and jewels. 그녀는 온통 모피와 보석으로 치장하고 있었다. — *vi.* 《口》 한껏 모양내다《*up*》.

†dol·lar [dálər / dɔ́lər] *n.* Ⓒ ① 달러《미국·캐나다 등지의 화폐단위 ; 100 센트 ; 기호 $, $》: How much is the ~ today? 오늘 달러 시세는 얼마냐. ② 1달러 지폐〔은화〕. ***bet** one's **bottom*** ~ 《美口》 전재산을 걸다 ; 확신하다. ***like a million ~s*** ⇨ MILLION.

dóllar àrea (the ~) 달러 (유통) 지역.

dóllar diplòmacy 달러〔금력〕 외교.

dóllar gàp 달러 부족.

dóllar màrk 〔**sìgn**〕 달러 기호《$ 또는 $》.

doll·house [dálhàus, dɔ́(:)l-] *n.* Ⓒ ① 인형의 집. ② (장난감처럼) 자그마한 집.

dol·lop [dáləp / dɔ́l-] *n.* Ⓒ ① (버터 따위의 연한) 덩어리《*of*》: a ~ *of* jelly. ② (액체의) 소량 : a ~ of whisky 위스키 한 방울〔스푼〕.

dóll's hòuse 《英》 = DOLLHOUSE.

Dol·ly [dáli / dɔ́li] *n.* 돌리《여자 이름 ; Dorothy 의 애칭》.

***dol·ly** [dáli / dɔ́li] *n.* Ⓒ ①《兒》 인형, 각시. ② = DOLLY BIRD. ③《美》 (역·공항 등에서, 무거운 것을 나르는 발바퀴 달린) 손수레. ④〖映·TV〗 카메라 이동 대차(臺車), 돌리.

dólly bìrd 《英口》 (머리는 나쁘지만) 옷맵시를 낸 젊은〔귀여운〕 여자.

dol·man [dóulmən, dál- / dɔ́l-] (*pl.* **~s**) *n.* Ⓒ 돌먼《케이프식의 소매가 달린 여성용 망토》.

dólman sléeve 돌먼슬리브《진동이 넓고 소맷부리 쪽으로 차츰 좁아지는 여자옷의 소매》.

dol·men [dóulmen, dálmən / dɔ́l-] *n.* Ⓒ〖考古〗 돌멘, 고인돌. cf. cromlech.

do·lor, 《英》 **-lour** [dóulər] *n.* Ⓤ《詩》 비애, 상심(grief).

dol·or·ous [dálərəs, dóulə- / dɔ́lə-] *a.* 《詩》 슬픈, 마음 아픈 ; 괴로운.

***dol·phin** [dálfin, dɔ́(:)l-] *n.* ①Ⓒ〖動〗 돌고래. ②Ⓒ〖魚〗 만새기. ③ (the D-)〖天〗 돌고래자리 (Delphinus).

dolt [doult] *n.* Ⓒ 바보, 멍청이.

dolt·ish [dóultiʃ] *a.* 멍청한, 바보같은. ㊐ **~·ly** *ad.*

-dom *suf.* ① '지위, 권력, 영지, 나라'의 뜻 : earl*dom*, king*dom*. ② '추상적 관념'을 나타냄 : free*dom*. ③ 집합적으로 '…계(界), …사회, …기질' 따위의 뜻 : official*dom*.

dom. domain ; domestic ; dominion.

***do·main** [douméin] *n.* ①Ⓒ 영토, 영역 ; 세력 범위 : aerial ~*s* 영공(領空) / the public ~ 공유지. ②Ⓤ (완전) 토지 소유권 : ~ of use 지상권. ③Ⓒ (활동·연구·지식·사상 등의) 분야, …계 : the ~ of medicine 의학의 분야 / He is a leading figure in the ~ of German literature. 그는 독문학계의 중진이다 / Chemistry is out of my ~. 화학은 내 전문이 아니다.

‡dome [doum] *n.* Ⓒ ① 둥근 천장 ; 둥근 지붕, 돔 : the ~ of a church 교회의 돔. ② **a)** 반구형〔둥근 지붕 모양〕의 것 : the ~ of the sky 하늘, 천공. **b)** (야산 등의) 둥근 마루터기. ③《美俗》 머리.

domed [-d] *a.* ①〔흔히 複合語를 이루어〕 돔〔둥근 지붕〕이 있는. ② 반구형의 : a ~ forehead 됫박 이마, 짱구머리.

Dómes·day Bòok [dú:mzdèi-, dóumz-] (the ~) (영국왕 William 1세가 1086년 제작하게 한) 토지 대장.

‡do·mes·tic [douméstik] (***more*** ~ ; ***most*** ~) *a.* ① 가정의, 가사상의 : ~ industry 가내 공업 / ~ dramas 가정극, 홈드라마 / ~ life 가정 생활 / ~ service 가사, 《특히》 청소. ② 가사에 충실한, 가정적인 : a ~ person 가정적인 사람 / A ~ woman will make a good housewife. 가정적인 여성은 좋은 주부가 된다. ③ 사육되어 길들여진 (tame). opp. *wild*. ¶ ~ animals 가축 / a ~ duck 집오리. ④ 국내의, 자국의 ; 국산의. opp. *foreign*. ¶ ~ mail 국내 우편 / a ~ airline 국내 항공(로) / ~ trade 국내 무역 / ~ and foreign affairs 내외 사정 / ~ products〔goods〕 국산품.
— *n.* ①Ⓒ (가정의) 하인, 하녀. ② (*pl.*) 국산품. ③ (*pl.*) 가정용 린네르류《타월, 시트 등》.

do·mes·ti·cal·ly [-kəli] *ad.* ① 가정적으로. ② 국내적으로, 국내에서.

***do·mes·ti·cate** [douméstəkèit] *vt.* ① (동물 따위)를 길들이다 : ~*d* animals 가축. ② (사람)을 가정에 충실하게 하다 ; 가정적으로 되게 하다 : Marriage has ~*d* the tomboy. 결혼을 하더니 말괄량이가 가정적으로 됐다.
㊐ **do·mès·ti·cá·tion** [-ʃən] *n.*

do·mes·tic·i·ty [dòumestísəti] *n.* ①Ⓤ 가정적임 ; 가정에 대한 애착 ; 가정 생활. ②Ⓒ (흔히 *pl.*) 가사.

dom·i·cile [dáməsàil, -səl, dóum- / dɔ́m-] *n.* Ⓒ ① 주거, 집. ②〖法〗 주소 : one's ~ of choice 〔origin〕 기류〔본적〕지. — *vt.* …을 어느 곳에 정주시키다《★ 종종 受動으로 쓰임》: be ~*d*〔~ oneself〕 in〔at〕 …에 주소를 정하다 / Where are you ~*d*? 어디에 살고 있나.

dom·i·cil·i·ary [dàməsílièri / dɔ̀m-] *a.* 〔限定的〕 주소의, 가택의 : a ~ register 호적 / a ~ visit 가택 수색 ; 《英》 의사의 왕진 ; (목사·사회사업가 등의) 가정 방문.

dom·i·nance [dámənəns / dɔ́m-] *n.* Ⓤ 우세, 우월 ; 지배 : male ~ over females 남성의 여성 지배.

dom·i·nant** [dámənənt / dɔ́m-] (more*** ~ ; ***most*** ~) *a.* ① 지배적인 ; 유력한, 우세한 ; 우위를 차지하고 있는 : a ~ figure 가장 유력한 인물 / the ~ party 제일〔다수〕당 / the ~ crop 주요 작물. ②〖生態〗 우성(優性)의. opp. *recessive*. ¶ a ~ character 우성 형질 / a ~ gene 우성 유전자. ③ 우뚝 솟은 : a ~ cliff 우뚝 솟은 절벽. ④〖樂〗 속음〔딸림음〕의. — *n.* Ⓒ ①〖生態〗 우성(형질). ②〖樂〗 속음, 딸림음《음계의 제 5 음》.
㊐ **~·ly** *ad.*

‡dom·i·nate [dámənèit / dɔ́m-] *vt.* ① …을 지배〔통치〕하다, 위압하다 ; …보다 우위를 점하다, 좌우하다 : She ~*d* her husband. 그녀는 남편을 깔아뭉갰다 / Africa used to be ~*d* by white people. 아프리카는 전에 백인 지배하에 있었다 / Don't (let yourself) be ~*d* by circumstances. 환경에 좌우되지 말라 / ~ a football league 축구에서 수위가 되다. ② (봉우리가) …의 위에 우뚝 솟다, …을 내려다보다 : The castle ~*s* the whole city. 성은 시 전체를 내려다보고 있다. — *vi.* 권세를 부리다, 우위에 서다, 지배(위압)하다《*over*》: The strong ~ *over* the weak. 강자는 약자를 지배한다.

㊞ **-na·tor** [-nèitər] *n.* 지배자.

***dom·i·na·tion** [dàmənéiʃən / dɔ̀m-] *n.* ① Ⓤ 지배, 통치, 제압. ② Ⓤ 우세, 우위. ③ (*pl.*) 주품(主品) 천사《천사 중의 제 4 위》.

dom·i·neer [dàməníər / dɔ̀m-] *vi.* 위세를 부리다, 마구 뽐내다《*over*》: She ~*s over* the other children. 그녀는 다른 아이들에게 마구 위세를 부린다.

dom·i·neer·ing [dàməníəriŋ / dɔ̀məníər-] *a.* 권력을 휘두르는, 오만한(arrogant), 횡포한 : a ~ master 횡포한 주인. ㊞ **~·ly** *ad.*

Dom·i·nic [dámənik / dɔ́m-] *n.* ① 도미닉《남자 이름》. ② **Saint** ~ 도미니크《스페인의 수사로 도미니크회(會)의 개조 ; 1170-1221》.

Dom·i·ni·ca [dàməní:kə, dəmínəkə / dɔ̀məní:kə] *n.* 도미니카 연방《서인도 제도 남동부의 섬으로 이루어진 영연방에 속한 독립국 ; 수도 Roseau》.

Do·min·i·can [dəmínikən] *a.* ① Saint Dominic 의 ; 도미니크회(會)의 : the ~ Order 도미니크회. ② 도미니카 공화국의. ③ 도미니카 연방의. — *n.* Ⓒ ① 도미니크회 수사. ② 도미니카 공화국 사람. ③ 도미니카 연방 사람.

Domínican Repúblic (the ~) 도미니카 공화국《서인도 제도의 Hispaniola 섬의 동쪽에 있음 ; 수도 Santo Domingo》.

***do·min·ion** [dəmínjən] *n.* ① Ⓤ 지배(통치)권(력), 주권 : hold ~ over a large area 광대한 지역을 지배하고 있다 / be under the ~ of …의 지배하에 있다. ② Ⓒ 영토, 영지. ③ (종종 D-) Ⓒ (영연방의) 자치령. 「일《7월 1일》.

Domínion Dày (캐나다의) 자치령 창설 기념

dom·i·no [dámənòu / dɔ́m-] (*pl.* ~(***e***)***s***) *n.* ① Ⓒ 도미노 가장복《후드가 붙은 겉옷》. ② (*pl.*) (單數 취급) 도미노 놀이《28매의 패로 하는 점수 맞추기》. ③ Ⓒ 도미노 놀이에 쓰는 패《장방형의 나무·뼈·상아 따위로 된》.

dómino effèct (the ~) 도미노 효과《하나의 사건이 다른 일련의 사건을 야기시키는 연쇄적 효과 ; 정치 이론에 쓰임》.

dómino thèory (the ~) 도미노 이론《한 지역이 공산화되면, 그 인접 지역도 차례로 공산화된다는》.

Don [dɑn / dɔn] *n.* ① 돈《남자 이름》. ② (the ~) 돈 강《러시아 중부에서 발원함》.

don[1] [dɑn / dɔn] *n.* 《Sp.》 ① (D-) 스페인에서 남자 이름 앞에 붙이는 경칭《옛날에는 귀인의 존칭》: *Don* Quixote. ② Ⓒ 스페인 신사(사람). ③ Ⓒ 《英》 (특히 Oxford, Cambridge 대학에서 학료(學寮) (college) 의) 학감 ; 개인지도 교사, 특별연구원 ; (일반적으로) 대학 교사.

don[2] (*-nn-*) *vt.* (옷·모자 따위)를 걸치다, 입다, 쓰다. opp. *doff.* [◂do+on]

do·ña [dóunjɑ:] *n.* 《Sp.》 ① (D-) …부인《스페인어권(圈)에서 귀부인의 세례명 앞에 붙이는 경칭 ; madam에 해당》. ② Ⓒ (스페인어권의) 귀부인.

Don·ald [dánəld / dɔ́n-] *n.* 도널드《남자 이름》.

Dónald Dúck 도널드덕《Disney 만화 중의 주인공인 오리》.

do·nate [dóuneit, dounéit] *vt.* …을 (아무에게) 기증(기부)하다 ; 주다《★ give, contribute 가 더 일반적》: ~ money *to* charity 자선 사업에 돈을 기부하다 / ~ blood 헌혈하다 / My uncle ~*d* thousand dollars *to* the Red Cross. 아저씨는 적십자사에 천 달러 기부했다.

do·na·tion [dounéiʃən] *n.* ① Ⓤ 증여, 기증, 기부 : make a generous ~ of $50,000 *to* the orphanage 고아원에 5만 달러라는 많은 돈을 기부하다. ② Ⓒ 기증품, 기부금, 의연금 : ask for (invite) ~*s* 기부(의연)금을 모으다. ③ Ⓤ,Ⓒ (혈액·장기 등의) 제공 : blood ~ 헌혈. 「증자.

do·na·tor [dóuneitər, dounéi-] *n.* Ⓒ 기부자, 기

†**done** [dʌn] DO[1] 의 과거분사《★ 《美俗》에서는 did 대신에도 쓰임》: Who ~ it? 누가 했나(→ whodunit) / He ~ it. 그가 했다. — *a.* ① (敍述的) 끝난, 다된 ; 끝 낸, 다 마친 : It's ~. 끝났다, 됐다 / When you are ~, we will go out. 네 일이 끝나면 나가자 / I'll be ~ in about a quarter of an hour. 15분쯤이면 끝난다 / What's ~ cannot be undone. 엎지른 물은 다시 담지 못한다. ② (음식이) 익은, 구워진(★ 흔히 複合語로 쓰임) : half-~ 설구워진(익은) / over-~ 너무 구워진(익은) / I want my steak well-~. 내 스테이크는 잘 구워주시오. ③ 《흔히 否定文으로》 관례(예의)에 맞는 : It is*n't* ~. 그런 짓을 해서는 안 된다 / That sort of thing is*n't* ~. 그런 짓은 예의에 어긋난다 / It's *not* ~ to eat peas with knife. 완두콩을 나이프로 먹어서는 안된다. ***be ~ with*** ⇨ DO[1]. ***Done !*** 좋아, 알았어, 됐어《동의를 나타냄》.

do·nee [douní:] *n.* Ⓒ 기증받는 사람, 수증자(受贈者). opp. *donor.*

don·jon [dʌ́ndʒən, dán- / dɔ́n-] *n.* Ⓒ 아성(牙城), 내성(內城).

Don Ju·an [dàndʒú:ən, dànwán / dɔ̀ndʒú(:)ən] *n.* ① 돈후안《방탕하게 세월을 보낸 스페인의 전설적 귀족》. ② Ⓒ 방탕아, 난봉꾼, 엽색꾼.

‡**don·key** [dáŋki, dɔ́(:)ŋ-, dʌ́ŋ-] (*pl.* ~***s***) *n.* Ⓒ ① 당나귀《ass 의 속칭》. ★ 미국에서는 이것을 만화화하여 민주당의 상징으로 함. cf. elephant. ② 바보, 얼뜨기 ; 고집쟁이.

dónkey èngine 보조 기관《뱃짐을 부리거나 할 때 쓰는 휴대용 소형 엔진》.

dónkey jàcket (노동자용의) 두툼한 재킷.

dónkey's yèars 《口》 매우 오랫 동안《years는 (당나귀의 귀) ears에 빗대어 갖다 맞춘 말》: I haven't seen you for ~. 오랫동안 못뵈었습니다.

dónkey wòrk 《口》 지루하고 고된 일 : do the ~ 지루하고 고된 일을 하다.

don·na [dánə / dɔ́nə] (*pl.* ***-ne*** [-nei]) *n.* 《It.》 ① (D-) …부인《이탈리아에서 귀부인의 이름 앞에 붙이는 존칭》. ② Ⓒ (이탈리아의) 귀부인.

don·nish [dániʃ / dɔ́n-] *a.* college 의 학감 (don[1]) 같은 ; 학자연(然)하는.

don·ny·brook [dánibrùk / dɔ́n-] *n.* (종종 D-) 드잡이, 난투 소동(극).

do·nor [dóunər] *n.* Ⓒ ① 기증자, 시주(施主). opp. *donee.* ② 《醫》 (혈액·장기 등의) 제공자 : a blood ~ 헌혈자 / a kidney ~ 신장 제공자.

do-noth·ing [dú:nʌ̀θiŋ] *a., n.* Ⓒ 무위 도식하는 (사람), 게으른 (사람).

Don Quix·o·te [dànki*h*óuti, -kwíksət / dɔ̀nkwíksət] ① 돈키호테《스페인 작가 Cervantes 의 소설 및 그 주인공》. ② Ⓒ 현실을 무시하는 이상가(공상가).

†**don't** [dount] do not 의 간약형. ★ 구어에서는 doesn't 대신 쓰일 때가 있음. ¶ He (She) ~ mean it. 본심으로 하는 말이 아니다.

— *n.* Ⓒ (흔히 *pl.*) 금제(禁制), '금지 조항'집(集).
do·nut [dóunʌ̀t] *n.* =DOUGHNUT.
doo·dad [dú:dæ̀d] *n.* Ⓒ《美口》① 겉만 번드르르한 싸구려, 시시한 것. ② 새 고안물, 장치.
doo·dle [dú:dl] *vi.* (딴 생각을 하면서) 낙서하다 : ~ on the scratch pad while phoning 전화하면서 메모용지에 낙서하다.
— *n.* Ⓒ (딴 생각을 하면서 하는) 낙서.
doo·doo [dú:dú:] *n.*《兒》응가.
‡**doom** [du:m] *n.* Ⓤ ① 운명《보통, 악운》, 숙명 ; 불운 ; 파멸 ; 죽음 : send a person to his〔her〕~ 아무를 죽이다〔파멸시키다〕. ② (유죄) 판결. ③ (신이 내리는) 최후의 심판. ***meet*** 〔***go to***〕 ***one's*** ~ 죽다, 망하다. ***pronounce*** a person***'s*** ~ 아무에게 형〔불행〕을 선고하다. ***the crack of*** ~ 세상의 종말. — *vt.* ①《~+목/+목+전+명/+목+*to* do》…의 운명을 정하다, 운명짓다《보통 좋지 않게》: The plan was ~*ed to* failure. 그 계획은 애초부터 실패하게 되어 있는 것이었다. ②《+목+전+명/+목+*to* do》…에게 (형을) 선고하다 : ~ a person *to* death 사형을 선고하다.
doomed [du:md] *a.* 운이 다한, 불운의 : a ~ airplane (추락 직전 등에서) 운이 다한 비행기.
doom·say·er [dú:msèiər] *n.* Ⓒ《美》재액(災厄) 예언자.
dooms·day [dú:mzdèi] *n.* Ⓤ (종종 D-) 최후의 심판일, 세상의 종말(의 날). ***till*** ~ 세상이 끝날 때까지, 영구히.
Dóomsday Bòok =DOMESDAY BOOK.
doom·watch [dú:mwɑ̀tʃ, -wɔ̀:tʃ/wɔ̀tʃ] *n.* Ⓤ 환경 파괴 방지를 위한 감시.
†**door** [dɔ:r] *n.* Ⓒ ① 문, 방문, 문짝, 도어 : shut the ~ behind〔after〕 one 들어와서〔나가서〕 문을 닫다 / go in by the front ~ 정면의 현관문으로 들어가다 / in the ~ 출입구에(서). ② (흔히 *sing.*) (출)입구, 문간, 현관(doorway) : answer the ~ (방문자를) 응대하기 위해 현관에 나가다 / I'll see her to the ~. 내가 그녀를 현관까지 바래다 주겠다 / Someone is at the ~. 현관에 누가 와 있다. ③《比》문호, (…에 이르는) 길〔관문〕: a ~ to success 성공에의 길 / Einstein's theory opened the ~ *to* the nuclear age. 아인슈타인의 이론이 핵 시대에의 길을 열었다. ④ 한 집, 일호(一戶) : He lives three ~*s* away. 그는 세 집 건너에 살고 있다. ***at death's*** ~ 죽음에 임하여. ***at*** a person***'s*** ~ (1) (집) 근처에, 아주 가까이에. (2) (남의) 책임〔탓〕으로 : The fault lies *at my* ~. 그 과실은 내 탓이다. ***behind closed*** 〔***locked***〕 ***~s*** 비밀히, 비공개로. ***be on the*** ~ (개표 등) 출입구의 업무를 보다. ***by*** 〔***through***〕 ***the back*** 〔***side***〕 ~ 정식 절차를 거치지 않고, 뒷구멍으로. ***close*** 〔***shut***〕 ***the*** ~ ***on*** 〔***to***〕 …에 대하여 문호를 닫다 ; (문을 닫고) …을 들이지 않다 ; …을 고려치 않다. ***from*** ~ ***to*** ~ =~ ***to*** ~ (1) 한 집 한 집 : sell books (*from*) ~ *to* ~ 한집 한집 책을 팔러 다니다. (2) 문에서 문까지, 출발점에서 도착점까지. ***lay . . . at*** 〔***to***〕 a person***'s*** ~= ***lay . . . at*** 〔***to***〕 ***the*** ~ ***of*** a person …을 아무의 탓으로 하다, …의 일로 아무를 힐책하다. ***leave the*** ~ ***open*** (의논·교섭 등의) 가능성을 남겨두다. ***lie at*** 〔***to***〕 a person***'s*** ~=***lie at*** 〔***to***〕 ***the*** ~ ***of*** a person (죄(罪)·과실의) 책임이 아무에게 있다. ***open a*** ~ ***to*** 〔***for***〕 …에 문호를 개방하다, …에게 기회를 주다. ***out of ~s*** 집밖에서. ***show*** a person ***the*** ~ 아무를 내쫓다. ***shut*** 〔***slam***〕 ***the*** ~ ***in*** a person***'s face*** (1) 아무를 문간에서 내쫓다. (2) 아무의 계획을 수행못하게 하다〔방해하다〕. ***within ~s*** 집안에(서).

***door·bell** [dɔ́:rbèl] *n.* Ⓒ 현관의 벨.
door·case [dɔ́:rkèis] *n.* Ⓒ 문틀, 문얼굴.
dóor chàin 문사슬, 도어 체인《방범용의 7-8 cm쯤만 문이 열리도록 문 안쪽에 부착한 체인》.
do-or-die [dú:ərdái] *a.* 〔限定的〕 필사적인, 목숨을 건 : a ~ attempt 생명을 건 시도.
door·frame [dɔ́:rfrèim] *n.* =DOORCASE.
door·jamb [dɔ́:rdʒæ̀m] *n.* Ⓒ 문설주.
door·keep·er [dɔ́:rkì:pər] *n.* Ⓒ 문지기, 수위.
door·knob [dɔ́:rnɑ̀b/-nɔ̀b] *n.* Ⓒ 문 손잡이.
door·man [ˊ-mən, ˊ-mæ̀n] (*pl.* ***-men*** [ˊ-mən, ˊ-mèn]) *n.* Ⓒ (호텔 등의) 도어 맨, 도어 보이《손님의 송영, 문의 개폐 등의 서비스를 하는 보이》.
door·mat [ˊ-mæ̀t] *n.* Ⓒ (현관의) 매트, 신발 흙털개.
door·nail [dɔ́:rnèil] *n.* Ⓒ (옛날 문에 박은) 대갈못《장식·보강용》. (***as***) ***dead*** 〔***deaf***〕 ***as a*** ~ 아주 죽어서〔귀머거리가 되어〕.
door·plate [ˊ-plèit] *n.* Ⓒ (문에 붙인 금속제의) 문패.
door·post [ˊ-pòust] *n.* Ⓒ 문설주, 문기둥.
dóor prìze 참가자에게 추첨으로 주는 상품.
door·scrap·er [dɔ́:rskrèipər] *n.* Ⓒ (출입구에 놓는 금속제의) 신발 흙털개.
door·sill [dɔ́:rsìl] *n.* Ⓒ 문지방(threshold).
door·step** [dɔ́:rstèp] *n.* Ⓒ 현관의 계단. ***on one***'s*** 〔***the***〕 ~ (집) 가까이에, 아주 가까이에, 근처에. — *vi.*《英》호별방문하다《물건의 판매, 선거 운동 등을 위해》.
door·stop(·per) [ˊ-stɑ̀p(ər)/ˊ-stɔ̀p-] *n.* Ⓒ ① (문을 열어 놓은 채 세워 두기 위한) 문 버팀쇠. ② (문을 세게 열었을 때 바깥벽에 상처가 나지 않도록, 벽이나 바닥에 대는) 문 멈추개.
door-to-door [dɔ́:rtədɔ́:r] *a.* 〔限定的〕 집집마다의, 호별의 ; 집에서 집으로의 : a ~ salesman 호별 방문 세일즈맨 / a ~ delivery service 택배(宅配). — *ad.* 각집마다, 호별로 ; 집에서 집까지.
‡**door·way** [dɔ́:rwèi] *n.* Ⓒ ① 문간, 출입구 : Don't stand in the ~. 문간에 버티고 서있으면 안된다. ②《比》(…에 이르는) 길, 관문 : a ~ to success 성공에의 지름길.
door·yard [dɔ́:rjɑ̀:rd] *n.* Ⓒ《美》(현관의) 앞뜰.
dope [doup] *n.* ① Ⓤ 기계 기름 ; 도프 도료《특히 항공기의 익포(翼布) 따위에 칠하는 도료》. ② Ⓤ《俗》 **a**) 마약《아편·모르핀 따위》. **b**) (운동 선수·경마 말 등에게 먹이는) 흥분제. ③ Ⓤ《俗》(경마에 관한) 내보(內報), 정보 ; 예상 ; 〔一般的〕 비밀 정보 : spill the ~ 정보를 흘리다. ④ Ⓒ《口》 얼간이, 바보.
— *vt.* ① …에 도프를 칠하다. ②《俗》…에 마약을〔흥분제를〕 먹이다. — *vi.* 마약을 상용하다, 마약 중독이 되다.
dope·ster [dóupstər] *n.* Ⓒ《美俗》(선거·경마에 대한) 예상가, 정보에 밝은 사람.
dop·ey, dopy [dóupi] (***dop·i·er*** ; ***-i·est***) *a.*《俗》① (마약을 먹은 듯이) 멍한, 의식이 몽롱한. ② 얼간이의, 바보의(같은).
dop·ing [dóupiŋ] *n.* Ⓤ 도핑《운동 선수·경주마 등에게 흥분제 따위를 먹이는 일》.
Dop·pel·gäng·er [dɑ́pəlgæ̀ŋər/dɔ́p-] *n.* Ⓒ《G.》 살아 있는 사람의 정령(精靈), 생령(生靈).
Dóp·pler effèct [dɑ́plər-/dɔ́p-] 〖物〗 도플러 효과.
Do·ra [dɔ́:rə] *n.* 도라《여자 이름 ; Dorothea, Theodora 의 애칭》.
Dor·ches·ter [dɔ́:rtʃèstər, -tʃəs-] *n.* 도체스터《잉글랜드 Dorset 주의 주도(州都)》.
Do·ri·an [dɔ́:riən] *a.* 옛 그리스의 Doris 지방의 ;

Doris 사람의. — *n.* Ⓒ Doris 사람.

Dor·ic [dɔ́(:)rik, dár-] *a.* ① Doris 사람의 ; Doris 지방의. ②〖建〗 도리스식 (Doris order)의. — *n.* Ⓤ ① (그리스 말의) Doris 방언. ②〖建〗 도리스 양식.

Dor·is [dɔ́(:)ris, dár-] *n.* ① 도리스《여자 이름》. ② 도리스《옛 그리스의 중부 지방》.

dorm [dɔ:rm] *n.* 《口》 =DORMITORY ①.

dor·man·cy [dɔ́:rmənsi] *n.* Ⓤ (활동) 휴지(休止) ; 휴면(休眠) (상태).

***dor·mant** [dɔ́:rmənt] *a.* ① 잠자는 ; 동면의 ; 수면중의, 휴지 상태의. ② (자금 따위가) 놀고 있는. ③ (화산이) 활동 중지 중인 : a ~ volcano 휴화산. ④ (권리 따위) 발동되지 않고 있는.

dór·mer (wíndow) [dɔ́:rmər (-)] *n.* Ⓒ 〖建〗 지붕창, 천창.

dor·mice [dɔ́:rmàis] DORMOUSE 의 복수.

‡dor·mi·to·ry [dɔ́:rmətɔ̀:ri / -təri] *n.* Ⓒ ①《美》 (학교 따위의) 기숙사 ; 큰 공동 침실. ②《英》 = DORMITORY SUBURB.

dórmitory sùburb〔tòwn〕 교외 주택 도시〔지구〕, 베드타운.

dor·mouse [dɔ́:rmàus] (*pl.* ***-mice*** [-màis]) *n.* Ⓒ〖動〗 산쥐류(類)《동면을 함》.

Dor·o·thy [dárəθi, dɔ́(:)r-] *n.* 도로시《여자 이름 ; 애칭 Doll, Dolly, Dora》.

Dors. Dorset(shire).

dor·sal [dɔ́:rsəl] *a.*〖動〗 등(쪽)의 : a ~ fin 등 지느러미 / ~ vertebra 흉추(胸椎). — *n.* Ⓒ 등지느러미 ; 척추. ㊕ **~·ly** *ad.*

Dor·set(·shire) [dɔ́:rsit(ʃìər, -ʃər)] *n.* 도싯(셔)《영국 남부의 주 ; 주도는 Dorchester》.

do·ry[1] [dɔ́:ri] *n.* Ⓒ《美》 도리선《밑이 평평한 작은 어선》.

do·ry[2] *n.* Ⓒ〖魚〗 달고기류 (John Dory).

DOS [dɔ:s, das / dɔs] *n.* Ⓒ〖컴〗 도스, 저장판 운영 체계《디스크를 짜 넣은 컴퓨터 시스템을 효율적으로 작용하기 위한 소프트웨어 체계》. [◂ *d*isk *o*perating *s*ystem]

dos·age [dóusidʒ] *n.* ① Ⓤ 투약, 조제. ② Ⓒ (흔히 *sing.*) **a)** (약의) 1회분 복용〔투약〕량. **b)** (X선 따위의) 조사(照射) 적량.

dose** [dous] *n.* Ⓒ ① (약의) 1회분, (1회의) 복용량, 한 첩 : Take three ~*s* a day. 하루 세번 복용할 것 / a lethal〔fatal〕 ~ 치사량 / administer a ~ 투약하다. ②〖醫〗 (1회에 조사(照射)되는) 방사선량 : receive a heavy ~ of radiation 1회에 대량의 방사선을 쐬다. ③《口》 (형벌·노역 등의) 일정량, 조금(*of*) : a ~ *of* criticism 약간의 비난 / give a person a ~ *of* labor 아무에게 좀 일을 시키다. ***like a ~ of salts ⇨ SALT. — *vt.* 《~+目/+目+전+명/+目+보》 ① …에게 투약하다, (약)을 복용시키다 : ~ pyridine *to* a person 아무에게 피리딘을 먹이다. ② (약)을 1회분씩 나누어 짓다(*out*) : ~ *out* aspirin *to* patients 환자들에게 아스피린을 지어 주다.

doss [das / dɔs] *n.* 《英俗》 (a ~) 잠, (짧은) 수면 : have *a* ~ 한잠 자다. — *vi.* (싼 여인숙에서) 자다 ; (아무 데나 적당한 곳에서) 그냥 쓰러져 자다 : ~ out 노숙하다.

dóss hòuse 《英口》 싸구려 여인숙.

dos·si·er [dásièi, dɔ́(:)si-] *n.* Ⓒ (F.) (한 사건·한 개인에 관한) 일건 서류 ; 사건 기록.

***dost** [dʌst, dəst] 《古·詩》 DO[1] 의 2인칭·단수·직설법·현재《주어가 thou 일 때》.

Dos·to·ev·ski [dàstəjéfski / dɔ̀s-] *n.* **Feodor M.** ~ 도스토예프스키《러시아의 소설가 ; *Crime and Punishment* 의 저자 ; 1821-81》.

‡dot [dat / dɔt] *n.* Ⓒ ① **a)** 점, 작은 점 ; 도트《i나 j의 점 ; 모스 부호의 점 따위》 : put a ~ over the i, i의 점을 찍다. **b)** 소수점《★ point 라고 읽음. 3.5는 three point five 라 읽음》 : Put the ~ between the 3 and 5. 그 3과 5 사이에 소수점을 찍어라. **c)**〖樂〗 부점(附點). ㊂ dash. ② 점 같은 것 ; 소량 : a mere ~ of a child 꼬마 아이 / watch a car until it is just a ~ on the horizen 차가 지평선 위에 한 점이 되도록까지 바라보다. ③〖服〗 물방울 무늬 : a tie with blue ~*s* 파란 물방울 무늬의 넥타이. ***on the ~*** 《口》 정각(定刻)에, 제시간에 : *on the* ~ of eight 여덟시 정각에. ***the year ~*** 《口》《종종 戱》 때의 시작, 오랜 옛날. — (***-tt-***) *vt.* ① …에 점을 찍다 : ~ a j, j에 점을 찍다. ②〔흔히 受動으로〕 …에 점재(點在)하다, …을 점재(點在)시키다《*with*》 : Houses ~*ted* the hillside. 산중턱에 집들이 점재해 있었다 / The pond *was* ~*ted with* fallen leaves. 연못에는 낙엽이 점점이 떠있었다. ***~ the i's and cross the t's,*** i에 점을 찍고 t에 횡선을 긋다 ; 상세히 설명하다.

DOT 《美》 Department of Transportation ; 《美》 Department of the Treasury.

dot·age [dóutidʒ] *n.* Ⓤ ① 망령, 노망 (senility) : be in〔fall into〕 one's ~ 망령들다〔부리다〕. ② 익애(溺愛), 맹목적인 애정. [◂ dote]

dot·ard [dóutərd] *n.* Ⓒ 노망든 사람.

dote, doat [dout] *vi.* ① 노망나다, 망령들다. ② (…을) 맹목적으로 사랑하다《*on, upon*》 : ~ *on* one's children 아이를 덮어놓고 귀여워하다.

doth [dʌθ, dəθ] 《古·詩》 DO[1] 의 3인칭·단수·직설법·현재.

dot·ing [dóutiŋ] *a.* 〔限定的〕 지나치게 사랑하는 : a ~ mother 자식을 익애하는 어머니. ㊕ **~·ly** *ad.*

dót mátrix prìnter 〖컴〗 점행렬 인쇄기《점을 짜 맞춰 글자·도형을 나타내는 인쇄 장치》.

dót pìtch 〖컴〗 점문자 밀도《화면 표시 스크린 위의 인접하는 그림날(pixel)간의 거리 ; 0.2-0.4mm 정도》.

dot·ted [dátid / dɔ́t-] *a.* 점(선)이 있는 : a ~ scarf 물방울 무늬의 스카프 / a ~ crotchet〖樂〗 점 4분 음표.

dótted líne 점선. ***sign on the ~*** (1) (계약서 등의) 점선상에 서명하다. (2) (서명하여) 정식으로 승낙하다.

dot·ty [dáti / dɔ́ti] (***-ti·er ; -ti·est***) *a.* ① 점이 있는, 점같은, 점재하는《★ dotted 가 일반적》. ② 《口》 머리가 돈 ; 멍텅구리 같은.

Dóu·ay Bíble〔Vérsion〕 [dú:ei-] 두에이 성서《17세기초 프랑스 북부의 도시 Douay 에서 발행되어 가톨릭 교회에서 사용한 라틴어 Vulgate 성서의 영역》.

†dou·ble [dʌ́bəl] *a.* ① 두 배의, 갑절의 ;〔定冠詞·所有形容詞의 앞〕 두 배의 크기〔강도·성능·가치 따위〕가 있는 : a ~ portion 두 배의 몫 / ~ pay 두 배의 급료 / at ~ the speed 배의 속도로 / He earns ~ my salary. 그는 내 급료의 배나 번다. ② 이중의, 겹친 ; 둘로 접은 ; 두 번 거듭한 : a ~ blanket 두 장을 잇댄 담요 / a ~ hit〖野〗 2루타 / a ~ window 이중창 / a box with a ~ bottom 바닥이 2중으로 된 상자 / a ~ suicide 정사 / ~ coating 겹〔이중〕칠 / give a ~ knock 똑똑 두번 노크하다. ③ 쌍의, 복(식)의 ; 2인용의 : a ~ seat 둘이 앉는 좌석 / play a ~ role, 1인 2역을 하다. ④ 두 가지 뜻으로 해석되는, 애매한 : This word has a ~ meaning. 이 말은 두 가지로 해석할 수 있는 뜻이 있다. ⑤ 두 마음을 품은, 표리가 있는, 내숭한 : a ~ character 이중 인격(자) /

wear a ~ face 표리가 있다, 얼굴과 마음이 다르다. ⑥〖植〗 겹꽃의, 중판(重瓣)의 : a ~ flower 겹꽃, 중판화.

— *ad.* ① 두 배〔갑절〕로, 이중으로, 두 가지로 : I'll pay ~. 배액 지불하겠습니다 / fold a scarf ~ 스카프를 둘로 접다. ② 짝을 지어 ; 둘이서(함께) : ride ~ on a bicycle 자전거에 둘이서 같이 타다 / sleep ~ 둘이서 같이 자다. ***see*** ~ (취하거나 해서) 물건이 둘로 보이다.

— *n.* ① Ⓤ,Ⓒ 두 배, 배 ; (크기·양·힘 따위가) 두 배되는 것 ; (위스키 따위의) 더블 : Ten is the ~ of five. 10은 5의 배다. ② Ⓒ 이중, 겹, 접친 것, 주름. ③ Ⓒ 〖野〗 2루타 ; 〖競馬〗 (마권의) 복식 ; 〖볼링〗 더블즈《스트라이크의 2회 연속》: hit a ~, 2루타를 치다. ④ (*pl.*) 〔單數 취급〕 (테니스 등의) 더블스, 복식(경기) cf. singles. ⑤ Ⓒ 꼭 닮은〔빼쏜〕 사람〔물건〕; 〖映〗 대역 : She is her mother's ~. 그녀는 어머니를 꼭 닮았다. ⑥ Ⓒ (쫓기는 짐승·흐름 따위의) 급회전 ; 역주(逆走). ***at the*** ~ (1) (군대가) 구보로. (2) =on the ~. ~ ***or nothing*** 〔***quits***〕 빚을 진 쪽이 지면 빚이 두 배로 되고 이기면 빚이 없어지는 내기. ***on*** 〔***at***〕 ***the*** ~ 《口》 급히, 곧.

— *vt.* ① …을 두 배로 하다, 배로 늘리다 ; …의 갑절이다 : ~ one's income 수입을 배로 늘리다 / His deposit ~*s* mine. 그의 예금은 나의 두배다 / I'll ~ my stake. (노름에서) 나는 곱을 지르겠다. ② 《~+목 / +목+부》 …을 겹치다, 포개다, 이중으로 하다 ; (실 따위를) 두 올로 드리다 ; 둘로 접다《*up* ; *over*》: ~ a sheet of paper 종이를 둘로 접다 / ~ (*up*) one's fist 주먹을 불끈 쥐다 / I ~ the blankets in winter. 겨울에는 담요를 두 장 덮는다. ③ …의 두 가지 역을 하다 ; …의 대역도 겸하다 : ~ the part of the mother 어머니 역할까지 하다 / ~ the two parts of the prince and the beggar 왕자와 거지의 두 역을 하다. ④〖樂〗 (악기)의 반주에 따라 노래하다, (악기가) …의 반주를 하다 : The piano ~*d* the tenors. 피아노가 테너의 반주를 했다. ⑤〖海〗 (갑(岬) 따위)를 회항(回航)하다 : We ~*d* Cape Horn. 우리(배)는 케이프혼을 회항했다. ⑥〖野〗 (주자)를 2루타로 진루시키다.

— *vi.* ① 두 배가 되다, 배로 늘다 : His income has ~*d*. 그의 수입은 배로 늘었다. ② 《~ / +전+명 / +부》 (쫓기는 짐승 등이) 급각도로 몸을 돌리다, 갑자기 되돌아 뛰다《*back*》: The fox ~*d* (*back*) on it's tracks. 여우는 급히 몸을 돌리더니 오던 쪽으로 달아났다. ③〖軍〗 구보로 가다, 달려가다. ④〖野〗 2루타를 치다. ⑤ 1인 2역을 하다 ; 겸용하다 : This large box will ~ as a desk. 이 큰 상자는 책상 대신으로도 된다 / He ~*s* as secretary and receptionist. 그는 비서와 접수계원의 두 가지 일을 한다. ~ ***back*** (1) 접어 젖히다 ; 되돌리다. (2) ⇨ *vi.* ②. ~ ***in brass*** 두 가지 역을 하다. ~ ***up*** (1) 둘로 접다. (2) (고통·웃음 등)으로 몸을 깊이 구부리게 하다 ; 몸이 둘로 겹쳐질 만큼 구부리다 : ~ *up* in agony 고통으로 몸을 바싹 구부리다. (3) (남과) 한 방〔집〕에서 살다.

dóuble ágent 이중 간첩.

dóuble bár 〖樂〗 겹세로줄, 복종선(複縱線).

dou·ble-bar·reled, 《英》 **-relled** [-bǽrəld] *a.* ① (쌍안경 따위가) 통(筒)이 두 개인. ② (연발총 따위가) 쌍총열의, 쌍발식의 : a ~ shotgun 쌍총렬의 산탄총. ③ (진술 따위가) 이중목적의 ; 모호한. ④ (성(姓)이) 둘 겹친《보기 : Lowry-Corry ; 부부가 양쪽 성을 남기고 싶을 때 만듦》.

dóuble báss [-béis] 〖樂〗 더블베이스, 콘트라베이스.

dóuble bíll =DOUBLE FEATURE.

dóuble bínd 딜레마(dilemma).

dóuble blúff (상대의) 의표를 찌르기.

dou·ble-bo·gey [-bóugi:] *n.* Ⓒ 〖골프〗 더블보기《표준 타수(par)보다 2타 더 치는 일》.

dóuble bóiler 《美》 이중 가마〔냄비〕.

dou·ble-book [-búk] *vt.* (한 방)에 이중으로 예약을 받다《호텔에서 예약 취소에 대비하여》.

dou·ble-breast·ed [-bréstid] *a.* (상의가) 2열 단추식의, 더블인.

dou·ble-check [-tʃék] *vt., vi.* (신중을 기하여, …을) 다시 한 번 확인〔점검〕하다, 재확인하다.
— *n.* Ⓒ 이중점검, 재확인.

dou·ble-clutch [-klʌ́tʃ] *vi.* 《美》 더블클러치를 밟다.

dou·ble-crop [-kráp / -krɔ́p] *vi., vt.* (땅에서) 이모작(二毛作)을 하다.

dóuble cróss 《口》 배반.

dou·ble-cross [-krɔ́(:)s, -krás] *vt.* 《口》 (친구)를 기만하다, 배반하다.

dóuble dágger 〖印〗 이중 칼표(‡).

dóuble dáte 《美口》 더블 데이트《두쌍의 남녀가 함께 하는 데이트》.

dou·ble-date [-déit] *vi* 《美口》 두쌍의 남녀가 함께 데이트를 하다, 더블 데이트를 하다.

dou·ble-deal·er [-dí:lər] *n.* Ⓒ 표리 있는 사람.

dou·ble-deal·ing [-dí:liŋ] *n.* Ⓤ 두 마음이〔표리가〕 있는 언행. — *a.* 〔限定的〕 두 마음이〔표리가〕 있는.

dou·ble-deck·er [-dékər] *n.* Ⓒ ① 이층 버스〔전차·여객기〕. ② 《美口》 이중 샌드위치.

dou·ble-de·clutch [-diklʌ́tʃ] *vi.* 《英》 = DOUBLECLUTCH.

dou·ble-dig·it [-dídʒit] *a.* 〔限定的〕 (경제 지표·실업률 등의) 두 자리 수의 : ~ unemployment 두 자리수의 실업률.

dóuble Dútch 《口》 통 알아들을 수 없는 말.

dou·ble-dyed [-dáid] *a.* ① 두 번 물들인. ② 《比》 (악당 따위가) 악에 깊이 물든, 딱지 붙은 : a ~ villain 순 악당.

dou·ble-edged [-édʒd] *a.* ① 양날의 : a ~ knife. ② (의론 따위가) 두 가지로 해석할 수 있는, 애매한 : a ~ compliment 두 가지로 해석할 수 있는〔애매한〕 칭찬.

dou·ble en·ten·dre [dú:bəl-ɑ:ntɑ́:ndrə, dʌ́bl-] 《F.》 은연중 야비한 뜻이 담긴 어구(의 사용) ; 이중 뜻《보기 "Lovely mountains!"에서 「산」을 여성의 "breasts"에 관련시키는 따위》.

dóuble éntry 〖簿記〗 복식 기장법 : book-keeping by ~ 복식 부기.

dou·ble-faced [-féist] *a.* ① 두 마음이 있는, 위선적인. ② **a**) 양면이 있는. **b**) 안팎으로 쓸 수 있게 만든《직물 따위》.

dóuble fáult 〖테니스〗 더블폴트《두 번 계속된 서브의 실패 ; 1점을 잃음》: serve a ~ 더블폴트를 하다.

dóuble féature (영화 등의) 두 편 계속 상영.

dóuble fígures 두 자리 수《10에서 99까지》.

dóuble fírst 〖英大學〗 (졸업 시험에서) 두 과목 최우등(생).

dóuble flát 〖樂〗 겹내림표(♭♭). cf. double sharp.

dou·ble-glaze [-gléiz] *vt.* (창)에 2중 유리를 끼우다.

dóuble glázing 2중(重) 유리《단열·방음용》.

dou·ble·head·er [-hédər] *n.* Ⓒ 《美》 ① 기관차를 둘 단 열차. ② 〖野〗 더블헤더.

dóuble jéopardy 〖法〗 이중의 위험《동일 범죄로 피고를 재차 재판에 회부하는 일 ; 미국에선 헌법으로 금지》.

dou·ble-joint·ed [-dʒɔ́intid] *a.* 2중 관절이 있는《손가락·팔·발 따위》.

dóuble létter 〖印〗 합자(合字)《æ, fi 따위》.

dóuble négative 〖文法〗 이중 부정. ★ 부정이 겹쳐서 긍정이 되는 때와, 강한 부정이 될 때가 있음 : 〔肯定〕 *not im*possible (=possible). 〔강조한 否定〕 I do*n't* know *nothing* (=I know nothing.)《후자는 일반적으로 교양 없는 용법》.

dou·ble-park [-pɑ́:rk] *vt.* (차)를 이중〔병렬〕 주차시키다《주차 위반》. ── *vi.* 이중 주차하다.

dóuble precísion 〖컴〗 두배(倍) 정밀도《하나의 수(數)를 나타내기 위하여 컴퓨터의 두 개의 워드를 사용하는 일》.

dou·ble-quick [-kwìk] *a.* 속보의, 매우 급한. ── *ad.* 속보로, 매우 급하게.

dóuble sáucepan 《英》 =DOUBLE BOILER.

dóuble shárp 〖樂〗 겹올림표(𝄪).

dou·ble-space [dʌ́bəlspéis] *vi., vt.* (…을) 한 줄 띄어서 타자하다.

dóuble stár 〖天〗 이중성(星), 쌍성(雙星)《접근해 있으므로 육안으로는 하나같이 보임》.

dou·ble-stop [-stɑ́p/-stɔ́p] *vt., vi.* 〖樂〗 (둘 이상의 현을 동시에 켜서) 중음(重音)을 내다.

dou·blet [dʌ́blit] *n.* Ⓒ ① 더블렛《15-17세기의, 몸에 꼭 끼고 허리가 잘록한 남자용 상의》. ② 쌍〔짝〕의 한쪽, 아주 비슷한 것의 한쪽. ③ 〖言〗 이중어(二重語)《같은 어원에서 갈린 두 말; 예를 들면 bench 와 bank, fragile 과 frail》.

dóuble táke ① 예기치 않은 상황·말 등에 대한 뒤늦은 반응 : do a ~ 멍하니 있다가 갑자기 깨닫다. ② (희극에서) 멍하니 듣다가 뒤늦게 깜짝 놀라는 체하는 연기; 다시 보기.

dou·ble-talk [-tɔ̀:k] *n.* Ⓤ 《口》 ① 애매한 이야기; 속 다르고 겉 다른 말. ② 말이 겉으로는 번드르하나 내용이 없는 말을 되는대로 주워 늘어 놓아 뭐가 뭔지 알 수 없게 하는 말(투). ── *vi.* 속 다르고 겉 다른 말을 하다〔로 속이다〕.

dou·ble·think [-θìŋk] *n.* Ⓤ 이중 사고(思考).

dóuble tìme ① 〖軍〗 속보(速步)《구보 다음 가는 보행 속도》. ② (휴일 노동 등의) 임금 배액 지급.

dou·ble-time [-tàim] *vt., vi.* 속보로 행진하(게 하)다.

***dou·bly** [dʌ́bəli] *ad.* 두 배로; 이중으로 : To make it ~ sure, he locked the windows. 조심조심한다고 그는 창문에도 자물쇠를 채웠다.

†**doubt** [daut] *n.* Ⓤ,Ⓒ 의심, 의문, 의혹, 회의, 불신 : There is some ~ (as to) whether he will be elected. 그가 당선될지 좀 의문이다 / There is no room for ~. 의심할 여지가 없다 / I have my ~*s about* his reports. 그의 보고에는 의문점이 있다 / I have some ~ *about* the news. 그 뉴스가 사실인지 어떤지는 좀 의심스럽다 / No one could have ~*s* as to his success. 아무도 그의 성공에 의문〔의심〕을 품는 사람은 없을 것이다.

beyond (***all***) ~ = ***beyond*** (***the shadow of***) ***a*** ~ = ***beyond a shadow of*** ~ 의심할 여지 없이, 물론. ***give*** a person ***the benefit of the*** ~ 아무에 대해서 미심(未審)한 점을 선의(善意)로 해석하다. ***in*** ~ (사람이 무엇을) 의심하여, 망설이고; (일이) 의심스러워. ***no*** ~ (1) 의심할 바 없이, 확실히. (2) 아마, 다분히(probably). ***without*** (***a***) ~ 의심할 여지 없이; 틀림없이, 꼭.

── *vt.* ① 《~+목 / +*wh.* 절 / +*that* 절 / +-*ing*》 …을 의심하다, (진실성·가능성 따위)에 의혹을 품다, …을 미심쩍게 여기다 : I ~ it. (그런데) 그게 정말일까 / We ~ *whether* 〔*if*〕 he deserves the prize. 그가 그 상에 합당한지 의심스럽다 / I don't ~ (*but*) *that* he will pass. 그는 꼭 합격하리라고 생각한다 / We don't ~ its be*ing* true. 그것이 사실임을 의심치 않는다 / I don't ~ *that* Tommy loves me. 토미가 나를 사랑하고 있다는 데에는 아무런 의심도 없다. ② …의 신빙성을 의심하다 : I ~*ed* my own eyes. 내 눈을 의심하지 않을 수 없었다.

> 參考 (1) 긍정 구문에서는 doubt whether 〔if〕, doubt that 가 되고, 부정·의문 구문에서는 don't doubt that, don't doubt but (that), don't doubt but what 가 됨 : I *doubt whether* it is true. 그것이 사실인지 어떤지 미심스럽다 / I don't *doubt that* he will come. 그가 오리라고 믿어 의심치 않는다.
> (2) doubt 는 '…이 아니라고 생각하다, …임을 확신할 수 없다' 는 뜻의 의심을 나타냄 : I *doubt* that he is innocent. 그 사람은 죄가 없지 않다는 생각이 든다. 이와 반대로 '…이라고 생각하다, …인 것 같다고 의심하다'의 뜻으로는 suspect 를 씀 : We *suspect* he is a spy. 그는 스파이가 아닌지 모르겠다.

── *vi.* 《+전+명》 의심하다, 의혹을 품다; 미심쩍게 여기다; 불안하게〔확실치 않다고〕 생각하다 《*about* ; *of*》 : He ~*s about* everything. 그는 모든 것을 의심한다 / I never ~*ed of* his success. 그는 꼭 성공할 것으로 믿고 있었다.

㊕ ∠·**a·ble** *a.* 의심의 여지가 있는; 불확실한.

‡**doubt·ful** [dáutfəl] (***more*** ~ ; ***most*** ~) *a.* ① 〔叙述的〕 의심〔의혹〕을 품고 있는, 확신을 못하는; (마음이) 정해지지 않은 : I am ~ *of* his success. 그가 (꼭) 성공한다고는 확신할 수 없다 / I am still ~ *about* speaking to him. 그에게 말을 할 것인가에 대해서는 아직 결심을 못 하고 있다 / She is very ~ *about* her son's future. 그녀는 아들의 장래를 몹시 걱정하고 있다 / He was ~ *of* our sincerity. 그는 우리의 성실성을 의심하고 있었다. ② 의심스러운, 의문의 여지가 있는; 확정되지 않은, 확실치 않은 : It is ~ whether he will come or not. 그가 올지 어쩔지는 모른다 / The result remains ~. 결말을 아직 예상할 수 없다. ③ 〔限定的〕 미덥지 못한; 수상한, 미심쩍은 : a ~ character 수상쩍은 인물 / It's ~ whether the rumor of war is true or not. 그 전쟁에 관한 소문이 진실인지 아닌지 미심쩍다. ㊕ ~·**ness** *n.*

***doubt·ful·ly** [dáutfəli] *ad.* ① 의심스럽게; 수상쩍게. ② 의심을 품고, 망설이며, 마음을 정하지 못하고; 못 미더운 듯이. ③ 막연히, 어렴풋이.

dóubt·ing Thómas [dáutiŋ-] 의심 많은 사람 《성서에서; 도마는 예수의 부활을 쉽게 믿지는 않았음》.

‡**doubt·less** [dáutlis] *ad.* ① 의심할 바 없이, 확실히; 틀림없이《★ 흔히 but 앞에 두어 양보를 나타냄》: You will ~ succeed, *but* you still have to be cautious. 너는 틀림없이 성공하리라 생각하나, 그래도 신중을 기해야 할 것이다. ② 아마도 : I shall ~ see you tomorrow. 아마 내일 만나 뵙게 될 것입니다 / *Doubtless* you have heard the news. 아마 넌 그 소식을 들었겠지.

㊕ ~·**ly** *ad.* =doubtless. ~·**ness** *n.*

douche [du:ʃ] *n.* 《F.》 〖醫〗 ① Ⓤ 관주법(灌注法), 주수법(注水法). ② Ⓒ 주수〔관주〕기(器).

***dough** [dou] *n.* Ⓤ ① 빵반죽, 가루 반죽; 반죽덩어리《도토(陶土) 따위》. ② 《美俗》 돈, 현금.

dough·boy [∠bɔ̀i] *n.* Ⓒ 《美口》 (1차 대전시의 미육군) 보병(infantryman).

***dough·nut** [∠nət, ∠nʌ̀t] *n.* ① Ⓤ,Ⓒ 도넛《과자》.

② Ⓒ 도넛 모양의 물건. ★ donut라고도 씀.

dough·ty [dáuti] (*-ti·er* ; *-ti·est*) *a.* 《古·戲》 강한, 용감한, 용맹스러운.

doughy [dóui] (*dough·i·er* ; *-i·est*) *a.* ① 가루 반죽〔빵반죽〕 같은. ② 물렁한 ; 설구운(half-baked). ③ (피부가) 창백한.

Doug·las [dʌ́gləs] *n.* 더글러스《남자 이름 ; 애칭 「Doug》.

Dóuglas fír 〔**píne**, **sprúce**〕 〖植〗 더글러스전나무, 미송(美松)《미국 서부에 많음》.

dour [duər, dauər] *a.* 뚱한, 음침한 ; 엄한 (stern). ㊞ ∠·**ly** *ad.*

douse [daus] *vt.* ① …을 물에 처넣다《*in*》. ② …에 물을 끼얹다《*with*》: She ~*d* him *with* the hose. 호스로 그에게 물을 끼얹었다. ③ (등불)을 끄다 : *Douse* the light! 소등(消燈)!

‡**dove**[1] [dʌv] *n.* Ⓒ ① 비둘기《평화·온순·순결의 상징》. ⓒⓕ pigeon. ¶ a ~ of peace 평화의 (상징으로서의) 비둘기. ② 유순〔순결, 순진〕한 사람 ; 귀여운 사람 : my ~ 사랑하는 그대여(my darling)《애칭》. ③ (외교 정책 따위에 있어서의) 비둘기파〔온건파〕의 사람.

dove[2] [douv] 《美》 DIVE 의 과거.

dove·cot, **-cote** [dʌ́vkɑ̀t / -kɔ̀t], [-kòut] *n.* Ⓒ 비둘기장. ***flutter the dovecotes*** 평지 풍파를 일으키다.

Do·ver** [dóuvər] *n.* 도버《영국 남동부의 항구 도시》. ***the Strait (***s***) ***of*** ~ 도버 해협.

dove·tail [dʌ́vtèil] *n.* Ⓒ 〖建〗 열장이음 ; 열장장부촉. ── *vt.* ① (목재)를 열장장부촉으로 잇다. ② …을 잘 들어맞게 하다. ── *vi.* ① 열장이음으로 하다. ② (두 가지 이상의 사물이) 잘 부합〔조화〕되다 ; 꼭 들어맞다《*in* ; *into* ; *to*》.

dov·ish [dʌ́viʃ] *a.* 비둘기 같은 ; 비둘기파의. ㊞ ~·**ness** *n.* 비둘기파적인 성격.

Dow [dau] *n.* =DOW-JONES AVERAGE.

dow·a·ger [dáuədʒər] *n.* Ⓒ ① 〖法〗 귀족 미망인《망부(亡夫)의 재산·칭호를 이어받은 과부》, 《특히》 왕후(王侯)의 미망인 : an empress ~ 황태후 / a ~ duchess 공작 미망인. ② 《口》 기품 있는 유복한 중년 부인.

dow·dy [dáudi] (*-di·er* ; *-di·est*) *a.* ① (복장이) 초라한, 촌스러운, 시대에 뒤진. ② (여자가) 촌스러운 차림을 한.
── *n.* Ⓒ 촌스러운 차림의 여자 ; 《美》 =PANDOWDY. ㊞ **-di·ly** *ad.* **-di·ness** *n.*

dow·el [dáuəl] *n.* Ⓒ 〖機〗 은못 ; 〖建〗 장부촉.
── (*-l-*, 《英》 *-ll-*) *vt.* …을 은못으로 잇다.

dow·er [dáuər] *n.* Ⓒ ① 〖英法〗 미망인의 상속몫《망부의 유산 중에서 그 미망인이 받는 몫》. ② 《古·詩》 =DOWRY. ③ 천부의 재능. ── *vt.* ① …에게 미망인의 상속몫을 주다. ② …에게 재능을 부여하다《*with*》.

Dów-Jónes àverage 〔**ìndex**〕 [dáudʒóunz-] (the ~) 〖證〗 다우존스 평균 (주가)〔지수〕.

†**down**[1] [daun] (최상급 ***down·most*** [dáunmòust]) *ad.* 《be 動詞와 결합된 경우는 形容詞로도 간주됨》. OPP *up.* ① **a**) (높은 곳에서) 아래(쪽으)로 ; (밑으로) 내려 ; (위에서) 지면에 ; 바닥으로 : climb ~ 기어내려가다 / look ~ 내려다 보다 / pull the blind ~ 창문(窓門)의 차양을 내리다 / get ~ from the bus 버스에서 내리다. **b**) 〔종종 be의 補語로 쓰여〕 (위층에서) 아래층으로 ; (기 따위가) 내려져 ; (해 따위가) 져, 저물어 : come ~ 아래(층으)로 내려오다 / Father is already ~. 아버지는 벌써 아래층에 내려가 계시다 / The sun is ~. 해가 졌다 / The flag is ~ on the left side. 기(旗)가 왼쪽으로 내려와 있다. **c**) (먹은 것을) 삼키어 : swallow a pill ~ 알약을 삼키다 / get a pill ~ 약을 삼키다.
② 〔종종 be의 補語로 쓰여〕 **a**) (가격·율·지위·인기 따위가) 내리어, 떨어져 ; 영락하여 : bring ~ the price 값을 내리다 / cut ~ on expenses 경비를 절감하다 / The birth rate is considerably ~. 출산율이 꽤 떨어졌다 / The yield of corn is ~. 옥수수의 수확이 줄었다 / He was ~ to his last penny. 그는 완전히 무일푼이 되기까지 몰락했다. **b**) (가세 따위가) 약해져 ; (바람 따위가) 가라앉아, 잠잠해져 ; (조수·공기 따위가) 빠져 : slow ~ 속도를 줄이다 / The fire is ~. 불이 다타서 꺼지려 하고 있다 / The wind died 〔has gone〕 ~. 바람이 가라앉았다.
③ **a**) 누워(서) ; 앉아서 : lie ~ 눕다 / sit ~ 앉다. **b**) 〔動詞를 생략하여 命令文〕 (개 따위에게) 앉아, 엎드려 ; (노를) 내려놔 : *Down*, Rova! 로버, 앉아 / *Down* oars! 노를 내려놔라.
④ 〔종종 be 따위의 補語로 쓰여〕 **a**) 쓰러져 ; 엎드려 : be ~ on one's back 벌렁 자빠져 있다 / He was ~ on his hands and knees. 그는 납죽 엎드려 있었다. **b**) (아무가) 병으로 누워〔자리보전하여〕《*with*》; (건강이) 쇠(약)하여 ; 의기소침하여 ; 기가〔풀이〕 죽어 : He came ~ 〔was ~〕 *with* a cold. 그는 감기로 쓰러졌다〔누워 있었다〕 / She is ~ *with* influenza. 그녀는 독감으로 누워 있다 / He is ~ in health. 그는 건강이 나빠져 있다 / I felt a bit ~ about my failure. 나는 실패한 일로 기가 좀 죽어 있었다.
⑤ **a**) (북에서) 남(쪽)으로〔에〕: go ~ to London from Edinburgh 에든버러에서 런던으로 내려가다 / We went ~ South. 《美》 우리들은 남부로 갔다. **b**) (내륙에서) 연안으로 ; (강물의) 하류로 ; 〖海〗 바람(이) 불어가는 쪽으로 : go ~ to the seaside for the summer 피서로 해변에 가다 / The river flows ~ under the blue sky. 강은 푸른 하늘 아래를 흘러 내려간다. **c**) (주택 지역에서) 시내로, 도심 상업 지역으로 ; 《英》 (수도·중심되는 지역에서) 지방으로 ; 시골로 : go ~ to the office 〔shop〕 회사에〔쇼핑하러〕 가다 / take the train from London ~ to Brighton 《英》 런던발 브라이턴행 열차를 타다.
⑥ **a**) (특정한 장소·말하는 사람이 있는 곳에서) 떨어져 ; 떠나(서) : go ~ to the station 정거장〔역〕까지 가다 / He drove ~ to the hotel. 그는 호텔 쪽으로 차를 몰았다. **b**) 《英》 (대학에서) 떠나, 졸업〔퇴학, 귀성〕하여 : I went ~ in 1980. 나는 1980년 대학을 졸업했다《(1) 주로 옥스퍼드·케임브리지 대학을 가리킨다. (2) '퇴학당하다'는 be sent *down*》 / He has come ~ (from the university). 그는 (대학에서) 귀성(歸省)해 있다.
⑦ **a**) (위는 …로부터) 아래는 ─에 이르기까지 : from King ~ to cobbler 위로는 임금님으로부터 밑으로 구두 수선공에 이르기까지. **b**) (그 전시기(前時期)로부터) 후기로 ; (후대로) 내리, 죽 ; (…)이래 : ~ through the 〔many〕 years 예부터 지금까지 / from the 17th century ~ *to* the present 17세기부터 현재까지.
⑧ **a**) (양이) 바짝 줄어들 때까지 ; (졸아) 진해〔바특해〕질 때까지 ; 묽어질〔다할〕 때까지 : water ~ the whisky 위스키에 물을 타다 / Mother boiled ~ the apples to syrup. 어머니는 사과를 바짝 졸여 시럽으로 만드셨다. **b**) 밝혀질〔발견할〕 때까지 : The criminals were ruthlessly haunted ~. 범인들은 바짝 추적을 당했다 / We tracked the rumor ~. 우리는 소문의 근원을 밝혀 냈다.
⑨ **a**) 완전(完全)히(completely) : ⇨ ~ to the GROUND(成句). **b**) 〔tie, fix, stick 따위 동사에 수

반되어〕 단단히 ; 꽉 : fix a thing ~ 물건을 꽉 고정하다 / tie ~ the lid of the box 상자 뚜껑을 단단히 매다. **c)** 충분히 ; 깨끗이 : wash ~ a car 차를 깨끗이 세차하다.
⑩ (종이·문서에) 적어 ; 써 ; 기록〔기재〕되어《*in* ; *on*》: write ~ the address 주소를 적어 놓다 / I have it ~ somewhere. 그건 어디엔가 메모해 두었다 / Please take ~ this letter. 이 편지의 구술(口述)을 받아 써 주시오 / Put my name ~ for $ 10. 10 달러를 내 앞으로 기재해 주시오.
⑪ 현금으로 ; 계약금으로 : We paid $30 ~ and $10 a month. 30달러는 현금으로 나머지는 10달러의 월부로 지급했다 / No money ~! 계약금 없는 후불(後拂).
⑫ **a)** 완료〔종료〕되어 ; 끝나 : Two problems ~, one to go. 문제의 둘은 끝나고 나머지가 하나. **b)** 〖野〗 아웃이 되어 ; 〖美蹴〗 (볼이) 다운이 되어 : one 〔two〕 ~ 원〔투〕 아웃이 되어.
⑬ (억)눌러 ; 진압하여 ; 물리쳐 ; 각하하여 : put ~ the rebellion 반란을 진압하다 / turn ~ the proposal 그 제안을 거부하다 / The tyrant kept ~ the people. 그 전제 군주는 국민을 탄압했다.
⑭ 멈춘〔정지〕 상태로〔에〕 : argue him ~ 논박하여 그를 침묵시키다 / shut ~ the factory 공장을 폐쇄하다 / They have settled ~ near Boston. 보스턴 근처에 정착했다 / That little shop has closed ~. 저 작은 가게는 거덜나고 말았다.
⑮ 〖be 의 補語로〗 〖競〗 져 ; (노름에서) 잃어 : Our team is two goals ~. 우리 팀은 2골을 리드당하고 있다 / He is ~ (*by*) 5 dollars. 그는 5 달러 잃었다.
be ~ on 〔***upon***〕 . . . …에 원한을 품고 있다 ; …을 싫어〔비난〕하다 : He *is* very ~ *on* me. 그는 내게 매우 악감정을 품고 있다. ***be ~ to*** (1) (아무)에게 달려있다, …의 탓이다 : It*'s* ~ *to* you whether your family will be happy or not. 네 가족의 행복 여부는 네게 달려 있다. (2) (돈 따위가) …만 남다 : We*'re* ~ *to* our last 1 dollar. 우리에게 마지막 남은 돈은 1달러 뿐이다. ***~ and out*** (1) 때려뉘어져, 녹다운되어. (2) 아주 영락하여 ; 무일푼이 되어. ***~ in the mouth*** ⇨ MOUTH. ***~ on*** one***'s luck*** ⇨ LUCK. ***~ to the ground*** ⇨ GROUND. ***~ under*** 《口》 (영국에서 보아) 지구의 반대쪽에(서) ; 오스트레일리아〔뉴질랜드〕에(서) : the people from ~ *under* 오스트레일리아〔뉴질랜드〕에서 온 사람들. ***Down with*** (the tyrant, the flag, your money)! (폭군)을 타도하라 ; (기)를 내려라 ; (가진 돈)을 내놔라《動詞가 생략된 命令文》. ***get ~ to*** 본격적으로 …에 착수하다. ***get ~ to earth*** 현실 문제에 맞붙다. ***up and ~*** ⇨ UP.
— *prep.* ① **a)** (높은 곳에서) …의 아래(쪽으)로 ; …을 내려가 : ski ~ the slope 스키로 비탈을 미끄러져 내려가다 / fall ~ the stairs 계단에서 굴러 떨어지다. **b)** …의 아래쪽에, …을 내려간 곳에 : live further ~ the river 강을 따라 훨씬 내려간 곳에 살다 / There is a station two miles ~ the line. 이 철길을 따라서 2마일 더 내려가면 정거장이 있다. **c)** (어떤 지점에서) …을 따라, …을 지나서 : drive 〔ride, walk〕 ~ a street 거리를 차로〔말을 타고, 걸어서〕 지나다 / Go ~ this street one block and turn to the right. 이 거리를 지나 첫 모퉁이에서 오른쪽으로 도시오. ★ down 은 (1) 반드시 '아래, 내려가다'를 뜻하지는 않음. (2) 흔히, 말하는 이〔문제의 장소〕로부터 멀어질 때에 씀. **d)** (흐름·바람)에 따라 ; …을 남하하여 : go ~ the river 강을 내려가다 / sail ~ the East Sea 동해를 남하하다.
② …이래(로 죽) : ~ the ages 〔years〕 태고 이래.
— (최상급 ***down·most*** [dáunmòust]) *a.* 〔限定的〕 ① **a)** 아래(쪽으)로의 ; 밑으로의 : a ~ leap 뛰어내림. **b)** 내려가는 ; 내리받이의 : a ~ elevator 내려가는 승강기 / a ~ slope 내리받이 비탈 / be on the ~ grade 내리받이에 있다. cf downgrade. ② 〖鐵〗 (열차 따위가) 남쪽으로 가는 ; 하행의 ; 《英》 (런던·도시에서) 지방으로 향하는 : the ~ train from London 런던발 하행 열차 / the ~ line 하행선 / the ~ platform 하행〔남행〕선 승강장. ③ (구입 따위에서) 계약금의 ; 현금의 : a ~ payment 계약금 지불.
— *vt.* ① (아무)를 지게 하다 ; 쓰러뜨리다 ; 굴복시키다 : He ~*ed* his opponent. 그는 상대를 쓰러뜨렸다. ② (비행기 등)을 격추시키다 : ~ an airplane 비행기를 한대 격추시키다. ③ 《口》 …을 들이켜다 ; 마시다 : He ~*ed* the medicine at one swallow. 그는 그 약을 단숨에 들이켰다. ④ 〖美蹴〗 (볼)을 다운하다 : ~ the ball on the 20-yard line, 20 야드 라인에 볼을 다운하다.
~ ***tools*** 《英》 파업에 들어가다 ; 일을 (일시) 그치다〔안 하다〕.
— *n.* ① Ⓒ 내림, 내리막 ; 하강(下降). ② (*pl.*) 불운 ; 쇠운(衰運) ; 영락 : the ups and ~*s* of life 인생의 부침(浮沈). ③ Ⓒ 〖美蹴〗 다운《한 번의 공격권을 구성하는 4 번의 공격의 하나》. ***have a ~ on*** a person 《俗》 아무를 싫어〔미워〕하다 ; 아무에게 반감을 품다.

down[2] [daun] *n.* Ⓤ ① (새의) 솜털, 부등깃털《깃이불에 넣는》. ② (솜털 비슷한) 보드라운 털 ; 배내털. ③ 〖植〗 (민들레·복숭아 따위의) 솜털, 관모(冠毛).

down[3] *n.* ① Ⓒ (흔히 *pl.*) (넓은) 고원지. ② (the Downs, ~s) (잉글랜드 남부의 수목이 없는) 나지막한 초원 지대, 다운스.

down-and-dirty [-ənddə́:rti] *a.* 《美口》 ① (하는 짓이) 더러운, 치사한. ② 촌스러운, 야한, 세속적인.

down-and-out [-əndáut] *a., n.* Ⓒ 아주 영락한 (사람).

down-at-heel [-əthí:l] *a.* 구두 뒤축이 닳은 ; 초라한 차림의.

down·beat [-bì:t] *n.* Ⓒ 〖樂〗 (지휘봉을 위에서 아래로 내려 지시하는) 하박(下拍), 강박(強拍).
— *a.* 《口》 ① 우울한, 비관적인. ② 온화한, 긴장을 푼.

***down·cast** [-kæ̀st, -kɑ̀:st] *a.* ① (눈이) 아래로 향한 : with ~ eyes 눈을 내리뜨고. ② 풀죽은, 의기 소침한.

down-draft, 《英》 **-draught** [-dræ̀ft, -drɑ̀:ft] *n.* Ⓒ (굴뚝에서 방으로 들어오는) 하향 통풍 ; 하강 기류.

dówn éast 《美口》 (종종 D- E-) ① 미국 동부 New England 지방, (특히) Maine 주. ② New England의〔에, 로〕 ; (특히) Maine주의〔에, 로〕.

dówn éaster 《美》 (종종 D- E-) 뉴잉글랜드 지방, (특히 Maine 주)의 사람.

down·er [dáunər] *n.* Ⓒ 《俗》 ① 진정제. ② 우울한 경험〔일·사정〕 ; 따분한 사람. ③ (경기·물가 등의) 하락.

***down·fall** [-fɔ̀:l] *n.* Ⓒ ① (비·눈 따위가) 쏟아짐. ② 낙하, 추락, 전락(물). ③ (급격한) 몰락, 멸망, 붕괴 ; 실각 ; 그 원인 : the ~ of the Roman Empire 로마 제국의 붕괴 / Gambling 〔Drink〕 was his ~. 노름〔술〕이 그가 망한 원인이었다.

down·fall·en [-fɔ̀:lən] *a.* 몰락한, 멸망한.

down·grade [ˊgrèid] *a., ad.* 내리받이의〔로〕, 내리막의〔으로〕; 몰락의〔으로〕. ── *n.* Ⓒ 내리받이, 내리막. ***on the*** ~ 내리받이〔내리막〕에(있는); 몰락해〔망해〕 가는. ── *vt.* ① (물품)의 등급을 떨어뜨리다. ② (사람)의 지위를 떨어뜨리다, …을 강등〔격하〕시키다. opp *upgrade.*

down·heart·ed [ˊhá:rtid] *a.* 낙담한, 기운 없는, 기가 죽은. ㊕ **~·ly** *ad.* **~·ness** *n.*

down·hill** [ˊhìl] *n.* Ⓒ ① 내리받이. ②〖스키〗활강. ── *a.* ① **a)** 내리막의: the ~ way 내리막길. **b)**〖스키〗활강(경기)의: ~ skiing 활강스키. ② 쉬운, 편한. ──[ˊˊ] *ad.* 비탈을 내려서; 아래쪽으로. ***go ~ (1) 비탈을 내려가다. (2) 점점 나빠지다; 영락해 가다.

Dówn·ing Strèet [dáuniŋ-] ① 다우닝가(街)《런던의 거리 이름; 수상 관저 · 외무성 등이 있음》: No. 10 ~, 다우닝가 10번지《영국 수상 관저 소재지》. ② 영국 정부〔내각〕.

dówn jàcket 다운 재킷《부드러운 새털을 안에 「둔 재킷》.

down·load [dáunlòud] *vt.*〖컴〗(정보 · 프로그램)을 다운로드하다《상위의 컴퓨터에서 하위의 컴퓨터로 데이터를 전송하는 일》.

down·load·a·ble [ˊlóudəbəl] *a.*〖컴〗데이터를 큰 시스템에서 작은 시스템으로 전송 가능한.

down-mar·ket [ˊmà:rkit] *a.*《英》저소득자〔대중〕 상대의; 싸구려의. opp *up-market.*

dówn páyment (할부금(割賦金)의) 첫 지불액: make a ~ 첫 불입금을 내다.

down·play [ˊplèi] *vt.*《美口》…을 중시하지 않다, 경시하다.

down·pour [ˊpɔ̀:r] *n.* Ⓒ (흔히 *sing.*) 억수, 호우: get caught in a ~ 호우를 만나다.

down·range [ˊréindʒ] *ad., a.* (미사일 따위가) 예정 비행 경로를 따라서〔따른〕: a ~ station 미사일 관측소.

***down·right** [ˊràit] *a.*〔限定的〕① 솔직한, 노골적인: a ~ sort of man 솔직한 성질의 사람 / a ~ answer 솔직한 대답. ② 완전한, 순전한, 철저한: a ~ lie 새빨간 거짓말 / a ~ fool 숙맥.
── *ad.* 철저히, 완전히: He is ~ angry. 잔뜩 화가 나 있다 / The job is ~ difficult. 그 일은 정말 어렵다.

down·riv·er [dáunrívər] *a., ad.* 하구(河口)〔하「류〕쪽의〔으로〕.

down·scale [ˊskéil] *a.* ① 가난한, 저(低)소득의, 저소득층에 속하는. ② 실용적인, 값이 싼: a ~ model (차 · 컴퓨터 등) 염가형.
── *vt.* ① …의 규모를 축소하다: …을 소형화하다. ② …을 돈이 덜 들게 하다, 싸게 하다.

down·shift [ˊʃìft] *vi.*〖自動車〗저속기어로 바꾸다, 시프트 다운하다. ── *n.* Ⓒ 시프트 다운.

down·side [ˊsàid] *n.* ① (the ~) 아래쪽: on *the* ~ 아래쪽에. ② (흔히 *sing.*) (주가 · 물가의) 하강. ── *a.*〔限定的〕아래쪽의; (기업 · 경기 등) 하강(경향)의.

down·size [ˊsàiz] *vt.*《美》…을 축소하다, (자동차 · 기기 등)을 소형화하다. ── *a.* 소형의.

Dówn's sýndrome 다운 증후군《염색체 이상으로 인한 정신지체〔박약〕의 일종》.

down·stage [ˊstéidʒ] *ad.*〖劇〗무대 앞쪽에(서). ── *a.*〔限定的〕무대 앞쪽의. ──[ˊˊ] *n.* Ⓤ 무대 앞쪽.

down·stair [ˊstὲər] *a.* =DOWNSTAIRS.

‡down·stairs [ˊstɛ́ərz] *ad.* 아래층에〔으로, 에서〕; 계단을 내려가: go ~ 아래층으로 내려가다.
── *n. pl.*〔單數 취급〕아래층. ──[ˊˊ] *a.*〔限定的〕아래층의: a ~ room 아래층의 방.

down·state [ˊstéit] *n.* Ⓤ 주(州)의 남부.
── *a., ad.*《美》주 남부(의, 로).

***down·stream** [ˊstrí:m] *ad.* 하류에, 강 아래로: ~ *of*〔*from*〕 the bridge 그 다리의 하류에. ── *a.* 하류의. opp *upstream.*

down·stroke [ˊstròuk] *n.* Ⓒ (피스톤 · 운필(運筆) 등의) 위에서 아래로의 움직임.

down·swing [ˊswìŋ] *n.* Ⓒ ①〖골프〗다운 스윙. ② (경기 · 매상 · 출생률 등의) 하강 (경향).

down·time [ˊtàim] *n.* Ⓤ ① (기계 · 공장 등의) 비가동 시간. ②〖컴〗고장 시간.

down-to-earth [ˊtuə́:rθ] *a.* 실제적〔현실적〕「인.

‡down·town [ˊtáun] *n.* Ⓒ《美》도심지; 중심가, 상가. ── *ad.* 도심지에〔에서, 로〕; 중심가〔상가〕에〔에서, 로〕: go ~ to shop 도심지에 쇼핑하러 가다 / take a bus ~ 버스로 번화가에 가다.
──[ˊˊ] *a.*〔限定的〕도심지의; 중심가〔상가〕의: ~ Chicago 시카고의 번화가. opp *uptown.*

down·trod·den [ˊtrὰdn / ˊtrɔ̀dn] *a.* 짓밟힌, 유린된; 억압된: the ~ masses 억눌린 대중.

down·turn [ˊtə̀:rn] *n.* Ⓒ (경기 등의) 하강, 후퇴; 침체: The economy has taken a ~. 경기가 부진해졌다.

‡down·ward [dáunwərd] *a.*〔限定的〕① 내려가는, 내리받이의; 아래쪽으로의: a ~ slope 내리받이. ② (시세 따위가) 하락하는, 내림세의; (운 따위가) 쇠퇴하는, 기우는: His fortune has continued on a ~ slide since the failure. 그 실패 이후 그의 운은 계속 내리막이다 / start on the ~ path 하락〔타락〕하기 시작하다.
── *ad.*《주로 美》① 아래쪽으로; 아래로 향해: look ~ in silence 잠자코 아래를 보다 / flow ~ 아래로 흐르다. ② 쇠퇴〔타락〕하여: He went ~ in life. 그의 인생은 영락해갔다 / My bank balance went slowly ~. 예금 잔고가 점점 줄어갔다. ③ 이래, 이후: from the time of Renaissance ~ 르네상스 때부터 / from the fifth century ~, 5세기 이후.

‡down·wards [dáunwərdz] *ad.* =DOWNWARD.

down·wind [ˊwínd] *ad., a.* 바람 불어가는 쪽으로(의).

downy** [dáuni] (down·i·er*** ; ***-i·est***) *a.* ① 솜털〔배내털〕로 뒤덮인. ② 솜털 같은, 보드라운, 폭신폭신한. ③ 붙임성 있는, 싹싹하고 빈틈 없는.

dow·ry [dáuəri] *n.* Ⓤ,Ⓒ ① 신부의 혼인 지참금. ② 천부의 재능.

dowse[1] [daus] *vt.* = DOUSE.

dowse[2] [dauz] *vi.* 점지팡이로 지하의 수맥〔광「맥〕을 찾다.

dóws·ing ròd [dáuziŋ-] =DIVINING ROD.

dox·ol·o·gy [dɑksάlədʒi / dɔksɔ́l-] *n.* Ⓒ〖基〗하느님을 찬미하는 찬송가, (특히) 영광의 찬가; 송영(頌詠).

doy·en [dɔ́iən] *n.* Ⓒ《F.》(단체 · 동업자 등의) 최고참자, 장로; (어떤 분야의) 일인자: the ~ *of* the diplomatic corps 외교단 수석.

doy·enne [dɔién, dɔ́iən] *n.*《F.》DOYEN의 여「형.

Doyle [dɔil] *n.* Sir **Arthur Conan** ~ 도일《영국의 추리 소설가; 1859–1930; *Sherlock Holmes* 를 「창조》.

doy·ley [dɔ́ili] *n.* =DOILY.

doz. dozen(s).

***doze** [douz] *vi.* 《~ / +부 / +전+명》 졸다, 꾸벅꾸벅 졸다, 겉잠 들다《*off* ; *over*》: ~ *off* 꾸벅꾸벅 졸다 / He was *dozing over* a book. 그는 책을 보면서 꾸벅꾸벅 졸고 있었다. ── *vt.* 《+목+부》 (시간)을 졸면서 보내다《*away*》: ~ *away* one's time 꾸벅꾸벅 졸고 있는 동안에 시간이 지나다. ── *n.* (a ~) 졸기, 겉잠: fall〔go off〕 into *a* ~ 꾸벅꾸벅 졸다 / have *a* ~ 잠깐 졸다, 겉잠들다.

‡doz·en [dʌ́zn] (*pl.* ~(***s***)) *n.* ① Ⓒ 1다스〔타(打)〕,

12 (개)《略 : doz., dz》.

> 語法 수사(數詞) 또는 그 상당어(단, some 은 제외)의 뒤에 형용사적으로나 명사로 쓰일 때에는 보통 단·복수 동형임. 단 several, many 뒤에선 *dozens of*를 씀.

¶ five ~ eggs 달걀 5 타 / three ~ of these eggs 이 달걀 3 타 / some ~*s* of eggs 달걀 몇 타 / How many ~ eggs shall we buy? 달걀 몇 타를 살까 / These apples are one dollar a ~. 이 사과는 열두 개에 1달러다. ②《口》**a**) (a ~) 한 타쯤, 열 두서넛. **b**) (~s) 수십, 다수《*of*》: ~*s of* people 수십명의〔아주 많은〕 사람 / I went there ~*s* (and ~*s*) *of* times. 나는 거기에는 수십번이나 갔다. ***by the*** ~ (1) 타로 : sell *by the* ~ 타에 얼마로 팔다. (2) 많이, 대량으로 : eat peanuts *by the* ~ 땅콩을 실컷 먹다. ***~s of . . .*** (1) 몇 타나 되는. (2) 수십(개)의, 아주 많은 : I've ~*s of* things to do. 할 일이 산더미처럼 많다. ***in ~s*** 다스로, 1 타씩 : pack these eggs *in* ~*s* 이 계란을 열두개씩 싸다. ***talk nineteen***〔***twenty, forty***〕 ***to the*** ~ 《英》 쉴새 없이 지껄이다.

doz·enth [dʌ́znθ] *a.* 제12〔12번째〕의 (twelfth).

dozy [dóuzi] (***doz·i·er*** ; ***-i·est***) *a.* ① 졸리는, 졸음이 오는 : a hot, ~ day 더워 졸음이 오는 날 / feel ~ 졸리다. ②《英口》 어리석은, 바보같은 (stupid).

DP, D.P. [dí:pí:] (*pl.* ***~'s, ~s***) *n.* =DISPLACED PERSON.

DP, D.P. 〖컴〗 data processing. **D.Ph(il).** Doctor of Philosophy. **†Dr, Dr.** Doctor. **dr.** debit ; debtor ; drachma(s) ; dram(s).

drab[1] [dræb] (***dráb·ber*** ; ***⌐·best***) *a.* ① 충충한 갈색의. ② 단조로운, 재미없는, 멋없는, 생기 없는 : a ~ street 살풍경한 거리. ── *n.* Ⓤ 드래브 《충충한 갈색 천》; 진흙색.

㊞ **⌐·ly** *ad.* **⌐·ness** *n.*

drab[2] *n.* Ⓒ ① 단정치 못한 여자. ② 창녀.

drachm [dræm] *n.* =DRACHMA ; DRAM.

drach·ma [drǽkmə] (*pl.* ***~s, -mae*** [-mi:]) *n.* Ⓒ ① (고대 그리스의) 드라크마 은화(銀貨). ② 드라크마《현대 그리스의 화폐 단위 ; 기호 dr, Dr, DRX》.

Dra·co·ni·an [dreikóuniən] *a.* (법·대책 등이) 엄중한, 가혹한《엄한 법률을 제정한 아테네의 집정관 Dracon의 이름에서》.

㊞ **~·ism** [-ìzəm] *n.* Ⓤ 엄벌주의.

Drac·u·la [drǽkjələ] *n.* 드라큘라《B. Stoker의 소설명 및 주인공 이름 ; 백작으로 흡혈귀임》.

‡draft, 《英》 **draught** [dræft, drɑ:ft] *n.* ① Ⓒ 도안, 밑그림, 설계도 : a ~ for an engine 엔진 설계도 / a ~ of the house 집의 설계도. ② Ⓒ 초안, 초고 ; 〖컴〗 초안 : a rough ~ 초고 / the ~ of a peace treaty 평화조약의 초안 / make (out) a ~ of speech 연설의 초고를 만들다. ③《美》 **a**) (the ~) 징병, 징모(conscription). **b**) Ⓤ 〖集合的〗 징모병. ④ (the ~) 〖스포츠〗 신인 선수 선발제도, 드래프트제(制). ⑤ (흔히 draught) Ⓤ **a**) (그릇에서) 따르기 ; (술을) 통에서 따라 내기 : beer on ~ 생맥주. **b**) Ⓒ (담배·공기·액체의) 한 모금, 한 입, 한 번 마시기, (물약의) 1회분 : have a ~ of beer 맥주를 한 잔 하다. ⑥ Ⓒ **a**) 통풍 ; 외풍 : catch a cold in a ~ 외풍에 감기들다 / keep out ~*s* 외풍을 막다. **b**) (난로 등의) 통기 조절 장치. ⑦ Ⓒ 분견대, 특파대. ⑧ Ⓤ (수레 따위를) 끌기 ; 견인량(牽引量) ; 견인력. ⑨ **a**) Ⓤ 〖商〗 어음 발행, 환취결(就結). **b**) Ⓒ 환어음, (특히, 은행 지점에서 다른 지점 앞으로 보내는) 수표, 지급 명령서 : a ~ on demand 요구불 환어음 / draw a ~ on …앞으로 어음을 발행하다. ⑩ Ⓤ 〖海〗 (배의) 흘수(吃水). ⑪ Ⓒ (흔히 draught) 한 그물의 어획고. ★ 《英》에서도 ②,⑦,⑨의 뜻으로는 보통 draft 를 씀. ***a beast of*** ~ 짐수레 끄는 소〔말〕.

── *a.* ① 〔限定的〕 견인용의 : a ~ animal 견인용 동물《말, 소 따위》, 역축(役畜). ② 통에서 따른 : ⇨ DRAFT BEER. ③ 〔限定的〕 기초된(drafted), 초안의 : a ~ bill (법안의) 초안 / a ~ treaty 조약 초안.

── *vt.* ① …의 밑그림을 그리다, …의 설계도를 그리다. ② …을 기초〔입안〕하다 : ~ a speech 연설 초고를 쓰다. ③《~+목 / +목+전+명》《美》 …을 징집〔징병〕하다《*into*》: ~ young men *for* war 전쟁 때문에 젊은이들을 징모하다.

dráft bèer 생〔통〕맥주.

dráft bòard 《美》 (시·군 등의) 징병 위원회.

dráft dòdger 《美》 징병 기피자.

draft·ee [dræftí:, drɑ:ftí:] *n.* 《美》 응소병(應召兵).

draft·er [drǽftər, drɑ́:ftər] *n.* Ⓒ 기초자, 입안자.

drafts·man [drǽftsmən, drɑ́:fts-] (*pl.* ***-men*** [-mən]) *n.* Ⓒ ① 기초자, 입안자. ②《美》 데생을 잘하는 사람〔화가〕. ③《美》 도안자, 제도자〔공〕.

drafty, 《英》 **draughty** [drǽfti, drɑ́:fti] (***draft·i·er*** ; ***-i·est***) *a.* 외풍이 들어오는 : a ~ old house 외풍이 들어오는 낡은 집.

‡drag [dræg] (***-gg-***) *vt.* ① (무거운 것)을 끌다, 끌어당기다. ② (발 따위를) 질질 끌다 ; 《口》 (사람)을 끌어내다《*out of* ; *from* ; *to* ; *into*》: ~ one's wounded leg 부상한 다리를 질질 끌며 가다 / ~ a shy person *out to* a party 숫기없는 사람을 파티에 끌고가다. ③《~+목 / +목+전+명》 (강바닥 따위)를 그물·갈고리 따위로 훑다, 뒤지다 : ~ a pond *for* fish 물고기를 잡기 위해 못을 훑다 / The police ~*ged* the lake *for* the body. 경찰은 시체를 찾아 호수를 뒤졌다. ④ (논밭)을 써레로 갈다〔고르다〕, 써레질하다. ⑤《+목+부 / +목+전+명》 (관계 없는 일을) 끄집어내다, 끌어들이다 : ~ irrelevant topics into a conversation 관계도 없는 말을 대화에 끌어들이다 / He always ~*s* his Ph. D. *into* a discussion. 그는 어떠한 논의에서든 자신의 박사 칭호를 들먹인다. ⑥ 〖野〗 드래그 번트를 하다.

── *vi.* ① 끌리다, 끌려가다, 질질 끌리다 : Her skirt ~*ged* (*along*) behind her. 그녀의 치맛자락이 땅에 끌렸다. ② 발을 질질 끌며〔늘쩡늘쩡〕 가다《*along*》: walk with ~*ging* feet 발을 질질 끌며 느리게 걷다 / ~ behind others 다른 사람보다 뒤처져 가다. ③《口》 (때·사람·일 등이) 느릿느릿 진행되다〔나가다〕《*by*》; (행사 등이) 질질 끌다《*on* ; *along*》: The parade ~*ged by* endlessly. 행렬이 길게 끝없이 이어졌다 / The sermon ~*ged on* so long that I fell asleep. 설교가 너무 지루하게 계속되어 나는 잠이 들어버렸다. ④ (예인망 등으로 물 밑을) 치다, 훑다《*for*》.

~ ***behind*** (남보다) 시간이 걸려〔꾸물대어〕 늦어지다. ~ ***. . . down*** =~ ***down*** (1) (…을) 끌어내리다. (2) (병 등이 사람을) 쇠약하게 하다. (3) (사람을) 영락〔타락〕시키다. ~ ***in*** (1) 억지로 끌어들이다. (2) (쓸데없는 이야기)를 끄집어내다. ~ ***out*** (1) 끌어내다. (2) 오래 끌다 : His report ~*ged out* another hour. 그의 보고는 또 한 시간을 끌었다. ~ ***one's feet*** 〔***heels***〕 일부러 꾸물거리다. ~ ***up*** (1) 끌어올리다 ; (나무 따위를) 뽑아내다. (2)《口》 (불쾌한 화제 등)을 끄집어내다, 다시 문제삼다,

쑤셔내다: He ~*ged up* that matter again. 그는 그 일을 또 끄집어 냈다. (3)《英口》(아이를) 되는 대로 기르다.

— *n.* ① Ⓤ,Ⓒ 견인(력), 끌기: walk with a ~ 발을 끌면서 걷다. ② Ⓒ **a)** 끌리는 것. **b)** 예인망 (dragnet). **c)** 큰 써레. **d)** 큰 썰매. **e)** 《俗》차(車). ③ Ⓒ (차바퀴의) 브레이크. ④ Ⓤ 〖獵〗(여우 따위의) 냄새 자취. ⑤ Ⓤ (또는 a ~) 《美俗》사람을 움직이는 힘; 두둔, 끌어줌: He has *a* ~ with his master. 주인의 마음에 들었다. ⑥ = DRAG RACE. ⑦ Ⓒ 《俗》담배를 피움〔들이마심〕: take a deep ~ at a cigarette 담배를 쑥 들이마시다. ⑧ Ⓒ 방해물, 주체스러운 것: a ~ *on* a person's career 아무의 출세를 방해하는 것. ⑨ 《俗》(a ~) 싫증나는〔질력나는〕사람〔물건〕. ⑩ Ⓒ (흔히 *sing.*) 《美俗》가로, 도로(street, road): the main ~ 대로. ⑪ Ⓒ 《美俗》(동반한) 여자 친구. ⑫ 《俗》**a)** Ⓤ 이성(異性)의 복장: in ~ 여장〔남장〕을 하고. **b)** Ⓒ 여장(女裝)〔남장〕댄스 파티. **c)** Ⓤ 의복. ⑬ Ⓤ 〖物〗저항; 〖空〗항력(抗力). ⑭ Ⓤ,Ⓒ 〖컴〗끌기《마우스 단추를 누른 상태에서 마우스를 끌고 다니는 것》.

drág búnt 〖野〗드래그 번트《타자가 1루에 살아 나가기 위해 하는 번트》.

drag·gle [drǽgəl] *vt.* (흙탕 속 등에서) …을 질질 끌어 더럽히다〔적시다〕. — *vi.* ① 옷자락을 질질 끌다. ② 느릿느릿 따라가다, 뒤떨어져 가다. ㊕ **~d** *a.* 질질 끌어 더러워진.

drag·gle-tailed [-tèild] *a.* (여자가) 자락을 질질 끌어 더럽힌, 칠칠치 못한.

drag·gy [drǽgi] (*-gi·er; -gi·est*) *a.* 느릿느릿한, 지루한, 활기없는.

drag·net [drǽgnèt] *n.* Ⓒ ① 예인망. ② 《比》(경찰의) 수사〔검거〕망.

drag·o·man [drǽgəmən] (*pl.* **~s, -men** [-mən]) *n.* Ⓒ (근동 나라들의) 통역(겸 안내원).

ꜛ**drag·on** [drǽgən] *n.* ① Ⓒ 용. ② (the D-) 〖天〗용자리. ③ Ⓒ《蔑》젊은 여성을 엄중히 감독하는 중년 부인, 성격이 어기찬 여자〔사람〕.

***drag·on·fly** [drǽgənflài] *n.* Ⓒ 잠자리.

dra·goon [drəgúːn] *n.* Ⓒ ① 〖史〗용기병. ② 《英》(근위) 기병. ③ 매우 난폭한 사람. — *vt.* (아무)를 압박〔강제〕하여 …하게 하다: I was ~*ed into* admitt*ing* my guilt. 나는 죄를 시인하도록 강요당했다.

drág quèen 《美俗》(여장(女裝)을 한) 호모.

drág ràce 〖自動車〗드래그 레이스《1/4 마일의 직선 코스에서 발진 가속을 겨루는 경주》.

ꜛ**drain** [drein] *vt.* ① …에서 배수〔방수〕하다, …의 물을 빼내다, …을 배출하다《*away; off; out*》; …에 배수〔하수〕설비를 하다: ~ all the water *out* from a pool 풀에서 물을 몽땅 빼다 / the badly ~*ed* parts of the city 시의 하수 시설이 나쁜 지구. ② (물에 씻은 야채나 닦은 접시 따위)의 물기를 없애다. ③ (땅)을 간척하다: ~ a swamp of water 소택지를 간척하다. ④ 《+목+보/+목+전+명》(잔)을 쭉 들이켜다; 비우다: ~ a jug dry 주전자의 물을 비우다 / With one gulp he ~*ed* his glass. 그는 단숨에 잔을 비웠다. ⑤ 《+목+전+명/+목+보》(자산 등)을 다 써버리다, (재화·인재)를 국외로 유출시키다, (정력)을 소모시키다; …에서 다 짜내버리다, 고갈시키다《*of*》: ~ a country *of* its resources 일국의 자원을 고갈시키다 / That ~*ed* him dry. 그 때문에 그는 정력을 다 소모했다 / The battery was ~*ed* (*of* all its power). 건전지가 다 됐다.

— *vi.* 《+전+명/+부》① 뚝뚝 떨어지다, 흘러 없어지다《*away; off*》: The water ~*ed through* a small hole. 물이 작은 구멍으로부터 줄줄 흘러 나왔다. ② 배수하다《*into*》; 말라버리다, (늪 따위가) 말라 붙다: This land ~*s into* the Han River. 이 지방의 물은 모두 한강으로 빠진다 / This field ~*s* quickly. 이 땅은 물이 빨리 빠진다. ③ (핏기 따위가 얼굴에서) 가시다《*from; out of*》: All the color ~*ed away* from his face. 그의 얼굴에서 핏기가 싹 가셨다. ④ (정력·자력(資力) 따위가) 서서히 고갈하다: My strength is ~*ing away* year by year. 해마다 기운이 떨어져간다. ~ (...) ***dry*** …의 물기를 빼서 말리다, (물기가 빠져) 마르다; (잔을) 마셔서 비우다; …에게서 활력〔감정〕을 몽땅 빼앗다.

— *n.* ① Ⓤ (또는 a ~) 배수, 방수(放水); 유출. ② **a)** Ⓒ 배수관; 배수 도랑, 하수구(sewer). **b)** (*pl.*) 하수 (시설). ③ Ⓒ (화폐 등의) 끊임없는 유출, 고갈, 낭비, 소모(*on*): a ~ *on* national resources 나라의 자원의 고갈 / a ~ *on* one's imagination 상상력의 고갈. ***down the*** ~ 《口》낭비되어, 헛것이 되어, 수포로 돌아가. ***laugh like a*** ~ 《口》크게 웃다, 큰 소리로〔천하게〕웃다.

***drain·age** [dréinidʒ] *n.* Ⓤ ① 배수(draining), 배수 방법. ② 배수 설비, 배수로; 하수로; 배수 구역. ③ 하수, 오수(汚水)(sewage). ④ 〖醫〗배액(排液)〔배농(排膿)〕(법).

dráinage bàsin 〔**àrea**〕(하천의) 유역, 집수역(集水域).

dráinage tùbe 〖醫〗배액관(排液管).

drain·board [dréinbɔ̀ːrd] *n.* Ⓒ《美》(설거지대 옆의) 물기 빼는 널〔대〕(《英》draining board).

drain·ing [dréiniŋ] *n.* Ⓤ 배수(작용); 배수 공사.

dráining bòard 《英》=DRAINBOARD.

drain·pipe [dréinpàip] *n.* ① Ⓒ 배수관, 하수관; (빗물용) 세로 홈통. ② (*pl.*) 《口》홀태바지 (= ∠ **tròusers**). — *a.* 〔限定的〕《口》(바지통이) 몹시 좁은.

ꜛ**drake** [dreik] *n.* Ⓒ 수오리(male duck). ⓒⓕ duck[1].

DRAM [dræm] *n.* Ⓤ 〖電子〗드램, 동적(動的) 막기억 장치《기억보존 동작을 필요로 하는 수시 기입과 읽기를 하는 메모리》. [◂*d*ynamic *r*andom *a*ccess *m*emory]

dram *n.* Ⓒ ① 드램《무게의 단위; 보통은 1.772 g, 약량(藥量)은 3.887 g》. ② (위스키 따위의) 미량, 한 모금; 〔一般的〕조금, 약간(a bit): He has not one ~ of learning. 그는 학문〔배운 것〕이 전혀 없다.

ꜛ**dra·ma** [drɑ́ːmə, drǽmə] *n.* ① Ⓤ (때로 the ~) 극, 연극, 극작, 극예술: *the* silent ~ 무언극 / (a) historical ~ 사극 / I'm studying (*the*) musical ~. 나는 가극을 연구하고 있다. ② Ⓒ 희곡, 각본: a poetic ~ 시극 / a radio ~ 라디오 드라마. ③ Ⓤ 극적 효과; 극적 성질〔요소〕. ④ Ⓒ 극적 사건.

ꜛ**dra·mat·ic** [drəmǽtik] (***more*** ~; ***most*** ~) *a.* ① 극의, 연극의; 희곡의; 무대상의: a ~ piece 한 편의 희곡, 각본 / ~ presentation 〔reproduction〕 상연 / ~ criticism 연극 비평, 극평 / ~ performance 연예. ② 극적인, 연극 같은; 인상적인: a ~ event 극적인 사건 / There came a ~ change. 그 때 극적인 국면의 변화가 생겼다.

dra·mat·i·cal·ly [-ikəli] *ad.* 극적으로, 눈부시게.

dramátic írony 〖劇〗극적 아이러니《관객은 알지만 등장인물은 모르고 있는 것처럼 되어 있는 미묘한 상황》.

dra·mat·ics [drəmǽtiks] *n.* ① Ⓤ 연출법, 연극, 연기. ② 〔複數취급〕아마추어극, 학교〔학생〕극; 연극조의 행동〔표정〕.

dram·a·tis per·so·nae [drǽmətis-pərsóuniː, drɑ́ːmətis-pəːrsóunai, -ni] 《L.》(종종 the ~) 〔複數 취급〕등장 인물; 〔單數 취급〕배역표.

***dram·a·tist** [drǽmətist] *n.* Ⓒ 극작가.

dram·a·ti·za·tion [drӕmətizéiʃən] *n.* ⓊⒸ 각색, 극화, 희곡화; 극화〔희곡화〕한 것.

***dram·a·tize** [drǽmətàiz] *vt.* ① …을 극화〔각색〕하다: ~ a novel 소설을 각색하다. ② **a**) …을 극적으로 표현하다. **b**) 〔再歸的〕 …을 연기하다, 신파조로〔과장되게〕 말하다〔나타내다〕. ── *vi.* ① 극이 되다, 각색되다: The story would ~ well. 그 이야기는 훌륭한 연극이 될 것이다. ② 연기하다, 신파조로〔과장되게〕 나타내다.

dram·a·tur·gy [drǽmətə̀:rdʒi] *n.* Ⓤ ① 극작법. ② 연출법.

†**drank** [drӕŋk] DRINK의 과거.

***drape** [dreip] *vt.* ①《~+목/+목+전+명》 …을 느슨하게〔예쁘게〕 덮다〔꾸미다〕《*with*; *in*》, 예쁘게 걸치다《*over*; (*a*)*round*》: ~ a robe *around* a person's shoulders 겉옷을 아무의 어깨에 걸쳐 주다 / The front of the building was ~*d with* a national flag. 그 건물의 전면은 국기로 장식돼 있었다. ② (팔·다리 등)을 쭉 펴다, 기대(놓)다《*over*; *around*; *round*》: He ~*d* an arm *over* my shoulders and whispered. 그는 내 양 어깨에 팔을 걸치고는 속삭였다. ③ (커튼 따위)를 주름을 잡아 예쁘게 달다.
── *n.* Ⓒ ① (종종 *pl.*) (주름이 잡혀 드리워진, 두꺼운) 커튼. ② (흔히 *sing.*) (커튼·스커트 따위의) 주름, 늘어진 모양.

drap·er [dréipər] *n.* Ⓒ《주로 英》포목상, 직물상: a woolen 〔linen〕 ~ 모직물〔리넨〕 장수 / a ~*'s* (shop) 포목점, 옷감 가게.

***drap·ery** [dréipəri] *n.* ① ⓊⒸ **a**) 부드럽고 아름다운 주름을 잡아 사용하는 직물. **b**) 주름이 진 휘장〔막, 옷 따위〕; 《美》두툼한 커튼 감. ② Ⓤ《英》 **a**) 의류, 옷감, 직물·포목류(類) (《美》 dry goods). **b**) 포목〔옷감〕 장사.

***dras·tic** [drǽstik] (*more* ~; *most* ~) *a.* ① (치료·변화 따위가) 격렬한, 맹렬한; (수단 따위가) 과감한, 철저한: adopt〔take〕 ~ measure 과감한 수단을 쓰다 / The employer made a ~ cut in wages. 고용주는 임금을 대폭 삭감했다. ② (아주) 심각한, 중대한: a ~ shortage of water 심각한 물 부족. ㊉ ***-ti·cal·ly** [-kəli] *ad.*

drat [drӕt] *int.* 《口》 쳇. ── (*-tt-*) *vt.* …을 저주하다: *Drat* it! 제기랄, 빌어먹을 / *Drat* you! You're behind time again! 이놈아, 또 늦었구나.

drat·ted [drǽtid] *a.* 《口》 지긋지긋한, 지겨운.

***draught** ⇨ DRAFT.

draught·board [drǽftbɔ̀:rd, drɑ́:ft-] *n.* 《英》 =CHECKERBOARD.

draughts [drӕfts, drɑ:fts] *n. pl.* 〔單數 취급〕 《英》 체커(checkers).

draughts·man [<-mən] (*pl.* *-men*) *n.* 《英》 ① =DRAFTSMAN. ② Ⓒ 체커의 말.

draughty ⇨ DRAFTY.

Dra·vid·i·an [drəvídiən] *a.* 드라비다 사람〔어족(語族)〕의. ── *n.* ① Ⓒ 드라비다 사람《인도 남부나 Ceylon 섬에 사는 비(非)아리안계 종족》. ② Ⓤ 드라비다어(語).

†**draw** [drɔ:] (*drew* [dru:]; *drawn* [drɔ:n]) *vt.* ①《~+목/+목+부/+목+전+명》 …을 끌다, 당기다, 끌어당기다; 끌어당겨서 …하다: ~ a cart 짐수레를 끌다 / ~ a sail 돛을 올리다 / ~ a belt tight 벨트를 바싹 죄다 / *Draw* your chair *closer to* the fire. 의자를 좀 더 불에 가깝게 당기세요.
②《~+목/+목+전+명/+목+*to* do》 (마음)을 끌다; 꾀어들이다; (사람)을 끌어들이다; (사람의 주의)를 끌다《*to*; *into*; *from*》: ~ interest 흥미를 끌다 / ~ a person *into* conversation 〔a room〕 아무를 대화〔방〕에 끌어들이다 / ~ a person's attention *to* 아무의 주의를 …로 돌리게 하다 / Her lecture *drew* a large audience. 그녀의 강연에는 많은 청중이 모였다 / She felt *drawn to* him. 그녀는 그에게 마음이 끌렸다.
③ (결과 따위)를 초래하다; (이자 따위)를 생기게 하다: ~ one's own ruin 파멸을 자초하다.
④《~+목(+부)》 (숨)을 들이쉬다《*in*》, (한숨)을 쉬다: ~ (*in*) a deep breath 심호흡하다 / ~ a long sigh 긴 한숨을 쉬다 / ~ one's first〔last〕 breath 태어나다〔숨을 거두다〕.
⑤《~+목/+목+전+명》 (급료·지급품 따위)를 타다, 받다; (은행 등에서 돈)을 찾다: ~ (one's) pay 〔salary〕 급료를 받다 / ~ money *from* a bank 은행에서 돈을 인출하다 / ~ a pension 연금을 타다.
⑥《~+목/+목+전+명》 (결론 따위)를 (이끌어)내다; (교훈)을 얻어내다; (물)을 퍼 올리다; (피)를 나오게 하다; (눈물)을 자아내다; (차)를 달이다, 끓이다: ~ a final conclusion 최종결론을 내다 / ~ the moral *from* a fable 우화에서 교훈을 얻어내다.
⑦《~+목/+목+전+명》 (이 따위)를 잡아 뽑다, 빼다; (카드패·제비 따위)를 뽑다, 뽑아 맞히다《*from*; *out of*》: ~ the winner 당첨하다 / ~ a cork *from* the bottle 병마개를 빼다 / ~ a sword *from* the sheath 칼집에서 칼을 뽑다 / I had a decayed tooth *drawn* by the dentist. 나는 치과에서 충치를 뽑았다.
⑧《~+목/+목+목/+목+전+명》 (줄·선)을 긋다; (도면 따위)를 그리다, 베끼다; …의 그림을 그리다; …을 묘사하다; …에게 그려주다《*for*》. ⓒⓕ write. ¶ ~ animals *from* life 동물을 사생하다 / ~ a circle 원을 그리다 / ~ a character 성격을 묘사하다 / I'll ~ you a rough map. = I'll ~ a rough map *for* you. 당신에게 약도를 그려 드리겠습니다.
⑨《~+목/+부/+목+전+명》 (서류)를 작성하다; (어음)을 발행하다《*on*》: ~ (*up*) a deed 증서를 작성하다 / ~ a bill *on* a person 아무에게 어음을 발행하다.
⑩ …을 잡아늘이다(stretch); (철사)를 만들다《금속을 잡아 늘여》; (실)을 뽑다: ~ wire 철사를 만들다.
⑪ (얼굴)을 찡그리다(distort): a *drawn* look 찡그린 얼굴 / a face *drawn* with pain 고통으로 일그러진 얼굴.
⑫ (경기)를 비기게 하다: The game was *drawn*. 그 승부는 비겼다.
⑬ …의 창자를 빼다: ~ a chicken.
⑭ (여우 등을 굴 속)에서 몰이해 내다: ~ a covert for a fox 덤불에서 여우를 몰이해 내다.
⑮ (배가 …피트) 흘수(吃水)가 되다: The ship ~*s* six feet of water. 그 배는 흘수 6피트이다.
⑯《~+목/+목+전+명》 (구획선)을 긋다, (구별)을 짓다: ~ a distinction 구별하다 / ~ a comparison *between* A and B, A와 B를 비교하다.
⑰ (피)를 흘리게 하다: No blood has been *drawn* yet. 아직 피 한방울 흐르지 않았다.
── *vi.* ①《~/+부》 끌다; (돛 따위가) 펴지다: The horses *drew abreast*. 말은 한 줄로 나란히 서서 끌었다 / The new cart ~*s easily*〔*well*〕. 새 달구지가 쉽게〔잘〕 끌린다.
②《+부/+전+명》 (끌리듯이 …에) 접근하다, 가까이 가다《*to*; *toward*》; 모여들다《*together*》; (때가) 가까워지다: Christmas is ~*ing near*. 크

리스마스가 다가온다 / Like ~*s to* like. 유유상종 / He *drew near* the fire. 그는 불가까이 다가왔다 / ~ *around* the table 테이블 둘레에 모이다.
③ 칼〔권총〕을 빼다《*on*》: They were ready to ~ and fight. 그들은 당장에라도 칼을 뽑고 싸울 태세였다.
④ 《+전+명》 제비를 뽑다《*for*》: Let's ~ *for* partners. 파트너를 제비로 정하자 / ~ *for* prizes 〔who will go first〕 상품을 놓고〔누가 먼저 갈 것인가를 정하기 위해〕 제비를 뽑다.
⑤ (이·코르크 마개 등이) 빠지다.
⑥ 그리다, 줄〔선〕을 긋다, 제도하다《*with*》: ~ *with* colored pencils 색연필로 그림을 그리다.
⑦ 《+부》 (파이프·굴뚝 따위가) 바람을 통하다, 연기가 통하다: The chimney ~*s well.* 그 굴뚝은 연기가 잘 빠진다.
⑧ 《+부》 (차가) 우러나다: The tea has not *drawn well.* 차가 잘 우러나지 않았다.
⑨ 《~ / +전+명》 어음을 발행하다; (예금·사람에게서) 돈을 찾다《*on, upon*》: ~ for advance 가불하다 / I'll have to ~ *on* my bank account. 은행(구좌)에서 돈을 찾지 않으면 안되겠다.
⑩ 《+부》 주의〔인기〕를 끌다: His concerts always ~ *well*. 그의 연주회는 언제나 성황이다.
⑪ (경기가) 비기다: Our team *drew* twice in succession. 우리팀은 거푸 두번 비겼다.
⑫ 길어지다, 연장되다: The weeks *drew* into months, but he didn't come. 몇주, 몇달이 돼도 그는 오지 않았다.
~ *a blank* ⇨ BLANK. **~ *apart* (*from*)** (물리적·심리적으로 …에서) 떨어져 가다, 소원해지다. **~ *at*** (파이프로) 담배를 피우다, (파이프를) 피우다. **~ *away*** (1) (내밀었던 손 따위를) 빼다. (2) (…에서) 몸을 떼어놓다《*from*》: She tried to ~ *away from* it. 그녀는 거기에서 몸을 떼려고 했다. (3) 《口》 (경주 따위에서) …의 선두에 나서다, 떨어뜨리다. **~ *back*** (1) 물러서다. (2) …을 되찾다, 되돌려 받다; 되돌리다. (3) (기획 따위에서) 손을 떼다: The company *drew back from* the project. 회사는 그 프로젝트에서 손을 뗐다. **~ *down*** (1) (막 따위를) 내리다: Would you mind ~*ing down* the blind? 그 차양을 좀 내려주시겠오. (2) (분노 따위를) 초래하다. **~ *in*** (*vt.*) (1) (고삐를) 죄다. (2) 비용을 줄이다. (3) 빨아들이다; 끌어들이다. (4) (뿔·발톱 따위를) 감추다: ~ *in* one's HORNS. (5) (계획 따위의) 원안을 만들다. (*vi.*) (1) (열차 따위가) 들어오다, 도착하다; (차가) 길가에 서다. (2) (해가) 짧아지다, (하루가) 저물다: The days are ~*ing in.* 해가 짧아졌다 / The day is ~*ing in.* 해가 저물었다. **~ *level* (*with*)** (…와) 대등하게 되다, (…에) 따라 미치다《경주에서》. **~ *near*** (1) 접근하다. (2) (때가) 가까와지다. **~ *off*** (1) (물 따위를) 빼내다, 빼다. (2) (주의를) 딴 데로 돌리다. (3) (군대를) 철퇴하다〔시키다〕. (4) (증류해서) 뽑다. (5) (장갑·양말 따위를) 벗다. cf. ~ on. **~ *on*** (*vt.*) (1) (장갑·양말 따위를) 끼다, 신다. cf. ~ off. ¶ ~ *on* one's white gloves. (2) …을 꾀어들이다, (…하도록) 격려하다《*to* do》; (기대감 따위가) …에게 행동을 계속하게 하다; (일을) 일으키다, 야기하다. (3) (어음을) …앞으로 발행하다. (*vi.*) (1) …에 가까워지다, …이 다가오다. (2) (근원을) …에 의존하다, …에 의하여 얻다; …을 이용하다; …에게 요구하다: ~ *on* one's intuition 직관에 의지하다. **~ *out*** (*vt.*) (1) 꺼내다, 뽑아내다《*from*》. (2) (계획을) 세우다, (서류를) 작성하다. (3) (군대를) 정렬시키다; 숙영지에서 출발시키다, 파견하다. (4) …을 꾀어서 말하게 하다, …에게서 알아내다. (5) (예금을) 찾아내다. (6) 잡아들이다, (금속을) 두들겨 늘이다; 오래 끌게 하다. (*vi.*) (1) (해가) 길어지다. (2) (열차가 역에서) 떠나가다《*of; from*》; (배가) 떠나다《*from*》; (군대가) 숙영지에서 출발하다. **~ *up*** (*vt.*) (1) 끌어올리다. (2) 정렬시키다. (3) (문서를) 작성하다; (계획 따위를) 입안(立案)하다. (4) (차를) 세우다. (*vi.*) (1) 정렬하다. (2) (차·마차가) 멈추다. (3) 바싹 다가가다《*to*》, 따라잡다《*with*》.
— *n.* Ⓒ ① 끌기, 당김, (권총 따위를) 뽑아냄. ② 《美》 담배〔파이프〕의 한 모금: take a long ~ 한모금 천천히 빨아들이다. ③ (승부의) 비김: The game ended in a ~. 경기는 무승부로 끝났다. ④ 사람을 끄는 것, 인기 있는 것, 이목을 끄는 것: His new film is a big ~. 그의 신작 영화는 대성공이다. ⑤ 제비, 추첨; 당첨. ⑥ 《美》 (도개교(跳開橋)의) 개폐부. ***be quick* 〔*slow*〕 *on the* ~** 권총을 빼는 솜씨가 날쌔다〔서투르다〕; 《比》 반응이 빠르다〔더디다〕.

*__draw·back__ [drɔ́ːbæ̀k] *n.* ① Ⓒ 결점, 약점, 불리한 점《*in*》: Poor eyesight is a ~. 시력이 약한 것은 불리하다. ② Ⓒ 장애, 고장《*to*》. ③ Ⓤ,Ⓒ 환부금, 환불 세금, 관세 환급(還給): ~ cargo 관세 환급 화물. ④ Ⓤ,Ⓒ 공제《*from*》.

draw·bridge [drɔ́ːbrìdʒ] *n.* Ⓒ ① 도개교(跳開橋). ② (예전에 성 따위의 해자(垓字)에 걸친) 적교(吊橋).

draw·down [drɔ́ːdàun] *n.* Ⓤ ① (저수지·우물 따위의) 수위 저하. ② 《美》 삭감, 축소.

draw·ee [drɔːíː] *n.* Ⓒ 〖商〗 어음 수신인《수표·약속어음에서는 수취인; 환어음에서는 지급인》. cf. payee, drawer.

‡**draw·er** [drɔ́ːər] *n.* Ⓒ ① 제도사(製圖士). ② 〖商〗 어음 발행인. cf. drawee. ③ [drɔːr] 서랍. ④ (*pl.*) 장롱. ⑤ (*pl.*) [drɔːrz] 드로어즈, 팬츠; 속바지《주로 여성용》. ***be out of the top* ~** [drɔːr] 《口》 가문이 좋다.

‡**draw·ing** [drɔ́ːiŋ] *n.* ① Ⓒ (연필·펜·크레용·목탄 따위로 그린) 그림, 도화; 스케치, 데생; 〖컴〗 그림, 그리기: a ~ in pen 펜화 / a line ~ 선화. ② Ⓤ (도안·회화의) 선묘(線描), 제도: ~ paper 제도용지. ③ Ⓒ 《美》 제비뽑기, 추첨(회): hold a ~ 추첨회를 가지다. ④ Ⓤ 수표·어음의 발행. ***out of* ~** 잘못 그려서, 화법에 어긋나서, 조화롭지 않게.

dráwing bòard 화판, 제도판. ***go back to the* ~** 《口》 (사업 따위가 실패하여) 최초〔계획〕 단계로 되돌아오다, 처음부터 다시 시작하다. ***on the* ~(*s*)** 계획〔구상, 청사진〕 단계에서〔의〕.

dráwing càrd 《美》 인기 프로, 인기 있는 것; 인기 있는 연예인〔강연자〕, 인기 배우; 이목을 끄는 광고.

dráwing pàper 도화지; 제도 용지.

dráwing pìn 《英》 제도용 핀, 압정(押釘) (《美》 thumbtack).

‡**dráwing ròom** ① 응접실, 객실《★ 특히 손님들이 모일 때 쓰는 넓은 방을 가리키며, 지금은 living room이라고 하는 것이 일반적임》. ② 〖美鐵〗 (침대·화장실이 딸린) 특별 전용실.

*__draw·ing-room__ [drɔ́ːiŋrùː(ː)m] *a.* 〔限定的〕 《英》 고상한, 점잖은, 세련된.

draw·knife [drɔ́ːnàif] (*pl.* ***-knives***) *n.* Ⓒ 당겨 깎는 칼《양쪽에 손잡이가 있음》.

drawl [drɔːl] *vt., vi.* (내키지 않는 듯이) 느리게 말하다, 점잔빼며 천천히 말하다〔발음하다〕《종종 *out*》: ~ *out* a reply 느릿느릿 대답하다. — *n.* Ⓒ 느린 말투: the Southern ~ 《美》 남부 사람 특유의 느린 말투.

drawl·ing [drɔ́ːliŋ] *a.* (말투·발음이) 느릿느릿

한 ; 내키지 않는 듯한.

*__drawn__ [drɔːn] DRAW의 과거분사. — (*more* ~ ; *most* ~) *a.* ① (칼집 따위에서) 빼낸, 뽑은 : a ~ pistol 뽑아든 권총. ② (커튼·차양 등이) 내려진, 닫힌. ③ (고통 등으로) 찡그린, 일그러진《얼굴 등》: His face was ~ with pain. 그의 얼굴은 고통으로 일그러져 있었다. ④ 비긴, 무승부의 : a ~ game.

__dráwn bútter__ (소스용의) 녹인 버터.

__dráwn wòrk__ 올을 뽑아 얽어 만든 레이스의 일종(=**dráwn-thréad wòrk**).

__draw·shave__ [drɔ́ːʃèiv] *n.* =DRAWKNIFE.

__draw·sheet__ [drɔ́ːʃìːt] *n.* Ⓒ 환자가 누워 있어도 쉽게 빼낼 수 있는 폭이 좁은 시트.

__draw·string__ [drɔ́ːstrìŋ] *n.* Ⓒ (종종 *pl.*) (주머니의 아가리나 옷의 허리께 등을) 졸라매는 끈.

__dráw wèll__ 두레 우물.

__dray__[1] [drei] *n.* Ⓒ (바닥이 낮은 4 륜의) 대형 짐마차《흔히, 큰 맥주통을 나르는 것》.

__dray__[2] ⇨ DREY.

__dráy hòrse__ 짐마차 말.

‡__dread__ [dred] *vt.* 《~+목/+*to* do/+ *-ing*/+ *that* 절》 …을 몹시 두려워하다, 무서워하다 ; 염려(걱정)하다 : ~ death 죽음을 두려워하다 / ~ *to* travel by air 비행기로 여행하는 것을 겁내다 / She ~*s* go*ing* out at night. 밤에 외출하는 것을 무척 무서워한다 / They ~ *that* the volcano may erupt again. 화산이 다시 폭발하지 않을까 걱정하고 있다 / We ~*ed that* he might say rude things in company. 우리는 그가 남들앞에서 실례되는 말을 하지 않을까 염려했다.

— *n.* ① Ⓤ (또는 a ~) 공포, 불안, 외경(畏敬) : Cats have *a* ~ *of* water. 고양이는 물을 무서워한다. ② Ⓒ (흔히 *sing.*) 무서운 것, 공포(두려움)의 대상. — *a.* 〔限定的〕 ① 무서운. ② 경외할 만한, 두려운.

‡__dread·ful__ [drédfəl] (*more* ~ ; *most* ~) *a.* ① 무서운, 두려운, 무시무시한 : a ~ storm 무시무시한 폭풍우 / a ~ traffic accident 무서운 교통사고 / Something ~ may have happened to him. 그에게 뭔가 끔찍한 일이 일어났는지도 모른다. ② 《口》 몹시 불쾌한, 아주 지독한 : ~ weather 아주 불쾌한 날씨 / a ~ dinner(road) 형편없는 저녁(길). ③ 《口》 시시한, 따분한 : a ~ bore 따분한 사람 / It was a ~ play. 아주 시시한 (형편없는) 연극이었다. ㊕ ~**·ness** *n.*

__dread·ful·ly__ [-fəli] *ad.* ① 무섭게, 무시무시하게 ; 겁에 질려. ② 《口》 몹시, 지독하게 : a ~ long speech 굉장히 긴 연설.

__dread·locks__ [drédlɑ̀ks/ -lɔ̀ks] *n.* 드레드락스《가늘게 따서 오글오글하게 한 헤어 스타일》.

__dread·nought__ [drédnɔ̀ːt] *n.* Ⓒ 드레드노트 형 전함, 노급함(弩級艦).

†__dream__ [driːm] *n.* Ⓒ ① (수면 중의) 꿈 : a hideous (bad) ~ 악몽 / have a strange ~ 이상한 꿈을 꾸다 / live in a ~ of happiness 꿈처럼 행복하게 지내다 / have a ~ of home 고향의 꿈을 꾸다 / Sweet ~*s!* 좋은 꿈 꾸세요, 안녕히 주무세요. ② (흔히 *sing.*) 황홀한 기분, 꿈결 같음 ; 몽상, 환상 : a waking ~ 백일몽, 공상 / be(live, go about) in a ~ 꿈결같이 지내다. ③ 희망, 꿈 : realize all one's ~*s* of youth 청춘의 꿈을 모두 실현시키다. ④ 《口》 꿈처럼 즐거운(아름다운) 것(사람) : It's been a ~ of a trip. 이번 여행은 꿈처럼 즐거웠다 / She's a perfect ~. 그녀는 정말로 이상적인 여성이다. ⑤ 〔形容詞的〕 꿈의, 꿈 같은, 이상적인 ; 환상의 : a ~ house 꿈같은 집 / He lives in a ~ world. 그는 꿈(환상)의 세계에 살고 있다. ***like a*** ~ (1) 용이하게, 쉽게 : This car drives *like a* ~. 이 차는 운전이 참으로 쉽다. (2) 완전하게, 더할 나위 없게.

— (*p., pp.* ***dreamed*** [driːmd, dremt], ***dreamt*** [dremt]) *vi.* 《~/+전+명》 ① 꿈꾸다, 꿈에 보다 《*of* ; *about*》; 〔否定的〕 꿈에도 생각하지 않다 《*of*》: I ~*ed of* my friend last night. 어젯밤 친구의 꿈을 꾸었다 / I should*n't* ~ *of* do*ing* such a thing. 그런 일을 할 생각은 꿈에도 없다 / I often ~ *of* my childhood. 나는 자주 어릴 때의 꿈을 꾼다 / I never ~. 나는 꿈을 꾸는 일이 없다 / You must be ~*ing!* (그런 터무니 없는 생각을 하다니) 너 꿈을 꾸고 있는게 아니냐 / sleep without ~*ing* 꿈도 안꾸고 숙면하다. ② 꿈결 같은 심경이 되다 ; 몽상하다《*of*》: ~ *of* honors 영달을 꿈꾸다 / He ~*ed of* becom*ing* an astronaut. 우주 비행사가 되는 꿈을 꾸고 있었다 / ~ *of* mak*ing* a fortune at a stroke 일확천금을 꿈꾸다. — *vt.* ① …을 꿈꾸다, 꿈에 보다 ; 〔同族目的語를 수반해〕 …한 꿈을 꾸다, 몽상을하다 : ~ a dreadful dream 무서운 꿈을 꾸다 / She must be ~*ing* a happy dream. 행복한 꿈을 꾸고 있음이 분명하다. ② 《~+목/+*that* 절》《比》 …을 꿈속에 그리다(생각하다) ; 〔否定的〕 …을 꿈에도 생각지 않다 : He always ~*s that* he will be a statesman. 그는 언제나 정치가가 되기를 꿈꾸고 있다 / I *never* ~*ed that* I should have offended her. 그녀의 감정을 해쳤다고는 꿈에도 생각하지 않았다. ③ 《+목+부》 (때)를 헛되이(멍하니, 꿈결같이) 보내다 《*away* ; *out*》: ~ *away* one's life 일생을 헛되이 (멍하니, 꿈결같이) 보내다. ~ ***away*** (***out***) ⇨ *vt.* ③. ~ ***up*** 《口》《종종 蔑》 몽상에서 만들어내다, 창작하다, 퍼뜩 생각이 들다 : He is always ~*ing up* strange ideas. 그는 늘 기묘한 안을 생각해내고 있다.

__dream·boat__ [dríːmbòut] *n.* Ⓒ《美俗》 ① 매력적인 이성. ② 이상적인 것.

*__dream·er__ [dríːmər] *n.* Ⓒ 꿈꾸는 사람 ; 몽상가.

__dream·land__ [dríːmlæ̀nd] *n.* ① Ⓤ,Ⓒ 꿈나라, 이상향, 유토피아. ② Ⓤ 잠.

__dream·less__ [dríːmlis] *a.* 꿈이 없는 ; 꿈꾸지 않는.

__dream·like__ [-làik] *a.* 꿈 같은 ; 어렴풋한, 덧없는.

*__dreamt__ [dremt] DREAM 의 과거·과거분사.

__dream·world__ [dríːmwə̀ːrld] *n.* Ⓒ 꿈(공상)의 세계 ; 꿈나라.

*__dreamy__ [dríːmi] (***dream·i·er*** ; ***-i·est***) *a.* ① 꿈 같은 ; 어렴풋한 ; 덧없는. ② 꿈많은 ; 환상(공상)에 잠기는 : a ~ person 몽상가 / a ~ idealist 비현실적인 이상가. ③ 《口》 멋진, 훌륭한《젊은 여성들이 흔히 씀》: a ~ car 멋진 자동차.

㊕ **dréam·i·ly** *ad.* **-i·ness** *n.*

__drear__ [driər] *a.* 《詩》 =DREARY.

‡__dreary__ [dríəri] (***drear·i·er*** ; ***-i·est***) *a.* ① (풍경·날씨 따위) 황량한 ; 처량한, 쓸쓸한 ; 음산한 : a ~ cold day 음산하고 추운날. ② 따분한, 지루한 : a ~ story 질력나는 이야기.

㊕ **dréar·i·ly** *ad.* **-i·ness** *n.*

__dredge__[1] [dredʒ] *n.* = DREDGER[1] ②. — *vt.* ① (항만·강)을 준설하다 ; 쳐내다《*for* ; *up*》: ~ a channel(harbor) 수로(항구)를 준설하다 / ~ *up* mud 흙탕을 쳐내다. ② 《口》 (불쾌한 일·기억 등)을 들춰내다《*up*》: ~ *up* a person's past 아무의 과거를 들추다. — *vi.* 준설기로 쳐내다, (…을 찾아) 물밑을 훑다《*for*》.

__dredge__[2] *vt.* (요리에 밀가루 따위)를 뿌리다 《*over*》; (밀가루 등을) …에 뒤바르다《*with*》: ~ a cake *with* sugar = ~ sugar *over a* cake 케이크

에 설탕을 뿌리다.

dredg·er[1] [drédʒər] *n.* Ⓒ ① 준설하는 사람. ② 준설기, 준설선.

dredg·er[2] *n.* Ⓒ (조미료 등의) 가루 뿌리는 통.

dreg [dreg] *n.* ① (흔히 *pl.*) 찌끼, (물 밑에 가라앉은) 앙금. ②《比》 지질한 것, 지스러기: the ~ of society 사회의 쓰레기《범죄자, 부랑자 등》. ***drain*** 〔***drink***〕 ***to the ~s*** (1) 한 방울도 남기지 않고 마시다. (2) (쾌락·고생 등을) 다 맛보다.

Drei·ser [dráisər, -zər] *n.* **Theodore** (**Herman Albert**) ~ 드라이저《미국의 소설가; 대표작 *Sister Carrie* (1900), *An American Tragedy* (1925) 등; 1871-1945》.

‡**drench** [drentʃ] *vt.* ① …을 흠뻑 젖게 하다〔적시다〕《*with*》; be ~*ed* to the skin *with* cold water 찬물에 흠뻑 젖다. ② …에 흠뻑 묻히다〔바르다〕《*in*; *with*》: She ~*ed* herself *in* cheap perfume. 그녀는 값싼 향수를 흠뻑 발랐다.

drench·ing [dréntʃiŋ] *n.* Ⓤ (또는 a ~) 흠뻑 젖음: get a (good) ~ 흠뻑 젖다.

Dres·den [drézdən] *n.* ① 드레스덴《독일 동부의 도시》. ② =DRESDEN CHINA.

Drésden chìna 〔**pòrcelain**〕 드레스덴 도「자기.

†**dress** [dres] (*p., pp.* ~***ed*** [-t], 《古·詩》 ***drest*** [-t]) *vt.* ①《~+목/+목+전+명》 …에 옷을 입히다《*in*》; 정장시키다; 옷을 만들어 주다: be poorly ~*ed* 초라한 옷차림을 하고 있다 / She is ~*ed in* white 〔*in* her Sunday best〕. 흰〔나들이〕 옷을 입고 있다 / Get ~*ed*. 몸단장을 해라 / Nancy is ~*ing* her doll. 낸시는 인형에게 옷을 입히고 있다. ②《~+목 / +목+부 / +목+전+명》 …을 장식하다《*up*》, (진열장 따위)를 아름답게 꾸미다 (adorn)《*with*》: ~ one's hair *with* flowers 머리를 꽃으로 장식하다 / ~ the hall for a party 파티를 위해 홀을 장식하다. ③《~+목 / +목+전+명》 **a)** …을 정돈하다, 마무르다; (말의 털)을 빗겨주다, (가죽)을 무두질하다; (석재·목재 따위)를 다듬다; (수목 따위)를 가지치다; (새·짐승)을 조리하기 위하여 대강 준비하다《털·내장 따위를 빼내어》: ~ leather 가죽을 무두질하다 / ~ food *for* the table 식탁에 내도록 음식을 조리하다. **b)** (샐러드 따위)에 드레싱을 치다: ~ a salad. ④ (머리)를 손질하다, 매만지다: She ~*ed* her hair nicely. 그녀는 곱게 머리를 매만졌다. ⑤ (붕대·약 등으로 상처)를 치료하다: The doctor cleaned and ~*ed* the wound. 의사는 상처를 소독하고 붕대를 감았다. ⑥《+목/ +목+전+명》 (군대)를 정렬시키다: ~ troops *in* line 군대를 정렬시키다. ⑦ (땅)에 비료를 주다: ~ a field 밭에 거름을 주다. ── *vi.* ①《~ / +부》 옷을 입다: ~ *well* 〔*badly*〕 옷차림이 좋다〔나쁘다〕 / I got up quickly and ~*ed*. 나는 급히 일어나서 옷을 입었다. ②《+전+명 / +부》 정장하다, 야회복을 입다《*for*》: ~ *for* the opera 오페라에 가기 위해 정장하다. ③ 〖軍〗 정렬하다: ~ back〔up〕 정렬하기 위해 뒤로 물러나다〔앞으로 나오다〕 / Right ~!《구령》 우로 나란히 / ~ *to*〔*by*〕 the right 〔left〕 오른쪽〔왼쪽〕으로 정렬하다. ***be ~ed up*** 옷을 잘 차려 입고 있다: You *are* ~*ed up*. 잘 차려 입었군요. ~ ***down*** 수수한 옷차림을 하다: movie stars ~*ing down* in blue jeans 청바지를 입은 수수한 모습〔차림〕의 영화 배우들. ~ ***up*** (1) 성장하다〔시키다〕; 분장하다〔시키다〕. (2) (대열을) 정렬시키다. (3) 꾸미다, 실제보다 아름답게 보이게 하다. ── *n.* ① Ⓤ 의복, 복장: casual〔formal〕 ~ 평상복〔정장〕 / nineteenth century ~ 19세기의 복장 / I don't care much about ~. 나는 옷에 그다지 신경을 안 쓴다. ② Ⓤ 〔흔히 修飾語와 함께〕 정장, 예복: ⇨ EVENING DRESS, FULL DRESS, MORNING DRESS. ③ Ⓒ (원피스의) 여성복, 드레스(gown, frock); (원피스의) 아동복: She has a lot of ~*es*. 그녀에겐 드레스가 많다. ④ 〔形容詞的〕 의복용의; 성장용의; 예복을 착용해야 하는: ~ material 옷감 / a ~ concert 정장이 필요한 연주회 / It's a ~ affair. 예복을 필요로 하는 행사다. "***No*** ~." '정장은 안해도 좋습니다'《초대장 따위에 적는 말》.

dres·sage [drəsáːʒ, dres-] *n.* Ⓤ 《F.》 드레사즈, 마장 마술(馬場馬術).

dréss círcle (흔히 the ~) 《美》 극장의 특등석《2층 정면; 원래 야회복을 입는 관례가 있었음》.

dréss cóat 예복, 연미복(tail coat).

dressed [drest] DRESS의 과거·과거분사. ── *a.* ① 옷을 입은: Most of the people were simply ~. 대부분의 사람들은 간소한 옷차림을 하고 있었다. ② 화장 가공한: (a) ~ brick 화장 벽돌《건물의 외장용》. ③ 손질한: a ~ skin 무두질한 가죽. ④ (닭·생선 등) 언제라도 요리할 수 있게 준비된.

***dress·er**[1] [drésər] *n.* Ⓒ ① (극장 등의) 의상 담당자; (쇼윈도) 장식가(家). ②《英》 외과 수술 조수; 조정자. ③ 끝손질〔마무르는〕 직공; 마무리용의 기구. ④ 〔흔히 形容詞를 수반해〕 (특별한) 옷차림을 한 사람: a smart ~ 멋쟁이, 맵시꾼.

dress·er[2] *n.* Ⓒ ① 조리대(調理臺); 찬장. ②《美》 화장대, (특히) 경대.

***dress·ing** [drésiŋ] *n.* ① Ⓤ 옷을 입기, 치장, 몸단장. ② U.C 끝손질, 가공; 화장 마무리. ③ U.C 〖料〗 드레싱, (샐러드·고기·생선 따위에 치는) 소스·마요네즈류; (새 요리의) 속(stuffing): a salad ~ 샐러드용 드레싱. ④ U.C (상처 등 외상 치료용의) 의약 재료《거즈·탈지면·연고 등》, 《특히》 붕대 (감는 법): put a ~ on a wound 상처에 붕대를 감다.

dréssing bàg 〔**càse**〕 화장품 통〔가방〕.

dress·ing-down [drésiŋdáun] *n.* Ⓒ 《口》 호되게 꾸짖음, 질책: I got a good ~. 나는 흠씬 야단맞았다.

dréssing gòwn 〔**ròbe**〕 화장옷, 실내복.

dréssing ròom ① (극장의) 분장실. ② (흔히, 침실 옆에 있는) 화장실, 옷갈아 입는 방.

dréssing tàble (침실용) 화장대, 경대.

***dress·mak·er** [drésmèikər] *n.* Ⓒ 여성복 양재사. cf. tailor.

***dress·mak·ing** [drésmèikiŋ] *n.* ① Ⓤ 여성복 제조(업); 양재. ② 〔形容詞的〕 양재(용)의: a ~ school 양재 학교.

dréss paràde 〖軍〗 예장 열병식, 사열식.

dréss rehéarsal 〖劇〗 (무대 의상을 입고 조명·장치 등을 써서 하는) 총연습: have a ~.

dréss shírt ① (남자의) 예장용 셔츠. ② (비즈니스용) 와이셔츠.

dréss súit (남자의) 야회복, 예복.

dréss úniform 〖軍〗 정장용 군복.

dressy [drési] (***dress·i·er***; ***-i·est***) *a.* 《口》 ① (옷이) 정장용의, 격식차린: clothes too ~ to wear at home 집에서 입기에는 너무 격식차린 옷. ② (사람이) 치장을 좋아하는, 복장에 마음을 쓰는, 멋을 내는, 화려한(것을 좋아하는). ㊞ **dréss·i·ly** *ad.* **-i·ness** *n.*

†**drew** [druː] DRAW의 과거.

drey, dray [drei] *n.* Ⓒ 다람쥐의 집.

Dréy·fus affàir [dráifəs-, dréi-] (the ~) 드레퓌스 사건《1894년 프랑스에서 유대계 대위 Dreyfus가 기밀 누설의 혐의로 종신 금고형을 선고받았으나, 국론을 양분할 만큼의 사회 문제가 되어, 결국 무죄가 된 사건).

drib·ble [dríbəl] *vi.* ① (액체 따위가) 똑똑 듣다 《*away*》: Gasoline ~*d* from the leak in the tank. 가솔린이 탱크틈새에서 똑똑 들었다. ② 침을 흘리다. ③ 공을 드리블하다. ④ (돈이) 조금씩 나가다 《*away*》. — *vt.* ① (액체 따위)를 똑똑 떨어뜨리다; (침)을 질질 흘리다. ② (공)을 드리블하다. — *n.* Ⓒ (흔히 *sing.*) ① 똑똑 떨어짐, 물방울; 소량. ②〖球技〗드리블.

drib·(b)let [dríblit] *n.* Ⓒ 조금, 소량; 소액. ***by* 〔*in*〕*~s*** 찔끔찔끔, 조금씩.

dribs [dribz] *n.* 〔다음 성구(成句)뿐〕 ***in ~ and drabs*** 《口》 조금씩.

‡dried [draid] DRY의 과거·과거분사. — *a.* 말린, 건조한: ~ milk 분유 / ~ eggs 말린 달걀, 달걀가루 / ~ fish 건어물.

dried-up [ˊʌ́p] *a.* (바짝) 마른; (늙어서) 쭈글쭈글해진; (감정 따위가) 고갈된: a ~ marriage 애정이 고갈된 결혼 생활.

dri·er [dráiər] *n.* =DRYER.

‡drift [drift] *n.* ① U.C 표류(drifting); (사람의) 이동; 떠내려 감: the ~ of an iceberg 빙산의 표류 / the ~ of population toward urban centers 도심지에로의 인구의 유입. ② U.C 표류물;〖地質〗표적물(漂積物): a ~ of cloud across the sky 하늘을 떠도는 구름. ③ Ⓒ (눈·비·토사 등이) 바람에 밀려 쌓인 것: a ~ of snow〔sand〕 바람에 불려 쌓인 눈〔모래〕더미 / a ~ of dead leaves 바람에 밀려 온 낙엽. ④ **a)** U.C (사건·국면 따위의) 동향, 경향, 흐름, 대세: The ~ of public opinion was against〔toward〕 war. 여론의 대세는 전쟁 반대〔지지〕였다. **b)** Ⓤ 추세에 맡김〔따름〕: a policy of ~ 대세 순응주의. ⑤ (흔히 *sing.*) (의론 등의) 취지, 주의(主意): get 〔catch〕 the ~ of a treatise 논문의 요지를 파악하다.

— *vt.* ① 《~+목 / +목+전+명 / +목+부》 …을 떠내려 보내다, 표류시키다; (어떤 상황에) 몰아넣다: be ~*ed into* war 전쟁에 휘말려 들다 / The current ~*ed* the boat *out* from its moorings. 조류가 배를 계류장에서 밀어냈다. ② 《~+목 / +목+전+명》 (바람이) …을 날려 보내다, 불어서 쌓이게 하다; (물의 작용이) …을 퇴적시키다: The wind ~*ed* the snow *into* a pile. 바람에 날려 눈이 수북히 쌓였다. — *vi.* ① 《~ / +부 / +전+명》 표류하다, 떠돌다: ~ *about* at the mercy of the wind 바람 부는 대로 떠돌다 / ~ *down* the stream 하류로 떠내려가다 / The lifeboat ~*ed with* the current. 구명정은 흐름을 타고 표류했다. ② 바람에 날려〔밀려〕 쌓이다: The snow ~*ed* against the fence. 눈이 바람에 날려 울타리밑에 쌓였다. ③ 《~ / +전+명》 **a)** (정처없이) 떠돌다, 헤매다: He ~*ed from* job *to* job. 그는 여기 저기 직장을 전전했다 / He ~*ed* aimlessly *through* life. 그는 삶에 아무런 목표도 없이 그냥저냥 지냈다. **b)** (악습 따위에) 부지중에 빠져 들어가다《*to*; *toward*》: ~ *toward* ruin 서서히 파멸로 향하다 / The two countries ~*ed into* war. 두 나라는 슬슬 전쟁으로 말려들어갔다. ***~ (along) through life*** 일생을 줏대없이 살다. ***~ apart*** (1) 표류하여 뿔뿔이 흩어지다. (2) 소원해지다.

drift·age [ˊidʒ] *n.* ① U.C 표류(작용); 표류물. ② Ⓤ 표류한 거리; (배의) 편류(偏流).

drift·er [dríftər] *n.* Ⓒ ① 표류자〔물〕. ② 떠돌이, 방랑자. ③ 유자망 어선〔어부〕.

dríft ìce 유빙(流氷). cf. pack ice.

dríft nèt 유(자)망(流(刺)網).

drift·wood [ˊwùd] *n.* Ⓤ 유목, 부목(浮木).

‡drill[1] [dril] *n.* ① Ⓒ 송곳, 천공기, 착암기, 드릴 (기계 전체): a dentist's ~ 치과의의 드릴 / A ~ is used for making boles. 송곳은 구멍 뚫는데 쓰인다. ② U.C (엄격한) 훈련, 반복 연습;〖軍〗교련(敎練), 훈련, 드릴: soldiers at ~ 훈련중인 병사 / ~*s* in English sentence patterns 영어 문형의 반복연습 / a fire ~ 방화(防火) 훈련. ③ (the ~) 《英口》 올바른 방법〔수순〕: Do you know *the* ~ for doing this? 이것을 잘하는 방법을 알고 있나. — *vt.* ① (송곳 따위로) …에 구멍을 뚫다, …을 파다: ~ an oil well 유정을 파다 / ~ a board 판대기에 구멍을 뚫다. ②〖軍〗…를 교련〔훈련〕하다: ~ troops 군대를 훈련시키다. ③ 《+목+전+명》 (…을 아무)에게 반복하여 가르치다《*in*》: ~ a boy *in* French 소년에게 프랑스어를 철저히 가르치다. ④ 《美俗》 …을 총알로 꿰뚫다, 쏴 죽이다. — *vi.* ① 드릴로 구멍을 뚫다《*through*》: ~ for oil 석유를 시굴하다. ② 교련〔훈련〕을 받다. ③ 반복 연습하다.

drill[2] *n.* Ⓒ ① 조파기(條播機)《골을 쳐서 씨를 뿌린 다음 흙을 덮음》. ② 파종골, 이랑; 한 이랑의 작물. — *vt.* (씨)를 조파기로 뿌리다.

drill[3] *n.* Ⓤ 능직(綾織) 무명, 능직 리넨(따위).

drill[4] *n.* Ⓒ〖動〗비비(狒狒)의 일종《서아프리카산》. cf. mandrill.

dríll bòok 연습장.

drill·ing[1] [dríliŋ] *n.* Ⓤ 훈련, 교련; 연습.

drill·ing[2] *n.* =DRILL[3].

drill·mas·ter [drílmæ̀stər, -mɑ̀ːs-] *n.* Ⓒ ① 엄하게 훈련시키는 사람. ② 교련 교관.

†drink [driŋk] (***drank*** [dræŋk]; ***drunk*** [drʌŋk], 〔形容詞的〕《詩》 ***drunk·en*** [drʌ́ŋkən]) *vt.* ① 《~+목 / +목+전+명》 …을 마시다, 다 마시다 (empty) 《★ 스푼으로 soup를 마실때는 eat, 약을 마실 때에는 take를 씀》: ~ a glass of milk 우유를 한잔 마시다 / ~ wine 〔water〕 포도주를〔물을〕 마시다 / I want something to ~. 뭘 좀 마셨으면 좋겠다. ② 《~+목 / +목+부》 (수분)을 빨아들이다, 흡수하다(absorb)《흔히 *up*; *in*》: ~ water like a sponge 스펀지처럼 물을 빨아 들이다 / Plants ~ *up* water. 식물은 물을 빨아 들인다. ③ **a)** (급료 따위)를 술을 마셔 없애버리다, 술에 소비하다: He ~*s* all his earnings. 그는 수입 전부를 술로 없애 버린다. **b)** 술로 …을 달래다: ~ one's troubles *away* 술로 시름을 달래다. ④ 《~+목 / +목+전+명》 …을 위해서 축배하다《*to*》: ~ a person's health 아무의 건강을 위해 축배하다 / Let's ~ success *to* Tom. 톰의 성공을 위해 축배합시다. ⑤ 《+목+보 / +목+전+명》 〔주로 再歸用法〕 마시어 …에 이르게 하다: He drank *himself into* a stupor. 그는 술을 마시고 인사불성이 됐다. — *vi.* ① 《~ / +전+명》 마시다; (상습적으로) 술을 마시다: eat and ~ 먹고 마시다 / ~ *out of* a jug 주전자로 물을 마시다 / If you ~, don't drive. 술 마시고는 운전을 말아라 / I neither smoke nor ~. 나는 술도 담배도 안한다 / He never ~*s*. 그는 전혀 술을 안 마신다 / He ~*s* too much. 그는 술을 지나치게 마신다 / Don't ~ and drive. 음주 운전 금지《경고》. ② 《+전+명》 건배하다《*to*》: Let's ~ *to* his health 〔success〕. 그의 건강〔성공〕을 위하여 건배합시다. ***~ down*** (1) (괴로움·슬픔 따위)를 술로 잊다. (2) (술 마시기를 겨루어 상대방을) 취해 곤드라지게 하다. (3) (단숨에 죽) 들이켜다. ***~ in*** (1) 흡수하다. (2) …을 황홀하게 보다〔듣다〕: ~ *in* the beauty of the landscape 아름다운 경치를 넋을 잃고 보다. ~ a person ***under the table*** (상대방인) 아무를 취해

곤드라지게 하다(~ down). ~ ***up*** 다 마셔 버리다; 빨아 올리다.

— *n.* ① Ⓤ.Ⓒ **a)** 마실 것, 음료: ⇨ SOFT DRINK / food and ~ 음식물. **b)** 알코올성 음료, 술, 포도주: a strong ~ 독한 술 / be fond of ~ 술을 좋아하다. ② Ⓒ 한 잔, 한 모금: have a ~ 한 잔 마시다. ③ Ⓤ 과음, 대주(大酒): he given〔addicted〕to ~ 술에 빠져있다. ④ (the ~) 《口》 큰 강, 《특히》 바다, 대양: go in 〔into〕 *the* ~ 《俗》 바다에 불시착하다, 헤엄치다. ***be meat and ~ to*** ⇨ MEAT.

drink·a·ble [dríŋkəbəl] *a.* 마실 수 있는, 마셔도 좋은. — *n. pl.* 음료. ***eatables and ~s*** 음식물.

drink-dri·ver [ˊ-dràivər] *n.* Ⓒ 음주 운전자.

drink-dri·ving [ˊ-dràiviŋ] *n.* Ⓤ 음주운전.

***drink·er** [dríŋkər] *n.* Ⓒ (술) 마시는 사람; 술꾼: a heavy〔hard〕 ~ 주호 / a light ~ 술을 적당히 하는 사람.

‡**drink·ing** [dríŋkiŋ] *n.* ① Ⓤ 마시기: Good for ~. 마실 수 있음《게시》. ② Ⓤ 음주: He is fond of ~. 술을 즐기다 / give up ~ 술을 끊다. ③〔形容詞的〕 음주〔음용〕의: ~ water 음료수 / a ~ party 주연 / a ~ pal 술친구.

drínking fòuntain (분수식) 물마시는 곳.

drínking sòng 술마실 때 부르는 노래.

drínking wàter 음료수.

‡**drip** [drip] (*p., pp.* ***dripped, dript*** [-t]; ***dríp·ping***) *vi.* ① (액체가) 듣다, 똑똑 떨어지다 《*from*》: Water is ~*ping from* the ceiling. 천장에서 물이 떨어지고 있다 / Sweat ~*ped from* his face. 얼굴에서 땀방울이 떨어졌다 / The tap is ~*ping.* 수도 꼭지에서 물이 듣고 있다. ②《~ / +전+명》 (젖어) 물방울이 떨어지다, 흠뻑 젖다 《*with*》: cheeks ~*ping with* tears 눈물에 젖은 양볼 / Your hat is ~*ping with* rain. 모자가 비에 흠뻑 젖었구나. — *vt.* (액체)를 듣게 하다; 똑똑 떨어뜨리다: The eaves are ~*ping* rainwater. 처마에서 빗물이 똑똑 떨어지고 있다. — *n.* ① Ⓒ (듣는) 물방울: a ~ *from* the leaking faucet 새는 수도 꼭지에서 듣는 물방울. ② Ⓤ (종종 the ~) 똑똑 떨어짐〔떨어지는 소리〕, 듣는 물방울 소리: The constant ~ of the rain kept me awake all night. 쉴새없이 떨어지는 빗방울 소리로 밤새 한잠도 못잤다. ③ Ⓒ 〖醫〗 점적(제)(點滴(劑)); 점적 장치: be on a ~ 점적을 받고 있다 / She was put on a ~ last night. 그녀는 지난밤 점적을 받았다. ④ Ⓒ 《俗》 따분한 사람, 재미없는 사람.

dríp còffee 드립커피《드립식 커피끓이개(Dripolator)로 만든 커피》.

drip-dry [drípdrái, ˊˊ] *vt.* (나일론 등)을 젖은 채로 널어 구김살 없이 말리다. — *vi.* (나일론 등이) 젖은 채로 널어 놓으면 구김살없이 마르다.

—[ˊˊ, ˊˊ] *a.* 젖은 채로 널어 놓으면 구김살없이 마르는: a ~ shirt.

drip·feed [drípfìːd] *n.* Ⓒ 《英》 점적(點滴).

dríp màt 컵 받침.

***drip·ping** [drípiŋ] *n.* ① Ⓤ 적하(滴下), 들음. ② Ⓒ (종종 *pl.*) 똑똑 떨어지는 것, 물방울. ③ (《美》 ~s, 《英》 Ⓤ) (불고기에서) 떨어지는 국물: Gravy is made from the ~(*s*). 그레이비(소스)는 고깃국물로 만든다.

— *a.* ① 똑똑 떨어지는: a ~ tap 물이 똑똑 떨어지는 수도꼭지. ② **a)** 흠뻑 젖은. **b)**〔副詞的으로, wet 을 수식하여〕 흠뻑 젖을 정도로: She's ~ wet. 그녀는 흠뻑 젖었다.

drip·py [drípi] (***-pi·er; -pi·est***) *a.* ① 물방울이 떨어지는. ② 궂은 날씨의. ③《口》 눈물을 자아내게 하는, 감상적인(corny).

dript [dript] DRIP의 과거·과거분사.

†**drive** [draiv] (***drove*** [drouv]; ***driv·en*** [drívən]) *vt.* ①《~+목 / +목+전+명 / +목+부》 (소·말 등)을 몰다; (새·짐승 따위)를 몰아대다〔내다〕; 몰이하다; 쫓아내다: a cowboy *driving* cattle *to* the pasture 목초지로 소를 몰고 가는 카우보이 / *Drive* the dog *away.* 개를 쫓아버려라 / The invaders were *driven off.* 침략자는 쫓겨났다《★ 흔히 *away, back, down, in, off, on, out, through, up* 등의 각종 부사가 따름》. ②《~+목 / +목+전+명 / +목+부》 (바람·파도가 배 따위)를 밀어치다; (눈·비)를 몰아 보내다: Clouds are *driven* by the wind. 구름이 바람에 흩날린다 / The waves *drove* the boat onto the rocks. 파도로 작은 배가 암초에 걸렸다 / The rain was *driven* full into my face. 비가 돌풍에 휘날려 정면으로 내 얼굴에 몰아쳤다. ③ (마차·자동차)를 몰다, 운전〔조종〕하다, 드라이브하다: ~ a taxi 택시를 몰다 / He ~*s* his car to work. 그는 자기 차로 통근한다. ④《+목+부 / +목+전+명》 …을 차(車)로 운반하다〔보내다〕: ~ a person *home* 아무를 차로 집에 돌려 보내다 / They *drove* the injured people *to* the hospital. 그들은 부상자를 병원까지 차로 날랐다. ⑤〔흔히 受動으로〕 (동력 따위가, 기계)를 움직이다, 가동시키다: an engine *driven* by steam 증기로 움직이는 기관 / a diesel-*driven* ship 디젤엔진 선 / The machine is *driven* by compressed air. 그 기계는 압축 공기로 움직인다. ⑥《+목+부》 …을 마구 부리다, 혹사하다: ~ a person *hard* 아무를 혹사하다. ⑦《+목+보 / +목+전+명 / +목+*to* do》 (아무)를 …한 상태로 만들다; 무리하게 …시키다(compel): The pain nearly *drove* her mad. 아파서 그녀는 미칠 것 같았다 / Poverty and hunger *drove* them *to* steal. 가난과 굶주림이 그들로 하여금 도둑질하게 했다. ⑧ (장사 따위)를 해 나가다, 경영하다; (거래 등)을 성립시키다: ~ a brisk export trade 활발하게 수출업을 경영하다 / ~ a good bargain 괜찮은〔많이 남는〕 거래를 하다. ⑨《+목+전+명》 (못·말뚝 따위)를 쳐박다; (머리)에 주입시키다; (우물·터널 등)을 파다, 뚫다; (돌 따위를 겨냥해) …에 던지다, …을 부딪치다; (철도)를 부설하다: ~ a nail *into* wood 못을 나무에 박다 / ~ his head *against* the wall 그의 머리를 벽에 부딪뜨리다 / ~ a lesson *into* a person's head 아무의 머리에 교훈을 주입시키다 / ~ a tunnel *through* a mountain 산에 터널을 뚫다. ⑩《~+목 / +목+전+명》 (공)을 던지다, 치다; 〖테니스〗 (공)에 드라이브를 넣다; 〖골프〗 (공)을 티(tee)에서 멀리 쳐보내다; 〖野〗 (안타나 희생타로 러너)를 진루시키다, (…점)을 득점시키다: The batter *drove* the ball *into* the bleachers. 타자는 공을 외야 관람석으로 쳐 보냈다.

— *vi.* ①《~ / + 전+명》 차를 몰다〔운전하다〕; 차로 가다〔여행하다〕, 드라이브하다: *Drive* slowly 〔carefully〕. 천천히〔조심해서〕 운전해라 / Shall we walk or ~. 걸어갈까 아니면 차로 갈까 / We *drove* along the river. 우리는 강을 따라 차를 몰았다. ②《+전+명》 (차·배 따위가) 질주〔돌진〕하다; 격돌하다《*against*》; (구름이) 날아가다: His car was *driving* on the wrong side of the road. 그의 차는 도로의 반대 쪽을 질주하고 있었다 / The clouds *drove before* the wind. 구름이 바람에 날아갔다. ③《+전+명》 (비·바람이) 내리 퍼붓다, 몰아치다: The rain was *driving against* the windowpanes. 비가 세게 유리창을 때리고 있었다. ④《+전+명》《口》 (…을) 의도하다, 꾀하다, 노리다, (…을 할〔말할〕) 작정이다《*at*》:

I wonder what he is *driving at*. 그가 도대체 무엇을 (말)하려고 하는 것일까(★ 진행형으로 씀). ⑤〖골프·테니스〗 공을 세게 치다. ~ ***at*** ⇨ *vi.* ④. ~ ***. . . back on . . .*** 아무를 부득이 …에 의지하지 않을 수 없게 하다 : He was *driven back on* his pipe. 부득이 또 파이프를 쓰기 시작했다. ~ ***. . . from*** 아무를 …에서 쫓아내다, 아무를 …에 있을 수 없게 하다. ~ ***home*** (1) (못 따위를) 쳐서 박다. (2) (…에 생각·견해 따위를) 납득시키다 (*to*); 차로 보내주다. ~ ***in*** 몰아[밀어]넣다 ; 쳐서 박다 ; 차를 몰고 들어가다 ;〖野〗 히트를 쳐서 (주자를) 홈인시키다[(타점을) 올리다] ;〖軍〗 (보초 등을) 부득이 철수시키다. ~ ***off*** (1) 쫓아버리다, 물리치다, 격퇴시키다. (2) (차 따위가) 떠나버리다 ; (승객을) 차에 태우고 가다 ;〖골프〗 제 1타를 치다. ~ ***out*** (1) 추방하다, 몰아내다, 배격하다. (2) 차로 외출하다. ~ ***up*** (1) (탈것으로 …에) 대다 (*to* the door) ; (길을) 달려오다, 전진해 오다. (2) (값을) 올리다. ***let*** ~ (1) 날리다. (2) 겨누어 쏘다[던지다](*at*) : He *let* ~ *at* me with a book. 그는 나를 향해 책을 던졌다.

—*n.* ①Ⓒ 드라이브, 자동차 여행 ; (자동차 따위로 가는) 노정(路程) : take[go for] a ~ 드라이브하러 가다 / take a person for a ~ 아무를 드라이브에 데리고 가다 / The village is an hour's ~ outside the city. 그 마을은 시내에서 차로 한 시간 정도의 교외에 있다. ②Ⓒ 드라이브길 ; (공원이나 삼림속의) 차도. ③Ⓒ (가축 등의) 몰이, 몰기 : a cattle ~ 소몰이. ④Ⓤ,Ⓒ〖心〗 충동, 본능적 욕구 : the sex ~ 성적 충동 / Hunger is a strong ~ to action. 배고픔은 인간을 행동으로 몰고 가는 강력한 동인(動因)이다. ⑤Ⓤ 정력, 의욕, 박력, 추진력 : a man of ~ [with great ~] 정력가. ⑥Ⓒ (기부 모집 등의) (조직적인) 운동 : a Red Cross ~ *for* contributions 적십자 모금 운동. ⑦Ⓤ,Ⓒ 드라이브(골프·테니스 등의 장타(長打)) ;〖크리켓〗 강타. ⑧Ⓤ,Ⓒ **a)** (자동차의) 구동(驅動) 장치 ;〖컴〗 돌리개(자기 테이프·자기 디스크 등의 대체 가능한 자기 기억 매체를 작동시키는 장치) : This car has front-wheel ~. 이 차는 전륜(前輪) 구동차다. **b)**〖機〗 (동력의) 전동(傳動) : a gear ~ 톱니바퀴[기어] 전동.

drive-by [dráivbài] (*pl.* ~***s***) *n.* Ⓒ《美》 주행중인 차에서의 발포. —*a.* 주행중인 차에서의 : ~ shooting 주행중인 차에서의 발포.

***drive-in** [dráivìn] *a.* 〔限定的〕《美》 차를 탄 채로 들어가게 된(식당·휴게소·영화관 등), 드라이브인 식의 : a ~ theater [bank] 드라이브인 극장[은행].

—*n.* Ⓒ 드라이브인(차를 탄 채로 들어가는 식당, 휴게소, 극장, 은행 등).

driv·el [drívəl] (*-l-*, 《英》 *-ll-*) *vi.* ① 침을 흘리다, 콧물을 흘리다. ② 실없는 소리를 하다(*on* ; *away*) : He is always ~*ing on*[*away*]. 그는 늘 실없는 소리를 하고 있다.

—*vt.* ① …을 실없이 지껄이다. ② (시간 등)을 낭비하다. —*n.* Ⓤ 허튼 소리.

driv·el·(l)er [-ər] *n.* Ⓒ ① 침을 질질 흘리는 사람. ② 허튼 소리를 하는 사람.

‡**driv·en** [drívən] DRIVE 의 과거분사.

—*a.* 바람에 날린[날려 쌓인] : ~ snow 바람에 날려 쌓인 눈.

‡**driv·er** [dráivər] *n.* Ⓒ ① (자동차를) 운전하는 사람, 모는 사람, 운전자 ; (전차·버스 따위의) 운전사 : ⇨ OWNER-DRIVER / a careful ~ 조심스럽게 운전하는 사람 / He is a good[poor] ~. 그는 운전에 능하다[서둘다]. ② 짐승을 모는 사람, 소[말] 몰이꾼. ③ **a)**〖機〗 (기관·동력 차의) 동륜(動輪), 구동륜(驅動輪) (driving wheel). **b)**〖컴〗 돌리개(컴퓨터와 주변 장치 사이의 사이틀을 제어하는 하드웨어 또는 소프트웨어). ④〖골프〗 공 치는 부분이 나무로 된 골프채. ⑤ (말뚝 따위를) 박는 기계 ; 드라이버. ⓒⓕ screwdriver.

dríver's lìcense 《美》 운전 면허(증) (《英》 driving licence).

dríver's pérmit 《美》 가(假)면허증.

dríver's sèat 운전석. ***in the*** ~ 지배적 지위에 있는, 책임 있는 자리에 있는.

dríve-up wìndow [-ʌ̀p-]《美》 승차한 채로 서비스를 받을 수 있는 창구 : ~*s* at the bank.

***drive·way** [dráivwèi] *n.* Ⓒ (자택(차고)에서 집앞 도로까지의) 사유[사설] 차도(drive).

‡**driv·ing** [dráiviŋ] *a.* 〔限定的〕 ① 추진하는, 움직이게 하는, 구동(驅動)의 : ~ force 추진력. ② (사람을) 혹사하는 : a ~ manager 부하를 혹사하는 지배인. ③《美》 정력적인(energetic), 일을 추진하는 : a ~ personality 정력적인 성격. ④ 질주하는, 맹렬한, 세찬 ; (눈 따위가) 휘몰아치는 : a ~ rain 휘몰아치는 비. —*n.* ①Ⓤ (자동차 따위의) 운전, 조종. ②Ⓤ 추진 ; 구동(驅動). ③〔形容詞的으로〕 운전(용)의 : take ~ lessons 운전을 배우다 / a ~ school 운전 교습소. ④Ⓤ〖골프〗 티(tee)에서 멀리 치기. 「지.

dríving bàn (처벌로서의) 자동차 운전면허 정

dríving ìron〖골프〗 낮은 장타용(長打用)의 아이언 클럽, 1번 아이언(클럽).

dríving lìcence 《英》 =DRIVER'S LICENCE.

dríving rànge 골프 연습장.

dríving tèst 운전 면허 시험.

dríving whèel (자동차 따위의) 구동륜(驅動輪), (기관차의) 동륜.

‡**driz·zle** [drízl] *n.* Ⓤ (또는 a ~) 이슬비, 보슬비, 가랑비. —*vi.* 이슬비가 내리다 : It ~*d* all afternoon. 오후 내내 가랑비가 왔다.

driz·zly [drízli] *a.* 이슬비의 ; 이슬비 오는 ; 보슬비가 올 것 같은.

drogue [droug] *n.* Ⓒ ① (공항의) 풍향 기드림 (wind sock). ② =DROGUE PARACHUTE. ③〖空軍〗 예인표적(공대공 사격연습용으로 비행기가 끄는 기드림). ④〖空〗 드로그(공중 급유기에서 나오는 호스 끝에 있는 깔때기 모양의 급유구(給油口)).

drógue párachute〖空〗 보조 낙하산(착륙시 감속용(減速用)의). 「[-li] *ad.*

droll [droul] *a.* 우스운, 익살스러운. ㊕ **drol·ly**

droll·ery [dróuləri] *n.* Ⓤ,Ⓒ 익살스러운 짓 (waggishness) ; 익살맞은 이야기 ; 익살.

drome [droum] *n.* 《口》 비행장, 공항(airport).

-drome '광대한 시설 ; 달리는 장소'의 뜻의 결합사 : air*drome*, hippo*drome*.

drom·e·dary [drámidèri, drʌ́m- / drɔ́m-] *n.* Ⓒ〖動〗 단봉(單峯) 낙타(Arabian camel) (아라비아산). ⓒⓕ Bactrian camel.

***drone** [droun] *n.* ①Ⓒ (꿀벌의) 수벌. ⓒⓕ worker. ②Ⓒ 게으름뱅이(idler), 식객(食客). ③Ⓤ **a)** (벌·비행기 등의) 윙윙하는 소리. **b)**〖樂〗 지속 저음 ; 백파이프(bagpipe)의 저음(관).

—*vi.* ① (벌·기계 등이) 윙윙거리다 : Bees ~*d* among the flowers. 벌들이 꽃 사이에서 윙윙거렸다. ② 단조롭게 말하다 : The speaker ~*d on* and *on*. 연사는 단조롭고 지루하게 이야기를 계속했다. —*vt.* …을 지루하고 단조롭게 말하다.

drool [dru:l] *vi.* ① 군침을 흘리다. ② 군침을 흘리며 좋아하다, 무턱대고 욕심내다(*over*). ③ 시시한[허튼] 소리를 하다.

‡**droop** [dru:p] *vi.* ① (머리·어깨 등이) 수그러지다, 축 처지다 ; 눈을 내리깔다 : a dog with a

~*ing* tail 꼬리를 늘어뜨린 개 / He sat down sadly, his shoulders ~*ing.* 그는 양 어깨를 축 처뜨리고 침울하게 자리에 앉았다. ② **a**) (식물이) 시들다 : Most flowers ~ in the hot sun. 뜨거운 햇빛을 받으면 대개의 꽃들은 시든다. **b**) (사람이) 기운이 떨어지다 ; (의기) 소침하다 : ~ *with* sorrow 슬픔으로 의기 소침하다 / He was ~*ing* after his long walk. 그는 오래 걸어서 기운이 없었다. ── *vt.* (머리 따위)를 수그리다, 떨구다 ; (눈)을 내리깔다 : She ~*ed* her head. 그녀는 고개를 떨구었다. ── *n.* Ⓤ ① 축 처져 있음 ; 수그러짐. ② 풀이 죽음, 의기 소침.

droop·ing·ly [drúːpiŋli] *ad.* 고개를 (푹) 숙이고, 힘없이, 의기소침하여.

droopy [drúːpi] (***droop·i·er*** ; ***-i·est***) *a.* ① 축 처진〔늘어진〕, 수그러진. ② 아주 풀이 죽은, 의기소침한.

†drop [drɑp / drɔp] *n.* Ⓒ ① 방울, 물방울 ; 한 방울 : a ~ of water 물 한 방울 / a tear ~ 눈물 방울 / The rain is falling in large ~*s.* 굵은 빗방울이 떨어지고 있다. ② **a**) (*pl.*) 점적(點滴)약, 《특히》 점안약(點眼藥) : eye ~*s* 점적 안약. **b**) (액체의) 소량 ; 소량의 술 : drink a ~ of tea 홍차를 조금 마시다 / I take a ~ now and then. 나는 이따금 술을 한잔(씩) 한다. ③ 물방울 모양의 것. **a**) 늘어뜨린 장식 ; 귀걸이(eardrop). **b**) 〖菓子〗 드롭스 : lemon ~*s* 레몬 드롭스. ④ (흔히 *sing.*) 낙하 ; (온도 따위의) 강하 ; (가격 따위의) 하락 ; 낙하 거리, 낙차 : a sharp ~ in prices 물가의 급락 / a ~ in temperature 온도의 강하 / The falls have a ~ of twenty meters. 그 폭포는 높이가 20미터다. ⑤ **a**) (극장 무대 등의) 떨어지게 만든 장치. **b**) (교수대의) 발판. **c**) (우체통의) 넣는 구멍 : a mail〔letter〕 ~ 우편물 투입구. **d**) (호텔 등의) 열쇠 투입구. ⑥ 〖蹴〗 드롭킥(drop kick). ***a ~ in the*** 〔***a***〕 ***bucket*** = ***a ~ in the ocean*** 대해의 물 한방울, 구우 일모(九牛一毛). ***at the ~ of a hat*** 신호가 있으면 ; 즉시. ~ ***by*** ~ 한방울씩, 조금씩. ***have*** 〔***get***〕 ***the ~ on*** 《口》 상대방보다 날쌔게 권총을 들이대다 ; …의 기선을 제하다. ***take a ~*** 한잔하다 : *take a* ~ too much 취하다. ***to the last*** ~ 마지막 한 방울까지.

── (*p., pp.* ***dropped*** [-t], ***dropt*** ; ***dróp·ping***) *vt.* ① 《~+목 / +목+전+명》 (액체)를 듣게 하다, 똑똑 떨어뜨리다, 흘리다 : ~ sweat 땀을 흘리다 / ~ tears 눈물을 흘리다 / ~ eye lotion into one's eyes 눈에 안약을 넣다. ② 《~+목 / +목+전+명》 (물건)을 떨어뜨리다《*on*》 ; 낙하〔투하〕시키다 ; (시선 따위)를 떨어뜨리다 ; (소리)를 낮추다 ; (가치·정도 따위)를 떨어뜨리다, 하락시키다 : I ~*ped* my handkerchief somewhere. 어딘가에 손수건을 떨어뜨렸다 / ~ bombs *on* a fortress 요새에 폭탄을 투하하다 / He stumbled and ~*ed* the glass. 그는 넘어져서 잔을 떨어뜨렸다 / She ~*ed* her eyes and blushed. 그는 눈을 떨어뜨리고는 얼굴을 붉혔다. ③ 《~+목 / +목+전+명》 (돈)을 잃다, 없애다《도박·투기 등으로》 : ~ money *over* a transaction 거래에서 손해 보다. ④ (h 나 ng 의 g 또는 어미의 철자 따위)를 빠뜨리고 발음하다, (문자 따위)를 생략하다(omit) ; 버리다 : ~ a letter 한 자를 생략하다. ⑤ (말)을 무심코 입밖에 내다, 얼결에 말하다 ; 넌지시 비추다 : ~ a sigh 한숨쉬다 / I ~*ped* him a hint. 그에게 넌지시 말해 주었다 / She ~*ed* a smile. 그녀는 무심코 미소를 흘렸다. ⑥ 《+목+목 / +목+전+명》 (편지)를 우체통에 넣다 ; (짧은 편지)를 써 보내다 : *Drop* me a line. =*Drop* a line *to* me. 한 자(字) 써 보내 주십시오 / ~ a letter *into* a mailbox 편지를 투함하다. ⑦ 《+목+전+명》 (사람)을 차에서 내리다 ; (어느 장소에) 남기다 ; 버리고 떠나다 : "Where shall I ~ you?" — "*Drop* me (*off*) *at* the next corner, please." '어디서 내려드릴까요' — '다음 코너에서 내려다오.' ⑧ (습관·계획 따위)를 버리다(give up), 그만두다, 중지하다 ; …와 관계를 끊다, 절교하다 : ~ the idea of going abroad 해외 여행할 생각을 버리다 / He ~*ed* the habit of smoking. 그는 담배를 끊었다. ⑨ 《俗》 (사람)을 때려눕히다 ; 쓰러뜨리다 ; (새)를 쏘아 떨어뜨리다 : ~ a person with a blow 사람을 한방에 눕히다. ⑩ 《+목+전+명》 《美》 …을 해고〔퇴학, 탈회, 제명〕시키다《*from*》 : He'll be ~*ped from* the club. 그는 클럽에서 제명당할 것이다. ⑪ (낚싯줄·막·닻 따위)를 내리다 : ~ a line 낚싯줄을 드리우다 / ~ anchor 닻을 내리다. ⑫ 〖蹴〗 드롭킥하다 ; 〖골프〗 드롭하다.

── *vi.* ① 《~ / +전+명》 (물방울이) 듣다, 똑똑 떨어지다 : Tears ~*ped from* her eyes. 그녀의 눈에서 눈물이 흘러내렸다. ② 《~ / + 전+명》 (물건이) 떨어지다, 낙하하다(fall) ; (꽃이) 지다 ; (막 따위가) 내리다 ; (가격·음조·온도 따위가) 내려가다, (생산고가) 떨어지다 ; (해가) 지다 : Prices are ~*ping.* 물가가 내려가고 있다 / Her voice ~*ed to* a whisper. 그녀의 음성은 낮아져 속삭임으로 변했다 / The book ~*ped from* his hand. 그의 손에서 책이 떨어졌다. ③ (바람이) 그치다 ; (교통이) 끊어지다 ; (일이) 중단되다 ; (시야에서) 사라지다 : The wind ~*ped.* 바람이 그쳤다. ④ 《~ / +전+명》 (푹) 쓰러지다, 지쳐서 쓰러지다, 녹초가 되다 ; 죽다 ; (사냥개가) 사냥감을 보고 웅크리다 : ~ *with* fatigue 피로로 쓰러지다 / The runner ~*ped* (on) to his knees after the hard race. 힘든 경주를 마치고 그 주자는 털썩 무릎을 꿇었다. ⑤ 《+부 / +전+명》 《口》 (경주·사회 등에서) 낙오〔탈락〕되다 ; 탈퇴하다《*from* ; *out of*》 ; (하위로) 내려가다, 후퇴하다《*to*》 : ~ *from* a game 게임을 기권하다 / He ~*ped to* the bottom of the class. 그는 학급에서 꼴찌가 됐다 / One student after another ~*ed out of* the class. 학생이 학급에서 한 사람 한 사람 빠져나갔다. ⑥ 《+전+명》 (사람이) 훌쩍 내리다, 뛰어내리다《*off* ; *from*》 ; (언덕·개천 따위를) 내려가다 : He ~*ped from* the window *to* the ground. 그는 창에서 마당으로 뛰어 내렸다. ⑦ 《+부 / +전+명》 잠깐 들르다《*by* ; *in* ; *over* ; *around* ; *up* ; *on* ; *at* ; *into*》 ; 우연히 만나다 : ~ *in at*〔*on*〕 his party 그의 파티에 잠깐 얼굴을 내밀다. ⑧ 《+보 / +전+명》 (저절로 어떤 상태에) 빠지다, 되다《*into*》 : He soon ~*ped* asleep. 그는 곧 잠이 들었다 / He ~*ped into* the habit of smoking. 그는 담배 피우는 습관이 붙었다. ⑨ 《+전+명》 (말 따위가) 불쑥 새어나오다 : A sigh ~*ped from* his lips. 그의 입에서 불쑥 한숨이 새어나왔다. ~ ***across*** (1) 사람을 우연히 만나다 ; (물건)을 우연히 발견하다. (2) …을 꾸짖다, 벌주다(~ on). ~ ***around*** 〔***by***〕 불시에 들르다. ~ ***away*** (1) 하나 둘 가버리다, 어느 사이인가 가버리다 ; 적어지다 (~ off). (2) 방울져 떨어지다, 듣다. ~ ***back*** (때로 일부러) 뒤(떨어)지다, 낙오하다 ; 후퇴〔퇴각〕하다. ~ ***behind*** 뒤떨어지다. ~ ***dead*** 《口》 급사하다, 뻗다 ; 〔命令形〕 《俗》 저리 가, 썩 꺼져, 죽어〔뒈져〕 버려라. ~ ***in*** (1) 잠깐 들르다 ; 불시에 방문하다《*on* ; *at*》. (2) 우연히 만나다 《*across* ; *on* ; *with*》 : ~ *in with* a friend 불시에 친구를 만나다. (3) (한 사람씩) 들어오다. (4) (물건을) 속에 넣다, 떨어뜨리다 : He ~*ped in* some coins and dialed. 그는 전화기에 동전을 몇 개 넣고 다이얼

을 돌렸다. ~ ***into*** (1) …에 들르다〔기항하다〕. (2) (습관·상태)에 빠지다. ***Drop it !*** 《口》 그만둬, 집어치워. ~ ***off*** (1) (손잡이 따위가) 떨어지다, 빠지다. (2) (점점) 사라지다(disappear), 안 보이게 되다; 적어지다, 줄어들다. (3) 잠들다(fall asleep); 꾸벅꾸벅 졸다(doze); 쇠약해져 …이 되다; 죽다. (4) (승객이〔을〕) 내리다; …을 편승시키다. ~ ***on*** (1) = ~ across (2). (2) 사소한 행운을 만나다. (3) (여럿 가운데에서 한 사람을 골라) 불쾌한 임무를 맡기다. (4) …을 갑자기 방문하다. ~ ***out*** (1) 탈락하다, 생략되다, 없어지다. (2) (선수가) 결장하다; (단체에) 참가하지 않다, 빠지다: One runner twisted his foot and ~*ped out.* 경주 중 한 선수가 다리를 삐어 결장했다. (3) 낙오하다, 중퇴하다: ~ *out* in one's junior year 대학 3학년에서 중퇴하다. ~ ***out of*** (1) …에서 (넘쳐) 떨어지다. (2) …에서 손을 떼다, …을 탈퇴하다, …에서 낙오〔중퇴〕하다. ~ ***over*** 《口》 = ~ in. ~ ***through*** 아주 못쓰게 되다, 실패하다. ***let*** ~ = let FALL. ***ready*** 〔***fit***〕 ***to*** ~ 《口》 녹초가 되어.

dróp cùrtain (무대의) 현수막.

drop-dead [ˊdéd] *a.* 깜짝 놀라게 하는, 넋을 잃게 하는: a ~ beauty 넋을 잃게 하는 미인.

dróp hàmmer 〖機·建〗 낙하메〔해머〕.

drop·head [drápheÌ€d / drɔ́p-] *n.* Ⓒ 《英》 (젖혔다 거뒀다 할 수 있는 자동차의) 포장(convertible).

drop-in [ˊìn] *n.* Ⓒ ① 불쑥 들른 사람. ② 잠깐씩 들르는 사교 모임.

dróp kìck 〖美蹴·럭비〗 드롭킥《공을 땅에 떨어뜨려 튀어오를 때 차기》. cf. place kick.

drop-kick [ˊkík] *vt.* ① (공)을 드롭킥하다. ② (골)에 드롭킥으로 공을 넣다. ── *vi.* 드롭킥하다.

dróp lèaf 현수판(懸垂板)《테이블 옆에 경첩으로 매달아 접어 내리게 된 판》.

drop-leaf [ˊlìːf] *a.* (테이블 따위가) 현수판식의.

drop·let [ˊlit] *n.* Ⓒ 작은 물방울, 비말(飛沫).

drop·light [ˊlàit] *n.* Ⓒ (이동식) 현수등(懸垂燈).

dróp oùt 〖컴〗 드롭아웃《녹음 테이프·자기 디스크의 신호의 일부가 표면에 낀 먼지나 자성체(磁性體)의 결함 등으로 결락(缺落)되는 일》.

drop·out [ˊàut] *n.* Ⓒ ① 탈락(자), 탈퇴(자), 중퇴(자), 낙오(자). ② 〖럭비〗 드롭아웃《터치다운 후 25 야드선 안에서의 드롭킥》. ③ 〖컴〗 드롭아웃《녹음〔녹화〕 테이프의 소리가〔화상이〕 지워진 부분》.

drop·per [drápər / drɔ́pər] *n.* Ⓒ ① 떨어뜨리는 사람〔것〕. ② (안약 따위의) 점적기(點滴器).

drop·ping [drápiŋ / drɔ́p-] *n.* Ⓒ ① 똑똑 떨어짐; 낙하. ② (흔히 *pl.*) 똑똑 떨어지는 것, 촛농. ③ (새·짐승의) 똥(dung).

dróp scène (배경을 그린) 현수막.

dróp shòt 〖테니스〗 드롭 샷《네트를 넘자마자 공이 떨어지게 하는 타법》.

drop·si·cal [drápsikəl / drɔ́p-] *a.* 수종(水腫)의, 수종 비슷한; 수종에 걸린.

drop·sy [drápsi / drɔ́p-] *n.* ① Ⓤ 〖醫〗 수종(水腫)〔부종(浮腫)〕(증). ② Ⓒ 《英俗》 팁, 뇌물.

dross [drɔːs, drɑs / drɔs] *n.* Ⓤ ① 〖冶〗 (녹은 금속의) 뜬 찌끼, 불순물. ② 《比》 부스러기, 찌꺼기(rubbish), 쓸모 없는 것.

***drought, drouth** [draut], [drauθ] *n.* Ⓤ,Ⓒ (장기간의) 가뭄, 한발.

droughty [dráuti] (***drought·i·er; -i·est***) *a.* 한발〔가뭄〕의, 갈수(渴水) 상태의.

†**drove**[1] [drouv] DRIVE 의 과거.

drove[2] *n.* Ⓒ ① (무리지어 이동하는) 가축의 떼. ② (집단으로 움직이는) 사람의 무리: in ~*s* 무리를 지어.

dro·ver [dróuvər] *n.* Ⓒ (소·양 따위) 가축의 무리를 시장까지 몰고 가는 사람; 가축상(商).

‡**drown** [draun] *vt.* ①《~+목/+목+전+명》〔흔히 再歸用法 또는 受動으로〕 …을 물에 빠뜨리다, 익사시키다: be ~*ed* 익사하다 / ~ *oneself in* a river 강에 몸을 던지다. ②《~+목/+목+전+명》 **a)** …을 흠뻑 젖게 하다: eyes ~*ed in* tears 눈물 어린 눈. **b)** (집·토지·길 등)을 침수시키다: The flooding river has ~*ed* the entire village. 범람한 강물이 온 마을을 침수시켰다. ③《+목+전+명》〔再歸用法 또는 受動으로〕 …에 탐닉하게〔빠지게〕 하다; (슬픔·시름 등)을 달래다, 잊다《*in*》: be ~*ed in* sleep 잠에 깊이 빠지다 / ~ *oneself in* drink 술에 빠지다 / ~ one's sorrows *in* drink 술로 슬픔을 달래다. ④ (시끄러운 소리가 약한 소리 등)을 들리지 않게 하다《*out*》: The roar of the wind ~*ed* (*out*) his voice. 요란한 바람 소리에 그의 음성은 들리지 않았다. ── *vi.* 물에 빠지다, 익사하다: A ~*ing* man will catch 〔clutch〕 at a straw. 《俗談》 물에 빠진 자는 지푸라기라도 잡는다. ~ ***out*** (1) 〔흔히 受動으로〕 (홍수가 사람을) 떠내려 보내다, 몰아내다: The villagers *were* ~*ed out.* 마을 사람들은 홍수로 대피했다. (2) ⇨ *vt.* ④.

drowned [draund] *a.* ① 익사한: a ~ body 익사체 / He *was* ~ *in* the sea. 그는 바다에 빠져 죽었다. ② 〔敍述的〕 (…에) 몰두한, (깊이) 빠진《*in*》: He was ~ *in* desire for her. 그는 그녀 생각에 빠져 있었다.

drowse [drauz] *vi.* ① (꾸벅꾸벅) 졸다 (doze) 《*off*》. ② 멍하니 있다. ── *vt.* (시간)을 졸며지내다《*away*》: He ~*d away* all the afternoon. 오후 내내 꾸벅꾸벅 졸며 지냈다

── *n.* (a ~) 겉잠, 졸음(sleepiness): fall into *a* ~ (꾸벅꾸벅) 졸다, 선잠 자다.

drow·sy** [dráuzi] (-si·er; -si·est***) *a.* ① 졸음이 오는, 졸리는: feel ~ 졸음이 오다 / She looks ~. 졸리는 표정이다. ② 졸리게 하는: a hot, ~ afternoon 덥고 졸리는 오후. ③ 잠 자는 듯한, 활기 없는: a ~ village 잠자는 듯 고요한 마을. ㊕ **-si·ly** *ad.* 졸린 듯이, 꾸벅꾸벅. **-si·ness** *n.* Ⓤ 졸음, 깨나른함.

drub [drʌb] (***-bb-***) *vt.* ① (몽둥이 따위로) …을 치다, 때리다(beat). ② (적·경쟁 상대)를 쳐부수다, 패배시키다. ③ (생각 따위)를 주입시키다《*into*》; (생각)을 억지로 버리게 하다《*out of*》. ── *vi.* 쳐서 소리를 내다.

drub·bing [drʌ́biŋ] *n.* Ⓤ (또는 a ~) ① 몽둥이로 침, 통타: give a person *a* good ~ 아무를 흠씬 패다. ② 통격, 대패: They gave the other team *a* ~. 그들은 상대팀을 대패시켰다.

drudge [drʌdʒ] *vi.* (단조롭고 고된 일에) 꾸준히 정진하다(toil)《*at*》: ~ *at* a monotonous job 일이 지루하지만 열심히 하다. ── *n.* Ⓒ (단조롭고 힘드는 일을) 꾸준히〔열심히〕 하는 사람.

drudg·ery [drʌ́dʒəri] *n.* Ⓤ (단조롭고) 고된 일.

‡**drug** [drʌg] *n.* Ⓒ ① 약, 약품, 약제《★ 오늘날 drug 는 ②의 뜻으로 흔히 쓰이므로 '약'의 뜻으로는 medicine 이 무난》: put a person on ~*s* 아무에게 약을 처방하다 / a sleeping ~ 수면제. ② **a)** 마약, 마취약: use ~*s* 마약을 쓰다 / be wanted by the police on a ~*s* case 마약건으로 경찰의 수배를 받고 있다 / ~ traffic 마약 거래 / be a ~ addict 마약 중독자다. **b)** (마약처럼) 중독을 일으키는 것《술·담배 따위》. ~ ***on*** 〔***in***〕 ***the market*** 《口》 팔리지 않는 물건.

── (***-gg-***) *vt.* ① …에 약품을 섞다; (음식물)에

약물〔마취약〕을 타다 : ~*ged* coffee 마취약을 탄 커피. ② (환자 등)에 약물〔마취약〕을 먹이다 : a ~*ged* sleep 마취제에 의한 수면.
— *vi.* 마약을 상용하다.

drug·gie [drʌ́gi] *n.* Ⓒ 《俗》 마약 상용자.

***drug·gist** [drʌ́gist] *n.* Ⓒ ① 《美》 약사(《英》 chemist) ; 《美·Sc.》 약종상. ② drugstore의 주인. cf. pharmacist.

drug·gy [drʌ́gi] *n.* =DRUGGIE.
— *a.* 마약(사용)의.

‡**drug·store** [drʌ́gstɔ̀ːr] *n.* Ⓒ 《美》 약방.

> 參考 미국에서는 약품류 외에 일용 잡화·화장품·담배·잡지·문구류와 소다수·커피 따위의 음료도 팔았는데, 지금은 supermarket 이나 fast food 점(店)에 밀려 전과 같지는 않음.

dru·id [drúːid] *n.* Ⓒ (종종 D-) 드루이드 성직자 《고대 Gaul, Celt 족들이 믿었던 드루이드교(敎)의 성직자》.

‡**drum** [drʌm] *n.* Ⓒ ① 북, 드럼 ; (*pl.*) (관현악단이나 악대의) 드럼부(部)〔주자(奏者)〕(drummer) : a bass 〔side〕 ~ (오케스트라용) 큰〔작은〕북 / beat 〔play〕 a ~ 북을 치다 / He plays the ~(*s*) in the orchestra. 그는 오케스트라에서 북을 맡고 있다. ② (흔히 *sing.*) 북소리 ; 북소리 비슷한 소리 : I heard a distant ~. 멀리서 북소리가 들렸다 / the ~ of his fingers on the desk 책상을 통통치는 그의 손가락 소리. ③ 북 모양의 것. **a**) 드럼통. **b**) 〖機〗 고동(鼓胴), 고형부(鼓形部). **c**) 〖컴〗 = MAGNETIC DRUM. **d**) (세탁기의) 세탁조. ④ 중이(中耳), 고막(eardrum). ***beat the*** ~(*s*) = ***bang the*** ~ 《口》 (북 따위를 치며) 대대적으로 선전〔지지〕하다《*for*》.
— (**-mm-**) *vi.* ① 북을 치다 ; 드럼을 연주하다 : He ~*med* well in the parade. 그는 퍼레이드에서 북을 잘 쳤다. ② 《+前+名》 쾅쾅 두드리다〔발을 구르다〕《*with* ; *on* ; *at*》 : ~ *at* the door 문을 쾅쾅 치다 / ~ *on* a table with one's fingers 손가락으로 테이블을 통통 두드리다 / He ~*med on* the floor with his feet. 발로 마루를 쾅쾅 울렸다. ③ (새·곤충이) 파닥파닥〔붕붕〕 날개를 치다.
— *vt.* ① (곡)을 북으로 연주하다. ② 《+目+前+名》 북을 쳐서 …을 보내다 : ~ the captain *off* a ship 북을 치며 함장을 전송하다. ③ 《+目+前+名》 …을 (귀가 아프도록) 되풀이하여 타이르다《*into*》: These facts had been ~*med into* him. 그는 이 사실들을 귀에 못이 박히도록 들었다 / My father ~*med* it *into* me that food shouldn't be wasted. 아버지는 내게 음식을 낭비해서는 안 된다고 귀가 아프도록 타이르셨다. ~ a person ***out of*** ...(북을 쳐서)…을 군대에서 추방하다: The officer got〔was〕 ~*med out of* the army. 그 장교는 군에서 추방당했다. ~ ***up*** (1) 북을 쳐서 …을 모으다. (2) (요란한 선전으로) …의 매상을 올리다 ; (지지 등)을 얻으려고 열을 올리다.

drum·beat [-bìːt] *n.* Ⓒ 북소리 : ~ away 북소리가 들리는 곳에, 가까이에.

drúm bràke (자전거 등의) 원통형 브레이크.

drum·fire [-fàiər] *n.* (흔히 *sing.*) ① (북치듯 하는) 연속 집중 포화. ② (질문·비판 따위의) 집중 공세.

drum·fish [-fìʃ] (*pl.* ~(**·es**)) *n.* Ⓒ (북소리 같은 소리를 내는) 민어과의 물고기《미국산》.

drum·head [-hèd] *n.* Ⓒ 북의 가죽.

drúmhead cóurt-martial 〖軍〗 전지(戰地)(임시) 군법 회의.

drúm màjor 군악대장 ; 고수장(鼓手長).

drúm majorètte =MAJORETTE.

***drum·mer** [drʌ́mər] *n.* Ⓒ ① **a**) (군악대의) 고수(鼓手). **b**) (악단의) 북 연주자, 드러머. ② 《美口》 순회 외판원(commercial traveller).

drúm prìnter 〖컴〗 드럼식 인쇄 장치.

drum·stick [-stìk] *n.* Ⓒ ① 북채. ② 《口》 (요리한) 닭〔칠면조·오리 따위〕의 다리.

†**drunk** [drʌŋk] DRINK 의 과거분사.
— (***drúnk·er*** ; ***drúnk·est***) *a.* ① 술취한(intoxicated) : be very ~ 몹시 취해 있다 / get ~ on 〔with〕 whisky 위스키에 취하다 / You're too ~ to drive. 운전하기엔 너무 취했다 / a ~ driver 음주 운전자. ② 《比》 (기쁨 등에) 취한, 도취된 : be ~ with power 권력에 도취해 있다 / He was ~ with success. 그는 성공에 도취돼 있었다. (***as***) ~ ***as a lord*** 곤드레만드레 취하여. ★ drunk 는 주로 서술적. cf. drunken. — *n.* Ⓒ 《口》 (상습적인) 주정뱅이.

***drunk·ard** [drʌ́ŋkərd] *n.* Ⓒ 술고래, 모주꾼.

***drunk·en** [drʌ́ŋkən] DRINK 의 과거분사.
— (***more*** ~ ; ***most*** ~) *a.* 〔限定的〕 ① 술취한. opp. *sober.* ¶ a ~ man 술 취한 사람 / a ~ driver 음주 운전자. ② 술고래의 ; 음주벽의 : her ~ husband 그녀의 술고래 남편. ③ 술취해서 하는, 술로 인한 : a ~ brawl〔quarrel〕 취한 끝에 하는 싸움 / ~ driving 음주 운전. cf. drunk.
㊞ ~·**ly** *ad.* *~·**ness** *n.*

drunk·om·e·ter [drʌŋkámitər / -kɔ́m-] *n.* Ⓒ 《美》 음주 측정기(breathalyser).

drupe [druːp] *n.* Ⓒ 〖植〗 핵과(核果)(stone fruit) 《plum, cherry, peach 따위》.

†**dry** [drai] (***dri·er*** ; ***dri·est***) *a.* ① 마른, 건조한. opp. *wet.* ¶ a ~ towel 마른 타월 / ~ wood 마른 목재 / Get your clothes ~ by the heater. 난롯가에 옷을 말려라. ② 비가 안 오는〔적은〕; 가뭄이 계속되는 ; 물이 말라붙은. opp. *wet.* ¶ a ~ season 건기 / ~ weather 가무는 날씨 / a ~ river 말라붙은 강. ③ (젖·눈물·가래 등)이 안나오는 : a ~ cow 젖이 안나오는 암소 / a ~ cough 마른 기침 / This pen has run ~. 이 펜은 잉크가 말랐다. ④ 버터(따위)를 바르지 않은 : eat toast ~ 토스트에 아무것도 바르지 않고 먹다. ⑤ 눈물을 흘리는, 인정미 없는 : She bore her grief with ~ eyes. 그녀는 눈물 하나 흘리지 않고 슬픔을 참았다. ⑥ 목마른 ; 목이 타는 : feel ~ 목이 마르다〔타다〕 / I was quite ~ after a game of basketball. 농구가 끝나니 몹시 목이 말랐다. ⑦ 《口》 술을 마시지 않는, 술이 나오지 않는, 금주법 실시〔찬성〕의《지역 따위》. opp. *wet.* ¶ a ~ state 금주법 시행주(州) / a ~ party 술없는 파티 / ~ law 금주법. ⑧ 무미 건조한 ; 따분한 : a ~ lecture (내용 없는) 따분한 강연. ⑨ 적나라한, 꾸밈없는, 노골적인 : ~ facts 있는 그대로의 사실 / He has a ~ way of speaking. 그의 말씨는 솔직하다. ⑩ (농담 등을) 천연스럽게〔시치미 딱 떼고〕 하는 : ~ humor 천연덕스럽게 하는 재미있는 농담. ⑪ 냉담한, 쌀쌀한 : a ~ answer 쌀쌀맞은 대답 / ~ thanks 형식적인 감사〔인사〕. ⑫ (술이) 쌉쌀한 : a ~ wine 쌉쌀한 포도주. ⑬ (상품이) 고체의 ; 건성(乾性)의. cf. liquid. ¶ a ~ plate 〖寫〗 건판 / ~ foods 고형 식품. (***as***) ~ ***as a bone*** 바싹 말라(붙어). (***as***) ~ ***as dust*** 《口》 (1) 무미건조한. (2) 목이 바싹 마른. ***run*** ~ 말라 버리다 ; 물〔젖〕이 나오지 않게 되다 ; (비축 따위가) 부족〔고갈〕하다.
— *vt.* ① 《~+目 / +目+前+名》 …을 말리다, 건조시키다 ; 닦아내다 : ~ wet clothes in the sun 젖은 옷을 햇볕에 말리다 / *Dry* your hands *on*

this towel. 이 수건으로 손을 닦으시오. ② (늪 따위)를 말라붙게 하다. ③ (식품)을 건조 보전하다.
— *vi.* ① 마르다. ② (우물·강·늪 따위가) 말라붙다. ~ ***off*** 바싹 말리다〔마르다〕. ~ ***out*** (1) …을 완전히 말리다: ~ *out* 〔《英》 *off*〕 one's clothes 옷을 완전히 말리다. (2) 《口》 (중독자가〔에게〕) 금지 요법을 받다〔받게 하다〕; 알코올〔마약〕 의존을 벗어나다. ~ ***up*** (1) 말리다. (2) 말라붙다. (3) 《口》 (이야기가〔를〕) 그치다: *Dry up !* 입 다물어. (4) 〖劇〗 대사를 잊다. (5) 자금이 동나다; (사상이) 고갈하다.
— *n.* ① (*pl.* ***dries***) **a)** Ⓤ 가뭄, 한발(drought); 건조 상태(dryness). **b)** (*pl.*) 〖氣〗 건조기(期). ② (*pl.* ~***s***) Ⓒ 《美口》 금주(법 찬성)론자.

dry·ad [dráiəd, -æd] (*pl.* ~***s***, ***-a·des*** [-ədìːz]) *n.* 〖그神〗 드라이어드《숲〔나무〕의 요정》.

dry·as·dust [dráiəzdʌ̀st] *a.* 무미건조한.

drý bàttery 〔cèll〕 건전지.

dry-clean [∸klíːn] *vt.* …을 드라이 클리닝하다.
— *vi.* 드라이 클리닝되다: This dress won't ~. 이 드레스는 드라이 클리닝이〔을 해서는〕 안 된다.

drý cléaner 드라이 클리닝업자: a ~'s 드라이 클리닝 집〔세탁소〕.

drý cléaning ① 드라이 클리닝: Give them *a* ~. 그것들을 드라이 클리닝해주시오. ② 드라이 클리닝용의〔을 한〕 의류.

***Dry·den** [dráidn] *n.* **John** ~ 드라이든《영국의 시인·비평가·극작가; 1631-1700》.

drý dòck 드라이 도크《보통 말하는 도크》, 건선거(乾船渠). ⓒⓕ wet dock.

dry-dock [∸dɑ̀k, ∸dɔ̀k] *vt.* (배)를 드라이 도크에 넣다. — *vi.* (배가) 드라이 도크에 들어가다.

dry·er [dráiə*r*] *n.* Ⓒ ① 말리는 사람. ② 드라이어, 건조기. ③ (페인트·니스의) 건조 촉진제.

dry-eyed [dráiàid] *a.* 안 우는; 냉정〔박정〕한.

drý fárming 건지 농업《수리(水利)가 좋지 않거나 비가 적은 토지의 경작법》.

drý flý 제물낚시.

drý-fly físhing [dráiflài-] 낚시질의 한 가지 《제물낚시를 물 위에 띄움》.

drý gòods 《美》 (식료품·잡화에 대하여) 옷감 (《英》 drapery); 《英》 곡물, 과일.

dry·ing [dráiiŋ] *n.* Ⓤ 건조, 말림.
— *a.* 건조성(乾燥性)의; 건조용의: ~ oil 건성유 / a ~ house〔machine〕 건조실〔기〕.

drý lànd ① 건조 지역. ② 육지《바다에 대해서》: get back on ~ 육지로 돌아가다.

***dry·ly, dri·ly** [dráili] *ad.* ① 냉담하게. ② 무미건조하게. ③ 건조하여.

drý méasure 건량(乾量)《곡물 등의 계량 단위계(系)》. ⓒⓕ liquid measure.

drý mílk 분유(powdered milk).

dry·ness [dráinis] *n.* Ⓤ ① 건조(상태). ② 냉담. ③ 무미 건조. ④ (술의) 씁쓸〔쌉쌀〕함.

drý nùrse (젖을 먹이지 않는) 보모. ⓒⓕ wet nurse.

dry-nurse [∸nə̀ːrs] *vt.* (수유(授乳)는 하지 않고, 유아)를 기르다〔돌보다〕.

drý rót ① (목재의) 건조 부패. ② (겉으로 봐서는 모르는 사회적·도덕적) 퇴폐, 부패.

drý rún 《口》 ① 〖軍〗 공포로 하는 사격 연습. ② (극 따위의) 예행 연습, 리허설.

dry-shod [∸ʃɑ̀d / ∸ʃɔ̀d] *a.*, *ad.* 〔敍述的〕 신〔발〕을 적시지 않는〔않고〕: go ~ 신〔발〕을 적시지 않고 가다.

DS, D. Sc. Doctor of Science. **D.S.C.** 〖英海軍·美陸軍〗 Distinguished Service Cross(수훈 십자장). **D.S.M.** 〖英海軍·美軍〗 Distinguished Service Medal(수훈장(殊勳章)). **DSS** 〖컴〗 decision support system((의사) 결정 지원 시스템). **D.S.T.** Daylight Saving Time. **DTE** data terminal equipment(데이터 단말 장치). **D.T.'s., d.t.'(s)** [díːtíː(z)] 《口》 =DELIRIUM TREMENS. **Du.** Duke; Dutch.

***du·al** [djúːəl] *a.* 〔限定的〕 ① 둘의; 2자(者)의. ② 이중(성)의; 두 부분으로 된, 이원적인: ~ ownership 이중〔공동〕 소유 / ~ character〔personality〕 이중 인격 / ~ nationality 이중 국적 / ~ income 맞벌이 수입. ③ 〖文法〗 양수(兩數)의: the ~ number 양수.

dúal cárriageway 《英》 (중앙 분리대로 갈라놓은) 왕복 도로(《美》 divided highway).

dúal contról ① 이중 관할; 2국 공동 통치. ② 〖空〗 이중 조종 장치.

du·al·ism [djúːəlìzəm] *n.* Ⓤ ① 이중성, 이원성. ② 〖哲〗 이원론. ⓒⓕ monism, pluralism. ③ 〖宗〗 이원교.

du·al·is·tic [djùːəlístik] *a.* 이원(二元)의, 이원적인; 이원론적인: the ~ theory 이원설.

du·al·i·ty [dju:ǽləti] *n.* Ⓤ 이중성; 이원성.

du·al-pur·pose [-pə́ːrpəs] *a.* ① (도구가) 이중 목적의; (차가) 여객·화물 겸용의. ② (소가) 육우·유우 겸용의; (닭이) 육용·난용 겸용의: ~ breed 겸용종(兼用種).

dub[1] [dʌb] (***-bb-***) *vt.* ① 《~+目+補》 (왕이 칼로 가볍게 어깨를 두들기고) …에게 나이트 작위를 주다(accolade): The King ~*bed* his son a Knight. 국왕은 그 아들에게 나이트 작위를 주었다. ② 〔신문용어〕 (새 이름·별명을) 주다〔붙이다〕, …라고 칭하다: She was fondly ~*bed* "Princess" by her father. 그녀는 아버지에게서 다정하게 '공주님'이라 불렸다.

dub[2] (***-bb-***) *vt.* 〖映〗 ① **a)** (필름)에 새로이 녹음하다. **b)** (필름·테이프에 음향 효과)를 넣다《*in, into*》: The sound effects will be ~*bed in* later. 음향 효과는 추후에 추가될 것이다. ② (녹음한 것)을 재녹음〔더빙〕하다.

Dub. Dublin.

Du·bai [duːbái] *n.* 두바이《아랍 에미리트 구성국의 하나; 수도 Dubai》.

dub·bin [dʌ́bin] *n.* Ⓤ 더빈유(油)《가죽을 부드럽게 방수처리하는 오일》. — *vt.* (구두 따위)에 더빈유를 바르다.

dub·bing [dʌ́biŋ] *n.* Ⓤ 〖映〗 더빙, 재녹음; 추가녹음.

du·bi·e·ty [dju(ː)báiəti] *n.* ① Ⓤ 의심스러움, 의혹. ② Ⓒ 의심스러운 것〔일〕.

***du·bi·ous** [djúːbiəs] *a.* ① 의심스러운, 수상한: a ~ character 수상한 인물 / a ~ reputation 좋지 않은 평판 / I feel ~ of his success. 그가 성공할는지 의심스럽다. ② (사람이) 미심쩍어 하는, 반신 반의의《*of; about*》: He was a little ~ *about* trusting the man. 그는 그 사람을 믿어도 되는지 좀 망설였다. ③ 불확실한, 애매한, 모호한: a ~ reply 모호한 대답 / a ~ compliment (칭찬인지 야유인지) 애매한 찬사 / The outcome remains ~. 결과는 여전히 불확실하다.
㊞ ~·**ly** *ad.* ~·**ness** *n.*

du·bi·ta·ble [djúːbətəbəl] *a.* 의심스러운.

du·bi·ta·tion [djùːbətéiʃən] *n.* Ⓤ,Ⓒ 의혹, 반신반의.

du·bi·ta·tive [djúːbətèitiv / -tə-] *a.* 의심을 품고 있는; 망설이는. ㊞ ~·**ly** *ad.*

***Dub·lin** [dʌ́blin] *n.* 더블린《아일랜드 공화국의 수도》.

du·cal [djúːkəl] *a.* ① 공작(duke)의; 공작다운. ② 공작령(領)(dukedom)의. ㊞ ~·**ly** *ad.*

duc·at [dʌ́kət] *n.* Ⓒ (옛날 유럽 각국에서 사용

된) 더컷 금〔은〕화.
duch·ess [dʌ́tʃis] *n.* [C] ① 공작 부인〔미망인〕. ② 여공작, (공국(公國)의) 여공(女公). [cf.] duke.
duchy [dʌ́tʃi] *n.* [C] ① (종종 D-) 공국(公國), 공작령(公爵領)《duke 또는 duchess 의 영지》. ② (종종 the D-) 영국 왕족 공령(公領)《Cornwall 과 Lancaster》.
‡duck¹ [dʌk] (*pl.* ~, ~*s*) *n.* ① [C] (집)오리 ; 암오리, 암집오리《수컷은 drake¹》.

> [參考] 들오리는 wild duck, 오리〔집오리〕의 수컷은 drake, 집오리는 domestic duck, 새끼 오리, 집오리의 새끼는 duckling, 우는 소리는 quack.

② [U] 오리〔집오리〕의 고기. ③ [C] 《口》 사랑하는 사람, 귀여운 사람《특히 호칭으로》. ④ 〔흔히 修飾語와 함께〕 결함이 있는 사람〔것〕, …한 녀석 : a weird ~ 괴짜 / ⇨ LAME DUCK. ⑤ 〖크리켓〗 (타자의) 0 점 : break one'*s* ~ 최초로 1 점 얻다 / make a ~ 득점 없이 아웃되다. ***like water off a ~'s back*** 아무 효과〔감동〕도 없이, 마이동풍격으로. ***play ~s and drakes with money*** (특히, 돈)을 물쓰듯하다, …을 낭비하다. ***take to. . .like a ~ to water*** 아주 자연스럽게 …에 익숙해지다〔…을 좋아하게 되다〕.
duck² *vi.* ① (물새 따위가) 물속에 쏙 잠기다 ; 물속에 쏙 잠겼다가 곧 머리를 내밀다. ② (맞지 않으려고) 홱 머리를 숙이다, 몸을 굽히다 : *Duck!* 위험하다, 고개를 숙여라 / *Duck* under my umbrella. 내 우산 속으로 들어와요. ③ 《口》 급히 숨다, 달아나다 : The boy ~*ed* behind a tree. 소년은 나무 뒤에 살짝 숨었다. ── *vt.* ① (사람·머리 등)을 홱 물속에 들이 밀다〔처박다〕. ② (머리·몸)을 홱 숙이다〔굽히다〕. ③ (책임·위험·질문 등)을 피하다 : Women usually ~ a question of that kind. 여성들은 보통 그런 질문은 슬쩍 피하는 법이다. ── *n.* [C] ① 쏙 물속에 잠김. ② 홱 머리를〔몸을〕 숙임〔굽힘〕.
duck³ *n.* ① [U] 즈크《황마로 짠 두꺼운 천》, 범포(帆布). ② (*pl.*) 《口》 즈크 바지.
duck⁴ *n.* [C] 수륙 양용 트럭《제2차 세계 대전 때 사용한 암호 DUKW에서》.
duck·bill [ˊbil] *n.* [C] 〖動〗 오리너구리(platypus) 《오스트레일리아산》.
duck·boards [ˊbɔ̀ːrdz] *n. pl.* (진창에 건너질러 깐) 디딤〔깔〕판자.
duck·ing [dʌ́kiŋ] *n.* ① **a**) [U] 홱〔쏙〕 물에 잠김. **b**) (a ~) 흠뻑 젖음 : get *a* ~ 흠뻑 젖다 / give a person *a* ~ 아무를 흠뻑 젖게 하다. ② [U] **a**) 홱 머리를〔몸을〕 숙임〔굽힘〕. **b**) 〖拳〗 더킹.
dúcking stòol 무자맥질 의자《행실이 좋지 않은 여자, 거짓말쟁이 상인 등을 붙들어 매어, 물에 잠가 징벌하던 형구》.
duck·ling [dʌ́kliŋ] *n.* ① [C] 집오리 새끼, 새끼 오리. ② [U] 그 고기.
dúck and drákes 물수제비뜨기(놀이) : play ~ 물수제비뜨기 놀이를 하다.
dúck('s) ègg 《英口》 〖크리켓〗 (타자의) 영점, 제로(duck, duck egg, 《美》 goose egg).
dúck sóup 《美俗》 간단한 일, 쉬운 일.
duck·weed [dʌ́kwìːd] *n.* [U] 〖植〗 좀개구리밥《오리가 먹음》.
ducky [dʌ́ki] (*duck·i·er* ; *-i·est*) *a.* 《口》 귀여운 ; 아주 멋진. ── *n.* 《英》 = DARLING 《呼稱》.
duct [dʌkt] *n.* [C] ① (가스·액체 등의) 도관(導管). ② 〖解〗 관, 맥관. ③ 〖電〗 선거(線渠)《전선·케이블이 지나가는 관》. ④ 〖建〗 암거(暗渠).
duc·tile [dʌ́ktil] *a.* ① (금속이) 잡아늘이기 쉬운, 연성(延性)〔전성(展性)〕이 있는. ② (점토 따위) 보들보들한, 유연한. ③ (사람·성질 등) 유순한.
duc·til·i·ty [dʌktíləti] *n.* [U] ① 연성(延性), 전성(展性). ② 유연성, 탄력성.
duct·less [dʌ́ktlis] *a.* (도)관이 없는.
dúctless glànd 〖解〗 내분비선(腺)《갑상선 등》.
dud [dʌd] *n.* [C] 《口》 ① (흔히 *pl.*) 옷, 의류. ② **a**) 못쓸 것〔사람〕. **b**) 불발탄. ── *a.* ① 못쓸, 쓸모 없는. ② 가짜의 : ~ coin 《美》 위조 화폐.
dude [djuːd] *n.* [C] ① 《美俗》 멋쟁이, 맵시꾼(dandy). ② 《美西部》 도회지 사람, (특히 동부에서 온) 관광객. ③ 《美俗》 사내, 놈, 녀석(guy).
dúde rànch 《美》 관광 목장《관광객의 숙박 시설이 있는 미국 서부의 목장〔농장〕》.
dudg·eon [dʌ́dʒən] *n.* [U] (또는 a ~) 성냄, 화냄. ***in*** (***a***) ***high*** ~ 몹시 성나서.
dud·ish [djúːdiʃ] *a.* 멋부리는, 젠체하는.
‡due [djuː] *a.* ① 지급 기일이 된, 만기(滿期)가 된. [cf.] overdue. ¶ This bill is ~. 이 어음은 만기가 됐다 / a bill ~ next month 다음 달이 만기인 어음 / the ~ date (어음의) 만기일. ② (열차·비행기 따위가) 도착 예정인 : The train is ~ (in) at two. 기차는 2 시에 도착할 예정이다 / The bus is ~. 이제 버스가 도착할 시간이다 / When's the baby ~? 아기는 언제 출산될 예정입니까. ③ 〔~ *to* do 의 형태로〕 …할 예정인, …하기로 되어 있는 : They are ~ *to* arrive here soon. 그들은 곧 여기에 오기로 되어 있다 / She is ~ *to* speak for the class. 그녀가 클라스를 대표해 연설하기로 돼 있다. ④ (돈·보수·고려 따위가) 응당 치러져야 할 : This money is ~ to you. 이 돈은 네가 받을 돈이다 / consideration ~ to the poor 가난한 사람들에게 베풀어야 할 동정. ⑤ 마땅한, 적당한, 당연한, 합당한. [OPP] *undue.* ¶ a ~ margin for delay 늦어도 지장 없는 충분한 여유 / ~ care 당연한 배려. ⑥ 〔~ to 의 형식으로〕 …에 기인하는, …의 탓으로 돌려야 할 : a delay ~ *to* an accident 사고로 인한 지연 / The failure is ~ *to* his ignorance. 그 실패는 그의 무지의 탓이다 / His premature death was ~ *to* his reckless drinking. 그의 요절은 분수 없는 음주 탓이었다《★ due to 는 '…때문에, …로 인하여(because of)'의 뜻으로 전치사구로 쓰임 ; 단 형식적인 문장에는 owing to가 즐겨 쓰임》. ***fall*** 〔***become***〕 ~ 지급 기일이 되다, (어음 따위가) 만기가 되다. ***in ~ course*** 〔***time***〕 때가 오면 ; 머지 않아, 불원간 : Everything will work out *in* ~ *course.* 때가 되면 만사가 해결될 것이다.
── *n.* [C] ① (흔히 *sing.*) 마땅히 받아야 할 것, 당연한 보답. ② (흔히 *pl.*) 부과금, 세금 ; 회비, 요금, 수수료 : club ~*s* 클럽의 회비 / harbor ~*s* 입항세 / membership ~*s* 회비. ***give*** a person ***his*** ~ 아무를 정당〔공평〕하게 대우하다. ***give the devil his*** ~ ⇨ DEVIL(成句).
── *ad.* (방위명 앞에 붙여서) 정(正)…, 정확히(exactly) : go ~ south 정남으로 가다.
***du·el** [djúːəl] *n.* [C] ① 결투 : fight a ~ with a person 아무와 결투하다. ② (양자간의) 싸움, 투쟁 ; 힘겨루기 : a ~ of wits 재치 겨루기.
── (*-l-*, 《英》 *-ll-*) *vi., vt.* (…와) 결투하다, 싸우다《*with*》.
[파] **du·el·(l)er, du·el·(l)ist** [-ist] *n.* [C] 결투자.
***du·et** [djuét] *n.* [C] 〖樂〗 이중창, 이중주(곡), 듀엣. [cf.] solo, trio, quartet, quintet.
duff¹ [dʌf] *n.* [CU] 더프《푸딩(pudding)의 일종》.
duff² *a.* 《英俗》 쓸모 없는, 하찮은 ; 가짜의.
duff³ *vt.* 《俗》 ① 〖골프〗 (공)을 헛치다, 더프하다.

②…을 때리다, 치다.
duf·fel, duf·fle [dʌ́fəl] *n.* ①Ⓤ 더플《성긴 나사(羅紗)의 일종》. ②〔集合的〕《美》 캠핑용품.
dúffel〔dúffle〕 bàg (군대용·캠핑용의) 즈크제 원통형 자루.
duf·fer [dʌ́fər] *n.* Ⓒ ①바보. ②…이 서툰 사람《*at*》: He's a ~ *at* tennis. 테니스는 잘 못한다.
dúffle〔dúffel〕 còat 후드가 달린 무릎까지 내려오는 방한(防寒) 코트.
*__dug__[1] [dʌg] DIG의 과거·과거분사.
dug[2] *n.* Ⓒ (어미 짐승의) 젖꼭지; 젖통이.
du·gong [dú:gaŋ, -gɔ:ŋ] *n.* Ⓒ 〖動〗 듀공(sea cow)《태평양·인도양에서 사는 포유동물》.
*__dug·out__ [dʌ́gàut] *n.* Ⓒ ①방공〔대피〕호. ②〖野〗 더그아웃. ③통나무배, 마상이(canoe).
*__duke__ [dju:k] *n.* ①Ⓒ (종종 D-) 《英》 공작(公爵)《여성형(形)은 duchess》: a royal ~ 왕족의 공작. ②Ⓒ (유럽의 공국(duchy) 또는 소국의) 군주, 공(公), 대공. ③(*pl.*) 《俗》 주먹(fists).
duke·dom [∠dəm] *n.* ①Ⓒ 공작령, 공국(duchy). ②Ⓤ 공작의 지위〔신분〕.
dul·cet [dʌ́lsit] *a.* (소리·음색이) 듣기 좋은, 감미로운(sweet): speak in ~ tones 듣기 좋은 어조로 말하다.
dul·ci·mer [dʌ́lsəmər] *n.* Ⓒ〖樂〗 덜시머《금속현을 때려 소리내는 악기의 일종; 피아노의 원형》.
Dul·ci·nea [dʌ̀lsiníə, dʌlsíniə] *n.* ①덜시니아《Don Quixote가 이상적인 여성으로 사모한 시골 처녀》. ②Ⓒ (종종 d-) 이상적인 연인.
‡__dull__ [dʌl] *a.* ①(날 따위가) 무딘, 둔한. opp *keen, sharp.* ¶ The edge of this knife is ~. 이 칼은 날이 무디다. ②둔감한, 우둔한, 지능이 낮은: a ~ pupil 둔한 학생 / ~ of mind 머리가 둔한. ③활기 없는, 활발치 못한; (시황 따위가) 부진한, 한산한, 침체한(slack). opp *brisk.* ¶ a ~ town 활기 없는 도시 / Business〔Trade〕 is ~. 불경기다. ④(이야기·책 따위가) 지루한, 따분한, 재미 없는: a ~ party 지루한 파티 / a ~ book〔talk〕 재미 없는 따분한 책〔이야기〕. ⑤(아픔 따위가) 무지근한, 격렬하지 않은; (색·소리·빛 따위가) 또렷〔산뜻〕하지 않은, 흐릿한(dim): a ~ pain〔ache〕 둔통(鈍痛) / a ~ luster 흐릿한 광택 / a ~ color 우중충한 색깔 / The peach fell to the ground with a ~ thud. 복숭아는 둔탁한 소리를 내며 땅에 떨어졌다. ⑥(날씨가) 흐린(cloudy), 찌푸린(gloomy): ~ weather 찌푸린 날씨. ⑦(상품·재고품이) 팔리지 않는. ***never a ~ moment*** 지루한 시간이 전혀 없는〔없이〕; 늘 무척 바쁜.
— *vt.* ①…을 둔하게〔무디게〕 하다. ②(고통 등)을 완화시키다. ③활발치 못하게 하다. ④흐릿하게 하다. — *vi.* ①둔해지다, 무디어지다. ②활발치 않게 되다. ~ ***the edge of*** (1)…의 날을 무디게 하다. (2)…의 흥미를 떨어뜨리다: ~ *the edge of* one's appetite 입맛이 떨어지게 하다.
dull·ard [dʌ́lərd] *n.* Ⓒ 둔한〔투미한〕 사람.
dull·ish [dʌ́liʃ] *a.* 좀 무딘; 약간 둔한〔둔감한〕; 침체한 듯한.
*__dul(l)·ness__ [dʌ́lnəs] *n.* Ⓤ ①둔함; 둔감. ②단조로움, 따분함. ③(날씨의) 찌무룩함. ④불경기.
dull-wit·ted [dʌ́lwìtid] *a.* =SLOW-WITTED.
*__dul·ly__ [dʌ́li] *ad.* ①둔하게. ②느리게; 멍청하게(stupidly). ③활발치 못하게; 멋대가리 없게.
‡__du·ly__ [djú:li] *ad.* ①정식으로, 정당하게, 당연히; 적당하게: The documents were ~ signed before a lawyer. 증서는 변호사의 입회 아래 정식으로 서명되었다. ②충분히(sufficiently): The program was ~ considered. 그 계획은 충분히 고려되었다. ③제시간에, 지체 없이, 시간대로(punctually): He ~ arrived. 그는 제시간에 도착했다. ~ ***to hand*** 〔商用文에서〕 틀림없이 받음. [◂due]
Du·mas [dju:mɑ́:] *n.* **Alexandre** ~ 뒤마《프랑스의 소설가·극작가 부자(父子), 1802-70; 1824-95》.
‡__dumb__ [dʌm] *a.* ①벙어리의, 말을 못하는. cf. mute. ¶ ~ animals〔creatures〕 말을 못 하는 짐승 / be ~ from birth 태어나면서부터 말을 못 하다 / a deaf and ~ person 농아자. ②말을 하지 않는, 잠자코 있는: He remained ~. 그는 잠자코 있었다. ③말을 쓰지 않는, 무언의《연극 등》. ④소리 나지 않는〔없는〕: This piano has some ~ notes. 이 피아노의 몇 키는 소리가 나지 않는다. ⑤(감정·생각 등) 말로는 나타낼 수 없는; (놀람 따위로) 이루 말할 수 없는 (정도의): ~ grief〔despair〕 말할 수 없는 슬픔〔절망〕 / He was struck ~ with amazement. 그는 놀라서 말이 나오지 않았다. ⑥《美口》 우둔한, 얼간이의(stupid): It was ~ of you not to accept the offer. 그 제의를 받아들이지 않은 너는 바보다.
㊐ ∠·ness *n.*
dumb·bell [dʌ́mbèl] *n.* Ⓒ ①〔흔히 複數꼴로〕 아령: a pair of ~*s* 아령 한 벌. ②《美俗》 바보, 얼간이(dummy): You ~! 이 멍청아.
dumb·found [dʌmfáund] *vt.* …을 어이 없어 말도 못 하게 하다, 아연케 하다: be ~*ed* at …에 아연하다〔말도 못 하다〕. [◂*dumb*+con*found*]
dumb·ly [dʌ́mli] *ad.* 잠자코, 묵묵히.
dum·bo [dʌ́mbou] (*pl.* ~***s***) *n.* Ⓒ 《美俗》 바보, 얼간이.
dúmb shòw 무언극; 무언의 손짓발짓〔몸짓〕.
dumb·struck, -stricken [dʌ́mstrʌ̀k], [∠strikən] *a.* 놀라서〔어이없어〕 말도 못 하는.
dumb·wait·er [dʌ́mwèitər] *n.* Ⓒ ①식품·식기용 리프트, 소화물용 리프트. ②《英》 =LAZY SUSAN.
dum·dum [dʌ́mdʌ̀m] *n.* Ⓒ 덤덤탄(彈)(=∠ **bùllet**)《명중하면 퍼져서 상처가 커짐》.
dum·found [dʌmfáund] *vt.* =DUMBFOUND.
*__dum·my__ [dʌ́mi] *n.* Ⓒ ①(양복점의) 동체(胴體) 모형, 장식 인형. ②바꿔 친 것〔사람〕; (영화의) 대역 인형. ③(사격 따위의) 연습용 인형, 표적 인형. ④모조품, 가짜; (젖먹이의) 고무 젖꼭지(《美》 pacifier); 〖製本〗 부피의 견본(pattern volume). ⑤명의뿐인 사람(figurehead), 간판 인물, 로봇, 꼭두각시. ⑥〖카드놀이〗 자기 패를 까놓을 차례가 된 사람; 빈 자리. ⑦《口》 바보, 멍청이. ⑧〖컴〗 시늉, 더미《어떤 사상(事象)과 외관은 같으나 기능은 다른 것》.
— *a.* 가짜의(sham), 모조의; 가장한; 명의〔간판〕뿐인: ~ foods (진열용의) 견본 요리 / a ~ company 유령 회사 / a ~ horse 목마 / a ~ director 명의뿐인 중역〔이사〕 / a ~ cartridge 공포(空包).
— *vi.* 《俗》 입을 (꽉) 다물다(*up*).
dúmmy rún 《英口》 ①공격 연습, 시연(試演). ②예행 연습, 리허설.
*__dump__[1] [dʌmp] *vt.* ①《~+目/+目+副/+目+前+名》 …을 털썩 내려뜨리다; (쓰레기 따위)를 내다버리다; …을 털썩〔쿵〕하고 내리다〔부리다〕; (속에 들어 있는 것)을 비우다《*on*; *in*》: ~ radioactive waste at sea 방사능 폐기물을 바다에 버리다 / The truck ~*ed* the coal *on* the side walk. 트럭이 석탄을 보도에 부려 놓았다 / *Dump* that box over here. 그 상자의 내용물을 여기에 꺼내 놔라. ②〖商〗 (상품)을 (해외 시장에) 투매하다, 덤핑하다. ③《口》 귀찮아 내쫓다, …을 (무

책임하게) 내팽개치다: He ~*ed* his wife a year after marrying her. 그는 결혼한 지 1년 후에 아내를 버렸다. ④〖컴〗떠붓다, 덤프하다《내부 기억 장치의 내용을 인쇄, 자기 디스크 등의 외부 매체상으로 출력〔인쇄〕하다》.
— *vi.* ① 털썩 떨어지다. ② 쓰레기를 내던져 버리다; 쿵하고 내던지다: No *Dumping.* 쓰레기 버리지 말 것《게시》. ③〖商〗투매하다. ~ ***on*** 《美》 …을 비난〔비방〕하다, 깎아내리다.
— *n.* Ⓒ ① 쓰레기 더미; 쓰레기 버리는 곳. ②《俗》지저분한 곳. ③〖軍〗(탄약 등의) 임시 집적장. ④〖컴〗떠붓기, 덤프《컴퓨터가 기억하고 있는 내용을 외부 매체에 출력〔인쇄〕한 것》.

dump² *n. pl.* 의기 소침, 침울(depression). ***be*** (***down***) ***in the ~s*** 의기 소침해 있다.

dúmp·er (trùck) [dʌ́mpər(-)] *n.* Ⓒ 《英》 = DUMP TRUCK.

dump·ing [dʌ́mpiŋ] *n.* Ⓤ ① (쓰레기 따위를) 내버림; (방사성·유독 폐기물의) 투기(投棄). ②〖商〗투매, 덤핑.

dump·ish [dʌ́mpiʃ] *a.* 우울한, 침울한.

dump·ling [dʌ́mpliŋ] *n.* ① Ⓤ,Ⓒ 가루반죽 푸딩, 경단. ② Ⓒ 뚱뚱보, 땅딸보.

Dump·ster [dʌ́mpstər] *n.* Ⓒ 《美》 대형 쓰레기 수납기〔통〕《商標名》.

dúmp trùck 덤프 트럭.

dumpy [dʌ́mpi] (***dump·i·er*** ; ***-i·est***) *a.* (사람이) 땅딸막한, 뭉뚝한. ㊕ **dúmp·i·ness** *n.*

dun¹ [dʌn] *n.* Ⓒ ① 빚 독촉하는 사람. ② 빚 독촉. — (*-nn-*) *vt.* …에게 몹시 (빚) 재촉을 하다; …을 끈질기게 괴롭히다.

dun² *a.* 암갈색의 (dull grayish brown). — *n.* ① Ⓤ 암갈색. ② Ⓒ 암갈색의 말.

Dun·can [dʌ́ŋkən] *n.* 덩컨《남자 이름》.

dunce [dʌns] *n.* Ⓒ 열등생, 저능아; 바보.

dúnce('s) càp (예전에) 공부 못 하는 생도에게 벌로 씌우던 원추형의 종이 모자.

dun·der·head [dʌ́ndərhèd] *n.* Ⓒ 바보, 멍청이. ㊕ **-head·ed** [-id] *a.*

dune [dju:n] *n.* Ⓒ (해변의) 사구(砂丘).

dúne bùggy 모래 언덕·해변의 모래밭을 달리게 설계된 소형 자동차(beach buggy).

dung [dʌŋ] *n.* Ⓤ (소·말 등의) 똥; 거름.

dun·ga·ree [dʌ̀ŋgəríː] *n.* ① Ⓤ 덩가리《동인도산 올이 굵은 무명의 일종》. ② (*pl.*) 위의 천으로 만든 바지·노동복《따위》.

dun·geon [dʌ́ndʒən] *n.* Ⓒ ① 토굴 감옥, 지하 감옥《중세 때 성 안의》. ② 아성(牙城) (donjon).

dung·hill [dʌ́ŋhìl] *n.* Ⓒ (농장의) 똥〔거름〕더미.

dunk [dʌŋk] *vt.* ① (빵 따위)를 (음료에) 적시다 《*in* ; *into*》: ~ a doughnut *in*〔*into*〕 coffee 도넛을 커피에 적시다. ② **a**) (물건·사람)을 물에 (처) 넣다, 담그다《*in* ; *into*》. **b**) 〔再歸的〕 (물 속 등)에 들어가다, 몸을 담그다《*in* ; *into*》: ~ *oneself in* a pool 풀 속에 몸을 담그다. ③ (농구에서 공을) 덩크슛하다. — *vi.* ① (빵 따위를) 음료에 담그다. ② 물에 담그다, 물에 잠기다. ③ 덩크슛을 하다. — *n.* = DUNK SHOT.

Dun·kirk, -kerque [dʌ́nkəːrk] *n.* 됭케르크《도버 해협에 면한 프랑스의 도시; 1940년 영국군이 독일군 포위 아래 여기서 필사의 철수를 했음》.

dúnk shòt〖籠〗덩크 슛《점프하여 바스켓 위에서 공을 내리꽂듯 하는 슛》: make a ~ 덩크슛을 하다.

dun·nage [dʌ́nidʒ] *n.* Ⓤ ① 수화물(baggage), 소지품. ②〖海〗짐밑 깔개《뱃짐의 손상을 막기 위해 사이에 끼우거나 밑에 까는》.

dun·no [dʌnóu] *n.* 《口》 = (I) don't know.

duo [djúːou] (*pl.* ***du·os, dui*** [djúːi]) *n.* Ⓒ 《It.》 ①〖樂〗2중창, 2중주(곡) (duet). ②《口》(연예인의) 2인조; 한 쌍: a comedy ~.

du·o·dec·i·mal [djùːoudésəməl] *a.* ① 12의. ② 12를 단위로 하는, 12진(법)의: the ~ system (of notation) 12진법.
— *n.* ① Ⓒ 12분의 1. ② (*pl.*) 12진법.

du·o·dec·i·mo [djùːoudésəmòu] (*pl.* ~*s*) *n.* ① Ⓤ 12절판(twelvemo)《대략 4·6판, B6판에 해당》. ② Ⓒ 12절판의 책. — *a.* 12절판의.

du·o·den·al [djùːədíːnəl, djuːɑ́dnəl] *a.*〖解〗십이지장의: a ~ ulcer 십이지장 궤양.

du·o·de·num [djùːoudíːnəm, djuːɑ́dənəm] (*pl.* ***-na*** [-nə]) *n.* Ⓒ〖解〗십이지장.

du·o·logue [djúːəlɔ̀(ː)g, -lɑ̀g] *n.* Ⓒ (두 사람의) 대화(dialogue); 대화극. ⓒⓕ monologue.

dupe [djuːp] *n.* Ⓒ ① 잘 속는 사람, '봉', 얼뜨기: become the ~ of a swindler 사기꾼의 봉이 되다. ② 앞잡이, 허수아비. — *vt.* 〔흔히 受動으로〕 …을 속이다; …을 속여 …하게 하다《*in* ; *into*》: The old man *was* ~*d into* believing the salesman. 노인은 속아서 그 외판원의 말을 믿어 버렸다.

du·ple [djúːpəl] *a.* 배(倍)의, 이중의: ~ time〖樂〗2박자.

du·plex [djúːpleks] *a.* 〔限定的〕 중복의, 이중의, 두 배의; 두 부분으로 이루어진: a ~ hammer 양면 망치. — *n.* Ⓒ ① = DUPLEX APARTMENT; = DUPLEX HOUSE. ②〖컴〗양방(兩方).

dúplex apártment 복식 아파트《상하층을 한 가구가 쓰게 된》.

dúplex hóuse 2세대용 주택.

dúplex sỳstem〖컴〗설치한 2대의 컴퓨터 중 하나는 예비용으로 하는 시스템.

***du·pli·cate** [djúːpləkit] *a.* 〔限定的〕 ① 이중의, 중복의, 한쌍의. ② 부(副)의, 복사의, 복제(複製)의: a ~ copy 부본; (그림 따위의) 복제(품). ③ 똑같은, 아주 비슷한: a ~ key 여벌 열쇠. ⓒⓕ passkey.
— *n.* Ⓒ ① (동일물의) 2통 중 하나; (그림·사진 등의) 복제. ② (서류 등의) 등본, 사본, 부본. ③ 흡사한 것: You look like his exact ~. 너는 그 사람과 쌍둥이 같다. ***in*** ~ 정부(正副) 두 통으로: a document done〔made〕 *in* ~ 정부 두 통으로 작성된 문서.
— [-kèit] *vt.* ① …을 이중으로 하다, 두 배로 하다. ② (증서 따위)를 두 통 만들다, 복제〔복사〕하다(reproduce). ③ …을 (공연히) 두 번 되풀이하다: ~ the same error 같은 잘못을 두 번 되풀이하다.

dú·pli·cat·ing machìne 〔**pàper**〕 [djúːpləkèitiŋ] 복사기〔복사지〕.

***du·pli·ca·tion** [djùːpləkéiʃən] *n.* ① Ⓤ 이중, 두 배, 중복. ② Ⓤ 복제, 복사. ③ Ⓒ 복제〔복사〕물: I need two ~*s* of these papers. 이 서류의 사본이 두 통 필요하다.

du·pli·ca·tor [djúːpləkèitər] *n.* Ⓒ 복사기.

du·plic·i·ty [djuːplísəti] *n.* Ⓤ 표리부동, 두 마음; 기만, 위선.

du·ra·bil·i·ty [djùərəbíləti] *n.* Ⓤ 오래 견딤, 내구성, 영속성; 내구력.

du·ra·ble** [djúərəbəl] (more*** ~ ; ***most*** ~) *a.* ① 오래 가는, 튼튼한; 내구력이 있는: ~ goods 내구(소비)재 / These trousers are made of ~ cloth. 이 바지는 질긴 천으로 돼있다. ② 영속성이 있는, 항구적인, 언제나 변치 않는: (a) ~ peace 항구적 평화 / a ~ friendship 길이 변치 않는 우정. — *n. pl.* 내구(소비)재. ⓞⓟⓟ *nondurables.*

[파] ~·ness *n.*
du·ra·bly [djúərəbli] *ad.* ① 튼튼하게, 내구적으로. ② 영속적[항구적]으로.
du·ral·u·min [djuərǽljəmin] *n.* [U] 두랄루민(가볍고 강한 알루미늄 경합금의 일종).
du·ra·tion** [djuəréiʃən] *n.* [U] 지속, 계속; 계속[지속] 기간, 존속 (기간) : the natural ~ of life 수명 / of long[short] ~ 장기[단기]의 / Please be quiet for the ~ of the discussion. 토의를 계속하는 동안에는 조용히 해 주세요. ***for the ~ (1) 전쟁이 끝날 때까지, 전쟁 기간 중. (2) 어떤 일이[사태가] 계속되는 동안, 당분간.
du·ress [djuərés, djúəris] *n.* [U] ① 구속, 감금 : in ~ 감금당하여. ② 〖法〗 강요, 협박 : make a confession under ~ 협박을 당하여 자백하다.
Du·rex [djúəreks] *n.* [C] 듀렉스(콘돔의 商標名).
Dur·ham [də́:rəm, dʌ́r-] *n.* ① 더럼 주(잉글랜드 북부의 주 ; 略 : Dur(h) ; 또, 그 주도(州都)). ② 더럼종(種)의 육우(肉牛).
du·ri·an [dúəriən] *n.* [C] 〖植〗 두리언(Malay 반도산의 과실); 그 나무.
†**dur·ing** [djúəriŋ] *prep.* ① …동안 (내내) : ~ the winter 겨울 동안 (내내) / I stayed in Pusan ~ the vacation. 휴가 동안 내내 부산에 있었다. ② …사이에 : It rained ~ the night. 밤 사이에 비가 왔다 / A friend of mine came to see me ~ the day. 낮에 친구가 나를 만나러 왔다. ★ during 다음에는 때를 나타내는 명사가 오지만, for 다음에는 수사(數詞)를 동반한 명사가 흔히 옴 : *during* his stay in London *for* four years, 4 년간의 런던 체재 중.
du·rum [djúərəm] *n.* [U] 밀의 일종(=ㅅ **whèat**) (마카로니 · 스파게티 등의 원료).
***dusk** [dʌsk] *n.* [U] ① 어둑어둑함, 땅거미, 황혼 (twilight) : *Dusk* fell. 황혼이 됐다 / *Dusk* was rapidly fading into darkness. 땅거미는 빠르게 껌껌해져 가고 있었다. ② (숲 · 방 등의) 어두컴컴함 : in the ~ of the pine wood 소나무 숲의 어두컴컴한 데서.
dusky** [dʌ́ski] (dusk·i·er*** ; ***-i·est***) *a.* ① 어스레한, 희미한 : a ~ sky 검게 흐린 하늘 / ~ light 침침한 빛. ② (빛 · 피부색이) 거무스름한 : a ~ complexion 거무스름한 피부색. [cf] swarthy.
[파] **dusk·i·ly** *ad.* **-i·ness** *n.*
Düs·sel·dorf [djúsəldɔ̀:rf] *n.* 뒤셀도르프(독일 라인 강변의 항구 도시).
‡**dust** [dʌst] *n.* ① **a**) [U] 먼지, 티끌 : gather [collect] ~ 먼지가 쌓이다 / The ~ was blowing. 먼지가 일고 있었다 / Don't raise ~. 먼지를 일으키지 마라. **b**) (a ~) 토연(土煙), 사진(砂塵) : *a* cloud of ~ 자욱한 토연. ② (the ~) 시체 (dead body), 유해 ; (티끌이 될) 육체, 인간 : *the* honored ~ 영예로운 유해 / This grave contains *the* ~ of my father. 이 묘에는 아버지의 유해가 묻혀 있다. ③ [U] **a**) 가루, 분말 : gold[coal] ~ 금[탄]가루. **b**) 금가루, 사금. ④ [U] 《英》 쓰레기 (refuse), 재 : ⇨DUSTBIN, DUST CART, DUSTMAN. ⑤ [U] (티끌처럼) 하찮은 것 : Fame in the world is ~ to me. 세상의 명성은 내게는 하찮은 것이다. ⑥ (the ~) (매장할 곳의) 흙. (***as***) ***dry as*** ~ 무미건조한. ***bite the*** ~ 《口》 살해되다 ; 《특히》 전사하다 ; 실패하다 ; 굴욕을 당하다. ~ ***and ashes*** 먼지와 재(실망스러운 것, 하찮은 것) : turn to ~ *and ashes* (희망이) 사라지다, 헛되이 되다. ***in the*** ~ 죽어서 ; 모욕을 받고. ***raise*** [***kick up, make***] ***a*** ~ 《口》 소동을 일으키다. ***shake the*** ~ ***off*** one***'s feet*** = ***shake off the*** ~ ***of*** one***'s feet*** 〖聖〗 자리를 박차고 (분연히) 떠나다(마태복음 X : 14). ***throw*** ~ ***in*** [***into***] a person***'s eyes*** 아무를 속이다.
── *vt.* ① 《~+[목] / +[목]+[부]》 …의 먼지를 떨다 ; 청소하다(*off* ; *down*) : ~ (*off*) a table 책상의 먼지를 떨다 / ~ oneself *down* (자기) 몸의 먼지를 털다. ② 《+[목]+[전]+[명]》 …에 (가루 · 방충제 등을) 흩뿌리다[끼얹다] (sprinkle)(*with*) : ~ a cake *with* sugar 케이크에 설탕을 뿌리다 / That airplane is ~*ing* chemicals over the crops. 저 비행기는 작물에 농약을 뿌리고 있다.
── *vi.* ① 먼지를 털다. ② (새가) 사욕(砂浴)을 하다. ~ ***off*** (1) 먼지를 떨다. (2) (오랫동안 간수해둔 것을) 꺼내어 다시 쓸 준비를 하다. ~ a person***'s jacket*** [***coat***] (***for*** him) 아무를 두들겨 패다.
[파] ㅅ·**less** *a.*
dúst bàth (새의) 사욕(砂浴).
dust·bin [dʌ́stbìn] *n.* [C] 《英》 (옥외용) 쓰레기통(《美》 ashcan, trash can, garbage can).
dúst bòwl (흙모래 폭풍이 심한) 건조 지대 ; (특히 미국 중서부의) 황진(黃塵) 지대.
dúst càrt 《英》 쓰레기 운반차(《美》 garbage truck).
dúst còver ① (가구 · 비품 따위의) 먼지 방지용 커버. ② =DUST JACKET.
***dust·er** [dʌ́stər] *n.* [C] ① 먼지떠는[청소하는] 사람. ② 먼지떨이, 총채, 행주, 걸레. ③ 《美》 먼지 방지 외투(=《英》**dúst còat**). ④(여성이 실내에서 의복 위에 입는) 가벼운 먼지 방지복.
dúst jàcket 책 커버(book jacket).
dust·man [dʌ́stmən] (*pl.* ***-men*** [-mən]) *n.* [C] 《英》 쓰레기 청소원(《美》 garbage collector).
dust·pan [dʌ́stpæ̀n] *n.* [C] 쓰레받기.
dúst shèet =DUST COVER ①.
dúst stòrm 사진(沙塵)을 일으키는 강풍. [cf] dust bowl.
dust·up [dʌ́stʌ̀p] *n.* [C] 《口》 치고 받기, 격투.
‡**dusty** [dʌ́sti] (***dust·i·er*** ; ***-i·est***) *a.* ① 먼지 투성이의, 먼지 많은 : a ~ road 먼지가 많이 이는 길 / The room is ~. 이 방은 먼지 투성이다. ② 먼지 같은 빛깔의, 회색의(gray). ③ 티끌 같은 ; 분말 같은. ④ 무미건조한 ; 하찮은. ***not*** [***none***] ***so*** ~ 《英口》 아주 나쁜[버릴] 것도 아닌, 그저 그만한(not so bad) : "How are you feeling today?"—"Oh, not so ~." '오늘은 기분이 어떤가' '응, 그저 그만해.'
[파] **dúst·i·ly** [-təli] *ad.* **-i·ness** *n.*
dústy ánswer 매정한 대답[거절].
‡**Dutch** [dʌtʃ] *a.* ① 네덜란드의 ; 네덜란드령(領)의 ; 네덜란드 사람[말]의.

> [參考] 네덜란드는 Holland, 공식으로는 (the Kingdom of) the Netherlands. 옛날 네덜란드는 영국의 해외 진출의 라이벌이었고, 당시 영국인은 네덜란드에 대해 악감정을 갖고 있었으므로, Dutch 라는 말은 경멸적인 뜻을 담은 표현으로 쓰이는 일이 많음.

② 네덜란드산[제(製)]의 : *Dutch* cheeze[beer] 네덜란드산 치즈[맥주]. ***go*** ~ 《口》 각자 부담[각추렴]으로 하다(*with*). [cf] Dutch treat. ¶ Let's *go* ~. 각자 부담으로 하자(★ Let's go fifty-fifty. 또는 Let's split the bill between us. 따위로도 말함).
── *n.* ① (the ~) 〔集合的 ; 複數취급〕 네덜란드 사람(한 사람은 Dutchman) ; 네덜란드 국민 ; 네덜란드군(軍). ② 네덜란드어. [cf] Pennsylvania Dutch, double Dutch.
beat the ~ 《美口》 남을 깜짝 놀라게 하다 : That

beats the ~. 아이구, 놀랍군. ***in*** ~《俗》기분이 상하여, 창피를 당해서 ; 곤란해서 : get *in* ~ 난처한 입장이 되다.
Dútch áuction 값을 깎아 내려가는 경매.
Dútch cáp ① 좌우에 늘어진 테가 달린 여성 모자. ② (피임용) 페서리의 일종.
Dútch cóurage 《口》 술김에 내는 용기.
Dútch dóor 상하 2단으로 된 문《따로 따로 여닫게 된》.
Dutch·man** [dʌ́tʃmən] (*pl.* ***-men [-mən]) *n.* ① 네덜란드 사람(Netherlander, Hollander). ② 《美俗》 독일 사람. ③ 〖海〗 네덜란드 배 : ⇨ FLYING DUTCHMAN. ***I'm a*** ~. 《口》 (단언할 때 쓰는 말로) 내 목을 걸겠다 : *I'm a* ~ if it is true. 그게 사실이라면 내 목을 자르겠다 / It is true, or *I'm a* ~. 그건 틀림 없어, 그렇지 않으면 내 목을 잘라라.
Dútch óven ① 철제 압력솥. ② 벽돌 오븐《미리 벽면을 가열해 그 방사열로 요리》.
Dútch róll 〖空〗 더치롤《항공기가 rolling 과 yawing 을 되풀이하여 좌우로 사행(蛇行)하는 일》.
Dútch tréat 〔párty〕 《口》 비용을 각자 부담하는 회식〔오락〕, 각추렴의 파티.
Dútch úncle 엄하게 꾸짖는 사람 : talk to a person like a ~ (선의로) 아무를 엄하게 꾸짖다.
Dutch·wom·an [dʌ́tʃwùmən] (*pl.* ***-wom·en*** [-wìmin]) *n.* Ⓒ 네덜란드 여자〔부인〕.
du·te·ous [djúːtiəs] 《文語》 *a.* =DUTIFUL.
du·ti·a·ble [djúːtiəbəl] *a.* 관세를 물어야 할《수입품 따위》, 세금이 붙는. opp. *duty-free.* ¶ ~ goods 과세품.
du·ti·ful [djúːtifəl] *a.* ① 의무에 충실한, 본분을 지키는 : a ~ servant 충실한 하인. ② (윗사람에게) 예의 바른, 공손한, 순종하는 : ~ respect 정중한 존경, 공순(恭順) / a ~ son 효자.
파 ~·**ly** [-fəli] *ad.* ~·**ness** *n.*
‡**du·ty** [djúːti] *n.* ① U,C 의무, 본분 ; 의리 : act out of ~ 의무감에서 행동하다 / do one's ~ 의무를〔본분을〕 다하다 / one's ~ to one's country 국가에 대한 의무 / fail in one's ~ 의무를〔본분을〕 게을리하다 / It's our ~ to obey the law. 법에 따르는 것은 우리의 의무다. ② Ⓒ (종종 *pl.* ; 또는 Ⓤ) 임무, 직무, 직책 : hours of ~ 근무 시간 / night 〔day〕 ~ 야근〔낮근무〕 / a ~ officer 당직 장교 / take on a person's ~ 남의 임무를 대신하다 / military ~ 군무 / public ~ 공무. ③ Ⓒ (종종 *pl.* ; 또는 Ⓤ) 조세 ; 관세(customs duties) : excise *duties* (국내) 소비세, 물품세 / export 〔import〕 *duties* 수출〔수입〕세 / impose〔lay〕 a ~ on imports 수입품에 과세하다 / legacy ~ 유산 상속세.
as in ~ ***bound*** 의무상. ***be*** (***in***) ~ ***bound to*** do …해야 할 의무가 있다. ***do*** ~ ***for*** 〔***as***〕 …의 대용이 되다, …의 역을 하다 : An old sofa *did* ~ *for* a bed. 헌 소파가 침대 대신이 됐다. ***off*** ~ 비번인 : be〔come, go〕 *off* ~ 비번이다〔이 되다〕. ***on*** ~ 당번인, 근무 중인 : be〔come, go〕 *on* night ~ 야간 당직이다〔이 되다〕.
dúty càll 의례적인 방문.
du·ty-free [djúːtifríː] *a.* 세금 없는, 면세의 : ~ goods 면세품 / a ~ shop (공항 등의) 면세점. ── *ad.* 면세로 : buy something ~ …을 면세로 사다. ── *n.* Ⓒ 면세점.
du·ty-paid [-péid] *a., ad.* 납세필의〔로〕.
du·vet [djuːvéi] *n.* Ⓒ 《F.》 새털을 넣은 이불《quilt 따위》.
D.V. *Deo volente* 《L.》 (=God willing).

Dvo·rák [dvɔ́ːrʒɑːk, -ʒæk] *n.* **Anton** ~ 드보르자크《체코슬로바키아의 작곡가 ; 1841-1904》.
‡**dwarf** [dwɔːrf] (*pl.* ***~s, dwarves*** [-vz]) *n.* Ⓒ ① 난쟁이(pygmy). cf. midget. ② 왜소 동물〔식물〕 ; 분재. ③ 〖天〗 =DWARF STAR. ── *a.* 〔限定的〕 ① 왜소한 ; 소형의. opp. *giant.* ② (식물이) 왜성인 ; 지지러진. ── *vt.* ① 작아 보이게 하다 : The big tree ~*s* its neighbors. 저 큰 나무 때문에 주변의 나무들이 작아보인다. ② …의 발육〔성장, 발달〕을 방해하다 : a ~(*ed*) tree 분재(盆栽).
dwarf·ish [dwɔ́ːrfiʃ] *a.* 난쟁이 같은, 왜소(矮小)한, 자그마한(pygmyish).
dwárf stár 〖天〗 왜성(矮星). 「이.
dweeb [dwiːb] *n.* Ⓒ 《美俗》 바보, 멍청이, 겁쟁
‡**dwell** [dwel] (*p., pp.* ***dwelt*** [-t], ***dwelled*** [-d, -t]) *vi.* 《+전+명》 살다, 거주하다(live)《*at ; in ; near ; on ; among*》 : ~ *at* home 국내에 거주하다 / ~ *in* a city〔country〕 도시〔시골〕 생활을 하다 / ~ *on* a lonely island 고도에 살다《★ 지금은 live 가 보통》. ~ ***on*** 〔***upon***〕 (1) …을 곰곰〔깊이〕 생각하다 : Don't ~ *on* this so much ; you'll become ill. 이 일을 그렇게 곰곰이〔자꾸만〕 생각할 것 없다, 병 나겠다. (2) …을 길게 논하다〔쓰다〕. (3) (소리·음절을) 길게 끌다.
***dwell·er** [dwélər] *n.* Ⓒ 거주자, 주민 : town(-) ~*s* 도시 주민. 「거주.
‡**dwell·ing** [dwéliŋ] *n.* ① Ⓒ 집, 주거, 주소. ② Ⓤ
dwélling hòuse 살림집, 주택.
dwélling plàce =DWELLING①.
‡**dwelt** [dwelt] DWELL 의 과거·과거분사.
***dwin·dle** [dwíndl] *vi.* ① 《~ / +부 / +전+명》 점점 작아지다, 축소〔감소〕되다(diminish) : ~ away to nothing 점점 줄어서 없어지다 / the island's *dwindling* population 섬의 줄어드는 인구 / The airplane ~*d to* a speck. 비행기는 작아져서 하나의 점으로 되었다. ② (몸이) 여위어가다 ; (명성 따위가) 약화되다 ; 쇠하다, (품질이) 저하되다, 하락하다《*away ; down*》 : Her hopes gradually ~ *away.* 그녀의 희망은 점차 사라졌다.
dwt. *denarius weight* 《L.》 (=pennyweight).
DX, D.X. [díːéks] *n., a.* 〖通信〗 장거리(의) (distance, distant).
Dy 〖化〗 dysprosium.
d'ya [djə] 〔발음철자〕 《口》 =do you.
‡**dye** [dai] *n.* U,C ① 물감, 염료 : acid〔basic, natural〕 ~(*s*) 산성〔염기성, 천연〕 염료. ② 색깔, 색조, 물(든 색). ***of*** (***the***) ***deepest*** 〔***blackest***〕 ~ 가장 악질의, 극악한 : a crime 〔scoundrel〕 *of the blackest* 〔*deepest*〕 ~ 극악한 범죄〔악당〕.
── (*p., pp.* ***dyed*** ; ***dýe·ing***) *vt.* 《~+목 / +목+전+명 / +목+보》 …을 물들이다 ; 염색〔착색〕하다 : have a cloth ~*d* 천을 염색하다 / ~ a green *over* a white 흰 바탕에 녹색을 물들이다 / ~ a cloth red 천을 붉게 물들이다. ── *vi.* 《+부》 물들다 : Silk ~*s well* with acid dyes. 비단은 산성 염료에 잘 물든다 / Will this cloth ~ (*well*)? 이 천은 염색이 (잘) 됩니까. ★ 철자에 주의 : dye≠die ; dyeing≠dying.
dyed-in-the-wool [dáidinðəwúl] *a.* ① 〔限定的〕 《종종 蔑》 (사상적으로) 철저한 : a ~ communist〔conservative〕 철저한 공산〔보수〕주의자. ② (짜기 전에) 실을 물들인.
dye·ing [dáiiŋ] *n.* Ⓤ 염색(법) ; 염색업.
dy·er [dáiər] *n.* Ⓒ 염색하는 사람, 염색공 ; 염색집〔소〕.
dye·stuff [dáistʌ̀f] *n.* U,C 물감, 염료.

‡dy·ing [dáiiŋ] *a.* ① 죽어가는, 빈사(瀕死)의 ; 임종(때)의 : a ~ swan 빈사의 백조 / a ~ tree 말라 죽어가는 나무 / one's ~ wish〔words〕 임종의 소원〔유언〕. ② 저물어가는 ; 사라지려는, 꺼져가는 : the ~ year 저물어 가는 해 / ~ embers 꺼져가는 여신(餘燼). ◇ die *v.* ***to*** 〔***till***〕 one***'s*** ~ ***day*** 죽는 날까지, 언제까지나.

dyke[1] ⇨ DIKE.

dyke[2] [daik] *n.* Ⓒ《俗》레스비언, 그 남자역.

***dy·nam·ic** [dainǽmik] *a.* ① 동력의 ; 동적인. opp *static.* ¶ Language is a ~, living thing. 언어는 동적이며 살아있는 것이다. ②〚컴〛동적인. opp *static.* ¶ ~ memory 동적 기억 장치《기억 내용을 정기적으로 충전할 필요가 있는》. ③ (동)역학(상)의 ; 동태의 ; 에너지를〔원동력을, 활동력을〕 낳게 하는 : ~ economics 동태 경제학. ④ 활기 있는, 힘센, 정력적인 : a ~ personality 활동적인 성격 / a most ~ man 대단한 정력가. ⑤〚醫〛기능적인(functional) : a ~ disease 기능적 질병. ── *n.* (a ~) 힘 ; 원동력《*of*》. ⊕ **-i·cal** [-əl] *a.* =dynamic. **-i·cal·ly** [-əli] *ad.*

dynámic allocàtion〚컴〛동적 할당.

***dy·nam·ics** [dainǽmiks] *n.* ① Ⓤ〚物〛역학, 동역학. opp *statics.* ¶ rigid ~ 강체(剛體) 역학 / the ~ of a power struggle 권력 투쟁의 역학. ②〔複數 취급〕(물리적·정신적) 원동력, 활동력, 에너지, 박력 : the ~ of human behavior 인간의 행동의 원동력. ③〔複數 취급〕변천〔변동〕(과정). ④〔複數 취급〕〚樂〛(음의) 강약법.

dy·na·mism [dáinəmìzəm] *n.* Ⓤ ①〚哲〛역본설(力本說), 역동설. ② 활력, 패기, 박력.

***dy·na·mite** [dáinəmàit] *n.* Ⓤ ① 다이너마이트 : explode the ~ 다이너마이트를 터뜨리다. ②《口》격렬한 성격의 사람〔물건〕, 대단한 것〔사람〕; 충격적인 것 : The movie is ~ ! 그 영화는 충격적이다. ── *a.*《美俗》최고의, 굉장한 : a ~ singer 굉장한 가수. ── *vt.* …을 다이너마이트로 폭파하다 : ~ a building 건물을 다이너마이트로 폭파하다. ⊕ **-mit·er** [-ər] *n.*

dy·na·mize [dáinəmàiz] *vt.* …을 활성화하다 : ~ the economy 경제를 활성화하다.

dy·na·mo** [dáinəmòu] (*pl.* ~s***) *n.* Ⓒ ① 다이너모, 발전기 : an alternating 〔a direct〕 current ~ 교류〔직류〕 발전기. ② 정력적인 사람 : He's a real ~. 정말 대단한 활동가다.

dy·na·mo·e·lec·tric [dàinəmouiléktrik] *a.* 발전의, 전동(電動)의.

dy·na·mom·e·ter [dàinəmámitər / -mɔ́m-] *n.* Ⓒ 동력계(動力計).

dy·na·mom·e·try [dàinəmámətri / -mɔm-] *n.* Ⓤ 동력 측정법.

dy·na·mo·tor [dáinəmòutər] *n.* Ⓒ 발전동기(發電動機)《발전기와 전동기를 겸함》.

dy·nast [dáinæst, -nəst / dínæst] *n.* Ⓒ ① (왕조의) 군주, 제왕. ② 왕자, 제일인자.

dy·nas·tic [dainǽstik / di-] *a.* 왕조〔왕가〕의.

***dy·nas·ty** [dáinəsti / dí-] *n.* Ⓒ ① (역대) 왕조 : the Tudor ~ 튜더 왕조. ② (어떤 분야의) 명가(名家), 명문 ; 지배적 집단, 재벌.

dyne [dain] *n.* Ⓒ〚物〛다인《힘의 단위 ; 질량 1 g 의 물체에 작용하여 1 cm/sec² 의 가속도를 생기게 하는 힘 ; 기호 : dyn》.

d'you [dʒu] =do you.

dys- *pref.* '악화·불량·곤란 등'의 뜻의 결합사.

dys·en·tery [dísəntèri] *n.* Ⓤ〚醫〛이질, 적리 ;《口》설사병. ⊕ **dỳs·en·tér·ic** *a.*

dys·func·tion [disfʌ́ŋkʃən] *n.* Ⓒ〚醫〛(신체의) 기능 장애.

dys·gen·ic [disdʒénik] *a.* 〔限定的〕〚生〛열성(劣性)의, 비(非)우생학적인 ; 역도태(逆陶汰)의. opp *eugenic.*

dys·lex·ia [disléksiə] *n.* Ⓤ〚醫〛실독증(失讀症).

dys·lex·ic [disléksik] *a.* 실독증(失讀症)의. ── *n.* Ⓒ 실독증 환자.

dys·pep·sia [dispépʃə, -siə] *n.* Ⓤ〚醫〛소화 불량(증). opp *eupepsia.*

dys·pep·tic [dispéptik] *a.* ① 소화 불량의. ② (위가 나쁜 사람처럼) 성마른, 신경질적인. ── *n.* Ⓒ 소화 불량인 사람.

dys·pho·nia [disfóuniə] *n.* Ⓤ〚醫〛발음 곤란, 언어〔발성〕 장애.

dysp·nea, -noea [dispníːə] *n.* Ⓤ〚醫〛호흡곤란.

dys·pro·si·um [dispróusiəm, -ʃiəm] *n.* Ⓤ〚化〛디스프로슘《자성(磁性)이 강한 희토류(稀土類) 원소 ; 기호 Dy ; 번호 66》.

dys·to·pia [distóupiə] *n.* Ⓤ (유토피아에 대하여) 암흑향(暗黑鄕), 지옥향.

dys·tro·phy, -phia [dístrəfi], [distróufiə] *n.* Ⓤ〚醫〛영양 실조〔장애〕.

dz. dozen(s).

E

E, e [iː] (*pl.* **E's, Es, e's, es** [-z]) ① Ⓤ,Ⓒ 이《영어 알파벳의 다섯째 글자》. ② Ⓤ 〖樂〗 마음(音)《고정 도 창법의 '미'》, 마조(調): *E* flat 내림 마음 / *E* major 〔minor〕 마장조〔단조〕. ③ Ⓒ E 자 모양(의 것). ④ Ⓤ (연속하는 것의) 다섯 번째. ⑤ 〖컴〗 16 진수의 E《10 진법의 14》. ***E for Edward***, Edward 의 E《국제 전화 통화 용어》.

e- *pref.* =EX-[1].

E, E. East ; east(ern) ; Easter ; English.

†**each** [iːtʃ] *a.* 〔限定的〕〔單數名詞를 수식〕 각각의, 각기의, 각자의, 제각기의, 각…: at 〔on〕 ~ side of the gate 문의 양쪽〔안팎〕에 (=at 〔on〕 both sides of the gate) / ~ one of us 우리(들) 각자 / The teacher gave three books to ~ boy. 선생님은 소년들에게 각각 책을 세 권씩 주셨다 / *Each* country has its own customs. 나라마다 각기 특유한 풍습이 있다.

> 語法 (1) 'each+명사'는 단수 취급이 원칙이며, 대명사로 받을 때에는 he, his / they, their로 함: *Each* student *has* received *his* 〔*their*〕 diploma. (학생은 저마다 졸업증서를 받았다)에서는 의미상 students 가 앞에 오는 셈이 되므로 their 로 호응할 때도 많음. 또 his 는 남성 본위이므로 his or her 로 할 때도 있으나 번거로워서 딱딱한 '쓰기말' 외에는 흔히 이를 피함.
> (2) each 뒤에 명사가 둘 이상 연속되어도 단수 취급을 함: *Each* senator *and* congressman was 〔were〕 allocated two seats. 상하 양원 의원은 좌석이 두 개씩 할당돼 있었다.
> (3) each 는 '개별적', all 은 '포괄적', every 는 each 와 all 의 뜻을 아울러 지님: *Every* television is guaranteed for one year. *Each* set is inspected and tested before it leaves the factory. 어떤 TV건 1년 동안 보증됩니다. 출하되기 전에 한 대 한 대 엄격히 체크됩니다.
> (4) each 의 앞에는 정관사나 소유대명사가 오지 않음.

bet ~ way ⇨ BET. ***~ and every***《every의 강조》 어느 것이나〔누구나〕 모두, 죄다: *Each and every* boy was present. 어느 학생이나 모두 출석해 있었다. ***~ time*** (1) 언제나; 늘, 매번: He climbed the mountain three times and ~ *time* by himself. 그는 그 산에 세 번 올라갔는데 언제나 혼자 올라갔다. (2) …할 때마다《접속사적 용법》: My heart beats fast ~ *time* I see her. 그녀를 볼 때마다 가슴이 두근거린다.

— *pron.* ① 〔흔히, ~ of +정(定)명사구〕 저마다, 각각, (제)각기, 각자: *Each of* us *has* his opinion. 우리는 제각기 의견을 갖고 있다《단수 취급을 원칙으로 하지만, 《口》에서는 *Each* of us have our opinions. 처럼 복수 취급을 할 때도 있음》/ *Each of* the girls was 〔were〕 dressed neatly. 어떤 여자 아이나 말쑥한 복장을 하고 있었다《단수동사가 원칙이지만 girls에 끌려 복수동사를 쓸 때도 있음》. ② 〔복수(대)명사의 동격으로 쓰여〕 제각각: We ~ have our opinions. 우리는 각기 자기 의견을 갖고 있다《이 때는 주어에 맞추어 복수 취급》/ We gave them ~ a suitable job. 우리는 그들에게 각기 적당한 직업을 주었다.

> 語法 (1) 否定文에서는 each를 쓰지 않고, neither나 no one을 씀. *Each* did *not* fail.이라고 하지 않고 *Neither* 〔*No one*〕 *failed.* (아무도 실패하지 않았다)라고 함.
> (2) '*A and B each*'일 때는 복수 취급이 보통임: My brother and sister ~ *give* freely to charity. (나의 형님도 누님도 각자 아낌없이 자선 사업에 기부한다). 다만, A, B 를 각기 개개의 것으로 보는 기분이 강할 때에는 단수로 취급함: The rural south and the industrial north ~ *has* its attraction for the tourist. 농촌 지대인 남부와 공업화된 북부는 각기 관광객을 끄는 매력을 갖추고 있다.

~ and all 각자 모두. ***~ other*** 〔目的語·所有格으로만 쓰여〕 서로(를), 상호: They hate ~ *other.* 그들은 서로 미워한다(=*Each* hates the *other*(*s*).) / My parents looked at ~ *other.* 부모님은 서로 쳐다봤다 / We enjoy ~ *other's* company. 우리는 서로 사이좋게 지낸다.

— *ad.* 각기; 각각; 한 개〔사람〕에 대해: They cost a dollar ~. 그것들은 한 개 1달러이다 / The girls were ~ dressed neatly. 소녀들은 모두 옷을 말쑥이 입고 있었다.

‡**ea·ger** [íːgər] *a.* ① 〔敍述的〕 열망하는, 간절히 바라는《*for* ; *after*》: ~ *for* 〔*after*〕 knowledge 지식욕에 불타는 / The majority were ~ *for* change. 대다수의 사람들은 변화를 갈망했다 / When my own son was five years old, I became ~ *for* another baby. 내 아들이 다섯 살 됐을 때 나는 자식 하나를 더 바라게 됐다. ② 〔敍述的〕 간절히 …하고 싶어하는《*to* do ; *that*》: She is ~ *to* be alone. 그녀는 매우 혼자 있고 싶어한다 / Robert was ~ *to* talk about life in the Army. 로버트는 군대 생활에 관해 이야기하고 싶었다 / They were ~ *for* the game *to* begin. 그들은 경기가 시작되기를 고대하고 있었다 / Bill's mother is ~ *that* he should at least finish high school. 빌의 어머니는 그가 최소한 고교만이라도 마치기를 갈망하고 있다 / She is very ~ to go abroad. 그녀는 몹시 외국에 가고 싶어한다. ③ 열심인: He's very ~ in his studies. 그는 공부에 매우 열심이다 / an ~ desire 간절한 욕망 / an ~ glance 뜨거운 눈길 / Lots of ~ volunteers responded to the appeal for help. 많은 자원 봉사자들이 도와달라는 요청에 응했다 / She listened to the story with ~ attention. 그녀는 그 이야기에 열심히 귀를 기울였다. ㊕ ‡**~·ly** *ad.* 열심히.

éager béaver 《口》 열심히 일하는 사람, 일벌레.

‡**ea·ger·ness** [íːgərnis] *n.* Ⓤ ① 열심: with ~ 열심히. ② 열망《*for* ; *after* ; *about* ; *to* do》: one's ~ *for* fame 명예욕. ***be all ~ to*** do …하고 싶어서 못 견디다.

‡**ea·gle** [íːgəl] *n.* ① Ⓒ 〖鳥〗 (독)수리. ② Ⓒ (독)수리표《미국의 국장(國章)》. ③ Ⓒ 미국의 10 달러짜리 금화《1933년 폐지》. ④ (the E-) 〖天〗 독수리자리. ⑤ Ⓒ 〖골프〗 이글《표준 타수보다 둘이 적은 홀인》.

E

the day the ~ shits《美軍俗》급료일.
— *vt.* 〖골프〗 (홀)을 표준 타수보다 둘이 적은 타수로 마치다.

éagle èye 날카로운 눈, 형안(炯眼) ; 눈이 날카로운 사람 ; 탐정 : We sat down and started the exam under the ~ of the teacher. 우리는 앉아서 선생님의 감독 아래 시험을 치렀다. ***keep an ~ on*** …을 주의깊게 지켜보다.

ea·gle-eyed [-àid] *a.* 눈이 날카로운 ; 형안의.

éagle hàwk 〖鳥〗 (남아메리카산의) 수리매.

Éagle Scòut《美》이글스카우트《Boy Scout의 최고 클래스》.

ea·glet [í:glit] *n.* Ⓒ 〖鳥〗 새끼 수리.

†**ear**[1] [iər] *n.* ① Ⓒ 귀 : the external〔middle, internal〕 ~ 외이(外耳)〔중이, 내이〕. ② Ⓒ 청각, 청력 ; 음감(音感) : have good ~*s* 귀가 밝다. ③ (흔히 *sing.*) 경청, 주의 : catch the ~ of the public 세인의 주의를 끌다 / He tried to give a sympathetic ~ at all the times. 그는 항상 남의 이야기를 동정적인 입장에서 경청하려 했다. ④ Ⓒ 귀 모양의 물건 ; (냄비 등의) 손잡이. ⑤ (*pl.*)《CB俗》무선기. ***A word in your ~.*** 잠깐〔은밀히〕 할 말이 있다. ***be all ~s***《口》열심히 귀를 기울이다 : As soon as I mentioned money, she *was all ~s.* 내가 돈 얘기를 꺼내자 그녀는 귀가 번쩍 뜨이는 것 같았다. ***bend an ~*** 귀를 기울여 듣다. ***bend*** a person***'s ~***《俗》남이 진저리나게 지껄여 대다 : He was fed up with people *bending his ~* about staying on at school. 그는 사람들이 그에게 학업을 계속하라고 지껄여대는 것에 진저리가 났다. ***by ~*** 〖樂〗 악보를 안 보고 : play *by ~* 악보 없이 연주하다. ***cannot believe*** one***'s ~s*** 자기의 귀를 의심하다, 사실이라고는 생각되지 않다. ***catch*** a person***'s ~*** = have〔gain, win〕 a person's ~. ***close***〔***shut, stop***〕 one***'s ~s to*** …을 듣기를 거부하다 ; 들으려고〔알려고〕 하지 않다 : I tried to *close my ~s to* the sounds coming from next door. 나는 옆집에서 들려오는 소리를 듣지 않으려고 했다. ***easy on the ~***《口》듣기 좋은. ***fall*** (***down***) ***about*** a person***'s ~s*** (조직·생각 등이) 와해하다, 실패하다. ***fall on deaf ~s*** 아무도 들어주지 않다, 쇠귀에 경읽기다 : I hope that our appeals will not *fall on deaf ~s.* 나는 우리의 호소가 무시되지 않기를 바란다. ***from ~ to ~*** 입을 크게 벌리고 : grin *from ~ to ~* 입을 크게 벌리고 웃다. ***give ~ to*** = ***lend an ~ to*** …에 귀를 기울이다. ***give*** one***'s ~s*** 어떠한 희생도 치르다《*for*》; 어떻게든 하려고 하다《*to* do》. ***go in*** (***at***) ***one ~ and out*** (***at***) ***the other*** 한쪽 귀로 들어와서 한쪽 귀로 나가 버리다 ; 아무런 감명〔인상〕을 주지 못하다 : I don't know why I tell her anything. It just *goes in one ~ and out the other.* 내가 왜 그녀에게 무엇이건 말하는지 모르겠다. 쓸데없는 일인데. ***have an***〔***no***〕 ***~ for*** (music) (음악 등을) 이해하다〔알지 못하다〕 : She's never *had* much of *an ~ for* languages. 그녀는 어학에는 별 소질이 없었다. ***have***〔***hold, keep***〕 ***an***〔one***'s***〕 ***~ to the ground*** 여론에 귀를 기울이다 ; 사태의 추이를 지켜보다. ***have***〔***gain, win***〕 a person***'s ~*** 아무에게 진정으로 듣게 하다, 아무의 주의를 끌다. ***incline*** one***'s ~*** … 에 귀를 기울이다, 경청하다. ***keep*** one***'s ~s open*** (계속) 주의해서 듣다. ***meet the ~*** 귀에 들려오다, 들리다. one***'s ~s burn*** 귀가 따갑다《누군가 자기 말을 하는 모양이다》: If *your ~s burn,* someone is talking about you. 귀가 따가우면 누군가가 네 얘기를 하고 있다는 뜻이다. ***out on*** (one***'s***) ~《俗》갑자기 직장〔학교, 조직〕에서 쫓겨나서 : He was kicked *out on his ~.* 그는 갑자기 해고됐다. ***Pin your ~s back !***《英口》정신차리고 들어. ***play it by ~***《口》임기응변으로 하다 : You'll have to *play it by ~* at the interview. 면접에선 임기응변으로 대답해야 할 것이다. ***prick up*** one***'s ~s*** 귀를 바짝 기울이다. ***ring in*** one***'s ~s*** 귀에 남다. ***set*** persons ***by the ~s*** 사람들 사이에 들어 이간질하다, 불화하게 만들다. ***set*** a person ***on*** his ~《口》아무를 흥분시키다〔화나게 하다〕. ***tickle*** a person***'s ~s*** 아무에게 아첨을 떨다, 빌붙다. ***to the ~s*** 한도〔한계〕까지. ***turn a deaf ~ to*** …을 들으려 하지 않다, 마이동풍이다 : She *turned a deaf ~ to* my proposal. 그녀는 내 청혼을 들은척도 안했다. ***up to the***〔one***'s***〕 ***~s*** = ***over*** (***head and***) ***~s*** (연애 따위에) 열중〔몰두〕하여, 홀딱 빠져 ; (빚·일 따위로) 옴쭉을 못해《*in*》: I am *up to my ~s in* work at the moment. 나는 지금 일에 바빠 정신이 없다 / He was in debt *up to his ~s.* 그는 빚에 몰려 옴쭉을 못했다. ***wet***〔***not dry***〕 ***behind the ~s***《口》미숙한, 익숙지 않은, 풋내기의 : She was too *wet behind the ~s* to bear such responsibilities. 그만한 책임을 맡기에 그녀는 너무나 미숙했다.

***ear**[2] *n.* Ⓒ (보리 등의) 이삭, (옥수수의) 열매 : be in (the) ~ 이삭이 나와 있다 / come into ~*s* 이삭이 패다.

ear·ache [íərèik] *n.* Ⓤ.Ⓒ 귀앓이.

ear·drop [-drɑ̀p / -drɔ̀p] *n.* ① Ⓒ 귀고리《특히 펜던트가 달린》. ② (*pl.*) 〖醫〗 점이약(點耳藥).

ear·drum [-drʌ̀m] *n.* Ⓒ 고막, 귀청.

eared[1] [iərd] *a.* 귀가 있는〔달린〕 : an ~ owl 부엉이 / an ~ seal 물개 / long-~ 긴 귀의.

eared[2] *a.* 〔종종 複合語로〕 이삭이 있는〔팬〕 : golden-~ 황금빛 이삭이 팬.

ear·flap [íərflæ̀p] *n.* Ⓒ (흔히 *pl.*) 방한모의 귀덮개.

ear·ful [íərfùl] *n.*《口》(an ~) ① 물릴 정도로 들은 이야기·가십(등) : I've had *an ~* of his grievance. 그 사람 넋두리에는 신물이 난다. ② 잔소리, 야단 : give a person *an ~* 아무를 꾸짖다.

***earl** [əːrl] *n.* Ⓒ《英》백작《그 부인은 countess》. ★ 유럽 대륙에서는 count.

earl·dom [ə́ːrldəm] *n.* ① Ⓤ 백작의 신분〔지위〕. ② Ⓒ 백작(부인)의 영지.

ear·lobe [íərlòub] *n.* Ⓒ 귓불.

†**ear·ly** [ə́ːrli] (***-li·er*** ; ***-li·est***) *ad.* ① 일찍이, 일찍부터, 일찌감치 ; 초기에, 어릴 적에. OPP *late.* ¶ get up ~ 일찍 일어나다 / ~ in the year 연초에 / ~ in the morning 아침 일찍. ② (먼) 옛날에 : Man learned ~ to use tools. 인간은 옛날에 연장 쓰는 법을 배웠다. ③ (예정시각보다) 빨리, 일찍 : The bus was two minutes ~. 버스는 (평소보다) 2분 빨리 도착했다. ***~ and late*** 조석으로 ; 아침 일찍부터 밤 늦게까지. ***earlier on*** 미리, 일찍부터 (OPP *later on*) : as I said *earlier on* 미리〔이미〕 얘기했듯이 / Had financial gain been a primary motivation, I should have stopped *earlier on.* 돈벌이가 주된 동기였다면, 더 일찍 그만두었을 것이다. ***~ on*** 초기에 ; 시작하자 곧. ***~ or late*** 조만간에《★ 최근에는 sooner or later가 많이 쓰임》.
— (***-li·er*** ; ***-li·est***) *a.* ① 이른 ; 빠른. OPP *late.* ¶ an ~ habit 일찍 자고 일찍 일어나는 습관 / ~ spring 이른 봄 / an ~ riser 일찍 일어나는 사람. ② 〔限定的〕 초기의 ; 어릴 때의 : an ~ death 요절(夭折) / in one's ~ twenties 20 대 초반에 /

from the *earliest* times 먼 옛날부터. ③ 정각보다 이른; 올되는; 만물의: an ~ supper 이른 저녁 식사 / ~ fruits 만물 과일 / She was ~ *for* her 〔the〕 appointment. 그녀는 약속시간보다 빨리 왔다. ④〔限定的〕 가까운 장래의: I look forward to an ~ reply. 조속한 회신을 기다리겠습니다. ***at an ~ date*** 머지 않아. ***at*** one**'*s earliest convenience*** 될 수 있는 대로 일찍이, 형편이 닿는 대로: Please telephone *at your earliest convenience.* 될 수 있는 대로 일찍이 전화해 주십시오. ***at the earliest*** 빨라도: No developments were expected before August *at the earliest.* 빨라도 8월 이전에는 사태의 진전을 기대할 수 없었다. ~ ***days*** (***yet***) 시기 상조인: The new car seems to be going well, but it's still ~ *days.* 그 새 차는 순조롭게 잘 나가고 있는 것 같지만 확언하기엔 아직 이르다. ***from ~ years*** 어릴 때부터. ***in*** one**'*s ~ days*** 젊을 때에. ***keep ~ hours*** 일찍 자고 일찍 일어나다.
㊕ **éar·li·ness** *n.* Ⓤ 이름, 빠름.

éarly bìrd 《口》 일찍 일어나는 사람, 정각보다 빨리 오는 사람: The ~ catches the worm. 《俗談》 새도 일찍 일어나야 벌레를 잡는다《부지런해야 수가 난다》.

éarly clósing (dày) (an ~) 《英》 (일정한 요일의 오후 이른 시간에 실시하는) 조기 폐점(일).

Éarly Módern Énglish 초기 근대 영어 《1500-1750 년경의》.

èarly retírement (정년 전의) 조기 퇴직.

éarly wárning (방공(防空) 따위의) 조기 경보〔경계〕: ~ system (방공(防空) 등의) 조기 경보 조직.

ear·mark [íərmɑ̀:rk] *n.* Ⓒ ① 귀표《임자를 밝히기 위해 양 따위의 귀에 표시함》. ② (종종 *pl.*) 특징: She has all the ~*s* of a superstar. 그녀는 슈퍼스타로서의 특징을 모두 갖추고 있다. ***under ~*** (특정의 용도·사람의 것으로) 지정된, 배정된 《*for*》. ── *vt.* ① (양 따위)에 귀표를 하다. ② (자금 따위를 특정한 용도)에 책정하다, 배당〔충당〕하다《*for*》: A thousand dollars is ~*ed for* research. 1천 달러가 연구비로 책정되어 있다 / assets ~*ed for* reparation 배상용으로 책정된 자산 / Peter has already been ~*ed for* the job. 피터에게로 이미 그 일자리가 정해졌다.

ear·muff [-mʌ̀f] *n.* Ⓒ (흔히 *pl.*) (방한·방음용) 귀덮개, 귀가리개: a pair of ~*s.*

ː earn [ə:rn] *vt.* ① (생활비)를 벌다: ~ one's living 〔daily bread〕 생활비를 벌다 / She ~*ed* her living by singing in a nightclub. 그녀는 나이트클럽에서 노래를 불러 생계비를 벌었다. ② 《~+목 / +목+전+명》 (명성 등)을 획득하다, (지위 등)을 얻다; (비난 따위)를 받다《*for*》: ~ a reputation *for* honesty 정직하다는 평판을 얻다. ③ 《~+목 / +목+목 / +목+전+명》 (이익 따위)를 나게 하다; (행위 등이 어떤 결과)를 가져오다: Money well invested ~*s* good interest. 적절히 투자된 돈은 충분한 이익을 올린다 / This remark ~*ed* her a laugh from her husband. 이 말에 그녀의 남편은 웃었다.

éarned íncome [ə́:rnd-] 근로 소득. opp *unearned income.*

éarned rún 〖野〗 언드런, 자책점《투수의 책임인 안타·4구·도루 등에 의한 득점; 略: ER》.

éarned rún àverage 〖野〗 (투수의) 방어율 《略: ERA, era》.

éarned súrplus 이익 잉여금.

earn·er [ə́:rnər] *n.* Ⓒ ①〔종종 複合語로〕 돈버는 사람: a wage-~ 임금 근로자 / a high〔low〕 wage-~ 고〔저〕소득자. ② 《英俗》 돈벌이 되는 사업.

ː ear·nest[1] [ə́:rnist] (***more ~ ; most ~***) *a.* ① (인품이) 성실한, 진지한, 착실한, 열심인: an ~ worker 성실히 일하는 사람 / an ~ look 진지한 표정 / his ~ wish 그의 간절한 소망 / He is very ~ *about* 〔*over*〕 his child's education. 그는 자식의 교육에 매우 열성적이다. ② (사태가) 중대한, 신중히 고려하여야 할. ── *n.* Ⓤ 진지, 진심. ***in ~*** 진지하게, 진심으로; 본격적으로: It is raining *in* ~. 비가 본격적으로 내리고 있다 / Are you *in* (*real*) ~ in saying so? 진심으로 그렇게 말하는 것인가. ***in good*** 〔***real, sober, sad, dead***〕 ~ 진지하게, 성실하게: You may laugh, but I am saying this *in dead* ~. 네가 웃을지 모르지만 나는 진지하게 이 말을 하고 있다네.
㊕ ***~·ness** *n.*

ear·nest[2] *n.* Ⓤ (또는 an ~) ① =EARNEST MONEY; 저당, 담보; 증거. ② 조짐, 전조(*of*).

ː ear·nest·ly [ə́:rnistli] *ad.* 열심히, 진심으로.

éarnest mòney 계약금, 증거금, 보증금.

***earn·ing** [ə́:rniŋ] *n.* ① Ⓤ (일해서) 벌, 획득: the ~ of one's honor 명예의 획득. ② (*pl.*) 소득, 벌이; 임금; 이득: average 〔gross〕 ~*s* 평균〔총〕수입.

éarning pòwer 〖經〗 수익(능)력.

earn·ings-re·lat·ed [ə́:rniŋzriléitid] *a.* 소득에 따른: an ~ pension 소득액 비례 지급 연금.

EAROM 〖컴〗 erasable and alterable read-only memory (소거(消去) 재기입 롬(ROM); 기억시킨 데이터를 전기적(電氣的)으로 개서(改書)할 수 있는 롬). cf ROM.

***ear·phone** [íərfòun] *n.* Ⓒ ① 이어폰《★ 양쪽일 때는 *pl.*》: put on (a pair of) ~*s* 이어폰을 (양귀에) 끼다. ② =HEADPHONE.

ear·pick [-pìk] *n.* Ⓒ 귀이개.

ear·piece [-pì:s] *n.* Ⓒ ① (흔히 *pl.*) (방한모 따위의) 귀덮개; (흔히 *pl.*) 안경다리. ② =EARPHONE ①.

ear-pierc·ing [-pìərsiŋ] *a.* (비명 따위로) 귀청이 떨어질 정도의, 고막이 째지는 듯한.

ear·plug [-plʌ̀g] *n.* Ⓒ (흔히 *pl.*) 귀마개《소음 방지용》. 「귀걸이

***ear·ring** [íəriŋ] *n.* Ⓒ (흔히 *pl.*) 이어링, 귀고리,

ear·shot [íərʃɑ̀t / -ʃɔ̀t] *n.* Ⓤ 부르면 들리는 곳〔범위〕, 소리가 미치는 거리. ***within*** 〔***beyond, out of***〕 ~ 불러서 들리는〔들리지 않는〕 곳에(서).

ear·split·ting [-splìtiŋ] *a.* 귀청을 찢는 듯한《굉음 등》.

† earth [ə:rθ] *n.* ① (the ~) 지구. ② (the ~) 대지, 육지《바다에 대하여》, 지면《하늘에 대하여》: fall to ~ 지상에 떨어지다 / bring a bird to *the* ~ 새를 쏴 땅에 떨어뜨리다 / The arrow fell to (*the*) ~. 화살이 땅에 떨어졌다 / After a week at sea, it was good to feel *the* ~ under our feet again. 일주일 항해 후 다시 땅을 밟으니 기분 좋았다. ③ Ⓤ,Ⓒ (암석에 대하여) 흙, 땅, (각종) 토양: a clayish ~ 점토질의 토양 / deep in the ~ 땅속 깊이. ④〔集合的〕 지구상의 사람들: the whole ~ 온 세계 사람들. ⑤ Ⓤ (천국·지옥에 대하여) 이 세상, 현세, 이승(this world); (the ~) 속세(의 일): I must be the happiest woman on ~. 내가 이 세상에서 가장 행복한 여자임에 틀림없다. ⑥ Ⓒ (흔히 *sing.*) (여우 따위의) 굴(burrow). ⑦ (*pl.*) 〖化〗 토류(土類). ⑧ Ⓤ,Ⓒ 《英》 〖電〗 접지(接地), 어스(《美》 ground): an ~ antenna 〔circuit〕 접지 안테나〔회로〕. ⑨ (the ~) 《英口》 막대한 양(量); 대금(大金): pay *the* ~

for a small house 작은 집에 큰 돈을 치르다. ***bring*** a person ***back***〔***down***〕 ***to*** ~ (***with a bump***) (아무를) (꿈에서) 현실(의 세계)로 돌아오게 하다. ***come down***〔***back***〕 ***to*** ~ (꿈에서 깨어나) 현실로 돌아오다. ***cost***〔***charge, pay***〕 ***the*** ~《口》아주 비싸게 먹히다. ***down to*** ~ 솔직한〔하게〕, 현실적인〔으로〕. ***go the way of all the*** ~ ⇨ WAY[1]. ***look like nothing on*** ~《口》이상〔불건전〕하게 보이다: You *look like nothing on* ~ in that weird hat! 그런 이상한 모자를 쓰고 있으니 망측하게 보인다. ***move heaven and*** ~ 백방으로 노력하다. ***on*** ~ (1) 지상에(서), 이 세상의〔에〕: while he was *on* ~ 그가 살아있을 때. (2)〔힘줌말〕(도)대체《의문사와 같이 씀》: *How on* ~ did this happen? 어떻게 이런 일이 일어났는가. (3) 조금도, 전혀《부정어의 뒤에 씀》: It is *no* use *on* ~. 도무지 쓸모가 없다. (4)〔최상급을 강조〕세계에서: the *greatest* man *on* ~ 세계에서 가장 위대한 사람. ***run***〔***go***〕 ***to*** ~ (여우 등이) 굴 안으로 도망가다, (사람이) 숨다《★ to ~는 무관사》. ***run . . . to*** ~ (1) (여우 따위)를 굴 안으로 몰아넣다. (2) (범인 등)을 찾아내다, 붙잡다, (물건)을 찾아내다: The police *ran* him *to* ~ in a pub. 경찰은 그를 한 술집에서 잡았다. ***wipe . . . off the face of the*** ~ …을 완전히 파괴하다, …을 지구상에서 말살하다.

— *vt.* ①《+目+副》…에 흙을 덮다, 북주다; 흙 속에 파묻다《*up*》: ~ *up* potatoes 감자에 북주다. ② (여우 따위)를 굴 속으로 몰아넣다. ③《英》〖電〗어스〔접지〕시키다.

— *vi.* (여우 따위가) 굴 속으로 달아나다.

earth·born [-bɔ̀ːrn] *a.* ① 땅에서 태어난; 인간으로 태어난, 인간의, 인간적인. ② 죽을 운명의, 세속적인.

earth·bound [-bàund] *a.* ① (뿌리 등이) 땅에 고착한; (동물·새 등이) 지표(地表)〔지상〕에서 떠날 수 없는: an ~ bird 날지 못하는 새. ② 세속적인, 현세적인, 저속한; 상상력이 결여된. ③ (우주선 등이) 지구로 향하는.

éarth clòset 《英》토사(土砂) 살포식 변소. cf. watery closet.

Éarth Dày 지구의 날《환경 보호일, 4월 22일》.

***earth·en** [ə́ːrθən] *a.* 흙으로〔오지로〕만든, 흙의; 도제(陶製)의.

***earth·en·ware** [-wɛ̀ər] *n.* Ⓤ 토기, 질그릇; 도기, 오지 그릇; 도토(陶土).

earth-friend·ly [-fréndli] *a.* 지구 환경을 파괴하지 않는: ~ detergents 환경에 무해한 세제.

earth·i·ness [ə́ːrθinis] *n.* Ⓤ ① 토질, 토성(土性). ② 세속적임, 저속; 솔직, 소박.

earth·ling [ə́ːrθliŋ] *n.* Ⓒ (SF 소설에서 우주인이 본) 지구인.

‡**earth·ly** [ə́ːrθli] (*-li·er* ; *-li·est*) *a.* ① 지구의, 지상의. ② 이 세상의, 현세의, 속세의. ③ 세속적인(worldly). opp. *heavenly, spiritual.* ¶ the ~ paradise 지상의 낙원. ④ 물질적인, 육욕의 (carnal). ⑤《口》〔힘줌말〕도대체《의문문에서》; 하등의《부정문에서》: *What* ~ use does it have? 도대체 그게 무슨 쓸모가 있는가 / of *no* ~ use 전혀 쓸모 없는. ***have not an*** ~ ***chance***《英俗》조금도 가망이 없다: "Will John win the prize?" —"No, he *hasn't an* ~ *chance.*" "존이 우승할까?"—"아냐, 전혀 가망 없어."

earth·man [ə́ːrθmæ̀n, -mən] (*pl.* ***-men*** [-mèn, -mən]) *n.* = EARTHLING.

éarth mòther ① (E- M-) (만물의 생명의 근원으로서의) 대지(mother earth). ② 관능적이며 모성적인 여성.

earth·mov·er [-mùːvər] *n.* Ⓒ 땅 고르는 기계《불도저 등》.

earth·nut [-nʌ̀t] *n.* Ⓒ〖植〗낙화생, 땅콩.

‡**earth·quake** [ə́ːrθkwèik] *n.* Ⓒ 지진: a slight〔weak, strong, violent〕~ 미(微)〔약(弱), 강(强), 열(烈)〕진(震) / Mexico City was badly hit in the 1985 ~. 멕시코 시는 1985년의 지진으로 큰 피해를 입었다.

éarthquake séa wàve 지진 해일(海溢).

éarth sàtellite (지구를 도는) 인공 위성.

éarth scìence 지학(地學), 지구과학.

earth·shak·ing [-ʃèikiŋ] *a.* (대지를 흔드는 것 같은) 극히 중대한. 파 ~·**ly** *ad.*

earth-shat·ter·ing [-ʃæ̀təriŋ] *a.* = EARTH-SHAKING.

éarth stàtion (우주 통신용의) 지상국(局).

éarth trèmor 약한 지진, 미진.

earth·ward [ə́ːrθwərd] *a., ad.* 지면을〔지구를〕향한〔향하여〕.

earth·wards [ə́ːrθwərdz] *ad.* = EARTHWARD.

earth·work [-wə̀ːrk] *n.* ① Ⓒ (흔히 *pl.*) (예전의 방어용) 토루(土壘)《흙으로 만든 보루》. ② Ⓤ 토목공사.

***earth·worm** [-wə̀ːrm] *n.* Ⓒ 지렁이.

earthy [ə́ːrθi] (***earth·i·er*** ; ***-i·est***) *a.* ① 흙의, 흙 같은, 토질의. ② 세련되지 않은, 촌티가 나는, 조야(粗野)한; 순박한, 소박한. 「1년).

earth·year [ə́ːrθjìər] *n.* 지구년《지구의 365일의

éar trùmpet (나팔 모양의 옛) 보청기.

ear·wax [íərwæ̀ks] *n.* Ⓤ 귀지.

ear·wig [-wìg] *n.* Ⓒ 집게벌레.

‡**ease** [iːz] *n.* Ⓤ ① 안락, 편안; 경제적으로 걱정이 없음; 여유: She lived a life of ~. 그녀는 안락한 생활을 했다. ② 평정(平靜), 안심. ③ 한가, 태평. ④ 홀가분함, 쇄락(灑落). ⑤ 편함, 편안함, (아픔이) 가심, 경감(relief)《*from* pain》. ⑥ 용이, 쉬움: an installment plan for ~ of payment 지불을 쉽게 하기 위한 할부제. ⑦ (의복 등의) 넉넉함, 여유. ***at*** (one'***s***) ~ 편하게, 마음 편히, 자유스럽게; 천천히: *At* ~ ! = Stand *at* ~ !《구령》쉬어 / I set his heart *at* ~. 그를 안심시켰다. ***be at*** ~ …에 대해 걱정이 없다《*about*》. ***be at*** ~ ***with*** a person 아무와 트고 지내다. ***feel at*** ~ 안심하다. ***ill at*** ~ 마음을 놓지 못하고, 불안하여. ***set*** a person'***s mind at*** ~ 아무를 안심시키다. ***take*** one'***s*** ~ 쉬다. ***well at*** ~ 느긋하게, 마음 편히. ***with*** ~ 쉽게. — *vt.* ① (아픔 등)을 덜다, 완화하다: The aspirins ~*d* my headache. 아스피린을 먹었더니 두통이 덜해졌다 / the need to ~ traffic congestion in the city 그 도시의 교통 혼잡을 완화해야 할 필요성 / ~ the burden of debt 부채의 부담을 덜어주다 / There was pressure to ~ taxation. 과세를 완화해달라는 압력이 있었다. ②《~+目/+目+前+名》…을 안심시키다, (마음)을 편케 하다; (불안 등)을 제거하다《*of*》: ~ a person's mind / ~ him *of* care〔suffering〕그의 걱정〔고통〕을 덜어주다. ③《~+目/+目+副》(혁대 등)을 헐겁게 하다, (속도 등)을 늦추다: I ~*d* my belt a little. 혁대를 약간 헐겁게 했다 / ~ down …의 속도를 늦추다. ④《~+目/+目+前+名》**a**) (무거운 물건)을 조심해 움직이다, 천천히 …하다: ~ a car *into* a narrow parking space 차를 천천히 좁은 주차장으로 넣다 / ~ a door open〔shut〕문을 찬찬히 열다〔닫다〕. **b**)〔再歸的〕살며시 …하다: He ~*d himself* out of the room. 그는 방을 살며시 빠져나왔다.

— *vi.*《+副/+前+名》편해지다, (고통·긴장

등이) 가벼워지다 ; 천천히 움직이다《*along* ; *over*, etc.》: He ~*d into* the car. 천천히 차에 탔다 / The car ~*d out of* the garage. 차는 서서히 차고에서 나왔다. ~ a person**'s conscience** ⇨ CONSCIENCE. ~ ***up*** 〔***off***〕《口》 (1) …을 완화하다, 적게 하다 ; (속도)를 늦추다 : The flow of traffic ~*d off.* 교통의 흐림이 느슨해졌다 / At last the rain began to ~ *up.* 드디어 비가 멎기 시작했다. (2) 느슨하게 하다, 적게 하다 : He ~*d off* on the accelerator. 그는 액셀러레이터를 느슨하게 밟았다. (3) (사람에 대한) 태도를 누그러뜨리다 : *Ease up* on her. 그녀에 대한 태도를 (더) 부드럽게 해라.

ease·ful [íːzfəl] *a.* 편안한, 태평스러운 ; 마음이 안정된 ; 안일한.

***ea·sel** [íːzəl] *n.* Ⓒ 화가(畫架) ; 칠판걸이.

ease·ment [íːzmənt] *n.* Ⓤ 〖法〗 지역권(地役權)《남의 땅에의 통행권》.

‡**eas·i·ly** [íːzəli] (*more* ~ ; *most* ~) *ad.* ① 용이하게, 쉽사리 : You can get there ~. 그 곳이면 쉽게 갈 수 있다 / He ~ gets tired. 그는 쉽사리 피로해 한다 / I get bored ~. 쉽게 싫증이 난다. ② 안락하게, 편하게, 한가롭게 : live ~ 한가롭게 지내다. ③ 순조롭게, 술술 : fit ~ (옷 따위가) 낙낙하게 잘 맞다 / The engine starts ~ even when cold. 그 엔진은 추울 때도 발동이 잘 걸린다. ④ 〔최상급 · 비교급을 강조〕 문제 없이, 여유 있게, 확실히, 단연 : be ~ the first 단연 첫째이다 / Miss Gloria is ~ the best singer. 글로리아는 단연코 최고의 가수다. ⑤ 〔may 를 수반〕 아무래도 (…할 것 같다), 자칫하면 : The train *may* ~ be late. 십중팔구 기차는 늦을 것 같다.

eas·i·ness [íːzinis] *n.* Ⓤ ① 수월함, 쉬움. ② 편안, 안락.

†**east** [iːst] *n.* ① (흔히 the ~) 동쪽, 동방 : in *the* ~ of …의 동쪽에 / The wind is from〔in〕 *the* ~. 바람은 동풍이다. ② (흔히 the E-) (어떤 지역의) 동부 지역〔지방〕 ; (the E-) 동양, 아시아(the Orient) (ⓒⓕ Far East, Middle East, Near East) ; (the E-) 《美》 동부 (지방) ; (the E-) 동유럽 제국〔옛 공산 국가들〕 ; (E-) 동로마 제국. ③ (교회당의) 동쪽(끝), 제단 쪽. ④ 《詩》 동풍. ~ ***by north*** 동미북(東微北)《略 : EbN》. ***in***〔***on***〕 ***the*** ~ (***of***) (…의) 동부〔동쪽 끝〕에. ***to the*** ~ (***of***) (…의) 동쪽에. ── *a.* ① 동쪽의, 동쪽에 있는 ; 동향의《★ 방향이 좀 불명료한 때에는 eastern 을 쓴다》: an ~ window 동쪽의 창문. ② (교회에서) 제단 쪽의. ③ (종종 E-) 동부의, 동쪽 나라의 ; 동부 주민의 : the ~ coast 동해안. ④ (바람이) 동쪽으로부터의, 동쪽에서 부는 : an ~ wind 동풍. ── *ad.* 동(쪽)에〔으로〕, 동방〔동부〕에〔으로〕 : due ~ 진동(眞東)에〔으로〕/ go ~ 동쪽으로 가다 / lie ~ and west 동서에 걸쳐 있다 / The wind blows ~. 바람은 동쪽으로 분다(서풍을 말함)《★ The wind blows from the ~ 〔blows easterly〕. '바람은 동쪽에서 불어온다'의 뜻》.

east·bound [´bàund] *a.* 동쪽으로 가는《여행 등》: an ~ train 동행(東行) 열차.

Éast Chína Séa (the ~) 동(東)중국해.

Éast Énd (the ~) 이스트 엔드《런던 동부쪽의 비교적 저소득층의 근로자들이 많이 사는 상업 지구》. ⓒⓕ WEST END. ⓟ **~·er** *n.*

†**East·er** [íːstər] *n.* Ⓤ 부활절〔주일〕《3월 21일 이후의 만월(滿月) 다음에 오는 첫 일요일 ; 이 부활 주일을 Easter Sunday〔day〕 라고도 말함》; = EASTER WEEK.

Éaster dày = EASTER SUNDAY.

Éaster dùes 〔**òffering(s)**〕 부활절 헌금.

Éaster ègg 부활 계란〔달걀〕《예쁘게 색칠한 달걀로서 그리스도 부활의 상징》.

Éaster éve 〔**éven**〕 (the ~) 부활절 전야.

Éaster ísland 이스터 섬《남태평양 Chile 서쪽의 외딴 섬 ; 많은 석상(石像)으로 유명》.

east·er·ly [íːstərli] *a.* 동(쪽)의 ; 동(쪽)으로의 ; 동(쪽)으로부터의. ── *ad.* 동(쪽)으로(부터). ── (*pl.* **-lies**) *n.* Ⓒ 동풍, 샛바람 ; 편동풍.

Éaster Mónday 부활 주일의 다음 날 월요일《잉글랜드 등지에서는 법정 휴일》.

‡**east·ern** [íːstərn] *a.* ① 동(쪽)의 ; 동(쪽)으로의 ; 동(쪽)으로부터의 : an ~ voyage 동으로의 항해 / an ~ wind 동풍. ② (흔히 E-) 동양(제국)의 (Oriental), 동양풍의 : *Eastern* customs 동양의 풍속. ③ (종종 E-) 《美》 동부 (지방)의 ; (종종 E-) 동부 방언의 : the *Eastern* States 동부 제주(諸州).

Éastern Chúrch (the ~) 동방 교회.

East·ern·er [íːstərnər] *n.* Ⓒ 《美》 동부 제주(諸州)의 주민〔출신자〕 ; (e-) 동부〔동방〕 사람.

Éastern Hémisphere (the ~) 동반구(東半球).

east·ern·most [íːstərnmòust, -məst] *a.* 가장 동쪽의, 최동단(最東端)의.

Éastern Órthodox Chúrch (the ~) 동방 정교회(Orthodox Eastern Church).

Éastern Róman Émpire (the ~) 동로마 제국(395-1453)《수도 : Constantinople》.

Éastern (**Stándard**) **Time** (미국 · 캐나다의) 동부 표준시간《GMT보다 5시간 뒤짐》.

Éaster Súnday 부활 주일. ⓒⓕ Easter.

East·er·tide [íːstərtàid] *n.* Ⓤ 부활절 계절《부활 주일로부터 오순절(Whitsunday)까지의 50 일간》; = EASTER WEEK.

Éaster wéek 부활 주간《Easter Sunday 로부터 시작함》.

Éast Gérmany 동독《1990년 독일 통일로 붕괴됨》.

East·man [íːstmən] *n.* **George** ~ 이스트먼《미국인 : Kodak 사의 창립자 ; 1854-1932》.

east-north·east [´nɔ̀ːrθíːst] *n.* (the ~) 동북동《略 : ENE》.
── *a.*, *ad.* 동북동의〔으로〕.

Éast Ríver (the ~) 이스트리버《New York시 Manhattan 섬과 Long Island 사이의 해협》.

Éast Síde (the ~) 이스트 사이드《New York 시 Manhattan 섬의 동부 ; UN 본부 등이 있음》.

east-south·east [´sàuθíːst] *n.* (the ~) 동남동(東南東)《略 : ESE》. ── *a.*, *ad.* 동남동의〔으로〕.

Éast Sússex 이스트 서섹스《잉글랜드 남부의 주 ; 주도는 Lewes ; 1974 년 신설》.

***east·ward** [íːstwərd] *ad.* 동쪽으로〔을 향해〕: We sailed ~ from Pusan to Hawaii. 우리는 부산에서 하와이로 동쪽을 향해 항해했다.
── *a.* 동쪽의. ── *n.* (the ~) 동쪽(지점, 지역).
ⓟ **~·ly** *ad.*, *a.* 동쪽으로〔부터〕(의).

east·wards [íːstwərdz] *ad.* = EASTWARD.

†**easy** [íːzi] (***eas·i·er*** ; ***-i·est***) *a.* ① 쉬운, 힘들지 않은, (말이나 설명 따위가) 평이한 ; (살림 따위가) 편한, 걱정이 없는 : a problem that is ~ to solve = an ~ problem to solve 쉽게 풀 수 있는 문제 / an ~ victory 낙승 / It's ~ to get there. 거기 쉽게 갈 수 있다 / Finding a suitable house is no ~ task. 알맞은 집을 찾는 일이 쉽지 않다 / He is ~ to get along with. 그는 사귀기 쉬운 사람이다 / This machine is ~ of adjustment. 이 기계는 조정하기 쉽다 / ~ of access 접근하기 쉬운 /

E

He is ~ to deal with. =It is ~ to deal with him. 그는 다루기가 쉽다 / He lives〔leads〕 an ~ life. 그는 편한 생활을 하고 있다 / The examination should be ~ for you. 이 시험은 너에게는 쉬울 것이다. ② (의복 등이) 편안한, 헐거운, 낙낙한 : an ~ chair 안락 의자 / an ~ coat 낙낙한 상의. ③ (조건 따위가) 가혹하지 않은, 부담이 되지 않는 : on ~ terms〖商〗 분할불로. ④ (심리·태도 따위가) 편한, 느긋한 ; 쾌적한 : Make your mind ~. 안심하시오 / He spoke in an ~ manner. 그는 느긋한 태도로 말했다. ⑤ (성품 따위가) 태평한 ; 단정치 못한 : a woman ~ in her morals 품행이 단정치 못한 여자. ⑥ 딱딱하지 않은, 부드러운 : an ~ stance 편한 자세. ⑦ **a**) 관대한, 너그러운, 엄하지 않은 : an ~ teacher 너그러운 선생님 / You should be *easier on* her. 그녀에게 좀더 너그럽게 대해 주게. **b**) (사람·상대 따위가) 다루기 쉬운 ; 하라는 대로 하는 : ~ game〔meat〕=an ~ mark《口》 어수룩한 사람, 봉(鳳) / She fell an ~ victim to his lies. 그녀는 쉽게 그의 속임수의 희생물이 되었다. ⑧ (속도·움직임 따위가) 느릿한, 느린 ; (담화·문체 따위가) 매끈한, 부드러운 ; (경사가) 완만한 : Let's run the last two miles at an ~ pace. 맨 마지막 2마일을 천천히 뛰자 / an ~ motion 느린 움직임 / be ~ in conversation 막힘이 없이 술술 이야기하다. ⑨〖商〗 (거래가) 한산한 ; (물자가) 풍부하고 가격이 약세인.

(as) ~ as pie ⇨ PIE. ***Be ~!*** 마음을 느긋하게 가져라, 걱정하지 마라. ***be ~*** **(for . . .) to** do (…이) (…에게는) …하기 쉽다. ***be ~ with*** a person 아무에 대해 관대하다, 미온적이다. ***by ~ stages*** (여행 등을) 편안한 여정으로, 천천히. ***~ on the ear***〔***eye***〕《口》 듣기〔보기〕에 좋은, 매력적인 : The music is ~ *on the ear.* 그 음악은 듣기에 좋다 / The layout should be clear and ~ *on the eye.* 레이아웃은 뚜렷해야 하며 보기에도 좋아야 한다. ***free and ~*** (규칙 따위에) 구애받지 않는 ; 대범하고 소탈한 : the *free and ~*, open-air life of the plains 평원에서의 스스럼없고 소탈한 생활. ***get off ~***《口》 벌을 적게 받다, 가벼운 꾸지람으로 끝나다 : He *got off* ~ with a slight fine. 그는 가벼운 벌금으로 끝났다. ***I'm ~.***《口》 너의 결정에 따르겠다 ; 나는 아무래도 상관 없다 : "Would you like to walk or go by car?" "*I'm ~.*" '걷겠느냐 차로 가겠느냐' '어느 쪽이든 상관 없다'. ***on ~ street***〔***Easy Street***〕《口》 유복한〔하게〕. ***on ~ terms*** 분할불로, 월부로 ; 편한 조건으로.

— *ad.*《口》 ① 수월하게, 손쉽게. ② 유유히, 무사태평하게, 차분히, 편히, 자유로이 : "Why don't you get yourself a job?" "That's *easier* said than done." '왜 일자리를 구하지 않나' '말은 쉬워도 행하기는 어렵구나'. ***Easier said than done.***《俗談》 말하기는 쉬워도 행하기는 어렵다. ***Easy come, ~ go.***《俗談》 쉽게 얻은 것은 쉽게 없어진다. ***Easy does it!***《口》 서두르지 마라, 침착해라(★ 부사의 easy가 주어로 대용된 것). ***go ~ = take it***〔***things***〕 ***~*** 서두르지 않다, 태평하게〔여유 있게〕 마음먹다〔하다〕(★ 때로는 Good-bye를 대신하여 헤어질 때 인사말로도 쓰임). ***go ~ on***《口》 …을 적당히〔조심해서〕 하다 ; (사람)을 부드럽게 대하다 : *Go ~ on* beer! 맥주 적당히 마시게 / *Go ~ on* her—she's only a child. 그녀를 부드럽게 대하게—아직 어린애라네. ***Stand ~!***《英》〖軍〗 편히 쉬엇(《美》는 At ~!).

***eas·y·go·ing** [í:zigóuiŋ] *a.* ① 태평한, 대범한, 안달하지 않는 : an ~ person 무사태평한 사람, 낙천가 / Generally, Americans are ~ about their clothing. 일반적으로 미국인들은 옷에 대해선 신경을 그다지 쓰지 않는다. ② 느린 걸음의(말에 쓰임).

éasy móney 수월하게 번 돈 ; 부당이득.

Éasy Strèet (때로 e- s-) 유복 : live on〔in〕 ~ 유복하게 살다.

†eat [i:t] (***ate*** [eit / et],《古》 ~ [et, i:t] ; ***∠·en*** [í:tn],《古》 ~ [i:t, et]) *vt.* ①《~+목 / +목+전+명 / +목+보》 …을 먹다, (수프 따위)를 마시다《숟가락으로 떠마시는 것을 뜻함》 : ~ a piece of bread 빵을 먹다 / ~ soup *from* a plate 접시의 수프를 (스푼으로) 먹다 / ~ fish raw 생선을 날로 먹다 / This is good to ~. 이건 먹을 수 있다〔맛있다〕 / I want something to ~. 뭔가 먹고 싶다. ② 식사를 하다 : ~ good food 좋은 식사를 하다. ③《~+목 / +목+부》 **a**) (해충 등이) …을 벌레 먹다《*away* ; *up*》 : The moths have *~en* holes in my dress. 좀이 내 옷에 구멍을 냈다. **b**) (산(酸)이) …을 부식하다 ; 침식(浸蝕)하다《*out* ; *away* ; *up*》 : Rust *~s* iron. 녹이 나서 쇠가 삭는다 / be *~en away* with rust 녹이 나서 푸실푸실해지다. ④ **a**) (불이) …을 태워버리다 ; (파도가) …을 침식하다 : The forest was *~en* (up) by fire. 그 숲은 불에 타버렸다. **b**) …을 대량 소비하다 : His big car *~s* up money. 그의 큰 차는 돈이 많이 들어간다 / An old car *~s* oil. 낡은 차는 기름을 많이 쓴다. ⑤〔be *~ing*〕《口》 (사람)을 초조하게 만들다, 괴롭히다 : What's *~ing* you? 무슨 걱정이라도 있나.

— *vi.* ① 식사하다, 음식을 먹다 : ~ regularly 규칙적으로 식사하다 / ~ at home 집에서 식사하다 / Shall we ~ out tonight? 오늘밤 외식할까. ②《+전+명》 먹어들어가다 ; 부식〔침식(浸蝕)〕하다 ; (재산 따위를) 파먹다《*into* ; *in* ; *at* ; *through*》 : The insects have *~en into* the wood. 벌레가 나무를 갉아 구멍을 냈다 / Road salt *~s into* the metal of automobile. (제설용으로) 도로에 뿌려진 소금이 차의 금속을 부식한다. ③《~ / +부 / +보》 먹을 수 있다, 맛이 나다, 맛이 있다 : This fruit *~s* like a tomato. 이 과일은 토마토 맛이 난다 / Cheese *~s well* with apples. 치즈는 사과하고 곁들이면 맛있다 / This cake *~s* crisp. 이 과자는 바삭바삭하다. ***~ away*** **(*at*)** … 에 파먹어 들어가다, 부식〔침식〕하다 ; 파먹다 : The defeat *ate* (*away*) *at* his confidence. 그 패배가 그의 자신감을 조금씩 무너뜨렸다. ***~ crow*** ⇨ CROW[1]. ***~ humble pie*** ⇨ PIE. ***~ into*** ⇨ *vi.* ② ; (저금 따위를) 먹어들어가다, 소비하다 : ~ *into* one's capital 자산을 써버리다. ***~ like a bird*** ⇨ BIRD. ***~ like a horse*** ⇨ HORSE. ***~ out*** 외식하다. ***~ . . . out*** …을 다 먹어버리다. **~** a person ***out of house and home*** 아무가 집이 망할 정도로 많이 먹다. ***~ out of*** a person***'s hand*** ⇨ HAND. ***~ oneself sick*** **(*on . . .*)** …을 너무 먹어 탈이 나다〔기분이 나빠지다〕. ***~ one's words*** (할 수 없이) 앞서 한 말을 취소하다, 자신의 잘못을 인정하다. ***~ up*** (1) 먹어 없애다, 한입에 덥석 먹다 ; 써버리다, 소비하다 ; 침식하다 ; (자동차 등이) 단숨에 달리다. (2)〔be eaten up with의 형식으로〕 (어떤 감정으로) 충만해있다 : He *was ~en up with* guilt. 그는 죄의식에 사로잡혀 있었다. (3)《口》 …을 자진해서 받아들이다, 전적으로 신용하다 : She *~s up* everything he says. 그녀는 그의 말이라면 무엇이나 곧이곧대로 듣는다. ***I'll ~ my hat***〔***hands, boots***〕 ***if . . .***《口》 만약 …라면 내 목을 주겠다.

— *n.* (*pl.*)《口》 음식, 식사 : How about some *~s?* 뭔가 먹어 볼까.

eat·a·ble [íːtəbəl] *a.* 먹을 수 있는, 식용에 적합한 : The bread was so old that it was hardly ~. 빵이 너무 오래 돼서 도저히 먹을 수 없었다.
— *n.* (흔히 *pl.*) 음식, 식료품 : ~*s* and drinkable 음식물.

†**eat·en** [íːtn] EAT의 과거분사.

eat·er [íːtər] *n.* Ⓒ 먹는 사람 : a big ~ 대식가 / a light ~ 소식가.

eat·ery [íːtəri] (*pl.* **-er·ies**) *n.* Ⓒ《口》간이 식당.

‡**eat·ing** [íːtiŋ] *n.* Ⓤ ① 먹기. ② 먹을 수 있는 것, 음식 : be good〔bad〕~ 먹어서 맛이 있다〔없다〕.
— *a.* 식용의, 식사용의 : ~ utensils 식기.

éating hòuse〔**plàce**〕(싼) 음식점.

èau de Colóɡne 오드콜로뉴《독일의 Cologne 원산의 향수 ; Cologne 는 독일의 Köln 의 프랑스 명칭》.

***eaves** [iːvz] *n. pl.* 처마 : under the ~ 처마 밑에(서).

eaves·drop [ˊ-dràp / ˊ-drɔ̀p] *vi.* 엿듣다, 도청하다《*on*》: telephone ~*ping* 전화도청 / electronic ~*ping* devices 전자도청 장치 / I didn't mean to ~, but I did overhear you. 엿들을 생각은 없었으나, 우연히 얘기가 들렸다 / He admitted ~*ping on* his wife's phone calls. 그는 아내의 전화를 엿들었다고 시인했다 / The housemaid ~*ped* from behind the kitchen door. 가정부는 부엌문 뒤에서 엿들었다.
㊕ ~·**per** *n.* Ⓒ 엿듣는 사람.

ebb** [eb] *n.* ① (the ~) 썰물, 간조. OPP *flood, flow.* ¶ The tide was on〔at〕*the* ~. 조수가 빠지고 있었다 / The ship sailed out of harbor on *the* ~ tide. 배는 썰물을 이용해 출항했다. ② (*sing.*) 쇠퇴(기), 감퇴 : His influence is on the ~. 그의 영향력은 점차 줄어들고 있다. ***be at a low ~=***be at the ~*** 조수가 빠지고 있다 ; (사물이) 쇠퇴기에 있다 : His popularity *is at a low* ~〔*at the* ~〕. 그의 인기는 내리막길이다 / My spirits *were at a low* ~. 내 기력은 쇠해 있었다. ***the ~ and flow*** (1) (조수의) 간만《*of*》: *the ~ and flow of* the tide 조수의 간만. (2) (사업·인생의) 성쇠《*of*》: *the ~ and flow of* life 인생의 영고성쇠. — *vi.* ① (조수가) 빠다, 써다《*away*》. ② (힘 따위가) 점점 쇠하다《*away*》; 약해지다《*away*》; (가산 따위가) 기울다 : His life was slowly ~*ing away.* 그는 점점 쇠약해 가고 있었다 / The popular support is ~*ing away.* 대중의 지지도가 낮아지고 있다. ~ ***back*** 회복시키다, 만회하다 : His courage〔energy〕~*ed back* again. 그는 용기를〔기력을〕되찾았다.

ébb tìde (흔히 the ~) 썰물, 간조 ; 쇠퇴(기). OPP *flood tide.* ¶ civilization at its ~ 쇠퇴기의 문명.

EBCDIC〖컴〗extended binary coded decimal interchange code(확장 이진화(二進化) 십진(十進) 코드).

EbN《略》east by north(동미북).

eb·on·ite [ébənàit] *n.* Ⓤ 에보나이트, 경화 고무 (vulcanite).

***eb·ony** [ébəni] *n.* Ⓤ〖植〗흑단(黑檀).
— *a.* ① 흑단의 ; 흑단색의. ② 칠흑의 : Sunlight glinted on her ~ hair. 햇볕이 그녀의 칠흑 같은 머리에 빛나고 있었다.

EbS《略》east by south(동미남).

ebul·lience, -cy [ibúljəns, -bʌ́l-], [-si] *n.* Ⓤ ① 비등. ② (감정·기운 등의) 넘쳐 흐름, 내뻗침 : the ~ of youth 넘쳐 흐르는 젊음.

ebul·lient [ibúljənt, -bʌ́l-] *a.* ① (물이) 끓어오르는(boiling). ② 원기왕성한, 열광적인, (기운이) 내뻗는 : be ~ with enthusiasm 열광하고 있다.
㊕ ~·**ly** *ad.*

eb·ul·li·tion [èbəlíʃən] *n.* Ⓤ ① 비등, 끓어오름. ② (감정의) 격발, (전쟁의) 돌발 ; 발발.

EC European Community. **E.C.** East Central (London의 동(東) 중앙 우편구(區)) ;《英》Established Church.

ec·ce ho·mo [éksi-hóumou, éksei-]《L.》(= Behold the man!) 이 사람을 보라《Pilate 가 가시 면류관을 쓴 예수를 가리키며 유대인에게 한 말》; 가시 면류관을 쓴 예수의 초상화.

ec·cen·tric** [ikséntrik, ek-] (more ~ ; most ~***) *a.* ① 보통과 다른, 상도(常道)를 벗어난, 괴상한, 괴짜인 : an ~ person 괴짜, 기인(奇人) / ~ behavior〔clothes, habits〕괴상한 행동〔옷, 습관〕. ②〖數〗(두 원이) 중심을 달리하는, 이심(離心)의. OPP *concentric.* ③〖天〗(궤도가) 동그랗지 않은, 편심적인.
— *n.* Ⓒ ① 괴짜, 기인. ② 이심원(圓) ;〖機〗편심기.
㊕ **-tri·cal·ly** [-kəli] *ad.*

***ec·cen·tric·i·ty** [èksentrísəti] *n.* ① Ⓤ (복장·행동 따위의) 이상 야릇함, 엉뚱함. ② Ⓒ 기행(奇行), 기이한 버릇 : One of his *eccentricities* is sleeping under the bed instead of on it. 그의 괴상한 버릇의 하나는 침대 위가 아니라 그 밑에서 자는 것이다.

Eccl., Eccles.〖聖〗Ecclesiastes.

Ec·cle·si·as·tes [iklìːziǽstiːz] *n.*〖聖〗전도서《구약 성서 중의 한 편》.

ec·cle·si·as·tic [iklìːziǽstik] *n.* Ⓒ, *a.* 성직자(의), 목사(의) ; 교회(의).

***ec·cle·si·as·ti·cal** [iklìːziǽstikəl] *a.* 교회의, 교회에 관한 ; 성직자의 ; 교회용의 : an ~ court 종교 재판소 / ~ history 교회사.
㊕ ~·**ly** *ad.* 교회의 입장에서 ; 교회법상.

ec·cle·si·as·ti·cism [iklìːziǽstisìzəm] *n.* Ⓤ 교회(중심)주의.

Ec·cle·si·as·ti·cus [iklìːziǽstikəs] *n.* 구약 외전(外典) 중의 한 편《略 : Ecclus.》.

Ecclus. Ecclesiasticus.

ECG electrocardiogram ; electrocardiograph.

ech·e·lon [éʃəlàn / -lɔ̀n] *n.* ① Ⓤ,Ⓒ〖軍〗제형(梯形)편성, 제대(梯隊), 제진(梯陣) ; (비행기의) 삼각 편대《제형 편대의 일종》. ② (흔히 *pl.*) (명령 계통·사무 조직 등의) 단계 ; 계층 : government officials in lower〔higher〕~(*s*) 하급〔고급〕관리 / people on every ~ 모든 계층의 사람들 / the upper ~*s* of the administration 행정부의 상층부 / the lower ~*s* of government officials 하급 관리. ***in*** ~ 사다리꼴 대형을 이루어.

echid·na [ikídnə] (*pl.* ~***s***, ~***e*** [-niː]) *n.* Ⓒ〖動〗가시두더지(spiny anteater).

echi·no·derm [ikáinədə̀ːrm, ékinə-] (*pl.* ***-der·ma·ta*** [-mətə]) *n.* Ⓒ 극피(棘皮)동물《불가사리·성게 따위》.

echi·nus [ikáinəs] (*pl.* ***-ni*** [-nai]) *n.* Ⓒ ①〖動〗성게(sea urchin). ②〖建〗에키노스《도리아식 건축의 기둥머리의 만두형 쇠시리》.

‡**echo** [ékou] (*pl.* ~***es***) *n.* Ⓒ ① **a)** 메아리, 반향 : the ~ of a person's foot step 발소리의 반향. **b)** (레이더 등의) 반사파(波). ② (남의 의견·말 등의) 모방 : an ~ of Gogh 고흐의 모방. ③ (동조적인) 반응, (파급적) 영향 : His opinion does not arouse any ~ in his colleagues. 그의 의견은 동료 사이에 하등의 공감도 일으키지 않는다. ④ (여론 따위의) 반향, 공명, 공감. ⑤〖樂〗에코. ⑥〖컴〗메아리, 반향《사용자가 키보드로 입력한 문자

E

가 컴퓨터 화면에 나타나는 것》. — (*p., pp.* *~ed* ; *~ing*) *vt.* ①《~+[목] / +[목]+[부]》 (소리)를 메아리치게 하다, 반향시키다 : The hall *~ed* the faintest sounds. 그 홀은 아주 작은 소리도 반향시켰다 / The valley *~ed back* my voice. 계곡에서 내 소리가 메아리쳤다. ② (남의 말·생각 등)을 그대로 흉내내다〔되풀이하다〕: He *~es* his wife in everything. 그는 모든 일을 마누라 말대로 한다. — *vi.* 《~ / +[부] / +[전]+[명]》 (소리가) 메아리치다, 반향하다 ; 울리다《*with*》: The sound of the cannon *~ed around.* 대포 소리가 사방으로 울려 퍼졌다 / The room *~ed with* laughter. 방 안에 웃음소리가 울려 퍼졌다 / The shot *~ed through* the cave. 총소리가 굴 속에 울려퍼졌다.

écho chàmber 〖放送〗 반향실(反響室)《에코 효과를 내는 방》.

écho chèck 〖컴〗 메아리 검사《수신한 자료를 송신한 측에 돌려보내 원래의 자료와 비교하는 것. 즉 자료 전송의 정확도를 검사하는 일》.

echo·ic [ekóuik] *a.* ① 반향(장치)의. ②〖言〗 의음(擬音)〔의성(擬聲)〕의.

ech·o·lo·ca·tion [èkouloukéiʃən] *n.* [U] 반향 정위(定位)《박쥐·돌고래 등이 자신이 발사한 초음파에 의해 물체의 존재를 측정하는 능력》.

écho sòunder 〖海〗 음향 측심기(測深器).

écho sòunding 음향 측심(測深).

éclat [eiklɑ́ː, ´-] *n.* [U] 《F.》 대성공 ; 명성, 평판 ; 대단한 갈채. ***with great*** ~ 대단한 갈채를 받아〔갈채 속에〕; 화려하게, 성대히.

ec·lec·tic [ekléktik] *a.* 취사선택하는, 절충하는, 절충주의의 : He has an ~ taste in music. 그는 음악에 대해 절충적인 경향이다. — *n.* [C] (미술·철학 등) 절충학파의 사람 ; 절충주의자. ㊕ **-ti·cal·ly** [-tikəli] *ad.* 절충하여.

eclipse** [iklíps] *n.* ① [C] 〖天〗 (해·달의) 식(蝕) ; (별의) 엄폐 : a solar ~ 일식 / a lunar ~ 월식 / a total 〔partial〕 ~ 개기〔부분〕식. ② [U.C] (명성·영광의) 실추, 쇠락. ***in ~ (1) (해·달이) 이지러져. (2) (명성 등이) 실추하여 : His fame was *in* 〔suffered an〕 ~. 그의 명성은 실추됐다. — *vt.* ① (천체가 딴 천체)를 가리다. ②〔종종 受動으로〕 빛을 잃게 하다, 어둡게 하다 : His joy in life *was ~d* by the untimely death of his wife. 아내의 때아닌 죽음으로 그의 삶의 기쁨에 어둠이 드리웠다. ③ (…의 명성 등)을 가리다, 무색하게 하다 : His success *~d* even his father's fame. 그의 성공으로 아버지의 명성도 빛을 잃었다 / a soprano whose singing *~d* that of her rivals 경쟁자를 무색하게 할 만큼 훌륭히 노래한 소프라노 가수.

eclip·tic [iklíptik] 〖天〗 *n.* (the ~) 황도(黃道). — *a.* 식(蝕)의 ; 황도의. ㊕ **-ti·cal** [-əl] *a.* = ecliptic. **-ti·cal·ly** *ad.*

ec·logue [éklɔːg / -lɔg] *n.* [C] (대화체의) 목가, 전원시, 목가시(牧歌詩).

eclo·sion [iklóuʒən] *n.* [U] 〖蟲〗 우화(羽化) ; 부화(孵化).

ECM European Common Market.

eco- '환경·생태(학)'의 뜻의 결합사《모음 앞에서는 ec-》.

ec·o·cide [íːkousàid, ékou-] *n.* [U] (환경 오염에 의한) 환경 파괴, 생태계 파괴.

ec·o-friend·ly [iːkoufréndli] *a.* 환경을 파괴하지 않는, 환경친화적인.

ecol. ecological ; ecology.

ec·o·log·ic, -i·cal [èkəlɑ́dʒik, iːkə-], [-kəl] *a.* 생태학의〔적인〕: ~ balance 생태학적 균형 / ~ destruction 생태 파괴.

㊕ **-i·cal·ly** [-ikəli] *ad.*

ecol·o·gy [iːkɑ́lədʒi / -kɔ́l-] *n.* [U] ① 생태학 ; 인류〔인간〕 생태학. ② (생체와의 관계로 본) 생태 환경. ㊕ **-gist** *n.* [C] ① 생태학자. ② 환경 보전 운동가.

econ. economic(s) ; economical ; economy.

econ·o·met·rics [iːkɑ̀nəmétriks / -kɔ̀n-] *n.* [U] 계량 경제학 : ~ model 계량 경제학 모델. ㊕ **-ri·cal·ly** *ad.*

‡**ec·o·nom·ic** [ìːkənɑ́mik, èk- / -nɔ́m-] *a.* 〔限定的〕 ① 경제(상)의, 재정상의 : an ~ blockade 경제 봉쇄 / an ~ policy〔crisis〕 경제 정책〔위기〕/ ~ power 경제 대국 / an (exclusive) ~ zone (배타적) 경제 수역 / ~ development (zone) 경제 개발(구(區)) / ~ growth 경제 성장 / ~ independence 경제 자립. ② 경제학의. ③ 경제적인, 실리적인, 실용상의(practical): ~ botany 실용 식물학. ***for ~ reasons*** 경제적인 이유로 : leave school *for ~ reasons* 경제적인 이유로 학교를 중퇴하다.

‡**ec·o·nom·i·cal** [ìːkənɑ́mikəl, èkə- / -nɔ́m-] (***more*** ~ ; ***most*** ~) *a.* ① 경제적인, 절약하는, 검약한. [opp] *extravagant.* ¶ an ~ housewife 알뜰한 주부 / an ~ car (연료가 적게 드는) 경제적인 차 / It would be more ~ to go by bus than by taxi. 택시보다 버스로 가는 것이 경제적일 것이다 / ideas for ~ housekeeping 알뜰한 살림을 위한 아이디어 / There is an increasing demand for cars which are more ~ on fuel. 연료 절약형 차에 대한 수요가 늘고 있다 / an ~ style of writing 간결한 문체. ② 경제상〔학〕의. ***be ~ of*** 〔***with***〕 … 을 절약하다 : Nancy *is ~ of* her smiles. 낸시는 좀처럼 웃지 않는다 / Father *is ~ with* his time. 아버지는 시간을 아끼신다 / The politician *was ~ with* truth. 《戱》 그 정치인은 사실을 밝히기를 피했다.

***ec·o·nom·i·cal·ly** [ìːkənɑ́mikəli, èkə- / -nɔ́m-] *ad.* ① 경제적으로, 절약하여. ② 경제(학)상, 경제(학)적으로 : Is the company ~ viable? 그 회사는 경제면에서 발전이 가능한가.

económic geógraphy 경제 지리학.

***ec·o·nom·ics** [ìːkənɑ́miks, èk- / -nɔ́m-] *n.* ① [U] 경제학. ②〔複數 취급〕 (국가·가정·기업 등의) 경제(상태), 경제적인 측면《*of*》.

económic sànctions 경제 제재.

***econ·o·mist** [ikɑ́nəmist / -kɔ́n-] *n.* ① [U] 경제학자, 경제 전문가. ② (the E-) 이코노미스트《영국의 권위 있는 정치·경제 주간지》.

econ·o·mi·za·tion [ikɑ̀nəmizéiʃən / ikɔ̀n-] *n.* [U] 절약, 경제화(化), 경제적 사용.

***econ·o·mize** [ikɑ́nəmàiz / -kɔ́n-] *vt.* …을 경제적으로 쓰다, 절약하다 ; (노동력·시간·돈 따위)를 효율적으로 사용하다. — *vi.* 절약하다, 낭비를 삼가다《*on*》: try to ~ *on* electricity 절전에 애쓰다 / ~ in time 시간을 절약하다.

econ·o·miz·er [ikɑ́nəmàizər / -kɔ́n-] *n.* [C] ① 경제가, 절약가. ② (연료·열량 등의) 절약 장치.

‡**econ·o·my** [ikɑ́nəmi / -kɔ́n-] *n.* ① [U.C] 절약(frugality), 검약 : practice〔use〕 ~ 절약하다 / with an ~ of words 불필요한 말을 생략하고, 간결히. ② [U] (국가·사회·가정 등의) 경제 : This plan will bankrupt the ~ of our town. 이 계획은 우리 도시의 경제를 파산시킬 것이다 / The state of the ~ is very worrying. 경제 상태가 매우 염려된다 / ⇨ POLITICAL ECONOMY / domestic ~ 가정 경제 / viable ~ 자립 경제. ③ [U] 경제학. ④ [C] (한 지방·국가 등의) 경제 기구 : a democratic ~ 민주주의적 경제 기구. ⑤ [U] 경기(景氣) : The

~ has taken a downturn. 경기는 하향국면이다.
— *a.* 〔限定的〕 ① 값싼, 경제적인 : an ~ car (저연료비의) 경제 차. ② (여객기에서) 이코노미 클래스의 : ~ passengers 이코노미 클래스의 승객들.

ecónomy clàss (열차·여객기 따위의) 이코노미 클래스, 보통〔일반〕석(★ tourist class 라고도 함) : travel ~ 이코노미 클래스로 여행하다.

econ·o·my-size [-sàiz] *a.* 이코노미사이즈의, 덕용(德用) 사이즈의.

ECOSOC Economic and Social Council (of the United Nations) ((유엔) 경제 사회 이사회).

ec·o·sphere [ékousfiər] *n.* Ⓒ 생태권(圈).

ec·o·sys·tem [íːkousìstəm, ékou-] *n.* Ⓒ (종종 the ~) 생태계 : equilibrium of ~ 생태계의 평형.

ec·o·tage [ékətɑ̀ːʒ] *n.* 환경오염 반대 파업(환경오염 방지·자연보호를 위한).

ec·ru [ékruː, éi-] *n.* Ⓤ (F.) 생마(生麻) 빛깔, 베이지색, 담갈색.

‡**ec·sta·sy** [ékstəsi] *n.* Ⓤ,Ⓒ ① 무아경, 황홀, 희열 : He skipped about the room in (an) ~. 너무 좋아 저도 모르게 방안을 껑충껑충 뛰어다녔다. ② (시인·예언자 등의) 망아(忘我), (종교적인) 법열(法悅) ; 환희의 절정 : listen with ~ 넋을 잃고 듣다. ③ 〖心〗 황홀한 상태, 엑스터시.
go*〔*get*〕 *into ecstasies over = ***be thrown into ecstasies over*** …에 황홀해지다 : She *was thrown into ecstasies over* her new dress. 그녀는 자기의 새옷에 황홀해졌다.

ec·stat·ic [ekstǽtik] *a.* ① 열중〔몰두〕한, 무아경의(*over* ; *at* ; *about*) : He's ~ *about* his new job. 새로운 일자리에 열중해 있다. ② 황홀한.
㊎ **-i·cal·ly** *ad.*

ECT, E.C.T. electroconvulsive therapy (전기 충격 요법).

ect-, ecto- '외(부)'의 뜻의 결합사. OPP *endo-*.

ec·to·derm [éktoudə̀ːrm] *n.* Ⓒ 〖生〗 외배엽(外胚葉).

ec·to·plasm [éktouplæ̀zəm] *n.* Ⓤ 〖生〗 외형질(外形質)(세포 원형질의 바깥층) ; 원생동물의 외피층 ; 〖心靈術〗 (영매(靈媒)의 몸에서 발한다는) 영기(靈氣), 엑토플라즘.

ECU, Ecu, ecu European Currency Unit (유럽 통화 단위 ; 1997년 부터(예정)).

Ec·ua·dor [ékwədɔ̀ːr] *n.* 에콰도르(남아메리카의 공화국 ; 수도 Quito).

ec·u·men·ic, -i·cal [èkjuménik / ìːk-], [-əl] *a.* 〖基〗 전반적인, 보편적인, 세계적인 ; 전기독교(회)의 ; ecumenism 의 : the ~ movement 세계교회운동. ㊎ **-i·cal·ly** *ad.*

ec·u·men·i·cal·ism [èkjuménikəlìzəm / ìːk-] *n.* = ECUMENISM.

ec·u·me·nism [ékjumenìzəm / íːk-] *n.* Ⓤ 〖基〗 (교파를 초월한) 세계 교회주의〔운동〕 ; 전(全) 크리스트교회주의. ㊎ **-nist** *n.* Ⓒ

ec·ze·ma [éksəmə, égzi-, igzíːmə] *n.* Ⓤ 〖醫〗 습진.

Ed [ed] *n.* 에드(남자 이름 ; Edgar, Edmond, Edmund, Edward, Edwin 의 애칭).

-ed [〔d 이외의 有聲音의 뒤〕 d ; 〔t 이외의 無聲音의 뒤〕 t ; 〔t, d 의 뒤〕 id, əd] *suf.* ① 규칙 동사의 과거·과거분사를 만듦 : call*ed* [-d], talk*ed* [-t], wanted [-id]. ② 명사에 붙여서 '…이 있는, …을 갖춘〔가진〕'의 뜻의 형용사를 만듦. ★ 형용사의 경우 [t, d] 이외의 음의 뒤라도 [id, əd]로 발음되는 것이 있음 : ag*ed*, bless*ed*, (two-)legg*ed*.

Édam (chèese) [íːdəm(-), -dæm(-)] 치즈의 일종(겉을 붉게 칠한 네덜란드산의).

EDB 〖化〗 ethylene dibromide (2 브롬화 에틸렌).

Ed·da [édə] *n.* (the ~) 에다(고대 아이슬란드의 신화 및 시집).

Ed·die [édi] *n.* = ED.

***ed·dy** [édi] *n.* Ⓒ (바람·먼지·연기 등의) 소용돌이, 회오리(★ 물의 경우는 whirlpool) : *Eddies* of dust swirled in the road. 길엔 먼지 회오리가 휩쓸었다.
— *vi.* 소용돌이〔회오리〕치다.

edel·weiss [éidlvàis, -wàis] *n.* Ⓒ (G.) 〖植〗 에델바이스(알프스산(産) 고산 식물).

ede·ma [idíːmə] (*pl.* **~s, ~·ta** [-tə]) *n.* Ⓤ,Ⓒ 〖醫〗 부종(浮腫), 수종.
㊎ **edem·a·tous** [idémətəs] *a.*

***Eden** [íːdn] *n.* ① 〖聖〗 에덴 동산(Adam 과 Eve 가 처음 살았다는 낙원). ② Ⓒ 지상 낙원.

Ed·gar [édgər] *n.* 에드거(남자 이름 ; 애칭은 Ed, Ned).

edge** [edʒ] *n.* ① Ⓒ 끝머리, 테두리, 가장자리, 변두리, 모서리 : gilt ~*s* (책의) 금테두리 / the water's ~ 물가 / The cup fell off the ~ of the plate. 컵이 접시 가장자리에서 떨어졌다. ② (the ~) 위기, 위험한 경지 : on *the* ~ of bankruptcy 파산 직전에 / The country was brought to *the* ~ of war〔a catastrophe〕. 그 나라는 전쟁 위기〔파국 직전〕에 몰렸다. ③ Ⓒ (칼 따위의) 날 ; (*sing.*) (비평 따위의) 날카로움, 격렬함 : a sword with two ~*s* 양날의 칼 / the ~ of desire〔sarcasm〕 격렬한 욕망〔날카로운 풍자〕 / the keen ~ of sorrow 통절한 슬픔 / The knife has lost its ~. 이 칼은 날이 무뎌졌다 / put an ~ on a knife 칼에 날을 세우다 / This knife has no ~. 이 칼은 베어지지 않는다 / The knife has a sharp ~. 칼이 날카롭다 / have an ~ to one's voice 음성에 모가 나다. ④ (*sing.*) 우세, 강점(*on* ; *over*) : competitive ~ 경쟁상의 우세 / He definitely had the ~ *on* his opponent. 그는 확실히 상대방보다 우세했다. ***give an ~ to the appetite 식욕을 돋우다 : Exercise *gives an ~ to the appetite.* 운동은 식욕을 돋운다. ***give*** a person ***the ~ of*** one***'s tongue*** 아무를 호되게 꾸짖다. ***have*** 〔***get***〕 ***the*** 〔***an***〕 ***~ on*** 〔***over***〕 a person (口) (아무보다) 좀 우세하다, 보다 유리하다 : The Government Party *has a* 38-seat ~ *over* the Opposition. 여당은 야당보다 38 석이나 많다. ***on ~*** (1) 세로로(하여) : set a book *on* ~ 책을 세우다. (2) 안절부절 못하여 : He was *on* ~. 그는 안절부절 못하고 있었다 / get〔set〕 a person *on* ~ 아무를 신경질나게 하다. (3) …하고 싶어서 ; 안달하여(*to* do) : The contestants were *on* ~ *to* learn the results. 경기자들은 그 결과를 알고 싶어 안달이었다. ***on the ~ of*** …의 가장자리에 ; 막 …하려는 참에, …에 임박하여 : She was sitting *on the* ~ *of* her bed. 그녀는 침대 가장자리에 앉아있었다 / *on the* ~ *of* death 죽음에 임박하여 / species *on the* ~ *of* extinction 멸종 위기에 있는 동식물 / She was *on the* ~ *of* tears. 그녀는 곧 울 것만 같았다. ***set*** 〔***put***〕 one***'s teeth on ~*** ⇨ TOOTH. ***take the ~ off*** …의 기세를 꺾다, …을 무디게 하다 : This medicine will *take the* ~ *off* the pain. 이 약을 먹으면 통증이 좀 가라앉을 것이다 / The sandwich *took the* ~ *off* my appetite. 그 샌드위치를 먹고 허기를 면했다 / His apology *took the* ~ *off* her anger. 그가 사과하니까 그녀의 노여움이 수그러졌다.
— *vt.* ① (+目+補) (칼 따위)에 날을 세우다, 예리하게 하다 : ~ a knife sharp 칼을 날카롭게 갈

E

다. ②《~+목/+목+전+명》…에 테를 달다, 테두리를 두르다, 가장자리를 매만지다《with》: Hills ~ the village. 마을은 언덕에 둘러싸여 있다 / The handkerchief is ~*d with* white lace. 손수건은 흰 레이스로 둘려 있다 / ~ a skirt *with* lace 스커트 자락에 레이스를 두르다. ③《+목+전+명/+목+부》 비스듬히〔천천히〕 움직이다, 조금씩 나아가다〔움직이다〕《*away ; into ; in ; out ; off ; nearer*》: ~ one's way *through* the darkness 어둠 속을 더듬어 나아가다 / I ~*d* my chair *nearer to* the fire. 나는 의자를 불 곁으로 조금씩 당겼다 / She ~*d* herself *into* our conversation. 그녀는 우리 대화에 조금씩 참견하기 시작했다 / ~ oneself〔one's way〕 *through* a crowd 군중 속을 비집고 나아가다 / Those who disagreed with the director's viewpoint were gradually ~*d out* of the company. 그 중역의 견해에 의견을 달리한 사람들은 서서히 회사에서 밀려났다. ④《美》…에 근소한 차로 이기다: The Tigers ~*d* the Giants. 타이거스 팀은 자이언츠 팀을 가까스로 이겼다.
— *vi.* 《+전+명》 비스듬히 나아가다; 옆으로 나아가다; 천천히〔조금씩〕 움직이다: ~ *through* a crowd 군중 속을 비집고 나아가다.
~ ***in*** (한 마디) 참견하다〔끼어들다〕; 천천히 다가가다〔접근하다〕: He ~*d in on* his opponent. 그는 상대방에게 조금씩 다가갔다 / Can you ~ *in* your suggestion before they close the discussion. 심의를 끝내기 전에 제안을 도중에 제출할 수 있겠소. ~ ***out*** (1) (조심하여) 천천히 나오다: He ~*d out* (of) the door. 그는 문에서 살짝 나왔다. (2)《美》…에게 근소한 차로 이기다; …에서 쫓아내다《*of*》: The boss was ~*d out* by his opponents. 사장은 그의 적에 의해 쫓겨났다 / They ~*d* him *out* (*of* the company). 그들은 그를 (회사에서) 쫓아냈다.

edge·ways, -wise [édʒwèiz], [-wàiz] *ad.* 날〔가장자리, 끝〕을 밖으로 대고; 끝에; 언저리를 따라; 끝과 끝을 맞대고. ***get a word in*** ~ 말참견하다.

edg·ing [édʒiŋ] *n.* ① Ⓤ 테두리(하기), 선두름. ② Ⓒ (옷의) 가장자리 장식, (화단 따위의) 가장자리(border).

édging shèars 잔디깎는 가위《가장자리 손질용》.

edgy [édʒi] (***edg·i·er; -i·est***) *a.* ① 날이 날카로운; 윤곽이 뚜렷한. ②《口》 안절부절 못하는《*about*》: get〔become〕 ~ *about* …에 조바심하다.
㊞ **édg·i·ly** *ad.* **édg·i·ness** *n.*

***ed·i·ble** [édəbəl] *a.* 식용에 적합한, 식용의. opp *inedible*. ¶ an ~ frog 식용 개구리 / an ~ snail 식용 달팽이 / ~ fat〔oil〕 식용 지방〔기름〕.
— *n.* (*pl.*) 식품, 음식. ㊞ **~·ness** *n.*

edict [í:dikt] *n.* Ⓒ (옛날의) 칙령, 포고; 명령.

ed·i·fi·ca·tion [èdəfikéiʃən] *n.* Ⓤ (덕성·정신 따위의) 함양(uplift), 계몽, 계발. ◇ edify *v.*

***ed·i·fice** [édəfis] *n.* Ⓒ ① (궁전·교회 등의) 대건축물, 전당. ② 조직; (사상의) 체계: build the ~ of knowledge 지식의 체계를 구축하다.

ed·i·fy [édəfài] *vt.* …을 교화〔훈도〕하다; …의 품성을 높이다, …의 지덕을 함양하다. ◇ edification *n.* ㊞ **ed·i·fy·ing** [-iŋ] *a.* 교훈이 되는, 유익한; 교훈적인: an ~*ing* book 교훈적인 책.

Ed·in·burgh** [édinbə̀:rou, -bə̀:rə] *n.* 에든버러《스코틀랜드의 수도》. ***Dúke of ∠ (the ~) 에든버러공(公)《현 영국 여왕 Elizabeth 2 세의 부군(1921-)》.

***Ed·i·son** [édəsən] *n.* **Thomas** ~ 에디슨《미국의 발명가; 1847-1931》.

ed·it** [édit] *vt.* ① (책·신문 등)을 편집(발행)하다; (원고)를 손질하다, 교정보다; 〖映〗 (영화·녹음 테이프 따위)를 편집하다; 〖컴〗 (데이터)를 편집하다. cf. compile. ¶ He ~*s* the local newspaper. 그는 지방신문을 편집하고 있다. ② …의 편집 책임자가 되다. ~ ***out (편집 단계에서 어구 등)을 삭제하다《*of*》: They ~*ed out* the most violent scenes from the film. 영화에서 가장 격렬한 장면을 삭제했다. — *n.* Ⓒ 편집.

edit. edited; edition; editor.

éditing tèrminal 편집 단말 장치《텍스트 편집용으로 사용되는 컴퓨터의 입출력 장치(input / output device)》.

‡edi·tion [idíʃən] *n.* Ⓒ ① (초판·재판의) 판(版), 간행; (같은 판의) 전발행 부수: the first ~ 초판. ② (같은 판 중의) 한 책; 《比》 복제: The child is a small ~ of her mother. 저 애는 제 엄마를 꼭 닮았다 / He is an inferior ~ of his father. 그는 아버지보다 못하다. ③ (제본 양식·체재의) 판: a revised〔an enlarged〕 ~ 개정〔증보〕판 / a cheap〔a popular, a pocket〕 ~ 염가〔보급, 포켓〕판 / published in a leather-bound limited ~ 가죽 장정의 한정판으로 출판된 / The story was in Tuesday's ~ of the 'New York Times'. 그 이야기는 '뉴욕타임스'의 화요판에 실려 있었다 / a limited ~ of 500, 500부 한정판. ***go through ~s*** 판(版)을 거듭하다.

édition de luxe [èidisjɔ̃:ndilúks] *n.* Ⓒ 《F.》 호화판(版).

‡ed·i·tor [édətər] (*fem.* ***ed·i·tress*** [édətris]) *n.* Ⓒ 편집자; (신문·잡지의) 주필, 논설위원; (영화의) 편집자; 〖컴〗 편집기《컴퓨터의 데이터를 편집할 수 있도록 한 프로그램》: a sports〔feature〕 ~ 스포츠난〔특집란〕 주임 / ⇨ CITY〔GENERAL, MANAGING〕 EDITOR / a financial ~ 《美》 경제부장. ***a chief ~ = an ~ in chief*** 편집장, 주필 《★ 복수는 editors in chief》.

‡ed·i·to·ri·al [èdətɔ́:riəl] *n.* Ⓒ (신문의) 사설, 논설(《英》 leading article, leader): a strong ~ in *The Times* 타임스지(紙)의 강경한 사설. — *a.* ① 편집의; 편집자에 관한: the ~ staff (member) 편집부(원) / an ~ office 편집실 / an ~ conference 편집회의. ② 사설의, 논설의: an ~ writer 《美》 논설위원 / an ~ page 사설란(欄).
editorial 'we' ⇨ WE ②.
㊞ **~·ly** *ad.* 사설〔논설〕로서; 편집상; 편집자로서, 주필〔편집장〕의 자격으로.

ed·i·to·ri·al·ize [edətɔ́:riəlàiz] *vi.* (…에 대해) 사설로 쓰다〔다루다〕《*on ; about*》; 보도에 개인적 견해를 넣다, (논쟁 따위에 관해) 의견을 말하다 《*on; about*》: ~ *on* social problems 사회문제에 관하여 사설에 쓰다.

ed·i·tor·ship [édətərʃìp] *n.* Ⓤ 편집자〔주필〕의 지위〔직, 임기, 기능, 권위, 수완〕; 편집; 교정.

-ed·ly [-idli] *suf.* -ed 로 끝나는 낱말을 부사로 만듦《★ -ed 를 [d] [t] 로 발음하는 낱말에 -ly 를 붙일 때, 그 앞의 음절에 강세가 있으면 대개 [id-, əd-] 로 발음한다: deserv*edly* [dizɔ́:rvidli]》.

Ed. M. Master of Education.

Ed·na [édnə] *n.* 여자 이름.

EDP, E.D.P., e.d.p. electronic data processing. **EDPS** 〖컴〗 electronic data processing system (전자 자료 처리 체계).

ed·u·ca·ble [édʒukəbəl] *a.* 교육〔훈련〕 가능한, 어느 정도의 학습능력이 있는.

***ed·u·cate** [édʒukèit] *vt.* ①《~+목/+목+*to* do / +목+전+명》 (사람)을 교육하다, 가르치다;

훈육하다 ; 육성하다 : ~ a person *to* do a thing 아무가 어떤 일을 하도록 교육하다 / ~ a person *for* law 아무를 법률가로 교육하다 / ~ people *about* the destructive effects of alcohol abuse 사람들에게 과음의 파괴적 영향을 가르치다 / ~ young people *about* the classics 고전문학에 대해 젊은이를 가르치다. ② 《+目+前+名》〔종종 受動으로〕 …을 학교에 보내다, …에게 교육을 받게 하다 : I *was* ~*d in* Paris. 나는 파리에서 교육받았다 / He *is* ~*d in* law. 그는 법률 교육을 받았다. ③ 《+目+前+名》 견문을 넓히다 ; (예술적 능력·취미 등)을 기르다, 훈련하다《*in* ; *to*》 : ~ a person *in* art 아무를 훈련하여 예술적 재능을 키우다 / ~ one's taste *in* music 음악의 취미를 기르다 / ~ the eye *to* painting 그림에 대한 안목을 기르다. ④ (동물)을 길들이다 : ~ a dog *to* beg 개에 뒷발로 서게 가르치다. ◇ education *n.* ~ one***self*** 독학〔수학〕하다.

‡ed·u·cat·ed [édʒukèitid] (***more*** ~ ; ***most*** ~) *a.* 〔限定的〕 ① 〔종종 複合語를 이루어〕 교육 받은, 교양 있는 : a well-~ person 교양 있는 사람 / a self-~ man 독학자. ② (추측이) 경험·자료에 근거한 : an ~ guess 경험에서 나온〔근거있는〕 추측.

‡ed·u·ca·tion [èdʒukéiʃən] *n.* ① Ⓤ (또는 an ~) (학교) 교육, 훈육, 훈도 ; 양성 : commercial 〔technical〕 ~ 상업〔기술〕 교육 / compulsory 〔adult〕 ~ 의무〔성인〕 교육 / *Education* starts at home. 교육은 가정에서 시작된다 / get college ~ 대학 교육을 받다 / I gave my son *a* college ~. 아들에게 대학 교육을 받게 했다 / Her mother gave her *a* musical ~. 그녀의 어머니는 그녀에게 음악 교육을 받게 했다. ② Ⓤ (또는 an ~) 지식, 학력, 교양, 소양, 덕성 : deepen one's ~ 교양을 깊게 하다 / a man of ~ 교양 있는 사람. ③ Ⓤ 교육학, 교수법 : a college of ~ 《英》 교육 대학. ◇ educate *v.* ***moral*** 〔***intellectual, physical***〕 ~ 덕〔지, 체〕육. ***the Ministry of Education*** 교육부.

‡ed·u·ca·tion·al [èdʒukéiʃənəl] (***more*** ~ ; ***most*** ~) *a.* ① 교육(상)의, 교육에 관한 : ~ expenses 교육비 / an ~ age 교육 연령 / Reducing the size of classes may improve ~ standards. 학급 당 학생수를 줄이는 것은 교육 수준을 개선하게 될 것이다. ② 교육적인 : an ~ show on television 텔레비전 교육 프로그램 / an ~ film 교육 영화.

ed·u·ca·tion·al·ist [èdʒukéiʃənəlist] *n.* ＝EDUCATIONIST.

educátional télevision ① 교육 방송. ② 학습용 텔레비전《略 : ETV》.

ed·u·ca·tion·ist [èdʒukéiʃənist] *n.* Ⓒ 《英》 교육자.

ed·u·ca·tive [édʒukèitiv / -kə-] *a.* 교육(상)의 ; 교육적인, 교육에 도움이 되는.

***ed·u·ca·tor** [édʒukèitər] *n.* Ⓒ 교육자, 교직자.

educe [idjúːs] *vt.* ① (잠재된 능력·성격)을 이끌어내다. ② …을 추단하다, 연역하다.

Ed·ward [édwərd] *n.* 에드워드《남자 이름 ; 애칭 Ed, Eddie, Ned》.

Ed·ward·i·an [edwáːrdiən, -wɔ́ːrd-] *a., n.* Ⓒ 〖英史〗 에드워드《특히 7세》 시대의 (사람).

Édward the Conféssor 참회왕 에드워드 《신앙심이 돈독했던 영국왕 ; 1003? -66》.

'ee [iː] *pron.* 《俗》 ye(＝you)의 간약형(簡約形) : Thank'*ee*. 고맙습니다.

-ee *suf.* ① 동사의 어간이 뜻하는 동작을 받아 '…하게 되는 사람'의 뜻의 명사를 만듦 : oblig*ee*, pay*ee*. ② 어간이 뜻하는 동작을 하는 사람 : refug*ee*.

EEC European Economic Community. cf. ECM.

eek [iːk] *int.* 《美》 이크, 아이쿠. [imit.]

eel** [iːl] *n.* Ⓤ,Ⓒ 뱀장어 ; 뱀장어 비슷한 물고기. (as***) ***slippery as an*** ~ (1) (뱀장어처럼) 미끈미끈한. (2) 잡을 데가 없는 ; (사람이) 믿을 수 없는.

eel·grass [-ɡræ̀s, -ɡràːs] *n.* Ⓤ 〖植〗 거머리말류(類)《북대서양 연안에 많은 해초의 일종》.

eely [íːli] (***eel·i·er*** ; ***-i·est***) *a.* 뱀장어 같은 ; 미끈거리는 ; 붙잡을 수 없는.

ee·nie mee·nie mi·nie moe [ìːniː-mìːniː-máini-mòu] 누구로〔어느 것으로〕할까《본래 술래잡기에서 술래를 정할 때 쓰는 말》.

EEPROM 〖컴〗 electrically erasable programmable read only memory (전기적 소거 가능형 PROM). cf. PROM.

e'er [εər] *ad.* 《詩》 ＝EVER.

-eer *suf.* ① '관계자·취급자·제작자'의 뜻《★ 때로는 경멸적인 뜻을 가짐》 : auction*eer*, pamphlet*eer*. ② '…에 종사하다'의 뜻의 동사어미 : election*eer*.

ee·rie, ee·ry [íəri] (***-ri·er*** ; ***-ri·est***) *a.* 섬뜩한 (weird) ; 기분 나쁜, 기괴한 : an ~ stillness 섬뜩한 고요.
㊕ **ée·ri·ly** *ad.* **ée·ri·ness** *n.* Ⓤ

ef- *pref.* ＝EX²- 《f 의 앞에 쓰임》.

eff [ef] *vt., vi.* 《俗》 (…와) 성교하다 ; 입에 못 담을 말을 하다. cf. fuck. ~ ***and blind*** 더러운 입정을 놀리다.

***ef·face** [iféis] *vt.* ① (문자·흔적 따위)를 지우다 : ~ some lines *from* a book 책에서 몇 줄을 삭제하다. ② (추억·인상 따위)를 지워 버리다〔없애다〕《*from*》 : Time alone will ~ these unpleasant memories. 세월이 지나야만 이 불쾌한 기억이 없어질 게다. ③ 〔再歸的〕 사람 눈에 띄지 않게 (처신)하다 : For an actor he's very shy and tends to ~ *himself* in interviews. 배우치고 그는 몹시 수줍어서 인터뷰에는 잘 응하지 않으려 한다. ㊕ **~·ment** *n.* Ⓤ 말소, 소멸.

‡ef·fect [ifékt] *n.* ① Ⓤ,Ⓒ 결과 (consequence) : cause and ~ 원인과 결과, 인과(因果). ② Ⓤ,Ⓒ (결과를 가져오는) 효과, 영향《*on, upon*》 ; (법률 등의) 효력 ; 영향 ; (약 등의) 효능 ; (*pl.*) (극·영화·방송 등에서 소리·빛 따위의) 효과(장치) : an immediate ~ 즉효 / The law is still in ~ 그 법은 아직 효력이 있다 / lighting ~*s* 조명 효과 / the ~*s* of light *on* plants 식물에 끼치는 빛의 영향 / dramatic 〔far-reaching〕 ~*s* 극적〔멀리까지 미치는〕 효과 / an adverse ~ 역효과 / side ~ 부작용 / The medicine had a miraculous ~. 그 약의 효능은 기적적이었다. ③ (*sing.*) (색채·모양의 배합에 의한) 효과 ; 감명, 인상 : for ~ (시청자의) 효과를 노려. ④ Ⓤ 겉모양, 외견, 체재 : The big, expensive car was only for ~. 그 크고 비싼 차는 겉치레만을 위함이었다. ⑤ (*sing.*) 〔to the 〔that, etc.〕 ~의 꼴로〕 취지, 의미《*that*》 : *the general* ~ 대의(大意), 강령(綱領) / *to that* 〔*this, the same*〕 ~ 그〔이, 같은〕 취지로. ⑥ (*pl.*) 동산, 재산, 물건(物件) : household ~*s* 가재(家財) / personal ~*s* 휴대품 ; 사물. ◇ effectual *a.* ***bring to*** 〔***carry, put into***〕 ~ …을 실행하다, 수행하다 : The regulations will not be *brought into* ~ until the new year. 그 규칙은 새해까지 시행되지 않을 것이다 / The new system will soon be *put into* ~. 새 시스템은 곧 시행될 것이다. ***come*** 〔***go***〕 ***into*** ~ (새 법률 등이) 실시되다,

E

발효하다. ***for*** ~ 효과를 노리고; 체재상: Her tears were merely *for* ~. 그녀의 눈물은 단지 체면상 흘린 것뿐이었다. ***give ~ to*** (법률·규칙 등)을 실행〔실시〕하다. ***have an ~ on*** …에 영향을 미치다, 효과를 나타내다: Oceans *have a* major ~ *on* the climate. 대양은 기후에 큰 영향을 미친다 / Your advice *has no ~ on* them. 당신 충고도 그들에겐 아무 효과가 없군. ***in*** ~ (1) 실제에 있어서는, 사실상: He is, *in* ~, the leader of the group. (명의는 어떻든) 사실상, 그가 그 그룹의 지도자다. (2) 요컨대. (3) (법률 등이) 실시〔시행〕되어, 효력을 가지고: The law is already *in* ~. 그 법률은 이미 발효하고 있다. ***no ~s*** 무재산, 예금 없음《부도 수표에 기입하는 말; 略: N / E》. ***of no*** ~ 무효의; 무익한. ***take*** ~ 주효하다, 효험이 있다; (법률이) 효력을 발생하다. ***to good*** 〔***little, no***〕 ~ 유효하게〔거의 효과 없이, 전혀 효과 없이〕: I tried to persuade him, but *to no* ~. 그를 설득하려 했으나 소용 없었다. ***to the ~ that...*** …이라는 뜻〔취지〕의〔(으)로〕. ***to this*** 〔***that, the same***〕 ~ 이런〔그러한, 같은〕 취지의〔로〕: write *to that* ~ …이라는 뜻의 내용을 쓰다. ***with*** 〔***without***〕 ~ 유효하게〔효과없이〕. ***with ~ from*** (ten) (10시)부터 유효.

— *vt.* ① (변화 등)을 가져오다, 초래하다: ~ a cure (병을) 완치하다 / ~ a change 변화를 가져오다. ② (목적 따위)를 성취하다, 완수하다: ~ an escape 교묘하게 도망쳐 버리다 / ~ a purpose 목적을 달성하다 / ~ a reform 개혁을 완수하다.

:ef·fec·tive [iféktiv] (***more*** ~; ***most*** ~) *a.* ① 유효한, 효력이 있는: the ~ range (항공기의) 유효 항속 거리 / take ~ measures 유효한 수단을 강구하다 / ~ support 유력한 지지 / The drug is ~ in the treatment of cancer. 그 약은 암 치료에 효력이 있다 / ~ demand 유효 수요. ② 효과적인, 인상적인, 눈에 띄는: an ~ photograph 인상적인 사진 / make an ~ speech 감명을 주는 연설을 하다. ③ 실제의, 사실상의(actual): ~ coin 〔money〕 실제〔유효〕 화폐, 경화(硬貨) (ⓒⓕ paper money) / the ~ leader of the country 나라의 실질적인 지도자. ④ 실전에 쓸 수 있는, (전투 등에) 동원할 수 있는: the ~ strength of an army 군의 전투 능력. ***become*** ~《美》 효력을 발생하다, 시행되다: Our contract *becomes* ~ on April 1st. 우리들의 계약은 4월 1일부터 발효한다. — *n.* Ⓒ 〖軍〗 (임전 태세를 갖춘) 동원 가능한 실제 병력. ㊞ *~·**ly** *ad.* 유효하게; 효과적으로; 사실상; 실제상. ~·**ness** *n.*

***ef·fec·tu·al** [iféktʃuəl] *a.* 효과적인, 효험 있는; (법적으로) 유효한: ~ measures 유효한 수단 / an ~ cure 효과적인 치료. ㊞ *~·**ly** [-əli] *ad.* 효과적으로, 유효하게; 사실상.

ef·fec·tu·ate [iféktʃuèit] *vt.* ① (법률 등)을 유효하게 하다, 발효시키다. ② (목적 등)을 이루다. ㊞ **ef·fèc·tu·á·tion** [-ʃən] *n.* Ⓤ ① 달성, 수행, 성취. ② (법률 따위의) 실시.

ef·fem·i·na·cy [ifémənəsi] *n.* Ⓤ 여성적임, 나약, 유약, 우유부단.

***ef·fem·i·nate** [ifémənit] *a.* 《蔑》 사내답지 못한, 나약한, 유약한: an ~ gestures〔manner, voice, walk〕 사내답지 못한 몸짓〔매너, 목소리, 걸음걸이〕. ㊞ ~·**ly** *ad.* ~·**ness** *n.*

ef·fer·ent [éfərənt] *a.* 〖生理〗 수출성(輸出性)〔도출성(導出性)〕의《혈관 따위》; 배출하는; 원심성(遠心性)의《신경 따위》. ⓞⓟⓟ *afferent.*

ef·fer·vesce [èfərvés] *vi.* ① (탄산수 따위가) 거품이 일다, 비등하다. ② (사람이) 들뜨다, 활기를 띠다, 흥분하다《*with*》: The crowd ~*d with* enthusiasm. 군중은 흥분으로 들끓고 있었다.

ef·fer·ves·cence [èfərvésəns] *n.* Ⓤ ① 비등(沸騰), 거품이 남, 발포(發泡). ② (누를 길 없는) 감격, 흥분, 활기.

ef·fer·ves·cent [èfərvésnt] *a.* 비등성의, 거품이 이는; 활기 있는, 열띤: ~ drinks〔mineral water〕 발포성 음료〔광천수〕 / an ~ blonde actress〔personality〕 발랄한 금발의 여배우〔성격〕.

ef·fete [efí:t] *a.* ① 정력이 다한, 활력을 잃은, 쇠약해진: an ~ young man 쇠약한 젊은이 / an ~ novelist 필력이 쇠한 소설가 / an ~ civilization 쇠퇴한 문명. ② (토지·동식물 따위가) 생산력〔생식력〕이 없는.

ef·fi·ca·cious [èfəkéiʃəs] *a.* (약·치료 따위가) 효험〔효능〕이 있는, (조처·수단 등이) 유효한; (…에 대해) 잘 듣는, 효능 있는《*against*》: ~ *against* fever 열에 잘 듣는. ㊞ ~·**ly** *ad.*

***ef·fi·ca·cy** [éfəkəsi] *n.* Ⓤ 효험, 효력, 유효.

:ef·fi·cien·cy [ifíʃənsi] *n.* Ⓤ ① 능률, 능력, 유능, 유효성〔도〕: ~ wages 능률급 / promote 〔develop〕 the ~ of labor 노동의 능률을 올리다. ② 〖物·機〗 효율, 능률: an ~ test 효율 시험. ③ 〖컴〗 효율《주어진 출력의 양을 생산하는 데 소모하는 자원의 비》. ④ =EFFICIENCY APARTMENT.

effíciency apàrtment 《美》 능률〔간이〕 아파트《작은 부엌과 거실 겸 침실에 욕실이 있음》.

effíciency èxpert 〔**engineèr**〕 《美》 능률 전문가〔기사〕《산업의 생산성 향상을 꾀함》.

effíciency ráting sỳstem 근무 평정.

:ef·fi·cient [ifíʃənt] (***more*** ~; ***most*** ~) *a.* ① (일이) 능률적인, 효과적인: an ~ machine 〔factory〕 효율적인 기계〔공장〕 / Engines and cars can be made more ~. 엔진과 차는 더 효율적으로 만들 수 있다 / more ~ use of energy 에너지의 더 효율적인 사용. ② (사람이) 유능한, 실력 있는; 민완의: an ~ secretary〔teacher〕 유능한 비서〔교사〕 / be ~ *in*〔*at*〕 one's work 자기 일에 유능하다.
㊞ *~·**ly** *ad.* 능률적으로; 유효하게.

ef·fi·gy [éfədʒi] *n.* Ⓒ ① 상(像), 조상(彫像). ② (저주할 사람을 본뜬) 인형. ***burn*** 〔***hang***〕 a person ***in*** ~ 미운 사람의 형상을 만들어 불에 태우다〔목매달다〕.

ef·flo·resce [èfləréś / -lɔ:-] *vi.* ① 꽃이 피다. ② (문화 등이) 개화하다, 번영하다.

ef·flo·res·cence [èflouréśns] *n.* Ⓤ ① (식물의) 개화(기). ② (문예·문화 등의) 개화(기), 전성(全盛), 융성기. ③〖化〗 풍해(風解), 풍화(물).

ef·flo·res·cent [èflouréśnt] *a.* ① 꽃피는. ② 〖化〗 풍화성〔풍해성〕의.

ef·flu·ence [éfluəns] *n.* ① Ⓤ (광선·전기·액체 따위의) 발산, 방출, 유출(outflow). ② Ⓒ 유출〔방출, 발산〕물.

ef·flu·ent [éfluənt] *a.* 유출〔방출〕하는.
— *n.* ① Ⓒ (호수 등에서) 흘러나오는 수류〔유수〕. ② Ⓤ,Ⓒ (공장 등에서의) 폐수, 배출〔폐기〕물. ③ Ⓤ 하수, 오수(汚水): industrial ~*s* 공업폐수 / an ~ treatment plant 공업폐수 처리공장.

ef·flux [éflʌks] *n.* ① Ⓤ (액체·공기 등의) 유출. ② Ⓒ 유출〔방사〕물.

:ef·fort [éfərt] *n.* ① Ⓤ (또는 an ~; 종종 *pl.*) 노력, 수고, 진력(盡力): It didn't need much 〔much of *an*〕 ~. 그것은 많은 노력이 필요치 않았다 / This work will take patient ~. 이 일은 끈질긴 노력이 필요할 것이다 / He made ~*s* 〔*an* ~〕 toward〔at〕 achieving his goals. 그는 목표 달성을 위해 노력했다《★ make ~는 잘못》. ② Ⓒ 노력의 결과; (문예상의) 역작, 노작(勞作): The painting is one of his finest ~*s*. 그 그림은 그의 걸작의 하나다. ③ Ⓒ (노력이 필요한 어려운) 시도, 기획 : That is quite an ~ for a child. 그건 어린이에게 꽤 힘든 일이었다. ④ Ⓒ (어떤 목적을 위한 단체적) 반대 운동 : anti-logging ~*s* 벌목 반대운동. ***by*** ~ 노력으로. ***make an*** ~ = ***make*** ~***s*** 노력하다, 애쓰다. ***make every*** ~ ***to*** do …하기 위해 갖은 노력을 다하다 : We'll *make every* ~ *to* hasten delivery of the goods. 물건의 인도를〔배달을〕 빨리 하도록 온갖 노력을 다할 겁니다. ***throw*** one***'s*** ~ ***into*** …에 전력을 기울이다. ***with an***〔***some***〕 ~ 애써서, 힘들게 : The old man rose *with an*〔*some*〕 ~. 노인은 (좀) 힘들게 일어섰다. ***with little*** ~ = ***without*** ~ 힘들이지 않고, 쉽게.

ef·fort·less [éfərtlis] *a.* ① 노력을 요하지 않는 : a ~ victory 낙승. ② 애쓴 흔적이 없는《문장·연기 따위》; 힘들이지 않는 ; 쉬운(easy).
㊞ ~·**ly** *ad.* 손쉽게. ~·**ness** *n.*

ef·fron·tery [efrʌ́ntəri] (*pl.* **-ries**) *n.* ① **a)** Ⓤ 철면피, 파렴치, 뻔뻔함 : The ~ ! 뻔뻔스럽군. **b)** (the ~) 뻔뻔스럽게〔감히〕 …하기《*to* do》: have *the* ~ *to* ask for money 뻔뻔스럽게 돈을 요구하다. ② Ⓒ (종종 *pl.*) 뻔뻔스러운 행동.

ef·ful·gence [efʌ́ldʒəns] *n.* Ⓤ (또는 an ~) 눈부심, 광휘, 찬연한 광채.

ef·ful·gent [efʌ́ldʒənt] *a.* 빛나는, 광휘 있는, 눈부신. ㊞ ~·**ly** *ad.*

ef·fuse [efjúːz] *vt.* (액체·빛·향기 따위)를 발산〔유출〕시키다, 방출하다.

ef·fu·sion [efjúːʒən] *n.* ① Ⓤ (액체 등의) 방출, 유출, 삼출(滲出), 스며 나옴《*of*》; Ⓒ 유출물. ② Ⓤ (감정·기쁨 등의) 토로, 발로《*of*》; Ⓒ 감정을 그대로 드러낸 표현〔서투른 시문〕: His sentimental ~*s* embarrassed everyone. 그의 지나친 감상적(感傷的) 표현에 모두가 당혹했다.

ef·fu·sive [efjúːsiv] *a.* 심정을 토로하는, 감정이 넘쳐나는 듯한 : *Effusive* praise seldom seems sincere. 과장된 칭찬의 말은 좀처럼 진실이라고 생각되지 않는다. ㊞ ~·**ly** *ad.* 철철 넘쳐, 도도히. ~·**ness** *n.*

EFL English as a Foreign Language (외국어로서의 영어).

E-free [íːfríː] *a.* 《英》 (식품 등이) 첨가물이 없는.

eft [eft] *n.* Ⓒ 〖動〗 영원(蠑螈)(newt) ; 도롱뇽.

EFTA [éftə] European Free Trade Association (유럽 자유 무역 연합). ⓒⓕ EEC.

e.g. [íːdʒíː, fərigzǽmpəl, -záːm-] 《L.》 예를 들면(for example) : winter sports, *e.g.* skiing, skating, etc. 겨울 스포츠, 예를 들면 스키, 스케이트 등. [◂ *exempli gratia*]

egal·i·ta·ri·an [igæ̀lətέəriən] *a.* (인류) 평등주의의. ── *n.* Ⓒ 평등주의자.
㊞ ~·**ism** [-ìzəm] *n.* Ⓤ 인류 평등주의.

†**egg**[1] [eg] *n.* Ⓒ ① (새의) 알 ; 달걀 : a boiled ~ 삶은 달걀 / a soft-boiled〔hard-boiled〕 ~ 반숙〔완숙〕란 / a raw ~ 날달걀 / a poached ~ 수란 / a scrambled ~ 스크램블드 에그 / "How do〔would〕 you like your ~*s* ?" "Fried, please." '달걀을 어떻게 해 드릴까요' '프라이로 해 주세요'. ② 〖動〗 = EGG CELL. ③ 《俗》 〔good, bad, old, tough 등 修飾語와 함께〕 놈, 녀석(guy), 자식 : *Old* ~ ! 《俗》 야, 이봐, 자네.

a bad ~ 《俗》 ⇨ BAD EGG. ***as full as an*** ~ 꽉 찬. ***as sure as*** ~***s is***〔***are, be***〕 ~***s*** 《戲》 확실히, 틀림없이. ***bring*** one***'s*** ~***s to a bad market*** 계획이 어긋나다, 예상이 빗나가다. ***Good*** ~ ***!*** 좋다. ***have***〔***put***〕 ***all*** one***'s*** ~***s in one basket*** 한 가지 사업에 모든 것을 걸다. ***have***〔***leave*** a person ***with***〕 ~ ***on*** one***'s face*** 《口》 바보처럼 보이다 : Do I *have* ~ *on my face ?* 내가 뭔가 잘못했나요《남이 자기를 응시할 때 당혹해서 하는 말》. ***in the*** ~ 초기에, 미연에 : check a plot *in the* ~ 음모를 미연에 방지하다. ***lay an*** ~ (1) 알을 낳다. (2) 《口》 (익살·흥행 등이) 실패하다. ***sit on*** ~***s*** (새가) 알을 품다. ***teach*** one***'s grandmother to suck*** ~***s*** 경험 있는 사람에게 충고하다《부처님께 설법하다》. ***tread***〔***walk***〕 ***upon*** ~***s*** 신중하게 처신하다.

egg[2] *vt.* …을 부추기다, 선동하다《*on*》: They ~*ed* him *on* to fight. 그들은 그를 부추겨 싸우게 했다.

egg·beat·er [-bìːtər] *n.* Ⓒ ① 달걀 거품기. ② 《美口》 헬리콥터.

égg cèll 난세포(卵細胞), 난자(卵子).

égg crèam 에그 크림《우유·초콜릿 시럽·탄산수를 섞어 만든 음료》.

egg·cup [-kʌ̀p] *n.* Ⓒ 에그컵《식탁의 삶은 달걀 담는 그릇》.

égg cústard 에그 커스터드《달걀·설탕·우유·밀가루로 만든 과자》.

égg fóo yóng〔**yóung**〕 [égfúːjʌ́ŋ] 《美》 에그 푸양《양파·새우·돼지고기·야채 따위를 넣고 만든 중국식의 달걀요리》.

egg·head [éghèd] *n.* Ⓒ ① 《美俗》 대머리. ② 《口·흔히 蔑》 지식인, 인텔리.

egg·plant [-plæ̀nt, -plàːnt] *n.* Ⓤ,Ⓒ 〖植〗 가지.

égg ròll 〖料〗 《美》 에그 롤《중국 요리의 달걀말이》.

égg sèparater 난황(卵黃) 분리기.

egg-shaped [-ʃèipt] *a.* 난형의, 달걀꼴의.

egg·shell [-ʃèl] *n.* Ⓒ ① 달걀 껍데기. ② 깨지기 쉬운 것.

éggshell chína〔**pórcelain**〕 얇은 도자기.

èggshell páint 광택소거(消去) 페인트.

égg spòon 삶은 달걀 먹는 데 쓰는 작은 숟가락.

égg tìmer 에그 타이머《달걀 삶는 시간을 재는 모래시계 ; 보통 3 분간용》.

égg whìsk 《英》 달걀 거품기(eggbeater).

égg whìte (알의) 흰자위. ⓒⓕ yolk.

egis [íːdʒis] *n.* = AEGIS.

eg·lan·tine [égləntàin, -tìːn] *n.* = SWEETBRIER.

ego [íːgou, égou] (*pl.* ~**s**) *n.* ① Ⓤ,Ⓒ 〖哲·心〗 자아 : absolute〔pure〕 ~ 〖哲〗 절대〔순수〕아(我). ② Ⓤ 지나친 자부심, 자만 ; 자존심(self-esteem) : satisfy one's ~ 자존심을 만족시키다 / She needed something to boost〔bolster〕 her ~. 그녀는 자신에게 자신감을 줄 수 있는 것이 필요했다 / It was a blow to my ~. 자존심에 대한 타격이었다 / Losing the match made quite a dent in his ~. 시합에 져 그의 자존심이 크게 상했다.

ego·cen·tric [ìːgouséntrik, ègou-] *a.* 자기 중심의, 이기적인. ── *n.* Ⓒ 자기 중심의 사람 : ~ and authoritarian adults 자기 중심에다 권위주의적인 어른들. ㊞ **-tri·cal·ly** *ad.* **ègo·cen·tríc·i·ty** *n.* Ⓤ

ego·cen·trism [-séntrizəm] *n.* Ⓤ egocentric 한 상태(하기) ; 〖心〗 (아이들의) 자기 중심성.

***ego·ism** [íːgouìzəm, égou-] *n.* Ⓤ ① 이기주의, 자기 중심주의. ② 〖哲·倫〗 에고이즘, 이기설(說). ⓞⓟⓟ *altruism*.

ego·ist [íːgouist, égou-] *n.* Ⓒ 이기주의자 ; 자기 본위의 사람(ⓞⓟⓟ *altruist*) ; 자부심이 강한 사람.

ego·is·tic, -ti·cal [ìːgouístik, ègou-], [-əl] *a.* 주아의 ; 이기적인, 자기 본위의(ⓞⓟⓟ *altruistic*) ; 자부심이 강한 : *egoistic* altruism 주아적 이타주의. ㊞ **-ti·cal·ly** [-kəli] *ad.* 이기적으로.

ego·ma·nia [ìːgouméiniə, ègou-] *n.* Ⓤ 병적인

E

자기 중심 성향 ; 이상 자만.
ego·ma·ni·ac [ì:gouméiniæk, égou-] *n.* Ⓤ 병적〔극단적〕으로 자기 중심적인 사람.
***ego·tism** [í:goutìzəm, égou-] *n.* Ⓤ ① 자기 중심(주의), 자기 중심벽(癖)《말하거나 글을 쓸 때 I, my, me 를 지나치게 많이 쓰는 버릇》. ② 자부, 자만 ; 이기(利己), 제멋대로 함. cf. egoism.
ego·tist [í:goutìst, égou-] *n.* Ⓒ 이기주의자(者). ⓟ **ègo·tís·tic, -ti·cal** [-tístik], [-əl] *a.* 자기 본위〔중심〕의, 제멋대로의, 이기적인 ; 자부심이 강한. **-ti·cal·ly** *ad.*
égo trìp 《口》 자기 본위의 〔방자한〕 행동, 자기 만족을 위한 행동 : He's on an ~. 그는 자기 멋대로 군다 / Her charitable activity was one long ~. 그녀의 자선 활동은 오직 자기 만족을 위한 것이었다.
ego-trip [í:goutrìp, égou-] *vi.* 《口》 방자하게 굴다, 이기적〔자기중심적〕으로 행동하다, 자기 만족〔선전〕을 하다.
egre·gious [igrí:dʒəs, -dʒiəs] *a.* 〔限定的〕 엄청난, 터무니없는, 언어 도단의(flagrant) : an ~ liar 소문난 거짓말쟁이 / an ~ mistake 엄청난 잘못. ⓟ **~·ly** *ad.* 터무니없이.
egress [í:gres] *n.* ① Ⓤ (건물·밀실 안에서) 밖으로 나감 ; 또 그 권리. ② Ⓒ 출구(exit), 배출구.
egret [í:grit, ég-, i:grét] *n.* Ⓒ 〖鳥〗 해오라기 ; 해오라기의 깃털 ; 깃털 장식《여자 모자에 다는》.
‡Egypt [í:dʒipt] *n.* 이집트《공식명은 이집트 아랍 공화국(the Arab Republic of ~)》.
‡Egyp·tian [idʒípʃən] *a.* 이집트(사람, 말)의.
── *n.* Ⓒ 이집트 사람 ; Ⓤ (고대) 이집트어.
Egyp·tol·o·gy [ì:dʒiptálədʒi / -tɔ́l-] *n.* Ⓤ 이집트학(學). ⓟ **-gist** *n.* Ⓒ 이집트 학자.
***eh** [ei] *int.* 뭐, 어, 그렇지《의문·놀람 등을 나타내거나, 동의를 구하는 소리》: Wasn't it lucky, *eh ?* 운이 좋았구나, 그렇지. [imit.]
ei·der [áidər] *n.* Ⓒ (북유럽 연안의) 물오리의 일종(=⁓ **dùck**) ; Ⓤ 그 솜털.
ei·do·lon [aidóulən] (*pl.* **~s, -la** [-lə]) *n.* Ⓒ ① 곡두, 환영(幻影). ② 이상적 인물. ⓟ **ei·dó·lic** *a.*
Éif·fel Tówer [áifəl-] (the ~) 에펠탑《A. G. Eiffel 이 1889 년 파리에 세운 철골탑 ; 높이 320 미터》.
†eight [eit] *a.* 여덟의, 8 의, 8 개〔사람〕의 ; 8 살인.
── *n.* Ⓤ,Ⓒ ① 여덟, 8 ; 8개〔사람〕; 8 살 ; 8시. ② 8 의 숫자〔기호〕, Ⅷ ; (카드놀이의) 8. ③〖스케이트〗 8자형 (활주 도형) (a figure of ~). ④ 8 인승 보트 ; (8 인의) 보트 선수 ; (the Eights) Oxford 대학이나 Cambridge 대학의 8인승 보트 레이스. ***have* 〔*take, be*〕 *one over the* ~** 《英俗》 얼근히 취하다.
éight bít compúter 〖컴〗 8 비트 컴퓨터.
†eight·een [éití:n] *a.* 〔限定的〕 열여덟의, 18 의, 18 개의 ; 〔敍述的〕 18세에〔의〕: She is ~ years old〔of age〕. 그녀는 18세다.
── *n.* Ⓤ,Ⓒ 열여덟, 18 ; 18 세 ; 18 개(의 물건) ; 18 의 기호(《英》〖映〗 18세 미만 관람 금지의 성인 영화) ; (사이즈의) 18번, 18 번째의 것 ; 18 명〔개〕 한 조 : in the ~-fifties, 1850 년대에.
‡eight·eenth [éití:nθ] *a.* ① (흔히 the ~) 제 18 의, 18(번)째의 : *the* ~ century, 18세기. ② 18 분의 1 의.
── *n.* ① Ⓒ (흔히 the ~) 제18번째(의 사람, 물건). ② (the ~) (달의) 18일 : *the* ~ of May, 5월 18일. ③ Ⓒ 18분의 1 : five ~*s* 18분의 5.
ⓟ **~·ly** *ad.* 18 번째로.
eight·een〔18〕-wheel·er [éiti:nhwí:lər] *n.* Ⓒ (바퀴가 18개의) 대형 트랙터 트레일러.
eight·fold [éitfòuld] *a., ad.* 8 배의〔로〕, 8 개의 부분〔면〕을 가진.
†eighth [eitθ] *a.* (흔히 the ~) ① 8(번)째의, 제 8 의. ② 8 분의 1 의 : an ~ part, 8분의 1.
── (*pl.* **~s** [-s]) *n.* ① (흔히 the ~) 8(번)째(의 사람, 물건), 제 8. ② (흔히 the ~) (달의) 8일. ③〖樂〗 8도(음정) : an ~ note 《美》 8분음표. ④ 8분의 1.
eight-hour [éitàuər] *a.* 〔限定的〕 (하루 노동이) 8 시간제(制)의 : (an) ~ labor 8 시간 노동 / the ~ law 8 시간 노동법.
éight húndred nùmber 《美》 800번 서비스《국(局)번호 앞에 800이 붙는 전화번호. 요금은 수신인 부담》.
eight·i·eth [éitiiθ] *a.* 제80의, 80 번째의.
── *n.* Ⓤ (흔히 the ~) 80번째의 사람〔물건〕.
†eighty [éiti] *a.* 〔限定的〕 여든의, 80 의, 80 개의 ; 〔敍述的〕 80세의〔에〕.
── (*pl.* **-ties**) *n.* Ⓤ,Ⓒ 여든, 80 ; 80개(의 물건) ; 80 세 ; 80 의 기호 ; (the eighties) (세기의) 80년대 ; (one's eighties) (연령의) 80대.
Ein·stein [áinstain] *n.* **Albert** ~ 아인슈타인《독일 태생의 미국의 물리학자 ; 1921년 노벨 물리학상 수상 ; 1879-1955》.
ein·stein·i·um [ainstáiniəm] *n.* Ⓤ 〖化〗 아인슈타이늄《방사성 원소 ; 기호 Es ; 번호 99》.
Ei·re [ɛ́ərə] *n.* 에이레《아일랜드 공화국의 별칭·구칭》.
ei·ther [í:ðər, áiðər] *ad.* ① 〔否定文 뒤에서〕 …도 또한(…아니다, 않다)《★ (1) 肯定文에서 '…도 또한'은 too, also. (2) not … either로 neither 와 같은 뜻이 되지만 전자가 보다 일반적임 ; 또, 이 구문에서는 either 앞에 콤마가 있어도 좋고 없어도 좋음》: If you don't come, she wo*n't* ~. 자네가 아니 오면 그녀도 안 올 것이다 / "I can't do it !" "I ca*n't*, ~ ! (=*Neither* can I !〔Me, *neither* !〕)" '난 그걸 할 수 없다'. '나도 그렇다'.
② 〔肯定文 뒤에서, 앞의 말에 부정의 내용을 추가하여〕 그 위에 ; 게다가(moreover) ; …라고는 해도(—은 아니다) : It is a nice place, and *not* too far, ~. 그 곳은 멋진 곳이고 게다가 멀지도 않다 / He is very clever and is *not* proud ~. 그는 아주 똑똑하며, 그렇다고 오만하지도 않다.
③ 〔疑問·條件·否定文에서 강조로〕 《口》 게다가, 그런데다 : He has *no* family, or friends ~. 그에게는 가족도 없고 친구도 없다 / Do you want that one ~ ? 당신은 그것도 원하십니까 / "You know it." "I do*n't*, ~ !" '넌 알고 있어.' '나도 몰라.'
── *a.* 〔單數名詞 앞에서〕 ① **a)** 〔肯定文에서〕 (둘 중) 어느 한쪽의 ; 어느 쪽 …든 : *Either* day is OK. (양일 중) 어느 날이든 좋습니다 / Sit on ~ side. 어느 쪽에든 앉으시오 / Take ~ book. (둘 중) 어느 책이든 가지시오. **b)** 〔否定文에서〕 (둘 중) 어느 …도 ; 어느 쪽도 : I do*n't* know ~ boy. (둘 중에서) 어느 소년도 모른다(=I know *neither* boy.). **c)** 〔疑問文·條件文에서〕 (둘 중) 어느 한쪽의 …든〔라도〕: Did you see ~ boy ? (두 소년 중) 어느 한 소년이든 만났는가.
② 〔흔히 side, end, hand와 함께〕 양쪽의《이 뜻으로는 both+복수명사, each+단수명사를 쓰는 것이 보통》: at ~ *end* of the table 테이블 양쪽 끝에(=at *both* ends …) / on ~ *side* of the road 길 양쪽에(=on *both* sides…). **~ *way*** (1) (두 가지 중) 어느 것이든 ; 어떻든. (2) 어느 쪽이든〔쪽에도〕. ***in* ~ *case*** 어느 경우에도 ; 어쨌든.
── *pron.* ① 〔肯定文에서〕 (둘 중의) 어느 한쪽 ; 어느 쪽이든 : *Either* will do. 어느 쪽이든 좋다 /

Either (*one*) of you is right. 너희 둘 중 어느 한 쪽이 옳다 / *Either* of them is 〔are〕 good enough. 그 둘 어느 쪽도 좋다《★ either는 단수 취급을 원칙으로 하지만《口》에서는, 특히 of 다음에 복수(대)명사가 계속될 때에는 복수로 취급될 때가 있음》.
② 〔否定文에서〕 (둘 중) 어느 쪽〔것〕도 (…아니(하)다) ; 둘 다 (아니다, 않다) : I do*n't* like ~ of them. 그 어느 쪽도 마음에 들지 않는다(=I like *neither* of them).
③ 〔疑問·條件文에서〕 (둘 중) 어느 쪽인가 ; 어느 쪽이든 : If you have read ~ of the stories, tell me about it. 그 두 소설의 어느 한 쪽이든 읽으셨으면, 그 이야기를 좀 해 주세요.
— *conj.* 〔either ... or_ 의 형태로서〕 ① 〔肯定文에서〕 …거나〔든가〕 또는 —거나〔든가〕 (어느 하나가〔쪽인가가〕) : You must ~ sing *or* dance. 너는 노래를 부르든가, 춤을 추든가 해야 한다 / You can do it ~ here *or* at home. 여기서 하든 집에서 하든 상관 없다.
② 〔否定語를 수반하여〕 …도 —도 아니다 : He can*not* ~ read *or* write. 그는 읽지도 쓰지도 못한다(=He can *neither* read *nor* write.).

> 參考 (1) *either* A *or* B는 두 개의 요소에 관하여 쓰는 것이 원칙. 다만, 때로는 셋 이상의 요소에 관하여 쓰는 경우도 있음 : To succeed, you need ~ talent, (*or*) good luck, *or* money. 성공하는 데는 재능이든지, 행운이든지, 돈이 있지 않고서는 안 된다.
> (2) *either* A *or* B에 있어서, 동사는 B의 인칭·수에 호응 일치시킨다 : *Either* she *or* I am at fault. 그녀나 나 중에서 어느 쪽인가가 잘못돼 있다. 이 때 호응의 번거로움을 피하기 위해 *Either* she is at fault *or* I am. 으로 할 때도 있음.
> (3) *either* A *or* B에서 A와 B는 원칙적으로 동일 품사 또는 문법적으로 등가(等價)의 요소가 오게 돼 있음. 따라서 She went ~ to London *or* Paris. 는 적합하지가 못하며, She went to ~ London *or* Paris. 로 하든가, She went ~ to London *or* to Paris. 로 하는 것이 좋음.

Ei·sen·how·er [áizənhàuər] *n.* **Dwight D.** ~ 아이젠하워《미국 제34대 대통령 ; 1890-1969》.
ei·ther-or [í:ðərɔ̀ər, áiðər-] *a.* 〔限定的〕 양자택일의 : an ~ situation 양자택일의 입장〔상황〕. — *n.* Ⓒ 양자택일.
ejac·u·late [idʒǽkjəlèit] *vt.* ① (특히 정액)을 사출하다. ② (기도·말 따위)를 갑자기 외치다〔말하다〕 : "You've got my umbrella!" he ~*d*. '그건 내 우산이야' 하고 그는 소리질렀다. — *vi.* 사정하다.
ejac·u·la·tion [idʒæ̀kjəléiʃən] *n.* Ⓤ,Ⓒ ① 갑자기 외침 ; 그 소리. ② 『生理』《특히》 사정(射精).
ejac·u·la·to·ry [idʒǽkjələtɔ̀:ri / -təri] *a.* ① 사출하는. ② 절규하는.
eject [idʒékt] *vt.* ① …을 몰아내다, 쫓아내다(expel), 추방하다《*from*》 : He was ~*ed from* the theater for rowdiness. 소란을 피웠기 때문에 극장에서 쫓겨났다 / We reserve the right to ~ any objectionable person. 우리에겐 못마땅한 사람을 퇴거시킬 권리가 있다. ② (액체·연기 따위)를 내뿜다, 분출하다 ; 배설하다《*from*》 : The volcano ~*ed* lava and ashes. 화산은 용암과 화산재를 분출했다 / The machine ~*ed* a pack of cigarettes. 자동판매기는 담배 한 갑을 튕겨냈다.
— *vi.* (비행기 등에서) 긴급 탈출하다 : The pilot ~*ed from* the plane and escaped injury. 조종사는 비행기에서 긴급탈출하여 부상을 면했다.
ejec·tion [idʒékʃən] *n.* ① Ⓤ (토지·가옥에서의) 추방 ; 『法』 퇴거 요구. ② Ⓤ 방출 ; 분출 ; 배설. ③ Ⓒ 분출물 ; 배설물.
ejéction sèat 『空』 (비행기 조종사의 긴급 탈출용) 사출 좌석.
eject·ment [idʒéktmənt] *n.* Ⓤ,Ⓒ 내쫓음, 몰아냄 ; 추방《*from*》.
ejec·tor [idʒéktər] *n.* Ⓒ 쫓아내는 사람 ; 배출〔방출〕기(器) ; 『機』 이젝터, 배출장치.
ejéctor sèat =EJECTION SEAT.
eke [i:k] *vt.* 〔다음 成句로〕 ~. . . ***out*** (1) 보충하다, …의 부족분을 채우다 : ~ *out* one's salary with odd jobs 부업을 해서 봉급에 보태다 / ~ *out* one's scanty recollection with a lively fancy 얼마 안 되는 추억을 풍부한 공상력으로 보충하다. (2) 그럭저럭 생활해나가다 : ~ *out* a scanty livelihood 겨우 생계를 꾸려 나가다.
EKG =ECG.
el [el] *n.* Ⓒ (흔히 the ~) 《美口》 고가 철도 (elevated railway).
˙˙elab·o·rate [ilǽbərèit] *vt.* …을 정성들여 만들다, 힘들여 마무르다 ; (이론·문장)을 퇴고(推敲)하다, 힘들여 고치다〔다듬다〕 : He ~*d* a new theory. 그는 새 이론을 치밀하게 정립했다 / ~ the plot of a novel 소설의 줄거리를 짜다. — *vi.* 《~ / +전+명》 잘 다듬다 ; 상세히 설명하다《*on, upon*》 : Don't ~. 너무 공들이지 마라 / You understand the situaton, I needn't ~. 네가 그 상황을 익히 알고 있으니 내가 설명할 필요는 없다. — [ilǽbərit] (***more*** ~ ; ***most*** ~) *a.* 공들인, 정교한 : devise an ~ plan 정교한 계획을 궁리하다 / the ~ network of canals 정교한 운하망.
㊕ ˙~·**ly** *ad.* ~·**ness** *n.* Ⓤ
elab·o·ra·tion [ilæ̀bəréiʃən] *n.* ① Ⓤ 공들여 함 ; 애써 마무름 ; 퇴고(推敲) ; 고심, 정성 ; 정교. with great ~ 많은 정성을 들여. ② Ⓒ 노작(勞作), 역작(力作).
élan [eilɑ́:n, -lǽn] *n.* Ⓤ 《F.》 예기(銳氣), 활기 ; 열의.
eland [í:lənd] (*pl.* ~, ~**s**) *n.* Ⓒ 엘란드《남아프리카산의 큰 영양(羚羊)》.
élan vital 《F.》 『哲』 생(生)의 약동, 엘랑비탈 《Bergson 철학 근본 사상의 하나》.
˙elapse [ilǽps] *vi.* (때가) 경과하다 : Thirty minutes ~*d* before the performance began. 30분이 지나서야 연주가〔공연이〕 시작되었다.
— *n.* Ⓤ (시간의) 경과 : after the ~ of five years 5년이 지난 후에.
elápsed tíme [ilǽpst-] ① 경과 시간《보트·자동차가 일정 코스를 주파하는 데 소요된 시간》. ② 『컴』 경과 시간《처리에 걸린 외견상의 시간 합계로, 처리의 외견상의 시초부터 외견상의 마지막까지의 시간》.
˙elas·tic [ilǽstik] (***more*** ~ ; ***most*** ~) *a.* ① 탄력 있는, 신축성 있는 : an ~ cord〔string〕 고무줄 / a softer, more ~ and lighter material 더 부드럽고 보다 탄력 있고 가벼운 물질. ② (정신·육체가) 부드러운, 유연한, 유순한 : ~ motions 유연한 동작. ③ (규칙·생각 등이) 융통성 있는, 순응성 있는 : ~ rules and regulations 융통성 있는 규칙. ④ 굴하지 않는, 불행을 당해도 곧 일어서는, 활달한 : a ~ nature 사물에 구애받지 않는 성격.
— *n.* Ⓤ,Ⓒ 고무줄 ; 고무실이 든 천(으로 만든 끈〔양말 대님〕 등).
㊕ **-ti·cal·ly** [-tikəli] *ad.* 탄력 있게 ; 유연하게 ; 경

쾌하게. ~·i·ty [ilæstísəti] *n.* Ⓤ

elas·ti·cat·ed [ilǽstəkèitid] *a.* (직물·의복 따위가) 신축성 있는.

elate [iléit] *vt.* …의 기운을 돋우다; 의기양양하게 하다(★ 흔히 과거분사꼴로 형용사적으로 쓰임 ⇨elated).

elat·ed [iléitid] *a.* 〔敍述的〕 의기양양한, 우쭐대는(*at*; *by*): be ~ *at*〔*by*〕 one's success 성공하여 우쭐대다 / She was ~ *at*〔*by*〕 the news. 소식을 듣고 의기양양했다 / He was ~ *that* he had passed the entrance exam. 입학 시험에 합격하여 의기양양했다. ㊋ ~·**ly** *ad.* ~·**ness** *n.*

ela·tion [iléiʃən] *n.* Ⓤ 의기 양양, 득의 만면: This little incident filled me with ~. 이 작은 사건이 나를 우쭐하게 만들었다.

:el·bow [élbou] *n.* Ⓒ ① 팔꿈치; 팔꿈치 모양의 것. ② 후미, (해안선·강 따위의) 급한 굽이, 굴곡; (의자의) 팔걸이; L자 모양의 관(管). ③〖建〗 기역자 홈통. ***at*** one***'s*** ~ 바로 곁에: He stood quietly *at her* ~. 그는 조용히 그녀 곁에 서 있었다. ***bend*** 〔***crook, lift, tip***〕 ***an*** 〔one***'s***〕 ~ 술 마시다. ***get the*** ~《口》 퇴짜맞다. ***give*** a person ***the*** ~《口》 아무와 인연을 끊다, 퇴짜놓다: She soon *gave* him *the* ~. 그녀는 곧 그와 인연을 끊었다. ***More*** 〔***All***〕 ***power to your*** ~*!* 더욱 건강〔성공〕하시기를. ***out at*** (***the***) ~***s*** (1) (옷의) 팔꿈치에 구멍이 나서. (2) 몹시 추레하게, 초라한 차림의; 가난해져. ***rub*** 〔***touch***〕 ~***s with*** ⇨ RUB. ***up to the*** ~***s*** (in work) (일 따위에) 몰두하여.

— *vt.* 《+目+副 / +目+前+名》 …을 팔꿈치로 밀다〔찌르다〕, 팔꿈치로 밀어제치고 나아가다; (몸)을 들이밀다: ~ oneself *in* 아무를 밀어제치고 들어가다 / ~ her *out* 그녀를 밀어내다 / Jack ~*ed* him *to* one side. 잭이 그를 한쪽으로 밀어제치고 지나갔다 / ~ oneself *into* a crowded train 사람들을 밀어제치고 혼잡한 열차를 타다. — *vi.* 팔꿈치로 밀어제치고 나아가다(*through*).

élbow grèase 《口·戱》 (비비거나 닦는) 힘드는 육체 노동: Put a little ~ into it. 더 힘내서 해라〔닦아라〕.

el·bow·room [-rù(ː)m] *n.* Ⓤ 팔꿈치를 움직일 수 있을 만한 여지; (충분한) 활동범위: have no ~ 운신을 못 하다 / Stand back — I need more ~. 물러서라. 내 자리가 좁다.

:eld·er [éldər] *a.* 〔限定的〕 ① 손위의, 연장의. opp. *younger*. ¶ an 〔one's〕 ~ brother 〔sister〕 형〔누나〕(★ elder는 형제자매 관계에 쓰며, 서술적으로는 be older than이라 함. 미국에선 older를 쓰는 경우가 일반적임). ② 고참의, 선배의, 원로(격)의: an ~ officer 상관 / an ~ statesman 정계의 원로. ③ (the E-) 〔인명 앞 또는 뒤에 붙여 동명, 동성(同姓)의 사람·부자·형제 등의〕 손위의. opp. *the Younger*. ¶ *the Elder* Adams 아버지〔형〕인 애덤스 / Pitt *the Elder* 대(大)피트〔부친인 피트〕. — *n.* Ⓒ ① 연장자, 연상의 사람, 노인: the village ~*s* 촌로 / The young has no respect for their ~*s*. 젊은이들이 노인을 존경하지 않는다 / She is my ~ by two years. 그녀는 내 두 살 위다. ② (흔히 one's ~*s* 로) 선배, 손윗사람. ③ 원로, 원로원 의원; (장로 교회 등의) 장로: a church ~ 장로.

·eld·er·ly [éldərli] *a.* ① 중년을 지난, 나이가 지긋한, 초로(初老)의: an ~ couple 노부부 / an ~ spinster 초로의 미혼 여성 / an ~ lady with white hair 머리가 하얗게 센 나이 지긋한 숙녀. ② (the ~) 〔名詞的으로; 複數 취급〕 나이가 지긋한 사람들.

:eld·est [éldist] *a.* 〔限定的〕 〔old의 最上級〕 가장 나이 많은, 최연장의, 제일 손위의: an〔one's〕 ~ daughter〔son〕 맏딸〔아들〕.

:elect [ilékt] *vt.* ①《~+目 / +目+(*to be*)補 / +目+*as* 補 / +目+前+名》 (투표 따위로) …을 선거〔선출〕하다, 뽑다: ~ a person (*to be*) president 아무를 회장으로 선임하다 / ~ a person *as* chairman 아무를 의장으로 선출하다 / He was ~*ed to* Congress in 1994. 그는 1994년에 국회의원으로 선출되었다 / The group ~*ed* one of its members *to be* their spokesman. 그 그룹은 회원 한 사람을 대변인으로 뽑았다. ②《~+目 / +*to* do》 …(하는 것)을 택하다, 결심하다: ~ suicide 자살을 택하다 / He ~*ed to* remain at home. 그는 집에 남아 있기로 했다. ③ (학과)를 선택하다: ~ French. ④〖神學〗 (하느님이) …을 선택하다, 소명을 받다. — *vi.* 뽑다, 선거하다. ***the*** ~***ed*** 당선자들. — *a.* 당선된, 뽑힌, 선정된(명사 뒤에 옴): the bride-~ 약혼자(여자) / the president-~ 대통령 당선자. — *n.* (the ~) 〔複數 취급〕 뽑힌 사람들, (신의) 선민(God's ~); 엘리트 계층, 특권 계급.

:elec·tion [ilékʃən] *n.* ① Ⓤ,Ⓒ 선거; 선출, 당선: ~ expenses 선거비 / an ~ campaign 선거 운동. ② Ⓤ〖神學〗 신에 의한 선정. ③ 표결, 투표. ~ ***board*** 《美》 선거 관리 위원회. ***a general*** ~ 총선거. ***a special*** ~ 《美》 보궐 선거(《英》 by-~). ***carry*** 〔***win***〕 ***an*** ~ 선거에 이기다, 당선되다. ***off-year*** ~***s*** 《美》 중간 선거. ***run for*** ~ 입후보하다.

Eléction Dày ①《美》 대통령 선거일(11월 첫 월요일 다음의 화요일). ② (e- d-) 선거일.

elec·tion·eer [ilèkʃəníər] *vi.* 선거 운동을 하다. ㊋ ~·**ing** [-íəriŋ] *n.* Ⓤ, *a.* 선거 운동(의): an ~*ing* agent 선거 운동원.

elec·tive [iléktiv] *a.* ① 선거하는; 선거에 의한, 선임의; 선거권이 있는: an ~ office 민선 관직 / an ~ body 선거 모체. ②《美》 (과목이) 선택의(《英》 optional): an ~ subject 선택 과목 / an ~ system 선택 과목 제도. — *n.* Ⓒ 《美》 선택 과목: take an ~ in …을 선택 과목으로 택하다. ㊋ ~·**ly** *ad.*

elec·tor [iléktər] *n.* Ⓒ ① 선거인, 유권자. ②《美》 정·부통령 선거인.

elec·tor·al [iléktərəl] *a.* 선거(인)의: an ~ district 선거구.

eléctoral cóllege (the ~; 종종 E- C-) 《美》 (대통령·부통령) 선거인단.

eléctoral róll 〔**régister**〕 (흔히 *sing.*) 선거인 명부.

elec·to·rate [iléktərit] *n.* 〔集合的〕 (the ~) 선거민, (한 선거구의) 유권자.

electr-, electro- '전기·전해(電解)·전자(電子)'의 뜻의 결합사.

Eléctra còmplex 〖精神醫〗 엘렉트라 콤플렉스(딸이 아버지에게 품는 무의식적 성적인 사모). cf. Oedipus complex.

†elec·tric [iléktrik] (***more*** ~; ***most*** ~) *a.* ① 〔限定的〕 전기의, 전기를 띤; 발전〔송전〕하는; 전기로 움직이는: an ~ bulb 전구 / an ~ circuit 전기 회로 / ~ conductivity 전기의 전도성 / ~ discharge 방전 / an ~ fan 선풍기 / an ~ heater 전열기, 전기 히터 / an ~ lamp 전등 / an ~ motor 전동기 / an ~ railroad 〔railway〕 전기 철도, 전철 / an ~ range 전기 레인지 / an ~ sign 전광(電光) 간판. ② 전격적〔충격적〕인, 감동적인: an ~ situation 긴장된 정황 / an ~ personality 강렬한 개성 / an ~ atmosphere 열광적인 분위기.

—*n.* ① Ⓒ 전기로 움직이는 것《전동차 등》. ② (*pl.*) 전기 장치〔설비〕.

‡**elec·tri·cal** [iléktrikəl] *a.* ①〔限定的〕전기의, 전기에 관한 ; 전기를 다루는 : an ~ engineer 전기 기사 / ~ engineering 전기 공학 / an ~ store 전기 기구점 / (an) ~ wire 전선. ② 전기를 이용한 : ~ transmission (사진의) 전송(電送). ㊞ ~·**ly** [-kəli] *ad.* 전기로 ; 전격적으로.

eléctric chárge 전하(電荷).

eléctric cúrrent 전류(電流).

eléctric éye 광전관(光電管), 광(光)전지.

eléctric fíeld 전기장(電氣場), 전계(電界).

elec·tri·cian [ilèktríʃən, ìːlek-] *n.* Ⓒ 전기 기사 ; 전공 ; 전기 담당원.

†**elec·tric·i·ty** [ilèktrísəti, ìːlek-] *n.* Ⓤ ① 전기 ; 전기학 ; 전류 ; 전력 : install ~ 전기를 끌다 / atmospheric ~ 공중 전기 / dynamic ~ 동(動)전기 / frictional ~ 마찰 전기 / magnetic ~ 자기(磁氣) 전기 / static ~ 정(靜)전기 / thermal ~ 열전기 / generate ~ 발전하다 / lit〔powered, heating〕 by ~ 전기로 조명이 된〔움직이는, 난방이 된〕/ Don't leave the lights on—it wastes ~. 전깃불을 켜놓은 채로 두지 마라—전기의 낭비다. ② (사람에서 사람에게 전달되는) 강한 흥분, 열광. ◇ electric(al) *a.*

eléctric néws tàpe 전광(電光) 뉴스.

eléctric shóck 전기 쇼크, 감전.

eléctric shóck thèrapy 〖醫〗 전기 쇼크 요법.

eléctric stórm 〖氣〗 심한 뇌우(雷雨).

eléctric wáve 전파, 전자파.

elec·tri·fi·ca·tion [ilèktrəfikéiʃən] *n.* Ⓤ ① 충전 ; 대전(帶電). ② (철도 등의) 전화(電化) : the ~ of the railways 철도의 전철화. ③ 강한 흥분〔감동〕(을 주는 일).

***elec·tri·fy** [iléktrəfài] *vt.* ① …에 전기를 통하다 ; 대전(帶電)시키다 : an *electrified* body 대전체. ② …을 전화(電化)하다 : ~ a railway system 철도를 전화하다. ③ …을 깜짝 놀라게 하다, 충격을 주다 : The performance *electrified* the audience. 그 공연은 관객을 열광시켰다.

electro- ⇨ ELECTR-.

elec·tro·car·di·o·gram [ilèktroukáːrdiougræ̀m] *n.* Ⓒ 〖醫〗 심전도《略 : ECG, EKG》.

elec·tro·car·di·o·graph [-græ̀f, -grɑ̀ːf] *n.* Ⓒ 〖醫〗 심전계《略 : ECG, EKG》.

elec·tro·chem·i·cal [ilèktroukémikəl] *a.* 전기 화학의. ㊞ ~·**ly** [-kəli] *ad.*

elec·tro·chem·is·try [ilèktroukémistri] *n.* Ⓤ 전기 화학. ㊞ **-chém·ist** *n.* Ⓒ

elec·tro·con·vul·sive [ilèktroukənvʌ́lsiv] *a.* 〖醫〗 전기 경련의(electroshock) : ~ therapy 전기 충격 요법《略 : ECT》.

elec·tro·cute [iléktrəkjùːt] *vt.* 〔종종 受動으로〕 ① (사람·짐승)을 전기로 죽이다. 감전사시키다 : He got ~*d*. 그는 감전해 죽었다. ② …을 전기 의자로 죽이다〔처형하다〕.

elec·tro·cu·tion [ilèktroukjúːʃən] *n.* Ⓤ,Ⓒ ① 전기 사형. ② 감전사.

elec·trode [iléktroud] *n.* Ⓒ (종종 *pl.*) 전극(電極)(봉(棒)).

elec·tro·dy·nam·ic, -al [ilèktroudainǽmik], [-əl] *a.* 전기 역학의.

elec·tro·dy·nam·ics [ilèktroudainǽmiks] *n.* Ⓤ 전기 역학.

elec·tro·en·ceph·a·lo·gram [ilèktrouenséfələgræ̀m] *n.* Ⓒ 〖醫〗 뇌파도. ㊞ **-graph** [-græ̀f, -grɑ̀ːf] *n.* Ⓒ 〖醫〗 뇌파계.

elec·trol·y·sis [ilèktráləsis / -trɔ́l-] *n.* Ⓤ ① 전기 분해 ; 전해(電解). ② 〖醫〗 전기침(針)으로 잔털·기미 등을 없애는 수술 ; 전기 요법.

elec·tro·lyte [iléktroulàit] *n.* Ⓒ 전해물(電解物) ; 전해질(質) ; 전해액(液).

elec·tro·lyt·ic [ilèktroulítik] *a.* 전기분해의, 전해질의. ㊞ **-i·cal·ly** [-kəli] *ad.* 전해에 의하여.

electrolýtic céll〔**báth**〕 전해조(電解槽).

elec·tro·lyze [iléktroulàiz] *vt.* …을 전기분해하다.

elec·tro·mag·net [ilèktroumǽgnit] *n.* Ⓒ 전자석(電磁石).

elec·tro·mag·net·ic [ilèktroumæ̀gnétik] *a.* 전자기(電磁氣)의 ; 전자석의 : the ~ theory 전자기 이론. ㊞ **-i·cal·ly** *ad.*

electromagnétic indúction 〖物〗 전자기 유도.

electromagnétic radiátion 〖物〗 전자기 복사(輻射).

electromagnétic spéctrum 〖物〗 전자기파 스펙트럼.

electromagnétic wáve 〖物〗 전자기파(波).

elec·tro·mag·net·ism [ilèktroumǽgnətìzəm] *n.* Ⓤ 전자기(電磁氣) ; 전자기학.

elec·trom·e·ter [ilèktrámitər / -trɔ́m-] *n.* Ⓒ 전기계, 전위계(電位計).

elec·tro·mo·tive [ilèktroumóutiv] *a.* 기전(起電)의, 전동(電動)의.

electromótive fórce 기전력《略 : E.M.F., e.m.f.》.

***elec·tron** [iléktran / -trɔn] *n.* Ⓒ 〖物〗 전자, 일렉트론 : ~ emission 전자 방출 / an ~ microscope 전자 현미경 / ~ orbit 전자 궤도 / the ~ theory 전자설. [◂ *electr*ic+*on*]

elec·tro·neg·a·tive [ilèktrounégətiv] *a.* 음전기의 ; 음전기를 띤 ; (전기) 음성의.

eléctron gùn 〖TV〗 (브라운관 따위의) 전자총.

***elec·tron·ic** [ilèktránik / -trɔ́n-] *a.* 전자(학)의, 일렉트론의 : ~ industry 전자 산업 / ~ engineering 전자 공학 / an ~ organ 전자 오르간 / an ~ calculator〔computer〕 전자 계산기 / ~ music 전자 음악.

electrónic dáta pròcessing 전자 정보 처리《略 : EDP》.

electrónic flàsh 〖寫〗 스트로브《발광장치》.

electrónic màil 전자 우편《略 : E-mail》.

electrónic músic 전자 음악.

***elec·tron·ics** [ilèktrániks / -trɔ́n-] *n.* Ⓤ ① 전자 공학. ②〔複數 취급〕 전자 장치.

electrónic survéillance (도청 장치 등) 전자 기기를 이용한 정보 수집.

electrónic tùbe ＝ELECTRON TUBE.

electrónic vídeo recòrder 전자식 녹화기《略 : EVR》.

eléctron mìcroscope〔**lèns**〕 전자 현미경〔렌즈〕.

eléctron òptics 전자 광학.

eléctron tèlescope 전자 망원경.

eléctron tùbe 전자관《진공관의 일종》.

elec·tron-volt [iléktranvòult / -trɔn-] *n.* Ⓒ 전자 볼트《略 : EV, eV》.

elec·tro·pho·tog·ra·phy [ilèktroufətágrəfi / -tɔ́g-] *n.* Ⓤ 전자 사진(술), 건식(乾式) 복사.

elec·tro·plate [iléktroupleìt] *vt.* …에 전기 도금하다.

elec·tro·pos·i·tive [ilèktroupázətiv / -pɔ́z-] *a.* 양전기의 ; 양전기를 띤 ; 양성의. ⓒⓕ electronegative.

elec·tro·scope [iléktrəskòup] *n.* Ⓒ 검전기(檢電器).

elec·tro·shock [iléktrouʃàk / -ʃɔ̀k] *n.* Ⓤ,Ⓒ 〖醫〗 전기 쇼크 ; 전기 쇼크 요법(=∠ **thèrapy**〔**trèatment**〕).

elec·tro·stat·ic [ilèktroustǽtik] *a.* 정(靜)전기의.

elec·tro·stat·ics [ilèktroustǽtiks] *n.* Ⓤ 정전

기학.

elec·tro·tech·nics [ilèktroutékniks] *n.* ① [U] 전기 공학, 일렉트로닉스. ② [C] 〔複數 취급〕 전자 장치. 「전기 요법.

elec·tro·ther·a·py [ilèktrouθérəpi] *n.* [U] 〖醫〗

elec·tro·type [iléktroutàip] *n.* [U] 〖印〗 전기판(版)(제작법), 전기 제판(製版). ── *vt.* …을 전기판으로 뜨다.

el·ee·mos·y·nary [èlimɑ́sənèri, -mɑ́z-/ èlii:mɔ́sənəri] *a.* (은혜를) 베푸는, 자선적인.

***el·e·gance, -gan·cy** [éligəns], [-i] (*pl.* **-gances ; -cies**) *n.* ① [U] 우아, 고상, 기품 : the ~ of classical ballet 고전 발레의 우아함 / with ~ 우아하게. ② [C] 우아함〔한 것〕, 고상한 말, 세련된 예절. ③ [U] (사고(思考)·증명 등의) 간결함.

ːel·e·gant [éləgənt] (***more ~ ; most ~***) *a.* ① (인품 등이) 기품 있는, 품위 있는(graceful) ; (취미·습관·문체 따위가) 우아한, 세련된 : ~ in manners 태도가 우아한 / life of ~ ease 여유 있고 우아한 생활 / a tall ~ woman 키 크고 우아한 여인 / ~ taste 고상한 취미 / an ~ style of speaking 점잖은 말씨. ② (물건 따위가) 풍아한, 아취가 있는 ; (문체 따위가) 기품있는 ; (생각·증명 등이) 간결 정확한 : an ~ solution to a problem 문제의 간결한 해결법. ③ 《口》 멋있는, 훌륭한(fine, nice) : an absolutely ~ wine 천하의 명주 / an ~ gift 멋진 선물. [파] **~·ly** *ad.*

el·e·gi·ac [èlədʒáiək, ilí:dʒiæ̀k] *a.* ① 만가(挽歌)의, 애가(哀歌)의 ; 엘레지풍의. ② (시인이) 애가를 짓는 : an ~ poet 애가 시인. ── *n.* (*pl.*) 만가〔애가〕 형식의 시가. [파] **el·e·gi·a·cal·ly** [-kəli] *ad.* 애가조로, 엘레지풍으로.

el·e·gize [élədʒàiz] *vi.* 애가를 짓다《*on, upon*》. ── *vt.* …의 애가를 짓다. 「만가.

***el·e·gy** [élədʒi] *n.* [C] 비가(悲歌), 엘레지, 애가,

elem. element(s) ; elementary.

ːel·e·ment [éləmənt] *n.* ① [C] **a**) 요소, 성분 : Love is an ~ of kindness. 사랑은 친절의 필요 요소다. **b**) (종종 *pl.*) (정치적 의미에서의) 사회 집단, 분자 : discontented ~*s* of society 사회의 불평분자. ② [C] 〖化〗 원소 : If oxygen is removed from water, the ~ that remains is hydrogen. 물에서 산소를 제거하면 남은 원소는 수소다. ③ [C] 사대 원소《흙·물·불·바람》의 하나 ; (the ~s) 자연력, 《특히》 (폭)풍우 : the fury of *the* ~*s* 자연력의 맹위 / a ruddy complexion from exposure to *the* ~*s* 대기에 노출되어 건강한 듯한 얼굴빛. ④ [C] (생물의) 고유한 환경 ; 활동 영역 ; (사람의) 본령, 천성 ; 적소. ⑤ (the ~s) (학문의) 원리 ; 초보, 첫걸음《*of*》 : *the* ~*s of* grammar 문법의 요강〔첫걸음〕. ⑥ [C] (흔히 an ~) …의 낌새, 다소《*of*》《of 이하는 추상명사》 : There's *an* ~ *of* truth in what he says. 그의 말에는 일리가 있다. ⑦ (the Elements) 〖敎會〗 성찬용의 빵과 포도주. ⑧ 〖컴〗 요소. ***be in*** one**'s** ~ (물고기가 물을 만나듯) 자기 본령(本領)을 발휘하다, 득의의 경지에 있다. ***be out of*** one**'s** ~ 자기에게 맞지 않는 환경 속에 있다 : Mr. Brown was a good teacher, but as a principal he'*s out of his* ~. 브라운씨는 훌륭한 교사였으나 교장으로서는 능숙하지 못하였다.

***el·e·men·tal** [èləméntl] *a.* ① 요소의 ; 원소의, 사(四)원소《흙, 물, 불, 바람》의. ② 《美》 기본적인, 본질적인 : hate, lust and other ~ emotions 증오, 욕망 그밖의 근원적인 감정. ③ 기본 원리의 ; 초보의《이 뜻으로는 지금은 보통 elementary를 씀》 : ~ arts and crafts 초보의 미술 공예. ④ 자연력의 ; 절대의, 굉장한 : ~ grandeur 자연의 웅대함 / ~ forces 자연력 / ~ tumults 폭풍우 / ~ worship 자연력 숭배.

ːel·e·men·ta·ry [èləméntəri] (***more ~ ; most ~***) *a.* ① 기본의, 초보의, 초등 교육〔학교〕의 : ~ education 초등 교육(《英》 primary education). ② (문제 따위) 초보적인, 간단한 : That's very ~. 그것은 아주 초보적인 것이다. [파] **-ri·ly** [-tərili] *ad.* **-ri·ness** [-tərinis] *n.*

eleméntary párticle 〖物〗 소립자.

eleméntary schòol 《美》 초등 학교《6 년 또는 8 년 ; 《英》 primary school 의 구칭》.

ːel·e·phant [éləfənt] (*pl.* **~s, ~**) *n.* [C] ① 코끼리 《★ 수컷은 bull ~ ; 암컷은 cow ~ ; 새끼는 calf ~》 : ⇨ WHITE 〔PINK〕 ELEPHANT. ② 《美》 공화당의 상징. [cf] donkey.

el·e·phan·ti·a·sis [èləfəntáiəsis] *n.* [U] 〖醫〗 상피병(象皮病).

ːel·e·vate [éləvèit] *vt.* ① …을 (들어) 올리다, (소리)를 높이다 : ~ the voice 목소리를 높이다. ★ 이 뜻으로는 일반적으로 put up, lift, raise 를 쓰는 것이 좋음. ② 《~+[목] / +[목]+[전]+[명]》 …을 승진시키다 ; 등용하다《*to*》 : ~ a commoner *to* the peerage 평민을 귀족으로 끌어올리다 / The series ~*d* her from obscurity to stardom. 그 연속물이 그녀를 무명에서 스타덤에 올려 놓았다. ③ (정신·성격 등)을 향상시키다, 고상하게 하다 : I hope he will read good books which ~ his mind. 그가 양서를 읽어서 심성을 높였으면 한다. ◇ elevation *n.*

***el·e·vat·ed** [éləvèitid] *a.* ① 높여진, 높은 : an ~ road〔railway〕 고가 도로〔철도〕 / The town occupies an ~ position overlooking the lake. 그 읍은 호수가 내려다보이는 높은 위치를 차지하고 있다. ② 숭고〔고결〕한, 고상한 : Let's discuss it on a slightly more ~ plane. 좀더 높은 수준에서 그것을 토의하자. ③ 쾌활한, 유쾌한. ④ 《口》 거나한, 얼근히 취한.

élevated ráilroad 〔ráilway〕 《美》 고가 철도《略 : L, el》.

el·e·va·tion** [èləvéiʃən] *n.* ① (an ~) 높이, 고도, 해발(altitude) : We're probably at *an* ~ of about 13,000 feet above sea level. 우리는 아마 해발 약 1만3천 피트의 높은 곳에 있을 것이다. ② [C] 약간 높은 곳, 고지(height). ③ [U] 고귀〔숭고〕함, 고상. ④ [U] 올리기, 높이기 ; 등용, 승진《*to*》 ; 향상 : His ~ *to* the position of the top management was announced yesterday. 어제 그가 최고경영자로 승진되었다는 보도가 있었다. ⑤ **a**) (an ~) 〖軍〗 (대포의) 앙각(仰角) ; (측량의) 올려본각. **b**) [C] 〖建〗 입면도, 정면도. ***the Elevation (***of the Host***) 〖가톨릭〗 (성체) 거양.

†el·e·va·tor [éləvèitər] *n.* [C] ① 《美》 엘리베이터, 승강기(《英》 lift) : an ~ operator 《美》 승강기 운전사(《英》 liftman) / an ~ shaft 승강기 통로 / I took the ~ to the 10th floor. 10층까지 엘리베이터로 올라갔다. ② 물건을 올리는 장치〔사람〕 (freight ~). ③ (비행기의) 승강타(舵). ④ 양곡기(揚穀機), 양수기. ⑤ 대형 곡물 창고(grain ~) 《양곡기를 갖춘》.

†elev·en [ilévən] *n.* ① [U.C] 11. ② [U] 11살 ; 11시(時) ; 11달러〔파운드, 센트, 펜스 (따위)〕 : a child of ~ 열한살 난 아이. ③ [C] 11 개(의 물건) ; 11사람 ; 11의 기호 ; 11인조의 구단(球團)《축구 팀 따위》. ④ (the E-) 예수의 11 사도《12 사도 중 Judas 를 제외한》. ***be in the*** ~ (축구·크리켓의) 선수다. ── *a.* 〔限定的〕 11의, 11 개〔사람〕의 ; 〔敍述的〕 11살의〔에〕. [파] **~·fold** [-fòuld] *a., ad.*

11 배의〔로〕.

elev·ens·es [ilévənziz] *n. pl.* 〔單數 취급〕《英口》(오전 11시경의) 간식, 차.

†elev·enth [ilévənθ] *a.* ① (흔히 the ~) 열 한(번)째의, 제11 의. ② 11 분의 1의. ── *n.* Ⓤ (흔히 the ~) 11 번째, 제11 ; (달의) 11 일 ; Ⓒ 11 분의 1. ***at the ~ hour*** 아슬아슬한 때〔데〕에, 막판에.

elf** [elf] (*pl.* ***elves [elvz]) *n.* Ⓒ ① 꼬마 요정. ② 장난꾸러기, 개구쟁이. ***play the ~*** 못된 장난을 하다.

elf·in [élfin] *a.* ① 꼬마 요정(妖精)의〔같은〕. ② 「장난꾸러기의.

elf·ish [élfiʃ] *a.* 요정 같은 ; 못된 장난을 하는. ㊞ **~·ly** *a.* **~·ness** *n.*

elf·lock [-lɑ̀k / -lɔ̀k] *n.* Ⓒ (흔히 *pl.*) 헝클어진 머리카락, 난발.

El Gre·co [elgrékou] 엘 그레코《그리스 태생의 스페인 화가 ; 1541-1614》.

el·hi [élhai] *a.* 초등학교에서 고등학교까지의. [◂ *el*ementary school + *hi*gh school]

elic·it [ilísit] *vt.* (진리·사실 따위)를 이끌어 내다 ; 꾀어 내다, (대답·웃음 따위)를 유도해 내다 : ~ a laugh *from* a person 아무를 (저도 모르게) 웃게 하다 / ~ a reply 어떻게든 해서 대답하게 하다 / ~ an opinion *from* a person 아무의 의견을 캐물어 알아내다. ㊞ **elìc·i·tá·tion** [ilìsətéiʃən] *n.*

elide [iláid] *vt.* 〖音聲〗 (모음 또는 음절)을 생략하다《보기 : th'(=the)》.

el·i·gi·bil·i·ty [èlidʒəbíləti] *n.* Ⓤ 피선거 자격 ; 적임, 적격성 : ~ rule 자격 규정.

***el·i·gi·ble** [élidʒəbəl] *a.* 적격의, 피선거 자격이 있는 ; 적임의 ; 바람직한, (특히 결혼 상대로서) 적당한《*for* ; *to* do》: an ~ young man *for* one's daughter 사윗감으로 알맞은 청년 / He's not ~ *to* vote. 그는 투표할 자격이 없다 / Are you ~ *to* claim a refund? 환불을 청구할 자격이 있는가. ㊞ **-bly** *ad.*

Eli·jah [iláidʒə] *n.* 〖聖〗 엘리야《헤브라이의 예언「자》.

***elim·i·nate** [ilímənèit] *vt.* ①《+목+전+명》…을 제거하다, 배제하다 ; 몰아내다《*from*》: She ~*d* all errors *from* the typescript. 타이프 원고에서 틀린 걸 모두 없앴다 / ~ sex barriers 남녀 차별을 없애다 / ~ drug trafficking 마약 거래를 근절하다. ⓒⓕ exclude. ② (예선 등에서) …을 실격시키다 : She was ~*d* in the preliminaries. 예선에서 탈락됐다. ③《+목+전+명》〖生理〗 …을 배출〔배설〕하다《*from*》: ~ waste matter *from* the system 노폐물을 몸에서 배설하다. ④《口·婉》…을 없애다, 죽이다(kill). ◇ elimination *n.*

***elim·i·na·tion** [ilìmənéiʃən] *n.* ① Ⓤ,Ⓒ 배제, 제거, 삭제. ② Ⓤ,Ⓒ 〖數〗 소거(법). ③ Ⓒ 〖競〗 예선 : an ~ contest〔matches〕 예선 시합. ④ Ⓤ 〖生理〗 배출, 배설. ◇ eliminate *v.*

el·int [ilínt] *n.* ① Ⓤ 전자 정찰〔정보 수집〕. ② Ⓒ 전자 정찰기〔선〕. [◂ *el*ectronic *int*elligence]

El·i·ot [éliət, -jət] *n.* 엘리엇. ① 남자 이름. ② **George** ~ 영국 여류 소설가 Mary Ann Evans의 필명(1819-80). ③ **T**(**homas**) **S**(**tearns**) ~ (미국 출생의) 영국 시인·평론가《노벨 문학상 수상(1948) ; 1888-1965》.

eli·sion [ilíʒən] *n.* Ⓤ,Ⓒ 〖音聲〗 모음·음절 따위의 생략《보기 : I am → I'm, let us → let's》. ◇ elide *v.*

***elite, é·lite** [ilí:t, eilí:t] *n.* ① Ⓒ (흔히 the ~) 〔集合的〕 엘리트, 선발된 것〔사람〕, 정예 : You are now among *the* ~. 넌 이제 엘리트 집단의 한 사람이다 / an ~ force〔regiment〕 정예 부대〔연대〕. ② Ⓤ (타자기의) 엘리트 활자《10포인트》. ⓒⓕ pica. ── *a.* 엘리트의, 선발된, 정예의 : an ~ university 명문 대학.

elit·ism [ilí:tizəm, ei-] *n.* Ⓤ ① 엘리트에 의한 지배. ② 엘리트 의식〔자존심〕, 엘리트 주의, 정예주의.

elit·ist [ilí:tist, ei-] *n.* Ⓒ 엘리트주의자.

elix·ir [ilíksər] *n.* ① Ⓒ 연금약액(鍊金藥液)《비금속을 황금으로 바꾼다는》. ② (the ~) 불로장생의 약. ***the ~ of life*** 불로장수약 ; 만병통치약.

‡Eliz·a·beth [ilízəbəθ] *n.* ① 여자 이름. ② 영국 여왕 : ~ Ⅰ, 엘리자베스 1 세 (1533-1603) / ~ Ⅱ, 엘리자베스 2 세(1926-)《현 여왕(1952-)》.

***Eliz·a·be·than** [ilìzəbí:θən, -béθ-] *a.* Elizabeth 1 세 시대의 ; Elizabeth 여왕의.
── *n.* Ⓒ Elizabeth 시대의 사람《특히 시인·극작가·정치가 등》.

elk [elk] (*pl.* **~*s*,** ~) *n.* ① Ⓒ 엘크《북유럽·북아시아산의 현존하는 가장 큰 사슴》. ⓒⓕ moose. ② = WAPITI.

ell[1] [el] *n.* Ⓒ 엘《옛 척도 ; 영국에서는 45인치》: Give him an inch, and he'll take an ~.《俗談》 봉당을 빌려 주니 안방까지 달란다.

ell[2] *n.* Ⓒ L, l자(字) ; L 모양의 것 ; L 자형 파이프.

el·lipse [ilíps] *n.* Ⓒ 〖數〗 타원 ; = ELLIPSIS.

el·lip·sis** [ilípsis] (*pl.* ***-ses [-si:z]) *n.* ① Ⓤ,Ⓒ 〖文法〗 (말의) 생략《*of*》. ② Ⓒ 〖印〗 생략부호《—, …, *** 따위》; 〖數〗 = ELLIPSE.

el·lip·tic, -ti·cal [ilíptik], [-əl] *a.* ① 타원(형)의 : ~ trammels 타원 컴퍼스 / ~ orbit 〖天〗 타원 궤도. ② 〖文法〗 생략의, 생략 법위 : an ~ remark 에둘러 하는 표현 / an ~ construction 생략 구문. ㊞ **-ti·cal·ly** [-kəli] *ad.* 타원형으로 ; 생략하고.

Éllis Ísland 엘리스 섬《뉴욕 만 안의 작은 섬 ; 전에 이민(移民) 검역소가 있었음 ; 지금은 기념관이 있음》.

***elm** [elm] *n.* Ⓒ 느릅나무 ; Ⓤ 느릅나무 재목.

El Ni·ño Current [elní:njou-] 엘니뇨 (현상)《남아메리카 페루 연안을 수년마다 남하하는 난류로 인한 해면온도의 급상승 현상 ; 이로 인해 멸치류의 대량사(死)를 초래함》.

***el·o·cu·tion** [èləkjú:ʃən] *n.* Ⓤ 웅변술, 발성법. ㊞ **~·ist** *n.* Ⓒ 연설법 전문가 ; 웅변가.

el·o·cu·tion·ary [èləkjú:ʃənèri / -ʃənəri] *a.* 발성법〔연설법〕상의.

elon·gate [ilɔ́:ŋgeit / í:lɔŋgèit] *vt.* (물건·시간 등)을 (잡아) 늘이다, 연장하다.

elon·ga·tion [ilɔ̀:ŋgéiʃən / ì:lɔŋ-] *n.* Ⓤ,Ⓒ 신장(伸張), 연장(선) ; 신장도(度).

elope [ilóup] *vi.* (남녀가) 눈이 맞아 달아나다, 가출하다《*with*》; 도망가다 : The young couple ~*d* because their parents wouldn't let them marry. 젊은 남녀는 부모들이 결혼을 반대했기 때문에 달아났다.
㊞ **~·ment** *n.* Ⓤ,Ⓒ 가출 ; 도망. **elóp·er** *n.* Ⓒ

‡el·o·quence [éləkwəns] *n.* Ⓤ 웅변, 능변 : fiery ~ 열변 / There was ~ in her silent gaze. 말없는 그녀 시선은 그녀의 마음을 웅변으로 말해주고 있었다.

‡el·o·quent [éləkwənt] (***more ~ ; most ~***) *a.* ① 웅변의, 능변인. ② 설득력 있는 ; 감동적인 ; 표정이 풍부한 : Eyes are more ~ than lips.《俗談》 눈은 입보다 더 능변이다. ***be ~ of . . .*** …을 생생하게 표현하다〔나타내다〕.
㊞ **~·ly** *ad.* 웅변〔능변〕으로.

El Sal·va·dor [elsǽlvədɔ̀:r] *n.* 엘살바도르《중앙 아메리카의 공화국 ; 수도 San Salvador》.

E

†else [els] *ad.* ① 〔疑問・否定・否定代名詞〔副詞〕의 뒤에 붙여서〕 그 외에, 그 밖에, 달리, 그 위에: *anybody* ~ 누구든 다른 사람 / *anything* ~ 그 외에 무엇인가, 뭣이든지 딴 것 / *somewhere* ~ 어디 다른 곳에(서)〔으로〕 / *How* ~ could I do it 〔say〕? 그렇게 할〔말할〕 도리밖에 없죠 / *What* ~ shall I do? 달리 어찌하란 말인가 / Was *anybody* ~ absent? 그 밖에 누가 결석했는가.

> 語法 (1) somebody ~의 소유격은 요즘 somebody ~'s (book)이 보통. (2) who ~의 소유격은 who ~'s, 또는 whose ~: *Who ~'s* book 〔*Whose* ~〕 should it be? 그건 다른 누구의 책〔것〕이란 말인가.

② 〔흔히 or 뒤에서〕 그렇지 않으면: You can go alone, *or* ~ with Tom. 혼자 가도 좋고, 톰과 같이 가도 좋다 / Take care, *or* ~ you will fall. 조심하지 않으면 떨어져요. ★ or else의 뒤를 생략할 경우가 있음: Do as I say, *or else.* 내가 하라는 대로 해라, 안 그러면《나중에 좋지 않다는 위협》.

‡else·where [ˊ-*hwὲər*] *ad.* (어딘가) 다른 곳에(서)〔으로〕; 다른 경우에: I went ~ for dinner. 저녁을 먹으러 다른 곳으로 갔다 / You will have to look ~ for further information. 그 이상의 것을 알려면 다른 곳에서 찾아야 할 것이다. ***here as*** ~ 딴 경우와 마찬가지로 이 경우에도.

El·sie [élsi] *n.* Alice, Elizabeth, Elsa의 애칭.

elu·ci·date [ilúːsədèit] *vt.* (문제 등)을 밝히다, 명료하게 하다, (이유 등)을 설명하다(explain). ⓟ **elù·ci·dá·tion** [-ʃən] *n.* Ⓤ,Ⓒ 설명, 해명, 해설. **elú·ci·dà·tor** [-dèitər] *n.* Ⓒ 해설자.

***elude** [ilúːd] *vt.* ① (추적・벌・책임 따위)를 교묘히 피하다, 회피하다(evade); 면하다, 빠져 나오다, 잡히지 않다, 벗어나다: ~ the law 법망을 뚫다. ② (어떤 일이) …에게 이해되지 않다, 생각나지 않다: The meaning ~*s* me. 뜻을 모르겠다 / His name ~*s* me. 그의 이름이 생각나지 않는다.

elu·sion [ilúːʒən] *n.* Ⓤ 회피, 도피.

elu·sive [ilúːsiv] *a.* ① 교묘히 잘 빠지는〔도망하는〕: an ~ criminal 교묘히 잘 도망다니는 범인. ② 기억에서 사라지기 쉬운, 잘 잊는; 알 수 없는. ⓟ **~·ly** *ad.* **~·ness** *n.*

elu·so·ry [ilúːsəri] *a.* = ELUSIVE.

el·ver [élvər] *n.* Ⓒ (바다에서 강으로 오른) 새끼 뱀장어.

***elves** [elvz] ELF의 복수.

elv·ish [élviʃ] *a.* = ELFISH.

Ély·sée [eiliːzéi] *n.* (the ~) 《F.》 엘리제(궁)《파리의 프랑스 대통령 관저》; 프랑스 정부.

Ely·sian [ilí(ː)ʒiən] *a.* Elysium 같은: ~ joy 극락〔무상〕의 기쁨.

Elýsian fíelds = ELYSIUM (⇨CHAMPS ÉLYSÉES).

Ely·si·um [ilíziəm, -ʒəm] (*pl.* **~s, -sia** [-iə]) *n.* ①【그神】 (선인이 사후에 가는) 낙원. ② Ⓤ 이상향. ③ Ⓤ 최상의 행복.

em [em] (*pl.* **ems**) *n.* M자(字); 【印】 전각(全角). ⓒⓕ en.

'em [əm] *pron. pl.* 《口》 = THEM.

em- *pref.* = EN- 《b, p, m, ph의 앞》(★ em-의 발음은 ⇨EN-).

EM enlisted man 〔men〕.

ema·ci·ate [iméiʃièit] *vt.* 〔흔히 受動으로〕 (사람)을 여위게〔쇠약하게〕 하다: He *was* ~*d by* long illness. 그는 오랜 병고로 수척해졌다. ⓟ **-àt·ed** [-id] *a.* 여윈, 쇠약해진.

ema·ci·a·tion [imèiʃiéiʃən] *n.* Ⓤ 여윔, 쇠약, 초췌.

E-mail [íːmèil] *n.* = ELECTRONIC MAIL.

em·a·nate [émənèit] *vi.* (냄새・빛・소리・증기・열 따위가) 나다, 방사〔발산・유출〕하다《*from*》; (생각・명령 등이) 나오다; 퍼지다: This new idea ~*d from* a certain group of citizens. 이 새로운 발상은 어느 시민 단체에서 나왔다.

em·a·na·tion [èmənéiʃən] *n.* ① Ⓤ 방사, 발산. ② Ⓒ 방사물, 발산하는 것; 감화력, 영향.

eman·ci·pate [imǽnsəpèit] *vt.* (노예 등)을 해방하다; (속박・제약)에서 해방하다《*from*》: In many countries women are still struggling to be fully ~*d*. 많은 나라의 여성들이 아직도 속박에서 완전히 벗어나려고 애쓰고 있다 / ~*d from* colonialist rule 식민 통치에서 해방된. ~ one***self from*** …으로부터 자유가 되다; …을 끊다: ~ *oneself from* drink 술을 끊다.

***eman·ci·pa·tion** [imæ̀nsəpéiʃən] *n.* Ⓤ ① (노예 상태 등에서의) 해방《*of*》: black ~ 흑인 해방. ② (미신・인습 등에서의) 일탈《*from*》.

Emancipátion Proclamátion (the ~) 【美史】 노예 해방령《1862 년 9 월에 Lincoln 대통령이 선언, 1863 년 1 월 1 일 발효》.

eman·ci·pa·tor [imǽnsəpèitər] *n.* Ⓒ (노예) 해방자: the Great *Emancipator* 위대한 해방자《Abraham Lincoln》.

emas·cu·late [imǽskjəlèit] *vt.* 〔종종 受動으로〕 ① …을 불까다, 거세하다(castrate). ② …을 (나)약하게 하다(weaken); (문장 따위)의 골자를 빼다: a novel ~*d* by censorship 검열에서 알맹이가 빠져 버린 소설.
—— [imǽskjulit, -lèit] *a.* ① 거세된. ② 무기력해진, 유약한; (문장 따위의) 골자가 빠진. ⓟ **emàs·cu·lá·tion** [-ʃən] *n.* Ⓤ 거세(된 상태); 무력화(無力化).

em·balm [imbáːm] *vt.* ① (시체)를 방부 처리하다, 미라로 만들다. ② …을 오래 기억해 두다. ③ …에 향기를 채우다. ⓟ **~·er** *n.* Ⓒ 시체 방부처리인. **~·ment** *n.* Ⓤ 시체 보존, 미라로 만듦.

em·bank [imbǽŋk] *vt.* (하천 따위)를 둑으로 둘러 막다, …에 제방을 쌓다.

em·bank·ment [imbǽŋkmənt] *n.* ① Ⓤ 제방 쌓기. ② Ⓒ 둑, 제방; Ⓤ 축제(築堤).

***em·bar·go** [embáːrgou] *vt.* (선박)의 출항〔입항〕을 금지하다; (통상)을 금지하다.
—— (*pl.* **~es**) *n.* Ⓒ ① (상선의) 출항〔입항〕 금지, 선박 억류; 통상〔수출〕 금지: an ~ on the export of gold = a gold ~ 금 수출 금지. ② 금지(령), 금제《*on*》. ***lay* 〔*put, place, impose*〕 *an ~ on* = *lay . . . under an ~*** …의 입・출항을 금지하다; (무역 등)을 금지하다: *lay* 〔*impose*〕 *an ~ on* free speech 언론의 자유를 억압하다. ***lift* 〔*raise, remove*〕 *an ~ on*** (something) …의 수출(출항) 금지를 해제하다; 해금하다.

***em·bark** [embáːrk, im-] *vi.* ① 《~ / +전+명》 배를 타다; 비행기에 탑승하다; 출항하다《*for*》. ⓞⓟⓟ *disembark.* ¶ Many tourists ~ at Dover for Europe. 많은 관광객들이 유럽으로 가기 위해 도버에서 승선한다. ② 《+전+명》 (사업에) 착수하다, 시작하다《*in; on, upon*》: He ~*ed on* a new enterprise. 그는 새 사업에 착수했다.
—— *vt.* …을 승선시키다, 선적하다.

***em·bar·ka·tion** [èmbaːrkéiʃən] *n.* ① Ⓤ,Ⓒ 승선; (항공기에의) 탑승; 선적: the port of ~ 승선항. ② Ⓤ 새 사업의 착수《*on, upon*》.

embarkátion càrd (여행자 등의) 출국 카드. ⓞⓟⓟ *disembarkation card.*

‡em·bar·rass [imbǽrəs, em-] *vt.* ① 《~ +목 / +목+전+명》 …을 당혹〔당황〕하게 하다, 난처하

게 만들다 : Meeting new people ~*es* Tom. 톰은 새 사람을 만나면 거북해한다 / I was ~*ed* for words. 말이 제대로 안 나와 쩔쩔맸다 / ~ a person *with* questions. 질문으로 아무를 난처하게 하다. ② 〔흔히 受動으로〕 …을 (금전상) 곤경에 빠뜨리다 : The man asked for a loan because he *was* seriously ~*ed*. 그 사람은 몹시 돈에 몰려 대부를 청했다 / ~*ed* by lack of money 돈이 모자라 곤경에 빠진. ③ (문제 따위)를 번거롭게 하다, 혼란시키다 : ~ the problem rather than solve 문제를 해결은 커녕 되레 어렵게 만들다. ***be* 〔*feel*〕 *~ed*** 거북〔난처〕하게 여기다, 당황하다, 쩔쩔매다 : I *was* 〔*felt*〕 very ~ *ed*. 몹시 난처했다. ㉺ **~·ing** [-iŋ] *a.* 난처하게 하는, 성가신, 곤란한. **~·ing·ly** *ad.* 난처〔곤란〕하게 : He was ~*ingly* polite. 그는 난처할 정도로 정중했다.

em·bar·rass·ment** [imbǽrəsmənt, em-] *n.* ① [U] 당황, 곤혹, 거북함 ; 어줍음 : To my ~, I could not remember his name. 그의 이름이 생각나지 않아, 곤혹스러웠다. ② [C] (흔히 *pl.*) 재정 곤란 : financial ~*s* 재정 곤란. ③ [U,C] 방해(가 되는 것), 장애, 골칫거리 : He is an ~ to his family. 그는 집안의 골칫거리다. ***an ~ of riches 남아돌 정도로 많은 재산.

em·bas·sy** [émbəsi] *n.* ① (종종 E-) 대사관. The American ~ in London 런던의 미 대사관. ② 〔集合的〕 대사관원 : He is with the French ~. 프랑스 대사관원이다 / She was attached to the Canadian ~. 그녀는 캐나다 대사관원이었다. ③ [U,C] 대사의 임무〔사명〕(mission). ④ [C] (외국 정부에 파견되는) 사절(단). ***be sent on an ~ to …에 사절로 파견되다. ***go on an ~*** 사절로 가다.

em·bat·tle [imbǽtl, em-] *vt.* (군)에 전투 대형을 취하게 하다, 포진시키다.

em·bat·tled [imbǽtld, em-] *a.* ① 진용을 정비한, 싸울 준비가 된. ② 적에게 포위된. ③ (사람이) 늘 시달리는 : an ~ party leader 늘 시달리는 당 지도자.

em·bay [imbéi] *vt.* ① (배)를 만에 넣다〔대피시키다, 몰아 넣다〕. ② (해안 따위)를 만 모양으로 하다.

em·bed [imbéd] (*-dd-*) *vt.* 〔흔히 受動으로〕 ① (물건)을 …에 끼워넣다, 박다 : The arrow *was* ~*ded* itself *in* the wall. 화살은 벽에 꽂혔다. ② …을 (마음·기억 등)에 깊이 새겨두다 : The incident *was* ~*ded in* her mind. 그 일은 깊이 그녀의 마음속에 새겨졌다.

em·bel·lish [imbéliʃ, em-] *vt.* ① …을 아름답게 장식하다, 꾸미다《*with*》: ~ a room *with* flowers 방을 꽃으로 장식하다. ② (이야기 등)을 윤색하다《*with*》.

em·bel·lish·ment [imbéliʃmənt] *n.* ① [U] 장식 ; 수식, (이야기 등의) 윤색. ② [C] 장식물〔품〕.

***em·ber** [émbər] *n.* [C] (흔히 *pl.*) 타다 남은 것, 깜부기불. [cf] cinder. ¶ rake (up) hot ~*s* 잿불을 긁어모으다.

Émber dàys 〖가톨릭〗 사계 대재(四季大齋).

em·bez·zle [imbézəl, im-] *vt.* (위탁금 등)을 유용〔착복〕하다, 횡령하다. ㉺ **~·ment** *n.* [C,U] 착복, 유용, 〖法〗 횡령(죄). **-zler** [-ər] *n.* [C] 횡령자, (공금) 소비〔착복〕자.

em·bit·ter [imbítər] *vt.* 〔종종 受動으로〕 ① …을 가슴 아프게 하다 ; 몹시 기분 나쁘게 하다 ; 한층 더 비참하게〔나쁘게〕 하다. ② …을 분개하게 하다 : We *were* ~*ed* by his callousness. 그의 냉담함에 분개했다. ㉺ **~·ment** *n.* [U]

em·bla·zon [imbléizən, em-] *vt.* ① (문장(紋章))을 그리다 《*on*》; (방패)를 문장으로 꾸미다 《*with*》; 화려하게 그리다〔꾸미다〕: a flag on which the imperial eagle was ~*ed* 흰죽지수리가 그려진 깃발. ② …을 극구 칭찬하다.

***em·blem** [émbləm] *n.* [C] ① 상징, 표상 (symbol)《*of*》. ② 기장(記章), 문장, 표장(標章) : a national ~ 국장(國章).

em·blem·at·ic, -i·cal [èmbləmǽtik], [-əl] *a.* 상징적인 ; (…의) 표시가 되는, (…을) 상징하는 《*of*》: A balance is ~ *of* justice. 저울은 정의를 상징한다. ㉺ **-i·cal·ly** [-kəli] *ad.* 상징적으로.

em·bod·i·ment [embádimənt / -bɔ́di-] *n.* ① [U] 형체를 부여하기, 구체화, 구상화(具象化), 체현(體現). ② (*sing.* ; 종종 the ~) (미덕의) 권화(權化), 화신 (incarnation) 《*of*》: *the ~ of* virtue 미덕의 화신.

***em·body** [embádi / -bɔ́di] *vt.* ① …을 구체화하다, 유형화하다. ② 《+[목]+[전]+[명]》 (작품·언어 따위로 사상)을 구체적으로 표현하다《*in*》: The people tried to ~ their ideals *in* the new constitution. 국민들은 자신들의 이상을 새로운 헌법 속에서 구체화하려고 하였다. ③ (주의 등)을 구현하다, 실현하다 ; (관념·사상)을 스스로 체현하다 : Maria Theresa *embodies* the Christian virtues. 마리아 테레사는 기독교의 미덕을 체현하고 있다.

em·bold·en [embóuldən] *vt.* …을 대담하게 하다, (아무)에게 용기를 주다《*to* do》: ~ a person *to* do 아무에게 …하도록 용기를 북돋우어 주다.

em·bo·lism [émbəlìzəm] *n.* [C] 〖醫〗 색전증(塞栓症).

em·bon·point [ɑ̃:mbɔ(:)mpwǽŋ / ɔ̃(:)m-] *n.* [U] 《F.》《婉》 (주로 여성의) 비만(plumpness).

em·bos·om [embú(:)zəm] 《文語》 *vt.* ① …을 품에 안다(embrace) ; 소중히 하다, 애지중지하다. ② 〔흔히 受動으로〕 (감싸듯) 둘러싸다(surround) : a house ~*ed with*〔*in*〕 trees 나무로 둘러싸인 집.

‡em·boss [embɔ́s, -bás, im-] *vt.* 《~+[목] / +[목]+[전]+[명]》 (도안 등)을 돋을새김으로 하다 ; 돋을새김으로 꾸미다《*with*》: The gold cup is ~*ed with* a design of flowers. 금배에는 꽃무늬가 돋을새김되어 있다.

em·bow·er [imbáuər] *vt.* …을 수목 사이에 숨기다 ; 수목으로 둘러싸다〔가리다〕《*in; with*》.

‡em·brace [embréis] *vt.* ① …을 얼싸안다, 껴안다(hug), 포옹하다. ② (산·언덕이) …을 둘러〔에워〕싸다. ③ …을 품다, 포함하다 : His knowledge ~*s* many fields. 그의 지식은 여러 분야에 걸쳐 있다. ④ (기회)를 붙잡다, (신청 따위)를 받아들이다, 직업에 종사하다 ; (주의·신앙 따위)를 채택하다, 신봉하다(adopt) : ~ an opportunity 기회를 이용하다〔붙잡다〕 / ~ an offer 기꺼이 신청을 받아들이다 / ~ Buddhism with unquestioning eagerness 불교에 맹목적으로 귀의하다.

── *vi.* 서로 껴안다 : They shook hands and ~*d*. 그들은 악수를 하고 서로 껴안았다.

── *n.* [C] 포옹 : They greeted us with warm ~*s*. 그들은 따뜻한 포옹으로 우리를 반겼다.

em·bra·sure [embréiʒər] *n.* [C] 〖築城〗 (쐐기 모양의) 총안(銃眼) ; 〖建〗 (문 또는 창의 주위가) 비스듬히 벌어진 부분.

em·bro·ca·tion [èmbroukéiʃən] *n.* [U,C] 물약의 도찰(塗擦), 찜질 ; 도찰제(劑)〔액〕.

***em·broi·der** [embrɔ́idər] *vt.* ① 《~+[목] / +[목]+[전]+[명]》 …에 자수하다, 수를 놓다 : She ~*ed* her name *on* the handkerchief. 그녀는 손수건에 자기 이름을 수놓았다. ② (이야기 따위)를 윤색하다. ── *vi.* 수놓다.

em·broi·dery [embrɔ́idəri] *n.* Ⓤ ① 자수, 수(놓기) ; Ⓒ 자수품. ② (이야기 따위의) 윤색, 과장.
em·broil [embrɔ́il] *vt.* (문제·사태 따위)를 혼란케 하다, 번거롭게 하다 ; (분쟁)에 말려들게 하다, (사건 따위에) 휩쓸어 넣다 ; (아무)를 서로 반목하게 하다《*with*》: They did not wish to become 〔get〕 ~*ed in* the argument. 그들은 논쟁에 말려들고 싶지 않았다. ㊞ **~·ment** *n.* U.C 혼란, 분규, 분쟁 ; 휘말림, 연루(連累).
em·brown [embráun] *vt.* …을 갈색으로 하다.
embrue ⇨IMBRUE.
*__em·bryo__ [émbriòu] (*pl.* **~s**) *n.* Ⓒ ① 태아《사람의 경우 보통 임신 8주까지의》. ②〖植·動〗배(胚), 눈; 싹, 움; 발달 초기의 것. ***in*** ~ 미발달의, 초기의; 준비중인: Our project is still *in* ~. 우리들의 계획은 아직 준비 단계다.
embryo- embryo를 뜻하는 결합사《모음 앞에서는 embry-》.
em·bry·ol·o·gist [èmbriɑ́lədʒist / -ɔ́lə-] *n.* Ⓒ 태생학자, 발생학자. 「학, 발생학.
em·bry·ol·o·gy [èmbriɑ́lədʒi / -ɔ́lə-] *n.* Ⓤ 태생
em·bry·on·ic [èmbriɑ́nik / -ɔ́n-] *a.* ① 배(胚)의; 태아의; 유충의. ② 미발달의, 유치한.
émbryo trànsfer〖醫〗배이식(胚移植)《분열 초기의 수정란(受精卵)을 자궁이나 난관에 옮겨 넣는 일》. cf. egg transfer.
em·cee [émsíː] 《口》 *n.* Ⓒ 사회자《M.C.라고도 씀》. ── (*p., pp.* ***em·ceed; em·cee·ing***) *vt., vi.* (…을) 사회하다. [◂*m*aster of *c*eremonies]
emend [iménd] *vt.* (문서·본문(本文) 따위)를 교정〔수정〕하다. ㊞ **~·a·ble** [-əbəl] *a.*
emen·date [íːmendèit, émən-, iméndeit] *vt.* = EMEND.
emen·da·tion [ìːmendéiʃən, èmən-] *n.* ① Ⓤ 교정, 수정. ② Ⓒ (종종 *pl.*) 교정〔수정〕 개소.
*__em·er·ald__ [émərəld] *n.* ① Ⓒ〖鑛〗에메랄드, 취옥(翠玉). ② Ⓤ 선녹색(=∠ **gréen**). ③ Ⓤ《英》〖印〗에메랄드 활자체《약 6.5 포인트》.
── *a.* 에메랄드(제)의; 에메랄드〔선녹〕색의.
Émerald Ísle (the ~) 아일랜드의 별칭.
*__emerge__ [imə́ːrdʒ] *vi.* ①《~ / +전+명》(물 속·어둠 속 따위에서) 나오다, 나타나다(appear) 《*from*》. opp. *submerge.* ¶ As the clouds drifted away the sun ~*d*. 구름이 흘러가고 해가 나왔다 / The full moon will soon ~ *from* behind the clouds. 보름달이 곧 구름속에서 모습을 나타낼 것이다. ② **a)** 《+전+명》 (빈곤, 낮은 신분 등에서) 벗어〔헤어〕나다, 빠져나오다(come out)《*from*》: ~ *from* obscurity 유명해지다. **b)** 《+(*as*) 보》 (…로서) 나타나다: He has ~*d as* a strong rival. 그가 강적으로서 나타났다. ③ (새로운 사실이) 알려지다, 분명해지다, 드러나다; (곤란·문제 따위가) 생기다: It later ~*d* that the plan was defective. 뒤에 그 계획이 불완전하였다는 것이 드러났다.
emer·gence [imə́ːrdʒəns] *n.* Ⓤ 출현《*of*》.
:emer·gen·cy [imə́ːrdʒənsi] *n.* U.C 비상 사태, 위급, 유사시: a national ~ 국가 비상시.
── *a.* 비상용의: an ~ stairs 비상 계단 / make an ~ landing 불시착하다. ***in case of*** ~= ***in*** (***an***) ~ 위급한〔만일의〕 경우에, 비상시에: *In case of* ~ 〔*In* ~〕 call 119. 비상시엔 119번에 전화를 걸어라.
emérgency bràke (차의) 사이드 브레이크.
emérgency dòor 〔èxit〕 비상구. 「ER》.
emérgency ròom (병원의) 응급 치료실《略:
emer·gent [imə́ːrdʒənt] *a.* 〔限定的〕 ① (물 속에서) 떠오르는, 불시에 나타나는. ② 뜻밖의, 의외의; 긴급한, 응급의. ③ (나라 등이) 새로 독립한, 신흥〔신생〕의: the ~ nations of Africa 아프리카의 신흥 국가들.
emer·i·tus [imérətəs] *a.* 〔限定的〕 명예 퇴직의: an ~ professor =a professor ~ 명예 교수.
emer·sion [imə́ːrʒən, -ʃən] *n.* U.C 출현.
Em·er·son [émərsn] *n.* **Ralph Waldo** ~ 에머슨《미국의 사상가·시인; 1803-82》.
em·ery [éməri] *n.* Ⓤ 금강사(金剛砂), 에머리《연마재》.
émery bòard 손톱줄《매니큐어용》.
émery pàper (금강사로 만든) 사지(砂紙).
emet·ic [imétik]〖醫〗*a.* 토하게 하는, 게우게 하는. ── *n.* U.C 구토제(嘔吐劑).
EMF, emf electromotive force.
*__em·i·grant__ [éməgrənt] *a.* (타국·타지역으로) 이주하는, 이민의. opp. *immigrant.*
── *n.* Ⓒ (타국·타지역으로의) 이민, 이주민: They left their country as ~*s*. 그들은 이민으로서 모국을 떠났다.
*__em·i·grate__ [éməgrèit] *vi.* 《~ / +전+명》 (타국으로) 이주하다: ~ *from* Korea *to* 〔*into*〕 Hawaii 한국에서 하와이로 이주하다.
*__em·i·gra·tion__ [èməgréiʃən] *n.* ① U.C (타국으로의) 이주, 이민. ② 〔集合的〕 이(주)민(emigrants).
ém·i·gré [émigrei, èimɑgréi] *n.* Ⓒ 이주자; (특히 프랑스 혁명이나 러시아 혁명 때의) 망명자.
*__em·i·nence__ [émənəns] *n.* ① Ⓤ (지위·신분 따위의) 고위, 높음, 고귀: a man of social ~ 사회적 명사. ② (E-)〖가톨릭〗전하(殿下)《cardinal에 대한 존칭》. ③ Ⓤ 고명, 명성: win ~ as a scientist 과학자로 명성을 날리다. ④《文語》Ⓒ 높은 곳, 언덕, 대지.
émi·nence grise [éiminɑːnsəgríːz] (*pl.* ***éminences grises***) 《F.》 심복, 앞잡이, 밀정; 흑막, 배후 인물〔세력〕.
:em·i·nent [émənənt] (***more*** ~; ***most*** ~) *a.* ① 저명한, 유명한《특히 학문·예술 등 분야에서》: a man ~ *for* his learning 학문으로 이름있는 사람. ② (성격·행위 등이) 뛰어난, 탁월한: a man of ~ bravery 두드러지게 용감한 사람.
㊞ **~·ly** *ad.* 뛰어나게; 현저하게.
éminent domáin〖法〗토지 수용권(收用權).
emir [əmíər] *n.* Ⓒ (이슬람교 국가의) 족장(族長), 왕족, 토후(土侯).
emir·ate [əmíərit] *n.* Ⓒ emir의 지위〔관할권·칭호〕; 수장국(首長國). ***United Arab Emirates*** 아랍 에미리트 연방.
em·is·sary [éməsèri / éməsəri] *n.* Ⓒ ① 사자(使者)(messenger); 밀사. ② 간첩(spy).
emis·sion [imíʃən] *n.* U.C ① (빛·열·향기 따위의) 방사, 발산; 방사물. ② (지폐 따위의) 발행(고). ③ 사정(射精). ④ 배기(排氣): ~ control 배출 가스 규제 / an ~ factor 대기 오염 물질 배출 계수. ◇ emit *v.*
emis·sive [imísiv] *a.* 발사〔방사〕(성)의.
*__emit__ [imít] (**-tt-**) *vt.* ① (빛·열·냄새 따위)를 내다, 발산하다, 방출하다, 방사하다: ~ exhaust fumes 배기 가스를 배출하다. ② (의견 따위)를 토로하다, 말하다; (신음·비명)을 발하다: ~ a scream 쇠된 소리를 지르다. ③ (지폐·어음 등)을 발행하다.
Émmy Awárd 에미상(賞)《미국의 TV의 우수 프로·연기자 등에게 주어지는 상》. cf. Grammy.
emol·lient [imɑ́ljənt / imɔ́l-] *a.* (피부 따위를) 부드럽게 하는.
── *n.* U.C (피부) 연화제(軟化劑); 완화제.

emol·u·ment [imάljəmənt / imɔ́l-] *n.* Ⓒ (흔히 *pl.*) 급료, 봉급, 수당 ; 보수《*of*》.

emote [imóut] *vi.* 《口》 감정을 과장해서 나타내다 ; 과장된 연기를 하다.

‡**emo·tion** [imóuʃən] *n.* ① Ⓤ 감동, 감격, 흥분 : All his listeners were touched〔moved〕 with ~. 청중은 모두가 감동했다. ② Ⓒ (종종 *pl.*) (희로애락의) 감정 : a man of strong ~*s* 격정적인 사람 / appeal to ~ rather than to reason 이성보다 감정에 호소하다. ***betray*** one*'s* ~*s* 감정을 드러내다. ***suppress*** one*'s* ~*s* 감정을 억제하다.

‡**emo·tion·al** [imóuʃənəl] (*more* ~ ; *most* ~) *a.* ① 감정의, 희로애락의, 정서의 : an ~ deficiency 정서적 결함. ② 감정적인, 감동하기 쉬운, 다감한, 정에 약한 : Women are supposed to be more ~ than men. 여성이 남성보다 더 정에 약하다고들 한다. ③ 감동시키는, 감정에 호소하는 : an ~ actor 감정 표현이 능숙한 배우. ㊞ ~·**ly** *ad.* 정서적〔감정적〕으로 : He felt physically and ~*ly* exhausted. 그는 심신이 지쳤음을 느꼈다.

emo·tion·al·ism [imóuʃənəlìzəm] *n.* Ⓤ 감격성 ; 정서성 ; 감정주의 ; 감동하기 쉬움 ; 주정설(主情說) ; 〖藝〗 주정주의.

emo·tion·al·ist [imóuʃənəlist] *n.* Ⓒ ① 감정가. ② 감정에 무른 사람. 주정주의자.

emo·tion·less [imóuʃənlis] *a.* 무감동의, 무표정한. ㊞ ~·**ly** *ad.* ~·**ness** *n.*

emo·tive [imóutiv] *a.* ① 감동시키는, 감동적인 ; 감정에 호소하는 : ~ power (배우·글 따위가) 감정에 호소하는 힘 / the ~ use of language 감정에 호소하는 말씨. ② 감정을 일으키는 : the ~ and rational capacities of human kind 인간의 감성과 이성의 힘. ㊞ ~·**ly** *ad.*

em·pan·el [impǽnəl] *vt.* =IMPANEL.

em·pa·thize [émpəθàiz] *vi.* 감정 이입(移入)을 하다 ; 공감하다《*with*》.

em·pa·thy [émpəθi] *n.* Ⓤ (또는 an ~) 〖心〗 감정 이입《*with* ; *for*》.

‡**em·per·or** [émpərər] (*fem.* ***ém·press***) *n.* Ⓒ 황제, 제왕. ⓒⓕ empire. ¶ His Majesty〔H.M.〕 the *Emperor* 황제 폐하.

em·pha·sis** [émfəsis] (*pl.* ***-ses [-sìːz]) *n.* ⓊⒸ ① 강조, 역설, 중요시 : This point deserves (a) special ~. 이 점은 특히 강조할 가치가 있다 / The ~ is on hard work, not enjoyment. 중요한 것은 근면이지 향락이 아니다. ② 〖言〗 (낱말·구·음정 등의) 강세(accent)《*on*》: Where do you put the ~ in the word 'controversy'? 'controversy'라는 단어에서 강세가 어디에 있는가. ***lay*** 〔***place, put***〕 (***great*** 〔***much***〕) ~ ***on*** 〔***upon***〕 …에 (큰) 비중을 두다 ; …을 (크게) 역설〔강조〕하다 : Some schools *lay great* ~ *on* language study. 어떤 학교는 언어 공부에 큰 비중을 두고 있다.

***em·pha·size** [émfəsàiz] *vt.* ① …을 강조하다 ; 역설하다 : He ~*d* the importance of careful driving. 신중한 운전이 중요함을 강조했다. ② 〖音聲〗 …에 강세를 두다, (어구)를 힘주어 말하다 : *Emphasize* the word 'duty'. '의무'라는 말에 힘을 주어라. ③ 〖美術〗 (선·빛깔 등)을 강조하다.

***em·phat·ic** [imfǽtik, em-] *a.* ① (말·음절 등이) 힘준, 강세가 있는 : an ~ construction 강조 구문. ② 확고한, 단호한 ; 힘준 ; 역설하는《*about*》: an ~ opinion 확고한 의견 / Father is ~ *about* cleanliness. 아버지는 청결을 역설하신다. ③ 눈에 띄는, 뚜렷한, 명확한 : an ~ success 대성공 / an ~ contrast 뚜렷한 대조.

em·phat·i·cal·ly [-kəli] *ad.* ① 강조〔역설〕하여. ② 전혀 : It's ~ not true. 그건 전혀 사실이 아니다.

em·phy·se·ma [èmfəsíːmə] *n.* Ⓤ 〖醫〗 기종(氣腫), 《특히》 폐기종(=**púlmonary** ∽).

†**em·pire** [émpaiər] *n.* ① Ⓒ **a)** 제국(帝國) : the British *Empire*. **b)** (거대한 기업의) '왕국' : an industrial ~ 산업 왕국. ② Ⓤ (제왕의) 통치(권), 제정(帝政) ; 절대 지배권. ③ (the E-) (나폴레옹 시대의) 프랑스 제정 시대. ── *a.* (E-) (가구·복장 따위가) 제정〔나폴레옹〕 시대풍의.

Émpire Státe (the ~) New York 주의 속칭.

Émpire Státe Bùilding (the ~) 뉴욕시의 엠파이어 스테이트 빌딩《102층, 381m ; 1931년 완공》.

em·pir·ic [empírik, im-] *a.* =EMPIRICAL.

em·pir·i·cal [empírikəl] *a.* ① 경험〔실험〕의, 경험적인 : ~ philosophy 경험 철학 / (an) ~ science 경험 과학. ② (의사 등) 경험주의의. ㊞ ~·**ly** [-kəli] *ad.*

em·pir·i·cism [empírəsìzəm] *n.* Ⓤ ① 경험주의 ; (의학상의) 경험 의존주의. ② 경험적〔비과학적〕 요법. ㊞ **-cist** *n.* Ⓒ 경험주의자.

em·place·ment [empléismənt] *n.* ① Ⓤ 〖軍〗 (포상(砲床) 등의) 설치, 정치(定置). ② Ⓒ 〖軍〗 포좌, 포상(砲床), 대좌(台座).

em·plane [empléin] *vi.* =ENPLANE.

***em·ploy** [emplɔ́i] *vt.* ① 《~+目 / +目+*as* 보》 (사람)을 쓰다, 고용하다 ; (아무)에게 일을 주다 : He is ~*ed as* a clerk. = They ~ him *as* a clerk. 사무원으로 근무하고 있다 / He is ~*ed in* a bank. 은행에 근무하고 있다 / the ~*ed* 피고용자, 근로자, 종업원 / This work will ~ 60 men. 이 일에는 60명이 필요하다. ② 《+目+前+名》 〔흔히 受動 또는 再歸용법〕 …에 종사하다, …에 헌신하다《*in* ; *on*》: He *was* ~*ed* 〔~*ed himself*〕 *in* clipping the hedge. 그는 산울타리의 가지치기를 하였다 / He *is* ~*ed on* a difficult task. 그는 어려운 일을 하고 있다. ③ 《+目+*as* 보》 (물건·수단)을 쓰다, 사용하다(use) : the vocabulary that she ~*s* 그녀가 구사하는 어휘 / Sophisticated statistical analysis was ~*ed* to obtain these results. 이러한 결과를 얻기 위해 정교한 통계적 분석이 사용됐다. ④ 《+目+前+名》 (시간·정력 따위)를 소비하다, 쓰다(spend)《*in*》: ~ one's spare time *in* reading 여가를 독서에 쓰다 / I feel that my time could be better ~*ed*. 시간이 선용될 수 있다고 생각한다.
── *n.* Ⓤ 고용(employment) : How long has she been in your ~? 그녀를 고용한 지 얼마나 되나. ***be in Government*** ~ 공무원이다. ***be in the*** ~ ***of*** a person =***be in*** a person*'s* ~ 아무에게 고용되어 있다. ***take*** a person ***into*** one*'s* ~ 아무를 고용하다. ㊞ ~·**a·ble** *a.* 고용조건에 맞는.

‡**em·ploy·ee** [implɔ́iiː, èmplɔiíː] *n.* Ⓒ 피용자, 종업원. ⓞⓟⓟ employer.

‡**em·ploy·er** [emplɔ́iər] *n.* Ⓒ 고용주, 사용자.

‡**em·ploy·ment** [emplɔ́imənt] *n.* Ⓤ ① 고용 : full ~ 완전 고용 / part-time ~ 시간제 근무 / his place of ~ 그의 직장. ② 직(職), 직업, 일(work, occupation) : get 〔lose〕 ~ 취직〔실직〕하다 / leave one's ~ 이직(離職)하다 / give ~ to …에게 일자리를 주다 / a public ~ stabilization office 공공 직업 안정소. ③ (시간·기구 등의) 사용, 이용《*of*》: Is the ~ *of* harsh measures necessary? 가혹한 수단을 취할 필요가 있을까. ***in the*** ~ ***of*** …에게 고용되어. ***out of*** ~ 실직하여. ***seek*** ~ 구직하다.

emplóyment àgency (민간의) 직업 소개소.

employment office 《英》 직업 소개소《전에 employment exchange라 했음》.

Employment Training 《英》 직업 훈련《6개월 이상의 실업자의 취직을 지원하는 정부 계획; 略: ET》.

em·po·ri·um [empɔ́:riəm] (*pl.* **~s, -ria** [-riə]) *n.* Ⓒ ① 중앙 시장(mart), 상업[무역]의 중심지. ② 큰 상점, 백화점.

*__em·pow·er__ [empáuər] *vt.* 《+목+*to* do》 [종종 受動으로] …에게 권력[권한]을 주다(authorize): Congress *is ~ed by* the constitution *to* make laws. 국회는 헌법에 의해 법률 제정권을 부여받고 있다.

‡**em·press** [émpris] *n.* Ⓒ ① 왕비, 황후. ② 여왕, 여제. ***Her Majesty*** [***H.M.***] ***the Empress*** 여왕 폐하; 황후 폐하.

†**emp·ty** [émpti] (**-ti·er; -ti·est**) *a.* ① (그릇 따위가) 빈, 공허한, 비어 있는: I found his room ~. 그의 방엔 아무도 없었다. ② (…이) 없는, 결여된《*of*》: a room ~ *of* furniture 가구가 없는 방 / existence ~ *of* joy 아무 즐거움도 없는 삶. ③ 헛된; 무의미한, 쓸데없는, (마음·표정 등) 허탈한: ~ promises 말뿐인 약속, 공수표 / have an ~ sound 무의미하게 들리다 / Life is but an ~ dream. 인생은 일장춘몽 / words ~ of meaning 무의미한 말. ④ 《口》 속이 빈, 배고픈, 공복의. ⑤ 사람이 살지 않는. ***feel*** ~ 《口》 (1) 배가 고프다. (2) 허무한 생각이 들다. ***on an ~ stomach*** 공복[빈속]으로: It is not good to drink alcohol *on an ~ stomach.* 빈속에 술을 마시면 좋지 않다.

── *n.* Ⓒ (흔히 *pl.*) 빈 그릇《상자·통·자루·병 따위》.

── *vt.* ① 《~+목/+목+전+명》 (그릇 따위)를 비우다, 내다《*out*》: ~ an ashtray 재떨이를 비우다 / ~ a box *of* its contents 상자 안의 것을 비우다 / ~ *out* one's pockets 주머니의 물건을 꺼내다 / He *emptied* the glass in one gulp. 그는 단숨에 잔을 비웠다. ② 《+목+전+명》 (내용물)을 비우다, (딴 그릇)에 옮기다; (액체)를 쏟다: ~ grain *from* a sack *into* a box 곡식을 자루에서 상자로 옮기다 / The police *emptied* their revolvers *into* the rioters. 경찰은 폭도들을 향해 총탄을 전부 쏘아댔다 / She *emptied* the bottle of milk *into* a saucepan. 그녀는 병의 우유를 스튜 냄비에 옮겼다. ── *vi.* ① 비다: The room *emptied* after class. 수업이 끝난 후 교실은 텅텅 비었다. ② 《+전+명》 (강이) 흘러 들어가다: The Han River *empties into* the Yellow Sea. 한강은 황해로 흘러 들어간다. ★ itself를 넣으면 empty는 *vt.* ***~ out*** 모조리 비우다[털어내다].

㊕ **-ti·ly** *ad.* 헛되이, 공허하게; 무의미하게. *__-ti·ness__ *n.* Ⓤ ① (텅) 빔; (사상·마음의) 공허. ② 덧없음; 무의미. ③ 공복.

émpty cálorie (단백질·무기질·비타민이 거의 없는 식품의) 공(空) 칼로리.

emp·ty-hand·ed [-hǽndid] *a.* 빈손[맨손]의: send a person away ~ 아무를 빈손으로 보내다.

emp·ty-head·ed [-hédid] *a.* 머리가 빈, 무지한, 바보 같은.

émpty néster 《美口》 (자식들이 자립해서 나가고) 부부뿐인 집.

em·pur·ple [empə́:rpl] *vt.* …을 자줏빛으로 하다[물들이다]. ㊕ **~d** [-d] *a.* 자줏빛으로 된.

em·py·e·ma [èmpaiíːmə] *n.* 【醫】 축농(증).

em·py·re·al [empíriəl, èmpəríːəl, èmpairíːəl] *a.* [限定的] 최고천(最高天)의, 천상계(天上界)의.

em·py·re·an [èmpəríːən, -pai-, empíriən] *n.* (the ~; 종종 E-) 최고천(最高天)《고대 우주론에서 말하는 불과 빛의 세계로, 나중에는 신이 사는 곳으로 믿었음》; 높은 하늘(sky).

EMR educable mentally retarded(교육이 가능한 지진아). **EMS** European Monetary System ((EC의) 유럽 통화 제도). **EMT** emergency medical technician(구급 의료 기사).

emu [íːmjuː] *n.* Ⓒ 【鳥】 에뮤《타조 비슷한, 오스트레일리아산의 날지 못하는 큰 새》.

em·u·late [émjəlèit] *vt.* ① …와 겨루다. ② (지지 않으려고) …을 열심히 배우다: It's customary for boys to ~ their fathers. 남자 아이는 아버지를 본받으려는 습관이 있다. ③ 【컴】 대리 실행[대행]하다.

em·u·la·tion [èmjəléiʃən] *n.* Ⓤ 경쟁[대항](심), 겨룸; 【컴】 대리 실행[대행].

em·u·la·tor [émjəlèitər] *n.* Ⓒ ① 경쟁자. ② 【컴】 대리 실행기[대행기] 《emulation을 하는 장치·프로그램》.

em·u·lous [émjələs] *a.* 경쟁적인, 경쟁심[대항의식]이 강한.

㊕ **~·ly** *ad.* 다투어, 경쟁적으로. **~·ness** *n.*

emul·si·fi·er [imʌ́lsəfàiər] *n.* Ⓒ 유화제(劑).

emul·si·fy [imʌ́lsəfài] *vt.* …을 유제화(乳劑化)하다, 유화(乳化)하다. ㊕ **emùl·si·fi·cá·tion** [-fikéiʃən] *n.* Ⓤ 유화 (작용).

emul·sion [imʌ́lʃən] *n.* Ⓤ,Ⓒ 유상액(乳狀液); 【化·藥】 유화, 유탁(乳濁); 【寫】 감광 유제 (乳劑).

emúlsion pàint 에멀션 페인트[도료]《바르면 광택이 없어짐》.

en [en] *n.* Ⓒ ① N자. ② 【印】 반각, 이분(二分)《전각 (em)의 절반》. ⓒⓕ em.

en-, em- *pref.* ① [名詞에 붙어서] '…안에 넣다, …위에 놓다'의 뜻을 나타내는 동사를 만듦: *en*gulf, *em*bed. ② [名詞 또는 形容詞에 붙어] '…으로[하게] 하다, …이 되게 하다'의 뜻을 나타내는 동사를 만듦: *en*slave, *em*bitter. ★ 이런 경우 접미사 -en이 덧붙을 때가 있음: *em*bold*en*, *en*light*en*. ③ [動詞에 붙어서] '…속[안]에'의 뜻을 첨가함: *en*fold.

-en *suf.* ① [形容詞·名詞에 붙여] '…하게 하다, …이[하게] 되다'의 뜻을 나타내는 동사를 만듦: moist*en*, deep*en*, strength*en*. ② [物質名詞에 붙여] '…의[로 된], 제(製)의'의 뜻을 나타내는 형용사를 만듦: wood*en*, gold*en*. ③ [不規則動詞에 붙여] 과거분사형을 만듦: fall*en*. ④ 지소(指小)명사를 만듦: chick*en*, maid*en*. ⑤ 복수를 만듦: childr*en*, brethr*en*.

*__en·a·ble__ [enéibəl] *vt.* 《~+목/+목+*to* do》 …에게 힘[능력]을 주다, …에게 가능성을 주다; …에게 권한[자격]을 주다; 가능[용이]하게 하다; …을 허용하다, 허가하다: Good health *~ed* him *to* carry out the plan. 건강했기 때문에 그는 그 계획을 수행할 수 있었다 / Rockets have *~d* space travel. 로켓 덕분으로 우주 여행이 가능해졌다 / His large income *~d* him *to* live in comfort. 수입이 많아서 안락하게 살 수 있었다 / A rabbit's large ears ~ it *to* hear the slightest sound. 토끼는 귀가 커서 아주 사소한 소리도 들을 수 있다 / The hot sun *~s* grapes *to* reach optimum ripeness. 뜨거운 햇빛 덕으로 포도가 알맞게 익는다.

en·a·bl·ing [enéibliŋ] *a.* [限定的] 【法】 특별한 권능을 부여하는: ~ legislation 수권법(授權法).

*__en·act__ [enǽkt] *vt.* ① [종종 受動으로] (법안)을 법령[법제]화하다; (법령으로) 규정하다: It *was ~ed* that no wheat should be imported. 소맥의 수입금지가 법으로 규정되었다 / The bill will *be ~ed* in the next session. 그 법안은 다음 회기에

입법화될 것이다. ② (어떤 극·장면)을 상연하다; …의 역(役)을 공연하다 ***as by law ~ed*** 법률이 규정하는 바와 같이. ***Be it further ~ed that....*** 다음과 같이 법률로 정한다 《제정법(制定法)의 서두 문구》.

en·act·ment [enǽktmənt] *n.* ① Ⓤ (법률의) 제정. ② Ⓒ 법규, 조례, 법령.

enam·el** [inǽməl] *n.* ① Ⓤ 법랑(琺瑯); (도기의) 잿물, 유약. ② Ⓒ 법랑 세공품, 법랑을 바른 그릇. ③ Ⓤ.Ⓒ 에나멜; 광택제(劑)《매니큐어용 따위의》: ~ paint 에나멜〔광택〕 도료. ④ Ⓤ 〖齒〗 법랑질(質). ── (-l-***, 《英》 ***-ll-***) *vt.* …에 에나멜〔유약〕을 입히다; 에나멜로 광택을 내다: *~ed* glass 에나멜 칠한 유리 / *~ed* leather 에나멜 가죽.

enam·el·ware [inǽməlwɛ̀ər] *n.* Ⓤ 〔集合的〕 양재기, 법랑 철기.

en·am·ored, 《英》 **-oured** [inǽmərd] *a.* …에 반한, 매혹된《*of* ; *with*》: He's ~ *of* a popular singer. 한 인기 가수에 반해 있다.

en bloc [*F.* ɑ̃blɔk] 《F.》 총괄하여, 일괄하여: resign ~ 총사직하다.

en·cage [enkéidʒ] *vt.* …을 둥우리에 넣다; 가두다(cage).

***en·camp** [enkǽmp] *vi.* 〖軍〗 진을 치다, 야영하다《*at* ; *in* ; *on*》. ── *vt.* 〔흔히 受動으로〕 (군대)를 야영시키다《*at* ; *in* ; *on*》: The army *was ~ed* outside the walls. 군대는 성벽 밖에서 야영했다.

en·camp·ment [enkǽmpmənt] *n.* Ⓤ 진을 침; Ⓒ 야영(지); 〔集合的〕 야영자: the military ~ 군대 야영지 / a gypsy ~ 집시 야영지.

en·cap·su·late [inkǽpsjəlèit] *vt.* …을 캡슐에 넣다; 요약하다. ── *vi.* 캡슐에 들어가다〔싸이다〕. ㊕ **en·càp·su·lá·tion** [-ʃən] *n.* Ⓤ 캡슐에 넣기.

en·case [enkéis] *vt.* 〔종종 受動으로〕 ① …을 상자 (등)에 넣다《*in*》: a doll *~d in* glass 유리 상자에 든 인형. ② (몸)을 싸다《*in*》.

en·caus·tic [inkɔ́:stik] *a.* (색을) 달구어 넣은; 소작화(燒灼畫)의, 낙화(烙畫)의; 납화(법)(蠟畫(法))의: ~ brick〔tile〕 채색 벽돌〔기와〕. ── *n.* Ⓤ 납화법; Ⓒ 납화.

-ence *suf.* -ent 를 어미로 갖는 형용사에 대한 명사 어미: depend*ence*, abs*ence*.

en·ceph·a·li·tis [insèfəláitis] *n.* Ⓤ 〖醫〗 뇌염: ~ epidemic 유행성 뇌염.

en·ceph·a·lon [inséfəlɑ̀n, en- / -kéfəlɔ̀n, -séf-] (*pl.* ***-la*** [-lə]) *n.* Ⓒ 〖解〗 뇌, 뇌수(brain).

en·chain [entʃéin] *vt.* …을 사슬로 매다; 속박〔구속〕하다. ㊕ **~·ment** *n.*

‡**en·chant** [entʃǽnt, -tʃɑ́:nt] *vt.* ① 〔종종 受動으로〕 …을 매혹하다, 황홀케 하다, …의 마음을 호리다《*by* ; *with*》: The tourists *were ~ed by* the scenery. 관광객들은 그 경치에 넋을 잃었다. ② …에 마법을 걸다: In the legend, the nightingale sings all night and *~s* the snake. 전설에, 그 나이팅게일은 밤새껏 울어서 뱀을 마법에 걸었다 한다.

en·chant·er [entʃǽntər, -tʃɑ́:nt-] *n.* Ⓒ ① 마법사. ② 매혹시키는 사람〔것〕.

***en·chant·ing** [entʃǽntiŋ, -tʃɑ́:nt-] *a.* 매혹적인, 황홀케 하는, 혼을 빼앗는: an ~ smile. ㊕ **~·ly** *ad.* **~·ness** *n.*

***en·chant·ment** [entʃǽntmənt, -tʃɑ́:nt-] *n.* ① Ⓤ.Ⓒ 매혹, 매력; 황홀(상태): Her ~ is in her eyes. 그녀의 매력은 눈에 있다. ② Ⓒ 매혹하는 것, 황홀케 하는 것. ③ Ⓤ 마법을 걸기; 마법에 걸린 상태.

en·chant·ress [entʃǽntris, -tʃɑ́:nt-] *n.* Ⓒ ① 여자 마법사. ② 매력 있는 여자, 요부.

en·chase [intʃéis, en-] *vt.* (보석 따위)를 박다, 아로새기다; 상감(象嵌)하다《*with*》: ~ diamonds *in* gold = ~ gold *with* diamonds 금에 다이아몬드를 박아 넣다 / The crown was *~d with* gold and silver. 왕관에 금은이 아로새겨져 있었다.

en·ci·pher [insáifər, en-] *vt.* (통신문 등)을 암호로 하다, 암호화하다. OPP. *decipher*. ㊕ **~·er** *n.* **~·ment** *n.*

***en·cir·cle** [ensə́:rkl] *vt.* ① 〔종종 受動으로〕 …을 에워〔둘러〕싸다(surround)《*by* ; *with*》: a lake *~d by* tree 나무로 에워싸인 호수 / enemy troops *encircling* the town 도시를 포위하고 있는 적군. ② …을 일주하다: ~ the globe 지구를 일주하다. ㊕ **~·ment** *n.* Ⓤ 둘러쌈, 포위.

en·clave [énkleiv] *n.* Ⓒ ① 어느 한 나라 안에 있는 타국의 영토. cf. exclave. ② (다른 민족 속에 고립된) 소수 민족 집단. ③ (특정 문화권에 고립된) 이종(異種) 문화권.

‡**en·close** [enklóuz] *vt.* ① 《+목+전+명》 〔종종 受動으로〕 (장소)를 둘러싸다, 에워싸다《*by* ; *with*》: ~ a letter *with* a circle 글자에 동그라미를 치다 / The pond *is ~d by* trees. 연못은 나무로 둘러싸여 있다. ② 《~+목 / +목+전+명》 (편지 따위에) …을 동봉하다: ~ return postage 반신료를 동봉하다 / *Enclosed*(,) please find a check for 100 dollars. 100 달러 수표를 동봉하니 받아 주시오《상용(常用)문에》 / ~ a check *with* a letter 편지에 수표를 동봉하다. ③ (공유지를 사유지로 하기 위해) …을 둘러막다: ~ common land 공유지를 둘러막아 사유화하다. ◇ enclosure *n.*

***en·clo·sure** [enklóuʒər] *n.* ① Ⓤ 울을 함, (특히 공유지를 사유지로 하기 위해) 울을 둘러치는 일. ② Ⓒ 동봉한 것. ③ Ⓒ 울로 둘러 막은 땅; 구내, 경내(境內); 울타리.

en·code [enkóud] *vt.* ① (보통문)을 암호로 고쳐 쓰다; 암호화〔기호화〕하다. ② 〖컴〗 부호 매기다, 인코드.

en·cod·er [enkóudər] *n.* Ⓒ ① 암호기. ② 〖컴〗 부호 매김기(coder), 인코더.

en·co·mi·um [enkóumiəm] (*pl.* ***~s, -mia*** [-miə]) *n.* Ⓒ 찬사, 칭찬, 찬미.

en·com·pass [inkʌ́mpəs] *vt.* ① …을 둘러〔에워〕싸다, 포위하다(surround): Doubts and fears *~ed* her. 의혹과 두려움이 그녀를 에워쌌다. ② 포함하다: The course *~es* the whole of English literature since 1850. 이 코스에는 1850년 이후의 모든 영문학이 망라돼 있다. ③ (나쁜 결과 등)을 초래하다. ㊕ **~·ment** *n.* 둘러쌈, 포위; 망라.

en·core [ɑ́ŋkɔ:r, ɑnkɔ́:r / ɔŋkɔ́:r] *n.* Ⓒ 《F.》 재청, 앙코르의 요청; 재연주(의 곡): get an ~ 앙코르를 요청받다. ── *int.* 재청이오《★프랑스에서는 encore라 않고, Bis [bis] 라고 외침》. ── *vt.* (연주자)에 앙코르를 청하다; (노래 등)을 앙코르하다.

‡**en·coun·ter** [enkáuntər] *n.* Ⓒ ① 우연한 만남. ② (위험·난관·적 등과의) 만남; 조우전(遭遇戰), 회전(會戰); 대결: Three officers were killed in the ~. 그 조우전에서 장교 세 사람이 전사했다. ── *vt.* ① …와 우연히 만나다, 마주치다, 조우하다: ~ an old friend on the street 거리에서 우연히 옛 친구를 만나다. ② (적)과 교전하다, …와 맞서다, …에 대항하다: ~ an enemy force 적군과 대전하다. ③ (곤란·위험 등)에 부닥치다: ~ problems〔difficulties〕 문제〔곤란〕에 부닥치다 / His proposals are likely to ~ fierce opposition. 그의 제안은 맹렬한 반대에 부닥칠 것 같다.

encóunter gròup 〖醫·心〗 집단 감수성 훈련 그룹《서로가 접촉함으로써 심리적 이익을 도모하는 그룹》.

***en·cour·age** [enkə́:ridʒ, -kʌ́r-] *vt.* ①《~+목/+목+*to* do/+목+전+명》…을 격려〔고무〕하다《*at*; *by*》: No one ~*d* her. 아무도 그녀를 격려하지 않았다/The professor ~*d* me *in* my studies. 교수는 나의 연구를 격려해 주었다/I was greatly ~*d by* the news. 그 소식에 나는 크게 고무됐다. ② 장려하다, 조장하다, 원조하다; 촉진하다: ~ learning 학문을 장려하다/Warmth and rain ~ the growth of plants. 따뜻한 날씨와 비는 식물의 성장을 촉진한다. OPP *discourage.*

***en·cour·age·ment** [-mənt] *n.* ① Ⓤ 격려; 장려: grants for the ~ of research 연구 장려금. ② Ⓒ 장려가 되는 것: His interest in my work was a great ~. 내 작품에 대한 그의 관심이 내게 커다란 격려가 되었다.

en·cour·ag·ing [enkə́:ridʒiŋ, -kʌ́r-] *a.* 장려〔고무〕하는: ~ news 쾌보.
㊞ **~·ly** *ad.* 고무적으로.

en·croach [enkróutʃ] *vi.* 《+전+명》(남의 땅·권리·시간 등을) 침입하다, 잠식〔침해〕하다《*on*, *upon*》: ~ *on* a neighbor's privacy 이웃의 사생활을 침해하다/A good salesman will not ~ *on* his customer's time. 유능한 세일즈맨은 손님의 시간을 빼앗지 않는다/The sea has ~*ed upon* the land. 바다가 육지를 침식하고 있다.
㊞ **~·ment** *n.* ① Ⓤ,Ⓒ 침입, 침해, 잠식. ② Ⓒ 침략물〔지〕(物〔地〕).

en·crust [enkrʌ́st] *vt.* 〔흔히 受動으로〕 ① 껍데기로 덮다: boots ~*ed with* dirt 진흙투성이가 된 장화. ②…을 아로새기다; (보석 등)을 박다: The silver box *was* ~*ed with* jewels. 은으로 만든 상자에는 보석이 잔뜩 박혀 있었다.

en·crýp·tion àlgorithm [enkrípʃən-] 〖컴〗 부호 매김 풀이법《정보 해독 불능에 대비해 수학적으로 기술된 법칙의 모음》.

***en·cum·ber** [enkʌ́mbər] *vt.* 〔종종 受動으로〕《~+목/+목+전+명》…을 방해하다, 부자유스럽게 하다, 거치적거리다; (빚·의무 등)을 지우다; (장애물로 장소)를 막다《*with*》: Her long skirt ~*ed* her movement. 긴 치마가 거치적거렸다/She *was* ~*ed with* two heavy suitcases. 그녀는 두 개의 무거운 슈트케이스를 들고 있어서 거동이 불편했다/~ an estate *with* a mortgage 땅을 저당 잡다.

en·cum·brance [inkʌ́mbrəns, en-] *n.* Ⓒ ① 방해물, 장애물; 걸리는 것, 두통거리; 《특히》(거추장스러운) 아이: without ~ 딸린 것이〔아이가〕 없어《★ 無冠詞》. ② 〖法〗 부동산에 대한 부담《저당권 등》: an estate freed from all ~*s* 전혀 저당이 잡혀 있지 않은 땅.

-ency *suf.* '성질·상태'의 뜻을 나타내는 명사를 만듦: depend*ency.*

en·cyc·li·cal [ensíklikəl, -sáik-] *n.* Ⓒ 회칙(回勅)《특히 로마 교황이 모든 성직자에게 보내는》.

***en·cy·clo·pe·dia, -pae-** [ensàikloupí:diə] *n.* Ⓒ 백과 사전: the *Encyclopaedia* Britannica 대영 백과 사전.

en·cy·clo·pe·dic, -di·cal [-pí:dik], [-əl] *a.* 백과 사전의; 지식이 광범한, 박학인: *encyclopedic* knowledge 광범한〔백과 사전 같은〕 지식.

en·cy·clo·pe·dist [-dist] *n.* Ⓒ 백과 사전 편집〔집필〕자.

†end [end] *n.* Ⓒ ① 끝《*of* a day》; (이야기 따위의) 결말, 끝맺음; 결과: And that is the ~ (of the matter). 그것으로 끝이다. ② 종말; 멸망; 최후, 죽음; 죽음〔파멸·멸망〕의 근원; (세상의) 종말: near one's ~ 임종이 가까워/put an ~ to one's life〔oneself〕 자살하다/This failure will be the ~ of him. 이것이 실패하면 그는 죽게 될 것이다/The ~ makes all equal. 《俗談》 죽으면 모두가 평등하다. ③ 끝, 말단; (가로 따위의) 변두리; (방 따위의) 막다른 곳; (막대기 등의) 앞끝; (편지·책 따위의) 말미: the deep ~ (of a pool) (풀의) 깊은 쪽/no problem at my ~ 이쪽으로서는 문제 없음/the person at〔on〕 the other ~ of the line 전화의 상대방. ④ (흔히 *pl.*) 지스러기, 나부랑이: cigaret(te) ~*s* 담배 꽁초. ⑤ 한도, 제한, 한(限) (limit): at the ~ of stores 〔endurance〕 저축〔인내력〕이 다해. ⑥ 목적 (aim): a means to an ~ 목적에 이르는 수단/the ~ for which men exist 인간의 존재 이유/gain〔attain〕 one's ~(*s*) 목적을 이루다/The ~ justifies the means. 《俗談》 목적은 수단을 정당화한다. ⑦ (사업 등의) 부문, 면. ◇ final, terminal, ultimate *a.* ***all ~s up*** 완전히, 철저하게: beat a person *all ~s up* 아무를 심하게 때리다. ***at a loose ~*** =***at loose ~s*** (1) 일정한 직업이나 계획 없이. (2) 일정치 않게; 미해결인 채로. ***at an ~*** 다하여, 끝나고: The strike is *at an* ~ 파업은 끝났다. ***at*** one***'s wit's*** 〔***wits'***〕 ***~*** 곤경에 빠져, 어찌해야 할지 난처하여. ***at the deep ~*** (일 따위의) 가장 곤란한 곳에. ***at the ~*** 최후에는, 끝내는. ***at the ~ of the day*** 곰곰이 숙고하여, 요컨대, 결국. ***be at*** 〔***come to***〕 ***the ~ of*** one***'s rope*** 진퇴유곡에 빠지다. ***begin*** 〔***start***〕 ***at the wrong ~*** 첫머리부터 잘 못하다. ***be near*** one***'s ~*** 죽어 가고 있다. ***bring*** a thing ***to an ~*** …을 끝내다, 끝마치다. ***come to*** 〔***meet***〕 ***a bad*** 〔***no good, nasty, sticky***〕 ***~*** 《口》 좋지 않은 일을 당하다, 불행한 최후를 마치다. ***come to an ~*** 끝나다, 마치다. ***~ for ~*** 양 끝을 거꾸로, 반대로. ***~ on*** (선단을) 앞〔이쪽〕으로 향하게; 끝과 끝을 맞추어. ***~ over ~*** 빙글빙글 (회전하여): The car went over the cliff spinning ~ *over* ~. 차는 빙글빙글 돌면서 절벽으로 떨어졌다. ***~ to ~*** 끝과 끝을 이어서. ***~ up*** 한 끝을 위로 하여, 직립하여. ***from ~ to ~*** 끝에서 끝까지. ★ 대어(對語)로서 무관사. ***get*** (***hold of***) ***the wrong ~ of the stick*** ⇨ STICK. ***get the dirty ~ of the stick*** 《口》 부당한 취급을 받다; 싫은 일을 하게 되다. ***go off*** (***at***) ***the deep ~*** 자제력을 잃다, 무모한 짓을 하다. ***have an ~*** 종말을 고하다. ***have an ~ in view*** 계획〔계략〕을 품다. ***in the ~*** 마침내, 결국은. ***jump*** 〔***plunge***〕 ***in at the deep ~*** (일 따위를) 느닷없이 어려운 데서부터 시작하다. ***make an ~ of*** …을 끝내다〔그만두다〕, …을 다하다, …을 해치우다. ***make*** (***both***) ***~s meet*** 수지를 맞추다, 빚 안 지고 살아가다: It's difficult to *make ~s meet* on my husband's small salary. 남편의 적은 급료로는 살기가 힘들다. ***meet*** one***'s ~*** 최후를 마치다, 숨을 거두다. ***never*** 〔***not***〕 ***hear the ~ of*** …에 대해 끝없이 듣다. ***no ~*** 《口》 (1) 듬뿍, 많이, 몹시: I'm *no* ~ glad. 몹시 기쁘다/He helped me *no* ~. 나를 많이 도와 주었다. (2) 거의 그침이 없이, 계속: The baby cried *no* ~. 아기는 계속 울어댔다. ***no ~ of*** 〔***to***〕 (1) 《口》 매우 많은, 끝이 없는: I met *no* ~ *of* people. 나는 여러 사람을 만났다. (2) 굉장한, 훌륭한; 심한: *no* ~ *of* a fool 큰 바보. ***on ~*** (1) 똑바로 서서: The terrible sight made my hair stand *on* ~. 그 무서운 광경에 머리털이 곤두섰다. (2) 계속하여, 연달아: It rained for three days *on* ~. 비가 내리 사흘을 왔다. ***play both***

~s against the middle 자기가 유리하도록 대립하는 두 사람을 다투게 하다, 어부지리를 얻다. ***put an ~ to*** …을 끝내다, …에 종지부를 찍다(stop); …을 폐하다〔죽이다〕. (***reach***) ***the ~ of the line*** 파국(에 이르다). ***see an ~ of*** 〔***to***〕(싫은 것, 싸움 따위가) 끝나는 것을 지켜보다. ***serve*** a person***'s ~*** 뜻대로 되다. ***the*** (***absolute***) ***~***《口》인내의 한계. ***the ~ of the world*** 세계의 종말 : It's not *the ~ of the world.* 세상이 끝나는 것도 아니다《불행을 위로하는 말》. ***think no ~ of*** a person 아무를 존중하다, 높이 평가하다. ***throw*** a person ***in at the deep ~***《口》아무를 갑자기 어려운 일을 하게 하다. ***to no ~*** 무익하게, 헛되이(vain) : I labored *to no ~.* 헛일했다. ***to the ~*** = 《口》 ***to the ~ of the chapter*** 끝까지, 영구히 : *to the ~* of time 언제까지나. ***to the ~s of the earth*** 땅 끝까지《찾아 헤매다 따위》. ***to the ~ that . . .*** …하기 위하여, …의 목적으로(in order that). ***without ~*** 끝없이, 영원히.

— *a.* 〔限定的〕 최후의, 최종적인 : the ~ result 최종 결과. — *vt.* ① …을 끝내다, 마치다 : We ~*ed* the negotiation. 교섭을 마쳤다. ② …의 끝부분을 이루다 : That scene ~*s* the novel. 그 장면에서 그 소설은 끝나 있다.

— *vi.* ①《~ / +전+명》끝나다, 끝마치다, 종말을 고하다 : Here our journey ~*s.* 여기가 우리의 목적지다. ②《~ / +전+명》…으로 끝나다, 결국 …이 되다《*in*》: The novel ~*s in* catastrophe. 그 소설은 비극적 종말로 끝난다. ③ 이야기를 끝마치다. ④ 죽다(die).

~ by do*ing* 결국〔마지막으로〕…하다, …하는 것으로 끝나다 : He will ~ *by* marry*ing* her. 결국 그는 그녀와 결혼하게 될 것이다. ***~ in*** …로 끝나다, 결국 …이 되다, …에 귀결되다 : ~ *in* a failure. ***~ it*** (***all***)《口》자살하다. ***~ off*** (연설 등을) 결론짓다, 끝내다 : He ~*ed off* his speech with a moral. 한마디 교훈을 하고 연설을 끝냈다. ***~ up*** 끝내다 ; 결국에는 …이 되다《*in*》: He will ~ *up in* prison. 그는 끝내는 교도소 신세를 질 것이다 / The party ~*ed up with* dancing. 파티는 춤으로 끝났다. ***~ with*** …로 끝나다, …로 그만두다 : ~ the dinner *with* fruit and coffee 식사가 과일과 커피로 끝나다.

end-, endo- '내(부)…'의 뜻의 결합사. OPP. ｢*ect-, exo-.*

***en·dan·ger** [endéindʒər] *vt.* …을 위태롭게 하다, 위험에 빠뜨리다 : ~ a person's life 아무의 생명을 위태롭게 하다 / an ~*ed* species〖生〗멸종 위기에 있는 종(種) / Smoking ~*s* your health. 흡연은 당신 건강에 몹시 해롭다 / The fire spread ~*ing* several nearby homes. 불은 퍼져 근처의 집들을 위험에 빠뜨렸다.

énd consùmer 최종 소비자(end user).

***en·dear** [endíər] *vt.*《+목+전+명》애정을 느끼게〔그립게〕하다 ;〔再歸的〕(남에게) 사랑받다《*to*》: His humor ~*ed* him *to* all. 유머가 있어 모든 사람이 그를 좋아했다(=He ~*ed himself to* all by his humor.) / The sweet temper of the child ~*ed* him *to* all. 그 애는 마음씨가 고와서 모든 사람의 귀염을 받았다.

en·dear·ing [endíəriŋ] *a.* 애정을 느끼게 하는 : ~ frankness 남들의 사랑을 받는 솔직함 / an ~ smile 귀여운 미소. ㊕ **~·ly** *ad.*

en·dear·ment [endíərmənt] *n.* ① Ⓤ 친애(의 표시) ; 총애, 애무 : a term of ~ 애칭《Elizabeth에 대한 Beth 따위 ; 또는 darling, dear 등의 호칭》. ② Ⓒ (말·행동 등의) 애정의 표시.

***en·deav·or,**《英》**-our** [endévər] *vt.*《+*to* do》…하려고 노력하다 : ~ *to* soothe her 그녀를 달래려고 애쓰다. — *vi.*《~ / +전+명》노력하다, 애쓰다 : ~ *to* the best of one's ability 능력껏 노력하다. — *n.* Ⓒ 노력, 진력《★ effort 보다는 문어적인 말》: make every ~ *to* establish 〔*at* establish*ing*〕 peace 평화를 확립하려고 갖은 노력을 하다.

en·dem·ic [endémik] *a.* ① (병이) 한 지방에 특유한, 풍토성의 : an ~ disease 풍토병 / a fever ~ *to* 〔*in*〕 the tropics 열대 특유의 열병. ② (동식물 등이) 특정 지방에 한정된 ; 특정 민족〔국가〕에 고유한. — *n.* Ⓒ 풍토병 ;〖生〗고유종.
㊕ **-i·cal** [-kəl] *a.* = ENDEMIC. **-i·cal·ly** [-kəli] *ad.*

énd gàme (체스 따위의) 종반 ; 막판.

***end·ing** [éndiŋ] *n.* Ⓒ ① 결말, 종료, 종국 : a film with a happy ~ 해피 엔딩의 영화 / A good beginning makes a good ~. 시작이 좋으면 끝도 좋다. ②〖文法〗(활용) 어미《books 의 -*s* 따위》: plural ~*s* 복수 어미.

en·dive [éndaiv, ɑ́ndiv] *n.* Ⓒ〖植〗꽃상추의 일종(escarole)《chicory 의 일종 ; 샐러드용》.

énd kèy〖컴〗꼬리(글)쇠.

‡**end·less** [éndlis] (***more ~ ; most ~***) *a.* ① 끝없는, 무한한 : an ~ desert 광막한 사막 / an ~ sermon 장황한 설교. ② 끊임없는, 부단한 : an ~ stream of cars 끊임없이 계속되는 자동차의 물결. ③〖機〗순환하는 : an ~ belt 〔chain〕(이음매가 없는) 순환 피대〔사슬〕/ an ~ saw 띠톱. ㊕ **~·ly** *ad.* 끝없이, 계속적으로. **~·ness** *n.*

éndless loop〖컴〗무한 맴돌이《프로그램이 어떤 부분을 반복적으로 무한히 실행하여 그 상태에서 빠져 나오지 못하는 상태》.

énd lìne〖競〗엔드라인.

end·most [éndmòust] *a.* 말단의〔에 가까운〕.

endo- '내(內)…, 흡수'의 뜻의 결합사 : *endocrine.* OPP. *exo-.*

en·do·car·di·um [èndoukɑ́ːrdiəm] (*pl.* **-dia** [-diə]) *n.* Ⓒ〖解〗심장 내막.

en·do·crine [éndoukràin, -krì(ː)n] *a.* 〔限定的〕〖生理〗내분비(선(腺))의, 내분비선 같은, 호르몬의. — *n.* Ⓒ 내분비물 ; 내분비선(腺)(=∠ glànd).

en·do·cri·nol·o·gy [èndoukrainɑ́lədʒi, -krə-/ -nɔ́l-] *n.* Ⓤ 내분비학. ㊕ **-gist** *n.* Ⓒ 내분비학자.

en·do·derm [éndoudəːrm] *n.* Ⓒ〖生〗내배엽(內胚葉);〖植〗내피층. cf. ectoderm.

en·dog·a·my [endɑ́gəmi / -dɔ́g-] *n.* Ⓤ 동족 결혼. OPP. *exogamy.*

en·do·plasm [éndouplæzəm] *n.* Ⓤ〖生〗(세포 원형질의) 내질(內質), 내부 원형질.
㊕ **èn·do·plás·mic** [-plǽzmik] *a.*

en·dor·phin [endɔ́ːrfin] *n.* Ⓤ〖生化〗엔도르핀《내인성(內因性)의 모르핀 같은 펩티드 ; 진통 작용이 있음》.

***en·dorse, in-** [endɔ́ːrs], [in-] *vt.* ① (어음·수표 등)에 배서(背書)하다 ; (서류 뒷면)에 설명·메모 따위를 기입하다 : ~ a check. ②〔흔히 受動으로〕(운전 면허증 등) 뒤에 위반 사항 등을 적어 넣다 : His driving licence had *been ~d.* 그의 운전 면허증엔 위반 사항이 적혀 있었다. ③ (남의 의견)을 찬성〔지지〕하다. ④ (선전에서 상품 등)을 권장하다.

en·dor·see [endɔːrsíː, ⌐-⌐, ⌐⌐-] *n.* Ⓒ 피(被)배서(양수)인《배서에 의한 어음의 양수인》.

en·dorse·ment [endɔ́ːrsmənt] *n.* Ⓤ,Ⓒ ① 배서 : ~ in blank 〔in full〕 무기명〔기명〕배서. ② 보증, 시인, 승인. ③《美》(유명인의 TV 등에서의 상품) 보증 선전. ④《英》운전 면허증에 기입된 교

통 위반 기록.

en·dors·er [endɔ́ːrsər] *n.* [C] 배서(양도)인.

en·do·scope [éndəskòup] *n.* [C]〖醫〗(직장·요도(尿道) 등의) 내시경(內視鏡).

en·dos·co·py [endάskəpi / -dɔ́s-] *n.* [U]〖醫〗내시경 검사(법).

‡en·dow [endáu] *vt.* ①《~+[목] / +[목]+[전]+[명]》(능력·자질 따위)를 …에게 주다, …에게 부여하다《*with*》: Nature has ~*ed* him *with* great ability. 그에게는 위대한 천부적 재능이 있다. ② (병원·학교 등)에 기금을 기부〔증여〕하다《*with*》: an ~*ed* school 기본재산을 가진 학교, 재단 법인 조직의 학교 / ~ a college 대학에 기금을 기부하다 / He ~*ed* the new hospital *with* a large sum of money. 그는 새 병원에 다액의 돈을 기부했다. ***be ~ed with*** …을 타고나다 : She *is* ~*ed with* both beauty and brains. 그녀는 아름다움과 지혜를 아울러 가지고 태어났다. [파] ~·**er** *n.* [C]

***en·dow·ment** [endáumənt] *n.* ① **a)** [U] 기증, (기금의) 기부, 유증(遺贈). **b)** [C] (흔히 *pl.*) 기부금 ; (기부된) 기본 재산 : The college received a large ~ from Mr. Smith. 대학은 스미스씨로부터 많은 기부금을 받았다. ② [C] (흔히 *pl.*) 천부의 재주, 타고난 재능 : natural ~*s* 천부의 재질.

endówment insùrance 〔《英》 **assùrance**〕 양로 보험.

endówment pòlicy 양로 보험(증권).

énd pàper (흔히 *pl.*) (책의) 면지(=**énd shèet**).

énd pòint 종료점(終了點), 종점.

énd pròduct (일련의 변화, 화학 반응의) 최종 결과, 완제품 ;〖原子物〗최종 생성물.

énd rùn ①〖美蹴〗공을 갖고서 상대편의 측면을 돌아 후방으로 나감. ② (전쟁·정치에서의) 회피적 전술.

énd tàble 엔드테이블《소파 곁에 놓는 작은 탁자》.

en·due [indjúː, en-] *vt.* 《+[목]+[전]+[명]》〔흔히 受動으로〕(능력·천성 따위)를 부여하다, 주다《*with*》: a man ~*d with* virtue 덕을 갖춘 사람 / Even the greatest thinkers *are* not ~*d with* perfect wisdom. 아무리 위대한 사상가라도 완전한 지혜를 갖추고 있지는 않다.

en·dur·a·ble [indjúərəbəl, en-] *a.* 견딜〔참을〕수 있는 ; 감내할 수 있는 : His insults were not ~. 그의 모욕에는 참을 수 없었다 / When the pain became no longer ~, he took some painkillers. 아파서 더는 못견딜 때 그는 진통제를 몇 알 먹었다. [파] **-bly** *ad.* 견딜 수 있도록.

‡en·dur·ance [indjúərəns, en-] *n.* [U] ① 인내, 감내. ② 인내력, 지구력, 내구력 : reach the limits of human ~ 인내심의 한계에 도달하다 / He showed remarkable ~ throughout his illness. 병중 줄곧 놀랄 만한 인내심을 발휘했다. ***beyond*** 〔***past***〕 ~ 참을 수 없을 만큼, 견딜 수 없게 : The pain was bad *beyond* ~. 통증은 참을 수 없을 정도로 심했다.

endúrance tèst (재료의) 내구 시험(fatigue test) ; 인내심 시험 : Jane's party was more of an ~ than anything else. 제인 집에서의 파티는 다름 아닌 인내심 시험장 같았다.

‡en·dure [endjúər] *vt.* ①《~+[목] / +-*ing* / +*to* do》(사람·물건이) …을 견디다, 인내하다 ; 〔주로 否定文〕 …을 참다 : can*not* ~ the sight 차마 볼 수 없다 / The family had to ~ a hard life. 가족들은 어려운 생활을 견뎌야 했다 / I *can't* ~ *to* listen to this poor music any longer. 이 형편 없는 음악을 이 이상 들을 수 없다. ② (고난 따위)를 경험하다, 받다. ── *vi.* ① 지탱하다, 지속하다 : as long as life ~*s* 목숨이 지속하는 한 / His name will ~ forever. 그의 이름은 영원히 남을 것이다. ② 참다 : ~ to the last.

***en·dur·ing** [indjúəriŋ, en-] *a.* 지속하는, 영속적인 ; 항구적인 : an ~ fame 불후의 명성 / ~ peace〔friendship〕 항구적 평화〔우정〕 / He swore ~ love. 그는 변치 않는 사랑을 맹세했다. [파] ~·**ly** *ad.* ~·**ness** *n.*

en·duro [indjúərou] (*pl.* **~s**) *n.* [C] 《美》(자동차 등의) 장거리 내구(耐久) 경주.

énd úse〖經〗(생산물의) 최종 용도.

énd úser ①〖컴〗최종 사용자. ② =END CONSUMER.

end·ways, end·wise [éndwèiz], [-wàiz] *ad.* ① 끝을 앞쪽으로〔위로〕하고. ② 세로로. ③ (이을 때) 두 끝을 맞대고 : Put sofas together ~. 소파의 끝과 끝을 붙여 놓아라.

En·dym·i·on [endímiən] *n.*〖그神〗엔디미온《달의 여신 셀레네(Selene)의 사랑을 받은 목동》.

ENE, E.N.E., e.n.e. east-northeast (동북동).

en·e·ma [énəmə] (*pl.* **~s, ~·ta** [-tə]) *n.* [C]〖醫〗관장(제)(灌腸(劑)), 관장기 : give an ~ 관장을 하다.

†en·e·my [énəmi] *n.* ① [C] 적, 원수 ; 경쟁 상대. [opp] *friend.* ¶ make many *enemies* 많은 적을 만들다 / make an ~ of …을 적으로 돌리다, …의 반감을 사다 / one's mortal ~ 불공대천의 원수. ② **a)** 〔集合的〕(흔히 the ~) 적군, 적함대, 적국 : *The* ~ was〔were〕 driven back. 적(군)은 격퇴되었다. **b)** [C] 적병, 적함, 적기(敵機)(등) ; 적국인. ③ [C] 해를 끼치는 것, 유해물 : Weather is sometimes the farmer's worst ~. 날씨는 때로 농부의 최악의 적이기도 하다. ***be an ~ to*** …에게〔을〕 적대(시)하다, …을 미워하다, …에게 해를 끼치다 : Prejudice is *an* ~ *to*〔*of*〕 progress. 편견은 진보의 적이다. ***go over to the*** ~ 적군에 넘어가다〔붙다〕. ── *a.* 〔限定的〕 적군〔적국〕에 속하는 ; 적대하는 : an ~ plane 적기(敵機) / ~ property 적국인 자산.

‡en·er·get·ic [ènərdʒétik] (***more*** ~ ; ***most*** ~) *a.* 정력적인, 원기왕성한, 활기에 찬 : an ~ person 정력가 / an ~ performance 활기찬 공연〔연기〕. [파] **-i·cal·ly** [-ikəli] *ad.*

en·er·get·ics [ènərdʒétiks] *n.* [U] 에너지학(學)〔론(論)〕.

en·er·gize [énərdʒàiz] *vt.* …에 정력을〔에너지를〕 주입하다, 활기를 돋우다 : Food ~*s* the body. 음식물은 육체에 에너지를 공급한다.

‡en·er·gy [énərdʒi] *n.* [U] ① 정력, 활기, 원기 : physical〔spiritual〕 ~ 체력〔기력〕 / Since I started eating more regularly, I've felt so full of ~. 더 규칙적으로 식사하기 시작한 이래로 정력이 왕성해짐을 느꼈다. ② (말·동작 따위의) 힘 : act〔speak〕 *with* ~ 힘차게 행동〔말〕하다. ③ (종종 *pl.*) (개인의) 활동력, 행동력 : My *energies* are low these days. 요즈음 일에 힘이 나지 않는다 / apply all one's *energies* to a task 일에 모든 힘을 쏟다 / She started to devote her *energies* to teaching. 그녀는 가르치는 데 힘을 쏟기 시작했다. ④〖物〗에너지 : kinetic〔active, motive〕 ~ 운동에너지 / atomic ~ 원자력 / solar ~ 태양 에너지 / ~ crisis 에너지 위기 / ~-saving measures 에너지 절약 방책 / ~ conversion 에너지 전환 / ~ resources 에너지 자원 / the law of ~ conservation 에너지 보존의 법칙.

~ ***alternative*** 〔***substitute***〕 대체 에너지. ~ ***efficiency*** 에너지 효율.

en·er·gy-sav·ing [-sèiviŋ] *a.* 에너지를 절약하는 : an ~ device 에너지 절약 장치.

en·er·vate [énərvèit] *vt.* 〔종종 受動으로〕 …의 기력을 빼앗다, 힘을 약화시키다 : Heat ~*s* people. 더위는 사람들을 무기력하게 만든다 / He *was* ~*d by* his long illness. 그는 오랜 병으로 쇠약해졌다.

en·er·va·tion [ènərvéiʃən] *n.* [U] 활력을 빼앗음〔빼앗김〕; 쇠약.

en fa·mille [*F.* ɑ̃famij] *a., ad.* 《F.》 ① 가족이 다 모인〔여〕, 가족적인〔으로〕, 집안끼리 : dine ~ 식구끼리 식사하다. ② 허물〔격의〕 없는〔이〕.

en·fant ter·ri·ble [*F.* ɑ̃fɑ̃teribl] (*pl.* ***en·fants ter·ri·bles***) 《F.》 앙팡 테리블. ① 무서운 아이《어른에게 난처한 말이나 질문을 하는 되바라진 아이》. ② (남에게 폐가 되는 것을 고려하지 않는) 무책임한〔분별 없는〕 사람.

en·fee·ble [infíːbəl, en-] *vt.* 〔종종 受動으로〕 …을 약하게 하다 : He*'s* ~*d by* long illness. 그는 오랜 병으로 심신이 쇠약해져 있다. [파] ~·**ment** *n.* [U] 약하게 하기, 쇠약.

en·fe·ver [infíːvər] *vt.* …을 열광시키다.

en·fold [enfóuld] *vt.* ① 〔종종 受動으로〕 …을 싸다《*in* ; *with*》: She *was* ~*ed in* a shawl. 그녀는 숄로 몸을 감쌌다. ② …을 안다 : ~ a baby in one's arms 양팔로 애기를 안다.

‡**en·force** [enfɔ́ːrs] *vt.* ① (법률 등)을 실시〔시행〕하다, 집행하다 : ~ a law 법을 (실제로) 지키게 하다 / The regulations should be strictly ~*d*. 규칙은 엄격히 지켜져야 한다. ② 《~+[목] / +[목]+[전]+[명]》 (지불·복종 등)을 강요〔강제〕하다 : ~ a blockade 봉쇄를 강행하다 / ~ obedience 복종을 강요하다 / ~ peace *on* the defeated 패자에게 강화를 강요하다. ③ (요구·의견 등)을 강경하게 주장하다, 역설〔강조〕하다.
[파] ~·**a·ble** [-əbəl] *a.* ~할 수 있는. ~·**a·bíl·i·ty** *n.* ~·**ment** *n.* [U] (법률 등의) 시행, 실시 ; 강제, 강요 ; 강조.

en·forced [enfɔ́ːrst] *a.* 강제적인, 강요된 : ~ education 의무 교육 / ~ insurance 강제 보험.
[파] **en·fór·ced·ly** [-sidli] *ad.*

en·fran·chise [enfrǽntʃaiz] *vt.* ① …에게 선거권〔공민권〕을 주다. ② (도시)에 자치권을 주다. ③ (노예 등)을 해방하다, 자유민이 되게 하다.

en·fran·chise·ment [-tʃizmənt, -tʃaiz-] *n.* [U] 선거권〔공민권·자치권〕의 부여 ; (노예의) 해방, 석방.

Eng. England ; English. **eng.** engine ; engineer(ing) ; engraved ; engraver ; engraving.

‡**en·gage** [engéidʒ] *vt.* ①《+[목]+*to* do / +*that* [절]》 …을 약속하다 ; (맹세·약속 따위)로 속박하다 ; 보증하다, 맡다 : She ~*d to* visit you tomorrow. 그녀는 내일 당신을 방문한다고 약속했다 / Can you ~ *that* everything is all right? 만사 잘 되어 있다고 보증할 수 있나. ② 〔受動으로〕 약속〔예약〕이 있다 : I'*m* ~*d* for tomorrow. 내일은 약속〔예약〕이 있다. ③ 〔過去分詞꼴로 形容詞的인 受動으로〕 …을 약혼시키다《*to*》: We became ~*d* this month. 이 달에 약혼했다 / I *am* ~*d to* Nancy. 낸시와 약혼 중이다. ④《~+[목] / +[목]+*as* [보]》 (아무)를 고용하다, 계약하다 ; (좌석·호텔방·차 등)을 예약하다, 빌리다 : ~ two seats at a theater 극장 좌석 두 개를 예약하다 / ~ a person *as* a secretary 아무를 비서로 고용하다 《★《美》에서는 흔히 hire, employ 를 씀》. ⑤ (시간)을 투입〔충당〕하다, 쓰다 ; (전화선)을 사용하다 : have one's time fully ~*d* 시간이 꽉 차 틈이 없다 / Reading ~*s* all my spare time. 나는 독서에 여가시간을 전부 쏜다 / ~ the line *for* ten minutes 10분 동안 전화로 이야기하다 / (the) number's 〔line's〕 ~*d* (전화가) 통화 중이다. ⑥《~+[목] / +[목]+[전]+[명]》 〔受動으로〕 …에 종사하다《*in* ; *on*》, 바쁘다 : He *is* ~*d on* a new work. 새로운 일에 종사하고 있다 / He *is* ~*d in* trade. 그는 장사를 하고 있다 / ~ oneself *in* foreign trade 외국무역에 종사하다 / She *is* ~*d* (*in*) studying French. 그녀는 프랑스어 공부에 바쁘다《★ doing 앞의 in은 생략할 수도 있음》. ⑦《~+[목] / +[목]+[전]+[명]》 (사람을 이야기 따위)에 끌어들이다 ; (흥미·주의 따위)를 끌다 : He boldly ~*d* the girls *in* conversation. 그는 대담하게도 소녀들을 이야기에 끌어들였다. ⑧ …의 마음을〔호의를〕 끌다 : His good nature ~*s* everybody (to him). 사람이 착해서 모두 그를 좋아하게 된다. ⑨ (부대 등)을 교전시키다 ; …와 교전하다 : Our army ~*d* the enemy. 아군은 적과 교전했다. ⑩ (톱니바퀴)를 맞물리게 하다.
— *vi.* ①《+[전]+[명]》 종사하다, 관계하다《*in*》: ~ *in* business 사업에 종사하다. ②《+[전]+[명] / +*that* [절] / +*to* do》 보증하다, 책임을 지다《*for*》: He was unwilling to ~ *on* such terms. 그런 조건으로 책임지기를 싫어했다 / He ~*s for* her honesty. 그녀의 정직은 그가 보증하고 있다 / He ~*d to* do the work by himself. 그 일을 자기 혼자서 하겠다고 맹세했다. ③《+[전]+[명]》 교전하다《*with*》: ~ *with* the enemy 적과 교전하다. ④ (톱니바퀴가) 맞물다, 연동하다《*with*》. ~ ***for*** …을 약속〔보증〕하다 : That is more than I can ~ *for*. 그렇게는 보증할 수 없다. ~ (one***self***) ***in*** (1) …에 종사〔관계〕하다 : ~ (one*self*) *in* teaching 교직에 종사하다. (2) …에 참가하다 : ~ *in* a contest 경기에 참가하다. ~ ***upon*** . . . (새로운 일〔직업〕 등을) 시작하다. ~ one***self to*** …와 약혼하다 : Marry ~*d herself to* Smith. 메리는 스미스와 약혼했다.

***en·gaged** [engéidʒd] *a.* ① 약속이 있는, 예약된 : an ~ seat 예약된 좌석. ② 예정이 있는 ; 활동 중인, 틈이 없는 ; 바쁜 : deeply ~ *d in* conversation 얘기에 열중하고 있는. ③ 약혼 중인 : an ~ couple 약혼한 남녀. ④ 종사하고 있는, 관계하는. ⑤ **a**) (전화가) 통화 중인(《美》 busy) : The number 〔line〕 is ~. 통화 중입니다. **b**) (공중 변소가) 사용 중인. [opp] *vacant*.

engáged sìgnal 〔**tòne**〕 《英》 (전화의) 통화 중 신호(《美》 busy signal).

‡**en·gage·ment** [engéidʒmənt] *n.* ① [C] (회합 등의) 약속 ; 계약 ; a previous ~ 선약. ② [C] 약혼(기간). ③ (*pl.*) 채무. ④ [C] 고용 ; 고용〔출연〕 계약〔기간〕. ⑤ [U] 〖機〗 (톱니바퀴 등의) 맞물기. ⑥ [C] 싸움, 교전 : a military ~ 무력 충돌. ***break off an*** 〔one's〕 ~ 해약〔파혼〕하다. ***make an*** ~ ***with*** …와 약속〔계약〕하다. ***meet*** one***'s*** ~***s*** 채무를 갚다. ***under an*** ~ 계약이 있는.

engágement rìng 약혼 반지.

en·gag·ing [engéidʒiŋ] *a.* 마음을 끄는, 매력적인, 애교 있는 : an ~ smile 매력적인 미소.
[파] ~·**ly** *ad.* ~·**ness** *n.*

Eng·els [éŋgəls] *n.* **Friedrich** ~ 엥겔스《독일의 사회주의자, Marx의 협력자 ; 1820-95》.

en·gen·der [endʒéndər] *vt.* (상태·감정 등)을 발생시키다, 야기시키다, (애정·미움 따위)를 일으키다(cause) : Compassion often ~*s* love. 동정에서 흔히 사랑이 싹튼다.

‡**en·gine** [éndʒən] *n.* [C] ① 엔진, 발동기, 기관 : a steam ~ 증기기관 / start the ~ 엔진에 시동을 걸다. ② 기관차 ; 소방차(fire ~). ③ 〖컴〗 엔진,

기관(흔히 특수 목적의 처리기를 이름).
éngine drìver 《英》 (철도의) 기관사(《美》 engineer).
‡**en·gi·neer** [èndʒəníər] n. [C] ① 기사, 기술자 ; 공학자 : a civil ~ 토목 기사〔공학자〕. ② (상선의) 기관사, 《美》 (철도의) 기관사(《英》 engine driver) ; 《英》 기계공(mechanic) : a chief ~ (배의) 기관장 / a first ~, 1등 기관사. ③ **a**) 육군의 공병 : the Corps of *Engineers* 공병대. **b**) (해군의) 기관 장교. ④ 일을 솜씨 있게 처리하는 사람 ; 인간 공학의 전문가.
— *vt.* ① (공사)를 감독〔설계〕하다. ② 《~+[목] / +[목]+[전]+[명]》 …을 '공작'하다, 꾀하다 ; 교묘하게 계획〔실행〕하다《*through*》 : ~ a plot 계략을 꾸미다.
‡**en·gi·neer·ing** [èndʒəníəriŋ] n. [U] ① 공학, 기관학 : civil 〔electrical, mechanical〕 ~ 토목〔전기, 기계〕 공학 / military ~ 공병학 / an ~ college 공과 대학 / a doctor of ~ 공학 박사. ② 공학 기술 ; (토목·건축의) 공사. ③ 책략, '공작', (교묘한) 처리〔계획, 관리〕.
éngine ròom (선박 등의) 기관실.
†**Eng·land** [íŋglənd] n. ① 잉글랜드《Great Britain 에서 Scotland 및 Wales 를 제외한 부분》. ② 《俗》 (외국인이 말하는) 영국(Great Britain)《★ 영국 전체의 공식 명칭은 the United Kingdom of Great Britain and Northern Ireland》.
†**Eng·lish** [íŋgliʃ] a. ① 영국의 ; 영국 사람의. ② 잉글랜드의 ; 잉글랜드 사람의. ③ 영어의 : the ~ language 영어. — n. ① [U] 〔冠詞 없이〕 영어 : speak in ~ 영어로 말하다 / She speaks good ~. 그녀는 영어를 아주 잘 한다 / in plain ~ 알기 쉬운 영어로. ② (the ~) 영어의 단어〔표현〕; (영어의) 원문 : What is *the* ~ for '이마'? '이마'에 해당되는 영어는 무엇입니까. ③ (the ~) 〔複數 취급〕 영국인, 영국민 ; 영국군 : *The* ~ are a conservative people. 영국인은 보수적인 국민이다 / *The* ~ were once a seafaring nation. 영국인은 한때 해양 국민이었다. ④ 〖印〗 잉글리시 활자체《14포인트에 해당》. ***Give me the ~ of it.*** 쉬운 말로 말해 주게.
Énglish bréakfast 영국식 아침 식사《bacon and eggs, 마멀레이드를 곁들인 토스트와 홍차 등》. [cf] continental breakfast.
Énglish Chánnel (the ~) 영국 해협.
Énglish Chúrch (the ~) 영국 국교회.
Énglish diséase 〔síckness〕 (the ~) 영국병《노동 의욕의 감퇴, 설비 투자 과소로 인한 침체 현상》.
Énglish hórn 잉글리시 호른《oboe 계통의 목관악기》.
†**Eng·lish·man** [-mən] (*pl.* ***-men*** [-mən]) n. [C] 잉글랜드 사람, 영국인.
Énglish Revolútion (the ~) 〖英史〗 영국 혁명, 명예〔무혈〕 혁명《1688-89》.
Énglish sétter 영국 원산의 세터《사냥개》.
Eng·lish-speak·ing [-spì:kiŋ] a. 영어를 (말)하는 : an ~ people 영어 사용 국민 / an ~ world 영어권(圈).
Eng·lish·wom·an** [-wùmən] (*pl.* ***-wom·en [-wìmin]) n. [C] 잉글랜드 여자 ; 영국 여성.
en·gorge [engɔ́:rdʒ] *vt., vi.* (…을) 게걸스럽게 먹다 ; 포식하다.
[파] ~·**ment** n. [U] 탐식, 포식 ; 충혈, 울혈.
en·graft [engrǽft, -grá:ft] *vt.* ① **a**) …을 접붙이다, 접목하다《*into* ; *on* , *upon*》 : ~ a peach *on* a plum 서양 자두나무와 복숭아를 접목하다. **b**) 〖醫〗 (피부·뼈 따위 조직)을 이식(移植)하다《*into* ; *on*》. ② (사상·습관 등)을 주입하다, 명기시키다《*in*》 : ~ patriotism *into* a person's soul 아무에게 애국심을 심어 주다 / Thrift is ~*ed in* his character. 검소가 그의 성격에 배여 있다.
[파] ~·**ment** n.
en·grain [engréin] *vt.* =INGRAIN.
en·grained [-d] a. =INGRAINED.
***en·grave** [engréiv] *vt.* 《~+[목] / +[목]+[전]+[명]》 ① (금속·나무·돌 따위)에 …을 조각하다《*with*》; (문자·도형 등)을 새기다《*on*》 : ~ a stone *with* a name 돌에 이름을 새기다 / ~ a name *on* a watch 시계에 이름을 새기다(=~ a watch *with* a name) / She was presented with an ~*d* silver cup for winning the game. 경기에 우승하여 조각된 은제컵을 받았다. ② 〔흔히 受動으로〕 …을 명심하다, 새겨두다 : The terrible scene *was* ~*d on* his mind. 그 무서운 광경이 그의 마음에 새겨졌다 / The episode remains sharply ~*d on* my mind. 그 에피소드는 내 마음에 깊이 새겨져 있다. ③ (사진판·동판 따위)를 파다 ; 판 동판〔목판〕으로 인쇄하다. [파] **en·gráv·er** [-ər] n. [C] 조각사 ; 조판공(彫版工).
***en·grav·ing** [engréiviŋ] n. ① [U] 조각 ; 조각술, 조판술(彫版術). ② [C] (동판·목판 따위에 의한) 판화(版畫).
***en·gross** [engróus] *vt.* ① (마음·주의)를 빼앗다, 몰두시키다, 열중시키다 : The boy was completely ~*ed in* the television program. 소년은 TV프로에 열중해 있었다 / I was ~*ed with* other matters. 다른 일로 머리가 꽉 찼었다. ② (공문서 따위)를 큰 글자로 쓰다〔베끼다〕.
en·gross·ing [engróusiŋ] a. 마음을 빼앗는, 몰두시키는 : an ~ novel 아주 재미있는 소설.
[파] ~·**ly** ad.
en·gross·ment [engróusmənt] n. [U] 열중, 몰두 ; (공문서 등의) 정서.
en·gulf [engʌ́lf] *vt.* 〔흔히 受動으로〕 ① (늪·강물·불길 등이) …을 삼켜 버리다《*in* ; *by*》 : a world ~*ed in* hatred and intolerance 증오와 편협에 휩싸인 세계 / The boat *was* ~*ed by* 〔*in*〕 waves. 보트는 파도에 휩쓸려 들어갔다. ② (슬픔 등이) …을 짓누르다 : He *was* ~*ed by* 〔*with*〕 grief at the news of his son's death. 아들의 사망 소식을 듣고 슬픔에 휩싸였다 / Panic ~*ed* him. 공포에 휩싸였다.
en·hance [enhǽns, -há:ns] *vt.* (가치·능력·매력 따위)를 높이다, 늘리다, 더하다 : Health ~*d* her beauty. 건강이 그녀의 아름다움을 더욱 돋보이게 했다 / ~ the reputation〔position〕 of somebody 아무의 명성을〔지위를〕 높이다 / ~*d* efficiency 향상된 능률 / I need to find some way of *enhancing* my income. 수입을 늘릴 방도를 찾아야 하겠다. [파] ~·**ment** n. [U,C] 증진, 증대, 증강 ; 등귀 ; 고양.
enig·ma [inígmə] (*pl.* ~***s***, ~·***ta*** [-tə]) n. [C] 수수께끼(riddle) (의 인물) ; 불가해한 사물 : To me he has always been an ~. 내게는 그의 정체(正體)가 언제나 수수께끼였다.
en·jamb·ment, -jambe- [endʒǽmmənt, -dʒǽmb-] n. [U] 〖詩學〗 뜻이 다음 행 또는 연구(連句)에 계속되는 일.
***en·join** [endʒɔ́in] *vt.* ① 《~+[목] / +[목]+[전]+[명] / +[목]+*to* do / +-*ing* / +*that* [절]》 …에게 명령하다, (침묵·순종 따위)를 요구하다(demand); (행동 따위)를 강요하다《*on* , *upon*》 : ~ obedience 〔silence〕 순종〔침묵〕을 명하다 / ~ diligence *on* pupils =~ pupils *to* be diligent 열심히 공부하도록 학생들에게 명하다 / School rules ~ wear*ing* a coat and tie. 교칙은 상의와 타이의 착

용을 명하고 있다 / His religious beliefs ~ *that* he not eat beef. 그의 종교는 쇠고기를 먹어선 안된다고 명하고 있다. ②《+목+전+명》〖法〗…을 금하다, …에게 …하는 것을 금하다(prohibit)《*from*》: ~ a demonstration 데모를 금하다 / The judge ~*ed* both companies *from* engaging such practices in the future. 판사는 쌍방 회사에게 장차 그러한 관습을 행하는 것을 금했다.

†en·joy [endʒɔ́i] *vt.* ①《~+목 / +-*ing*》…을 즐기다, (즐겁게) 맛보다, 향락하다, 재미보다 : ~ life 인생을 즐기다, 즐겁게 살아가다 / ~ the film 영화를 재미있게 보다 / Painting is something that I really ~ do*ing*. 페인트 칠하기는 내가 정말 좋아하는 일이다 / ~ one's dinner 맛있게 식사를 하다 / I've ~*ed* talk*ing* to you about old times. 옛〔지난〕 이야기를 할 수 있어 즐거웠습니다 / How did you ~ your vacation? 휴가는 즐거웠습니까. ②…을 받다, 누리다, (이익 등)을 얻다 : ~ popularity 인기를 누리다 / The average German will ~ 40 day's paid holiday this year. 보통 독일인은 금년에 40일의 유급휴가를 얻을 것이다 / ~ a high standard of living 높은 생활 수준을 누리다. ③ (건강·재산 등)을 가지고 있다; 《戱》 (나쁜 것)을 가지고 있다 : ~ good health 건강이 좋다 / ~ a bad reputation 나쁜 평판을 얻고 있다. ~ one***self*** 즐기다; 즐겁게 보내다 : *Enjoy yourselves!* 자 마음껏 즐기십시오.

‡en·joy·a·ble [endʒɔ́iəbəl] *a.* 즐거운, 재미있는, 유쾌한; 즐길〔누릴〕 수 있는 : have an ~ time 즐거운 시간을 보내다. ⓟ **-bly** *ad.*

‡en·joy·ment [endʒɔ́imənt] *n.* ①U,C 즐거움, 기쁨; 유쾌. ②U (the ~) 향락; 향유, 향수(享受) : *The* ~ of good health is one of my greatest assets. 건강이 내 최대 재산의 하나다. ***take ~ in*** …을 즐기다.

en·kin·dle [enkíndl] *vt.* (불)을 붙이다, 점화하다; 태우다, (정열·정욕 등)을 타오르게 하다.

en·lace [enléis] *vt.* …을 레이스로 (휘)감다, 두르다; 짜(맞추)다, 얽(히게 하)다. ⓟ **~·ment** *n.*

‡en·large [enlɑ́:rdʒ] *vt.* ① …을 크게 하다, 확대〔증대〕하다; (건물 등)을 넓히다, (책)을 증보하다 : the plan to ~ Ewood Park into a 3,000 seats stadium 이우드 공원을 3천 좌석의 육상 경기장으로 확장하려는 계획 / abnormally ~*d* tonsils 비정상적으로 커진 편도선. ②…의 범위를 넓히다; (마음·견해 따위)를 넓게 하다; (사업 따위)를 확장하다 : ~ one's views by reading 독서로 견식을 넓히다. ③〖寫〗 (사진)을 확대하다 : ~ a photograph. — *vi.* ①넓어지다, 커지다. ② (사진이) 확대되다. ③《+전+명》…에 대해 상술하다《*on, upon*》: ~ *on* one's favorite subject 자기가 좋아하는 문제에 대해 상술하다 / He was *enlarging on* 〔*upon*〕 proposals he made last 어젯밤 제안한 것에 대해 상술하고 있었다. ⓟ **en·lárg·er** [-ər] *n.* C 확대기.

en·large·ment [-mənt] *n.* ①U 확대, 증대, 확장. ②C (책의) 증보; 〖寫〗 확대.

‡en·light·en [enláitn] *vt.* ①《~+목 / +목+전+명》…을 계몽하다, 계발〔교화〕하다; …에게 가르치다《*about; on*》: ~ ignorant inhabitants 무지한 주민을 계발하다 / ~ the heathen 이교도를 교화하다 / ~ a person *on* the subject 그 문제에 대해서 아무에게 가르치다. ②…을 분명하게 하다; 밝히다《*on; about; as to*》: He ~*ed* me *on* the question. 그는 그 문제에 대해 해명해 주었다.

en·light·ened [enláitnd] *a.* ①계발된; 문명화한; 진보한 : the ~ world 개화된 세상 / in those ~ days 개화 당시의 시대에. ②밝은, 사리를 잘 아는 : be thoroughly ~ *upon* the question 그 문제에 관해 잘 알고 있다. ⓟ **~·ly** *ad.*

en·light·en·ing [-iŋ] *a.* 계몽적인; 분명히 하는 : an ~ lecture 계몽적인 강의.

***en·light·en·ment** [enláitnmənt] *n.* ①U 계발, 계몽; 교화. ②U 〖佛教〗 깨달음. ③ (the E-) 계몽 운동《18세기 유럽의 합리주의 운동》.

***en·list** [enlíst] *vt.* ①《~+목 / +목+전+명》…을 병적에 편입하다; 군인을 징모하다《*for; in*》: ~ a recruit 신병을 뽑다 / ~ a person *for* military service 아무를 병적에 편입하다 / ~ a person *in* the army 아무를 육군에 입대시키다. ②《+목+전+명》(주의·사업 등에) …의 협력을 얻다〔구하다〕, 도움을 얻다 : ~ a person *in* an enterprise 아무를 사업에 참가시키다 / I tried to ~ his aid *in* this project. 나는 이 계획에 그의 도움을 구했다. — *vi.* 《~ / +전+명》 입대하다, (징병에) 응하다; 적극적으로 협력〔참가〕하다《*in*》: ~ *in* the army 육군에 입대하다 / ~ *in* the cause of liberty 자유 옹호 운동에 협력하다.

en·líst·ed màn [enlístid-] 사병(士兵) (《英》 private soldier)《略 : E.M.》: two officers and four ~, 2명의 장교와 4명의 사병.

en·list·ee [enlistí:] *n.* C 지원병, 사병.

en·list·er [-ər] *n.* C 징병관, 모병관.

en·list·ment [-mənt] *n.* ①U 병적 편입; (병사의) 모병; 입대. ②C 복무 기간.

***en·liv·en** [enláivən] *vt.* ①…을 활기띠게 하다, 기운을 돋우다, 생기를 주다 : Her jokes ~*ed* a dull meeting. 그녀의 농담은 따분한 모임에 생기를 주었다. ② (광경·담화 따위)를 활기차게 하다. ③ (장사 따위에) 활기를 불어 넣다. ⓟ **~·ment** *n.* U

en masse [enmǽs, ɑ:ŋmɑ́:s] 《F.》 한꺼번에, 일괄하여.

en·mesh [enméʃ] *vt.* 《~+목 / +목+전+명》〔흔히 受動으로〕 …을 그물로 잡다, 망에 걸리게 하다; (곤란 따위에) 빠뜨리다《*in*》: *be ~ed in* difficulties 곤란에 빠지다 / He *was ~ed in* turmoil. 그는 소동에 말려들었다.

en·mi·ty** [énməti] *n.* U,C 증오, 적의; 불화, 반목 : have 〔harbor〕 ~ against …에게 적의를 품다 / traditional *enmities* between tribes 부족간의 전통적 반목. ***at ~ with …와 반목하여, …에게 적의를 품고 : They are *at ~ with* each other. 그들은 서로 반목하고 있다.

***en·no·ble** [enóubl] *vt.* ①…을 품위있게 하다, 고상하게 하다. ②귀족으로 만들다, 작위를 주다. ⓟ **~·ment** *n.* U 고상하게 함; 수작(授爵).

en·nui [ɑ́:nwi:, -´-; *F.* ɑ̃nɥi] *n.* 《F.》 U 권태, 지루함, 앙뉘.

enor·mi·ty [inɔ́:rməti] *n.* ①U 무법; 《특히》 극악 : the ~ of the offense 그 범죄의 흉악성. ②C (흔히 *pl.*) 극악한 범죄, 흉행(兇行), 큰 죄 : The *enormities* of his regime were finally uncovered. 그의 정권의 흉포성이 마침내 드러났다. ③U 《口》 (문제·일 등의) 거대〔광대〕: the ~ of the work of compiling a dictionary 사전 편집이라는 어마어마한 작업.

‡enor·mous [inɔ́:rməs] *a.* 거대한, 막대한, 매우 큰(immense) : an ~ sum of money 거액의 돈 / an ~ difference 엄청난 차이. ⓟ ***~·ly** *ad.* 터무니없이, 대단히, 매우, 막대하게. **~·ness** *n.* U

†enough [inʌ́f] *a.* 충분한; …하기에 족한, …할 만큼의 : ~ money〔money ~〕 to buy a house 집을 사기에 충분한 돈 / I've had ~ trouble. 지긋지긋하게 고생했다 / food ~ *for* a week 일주일분

의 식량 / Thank you, that's ~. 고맙습니다, 그것으로 충분합니다 / I was fool ~ to believe him. 어리석게도 그를 믿었다.

— *n.* 충분(한 양·수), (너무) 많음(too much) : *Enough* has been said. 말할 것은 다 말했다 / There's ~ *for* everybody. 모두에게 줄 만큼 충분하다 / Are you ~ of a man *to* do so? 네게 그렇게 할 만한 배짱이 있느냐(=Are you man ~ *to* do so?) / *Enough of* that! (그것은) 이제 충분하다, 이제 그만해라. ~ ***and to spare*** 남아돌 만큼의 (것). ***Enough is*** ~. 이제 그만. ***have had ~ of*** …은 이제 충분하다, …은 이제 질색이다 : We*'ve had* ~ *of* this bad weather. 이 구질구질한 날씨엔 이제 신물이 났다 / We have had ~ *of* everything. 이것저것 잔뜩 먹었습니다. ***have ~ to*** do …하는 것이 고작이다 : I *had* ~ *to* keep up with him. 그를 따라가는 것이 고작이었다. ***more than*** ~ (1) 충분히, 십이분 : I took *more than* ~. 많이 먹었습니다. (2) (반어적으로) 지겨울 정도로 : He has *more than* ~ money. 그에겐 처치 곤란할 정도로 돈이 많다.

— *ad.* ①〔흔히 形容詞·副詞의 뒤에 붙임〕 충분히, 필요한 만큼, (…하기에) 족할 만큼 : This is good ~. 이것으로 족하다 / ready ~ *to* do 기꺼이〔언제라도〕 …하는 / noisy ~ *to* wake the dead 죽은 사람이 깨어날 정도로 시끄러운 / a small ~ sum 아주 적은 돈 / I was foolish ~ *to* think so. 나는 어리석게도 그렇게 생각했다 / She is old ~ *to* know better. 그녀는 좀더 분별이 있을 만한 나이다. ② 상당히, 꽤 ; 어지간히, 그런 대로 : It's bad ~. 꽤 나쁘다〔심하다〕 / She speaks English well ~. 그녀는 꽤 영어를 잘한다. ③〔強意的〕 아주, 모두 : I know well ~ what he is up to. 그가 무엇을 꾀하고 있는지 잘 알고 있다. ***be kind*** 〔***good***〕 ~ ***to*** do 친절하게도〔고맙게도〕…하다 : *Be good* ~ *to* shut the door. 문 좀 닫아 주시지요. ***cannot*** 〔***can never***〕 do ~ 아무리 …해도 부족하다 : I *can never* thank you ~. 무엇이라고 감사의 말씀을 드려야 할지 모르겠습니다. ***strange*** 〔***curious(ly), oddly***〕 ~ 기묘하게, 참 이상하게도. ***sure*** ~ (1) 과연, 생각했던 대로 : *Sure* ~, there it was. 생각했던 대로 그 곳에 있었다. (2)〔대답으로서〕 그렇고 말고요. ***well*** ~ 어지간히 잘, 꽤 훌륭히 : write *well* ~ 그런 대로 잘 쓰다.

— *int.* 이제 그만(No more!) : *Enough!* I heard you the first time. 이제 그만해. 그 얘기는 이미 들었다.

en pas·sant [ɑ̃:pɑ:sɑ́:] 《F.》 …하는 김에.

en·plane [enpléin] *vi.* 비행기에 타다. [opp] *deplane.*

en·quête [ɑ̃:ŋkét] *n.* 《F.》 앙케트, 여론 조사.

en·quire, etc. = INQUIRE, etc.

en·rage** [enréidʒ] *vt.* 〔흔히 受動으로〕 …을 노하게 하다, 부아를 돋우다 : He *was* ~*d to* hear the news. 그는 그 소식을 듣고 몹시 화를 냈다. ***be ~d at 〔***by, with***〕 …에 몹시 화내다 : He *was* ~*d at* the insult. 그 모욕에 그는 불끈했다 / He *was* ~*d with* me. 그는 내게 몹시 화냈다.

[파] **~·ment** *n.* [U] 노하게 함 ; 분노, 화.

en·rapt [enrǽpt] *a.* =ENRAPTURED.

en·rap·ture [enrǽptʃər] *vt.* 〔흔히 受動으로〕 …을 황홀케 하다《*by; at*》 : We *were* ~*d by* the grandeur of the Alps. 우리는 알프스의 장대함에 넋을 잃었다/ They *were* ~*d at* the beauty of it. 그 아름다움에 그들은 황홀했다.

en·rap·tured [-d] *a.* 도취된, 황홀해진《*at ; by*》 : an ~ look 황홀해진 표정.

‡**en·rich** [enrítʃ] *vt.* ① …를 부유하게 만들다, 풍부하게 하다 : The discovery of oil will ~ the nation. 원유의 발견은 나라를 부유하게 만들 것이다. ② 넉넉하게〔풍부하게〕 하다 : Experience ~*es* understanding. 경험은 이해력을 풍부하게 한다. ③ 비옥하게 하다 : Fertilizer ~*s* the soil. 비료는 토양을 비옥하게 한다. ④《+[목]+[전]+[명]》 (내용·빛깔·맛 등)을 높이다, 진하게 하다, 짙게 하다 ; (음식의) 영양가를 높이다 : ~ a book *with* notes 주석으로 책 내용을 보강하다 / ~ soil *with* manure 비료로 토양을 비옥하게 하다. ~ one*self* (by trade) (장사로) 재산을 모으다.

[파] **~·ment** *n.* [U] 풍요롭게 함〔됨〕 ; 강화.

en·ríched fóod [enrítʃt-] (비타민 등을 가한) 강화 식품.

enríched uránium 농축 우라늄.

***en·roll, -rol** [enróul] (*-ll-*) *vt.* ①《~+[목]/+[목]+[전]+[명]》 …을 등록하다, 명부에 기재하다 ; 입회〔입학〕시키다《*in*》 ; 병적에 올리다 : ~ a person *on* the voter's list 아무를 유권자 명부에 등록하다 / ~ a person *as* a member of a club 아무를 클럽의 회원으로 등록하다 / ~ a student *in* a college 학생을 대학의 학적에 올리다 / ~ men *for* the army 남자들을 군에 입대시키다 / ~ oneself *in* the army 군에 입대하다. ② …을 기록하다 : ~ the great events of history 역사적 대사건을 기록하다. — *vi.* ① 입회〔입학, 입대〕하다《*at ; in*》 : He ~*ed in* college〔*at* Harvard〕. 그는 대학〔하버드 대학〕에 입학했다. ② 등록하다《*in ; for*》.

***en·rol(l)·ment** [enróulmənt] *n.* ① [U] 기재 ; 등록, 입대, 입학, 입회. ② [C] 등록〔재적〕자수 : Our school has an ~ of 3,000 students. 우리 학교의 등록 학생수는 3천 명이다.

en route [ɑ:nrú:t, en-] 《F.》 …으로 가는 도중에《*to ; for*》 : stop in Chicago ~ *to* New York 뉴욕으로 가는 도중 시카고에 들르다.

en·sconce [inskɑ́ns / -skɔ́ns] *vt.* ①〔再歸的 ; 受動으로도〕 (몸)을 편히 앉히다, 안치하다 ; He ~*d himself* 〔*was* ~*d*〕 *in* his favorite chair. 좋아하는 의자에 느긋하게 앉았다〔앉아 있었다〕. ② (몸)을 숨기다, 감추다.

***en·sem·ble** [ɑ:nsɑ́:mbəl] *n.* [C] 《F.》 ① (흔히 the ~) 총체《예술작품 등의》 ; 종합적 효과. ②〖服〗 전체적 조화 ; 갖춘 한 벌의 여성 복장, (가구 등의) 갖춘 한 세트, 앙상블. ③〖樂〗 앙상블《2부 이상으로 된 합창〔합주〕곡(의 연주자들)》.

en·shrine [enʃráin] *vt.* 《~+[목]/+[목]+[전]+[명]》 ① …을 (성당에) 모시다, 안치하다 ; 신성한 것으로 소중히 하다, (마음에) 간직하다《*in*》 : ~ the nation's ideals 국가의 이상을 소중히 하다 / His advice is ~*d in* my memory. 그의 충고는 내 기억속에 간직돼 있다. ② (상자에 넣어 유품 등)을 성체로서 수납하다 : The casket ~*s* his relics. 작은 상자에는 그의 유품이 들어 있다. ③〔흔히 受動으로〕 (공식문서 등에) …을 정식으로 기술하다《*in ; among*》 : Human rights *are* ~*d in* the constitution. 인권은 헌법에 명문화되어 있다.

[파] **~·ment** *n.* 사당에 모심 ; 비장.

en·shroud [enʃráud] *vt.* ① (죽은이)에 수의를 입히다. ②〔흔히 受動으로〕 …을 가리다, 덮다《*in ; by*》 : The mountain top *was* ~*ed in* mist. 산정(山頂)은 안개에 싸여 있었다 / Darkness ~*ed* the earth. 어둠이 대지를 감쌌다.

***en·sign** [énsain, 《軍》 énsn] *n.* [C] ① (선박·비행기의 국적을 나타내는) 기 ; 국기 : ⇨ BLUE 〔RED, WHITE〕 ENSIGN / a national ~ 국기. ② (지위·관직을 나타내는) 기장. ③《美》 해군 소위 《英古》 기수(旗手).

en·si·lage [énsəlidʒ] *n.* [U] 엔실리지《사일로(silo)에 생(生)목초 등을 신선하게 보존하는 방법》; 그 보존된 생목초. 「하다.
en·sile [ensáil] *vt.* (목초)를 사일로(silo)에 저장
***en·slave** [ensléiv] *vt.* 《~+[목] / +[목]+[전]+[명]》 …을 노예〔포로〕로 하다 : Her beauty ~*d* him. 그녀의 아름다움이 그를 사로잡았다 / be ~*d* by one's passions 격정에 사로잡히다.
㊕ **~·ment** *n.* [U] 노예로 함 ; 노예 상태.
en·snare [ensnέər] *vt.* …을 올가미에 걸다, 덫에 걸리게 하다《*in*, *into*》: The dolphins become ~*d in* salmon nets. 돌고래들이 연어 그물에 걸려 든다.
en·sue** [ensúː] *vi.* ① 계속해서〔잇따라〕 일어나다 : Chaos 〔Panic〕 ~*d.* 대혼란〔공황〕이 잇따랐다. ②《~ / +[전]+[명]》 결과로서 일어나다 : The train was derailed, and panic ~*d.* 열차가 탈선하자 곧 혼란이 일어났다 / What will ~ *on* 〔*from*〕 this? 이제부터 어떻게 될까. ***as the days ~d 날이 감에 따라 : *As the days ~d,* he recovered his strength. 날이 감에 따라 그는 체력을 회복했다.
en·su·ing [ensúːiŋ] *a.* 〔限定的〕 다음의, 계속되는 ; 잇따라 일어나는, 결과로서 계속되는 : during the ~ months 그 후 몇 달 동안 / in the ~ year 그 다음해에 / the war and the ~ disorder 전쟁과 그에 잇따른 혼란.
***en·sure** [enʃúər] *vt.* ①《~+[목] / +[목]+[목] / +[목]+[전]+[명] / +*that* [절]》 …을 책임지다, 보장〔보증〕하다, (성공 등)을 확실하게 하다 ; (지위 따위)를 확보하다 : ~ the freedom of the press 출판〔보도〕의 자유를 보장하다 / This kind of weather ~*s* a good harvest. 이런 날씨라면 풍작은 확실하다 / It will ~ you success. 그것으로 성공은 확실하다 / ~ a post *to*〔*for*〕 a person 아무에게 지위를 보증하다 / I cannot ~ *that* he will keep his word. 그가 약속을 지킬는지 보증할 수 없다. ②《+[목]+[전]+[명]》 …을 안전하게 하다, 지키다《*from* ; *against*》: We must ~ ourselves *against* accidents. 우리는 사고에서 우리 자신을 지켜야 한다.
-ent *suf.* ① 동사에 붙여 형용사를 만듦 : insist*ent*. ② 동사에 붙여 행위자를 나타내는 명사를 만듦 : superintend*ent*. ★ -ent는 본디 라틴어 현재분사의 어미.
E.N.T. ear, nose, and throat(이비인후(과)).
***en·tail** [entéil] *vt.* ①《~+[목] / +[목]+[전]+[명]》 …을 필연적으로 수반하다, 필요로 하다 : Liberty ~*s* responsibility. 자유는 책임을 수반한다 / Success always ~*s* diligence. 성공에는 항상 근면이 필요하다. ② (노력·비용 등)을 들게 하다, 과(課)하다 : The task will ~ great expense *on* you. 그 일은 네게 많은 비용을 지울 것이다. ③《+[목]+[전]+[명]》〖法〗〔종종 受動으로〕 (부동산)의 상속인을 한정하다 : ~ one's property *on* one's eldest son 장남을 재산 상속인으로 삼다 / The castle and the land *are* ~*ed on* the daughter. 성과 토지는 딸에게 상속되었다. ── *n.* [U] 〖法〗 (부동산의) 한사(限嗣) 상속 ; [C] 한사 상속재산 ; [U] (관직 등의) 계승 예정 순위. ㊕ **~·ment** *n.*
en·tan·gle** [entǽŋgl] *vt.* ①《~+[목] / +[목]+[전]+[명]》 (실 따위)를 엉클어지게 하다, 얽히게 하다《*in*》: A long thread is easily ~*d.* 긴 실은 얽히기 쉽다 / The rope got ~*d in* the screw. 로프가 스크루에 감겼다. ②《~+[목] / +[목]+[전]+[명]》 (함정·곤란 따위에)…을 빠뜨리다, 휩쓸려〔말려〕 들게 하다《*in* ; *with*》: ~ a person *in* a conspiracy 〔an evil scheme〕 아무를 음모에 끌어넣다 〔간계에 빠뜨리다〕. ③ 〔再歸的〕 …에 빠지다, 말려들다《*in* ; *with*》: He ~*d himself in* debt. 빚에 몰려 옴쭉을 못 하게 됐다. ***be* 〔*get*〕 *~d in … 에 말려들다, 빠지다 : *be* ~*d in* an affair 〔a plot〕 사건〔음모〕에 말려들다. ㊕ **~·ment** *n.* ① [U] 얽힘, 얽히게 함, 연루(連累). ② [C] 분규, 혼란 ; 얽힌 남녀 관계 : political ~*ments* 정치적 분규.
en·tente [ɑːntáːnt] *n.* 《F.》 ① [U,C] (정부간의) 협정, 협상《alliance 만큼 구속력은 없음》. ② [C] 〔集合的〕 협상국.
enténte cor·diále [-kɔːrdjáːl] 《F.》 (두 나라 사이의) 화친 협상, 상호 이해.
†en·ter [éntər] *vt.* ① …에 들어가다 : ~ a room 〔house〕 방〔집〕에 들어가다. ② (가시·탄환 등이) …에 박히다 : The bullets ~*ed* the wall. 총탄이 벽에 박혔다. ③ (새로운 시대·생활 등)에 들어가다 : ~ a new era 새 시대에 들어가다 / ~ one's twenties 20대에 들어가다, 20대가 되다 / ~ the church 목사가 되다 / She ~*ed* a convent. 그는 수녀가 됐다. ④ (단체 따위)에 가입〔참가〕하다 ; …에 입회〔입학, 입대〕하다 : ~ a school / ~ the army 군인이 되다 / ~ politics 정치인이 되다 / ~ (the) hospital 입원하다. ⑤《+[목]+[전]+[명]》 …을 가입〔참가〕시키다 ; 입회〔입학〕시키다 : ~ one's child *in* school〔*at* Eaton〕 아이를 학교〔이튼교〕에 입학시키다 / She ~*ed* her terrier *for*〔*in*〕 a dog show. 그녀는 자기 테리어를 도그쇼에 참가시켰다. ⑥《~+[목] / +[목]+[전]+[명]》 (이름·날짜 등)을 기재〔기입〕하다 ; 등기하다, 등록하다 : ~ a name 이름을 기입하다 / ~ the sum *in* a ledger 〔book〕 대장〔장부〕에 그 금액을 기입하다. ⑦《~+[목] / +[목]+[전]+[명]》〖法〗 (소송)을 제기하다 : ~ an action *against* a person 아무를 고소하다. ⑧〖컴〗 (정보·기록·자료)를 넣다, 입력하다 : ~ all the new data into the computer 모든 새 자료를 컴퓨터에 입력하다. ── *vi.* ①《~ / +[전]+[명]》 들다, 들어가다 : ~ *at* 〔*by*〕 the door 문으로 들어가다. ② (E-) 〖劇〗 (무대에) 등장하다. [opp] *exit.* ¶ *Enter* Hamlet. 햄릿 등장《3인칭 명령법으로, 무대 지시》. ③《~ / +[전]+[명]》 (경기 따위에) 참가를 신청하다, 등록하다《*for* ; *in*》: Some contestants ~*ed.* 몇 명의 경기자가 참가를 신청했다 / ~ *for* an examination 수험을 신청하다. ◇ entrance *n.*
~ ***into*** (1) (관계 따위)를 맺다, …에 들어가다 : ~ *into* business 실업계에 들어가다 / ~ *into* relations 관계를 맺다《*with*》/ ~ *into* a contract 계약을 맺다《*with*》. (2) (일·담화·교섭 등)을 시작하다, 개시하다 : ~ *into* service 근무를 시작하다, 근무하다 / We have ~*ed into* a correspondence with the company. 그 회사와 서신 왕래를 시작했다. (3) …의 일부가 되다, …의 요소가〔성원이〕 되다 : subjects that do not ~ *into* the question 이 문제와는 관계 없는 사항 / It did not ~ *into* my plans. 그것은 내 계획에 들어 있지 않았다. (4) (남의 마음·기분)에 공감〔동정〕하다, 관여하다 ; (분위기·재미 등)을 맛보다, …을 이해하다 : She ~*ed into* his feelings. 그녀는 그의 기분에 공감이 갔다 / ~ *into* the spirit of ... (행사 등)의 분위기에 동화되다. (5) (세세한 점까지) 깊이 파고 들다, 조사하다 : ~ *into* detail 세부에까지 미치다〔조사하다〕. ~ ***on*** 〔***upon***〕 (1) (일 따위)에 착수하다, …을 시작하다 : ~ *upon* a career 필생의 사업에 착수하다 / ~ *upon* one's duties 취임하다. (2) (문제·주제 따위)에 손을 대다, 시작하다. (3) (신생활 따위)에 들어가다 : ~ *on* one's fiftieth year, 50 대에 접어들다 / ~ *on* a diplomatic career 외

교관으로서의 첫발을 내딛다. (4)〚法〛 …을 취득하다, …의 소유권을 얻다 : ~ *on* one's inheritance 유산을 상속하다. ~ one***self for*** …에의 참가를 신청하다, …에 응모하다 : He decided to ~ *himself for* the examination. 그는 그 시험에 응시하기로 결심했다. 「ver 장티푸스.

en·ter·ic [entérik] *a.* 장(腸)의, 창자의 : ~ fe-

en·ter·i·tis [èntəráitis] *n.* Ⓤ 〚醫〛 장염(腸炎).

énter kèy 〚컴〛 엔터키《하나의 문자나 문자열의 입력이 완료되었음을 시스템에 알려주는 키》.

enter(o)- '장(腸)'의 뜻의 결합사.

‡en·ter·prise [éntərpràiz] *n.* ① Ⓒ (대담한 또는 모험적인) 기획, 계획 : A voyage round the world used to be a dangerous ~. 세계일주 여행은 위험한 기획이었다. ② Ⓤ〔흔히 修飾語와 함께〕 기업, 사업 ; 기업 경영 ; Ⓒ 기업체 : a government 〔private〕 ~ 관영〔민간〕 기업체 / small-to-medium-sized ~*s* 중소 기업 / Don't forget this is a commercial ~. We're here to make money. 이것이 기업이란 걸 잊지 마라. 돈 버는 것이 우리의 목적이다. ③ Ⓤ 진취적인 정신, 기업심〔열〕 ; 모험심 : a man of ~ 진취성 있는〔적극적인〕 사람 / a spirit of ~ 기업심, 진취적인 기상 / We need someone with ~ and imagination to design a marketing strategy. 판매 전략을 계획할 진취적 정신과 상상력을 갖춘 사람이 필요하다.

***en·ter·pris·ing** [éntərpràiziŋ] *a.* 기업심〔모험심〕이 왕성한 ; (매우) 진취〔모험〕적인 : You are no longer the ~ man that once you were. 전에는 안 그랬는데 너도 이젠 글렀다. ㊁ **~·ly** *ad.*

‡en·ter·tain [èntərtéin] *vt.* ①《~+목/+목+전+명》 …을 대접〔환대〕하다 ; 《특히》 식사에 초대하다《*at* ; 《英》 *to*》 : The Smiths often ~*ed* their friends over the weekend. 스미스씨 일가는 자주 친구들을 주말에 집에 초대하곤 했다 / ~ a person *at* 〔*to*〕 dinner 아무를 식사에 초대하다 / ~ guests *with* refreshments 다과를 내놓고 손님을 대접하다. ②《+목+전+명》 …을 즐겁게 하다, 위로하다《*with* ; *by*》 : The movie will ~ you very much. 그 영화는 매우 재미있을 것이다. ③ (감정·희망 등)을 품다, 생각하다, 고려하다 : ~ a doubt 의문을 품다 / ~ (a) bitter hatred 〔deep affection〕 for a person 아무에 대해 증오를〔깊은 애정을〕 품다 / The idea was too preposterous to be ~*ed*. 그 생각은 너무 터무니없어서 고려되지 않았다. ── *vi.* 대접〔환대〕하다, (사람을) 즐겁게 하다.

㊁ ***~·er** [-ər] *n.* Ⓒ 환대자 ; 재미있는 사람 ; 《특히》 예능인 ; 요술사. **~·ing** [-iŋ] *a.* 유쾌한, 재미있는. **~·ing·ly** *ad.*

‡en·ter·tain·ment [èntərtéinmənt] *n.* ① Ⓤ 대접, 환대 ; (식사에의) 초대 : make preparation for the ~ of guests 손님 맞을 준비를 하다. ② Ⓒ 연회, 주연, 파티 : give an ~ 파티를 열다〔베풀다〕. ③ ⓊⒸ 위로, 오락 : find ~ in reading 독서를 즐거움으로 삼다 / a place 〔house〕 of ~ 오락장 / Matt mimicked Chaplin much to our ~. 매트는 채플린의 흉내를 내어 우리들을 크게 웃겼다. ④ Ⓒ 연예, 여흥 : theatrical ~*s* 연극 / a musical ~ 음악회.

entertáinment compùter 오락용 컴퓨터.

en·thrall, -thral [enθrɔ́:l] (*-ll-*) *vt.* 〔종종 受動으로〕 …을 매혹하다, 마음을 빼앗다 ; 사로잡다 : *be* ~*ed* by illusions and superstitions 환상과 미신에 사로잡히다. ㊁ **~·ment** *n.* Ⓤ 마음을 빼앗음, 매혹.

***en·throne** [enθróun] *vt.* ① …을 왕좌〔왕위〕에 앉히다, 즉위시키다 ; 〚敎會〛 bishop의 자리에 임명하다. ②《~+목/+목+전+명》 …을 받들다, 존경〔경애〕하다 : Washington was ~*d in* the hearts of his countrymen. 워싱턴은 국민의 경애의 대상이었다. ㊁ **~·ment** *n.* ⓊⒸ 즉위(식) ; 성직 취임(식) ; 숭배.

en·thuse [inθúːz, en-] *vt., vi.* 《口》 (…을) 열광〔열중〕시키다〔하다〕 ; 감격시키다〔하다〕. ~ ***over*** …에 열중하다.

‡en·thu·si·asm [enθúːziæ̀zəm] *n.* ① Ⓤ 열심, 열중, 열광, 의욕, 열의《*for* ; *about*》 : with ~ 열중하여, 열광적으로 / He shares your ~ *for* jazz. 그는 너처럼 재즈광이다. ② Ⓒ 열심의 대상, 열중시키는 것 : His ~ is stamp collecting. 그가 열중하고 있는 것은 우표 수집이다 / Pop music and football are her chief ~*s*. 그녀는 주로 팝뮤직과 풋볼에 열광한다.

en·thu·si·ast [enθúːziæ̀st] *n.* Ⓒ 열광자, 팬, …광(狂)《*for*》 : a great soccer ~ 축구광.

‡en·thu·si·as·tic [enθùːziǽstik] (***more*** ~ ; ***most*** ~) *a.* ① 열심인《*for*》 ; 열광적인《*about* ; *over*》 : an ~ baseball fan 열광적인 야구팬. ② 열성적인, 열렬한 : an ~ welcome 열렬한 환영. ㊁ ***-ti·cal·ly** [-kəli] *ad.*

***en·tice** [entáis] *vt.* 《~+목/+목+전+명/+목+부/+목+*to* do》 …을 꾀다, 유혹하다 ; 부추겨 …시키다《*to* do》 : He was ~*d* by dreams of success. 그는 성공의 꿈에 이끌렸다 / She ~*d* him *into* steal*ing* it. =She ~*d* him *to* steal it. 그녀는 그를 꼬드기어 그것을 훔치게 했다.

㊁ **~·ment** *n.* ① Ⓤ 유혹, 유인. ② Ⓒ (종종 *pl.*) 유혹물, 마음을 끄는 것, 미끼(allurement) : the ~*ments* of rural life 전원 생활의 유혹. ③ Ⓤ 매력.

en·tic·ing [entáisiŋ] *a.* 마음을 끄는, 유혹적인 : Her invitation seemed too ~ to refuse. 그녀의 초청은 거절하기엔 너무 마음에 들었다.

㊁ **~·ly** *ad.*

‡en·tire [entáiər] *a.* ①〔限定的〕 전체〔전부〕의 : the ~ city 시 전체 / clean the ~ room 방을 구석구석 청소하다 / I slept away the ~ day. 꼬박 하루 종일 잤다. ②〔限定的〕 완전한 : ~ freedom 완전한 자유 / You have my ~ confidence. 너를 전적으로 신뢰한다 / He was in ~ ignorance of the news. 그는 그 소식을 전혀 몰랐다. ③ 흠 없는, 온전한 : The ship was still ~ after the storm. 배는 그 폭풍우에도 온전했다. ── *n.* Ⓒ 거세하지 않은 말, 종마. ㊁ **~·ness** *n.* 완전(무결), 순수.

‡en·tire·ly [-li] *ad.* 아주, 완전히 ; 오로지 ; 전적으로 : I ~ agree with you. 나는 전적으로 당신과 동감이다 / She did it ~ for money. 그녀는 오로지 돈 때문에 그것을 했다.

en·tire·ty [-ti] *n.* ① Ⓤ 완전, 모두 그대로임〔의 상태〕. ② (the ~) 전체, 전액. ***in its*** 〔***their***〕 ~ 전체로서 ; 완전히 ; 온전히 그대로 : Hamlet *in its* ~ '햄릿' 전막 상연 / The old manuscript has been handed down *in its* ~. 그 고대 필사본은 온전히 그대로 전해져 왔다.

‡en·ti·tle [entáitl] *vt.* ①《+목+보》〔종종 受動으로〕 …에 제목을 붙이다, …에게 명칭을 부여하다 : The book *is* ~*d* "How to learn English". 책은 '영어 학습서'라는 이름이 붙어 있다. ②《+목+전+명/+목+*to* do》〔종종 受動으로〕 …에게 권리를〔자격을〕 주다 : *be* ~*d to* …의 권리가〔자격이〕 있다 / He's ~*d to* receive a pension. 그는 연금을 받을 자격이 있다 / This ticket ~*s* you *to* a free meal. 이 표로 무료로 식사할 수 있다 / Being unemployed ~*s* you *to* free medical treatment. 실업자니까 무료로 치료받을 수 있다. ⓜ **~·ment** *n.* Ⓤ.Ⓒ

en·ti·ty [éntiti] *n.* ① Ⓤ 실재, 존재. ② Ⓒ 실체, 존재물 : a legal ~ 법인. ③ Ⓒ 자주적〔독립적〕인 것 ; 통일체 : a political ~ 국가.

en·tomb [entú:m] *vt.* ① …을 무덤에 묻다, 매장하다(bury). ② (장소가) …의 무덤이 되다. ⓜ **~·ment** *n.* Ⓤ 매장 ; 매몰.

en·to·mo·log·i·cal [èntəməládʒikəl / -lɔ́-] *a.* 곤충학(상)의.

en·to·mol·o·gy [èntəmálədʒi / -mɔ́l-] *n.* Ⓤ 곤충학. ⓜ **-gist** *n.* Ⓒ 곤충학자.

en·tou·rage [à:nturá:ʒ] *n.* Ⓒ 《F.》 주위, 환경 ; 〔集合的〕 주위 사람들, 측근들, 수행원.

en·trails [éntreilz, -trəlz] *n. pl.* 내장 ; 창자.

en·train [entréin] *vt.* (군대 등)을 열차에 태우다. ── *vi.* (특히 군대 등이) 열차에 타다. OPP. *detrain.* ⓜ **~·ment** *n.*

‡en·trance[1] [éntrəns] *n.* ① Ⓒ 입구, 출입구, 현관《*to*》: the main 〔back〕 ~ 정문〔후문〕/ at the ~ *to* a park 공원 입구에서. ② Ⓤ.Ⓒ 들어감 ; 입장(료), 입회, 입학, 입사 ; 입항 ; (배우의) 등장 : ~ into college 대학입학 / America's ~ into war 미국의 참전 / That actress made three ~*s* into the stage. 여배우는 세 번 무대에 등장했다. ③ Ⓤ 취임, 취업《*into* office ; *upon* one's duties》. ④ Ⓤ.Ⓒ 들어갈 기회〔권리〕. ◇ enter *v.* ***Entrance free.*** 입장 자유〔무료〕《게시》. ***gain ~ into*** 〔***to***〕 …에 들어가다 : He *gained* 〔obtained〕 ~ *into* 〔*to*〕 the castle by giving the guard some money. 그는 수위에게 약간의 돈을 주어 그 성에 들어갈 수 있었다. ***force an ~ into*** 밀고 들어가다, 강제로 들어가다. ***NO ~.*** 입장 사절, 출입 금지《게시》.

en·trance[2] [entrǽns, -trá:ns] *vt.* 〔흔히 受動으로〕 (기쁨 등으로) …을 황홀하게 하다《*at* ; *by* ; *with*》: *be ~d with* the music 음악에 매료되다/ The girl *was ~d by* her own reflection in the mirror. 소녀는 거울에 비친 제 모습에 황홀해졌다 / We sat〔watched, listened〕 ~*d*. 우리는 완전히 도취되어 앉아 있었다〔지켜봤다, 경청했다〕.

en·tranced [-t] *a.* 황홀한, 도취된.

éntrance hàll 현관 홀.

en·trance·ment [entrǽnsmənt, -trá:ns-] *n.* Ⓤ 황홀한 상태, 무아경지.

en·trance·way [éntrənswèi] *n.* Ⓒ 《美》 입구.

en·tranc·ing [entrǽnsiŋ, -trá:ns-] *a.* 넋〔정신〕을 빼앗는, 황홀하게 하는, 매혹적인 : an ~ scene 황홀한 광경. ⓜ **~·ly** *ad.*

en·trant [éntrənt] *n.* Ⓒ ① 들어가는〔오는〕 사람 ; 신입(생), 신규 가입자, 신입 회원, 신참 : an illegal ~ 불법 입국자 / college ~*s* 대학 신입생 / new women ~*s* to the police force 신참 여자 경찰관. ② 경기 참가자〔동물〕《*for*》: fifty ~*s for* the dog show 도그쇼에 참가하는 50 마리의 개.

en·trap [entrǽp] (*-pp-*) *vt.* 《~+목 / +목+전+명》 〔흔히 受動으로〕 …을 올가미에 걸다 ; 함정에 빠뜨리다《*to*》; 속여 …시키다《*into* do*ing*》: ~ a person *to* destruction 아무를 함정에 빠뜨리어 파멸로 이끌다 / He had *been ~ped into* marry*ing* her. 그는 속아서 그녀와 결혼했다. ⓜ **~·ment** *n.* Ⓤ 함정 수사.

‡en·treat [entrí:t] *vt.* 《+목+전+명 / +목+*to* do》 ① …에게 탄원하다《*for*》: ~ a person *for* mercy 〔*to* have mercy〕 아무에게 자비를 간청하다 / I ~ you *to* let me go. 제발 가게 해 주십시오. ② 《~+목 / +목+전+명》 …을 원하다, 간청〔부탁〕하다 : She ~*ed* us *for* our help. 그녀는 우리에게 도움을 청했다. ⓜ **~·ing·ly** *ad.* 간원〔애원〕하듯이, 간절하게.

‡en·treaty [-i] *n.* Ⓤ.Ⓒ 간절한 부탁, 애원, 탄원 : He was deaf to our *entreaties.* 그는 우리의 탄원에 귀를 기울이지 않았다.

en·trée, en·tree [á:ntrei, -´] *n.* 《F.》 ① Ⓒ 〖料〗 앙트레(《英》 생선이 나온 다음 구운 고기가 나오기 전에 나오는 요리 ; 《美》 주요 요리). ② Ⓤ.Ⓒ 출장(出場), 입장(허가) ; 입장권(權) : have the ~ of a house 집에 자유로이 출입할 수 있다 / make one's ~ *into* society 사교계에 처음으로 나타나다. ③ Ⓒ 참가〔가입〕의 계기(가 되는 것) : The product was our ~ *into* the US market. 그 제품이 우리가 미국 시장에 들어가는 계기가 되었다.

en·trench [entréntʃ] *vt.* ① **a**) 〔흔히 受動으로〕 (성곽·도시)를 참호로 에워싸다〔지키다〕: The enemy *were ~ed* beyond the hill. 적은 언덕 너머에 참호를 구축하고 있었다. **b**) 〔再歸的〕 참호를 파고 몸을 숨기다 : The soldiers *~ed themselves* near the river. 군인들은 강 근처에 참호를 파고 몸을 숨겼다. ② 〔再歸的〕 …에 대하여 자기 기반을 굳히 다《*against* ; *behind*》: They *~ed themselves behind* a wall of tradition. 그들은 전통을 방패삼아 자신들의 입장을 견고히 했다. ── *vi.* ① 참호를 파다. ② (…을) 침해하다《*on*, *upon*》. ⓜ **~·ment** *n.* Ⓤ 참호 구축 작업 ; Ⓒ 참호 ; Ⓤ (권리의) 침해.

en·trenched [-t] *a.* ① 참호로 방비된. ② (권리·전통 등의) 확립된 ; 굳게 지위를 굳힌 : an ~ habit 굳게 확립된 습관 / the ~ power of the landed nobility 토지소유 귀족들의 확고한 세력.

en·tre nous [à:ntrənú:] 《F.》 우리끼리의〔비밀〕 얘기지만(between ourselves).

en·tre·pre·neur [à:ntrəprənə́:*r*] *n.* Ⓒ 《F.》 ① 실업가, 기업가. ② (연극·음악 등의) 흥행주 : a theatrical ~ 연극 흥행주. ③ 중개(업)자. ⓜ **~·i·al** *a.* **~·ship** [-ʃip] *n.* Ⓤ 기업가 정신.

en·tro·py [éntrəpi] *n.* Ⓤ ① 엔트로피(〖物〗 물체의 열역학적 상태를 나타내는 양 ; 〖情報理論〗 정보 전달의 효율을 나타내는 양). ② 균질성.

***en·trust** [entrʌ́st] *vt.* 《+목+전+명》 …에게 맡기다, 기탁〔위탁〕하다, 위임하다《*with* ; *to*》: I *~ed* him *with* my property. =I *~ed* my property *to* him. 그에게 내 재산 관리를 맡겼다.

‡en·try [éntri] *n.* ① Ⓤ.Ⓒ 들어감, 입장 ; 입장권(權). ② Ⓤ.Ⓒ 참가, 가입 : a developing nation's ~ *into* the UN, 발전 도상국의 UN 가입. ③ Ⓒ 들어가는 길 ; 입구, 현관. ④ Ⓤ.Ⓒ 기입, 기재 ; 〖簿記〗 기장(記帳); 등기, 제출 ; 기입 사항 : an ~ *in* the family register 입적(入籍) / ⇨ DOUBLE 〔SINGLE〕 ENTRY / author 〔subject〕 *entries* (도서관의) 저자명〔건명〕 목록. ⑤ Ⓒ (사전 따위의) 표제어 (=∠ wòrd). ⑥ Ⓤ.Ⓒ (경기 따위에의) 참가, 출전《*for*》; 〔集合的〕 총출장자〔출품물〕(수, 명부) : an ~ *for* a speech contest 웅변 대회에의 참가 / The *entries* from one school are limited to five players. 한 학교의 참가선수 수는 5 명에 한한다. ⑦ 〖法〗 (토지·가옥의) 침입, 점유 : an illegal ~ 불법 침입. ⑧ 〖컴〗 어귀, 입구《어떤 프로그램이나 서브루틴의 시각점》. ***make an ~ of*** …을 기입〔등록〕하다. ***no ~*** 출입〔진입〕 금지.

éntry fòrm 〔《美》 **blànk**〕 참가 응모〔신청〕용지.

en·try-lev·el [-lèvəl] *a.* ① 미숙련 노동자용의. ② (컴퓨터 등) 초보적이고 값이 싼.

éntry pèrmit 입국 허가.

éntry vìsa 입국 사증.

en·try·way [-wèi] *n.* Ⓒ (건물 안으로의) 통로.
en·twine [entwáin] *vt.* ① …을 휘감다, …에 휘감기게〔얽히게〕 하다《*about* ; *around* ; *with*》: ~ a post *with* a rope = ~ a rope *around* a post 기둥에 로프를 감다. ② (화환(花環) 등)을 엮다, 짜다, 얽다《*with*; *in*》.
É nùmber E 넘버《EU 에서 인가한 식품 첨가물을 나타내는 코드넘버》. ⓒⓕ E-free.
***enu·mer·ate** [injú:mərèit] *vt.* …을 일일이 들다〔세다〕, 열거하다 ; 세다 : He ~*d* the reasons for his leaving the party. 그는 당을 떠나는 이유를 열거했다.
enu·mer·a·tion [injù:məréiʃən] *n.* ① Ⓤ 열거, 일일이 셈. ② Ⓒ 세목(細目), 목록 ; 일람표.
enu·mer·a·tive [injú:mərèitiv, -rət-] *a.* 계수(計數)상의, 열거의〔하는〕.
enun·ci·ate [inʌ́nsièit, -ʃi-] *vt.* ① (학설 따위)를 발표하다 ; (이론·제안 따위)를 선언하다. ② …을 (똑똑히) 발음하다. ── *vi.* 똑똑히 발음하다.
enun·ci·a·tion [inʌ̀nsiéiʃən, -ʃi-] *n.* ① Ⓤ 발음(방법) ; 똑똑한 말투. ② Ⓤ,Ⓒ (이론·주의 등의) 공표, 선언, 언명《*of*》.
en·u·re·sis [ènjurí:sis] *n.* Ⓤ 【醫】 유뇨(遺尿)(증): nocturnal ~ 야뇨증.
‡en·vel·op [envéləp] (*p., pp.* **~ed** ; **~ing**) *vt.* 《~+목/+목+전+명》 …을 싸다 ; …을 덮(어 가리)다《*in*》: Fog ~*ed* the village. 안개가 마을을 덮고 있었다 / His movements were ~*ed in* mystery. 그의 동태는 수수께끼에 싸여 있었다. ── *n.* =ENVELOPE.
㊕ **~·ment** *n.* Ⓤ 쌈 ; 【軍】 포위.
†en·ve·lope [énvəlòup, ά:n-] *n.* Ⓒ ① 봉투 : seal 〔open〕 an ~ 봉투를 봉하다〔열다〕/ address an ~ 봉투에 수신인 주소 성명을 쓰다. ② 싸개 ; 덮개. ③ (비행선·기구 등의) 기낭(氣囊); 【天】 혜성을 싸는 가스체 ; 【컴】 덧붙임.
en·ven·om [invénəm] *vt.* ① …에 독을 넣다, 독을 바르다. ② …에 독기〔적의(敵意), 증오〕를 띠게 하다 : ~*ed* words 독설.
en·vi·a·ble [énviəbəl] *a.* 부러운, 탐나는 : an ~ position 부러운 신분 / lead an ~ life 부럽게 지내다. ㊕ **~·ness** *n.* **-bly** *ad.* 부럽게.
‡en·vi·ous [énviəs] (*more* ~ ; *most* ~) *a.* ① 샘〔부러워〕하는, 질투심이 강한《*of*》: She is ~ *of* my good fortune. 그녀는 내 행운을 부러워하고 있다. ② 부러운 듯한 : an ~ look 부러운 듯한 표정. ◇ envy *v.* ㊕ **~·ly** *ad.* 부러운 듯이, 시기하여.
***en·vi·ron** [inváiərən] *vt.* …을 둘러〔에워〕싸다, 포위하다《*by* ; *with*》: be ~*ed by* hills 언덕으로 둘러싸여 있다.
‡en·vi·ron·ment [inváiərənmənt] *n.* ① Ⓤ,Ⓒ 주위 환경《사회적·문화적인》: one's home ~ 가정 환경 / adjust oneself to changes in ~ 환경의 변화에 순응하다. ② (the ~) 자연 환경 : protect *the* ~ 자연 환경을 보호하다. ③ 【컴】 환경《하드웨어나 소프트웨어의 구성 또는 조작법》.
***en·vi·ron·men·tal** [invàiərənméntl] *a.* 주위의 ; 환경의 ; 환경 보호의, 환경을 파괴 않는 : ~ disruption〔pollution〕 환경 파괴〔오염〕/ ~ preservation 환경 보전 / an ~ group 환경보호 단체. ㊕ **~·ly** *ad.*
environméntal árt 환경 예술《관객을 예술 속에 이끌어 독특한 환경을 만들려는 종합 예술》.
en·vi·ron·men·tal·ist [invàiərənméntlist] *n.* Ⓒ 환경(보호)론자, 환경 문제 전문가.
Environméntal Protéction Àgency (the ~) 《美》 환경 보호국《略 : EPA》.
environméntal scíence 환경 과학.
en·vi·ron·ment-friend·ly [inváiərənmənt-fréndli] *a.* 환경을 오염시키지 않는, 환경에 친화적(親和的)인.
en·vi·rons [inváiərənz, énviərənz] *n. pl.* 주변(의 지역), (도시의) 근교, 교외(郊外): Seoul and its ~ 서울과 그 근교.
en·vis·age [invízidʒ] *vt.* (상황)을 마음 속에 그리다, 상상하다, 파악하다, 예견〔구상〕하다 : He ~*d* living in Hawaii. 그는 하와이에서의 생활을 마음 속에 그려보았다 / He was able to ~ the phenomena theoretically. 그는 그 현상들을 이론적으로 파악할 수 있었다. ㊕ **~·ment** *n.* Ⓤ
en·vi·sion [invíʒən] *vt.* =ENVISAGE.
en·voi [énvɔi, ά:n-] *n.* =ENVOY².
***en·voy¹** [énvɔi, ά:n-] *n.* Ⓒ (외교) 사절, 특사(特使); (전권) 공사 : an *Envoy* Extraordinary (and Minister Plenipotentiary) 특명 전권 공사 / an Imperial ~ 칙사 / a peace ~ 평화 사절.
en·voy² *n.* Ⓒ (시의) 결구(結句); 발문(跋文).
‡en·vy [énvi] *n.* ① Ⓤ 질투, 부러움, 시기, 샘, 시샘 : be filled with ~ *at*〔*of*〕 a person's success. 아무의 성공을 시샘하는 마음으로 가득하다. ② (the ~) 선망의 대상, 부러운 것. ◇ enviable, envious *a.* ***out of* ~** 부러운 나머지, 질투가 원인이 되어. ── *vt.* 《~+목/+목+목/+목+전+명》 …을 부러워하다, 시샘하다, 질투하다《*for*》.
★ envy 바로 뒤에는 *that*-clause 를 쓰지 않음. ¶ I ~ you. 네가 부럽다 / I ~ you your health. 네 건강이 부럽다 / I ~ him (*for*) his good fortune. 그의 행운이 부럽다 / I do not ~ him his delinquent son. 그의 아들이 비행 소년이라니 안됐다.
en·wrap [inrǽp] (**-pp-**) *vt.* ① …을 싸다, 두르다 ; 휩싸다. ② …을 열중시키다, …의 마음을 빼앗다.「르다.
en·wreathe [inrí:ð] *vt.* 《文語》 …에 화환을 두
en·zyme [énzaim] *n.* Ⓒ 【化】 효소(酵素).
Eo·cene [í:əsì:n] 【地質】 *a.* (제 3 기의) 에오세(世)의. ── *n.* (the ~) 에오세, 시신세(始新世).
EOF 【컴】 end of file《파일 끝에 붙이는 표시》.
Eo·li·an [i(:)óuliən] *a.* =AEOLIAN ; (e-) 【地質】 풍성(風成)의. ── *n.* =AEOLIAN.
eon ⇨ AEON.「오래 된.
eons-old [í:ənzòuld] *a.* 아주 옛날부터의, 아주
Eos [í:ɑs / -ɔs] *n.* 【그神】 에오스《새벽의 여신》.
eo·sin, -sine [í:əsin], [-si(:)n] *n.* Ⓤ 【化】 에오신《선홍색의 산성 물감, 세포질의 염색 등에 쓰임》.
eo·sin·o·phil, -phile [ì:əsínəfil], [-fàil] *n.* 【生】 호산구(好酸球), 호산성 백혈구.
-eous *suf.* 형용사 어미 -ous의 변형 : beaut*eous*.
EP [í:pí:] *n.* 이피판〔도넛판〕 레코드《1 분간 45 회전》. ⓒⓕ LP, SP. ── *a.* 이피판의 : ~ records. [◂ *e*xtended *p*lay (record)]
ep- *pref.* =EPI-《모음 및 h 앞에 올 때의 꼴》.
EPA 《美》 Environmental Protection Agency.
ep·au·let(te) [épəlèt, -lit] *n.* 【軍】 (장교 정복의) 견장.
épée [eipéi, épei] *n.* Ⓒ 《F.》 【펜싱】 에페《끝이 뾰족한 경기용 칼》.
Eph. 【聖】 Ephesians ; Ephraim.
ephed·rine, -rin [ifédrin, éfidrì:n], [efédrin] *n.* Ⓤ 【藥】 에페드린《감기·천식 등의 약》.
ephem·er·al [ifémərəl] *a.* 하루밖에 안 가는〔못 사는〕《곤충·꽃 등》; 단명한, 덧없는. ㊕ **~·ly** *ad.*
Ephe·sian [ifí:ʒən] *n.* (the ~s) 【聖】 에베소서(書)《신약성서 중의 한 편 ; 略 : Eph., **Ephes.**》.
***ep·ic** [épik] *n.* Ⓒ ① 서사시, 사시(史詩)《영웅의

업적·민족의 역사 등을 노래한 장시(長詩)》; 서사시적 이야기〔사건〕. ② (영화·소설 등의) 대작: a Hollywood ~ 헐리우드의 (초)대작. [cf.] lyric. ***a national*** ~ 국민시. ── *a.* 서사시의, 사시(史詩)의; 웅장한, 영웅적인, 장중한: an ~ poet 서사 시인.

ep·i·carp [épəkɑ̀ːrp] *n.* [C] 〖植〗 외과피(外果皮).

ep·i·cen·ter, 《英》 **-tre** [épisèntər] *n.* [C] 〖地質〗 진앙(震央), 진원지(震源地).

ep·i·cure [épikjùər] *n.* [C] 미식가(美食家): a cookery book for real ~*s* 진짜 미식가들을 위한 요리책.

Ep·i·cu·re·an [èpikjuríːən, -kjú(ː)ri-] *a.* Epicurus의; 에피쿠로스파(派)의; (e-) 쾌락주의의; (e-) 식도락의. ── *n.* [C] Epicurus설(說) 신봉자; (e-) 쾌락주의자; (e-) 미식가(美食家).
㊕ **~·ism** [-ìzəm] *n.* [U] Epicurus의 철학; (e-) 쾌락주의; 식도락.

Ep·i·cur·ism [épikjurìzəm] *n.* 《古》 =EPICUREANISM.

Ep·i·cu·rus [èpikjúərəs] *n.* 에피쿠로스《쾌락을 인생 최대의 선(善)이라 한 고대 그리스의 철학자; 341-270 B.C.》.

***ep·i·dem·ic** [èpədémik] *n.* [C] 유행병, 전염병; (사상·전염병 따위의) 유행; (사건 등의) 빈발: There is an ~ of cholera reported. 콜레라가 돈다는 보도가 나왔다 / an ~ of traffic accidents 교통 사고의 빈발 / Marriages are down, and divorce has become an ~. 결혼하는 사람들 수는 줄고 이혼은 유행병처럼 번지고 있다.
── *a.* ① 유행병〔전염병〕의. [cf.] endemic. ② 유행하고 있는《사상 따위》; 통폐의.

ep·i·der·mal, -mic [èpədə́ːrməl], [-mik] *a.* 표피의, 외피의: *epidermal* tissue 표피 조직.

ep·i·der·mis [èpədə́ːrmis] *n.* [U.C] 〖解·植·動〗 표피, 외피(外皮); 세포성 외피; 각(殼).

ep·i·glot·tis [èpəglɑ́tis / -glɔ́t-] *n.* [C] 〖解〗 후두개(喉頭蓋), 후두개 연골(軟骨).

ep·i·gone, -gon [épəgòun], [-gɑ̀n / -gɔ̀n] *n.* [C] ① (조상보다 못한) 자손. ② (문예·사상 따위의) 아류(亞流), 모방자, 에피고넨.

***ep·i·gram** [épigræ̀m] *n.* [C] 경구(警句); (짧은) 풍자시(諷刺詩). [cf.] aphorism. ¶ Oscar Wilde was noted for his ~*s*. 오스카 와일드는 경구가(家)로 유명했다.

ep·i·gram·mat·ic, -i·cal [èpigrəmǽtik], [-əl] *a.* 경구(警句)의; 풍자(시)의; 경구투의.
㊕ **-i·cal·ly** [-ikəli] *ad.* 경구투로.

ep·i·gram·ma·tist [èpigrǽmətist] *n.* [C] 경구가(家); 풍자 시인.

ep·i·graph [épigræ̀f, épigrɑ̀ːf] *n.* [C] (묘비·동상 등의) 비문, 비명; (서책 등의) 제사(題詞).

epig·ra·phy [epígrəfi] *n.* ① 〔集合的〕 비문, 비명(碑銘). ② [U] 비명 연구, 금석학(金石學).

ep·i·lep·sy [épəlèpsi] *n.* [U] 간질: a fit of ~ 간질 발작.

ep·i·lep·tic [èpəléptik] *a.* 지랄병의, 간질의.
── *n.* [C] 간질 환자. ㊕ **-ti·cal·ly** *ad.*

***ep·i·log, -logue** [épilɔ̀ːg, -lɑ̀g / épilɔ̀g] *n.* [C] (문학 작품의) 발문(跋文), 결어(結語), 발시(跋詩); 〖劇〗 끝맺음말, 에필로그. [opp.] *prolog(ue)*.

Epiph·a·ny [ipífəni] *n.* ① 〖가톨릭〗 (the ~) 예수 공현(公顯)《특히 예수가 이방인인 세 동방 박사를 통하여 메시아임을 드러낸 일》. ② 공현 축일(Twelfth Day)《1월 6일》. ③ (e-) [C] 본질(적 의미)의 돌연한 현현(顯現)〔지각(知覺)〕; 직관적인 진실 파악.

ep·i·phyte [épəfàit] *n.* [C] 〖植〗 착생(着生) 식물(air plant, aerophyte).

epis·co·pa·cy [ipískəpəsi] *n.* [U] ① 감독〔주교〕 제도《bishop, priests, deacons의 세 직을 포함하는 교회 정치 형태》; 감독〔주교〕의 직〔임기〕. ② (the ~) 〔集合的〕 감독〔주교〕단.

***epis·co·pal** [ipískəpəl] *a.* 감독(제도)의; episcopacy를 주장하는; (E-) 감독파(派)의.
── *n.* (E-) =EPISCOPALIAN.

Epíscopal Chúrch (the ~) 영국 성공회; 미국 성공회. ***the Protestant*** ~ 미국 성공회.

Epis·co·pa·lian [ipìskəpéiljən, -liən] *a.* 감독〔주교〕의; =EPISCOPAL. ── *n.* [C] 감독파의 사람, 감독 교회원; (e-) 감독제(制)〔주교제〕주의자.
㊕ **~·ism** *n.* [U] (교회의) 감독제주의.

ep·i·scope [épəskòup] *n.* [C] 반사 투영기(反射投映機)《불투명체의 화상(畫像)을 스크린에 영사하는 환등 장치》.

‡**ep·i·sode** [épəsòud, -zòud] *n.* [C] ① **a)** (소설·극 따위 속의) 삽화. **b)** (TV나 라디오 드라마 등 연속물의) 일회분(一回分), 한 편(編): the final ~ of a TV series, TV 연속물의 마지막 회. ② (사람의 일생 또는 경험 중의) 일련의 삽화적인 사건, 에피소드: an amusing ~ in history 역사상의 재미있는 에피소드.

ep·i·sod·ic, -i·cal [èpəsɑ́dik / èpisɔ́d-], [-əl] *a.* ① 에피소드적인; 삽화로 이루어진; 일시적인. ② 이따금 있는, 산발적인, 우연적인.
㊕ **-i·cal·ly** *ad.*

epis·te·mo·log·i·cal [ipìstəməlɑ́dʒikəl / -məlɔ́dʒ-] *a.* 인식론(상)의. ㊕ **~·ly** *ad.*

epis·te·mol·o·gy [ipìstəmɑ́lədʒi / -mɔ́l-] *n.* [U] 〖哲〗 인식론. ㊕ **-gist** *n.* [C] 인식론 학자.

***epis·tle** [ipísl] *n.* ① [C] 《戯·文語》 (특히 형식적인) 편지, 서한; 서한체의 시(詩). ② (the E-) (신약성서 중의) 사도 서간(使徒書簡); (the E-) 서간경(書簡經)《성체 성사에서 낭독하는 사도 서간의 발췌》: *the Epistle* of Paul to the Romans 로마서(書).

epis·to·lary [ipístəlèri / -ləri] *a.* 〔限定的〕 편지〔신서(信書), 서간〕의〔에 의한〕; 서한체의: an ~ novel 서한체 소설.

***ep·i·taph** [épətæ̀f, -tɑ̀ːf] *n.* [C] 비명(碑銘), 비문, 묘비명; 비문체의 시〔산문〕.

ep·i·tha·la·mi·um [èpəθəléimiəm] (*pl.* **~s, -mia** [-miə]) *n.* [C] 결혼 축시〔축가〕.

ep·i·the·li·um [èpəθíːliəm] (*pl.* **-lia** [-liə], **~s**) *n.* [C] 〖解〗 상피(上皮) (세포).

***ep·i·thet** [épəθèt] *n.* [C] ① 성질·속성을 나타내는 형용사〔형용어구〕. ② 별명, 통칭《보기: the *crafty* Ulysses, Richard the *Lion-Hearted*》. ③ 모멸적인 말.

epit·o·me [ipítəmi] *n.* (the ~) (…의) 축도, 전형: man, *the* world's ~ 세계의 축도인 인간.

epit·o·mize [ipítəmàiz] *vt.* …의 축도〔전형〕이다; …을 요약〔발췌〕하다.

‡**ep·och** [épək / íːpɔk] *n.* [C] ① (중요한 사건이 일어났던) 시대; (특색 있는) 획기적 시대. ② (역사·정치 등의) 신기원, 새시대. ③ 〖地質〗 세(世)《연대 구분의 하나로 period(기(紀))보다 작고 age(기(期))보다 큼》. ④ 획기적인 〔중요한〕 사건.
make 〔***mark, form***〕 ***an*** ~ 신기원을 이루다: The incident *marked*〔*made*〕 *an* ~ in his life. 그 사건을 계기로 그의 생애에 새로운 시기가 시작되었다.

ep·och·al [épəkəl / épɔk-] *a.* 신기원의; 획기적인: an ~ event 획기적 사건.

***ep·och-mak·ing** [-mèikiŋ] *a.* 획기적인, 신기원을 이루는(epochal): an ~ event〔discovery〕 획기적인 사건〔발견〕.

ep·o·nym [épounìm] *n.* Ⓒ 이름의 시조《인종·토지·시대 따위의 이름의 유래가 되는 인물; Rome의 유래가 된 Romulus 따위》.
ep·on·y·mous [ipánəməs / ipɔ́n-] *a.* 이름의 시조가 되는; 시조의 이름을 붙인.
ep·oxy [epáksi / epɔ́k-] *a.* 〖化〗 에폭시의. ── *n.* =EPOXY RESIN.
epóxy rèsin 〖化〗 에폭시 수지(樹脂).
EPROM [í:prɑm / -rɔm] 〖컴〗 erasable programmable read-only memory (이피롬; PROM의 일종으로 일단 기억시킨 내용을 소거(消去)하고 다른 데이터를 기억시킬 수 있는 LSI).
ep·si·lon [épsəlàn, -lən / -lɔn] *n.* ⓊⒸ 엡실론《그리스어 알파벳의 다섯째 글자《*E*, ε; 로마자의 E, e에 해당》.
Ep·som [épsəm] *n.* 영국 Surrey주의 도시《Epsom 경마장이 유명함》.
Épsom sàlt(s) 황산마그네슘《하제(下劑)용》.
eq. equal; equation; equator; equivalent.
eq·ua·ble [ékwəbəl, í:k-] *a.* ① (기온·온도 등이) 변화가 없는〔적은〕: an ~ climate 변화가 적은 기후. ② (사람·성품이) 고요한, 온화〔침착〕한: John has a fairly ~ temperament〔disposition〕. 존은 기질이 썩 부드럽다. ㊞ **-bly** *ad.* **~·ness** *n.* =EQUABILITY. **èq·ua·bíl·i·ty** *n.* Ⓤ 균등성, 한결같음; (기분·마음의) 평정, 침착.
‡**equal** [í:kwəl] (***more ~; most ~***) *a.* ① 같은《*to*》; 동등한《*with*》, (힘이) 호각의: Twice 2 is ~ *to* 4. 2의 2배는 4; 2×2=4 / The two balls are of ~ weight. 그 두 공은 무게가 같다. ② 〔敍述的〕 (임무 따위에) 적당한, 감당할 수 있는, (충분한) 역량이 있는: He is ~ *to* the task. 그는 충분히 그 일을 할 수 있다 / She's very weak and not ~ *to* (making) a long journey. 그녀는 너무 약해서 오랜 여행을 감당 못 한다. ③ (양·정도가) 충분한《*to*》: The supply is ~ *to* the demand. 수요에 응할 만큼의 공급이 있다. ④ 평등〔균등, 대등〕한, 한결같은: All men are ~. 모든 사람은 평등하다.
be ~ to the occasion 어느 경우에도 (훌륭히) 대처〔대응〕할 수 있다. ***on ~ terms*** (***with...***) (…과) 동등한 조건으로. ***other things being ~*** 다른 조건이 같다면.
── *n.* Ⓒ ① 동등자, 대등한 사람, 동배(同輩): mix with one's ~*s* 같은 또래와 교제하다. ② 동등한 것, 필적하는 것: She has no ~ *in* cooking. 요리는 그녀를 따를 사람이 없다. ***be the ~ of one's word*** 약속을 지키다. ***without (an) ~*** 필적할 사람이 없는, 출중하여: Cicero was *without* (*an*) ~ 〔had no ~〕 *in* eloquence. 웅변에서 키케로를 따를 사람은 없었다.
── (***-l-,*** 《英》 ***-ll-***) *vt.* 《~+목/+목+전+명》 …과 같다; …에 필적하다, …에 못지 않다: Four times six ~*s* twenty-four. 4×6은 24 / Few can ~ him *in* intelligence. 지능에서 그에 필적할 사람은 극히 적다.
Équal Emplóyment Opportúnity Commìssion 《美》 공정 고용기회 위원회.
equal·i·tar·i·an [i(:)kwɑ̀lətέəriən / -kwɔ̀l-] *a., n.* Ⓒ 평등주의의; 평등주의자.
equal·i·ty** [i(:)kwɑ́ləti / -kwɔ́l-] *n.* Ⓤ 같음; 동등; 대등; 평등; 균등, 한결같음: ~ between men and women 남녀 평등 / ~ of opportunity 기회의 균등 / a campaign for racial ~ 인종적 평등을 위한 운동 / I believe in ~ between the sexes. 나는 남녀 평등을 신봉한다. ***on an ~ with …와 대등한 입장에서.
equálity sìgn =EQUAL(S) SIGN.
Equálity Stàte (the ~) 《美》 Wyoming주의 속칭《여성 참정권을 최초로 인정함》.
equal·ize [í:kwəlàiz] *vt.* …을 같게 하다; 평등〔동등〕하게 하다; 한결같이 하다《*to; with*》: ~ tax burdens 세부담을 균등하게 하다. ── *vi.* 《英》 (경기에서) 동점이 되다: Our team ~*d with* theirs. 우리 팀은 그들 팀과 동점이 되었다. ㊞ **èqual·i·zá·tion** *n.* Ⓤ 평등〔균일〕화.
equal·iz·er [í:kwəlàizər] *n.* Ⓒ ① 평등하게 하는 사람〔것〕; 동점타(打)〔골〕. ② 〖空〗 (보조익의) 평형 장치.
‡**equal·ly** [í:kwəli] (***more ~; most ~***) *ad.* ① 같게, 동등하게: They are ~ good. 어느 것〔쪽〕도 다 좋아 우열을 매길 수 없다 / Try to get into the habit of eating at least three meals a day, at ~ spaced intervals. 똑같은 시간 간격을 두고 최소한 하루 세끼를 먹는 습관을 들이도록 해라 / He is wrong, and you are ~ wrong. 그가 나쁘지만 마찬가지로 너도 나쁘다. ② 평등하게: treat ~ 차별 없이 다루다. ③ 〔接續詞的으로〕 동시에, 또.
équal opportúnity (고용의) 기회 균등.
équal páy (남녀의) 동일 임금.
Équal Ríghts Amèndment (the ~) 《美》 남녀 평등 헌법 수정안(略: ERA).
équal(s) sìgn 등호(=).
equa·nim·i·ty [ì:kwənímǝti, èk-] *n.* Ⓤ (마음의) 평정(平靜); 침착; 냉정. ***with ~*** 침착하게, 태연히.
equate [ikwéit] *vt.* ① (두 물건)을 같게 하다; …와 동등시하다《*to; with*》: He ~*s* license *with*〔*and*〕 liberty. 그는 방종을 자유로 생각하고 있다 / Can we ~ theft and robbery? 절도와 강도를 같다고 생각할 수 있느냐. ② 〖數〗 등식화하다, 방정식으로 나타내다: ~ A *with* 〔*to*〕 B, A와 B를 동일시하다.
***equa·tion** [i(:)kwéiʒən, -ʃən] *n.* ① Ⓤ (또는 an ~) **a)** 같게 함, 균등화; 동일시: the ~ of supply and demand 수요와 공급의 균등화 / the ~ of wealth with〔and〕 happiness 부와 행복의 동일시. **b)** 평형 상태. ② Ⓒ 〖數·化〗 방정식; 등식, 반응식: an ~ of the first〔second〕 degree 1차〔2차〕 방정식 / solve an ~ 방정식을 풀다. ㊞ **~·al** [-əl] *a.* 방정식의; 균분의.
‡**equa·tor** [ikwéitər] *n.* (the ~) 적도: right on *the* ~ 적도 직하에서〔의〕 / cross the ~ 적도를 횡단하다.
***eq·ua·to·ri·al** [èkwətɔ́:riəl, ì:k-] *a.* ① 적도의, 적도 부근의. ② 몹시 더운.
Equatórial Guínea (the ~) 적도 기니《적도 아프리카 중서부의 공화국; 수도 Malabo》.
eq·uer·ry [ékwəri] *n.* Ⓒ (영국 왕실의) 시종 무관.
eques·tri·an [ikwéstriən] *a.* 마술의; 마상(馬上)의, 기마〔승마〕의: ~ events 마술 경기 / an ~ statue 승마상(像). ── *n.* Ⓒ (*fem.* ***-tri·enne*** [ikwèstrién]) 말 타는 사람; 마술가, 기수(騎手); 곡마사. ㊞ **~·ism** [-ìzəm] *n.* Ⓤ 승마술; 곡마술.
equi- '같은'의 뜻의 결합사: *equi*distant.
equi·an·gu·lar [ì:kwiǽŋgjələr] *a.* 등각의: an ~ triangle 등각 삼각형.
equi·dis·tant [ì:kwidístənt] *a.* 〔敍述的〕 (…에서) 등(等)거리의《*from*》: Rome is about ~ *from* Cairo and Oslo. 로마는 카이로와 오슬로에서 각기 비등한 거리에 있다. ㊞ **~·ly** *ad.*
equidístant diplòmacy 등거리 외교.
equi·lat·er·al [ì:kwəlǽtərəl] *a.* 등변의: an ~ triangle 〔polygon〕 등변 삼각형〔다각형〕. ── *n.* Ⓒ 등변; 등변형. ㊞ **~·ly** *ad.*

equil·i·brate [iːkwíləbrèit, ìːkwəláibreit] *vt.* (두 개의 것)을 평형시키다, 균형잡히게 하다.
— *vi.* 평형이 되다, 균형 잡히다.
㊞ **equi·li·bra·tion** [iːkwìləbréiʃən] *n.* Ⓤ 평형, 균형, 평균(상태).

***equi·lib·ri·um** [ìːkwəlíbriəm] (*pl.* **~s, -ria** [-riə]) *n.* Ⓤ,Ⓒ ① 평형 상태, 균형: in ~ 균형을 이루어 / keep the two powers in (an) ~ 두 강대국을 세력 균형 상태로 유지하다. ② (마음의) 평정: preserve〔lose〕 one's (emotional) ~ 마음의 평정을 유지하다〔잃다〕.

equine [íːkwain, ék-] *a.* 말(horse)의, 말 같은.

equi·noc·tial [ìːkwənɑ́kʃəl / -nɔ́k-] *a.* 〔限定的〕 주야 평분(平分)(시(時))의, 춘분·추분의; 적도(부근)의: the autumnal 〔vernal〕 ~ point 추〔춘〕분점 / the ~ line 주야 평분선.

equinóctial yéar = TROPICAL YEAR.

***equi·nox** [íːkwənɑ̀ks / -nɔ̀ks] *n.* Ⓒ 주야 평분시, 춘〔추〕분; 〖天〗 분점(分點). ◇ equinoctial *a.*

‡equip [ikwíp] (*-pp-*) *vt.* ①《~+목 / +목+전+명/+목+*as*보》〔종종 受動으로〕 …에 (필요물을) 갖추다, 장비하다《*with*》; (배)를 의장(艤裝)하다: ~ a ship *for* a voyage 출항 준비를 하다 / a building ~*ped as* a hospital 병원으로서의 설비를 갖춘 건물 / ~ a car *with* snow tires 차에 스노타이어를 끼우다. ②《+목+전+명/+목+*to* do》 …에게 가르쳐 주다, …에게 갖추게 하다《*with*》: He's ~*ped to* do the job. 그는 그 일을 할 능력이 있다 / He was ~*ped with* a knowledge of English for the job. 그는 그 일에 필요한 영어 지식을 갖추고 있다. ③《+목+전+명》〔再歸的〕 몸치장시키다《*in*; *for*》: She ~*ped herself in* all her finery. 그녀는 한껏 몸치장을 했다 / He ~*ped himself for* the trip. 그는 여행 준비를 끝냈다.

eq·ui·page [ékwəpidʒ] *n.* Ⓒ (예전의) 마차와 거기에 딸린 말구종 일체.

‡equip·ment [ikwípmənt] *n.* Ⓤ ①〔集合的〕 장비, 설비, 비품; 의장(艤裝)(품); 〖컴〗 장비《컴퓨터 시스템의 여러 기계 장치》: laboratory ~ 실험실 비품 / the cost of ~ 시설비. ② 준비, 채비; 여장. ③ (일에 필요한) 지식, 소양《*for*》: linguistic ~ 어학 소양 / He has the necessary ~ *for* law. 그는 필요한 법률 지식을 가지고 있다.

eq·ui·poise [ékwəpɔ̀iz, íːk-] *n.* ① Ⓤ 평형(상태); 균형; 평형력. ② Ⓒ 평형추.

eq·ui·ta·ble [ékwətəbəl] *a.* 공정〔공평〕한, 정당한; 〖法〗 형평법(衡平法)상의, 형평법상 유효한.

eq·ui·ta·tion [èkwətéiʃən] *n.* Ⓤ 승마; 마술(馬術).

***eq·ui·ty** [ékwəti] *n.* ① Ⓤ 공평, 공정; 정당. ② Ⓤ 〖法〗 형평법(衡平法)《공평과 정의면에서 common law의 미비점을 보완한 법률》. ③《英》(*pl.*) (고정 금리가 붙지 않는) 보통주.

équity càpital 〖經〗 (주주에 의한) 납입 자본 (venture capital).

equiv·a·lence, -len·cy [ikwívələns], [-i] *n.* Ⓤ ① 같음; 등가(等價), 등치(等値); 동의의(同意義). ② 〖化〗 (원자의) 등가(等價), 당량(當量).

***equiv·a·lent** [ikwívələnt] *a.* ① 동등한, 같은; (가치·힘 따위가) 대등한; (말·표현이) 같은 뜻의《*to*》: 250 grams or an ~ amount in ounces, 250 그램 또는 온스로 환산한 동등한 양 / Her silence was ~ *to* consent. 그녀의 침묵은 곧 승낙과 같은 것이었다. ② 〖化〗 등가(等價)의; 등적(等積)의, 동치(同値)의.
— *n.* Ⓒ ① **a**) 동등한 것, 등가〔등량〕물; 상당하는 것《*of*》: What's the ~ *of* fifty pounds in dollars? 50 파운드는 달러로 얼마냐. **b**) (타국어의) 동의어: There is no ~ *for*〔*of*〕 the word in English. 영어에는 그 말에 해당하는 말이 없다. ② 〖文法〗 상당 어구: a noun ~ 명사 상당 어구.

equiv·o·cal [ikwívəkəl] *a.* ① 두 가지 (이상의) 뜻으로 해석할 수 있는, (뜻이) 애매〔모호〕한: an ~ expression 애매한 표현. ② (사람·행동이) 수상한: a company of ~ reputation 평판이 수상한 회사. ㊞ **~·ly** [-kəli] *ad.* **~·ness** *n.*

equiv·o·cate [ikwívəkèit] *vi.* ① 모호한 말을 쓰다. ② 얼버무리다, 속이다. ㊞ **equív·o·cà·tor** [-tər] *n.* Ⓒ

equiv·o·ca·tion [ikwìvəkéiʃən] *n.* Ⓤ,Ⓒ 애매〔모호〕한 말을 쓰기, 말을 얼버무림.

***er** [əːr] *int.* 에에, 저어《망설이거나 말을 시작할 때에 내는 소리》: I—*er*—don't know. 나는—에에—모르겠는데《★ 미국에서는 uh 로 쓰기도 함》.

ER 〖野〗 earned run; en route; 〖醫〗 emergency room (응급 치료실). **Er** 〖化〗 erbium.

‡era [íərə, érə] *n.* Ⓒ ① 기원; 연대, 시대, 시기 (epoch): the Christian ~ 서력 기원 / the cold war ~ 냉전 시대. ② (역사의 신시대를 구획하는) 획기적인 사건·날: The year 1945 marked a new ~ in our history. 1945년은 우리 역사상 획기적인 해였다. ③ 〖地質〗 …대(代).

ERA Emergency Relief Administration; 〖野〗 earned run average. **ERA, E.R.A.** 《美》 Equal Rights Amendment.

erad·i·ca·ble [irǽdəkəbəl] *a.* 근절할 수 있는. ㊞ **-bly** *ad.*

***erad·i·cate** [irǽdəkèit] *vt.* ① (잡초 등)을 뿌리째 뽑다(root up). ② (바람직하지 않은 것)을 근절하다(root out), 박멸하다: a campaign to ~ crime〔poverty〕 범죄를〔빈곤을〕 근절하기 위한 운동. ㊞ **eràd·i·cá·tion** [-ʃən] *n.* Ⓤ 뿌리째 뽑음; 근절; 박멸. **erád·i·cà·tor** [-tər] *n.* ① Ⓒ 근절하는 사람〔것〕. ② 얼룩 빼는 약, 잉크 지우개.

eras·a·ble [iréisəbəl / iréiz-] *a.* 〖컴〗 소거할 수 있는.

erásable stòrage 〖컴〗 말소성(抹消性) 기억 장치.

***erase** [iréis / iréiz] *vt.* ①《~+목 / +목+전+명》…을 지우다; 말소〔말살, 삭제〕하다; (테이프 녹음·컴퓨터 기억정보 등)을 지우다《*from*》: ~ a problem *from* the blackboard 흑판의 문제를 지우다 / Love was a word he'd ~*d from* his vocabulary since Susan's going. 수잔이 가버린 후에 '사랑'이란 말은 그의 어휘에서 지워졌다. ②《+목+전+명》 (마음에서) 없애다, 잊어버리다《*from*》: ~ a hope *from* one's mind 희망을 버리다 / Your fear must be ~*d*. 두려움을 없애야 한다. ③ …의 효과를〔효력을〕 무로 돌리다. ④《俗》 (사람)을 죽이다, 없애다(kill).
㊞ **~d** *a.* **eràs·a·bíl·i·ty** *n.*

‡eras·er [iréisər / -zər] *n.* Ⓒ ① 칠판 지우개: a blackboard ~. ②《美》 지우개(《英》 rubber).

era·sure [iréiʃər] *n.* ① Ⓤ 지워 없앰; 말살, 삭제. ② Ⓒ 삭제한 어구(語句); 지운 자국.

er·bi·um [ə́ːrbiəm] *n.* Ⓤ 〖化〗 에르븀《희토류(稀土類) 원소; 기호 Er; 번호 68》.

ere [ɛər] *prep.* 《詩·古》 …의 전에, …에 앞서 (before). **~ *long*** 오래지 않아서, 이윽고(before long). — *conj.* …하기 전에(before).

Er·e·bus [érəbəs] *n.* 〖그神〗 이승과 저승과의 사이에 있는 암흑계: (as) dark as ~ 캄캄한.

‡erect [irékt] (***more*** **~;** ***most*** ~) *a.* ① 똑바로 선, 직립(直立)의: stand ~ 똑바로 서다 / She has an ~ figure. 그녀는 자세가 바르다. ② (머리

카락 등이) 곤두선 : with hair ~ 머리카락을 곤두세우고. ③【生理】 발기한. — *vt.* ① …을 세우다, 똑바로 세우다 : The dog ~*ed* his ears. 개가 귀를 쫑긋 세웠다. ②《~+목/+목+전+명》 건설〔구축〕하다. ③ (기계)를 조립하다. ㊀ **~·ness** *n.* Ⓤ 직립하는 힘, 수직성.

erec·tile [iréktil, -tail] *a.* 【解·生】 (조직이) 발기성의. ㊀ **erec·til·i·ty** [irèktíləti] *n.*

***erec·tion** [irékʃən] *n.* ① Ⓤ,Ⓒ erect 함〔한 것〕; Ⓤ 직립. ② Ⓤ 건설; 조립; 설정; 설립. ③ Ⓒ 건조물. ④【生理】 Ⓤ,Ⓒ 발기.

erec·tive [iréktiv] *a.* 직립성〔기립성〕의.

erg[1] [əːrg] *n.* Ⓒ【物】 에르그《에너지 및 일의 CGS 단위 : 1 dyne의 힘이 작용하여 그 방향으로 물체를 1 cm 이동시키는 일의 양; 기호 e》.

er·go [ə́ːrgou] *ad.* 《L.》《戲》 그러므로.

er·go·nom·ics [əːrgənámiks / -nɔ́m-] *n.* Ⓤ 인간 공학; =BIOTECHNOLOGY.

er·got [ə́ːrgət] *n.* Ⓤ 맥각(麥角)《독성의 균류》; 【植】 맥각병; 【藥】 맥각《자궁 수축 촉진, 산후의 자궁 지혈제》. 「일종).

er·i·ca [érikə] *n.* Ⓒ 【植】 에리카《히스(heath)의

Er·ie [íəri / íəri] *n.* **Lake** ~ 이리호(湖)《미국 동부의 5 대호(the Great Lake)의 하나》.

Er·in [érin, íːr-, ɛ́ər-] *n.* 《詩》 에린《아일랜드의 옛 이름》: sons of ~ 아일랜드인.

Eris [í(ː)ris, éris] *n.* 【그神】 에리스《불화(不和)의 여신》.

Er·i·trea [èritríːə] *n.* 【地】 에리트레아《에티오피아의 동북부 지방이었으나 1993년 공화국으로 독립; 수도 Asmara》. ㊀ **Èr·i·tré·an** *a., n.*

ERM European Exchange Rate Machanism (유럽 환율 조정 기구).

er·mine [ə́ːrmin] (*pl.* ~, ~*s*) *n.* ① Ⓒ 산족제비; 어민, (흰)담비. ② Ⓤ 담비의 흰 모피. ③ Ⓒ 담비 모피의 가운〔외투〕《왕후·귀족·법관용》.

er·mined [ə́ːrmind] *a.* 담비털로 가를 두른〔안을 댄〕; 담비털옷을 입은.

-ern *suf.* '…쪽의'의 뜻 : east*ern*.

erne, ern [əːrn] *n.* 【鳥】 흰꼬리수리.

erode [iróud] *vt.* ① (암 등이) …을 좀먹다, (산(酸) 따위가) …을 부식〔침식〕하다; Cancer had ~*d* the bone. 암이 뼈를 침해했다. ② (비바람이) …을 침식하다 : Once exposed, soil is quickly ~*d* by wind and rain. 일단 노출되면 토양은 비바람에 의하여 곧 침식된다 / The tides ~*d* the beach. 조수가 해안을 침식했다. ③ …을 서서히 좀먹다《*away*》: Inflation ~*s* your fund in the bank. 인플레가 되면 은행 예금의 (화폐) 가치가 떨어진다. — *vi.* 부식하다, 썩다; 침식되다.

erog·e·nous, ero·gen·ic [irádʒənəs / irɔ́dʒ-], [èrədʒénik] *a.* 【醫】 성적 자극에 민감한 : *erogenous* zones 성감대(帶).

Eros [íərɑs, érɑs / íərɔs, érɔs] *n.* ①【그神】 에로스《Aphrodite 의 아들이며 사랑의 신》. ㊒ Cupid. ②【精神分析】 생의 본능. ③ Ⓤ (종종 e-) 성애(性愛), 성적 욕구.

EROS earth resources observation satellite (지구 자원 관측 위성).

***ero·sion** [iróuʒən] *n.* Ⓤ ①【地質】 침식, 침식 작용 : wind ~ 풍식 작용 / the ~ of rocks by running water 유수에 의한 암석의 침식. ② (금속 등의) 부식; (권력 등의) 쇠퇴.

ero·sive [iróusiv] *a.* 부식〔침식〕성의; 미란성의.

***erot·ic** [irátik / irɔ́t-] *a.* 성애의, 애욕의; 성애를 다룬; (사람이) 색을 좋아하는 : ~ films 〔photographs〕 색정적인 영화〔사진〕/ ~ poetry 연애시.

erot·i·ca [irátikə / irɔ́t-] *n.* 〔종종 單數 취급〕 성애를 다룬 문학〔예술작품, 책〕; 춘화.

erot·i·cism [irátəsizəm / irɔ́t-] *n.* Ⓤ 호색, 에로티시즘; 성적 흥분〔충동〕, 성욕; 이상 성욕항진.

ero·tol·o·gy [èrətálədʒi / -tɔ́l-] *n.* Ⓤ 성애학(性愛學)

ero·to·ma·nia [iròutəméiniə, iràtə-] *n.* Ⓤ【醫】 색광, 색정광(色情狂).

‡err [əːr, ɛər] *vi.* 《~/+전+명》 ① 정도(正道)에서 벗어나다《*from*》: ~ *from* the right path 정도에서 벗어나다. ② 잘못〔실수〕하다, 틀리다; 그르치다《*in*》: I ~*ed in* believing him. 그를 믿은 것은 실수였다. ③ 도덕〔종교의 신조〕에 어긋나다, 죄를 범하다 : To ~ is human, to forgive divine. 《格言》 과오는 인간의 것이요, 용서는 하느님의 것이다《영국 시인 A. Pope 의 말》. ◇ error *n.* erroneous *a.* ~ ***on the side of*** ... 지나치게 …하다《★ '좋은 일을 지나치게 하다'의 뜻으로 씀》: ~ *on the side of* severity〔lenity〕 너무 엄격〔관대〕하다.

‡er·rand [érənd] *n.* ① Ⓒ 심부름 : send a person on an ~ 아무를 심부름 보내다 / Run an ~ for me, will you? 심부름 좀 가 주지 않겠나. ② 볼일 : I have an ~ (to do) in town. 시내에 볼 일이 있다. ***go on a fool's*** 〔***a gawk's***〕 ~ 헛걸음하다, 헛수고하다.

er·rant [érənt] *a.* 〔限定的〕 ① (모험을 찾아) 편력하는, 무예 수업을 하는. ㊒ knight-errant. ② 길을 잘못 든; 정도를〔궤범을〕 벗어난, (생각·행위가) 잘못된 : an ~ wife 부정한 아내 / his ~ conduct 그의 정도를 벗어난 행위. ③ (바람 따위가) 방향이 불규칙한.

er·ra·ta [eráːtə, ir-, -réi-] *n.* ① erratum 의 복수. ② 정오(正誤)표(corrigenda).

er·rat·ic [irǽtik] *a.* ① (행동·의견 등이) 변덕스러운; 별난, 상궤(常軌)를 벗어난 : ~ behavior 기행(奇行). ② 일관성이 없는, 불규칙한 : ~ eating habit 불규칙한 식사 습관 / Deliveries of goods are ~. 물건 배달이 대중 없다. ③【地質】 이동하는 : ~ boulder 〔block〕 표석(漂石). — *n.* Ⓒ 괴짜, 기인(奇人). ㊀ **-i·cal·ly** [-ikəli] *ad.*

er·ra·tum [eráːtəm, ir-, -réi-] (*pl.* **-ta** [-tə]) *n.* Ⓒ ① 오사(誤寫), 오자, 오식. ② (*pl.*) 정오표(a list of errata).

***er·ro·ne·ous** [iróuniəs] *a.* 잘못된, 틀린 : ~ ideas about religion 종교에 대한 잘못된 생각. ㊀ **~·ly** *ad.* 잘못되어, 틀리어.

‡er·ror [érər] *n.* ① Ⓒ 잘못, 실수, 틀림《*in; of*》: make 〔commit〕 an ~ 잘못을 저지르다 / correct ~*s* 잘못을 고치다 / a CLERICAL ~ / a printer's ~ 오식. ② Ⓤ 잘못된 생각, 오신(誤信)(delusion). ③ Ⓒ 소행의 실수 : ~*s* of youth 젊은 혈기의 실수. ④ Ⓒ 과실, 실책, 죄. ⑤ Ⓒ【法】 오류, 하자, 오심 : a personal ~ 개인(오)차 / an ~ of measurement 측정 오차 / a writ of ~ 재심 명령. ⑥ Ⓒ【野】 에러, 실책. ⑦【컴】 착오, 틀림, 오차, 에러《프로그램상의〔하드웨어의〕 오류》. ◇ err *v.* (He's a fool) ***and no*** ~ (그는) 틀림없이 (바보다). ***catch*** a person ***in*** ~ 아무의 잘못을 찾아내다. ***fall into*** (***an***) ~ 잘못 생각하다, 잘못에 빠지다. ***lead*** a person ***into*** ~ 아무에게 죄를 범하게 하다. ***remedy*** 〔***make amends for***〕 one***'s*** ~ 과실을 보상하다. ***see the*** ~ ***of*** one***'s ways*** 지난 과실을 후회하다. ㊀ **~·less** *a.*

érror chécking 【컴】 착오 검사.

érror mèssage 【컴】 착오 알림말《프로그램에 오류가 있을 때 출력되는 메시지》.

érror recóvery 【컴】 착오 복구.

er·satz [érzɑːts, -sɑːts] *a.* 《G.》 대용(代用)의; 모

의〔모조〕의 : ~ coffee 대용 커피.
— *n.* Ⓒ 대용품(substitute).
Erse [əːrs] *n.* Ⓤ 어스말《스코틀랜드 및 아일랜드의 고대 켈트어(語) ; 특히 전자를 이름》.
— *a.* 어스말의.
erst [əːrst] *ad.* 《古》 이전에, 옛날에 ; 최초에(는).
erst·while [ə́ːrsthwàil] *ad.* 《古》 = ERST.
— *a.* 이전의, 옛날의 : his ~ student 옛날 제자.
eruct, eruc·tate [irʌ́kt], [-teit] *vi.* ① 트림하다. ② 분출하다. ㊕ **erùc·tá·tion** [-téiʃən] *n.* Ⓤ,Ⓒ 트림(belching) ; (화산의) 분출 ; 분출물.
er·u·dite [érjudàit] *a.* 박식한, 학식이 있는.
㊕ **~·ly** *ad.* 박학하게. **èr·u·dí·tion** [-ʃən] *n.* Ⓤ (특히 문학·역사 등의) 박학, 박식 ; 학식.
erupt [irʌ́pt] *vi.* (화산이) 분화하다 ; (이가) 잇몸을 뚫고 나오다 ; 발진(發疹)하다 ; (폭동 등이) 발발하다 ; (분노를) 폭발시키다 : It is many years since Mount Vesuvius last ~*ed.* 베수비어스산이 지난번에 분화한 후로 여러 해가 지났다 / The audience ~*ed into* wild cheers. 청중들은 한꺼번에 열광적으로 갈채했다 / War ~*ed* on the border. 국경에서 전쟁이 발발했다.
***erup·tion** [irʌ́pʃən] *n.* Ⓤ,Ⓒ ① (화산의) 폭발, 분화 ; (용암·간헐천의) 분출 : ~ cycle 〖地學〗 분화 윤회. ② (화산의) 분출물. ③ (감정의) 폭발 ; (사건의) 돌발. ④ (이가) 남 ; (피부의) 부스럼, 발진. ㊕ **~·al** [-əl] *a.*
erup·tive [irʌ́ptiv] *a.* ① 분출하는 ; 폭발하는 ; 화산 폭발의, 분화에 의한 : ~ rocks 분출암. ② 〖醫〗 발진성의 : ~ fever 발진열(熱)《발진티푸스 등》.
-ery *suf.* = -RY.
er·y·sip·e·las [èrəsípələs, ìːr-] *n.* Ⓤ 〖醫〗 단독(丹毒).
eryth·ro·cyte [iríθrousàit] *n.* Ⓤ 〖解〗 적혈구.
eryth·ro·leu·ke·mia [iriθrouluːkíːmiə] *n.* Ⓤ 〖醫〗 적백혈병(赤白血病).
es- *pref.* EX-의 변형 : *es*cheat, *es*cape.
-es [(s, z, ʃ, ʒ, tʃ, dʒ 의 뒤) iz, əz ; (기타의 유성음의 뒤) z ; (기타의 무성음의 뒤) s] ① 명사 복수형을 만드는 어미 : box*es*. ② 동사 3인칭·단수·현재형의 어미 : do*es*, go*es*.
Es 〖化〗 einsteinium.
Esau [íːsɔː] *n.* 〖聖〗 에서《Isaac 의 장남 ; 창세기 XXV : 21-34》.
***es·ca·late** [éskəlèit] *vi.* ① (전쟁·의견 차이 등이) 단계적으로 확대되다《*into*》: The skirmish ~*d into* a major war. 그 사소한 분쟁이 전면전으로 확대됐다. ② (임금·물가 등이) 점차적으로 상승하다. — *vt.* ① (전쟁 등)을 단계적으로 확대시키다《*into*》: ~ a conventional war *into* an annihilating atomic war 재래식 전쟁을 파멸적인 핵전쟁으로 확대시키다. ② (임금·물가 등)을 단계적으로 올리다 : Inflation ~*s* living cost. 인플레이션이 계속 생활비를 올린다.
es·ca·la·tion [eskəléiʃən] *n.* Ⓤ,Ⓒ (임금·물가·전쟁 등의) 단계적 상승〔확대〕, 에스컬레이션《*of*》: the recent ~ *in*〔*of*〕 violent crime 최근에 접증하는 강력범죄. ⓄⓅⓅ *deescalation.*
‡es·ca·la·tor [éskəlèitər] *n.* Ⓒ ① 에스컬레이터, 자동식 계단(moving staircase) : take an ~ 에스컬레이터를 타다 / I got on the wrong ~. 나는 에스컬레이터를 잘못 탔다. ② 에스컬레이터 같은 출세길 : She is on the ~ to stardom. 그녀는 스타덤에의 출세 가도를 달리고 있다. ③ = ESCALATOR CLAUSE.
éscalator clàuse 에스컬레이터 조항《노동협약에서 생활비의 변동에 임금을 연동시키는 조항》.
es·cal·(l)op [eskǽləp, -kɑ́l- / -kɔ́l-] *n.* Ⓤ,Ⓒ 에스칼롭《얇게 저민 송아지 고기를 튀긴 요리》.
ESCAP [éskæ̀p] Economic and Social Commission for Asia and the Pacific ((유엔) 아시아 태평양 경제사회 이사회, 에스캅).
es·ca·pade [éskəpèid, ⌐-⌐] *n.* Ⓒ 멋대로 구는 짓 ; 엉뚱한 짓, 모험 ; 탈선(적 행위) ; 장난.
†es·cape [iskéip] *vi.* 《~ / +전+명》 ① 달아나다, 탈출〔도망〕하다《*from* ; *out of*》: ~ *from* (a) prison 탈옥하다 / ~ *to* a foreign country 외국으로 탈출하다. ② (액체·가스 따위가) 새다 : Gas is *escaping from* the range. 레인지에서 가스가 새고 있다. ③ (기억 따위가) 흐려지다 : The words ~*d from* memory. 그 말은 기억에서 사라졌다. ④ (위험·병 등에서) 헤어나다 : We barely managed to ~ *from* the sinking ship. 우리는 침몰하는 배에서 가까스로 살아났다 / ~ *from* pursuers〔pursuit〕 추적을 면하다.
— *vt.* ① 《~+목 / +-*ing*》 …에서 달아나다, (모)면하다, …에게 잡히는〔만나는〕 일을 모면하다 : ~ (going to) prison 교도소행을 면하다 / He narrowly ~*d* death〔be*ing* killed〕. 그는 하마터면 죽을 뻔했다. ② (주의 따위)를 벗어나다, 기억에 남지 않다 ; …의 주의를 끌지 못하다, …의 마음에 떠오르지 않다 : ~ notice 눈치채이지 않다, 눈에 띄지 않다 / Her name ~*s* me. 그녀의 이름이 생각나지 않는다. ③ (탄식·말·미소 등이) …로부터 (새어)나오다 : A lament ~*d* him〔his lips〕. 저도 모르게 탄식이 그의 입에서 흘러나왔다. ★ '학교를 빼먹다'는 escape가 아니고, play hook(e)y〔truant〕 등으로 말함. ~ *one's memory* 잊다, 생각해 내지 못하다.
— *n.* ① Ⓒ,Ⓤ 탈출, 도망《*from* ; *out of*》; (죄·재난·역병 등을) 면함, 벗어남《*from*》: Many ~*s* have been tried in vain. 여러 번 탈출을 기도했으나 허사였다. ② Ⓒ 벗어나는 수단 ; 도망길, 피난 장치 ; 배기〔배수〕관, 비상구 : a fire ~ 화재 비상구, 화재 피난 장치. ③ Ⓒ (가스 등의) 샘, 누출. ④ Ⓤ (또는 an ~) 현실 도피 ; Ⓒ 그 수단 : find *an* ~ *from* worry *through* music 음악으로 시름을 잊다 / Science fiction is his ~ *from* reality. 공상과학소설이 그의 현실 도피 수단이다. ⑤ 〖컴〗 나옴, 나오기, 탈출. ***have a narrow*** 〔***hairbreadth***〕 ~ 구사 일생으로 살아나다.
escápe àrtist 포박을 풀고 탈출하는 곡예사.
escápe clàuse 면책〔면제〕 조항.
es·ca·pee [iskeipíː] *n.* Ⓒ 도망〔도피〕자, 탈옥수.
escápe hàtch (배·비행기·엘리베이터 등의) 긴급 피난구.
es·cape·ment [iskéipmənt] *n.* Ⓒ ① 도피구. ② 〖機〗 (시계 톱니바퀴의) 지동 기구(止動機構). ③ (타자기의) 문자 이동장치.
escápe pìpe (증기·가스 등의) 배출구.
escápe séquence 〖컴〗 나오기, 탈출 순차.
escápe velòcity 〖物〗 탈출속도《로켓 등의 행성 중력장 탈출을 위한 최저속도》.
es·cap·ism [iskéipìzəm] *n.* Ⓤ 현실 도피.
es·ca·pol·o·gy [iskeipɑ́lədʒi / -pɔ́l-] *n.* Ⓤ 《英》 (밧줄 등에서의) 탈출 곡예(술).
es·car·got [èskɑːrgóu] (*pl.* ~*s* [-z]) *n.* Ⓒ 《F.》 에스카르고《식용 달팽이》.
es·carp·ment [iskɑ́ːrpmənt] *n.* Ⓒ 절벽, 급사면(急斜面).
-esce *suf.* '…하기 시작하다, …이 되다, …으로 화하다'의 뜻의 동사 어미 : coal*esce*, efferv*esce*.
-escence *suf.* '작용·과정·변화·상태'의 뜻의 명사 어미 : conval*escence*, lumin*escence*.
-escent *suf.* '…하기 시작한, 되기 시작한, …성(性)의'의 뜻의 형용사 어미 : adol*escent*, conval*escent*.

esch·a·lot [éʃəlàt / -lɔ̀t] *n.* =SHALLOT.

es·cha·tol·o·gy [èskətáləd͡ʒi / -tɔ́l-] *n.* Ⓤ 〖神學〗 종말론, 내세론, 말세론. ㊕ **ès·cha·to·lóg·i·cal** *a.* **-i·cal·ly** *ad.*

es·chew [istʃúː] *vt.* …을 피하다, 삼가다 : ~ religious discussion 종교에 관한 논의를 피하다. ㊕ **~·al** [-əl] *n.* Ⓒ

esc key 〖컴〗 나옴(글)쇠〔키〕, 탈출키.

***es·cort** [éskɔːrt] *n.* ① Ⓒ 호송자〔대〕, 호위자(들) : an ~ of servants. ② Ⓒ 〔集合的〕 호위 부대 ; 호위함 ; 호위기(機)(대). ③ Ⓤ (사람·함선·항공기 등에 의한) 호위, 호송 : Soldiers and police officers often have to take ~ duty. 군인과 경찰관은 종종 호송 임무를 맡아야 한다. ④ Ⓒ (연회에서의) 여성과 동행하는 남성. ── [iskɔ́ːrt, es-] *vt.* 《~+목 / +목+전+명》 ① (군함 등)을 호위하다, 경호하다. ② (여성)을 에스코트하다 : I'll ~ her home〔to the table〕. 내가 그녀를 집〔테이블〕까지 에스코트하겠소.

éscort àgency 사교장 등에 동반할 젊은 남녀를 소개하는 조직.

es·crow [éskrou, -⌐] *n.* Ⓒ 〖法〗 조건부 날인 증서, 에스크로《어떤 조건이 실행되기까지 제 3 자가 보관해 두는 증서》.

es·cu·lent [éskjələnt] *a., n.* =EDIBLE.

es·cutch·eon [iskʌ́tʃən, es-] *n.* Ⓒ 가문(家紋)이 있는 방패 ; 방패 모양의 가문 바탕. ***a blot on one's* 〔*the*〕 ~** 오명, 불명예.

-ese *suf.* ① (지명에 붙어) …의, …어(語)(의) : Chin*ese*, Portugu*ese*. ② (작가·단체명에 붙어) …풍(風)의, …특유의 (문체).

‡Es·ki·mo [éskəmòu] (*pl.* **~s**, ~) *n.* Ⓒ 에스키모인 ; 에스키모종의 개 ; Ⓤ 에스키모 말. ── *a.* 에스키모의. ㊕ **~·an** *a.* 에스키모 (사람·말)의.

Éskimo dòg 에스키모견(犬) ; 《흔히》 미국 원산의 썰매 개.

ESL [ésəl] English as a second language.

esoph·a·gus [isáfəgəs / -sɔ́f-] (*pl.* **-gi** [-d͡ʒài]) *n.* Ⓒ 〖解·動〗 식도(食道). ㊕ **esoph·a·geal** [isàfəd͡ʒí(ː)əl / isɔ̀f-] *a.*

es·o·ter·ic, -i·cal [èsoutérik], [-əl] *a.* ① 비교적(祕敎的)인, 비법의, 비전(祕傳)의 ; 비법을 이어받은(opp. *exoteric*). ② 비밀의, 내밀한(secret). ㊕ **-i·cal·ly** [-ikəli] *ad.*

ESP English for Special Purposes ; extrasensory perception. **esp.** especially.

es·pa·drille [éspədril] *n.* Ⓒ 에스퍼드릴《끈을 발목에 매는 즈크제의 샌들화》.

Es·pa·ña [espáːnjaː] *n.* 에스파냐《SPAIN의 스페인어명》.

‡es·pe·cial [ispéʃəl] *a.* 〔限定的〕 ① 특별한, 각별한 : a thing of ~ importance 특히 중요한 일 / an ~ friend 각별한 친구. ② 특수한, 독특한, 특유한 : your ~ case 당신의 특별한 경우. ★ 지금은 special이 일반적.

†es·pe·cial·ly [ispéʃəli] (***more*** ~ ; ***most*** ~) *ad.* 특히, 각별히, 특별히 : Be ~ watchful. 각별히 경계를 잘 하라 / "Are you busy this evening ?" ─"Not ~." '오늘 저녁 바쁜가'─'아니, 별로'. ★ 구어에서는 specially 를 씀.

Es·pe·ran·tist [èspərǽntist, -ráːn-] *n.* Ⓒ 에스페란토어 사용자〔학자〕.

Es·pe·ran·to [èspərǽntou, -ráːn-] *n.* Ⓤ 에스페란토《폴란드의 안과 의사 L.L. Zamenhof(1859-1917)가 창안한 국제 보조어》 ; Ⓤ,Ⓒ (때로 e-) (인공) 국제어〔기호〕.

es·pi·o·nage [éspiənàːʒ, -niʒ, ⌐-⌐-náːʒ] *n.* Ⓤ (특히 타국의 정치, 타기업에 대한) 스파이〔첩보〕 활동 : industrial ~ 산업 스파이 활동 / engage in 〔commit〕 ~ 스파이 활동을 하다.

es·pla·nade [èsplənéid, -náːd, ⌐-⌐] *n.* Ⓒ (특히 해안·호안의 조망이 트인) 산책〔드라이브〕 길.

es·pous·al [ispáuzəl, -səl] *n.* Ⓤ (주의·설(說) 등의) 지지, 옹호(*of*).

es·pouse [ispáuz, es-] *vt.* (주의·설)을 지지〔신봉〕하다. ◇ espousal *n.*

es·pres·so [esprésou] (*pl.* **~s**) *n.* 《It.》 ① Ⓤ 에스프레소《커피의 일종 ; 가루에 스팀을 쐬어 진하게 만듦》. ② Ⓒ 에스프레소 커피 한 잔 ; 에스프레소 끓이개.

es·prit [espríː] *n.* Ⓤ 《F.》 정신 ; 재치, 기지, 에스프리.

esprit de corps [-dəkɔ́ːr] 《F.》 단체 정신《군인 정신, 애당심〔애교심〕 등》.

esprit fort [-fɔ́ːr] 《F.》 의지가 강한 사람, 자유사상가.

***es·py** [espái] *vt.* (보통 먼데 것을 우연히) 찾아내다, 발견하다.

Esq., Esqr. Esquire.

-esque *suf.* '…식의, …모양의, …와 같은' 의 뜻을 나타내는 형용사를 만듦 : Dant*esque*, Roman*esque*, arab*esque*.

***es·quire** [eskwáiər, éskwaiər] *n.* 《주로英》 (흔히 Esq.로) …님, …귀하(★ 《美》에서는 변호사 이외에는 흔히 Mr.를 씀).

ess [es] (*pl.* **~·es** [ésiz]) *n.* Ⓒ S 자(字) ; S 자꼴의 것.

-ess *suf.* 여성명사를 만듦 : tigr*ess*, poet*ess*(★ 여성차별이라 하여 기피되기도 함).

‡es·say [ései] *n.* Ⓒ ① 수필, 에세이, (어떤 문제에 대한 짧은) 평론, 소론(小論), 시론(詩論)(*on*, *upon*) : a collection of ~*s* 수필집. ② [+eséi] 《文語》 시도, 시험(*at* ; *in*). ── [eséi] *vt.* 《~+목 / +*to* do》 …을 시도하다 ; 해보다 : He ~*ed* a smile. 웃으려고 했다.

***es·say·ist** [éseiist] *n.* Ⓒ 수필가, 평론가.

éssay quéstion 논문식 문제〔설문〕.

‡es·sence [ésəns] *n.* ① Ⓤ (흔히 the ~) 본질, 진수, 정수 ; 핵심, 요체 : *the* ~ of democracy / Health is *the* ~ of happiness. 건강은 행복의 본질이다. ② Ⓤ,Ⓒ 에센스, 진액, 정(精) ; 정유(精油) ; 정유의 알코올 용액 : ~ of beef 쇠고기 진액 / ~ of mint 박하유. ③ Ⓒ 〖哲〗 실재, 실체 ; Ⓤ 영적인 실재 : God is an ~. 신은 실재이다. ◇ essential *a.* ***in*** ~ 본질에 있어서 : The two things are different *in* ~. 양자는 본질적으로 다르다. ***of the*** ~ 불가결의, 가장 중요한.

‡es·sen·tial [isénʃəl] (***more*** ~ ; ***most*** ~) *a.* ① 〔敍述的〕 근본적인, 필수의, 불가결한, 가장 중요한(*to* ; *for*) : Water is ~ *to* life. 물은 생물에 없어서는 안 된다. ② 〔限定的〕 본질적인, 본질의 : ~ qualities 본질 / an ~ proposition 〖論〗 본질적 명제. ③ 정수의, 정수를 모은, 진액의 : an ~ odor 진액의 방향 / ⇨ ESSENTIAL OIL. ◇ essence *n.* ── *n.* Ⓒ (흔히 *pl.*) 본질적인 것〔요소〕 ; 필수의 것〔요소〕, 주요점 : ~*s* to success 성공에 불가결한 것.

esséntial amíno ácid 〖化〗 필수 아미노산.

***es·sen·tial·ly** [isénʃəli] *ad.* 본질적으로, 본질상 (in essence) ; 반드시 ; 본래 : He is ~ a good man. 그는 본래 좋은 사람이다 / *Essentially*, the two are different things. 본질적으로는 양자는 별개의 것이다 / "Must I go ?"─"Not ~." '내가 꼭 가야 하나' ─'아니, 꼭 그런 것도 아니다'.

esséntial óil 〖化〗 정유(精油)《방향(芳香) 있는 휘발성 기름》. opp. *fixed oil.*

Es·sex [ésiks] *n.* 에식스《잉글랜드 남동부의 주》.

-est[1] *suf.* 형용사·부사의 최상급 어미 : cold*est*. cf. -er[2].

-est², **-st** *suf.* 《古》 thou¹ 에 따르는 동사《제 2 인칭·단수·현재 및 과거》를 만듦: thou sing*est*, did*st*.

EST 《美》 Eastern Standard Time. **est.** established; estate; estimate(d); estuary. **estab.** established.

ːes·tab·lish [istǽbliʃ] *vt.* ① (국가·학교·기업 들)을 설치〔설립〕하다, 개설〔창립〕하다, (제도·법률 등)을 제정하다; (관계 등)을 성립시키다: ~ a university / ~ a law 법률을 제정하다 / ~ diplomatic relation with …와 외교 관계를 성립시키다. ② (선례·습관·소신·요구·명성·학설 등)을 확립하다, 확고히 굳히다, 일반에게 확인시키다, 수립하다: ~ (one's) credit 신용(의 초석)을 굳히다 / The success at the concert ~*ed* her reputation as a singer. 음악회에서의 성공으로 그녀의 가수로서의 명성은 확립되었다. ③ (사실·이론 등)을 확증〔입증〕하다: The plaintiff ~*ed* his case. 원고는 자기 주장을 입증했다. ④《+목+전+명/+목+*as* 보》…을 안정케 하다《결혼·취직 따위로》, 자리잡게 하다, 취직시키다; 안정시키다: I ~*ed* my son *in* business. 나는 내 자식을 사업에 몸담게 했다 / He ~*ed himself as* a physician. 그는 의사를 개업했다. ⑤ (교회)를 국교회로 하다. 파 ~**·a·ble** *a.*

es·tab·lished [istǽbliʃt] *a.* ① 확실한, 확립된, 확인〔확증〕된, 기정의; 〖生態〗 (동식물이 새 토지에) 정착한: an old ~ shop 노포(老舖) / a person of ~ reputation 정평 있는 인물. ② 정착된, 인정된: Our firm is now fully ~ in America. 우리 회사는 이제 완전히 미국에 정착하고 있다. ③ (교회가) 국교인: the ~ religion 국교 / ⇨ ESTABLISHED CHURCH. ④ 만성의: an ~ invalid 불치의 병자. ⑤ 상비의, 장기 고용의.

Estáblished Chúrch (the ~) 영국 국교(회) (the Church of England)《略: E.C.》.

ːes·tab·lish·ment [istǽbliʃmənt] *n.* ① Ⓤ 설립, 창립; 설치. ② Ⓒ (사회) 시설《학교·병원·상점·회사·여관 따위》, (공공 또는 사설의) 시설물: an educational ~ 학교. ③ Ⓤ (관청·육해군 등의) 편성, 편제, 상비 병력〔인원〕, 조직, 정원: war ~ 전시 편제. ④ Ⓤ (질서 따위의) 확립, 확정; (법령 따위의) 제정; (사실 따위의) 인정, 확인: the ~ of a new theory 새로운 이론의 확립 / the ~ of one's innocence 결백의 입증. ⑤ (the E-) (행정 제도로서의) 관청, 육군, 해군(등). ⑥ Ⓤ (흔히 the E-) (기성의) 체제, 지배층〔계급〕《현 체제를 비판하거나 공격할 때 잘 쓰이는 용어》. ⑦ Ⓒ 세대, 가정; 주거, 집; Ⓤ (결혼 따위로) 신변을 안정시킴: keep a large ~ 큰 살림을 하다, 대가족을 거느리다. ⑧ Ⓤ (교회의) 국립, 국정; (the E-) =ESTABLISHED CHURCH.

es·tab·lish·men·tar·i·an [istæ̀bliʃməntέəriən] *a.* (영국) 국교주의의; 체제 지지(자)의.
—*n.* Ⓒ (영국) 국교주의의 지지자; 체제파의 사람, 지배계층.

ːes·tate [istéit] *n.* ① Ⓒ 토지, (별장·정원 등이 있는) 사유지(landed property), 집〔저택〕과 그 (넓은) 터〔대지〕. ② Ⓤ 재산, 유산; 재산권: personal ~ 동산 / real ~ 부동산. ③ Ⓒ (정치상·사회상의) 계급(~ of the realm), (특히 중세 유럽의) 세 신분의 하나. ④ Ⓒ 《英》 (일정규격의) 단지(團地): a housing 〔an industrial〕 ~ 주택〔공업〕 단지.

estáte àgent 《英》 부동산 관리인; 부동산 중개업자, 토지 브로커.

estáte càr 《英》=STATION WAGON.

estáte tàx 〖美法〗 유산세.

ːes·teem [istíːm] *vt.* ①《~+목/+목+전+명》〔종종 受動으로〕 (사람·인격)을 존경하다 (respect), (높이) 평가하다, 존중하다: The professor *was* ~*ed for* his erudition. 교수는 깊은 학식으로 존경을 받았다. ②《+목+*to* be 보/+목+(*as*) 보》《文語》 …으로 간주하다, …으로 생각하다(consider): ~ a person *to be* happy 아무가 행복하다고 생각하다 / I should ~ it (*as*) a favor if you could do so. 그렇게 해 주시면 고맙겠습니다. ◇ estimable *a.* —*n.* Ⓤ (또는 an ~) 존중, 존경, 경의: feel no ~ *for* a person 아무에 대하여 존경의 마음이 일지 않다. ***hold*** a person ***in*** ~ (아무를) 존경〔존중〕하다. ***in my*** ~ 나의 생각으로는.

es·ter [éstər] *n.* Ⓤ 〖化〗 에스테르.

Esth. 〖聖〗 Esther; Esthonia.

Es·ther [éstər] *n.* ① 에스터《여자 이름》. ② 〖聖〗 에스더《유대인으로 페르시아의 왕비; 자국민을 학살로부터 구함》; (구약의) 에스더서(書)(=**The Bóok of** ∠)《略: Esth.》.

esthete, esthetic, etc. ⇨AESTHETE, AESTHETIC, etc.

es·ti·ma·ble [éstəməbəl] *a.* ① (사람·행동이) 존중〔존경〕할 만한: an ~ achievement 훌륭한 업적. ② 평가〔어림〕할 수 있는. ◇ esteem *v.*

ːes·ti·mate [éstəmèit] *vt.* ①《~+목/+목+전+명/+*that* 절》 …을 어림잡다, 견적하다, 산정하다; 판단〔추단〕하다: ~ the value of a person's property 아무의 재산가치를 어림잡다 / ~ the cost *at* 10,000 dollars 비용을 1만 달러로 어림하다. ②《+목+부》〔副詞와 함께〕 …의 가치〔의의 등〕에 대하여 판단하다, 평가하다: ~ a person's character very highly 아무의 인격을 매우 높이 평가하다. —*vi.*《+전+명》 견적하다; 견적서를 만들다: ~ *for* the repair 수리비를 견적하다.
—[éstəmit, -mèit] *n.* Ⓒ ① 평가, 견적, 개산(概算): exceed ~ 추정을 초과하다 / make a rough ~ of the expenses 비용을 대강 어림잡다 / We'll accept the lowest of three ~*s* for the building work. 건설 공사에 대한 세 견적 중 최저 가격의 것을 수락할 것이다. ② (인물 등의) 평가, 가치판단: make an ~ of a person's reliability 아무의 신뢰성을 평가하다. ③ **a**) (종종 *pl.*) 견적서: a written ~ 견적서. **b**) (the E-s)《英》 세출입 예산안.

es·ti·mat·ed [-id] *a.* 〔限定的〕 견적〔개산〕의, 추측상의: an ~ sum 견적액 / ~ time of arrival 도착 예정 시각《略: ETA》.

***es·ti·ma·tion** [èstəméiʃən] *n.* ① Ⓤ (가치 등의) 의견, 판단, 평가: in my ~ 내가 보건대는 / in the ~ of the law 법률상의 견해로는. ② Ⓤ (또는 an ~) 개산, 견적, 추정: careful ~ of the risks 위험에 대한 신중한 추정 / make *an* ~ of… …을 어림잡다. ③ Ⓤ 존경, 존중(respect)《*for*》: be (held) in (high) ~ (매우) 존중되고 있다 / stand high in public ~ 세평이 좋다.

es·ti·ma·tor [éstəmèitər] *n.* Ⓒ 평가〔견적〕인.

Es·to·nia, -tho- [estóuniə], [-tóu-, -θóu-] *n.* 에스토니아《발트해 연안에 있는 공화국; 1991년 소련의 붕괴로 독립》. 파 **-ni·an** *a.* 에스토니아(인)의. —*n.* Ⓒ 에스토니아인; Ⓤ 에스토니아어.

es·trange [istréindʒ] *vt.* ①《~+목/+목+전+명》 …의 사이를 나쁘게 하다, 이간하다; 멀리하다, 떼다《*from*》: The argument ~*d* him *from* his brother. 그 말다툼 때문에 그는 형과 사이가 틀어졌다. ②〔再歸的〕 …에서 멀어지다《*from*》: He ~*d himself from* politics. 그는 정치에서 멀어졌다.

es·tranged [istréindʒd] *a.* 〔限定的〕 (심정적으로) 멀어진, 소원해진; 〔叙述的〕 …와 소원해져 《*from*》: They have become ~ *from* each other. 그들은 서로 사이가 멀어졌다.

es·trange·ment [istréindʒmənt] *n.* Ⓤ,Ⓒ 소원, 이간, 불화《*between; from; with*》.

es·tro·gen [éstrədʒən] *n.* Ⓤ 에스트로겐《여성 호르몬의 일종》. 「(reproductive cycle).

és·trous cỳcle [éstrəs-] 〖動〗 성주기(性週期)

es·trum [éstrəm] *n.* (암컷의) 발정(發情) (기(期)).

es·trus [éstrəs] *n.* Ⓤ 〖動〗 (암컷의) 발정; 발정기; =ESTROUS CYCLE: be in ~ 발정기에 있다.

es·tu·a·ry [éstʃuèri] *n.* Ⓒ (간만의 차가 있는) 큰 강의 어귀; 내포, 후미.

ET, E.T. Eastern Time; extraterrestrial.

-et *suf.* 명사에 붙여 '작은'의 뜻을 나타내는 축소사(縮小辭).

eta [éitə, íːtə] *n.* Ⓤ,Ⓒ 그리스어 알파벳의 일곱째 글자《*H, η*; 영어의 E, e에 해당》.

ETA, E.T.A. estimated time of arrival.

et al. [et-ǽl, -áːl, -ɔ́ːl] 《L.》 *et alibi* (=and elsewhere); *et alii* (=and others). ★ '기타'는 사람에는 et al., 물건에는 etc. 를 각각 씀.

‡etc., & c. [ənsóufɔ̀ːrθ, etsétərə] =ET CETERA《★ 상용문(商用文)이나 참조에 주로 쓰이며, 앞에 comma를 찍으며 and는 사용치 않음》.

***et cet·era** [et-sétərə] 《L.》 기타, …따위, 등등 《略: etc., & c.; 보통 약자를 씀》: He had dogs, cats, guinea pigs, frogs, ~, as pets. 그는 애완동물로 개·고양이·기니피그·개구리 등을 기르고 있었다.

et·cet·er·as [etsétərəz] *n. pl.* 기타 갖가지의 것〔사람〕; 잡동사니, 잡품: her compact, comb and other ~ 콤팩트, 빗, 그 밖의 사소한 것들.

etch [etʃ] *vt.* ① …에 식각(蝕刻)〔에칭〕하다; 에칭으로 (그림·무늬)를 새기다. ② …을 명기하다, 깊이 새기다《*in; on*》: That was ~*ed on*〔*in*〕 my memory. 그것은 내 기억속에 깊이 새겨져 있었다. ── *vi.* 에칭하다, 동판화 등을 만들다.

etch·ing [étʃiŋ] *n.* ① Ⓤ 에칭, 부식 동판술. ② Ⓒ 에칭판; 에칭(판)화.

ETD, E.T.D. estimated time of departure.

‡eter·nal [itə́ːrnəl] *a.* ① 영구〔영원〕한, 영원히 변치 않는, 불멸의: ~ life 영원한 생명, 영생. ② 《口》 끝없는; 끊임없는(incessant): ~ quarreling〔chatter〕 끝없는 언쟁〔수다〕. ── *n.* (the ~) 영원한 것; (the E-) 신(God). 「칭》.

Etérnal Cíty (the ~) 영원한 도시《Rome의 별

eter·nal·ize [itə́ːrnəlàiz] *vt.* =ETERNIZE.

etérnal tríangle (the ~) 남녀의 삼각관계.

***eter·ni·ty** [itə́ːrnəti] *n.* ① Ⓤ 영원, 무궁; (사후의) 영세, 내세; (*pl.*) 영원한 세월(ages): send a person to ~ 아무를 저승으로 보내다('죽이다'의 격식차린 말). ② Ⓤ (또는 an ~) (끝이 없게 여겨지는) 긴 시간: *an* ~ of raining 그칠 줄 모르고 내리는 비.

etérnity rìng 이터니티링《보석을 돌아가며 빽빽이 박은 반지; 영원을 상징》.

eter·nize [itə́ːrnaiz] *vt.* …을 영원한 것으로 하다, 불후하게 하다; 영원토록 전하다: This monument will ~ the memory of the disaster. 이 기념비로 그 재난의 기억이 영원토록 전해질 것이다.

-eth *suf.* ⇨ -TH[2, 3].

eth·ane [éθein] *n.* Ⓤ 〖化〗 에탄《석유에서 나는 무색·무취·가연성 가스》.

eth·a·nol [éθənɔ̀(ː)l, -nɑ̀l] *n.* Ⓤ 〖化〗 에탄올, 에틸알코올《IUPAC 의 용어》.

eth·a·nol·amine [èθənɑ́ləmìːn, -nóu-] *n.* Ⓤ 〖化〗 에탄올아민《탄산가스 등의 흡수제·페놀 추출 용제》.

***ether, ae·ther** [íːθər] *n.* ① Ⓤ 〖化〗 에테르, 《특히》 에틸 에테르《용매(溶媒)·마취약》. ② (the ~) 《詩·文語》 천공(天空), 창공.

ethe·re·al, ae·the- [iθíəriəl] *a.* ① 가뿐한; 공기 같은. ② 《詩》 천상의, 하늘의; 미묘한, 영묘한: (an) ~ beauty 이 세상의 것 같지 않은 아름다움 / ~ messengers 천사. ㊎ ~·ly *ad.*

ether·i·fy [iθérəfài, íːθər-] *vt.* 〖化〗 (알코올 등)을 에테르화(化)하다.

ether·ize [íːθəràiz] *vt.* ① 〖化〗 …을 에테르로 처리하다. ② 〖醫〗 …을 에테르로 마취시키다.

eth·ic [éθik] *a.* =ETHICAL. ── *n.* 《稀》 =ETHICS.

***eth·i·cal** [éθikəl] (*more ~; most ~*) *a.* ① 도덕상의, 윤리적인; 윤리(학)의; 윤리에 타당한; (특히) 직업 윤리에 맞는: ~ standards 윤리적 규범 / an ~ decision 윤리적 결정 / It is not ~ for a doctor to reveal confidences. 의사가 (환자의) 비밀을 말하는 것은 직업 윤리에 위배된다. ② (의약이) 의사의 처방 없이 매매할 수 없는. ㊎ ~·ly [-i] *ad.*

éthical drúg 처방약《의사의 처방전(箋) 없이는 시판되지 않는 약제》.

***eth·ics** [éθiks] *n.* ① Ⓤ 윤리학, 도덕론; 윤리학서: practical ~ 실천 윤리학. ② 〔흔히 複數 취급〕 (개인·사회·직업에서 지켜지고 있는) 도의, 도덕, 윤리(관); 윤리성: ~ of the medical profession 의료 윤리 / professional ~ 직업 윤리 / His ~ are abominable. 그의 도덕 관념은 형편없다.

***Ethi·o·pia** [ìːθióupiə] *n.* 에티오피아(구칭: Abyssinia; 수도는 Addis Ababa).

Ethi·o·pian [-piən] *a.* 에티오피아(사람·어)의; 《古》 흑인의. ── *n.* 에티오피아인〔어〕; 《특히》 암하라어(Amharic), 《古》 흑인(Negro).

Ethi·op·ic [ìːθiɑ́pik / -ɔ́p-] *a.* =ETHIOPIAN; (고대) 에티오피아(어)의. ── *n.* Ⓤ (고대) 에티오피아어; 에티오피아 어군.

eth·nic, -ni·cal [éθnik], [-əl] *a.* ① 인종의, 민족의; 민족 특유의: ~ troubles〔unrest〕 인종 분쟁〔불안〕 / the country's ~ make-up 그 나라의 인종 구성 / ~ music〔clothes〕 민족음악〔의상〕. ② (-nical) 인종학〔민족학〕(상)의. ③ (어느 국가 안의) 소수 민족의: ~ minorities 소수민족 / ~ Koreans in Los Angeles 로스앤젤레스의 한국인 소수 집단. ★ ethnical은 언어·습관, racial은 피부나 눈의 빛깔·골격 등에 관한 경우에 씀. ── *n.* (-nic) Ⓒ 소수 민족의 일원; (*pl.*) 민족적 배경. ㊎ **éth·ni·cal·ly** [-kəli] *ad.* **eth·nic·i·ty** [eθnísəti] *n.* Ⓤ 민족성.

éthnic gróup 〖社〗 (어느 국가 안의) 소수민족 집단.

éthnic póp〔róck〕 에스닉팝〔록〕《민족 음악과 포퓰러〔록〕 뮤직이 융합된 음악》.

ethno- '인종·민족'의 뜻의 결합사.

eth·no·cen·tric [èθnouséntrik] *a.* 민족 중심적인; 자민족 중심주의의.

eth·no·cen·trism [èθnouséntrizəm] *n.* Ⓤ 자기 민족 중심주의《다른 민족을 멸시하는》. ⓒⓕ nationalism, chauvinism.

eth·nog·ra·phy [eθnɑ́grəfi / -nɔ́g-] *n.* Ⓤ 민족지학(民族誌學), 기술적(記述的) 인종학.

eth·no·log·ic, -i·cal [èθnəlɑ́dʒik / -lɔ́dʒ-], [-əl] *a.* 민족학상의, 인종학의. ㊎ **-i·cal·ly** [-kəli] *ad.*

eth·nol·o·gy [eθnɑ́lədʒi / -nɔ́l-] *n.* Ⓤ 민족학, 문화 인류학.

eth·no·sci·ence [èθnousáiəns] *n.* Ⓤ 민족 과학, 민족지(誌)학. ㊞ **-sci·en·tist** *n.* Ⓒ
ethol·o·gy [i(:)θálədʒi / -θɔ́l-] *n.* Ⓤ ① (동물)행동학, 행동 생물학. ② (인간의) 품성론.
ethos [í:θɑs / -θɔs] *n.* Ⓤ (특정한 민족·시대·문화 등의) 기풍, 풍조, 에토스: the Greek ~ 그리스 정신.
eth·yl [éθəl] *n.* Ⓤ ①〖化〗에틸(기)(=∠ **ràdical** (**gròup**)). ② (자동차 엔진용의) 앤티노크제(劑).
éthyl álcohol 에틸알코올《보통 알코올》.
eth·yl·ene [éθəlì:n] *n.* Ⓤ〖化〗에틸렌.
éthylene glýcol〖化〗에틸렌 글리콜《부동액에 쓰임》.
eti·o·late [í:tiəlèit] *vt.* ① …이 누렇게 뜨게 하다, 황화(黃化)시키다《식물이 햇빛을 못 보게 해》. ② (얼굴)에 병색이 나타나게 하다. ─ *vi.* 창백해지다, 황화하다. ㊞ **èti·o·lá·tion** [-ʃən] *n.* Ⓤ〖植〗황화.
eti·ol·o·gy [ì:tiálədʒi / -ɔ́l-] *n.* Ⓤ ① 원인론. ②〖醫〗병인학(病因學).
㊞ **-ó·log·ic, -i·cal** *a.* **-i·cal·ly** *ad.*
‡et·i·quette [étikət, -kit] *n.* Ⓤ 에티켓, 예절, 예법: a breach of ~ 예의에 벗어남 / They know no rules of ~. 전혀 에티켓을 모른다.
Et·na [étnə] *n.* **Mount** ~ 에트나산《이탈리아 Sicily 섬의 유럽 최대의 활화산》.
***Eton** [í:tn] *n.* 이튼《영국 Berkshire 남부의 도시, Eton College의 소재지》.
Éton cóllar 이튼 칼라《상의의 깃에 덧대는 폭이 넓은 칼라》.
Éton Cóllege 이튼 칼리지《public school로 1440년 창설》.
Eto·ni·an [i:tóuniən] *n.* Ⓒ 이튼교의 학생; 이튼교 출신자. ─ *a.* Eton의.
Éton jácket 이튼 재킷《이튼식의 깃이 넓고 길이가 짧은 소년용 상의》.
etran·ger [etrɑ̃ʒe] *n.* Ⓒ 《F.》 외국인, 낯선 사람, 에트랑제.
Etru·ria [itrúəriə] *n.* 에트루리아《이탈리아 서부에 있던 옛 나라》.
et seq(q)., et sq(q). *et sequens; et sequentia* 《L.》 (=and those following '…이하 참조').
-ette *suf.* '작은, 여성, 모조(模造), 집단'의 뜻: cigar*ette*, leather*ette*, oct*ette*.
étude [eitjú:d] *n.* Ⓒ 《F.》〖樂〗연습곡, 에튀드.
ETV Educational Television. **ETX**〖컴〗end of text (텍스트 종결(문자)).
ety., etym., etymol. etymological; etymology.
et·y·mo·log·ic, -i·cal [ètəməládʒik / -lɔ́dʒ-], [-əl] *a.* 어원(語源)의; 어원학의.
㊞ **-i·cal·ly** [-kəli] *ad.* 어원상; 어원적으로.
et·y·mol·o·gist [ètəmálədʒist / -mɔ́l-] *n.* Ⓒ 어원 학자, 어원 연구가.
***et·y·mol·o·gy** [-dʒi] *n.* ① Ⓤ 어원; 어원학; 어원론. ② Ⓒ (어떤 낱말의) 어원 추정〔설명〕.
eu- *pref.* '선(善)·양(良)·미《美》·우(優)'의 뜻: *eu*genics, *eu*logy, *eu*phony. opp *dys-*.
EU European Union. **Eu**〖化〗europium.
eu·ca·lyp·tus [jù:kəlíptəs] (*pl.* **~·es, -ti** [-tai]) *n.* Ⓒ〖植〗유칼립투스, 유칼리《오스트레일리아 원산의 교목》: ~ oil 유칼리유(油).
Eu·cha·rist [jú:kərist] *n.* (the ~) ①〖가톨릭〗성체(聖體), 성체 성사;〖基〗성찬, 성찬식. ② 성체용〔성찬용〕의 빵과 포도주.
㊞ **Eù·cha·rís·tic, -ti·cal** [-tik], [-əl] *a.*
***Eu·clid** [jú:klid] *n.* 유클리드《고대 그리스의 수학자》: ~'*s* Elements 유클리드의 (기하학) 원론.
㊞ **Eu·clid·e·an, -i·an** [ju:klídiən] *a.*
eu·gen·ic, -i·cal [ju:dʒénik], [-əl] *a.* 우생(학)의; 우생학적으로 우수한.
㊞ **-i·cal·ly** [-ikəli] *ad.* 우생학적으로.
eu·gen·i·cist, eu·gen·ist [ju:dʒénəsist], [jú:dʒənist] *n.* Ⓒ 우생학자.
eu·gen·ics [ju:dʒéniks] *n.* Ⓤ 우생학.
eu·lo·gis·tic [jù:lədʒístik] *a.* 찬사〔찬미〕의.
㊞ **-ti·cal·ly** *ad.*
eu·lo·gize [jú:lədʒàiz] *vt.* …을 칭찬〔칭송〕하다.
eu·lo·gy [jú:lədʒi] *n.* ① Ⓒ 찬사《*of*; *on*; *to*》: He pronounced 〔delivered〕 a ~ on the late Dr. Smith. 그는 고(故) 스미스 박사의 추도 연설을 했다. ② Ⓤ 칭송, 칭찬.
eu·nuch [jú:nək] *n.* Ⓒ ① 거세된 남자; 환관, 내시. ② 무기력한 남자.
eu·phe·mism [jú:fəmìzəm] *n.* Ⓤ〖修〗완곡어법; Ⓒ 완곡 어구《die 대신에 pass away라고 하는 따위》.
eu·phe·mis·tic [jù:fəmístik] *a.* 완곡어법의; 완곡한. ㊞ **-ti·cal·ly** [-kəli] *ad.* 완곡하게.
eu·phe·nics [ju:féniks] *n.* Ⓤ 인간 개조학《장기 이식·보철 공학 등에 의한》.
eu·phon·ic, -i·cal [ju:fánik / -fɔ́n-], [-əl] *a.* 어조(語調)〔음조〕가 좋은; 음편(音便)의.
㊞ **-i·cal·ly** [-kəli] *ad.* 음조가 좋게.
eu·pho·nious [ju:fóuniəs] *a.* 음조가 좋은, 듣기 좋은. ㊞ **~·ly** *ad.* **~·ness** *n.*
eu·pho·nium [ju:fóuniəm] *n.* Ⓒ〖樂〗유포늄《튜바(tuba)의 일종》.
eu·pho·nize [jú:fənàiz] *vt.* …의 어조〔음조〕를 좋게 하다.
eu·pho·ny [jú:fəni] *n.* Ⓤ,Ⓒ 기분 좋은 소리〔음조〕(opp *cacophony*).
eu·pho·ria [ju:fɔ́:riə] *n.* Ⓤ 행복감《*about*; *over*》.
㊞ **eu·phór·ic** [-rik] *a.* **-i·cal·ly** *ad.*
***Eu·phra·tes** [ju:fréiti:z] *n.* (the ~) 유프라테스 강《Mesopotamia 지방의 강》.
eu·phu·ism [jú:fju:ìzəm] *n.* ① Ⓤ〖修〗(16-17세기 무렵 영국에서 유행한) 멋부린 화려한 문체. ② Ⓒ 미사여구.
Eur. Europe; European.
Eu·rail·pass [juəréilpæ̀s, -pɑ̀:s, jər-, júəreil-, jə́:r-] *n.* Ⓒ 유레일 패스《유럽 철도 통용의 관광 정기권》.
***Eur·asia** [juəréiʒə, -ʃə] *n.* 유라시아.
Eur·asian [juəréiʒən, -ʃən] *a.* 유라시아의; 유라시아 혼혈의: the ~ Continent 유라시아 대륙. ─ *n.* Ⓒ 유라시아 혼혈인《인도에서는 종종 멸칭》; 유라시아인.
Eu·re·ka [juərí:kə] *n.* 유럽 공동 기술개발 기구. [◂*Eu*ropean *Re*search *C*oordination *A*gency]
eu·re·ka [juərí:kə] *int.* 《Gr.》 (=I have found it!) 알았다!, 됐다! ★ 아르키메데스가 왕관의 순금도를 재는 방법을 발견했을 때에 지른 소리; California 주의 표어.
eurhythmics ⇨EURYTHMICS.
Eu·rip·i·des [juərípədì:z] *n.* 에우리피데스《그리스의 비극시인; 480?-406? B.C.》.
Eu·ro- [júərou, -rə] '유럽의'의 뜻.
Eu·ro·bond [júərəbɑ̀nd / júərəbɔ̀nd] *n.* Ⓒ 유러채(債)《유럽 금융시장에서 발행되는 유럽 이외의 나라 또는 기업의 채권》.
Eu·ro·cen·tric [jùərəséntrik] *a.* 유럽(인) 중심의.
Eu·ro·cheque [júərətʃèk] *n.* Ⓒ 《英》 유러체크《유럽에서 사용되는 크레디트 카드》.
Eu·ro·clear [júərəklìər] *n.* Ⓒ 유럽 공동시장의 어음 교환소.

Eu·ro·com·mu·nism [jùərəkámjunizəm / -kɔ́m-] *n.* Ⓤ 유러코뮤니즘《서구 공산주의 ; 구 소련·중국과는 다른 입장을 취함》. ㊕ **Èu·ro·cóm·mu·nist** *n.* Ⓒ

Eu·ro·corps [júərəkɔ̀:rz] *n. pl.* 유럽 방위군.

Eu·ro·crat [júərəkræ̀t] *n.* Ⓒ EC의 사무국원, EC 관료《종종 비난의 뜻》.

Eu·ro·cur·ren·cy [júərəkə̀:rənsi] *n.* Ⓤ 유러커런시〔머니〕《유럽 은행에 예금·운용되는 각국의 통화》.

Eu·ro·dol·lar [júərədɑ̀lər / -dɔ̀lər] *n.* Ⓒ 유러달러《유럽에서 국제결제에 쓰이는 미국 dollar》.

Eu·ro·mar·ket, Eu·ro·mart [júərəmɑ̀:rkit], [júərəmɑ̀:rt] *n.* ＝EUROPEAN COMMON MARKET.

Eu·ro·pa [juəróupə] *n.* 〖그神〗 에우로페, 유로파《Phoenicia의 왕녀로 Zeus의 사랑을 받음》.

†**Eu·rope** [júərəp] *n.* 유럽(주).

‡**Eu·ro·pe·an** [jùərəpí:ən] *a.* 유럽의 ; 유럽 사람의. ── *n.* Ⓒ 유럽 사람.

Européan Commìssion (the ～) 유럽 위원회《European Union의 집행 기관의 하나》.

Européan Cómmon Márket (the ～) 유럽 공동 시장《European Economic Community의 별칭 ; 略 : ECM》.

Européan Commúnity (the ～) 유럽 공동체《略 : EC》.

Européan Cúrrency Ùnit 유럽 통화 단위「《略 : ECU》.

Européan Económic Commúnity (the ～) 유럽 경제 공동체《略 : EEC ; 1967년 EC로 통합》.

Européan Exchánge Ràte Mécha·nism (the ～) 유럽 환율 기구.

Européan Frée Tráde Associàtion (the ～) 유럽 자유무역 연합《略 : EFTA》.

Eu·ro·pe·an·ism [jùərəpí:ənizəm] *n.* Ⓤ 유럽주의〔정신, 풍, 식〕. ㊕ **-ist** *n.*

Eu·ro·pe·an·ize [jùərəpí:ənàiz] *vt.* …을 유럽식으로 하다, 유럽화(化)하다.

Européan Mónetary Ìnstitute (the ～) 유럽 통화 기관《유럽 역내의 경제통화 통합의 제2단계 기구 ; 1994년 창설》.

Européan Mónetary Sỳstem (the ～) 유럽 통화제도《略 : EMS》.

Européan Párliament (the ～) 유럽 의회《EC 가맹국 국민의 직접선거로 의원을 선출함》.

Européan plàn (the ～) 유럽 방식《투숙비와 식비를 따로 계산하는 호텔 요금제》. ⓒⓕ American plan.

Européan Únion (the ～) 유럽 연합《1993년 유럽 연합 조약 발효로 EC를 개칭한 것 ; 略 : EU》.

eu·ro·pi·um [juəróupiəm] *n.* Ⓤ 〖化〗 유로퓸《희토류 원소 ; 기호 Eu ; 번호 63》.

Eu·ro·sat [júərəsæ̀t] *n.* 유러샛《유럽 통신 위성회사》.

Eu·ro·tun·nel [júərətʌ̀nl] *n.* 유러터널《Channel Tunnel의 건설·운영을 관장하는 영국·프랑스 기업 연합 ; Channel Tunnel의 별칭》.

Eu·ro·vi·sion [júərəvíʒən] *n.* 서유럽 텔레비전 방송망.

Eu·ryd·i·ce [juərídəsì:] *n.* 〖그神〗 에우리디케《Orpheus의 아내》.

eu·ryth·mic [juəríðmik] *a.* ① 〔限定的〕 리드미크의. ② 경쾌한 리듬이 있는, 율동적인.

eu·ryth·mics [juəríðmiks] *n.* Ⓤ 유리드믹스《음악 리듬을 몸놀림으로 표현하는 리듬 교육법》.

Eu·stá·chian tùbe [ju:stéiʃiən-, -kiən-] 〖解〗 유스타키오관(管)《중이(中耳)에서 인후로 통함》.

Eu·ter·pe [ju:tə́:rpi] *n.* 〖그神〗 에우테르페《음악·서정시의 여신 ; Nine Muses의 하나》.

eu·tha·na·sia [jù:θənéiʒiə, -ziə] *n.* Ⓤ 안락사, 안락사술(術), 안사술. ㊕ **èu·tha·ná·sic** [-néizik] *a.*

eu·then·ics [ju:θéniks] *n.* Ⓤ 환경〔생활〕 개선학.

eu·troph·ic [ju:tráfik / -trɔ́f-] *a.* 〖生態〗 (하천·호수가) 부영양(富營養)의.

eu·troph·i·cate [ju:tráfəkèit] *vi.* 〖生態〗 (호수 등) 부영양화하다. ㊕ **eu·tròph·i·cá·tion** *n.*

eu·tro·phy [jú:trəfi] *n.* Ⓤ (호수의) 부영양 상태.

***evac·u·ate** [ivǽkjuèit] *vt.* ① (사람)을 피난〔소개〕시키다, (군대)를 철수시키다《*from* ; *to*》; (집 등)에서 물러나다 : ～ a garrison *from* a post 수비대를 진지에서 철수시키다 / ～ the village 마을 사람들을 대피시키다 / We were ordered to ～ the area. 우리는 그 지역으로부터의 철거를 명령받았다. ② (용기·장(腸)·그릇 따위)를 비우다《*of*》; (변)을 배설하다《*of*》: ～ the bowels 배변하다 / ～ a vessel *of* air＝～ air *from* a vessel 용기를 진공으로 만들다.

evac·u·a·tion [ivæ̀kjuéiʃən] *n.* ① Ⓤ,Ⓒ 비움, 배출, 배기. ② Ⓤ,Ⓒ 배설, 《특히》 배변 ; Ⓒ 배설물. ③ Ⓤ,Ⓒ 소개, 피난 ; 물러남 ; 〖軍〗 철수, 철군 ; (부상병 등의) 후송.

evac·u·ee [ivæ̀kjuí:] *n.* Ⓒ 피난민(民), 소개자.

***evade** [ivéid] *vt.* ① (적·공격 등)을 교묘히 피하다, 비키다, 벗어나다 : ～ one's pursuer 추적자를 따돌리다. ② (질문 따위)를 피하다, 얼버무려 넘기다(duck) : Stop *evading* the question! 질문을 얼버무려 넘기려 들지 마. ③ 《～＋目 / ＋-*ing*》 (의무·지급 등의 이행)을 회피하다 ; (법·규칙)을 빠져나가다 : ～ the responsibility〔issue〕 책임〔문제점〕을 회피하다 / ～ pay*ing* taxes 탈세하다. ◇ evasion *n.*

***eval·u·ate** [ivǽljuèit] *vt.* …을 평가〔사정〕하다, 값을 알아보다. ㊕ ***evàl·u·á·tion** [-ʃən] *n.* Ⓤ,Ⓒ 평가(액) ; 값을 구함 ; 〖컴〗 평가《시스템의 성능을 측정하는 것》.

ev·a·nesce [èvənés, ⌐-⌐] *vi.* 점차 사라져 가다.

ev·a·nes·cent [èvənésənt] *a.* (김처럼) 사라지는 ; 순간의, 덧없는 : dewdrops ～ in the morning sun 아침 해에 순식간에 사라지는 이슬방울. ㊕ **～·ly** *ad.* 덧없이. **-cence** [-səns] *n.* Ⓤ 소실 ; 덧없음.

evan·gel [ivǽndʒəl] *n.* Ⓒ 복음(福音) ; (흔히 E-) (성서의) 복음서 ; (the E-s) 4 복음서《Matthew, Mark, Luke, John》. ⓒⓕ gospel.

evan·gel·ic [ì:vændʒélik, èvən-] *a., n.* ＝EVANGELICAL.

evan·gel·i·cal [ì:vændʒélikəl, èvən-] *a.* ① 복음(서)의, 복음 전도의. ② (종종 E-) 복음주의의《영국에서는 저(低)교회파를, 미국에서는 신교 정통파를 이름》. ***the Evangelical Church*** 복음교회《미국 개신교의 한 파》. ── *n.* Ⓒ (E-) 복음주의자, 복음파의 사람. ㊕ **-i·cal·ly** [-kəli] *ad.* 복음에 의하여. **-i·cal·ìsm** [-kəlìzəm] *n.* Ⓤ 복음주의.

evan·ge·lism [ivǽndʒəlizəm] *n.* Ⓤ 복음 전도 ; 복음주의. ㊕ **-ist** *n.* Ⓒ 복음 전도자 ; (E-) 복음사가(史家), 신약 복음서의 기록자.

evan·gel·ize [ivǽndʒəlàiz] *vt.* …에 복음을 전하다 ; 전도하다. ── *vi.* 복음을 전하다 ; 전도하다.

evap·o·ra·ble [ivǽpərəbəl] *a.* 증발성의, 증발하기 쉬운 ; 기화되는.

***evap·o·rate** [ivǽpərèit] *vi.* 증발하다 ; 소산(消散)하다 ; 소실하다 : Water ～*s* when it is boiled. 물은 끓으면 증발한다 / Our last hope has ～*d*. 최후의 희망마저 사라졌다. ── *vt.* …을 증발시키다 ; (우유·야채·과일 등)의 수분을 빼다, 탈수하다. ◇ evaporation *n.* ㊕ **-ra·tor** *n.*

evap·o·rat·ed milk [ivǽpərèitid-] 무당 연유(無糖煉乳), 농축 우유.

***evap·o·ra·tion** [ivæ̀pəréiʃən] n. [U,C] 증발 (작용), (수분의) 발산 ; (증발에 의한) 탈수(법) ; 증발 건조〔농축〕. ◇ evaporate v.

eva·sion [ivéiʒən] n. [U,C] (책임·의무 등의) 회피, 《특히》 탈세 ; (질문에 대해) 얼버무림, 어물쩍거려 넘김 ; 둘러댐, 핑계 ; 탈출(의 수단) : take shelter *in* ~*s* 발뺌하고 빠져나가다 / an ~ of one's duties 직무태만 / He was arrested for tax ~. 탈세 혐의로 체포됐다 / We want straight answers. No ~*s*. 얼버무리지 말고 솔직한 대답을 듣고 싶다. ◇ evade v. ㊞ **~·al** a.

eva·sive [ivéisiv] a. (회)피〔도피〕하는 ; 둘러대는.
㊞ **~·ly** ad. 도피〔회피〕적으로. **~·ness** n.

***Eve** [iːv] n. 이브, 하와《아담의 아내 ; 하느님이 창조한 최초의 여자》.

‡**eve** [iːv] n. ① (종종 E-) 전야, 전일《축제 등의》: Christmas *Eve*. ② Ⓒ (흔히 the ~) (주요 사건 등의) 직전, '전야' : on *the* ~ of the general election 총선 직전에. ③ Ⓤ 《詩》 저녁, 해질녘, 밤(evening). ***New Year's Eve*** 섣달 그믐날.

†**even**[1] [íːvən] ad. ①〔예외적인 일을 강조하여〕…조차(도), …라도, …까지《흔히 수식하는 말 앞에 놓이며, 명사·대명사도 수식함》: *Even now* it's not too late. 지금이라도 늦지는 않다 / She doesn't ~ *open* the letter. 그 편지를 (읽기는 커녕) 뜯지도 않는다 / *Even the slightest noise* disturbs him. 아무리 작은 소리라도 그의 기분을 어지럽힌다. ② (그 정도가 아니라) 정말이지 ; 실로 (indeed) : I am willing, ~ eager, to help. 기꺼이, 아니 꼭 힘이 되어 드리겠습니다 / Mary dislikes Tom, *even* hates him. 메리는 톰을 싫어하는 정도가 지나쳐 증오까지 한다. ③〔比較級을 강조하여〕 한층 (더) ; 더욱(still) : This dictionary is ~ *more useful* than that. 이 사전은 그 사전보다 더욱 유익하다.

> 參考 even은 보통 수식하는 어구 직전에 놓이고 그 수식을 받는 어구에 강세가 오나, 같은 형태의 문장이라도 강세의 위치에 따라 그 뜻을 판단해야 할 때가 있음: He *even* gáve me his camera. 그는 자기 카메라를 나에게 주기까지 했다《'빌려 주었을 뿐 아니라' 따위의 뜻을 내포》. ≠He *even* gave me his cámera. 그는 나에게 카메라도 주었다(=He gave me *even* his cámera).

~ as . . . 《文語》 마침〔바로〕 …할 때에 : *Even as* he began to speak, there was a knock at the door. 마침 그가 이야기를 시작했을 때, 문을 두드리는 소리가 들렸다《현대어에서는 흔히 just as》. ***~ if . . .*** 설령〔비록〕 …라고 할지라도 : I'll go ~*if* he doesn't. 설령 그가 안 가도 나는 가겠다. ***~ now*** (1)〔종종 否定文에서〕 지금(에)도, 아직까지도 : *Even now* I can't believe her. 지금도 그 여자를 믿을 수 없다. (2)《文語》〔進行形과 함께 쓰여〕 지금 바로 : They are *even now* preparing for the battle. 그들은 바로 지금 전투준비를 하고 있다. ***~ so*** (비록) 그렇다(고) 하더라도 : He has some faults ; ~ *so* he is a good man. 결점은 있지만, (비록) 그렇다 하더라도 그는 선인(善人)이다. ***~ then*** (1) 그때조차도, 그 경우라도. (2) 그래도 ; 그(것으)로도 : I could withdraw my savings, but ~ *then* we'd not have enough. 저금을 찾을 수도 있으나 그래도 우리는 부족할 것이다. ***~ though*** (1) …하지만, …이나《though보다 강의적》: I went ~ *though* he didn't. 그가 안 갔지만 나는 갔다. (2) =even if.

── (***more ~, ~·er ; most ~, ~·est***) a. ① **a**) (표면·판자 따위가) 평평한 ; 평탄한, 반반한 ; 수평(水平)의. OPP *uneven*. ¶ a rough but ~ surface 껄끄럽지만 평평한 표면. **b**) (선(線)·해안선 등이) 울퉁불퉁하지 않은 ; 들쭉날쭉하지 않은 ; 끊어진 데가 없는 : an ~ coastline 굴곡 없는 해안선.
②〔敍述的〕《+전+명》 (…와) 같은 높이인 ; 동일면〔선〕상(上)의 ; 평행한《*with*》: houses ~ *with* each other 같은 높이의 집들 / The snow was ~ *with* the window. 눈은 창 높이까지 쌓여 있었다.
③ **a**) (행동·동작이) 규칙바른 ; 한결같은 ; 정연한 ; (음(音)·생활 따위가) 단조로운 ; 평범한 : a strong, ~ pulse 힘차고 규칙적인 맥박. **b**) (색깔 따위가) 채지지 않은, 한결같은 ; 고른 : an ~ color 고른 색깔. **c**) (마음·기질 따위가) 침착한, 차분한 ; 고요한(calm) : an ~ temper 침착한 기질.
④ **a**) 균형이 잡힌 ; 대등〔동등〕한 ; 호각의 (equal) ; 반반의 : an ~ fight 호각의 싸움 / on ~ ground with… …와 대등하여〔하게〕 / The odds are ~. 승산〔가능성〕은 반반이다 / He has an ~ chance of succeeding. 그가 성공할 가능성은 반반이다. **b**) (수량·득점 따위가) 같은 ; 동일한 : an ~ score 동점 / ~ shares 균등한 몫 / of ~ date (서면 따위가) 같은 날짜의. **c**) (거래·교환·판가름 따위가) 공평한 ; 공정한(fair) : an ~ bargain (대등한 이득을 보는) 공평한 거래 / an ~ decision 공평한 결정.
⑤ 청산(淸算)이 끝난 ; (…와) 대차(貸借)가 없는 《*with*》: This will make (us) all ~. 이로써 (우리는) 대차 관계가 없어진다.
⑥ **a**) 짝수의, 우수(偶數)의 ; 짝수번(番)의 : an ~ number 짝수 / an ~ point 〖數〗 짝수점 / an ~ page 짝수 페이지. OPP *odd*. **b**) (돈·시간 따위가) 우수리 없는 ; 꼭 ; 딱 : an ~ mile 꼭 1마일 / an ~ 5 seconds 꼭 5초(=5 seconds ~)《even이 뒤에 오면 부사로 볼 수 있음》.
be 〔***get***〕 ***~ with*** a person 아무에게 대갚음하다 ; 《美》 아무에게 빚이 없다〔없게 되다〕 : I'll *get* ~ *with* you. 앙갚음〔보복〕을 해 줄 테다. ***break ~*** ⇨ BREAK. ***on an ~ keel*** ⇨ KEEL.

── vt. 《+목(+부)》 ① …을 평평하게〔반반하게〕 하다, 고르다(smooth)《*out* ; *off*》: ~ (*out*) the ground 땅을 고르다. ② …을 평등〔균일〕하게 하다, …의 균형을 맞추다 《*up* ; *out*》: ~ (*up*) accounts 장부끝을 맞추다 / ~ *out* the trade imbalance 무역 불균형 문제를 바로잡다 / That will ~ *things up*. 그것으로(써) 일의 균형이 잡힌다. ── vi. ① 평평해지다《*out* ; *up* ; *off*》; (물가 따위가) 안정되다《*out*》; 평형이 유지되다 ; 균형이 잡히다《*up* ; *off*》. ② (승산 등이) 반반이다 《*between*》. ***~ up on*** 〔***with***〕 ***. . .*** (아무의 친절·호의)에 보답하다 ; 대갚음하다 : I'll ~ *up with* you later. 후에 은혜를 갚겠습니다.

even[2] n. Ⓤ 《古·詩·方》 저녁, 밤(evening).

even·fall [-fɔ̀ːl] n. Ⓤ 《詩》 해질녘, 황혼.

even·hand·ed [-hǽndid] a. 공평한, 공정한 (impartial). ㊞ **~·ly** ad. **~·ness** n.

†**eve·ning** [íːvniŋ] n. ① Ⓤ 저녁, 해질녘 ; 밤《해가 진 뒤부터 잘 때까지》: *in the* ~ 저녁〔밤〕에 / *on* Monday ~ 월요일 밤에《★ 특정한 날을 나타내는 어구를 수반한 때의 전치사는 on》/ a charity ~ 자선의 밤 / ~ after ~ 밤마다. ② (the ~) 《比》 만년, 말기, 쇠퇴기 : in *the* ~ of one's life 만년에 / spend *the* ~ of one's life on hobbies

만년을 취미 생활로 보내다. ③《美南部·英方》오후《정오부터 일몰까지》. ***Good ~!*** 안녕하십니까《저녁 인사》. ***make an ~ of it*** 하룻밤 즐겁게 (술을 마시며) 지내다. ***of an ~***《古》저녁에 흔히. ***toward ~*** 저녁 무렵에. ── *a.* 〔限定的〕 밤의, 저녁의 ; 밤에 일어나는〔볼 수 있는〕.

évening clàss 야학, 야간 학급〔수업〕.

évening còat 연미복.

évening drèss〔**clòthes**〕① 이브닝드레스《치맛자락이 마루까지 닿는 여성용 야회복》. ② (남성 또는 부인용) 야회용 정장.

évening glòw 저녁놀.

évening gòwn = EVENING DRESS ①.

évening páper 석간(지).

Évening Práyer (때로 e-p-) 저녁 기도(evensong). 「초.

évening prímrose 〖植〗 (금)달맞이꽃, 월견

eve·nings [íːvniŋz] *ad.*《美》저녁이면 반드시, 매일 저녁. ***mornings and ~*** 아침 저녁 ; 매일 아침 매일 밤.

évening schòol 야간 학교(night school).

évening stár (the ~) 개밥바라기, 금성 (Venus)《저녁에 서쪽에서 반짝이는》.

évening sùit (한 벌의) 야회복.

***even·ly** [íːvənli] *ad.* ① 평등〔공평〕하게 ; 대등하게. ② 고르게, 균일하게 : spread the cement ~ 시멘트를 고르게 바르다.

even·ness [íːvənnis] *n.* [U] 평평함, 고름 ; 평등 ; 공평 ; 침착.

even·song [íːvənsɔ̀ːŋ, -sɔ̀ŋ] *n.* (종종 E-) ①〖英國敎〗만도(晩禱). ②〖가톨릭〗저녁 기도(vespers).

even-ste·phen, -ste·ven [íːvənstíːvən] *a.*《口》어슷비슷한, 대등한.

‡event [ivént] *n.* [C] ① 사건, 대사건, 사변, 행사 : an annual ~ 연례 행사 / What was the chief ~*s* of last year? 지난해 주요 사건은 무엇이었나. ② 결과(outcome) ; 경과(result) : have no successful ~ 성공을 못하다 / as the ~ has shown 결과부터 보면. ③〖競〗종목 : field ~*s* 필드 경기 / track and field ~*s* 육상경기 / main ~*s* for the day 그날의 주요(경기) 종목. ④〖컴〗사건. ***at all ~s*** = ***in any ~*** 좌우간, 여하튼간에 (★ in any event 는 주로 장래의 일에 대해서 쓰임) : *At all ~s,* we should listen to his opinion. 좌우간 그의 의견을 들어보자 / I don't know if I can finish in time or not, but *in any ~* I'll call you. 제때에 일을 끝낼 수 있는지 없는지 모르겠으나 좌우간 네게 전화하겠다. ***in either ~*** 여하튼간에, 하여튼. ***in that ~*** 그 경우에는, 그렇게 되면. ***in the ~*** 결과로서. ***in the natural*** 〔***normal, ordinary***〕 ***course of ~s*** ⇨ COURSE. ***in the ~ of*** (rain) (비)가 올 경우에는. ***in the ~*** (***that***) . . . 《美》(만일) …일 경우에는 : *in the ~* he does not come 그가 안 오는 경우에는. ★ if, in case 쪽이 일반적임. ***pull off the ~*** 상을 타다.

even-tem·pered [íːvəntémpərd] *a.* 마음이 평온한, 냉정한, 침착한.

event·ful [ivéntfəl] *a.* 사건이 많은, 파란 많은 ; 중대한 : an ~ affair 중대 사건 / an ~ year 다사(多事)한 해 / an ~ life 파란 많은 생애. [파] **~·ly** *ad.* **~·ness** *n.*

even·tide [íːvəntàid] *n.* [U]《詩》저녁 무렵〔때〕.

event·less [ivéntlis] *a.* 평온한, 평범한, 사건이 없는.

***even·tu·al** [ivéntʃuəl] *a.* 〔限定的〕 종국의, 최후의, 결과로서〔언젠가〕 일어나는 : his ~ wife 결국 그의 아내가 될 여성 / His efforts led to his ~ success. 노력이 열매를 맺어 드디어 성공했다.

even·tu·al·i·ty [ivèntʃuǽləti] *n.* [C] 우발성, 일어날 수 있는 사태〔결과〕 ; 궁극, 결말 : in such an ~ 만일 그럴 경우에는 / provide for every ~ 모든 예측밖의 일에 대비하다.

‡even·tu·al·ly [ivéntʃuəli] *ad.* 최후에(는), 드디어, 결국(은), 언젠가는 : Don't worry, he'll come back home ~. 걱정마, 결국 그는 집에 돌아올 테니까.

even·tu·ate [ivéntʃuèit] *vi.*《文語》① 결국 …이 되다《*in*》: ~ well 〔ill〕 좋은 〔나쁜〕 결과로 끝나다 / ~ *in* a failure 실패로 끝나다. ② …에서 일어나다, 생기다《*from*》: Unexpected results ~*d* *from* his decision. 그의 결정으로 의외의 결과가 생겼다.

†ev·er [évər] *ad.* ①〔疑問文에서〕 일찍이 ; 이제〔지금〕까지 ; 언젠가 (전에) : *Have* you ~ *been* to Kyŏngju? 경주에 가 본 적이 있습니까《이 말의 응답엔 ever 를 사용할 수 없음 : Yes, I have (once). 또는 No, I have not. / No, I never have.》/ *Did* you ~ *see* Mr. Johnson while you were (staying) in Boston? 당신은 보스턴에 체재중 존슨 씨를 만났습니까 / How can I ~ thank you (enough)? 정말이지 감사의 말씀 이루 다 드릴 수가 없습니다.
②〔否定文에서〕 이제까지〔껏〕 (한 번도 …않다) ; 결코 (…않다)《not ever 는 never 의 뜻이 됨》: I have*n't* ~ been there. 거기에 한 번도 가 본 일〔적〕이 없다《I've *never* been there. 가 보통》/ Don't ~ do that kind of thing again. 두번 다시 그런 짓을 하지 마라 / *Nothing* ~ makes Mary happy. 아무리 해도 메리를 행복하게는 못 한다.
③〔條件文에서〕 언젠가 ; 어쨌든 : Come and see me if you are ~ in Kwangju? 언젠가 광주에 오시면 들러 주십시오 / If I ~ catch him! 그녀석 내 손에 붙잡히기만 해 봐라(그냥 두지 않을 테다).
④〔比較級·最上級 뒤에서〕 이제까지〔껏〕 ; 지금까지 ; 일찍이 (없을 만큼)《종종 과장적으로도 쓰임》: It is raining *harder than* ~. 일찍이 없었던 큰 호우다 / This is *the best* beer (that) I have ~ tasted. 이렇게 맛 좋은 맥주는 마셔본 일이 없다《관계사절은 과거형도 좋으나 완료형이 보통》/ It is *the biggest* ~. 일찍이 없었던 큰 것이다.
⑤ **a)**〔肯定文에서〕 언제나 ; 늘 ; 항상《成句 이외에는《古》; 오늘날에는 always 가 더 일반적임》: He ~ repeated the same words. 그는 늘 같은 말을 되풀이했다 / He is ~ quick to respond. 그는 언제나 응답이 빠르다. **b)**〔複合語를 이루어〕 언제나, 늘 : *ever*-active 항상 활동적(活動的)인 / *an ever*-present danger 늘 존재하는 위험.
⑥〔强意語로서〕 **a)**〔疑問文에 쓰여〕 도대체 ; 대관절 : Who ~ did it? 도대체 누가 그것을 했느냐 / When 〔Where, How〕 ~ did you lose it? 대관절 언제〔어디서, 어떻게〕 그것을 잃으셨나요 / Why ~ did you say so? 대관절 왜 그런 말을 했나요 / Does he ~ come here? 도대체 그는 이 곳에 오기나 하나요.

> [語法] (1) 의문사가 있을 때에는, 의문사와 ever 를 한데 합쳐서 when*ever*, what*ever* 따위처럼 한 단어로 쓰일 때도 있는데, 본래의 whenever, whatever 따위와의 차이에 주의할 것. 단, why 에는 ever 를 붙일 수 없음.
> (2) 이상은 모두 ever 가 맨 마지막에 올 경우가 있음 : Who did it *ever*?
> (3)《口》에서는 ever 대신에 the hell, on earth, in the world, in heaven's name 따위도 쓰임.

b) 〔疑問文형식의 感嘆文에서〕《美口》 매우 ; 무척(이나) ; 정말이지 : Is this ~ beautiful! 이건 정말(이지) 아름답지 않은가 / Is 〔Isn't〕 he ~ mad! 그 사람 정말이지 돌았군(=How mad he is!). **(as) . . . as** ~ 변함〔다름〕 없이··· ; 전(前)과 같이 : It is *as* warm *as* ~. 여전히 따뜻하다. **as . . . as ~ . . . can** 될 수 있는 대로〔한〕···, 가급적··· : Be *as* quick *as* you *can*. 될 수 있는 대로 서둘러라. **as . . . as ~ lived** 〔**was**〕 지금까지는 없을 정도로 ···인, 대단히···인 : He's *as* great a scientist *as* ~ *lived*. 그는 지금까지 없었던 위대한 과학자이다. **as ~** 언제나처럼 : *As* ~, he was late in arriving. 언제나 처럼 그는 늦게 도착했다. **As if . . . ~!** 설마 ···은 않을 테지 : *As if* he would ~ do such a thing! 그 사람이 그런 일을 할 리는 없지. **Did you ~?** 《口》 그게 정말이야, 그것 놀라운데《★ 놀람·불신을 나타냄 ; *Did you ever* see〔hear〕 the like?의 단축형》. **~ after** 〔**afterward**〕 그후 내내《과거 시제에 씀》: They lived happily ~*after*. 그들은 그 후 죽 행복하게 살았다《해피엔딩(happy ending)인 동화의 맺음말》. **~ and again** 〔**anon**〕 이따금, 가끔(sometimes). **~ more** 〔形容詞·副詞의 앞에서〕 더욱(더) ; 다시 (더) ; 점점 ···하여 : The old man grew ~ *more* feeble. 그 노인은 점점 더 쇠약해져 갔다. **~ since** (1) 〔副詞的〕그 후 죽 〔내내〕 : I've known him ~ *since*. 그 이후 그를 죽 알고 있다. (2) 〔前置詞적·接續詞적〕···(한 후)부터 죽(지금까지) : He has been ill ~ *since* the end of last year〔I saw him last〕. 그는 작년말〔내가 지난번 만난 후〕부터 내내 앓고 있다. **~ so** (1) 《英口》 매우 ; 대단히 : They were ~ *so* kind to me. 그들은 나에게 매우 친절하였다. (2) 〔讓步節에서〕 비록 아무리 (···하더라도) : Home is home, be it ~ *so* humble. 비록 아무리 초라해도 내 집만한 곳은 없다. **~ such** 《英口》 매우〔무척〕 ···한 : ~ *such* an honest man 매우 정직한 사람. **Ever yours** =Yours ~. **for ~** (1) 영원히 ; 길이 : I am *for* ~ indebted to you. 은혜는 한평생 잊지 않겠습니다 / I wish I could live here *for* ~. 언제까지고 여기서 살 수 있으면 좋을 텐데. (2) 언제나 ; 늘《forever 로 붙여서도 씀》: He is *for* ~ losing his umbrella. 그는 항상 우산을 잃어버린다. **for ~ and ~=for ~ and a day** 《英》 영원히, 언제까지나. **hardly** 〔**scarcely**〕 ~ 거의〔좀처럼〕 ···(하지) 않다 : John *hardly* ~ reads books. 존은 좀처럼 책을 읽지 않는다. **never ~** 《口》 결코 ···않다. **rarely** 〔**seldom**〕, **if ~** (비록 있다 하더라도) 극히 드물다 : My father *rarely, if* ~, smokes. 아버지는 담배를 피운다 해도 아주 드물게 피운다. **if ~ there was one** 확실히, 틀림없이. **Yours ~** 언제나(변함 없는) 그대의 벗《친한 사이에 쓰는 편지의 맺음말》. ⓒⓕ yours.

ever- '늘'의 뜻의 결합사 : *ever*lasting.

ev·er-chang·ing [évərtʃéindʒiŋ] *a.* 변전 무쌍한.

***Ev·er·est** [évərist] *n.* **Mount** ~ 에베레스트 산 《세계 최고봉 ; 해발 8,848 m》.

ev·er·ett [évərit] *n.* (남자용) 실내화.

ev·er·glade [évərglèid] *n.* ① Ⓒ (혼히 *pl.*) 저습지, 소택지. ② (the E-s) 에버글레이즈《미국 Florida 주 남부의 대(大)소택지》.

***ev·er·green** [évərgrìːn] *a.* 상록의 ; 불후의 《작품 등》: the rolling ~ hills 기복이 진 상록의 구릉지대. ── *n.* ① Ⓒ 상록수. ② (*pl.*) (장식용의) 상록수 가지.

‡**ev·er·last·ing** [èvərlǽstiŋ, -láːst-] *a.* ① 영구한, 불후의 : achieve ~ fame 불후의 명성을 얻다 / the ~ snow of the mighty Himalayas 거대한 히말라야 산맥의 만년설. ② 〔限定的〕 끝없는, 끊임없는, 지루한, 질력나는(tiresome) : ~ grumbles 끊임없는 불평. ③ 내구성의, 오래가는. ── *n.* ① Ⓤ 영구, 영원(eternity) : from ~ 영원한 과거로부터. ② (the E-) (영원한) 신. **for ~** 미래영겁(未來永劫)으로, 앞으로 영원히. **from ~ to ~** 영원히, 영원무궁토록.
㊞ **~·ly** *ad.* 영구히, 끝없이. **~·ness** *n.*

ev·er·more [èvərmɔ́ːr] *ad.* 늘, 항상, 언제나 ; 영구히. **for ~** 영구히 ; 항상(forevermore).

ev·er-ready [évərrédi] *a., n.* 언제라도 쓸 수 있는, 항상 대기하고 있는 (사람〔것〕).

†**eve·ry** [évriː] *a.* 〔限定的〕 ① 〔單數名詞와 더불어 冠詞 없이〕 **a)** 어느 ···도〔이나〕 다 ; 각 ···마다 다 ; 온갖 : *Every* boy likes it. 어느 소년이나 모두 그것을 좋아한다 / *Every* reporter sent his 〔their〕 stories with the least possible delay. 어느 기자든 가급적 빨리 소식을 보냈다《複數의 기자가 염두에 있으므로 their를 쓰기도 함》/ *Every* man, woman, and child has been evacuated. 남자도 여자도, 어린이도 모두 다 피난했다《every 뒤에 명사가 둘 이상 계속되어도 단수 취급을 함》/ They listened to his ~ word. 그들은 그의 말 하나하나에 귀를 기울였다《every 의 앞에는 관사가 붙지 않지만 소유격 대명사는 쓸 수 있음》. **b)** 〔not 과 함께 部分否定을 나타내어〕 모두(가) ···라고는 할 수 없다 : *Not* ~ man can be a genius. =*Every* man can*not* be a genius. 누구나 다 천재가 될 수 있다고는 할 수 없다.

> 語法 each 와 every 의 비교 : (1) 둘 다 단수구문을 취하는 점에서 all 과 대비된다. (2) 둘 다 집단의 각 구성 요소를 긍정하지만 each 는 2 개 이상의 요소에, every 는 3 개 이상의 요소에 쓰이며, 또 후자는 '하나 남김 없이, 모두'라는 포괄적인 함축이 강하다. (3) each 에는 형용사·대명사의 두 용법이 있으나 every 에는 형용사의 용법밖에 없다.

② 〔抽象名詞를 수반하여〕 가능한 한(限)의 ; 온갖··· ; 충분한 : There is 〔We have〕 ~ *reason* to believe that .... ···하다는 것을 믿을 만한 충분한 이유가 있다 / I have ~ *confidence* in him. 전폭적으로 그를 신뢰하고 있다 / I wish you ~ *success*. 아무쪼록 성공하시기를 바라 마지않습니다.

③ **a)** 〔單數名詞를 수반하여 無冠詞로〕 매(每)···, ···마다《종종 副詞句로 쓰임》: ~ day 〔week, year〕 매일(每日)〔매주, 매년〕 / ~ morning 〔evening〕 매일 아침〔저녁〕 / at ~ step 한걸음마다. **b)** 〔뒤에 '序數+單數名詞' 또는 '基數(또는 few 따위)+複數名詞'를 수반하여〕 ···걸러, ···마다 《종종 副詞句로서 쓰임》: ~ *second* week 일주일 걸러 / ~ *fifth* day = ~ five days, 5일 마다, 나흘 걸러 / ~ *few* days 〔years〕 며칠〔몇 해〕마다 / *Every* third man has a car. 세 사람에 한 명은 차를 갖고 있다. **~ bit** 어디까지나, 어느 모로나 ; 아주 : He is ~ *bit* a scholar. 그는 어디까지나 학자다. **~ inch** ⇨INCH. **~ last . . .** 마지막〔최후의〕 ··· : spend ~ *last* penny 마지막 1 페니까지 〔있는 돈 전부를〕 다 써 버리다. **~ last bit of . . .** =**~ (single) bit of** 모든··· : need ~ (*single*) *bit of* help 가능한 한의 모든 원조를 필요로 하다. **~ last** 〔**single**〕 **one** (**of . . .**) (···의) 어느 것이나 모두 ; 남김없이《every one 의 강조(強調)》. **~ man Jack** (**of them** 〔**us, you**〕) (그들〔우리, 너희들〕 남자들은) 누구나 다. **~ moment**

〔*minute*〕 시시각각으로, 순간마다 : I expect him ~ *minute.* 이제나저제나 하고 그 사람을 기다리고 있다. ~ ***mother's son of them*** 한 사람 남(기)지 않고, 모두. ~ ***now and again*** 〔***then***〕 = ~ ***once in a while*** 〔***way***〕 때때로, 가끔. ~ ***one*** (1) [évriwʌ̀n / ⌐--] 누구나 모두, 모든 사람(★ 보통 everyone 과 같이 한 말로 씀). (2) [évriwʌ́n] 남김없이 모두 다 ; 모조리 : They were killed ~ *one* of them. 그들은 모조리 살해되었다. ~ ***other*** (1) 하나 걸러(서) : ~ *other* day 하루 걸러(서), 격일로 / ~ *other* line 1행 걸러. (2) 그 밖의 모든 : *Every other* boy was present. 그 밖의 다른 학생은 모두가 출석했다. ~ ***so often*** 때때로, 이따금. ~ ***time*** (1) 언제고, 언제라도 : You can rely on me ~ *time.* 어느 때고 내게 의존할 수 있다. (2) 〔接續詞的〕 …할 때마다 ; …할 때는 언제나 : They quarrel ~ *time* they meet. 그들은 만날 때마다 싸운다. ~ ***which way*** 《口》 (1) 사방(팔방)으로 : The boys ran ~ *which way.* 소년들은 사방으로 달아났다. (2) 뿔뿔이 흩어져, 어수선하게 : The cards were scattered ~ *which way.* 카드는 어지럽게 흩어져 있었다. ***(in)*** ~ ***way*** 어느 점으로 보나, 모든 점에 있어 ; 아무리 보아도 ; 아주(quite) : You wrong me *in* ~ *way.* 너는 모든 점에서 나를 오해하고 있다.

†eve·ry·body [évribɑ̀di, -bʌ̀di / -bɔ̀di] *pron.* 각자 모두, 누구나, 모두(★ everyone 보다는 딱딱한 말) : *Everybody* went but myself. 나 이외에는 모두 갔다 / *Everybody's* business is nobody's business. 《俗談》 공통 책임은 무책임 / *Everybody* has a way of their own. 누구에게나 버릇은 있다. ~ ***else*** 다른 모든 사람. ***not*** ~ 〔부분否定〕 모두가 …하는〔인〕 것은 아니다 : *Not* ~ (↗) can be a poet. 모든 사람이 시인이 될 수 있는 것은 아니다(이 not 는 문 전체를 부정하나 Do*n't* ~(↘) listen to him! (누구도 그의 말을 듣지 마라)에서는 *Everybody,* don't listen to him. 의 뜻으로서 not 는 do 에 걸리며 everybody 에 걸리지 않음).

‡eve·ry·day [-dèi] *a.* 〔限定的〕 ① 매일의 : her ~ routine 그녀의 일과. ② 일상의, 습관적인 ; 예사로운, 평범한 : an ~ occurrence 대수롭지 않은 일 / the ~ world 실사회 / an ~ word (일)상용어 / ~ affairs 일상적인〔사소한〕 일 / ~ shoes 평상화.

eve·ry·man [-mæ̀n] *pron.* =EVERYBODY.
— *n.* (종종 E-) (*sing.*) 보통 사람, 통상인 : Mr. ~ 보통 사람.

†eve·ry·one [-wʌ̀n, -wən] *pron.* =EVERYBODY.

eve·ry·place [-plèis] *ad.* 《美》 =EVERYWHERE.

†eve·ry·thing [-θìŋ] *pron.* 〔단수 취급〕 ① 모든 것, 무엇이나 다, 만사 : *Everything*'s all right now. 현재 만사는 제대로 되고 있다 / *Everything* has its beginning and end. 모든 것에는 처음과 끝이 있다. ② 〔be 의 補語 또는 mean 의 目的語〕 매우 소중한 것 : This news means ~ to us. 이 소식은 우리에게 중요한 뜻을 지닌다 / Career isn't ~. 출세가 전부는 아니다. ③ 〔not 를 이끌고 部分否定〕 모두가 …할 수는 없다(…는 아니다) : You can'*t* buy ~. 모든 것을 살 수는 없다(일부는 살 수 있다)(★ 전체 부정인 경우는 You can't buy *anything.* 그 어떤 것도 살 수 없다) / We had ~ necessary. 필요한 것은 모두 있었다(★ 수식하는 단어는 뒤에 온다). ***above*** 〔***before***〕 ~ ***(else)*** 무엇보다도(먼저) : His work comes before ~. 그에겐 무엇보다 일이 첫째다. ***and*** ~ 《口》 그 밖에 이것저것 : His constant absences *and* ~ led to his dismissal. 잦은 결근과 그밖의 여러 원인으로 해고되었다.

†eve·ry·where [-*h*wɛ̀ər] *ad.* ① 어디에나, 도처에 ; 《口》 많은 곳에서 : I've looked ~ for it. 구석구석 그것을 찾아보았다. ② 〔接續詞적으로〕 어디에 …라도 : *Everywhere* we go, people are much the same. 어디를 가나 사람은 별 차이가 없다.
— *n.* Ⓤ 《口》 모든 곳 : People gathered from ~. 도처에서 사람들이 모여들었다 / *Everywhere* was quiet. 어디나 조용했다.

evict [ivíkt] *vt.* 《~+목 / +목+전+명》 〖法〗 (가옥·토지)에서 퇴거시키다, 쫓아내다(*from*) 《법 절차에 따라》 ; 〔一般的〕 내쫓다 : ~ a tenant *from* the land (지대(地代) 체납으로) 차지인을 내쫓다. ㊞ **evíc·tion** [-ʃən] *n.* Ⓤ,Ⓒ 〖法〗 퇴거 : a notice of ~ 퇴거 통지장.

‡ev·i·dence [évidəns] *n.* ① Ⓤ 증거, 근거(*of* ; *for*) ; 〖法〗 증언, 증인 : a piece of ~ 하나의 증거 / call a person in ~ 증인으로 아무를 소환하다 / Is there any ~ *of* 〔*for*〕 this? 이에는 어떤 증거가 있느냐. ② Ⓤ,Ⓒ (때로 *pl.*) 표시 ; 형적, 흔적(sign)(*of* ; *for*) : There were ~*s of* foul play. 범죄가 행해진 흔적이 있었다. ***give*** ~ 증언하다. ***give*** 〔***bear, show***〕 ~ ***of*** …의 형적을 나타내다, …의 형적이 있다. ***in*** ~ (1) 눈에 띄게 : His wife was nowhere *in* ~. 그의 아내는 어디에도 보이지 않았다. (2) 증거로서 : He produced it *in* ~. 증거로서 그것을 제출하였다. ***on*** ~ 증거가 있어서, 증거에 입각하여. ***on the*** ~ ***of*** …의 증거에 의해, …을 증거로 하면 : *On the* ~ *of* his record, he will win the race. 그의 기록에 의하면 그는 그 레이스에서 이길 것이다. ***take*** ~ 증언을 듣다. ***turn King's*** 〔***Queen's,*** 《美》 ***State's***〕 ~ (감형 받으려고) 공범에게 불리한 증언을 하다.
— *vt.* …을 입증하다, …의 증거가 되다.

‡ev·i·dent [évidənt] (***more*** ~ ; ***most*** ~) *a.* ① 분명한, 명백한, 뚜렷한 ; 분명히 (그것임을) 알 수 있는 : with ~ satisfaction 〔pride〕 자못 만족스레 〔자랑스레〕 / make an ~ mistake 분명한 잘못을 범하다. ② 〔敍述的〕 뚜렷이 나타난 : His age was ~ in his wrinkled hands. 그의 나이는 주름투성이의 손에 뚜렷이 나타나 있었다.

ev·i·den·tial [èvidénʃəl] *a.* 증거의 ; 증거가 되는 ; 증거에 의거한.

‡ev·i·dent·ly [évidəntli, èvidént-, évidènt-] *ad.* ① 분명하게〔히〕, 의심 없이 ; 보기에는, 아마도 : She is ~ sick. 그녀는 분명히 병에 걸려 있다. ② 아무래도 : *Evidently,* it's going to rain tomorrow. 아무래도 내일은 비가 올 것 같다 / Was he guilty? — *Evidently.* 그가 죄를 지었나, 그런 모양이다.

‡evil [íːvəl] (***more*** ~ ; ***most*** ~ ; 때로 ***evil(l)er*** ; ***-(l)est***) *a.* ① 나쁜, 사악한, 흉악한 : ~ conduct 비행 / He has an ~ tongue. 그는 독설가다 / an ~ spirit 악령, 악마 / An ~ man is full of wicked thoughts. 사악한 남자는 못된 생각만 한다. ② 불길한 : ~ news 불길한 소식. ③ 싫은, 불쾌한 : an ~ smell 〔taste〕 역겨운 냄새〔맛〕.
— *n.* ① Ⓤ 악, 사악 : return good for ~ 악을 선으로 갚다. ② Ⓒ 해악 ; 재해(disaster) : a necessary ~ 어쩔 수 없는 폐해, 필요악 / War brought many ~*s.* 전쟁은 수많은 해악을 가져왔다. ***do*** ~ 해를 끼치다, 해가 되다 : *do* more ~ than good 유해(有害) 무익하게 되다. ***fall on*** ~ ***days*** 불운을 당하다. ***good and*** ~ 선악. ***in an*** ~ ***hour*** 〔***day***〕 재수없게, 불행히도.
— *ad.* 나쁘게(ill) : It went ~ *with* him. 그는 혼쭐이 났다. ***speak*** ~ ***of*** …의 험담을 하다.

evil·do·er [íːvəldùːər, ⌐-⌐-] *n.* Ⓒ 악행을 저지르는 사람, 악인.
evil·do·ing [íːvəldùːiŋ, ⌐-⌐-] *n.* Ⓤ 못된 짓, 악행.
évil éye 흉안(凶眼)(을 가진 사람)《그 시선(視線)이 닿게 되면 재난이 닥친다고 함》; 증오〔적의〕에 찬 눈초리; (the ~) 흉안의 마력, 불운.
evil-look·ing [íːvəllúkiŋ] *a.* 인상이 나쁜.
evil-mind·ed [-máindid] *a.* ① 악의(惡意)에 찬, 뱃속이 검은. ② (말을) 외설적으로 해석하는. ㊞ **~·ly** *ad.* **~·ness** *n.*
Évil Óne (the ~) 마왕(the Devil, Satan).
evil-tem·pered [-témpərd] *a.* 기분이 언짢은.
evince [ivíns] *vt.* (감정 따위)를 분명히 나타내다: He ~*d* a strong desire to be reconciled with his family. 그는 가족과 화해하고 싶은 강한 의욕을 보였다.
evis·cer·ate [ivísərèit] *vt.* ① (짐승의 내장)을 끄집어 내다. ② (의론 등의 주요 골자)를 빼버리다.
ev·o·ca·tion [èvəkéiʃən, ìːvou-] *n.* Ⓤ,Ⓒ ① (기억·감정 등을) 불러일으킴, 환기《*of*》. ② (공수·신접(神接)을 위해 신령을) 불러냄. ◇ evoke *vt.*
evoc·a·tive [iváktiv, -vóuk-] *a.* (…을) 불러내는; 환기하는《*of*》: a place ~ *of* one's childhood 어릴 때를 생각나게 하는 곳. ㊞ **~·ly** *ad.* **~·ness** *n.*
***evoke** [ivóuk] *vt.* ① (기억·감정 등)을 불러일으키다, 환기하다: ~ applause 갈채를 불러일으키다 / The place ~*s* memories of happier days. 그 장소는 행복했던 날을 생각나게 한다 / His comment ~*d* protests from the shocked listeners. 그의 논평에 충격을 받은 청중으로부터 항의가 터져 나왔다. ② (죽은 이의 영혼 등)을 불러내다《*from*》: ~ a spirit *from* the dead 사자의 영혼을 불러내다. ◇ evocation *n.*
‡ev·o·lu·tion [èvəlúːʃən / ìːvə-] *n.* ① Ⓤ 전개, 발전, 진전, (사회·정치·경제적인) 점진적 변화: the ~ of the farming methods 영농법의 점진적 발전. ② Ⓤ 〖生〗 진화, 진화론: Darwin's theory of ~ 다윈의 진화론. ③ Ⓒ (종종 *pl.*) **a)** (부대·함선 등의) 전개 동작. **b)** (춤 따위의) 전개 동작, 선회. ◇ evolve *v.*
ev·o·lu·tion·al [èvəlúːʃənəl / ìːvə-] *a.* =EVOLUTIONARY.
***ev·o·lu·tion·ary** [èvəlúːʃənèri / ìːv-] *a.* ① 발달의, 진화의, 진화(론)적인: ~ cosmology 진화 우주론 / Darwin's ~ theories 다윈의 진화론 / the ~ origin of species 종(種)의 기원. ② 전개〔진전〕적인.
ev·o·lu·tion·ism [èvəlúːʃənìzəm / ìːvə-] *n.* Ⓤ 〖生〗 진화론. ⓒⓕ creationism.
ev·o·lu·tion·ist [èvəlúːʃənist / ìːvə-] *n.* Ⓒ 진화론자. ㊞ **èv·o·lù·tion·ís·tic** [-ístik] *a.* 진화론(자)의.
***evolve** [iválv / ivɔ́lv] *vt.* ① …을 서서히 발전시키다; 전개하다; 진화〔발달〕시키다: ~ a new theory 새 학설을 발전시키다 / This isolated tribe has ~*d* a unique culture. 이 고립된 종족은 독특한 문화를 발전시켰다. ② (열·빛 등)을 방출하다. ── *vi.* ①《~ / +전+명》 서서히 발전〔전개〕하다; 점진적으로 변화하다: folk music which ~*d out of* popular culture 대중문화에서 발전한 민속음악. ② (생물이)진화하다: ~ *into* …로 진화하다/~ *from* a lower form〔*into* a higher form〕 of animal life 하등 동물에서 〔고등 동물로〕 진화하다. ◇ evolution *n.*
evul·sion [iválʃən] *n.* Ⓤ (뿌리째) 뽑아냄, 빼냄, 뽑음.

EW 〖醫〗 emergency ward ; 《美》 enlisted woman 〔women〕.
ewe [juː, jou] *n.* Ⓒ 암양. one**'s ~ *lamb*** (가난한 사람의) 가장 소중히 여기는 것《사무엘 Ⅻ: 3》.
ew·er [júːər] *n.* Ⓒ 물병; (특히 침실용의) 주둥이 넓은 물단지: a ~ and basin(침실용) 물병과 세숫대야.
ex[1] [eks] *n.* (알파벳의) X; X 모양의 것; 《美俗》 독점 판매권.
ex[2] *prep.* 《L.》 ① …로부터; …에 의해서, …으로; …때문에, …한 이유로. ② 〖商〗 …에서 인도(引渡): ~ ship 본선 인도 / ~ bond 보세창고 인도 / ~ store 창고 인도. ③ 〖證〗 …낙(落)으로〔의〕, 없이, 없는: ~ interest 이자락(利子落)으로〔의〕.
ex-[1] *pref.* ① '…에서 (밖으로), 밖으로'의 뜻: *ex*clude, *ex*port. ② '아주, 전적으로'의 뜻: *ex*terminate.
ex-[2] *pref.* 〔흔히 하이픈을 붙여〕 '전(前)의, 전…'의 뜻: *ex*-husband, *ex*-convict, *ex*-premier.
Ex., Exod. Exodus. **ex.** examined; example; except; exception; exchange; executive; exempt; exit; export; express; extra.
exa- '엑서(=10^{18}; 기호 E)'의 결합사: *exa*meter.
ex·ac·er·bate [igzǽsərbèit, iksǽs-] *vt.* ① (고통·병·노여움 따위)를 악화시키다, 더하게 하다. ② (사람)을 격분시키다. ㊞ **ex·àc·er·bá·tion** [-ʃən] *n.* Ⓤ 악화, 격화; 격분.
‡ex·act [igzǽkt] (***more ~, ~·er ; most ~, ~·est***) *a.* ① (시간·수량 등) 정확한, 적확한(accurate): the ~ date and time 정확한 일시 / an ~ copy of the original 원본의 정확한 사본 / Give me his ~ words. 정확히 그가 말한 대로 말해라 / Is her account ~? 그녀의 설명이 정확한가. ② (행위·지식·묘사 등) 정밀한, 엄밀한(precise): ~ sciences 정밀 과학 / ~ instruments 정밀 기계. ③ (법률·명령 등) 꼼꼼한(strict); 엄격한, 가혹한(severe, rigorous): ~ directions 엄격한 지시 / He is ~ in his work. 그는 일에 꼼꼼하다 / If you are dealing with the money, be ~ about it. 돈을 취급하고 있다면 꼼꼼히 해라. **~ *to the life*** 실물 그대로의. ***to be*** ~ 엄밀히 말하면: He's in his mid-fifties-well, fifty-five *to be* ~. 그는 50대 중반, 엄밀히 말하면 55세다. ── *vt.* 《~+명 / +목+전+명》 ① (권력으로 금품 따위)를 징수하다, 강요하다, 거두다 《*from* ; *of*》: ~ sacrifice〔taxes〕 *from* the people 인민에게 희생〔세금〕을 강요하다. ② (사정이) …을 필요로 하다: This work will ~ very careful attention. 이 일에는 아주 신중한 주의가 필요하다.
㊞ **~·er** *n.* =EXACTOR. **~·ness** *n.* Ⓤ 정확, 정밀(exactitude).
ex·act·ing [igzǽktiŋ] *a.* 엄한, 강요하는; 착취적인, 가혹한; 쓰라린, 힘든《일 등》: an ~ teacher 엄한 선생 / an ~ job 힘든 일 / settle ~ standards of safety 엄격한 안전 기준을 설정하다. ㊞ **~·ly** *ad.* **~·ness** *n.*
ex·ac·tion [igzǽkʃən] *n.* ① Ⓤ 강요, 강제; 부당한 요구《*of* ; *from*》. ② Ⓒ 가혹한 세금, 강제 징수금.
ex·ac·ti·tude [igzǽktətjùːd] *n.* Ⓤ,Ⓒ 정확, 엄밀; 정밀(도); 꼼꼼함, 엄정: with scientific ~ 과학적 정밀성으로 / a man of great ~ 몹시 꼼꼼한 사람. ◇ exact *a.*
‡ex·act·ly [igzǽktli] (***more ~ ; most ~***) *ad.* ① 정확하게, 엄밀히, 정밀하게, 꼼꼼하게: ~ at five =at ~ five 정각 5시에 / Repeat ~ what he said. 그가 한 말을 그대로 말해 보아라. ② 정확히 말해서: He is not ~ a gentleman. 그는 엄밀하

게 말해서 신사는 아니다. ③ 틀림없이, 바로, 꼭 (just, quite) : He looks ~ like his brother. 그는 형〔동생〕과 꼭 닮았다 / "Did you decide not to take the entrance exam?"—"*Exactly.*" '넌 입학 시험을 안 보기로 했나?'—'네, 그렇습니다.' ***Not*** ~. 반드시〔꼭〕 그렇지는 않다 ; 좀 다르다 : "Did he love her?"—"*Not* ~." '그는 그녀를 사랑했나?'—'좋아하긴 했으나 꼭 사랑한 것은 아니었소.'

ex·ac·tor [igzǽktər] *n.* [C] 강요자《특히 권력으로 강요하는 사람》; 강제 징수자 ; 징세리(徵稅吏).

exáct scíence 정밀 과학《수학·물리학 등 정량적(定量的)인 과학》.

‡**ex·ag·ger·ate** [igzǽdʒərèit] *vt.* ① …을 과장하다, 침소봉대하다, 과대하게 보이다 ; 지나치게 강조하다 : ~ one's danger 위험을 과장해서 말하다 / It is impossible to ~ the seriousness of the situation. 사태의 심각성을 아무리 강조해도 지나치지 않다. ② …을 과대시(視)하다, 과장해서 생각하다 : You ~ the difficulties. 곤란을 너무 과장하고 있다. ③ …을 실제보다 크게〔좋게, 나쁘게〕 보이게 하다. — *vi.* 과장해서 말하다, 과대시하다《*on*》: Don't ~. 허풍떨지 마.

***ex·ag·ger·at·ed** [igzǽdʒərèitid] *a.* 과장된 : a ~ advertisement 과대 광고.
[파] ~·**ly** *ad.* 과장되게 ; 과대하게.

***ex·ag·ger·a·tion** [igzæ̀dʒəréiʃən] *n.* ① [U] 과장, 과대시 : speak without ~ 과장없이 말하다. ② [C] 과장적 표현 : a gross ~ 터무니 없는 과장 / It is no ~ to say that .... …이라고 해도 과언은 아니다. ◇ exaggerate *v.*

ex·alt [igzɔ́:lt] *vt.* ① (명예·품위 따위)를 높이다 ; (관직·신분 따위)를 올리다, 승진시키다 (promote)《*to*》: The official was ~*ed to* the highest rank. 그 관리는 최고 관직으로 승진되었다. ② …을 찬양하다 : The medieval Church despised the body and ~*ed* the spirit. 중세의 교회는 육체를 천시하고 영혼〔정신〕을 찬양했다. ③ (상상력 등)을 높이다. ◇ exaltation *n.* ~ a person ***to the skies*** 아무를 격찬하다.

ex·al·ta·tion [ègzɔ:ltéiʃən] *n.* [U] ① 높임 ; 고양(高揚) (elevation). ② 승진 (promotion). ③ 찬양 ; 의기양양.

***ex·alt·ed** [igzɔ́:ltid] *a.* 고귀한, 지위가〔신분이〕 높은 ; 고상한, 고원(高遠)한《목적 따위》; 의기양양한 : an ~ personage 고위 인사, 귀인 / ~ aims 숭고한 뜻 / become ~ 의기양양해지다 / in ~ spirits 의기양양해서. [파] ~·**ly** *ad.*

ex·am [igzǽm] *n.* 《口》 시험. [◂ *exam*ination]

‡**ex·am·i·na·tion** [igzæ̀mənéiʃən] *n.* ① [C] 시험, (성적) 고사 : an ~ *in* English 영어 시험 / entrance ~*s* 입학 시험 / a written 〔an oral〕 ~ 필기〔구두〕 시험. ② [C] 시험 문제 : ~ papers 시험 문제(지) ; 답안지. ③ [U,C] **a)** 조사, 검사, 심사《*of* ; *into*》: an ~ *into* the matter 사건의 조사 ; 문제의 검토 / I thought it was paint at first, but on closer ~ I realized it was dried blood. 처음엔 그것이 페인트라고 생각했으나 세밀히 조사해보니, 마른 피였음을 알았다. **b)** (학설·문제 등의) 고찰, 검토, 음미. ④ [U,C] 검사, 진찰 : a clinical ~ 임상 검사(법) / a mass ~ 집단 검진 / a medical ~ 건강 진단 / a physical ~ 신체 검사. ⑤ [U,C] 〖法〗 (증인) 심문 ; 심리 : a preliminary ~ 예비 심문 / the ~ of a witness 증인 신문. ◇ examine *v.* ***go in for*** 〔***take,*** 《英》 ***sit for***〕 one'***s*** ~ 시험을 치르다. ***on*** ~ 조사〔검사〕해 보고 ; 조사해 보니. ***pass*** 〔***fail in***〕 ***an*** ~ 시험에 합격〔불합격〕하다.

‡**ex·am·ine** [igzǽmin] *vt.* ①《~+[목] / +[목]+[전]+[명]》 시험하다《*in* ; *on, upon*》: ~ pupils *in* grammar 학생들에게 문법 시험을 보이다 / ~ students *on* their knowledge of history 학생들의 역사 지식을 테스트하다. ★ 학과목에는 in, 특수〔전문〕 부문에는 on을 각각 씀. ②《~+[목] / +*wh.*[절]》 …을 검사하다, 조사〔심사〕하다(inspect, investigate) ; 고찰〔검토, 음미〕하다 : ~ *whether* it is possible or not 가능 여부를 검토하다 / ~ *how* the accident happened 그 사고가 어떻게 일어났는지를 조사하다 / He ~*d* her passport and stamped it. 그는 그녀의 여권을 검사하고 도장을 찍었다 / ~ facts〔evidence〕 사실을〔증거를〕 조사하다 / Detectives ~*d* the room for fingerprints. 형사들은 지문을 찾으려고 방을 조사했다. ③〖醫〗 진찰하다, 검사〔검진〕하다 : have one's eyes ~*d* 눈을 검진받다. ④〖法〗 신문〔심문〕하다 ; 심리하다 : ~ a witness 증인을 신문하다. ◇ examination *n.*

ex·am·i·nee [igzæ̀məní:] *n.* [C] ① 수험자. ② 검사〔신문, 심리〕를 받는 사람.

***ex·am·in·er** [igzǽmənər] *n.* [C] 시험관, 시험위원, 심사관, 검사관, 조사관 ; (증인)신문관.

†**ex·am·ple** [igzǽmpəl, -zɑ́:m-] *n.* [C] ① 예, 보기, 실례, 용례 : give〔take〕 an ~ 예를 들다 / Let's take a couple of ~*s*. 두세 가지 예를 들자 / *Example* is better than precept. 실례가 교훈보다 낫다. ② 견본, 표본(specimen, sample) ; (수학 등의) 예제 : an ~ of his work 그의 작품의 한 예 / It is a classic ~ of how to design the civic center. 그것은 시민 회관을 어떻게 설계하느냐에 관한 전형적인 예다. ③ 모범, 본보기(model) : Children will follow the ~ of their parents. 어린애들은 부모를 본받는다. ④ 본때(로 벌받은 사람) : make an ~ of a person 아무를 본때로 벌주다. ***as an*** ~ = ***by way of*** ~ 한 예(例)를 들면, 예로서《★ 후자는 無冠詞》. ***beyond*** 〔***without***〕 ~ 공전(空前)의, 전례 없는 : The play was a hit *without* ~. 그 연극은 공전의 히트였다. ***for*** ~ 예를 들면, 예컨대(for instance). ***set*** 〔***give***〕 ***an*** ~ ***to*** 〔***for***〕 …에게 모범을 보이다. ***take*** ~ ***by*** … 을 본보기로 하다. ***to cite an*** ~ 일례를 들면.

***ex·as·per·ate** [igzǽspərèit, -rit] *vt.* 《~+[목] / +[목]+[전]+[명]》〔종종 受動으로〕 …을 노하게 하다, 화나게 하다《*against* ; *at* ; *by*》: She frequently ~*s* her friends. 그녀는 종종 친구들을 노하게 한다 / *be* ~*d against* a person 아무에게 화를 내다 / I *was* ~*d by*〔*at*〕 my own stupidity. 나는 어리석은 내 자신에게 화가 났다. [파] **-àt·ed·ly** *ad.* 화가 나서, 홧김에.

ex·as·per·at·ing [igzǽspərèitiŋ] *a.* 화나(게)하는, 분통터지는.
[파] ~·**ly** *ad.* 화가 날 정도로, 분통터지게.

ex·as·per·a·tion [igzæ̀spəréiʃən] *n.* [U] 격분, 격노, 격앙 : in ~ 격분하여 / drive a person to ~ 아무를 격분시키다.

ex ca·the·dra [éks-kəθí:drə] 《L.》 *ad., a.* 권위로써 ; 명령적으로 ; 권위 있는.

ex·ca·vate [ékskəvèit] *vt.* …에 구멍〔굴〕을 파다〔뚫다〕; (터널·지하 저장고 등)을 파다, 굴착하다 ; (광석·토사 등)을 파내다 ; 발굴하다 : ~ a tunnel 터널을 파다 / ~ the ruins of an ancient city 고대 도시의 유적을 발굴하다.

***ex·ca·va·tion** [èkskəvéiʃən] *n.* ① [U] (구멍·굴·구덩이를) 팜, 굴착, 개착 ; 〖考古〗 발굴. ② [C] 구멍, 구덩이, 굴 ; 산 따위를 파서 낸 길. ③ [C] 〖考古〗 발굴물, 출토품 ; 유적. [파] ~·**al** *a.*

ex·ca·va·tor [ékskəvèitər] *n.* Ⓒ ① 구멍〔굴〕 파는 사람; 발굴자. ② 굴착기(機) ((美)) steam shovel). ③ 〖齒〗 엑스커베이터(긁어내는 기구).

:ex·ceed [iksíːd] *vt.* ① (수량·정도·한도)를 넘다, 초과하다: The final cost should not ~ $5000. 최종 비용이 5천 달러를 넘어선 안 된다 / ~ the speed limit 속도 제한을 어기다 / ~ one's authority 월권 행위를 하다 / The work ~*s* my ability. 그 일은 내 능력에 부친다 / Imports ~*ed* exports by $27 billion. 수입액이 수출액을 270억 달러를 초과했다. ② (~+목 / +목+전+명) …보다 뛰어나다, …보다 크다〔많다〕, …보다 낫다, …을 능가하다: The concert ~*ed* our expectations. 그 연주회는 기대 이상이었다 / ~ a person *in* strength 〔height〕 아무보다 힘이 세다〔키가 크다〕. ◇ excess *n.* ~ **one's income** 수입 이상의 생활을 하다. ~ **one's powers** 힘에 겹다, 감당할 수 없다.

***ex·ceed·ing** [iksíːdiŋ] *a.* 대단한, 지나친, 굉장한: a scene of ~ beauty 매우 아름다운 경치.

:ex·ceed·ing·ly [iksíːdiŋli] *ad.* 대단히, 매우, 몹시: an ~ difficult situation 대단히 어려운 상황.

:ex·cel [iksél] (*-ll-*) *vt.* ① (~+목 / +목+전+명) (남)을 능가하다, …보다 낫다, …보다 탁월하다(*in* ; *at*): He ~*s* all other poets of the day. 그는 당대의 시인 중에서 가장 뛰어나다 / ~ others *in* speaking English 〔*at* sports〕 남보다 영어 회화가 낫다〔스포츠에 뛰어나다〕(★ 보통 성질에는 in, 행위 활동에는 at를 씀). ② 〔再歸的〕 지금까지보다 잘하다: Your stew is always good, but you've ~*led yourself* today. 자네의 스튜는 언제나 훌륭하나, 오늘은 특별나게 잘 요리했다.
— *vi.* (+전+명 / +*as* 보) 뛰어나다, 출중하다, 탁월하다(*in* ; *at*): ~ *at* swimming 수영을 잘하다 / ~ *as* a painter 화가로서 탁월하다 / ~ *in* foreign languages 외국어에 뛰어나다. ◇ excellence, -cy *n.*

***ex·cel·lence** [éksələns] *n.* ① Ⓤ 우수, 탁월(성), 뛰어남(*at* ; *in*): receive a prize for ~ *in* the arts 교양 과목의 성적이 우수하여 상을 받다 / his ~ as a pianist 피아니스트로서의 우수성. ② Ⓒ 뛰어난 소질〔솜씨〕, 미점, 장점, 미덕: a moral ~ 도덕상의 미점. ◇ excel *v.*

ex·cel·len·cy [éksələnsi] *n.* Ⓒ ① (E-) 각하(장관·대사·지사 기타 고관 및 그 부인과 주교·대주교에 대한 경칭; 略: Exc.). ★ Your *Excellency* (직접 호칭) 각하 (부인). His 〔Her〕 *Excellency* (간접으로) 각하〔각하 부인〕. 복수일 때에는 Your 〔Their〕 *Excellencies.* ② = EXCELLENCE. (특히) (흔히 *pl.*) 장점. ◇ excel *v.*

:ex·cel·lent [éksələnt] *a.* 우수한, 일류의, 훌륭한, 뛰어난(*in* ; *at*): an ~ teacher / an ~ idea 아주 멋진 생각 / He is ~ *in* English. 그는 영어를 썩 잘한다 / She is ~ *at* her job. 그녀는 일을 솜씨있게 잘한다. ★ 흔히 比較級·最上級은 쓰지 않음. — *int.* 〔E-!로 찬성·만족을 나타내어〕 좋다: "I'll come (a)round to your place tonight." —"*Excellent!*" '오늘밤 댁을 찾아뵙겠습니다' — '좋습니다'. ◇ excel *v.*
㊞ ~·**ly** *ad.* 아주 잘〔훌륭하게, 멋있게〕; 매우.

ex·cel·si·or [iksélsiər, ek-] *int.* (L.) 보다 높게! (미국 New York주의 표어). — *n.* Ⓤ (美) 고운 대팻밥(포장 속에 넣는 파손 방지용). ***(as) dry as*** ~ 바싹 말라.

†ex·cept [iksépt] *prep.* ① …을 제외하고, … 이외에는 (but)(略: exc.): We are all ready ~ you. 너 말고는 우린 모두 준비가 돼 있다 / Everyone ~ him came. = Everyone came ~ him. 그 사람 이외에는 모두 왔다. ② 〔동사 원형 또는 + *to* do〕 …하는 것 외에는: There was little I could do ~ wait. 기다리는 것 외엔 별 도리가 없었다 / He won't work ~ when he is pleased. 그는 마음이 내킬 때가 아니면 일을 하려고 하지 않는다 / He never came to visit ~ *to* borrow something. 그가 오는 것은 무엇인가를 빌리기 위해서였다. ~ ***for*** 〔일반적인 언명의 단서로서〕 (1) …을 제외하면, (…의 예외)가 있을 뿐. (2) …이 없었더라면 (but for): *Except for* your help, we would have failed. 네 도움이 없었더라면 우린 실패했을 거다. ~ ***that*** ... (1) …라는 것 말고는: We know nothing ~ *that* he did not come home that night. 우리는 그가 그날 밤 돌아오지 않았다는 것 외에는 아무것도 모릅니다 / That will do ~ *that* it's too long. 너무 길긴 하지만, 그것으로 좋을걸세. (2) (口) …한 일이 없었으면, 다만 …(only): I would buy this watch, ~ (*that*) it's too expensive. 너무 비싸지만 않으면 이 시계를 사겠는데.
— *vt.* (~+목 / +목+전+명) 〔종종 과거분사형으로 형용사적으로 쓰임〕 …을 빼다, 제외하다 (*from*): nobody ~*ed* 한 사람의 예외도 없이 / the present company ~*ed* 여기에 계신 분은 제외〔예외로〕 하고 / They were all tired to death, Tom ~*ed* 〔*not* ~*ed*〕. 그들은 모두 몹시 지쳤다, 톰을 제외하고는〔톰도 예외없이〕 / ~ a person *from* a list 아무를 명단에서 빼다. — *vi.* (+전+명) 반대하다, 기피하다, 이의를 말하다 (object)(*against* ; *to*): ~ *against* a matter 일에 반대하다.
— *conj.* ① (口) 〔副詞句나 節을 수반하여〕 …을 제외하고는: ~ by agreement 협정에 의한 것이 아니면 / We work everyday ~ on Sunday. 일요일 외엔 매일 일한다. ② (古) …이 아니면, …이외에는(unless). ③ (口) …하지만, 다만: I would walk, ~ it's too far. 걸어도 좋겠는데, (그러나) 너무 멀다.

:ex·cept·ing [ikséptiŋ] *prep.* 〔흔히 문장 앞, 또는 not, without 의 뒤에 써서〕 …을 빼고, …을 제외〔생략〕하고: *Excepting* the mayor, all were present. 시장 이외에는 모두 참석했었다 / *not* 〔*without*〕 ~ …도 예외가 아니고. ***always*** ~ ... (1) 〖法〗 다만 …은 차한(此限)에 부재(不在)로 하고. (2) (英) …을 제외하고(는): Everyone was drunk, *always* ~ George. 조지 외에는 모두가 취해 있었다.
— *conj.* = EXCEPT.

:ex·cep·tion [iksépʃən] *n.* ① Ⓤ 예외, 제외: The ~ proves the rule. (俗談) 예외가 있음은 규칙이 있다는 증거다 / There is no rule but has some ~*s*. (俗談) 예외 없는 규칙은 없다. ② Ⓒ 제외례(除外例), 예외의 사람〔물건〕, 이례(異例): an ~ *to* the rule 규칙의 예외 / You are no ~. 너도 예외는 아니다. ③ Ⓤ 이의, 이론(異論); 〖法〗 (구두·문서에 의한) 항의, 이의 신청, 불복. ***above*** 〔***beyond***〕 ~ 비판〔비난〕의 여지가 없는. ***by way of*** ~ 예외로. ***make an*** ~ (***of***) (…은) 예외로 하다, 특별 취급하다. ***make no*** ~(***s***) ***of*** 특별 취급하지 않다; 예외로 하지 않다. ***take*** ~ (1) 이의를 제기〔신청〕하다(*to* ; *against*): They *took* ~ *to* several points in the contract. 계약서의 몇 가지 점에 이의를 제기하였다. (2) 성내다 (*to, at*): Why did you *take* ~ *to* what he said? —he was only joking. 왜 그의 말에 화를 내는가. 단지 농으로 한 말인데. ***without*** ~ 예외 없이〔없는〕: All students *without* ~ must take the English exam. 모든 학생은 예외 없이 영어시험을 치러야 한다. ***with the*** ~ ***of*** 〔***that***〕 …은 예외

로 하고, …을 제외하고는, …외에는 : I enjoyed all his novels *with the ~ of* his last. 마지막 것을 제외하곤 그의 모든 소설을 재미있게 읽었다.

ex·cep·tion·a·ble [iksépʃənəbəl] *a.* 〔흔히 否定文에서〕 반대할 수 있는〔할 만한〕, 비난의 여지가 있는 : There is *nothing* ~ in his statement. 그의 진술에는 어떠한 반대할 만한 것이 없다. [파] **-bly** *ad.*

ex·cep·tion·al** [iksépʃənəl] (more ~; most ~***) *a.* 예외적인, 이례의, 특별한, 보통이 아닌, 드문, 희한한 ; 특별히 뛰어난, 빼어난, 비범한 : an ~ case 예외적인 경우 / an ~ promotion 이례〔파격〕적인 승진. [파] ***~·ly** [-nəli] *ad.* 예외적으로, 특별히, 대단히 : an *~ly* cold day 별나게 추운 날.

ex·cerpt** [éksəːrpt] (*pl.* ***~s, -cerp·ta [-tə]) *n.* [C] 발췌(拔萃), 초록(抄錄) ; 인용(구·문) ; 발췌곡 : I've seen a short ~ from the movies on television. 텔레비전에서 그 영화의 짧은 한 장면을 보았다. ── [iksə́ːrpt, ek-] *vt.* …을 발췌하다, 인용하다 《*from*》 : ~ a passage *from* a book 책에서 한 구절 발췌하다.

‡**ex·cess** [iksés, ékses] *n.* ① [U] (또는 an ~) 과다 ; 과잉, 초과《*of ; over*》 : ~ *of* blood 다혈 / *an ~ of* imports *over* export 수출에 대한 수입 초과. ② [U] (흔히 to ~ 로) 과도 ; 월권, 지나침 : *Excess* of grief made her crazy. 너무 슬픈 나머지 그녀는 정신이 이상해졌다 / He drinks *to* ~. 너무 술을 마신다 / She is shy *to* ~. 그녀는 너무 내성적이다. ③ (*pl.*) 무절제《*in*》 ; 폭음, 폭식 ; 난폭〔무도〕한 행위 : His *~es* shortened his life. 폭음 폭식이 그의 수명을 단축(短縮)시켰다. ***carry*** a thing ***to ~*** …을 극단적으로〔지나치게〕 하다 : Don't *carry* modesty *to* ~. 지나친 겸손은 금물이다. ***go*** 〔***run***〕 ***to ~*** 지나치다, 극단으로 흐르다. ***in ~ of*** …을 초과하여, …보다 많이〔많은〕 : This is *in ~ of* what we need. 이것은 우리들의 필요량을 초과하고 있다. ── [ékses, iksés] *a.* 〔限定的〕 제한 초과의, 여분의.

éxcess bággage 〔**lúggage**〕 (항공기 등의) 제한 초과 수화물 : an ~ charge 수화물 초과 요금.

éxcess chàrge 주차시간 초과요금.

‡**ex·ces·sive** [iksésiv] (***more ~; most ~***) *a.* 과도한, 과대한, 과다한 : ~ charges 부당한 요금. [파] **~·ness** *n.*

ex·ces·sive·ly [-li] *ad.* ① 지나치게 : The salesman was ~ persistent. 그 세일즈맨은 너무 끈질겼다. ② 몹시 : She's ~ fond of music. 그녀는 음악을 아주 좋아한다.

exch. exchange(d) ; exchequer.

‡**ex·change** [ikstʃéindʒ] *vt.* ① 《~+[목] / +[목]+[전]+[명]》 …을 교환하다, 바꾸다 ; 교역하다 : ~ prisoners 포로를 교환하다 / ~ goods *with* foreign countries 외국과 물자를 교역하다 / If this doesn't fit, may I ~ it? 만일 이것이 맞지 않으면 바꿔주시겠습니까. ② 《~+[목] / +[목]+[전]+[명]》 〔目的語는 흔히 複數名詞〕 …을 서로 바꾸다, 주고받다 : ~ gifts 선물을 서로 교환하다 / ~ glances 시선을 교환하다 / ~ letters 〔views〕 *with* another 남과 편지를〔의견을〕 교환하다. ③ 《+[목]+[전]+[명]》 환전(換錢)하다 : ~ pounds *for* dollars 파운드화를 달러와 교환하다. ④ 《+[목]+[전]+[명]》 …을 버리다, …을 버리고 …을 취하다《*for*》 : ~ honor *for* wealth 명예를 버리고 부(富)를 취하다.
── *vi.* 《~ / +[전]+[명]》 ① 교환하다《*for*》. ② 환전되다《*for*》 : a currency that *~s* at par 액면 가격으로 환전되는 통화 / A dollar *~s for* more than 800 won. 1 달러는 800 원 이상으로 환전된다.
── *n.* ① [U,C] 교환, 주고받기《*of ; with ; for*》 : an ~ *of* gifts 선물의 교환 / ~ of gold *for* silver 금과 은과의 교환 / have a terrible ~ *with* a policeman 경찰과 크게 말다툼을 하다. ② [C] 교환물 : a good ~ 이로운 교환물. ③ [U] 환전 ; 환(시세) ; 환전 수수료 ; (종종 *pl.*) 어음 교환고(高) : the rate of ~ 환시세, 환율 / an ~ bank 외환은행 / the ~ quotation 외환 시세표. ④ (흔히 E-) [C] 거래소 : the Stock *Exchange* 증권 거래소. ⑤ [C] (전화의) 교환국(《美》 central) : a telephone ~. ⑥ 〖컴〗 교환.
a bill of ~ 환어음. ***domestic*** 〔***internal***〕 ***~*** 내국환. ***Exchange is no robbery.*** 교환은 강탈이 아니다《부당한 교환을 할 때의 변명》. ***foreign ~*** 외국환. ***in ~*** (***for*** 〔***of***〕) …대신 ; …와 교환으로 : She painted me a picture. *In* ~, I wrote her a poem. 그녀가 내게 그림을 그려 주었고, 나는 대신에 시를 써 주었다. ***par of ~*** (환의) 법정평가.

ex·change·a·ble [ikstʃéindʒəbəl] *a.* 교환〔교역〕할 수 있는, 태환할 수 있는, 바꿀 수 있는. ***~ value*** 교환가치.

exchánge contròl 환(換)관리.

exchánge màrket 외(국)환 시장.

exchánge ràte 환율, 외환시세.

Exchánge Ràte Méchanism (the ~) 환관리 메커니즘《EU 각국의 환시세에 일정한 변동폭을 정한 것 ; 略 : ERM》.

exchánge stùdent 교환 (유)학생.

ex·cheq·uer [ikstʃékər, éks--] *n.* ① (*sing.*) 국고(國庫)(national treasury). ② [C] (흔히 the ~) (개인·회사 등의) 재원, 재력, 자력 : I'd love to go, but *the* ~ is a bit low. 꼭 가고 싶으나, 자금이 넉넉지 않다. ③ (the E-) 《英》 재무부 : the Chancellor of the *Exchequer* 재무장관.

ex·cise[1] [éksaiz, -s] *n.* ① [C] (종종 the ~) 내국 소비세, 물품세《*on*》 : There is an ~ *on* tobacco. 담배에는 소비세(稅)가 붙어 있다 / *the* ~ *on* spirits 주류 소비세. ② (the E-) 《英史》 간접 세무국《지금의 이름은 the Board of Customs and Excise》.

ex·cise[2] [iksáiz] *vt.* (어구·문장)을 삭제하다《*from*》 ; (종기·장기 등)을 잘라내다, 절제하다《*from*》 : The tumor was *~d*. 종기를 도려냈다.

ex·ci·sion [eksíʒən] *n.* [U,C] 삭제(부분, 물) ; 적출(부분, 물), 절제(부분, 물). ◇excise[2] *v.*

***ex·cit·a·ble** [iksáitəbəl] *a.* (사람·짐승이) 격하기 쉬운, 흥분하기 쉬운 : She was desperately unreasonable, emotional and ~. 그녀는 도무지 경우를 모르고 감정적이고 걸핏하면 흥분하는 여자였다. [파] **-bly** *ad.* 흥분하도록. **ex·cìt·a·bíl·i·ty** [-əbíləti] *n.* [U] 격하기〔흥분하기〕 쉬운 성질.

‡**ex·cite** [iksáit] *vt.* ① 《~+[목] / +[목]+[전]+[명]》 …을 흥분시키다, 자극하다(stimulate) 《★ 종종 過去分詞로 形容詞적으로 쓰임》 : The news *~d* us. 그 뉴스를 듣고 우리는 흥분하였다 / The children were *~d* by the scene. 아이들은 그 광경에 가슴이 설렜다 / Don't ~ yourself. 침착해라. ② 《~+[목] / +[목]+[전]+[명]》 (감정 등)을 불러일으키다 ; (호기심·흥미)를 돋우다, 자아내다, (주의)를 환기하다 : ~ jealousy 질투심을 일으키다 / ~ a person's curiosity 아무의 호기심을 돋우다 / The news *~d* envy *in* him. = The news *~d* him *to* envy. 그 소식에 그는 시샘이 났다. ③ (폭동 등)을 선동하다, 야기하다(bring about) : ~ rebellion 반란이 일어나게 하다 / ~ citizens to resistance against〔to resist〕 the oppression 시민을 선동하여 탄압에 반항케 하다 / ~ people to

rebellion 국민에게 반란을 선동하다. ④『生理』(기관 등)을 자극하다.

***ex·cit·ed** [iksáitid] (*more* ~ ; *most* ~) *a.* ① 흥분한《*at* ; *about* ; *by*》: an ~ mob 흥분한 군중 / become〔get〕 ~ 흥분하다 / Don't get ~! 흥분하지 마라 / I was ~ *by* the news〔*about* the baby〕. 그 소식에 〔아기 일로〕 흥분했다 / All the country get ~ *at*〔*over*〕 the news of victory. 승리의 소식에 나라 안이 들끓었다. ②『物』 들뜬: ~ state 들뜬 상태. ㊞ **‡~·ly** *ad.* **~·ness** *n.*

‡ex·cite·ment [iksáitmənt] *n.* ① Ⓤ 흥분 (상태), 자극받음, 동요: Robin's heart was pounding with ~. 로빈의 심장은 흥분으로 두근거렸다 / He has a weak heart, and should avoid ~. 그는 심장이 약해서 흥분을 피해야 한다. ② Ⓒ 자극(적인 것), 흥분시키는 것: lead a life without ~*s* 자극 없는 생활을 하다 / the ~*s* of city life 도시 생활의 갖가지 자극 / cry *in* ~ 흥분해서 외치다.

ex·cit·er [iksáitər] *n.* Ⓒ ① 자극하는〔흥분시키는〕 사람〔것〕. ②『醫』 자극제, 흥분제.

‡ex·cit·ing [iksáitiŋ] (*more* ~ ; *most* ~) *a.* 흥분시키는, 자극적인, 가슴설레게 하는; 조마조마하게 하는: an ~ game 손에 땀을 쥐게 하는 경기 / an ~ trip 아주 즐거운 여행 / It did not seem a very ~ idea. 그건 그리대단한 아이디어 같아 보이지는 않았다. ㊞ **~·ly** *ad.*

excl. exclamation; exclamatory; excluded; excluding; exclusive(ly).

‡ex·claim [ikskléim] *vt.* 《~+목 / +*that* 절 / +*wh.*절》 (감탄적으로) …라고 외치다; 큰 소리로 말하다〔주장하다〕: "You fool!" he ~*ed.* '이 바보야' 하고 그는 외쳤다 / He ~*ed that* he would rather die. 차라리 죽겠다고 소리쳤다 / She ~*ed what* a beautiful lake it was. 그녀는 참 아름다운 호수군요 하고 탄성을 질렀다. ── *vi.* 《~/+전+명》 외치다, 고함을 지르다《*at*》: ~ in excitement 흥분해서 소리지르다 / She ~*ed* in delight upon hearing the news. 그녀는 소식을 듣고 기뻐서 소리질렀다 / They ~*ed against* the government's corruptions. 그들은 정부의 부패상을 요란하게 비난했다.

exclam. exclamation; exclamatory.

‡ex·cla·ma·tion [èkskləméiʃən] *n.* ① Ⓤ 절규, 감탄. ② Ⓒ 외치는 소리; 세찬 항의〔불만〕의 소리; 감탄의 말. ③ Ⓒ『文法』 감탄사; 감탄문; 느낌표(mark〔note〕 of ~)《!》. 「낌표《!》.

exclamátion màrk〔pòint〕 감탄부호, 느

***ex·clam·a·to·ry** [iksklǽmətɔ̀:ri / -təri] *a.* 감탄의; 감탄을 나타내는; 감탄조〔영탄조〕의: an ~ sentence『文法』 감탄문. ◇ exclaim *v.*

ex·clave [éksklèiv] *n.* Ⓒ 비지(飛地). ★ 본국에서 떨어져 다른 나라에 둘러싸인 영토. 그 비지의 주권국의 입장에서 쓰는 말이며, 그 비지가 있는 나라에서는 enclave 라 한다. cf. enclave.

‡ex·clude [iksklú:d] *vt.* ①《~+목 / +목+전+명》 …를 못 들어오게 하다, 차단하다, 제외〔배제〕하다(opp. *include*); 몰아내다, 추방하다《*from*》: Shutters ~ light. 셔터는 빛을 차단한다 / No one will be ~*d* because of race, religion, or sex. 누구도 인종·종교·성별을 이유로 배제되지 않는다 / ~ foreign ships *from* a port 외국선을 입항(入港)시키지 않다 / ~ a person *from*〔*out of*〕 a club 아무를 클럽에서 제명〔추방〕하다. ② …을 고려하지 않다, 무시하다; 물리치다, 기각하다; 허락하지 않다, …의 여지를 주지 않다; (가능성·의문 따위)를 배제하다: We cannot ~ the possibility that his wife killed him. 그의 아내가 그를 살해하였을 가능성을 배제할 수는 없다. ◇ exclusion *n.*

ex·clud·ing [iksklú:diŋ] *prep.* …을 제외하고: *Excluding* me, ten boys attended the party. 나를 제외하고, 10명의 소년이 그 파티에 참석했다. opp. *including.*

ex·clu·sion** [iksklú:ʒən] *n.* Ⓤ 제외, 배제《*from*》: the ~ *of* women *from* some jobs 몇몇 직업에서의 여성의 배제 / demand the ~ *of* the country *from* the U.N. 유엔에서의 그 나라의 제명을 요구하다. ◇ exclude *v.* ***to the ~ of …을 제외하도록〔제외하고〕: Mary is keen on music *to the ~ of* all else. 메리는 다른 어떤 것도 안중에 없고 음악에만 열중하고 있다. ㊞ **~·ìsm** *n.* Ⓤ 배타주의. **~·ist** *a., n.* Ⓒ 배타적인(사람); 배타주의자.

exclúsion zòne (보안 상의) 출입 금지 구역.

‡ex·clu·sive [iksklú:siv, -ziv] (*more* ~ ; *most* ~) *a.* ① 배타적〔제외적〕인, 폐쇄적인. opp. *inclusive.* ¶ mutually ~ ideas 서로 용납되지 않는 생각. ② 독점적인; 한정적인, 한정된: an ~ agency 특약점, 총대리점 / an ~ story 특종 기사(記事) / an ~ right (to publish a novel) (소설 출판의) 독점권 / an ~ interview with …의 단독회견 / an ~ use 전용(專用) / ~ information 독점적〔자기만의 정보 / The story is ~ to this magazine. 그 기사는 이 잡지에만 실려 있다. ③ 오로지하는, 전문적인: ~ studies 전문적 연구 / give ~ attention to business 사업에 전념하다. ④ 유일한: the ~ means of transport 유일한 교통 수단. ⑤ 회원〔고객〕을 엄선하는; 고급의, 일류의: an ~ shop 고급 상점 / an ~ restaurant 〔hotel〕 고급 레스토랑〔호텔〕. ***~ of***『前置詞的』 …을 제외하고, …을 빼고: *Exclusive of* a few minor errors, the paper was perfect. 두세의 사소한 잘못을 제외하면 그 답안은 완벽하였다. ── *n.* Ⓒ ① (취급점 이름을 붙인) 전매 상품: a Harrods' ~ 해러즈 전매 상품. ②『新聞』 독점기사, 보도 독점권. ㊞ **~·ness** *n.*

exclúsive ínterview 단독 회견.

ex·clu·sive·ly [iksklú:sivli] *ad.* ① 배타적으로; 독점적으로. ② 오로지 …만(solely, only): We shop ~ at Lander's. 우린 랜더 백화점 것만 산다.

exclúsive ÓR『컴』 오직 또는 배타적 OR《입력 변수 중 1인 것이 홀수 개 있을 때, 결과가 1인 성질을 가지는 것》.

ex·cog·i·tate [ekskádʒətèit / -kɔ́dʒ-] *vt.* (계획·안(案) 등)을 생각해내다, 고안하다(cogitate). ㊞ **ex·còg·i·tá·tion** [-ʃən] *n.* Ⓤ

ex·com·mu·ni·cate [èkskəmjú:nəkèit] *vt.*『教會』…을 파문하다; 제명〔축출〕하다. ──[-kit, -kèit] *a., n.* 파문〔제명, 축출〕당한 (사람). ㊞ **-cà·tor** [-tər] *n.* Ⓒ 파문하는 사람.

ex·com·mu·ni·ca·tion [èkskəmjù:nəkéiʃən] *n.* Ⓤ Ⓒ『教會』 파문.

ex-con, ex-con·vict [ékskán / -kɔ́n], [ékskánvikt / -kɔ́n-] *n.* Ⓒ 전과자.

ex·co·ri·ate [ikskɔ́:rièit] *vt.* ① (사람)의 피부를 벗기다; …의 가죽〔껍질〕을 벗기다. ② …을 통렬히 비난하다. ㊞ **ex·cò·ri·á·tion** [-ʃən] *n.* ① **a)** Ⓤ 피부를 벗김〔깜〕. **b)** Ⓒ 피부가 까진 자리, 찰과상. ② Ⓤ 통렬한 비난.

ex·cre·ment [ékskrəmənt] *n.* Ⓤ 배설물; (*pl.*) 대변(feces). cf. excretion.

ex·cres·cence, -cy [ikskrésəns], [-si] *n.* Ⓒ (동식물체의) 이상〔병적〕 생성물《군살·혹·사마귀 따위》; 《比》 무용지물.

ex·cres·cent [ikskrésənt] *a.* 병적으로 생성된;

혹·사마귀의.

ex·cre·ta [ikskríːtə] *n. pl.* 배설물《대변·소변·땀 등》.

ex·crete [ikskríːt] *vt.* …을 배설〔분비〕하다.

ex·cre·tion [ikskríːʃən] *n.* 〖生·生理〗 [U] 배설(작용); [U,C] 배설물《대변·소변·땀 따위》 ([cf] excrement).

ex·cre·to·ry [ékskritɔ̀ːri / ekskríːtəri] *a.* 배설의: ~ organs 배설 기관.

ex·cru·ci·ate [ikskrúːʃièit] *vt.* …을 (육체적·정신적으로) 괴롭히다.

ex·cru·ci·at·ing [ikskrúːʃièitiŋ] *a.* ① 몹시 고통스러운, 참기 어려운: an ~ pain 참기 어려운 고통. ② 맹렬한, 대단한, 극도의: with ~ politeness 지나치게 정중히. [파] **~·ly** *ad.*

ex·cul·pate [ékskʌlpèit, iks´-] *vt.* 《~+[목] / +[목]+[전]+[명]》 …을 무죄로 하다; …의 무죄를 증명하다, (증거 따위가) 죄를 벗어나게 하다, 의심을 풀다: This will ~ you. 이것으로 네 무죄가 밝혀질 거다 / The court ~*d* her *from* any responsibility for the accident. 법정은 그녀가 그 사건에 어떤 책임도 없다는 것을 밝혀냈다. ~ one*self* 자신의 결백을 증명하다《*from*》. [파] **èx·cul·pá·tion** [-ʃən] *n.*

‡ex·cur·sion [ikskə́ːrʒən, -ʃən] *n.* [C] 회유(回遊), 소풍, 유람, 수학여행; (열차·버스·배 따위에 의한) 할인 왕복〔주유(周遊)〕 여행: make a day ~ 당일치기 여행을 하다. ◇ excurse *v.* ***go on*** 〔***for***〕 ***an*** ~ 소풍가다. ***make*** 〔***take***〕 ***an*** ~ ***to*** (the seashore) 〔***into*** (the country)〕 (해변)으로〔(시골)로〕 소풍가다.

ex·cur·sion·ist [-ist] *n.* [C] ① 소풍가는 사람. ② 주유 여행자.

ex·cur·sive [ikskə́ːrsiv] *a.* 두서없는, 산만한《독서 따위》: ~ reading 남독(濫讀). [파] **~·ly** *ad.*

†ex·cuse [ikskjúːz] *vt.* ① 《~+[목] / +[목]+[전]+[명]》 …을 용서하다(forgive), 너그러이 봐주다. [opp] *accuse.* ¶ ~ a fault 〔a person *for* his fault〕 과실〔아무의 과실〕을 용서하다 / Please ~ my be*ing* late. =Please ~ me *for* be*ing* late. 늦어서 죄송합니다. ② 《~+[목] / +[목]+[전]+[명]》 〔종종 受動으로〕 (의무·출석·부채 등)을 면하다, …을 면제하다: Can I be ~*d from* today's Lesson? 오늘 수업은 안 받아도 될까요 / You are ~*d* now. 이젠 돌아가도 좋다 / May I be ~*d ?* 《婉》 (특히 수업 중에 학생이) 화장실에 가도 좋습니까. ③ …을 변명하다, …의 구실을 대다: ~ one's absence by saying that one is ill 병이라고 결석의 구실을 대다. ④ (사정 등)이 …의 변명〔구실〕이 되다: Ignorance of the law ~*s* no man. 법을 몰랐다고 해서 죄를 면할 수는 없다 / Sickness ~*d* his absence. 그의 결석은 병 때문이었다. ***Excuse me***. [종종 skjúːzmiː] ⑴ 실례합니다〔했습니다〕《모르는 사람에게 말을 걸 때, 사람 앞을 통과할 때, 자리를 뜰 때 등에》: *Excuse me*, (but)… 죄송하지만…. ⑵ 《美》 (발을 밟거나 하여) 미안합니다. ***Excuse me ?*** 다시 한번 말씀해 주세요. ~ one*self* ⑴ 변명하다, 사과하다《*for*》: He ~*d* him*self for* his rudeness. 그는 자신의 무례를 사과했다 / I want to ~ my*self for* my conduct. 나의 행동에 대한 변명〔해명〕을 하고 싶다. ⑵ 사양하다《*from*》: He ~*d* him*self from* attendance 〔be*ing* present〕. 그는 참석을 사절했다. ⑶ 한마디 양해를 구하고 자리를 뜨다: ~ one*self from* the table 실례합니다 하고 식사(食事) 도중에 자리를 뜨다.

— [ikskjúːs] *n.* [C,U] ① 변명, 해명; 사과: an adequate ~ 충분한 해명 / I have no ~ *for* com*ing* late. 늦게 와서 미안합니다. ② (흔히 *pl.*) (과실 등의) 이유; 구실, 핑계, 발뺌; 용서: invent ~*s* 구실을 만들다. ***a poor*** 〔***bad***〕 ~ ***for*** …의 서투른 이유; 《口》 명색뿐인〔빈약한〕 예: *a poor* 〔*good*〕 ~ *for* …의 서투른〔그럴싸한〕 구실 / She is *a poor* ~ *for* a singer. 그녀는 가수라 하나 별것 아니다. ***in*** ~ ***of*** …의 변명으로서, …의 구실로서. ***no*** ~ 이유가 되지 않는: That 〔Ignorance〕 is *no* ~ for your conduct. 그것으로〔몰랐다고 해서〕 자네 행위가 정당화되는 것은 아니다. ***on the*** ~ ***of*** …을 구실로. ***without*** ~ 이유없이《결석하다 등》. ★ 명사와 동사의 발음 차이에 주의.

ex-di·rec·to·ry [èksdiréktəri, -dai-] *a.* 《英》 전화번호부에 올라 있지 않은(《美》 unlisted): go ~ (자기) 전화번호를 번호부에서 빼다.

ex div. ex dividend.

èx dívidend 〖證〗 배당락(配當落)《略: ex div. 또는 X.D.》. [opp] *cum dividend.*

EXEC 〖컴〗 executive control program《다른 프로그램의 수행을 제어하는 운영체제〔프로그램〕》.

exec. executive; executor.

ex·e·cra·ble [éksikrəbəl] *a.* ① 저주할, 밉살스러운, 지겨운; 몹시 나쁜. [파] **-bly** *ad.* **~·ness** *n.*

ex·e·crate [éksikrèit] *vt.* ① …을 몹시 싫어하다, 증오하다. ② …을 악담하다, 저주하다.

ex·e·cra·tion [eksikréiʃən] *n.* [U,C] 매도, 통렬한 비난; 혐오; 저주(하는 말), 욕설; 저주〔혐오〕의 대상《사람 및 물건》.

éx·e·cut·a·ble prógram [eksikjuːtəbəl-] 〖컴〗 실행 프로그램《주 기억 장치에 올리어 즉시 실행할 수 있도록 되어 있는 프로그램》.

ex·ec·u·tant [igzékjətənt] *n.* [C] ① 실행〔수행〕자. ② 〖樂〗 연주자, (명)연주가.

‡ex·e·cute [éksikjùːt] *vt.* ① (계획 따위)를 실행하다, 실시하다; (목적·직무 따위)를 수행〔달성, 완수〕하다: They hastened to ~ the plan. 그들은 계획의 실행을 서둘렀다 / ~ an order 주문에 응하다; 명령을 수행하다. ② (미술품 따위)를 완성하다, 제작하다: ~ a statue in bronze 청동상(像)을 만들다. ③ (배우가 배역)을 연기하다; (음악)을 연주하다. ④ 〖法〗 **a**) (계약서·증서 등)을 작성하다; (법률·유언 등)을 집행〔이행, 시행〕하다. **b**) 《英》 (재산)을 양도하다. ⑤ 《~+[목] / +[목]+[전]+[명] / +[목]+*as* [보]》 (죄인의 사형)을 집행하다, 처형하다: ~ suspected rebels 반란혐의자를 처형하다 / ~ a murderer 살인범의 사형을 집행하다. ⑥ 〖컴〗 (프로그램)을 실행하다.

ex·e·cu·tion** [èksikjúːʃən] *n.* ① [U] 실행, 실시; 수행, 달성: in (the) ~ of one's duties 직무 수행 중에. ② [U] (예술작품의) 제작; (음악의) 연주(솜씨); (배우의) 연기. ③ [U] (직무·재판 처분·유언 등의) 집행; (증서의) 작성 (완료): forcible ~ 강제 집행. ④ [U,C] 사형 집행, 처형: ~ by hanging 교수형. ⑤ 〖컴〗 실행. ◇ execute *v.* ***carry . . . into 〔***put . . . into, put . . . in***〕 ~ …을 실행〔실시〕하다. [파] **~·al** *a.*

ex·e·cu·tion·er [èksikjúːʃənər] *n.* [C] 사형 집행인.

‡ex·ec·u·tive [igzékjətiv] *a.* 〔限定的〕 ① 실행〔수행, 집행〕의; 실행상의, ; 사무 처리의 (능력 있는): ~ ability 실무의 재능 / a man of ~ ability 관리능력이 있는 사람. ② 행정(상)의; 행정부에 속하는: an ~ committee 〔commission〕 실행〔집행〕 위원회 / an ~ director 전무 이사 / the ~ branch 〔department〕 행정부〔각부〕.

— *n.* [C] ① (정부의) 행정부; 행정관; 행정기관의 장《대통령, 주지사, 지방 자치단체의 장 등》: the Chief *Executive* 《美》 대통령. ② (기업의) 간부, 관리직, 경영진, 임원: a sales ~ 판매담당 이

사 / the chief ~ 사장, 회장.

Exécutive Mánsion (the ~) 《美》 대통령 관저(the White House) ; 주지사 관저.

exécutive óﬃcer (중대 등의) 부관.

exécutive prívilege 《美》 (기밀유지에 관한) 대통령 특권.

ex·ec·u·tor [igzékjətər] *n.* Ⓒ ① (*fem.* ***-trix*** [-triks]) 〖法〗 지정 유언 집행자. ② 실행〔수행, 이행, 집행〕자.

ex·ec·u·trix [igzékjətriks] (*pl.* ***-tri·ces*** [igzèkjətráisi:z], ~***·es***) *n.* Ⓒ 〖法〗 executor 의 여성형.

ex·e·ge·sis [èksədʒí:sis] (*pl.* ***-ses*** [-si:z]) *n.* Ⓤ,Ⓒ (특히 성서·경전의) 주석.

ex·em·plar [igzémplər, -plɑ:r] *n.* Ⓒ ① 모범, 본보기. ② 전형, 견본, 표본.

ex·em·pla·ry [igzémpləri] *a.* ① 모범적인 ; 모범이 되는 : ~ conduct 모범적인 행위 / an ~ record at school 훌륭한 학업 성적 / He was of ~ character. 모범적인 인물이었다. ② 〔限定的〕 징계적인, 본보기의 : an ~ punishment 징계벌, 본보기를 위한 처벌. ***be ~ of*** …의 전형이다, …의 좋은 예다.

ex·em·pli·fi·ca·tion [igzèmpləfikéiʃən] *n.* ① Ⓤ 예증(例證), 예시(例示). ② Ⓒ 표본, 적례.

***ex·em·pli·fy** [igzémpləfài] *vt.* …을 예증〔예시〕하다 ; (일이) …의 모범이 되다, …의 좋은 예가 되다 : This book *exemplifies* his scholarship. 이 저서는 그의 학식을 예시해 주고 있다. ㊞ **ex·ém·pli·fi·cà·tive** [-fikèitiv] *a.* 예증이〔범례가〕 되는.

ex·em·pli gra·tia [egzémplai-gréiʃiə, -zémpli:grá:tiɑ:] 《L.》 예컨대, 이를테면《略 : e.g. : 흔히 for example 또는 [í:dʒi:] 라 읽음》.

***ex·empt** [igzémpt] *vt.* 《+目+前+名》 (의무 따위에서) …을 면제하다《*from*》 : ~ a person *from* taxes 아무의 조세를 면제하다 / He was ~*ed from* military service because of bad health. 건강이 나빴기 때문에 병역이 면제되었다.
— *a.* 〔敍述的〕 (과세·의무 등이) 면제된《*from*》 : goods ~ *from* taxes 면세품 / ~ income 비과세 소득 / Cultural assets are ~ *from* real estate taxes. 문화재는 부동산세를 면제받는다.
— *n.* Ⓒ (의무 등을) 면제받은 사람 ; 《특히》 면세자. ㊞ **~·i·ble** *a.*

***ex·emp·tion** [igzémpʃən] *n.* ① Ⓤ (의무·과세 등의) 면제《*from*》. ② Ⓒ 소득세의 과세 공제액〔품목〕.

***ex·er·cise** [éksərsàiz] *n.* ① Ⓤ,Ⓒ (신체의) 운동 ; 체조 : take outdoor ~ 옥외 운동을 하다 / gymnastic 〔physical〕 ~*s* 체조 / lack of ~ 운동 부족. ② Ⓒ (육체적·정신적인) 연습, 실습, 훈련, 수련 ; 〖軍〗 (종종 *pl.*) 연습(演習) 《*in*》 : ~*s on* the violin 바이올린 연습 / ~*s in* debate 토론의 연습 / an ~ *in* articulation 발음연습 / an ~ of memory 기억력 훈련 / military ~*s* 군사 훈련 / an ~ head 연습용 탄두. ③ Ⓒ 연습 문제〔교재, 곡〕, 과제 ; a Latin ~ 라틴어의 연습 문제 / do one's ~*s* 연습 문제를 풀다. ④ Ⓤ (종종 the ~) (주의력·의지력·능력 등의) 행사, 발휘, 활용 : by *the* ~ of will 〔imagination〕 의지를〔상상력을〕 발휘하여 / Leadership does not rest on *the* ~ of force alone. 리더십은 힘의 행사에만 의존하는 것은 아니다 / by *the* ~ of one's skill 기량을 발휘하여. ⑤ Ⓤ (종종 the ~) (권력·직권 따위의) 행사, 집행 : *the* ~ of one's civil rights 공민권 행사. ⑥ Ⓒ 예배(~*s* of devotion) ; 행사. ⑦ (*pl.*) 《美》 식(式), 식순, 의식 : graduation 〔commencement〕 ~*s* 졸업식 / inaugural〔opening〕 ~*s* 취임〔개회〕식.
— *vt.* ① 《~+目 / +目+前+名》 (손발)을 움직이다 ; (군대·동물 따위)를 훈련시키다, 운동시키다, 길들이다 : ~ one's dog 개를 운동시키다 / ~ a horse 〔troops〕 말을〔군대를〕 훈련시키다 / ~ a person *in* swimming 아무에게 수영연습을 시키다. ② (체력·능력)을 발휘하다, 쓰다 ; (권력)을 행사하다 ; (역할 등)을 수행하다 : ~ one's intelligence〔patience〕 지력〔인내력〕을 발휘하다 / ~ one's right to freedom of speech 언론의 자유를 행사하다 / ~ the duties of one's office 임무를 수행하다. ③ 《~+目 / +目+前+名》 〔흔히 受動으로〕 《특히》 (마음·사람)을 괴롭히다, 번민〔걱정〕을 하게 하다《*about* ; *over*》 : He is greatly ~*d about* his future. 장래에 대해 몹시 걱정하고 있다 / Do not ~ yourself *over* the affair. 그 일로 걱정할 것 없다. ④ 《+目+前+名》 (영향·감화 등)을 미치다《*on* ; *over*》 : Buddhism has ~*d* a great influence *on* the Korean people. 불교는 한국인에게 커다란 영향을 미쳐왔다. — *vi.* 운동하다 ; 연습하다 : She ~*s* every morning by running. 매일 아침 달리기 운동을 한다. ~ one***self*** 운동하다, 몸을 움직이다.

éxercise bòok 공책, 노트(notebook) ; 연습장.

‡**ex·ert** [igzə́:rt] *vt.* ① 《~+目 / +目+*to* do》 (힘·지력 따위)를 발휘하다, 쓰다 ; 〔再歸用法〕 노력〔진력〕하다《*for*》 : She ~*ed* all her efforts *to* help me. 나를 도우려고 그녀는 전력을 다했다 / He ~*ed himself to* finish the work. 그는 그 일을 끝내기 위해 노력했다. ② 《+目+前+名》 (영향력·압력 등)을 행사하다, 미치다 : He tried to ~ his influence *on*〔*upon*〕 the committee. 그는 그 위원회에 압력을 행사하려 들었다.

***ex·er·tion** [igzə́:rʃən] *n.* ① Ⓤ,Ⓒ 노력, 전력, 분발(endeavor) : make one's best ~*s* 최선의 노력을 다하다 / desperate ~*s* 필사의 노력 / be out of breath from ~ 심한 활동으로 숨이 차다. ② Ⓤ (권력 등의) 행사《*of*》 : ~ *of* authority 권력의 행사. ◇ exert *v.*

ex·e·unt [éksiənt, -ʌnt] *vi.* 《L.》 〖劇〗 퇴장하다 (they go out). ⓒⓕ exit. ¶ *Exeunt* John and Bill. 존과 빌 퇴장《극본(劇本)에서의 지시》.

ex gra·tia [eks-gréiʃ*i*ə] 《L.》 〖法〗 (지불 등이 법적 강제가 아닌) 도의적인, 임의의.

ex·ha·la·tion [èks*h*əléiʃən, ègzəl-] *n.* ① Ⓤ,Ⓒ 숨을 내쉬기 ; 내뿜기 ; 발산 ; 증발. ② Ⓒ 호기(呼氣) ; 증발기《수증기·안개 등》 ; 발산물.

***ex·hale** [eks*h*éil, igzéil] *vt.* (숨)을 내쉬다, (공기·가스 등)을 내뿜다(ⓞⓟⓟ *inhale*) ; (냄새 등)을 발산시키다 : ~ a deep sigh 깊은 한숨을 쉬다 / She ~*d* the smoke through her nostrils. 콧구멍으로 담배 연기를 내뿜었다. — *vi.* 숨을 내쉬다 ; (가스·냄새 등이) 발산하다, 증발하다《*from* ; *out of*》 ; 소산(消散)하다 ; 숨을 내쉬다.

***ex·haust** [igzɔ́:st] *vt.* ① 〔종종 受動으로〕 (체력·자원 등)을 다 써버리다(use up) ; 고갈시키다 ; (체력·인내력 따위)를 소모하다(consume) : ~ a fortune in gambling 노름으로 재산을 탕진하다 / The government's aid budget has been ~*ed* by the after-effects of the Gulf War. 정부의 원조 예산은 걸프전(戰)의 여파로 고갈됐다. ② 〔종종 受動 또는 再歸的으로〕 (사람)을 지쳐버리게 하다(tire out) ; (국력)을 피폐시키다 : I have ~*ed myself* walking. 걸어서 지쳐 버렸다 / World War Ⅱ ~*ed* this country. 세계 제2차 대전으로 이 나라는 피폐했다. ③ (문제 따위)를 힘껏 연구

하다, 자세히 구명(究明)하다. ④《+목+전+명》(그릇 따위)를 비우다 (empty), 진공으로 만들다: ~ a cask *of* liquor 술통을 비우다. ── *n.* ① Ⓤ (엔진의) 배기 가스: Car ~ is the main reason for the city's smog problem. 자동차 배기 가스가 그 도시의 스모그 문제의 주된 원인이다. ② **a)** = EXHAUST PIPE. **b)** = EXHAUST SYSTEM.

***ex·haust·ed** [igzɔ́:stid] *a.* ① 다 써버린, 고갈된: his ~ means 다 써버린 재산 / an ~ well 고갈된 우물. ②〔敍述的〕지친《*by* ; *from* ; *with*》: She looks ~. 그녀는 지쳐 보인다 / We felt quite ~ *with* the hard work. 힘든 일로 몹시 지쳤다.

exháust fùmes 배기 가스, 매연.

exháust gàs 배기 가스.

ex·haust·i·ble [igzɔ́:stəbəl] *a.* 다 써 버릴 수 있는.

ex·haust·ing [igzɔ́:stiŋ] *a.* 소모적인 ; (심신을) 지치게 하는. ㊞ **~·ly** *ad.*

***ex·haus·tion** [igzɔ́:stʃən] *n.* Ⓤ ① 다 써버림, 소모, 고갈《*of* wealth, resources》. ② 극도의 피로, 기진맥진: faint *with* 〔*from*〕 ~ 기진맥진하여 실신하다. ◇ exhaust *v.*

***ex·haus·tive** [igzɔ́:stiv] *a.* 남김없는, 총망라한, 철저한(thorough): make an ~ inquiry into … 에 대해 철저하게 조사하다.
㊞ **~·ly** *ad.* **~·ness** *n.*

ex·haust·less [igzɔ́:stlis] *a.* 무진장의, 무궁무진한 ; 지칠 줄 모르는. ㊞ **~·ly** *ad.* **~·ness** *n.*

exháust pìpe (엔진의) 배기관.

exháust sỳstem 배기 장치.

‡ex·hib·it [igzíbit] *vt.* ① …을 전람〔전시〕하다, 진열하다《*at* ; *in*》: The paintings are ~*ed* in chronological sequence. 그림이 연대순으로 전시되어 있다. ② (징후・감정 등)을 나타내다, 보이다, 드러내다: ~ anger 얼굴에 노기를 띠다 / ~ courage 용기를 보이다 / She ~*ed* no interest. 그녀는 전혀 관심을 보이지 않았다 / She ~*ed* great powers of endurance throughout the climb. 그녀는 등반 중 내내 대단한 인내력을 발휘했다 / The economy continued to ~ signs of decline in September. 9월의 경제는 계속 경기 하락의 징후를 나타냈다. ③〖法〗(서류 등)을 제시하다《증거물로서 법정에》: documents ~*ed* in a lawcourt 법정에 제시된 문서. ── *vi.* 전람회를 열다 ; 전시회에 출품〔전시〕하다. ── *n.* Ⓒ ① 공시, 전람, 전시, 진열 ;《美》전시회, 전람회. ② 전시품, 진열품: Do not touch the ~*s*. 전시품에 손대지 마시오 / Our museum has over a thousand ~*s*. 우리 박물관에는 1천개가 넘는 전시품이 있다. ③〖法〗증거서류, 증거물 ; 중요 증거물〔증인〕: ~ A, 증거물 A〔제1호〕/ The first ~ was a knife which the prosecution claimed was the murder weapon. 첫번째 증거물은 검찰이 살인무기라고 주장한 칼이었다. ***on*** ~ 진열〔전시〕되어(있는).

‡ex·hi·bi·tion [èksəbíʃən] *n.* ① Ⓤ 전람, 전시, 진열 ; 공개: the ~ *of* a cultural film 문화 영화의 공개 / The photographs will be on ~ until the end of the month. 사진은 월말까지 전시된다. ② Ⓒ 전람회, 전시회, 박람회, 품평회. ⓒⓕ exposition. ¶ a competitive ~ 경진회 / an industrial ~ 산업 박람회. ③ Ⓒ《英》장학금. ◇ exhibit *v.* ***make an***〔***a regular***〕~ ***of*** one***self*** (바보짓을 하여) 웃음거리가 되다, 창피당하다. ***on*** ~ =on EXHIBIT. ***put something on*** ~ 물건을 전람시키다, 진열〔전시〕하다.
㊞ **~·er** [-ər] *n.* Ⓒ《英》장학생.

ex·hi·bi·tion·ism [èksəbíʃənìzəm] *n.* Ⓤ 자기 현시〔과시〕; 자기 선전벽(癖) ; 노출증.

ex·hib·i·tor [igzíbitər] *n.* Ⓒ 출품자.

ex·hib·i·to·ry [igzíbitɔ̀:ri / -təri] *a.* 전시(용)의, 전람의.

ex·hil·a·rate [igzílərèit] *vt.* 〔흔히 受動으로〕…을 들뜨게 하다 ; 유쾌〔상쾌〕하게 하다《*by* ; *at*》: This city ~*s* and stimulates me. 이 도시는 나에게 활기와 자극을 준다 / He *was* ~*d by* 〔*at*〕 the thought of his forthcoming trip. 그는 다가오는 여행에 대한 생각에 마음이 들떴다.
㊞ **-ràt·ed** [-id] *a.* (기분이) 들뜬.

ex·hil·a·rat·ing [igzílərèitiŋ] *a.* 기분을 돋우어 주는, 유쾌하게 하는 ; 상쾌한: My first parachute jump was an ~ experience. 나의 첫 낙하산 강하는 신나는 경험이었다. ㊞ **~·ly** *ad.*

ex·hil·a·ra·tion [igzìləréiʃən] *n.* Ⓤ 기분을 돋우어 줌 ; 들뜬 기분: There was a sense of ~ about being alone on the beach. 바닷가에 홀로 있으니 기분이 상쾌했다.

***ex·hort** [igzɔ́:rt] *vt.* 《~+목 / +목+전+명 / +목+*to* do》…에게 열심히 타이르다〔권하다〕; …에게 권고하다 ; (개혁 등)을 창도하다: I ~*ed* the men not *to* drink too much. 나는 사람들에게 과음하지 말도록 권했다 / Kennedy ~*ed* the crowd *to* turn away from violence. 케네디는 폭력을 멀리 하라고 군중에게 호소했다 / The teacher ~*ed* us *to* work harder. 선생은 우리에게 더 열심히 공부하도록 충고했다. ── *vi.* 열심히 권하다.

***ex·hor·ta·tion** [ègzɔ:rtéiʃən, èksɔ:r-] *n.* ⓊⒸ 간곡한 권유, 권고: All his father's ~*s* were in vain. 아버지의 모든 권고는 허사였다.

ex·hor·ta·tive, -ta·to·ry [igzɔ́:rtətiv], [-tɔ̀:ri / -təri] *a.* 권고의 ; 타이르는, 훈계적인.

ex·hu·ma·tion [èkshju:méiʃən, ègzju:-] *n.* ⓊⒸ《특히》시체 발굴.

ex·hume [igzjú:m, ekshjú:m] *vt.* ① (시체 등)을 발굴하다. ② (숨은 인재・명작 등)을 찾아내다, 발굴하다.

ex·i·gen·cy, -gence [éksədʒənsi], [-dʒəns] *n.* ① Ⓤ 긴급성, 급박, 위급. ② Ⓒ (흔히 *pl.*) 절박〔급박〕한 사정, 초미지급(焦眉之急)《*of*》. ***in this*** ~ 이 위급한 때에.

ex·i·gent [éksədʒənt] *a.* ① (사태 등이) 절박한, 급박한(pressing), 위급한(critical). ② 끈덕지게 요구하는《*of* ...》: He is ~ *of* further particulars. 그는 보다 자세한 것을 얘기하라고 끈질기게 조르고 있다. ㊞ **~·ly** *ad.*

ex·ig·u·ous [igzígjuəs, iksíg-] *a.* 근소한, 적은, 빈약한. ㊞ **~·ly** *ad.* **~·ness** *n.*

ex·ile** [égzail, éks-] *n.* ① Ⓤ (또는 an ~) (자의에 의한) 망명, 국외 생활〔유랑〕, 타향살이: Many more are thought to be returning from ~ in southern India. 더 많은 사람들이 남부 인도의 망명에서 돌아오리라 기대된다. ② Ⓒ 망명〔추방〕자, 유배자 ; 유랑자. ***go into ~ 망명하다 ; 추방〔유랑〕의 몸이 되다: ***live in*** ~ 귀양살이〔망명 생활, 타향살이〕를 하다. ── *vt.* 《~+목 / +목+전+명》〔종종 受動으로〕…을 추방하다, 귀양보내다《*from* ; *to*》: Napoleon *was* ~*d to* St. Helena 나폴레옹은 세인트 헬레나 섬으로 유배되었다. ~ one***self*** …로 망명하다, 유랑하다.

‡ex·ist [igzíst] *vi.* ① 존재하다, 실재하다, 현존하다: God ~*s*. 신은 존재한다 / The realities of poverty ~ for a great many people all over the world. 빈곤은 온세계의 많은 사람들에겐 현실적 문제로 존재한다 / Does life ~ on Mars? 화성에 생명체가 존재하는가. ②《+전+명》(특수한 조건・장소・상태에) 있다, 나타나다(be, occur)《*in* ;

on》: Salt ~*s in* the sea. 소금은 바닷물 속에 있다 / This plant ~*s* only *in* Australia. 이 식물은 호주에만 있다 / Such things ~ only *in* fancy. 그런 것은 공상에서나 있다. ③《+전+명》(사람이) 생존하다, 살고 있다, 살아가다 : He did not really live ; he just ~*ed*. 그는 진정한 의미에서의 삶을 산 것이 아니었다. 다만 살았을 뿐이었다 / Few people can ~ without water for more than a week. 물없이 일주일 이상 생존할 사람은 거의 없다. ◇ existence *n*. ~ ***as*** …로서〔의 형태로〕 존재하다.

‡**ex·ist·ence** [igzístəns] *n*. ① Ⓤ 존재, 실재, 현존 : I believe in the ~ of ghosts. 유령의 존재를 믿고 있다. ② Ⓤ 생존 : struggle for ~ 생존 경쟁. ③ (an ~) 생활, 생활 양식 : *a* bachelor ~ 독신 생활 / lead *a* peaceful 〔miserable〕 ~ 평화롭게〔비참하게〕 생활하다 / eke out *a* bare ~ 입에 풀칠하고 지내다. ◇ exist *v*.
come into ~ 태어나다 ; 설립하다 : When did the world *come into* ~? 세계는 언제부터 있어왔나. ***in*** ~ 존재하는, 현존의. ***out of*** ~ 없어져.

***ex·ist·ent** [igzístənt] *a*. ① 존재하는, 실재하는 ; 현존하는(existing). ② 목하(目下)의, 현행(現行)의(current) : under the ~ circumstances 현재의 사정하에서는.

ex·is·ten·tial [ègzisténʃəl, èksi-] *a*. ① 존재에 관한, 실존의. ②〖論〗실체론상의 ;〖哲〗실존주의의. ㊞ ~·**ism** [-ìzəm] *n*. Ⓤ〖哲〗실존주의. ~·**ist** [-ist] *n*. Ⓒ, *a*. 실존주의자 ; 실존주의(자)의.

ex·ist·ing [igzístiŋ] *a*. 〔限定的〕 현존하는, 현재의 : the ~ government 현정부 / Under the ~ conditions many children are going hungry. 현 상태로는 많은 아이들이 굶주리게 될 것이다.

ex·it**[1] [égzit, éksit] *n*. Ⓒ ① (공공 건물·고속도로 등의) 출구(《英》 way out) : There is an emergency fire ~ by the downstairs ladies room. 화재 비상구는 아래층 여자 화장실 옆에 있다 / He made a hasty ~ from the Men's Room. 남자 화장실에서 황급히 나갔다. opp. *access*. ② 나감 ; 퇴출, 퇴거 ; 사망. ③ (배우의) 퇴장 ; (정치가 등의) 퇴진. ④〖컴〗나가기. ***make one***'s*** ~ 퇴장〔퇴거, 퇴출〕하다 ; 죽다.
—*vi*. 나가다, 떠나다 ; 죽다 ;〖컴〗(체계·풀그림에서) 나가다.

ex·it[2] *vi*. 《L.》〖劇〗퇴장하다(he 〔she〕 goes out). cf. exeunt. opp. *enter*. ¶ *Exit* Hamlet. 햄릿 퇴장.

éxit pèrmit 출국 허가(증).

éxit pòll (선거 결과의 예상을 위한) 출구 조사.

éxit vìsa 출국 사증.

ex li·bris [eks-láibris, -lí:b-] 《L.》 ① (*pl*. ~) 장서표(藏書票)《略 : **ex lib.**》. ② …의 장서에서.

exo- '외(外), 외부'의 뜻의 결합사 : *exo*skeleton. opp. *endo*-.

ex·o·bi·ol·o·gy [èksoubaiálədʒi / -ɔ́l-] *n*. Ⓤ 우주 〔천체〕 생물학. ㊞ **-gist** *n*.

Ex·o·cet [ègzouséi] *n*. 《F.》 ①〖商標名〗엑조세《프랑스제(製) 대함(對艦) 미사일》. ② Ⓒ 파괴력이 있는 것.

Exod. Exodus.

ex·o·dus [éksədəs] *n*. ① Ⓒ (흔히 *sing*.) 집단적(대)이동〔이주〕. ② **a**) (the E-) 이스라엘 국민의 이집트 탈출. **b**) (E-)〖聖〗출애굽기《구약성서 중의 한 편 ; 略 : Ex., Exod.》.

ex of·fi·cio [èks-əfíʃiòu] 《L.》 직권에 의하여〔의한〕, 직권상 겸(무)하는 《略 : e.o., **ex off.**》.

ex·og·a·mous, -o·gam·ic [ekságəməs / -sɔ́g-], [èksəgǽmik] *a*. 족외혼(族外婚)의.

ex·og·a·my [ekságəmi / -sɔ́g-] *n*. Ⓤ 족외혼(族外婚). opp. *endogamy*.

ex·og·e·nous [eksádʒənəs / -sɔ́dʒ-] *a*. 밖으로부터 생긴, 외부적 원인에 의한 ; 외인성(外因性)의. opp. *endogenous*. ㊞ ~·**ly** *ad*.

ex·on·er·ate [igzánərèit / -zɔ́n-] *vt*. 《~+목 / +목+전+명》(아무)의 결백을〔무죄를〕 증명하다 ; (아무)의 혐의를 벗겨 주다 ; (아무를 의무·책임·곤란 따위에서) 면제〔해제〕하다, 해방하다 : be ~*d from* the charge of murder 살인 혐의가 풀리다 / ~ a person *from* payment 지불을 면제하다 / The report ~*d* the driver from all responsibility for the collision. 보고에 따르면 충돌사고에 대해 운전자는 책임이 없음이 드러났다. ㊞ **ex·òn·er·á·tion** [-ʃən] *n*.

ex·or·bi·tance [igzɔ́:rbətəns] *n*. Ⓤ 과대, 과도, 부당.

ex·or·bi·tant [igzɔ́:rbətənt] *a*. (욕망·요구·가격 등이) 터무니없는, 과대한, 부당한 : charge an ~ price 부당한 값을 청구하다. ㊞ ~·**ly** *ad*.

ex·or·cise, -cize [éksɔ:rsàiz] *vt*. ① (기도·주문을 외어 악령)을 쫓아내다, 몰아내다《*from* ; *out of*》; (사람·장소)를 정(淨)하게 하다 : ~ a demon *from* 〔*out of*〕 a house 악귀를 집에서 몰아내다(= ~ a house of a demon) / After the priest ~*d* the spirit〔house, child〕 the strange noise stopped. 신부가 정신을〔집을, 아이를〕 정(淨)하게 한 후 이상한 소음이 그쳤다. ② (나쁜 생각·기억 등)을 떨쳐 버리다 : It will take a long time to ~ the memory of the accident. 사고의 기억을 말끔히 지워버리는 데는 오랜 시간이 걸릴 것이다.

ex·or·cism [éksɔ:rsìzəm] *n*. Ⓤ,Ⓒ 귀신물리기, 액막이, 불제(祓除). ㊞ **-cist** [-sist] *n*. Ⓒ 엑소시스트, 귀신 물리는 사람, 무당, 액막이하는 사람.

ex·or·di·um [igzɔ́:rdiəm, iksɔ́:r-] (*pl*. ~***s***, ***-dia*** [-diə]) *n*. 첫머리, 서두 ; (강연·논문 등의) 서설, 서론.

ex·o·sphere [éksousfìər] *n*. (the ~)〖氣〗외기권, 일탈권(逸脫圈)《대기권중 고도 약 1,000km 이상》.

ex·o·ter·ic [èksətérik] *a*. ① (교리·말투 등이) 문외한도 이해할 수 있는. opp. *esoteric*. ② 개방적인, 공개적인 ; 통속적인, 대중적인. ③ 외적인 ; 외부〔외면〕의(external). ㊞ **-i·cal·ly** *ad*.

ex·ot·ic** [igzátik / -zɔ́t-] (more*** ~ ; ***most*** ~) *a*. ① 이국적인, 이국풍〔정서〕의, 색다른, 엑조틱한 : ~ cooking 이국풍의 요리 / ~ clothes 색다른 옷. ② (동식물 등) 외국산의, 외래의 : ~ flowers 〔plant〕 외래 화초〔식물〕. ㊞ **-i·cal·ly** *ad*.

ex·ot·i·ca [igzátikə / -zɔ́t-] *n*. *pl*. 이국적인〔진기한〕 것 ; 이국취미의 문학〔미술〕 작품 ; 기습(奇習).

exótic dáncer 스트립쇼·벨리 댄스의 무희.

ex·ot·i·cism [igzátəsìzəm / -zɔ́t-] *n*. Ⓤ 이국 취미〔정서〕.

exp. expense(s) ; exportation ; exported ; export(er).

‡**ex·pand** [ikspǽnd] *vt*. ① …을 펴다, 펼치다 ; 넓히다 ; 확장·확대하다 : We have greatly ~*ed* our foreign trade in recent years. 근년에 외국무역을 크게 확장했다. ② (용적 등)을 팽창시키다, 부풀게 하다 : Heat ~*s* most metals 〔bodies〕. 열은 대부분의 금속을〔물체를〕 팽창시킨다. ③《+목+전+명》(관념 등)을 발전〔전개, 진전〕시키다(develop) ; (요지·초고 등)을 상술〔부연, 확충〕하다, 늘리다 : Why don't you ~ your story *into* novel? 네 이야기를 늘려서 소설로 만들어 보지 않겠니. ④〖數〗…을 전개하다. ⑤ (마음)을 넓게 하다. —*vi*. ① 퍼지다, 넓어〔커〕지다 : The city is ~*ing* rapidly. 그 시는 급

속히 확장되고 있다. ② 《~/+전+명》 부풀어오르다, 팽창하다 : This metal scarcely *~s with* heat. 이 금속은 거의 열팽창을 하지 않는다 / The city's population *~ed* by 12 percent. 그 도시의 인구는 12퍼센트 팽창했다 / The money supply *~ed* by 14.6 percent in the year. 통화 공급량은 그 해에 14.6 퍼센트 팽창했다. ③ 《+전+명》 성장하다, 발전하다 ; 발전하여 …이 되다 《*into*》 : The small college has *~ed into* a big university. 그 작은 단과대학이 발전하여 지금은 커다란 종합대학이 되었다. ④ (꽃이) 피다 : The buds have not yet *~ed.* 꽃봉오리는 아직 부풀지 않았다. ⑤ (사람이) 마음을 터놓다, 쾌활해지다 : He *~s* only among his close friends. 그는 친한 친구에게만 마음을 터놓는다. ⑥ 《+전+명》 상술〔부연〕하다《*on, upon*》 : Our teacher *~ed on* the causes of the American Revolution. 선생은 미국 독립 전쟁의 원인에 대해서 자세히 설명했다.

ex·pand·a·ble [ikspǽndəbəl] *a.* ① 늘릴 수 있는. ② 팽창하는〔할 수 있는〕. ③ 발전성이 있는.

ex·pánd·ed mémory [ikspǽndid-] 〖컴〗 확장 기억 장치.

ex·pand·er [ikspǽndər] *n.* Ⓒ expand 하는 사람〔물건〕; (특히 운동 기구의) 익스팬더.

*__ex·panse__ [ikspǽns] *n.* ① Ⓒ 〔종종 *pl.*〕 (바다·대지 등의) 광활한 공간, 넓디넓은 장소〔구역〕; 넓은 하늘 : the boundless *~(s)* of the ocean 망망 대해. ② Ⓤ 팽창, 확대, 확장(expansion).

ex·pan·si·ble [ikspǽnsəbəl] *a.* = EXPANDABLE.

ex·pan·sile [ikspǽnsəl, -sail] *a.* 확장〔확대〕할 수 있는 ; 팽창성의 ; 확대〔확장〕의.

‡**ex·pan·sion** [ikspǽnʃən] *n.* ① Ⓤ 팽창, 신장, 발전《*of*》 : an ~ coefficient 팽창계수 / the ~ *of* the currency 통화 팽창 / the rate *of* ~ 팽창률 / achieve a shattering ~ 눈부신 발전을 이룩하다. ② Ⓤ 확장, 확대《*of*》 : the ~ *of* armaments 군비확장 / The company has abandoned plans for further ~. 회사는 그 이상의 확장 계획을 포기했다. ③ Ⓒ 확대〔확장〕된 것 : His book is an ~ *of* his earlier article. 그의 책은 이전의 논문을 발전시킨 것이다. ④ Ⓤ 전개(展開) ; Ⓒ 전개식. ◇ expand *v.* 파 **~·ism** [-ìzəm] *n.* Ⓤ (상거래·통화 등의) 팽창주의, 팽창론 ; (영토 등의) 확장주의〔정책〕. **~·ist** *n., a.*

ex·pan·sive [ikspǽnsiv] *a.* ① 신장력이 있는, 팽창력이 있는 : a swimming suit made of ~ material 신축성있는 감으로 만든 수영복. ② 넓디넓은, 광대한(broad), 포괄적인 : an ~ treatment of a topic 문제의 다각적인 취급. ③ 포용력 있는 ; 대범한 ; (…에 대해) 느긋한. ◇ expand *v.* 파 **~·ly** *ad.* **~·ness** *n.*

ex par·te [eks-pá:rti] 《L.》 〖法〗 당사자의 한쪽에 치우쳐〔치우친〕; 일방적으로〔인〕.

ex·pat [ékspæt / ⌐⌐] *n.* 《口》 = EXPATRIATE.

ex·pa·ti·ate [ikspéiʃièit] *vi.* (…에 대해) 상세히 설명하다, 부연하다《*on, upon*》 : He *~d on* his plan. 그는 자기 계획에 대해 상세히 얘기했다.

ex·pa·ti·a·tion [ikspèiʃiéiʃən] *n.* Ⓤ,Ⓒ 상세한 설명, 부연, 상술.

ex·pa·tri·ate [ekspéitrièit / -pǽt-] *vt.* ① …을 국외로 추방하다, …의 국적을 박탈하다. ② 〔再歸的〕 조국을 떠나다, 국적을 버리다 : She *~d herself* in her twenties. 그녀는 20대(代)에 고국을 떠났다.

—— [-triit, -trièit] *a., n.* 국외로 추방된〔이주한〕(사람), 국적을 이탈한 (사람).

ex·pa·tri·a·tion [ekspèitriéiʃən / -pæt-] *n.* Ⓤ,Ⓒ 국외추방 ; 국외 이주 ; 〖法〗 국적이 탈.

†**ex·pect** [ikspékt] *vt.* ① 《~+목 / +*to* do / +목+*to* do / +*that* 절》 기대〔예기, 예상〕하다 ; 기다리다 ; …할 작정이다 : I will ~ you next week. 내주에 기다리고 있겠습니다 / I ~ all the guests before six o'clock. 손님들은 6시전에 모두 올 것이라 생각한다 / This is the parcel we've been *~ing* from New York. 이것이 뉴욕에서 오리라고 생각하던 소포다 / I ~ (*that*) I'll be back on Sunday. 일요일에 돌아오리라고 생각한다 / You can't ~ *to* learn a foreign language in a week. 일주일동안에 외국어를 배우려고 생각해선 안된다 / House prices are *~ed to* rise sharply. 주택 가격이 몹시 오르리라고 생각된다. ★ 나쁜 경우에는 대체로 '예상, 각오'의 뜻이 됨 : I *~ed* the worst. 나는 최악을 각오하고 있었다. ② 예정되어 있다, …하기로 되어 있다 ; …하도록 요청되어 있다, 《婉》 …하지 않으면 안 되다 : A new edition is *~ed* (*to* come out) next month. 신판이 내달 나오기로 되어 있다 / Students are *~ed to* work hard. 학생들은 열심히 공부하는 것이 당연하다. ③ 《~+목 / +목+*to* do / +목+전+명》 (당연한 일로) …을 요구하다, 기대하다, 바라다 : Don't ~ too much *of* him. 그에게 너무 기대하지 마라 / I'm *~ing* him *to* come any moment. 그가 당장이라도 올 것이라 믿고 기다리고 있습니다 / You cannot ~ him *to* do that. 그에게 그런 일을 바라지는 말게 / Don't ~ any sympathy *from* me. 나에게서 동정은 바라지도 마라 / An officer *~s* obedience *from* his men〔that his men will obey him〕. 장교는 부하가 자기에게 복종하기를 바란다 / Nobody *~ed* the strike *to* succeed. 아무도 파업이 성공하리라고는 믿지 않았다 / I ~ nothing *from* such people. 이런 사람들로부터는 아무것도 기대할 것 없다 / That must be *~ed.* 그것은 당연한 일이다. ④ 《+*that*절》 《口》 …라고 생각하다, 추측하다 : I ~ (*that*) you have been to Europe. 유럽에 갔다 오신 적이 있지요 / Will he come today? —Yes, I ~ so. 그가 오늘 올까요 —예, 올 거예요. ⑤ (아기)를 출산할 예정이다 : She is *~ing* her third baby. 그녀에게는 세번째 아이가 태어나게 된다. ◇ expectance, expectation *n.* —— *vi.* 〔進行形〕 임신하고 있다. ***as might be ~ed*** 예기되는 바와 같이, 역시, 과연 : *As might be ~ed* of a gentleman, he was as good as his word. 과연 신사답게 그는 약속을 잘 지켰다. ***as was*** 〔***had been***〕 ***~ed*** 예기한 대로. ***be*** (***only***) ***to be ~ed*** 예상되는 일이다, 당연한 일이다 : The accident *was only to be ~ed* because of his reckless driving. 난폭한 운전 때문에 그 사고는 당연한 일이었다.

*__ex·pect·an·cy, -ance__ [ikspéktənsi], [-əns] *n.* Ⓤ ① 기다림, 예기, 기대, 대망(待望)《*of*》. ② (장래의) 가능성, 가망, 기대〔예상〕되는 것. ◇ expect *v.* ***life expectancy*** = the EXPECTATION of life.

*__ex·pect·ant__ [ikspéktənt] *a.* ① 기다리고 있는, 기대〔예기〕하고 있는《*of*》 : be ~ *of* a bride's arrival 신부의 도착을 기다리고 있다 / children with ~ faces waiting for pantomime to begin 무언극이 시작되기를 기다리고 있는 기대에 부푼 표정의 아이들 / an ~ father 머지않아 아버지가 될 사람. ② 〔限定的〕 출산을 기다리는, 임신 중의 : an ~ mother 임신부. —— *n.* Ⓒ 예기〔기대, 대망(待望)〕하는 사람 ; (관직 등의) 채용 예정자. 파 **~·ly** *ad.* 기다려서, 기대하여.

‡**ex·pec·ta·tion** [èkspektéiʃən] *n.* ① Ⓤ (때로 *pl.*) 예상, 예기 ; 기대, 대망 : according to ~ 예

상대로 / live in ~ (무언가를) 기다리며 살다 / There's no〔little〕 ~ *of* a good harvest. 풍작에 대한 기대는 전혀〔거의〕 없다 / His parents have great ~*s* for his future. 부모는 그의 장래에 큰 기대를 걸고 있다. ② (종종 *pl.*) 예상되는 일, 《특히》 예상되는 유산상속 : have brilliant ~*s* 멋진 일이 있을 것 같다 / have great ~*s* 큰 유산이 굴러들 것 같다. ◇ expect *v.* ***according to*** ~ 예상대로. ***against*** 〔***contrary to***〕 (***all***) ~(***s***) 기대와는 달리. ***beyond*** (***all***) ~(***s***) 예상 이상으로. ***in*** ~ 가망이 있는, 예상되는. ***in ~ of*** …을 기대하여, 내다보고. ***come up to*** a person***'s ~s*** 아무의 기대〔예상〕대로 되다. ***the ~ of life*** 〖保險〗 평균 여명(餘命).

ex·pec·to·rant [ikspéktərənt] 〖醫〗 *a.* 가래를 나오게 하는. ── *n.* Ⓒ 거담제(去痰劑).

ex·pec·to·rate [ikspéktərèit] *vt.* (가래·혈담 등)을 기침하여 뱉다, 뱉어 내다.
㊞ **ex·pèc·to·rá·tion** [-ʃən] *n.* Ⓤ 가래를〔침을〕 뱉음, 객담(喀痰) ; Ⓒ 뱉어낸 것《가래 따위》.

ex·pe·di·en·cy, -ence [ikspíːdiənsi], [-əns] *n.* Ⓤ 편의, 형편 좋음 ; (타산적인) 편의주의 ; (악랄한) 사리(私利)추구. ***by*** ~ 편의상.

***ex·pe·di·ent** [ikspíːdiənt] *a.* ① 편리한, 편의의 ; 마땅한, 유리한, 상책인 : It is ~ that he should go. 그가 가는 편이 상책이다. ② 편의주의의, 방편적인 ; 공리적(功利的)인 : The proposal is only ~, not striking at the root of the matter. 그 제안은 단순히 편의적인 것이며 문제의 핵심을 찌른 것이 아니다 / His action is seen as ~ rather than principled. 그의 행동은 원칙에 입각했다기보다는 공리적인 것으로 간주되고 있다. ── *n.* Ⓒ 수단, 방편, 편법, 임기(응변)의 조처 : resort to an ~ 편법을 강구하다 / a temporary ~ 일시적인 편법, 임시 방편. ㊞ **~·ly** *ad.*

ex·pe·dite [ékspədàit] *vt.* ① (계획 따위)를 재촉하다, 진척시키다. ② (일)을 재빨리 수습하다.

‡**ex·pe·di·tion** [èkspədíʃən] *n.* ① Ⓒ (탐험·전투 등 명확한 목적을 위한) 긴 여행〔항해〕, 탐험(여행), 원정, 장정 : military ~*s* in(to) Egypt 군의 이집트 원정 / They were detained for illegally entering a restricted area while on a scientific ~. 그들은 과학 탐험 중 통제 구역의 불법 침입으로 억류됐다 / Scott died while he was on an ~ to the Antarctic in 1912. 스코트는 1912년에 남극 탐험 중 죽었다. ② Ⓒ 탐험〔원정〕대 : The British ~ to Mount Everest is〔are〕 leaving next month. 영국의 에베레스트 산 등반대는 내달 떠난다. ③ Ⓤ 신속, 기민, 민활. ***go*** 〔***start***〕 ***on an*** ~ 원정길에 오르다〔나서다〕. ***make an ~ into*** …을 탐험〔원정〕하다. ***use*** ~ 후딱 해치우다. ***with*** (***all possible***) ~ (가능한 한) 빨리, 신속히.

ex·pe·di·tion·a·ry [-nèri / -nəri] *a.* 〔限定的〕 원정〔탐험〕의 : an ~ force 파견군 ; 원정군.

ex·pe·di·tious [èkspədíʃəs] *a.* (사람·행동이) 날쌘, 신속한, 급속한 : ~ measures 응급 처치.
㊞ **~·ly** *ad.* **~·ness** *n.*

***ex·pel** [ikspél] (*-ll-*) *vt.* 《~+목 / +목+전+명》 ① …을 쫓아내다, 물리치다(drive out) ; (해충 등)을 구제하다《*from*》 : The new government has ~*led* all foreign diplomats. 새 정부는 모든 외국 외교관을 추방했다. ② …을 제명하다, 면직시키다(dismiss)《*from*》 : He was ~*led from* the school. 그는 퇴학당했다. ③ …을 방출〔배출〕하다, (가스 등)을 분출하다 ; (탄환)을 발사하다 《*from*》 : The car ~*led* black fumes. 차가 검은 매연을 내뿜었다.

***ex·pend** [ikspénd] *vt.* 《~+목 / +목+전+명》 ① (시간·노력 따위)를 들이다, 쓰다, 소비하다 《*on, upon ; in*》. ★ 금전인 경우 spend가 일반적 : ~ time and energy *on* the work 그 일에 시간과 정력을 소비하다. ② …을 다 써버리다 : ~ all one's income *for*〔*on*〕 food and clothing 먹는 것과 입는 것에 수입을 몽땅 써버리다. ◇ expenditure, expense *n.* expensive *a.*
㊞ **~·er** *n.*

ex·pend·a·ble [ikspéndəbəl] *a.* ① 소비〔소모〕 해도 좋은, 소모용의 : ~ office supplies 사무용 소모품. ② 〖軍〗 (전략상) 소모할〔버릴〕 수 있는, 희생시켜도 좋은《병력·자재 등》.
── *n.* Ⓒ (흔히 *pl.*) 소모품.

‡**ex·pend·i·ture** [ikspénditʃər] *n.* ① Ⓤ (또는 an ~) 지출 ; 소비《*of ; on*》 : revenue and ~ (국가의) 세입과 세출 / current〔extraordinary〕 ~ 경상〔임시〕비. ② ⓊⒸ 지출액, 소비량, 경비, 비용 《*of ; on*》 : ~ *on* armaments 군사비 / They should cut their ~ *on* defence. 방위비 지출을 줄여야 한다.

‡**ex·pense** [ikspéns] *n.* ① Ⓤ (또는 an ~) (돈·시간 등을) 들임, 소비함 ; 지출, 비용, 출비 : at public ~ 공비〔관비〕로 / at *an* ~ *of* $55, 55 달러를 들여서 / Our biggest ~ this year was our summer holiday. 여름 휴가에 금년 들어 제일 많이 돈을 썼다 / Blow the ~ ! 《俗》 비용 같은 건 상관할 것 없다. ② (*pl.*) 지출금, 제(諸)경비, 소요경비, …비 ; 수당 : meet 〔cut down〕 ~*s* 경비를 치르다〔절감하다〕 / receive a salary and ~*s* 월급과 수당을 받다 / school ~*s* 학비 / social ~*s* 교제비. ③ Ⓒ (an ~) 돈이 드는 것〔일〕 : Repairing a house is *an* ~. 집수리에는 돈이 든다. ◇ expend *v.* (***all***) ***~s paid*** 회사 경비로. ***at a great*** ~ 막대한 비용을 들여서 : We've just had a new garage built *at a great* ~. 많은 돈을 들여 이제 방금 새 차고를 지었다. ***at any*** ~ 아무리 비용이 들더라도 ; 여하한 희생을 치르더라도. ***at*** one***'s*** (***own***) ~ 자비로 ; 자기를 희생하여. ***at little*** 〔***no***〕 ~ 거의〔전혀〕 돈을 안들이고. ***at the ~ of***=***at*** a person***'s*** ~ …의 비용으로, …에게 폐를 끼치고 ; …을 희생하여 : He did it *at the ~ of* his health. 건강을 해치며 그것을 이룩했다. ***go to ~ to*** do=***go to the ~ of*** do***ing*** …하는 데 돈을 쓰다, 비용을 들이다 : Why *go to the ~ of* buy*ing* it when you can hire one? 그건 빌릴 수도 있는데 왜 돈을 들여 사려고 하나. ***put*** a person ***to*** ~ 아무에게 돈을 쓰게 하다, 비용을 부담시키다 : I'm sorry to *put* you *to* such great ~. 돈을 과용하게 하여 죄송하오.

expénse accòunt (급료 외에 회사에서 지급되는) 소요 경비, 접대비 : dine on an ~ 회사 경비로 회식하다.

‡**ex·pen·sive** [ikspénsiv] (***more ~ ; most ~***) *a.* 돈이 드는, 값비싼 ; 사치스러운 : ~ clothes 값비싼 옷. ◇ expend *v.*
㊞ **~·ly** *ad.* 비용을 들여, 비싸게. **~·ness** *n.*

†**ex·pe·ri·ence** [ikspíəriəns] *n.* ① Ⓤ 경험, 체험 : a man of great ~ 경험이 많은 사람 / *Experience* teaches. 사람은 경험을 통해서 영리해진다 / *Experience* keeps a dear school. 《格言》 경험이란 학교는 수업료가 비싸다《쓰라린 경험을 통해서 현명해진다》 / gain one's ~ 경험을 쌓다. ② Ⓒ 체험한 사물 ; (*pl.*) 경험담.
── *vt.* …을 경험〔체험〕하다 : She ~*d* love for the first time. 그녀는 처음으로 사랑을 경험했다 / ~ difficulties 곤란을 겪다.

ex·pe·ri·enced** [ikspíəriənst] (more ~ ; most ~***) *a.* 경험 있는〔많은〕, 노련한 : an ~

teacher 경험이 많은 교사 / have an ~ eye 안목이 있다, 안식이 높다 / Mr. Smith *is* well ~ *in*〔*at*〕 hunting. 스미스씨는 수렵의 베테랑이다.

ex·pe·ri·en·tial [ikspìəriénʃəl] *a.* 경험(상)의; 경험에 의거한; 경험적인: ~ philosophy 경험철학.

‡ex·per·i·ment [ikspérəmənt] *n.* [C] ① (과학상의) 실험; (실지의) 시험(★ 기계·폭탄 등의 실험은 test): in a medical ~ 의학상의 실험에서 / test ... by〔through〕 ~ 실험에 의해 …을 확인하다 / a chemical ~ 화학실험 / prove a theory by ~ 실험으로 이론을 증명하다. ② (실제적인) 시험, 시도: We tried eating the fish as an ~. 시험삼아 그 생선을 먹어보았다.
—[-mènt] *vi.* (~ / +[전]+[명]) 실험하다, 시험〔시도〕하다(*on*; *with*; *in*): Is it right to ~ *on* animals? 동물실험은 과연 옳은 일인가. ★ on, upon은 주로 생물을 직접 대상으로 하는 경우, with는 그것을 가지고 하는 경우의 실험을 말함.

ex·per·i·men·tal** [ikspèrəméntl] (more*** ~; ***most*** ~) *a.* ① 실험의; 실험용의; 실험에 의거한: an ~ rocket 실험용 로켓 / an ~ theater 실험극장 / an ~ science 실험과학 / ~ philosophy 실험〔경험〕철학 / ~ psychology 실험 심리학. ② 경험상의, 경험에 의거한: ~ knowledge 경험적 지식. ③ 시험적인, 실험적인, 시도의: ~ flights 시험비행 / The technique is still at the ~ stage. 그 기술은 아직 실험 단계에 있다.
[파] **~·ism** [-təlizəm] *n.* [U] 실험주의; 경험주의.

***ex·per·i·men·ta·tion** [ikspèrəmentéiʃən] *n.* [U] 실험, 실험법, 시험; 실지훈련.

ex·per·i·ment·er, -men·tor [ikspérəmèntər] *n.* [C] 실험자.

‡ex·pert [ékspəːrt] *n.* [C] 숙달자, 전문가, 숙련가, 달인, 명인(*at*; *in*; *on*): a mining ~ 광산기사 / an ~ *at* skiing 스키의 명수 / an ~ *in* economics 경제학의 전문가 / He is an acknowledged ~ *on* American policy. 미국 정책에 관한 정평있는 전문가다.
—[ikspə́ːrt, ékspəːrt] *a.* ① 숙달된, 노련한(*at*; *in*; *on*; *with*): be ~ *in*〔*at*〕 driving a car 자동차 운전을 잘 하다 / an ~ carpenter 솜씨 좋은 목수. ② 숙달자의, 전문가의, 전문가로부터〔로서〕의, 전문적인: ~ work 전문적인 일 / ~ advice 전문가의 조언 / ~ evidence 감정인의 증언 / in an ~ capacity 전문가의 자격으로.
[파] **~·ly** *ad.* 잘, 능숙〔노련〕하게, 교묘하게.

ex·per·tise [èkspərtíːz] *n.* [U] 전문가의 의견〔평, 판단〕; 전문 기술〔지식〕; 감정.

éxpert sýstem 〖컴〗 전문가〔엑스퍼트〕 시스템 (전문가의 지식을 컴퓨터에 입력, 일반인이 그 지식을 이용할 수 있는 시스템으로 인공지능의 한 응용분야).

ex·pi·a·ble [ékspiəbəl] *a.* 속죄할 수 있는.

ex·pi·ate [ékspièit] *vt.* …을 속죄하다, 속(贖)바치다. [파] **-a·tor** [-èitər] *n.* [C] 속죄하는 사람.

ex·pi·a·tion [èkspiéiʃən] *n.* [U] 속죄, 죄를 씻음; 보상; 속죄〔보상〕 방법. ◇ expiate *v.* 「상의.

ex·pi·a·to·ry [ékspiətɔ̀ːri / -təri] *a.* 속죄의; 보

ex·pi·ra·tion [èkspəréiʃən] *n.* [U] ① 숨을 내쉼, 호기(呼氣) 작용. [opp] *inspiration.* ② (기한·임기 등의) 종결, 만료, 만기, (권리 등의) 실효: the ~ of a contract 계약의 만기 / the ~ of the sixty-day truce and negotiating period, 60일간 휴전 및 협상 기간의 만료. ◇ expire *v.* ***at*** 〔***on***〕 ***the*** ~ ***of*** …의 만기와 동시에, …의 만료 때에.

expirátion dàte (약·식품 등의) 유효 기한 (라벨·용기 등에 표시함).

ex·pir·a·to·ry [ikspáirətɔ̀ːri, -tòuri / -təri] *a.* 숨을 내쉬는, 호기(呼氣)의.

***ex·pire** [ikspáiər] *vi.* ① (기간 등이) 끝나다, 만기가 되다, 종료〔만료〕되다; (만기가 되어) 실효하다: The guarantee on this cleaner ~*s* in a year. 이 청소기에 대한 보증은 1년으로 끝난다 / He had lived illegally in the United States for five years after his visitor's visa ~*d*. 방문 비자 기한 만료 후 5년간 미국에 불법 거주했다 / Our present lease on the house ~*s* next month. 집에 대한 현재의 임차계약은 다음달에 기한이 만료된다. ② 숨을 내쉬다. [opp] *inspire.* ③ (文語) 숨을 거두다, 죽다: The old lady ~*d* right after you left. 그 노부인은 네가 떠난 직후 죽었다. — *vt.* (숨)을 내쉬다. ◇ expiration *n.* expiratory *a.*

ex·pi·ry [ikspáiəri, ékspəri] *n.* [U] (기간의) 만료, 만기(*of*): at 〔on〕 the ~ *of* the term 만기 때에. — *a.* 만료의, 만기의.

†ex·plain [ikspléin] *vt.* ① (+[목] / +[목]+*as* [보]) …을 분명하게 하다, 알기 쉽게 하다; 해석하다: ~ an obscure point 애매한 점을 분명하게 하다 / ~ a person's silence *as* consent 아무의 침묵을 동의로 해석하다. ② (+[목] / +[목]+[전]+[명] / +*wh. to* do / (+[전]+[명]) + *that* [절]) (상세히) …을 설명하다; …의 이유를 말하다, 변명〔해명〕하다: If there is anything you don't understand, I'll happy to ~. 이해 못하는 것이 있으면 기꺼이 설명해주겠다 / The teacher ~*ed* the rule *to* the children. 선생은 아이들에게 규칙을 설명했다 / The guide ~*ed* the sight-seeing schedule *to* us. 가이드는 관광스케줄을 우리에게 설명했다 / Bill ~*ed how* the computer works. 빌은 컴퓨터 작동법을 설명했다 / She ~*ed* to me *that* she was late because of a traffic accident. 교통사고 때문에 늦었다고 내게 변명했다. — *vi.* 설명〔해석, 해명, 변명〕하다: Wait! Let me ~. 잠깐, 내 설명을 들어라. ◇ explanation *n.*
~ ***away*** (곤란한 입장·실언·실수 등)을 잘 설명〔해명〕하다, 교묘히 변명하여 발뺌하다: The government will find it difficult to ~ *away* the higher unemployment rate. 정부는 높은 실업률을 적당히 변명하기 힘들다는 것을 알게 될 것이다. ~ one***self*** 자신이 하는 말의 뜻을 분명히 하다; 자신의 행위(의 동기)를 변명〔해명〕하다: Late again, Tom? I hope you can ~ *yourself*? 톰, 또 늦었군. 그 이유를 납득할 수 있게 설명해라.
[파] **~·a·ble** [-əbəl] *a.* 설명〔해석〕할 수 있는. **~·er** *n.*

‡ex·pla·na·tion [èksplənéiʃən] *n.* ① [U,C] 설명, 해설; 해석; 해명, 변명: give an ~ *for* one's delay 늦어진 이유를 말하다 / give full ~ to …에게 충분한 설명을 하다. ② [C] (오해·견해차를 풀기 위한) 대화; 화해. ◇ explain *v.* ***by way of*** ~ 설명으로서. ***come to an*** ~ ***with*** …와 양해가 되다. ***in*** ~ ***of*** …의 설명〔변명〕으로서: We have nothing to say *in* ~ *of* our error. 우리 실책을 변명할 여지가 전혀 없다.

ex·plan·a·to·ry** [iksplǽnətɔ̀ːri / -təri] *a.* 설명의, 설명을 위한, 설명적인; 해석의; 변명적인; 설명하고 싶어하는; 설명에 도움이 되는(*of*): ~ remarks 〔notes〕 주석(注釋) / an ~ title (영화의) 자막. ***be ~ ***of*** …의 설명에 도움이 되다.
[파] **-ri·ly** [-li] *ad.*

ex·ple·tive [éksplətiv] *a.* 부가적인, 덧붙이기의; 군더더기의, 사족의.
— *n.* 〖文法〗 허사(虛辭)(문장 구조상 필요하지만 일정한 의미가 없는 어구: There is a tree.의 There); 무의미한 감탄사〔욕설〕(Damn!, My goodness! 따위).

ex·pli·ca·ble [iksplíkəbəl, ékspli-] *a.* 〔敍述的〕 〔종종 否定文으로〕 설명〔납득〕할 수 있는 : His conduct is *not* ~. 그의 행위는 납득할 수 없다.

ex·pli·cate [éksplәkèit] *vt.* (문학 작품 등)을 상세히 설명하다.

ex·pli·ca·tion [èkspləkéiʃən] *n.* U,C (문학 작품 등의) 상세한 설명 ; 해석 ; 논리적 분석.

ex·pli·ca·tive, -to·ry [iksplíkətiv, éksplikèitiv], [éksplikətɔ̀:ri / iksplíkətəri] *a.* 해설하는 ; 설명적인.

***ex·plic·it** [iksplísit] *a.* ① (설명 등이) 명백한, 분명한, 명시된 : They gave ~ reasons for leaving. 떠나는 데 대해 명백한 이유를 밝혔다. opp. *implicit.* ② (책·영화 등이) 노골적인, 숨김없는 《*about*》: Be ~. 분명히 말하시오 / He was ~ *about* what he thought of her. 그는 그녀를 어떻게 생각하는지를 기탄없이 말했다.
㊕ ~**·ly** *ad.* 명백〔명쾌〕히. ~**·ness** *n.*

explícit declarátion 〖컴〗 명시적 선언《프로그램 언어에서 변수의 형을 선언할 때, 변수 하나하나에 대하여 그 형을 명확히 해주는 일》.

‡ex·plode [iksplóud] *vt.* ① (폭탄 따위)를 폭발시키다 : ~ a bomb. ② 〔종종 受動으로〕 (학설·신념·미신 등)을 타파하다, 뒤엎다 : ~ a theory 학설의 잘못을 논파하다 / The theory *was* ~*d by* new discoveries. 그 학설은 새로운 발견들에 의해 뒤집어졌다. ── *vi.* ① 폭발하다, 작렬하다 ; 파열하다 : A bomb ~*d* at London's busiest railway stations this morning. 오늘 아침 런던의 가장 붐비는 철도역에서 폭탄이 폭발했다. ②《+전+명》 (감정 등이) 격발하다《*with*》: ~ *with* anger 〔laughter〕 버럭 화를 내다〔웃음을 터뜨리다〕 / The resentment that had been building up inside him finally ~*d.* 마음속에 쌓였던 분노가 드디어 폭발했다. ③ 급격히 양상을 바꾸다《*into*》; (인구 등이) 급격히〔폭발적으로〕 불어나다 : The citizens' anger ~*d into* a riot. 시민의 분노는 일거에 폭동으로 바뀌었다. ◇ explosion *n.* ~ ***a bombshell*** ⇨ BOMBSHELL. ㊕ **ex·plód·a·ble** *a.*

ex·plod·ed [iksplóudid] *a.* (이론·미신 등이) 논파〔타파〕된 ; 분해한 부분의 상호관계를 나타내는.

***ex·ploit¹** [éksplɔit, iksplɔ́it] *n.* C (큰) 공, 공훈, 공적, 위업.

***ex·ploit²** [iksplɔ́it] *vt.* ① (자원 등)을 개발〔개척〕하다, 채굴〔벌채〕하다 : ~ the resources of the oceans 해양 자원을 개발하다. ② (사용인·노동자 등)을 착취하다, …을 이용해 먹다 : The boss ~*ed* his men (for his own ends). 두목은 부하들을 (자신의 목적을 위해) 부려먹었다. ◇ exploitation *n.*
㊕ ~**·a·ble** [-əbəl] *a.* 개발〔개척〕할 수 있는 ; 이용할 수 있는. ~**·er** [-ər] *n.* C (나쁜 뜻으로) 이용자, 착취자.

***ex·ploi·ta·tion** [èksplɔitéiʃən] *n.* U ① 개발 ; 개척 ; 채굴. ② 사리를 위한 이용, 착취. ◇ exploit² *v.*

ex·ploit·a·tive, -ploit·ive [iksplɔ́itətiv], [-plɔ́itiv] *a.* 착취적인. ㊕ ~**·ly** *ad.*

‡ex·plo·ra·tion [èkspləréiʃən] *n.* U,C ① 실지 답사, 탐험 ; (문제 등의) 탐구, 천착 : go on a voyage of ~ 탐험 항해에 나서다. ② 〖醫〗 진찰, 촉진.

ex·plor·a·tive, -to·ry [iksplɔ́:rətiv], [-tɔ̀:ri / -təri] *a.* 탐험(상)의, (실지) 답사의 ; 탐구의. ◇ explore *v.* ㊕ **-tive·ly** *ad.*

‡ex·plore [iksplɔ́:r] *vt., vi.* ① (미지의 땅·바다 등을) 탐험하다, 실지 답사하다 ; (자원을) 개발하다 : ~ the Arctic regions 북극 지역을 탐험하다 / Columbus discovered America but did not ~ it. 콜럼버스는 미국을 발견했지만 탐험은 하지 않았다. ② (문제·사건 등을) 탐구하다, 조사하다 : We ~*d* several solutions to the problem. 그 문제에 대한 몇 가지 해결책을 조사했다 / The biological effects of radiation are still being ~*d.* 방사선의 생물학적 영향에 대해 아직도 연구가 진행되고 있다. ③ 〖醫〗 (상처를) 찾다 : ~ a wound for bullet 상처를 더듬어 탄환을 찾아내다.

‡ex·plor·er [iksplɔ́:rər] *n.* C ① 탐험가. ② (E-) 익스플로러《미국 초기의 과학위성》.

‡ex·plo·sion [iksplóuʒən] *n.* ① U,C 폭발, 폭파, 파열 ; 폭발음 : The ~ was heard over a mile away. 폭발음이 1마일 떨어진 곳에서 들렸다. ② C (노여움·웃음 등의) 폭발 : an ~ of rage 노여움의 폭발. ③ 급격한〔폭발적〕 증가 : a population ~ 인구의 급증 / the ~ of oil prices 석유 가격의 폭등. ④ U,C 〖音聲〗 (폐쇄음의) 파열. cf. implosion. ◇ explode *v.*

ex·plo·sive** [iksplóusiv] (more*** ~ ; ***most*** ~) *a.* ① 폭발하기 쉬운, 폭발성의 : an ~ substance 폭발성 물질. ② (사람이) 격하기 쉬운, 격정적인 : an ~ personality 격정가(激情家). ③ 폭발적인, 급격한 : an ~ increase 폭발적 증가. ④ 〖音聲〗 파열음의. cf. implosive. ── *n.* C ① 폭발물 : a high ~ 고성능 폭약. ② 〖音聲〗 파열음《p, b, t, d 따위》. ◇ explode *v.*
㊕ ~**·ly** *ad.* 폭발적으로. ~**·ness** *n.* U 폭발성.

Ex·po, ex·po [ékspou] *n.* C (*pl.* ~***s***) (만국) 박람회. [◂ *expo*sition]

ex·po·nent [ikspóunənt] *n.* C ① (학설 등의) 설명자, 해설자《*of*》. ② 대표자, 대표적 인물, 전형(典型) ; 형(型) : Lincoln is an ~ *of* American democracy. 링컨은 미국 민주주의의 대표적 인물이다. ③ 〖數〗 지수, 멱(冪) 지수《a^3의 ^{3}》.

ex·po·nen·tial [èkspounénʃəl] *a.* ① 〖數〗 (멱) 지수(指數)의. ② (변화 등이) 급격한, 급증하는 : increase at an ~ rate 기하급수적으로〔급격하게〕 증가하다.

‡ex·port [ikspɔ́:rt, ⌐-] *vt.* ① …을 수출하다. opp. *import.* ¶ Currently only 5% of their output is ~*ed.* 현재 그들의 생산고의 5퍼센트만이 수출된다. ② (사상·제도 등)을 외국에 전하다 : American culture has been ~*ed* all over the world. 미국 문화가 온 세계로 전파되고 있다. ── *vi.* 수출하다. ◇ exportation *n.* ── [⌐-] *n.* ① U 수출 : The ~ of ivory is strictly controlled. 상아의 수출이 엄격하게 규제되고 있다 / India grows tea for ~. 인도는 수출을 위해 차를 재배하고 있다. ② C (종종 *pl.*) 수출품 ; (흔히 *pl.*) 수출액 : Coffee is one of Brazil's main ~*s.* 커피는 브라질의 주요 수출품의 하나다. ③ 〔形容詞的〕 수출(용)의 : an ~ bounty 수출 장려금 / ~ trade 수출 무역 / an ~ bill 수출환(換)어음 / an ~ duty 수출세. ④ 〖컴〗 보내기.
㊕ ~**·a·ble** [-⌐əbəl] *a.* 수출할 수 있는. **èx·por·tá·tion** *n.* U 수출 ; C 《美》 수출품. opp. *importation.* ~**·er** [-ər] *n.* C 수출업자.

‡ex·pose [ikspóuz] *vt.* ①《+목+전+명》 (햇볕·바람·비 따위)에 쐬다, 맞히다, 노출시키다 《*to*》; (공격·위험 따위)에 몸을 드러내다《*to*》; (환경 따위)에 접하게 하다《*to*》: Don't ~ the plant *to* direct sunlight. 그 식물은 직사광선을 피하게 해라 / The rocks are ~*d* at low tide. 바위는 썰물 때 노출된다 / The soldiers were ~*d to* considerable danger. 병사들은 상당한 위험에 노출됐다 / It is feared that people living near the power station may have been ~*d to* radiation.

발전소 근처의 주민들이 방사선에 노출되었을지도 몰라 염려된다 / ~ children *to* good books 어린이들에게 좋은 책을 접하게 하다. ② (죄·비밀 따위)를 폭로하다, 적발하다(disclose), …의 가면을 벗기다(unmask) : ~ a secret / I threatened to ~ him to the police. 경찰에 폭로하겠다고 그를 협박했다 / Investigators have ~*d* a plot to kill the president. 수사관은 대통령을 죽이려는 음모를 적발했다 / The newspaper story ~*d* him a liar. 신문 기사는 그를 거짓말쟁이라고 폭로했다. ③ …을 보이다; 진열하다, 팔려고 내놓다. ④ (계획·의도 따위)를 표시하다, 발표하다, 밝히다. ⑤ (어린애 등)을 집 밖에 버려 죽게 하다. ⑥〖寫〗(필름)을 노출하다, 감광시키다. ⑦《+목+전+명》…을 세상의 웃음거리가 되게 하다: His beliefs ~ him *to* ridicule, but he won't give them up. 그의 신념이 웃음거리가 됐지만 포기하지 않을 것이다. ◇ exposure, exposition *n.* ***be ~d to*** (danger) (위험)에 노출되다. ㊥ **ex·pós·er** *n.*

ex·po·sé [èkspouzéi] *n.* 《F.》 (스캔들 등의) 폭로, 적발《*of*》.

***ex·posed** [ikspóuzd] *a.* ① 드러난, (위험 따위에) 노출된, 비바람을 맞는: ~ goods 팔리지 않고 묵어 있는 상품 / The house stood on a windy, ~ cliff. 그 집은 강한 바람을 그대로 받는 절벽 위에 서 있었다. ②〖寫〗노출한.

***ex·po·si·tion** [èkspəzíʃən] *n.* ① Ⓒ 박람회, 전람회 : a world ~ 만국 박람회. ② Ⓤ 전시, 진열. ③ Ⓤ,Ⓒ (이론·테마 등에 대한) 상세한 설명, 해설. ◇ expose, expound *v.* ㊥ **~·al** *a.* 「설]자.

ex·pos·i·tor [ikspázətər / -pɔ́z-] *n.* Ⓒ 설명〔해

ex·pos·tu·late [ikspástʃulèit / -pɔ́s-] *vi.* 《~ / +전+명》간(諫)하다, 충고하다, 타이르다; 훈계하다《*about*; *for*; *with*》: His father ~*d* *with* him *about* the evils of gambling. 그의 부친은 도박의 폐해에 대하여 그에게 타일렀다.

ex·pos·tu·la·tion [ikspàstʃuléiʃən / -pɔ̀s-] *n.* Ⓤ,Ⓒ 간언, 충고, 설유; 훈계.

ex·pos·tu·la·tor [ikspástʃulèitər / -pɔ́s-] *n.* Ⓒ 간하는 사람, 충고자.

‡**ex·po·sure** [ikspóuʒər] *n.* ① Ⓤ,Ⓒ (볕·비바람 등에의) 노출《*to*》: All the members of the expedition to the South Pole died of ~. 남극 탐험대 전원이 악천후에 심하게 노출된 탓으로 죽었다 / Even a brief ~ *to* radiation is very dangerous. 방사선에 잠깐 노출되는 것도 퍽 위험하다 / The color has faded from long ~ *to* sun. 오랫동안 볕에 노출돼 빛이 바랬다. ② Ⓤ,Ⓒ (비리·나쁜 일 등의) 노현(露顯), 발각; 적발, 탄로, 폭로: The ~ of the minister's love affair forced him to resign. 장관은 정사(情事)가 폭로되어 사임할 수밖에 없었다. ③ Ⓤ (TV·라디오 등을 통하여) 사람 앞에 (빈번히) 나타남; (음악 등의) 상연: have a lot of ~ on televison, TV 에 자주 출연하다 / Spielberg's new film is getting a lot of ~ in the media at the moment. 스필버그의 새 영화는 현재 매스컴을 통해 많이 보도되고 있다. ④ Ⓤ 사람에게 보이도록 함, 공개; (신체 부분의) 노출; (상품 등의) 진열. ⑤ Ⓒ (집·방 등의) 방위, 방향: a house with a southern ~ 남향집. ⑥ (암석의) 노출면. ⑦ Ⓤ,Ⓒ〖寫〗노출 (시간); (필름 등의) 한 장: double ~ 이중 노출 / an ~ of 1/135 of a second, 1/135초의 노출. ◇ expose *v.*

expósure mèter〖寫〗노출계(計).

***ex·pound** [ikspáund] *vt.* (학설 등)을 상술하다, 해설하다.

†**ex·press** [iksprés] *vt.* ①《~+목 / +*wh.* 절》(생각 등)을 표현하다, 나타내다《표정·몸짓·그림·음악 따위로》; 말로 나타내다 : Words can not ~ it. 말로써는 표현할 수 없다 / I can not ~ *how* happy I was then. 그때 얼마나 행복했던지 말로 표현할 수 없다 / She ~*es herself* through art. 그녀는 예술로써 자기 생각을 나타낸다. ②《~+목 / +목+*as* 보》(기호·숫자 따위)로 …을 표시하다, …의 표〔상징〕이다 : The sign + ~*es* addition. +기호는 덧셈을 나타낸다 / ~ water *as* H_2O, 물을 H_2O로 나타내다. ③《+목+전+명》(과즙 따위)를 짜내다《*from*; *out of*》: ~ grapes *for* juice 주스용으로 포도를 짜다《★ press가 일반적인 표현》. ④ (냄새 등)을 풍기다. ⑤《英》…을 속달편으로 보내다, 급송하다. ◇ expression *n.* ***~ itself*** (감정 등이) 밖으로 나타나다, (무형의 것이) 구체화하다. ~ one***self*** 생각하는 바를 말하다, 의중을 털어놓다: I wasn't able to ~ *myself* in good English then. 그때 나는 훌륭한 영어로 내 의견을 말할 수가 없었다. ***~ one's sympathy*** 〔***regret***〕 동정〔유감〕의 뜻을 나타내다.

— *a.* 〔限定的〕 ① 명시된, 명백한, 명확한, 분명한: an ~ provision (법률의) 명문(明文) / act against the master's ~ orders 주인의 분명한 명령을 거스르다. ② 꼭 그대로의, 정확한: He is the ~ image of his father. 그는 아버지를 꼭 닮았다. ③ 지급의; 급행의; 지급〔속달〕편의: an ~ bus 〔train〕 급행 버스〔열차〕/ ~ highway 〔route〕 고속도로 / ~ cargo 급행화물.

— *n.* ① Ⓤ 《美》 (지급) 운송편 : by ~ 운송편으로 / ⇨ AIR EXPRESS. ② Ⓤ 《英》 속달편 : by ~ 속달편으로. ③ Ⓒ 급행열차 : travel by ~ 급행으로 가다. ★ by ~는 무관사.

— *ad.* 급행으로, 급행열차로; 《英》 속달(우편으)로(by ~): send a parcel ~ 소포를 속달하다, 소포를 속달로 보내다.

㊥ **~·age** [-idʒ] *n.* Ⓤ 《美》 ① (지급) 운송업. ② (지급) 운송료.

expréss delívery 《英》 속달편(《美》 special delivery); 《美》 (통운회사의) 배달편.

ex·press·i·ble, -a·ble [iksprésəbəl] *a.* ① 표현할 수 있는. ② (과즙 등) 짜낼 수 있는.

‡**ex·pres·sion** [ikspréʃən] *n.* ① Ⓤ (사상·감정의) 표현, 표시: He wrote her a poem as an ~ of his love. 그는 사랑의 표시로 그녀에게 시를 써서 보냈다 / Freedom of ~ is a basic human right. 표현의 자유는 기본적인 인권이다. ② Ⓤ 표현법. ③ Ⓒ 말씨, 어법, 말투, 어구: an idiomatic ~ 관용적인 표현 / a vulgar ~ 상스런 말투. ④ Ⓤ,Ⓒ 표정: a face that lacks ~ 표정이 없는 얼굴 / facial ~ 얼굴 표정. ⑤ Ⓤ,Ⓒ〖數〗식; 〖컴〗식. ◇ express *v.*

beyond 〔***past***〕 ~ 표현할 수 없는, 필설로 다할 수 없는: The scene was beautiful *beyond*〔*past*〕 ~. 그 경치는 말로는 못다할 만큼 아름다웠다.

find ~ (***in***) (…에) 나타나다, (…에) 표현되다: His sadness at the death of his wife *found ~ in* his music. 아내의 죽음에 대한 슬픔이 그의 음악에 표현됐다.

ex·pres·sion·ism [ikspréʃənizəm] *n.* Ⓤ (종종 E-) 표현주의.

ex·pres·sion·ist [ikspréʃənist] *n.* Ⓒ 표현파의 사람. — *a.* 표현파의: the ~ school 표현파.

ex·pres·sion·less [ikspréʃənlis] *a.* 무표정한, 표정이 없는. ㊥ **~·ly** *ad.*

ex·pres·sive** [iksprésiv] (more*** ~; ***most*** ~) *a.* ① 〔敍述的〕 표현하는, 나타내고 있는《*of*》: The final movement of Beethoven's Ninth Symphony is ~ *of* joy. 베토벤 교향곡 제9번의 마지막

악장은 기쁨을 나타내고 있다. ② 표정[표현]이 풍부한; 뜻이 있는: an ~ look 표정이 풍부한 생김새 / A great actor needs to have an ~ face. 위대한 배우는 표정이 풍부해야 한다.
㊕ ~·ly *ad.* ~·ness *n.*

ex·press·ly [iksprésli] *ad.* ① 명백[분명]히: I ~ told him to leave. 그에게 떠나라고 분명히 말했다. ② 특별히, 일부러.

ex·press·man [iksprésmæ̀n, -mən] (*pl.* ***-men*** [-mèn, -mən]) *n.* Ⓒ 《美》 지급편 운송 회사원; 《특히》 급행편 트럭 운전사.

expréss tìcket 급행권.

expréss tráin 급행열차.

ex·press·way [-wèi] *n.* Ⓒ 《美》 (인터체인지가 완비된) 고속도로(express highway).

ex·pro·pri·ate [ekspróuprièit] *vt.* (공용(公用)을 위해 토지)를 수용(收用)하다.

ex·pro·pri·a·tion [ekspròupriéiʃən] *n.* U,C (토지 등의) 몰수; 수용.

expt (.) experiment.

*__ex·pul·sion__ [ikspʌ́lʃən] *n.* U,C 추방; 배제, 구제(驅除); 제명, 제적(*from*): ~ *from* school 퇴교. ◇ expel *v.*

expúlsion òrder (외국인에 대한) 국외 퇴거 명령.

ex·pul·sive [ikspʌ́lsiv] *a.* 추방력이 있는; 배제성[구제성]의.

ex·punge [ikspʌ́ndʒ] *vt.* (이름·자구 따위)를 지우다, 삭제하다, 말살하다(*from*): His name was permanently ~*d from* the record. 그의 이름은 기록에서 영원히 말살됐다.

ex·pur·gate [ékspərgèit] *vt.* (책의 불온한 대목)을 삭제하다: an ~*d* edition (책의) 삭제판.

ex·pur·ga·tion [èkspərgéiʃən] *n.* U,C (불온한 대목의) 삭제.

‡**ex·qui·site** [ikskwízit, ékskwi-] (***more*** ~; ***most*** ~) *a.* ① 대단히 아름다운《조망·아름다움 등》; (예술품 등이) 정교한, 썩 훌륭한《세공·연주 등》; 극상의, 맛나는《음식·와인 등》: an ~ day 참으로 멋진 하루 / a dancer of ~ skill 절묘한 기량을 지닌 무용수 / The weather in Hawaii is ~. 하와이의 날씨는 더할나위없다. ② 예민한; 세련된, 세세히 마음쓰는, 섬세한: an ~ critic 날카로운 비평가 / a man of ~ taste 세련된 취미의 사람 / a man of ~ sensitivity 극히 민감한 사람. ③ 격렬한《쾌감·고통 등》: ~ pain 격심한 통증 / an hour of ~ happiness 최고로 행복한 한 시간.
㊕ ~·ly *ad.* 절묘하게; 정교하게; 멋지게, 심하게. ~·ness *n.*

ex-ser·vice [èkssə́ːrvis] *a.* 〔限定的〕《英》 ① 전에 (군인이) 퇴역[제대]한. ② 군 불하(拂下)의《물자》.

ex-ser·vice·man [-mæ̀n] (*pl.* ***-men*** [-mèn]) *n.* Ⓒ 《英》 퇴역군인(《美》 veteran).

ext. extension; exterior; external(ly).

ex·tant [ekstǽnt, ékstənt] *a.* (고(古) 문서·기록 따위가) 현존하는, 잔존하는.

ex·tem·po·ra·ne·ous [ikstèmpəréiniəs] *a.* ① 준비 없는, 즉흥적인, 즉석의《연설 등》. ② 일시적인, 임시 변통의.
㊕ ~·ly *ad.* ~·ness *n.*

ex·tem·po·rary [ikstémpərèri / -rəri] *a.* (연설 등) 즉석의, 즉흥적인. ㊕ **-rar·i·ly** *ad.*

ex·tem·po·re [ikstémpəri] *ad., a.* 즉석에서의, 즉흥적인: speak ~ 즉흥연설을 하다.

ex·tem·po·ri·za·tion [ikstèmpərizéiʃən] *n.* Ⓤ 즉석에서 만듦; Ⓒ 즉흥작, 즉석연설, 즉흥연주.

ex·tem·po·rize [ikstémpəràiz] *vi.* 즉석에서 연설하다; 즉흥적으로 연주[노래]하다.

‡**ex·tend** [iksténd] *vt.* ① (손·발 따위)를 뻗다, 펴다: lie ~*ed* 큰 대(大)자로 눕다. ◇ extension *n.* ②《+목+전+명》(선 등)을 긋다; (쇠줄·밧줄 따위)를 치다, 건너 치다: ~ wire from post to post 말뚝에서 말뚝으로 철망을 건너 치다. ③《~+목/+목+전+명》(선·거리·기간 따위)를 연장하다, 늘이다; …의 기한을 연장하다, 연기하다: I'll ~ my visit for few days. 며칠 더 묵겠다 / ~ a road *to* the next city 다음 시까지 도로를 연장하다. ④ (영토 등)을 확장하다; (세력 따위)를 펴다, 미치다; 〖컴〗 확장하다《어떤 시스템의 원래 기능을 더 강화시키는 일》: ~ one's influence 세력을 확장하다 / The European powers ~*ed* their authority in Asia. 유럽 열강들은 아세아로 그 세력 범위를 넓혔다. ⑤《+목+전+명》(은혜·친절 따위)를 베풀다, 주다; (환영·감사의) 뜻을 표하다: ~ help *to* the poor 가난한 사람들에게 원조의 손을 뻗치다 / ~ congratulations *to* a person 아무에게 축하의 말을 하다. ⑥ 〔受動으로 또는 再歸的〕 (사람·말이) 한껏 힘쓰다[달리다]: *be* ~*ed* (in…) (…에) 온 힘을 내다 / ~ one*self* to meet the deadline 마감 시간에 대기 위해 전력을 다하다 / The horse won the race easily without being fully ~*ed.* 그 경주말은 힘껏 달리지 않고도 쉽게 레이스에서 승리했다. ── *vi.* ① 늘어나다, 퍼지다, 넓어지다, 연장되다. ②《+전+명》달하다, 미치다; 걸치다, 계속되다(*to*; *into*): His absence ~*s to* five days. 그의 결석일수는 닷새나 된다.
㊕ ~·**a·ble,** ~·**i·ble** *a.*

ex·tend·ed [iksténdid] *a.* ① **a**) 한껏 뻗친[펼친]; 확장한: ~ dislocation 확장 이전. **b**) (어의(語義) 따위) 파생적인: an ~ usage 파생적 어법. ② (기간을) 연장한; 장기의: an ~ vacation / an ~ game 연장전 / make an ~ stay 오래 머물다. ㊕ ~·**ly** *ad.* ~·**ness** *n.*

exténded fámily 확대 가족《근친을 포함한》. cf. nuclear family.

exténded pláy (45회전의) 도넛판 레코드《略: EP》.

ex·ten·si·ble [iksténsəbəl] *a.* 넓힐[펼] 수 있는; 늘일 수 있는; 연장[확장]할 수 있는.
㊕ ~·**ness** *n.* **ex·tèn·si·bíl·i·ty** *n.*

‡**ex·ten·sion** [iksténʃən] *n.* ① Ⓤ 신장(伸張)(cf. flexion), 연장, 늘임; 연기; 확대, 확장, 넓힘: by ~ 확대(해석)하면. ② Ⓒ 증축, 증설; 부가(물); (철도 등의) 연장선; 〖電話〗 내선(內線): May I have *Extension* 20, please? 내선 20번을 부탁합니다. ③ Ⓤ 〖論〗 외연(外延). opp. *intension.* ④ 〖컴〗 확장(자). ── *a.* 〔限定的〕 이어대는, 신축 자재의, 확장하는. ◇ extend *v.*

ex·ten·sion·al [-ʃənəl] *a.* 〖論〗 외연(外延)[외재]적인: an ~ meaning 외연적 의미.

exténsion còrd (구내 배선의) 연장 코드.

exténsion còurses (대학의) 공개 강좌.

exténsion làdder 신축(伸縮)식 사다다리.

‡**ex·ten·sive** [iksténsiv] (***more*** ~; ***most*** ~) *a.* ① 광대한, 넓은: an ~ area[field]. ② 광범위에 미치는; 다방면에 걸치는, (지식 따위가) 해박한. ③ 〖農〗 조방(粗放)의. opp. *intensive.* ¶ ~ agriculture 조방 농업.
㊕ ~·**ly** *ad.* 넓게, 광범위하게. ~·**ness** *n.*

ex·ten·sor [iksténsər] *n.* Ⓒ 〖解〗 신근(伸筋)(= ∠ **mùscle**).

‡**ex·tent** [ikstént] *n.* ① Ⓤ 넓이, 크기: The flooded area was nearly an acre in ~. 홍수의 피해 지역은 거의 1에이커에 걸쳐 있었다. ② Ⓒ (흔히 *sing.*) 광활한 지역(*of*): a vast ~ *of* land 광대한 토지 / across the whole ~ *of* Korea 한

국 전역에 걸쳐. ③ Ⓒ (흔히 *sing.*) **a**) 정도; 한계, 한도: sing at the full ~ of one's lungs 목청껏 노래하다 / He was drunk to a considerable ~. 그는 굉장히 취해 있었다. **b**) (the ~) 범위《*of*》: reach *the* ~ *of* one's patience 인내의 한계에 이르다. ***to the ~ of ...*** …의 한도〔한계〕까지. ***to the*** 〔***such an***〕 ***~ that ...*** (1) …라는 정도까지, …라는 점에서. (2) …인 한은, …인 바에는.

ex·ten·u·ate [iksténjuèit] *vt.* (범죄·결점)을 가벼이 보다, (정상)을 참작하다: Nothing can ~ his guilt. 그의 죄상은 참작할 여지가 없다.

ex·ten·u·a·ting [iksténjuèitiŋ] *a.* (죄를) 참작할 수 있는: ~ circumstances 〖法〗 참작할 정상, 경감 사유.

ex·ten·u·a·tion [ikstènjuéiʃən] *n.* Ⓤ (죄의) 경감, 정상 참작; Ⓒ 참작할 만한 정상: say nothing in ~ of one's offence 정상을 참작해 달라는 아무런 변명도 하지 않다.

***ex·te·ri·or** [ikstíəriər] *a.* ①〔限定的〕 바깥쪽의, 외부의. OPP *interior.* ¶ In some of the villages the ~ walls of the houses are painted pink. 어떤 마을에선 집의 외벽은 핑크색으로 도장되어 있다. ② 외부로부터의; 대외적인, 해외의.
— *n.* ① (the ~) 외부, 외면, 표면; 외모, 외관: We're painting *the* ~ of the house. 우리는 집의 외부를 페인트칠하고 있다 / The Palace of Fontainebleau has a very grand ~. 퐁텐블로 궁전의 외부는 아주 웅대하다 / There are shutters on *the* ~ of the windows. 창문 외부에 덧문이 있다. ② Ⓒ 외모, 외관: a good man with a rough ~ 겉보기엔 거치나 마음은 착한 사람. ③ 〖映·TV·劇〗 야외〔옥외〕 풍경《촬영용 세트·무대용 배경》. ㊕ **~·ly** *ad.*

extérior ángle 〖數〗 외각.

***ex·ter·mi·nate** [ikstə́ːrmənèit] *vt.* (병·사상·잡초·해충 등)을 근절하다, 몰살하다: Once cockroaches get into a building, it's very difficult to ~ them. 바퀴벌레가 일단 건물 안에 들어오면 근절하기가 아주 어렵다.
㊕ **ex·tèr·mi·ná·tion** [-ʃən] *n.* Ⓤ.Ⓒ 근절, 박멸, 몰살. **ex·tér·mi·nà·tor** [-tər] *n.* Ⓒ 해충〔해수(害獸)〕 구제자〔약〕.

ex·tern [ikstə́ːrn] *n.* Ⓒ (병원의) 통근 의사, 통근 의학 연구생. cf. intern.

‡ex·ter·nal [ikstə́ːrnəl] *a.* ① 외부의, 밖의; 외면의; 외계의. OPP *internal.* ¶ the ~ walls of the building 건물의 외벽 / an ~ surface 외면(外面) / an ~ television aerial 텔레비전의 외부 안테나 / His injuries are ~. 상처는 외상이었다 / ~ evidence 외적 증거. ② 외부용의《약 등》. OPP *internal.* ③ 대외적인, 외래의, 외국의: ~ accounts 국제수지 / ~ bonds 외채(外債) / ~ deficit 〔surplus〕 국제 수지의 적자〔흑자〕 / ~ reserves 외화 준비(고) / ~ trade 대외 무역. ④〖哲〗 외계의, 현상〔객관〕계의: ~ objects 외계의 사물 / the ~ world 외계. — *n.* (*pl.*) ① 외견; 외부, 외면; 외형: judge people by ~*s* 풍채로 사람을 판단하다. ② 형식, 의례: the ~*s* of religion 종교의 외면적 형식.
㊕ **~·ly** *ad.* 외부적으로, 외부에서, 외면상, 외견적으로(는); 학외에서《연구하는 따위》.

extérnal éar 〖解〗 외이(外耳).

ex·ter·nal·ism [ikstə́ːrnəlìzəm] *n.* Ⓤ 형식주의, (특히 종교에서) 극단적인 형식 존중주의.

ex·ter·nal·i·ty [èkstəːrnǽləti] *n.* ① Ⓤ 외면성. ② Ⓒ 외면, 외형. ③ =EXTERNALISM.

ex·ter·nal·ize [ekstə́ːrnəlàiz] *vt.* (무형의 것)에 형체를 부여하다, 구체화〔객관화〕하다.

extérnal lóan 외채(外債)《외국 자본시장에서 모집되는 공채》.

extérnal commánd 〖컴〗 외부 명령.

extérnal mémory 〖컴〗 외부 기억 장치. cf. auxiliary memory.

ex·ter·ri·to·ri·al [èksteritɔ́ːriəl] *a.* =EXTRATERRITORIAL.

***ex·tinct** [ikstíŋkt] *a.* ① (불이) 꺼진, (화산 따위가) 활동을 그친(cf. active); 사멸한; (희망·정열·생명력이) 끊어진, 다한, 끝난: an ~ volcano 사화산 / Any love that she once had for him is now ~. 그녀가 한때 그에게 가졌던 애정은 이제 끝났다. ② (인종·동식물 따위가) 절멸한, 멸종한; (가문·작위 따위가) 단절된: an ~ species 〖生〗 절멸종(絶滅種) / The red squirrel is now virtually ~ in England. 붉은 다람쥐는 현재 사실상 영국에선 멸종됐다. ③ (제도·관직 따위가) 폐지된.

***ex·tinc·tion** [ikstíŋkʃən] *n.* Ⓤ.Ⓒ ① 사멸, 절멸: Many species of plants and animals are in danger of ~. 많은 동식물종(種)이 멸종 위기에 놓여 있다 / the ~ of his youthful hope 젊은날의 희망의 소멸. ② 불을 끔, 소등. ③ (가계(家系) 등의) 단절.

‡ex·tin·guish [ikstíŋgwiʃ] *vt.* ① (빛·불 따위)를 끄다; 진화(鎭火)하다: ~ a candle 촛불을 끄다. ② (희망·정열 따위)를 소멸시키다, 잃게 하다, 끊다; (종족·가문 따위)를 절멸시키다: We must try to ~ the memory of what happened, and look to the future. 지나간 일의 기억은 없애버리고 앞날을 기대하도록 노력해야 한다.
㊕ **~·a·ble** [-əbəl] *a.* 끌 수가 있는, 절멸시킬 수 있는. **~·ment** *n.*

ex·tin·guish·er [ikstíŋgwiʃər] *n.* Ⓒ 불을 끄는 사람〔물건〕; 소화기(消火器).

ex·tir·pate [ékstərpèit, ekstə́ːrpeit] *vt.* …을 근절시키다, 박멸하다.

ex·tir·pa·tion [èkstərpéiʃən] *n.* Ⓤ 근절, 절멸.

***ex·tol,** 《美》 **-toll** [ikstóul] (*-ll-*) *vt.* …을 칭찬〔격찬〕하다: They ~*ed* him to the skies. 그들은 그를 극구 칭찬했다.

ex·tort [ikstɔ́ːrt] *vt.* ① (돈 따위)를 억지로 빼앗다, 강탈하다, 강요하다《*from*》: He had been ~*ing* money *from* the old lady for years. 그는 노부인으로부터 여러 해 동안 돈을 갈취해 왔었다 / ~ money 〔a bribe〕 *from* a reluctant person 싫어하는 사람에게 돈〔뇌물〕을 강요하다 / ~ a confession *from* a person by threats 아무를 협박하여 자백시키다 / It is no good trying to ~ promises. 약속을 강요하는 것은 좋지 않다. ② (뜻 따위)를 억지로 갖다 붙이다《*from*》: ~ a meaning *from* a word 한 낱말에 억지로 어떤 뜻을 갖다 붙이다.

ex·tor·tion [ikstɔ́ːrʃən] *n.* ① Ⓤ 강요; (특히 금전·재물의) 강탈; 빼앗음: He was found guilty of obtaining the money by ~. 돈을 갈취한 죄로 유죄 판결을 받았다. ② Ⓒ 강요〔강탈〕 행위.

‡ex·tra [ékstrə] *a.* ①〔限定的〕 여분의, 임시의, 특별한: I need some ~ time〔money〕. 여분의 시간〔돈〕이 필요하다 / ~ clothes 〔help〕 특별한 옷〔원조〕 / He's been working an ~ two hours a day. 그는 하루에 두시간씩 특근을 하고 있다 / an ~ edition 특별호, 임시 증간호 / an ~ inning game (야구 등의) 연장전 / an ~ train 〔bus〕 임시 열차〔버스〕 / The president was forced to take ~-constitutional steps. 대통령은 초(超)헌법적 조치를 취하지 않을 수 없었다. ② 추가 요금으로의, 별도계정에 의한: Dinner costs $5 and wine (is) ~. 식사 5달러에 와인은 별도 (계산) /

The price includes travel and accommodation but meals are ~. 그 가격은 여비와 숙박비를 포함하나 식비는 별도다 / an ~ charge 할증〔추가〕 요금. ③ 극상의; 특대의: ~ binding 특별 장정 / ~ octavo 특대 8 절판 / It is nothing ~. 특별한 것이 아니다. — *n.* Ⓒ ① 여분의 것, 특별한 것. ② (신문의) 호외; 특별호. ③〚크리켓〛타구에 의하지 않은 득점. ④ 임시고용 노동자;〚映〛엑스트라. ⑤ 극상품. — *ad.* ① 특별히, 각별히: I'm going to work ~ hard. 특별히 더 열심히 공부하려고 한다 / ~ fine 〔good〕 특별히 좋은 / ~ large 특대의. ② 여분으로.

ex·tra- *pref.* '…외의, 범위 밖의, …이외의, 특별한〔히〕'의 뜻. OPP *intra-*.

‡**ex·tract** [ikstrǽkt] *vt.* ①《~+목 / +목+전+명》(이 따위)를 뽑아내다, 빼내다: ~ a tooth 이를 뽑다 / ~ the cork *from* a bottle 병마개를 따다. ②《+목+전+명》(용매 사용 등으로 정분(精分) 따위)를 추출하다, 증류해서 추출하다, 달여내다: ~ gold *from* ore 광석에서 금을 채취하다. ③《+목+전+명》…을 발췌하다, 인용하다《*from*》: ~ a passage *from* a book 책에서 1절을 발췌하다. ④《~+목 / +목+전+명》(정보·금전 등)을 억지로 끄집어 내다, (겨우) 손에 넣다; (기쁨 등)을 끄집어 내다, 얻다: After much persuasion they managed to ~ the information from him. 많이 설득한 후에야 그들은 그로부터 정보를 얻어낼 수 있었다 / ~ pleasure *from* toil 고생하는 데서 즐거움을 얻다. ◇ extraction *n.*
— [ékstrækt] *n.* ① U,C 추출물, (정분을 내어 농축한) 진액, 정(精); 달여낸 즙: ~ of beef 쇠고기 진액 / medicinal herb ~*s* 약초를 달여낸 즙 / ~*s* of malt 맥아 진액. ② Ⓒ 초록(抄錄), 인용; 발췌; 초본: an ~ from 'Oliver Twist' by Charles Dickens 찰스 디킨스가 쓴 'Oliver Twist'에서의 발췌.

***ex·trac·tion** [ikstrǽkʃən] *n.* ① U,C 뽑아냄; 빼어냄, 적출(법);〚齒科〛뽑아냄, 뽑아낸 이: She had two ~*s*. 이를 두 대 뽑아냈다. ② Ⓤ〚化〛추출; (즙·기름 등의) 짜냄; (약물 등의) 달여냄. ③ Ⓤ 〔흔히 修飾語와 더불어〕 혈통, 태생: an American of Korean ~ 한국계 미국인 / a family of ancient ~ 오랜 가문의 혈통.

ex·trac·tive [ikstrǽktiv] *a.* 발췌한, 뽑아낼 수 있는. — *n.* Ⓒ 추출물; 진액; 추출; 달인 즙.

ex·trac·tor [ikstrǽktər] *n.* Ⓒ ① 추출자, 발췌자. ② 추출 장치〔기(器)〕; (과즙 등의) 착즙기.

ex·tra·cur·ric·u·lar, -lum [èkstrəkəríkjələr], [-ləm] *a.* 과외(課外)의, 정규 과목 이외의.

ex·tra·dit·a·ble [ékstrədàitəbəl] *a.* (도망범으로 본국에) 인도해야 할; 인도처분에 처해야 할.

ex·tra·dite [ékstrədàit] *vt.* …을 인도하다《외국의 도망범을 본국에》; …의 인도를 받다.

ex·tra·di·tion [èkstrədíʃən] *n.* U,C〚法〛(국제간의) 도망범 인도, 본국 송환.

éxtra dívidend 특별 배당금.

ex·tra·ga·lac·tic [èkstrəgəlǽktik] *a.*〚天〛은하계 밖의.

ex·tra·ju·di·cial [èkstrədʒuːdíʃəl] *a.* 재판 사항 이외의, 법정 밖의, 사법 관할 외의.

ex·tra·le·gal [èkstrəlíːgəl] *a.* 법률의 지배를 받지 않는, 법의 범위 외의, 초(超)법적인.

ex·tra·mar·i·tal [èkstrəmǽrətəl] *a.* 〔限定的〕 결혼외 성교섭의, 혼외정사의, 간통〔불륜〕의.

ex·tra·mu·ral [èkstrəmjúərəl] *a.* 〔限定的〕 ① 성벽 밖의, 교외의. ② 대학 외부로부터의《강사·강의 따위》;《美》(대학간의) 비공식 대항의《경기 따위》: ~ classes 대학 공개 강좌 / ~ students (통신교육의) 교외생. OPP *intramural.*

파 ~·ly *ad.*

ex·tra·ne·ous [ikstréiniəs] *a.* 외래의《고유의 것이 아닌》; 무관계한; 이질(異質)의; 본질적이 아닌《*to*》: We must avoid all ~ matters〔issues〕. 모든 무관한 문제를 피해야 한다 / ~ substances in our water 우리가 마시는 물에 함유된 이물질 / ~ influence 외부로부터의 영향.
파 ~·ly *ad.* ~·ness *n.*

***ex·traor·di·nar·i·ly** [ikstrɔ̀ːrdənérəli, èkstrəɔ́ːrdənèrə- / -dənəri-] *ad.* 대단하게, 엄청나게, 이례적으로: an ~ clever child 대단히 똑똑한 아이.

‡**ex·traor·di·nary** [ikstrɔ́ːrdənèri, èkstrəɔ́ːr- / -dənəri] (*more* ~; *most* ~) *a.* ① 대단한, 비상한, 보통이 아닌, 비범한, 엄청난: a man of ~ genius 비범한 재주를 가진 사람. ② 터무니없는, 놀라운, 의외의: an ~ man 괴짜 / ~ weather for this time of year 예년의 이맘때로선 희한한 날씨 / Seven feet is an ~ height for man. 사람의 키가 7피트라면 대단한 키다. ③ 〔限定的〕 특별한, 임시의: ~ expenditure 〔revenue〕 임시 세출〔세입〕 / an ~ general meeting 임시 총회 / an ~ session 임시 국회. ④ 〔限定的〕 특명〔특파〕의; 특별 임용의: an ~ ambassador =an ambassador ~ 특명 대사.
파 **-nàr·i·ness** *n.* 비상함, 대단함; 비범.

extraórdinary rày〚光·結晶〛이상 광선.

ex·trap·o·late [ikstrǽpəlèit] *vt., vi.*〚統〛외삽(外揷)하다, 미지의 사실을 기지의 사실로부터 추정하다: We don't know the exact figure for forest damage, but we can ~ *from* the sample surveys. 산림 손실의 정확한 수치는 알 수 없으나 표본 조사를 통해 추정할 수 있다.

ex·trap·o·la·tion [ikstræ̀pəléiʃən] *n.* U,C〚統〛외삽법(外揷法); 추정; 연장; 부연.

ex·tra·sen·so·ry [èkstrəsénsəri] *a.* 정상 감각 밖의, 초감각적인.

extrasénsory percéption 초감각적 지각《천리안·투시·정신감응 등; 略: ESP》.

ex·tra·so·lar [èkstrəsóulər] *a.* 태양계 밖의.

ex·tra·ter·res·tri·al [èkstrətiréstriəl] *a.* 지구 밖의, 우주의. — *n.* Ⓒ 지구 이외의 행성; 우주인〔생물〕《略; ET》.

ex·tra·ter·ri·to·ri·al [èkstrətèritɔ́ːriəl] *a.* 〔限定的〕 치외 법권의. 파 **éx·tra·tèr·ri·tò·ri·ál·i·ty** [-əti] *n.* Ⓤ 치외법권.

éxtra tíme〚競〛(시합의) 연장 시간.

ex·tra·u·ter·ine [èkstrəjúːtərin, -ráin] *a.* 자궁 외의.

***ex·trav·a·gance, -cy** [ikstrǽvəgəns], [-i] *n.* ① U,C 낭비, 사치. ② Ⓤ 무절제, 방종. ③ Ⓒ 엉뚱한 언행〔생각〕: commit *extravagances* 엉뚱한 짓을 하다.

***ex·trav·a·gant** [ikstrǽvəgənt] (*more* ~; *most* ~) *a.* ① 돈을 함부로 쓰는, 낭비벽이 있는: have ~ habits 낭비벽이 있다 / be ~ in one's way of life 생활이 사치스럽다. ② (사람·행동 등이) 터무니없는, 지나친, 엄청난, 엉뚱한: make ~ demands 터무니없는 요구를 하다. 파 ~·ly *ad.* ① 사치스럽게. ② 엉뚱하게, 터무니없이.

ex·trav·a·gan·za [ikstræ̀vəgǽnzə] *n.* Ⓒ ① 엑스트래버갠저《호화 찬란한 연예물, 특히 19 세기 미국의 화려한 뮤지컬 쇼〔영화〕》. ② 기발한 것, 호화로운 쇼〔여흥〕.

ex·tra·ve·hic·u·lar [èkstrəviːhíkjələr] *a.* 우주선(船) 밖의: ~ activity (우주인의) 우주 유영; 선외 활동《略: EVA》/ ~ space suits 선외 우주복.

ex·tra·ver·sion [èkstrəvə́ːrʒən, -ʃən] *n.*〚心〛=EXTROVERSION.

‡**ex·treme** [ikstríːm] *a.* ① **a**) 극도의, 심한; 최

대의, 최고의(maximum) : ~ pain 극심한 고통 / ~ joy 대단한 기쁨 / live in ~ poverty 몹시 가난하게 지내다 / an ~ case 극단의 예〔경우〕 / the ~ penalty 극형, 사형. **b**) (기온 등이) 매서운 : (the) ~ cold 혹한. ② (사상·행동·사람이) 극단적인, 과격한 : hold ~ opinions 극단적인 견해를 가지다 / ~ measures 강경책 / take ~ action 과격한 행동을 하다 / the ~ Left〔Right〕 극좌파〔극우파〕 / ~ ideas 과격사상. ③ 맨끝의, 말단의 : the ~ hour of life 임종 / She's at the ~ right of the picture. 그녀는 사진의 맨 오른쪽에 있다 / in the ~ north of the country 나라의 최북단에서. ── *n.* ① [C] (종종 *pl.*) 극단 ; 극도 ; 극단적인 것〔수단〕 : avoid ~*s* 극단을 피하다 / go to the other ~ 반대되는 극단에 흐르다 / the opposite〔other〕 ~ 전혀 정반대. ② (*pl.*) 양(兩) 극단 : *Extremes* meet.《俗談》 극과 극은 통한다 / We experienced the ~*s* of heat and cold. 더위와 추위의 양극단을 경험했다 / waver between the ~*s* of love and hate 사랑과 증오의 양극단에서 흔들리다. ◇ extremity *n.* ***go from one ~ to the other*** 극단에서 극단으로 흐르다. ***go*** 〔***run***〕 ***to ~s*** 극단으로 치닫다, 극단의 말〔짓〕을 하다. ***go to the ~ of*** …라는 극단적인 수단에 호소하다. [파] ~·**ness** *n.*

‡**ex·treme·ly** [ikstríːmli] *ad.* 극단(적)으로, 극도로 ; 아주, 대단히, 몹시 : His speech was ~ well-done. 그의 연설은 아주 훌륭했다 / The situation is ~ dangerous. 사태는 극히 위험하다.

extrémely hígh fréquency 〖電〗 초고주파.

extréme únction (종종 E- U-) 〖가톨릭〗 병자 성사(病者聖事).

ex·trem·ism [ikstríːmizəm] *n.* [U] ① 극단, 과격해지는 현상. ② 극단론, 과격주의. [파] **-ist** [-ist] *n., a.* 극단론자, 과격론자 ; 극단론〔과격론〕의.

***ex·trem·i·ty** [ikstréməti] *n.* ① [C] 끝, 말단 : at the eastern ~ of …의 동쪽 끝에. ② (*pl.*) 사지, 수족 : the lower〔upper〕 *extremities* (사람의) 하지〔상지〕 / feel the cold in one's *extremities* 손발이 차다. ③ [U] (또는 an ~) (아픔·감정 등의) 극한, 극도《*of*》 : *an* ~ *of* joy〔misfortune〕 환희〔비운〕의 극 / suffer *an* ~ *of* pain 극도의 고통을 당하다. ④ (흔히 *sing.*) 곤경, 난국, 궁지 : in one's ~ 궁지에 몰려, 곤경에 처해 / be in a dire ~ 비참한 곤경에 있다. ⑤ (흔히 *pl.*) 비상 수단, 강경 수단《폭력 행위 등》 : proceed〔go, resort〕 to *extremities* 최후수단에 호소하다, 최후의 행동을 취하다. ◇ extreme *a.*

ex·tri·ca·ble [ékstrəkəbəl] *a.* 구출〔해방〕할 수 있는.

ex·tri·cate [ékstrəkèit] *vt.* ① (위험·곤경)에서 구출(救出)하다, 탈출시키다, 해방하다《*from, out of*》 : ~ a person *from*〔*out of*〕 a dangerous situation 아무를 위험한 상황에서 구출하다 / It took hours to ~ the car *from* the sand. 차를 모래밭에서 빼내는 데 여러 시간이 걸렸다. ② 〔再歸的〕 …에서 헤어나게 하다 : I managed to ~ *myself from* the situation by telling a small lie. 치사하게 거짓말까지 해서 그 상황에서 벗어날 수 있었다. [파] **èx·tri·cá·tion** [-ʃən] *n.* [U] 구출, 해방 ; 〖化〗 유리.

ex·trin·sic [ekstrínsik, -zik] *a.* ① 본질적이 아닌, 무관계한 : The question is ~ to our discussion. 그 질문은 우리들의 토의와는 무관계하다. ② 외부로부터의, 부대적(附帶的)인. [opp] *intrinsic.* [파] **-si·cal·ly** [-sikəli] *ad.*

extro- '바깥으로'의 뜻의 결합사. [opp] *intro-.*

ex·tro·ver·sion [èkstrouvə́ːrʒən, -ʃən] *n.* [U] 〖醫〗 외번(外翻)《눈꺼풀·방광 등의》, 외전(外轉) ; 〖心〗 외향성(extraversion).

ex·tro·vert [ékstrouvə̀ːrt] *n.* [C] 〖心〗 외향적인 사람(extravert) ; 명랑하고 활동적인 사람. ── *a.* 외향성이 강한, 외향적인. [opp] *introvert.* [파] ~·**ed** *a.*

***ex·trude** [ikstrúːd] *vt.* ① …을 밀어내다, 내밀다 : The snail ~*d* its horns. 달팽이가 촉각을 내밀었다. ② (금속·수지·고무)를 사출 성형하다.

ex·tru·sion [ikstrúːʒən] *n.* [U,C] 밀어냄, 내밂, 쫓아냄, 추방 ; 돌기 ; 사출 성형(의 제품).

ex·tru·sive [ikstrúːsiv] *a.* 밀어내는 (작용이 있는), 내미는 ; 〖地質〗 (화산에서) 분출한 : ~ rocks 분출암(噴出岩).

ex·u·ber·ance, -an·cy [igzúːbərəns], [-i] *n.* [U] (또는 an ~) 풍부, 충일(充溢) ; 무성 : *an* ~ of joy 넘치는 기쁨.

ex·u·ber·ant [igzúːbərənt] *a.* ① (정애·기쁨·활력 등이) 넘치는 ; 원기왕성한. ② (부·비축이) 풍부한 ; (언어·문체 등이) 화려한. ③ 무성한 ; (털이) 더부룩한 : an ~ imagination 풍부한 상상력 / a man of ~ talent 재능이 많은 사람. [파] ~·**ly** *ad.*

ex·u·da·tion [èksjudéiʃən, èksə-, ègzə-] *n.* [U] 삼출(滲出), 분비 ; [C] 삼출물, 분비물.

ex·ude [igzúːd, iksúːd] *vt.* (땀·향기 등)을 삼출〔발산〕시키다. ── *vi.* 스며나오다.

***ex·ult** [igzʌ́lt] *vi.* 《~ / +[전]+[명] / +*to* do》 크게 기뻐하다, 기뻐 날뛰다《*at* ; *in* ; *over*》 ; 승리하여 의기양양해 하다《*over*》 : ~ *at*〔*in*〕 one's victory 승리에 광희(狂喜)하다 / ~ *to* hear the news of his success 그의 성공 소식을 듣고 크게 기뻐하다. ◇ exultation *n.*

ex·ult·ant [igzʌ́ltənt] *a.* 몹시 기뻐하는 ; 승리를 뽐내는, 의기양양한. [파] ~·**ly** *ad.*

***ex·ul·ta·tion** [ègzʌltéiʃən, èksʌl-] *n.* [U] 몹시 기뻐함, 광희(狂喜), 환희 ; 뽐냄.

ex·ult·ing·ly [igzʌ́ltiŋli] *ad.* 기뻐 날뛰어.

ex·urb [éksəːrb, égz-] *n.* [C] 《美》 준교외(準郊外)《교외 주변의 (고급) 주택지》. [파] ~·**an** [-ən] *a.*

ex·ur·ban·ite [eksə́ːrbənàit] *n.* [C] 준교외 거주자.

ex·ur·bia [eksə́ːrbiə] *n.* [U] 《美》 준(準)교외 지「역.

†**eye** [ai] *n.* ① [C] 눈《눈언저리도 포함》 : brown〔blue〕 ~*s* 갈색〔푸른〕 눈동자 / heavy ~*s* 졸린 듯한 눈 / dry one's ~*s* 눈(물)을 닦다 / give a black ~ 때려서 눈을 멍들게 하다. ② [C] (종종 *pl.*) 시력, 시각 : have good〔weak〕 ~*s* 시력이 좋다〔나쁘다〕 / lose one's ~*s* 시력을 잃다 / by〔with〕 the naked ~ 육안으로. ③ (흔히 *sing.*) 관찰력, 보는 눈, 감상〔판단〕력 ; 안목 : the ~ of a painter 화가의 보는 눈 / the English countryside as seen through a poet's ~ 시인의 눈을 통해서 본 영국의 전원풍경. ④ [C] 시선, 눈길 : cast an ~ 시선을 보내다, 눈길을 주다《*on*》 / a friendly ~ 호의적인 눈 / All ~*s* were *on*〔*upon*〕 her. 모든 시선이 그녀에게 쏠리고 있었다. ⑤ [C] (종종 *pl.*) 주시, 주목, 주의 : draw the ~*s* of …의 눈을 끌다. ⑥ [C] (종종 *pl.*) 견해, 의견, 해석 : in my ~*s* 내가 보기에는 / through the ~*s* of …의 관점에서. ⑦ [C] (종종 *pl.*) 감시의 눈, 경계의 눈 : keep a person under one's ~*s* 아무를 지켜보다〔감시하다〕. ⑧ 〖氣〗 (태풍의) 눈, 중심. ⑨ 눈 모양의 것 ; 작은 구멍 ; (바늘의) 귀 ; 닻고리 ; (밧줄을 꿰는) 고리(loop) ; 갈고랑이의 끝 ; (호크단추의) 구멍 ; (커튼의) 미끄럼 고리 ; (감자 따위의) 싹, 눈 ; (노끈 등의) 고달이 : the ~ of a needle 바늘귀. ⑩ (*pl.*) 《美俗》 젖퉁이 ; 젖꼭지.

a false 〔***an artificial***〕~ 의안(義眼). ***a glad*** ~《俗》 추파(秋波). ***All my ~!*** 《英俗》 말도 안 돼, 같잖은 소리마. ***an ~ for an ~*** 〖聖〗 눈에는 눈으로(같은 수단에 의한 보복 ; 출애굽기 XXI : 24). ***a sight for sore ~s*** 보기에도 즐거운 것, 《특히》 진객(珍客). ***a simple*** 〔***compound***〕~ 〖動〗 홑눈〔겹눈〕. ***before*** one***'s very ~s*** 바로 눈앞에. ***black*** a person***'s*** ~ 아무를 눈가에 멍들게 때리다. ***by the*** ~ 눈어림으로. ***cast a*** (critical) ***~ on*** …을 (비판적)인 눈으로 보다. ***cast an*** 〔one***'s***〕~ ***over*** =run an ~ over. ***catch*** a person***'s ~(s)*** 아무의 눈을 끌다〔눈에 띄다〕; 아무와 시선이 마주치다. ***clap*** 〔***set, lay***〕 ***~s on*** 《口》 ⇨ CLAP. ***close*** one***'s ~s*** (1) 눈을 감다, 죽다. (2) 묵인하다, 눈감아 주다《*to*》. ***cry*** one***'s ~s out*** ⇨ CRY. ***do*** a person ***in the*** ~ 《口》 아무를 속이다. ***do not bat an*** ~ ⇨ BAT³. ***easy on the ~(s)*** ⇨ EASY. ***Eyes front!*** 바로! (구령). ***Eyes left*** 〔***right***〕***!*** 좌로〔우로〕 봐! (구령). ***feast*** one***'s ~s on*** 《戱》 …을 바라보며 즐기다. ***fix*** one***'s ~(s) on*** …에서 눈을 떼지 않고 지켜보다. ***get*** one***'s ~s in*** 《英》 〖크리켓·테니스 등〗 공을 보는 눈을 익히다 ; 〖사격·볼링 등〗 거리감을 익히다. ***get the*** ~ 《口》 주목받다, 차가운 눈초리를〔시선을〕 받다. ***give an ~ to*** (1) …을 주시하다. (2) …을 돌보다. ***give*** a person ***the*** (***glad***) ~ 아무에게 추파를 던지다 ; 아무를 흘끗 보다. ***have an ~ for*** …에 대한 안목이 있다. ***have an*** 〔one***'s***〕~ ***on*** (1) …을 감시하다. (2) …을 눈여겨보다, 원하고 있다. ***have an ~ to*** (1) …에 주목하다 ; …을 안중에 두다 ; …에 야심을 갖다. (2) …에 주의하다, …을 돌보다. ***have an ~ to everything*** 매사에 빈틈이 없다. ***have*** 〔***keep***〕 ***an ~ to the main chance*** ⇨ MAIN CHANCE. ***have ~s at*** 〔***in***〕 ***the back of*** one***'s head*** 《口》 무엇이나 알고 있다, 빈 틈이 없다. ***have ~s for*** …에만 흥미가〔관심이〕 있다. ***have ~s only for*** …밖에 안보다〔바라지 않다〕. ***have*** 〔***keep***〕 ***one ~ on . . .*** (동시에) 한편으로는 …에도 주의를 기울이고 있다. ***hit*** a person ***between the ~s*** 〔***in the*** ~〕 《口》 …에게 강렬한 인상을 주다. ***if*** a person ***had half an*** ~ 《口》 아무가 좀더 영리하다면〔주의한다면〕. ***in the ~s of*** …이 본 바로는 : *in the ~s of* common sense 상식에서 보면. ***in the wind's*** ~ =in the ~ of the WIND¹. ***keep an*** 〔one***'s***〕~ ***on*** …에서 눈을 떼지 않다, …를 감시하다, …에 마음을 쓰고 있다. ***keep*** 〔***have***〕 ***an*** 〔one***'s***〕~ ***open*** =《口》 ***keep*** 〔***have***〕 ***both*** 〔one***'s***〕 ***~s*** (***wide***) ***open*** 〔***skinned, peeled***〕 방심 않고 경계하고 있다, 충분히 주의하다《*for*》. ***keep an ~ out for*** …을 감시하고 있다. ***keep*** one***'s ~ in*** 《英》 (구기 등에서 상대의 움직임이나 공을 보는) 눈을 익히다. ***keep*** one***'s ~s off*** …을 안 보고 있다 ; 〔흔히 can't 의 否定文으로〕 (…에) 매혹되어 있다. ***keep*** one***'s eye on the ball*** 경계하다. ***knock*** a person***'s ~s out*** 《美俗》 아무의 눈이 휘둥그레지게 하다, 깜짝 놀라게 하다. ***lay ~s on*** = set ~*s* on. ***make*** a person ***open*** his ***~s*** (아무를) 깜짝 놀라게 하다. ***make*** (***sheep's***) ***~s at*** …에게 추파를 던지다. ***meet*** a person***'s ~(s)*** 상대를 똑바로 보다, 정시〔직시〕하다. ***meet the*** 〔a person***'s***〕~ 눈에 띄다〔보이다〕. ***Mind your ~!*** 《俗》 잘 봐라! 조심해! ***more*** (***in it***) ***than meets the*** ~ 눈으로 본 것 이상의 것(숨은 자질, 곤란, 배후의 이유, 사실 등): There's *more in* 〔*to*〕 *it than meets the* ~. (거기에는) 표면상 알지 못할 사정〔난점〕이 있다. ***Oh my ~!*** =***My ~(s)!*** 《口》= All my ~! ***one in the*** ~ 《英口》 사람을 낙담〔당황〕케 하는 것, 큰 타격, 쇼크 : The election defeat was *one in the* ~ for the prime minister. 선거에서의 패배는 수상에게 큰 타격이었다. ***open*** (***up***) a person***'s ~s*** =***open*** (***up***) ***the ~s of*** a person (사실 등에) 아무가 눈뜨게 하다, …의 미혹을 깨우치다《*to*》: *open* a person*'s ~s to* the truth 아무에게 사실을 깨닫게 하다. ***open*** one***'s ~s*** 놀라서 눈을 크게 뜨다. ***out of the public*** ~ 세상 눈에 띄지 않게 되어 ; 세상에서 잊혀져. ***run an*** 〔one***'s***〕~ ***over*** 〔***through***〕 =***pass*** one***'s ~ over*** …을 대강 훑어보다. ***see ~ to ~ with*** a person (***about*** 〔***on, over***〕 a thing) 〔종종 否定文〕 (…에 대해) 아무와 견해가 완전히 일치하다《*on* ; *about*》: I do*n't see ~ to ~ with* her *on* this subject. 이 문제에 대해 나는 그녀와 의견이 다르다. ***set ~s on*** 〔종종 否定文〕 …을 보다 : I've *never set ~s on* such a beautiful girl. 저런 미인은 아직 본 일이 없다. ***show the whites of*** one***'s ~s*** 눈을 허옇게 뜨다 ; 놀라다 ; 기절하다. ***shut*** one***'s ~s to*** = close one's ~*s* (2). ***spit in*** a person***'s*** ~ 《口》 아무의 얼굴에 침을 뱉다. ***take*** one***'s ~s off*** 〔흔히 否定文〕 …에서 눈을 떼다. ***through*** a person***'s ~s*** 남의 눈을 통하여, 남의 입장이 되어. ***to the ~s of*** …의 눈에는, …이 보기에는 : *To the ~s of* the average consumer the economy seems stable enough. 일반 소비자의 눈에는 경제가 족히 안정된 듯 보인다. ***turn a blind*** ~ 보고도 못 본 체하다, 간과하다, 눈을 감다《*to* 〔*on*〕 a thing》. ***under*** one***'s*** (***very***) ***~s*** = before one's very ~*s*. ***under the ~ of*** …의 감시 아래서 ; …의 보는 앞에서. ***up to the*** 〔one***'s***〕 ***~s*** 《口》 일에 몰두하여, 열중하여 ; 깊이 빠져 : I can't come out today ; I'm *up to the ~s* in work. 일이 바빠 오늘은 못 나간다. ***with an ~ for*** …에 안목이 있어. ***with an ~ to*** …을 목표로〔염두에 두고〕. ***with dry ~s*** 눈물 한 방울 흘리지 않고, 태연히, 천연덕스레. ***with half an*** ~ 언뜻 보기만으로도, 쉽사리. ***with one ~ on . . .*** 한 눈으로 …을 보면서. ***with*** one***'s ~s closed*** 〔***shut***〕 (1) 눈을 감고도. (2) 수월하게. (3) 사정〔내막〕을 모르고. ***with ~s open*** (결점·위험 따위를) 다 알고서, 잘 분별하여 : She signed the papers *with ~s open*. 그녀는 내용을 십분 알고 서류에 서명했다.

── (*p., pp.* ***~d*** ; ***ey·ing, ~·ing***) *vt.* …을 보다 ; 노려보다 ; 잘〔자세히〕 보다, 주시하다 : ~ a person askance 아무를 흘겨보다.

eye·ball [⌐bɔ̀:l] *n.* Ⓒ 눈알, 안구. ***~ to ~*** 《口》 얼굴을 맞대고. ***to the ~s*** 《口》 철저히.

── *vt.* 《美俗》 …을 지그시〔날카롭게〕 보다.

éye bànk 안구〔각막〕 은행, 아이뱅크.

éye bàth 《英》 =EYECUP.

eye·brow** [⌐bràu] *n.* Ⓒ ① 눈썹. ② 〖建〗 (눈썹꼴의) 지붕창. ***raise ~s 사람들을 놀래다, 사람들의 경멸〔비난〕을 초래하다. ***raise*** one***'s ~s*** (경멸·놀람·의심 등으로) 눈살을 치키다. ***up to the ~s*** (1) …에 몰두하여《*in*》. (2) (빚 따위)에 몰려《*in*》.

éyebrow pèncil 눈썹 연필.

eye-catch·er [⌐kæ̀tʃər] *n.* Ⓒ 사람 눈을 끄는 것 ; 젊고 매력적인 여자.

eye-catch·ing [⌐kæ̀tʃiŋ] *a.* 남의 눈을 끄는.

éye chàrt 시력 검사표. ⓒⓕ test types.

éye còntact (서로의) 시선이 마주침 : She was looking at me across the room, we made ~ several times. 그녀는 방 건너편에서 나를 보고 있었으며 우리는 몇 번 시선이 마주쳤다.

eye·cup [ˊ-kʌ̀p] *n.* Ⓒ 세안용(洗眼用) 컵.
***eyed** [aid] *a.* ① 《複合語로》 …의 눈을 한[가진]: blue-~ 푸른 눈의 / eagle-~ 독수리 같은 날카로운 눈을 가진. ② 구멍이[귀가] 있는《바늘 따위》. ③ 방울 무늬가 있는《공작 꼬리 등》, 무늬가 있는.
éye dòctor 안과 의사.
eye·drop [ˊ-drɑ̀p / ˊ-drɔ̀p] *n.* 눈물(tear).
eye·drop·per [ˊ-drɑ̀pər / ˊ-drɔ̀p-] *n.* Ⓒ 《美》 점안기(點眼器).
éye dròps 눈약, 안약.
eye·ful [áifùl] (*pl.* ~*s*) *n.* ① 한눈에 볼 수 있는 정도의 것; 충분히 보는 것. ② 《口》 남의 눈을 끄는 사람[사물], 《특히》 굉장한 미인.
eye·glass [ˊ-glæ̀s, ˊ-glɑ̀:s] *n.* ① Ⓒ 안경알. ② 외알 안경. ③ (*pl.*) 안경.
eye·hole [ˊ-hoùl] *n.* Ⓒ ① = PEEPHOLE. ② 바늘귀.
eye·lash [ˊ-læ̀ʃ] *n.* Ⓒ 속눈썹. ***by an*** ~ 근소한 차로. ***flutter*** one***'s*** ~***es at . . .*** (여성이) …에게 추파를 보내다.
éye lèns 대안(對眼) 렌즈.
eye·less [áilis] *a.* 눈 없는, 소경의; 맹목적인.
eye·let [áilit] *n.* Ⓒ ① (자수의) 장식 구멍. ② 아일릿; (구두 따위의) 끈구멍. ③ 들여다보는 구멍; 총안(銃眼).
***eye·lid** [ˊ-lìd] *n.* Ⓒ 눈꺼풀: the upper [lower] ~ 윗[아랫]눈꺼풀 / double ~*s* 쌍꺼풀.
eye·lin·er [ˊ-làinər] *n.* 아이라이너《(1) Ⓤ 눈의 윤곽을 돋우는 화장품. (2) Ⓒ 그것을 칠하는 붓》.
eye-open·er [ˊ-òupənər] *n.* Ⓒ ① 눈이 휘둥그레지게 하는 것, 놀랄 만한 일[사건, 행위]; (진상을 알려 주는) 새로운 사실. ② 《美口》 해장술.
eye·patch [ˊ-pæ̀tʃ] *n.* Ⓒ 안대(眼帶).
eye·piece [ˊ-pì:s] *n.* Ⓒ 접안 렌즈, 접안경.
eye·pit [ˊ-pìt] *n.* Ⓒ 〖解〗 안와(眼窩), 눈구멍.
eye-pop·per [ˊ-pɑ̀pər / ˊ-pɔ̀p-] *n.* Ⓒ 《美口》 ① (눈알이 튀어나올 만큼) 굉장한 것. ② 손에 땀을 쥐게 하는 것.
eye·shade [ˊ-ʃèid] *n.* Ⓤ,Ⓒ 보안용 챙《테니스할 때 등에 씀》; =EYE SHADOW.
éye shàdow 아이섀도.
eye·shot [ˊ-ʃɑ̀t / ˊ-ʃɔ̀t] *n.* Ⓤ 눈길이 닿는 곳, 시계(視界): beyond [out of] ~ 안 보이는 곳에.
***eye·sight** [ˊ-sàit] *n.* Ⓤ ① 시력, 시각: He lost his ~. 그는 실명했다. ② 시계(視界), 시야.
éye sòcket 〖解〗 안와(眼窩)(orbit), 눈구멍.
eyes-on·ly [áizòunli(:)] *a.* 《美》 (정보·문서가) 수신인만이 알 수 있는, 극비의.
eye·sore [ˊ-sɔ̀:r] *n.* Ⓒ 눈에 거슬리는 것《특히, 이상한 모양의 건축물 등》.
eye·strain [ˊ-strèin] *n.* Ⓤ 눈의 피로(감), 안정(眼精)피로.
eye·tooth [ˊ-tù:θ] (*pl.* ***-teeth*** [-tì:θ]) *n.* 송곳니《특히 윗니의》. ***cut*** one***'s eyeteeth*** 《口》 어른이 되다, 철이 나다. ***would give*** one***'s eyeteeth for*** …을 얻을 수 있다면 어떤 대가라도 치르다.
eye·wash [ˊ-wɑ̀ʃ, ˊ-wɔ̀:ʃ / ˊ-wɔ̀ʃ] *n.* ① Ⓤ,Ⓒ 안약, 세안수(洗眼水). ② Ⓤ 《口》 엉터리, 헛소리.
eye·wit·ness [ˊ-wítnis, ˊˊ-] *n.* Ⓒ 목격자; 실지 증인《*to; of*》.
ey·ot [éiət, eit] *n.* Ⓒ 《英》 (강·호수 안의) 작은 섬.
ey·rie, ey·ry [ɛ́əri, íəri] *n.* =AERIE.
EZ., Ezr. 〖聖〗 Ezra. **Ezek.** 〖聖〗 Ezekiel.
Eze·ki·el [izí:kiəl] *n.* 〖聖〗 에스겔《유대의 예언자》; 에스겔서《구약성서 중의 한 편》.
Ez·ra [ézrə] *n.* 〖聖〗 에스라《유대의 예언자》; 에스라서(書)《구약성서 중의 한 편》.

F

F, f [ef] (*pl.* **F's, Fs, f's, fs** [efs]) ① Ⓤ,Ⓒ 에프《영어 알파벳의 여섯째 글자》. ② Ⓤ〖樂〗바음《고정 도 창법의 '파'》, 바조(調) : *F* sharp 올림바조(F #) / a waltz in *F* major 바장조의 왈츠. ③ Ⓒ F자 모양의 것. ④ Ⓤ,Ⓒ (F)《美》(학업 성적의) 불가, 낙제점(failure),《때로》가(可)(fair) : He got an *F* in English. 그는 영어에서 F학점〔낙제점〕을 받았다. ⑤ Ⓤ 여섯 번째(의 것)《연속된 것의》. ⑥〖컴〗(16진수의) F《10진법의 15》.

F〖數〗field ; fine ((연필의) 심이 가는 ; 잔 글씨용(用)) ;〖化〗fluorine ; Folio《F_1=First Folio ; F_2=Second Folio》; France. **f**〖物〗femto- ;〖遺〗filial generation(후대(後代)). ***F.** Fahrenheit ; Father ; February ; Fellow ; France ; French ; Friday. **f.**〖電〗farad ; farthing ;〖時計〗fast ; fathom ;〖野〗foul(s) ; feet ; female ; feminine ; filly ;〖光〗focal length ; florin ; folio(s) ; following ; foot ; forte ; franc(s) ; function (of). **FA** factory automation. **FA, F. A.** Field Artillery ;〖野〗fielding average ; Fine Arts ; Football Association.

fa, fah [fɑː] *n.* Ⓤ,Ⓒ〖樂〗파《장음계의 넷째 소리》.

F.A.A., FAA《美》Federal Aviation Administration〔《본디》Agency〕.

fab [fæb] *a.*《口》굉장한. [◂*fab*ulous]

Fa·bi·an [féibiən] *a.* (싸우지 않고 적을 지치게 만드는) 지구책(持久策)의 : a ~ policy 지구책 / ~ tactics 지구전법. ── *n.* Ⓒ 페이비언 협회원〔주의자〕. ㊉ **~·ism** [-ìzəm] *n.* Ⓤ 페이비언주의. **~·ist** *n.*

Fábian Socíety (the ~) 페이비언 협회《1884년 Sidney Webb, Bernard Shaw 등이 London에서 설립한 점진적 사회주의 단체》.

‡**fa·ble** [féibəl] *n.* ① Ⓒ 우화, 교훈적 이야기 : Aesop's *Fables* 이솝 이야기. ② Ⓤ,Ⓒ 신화, 전설, 설화 : the ~*s* of gods and heroes 신들과 영웅들의 전설 / The heroes of Greek ~ 그리스신화의 영웅들. ③ Ⓤ,Ⓒ 꾸며낸 이야기〔일〕: a wild ~ 황당무계한 이야기 / He regarded it as a mere ~. 그는 그것을 단지 꾸며낸 이야기로 생각했다.

fa·bled [féibəld] *a.* ① 우화의〔에 나오는〕, 우화〔전설〕로 알려진, 유명한. ② 가공의, 허구의 (fictitious).

Fa·bre [fɑ́ːbər] *n.* **Jean Henri** ~ 파브르《프랑스의 곤충학자 ; 1823-1915》.

‡**fab·ric** [fǽbrik] *n.* ① Ⓒ,Ⓤ 직물, 천《★ cloth가 일반적임》; (직물의) 짜임새, 바탕(texture) : woolen ~*s* 모직물 / synthetic ~*s* 합섬 직물 / weave a ~ 직물을 짜다. ② (*sing.*) **a)**〔集合的〕(교회 등) 건물의 외부《지붕·벽 등》. **b)** 구조, 조직《*of*》: the ~ *of* society 사회 조직〔구조〕.

fab·ri·cate [fǽbrikèit] *vt.* ① …을 제조하다 ; 조립하다 ; (부품)을 규격대로 만들다. ② (이야기·거짓말 따위)를 꾸며〔만들어〕내다(invent), 날조〔조작〕하다 ; (문서 따위)를 위조하다(forge) : ~ a story〔will〕이야기를〔유언을〕날조하다. ㊉ **-cà·tor** [-ər] *n.*

fab·ri·ca·tion [fæ̀brikéiʃən] *n.* ① Ⓤ 제작, 조립 ; 꾸밈, 날조. ② Ⓒ 꾸며낸 일, 거짓말 : a pure〔outright, total〕~ 새빨간 거짓말.

fab·u·list [fǽbjəlist] *n.* Ⓒ ① 우화(寓話) 작가. ② 거짓말쟁이.

***fab·u·lous** [fǽbjələs] *a.* ① 전설적인(mythical) ; 전설·신화 등에 나오는(legendary). ② 황당 무계한, 믿을 수 없는 ; 터무니없는. ③《口》멋진, 굉장한(superb) : She looked absolutely ~ in her cycling clothes. 사이클링복을 입은 그녀는 매우 멋있게 보였다 / a ~ party〔idea〕멋진 파티〔착상〕. ◇ fable *n.* ㊉ **~·ly** *ad.* 믿어지지 않을 만큼, 엄청나게, 터무니없이 : ~*ly* rich 터무니없이 돈이 많은.

fa·çade, -cade [fəsɑ́ːd, fæ-] *n.* Ⓒ (F.)〖建〗(건물의) 정면(front), 겉꾸밈, 눈비음 : Her elegance is a mere ~. 그녀의 우아함은 단순한 겉치레에 불과하다.

†**face** [feis] *n.* ① Ⓒ 얼굴, 얼굴 모습(look) ; 얼굴 표정, 안색 : with averted ~ 얼굴을 돌리고 / a new ~ 신참자 / Her profile is better than her full ~. 그녀의 얼굴은 정면보다는 옆모습이 더 아름답다 / ⇨ LONG FACE. ② (종종 *pl.*) 찡그린 얼굴(grimace). ③ Ⓤ 면목, 체면(dignity) : ⇨ FACE-SAVING. ④ Ⓤ (흔히 the ~)《口》뻔뻔스럽게도 …함(effrontery)《*to* do》: He had *the* ~ *to* oppose me. 그는 건방지게도 내게 반대했다 / It takes a lot of ~ *to* carry that off. 그것을 밀고 나가려면 낯가죽이 퍽 두꺼워야 한다. ⑤ Ⓒ 면, 표면 : A cube has six square ~*s*. 정육면체는 사각형의 면이 6개 있다. ⑥ Ⓒ (시계·화폐 따위의) 겉면, 문자반 ; (기구의) 사용면 ;〖印〗(활자의) 자면(字面) ; (망치·골프 클럽 따위의) 치는 면 ; (건물 따위의) 정면(front). ⑦ Ⓒ 외관, 외견, 겉모습 ; 형세, 국면 : A chance remark of the woman changed the entire ~ of the situation. 그 여자의 우연한 한마디가 형세를 일변시켜 놓았다. ⑧ Ⓒ〖商〗(주권 등의) 액면(~ value). ⑨ Ⓒ〖採鑛〗막장, 채벽. ***come ~ to ~ with*** (적·난관·문제 등)에 직면하다. ***do one's ~*** 화장(化粧)하다. ~ ***down***〔***up***〕얼굴을 숙이고〔들고〕; 겉을 밑으로〔위로〕(카드를 놓다 등) : lie ~ *down* 엎드리다 / lay a book ~ *down* 책을 엎어 놓다. ***fall*** (***flat***) ***on one's ~*** (1) (사람이) 앞으로 엎어지다. (2) (계획 등이) 보기 좋게 실패하다, 순조롭게 되지 않다. ***fly in the ~ of*** (권위 등)에 정면으로 반항하다. ***have one's ~ lifted*** (얼굴의 주름을 펴는) 성형수술을 하다. ***have two ~s*** (사람이) 표리(表裏)가 있다 ; (말 따위를) 두 뜻으로 해석하게 하다. ***in*** (***the***) ~ ***of*** . . . (1) …에 거슬러, …에도 아랑곳없이〔불구하고〕(in spite of) : *in the ~ of* day〔the sun〕공공연하게, 드러내 놓고. (2) …을 앞에 두고, …에 직면하여 : He remained calm *in* (*the*) ~ *of* great danger. 그는 커다란 위기에 직면했으면서도 침착했다. ***keep one's ~*** (***straight***) =***keep a straight ~*** ⇨ STRAIGHT. ***lie on its ~*** (카드 따위가) 뒤집혀져 있다. ***look*** a person ***in the ~*** =***look in*** a person***'s ~*** 아무의 얼굴을 똑바로〔거리낌 없이〕바라보다. ***lose*** (***one's***) ~ 체면을 잃다, 낯(이) 깎이다 : It was impossible to apologize publicly without *losing* ~. 공개적으로 사과한다는 것은 체면을 잃는 일이었다. ***not be just a pretty ~*** =***be more than***

(*just*) ***a pretty*** ~《口·戲》(사람이) 생각한 것보다 유능하다, 얼굴만 예쁜 것은 아니다. ***off the ~ of the earth*** 지상에 완전히: The boys have disappeared *off the ~ of the earth.* 소년들은 지상에서 완전히 사라졌다. ***on the ~ of*** (문서 등의) 문면(文面)으로는. ***on the*** (***mere***) ***~ of it*** 본 바(로는); 분명하게(obviously): *On the ~ of it,* there was no hope for a comeback. 본 바로는 회복의 희망은 전혀 없었다《★ 결과적으로는 그렇지 않은 경우에 쓰임》. ***open*** 〔***shut***〕 one***'s*** ~《美俗》말하다〔입(을) 다물다〕. ***pull*** 〔***make, wear***〕 ***a long*** ~ 슬픈〔심각한〕 얼굴을 하다, 탐탁지 않은〔싫은〕 얼굴을 하다. ***put a bold*** 〔***brave, good***〕 ~ (***on***) (…을) 태연한 얼굴로〔대담하게〕 밀고 나가다; 시치미 떼다. ***put a new ~ on*** …의 국면〔면목, 외관〕을 일신하다. ***put*** one***'s ~ on***《口》(얼굴에) 화장〔메이크업〕을 하다. ***set*** 〔***put***〕 one***'s ~ against*** …에 단호하게 반항〔반대〕하다. ***show*** one***'s*** ~ 얼굴을 내밀다, 모습을 나타내다. ***throw*** 〔***fling, cast***〕... (***back***) ***in*** a person***'s*** ~ 〔***teeth***〕 ⇨ TOOTH. ***to*** a person***'s*** ~ 아무에게 정면으로; 공공연히; 솔직하게: Tell him *to his* ~ that he's a liar. 그를 마주 대하고 거짓말쟁이라고 말해주게. ***turn ~ about*** 휙 돌아다보다; 방향 전환을 하다.

── *vt.* ① …에 면하다, …을 향하다: My house ~*s* (the) south. 내 집은 남향이다. ②〔종종 受動으로; 전치사는 with, by〕…에게 용감하게 맞서다(brave); …에 대항하다(confront); (사실·사정 등)을 직시(直視)하다, …에 직면하다; (문제 등)이 생기다, 닥치다: Let's ~ it.《口》현실을 직시하자 / be ~*d with* 〔*by*〕 a problem 문제에 직면하다. ③ …으로 향하게 하다《*toward*》;〖軍〗(대열)을 방향 전환시키다; (카드)를 까놓다: He ~*d* the sofa *toward* the fireplace. 그는 소파를 난로 쪽으로 향하게 했다. ④《+目+前+名》…의 면을 반반하게 하다. ⑤ (차(茶) 등)에 물들이다, 착색하다; …의 외관을 보기 좋게 하다. ⑥《+目+前+名》(옷 따위)에 장식을〔레이스를〕 붙이다, 선두르다: The tailor ~*d* a uniform *with* gold braid. 재단사는 제복에 금몰을 달았다.

── *vi.* ①《+副/+前+名》면하다, 향하다《*on*; *to*; *toward*》: His house ~*s north* 〔*to* the north〕. 그의 집은 북향이다 / The building ~*s on* a river. 그 건물은 강(江)에 면하고 있다. ②〖軍〗방향 전환을 하다. ③〖아이스하키〗Face off 에 의해 경기를 개시〔재개〕하다(~ off). ***About ~!***《美》뒤로 돌아. ~ ***about*** 방향을 바꾸다, 돌게 하다;〖軍〗방향 전환시키다, 뒤로 돌다. ~ ***down*** 무섭게 으르다, 위압하다, 못하게 하다: She ~*d down* the rebellious students and sent them back to their books. 그녀는 반항적인 학생들을 위압하여 책으로 눈을 돌리게 했다 / He could always ~ *down* his detractors. 그는 그를 헐뜯는 무리들을 항상 제압할 수 있었다. ~ ***off*** (1)〔命令形〕(아이스하키 등에서) 경기 개시. (2) ⇨ *vi.* ③. (3)《美》(적과) 대결하다. ~ ***out*** (곤란 따위에) 대처하다, (비판 등에) 지지 않고 밀고 나가다, 어려운 일을 극복하다: We must ~ *out* this ugly situation. 우리는 이 험악한 사태를 용감히 극복해야만 한다. ~ ***up to*** …에 직면하다; …에 감연히 맞서다; …을 승인하다: reluctant to ~ *up to* sensitive foreign policy issues 미묘한 외교 문제에 적극적으로 나서길 꺼리는.

fáce càrd (카드의) 그림패(《英》court card)《킹·퀸·잭》.

face·cloth [∸klɔ̀ːθ / ∸klɔ̀θ] *n.* Ⓒ 수건(《美》washcloth); 시체의 얼굴을 덮는 천; 표면에 광택 처리가 된 나사(羅紗).

fáce crèam 화장용 크림.

faced [feist] *a.* 얼굴〔면〕을 가진; 표면을 덮은〔금「어낸〕.

-faced '…의 얼굴을 한, …개의 면이 있는, 표면이 …한'의 뜻을 지닌 형용사를 만드는 결합사: sad-~ 슬픈 얼굴을 한 / two-~ 양면이 있는 / rough-~ 표면이 거친.

face·down [∸dáun] *ad.* 얼굴을 숙이고; 엎어서.

face·less [∸lis] *a.* ① 얼굴이 없는; 정체 불명의: a ~ kidnap(p)er 정체불명의 유괴범 / ~ men 배후의 실력자들. ② (화폐 따위의) 면이 닳아 없어진. ③ 개성〔주체성〕이 없는, 특징이 없는. ④ 익명의; 무명의. ㊞ **~·ness** *n.*

face-lift [∸lìft] *vt.* …에 face-lifting 을 하다.
── *n.* =FACE-LIFTING.

face-lift·ing [∸lìftiŋ] *n.* Ⓤ.Ⓒ ① (얼굴의) 주름 펴는 성형 수술. ② 개장(改裝).

fáce màsk (야구의 포수, 하키의 골키퍼 등의)「마스크.

face-off [féisɔ̀ːf / -ɔ̀f] *n.* Ⓒ ① (하키의) 경기 개시. ②《美》대결. ③ 서로 노려봄.

fáce pòwder (얼굴 화장용) 분.

fac·er [féisər] *n.* Ⓒ (권투 등의) 안면 펀치, 얼굴 치기; 당황(케)하는 것〔말, 일〕, 뜻밖의 장애.

face-sav·er [∸sèivər] *n.* Ⓒ 체면(體面)을 세워 주는 수단〔것〕.

face-sav·ing [∸sèiviŋ] *a.* 〔限定的〕낯〔체면〕을 깎이지 않는, 면목을 세우는.

fac·et [fǽsit] *n.* Ⓒ (결정체·보석의) 작은 면, 깎은 면, (컷 글라스의) 각면(刻面);〖建〗턱; 양상, 국면(phase). ── (**-t-**,《英》**-tt-**) *vt.* …에 작은 면을 내다〔깎다〕. ㊞ **~·ed,**《英》**~·ted** *a.* 작은〔깎은〕 면이 있는.

fa·ce·tious [fəsíːʃəs] *a.* 익살맞은, 우스운, 괘사스러운; 농담의, 농담 삼아서 한《말》; 유쾌한.
㊞ **~·ly** *ad.* **~·ness** *n.*

face-to-face [féistəféis] *a.* 〔限定的〕정면으로 마주보는; 맞부딪치는.

fáce válue〖商〗액면가격;《比》표면상의 가치, 문자 그대로의 뜻. ***take*** a person***'s promise at*** (its) ~ 아무의 약속을 액면대로 믿다.

facia ⇨ FASCIA.

***fa·cial** [féiʃəl] *a.* 얼굴의, 안면의; 얼굴에 쓰는, 미안(美顔)용의; 면(面)의: ~ expression (얼굴의) 표정 / ~ cream (얼굴용) 화장크림.
── *n.* Ⓤ.Ⓒ 미안술, 안면 마사지. ㊞ **~·ly** *ad.*

fac·ile [fǽsil / fǽsail] *a.* ①〔限定的〕용이한(easy). ②《종종 蔑》걸치레의, 천박한. ③ 간편한. ④ 날랜, 잘 움직이는; 유창한(fluent): wield a ~ pen 줄줄 써 내리다 / a ~ mind 잘 도는 머리. ⑤ 친하기〔다루기〕 쉬운, 상냥한: ~ people 상냥한 사람들. ◇ facility *n.*
㊞ **~·ly** *ad.* **~·ness** *n.*

***fa·cil·i·tate** [fəsílətèit] *vt.* (일)을 (손)쉽게 하게 하다; 촉진〔조장〕하다《★ 이 낱말은 '사람'을 주어로 하지 못함》: This computer has ~*d* my task. 이 컴퓨터로 일을 쉽게 하였다.
㊞ **-tà·tive** [-iv] *a.*

fa·cil·i·ta·tion [fəsìlətéiʃən] *n.* Ⓤ 용이〔편리, 간편〕하게 함; 도움, 촉진;〖生理〗촉진, 소통.

fa·cil·i·ta·tor [fəsílətèitər] *n.* Ⓒ 쉽게 하는 사람〔물건〕, 촉진자〔물〕.

‡**fa·cil·i·ty** [fəsíləti] *n.* Ⓤ.Ⓒ ① 평이〔용이〕함. ② 솜씨, 재주, 능숙, 유창; 재능: Practice gives ~. 연습을 쌓으면 솜씨가 는다 / ~ in cooking 음식〔요리〕 솜씨 / have a ~ for asking pertinent questions 정곡을 찌르는 질문을 하는 재능이 있다. ③ 다루기 쉬움, 사람 좋음, 고분고분함. ④ (성격의) 태평함. ⑤ (흔히 *pl.*) 편의(를 도모하는 것),

편리; (*pl.*) 시설, 설비: provide a person with every ~ *for* accomplishing a task 일을 달성하기 위한 모든 편의를 아무에게 제공하다 / transportation *facilities* 교통편(便), 교통기관 / modern *facilities* 근대 설비 / *facilities* of civilization 문명의 이기(利器). ◇ facile *a.*

facílity mánagement 〖컴〗 컴퓨터는 자사에서 소유하고, 그 시스템 개발·관리 운영은 외부 전문회사에 위탁하는 일《略: FM》.

fac·ing** [féisiŋ] *n.* Ⓤ 면함, 향함, (집의) 향(向); (의복의) 가선 두르기, 단, 섶, 끝동; (*pl.*) 〖軍〗 (병과를 나타내는) 깃, 소매의 표지; Ⓒ〖建〗 마무리 치장한 면, 겉단장, 외장재(材), 치장재; Ⓤ (차(茶) 따위의) 착색(着色); 〖機〗 단면(端面) 절삭. ***go through one*'s* **~s** 《古》 (솜씨·능력 따위를) 시험받다.

fac·sim·i·le [fæksíməli] *n.* Ⓒ 모사(模寫), 복사; Ⓤ,Ⓒ 팩시밀리; 복사 전송장치; 사진전송, 전송 사진: A ~ of a document sent over the telephone system is called a fax. 전화 방식으로 보내는 문서의 복사전송장치를 팩스라고 한다. ***in*** ~ 복사로; 실물 그대로《冠詞없음》. ── *vt., vi.* (…을) 모사〔복사〕하다; 팩시밀리로 보내다. ── *a.* ~의; 실물 그대로의: a ~ edition (of a manuscript) 복사판 / ~ transmission 전송 사진.

†**fact** [fækt] *n.* ① Ⓒ 사실, 실제(의 일), 진실, 진상: an established ~ 확정된 사실 / Tell me nothing but ~*s.* 실제로 있었던 사실만을 얘기하게《★ 이에 대해 truth는 '진실'이라고 믿어지고 있는 사실을 말함》. ② Ⓒ (흔히 the ~) …이라는 사실; 현실《*of* ; *that*》: No one can deny *the* ~ *that* man cannot live without love. 인간은 사랑 없이는 살 수 없다는 사실은 누구도 부정 못한다. ③ Ⓤ (이론·의견·상상 등에 대한) 사실, 현실, 실제: *Fact* is more curious than fiction. 사실은 소설보다 더 기이하다. ④〖法〗 (the ~) 사실, 범행, 현행: confess *the* ~ 범행을 자백하다. ⑤ Ⓒ〖法〗 (종종 *pl.*) 진술한 사실: His ~*s* are false. 그의 진술은 거짓이다. ***after*** 〔***before***〕 ***the*** ~ 범행 후〔전〕에, 사후(事後)〔사전〕에. ***as a matter of*** ~ 사실은, 사실상; 실제는, 실(實)은. **~*s and figures*** 정확한 정보, 상세함. ***for a*** ~ 사실로서. ***from the*** ~ ***that...*** …라는 점에서. ***in*** (***actual***) ~ = ***in point of*** ~ (예상·겉보기 등에 대하여) 실제로; 사실상: He is the president of the company *in* ~, but not in name. 그는 사실상은 그 회사의 사장이나 명목상은 그렇지 않다 / She said she was alone. *In* ~ there was someone else there, too. 그녀는 혼자 있었다고 말했으나, 실은 누군가가 또 있었다. ***the*** ~ (***of the matter***) ***is*** (***that***) ... 사실〔진상〕은 …이다.

fáct fìnder 진상 조사(위)원.

fact-find·ing [-fàindiŋ] *a., n.* Ⓤ 진상 조사(의): a ~ committee 진상 조사 위원회.

***fac·tion**[1] [fǽkʃən] *n.* Ⓒ 도당, 당파, 파벌; Ⓤ 파벌 싸움, 당쟁, 내분(dissension); 당파심: ~ fighting 파벌 투쟁 / split 〔run〕 into petty ~*s* 소당(小黨)으로 분열하다.

fac·tion[2] *n.* Ⓤ 실화 소설.

-faction *suf.* -fy의 어미를 갖는 동사에서 그 명사를 만듦: satis*faction.*

fac·tion·al [fǽkʃənəl] *a.* 도당의, 당파적인: a ~ dispute 당파 싸움. ㊥ **~·ism** [-ìzəm] *n.* Ⓤ 파벌주의, 당파 근성〔싸움〕. **~·ist** *n.* Ⓒ 파벌주의자. **~·ìze** *vt.* 《美》 …을 분파시키다, 당파적으로 하다. **~·ly** *ad.*

fac·tious [fǽkʃəs] *a.* 당파적인, 당파상의; 당쟁을 일삼는, 당파심이 강한, 당파 본위의: A ~ group was trying to undermine the government. 당파 본위의 그룹이 정부의 기초를 위태롭게 하고 있었다. ㊥ **~·ly** *ad.* **~·ness** *n.*

fac·ti·tious [fæktíʃəs] *a.* ① 인위적인, 인공적인 (artificial), 부자연한. OPP *natural.* ② 만들어〔꾸며〕낸, 허울뿐인, 가짜의(sham). OPP *genuine.* ㊥ **~·ly** *ad.* **~·ness** *n.*

fac·ti·tive [fǽktətiv] *a.* 〖文法〗 작위(作爲)적인. ── *n.* 작위 동사. ★ 《+目+補》 문형에 쓰이는 make, cause, think, elect 등. ㊥ **~·ly** *ad.*

fac·toid [fǽktɔid] *n.* Ⓒ 의사(擬似) 사실. ㊥ **-toi·dal** [-dəl] *a.*

‡**fac·tor** [fǽktər] *n.* Ⓒ ① 요인, 인자, 요소《*of* ; *in*》: a ~ *of* happiness 행복의 요인 / a deciding ~ *in* the formation of one's character 성격 형성상의 한 결정적 요소. ②〖數〗 인자(因子), 인수, 약수: a common ~ 공통 인자, 공약수 / the prime ~ 소인수(素因數). ③〖機〗 계수, 율: the ~ of safety 안전율(safety ~). ④〖生〗 인자(gene), 《특히》 유전 인자. ⑤ (수금(收金)) 대리업자, 도매상, 중매인; 채권 금융업(자〔회사〕): a corn ~ 곡물 도매상. ⑥〖컴〗 인수《어떤 값에 곱해져서 그 값을 변화시키는 일을 하는 수》. ~ 〔***agent***〕 ***of production*** 〖經〗 생산 요소. ***resolution into ~s*** 인수 분해.
── *vt.* 〖數〗 …을 인수 분해하다《*into*》.
── *vi.* ~로서 행동하다; 외상매출 채권을 매입하다. ~ ***in*** 계산에 넣다, …을 요인의 하나로 고려하다〔넣다〕. ㊥ **~·a·ble** [-tərəbəl] *a.*

fac·tor·age [fǽktəridʒ] *n.* Ⓤ (수금) 대리업, 도매업; 중개 수수료; 구문, 도매 구전. 「자.

fáctor Ⅷ [-éit] 〖生化〗 항혈우병(抗血友病) 인

fac·to·ri·al [fæktɔ́ːriəl] *a.* 〖數〗 인수(因數)의; 계승의; (수금) 대리업의; 공장〔제조소〕의.
── *n.* 〖數〗 순차곱셈, 계승(階乘); 〖컴〗 팩토리얼 《주어진 양(陽)의 정수에 대해 1부터 그 숫자까지의 모든 정수를 곱하는 일; 그 표시법은 *n*!》. ㊥ **~·ly** *ad.*

‡**fac·to·ry** [fǽktəri] *n.* Ⓒ ① 공장, 제조소(所) (works): a shoe ~ 제화공장. ② 〔形容詞的〕 공장의: a ~ girl 여공, 여직공 / a ~ price 공장도 가격. ③《比》 (물건·자격 등의) 제조 장소《학교 등》; 해외 대리점; 〔본디〕 재외 상관(商館).

fáctory fàrm 공장식 (축산) 농장.

fáctory shìp 공선(工船)《삼치 모선 따위》.

fac·to·tum [fæktóutəm] *n.* Ⓒ 잡역부; 하인의 우두머리.

***fac·tu·al** [fǽktʃuəl] *a.* 사실의, 사실에 입각한; 실제의(actual). ㊥ **~·ly** *ad.* **~·ness** *n.* **fàc·tu·ál·i·ty** [-ǽləti] *n.*

fac·tu·al·ism [fǽktʃuəlìzəm] *n.* Ⓤ 사실 존중(주의). ㊥ **-ist** *n.* Ⓒ **fàc·tu·al·ís·tic** [-ístik] *a.*

‡**fac·ul·ty** [fǽkəlti] *n.* Ⓒ ① (기관·정신의) 능력, 기능(function), 수완, 재능: the ~ of speech 언어 능력 / mental ~ 정신 능력, 지능 / reasoning ~ 추리력 / the ~ of hearing 청각. ② (대학의) 학부(department), 분과(分科): the ~ of law 법학부. ③ (학부의) 교수단, 교수회; 《美》 〔集合的〕 (대학·고교의) 교원, 교직원: The ~ is meeting tomorrow at 4 pm. 교수단은 내일 오후 4시에 회의를 가진다 / a ~ meeting (학부) 교수회. ④ (의사·변호사 등의) 동업자 단체; (the ~) 《英口》 의사들《전체》. ⑤ Ⓤ 〖英國敎〗 허가《특히 교회에 대한》. ***the four faculties*** (중세 대학의) 4 학부《신학·법학·의학·문학》.

***fad** [fæd] *n.* Ⓒ 일시적 유행〔열광〕(craze); 변덕; 도락, 취미; 《英》 (특히 식성의) 까다로움: have a ~ for …에 열중하다〔빠지다〕 / Playing video games is the latest ~ among youngsters. 비디오게임이 젊은 사람들간에 최신 유행이다 / She has ~*s* about food. 그녀는 식성이 까다롭다.

fad·dish [fǽdiʃ] *a.* 변덕스러운, 일시적으로 열중하는 ; 일시적인 유행을 좇는 ; (식성이) 까다로운. ㊞ **~·ly** *ad.* **~·ness** *n.*

fad·dy [fǽdi] (*-di·er* ; *-diest*) *a.* =FADDISH. ㊞ **fád·di·ly** *ad.* **-di·ness** *n.*

‡fade [feid] *vi.* ① (젊음·신선함·아름다움·기력 등이) 쇠퇴해지다, 희미〔아련〕해지다 ; (꽃 따위가) 시들다, 이울다(wither) ; (색이) 바래다 : Her beauty has not yet ~*d*. 그녀의 아름다움은 아직도 시들지 않았다 / This material ~*s* when it is washed. 이 재료는 세탁하면 색이 바랜다 / The tulips have ~*d*. 튤립은 시들었다. ② 《~ / +副》 (소리가) 꺼져〔사라져〕 가다 ; (빛이) 흐려져 가다, 광택을 잃다 : The light has ~*d*. 빛이 흐려졌다 / The sound ~*d* (*away*) little by little. 소리가 점점 희미해져 갔다 / His shout ~*d into* the stillness of the night. 그의 외침소리는 밤의 정적 속에 파묻혀져 갔다. ③ 《~ / +副 / +전+명》 (기억·인상 등이) 어렴풋해지다《*away ; out*》 ; (정열 따위가) 식다 ; (브레이크가) 차츰 안 듣다《*away; out*》 : The incident ~*d from* her mind. 그 사건은 그녀의 머리에서 점점 사라져 갔다. ④ (습관이) 쇠퇴하다, 자취를 감추다, 사라지다, 내빼다 : All hope of success soon ~*d away*. 이윽고 성공에 대한 모든 희망은 사라졌다. ―― *vt.* …을 바래게〔시들게, 쇠하게〕 하다 : The sun ~*d* the dress. 햇빛에 옷이 바랬다. ~ ***away*** 사라져 없어지다, 색이 바래다 : 'Old soldiers never die, they only ~ *away*' means that the qualities soldiers have stay with them forever. '노병은 죽지 않는다. 다만 사라질 뿐이다'란 군인들이 지니고 있는 특질은 그들에게 영원하리라는 것을 뜻한다. ~ ***in*** 〔***out***〕 〖映·放送〗 (화면·음향이) 점차 똑똑해지다〔희미해지다〕 ; (화면·음향을) 점차 뚜렷하게〔희미하게〕 하다 ; 용명(溶明)〔용암(溶暗)〕하다. ~ ***into*** 쇠하여〔희미해져〕 …이 되다 : The red sky ~*d into* pink. 붉게 물든 하늘은 연분홍색으로 변하였다. ~ ***up*** =fade in. ―― *n.* ① =FADE-IN ; =FADE-OUT. ② Ⓒ 〖映·TV〗 영상의 점이(漸移) ; (마모·과열로 인한) 자동차 제동력의 감퇴. ③ Ⓒ 《口》 실패.

fad·ed [féidid] *a.* 시든, (색이) 바랜 ; 쇠퇴한.

fade-in [féidìn] *n.* Ⓤ,Ⓒ 〖映·放送〗 페이드인, 용명(溶明)《음량·영상이 차차 분명해지기》.

fade·less [féidlis] *a.* 색이 날지 않는 ; 시들지 않는 ; 쇠하지 않는 ; 불변의. ㊞ **~·ly** *ad.*

fade-out [féidàut] *n.* Ⓤ,Ⓒ 〖映·放送〗 페이드아웃, 용암(溶暗)《음량·영상이 차차 희미해지기》.

fad·ing [féidiŋ] *n.* Ⓤ (용모·기력 등의) 쇠퇴 ; 퇴색 ; 〖映〗 화면의 용명(溶明)이나 용암(溶暗) ; 〖通信〗 페이딩《전파의 강도가 시간적으로 변동하는 현상》.

fa·er·ie, fa·ery [féiəri, fέəri] *n.* 《古·詩》 요정(妖精)의 나라(fairyland), 선경(仙境).

Fáerie Quéene [-kwíːn] (The ~) 요정의 여왕《영국시인 Edmund Spenser 의 기사이야기》.

Fá(e)r·oe Íslands, Fa(e)r·oes [fέərou-], [-z] (the ~) 페로스 제도《영국과 아이슬란드 사이에 있는 21 개의 화산군도 ; 덴마크령》.

faff [fæf] *vi.* 《英口》 공연한 소란을 피우다 ; 빈둥빈둥 지내다, 객쩍은 짓을 하다. ―― *n.* Ⓤ (종종 a ~) 공연한 소란, 객쩍은 짓.

fag [fæg] (*-gg-*) *vi.* 열심히 일〔공부〕하다(drudge) 《*at ; away*》 ; (열심히 일해서) 지치다 ; 혹사당하다 ; 《英》 (public school 에서 하급생이) 상급생의 잔심부름을 하다 ; (밧줄 끝이) 풀리다 : John ~*ged for* some of the elder boys. 존은 상급생의 잔심부름을 했다. ―― *vt.* 〔흔히 受動으로〕 (일이) …을 지치게 하다《*out*》.
―― *n.* ① Ⓤ (또는 a ~) 《英》 힘드는 일 ; 피로 : brain ~ 정신적 피로, 신경쇠약 / It is too much (of *a*) ~. 정말 빠빠지는 일이다. ② Ⓒ 《英》 (public school 에서) 상급생의 잔심부름하는 하급생. ㊞ **fág·ging** *n.*

fág énd ① (피륙의) 토끝 ; 밧줄의 풀린 끄트머리. ② (the ~) 끄트머리, 마지막 : At *the* ~ *of* the football season the fans lose interest. 축구 시즌이 끝날 무렵이 되면 팬들은 재미를 잃는다. ③ 찌꺼기(remnant) ; 《英口》 담배 꽁초 ; 《口》 하찮은〔손해 본〕 결말.

faggot[1] ⇨ FAGOT.

fag·got[2] [fǽgət] *n.* Ⓒ 《美俗·蔑》 (남자의) 동성연애자, 호모.

Fa·gin [féigin] *n.* Ⓒ 늙은 악한《어린이를 소매치기나 도둑질의 앞잡이로 씀 ; Dickens 의 *Oliver Twist* 에서》.

fag·ot, 《英》 **fag·got** [fǽgət] *n.* Ⓒ ① 장작뭇〔단〕, 섶〔나무〕단. ② (가공용의) 쇠막대 다발 ; 지금(地金) 뭉치 ; (수집물의) 한 뭉치(collection). ③ 《英》 (흔히 *pl.*) 돼지간(肝) 요리의 일종《경단 모양 또는 롤》 ; 파슬리·타임(thyme) 등 요리용 향초(香草)의 한 다발. ④ 싫은 여자, 기분 나쁜 여자 ; 노파. ―― *vt., vi.* (…을) 다발짓다, 묶다 ; (피륙을) 파고팅하여 꾸미다〔연결하다〕.

‡Fahr·en·heit [fǽrənhàit, fάːr-] *n.* Ⓤ, *a.* 화씨(온도계)(의) (=∠ **thermómeter**) 《略 : F, F., Fah., Fahr.》 ; 화씨 온도 ; 화씨 눈금(=∠ **scàle**). cf. centigrade.

fa·ience [faiάːns] *n.* Ⓤ 《F.》 파양스 도자기《광택이 나는 고급 채색의》.

†fail [feil] *vi.* ① 《~ / +전+명》 **a)** 실패하다, 실수하다. opp. *succeed*. ¶ I ~*ed in* persuading him. 나는 그를 설득시키지 못하였다 / ~ *in* business 장사에 실패하다. **b)** 달하지〔이루지〕 못하다《*of*》 : ~ *of* success 성공을 못하다 / The bill ~*ed of* passage. 법안은 통과되지 않았다 / The policy is likely to ~ *of* its object. 그 정책은 목적을 달성할 것 같지가 않다. ② 《+*to* do》 (…을 하지) 못하다 ; (…하기를) 게을리하다, 잊다 (neglect) ; 〔否定語와 함께〕 꼭 …하다 : Tom often ~*s to* keep his promise. 톰은 종종 약속을 지키지 않곤 한다 / He ~*ed to* appear. 끝내 모습을 나타내지 않았다 / Don't ~ *to* let me know. 꼭 나한테 알려다오. ③ (공급 등이) 부족하다, 결핍되다, 없어지다 : Water often ~*s* in the dry season. 가물 때는 종종 물이 달리게 된다. ④ 《+전+명》 (덕성·의무 등이) 없다, 모자라다《*in*》 : ~ *in* respect 존경하는 마음이 없다 / ~ *in* one's duty 의무를 게을리하다 / He ~*s in* sincerity. 그는 성실성이 부족하다. ⑤ 《~ / +전+명》 낙제하다 ; 〖法〗 패소하다 ; (회사·은행 따위가) 파산하다 ; (시험·학과에) 떨어지다《*in*》 : a ~*ing* mark 낙제점. ⑥ (힘·시력·건강·미모 등이) 쇠하다, 약해지다 ; (바람이) 자다 : His health ~*ed*. 건강이 쇠해졌다. ⑦ (기계류가) 고장나다, (호흡 등이) 멈추다 : My heart is ~*ing*. 심장이 멈출 것 같다.
―― *vt.* ① …의 기대를 어기다, (요긴(要緊)할 때에) …의 도움이 되지 않다, …을 저버리다 (desert), 실망시키다(disappoint), …에게 없다 : He ~*ed* me at the last minute. 마지막 순간에 와서〔급할 때에〕 그는 나를 버렸다 / Words ~*ed* me. 나는 (감동하여) 말이 안 나왔다 / His heart ~*ed* him. 심장이 멎었다 / He rarely ~*s* his

promise. 그는 결코 약속을 어기지 않는다 / This book ~s the reader's expectation. 이 책은 독자의 기대에 어긋났다. ② (학생)을 낙제시키다; …에서 낙제점을 따다: The professor ~ed him *in* history. 교수는 그를 역사 시험에서 낙제시켰다 / He ~ed history. 그는 역사가 낙제점수였다. ◇ failure *n.*

— *n.* ① 실패(failure); 《美》(매매된 주식의) 인도(引渡) 인수 불이행: ~ to deliver 인도 불이행 / ~ to receive 인수 불능. ② (시험에) 떨어진 사람. ***without*** ~ 틀림[어김]없이, 반드시.
㉥ **~ed** *a.* 실패한; 파산한.

***fail·ing** [féiliŋ] *n.* ① Ⓤ 실패(failure). ② Ⓒ 불이행, 태만. ③ Ⓤ,Ⓒ 부족, 결여. ④ Ⓒ 결점, 약점, 단점(fault, weakness). ⑤ Ⓤ,Ⓒ 약화, 쇠퇴. ⑥ Ⓒ 파산. — *a.* 약해 가는, 쇠한: In the ~ light, it was hard to read the signposts. 희미해지는 불빛 속에서 도로 표지판을 읽기가 힘들었다.
— [ˊ-, -ˊ] *prep.* ① …이 없을 때[경우]에는(in default of): *Failing* payment, we shall attach your property. 지불 못하면 재산을 압류하겠다. ② …이 없어서(lacking). ㉥ **~·ly** *ad.* 점점 쇠퇴하여[희미하여, 사라져]; 실패[실수]하여.

fail-safe [féilsèif] *a.* ① 이중 안전 장치의. ② 절대 안전한: ~ business 안전한[틀림 없는] 사업.
— *n.* Ⓒ (그릇된 동작·조작에 대한) 자동 안전 장치; (때로 F-) 폭격기의 진행제한 지점.

‡fail·ure [féiljər] *n.* ① Ⓤ 실패: *Failure* teaches success. 《俗談》 실패는 성공을 가르친다 / Our plan ended in ~. 우리의 계획은 실패로 끝났다 / His ~ *in* business was due to his own laziness. 그의 사업의 실패는 자신의 태만 때문이었다. ② Ⓒ 불이행, 태만(neglect): a ~ in duty 직무 태만. ③ Ⓤ,Ⓒ 부족, 결핍: the recent ~ of water 최근의 물의 부족. ④ Ⓤ,Ⓒ 쇠약, 감퇴(decay); 〖醫〗 기능 부전(不全): (a) heart ~ 심부전(心不全). ⑤ Ⓒ 파산(bankruptcy), 지급 정지[불능], 도산, 파산. ⑥ Ⓒ 실패자, 실패작: She was a ~ as a pianist. 그녀는 피아니스트로서는 실패자였다. ⑦ 〖教〗 Ⓤ 낙제; Ⓒ 낙제점, 낙제생[자]: There will be some ~s *in* the next examination. 다음 시험에는 몇 명의 낙제자가 있을 것이다. ⑧ Ⓤ,Ⓒ 〖機〗 고장; 파괴, 파손: The storm caused power ~ in many places. 폭풍으로 여러 곳에 정전(停電)이 발생했다. ◇ fail *v.*

fain [fein] 《古·詩》 *a.* 〔敍述的; 뒤에 to+不定詞를 수반하여〕 ① 기꺼이[자진해서] …할 마음으로(willing): They were ~ *to* go. 그들은 기꺼이 갔다. ② 부득이 …하는, …하지 않을 수 없는(obliged): He was ~ *to* acknowledge it. 그것을 인정하지 않을 수 없었다. ③ …하기를 간절히 바라서, 몹시 …하고 싶어하여(eager). — *ad.* 〔would ~으로〕 기꺼이, 자진하여(glad): I *would* ~ help you. 기꺼이 돕고 싶다(만).

‡faint [feint] (**ˊ·er**; **ˊ·est**) *a.* ① 어렴풋한(dim), (빛이) 희미한, (색이) 엷은, (소리가) 약한, (목소리가) 가냘픈; (희망이) 실낱 같은: ~ lines [ruling] 엷은 괘선(罫線) / The light grew ~. 빛이 희미해졌다 / There was only a ~ chance of success. 성공의 가능성은 실낱 같았다. ② (기력·체력이) 약한(weak), 부족한: His pulse became ~*er*. 그의 맥박은 더 약해졌다. ③ 힘없는, 무기력한(halfhearted); 겁많은(timid), 마음이 내키지 않는: a ~ effort 내키지 않는 노력 / ~ praise 마음에 없는 칭찬 / *Faint* heart never won a fair maid. 겁쟁이는 미녀를 얻은 적이 없다. ④ 〔敍述的〕 (피로·공복·병 따위로) 기절할 것 같은, 실신한, 어찔한《*with*; *for*》: feel ~ 어지럽다 / I am ~ *with* hunger. 배가 고파서 쓰러질 지경이다. (***I***) ***have not the ~est idea.*** (난) 전혀 모른다: *I have not the ~est idea* (of) what it is like. 그것이 어떠한 것인지 전혀 짐작이 가지 않는다.
— *n.* Ⓒ 기절, 졸도, 실신(swoon). ***fall into a*** ~ 기절하다. ***in a dead*** ~ 기절하여. — *vi.* 실신하다, 졸도하다, 기절하다(swoon)《*away*》: They were ~*ing* from lack of air. 그들은 공기 부족으로 의식을 잃어가고 있었다.
㉥ **ˊ·ness** *n.*

faint·heart [ˊhὰ:rt] *n.* Ⓒ 겁쟁이(coward).

faint·heart·ed [ˊhά:rtid] *a.* 나약[겁약]한, 겁많은(timid), 무기력한; 주눅 들린.
㉥ **~·ly** *ad.* **~·ness** *n.*

‡faint·ly [féintli] *ad.* ① 희미하게, 어렴풋이. ② 힘없이(feebly), 소심(小心)[겁약]하게(timidly): I ~ remember meeting him once. 언젠가 한번 그를 만난 것이 희미하게 기억난다 / He sighed ~. 그는 힘없이 한숨을 쉬었다.

†fair[1] [fεər] (**ˊ·er**; **ˊ·est**) *a.* ① **a**) 공평한, 공정한, 올바른, 공명정대한(just), 정당한(reasonable); 정정 당당한; (임금·가격 등이) 적정한, 온당한: a ~ decision 정당한 결정 / ~ wages 적정한 임금 / by ~ means 올바른 수단으로 / All's ~ in love and war. 사랑과 전쟁에서는 수단을 가리지 않는다. **b**) 〔敍述的〕 (…에) 공평한《*to*; *with*; *toward*》: He was ~ *with* his students. 그는 학생들에게 공평했다 / He's ~ even *to* people he dislikes. 그는 싫어하는 사람에게도 공평했다. OPP *foul*. ② 〖競〗 규칙에 맞는(legitimate) (OPP *foul*); 〖野〗 (타구가) 페어의: a ~ hit (야구의) 페어. ③ 〔限定的〕 (양·크기가) 꽤 많은, 상당한; 〔強意的〕 대단한; 《口》 철저한, 완전한: a ~ income [heritage] 상당한 수입[유산] / a ~ number of 상당수의… / He has a ~ understanding of it. 그는 그것을 상당히 이해하고 있다. ④ 그저 그런, 어지간한, 무던한: merely ~ 그저 그런 정도 / Her performance was no more than ~. 그녀의 연기[연주]는 그저그랬다. ⑤ (하늘이) 맑게 갠, 맑은(clear). OPP *foul*. ¶ ~ or foul weather 청우(晴雨)에 관계없이. ⑥ 〖海〗 (바람·조류가) 순조로운, 알맞은(favorable): a ~ wind 순풍. ⑦ 살이 흰(light-colored), 금발의(blond). ⑧ 여성의: a ~ visitor 여자 손님 / the ~ readers 여성 독자. ⑨ 《文語·詩》 (여성이) 아름다운, 매력적인. ⑩ 깨끗한, (필적·인쇄가) 읽기 쉬운, 똑똑한(neat): a ~ name 명성 / Her ~ reputation was ruined by gossip. 그녀의 신망은 가십으로 허물어졌다 / ~ handwriting 깨끗한 필적 / ~ water 맑은 물. ⑪ 《古》 (시야가) 넓은, 다니기 쉬운, 평평하고 넓은. ⑫ 당연한, 순조로운, 유망한(promising): His prospects of future promotion are tolerably ~. 그의 승진 전망은 꽤 유망하다. ⑬ 〔限定的〕 그럴 듯한, 솔깃한(plausible); (말이) 정중한: a ~ promise 그럴 듯한 약속 / He gives us ~ words, but does little. 그는 그럴듯한 말을 하기는 하나, 아무것도 해주지 않는다. ⑭ (성적의 5 단계 평가에서) 미(美)의, C의. ***be in a ~ way to*** do …할 것 같다, …할 가망이 있다: He *is in a ~ way to* succeed. 그는 성공할 가능성이 충분히 있다. ***by ~ means or foul*** 무슨 일이 있어도, 기어코, 모든 수단을 다해. ***by*** one***'s own ~ hand*** 《戱》 혼자서, 혼자 힘으로. ***~ and square*** 공정한[하게], 올바른[르게], 당당한[하게]. ***~ do's*** [***dos***] 《英口·戱》 (1) 공평한 몫[취급]. (2) 〔感歎詞的〕 공평하게 하자; 그건 부당하다[오해다]. ***Fair enough!*** 《口》 (제

안 등에 대해) 좋아, 됐어 : I'll do the cooking and you clear up afterward. OK?— *Fair enough!* 내가 요리를 하겠으니 자네는 설거지를 맡게, 됐지? —좋았어. ***Fair's*** **~.** 《口》 (서로) 공평하게 하자. **~ *to middling*** 《美》 그저 그만한, 어지간한 ; 좋지도 나쁘지도 않은(so-so).

— (*⌐·er* ; *⌐·est*) *ad.* ① 공명 정대히, 정정 당당히 : play [fight] ~ 정정 당당히 행동하다[싸우다]. ② 정중히 : speak ~ 정중하게 이야기하다. ③ 깨끗하게 : copy [write out] ~ 정서(淨書)하다. ④ 유망하게 : Events promise ~. 국면은 유망하다. ⑤ 똑바로, 정면으로 ; 《Austral.》 실로, 아주, 완전히 : ~ in the trap 완전히 함정에 걸려 / The stone hit him ~ in the head. 돌은 그의 머리에 정통으로 맞았다. ***bid ~ to*** do …할 가망이 충분히 있다 : Our plan *bids* ~ *to* succeed. 계획은 성공할 것 같다. **~ *and square*** ⇨*a.* ***stand ~ with*** …에 대하여 평판이 좋다.

— *vt.* (문서)를 정서하다 ; (선박·항공기)를 정형(整形)하다《유선형 따위로》《*up* ; *off*》; 딱맞게 연결하다 ; (재목 등)을 반반하게 하다.

— *vi.* 《英·美方》 (날씨가) 개다(clear), 호전되다《*up* ; *off*》: The weather has ~*ed off* [*up*]. 날씨가 개었다.

㊉ *⌐*·**ness** *n.* Ⓤ 공정, 공평, 공명정대.

‡**fair²** [fɛər] *n.* Ⓒ ① (정기적으로 열리는) 장, 정기시(市). ② 자선시(bazaar)《여흥이 포함됨》. ③ 박람회, 공진[품평]회 ; 견본시, 전시회 ; 《英》(이동) 유원지 : an agricultural [industrial] ~ 농산물 공진회[산업 박람회] / an international trade ~ 국제 견본시 / a world's ~ 만국 박람회. ④ (대학 진학·취직 등의) 설명회(festival) : job ~ 취직 설명회. (***a day***) ***after the*** ~ = ***behind the*** ~ (이미) 때늦음, 사후 약방문.

fáir báll 〖野〗 페어볼. opp. *foul ball.*

fáir gáme (허가된) 엽조수(獵鳥獸), (조소·공격의) 목표, 《比》 '봉' 《*for*》: Politicians were always considered ~ by cartoonists. 정치가들은 만화가들에 의해 항상 봉으로 간주되었다.

fair·ground [⌐gràund] *n.* Ⓒ (종종 *pl.*) 박람회·장·서커스 따위가 열리는 곳.

fair-haired [⌐hέərd] *a.* 금발의, 머리가 아름다운 ; 마음에 드는(favorite).

fáir-háired bóy (윗사람의) 마음에 드는[총애받는] 남자(《英》 blue-eyed boy).

fair·ing [fέəriŋ] *n.* ① Ⓤ (비행기·선박 따위 표면의) 정형(整形)《유선형으로 하기》. ② Ⓒ 유선형 덮개[구조].

‡**fair·ly** [fέərli] (***more*** ~ ; ***most*** ~) *ad.* ① 공평히(justly), 공명정대하게, 정정 당당히 : I felt they hadn't treated me ~. 그들이 나를 공평하게 대우하지 않았음을 깨달았다. ② 올바르게 : It may be ~ asserted that…. …라고 단언해도 괜찮다. ③ 똑똑히, 깨끗하게(clearly), 적절하게, 어울리게 : a table ~ set 정갈하게 차린 식탁 / ~ priced stocks 적정 가격의 (재고) 상품 / be ~ visible 똑똑히 보이다. ④ 〔정도를 나타내〕 꽤, 어지간히, 상당히(tolerably) ; 그저 그렇게(moderately) : This is a ~ interesting book. 이것은 꽤 재미있는 책이다 / She cooks ~ well. 그녀는 요리를 꽤 잘한다. ⑤ 아주, 완전히, 감쪽같이(completely) 《★ 이 경우 강조어로서 受動에 쓰이는 경우가 많음》: He *was* ~ exhausted. 그는 녹초가 되었다 / I *was* ~ caught in the trap. 나는 감쪽같이 함정에 걸렸다 / This ~ destroyed her chances. 이것으로 그녀의 기회는 완전히 산산조각났다. **~ *and squarely*** 공정하게, 당당하게.

fair-mind·ed [⌐máindid] *a.* 공평한, 공정한 (just), 편견[기탄]없는. ㊉ ~·**ly** *ad.* ~·**ness** *n.*

fair·ness** [fέərnis] *n.* Ⓤ ① 공평함. ② 아름다움 ; 흰 살결 ; (두발의) 금빛. ③ 《古》 순조, (날씨의) 맑음. ***in ~ to …에 대해 공평히 말하면 : *In ~ to* him, he didn't mean to take the bribe. 그에 대해 공평히 말하면 그는 뇌물을 받을 뜻은 없었다. ***out of all ~*** 《美口》 공평하게 말하자면.

fáir pláy 정정 당당한 경기 태도 ; 공명 정대한 행동, 페어플레이.

fáir sháke 《美口》 공평한 조처[기회].

fair-spo·ken [⌐spóukən] *a.* (말씨가) 정중한, 붙임성 있는 ; 말솜씨 좋은. ㊉ ~·**ness** *n.*

fáir tráde 〖經〗 공정 거래, 호혜 무역(거래) ; 《美》 협정 가격 판매.

fair-trade [⌐tréid] *a.* 협정가격 판매의, 공정 거래의.　「[사람].

fáir tréat 《口》 매우 재미있는[매력적인] 물건

fair·way [fέərwèi] *n.* Ⓒ 방해받지 않는 통로 ; (강·항구 따위의) 항로 ; 〖골프〗 tee와 putting green 중간의 잔디 구역. cf. rough.

fair-weath·er [⌐wèðər] *a.* 날씨가 좋을 때만의 ; 유리한[순조로운] 때만의 : a ~ craft 폭풍시에는 쓸 수 없는 배 / a ~ friend 다급할 때에 믿을 수 없는 친구.

‡**fairy** [fέəri] *n.* Ⓒ ① 요정(妖精). ② 《俗》 (여자 역의) 동성애 남자(catamite), 여성적인 남자 ; = FAIRY GREEN. — *a.* ① 요정의[같은](=**fáiry-lìke**), 뛰어나게 아름다운, 경쾌한, 우아한 : a ~ shape 아름다운 모양. ② 상상의(imaginary), 가공적인(fictitious).

fáiry gódmother (one's ~) (동화에서 주인공을 돕는) 요정.

fáiry grèen 황록색(fairy).

***fair·y·land** [fέərilæ̀nd] *n.* Ⓤ 요정[동화]의 나라 ; (*sing.*) 선경(仙境), 도원경 : It had snowed heavily during the night and in the morning the garden was a while ~. 밤새에 많은 눈이 내려서 아침에는 정원이 한때 선경이었다.

fáiry rìng 요정의 고리.

fáiry tàle [**stòry**] 동화, 옛날 이야기.

fair·y-tale [fέəritèil] *a.* 〔限定的〕 동화 같은.

fait ac·com·pli [fetɑkɔ̃mplíː / féitəkɔ́mpliː] (*pl.* ***faits ac·com·plis***) 《F.》 기정 사실.

‡**faith** [feiθ] *n.* ① Ⓤ 신념(belief) ; 확신 ; Ⓒ 신조(信條) : His ~ *in* succeeding was unshaken. 성공에 대한 그의 확신은 확고했다. ② 신앙(심), 믿음 《*in*》; (the ~) 참된 신앙, 기독교(의 신앙) : *Faith* can remove mountains. 믿음은 산도 움직일 수 있다 / I have ~ *in* Christ. 나는 그리스도교를 믿고 있다 / a man of ~ 신앙이 돈독한 사람. ③ Ⓒ 종교, 교의(敎義)(creed) : the Catholic [Jewish] ~ 가톨릭교[유대교]. ④ 신뢰(信賴), 신용(trust, confidence) 《*in*》: ~ *in* another's ability 남의 능력에 대한 신뢰 / take everything on ~ 무엇이든 무조건 받아들이다. ⑤ 신의, 성실(honesty), 충실(fidelity). ⑥ 약속, 서약(promise). ⑦ (F-) 여자 이름. ***bad ~*** 불신(不信), 배신 : act in *bad* ~ 불성실하게 행동하다.

— *int.* 정말로!, 참으로!

fáith cùre 신앙 요법《기도에 의한》.

fáith cùrer 신앙 요법을 베푸는 사람.

‡**faith·ful** [féiθfəl] (***more*** ~ ; ***most*** ~) *a.* ① 충실한, 성실한, 믿을 수 있는(reliable) 《*to*》: a ~ wife 정숙한 아내 / a very ~ source 믿을 수 있는 소식통. ② (약속 따위를) 지키는《*to*》. ③ 정확한(accurate), (사실·원본 따위에) 충실한(true) : a ~ copy 원본에 충실한 사본 / a translation ~ *to* the original 원본에 충실한 번역. ④ 《廢》 믿음

〔신앙〕이 굳은. ***be* 〔*stand*〕 ~ *to*** …에 충실〔성실〕하다. ── *n.* (the ~; 複數 취급) 충실한 신자들《특히 기독교도·이슬람교도》; 충실한 지지자들. [파] **~·ness** *n.*

‡faith·ful·ly [féiθfəli] (***more*** ~; ***most*** ~) *ad.* ① 성실하게, 충실히; 정숙하게. ② 성의를 다하여. ③ 정확히: This model ship is ~ reproduced from the original. 이 모형배는 실물을 정확하게 복제한 것이다. ④《口》 굳게 보증하여. ***deal ~ with*** …을 충실히 다루다; 벌하다; …에게 숨김없이 말하다, …에게 고언(苦言)을 하다. ***Yours ~ = Faithfully yours*** 여불비례(餘不備禮).

fáith hèaler =FAITH CURER.

fáith hèaling =FAITH CURE.

***faith·less** [féiθlis] *a.* 신의 없는, 불충실한, 부정(不貞)한; 믿음〔신앙심〕 없는; 믿을 수 없는: a wife ~ to her husband 남편에 대해 부정한 아내. [파] **~·ly** *ad.* **~·ness** *n.*

fake** [feik] *vt.* ① (겉보기 좋게) …을 만들어내다, 외양(外樣)을 꾸며 잘 보이게 하다. ②《~+[목]/+[목]+[부]》 …을 위조하다(counterfeit); 꾸며〔조작해〕 내다(fabricate)《*up*》: ~ (*up*) news 기사를 날조하다 / He ~*d* the results of the experiment to prove his theory. 자기의 이론을 증명하기 위해 그는 실험결과를 조작했다. ③ …을 속이다; 가장하다(pretend): ~ illness 꾀병부리다. ④〖스포츠〗 (상대방)에게 feint 를 걸다《*out*》, (경기)를 하는 것처럼 보이다. ⑤ …을 (슬쩍) 훔치다. ⑥〖재즈〗 …을 즉흥적으로 연주〔노래〕하다(improvise). ── *vi.* 속이다(deceive); 날조하다; 〖스포츠〗 feint 하다; 〖재즈〗 즉흥 연주하다: She's not sick, she's just *faking*. 그는 아프지 않다. 아픈 체하고 있을 뿐이다. ~ ***off 《美俗》 게으름피우다. ~ ***. . . out*** = ~ ***out . . .*** (1) ⇨ *vt.* ④. (2)《俗》 속이다, 기만하다: She ~*d* me *out* by acting friendly and then stole my job. 그녀는 내게 친절하게 구는 척하면서 나를 속여 내 일자리를 가로챘다. ── *n.* [C] ① 위조품〔물〕, 가짜(sham); 꾸며낸 일; 허위 보도. ② 사기꾼(swindler). ── *a.* 〔限定的〕 가짜의, 위조〔모조〕의: ~ money 위조 지폐〔화폐〕 / a ~ picture 가짜 그림.

fak·er [féikər] *n.* [C] 날조자; 협잡꾼, 야바위꾼(frauder): She is a talented ~ of great European paintings and even the experts cannot tell her work from the originals. 그녀는 유럽의 명화 모사에 재주가 있어서 전문가들조차도 그 진위를 식별할 수가 없다.

fak·ery [féikəri] *n.* [U,C] 속임수; 가짜.

fa·kir[1], **-quir, -qir** [fəkíər, féikər] *n.* [C] (이슬람교·힌두교의) 탁발승(mendicant), 행자(行者).

fa·kir[2] [féikər] *n.* =FAKER.

fal·chion [fɔ́:ltʃən, -ʃən] *n.* [C] 언월도(偃月刀).

***fal·con** [fǽlkən, fɔ́:l-, fɔ́:k-] *n.* [C] ① 송골매《특히 암컷》; (매 사냥용) 매. ②〖美空軍〗 공대공 미사일. [파] **~·er** [-ər] *n.* [C] 매부리.

fal·con·ry [fǽlkənri, fɔ́:l-, fɔ́:k-] *n.* [U] 매 부리는 법, 매 훈련법〔술〕; 매사냥(hawking).

fal·de·ral, -rol [fǽldəræ̀l], [-rɑ̀l / -rɔ̀l] *n.* ① [C] 겉만 번드레한 싸구려, 하찮은 물건. ② [U] 허튼 수작.

†fall [fɔ:l] (***fell*** [fel]; ***fall·en*** [fɔ́:lən]) *vi.* ①《~/+[전]+[명]》 떨어지다, 낙하하다; (꽃·잎이) 지다, (머리털이) 빠지다: Ripe apples *fell off* the tree. 익은 사과가 나무에서 떨어졌다. ② (비·눈·서리 따위가) 내리다: Rain 〔Snow〕 is ~*ing.* 비가〔눈이〕 내리고 있다. ③《~/+[전]+[명]》 (말·목소리가) 새다, 나오다: Not a word *fell from* his lips. 그는 한 마디도 하지 않았다. ④ (물가·수은주 따위가) 하락하다, 내리다, (수량 따위가) 감소하다; (인기 따위가) 떨어지다; (목소리가) 낮아지다: The temperature *fell* ten degrees 〔*to* 10° F〕. 온도가 10도〔화씨 10도로〕 내려갔다 / Her voice *fell to* a whisper. 그녀는 음성을 낮추어 속삭였다 / The price *fell* sharply 〔by five cents〕. 값이 갑자기 〔5센트〕 떨어졌다. ⑤《+[전]+[명]》 (땅이) 경사지다(slope)《*away, off*; *to, toward*》; 내려앉다; (강이) 흘러들다(issue): The land ~*s to* the river. 그 땅은 강쪽으로 경사져 있다. ⑥《~/+[전]+[명]》 (머리털·의복 따위가) 늘어지다; (휘장·커튼 따위가) 처지다, 드리워지다(droop); (어둠 따위가) 내려 깔리다, 깃들다: The curtain *fell* at 10 p.m. (연극의) 막은 오후 10시에 내렸다 / Her hair ~*s* loosely *to* her shoulders. 그녀의 머리는 어깨까지 축 늘어져 있다 / Dusk began to ~. 땅거미가 깔리기 시작했다. ⑦《~/+[전]+[명]》 넘어지다, 뒹굴다; 엎드리다; 〖크리켓〗 (타자가) 아웃되다: The old man stumbled and *fell*. 노인은 걸려 넘어졌다 / ~ *at* a person's feet 아무의 발 아래에 엎드리다 / ~ *on* one's knees 무릎 꿇다 / She *fell down* senseless on the ground. 그녀는 의식을 잃고 땅위에 넘어졌다. ⑧《~/+[전]+[명]/+[보]》 (싸움터에서) 부상당하여 쓰러지다, 죽다, (…의) 손에 죽다《*to*》; 《美俗》 체포되다, 금고형(禁錮刑)을 받다: Many soldiers *fell under* the enemy's bombardment. 적의 폭격으로 많은 군인들이 죽었다. ⑨《~/+[전]+[명]/+[부]》 실각하다; (국가·정부 따위가) 무너지다, 붕괴하다; 함락하다; 와해하다: The prime minister *fell from* favor with the people. 수상은 국민의 지지를 잃었다. ⑩《~/+[전]+[명]》 (유혹 따위에) 굴하다, 타락하다; 《美俗》 (홀딱) 반하다; 나빠지다, 악화하다: ~ *into* temptation 유혹에 빠지다 / Eve tempted Adam and he *fell*. 이브는 아담을 유혹하였고 아담은 그에 굴했다. ⑪ (기운 따위가) 쇠하다(decline); (얼굴 표정이) 침울해지다; (눈·시선이) 밑을 향하다: His face *fell*. 안색이 침울해〔어두워〕졌다. ⑫ (바람·불기운 따위가) 약해지다, 자다(subside); (대화가) 중단되다; (홍수·물이) 빠다, 나가다, (조수가) 써다(ebb): The wind *fell* during the night. 바람이 밤 사이에 잠잠해졌다. ⑬《+[전]+[명]》 떨어져 부딪치다, 부딪다, (졸음·공포가) 엄습하다, 덮치다; 향하다, 쏠리다; 머물다(settle)《*on*》: The shell *fell* wide of its mark. 포탄은 목표물에서 크게 벗어났다 / Sleep *fell upon* her. 졸음이 그녀를 엄습해왔다. ⑭《+[전]+[명]》 (적·도적 등이) 습격하다: The enemy *fell on* them suddenly from the rear. 적은 갑자기 배후에서 습격해 왔다. ⑮《+[전]+[명]》 (재산 따위가 …의) 손으로 넘어가다《*to*》; (…에게) 당첨되다《*on*; *to*》; (부담 따위가 …에게) 과해지다《*on*; *to*》; 〔it 를 假主語로〕 (…의) 임무가〔책임이〕 되다, …하게끔 되다: The expenses *fell on* 〔*to*〕 me. 경비는 나의 부담이 되었다 / The lot *fell on* her. 그녀는 추첨에 당첨되었다 / It *fell to* me to support my grandmother after my father's death. 아버지의 사후 할머니의 부양은 내 부담이 되었다. ⑯《+[부]/+[보]/+[전]+[명]》 (어떤 상태에) 빠지다; (…이) 되다(become): ~ *into* disuse 안 쓰이게 되다 / ~ *in* love with …와 사랑에 빠지다 / The sheet is ~*ing to* pieces. 이 시트는 조각조각 되어가고 있다 / ~ *into* a bad habit 나쁜 습관에 빠지다. ⑰《+[전]+[명]》 (우연히) 일어나다, 생기다(happen); 오다, 되다(arrive)《특정한 어느 날·계절이》; (악센트가 …에) 있다《*on*》: A handsome fortune *fell in* my way. 상당한 유산

F

이 손에 들어왔다 / Christmas ~*s on* Tuesday this year. 올해 크리스마스는 화요일이다. ⑱《+전+명》(반갑지 않은 상태에) 빠지다, 말려들다, (…와) 상종〔관계〕하기 시작하다《*into* ; *among* ; *in* ; *to* ; *with*》: ~ *into* the wrong crowd 나쁜 친구들과 어울리다 / ~ *among* thieves 도적의 일원이 되다 / ~ *into* poverty 가난에 빠지다 / ~ *into* a rage 버럭 화를 내다 / He *fell into* a doze. 그는 꾸벅꾸벅 졸았다. ⑲《+전+명》분류되다, 나뉘다《*into* ; *under* ; *within*》: ~ *into* two headings, 2개의 항목으로 나뉘다 / That topic does not ~ *within* the scope of the present study. 그 논제는 현재의 연구의 범위에 들지 않는다. ⑳《+전+명》(특정한 장소를) 차지하다, (…로) 오다 : This one ~*s to* the right of the line. 이것은 선(線)의 오른쪽에 온다. ㉑《+전+명》(광선·시선 따위가 …을) 향하다, (…에) 머무르다《*on*》; (소리가) 들리다 : A ray of light *fell on* the floor. 한 줄기의 빛이 마루에 비쳤다 / My eye chanced to ~ *on* the book. 우연히 그 책이 내 눈에 띄였다 / ~ *on* the ear disagreeably 듣기 싫은 소리가 들려오다. ㉒ (새끼양 따위가) 태어나다 : Two lambs *fell* yesterday. 어제 새끼양이 두 마리 태어났다. ㉓〖카드놀이〗(패가) 죽다(drop).

— *vt.* ①《美·Austral.·英方》(나무)를 쓰러뜨리다, 베어 넘기다(fell²). ② (아무)를 메어치다. ③ …을 떨어뜨리다 : ~ tears. ④ (동물)을 죽이다. ⑤ (무기)를 버리다, 내려놓다. ⑥《美》(배당 따위)를 받다. ~ ***about*** (***laughing*** 〔***with laughter***〕) 포복 절도하다 : When he complained that it was unfair they *fell about laughing*. 그것은 불공평했다고 그가 투덜거리자, 그들은 배꼽을 잡고 웃었다. ~ ***all over*** …에게 잘 보이려고 아부하다 ; 지나칠 정도로 애정을〔감사를〕 표현하다. ~ (***all***) ***over*** one***self*** 필사적으로 …하다《*to* do》: The young trainees *fell all over themselves to* praise the boss's speech. 젊은 훈련생들은 감독의 연설을 열심히 칭송했다. ~ ***apart*** 산산조각이 나다 ; 붕괴되다 ; 사이가 나빠지다 ; 실패로 끝나다 ; 《口》(심리적으로) 동요하다, 당황하다 : His work *fell apart*. 그의 일은 실패로 끝났다. ~ ***a prey to*** …의 희생이 되다. ~ ***away*** (1) 멀어지다, 떨어져 가다, 변절하다, 배반하다, (지지자 등이) …을 저버리다《*from*》; (배가) 침로에서 벗어나다. (2) (인원수·수요·생산 따위가) …까지 감소하다, 뚝 떨어지다, 줄다《*to*》; 사라지다《*to* ; *into*》; (계속되는 것이) 끊어지다 : During the general strike, the party's membership *fell away*. 총파업이 계속되는 동안 동맹자의 수는 감소했다. (3) (지면이) 갑자기 꺼지다〔내려앉다〕; (땅이) …쪽으로 (급)경사져 있다《*to*》. (4) 여위다 ; (질이) 저하(低下)하다. (5) (신앙·신조 등을) 버리다, 변절하다 : All his old friend *fell away* from him. 옛친구들은 전부 그를 떠났다 / Many *fell away* because they were afraid of reprisals. 많은 사람이 보복을 두려워하여 신앙을〔신조를〕 버렸다. ~ ***back*** (1) 벌렁 자빠지다. (2) 후퇴하다 ; 뒷걸음치다, 주춤하다 ; (원래의 나쁜 상태로) 되돌아가다 ; (물 따위가) 줄어들다 (recede) : The troops *fell back* to their original position. 군대는 원래의 위치로 퇴각했다 / He has ~*en back* into drinking. 그는 다시 음주에 빠졌다. ~ ***back on*** 〔***upon***〕 …을〔에〕 의지하다 ;〖軍〗 후퇴하여 …을 거점으로 삼다 : I have nothing to ~ *back on*. 나는 의지할 만한 것이 전혀 없다. ~ ***behind*** 〔***behindhand***〕 뒤지다, (…에) 뒤떨어지다 ; (일·지불 등이) 늦어지다, …을 체납하다《*with* ; *in*》: We are ~*ing behind in* 〔*with*〕 our work. 우리들은 일이 뒤지고 있다 / He often ~*s behind with* the rent. 그는 자주 집세의 지불이 늦는다. ~ ***by the wayside*** ⇨ WAYSIDE. ~ ***down*** (1) 땅에 엎드리다 ; (땅에) 넘어지다 ; 병으로 쓰러지다 : He *fell down* on the ice. 그는 얼음판에서 넘어졌다. (2) (계획·주장 따위가) 실패하다, 좌절되다 : Don't ~ *down on* your promise. 약속을 어기지 말게. (3) 흘러 내려가다. (4) …에서 굴러 떨어지다 : ~ *down* a cliff 절벽에서 떨어지다. (5)《美俗》방문하다, 찾아오다. ~ ***for*** 《口》 믿어버리다 ; …에게 속다 ; 《口》…에(게) 반하다, 매혹되다. ~ ***foul of*** ⇨ FOUL. ~ ***in*** (1) (지붕·벽 따위가) 내려〔주저〕앉다 ; (지반이) 함몰하다, (눈·볼 따위가) 꺼지다, 우묵 들어가다 : The ceiling *fell in*. 천장이 내려앉았다. (2) (부채·계약 등) 기한이 되다, (토지의 임대 기한이 차서) 소유자의 것이 되다, 이용할 수 있게 되다. (3) 만나다《*with*》: We *fell in with* an interesting couple from Paris. 파리에서 온 재미있는 부부와 만났다. (4) 동의하다《*with*》: I didn't know quite how to deal with that remark except to ~ *in with* it. 그 비평에 동의할 밖에는 달리 대처할 방법을 전혀 몰랐다. (5)〖軍〗정렬하다〔시키다〕: The captain *fell* the soldiers *in* for inspection. 대위는 사열을 위해 군인들을 정렬시켰다. (6)《구령》집합, 정렬! (7)《美俗》방문하다, 찾아오다(~ down). ~ ***into*** (1) …에 빠져 들어가다 ; …에 빠지다, (못된 습관 등)에 물들〔빠지〕다 ; (대화 등을) 시작하다(begin), …을 하다 : ~ *into* a deep sleep 깊은 잠에 빠지다 / We *fell into* conversation on the plane. 우리는 비행기 안에서 대화를 하기 시작했다. (2) …으로 구분되다 : The history of English ~*s into* three main periods. 영어사는 주된 세 시대로 나누어진다. ~ ***in with*** …와 우연히 만나다 ; …에 동의하다 ; …에 참가하다 ; …와 조화〔일치〕하다, …에 적응하다 ; (점·때가) …와 부합하다 : ~ *in with* a group of ruffians 악당들과 어울리다. ~ ***off*** (1) (이탈하여) 떨어지다, 흩어지다 : ~ *off* a ladder 사닥다리에서 떨어지다. (2) (친구 따위와) 소원해〔멀어〕지다, 이반(離反)하다(revolt)《*from*》. (3) (이익·출석자·매상고 등이) 줄다 ; (건강·활력·아름다움 따위가) 쇠퇴하다 ; (스피드·인기 따위가) 떨어지다 : Consumption of electricity has ~*en off* 〔from〕 last month's figure. 전력의 소비가 지난달 숫자보다 줄었다. (4)〖海〗(배가) 침로(針路)에서 벗어나다. ~ ***on*** 〔***upon***〕 (1) 서둘러〔힘차게〕 …을 시작하다, …에 착수하다 ; …을 (게걸스레) 먹기 시작하다. (2) …와 마주치다 ; …을 우연히 발견하다 ; …을 문득 생각해내다 : I *fell upon* the idea while looking through a magazine. 잡지를 훑어보는 중에 그 생각이 뇌리를 스쳤다. (3) (축제일 따위가) 바로 …날이다 ; (어떤 음절)에 오다《악센트가》. (4) (몸에) 닥치다《불행 따위가》; …을 습격하다 (attack) ; (졸음 따위가) 엄습하다 ; …의 의무가 〔책임이〕 되다 : The traveler was ~*en upon* by robbers. 나그네는 도적들의 습격을 받았다 / Tragedy ~ *upon* him. 비극이 그에게 닥쳐왔다. ~ ***on*** one***'s sword*** 자결하다. ~ ***out*** (1) (모발 따위가) 빠지다. (2) (사이가) 틀어지다, 불화하다, 다투다《*with*》: He *fell out with* his wife over their child's education. 그는 아이의 교육문제로 아내와 말다툼을 했다. (3) 일어나다, 생기다 ; …으로 판명되다, …의 결과가 되다《*that* … ; *to be* …》: Things *fell out* well. 결과는 아주 좋았다 / It *fell out that* we met by chance weeks later. 몇 주일 후 우리는 우연히 얼굴을 대하게 되었다. (4)〖軍〗대열에서 이탈하다, 낙오하다, (부

대를) 해산하다; 옥외에 나와서 정렬하다. (5)《美俗》 감정을 자극시키다, 놀라다. (6)《美俗》 죽다, 잠들다. (7)《美俗》 방문하다, 찾아오다(~ down). **~ *over one another* 〔*each other*〕**《美口》(…을 얻기 위하여) 서로 경쟁하다. **~ *over* one*self* 〔*backward*〕= ~ *all over* one*self*** 《美》 열을 올리다, (…하려고) 기를 쓰다; 심하게 겨루다《*to* do》: Producers were *~ing over themselves* to hire girls who had acting experience. 생산업자들은 산 경험을 쌓은 소녀들을 고용하려고 기를 쓰고 있었다 / Within days of his death those same people were *~ing over themselves to* denounce him. 그가 죽은 지 며칠 만에 저 똑같은 자들이 그를 비난하려고 열을 올리고 있었다. **~ *short*** 결핍〔부족〕하다; 미달이다, (화살·탄환 등이) 미치지 못하다《*of*》. **~ *through*** 실패하다, 그르치다, 실현되지 않다: The plan *fell through* because of lack of funds. 계획은 자금부족으로 실현되지 않았다. **~ *to*** (1) (…을) 시작하다, (…에) 착수하다: ~ *to* work 일을 시작하다 / They *fell to* and soon finished off the entire turkey. 칠면조를 먹는가 했더니, 게눈 감추듯 했다. (2) (문이) 저절로〔멋대로〕 닫히다. (3) 〖It 를 主語로 하여〗 …의 책임을 지다, 알게 되다: *It fell to* me to break the bad news to her. 그녀에게 그 나쁜 소식을 밝히는 일은 나의 책임이 되었다. **~ *under* 〔*within*〕** (부류 따위)에 들다, …에 해당하다; (주목·영향 등을) 받다: That *~s under* a different heading. 그것은 다른 항목에 들어갑니다 / ~ *under* a person's notice 아무의 눈에 띄다 / Three ships ~ *under* his command. 세 척의 배가 그의 지휘 아래 있다. ***let* ~** 떨어뜨리다; 쓰러뜨리다; (가진 것을) 떨어뜨리다; (닻 따위를) 내리다; (일부러) 누설(漏泄)하다.

— *n.* ① [C] 낙하(落下), 낙하거리, 추락, 낙차: a ~ from a horse 낙마(落馬). ② [C,U] (온도 따위의) 하강, (물가 따위의) 하락(depreciation); 강하(降下), 침강. ③ [C] 강우(량), 강설(량); (물체의) 낙하량: a heavy ~ of snow 대설(大雪). ④ [C] (흔히 *pl.*) 폭포(waterfall): the Niagara *Falls* 나이아가라 폭포《고유 명사는 單數 취급》/ The *~s* are 30 ft. high. 그 폭포의 높이는 30 피트이다. ⑤ [U,C] 《美》 가을(autumn): in the ~ 가을에. ⑥ [C] 전도(轉倒), 쓰러짐, 도괴(倒壞). ⑦ [C] 함락; 무너짐, 와해, 붕괴; 멸망: the rise and ~ of the Roman Empire 로마 제국의 성쇠〔흥망〕. ⑧ [U] 타락; 악화; (the F-) 인간〔아담과 이브〕의 타락(the Fall of Man). ⑨ [C] 쇠퇴, 감퇴(decline). ⑩ [U,C] 드리워진 것〔털〕; 장발의 가발.

— *a.* 〔限定的〕 가을의; 가을에 파종하는, 추파(秋播)의; 가을에 여무는; 가을용의: brisk ~ days 상쾌한 가을의 나날 / ~ goods 가을용품 / the ~ term 〔semester〕 가을 학기.

fal·la·cious [fəléiʃəs] *a.* 불합리한, 틀린, 그른; 거짓의; (사람을) 현혹시키는, 믿을 수 없는. [파] **~·ly** *ad.* **~·ness** *n.*

***fal·la·cy** [fǽləsi] *n.* ① [C] 잘못된 생각〔의견, 신념, 신앙〕. ② [U] 궤변(sophism); 잘못된 추론; [C] 이론〔추론〕상의 잘못. ③ [U] 〖論〗 허위; 오류.

fall·back [fɔ́:lbæ̀k] *n.* [C] (필요한 때에) 의지가 되는 것, 준비품〔금〕(reserve); 〖컴〗 대체 시스템; 후퇴, 뒤짐: His teaching experience would be a ~ if the business failed. 만일 사업이 실패한다면 교사 경험이 그의 한가닥 희망이 될 것이다.

— *a.* 일 없을 때 지불되는 최저의《임금》; 만일의 경우에 대응할 수 있는, 대체 보좌의.

†**fall·en** [fɔ́:lən] FALL 의 과거분사.

— *a.* ① 떨어진(dropped): a ~ tree 쓰러진 나무 / ~ leaves 낙엽. ② 타락한, 영락한; 《俗》 창녀: a ~ angel (천국에서 쫓겨난) 타락한 천사. ③ (전쟁터에서) 쓰러진, 죽은. ④ 파멸된, 파괴된; 함락된; 전복한: a ~ city 함락된 도시. ***the* ~** 전사자들.

fállen árches 편평족(扁平足).

fáll gùy 《口》 희생이 되는 사람, 대신, 대역(scapegoat), (남의) '봉', '밥', 잘 속는 사람.

fal·li·bil·i·ty [fæ̀ləbíləti] *n.* [U] 틀리기 쉬운 것.

fal·li·ble [fǽləbəl] *a.* (사람이) 잘못을 범하기 쉬운, 잘못하기 쉬운; (의견 등이) 정확하지 않은; 오류를 면할 수 없는: ~ information 믿을 수 없는 정보. [파] **-bly** *ad.* **~·ness** *n.*

fall-in [fɔ́:lin] *n.* [U] (원자력 평화 이용의 결과로 생기는) 방사성 폐기물. [cf.] fallout.

fall·ing-out [fɔ́:liŋáut] (*pl.* ***fáll·ings-óut, ~s***) *n.* [C] 불화, 다툼: have a ~ with …와 다투다.

Fal·ló·pi·an tùbe [fəlóupiən-] 〖解〗 나팔관, (수)란관((輸)卵管)(oviduct).

fall·out [fɔ́:làut] *n.* [U] ① 방사성 낙진, '죽음의 재'; (방사성 물질 등의) 강하. [cf.] fall-in. ② 부산물, 부수적인 결과〔사상(事象)〕.

***fal·low**[1] [fǽlou] *a.* 묵히고 있는, 휴한(休閑) 중인; 미개간의; 활용하지 않는, 교양 없는; 새끼를 배지 않은: lie ~ 휴한중에 있다 / The farmer left the land ~ for a year. 농부는 그 땅을 1년 동안 묵혔다. — *n.* [U] 휴경〔휴한〕지; 휴작(休作): land in ~ 휴한지. — *vt.* (땅)을 갈아만 놓고 놀리다, (농토)를 묵히다.

fal·low[2] *a.* 담황갈색의. — *n.* [U] 담황갈색.

fállow déer 담황갈색에 흰 반점이 있는 사슴《유럽산》.

‡**false** [fɔ:ls] (***fáls·er***; ***-est***) *a.* ① 그릇된, 잘못된; 불법적인: a ~ judgment 그릇된 판단, 오판 / ~ pride 그릇된 긍지 / bear ~ witness 위증하다 / a ~ balance 불량 저울. ② 거짓〔허위〕의, 가장된: a ~ attack 양동(陽動) 공격 / a ~ charge 〖法〗 무고 / a ~ report 허보 / ~ tears 거짓눈물 / on the days ~ spring 봄을 느끼게 하는 그런 날에. ③ 성실치 않은; 〔敍述的〕 (…을) 배신하여, 부실하여《*to*》: a ~ friend 미덥지 못한 친구 / a ~ wife 부정한 아내 / He was ~ *to* his word. 그는 약속을 지키지 않았다 / be ~ *to* his country 조국을 배반하다. ④ 부당한, 적절치 않은; 경솔한: ~ move 어리석은 행동. ⑤ 위조의, 가짜의: a ~ signature 가짜 서명 / a ~ coin 위조 화폐. ⑥ 인조의, 인공의; 대용의, 임시의; 보조의(subsidiary): a ~ eye 의안(義眼) / ~ hair 가발 / ~ supports for a bridge 임시〔보조〕 교각. ***be ~ of heart*** 불성실하다. ***give* 〔*get, have*〕 *a ~ impression of*** …에 대해 잘못된 인상을 주다〔받다, 갖다〕. ***in a ~ position*** 오해를 살 입장에, 자기 주의(主義)에 반하는 일을 할 위치에: You are putting yourself *in a ~ position* by not making a clean breast of all you know. 자넨 알고 있는 무엇인가를 숨기고 말하지 않아 오히려 자신을 오해를 살 입장으로 몰고 있네. ***make a* 〔*one*〕 *~ move*** (긴요한 때에) 작전〔일〕을 그르치다: If you *make one ~ move* I'll shoot you! 일을 그르치면 죽여 버리겠다! ***make* 〔*take*〕 *a ~ step*** 실수하다, 발을 잘못 디디다.

— *ad.* 부정하게, 잘못되어; 거짓으로, 배신하여, 불성실하게; 가락이 맞지 않게: sing ~ 가락이 맞지 않게 노래하다. ***play*** a person **~** 아무를 속이다(cheat); 배반하다(betray): Events *played* him ~. 일의 추세는 그의 기대를 어겼다 / My memory never *plays* me ~. 내 기억은 절대 틀림

없다. [파] ∠·ly *ad.* ∠·ness *n.*

fálse acácia 아카시아(의 일종)(locust).

fálse alárm (화재 경보기 등의) 잘못된〔장난〕 경보, 가짜 경보; 소란, 기대에 어긋남.

fálse arrést 〖法〗 불법 체포〔구류〕.

fálse bóttom (상자·트렁크 등의) 덧댄 바닥, (비밀의) 이중 바닥.

fálse dáwn 날밝기 전의 동쪽하늘의 미광; (사람에게) 기대감을 주면서 낙담시키는 것.

false-heart·ed [fɔ́:lshɑ́:rtid] *a.* (마음이) 불성실한, 배신의.

***false·hood** [fɔ́:lshùd] *n.* ① [C] 거짓말(lie), 허언: tell a ~ 거짓말하다. ② [U] 허위(성), 거짓, 기만: Truth exaggerated may be ~. 진리도 과장하면 허위가 될 수도 있다.

fálse imprísonment 〖法〗 불법 감금.

fálse preténses 〔《英》 **preténces**〕 〖法〗 기망(欺罔), 사기 취재(取財), 사취죄(罪); 〔一般的〕 허위의 표시: obtain money under ~ 금전을 사취하다.

fálse stárt (경주의) 부정 스타트; 잘못된 첫발.

fálse téeth 의치, 《특히》 틀니.

fal·set·to [fɔ:lsétou] (*pl.* **~s**) 〖樂〗 *n.* ① [U,C] 가성(假聲); 꾸민 목소리《특히 남성의》: in a ~ 가성으로. ② [C] 가성을 쓰는 가수. — *a., ad.* 가성의〔으로〕.

fálse wíndow 〖建〗 벽창호(壁窓戶).

fals·ies [fɔ́:lsiz] *n. pl.* [C] 《口》 ① 여성용 가슴받이, 유방 패드. ② 가짜 수염; 모조품.

fal·si·fi·ca·tion [fɔ̀:lsəfikéiʃən] *n.* [U,C] ① 위조, 변조. ② (사실의) 왜곡; 곡해; 허위임을 밝히는 입증, 반증(反證), 논파(論破). ③ 〖法〗 문서 변조〔위조〕; 〖法〗 위증.

fal·si·fy [fɔ́:lsəfài] *vt.* (서류 따위)를 위조〔변조〕하다(forge); 속이다; 왜곡하다; …의 거짓〔틀림〕을 입증하다; 논파하다; 배신하다, (기대 등)을 저버리다: He had taken part in ~*ing* some official documents. 그는 몇 가지 공문서를 변조하는 일에 가담했었다 / Our fears have been *falsified* by the result. 결과적으로 보면 우리의 걱정은 기우(杞憂)였다. — *vi.* 《美》 속이다.

fal·si·ty [fɔ́:lsəti] *n.* [U,C] 허위(성), 기만성; 불신; 거짓말; 잘못.

falt·boat [fɑ́:ltbòut, fɔ́:lt-] *n.* [C] 접게 된 보트(foldboat)《kayak 비슷하고 운반이 간편함》.

***fal·ter** [fɔ́:ltər] *vi.* ① 비틀거리다, 발에 걸려 넘어지다(stumble). ② 《~ / +[전]+[명]》 머뭇거리다(hesitate), 멈칫〔움찔〕하다; (용기가) 꺾이다: Never ~ *in* doing good. 선을 행하는 데 주저하지 말라 / ~ *in* one's resolve 결심이 흔들리다. ③ 말을 더듬다(stammer): She ~*ed* in her speech. 그녀는 더듬으면서 말했다.
— *vt.* 《+[목]+[부]》 …을 더듬더듬〔우물우물〕 말하다《*out; forth*》: ~ *out* an excuse 더듬거리면서 변명하다. — *n.* [C] ① 비틀거림. ② 머뭇거림, 움츠림(flinch). ③ 말을 더듬음, 더듬는 말. ④ (목소리·음의) 떨림.
[파] ~·**er** *n.* ~·**ing** *a.* ~·**ing·ly** *ad.*

fam. familiar; family; famous.

‡**fame** [feim] *n.* [U] ① 명성, 성망. ② 평판, 세평.

***famed** [feimd] *a.* ① 유명한, 이름 있는(famous): the world's most ~ garden 전세계에서 가장 유명한 정원. ② 〔敍述的〕 (…으로) 유명하여《*for*》.

fa·mil·ial [fəmíljəl, -liəl] *a.* 〔限定的〕 가족〔일족〕의〔에 관한〕; (병이) 일족에 특유한. [파] ~·**ly** *ad.*

‡**fa·mil·iar** [fəmíljər] (**more ~; most ~**) *a.* ① 친(밀)한, 가까운《*with*》: I am ~ *with* him. 그와 친하다. ② 〔敍述的〕 잘〔익히〕 알고 있는, 익숙한, 환한, 정통한《*with*》: He is ~ *with* French. 그는 프랑스말에 익숙하다. ③ 잘 알려진, 낯〔귀〕익은《*to*》: a ~ voice 귀에 익은 목소리 / The saying is ~ *to* us. 그 격언은 모두가 잘 알고 있다(=We are ~ *with* the saying). ④ 흔한, 보통〔일상〕의, 통속적인. ⑤ 편한, 거북〔딱딱〕하지 않은; 무간한, 무람〔스스럼〕없는《*with*》: His manner is too ~. 그의 태도는 너무 버릇없다 / He was too ~ *with* me. 그는 내게 지나치게 터놓고 지냈다. ⑥ (동물이) 잘 길든(domesticated). ⑦ (성적인) 관계가 있는《*with*》. ⑧ 가족의, 가족이 자주 방문하는. ◇ familiarity *n.* ***be on ~ terms with*** …와 친숙하다, 무람없이 지내다. ***make oneself ~ with*** …와 친해지다; …에 정통해지다; …에 허물없이 굴다. — *n.* [C] ① 친구. ② 〖가톨릭〗 교황 또는 주교의 심부름꾼, (종교 재판소의) 포리(捕吏). ③ (어떤 일에) 정통한 사람, (어떤 곳을) 자주 방문하는 사람. [파] ~·**ly** *ad.* 친하게, 무람〔스스럼〕없이, 정답게. ~·**ness** *n.*

***fa·mil·i·ar·i·ty** [fəmiljǽrəti, -liǽr-] *n.* [U] ① 친밀, 친숙, 친교; 친밀한 사이: Their ~ was based on a long friendship. 그들의 친교는 오랜 우정 위에 기초를 두었다. ② 무간함, 허물없음: treat a person with ~ 아무를 스스럼없이 대하다 / *Familiarity* breeds contempt. 《俗談》 친숙한 데서 경멸이 난다. ③ 익히 앎, 정통《*with*》.

fa·mil·iar·i·za·tion [fəmiljərizéiʃən] *n.* [U] 익숙〔정통〕하게 함, 일반〔통속〕화.

fa·mil·iar·ize [fəmíljəràiz] *vt.* 《+[목]+[전]+[명]》 …을 친하게 하다; 익숙게 하다《*with*》; …에게 잘 알리다, …을 (세상에) 퍼뜨리다, (사상 따위)를 통속화하다; 친숙하게 하다《*to*》: ~ a person *with* a job 아무를 일에 익숙게 하다 / Only reading can ~ literature *to* us. 독서만이 우리들에게 문학을 친숙하게 해준다 / The purpose of advertizing is to ~ consumers *with* the name of a product. 광고의 목적은 제품의 이름을 소비자에게 친숙하게 하는 데 있다. — *vi.* 《古》 허물없이 굴다, 격의없이 사귀다. ~ one***self with*** …에 정통〔익숙〕하다.

†**fam·i·ly** [fǽməli] (*pl.* **-lies**) *n.* [C] ① 〔集合的〕 가족, 가정《부부와 그 자녀》, 가구(household)《때로는 하인들도 포함》: a ~ of five, 5인 가족 / five *families*, 5가구 / He has a large ~ to support. 부양 가족이 많다 / How is your ~? 가내 두루 평안하신지요《★ family는 집합명사로서 단수 동사로 받지만, 가족의 한 사람 한 사람에 중점을 둘 때에는 복수 동사로 받음》. ② 〔集合的〕 (한 집의) 아이들, 자녀: bring up a large ~ 아이를 많이 기르다. ③ 집안, 일족; 친족, 일가 친척. ④ [U] 가문, 가계(家系); 《英》 명문(名門), 문벌: a man of (good) ~ 명문의 사람 / a man of no ~ 가문이 낮은 사람. ⑤ 인종, 종족, 민족(race). ⑥ 〖生〗 과(科)《order와 genus의 중간》; 〖言〗 어족; 〖化〗 (원소의) 족(族); 〖數〗 (집합의) 족(族); 곡선족, 집단《동종의》: the Indo-European ~ (of languages) 인도유럽 어족 / the cat ~ 고양잇과(科). ⑦ 〖컴〗 가족《기종은 다르나 소프트웨어나 하드웨어적으로 호환성(互換性)이 있는 일련의 컴퓨터 시스템》. ⑧ (가축 품종 중에서) 같은 혈통의 것; (어떤) 혈통을 잇고 있는 것. ⑨ (생각이 같은) 한동아리; 문도(門徒); (고관(高官)·사무소의) 스태프(staff); (정치〔종교〕적 이해를 같이 하는) 그룹: the ~ of free nations 자유 국가군. ***a happy ~*** 한 우리에 같이 사는 서로 다른 종류의 동물들. ***run in the*** 〔one***'s***〕 ~ ⇨ RUN. ***start a ~*** 맏아이를 보다. ***the Holy ~*** 성 가족. — *a.* 〔限

定的) 가족(용)의, 가정의: a ~ film 가족용 영화. ***in a* (*the*) *~ way*** 정답게, 흉허물없이; 《口》 임신하여(pregnant). ㊞ ~**·ish** [-iʃ] *a.* 가족간의 유대가 굳은; 가족적인.

fámily allówance 가족 수당; 모자(母子) 가족 수당; 《英》 CHILD BENEFIT 의 구칭.

fámily Bíble 가정용 성서《가족의 출생·결혼·사망 등을 기입할 여백이 있는 큰 성서》.

fámily círcle ① (흔히 the ~) (集合的) 한집안 (식구들). ② (극장의) 가족석.

fámily cóurt 가정 법원.

fámily crédit (종종 F- C-) 《英》 아동 가족 수당.

Fámily Divísion 《英》 (고등법원의) 가사 심판부《이혼·양자 결연 등의 민사 관련 업무를 관장함》.

fámily dóctor (**physícian**) 가정의, 단골의사.

fámily íncome sùpplement 《英》 가구(家口) 소득 보조수당《영세 가족에게 국가가 지급; 1988년부터 Family Credit 로 개칭됨》.

fámily màn 가정을 가진 사람, 가정적인 남자.

fámily médicine 가족 의료(community medicine).

‡**fámily náme** ① 성(姓)(surname). ㏇ Christian name. ② 어떤 가문에서 즐겨 쓰는 세례명.

fámily plànning 가족 계획.

fámily práctice =FAMILY MEDICINE.

fámily skéleton 집안 비밀.

fámily stýle (음식을 각자가 퍼 먹을 수 있게) 큰 그릇에 담기(담는), 가족 방식(의)(으로).

fámily thérapy (가족까지 참여한) 가족 요법.

fámily trée 가계도(家系圖), 계보, 족보.

‡**fam·ine** [fǽmin] *n.* ① Ⓤ,Ⓒ 기근; 흉작, 식량부족. ② Ⓤ 굶주림, 기아(饑餓)(starvation): an appeal for ~ relief in Ethiopia 에티오피아의 기근구제를 위한 호소 / die of (suffer from) ~ 굶어 죽다(기아로 고생하다). ③ Ⓒ (물자) 결핍, 부족: a house (fuel) ~ =a ~ of house (fuel) 주택(연료) 부족 / a water ~ 물 부족.

*__fam·ish__ [fǽmiʃ] *vt.* (흔히 受動으로) …을 굶주리게 하다(starve); 《古》 아사시키다: *be ~ed* to death 굶어 죽다. ― *vi.* 굶주리다; 결핍에 견디다. ㊞ **~ed** [-t] *a.* (敍述的) 굶주린.

†**fa·mous** [féiməs] (***more ~; most ~***) *a.* ① 유명한, 이름난, 잘 알려진(well-known)《*for; as*》: ~ *for* scenic beauty 경치로 유명한. ② 《口》 굉장한, 멋진, 훌륭한(excellent): a ~ performance 훌륭한 연기(연주). ***~ last words*** 《口》 유명한 최후의 말《자신 넘치는 상대방의 말에 대해 불신·비꼼을 나타냄: '정말 그럴까?'》.

‡**fan**[1] [fæn] *n.* Ⓒ ① 부채; 선풍기, 송풍기: a ventilation ~ 환풍기. ② 부채꼴의 것《풍차·추진기의 날개, 새의 꽁지깃 등》; 작은 날개; 《俗》 (비행기의) 프로펠러, 엔진. ③ 키; 풍구(winnowing fan); 〖地〗 선상지(扇狀地); 〖野〗 삼진(三振).

― (**-nn-**) *vt.* ①《~+목 / +목+전+명》 …을 부채로 부치다, …에 조용히(살살) 불어주다: She took up some sheets of paper and *~ned* herself *with* them. 그녀는 종이 몇 장을 집어들고 부채질했다 / He *~ned* the fire *with* his hat. 그는 모자로 불을 부쳤다. ② (바람이) …에 불어치다: The breeze *~ned* her hair. 산들바람이 그녀의 머리카락을 날렸다. ③《+목+전+명》 …을 선동하다, 부추기다; (바람을 불어) 불꽃을 일으키다: Bad treatment *~ned* their dislike *into* hate. 대우가 나빠서 그들의 혐오는 증오로 변했다. ④ (곡식 따위)를 까부르다《키로》, (풍구로) 가려 내다. ⑤《+목+부》 …을 부채꼴로 펴다: He *~ned out* the cards on the table. 그는 트럼프를 테이블 위에 부채꼴로 펼쳤다 / The peacock *~ned* his tail. 공작새가 꼬리를 활짝 폈다. ⑥《+목+부》 (파리 따위)를 부채로 쫓다《*away*》. ⑦《俗》 …을 손바닥으로 (찰싹) 때리다(spank); (총)을 연사(連射)하다; 《俗》 (찾기 위해서 옷·방 등)을 뒤지다; 〖野〗 (타자)를 삼진(三振)시키다. ― *vi.* ①《+부》(부채꼴로) 펼쳐지다《*out*》: The forest fire *~ned out* in all directions. 산불이 온방향에서 부채꼴로 퍼져갔다. ②〖野〗 삼진당하다. ③〖軍〗 산개하다《*out*》. ~ one***'s tail*** 달리다, 뛰다.

‡**fan**[2] *n.* Ⓒ 팬, 열렬한 애호가, …광(狂).

*__fa·nat·ic__ [fənǽtik] *n.* Ⓒ 광신자, 열광자; 《口》 =FAN[2]. ― *a.* 광신(열광)적인, 열중한.

*__fa·nat·i·cal__ [fənǽtikəl] *a.* =FANATIC.

fa·nat·i·cism [fənǽtəsìzəm] *n.* Ⓤ 광신, 열광.

fán bèlt (자동차의) 팬 벨트.

*__fan·cied__ [fǽnsid] *a.* ① 공상의, 가공의, 상상의.

fan·ci·er [fǽnsiər] *n.* Ⓒ (음악·미술·꽃·새 등의) 애호가; (상업적인) 사육자, 재배자.

*__fan·ci·ful__ [fǽnsifəl] *a.* ① 공상에 잠긴, 공상적인; 변덕스러운(whimsical). ② 기상(奇想)을 다한, 아이디어를 발휘한, 기발한: a ~ design. ③ 몽상의, 가공의: a ~ story.

fan·ci·less [fǽnsilis] *a.* 상상(공상)(력)이 없는; 무미 건조한.

fán clùb (가수·배우 등의) 후원회.

‡**fan·cy** [fǽnsi] *n.* ① Ⓤ,Ⓒ (두서없이 자유로운) 공상; 공상력: indulge in idle *fancies* 허망한 공상에 잠기다. ② Ⓤ,Ⓒ 이미지; 환상, 기상(奇想); 망상. ③ Ⓤ,Ⓒ (근거 없는) 상상, 추측. ④ Ⓒ 변덕(whim), 일시적인 생각. ⑤ Ⓒ 좋아함, 연모; 취미, 기호. ⑥ Ⓤ 심미안, 감상력. ***after* (*to*)** a person***'s ~*** 아무의 마음에 든: We have found a house *after* our ~. 우리는 마음에 드는 집을 찾았다. ***catch* (*strike, please, suit, take*) *the ~ of*** …의 마음에 들다, …의 흥미를 끌다. ***have a ~ for*** …을 좋아하다: He *has a ~ for* bright tie. 그는 화려한 넥타이를 좋아한다. ***take a ~ to* (*for*)** …을 좋아하게 되다, …에 반하다: They *took a* great ~ *to* each other. 그들은 서로 끔찍이 좋아하게 되었다.

― (***-ci·er; -ci·est***) *a.* ① 공상의, 상상의; 변덕의: a ~ picture 상상화. ② 의장(意匠)에 공들인, 장식적인(opp. *plain*); 화려한; 색색으로 물들인; (꽃이) 잡색의: a ~ button 장식 단추. ③ (限定的) 변종(變種)의《동물 따위》, 애완(감상)용(품종)의, 진종(珍種)의: a ~ dog 진종의 개. ④ 엄청난, 터무니없는(extravagant): at a ~ price (rate) 엄청난 값으로(속도로).

― *vt.* ①《~+목 / +목+(*to be*) 보 / +목+*as* 보 / +목+*-ing* / +*-ing*》 …을 공상(상상)하다; 마음에 그리다: ~ a life without electricity 전기 없는 생활을 상상하다 / I cannot ~ their(them) speak*ing* ill of me. 그들이 나에 대해 악평을 한다고는 도무지 생각할 수 없어. ② (命令形) …을 상상해 보아; 저런 …라니《*doing*》《가벼운 놀람의 표현》: *Fancy* meet*ing* you here! 이런 데서 자넬 만나다니. ③《+목+(*to be*) 보 / +목+*as* 보》 …을 자만하다; (再歸用法) …하다고 자부하다: She *fancies herself* (*to be*) beautiful. 그녀는 미인이라고 자부하고 있다. ④《+*that* 절》 (어쩐지) …라고 생각하다, …같은 생각이 들다, …이라고 믿다: I rather ~ (*that*) he is about forty. 그는 아무래도 40 세 정도라고 생각된다. ⑤ …을 좋아하다, …이 마음에 들다; 《英口》 (육체적으로) …에게 끌리다: Tom *fancied* Mary a lot. 톰은 메어리를 무척이나 좋아했다. ⑥ (진종(珍種))을 기르다, 재

F

배하다. ── *vi.* 공상〔생각〕하다 ; 〔命令形으로〕 상상 좀 해 봐, 설마.

fáncy báll =FANCY DRESS BALL.

fáncy cáke 데커레이션 케이크.

fáncy dréss 가장복 ; 가장 무도회의 의상, 색다른 옷 ; 《美俗》 멋있는 옷 : They came to the ~ party dressed as two policewomen. 그들은 두 여자 경찰관으로 의상을 갖추어 입고 가장 무도회 의상 파티에 왔다.

fáncy drèss báll 가장 무도회.

fan·cy-free [fǽnsifríː] *a.* 아직 사랑을 모르는, 순진한 ; 한 가지 일에 집착 안하는, 자유분방한.

fáncy gòods 액세서리, 장신구.

fáncy màn 《俗·戲·蔑》 애인, 정부(情夫), (매춘부의) 기둥 서방 ; 내기를 하는 사람, 《특히》 경마에 돈을 거는 사람. 「(lovesick).

fan·cy·sick [fǽnsisìk] *a.* 사랑으로 번민하는

fáncy wòman 〔**gìrl, làdy**〕 《俗·蔑》 정부, 첩 ; 매춘부. 「물, 자수.

fan·cy·work [fǽnsiwəːrk] *n.* Ⓤ 수예(품), 편

fan·dan·go [fændǽŋgou] (*pl.* ~(*e*)*s*) *n.* Ⓒ 스페인 무용〔무곡〕.

fan·fare [fǽnfɛər] *n.* Ⓤ 《F.》 ① 〖樂〗 (트럼펫 등의) 짤막한 취주(吹奏), 팡파르. ② 허세, 과시.

fang [fæŋ] *n.* Ⓒ ① 엄니, 견치 ; (흔히 *pl.*) (뱀의) 독아(毒牙). cf. tusk. ② 이촉 ; 뾰족한 엄니 모양의 것. ── *vt.* …을 엄니로 물다 ; (펌프)에 마중물을 붓다(prime). 📖 **∠·less** *a.* **∠·like** *a.*

fán hèater 송풍식 전기 난로.

fan-jet [fǽndʒèt] *n.* Ⓒ 팬제트기, 터보팬.

fán lètter 팬레터. cf. fan mail.

fan·light [fǽnlàit] *n.* Ⓒ (문이나 창 위의) 부채꼴 채광창(採光窓) (《美》 transom).

fán màil 〔集合的〕 팬레터(fan letters).

Fan·nie, Fan·ny [fǽni] *n.* Frances의 애칭.

fan·ny [fǽni] *n.* Ⓒ 《美口》 엉덩이(buttocks) ; 《英卑》 여성의 성기(vagina).

Fánny Ádams (종종 f- a-) 《海俗》 통조림 고기, 스튜 ; (종종 Sweet ~, sweet f- a-) 《俗》 (전혀) 없음(nothing at all)(《略 : F. A.》).

fan·tab·u·lous [fæntǽbjələs] *a.* 《俗》 믿을 수 없을 만큼 훌륭한. 「기.

fan·tail [fǽntèil] *n.* Ⓒ 부채꼴의 꼬리 ; 공작 비둘

fan·ta·sia, fan·ta·sie [fæntéiʒiə, -téiziə], [fæntəzíː, fɑn-] *n.* Ⓒ 〖樂〗 환상곡 ; 접속곡.

fan·ta·size, phan- [fǽntəsàiz] *vt.* …을 꿈에 그리다. ── *vi.* 공상에 빠지다 ; 공상하다.

fan·tasm [fǽntæzəm] *n.* =PHANTASM.

fan·tas·mo [fæntǽzmou] *a.* 《口》 매우 이상〔기발〕한 ; 기막히게 훌륭한〔빠른, 높은 등〕.

fan·tast, phan- [fǽntæst] *n.* Ⓒ 환상가, 몽상가(visionary) ; 별난 사람.

‡**fan·tas·tic** [fæntǽstik] (***more*** ~ ; ***most*** ~) *a.* ① 환상적인, 몽환〔공상〕적인, 기상천외의 : The idea that men could reach the moon was ~ half a century ago. 반세기 전만 해도 사람이 달나라에 갈 수 있다는 생각은 기상천외한 것이었다. ② 《口》 굉장한, 멋진 : a ~ dress 멋진 드레스. ③ 이상한, 야릇한. ④ 터무니없는, 엄청난 : ~ sums of money 엄청나게 큰 돈. ⑤ 이유 없는. ⑥ 변덕스런, 일시적 기분의 ; 허황한, 두서없는.

fan·tas·ti·cal [fæntǽstikəl] *a.* =FANTASTIC. 📖 **-ti·cal·ly** [-kəli] *ad.* **~·ness** *n.*

fan·tas·ti·cism [fæntǽstəsìzəm] *n.* Ⓤ 기이함을 찾는 마음 ; 야릇함 ; (문학·예술에서) fantasy를 채용〔내포〕함.

***fan·ta·sy** [fǽntəsi, -zi] *n.* Ⓤ,Ⓒ ① 공상, 환상 ; 기상(奇想) ; 변덕, 야릇함 ; 〖心〗 백일몽 : To a small child, ~ and reality are very close to each other. 어린 아이에게 있어서는 환상과 현실은 서로 아주 밀접한 관계가 있다. ② 환상적인 작품 ; 공상〔기상(奇想)〕적 이야기《때로 과학 소설》. ③ 〖樂〗 환상곡(fantasia). 「지.

fan·zine [fǽnziːn] *n.* Ⓒ (SF 따위의) 팬 대상 잡

†**far** [fɑːr] (***far·ther*** [fɑ́ːrðər], ***fur·ther*** [fə́ːrðər] ; ***far·thest*** [fɑ́ːrðist], ***fur·thest*** [fə́ːrðist]) *ad.* ① 〔場所·距離 ; 副詞 또는 前置詞를 수반하여〕 멀리(에), 아득히, 먼 곳으로. opp near. ¶ ~ *out* at sea 아득히 저 바다 멀리 / He lives ~ *from* here. 그는 여기에서 멀리 떨어져 산다 / I'd like to live as ~ away from a large city as possible. 나는 가능한 한 대도시에서 멀리 떨어져 살고 싶다 / How ~ is it to your house? ② 〔時間 ; 副詞 또는 前置詞, 특히 into를 수반하여〕 멀리, 이슥토록 : ~ *into* the night 밤 늦게 까 지 / look ~ *into* the future 아득한 장래의 일까지 생각하다 / Christmas isn't ~ off. 크리스마스는 그리 멀지 않다. ③ 〔程度〕 훨씬, 매우, 크게, 단연. ④ 〔名詞的〕 먼 곳 : from ~ 먼 곳에서. ***as*** 〔***so***〕 ***~ as*** (1) 〔前置詞的〕(어떤 장소)까지 : go *as* ~ *as* Ireland 아일랜드까지 가다. (2) 《口》 …에 관하여 (말하면) (as for) ; 〔接續詞的〕 …하는 한(에서는) ; …하는 한 멀리까지 : *as* ~ *as* I know 내가 아는 한에서는 / *so* 〔*as*〕 ~ *as* (I am) concerned ⇨CONCERN / *as* ~ *as* eye can reach 눈이 미치는 한에는. ***by*** ~ 훨씬, 단연《최상급, 때로 비교급을 수식함》 : *by* ~ the best 단연 최고. ***~ and away*** 훨씬, 단연《far의 강조형 ; 비교급·최상급과 함께 씀》 : He is ~ *and away* the best writer of today. 그는 단연 당대 제일의 작가이다. ***~ and near*** =***~ and wide*** 여기저기에, 두루, 도처에, 널리. ***~ apart*** 멀리 떨어져서. ***~ away*** 아득히 저쪽에〔으로〕 ; 먼 옛날에. ***Far be it from me to*** do …하려는 생각 따위는 조금도 없다. ***~ from*** (1) …에서 멀리 : The station is ~ *from* here. 역은 여기서 멀다. (2) 〔名詞·動名詞·形容詞·副詞를 수반하여〕 조금도 …하지 않다(not at all) : It is ~ *from* the truth 〔true〕. 그것은 전연 사실과 다르다 / be ~ *from* being pleased with one's salary 자기 월급에 전혀 만족하지 않다. ***Far from it!*** 그런 일은 결코 없다, 전혀 그렇지 않다, 당치도 않다. ***~ gone*** =FAR-GONE. ***~ off*** 멀리 떨어져서(~ away). ***~ out*** 《美》 멀리 밖에 ; 《俗》 보통이 아닌, 엉뚱한 ; =FAR-OUT. ***~ to seek*** 찾기 힘든 : The cause is not ~ *to seek.* 원인은 가까운 데에 있다. ***from ~*** ⇨ *ad.*④. ***from ~ and near*** 원근〔도처〕에서. ***go ~*** (***toward***(***s***)) ⇨GO. ***go too ~*** 지나치다, 너무하다, 과장하다. ***how ~*** 얼마 만큼, 어느 정도, 어디까지 : I cannot say *how* ~ it is true. 어디까지 진실인지 알 수 없다. ***in so*** 〔***as***〕 ***~ as*** …하는 한에서는. ***so ~*** 이〔그〕 점까지는 ; 지금〔그때〕까지(로)는. ***so ~ from*** …하기는커녕 : *So* ~ *from* admiring him, I dislike him intensely. 그를 훌륭하다고 생각하기는커녕 몹시 싫어한다. ***So ~ so good.*** 거기〔여기〕까지는 좋다 ; 지금까지는 잘 돼가고 있다. ***take ... too ~*** =***carry ... too ~*** 도를 지나치다

── *a.* 〔比較級·最上級은 *ad.* 와 같음〕 ① 〔距離〕 먼, 멀리〔아득히〕 저쪽의 : a ~ country 먼 나라. ② 〔時間·距離〕 먼 길의, 먼 곳의〔으로부터의〕 : the ~ future 먼 장래. ③ 《둘 중에서》 먼 쪽의, 저쪽의 : the ~ side of the room 방의 저쪽 끝 / sit at the ~ end of the table 테이블의 저쪽 끝에 앉다. ④ 〔限定的〕 (정치적으로) 극단적인 : the ~ right 극우. ***be a ~ cry from*** …와 멀리 떨어져

있다; …와 현격한 차이가 있다: It *is a* ~ *cry from* here to Paris. 여기서 파리까지는 멀다. ***(few and)*** ~ ***between*** ⇨ FEW.

far. farad; farriery; farthing.

***far·a·way** [fá:rəwèi] *a.* 〔限定的〕 ① 먼, 멀리의: a ~ cousin 먼 친척 / ~ thunder 멀리서 들려오는 우렛소리. ② 먼 옛날의. ③ (얼굴 표정·눈길 따위가) 꿈꾸는 듯한(dreamy), 멍청한.

***farce** [fɑ:rs] *n.* Ⓤ,Ⓒ 소극(笑劇), 어릿광대극, 익살극; Ⓤ 익살; Ⓒ 시시한; Ⓒ 바보 같은 흉내내기, '연극'.

far·ci·cal [fá:rsikəl] *a.* 어릿광대극의, 익살극의; 익살맞은, 시시한; 터무니없는: a ~ nine months' jail sentence imposed yesterday on a killer 어제 살인자에게 내려진 터무니없는 9개월 징역 선고. ⓜ ~·**ly** [-kəli] *ad.* ~·**ness** *n.*

‡fare [fɛər] *n.* ① Ⓒ 운임, 찻삯, 뱃삯; 통행료: a single 〔a double〕 ~ 편도〔왕복〕 운임 / a railway 〔taxi〕 ~ 철도운임〔택시 요금〕 / What〔How much〕 is the ~ from Seoul to Paris? 서울에서 파리까지의 운임은 얼마입니까. ② Ⓒ (기차·버스·택시 등의) 승객(passenger). ③ Ⓤ 음식, 요리, 식사: good ~ 성찬, 맛있는 음식 / coarse ~ 변변찮은 음식, 조식(粗食). ④ (극장 등의) 상연물, 상연 작품; (TV 등의) 프로 내용. ***a bill of*** ~ 식단표, 메뉴. ── *vi.* ① 대우받다, 대접받다; 얻어먹다: Even the dog under the table ~*s* better than we do. 비록 식탁 밑에 주그리고 있는 개이지만 우리보다 좋은 대우를 받고 있다. ② 《美·英古》 음식을 먹다. ③ 《+副》 지내다, 살아가다(get on): You may go farther and ~ worse. 《格言》 지나친 것이 부족한 것만 못하다(적당한 선에서 만족해라). ④ 《+副》 〔it을 主語로〕 《古》 일이 되어 가다, 진척되다(turn out) 《*with*》: *It* ~*s well with* me. 잘 지냅니다; 무고합니다 / *It* has ~*d ill with* him. 그는 일이 여의치 않았다. ⑤ 《~/+副》 《古·文語》 가다(go), 여행하다: ~ *forth* on one's journey 여행을 떠나다. ~ ***well*** 〔***ill, badly***〕 (1) 맛있는〔맛없는〕 것을 먹다. (2) 운이 좋다〔나쁘다〕. (3) 편히〔고되게〕 살아가다. (4) 순조롭게〔나쁘게〕 되어 가다.

fáre stàge 《英》 (버스 등의) 동일 요금 구간(의 종점).

‡fare·well [fɛ̀ərwél] *int.* 안녕! ── *a.* 〔限定的〕 결별의, 고별〔송별〕의: a ~ dinner 〔party〕 송별연〔회〕 / a ~ present 전별품 / a ~ performance 고별 공연. ── *n.* ① Ⓤ,Ⓒ 작별, 고별사; 송별회. ② 《俗》 뒷맛(aftertaste). ***bid*** 〔***say***〕 ~ ***to*** . . . = ***take*** one***'s*** ~ ***of*** . . . …에게 작별을 고하다.

far·fetched [⌐fétʃt] *a.* ① 에두른, 무리한 (forced); 부자연한: The etymologic Webster gave were often very ~. 웨브스터가 제시한 어원은 무리하게 견강부회한 것도 있다. ② 《古》 먼 곳으로부터의, 이전부터의. ⓜ ~·**ness** *n.*

far-flung [⌐flʌ́ŋ] *a.* 널리 퍼진, 광범위한; 멀리 떨어진, 먼 곳의: the ~ mountain ranges of the West 서부의 광대한 산맥.

far-gone [⌐gɔ́:n] *a.* 〔敍述的〕 (병 등이) 꽤 진전〔진행〕된; 몹시 취하여, 빚을 많이 져서《*in*》; (옷·구두가) 낡아빠진; (밤이) 이슥한: be ~ *in* debt 빚이 밀려 있다.　「(starch).

fa·ri·na [fəríːnə] *n.* Ⓤ 곡분; 분말; 전분, 녹말

far·i·na·ceous [fæ̀rənéiʃəs] *a.* 곡분의; 곡분 모양의; 녹말을 내는; 전분질의.

†farm [fɑ:rm] *n.* Ⓒ ① 농장, 농원: run〔keep〕 a ~ 농장을 경영하다 / *Farm* works often have to work very long days. 농장 작업은 흔히 매우 장기간 일해야 한다. ② 양식장, 사육장: an oyster 〔a pearl〕 ~ 굴〔진주〕 양식장 / a poultry 〔chicken〕 ~ 양계장. ③ 농가(farmhouse), 농장의 가옥. ④ = FARM TEAM. ── *vt.* ① (토지)를 경작하다, 농지로 만들다(cultivate); 농장에서 (가축 등)을 사육하다: ~ the rich lands 비옥한 토지를 경작하다. ② (농지·노동력)을 임대차하다; 소작으로 내어주다. ③ 《~+目/+目+副》 (어린아이·빈민 등)을 돈을 받고 맡다〔돌봐주다〕. ④ 〖野〗 (선수)를 2군에 소속시키다. ── *vi.* ① 경작하다, 농업을 하다, 영농하다. ② 〖크리켓〗 공을 받으려고 애쓰다. ~ ***out*** (1) (토지·시설 등을) 임대하다. (2) (일을) 하청 주다. (3) (어린아이 따위를) 돈을 내고 …에게 맡기다《*to*》: ~ *out* children *to* …에게 어린아이를 맡기다. (4) 〖美野〗 (선수를) 2군 팀에 맡기다.

fárm bèlt (때로 F- B-) 곡창 지대《미국 중서부 등지의》.　「농장 경영가.

†farm·er [fá:rmər] *n.* Ⓒ 농부, 농원주, 농장주;

farm·hand [fá:rmhæ̀nd] *n.* Ⓒ 농장 노동자.

***farm·house** [fá:rmhàus] *n.* Ⓒ 농가, 농장 안의 주택.

farm·ing [fá:rmiŋ] *a.* 농업용의; 농업의: ~ implements 농기구 / ~ land 농지. ── *n.* Ⓤ ① 농업, 농장 경영.

farm·land [fá:rmlæ̀nd] *n.* Ⓤ 경작지, 농지.

farm·stead [fá:rmstèd] *n.* Ⓒ 농장《부속 건물 포함》.

fárm tèam (야구 등의) 2군 팀.

***farm·yard** [fá:rmjɑ̀:rd] *n.* Ⓒ 농가의 마당; 농장의 구내.

faro [fɛ́ərou] *n.* Ⓤ '은행(銀行)'《카드 놀이로서 물주가 은행이 되는 노름의 일종》.

Fár·oe Íslands [fɛ́ərou-] = FAEROE ISLANDS.

‡far-off [fá:rɔ́(:)f, -ɑ́f] *a.* (장소·시간이) 먼, 멀리 떨어진, 먼 장래의, 아득한 옛날의; 건성의 (abstracted). ⓜ ~·**ness** *n.*

far-out [fá:ráut] *a.* ① 《英》 멀리 떨어진. ② 《口》 현실과는 동떨어진; 전위적인, 참신한 스타일의 《재즈 따위》; 멋.　「니의.

far·rag·i·nous [fərǽdʒənəs] *a.* 잡다한, 잡동사

far·ra·go [fəréigou, -rɑ́:-] (*pl.* ~(***e***)***s***) *n.* Ⓒ 뒤범벅, 잡동사니(mixture)《*of*》: The whole story was a ~ *of* lies and deceit. 모든 이야기는 거짓말과 허위가 뒤범벅된 것이었다.

***far-reach·ing** [fá:ríːtʃiŋ] *a.* 멀리까지 미치는《영향 등》; 원대한《계획 등》.　「의(獸醫).

far·ri·er [fǽriər] *n.* Ⓒ 《英》 편자공; (말의) 수

far·row [fǽrou] *n.* Ⓒ 한 배의 새끼 돼지; 돼지가 새끼를 낳음. ── *vt.* (새끼 돼지)를 낳다. ── *vi.* (돼지가) 새끼를 낳다《*down*》.

far·see·ing [fá:rsíːiŋ] *a.* 선견지명이 있는(farsighted): Buying shares in IBM all those years ago was a very ~ move. IBM 주식을 수년 전에 매입한 것은 매우 선견지명이 있는 조치였다. ⓜ ~·**ness** *n.*

far-sight·ed [fá:rsáitid] *a.* ① 먼눈이 밝은; 〖醫〗 원시의. ② 선견지명이 있는(farseeing), 분별 있는: ~ and sensitive political leaders 선견지명이 있고 센스가 있는 정치지도자들. opp. near 〔*short*〕-*sighted*. ⓜ ~·**ly** *ad.* ~·**ness** *n.*

fart [fɑ:rt] 《卑》 *n.* Ⓒ,Ⓤ 방귀; 등신 같은〔아무짝에도 못쓸, 지겨운〕 녀석; 〔否定形〕 조금도, 전혀: I do*n't* give 〔care〕 a ~ about it. 개똥같이 여긴다《아무렇지도 않게 여긴다》. ***lay a*** ~ 방귀뀌다. ── *vi.* 방귀 뀌다. ★ 완곡한 표현으로는 break 〔make〕 wind 를 쓰기도 함.

‡far·ther [fá:rðər] 〔far 의 比較級〕 *ad.* ① 더(욱) 멀리, 더 앞에: They are going no ~ in their

F

studies. 그들의 연구는 그 이상 진전되지 않고 있다. ② (흔히 further) 다시 더, 더욱이, 또 게다가, 그 위에 (더). ~ **on** 더 앞〔뒤〕에: He is ~ *on* than you. 그는 너보다 앞서 있다 / I will explain this ~ *on*. 이것은 더 뒤에〔나중에〕 설명하겠다. **go ~ and fare worse** 너무 지나쳐 낭패보다.
— *a.* 〔限定的〕 ① 더 먼〔앞의〕: The nearer the church, the ~ from God. 교회에 가까울수록 하나님으로부터는 멀어진다. ② (흔히 further) 더 뒤의, 더 나아간(more advanced). ③ (흔히 further) 그 위의, 그 이상의(additional, more), 다시 그 밖의, 더 한층의: a ~ stage of development 더욱 발전된 단계. **until ~ notice** 다시 통지가 있을 때까지.

far·ther·most [fá:rðərmòust] *a.* 가장 먼 「(farthest).

‡far·thest [fá:rðist] 〔far의 最上級〕 *ad.* ① 가장 멀리(에); 가장; 최대한으로. ② (정도가) 극단으로: Who can throw the ball (the) ~? 누가 가장 멀리 공을 던질 수 있을까. — *a.* 가장 먼; 최대한의: Neptune is now the ~ planet from the sun. 현재는 해왕성이 태양에서 가장 먼 행성이다. **at (the) ~** (1) 멀어야; 늦어도《미래에 관하여》. (2) 기껏해야: It is ten miles *at the* ~. 기껏해야 10마일이다.

***far·thing** [fá:rðiŋ] *n.* ① 파딩《영국의 청동화로 1961년 폐지》. ② (a ~) 〔否定構文〕 조금도: I do*n't* care *a* ~. 조금도 개의〔상관〕치 않는다.

far·thin·gale [fá:rðiŋgèil] *n.* ① (고래 수염 등으로 만든) 속버팀살《16-17세기에 스커트를 부풀렸음》. ② 버팀살로 넓게 부풀린 스커트. 「방.

Fár Wést (the ~) (북아메리카의) 극서부 지

FAS 〖컴〗 flexible assembling system (플렉시블 조립 시스템; 소량 다품종의 생산에 적합한 융통성 있는 자동 조립 시스템).

fas·ces [fǽsi:z] *n. pl.* (*sing.* **fas·cis** [fǽsis]) 〔종종 單數 취급〕 《L.》 〖古로〗 속간(束桿).

fas·cia [fǽʃiə] (*pl.* **-ci·ae** [-ʃii:]) *n.* Ⓒ 《L.》 ① 끈, 띠, 장식 띠, 리본. ② (외과)붕대. ③ 처마널. ④ 근막(筋膜). ⑤ 색대(色帶).

fas·ci·cle, -cule [fǽsikəl], [-kjù:l] *n.* Ⓒ ① 작은 다발. ② 분책(分冊). ③ 〖解〗 관다발.

***fas·ci·nate** [fǽsənèit] *vt.* ① (사람)을 황홀케 하다. ② (뱀이 개구리·작은 새 등)을 노려보아 움츠리게 하다: The sight of the snake ~*d* the rabbit. 뱀을 보고 토끼는 움츠러들었다. **be ~d with〔by〕** …에 홀리다, …에 얼을 빼앗기다: He *was* ~*d with* her beauty. 그는 그녀의 아름다움에 넋을 잃었다.

***fas·ci·nat·ing** [fǽsənèitiŋ] (*more* ~; *most* ~) *a.* 황홀케 하는, 호리는, 매혹적인.

***fas·ci·na·tion** [fæ̀sənéiʃən] *n.* ① Ⓤ 매혹, 황홀케 함, 홀린 상태; 매력. ② Ⓤ,Ⓒ 매력 있는 것, 매혹하는 힘: They listened to him in ~. 그들은 넋을 잃고 그의 말을 들었다 / Wien [vi:n] has a special ~ for musicians. 음악가에게 빈은〔비엔나는〕 특별한 매력이 있다. ③ (뱀 등이) 노려봄.

fas·ci·na·tor [fǽsənèitər] *n.* Ⓒ 매혹하는 사람〔물건〕, 매혹적인 사람.

fas·cism [fǽʃizəm] *n.* (종종 F-) Ⓤ 독재적 국가 사회주의). Ⓒf Nazism.

fas·cist [fǽʃist] *n.* (종종 F-) Ⓒ 파시즘 신봉자, 국수주의자.

FASE 〖컴〗 fundamentally analyzable simplified English(간이 영어).

‡fash·ion [fǽʃən] *n.* ① Ⓤ (또는 a ~)〔限定詞를 수반〕 하는 식〔투〕, …투, 방식: in *a* friendly ~ 우호적으로. ② (a ~, the ~) …식, …류(流), …풍(風) (manner, mode): *the* Korean ~ 한국식 / *the* ~ of speech 그의 말투 / We relished wine served in *the* western ~. 우리는 서유럽풍으로 나온 와인을 음미했다. ③ Ⓒ 양식, 형, 스타일 (style, shape); 만듦새, 됨됨이; 종류: take up a new ~ 신형을 채택하다. ④ Ⓒ,Ⓤ 유행(vogue), 패션, 풍조: *Fashions* change quickly. 유행은 빨리 변한다. ⑤ (the ~) 유행을 좇는 사람, 유행물: He is *the* ~. 그는 지금 인기를 얻고 있다. ⑥ 〔複合語로; 副詞的〕 …류(流)〔식으〕로: walk crab-~ 게걸음치다, 모로 움직이다. **after〔in〕 a ~** 어느 정도, 어떤 면에서는: He became an artist *after a* ~. 그는 그럭저럭 화가가 되었다. **after the ~ of** …에 따라서, …식〔풍〕으로.
— *vt.* ① 《~+목/+목+전+명》 …을 모양짓다 (shape), 형성하다, 만들다《*to*; *into*; *out of*》; 변형하다: ~ a pipe *from* clay 점토로 파이프를 만들다 / We ~ our children *into* believers in the status quo. 우리는 자식들을 현상 신봉자들로 만들고 있다. ② 《+목+전+명》 …을 맞추다, 적합〔적응〕시키다(fit)《*to*》: He ~*ed* a style *for* his own stories. 자기의 이야기에 적합한 문체를 만들었다.

‡fash·ion·a·ble [fǽʃənəbəl] (*more* ~; *most* ~) *a.* ① 유행의, 유행을 따른, 당세풍의: a ~ amusement 유행하는 오락 / ~ goods 유행품 / Miniskirts became ~ among the young. 미니스커트가 젊은 층에 유행하게 되었다. ② 사교계의, 상류의: a ~ restaurant 고급 레스토랑.
— *n.* Ⓒ 유행을 좇는 사람.

†fast¹ [fæst, fɑ:st] (*∠·er*; *∠·est*) *a.* ① 빠른, 고속의, 급속한(Ⓞⓟⓟ *slow*): a ~ highway 고속도로. ② 〔敍述的〕 (시계가) 더 가는: My watch is 5 minutes ~. 내 시계는 5분 빠르다. ③ 재빠른. ④ 빨리 끝나는. ⑤ 단단한, 흔들리지 않는, 꽉 닫힌: The door is ~. 문이 닫혀 있다 / The roots of the tree are ~ in the ground. 나무 뿌리가 땅속에 단단히 내리고 있다. ⑥ 고정된: ~ in the mud 진창에 빠진. ⑦ (색이) 바래지 않는(unfading), 오래 가는: a ~ color 불변색. ⑧ 마음이 변함없는(loyal, steadfast), 성실한: ~ friendship 변함없는 우정. ⑨ 《古》 (잠이) 깊은: fall into a ~ sleep 숙면하다. ⑩ 〔限定的〕 (도로가) 고속에 적합한; (당구대 등이) 잘 마른, 탄력성이 있는: a ~ tennis court 공이 잘 튀는 테니스 코트. ⑪ 쾌락〔자극〕을 좇는, 방탕한, 몸가짐이 좋지 못한; (여자가) 몸가짐이 헤픈: a ~ woman. ⑫ 〔限定的〕 〖寫〗 (필름이) 고감도의; (렌즈가) 고속 촬영의. ⑬ 《口》 구변이 좋은, 말뿐인. ⑭ 《美俗》 손쉽게 얻은〔번〕. **~ and furious** (게임 등이) 백열화하여; (놀이가) 한참 무르익어. **make ~** (꽉) 죄다, 닫다, 매다, 붙들어 매다.
— *ad.* ① 빨리, 신속히: speak ~ 빨리 말하다. ② 꽉, 굳게; 꼼짝도 않고: The delegate stood ~ against the unreasonable demand. 그 대표는 상대의 부당한 요구에 전혀 굴하지 않았다 / hold ~ to a rail 난간에 매달리다 / *Fast* bind, ~ find. 《俗談》 문 단속을 잘하면 잃는 법이 없다. ③ 푹, 깊이《자다》. ④ 줄기차게, 끊이지 않고, (눈물이) 하염없이, 막: Her tears fell ~. 눈물이 하염없이 흘러내렸다. ⑤ 방탕하게《*by*; *upon*》. **live ~** 정력을 빨리 소모하다; 굵고 짧게 살다; 방탕(한 생활)에 빠지다. **play ~ and loose** (1) 행동에 주책이 없다. (2) 농락하다《*with*》.

***fast²** *vi.* 단식하다(abstain from food), 정진하다; 절식하다: ~ *on* bread and water 빵과 물만으로 정진 생활을 하다 / He had ~*ed* forty days and forty nights. 〖聖〗 예수가 40 주야를 단식하였

느니라《마태복음 Ⅳ: 1-2》.

— *n.* [C] 단식《특히 종교상의》; 금식; 단식일〔기간〕: go on a ~ of five days, 5일간의 단식을 시작하다. ***break*** one*'s* ~ 단식을 그치다; 조반을 들다.

fast·back [fǽstbæ̀k, fɑ́:st-] *n.* [C] 파스트백(의 자동차)《뒷부분이 유선형으로 된》.

fast·ball [-bɔ̀:l] *n.* [C]〖野〗(변화가 없는) 속구.

fást bréak〖籠球〗속공.

fást bréeder, fást-bréed·er reàctor [-brí:dər-]〖物〗고속 증식로《略: FBR》.

fást dày〖宗〗단식일.

‡**fas·ten** [fǽsn, fɑ́:sn] *vt.* ①《~+[목]/+[목]+[전]+[명]》…을 묶다, 동이다, 붙들어매다: Please ~ your seat belt. 좌석의 안전벨트를 매십시오 / ~ a boat *to* a tree by a rope 밧줄로 배를 나무에 붙들어매다. ②《~+[목]/+[목]+[전]+[명]/+[목]+[부]》…을 죄다, 잠그다, (지퍼·훅·단추·클립·핀 따위)를 채우다, (핀 따위)로 고정하다, (볼트·빗장 따위로)로 지르다: ~ a door *with* a bolt 문에 빗장을 지르다 / ~ *down* lifeboats *on* deck 구명 보트를 갑판에 꼭 붙들어매다 / Pins are used to ~ things *together*. 핀은 물건을 고정하는데 쓴다. ③《+[목]+[전]+[명]》(…에 눈·시선)을 멈추다, (주의)를 쏟다, (희망)을 걸다《*on, upon*》; (아무를) 뚫어지게 보다: The pupils ~*ed* their eyes *on* the teacher. 학생들은 시선을 선생에게로 돌렸다. ④《+[목]+[전]+[명]》(별명 따위)를 붙이다; (누명·죄 따위)를 (들)씌우다; (비난)을 퍼붓다《*on, upon*》. ⑤《+[목]+[부]》(사람·동물 따위)를 가두어 넣다《*in; up*》. — *vi.* ① (문 따위가) 닫히다, (자물쇠 등이) 잠기다; 고정되다: This door will not ~. 이 문은 도무지 안 닫힌다. ② 매달리다, 붙잡다: ~ *on* a person's arm 아무의 팔에 매달리다. ③ (주의·시선을) …에 쏟다, 집중하다: His gaze ~*ed on* the jewel. 그의 시선은 보석에 쏠렸다. ~ ***down*** 눌러 고정시키다, 단단히 못박다, (상자 뚜껑 따위를) 단단히 붙박다; (의미 따위를) 확정하다(fix definitely); 결심시키다, 약속케 하다: We haven't yet ~*ed down* the meaning of his statement. 아직 그의 말의 뜻을 명확히 파악하지 못하고 있다 / He's finally ~*ed down* to his work. 드디어 그의 일을 하기로 결심했다. ~ ***on*** 〔***upon***〕 (1) …을 붙잡다, …에 매달리다: He ~*ed on* his sword. 칼을 꼭 잡았다. (2) (구실 따위를) 잡다(seize upon), (생각 따위를) 받아들이다: The president ~*ed on* the idea at once. 대통령은 즉시 그 착상을 받아들였다. (3) (주의 등을) 집중하다; …에 눈독을 들이다: Once she had ~*ed on to* a scheme she did not let go. 일단 어느 계획에 달라붙으면 그것을 그녀는 놓지 않는다. ~ one***self on*** …을 귀찮게 굴다. ~ one***'s eyes on*** …을 응시하다. ~ ***up*** 단단히〔꼭〕 묶다, 꼼짝 못 하게 하다: He ~*ed up* his coat. 코트의 단추를 채웠다.

fas·ten·er [fǽsnər, fɑ́:s-] *n.* [C] 죄는 사람; 죔쇠; 서류를 철하는 기구, 파스너; 염색의 고착제(劑).

fas·ten·ing [fǽsniŋ, fɑ́:s-] *n.* ① [U] 죔, 잠금, 닫음, 지름; 정착. ② [C] 죄는〔잠그는, 채우는〕 기구.

fást fóod《美》간이〔즉석〕 식품. 「리의.

fast-food [-fú:d] *a.* 간이 음식 전문의, 즉석 요

fas·tid·i·ous [fæstídiəs, fəs-] *a.* 까다로운, 괴팍스러운, 엄격한; 〔敍述的〕(…에) 까다로운《*in; about*》.

fast·ness [fǽstnis, fɑ́:st-] *n.* ① [U] 견고, 부동; 고정, 고착; (색의) 정착. ② [U] 신속. ③ [C] 요새, 성채(城砦). ★ 흔히 a mountain ~ 산중의 요새.

fast-talk [fǽsttɔ́:k, fɑ́:st-] *vt., vi.*《美口》허튼 수작으로〔유창한 말로〕 구슬리다《*into*》: The salesperson tried to ~ me *into* buy*ing* a suit I didn't want. 점원은 나를 구슬려서 원치도 않는 옷을 사게 하려 했다.

fást tráck ① 급행 차선. ② 출세 가도. ③〖建〗조기 착공(방식).

†**fat** [fæt] (*∠·**ter**; ∠·**test***) *a.* ① 살찐, 뚱뚱한, 비대한: a ~ man 뚱뚱한 남자 / get ~ 뚱뚱해지다 / Laugh and grow ~.《俗談》소문 만복래(笑門萬福來). ② 지방이 많은. ③ (도살용으로) 살찌운(fatted): a ~ ox 〔sow〕 비육우(牛)〔돈(豚)〕. ④ (손가락 따위가) 굵은, 두꺼운; 불룩한. ⑤ 듬뿍 있는, 양이 많은: a ~ salary 고급(高給) / a ~ purse 〔pocketbook〕 돈이 가득 든 지갑. ⑥ 풍부한; (땅이) 비옥한(fertile); (일 등이) 수익이 많은, 번성하는: a ~ job 〔office〕 수입이 좋은 일〔직무〕/ a ~ benefice 수입이 많은 성직. ⑦ (어떤 물질을) 다량으로 함유한, (목재가) 진이 많은: ~ pine 송진이 많은 소나무 / ~ clay 고(高)가소성 점토 / ~ paint 기름이 진한 그림물감. ⑧ 얼빠진, 우둔한: make a ~ mistake 어리석은 실수를 하다. ***a ~ chance***《俗》많은 기회; 〔反語的〕 미덥지 않은 기대〔전망〕, 희박한 가망성《*of*》: I have a ~ *chance of* succeeding. 내게는 성공할 가망성이 거의 없다. ***a ~ lot***《俗》많이, 두둑히; 〔反語的〕 조금도 … (하지) 않다(not at all): *A ~ lot* you know about it! 조금도 모르면서. ***sit ~***《美俗》유력한 입장에 있다, 여유만만하다.

— *n.* [U,C] ① 지방; (요리용) 기름([cf.] lard): put on ~ 살찌다 / fry in deep ~ 기름을 많이 써서 튀기다. ② 비만; (흔히 *pl.*) 뚱뚱한 사람. ③ 가장 좋은〔양분이 많은〕 부분; 벌이가 되는 일. ④ 여분의 것, 필요 이상의 것. ***chew the ~*** ⇨ CHEW. ***live on*** 〔***eat***〕 ***the ~ of the land***〖聖〗호화로운 생활을 하다.

‡**fa·tal** [féitl] (***more ~; most ~***) *a.* ① 치명적인: a ~ wound / a ~ disease / Lack of oxygen is ~ *to* most animals. 산소의 부족은 대부분의 동물에게는 치명적이다〔생명에 관계되는 일이다〕. ② 파멸적인, 중대한, 엄청난: make a ~ mistake 돌이킬 수 없는 과오를 범하다. ③ 운명의〔에 관한〕; 숙명적인: The ~ day finally arrived. 운명의 날은 드디어 왔다 / take the last ~ step 운명을 건 최후의 수단을 취하다. ④ 불길한. ⑤ 흉악한. ***the ~ shears*** (인간의) 죽음. ***the ~ sisters*** 운명의 세 여신. ***the ~ thread of life*** 목숨, 수명.

— *n.* [U] 치명적인 결과, 《특히》 사고사(死).

[파] **~·ism** [-təlìzəm] *n.* [U] 운명론, 숙명론. **~·ist** *n.* [C] 운명〔숙명〕론자. **~·ness** *n.*

fa·tal·is·tic [fèitəlístik] *a.* 숙명적인; 숙명론(자)의. [파] **-ti·cal·ly** [-tikəli] *ad.*

***fa·tal·i·ty** [feitǽləti, fət-] *n.* ① [U] 불운, 불행(misfortune); [C] 재난, 참사(disaster). ② [C] (사고·전쟁 따위로 인한) 죽음; (*pl.*) 사망자(수). ③ [U] (병 따위의) 치사성, 불치《*of*》: reduce the ~ *of* cancer 암에 의한 치사율을 줄이다. ④ [U] 숙명, 천명; 인연; 불가피성: resign oneself to the ~ of life 운명에 몸을 맡기다.

fatálity ràte 사망률.

***fa·tal·ly** [féitəli] *ad.* 치명적으로; 숙명적으로.

fat·back [fǽtbæ̀k] *n.* [U] 돼지의 옆구리 위쪽의 비계살《소금을 쳐서 말림》;〖魚〗=MENHADEN.

fát cát《美口》① 정치 헌금을 많이 바치는 부자. ② 유력한 사람; =BIG SHOT. ③ 무기력하고 욕심이 없는 사람. 「태.

fát cíty《美俗》(돈 많고 지위 있는) 유복한 상

‡fate [feit] *n.* Ⓤ ① 운명, 숙명; 운(運), 비운(doom); 신의 섭리, 천명: It was her ~ to remain single. 독신으로 사는 것이 그녀의 운명이었다 / *Fate* decreed that they would never meet again. 그들은 두번 다시 만나지 못할 운명이었다. ② 죽음, 최후; 파멸: A terrible ~ awaited the hero. 무서운 죽음이 그 영웅을 기다리고 있었다. ③ (the F-s) 〚그·로神〛 운명을 맡은 세 여신《Clotho, Lachesis 및 Atropos》. ***a ~ worse than death*** 아주 불행한 경험; 《戱》 처녀성 상실. ***as ~ would have it*** 운나쁘게도〔사납게도〕. ***(as) sure as ~*** 반드시, 틀림없이. ***meet*** 〔***find***〕 one***'s ~*** (1) 최후를 마치다: The ship *met her* ~ in the storm. 그 배는 폭풍우로 침몰했다. (2) 《戱》 장차 아내가 될 여성을 만나다. ***the will*** 〔***irony***〕 ***of Fate*** 운명의 장난. — *vt.* 《+目+*to* do/+*that* 節》〔흔히 受動으로〕 운명지우다: It *was ~d that* he should meet her there. 그는 거기에서 그녀를 만나도록 운명지워져 있었다.

fat·ed [féitid] *a.* 운명이 정해진, …할 운명인; 숙명적인; 운이 다한, 저주받은.

fate·ful [féitfəl] *a.* 운명을 결정하는, 결정적인, 중대한; 치명〔파멸〕적인; 예언적인; 불길한.

fat·head [fǽthèd] *n.* Ⓒ 《口》 멍텅구리, 얼간이.

fat·head·ed [-hédid] *a.* 어리석은.
㊞ **~·ness** *n.*

†fa·ther [fɑ́:ðər] *n.* ① Ⓒ 아버지, 부친; 의붓아버지, 양아버지, 시아버지, 장인: Mother told *Father* about me. 어머니는 나에 관한 일을 아버지에게 얘기했다 / Like ~, like son 《俗談》 그 아버지에 그 아들 / take after one's ~ 아버지를 닮다. ② Ⓒ (흔히 *pl.*) 선조, 조상(forefather). ③ Ⓒ (아버지같은) 옹호자: He has been a ~ to us. 그는 우리에게 아버지 같은 존재였다. ④ (the F-) 하느님 아버지, 신: *the Father* in heaven 하늘에 계신 하느님 아버지. ⑤ Ⓒ 〚宗〛 신부, 대부; 수도원장; 《호칭》 …신부님: *Father* Brown 브라운 신부. ⑥ (*pl.*) (시읍면 의회 등의) 최연장자; 장로, 원로, 그 분야의 선배: the *Fathers* of the House (of Commons) 《英》 최고참의 (하원)의원들 / the ~*s* of a city 시의 장로들(city fathers). ⑦ Ⓒ 창시자, 창립〔설립〕자, 개조(founder); (the ~) (…의) 아버지; (종종 무관사로) 본원, 연원; 발안자, 발명자: *the* ~ of history 역사학의 아버지 / *The* child is ~ *to* 〔*of*〕 the man. 《俗談》 어린이는 성인의 아버지(세 살 버릇 여든까지). ***be gathered to*** one***'s ~s*** = ***sleep*** 〔***lie***〕 ***with*** one***'s ~s*** 조상묘에 묻히다, 죽다(die).
— *vt.* ① …의 아버지이다; …의 아버지가 되다. ② …의 작자〔발명가〕이다; 창시하다: He *~ed* many inventions. 그는 많은 발명을 했다 / He *~ed* the concept of the welfare state. 그는 복지국가라는 개념을 창안했다. ③ …에게 아버지로서 행세하다; (자식)을 인지(認知)하다. ④ …의 작자임을 자인하다; …의 책임을 지다. ⑤ 《+目+前+名》 …의 아버지〔작자, 책임자〕임을 인정하다: ~ a child 〔a book, a fault〕 *on* a person 아무를 아이의 아버지〔책의 저자, 과실의 책임자〕로 판정하다 / The work is falsely *~ed on* him. 그 작품은 잘못되어 그의 작품으로 되어 있다.

Fáther Chrístmas 《英》 = SANTA CLAUS.

fáther figure 아버지 대신이 될 만한 사람, 신뢰할 만한 지도자.

fa·ther·hood [fɑ́:ðərhùd] *n.* Ⓤ 아버지의 자격.

fáther ìmage 이상적인 아버지 상(像).

fa·ther-in-law [-inlɔ̀:] (*pl.* ***-s-in-law***) *n.* Ⓒ 장인, 시아버지; 《稀》 = STEPFATHER.

fa·ther·land [-lǽnd] *n.* Ⓒ 조국; 조상의 땅.

fa·ther·less [fɑ́:ðərlis] *a.* 아버지가 없는, 아버지를 알 수 없는.

fa·ther·like [fɑ́:ðərlàik] *a., ad.* 아버지 같은〔같이〕, 아버지다운〔답게〕(fatherly).

fa·ther·ly [fɑ́:ðərli] *a.* 아버지의〔같은, 다운〕, 자애 깊은. ⓒⓕ paternal. — *ad.* 아버지같이.

Fáther's Dày 아버지 날《6월의 제 3 일요일》.

Fáther Tíme 〔擬人的〕 때, 시간의 노인.

fath·om** [fǽðəm] (*pl.* ***~s) *n.* 개략적 물의 깊이 단위, 길《6f=1.8m에 해당》; 《英》 목재 양(量)의 이름《절단면이 6피트 평방의》. — *vt.* ① …의 깊이를 재다(sound)《측쇄 따위로》, …의 밑바닥을 탐색하다. ② 〔흔히 否定文〕 …을 헤아리다, 통찰하다: I could*n't* ~ the meaning of her remarks. 그녀의 말뜻은 헤아릴 수 없었다 / His disciples could *not* ~ his mind. 제자들은 그의 속마음을 간파할 수 없었다.
㊞ **~·a·ble** [-əbəl] *a.* 잴〔추측할〕 수 있는.

fath·om·less [fǽðəmlis] *a.* (바닥을) 헤아릴 수 없는; 불가해한, 알 수 없는. ㊞ **~·ly** *ad.*

fat·i·ga·ble [fǽtigəbəl] *a.* 곧 피로해지는.

‡fa·tigue [fətí:g] *n.* ① Ⓤ 피로, 피곤. ② Ⓤ (피로케 하는) 노동, 노고, 노역(toil). ③ Ⓒ 〚機〛 (금속 재료의) 피로, 약화. ④ Ⓒ 〚軍〛 (징벌) 잡역(=∠ **dùty**); (*pl.*) 작업복(=∠ **clòthes**). ***on ~*** 잡역중. — *a.* 〔限定的〕 〚軍〛 잡역〔작업〕의. — (*p., pp.* ***~d*** ; ***fa·tigu·ing***) *vt.* 〔흔히 受動으로〕 …를 지치게〔피로케〕 하다; 약화시키다《*with*》: *be ~d with* labor 노역으로 지치다 / Endless chatter *~s* me. 장황히 계속되는 수다는 나를 지치게 만든다.

fa·tigu·ing [fətí:giŋ] *a.* 지치게 하는; 고된.

fat·less [fǽtlis] *a.* 지방이 없는, 살코기의.

fat·ling [fǽtliŋ] *n.* Ⓒ 비육 가축《육용으로 살찌운 송아지·새끼 양·돼지 새끼 따위》.

fat·ness [fǽtnis] *n.* Ⓤ ① 비만. ② 지방이 많음. ③ 비옥(fertility); 풍부함.

fat·ted [fǽtid] *a.* 살찌운.

***fat·ten** [fǽtn] *vt.* (도살하기 위하여 가축)을 살찌우다; (땅)을 기름지게 하다. — *vi.* 살찌다《*on*》; 비옥해지다.
㊞ **~·er** *n.* Ⓒ 비육 가축 사육자.

fat·tish [fǽtiʃ] *a.* 약간 살이 찐, 좀 뚱뚱한.

fat·ty [fǽti] (***-ti·er*** ; ***-ti·est***) *a.* 지방질의; 지방이 많은, 기름진; 지방 과다(증)의. — *n.* Ⓒ 뚱보.

fátty ácid 〚化〛 지방산.

fa·tu·i·ty [fətjú:əti] *n.* Ⓤ 어리석음, 우둔.

fat·u·ous [fǽtʃuəs] *a.* 얼빠진, 어리석은; 백치의, 바보의; 실체가 없는, 환영(幻影)의.

fau·cet [fɔ́:sit] *n.* Ⓒ 《美》 (수도·통 따위의) 주둥이, 고동.

faugh [fɔ:] *int.* 피이, 체, 흥《혐오·경멸을 나타냄》.

Faulk·ner [fɔ́:knər] *n.* **William** ~ 포크너《미국의 소설가; 노벨문학상 (1949); 1897-1962》.

‡fault [fɔ:lt] *n.* Ⓒ ① 과실, 잘못(mistake), 실책, 실패. ② 결점, 결함, 단점, 흠(defect): No one is free from *~s.* 결점 없는 사람은 없다 / a man of many *~s* 결점이 많은 사람 / There is a ~ in 〔with〕 this machine. 이 기계에는 결함이 있다. ③ (흔히 one's ~, the ~) Ⓤ 과실의 책임, 죄(과): It's *my* ~. 그것은 내 탓〔죄〕이다; 내가 나쁘다. ④ 〚電〛 누전, 장애. ⑤ 폴트《테니스 서브의 실패〔무효〕》. ⑥ 〚獵〛 (사냥개가) 냄새 자취를 잃음. ⑦ 〚地質〛 단층. ***at ~*** (1) 잘못하여; 당황하여: My memory was *at* ~. 내 기억이 잘못된 것이었다 / He was *at* ~ as to where to go. 그는 어데로 갈 것인지 어찌 할 바를 몰랐다. (2) (사냥개가) 냄새 자취를 잃어. ***find ~*** 결점〔흠〕을 잡다《*in*》. ***find ~ with*** …의 흠〔탈〕을 잡다; …을 비난〔탓〕하다.

나무라다: He is always *finding* ~ *with* others. 그는 항상 남의 결점만을 찾고 있다. ***in*** ~ 잘못돼 있는, 비난할 만한: Who is *in* ~? 누구 잘못인가 (=Whose ~ is it?). ***to a*** ~ 결점이라 해도 좋을 만큼; 너무나: He is kind *to a* ~. 그는 너무나도 친절하다. ── *vt.* ①〖地質〗〔흔히 受動으로〕…에 단층을 일으키다. ②〔흔히 否定文·疑問文〕…의 흠을 잡다. ── *vi.*〖地質〗단층이 생기다.

fault·find·er [⌐fàindər] *n.* Ⓒ ① 까다로운 사람, 흠잡는〔탓하는〕 사람. ②〖電〗장애점 측정기.

fault·find·ing [⌐fàindiŋ] *n.* Ⓤ 흠〔탈〕잡기, 헐뜯음. ── *a.* 헐뜯는, 흠잡는; 까다로운.

***fault·less** [fɔ́:ltlis] *a.* ① 결점〔과실〕 없는; 흠(잡을 데) 없는, 완전 무결한. ② (테니스 등에서) 폴트가 없는. ㊕ ~·**ly** *ad.* ~·**ness** *n.* Ⓤ 완전무결.

fáult tòlerance〖컴〗고장 방지능력《일부 회로가 고장나도 시스템 전체에는 영향을 주지 않도록 하는》.

fault-tol·er·ant [fɔ́:lttɑ́lərənt / -tɔ́l-] *a.*〖컴〗고장 방지의《컴퓨터 부품이 고장나도 프로그램이나 시스템이 제대로 작동하는 상태를 이름》.

fáult-tólerant compùter 고장 방지능력을 갖춘 컴퓨터《보통 컴퓨터에 비해 '평균 고장 간격(mean time between failure, MTBF)'이 아주 긴 것이 특징》.

faulty** [fɔ́:lti] (fault·i·er; -i·est***) *a.* 과실있는, 불완전한, (기계 장치 따위가) 결점〔결함〕이 많은; 그릇〔잘못〕된, 비난할 만한: ~ reasoning 그릇〔잘못〕된 추론(推論) / a ~ memory 불완전한 기억 / a ~ work 결점투성이의 작품. ㊕ **fáult·i·ly** *ad.* 불완전하게, 잘못해. **-i·ness** *n.*

faun [fɔ:n] *n.*〖로神〗임야목축의 신《반은 사람, 반은 양의 모습을 한 신으로 음탕한 성질을 지님》.

fau·na [fɔ́:nə] (*pl.* **~s, -nae** [-ni:]) *n.* Ⓤ,Ⓒ (흔히 the ~) 동물군〔상(相)〕, 동물 구계(區系); (한 지방·시대의) 동물지(誌). cf. flora. ㊕ **fáu·nal** [-nəl] *a.* 동물지의. **-nal·ly** *ad.*

Fau·nus [fɔ́:nəs] *n.*〖로神〗파우누스《가축·수확의 수호신》.

Faust [faust] *n.*〖독일傳說〗파우스트《전지 전능함을 바라며 혼을 악마 Mephistopheles에게 팖; Marlowe, Goethe 의 작품의 주인공이 됨》.

Fau·vism [fóuvizəm] *n.* Ⓤ〖美術〗야수주의(野獸主義). ㊕ **-vist** [-vist] *n.* Ⓒ 야수파의 화가.

faux pas [fóupɑ́:] (*pl.* ~ [-z]) 《F.》 실수, 과실, 실책; 비례; 방탕《특히 여자의》.

‡**fa·vor,** 《英》 **-vour** [féivər] *n.* ① Ⓤ 호의, 친절(good will): treat a person with ~ 아무를 호의적으로 대하다. ② Ⓒ 친절한 행위, 은혜, 은고; 부탁, 정실: He showered ~*s* on me. 그는 계속 내게 은혜를 베풀었다. ③ Ⓒ,Ⓤ 총애, 애고(愛顧). ④ Ⓤ 치우친 사랑, 편애(partiality): administer justice without ~ 공평한 재판을 하다. ⑤ Ⓤ 조력, 지지(support); 찬성, 허가(leave): The vote was 95 in ~, 4 against with 21 abstentions. 투표는 찬성 95, 반대 4, 기권 21이었다. ⑥ Ⓤ 이익, 위함. ⑦ Ⓒ 호의를 보이는 선물, 애정의 표시《매듭 리본·장미꽃 장식·기장(記章) 따위》. ⑧ (흔히 *pl.*) 애정《여자가 몸을 허락하는》: bestow her ~*s* on her lover (여자가) 애인에게 몸을 허락하다. ***ask a*** ~ ***of*** …에게 부탁을 하다, …의 원조를 청하다. ***by*** ~ 특별히 돌봐줘서, 편파적으로. ***by*** 〔***with***〕 ~ ***of*** (Mr. ...) (…씨) 편에 《봉투에 쓰는 말》. ***by your*** ~ 미안합니다만〔실례입니다만〕. ***curry*** ~ ***with*** a person 남의 비위를 맞추다, 남에게 알랑 거리다. ***do*** a person ***a*** ~ = ***do a*** ~ ***for*** a person 아무에게 은혜를 베풀다, 힘〔애〕쓰다; 아무의 부탁을 들어주다: *Do* me *a* ~. 부탁합니다. ***Do me*** 〔***us***〕 ***a*** ~***!*** 《俗》 사람을 그렇게 속이는 게 아냐, 바보같은 소리 작작 해라. ***fall from*** 〔***out of***〕 ~ ***with*** a person 아무의 총애〔인기〕를 잃다. ***in*** ~ ***of*** (1) …에 찬성〔지지〕하여, …에 편을 들어《*for*》: I am *in* ~ *of* your proposal. 당신 제안에 찬성이오. (2) …을 위해: She gave up studying history *in* ~ *of* economics. 그녀는 경제학을 공부하기 위해 역사 공부를 포기했다. (3) …에게 지급하는《수표 따위》. ***May I ask you a little*** ~***?*** 좀 부탁입니다만. ***out of*** a person***'s*** ~ = ***out of*** ~ ***with*** a person 아무의 눈총을 맞아〔총애를 잃어〕: He's *out of* ~ *with* the president and may soon be fired. 그는 사장의 눈총을 받아 곧 해고될 것 같다. ***under*** ~ =by your ~. ***under*** (***the***) ~ ***of*** …을 이용하여, …의 도움을 받아, …의 지지를 얻어: *under the* ~ *of* the night 야음을 틈타. ***win*** a person***'s*** ~ 아무의 마음에 들다. ***without fear or*** ~ = ***without*** ~ ***or partiality*** ⇨ FEAR.

── *vt.* ① …에게 호의를 보이다, …에게 친절히 하다: Fortune ~*s* the brave. 용감한 자는 행운의 혜택을 받는다. ② …에게 찬성하다, 지지하다: Long hair was ~*ed* among young people in those days. 당시는 장발이 젊은 사람 사이에 인기가 있었다. ③ (날씨, 사정 등)이 …에게 유리하게 되어 나가다〔유리하다〕; 촉진하다: The market ~*s* the buyers. 시황(市況)은 구매자에게 유리하다 / The weather ~*ed* the attacking army. 날씨는 공격군에게 유리했다. ④《+목+전+명》…에게 은혜를 베풀다, …에게 보내다〔주다〕, …에게 허락하다《*with*》: ~ a person *with* a smile 아무에게 미소짓다 / He did not even ~ me *with* a glance. 그는 나를 쳐다보기조차 하지 않았다. ⑤ (사실이 이론 따위)를 뒷받침하다, 확증하다; …의 가능성을 예상케 하다: He is ~*ed* to win in the next election. 그는 다음 선거에 승리할 것 같다고 한다. ⑥ (아무)를 편애하다, 두둔하다: Parents sometimes ~ the youngest child in the family. 부모들은 흔히 막내를 편애하곤 한다. ⑦ (사람·몸)을 소중히 하다. ⑧《口》(혈족 등)을 닮다. ***be*** ~***ed with*** …의 혜택을 받다: He *is* ~*ed with* great talent. 그는 대단한 재능을 가지고 있다. ~***ed by*** (편지를) …편으로.

‡**fa·vor·a·ble** [féivərəbəl] (***more*** ~; ***most*** ~) *a.* ① 호의를 보이는, 찬성의(approving), 승낙의: a ~ answer 호의적인 대답 / a ~ comment 호평. ② **a)** 유리한, 좋은(advantageous); 알맞은(suitable); (무역이) 수출 초과의: make a ~ impression on a person 아무에게 호감을 주다 / He sent a report ~ *to* me. 그는 내게 유리한〔나를 칭찬하는〕 보고를 보냈다. **b)**〔敍述的〕(계획·제안 등에) 찬성하는《*to*》; (…에게) 유리하여, 알맞아《*to*; *for*》: I'm ~ *to* the plan. 그 계획에 찬성이다 / The weather was ~ *for* our flight. 날씨는 우리 비행에 썩 알맞았다. ***take a*** ~ ***turn*** (사태 등이) 호전되다. ㊕ ***-bly** *ad.* ① 유리하게. ② 호의적으로.

(-)fa·vored [féivərd] *a.* ① 호의를〔호감을〕 사고 있는; 사랑을〔지지를〕 받는: a ~ star 인기 스타. ② 혜택을 받은, 타고난, 재능이 있는; 특전이 부여된: the ~ few 혜택받은 몇몇 사람 / the most-~ nation (treatment) 최혜국 (대우). ③〔複合語로〕얼굴이 …한: a well-~ child 얼굴이 잘생긴 어린애.

‡**fa·vor·ite** [féivərit] *n.* ① Ⓒ 마음에 드는 것〔사람〕; 총신, 총아; 인기 있는 사람; 좋아하는 것〔물건〕: a fortune's ~ 행운아 / He was a ~ *with* the ladies. 그는 여성들에게 인기가 있었다.

② (the ~) 인기〔우승 예상〕말 ; (경기의) 인기 선수《우승 후보》; 〖商〗 인기주. ***be a ~ with*** …의 총아이다, …에게 인기가 있다 : He *is a ~ with* his uncle. 그는 숙부의 귀염을 받고 있다(=He is a ~ *of* his uncle's. = He is his uncle's ~.).
— *a.* 〔限定的〕 ① 마음에 드는 : one's ~ restaurant 단골 식당. ② 특히 잘하는, 좋아하는 : one's ~ song 가장 잘하는 노래. 「자.
fávorite són 사랑하는 아들 ; 《美》 인기 후보
fa·vor·it·ism [féivəritizəm] *n.* Ⓤ 편애, 정실.
fawn[1] [fɔːn] *n.* ① Ⓒ 새끼 사슴《한 살 미만의》. ② Ⓤ 엷은 황갈색(=∠ **brówn**).
— *a.* 엷은 황갈색의.
fawn[2] *vi.* ① (개가 꼬리를 치며) 해롱거리다. ② 아양부리다, 아첨하다《*on, upon*》. 㽕 ∠**·er** *n.*
fawn·ing [fɔ́ːniŋ] *a.* 해롱거리는, 아첨하는.
fax [fæks] *n.* Ⓤ,Ⓒ 팩시밀리(facsimile). — *a.* 팩시밀리의, 복사〔모사〕의. — *vt.* (서류 등)을 팩시밀리로 보내다.
fay [fei] *n.* Ⓒ 《詩》 요정(fairy).
faze [feiz] *vt.* 《口》 …의 마음을 혼란시키다 (disturb), …을 괴롭히다(worry), 당황케 하다.
f.b. 〖蹴〗 fullback ; freight bill(운임 청구서).
F.B.A. Fellow of the British Academy(영국 학술원 회원). **FBI** 《美》 Federal Bureau of Investigation.
F clèf [éf-] 〖樂〗 바음 기호《저음부(bass) 기호》.
FD 〖컴〗 floppy disk. **FDA** 《美》 Food and Drug Administration (식품 의약품국). **FDD** 〖컴〗 floppy disk drive. **FDR** Flight Data Recorder (비행 자료 기록 장치). **Fe** 〖化〗 *ferrum* 《L.》 (= iron). **fe.** 《L.》 *fecit.* **FEAF** [fíːf] Far Eastern Air Force.
fe·al·ty [fíːəlti] *n.* Ⓤ ① 〖史〗 충성 의무. ② 충실, 성실, 신의(loyalty).
‡**fear** [fiər] *n.* ① Ⓤ 두려움, 공포. ② Ⓤ,Ⓒ 근심, 걱정, 불안(anxiety) : the ~ of losing one's friends 친구를 잃은 불안 / I have no ~ that she will die. 그녀가 죽을 염려는 없다 / Nuclear war is one of the great ~*s* of all mankind. 핵전쟁은 인류 모두가 품고 있는 커다란 불안의 하나이다. ③ Ⓒ 걱정거리. ④ Ⓤ (신에 대한) 두려움, 외포(畏怖), 외경(畏敬)의 마음(awe) : the ~ of God 경건한 마음. ***for ~ of*** …을 두려워 하여 ; …을 하지 않도록, …이 없도록 : *for ~ of* (mak*ing*) mistakes 실수할까봐 두려워. ***for ~ that*** 〔***lest***〕 one ***should*** 〔***would, might***〕 do …하지 않도록, …할까 두려워 : I held her hand *for ~* (*that*) she *would* fall. 그녀가 넘어지지 않도록 그녀의 손을 잡았다 / I went out in disguise, *for ~* (*that*) someone *should*〔*might*〕 recognize me. 누군가에게 발각될 것이 두려워 변장하고 나갔다 / I dare not go there *for ~ that* he *will* see me. 그가 나를 볼 것이 두려워 감히 그곳에 가지 않았다. ***Have no ~.*** 염려 말게, 안심하게. ***hold no ~ for*** (아무에게) 공포·불안을 일으키지 않는다〔주지 않는다〕. ***in ~*** 벌벌 떨어, 전전긍긍하여. ***in ~ and trembling*** 무서워 떨면서. ***in ~ of*** (1) …을 두려워하여 : stand *in ~ of* dismissal 해고당할 것을 걱정하다. (2) …을 잃을 것을 두려워하여, …을 걱정〔염려〕해 : He goes *in ~ of* his life. 그는 생명의 위험을 느끼며 지낸다. ***No ~!*** 걱정 마라, 《口》 문제 없다. ***put the ~ of God into*** 〔***in, up***〕 a person 아무를 몹시 겁주다〔위협하다〕 : The loud bang, *put the ~ of God into* me. '쾅' 하는 요란한 소리에 나는 몹시 놀랐다. ***without ~ or favor*** 공평하게, 엄밀히.
— *vt.* ① 《~+목 / +*to* do / +*-ing*》 …을 두려워하다, 무서워하다 : ~ the unknown 미지의 것을 두려워하다 / He did not ~ dy*ing*〔*to* die〕. 그는 죽음을 두려워하지 않았다. ② 《+(*that*) 절》 …을 근심〔걱정〕하다, 염려하다 : You need not ~ *but that* he will get well. 그가 좋아질 것에 대해서는 걱정할 것 없다. ③ 《+*to* do》 …을 망설이다, 머뭇거리다 : I ~ *to* speak in his presence. 그분 앞에서는 주눅이 들어 말하기가 두렵다 / He ~*ed to* break the sad news to his wife. 그는 그 비보(悲報)를 아내에게 털어놓는 것을 주저했다. ④ …을 어려워하다, 경외하다 : *Fear* God. 신을 경외하라.
— *vi.* 걱정하다, 염려하다《*for*》. ***Never ~!*** = ***Don't you ~!*** 걱정하지 마라.
‡**fear·ful** [fíərfəl] (***more ~ ; most ~***) *a.* ① 무서운, 무시무시한(terrible). ② 〔敍述的〕 무서워, 두려워, 걱정하는(afraid) : Father was so angry that I was ~ to speak to him. 아버지가 너무 노하여 무서워 말을 하지 못했다 / I am ~ *of* failure. 실패할까봐 두렵다 / They were ~ *of* being detected by the police. 그들은 경찰에 탐지될까봐 걱정스러웠다(=They were ~ that they would 〔might〕 be detected by the police.). ③ 두려워하는, 소심한(timorous) : The girl answered with a ~ look on her face. 소녀는 얼굴에 두려운 빛을 띠고 대답했다. ④ 《口》 대단한, 지독한, 굉장한 : a ~ waste 지독한 낭비 / What a ~ mess! 되게 어질러〔흩뜨려〕 놓았군 / a ~ liar 지독한 거짓말쟁이. ⑤ (신 등에) 경건한, 경외하는 : be ~ *of* God 신에 대해서 경건하다.
‡**fear·less** [fíərlis] (***more ~ ; most ~***) *a.* 두려움을 모르는, 대담 무쌍한.
*__fear·some__ [fíərsəm] *a.* (얼굴 등이) 무서운.
fea·si·bil·i·ty [fìːzəbíləti] *n.* Ⓤ 실행할 수 있음, 가능성 ; 편리 ; 그럴 듯함.
feasibílity stùdy (개발 등의) 예비 조사, 타당성〔실행 가능성〕 조사.
*__fea·si·ble__ [fíːzəbəl] *a.* ① 실행할 수 있는, 가능한. ② 적당한(suitable), 이용할 수 있는. ③ 그럴듯한, 있을 법한(likely).
‡**feast** [fiːst] *n.* Ⓒ ① 축제(일)《주로 종교상의》 : an immovable ~ 고정 축제일《Christmas 따위》 / Christmas is an important ~ for Christian. 크리스마스는 기독교인에게는 중요한 축제일이다. ② 축연, 잔치, 향연(banquet). ③ 대접 ; 진수 성찬. ④ (이목을) 즐겁게 하는 것, 즐거움, 환락.
— *vt.* ① 《~+목 / +목+전+명》 …을 위해 축연을 베풀다(regale) ; 대접하다《*on*》 : ~ a person *on* duck 아무에게 오리요리를 대접하다. ② 《+목+전+명》 (마음·눈·귀)를 즐겁게 하다(delight) 《*on ; with*》 : ~ one's ears *with* music 〔Bach〕 음악을〔바흐를〕 들으며 즐기다. — *vi.* ① 축연을 베풀다 ; 축연에 참석하다. ② 대접을 받다 ; 진수성찬을 먹다. ③ 《+전+명》 (그림·경치 등을) 마음껏 즐기다《*on*》 : ~ *on* a novel 소설을 읽고 즐기다. ~ ***away*** (밤 등을) 잔치를 벌여 보내다. ~ one***self on*** . . . …을 크게 즐기다.
féast dày 축제일, 연회날.
‡**feat** [fiːt] *n.* Ⓒ ① 위업(偉業) ; 공훈(exploit), 공(적). ② 묘기, 재주, 곡예, 기술(奇術). ***a ~ of arms*** 〔***valor***〕 무훈.
†**feath·er** [féðər] *n.* ① Ⓒ 깃털, 깃(plumage, plume). ② Ⓒ (모자 따위의) 깃(털)장식 ; (보통 *pl.*) 《比》 의상(attire) ; (개·말 따위의) 북슬북슬한 털, 푸하게 일어선 털 : Fine ~*s* make fine birds. 《俗談》 옷이 날개라. ③ Ⓤ 건강 상태, 기분, 원기. ④ Ⓤ 〔集合的〕 조류(鳥類), 엽조 : fur and ~ 조수(鳥獸). ⑤ Ⓒ 살깃. ⑥ Ⓒ 깃 비슷한 것 ; 깃털처럼 가벼운 것 ; 아주 시시한〔하찮은〕 것

F

(trifle) : Your worry is a mere ~. 자네 걱정은 하찮은 것일세. ⑦Ⓒ (보석·유리의) 깃털 모양의 흠집. ⑧Ⓒ 종류(kind) ; 같은 털빛 : Birds of a ~ flock together. ⇨ BIRD. ⑨물마루. ⑩Ⓤ 〖競漕〗 노깃을 수평으로 젓기. ***a ~ in*** one***'s cap*** 〔***hat***〕 자랑(거리), 명예, 공적 : If he clinches this deal, that'll really be *a ~ in his cap*. 그가 이 거래를 성사시킨다면 정말 멋진 그의 자랑거리가 될 것이다. **(*as*) *light as a ~*** 아주 가벼운. ***cut a ~*** (배가) 물보라를 일으키며 나아가다 ; 《口》 자기를 돋보이게 하려고 하다. ***ruffle*** a person***'s ~s*** …를 괴롭히다, 귀찮게 하다. ***ruffle up the ~s*** (새가 성나서) 깃털을 곤두세우다. ***smooth*** one***'s*** 〔a person***'s***〕(***ruffled*** 〔***rumpled***〕) ***~s*** 마음의 평정을 되찾다. ***You could*** 〔***might***〕 ***have knocked me down with a ~.*** 깜짝 놀라 자빠질 뻔했다.

── *vt.* ① (모자 따위)에 깃털을 달다, 깃으로 장식하다, 깃털로 덮다. ② (화살)에 살깃을 달다. ③ (노깃)을 수평으로 젓다. ④ (사냥개로 하여금)… 의 냄새 자취를 따르게 하다. ── *vi.* ① (새끼 새가) 깃털이 나다. ②《~ / +전+명》 깃털 모양으로 되다 ; 깃처럼 움직이다 ; (밀 따위가) 바람에 나부끼다 ; (물결이) 흰 물마루를 일으키다 : the wave of barley *~ing to* a gentle breeze 산들바람에 나부껴 물결치는 보리 이삭. ③ 노깃을 수평으로 젓다. ④ (사냥개가) 냄새 자취를 따라가다. ***~ up to . . .*** 《美俗》 …에게 구애하다, …를 설득하다.

féather béd 깃털 침대〔요〕; 《比》 안락한 지위.

feath·er·bed [-bèd] (***-dd-***) *vi.* (노동 조합의 실업 대책으로서) 과잉 고용을 요구하다, 생산 제한을 하다. ── *vt.* …에 과잉 고용하다 ; (사람·사업 등)을 관대한 정부 보조금으로 원조하다 ; 응석을 받아 주다. ── *a.* 과잉 고용의. ㊘ **~·ding** *n.* Ⓤ 과잉 고용 요구, 의식적 생산 제한.

feath·er·brain [-brèin] *n.* Ⓒ 저능자, 바보.

feath·ered [féðərd] *a.* ① 깃이 있는 ; 깃을 단 ; 깃털로 장식된 ; 깃 모양을 한 ; 날개 있는, 새처럼 나는, 빠른. ② 〔흔히 合成語로〕 …한 깃털이 있는 : white-*feathered* 흰 깃털이 있는. ***our ~ friends = the ~ tribes*** 조류(鳥類).

feath·er·edge [féðərèdʒ] *n.* Ⓒ 쉽게 꺾어지는 얇은 가장자리 ; 〖建〗 얇게 후린 끝, 후림 끝. ── *vt.* (판자)의 가장자리를 얇게 깎다〔후리다〕.

feath·er·less [féðərlis] *a.* 깃털 없는.

feath·er·stitch [-stìtʃ] *n.* Ⓤ 갈짓자 수놓기. ── *vt.* …에 갈짓자로 수놓다.

feath·er·weight [-wèit] *n.* Ⓒ, *a.* 매우 가벼운 (사람·물건) ; 하찮은 (사람·물건) ; 〖競馬〗 최경량 핸디캡, 최경량 기수 ; 〖拳·레슬링〗 페더급.

feath·ery [féðəri] *a.* 깃이 난 ; 깃으로 덮인 ; 천박한.

‡**fea·ture** [fíːtʃər] *n.* Ⓒ ① (이목구비 따위) 얼굴의 생김새 ; (*pl.*) 용모, 얼굴 : Her mouth is her best ~. 그녀의 입이 얼굴 중에서 가장 예쁘다 / a man of fine *~s* 용모가 아름다운 남자. ② 특징, 특색 ; 두드러진 점《*of*》: the natural *~s of* the district 그 지방의 자연적 특징. ③ (신문·잡지 따위의) 특집기사 ; 특별 프로그램 (=∠ **prógram**) ; (영화·쇼 등의) 인기물, 볼만한 것 ; 〖映〗 (단편·뉴스 영화에 대하여) 장편, 특작 ; (바겐 세일 따위의) 특별 제공〔염가〕품 ; 〖컴〗 특징: a double-~ program 특작 영화 2 편 동시 상영(프로) / run a ~ on child abuse 아동학대에 관한 특집기사를 게재하다. ④ (산천 등의) 지세, 지형. ***make a ~ of*** …으로 인기를 끌다, …을 특종〔특색〕으로 하다 : This monthly *makes a ~ of* economic issues. 이 월간잡지는 경제문제를 특종으로 다루고 있다.

── *vt.* ① …을 특색짓다 ; …의 특징을 이루다 : Our age is *~d* by great technological progress. 우리 시대의 특징은 위대한 기술적 진보이다. ② …을 두드러지게 하다, 인기물로 하다 ; (사건 등)을 대서 특필하다 : a newspaper *featuring* the accident 그 사고를 크게 다룬 신문. ③〖映〗…을 주연시키다 ; …의 역을 하다 : a new film *featuring* Harrison Ford 해리슨 포드 주연의 새 영화. ④《口·方》 (육친의) …와 얼굴이 비슷하다. ⑤《美口》…을 상상하다, 마음에 그리다. ── *vi.* 중요한 역할을 하다 ; (영화에) 주연하다 : Meat *~s* largely *in* our daily food. 고기는 우리의 식생활에서 커다란 역할을 하고 있다.

(-)**fea·tured** [fíːtʃərd] *a.* 특색으로 하는, 인기를 끄는 ; 〔合成語〕 얼굴 (모양)이 …한 : a ~ article 특집 기사 / hard-~ 무서운 얼굴의 / sharp-~ 얼굴 생김새가 날카로운.

féature fílm 〔**pícture**〕 장편 특작 영화.

féature stóry (신문·잡지 따위의) 인기 기사 ; (감동적 또는 유머러스한) 특집 기사.

Feb. February.

feb·ri·fuge [fébrəfjùːdʒ] *n.* Ⓒ 해열제 ; 청량음료. ── *a.* 해열(성)의. ㊘ **fe·brif·u·gal** [fibrífjəgəl, fèbrəfjúːgəl] *a.* 해열(성)의.

fe·brile [fíːbrəl, féb- / fíːbrail] *a.* 열병(성)의 ; 열로 생기는 ; 열광적인.

†**Feb·ru·ary** [fébruèri, fébruəri] *n.* Ⓤ 2월.

fe·cal [fíːkəl] *a.* 배설물의, 대변의.

fe·ces [fíːsiːz] *n. pl.* 배설물, 똥 ; 찌끼.

feck·less [féklis] *a.* ① 무능한, 게으른. ② 사려 없는 ; 무책임한 ; 쓸모없는(useless).

fe·cund [fíːkənd, fék-] *a.* 다산의(prolific) ; 기름진(fertile) ; 상상력이 풍부한.

fe·cun·date [fíːkəndèit, fék-] *vt.* …을 다산하게 하다, 비옥〔풍요〕하게 하다 ; 〖生〗 수태시키다.

fe·cun·di·ty [fiːkʌ́ndəti] *n.* Ⓤ 다산 ; 비옥 ; 생식〔생산〕력 ; (상상력이) 풍부함.

Fed [fed] *n.* 《美口》 연방 정부(의 관리) : (특히) 연방 수사관.

‡**fed** [fed] FEED의 과거·과거분사. ── *a.* (가축이 시장용으로) 비육된 : ~ pigs 비육돈(豚).

‡**fed·er·al** [fédərəl] *a.* ① (국가간의) 동맹의, 연합의 ; 연방 정부의, 연방제의 : the ~ system of government 연방정부제. ② (흔히 F-) 《美》 연방(정부)의, 합중국의 : the *Federal* Government 연방〔중앙〕정부. ③ (F-) 〖美史〗 (남북 전쟁 시대의) 북부 연방주의자의. ── *n.* Ⓒ 연방주의자(federalist) ; (F-) 〖美史〗 북부 연방 지지자 ; 〖美史〗 북군병(北軍兵).

fed·er·al·ism [fédərəlìzəm] *n.* Ⓤ 연방주의〔제도〕; (F-) 〖美史〗 연방당의 주의〔주장〕. 「(의).

fed·er·al·ist [fédərəlist] *n., a.* Ⓒ 연방주의자

fed·er·al·ize [fédərəlàiz] *vt.* …을 연방화하다, 연방 정부의 지배하에 두다.

Féderal Resérve Bànk (the ~) 《美》 연방 준비 은행《略 : FRB》.

fed·er·ate [fédərit] *a.* 연합의 ; 연방제의. ── [fédərèit] *vt.* …을 연방제로 하다, 연합시키다.

***fed·er·a·tion** [fèdəréiʃən] *n.* Ⓤ,Ⓒ 동맹, 연합, 연맹 ; 연방제(를 폄) ; 연방 정부 : a ~ of labor unions 노동조합 총동맹.

‡**fed·er·a·tive** [fédərèitiv, -rə-] *a.* 연합〔연맹〕의, 연방의. ㊘ **~·ly** *ad.*

‡**fee** [fiː] *n.* ①Ⓒ 요금, 수수료, 수고값 ; 입회금, 입장료(admission ~) ; 수험료 ; 수업료(tuition ~) ; 공공 요금 ; (축구 선수 등이 이적(移籍)할 때

무는) 이적료. ② Ⓒ 보수, 사례(금)《의사·변호사 등에게 주는》; 봉급. ③ Ⓒ 정표, 행하(行下), 팁. ④ Ⓤ 〖法〗 봉토(封土), 영지; 세습지; 상속 재산《특히 부동산》; 소유권. ⑤《美俗》 커피. ***at a pin's*** ~ 〔흔히 否定的〕 핀만큼(의 가치)도: I do *not* set my life *at a pin's* ~. 이 목숨 따위 조금도 아깝지 않다. ***hold in*** ~ (***simple***) 〖法〗 (토지를) 무조건 상속〔세습〕지로서 보유하다.

‡fee·ble [fíːbəl] (***-bler; -blest***) *a.* ① 연약한, 힘없는: The sick man grew *feebler* every day. 환자는 나날이 쇠약해졌다. ② 박약한, 나약한, 기력이 없는; 저능의: be ~ in mind 정신 박약이다 / make a ~ excuse 설득력 약한 변명을 하다. ③ (빛·효과 따위가) 약한, 미약한, 희미한; (목소리가) 가냘픈: the ~ light of the stars 희미한 별빛.

fee·ble-mind·ed [-máindid] *a.* ① 정신 박약의, 저능의. ②《古》 의지가 약한.

***fee·bly** [fíːbli] *ad.* 나약하게; 무기력하게.

†feed [fiːd] (*p., pp.* ***fed*** [fed]) *vt.* ①《~+[목]/+[목]+[전]+[명]/+[목]+[목]》 (어린애·동물)에게 먹을 것을 주다, (음식)을 먹이다; (어린애)에게 젖을 먹이다(suckle); (가축)에게 사료를〔풀을〕 주다: *Feed* the chickens this grain. 이 곡식을 닭에게 주어라 / Well *fed,* well bred. 《俗談》 의식(衣食)이 족해야 예절을 안다. ②《~+[목]/+[목]+[전]+[명]》 (가족)을 부양하다; 키우다《*on; with*》: ~ a large family *on* a meager salary 박봉으로 대가족을 부양하다. ③ (토지 따위가) …에게 양식을 공급하다(supply); …의 영양이 되다: The grass in this meadow ~*s* the cows amply. 이 목장의 목초로 소들에게는 충분한 먹이가 된다 / Plants ~ many creatures. 식물들은 여러 동물의 먹이가 된다. ④《~+[목]/+[목]+[전]+[명]》 …에 즐거움을 주다; 만족시키다(gratify); (분노 등)을 부채질하다, 돋우다: The tourists *fed* their eyes *on* 〔*with*〕 the scenery. 관광객들은 경치를 바라보며 즐겼다 / Music ~*s* our imagination. 음악은 상상력을 풍부하게 한다 / He *fed* his anger *with* thoughts of revenge. 그의 분노는 복수할 생각으로 한층 타올랐다. ⑤《~+[목]/+[목]+[전]+[명]》 (연료·전력·재료 따위)를 공급하다《*to; into*》; (보일러)에 급수하다, (램프)에 기름을 넣다, (기계)에 연료·전력 따위를 공급하다, (시장)에 상품을 공급하다: ~ a motor 모터에 전력을〔엔진에 연료를〕 공급하다 / ~ oil *to* a lamp = ~ a lamp *with* oil 램프에 기름을 붓다 / ~ a computer *with* data = ~ data *into* a computer 컴퓨터에 데이터를 입력하다. ⑥ (냇물 등이) (강·호수)로 흘러들다: Several streams ~ this lake. 몇 개의 시냇물이 이 호수로 흘러든다. ⑦《口》〖劇〗 (상대 배우)에게 대사의 실마리를 주다(prompt); 〖競〗 (골 앞 자기편)에게 패스하다. ◇ food *n.*

— *vi.* ① (동물이) 풀을 뜯어먹다, 사료를 먹다. ②《+[전]+[명]》 (보통, 동물이 …을) 먹이로〔상식으로〕 하다《*on*》. ③《+[전]+[명]》 (원료·연료 등이 기계에) (흘러) 들어가다《*into*》: Bullets *fed into* a machine gun. 기관총에 탄환이 장전되었다. ***be fed up with*** 〔***on***〕《口》 …에 물리다, 진저리〔넌더리〕나다: I *am fed up* (*with*) talk*ing* to her. 그녀와 얘기하는 것에 질렸다. ~ ***a cold*** 감기 들었을 때 많이 먹어 이기다: *Feed a cold* and starve a fever. 《俗談》 감기에는 많이 먹고 열에는 굶어라. ~ ***at the high table*** = ~ ***high*** 〔***well***〕 미식(美食)하다. ~ ***back*** 〔흔히 受動으로〕 〖電子〗 (출력·신호·정보 등을 …로) 피드백하다《*into; to*》; (*vi.*) (청중의 반응 따위가) 되돌아오다: Advice from the production line *is fed back to* the planning division for analysis. 생산라인으로부터 들어오는 어드바이스는 분석을 위해 기획부로 되돌아온다. ~ ***off*** (…을) 정보〔식료·연료〕원(源)으로 이용하다. ~ ***on*** 〔***upon***〕 …을 먹고 살다; …으로 살아가다; (젖먹이·동물을) …로 키우다〔기르다〕; (아무에) 매달려 살아가다: ~ *on* hope 희망에 매달려 살다. ~ ***the flames*** 〔***fire***〕 ***of anger*** 〔***jealousy***〕 부아를 돋우다〔질투심에 불지르다〕.

— *n.* ① Ⓤ 키움, 사육. ② Ⓤ 먹이, 사료, 마초; Ⓒ (말 따위에 주는) 1회분의 사료; Ⓒ《口》 식사. ③ Ⓒ 〖機〗 (원료의) 급송(給送)(장치); Ⓤ (보일러의) 급수(給水); 〖電子〗 급전(給電); Ⓤ 공급 재료. ④ Ⓒ《英口》〖劇〗 대사의 계기를 주는 사람(feeder)《특히 코미디언의 상대역》; 어떤 계기가 되는 대사. ***at one*** ~ 한 끼에. ***be off*** one's ~ 식욕이 없다;《口》 기분이 좋지 않다. ***be out at*** ~ (가축이) 목장에서 풀을 뜯고 있다.

fee'd [fiːd] FEE의 과거·과거분사.

***feed·back** [fíːdbæ̀k] *n.* Ⓤ ① **a)** 〖電子〗 귀환(歸還), 피드백. **b)** 귀환되는 신호. **c)** 〖컴〗 피드백. **d)** 〔形容詞的〕 귀환〔피드백〕의. ② 스피커 소리의 일부가 마이크로폰을 통하여 반복해서 증폭됨(으로 인한 찡하는 소리). ③ (정보·질문·서비스 등을 받는 측의) 반응, 의견, 감상.

féed bàg (말의 목에 거는) 꼴망태.

feed·er [fíːdər] *n.* Ⓒ ① 가축 따위를 치는 사람, 사양자, 비육 가축 사육자; 선동자; 장려자. ② 〔흔히 修飾語를 수반〕 먹는 사람〔짐승〕: a large 〔quick〕 ~ 대식가(大食家)〔빨리 먹는 이〕. ③ (유아용) 젖병; 《英》 턱받이; 구유, 급이기(給餌器)〔機〕). ④ 지류(支流); 급수로(路); 〖鑛山〗 지맥(支脈); 〖電〗 급전〔송전〕선; = FEEDER LINE; 지선 도로(~ road). ⑤ 원료 공급 장치; 깔때기; 급유기(給油器); 급광기(給鑛器); 〖印〗 (자동) 급지기(給紙機); 〖劇〗 = FEED.

féeder lìne (항공로·철도의) 지선.

féeder ròad (간선 도로에 통하는) 지선도로.

— *a.* 〖機〗 급송(給送)의.

feed·ing [fíːdiŋ] *n.* Ⓤ 급식, 사양(飼養); 먹음; 〖機〗 급송(給送); (보일러에의) 급수; 송전; 목초지.

féeding bòttle (유아용) 젖병(feeder).

féeding frénzy ① (상어가) 탐욕스럽게 먹음, 또 그 모습. ② (매스컴에 의한) 무참한 개인공격.

†feel [fiːl] (*p., pp.* ***felt*** [felt]) *vt.* ①《~+[목]/+*wh.* [절]》 …을 만지다, 만져보다, 더듬다(search), 더듬어 가다(grope); 정찰하다: The doctor *felt* my pulse. 의사는 내 맥을 짚어 보았다 / ~ the difference in the fabrics 만져서 직물의 차이를 알아보다 / ~ one's way (손으로) 더듬어 나아가다; 《比》 일을 신중히 진행시키다 / I'm still just ~*ing my way* at work. 일은 아직 암중모색 상태이다 / Just ~ *how* cold my hands are. 내 손이 얼마나 찬지 좀 만져 보아라 / *Feel whether* the water is deep or shallow. 물이 깊은지 얕은지 알아 보아라. ②《~+[목]/+[목]+*do*/+[목]+*-ing*/+[목]+*done*》 (신체적으로) …을 느끼다, 감지하다, 지각하다: ~ pain 〔hunger〕 통증〔공복〕을 느끼다 / I *felt* something *creep* 〔creep*ing*〕 on the back. 등에 무언가 기고 있는 것을 느꼈다 / I *felt* myself *lifted* up. 몸이 들려지는 것을 느꼈다 / *Feeling* himself *insulted,* he got out of the room. 모멸을 당했다고 느끼고, 그는 방을 나갔다. ③ (정신적으로) …을 느끼다; 통절히 느끼다, …에 감동하다: ~ anger 〔fear, joy, sorrow〕 노여움〔두려움, 기쁨, 슬픔〕을 느끼다 / What do they ~ toward you? 그들은 네게 어떤 감정을 가지고 있는가 / He felt her impatience. 그녀가 조마조마하고 있음을 느꼈다 / ~ a great responsibility 중대한 책임감을 느끼다 / ~ the uncertainty of life 인생의 무상함을 통감하다 / He *felt* his interest in her grow*ing*. 그녀에 대한 관심이 차츰차츰 커가는 것을 그는 느꼈다. ④《+목+전+명 / +목+(*to be*) 보 / +목+*done* / +*that* 절》…라고 생각하다, …라고 깨닫다, …이라는 생각〔느낌〕이 들다: What do you ~ *about* his suggestion? 그의 제안에 대하여 어떻게 생각하는가 / I *felt* this (*to be*) 〔This was *felt to be*〕 necessary. 이것은 필요한 것이라고 생각했습니다 / I ~ *that* I ought to say no more at present. 나는 현재 이 이상 아무 말도 해서는 안 된다고 생각한다 / He *felt* it his duty to help her. 그녀를 돕는 것이 자기 의무라고 그는 생각했다. ⑤…의 영향을 받다, …에 의해 타격을 받다, …을 톡톡히 맛보다: The whole island *felt* the earthquake. 온섬이 지진의 영향을 받았다 / He shall ~ my vengeance. 이 원한은 한 번 톡톡히 갚겠다 / One day you'll ~ his wrath. 언젠가 너는 그의 복수를 받을 것이다 / I *felt* his death. 그녀의 죽음을 슬퍼했다. ⑥ (무생물이) …의 작용을 받다, …에 느끼는 듯이 움직이다, …에 반응을 보이다: Agriculture has *felt* the rapid advances of biotechnology. 농업은 생물공학의 급속한 진보의 영향을 받아왔다.

— *vi.* ①《+전+명》손으로 더듬다, 찾다; 동정을 살피다《*after* ; *for*》: ~ in one's pocket *for* one's key 주머니를 더듬어 열쇠를 찾다 / ~ *for* rain with one's hand 손을 내밀어 비가 오는가를 살피다 / ~ *for* 〔*after*〕 an excuse 변명의 이유를 찾다. ②감각〔느낌〕이 있다, 느끼는 힘이 있다: Stone does not ~. 돌은 감각이 없다 / My fingers have stopped ~*ing*. 손가락의 감각이 없어져 있었다. ③《+전+명》감동하다; 공명하다《*with*》; 불쌍히 여기다, 동정하다《*for*》: Boy, I ~ *for* you guys. 애야, 불쌍한 녀석들 같으니 / I ~ *for* all who suffer. 나는 고통받고 있는 사람은 누구나 동정한다. ④《+보 / +부》(아무가) …한 생각이 들다, …하게 생각하다〔느끼다〕: ~ hungry 〔cold, happy〕 배고프게〔춥게, 행복하게〕 느끼다 / ~ well 건강 상태가 좋다 / *How* are you ~*ing* this morning? 오늘 아침 기분은 어떠십니까 / ~ good 〔badly〕 기분이 좋다〔나쁘다〕 / Are you ~*ing* okay? 괜찮습니까—I am ~*ing* comfortable. 아주 좋습니다. ⑤《+보 / +부》(사물이) …의〔한〕 느낌을 주다, …의〔한〕 느낌〔감촉〕이 있다: Velvet ~*s* smooth. 벨벳은 보드랍다 / Your hands ~ warm. 너의 손은 따뜻하다. ⑥《+보 / +부》(…에 대해) 어떤 감정을 품다, (…라고) 생각하다, 느끼다《*toward* ; *on* ; *about*》; (마치 …같이) 느끼다《*like* ... ; *as if* ... ; *as though* ...》: ~ differently 달리 생각하다 / We ~ sure that we will not lose the game. 그 시합에 절대 지지 않으리라 생각한다 / How do you ~ *about* (going for) a walk? 산책 나갈까요 / I had no idea how he *felt toward* me. 그가 나를 어떻게 생각하고 있는지 전혀 몰랐다 / I ~ *like* a perfect fool. 자신이 마치 바보처럼 생각된다 / He *felt as if* his head were splitting.=His head *felt as if* it were splitting. 머리가 빠개지는 것 같이 아팠다.

~ ***about*** (1) 여기저기 더듬어 찾다. (2) …에 대해 생각하다. ~ ***after*** …을 더듬어 찾다: ~ *after* the matches 성냥을 더듬어 찾다. ~ ***around*** 더듬적거리다. ~ ***bad*** (***ly***) ***about*** …으로 기분을 상하다, …에 상심하다. ~ ***bound to*** do …하지 않으면 안 될것 같은느낌이 들다: I don't ~ *bound to* accept this offer. 이 제의를 받아들이지 않아도 되겠다는 생각이 든다. ~ ***equal to*** =~ up to. ~ ***free to*** do 〔흔히 命令文으로〕 마음대로 …해도 좋다: *Feel free to* express your opinion. 눈치보지 말고 마음놓고 의견을 말해 보게. ~ ***in*** one***'s bones*** ⇨ BONE. ~ ***like*** (1) 아무래도 …같다: It ~*s like* rain. 아무래도 비가 올 것 같다. (2) …이 요망되다, …을 하고 싶다《do*ing*》: I ~ *like* a cup of water. 물을 한 컵 마시고싶다 / I *felt like* cry*ing*. 울고 싶은 심정이었다. (3) …같은 감촉이 들다: This ~*s like* real leather. 이것은 진짜 가죽 같은 감촉이다. ~ ***of*** 《美》…을 손으로 만져보다: ~ *of* the dress 그 드레스를 손으로 만져보다. ~ a person ***out*** (남의 의향 따위를) 넌지시 떠보다, 타진하다: Could you ~ the president *out* on the question of a wage hike? 임금인상 문제에 대해 사장의 의향을 타진해 주겠소? ~ ***out of it*** 〔***things***〕 (그 자리에 어울릴 수 없는) 소외감을 느끼다, 따돌림받는 것처럼 여겨지다. ~ one***'s ears burning*** 귀가 가렵다. ~ one***'s legs*** 〔***feet, wings***〕 발판이 든든하다, 자신이 있다. ~ one***'s way around*** 신중히 나아가다. ~ ***sure*** …을 확신하다《*of* ; *that*》: I ~ *sure of* his success. ~ ***the pulse of*** …의 맥을 짚다; 《比》…의 의향을 타진하다. ~ ***up to . . .*** 〔보통 否定形으로〕 …을 견디어 내다〔감당하다〕, …을 해낼 수 있을 것 같은 마음이 들다《do*ing*》. ***make*** one***self*** 〔one***'s influence,*** one***'s presence***〕 ***felt*** 남에게 존재를 인정받게 되다, 영향력을 미치게 되다: He has *made himself felt* in his class. 그는 반에서 두각을 나타내 왔다 / Big business certainly *makes its presence felt* in politics. 대기업은 확실히 정치에 영향력을 가지고 있다.

— *n.* Ⓒ ①느낌, 촉감, 감촉; 기미, 분위기: a ~ of a home 가정적인 분위기. ②만짐: Let me have a ~. 좀 만져 보게 해줘, 좀 만져 보자. ③《口》직감, 감각, 센스《*for*》: have a ~ *for* words 말에 대한 센스가 있다 / have a ~ *for* music 음악에 대한 센스가 있다 / have a ~ *for* what is right 무엇이 옳은가를 직관적으로 판별하다. ***to the*** ~ 촉감에: The cloth is very soft *to the* ~. 이 천은 촉감이 썩 부드럽다.

feel·er [fíːlər] *n.* Ⓒ 만져〔더듬어〕 보는 사람; 타진, 떠봄; 〖動〗 더듬이, 촉감, 촉모(觸毛), 촉수(觸鬚); 〖軍〗 척후; 《口》 염탐꾼, 첩자. ***put*** 〔***throw***〕 ***out a*** ~ 속을 떠보다, 반응을 살피다.

feel·good [fíːlgùd] *n.* Ⓤ 《蔑》 더없이 행복한 상태, 꿈을 꾸는 듯한 황홀한 기분; 〔一般的〕 아주 만족한 상태. — *a.* 《口》 사람을 흡족하게 해주는, 행복한 기분을 갖게 하는.

‡feel·ing [fíːliŋ] *n.* ①ⓊⒸ 촉감. ②ⓊⒸ 감각, 지각: no ~ in the arm 팔에 감각이 없는. ③ⒸⓊ (개인간에 생기는) 감정, 기분: (a) good ~ 호감, 호의 / (an) ill ~ 반감; (*pl.*) (희로애락 등의 여러 가지) 감정, 기분: You have no thought for the ~*s* of others. 자넨 남의 기분을 전혀 생각 않는군. ④Ⓤ 흥분; 반감, 적의(敵意): sing with ~ 감정을 넣어 노래하다 / His words stirred up strong ~ on both sides. 그의 말은 양쪽에 강한 반감을 불러 일으켰다. ⑤Ⓤ 동정, 친절: have great ~ *for* the sufferings of others 다른 사람의 고통에 대해 깊이 동정하다. ⑥ⒸⓊ 감수성, 센스《*for*》; 인상, 의견: a ~ *for* music 음악의 감상력 / A great city has a ~ of strain and hurry. 대도시는 긴장과 분주함이 있다는 인상을 갖게 한다. ⑦Ⓒ 의식, 예감: a ~ of danger 위험이 절박했다는 예감 / It is my ~ 〔My ~ is〕 *that* something is wrong with him. 그에게 불행한 일이 있다는 예감이 든다 / People have a ~ that a

silent man is dangerous. 말없는 남자는 위험하다는 의식을 사람들은 가지고 있다. ***enter into*** a person*'s* ~*s* 아무의 감정〔마음〕을 헤아리다, 기분을 짐작하다. ***give a*** ~ ***of*** 〔*that*〕 …라는 느낌을 주다. ***with*** ~ 열의 있게 ; 감동하여.
— *a.* ① 감각이 있는. ② 다감한, 감정적인 ; 인정 많은. ③ 감동시키는 : a ~ story 감동적인 이야기. ④ 충심으로부터의. ***in a*** ~ ***way*** 감동적으로.

feep·er [fíːpər] *n.* 《컴俗》 (단말기의) 버저(buzzer).

féep·ing créaturism [fíːpiŋ-] 《컴俗》 컴퓨터가 마치 생물인 듯한 인상.

†**feet** [fiːt] FOOT의 복수.

féet pèople 도보(徒步)난민. cf. boat people.

***feign** [fein] *vt.* ①《~+목 / +*to* do / +*that* 절 / +목+(*to be*) 보》 …을 가장하다, …인 체하다 : ~ friendship 우정을 가장하다 / ~ indifference 무관심한 체하다 / ~ *to be* sick 앓는 체하다 / He ~*ed that* he was mad. =He ~ himself (*to be*) mad. 그는 미치광이로 가장하였다 / He ~*ed* death *to* escape capture. 그는 체포를 면하기 위해 죽은 체했다. ② (구실 따위)를 꾸며대다, (문서)를 위조하다. ③ (속이기 위하여 목소리 따위)를 흉내내다. — *vi.* 속이다, 체하다 ; (작가 따위가) 이야기를 만들어내다. 파 **~ed** [-d] *a.* 거짓의, 허위의 : a ~*ed* illness 꾀병 / with ~*ed* surprise 놀란 체하고. **∠·er** *n.* **∠·ed·ly** [-idli] *ad.* 거짓으로, 가장하여.

feint[1] [feint] *n.* Ⓒ ① 거짓 꾸밈, …하는 체함, 가장 : His air of approval was a ~ to conceal his real motive. 그가 동의(同意)를 보인 것은 참된 동기를 숨기기 위한 것이었다. ② 공격하는 시늉 ; 〚軍·펜싱·권투·배구〛 페인트, 양동 작전 ; (적을 속이기 위한) 견제 행동. — *vi.* ① 속이다, …하는 체하다. ② 거짓 공격을 하다《*at* ; *on, upon* ; *against*》 : He ~*ed at* me with the right hand and struck me with the left. 오른 손으로 치는 체하다가 왼손으로 나를 쳤다.

feint[2] *a.* 〚印〛 (괘선이) 가늘고 색이 엷은(faint) : a ~ line 엷은 괘선. ***ruled*** ~ =~ ***ruled*** 엷은 괘선을 친.

feld·spar [féldspɑ̀ːr] *n.* Ⓤ 〚鑛〛 장석(長石).

fe·lic·i·tate [filísətèit] *vt.* …을 축하하다《*on, upon*》.

fe·lic·i·ta·tion [filìsətéiʃən] *n.* Ⓒ (흔히 *pl.*) 축하 ; 축사《*on, upon*》. 「알맞은.

fe·lic·i·tous [filísətəs] *a.* (표현 따위가) 교묘한,

***fe·lic·i·ty** [filísəti] *n.* Ⓒ 경사 ; Ⓤ 더없는 행복 ; Ⓤ (표현의) 교묘함 ; Ⓒ 적절한 표현.

fe·line [fíːlain] *a.* 고양이 같은 ; 고양잇과(科)의.
— *n.* Ⓒ 고양잇과의 동물.

Fe·lix [fíːliks] *n.* 펠릭스《남자 이름》. cf. Felicia.

†**fell**[1] [fel] FALL 의 과거.

fell[2] *vt.* ① (나무)를 베어 넘어뜨리다 ; 쳐서 넘어뜨리다 ; 동댕이 치다. ② …을 공그르다. — *n.* Ⓒ (한 철의) 벌채량 ; 공그르기.

fell[3] *a.* 〔限定的〕 잔인한 ; 무서운(terrible).

fell[4] *n.* Ⓒ 수피(獸皮)(hide), 모피(pelt).

fell[5] *n.* 《Sc.》 ① Ⓒ 고원 지대. ② …산(山).

fel·la, fel·lah [félə] *n.* 《俗·方》 =FELLOW.

fel·la·tio [fəláːtiòu, -léiʃiòu, fe-] *n.* Ⓤ 구강성교.

fell·er[1] [félər] *n.* Ⓒ 벌목〔벌채〕꾼 ; 벌목기(機) ; (재봉틀의) 공그르는 부속 기구.

fell·er[2] *n.* 《俗·方》 =FELLOW.

†**fel·low** [félou] 《★ 사람을 말할 때 구어로는 종종 [félə]》 *n.* ① Ⓒ 동무, 친구 : a ~ in misery 가난한 때의 친구. ② Ⓒ (흔히 *pl.*) 동아리, 동료, 한패 : ~*s* in arms 전우 / ~*s* in crime 공범자. ③ Ⓒ 동업자. ④ Ⓒ (흔히 *pl.*) 같은 시대 사람 (contemporaries). ⑤ Ⓒ 상대, 필적자. ⑥ Ⓒ《口》 사람 ; 놈, 녀석《흔히 修飾語를 수반》: He is a jolly good ~. 그는 정말 좋은 녀석이야. ⑦ 〔다정하게 부를 때의 호칭으로〕 자네, 여보게 : my dear ~《英》 여보게. ⑧《口》 (남성의) 연인, 애인 : her young ~ 그녀의 젊은 정부. ⑨ (a ~) 〔一般的〕 인간(person), 누구든(one), 나(I). ⑩ (특히 영국 대학의) 평의원 ; (대학의) 특별 연구원 ; 《英》 (대학의) 명예 교우(校友) ; (흔히 F-) (학술 단체의) 특별 회원《보통 평회원(member)보다 높음》: a ~ of the British Academy 영국 아카데미 특별 회원. — *a.* 〔限定的〕 동아리〔한패〕의, 동료의, 동업의 : a ~ countryman 동포, 동국인 / ~ students 학우, 동창생 / a ~ soldier 전우 / a ~ worker 동료 / a ~ passenger 동승〔동선(同船)〕자 / ~ traders 동업자.

***féllow créature** 같은 인간, 동포 ; 동류(同類) (의 동물). 「이해, 동료 의식.

féllow féeling 동정(sympathy), 공감 ; 상호

fel·low·man** [-mǽn] (*pl.* ***-men [-mén]) *n.* Ⓒ 같은 인간, 동포.

féllow sérvant 〚法〛 동료 고용인.

***fel·low·ship** [félouʃìp] *n.* ① Ⓤ 친구임, 교우(交友), 동료 의식. ② Ⓤ 친목, 친교(companionship) : enjoy〔have〕 good ~ with the 〔one's〕 neighbors 이웃 사람들과 사이좋게 어울리다. ③ Ⓤ (이해 등을) 같이하기, 공동, 협력, 제휴 : ~ in misfortune 불행을 같이 하기. ④ Ⓒ (동지)회, 단체, 조합 : admit a person to a ~ 아무를 입회시키다. ⑤ Ⓤ,Ⓒ 대학 평의원의 지위 ; 학회 회원의 자격 ; (대학의) 특별 연구원의 지위〔신분〕 ; 특별 연구원 연구비.

féllow tráveler 길동무 ; 동조자《정치상 특히 공산주의의》.

fel·on [félən] *n.* Ⓒ 중죄인, 악한.

fe·lo·ni·ous [filóuniəs] *a.* 중죄(범)의.

fel·o·ny [féləni] *n.* Ⓤ,Ⓒ 중죄(重罪).

fel·spar [félspɑ̀ːr] *n.* 《英》 =FELDSPAR.

†**felt**[1] [felt] FEEL의 과거·과거분사.

***felt**[2] *n.* Ⓤ 펠트, 모전(毛氈) ; 펠트 제품.
— *a.* 〔限定的〕 펠트제(製)의.

félt-tip(ped) pén [félttìp(t)-] 펠트펜(=**félt pén** 〔**típ**〕). 「〔모양의〕.

felty [félti] (***felt·i·er ; -i·est***) *a.* 펠트 비슷한

fe·luc·ca [fəlúːkə, felʌ́kə] *n.* Ⓒ 펠러커선(船).

fem [fem] *a.* 여자 같은, 여성적인.
— *n.* =FEMME.

fem. female ; feminine.

‡**fe·male** [fíːmeil] *a.* ① 여성의, 여자의 : ~ psychology 여성 심리. ② 부인의, 여자다운〔같은〕 (womanish). ③ 암(컷·놈)의 ; 〚植〛 암의, 자성(雌性)의 ; 〚機〛 (나사·프러그의) 암의 : a ~ dog 암캐 / a ~ flower 암꽃 / a ~ screw 암나사.
— *n.* Ⓒ ① 여자, 여성, 부인 : The ~*s* are often more aggressive than the males. 암컷이 수컷보다 더 공격적일 때가 있다. ② 〚動·植〛 암, 암컷〔놈〕 ; 암술, 자성 식물.

fémale cháuvinism 여성 우월〔중심〕주의.

fémale impérsonator (배우 등의) 여장(女裝) 남자.

fem·i·nine** [fémənin] (more*** ~ ; ***most*** ~) *a.* ① 여자의, 여성〔부인〕의. ② 여자 같은, 연약한, 상냥한 : This year the fashion is for long, flowing dresses in ~ flower-prints. 금년 유행하는 패션 스타일은 여성적인 꽃을 날염한 길게 늘러진 옷이다. ③ (남자가) 계집애〔여자〕 같은, 나약한(effeminate) : a man with a ~ walk 여자

같은 걸음걸이를 하는 남자.

féminine énding 〖韻〗 여성 행말(行末); 〖文法〗 여성 어미.

féminine rhýme 〖韻〗 여성운(韻).

fem·i·nin·i·ty [fèmənínəti] *n.* Ⓤ 여자임, 여자 같음; 〔集合的〕 여성.

fem·i·nism [fémənìzəm] *n.* Ⓤ 여권주의, 남녀 동권주의; 여권 신장론(伸張論).

femme [fem] *n.* Ⓒ 《F.》 여자(woman); 처(wife); 《美俗》 레즈비언의 여자역(opp. *butch*).

femme fa·tale [fèmfətǽl, fèi-, -tɑ́:l] (*pl.* ***femmes fa·tales*** [-z]) 《F.》 요부(妖婦).

fem·o·ral [fémərəl] *a.* 〖解〗 대퇴부〔골〕의.

femto- '1,000조(兆)분의 1'의 뜻의 결합사 (10^{-15}).

fe·mur [fí:mər] (*pl.* **~s**, ***fem·o·ra*** [fémərə]) *n.* Ⓒ 《L.》 〖解〗 대퇴골(thighbone); 넓적다리.

fen [fen] *n.* ① Ⓒ 늪지, 소택지. ② (the F-s) (잉글랜드 동부의) 소택지대.

‡**fence** [fens] *n.* ① Ⓒ 울타리, 담(enclosure, barrier); (마술 경기 등의) 장애물: Good ~*s* make good neighbors. 좋은 울타리는 좋은 이웃을 만든다《가까울수록 예의를 지켜라》. ② Ⓤ 검술, 펜싱; 재치 있는 답변. ③ Ⓒ 장물아비. ④ Ⓒ 〖機〗 유도 장치(guide); (공작 기계의) 울. ⑤ (흔히 *pl.*) 《美》 정치적 지반. ***be on** a person**'s side of the*** ~ 《美口》 아무의 편을 들다. ***come down*** 〔***descend***〕 ***on the right side of the*** ~ 이길 듯한 쪽에 붙다. ***look after*** 〔***to***〕 one***'s ~s*** = ***mend*** 〔***repair***〕 one***'s ~s*** 기반을 굳히다; 화해하다《*with*》; 《美》 (의원 등이) 자기 선거구의 지반을 다지다. ***sit on*** 〔***stand on, be on, straddle, walk***〕 ***the*** ~ 형세를 관망하다〔보아 거취를 정하다〕: The party leaders *are* still *on the* ~. 당 지도부는 아직도 형세를 관망하고 있다. ── *vi.* ① 검술을 하다. ② 《+전+명》 (질문 등을) 교묘히 얼버무려 넘기다, 재치있게 받아 넘기다《*with*》: She cleverly ~*d with* her questioners. 그녀는 질문자들의 물음을 교묘히 얼버무려 넘겼다 / ~ *with* a question 질문을 재치있게 받아 넘기다. ③ (말이) 울타리를 뛰어 넘다. ④ (장물을) 매매하다. ── *vt.* ① 《~+목 / +목+부 / +목+전+명》 …에 울타리를 두르다 : The plot was ~*d round.* 그 토지에는 울타리가 둘려 있었다 / ~ a garden *from* children 어린이들이 들어가지 못하게 정원에 울타리를 두르다. ② 《+목+전+명》 …을 막다, 방어하다: ~ one's house *from* the north wind 집을 북풍으로부터 막다. ③ (장물)을 매매하다, 고매(故買)하다. ~ ***about*** 〔***round, around***〕 …에 울타리를 두르다. ~ ***for*** (1) …을 차지하려고 상대와 다투다: The two racing drivers ~*d for* a chance to gain the head. 그 두 카 레이서는 선두를 차지하기 위해 서로 기회를 노렸다. (2) 〔흔히 受動으로〕 …을 (방어물로) 지키다. ~ ***in*** 둘러〔에워〕싸다, 가두다; 〔흔히 受動으로〕 (사람을) 구속하다: I like being at home with the baby, but sometimes I feel very ~*d in.* 아기와 함께 집에 있는 것을 좋아하는데 때로는 자유를 빼앗긴 듯한 기분이 들기도 한다. ~ ***off*** 〔***out***〕 (1) 물리치다, 받아넘기다. (2) (울 따위로) 구획하다, 가르다: The pond was ~*d off.* 연못에는 울타리가 둘려 있었다. [◂de*fence*]

fence·less [fénslis] *a.* 울타리가〔담이〕 없는.

fence-mend·ing [ˊ-mèndiŋ] *n.* Ⓤ (외국 등과의) 관계 회복, (의원의) 기반 굳히기.

fenc·er [fénsər] *n.* Ⓒ 검객, 검술가; 담을 두르는 사람.

fence-sit·ter [fénssìtər] *n.* Ⓒ 형세를 관망하는 자.

‡**fenc·ing** [fénsiŋ] *n.* Ⓤ ① 펜싱, 검술. ② 〔集合的〕 담·울타리의 재료. ③ 장물 매매〔취득〕. ④ 교묘히 받아넘기는 답변.

fend [fend] *vt.* (질문 등)을 받아넘기다, 피하다, 빗기다《*off*》; 가까이하지 못하게 하다: I ~*ed off* the difficult questions. 그 어려운 질문들을 교묘히 받아넘겼다. ── *vi.* (몸 등에) 갖추다, 돌보다《*for*》. ~ ***for*** one***self*** 혼자 힘으로 자활하다.

fend·er [féndər] *n.* Ⓒ 방호물; 《美》 (자동차 등의) 바퀴 덮개, 범퍼(《美》 bumper); 난로 울, (벽로의) 불똥막이 울; (배의) 방현재(防舷材); (교각의) 방호물.

fénder bènder 《美口》 (가벼운) 자동차 사고.

fen·es·tra·tion [fènəstréiʃən] *n.* Ⓤ 〖建〗 창(窓)내기; ⒸⓊ 〖醫〗 천공(穿孔) 설치〔술〕.

fen·nel [fénəl] *n.* Ⓒ 〖植〗 회향풀(의 씨).

fen·ny [féni] *a.* 늪의; 소택지에 나는〔많은〕.

feoff [fef, fi:f] *n., vt.* 봉토, 영지(領地)(를 주다).

fe·ral [fíərəl] *a.* ① 야생의; 야생으로 돌아간. ② (사람·성격 등이) 야성적인.

fer·ment** [fə́:rment] *n.* Ⓒ 효소(enzyme); Ⓤ 발효; Ⓤ 들끓는 소란, 동요, 흥분. ***in a ~ 대소동으로, 동요하여: The whole country was *in a* political ~. 전국은 정치적 동요 속에 있었다. ── [fə:rmént] *vt.* (포도 따위)를 발효시키다; (감정 등)을 들끓게 하다: Reading ~*ed* his active imagination. 독서는 그의 활발한 상상력을 더욱 자극했다. ── *vi.* 발효하다; 흥분〔동요〕하다.

파 **~·a·ble** [-əbəl] *a.* 발효성의.

***fer·men·ta·tion** [fə̀:rmentéiʃən] *n.* Ⓤ 발효(작용); 소동, 동요, 흥분.

fer·mi·um [féərmiəm, fə́:r-] *n.* Ⓤ 〖化〗 페르뮴《방사성 원소; 기호 Fm》.

***fern** [fə:rn] *n.* ⓊⒸ 〖植〗 양치류(類).

fern·ery [fə́:rnəri] *n.* Ⓒ 양치식물의 숲; 양치식물의 재배지; 양치식물 재배 케이스《장식용》.

ferny [fə́:rni] *a.* 양치식물의〔같은〕; 양치식물이 우거진.

***fe·ro·cious** [fəróuʃəs] *a.* 사나운, 잔인한; 모진.

***fe·roc·i·ty** [fərɑ́səti / -rɔ́s-] *n.* Ⓤ 사나움, 잔인성(fierceness); Ⓒ 광포한 행동, 만행.

***fer·ret**[1] [férit] *n.* Ⓒ 흰족제비; 수색자, 탐정. ── *vt.* ① …을 흰족제비로 사냥하다. ② 《+목+부》 (비밀·범인 등)을 찾아내다; 수색하다《*out*》; 내쫓다: At last I managed to ~ *out* the truth. 결국 사실을 찾아낼 수 있었다. ── *vi.* ① 흰족제비를 이용하여 사냥하다. ② 《+부》 찾아다니다《*about*》: I've been ~*ing about*〔*around*〕 in my drawers *for* the missing letter. 그 잃어버린 편지를 찾으려고 서랍들을 뒤적이고 있었다.

fer·ret[2], **-ret·ing** [férit], [-iŋ] *n.* Ⓒ (무명 또는 비단으로 만든) 가는 끈, 납작한 끈.

fer·rety [fériti] *a.* 흰족제비 같은; 캐기 좋아하는.

ferri- 〖化〗 '제 2 철의'의 뜻의 결합사.

fer·ric [férik] *a.* 철분이 있는; 〖化〗 제 2 철의: ~ oxide 〔chloride, sulfate〕 산화〔염화, 황산〕 제 2 철.

Fér·ris whèel [féris-] (유원지의) 큰 관람차.

fer·rite [férait] *n.* Ⓤ 〖化〗 페라이트.

ferro- '철의, 철을 함유한'의 뜻의 결합사.

fer·ro·con·crete [fèroukɑ́nkri:t, -kɔ́ŋ-] *n.* Ⓤ 철근 콘크리트.

fer·ro·mag·net·ic [fèroumægnétik] *a.* 강자성(強磁性)의.

fer·ro·mag·net·ism [fèroumǽgnətìzəm] *n.* Ⓤ 〖物〗 강자성(強磁性).

fer·rous [férəs] *a.* 쇠〔철〕의; 〖化〗 제 1 철의.

fer·rule [férəl, férul] *n.* Ⓒ (지팡이 따위의) 물미; 칼코등이. ── *vt.* …에 ~을 달다〔대다〕.

‡**fer·ry** [féri] *n.* ① Ⓒ 나루터, 도선장: He rowed

the traveler over the ~. 배를 저어 여행자를 나루터로 날랐다. ② Ⓒ 나룻배(ferryboat), 연락선. ③ Ⓤ 〖法〗 나룻배〔도선〕 영업권. ④ Ⓤ 〖空〗 (새로 만든 항공기의) 자력(自力) 현지 수송《공장에서 현지까지 가는》; (정기) 항공〔자동차〕편; 정기 항공기(의 발착장). ── *vt.* ① …을 배로 건네다〔나르다〕. ② 〖空〗 …을 자력 수송하다; (정기적으로) 항공기로 수송하다. ── *vi.* 나룻배로 건너다.

***fer·ry·boat** [-bòut] *n.* Ⓒ 나룻배, 연락선.

fer·ry·man [-mən] (*pl.* ***-men*** [-mən]) *n.* Ⓒ 나룻배 사공, 도선업자.

:fer·tile [fə́:rtl / -tail] (***more*** ~; ***most*** ~) *a.* ① (땅이) 비옥한, 기름진. ② 다산(多産)의, 번식력이 있는. ③ 풍작을 가져오는; 풍작의. opp *sterile.* ④ (상상력·창의력 등이) 풍부한; (마음이) 상상〔창조〕력이 많은: a ~ mind 창의력이 풍부한 마음 / She has a ~ imagination. 그녀는 상상력이 풍부하다. ⑤ 《比》 다산적인, 많이 열리는《*in*; *of*》.

Fértile Créscent (the ~) 비옥한 초승달 지역《지중해 동부에서 페르시아 만에 걸친》.

***fer·til·i·ty** [fə:rtíləti] *n.* Ⓤ ① 비옥; 다산(多産). ② 독창성. ③ (토지의) 산출력. ④ 〖動〗 번식〔생식〕력.

fer·ti·li·za·tion [fə̀:rtəlizéiʃən] *n.* Ⓤ (땅을) 기름지게 하기; 다산화; 〖生〗 수정〔수태〕.

***fer·ti·lize** [fə́:rtəlàiz] *vt.* (땅)을 기름지게 하다; (정신 등)을 풍부하게 하다; 〖生〗 수정〔수태〕시키다. ── *vi.* (땅에) 비료를 주다.

***fer·ti·liz·er** [fə́:rtəlàizər] *n.* Ⓤ,Ⓒ 거름, 비료, 《특히》 화학 비료(manure); Ⓒ 수정 매개물.

fer·ule [férəl, -ru:l] *n.* Ⓒ,Ⓤ (체벌용) 나무주걱. ── *vt.* ~로 때려 징벌하다.

fer·ven·cy [fə́:rvənsi] *n.* Ⓤ 뜨거움; 열렬; 열정, 열성.

***fer·vent** [fə́:rvənt] *a.* 뜨거운; 타는 듯한; 열렬한: a ~ desire 강렬한 욕망. ◇ fervor *n.*

fer·vid [fə́:rvid] *a.* 열정적인, 열렬한(ardent).

***fer·vor,** 《英》 **-vour** [fə́:rvər] *n.* Ⓤ 백열(상태), 염열(炎熱)(intense heat); 열정, 열렬.

fess(e) [fes] *n.* Ⓒ 〖紋〗 중대(中帶)《방패꼴 무늬 바탕 중앙의 가로띠》. ***in*** ~ 가로띠 모양으로 (배치한).

-fest 《美口》 '축제, (비공식) 회합'의 뜻의 결합사: song*fest.*

fes·tal [féstl] *a.* =FESTIVE. ㊞ **~·ly** [-təli] *ad.*

fes·ter [féstər] *vi., vt.* (상처가) 곪다; 곪게 하다; 뜨끔뜨끔 쑤시(게 하)다; 괴로워하다: Malice ~*ed* his spirit. 악의(惡意)가 그의 마음을 괴롭혔다 / His insults ~*ed* in my mind. 그의 모욕적인 말이 마음에 맺혀 있다. ~ ***into*** (상처 따위가) 곪아 …이 되다 : His memories ~*ed into* hate. 그의 회상들은 혐오로 응어리졌다. ── *n.* Ⓒ 화농(化膿), 궤양.

:fes·ti·val [féstəvəl] *a.* ① 잔치의, 축(제)일의. ② 즐거운. ── *n.* ① Ⓤ,Ⓒ 잔치. ② Ⓒ 축제일. ③ Ⓒ 향연. ④ Ⓒ 정기적인 행사; 행사 시즌.

***fes·tive** [féstiv] *a.* 〔限定的〕 경축의; 축제의, 명절 기분의, 즐거운, 명랑한: a ~ season 명절, 축제 계절《Christmas 등》. ◇ festival *n.* festivity *n.* ㊞ **~·ly** *ad.* 축제 기분으로, 명랑하게.

***fes·tiv·i·ty** [festívəti] *n.* ① Ⓤ 축제, 잔치, 제전; 축제 기분. ② (*pl.*) 축제의 행사, 법석.

fes·toon [festú:n] *n.* Ⓒ 꽃줄《꽃·잎·리본 등을 길게 이어 양끝을 질러 놓은 장식》. ── *vt.* ① 《~+目 / +目+前+名》 …을 꽃줄로 잇다, 꽃줄로 꾸미다《*with*》: ~ a Christmas tree *with* tinsel 크리스마스 트리를 반짝반짝 빛나는 금속 조각을 이어서 꾸미다. ② …을 꽃줄로 만들다.

Fest·schrift [féstʃrift] (*pl.* ***~en,*** ***~s***) *n.* (종종 f-) 《G.》 (선배 학자에게 바치는) 기념 논문집.

fet·a [fétə] *n.* Ⓤ 페터치즈《양 또는 염소 젖으로 만듦》.

fe·tal [fí:tl] *a.* 태아(fetus)의.

fétal álcohol sýndrome 〖醫〗 태아 알코올 증후군《임부의 알코올 과음에 의한》.

:fetch [fetʃ] *vt.* ① 《~+目 / +目+目 / +目+前+名 / +目+副》 …을 (가서) 가져오다, (가서) 데려〔불러〕오다. ★ 본 뜻은 go and get〔bring〕이므로 go and fetch는 의미상 중복되어 피하는 것이 바람직하다고 하나 《口》에서 go and fetch도 종종 쓰임. ¶ The stool is in the terrace; ~ it *in.* 의자가 테라스에 있네, 들여오게. ② (눈물·피 등)을 자아내다, 나오게 하다(derive) : The gesture ~*ed* a laugh from the audience. 그 제스처가 관객들의 웃음을 자아냈다 / The pitiful tale ~*ed* tears from the girl. 그 가련한 얘기를 듣고 소녀는 눈물을 흘렸다. ③ (큰 소리·신음 소리)를 발하다, 내다; (한숨)을 짓다: ~ a deep sigh of relief 깊은 안도의 한숨을 쉬다. ④ 《~+目 / +目+目》 (상품 따위가) …에 팔리다; (…의 금액)을 가져오다: How much did the picture ~? 그 그림은 얼마에 팔렸는가. ⑤ 《+目+目》 (타격 등)을 가하다, 먹이다(strike) : I ~*ed* him one〔a slap〕. 그에게 한방 먹였다. ⑥ …의 마음을 사로잡다; 매혹하다(attract). ⑦ …의 의식을 회복시키다《*to*; *around*》; (아무)를 설득하다《*around*》. ⑧ 《稀》 추론하다(infer). ⑨ (급격한 동작)을 해내다(perform). ⑩ 〖海〗 …에 닿다(reach). ⑪ 〖컴〗 (명령)을 꺼내다.
── *vi.* ① 가서 (물건을) 가져오다; (사냥개가) 잡은 것을 물고 오다. ② 의식〔체력·체중〕을 회복하다《*up*》. ③ 우회하다. ④ 〖海〗 (어느 방향으로) 진로를 잡다, 항진하다; 진로를 바꾸다(veer) : ~ headway 〔sternway〕 전진〔후진〕하다. ~ ***and carry*** 심부름을 다니다; (소문 따위를) 퍼뜨리고 다니다; (아무를 위해) 잡일을 하다《*for*》: You can't expect me to ~ *and carry for* you all day. 내가 하루종일 자네를 위해 동분서주하리라고 기대하지 말게. ~ ***in*** (한 패로) 끌어넣다〔들이다〕; 안으로 들여놓다; (이익 따위를) 가져오다. ~ ***out*** 끌어〔끄집어〕내다; (광·윤 등을) 내다. ~ ***over*** (사람을) 집으로 데리고 오다; (사람을) 설득하다. ~ ***up*** (1) 《口》 끝나다, (배·사람 등이) 갑자기 서다, 멈추다. (2) (뜻밖의 장소에) 도착하다: I fell asleep on the train and ~*ed up* in Glasgow. 열차에서 잠든 바람에 엉뚱하게도 글래스고까지 갔다. (3) (배가) 정박하다, 정선하다. (4) 욕지기가 나다.

fetch·ing [fétʃiŋ] *a.* 매혹적인. ㊞ **~·ly** *ad.*

fete, fête [feit, fet] *n.* Ⓒ ① 축제. ② 축일(~ day); 〖가톨릭〗 영명 축일(靈名祝日). ③ (특히 옥외에서, 모금 목적으로 베푸는) 향연, 축연: a garden 〔lawn〕 ~ 《美》 원유회(園遊會). ── *vt.* 〔흔히 受動으로〕 …을 위하여 잔치를 베풀어 축하하다; 향응〔환대〕하다: After it won the cup, the local football team *was* ~*d* everywhere it went. 우승컵을 차지한 후 그 지방 축구팀은 어디를 가나 환대받았다.

fe·ti·cide [fí:təsàid] *n.* Ⓤ 태아 살해, 낙태.

fet·id [fétid, fí:tid] *a.* 악취를 내(뿜)는.

fet·ish [fétiʃ, fí:t-] *n.* Ⓒ 주물(呪物), 물신(物神); 〖心〗 성적 감정을 불러일으키는 무성물(無性物). ***make a*** ~ ***of*** …을 맹목적으로 숭배하다, …에 열광하다: a goose-stepping army which *makes a* ~ *of* discipline 규율을 제일로 쳐 무조건 복종하는 군대.

fet·ish·ism [fétiʃìzəm, fí:t-] *n.* Ⓤ 주물(呪物)〔물신〕 숭배 ; 〖心〗 성욕 도착, 배물성애(拜物性愛). ㊕ **-ist** *n.*

fet·lock [fétlɑ̀k / -lɔ̀k] *n.* Ⓒ (말굽 뒤쪽의) 텁수룩한 털 ; 구절(球節)《말굽 뒤쪽의 털난 곳》.

fe·tol·o·gy [fi:tɑ́lədʒi / -tɔ́l-] *n.* Ⓤ 태아학, 태아 치료학. ㊕ **-gist** *n.*

fe·tor [fí:tər, -tɔ:r] *n.* Ⓤ 강한 악취.

fe·to·scope [fí:təskòup] *n.* Ⓒ 태아관찰경(鏡).

***fet·ter** [fétər] *n.* ① Ⓒ (흔히 *pl.*) 족쇄(shackle), 차꼬. ⓒⓕ manacle. ② (흔히 *pl.*) 속박 ; 구속(물). ― *vt.* …에 차꼬를 채우다 ; …을 속박〔구속〕하다 : be ~*ed* by convention 인습에 사로잡혀 있다.

fet·tle [fétl] *n.* Ⓤ (심신의) 상태.

fe·tus [fí:təs] *n.* Ⓒ (임신 3개월이 넘은) 태아(胎兒).

feud**[1] [fju:d] *n.* Ⓤ,Ⓒ (씨족간 등의 여러 대에 걸친 유혈의) 불화, 숙원(宿怨) ; 반목. ***deadly ~ 불구대천의 원한. ― *vi.* 반목하다 ; 다투다《*with*》: They spent their time ~*ing with* their neighbors. 이웃들과 티격태격하면서 그들은 시간을 보냈다.

feud[2] *n.* Ⓒ (봉건 시대의) 영지, 봉토(fee).

feu·dal [fjú:dl] *a.* ① 영지〔봉토〕의 ; 봉건(제도)의 ; 봉건시대의, 중세의. ② 소수 특권 계급 중심의 ; 군웅 할거적인 ; 반동적인 ; 호장(豪壯)한.

***feu·dal·ism** [fjú:dəlìzəm] *n.* Ⓤ 봉건 제도.

feu·dal·is·tic [fjù:dəlístik] *a.* 봉건 제도의 ; 봉건적인 : a ~ idea 봉건 사상.

feu·dal·i·ty [fju:dǽləti] *n.* ① Ⓤ 봉건 제도 ; 봉건성. ② Ⓒ 봉토, 영지(fief).

feu·da·to·ry [fjú:dətɔ̀:ri / -təri] *a.* 봉건의 ; 봉토를 받은, 봉토의 ; 가신(家臣)의, 군신〔주종〕관계의《*to*》, 종주권 아래에 있는. ― *n.* Ⓒ ① 가신(家臣). ② 영지(feud), 봉토.

‡fe·ver [fí:vər] *n.* ① Ⓤ,Ⓒ (병으로 인한) 열, 발열 : have a ~ 열이 있다 / an attack of ~ 발열. ② Ⓤ 열병 : He died of ~. 그는 열병으로 죽었다. ③ Ⓤ (종종 a ~) 열중, 열광(craze), 흥분 : The school is *in a* ~ heat of excitement as the playoff approaches. 결승전이 가까워짐에 따라 학교는 흥분의 열기에 싸여 있다. ***at ~ speed*** 초스피드로. ***in a*** ~ 열이 올라, 열광하여, 정신없이. ***intermittent*** ~ 〖醫〗 간헐열(間歇熱). ***run a*** ~ 발열하다, 열이 있다. ***scarlet*** ~ 〖醫〗 성홍열. ***typhoid*** ~ 장티푸스.
― *vt., vi.* 발열시키다〔하다〕; 흥분시키다, 열광케 하다 ; 열망하다《*for*》; 열광적으로 활동하다 : He was ~*ed* by the prospect of great riches. 대부호가 될 가능성으로 그는 흥분했다 / He ~*ed for* his far-off home. 그는 머나먼 고향집이 몹시 그리웠다.

féver blìster 〖醫〗 =COLD SORE.

fe·vered [fí:vərd] *a.* 〔限定的〕 ① (병적인) 열이 있는(feverish), 열병에 걸린. ② (매우) 흥분한 (excited). ③ 강렬한, 이상한.

***fe·ver·ish** [fí:vəriʃ] (*more* ~ ; *most* ~) *a.* ① 열이 있는, 뜨거운 ; 열병의〔에 의한〕; 열병이 많은《지방 따위》; (기후가) 무더운. ② 열광적인 ; 큰 소란을 피우는 ; (시세가) 불안정한 : the ~ market 과열 장세. ㊕ **~·ly** *ad.* **~·ness** *n.*

fe·ver·less [fí:vərlis] *a.* 열이 없는.

fe·ver·ous [fí:vərəs] *a.* =FEVERISH.

féver pítch 병적 흥분, 열광 : The announcement of victory brought the crowd ~. 승리의 발표로 군중들은 열광했다.

féver sòre =COLD SORE.

féver thèrapy 〖醫〗 발열 요법.

féver wàrd (열병 환자의) 격리 병실.

†few [fju:] (<·*er* ; <·*est*) *a.* 〔可算名詞에 붙어〕 ① 〔a 가 붙지 않는 否定的 용법〕 거의 없는 ; 조금〔소수〕밖에 없는. ⓞⓟⓟ *many.* ⓒⓕ little. ¶ a man of ~ words 말이 적은 사람 / He has ~ friends. 그는 친구가 거의 없다 / *Few* tourists stop here. 이곳에 들르는 관광객은 거의 없다. ② (비교 없음) 〔a ~ 형태로 肯定的 용법〕 조금〔약간〕은 있는 ; 얼마〔몇 개〕인가의 ; 조금의 ; 다소의 (some). ⓞⓟⓟ *no, none.* ⓒⓕ little. ¶ He has *a* ~ friends. 그에겐 친구가 좀〔몇 사람〕 있다 / He will come back in *a* ~ days. 그는 며칠 있으면 돌아올 게다.
― *n., pron.* 〔複數 취급〕 ① 〔a 를 붙이지 않는 否定的인 용법〕 (수가) 소수〔조금〕(밖에 없음) ; 극히 …밖에 안 되는 것〔사람〕: Betty must have a lot of friends. ― You are wrong. She has very ~. 베티는 친구가 많은 것 같다 ― 그렇지 않아요. 그녀는 친구가 거의 없습니다《very ~ ones 라고는 할 수 없으며, friends 를 되풀이하여 very ~ friends 라고는 할 수 있음. 이때의 few 는 형용사임》/ Very 〔Comparatively〕 ~ understand what he said. 그가 한 말을 이해하는 사람은 극히〔비교적〕 적다. ② 〔a ~의 형태로 肯定的 용법〕 소수의 사람, 소수의 것 : *A* ~ *of* them know it. 그들 중 그것을 알고 있는 자가 조금 있다 / Only *a* ~ came to help me. 나를 도우러 온 사람은 불과 몇 사람뿐이었다 / go into a pub, and have *a* ~ 술집에 들어가서 몇 잔 마시다. ③ (the ~) 소수인, 소수파 ; (선택된) 소수의 사람들. ⓞⓟⓟ *the many.* ¶ for *the* ~ 소수(少數)를 위한 / to *the* happy ~ 행복한 소수에게 / one of *the* chosen ~ 선택받은 소수 중의 한 사람. ★ 다음 예의 the는 few가 제한절(節)에 수식됨으로써 생긴 것 : Her books are read by *the* ~ *who* share her ideas. 그녀의 책은 그녀와 생각을 같이하는 소수의 사람들에게만 읽혀진다.

> 參考 (1) **few** 와 **a few** few 는 many 의 반대로 '조금밖에 없다', a few 는 no, none 의 반대로 '조금은 있다'(at least some). 다만, 어떤 쪽을 쓰느냐는 말하는 이의 기분 여하에 따름.
> (2) **(a) few** 와 **(a) little** 전자는 수에, 후자는 양(量)에 사용함.
> (3) (a) few =a small number (of) '소수(의)'의 뜻이므로, a few *number* 는 잘못임. 또한 a few *numbers* 로 복수를 만들면 '소수'가 아니고 '몇 개의 다른 수'의 뜻이 됨.
> (4) **fewer** 와 **less** 수에는 fewer 를, 양에는 less 를 쓰는 것이 원칙임. 다만, 특정 수를 수반하면 흔히 less 가 대용됨 : There were *less* 〔not *less*〕 *than ten* applicants. 지원자는 열 명도 못 됐다〔열 명 이상이나 됐다〕. This means *one less* idler. 이것으로 태만자가 하나 줄어드는 셈이다.

a good ~ 《英口》 꽤 많은 수(의) ; 상당한 수(의) (= quite a ~ ; not a ~) : He owns *a good* ~ cows. 그는 젖소를 꽤 많이 소유하고 있다. ***every ~ days*** 〔***hours, minutes***〕 며칠〔몇 시간, 몇분〕마다. (~ ***and***) ***far between*** 극히 드문〔적은〕: Good used cars are ~ *and far between.* 상태가 좋은 중고 자동차는 극히 적다. ~ ***or no*** 거의 없는거나 다름없는. ***in*** ~ 《文語》간단히(말하면). ***no ~er than*** …(만큼)이나 : There were *no* ~*er than* a hundred applicants. 백 명이나 신청자가 있었다. ***not a*** ~ (1) = a good ~. (2) 《口》 꽤, 상당히 : That news interested me *not a* ~. 그 소식에 꽤 흥미를 느꼈다. ***not ~er than*** …보다 적지 않은, 적어도 …만큼의: There were *not ~er than* a hundred applicants. 백 명 이상의〔적어도 백 명의〕 신청자가 있었다. ***only a*** ~ 극히 소수(의), 아주 조금(의): *Only a ~* people came here. 불과 몇 사람밖엔 이곳에 오지 않았다 / *Only a ~ of* them visited us. 그들 중 몇 명만이 우리를 찾아왔다. ***quite a*** ~《口》= a good ~. ***some*** ~ 소수(의); 조금(의); 다소(의): There were *some* ~ houses along the road. 길 연변에는 집이 약간 있었다 / *Some ~ of* them came here. 그들 중 몇 사람이 왔다. ***very*** ~ 극소수의 (사람·물건): *Very ~* people know it. 그것을 아는 사람은 극소수이다.

few·ness [fjú:nis] *n.* Ⓤ 근소, 약간.

fey [fei] *a.* ① (사람·행동이) 이상한; 머리가 돈, 변덕스러운. ②장래를 꿰뚫어 보는, 천리안의.

fez [fez] (*pl.* ∠·(*z*)***es*** [féziz]) *n.* Ⓒ 터키모(帽).

FF front-engine front-(wheel) drive (전치(前置) 엔진 전륜 구동 방식(의 자동차)). **ff.** and the following (pages, verses, etc.); and what follows; folios. **ff** 〖樂〗 fortissimo.

F.G. Foot Guards.

fi·an·cé [fi:ɑ:nséi, fiɑ́:nsei] *n.* Ⓒ 약혼중의 남성.

fi·an·cée [fi:ɑ:nséi, fiɑ́:nsei] *n.* Ⓒ 약혼녀.

fi·as·co [fiǽskou] (*pl.* ~(***e***)***s***) *n.* Ⓤ,Ⓒ 큰 실수〔실패〕: The party was a ~ 〔ended in ~〕. 그 파티는 큰 실패였다〔로 끝났다〕.

fi·at [fí:ət, fáiət, -æt] *n.* ①Ⓒ (권위에 의한) 명령. ②Ⓤ 인가(sanction), 허가. ***by*** ~ (절대)명령에 의해.

fíat mòney 《美》 법정 불환 지폐.

fib [fib] *n.* Ⓒ 악의 없는 거짓말, 사소한 거짓말. ―(***-bb-***) *vi.* 악의 없는 거짓말을 하다.

ː fi·ber, 《英》 **fi·bre** [fáibər] *n.* ①Ⓤ 섬유, 실. ② (피륙의) 감(texture). ③Ⓒ (근육) 섬유; 섬유조직, 섬유질; (건강 증진을 위한) 섬유질 식품(= **díetary fíber**). ④Ⓤ 소질, 기질, 성격(character); 근성. ⑤Ⓤ 강도, 힘, 내구성. ⑥Ⓒ〖植〗 수염뿌리. ⑦〖컴〗 광(光)섬유. ***with every ~ of*** one***'s body*** 전신으로. ***shocked to the very ~ of his being*** 극단적으로 충격을 받은.

fíber àrt 파이버 아트.

fi·ber·board [-bɔ̀:rd] *n.* Ⓒ 섬유판.

fi·ber·glass [-glæ̀s] *n.* Ⓤ 섬유유리.

fíber òptics 〔單數 취급〕 섬유 광학.

fi·ber·scope [-skòup] *n.* Ⓒ 파이버스코프《fiber optics를 써서 위 등의 내부를 살피는 광학 기계》.

fi·bril [fáibril, fí-] *n.* Ⓒ ① 원(原)섬유. ②〖植〗 근모(根毛).

fi·bril·la·tion [fàibrəléiʃən, fìb-] *n.* 〖醫〗 (심장의) 세동(細動); (근육의) 섬유성 연축.

fi·brin [fáibrin] *n.* Ⓤ〖生化〗 피브린, 섬유소.

fi·broid [fáibrɔid] *a.* 섬유성〔상〕의. ―*n.* Ⓒ〖醫〗 유섬유종(類纖維腫); 자궁 근종.

fi·brous [fáibrəs] *a.* 섬유(질)의, 섬유상의.

fib·u·la [fíbjulə] (*pl.* ***~s, -lae*** [-lì:]) *n.* Ⓒ〖解〗 종아리뼈, 비골(腓骨).

-fic '…로 하는, …화(化)하는'의 뜻의 형용사를 만드는 결합사: terri*fic*.

-fication -fy 의 어미를 가진 동사에서 '…로 함, …화(化)'의 뜻의 명사형을 만드는 결합사: identi*fication*; puri*fication*.

fiche [fi:ʃ] *n.* 《F.》 피시 =MICROFICHE.

fichu [fíʃu:, fí:ʃu:] *n.* Ⓒ 《F.》 (삼각형) 숄.

˙fick·le [fíkəl] *a.* 변하기 쉬운, 마음이 잘 변하는, 변덕스러운: Fortune's ~ wheel 변하기 쉬운 운명의 수레바퀴. (***as***) ~ ***as fortune*** 몹시 변덕스러운, 자주 변하는. ***the ~ finger of fate*** 《俗》 가혹한 운명의 장난.

ː fic·tion [fíkʃən] *n.* ①Ⓤ (특히) 소설; Ⓒ 창작. ②Ⓤ 꾸며낸 일, 허구, 상상. ③Ⓒ〖法〗 의제(擬制), 가정, 가설. ◇ fictitious *a.*

˙fic·tion·al [fíkʃənəl] *a.* ① 소설의, 소설적인. ② 꾸며낸, 허구의. ㊞ **~·ly** [-nəli] *ad.*

fic·tion·al·ize [fíkʃənəlàiz] *vt.* (실화)를 소설로 만들다, 소설화하다.

fic·ti·tious [fiktíʃəs] *a.* ① 허위〔거짓〕의, 허구의. ② 가공의, 상상상의, 소설〔창작〕적인. ③〖法〗 의제적(擬制的)인, 가설의: a ~ action 가장된 소송 / a ~ party 의사(擬似)당사자.

˙fid·dle [fídl] *n.* Ⓒ ①《口》 바이올린; 피들. ② 사기, 속임수. (***as***) ***fit as a*** ~ 건강〔튼튼〕하여. ***hang up*** one***'s*** ~ 사업〔일〕을 그만두다, 은퇴하다. ***hang up*** one***'s*** ~ ***when*** one ***comes home*** 밖에서는 쾌활하고 집에선 침울하다. ***have a face as long as a*** ~ 아주 우울한 얼굴을 하고 있다. ***on the*** ~ 《英俗》 속임수를 써서. ***play first*** 〔***second***〕 ~ (***to . . .***) (관현악에서) 제1〔2〕 바이올린을 켜다; (아무의) 위에 서다〔밑에 붙다〕, (…에 대하여) 주역〔단역〕을 맡다: She has never enjoyed *playing second ~ to* the chairman. 그녀는 결코 의장의 뒤치다꺼리하는 것을 즐겨 하지 않았다. One***'s face is made of a ~.*** 《口》 얼굴이 매우 아름답다〔매혹적이다〕.

―*vi.* ①《口》 바이올린을 켜다. ②《+전+명》 (…을 손가락으로) 만지작거리다; (남의 것을) 만지다; (어린이 등이) 손장난하다《*about; around; with*》. ③《+부/+전+명》 빈들빈들 시간을 보내다《*about; around*》: ~ *around* 빈둥거리다 / ~ *about* doing nothing 아무 일도 하지 않고 빈둥거리며 보내다. ―*vt.* ①《口》 (곡)을 바이올린으로 켜다. ②《+목+부》 (시간)을 빈들빈들 보내다《*away*》: ~ the day *away* 빈둥빈둥 하루를 보내다. ③《口》 …을 속이다.

―*int.* 시시한, 어처구니없는.

fíddle bòw 바이올린 활(fiddlestick).

fid·dle-de-dee [fìdldidí:] *int.* 당찮은, 부질없는, 시시한. ―*n.* Ⓤ 부질없는 일, 시시한 일. ―*a.* 하찮은.

fid·dle-fad·dle [fídlfæ̀dl] *n.* Ⓤ 부질없는 짓; (*pl.*) 부질없는〔시시한〕 일〔것〕; Ⓒ 빈들빈들 놀고 지내는 사람. ―*a.* 시시한, 부질없는. ―*int.* 시시하다, 어이〔부질〕없다. ―*vi.* 허튼 수작을〔짓을〕 하다(trifle); 쓸데없는 일로 떠들다(fuss)《*with*》.

fid·dler [fídlər] *n.* Ⓒ 피들 주자(奏者), 바이올리니스트, 제금가; 《俗》 사기꾼, 악한; 《英俗》 프로 복서.

fid·dle·stick [fídlstìk] *n.* Ⓒ ①《口》 바이올린 활. ② (흔히 *pl.*) 《蔑》 부질없는 것. ③ (흔히 a ~) 〔否定語와 함께〕 조금.

fid·dle·sticks [fídlstìks] *int.* 시시하다, 뭐라고.

fid·dling [fídliŋ] *a.* 바이올린을 켜는; 하찮은.

fid·dly [fídli] *a.* 《口》 까다로운, 성가신; 다루기 힘드는: a very ~ job 몹시 번잡하고 성가신 일 / Beech nuts are tasty but ~ to eat. 너도밤나무 열매는 맛은 좋으나 먹기가 까다롭다.

˙fi·del·i·ty [fidéləti, fai-] *n.* Ⓤ ① 충실, 충성, 성실《*to*》; (부부간의) 정절《*to*》: ~ *to* one's country 나라에 대한 충성. ② 원물(原物)과 똑같음, 박진성(迫眞性); 사실〔신빙〕성; 〖電子〗 충실도: reproduce *with* complete ~ 아주 원물〔원음〕 그대로 복제〔재생〕하다 / a high-~ receiver 고충실도〔하이파이〕 수신기. ③〖生態〗 (군락(群落) 따위로의) 적합도.

fidg·et [fídʒit] *vi.* 《~ / +부 / +전+명》 ① 안절

부절 못하다, 불안해 하다《about》; 애태우다. ② 만지작거리다《with》. ── vt. 《~+목 / +목+전+명》 …을 애타게〔불안하게〕 하다, 안절부절 못하게 하다 : a pitcher *~ed by* the constant movement of a batter 타자가 자꾸 움직여 짜증이 난 투수. ── n. Ⓒ (종종 pl.) 싱숭생숭함, 마음을 졸임 ; 침착하지 못한 사람. ***be in a ~*** 안절부절 못하고 있다. ***give*** a person ***the ~s*** 아무를 불안케〔조바심나게〕 하다. ***have***〔***get***〕 ***the ~s*** 안절부절 못하다.

fidg·ety [fídʒiti] a. 《口》 안절부절 못하는, 침착성을 잃은, 조바심하는 ; 헛소동 부리는 : The audience looked very ~ and bored. 청중들은 매우 안달하고 지루해 하는 것처럼 보였다.
㊞ **-et·i·ness** [-tinis] n.

fi·du·ci·ary [fidjúːʃièri / -ʃiəri] a. ①〖法〗 피신탁인(被信託人)의, 신탁된 ; 신용상의. ② (불환지폐가) 신용 발행의. ③〖物〗 (광학 측정기의 망선(網線)상의) 기준의. ── n. Ⓒ〖法〗 수탁자.

fie [fai] int. 《古·戱》 저런, 에잇, 체《경멸·불쾌 따위를 나타냄》. ***Fie, for shame !*** 아이 보기 싫어. ***Fie upon you !*** 이거 기분 나쁜데(자넨).

fief [fiːf] n. Ⓒ 봉토(封土), 영지(feud).

†**field** [fiːld] n. ① Ⓒ 들(판), 벌판 ; (the ~s) 논밭, 전원 ; 목초지. ② Ⓒ (바다·하늘·얼음·눈 따위의) 질펀하게 펼쳐진 곳, 펄, 바다 : a ~ of snow 설원(雪原) / the ~s of air 광활한 하늘. ③ Ⓒ (합성어로서 특정한 사용 목적을 지닌) 광장, 지면, 사용지, 장(場), 땅 ; 건조장 : a playing ~ 운동장. ④ Ⓒ (광산물의) 산지, 매장 지대, 광상 : a coal ~ 탄전 / an oil ~ 유전. ⑤ Ⓒ 싸움터 ; 전지(戰地) ; 싸움, 전투. ⑥ Ⓒ 경기장, 필드 ; 야구장, 〖野〗 내야, 외야 ; 야수(野手), 수비측 ; 〖競馬〗 마장 ; 〔集合的〕 출장하는 말, 《특히》 인기 있는 말 이외의 (전체) 출장마. ⑦ Ⓤ (the ~) 〔集合的〕 경기 참가자 전체 ; 사냥 참가자. ⑧ Ⓒ (활동의) 분야, 활동 범위 ; (연구의) 방면. ⑨ Ⓒ (일·사업의) 현장, 현지 ; 경쟁의 장(場), 활약 무대 : She's studying tribal languages in the ~. 그녀는 현지에서 (종족과 함께 생활하면서) 그 언어를 연구하고 있다. ⑩ Ⓒ〖物〗 장(場), 역(域), 계(界) ; 시야, 시역(視域) ; 〖TV〗 영상면. ⑪ Ⓒ 바탕《그림·기(旗) 따위의》, 바탕의 색 ; 〖紋章〗 무늬 바탕. ⑫ Ⓒ〖數〗 체(體), 《특히》 가환체 ; 〖컴〗 필드, 기록란(欄) ; 〖電〗 전자기장(電磁氣場).
have a ~ day 《美》 대성공을 거두다. ***have the ~ to oneself*** 경쟁상대가 없다, 독무대다. ***hold the ~*** 유리한 위치를 차지하다, 한 발짝도 물러서지 않다. ***in the ~*** (1) 싸움터에 ; 출정〔종군〕 중에, 현역(現役)으로. (2) 경기에 참가하여. (3) 취재하러 나가(서). (4)〖野〗 수비를 맡고. (5) 현지〔현장〕에서 ; 실제로 : Archaeologists often work *in the* ~. 고고학자들은 때때로 현지에서 연구를 한다 / test a product *in the* ~ 제품을 실제로 시험하다. ***keep***〔***maintain***〕 ***the ~*** 작전〔활동〕을 계속하다 ; 진지를〔전선을〕 유지하다. ***play the ~*** 〖競馬〗 인기말 아닌 말에 걸다 ; 《口》 《특히》 차례로 이성을 바꿔가며 교제하다 ; 여러가지 일에 손을 대다.
── vt. ① (선수·팀)을 수비에 세우다 ; 경기〔전투〕에 참가시키다. ② (공)을 처리하다 ; 《比》 (질문)을 적절히 응구첩대하다 ; (입장 등)을 지키다. ── vi. 〖野〗 수비를 맡다. ── a. 〔限定的〕 ① 들판의, 야외의. ②〖스포츠〗 (트랙에 대해서) 필드의. ③ 현지의, 현장의. ④〖軍〗 야전의 : ~ soldiers 야전병.

fíeld artìllery 야포 (부대), (F- A-) 미군 야전 포병대.

fíeld còrn 《美》 (사료용) 옥수수.

fíeld dày ①〖軍〗 (공개) 야외 훈련일. ② 야외 집회일 ; 야외 연구일. ③ (굉장한 일의) 행사일, 야외 경기일, 운동회 날, 유렵일(遊獵日) ; 매우 즐거운 시간.

***field·er** [fíːldər] n. Ⓒ 〖野〗 야수(野手).

fíelder's chóice 〖野〗 야수(野手)선택, 야선(野選).

fíeld glàss(es) 쌍안경 ; (망원경 등의) 렌즈.

fíeld gòal 〖球技〗 필드골. **a)** 〖美蹴〗 킥으로 얻은 점수. **b)** 〖籠球〗 프리스로 이외의 득점.

fíeld hànd 《美》 농장 일꾼(farm laborer).

fíeld hòckey 《美》 필드 하키.

fíeld hòspital 야전병원.

field·ing [fíːldiŋ] n. Ⓤ 〖野〗 수비.

fíeld kìtchen 〖軍〗 야외〔야전〕 취사장.

fíeld màrshal 《英》 육군 원수《略 : F.M.》.

fíeld mòuse 들쥐.

fíeld òfficer 〖軍〗 영관(領官)《略 : F.O.》.

fields·man [fíːldzmən] (pl. ***-men*** [-mən]) n. 〖크리켓〗 야수(fielder).

fíeld spòrts ① 야외 스포츠《사냥·사격 따위》. ② 필드경기《트랙경기에 대해서》.

field-test [fíːldtèst] vt. …을 실지로 시험하다.

fíeld thèory 〖物·心〗 장(場)의 이론.

fíeld trìp 실지 연구〔견학〕, (연구 조사를 위한) 여행 : go on a ~ 실지 견학 여행을 가다.

field·work [fíːldwəːrk] n. ① (흔히 pl.) 〖軍〗 (임시로 흙을 쌓아 구축한) 보루, 야보(野堡). ② Ⓤ 야외 연구, 야외 채집 ; 현지 조사 ; 현장 방문.
㊞ **~·er** n. Ⓒ ~를 하는 학자·기술자 등.

***fiend** [fiːnd] n. Ⓒ 마귀, 악마(the Devil), 악령 ; (the F-) 마왕 ; 마귀〔악마〕처럼 잔인〔냉혹〕한 사람 ; 사물에 열광적인 사람, …광(狂) ; …중독자 ; 달인(達人)《at ; for》 : a drug ~ 마약 상용자 / a cigarette ~ 지독한 골초 / a ~ *at* tennis 테니스의 명수. ㊞ **∠·lìke** a.

fiend·ish [fíːndiʃ] a. 귀신〔악마〕 같은, 마성(魔性)의 ; 극악한, 잔인한 ; (날씨 따위가) 아주 험악한 ; (문제 등이) 아주 어려운.

‡**fierce** [fiərs] (***fíerc·er ; -est***) a. ① 흉포한, 몹시 사나운(savage) : a ~ tiger 맹호 / ~ animals 맹수 / ~ looks 사나운 표정 / She gave him a firm ~ stare. 그녀는 험악한 시선으로 그를 응시했다. ② (폭풍우 따위가) 사나운, 모진(raging). ③ 맹렬한, 격한(intense) : a ~ competition 격심한 경쟁 / ~ hatred 격렬한 증오. ④ 《口》 불쾌한, 고약한 : a ~ taste 지독한 악취미.

fi·ery** [fáiəri] (more ~, fi·er·i·er ; most ~, -i·est***) a. ① 불의, 불길의 ; 불타는 : a ~ furnace 훨훨 타고 있는 난로. ② 불 같은, 불같이 뜨거운 : ~ eyes 번쩍번쩍 빛나는 눈 / ~ desert sands 사막의 열사(熱砂). ③ 열띤, 열렬한 : a ~ speech 불꽃이 튀는 듯한 열띤 연설. ④ (성질이) 격하기 쉬운, 열화 같은 ; (말이) 사나운. ⑤ 인화하기〔불붙기〕 쉬운 ; 폭발하기 쉬운《가스 따위가》. ⑥ 염증을 일으킨. ⑦ (맛 따위가) 짜릿한, 얼얼한.

fi·es·ta [fiéstə] n. Ⓒ 성일(聖日)휴일, 축제.

fife [faif] n. Ⓒ 저, 횡적(橫笛) ; 저를 부는 사람. ── vt. (곡)을 횡적으로〔저로〕 불다. ── vi. 횡적을 불다.

†**fif·teen** [fíftíːn] a. 〔限定的〕 15 의, 15 개의, 15 인의 ; 〔敍述的〕 열 다섯 살의. ── n. ① 15, 15 의 기호 ; 15 개〔사람〕. ② 열 다섯 살. ③〖럭비〗 15 명으로 이루는 한 팀(team). ④〖테니스〗 15 점 : ~ love 서브측 15 점 리시브측 0 점. ⑤ (the F-) 〖英史〗 15 년의 난(亂)《1715 년 James 2 세의 혈통을 왕으로 옹립하려던 Jacobites 의 반란》.

***fif·teenth** [fíftíːnθ] a. (흔히 the ~) 제 15 의, 15

번째의 ; 15 분의 1의. ── n. (흔히 the ~) 제 15 ; 15 분의 1 ; (달의) 15 일 ; 〖樂〗 15 도(음정). ㊞ ~·ly ad.

†**fifth** [fifθ] a. (흔히 the ~) ① 다섯(번)째의, 제 5 의. ② 5 분의 1의. ── n. (흔히 the ~) ① 다섯째, 제 5 ; (달의) 5 일. ② 5 분의 1(a ~ part). ③ 〖樂〗 5 도 (음정); (변속기의) 제 5 단. ④ 5 분의 1 갤런《알코올 음료의 단위》. ***smite*** a person ***under the ~ rib*** ⇨ RIB. ***take the Fifth*** 《美口》 묵비권을 행사하다. ***the ~ act*** 제 5 막 ; 종막 ; 늘그막, 노경.

Fífth Améndment (the ~) 미국 헌법의 수정 제 5 조《이중처벌 금지, 묵비권 등을 인정한 수정 조항》.

Fífth Ávenue (the ~) 5 번가(街)《미국 New York의 번화가》.

fífth cólumn 제 5 열《적의 후방을 교란하는 간첩》. cf. sixth column.

fífth cólumnist 제 5 열 요원, 제 5 부대원.

fífth generátion compúter (the ~) 〖컴〗 제 5 세대 컴퓨터《초(超)LSI 에 의한 인공지능의 실현을 꾀하는 제 4 세대 컴퓨터 다음에 나타날 컴퓨터》.

fífth whéel ① 전향륜(轉向輪) ; (4 륜차의) 예비바퀴. ② 무용지물.

***fif·ti·eth** [fíftiiθ] a. (흔히 the ~) 50 번째의 ; 50 분의 1 의. ── n. (흔히 the ~) 50 번째 ; 50번째의 사람〔것〕; 50 분의 1.

†**fif·ty** [fífti] a. 〔限定的〕 ① 쉰의, 50 의 ; 50 개〔사람〕의; 〔敍述的〕 50세의. ② (막연히) 많은: I have ~ things to tell you. 이야기할 것이 많다. ── n. 쉰, 50 ; 50 개〔사람, 세〕.

fif·ty-fif·ty [fíftififti] a., ad. (절)반씩의〔으로〕; 50 대 50 의〔으로〕: There's a ~ chance that he will succeed. 그가 성공할 기회는 반반이다. ***go ~*** 반반으로 하다, 절반씩 나누다《with》. ***on a ~ basis*** 반반의 조건으로. ── n. 절반, 등분, 반반.

fig**[1] [fig] n. Ⓒ ① 무화과《열매 또는 나무》; 무화과 모양의 것. ② (a ~) 〔否定文에서 副詞的〕 조금, 약간 ; 하찮은〔사소한〕 것《for》. ③ 상스러운 경멸적인 손짓《두 손가락 사이에 엄지손가락을 끼워 넣는 따위의》. ***A ~ for . . . ! 시시하다, 체 … 이 뭐야 : *A ~ for* you! 너 따위가 뭐냐 / *A ~ for* fame! 명예가 다 뭐야. ***don't*** 〔***would not***〕 ***care*** 〔***give***〕 ***a ~*** 〔***~'s end***〕 ***for*** …을 조금도 마음에 안 두다 : I *don't give*〔*care*〕 *a ~ for* his opinion. 그의 의견 따위는 전혀 문제시하지 않는다. ***green ~*** 생무화과《말린 것에 대하여》. ***not worth a ~*** 보잘것없는 : The book is *not worth a ~*. 그 책은 아무런 가치도 없다.

fig[2] 《口》 n. Ⓤ 옷, 옷〔몸〕차림, 복장 ; 모양, 상태, 형편. ***in full ~*** 성장(盛裝)하고. ***in good ~*** 탈없이, 아주 건강하게. ── (***-gg-***) vt. …을 꾸미다, 장식하다. ~ ***out*** 치장시키다, 성장시키다 ; = ~ up. ~ ***up*** (말의 항문 등에 후추를 넣어) 기운을 북돋우다.

fig. figurative(ly) ; figure(s).

†**fight** [fait] (p., pp. ***fought*** [fɔ:t]) vi. ① 《~ / + 전+명》 싸우다, 전투하다, 서로 치고 받다, (논쟁·소송 따위로) 다투다 ; (우열을) 겨루다 《*against* ; *with*》: ~ *with* 〔*against*〕 an enemy 적군과 싸우다. ② 《+전+명》 (일의 실현을 위해) 노력하다, 분투하다《*for* ; *against*》: ~ *for* fame 명성을 얻으려고 애를 쓰다〔분투하다〕. ③ 논쟁하다, 격론하다.

── vt. ① …와 싸우다 ; …와 다투다 ; …와 권투를 하다. ② 〔同族目的語를 수반하여〕 (싸움·경쟁)을 하다, 겨루다 : ~ a heavy fight〔battle〕 격전하다. ③ (주장·주의 따위)를 싸워 지키다. ④ (닭·개 따위)를 싸움 붙이다 ; (군대)를 지휘하다, 움직이다 ; (대포·함선 따위)를 지휘 조종하다. ~ ***back*** (1) 저항〔저지, 반격〕하다. (2) (감정 등)을 억누르다, 참다 : I *fought back* the urge to hit him. 나는 그를 때리고 싶은 마음을 억제했다. ~ ***down*** (감정·재채기 따위)를 억제하다, 참다. ~ ***it out*** 최후까지 싸우다, 자웅을 겨루다. ~ ***off*** 격퇴하다 ; …을 피하려고 노력하다 ; …에서 손을 떼려고 애쓰다 : Our company has to ~ *off* a lot of foreign competition to survive. 우리 회사는 살아남기 위해 많은 외국의 경쟁 상대를 물리쳐야 한다. ~ ***on*** 계속해 싸우다. ~ ***over*** …을 둘러싸고 싸우다, 다투다 : It's silly for friends to ~ *over* a girl like that. 저런 아가씨를 둘러싸고 친구들끼리 싸우다니 정말 어리석군. ~ ***shy of*** ⇨ SHY.

── n. ① Ⓒ 싸움, 전투, 접전 ; 결투, 격투, 1 대 1 의 싸움, 권투시합 : a free ~ 난투 / a sham ~ 모의전. ② Ⓒ 쟁패전, 승부, 경쟁 ; 논쟁 : We must not forget the ~ *against* pollution. 공해와의 싸움을 잊어서는 안된다 / a ~ *for* lower taxes 감세 운동〔투쟁〕/ a ~ *against* traffic accidents 교통사고 방지 운동. ③ Ⓤ 전투력 ; 전의(戰意), 투지.

***fight·er** [fáitər] n. Ⓒ ① 싸우는 사람, 투사 ; 전투원. ② 호전가 ; (프로) 권투 선수. ③ 전투기.

fight·er-bomb·er [-bámər / -bɔ́m-] n. Ⓒ 〖軍〗 전투 폭격기.

‡**fight·ing** [fáitiŋ] n. Ⓤ 싸움, 전투, 투쟁 ; 서로 치고받는 싸움. ── a. 〔限定的〕 ① 싸우는 ; 전투의, 교전 중인 ; 호전적인, 투지가 있는. ② 《口》 〔副詞的〕 매우, 대단히 : ~ drunk 취하여 싸우려들어 / ~ mad 격노하여 / ~ fit 전투에 알맞아 ; 몸의 컨디션이 매우 좋아.

fíghting chàir 《美》 갑판에 고정시킨 회전의자《큰 고기를 낚기 위한》.

fíghting chánce 노력 여하로 얻을 수 있는 승리〔성공〕의 가망 ; 성공할 수 있는 기회 : Give them a ~. 그들에게 찬스를 주어보게 / not have a ~ of do*ing* …할 가능성은 거의 없다.

fíghting wòrds 〔**tàlk**〕 도전적인 말.

fig·ment [fígmənt] n. Ⓒ 허구(虛構) ; 꾸며낸 일 : a ~ of one's imagination 상상의 산물.

fíg trèe 무화과나무.

fig·u·ra·tion [figjəréiʃən] n. ① Ⓤ 형체 부여 ; 성형. ② Ⓒ 형상, 형태, 외형 ; 상징(화). ③ Ⓤ,Ⓒ 비유적 표현 ; 의장(意匠), (도안 등에서 하는) 장식 ; 〖樂〗 장식《음·선율의》.

fig·u·ra·tive** [fígjərətiv] (more ~ ; most ~***) a. ① 비유적인 ; 전의(轉意)의, 전용의. ② 수식(修飾)이 많은, 화려한. ③ 상징적인 ; 구상적(具象的)인. ④ 조형적인.

‡**fig·ure** [fígjər / -gər] n. Ⓒ ① 숫자 ; (숫자의) 자리 ; (*pl.*) 계 수 : Your ~ nine looks like the letter p. 네가 쓴 '9'의 숫자는 'p'처럼 보인다 / a number in three ~*s* 세 자리의 수 / be good 〔poor〕 at ~*s* 계산에 밝다〔어둡다〕/ significant ~*s* 유효 숫자 / He has a head for ~*s*. 그는 수학에 재능이 있다. ② 합계(수), 총계 ; 값. ③ 모양, 형태, 형상. ④ 사람의 모습, 사람의 그림자 : I saw a ~ approaching in the distance. 멀리서 사람의 모습이 다가오는 것을 보았다. ⑤ 몸매, 풍채, 자태, 외관, 눈에 띄는〔두드러진〕 모습, 이채 : a slender ~ 날씬한 몸매 / a fine ~ of a man 훌륭한 체격의 남자 / She has no ~. 그녀는 스타일이 좋지 않다. ⑥ 〔흔히 形容詞를 수반하여〕 인물, 거물 : a political ~ 정계 인사 / great ~*s* of the age

그 시대의 거물들 / He became a familiar ~ to New Yorkers. 그는 뉴욕 사람들에게 친숙한 인물이 되었다. ⑦ (그림·조각 따위의) 인물, 초상, 화상(畫像), 조상(彫像) : the ~ of the queen on the coin 화폐에 인각된 여왕의 초상. ⑧ 상징, 표상(emblem) : The dove is a ~ of peace. 비둘기는 평화의 상징이다. ⑨ 도안, 디자인, 무늬 ; 〖數〗 도형. ⑩ 도해(diagram) ; (본문 따위를 위한) 그림, 삽화(illustration)《略 : fig.》: *fig.* 2 그림 2. ⑪〖修〗 비유, 비유적 표현(~ of speech)《직유(直喩)·은유(隱喩) 따위》, 문채(文彩). ⑫ 말 표현 ; 과장 ; 거짓말. ⑬ (댄스·스케이트의) 피겨 ; 〖樂〗 음형(音形). ⑭〖論〗 (삼단논법의) 격(格), 도식(圖式). ⑮〖占星〗 천궁도(天宮圖).

a man of ~ 지위가 있는 사람, 유명한 사람. ***cut*** 〔***make***〕 ***a poor*** 〔***sorry***〕 ~ 초라한 모습을 드러내다. ***cut no*** ~ 축에 들지〔끼지〕 못하다 : *cut no* ~ in the world 세상에 이름이 나지 않다. ***do ~s*** 계산하다. ~ ***of speech*** ⇨ ⑪. ***go*** 〔***come***〕 ***the big*** ~ 《美俗》 크게 허세를 부리다. ***go the whole*** ~ 《美》 철저하게 행동하다, 열심히 하다. ***miss a*** ~ 《美口》 큰 실수를 하다. ***put a ~ on*** …의 수를〔가격을〕 정확히 말하다.

— *vt.* ①《~+目/+目+副》 …을 숫자로 표시하다 ; 계산하다(compute) ; 어림하다 ; …의 가격을 사정〔평가〕하다《*up*》: ~ *up* a sum 총계를 내다. ②《~+目/+目+(*to be*) 補/+(*that*) 節》《美口》 …하다고 생각하다, 판단하다, 보다 : I ~ it like this. 《美口》 나는 이렇게 생각한다 / I ~*d* him *to be* about fifty. =I ~*d that* he was about fifty. 그 사람을 50 세쯤으로 보았다. ③ …을 그림으로 보이다 ; 그림〔조상〕으로 나타내다 : William Ⅱ was ~*d* as a vengeful eagle in the painting. 그 그림에서 윌리엄 2세는 집념이 강한 독수리로 묘사되어 있었다. ④ 상징〔표상〕하다 ; 비유로 나타내다. ⑤《~+目/+目+前+名》 …을 마음에 그리다, 상상하다(~ to oneself) : the most beautiful scene my imagination has ~*d* 내가 상상하던 가장 아름다운 경치 / He ~*d* himself (to be) a well-qualified candidate. 자신을 충분한 자격이 있는 후보라고 생각했다 / *Figure* it to yourself. 그것을 상상해 보게. ⑥ …에 무늬를 넣다 : The cloth is ~*d with* beautiful design. 그 천에는 아름다운 무늬가 있다. ⑦〖樂〗 …에 반주화음을 넣다, 수식하다. — *vi.* ① 계산하다. ②《+前+名》《美口》 기대하다, 예기하다(reckon), …을 고려하다, 믿고 의지하다《*on, upon*》: ~ *on* a success 성공을 기대하다 / We ~*d on* their coming earlier. 그들이 좀더 일찍 올 것으로 생각하고 있었다 / You can always ~ *on* me. 언제든 나를 믿고 의지해도 좋다. ③ 꾀하다 ; 궁리〔계획〕하다《*on* ; *for*》: I ~ *on* going abroad. 외국에 갈 계획을 하고 있다. ④《+*as* 補/+前+名》 (어떤 인물로서) 나타나다, 통하다 ; …의 역을 연기하다 ; 두드러지다, 두각을 나타내다《*in*》: ~ *as* a great statesman 위대한 정치가로 통하다 / He ~*d as* a king in the play. 그 연극에서 그는 왕의 역을 하였다 / The vice-president ~*d* prominently *in* the peace negotiation. 부통령은 평화교섭에서 두드러지게 두각을 나타냈다. ⑤《口》 사리에 합당하다, 조리가 서다, (행위 등이) 당연한 것으로 여겨지다《주로 it 〔that〕 ~*s* 의 꼴로》: *That* 〔*It*〕 ~*s.* 《美口》 그것은 당연하다〔생각한 대로다〕. ⑥〖댄스·스케이트〗 피겨를 하다. ~ ***as*** ⇨ *vi.* ④. ~ ***in*** 《美口》 계산에 넣다 ; 등장하다(appear) ; …에 가담하다, 관계하다. ~ ***on*** 《美口》 …을 계산〔계획〕에 넣다, …을 기대하다〔믿다〕, …에게 의지하다 : I ~*d on* him leaving of 6 o'clock. 그가 6시에는 떠나리라 믿었다. ~ ***out*** (비용 등)을 계산하다, 견적하다, 산정하다 ; (문제 따위)를 풀다 : ~ *out* how much the honeymoon will cost 신혼여행에 비용이 얼마나 들 것인가를 계산하다 / Have you ~*d out* the math problem yet? 그 수학문제를 이미 풀었겠지. ~ ***out at*** 합계 …이 되다 : His income ~*s out at* twice mine. 그의 수입은 내 것의 2배가 된다. ~ ***to oneself*** 마음속에 그리다. ~ ***up*** 합계하다.

***fig·ured** [fígjərd] *a.* 〔限定的〕 ① 모양〔그림〕으로 표시한, 도시(圖示)된 : ~ stone 조형된 돌. ② 무늬가〔의장(意匠)이〕 있는 : a ~ mat 꽃자리 / ~ satin 무늬 공단. ③ 형용이 많은, 수식이 있는. ④〖樂〗 수식된, 화려한. 🄟 **~·ly** [-li] *ad.*

fig·ure·head [-hèd] *n.* Ⓒ ①〖海〗 이물 장식. ②《比》 간판, 명목상의 우두머리. ③《戲》 (사람의) 얼굴.

fígure skàter 피겨스케이팅을 하는 사람.

fígure skàting 피겨스케이팅.

fig·u·rine [fìgjuríːn] *n.* Ⓒ (금속·도기제의) 작은 상(像) (statuette).

Fi·ji [fíːdʒiː] *n.* ① 피지《남태평양의 섬나라 ; 1970년 독립》. ② Ⓒ 피지(제도)의 주민.

Fi·ji·an [fíːdʒiːən / -ˊ-] *a.* 피지(Fiji) 제도(諸島)의. — *n.* Ⓒ 피지 사람 ; Ⓤ 피지 말.

Fíji Íslands (the ~) 피지 제도《남태평양상의》.

fil·a·gree [fíləgrìː] *n., a.* =FILIGREE.

***fil·a·ment** [fíləmənt] *n.* Ⓒ 가는 실, 홑 섬유《방직섬유》; 〖植〗 꽃실, (수술의) 화사(花絲); 〖電〗 필라멘트 ; 〖醫〗 (염증액(炎症液)이나 오줌 속의) 사상체(絲狀體).

fi·lar·ia [filέəriə] (*pl.* ***-i·ae*** [-riìː, -riài]) *n.* Ⓒ 〖動〗 필라리아, 사상충(絲狀蟲).

fil·a·ture [fílətʃər] *n.* ① Ⓤ 실뽑기《누에고치에서》. ② Ⓒ 제사(製絲) 기계〔공장〕.

fil·bert [fílbərt] *n.* Ⓒ〖植〗 개암나무 ; …광(狂).

filch [filtʃ] *vt.* …을 좀도둑질〔들치기〕하다.

‡file[1] [fail] *n.* Ⓒ ① 서류꽂이, 서류철(綴) (표지), 서류보관 케이스 ; 철하는 판〔쇠〕. ② (서류·신문 등의) 철(綴), 파일 ; 철한 서류 ; (정리된) 자료, 기록 : a ~ of 'the Times' 런던 타임스의 철. ③〖軍〗 종렬(縱列), 오(伍), 열 ; (*pl.*) 병졸. ④〖체스〗 세로줄《판의》. ⑤〖컴〗 (기록)철, 파일《한 단위로서 취급되는 관련 기록》. ***a ~ of men*** 2인 1조(組)를 이루는 사람. ~ ***by*** ~ 줄줄이 ; 잇따라. ***in*** ~ 조(組)를 이루어 ; 잇따라. ***in single*** 〔***Indian***〕 ~ 1렬 종대로. ***keep*** 〔***have***〕 ***a ~ on*** …에 관한 서류를 보존하다. ***on*** ~ (참조를 위해) 철해져서, 정리보관되어 : We keep all the data *on* ~. 자료는 모두 정리하여 보존해둔다. ***the rank and*** ~ ⇨ RANK[1].

— *vt.* ①《~+目/+目+副》 (서류 등)을 (항목별로) 철(綴)하다, (철하여) 정리 보관〔보존〕하다《*away*》: ~ letters *away* 편지를 정리보관하다. ② (기사 따위)를 보내다《전보·전화 따위로》; (원고를 송신하기 위해) 정리하다. ③《~+目/+目+前+名》 (신청·항의 등)을 제출〔제기〕하다 : ~ an informatioin 고소하다 ; 공소장을 제출하다 / ~ suit *for* divorce 이혼을 제소하다. ④《+目+副》 …을 일렬 종대로 나아가게 하다《*off*》: ~ the soldiers *off* 병사를 종대로 행진시키다.

— *vi.* ①《+前+名》 입후보〔응모〕의 등록을 하다, 신청하다《*for*》: ~ *for* congress 의원 입후보의 등록을 하다 / ~ *for* a driving license 운전면허증을 신청하다. ②《+副/+前+名》 줄지어 행진하다《*with*》. ~ ***away*** 〔***off***〕 종렬로 나아가다 ; 분열행진하다. ~ ***in*** 〔***out***〕 줄지어 들어가다〔나가다〕. ~ ***and forget*** 처박아두어 잊어버리다 ; 문

제로 삼지 않다. ***File left* 〔*right*〕*!*** 《구령》 줄줄이 좌〔우〕로.

file² *n.* Ⓒ (쇠붙이·손톱 가는) 줄 ; (the ~) 손질, 연마, 닦기, (문장 등의) 퇴고 ; 《俗》 약은 사람, 약빠른 녀석《보통 old, deep 등의 형용사를 붙임》. ***an old* 〔*a deep*〕 ~** 허투루 볼 수 없는 만만치 않은 녀석. ***bite* 〔*gnaw*〕 *a* ~** 헛수고하다, 헛물켜다. ── *vt.* ① …을 줄질〔손질〕하다, 갈다. ② …을 도야하다 ; 퇴고하다, 다듬다.

fíle áccess mèthod 〖컴〗 파일〔기록철〕 접근법《보조 기억장치에 수용된 파일에서 목적하는 레코드를 읽어내거나 써넣는 방법》.

fíle bàcking 〖컴〗 여벌철 만들기《손상에 대비하여 파일의 복사본을 미리 만들어 두는 일》.

fíle clèrk 문서 정리원(filer).

fíle mánager 〖컴〗 (기록)철〔파일〕 관리자.

fíle nàme 〖컴〗 (기록)철〔파일〕 이름《식별을 위해 각 파일에 붙인 고유명》.

fíle·name exténsion [fáilnèim-] 〖컴〗 (기록)철〔파일〕 확장자《파일의 종류를 나타내기 위해 파일 이름 뒤에 덧붙여 쓰는 이름》.

fíle númber 서류 번호.

fíle sýstem 〖컴〗 (기록)철〔파일〕 체제《보조기억 장치 내의 파일을 생성·갱신·검색·관리 유지 등을 하여 파일을 총괄적으로 구성·관리해 주는 시스템의 총칭》.

fi·let [filéi, ⌐⌐] *n.* Ⓤ 《F.》 그물눈 세공, 레이스 ; 〖料〗 =FILLET.

filét mi·gnón [-mi:njάn / -njɔ́n] 필레살《소의 두꺼운 등심살》.

fíle transfér prótocols 〖컴〗 (기록)철〔파일〕 옮김 규약《컴퓨터 통신에서 컴퓨터 사이에 파일을 전송하는 규칙의 집합》.

***fil·i·al** [fíliəl] *a.* 자식(으로서)의 ; 효성스러운 ; 〖遺〗 부모로부터 …세대의 : ~ duty 〔piety, obedience〕 효도.

fílial generátion 〖遺〗 후대《교잡에 의한》 : second ~ 잡종(雜種) 제 2 대.

fil·i·bus·ter [fíləbʌ̀stər] *n.* Ⓒ 불법 침입자 ; 혁명〔폭동〕 선동자 ; Ⓒ 《美》 의사(議事) 방해자 ; Ⓤ,Ⓒ 의사 방해. ── *vi.* 외국에 침입하다 ; 불법행위를 하다 ; 《美》 (장황한 연설 따위로) 의사를 방해하다(《英》 stonewall). ── *vt.* (의안의 통과)를 (장황한 연설 따위로) 방해〔저지〕하다 : Republican senators have announced that they may yet again ~ a bill. 공화당 상원의원들은 이제 그들이 다시 법안의 통과를 막는 의사 방해를 할지도 모른다고 발표했다. ㊀ **~·er** [-rər] *n.* Ⓒ 《美》 의사방해(연설)자 ; 불법 침입자.

fil·i·gree [fíləgri:] *n.* Ⓤ (금은 따위의) 가는 줄 세공, 깨지기 쉬운 장식물. ── *a.* 〔限定的〕 가는 줄세공〔선조 세공〕의〔을 한〕.

fil·ing¹ [fáiliŋ] *n.* Ⓤ 철하기, 서류정리.

fil·ing² *n.* Ⓤ,Ⓒ 줄질, 줄로 다듬기 ; (흔히 *pl.*) 줄밥 : iron ~*s* 쇠의 줄밥.

fíling càbinet 서류〔카드〕정리 캐비닛.

Fil·i·pi·no [filəpí:nou] (*pl.* ~***s*** ; *fem.* ***-na*** [-nə:]) *n.* Ⓒ 필리핀 사람. ── *a.* 필리핀 (사람)의.

fill [fil] *vt.* ① 《~+目 / +目+前+名》 …을 가득하게 하다, 채우다 ; …에 내용을 채우다〔채워 넣다〕 : ~ sand *into* a bucket 버킷에 모래를 가뜩 채워넣다 / ~ a glass of beer *for* him 그에게 맥주를 한잔 가득 따라주다. ② …에 충만하다, …에 널리 퍼지다〔미치다〕 : The scandal ~*ed* the world. 추문이 세상에 퍼졌다 / The town was ~*ed* with an uneasy calm. 거리는 기분 나쁜 정적으로 가득차 있었다. ③ 《~+目 / +目+前+名》 (구멍·공백)을 메우다 ; (결함)을 메우다 : ~ an ear *with* cotton 귀를 솜으로 틀어막다. ④ …에 섞음질을 하다(adulterate) : ~ soaps 비누에 증량제(增量劑)를 섞다. ⑤ (빈 자리)를 채우다, 보충하다, (지위)를 차지하다(hold) ; 〖野〗 만루가 되게 하다 : The vacancy was already ~*ed.* 그 자리는 이미 보충되었다 / ~ a throne 왕위에 오르다. ⑥ (요구·필요 따위)를 충족〔만족〕시키다 ; (처방)을 조제하다 : ~ an order 주문에 응하다. ⑦ (책임·의무)를 다하다, (약속)을 이행하다 ; (역할)을 맡(아 하)다 : He ~*ed* the office satisfactorily. 그는 훌륭히 그 직무를 다했다. ⑧ (아무)를 배부르게 하다 ; 만족시키다 : The roast beef ~*ed* the diners. 만찬 손님들은 로스트 비프로 포식했다. ⑨ 《+目 / +目+前+名》 〔종종 受動으로〕 (마음)을 채우다 : ~ the heart *with* joy 기쁨으로 가슴을 가득하게 하다 / The story ~*ed* him *with* terror. 그 얘기는 그를 공포심으로 가득차게 했다 / My heart *was* ~*ed with* sorrow. 슬픔으로 가슴이 메었다. ⑩ (콘크리트)를 부어넣다. ⑪ …에 금 따위를 입히다 ; (땅)에 흙을 돋우다 《*with*》.

── *vi.* 《~ / +前+名》 ① 그득 차다, 넘치다, 충만해지다, 그득〔뿌듯〕해지다《*with*》 : The hall soon ~*ed* to overflowing. 홀은 이내 넘칠 정도로 사람이 찼다 / Her eyes ~*ed with* tears. 그녀의 눈엔 눈물이 가득했다. ② 잔에 따르다. ③ (돛 따위가) 부풀다. ④ 기압이 늘다 ; 저기압이 쇠약해지다. **~ *in*** (1) (구멍·틈)을 메우다 ; (시간)을 메우다 ; 보내다 ; (서류·빈 곳)에 써 넣다 : ~ *in* the afternoon reading magazines 잡지를 보면서 오후를 보내다 / *Fill in* this application form, please. 이 신청서 양식을 기재하세요. (2) 《口》 자세한 지식을 〔새로운 정보를〕 알리다 ; 가르치다《*on*》. (3) …의 대리를〔대역을〕 하다《*for*》 : She ~*ed in for* me while I had lunch. 내가 점심 식사를 하고 있는 동안 그녀가 내 대리를 해주었다. **~ *out*** (1) (돛 따위를 활짝) 부풀리다, 불룩하게 하다 ; (연설 따위)를 길게 늘이다〔하다〕, (이야기 등)에 살을 붙이다 ; (술 따위)를 가득 따르다. (2) 가득해지다 ; 부풀다, 커지다 ; 살찌다 : The children are ~*ing out* visibly. 애들은 눈에 띄게 커가고 있다. (3) 《美》 (서식·문서 등)의 빈 곳을 채우다, …에 써 넣다 : ~ *out* an application 신청서에 필요사항을 채워 넣으시오. (4) 《美》 (어떤 기간)을 대행하여 메우다. **~ *the bill*** ⇨BILL. **~ *up*** (1) (빈 곳)을 채우다, 메우다 ; 보충하다 ; 써 넣다 : ~ *up* the cistern *with* water 물탱크를 물로 채우다. (2) 가득 차다 ; 메워지다 ; 바닥이 얕아지다 : His office began to ~ *up with* people. 그의 사무실은 사람들로 가득 차기 시작했다.

── *n.* ① (a ~) (그릇에) 가득한 양, 충분한 양. ② (둑 따위의) 돋운 흙. ③ (도살한 뒤의) 위장 속의 잔존물. **one's ~** (1) 배불리, 잔뜩 : drink 〔eat〕 *one's* ~ 잔뜩 마시다〔먹다〕. (2) 실컷 : weep *one's* ~ 실컷 울다 / get〔have〕 *one's* ~ of sleep 실컷 자다.

fill·er [fílər] *n.* ① Ⓒ 채우는〔채워 넣는〕 사람〔물건〕. ② Ⓒ 주입기(器), 깔때기. ③ Ⓤ (또는 a ~) (음식물의) 소, 속, 충전물 ; 궐련의 속 ; (판자의 구멍 등을) 메우는 나무, 충전재(材), (벽의 틈 등을 메우는 도료의) 충전제(劑), 초벌칠. ④ Ⓤ (또는 a ~) (여백을 메우는) 단편 기사《신문·잡지 등의》 ; (무게·양을 늘리기 위한) 첨가물, 혼합물, 증량제(增量劑) ; 〖컴〗 채움 문자.

fíller càp (자동차의) 연료주입구 뚜껑.

***fil·let** [fílit] *n.* ① Ⓒ (머리용) 리본, 가는 띠, 끈. ② (*pl.*) 〖料〗 필레 살《소·돼지의 연한 허리 고기 ; 양의 허벅지살》 ; (가시를 발라낸) 생선의 저민 고

기; (*pl.*) (말 따위의) 허리 부분. ── *vt.* (머리)를 리본으로 동이다〔매다〕; 〖製本〗 …에 윤곽선을 넣다; (생선)을 저미다, 필레 살을 발라내다.
fil·li·beg [fílibèg] *n.* =KILT.
fill-in [fílìn] *n.* Ⓒ 대리, 보결, 빈자리를 채우는 사람; 대용품, 보충물; (서식 등의) 기입; 《美口》 개요 설명〔보고〕. ── *a.* 일시적인, 일시적으로 하는 일의.
***fill·ing** [fíliŋ] *n.* 채움; 충전물, (음식물의) 소, 속, (치아의) 충전재; (길·둑의) 쌓아올린 흙; (직물의) 씨실(woof); 〖컴〗 채움, 채우기.
fílling stàtion 주유소.
fil·lip [fíləp] *n.* Ⓒ 손가락으로 튀기기; 가벼운 자극《*to*》; 〔주로 否定文〕 하찮은 것〔일〕: Praise is an excellent ~ *for* waning ambition. 칭찬은 자칫 꺼져가려는 야망에는 다시 없는 자극이다. ── *vt.* …을 손가락으로 튀기다; 튀겨 날리다; 촉진시키다, 기운을 돋우다, 자극하다: ~ one's memory 기억을 불러일으키다 / Anticipation ~*ed* his passion. 기대감으로 그의 정열은 부풀었다. ── *vi.* 손가락을 튀기다.
Fill·more [fílmɔːr] *n.* **Millard** ~ 필모어《미국 제 13 대 대통령; 1800-74》.
fil·ly [fíli] *n.* Ⓒ ① 암망아지. cf. colt. ②《口》 말괄량이, 매력있는 젊은 아가씨.
‡film [film] *n.* ① Ⓒ 얇은 껍질〔막, 층〕, 얇은 잎, (표면에 생긴) 피막(被膜); 얇은 운모판: A ~ of dust covered the table. 먼지가 테이블 위에 부옇게 덮여 있었다. ② U.C 〖寫〗 필름; (건판의) 감광막. ③ U.C 영화(작품); (the ~s) 영화(movies); 영화산업; 영화계: put a novel on *the* ~*s* 소설을 영화화하다 / a recently released ~ 최근 개봉된 영화 / a career in ~ 영화 제작 사업 경력 / Her last ~ was shot an location in South America. 그녀의 마지막 영화는 남미에서 야외 촬영으로 촬영되었다. ④ 가는 실, 공중의〔에 하늘거리는〕 거미줄. ⑤ (눈의) 부옘, 흐림. ⑥ 엷은 안개, 흐린 기운: a ~ of twilight 땅거미.
── *vt.* ① …을 얇은 껍질로〔막으로〕 덮다: ~*ed* eyes 눈물어린 눈 / The pond was ~*ed with* algae. 연못에는 조류(藻類)가 막(膜)처럼 덮여 있었다. ② …을 필름에 찍다〔담다〕; 〖映〗 촬영하다, (소설 등)을 영화화하다: Some of Agatha Christie's detective stories were ~*ed.* 애거서 크리스티의 추리소설의 일부가 영화화되었다. ── *a.* 〔限定的〕 영화의〔에 관한〕: a ~ actress〔fan〕 영화 여배우〔팬〕. ── *vi.* ①《~ / +副 / +前+名》 얇은 막으로 덮이다; 얇게 덮이다; (눈물 등이) 어리다《*over*; *with*》: The water ~*ed over with* ice. 수면은 온통 살얼음으로 덮였다 / Her eyes ~*ed over*, and I thought she was going to cry. 그녀의 눈에 눈물이 어리어 그녀가 곧 울 것만 같았다. ②《~ / +副》 영화를 만들다; (…이) 촬영에 적합하다: ~ *well*〔*ill*〕 영화에 맞다〔맞지 않다〕.
fílm diréctor 영화 감독.
fílm clìp 〖TV〗 필름 클립《방송용 영화 필름》.
film·dom [fílmdəm] *n.* U.C 영화계, 영화인.
film·go·er [fílmgòuər] *n.* 영화팬.
film·ic [fílmik] *a.* 영화의〔같은〕. ⓜ **-i·cally** *ad.*
film·ing [fílmiŋ] *n.* (영화의) 촬영.
film·ize [fílmaiz] *vt.* …을 영화화하다(cinematize). ⓜ **film·i·zá·tion** *n.* 영화화(한 작품).
film·let [fílmlit] *n.* 단편 영화.
fílm lìbrary 영화 도서관, 필름 대출소.
film-mak·er [⌐mèikər] *n.* 영화 제작자.
film-mak·ing [⌐mèikiŋ] *n.* Ⓤ 영화 제작.
film·og·ra·phy [filmágrəfi / -mɔ́g-] *n.* U.C 영화 관계 문헌, (주제 등에 관한) 영화 작품 해설.
fílm pàck 갑에 든 필름.
fílm premìère (신작 영화의) 특별 개봉.
fílm ràting 〖映〗 관객 연령 제한 (표시).
fílm recòrder 영화용 녹음기.
film·script [fílmskrìpt] *n.* 영화 각본, 시나리오.
film·slide [⌐slàid] *n.* (환등용) 슬라이드.
fílm stàr 영화 배우〔스타〕.
film·strip [⌐strìp] *n.* U.C (연속된 긴) 영사 슬라이드.
fílm stùdio 영화 촬영소.
fílm tèst 화면 심사.
fílm thèater 《英》 영화관.
filmy [fílmi] (*film·i·er*; *-i·est*) *a.* 얇은 껍질〔막〕의, 필름 같은; 얇은; 얇은 껍질로〔막으로〕 덮인〔싸인〕; 가는 실의; 흐린, 희미한.
***fil·ter** [fíltər] *n.* Ⓒ ① 여과기; 여과판(板). ② 〖電〗 여파기(濾波器); 〖寫〗 필터, 여광기(濾光器); 〖컴〗 거르개. ③ 여과용 다공성 물질, 여과용 자재《필터·모래·숯 등》. ④《口》 필터 담배. ⑤ 《英》 (교차점에서 특정 방향으로의 진행을 허락하는) 화살표 신호, 보조 신호.
── *vt.* 《~+目 / +目+副》 …을 거르다, 여과하다; 여과하여 제거하다《*off*; *out*》: ~ *off* impurities 걸러서 불순물을 제거하다 / ~ water through charcoal 숯으로 물을 여과하다.
── *vi.* ①《~+副 / +前+名》 여과되다; 스미다, 침투하다《*through*; *into*》; 《比》 (소문 따위가) 새(어 나오)다《*into*; *out*》: Water ~*s through* the sandy soil. 물은 모래땅에 스며든다 / Sunlight ~*ed in through* the dusty window. 먼지로 부옇게 된 창문을 통해 햇빛이 비쳐 들어왔다 / The news slowly ~*ed through* to the townspeople. 그 소식은 도시 사람들에게 서서히 퍼져갔다. ②《英》 (자동차가 교차점에서 직진 방향이 붉은 신호일 때) 녹색의 화살표 신호에 따라 좌〔우〕회전하다.
fil·ter·a·ble [fíltərəbəl] *a.* 여과되는.
fílterable vírus 여과성 병원체〔바이러스〕.
fílter bèd (상하수도 등 물 처리용의) 여과지(池).
fílter cigarétte 필터 (달린) 담배.
fílter clòth 여과포(布).
fílter pàper 여과지(紙), 거름종이.
fílter tìp 필터; 필터 담배.
fil·ter-tip(ped) [fíltərtìp(t)] *a.* 필터달린.
***filth** [filθ] *n.* Ⓤ 오물, 쓰레기; 더러움, 불결; 외설; 추잡스런 말〔생각〕; 추행; 부도덕; 《英方》 악당, 매춘부; (the ~) 《英俗》 경찰.
***filthy** [fílθi] (*filth·i·er*; *-i·est*) *a.* 불결한, 더러운; 부정한; 추악한; 외설한: Take your ~ boots off before you come in. 들어오기 전에 지저분한 신발을 털어라 / ~ weather 구질구질한 날씨. ── *ad.* 《美俗》 대단히, 매우. ── *n.* 《美俗》 돈. ⓜ **fílth·i·ly** *ad.* **-i·ness** *n.*
fílthy lúcre 《口》 부정축재, 부정한 돈; 《戲》 돈.
fil·tra·ble [fíltrəbl] *a.* =FILTERABLE.
fil·trate [fíltreit] *vt., vi.* =FILTER. ── [-trit, -treit] *n.* 여과액, 여과수(水).
***fin** [fin] *n.* Ⓒ ① 지느러미; 어류(魚類), 어족; 지느러미 모양의 물건: an anal 〔dorsal, pectoral, ventral〕 ~꼬리〔등, 가슴, 배〕지느러미. ②《俗》 손(hand), 팔. ③ (항공기의) 수직 안전판(板); (잠수함의) 수평타(舵); (흔히 *pl.*) 물갈퀴. ④《美俗》 5 달러짜리 지폐. **~, *fur and feather*(*s*)** 어류·수류(獸類)·조류.
fin·a·ble [fáinəbəl] *a.* 벌금에 처할 수 있는.
fi·na·gle [finéigl] 《口》 *vi., vt.* 야바위치다, 속이다, 속여 빼앗다《*out of*》: ~ a week's holiday 용케 수를 써 1주간의 휴가를 얻다. ⓜ **-gler** *n.*
‡fi·nal [fáinəl] *a.* ①〔限定的〕 최종의, 최후의.

[cf] initial. ¶ the ~ round (경기 따위의) 최종회, 결승. ② 최종적인, 확정적인, 결정적인(conclusive) : a ~ contest 〔game〕 결승전 / That's ~. 그것으로 끝이다(변경은 안된다) / The judgment was ~. 그 판결은 확정적인 것이었다. ③〖文法〗 목적을 나타내는 : a ~ clause 목적절. ④〖音聲〗 말 끝의, 음절 끝의《bit, bite 의 t 따위》. ***the ~ judgment***〖法〗 최종판결. — *n.* [C] ① (보통 *pl.*)〖競〗 결승전 ; (대학의) 최종〔학기말〕 시험. ② (신문의) 최종판(版). ③ 종국, 최종〔최후〕의 것. ***run* 〔*play*〕 *in the ~s*** 결승전까지 올라가다. [파] **~·ism** [-ìzəm] *n.* [U]〖哲〗 궁극 원인론, 목적원인론. **~·ist** *n.* [C] 결승전 출장 선수 ;〖哲〗 목적원인론자.

***fi·na·le** [finɑ́:li, -nǽli] *n.* [C] 《It.》 피날레. ①〖樂〗 끝악장, 종악장(終樂章), 종곡. ②〖劇〗 최후의 막, 대미(大尾) ; 종국, 대단원 : All the dancers come on stage during the ~. 모든 무용수들이 피날레에서 무대에 총출연한다.

fi·nal·i·ty [fainǽləti] *n.* ① [U] 최종적〔결정적〕인 것. ② [C] 최후의 판결·회답《따위》. 「시키다.

fi·nal·ize [fáinəlàiz] *vt.* (계획 등)을 완성〔종료〕

†**fi·nal·ly** [fáinəli] *ad.* ① 〔흔히 글머리에 옴〕 최후로 ; 마지막에 : *Finally* I wish to say a few words. 최후로 몇 마디 하고 싶다. ② 마침내, 결국(ultimately). ③ 최종적으로, 결정적으로.

‡**fi·nance** [finǽns, fáinæns] *n.* ① [U] 재정, 재무. ② (*pl.*) 재원(funds), 재력, 자금 ; 자금조달, 재원확보 ; 세입, 소득(revenues). ③ [U] 재정학.
— *vt.* ① …에 자금을 공급〔융통〕하다, …에 융자하다 : The local authority has refused to ~ the scheme. 지방 자치 단체는 그 계획에 대한 자금공급을 거절했다. ② 《+[목]+[전]+[명]》 …의 재정을 처리하다, 자금을 조달하다〔대다〕 : ~ a daughter *at* 〔*through*〕 college 딸의 대학 학자금을 대다 / The company ~*d* its acquisitions with the sale of its real estate holdings. 그 회사는 구입물의 자금을 소유 부동산의 매각으로 조달했다. — *vi.* 자금을 조달하다 ; 투자하다. ◇ financial *a.*

finánce còmpany 〔《英》 **hòuse**〕 금융 회사.

‡**fi·nan·cial** [finǽnʃəl, fai-] *a.* 재정(상)의, 재무의 ; 재계의 ; 금융상의 : ~ ability 재력 / ~ affairs 재무(사정) / a ~ book 회계부 / ~ circles =the ~ world 재계 / ~ condition 재정상태 / a ~ crisis 금융 공황 / ~ difficulties 재정난 / ~ operations 재정〔금융〕조작 / ~ resources 재원 / The film was popular with the critics, but was not a ~ success. 그 영화는 평(評)은 좋았으나 돈은 벌지 못했다 / The City of London is a great ~ center. 런던은 금융의 대(大)중심지이다.

fináncial yéar 《英》 회계 연도(《美》 fiscal year).

***fi·nan·ci·er** [finənsíər, fài-] *n.* [C] 재정가 ; 《특히》 재무관 ; 금융업자 ; 자본가, 전주.

fin·back [fínbæ̀k] *n.*〖動〗 큰고래(=∠ **whále**).

finch [fintʃ] *n.* [C]〖鳥〗 피리새류. [cf] goldfinch.

†**find** [faind] (*p., pp.* **found** [faund]) *vt.* 〔용법에 따라 目的語가 생략되는 수가 있음〕 ① 《~+[목] / +[목]+[보] / +[목]+*done* / +[목]+*-ing*》 …을 (우연히) 찾아내다, 발견하다 ; …을 만나다 : ~ a treasure by accident 우연히 보물을 발견하다 / The boy was *found* dead 〔injured〕 in the woods. 소년은 숲속에서 죽은〔다친〕 채로 발견되었다. ② 《~+[목] / +[목]+[목] / +[목]+[전]+[명]》 …을 (찾아서) 발견하다, 보다 : *Find* the cube root of 27. 27 의 세제곱근을 구하여라 / I can't ~ my key. 열쇠가 안 보인다 / Will you ~ me a good one? =Will you ~ a good one *for* me? 나에게 좋은 것을 찾아주지 않겠습니까. ③ 《~+[목] / +[목]+[보]》 …을 (찾으면) 발견된다, (볼 수) 있다 ; 〔흔히 one, you 를 주어로 하며, 때때로 受動으로〕 …에 있다, 존재하다 : You can ~ bears〔Bears *are found*〕 in these woods. 이 부근의 숲에는 곰이 있다 / This sort of bird can *be found* everywhere in Korea. 이런 종류의 새는 한국 어디서나 볼 수 있다. ④ 《~+[목] / +[목]+[전]+[명]》 (필요한 것)을 얻다, 입수〔획득〕하다, (시간·돈 따위)를 찾아내다, 마련하다 ; (용기 등)을 내다 : ~ the capital *for* a new business 새로운 사업을 시작할 자금을 마련하다 / I can't ~ time to read the book again. 그 책을 다시 읽을 여가가 없다 / The book *found* a wide audience. 그 책은 많은 독자에게 인기가 있었다 / ~ favor *with* a person 아무의 호의를 얻다, 눈에 들다. ⑤ 《+[목]+ *to* do / +[목]+*do* / *that*〔*wh.*〕 [절] / +*wh. to* do / +[목]+(*to be*) [보] / +[목]+[전]+[명]》 …이 …임을 (경험을 통하여) 알다, 이해하다 ; 깨닫다, 느끼다 : He *found that* he was mistaken. 그는 자신이 잘못 생각했음을 알았다 / He *found* each word (*to be*) a painful stab. 그는 한마디 한마디가 몹시 가슴아팠다 / We've *found* him (*to be*) the right man for the job. 그는 그 일에 적임자였다 / He *found* no difficulty *in* solving the problem. 그는 전혀 어려움 없이 그 문제를 풀었다. ⑥ 〔흔히 再歸的〕 (깨닫고 보니, 어떤 장소·상태)에 있다 : After a long illness, he *found himself* well again. 오랜 병 끝에 그는 다시 건강해졌다 / She woke to ~ *herself* at home. 깨어보니 그녀는 집에 있었다 / He finally *found himself* as a cook. 그는 드디어 자신의 요리사로서의 재질을 발견했다. ⑦ 《~+[목] / +[목]+[보] / +*that* [절]》〖法〗 (배심이 평결)을 내리다, …라고 평결하다 : ~ a person guilty 〔not guilty〕 아무를 유죄〔무죄〕로 판결하다 / The jury *found that* the man was innocent. 배심원은 그 사람을 무죄라고 평결하였다. ⑧ (기관(器官))의 기능을 획득〔회복〕하다, …을 사용할 수 있게 되다. ⑨ (계산의 답)을 얻다 : ~ the sum of several numbers 몇 개의 수의 합계를 내다. ⑩ …에 도달하다 ; …이 자연히 …하게 흐르다〔되다〕 : Water ~*s* its own level. 물은 자연히 낮은 곳으로 흐른다. ⑪ (분실물 따위)를 찾다, 찾아내다 : ~ the missing key 잃었던 열쇠를 찾다 / The ring was nowhere to be *found*. 반지는 아무데서도 발견되지 않았다. ⑫ 《~+[목] / +[목]+[전]+[명]》 (의식(衣食) 따위)를 …에게 제공하다, …에(게) 지급하다《*for* ; *with* ; *in*》 : The hotel does not ~ breakfast. 그 호텔에서는 아침 식사를 제공하지 않는다 / ~ a person *in* clothes 아무에게 의복을 지급하다 / He will ~ the money *for* the undertaking. 그가 그 사업의 자금을 낼 것이다.
— *vi.* ① 《+[전]+[명]》〖法〗 (배심원이) 평결을 내리다《*for* ; *against*》 : The jury *found for* 〔*against*〕 the plaintiff. 배심원은 원고에게 유리〔불리〕한 평결을 내렸다. ② 찾아내다, 발견하다 ; (사냥개가) 사냥감을 찾아내다 : Seek, and ye shall ~.〖聖〗 찾으라, 그러면 찾을 것이오《마태복음 Ⅶ: 7》.
(and) all* 〔*everything*〕 *found (급료 외에 의식주 등) 일체를 지급받고 : Wages $ 900 a month (*and*) *all found*. 급료는 월(月) 900 달러, 기타 의식주 일체 제공. ***be well found in*** (집 따위에) 모든 것이 충분히 갖추어져 있다 ; (사람이) …에 관한 지식을 갖추고 있다 : The house *was well found in* plate and linen. 그 집에는 식기류와 린네르 등이 충분히 갖추어져 있었다 / *be well found in* classics 고전에 대한 교양이 많다. ~

fault with ⇨ FAULT. ~ ***for*** ⇨ *vi.* ①. ~ ***it in*** one***'s heart to*** (do) …할 마음이 나다, …하려고 마음 먹다《주로 can, could 등과 함께 의문문·부정문에서》: I could*n't* ~ *it in* my *heart to* forgive him for insulting me. 그가 나를 모욕한 것을 용서하고 싶지 않았다. ~ ***it (to) pay*** =~ ***(that) it pays*** (해보니) 수지가 맞다. ~ ***mercy in*** a person 아무에게서 동정을 얻다, 은혜를 입다. ~ ***out*** (1) 발견하다, 찾아내다. (2) (진상·사실)을 알다《*about*》, 깨닫다 ; (아무)의 참모습을 알다〔드러내다〕: I *found* him *out*. 그의 정체〔음모〕를 캐냈다. (3) (죄·범인 따위)를 간파하다 ; (수수께끼)를 풀다. (4) (방책 따위)를 안출하다. (5)〔目的語 생략〕사실을 밝혀내다: Never mind. I'll ~ *out.* 염려 마라, 내가 알아낼 터이니. ~ one***'s account in*** …으로 이익을 얻다. ~ one***self*** (1) ⇨ *vt.* ⑥. (2) 자기의 재질·적성·특성을 깨닫다, 자기의 나아갈 바를 알다: Most people don't begin to ~ *themselves* until they work in society. 대부분의 사람들은 사회에 나가 취직할 때까지는 자신의 능력을 깨닫지 못한다. (3) (이러이러한) 기분이다: How do you ~ *yourself* today? 오늘은 기분이 어떠십니까. (4) 자기 비용을 스스로 부담하다: ~ *oneself* in clothes 의복을 자비로 마련하다. ~ one***'s feet*** ⇨ FOOT. ~ one***'s way*** 길을 찾아가다 ; 애써 나아가다〔이르다〕; 〔무생물이 주어가 되어〕…에 도달하다 ; 들어오다〔가다〕《*in*》, 나가다, 나오다《*out*》: Many precious art objects *found their way* across the sea. 많은 귀중한 미술품이 해외로 유출되었다 / The ideal of the president *found its way* into the curriculum. 총장의 이상이 교과 과정 안에 도입되었다. ~ ***up*** 찾아내다. ~ ***what o'clock it is*** 진상을 간파하다.

── *n.* Ⓒ ① (보물·광천 따위의) 발견(discovery). ② 발견물 ; 발굴해낸 것(finding), 희한한 발견물, 횡재. ③『英獵』사냥감의 발견《특히 여우 따위의》. ④『컴』찾기. ***have*** 〔***make***〕 ***a great*** ~ 뜻밖에 희한한 물건을 얻다.

fínd and repláce『컴』찾아 바꾸기《편집기 등에서 문서 안의 특정한 문자열을 찾아서 이를 다른 문자열로 바꿔치기하는 기능》.

find·er [fáindər] *n.* Ⓒ ① 발견자 ; 습득자. ② (망원경·카메라의) 파인더(viewfinder). ③(방향·거리의) 탐지기 ; 측정기.

fin de siè·cle [fɛ̃ndəsjékl] 《F.》 (문예 방면에서의) 데카당파의, 퇴폐파의 ; 현대적인, 진보적인; (the ~) (19) 세기말.

***find·ing** [fáindiŋ] *n.* Ⓤ,Ⓒ 발견(discovery) ; (종종 *pl.*) 발견물, 습득물 ; (종종 *pl.*) 조사〔연구〕결과 ; 소견 ;『法』(법원의) 사실 인정 ; (배심원 등의) 평결, 답신 ; (*pl.*) (장인(匠人)이 쓰는) 소도구, 재료, 부속품.

find·spot [fáindspɑ̀t / -spɔ̀t] *n.*『考古』(유물 따위의) 발견지(점), 출토지(점).

†fine[1] [fain] (***fín·er*** ; ***fín·est***) *a.* ①〔限定的〕훌륭한, 뛰어난 ; 좋은, 굉장한, 멋진: a ~ view 훌륭한 전망 / a ~ idea 좋은 생각〔착상〕. ② (날씨 따위가) 갠, 맑은. ③〔限定的〕정제된, 순수한, 순도(純度) 높은 ; 순도 …의. ④ (낟알 따위가) 자디잔, 고운, 미세한 ; 감촉이 좋은 ; (농도가) 엷은, 희박한: ~ sand 고운 모래 / ~ rain 이슬비, 가랑비 / chop meat ~ 고기를 잘게 썰다. ⑤ (실·끈 따위가) 가는 ; (손·발 따위가) 늘씬한 ; (펜촉이) 가느다란 ; (펜·연필이) 가는 글씨용의 ;『印』가는 활자로 인쇄된. ⑥ (날이) 얇은 ; 예리한《칼 따위》. ⑦ (감각이) 예민한, 민감한, 섬세한(delicate). ⑧ (차이 따위가) 미묘한, 미세한: a ~ distinction between the meanings of two words 두 낱말의 뜻의 미묘한 차이. ⑨ (일이) 정교한, 공들인: ~ workmanship 정교한 세공 / a ~ mechanism 정교한 장치. ⑩ (사람이) 기술이〔솜씨가〕뛰어난, 교묘한: a ~ worker 기술이 좋은 장인 / a ~ athlete 기술이 뛰어난 운동가 / a ~ musician 뛰어난 음악가. ⑪ (사람·태도 따위가) 세련된 (polished), 완성된, 고상한: ~ manners 세련된 몸가짐 / a ~ character 훌륭한 인물. ⑫〔反語的〕뽐낸, 짐짓 점잔 빼는 ; 훌륭한, 대단한: You are a ~ fellow. 너는 대단한 놈이다 / That's a ~ excuse. 아주 그럴 듯한 변명이군. ⑬ (말·문장 등이) 화려한, 아첨하는: a ~ piece of writing 미문(美文) / *Fine* words dress ill deeds. 《俗談》 번지르르한 말 속에는 흉계가 숨어 있다. ⑭ (사람이) 아름다운(handsome), 예쁜, (외관이) 훌륭한 ; (감정이) 고상한 ; (물건이) 상품(上品)의, 상질(上質)의: a ~ young man 멋진 청년. ⑮ (…에) 적합한, 쾌적한, (건강 등에) 좋은《*for*》: This apartment's ~ *for* two people, but not more. 이 아파트는 두 사람에게 적합하지만, 그 이상의 식구에는 맞지 않는다. ⑯ (사람이) 원기왕성한, 기분이 좋은: feel ~ 씽씽하다, 기분이 좋다 / "How are you?" "*Fine,* thank you." '안녕하십니까' '예, 덕분에 건강합니다' / He looked ~ this morning. 그는 오늘 아침 기분이 좋은 것 같았다. ⑰ 좋다, 좋아《주로 손아랫사람에게》.

a ~ gentleman 〔***lady***〕 세련된 신사〔숙녀〕, 〔反語的〕(근로를 천시하는) 멋쟁이 신사〔숙녀〕. ***all very ~ and large*** 그럴 듯한, 정말 같은. ~ ***and*** 〔다음 形容詞를 강조〕 아주, 퍽: ~ *and* eloquent 아주 능변의 / I was ~ *and* startled. 정말 놀랐다. ~ ***and dandy*** 《口》 참으로 좋습니다(마는…). ~ ***thing*** 〔感歎詞的〕 어휴, 지겹군, 어처구니없어서, 어허 참. ***It's all ~, but*** .... 그것은 대단히 좋지만〔잘 했지만〕…. ***not to put too ~ a point on***〔***upon***〕 ***it*** 노골적으로〔까놓고〕 말하면: *Not to put too ~ a point on it,* I think he's mad! 솔직히 말하면 그는 미쳤어. ***one ~ day*** 〔***morning***〕 어느 날〔날 아침〕《이 때의 fine 에는 뜻이 없음》. ***one of these ~ days*** 머지 않아, 조만간에. ***say ~ things*** 입발림말을 하다, 아첨하다《*about*》.

── *ad.* ①《口》 훌륭하게, 잘: The hat will suit you ~. 그 모자는 썩 잘 어울립니다 / He did ~ on the exams. 그는 시험을 훌륭히 치렀다 / I am doing ~, thanks. 덕분에 잘 하고 있습니다. ② 미세하게, 잘게 ;『撞球』친 공이 맞힐 공을 겨우 스칠 정도로: cut the vegetable ~ 야채를 잘게 썰다. ***run*** 〔***cut***〕 ***it (too)*** ~ (1) 마지막〔…하려는〕 순간에야 이루다 ; 간신히 성취하다. (2) (시간)을 매우 절약하다 ; (값 등)을 바싹 깎다: To finish in ten minutes is to *cut it too* ~. 10분 만에 끝낸다는 것은 너무 무리이다. (3)《口》 정확하게 구별하다. ***train an athlete too*** ~ 운동 선수를 지나치게 훈련시키다. ***work*** ~ (계획·방법 따위가) 잘 되다.

── *vt.* ① …을 순화(純化)하다, 정제〔정련〕하다 (refine) ; (문장·계획 등)을 더욱 정확하게 하다 ; (술)을 맑게 하다《*down*》. ② …을 잘게〔가늘게, 엷게〕 하다《*down*》. ── *vi.* ① 순수하게 되다 ; 맑아지다. ② 잘게 되다, 엷어〔작아〕지다《*down*》. ~ ***away*** 〔***down, off***〕 점점 가늘어〔잘아·엷어·순수해〕지(게 하)다: ~ *away* superfluous matter in a design 도안 속의 불필요한 요소를 줄이다 / He ~*d down* his proposal to the bare essentials. 그는 제안을 극히 핵심적인 것만으로 줄였다.

‡fine[2] [fain] *n.* ① Ⓒ 벌금, 과료 ;『英法』상납금. ②《古》 Ⓤ 끝, 종말. ***in*** ~ 결국 ; 요컨대. ── (*p.,* *pp.* **fined ; fín·ing**) *vt.* 《~+目/+目+目》 …에게 벌금을 과하다, 과료에 처하다《*for*》: He was ~*d* 100 dollars *for* illegal parking. 그는 주차위반으로 100 달러의 벌금에 처해졌다.

fíne árt 미술《그림·조각·건축 따위》; (the ~s) 예술《문학·음악·연극·무용을 포함한》.

fíne chémicals 정제 화학약.

fine-drawn [-drɔ́ːn] *a.* 〔限定的〕 ① 감쪽같이 꿰맨. ② 가늘게 늘인. ③ (의론 등이) 미묘·정밀한; 섬세한.

fine-grained [-gréind] *a.* 나뭇결이 고운.

***fine·ly** [fáinli] *ad.* 곱게, 아름답게, 훌륭하게; 미세하게, 가늘게; 엷게; 정교하게: a ~ dressed woman 성장한 여자.

fine·ness [fáinnis] *n.* Ⓤ ① 고움, 아름다움, 훌륭함; (품질의) 우량. ② 미세함, 가느다람; 분말도; 〖紡績〗 섬도(纖度)《섬유의 굵기》; 정교함. ③ (금속의) 순도, (화폐의) 품위. ④ (때로 a ~) (정신·지능 따위의) 예민, 섬세, 미묘함, 명민함, 정밀함, 자세함.

fíne prínt ① 작은 활자. ② 작은 글자 부분 (=**smáll prínt**) 《계약서 등에서 본문보다 작은 활자로 인쇄된 주의사항 따위》; 《比》 (계약 따위에) 숨겨져 있는 불리한 조건.

fin·ery[1] [fáinəri] *n.* Ⓤ (아름다운) 장식; 장신구; 화려한 옷; 화려, 화미(華美): in one's best ~ 가장 멋진 옷을 차려 입고.

fin·ery[2] *n.* Ⓒ 〖冶〗 정련소〔로(爐)〕 (refinery).

fine·spun [fáinspʌ́n] *a.* 아주 가늘게 자아낸; 섬세한; (이론 따위가) 지나치게 면밀한, 미묘한.

fi·nesse [finés] *n.* 《F.》 ① Ⓤ,Ⓒ 교묘한 처리〔기교〕, 수완, 솜씨: with ~ 솜씨있게 / show ~ in handling the difficult situation 난국의 처리에 수완을 발휘하다 / the ~ of love 사랑의 기교. ② Ⓤ,Ⓒ 술책(stratagem), 책략(cunning), 흉계. ③ Ⓒ 〖카드놀이〗 피네스《브리지에서, 점수 높은 패가 있으면서도 낮은 패로 판에 깔린 패를 따려는 짓》.
— (*p., pp.* **-néssed ; -néss·ing**) *vi., vt.* 술책을 쓰다; 책략으로 처리하다; 〖카드놀이〗 피네스를 쓰다《*for ; against*》: ~ one's way *through* difficulties 책략을 써서 난국을 벗어나다.

fíne-tòoth(ed) cómb [fáintùːθ(t)-] 가늘고 촘촘한 빗; 《比》 철저〔면밀〕하게 조사〔음미〕하는 태도〔제도〕. ***go over* 〔*through*〕 . . . *with a* ~** 세밀히 조사〔음미, 수사〕하다.

fine-tune [fáintjúːn] *vt.* 〖電子〗 …을 미(微)조정하다.

†**fin·ger** [fíŋgər] *n.* Ⓒ ① 손가락: the middle 〔long, second〕 ~ 가운뎃 손가락 / the ring 〔third〕 ~ 약지, 약손가락, 무명지《the ring finger 는 왼손의 약지를 가리킴》/ the little 〔fourth〕 ~ 새끼손가락《만일 엄지손가락을 포함하면 하나씩 물러남》. ② (장갑의) 손가락; (*pl.*) 일하는 손. ③ 지침(指針), 바늘《계량기 따위의》; 손가락 모양의 것; (기계 등의) 손가락 모양 돌기; 지시물(指示物). ④ 손가락 폭. ⑤ 《俗》 밀고자, 경찰관, 소매치기. ***burn* one's ~*s*** (쓸데없이 참견·간섭하여) 혼나다, 욕보다. ***crook* one's (*little*) ~** (1) 《口》 (손가락을 구부려) 신호를 하다, 뜻을 전하다: She *crooked her* (*little*) ~ at him. 그에게 (오라고) 손을 구부렸다. (2) 《俗》 (과도하게) 술을 마시다. ***cross* one's ~*s*** (액막이로 또는 행운을 빌어) 집게손가락 위에 가운뎃손가락을 포개다. ***have a* ~ *in the pie*** 몫에 참여하다; 관여하다, 쓸데없이 참섭하다. ***have . . . at* one's ~*s' ends* 〔~ *ends*, ~ *tips*〕** 정통하다, 환하다; 바로 곁에 있다. ***have* one's ~*s in the till*** 《口》 자신이 근무하는 가겟돈을 (장기간에 걸쳐) 후무리다, 슬쩍하다. ***have sticky* ~*s*** 《俗》 도벽이 있다; 〖美蹴〗 패스를 잘 받다. ***keep* 〔*have*〕 one's ~*s crossed* (*that . . .*)** (…하도록) 행운을 빌다: *Keep your* ~*s crossed that* I get the job. 그 직장을 얻을 수 있도록 빌어주게. ***lay a* ~ *on*** …에 상처를 주다, …에 손가락 하나라도 대다, 꾸짖다: If you *lay a* ~ *on* me, I'll sue you. 나에게 손가락 하나라도 댄다면 당신을 고소하겠소. ***lay* 〔*put*〕 one's ~ *on* 〔*upon*〕** 〔흔히 否定文〕 (원인·해답 등)을 정확히 지적하다; …을 또렷이 생각해내다; (…의 장소 등)을 정확히 알아내다: I know the name, but I ca*n't put my* ~ *on* it. 이름은 알고 있는데, 생각이 나지않는다. ***look through* one's ~*s at*** …을 슬쩍 보다, …을 보고도 못 본 체하다. ***lift* 〔*raise, stir*〕 *a* ~** =lift a HAND. ***point a* 〔*the*〕 ~ *at . . .*** (남을) 공연하게 비난하다. ***pull* 〔*take*〕 one's ~ *out*** 《英俗》 (태도를 바꾸어 다시) 일을 시작하다, 발분하다, 서두르다. ***put the* ~ *on*** 《口》 범인을 (경찰 등에) 밀고하다, 정보를 제공하다. **One's ~*s itch* (*for, to* do)** …하고 싶어 좀이 쑤시다. ***slip through* a person's ~*s*** (1) (잡았던 것이) 손에서 빠져나가다. (2) 《比》 …에게서 도망치다, 없어지다, …의 손아귀에서 빠져나가다: Money *slips through my* ~*s*. 돈이 술술 없어진다 / I let the chance *slip through my* ~*s*. 우물우물 하는 사이에 기회를 놓치고 말았다. ***snap* one's ~*s at*** (손가락으로 딱 소리를 내어) 남〔사환 등〕의〔을〕 주의를 끌다〔부르다〕; …을 경멸·무시하다. ***turn* 〔*twist*〕 a person *around* 〔*round*〕 one's (*little*) ~** 아무를 마음대로 (조종)하다〔가지고 놀다〕, 농락하다. ***with a wet* ~** 수월히, 손쉽게, 힘 안 들이고. ***work* one's ~*s to the bone*** 《口》 열심히 일하다.
— *vt.* ① …을 손가락으로 만지다(handle): Please, don't ~ the goods. 상품에 손을 대지 마십시오. ② (뇌물 따위)를 받다, 손을 내밀다; 훔치다. ③ …을 손가락으로 하다〔만들다〕. ④ (바이올린 따위)를 손가락으로 켜다. ⑤ (악보)에 운지법(運指法)을 표시하다. ⑥ …을 …이라고 지적하다: Air pollution has been ~*ed* as the cause of acid rain. 대기오염이 산성 비의 원인이라고 지적되고 있다. ⑦ 《俗》 …을 밀고하다《*to*》; 미행하다 (shadow).
— *vi.* (손가락으로) 만지다.

fínger àlphabet 지(指)문자《농아자의》.

fínger bòard (바이올린 따위의) 지판(指板).

fínger bòwl (식후의) 손가락 씻는 그릇.

fin·gered [fíŋgərd] *a.* 〔흔히 複合語를 이룸〕 손가락이 있는; 손가락이 …한; (가구·일용품에) 손때가 묻은; 〖植〗 손가락 모양의; 〖樂〗 (악보에) 운지(運指) 기호가 표시된.

fin·ger·fish [-fìʃ] *n.* 〖動〗 불가사리(starfish).

fínger glàss 유리제(製) finger bowl.

fínger hòle (악기·볼링공 등의) 손가락 구멍.

fin·ger·ing [fíŋgəriŋ] *n.* Ⓤ 손가락으로 만지작거림; 〖樂〗 운지법(運指法), 운지 기호.

fínger lànguage (농아자의) 지화법(指話法).

fin·ger·ling [fíŋgərliŋ] *n.* Ⓒ 작은 물고기, 극히 작은 것.

fínger màrk (때묻은) 손가락 자국.

fin·ger·nail [fíŋgərnèil] *n.* Ⓒ 손톱: She is a lady *to the* ~*s*. 그녀는 완벽한 숙녀이다.

fínger pàinting 지두화법(指頭畫法)(으로 그린 그림).

fínger plàte 〖建〗 지판(指板)《문의 손잡이 부분에 댄 금속판》.

fínger pòst (손가락 모양의) 도표(道標), 방향표시 말뚝(guidepost); 안내서, 지침《*to*》.

fin·ger·print [fíŋgərprìnt] *n.* Ⓒ 지문.

fínger rèading 점자 읽는 법. cf. braille.
fin·ger·spell·ing [fíŋgərspéliŋ] *n.* Ⓤ 수화에 의한 의사 전달.
fin·ger·stall [fíŋgərstɔ̀ːl] *n.* Ⓒ 손가락 싸개.
fin·ger·tip [fíŋgərtìp] *n.* Ⓒ 손가락 끝 ; 골무. ***have* 〔*keep*〕 . . . *at* one*'s* ~*s*** 즉시 이용할 수 있다 ; 곧 입수할 수 있다 ; 잘 알고 있다 ; 쉽게 처리 할 수 있다. ***to the* 〔one*'s*〕 ~*s*** 완전히(completely), 철저하게 : He is a pacifist *to his* ~*s.* 그는 철저한 평화주의자다. ── *a.* 언제라도 쓸 수 있는 ; 손가락 끝으로 간단히 조작할 수 있는.
fin·i·cal [fínikəl] *a.* (옷 · 음식 따위에) 몹시 신경을 쓰는, 까다로운《*about*》. ㊞ **~·ly** *ad.* 아주 까다롭게. **~·ness** *n.*
fin·ick·ing, fin·i·kin, fin·icky [fínikiŋ], [fínikin], [fíniki] *a.* =FINICAL.
†**fin·ish** [finiʃ] *vt.* ①《~+목 / +목+부》…을 끝내다, 완성하다 : ~ one's life in loneliness 외롭게 일생을 마치다. ②《+-*ing*》…하기를 끝내다 : ~ speak*ing* 이야기를 끝마치다 / He ~*ed* read*ing* the book. 그는 그 책을 모두 읽었다. ③ (책 등)을 다 읽다, 다 쓰다. ④ (음식)을 다 먹어〔마셔〕 버리다《*off, up*》: He ~*ed off* the wine at one gulp. 그는 단숨에 그 술을 다 마셔버렸다 / The cat will ~ *up* the fish. 고양이는 그 생선을 깨끗이 먹어치울 것이다. ⑤《~+목 / +목+부》《口》(상대)를 패배시키다, 녹초가 되게 하다, 죽이다(kill)《*off*》: My answer ~*ed* him. 나의 대답에 그는 손을 들었다 / This spray will ~ *off* the cockroaches. 이 스프레이로 바퀴벌레는 완전히 없어질 것이다. ⑥《~+목 / +목+전+명》…을 마무르다 ; 다듬다, …의 마지막 손질을 하다《*off*》: She ~*ed off* her educatioin at Harvard. 그녀는 하버드 대학에서 교육의 마지막을 마무리했다. ⑦ …의 교육〔훈련〕을 끝내다, …을 졸업시키다 : ~ school 졸업하다 / Where were you ~*ed ?* 어느 학교를 나왔느냐. ⑧ (과정 · 학교)를 수료〔졸업〕하다.
── *vi.* ① 끝나다, 그치다 : The training ~*ed* before noon. 훈련은 오전 중에 끝났다 / It ~*ed* badly. 그것은 언짢게 끝났다. ②《口》(사람이 일을) 끝내다, 마치다《*off, with, up*》: I'll soon be ~*ed with* this job. 이 일은 곧 끝날 것이다《여기서 be ~ed는 완료를 나타냄》. ③《+보》(결승점에) 닿다 : ~ second in the race, 2 등이 되다. **~ *by*** do*ing* 마침내〔끝내〕 …하다 : You will ~ *by* break*ing* your neck. 끝내 목이 부러지고 말겠다. **~ *off*** (일 등)을 끝마치다 ; (음식 등)을 다 먹어 버리다 ;《口》(사람 · 짐승)을 죽이다. **~ *up*** (1) (일)을 끝내다. (2) (물품)을 다 써 버리다 ; (음식물)을 다 먹어치우다. **~ *with*** …로써 끝(장)을 내다, …으로 끝맺다. ***have ~ed with*** 이제 …은 그만〔마지막〕이다 ; 이제 …은 딱 질색이다 : My son *has* ~*ed with* gambling. 아들은 도박을 끊었다.
── *n.* ① Ⓒ 끝, 종국 ; 종결, 최후 ; 마지막 장면. ② Ⓤ 마무리, 끝손질, 완성. ③ Ⓒ 병 아가리《병뚜껑과 접촉부 및 그 둘레》. ④ Ⓤ (벽 · 가구 따위의) 마무리 칠하기, 광내기 : a plaster ~ 회반죽칠의 마무리. ⑤ (태도의) 때벗음, 세련, 교양 : Her manners lack ~. 그녀의 태도에는 세련미가 없다. ***fight to a*** ~ 최후까지 싸우다. ***from start to*** ~ 처음부터 끝까지.
*****fin·ished** [fíniʃt] *a.* ①《口》〔敍述的〕(사람이 일을) 끝내고 ; (사람과의 관계가) 끊겨, 단절되어. ②〔限定的〕(일 · 제품이) 완성된. ③ (교양 등이) 완전한, 때벗은, 세련된 : a ~ gentleman 교양있는 신사. ④〔敍述的〕죽어〔사라져〕 가는, 몰락한 : My company has gone bankrupt, I'm ~. 회사는 파산했다, 이제 나는 끝장났다.
fin·ish·er [fíniʃər] *n.* Ⓒ 완성자 ; 마무리공(工).
*****fin·ish·ing** [fíniʃiŋ] *a.* 최후의 ; 끝손질의, 마무리의 : put the ~ touches to a painting 그림에 마지막 손질을 하다.
── *n.* 맨 끝손질, 다듬질 ; (*pl.*)〖建〗마무리 일.
fínishing schòol 신부 학교.
fínishing stróke (the ~) 마지막 일격.
*****fi·nite** [fáinait] *a.* 한정〔제한〕되어 있는, 유한의 ;〖文法〗(동사가) 정형(定形)의. opp. *infinite.*
── *n.* (the ~) 유한(성).
fínite vèrb〖文法〗정(형)동사.
fink [fiŋk] *n.* Ⓒ《美俗》스트라이크 파괴자, 배반자 ; 밀고자 ; (경찰의) 스파이 ;《蔑》지겨운〔더러운〕 놈 ; 마음에 안 드는 녀석. ── *vi.* ~ 노릇을 하다 ; (경찰에) 밀고하다. **~ *out*** 약속을 깨다.
*****Fin·land** [fínlənd] *n.* 핀란드《수도 Helsinki》.
Finn [fin] *n.* Ⓒ 핀란드 사람.
Finn. Finnish.
fin·nan had·die, fin·nan had·dock [fínənhǽdi], [-hǽdək] 훈제(燻製)한 대구.
fin·ner [fínər] *n.* =FINBACK.
Finn·ish [fíniʃ] *a.* 핀란드의 ; 핀란드 사람〔말〕의.
── *n.* Ⓤ 핀란드 말, 핀어(語). 「의.
fin·ny [fíni] *a.* 지느러미가 있는 ; 지느러미 모양
fiord, fjord [fjɔːrd] *n.* Ⓒ〖地〗피오르드, 협만.
*****fir** [fəːr] *n.* Ⓒ 전나무 ; Ⓤ 그 재목.
fír balsàm =BALSAM FIR.
†**fire** [faiər] *n.* ① Ⓤ 불 ; 화염 ; 연소 : There is no smoke without ~. 아니땐 굴뚝에 연기 날까. ② Ⓒ 때는 불, 숯불, 화롯불 ;《英》난방기, 히터 : an electric〔a gas〕 ~ 전기〔가스〕 스토브 / sit by the ~ 난롯가에 앉다 / extinguish〔put out〕 a ~ 불을 끄다. ③ Ⓒ 화재, 불 : *Fire !* 불이야 / insure one's house against ~ 집을 화재 보험에 들다 / We have many ~*s* in winter. 겨울에는 화재가 많다. ④ Ⓤ 불꽃(flame), 섬광. ⑤ Ⓤ (보석 따위의) 번쩍임, 광휘. ⑥ Ⓤ 열, 정열, 정염(情炎) ; 활기(animation), 원기 : a speech lacking ~ 활기 없는 연설 / the ~ of love 사랑의 불꽃 / A ~ burned in her vein. 그녀는 불과 같은 분노로 전신이 달아올랐다. ⑦ (the ~) 불고문, 화형 ; (종종 *pl.*) 고난, 시련. ⑧ 열병, 염증(inflammation), 격통. ⑨ Ⓤ (독한 음료로 인한) 홧홧함, 화끈함. ⑩ Ⓤ 포화 ; 발포, 사격, 폭파 ; (또는 a ~) (비난 · 질문 등을) 퍼붓기 : running ~ (사격 · 욕설의) 연발(連發) / receive a ~ of criticism 맹렬한 비난을 받다. ⑪《文語》발광체 : heavenly ~*s* 불타는 성신(星辰).
between two ~s《文語》앞뒤에 포화를 받고, 협공당하여. ***catch* (*on*)** ~ 불이 붙다〔댕기다〕; 흥분하다 ; 열광적으로 환영받다. ***Cease* 〔*Commence*〕 ~ !** 사격 중지〔개시〕. ***draw*** a person*'s* ~ 아무의 사격 표적이 되다 ; 비난을 초래하다. **~ *and brimstone*** 불과 황, 천벌, 지옥의 혹독한 고문. **~ *and fagot*** (이단자에 대한) 화형. **~ *and sword*** 전화(戰禍). ***full of*** ~ 활기에 차서. ***go through ~ and water*** 물불을 가리지 않다, 온갖 위험을 무릅쓰다. ***hang*** ~ 총처럼 발화하지 않다 ; 꾸물대다, 늑장부리다. ***hold*** one*'s* ~ 말하는 것을 삼가다, 말할 때가 올 때까지 말하지 않다 : *Hold your* ~, I'm not through saying what I have to say. 입 다물고 있게. 하고 싶은 얘기가 아직 끝나지 않았네. ***lay a*** ~ 불땔 준비를 하다. ***like*** ~ =***like a house on*** ~《俗》⇨HOUSE. ***on*** ~ 화재가 나서, 불타는 (중에) ;《比》흥분하여, 열중하여 ; (신체의 일부가) 몹시 아픈 : My tongue is *on* ~. 혓바닥이 아리고 아프다. ***set ~ to*** …에

불을 지르다. ***set on*** ~ 불태우다, …에 불을 지르다; 흥분시키다, 격하게 하다. ***set the world*** [***river,*** 《英》 ***Thames***] ***on*** ~ [흔히 否定文·疑問文·條件文] 세상을 깜짝 놀라게 하다[발끈 뒤집다]; (눈부신 일을 하여) 이름을 떨치다: Peter is a good pitcher, but he has *never set the world on* ~. 피터는 우수한 투수였으나, 사람들을 놀라게 할 정도로 한번도 이름을 날리지 못했다. ***take*** ~ = catch ~. ***under*** ~ (1) 포화[비난]의 세례를 받고. (2) 비난을 받아: His policies came *under* ~ from all quarters. 그의 정책은 사방으로부터 비난을 받았다.

— *vt.* ① …에 불을 붙이다[지르다]. ② 《~+목/+목+전+명》 (아무)를 고무하다, 분기시키다, (생명력)을 불어 넣다, (감정)을 격앙시키다, 불태우다, (상상력)을 북돋우다, 자극(刺戟)하다: Anthony's speech ~*d* the crowd *into* action. 앤터니의 연설은 군중을 자극시켜 행동을 취하게 했다 / The book ~*d* his imagination. 그 책은 그의 상상력을 불러일으켰다 / Her dancing ~*d* his imagination to compose a sonnet. 그녀의 춤은 그의 상상력을 북돋아 소네트를 창작케 했다. ③ (다이너마이트 등)에 점화하다; 폭발시키다. ④ 《~+목/+목+전+명》 (화기·탄환)을 발사[발포]하다(discharge), 폭파하다《*off*; *at*》; (질문 따위)를 퍼붓다《*at*》: ~ a blank shot 공포를 쏘다 / The rockets were ~*d* from launching platforms. 로켓이 발사대에서 발사되었다 / Reporters ~*d* questions *at* the movie star. 기자들은 영화배우를 향해 질문을 퍼부었다. ⑤ (도자기 따위)를 구워 만들다, 굽다, 소성(燒成)하다. ⑥ …을 불에 쬐어 그슬리다[건조시키다]; (차)를 볶다: ~ tea. ⑦ …의 불을 때다, …에 연료를 지피다. ⑧ …을 빛나게 하다. ⑨ 〖獸醫〗 …을 불로 지지다; 낙인을 찍다(cauterize). ⑩ 《口》 (돌 등)을 던지다: ~ a stone through the window. ⑪ 《~+목/+목+전+명/+목+부》 《美口》 …을 해고하다《*out*; *from*》: Boss ~*d* Tom for his incompetence. 사장은 톰이 무능하다는 이유로 해고했다.

— *vi.* ① 불이 붙다, (불)타다. ② 새빨개지다. ③ 열을 띠다, 흥분하다. ④ 《~/+전+명》 발포하다, 사격하다, 포화를 퍼붓다《*at*; *on, upon*》; (총포·내연 기관이) 발화[시동]하다, 발사되다: The soldiers ~*d at* the fleeing enemy. 병사들은 도망치는 적에게 발포하였다.

~ ***away*** 탄환을 마구 쏴대어 다 써버리다; (질문·일 따위)를 지체없이 시작하다, 쉴 사이 없이 계속하다: *Fire away.* 계속 발사하라 / If anyone has any questions, ~ *away!* 질문있는 사람은 질문하시오. ~ ***from the hip*** (권총)을 재빨리 쏘다; 느닷없이 공격하다. ~ ***off*** (1) 발포하다, 폭발시키다; (질문·비난 등)을 …에게 퍼붓다《*at*》. (2) (우편·전보 등)을 급송하다, 부치다. ~ ***out*** 《美口》 해고하다. ~ ***up*** (1) (난로·보일러 따위의) 불을 때다. (2) 불끈하다, 욱하다《*at*》: He ~*d up* at that remark. 그는 그 말에 욱 화를 냈다.

fíre alárm 화재 경보; 화재 경보기.

***fire·arm** [-ɑ̀ːrm] *n.* Ⓒ (흔히 *pl.*) 소화기(小火器).

fire·ball [-bɔ̀ːl] *n.* Ⓒ ① 불덩이; 번개; 큰 별똥별. ② 화구(火球)《핵 폭발 때의》. ③ 〖野〗 속구. ④ 《口》 정력적인 활동가, 야심가.

fíre bèll 화재 경종.

fíre blìght 〖植〗 (사과 등의) 고사병(枯死病).

fire·boat [-bòut] *n.* Ⓒ 소방정(消防艇).

fire·bomb [-bɑ̀m / -bɔ̀m] *n.* Ⓒ 소이탄. — *vt.* …을 소이탄으로 공격하다.

fire·box [-bɑ̀ks / -bɔ̀ks] *n.* Ⓒ ① 〖機〗 (보일러·기차의) 화실(火室). ② 화재 경보기.

fire·brand [-brӕnd] *n.* Ⓒ ① 횃불; 관솔. ② (스트라이크·반항 등의) 선동자; 대(大)정력가.

fire·break [-brèik] *n.* Ⓒ (산불 따위의 확산을 막기 위한) 방화대(帶)[선(線)]; 〖軍〗 재래식 무기를 사용하는 전쟁에서 핵전쟁으로의 이행을 방지하는 억제[경계]선.

fire·brick [-brìk] *n.* Ⓤ,Ⓒ 내화(耐火) 벽돌.

fíre brigàde 소방단; 《英》 소방서.

fire·bug [-bʌ̀g] *n.* Ⓒ 《口》 방화 범인.

fíre chìef 소방서장, 소방부장.

fire·clay [-klèi] *n.* Ⓤ 내화 점토(粘土). 「사.

fíre còmpany 《美》 소방대; 《英》 화재 보험회

fíre contról ① 〖軍〗 (군함 따위 범위가 넓은) 사격 지휘: a ~ radar 〖軍〗 사격 관제[지휘] 레이더 / a ~ system 〖軍〗 사격 통제[지휘] 장치《略: FCS》. ② 방화[소화(消火)] (활동).

fire·crack·er [-krӕkər] *n.* Ⓒ 딱총, 폭죽.

fire·damp [-dӕmp] *n.* Ⓤ 폭발성 메탄가스.

fíre depàrtment 《美》 소방부[서]; [集合的] 소방대[서원]; 화력 부문[부대]. 「쇠.

fire·dog [-dɔ̀ːg / -dɔ̀g] *n.* Ⓒ (벽로의) 장작 받침

fíre dòor 연료 주입구, 점화[점검]창; 방화문.

fíre drìll 소방 연습, 방화 훈련.

fire-eat·er [fáiəriːtər] *n.* Ⓒ ① 불을 먹는 요술쟁이. ② 싸우기 좋아하는 사람, 팔팔한 사람.

***fíre èngine** 소방 펌프, 소방(자동)차.

fíre escàpe 비상구, 화재 피난 장치.

fíre extìnguisher 소화기.

fire·fight [-fàit] *n.* Ⓒ 〖軍〗 사격전, 총격전.

fíre fìghter 소방수(fireman).

fíre fìghting 소방 (활동).

***fire·fly** [fáiərflài] *n.* Ⓒ 〖蟲〗 개똥벌레.

fire·guard [-gɑ̀ːrd] *n.* Ⓒ ① 난로 울. ② (산림) 방화대(帶). ③ 《美》 화재 감시원.

fíre hòse 소화 호스.

fire·house [-hàus] *n.* 《美》 = FIRE STATION.

fíre hỳdrant 소화전(fireplug).

fíre insùrance 화재 보험.

fíre ìrons 난로용 기구.

fire·less [fáiərlis] *a.* ① 불 없는: ~ cooker 불이 필요치 않은 풍로, 축열(蓄熱) 요리기. ② 활기 없는.

fire·light [fáiərlàit] *n.* Ⓤ (난로의) 불빛.

fire·light·er [-làitər] *n.* Ⓤ,Ⓒ 《英》 불쏘시개.

‡**fire·man** [-mən] (*pl.* ***-men*** [-mən]) *n.* Ⓒ ① 소방수. ② 화부《기관·난로 따위의》. ③ 《野球俗》 구원 투수.

fíre màrshal 《美》 (주(州)나 시(市)의) 소방부[서]장; (공장 등의) 방화 관리[책임]자.

fíre òffice 《英》 화재 보험 회사 (사무소).

‡**fire·place** [-plèis] *n.* Ⓒ 난로, 벽로(壁爐).

fire·plug [-plʌ̀g] *n.* Ⓒ 소화전(栓)《略: F.P.》.

fíre pòlicy 화재 보험 증서. 「득점 능력.

fíre pòwer 〖軍〗 (부대·병기의) 화력; (팀의)

***fire·proof** [-prùːf] *a.* 내화의, 방화의; 불연성(不燃性)의. — *vt.* …을 내화성으로 만들다.

fíre ráiser 《英》 방화자.

fire-rais·ing [fáiərèiziŋ] *n.* Ⓤ 《英》 방화죄(arson). 「화 구조의.

fire-re·sist·ant [fáiərizìstənt] *a.* 내화성의, 내

fire-re·tar·dant [fáiəritɑ̀ːrdənt] *a.* 화기를 저지하는 성능을 갖춘, 방화 효력이 있는.

fíre scrèen (난로용) 화열(火熱) 방지 칸막이.

***fire·side** [fáiərsàid] *n.* (the ~) 난롯가, 가정(home); 한 가정의 단란. — *a.* [限定的] 노변의, 가정적인, 격의 없는: a ~ chat 노변 한담(閑談)《미국 F.D. Roosevelt가 취한 정견 발표 형식》.

fíre stàtion 소방서, 소방 대기소.

fíre stòne (난로용) 내화석(耐火石) ; 부싯돌.
fire·storm [-stɔ̀ːrm] *n.* Ⓒ 화재 폭풍.
fíre tòngs 부집게, 부젓가락.
fíre tòwer 작은 등대 ; 화재 감시 망대.
fire·trap [fáiərtræ̀p] *n.* Ⓒ 화재에 위험한 집.
fíre trùck 소방차.
fíre wàll 〖建〗 방화벽.
fire·ward·en [fáiərwɔ̀ːrdn] *n.* Ⓒ 방화 감독관.
fire·watch·er [-wɑ̀tʃər / -wɔ̀tʃər] *n.* Ⓒ 화재 감시원.
fire·wa·ter [-wɔ̀ːtər, -wɑ̀tər] *n.* Ⓤ 화주(火酒).
***fire·wood** [-wùd] *n.* Ⓤ 장작, 땔나무 ; 《英》 불쏘시개.
***fire·work** [-wə̀ːrk] *n.* (*pl.*) 불꽃(놀이), 봉화 ; (흔히 *pl.*) 정열의 번득임 ; 《口》 감정의 격발 ; (정정(政情) 따위의) 활발한 움직임 ; (*pl.*) 《俗》 소동 ; (*pl.*) 《美俗》 흥분(시키는 것).
fíre wòrship 배화(拜火), 배화교(敎).
***fir·ing** [fáiəriŋ] *n.* Ⓤ ① 발포, 발사, 사격. ② 점화 ; 불때기. ③ 구워내기 ; (차를) 볶기. ④ 장작, 석탄, 연료. 「최전선.
fíring lìne 〖軍〗 사선(射線) ; 포열선(砲列線) ;
fíring pàrty 〔**squàd**〕 조포(弔砲) 발사 부대 ; (총살형의) 사격 부대. 「점.
fíring pòint 발화점《가연성 기름의》 ; 발사 지
fíring rànge 사격 훈련〔연습〕장.
fir·kin [fə́ːrkin] *n.* Ⓒ (버터를 넣는) 작은 통.
‡firm¹ [fəːrm] (*∠·er* ; *∠·est*) *a.* ① 굳은, 단단한, 튼튼한, 견고한 : ~ ground 굳은 지면 / ~ flesh 단단한 살 ; 긴장된 근육 / ~ wood 단단한 재목. ② (장소에) 고정된, 흔들리지 않는 : walk with ~ step 안정된 걸음으로 걷다 / a ~ foundation 흔들리지 않는 토대. ③ 《比》 굳은, (신념·주의 등이) 변치 않는, 견실한 : a ~ determination 굳은 결의. ④ (태도 등이) 단호한, 강경한 ; 〔敍述的〕 (…에 대해) 단호한《*with*》 : You must be ~ *with* him because he is full of tricks. 그의 머리속은 항상 속임수로 꽉 차 있으므로 그에게는 단호하게 대해야 한다. ⑤ 〖商〗 변동이 적은, 안정된. ── *ad.* 단단히, 굳게. ***hold*** **~ (*to*)** (…을) 꽉 붙들고 놓치지 않다 ; (…을) 고수하다 : Always *hold* ~ *to* your beliefs. 언제나 신념을 굳게 견지하라. ***stand*** 〔***remain***〕 **~** 확고한 태도로 양보치 않다 ; 확고히 서다. ── *vt., vi.* 굳(게 하)다 ; (가격이) 안정되다〔시키다〕.
‡firm² *n.* Ⓒ 상사(商社), 상회, 회사 ; 상회 이름, 옥호(屋號).
fir·ma·ment [fə́ːrməmənt] *n.* 《文語》 (흔히 the ~) 하늘, 창공(sky) ; 천계(天界) (heavens).
㊕ **fir·ma·mén·tal** [-əl] *a.* 하늘의, 창공의.
fírm bànking 펌 뱅킹《기업과 은행의 컴퓨터를 통신회선으로 연결, 기업이 앉아서 자금의 종합적 관리를 할 수 있는 시스템》.
‡firm·ly [fə́ːrmli] (***more*** ~ ; ***most*** ~) *ad.* 굳게, 견고하게 ; 단호하게 : The door was ~ closed. 문은 굳게 닫혀 있었다. 「동.
***firm·ness** [fə́ːrmnis] *n.* Ⓤ 견고 ; 견실 ; 확고 부
firm·ware [-wɛ̀ər] *n.* Ⓤ 〖컴〗 굳힌모, 펌웨어《hardware로 실행되는 software의 기능 ; 이를테면, ROM에 격납된 마이크로프로그램 등》.
†first [fəːrst] *a.* ① (흔히 the ~, one's ~) 첫(번)째의, 최초의, 맨처음〔먼저〕의 : *the* ~ snow of the year 첫눈 / *the* ~ impression 첫인상 / a ~ offender 초범자 / *the* ~ coat (벽 따위의) 밑칠, 애벌칠 / *the* ~ (day) of April, 4월 1일. ② 시초의. ③ 으뜸의, 수위의, 제 1 급의, 일류의 : be ~ in one's class 학급에서 수석이다《★ 보어인 경우에는 보통 무관사임》. ***at*** **~ *hand*** ⇨ HAND. ***for the*** **~ *time*** 처음으로. ***in the*** **~ *place*** 〔***instance***〕 맨 먼저, 우선 무엇보다도.
── *n.* ① (the ~) 첫째, 제 l, 제 1 부 ; 제 1 세 ; 초대. ② Ⓤ 제1 위, 수석 ; (*pl.*) 일등품, 일급품. ③ Ⓤ 초하루, 첫째날. ④ Ⓒ (열차의) 1 등 ; (경기 등의) 우승자 ; 1등 ; 《英》 (대학 시험의) 최우등 ; 〖樂〗 (음정의) 제 1 도 ; (현악기의) 첫째 현(絃) ; 제 1 소프라노 ; 제 1 바이올린. ⑤ Ⓤ 〔無冠詞〕 (야구의) 1 루. ⑥ Ⓤ (자동차의) 저속〔1 단〕 기어. ⑦ (the ~) 시초, 시작, 처음, 시초부터. ***at*** **(*the*) ~** 최초〔처음〕에는.
── *ad.* ① 첫째로, 최초로, 우선, 맨 먼저 ; 일위〔일차〕로 : I must finish this work ~. 이 일부터 우선 해치워야겠다 / *First* come, ~ served. 《俗談》 선착자 우선. ② 〔흔히 動詞 앞에 놓여〕 처음으로 : She ~ visited Atlanta in 1980. 1980년 처음으로 애틀랜타를 방문했다. ③ 〔would, will과 함께〕 우선 (…하다), 오히려 (…을 택하다) ; 차라리. ④ 〔흔히 動詞앞에 놓여〕《美》 처음 무렵, 그 무렵 : You were more affectionate when we were ~ married. 우리들이 결혼한 그 무렵에는 당신은 훨씬 애정이 있었다. ***come*** **~** (1) 가장 중요하다 : My family *comes* ~, my works second. 가족이 우선이고 일은 2차적인 것이다. (2) (경주 등에서) 1등이 되다. **~ *and foremost*** 맨 먼저, 우선 무엇보다도. **~ *and last*** 대체로, 전체로 (보아), 결국. **~, *last, and all the time*** 《美》 시종 일관하여 : Safety is important ~, *last, and all the time.* 안전은 시종일관하여 중요한 것이다. **~ *of all*** 첫째(로), 우선 무엇보다도. **~ *off*** 《口》 첫째로, 곧 : *First off* I'd like to show some slides. 우선 슬라이드를 보이고 싶습니다. **~ *or last*** 조만간, 머지않아. **~ *things*** **~** 중요 사항을 우선적으로 : put the ~ *things* ~ 가장 중요한 일을 먼저 하다. ***put*** **. . . ~** (사람·사물)을 최우선〔가장 중요시〕하다 : *put* one's children ~ 자기 자식을 제일 먼저 생각하다.
fírst áid 〖醫〗 응급 치료〔처치〕.
first-aid [-éid] *a.* 〔限定的〕 구급(용)의 : a ~ box 〔kit〕 구급 상자 / a ~ treatment 응급 처치.
fírst báse 〔흔히 無冠詞〕 〖野〗 1 루. ***get to*** **~** 1루에 나가다 ; 《美口》 〔否定·疑問文〕 제 1 단계를 성취하다 : His suggestions *never got to* ~. 그의 제안은 전혀 본 궤도에 오르지 못했다.
fírst báseman 〖野〗 1 루수.
first·born [-bɔ́ːrn] *a.* 〔限定的〕, *n.* Ⓒ 맨 처음 태어난 (아이) ; 장남〔장녀〕(의).
fírst cáuse 〖哲〗 제 1 원인 ; 원동력 ; (the F- C-) 조물주, 신(神)(the Creator). 「《우편물》.
fírst cláss 일류, 최고급 ; 제 1 급 ; 1등 ; 제 1 종
‡first-class [fə́ːrstklǽs, -klɑ́ːs] *a.* ① 제 l 급의, 최고급의 ; 일류의, 우수한. ② l 등의《기차·배 따위》 ; 제 1 종의《우편물》. ── *ad.* ① 1 등(승객)으로. ② 《口》 굉장히, 훌륭하게, 멋지게.
㊕ **~·er** *n.* 《口》 일류의 사람〔것〕.
fírst dày cóver 〖郵〗 첫날 커버《붙인 우표에 발행 당일의 소인이 찍힌 봉투》.
first-de·gree [fə́ːrstdigríː] *a.* (화상 등이) 가장 가벼운, 제1도의 ; (특히 죄상 따위가) 제 1 급의.
fírst fínger 집게손가락(forefinger).
fírst flóor (the ~) 《美》 1 층 ; 《英》 2 층.
fírst frúits 만물, 신출, 첫 수확 ; 최초의 성과.
first-gen·er·a·tion [-dʒènəréiʃən] *a.* 《美》 (이민) 2 세의 ; (외국에서 태어나 귀화한) 1 세의.
***first-hand** [-hǽnd] *a.* 직접의(direct).
fírst-in, fírst-out [-in,-aut] 〖컴〗 처음 먼저내기 ; 〖經營〗 선입선출법.
fírst lády 《美》 (通例 the ~ ; 종종 F- L-) 대통

령〔주지사〕 부인 ; 수상 부인 ; (여성의) 제 1 인자.

fírst lieuténant 《美》 (육군·공군·해병대의) 중위.

first·ling [fə́ːrstliŋ] *n.* (흔히 *pl.*) 만배《가축의》; 만물, 신출, 첫 수확 ; 최초의 결과.

first·ly [fə́ːrstli] *ad.* (우선) 첫째로, 최초로.

fírst máte 〖海〗 1등 항해사《부(副)선장격》.

fírst nàme (성에 대하여) 이름.

*__first-name__ [´-nèim] *vt.* …을 세례명으로 부르다. — *a.* 〔限定的〕 세례명의 ; 친한.

fírst níght (연극의) 첫날 ; 첫날의 무대.

first-night·er [´-náitər] *n.* Ⓒ 연극의 첫날 공연을 빼놓지 않고 보는 사람.

fírst ófficer ① =FIRST MATE. ② 부조종사.

fírst pérson (the ~) 〖文法〗 제 1 인칭.

first-rate [´-réit] *a.* ① 일류의, 최상〔최량〕의. ② 《口》 훌륭한, 멋진 : His acting was ~. 그의 연기는 훌륭했다. — *ad.* 《口》 굉장히 (잘), 대단히 좋아 : Jim and Tom got along ~ together. 짐과 톰은 서로 의기투합했다.

fírst schóol 《英》 초등학교《5세에서 9세까지》.

fírst sérgeant 《美》 (육군·해병대의) 상사.

fírst spéed 제 1 속(速), 로(low), 제 1 단.

fírst stóry 〔《英》 **stórey**〕 =FIRST FLOOR.

first-strike [´-stráik] *a.* (핵 공격에서) 선제 공격의.

first-string [´-stríŋ] *a.* 일류의, 일급의.

Fírst Wórld (the ~) (서방측) 선진 공업 제국.

Fírst Wórld Wár (the ~)=WORLD WAR I.

firth [fəːrθ] *n.* Ⓒ 협만(峽灣), 내포 ; 하구(河口).

*__fis·cal__ [fískəl] *a.* 국고의 ; 재정(상)의, 회계의 : a ~ law 회계법 / ~ policy 재정 정책.

físcal stámp 수입 인지(revenue stamp).

físcal yéar 《美》 회계 연도, (기업의) 사업 연도.

†**fish**[1] [fiʃ] (*pl.* **~·es** [fíʃiz], 〔集合的〕 ~) *n.* ① Ⓒ 물고기, 어류 : The best ~ smell when they are three days old. 《俗談》 좋은 생선도 사흘이면 냄새난다 ; 귀한 손님도 사흘이면 귀찮다. ② Ⓤ 어육(魚肉), 생선. cf. meat. ③ 〔주로 合成語〕 수서(水棲) 동물, 어패류(魚貝類). ④ Ⓒ 〔흔히 修飾語를 수반하여〕 《口》 사람, 놈, 녀석 ; 차가운 인간 ; (카드놀이의) 서투른 상대, '봉'. ⑤ Ⓒ 〖海〗 양묘기(揚錨機). ⑥ (the Fish(es)) 〖天〗 물고기자리. ⑦ 《美俗》 달러. ⑧ 《海軍俗》 어뢰. ***a big ~ in a little pond*** 우물 안 개구리. ***a nice*** 〔***pretty, fine***〕 ***kettle of ~*** 《口》 혼란, 뒤죽박죽. ***(as) drunk as a ~*** 곤드레만드레 취하여. ***cry stinking ~*** 자기를〔자기의 일을〕 자기가 헐뜯다. ***drink like a ~*** 술을 벌떡벌떡 들이켜다. ***feed the ~es*** (1) 물고기 밥이 되다, 물에 빠져 죽다. (2) 뱃멀미하다. ***have other ~ to fry*** 해야 할 다른 더 중요한 일이 남아 있다. ***land*** one's ***~*** 물고기를 낚아 올리다 ; 바라던 것을 손에 넣다. ***like a ~ out of water*** 뭍에 오른 물고기 같이《사정이 바뀌어 제 실력을 충분히 발휘 못함》. ***make ~ of one and flesh*** 〔***fowl***〕 ***of another*** 차별 대우하다. ***mute as a ~*** 잠자코 있는, 침묵을 지키는. ***neither ~, flesh, nor fowl*** 〔***nor good red herring***〕 전혀 정체 모를 물건.

— *vi.* ① 《~ / +전+명》 낚시질하다, 고기를 낚다, 고기잡이하다. ② 《+전+명》 (물·개펄·호주머니 속 따위를) 찾다, 뒤지다. ③ 《+전+명》 〔一般的〕 찾다, (사실·견해 따위를) 알아보다, 타진하다(elicit), 구하다《*for*》 : ~ *for* information 정보를 탐지하려 하다 / ~ *for* compliment 수를 써서 칭찬의 말을 하게 하다. ④ 《+부》 (강 따위에서) 물고기가 낚이다 : This stream ~*es well*. 이 개천은 고기가 잘 낚인다.

— *vt.* ① (물고기)를 낚다, 잡다(catch) 《그물 따위로》. ② 《~+목 / +목+부 / +목+전+명》 (물·호주머니 등에서) …을 끌어올리다, 꺼내다, 찾아내다《*up* ; *out* ; *from* ; *out of*》 : They ~*ed up* the dead man *from* the water. 물에서 시체를 인양했다. ③ 《比》 (사람의 생각 따위)를 알아보다, 탐색하다 ; (…을 구하기 위해 어느 곳)을 찾다, 뒤지다《*for*》 : We ~*ed* all over the library *for* the book. 그 책을 구하려고 온 도서관을 샅샅이 뒤졌다. ④ (강 따위)에서 고기잡이를 하다. ~ ***in muddy waters*** 《古》 불쾌한〔골치 아픈〕 문제에 관계하다. ~ ***or cut bait*** 거취를 분명히 하다《특히 계획·일에 참여할 것인지 안 할 것인지를》. ~ ***out*** (1) …의 물고기를 몽땅 잡아 버리다. (2) (품속 등)에서 꺼내다 ; (비밀 등)을 탐지해 내다 : He ~*ed out* a bunch of keys from his rear pocket. 그는 뒷주머니에서 열쇠꾸러미를 꺼냈다. ~ ***the anchor*** 〖海〗 닻을 뱃전으로 끌어올리다. ~ ***up*** 물 속에서 끌어올리다 ; 찾아내다.

fish[2] *n.* 〖海〗 마스트〔활대〕 보강재 ; 〖建〗 이음판《쇠 또는 나무로 만들어져 선로나 들보의 접합부에 쓰임》. — *vi.* (마스트나 활대를) 보강재로 덧대다 ; (레일·들보 따위를) 덧대어 잇다.

fish-and-chips [fíʃəntʃíps] *n. pl.* 《英》 생선튀김에 감자튀김을 곁들인 것.

físh bàll 〔**càke**〕 어육(魚肉) 완자《요리》.

fish·bone [fíʃbòun] *n.* 생선〔물고기〕 뼈.

fish·bowl [fíʃbòul] *n.* (유리) 어항 ; 사방에서 빤히 보이는 장소〔상태〕 ; 《美俗》 교도소 ; 구치소.

físh èagle 〖鳥〗 물수리(osprey).

*__fish·er__ [fíʃər] *n.* ① Ⓒ 고기를 잡아먹는 동물 ; 〖動〗 담비류(類)《북아메리카산》 ; Ⓤ 그 털가죽. ② Ⓒ 어부(fisherman).

‡**fish·er·man** [-mən] (*pl.* ***-men*** [-mən]) *n.* Ⓒ 어부, 낚시꾼 ; 낚싯배, 고기잡이 배, 어선.

*__fish·ery__ [fíʃəri] *n.* ① Ⓤ 어업, 수산업 : ~ industry 어업 / ~ products 수산물. ② Ⓒ (흔히 *pl.*) 어장 ; 양어〔식〕장 : pearl *fisheries* 진주 양식장 / coastal *fisheries* 연안 어장. ③ Ⓒ 수산 회사 ; 수산업 종사자. ④ Ⓤ 〖法〗 어업권. ⑤ Ⓤ (흔히 *pl.*) 수산학 ; 어업〔수산〕 기술 : a school of *fisheries* 수산 학교. ***common*** ~ 공동 어업권.

fish·eye [fíʃài] *n.* 물고기의 눈, 어안 ; 월장석(月長石) : a ~ lens 어안 렌즈.

fish·hook [fíʃhùk] *n.* Ⓒ 낚시 ; 〖海〗 닻걸이 ; (*pl.*) 《美俗》 손가락《전체》.

fish·i·fy [fíʃəfài] *vt.* (못 등)에 방어(放魚)하다.

‡**fish·ing** [fíʃiŋ] *n.* ① Ⓤ 낚시질, 어업 : live by ~ 어업으로〔낚시로〕 생활하다. ② Ⓤ 〖法〗 어업권. ③ Ⓒ 어장, 낚시터. ④ Ⓤ 어획. ⑤ 〔形容詞的으로〕 낚시(용)의 ; 어업(용)의 : a ~ boat 낚싯배 / a ~ net 어망 / a ~ port 어항 / a ~ rod (릴용) 낚싯대 / a ~ line 낚싯줄. ***take a ~ trip*** 《野球俗》 삼진(三振)당하다.

físhing bànks (얕은 여울의) 어초(漁礁).

físhing tàckle 〔集合的〕 낚시 도구.

físh knìfe 어육용 식탁 나이프.

físh làdder 어제(魚梯)《어류가 댐 등을 거슬러 오를 수 있도록 한 계단식 어도(魚道)》.

fish·line [fíʃlàin] *n.* Ⓒ 《美》 낚싯줄.

físh mèal 어분(魚粉)《비료·사료 등에 씀》.

fish·mon·ger [fíʃmʌ̀ŋgər] *n.* Ⓒ 《英》 생선장수.

fish·plate [´-plèit] *n.* 〖建·土〗 이음판.

fish·pond [´-pɑ̀nd / ´-pɔ̀nd] *n.* Ⓒ 양어지(養魚池).

fish·pound [´-pàund] *n.* 어살(weir).

físh slìce ① 《英》 (식탁용) 생선 나이프. ② (요리용) 생선 뒤치개.

físh stìck 《美》 피시 스틱《가늘고 긴 생선 토막

에 빵가루를 묻혀 튀긴 것).
físh stòry 《口》 터무니없는 이야기, 허풍.
fish·tail [fíʃtèil] *a.* 물고기 꼬리 비슷한〔모양의〕. ── *vi., n.* (항공기가) 꼬리 날개를 좌우로 흔들어 속력을 늦추다; 그 조종법.
fish·wife [⌐wàif] *n.* 여자 생선 장수; 입이 건 여자.
fishy [fíʃi] (*fish·i·er; -i·est*) *a.* 물고기의〔같은〕; 물고기가 많은; 비린내 나는; 흐린《눈 따위》, 탁한《빛》; 《口》 의심스러운, 수상한.
fis·sile [físəl] *a.* 쪼개지기〔갈라지기〕 쉬운; (원자핵 따위가) 분열성의.
fis·sion [fíʃən] *n.* ① U.C 분열. ② U 〖物〗 (원자의) 핵분열. cf. fusion. ③ U 〖生〗 분열, 분체(分體); 분체 생식.
fis·sion·a·ble [fíʃənəbəl] *a.* 〖物〗 핵분열성의, 핵분열하는. ── *n.* (흔히 *pl.*) 핵분열 물질.
físsion bòmb 핵분열 폭탄, 원자폭탄.
fis·sip·a·rous [fisípərəs] *a.* 〖生〗 분열 생식의.
fis·sure [fíʃər] *n.* 터진〔갈라진〕 자리, 틈, 균열; 〖植·解〗 열구(裂溝). ── *vt., vi.* 터지게〔갈라지게〕 하다; 터지다, 갈라지다; 쪼개다; 금이 가다.
‡**fist** [fist] *n.* C ① (쥔) 주먹, 철권: clench the 〔one's〕 ~ 주먹을 쥐다. ②《口》 손. ③ (꽉) 움켜쥠, 파악(grasp). ④《口》 필적: write a good ~ 글씨를 잘 쓰다. ⑤〖印〗 손가락표(☞). ***hand over*** ~ ⇨ HAND. ***make a good*** 〔***bad, poor***〕 ~ ***at*** 〔***of***〕 …에 성공〔실패〕하다; …을 잘〔서투르게〕 하다. ***shake*** one***'s*** ~ (분노의 표시로) 움켜쥔 주먹을 흔들다.
── *vt.* ① …을 주먹으로 때리다. ② …을 꼭 〔움켜〕 쥐다. ③〖海〗 (돛 등)을 다루다, 조종하다.
-fisted '주먹이 …한, …하게 쥔'의 뜻의 결합사.
fist·i·cuff [fístikʌ̀f] *n.* C (흔히 *pl.*) 주먹다짐.
físt làw 완력〔힘〕의 지배, 약육 강식.
fist·note [fístnòut] *n.* 손가락표(☞).
fis·tu·la [fístʃulə] (*pl.* ~*s*, *-lae* [-lìː]) *n.* C 〖醫〗 누관(瘻管), 누(瘻).
fis·tu·lar [fístʃulər] *a.* 관상(管狀)의, 속이 빈; 〖醫〗 누관(瘻管)의, 누성(瘻性)의.
‡**fit**¹ [fit] (*-tt-*) *a.* ① (꼭)맞는, 알맞은, 적당한(suitable); 어울리는, 마침가락〔안성맞춤〕의: a ~ occasion 적당한 기회 / books ~ *for* children 어린이들에게 적당한 책 / water not ~ *to* drink 〔*for* drinking〕 마실 수 없는 물 / a ~ time and place *for* the meeting 회합에 적합한 때와 장소 / I have nothing ~ *to* wear. 입기에 마땅한 것이 없다 / That house is not ~ *for* you *to* live in. 그 집은 네가 살기에는 적합하지 않다. ② 적격〔적임〕의(competent), …할 수 있는: He is ~ *for* nothing. 그는 능한 것이〔쓸모가〕 없다 / be ~ *for* the position 그 지위에 적격이다 / He is ~ *to* carry out the plan. 그는 그 계획을 수행하는 데 적임이다. ③ 건강이 좋은, 튼튼한; (컨디션이) 좋은, 호조의《운동 선수 등이》: get ~ 건강해지다. ④ 곧 …할 것같이 되어, …라도 할 것 같은; 〔副詞的〕 …할 듯이: I felt ~ *to* drop. 곧 쓰러질 것 같았다 / crops ~ *for* gathering 당장이라도 수확을 할 수 있는 곡식 / the fields ~ *to* be planted 파종을 기다리고 있는 밭. ***(as)*** ~ ***as a fiddle*** 〔***flea***〕 극히 건강하여. ~ ***to be tied*** 《口》 흥분하여, 성을 내어. ~ ***to bust*** 〔***burst***〕 〔動詞를 강조〕 크게: sing ~ *to burst* 목이 터지게 노래 부르다. ~ ***to kill*** 《美口》 극도로: We laughed ~ *to kill* ourselves. 우리는 자지러지도록 웃었다. ***keep*** ~ 건강을 유지하다, 몸의 호조를 유지하다: how to *keep* ~ 건강유지법. ***not*** ~ ***to hold a candle to*** ⇨ CANDLE. ***the survival of the fittest*** 적자 생존. ***think*** 〔***see***〕 ~ ***to*** (do) ⇨ THINK.
── (*-tt-*) *vt.* ① …에 맞다, …에 적합하다, …에 어울리다(suit), 꼭 맞다: This hat does not ~ me. 이 모자는 내게 맞지 않는다《크기·모양·빛깔이》 / The law ~*s* this case. 그 법은 이 경우에 꼭 맞는다 / This theory ~*s* all the facts. 이 이론은 모든 사실에 들어맞는다. ②《~+목 / +목+전+명 / +목+*to* do》 …을 맞추다, 적합시키다(adapt)《*to*》: ~ a garment *on* a person 옷을 아무의 치수에 맞추다 / go to a tailor to have a new coat ~*ted* 새로 만드는 코트의 가봉을 하기 위해 양복점에 가다 / ~ oneself *to* one's surrounding 환경에 적응하다 / ~ the action *to* the words 언행을 일치시키다 / He tried to ~ his spending *to* his income. 지출을 수입에 맞추려 애썼다. ③《+목+전+명 / +목+*to* do》 …에게 자격〔능력〕을 주다, …에게 힘을 넣어 주다; …에게 (입학) 준비를 시키다《*for*》: The training ~*ted* us *to* swim across the river. 그 훈련의 덕분으로 강을 헤엄쳐 건너갈 수 있게 되었다 / This school ~*s* students *for* college. 이 학교는 학생들에게 대학 입학의 준비교육을 시키고 있다. ④《+목+전+명》 (적당한 것)을 설비하다, 달다, 공급하다《*with; to*》: ~ a new tire *to* one's car 자동차에 새 타이어를 갈아끼다. ⑤《~+목 / +목+전+명》 …을 짜맞추다, 조립하다, 이어 맞추다: ~ the parts of a model plane together 모형 비행기의 부품을 조립하다 / He ~*ted* the picture *into* the frame. 그림을 그림틀에 끼워 맞추다 / He ~*ted* the key *in* the lock. 자물쇠에 열쇠를 끼웠다.
── *vi.* ①《~ / +부 / +전+명》 맞다, 적합〔합치, 일치〕하다; 꼭 맞다, 어울리다; 조화하다《*in; into; with*》: Your new dress ~*s well*. 당신의 새 드레스는 몸에 꼭 맞습니다 / They ~*ted into* the new life without giving up the old ways. 그들은 옛 풍습을 버리지 않고 새로운 생활에 적응하였다 / The door does not ~. 문이 잘 맞지 않는다. ②《美》 수험 준비를 하다《*for*》. ~ ***in*** …에 맞추다, 적합시키다; (…와) 일치하다(coincide); (잘) 들어맞다; 조화하다《*with*》: His ideas ~*ted in* perfectly *with* ours. 그의 생각은 우리 것과 완전히 일치했다 / I'm very busy but I can ~ you *in* at 4:30. 몹시 바쁘긴 하나, 4시 30분이면 맞출 수 있다. ~ ***on*** 입어 보다; 입혀 보다; (뚜껑 따위가) 잘 맞다. ~ ***out*** 채비〔준비〕를 해주다; 장비하다(equip); 〖海〗 (배)를 의장(艤裝)하다: The explorers were ~*ted out with* all the necessary supplies. 탐험가들은 필요한 보급품을 모두 갖추었다 / ~ *out* a ship *for* a long voyage 오랜 항해에 대비해서 배를 의장하다. ~ ***the case*** 그 경우에 (들어)맞다. ~ ***up*** 준비〔채비〕하다; …에 비치하다(furnish)《*with*》; (아무를 위하여) 마련하다: They ~*ted up* the room *with* electric lights. 그들은 방에 전등을 달았다 / I'll ~ you *up with* a job. 자네에게 일자리를 주겠네.
── *n.* ① U 맞음새, 적합(성); C (옷의) 만듦새: The ~ was perfect. 옷의 만듦새가 꼭 맞았다. ② C 꼭 맞는 것《옷·신 따위》: This is a perfect 〔right〕 ~ *for* me. 이것은 내게 꼭 맞는다 / This coat is a poor ~. 이 상의는 잘 안 맞는다. ③ 진학〔수험〕 준비, 훈련. ④《口》 준비《*for*》. ⑤〖統〗 적합도(適合度).
‡**fit**² *n.* C ① (병의) 발작; 경련. ② (감정의) 격발〔폭발〕; 발작적 흥분, 졸도; 일시적 기분, 변덕(caprice): in a ~ of anger 홧김에. ***beat*** 〔***knock***〕 a person ***into*** ~***s*** 아무를 여지없이 혼내주다, 욱〔욱박〕지르다. ***be in*** ~***s of laughter***

자지러지게 웃다, 웃음이 그치지 않다. ***by*** 〔***in***〕 ***~s*** (***and starts***) 발작적으로, 이따금 생각난 듯이. ***give*** a person ***a*** ~ 아무를 깜짝 놀라게 하다; 아무를 성나게 하다: The children were *giving* her *a* ~. 아이들은 그녀의 부아를 돋우고 있었다. ***give*** a person ***~s*** 아무를 완전히 패배시키다; 《美俗》 호되게 꾸짖다, 성나게 하다. ***go into ~s*** 졸도〔기절〕하다. ***have*** 〔***throw***〕 ***a*** ~ 경련〔발작〕을 일으키다, 까무러치다; 깜짝 놀라다; 불같이 노하다: The boss will *have a* ~ when he hears what you've done. 네가 한 일을 들으면 사장은 불같이 노할 것이다. ***throw*** a person ***into ~s*** 《口》 아무를 섬뜩하게 하다; 아무에게 발작을 일으키다. ***when*** 〔***if***〕 ***the*** ~ ***is on*** 〔***takes***〕 a person (아무가) 마음이 내키면.

fitch [fitʃ] *n.* 〖動〗 Ⓒ 족제비의 일종《유럽산》; Ⓤ 그 모피; 그 털; Ⓒ 그 털로 만든 화필(畫筆).

fitch·et, fitch·ew [fítʃit], [fítʃuː] *n.* =FITCH.

fit·ful [fítfəl] *a.* 발작적인; 단속적인; 변덕스런.

fit·ly [fítli] *ad.* 적당하게, 정연하게; 알맞게.

fit·ment [fítmənt] *n.* ①《英》 가구(家具), 비품. ② (*pl.*) 내부 시설(품). ③〖機〗 부속품.

***fit·ness** [fítnis] *n.* Ⓤ 적당, 적절; 적성, 적합성, 타당성(propriety); 건강(상태); 〖生物〗 적응도: his ~ to go to college 그의 대학 진학의 적성 / improve one's ~ 건강을 증진시키다.

fítness fréak 건강광《건강을 유지하기 위해 무리하게 운동만을 하는 사람》.

fit·ted [fítid] *a.* ①〔限定的〕 모양에 꼭 맞게 만들어진, 붙박이 식의《찬장 따위》; 세간〔부속품〕이 갖추어진. ②〔敍述的〕 (…에) 적합한《*for, to*》; (…하는 데) 적합한; (…을) 갖춘《*with*》: The assembly line is ~ *with* robots. 그 일관작업에는 로봇이 갖추어져 있다.

fit·ter [fítər] *n.* Ⓒ ① (의복의) 가봉을 하는 사람. ② (기계·부품 등을) 설치〔설비〕하는 사람, 조립공, 정비공. ③ 장신구〔여행용품〕 장수.

***fit·ting** [fítiŋ] *n.* Ⓒ ① (가봉한 옷의) 입혀 보기, 가봉: He went to his tailor's for a ~. 그는 양복점에 가봉하러 갔다. ② (*pl.*) 용구(用具), 부속품, 내부 시설들: office ~*s* 사무실 비품. ── *a.* 적당한, 어울리는, 꼭 맞는: ~ words *for* the occasion 그 경우에 꼭 맞는 말 / in ~ terms 적당한 말로. ㊞ **~·ly** *ad.* 적당하게, 어울리게. **~·ness** *n.*

fítting ròom (양복점의) 가봉실.

Fitz- [fits] *pref.* 《F.》 (=the son of) …의 아들《보기: Fitzgerald》. ⓒⓕ Mac-, O'.

Fitz·ger·ald [pitsdʒérəld] *n.* 피츠제럴드《남자의 이름》.

†**five** [faiv] *a.* ①〔限定的〕 다섯의, 5의, 5개〔사람〕의: He's ~ years old〔of age〕. 그는 다섯살이다. ②〔敍述的〕 5살의: He's ~. 그는 다섯살이다. ── *n.* 〔흔히 無冠詞〕 ① 다섯, 5; 5개〔사람〕; 5살; 5시. ② 5개가〔사람이〕 한 조를 이루는 것《농구팀 등》. ③〖카드놀이〗 5의 패; 〖크리켓〗 5 점타; 《美口》 5달러 (지폐); 《英》 5파운드 지폐. ④ (*pl.*) 《口》 5푼 이자가 붙는 것《채권 등》. ⑤ (*pl.*) 《俗》 다섯 손가락, 주먹, 싸움: use one's ~*s* 서로 치고받다. ***a bunch of ~s*** 《口》 주먹; 손. ***take*** ~ 《美口》 5분간〔잠시〕 쉬다.

five-and-dime [fáivəndáim] *n.* 《美口》 =FIVE-AND-TEN.

five-and-ten [fáivəntén] *n.* 《美口》 싸구려 일용 잡화점.

fíve-day wéek [fáivdèi-] 주(週) 5일 노동제.

five·fold [fáivfòuld] *a., ad.* 다섯 부분으로〔요소로〕 된; 5중〔다섯 겹〕의〔으로〕, 5배의〔로〕.

fíve o'clòck shádow (흔히 a ~) (아침에 깎은 수염이 자라) 오후 다섯시 무렵 눈에 띄게 보이는 수염.

fíve-o'clock téa [-əklɑ̀k- / -lɔ̀k-] 《英》 오후의 차《간단한 식사》.

five·pence [fáifpəns, fáiv-, fáivpèns] (*pl.* ***-pence, -penc·es***) *n.* ⓊⒸ 《英》 5펜스(의 금액); 5 펜스화(貨); 《美》 5 센트(백통전).

five·pen·ny [fáifpəni, fáiv-, fáivpèni] *a.* 《英》 5 펜스의.

fiv·er [fáivər] *n.* Ⓒ ①《美》 5 달러 지폐. ②《英》 5 파운드 지폐.

fives [faivz] *n.* Ⓤ 《英》 (2-4명이 하는) 핸드볼과 비슷한 구기(球技).

five-star [fáivstɑ̀ːr] *a.* ① 별이 다섯인, 오성(五星)의: a ~ general 《美口》 오성 장군, 육군 원수 (General of the Army). ② 최고의, 제 1 급의: a ~ hotel 일류 호텔.

Fíve-Year Plán [-jìər-] 5개년 계획.

‡**fix** [fiks] (*p., pp.* ***fixed,*** 《古》 ***fixt***) *vt.* ① 《~+목 / +목+전+명》 …을 고정〔고착〕시키다, 붙이다(fasten), 붙박다; 장치하다: ~ a shelf *to* the wall 선반을 벽에 붙박다 / ~ a post *in* the ground 땅에 기둥을 세우다. ② 《+목+전+명》 (주거 따위)를 정하다: ~ one's residence *at* 〔*in*〕 …에 주거를 정하다. ③ 《~+목 / +목+전+명》 (습관·관념·견해 따위)를 고착시키다; (기억·마음)에 남기다, 새기다(implant): a custom ~*ed by* tradition 인습에 의해 굳어진 습관 / *Fix* these words *in* your mind. 이 말을 마음에 새겨두게. ④ 《~+목 / +목+전+명》…을 찬찬히〔주의 깊게, 의심쩍게〕 보다《*on, upon*》; 응시하다; (눈길·주의)를 끌다(rivet): The matter ~*ed* his attention. 그 일이 그의 주목을 끌었다 / His eyes were ~*ed on* the distant ship. 그의 눈은 멀리 배를 지켜보고 있었다. ⑤ 《+목+전+명》 (허물·죄 따위)를 (덮어)씌우다, 돌리다(place)《*on, upon*》: ~ the blame〔responsibility〕 *on* a person 아무에게 죄를〔책임을〕 씌우다〔돌리다〕. ⑥ (…의 시기·장소)를 결정〔확정〕하다: The evidence cannot ~ the time of death accurately. 그 증거로는 사망 시각을 확정할 수 없다. ⑦ 《~+목 / +목+전+명》 …을 결정하다; (일시·가격 등)을 정하다: The price of the used car was ~*ed at* 3,000 dollars. 그 중고차 값은 3,000 달러로 정해졌다. ⑧ (표정·눈매 따위)를 긴장시키다: ~ one's jaw *in* determination 입을 악물어 굳은 결의를 나타내다. ⑨ 《+목+전+명》 (염색)을 고착시키다: ~ dyes *by* mordant 매염제로 염색을 고착시키다. ⑩ (사진 영상)을 정착시키다; (휘발성 물질·액체)를 응고시키다(congeal), 불휘발성으로 하다: ~ a negative (사진) 원판을 정착하다. ⑪ …을 고치다, 수리〔수선〕하다(repair), 조정하다: ~ the watch 시계를 고치다. ⑫ …을 가지런히 정리〔정돈〕하다; (머리)를 매만지다, 화장하다; (보급품·부족물)을 마련〔준비〕하다(arrange): ~ one's hair〔face〕 before going out 외출하기 전에 머리를 매만지다〔얼굴의 화장을 고치다〕 / How are you ~*ed* for money? 돈은 마련됐나 / Leave the arrangement to me. I'll ~ it. 준비는 내게 맡겨라. 내가 수배하겠다. ⑬ (식사)를 준비하다, (요리)를 만들다(cook): Please ~ me a cocktail. 칵테일 한 잔 만들어 주게. ⑭ 《口》 (재판관 등)을 매수하다(square), 포섭하다; (경기·시합 등)을 미리 짜고 하다: The jury could not be ~*ed.* 배심원들은 매수되지 않았다. ⑮ …에게 보복〔복수〕하다: I'll ~ you! 다음에 보자, 꼭 보복하겠다. ⑯ (가축)을 불까다, 거세하다(castrate).

— *vi.* ① 고정〔고착〕되다, 굳어지다 ; 응고하다 : Why do you ~ *on* Mother all the time? 어찌하여 내내 어머니 일만을 생각하고 있느냐. ② 자리잡다(settle), 거처를 정하다. ③ 《+전+명》 정하다(decide), 택하다《*on, upon*》: ~ *on* a date for a journey 여행 날짜를 정하다 / We ~*ed* for the meeting to be held on Sunday. 일요일에 모임을 갖기로 결정했다. ④ 《+*to* do》《口·方》〔주로 進行形〕…할 예정이다 ; …할 것 같다 : I am ~*ing to* go shooting on Monday. 월요일에 사냥을 갈 예정이다 / It's ~*ing to* rain. 비가 올 것 같다.

~ *on* 〔***upon***〕 …로 결정하다 ; …을 택하다. **~ *over*** 《美口》(의복 따위)를 다시 고치다, 고쳐 짓다. **~ *up*** 《美口》(*vi.*) 차려입다, 정장하다. (*vt.*) (1) (날짜 등)을 정해주다. (2) (…을) …에게 마련해주다, 구해주다 : I'll ~ you *up* for a date. 데이트 상대를 찾아주겠다. (3) …을 수리하다 ; (오두막 등)을 재빨리〔날림으로〕 세우다, 만들다. (4) …을 조정하다, 해결하다 : ~ *up* a labor dispute 노동쟁의를 조정하다. (5) 《美俗》〔再歸的·受動으로〕 차려 입다.

— *n.* ① Ⓒ (흔히 a ~) 《口》 곤경(困境), 궁지 : get oneself into〔in〕 *a* ~ 궁지에 빠지다 / I'm in *a* real ~ for money. 돈 때문에 옴짝달싹 못 할 상태이다. ② 《美》 (기계·심신의) 상태 : be in a fine ~ 상태가 좋다. ③ Ⓒ (계기에 의한) 위치 결정《선박·항공기의》: get a ~ on ... (레이더 따위로) …의 위치를 확인하다. ④ Ⓒ 의상 : her wonderful wedding ~ 그녀의 훌륭한 혼례용 의상. ⑤ (a ~) 《口》 (시합 등의) 부정공작 ; 매수(될 수 있는 사람). ⑥ Ⓒ 《俗》 마약 주사.

fix·ate [fíkseit] *vt.* ① …을 정착시키다, …을 고정하다. ② …을 응시하다. ③ 〔흔히 受動으로〕 …에 집착시키다, 병적으로 집착시키다 : television-~*d* schoolchildren 텔레비전에 빠져 버린 어린 학생들. — *vi.* 정착하다, 고정〔고착〕하다.

fix·a·ted [fíkseitid] *a.* 〔敍述的〕 (어느 특정한 것에) 집착한《*on*》: The popular newspapers seem to be ~ *on* stories about sex and drugs. 통속적인 신문들은 성과 마약에 관한 기사에 너무 집착하고 있는 것 같다.

fix·a·tion [fikséiʃən] *n.* Ⓤ.Ⓒ ① 고착, 고정. ② 병적 집착, 집념. ③ 색이 바래지 않게 함. ④ 〖寫〗 정착. ⑤ 〖化〗 응고 ; (질소 따위의) 고정. ⑥ 〖精神醫〗 병적 애착〔집착〕(에 의한 성숙의 조기(早期) 정지) : She had a ~ *on*〔*about*〕 stories of death. 그녀는 죽음에 관한 얘기에 병적일 정도로 집착하고 있었다.

fix·a·tive [fíksətiv] *a.* 고착하는, 고정하는 ; (색·영상을) 정착하는. — *n.* Ⓤ.Ⓒ 염착제(染着劑), 매염료 ; 〖寫〗 정착액.

‡**fixed** [fikst] (***more ~ ; most ~***) *a.* ① 고정된, 일정(불변)한(definite, permanent) : a ~ salary 고정급 / Bonds, unlike shares of stock, carry a ~ rate of interest. 주식과는 달리, 채권에는 확정 이자가 딸려 있다. ② (일정 장소에) 붙박아 놓은 ; 움직이지 않는. ③ (시선·표정 따위가) 움직이지 않은 : a ~ stare 응시 / look at a person with a ~ gaze 아무를 뚫어지게 바라보다. ④ 〔敍述的〕〔흔히 副詞를 수반〕 정돈된 ; 채비〔준비〕가 된 《*for*》: We were not ~ too well *for* food. 우리는 음식물에 대한 준비가 충분하지 않았다 / I'm comfortably ~ *for* money. 돈에 여유가 있다. ⑤ 〖化〗 응고한 ; 불휘발성의《산·기름》; 화합물에 넣어진, 고정된《질소 따위》: ~ acid 불휘발산(酸). ⑥ 《口》 짬짜미의《경마 등》; 뇌물을 받은. ***of no ~ address***〔***abode***〕 〖法〗 주소 부정의〔으로〕.

㊞ **fix·ed·ness** [fíksidnis, -st-] *n.*

fíxed ássets 〖商〗 (유형) 고정 자산.

fíxed exchánge ràte 고정 환율.

fíxed-héad dìsk [-héd-] 〖컴〗 고정 헤드 디스크.

fíxed idéa 고정 관념.

fíxed íncome 고정 수입, 정액 소득.

fíxed-léngth rècord [-léŋkθ-] 〖컴〗 길이가 정해져 있는 레코드.

fix·ed·ly [fíksidli, -st-] *ad.* 고정〔정착〕하여 ; 불변적으로 ; 단호〔확고〕하게 ; 꼼짝 않고, 뚫어지게 《보다 따위》.

fíxed póint 〖物〗 고정점 ; 〖컴〗 붙박이 소수점.

fíxed sátellite 정지(靜止) 위성.

fíxed stár 〖天〗 항성. cf. planet.

fix·er [fíksər] *n.* Ⓒ ① 염착제 ; 〖寫〗 정착제. ② 《口》 (사건을 매수 따위로) 쓱싹하는 사람 ; 악덕 변호사. ③ 《美俗》 마약 밀매(密賣)자.

fix·ing [fíksiŋ] *n.* ① Ⓤ 고착, 고정 ; 설치 ; 〖寫〗 정착 : ~ solution 정착액. ② Ⓤ 수선, 손질 ; 조정, 정돈. ③ (*pl.*) 《美口》 (실내 따위의) 설비, 비품 ; 장구(裝具), 장신구 ; 장식(물).

fix-it [fíksìt] *a.* 《美口》 간단한 수리의〔를 하는〕 ; 조정하는 : a ~ shop 수리점. ★ 사람을 가리킬 때에는 Fixit : He's known in the hospital as Mr. *Fixit.* 그는 병원에서 만능꾼으로 알려져 있다.

fix·i·ty [fíksəti] *n.* Ⓤ ① 정착, 고정 ; 영속성, 불변(성) : ~ of God 신의 영원성. ② (시선 등의) 부동(不動) : stare with ~ 응시하다.

fixt [fikst] 《古》 FIX의 과거·과거 분사.

***fix·ture** [fíkstʃər] *n.* Ⓒ ① 정착물 ; 비품, 설비(물), 내부 시설(품) ; (*pl.*) 〖法〗 (토지·건물에 부속한) 정착물. ② (경기의) 개최일 ; (정기) 경기 대회. ③ (일정한 직업·장소에) 오래 붙박이는〔눌어붙는〕 사람 : He's become a ~ of that bar. 그는 그 술집의 터줏대감이 되었다 / He is now a ~ at Princeton. 그는 이제 프린스턴에 뿌리를 박았다.

fizz, fiz [fiz] *n.* Ⓤ.Ⓒ 쉬잇하는 소리 ; 거품이 이는 음료《샴페인·탄산수 등》. — *vi.* 쉬잇 소리를 내다, 쉬잇하고 거품이 일다.

fiz·zle [fízl] *n.* ① (a ~) 쉬잇(하는 소리). ② Ⓒ 《口》 실패. — *vi.* ① 쉬잇하고 소리내다. ② (불이) 쉬잇하고 꺼지다 ; 용두사미로 끝나다《*out*》: The strike ~*ed out* after three days. 그 파업은 3일만에 흐지부지 끝났다.

fizz·wa·ter [fízwɔ̀ːtər] *n.* Ⓤ 탄산수 ; 발포성 음료.

fizzy [fízi] (***fizz·i·er ; -i·est***) *a.* 쉬잇하고 거품이 이는, 발포성의 : ~ drinks 발포성 음료.

fjord ⇨ FIORD.

FL 《美郵》 Florida. **fl.** florin(s) ; *floruit* 《L.》 (= flourished) ; fluid. **Fl.** Flanders ; Flemish. **Fla.** Florida.

flab [flæb] *n.* Ⓤ 《口》 군살.

flab·ber·gast [flǽbərgæ̀st / -gɑ̀ːst] *vt.* 《口》〔흔히 受動으로〕 소스라쳐 놀라게 하다, 당황하게 하다《*at ; by*》: I *was* ~*ed at* his appearance. 그의 출현에 나는 아연실색했다.

flab·by [flǽbi] (***-bi·er ; -bi·est***) *a.* ① (근육 따위가) 푸석푸석하는, 축 늘어진, 느즈러진 : have ~ muscles 근육이 연약하다. ② 의지가 빈약한, 연약한 : a man of ~ will 의지가 약한 사람.

㊞ **fláb·bi·ly** *ad.* **-bi·ness** *n.*

flac·cid [flǽksid] *a.* (근육 등이) 연약한 ; 무기력한, 나약한. ㊞ **~·ly** *ad.*

flac·cid·i·ty [flæksídəti] *n.* Ⓤ 연약 ; 무기력.

flack[1] [flæk] *n.* 《美俗》 ① Ⓒ 선전원, 홍보 담당. ② Ⓤ 선전, 홍보.

flack[2] ⇨ FLAK.

fla·con [flǽkən] *n.* Ⓒ 《F.》 (향수 따위의) 작은

병, 플라콩.

†**flag**¹ [flæg] *n.* Ⓒ ① 기(旗) : a national ~ 국기 / ⇨ BLACK(RED, WHITE, YELLOW) FLAG. ② 기 모양의 것 ; (사슴·세터종(種) 개 따위의) 털이 북슬북슬한 꼬리 ; (새의) 날개 ; 작은 칼깃(secondaries) ; (매 따위의 발의) 긴 깃털. ③《英》(택시의) 빈차 표지. ④〖컴〗 깃발 ; 표시 문자. ***show the ~*** (1) 외국항(등)을 공식 방문하다. (2) 기치를 선명히 하다.

— (*-gg-*) *vt.* ① …에 기를 세우다, …을 기로 장식하다. ②《~+목/+목+부/+목+전+명》…을 기로 신호하다〔알리다〕: A policeman ~*ged down* the taxi on the highway. 경찰이 간선도로에서 기로 신호하여 택시를 세웠다 / ~ a message *to* a nearby ship 가까운 배에 기로 통신하다.

flag² *n.* ①Ⓒ 판석(板石), 포석(鋪石) (flagstone). ② (*pl.*) 판석 포장 도로. — (*-gg-*) *vt.* …에 판석〔포석〕을 깔다.

flag³ *n.* 〖植〗 황창포, 창포 ; 창포꽃〔잎〕.

flag⁴ (*-gg-*) *vi.* (돛·초목 등이) 축 늘어지다, 시들다 ; (기력이) 쇠(약)해지다 ; (이야기 등이) 시시해지다, 시들해지다 ; (흥미가) 없어지다 : Public enthusiasm ~*ged* when the team kept losing. 그 팀이 연패하자, 팬의 열기도 식었다.

flág càptain 〖海軍〗 기함의 함장.

Flág Dày ①《美》 국기 제정 기념일《6월 14일 ; 1777년의 이 날 성조기를 미국 국기로 제정》. ② (f- d-)《英》 기의 날《거리에서 자선 사업 등의 기금을 모집하고자 작은 기를 팖》.

flag·el·lant [flǽdʒələnt] *n.* Ⓒ ① **a**) 매질〔채찍질〕하는 사람. **b**) (F-) 채찍질 고행자《자신을 채찍질하며 고행한 중세의 광신자》. ② 매맞기를 바라는 변태 성욕자.

flag·el·late [flǽdʒəlèit] *vt.* ① …을 매질〔채찍질〕하다. ② …을 벌하다, 꾸짖다.

flag·el·la·tion [flæ̀dʒəléiʃən] *n.* Ⓤ (특히 종교적·성적인) 매질.

fla·gel·lum [flədʒéləm] (*pl.* ***-la*** [-lə], ***~s***) *n.* Ⓒ ①〖生〗 편모(鞭毛). ②〖植〗 포복경(匍匐莖). ③ 매, 채찍(whip, lash).

flag·eo·let [flæ̀dʒəlét] *n.* Ⓒ〖樂〗 플래절렛《구멍이 여섯 개인 피리》; (파이프 오르간의) 플래절렛 음전(音栓).

flag·ging¹ [flǽgiŋ] *n.* Ⓤ ① (판석을 깐) 포장(鋪裝). ②〖集合的〗 판석류(板石類).

flag·ging² *a.* 처지는, 늘어지는 ; 쇠퇴〔감소〕 기미의. ㊞ **~·ly** *ad.*

fla·gi·tious [flədʒíʃəs] *a.* 파렴치한 ; 극악무도한, 잔인〔흉악〕한 ; 악명 높은.

flag·man [flǽgmən] (*pl.* ***-men*** [-mən]) *n.* Ⓒ ① 신호 기수. ② (철도의) 신호수, 건널목지기.

flág òfficer 해군 제독《제독이 탄 군함에는 그 위계(位階)를 표시하는 기(旗)를 닮》.

flag·on [flǽgən] *n.* Ⓒ ① 식탁용 포도주 병《손잡이와 귀때·뚜껑이 있음》. ② (와인 판매용의) 큰 병《보통 병의 두 배》.

flag·pole [flǽgpòul] *n.* Ⓒ 깃대.

fla·grance, -gran·cy [fléigrəns], [-si] *n.* Ⓤ 극악 ; 악명(notoriety).

fla·grant [fléigrənt] *a.* 극악(무도)한, 악명 높은 (notorious) ; 언어 도단의(scandalous) ; 너무 뻔한, 두드러진 : a ~ offense 〔crime〕 극악무도한 죄 / a ~ lie 새빨간 거짓말. ㊞ **~·ly** *ad.*

flag·ship [flǽgʃip] *n.* Ⓒ ①〖海〗 기함. ② (일련의 것 중) 최고의 것 : This store is the ~ of our retail chain. 이 상점은 우리 소매상 체인 중에서 가장 으뜸이다.

flag·staff [flǽgstæ̀f, -stɑ̀:f] (*pl.* ***~s, -staves***) *n.* Ⓒ 깃대(flagpole).

flag·stone [flǽgstòun] *n.* Ⓒ (포장용) 판석(板石), 포석(鋪石).

flag-wav·ing [´-wèiviŋ] *n.* Ⓤ 애국심〔애당심〕의 과시.

flail [fleil] *n.* Ⓒ 도리깨. — *vt.* ① (곡물)을 도리깨질하다. ② …을 연타하다, 때리다. ③ (양팔)을 돌리다 : The baby ~*ed* her little arms. 갓난아기는 그 귀여운 양팔을 흔들어댔다. — *vi.* ① 도리깨를 치다. ② 때리다 ; (양팔을) 흔들다《*about ; around*》.

flair [flɛər] *n.* Ⓤ (또는 a ~) 날카로운 후각, 제6감 ; 재주, 재능 : He has no ~ for good music. 그는 좋은 음악을 가릴 만한 재능이 없다.

flak [flæk] *n.* Ⓤ ①〖軍〗 대공포 ; 대공(對空) 사격. ② 잇따른〔격렬한〕 비난, 공격, 격렬한 논쟁 : run into〔come in for〕 a lot of ~ 심한 비난을 받다 / He took a lot of ~ for his stand on abortion. 그는 임신중절에 대한 자신의 입장으로 인해 격렬한 비난을 받았다.

‡**flake**¹ [fleik] *n.* Ⓒ ① 얇은 조각, 박편(薄片) ; 조각, 지저깨비(chip) : a ~ of cloud 조각 구름 / ~*s* of snow 눈송이. ② 불꽃, 불똥. ③《美俗》 좀 색다른 사람, 괴짜. ④ 플레이크《낟알을 얇게 으깬 식품》: corn ~*s* 콘플레이크. — *vi.* ① 벗겨져 떨어지다《*away ; off*》. ② (박편이 되어) 떨어져 내리다 ; (눈 따위가) 펄펄 내리다.

flake² *vi.*《口》① (지쳐서) 깊이 잠들다, 녹초가 되다《*out*》: The children ~*d out* on their beds after their exhausting day. 아이들은 지친 하루를 보낸 후 깊은 잠에 떨어졌다. ② 정신이 멍해지다, 기절하다《*out*》.

flák jàcket〔vèst〕 공군용 방탄 조끼.

flaky [fléiki] (***flak·i·er ; -i·est***) *a.* ① 박편(薄片)의 ; 조각조각의. ② 벗겨지기 쉬운. ③《美俗》 색다른 ; 기묘한. ㊞ **flak·i·ness** *n.*

flam·bé [flɑmbéi] *a.*《F.》〔흔히 名詞 뒤에 옴〕 (고기·생선·과자에 브랜디를 붓고) 불을 붙여 눋게 한, 플랑베한 : pancakes ~ 플랑베팬케이크.

flam·beau [flǽmbou] (*pl.* ***~s, -beaux*** [-bouz]) *n.* Ⓒ《F.》① 횃불. ② 큰 장식 촛대.

flam·boy·ance, -an·cy [flæmbɔ́iəns], [-si] *n.* Ⓤ 현란함, 화려함.

flam·boy·ant [flæmbɔ́iənt] *a.*《F.》 현란한, 화려한 ; (색이) 혼란한 : a ~ costume 현란한 의상 / ~ colors 혼란한 색채. ㊞ **~·ly** *ad.*

‡**flame** [fleim] *n.* ①Ⓤ (종종 *pl.*) 불길, 불꽃, 화염 : burst into ~(*s*) 확 타오르다 / commit to the ~*s* 불속에 던지다, 태워 버리다, 불사르다 / The factory went up in ~*s*. 그 공장은 소실되었다. ②Ⓒ 불 같은 색채〔광휘〕: the ~*s* of sunset 붉게 물든 저녁놀. ③Ⓒ 정염, 정열 ; 격정 : a ~ of anger 불길 같은 노여움. ④Ⓒ《戱》 애인, 연인(sweetheart) : an old ~ of his 그의 옛 연인.

— *vi.* ① (불꽃을 올리며) 타오르다(blaze), 불꽃을 내다. ②《~ / +전+명》 빛나다 ; (얼굴 등이) 확 붉어지다(glow)《*up*》; (태양이) 이글거리다 : The fire ~*d* bright. 불이 밝게 빛났다 / The hill ~*s with* azaleas. 언덕은 진달래로 불타는 듯하다. ③《+부》 (정열 등이) 불타오르다 ; (노여움으로) 발끈하다《*out ; up*》: His anger ~*d out*. 그의 분노가 폭발하였다 / Her passion ~*d up*. 그녀의 정열이 타올랐다. ~ ***out*** 〖空〗 (제트 엔진이) 갑자기 연소 정지하다.

fláme gùn《英》 화염(火焰) 제초기.

fla·men·co [flə:méŋkou] *n.*《Sp.》Ⓤ 플라멩코《스페인의 집시 춤》. — *a.* 플라멩코의.

flame·out [fléimàut] *n.* Ⓤ,Ⓒ (제트 엔진의) 돌

연 정지, 플레임아웃.

fláme projèctor 〔**thròwer**〕 화염 방사기.

flame·proof [fléimprù:f] *a.* 내화성의 ; 불타지 않는.

***flam·ing** [fléimiŋ] *a.* 〖限定的〗 ① 타오르는, 불을 뿜는. ② 타는 듯한《색채 따위》: a ~ red dress 불타는 듯 새빨간 드레스. ③ 정열적인, 강렬한 : in a ~ temper 격노하여, 격정에 불타서. ④ 〔強調語로서〕《英口》 지독한, 심한 : a ~ fool 지독한 바보 / his ~ desire for wealth 부(富)에 대한 그의 지독한 욕망. ㊫ **~·ly** *ad.*

fla·min·go [fləmíŋgou] (*pl.* ~(*e*)*s*) *n.* Ⓒ 플라밍고, 홍학(紅鶴).

flam·ma·ble [flǽməbəl] *a.* 가연성(可燃性)의.

flan [flæn] *n.* ① Ⓤ.Ⓒ (치즈 · 과일 따위를 넣은) 파이의 일종. ② Ⓒ 미(未)가공의 화폐 바탕쇠.

Flan·ders [flǽndərz / flά:n-] *n.* 플랑드르《현재의 벨기에 서부 · 네덜란드 남서부 · 프랑스 북부를 포함한 북해에 면한 지역》.

flange [flændʒ] *n.* Ⓒ〖機〗 플랜지, 관(管)을 잇기 위해 덧붙인 날밑 모양의 접합부, (레일의) 발, (차 바퀴의) 불룩한 테두리. ── *vt.* …에 플랜지를 붙이다.

‡flank [flæŋk] *n.* Ⓒ ① 옆구리 ; 옆구리 살《쇠고기 따위의》. ② (산 · 건물의) 측면(side). ③〖軍〗 (부대 · 함대 등) 대형의 측면 : a ~ attack 측면 공격 / in ~ 측면에서 / take in ~ 측면을 공격하다.
── *vt.* ① 〔때때로 受動으로〕 …의 측면에 놓다〔배치하다〕 ; …의 옆에 있다 ; …에 접하다《*with* ; *by*》: The road *is* ~*ed with*〔*by*〕 trees. 그 도로는 양측에 가로수가 있다 / The president *was* ~*ed* on both sides *by* senior ministers. 대통령 양옆에는 선임장관들이 있었다. ② …의 측면을 공격하다.

flank·er [flǽŋkər] *n.* Ⓒ ① 측면에 위치한 사람〔것〕, 측면을 지키는 사람. ②〖美蹴〗 플랭커(=∠ **bàck**).

***flan·nel** [flǽnl] *n.* ① Ⓤ 플란넬 ; 면(綿)플란넬. ② (*pl.*) 플란넬 의류《특히 운동 바지》. ③ Ⓒ 플란넬로 만든 때 미는 수건〔걸레〕. ④ Ⓤ 《英口》 엄포, 허세 ; 아첨말. ── *a.* 〖限定的〗 플란넬제(製)의. ── (*-l-*, 《英》 *-ll-*) *vt., vi.* ① …에게 플란넬을 입히다, 플란넬로 싸다. ② 플란넬로 닦다〔문지르다〕. ③ 《英口》 엉너리를 치다〔쳐서 시키다〕《*into*》.

flan·nel·board [flǽnlbɔ:rd] *n.* Ⓒ 플란넬보드《교수용 게시판》.

flan·nel·ette [flǽnlèt] *n.* Ⓤ 면(綿)플란넬.

‡flap [flæp] (*-pp-*) *vt.* ① (날개 따위)를 퍼덕〔퍼드덕〕거리다(beat), 펄럭이게 하다, 아래위로 움직이다 : The bird ~*ped* its wings. 새가 날개를 퍼덕거렸다 / The wind was ~*ping* the curtains. 바람으로 커튼이 펄럭거리고 있었다. ② …을 탁 소리를 내며 꺾다, 쾅〔탁〕닫다. ③ 《+目+前+名》 (납작한 것으로) …을 딱 때리다, 손바닥으로 찰싹 때리다 : ~ a flyswatter *at* a insect. 파리채로 벌레를 찰싹 때리다. ④ 《+目+副》 (파리 따위)를 날려 쫓아버리다《*away* ; *off*》: ~ flies *away* 파리를 날려 쫓아버리다. ⑤ 《美俗》 (자기(磁氣) 테이프)를 되감다.
── *vi.* ① 《~ / +前+名》 퍼덕〔펄럭〕이다, 나부끼다, 휘날리다(flutter) : The flag is ~*ping* in the wind. 깃발이 바람에 펄럭이고 있다 / The curtains were ~*ping against* the window. 커튼이 퍼드퍼득 창에 부딪고 있었다. ② 《+副 / +前+名》 날개치다 ; 날개쳐 날다《*away* ; *off*》: The bird ~*ped away.* 새가 날개치며 날아가 버렸다. ③ 축 늘어지다《*down*》. ④ 《口》 당황하다, 안절부절 못하다 : There's no need to ~. 전혀 당황할 필요가 없다. ⑤ 《美口》 엿듣다 : with one's ears ~*ping* 귀를 곤두세우고 / have〔keep〕 one's ears ~*ping* 귀를 기울이다.
── *n.* Ⓒ ① 펄럭임, 나부낌. ② (날개의) 퍼덕거림. ③ 손바닥으로 찰싹 때리기 ; 그 소리. ④ 축 늘어진 것 ; 드림 ; (모자의) 귀덮개 ; (모자의) 넓은 테 ; (호주머니의) 뚜껑 ; (봉투의) 접어 젖힌 부분 ; (책 커버의) 꺾은 부분, 날개판(板)《경첩으로 접을 수 있는 책상 · 테이블의》; 물고기의 아감딱지 ; 경첩판(瓣) ; 〖空〗 플랩, 보조익(翼) ; (개 따위의) 처진 귀 ; (*pl.*) 《美俗》 (사람의) 귀 ; 파리채(flyflap) ; (버섯류의) 펼친 갓. ⑤ (a ~) 《口》 조마조마함, 안절부절 못함.

flap·doo·dle [flǽpdù:dl] *n.* Ⓤ 《口》 허튼〔엉터리없는〕 이야기, 되지 않는 소리(nonsense).

flap·jack [∸dʒæ̀k] *n.* Ⓒ 핫케이크류의 과자(griddle cake).

flap·pa·ble [flǽpəbəl] *a.* 《俗》 (위기에 처했을 때) 흥분〔동요〕하기 쉬운, 안절부절 못 하는, 갈팡질팡하는.

flap·per [flǽpər] *n.* Ⓒ ① 퍼덕이는 것 ; 펄럭이는 것 ; 《俗》 손 ; (아직 날지 못하는) 새의 새끼《오리 등의》. ② 파리채(flyflap) ; (새를 쫓는) 딱딱이(clapper). ③ 경첩 달린 문짝 ; 폭 넓은 지느러미. ④ 《英俗》 (아직 사교계에 안 나온) 어린 아가씨 ; 《口》(1920 년대의) 건달 아가씨, 왈가닥, 플래퍼.

***flare** [flεər] *n.* ① (*sing.*) 너울거리는 불길, 흔들거리는 빛 : There was a sudden ~ as she struck a match. 그녀가 성냥불을 켜자, 확 하고 불꽃이 타올랐다. ② (a ~) (노여움 따위의) 격발 : a ~ of anger 격분. ③ Ⓒ 섬광 신호, 조명탄(=∠ **bòmb**) ; 〖寫〗 광반(光斑), 플레어 : The photographer set off his ~. 사진사가 플래시를 터뜨렸다. ④ Ⓤ.Ⓒ (나팔꽃 모양의) 벌어짐 ; Ⓤ (스커트의) 플레어. ── *vi.* ① 흔들거리며 빛나다, 너울거리며 타다《*about* ; *away* ; *out*》: The bonfire was *flaring* in the wind. 모닥불이 바람에 너울거리며 타고 있었다. ② 확 불붙다〔타오르다〕《*up*》; 번쩍번쩍 빛나다, 섬광을 발하다 : The fire ~*d up* as the paper caught. 불이 종이에 붙자, 확 불꽃이 솟아올랐다. ③ (스커트 따위가) 나팔꽃 모양으로 퍼져 있다. ── *vt.* ① …을 확 타오르게〔불붙게〕하다. ② (하늘)을 붉게 물들이다 ; (바람이) 너울거리게 하다. ③ …을 섬광 따위로 신호하다. ④ (스커트)를 플레어로 하다. ~ **up** 〔**out**〕 확 타오르다 ; 불끈 성내다 ; (폭동 등이) 돌발하다 ; (병이) 재발하다 : Street-fighting has ~*d up* again in the big cities. 대도시에서 다시 시가전이 발생했다.

fláre pàth 조명로《비행기 이착륙 유도용》.

flare·up [flέərʌ̀p] *n.* Ⓒ ① 확 타오름, 섬광. ② 《口》 (감정의) 격발, 격노 ; (병 따위의 돌연한) 재발 ; (문제 등의) 급격한 재연(再燃)〔표면화〕.

flar·ing [flέəriŋ] *a.* ① 활활〔너울거리며〕 타는. ② 번쩍번쩍하는 ; 현란한 : the ~ neon lights of Broadway 브로드웨이의 번쩍거리는 네온 불빛. ㊫ **~·ly** *ad.*

‡flash [flæʃ] *vi.* ① 《~ / +前+名》 번쩍이다, 빛나다 : Lightning ~*ed* in the night sky. 번개가 밤하늘에서 번쩍거렸다 / The sunlight ~*ed* on her earings. 햇빛에 귀거리가 빛났다. ② 《+副》 노하다, 불끈하다, (노하여) 퉁명스럽게 말하다《*out*》: He ~*ed out* at her rudeness. 그녀의 무례함에 그는 발끈했다. ③ 《+副 / +前+名》 휙 지나치다, 스치듯 지나가다《*by* ; *past*》; 갑자기 나타나다《*out*》: Color ~*ed into* his cheeks. 그의 볼에 붉은 빛이 확 돌았다 / A sports car ~*ed past.* 스포츠카가 휙 지나갔다 / His old spirit ~*ed out.* 그

의 옛 근성이 나타났다. ④《+전+명》(생각이) 문뜩 떠오르다: The idea *~ed into* 〔*across, through*〕 his mind. 그 생각이 퍼뜩 그의 뇌리를 스쳤다.
— *vt.* ①(불·빛)을 번쩍 발하다, 비추다: He *~ed* his headlights 그는 헤드라이트를 비추었다 / The lighthouse *~ed* its beams through the fog. 등대는 안개 속에서 불빛을 반짝거렸다. ②(칼·눈 따위)를 번득이다,번쩍이다:He *~ed* his sword in the moonlight. 그는 달빛에 검을 번뜩였다. ③《+목+전+명》(빛)을 던지다; (거울 따위)를 비추다; (눈길)을 돌리다, 쏟다; (미소 따위)를 언뜻 보이다: She *~ed* a smile *at* him. 그녀는 그에게 살짝 미소를 던졌다 / ~ a mirror in the sunlight 햇빛으로 거울을 반사시키다. ④《~+목/+목+부》(뉴스)를 급보하다, 타전하다: ~ a message *over* the radio 무선으로 통신을 보내다 / The airplane accident was *~ed* throughout the world. 그 비행기 사고는 온세계로 급전되었다. ⑤《口》과시하다, 자랑해 보이다: ~ one's diamonds 다이아몬드를 자랑하다. ⑥…을 언뜻 보이다: He *~ed* his I.D. card. 그는 신분 증명서를 언뜻 보였다.
~ back (1) (빛이) 되비추다, 반사하다. (2) 잔뜩 되노려보다; (기억 따위가) 갑자기 과거로 돌아가다: My mind *~ed back to* my school days. 갑자기 학생시절의 기억이 되살아났다. **~ *in the pan*** 《比》 일시적인 성공으로〔용두사미로〕 끝나다. **~ *on*** (불이) 확 켜지다; 퍼뜩 깨닫다.
— *n.* ①Ⓒ 섬광, 번득임, 확 터지는 발화: a ~ of lightning 번개의 번득임, 번개. ②**a**) (a ~) 순간: in *a* ~ =like *a* ~ 대번에, 즉시 / (as) quick as *a* ~ 즉시 / I saw *a* ~ of hope on his face. 그의 얼굴에 순간 희망의 빛이 번쩍 비쳤다. **b**) Ⓒ《口》 얼핏 봄. ③Ⓒ (감흥·기지 등의) 번득임: a ~ of wit 번득이는 기지 / I had a sudden ~ of memory. 갑자기 퍼득 생각이 떠올랐다. ④Ⓒ (뉴스) 속보. ⑤Ⓤ 허식, 현란함. ⑥Ⓒ《俗》 음부의 노출. ⑦Ⓤ.Ⓒ〖寫〗 플래시: use (a) ~ 플래시를 사용하다.
a ~ in the pan 《比》 일시적인〔1회만의〕 성공(자); 용두사미(로 끝나는 사람).
— (*∠·er; ∠·est*) *a.* ①값싸고 번드르르한, 겉치장의, 야한. ②가짜의, 위조의(counterfeit): ~ notes 위조 지폐. ③〔限定的〕(폭풍우 따위가) 갑작스럽게 닥친, 순간적인: a ~ storm 지나가는 한때의 폭풍우 / ~ freezing 순간 냉동. ④〔限定的〕 도둑〔불량〕 사회의: a ~ term 불량배 사이의 은어.

flash·back [∠bæ̀k] *n.* Ⓤ.Ⓒ〖映〗 플래시백《과거의 회상 장면으로의 전환》.

flásh bùlb 〖寫〗 섬광 전구.

flásh bùrn (방사능에 의한) 섬광 화상(火傷).

flásh càrd 플래시 카드《잠깐 보여 글자를 읽게 하는 외국어 따위의 교수용 카드》.

flash·cube [∠kjù:b] *n.* 〖寫〗 플래시큐브《섬광 전구 4개가 회전하면서 발광하는 장치》.

flash·er [flǽʃər] *n.* Ⓒ ①섬광을 내는 것; (교통 신호·자동차 따위의) 점멸광(光); 자동 점멸 장치. ②《俗》 노출광(狂).

flash-for·ward [∠fɔ̀:rwərd] *n.* Ⓤ.Ⓒ〖映〗 미래 장면의 사전 삽입.

flash-freezing [∠frí:ziŋ] *a.* 〔限定的〕 순간 냉동의.

flásh gùn 〖寫〗 카메라의 섬광 장치.

flash·i·ly [flǽʃili] *ad.* 몹시 번드르르하게, 야하게; 번쩍이어.

flásh làmp 〖寫〗 섬광등.

***flash·light** [∠làit] *n.* Ⓒ ①섬광; (등대의) 섬광《회전 등 따위에 의한》. ②《美》 회중 전등. ③〖寫〗 플래시 (장치).

flashy [flǽʃi] (*flash·i·er; -i·est*) *a.* 번지르르한, 야한, 겉모양뿐인: a ~ dresser 화려한 옷차림을 하는 사람. ㊞ **flásh·i·ness** *n.*

flask [flæsk, flɑ:sk] *n.* Ⓒ ①(화학 실험용) 플라스크. ②(술 따위의) 휴대 용기(容器); 그 한 병 분의 분량. ③《英》 보온병.

‡flat[1] [flæt] (*-tt-*) *a.* ①편평한, 납작한; 평탄한, 울퉁불퉁하지 않은(plain): ~ land 평지 / a ~ dish 운두가 얕은 접시. ②편, 펼친, 벌린《손바닥·지도 따위를》: with the ~ hand 편 손으로 / lay a rug ~ on the floor 바닥에 융단을 펴다. ③〔敍述的〕 **a**) 길게 누운: He lies ~ on his face. 그는 길게 엎드려 있다 / He knocked (down) the champion ~ on the canvas. 그는 챔피언을 경기장 바닥에 때려 눕혔다. **b**) 바싹 붙어 있는: He stood ~ against the wall. 벽에 바싹 붙어 서있었다. **c**) (수목·건물이) 쓰러진, 도괴된: The village was laid ~ by the typhoon. 마을은 태풍으로 파괴되었다. ④(그림이) 평면적인, 단조로운, 깊이가 없는: a ~ picture 단조로운 그림. ⑤(빛깔이) 일매진, 한결같은, 두드러지지 않은, 광택이 없는: a ~ gray 잿빛 일색. ⑥(음식이) 맛없는; (맥주 따위가) 김빠진(stale): This beer tastes ~. 이 맥주는 김이 빠져있다 / ~ cooking 맛없는 요리. ⑦(이야기·익살 등이) 동떨어진, 쏙 들어맞지 않는, 얼빠진. ⑧(시황(市況)이) 활기 없는, 부진한, 불경기의(depressed): Sales are ~. 매출이 부진하다. ⑨《口》 기운 없는(dejected); 주머니 사정이 좋지 않은, 한 푼 없는: feel ~ 따분하다, 의기 소침하다 / Everything went ~ after you left. 자네가 떠난 후에는 만사가 따분해졌네 / I'd lend you the dollar but I'm absolutely ~ myself. 자네에게 1달러를 빌려주고 싶지만 나 역시 빈털터리네. ⑩〔限定的〕(값 따위가) 일률적인, 균일한(uniform); 〖商〗 배당락(落)의. ⑪〔限定的〕 단호한; 틀림없는, 순진한: give a ~ denial〔refusal〕 단호히 부인〔거절〕하다 / (and) that's ~! 《英口》《앞의 거절·부정을 강조하여》 그것은 결정된 일이다《★《美》에서는 and that's final》 / a ~ warning 엄중한 경고. ⑫(타이어 등이) 공기가 빠진; (배터리등이) 다된. ⑬〖樂〗 반음 내림의. OPP *sharp.* ⑭〖文法〗 어미 무음화(無音化) 파생의《형용사 slow를 그대로의 형태로 부사로 쓰는 따위》. ⑮〖音聲〗 입술을 벌린《[a]의 변종으로서의 [æ] 따위》. ***fall ~*** (1) 엎어지다: *fall* ~ on one's face 앞으로 거꾸러지다. (2) 실패로 돌아가다: The joke *fell* ~. 그 농담은 도무지 효과가 없었다. ***in nothing ~*** 《口》 눈 깜짝할 사이에, 순식간에.
— *ad.* ①편평하게, 납작하게: The air raid laid the city ~. 공습으로 (파괴되어) 그 도시는 폭삭 무너졌다. ②딱 잘라, 단호히: turn the offer down ~ 그 신청을 딱 잘라 거절하다. ③꼭, 정확히: ~ five seconds = five seconds ~ 5초 플랫《경기 기록 따위에서》. ④아주, 완전히, 전혀: ~ broke 완전히 무일푼이 되어 / ~ aback 지독히 놀라. ⑤〖金融〗 무이자로: sell ~ 이자를 계산에 넣지 않고 팔다. ⑥〖樂〗 반음 내리어. ⑦〖海〗(돛을) 팽팽하게 켕기어. **~ *out*** 《口》 (1) 전속력으로: drive ~ *out* 전속력으로 차를 몰다. (2) 솔직하게 터놓고, 노골적으로: She told him ~ *out* that she would not go to the show. 그녀는 쇼에 가지 않겠다고 솔직히 말했다. (3) 《美口》 완전히: be ~ *out* mad 정말로 화가 나 있다 / Going out of the school ground without permission is ~ *out* against the rules. 허가 없이 운동장을 나가는 것

은 완전한 규칙위반이다. (4)《美口》 녹초가 되어 ; 나아갈 수 없게 되어.

— *n.* Ⓒ ① **a)** 평면, 편평한 부분《손바닥 따위》: strike with the ~ of one's hand 손바닥으로 때리다. **b)** 평면도, 회화 : in 〔on〕 the ~ 종이〔캔버스〕에 ; 그림으로. ② (흔히 *pl.*) 평지(plain) ; (시냇가의) 저습지(swamp), 소택지 ; 모래톱, 여울(shoal). ③ 편평한〔납작한〕 것. **a)** 너벅선(船). **b)**〖建〗평지붕 ;〖海〗(함장실·장교실에서 나갈 수 있는) 평갑판. **c)** 수평 광맥. **d)**〖劇〗플랫《밀어들이거나 내는 무대 장치》. ④ 바람이 빠진〔펑크난〕 타이어 : I've got a ~. 펑크 났다. ⑤〖樂〗반음내린 음, 내림표(♭) : sharps and ~*s* (피아노의) 검은 건반. ***on the*** ~ 평면으로 ; 평지에.
㊕ ∠·**ness** *n.*

***flat²** [flæt] *n.* 《英》 ① Ⓒ플랫식 주택《각층에 1 가구가 살게 만든 아파트》. ② (*pl.*) 플랫식 공동 주택 : cold-water ~ 《美口》 (온수 공급 시설이 없는) 싸구려 아파트.

flat·bed [flǽtbèd] *a.* (트럭 따위) 평상꼴의 ; (실린더 프레스가) 평반형인. — *n.* Ⓒ 평상꼴의 트레일러〔트럭〕 ; 평반 인쇄기 (=∠ (**cýlinder) prèss**).

flat·boat [∠bòut] *n.* Ⓒ 너벅선(船).

flat·bot·tomed [∠bátəmd / ∠bɔ́t-] *a.* 바닥이 편평한《배》.

flat·car [∠kɑ̀ːr] *n.* Ⓒ 《美》 무개 화차, 목판차.

flat·chest·ed [∠tʃéstid] *a.* (여자가) 가슴이 납작한.

flát displày〖컴〗평면 화면 표시 장치《액정(LC), 평면 브라운관 등을 이용한》.

flat·fish [∠fiʃ] (*pl.* ~, ~·**es**) *n.* Ⓒ〖魚〗넙치·가자미류의 총칭.

flat·foot [∠fùt] *n.* Ⓒ ① (*pl.* **-feet**) 편평족. ② (*pl.* 종종 ~*s*) 《俗》 (순찰) 경관.

flat·foot·ed [∠fútid] *a.* ① 편평족의. ② 《口》 단호한(determined) ; 확고한 : a ~ refusal 단호한 거절. ③ 둔한, 부자연스러운, 투박한. ④ 《美俗》 허를 찔린, 준비가 안 된 : be caught ~ 허를 찔리다. ***catch*** a person ~ 《口》 아무를 놀라게 하다, 아무에게 기습을 가하다 : The amount of the bill *caught us* ~. 계산서의 금액에 깜짝 놀랐다.
㊕ ~·**ly** *ad.*

flat·i·ron [∠àiərn] *n.* Ⓒ 다리미, 인두.

flat·land [∠læ̀nd] *n.* Ⓒ 평지, 평탄한 땅.

flat·let [flǽtlit] *n.* Ⓒ 《英》 소형 플랫《거실 겸 침실과 목욕실·부엌뿐인 아파트》.

***flat·ly** [flǽtli] *ad.* ① 평평하게 ; 납작하게《★ 이 뜻으로는 flat을 쓰는 것이 일반적임》. ② 단조롭게, 활기 없이 : "It's hopeless," he said ~. '이제 끝장이야.' 하고 힘없이 말했다. ③ 딱 잘라, 단호히, 쌀쌀하게 : He ~ denied it. 그는 그것을 단호하게 부인했다.

flat-out [flǽtáut] *a.* ① 〔限定的〕 전속력의 ; 전력을 기울인 : a ~ dash for the finish 골을 향한 전력 질주. ② 전적인《거짓말 따위》; 솔직한, 숨김이 없는 : a ~ lie 순 거짓말.

flát ràcing (장애물 없는) 평지 경주〔경마〕.

flát róof〖建〗평지붕.

flat·roofed [flǽtrúːft] *a.* 지붕이 납작한.

flát spìn (비행기의) 수평 나선 운동. ***go into*** 〔***be in***〕 ***a*** ~ 《口》 몹시 당황하(고 있)다.

flat·ten** [flǽtn] *vt.* ① **a)** 《~+目/+目+副/+目+前+名》 …을 평평〔반반〕하게 하다, 펴다 (level) : John ~*ed* the cardboard boxes before throwing them away. 존은 종이 상자를 버리기 전에 그것을 납작하게 폈다. **b)** 〔再歸的〕(…에) 엎드리다《*on*》; (…에) 바싹 몸을 붙이다《*against*》: The cat ~*ed himself on* the ground. 고양이는 땅에 납작 엎드렸다. ② …을 쓰러뜨리다(prostrate) ; 완전히 압도하다 ; (권투 등에서) 때려눕히다, 녹아웃시키다 : The hurricane ~*ed* all the buildings. 허리케인으로 모든 건물이 붕괴되었다. ③ …을 단조롭게〔시시하게〕 하다 ; 무미하게 하다. ④〖樂〗(가락)을 (반음) 내리다. — *vi.* ① 평평〔반반〕해지다. ② 가락이 (반음) 낮아지다. ~ ***out (1) (납작하게) 펴다 ; 반반〔편평〕하게 하다〔해지다〕. (2)〖空〗강하〔상승〕에서 수평 비행으로 돌아가다〔돌리다〕.

‡flat·ter [flǽtər] *vt.* ① …에게 발림말하다, …에게 아첨하다, 빌붙다(court) : Don't ~ me. 아첨하지 마라. ② 《~+目/+目+前+名》 〔때로 受動으로〕 우쭐하게〔의기양양하게〕 하다 ; 치켜 세워 …시키다 : You ~ me. 칭찬의 말씀 부끄럽습니다 ; 그렇지도 못합니다 / They ~*ed* him *into* contributing heavily to the foundation. 그를 치켜세워 재단에 많은 기부를 하게 했다. ③ 《+目+前+名/+目+*that* 節》 〔再歸的〕 (제딴에는 …이라고) 우쭐해 하다 : ~ *oneself on* being clever 〔*on* one's cleverness〕 머리 좋은 체 우쭐해하다 / I ~ *myself on* always pay*ing* bills on time. 자랑같지만 나는 항상 제 날짜에 청구서에 지불하고 있네. ④ (사진이나 그림이) …을 실물 이상으로 잘 묘사되다, (옷 등이 모습)을 돋보이게 하다 : This portrait ~*s* her. 이 초상화는 그녀를 실물보다 잘 그렸다. ⑤ (감각)을 즐겁게 하다 : music that ~*s* the ear 듣기 좋은 음악.

flat·tered [flǽtərd] *a.* 〔敍述的〕 …을 기뻐하는 《*at* ; *by* ; *that*》: They were ~ *to* be invited to dinner by the mayor. 그들은 시장의 오찬초대를 받아 기뻤다 / I feel greatly ~ *at* 〔*by*〕 your compliment. 칭찬해 주셔서 퍽 기쁘게 생각합니다.

***flat·ter·er** [flǽtərər] *n.* Ⓒ 아첨꾼, 빌붙는〔발림말하는〕 사람.

***flat·ter·ing** [flǽtəriŋ] *a.* ① 빌붙는, 아부〔아첨〕하는, 발림말하는 : a ~ remark 아첨하는 말. ② 실제보다 잘 보이는《초상 따위》: Her new dress was ~ *to* her figure. 그녀의 새옷이 그녀를 한결 돋보이게 했다. ㊕ ~·**ly** *ad.*

‡flat·tery [flǽtəri] *n.* Ⓤ,Ⓒ 아첨, 치렛말, 빌붙음.

flat·tie [flæti] *n.* Ⓒ 《口》 ① 굽이 낮은 구두. ② 너벅선. ③ 경찰관.

flat·tish [flǽtiʃ] *a.* 약간 편평한 ; 좀 단조로운.

flat·top [flǽttɑ̀p / -tɔ̀p] *n.* ① =CREW CUT. ② 《口》 항공 모함.

flat·u·lence [flǽtʃələns] *n.* Ⓤ ① 위장에 가스가 참, 고창(鼓脹). ② 허세, 허영 ; 공허.

flat·u·lent [flǽtʃələnt] *a.* ① **a)** (가스로) 배가 부른. **b)** (음식이) 가스를 발생하기 쉬운. ② (말이) 허세를 부린, 과장된. ㊕ ~·**ly** *ad.*

fla·tus [fléitəs] *n.* Ⓤ (위장내의) 가스.

flat·ware [flǽtwɛ̀ər] *n.* Ⓤ ① 〔集合的〕 식탁용의 접시류. ② 은(도금) 식기류.

flat·ways, -wise [flǽtwèiz], [-wàiz] *ad.* 편평하게, 납작하게, 평면으로.

flat·work [flǽtwə̀ːrk] *n.* Ⓤ 〔集合的〕 다림질이 쉬운 판판한 빨랫감《시트·냅킨 따위》.

Flau·bert [floubέər] *n.* **Gustave** ~ 플로베르 《프랑스의 소설가 ; 1821-80》.

flaunt [flɔːnt] *vt.* ① …을 자랑하다, 과시하다 : ~ one's riches in public 공공연히 자신의 부(富)를 자랑하다. ② (기 따위)를 흔들다 ; 나부끼게 하다. — *vi.* ① 허영을 부리다 ; (화려한 옷을 입고) 뽐내며 걷다. ② 휘날리다 : Flags are ~*ing* in the breeze. 기가 미풍에 휘날리고 있다. — *n.* Ⓤ 자랑, 과시.

flaut·ist [flɔ́ːtist] *n.* Ⓒ《英》피리 부는 사람, 플루트 주자(奏者)(flutist).

‡fla·vor,《英》**-vour** [fléivər] *n.* ① Ⓤ,Ⓒ (독특한) 맛, 풍미(savor), 향미: What ~(*s*) of ice cream do you like? 어떤 맛의 아이스크림을 좋아하세요. ② (a ~) 맛, 정취, 운치, 멋, 묘미: a story with *a* romantic ~ 낭만의 향기 높은 이야기 / His speech had *an* unpleasant ~. 그의 연설이 어딘지 모르게 불쾌하게 들렸다. **~ *of the week*〔*month, year*〕** 금주〔이달, 이해〕의 인물〔사건〕: Ted hit four home runs last week and became the ~ *of the week.* 테드는 지난주 4개의 홈런을 날려, 주간 최우수 선수가 되었다.
— *vt.* 《~+목/+목+전+명》 ① …에 맛을 내다, …에 풍미〔향기〕를 곁들이다(season): ~ soup *with* garlic 수프를 마늘로 양념하다. ② …에 멋을〔풍취를, 운치를〕 곁들이다《*with*》: The sailor's story was *~ed with* many thrilling adventures. 그 선원의 얘기에는 많은 스릴 넘치는 모험이 있어 흥취가 있었다. ㊞ **~ed** [-d] *a.* 〔複合語로서〕 …의 맛이〔풍미가〕 있는: lemon-*flavored* cakes 레몬 향기가 나는 케이크. **~·ing** [-riŋ] *n.* ① Ⓤ 조미, 맛내기. ② Ⓤ,Ⓒ 조미료, 양념. **~·less** [-lis] *a.* 맛없는, 풍미가 없는. **~·some** [-səm] *a.* =FLAVORFUL.

fla·vor·ful [fléivərfəl] *a.* 풍미 있는, 맛이 좋은.

***flaw**[1] [flɔː] *n.* Ⓒ ① (성격 등의) 결점, 흠, 결함: The report is full of ~*s.* 그 보고서는 결점투성이다. ② (보석·도자기 등의) 금(간 곳), 흠(집)(crack). — *vt., vi.* 금가(게 하)다, 흠(집)을 내다; 결딴내다〔나다〕(mar); 무효로 하다(nullify): a *~ed* gem 흠 있는 보석.

flaw[2] *n.* Ⓒ 돌풍(突風), 질풍; (눈·비를 동반한) 일진의 폭풍.

flaw·less [flɔ́ːlis] *a.* 흠 없는; 완벽〔완전〕한: a ~ performance 완벽한 연기. ㊞ **~·ly** *ad.*

***flax** [flæks] *n.* Ⓤ ①〖植〗아마(亞麻). ② 아마섬유. ③ 아마포, 리넨(linen).

flax·en [flǽksən] *a.* ① 아마(제)의. ② (머리가) 담황갈색의.

flax·seed [flǽkssìːd] *n.* Ⓤ,Ⓒ 아마인(linseed).

flay [flei] *vt.* ① (나무·짐승 따위)의 껍질〔가죽〕을 벗기다. ② …을 심하게 매질하다. ③ …을 혹평하다, 깎아 내리다.

fl. dr. fluid dram(s).

flea** [fliː] *n.* Ⓒ 벼룩: I was bitten by a ~. 벼룩에 물렸다. ***a ~ in one***'s ear*** 빈정댐, (듣기) 싫은 소리: send a person away 〔off〕 with *a ~ in his ear* 듣기 싫은 소리로 아무를 쫓아내다.

flea·bag [flíːbæ̀g] *n.* Ⓒ《俗》①《美》싸구려 여인숙. ② 더러운 짐승〔사람〕.

flea·bite [flíːbàit] *n.* Ⓒ ① 벼룩에 물린 자리. ② 약간의 고통; 사소한 일: "You are bleeding!" —"It is a mere ~." '피가 나는군요'—'약간 긁혔어요'.

flea-bit·ten [flíːbìtn] *a.* ① 벼룩에 물린. ② (말의 털이) 흰 바탕에 갈색 반점이 있는. ③ (생활 등이) 비참한; 지저분한.

fléa còllar (애완 동물의) 벼룩 잡는 목걸이.

fléa màrket 도떼기〔고물, 벼룩〕 시장.

flea·pit [flíːpìt] *n.* Ⓒ《英俗》구지레한 건물〔방, 영화관〕.

fleck [flek] *n.* Ⓒ ① (피부의) 반점, 주근깨(freckle), 기미. ② (색·광선의) 얼룩, 반문, 반점. ③〔종종 否定文〕작은 조각〔가리〕《*of*》: *not* a ~ *of* dust 먼지 하나 없는. — *vt.* …에 점점을 내다; 〔受動으로〕 (…로) 얼룩덜룩해 있다《*with*》: The years have *~ed* her hair *with* gray. 많은 세월로 그녀의 머리는 희끗희끗해졌다 / The green meadows *were ~ed with* black cattle. 푸른 목장에 검정 소가 점점이 있었다. ㊞ **~ed** [-t] *a.* 반점이 있는, 얼룩덜룩한.

flec·tion,《英》**flex·ion** [flékʃən] *n.* ① Ⓤ 굴곡, 만곡. ② Ⓒ 굴곡부(curve). ③ Ⓤ,Ⓒ〖文法〗굴절, 어미 변화(inflection). ㊞ **~·al** [-ʃənəl] *a.*

‡fled [fled] FLEE 의 과거·과거분사.

fledge [fledʒ] *vt.* (새 새끼)를 깃털이 날 때까지 기르다. — *vi.* 깃이 다 나다; 날 수 있게 되다. ㊞ **~d** [-d] *a.* ① 깃털이 다 난; 날 수 있게 된. ② (사람이) 성인이 된. ⓒⓕ full-fledged.

fledg·ling,《英》**fledge-** [flédʒliŋ] *n.* Ⓒ ① 겨우 부등깃이 난 새 새끼, 햇병아리. ② 풋내기, 애송이. — *a.* 풋내기의, 신참의: a ~ actress 풋내기 여배우.

‡flee [fliː] (*p., pp.* ***fled*** [fled]; ***flée·ing***) *vi.* 《~/+전+명》① 달아나다, 도망하다, 내빼다; 피하다《*from*》: The enemy *fled* in disorder. 적은 혼란상태에 빠져서 도망쳤다 / He *fled from* the enemy. 그는 적으로부터 도망했다 / He took the warning and *fled* for refuge. 그는 위험을 깨닫고 급히 피난했다 / ~ from responsibility 책임을 회피하다. ② (금방) 사라져 없어지다; (시간 따위가) 빨리 지나가다: Their short lives *~ed by.* 그들의 짧은 일생은 눈깜짝할 사이에 지나갔다 / The smile *fled from* his face. 그의 얼굴에서 미소가 사라졌다. — *vt.* …에서 도망치다, …을 떠나다(quit): They *fled* the city after the earthquake. 지진이 있은 후 그들은 그 도시를 떠났다.

***fleece** [fliːs] *n.* ① **a)** Ⓤ 양털. **b)** Ⓒ 한 마리에서 한 번 깎는 양털. ② Ⓒ 양털 모양의 것; 흰구름; 흰눈; 더부룩한 백발; 보풀이 인 보드라운 직물: a ~ of snow on the ground 지면을 덮은 흰 눈. — *vt.* ① (양)의 털을 깎다. ② 《~+목/+목+전+명》 …으로부터 빼앗다, 탈취하다《*of*》: I was *~d of* what little I had. 몇 푼 안 되는 돈이나마 몽땅 털렸다 / ~ a person *of* all his possessions 아무의 가진 것을 몽땅 빼앗다.

fleecy** [flíːsi] (fleec·i·er; -i·est***) *a.* ① 양털로 (뒤)덮인. ② 양털 같은, 폭신폭신한; 양털로 만든.

fleer[1] [fliər] *vi.* (…을) 비웃다, 조롱하다《*at*》: The kids *~ed at* the new-comer. 아이들은 새로 온 아이를 조롱했다. — *n.* Ⓒ 비웃음, 조롱.

fle·er[2] [flíːər] *n.* Ⓒ 도망자.

‡fleet[1] [fliːt] *n.* Ⓒ〔集合的〕① 함대; 선대(船隊)《상선·어선 따위의》: a combined ~. ② (항공기 따위의) 집단; (전차·수송차 따위의) 대(隊); (택시 회사 등이 소유하는) 전 차량: a ~ of taxis (한 회사 소유의) 전 택시. ③ (the ~) 전(全) 함대, 해군(력).

***fleet**[2] *vi.* (시간·세월이) 어느덧 지나가다《*by*》; 빨리〔휙휙〕 지나가다《*away*》: clouds *~ing* across the sky 하늘을 흘러가는 구름 / The years ~ *by.* 세월이 흘러가다. — *a.* 쾌속의(swift), 빠른《말 따위》: be ~ *of* foot 걸음이 빠르다. ㊞ **∠·ly** *ad.* **∠·ness** *n.*

fléet àdmiral《美》해군 원수.

fleet·foot·ed [flíːtfútid] *a.* 발이 빠른.

***fleet·ing** [flíːtiŋ] *a.* 빨리 지나가는, 쏜살 같은; 덧없는, 무상한(transient): ~ happiness 한순간의 행복 / We caught a ~ glimpse of the president as he drove past. 대통령이 차를 타고 지나갔을 때 우리는 힐끗 그를 보았다. ㊞ **~·ly** *ad.*

Fléet Strèet ① 플리트가(街)《런던의 신문사 거리》. ② 신문계.

Flem. Flemish.

Flem·ing[1] [flémiŋ] *n.* Ⓒ (벨기에) Flanders 사람; Flanders 말을 쓰는 벨기에 사람.

Flem·ing[2] *n.* 플레밍. ① Sir **Alexander** ~ 영국의 세균학자(1881-1955)《페니실린의 발명자》. ② Sir **John Ambrose** ~ 영국의 전기 기사(1849-1945)《플레밍의 법칙을 발견》.

Flem·ish [flémiʃ] *a.* Flanders(사람·말)의. ── *n.* Ⓤ ① Flanders 말. ② (the ~) 〔集合的〕 Flanders 사람.

†**flesh** [fleʃ] *n.* Ⓤ ① 살《뼈·가죽에 대하여》: lose ~ 살이 빠지다 / put on ~ 살이 찌다. ② (the ~) 육신(body)《영(靈)에 대하여》. cf. spirit. ¶ the ills of *the* ~ 육체의 질환 / The spirit is willing, but *the* ~ is weak. 마음은 간절하나 몸이 말을 듣지 않는다. ③ 살집(plumpness), 체중; 살결; 살성: a man of dark ~ 살갗이 거무스름한 사람. ④ (the ~) 육욕, 정욕: sins of *the* ~ 육욕의 죄, 부정(不貞)의 죄. ⑤〔集合的〕 인류(mankind), 생물: all ~ 모든 생물, 일체 중생. ⑥ (one's (own) ~) 골육, 육친(kindred). ⑦ 식육(食肉), 수육(獸肉)《어육, 때로 새고기와 구별하여》. ★ 지금은 일반적으로 meat를 씀. ⑧ (식물의) 과육(果肉), 엽육(葉肉). ***become* 〔*be made*〕 *one*** ~ (부부로서) 일심 동체가 되다: Marriage *makes* man〔husband〕 and wife (in) *one* ~. 결혼은 부부를 일심동체로 만든다. ~ ***and blood*** 혈육; 골육, 육친; 산 인간, 자신; 인간성, 인정; 〔形容詞的〕 현세의, 이승에 생을 받은 몸의: It was more than ~ *and blood* could stand. 그것은 인간으론 참을 수 있는 것이 아니었다 / We are only ~ *and blood*. 우리는 단지 육체를 갖는 인간일 따름이다. ***go the way of all*** ~ 죽다. ***in the*** ~ 이승의 몸이 되어, 육체의 형태로, 살아서; 본인 직접으로: I've never seen him *in the* ~. 그를 직접 본 일은 없다. ***make*** a person***'s*** ~ ***creep*** 〔***crawl***〕 아무를 오싹하게 하다. ***press* (*the*)** ~ 《美》 악수하다.
── *vt.* ① (사냥개)에 살코기를 맛보여 자극하다. ② …을 잔학 행위〔전쟁〕에 익숙게 하다. ③ (욕정)을 일으키다, 자극하다. ④ (칼)을 살에 찌르다, (칼)을 시험삼아 써 보다. ⑤ (생가죽)에서 살을 발라내다. ── *vi.* 《+副》 살찌다, 뚱뚱해지다《*out*; *up*》: He soon began to ~ *up*. 그는 곧 살찌기 시작했다.

flesh-col·ored, 《英》 **-oured** [⌐kʌ̀lərd] *a.* 살색의.

flesh·ings [fléʃiŋz] *n. pl.* (몸에 착 붙는) 살색 타이츠.

flesh·ly [fléʃli] (***flesh·lier***; ***-li·est***) *a.* 〔限定的〕 ① 육체의. ② 육욕의; 육욕에 탐닉하는.

flesh·pot [fléʃpɑ̀t / -pɔ̀t] *n.* Ⓒ (흔히 *pl.*) 환락가.

flésh sìde (가죽의) 살이 붙은 쪽, 안 쪽.

flésh wòund 얕은 상처, 경상.

fleshy [fléʃi] (***flesh·i·er***; ***-i·est***) *a.* ① 살의, 육체의. ② 살찐; 뚱뚱한. ③ (과일이) 다육질(多肉質)의. ㊞ **flésh·i·ness** *n.*

fleur-de-lis [flə̀ːrdəlíːs] (*pl.* ***fleurs-*** [-líːz]) *n.* Ⓒ 《F.》 ① 붓꽃속(屬)의 식물(iris). ② 백합 문장 《1147년 이래 프랑스 왕실의 문장》.

†**flew** [fluː] FLY[1]의 과거.

flex[1] [fleks] *vt.* (근육·관절)을 구부리다. ~ one***'s muscle*** ⇨ MUSCLE

flex[2] *n.* Ⓤ,Ⓒ 《英》 (전기의) 가요선(可撓線)(《美》 electric cord), 코드. ── *a.* 융통성이 있는.

***flex·i·bil·i·ty** [flèksəbíləti] *n.* Ⓤ 구부리기 쉬움, 유연성; 융통성, 신축성; 굴곡성.

flex·i·ble** [fléksəbəl] (more*** ~; ***most*** ~) *a.* ① 구부리기 쉬운, 탄력성 있는; 유연성이 있는(pliable): Rubber is a ~ substance. 고무는 탄력성 있는 물질이다 / Dancers need to be ~. 무용수는 유연성을 필요로 한다. ② 적응력이 있는(adaptable), 융통성 있는: a ~ system 〔personality〕 융통성 있는 제도〔개성〕. ③ 고분고분한, 순진한, 유순한《*with*》: a ~ character 유순한 성격 / He's too ~ *with* his wife. 그는 너무 아내의 말대로 움직인다. ㊞ **-bly** *ad.*

fléxible dìsk 〖컴〗 유연성 있는 저장판《약간 두꺼운 종잇장 두께의 플라스틱 판에 자성체를 코팅한 디스크 기록 매체》.

flex·i·time [fléksətàim] *n.* 《英》 = FLEXTIME.

flex·or [fléksər] *n.* Ⓒ 〖解〗 굴근(屈筋).

flex·time [flékstàim] *n.* Ⓤ 근무 시간의 자유 선택 제도(flexitime).

flex·ure [flékʃər] *n.* Ⓤ 굴곡, 만곡(bending).

flib·ber·ti·gib·bet [flíbərtidʒìbit] *n.* Ⓒ 수다쟁이(chatterbox).

flick** [flik] *n.* Ⓒ ① (매·채찍 따위로) 찰싹〔탁〕 때리기; (손가락 끝으로) 가볍게 튀기기: give a ~ 가볍게 때리다〔튀기다〕. ② (물·진흙의) 튀김(splash); 갑작스러운 움직임, 홱 움직임(jerk): Cows give ~*s* of their tails to brush away flies that are annoying them. 소들은 자신들을 괴롭히는 파리를 쫓기 위해 꼬리를 휙 휘두른다. ③ 휙〔탁, 찰싹〕하는 소리. ④ (the ~s) 《口》 영화: go to *the* ~*s* 영화 구경 가다. ── *vt.* ① …을 찰싹〔탁〕 치다〔튀기다〕. ② 《+目+副 / +目+前+名》 …을 가볍게 쳐서 털다, 털어버리다, 튀겨 날리다《*off*; *away*》: Could you just ~ the dust *off* the windowsills, please? 창턱에 있는 먼지를 털어 주겠나. ③ …을 홱 흔들다: Horses ~ their tails to make flies go away. 말들은 파리를 쫓기 위해 꼬리들을 홱홱 움직인다. ④ (스위치 따위)를 찰칵 누르다: He ~*ed* the TV *on*. 그는 찰칵 TV를 켰다. ── *vi.* 홱 움직이다: The lizard ~*ed* out its tongue at a fly. 도마뱀이 파리를 향해 잽싸게 혀를 쭉 내밀었다. ~ ***through . . . (페이지·카드 따위)를 훌훌 넘기다, (훌훌 넘기어 책 따위)를 대충 훑어보다: ~ *through* a magazine 잡지를 뒤적이다.

***flick·er** [flíkər] *n.* (*sing.*) ① **a**) 빛이 깜박임〔어른거림〕, 명멸; 깜박이는〔어른거리는〕 빛. **b**) (나뭇잎의) 흔들림, 나풀거림. ② (희망·공포 등의) 순간적인 스침: The gray face showed a ~ of animation. 창백한 얼굴에 희미하게 생기가 감돌았다 / I caught a ~ of surprise in his eyes. 그 의 눈에 순간 경악의 빛이 스치는 것을 알았다. ③ 〖컴〗 (표시 화면의) 흔들림.
── *vi.* ① 명멸하다, 깜박이다: The candle ~*ed*. 촛불이 깜박였다. ② (기 따위가) 휘날리다; 흔들리다; (나뭇잎 따위가) 나풀거리다; 훨훨 날다: ~*ing* shadows 어른거리는 그림자. ㊞ **~·ing·ly** *ad.* 명멸하여, 흔들흔들; 훨훨, 나풀나풀.

flick·knife [flíknàif] *n.* 《英》 (날이 튀어나오는) 플릭나이프(《美》 switch-blade (knife)).

fli·er [fláiər] *n.* Ⓒ ① 나는 것《새·곤충 등》; 비행사, 비행기. ② 쾌속으로 닫는 것, 쾌속정〔선, 차, 마〕; 《美》 급행 열차, 급행 버스. ③ 〖建〗 곧은 계단의 한 단. ④ 《美口》 투기, 재정적 모험(speculation): take a ~ 《美口》 투기하다. ⑤ 《美》 광고 쪽지, 전단. ⑥ = FLYING START.

‡**flight**[1] [flait] *n.* ① **a**) Ⓤ,Ⓒ 날기, 비상(飛翔); 비행: make a long night ~. 장거리 야간 비행을 하다 / refuel bombers in ~ 폭격기에 연료를 공중 급유하다. **b**) Ⓒ 비행 거리. ② Ⓒ 비행기 여행; (정기 항공로의) 편(便): All ~*s* were grounded because of fog. 안개 때문에 모든 비행기 편의 이륙이 불가능하게 되었다. ③ Ⓤ,Ⓒ 날아오름; (항

공기의) 이륙 ; (새·벌의) 집 떠나기, 둥지 뜨기. ④ Ⓒ (철새의) 이동(migration) ; (나는 새의) 떼 : a ~ of wild geese 이동하는 기러기의 한 떼. ⑤ Ⓒ 〖軍〗 비행 편대. ⑥ Ⓒ (공상·야심 따위의) 비약, 고양(高揚) ; (재치의) 넘쳐 흐름 ; (언행의) 분방(奔放), 벗어남 : His imagination took a ~. 그의 상상이 날개를 폈다. ⑦ Ⓤ 급히 지나감 ; (구름 등의) 질과(疾過) ; (시간의) 경과 : the ~ of time 시간이 살처럼 빨리 지나감. ⑧ Ⓒ (건물의 층과 층을 잇는) 층계 ; (두 층계참 사이의) 한 계단 ; (허들의) 한 단열(段列) : a ~ of stairs (층계참 사이의) 한 계단. ⑨ Ⓒ (가벼운) 화살(~ arrow) ; Ⓤ 원시 경사(遠矢競射) (~ shooting) ; 화살의 발사. ⑩ Ⓒ 일제 사격(volley). ◇ fly v. ***in the first*** 〔***top***〕 ~ 《英》 앞장〔선두에〕 서서, 솔선하여 ; 주요한 지위를 차지하고.

***flight²** *n.* Ⓤ,Ⓒ 도주, 궤주(潰走), 패주 ; 탈출. ⓒⓕ flee. ¶ put (the enemy) to ~ (적을) 패주시키다 / take (to) ~ 도망치다.

flíght attèndant (여객기의) 객실 승무원 《stewardess의 대용어로 성별을 피한 말》.

flíght bàg (항공회사 이름이 새겨진) 항공 가방.

flíght contròl 〖空〗 ① (이착륙) 관제(管制) : a ~ tower 관제탑. ② 항공 관제소.

flíght dèck ① (항공 모함의) 비행 갑판. ② (대형 비행기의) 조종실.

flíght fèather 〖鳥〗 날개깃, 칼깃.

flight·less [fláitlis] *a.* (새가) 날지 못하는.

flíght lieutènant 《英》 공군 대위.

flíght òfficer 《美》 공군 준위.

flíght pàth 〖空·宇宙〗 비행 경로.

flíght recòrder 〖空〗 비행 기록 장치 (《俗》 black box).

flight-test [fláittèst] *vt.* …의 비행 시험을 하다.

flight·wor·thy [fláitwə̀ːrði] *a.* 안전 비행 가능 상태의, 내공성(耐空性)의.

flighty [fláiti] (***flight·i·er*** ; ***-i·est***) *a.* ① 변덕스러운 ; 경솔한 ; 엉뚱한. ② 머리가 좀 돈. ㊕ **flíght·i·ly** *ad.* **-i·ness** *n.*

flim·flam [flímflæ̀m] *n.* Ⓤ,Ⓒ ① 엉터리, 허튼소리. ② 속임(수). ── (***-mm-***) *vt.* …을 속이다.

flim·sy [flímzi] (***-si·er*** ; ***-si·est***) *a.* 무른, 취약한 ; (근거·논리가) 박약한(weak), 얄팍한, 천박한(shallow) ; 하찮은, 보잘것 없는(paltry) : a ~ wooden hut 쓰러질 것 같은 나무 오두막 / a ~ excuse 빤히 들여다보이는 변명. ── *n.* Ⓤ,Ⓒ ① 얇은 종이, 전사지(轉寫紙), 복사지. ② 여자의 얇은 속옷. ㊕ **-si·ly** *ad.* **-si·ness** *n.*

flinch [flintʃ] *vi.* 주춤〔움찔〕하다, 겁을 내다, 꽁무니 빼다《*from*》: He didn't regret the past or ~ *from* the future. 그는 과거를 후회하지도 않았고 장래에 대해 겁을 먹지도 않았다. ── *n.* (흔히 *sing.*) 주춤〔움찔〕함, 꽁무니 뺌.

flin·ders [flíndərz] *n. pl.* 파편, 부서진 조각.

‡**fling** [fliŋ] (*p., pp.* ***flung*** [flʌŋ]) *vt.* ①《~+目 / +目+前+名 / +目+副 / +目+補》 …을 세게 던지다(throw), 내던지다(hurl) ; …을 세차게 움직여 어떤 상태로 만들다 : The door was *flung* open〔shut〕. 문이 세차게 열렸다〔닫혔다〕. ② …을 메어치다, 내동댕이치다, 냅다 던지다 : The horse *flung* its rider to the ground. 말은 말탄 사람을 땅바닥에 내동댕이쳤다. ③《+目+前+名》 …을 던져넣다, 집어〔처〕넣다《감옥 등에》; 빠지게 하다 : She was ~*ing* a few things *into* her bag. 그녀는 백에 몇 가지 물건을 처넣고 있었다 / ~ the enemy *into* confusion 적을 혼란에 빠지게 하다. ④《+目+前+名 / +目+副》 (팔 따위)를 갑자기 내뻗다, (머리 따위)를 흔들다(toss) : ~ one's arms *round* a person's neck 아무의 목을 껴안다. ⑤《+目+前+名》 (군대)를 투입하다, 급파하다(dispatch) ; (무기)를 급송하다 : ~ tanks *into* a battle 탱크를 전투에 투입하다. ⑥《+目+目 / +目+前+名》 욕설을 퍼붓다 ; (시선)을 던지다 : He *flung* me a stream of abuse. =He *flung* a stream of abuse *at* me. 그는 내게 마구 욕설을 퍼부었다. ⑦《+目+前+名》 (옷 따위)를 서둘러 걸치다, 입다《*on*》; (의복 따위)를 급히 벗다《*off*》: I overslept this morning, so I had to ~ *on* some clothes. 오늘 아침 늦잠을 자서, 서둘러 옷들을 걸쳤다 / We were so hot we *flung off* our clothes. 너무 더워서 우리는 옷들을 훌훌 벗어던졌다. ⑧《+目+前+名》〔再歸的〕 세차게 몸을 던지다 ; …을 몰두하게 하다 : ~ one*self* angrily *from* the room 분연히 방에서 나가다 / In 'Anna Karenina', Anna kills herself by ~*ing herself* in front of a train. '안나 카레니나'에서 안나는 기차에 몸을 던져 자살한다.

── *vi.* 《+副 / +前+名》 ① 돌진하다, 뛰어들다 ; 자리를 박차고 떠나다, 달려나가다《*away* ; *off* ; *out* (*of*)》: He *flung into* the room. 방으로 뛰어들었다. ② (말 따위가) 날뛰다《*about*》. ~ ***away*** (1) …을 내던지다, 동댕이치다. (2) (기회 따위)를 헛되이 보내다, 놓치다 : ~ *away* one's chances of promotion 승진의 기회를 놓치다. (3) 뛰쳐나가다. ~ ***in*** 던져 넣다 ; 덤으로 붙이다 : one more article *flung in* 덤으로 하나 더. ~ ***. . . in a person's teeth*** 〔***face***〕 ⇨ TOOTH. ~ ***off*** (1) 떨어버리다, (옷을) 홱 벗어던지다 ; (추적자)를 따돌리다. (2) 뛰어나가다. ~ ***on*** (의복 따위)를 걸치다, 서둘러 입다. ~ ***out*** (1) (양팔 따위)를 힘껏 뻗다. (2) 폭언〔욕〕을 하다〔퍼붓다〕: He *flung out* hard words at us. 그는 우리들에게 악담을 퍼부었다. ~ ***up*** (팔 따위)를 흔들어〔치켜〕 올리다 ; (머리·고개 따위)를 치켜올리다 : They *flung up* their hands in horror when they discovered how much the meal cost. 식사값이 너무나 비싼 것을 알고 그들은 놀라 두 손을 들었다 / She angrily *flung up* her head. 그녀는 분연히 고개를 쳐들었다.

── *n.* ① (a ~) (내)던지기, 투척 : at *a* ~ of the dice 주사위를 한 번 던져서 / He gave it *a* ~ into the pond. 그는 그것을 연못에 던졌다. ② Ⓒ (손발 따위를) 휘두르기, 뻗치기 ; (댄스의) 활발한 동작〔스텝〕, 《특히》 =HIGHLAND FLING. ③ (a ~) 도약, 돌진 ; (말 따위의) 날뜀. ④ (a ~, one's ~) 기분〔멋〕대로 하기 ; (청년기의) 방자, 방종. ***have*** 〔***take***〕 ***a ~ at*** …을 공박〔매도〕하다 ; …을 시도〔시험〕하다 : *have a ~ at* the stock market 주식에 손을 대보다.

flint** [flint] *n.* ① Ⓤ,Ⓒ 부싯돌 ; 라이터 돌 ; =FLINT GLASS : a ~ and steel 부싯돌과 부시, 부시 도구. ② Ⓤ 아주 단단한 물건 ; 냉혹〔무정〕한 것 ; =FLINT CORN : a heart of ~ 무정〔냉혹〕한 마음. (as***) ***hard as*** (***a***) ~ 돌처럼 단단〔완고〕한.

flínt còrn 알갱이가 딱딱한 옥수수의 일종.

flínt glàss 납유리, 플린트 유리(crystal glass) 《광학 기계·식기용의 고급 유리》.

flint·lock [ˊlɑ̀k / ˊlɔ̀k] *n.* Ⓒ 부싯돌 발화(의 총).

flinty [flínti] (***flint·i·er*** ; ***-i·est***) *a.* ① 부싯돌 같은 ; 매우 단단한. ② 완고한 ; 냉혹〔무정〕한, 피도 눈물도 없는.

flip¹ [flip] (***-pp-***) *vt., vi.* ① (손톱·손가락으로) 튀기다, 홱 던지다 : ~ a coin (앞뒷면을 가리기 위해) 동전을 손가락으로 튀겨올리다. ② 톡 치다,

(재 따위를) 가볍게 털다《*off*》; 찰싹 때려 털어내다; 떨어뜨리다: ~ the ash *off* a cigar 시가의 재를 손가락으로 탁탁 쳐 털다 / She ~*ped* the insect *from* her face. 얼굴의 곤충을 살짝 때려 털어냈다. ③ 뒤집다, 뒤엎다; 홱 움직이(게 하)다; 홀홀 넘기다《*through*》: He ~*ped* the page open〔closed〕. 그는 그 페이지를 홱 열었다〔덮었다〕/ She ~*ped* on〔off〕 the switch. 그녀는 스위치를 탁 켰다〔껐다〕. ④《俗》정신이 돌다, 발끈하다, 흥분하다, 크게 웃다; (…에) 열중하다〔케 하다〕《*over* ; *for*》. ⑤《俗》(사람이) 반응을 보이다《흥분·기쁨 따위의》. ~ ***out***《俗》(1) 정신이 돌다: His mother ~*ped out* and had to be institutionalized. 그의 어머니는 정신이 돌아, 공공시설에 수용되어야 했다. (2) 자제를 잃다, 욱하다: He ~*ped out* when I told him his car was totalled. 그의 차가 완전히 망가졌다고 하자 그는 왈칵 화를 냈다. ~ one***'s lid***〔***wig***〕《美俗》자제심을 잃다, 욱하다; 웃음을 터뜨리다.
— *n.* Ⓒ ① 손가락으로 튀김, 가볍게 치기. ② 공중 제비.

flip² *n.* Ⓤ,Ⓒ 플립《맥주·브랜디에 향료·설탕·달걀 등을 넣어 달군 쇠막대로 저어 만든 음료》.

flíp chàrt 플립 차트《강연 따위에서 쓰는 한 장씩 넘길 수 있게 된 도해용 카드》.

flip-flop [ˊflàp / ˊflɔ̀p] *n.* ① Ⓒ 공중제비, 재주넘기(somersault). ② (a ~) 퍼덕퍼덕〔덜컥덜컥〕하는 소리. ③ (흔히 *pl.*) 플립플롭《가죽 끈이 달린 샌들의 일종》. ***do a*** ~ (1) 공중제비하다. (2) 의견 따위를 싹 바꾸다. — *ad.* 퍼덕퍼덕, 덜컥덜컥.

flip·pan·cy [flípənsi] *n.* ① Ⓤ 경솔, 경박. ② Ⓒ 경솔〔경박〕한 언행: Your ~ isn't appreciated here. 너의 경박한 언행이 여기서는 인정되지 않는다. 「㊞ ~·**ly** *ad.*

flip·pant [flípənt] *a.* 경박한, 까부는; 건방진.

‡**flip·per** [flípər] *n.* Ⓒ ① 지느러미 모양의 발, 물갈퀴《바다표범·펭귄 따위의》. ② 잠수용 고무 물갈퀴.

flip·ping [flípiŋ] *a.* 〔限定的〕《俗》몹쓸, 지긋지긋한《★ 가벼운 비난을 섞은 말》. — *ad.* 가혹하게, 지긋지긋하게: I'm ~ tired of your excuses. 자네의 변명에는 질렸네.

flip·py [flípi:] *n.* 〖컴〗 mini floppy disk 의 별칭. cf. floppy disk.

flíp sìde (the ~) (레코드의) 뒷면, B 면.

flíp-top cán [flíptàp- / -tɔ̀p-] 깡통의 일부가 경첩으로 고정되어 반대쪽을 밀어올리면 열려지는 것.

***flirt** [flə:rt] *vi.* 《~ / +㉤+㉣》 ① (남녀가) 새롱〔시시덕〕거리다, 농탕치다, 불장난하다《*with*》: She's always ~*ing with* men. 그녀는 언제나 남자들과 새롱거린다. ② 쫑긋쫑긋 움직이다, 훨훨 날아다니다: bees ~*ing* from flower to flower 꽃에서 꽃으로 날아다니는 벌들. ③ (반 장난으로) 손을 내밀다, 농락하다, 가지고 놀다《*with*》: ~ *with* an idea 관념의 유희에 빠지다. — *vt.* (꼬리 따위)를 활발히 움직이다; (부채로) 화확 부치다.
— *n.* Ⓒ ① 바람난〔불장난하는〕 여자〔남자〕(flirter). ② 핵 던지기; 활발하게 움직이기.

flir·ta·tion [flə:rtéiʃən] *n.* ① Ⓤ,Ⓒ (남녀의) 새롱거리기, 불장난: Did you know that Polly has been having a ~ with her boss? 폴리가 상사와 바람을 피우고 있다는 것을 자네는 알고 있었나. ② Ⓒ 일시적으로 관심을〔흥미를〕 가짐; 장난, 변덕: After a brief ~ with ancient languages, she finally settled on history as her subject of study. 그녀는 한때 고대어에 손을 대보다가, 결국 전공 과목을 역사로 결정했다.

flir·ta·tious [flə:rtéiʃəs] *a.* ① 새롱거리는, 농탕치는(coquettish). ② 불장난의, 들뜬, 경박한. ㊞ ~·**ly** *ad.* ~·**ness** *n.*

***flit** [flit] (*-tt-*) *vi.* ①《~/+㉤+㉣》(새 등이) 훌쩍 날다, 훨훨 날다: a butterfly ~*ting from* flower *to* flower 이 꽃 저 꽃 날아다니는 나비. ②《+㉤+㉣》(사람이) 휙 지나가다, 오가다; (생각 따위가) 문뜩 (머릿속을) 스치다; (시간 따위가) 지나가다: Fancies ~ *through* his mind. 환상이 그의 마음 속을 오간다. ③《英口》(남녀가) 눈이 맞아 야반 도주하다: moonlight ~*ting* 야반 도주.
— *n.* Ⓒ ① 가벼운 움직임, 휙 낢. ②《英口》야반 도주: do a ~ 야반도주하다.

flitch [flitʃ] *n.* Ⓒ 소금에 절여 훈제(燻製)한 돼지의 옆구리살 베이컨.

flit·ter [flítər] *vi., n.* Ⓒ 훨훨 날아다니다〔날아다니는 것〕.

fliv·ver [flívər] *n.* Ⓒ ①《俗》값싼 물건, 《특히》 싸구려 자동차. ② 실패.

‡**float** [flout] *vi.* ①《~/ +㉥/ +㉤+㉣》뜨다; 떠(돌아)다니다, 표류하다(drift): ~ *in* the air 공중에 뜨다〔떠다니다〕/ The canoe ~*ed* downstream. 통나무배는 강 아래로 둥둥 떠내려갔다. ②《~/ +㉤+㉣》(환상 등이) 떠오르다《*before* ; *in, into* ; *through*》; (생각이) 떠오르다: Romantic vision ~*ed before* my eyes. 로맨틱한 환상이 눈앞에 떠올랐다. ③《口》(사상·소문 따위가) 퍼지다, 유포하다《*about* ; *around*》: A nasty rumor about him is ~*ing around* town. 그에 관한 추문이 읍내에 퍼져 있다. ④ 방랑하다, (목적 없이) 돌아다니다; (지조·정책 따위가) 무정견이다; 흔들리다: ~ from place to place 여기저기 돌아다니다 / He ~*ed around* Europe. 그는 유럽을 두루 돌아다녔다. ⑤ (통화가) 변동 시세제〔환율제〕로 되다《*against*》. ⑥〔흔히 進行形〕(찾는 물건이) 근처에 있다《*about*; *around*》: "Where's my hat?"—"It must *be* ~*ing about*." '내 모자는 어디 있지'—'틀림없이 여기 어딘가에 있을거야.'
— *vt.* ① …을 띄우다, 떠돌게〔감돌게〕하다; (바람이 향기)를 풍기다, 나르다. ② (소문)을 퍼뜨리다, 전하다. ③ (회사)를 설립하다. ④ (기금)을 모집하다, (채권)을 발행하다(market). ⑤ …을 물에 잠기게 하다; 관개하다. ⑥ (벽)을 흙손으로 고르다. ⑦ …을 변동 시세제〔환율제〕로 하다.
— *n.* Ⓒ ① 뜨는〔떠도는〕 것, 부유물; 부평초; 성엣장, 부빙(浮氷); 뗏목(raft). ② (낚싯줄·어망 따위의) 찌; 부구(浮球)《물탱크의 수위를 조절하는》. ③ 구명대(袋), 구명구(具). ④ 뗏목; 부잔교(浮棧橋); (수상기의) 플로트, 부주(浮舟). ⑤ (물고기의) 부레. ⑥ (행렬 때의) 장식〔꽃〕 수레; (화물 운반용의) 대차(臺車). ⑦ (물레바퀴·외륜선(外輪船)의) 물갈퀴판(板). ⑧ (배달용의) 자동차; (가축용·중량 화물용) 대차(臺車). ⑨《英》점포나 상인이 하루의 일을 시작할 때 갖고 있는 잔돈. ⑩ 변동 시세제〔환율제〕.

float·a·ble [flóutəbəl] *a.* ① 뜰 수 있는; 물에 뜨는. ② 배·뗏목을 띄울 수 있는, 항해할 수 있는《강을 일컬음》.

floatage ⇨ FLOTAGE.

floatation ⇨ FLOTATION.

float·er [flóutər] *n.* Ⓒ ① 뜨는 사람〔물건〕; 찌, 부표; 부척(浮尺). ②《美》부동 투표자, 부정〔이중〕 투표자; 이리저리 이전〔전직〕하는 사람, 뜨내기〔이동〕 노동자 ③ (회사 설립의) 발기인; 《口》부동 증권. ④《俗》잘못, 실수. 「판유리》.

flóat glàss 플로트 유리《플로트법으로 제조된

***float·ing** [flóutiŋ] *a.* ① 떠 있는, 부동하는; 이동〔유동〕하는, 일정치 않은《*about* ; *around*》: a

~ population 부동 인구 / a ~ work force 이동 노동력. ②〖經〗(자본 따위가) 고정되지 않은, 유동하고 있는 : ~ capital 유동 자본. ③ 변동 시세〔환율〕제의.

flóating brídge 부교(浮橋), 배다리.

flóating débt 〖經〗 일시 차입금, 유동 부채.

flóating dóck 부(浮)선거.

flóating exchánge ràte sỳstem 변동환율제.

flóating ísland ① 연못·늪 등의 부유물이 뭉쳐 섬처럼 된 것. ② 일종의 커스터드(custard).

flóating kídney 〖醫〗 유주신(遊走腎).

flóating líght 등대선(lightship) ; 부표등.

flóating pòint 〖컴〗 떠돌이 소수점. cf. fixed point.

flóating ríb 〖解〗 부리(浮離) 늑골《흉골에 연결되지 않고 척추골에만 연결됨》.

flóating vòte ① (선거의) 부동표. ② (the ~)〔集合的〕 부동 투표층(層).

flóating vóter 부동성(浮動性) 투표자.

floc·cu·lent [flákjələnt / flɔ́k-] *a.* 부드러운 털의 ; 북슬털 같은 ; 솜털로 뒤덮인.

‡flock[1] [flɑk / flɔk] *n.* Ⓒ〔集合的〕① (작은 새·양 따위의) 무리, 떼 : A ~ of bird flew overhead. 한 떼의 새가 머리 위로 날아갔다. ② (사람의) 떼(crowd), 일단(一團) ; 다수 : come in ~*s* 떼를 지어 몰려오다. ③ (그리스도교의) 신자, (교회의) 회중(congregation) : the ~ of Christ 그리스도교 신자.

— *vi.* 《+전+명/+부》 떼〔무리〕짓다, 몰려들다, 모이다《*together*》; 떼지어 몰려오다〔가다〕: Pilgrims ~ *to* Mecca every year. 순례자는 매년 메카에 떼를 지어 온다 / Birds of a feather ~ *together*. 유유상종(類類相從).

flock[2] *n.* ① **a**) Ⓒ (양)털뭉치. **b**) (*pl.*) 털〔솜〕부스러기. ② (*pl.*)〖化〗 면상(綿狀) 침전물.

floe [flou] *n.* Ⓒ (종종 *pl.*) 부빙(ice ~) ; (해상에 떠 있는 넓은) 얼음벌, 빙원. cf. iceberg.

flog [flɑg, flɔ(ː)g] (*-gg-*) *vt.* ①《~+목/+목+부/+목+전+명》(사람)을 매질하다, 채찍질하다 (whip) ; 징계〔벌〕하여 …을 바로잡다〔가르치다〕; 혹사하다 : ~ a donkey *along* 채찍질해서 당나귀를 가게 하다 / He was ~*ged into* confessing〔confession〕. 그는 매를 맞아 급기야 자백하기에 이르렀다 / He tried to ~ laziness *out of* his son. 그는 체벌로써 아들의 나태를 바로잡으려 했다. ②《英俗》(공공재산 따위)를 팔아 치우다. ~ (***a***) ***dead horse*** ⇨ DEAD HORSE. ~ ***. . . to death*** 《口》 (상품 선전·말을 되풀이하여) 진절머리나게 하다 : This idea has been ~*ged to death*. 이 착상은 너무 자주 쓰여 이젠 진부해졌다.

flog·ging [flágiŋ / flɔ́g-] *n.* Ⓤ,Ⓒ 매질, 태형 : give a person a ~ 아무를 매질하다.

‡flood [flʌd] *n.* ① **a**) Ⓒ (종종 *pl.*) 홍수, 큰물(inundation) : *Floods* in Bangladesh caused over 1000 deaths. 방글라데시의 대홍수로 1천 명 이상의 사망자가 생겼다. **b**) (the F-)〖聖〗 노아의 홍수 : before *the Flood* 노아의 홍수 이전에, 아주 옛날에. ② (a ~ 또는 *pl.*) 범람, 쇄도, 다량 : *a* ~ of letters 쇄도하는 편지 / weep ~*s* of tears 하염없이 눈물을 흘리며 울다. ③ Ⓒ 밀물, 만조(~ tide) : ebb and ~ 조수의 간만(干滿). ④ = FLOODLIGHT. ***at the*** ~ 밀물〔만조〕(때)에 ; 한창 좋은 시기에. ***in*** ~ 홍수가 되어, (물이) 도도하게.

— *vt.* ①〔종종 受動으로〕(물이) …에 넘치게 하다, …을 범람시키다, 잠기게 하다, 침수시키다 (inundate) : The typhoon ~*ed* the river. 태풍으로 강이 범람했다 / The town *was* ~*ed by* heavy rains. 그 거리는 호우로 침수되었다. ② …에 물을 대다〔관개하다〕; …에 물을 많이 붓다〔쏟다〕; (엔진 등)에 지나치게 연료를 주입하다 ;《口》(위스키)에 다량의 물을 타다. ③ (빛이) …에 넘쳐 흐르다 ; …을 가득히 비추다 ; = FLOODLIGHT : Sunlight ~*ed* the room. 방안에는 햇빛이 가득 비쳤다 / The stage was ~*ed with* light. 무대는 조명으로 눈부시게 밝았다. ④《~+목/+목+전+명》…에 몰려〔밀려〕들다, 쇄도하다 : Applicants ~*ed* the office. 응모자들이 사무실에 쇄도했다.

— *vi.* ①《~/+부/+전+명》(강이) 넘쳐 흐르다, 물이 나다, 범람하다 ; 조수가 밀려오다 ; (감정·생각 등이) 넘쳐흐르다 ; (기억 등이) 되살아나다 : Memories of my happy past ~*ed back* when I saw the photo. 그 사진을 보았을 때 행복했던 과거의 추억들이 밀물처럼 되살아났다. ② (사람·물건이) 몰려들다, 쇄도하다《*in* ; *into* ; *to*》: Fan letters ~*ed in*. 팬 레터가 밀려들었다 / Sunlight ~*ed into* the room. 햇빛이 방 안으로 환히 들이비쳤다. ***be ~ed with*** …이 범람하다, …이 쇄도하다 : The road *was* ~*ed with* cars. 길에는 자동차들이 넘쳐 흘렀다. ~ ***out***〔흔히 受動으로〕(홍수가 사람)을 집에서 몰아내다 : People living near the river *were* ~*ed out*. 강가에 사는 사람들은 홍수로 집에서 쫓겨났다.

flood·ed [flʌ́did] *a.* 침수된 ; 물이 넘치는 : ~ districts 침수 지구.

flood·gate [flʌ́dgèit] *n.* Ⓒ ① 수문(sluice), 방조문(防潮門). ② (종종 *pl.*) (분노 등의) 배출구 : open the ~*s* of one's passion〔wrath〕 감정을〔분노를〕 한꺼번에 터뜨리다.

flood·light [flʌ́dlàit] *n.* ① Ⓤ 투광(投光) 조명. ② Ⓒ (종종 *pl.*) 투광 조명등.

— (*p.*, *pp.* ***~·ed, -lit*** [-lìt]) *vt.* …을 투광 조명등으로 비추다.

flood·plain [flʌ́dplèin] *n.* 〖地質〗 범람원(氾濫原).

flóod tìde ① 밀물. opp. *ebb tide, neap tide.* ② 최고조, 피크.

flood·wa·ter [flʌ́dwɔ̀ːtər, -wɑ̀t-] *n.* Ⓤ 홍수의 물.

†floor [flɔːr] *n.* ① Ⓒ 마루 ; 마루방 : sit on the ~ 마루에 앉다. ② Ⓒ (건물의) 층(story) : the first ~《美》1층 ;《英》2층. ★ 영국에서는 ground *floor* 가 1층, first *floor* 는 2층, second *floor* 는 3층이 됨. ③ (the ~) 회의장, 의원석 ; (회의장에 있는) 의원, 회원 ; (의회에서의) 발언권 ; (연단에 대한) 회장(會場) : be on *the* ~ 발언〔심의〕 중이다 / get〔have, be given〕 *the* ~ 발언권을 얻다. ④ Ⓒ〔흔히 修飾語 또는 of 를 수반하여〕(특정 목적을 위한) 플로어, 장소 : a dance ~ 댄스 플로어 / *the* ~ *of* the exchange 거래소의 입회장. ⑤ Ⓒ (동굴 등의) 밑바닥 ; 바닷바닥. ⑥ Ⓒ (양(量) 따위의) 최저 ; 바닥값, 최저 가격(~ price) : The government avoided establishing a price or wage ~. 정부는 최저가격 또는 최저임금을 정하는 것을 피했다. ***cross the*** ~ (회의장에서) 반대당〔파〕에 찬성하다. ***hold the*** ~《口》발언권을 장악하고 있다 ; 장광설을 늘어놓다. ***mop*** (***up***)〔***dust, sweep, wipe*** (***up***)〕 ***the*** ~ ***with . . .***《口》…을 완전히 압도하다, …을 완패시키다. ***take the*** ~ (1) (발언하기 위해) 일어서다, 토론에 참여하다. (2) 춤추려고 (자리에서) 일어서다. ***walk the*** ~ (고통·근심 따위로) 실내를 이리저리 서성거리다.

— *vt.* ①《~+목/+목+전+명》…에 마루청을 깔다〔대다〕, 바닥을 깔다 : ~ a room *with* pine boards 송판으로 방바닥을 깔다. ② (상대)를 바닥에 때려눕히다, 때려서 기절시키다 ; 여지없이

해대다, 욱박지르다(defeat), 꺽소리 못하게 하다: He was ~*ed* by the problem. 그 문제에 두 손 들었다 / He ~*ed* his opponent with one blow. 일격으로 상대를 때려눕혔다.

floor·board [flɔ́ːrbɔ̀ːrd] *n.* Ⓒ ① 마루청. ② 《美》(자동차의) 바닥.

floor·cloth [´-klɔ̀ːθ] *n.* Ⓒ 마룻걸레.

flóor èxercise (체조 경기의) 마루 운동.

floor·ing [flɔ́ːriŋ] *n.* ① Ⓒ 마루, 바닥(floor). ② Ⓤ 바닥 깔기; 마루청, 마루 까는 재료.

flóor làmp 《美》 마루 위에 놓는 램프〔스탠드〕.

flóor lèader 《美》(정당의) 원내 총무.

flóor mànager ① 《美》(회의의) 지휘자. ② 텔레비전의 무대 감독.

flóor plàn 〖建〗 평면도.

flóor pòlish 마루 광택제.

flóor sàmple 견본 전시품.

floor·shift [´-ʃìft] *n.* Ⓒ 플로어시프트《자동차의 바닥에 설치된 기어 전환 장치》.

floor-through [´-θrùː] *n.* Ⓒ 《美》 한 층 전체를 차지하는 아파트. ── *a.* 한 층 전체의.

floor·walk·er [´-wɔ̀ːkər] *n.* Ⓒ 《美》(백화점 따위의) 매장 감독(《英》 shopwalker).

floo·zie, floo·zy [flúːzi] *n.* Ⓒ 《口》 매춘부.

***flop** [flɑp / flɔp] (*-pp-*) *vt.* ① **a)** 《~+목 / +목+부 / +목+전+명》 …을 툭〔털썩〕 던지다, 탁 때리다, 쿵〔쾅〕 떨어뜨리다《*down*》: ~ *down* a sack of corn 옥수수 자루를 털썩 내려놓다 / ~ one's book *on* the desk 책상에 책을 털썩 던지다. **b)** 〔再歸的〕 털썩 앉다: ~ *oneself* in a sofa 소파에 털썩 앉다. ② (날개 따위)를 퍼덕거리다: The fish ~*ped* about on the ground. 그 물고기는 땅위에서 퍼덕거렸다.

── *vi.* ① 《+부》 픽 쓰러지다, 쿵〔쾅〕 떨어지다; 펄썩 (주저)앉다; 벌렁 드러눕다; (풍덩) 물속으로 뛰어들다: ~ *down* on 〔into〕 the chair 의자에 털썩 앉다 / ~ *over* on one's back 벌렁 드러눕다. ② 퍼덕〔펄럭〕이다: Fish were ~*ping* on the deck. 물고기들이 갑판 위에서 퍼덕거리고 있었다 / The brim of my straw hat ~*ped* in the wind. 밀짚모자 챙이 바람에 펄럭거렸다. ③ 《+부》 홱 변하다, 변절〔배신〕하다《*over*》: He ~*ped over* to the other party. 그는 갑자기 다른 당(黨)으로 변절했다. ④ 《口》(계획·극 따위가) 실패로 끝나다: His play ~*ped* dismally. 그의 연극은 비참할 정도로 실패했다. ⑤ 《俗》 잠자다; 《美俗》 하룻밤 묵다: ~ at a friend's house 친구 집에 묵다.

── *n.* ① (a ~) 툭 떨어뜨림, 픽 쓰러짐; 퍼덕거림; 첨벙하는 소리; Ⓒ 배면(背面)뛰기(Fosbury flop): sit down with *a* ~ 털썩 주저앉다. ② Ⓒ 《口》 실패(자), (책·극 등의) 실패작; 《美俗》 속임(수): I am a great ~ with woman. 나는 항상 여자에게 딱지를 맞고 있다. ③ Ⓒ 《美俗》 잠자리, 싸구려 여인숙.

── *ad.* 털썩, 툭: fall ~ 폭 쓰러지다, 털썩 떨어지다.

FLOP [flɑp / flɔp] 〖컴〗 floating-point operation (떠돌이 소수점 연산).

flop·house [flɑ́phàus / flɔ́p-] *n.* Ⓒ 《美》 간이 숙박소, 싸구려 여인숙《흔히 남자 전용》.

flop·over [flɑ́pòuvər / flɔ́p-] *n.* Ⓒ 텔레비전 영상(映像)이 위아래로 흔들림.

flop·py [flɑ́pi / flɔ́pi] (*-pi·er ; -pi·est*) *a.* ① (사람이) 느슨한, 야무지지 못한. ② 《口》 약한. ── *n.* = FLOPPY DISK.

㊕ **flóp·pi·ly** *ad.* **-pi·ness** *n.*

flóppy dísk 〖컴〗 플로피 디스크《외부 기억용 플라스틱제의 자기(磁氣) 원판》.

FLOPS [flɑps / flɔps] 〖컴〗 floating-point operations per second(플롭스; 연산 속도의 단위).

Flo·ra [flɔ́ːrə] *n.* ① 플로라《여자 이름》. ② 〖로神〗 플로라《꽃의 여신》.

flo·ra [flɔ́ːrə] (*pl.* **~s, *flo·rae*** [-riː]) *n.* Ⓤ,Ⓒ (한 지방, 한 시대 특유의) 식물상(相), 식물군(群), 식물구계(區系); Ⓒ 식물지(誌): stone-age ~ 석기 시대 식물상 / ~ and fauna 동식물.

***flo·ral** [flɔ́ːrəl] *a.* 꽃의, 꽃 같은; 꽃무늬의: a ~ shop 꽃가게 / ~ design 꽃무늬 / ~ decorations 꽃 장식. ㊕ **~·ly** [-i] *ad.*

***Flor·ence** [flɔ́(ː)rəns, flɑ́r-] *n.* 플로렌스《이탈리아 중부의 도시; 이탈리아 이름은 Firenze》.

Flor·en·tine [flɔ́(ː)rəntìːn, -tàin, flɑ́r-] *a.* Florence 의. ── *n.* Florence 사람.

flo·res·cence [flɔːrésəns] *n.* Ⓤ ① 개화(開花). ② 한창; 개화〔전성〕기, 번영기.

flo·res·cent [flɔːrésənt] *a.* 꽃 핀; 꽃이 한창인.

flo·ret [flɔ́ːrit] *n.* Ⓒ ① 작은 꽃. ② 〖植〗 작은 통꽃《국화과(科) 식물의》.

flo·ri·cul·tur·al [flɔ̀ːrəkʌ́ltʃərəl] *a.* 꽃가꾸는.

flo·ri·cul·ture [flɔ́ːrəkʌ̀ltʃər] *n.* Ⓤ 꽃가꾸기, 화훼 원예. ㊕ **flò·ri·cúl·tur·ist** [-tʃərist] *n.* Ⓒ 화초 재배자.

flor·id [flɔ́(ː)rid, flɑ́r-] *a.* ① 불그레한, 혈색이 좋은《안색 따위》. ② 화려한, 찬란한, 현란한: a ~ complexion 혈색이 좋은 얼굴 / a ~ (prose) style 미(美)문체 / ~ handwriting 달필(達筆).

㊕ **~·ly** *ad.* **~·ness** *n.*

***Flor·i·da** [flɔ́(ː)ridə, flɑ́r-] *n.* 플로리다《미국 대서양 해안 동남쪽 끝에 있는 주(州); 略: Fla., Flor., FL》. ㊕ **~n, Flo·rid·i·an** [-dən], [flərídiən] *a., n.* Florida 의 (주민).

flo·rid·i·ty [flɔːrídəti] *n.* Ⓤ ① 색이 선명함; 혈색이 좋음. ② 화려함, 찬란.

flor·in [flɔ́(ː)rin, flɑ́r-] *n.* Ⓒ 플로린 화폐《1849-1971년까지의 영국 2 실링 은화》.

flo·rist [flɔ́(ː)rist, flɑ́r-] *n.* Ⓒ 꽃 가꾸는 사람, 화초 재배자; 꽃장수; 화초 연구가.

floss [flɔ(ː)s, flɑs] *n.* Ⓤ ① 명주솜, 누에솜; 풀솜; = FLOSS SILK. ② (옥수수의) 수염; 까끄라기. ③ 〖齒〗 = DENTAL〔CANDY〕 FLOSS.

── *vt., vi.* (이 사이를) dental floss 를 써서 깨끗이 하다.

flóss sìlk 명주실《꼬지 않은 비단실; 자수용》.

flossy [flɔ́(ː)si, flɑ́si] (***floss·i·er ; floss·i·est***) *a.* ① 풀솜 같은; 폭신폭신한. ② 《口》 야한.

flo·tage [flóutidʒ] *n.* ① Ⓤ 부유, 부양; 부력(buoyancy). ② Ⓒ 부유물, 표류물.

flo·ta·tion [floutéiʃən] *n.* Ⓤ,Ⓒ ① (회사의) 설립, 기업(起業); (신규 증권의) 모집: a share ~ 주식의 발행. ② 부양: the center of ~ 〖物〗 부심(浮心).

flo·til·la [floutílə] *n.* Ⓒ 소함대, 전대(戰隊); 소형 선대(船隊), 정대(艇隊): a destroyer 〔torpedo boat〕 ~ 구축함대〔수뢰정대〕.

flot·sam [flɑ́tsəm / flɔ́t-] *n.* Ⓤ ① **a)** (난파선에서 나온) 표류 화물. **b)** 잡살뱅이. ② 〔集合的〕 깡패, 부랑자. **~ *and jetsam*** ⑴ 해중에 표류하거나 물가에 밀려온 화물. ⑵ 잡동사니. ⑶ 부랑자.

flounce[1] [flauns] *n.* Ⓒ (스커트에서 여러 겹 댄) 주름 장식. ── *vt.* …에 주름 장식을 달다.

flounce[2] *vi.* 《+부 / +전+명》 ① (골이 나서) 홀쩍 자리를 뜨다〔박차다〕, 뛰어나가다〔들다〕《*away ; off ; into*》: He ~*d off* in a passion. 그는 잔뜩 부아가 나서 뛰어나갔다. ② 몸부림〔발

버둥]치다, 버둥거리다; 과장되게 몸을 움직이다: The clown ~*d about* the circus ring. 어릿광대는 공연장 안을 과장되게 몸을 움직이며 돌아다녔다. ── *n.* Ⓒ 버둥거림, 몸부림; (성이 나서) 몸을 떪.

*__floun·der__[1] [fláundər] *vi.* 《~ / +전+명 / +부》 ① (흙·진창 속에서) 버둥거리다, 몸부림치다; 허위적거리며 나아가다《*about*; *along*; *on*; *through*》: ~ *in* the deep snow 깊은 눈 속에서 허위적거리다 / He saw the child ~*ing about in* the water. 어린이가 물에 빠져 허우적거리고 있는 것을 보았다. ② 허둥대다, 당황하다, 실수하다, 실패만 하다《*about*》: The business is ~*ing*. 거래는 난항을 걷고 있다 / ~ *through* a song 떠듬떠듬 노래하다 / The team is ~*ing at* the bottom of the league. 그 팀은 리그의 바닥권에서 헤매고 있다. ── *n.* Ⓒ 버둥거림, 몸부림; 허둥댐. 「류.

floun·der[2] (*pl.* **~s,** 〔集合的〕 ~) *n.* Ⓒ 〖魚〗 넙치

‡**flour** [flauər] *n.* Ⓤ ① 밀가루. ② 분말, 가루. ── *vt.* 〖料〗 ① …에 가루를 뿌리다. ② (밀 따위)를 가루로 만들다, 제분하다. ◇ floury *a.*

‡**flour·ish** [flə́:riʃ, flʌ́riʃ] *vi.* ① (초목이) 잘 자라다, 우거지다: The plants ~*ed* in the warm sun. 식물은 따뜻한 햇볕에서 무성하게 자랐다. ② (사업 등이) 번창하다, 융성하다: Culture ~*es* among free people. 문화는 자유민 사이에서 융성한다. ③ (어떤 시대에) 활약하다; 재세(在世)하다: Archimedes ~*ed* in the 3rd century B.C. 아르키메데스는 기원전 3세기 때의 사람이었다. ④ 팔을 휘두르다; 과장된 몸짓을 하다: *Flourish* more when you act out the king's death scene. 왕의 죽는 장면을 연기할 때에는 좀더 과장되게 하게. ── *vt.* ① (칼·팔·지휘봉)을 휘두르다 (brandish): He greeted the crowd by ~*ing* his hat. 그는 모자를 높이 쳐들어 흔들며 군중을 향해 인사했다. ② (높이 들어) …을 과시하다: She ran in, ~*ing* her acceptance letter. 그녀는 채용 통지서를 흔들며 뛰어 들어왔다.
── *n.* Ⓒ ① 화려한 꾸밈. ② (문장이) 화려함, 화려한 말. ③ (조각·인쇄 등의) 당초무늬, 장식 조각; 장식체로 쓰기, (도안 글자·서명 등의) 멋부려 쓰기. ④ (칼·팔·지휘봉 따위를) 뽐내어 휘두르기; 여봐란 듯한 태도; 과시: make a ~ with a sword 칼을 휘두르다. ⑤ 〖樂〗 장식악구(句); (나팔 등의) 화려한 취주(fanfare). ㊎ **~·ing** *a.* 무성한, 번영하는, 융성[성대]한. **~·ing·ly** *ad.*

flóur mìll 제분기[소], 방앗간.

floury [fláuəri] *a.* 가루의; 가루가 많은; 가루 모양의; 가루투성이의: ~ hands 가루로 범벅이 된 손. ㊎ **flour·i·ness** *n.* [◂flour]

flout [flaut] *vt.* (법률 따위)를 무시하다. ── *vi.* 모욕하다, 조롱하다, 비웃다《*at*》. ── *n.* Ⓒ 조롱, 우롱, 경멸.

†**flow** [flou] *vi.* ① 《~ / +부 / +전+명》 흐르다 (stream); 흘러나오다; (세월이) 물 흐르듯 지나가다, 흘러가다: ~ *away* 흘러가다, (세월이) 경과하다 / Rivers ~ *into* the ocean. 강은 바다로 흘러들어간다 / The Thames ~*s through* London. 템스강은 런던을 관류하고 있다 / Tears ~*ed down* her cheeks. 눈물이 그녀의 뺨을 흘러내렸다. ② 《+부 / +전+명》 (인파·차량 따위가) 물결처럼 지나가다, 쇄도하다; (말이) 술술[줄줄] 나오다, (문장이) 거침없이 계속되다: A constant stream of humanity ~*ed by*. 끊임없이 사람의 물결이 이어졌다 / Contribution ~*ed in* from all over the country. 전국에서 기부가 쇄도했다 / His talk ~*ed on* for hours. 그의 이야기는 몇시간이나 계속되었다. ③ 《+전+명》 (머리·옷 따위가) 멋지게 늘어지다《*over*》; (기 등이) 나부끼다: ~ *in* the breeze 미풍에 나부끼다 / Her long hair ~*ed down* her back. 그녀의 긴 머리가 등에 드리워져 있었다. ④ 《+전+명》 (근원에서) 발하다, 샘솟다; (명령·정보 등이) 나오다; 일어나다: Love ~*s from* the heart. 사랑은 진심에서 나온다. ⑤ (조수가) 밀려오다, 밀물이 들어오다. ⑥ 《+전+명》 (피 따위가) 흐르다, 돌다(circulate); (전기 따위가) 통하다; 유동하다: Royal blood ~*s in* his veins. 그의 몸엔 왕족의 피가 흐르고 있다. ⑦ 《+전+명》 범람하다; 잔뜩 있다, 충만하다《*with*》: a land ~*ing with* milk and honey 젖과 꿀이 충만한 땅. ⑧ 월경을 하다(menstruate). **~ *over*** (소란·비난 따위가) …에 영향을 주지 못하다, …의 위를 지나쳐 가다: Their bickering ~*ed* right *over* me. 그들의 언쟁은 내게는 전혀 상관없었다.
── *n.* ① (*sing.*) **a)** (물·차량 따위의) 흐름, 유동: the ~ of a river 강의 흐름 / the ~ of population into town 도시로의 인구 유입. **b)** 흐르는 물, 유출(량), 유입(량). ② (*sing.*) 용암의 흐름; (전기·가스의) 공급; 〖컴〗 흐름. ③ (the ~) 밀물: The tide is on *the* ~. 지금은 밀물 중이다. opp *ebb.* ④ Ⓤ 범람(overflowing)《특히 나일강의》. ⑤ Ⓤ (옷의) 완만한 늘어짐. ***go with the ~*** 시대의 흐름에 따르다.

flow·chart [-tʃɑ̀:rt] *n.* Ⓒ 작업 공정도(flow sheet); 〖컴〗 흐름도, 순서도.

flów dìagram =FLOWCHART.

†**flow·er** [fláuər] *n.* ① Ⓒ 꽃(blossom); 화초. ② Ⓤ 개화(開花), 만발, 만개(bloom); 청춘; (the ~) 한창(때): in *the* ~ of one's age 한창 젊은 때에 / He brought a new art form into ~. 그는 새로운 예술 양식을 개화시켰다. ③ Ⓤ (the ~) 정화(精華), 정수《*of*》: *the* ~ *of* chivalry 기사도의 정화 / *The* ~ *of* the nation's youth was lost in the war. 국가의 젊은 엘리트들이 전쟁에서 목숨을 잃었다. ④ (*pl.*) 사화(詞華), 문식(文飾), 수사적인 말. ⑤ (*pl.*) 〖化〗 화(華); (발효로 생기는) 뜬 찌끼[거품]: ~*s* of sulfur 황화(黃華). ── *vt.* ① …을 꽃으로[꽃무늬로] 장식하다. ② …에 꽃을 피우다. ── *vi.* ① 꽃이 피다. ② 번영[번창, 성숙]하다: Her talent ~*ed* during her later years. 그녀의 재능은 만년에 꽃피었다.

flówer arràngement 꽃꽂이.

*__flówer bèd__ 꽃밭, 화단.

flówer bùd 꽃눈, 꽃망울, 꽃봉오리.

flow·ered [fláuərd] *a.* ① 꽃으로 뒤덮인; 꽃으로 꾸며진; 꽃무늬의. ② 〔複合語〕 꽃이 피는: single-〔double-〕~ 홑꽃〔겹꽃〕이 피는.

flow·er·er [fláuərər] *n.* Ⓒ 특정한 시기에 꽃이 피는 식물: an early 〔a late〕 ~ 빨리〔늦게〕 꽃이 피는 화초.

flówer gàrden 꽃동산, 화원.

flówer gìrl ① 《英》 꽃 파는 소녀. ② 《美》 결혼식에서 꽃을 드는 신부의 들러리.

flow·er·ing [fláuəriŋ] *a.* 꽃이 있는; 꽃이 피는, 꽃이 피어 있는; 꽃을 보기 위해 재배하는: a ~ plant 꽃이 피는 식물. ── *n.* (*sing.*) 개화(기); 전성(기): *Flowering* will be late this year. 금년은 개화가 늦을 것이다 / the full ~ of the English Renaissance 영국 르네상스의 전성기.

flówering dógwood 층층나무의 일종《북아메리카 원산의 낙엽 교목》.

flow·er·less [fláuərlis] *a.* ① 꽃이 없는, 꽃이 안 피는. ② 은화(隱花)의: a ~ plant 은화식물.

flow·er·let [fláuərlit] *n.* =FLORET.

flow·er·pot [fláuərpɑ̀t / -pɔ̀t] *n.* Ⓒ 화분.

flówer shòp 꽃가게, 꽃집.

***flow·ery** [fláuəri] (*-er·i·er ; -i·est*) *a.* ① 꽃 같은. ② 꽃이 많은, 꽃으로 뒤덮인. ③ 꽃으로 장식한 ; 꽃무늬의. ④ (말·문체 등이) 화려한. [파] **-er·i·ness** *n.*

***flow·ing** [flóuiŋ] *a.* 〔限定的〕 ① 흐르는 ; (조수가) 밀려오는 : the ~ tide 밀물 ; 여론의 움직임 / swim with the ~ tide 우세한 쪽에 빌붙다. ② 술술 이어지는 ; (말이) 유창한, 유려한. ③ (머리카락 등이) 완만하게 늘어진 : ~ locks 늘어진〔물결 치는〕 머리카락. [파] **~·ly** *ad.*

†**flown** [floun] FLY[1]의 과거분사.

fl. oz. fluid ounce(s).

***flu** [flu:] *n.* [U] (때로 the ~) 《口》 인플루엔자, (유행성) 감기 : have〔catch〕 (*the*) ~ 감기에 걸려 있다〔걸리다〕 / He's in bed with (*the*) ~. 그는 감기로 누워 있다.

flub [flʌb] (*-bb-*) *vt., vi.* 《美口》 실패〔실수〕하다 《*off ; up*》 : He ~*bed* his lines. 그는 대사를 틀리게 했다 / I really ~*bed* that test. 그 시험을 완전히 망쳤다. ── *n.* [C] 《美口》 실수, 실패.

fluc·tu·ate [flʌ́ktʃuèit] *vi.* (물가·열 등이) 오르내리다, 변동하다 ; 파동하다 : ~ *between* hopes and fears 일희일비(一喜一悲)하다 / Vegetable prices ~ according to the season. 야채값은 계절에 따라 변동한다.

***fluc·tu·a·tion** [flʌ̀ktʃuéiʃən] *n.* [U,C] ① 파동, 동요. ② 오르내림, 변동.

flue [flu:] *n.* [C] ① (굴뚝의) 연도(煙道) ; (냉난방·환기용의) 송기관(送氣管) ; (보일러의) 염관(焰管). ② (파이프 오르간의) 순관(脣管).

***flu·en·cy** [flú:ənsi] *n.* [U] 유창 ; 능변 ; 거침없음 : with ~ 술술, 줄줄, 유창하게.

‡**flu·ent** [flú:ənt] (*more ~ ; most ~*) *a.* ① **a)** 유창한, 거침없는, 능변의. **b)** 〔敍述的〕 (어학 등에) 능통한《*in*》 : He's ~ *in* English. 그는 영어에 능하다. ② (운동·커브 따위가) 민툿한, 완만한, (움직임 따위가) 부드러운, 우아한. ③ 융통성 있는. [파] ‡**~·ly** *ad.* 유창하게, 거침없이.

flúe pìpe 〖樂〗 (파이프 오르간의) 순관(脣管).

fluff [flʌf] *n.* ① [U] (나사 따위의) 괴깔, 보풀 ; 솜털, 갓난 수염. ② [C] 푸한 것. ③ [C] 실패 ; (연기·연주 따위에서의) 실수, 실책. ④ 〔a bit〔piece〕 of ~로〕 《英俗》 아가씨. ── *vt.* ① 《+[목]+[부]》 괴깔〔보풀〕이 일게 하다 ; 푸하게〔부풀게〕 하다, (털이불 등)을 푹신하게 하다《*out ; up*》 : The bird ~*ed* itself *up*. 새는 부르르 떨며 몸〔털〕을 부풀렸다 / She ~*ed out* her hair. 그녀는 (빗질을 하여) 머리를 부풀렸다. ② 《口》 …에 실수〔실패〕하다 ; (대사)를 틀리다, 잊다. ── *vi.* ① 괴깔이 일다, 푸해〔푹신해〕지다. ② 《口》 실수〔실패〕하다, (특히 배우 등이) 대사를 틀리다〔잊다〕.

fluffy [flʌ́fi] (*fluff·i·er ; -i·est*) *a.* ① 괴깔〔보풀〕의, 솜털의〔같은〕 ; 솜털로 덮인 : a ~ little kitten 솜털로 덮인 어린 고양이. ② (물건이) 가벼운, 푸한. [파] **-i·ness** *n.*

‡**flu·id** [flú:id] *n.* [U,C] 유동체, 유체. ── (*more ~ ; most ~*) *a.* ① 유동체〔성〕의 : ~ substances 유동성 물질. [opp] *solid*. ② 유동적인, 불안정한, 변하기 쉬운 : The military situation is still ~. 군사 정세는 아직도 유동적이다. ③ (자산이) 현금으로 바꿀 수 있는. [파] **~·ly** *ad.*

flúid drám〔dráchm〕 =FLUIDRAM.

flu·id·ics [flu:ídiks] *n.* [U] 유체 공학.

flu·id·i·ty [flu:ídəti] *n.* [U] ① 유동(성). ② 변하기 쉬움.

flúid óunce 액량 온스《약제 등의 액량의 단위, 미국은 $^1/_{16}$ 파인트, 영국에서는 $^1/_{20}$ 파인트 ; 略 : fl. oz.》.

flu·i·dram [flù:ədrǽm] *n.* [C] 액량 드램(=$^1/_8$ fluidounce ; 略 : fl. dr.).

fluke[1] [flu:k] *n.* [C] ① (흔히 *pl.*) 〖海〗 닻가지. ② (창·작살·낚시 등의) 미늘(barb).

fluke[2] *n.* [C] (흔히 *sing.*) ① 〖撞球〗 플루크《우연히 들어맞음》. ② 어쩌다 들어맞음, 요행 : win by a ~ 요행으로 이기다.

fluke[3] *n.* [C] ① 〖魚〗 가자미·넙치류. ② 〖動〗 흡충(trematode)《가축의 간장에 기생하는 편충》.

fluky, fluk·ey [flú:ki] (*fluk·i·er ; -i·est*) *a.* ① 우연히 들어맞은, 요행의. ② (바람이) 변덕스런, 변하기 쉬운.

flume [flu:m] *n.* [C] ① 홈통 ; 수로(水路) ; (목재 운반용의) 용수로 ; (물레방아의) 방수구(放水溝). ② 계류(溪流), 시내.

flum·mery [flʌ́məri] *n.* ① [C,U] 오트밀〔밀가루〕로 만든 죽 ; (우유·밀가루·달걀 따위로 만든) 푸딩. ② [U] 《口》 겉치렛말, 아첨, 허튼 소리.

flum·mox [flʌ́məks] *vt.* 〔흔히 受動으로〕 《口》 쩔쩔매게〔당황하게〕 하다, 혼내다 : He completely ~*ed* me. 그는 나를 완전히 당혹하게 만들었다.

flump [flʌmp] 《口》 *n.* (a ~) 철썩(하는 소리), 털썩 (떨어짐) : The book fell with *a* ~. 책이 쾅하고 쓰러졌다 / sit down with *a* ~ 털썩 앉다. ── *vt., vi.* (…을) 털썩 떨어뜨리다〔떨어지다〕, 쿵 넘어지다《*down*》 : She ~*ed down* into a chair. 그녀는 의자에 털썩 주저앉았다.

‡**flung** [flʌŋ] FLING의 과거·과거분사.

flunk [flʌŋk] 《美口》 *n.* [C] (시험 따위의) 실패, 낙제(점). ── *vi., vt.* ① (…에) 실패하다 ; 낙제점을 따다〔매기다〕. ② (…을) 단념하다, 그만두다 (give up), 손을 떼다. **~ out** (성적불량으로) 퇴학하다〔시키다〕《*of*》 : He ~*ed out of* Yale for failing several subjects. 그는 몇 과목의 과락으로 예일대학에서 퇴학당했다.

flun·ky, flun·key [flʌ́ŋki] *n.* [C] ① 제복 입은 고용인《사환·수위 따위》. ② 《蔑》 아첨꾼, 추종자 (toady, snob) ; 《美俗》 낙제생.

fluo·resce [flùərés, flɔ:r-] *vi.* 형광을 발하다.

fluo·res·cence [flùərésəns, flɔ:r-] *n.* [U] 〖物〗 형광(성).

fluo·res·cent [flùərésnt, flɔ:r-] *a.* 형광을 발하는, 형광성의 : a ~ lamp 형광등.

fluor·i·date [flúərideit, flɔ́:r-] *vt.* (음료수 따위)에 플루오르를 넣다《충치 예방》.
[파] **flùor·i·dá·tion** [-ʃən] *n.* [U] 플루오르 첨가.

fluor·ide [flúəràid, flɔ́:r-] *n.* [U] 〖化〗 플루오르화물.

fluor·ine [flúəri(:)n, flɔ́:r-] *n.* [U] 〖化〗 플루오르《비금속 원소 ; 기호 F ; 번호 9》.

fluo·rite [flúəràit, flɔ́:r-] *n.* [U] 〖鑛〗 형석(螢石).

fluor·o·car·bon [flùəroukɑ́:rbən, flɔ̀:r-] *n.* [U] 탄화 플루오르.

fluor·o·scope [flúərəskòup, flɔ́:r-] *n.* [C] (X선) 형광 투시경.

fluo·ros·co·py [flùərɑ́skəpi, flɔ:r- / -rɔ́s-] *n.* [U] (X선) 형광경 시험, 형광 투시법〔검사〕.

flur·ried [flə́:rid, flʌ́rid] *a.* 혼란〔동요, 당황〕한.

flur·ry [flə́:ri, flʌ́ri] *n.* ① [C] (비·눈 따위를 동반한) 질풍 : 돌풍. ② (a ~) 당황, 낭패 ; (마음의) 동요 ; 혼란, 소동 : in *a* ~ 총총히, 당황하여. ③ 〖證〗 (시장의) 소(小)공황, 작은 파란. ── *vt.* 〔흔히 受動으로〕 …을 당황〔낭패〕케 하다 : Don't get *flurried*. 당황하지 말게.

‡**flush**[1] [flʌʃ] *vi.* ① (물 따위가) 왈칵〔쏟아져〕 흐르다, 분출하다(spurt) ; 넘치다《*over*》. ② 《~/+[부]/+[전]+[명]/+[보]》 (얼굴이) 붉어지다, 홍조

를 띠다(blush), 상기하다, 얼굴이 화끈 달다; (하늘이) 붉게 물들다; (색·빛깔이) 빛나다: The boy ~*ed up.* 그 소년은 얼굴을 붉혔다 / He ~*ed into* rage. 그는 빨끈 화를 냈다 / Her face ~*ed* rose. 그녀의 얼굴은 장미빛으로 물들었다 / She ~*ed with* embarrassment. 그녀는 당혹하여 얼굴을 붉혔다. ③ (식물이) 싹트다.
— *vt.* ① (물)을 왈칵 쏟아져 흐르게 하다; (밭 따위)에 물이 넘치게 하다; (수채·수세식 변소 따위)를 물로 씻어 내리다. ②《+目+前+名》〔흔히 受動으로〕…의 얼굴〔볼〕에 홍조를 띠게 하다, 상기시키다, …로 하여금 얼굴을 붉히게 하다; (빛 따위가) …을 붉게 물들이다: *be ~ed with* anger 〔shame〕 노여움〔수치심〕으로 새빨개지다 / The setting sun ~*ed* the western sky. 저녁놀이 서쪽 하늘을 붉게 물들였다. ③《+目+前+名》〔흔히 受動으로〕활기를 띠게 하다(animate), 흥분시키다(excite), 우쭐하게 하다(elate): *be ~ed with* victory 승리로 의기양양해지다.
— *n.* ① (a ~) 얼굴 붉힘, 상기, 홍조(blush): *a* ~ of embarrassment 부끄럼으로 인한 홍조 / His pale face showed *a* ~ of excitement. 그의 창백한 얼굴이 흥분으로 붉어졌다 / feel〔have〕 *a* ~ of excitement 갑자기 흥분하다. ② (the ~) 감격, 흥분, 의기양양(elation): in *the* full ~ of success 성공의 감격에 취하여. ③ (*sing.*) (풀의) 싹틈, 싹트는 시기; (싹튼) 어린 잎: Young shoots are in full ~. 새싹이 한창 돋아나고 있다. ④ (a ~) (물의) 쏟아짐, 분출, 왈칵 흐름; 물로 씻어버림; (변소의) 수세(水洗).
— *a.* 〔敍述的〕 ① (강 따위가) 물이 그득 찬〔불은〕, 넘치는《*with*》: The river is ~ *with* rain. 강물이 비로 넘쳐 있다. ② 많은, 풍부한(abundant); (돈을) 많이 가진《*of*》: be ~ *of* money 돈을 많이 가지고 있다 / Let him pay; he's ~ tonight. 그가 치르도록 두게. 그는 오늘 저녁 돈푼이나 있으니 말이다. ③ 활수(滑手)한, 손이 큰(lavish): He is ~ *with* (his) money. 그는 돈을 잘 쓴다. ④ 동일 평면의, 같은 높이의(level)《*with*》; 직접 접촉하고 있는: houses built ~ *with* the pavement 포장길과 같은 평면에 세운 집 / The desk is ~ against the wall. 그 책상은 벽에 바로 붙어 있다.
— *ad.* ① 같은 높이로, 평평하게(evenly)《*with*》: be made ~ *with* the top of the table 테이블의 높이와 같은 높이로 되어 있다. ② 곧장; 정면으로, 바로, 꼭: set the table ~ against the wall 테이블을 벽에 꼭 붙여서 놓다 / The ball hit him ~ on the head. 공은 그의 머리에 바로 맞았다 / He went ~ from prison right back to prison again. 출감하자마자 곧장 다시 교도소에 수감되었다.

flush² *vi., vt.* 푸드덕 날아 오르다; (새)를 날아가게 하다; 숨은 데서 몰아내다: The dog ~*ed* a pheasant *from* the bushes. 개가 꿩을 숲에서 날아오르게 했다 / ~ a criminal *out of* his lair 범인을 은신처에서 쫓아내다. — *n.* ① Ⓤ 푸드덕 날아 오름; 날아 오르게 함. ② Ⓒ 날아 오르는 새(떼).

flush³ *n.* Ⓒ 〖카드놀이〗 그림이 같은 패 5장 모으기. ⓒⓕ royal flush.

flushed [flʌʃt] *a.* ① 홍조를 띤, 상기된, 붉어진. ② 〔敍述的〕 (술·승리 따위로) 흥분한, 의기양양한《*with*》: Our team was ~ *with* its great victory. 우리 팀은 그 대승리로 의기양양했다.

flúsh tòilet 수세식 변소.

flus·ter [flʌ́stər] *n.* Ⓤ (종종 a ~) 당황, 낭패, 혼란: be all in *a* ~ 몹시 당황하고 있다. — *vt.* ① 〔때때로 受動으로〕 …을 당황하게 하다; 혼란케 하다: Go away, you*'re ~ing* me. 꺼져버려! 자네는 내 신경을 돋우고 있는 거야. ② 〔再歸的〕 당황하다, 이성을 잃다.

‡flute [flu:t] *n.* Ⓒ ① 플루트, 저, 피리. ② 〖建〗 세로 홈, 둥근 홈. ③ (여성복의) 둥근 홈 주름.
— *vi.* ① 플루트〔피리〕를 불다. ② 피리 같은 소리를 내다. — *vt.* ① (곡)을 피리로 불다. ② …에 홈을 파다〔내다〕. ㊀ **flút·ed** [-id] *a.* ① 피리〔저〕 소리의. ② (기둥에) 세로 홈을 새긴, 홈이 있는. **flút·ing** *n.* ① Ⓤ 피리불기. ② Ⓤ,Ⓒ 〔集合的〕〖建〗 (기둥 따위에) 홈새기기; 세로 홈; (옷의) 홈 주름. **flút·ist** *n.* Ⓒ《美》 피리 부는 사람, 플루트 주자(~ player).

‡flut·ter [flʌ́tər] *vi.* ① 퍼덕거리다, 날개치며 날다; (나비 따위가) 훨훨 날다: A butterfly was ~*ing* from flower to flower. 나비가 꽃에서 꽃으로 날고 있었다. ② (지는 꽃잎이) 팔랑팔랑 떨어지다, (눈발이) 펄펄 날리다; (깃발 따위가) 펄럭이다: A petal ~*ed* to the ground. 꽃잎이 팔랑거리며 땅위에 떨어졌다 / Banners ~*ed* in the breeze. 깃발이 미풍에 펄럭거렸다. ③ 떨리다, 실룩실룩하다: His eyelids ~*ed* as he came to. 의식이 돌아왔을 때 그의 눈꺼풀이 실룩거렸다. ④ (심장·맥이) 불규칙하게 빨리 뛰다, 두근거리다: My heart ~*ed* absurdly. 심장이 이상하게 두근거렸다. ⑤《+前+名》조마조마해〔속달아〕 하다, 안절부절못하다; (공포·흥분으로) 떨다, 전율하다: ~ *with* a new hope 새 희망으로 가슴 벅차하다. ⑥《+前+名》정처없이 거닐다, 배회〔방황〕하다: The boy ~*ed about* the hall. 그 소년은 홀을 배회했다 / She ~*ed* helplessly between them. 그녀는 어찌할 바를 몰라 그들 사이를 왔다 갔다 했다. — *vt.* ① (날개)를 퍼덕이다; 날개치다: She ~*ed* the leaves of several books. 그녀는 몇 권의 책장을 팔랑거리며 넘겼다 / The bird ~*ed* its wings. 새가 날개를 펄럭거렸다. ② (입술·눈꺼풀 등)을 움직이다, 실룩거리게 하다; 나부끼게〔휘날리게〕 하다: She ~*ed* her eyelids at him. 그녀는 그를 보고 눈을 깜박거렸다. ③ (가슴)을 두근거리게 하다; 안절부절못하게〔갈팡질팡하게〕 하다.
— *n.* ① (*sing.*) (날개의) 퍼덕거림; 나부낌, 펄럭임. ② Ⓒ 고동, 두근거림, 〖醫〗 경련. ③ (a ~) (마음의) 동요; (세상의) 술렁거림, 큰 소동: fall into *a* ~ 당황하다, 갈팡질팡하다 / in *a* ~ 두근거리며, 안절부절못하여 / make〔cause〕 *a* (great) ~ 세상을 떠들썩하게 하다, 평판이 자자해지다 / put a person in〔into〕 *a* ~ =throw a person into *a* ~ 아무를 애타게 하다 / *A* ~ went over the assembled crowd. 모인 사람들은 모두가 흥분했다. ④ Ⓒ (흔히 *sing.*)《英口》 투기, 내기: do〔have〕 a ~ 조금 걸다《*at*; *in*》. ⑤ Ⓤ 〖TV〗 (영상에 나타나는) 광도(光度)의 채《고르지 못함》; 〖오디오〗 불안정 재생채; (다리 따위가 파손되어) 흔들림; 〖空〗 (비행기 날개 등의) 고르지 못한 진동. ㊀ **~·ing·ly** [-riŋli] *ad.* 퍼덕퍼덕; 안절부절못하여.

flútter kìck 〖泳〗 물장구(치기).

fluty [flúːti] (*flut·i·er*; *-i·est*) *a.* 피리〔플루트〕 소리 같은; (소리가) 맑은, 맑고 부드러운.

flu·vi·al [flúːviəl] *a.* 강〔하천〕의; 강에 사는; 강에 나는; 하천에 의해 이룩된: ~ law 하천법 / ~ plants 하천 식물 / ~ terrace 하안 단구.

***flux** [flʌks] *n.* ① (a ~) (물의) 흐름(flowing); (액체·기체 등의) 유동, 유출. ② Ⓤ 밀물: ~ and reflux 조수의 간만; 성쇠, 부침(浮沈). ③ Ⓤ 유전(流轉), 끊임없는 변화: All things are in a state of ~. 만물은 유전한다. ④ Ⓤ 〖化·冶·窯〗 용해; 용제.

†fly¹ [flai] (**flew** [flu:]; **flown** [floun]) *vi.* ① 《~/+副》 (새·비행기 따위가) 날다: ~ *off* 〔*away*〕 날아가다 / The crow *flew up into* a high tree. 까마귀는 높은 나무로 날아갔다. ② 《+前+名》 (사람이) 비행하다, 공중을 가다, 비행기로 가다: ~ *to* Hongkong 공로(空路)로 홍콩에 가다. ③ 《~/+前+名/+副》 (나는 듯이) 급히 〔달려〕 가다: ~ *for* a doctor 의사를 모시러 뛰어가다 / Time *flies* (like an arrow). 세월은 유수(流水) 같다 / He *flew upstairs.* 그는 이층으로 뛰어 올라갔다. ④ (사람·동물 따위가) 덤벼〔달려〕들다, 덮치다《*at*; *on, upon*》: A mother fox will ~ *at* anyone approaching her kits. 어미 여우는 자기 새끼에게 접근하는 그 무엇에든 달려든다. ⑤ 《+前+名》 갑자기 어떤 상태로 되다: ~ *into* a rage 갑자기 불근하다. ⑥ (시간·돈이) 나는 듯이 없어지다, 순식간에 사라지다: He's just making the money ~. 그는 으스대면서 돈을 마구 쓰고 있다. ⑦ 날아가 버리다, 날아가다: My hat *flew off* in the wind. 바람에 모자가 날아갔다. ⑧ 《+前+名》 도망치다, 피하다(flee): ~ *from* the heat of the town 도시의 더위를 피하다 / ~ for one's life 구사일생으로 도망치다. ★《英》에서는 흔히 flee 대신 fly 를 씀. ⑨ (안개 따위가) 사라져 없어지다(vanish). ⑩ 《+前+名》 부서져 흩어지다, 산산조각이 나다: The glass *flew into* fragments. 컵은 산산조각이 났다. ⑪ 《~/+副/+前+名》(공중에) 뜨다; (깃발·머리털 등이) 나부끼다, 펄럭이다; (불꽃 따위가) 흩날리다: make sparks ~ 불똥을 튀기다 / Her tresses *flew in* the wind. 그녀의 탐스러운 머리카락이 바람에 나부꼈다 / The dust *flew up* in clouds. 먼지가 뿌옇게 날아올라갔다. ⑫ 〖野〗 플라이〔비구〕를 치다. ★ 이 뜻으로 과거·과거분사는 flied.

— *vt.* ① …을 날리다; (새)를 날려〔풀어〕주다; (연 따위)를 띄우다; (기)를 달다(hoist). ② (비행기)를 조종하다; (사람·물건)을 비행기로 나르다; (특정한 항공 회사)를 이용하다: ~ Pan-Am / We ~ merchandise to Boston. 상품을 보스턴에 공수하고 있다. ★ 사람을 나르는 경우는 흔히 수동태: Doctors and nurses *were flown* to the scene of the disaster. 의사와 간호사가 재해지구에 비행기로 파견되었다. ③ (울타리 따위)를 뛰어넘다; 비행기로 날아 건너다: ~ the Atlantic 대서양을 횡단 비행하다. ④ …에서 달아나다; 피하다: ~ the country 국외로 도망가다. **~ *at*** 〔***on, upon***〕 …에 덤벼들다; …을 호되게 꾸짖다〔비난하다〕. **~ *blind*** 〖空〗 계기 비행하다. **~ *high*** 높이 날다; 큰 뜻을 품다; 번영하다. **~ *in the face*** 〔***teeth***〕 ***of*** …에 반항하다, …에게 정면으로 대들다〔반대하다〕: Such behavior *flies in the face of* convention. 그런 행위는 관습에 반한다. **~ *off*** 날아가다, 도망치다. **~ *off the handle*** 격노하다. **~ *the coop*** ⇨ COOP. **~ *to arms*** 급히 무기를 들다, 황급히 전투 준비를 하다. ***let*** **~** (탄알 따위를) 쏘다《*at*》; 폭언을 하다《*at*》; (감정을) 분출시키다; 《美俗》 (침을) 뱉다: He really *let ~ on* the subject of racism. 그는 인종차별주의에 대해 격렬하게 비난했다. ***make the fur*** 〔***feathers, dust, sparks***〕 **~** (맹렬히 공격하여) 큰 소동〔싸움〕을 일으키다: The unfair treatment of the workers *made the sparks* ~. 근로자를 불공평하게 처우하여 큰 싸움이 벌어졌다. ***make the money*** **~** 돈을 물쓰듯 하다, 낭비하다.

— (*pl.* **flies**) *n.* Ⓒ ① 날기, 비상(飛翔), 비행(flight); 비행 거리. ② (공 따위의) 날아가는 코스; 〖野〗 플라이, 비구(飛球). ③ (종종 *pl.*) (양복의) 지퍼〔단추〕(가림); 천막 입구의 드림(자락): Your ~ is〔*flies* are〕 undone. 자네 바지 앞 지퍼가 열려 있어. ④ 천막 위의 겹덮개; 깃발의 가장자리 끝; 깃발의 가로 폭. ⑤ (*pl.*) 〖劇〗 (무대의 천장 속의) 무대 장치 조작부(部). ⑥ 〖機〗 = FLYWHEEL. ⑦ (*pl.* **flys**) 《英》 한 마리가 끄는 세(貰)마차. ***on the*** **~** (1) 비행 중에 있어, 날고 있는, (공 따위가) 땅에 떨어지기 전에: catch a ball *on the* ~ 플라이를 잡다. (2)《口》 황급하게, 몹시 분주히: She ate her sandwiches *on the* ~. 그녀는 샌드위치를 황급히 먹었다. (3)《口》 몰래, 꾀바르게. (4) 나가면서.

‡fly² (*pl.* **flies**) *n.* ① Ⓒ 파리, 《특히》 집파리; 날벌레《mayfly, firefly 따위》. ② Ⓤ (동식물의) 파리 따위에 의한 해(害), 충해. ③ Ⓒ 날벌레 낚싯밥; 제물낚시. ***a*** 〔***the***〕 **~** ***in the ointment*** 《口》 옥에 티; 흥을 깨기: I've been offered a wonderful job.—*the* only ~ *in the ointment* is that the pay is not too good. 내게 아주 좋은 일자리가 생겼는데, 단 한가지 흠은 급료가 시원치 않다는 것이다. ***a*** **~** ***on the wall*** 몰래 사람을 감시하는 자. ***not harm*** 〔***hurt***〕 ***a*** **~** (선천적으로) 온순하다, 착하다. ***There are no flies on*** 〔***about***〕 . . . 《口》(사람)이 빈틈없다, 결점이〔죄가〕 없다; (거래)에 꺼림칙한 점이 없다.

fly·a·way [fláiəwèi] *a.* 〔限定的〕 ① (옷·머리털이) 바람에 나부끼는〔펄럭이는〕. ② 마음이 들뜬, 촐싹거리는. ③ (언제라도) 비행〔공수〕할 수 있는.

fly·blown [-blòun] *a.* ① 파리가 쉬를 슨; 구더기가 끓는. ② 《口》 불결한《호텔 따위》.

fly·boy [-bɔ̀i] *n.* Ⓒ 《美口》 공군 비행사.

fly·by [fláibài] *n.* Ⓒ ① 〖空〗 공중 분열 비행. ② 저공 비행. ③ (우주선의 천체) 접근 비행.

fly-by-night [-bainàit] *a.* ① 믿을 수 없는, 무책임한《금전적으로》. ② 일시적인《유행 따위》, 오래 못 가는. — *n.* Ⓒ (빚지고) 야반 도주하는 사람; 신용할 수 없는 사람; 투자 위험이 큰 기업〔사람〕.

flý càsting 제물낚시질.

fly·catch·er [-kætʃər] *n.* Ⓒ ① 〖鳥〗 딱새. ② 〖動〗 파리잡이거미, 승호. ③ 〖植〗 파리풀.

fly·er [fláiər] *n.* = FLIER.

fly-fish·ing [-fìʃiŋ] *n.* Ⓤ 제물낚시질.

fly·flap [fláiflæ̀p] *n.* Ⓒ 파리채.

‡fly·ing [fláiiŋ] *a.* 〔限定的〕 ① 나는, 비행하는. ② (깃발·머리털 따위가) 나부끼는, 휘날리는, 펄럭이는. ③ 나는 듯이 빠른; 날쌔게 행동하는; 단시간의; 총망한: the ~ years of youth 꿈처럼 사라진 청춘 / a ~ visit 황급한 방문.

— *n.* ① Ⓤ 낢, 비행; 항공술; 비행기 여행: ~ in formation 편대 비행. ② 〔形容詞的〕 비행(용)의.

flýing bòat 비행정(飛行艇).

flýing bòmb 비행 폭탄.

flýing búttress 〖建〗 플라잉 버트레스.

flýing círcus 공중 비행 쇼.

flýing cólors ① 휘날리는 기. ② (대)성공. ***with*** **~** 〔***colors flying***〕 (1) 깃발을 휘날리며. (2) 공을 이루어; 당당히.

flýing còlumn 유격대, 기동 부대.

flýing dóctor 비행기로 왕진하는 개업의(醫).

Flýing Dútchman (the ~) 떠도는 네덜란드배《폭풍이 칠 때 희망봉 부근에 출몰한다는 전설상의 유령선(의 선장)》.

flýing fish 〖魚〗 날치.

flýing fóx 〖動〗 (얼굴이 여우 비슷한) 큰박쥐.

flýing jíb 〖海〗 플라잉 지브《이물 맨 앞의 삼각 세로돛》.
flýing júmp〔**léap**〕 멀리뛰기.
flýing lémur 〖動〗 박쥐원숭이.
flýing lízard 〖動〗 날도마뱀.
flýing òfficer 《英》 공군 중위《略 : F.O.》.
flýing pícket 지원 피켓《소속회사 이외의 피켓에 참가하는 노동조합원》.
flýing sáucer 비행 접시. ⓒⓕ UFO.
flýing squàd 〔集合的 ; 單·複數 취급〕 ①《英》 특별 기동대, 기동 경찰대. ②〔종종 F- S-〕《英》 런던 경시청의 특별기동대.
flýing squírrel 〖動〗 날다람쥐.
flýing stárt ① 도움닫기 스타트《출발점 앞에서부터 달리는》. ②〖競技〗 플라잉 스타트《신호전 출발로 반칙》. ③ 순조로운 시발.
flýing wíng 전익(全翼) 비행기《주익(主翼) 일부를 동체로 이용한 무미익기(無尾翼機)》.
fly·leaf [fláili:f] (*pl.* **-leaves**) *n.* Ⓒ ① 면지《책의 앞뒤 표지 뒷면에 붙어 있는 백지 또는 인쇄물》. ② (프로그램 따위의) 여백의 페이지.
fly-off [fláiɔ̀(:)f, -ɑ̀f] *n.* Ⓒ〖空〗 성능 비교 비행.
fly·over [fláiòuvər] *n.* Ⓒ ①《美》 공중 분열(分列) 비행. ②《英》 (철도·도로의) 고가 횡단도로 (《美》 overpass).
fly·pa·per [fláipèipər] *n.* Ⓤ 파리잡이 끈끈이.
fly·past [⌐pæ̀st, ⌐pɑ̀:st] *n.* Ⓒ 《英》 분열 비행.
fly-pitch·er [⌐pìtʃər] *n.* Ⓒ 《英俗》 무허가 노점상.
fly·post [⌐pòust] *vt.* 《英》 (전단)을 몰래 붙이다 ; …에 몰래 전단을 붙이다.
flý shèet 광고지, 광고용 전단.
fly·speck [⌐spèk] *n.* Ⓒ ① 파리똥 자국. ② 작은 점〔흠〕. ── *vt.* …에 작은 얼룩을 묻히다.
fly·swat·ter [⌐swɑ̀tər / ⌐swɔ̀tər] *n.* Ⓒ 파리채 (swatter).
fly-tip [⌐tìp] (**-pp-**) *vt.* 《英》 (쓰레기)를 쓰레기장 아닌 곳에 버리다.
fly·trap [fláitræ̀p] *n.* Ⓒ ① 파리잡이 통. ②〖植〗 파리풀.
fly·way [⌐wèi] *n.* Ⓒ 철새의 이동로.
fly·weight [⌐wèit] *n.* Ⓒ 플라이급(권투 선수).
fly·wheel [⌐*h*wì:l] *n.* Ⓒ〖機〗 플라이휠, 속도 조절 바퀴.
FM, F.M. frequency modulation. **fm.** fathom ; from. **F.M.** Field Marshal.
f-num·ber [éfnʌ̀mbər] *n.* Ⓒ〖寫〗 f 넘버《렌즈의 밝기》(=**fócal ràtio**).
F.O. 《英》 flying officer ; 《英》 Foreign Office.
foal [foul] *n.* Ⓒ (말·나귀 따위의) 새끼.
── *vi.* (말 따위가) 새끼를 낳다.
‡foam [foum] *n.* Ⓤ ① 거품(덩어리) (froth, bubble) ; 게거품. ② (말 따위의) 비지땀 ; 소화기의 거품. ③ =FOAM RUBBER.
── *vi.* ①《~ / +전+명 / +부》 (바닷물·맥주 따위가) 거품이 일다 ; 거품을 일으키며 흐르다〔넘치다〕《*along* ; *down* ; *over*》 ; 거품이 되어 사라지다《*off* ; *away*》 ; (말이) 비지땀을 흘리다 : The beer *~ed over* onto the table. 맥주의 거품이 테이블 위로 넘쳐흘렀다 / The torrent roared and *~ed along.* 급류는 요란한 소리를 내고 거품을 일으키며 흘렀다. ② (사람이) 게거품을 뿜으며 성내다 : ~ *with* rage 격노하다. ~ ***at the mouth*** 입에서 게거품을 뿜으며 격노하다.
fóam extínguisher 포말 소화기.
fóam rúbber 기포 고무, 발포(發泡) 고무.
foamy [fóumi] (***foam·i·er*** ; ***-i·est***) *a.* 거품투성이의 ; 거품 이는, 거품 같은. ㊞ **-i·ness** *n.*
fob[1] [fɑb / fɔb] *n.* Ⓒ ① (바지·조끼의) 시계 주머니. ② (사슬로 된) 시곗줄.
fob[2] (**-bb-**) *vt.* 《古》 …을 속이다. ~ ***off*** 무시하다 ; (…로 아무를) 속이다, 용케 피하다 : She felt she was being *~bed off.* 그녀는 속고 있다고 느꼈다. ~ something ***off on***〔***onto***〕 a person=~ a person ***off with*** something 아무에게 (가짜 따위)를 안기다 : She managed to ~ her old car *off on* an unsuspecting buyer. 그녀는 중고차를 의심하지 않은 구매자를 설득하여 용케 팔아넘겼다.
F.O.B., f.o.b. 〖商〗 free on board.
fób chàin (바지의 작은 주머니에 달린) 시곗줄 사슬.
fób wàtch 회중 시계.
***fo·cal** [fóukəl] *a.* 〔限定的〕 초점의 : a ~ plane 초점면.
fócal dìstance〔**lèngth**〕〖光·寫〗 초점거리.
fo·cal·ize [fóukəlàiz] *vt.* ① (광선 등)을 초점에 모으다 ; (렌즈 따위)의 초점을 맞추다. ②〖醫〗 (감염 등)을 국부적으로 막다.
fócal pòint 〖光·寫〗 ① 초점. ② 활동〔관심〕의 초점.
fo·ci [fóusai, -kai] FOCUS 의 복수.
fo'c's'le [fóuksəl] *n.* =FORECASTLE.
‡fo·cus [fóukəs] (*pl.* **~·es, fo·ci** [-sai, -kai]) *n.* ① Ⓒ〖物·數〗 초점 ; 초점 거리 ; Ⓤ 초점을 맞추기 : a principal〔real, virtual〕 ~ 주(主)〔실, 허〕 초점 / come into ~ (현미경·표본 등이 초점이 맞아) 똑똑히 보이다〔보이게 되다〕 ; (문제가) 명확해지다 / in ~ 초점이〔핀트가〕 맞아 ; 뚜렷하여 / out of ~ 핀트를〔초점을〕 벗어나, 흐릿하여. ② Ⓤ (흔히 the ~) (흥미·주의 따위의) 중심(점), 집중점 : The conference is now *the* ~ of world attention. 그 회의는 현재 세계의 관심을 모으고 있다. ③ (the ~) (폭풍우·분화·폭동 등의) 중심 ; (지진의) 진원(震源) : *the* ~ of an earthquake 진원.
── (《英》 **~sed** ; **~·sing**) *vt.* ① (라이트)의 초점을 맞추다. ②《+목+전+명》 …을 집중시키다, 모으다《*on*》 : ~ one's attention *on* …에 주의를 집중시키다 ── *vi.* 《~ / +전+명》 초점이 맞다, 초점에 모이다 ; (관심·주의 등이) 집중하다《*on*》 : You should ~ *on* something more realistic. 보다 현실적인 일에 관심을 쏟도록 하게.
fod·der [fɑ́dər / fɔ́d-] *n.* Ⓤ ① 마초, 꼴, (가축) 사료. ② 소재, 원료. ── *vt.* (가축)에 꼴을 주다.
‡foe [fou] *n.* Ⓒ 《詩·文語》 적, 원수 ; 적군 : a foreign ~ 외적 / a ~ *to* progress 진보의 적.
foehn [fein] *n.* Ⓒ〖氣〗 푄, 재넘이.
foe·tal *a.* =FETAL.
foe·tus [fí:təs] *n.* =FETUS.
‡fog [fɔ(:)g, fɑg] *n.* Ⓤ,Ⓒ ① (짙은) 안개 ; 농무(濃霧)의 기간 ; 연무(煙霧) : The ~ cleared〔lifted〕. 안개가 걷혔다. ②〖寫〗 희끄무레함, 흐림. (***all***) ***in a*** ~ 어찌할 바를 몰라, 아주 당황하여, 오리무중에 : She was *in a* complete ~. 그녀는 완전히 당황하였다. ── (**-gg-**) *vt.* ① …을 안개로 덮다 ; 어둡게 하다(darken) ; (유리 따위)를 흐리게 하다(dim) : The steam in the room *~ged* his glasses. 방안의 증기로 그의 안경이 흐려졌다 / The town is *~ged* in. 거리는 안개로 덮여 있다. ② …을 흐리다, 아리송하게 하다 : ~ the issue with jokes 농담으로 문제점을 얼버무리다. ③ …을 어쩔 줄 모르게 하다(confuse) : I was *~ged* by his question. 그의 질문에 나는 당혹했다 / You look rather *~ged.* 몹시 당황해 하는 것 같군. ④〖寫〗 (인화·원판)을 부옇게 하다. ── *vi.* ① 안개로 덮이다, 안개가 끼다 : The valley has *~ged up.* 계곡에는 안개가 자욱했다. ② 안개로 흐려지다 ; 흐리멍텅해지다.
fóg bànk 무제(霧堤)《해상에서 육지처럼 보이는 짙은 안개》.

fog·bound [-bàund] *a.* 짙은 안개로 항행(航行)〔이륙〕이 불가능한.

fog·bow [-bòu] *n.* Ⓒ 흰 무지개《안개 속에 나타나는 희미한 무지개》.

fo·gey [fóugi] *n.* =FOGY.

fog·gy** [fɔ́(ː)gi, fɑ́gi] (-gi·er*** ; ***-gi·est***) *a.* ① 안개〔연무〕가 낀, 안개가 자욱한 ; 《口》 머리가 흐리멍덩한, 흐린 : It was ~ morning. 안개가 짙게 낀 아침이었다 / I haven't the *foggiest* idea〔notion〕 of where she went. 그녀가 어디를 갔는지 전혀 모른다. ② 혼란한 ; 몽롱한 : Her mind is ~. 그녀의 마음은 혼란하다. ③〖寫〗 뿌연, 흐린. ㊞ **-gi·ly** *ad.* 안개가 자욱이 ; 자욱하게 ; 어찌할 바를 몰라. **-gi·ness** *n.*

Fóggy Bóttom 미 국무부의 통칭.

fog·horn [fɔ́(ː)ghɔ̀ːrn, fɑ́g-] *n.* Ⓒ ①〖海〗 무적(霧笛). ② 크고 거친 소리 : He has a ~ voice. 그의 음성은 굵고 거세다.

fóg lìght 〔làmp〕 자동차의 안개등(燈), 포그램프《흔히 황색》.

fóg sìgnal 농무 신호.

fo·gy [fóugi] *n.* Ⓒ (흔히 old ~) 시대에 뒤진 사람, 구식 사람. ㊞ **~·ish** [-iʃ] *a.*

föhn [fein] *n.* 《G.》 =FOEHN.

foi·ble [fɔ́ibəl] *n.* Ⓒ ① (애교 있는) 약점, 결점, 흠. ②〖펜싱〗 칼의 약한 부분《칼 가운데서 칼끝까지》. opp. *forte*[1].

foie gras [fwɑ́ːgrɑ́ː] 《F.》 《口》 푸아그라《특별히 살찌운 집오리의 간(肝) 요리》.

***foil**[1] [fɔil] *n.* ① Ⓤ 〔종종 複合語를 이룸〕 박(箔) ; (포장에 쓰는) 알루미늄 박, 포일 : gold ~ 금박 / wrap a fish in ~ 생선을 포일로 싸다. ② Ⓤ 거울 뒷면의 박. ③ Ⓒ (대조되어) 남을 돋보이게 하는 사람〔물건〕. ④ Ⓒ〖建〗 잎새김 장식《고딕 양식에서 흔히 씀》.

── *vt.* ① …에 박을 입히다, (보석)에 박으로 뒤를 붙이다. ②〖建〗 …에 잎새김 장식을 붙이다 : a ~*ed* window 잎새김 장식이 있는 창.

foil[2] *n.* ① Ⓒ (끝을 둥글고 뭉툭하게 만든) 연습용 펜싱검(劍). ② (*pl.*) (펜싱의) 플뢰레 종목.

foil[3] *vt.* 〔종종 受動으로〕 …의 역(逆)을〔허를〕 찌르다, (계략 따위)를 좌절시키다, 미연에 방지하다 : His attempt to escape *was* ~*ed*. 그의 도주 계획은 수포로 돌아갔다.

foist [fɔist] *vt.* ① (부정한 사항)을 몰래 삽입하다〔써넣다〕《*in* ; *into*》 : ~ political views *into* a news story 신문기사에 정치적인 견해를 살짝 끼워 넣다. ② (가짜 따위)를 억지로 떠맡기다, (속여서) 사게 하다 ; (남이 원치 않은 것)을 강제로 하게 하다.

fol. followed ; following.

‡**fold**[1] [fould] *n.* Ⓒ ① 주름, 접은 자리 ; 층(層) : the ~*s* of a skirt 스커트의 주름. ② (산이나 토지의) 우묵한 곳. ③〖地質〗 (지층의) 습곡. ── *vt.* ① …을 접다 ; 접어 포개다《*over* ; *together*》, 꺾어 젖히다《*back*》 ; (소매 따위)를 걷어 올리다《*up*》 : ~ *up* a map 지도를 접다 / ~ a piece of paper into four 종이를 네겹으로 접다 / ~ *back* the shirt sleeves 셔츠 소매를 걷어 올리다. ② (다리 따위)를 구부리다, 움츠리다 ; (새가 날개)를 접다 : ~ one's legs under oneself 무릎을 꿇고 앉다 / The eagle ~*ed* its wings. 독수리는 날개를 접었다. ③ (팔)을 끼다 : with ~*ed* arms 팔짱을 끼고. ④《+目+前+名》 (양팔 따위로) …을 감다 ; 안다, 포옹하다 ; (옷 따위)를 걸치다《*about* ; *around*》 : He ~*ed* his cloak *about* him. 외투를 걸쳤다 / She ~*ed* her baby *in* her arms〔*to* her breast〕. 그녀는 갓난아기를 양팔로 안았다〔가슴에 꼭 껴안았다〕. ⑤《~+目 / +目+前+名》 …을 싸다 ; 덮다 : Clouds ~*ed* the hills. 구름이 산들을 덮었다 / ~ a thing *in* paper 물건을 종이로 싸다. ⑥〖料〗 (아래위로 잘) 섞다《*in*》.

── *vi.* ① (병풍 등이) 접히다, 포개지다 ; 접어서 겹치다 : The fishing pole ~*s up* into a case. 그 낚싯대는 접으면 케이스에 들어간다. ② 꺾이다, 손들다 ; (사업·흥행 등이) 실패하다, 망하다《*up*》 : The shop ~*ed up* two weeks after it opened. 그 상점은 개업 2주만에 폐업했다.

fold[2] *n.* ① Ⓒ (양)우리. ② (the ~) (우리 안의) 양떼 ; 기독교 교회 ; 교회의 신자들 ; 가치관〔목적〕을 같이하는 사람들, 동료. ***return to the ~*** 옛 둥지〔신앙, 정당 따위〕로 돌아오다.

── *vt.* (양)을 우리에 넣다.

-fold *suf.* '… 배(倍), … 겹〔중(重)〕'의 뜻 : three*fold*.

fold·a·way [fóuldəwèi] *a.* 〔限定的〕 접을 수 있는, 접는 식의 : a ~ bed 접는 침대.

fold·boat [-bòut] *n.* Ⓒ 접는 보트(faltboat).

fold·er [fóuldər] *n.* Ⓒ ① 접는 사람〔것〕. ② 접게 된 인쇄물〔광고〕. ③ 종이 끼우개.

fol·de·rol [fɑ́ldərɑ̀l / fɔ́ldərɔ̀l] *n.* =FALDERAL.

fold·ing [fóuldiŋ] *a.* 〔限定的〕 접는, 접을 수 있는 : a ~ scale〔rule〕 접자 / a ~ screen 병풍.

fólding dóor (종종 *pl.*) 접게 된 문 ; 두짝 문.

fólding móney 《美口》 지폐.

fold·out [fóuldàut] *n.* Ⓒ (잡지의) 접어서 끼워 넣은 페이지.

fold-up [-ʌ̀p] *a.* 접을 수 있는.

fold·up *n.* Ⓒ ① 접이식의 것〔의자·침대 따위〕. ② 실패 ; 파산.

***fo·li·age** [fóuliidʒ] *n.* Ⓤ ①〔集合的〕 잎 ; 잎의 무성함, 군엽(群葉) : The dense ~ above screened off the hot sun. 머리위에 무성한 잎이 뜨거운 햇빛을 가려주었다. ②〖建〗 (도안 등의) 잎 장식.

fóliage plánt 관엽(觀葉) 식물.

fo·li·ate [fóulièit] *vt.* ① …을 잎사귀 모양으로 하다 ; 박(箔)으로 하다. ②〖建〗 …을 잎장식으로 꾸미다. ③ (책에 페이지 숫자가 아닌) 장수를 매기다 : ~ a book 책에 장수를 매기다. ── *vi.* ① 잎을 내다. ② 박엽(薄葉)으로 분열하다. ── [fóuliit, -èit] *a.* ①〖植〗 잎이 있는, …장(張)의 잎이 있는. ② 엽상(葉狀)의(leaflike).

fo·li·a·tion [fòuliéiʃən] *n.* Ⓤ ① 잎을 냄, 발엽(發葉). ② 박(箔)으로 함, 제박(製箔). ③〖建〗 잎장식을 함, 당초(唐草)무늬 장식. ④ 책의 장수매김.

fó·lic ácid [fóulik-]〖生化〗 폴산(酸).

fo·lio** [fóuliòu] (*pl.* ~s***) *n.* ① Ⓒ 2절지(二折紙) ; 2절판(折判) 책《제일 큰 책 ; 보통 세로가 30 cm 이상》; Ⓤ 2절판 크기 ; 폴리오판. ② Ⓒ〖印〗 페이지 넘버 ;〖簿〗 장부의 좌우 2 페이지《같은 페이지로 매겨 있음》. ③ Ⓒ (겉에만 페이지를 매긴) 한 장《서류·원고의》. ── *a.* 2절의 ; 2절판의.

‡**folk** [fouk] (*pl.* ~(***s***)) *n.* ① 〔集合的 ; 複數 취급〕 **a**) 사람들(people)《★ 오늘날에는 보통 people을 쓰나, 미국에서는 복수형으로 허물없는 사이의 표현으로 흔히 씀》 : Good morning, ~*s* ! 안녕하십니까, 여러분 / Some ~ believe in ghost. 유령이 있다고 믿는 사람들도 있다. **b**) 〔修飾語를 수반하여〕 (특정한) 사람들《★ 친밀감과 함께 때로는 경멸적인 느낌도 함유함》 : young〔old〕 ~(*s*) 젊은〔늙은〕이들 / country ~ 시골 사람들. ② (one's ~s) 《口》 가족, 친척, 《특히》 양친 : *my* ~s 우리 식구들〔부모님〕 / the old ~*s* at home 그리운 고향의 부모 형제들. ③ (the ~) (*pl.*) 평민. ④《口》 민속 음악. ── *a.* 〔限定的〕 서민의, 민속의, 민간(전승)의 ; 민요(조)의, 민속 음악의.

fólk dànce 민속〔향토〕 무용 ; 그 곡.

fólk etymólogy 민간 어원(설), 통속 어원.

fol·kie [fóuki] *n.* Ⓒ《俗》포크송〔민요〕 가수.

***folk·lore** [fóuklɔ̀ːr] *n.* Ⓤ ①〔集合的〕 민간 전승(傳承), 민속. ② 민속학. ㊞ **-lòr·ist** *n.* Ⓒ 민속학자.

fólk màss (전통적인 예배용 음악 대신에) 민속 음악을 써서 행하는 미사.

fólk mùsic 민속〔향토〕 음악.

fólk sìnger 민요가수(folkster) ; 포크송 가수.

fólk sòng ① 민요. ② (현대적) 포크 송.

folk·ster [fóukstər] *n.* 《美》 =FOLK SINGER.

folk·sy [fóuksi] (***-si·er*** ; ***-si·est***) *a.* ① 격식을 차리지 않는(informal) : I like his ~ manner. 그의 꾸밈없는 태도가 좋다. ②〔때로는 경멸적〕 민속적인 ; 민예적인 : her full and ~ long skirt 그녀의 낙낙하고 민속적인 긴 치마.

fólk tàle 민간 설화, 민화(民話), 구비(口碑).

folk·way [fóukwèi] *n.* Ⓒ (흔히 *pl.*) 〖社〗 민속, 습속, 사회적 관행.

†**fol·low** [fálou / fɔ́lou] *vt.* ①《~+[목]/ +[목]+[전]+[명] / +[목]+[부]》 …을 좇다, 동행하다, …을 따라가다 : Drive ahead and I'll ~ you. 앞에서 몰고가면 그 뒤를 따르겠네 / The dog ~*ed* me *to* the house. 그 개는 나를 따라 집에까지 왔다. ②《~+[목] / +[목]+[전]+[명]》 (지도자 등)을 따르다 ; (선례)를 따르다, (세태·유행 따위)를 따라가다 ; (충고·가르침·주의 따위)를 좇다, 지키다, 신봉하다 : ~ the rules of a game 경기의 규칙을 지키다 / ~ the example of a person 아무를 모범으로 하다 / ~ Kant 칸트 학설을 신봉하다 / We all ~*ed* her advice and failed. 우리는 모두 그녀의 충고를 따랐는데 실패했다. ③ …에 계속하다, …의 다음에 오다, …의 뒤를 잇다 : Night ~*s* day. 밤은 낮의 계속이다 / Summer ~*s* spring. 봄 다음에 여름이 온다. ④ …의 뒤에 일어나다〔생기다〕, …의 결과로서 일어나다 : Misery ~*s* war. 전쟁 때문에 비참한 일이 일어난다 / One misfortune ~*ed* another. 불행이 겹쳤다 / The fame that ~*s* death is nothing to us. 죽은 다음에 유명해져도 아무 쓸 데 없다. ⑤ …을 뒤쫓다, 추적하다 ; (이상·명성 따위)를 추구하다, 구하다 : ~ fame 명성을 추구하다 / They ~*ed* the enemy for miles. 그들은 수 마일이나 적을 추적했다 / We are being ~*ed*. 우리는 미행당하고 있다. ⑥《~+[목] / +[목]+[전]+[명]》 (길)을 따라서 가다, …을 거쳐 가다 ; (철도 따위가) …을 끼고 달리다 ; (방침·방법)을 취하다 ; (발전단계)를 더듬다, …에 따르다 : The railroad tracks ~*ed* the road for a few miles. 철도가 도로를 따라 수마일 이어졌다 / The method ~*ed* by my teachers at the language school was the so-called Michigan Method. 그 어학교의 교사들이 채택하고 있는 방법은 이른바 미시간 방식이었다. ⑦〔주로 否定文·疑問文〕 …의 말을 이해하다, (설명·이야기의 줄거리 따위)를 확실히 이해하다 : I do*n't* quite ~ you〔what you are saying〕. 당신의말씀하시는 뜻을 전혀 모르겠습니다. ⑧ (직업)에 종사하다(practice), …을 직업으로 하다 : ~ the law 법률에 종사하다, 변호사를 업으로 하다. ⑨ …을 눈으로 좇다 ; 귀로 청취하다 : ~ a bird in flight 나는 새를 눈으로 좇다 / They ~*ed* his lecture with close attention. 그들은 그의 강의를 경청했다. ⑩ (변화하는 세태·형세)를 따라가다 ; 지켜보다, …에 관심을 나타내다, …에 흥미를 갖다 ; (특정 팀 등)을 열심히 응원하다, …의 팬이다 : She ~*ed* his rise to fame with great interest. 그녀는 그의 명성이 높아가는 것을 커다란 관심을 가지고 지켜보았다 / Most Americans ~ the World Series. 대부분의 미국인들은 월드시리즈의 팬이다.

── *vi.* ①《~ / +[전]+[명]》 (뒤)따르다, 쫓아가다 ; 수행하다, 섬기다 ; 추적하다 : He led, and we ~*ed*. 그가 이끌었고, 우리들은 따랐다 / The policeman ~*ed after* the man in question. 경관은 문제의 사나이의 뒤를 밟았다. ②《~ / +[전]+[명]》 다음〔뒤〕에 오다 ; 잇따라 일어나다(ensue) : When a vowel ~*s*, 'a' becomes 'an'. 다음에 모음이 오면 a가 an이 된다 / I want to know if anything ~*ed after* it. 나는 그 후 어떤 일이 일어났는지 어떤지 알고 싶다 / His death ~*ed* close on the failure of his business. 그는 사업에 실패한 후 곧 죽었다. ③《+*that* [절]》 (논리적으로) 당연히 …이 되다, …이라는 결론이〔결과가〕 되다, …로 추정되다 : It ~*s* from this *that* ... 이 일로 당연히 …이 된다 ; 이 때문에 …로 추정된다 / True he's rich, but it doesn't necessarily ~ *that* he's happy. 사실, 그는 부자이나 반드시 행복하다고는 할 수 없다 / From this evidence it ~*s that* he's not the murderer. 이 증거로 볼 때 당연히 그가 살인범이 아니라는 것이 추정된다. ④〔주로 否定文·疑問文〕 (의론·이야기의 줄거리)를 이해하다, (알 수 있도록) 주의하다 : He spoke so quickly (that) I could*n't* ~. 그가 너무 빨리 말했기 때문에 이해할 수 없었다 / Do you ~? 《英口》 알겠느냐?

as **~*s*** 다음과 같이 : They are *as* ~*s*. 그것들은 다음과 같다. ★ 이 구의 follows는 비인칭동사이며, 언제나 s가 붙음. ~ ***about*** 〔(***a***)***round***〕 쫓아다니다, …에 붙어다니다. ~ ***in*** a person***'s tracks*** 남의 선례에 따르다. ~ ***on*** (1) 잠시 사이를 두고 계속하다 : The second half of the entertainments will ~ *on* in 20 minutes' time. 연예의 후반은 20분 후에 시작합니다. (2) (…의) 결과로서 생기다 : His illness ~*ed on* his father's sudden death. 그의 병은 아버지의 급사가 원인이었다. ~ ***out*** (생각 등)을 철저히 추구〔분석, 규명〕하다, 철저히 하다 ; (계획 따위)를 성취하다 : He ~*ed out* his orders to the letter. 그는 명령을 글자 그대로 철저히 수행했다. ~ one***'s nose*** ⇨ NOSE. ~ ***suit*** ⇨ SUIT. ~ ***through*** (*vi.*) (야구·테니스·골프에서) 배트〔채〕를 끝까지 휘두르다 ; 공격을 계속하다, (계획 따위를) 속행하다 ; 마무리하다, 매듭짓다《*with*》. (*vt.*) (끝까지) 해내다 : Just ~ *through* on your decision. 오로지 자신의 결심을 관철하라 / ~ *through with* a blow 다시 일격을 가하다. ~ ***up*** (*vi.*) 계속하여 행하다《*with*》; 철저히 구명(究明)하다, 적절한 처리를 하다《*on*》: ~ *up with* yet another question 또다시 다른 질문을 하다 / ~ *up on* the situation 상황을 철저히 조사하다. (*vt.*) 《口》 (1) …을 끝까지 따라가다〔추적하다〕 : ~ the criminal *up* 범인을 철저히 쫓다. (2) (여세를 몰아) 한층 더 철저히 하다, …에 또 …을 추가하다, …뒤에 …을 계속하다《*with*》: ~ *up* a blow 연타(連打)하다 / ~ *up* a punch *with* a kick 한 방 치고 나서 걷어차다. (3) 〖蹴〗 (공을 가진 자기 편에) 가까이 가서 지키다〔돕다〕. (4) (의사가 환자)를 추적 조사하다, 정기적으로 진찰하다. (5) (신문이) 속보(續報)를 싣다. ***to*** ~ 다음 요리로서 : What will you have *to* ~? 다음 요리는 무엇으로 하겠습니까?

‡**fol·low·er** [fálouər / fɔ́l-] *n.* Ⓒ ① 수행자, 수행원 ; 부하, 졸개. ② (주의·학설의) 추종자, 신봉자 ; (학자의) 문하, 제자 ; (당파의) 당원 ; (종파·종교의) 신도 ; 열렬한 팬 ; 모방자《*of*》. ③ 추적자, 쫓는 사람.

†**fol·low·ing** [fálouiŋ / fɔ́l-] *a.* ①〔限定的〕 (the ~) 다음의, 그 뒤에 오는 : (on) *the* ~ day 그 다

음 날 / in *the* ~ year [year ~] 그 다음 해 / He made a statement to *the* ~ effect. 그는 다음과 같은 취지의 성명을 내었다. ② [the ~ ; 名詞的] 다음에 말하는 것, 아래에 쓴 것 : *The* ~ is his answer[are his words]. 다음은 그의 회답[말]이다. — *n.* Ⓒ [흔히 *sing.* ; 集合的] 추종자, 신봉[예찬]자, 열렬한 지지자, 문하생 (followers) : a leader with a large ~ 많은 추종자를 가진 지도자. — *prep.* [ˊ--, ˊ--] …에 이어, …의 뒤에 : *Following* the lecture, the meeting was open to discussion. 강연에 이어서 모임은 자유 토론으로 들어갔다.

fol·low-on [fálouán / fɔ́louɔ́n] *a.* [限定的] ① 다음 개발 단계에 있는. ② 후속의, 계속되는 : ~ products 후속 제품.

fol·low-through [fálouθrù: / fɔ́louθrù:] *n.* Ⓒ ① 폴로스루 《테니스·골프 따위에서 타구의 종말 동작》. ② (계획 따위를) 끝까지 계속하는 일.

***fol·low-up** [fálouʌ̀p / fɔ́lou-] *n.* Ⓤ (a ~) ① 뒤쫓음, 뒤따름 ; 속행(續行) : This meeting is *a* ~ *to* the one we had last month. 이 회합은 지난달 모임의 계속이다. ② (신문의) 속보(續報). — *a.* [限定的] 뒤쫓는, 뒤따르는, 계속하는 : ~ survey 추적 조사 / a ~ letter 재차 내는 권유장.

‡fol·ly [fáli / fɔ́li] *n.* ① Ⓤ 어리석음, 우둔. ② Ⓒ 어리석은 행위[생각] : commit a ~ 어리석은 짓을 하다 / The old man smiled sadly as he remembered the *follies* of his youth. 노인은 젊은 날의 방탕을 생각하고 쓸쓸히 웃었다. ③ Ⓒ 큰돈을 들인 무용(無用)의 대건축. ④ (종종 *pl.*) 글래머러스한 여성이 등장하는 시사 풍자극《레뷔》, 폴리스.

fo·ment [fouméntl] *vt.* ① …을 찜질하다. ② (반란·불화 등)을 빚다, 조장하다(foster) ; 도발[선동]하다.

fo·men·ta·tion [fòumentéiʃən] *n.* ① Ⓤ,Ⓒ 찜질(약). ② Ⓤ (불평 등의) 조장(助長), 유발.

†fond [fand / fɔnd] (ˊ**·er** ; ˊ**·est**) *a.* ① [敍述的] 좋아하는(liking) : The more he knew her, the ~*er* he grew of her. 그녀를 알면 알수록 그녀가 좋아졌다. ② (사람이) 애정 있는, 다정한 (affectionate), (눈치·표정 따위가) 애정을 표시하는, 호의에 넘치는 : give a person a ~ look 아무를 애정어린 눈으로 보다. ③ [限定的] 어하는, 맹목적으로 사랑하는 : A ~ mother may spoil her child. 자식에게 무른 어머니는 그 자식을 망칠 수도 있다. ④ 맹신적인, 분별없는 ; 덧없는 ; 어리석은. ***be ~ of*** …을 좋아하다, …가 좋다 ; 《口》 …하는 나쁜 버릇이 있다 : I *am* very ~ *of* music. 나는 음악을 무척 좋아한다 / He *is* ~ *of* going out in the evening for pleasure. 밤에 놀러만 다닌다. ***get ~ of*** …이 좋아지다.

fon·dant [fándənt / fɔ́n-] *n.* Ⓒ,Ⓤ 《F.》 퐁당《입 안에서 스르르 녹는 사탕 ; 캔디 등의 주재료》.

fon·dle [fándl / fɔ́n-] *vt.* (사람·동물)을 귀여워하다, 애무하다(caress) : She ~*d* the puppy's neck. 그녀는 강아지의 목을 쓰다듬었다.

***fond·ly** [fándli / fɔ́n-] *ad.* ① 애정을 가지고, 다정하게. ★ 친한 사이에서는 편지의 맺음말로도 씀. ② 맹신적으로, 분별 없이, 단순히.

***fond·ness** [fándnis / fɔ́nd-] *n.* ① Ⓤ 맹목적인 사랑, 무턱대고 좋아[귀여워]함《*for*》: with the greatest ~ 귀여워 죽겠다는 듯이. ② (a ~) 기호, 취미《*for*》: He has *a* (great) ~ *for* reading. 그는 독서를 아주 좋아한다.

fon·du(e) [fándu:, -ˊ / fɔ́ndju:] *n.* Ⓒ,Ⓤ 《F.》 퐁뒤《백포도주에 치즈를 녹여서 빵을 찍어 먹는 스위스 요리》.

font[1] [fant / fɔnt] *n.* Ⓒ 〖宗〗 세례반(盤), 성수반(聖水盤). ★ 최근에는 거의 쓰이지 않음.

font[2] *n.* Ⓒ ① 《美》〖印〗 동일형 활자의 한 벌 (《英》 fount). ② 〖컴〗 글자체, 폰트.

fon·ta·nel(le) [fàntənél / fɔ̀n-] *n.* Ⓒ 〖解〗 숫구멍, 정문(頂門)《유아의 정수리 부분》.

†food [fu:d] *n.* ① Ⓤ,Ⓒ 식품, 식량 ; 영양물 : baby ~ 유아식 / liquid[solid] ~ 유동[고형]식 / natural ~ 자연식 / ~, clothing, and shelter 의식주 《순서가 우리나라와 다르다》/ cook one's own ~ 자취하다. ★ 불가산명사로 사용할 경우하나, 둘 셀 때에는 piece 또는 article을 써서 two pieces [articles] of ~. ② Ⓤ **a**) 정신적 양식 ; (사고·반성 따위의) 자료 : mental ~ 마음의 양식. **b**) 먹이 : be [become] ~ for fishes 고기밥이 되다, 익사하다.

fóod àdditive 식품 첨가제.

food·a·hol·ic [fù:dəhɔ́:lik, -hálik] *n.* Ⓒ 과잉 식욕자, 병적인 대식가.

fóod bànk 《美》 식량 은행《극빈자용 식량 저장 배급소》.

fóod chàin 〖生態〗 먹이연쇄.

fóod còupon =FOOD STAMP.

fóod cỳcle 〖生態〗 먹이 순환.

food-gath·er·ing [-gæ̀ðəriŋ] *a.* [限定的] (수렵) 채집 생활의.

food·less [ˊlis] *a.* 음식이 없는.

fóod pòisoning 식중독.

fóod pròcessor 식품 가공기《식품을 고속으로 썰고, 으깨고, 빻는 전동 기구》.

fóod stàmp 《美》 식량 카드《구호 대상자용》.

***food·stuff** [ˊstʌ̀f] *n.* Ⓒ (종종 *pl.*) 식량, 식료품.

fóod vàlue 영양가(價).

fóod wèb 〖生態〗 =FOOD CYCLE.

‡fool[1] [fu:l] *n.* Ⓒ ① 바보, 어리석은 사람 ; 백치 : Don't be a ~. 바보 같은 짓[소리] 하지 마라 / He was ~ enough to trust her. 그는 어리석게도 그녀를 믿었다. ★ enough 앞에서 fool은 반은 형용사화되어 있어서 무관사임. ② 바보 취급당하는 사람, 만만한 사람 : He's no[nobody's] ~. 그는 속을 사람이 아니다, 빈틈없는 영리한 사람이다. ③ 어릿광대《중세의 왕후·귀족에게 고용되었던》. ④ **a**) …을 아주 좋아하는 사람《*for*》: He's a ~ *for* sports. 그는 스포츠라면 사족 못쓴다. **b**) [흔히 現在分詞·形容詞에 수반되어] …광(狂) : a ~ *for* wine 술에 미친 사람 / a danc*ing* ~ 댄스광. ***act the ~*** =play the ~. ***be a ~ for*** one***'s pains*** [(《英》) ***to*** one***self***] 헛수고를 하다. ***make a ~ of*** a person 아무를 바보 취급하다, 기만하다 : He is *making a* ~ *of* his boss. 그는 자기 상사를 바보 취급하고 있다. ***make a ~ of*** one***self*** 웃음거리가 되다, 창피를 당하다. ***play the ~*** 바보짓을 하다 ; 어릿광대역을 맡아 하다. (***the***) ***more ~ you*** [***him***, etc.] (그런 일을 하다니) 너[그자]도 바보로군 : "I've decided to marry her." "*More* ~ *you*. Do you know what she did to your parents?" '그녀와 결혼하기로 했네.' '자넨 정말 어리석군. 그녀가 자네 부모에게 한 짓을 알고나 있나.' — *a.* [限定的] 《口》 =FOOLISH. — *vt.* ① (사람)을 놀리다, 우롱하다. ② 《~+목 / +목+전+명》 …을 속이다 ; 속여 빼앗다, 속여서 …시키다 : Don't be ~*ed* by advertising. 광고에 속지 말게 / They ~*ed* the boy *into* stealing his father's watch. 그들은 그 소년을 속여 아버지의 시계를 훔치게 했다. ③ 《+목+부》 (시간·돈·건강 따위)를 헛되이 쓰다, 낭비[허비]하다《*away*》: Don't ~ *away* your time. 시간을 허비하지 말게. — *vi.* ① 《~ / +전+명》 바보짓을 하다 ; 희롱거리다, 장난치다 : The child hurt himself ~*ing with* a knife. 그 소년은 칼을 가지고 장난치다가 상처를

입었다. ② 농락하다《*with*》. ③ 농담하다 : I was only ~*ing.* 나는 농담을 했을 뿐이다. ~ ***about*** 〔***around***〕 (1) 빈둥거리며 지내다, 시간을 허비하다 : We spent the afternoon ~*ing around* on the beach. 우리는 해안을 거닐면서 오후를 보냈다. (2) (기계·칼 따위)를 이것저것〔조심성 없이〕 만지작거리다《*with*》: The gun went off when he was ~*ing around with* it. 그가 총을 만지작거리고 있을 때 발사되었다. ~ ***along*** 《美》 어슬렁어슬렁 가다. ~ ***away*** ⇨ *vt.* ③.

fool² *n.* Ⓒ,Ⓤ 풀《과일을 짓찧어 우유·크림을 섞은 식품》.

fool·ery [fúːləri] *n.* ① Ⓤ 바보짓. ② (*pl.*) 어리석은 언동.

fool·har·dy [fúːlhɑ̀ːrdi] (***-di·er*** ; ***-di·est***) *a.* 저돌적인, 무모한(rash). ㊞ **-di·ly** *ad.* **-di·ness** *n.*

†fool·ish [fúːliʃ] (***more*** ~ ; ***most*** ~) *a.* ① 미련한, 어리석은 : It was ~ *of* you *to* do a thing like that. = You were ~ *to* do a thing like that. 그와 같은 짓을 하다니 자네는 어리석었군. ② 바보같은(ridiculous) : a ~ action〔idea〕 바보같은 행동〔생각〕. ㊞ *~·ly *ad.* *~·ness *n.*

fool·proof [fúːlprùːf] *a.* ① (기계 따위가) 아무라도 다룰 수 있는, 아주 간단〔튼실〕한 : a ~ camera 전자동의 소형 카메라. ② 실패 없는, 절대 안전〔확실〕한.

fóol's càp (방울 따위가 달린 원뿔형의) 어릿광대 모자 ; 원뿔형의 종이 모자(dunce cap)《학생에게 벌로 쓰게 함》.

fools·cap [fúːlzkæ̀p, fúːlskæ̀p] *n.* Ⓤ 대판 양지(大判洋紙)《13 ¹/₂×17 인치》.

fóols érrand (a ~) 헛수고, 도로(徒勞) : go on *a* ~ 헛수고하다.

†foot [fut] (*pl.* ***feet*** [fiːt]) *n.* ① Ⓒ 발《복사뼈에서 밑부분을 말함》; 발 부분《양말의 발 부분 따위》; (연체 동물의) 촉각(觸脚). ② Ⓤ **a**) (또는 a ~) 발걸음, 걸음거리 : with heavy ~ 무거운 발걸음으로 / have *a* light ~ 발걸음이 가볍다. **b**) 도보 : on ~ 걸어서, 도보로. ③ Ⓤ (흔히 the ~) (테이블 따위의) 다리 ; (침대·마루·무덤 따위의) 발치〔아래〕쪽. ④ Ⓤ (흔히 the ~) (사물의) 밑부분, 기슭, 아래, 밑바닥, 최하부, 기부(基部) ; 말위(末位), 말석 : at *the* ~ of a hill 언덕의 기슭에 / at *the* ~ of a page 페이지 아래에 / at *the* ~ of a class 학급의 말석에. ⑤ Ⓒ 피트《약 30 cm ; 발 길이에서 기인》.

> 語法 (1) 복수형은 보통 feet 이나, 다음 경우, 특히《口》에서는 foot 도 쓰임 ; He's six *feet*〔*foot*〕 tall. 그는 신장이 6피트이다 / five *feet* six =《口》 five *foot* six inches, 5피트 6인치.
> (2) 수사가 클 경우에는 보통 feet 를 씀 : a mountain (which is) 6,000 *feet* high 높이 6,000 피트의 산.
> (3) 수사를 수반하여 복합어를 이룰 때에는 foot 를 씀 : a five-*foot* fence 높이 5인치의 울타리 / an eight-*foot*-wide path 너비 8피트의 길 / a 6,000 *foot* high mountain.

⑥ Ⓤ 〔集合的〕《英古》 보병(infantry). ⑦〖韻〗 운각, 시각(詩脚).

at a ~'s pace 보통 걸음으로. ***at*** a person***'s feet*** (1) 아무의 발 아래에. (2) 아무에게 복종하여. ***at the feet of*** …의 밑에서. ***catch*** a person ***on the wrong*** ~ 아무의 허점을 찌르다. ***find*** one***'s feet*** (1) (어린애가) 설 수 있게 되다. (2) 환경에 익숙해지다 : I'm still *finding my feet* in my new job. 새 직업에 익숙해지려면 좀더 시간이 걸릴 것 같다. (3) 사회적으로 한 사람 몫을 하게 되다 : He's *found his feet* in the business world. 그는 실업계에서 겨우 한 사람 몫을 하게 되었다. ***get*** 〔***have***〕 ***a*** 〔one, one***'s***〕 ~ ***in*** (***the door***) = ***get*** one***'s*** ~ 〔***feet***〕 ***in*** 〔***under the table***〕 《口》 (조직 따위에) 잘 파고 들어가다, 발붙일 데를 얻다 : Finally he *got a* ~ *in the door* in the show business. 그는 드디어 흥행업에서 기틀을 마련했다. ***get*** (. . .) ***off on the right*** 〔***wrong***〕 ~ = start (...) (off) on the right 〔wrong〕 ~. ***get*** one***'s feet wet*** 참가하다, 손을 대다. ***get to*** one***'s*** ~ 일어서다. ***have*** 〔***keep***〕 ***a*** ~ ***in both camps*** 신중(愼重)히 양다리 걸치고 있다, 양진영(兩陣營)에 발을 디밀고 있다. ***have*** 〔***keep***〕 ***both*** 〔one***'s***〕 ***feet*** (***set***〔***planted***〕) (***firmly***) ***on the ground*** 현실적이다. ***have*** 〔***get***〕 ***cold feet*** ⇨ COLDFEET. ***have one*** ~ ***in the grave*** 《口》 한 발을 무덤 속에 넣고 있다, 죽어가고 있다. ***keep*** one***'s*** ~ 〔***feet***〕 똑바로 서다〔서서 걷다〕 ; 신중하게 행동하다. ***land*** 〔***drop, fall***〕 ***on*** one***'s feet*** = ***land on both feet*** (1) 거뜬히 어려움을 면하다. (2) 운이 좋다. ***My*** 〔***Your***〕 ~***!*** 《口》 맙소사. ***off*** one***'s feet*** 서 있지 않고 : The doctor told me to stay *off my feet.* 의사는 내게 누워 있으라고 말했다. ***on*** ~ (1) 걸어서, 도보로. (2) 발족하여, 착수되어 : There is a conspiracy *on* ~. 음모가 계획되고 있다 / set a campaign *on* ~ 운동〔캠페인〕을 일으키다. ***on*** one***'s feet*** (1) 일어서서 : I can't stay *on my feet* any longer. 더이상 서 있을 수 없다. (2) (병후에) 원기를 회복하고 : be back *on* one*'s feet* 건강해지다. (3) (경제적으로) 독립하여 : stand *on* one*'s* (own) *feet* 독립하다, 자립하다. ***put*** 〔***set***〕 ***a*** ~ ***wrong*** = ***not put*** 〔***set***〕 ***a*** ~ ***right*** 《특히 英》 〔주로 否定文〕 잘못하다 ; 실수하다 : He has *never put a* ~ *wrong* since he entered the company. 그는 입사 이래 한번도 실수하지 않았다. ***put*** 〔***set***〕 one***'s best*** ~ 〔***leg***〕 ***foremost*** 〔***forward***〕 (1) 《英》 가능한 한 급히 가다 ; 전속력으로 달리다. (2) 전력을 다하다. ***put*** 〔***get***〕 one***'s feet up*** (발을 높이 받쳐 놓고) 편히 쉬다. ***put*** one***'s*** ~ ***down*** (1) 발을 꽉 디디고 서다. (2) 《口》 단호히 행동하다, 반대하다 : When I said I would marry her, my father really *put his* ~ *down.* 그녀와 결혼해야겠다고 말하자, 아버지는 단호히 반대했다. (3) 《英口》 차를 가속시키다. ***put*** one***'s*** ~ ***in*** 〔***into***〕 ***it*** 〔one***'s mouth***〕 《口》 (무심코 발을 들여놓아) 곤경에 빠지다, 실패하다 ; 《口》 실언하다 : Every time he opens his mouth he *puts his* ~ *in it.* 그는 입을 열기만 하면 실언을 한다. ***set*** ~ ***in*** 〔***on***〕 …에 들어가다, 방문하다 : I'll never *set* ~ *in* this house again. 두 번 다시 이 집에는 발을 들여놓지 않겠다. ***set . . . on*** ~ …을 개시 〔착수〕하다. ***start*** (. . .) (***off***) 〔***begin*** (. . .), ***get*** (. . .) ***off***〕 ***on the right*** 〔***wrong***〕 ~ (인간 관계 따위에서) (…을) 잘〔잘못〕 시작하다, 출발이 순조롭다〔순조롭지 않다〕. ***sweep*** a person ***off*** his ***feet*** ⇨ SWEEP. ***to*** one***'s feet*** (발로) 일어서 : come 〔get, rise〕 *to* one*'s feet* 일어서다. ***under*** ~ (1) 발밑에 ; 발밑이, 땅이, 마루가 : trample 〔tread〕 *under* ~ = TREAD under ~ / be damp *under* ~ 땅이 질다. (2) 굴복하여. ***under*** a person***'s feet*** (1) 아무를 방해하여. (2) 아무의 발밑에. (3) 아무의 뜻대로 되어, 아무에게 복종하여. ***with both feet*** 단호히 : He leapt into the task *with both feet.* 그는 단호하게 그 일에 뛰어들었다. ***with*** one***'s feet foremost*** (1) 두 발을 내뻗고. (2) 시체가 되어. ── *vt.* ① 〔흔히 it 를 수반하여〕 걷다, 걸어가

다: We'll have to ~ *it.* 걸어서 가야 한다. ② [it 를 수반하여] 스텝을 밟다, 춤추다: ~ *it* featly here and there. 날렵하게 이리저리 춤추며 뛰다. ③ (양말 따위에) 발 부분을 붙이다. ④ …의 비용을 부담하다: The company will ~ her expenses. 회사가 그녀의 비용을 부담할 것이다. ~ ***the bill*** ⇨ BILL[1]

foot·age [fútidʒ] *n.* Ⓤ 피트수(數)《특히 영화 필름·목재의 길이》, 길이.

†**foot·ball** [fútbɔ̀:l] *n.* ① Ⓤ 풋볼《미국에서는 미식 축구, 영국에서는 주로 축구 또는 럭비》. ② Ⓒ 풋볼 공. ③ Ⓒ 난폭하게[소홀히] 취급되는 사람[물건]; 목침돌림의 대상이 되는 물건[문제]. ㊕ **~·er** *n.* Ⓒ ~ 선수.

fóotball pòols (the ~) 《英》 축구 도박.

foot·bath [⌐bæ̀θ, ⌐bɑ̀:θ] (*pl.* **~s** [⌐bæ̀ðz, ⌐bɑ̀:ðz]) *n.* Ⓒ ① 발 씻기. ② 발 대야.

foot·board [⌐bɔ̀:rd] *n.* Ⓒ (침대·기차 등의) 발판, 디딤판.

fóot bràke (자동차 따위의) 밟는 브레이크.

foot·bridge [⌐brìdʒ] *n.* Ⓒ 인도교.

foot-drag·ging [⌐drǽgiŋ] *n.* Ⓤ 《美口》 신속히 할 수 없음, 지체.

foot·ed [⌐id] *a.* ① 발이 있는. ② [複合語] …발 가진; 발이 …한: four-~ 네 발 가진, 네 발의 / fleet-~ 걸음이 빠른.

foot·er [⌐ər] *n.* Ⓒ ① 보행자. ② [複合語로] 키 [길이]가 …인 사람[물건]: a six-~ 키가 6 피트인 사람. ③ 《英口》 축구, 사커. ④ 『컴』 꼬리말《책이나 문서에서 각 페이지의 아래에 인쇄되는 것》.

foot·fall [⌐fɔ̀:l] *n.* Ⓒ 발소리; 걸음걸이.

fóot fàult 『테니스』 서브할 때에 라인을 밟는 반칙.

foot·gear [⌐gìər] *n.* [集合的] 신는 것《신발·양말 따위》.

Fóot Guàrds (the ~) 영국 근위 보병 (연대).

foot·hill [⌐hìl] *n.* (흔히 *pl.*) 산기슭의 작은 언덕.

***foot·hold** [⌐hòuld] *n.* Ⓒ ① 발판; 발붙일 데: He lost his ~ and fell down the cliff. 그는 발판을 놓쳐 절벽에서 떨어졌다. ② (흔히 *sing.*) 기지; 견고한 입장, 의지간.

***foot·ing** [fútiŋ] *n.* ① Ⓤ (또는 a ~) 발 밑, 발판, 발디딤(foothold): Mind your ~. 발 밑을 조심하시오. ② (a ~) 발 붙일 데, 터전; (확고한) 기반; 지위, 신분: get [gain, obtain] *a* ~ in society 사회에 발판을[지위를] 쌓다 / lose one's ~ 발을 헛딛다; 설 자리를 잃다. ③ [*sing.*; 흔히 修飾語를 수반함] **a**) 지위, 신분, 자격: on an equal [the same] ~ with …와 동등한 자격으로 [관계로], 대등하게. **b**) 사이, 관계(relationship): be on a friendly ~ with …와 친한 사이[관계]이다.

foo·tle [fú:tl] *vi.* 《口》 빈둥거리다, 빈둥빈둥하다 《*about, around*》.

foot·less [fútlis] *a.* ① 발이 없는. ② 기반[기초] 없는; 실체[근거]가 없는. ③ 맵시[쓸모] 없는.

foot·lights** [⌐làits] *n. pl.* ① 『劇』 각광《무대의 전면 아래쪽에서 배우를 비추는 광선》, 풋라이트. ② (the ~) 연극; 배우업(俳優業): smell of *the* ~ 연극 맛이 풍기다, 연극을 하듯이 작위적이다. ***appear before the ~ 무대에 서다, 각광을 받다.

foot·ling [fútliŋ] *a.* 《口》 ① 어리석은, 분별없는. ② 허튼, 쓸데없는.

foot-loose [⌐lù:s] *a.* [敍述的] 가고 싶은 곳에 갈 수 있는, 자유로운: She is still ~ and fancy-free. 그녀는 여전히 자유분방하다.

***foot·man** [⌐mən] (*pl.* **-men** [⌐mən]) *n.* Ⓒ (제복을 입은) 종복(從僕), 하인.

***foot·mark** [⌐mɑ̀:rk] *n.* Ⓒ 발자국(footprint).

***foot·note** [⌐nòut] *n.* Ⓒ ① 각주(脚注); 보충 설명. ② 부수적 사건. ── *vt.* …에 각주를 달다.

foot·pace [fútpèis] *n.* Ⓒ 보통 걸음.

foot·pad [⌐pæ̀d] *n.* Ⓒ (도보의) 노상(路上) 강도《highwayman 은 보통 말 탄 강도》.

foot·path [⌐pæ̀θ, ⌐pɑ̀:θ] (*pl.* **~s** [⌐pæ̀ðz, ⌐pæ̀θs, ⌐pɑ̀:ðz, ⌐pɑ̀:θs]) *n.* Ⓒ 보행자용의 작은 길; 보도.

foot-pound [⌐páund] (*pl.* **-pounds**) *n.* Ⓒ 『物』 피트파운드《1 파운드 무게의 물체를 1 피트 들어올리는 일의 양》.

***foot·print** [⌐prìnt] *n.* Ⓒ 발자국.

fóot ràce 도보 경주, 뜀박질.

foot·rest [⌐rèst] *n.* Ⓒ (이발소 의자 등의) 발판.

foots [futs] *n. pl.* 침전물, 찌꺼기.

foot·sie [fútsi] *n.* 《兒》 걸음마, 발. ***play*** ~**(*s*)** ***with*** 《口》 (1) (남녀가 테이블 밑에서 발을 비비며) 새롱거리다. (2) …와 몰래 정을 통하다[부정한 거래를 하다].

foot·slog [⌐slɑ̀g / ⌐slɔ̀g] (**-*gg*-**) *vi.* (진창·먼 길을) 힘들게 걷다, 터벅터벅 걷다.

fóot sòldier 보병.

foot·sore [⌐sɔ̀:r] *a.* 발병난, 신발에 쓸린.

‡**foot·step** [⌐stèp] *n.* Ⓒ ① 걸음걸이; 보폭(步幅). ② 발소리. ***follow*** [***tread***] ***in*** a person***'s*** **~*s*** ⇨ FOLLOW.

foot·stone [⌐stòun] *n.* Ⓒ (무덤의) 대석(臺石); 『建』 주춧돌.

foot·stool [⌐stù:l] *n.* Ⓒ 발판.

foot·way [⌐wèi] *n.* =FOOTPATH.

foot·wear [⌐wɛ̀ər] *n.* Ⓤ =FOOTGEAR.

***foot·work** [⌐wə̀:rk] *n.* Ⓤ (구기·복싱·춤 등의) 발놀림, 풋워크.

foot·worn [⌐wɔ̀:rn] *a.* ① 걸어서 지친, 다리가 아픈. ② 밟아서 닳은: a ~ carpet 닳은 카펫.

foo·zle [fú:zəl] *vt.* 『골프』 (공)을 잘못 치다 (bungle). ── *n.* Ⓒ 『골프』 (공을) 잘못 침.

fop [fɑp / fɔp] *n.* Ⓒ 맵시꾼, 멋쟁이.

fop·pery [fɑ́pəri / fɔ́p-] *n.* Ⓤ,Ⓒ 멋부림.

fop·pish [fɑ́piʃ / fɔ́p-] *a.* 멋부린, 모양을[맵시를] 낸. ㊕ **~·ly** *ad.* **~·ness** *n.*

†**for** [fɔ:r, 弱 fər] *prep.* ① [이익·영향] …을 위해[위한]; …에(게) 있어: give one's life ~ one's country 나라를 위해 목숨을 바치다 / work ~ an oil company 석유 회사에 근무하다 / Can I do anything ~ you? 무어 시키실 일은 없으신지요 / Smoking is not good ~ your health. 담배는 건강에 좋지 않다.

② [방향·경향·목적지] …을 향하여; (열차 따위가) …행(行)의; …에 가기 위해[위한]: dash ~ [*to*] the door 문을 향해 돌진하다 / start [leave] (Pusan) ~ China 중국을 향해 (부산을) 떠나다 / The ship is bound ~ Pusan. 그 배는 부산행(行)이다 / change ~ the better [worse] 좋은[나쁜] 쪽으로 변하다; 호전[악화]되다.

> 參考 **for** 와 **to** for 는 목적·방향을 나타내며, to 는 도착지를 나타냄. 따라서 the train *for* Seoul 은, 다만 서울을 '향해서'의 뜻일 뿐이며, '도착한다'는 보증은 없음. He went *to* the house. 는 그가 확실히 집에 도착했음을 말함.

③ [대리·대용·대표] …대신(에, 의, 으로)《on behalf of 는 딱딱한 표현임》, …을 위해; …을 나타내어; …을 대표하여: speak ~ another 남을 대신하여[위해] 말하다, 대변하다 / U.N. stands ~ the United Nations. 유엔은 국제 연합을 나타낸다 / substitute margarine ~ butter 마가린을

버터 대용품으로 쓰다 / the Member of Parliament ~ Manchester 맨체스터 선출 의원.
④〔목적·의향〕…을 위해, …을 목적으로 : dress ~ dinner 만찬을 위해 옷을 갈아 입다 / go ~ a walk〔swim〕 산책〔수영〕하러 가다 / What do you work ~? 자네는 무슨 목적으로 일을 하는가.
⑤〔획득·추구·기대의 대상〕…을 얻기 위해〔위한〕; …을 찾아〔구하여〕: seek ~ 〔*after*〕 fame 명성을 추구하다 / an order ~ tea 차(茶)의 주문 / send ~ a doctor 의사를 부르러 가다 / wait ~ an answer 회답을 기다리다 / cry ~ one's mother 엄마를 찾으며 울다 / He had a thirst ~ knowledge. 그는 지식을 갈망했다.

> 參考 **for** 와 **after** for 는 대망·바람·추구 따위를 나타내는 동사·형용사와 함께 쓰임. for 대신 after가 쓰일 때가 있는데, after 가 뜻이 강함 : strive *for* 〔*after*〕 wisdom 지식을 구하여 노력하다 / be eager *for* 〔*after*〕 a position 지위를 열망하다.

⑥〔적합·용도·대상〕…에 적합한, …에 어울리는〔걸맞은〕; …대상의 ; …용의〔에〕: a dress ~ the occasion 그 자리에 어울리는 옷 / a time ~ action 행동할 때 / He is the right man ~ the (right) job. 그는 그 일에 적임이다 / books ~ children 어린이를 위한〔대상으로 한〕 책 / What is this used ~? 이건 무엇에 쓰이는 것인가.
⑦〔준비·보전·방지〕…에 대비하여〔하는〕; …을 보전하기〔고치기〕 위해〔위한〕: prepare ~ an examination 시험준비를 하다 / get ready ~ school 등교(의) 채비를 하다 / a good remedy ~ headaches 두통에 잘 듣는 약 / The meeting is at 6 : 30 ~ 7 : 00. 모임은 7시에 시작하므로 6시 30분에 입장바람《초대장 등에 쓰는 말》/ store up firewood ~ the winter 겨울에 대비해 장작을 비축하다.
⑧ **a)** 〔경의〕…을 기념하여 ; …을 위해 ; …에 경의(敬意)를 표하여(in honor of) : A reception was given ~ the Chinese foreign minister. 중국의 외무장관을 위해 리셉션이 개최되었다. **b)** 〔모방·본뜸〕《美》…에 관련지어 ; …의 이름을 따(라)서(《英》 after) : The baby was named ~ his grandfather. 아기 이름은 할아버지의 이름을 따서 지었다.
⑨〔이유·원인〕 **a)** …(한) 이유로 ; …때문에 ; …으로 인하여〔인한〕: ~ many reasons 많은 이유로 / He died ~ sorrow. 그는 슬픈 나머지 죽었다 / I can't see anything ~ the fog. 안개로 인해 아무것도 안 보인다 / He was dismissed ~ neglecting his duties. 그는 직무를 태만히 하여 해고되었다. **b)** 〔보통 the+비교급의 뒤에서〕…(한) 결과(로서) ; …탓으로 : He felt (*the*) *better* ~ having said it. 그는 그것을 말하고 나니 오히려 속이 시원했다 / ⇨ be the BETTER ~ ; be the worse ~ WEAR(成句).
⑩〔찬성·지지〕…에 찬성하여 ; …을 지지하여〔한〕; …을 위해 ; …을 편들어 (OPP *against*) : vote ~ 〔*against*〕 a person 아무에게 찬성〔반대〕 투표하다 / Are you ~ or *against* (the proposal)? (그 제안에) 찬성인가 아니면 반대인가 / He's all ~ traveling. 그는 여행하는 것에 대찬성이다 / I'm ~ calling it a day. 오늘 일은 이것으로 마치자 / Three cheers ~ our team! 우리 팀을 위해 만세 삼창을!
⑪ **a)** 〔감정·취미·적성 따위의 대상〕…에 대하여〔한〕; …을 이해하는 : an eye ~ beauty 심미안(審美眼) / pity ~ the poor 가난한 자에 대한 동정 / have a taste ~ music 음악을 좋아하다 / He has no talent ~ singing. 그에게는 노래의 재능이 없다 / I'm sorry ~ you. 미안하게〔딱하게〕 여긴다. **b)** 〔cause, reason, ground, motive 따위 뒤에 와서〕…에 대해서의 ; …(해야) 할 : You have no *cause* ~ worry. 걱정할 이유가 전혀 없다.
⑫〔흔히 ~ all 의 형태로〕…에도 불구하고, …한데도 (역시) (in spite of) : ⇨ ~ all(成句).
⑬〔교환·대상(代償)〕…와 상환(相換)으로 ; …에 대해 ; …의 금액〔값〕으로 : I did the work ~ nothing. 나는 무보수로 그 일을 했다 / He gave her his camera ~ her watch. 그는 자기 카메라를 그녀의 시계와 맞바꿨다 / I paid $ 50 ~ the camera. 그 카메라에 50 달러를 지불했다 / The eggs are ₩300 ~ 10 〔10 ~ ₩300〕. 이 달걀은 10개에 300 원입니다.
⑭〔보상·보답·보복〕…에 대해, …의 보답으로서 ; …의 대갚음으로 : five points ~ each correct answer 각 정답에는 5 점 / make up ~ a loss 손실을 벌충하다〔메우다〕/ reward him ~ his services 그의 일에 대해 보수를 주다 / give blow ~ blow 주먹엔 주먹으로 맞서다 / Thank you ~ your kindness. 친절히 해 주셔서 감사드립니다 / He was fined ~ speeding. 그는 과속으로 벌금이 부과되었다.
⑮〔시간·거리〕…동안 (죽) ; (예정 기간으로서의) …간(間)《동사 바로 뒤에서는 종종 생략됨》: ~ hours 〔days, years〕 몇 시간〔며칠, 몇 해〕 동안 / ~ all time 영원히 / ~ an age 오랜 동안〔세월〕/ ~ days (and days) on end 날이면 날마다 (끝없이) / ~ a while 잠시 / imprisonment ~ life 종신〔무기〕 징역 / The forest stretches ~ a long way. 숲이 멀리 잇따라 뻗쳐 있다 / The road runs ~ five miles. 길은 5마일이나 뻗쳐 있다 / The TV station stopped broadcasting ~ the day. 텔레비전 국(局)은 하루의 방송을 끝냈다.

> 語法 특정한 기간을 가리킬 경우 for 는 쓸 수 없음 : *during* 〔*for〕 the six weeks 그 6주일간. 단, '(어느 특정한) 기간을 지내기 위해'의 문맥(文脈)에서는 쓸 수 있음 : We camped there ~ 〔*throughout, in, during*〕 the summer. 우리는 여름 동안 그곳에 캠프를 했다《★ throughout 는 '처음부터 끝까지'의 뜻을 강조, in 은 '여름철 어느 시기에'의 뜻임. during 은 문맥에 따라 어떤 의미로도 됨》.

⑯〔받을 사람·보낼 곳〕…에게 주기 위해〔위한〕; …앞으로(의) : I've got some good news ~ you. 네게 좋은 소식이 있다 / Who is it ~? 누구에게 줄 것입니까 / Bill, there's a call ~ you. 빌, 너에게 전화다 / She bought a new tie ~ Tom. 그녀는 톰에게 새 넥타이를 사 주었다(=She bought Tom a new tie.).
⑰〔지정한 일시·축일〕 (며칠·몇시)에 ; (어떤 행사가 있는 경우)에, …때에 ; …을 축하하기 위해 : make an appointment ~ five o'clock, 5시로 약속하다 / The wedding has been fixed ~ April 6th. 결혼식 날짜는 4 월 6 일로 정해졌다 / She was Miss Korea ~ 1990. 그녀는 1990 년의 미스 코리아였다 / I gave him a baseball mitt ~ his birthday. 생일 축하로 그에게 야구 미트를 선사했다.
⑱〔자격·속성〕…로서(as)《이 용법에서는 종종 뒤에 형용사나 분사가 따름》: take ... ~ granted …을 당연한 것으로 여기다 / I know it ~ a fact. 그것을 사실로 알고 있다 / Do you take me ~ a fool? 자넨 나를 바보로 아는가 / They chose him ~ 〔as, to be〕 their leader. 그들은 그를 지도자로

택했다 / He was given up ~ lost 〔dead〕. 그를 죽은 것으로 단념했다.
⑲ 〔수량·금액〕 …만큼(의) : a check ~ $ 20, 20 달러의 수표 / Put me down ~ $ 30. 내 몫〔앞〕으로 30 달러만 기입해 주시오.
⑳ 〔관련〕 …에 관해서(는), …의 경우에는, …에 대해서; …점에서는 : ~ my part 나로서는(=as for me) / be hard up 〔all right〕 ~ money 돈이 없어 곤란하다〔돈은 충분하다〕 / So much ~ today〔that topic〕. 오늘은〔그 화제는〕 이것으로 해두자 / *For* the use of *far*, see p. 450. far 의 용법에 관해서는 450 페이지를 보라.
㉑ 〔기준〕 …로서는, …치고는, …에 비해서는 : It is cool ~ July. 7월 치고는 선선하다 / *For* a learner, he swims well. 그는 초심자치고는 수영을 잘 한다.
㉒ 〔주로 too+형용사·부사+for, enough+for 의 형태로〕 …에 있어서(는) ; …하기에는 : It's *too* early ~ supper. 저녁 먹기에는 너무 이르다 / There was *enough* food ~ us all. 우리 모두에게 충분하리만큼의 음식이 있었다 / The scene is *too* beautiful ~ words. 그 광경은 말로 표현할 수 없을 정도로 아름답다.
㉓ 〔대비·비율〕 **a)** 〔each, every 나 數詞 앞에서〕 …에 대해(―꼴로) : There is one Korean passenger ~ *every* five English. 승객은 영국인 5명에 한국 사람 1명 꼴이다 / *For every* mistake you make I will deduct 5 points. 틀린 것 하나마다 5점 감점합니다. **b)** 〔앞뒤에 같은 名詞를 써서〕 …와 ―을 비교해 (볼 때) : Dollar ~ dollar, you get more value at this store than at the other one. 같은 1 달러로, 그쪽보다 이쪽 가게에서 물건을 더 살 수(가) 있다 / ⇨ MAN for man, POINT for point, WORD for word(成句).
㉔ 〔to 不定詞의 의미상의 主語를 나타내어〕 **a)** …이 (―하다) : It is important ~ you *to* go at once. 네가 곧 가는 것이 중요하다(=*For* you *to* go at once is important.) / There's no need ~ us *to* hurry. 우린 서두를 필요가 없다(=We need not hurry.) / It is possible ~ there *to* be compromise between them. 그들 사이에는 타협이 있을 가능성이 있다《there 가 존재를 나타내는 주어로 느껴질 경우 이런 구문을 취함》 / They arranged ~ her *to* come here. 그들은 그녀가 이곳에 올 수 있도록 마련했다《ask, call, long, plan, wait 따위》. **b)** 〔보통 It is *for* a person *to* do의 형태로〕 (…하는 것은) …에게 어울리면 ; …이 (하여야) 할 일이다 : It's not *for* me *to* say hold you should do it. 네가 그것을 어떻게 할까는 내가 말할 것이 아니다 / That's *for* you *to* decide. 그것은 네가 결정할 일이다.
as ~ ⇨ AS[1]. ***be ~ it*** 《英口》 반드시 벌을 받게〔야단맞게〕 돼 있다 : You'll *be ~ it* when your mother comes home! 어머니가 돌아오시면 꾸중을 들을게다. ***be in ~ . . .*** ⇨ IN. ***but ~*** ⇨ BUT. ***except ~*** ⇨ EXCEPT. ***~ all . . .*** (1) …에도 불구하고, …한데도 : ~ *all* that 그럼에도 불구하고 / *For all* his riches, he is not happy. 그렇게 부자인데도 그는 행복하지가 않다. (2) 〔종종 that 와 함께 接續詞的〕 《英稀》 …하지만, …인 데도 : *For all* (*that*) he said he would come, he didn't. 그는 오겠다고 했음에도 오지를 않았다. (3) …(이 대수롭지 않은 것)을 고려하여 (보면) : *For all* the good it has done, I might just as well not have bought this medicine. 효능면에서 보아 이 약은 사지 않아도 되었었다. ***~ all*** 〔***aught***〕 ***. . . care*** ⇨ CARE. ***~ all*** 〔***aught***〕 ***I know*** 아마 (…일 게다). ***~ all the world like*** 〔***as it***〕 ***. . .*** ⇨ WORLD. ***~ better*** (***or***) ***for worse*** ⇨ BETTER[1]. ***~ ever*** (***and ever***) 영원히. ***~ fear of . . .*** ⇨ FEAR. ***~ good*** (***and all***) ⇨ GOOD *n.* ***~ it*** 그것에 대처할 《it 은 막연히 사태를 가리킴》 : There was nothing ~ *it* but to run. 달아나는 길 외〔밖〕엔 방도가 없었다. ***~ one*** ⇨ ONE. ***~ one thing*** ⇨ THING. ***~ oneself*** ⇨ ONESELF. ***~ one's part*** ⇨ PART. ***~ the life of*** one ⇨ LIFE. ***if it were not*** 〔***had not been***〕 ***~*** ⇨ IF. ***So much ~*** (the place, and) ***now ~*** (the date). (장소는) 그곳으로 됐다 치고, 이번엔 (날짜)다. ***That's . . . ~ you.*** 〔상대의 주의를 환기하여〕 (1) 거 봐라〔어때〕 …이〔하〕지 : *That's* a big fish ~ *you.* 자 봐라 큰 고기지. (2) 그런 일이 …에겐 흔히 있는 일〔어려운 점〕이다 : *That's* life ~ *you.* 인생이란 그런 것이다. ***That's what . . . is ~.*** 그런 일은 …이라면 당연하다 : *That's what* friends *are* ~. 그런 건 친구라면 당연하지 않습니까. ***There's . . . ~ you.*** 〔상대의 주의를 환기하여〕 (1) 보세요 …하지요 : *There's* a fine rose ~ *you.* 자 보세요, 멋진 장미죠. (2) 《蔑》 …라니 기가 차군 : *There's* gratitude ~ *you.* 그게 (소위) 감사라는 건가.
── *conj.* 《文語》 왜냐하면 …이〔하〕니까 ; …한 걸 보니― : Let me stay, ~ I am tired. 여기(에) 있게 해주시오, 지쳤으니까요 / She must be very happy, ~ she is dancing. 춤추고 있는 것을 보니 그녀는 무척 기쁜 모양이다 / He stayed behind ; ~ he was ill. 그는 뒤에 남았다, 병이 있기 때문이었다.

> 語法 (1) for 는 주절에서 서술한 내용을 보충적 추가적으로 그 이유를 말할 때 쓰이나, 《口》에서는 사용치 않고 대신 because 를 사용함.
> (2) 글머리에는 쓰이지 않으며, 보통 콤마, 세미콜론을 앞에 찍음.

FOR, for 〖컴〗 되풀이(iteration) 《구조적 프로그램을 작성할 때 일반적인 반복문을 의미하는 제어 명령문》.
for- *pref.* '금지, 부정, 거부, 비난, 과도(過度), 배제, 생략' 등의 뜻 : *for*bid, *for*bear.
F.O.R., f.o.r. 〖商〗 free on rail. **for.** foreign ; forestry.
fo·ra [fɔ́:rə] FORUM 의 복수.
***for·age** [fɔ́:ridʒ, fɑ́r- / fɔ́r-] *n.* Ⓤ ① 꼴, 마초. ② (또는 a ~) 마초 징발. ── *vi.* ① 《+前+名》 마초를 찾아다니다 ; 식량징발에 나서다 《*about* ; *for*》 : Cows are allowed to ~ *about for* food. 소는 꼴을 찾아 돌아다닐 수 있게 되어 있다. ② 《+副 / +前+名》 《比》 찾아다니다, 마구 뒤적여 찾다 《*about* ; *for*》 : ~ *about* to find a book 여기저기 뒤져 책을 찾다 / The campers went *foraging for* wood to make a fire. 야영자들은 불을 피우기 위해 나무를 찾아 나섰다.
fórage càp (보병의) 작업모.
for·ag·er [fɔ́:ridʒər, fɑ́r- / fɔ́r-] *n.* Ⓒ 마초 징발대원 ; 약탈자.
fór·ag·ing ànt [fɔ́:ridʒiŋ-, fɑ́r- / fɔ́r-] 떼로 먹이를 찾아다니는 개미, 병정개미.
for·as·much [fɔ̀:rəzmʌ́tʃ / fərəz-] *conj.* 《文語》 〖法〗 〔다음 형태로만 쓰임〕 ***~ as*** …임을 보면, …인 까닭에 (seeing that, since) : ~ *as* the time is short 시간이 짧기 때문에.
for·ay [fɔ́:rei / fɔ́r-] *vi.* 약탈〔침략〕하다.
── *n.* Ⓒ ① 침략, 약탈(incursion). ② 본업 이외의 일을 해봄《*into*》 : make a ~ *into* politics 정치를 해보다.
***for·bade, -bad** [fərbéid], [-bǽd] FORBID 의 과거.

:for·bear[1] [fɔːrbέər] (**-bore** [-bɔ́ːr]; **-borne** [-bɔ́ːrn]) *vt.* ①《~ +명 / + -*ing* / + *to* do》…을 삼가다, 참다: She could not ~ cry*ing*〔*to* cry〕. 그녀는 울지 않을 수 없었다 / I *forbore* express*ing*〔*to* express〕my opinion. 내 의견을 말하지 않고 참았다. ②(감정 따위)를 억제하다: ~ one's rage 화를 참다. ── *vi.* ①《~ / +전+명》(몸을) 사리다, 멀리 하다, 삼가다, 그만두다《*from*》: I wanted to punch him, but I *forbore.* 그 녀석을 때려주고 싶었지만 그만두었다 / ~ *from* drink*ing* 음주를 삼가다. ② 참다《*with*》. ***bear and*** ~ 잘 참고 견디다.

forbear[2] ⇨ FOREBEAR.

***for·bear·ance** [fɔːrbέərəns] *n.* Ⓤ ① 삼감, 자제(심); 인내, 참음(patience). ② 관용(寬容): treat a person with ~ 아무를 관대하게 다루다.

for·bear·ing [fɔːrbέəriŋ] *a.* ① 참을성 있는 (patient). ② 관대한(lenient). ㊞ **~·ly** *ad.*

:for·bid [fərbíd] (**-bade** [-béid, -bǽd], **-bad** [-bǽd]; **-bid·den** [-bídn]; **-bid·ding** [-bídiŋ]) *vt.* ①…을 금하다, 허락하지 않다: Fishing is *forbidden.* 낚시 금지 / My health ~*s* my coming. 건강이 좋지 않아 가지 못하겠습니다. ②《+목+목 / +목+ *to* do》…을 금지하다, 허용치 않다; …의 사용〔출입〕을 금하다: ~ a person wine 아무에게 술을 금하다 / Foreigners were *forbidden to* enter the country. 외국인들은 입국이 금지되었다. ③《~+목 / +목+ *to* do》(사정 등이) …을 불가능하게 하다, 방해하다: The storm ~*s* us *to* proceed. 폭풍 때문에 우리들은 전진하지 못한다. ***God***〔***Heaven, The Lord, The Saints***〕~! 결코 그런 일 없도록; 그럴 리가 있나, 당치 않다.

:for·bid·den [fərbídn] FORBID 의 과거분사.
── *a.* 〔限定的〕 금지된, 금단의: This is a ~ place to children. 이곳은 어린이들에게는 출입금지 장소입니다.

forbídden frúit ① (the ~) 〖聖〗 금단의 열매. ② Ⓤ,Ⓒ 금지되어 있기 때문에 더 갖고 싶은 것;《특히》불의의 쾌락.

forbídden gróund ① 금역; 성역(聖域). ② 금지된 화제(話題).

for·bid·ding [fərbídiŋ] *a.* ① 험준한; 가까이 하기 어려운: ~ cliffs 험준한 절벽. ② 험악한, 무서운: a ~ countenance 험악한 얼굴. ㊞ **~·ly** *ad.*

***for·bore** [fɔːrbɔ́ːr] FORBEAR[1]의 과거.

***for·borne** [fɔːrbɔ́ːrn] FORBEAR[1]의 과거분사.

†force [fɔːrs] *n.* ① Ⓤ 힘, 세력, 에너지: the ~ of nature 자연의 힘 / the ~ of gravity 중력(★ 물리학 용어로서는 force '힘'; power '일률(率), 공률(工率)'; energy '에너지'). ② Ⓤ 폭력(violence), 완력: resort to ~ 폭력에 호소하다 / use 〔employ〕 ~ on a person 아무에게 폭력을 행사하다 / I had to use ~ to open the door. 그 문을 열기 위해 완력을 쓰지 않으면 안되었다. ③ Ⓤ 정신력, 박력: a man of ~ and determination 박력과 결단력이 있는 사람 / by sheer ~ of will 순전히 의지의 힘으로. ④ Ⓤ 영향(력), 지배력; 설득력: the ~ of an argument 논의의 설득력 / The influence of parents is a major ~ in the development of character. 양친의 영향력은 인격 형성에 주된 지배력이 되고 있다. ⑤ Ⓤ 효과; (법률상의) 효력(validity). ⑥ Ⓒ (사회적) 권력, 세력, 유력한 인물: He's a ~ to reckon with in the party. 그는 당 내에서 무시할 수 없는 중진이다. ⑦ Ⓒ 무력, 병력; (종종 *pl.*) 군대, 부대; 경찰(대): the air ~ 공군 / the police ~ 경찰. ⑧ Ⓒ (공동 활동의) 대(隊), 집단; 〔集合的〕 성원(成員), 부원: office ~ 사무원. ⑨ Ⓤ (말의) 뜻, 의의: It's difficult to convey adequately the ~ of this poem. 이 시의 참뜻을 전하기는 어렵다. ◇ forceful, forcible *a.* ***by*** (***the***) ~ ***of*** …의 힘으로, …에 의하여: *by* ~ *of* habit 습관의 힘으로. ***in*** ~ (1) 유효하여, 실시 중으로: This rule is no longer *in* ~. 이 규칙은 이미 효력을 잃고 있다. (2) 〖軍〗 대거하여. ***join*** ~***s with*** …와 협력하다: *join* ~*s with* the public against crime 국민과 협력하여 범죄와 대결하다.

── *vt.* ①《+목+ *to* do / +목+전+명》…에게 강제하다, 우격으로 …시키다, 억지로 …시키다: We ~*d* him *to* sign the paper. 우리들은 그에게 억지로 그 서류에 서명하게 했다 / Poverty ~*d* her *into* a crime. 가난 때문에 그녀는 범죄를 저질렀다 / He *was* ~*d* to confess 그는 자백하지 않을 수 없었다. ②《~+목 / +목+전+명 / +목+보》…에게 폭력을 가하다; (여자)에게 폭행하다(violate); (문·금고 따위)를 비집고 열다; (진지)를 강행 돌파하다; (힘, 우격)으로 얻다, 빼앗다, 강탈하다: The thieves ~*d their way into* the house. 강도들이 집으로 밀고 들어왔다 / He ~*d his way through* the crowd. 그는 군중속을 헤집고 앞으로 나갔다 / I ~*d* the gun *from* his hand. 그의 손에서 총을 빼앗았다. ③《+목+전+명 / +목+부》 밀어넣다; (억지로) 떠맡기다, 강매하다: Don't ~ your foot *into* the shoe; it's too small for you. 억지로 신발에 발을 밀어넣지 말게, 자네에게 너무 작군 / She ~*d back* her tears. 그녀는 눈물을 꾹 참았다 / Love cannot be ~*d*. 사랑은 강제될 수 없다. ④《~+목 / +목+전+명》(억지로) …을 밀어내다, 끌어내다: ~ a promise *from* a person 억지로 약속시키다 / ~ a secret *out of* a person 아무에게서 억지로 비밀을 캐내다. ⑤…에 무리를 가하다; 억지로 일〔공부〕시키다: ~ the pace 스피드를 올리다 / ~ a motor 모터를 과열시키다 / I'm sorry to ~ the task *on* you. 무리인 줄 알지만 이 일을 잘 부탁합니다. ⑥ 〖野〗 포스아웃하다《*out*》; (만루에서) 밀어내기 득점을 허용하다《*in*》: ~ (*in*) the third runner (만루에서) 삼루 주자를 밀어내다. ⑦ 〖園〗 촉성 재배하다: ~ a plant. ⓒⓕ forward.

~ ***back*** (감정·욕망 등)을 억제하다: ~ *back* the desire to embrace her 그녀를 포옹하고 싶은 욕망을 억제하다. ~ ***out*** (1) (음성 등을) 억지로 내다. (2) (…을) 내쫓다. (3) (…을) 실격시키다. (4) 〖野〗 (주자를) 포스아웃시키다. ~ ***a person's hand*** 아무를 억지로 따르게 하다; 〖카드놀이〗 손에 쥔 패를 내어 놓게 만들다.

***forced** [fɔːrst] *a.* 〔限定的〕 ① 강요된, 강제적인 (compulsory): a ~ draft 강제 통풍《노(爐)에 대한》. ② 무리한, 억지의, 부자연한(unnatural): a ~ smile 억지 웃음 / ~ quotations 조작〔인위〕 시세. ㊞ **forc·ed·ly** [fɔ́ːrsidli] *ad.*

fórced lábor 강제 노동.

fórced lánding 〖空〗 불시착.

force-feed [fɔ́ːrsfíːd] (*p., pp.* **-fed** [-féd]) *vt.* (사람·동물)에게 강제로 음식을 먹이다.

***force·ful** [fɔ́ːrsfəl] *a.* 힘이 있는; 설득력 있는: He made a ~ speech. 그는 설득력 있는 연설을 했다 / She isn't ~ enough to make a good leader. 그녀는 훌륭한 지도자가 될 만큼 강력하지가 않다. ㊞ **~·ly** [-fəli] *ad.* **~·ness** *n.*

force-land [fɔ́ːrslæ̀nd] *vi.* 불시착하다.

force ma·jeure [fɔ́ːrsməʒɔ́ːr, -mæ-] 《F.》 ① 불가항력. ② (강대국의 약소국에 대한) 강압.

force·meat [fɔ́ːrsmìːt] *n.* Ⓤ (소로 쓰이는) 양념하여 다진 고기.

force-out [fɔ́:rsàut] *n.* 〖野〗 봉살(封殺), 포스아웃. 「(鉗子).

for·ceps [fɔ́:rsəps, -seps] *n. pl.* Ⓒ 핀셋, 겸자

fórce pùmp 밀펌프, 압상(押上) 펌프.

***for·ci·ble** [fɔ́:rsəbəl] *a.* 〔限定的〕 ① 억지로 시키는, 강제적인 : ~ seizure of their assets 그들 재산의 강제 압류. ② 힘찬, 힘 있는 ; 설득력이 있는(convincing) : a ~ argument 설득력 있는 논의.

***for·ci·bly** [fɔ́:rsəbli] *ad.* ① 강제적으로. ② 강력히, 세차게, 힘차게.

Ford [fɔ:rd] *n.* ① **Henry** ~ 포드《미국의 자동차 제조업자 ; 1863-1947》. ② Ford 회사제(製)의 자동차 : a 1985 ~, 1985 년형 포드차. ③ **Gerald Rudolph, Jr.** ~ 포드《미국의 제38대 대통령 ; 1913- 》.

ford *vt.* (개울·여울목)을 걸어서 건너다. ── *n.* Ⓒ (개울 따위의) 걸어서 건널 수 있는 곳, 얕은 여울. ㊞ **∠·a·ble** *a.*

fore** [fɔ:r] *a.* 〔限定的〕 앞의, 전방의 ; (시간적으로) 전(前)의. ── *ad.* 앞에, 전방에 ; 〖海〗 선수〔이물〕(쪽)에. **~ *and aft 이물에서 고물까지 ; 배 안 어디에나 ; 배의 전후 방향으로. ── *int.* 〖골프〗 공 간다 !《위험을 환기시키는 소리》. ── *n.* (the ~) ① 전부(前部), 전면(front). ② 〖海〗 선수부(船首部). ***at the*** ~ 〖海〗 앞돛대 머리에 ; (배의) 맨 앞에. ***to the*** ~ (1) 전면에. (2) 눈에 띄는 곳〔지위〕에 : As a writer he didn't come *to the* ~ until recently. 작가로서 그는 최근까지 두각을 나타내지 않았다. 「*fore*cast.

fore- *pref.* '먼저, 앞, 전, 미리'의 뜻 : *fore*runner,

fore·arm[1] [fɔ́:rɑ̀:rm] *n.* Ⓒ 〖解〗 전완(前腕), 전박(前膊), 하박(下膊), 팔뚝.

fore·arm[2] [fɔ:rɑ́:rm] *vt.* ① 〔흔히 受動으로〕 미리 무장하다. ② 〔再歸的〕 (곤란 등에) 미리 대비하다《*against*》 : We must ~ *ourselves against* the coming winter. 우리는 겨울에 대비해두지 않으면 안된다.

fore·bear [fɔ́:rbɛ̀ər] *n.* Ⓒ (흔히 *pl.*) 선조.

fore·bode [fɔ:rbóud] *vt.* …을 미리 슬쩍 비추다, …의 전조〔징조〕가 되다(portend) ; 예시하다 ; (불길한 일 따위의) 예감이 들다 : Those black clouds ~ rain. 저 검은 구름은 비가 올 징조이다 / His looks ~ a quarrel. 그의 안색으로 보아 말다툼이 될 것 같다 / She ~*d* her husband's death 〔that her husband would die〕. 그녀는 남편의 죽음을 예감했다《★ 주로 불길한 일의 징조·예감에 쓰임》.

fore·bod·ing [fɔ:rbóudiŋ] *n.* Ⓤ,Ⓒ (불길한) 예감, 전조, 조짐, 육감 : I was kept wide awake with ~*s* of misfortune. 불길한 예감으로 뜬눈으로 밤을 지샜다.

fore·brain [fɔ́:rbrèin] *n.* Ⓒ 〖解〗 전뇌(前腦).

‡**fore·cast** [fɔ́:rkæ̀st, -kɑ̀:st] *n.* Ⓒ ① 예상, 예측 : a business ~ 경기 예측. ② 예보 : a 〔the〕 weather ~ 일기 예보. ── (*p., pp.* ***-cast,* ~*·ed***) *vt.* ① …을 예상〔예측〕하다 : I cannot ~ how long the war will last. 나는 전쟁이 얼마나 계속할 것인지 예상〔예측〕할 수 없다. ② (날씨)를 예보하다(predict) : It rained as was ~. 예보대로 비가 왔다. ③ 예고〔전조〕가 되다 : Such events ~ an outbreak of war. 이러한 사건들은 전쟁 발발의 전조이다. ㊞ **~·er** *n.*

fore·cas·tle [fóuksəl, fɔ́:rkæ̀səl] *n.* Ⓒ (군함의) 앞갑판 ; 선수루(船首樓).

fore·close [fɔ:rklóuz] *vt., vi.* ① (…을) 따돌리다, 제외하다《*of*》. ② (문제·토론 따위를) 끝맺다 ; 미리 처리하다. ③ 〖法〗 …에게 저당물 찾는 권리를 상실하게 하다, 유질(流質)시키다.

fore·clo·sure [-klóuʒər] *n.* Ⓤ,Ⓒ 〖法〗 저당물을 찾는 권리의 상실, 유질.

fore·court [fɔ́:rkɔ̀:rt] *n.* Ⓒ ① 앞마당. ② (테니스 따위의) 포코트.

fore·deck [fɔ́:rdèk] *n.* Ⓒ 〖海〗 앞갑판.

fore·doomed [fɔ:rdú:md] *a.* 〔敍述的〕 미리 …하는 운명이 정해진《*to*》 : The whole project was ~ *to* failure. 모든 계획은 실패하도록 되어 있었다.

‡**fore·fa·ther** [fɔ́:rfɑ̀:ðər] *n.* Ⓒ (흔히 *pl.*) 조상, 선조(ancestor). 「(index) finger).

***fore·fin·ger** [fɔ́:rfìŋgər] *n.* Ⓒ 집게손가락(first

fore·foot [fɔ́:rfùt] (*pl.* ***-feet*** [-fì:t]) *n.* Ⓒ (짐승·곤충의) 앞다리.

fore·front [fɔ́:rfrʌ̀nt] *n.* (the ~) ① 첨단부, 최전선 : *the* ~ of technological development 기술 개발의 최첨단. ② (흥미·여론·활동 따위의) 중심 : come to *the* ~ 세상의 주목을 받다. ***in the*** ~ ***of*** . . . (전투 등)의 최전방에서 ; …의 선두가〔중심이〕 되어 : His company is *in the* ~ *of* the computer manufacture. 그의 회사는 컴퓨터 제조에서 최선두를 차지하고 있다.

fore·gath·er [fɔ:rgǽðər] *vi.* =FORGATHER.

fore·go[1] [fɔ:rgóu] (***-went*** [-wént] ; ***-gone*** [-gɔ́:n, -gɑ́n / -gɔ́n]) *vt., vi.* (…의) 앞에 가다, 선행하다, 앞서다(go before).

fore·go[2] *vt.* =FORGO.

***fore·go·ing** [fɔ:rgóuiŋ] *a.* 〔限定的〕 (흔히 the ~) 앞의(preceding), 먼저의, 전술한 : in *the* ~ paragraph 앞 단락에서. ── *n.* Ⓤ (the ~) 〔單·複數 취급〕 전기〔상술〕한 것.

fore·gone [fɔ:rgɔ́(:)n, -gɑ́n] FOREGO[1,2]의 과거분사. ── *a.* 〔限定的〕 이전의, 기왕의 ; 이미 아는 ; 기정의, 과거의.

foregóne conclúsion (a ~) ① 처음부터 뻔한 결론. ② 확실한 일 ; 피할 수 없는 결과 : Defeat is *a* ~. 질 것은 뻔하다.

***fore·ground** [fɔ́:rgràund] *n.* (the ~) ① (그림의) 전경(前景). opp. *background.* ② 최전면, 가장 잘 드러나는 위치 : try to keep oneself in *the* ~ 자신을 항상 잘 드러나 보이도록 노력하다. ③ 〖컴〗 다중 프로그래밍·프로세서 등과 같이 동시에 몇 개의 프로그램이 실행될 때 높은 우선도의 프로그램이 실행되는 상태〔환경〕.

fore·hand [fɔ́:rhæ̀nd] *n.* Ⓒ ① 말의 앞몸뚱이. ② 〖테니스〗 포핸드, 정타(正打), 전타(前打). opp. *backhand.* ── *a.* ① 전방의 ; 가장 앞부분의, 선두의. ② 〖테니스〗 포핸드의 : a ~ stroke 정타. ── *ad.* 포핸드로.

fore·hand·ed [fɔ́:rhǽndid] *a.* ① 《美》 장래에 대비한, 알뜰한 ; 저축이 있는 ; (생활이) 유복한. ② 〖테니스〗 포핸드의.

‡**fore·head** [fɔ́(:)rid, fɑ́r-, fɔ́:rhèd] *n.* Ⓒ 이마, 앞머리.

†**for·eign** [fɔ́(:)rin, fɑ́r-] *a.* ① 외국의 ; 외국산의 ; 외국풍〔외래〕의. opp. *domestic.* ¶ a ~ country 외국 / ~ goods 외래품 / a ~ language 외국어. ② 외국과의 ; 대외적 ; 외국 상대의 : ~ mail 외국 우편 / ~ policy 외교 정책 / ~ negotiations 외교 교섭 / a ~ settlement 외국인 거류지. ③ 〔敍述的〕 관계없는《*to*》 ; 성질에 맞지 않는(inappropriate) ; (물질이) 이질의 : ~ *to* the question 문제와 관계가 없는 / Flattery is ~ *to* his nature. 아첨은 그의 성질에 맞지 않는다. ④ 〔限定的〕 (본래의 것이 아닌) 외래의 ; (물질이) 이질의 : a ~ substance 〔body〕 in one's eye 눈에 들어간 이물.

fóreign affáirs 외교 문제, 외무, 국제 관계.

fóreign áid 대외 원조.

for·eign·born [-bɔ́ːrn] *a.* 외국 태생의.
fóreign correspóndent (신문·잡지의) 해외 특파원.
fóreign débt 〔**lóan**〕 외채(外債).
‡**for·eign·er** [fɔ́(ː)rinər, fɑ́r-] *n.* Ⓒ ① 외국인 (alien). ② 부외자, 국외자.
fóreign exchánge 외국환 ; 외화(外貨).
fóreign légion 외인 부대 ; (F- L-) (북아프리카 프랑스군의) 외인 부대.
for·eign-made [-méid] *a.* 외제의, 외래의.
Fóreign Mínister (영미 이외의) 외무 장관, 외상(the Minister for 〔of〕 Foreign Affairs).
Fóreign Mínistry (the ~) 외무부, 외무성.
Fóreign Òffice (the ~) 〔集合的 ; 單·複數 취급〕《英》 외무성《정식 명칭은 the Foreign and Commonwealth Office》.
fóreign tráde bàlance 해외 무역 수지.
fore·judge [fɔːrdʒʌ́dʒ] *vt.* …을 지레〔미리〕 판단하다, 예단(豫斷)하다.
fore·know [fɔːrnóu] (**-knew** [-njúː]; **-known** [-nóun]) *vt.* …을 미리 알다, 예지하다.
fore·knowl·edge [fɔ́ːrnɑ̀lidʒ, ⌐-⌐/-nɔ̀l-] *n.* Ⓤ 예지, 선견.
fore·lady [fɔ́ːrlèidi] *n.* 《美》 =FOREWOMAN.
fore·land [fɔ́ːrlənd] *n.* Ⓒ 곶, 갑(headland) ; 해안지. opp. *hinterland.*
fore·leg [fɔ́ːrlèg] *n.* Ⓒ (짐승의) 앞다리.
fore·lock [fɔ́ːrlɑ̀k/-lɔ̀k] *n.* Ⓒ 앞머리 ; (말의) 이마 갈기. ***take* 〔*seize*〕 *time* 〔*occasion*〕 *by the* ~** 기회를 놓치지 않다, 기회를 타다〔이용하다〕. ***touch* 〔*pull, tug*〕 *one's* ~** 《口》 (필요 이상으로) 정중히 인사하다, 굽실굽실하다.
***fore·man** [fɔ́ːrmən] (*pl.* **-men** [-mən]) *n.* Ⓒ ① (노동자의) 십장(什長), 직장(職長) : a shop ~ 공장장. ② 배심원장(陪審員長).
‡**fore·most** [fɔ́ːrmòust] *a.* 〔限定的〕 (the ~) ① 맨 먼저의, 최초의. ② 일류의, 주요한 : He was *the* ~ scholar of his time. 그는 당시 일류의 학자였다 / Art seems to have been ~ in her mind. 예술이 그녀의 마음속에서 가장 중요한 위치를 차지하고 있었던 것 같다. ── *ad.* 맨 먼저, 선두에. ***first and* ~** 우선 먼저, 제일 먼저. ***head* ~** 곤두박이로.
fore·name [fɔ́ːrnèim] *n.* Ⓒ (성(姓)에 대하여) 이름(first name)《★ 격식차린 말씨》.
㊕ **~d** *a.* 〔限定的〕 앞서 말한.
***fore·noon** [fɔ́ːrnùːn] *n.* Ⓒ 오전 : in the ~ 오전중에.
fo·ren·sic [fərénsik] *a.* 〔限定的〕 법정의, 법정에 관한 ; 법정에서 쓰이는 : ~ evidence 법의학적 증거 / ~ science 과학적 수사법.
forénsic médicine 법의학(法醫學).
fore·or·dain [fɔ̀ːrɔːrdéin] *vt.* 〔종종 受動으로〕 ① …을 미리 정하다. ② …의 운명을 미리 정하다 : He believed his success *was* ~*ed.* 그는 자신의 성공은 운명적이었다고 믿었다 / God has ~*ed that* he (should) die young. 신은 그가 요절하도록 미리 정해 놓았다.
fore·part [fɔ́ːrpɑ̀ːrt] *n.* Ⓒ 전부(前部) ; 첫부분.
fore·paw [fɔ́ːrpɔ̀ː] *n.* Ⓒ (개·고양이의) 앞발.
fore·play [fɔ́ːrplèi] *n.* Ⓤ 전희(前戲).
fore·run [fɔːrrʌ́n] (**-ran** [-rǽn]; **-run ; -running**) *vt.* …의 선구자가 되다, …에 앞서다 (outrun) ; 예시〔예보〕하다(foreshadow).
***fore·run·ner** [fɔ́ːrrʌ̀nər, ⌐-⌐] *n.* Ⓒ ① 전구(前驅) (herald), 선구자 ; 전조 : the ~ of environmental parties 환경 단체의 선구자 / The warm evenings were a ~ of summer. 저녁이 따뜻한 것은 여름의 전조였다. ② 선인(predecessor) ; 선조.
fore·sail [fɔ́ːrsèil ; 《海》 -sl] *n.* Ⓒ 앞돛.
‡**fore·see** [fɔːrsíː] (**-saw** [-sɔ́ː]; **-seen** [-síːn]) *vt.* …을 예견하다, 앞일을 내다보다, 미리 알다 : A danger *foreseen* is half avoided.《格言》 예측된 위험은 반은 피한 것과 같다 / Nobody can ~ how things will turn out. 사태가 어떻게 전개될는지 누구도 예측할 수 없다. ㊕ **~·a·ble** *a.* 예견〔예측〕할 수 있는 : in the ~*able* future 가까운 장래에(는).
fore·shad·ow [fɔːrʃǽdou] *vt.* …의 전조가 되다 ; 슬쩍 비추다, 예시하다 : Political upheavals ~*ed* war. 정변(政變)은 전쟁의 전조였다.
fore·shore [fɔ́ːrʃɔ̀ːr] *n.* Ⓒ (the ~) (만조선과 간조선 중간의) 물가, 바닷가(beach).
fore·short·en [fɔːrʃɔ́ːrtn] *vt.* ①〖畫〗 원근을 넣어 〔원근법으로〕 그리다. ② …을 줄이다, 단축시키다 : Smoking was certainly one of the factors that ~*ed* her life. 흡연은 틀림없이 그녀 목숨을 단축시킨 요인 중의 하나였다.
fore·show [fɔːrʃóu] (**-showed ; -shown** [-ʃóun]) *vt.* …의 조짐을 보이다, 전조를 나타내다 ; …을 예시하다(foreshadow).
***fore·sight** [fɔ́ːrsàit] *n.* ① Ⓤ 선견, 예지, 예측. ② Ⓤ 선견지명(prescience) ; 심려(深慮), 조심. opp. *aftersight, hindsight.* ③ Ⓒ 총포의 가늠쇠.
㊕ **-síght·ed** [-sáitid] *a.* 선견지명이 있는 ; 조심성 있는. **-síght·ed·ness** *n.*
fore·skin [fɔ́ːrskìn] *n.* Ⓒ 〖解〗 포피(包皮).
‡**for·est** [fɔ́(ː)rist, fɑ́r-] *n.* ① Ⓤ,Ⓒ 숲, 삼림 : a natural ~ 자연 림 / The mountain is covered with ~. 그 산은 삼림으로 덮여 있다. ② (a ~) 숲처럼 늘어선 것 : *a* ~ of chimneys 〔TV antennas〕 임립(林立)한 굴뚝〔TV 안테나〕. ③〖英史〗 (왕실 등의) 사냥터, 금렵지. ***cannot see the* ~ *for the trees*** 나무를 보고 숲을 보지 못한다.
── *a.* 〔限定的〕 삼림의, 숲의 ; 삼림 지방의 : ~ animals 삼림의 동물 / ~ fires 산불.
── *vt.* …에 식림하다 ; 조림하다.
fore·stall [fɔːrstɔ́ːl] *vt.* ① …을 앞지르다 : He ~*ed* all his competitors. 그는 모든 경쟁자들을 앞질렀다. ② …의 기선을 제압하다(anticipate). ③ (이익을 위해) …을 매점하다(buy up).
for·es·ta·tion [fɔ̀(ː)ristéiʃən, fɑ̀r-] *n.* Ⓤ 조림, 식림, 영림(營林).
for·est·ed [fɔ́(ː)ristid] *a.* 숲으로 뒤덮인.
for·est·er [fɔ́(ː)ristər, fɑ́r-] *n.* Ⓒ ① 산림에 사는 사람〔동물〕. ② 임정관 ; 사냥터지기.
fórest ránger 《美》 산림 경비원.
for·est·ry [fɔ́(ː)ristri, fɑ́r-] *n.* Ⓤ ① 임학, 임업. ② 산림 관리.
foreswear ⇨ FORSWEAR.
fore·taste [fɔːrtéist] *vt.* (고락(苦樂))을 미리 맛보다. ── [⌐-] *n.* (a ~) ① (장차의 고락을) 미리 맛봄 ; 예측, 예상《*of*》. ② 전조《*of*》: The briny air gave *a* ~ *of* the nearby sea. 비릿한 공기로 바다가 가까이 있다는 것을 알았다.
***fore·tell** [fɔːrtél] (*p., pp.* **-told** [-tóuld]) *vt.* 《~+目 / +*that* 節 / +*wh.*節》 …을 예언하다 (prophesy) ; 예고하다 : ~ a person's future 아무의 장래를 예언하다 / He *foretold that* an accident would happen. 사고가 일어날 것이라고 예언했다 / Nobody can ~ *what* will happen tomorrow. 내일 무엇이 일어날지 아무도 모른다.
fore·thought [fɔ́ːrθɔ̀ːt] *n.* Ⓤ 사전의 고려, (장래에 대한) 심려 ; 원려(遠慮) ; 선견, 예상.
fore·to·ken [fɔ́ːrtòukən] *n.* Ⓒ 전조(omen).
── [-⌐-] *vt.* …의 전조가 되다, 예시(豫示)하다.

†**for·ev·er** [fərévər] *ad.* ① 영구히 : He decided to live there ~. 그는 그곳에서 영주하기로 했다 / I'm yours ~. 나는 영원히 당신의 것입니다. ② 〔흔히 動詞의 進行形에 수반되어〕 끊임없이, 언제나 : He's ~ complain*ing*. 그는 항상 투덜거리고 있다《★《英》에서는 for ever 로 갈라 씀》. ~ ***and a day*** = ~ ***and ever*** 영구히, 언제까지나.

for·ev·er·more [fərèvərmɔ́ːr] *ad.* 영구히, 언제까지나《★ forever 의 힘줌말》.

fore·warn [fɔːrwɔ́ːrn] *vt.* 《~+목 / +목+*to* do / +목+*that* 절 / +목+전+명》 …에게 미리 주의〔경고〕하다 ; …에게 미리 알리다 ; 예고하다 : I shall not ~ you again. 두 번 다시 경고하지 않을 겁니다 / He ~*ed* me not *to* go there. 그는 나에게 거기에 가지 말라고 주의했다 / They ~*ed* us *that* there were pickpockets on the train. 그들은 열차 안에 소매치기가 있다고 알려 주었다 / We were ~*ed of* 〔*about*〕 the sudden collapse in shares. 우리는 주식 가격이 급락한다는 주의를 받았다 / *Forewarned* is forearmed. 《格言》 경계는 경비(警備)다.

fore·wom·an [fɔ́ːrwùmən] (*pl.* ***-wom·en*** [-wìmin]) *n.* Ⓒ ① 여직장(女職長), 여공장(長). ② 여배심장《★ foreman 의 여성형》.

fore·word [fɔ́ːrwə̀ːrd] *n.* Ⓒ 머리말, 서문《특히 저자 아닌 남이 쓴 것》. ⓒⓕ preface.

***for·feit** [fɔ́ːrfit] *vt.* (벌로서 지위·재산·권리)를 상실하다 ; 몰수되다 : ~ one's property 재산을 몰수당하다 / Those who do not guard their freedom sometimes ~ it. 자유를 지키지 않는 사람은 자유를 상실하는 수가 있다. — *n.* ① Ⓒ 대상(代償) ; 벌금, 과료(fine) ; 추징금 ; 몰수물 : His life was the ~ *for* his carelessness. 그는 부주의로 목숨을 잃었다. ② Ⓤ (권리·명예 따위의) 상실, 박탈 : the〔a〕 ~ *of* one's civil rights 시민권의 박탈. ③ Ⓒ (벌금놀이에) 거는 것, (*pl.*) 벌금놀이. — *a.* 〔敍述的〕 (…에) 몰수된, 상실한《*to*》 : His land were ~ *to* the state. 그의 토지는 국가에 몰수되었다.

fór·feit·ed gáme [fɔ́ːrfitid-] 〚스포츠〛 몰수 게임.

for·fei·ture [fɔ́ːrfətʃər] *n.* ① Ⓤ (지위·권리 따위의) 상실, 몰수 ; (계약 등의) 실효《*of*》. ② Ⓒ 몰수물 ; 벌금, 과료.

for·fend [fɔːrfénd] *vt.* …을 막다, 방지하다 (prevent) : ~ the crash of civilization 문명의 붕괴를 방지하다.

for·gath·er [fɔːrgǽðər] *vi.* 모이다 ; (우연히) 만나다.

***for·gave** [fərgéiv] FORGIVE 의 과거.

***forge**[1] [fɔːrdʒ] *n.* Ⓒ ① 용광로. ② 제철소 ; 대장간(smithy), 철공장. — *vt.* ① (쇠)를 불리다 ; 단조(鍛造)하다. ② (말·거짓말 따위)를 꾸며내다. ③ (문서 따위)를 위조하다(counterfeit). ④ (계획·관계 등)을 힘들어 이룩하다, 만들어내다 : The graduates ~*d* a circle of strong friendship. 졸업생들은 강한 유대관계를 맺었다. — *vi.* 날조〔위조, 모조〕하다.

forge[2] *vi.* ① 서서히 나아가다, 착실히 전진하다. ② (차·주차 따위가) 갑자기 스피드를 내어 선두에 나서다 : The horse ~*d ahead into* the lead in the homestretch. 그 말은 홈스트레치에서 갑자기 선두에 나섰다.

forg·er [fɔ́ːrdʒər] *n.* Ⓒ ① 위조자〔범〕, 날조자 : a passport ~ 패스포트 위조범. ② 대장장이.

forg·ery [fɔ́ːrdʒəri] *n.* ① Ⓤ (문서·화폐 따위의) 위조 ; 위조죄. ② Ⓒ 위조품〔문서〕 ; 위폐.

†**for·get** [fərgét] (***-got*** [-gɑ́t / -gɔ́t] ; ***-got·ten*** [-gɑ́tn / -gɔ́tn], ***-got*** ; ***-get·ting***) *vt.* ① 《~+목 / +*wh. to* do / +*that* 절 / +*wh.*절》 …을 잊다, 생각이 안 나다 : I shall never ~ your kindness. 친절은 결코 잊지 않을 겁니다 / Did you ~ *that* I was coming? 내가 온다는 걸 잊었습니까 / Danger past, God *forgotten.* 《格言》 위험이 지나면 신은 잊어버린다 / I've *forgotten how to* do it. 어떻게 하는지 잊어버렸다《★ I *forget* 는 종종 '잊어버리고 말았다'(I have *forgotten* ; I am unable to recall)를 뜻한다》. ② 《+*to* do / +*-ing*》 (…하는 것)을 잊다, 깜박 잊다 ; (…한 것)을 잊다 : Don't ~ *to* attend the meeting. 꼭 모임에 참석해 주시오《미래의 일》 / I will never ~ see*ing* her at the party. 파티에서 그녀를 만난 것을 잊지 못할 것이다《과거의 일》.

> 語法 (+to do)형은 "이제부터 해야 할 일을 잊다"의 뜻이며, (+-ing)형은 "과거에 있었던 일을 잊다" 뜻으로 후자의 경우 will never forget …ing 형을 취함.

③ (소지품 따위)를 놓아두고 잊다, 잊고 오다〔가다〕 : I *forgot* my keys. 열쇠를 잊어버리고 왔다《★ 잊은 장소를 명시할 경우에는 I left my keys in the office. (사무실에 열쇠를 놓아두고 왔다)와 같이 leave 를 쓰는 것이 일반적임》. ④ 《+목+전+명》 말하는〔쓰는〕 것을 빠뜨리다, 빠뜨리고 보다 : Don't ~ me *to* your family. 가족에게 안부 전해 주시오 / Don't ~ *to* sign your name. 잊지 말고 서명하십시오. ⑤ …을 게을리하다, 소홀히 하다 ; (의식적으로) 잊다, 생각지 않기로 하다 : ~ one's responsibility 책임을 소홀히 하다 / Unpleasant experiences are best *forgotten.* 불쾌한 경험은 잊는 것이 상책이다. — *vi.* 《~ / +전+명》 잊다 : I *forgot about* the holiday tomorrow. 내일이 휴일이라는 것을 잊고 있었다 / She *forgot about* sweeping the room. ⑴ 그녀는 방을 청소할 것을 잊었다. ⑵ 그녀는 방청소한 것을 잊었다《★ ⑴과의 뜻차이는 앞뒤 문맥에 의함》.

Forget (***about***) ***it!*** (감사·사죄 등에 대하여) 이젠 괜찮소, 신경쓰지 마시오, 뭘요. ***not ~ting*** …도 또한, …도 포함하여, …을 잊지 않고 : You must invite Sam and Tom, *not ~ting* Mike. 샘과 톰, 그리고 마이크도 잊지 말고 초대해야 한다.

***for·get·ful** [fərgétfəl] *a.* ① 잘 잊는 ; 잊어버리는 : a ~ person 잊기 잘하는 사람. ② 〔敍述的〕 …을 곧잘 잊는 ; 등한히 하는 ; 무관심한《*of*》 : He's often ~ *of* his student's names. 그는 곧잘 학생들의 이름을 잊곤 한다. ㊞ **~·ly** [-fəli] *ad.* 잘 잊어서 ; 부주의하게. ***~·ness** *n.* Ⓤ 건망증 ; 부주의, 태만.

for·get-me-not [fərgétminɑ̀t / -nɔ̀t] *n.* Ⓒ 〚植〛 물망초.

for·get·ta·ble [fərgétəbəl] *a.* 잊기 쉬운 ; 잊어도 좋은.

forg·ing [fɔ́ːrdʒiŋ] *n.* ① Ⓤ 단조(鍛造) ; 위조. ② Ⓒ 단조품.

for·giv·a·ble [fərgívəbəl] *a.* 용서할 수 있는, 용서해도 좋은 : a ~ offense 관대히 넘길 수 있는 위반. ㊞ **-bly** *ad.* 관대히 보아.

‡**for·give** [fərgív] (***-gave*** [-géiv] ; ***-giv·en*** [-gívən]) *vt.* ① 《~+목 / +목+전+명 / +목+목》 (사람·죄)를 용서하다 : Please ~ my mistake. 실수를 용서해주십시오 / I'm afraid I've smashed up your car—can you ever ~ me? 죄송하게 되었습니다만 당신 차를 들이받았군요—용서해 주실는지요 / He was *forgiven* his negligence. 그는 태만을 용서받았다. ② 《+목+목》 (빚 따위)를

탕감하다 : *Forgive* (me) the debt. 빚을 면제해 주십시오. ── *vi.* 용서하다 : Let's ~ and forget. (과거의 일을) 깨끗이 잊어 버리세.

for·giv·en [fərgívən] FORGIVE의 과거분사.

for·give·ness [fərgívnis] *n.* Ⓤ ① 용서 ; (빚의) 탕감 : ask for a person's ~ 아무의 용서를 빌다. ② 관대함, 관용.

for·giv·ing [fərgíviŋ] *a.* 관대한, 책망하지 않는 : a ~ nature 너그러운 성미. ㊕ **~·ly** *ad.*

for·go [fɔːrgóu] (**-went** [-wént] ; **-gone** [-gɔ́ːn, -gɑ́n / -gɔ́n]) *vt.* …없이 때우다 ; 보류하다, 그만두다(give up) ; 버리다 : ~ one's holiday 휴가를 반납하다 / ~ ceremonies 행사를 취소하다 / I would like to ~ his company. 그와의 동행을 그만두고 싶다.

†**for·got** [fərgɑ́t / -gɔ́t] FORGET의 과거·과거분사.

‡**for·got·ten** [fərgɑ́tn / -gɔ́tn] FORGET의 과거분사.

for·in·stance [fərínstəns] *n.* 《美口》 예, 실례 : to give you a ~ 한 예를 들면.

‡**fork** [fɔːrk] *n.* Ⓒ ① (식탁용의) 포크, 삼지창 : a knife and ~ (한 벌의) 나이프와 포크(★ fork and knife 라고는 하지 않음). ② 갈퀴, 쇠스랑. ③ 가랑이진 모양의 것 ; (나무·가지 따위의) 갈래 ; (강·길 따위의) 분기(점) ; 갈림길 : be in ~ 두 갈래로 되어 있다. ④ 〖樂〗 소리 굽쇠(tuning ~). ⑤ 나뭇가지 모양 번개. ── *a.* 〔限定的〕 서서 먹는, 입식(立食)의 : a ~ lunch〔supper〕 (뷔페 등에서의) 서서 먹는 점심〔저녁〕.

── *vt.* ① (쇠스랑·갈퀴 따위로) …을 긁어 올리다, 긁어 일으키다. ② …을 포크로 찍다. ── *vi.* ① 분기하다, 갈라지다. ② (갈림길에서 어떤 방향으로) 가다 : ~ (to the) left 왼쪽으로 가다. ~ ***out*** 〔***over, up***〕 《口》 (*vt.*) (돈)을 (마지못해) 내주다, 지급하다《*for* ; *on*》 : He ~*ed out* $100 *for* speeding. 속도위반으로 마지못해 100달러를 내주었다. (*vi.*) …에 (마지못해) 돈을 내주다, 지급하다《*for* ; *on*》 : Come on ! *Fork out !* Every one else has paid. 자 어서 지급하게. 다른 사람은 모두 지급했네.

fórk bàll 〖野球〗 포크 볼.

forked [fɔːrkt, -əd] *a.* ① 갈래진, 갈래진 모양의. ② 〔複合語〕 …갈래의 : three-~ 세 갈래의.

fórked tòngue 일구 이언 : speak with a ~ 일구 이언하다.

fork·ful [fɔ́ːrkfùl] (*pl.* **~s, forks·ful**) *n.* Ⓒ 한 포크〔쇠스랑〕분.

fork·lift [fɔ́ːrklift] *n.* 포크리프트《짐을 들어 올리는 장치》.

fórklift trùck 지게차《포크리프트가 장치된 운반차》.

for·lorn [fərlɔ́ːrn] *a.* ① 버려진, 버림받은《*of*》 : a man ~ *of* his friends 친구에게서 버림받은 남자. ② 고독한, 쓸쓸한(desolate), 의지가지 없는 : a ~ child 고아. ㊕ **~·ly** *ad.* **~·ness** *n.*

forlórn hópe ① 절망적 행동. ② 덧없는 희망.

‡**form** [fɔːrm] *n.* ① Ⓤ,Ⓒ 모양, 형상, 외형, 윤곽 ; (사람의) 모습, (인체의) 모양 : a devil in human ~ 인간의 모습을 한 악마 / He saw strange ~*s* in the fog. 그는 안개 속에서 이상한 형체를 보았다. ② **a)** Ⓤ (존재) 형식, 형태 : in book ~ 책 모양으로〔으로서〕, 단행본으로 / There are several ~*s* of government. 정치 형태에는 몇가지가 있다. **b)** Ⓒ 종류 : Heat is a ~ of energy. 열은 에너지의 일종이다. ③ Ⓤ (구성) 형식, 형태, 조직 ; (표현) 형식 ; (형식의) 갖춤, 아름다움 : a ~ unique to the novel 소설에 사용되는 독특한 형식 / This essay is excellent both in content and ~. 이 논문은 내용과 형식이 모두 훌륭하다. ④ Ⓤ (경기자 등의) 폼 ; 심신의 상태 ; 원기, 좋은 컨디션 : She has (a) beautiful running ~. 그녀는 멋진 폼으로 달린다 / on〔off〕 ~ = in 〔out of〕 ~ 상태가 좋은〔나쁜〕. ⑤ **a)** Ⓒ 하는 식, 방식 : an established ~ 정해진 방식. **b)** Ⓤ 관례 ; 예절 : be out of ~ 예의에 벗어나 있다 / the ancient ~*s* observed in the church 교회에서 행해지는 고래의 의식. ⑥ Ⓒ 모형, 서식 (견본) ; (기입) 용지 : a telegraph ~ 전보 용지 / after the ~ of …의 서식대로 / fill in a ~ 용지에 기입하다. ⑦ Ⓤ 외견, 외관, (단순한) 형식(formality) : go through the outward ~*s* of a religious wedding 외형만 종교 결혼 형태를 취하다. ⑧ Ⓒ 《英》 (등널 없는) 긴의자. ⑨ Ⓒ 《英》 (public school 등의) 학년《first ~에서 sixth ~까지》 : the sixth ~ 6 학년. ⑩ Ⓒ 〖文法〗 형태, 어형 : The two plural ~*s* of "genius" are different not only in ~ but in meaning. "genius"의 두 복수형은 어형 뿐 아니라 뜻도 다르다. ⑪ Ⓤ 〖哲·論〗 형식. opp. *matter.* ⑫ Ⓒ 주형(mould) ; 틀 : wooden ~*s* to pour concrete into 콘크리트를 부을 나무 틀. ***as a matter of ~*** 형식상, 의례상. ***for ~'s sake*** 형식상(上). ~ ***of address*** (구두나 서면상의) 호칭, 경칭, 직함. ***in*** 〔***under***〕 ***the ~ of*** …의 모양을 따서, …의 모양으로 : a novel written *in the ~ of* letters 서간체로 쓰여진 소설 / The devil appeared *in the ~ of* a snake. 악마는 뱀의 모습으로 나타났다. ***on present ~*** 이제까지의 행동으로〔경과로〕 보아 : He is not likely to win *on present ~*. 이제까지의 경과로 보아, 그는 승리할 것 같지가 않다. ***take the ~ of*** …의 모양을 취하다 ; …로서 나타나다 : The meeting will *take the ~ of* a debate. 그 회합은 토론회의 형식으로 될 것이다 / The witch *took the ~ of* a cat. 마녀는 고양이의 모습으로 나타났다. ***true to ~*** ⇨ TRUE.

── *vt.* ① 《~+목 / +목+전+명》 …을 형성하다(shape) : ~ a figure *out of* clay 점토로 상(像)을 만들다 / The island was ~*ed* by a volcanic eruption. 그 섬은 화산 폭발로 형성되었다. ② 구성하다, 조직하다 : ~ a cabinet 조각하다 / Men ~ a society. 인간은 사회를 형성한다. ③ (인물·능력 등)을 만들어〔가르쳐〕 내다, 훈련하다 : Our character is ~*ed* through education. 인격은 교육을 통해 형성된다 / ~ one's mind 수양하다. ④ (교제·동맹 등)을 맺다 ; (습관 따위)에 익숙해지다, 짓다 : ~ a good habit 좋은 습관을 들이다 / He ~*ed* a friendship with the painter. 그는 화가와 친교를 맺었다. ⑤ (의견·사상 따위)를 형성하다, 품다(conceive) ; (의심)을 품다, 느끼다 : I cannot ~ any idea or opinion about it. 그것에 대해 어떤 생각이나 의견도 떠오르지 않는다 / He rose, ~*ing* an apology in his mind. 마음 속에 변명의 말을 생각하면서 그는 일어섰다. ⑥ 〖文法〗 (말·문장)을 만들다(construct) : The suffix "-ly" ~*s* adverbs from adjectives. 접미사 "-ly"는 형용사를 부사로 만든다. ⑦ (말·음성 등)을 똑똑히 발음하다. ⑧ 《~+목 / +목+부 / +목+전+명》 〖軍〗 (대형)을 만들다, 정렬시키다《*up*》 : ~ a column 종대를 만들다 / ~ the soldiers *into* a line 병사를 횡대로 정렬시키다.

── *vi.* ① 모양을 이루다, 생기다 : Ice is ~*ing* on the window. 창에 점점 성에가 끼어 간다. ② (사상·신념·희망 따위가) 생겨나다(arise) : A plan ~*ed* in my mind. 어떤 계획이 머리에 떠올랐다. ③ 《+전+명》 〖軍〗 정렬하다, 대형을 짓다 : ~ (*up*) *into* a column 종대가 되다. ◇ formation *n.*

-form *suf.* '…형의, …모양의, …상(狀)의'의 뜻 : cruci*form,* multi*form.*

‡for·mal [fɔ́ːrməl] (***more*** ~; ***most*** ~) *a.* ① 모양의, 형식의, 외형의 : There's only a ~ resemblance between the two brothers.—their characters are very different 그들 두 형제는 외형이 유사할 뿐 성격은 아주 다르다. ② 정식의, 형식에 맞는 : a ~ contract 정식 계약 / give ~ consent 명확히 동의를 표명하다. ③ 공식의 ; 의례상의, 예식의 : a ~ call 〔visit〕 의례적 방문 / a ~ occasion 공식 행사. ④ 형식적인, 표면적인, 겉수작뿐인 : ~ obedience / the ~ head of the government 이름만의 정부 수반. ⑤ (태도·문체 따위가) 형식에 치우친, 딱딱한, 격식적인 : Part be so ~! 그렇게 딱딱하게 굴지 말게 / ~ words 〔expressions, style〕 격식에 얽매인 말〔표현, 문체〕. ⑥ 〖論〗 형식(상)의. opp *material.* ¶ ~ logic 형식 논리학. ⑦ (정원·도형 등) 좌우 대칭의, 기하학적인 : a ~ garden 기하학 배치의 정원. ⑧ 〖컴〗 형식적.
— *n.* Ⓒ 《美》 ① 야회복으로 참석하는 정식 무도회. ② 야회복.

form·al·de·hyde [fɔːrmǽldəhàid] *n.* Ⓤ 〖化〗 포름알데히드《방부·소독제》.

for·ma·lin [fɔ́ːrməlin] *n.* Ⓤ 〖化〗 포르말린《포름알데히드 수용액 ; 살균·방부제》.

for·mal·ism [fɔ́ːrməlizəm] *n.* Ⓤ ① (종교·예술상의) 형식주의, 형식론(論) (opp *idealism*). ② 극단적 형식주의, 허례.

for·mal·ist [fɔ́ːrməlist] *n.* Ⓒ 형식주의〔론〕자 ; 딱딱한 사람. — *a.* 형식주의(자)의.

for·mal·is·tic [fɔ̀ːrməlístik] *a.* ① 형식주의의, 형식 존중의. ② 지나치게 형식에 얽매는.

***for·mal·i·ty** [fɔːrmǽləti] *n.* ① Ⓤ 형식에 구애됨 ; 딱딱함(stiffness) ; 격식을 차림 : without ~ 격식을 차리지 않고. ② Ⓒ 형식적 행위〔절차〕 : legal *formalities* 법률상의 정식 절차 / go through due *formalities* 정규의 절차를 거치다. ③ Ⓒ (내용 없는) 겉치레 행위 : It's a mere ~. 그것은 겉치레일 뿐이다.

for·mal·i·za·tion [fɔ̀ːrməlizéiʃən] *n.* Ⓤ 형식화 ; 정형화.

for·mal·ize [fɔ́ːrməlàiz] *vt.* ① …에 일정 형식을 갖추다. ② …을 정식화하다.

***for·mal·ly** [fɔ́ːrməli] *ad.* ① 정식으로, 공식으로 : The store was ~ opened of Tuesday. 그 가게는 화요일에 정식으로 개점했다. ② 형식적으로 : He thanked me ~. 그는 형식적으로만 사의를 표했다. ③ 격식을 차려(ceremoniously) ; 딱딱하게.

fórmal parámeter 〖컴〗 형식인자.

for·mat [fɔ́ːrmæt] *n.* Ⓒ 《F.》 ① (서적 따위의) 체제, 판형《folio, foolscap 등》. ② (라디오·텔레비전 프로 따위의) 전체 구성, 체재. ③ 〖컴〗 틀잡기, 포맷, 형식. — (*-tt-*) *vt.* …을 형식에 따라 배열하다〔만들다〕 ; 〖컴〗 …을 포맷하다.

***for·ma·tion** [fɔːrméiʃən] *n.* ① Ⓤ 구성 ; 형성 ; 성립 ; 편성 : the ~ of a cabinet 조각(組閣) / the ~ of one's character 자기의 인격 형성. ② **a)** Ⓤ 구조(structure), 형태 : the peculiar ~ of the heart 심장의 특수한 구조 / be of a queer ~ 기묘한 구조를 하고 있다. **b)** Ⓒ 형성물, 구성물 : new word ~ 신어(新語), 신조어(新造語). ③ Ⓤ,Ⓒ 〖軍〗 대형(隊形), 진형, 편대 : a fighting 〔battle〕 ~ 전투 대형 / ~ flying 〔flight〕 편대 비행. ④ Ⓒ 〖地質〗 (지층의) 계통, 층(層).

form·a·tive [fɔ́ːrmətiv] *a.* 〔限定的〕 모양을〔형태를〕 이루는, 형성〔구성〕하는 : the ~ arts 조형미술 / the ~ period in the life of a child 어린이의 인격 형성기. — *n.* Ⓒ 〖文法〗 (낱말의) 구성요소. ⓟ ~**·ly** *ad.* ~**·ness** *n.*

‡for·mer[1] [fɔ́ːrmər] *a.* 〔限定的〕 ① (시간적으로) 전의, 앞의(earlier) : in ~ days〔times〕 옛날. ② 이전의(previous), 기왕의 : a ~ minister 전직 장관 / He is his ~ self again. 그는 (기운을 회복하여) 본디의 자신으로 돌아갔다. ③ (the ~) 〔종종 代名詞的〕 (양자중) 전자(의) (opp *the latter*), (후자에 대한) 먼저의 : in *the* ~ case 전자의 경우는 / *The* ~ suggestion was better than the latter. 최초의 제안이 뒤의 것보다 훨씬 좋았다.

form·er[2] *n.* Ⓒ ① 형성〔구성〕자. ② 형(型), 본, 모형, 성형구(成形具). ③ 〔複合語로서〕 《英》 …(학)년생 : a second-~ 2년생.

‡for·mer·ly [fɔ́ːrmərli] *ad.* 이전에는, 옛날에는 : He ~ worked for the government. 그는 이전에는 공무원이었다.

fórm féed 〖컴〗 용지 먹임.

fórm féed cháracter 〖컴〗 용지 먹임글자.

form·fit·ting [fɔ́ːrmfìtiŋ] *a.* (옷 따위가) 몸에 꼭 맞는(close-fitting).

for·mic [fɔ́ːrmik] *a.* ① 개미의. ② 〖化〗 포름산「(酸)의.

For·mi·ca [fɔːrmáikə] *n.* 내열(耐熱) 플라스틱판(板), 포마이카《商標名》.

fórmic ácid 〖化〗 포름산(酸).

for·mi·da·ble** [fɔ́ːrmidəbəl] (more*** ~; ***most*** ~) *a.* ① 무서운, 만만찮은 : a man with a ~ appearance 무서운 모습을 한 남자 / a ~ danger 가공할 위험 / a ~ project〔task〕 만만찮은 대사업〔일〕. ② 굉장히 많은〔큰〕 ; 굉장한 : a ~ amount of literature 방대한 양의 문헌. ⓟ **-bly** *ad.*

form·less [fɔ́ːrmlis] *a.* ① 모양 없는 ; 모양이 확실〔일정〕치 않은, 무정형의 : a strange ~ creature devised for the movie 그 영화를 위해 고안된 형체를 알 수 없는 이상한 동물. ② 질서가 없는, 어지러운 : The experimental music was rather ~. 그 실험음악은 화음과는 거리가 멀었다. ⓟ ~**·ly** *ad.* ~**·ness** *n.*

fórm lètter (인쇄·복사한) 동문(同文) 편지《날짜·수신인을 개별적으로 기입함》.

For·mo·sa [fɔːrmóusə] *n.* 타이완(Taiwan)의 구칭. ⓟ ~**n** *a., n.* Ⓒ 타이완(인)의 ; 타이완인 ; Ⓤ 타이완어.

‡for·mu·la [fɔ́ːrmjələ] (*pl.* ***~s, -lae*** [-lìː]) *n.* ① Ⓒ 식 ; 〖數〗 공식 ; 〖化〗 식《*for*》 : a binomial ~ 〖數〗 이항식(二項式) / a molecular ~ 〖化〗 분자식 / a structural ~ 구조식. ② Ⓒ (식사·편지 등의) 정해진 말씨〔문구〕, 관용 표현 : a conversation ~ 대화의 관용 표현. ③ Ⓒ (일정한) 방식 ; 정칙(定則) ; 방법《*for*》 ; 《종종 蔑》 판에 박힌 방식〔절차〕《*for*》 : There is no ~ *for* success in literature. 문학에서 성공하기 위한 일정한 방법은 없다. ④ Ⓤ 제조법 ; (약 따위의) 처방(전) ; (요리의) 조리법 : a ~ for making soap 비누 제조법. ⑤ Ⓤ 《美》 유아용 조유(調乳). ⑥ 포뮬러, 공식 규격《주로, 엔진 배기량에 따른 경주차(車)의 분류》.
— *a.* 〔限定的〕 (경주차가) 포뮬러에 따른.

for·mu·la·ic [fɔ̀ːrmjuléiik] *a.* (시·표현 등이) 틀에 박힌 ; 정해진 문구로 이루어진.

for·mu·la·ry [fɔ́ːrmjulèri] *n.* Ⓒ ① 공식집 ; (약품의) 처방집. ② 제문집(祭文集) ; 의식서(儀式書). ③ 정해진 말, 상투어. — *a.* ① 규정의(prescribed), 공식의 ; 처방의. ② 의식상의.

***for·mu·late** [fɔ́ːrmjəlèit] *vt.* ① …을 형식〔공식〕으로 나타내다, 공식화하다. ② …을 명확하게〔계통을 세워〕 말하다. ③ …을 처방하다, 처방대로 조제하다.

***for·mu·la·tion** [fɔ̀ːrmjəléiʃən] *n.* ① Ⓒ 간명하게 말함. ② Ⓤ 형식〔공식〕화(化) ; 계통적인 조직

화. ③ 명확한 어구(語句)〔표현〕.

for·mu·lize [fɔ́ːrmjəlàiz] *vt.* ＝FORMULATE.

for-néxt lóop [fɔːrnékst-] 〖컴〗 부터 / 까지 맴돌이《Basic 언어에서 미리 결정된 고정 횟수만큼 반복을 수행하도록 하는 부분》.

for·ni·cate [fɔ́ːrnəkèit] *vi.* 간통〔간음〕하다.

for·ni·ca·tion [fɔ̀ːrnəkéiʃən] *n.* Ⓤ 〖法〗 간통.

for·rad·er [fɔ́(ː)rədər, fɑ́r-] *ad.* 《英口》 보다 앞(쪽)으로.

‡**for·sake** [fərséik] (**-sook** [-súk]; **-sak·en** [-séikən]) *vt.* ① (벗 따위)를 버리고 돌보지 않다(desert), 내버리다: Don't ~ me in my hour of need! 내가 어려울 때에 버리지 말게. ② (습관·신앙 따위)를 버리다(give up), 포기하다: He has *forsaken* his wicked ways. 그는 이제 사악한 버릇을 버렸다.

***for·sak·en** [fərséikən] FORSAKE의 과거분사. ── *a.* 버려진; 의지가지 없는, 고독한: a ~ child (보호자로부터) 버려진 아이 / You look very ~ tonight. 오늘 밤은 퍽 쓸쓸해 보이는군.

***for·sook** [fərsúk] FORSAKE의 과거.

For·ster [fɔ́ːrstər] *n.* **Edward Morgan** ~ 포스터《영국의 소설가·비평가; 1879-1970》.

for·swear [fɔːrswέər] (**-swore** [-swɔ́ːr]; **-sworn** [-swɔ́ːrn]) *vt.* ① (나쁜 습관 등)을 맹세코 그만두다; 맹세코 부인하다《doing》: He *forswore* drink*ing*. 그는 금주할 것을 굳게 맹세했다/ ~ injurious habit 악습을 맹세코 버리다. ②〔再歸的〕 거짓 맹세하다, 위증하다.

for·syth·ia [fərsíθiə, fɔːr-, -sáiθiə] *n.* Ⓤ 개나리속(屬)의 식물.

‡**fort** [fɔːrt] *n.* Ⓒ ① 성채, 보루, 요새. ②《美》(북아메리카 변경의) 교역 시장《옛날 성채가 있었던 데서》. ③〖美陸軍〗상설 주둔지. ***hold the*** ~ (1) 요새를 지키다; (공격·비판에 대해) 자기 입장을 고수하다. (2) (부재 중에) 현상을 유지하다.

forte[1] [fɔːrt] *n.* ① (one's ~) 장점; 특기, 장기: Singing is not really *my* ~, but I'll try. 노래는 사실 잘 부르지 못하지만 불러보겠습니다. ② 칼의 가장 강한 부분《자루에서 중간까지》. opp *foible.*

for·te[2] [fɔ́ːrti, -tei] *a.* 《It.》〖樂〗포르테의, 강성의, 강음의(loud). opp *piano.* ── *ad.* 강한 음성으로, 세게《略: f.》.

‡**forth** [fɔːrθ] *ad.* ①〔흔히 動詞에 수반되어〕 앞으로(forward); (집에서 떨어져) 밖으로: stretch ~ one's hand 손을 내밀다 / go ~ into the world 세상에 나오다, 사회에 나오다. ②〔시간을 나타내는 名詞 뒤에 와서〕 … 이후(onward)《★ 보통 다음 句로 쓰임》: from this 〔that〕 day ~ 오늘〔그날〕 이후. ***and so*** ~ ⇨ AND. ***back and*** ~ 앞뒤로, 이리저리.

***forth·com·ing** [fɔ̀ːrθkʌ́miŋ] *a.* ① 곧 나려고〔나타나려고〕 하는, 다가오는, 이번의: ~ books 근간 서적 / the ~ holidays 이번 휴가 / in the ~ week 다음 주(週)에. ②〔종종 否定文〕〔敍述的〕 곧 (필요한 때에) 얻을 수 있는, 소용에 닿는: When she was asked why she was late *no* answer was ~. 그녀는 늦은 이유에 대해 질문받았으나 아무 말도 나오지 않았다. ③〔종종 否定文〕 (기꺼이) 도와주는; 적극적인, 협력적인: The old man asked for help but *none* of them were ~. 노인은 원조를 구했으나 아무도 돕는 자가 없었다.

***forth·right** [fɔ́ːrθràit] *ad.* 똑바로, 즉시. ── *a.* ① 똑바른. ② 솔직한(outspoken). ㊕ **~·ly** *ad.* **~·ness** *n.*

forth·with [fɔ̀ːrθwíθ, -wíð] *ad.* 곧, 즉시, 당장.

***for·ti·eth** [fɔ́ːrtiəθ] *n., a.* (흔히 the ~) 제 40(의), 40번째(의); 40분의 1(의). ── *pron.* (the ~) 40번째 사람〔것〕.

***for·ti·fi·ca·tion** [fɔ̀ːrtəfikéiʃən] *n.* ① Ⓤ 축성(술, 법, 학). ② Ⓒ (흔히 *pl.*) 방어 공사〔시설〕, 요새. ③ Ⓤ (포도주의) 알코올분 강화; (음식의) 영양가 강화.

fór·ti·fied wíne [fɔ́ːrtəfàid-] 강화〔보강〕 포도주《브랜디 등을 탄 셰리주(酒) 따위》.

***for·ti·fy** [fɔ́ːrtəfài] *vt.* ①《~+目 / +目+前+名》…을 요새화하다, 방비를 튼튼히 하다: They *fortified* the coastal areas. 해안 일대를 요새화했다 / ~ a city *against* the enemy 적의 공격에 대비하여 도시를 요새화하다. ②《~+目 / +目+前+名》(조직·구조)를 강하게 하다, (육체적·정신적으로) 튼튼히 하다: They tried to ~ their flagging spirits with singing. 그들은 노래를 불러 느즈러져가는 정신을 북돋우려 했다 / ~ oneself *against* illness 병에 걸리지 않도록 몸을 튼튼히 하다. ③ (진술 등)을 뒷받침〔확증〕하다. ④ (포도주 등)에 알코올을 넣어 독하게 하다; (비타민 등으로 음식의) 영양가를 높이다(enrich). ── *vi.* 요새를 쌓다, 축성하다. ㊕ **for·ti·fi·a·ble** [-fàiəbəl] *a.* 요새화〔강화〕할 수 있는.

for·tis·si·mo [fɔːrtísəmòu] *ad., a.* 《It.》〖樂〗 매우〔아주〕 세게, 포르티시모로〔의〕《略: ff》. ── *n.* Ⓒ (*pl.* **-mi** [-mìː], **~s**) 포르티시모의 악구(樂句)〔음〕. opp *pianissimo.*

***for·ti·tude** [fɔ́ːrtətjùːd] *n.* Ⓤ 용기, 불굴의 정신: with ~ 의연하게, 결연히.

***fort·night** [fɔ́ːrtnàit] *n.* Ⓒ (흔히 *sing.*) 《英》 2주일간《★ 《美》에서는 보통 two weeks를 사용함》. cf. sennight. ¶ a ~'s holiday, 2주간의 휴가 / in a ~'s time, 2주일 후에 / a ~ ago yesterday, 2주 전의 어제 / Monday ~, 2주일 후〔전〕의 월요일 / today 〔this day〕 ~ ＝a ~ (from) today 내내〔전전〕주의 오늘.

fort·night·ly [fɔ́ːrtnàitli] *a.* 2주일에 한 번의, 격주 발행의. ── *n.* Ⓒ 격주 간행물. ── *ad.* 격주로, 2주일에 한 번.

FORTRAN, For·tran [fɔ́ːrtræn] *n.* Ⓤ 〖컴〗 포트란《과학 기술 계산용의 프로그램 언어》. [◂*for*mula *tran*slation]

***for·tress** [fɔ́ːrtris] *n.* Ⓒ ① 요새(지); 성채. ② 안전 견고한 곳.

for·tu·i·tous [fɔːrtjúːətəs] *a.* 우연의, 뜻밖의: Our meeting was quite ~. 우리의 만남은 순전히 우연이었다. ◇ fortuity *n.* ㊕ **~·ly** *ad.* **~·ness** *n.*

for·tu·i·ty [fɔːrtjúːəti] *n.* ① Ⓤ 우연(성). ② Ⓒ 뜻밖의 (돌발) 사건. ◇ fortuitous *a.*

‡**for·tu·nate** [fɔ́ːrtʃənit] (**more** ~; **most** ~) *a.* ① 운이 좋은, 행운의; 복받은《*in*; *to* do》: a ~ man 행운의 사나이 / She's ~ *in* having such a kind husband. 저런 친절한 남편이 있어서 그녀는 다행이다. ② (…이) 행운을 가져오는; 재수가 좋은: That was ~ *for* him. 그것은 그에게 있어서 행운이었다. ③ (the ~)〔名詞的〕 운 좋은 사람들. ◇ fortune *n.*

‡**for·tu·nate·ly** [fɔ́ːrtʃənətli] (**more** ~; **most** ~) *ad.* ① 다행히. ②〔文章修飾〕 다행히도: *Fortunately* the weather was good. 다행히도 날씨는 좋았다.

‡**for·tune** [fɔ́ːrtʃən] *n.* ① Ⓤ 운: good ~ 행운 / by ill ~ 불운하게도. ② Ⓒ 운명, 운수; (종종 *pl.*) 인생의 부침: vicissitudes of ~ 운명의 부침(浮沈) / Every man is the maker of his own ~. 운명은 자기가 만드는 것이다. ③ (F-) 운명의 여신: *Fortune* favors the bold〔brave〕. 《俗談》 운명의 여신은 용감한 자의 편이다. ④ Ⓤ 행운; 번영, 성공, 출

세 : seek one's ~ 출세의 길을 찾다. ⑤ a) Ⓤ 재산, 부 : a man of ~ 재산가. b) Ⓒ 큰돈 : make a 〔one's〕 ~ 한 밑천 잡다 / inherit a ~ 재산을 물려받다. ◇ fortunate *a.* ***a small*** ~ 상당한 금액, 대금 : lose *a small* ~ in bad investment 잘못 투자하여 한재산을 잃다. ***marry a*** ~ 돈많은 여자와 결혼하다, 재산을 노리고 결혼하다.

fórtune còokie 《美》 (중국 요릿집 등에서 내는) 점괘 과자.

fórtune hùnter 재산을 노리는 구혼자(특히 남자).

for·tune·tell·er [-tèlər] *n.* Ⓒ 점쟁이.

for·tune·tell·ing [-tèliŋ] *n.* Ⓤ 점(을 치기).

†for·ty [fɔ́ːrti] *a.* 40 의, 40 개〔명〕의 ; 40 세의. — *n.* ① a) Ⓤ,Ⓒ (기수의) 40《 ★ 관사가 붙지 않음》. b) Ⓤ 40 세 ; 40 달러〔파운드〕. c) Ⓒ 40 의 기호. ② a) (the Forties) 스코틀랜드 북동 해안과 노르웨이 남서안 사이의 바다《깊이가 40 길 이상인 데서》 : ⇨ ROARING FORTIES. b) (the forties) (세기의) 40년대. c) (one's forties) (나이의) 40대. ③ Ⓤ 〖테니스〗 3 점(의 득점). — *pron.* 〔複數 취급〕 40 명(개) : There're ~. 40 개〔명〕 있다.

for·ty-five [-fáiv] *n.* ① Ⓤ,Ⓒ (기수의) 45. ② Ⓒ 45 회전 레코드. ③ Ⓒ 《美》 45 구경 권총.

for·ty-nin·er [-náinər] *n.* Ⓒ 〖美史〗 (때로 F~-N~) 1849 년의 gold rush 에 들떠 California 로 몰려간 사람.

fórty wínks 〔單·複數 취급〕 《口》 한잠 ; 낮잠 : take 〔have〕 ~ 한잠자다.

fo·rum** [fɔ́ːrəm] (*pl.* ***~s, -ra [-rə]) *n.* Ⓒ 《L.》 ① 공개 토론회, 포럼《*for*》 : The letters page of this newspaper offers a ~ *for* public argument. 이 신문의 투고란은 공개토론의 장(場)을 제공하고 있다. ② 법원, 법정. ③ (여론 등의) 비판 : The ~ of public opinion. 여론의 비판. ④ (때로 the F-) (고대 로마의) 공회(公會) 광장.

†for·ward [fɔ́ːrwərd] *ad.* 〔때로는 ***~·er ; ~·est***〕 ① 앞으로, 전방으로〔에〕. OPP. *backward.* ¶ run ~ 앞으로 달리다 / *Forward !* 〖軍〗 앞으로 가 ! / rush ~ 돌진하다. ② 〔흔히 bring, come, put 등의 동사와 함께〕 밖으로, 표면으로 나와. ③ 장래, 금후 : look ~ 장래를 생각하다. ④ 배의 전방에, 이물 쪽으로. ⑤ (예정·기일 등) 앞당겨 : bring (the date of) one's party ~ from the 12th to the 5th May 파티의 날짜를 5월 12일에서 5일로 앞당기다. ★ 동사와의 결합에 의한 관용구는 해당 동사를 참조.

bring ~ ⇨ BRING. ***carry*** ~ ⇨ CARRY. ***come*** ~ ⇨ COME. ***put*** ~ ⇨ PUT[1].

— *a.* ① 〔限定的〕 전방(으로)의 ; 앞(부분)의 ; 전진의, (배의) 앞부분의 : a ~ march 전진 행군 / ~ motion 전진 운동 / a ~ seat on a bus 버스의 앞쪽 좌석. ② 〔限定的〕 진보적인 ; 급진적인 : a ~ party 진보적 정당 / ~ measures 과격한 수단 / He has very ~ ideas about sex education. 그는 성교육에 대해 퍽 급진적인 생각을 가지고 있다. ③ 〔敍述的〕 (일·준비 등) 나아간, 진행된, 진척된《*with*》 : be ~ *in* 〔*with*〕 one's work 일이 진척되어 있다. ④ 주제넘은, 뻔뻔스러운, 건방진 : a ~ girl 주제넘은 소녀 / It's rather ~ of you to say such thing. 네가 그런 것을 말하다니 좀 건방지군. ⑤ 〔敍述的〕 감히〔자진하여〕 …하는《*to* do ; *with*》 : We were ~ *to* help him. 자진하여 그를 도왔다. ⑥ 계절에 앞선, 올된 : a ~ child 숙성한 아이 / a ~ crop 올벼 / a ~ spring 예년보다 이른 봄 / The child is ~ *at* walking. 이 애는 걸음마가 이르다. ⑦ 〔限定的〕 〖商〗 장래를 내다본 ; 선물(先物)의 : a ~ contract 선물 계약.

— *n.* 〖球技〗 전위, 포워드《略 : F.W.》.

— *vt.* ① …을 나아가게 하다, 촉진하다 ; 진척시키다 ; (식물 등의) 성장을 빠르게 하다(cf. force ⑧) : ~ a plan 계획을 촉진하다 / ~ flowers 빨리 꽃피게 하다. ② 《~+목 / ~+목+목 / ~+목+전+명》 (편지 따위)를 회송하다, 전송(轉送)하다 ; 보내다《*to* ; *from*》 ; 〖商〗 (짐)을 발송하다《*to*》 : ~ a person a book 아무에게 책을 보내다 / ~ a letter *to* a new address 새 주소로 편지를 회송하다 / ~ goods by passenger train 화물을 객차편으로 부치다. ③ 〖製本〗 앞장정을 하다. ★ 마무리 장정은 finish. — *vi.* (우편물 등을) 전송하다 : Please ~ (if not at this address). (아래 주소에 없으면) 전송 바람《봉투의 왼쪽 위에 씀》.

㊞ **~·ly** *ad.* 주제넘게, 오지랖 넓게. **~·ness** *n.* Ⓤ ① (진보·계절 등의) 빠름 ; 조숙성. ② 주제넘음, 건방짐.

for·ward·er [fɔ́ːrwərdər] *n.* Ⓒ ① 촉진〔조성〕자. ② 회송자(回送者), 운송업자.

fórward exchánge 〖商〗 선물환(換).

for·ward·ing [fɔ́ːrwərdiŋ] *n.* ① Ⓤ 운송(업), 회송, 발송. ② 〔形容詞的〕 운송의, 발송〔회송〕의 : the ~ business 운송(주선)업 / a ~ station 발송역.

for·ward-look·ing [-lùkiŋ] *a.* 전향적인, 적극적인 ; 진보적인 : a ~ attitude 〔posture〕 전향적 자세 / a man of ~ mind 진보적인 사람 / As a publisher, Ernest Benn was ~ and imaginative. 출판인으로서, 벤은 진보적이고 창조적인 사람이었다.

fórward páss 〖美蹴·럭비〗 공을 상대방 골 방향으로 패스하기《럭비에서는 반칙》.

‡for·wards [fɔ́ːrwərdz] *ad.* =FORWARD.

fos·sa [fásə / fɔ́sə] (*pl.* ***-sae*** [-siː]) *n.* Ⓒ 〖解〗 (뼈 따위의) 와(窩), 구(溝).

fosse, foss [fɔːs, fas / fɔs] *n.* Ⓒ ① 〖築城〗 해자(垓字) ; 호(濠). ② 운하.

***fos·sil** [fásl / fɔ́sl] *n.* Ⓒ ① 화석(~ remains). ② (흔히 old ~ 로) 《口》 시대에 뒤진 사람. — *a.* 〔限定的〕 ① 화석의, 화석이 된. ② 시대에 뒤진, 진보〔변화〕가 없는.

fóssil fùel 화석 연료《석탄·석유 등》.

fos·sil·i·za·tion [fàsələzéiʃən / fɔ̀silai-] *n.* Ⓤ ① 화석화 (작용). ② 시대에 뒤짐.

fos·sil·ize [fásəlàiz / fɔ́s-] *vt., vi.* ① 화석화하다, 화석이 되다 : The Remains gradually ~*d.* 유해들은 서서히 화석화되었다. ② 시대에 뒤지(게 하)다 ; 고정화하다 : Time has ~*d* such methods. 세월이 그런 방법들은 낡은 것으로 만들었다.

***Fos·ter** [fɔ́(ː)stər, fás-] *n.* **Stephen Collins** ~ 포스터《미국의 작곡가 ; 1826-64》.

‡fos·ter [fɔ́(ː)stər, fás-] *vt.* ① (양자 등으로) 기르다, 양육하다 ; …을 돌보다 : ~ a child 아이를 기르다 / ~ the sick 병구완하다. ② …을 육성〔촉진, 조장〕하다 : ~ growth in the economy 경제 발전을 촉진하다. ③ (사상·감정·희망 따위)를 마음에 품다(cherish) : He still ~*s* hopes of success. 그는 여전히 성공에 대한 희망을 품고 있다. — *a.* 〔限定的〕 양육하는, 기르는, 양〔수양〕… : a ~ parent 수양 부모.

fos·ter·ling [fɔ́(ː)stərliŋ, fás-] *n.* Ⓒ 수양아이.

‡fought [fɔːt] FIGHT 의 과거·과거분사.

‡foul [faul] (***∠·er ; ∠·est***) *a.* ① (감각적으로) 더러운, 불결한 ; 냄새 나는 : ~ air 오염된 공기 / ~ water 오수(汚水), 구정물 / ~ smell 〔odor〕 악취, 구린내. ② (품위상) 더러운, 천한 : a ~ talk 음담 / ~ language 천한 말. ③ 비열한, 지독한 ;

못된: a ~ murder 잔인한 살인 / a ~ deed 비열한 행위 / It was ~ *of* him *to* betray her. 그녀를 배신하다니 그도 상당한 철면피이다. ④〔限定的〕《스포츠 등에서》(행위가) 부정한, 반칙적인(opp. *fair*); 〖野〗 파울의(opp. *fair*): a ~ blow 반칙 타격 / win by ~ play 부정한 플레이로 이기다. ⑤《口》 아주 불쾌한, 시시한, 하찮은: be a ~ dancer 춤이 엉망이다 / a ~ headache 지독한 두통 / He is in a ~ temper〔mood〕. 그는 저기압이다. ⑥〔限定的〕(날씨가) 몹시 나쁜, 잔뜩 찌푸린; (바람이) 역풍의; (도로가) 진창인; (물길이) 위험한: ~ weather 악천후 / ~ wind 역풍 / a ~ coast〔ground〕〖海〗 암초가 있는 위험한 해안〔해저〕. ⑦〔限定的〕(굴뚝·하수 따위가) 막힌; (밧줄이) 엉클어진, (닻이) 걸린; (배 밑에) 부착물이 엉겨 붙은; (차바퀴 따위에) 진흙이 묻은: a ~ bottom 〖海〗 해초·조가비 등이 들러붙은 배 밑. ⑧충돌한; 충돌할 위험이 있는: a ship ~ *of* a rock 바위에 부딪친 배. ⑨(원고·교정쇄가) 오기가〔오식이〕 많은, 정정(訂正)이 많은: ~ copy 지저분한 원고. ── *ad.* 부정하게; 반칙적으로. ***go*** 〔***fall, run***〕 ~ ***of*** (1) (다른 배)와 충돌하다. (2) …와 다투다. (3) 법에 저촉되다. ***hit*** ~ 〖拳〗 부정하게 치다. ***play*** a person ~ (1) 아무에게 반칙 행위를 하다. (2) 못할 짓을 하다. ── *n.* Ⓒ ① (경기 따위에서) 반칙: commit a ~ 반칙을 범하다. ②〖海〗 (보트·노 등의) 충돌; (밧줄 등의) 엉킴, 얽힘. ③〖野〗 파울. ── *vt.* ① …을 더럽히다; (명성 따위)를 더럽히다: The whole river was ~*ed up* with oil. 강 전체가 기름으로 오염되었다 / His reputation was ~*ed* by the scandal. 그의 명성은 그 스캔들로 실추되었다. ② (밧줄 따위)를 얽히게〔엉키게〕 하다. ③ (굴뚝·총 따위)를 막히게 하다; (교통·노선)을 막다. ④ (해초 따위가 배 밑에) 부착하다. ⑤ …에 충돌하다: One boat ~*ed* the other in the heavy fog. 배 한 척이 짙은 안개 속에서 다른 배와 충돌했다. ⑥〖競〗 반칙으로 방해하다; 〖野〗 (공)을 파울로 하다. ── *vi.* ① 더러워지다, 오염되다. ② (밧줄 등이) 얽히다, 엉클어지다《★종종 受動으로 쓰임》. ③ (굴뚝·총 따위가) 막히다. ④충돌하다, 서로 부딪다. ⑤〖競〗 반칙을 하다; 〖野〗 파울을 치다. ~ ***out*** (1) 〖野〗 파울공이 잡혀 아웃이 되다. (2)〖籠〗 (5회) 반칙으로 퇴장하다. ~ ***up*** …을 망쳐놓다, 엉망으로 만들다: You ~*ed* everything *up*. 자네가 모든 것을 망쳐놓았네.

fóul báll 〖野〗 파울볼(opp. *fair ball*).

fóul lìne 〖野·籠〗 파울 라인.

foul·ly [fául*l*i] *ad.* ① 더럽게. ② 입정 사납게. ③ 악랄하게, 부정하게.

foul-mouth [fáulmàuθ] *n.* Ⓒ《口》 입정 사나운〔입이 건〕 사람.

foul·mouthed [-máuðd, -θt] *a.* 입정 사나운, 잡스러운 말을 쓰는.

fóul pláy ① (경기의) 반칙. ② 부정 행위, 비겁한 수법(cf. fair play): ~ in election 선거에서의 부정행위. ③ 폭력; 범죄, 살인: The circumstances of his death suggest ~. 그의 죽음의 정황으로 보아, 살인임을 알 수 있다.

foul-spo·ken [fáulspòukən] *a.* =FOULMOUTHED.

fóul típ 〖野〗 파울 팁.

foul-up [fáulʌ̀p] *n.* Ⓤ ① 혼란. ② (기계의) 고장; 부진.

‡**found**[1] [faund] (*p., pp.* ∠·***ed*** ; ∠·***ing***) *vt.* 〔종종 受動으로〕 ①《+목+전+명》 (건물 등의) 기초를 세우다, (건물을 확고한 기초 위에) 세우다《*on, upon*》: a building ~*ed on* solid ground 단단한 기초 위에 세워진 건물 / The building is solidly ~*ed.* 그 건물은 기초가 든든하다. ② (계획·이론 등)을 …의 기초 위에 세우다《*on, upon*》: ~ a story *on* facts 사실에 입각하여 이야기를 만들다 / Is the story a complete invention, or is it ~*ed on* fact? 이 소설은 완전한 창작물인가, 아니면 사실에 입각한 것인가. ③ (단체·회사 따위)를 설립하다; 창시하다; (학파·학설)을 세우다: ~ a school 〔a hospital〕 학교〔병원〕를 설립하다. ④ …의 근거를 이루다: These facts are enough to ~ my opinion. 이런 사실들은 나의 견해에 충분한 뒷받침이 된다. ── *vi.* (…에) 근거하다《*on, upon*》: ~ *on* justice 정의에 기초하다. ◇ foundation *n.*

found[2] *vt.* ① (금속)을 녹여 붓다, 녹이다. ② …을 주조하다.

‡**found**[3] FIND의 과거·과거분사.

‡**foun·da·tion** [faundéiʃən] *n.* ① Ⓤ 창설, 창립, 건설; (기금에 의한) 설립. ② Ⓒ (종종 *pl.*) 기초, 토대: lay 〔build up〕 the ~(*s*) of a building 건물의 기초를 쌓다. ③ Ⓤ 근거: a rumor without ~ 근거없는 뜬 소문. ④ Ⓒ (재단 등의) 기본금, 유지 기금. ⑤ Ⓒ 재단, 협회, 사회 사업단: the Carnegie *Foundation* 카네기 재단. ⑥ Ⓒ (의복의) 심; 보강 재료: ~ muslin 안감으로 쓰는 모슬린《고무를 입혀 빳빳함》. ⑦ Ⓤ,Ⓒ 기초 화장품, 파운데이션; 그림의 바탕칠 물감. ⑧ Ⓒ 몸매를 고르기 위한 속옷(~ garment)《코르셋 등》. ◇ found[1] *v.* 파 ~·**al** [-əl] *a.* 기본의, 기초적인.

foundátion gàrment (몸매를 고르기 위한) 여자 속옷《코르셋·거들 따위》.

foundátion schòol 재단 설립 학교.

foundátion stòne (기념사 등을 새긴) 주춧돌, 초석(礎石). cf. cornerstone.

found·er[1] [fáundər] *n.* Ⓒ 주조자, 주물공(工).

found·er**[2] (*fem.* ***found·ress [fáundris]) *n.* Ⓒ 창립〔설립〕자, 발기인; 기금 기부자.

found·er[3] *vi.* ①〖海〗 (배 따위가) 침수〔침몰〕하다: Rough seas had ~*ed* the ship *in* mid-ocean. 바다가 거칠어 배는 대양 한가운데 침몰했다. ② (계획·사업 등이) 틀어지다, 실패하다: The plan ~*ed upon* his objection. 계획은 그의 반대로 틀어졌다. ③ (땅·건물 등이) 꺼지다, 무너지다. ── *vt.* (배)를 침수〔침몰〕시키다.

fóunder mèmber 창립 회원, 발기인.

fóunding fáther ① (국가·제도·시설·운동의) 창립〔창시〕자. ② (F- F-s) 〖美史〗 (1789년의) 합중국 헌법 제정자들.

found·ling [fáundliŋ] *n.* Ⓒ 기아(棄兒), 주운〔버린〕 아이: a ~ hospital 고아원, 기아 보호소.

found·ry [fáundri] *n.* ① Ⓤ 주조; 주물류. ② Ⓒ 주조장(鑄造場), 주물〔주조〕 공장.

fount[1] [faunt] *n.* Ⓒ ①《詩·文語》 샘. ② 원천.

fount[2] *n.* 《英》〖印〗 =FONT[2].

‡**foun·tain** [fáunt*i*n] *n.* Ⓒ ① **a**) 분수; 분수지, 분수반, 분수탑〔기〕. **b**) (불꽃·용암 등의) 분류, 흐름. **c**) =DRINKING FOUNTAIN; SODA FOUNTAIN. ② **a**) 샘; 수원(水源). **b**) 원천, 근원: a ~ of wisdom 지혜의 원천.

foun·tain·head [-hèd] *n.* Ⓒ (흔히 *sing.*) (하천의) 수원(水源), 원천.

‡**fóuntain pèn** 만년필.

†**four** [fɔːr] *a.* ①〔限定的〕 4의, 4개의; 네 명의: ~ figures 네 자리 숫자 / He's ~ years old 〔of age〕. 그는 네 살이다. ②〔敍述的〕 네 살의: He's ~. 그는 네살이다. ***to the*** ~ ***winds*** 사방(팔방)으로. ── *n.* ① **a**) Ⓤ,Ⓒ (기수의) 4. **b**) Ⓒ 4의 기호. ② Ⓤ 4시; 4살; 4달러〔파운드〕: at ~, 4시

에. ③ a) Ⓒ 4 개, 4 명, 4 인조. b) 〔four horses 의 생략으로 無冠詞〕 네 필의 말. c) Ⓒ 노가 넷인 보트; 그 승무원. d) (*pl.*) 4 인승 보트레이스. ④ Ⓒ (카드·주사위 등의) 4. ⑤ (*pl.*) 〖軍〗 4 열 종대. ⑥ (*pl.*) 4 절판의 책. ***on all ~s*** 네 발로 기어서; …와 꼭 일치하여《*with*》: He was crawling around *on all ~s* looking for his contact lens. 그는 여기저기 네 발로 기어다니며 콘택트렌즈를 찾고 있었다 / Your reasoning is *on all ~s with* mine. 자네 추리와 내 추리와는 일치하네.

fóur bíts 《美口》 50 센트. cf. two bits.

four·eyes [fɔ́:ràiz] (*pl.* ~) *n.* Ⓒ 《口》 안경 쓴 사람, 안경쟁이.

fóur flùsh 《美》 (포커에서) 같은 종류의 패 넉 장과 다른 종류의 한장, 플래시가 못된 것.

four-flush·er [⌐flʌ̀ʃər] *n.* Ⓒ 《美口》 허세를 부리는 사람; 가짜.

four·fold [⌐fòuld] *a., ad.* 4 중(重)의〔으로〕, 네 겹의〔으로〕, 4 배의〔로〕; 4절(折)의〔로〕.

four-foot·ed [⌐fútid] *a.* 네발(짐승)의.

fóur fréedoms (the ~) 4 개의 자유《1941년 1월 미국 대통령 F. D. Roosevelt 가 선언한 인류의 기본적 자유: freedom of speech and expression, freedom of worship, freedom from want, freedom from fear 언론·표현의 자유, 신앙의 자유, 가난으로부터의 자유, 공포로부터의 자유》.

Four-H 〔4-H〕 clùb [fɔ́:réitʃ-] 4-H 클럽《*h*ead, *h*ands, *h*eart, *h*ealth 를 모토로 하는 농촌 청년 교육 기관》.

four-in-hand [fɔ́:rinhæ̀nd] *n.* Ⓒ ① 4 두 마차. ②《美》 매듭 넥타이. ── *a.* 네 마리가 끄는. ── *ad.* 마부 혼자서 네 마리 말을 몰고.

fóur-leaf〔leaved〕 clóver [fɔ́:rlì:f〔lì:vd〕-] 네 잎 클로버《행운의 표시》.

fóur-let·ter wórd [⌐lètər-] 네 글자 말《추잡한 말; fuck, cunt, shit 등》.

four·pen·ny [⌐pəni, ⌐pè-] *a.* 〔限定的〕 《英》 4 펜스(값)의. ***a ~ one*** 《英口》 구타, 주먹: I'll give you *a ~ one.* 주먹맛 좀 보여주어야겠군.

four-post·er [⌐póustər] *n.* Ⓒ 사주식(四柱式) 침대.

four·score [⌐skɔ́:r] *a.* 80(개)의: ~ and seven years ago, 87년 전.

four·some [⌐səm] *n.* Ⓒ ①《口》 네 사람 한 패〔조〕, 4 인조. ②〖골프〗 포섬《네 사람이 두 패로 갈려 하는 경기로 한 패에서 공 하나를 치는 경기》.

four·square [⌐skwέər] *a.* ① 정사각형의, 네모진. ② a) (건물 등이) 견고한. b) 견실한, 솔직한. ── *ad.* 솔직하게; 견고하게.

four-star [⌐stɑ̀:r] *a.* 《美》 ① (호텔 따위의) 우수한. ② 사성(四星)의: a ~ general 《口》 사성 장군, 육군 대장.

four-stroke [⌐stròuk] *a.* (내연 기관이) 4사이클〔행정(行程)〕의; 4 사이클 엔진의.

†four·teen [fɔ́:rtí:n] *a.* ① 〔限定的〕 14 의; 14명의: He's ~ years old〔of age〕. 그는 14세이다. ② 〔敍述的〕 14세의: He's ~. 그는 14세이다. ── *n.* ① a) Ⓤ.Ⓒ (기수의) 14. b) Ⓒ 14 의 글자〔기호〕. ② Ⓤ 14세; 14 달러〔파운드 등〕. ── *pron.* 〔複數취급〕 14 개〔사람〕.

***four·teenth** [fɔ́:rtí:nθ] *a.* ① (흔히 the ~) 열네번째의, 제14의. ② 14 분의 1 의. ── *n.* ① Ⓤ (흔히 the ~) a) 제14, 열네번째. b) (달의) 14 일. ② Ⓒ 14 분의 1. 㖾 **~·ly** *ad.*

†fourth [fɔ:rθ] *a.* ① (흔히 the ~) 제 4 의; 네번째의. ② 4분의 1의. ── *n.* ① (흔히 the ~) 제 4; 네번째; (달의) 4 일. ② Ⓒ 4 분의 1: About one 〔a〕 ~ of the earth is dry land. 지구의 약 4 분의 1은 육지이다. ③ Ⓒ 〖樂〗 4 도(음정). ④ (*pl.*) 〖商〗 4 급품. ***the Fourth of July*** (7월 4일의) 미국 독립 기념일(Independence Day).

fóurth cláss 《美》 (우편의) 제4종.

fourth-class [⌐klǽs, ⌐klɑ́:s] *a., ad.* 《美》 제 4 종 우편의〔으로〕.

fóurth diménsion (the ~) 제 4 차원.

fóurth estáte (the ~; 종종 the F- E-) 제 4 계급, 신문기자들, 언론계.

fóurth generátion compùter (the ~) 〖컴〗 제 4 세대 컴퓨터.

fourth·ly [fɔ́:rθli] *ad.* 네번째로.

fóurth márket 《美》 〖證〗 장외 시장.

Fóurth Wórld (the ~) 제 4 세계《아시아·아프리카의 빈곤한 비(非)공업국》.

four-wheeled [fɔ́:rhwí:ld] *a.* 4 륜의; 4륜 구동(驅動)의.

‡fowl [faul] (*pl.* ~*s*, 〔集合的〕 ~) *n.* ① Ⓒ (*pl.* ~*s*) 닭, 가금: domestic ~*s* 가금 / keep ~*s* 닭을 치다. ② Ⓤ 닭고기; 새고기: fish, flesh and ~ 어육·수육·새고기. ③ Ⓒ 〔앞에 限定語를 붙여〕 …새: game ~ 엽조(獵鳥) / water ~ 물새. ④ Ⓒ 《古·詩》 새: the ~*s* of the air 〖聖〗 하늘의 새. ── *vi.* 들새를 잡다〔쏘다〕, 들새 사냥을 하다.

†fox [fɑks / fɔks] (*pl.* ⌐·***es***, 〔集合的〕 ~) *n.* ① Ⓒ 여우, 수여우. ★ 암수를 구별할 때 수여우는 dog fox, 암여우는 vixen. ② Ⓤ 여우 모피. ③ Ⓒ 교활한 사람: an old ~ 노회한 사람. ④ Ⓒ 《美俗》 성적 매력이 있는 젊은 여자. ***(as) cunning as a ~*** 아주 교활한. ── *vt.* ① …을 속이다: ~ the police by wearing a disguise 변장하여 경찰을 속이다. ② 〔흔히 受動으로〕 (종이 따위)를 갈색으로 변색시키다: *be* badly ~*ed* 몹시 변색되다. ── *vi.* 교활한 짓을 하다; 갈색으로 변하다.

fox·glove [fɑ́ksglʌ̀v / fɔ́ks-] *n.* Ⓒ 〖植〗 디기탈리스(digitalis).

fox·hole [⌐hòul] *n.* Ⓒ 〖軍〗 1 인용 참호.

fox·hound [⌐hàund] *n.* Ⓒ 폭스하운드《여우 사냥개》.

fox-hunt·ing [⌐hʌ̀ntiŋ] *n.* Ⓤ 여우 사냥.

fox·tail [fɑ́kstèil / fɔ́ks-] *n.* Ⓒ ① 여우 꼬리. ② 〖植〗 뚝새풀, 강아지풀, 보리《따위》.

fóx térrier 폭스테리어《애완용 개》.

fóx tròt ① 〖乘馬〗 완만한 속보(速步)의 하나《trot 에서 walk 로, 또 그 반대로 옮길 때의 잰 걸음》. ② 〖댄스〗 급조(急調) 스텝, 폭스 트롯; 그 곡.

fox-trot [fɑ́kstrɑ̀t / fɔ́kstrɔ̀t] (***-tt-***) *vi.* 폭스 트롯을 추다.

foxy [fɑ́ksi / fɔ́ksi] (***fox·i·er; -i·est***) *a.* ① 여우 같은; 교활한: Watch out! He's a bit of a ~ character! 조심하게, 그는 좀 교활하다구. ② 적갈색의; 변색한《책 따위》. ③ 《美俗》 (여자가) 매력적인, 섹시한. 㖾 **fóx·i·ly** *ad.* **-i·ness** *n.*

foy·er [fɔ́iər, fɔ́iei] *n.* Ⓒ 《F.》 ① (극장·호텔 따위의) 휴게실, 로비(lobby). ② 《美》 현관의 홀.

Fr 〖化〗 francium. **Fr.** Father; France; Frau; French; Friar; Friday. **fr.** fragment; franc(s); from.

Fra [frɑ:] *n.* 《It.》 프라《이탈리아 수사(修士)(friar)의 칭호로서 이름 앞에 붙임》.

fra·cas [fréikəs / frǽkɑ:] (*pl.* ~·***es***, 《英》 ~ [-kɑ:z]) *n.* Ⓒ 싸움(판), 소동.

‡frac·tion [frǽkʃən] *n.* Ⓒ ① 파편, 단편; 아주 조금, 소량: crumble into ~*s* 무너져서 산산조각이 나다 / There's not a ~ of truth in his statement. 그의 진술에는 진실은 눈꼽만큼도 없다. ② 〖數〗 분

수 : ⇨ COMMON (COMPLEX, DECIMAL, PROPER, IMPROPER) FRACTION. cf. integer. ③ 우수리, 끝수.

frac·tion·al [frǽkʃənəl] *a.* ① 단편의 ; 얼마 안되는 ; 끝수의, 우수리의. ② 【數】 분수의 : a ~ expression 분수식. ㊞ ~·ly *ad.*

frac·tious [frǽkʃəs] *a.* 성미가 까다로운 ; 다루기 힘든.

***frac·ture** [frǽktʃər] *n.* ① Ⓤ 부숨, 분쇄, 좌절 ; 파열. ② Ⓒ 【醫】 골절, 좌상(挫傷) : suffer a ~ 뼈가 부러지다 / ⇨ COMPOUND (SIMPLE) FRACTURE. ③ Ⓒ 갈라진 금, 터진 데(crack). ── *vt.* ① …을 부수다. ② (뼈 따위)를 부러뜨리다 : ~ one's arm 팔을 부러뜨리다. ── *vi.* 부서지다, (뼈 따위가) 부러지다 ; 깨지다.

***frag·ile** [frǽdʒəl / -dʒail] (*more ~ ; most ~*) *a.* ① (물건 등이) 망가지기 쉬운(brittle) ; 무른(frail) : a very ~ alliance 매우 약한 동맹. ② (체질이) 허약한 : be in ~ health 허약한 건강상태이다. ③ 덧없는 ; (향기 등이) 곧 사라지는 : ~ happiness 덧없는 행복. ◇ fragility *n.* ㊞ ~·ly *ad.* ~·ness *n.*

fra·gil·i·ty [frədʒíləti] *n.* Ⓤ ① 부서지기 쉬움, 무름. ② 허약. ③ 덧없음. ◇ fragile *a.*

‡frag·ment [frǽgmənt] *n.* Ⓒ ① 파편, 조각, 단편 ; 부스러기 : in ~*s* 파편이 되어, 단편적으로 / the ~*s* of a broken cup 깨진 컵의 파편들 / There is not even the smallest ~ of truth in what he says. 그의 말에는 진실이란 전혀 없다. ② 단장(斷章) ; 미완성 유고(遺稿). ◇ fraction *n.* ── [-ment] *vi.* 산산이 흩어지다, 분해하다 ; 깨지다(*into*) : ~ *into* small piece 산산이 부서지다. ── *vt.* …을 산산이 부수다, 분해하다.

frag·men·tal [frægméntl] *a.* ① =FRAGMENTARY. ② 【地質】 쇄설질(碎屑質)의 : ~ rocks 쇄설암.

***frag·men·tary** [frǽgməntèri / -təri] *a.* ① 파편의. ② 단편적(斷片的)인, 조각조각난 ; 부스러기의. ㊞ **-tàr·i·ly** *ad.* 단편적으로, 조각조각.

frag·men·ta·tion [frægməntéiʃən, -men-] *n.* ① Ⓤ 분열 ; 파쇄. ② Ⓒ 분열〔파쇄〕된 것.

fragmentátion bòmb 파쇄(성) 폭탄.

***fra·grance** [fréigrəns] *n.* Ⓤ,Ⓒ 향기, 방향(芳香).

‡fra·grant [fréigrənt] *a.* 냄새 좋은, 향기로운 : ~ flowers 향기로운 꽃. ㊞ ~·ly *ad.*

‡frail [freil] (*∠·er ; ∠·est*) *a.* ① 무른, 부서지기 쉬운 ; (체질이) 약한 : He's old and rather ~. 그는 늙고 퍽 쇠약하다 / a ~ intellect 나약한 지성. ② 덧없는 : Life is ~. 인생은 무상하다. ③ 의지가 약한, 유혹에 약한. ㊞ *∠·ly* *ad.* *∠·ness* *n.*

frail·ty [fréilti] *n.* ① Ⓤ 무름, 약함 ; 덧없음 ; 박지 약행(薄志弱行) ; 유혹에 약함. ② Ⓒ 약점, 단점 ; 과실.

‡frame [freim] *n.* ① Ⓒ (건물·선박·비행기 따위의) 뼈대, 구조 ; (제도의) 조직, 기구, 구성, 체제 : the ~ of government 정치 기구 / the ~ of society 사회의 구조. ② Ⓤ (또는 a ~, one's ~) (인간·동물의) 체격, 골격 : a man of fragile (robust) ~ 몸이 가냘픈〔튼튼한〕 사람. ③ (흔히 a ~ 또는 the ~) 기분 : be in a bad ~ of mind 기분이 언짢다. ④ Ⓒ 틀 ; 테 ; 창틀 ; 대(臺)《자수틀·식자대·선광반·방적기·식물 재배용 프레임》; 《美俗》 주머니, 지갑 ; (*pl.*) 안경테 ; 액자. ⑤ Ⓒ 영화〔텔레비전〕의 한 화면, 구도 ; 【TV】 프레임《주사선의 연속으로 보내지는 한 완성된 영상》; 《美口》 야구의 1이닝〔한 경기〕; 【拳】 라운드, 회 ; 당구의 1회분 게임 ; (볼링·투구의) 번, 회 ; 【컴】 짜임, 프레임《**a**) 스크린 등에 수시로 일정 시간 표시되는 정보〔화상〕. **b**) 컴퓨터 구성 단위》. ⑥ Ⓒ 《美》 목조 가옥(~ house). ⑦ 《美俗》 =FRAME-UP. **~ *of mind*** (일시적인) 마음의 상태, 기분, 느낌 : an unhappy ~ *of mind* 불행한 기분. **~ *of reference*** (1) 기준계. (2) 견해, 이론. (3) 좌표계.

── *vt.* ① …의 뼈대를 만들다, 짜 맞추다(shape), 건설하다(construct) : ~ a roof 지붕의 뼈대를 짜다. ② **a**) …의 구성〔조직〕을 만들다, 고안하다, 짜 넣다 : ~ a sentence 문장을 짓다 / ~ an idea 생각을 정리하다. **b**) (계획·이론 등)을 세우다, 짜다 ; 꾸미다. ③ 《美口》 (못된 계략·계획 따위)를 꾸미다 ; (이야기·사건 따위)를 날조〔조작〕하다; 《口》 (경기를) 짬짜미로 끝내다(*up*) : ~ *up* a story 얘기를 꾸며내다. ④ 《+目+前+名》 (대리석 따위로) …을 만들다, 모양짓다 : ~ a statue *from* marble 대리석으로 상(像)을 만들다. ⑤ (사람)을 함정에 빠뜨리다 ; …에게 무실한 죄를 씌우다(*on*) : He was ~*d*. 그는 누명을 썼다 / ~ an innocent person *for* murder 죄없는 사람에게 살인죄를 씌우다. ⑥ 《~+目 / +目+前+名》 …에 테를 씌우다 ; 테를 두르다, 달다, 틀에 넣다 ; 둘러싸다 ; …의 배경이 되다〔을 이루다〕 : ~ a picture 그림을 액자에 넣다.

fráme hóuse 《美》 목조 가옥, 판잣집.

frame-up [fréimʌ̀p] *n.* Ⓒ 《口》 음모, 흉계, 조작.

frame·work [-wə̀ːrk] *n.* Ⓒ ① (건축 등의) 뼈대, 얼거리, 골조(骨組). ② (조직·관념 등의) 구성, 체제.

fram·ing [fréimiŋ] *n.* ① Ⓤ 구성, 조립 ; 구상 ; 획책. ② Ⓒ 뼈대 ; 얼개테, 틀.

‡franc [fræŋk] *n.* Ⓒ ① 프랑《프랑스·스위스 등의 화폐 단위 ; 기호 : Fr, F》. ② 1 프랑 화폐.

†France [fræns, frɑːns] *n.* ① 프랑스. ② **Anatole** ~ 프랑스《프랑스의 소설가·비평가 ; 1921년 노벨 문학상 수상 ; 1844-1924》.

***fran·chise** [frǽntʃaiz] *n.* ① Ⓤ (the ~) 선거권, 참정권(suffrage) : In England, women were given *the* ~ in 1918. 영국에서는 여성의 참정권이 1918년에 부여되었다. ② Ⓒ **a**) 특권, 특허 ; 특별면제. **b**) (제품의) 독점 판매권 ; 총판권. ③ Ⓒ 《美》 (직업 야구 리그 등의) 가맹권, 본거지 점유권, 구단 소유권, 프랜차이즈.

Fran·cis·can [frænsískən] *a.* 프란체스코 수도회의 : the ~ order 프란체스코 수도회. ── *n.* ① (the ~*s*) 프란체스코 수도회. ② Ⓒ 프란체스코 수도회 수사.

fran·ci·um [frǽnsiəm] *n.* Ⓤ 【化】 프란슘《방사성 원소의 하나 ; 기호 Fr ; 번호 87》.

Franco- '프랑스'의 뜻의 결합사 : the *Franco*-Prussian War 프로이센-프랑스 전쟁.

fran·gi·ble [frǽndʒəbəl] *a.* 무른, 단단치 못한, 부서지기 쉬운.

Fran·glais [frɑːŋgléi] *n.* Ⓤ (종종 f-) 프랑스어화된 영어.

‡frank[1] [fræŋk] (*∠·er , more ~ ; ∠·est , most ~*) *a.* 솔직한, 숨김없는 : a ~ opinion 솔직한 의견 / He's ~ with me about everything. 그는 내게 아무것도 숨기지 않는다. ***to be ~ with you*** 까놓고 말하면, 사실은 : *To be ~ with you,* I can't accept your proposal. 솔직히 말해, 당신의 제안을 받아들일 수 없습니다.

frank[2] *n.* Ⓒ ① 무료 송달의 서명(署名)〔도장〕. ② 무료 송달 우편물. ── *vt.* (편지 따위)를 무료로 송달하다, 무료로 보내다 ; 무료 송달의 도장을 찍다.

frank[3] *n.* 《美口》 =FRANKFURTER.

Frank·en·stein [frǽŋkənstàin] *n.* ① 프랑켄슈

타인《M. W. Shelley 의 소설 *Frankenstein*(1818) 속의 주인공 ; 자기가 만든 괴물에 의해 파멸됨》. ② Ⓒ 자기를 파멸시키는 물건을 만드는 사람.

Fránkenstein('s) mònster (Frankenstein의) 인조 인간 ; 자기가 만들어낸 저주의 씨, 창조자에의 위험.

Frank·fort [frǽŋkfərt] *n.* 프랭크퍼트《미국 Kentucky 주의 주도(州都)》.

Frank·furt [frǽŋkfəːrt] *n.* 프랑크푸르트《독일 중서부의 Main 강변에 위치하는 상공업 도시로 정식 명칭은 Frankfurt am Main》.

***frank·furt(·er)** [frǽŋkfərt(ər)] *n.* Ⓒ 《美》 프랑크푸르트 소시지《쇠고기·돼지고기를 섞은 소시지 ; 종종 이어져 있음》.

fran·kin·cense [frǽŋkinsèns] *n.* Ⓤ 유향(乳香)《동아프리카·아라비아산 수지 ; 종교 의식에서 씀》.

fránk·ing machìne [frǽŋkiŋ-] 《英》 = POSTAGE METER.

Frank·ish [frǽŋkiʃ] *a.* 프랑크족의 ; 서유럽인의. — *n.* Ⓤ 프랑크 말.

***Frank·lin** [frǽŋklin] *n.* **Benjamin** ~ 프랭클린《미국의 정치가·과학자 ; 1706-90》.

‡**frank·ly** [frǽŋkli] (*more* ~ ; *most* ~) *ad.* 솔직히, 숨김없이. ~ ***speaking*** 솔직히 말하면.

***frank·ness** [frǽŋknis] *n.* Ⓤ 솔직함.

***fran·tic** [frǽntik] (*more* ~ ; *most* ~) *a.* ① 미친 듯 날뛰는, 광란의 ; 필사적인 : ~ cries for help 구조를 바라는 미친 듯한 고함 소리. ② 다급한, 크게 당황한 : with ~ hate 화급히.

***fran·ti·cal·ly** [frǽntikəli] *ad.* ① 미친 듯이, 광포하게. ② 몹시, 심히.

frap·pé [fræpéi] *a.* 《F.》 (얼음으로) 차게 한. — *n.* Ⓤ 《美》 프라페《살짝 얼린 과즙, 술을 친 빙수 따위》.

***fra·ter·nal** [frətə́ːrnəl] *a.* ① 〔限定的〕 형제의 ; 형제 같은〔다운〕. ② 우애의.
㊀ ~·**ly** *ad.* 형제같이.

fratérnal twín 이란성(二卵性) 쌍둥이.

***fra·ter·ni·ty** [frətə́ːrnəti] *n.* ① Ⓤ 형제임, 형제의 사이〔정〕 ; 동포애, 우애. ② Ⓒ 우애〔종교〕 단체, 공제 조합 ; 〔集合的〕 동업자들. ③ Ⓒ 〔集合的〕 《美》 (대학의) 남학생 사교 클럽. ★ 여학생 사교 클럽은 sorority.

frat·er·nize [frǽtərnàiz] *vi.* (남과) 형제처럼 교제를 하다 ; 친하게 사귀다《*with* ; *together*》 ; 《口》 (군인이 점령지의 국민과) 친하게 사귀다 ; 피점령국의 여성과 관계하다《*with*》.

frat·ri·cid·al [frӕtrəsáidl] *a.* 형제〔자매〕를 죽이는 ; (내란 등에서의) 동족 상잔의 ; 동포끼리 서로 죽이는.

frat·ri·cide [frǽtrəsàid] *n.* ① Ⓤ 형제〔자매〕 살해. ② Ⓒ 형제〔자매〕 살해자.

Frau [frau] (*pl.* ~*s*, ~·*en* [fráuən]) *n.* 《G.》 …부인《Mrs., Madam 에 상당하는 경칭 ; 略 : Fr.》.

***fraud** [frɔːd] *n.* ① **a**) Ⓤ 사기, 협잡 : get money by ~ 돈을 사취하다. **b**) Ⓒ 사기행위, 부정 수단 : commit a number of ~*s* 여러번 사기를 행하다 / be accused of ~ 사기(죄)로 고소당하다. ② Ⓒ **a**) 《口》 협잡꾼, 사기꾼. **b**) 가짜.

fraud·u·lence [frɔ́ːdʒuləns] *n.* Ⓤ 사기.

fraud·u·lent [frɔ́ːdʒulənt] *a.* 사기의 ; 속여서 손에 넣은 : ~ gains 부정 이득.
㊀ ~·**ly** *ad.*

***fraught** [frɔːt] *a.* 〔敍述的〕 (위험 따위를) 내포한, …이 따르는《*with*》 : an enterprise ~ *with* danger 위험이 따르는 사업.

Fräu·lein [frɔ́ilain] (*pl.* ~*s*) *n.* 《G.》 …양(孃)《영어의 Miss 에 해당》.

***fray**[1] [frei] *vt.* ① 닳게〔모지라지게〕 하다 ; 가장자리를 무지러뜨리다《*out*》 : an old ~*ed* coat 낡아 닳아빠진 상의. ② (신경)을 소모하다 : Her nerves got ~*ed* taking care of her sick son. 병든 아들의 간호로 그녀의 신경은 지쳤다. — *vi.* ① 닳(아빠지)다, 모지라지다 ; 너덜너덜해지다. ② (신경 등이) 지치다.

fray[2] *n.* (the ~) 소동, 싸움 ; 시끄러운 언쟁, 논쟁.

fraz·zle [frǽzəl] 《美口》 *vt.* ① …을 닳아 떨어지게 하다 ; 무지러지게 하다. ② …을 피곤하게 하다. — *vi.* ① 너덜너덜해지다. ② 피곤해지다, 지치다《*out*》. — *n.* (a ~) ① 해짐, 너덜너덜함. ② 기진맥진한 상태.

FRB, F.R.B. 《美》 Federal Reserve Bank ; Federal Reserve Board.

***freak**[1] [friːk] *n.* Ⓒ ① 변덕(스러운 마음), 일시적 기분 (caprice) ; 변덕스러운 짓 ; 장난 ; 기형 : ~ of nature 조화의 장난, 기형. ② 《俗》 **a**) 〔흔히 수식어를 수반〕 열중한 사람, …광(狂) : a film ~ 영화광. **b**) 마약 상용자.
— *a.* 〔限定的〕 별난 : a ~ event 기묘한 사건 / ~ weather 별난 날씨.
— *vi.* 《美俗》 ① (마약으로) 환각 증상을 일으키다, 흥분하다《*out*》. ② (충격 등으로) 이상 상태에 빠지다《*out*》.

freak[2] *vt.* 《詩》 줄무늬지게 하다, 얼룩지게 하다. — *n.* Ⓒ 줄무늬, 얼룩.

freak·ish [fríːkiʃ] *a.* ① 변덕스러운 ; 엉뚱한. ② 기형의, 기괴한. ㊀ ~·**ly** *ad.* ~·**ness** *n.*

freak-out [fríːkàut] *n.* Ⓒ 《俗》 환각제로 마비됨〔된 사람〕 ; 환각제 파티.

***freck·le** [frékl] *n.* Ⓒ (종종 *pl.*) 주근깨 ; (피부의) 반점, 기미 : have ~*s* 주근깨가 있다.
— *vt.* …에 주근깨가 생기게 하다. — *vi.* 주근깨가 생기다. ㊀ ~**d** *a.* 주근깨〔기미〕가 있는.

Fred, Fred·dy [fred], [frédi] *n.* 프레드, 프레디《남자 이름 ; Frederic(k)의 애칭》.

Fred·er·ick [frédərik] *n.* ① 프레더릭《남자 이름 ; 애칭은 Fred, Freddy, Freddie, Fritz》. ② ~ **I** 프리드리히 1 세《신성 로마 황제》.

†**free** [friː] (***fre·er*** [fríːər] ; ***fre·est*** [fríːist]) *a.* ① 자유로운 ; 속박 없는 : ~ speech 자유로운 언론, 언론의 자유 / ~ trade 자유무역 / Prisoners wish to be ~. 죄수들은 자유롭기를 원한다. ② 자유주의의 : the ~ nations of the world 세계의 자유주의 제국. ③ 자주적인, 자주 독립의 : a ~ nation 독립국가. ④ (권위·전통 따위에) 얽매이지 않는, 편견 없는 : ~ spirit 자유 정신. ⑤ (규칙 등에) 구애되지〔얽매이지〕 않는 : ~ skating 프리 스케이팅. ⑥ 사양 없는 : Please feel ~ to call me. 사양 마시고 전화해 주십시오. ⑦ (태도 따위가) 대범한, 여유 있는 ; 활수한, 손〔통〕이 큰, 아낌 없는 : ~ *with* one's money 돈을 잘 쓰는. ⑧ 사치스러운 : ~ living 사치스런 생활. ⑨ 방종한, 단정치 못한 ; 구속 없는, 마음대로의 : her ~ behavior 그녀의 버릇없는 행동 / Her manners are too ~. 그녀의 태도는 너무나 멋대로이다. ⑩ (부담·제약 등이) 면제된, 면한 ; (위험·장애 등이) 없는 ; (…에서) 벗어난《*from* ; *of*》 : ~ *of* taxes 면세의 / ~ *from* disease 병에 걸릴 염려가 없는 / ~ *of* charge 무료로 / No one is ~ *from* fault. 결점 없는 사람은 없다 / This snake is ~. 이 뱀은 독이 없다. ⑪ 선약(先約)이 없는, 한가한, 볼일 없는 : Are you ~ this evening? 오늘 저녁 시간이 있으십니까 / I am ~ this evening. 오늘 저녁은 한가합니다 / My ~ day is Wednesday. 수요일은

일이 없습니다. ⑫ 비어 있는, 쓸 수 있는 : a ~ room 빈 방. ⑬ 마음대로 출입할 수 있는, 개방된 : a ~ market 자유 시장 / Students have ~ access to the library. 학생들은 자유로 도서관에 출입할 수 있다. ⑭ 자유로 통행할 수 있는, 장애 없는 : The way was ~ for our advance. 우리는 아무 장애도 받지 않고 전진했다 / The ship was given ~ passage. 그 배는 자유항행권이 주어졌다. ⑮ 누구나 참가할 수 있는 ; 모두가 참가하는 : ~ competition 자유 경쟁. ⑯ 무료의, 입장 무료의 ; 세금 없는 : ~ schools 공납금 없는 학교 / ~ imports 비(非)과세 수입품 / ~ medicine 무료 의료 / Admission is ~. 《게시》 입장 무료. ⑰ 〔敍述的〕 (사람들의) 마음대로의 행동이 허용된 : You are ~ to stay as long as you like. 원하신다면 언제까지고 마음대로 계셔도 좋습니다. ⑱ 자진해서 …하는 ; 너무〔지나치게〕 …하는 : I am ~ to confess. 자진해서 자백하겠습니다 / You are very ~ in blaming others. 남에 대한 비난이 지나치군요 / He's a bit too ~ *with* his advice. 그는 다소 잔소리가 심하다. ⑲ 고정되어 있지 않은, 느슨한 ; 〖化〗 유리된 : the ~ end of a rope 밧줄의 매듭을 짓지 않은 끝. ⑳ 〖海〗 순풍의 : a ~ wind 순풍. ◇ freedom *n.* ***for ~*** 《口》 무료로. ***~ and easy*** 스스럼 없는, 터놓은 ; 한가한 : lead a ~ *and easy* life 유유자적하게 세월을 보내다. ***~ from*** (1) …을 면한, …염려가 없는 : ~ *from* reproach 비난받을 데가 없는. (2) …이 없는 : ~ *from* care 걱정 없는 / a day ~ *from* wind 바람 없는 날 / He is ~ *from* 〔*of*〕 prejudice. 그는 편견이 없다. ***have one's hands ~*** ⇨ HAND. ***make ~ with*** …을 마음대로 쓰다 ; …에게 허물없이 굴다 : He accused me of *making* ~ *with* his car. 그의 차를 마음대로 썼다고 나를 책망했다. ***set ~*** 해방하다, 석방하다 : The prisoners were *set* ~. 죄수들은 석방되었다. ***with a ~ hand*** 아낌 없이, 활수하게.

── *ad.* ① 자유롭게 ; 방해를 받지 않고 : run ~ 자유롭게 달리다. ② 무료로.

── (*p., pp.* ***freed*** ; ***frée·ing***) *vt.* ① 《~+[목]/+[목]+[전]+[명]》 …로부터 자유롭게 하다, 해방하다 《*from*》 ; (곤란 등에서) …을 구하다(deliver) : They ~*d* their hostages. 그들은 인질들을 풀어주었다 / ~ a bird *from* a cage 새장에서 새를 풀어주다 / ~ a person *from* want 아무를 궁핍에서 구하다. ② 《+[목]+[전]+[명]》 …에게 면제하다, …로 하여금 면하게 하다, …에서 제거하다《*of*》 : ~ a person *of* his duty 아무를 해임하다 / ~ a person *of* his obligations 아무에게 의무를 면제하다 / ~ a room *of* clutter 방에서 잡동사니를 없애다. ③ 〔再歸的〕 (의무·곤란 등에서) 탈출하다 《*from; of*》 : ~ *oneself from* one's difficulties 곤란에서 벗어나다 / We ~*d ourselves of* our seat belts. 안전〔좌석〕 벨트를 풀었다.

~ up (1) …을 해방하다 : Congress voted to ~ *up* funds for the new highway system. 의회는 새 도로망 정비를 위한 자금에 관한 제한을 풀 것을 의결했다. (2) …의 얽힌 것을 풀다 : It took an hour to ~ *up* the traffic jam. 교통 체증을 해소하는 데 1시간 걸렸다.

-free '…로부터 자유로운, …을 면한, …이 없는' 의 뜻의 결합사 : trouble-*free*.

frée ágent ① 자유〔자주〕 행위자. ② 자유 계약 선수〔배우〕.

free·bie, -bee [fríːbiː] *n.* [C] 《美俗》 공짜로 얻는 것, 경품(景品) : a ~ card 무료 초대권.

free·board [⌐bɔ̀ːrd] *n.* [U,C] 〖海〗 건현(乾舷)《흘수선에서 상갑판까지의 거리》.

free·boot [⌐bùːt] *vi.* 약탈하다, 해적질을 하다.

[파] **~·er** *n.* [C] 해적.

free·born [⌐bɔ̀ːrn] *a.* (노예 아닌) 자유의 몸으로 태어난 ; 자유민다운.

freed·man [fríːdmən, -mæ̀n] (*pl.* ***-men*** [-mən, -mèn]) *n.* [C] (노예 신분에서 해방된) 자유민.

:free·dom [fríːdəm] *n.* [U] ① 자유 : ~ of speech 언론의 자유 / the ~ to choose one's occupation 직업 선택의 자유 / She had little ~ of action. 그녀는 행동의 자유가 거의 없었다. ② 해방, 탈각 ; 면제, 해제 ; (의무·공포·부담·결점 따위의) 전혀 없음《*from*》 : ~ *from* fear 공포로부터의 해방 ; 공포가 없음 / They enjoy ~ *from* poverty. 그들은 빈곤을 모르는 생활을 하고 있다 / They worked hard to make possible ~ *from* want. 그들은 빈곤에서 벗어나려고 열심히 일했다. ③ (행동의) 거침새 없음, 자유스런 태도 ; 스스럼〔허물〕 없음 : speak *with* ~ 마음내키는 대로 이야기하다 / She laughed *with* the utmost ~. 그녀는 아무 스스럼없이 마구 웃었다. ④ 출입의 자유 ; 사용의 자유 : have the ~ of …에 자유로이 출입할 수 있다 ; …을 자유로이 이용할 수 있다.

fréedom fighter 자유의 투사.

fréedom of the séas (the ~) 〖國際法〗 공해(公海)의 자유《특히 전시(戰時)의 중립국 선박의 공해 자유 항행권》.

fréedom rìde (종종 F- R-) 《美》 (인종 차별 반대를 위한) 남부 지방에의 버스 여행.

fréedom rìder (종종 F- R-) 《美》 자유의 기사 《freedom ride 참가자》.

frée énergy 〖物〗 자유 에너지《하나의 열역학계의 전(全)에너지 중에서 일로 변환할 수 있는 에너지가 차지하는 비율을 나타내는 양》.

free-fall [fríːfɔ̀ːl] *n.* [U] 자유 낙하《물체의 중력만에 의한 낙하, 특히 낙하산이 펴질 때까지의 강하 ; 우주선의 관성 비행》.

free-float·ing [fríːflóutiŋ] *a.* ① 자유로이 움직이는, 부동성의. ② 자유로이 행동할 수 있는. ③ 막연한, 애매한.

free-for-all [fríːfərɔ̀ːl] *a.* 입장 자유의, 무료의 ; 누구나 참가할 수 있는. ── *n.* [C] ① 누구나 참가할 수 있는 경기〔토론〕. ② 난투 : The fight turned into a ~. 그 싸움은 난투극으로 변했다.

frée hánd (a ~) 자유 재량권〔행동권〕 : give a person *a* ~ 아무의 자유 재량에 맡기다 / have 〔get〕 *a* ~ …할 자유 행동권을 갖다〔얻다〕.

free·hand [⌐hæ̀nd] *a.* (기구를 쓰지 않고) 손으로 그린〔만든〕 : a ~ drawing 자재화(自在畫). ── *n.* 자재화〔조각〕(법).

free·hand·ed [⌐hǽndid] *a.* 아낌없이 쓰는, 활수한《*with*》.

free-heart·ed [⌐háːrtid] *a.* ① (마음이) 맺힌 데가 없는. ② 대범한. [파] **~·ly** *ad.* **~·ness** *n.*

free·hold [⌐hòuld] *n.* 〖法〗 ① [U] (부동산·관직 따위의) 자유 보유(권). ② [C] 자유 보유 부동산. ── *a.* 자유 보유권의〔으로 소유한〕.

[파] **~·er** *n.* [C] 자유 부동산 보유자.

frée hòuse 《英》 (특정 회사와 제휴 없이 각종의 술을 취급하는) 독립 술집. [cf] tied house.

frée kíck 〖蹴〗 프리킥.

frée lánce ① 자유 기고가, 프리랜서, 자유 계약 기자(記者) ; (특별 계약 없는) 자유 배우. ② (중세의) 용병(傭兵) ; 무소속의 무사.

free-lance [fríːlæ̀ns, -làːns] *a.* 자유 계약의 ; 비전속의 : a ~ writer 프리랜서 작가. ── *vi* (작가·배우 등이) 자유로운 입장에서 활동〔기고〕하다 : He's *free-lancing* for the CNN. 그는 CNN에서 프리랜서로 일하고 있다.

── *ad.* 자유 계약〔비전속〕으로 : He works ~. 그

는 프리랜서로 일하고 있다.
㊞ **-lánc·er** [-ər] *n.* Ⓒ 프리랜서, 자유 계약자.

frée líver 식도락가.

free-liv·ing [fríːlíviŋ] *a.* 식도락의.

free·load [-lòud] 《口》 *vi.* (음식물 등)을 공짜로 얻어먹다 ; 기식(寄食)하다. ㊞ **~·er** *n.*

‡free·ly [fríːli] (***more ~ ; most ~***) *ad.* ① 자유로이 ; 마음대로 : In France he could write ~, without fear of arrest. 프랑스에서 그는 구속의 두려움 없이 자유로이 글을 쓸 수 있었다. ② 거리낌없이, 솔직하게. ③ 아낌 없이 ; 활수하게 ; 충분히 : Wine was distributed ~. 포도주는 충분히 돌아갔다.

free·man** [-mən] (*pl.* ***-men [-mən]) *n.* Ⓒ ① (노예가 아닌) 자유민. ② 공민.

Free·ma·son [fríːmèisn] *n.* Ⓒ 프리메이슨《공제(共濟)·우애(友愛)를 목적으로 하는 비밀 결사인 프리메이슨단(Free and Accepted Masons)의 조합원》.

Free·ma·son·ry [-mèisnri] *n.* Ⓤ ① (종종 f-) 프리메이슨주의〔제도〕. ② (f-) 우애적 이해, 암암리의 양해.

frée pórt 자유항.

frée préss 출판·보도의 자유 ; 〔集合的〕 (정부의 검열을 받지 않는) 자유 출판물.

free-range [fríːrèindʒ] *a.* 〔限定的〕 《英》 (가금(家禽))을 놓아 기르는 ; 놓아 기르는 닭의《달걀》.

frée réin (행동·결정의) 무제한의 자유 : give ~ to a person 아무를 자유 방임하다.

frée schóol ① 무료 학교. ② 자유 학교《학생이 흥미 있는 과목을 자유로이 배울 수 있음》.

free·sia [fríːʒiə, -ziə] *n.* Ⓒ 〖植〗 프리지어.

free-spo·ken [-spóukən] *a.* 기탄없이 말하는, 숨김없이 말하는, 솔직한.

free·stand·ing [-stǽndiŋ] *a.* ① (조각 따위가 외적 지지 구조를 갖지 않고) 그 자체의 자립(自立) 구조로 서 있는. ② 독립해 서 있는.

Frée Státe 《美》 (남북전쟁 전에 노예를 쓰지 않았던) 자유주(州).

free·stone [fríːstòun] *n.* ① Ⓤ 자유롭게 끊어낼 수 있는 돌《사암·석회석 따위》. ② Ⓒ 씨가 잘 빠지는 복숭아.

free·style [-stàil] *n.* Ⓤ *a.* (수영·레슬링에서) 자유형(의). ㊞ **frée·stỳl·er** *n.* Ⓒ 자유형 선수.

free·think·er [-θíŋkər] *n.* Ⓒ (종교상의) 자유사상가. ㊞ **-thínk·ing** *n.* Ⓤ, *a.* 자유 사상(의).

frée thrów 〖籠〗 프리스로.

frée univérsity (대학 내의) 자주(自主) 강좌, 자유 대학.

frée vérse 자유시(詩).

free·way [-wèi] *n.* Ⓒ (신호가 없는) 다차선식(多車線式) 고속도로.

free·wheel [-*h*wíːl] *n.* Ⓒ (자동차·자전거의) 자유 회전장치. ── *vi.* ① (동력을 멈추고) 타성으로 달리다. ② 자유롭게 행동하다.

free·wheel·ing [-*h*wíːliŋ] *a.* 자유분방한 : lead a ~ life 자유분방한 생활을 하다.

frée wíll ① 자유 의지. ② 〖哲〗 자유 의지설.

free-will [-wíl] *a.* 〔限定的〕 자유 의지의 ; 임의의, 자발적인.

Frée Wórld (the ~) 자유 세계, 자유 진영.

‡freeze [friːz] (***froze*** [frouz] ; ***fro·zen*** [fróuzən]) *vi.* ① 《+副 / +前+名》 (물 등이) 얼다, 동결〔빙결〕하다《*up* ; *over*》 ; (물건 따위에) 얼어붙다《*to*》 : The pond has *frozen over.* 연못은 온통 얼어붙었다 / The pipes *froze up.* 수도관이 얼었다 / The automobile tires *froze to* the ground. 자동차 타이어가 땅에 얼어붙었다 / Water ~*s* at 32°F. 물은 화씨 32°에서 언다. ② 〔非人稱의 it 를 主語로〕 얼듯이 추워지다, 몹시 차지다 ; 얼어붙다 : *It* is *freezing* tonight. 오늘 저녁은 굉장히 춥다 / *It* is *freezing* in this room. 이 방은 몹시 춥다. ③ 《~ / +前+名》 (사람·동식물이) 얼어죽다 ; (몸이) 어는 듯이 춥게 느끼다 : I'm *freezing.* 추워서 몸이 얼어붙을 것 같다 / The climbers were lost in the snow and nearly *froze to death.* 등산가들은 눈속에서 길을 잃어 거의 얼어죽을 뻔 했다. ④ 간담이 서늘하다, 등골이 오싹하다 ; 그 자리에서 꼼짝 못하게 되다 : *Freeze!* You're under arrest! 꼼짝 마라, 너를 체포한다 / My heart 〔blood〕 *froze* when she told me the news. 그녀에게서 그 소식을 듣고 나는 등골이 오싹했다 / When he got in front of the audience, he *froze* (*up*). 그는 청중 앞에 나오면 (전신이) 얼어붙는다. ⑤ 냉담해지다 ; (정열이) 식다 : Her affection gradually *froze into* hatred. 그녀의 애정이 서서히 식으면서 증오로 얼어붙었다. ⑥ 《+前+名》 (표정 등이) 굳다 : His face *froze with* terror. 그의 얼굴은 공포로 굳어졌다 / The smile *froze on* his lips. 그의 입가에 감돌던 웃음이 갑자기 굳어졌다.

── *vt.* ① 《~+目 / +目+副》 (물 따위)를 얼게 하다 ; 얼어붙게 하다《*over*》 : The north wind *froze* the water pipes. 북풍으로 수도관이 얼었다 / The pond was *frozen over.* 연못이 온통 얼어붙었다. ② 〔受動으로〕 《+目+前+名 / +目+補》 동상에 걸리게 하다 ; 얼려 죽이다 : The poor beggar *was frozen to* death. 그 가엾은 거지는 얼어죽었다. ③ …에 냉담하게 대하다 ; 쌀쌀하게 대하다 ; (감정·표정)을 꺾이게 하다 : Her words *froze* his interest in her. 그녀의 말로 그녀에 대한 그의 관심은 꺾였다. ④ …의 간담을 서늘케 하다, 오싹하게 하다 : He stood *frozen* with terror. 그는 공포로 오금을 못쓰고 서버렸다. ⑤ 《+目+前+名》 (공포 따위로) 꼭 매달리게 하다 : Fear *froze* her *to* 〔*onto*〕 the steering wheel. 공포로 그녀는 핸들에 꼭 매달렸다. ⑥ (고기 따위)를 냉동시키다. ⑦ (외국 자산 따위)를 동결하다, (예금 따위)를 봉쇄하다 ; (물가·임금 등)을 동결하다, 고정시키다 ; …의 제조〔사용·판매〕를 중지하다 ; 〖映〗 (영상)을 한 장면에서 멈추다. ⑧ 〖醫〗 (신체의 일부)를 인공 동결법으로 무감각하게 하다. ⑨ 〖스포츠〗 약간의 리드를 지키기 위하여 추가 득점을 하려고 하지 않고 현상을 유지하다. **~ *out*** (*vi.*) (식물이 냉해로) 괴멸하다. (*vt.*) (1) (몸이) 추위로 얼게 하다. (2) 《口》 (냉대 등으로) 몰아내다《*of*》 ; 너무 추워 가만히 있지 못하게 하다 : They turned their backs on me to ~ me *out* (*of*) 〔*from*〕 the conversation. 그들은 대화에서 나를 쫓아내기 위해 내게 등을 돌렸다. (3) 《주로 美》 〔흔히 受動으로〕 (일을) 추위로 중지케 하다 : The outing *was frozen out.* 소풍은 혹한으로 중지되었다. (4) (아무를) 짐짓 무시하다. **~ *over*** 전면에 얼음이 얼다〔얼게 하다〕. **~ a person*'s blood*** ⇨ BLOOD. **~ (*on*) *to* 〔*onto*〕** 《口》 …에 꼭 매달리다 ; (생각 등에) 집착하다.

── *n.* (*sing.*) ① 결빙(기) ; 엄한 : There was a big ~ last week. 지난 주(週)에는 굉장한 추위가 있었다. ② 〔종종 修飾語와 함께〕 (자산·물가·임금 따위의) 동결 : a wage ~ = a ~ on wages 임금 동결.

freeze-dry [fríːzdrái] *vt.* (식품 따위)를 동결 건조시키다.

freeze-frame [-frèim] *n.* Ⓤ 〖映〗 (영상을 정지시키는) 스톱 모션. ── *vt.* (화면)을 정지하다.

***freez·er** [fríːzər] *n.* Ⓒ 결빙시키는 사람〔것〕 ; 냉동 장치〔실·기·차〕, 프리저.

freeze-up [fríːzʌ̀p] *n.* [U,C] 서리가 많이 내리는 기간, 엄한기(嚴寒期).

***freez·ing** [fríːziŋ] *a.* ① 어는 ; 몹시 추운〔차가운〕: a ~ rain 진눈깨비 / I'm ~. 어이 추워 / It's ~ cold in this room. 이 방은 몹시 춥다. ② 냉담한 ; 오싹하는.
— *n.* [U] 결빙, 냉동 ; 빙점 ; (자산 등의) 동결. ***below*** ~ 빙점 아래. — *ad.* 얼어붙듯 : ~ cold 얼어붙듯이 차가운. [파] ~·**ly** *ad.*

fréezing pòint 어는점. [opp] *boiling point.*

‡**freight** [freit] *n.* [U] ① 화물, 뱃짐. ② 화물 운송 : You can send this truck by air ~ or by sea ~. 당신은 이 트럭을 항공편으로도 선박편으로도 보낼 수 있습니다. ★ 영국에서는 주로 수상·공중 운송을 말하며, 미국에서는 항공·육상·수상을 불문함. ③ 운송〔용선〕료 : ~ free 운임 무료로 / ~ forward 운임 선급 / ~ paid 〔prepaid〕 운임 지급필.
— *vt.* ① 《~+[목] / +[목]+[전]+[명]》 …에 화물을 싣다《*with*》: ~ a ship *with* coal 배에 석탄을 싣다. ② 〔흔히 受動으로〕 출하하다 ; 수송하다 : Grapes from this region *are* ~*ed* all over the world. 이 지역에서 생산되는 포도는 온 세계로 출하된다 / Much of the fish sold in England *is* ~*ed* overland from Scotland. 영국에서 팔리는 생선의 대부분은 스코틀랜드에서 육로로 (영국에) 수송된다. ③ (중책 따위)를 …에게 지우다 ; (의미 따위)를 부여하다《*with*》: a young man ~*ed with* responsibility 책임을 맡은〔진〕 젊은이.
[파] ∠·**age** [-idʒ] *n.* =FREIGHT.

fréight càr 《美》 화차(《英》 goods wagon).

freight·er [fréitər] *n.* [C] ① 화물선 ; 수송기. ② 화물 취급인 ; 운송업자.

fréight tràin 컨테이너 화물열차 ; 《美》 화물열차(《英》 goods train).

†**French** [frentʃ] *a.* ① 프랑스의 ; 프랑스인의 ; 프랑스풍의, 프랑스어의. ② 프랑스인적인《특히 교양이 있는 점, 또는 약간 음란한 점》. — *n.* ① [U] 프랑스어. ② (the ~) 〔集合的〕 프랑스인〔국민·군〕.

Frénch béan 《英》 강낭콩(kidney bean).

Frénch bréad 프랑스빵《보통 가늘고 길》.

Frénch Canádian 프랑스계 캐나다인.

Frénch chálk 활석 분필《재단용 초크》.

Frénch Commúnity (the ~) 프랑스 공동체《프랑스 본국을 중심으로 하여 해외의 구식민지를 포함한 연합체》.

Frénch cúff 셔츠의 꺾어 접는 소매.

Frénch cúrve 운형(雲形)자.

Frénch dóors 좌우로 열리는 유리문.

Frénch dréssing 프렌치 드레싱《올리브유·식초·소금·향료 따위로 만든 샐러드용 소스》.

Frénch frìed potátoes =FRENCH FRIES.

Frénch fríes 《美》 감자 튀김《성냥개비처럼 썰어서 튀김》.

Frénch hórn 〖樂〗 프렌치 호른.

Frénch kíss 프렌치 키스《혀를 맞대고 깊숙이 하는 키스》.

Frénch léave 인사 없이 떠나기 ; 무단 결석.

Frénch létter 《英口》 콘돔(condom).

Frénch lóaf (가늘고 긴) 프랑스 빵.

‡**French·man** [fréntʃmən] (*pl.* ***-men*** [-mən]) *n.* [C] 프랑스인, 프랑스 남자.

Frénch pólish 프랑스 니스《셸락을 알코올로 처리한 투명 도료》.

French-pol·ish [∠páliʃ / ∠pɔ́l-] *vt.* 프랑스 니스를 칠하다.

Frénch Revolútion (the ~) 프랑스 혁명《1789-99》.

Frénch séam 통솔《천의 솔기를 뒤집어 기워서 천의 끝이 보이지 않게 한 바느질》.

Frénch tóast 프렌치 토스트《달걀과 우유를 섞은 것에 빵을 담갔다가 구운 것》.

Frénch wíndow 프랑스 창《뜰·발코니로 통하는 좌우 여닫이의 유리창》.

French·wom·an [∠wùmən] (*pl.* ***-wom·en*** [-wìmin]) *n.* [C] 프랑스 여자〔부인〕.

fre·net·ic [frinétik] *a.* 열광적인 (phrenetic), 격앙한. [파] ~·**ly**, **-i·cal·ly** *ad.*

fren·zied [frénzid] *a.* 열광한 ; 격노한.

***fren·zy** [frénzi] *n.* [U] (또는 a~) 격앙, 광포 ; 열광 : They were singing in *a* ~ of joy. 그들은 기쁜 나머지 노래를 부르고 있었다. [cf] fury, rage.

Fre·on [fríːɑn / -ɔn] *n.* [U] 프레온(가스)《냉장고·에어컨의 냉매나 스프레이의 분무제 등에 쓰임 ; 商標名》. [cf] chlorofluorocarbon.

***fre·quen·cy** [fríːkwənsi] *n.* ① [U] 자주 일어남, 빈번, 빈발 : with considerable ~ 꽤, 빈번히 / The ~ of his phone calls annoys me. 그가 너무 자주 전화를 걸어 미칠 지경이다. ② [C] 횟수, 도수, 빈도(수). ③ [C] 〖物〗 진동수, 주파수.

fréquency distribùtion 〖統〗 도수 분포.

fréquency modulátion 〖電子〗 주파수 변조 (방송)《略 : FM》. [cf] amplitude modulation.

‡**fre·quent** [fríːkwənt] (***more*** ~ ; ***most*** ~) *a.* ① 자주 일어나는, 빈번한, 여러 번의 : at ~ intervals 빈번히 / as is ~ with …에게는 흔히 있는 일이지만 / have ~ headaches 빈번히 두통을 앓는다. ② 상습적인, 언제나의, 흔히 있는, 보통의 : a ~ customer 단골 손님. ③ 《英》 (맥박이) 빠른.
— [frikwént, fríːkwənt] *vt.* 종종 방문하다, …에 자주 가다〔모이다〕: Tourists ~ the district. 관광객들이 자주 그 지방을 찾는다 / Ann ~*s* movie theaters. 앤은 자주 영화관에 가곤 한다.

fre·quen·ta·tion [frìːkwəntéiʃən] *n.* [U] 빈번한 방문〔출입〕.

fre·quen·ta·tive [friːkwéntətiv] *n.* [C], *a.* 〖文法〗 반복 동사(의).

fre·quent·er [frikwéntər] *n.* [C] 자주 가는 사람 ; 「단골 손님.

‡**fre·quent·ly** [fríːkwəntli] (***more*** ~ ; ***most*** ~) *ad.* 종종, 때때로, 빈번히 : He wrote home ~. 그는 자주 고향집에 편지를 보냈다. ★ often 보다는 격식차린 말로 특히 짧은 사이를 두고, 또는 규칙적으로 반복하는 경우에 쓰임.

fres·co [fréskou] (*pl.* ~(***e***)***s***) *n.* [U] 프레스코 화법《갓 바른 회벽 위에 수채로 그리는 화법》; [C] 프레스코화. — *vt.* 프레스코화를 그리다 ; 프레스코 화법으로 그리다.

†**fresh** [freʃ] (∠·***er*** ; ∠·***est***) *a.* ① 새로운, 갓 만들어진 ; (가지 등이) 갓 생긴, 싱싱한 : ~ shoots 어린 싹 / a loaf of ~ bread 갓 구워진 빵 / the season of ~ green 신록의 계절. ② 신선한 ; (공기가) 맑은 ; (빛깔이) 선명한 ; (기억이) 생생한 : ~ air 맑은 공기 / ~ paint 갓 칠한 페인트 / His tragic death is still ~ in my memory. 그의 비극적인 죽음은 아직도 내 기억 속에 생생히 남아있다. ③ 〔敍述的〕 생기 있는, 건강한, 발랄한 : Everything looked ~ after the rain. 비온 후라 모든 것이 생기가 있어 보였다 / I felt ~ after a short nap. 잠시 낮잠을 잤더니 기분이 산뜻하다. ④ 이제까지 없는, 신기한 : a ~ idea 새로운 생각 / seek ~ experiences 이제까지 없던 새로운 경험을 찾다. ⑤ 〔限定的〕 새(로운), 신규의 : put on ~ makeup 화장을 고치다 / with ~ determination 새로운 결의로써. ⑥ 새로 가입된, 추가의 : ~ supplies 신입하(新入荷). ⑦ (최근)

갓 나온 : a girl ~ *from* the country 시골에서 갓 올라온 소녀 / a young man ~ *from* 〔*out of*〕 college 대학을 갓 나온 청년. ⑧ 경험 없는 : a ~ hand 풋〔신출〕내기. ⑨ 〔限定的〕 소금기 없는 : ~ water 맹물, 담수 / ~ butter 소금기 없는 버터. ⑩ 〔限定的〕 날것의 : ~ milk 생우유 / ~ meat 날고기. ⑪ 《口》 얼근한, 주기를 띤. ⑫ 〔敍述的〕 《美俗》 건방진, 뻔뻔스러운《*to*》, (이성에 대한) 허물없는《*with*》 : a ~ kid 건방진 젊은이 / get ~ *with* a woman 여자에게 허물없이 대하다. ⑬ (암소가 새끼를 낳아서) 젖이 나오게 된. ⑭ 〖氣〗 (바람이) 꽤 센, 질풍의. ***(as) ~ as paint*** 〔***a rose***〕 = ~ ***and fair*** 발랄한, 원기 왕성한. ***break ~ ground*** ⇨ GROUND.

— *ad.* ① 〔주로 동사의 과거분사와 함께 複合語로〕 새로, 새로이 : ~-picked 갓 딴 / ~-caught 갓 잡은. ② 〔흔히 ~ out of... 로〕 《美口》 …이 동이 나서.

— *n.* Ⓤ ① 초기《날·해·인생 등의》 : in the ~ of the morning 아침 일찍이. ② = FRESHET.

frésh bréeze 〖海·氣〗 흔들바람, 질풍《초속 9 m 내외》.

fresh·en [fréʃən] *vt.* ① …을 새롭게 하다, 일신시키다《*up*》 : She's ~*ed up* the house with a new coat of paint. 그녀는 새로 칠을 하여 집의 모습을 일신시켰다. ② **a)** …을 상쾌하게 하다 : My bath has ~*ed* me *up*. 목욕으로 기분이 산뜻해졌다. **b)** 〔再歸的〕 기분이 상쾌해지다《*up*》. ③ …을 신선하게 하다. — *vi.* ① (세수·목욕 등으로) 기분이 산뜻해지다《*up*》.

fresh·er [fréʃər] *n.* 《英》 = FRESHMAN ①.

fresh·et [fréʃit] *n.* Ⓒ ① (큰 비·눈녹은 물로 인한) 큰물, 홍수. ② (바다로 흘러드는) 민물의 흐름.

frésh gále 〖海·氣〗 큰바람, 질강풍(疾強風).

***fresh·ly** [fréʃli] *ad.* 〔흔히 과거분사 앞에 와서〕 새로이, 새로 ; 요즈음.

fresh·man** [⌐mən] (*pl.* ***-men [⌐mən]) *n.* Ⓒ ① (대학·《美》 고교의) 1 년생 ; 신입생. cf. sophomore, junior, senior. ② 신입자, 신입사원 ; 신출내기, 초심자.

— *a.* 〔限定的〕 ① 1년생의 : ~ courses 1 년생의 교과. ② 신출내기의. ③ 최초의.

***fresh·ness** [fréʃnis] *n.* Ⓤ 새로움, 신선함, 발랄 ; 상쾌 ; 생생함.

fresh-wa·ter [⌐wɔ̀:tər, ⌐wɑ̀t-] *a.* 〔限定的〕 ① 민물의, 민물산(產)의 : a ~ lake 담수호 / ~ fish 담수어. ② (민물 항행에만 익숙하고) 바다에 익숙하지 못한. ③ 《美》 시골의 ; 이름 없는.

‡fret[1] [fret] (**-tt-**) *vt.* ① **a)** 《~+[목] / +[목]+[전]+[명] / +[목]+[부]》 (사람)을 초조하게 하다, 괴롭히다 : The matter ~*ted* his heart. 그 일이 그를 괴롭혔다 / His remarks ~*ted* her *to* irritation. 그의 말은 그녀를 초조하게 했다. **b)** 〔再歸的〕 …일로 안달하다 : Don't ~ *yourself* about him. 그의 일로 속태우지 말게. ② (바람·비가) 침식하다, (녹이) 부식하다 : The stream ~*ted* its banks. 시냇물이 그 둑을 침식했다 / a knife ~*ted* with rust 녹으로 못쓰게 된 칼. ③ (바람이 수면에) 물결을 일으키다. — *vi.* ① 《~ / +[전]+[명]》 초조하다, 안달이 나다, 괴로워하다《*about*》 : have nothing to ~ *about* 괴로워할 일은 아무 것도 없다 / Don't ~ *over* trifles. 사소한 일로 안달 말게. ② 《+[전]+[명] / +[부]》 부식하다〔되다〕, 침식하다〔되다〕 : Limestone slowly ~*s away*. 석회석은 서서히 침식된다. ③ 물결이 일다.

— *n.* (a ~) 안달, 초조, 불쾌.

fret[2] *n.* Ⓒ 〖建〗 번개무늬, 뇌문(雷紋) (Greek ~) ; 격자〔창살 모양〕 세공.

— (**-tt-**) *vt.* …을 번개무늬로 장식하다 ; 격자 세공〔창살 모양〕으로 하다.

fret[3] *n.* 〖樂〗 프렛《현악기의 지판을 구획하는 금속제의 돌기》.

***fret·ful** [frétfəl] *a.* 초조한 ; 화를 내는 ; 까다로운, 성마른 : The child was tired and ~. 그 아이는 지치고 화가 났었다.

㊕ ~·**ly** [-li] *ad.* ~·**ness** *n.*

frét sàw 실톱.

fret·work [⌐wə̀:rk] *n.* Ⓤ 번개무늬 장식〔세공〕 ; (실톱 따위로) 도려내는 세공《완자무늬 따위를》 ; 투조(透彫).

Freud [frɔid] *n.* **Sigmund** ~ 프로이트《오스트리아의 정신분석학자·의학자 ; 1856-1939》.

Freud·i·an [frɔ́idiən] *a.* 프로이트의 ; 프로이트 학설의. — *n.* Ⓒ 프로이트 학설 신봉자.

Fréudian slìp 프로이트적(的) 실언(失言)《얼결에 본심을 나타내는 실언》.

FRG Federal Republic of Germany.

***Fri.** Friday.

fri·a·bil·i·ty [fràiəbíləti] *n.* Ⓤ 부서지기 쉬움, 무름, 파쇄성(破碎性) (friableness).

fri·a·ble [fráiəbəl] *a.* 부서지기〔깨지기〕 쉬운, 가루가 되기 쉬운, 무른, 약한.

fri·ar [fráiər] *n.* 탁발 수사 ; 수사(修士) : Black 〔Gray, White〕 *Friars* 도미니코〔프란체스코, 카르멜〕 수도회의 수사.

fric·as·see [fríkəsì:, ⌐-⌐] *n.* Ⓒ,Ⓤ 《F.》 프리카세《닭이나 송아지 고기를 잘게 썰어 삶은 것에 소스를 친 요리》. — *vt.* (고기로) 프리카세를 만들다.

fric·a·tive [fríkətiv] *a.* 〖音聲〗 마찰로 생기는, 마찰음의. — *n.* Ⓒ 마찰음(f, ʃ, θ, ʒ 따위).

***fric·tion** [fríkʃən] *n.* ① Ⓤ (두 물체의) 마찰. ② Ⓤ,Ⓒ 알력(軋轢), 불화 : ~ between the two families 두 집안간의 불화. ㊕ ~·**al** [-əl] *a.* 마찰의, 마찰로 움직이는, 마찰로 생기는 : ~*al* electricity 마찰 전기.

fríction màtch 마찰 성냥.

fríction tàpe 《美》 절연·보호용 점착 테이프 (《英》 insulating tape).

†Fri·day [fráidi, -dei] *n.* 금요일《略 : Fri.》. ★ 원칙적으로는 무관사로 Ⓤ이나, 뜻에 따라 관사를 수반하고 Ⓒ가 되는 경우도 있음 : on ~ 금요일에.

— *a.* 〔限定的〕 금요일의.

— *ad.* 《口》 금요일에.

Fri·days [fráidiz, -deiz] *ad.* 금요일에, 금요일마다.

fridge [fridʒ] *n.* 《口》 = REFRIGERATOR.

frige-freezer [⌐frí:zər] *n.* Ⓒ 《英》 냉동 냉장고.

fried [fraid] FRY[1] 의 과거·과거분사.

— *a.* 기름에 튀긴, 프라이 요리의 : ~ fish 생선튀김.

fried·cake [fráidkèik] *n.* 《美》 Ⓤ,Ⓒ 튀김과자 ; 도넛.

†friend [frend] *n.* Ⓒ ① 벗, 친구 : A ~ in need is ~ indeed. 어려울 때의 친구가 참된 친구이다. ★ my〔my father's〕 ~는 특정한 친구를 나타내는 경우에 쓰이며, 이때는 동격을 써서, my ~ John Smith 라고도 함. ② 지지자, 후원자, 친절히 해주는 사람 ; 자기〔우리〕편, 아군(我軍). opp. *enemy, foe.* ¶ a ~ *of* the poor 가난한 사람의 편 / a ~ *to* 〔*of*〕 liberty 자유의 지지자. ③ 의지할 수 있는 것, 도움이 되는 것 : Books are her best ~*s*. 서적은 그녀에게 가장 도움이 되는 것이다. ④ 동반자, 동행자. ⑤ (F-) 프렌드파 교도(Quaker). ***be ~s with*** …와 친구다〔친하다〕. ***make ~s with*** …와 친해지다. ***What's a . . . between friends?*** 친구 사이이므로 …따위 아무것도 아닐세.

***friend·less** [fréndlis] *a.* 벗이 없는, 친지가 없

는. ⊕ ~·**ness** *n.* 「의, 친밀.

***friend·li·ness** [fréndlinis] *n.* Ⓤ 우정, 친절, 호

†**friend·ly** [fréndli] (*friend·li·er* ; *-li·est*) *a.* ① 친한, 우호적인 : a ~ nation 우호 국가 / a ~ game 〔match〕 친선 경기 / I am ~ *with* him. 그와 친하게 지내고 있다. ② 〔敍述的〕 친절한, 상냥한, 붙임성 있는《*to*》: Emmie is ~ *to* everybody. 에미는 누구에게나 친절하다. ③ 지지하는, 도움이 되는 ; 자기 편의 : a ~ force 우군. ④ 마음에 드는, 안성맞춤의, 쓸모 있는 : ~ showers 단비. —— *ad.* 친구처럼, 친절하게. —— *n.* Ⓒ 《英》 친선 경기.

-friend·ly [fréndli] '…에 적합한, …에 부드러운'의 결합사 : environment-~ 환경 친화적인.

fríendly socíety (종종 F- S-) 《英》 공제 조합, 상호 부조회 (benefit society).

‡**friend·ship** [fréndʃip] *n.* Ⓤ,Ⓒ ① 친구로서의 사귐, 우호 ; 우정, 호의 : The ~ between John and me lasted many years. 존과 나와의 우정은 오래 계속되었다. ② 교우 관계 : strike up a ~ with her 그녀와 교우관계를 맺다.

frier ⇨ FRYER.

Frie·sian [fríːʒən] *n.* 《英》 =HOLSTEIN.

frieze[1] [friːz] *n.* Ⓒ ① 〖建〗 프리즈, 소벽(小壁)《처마 복공과 평방(平枋) 사이의》. ② 띠 모양의 조각(을 한 부분).

frieze[2] *n.* Ⓤ 프리즈, 두껍고 거친 외투용 모직물《보통 한 쪽에만 털〔괴깔〕이 있음》.

frig[1] [frig] (*-gg-*) *vi.* ① 《卑》 (여성과) 성교하다 (copulate)《*with*》; =MASTURBATE. ② 빈둥거리며 시간을 보내다《*about* ; *around*》: Would you stop ~*ging about* and help me for a while? 빈둥거리지 말고 잠시 나를 도와주면 어떤가. ③ 〔흔히 命令文〕 나가다, 떠나다《*off*》: *Frig off !* 꺼져. —— *vt.* ① …와 성교하다. ② 〔再歸的〕 = MASTURBATE.

frig[2] [fridʒ] *n.* 《英口》 =REFRIGERATOR.

frig·ate [frígit] *n.* Ⓒ 프리깃함(艦). ① 1750-1850년경의 상중(上中) 두 갑판에 포를 장비한 목조 쾌속 범선. ② 《英·Can.》 대잠(對潛)용 해상 호위함. ③ 《美》 5,000-9,000 톤급의 군함.

frígate bìrd 군함새《열대산의 큰 바다새》.

frig·ging [frígin, -giŋ] *a.* 《卑》 =FUCKING, DAMNED. ★ 강조어(强調語)로 쓰임.

‡**fright** [frait] *n.* ① Ⓤ (또는 a ~) (갑자기 밀려오는) 공포, 경악 : in *a* ~ 깜짝 놀라서 / He was trembling with ~. 그는 공포로 떨고 있었다 / *A* ~ went through me. 등골이 오싹했다. ② (a ~) 기이하게 생긴 물건〔사람, 얼굴, 모양〕: She is *a* perfect ~. 그 여자는 꼭 도깨비 같다.

‡**fright·en** [fráitn] *vt.* 《~+目 / +目+前+名 / +目+副》 …을 두려워〔무서워〕하게 하다, 놀라게 하다 ; 을러서 내쫓다《*away* ; *off*》; 을러서 …시키다《*into* ; *out of*》: The explosion ~*ed* the villagers. 폭음에 마을사람들은 놀랐다 / ~ a person *into* submission 아무를 을러서 굴복시키다. —— *vi.* 갑자기 무서워지다.

fright·ened [fráitnd] *a.* ① 놀란 : a ~ child 놀란 아이. ② 〔敍述的〕 …하여〔…하는 것을〕 무서워하는《*to* do》: I was ~ *to* look down from the top of the tall building. 나는 고층 빌딩의 꼭대기에서 밑을 내려다보고 소름이 끼쳤다. ③ 〔敍述的〕 …을 늘 무서워하는 : We leave that light on because the children are ~ *of* the dark. 어린아이들이 어둠을 무서워하기 때문에 그 불을 켜둔다 / She is ~ *of* snakes. 그녀는 뱀을 무서워한다《★ 위의 경우에는 보통 afraid 를 씀》.

fright·en·er [fráitnər] *n.* Ⓒ 《口》 공갈꾼. ***put the ~s on*** a person 아무를 협박하다.

fright·en·ing [fráitniŋ] *a.* 무서운, 굉장한, 놀라운. ⊕ ~·**ly** *ad.*

fright·ful** [fráitfəl] (more*** ~ ; ***most*** ~) *a.* ① 무서운, 소름끼치는 : a ~ sight 무서운 광경. ② 아주 흉한, 눈뜨고 볼 수 없는. ③ **a)** 《口》 불쾌한 : have a ~ time 정말 불쾌하다. **b)** 굉장한, 대단한 : a ~ amount of work 터무니없이 많은 일. ⊕ ~·**ly** [-li] *ad.*

***frig·id** [frídʒid] *a.* ① 추운, 극한의, 혹한의 : a ~ climate 혹한의 기후. ② 냉담한, 쌀쌀한 ; 무뚝뚝한 : a ~ manner 냉정한 태도 / There's a very ~ atmosphere in the school. 학교에는 냉랭한 분위기가 감돌고 있다. ③ (여성이) 불감증인. ⊕ ~·**ly** *ad.* 춥〔차갑〕게 ; 냉담하게. ~·**ness** *n.*

fri·gid·i·ty [fridʒídəti] *n.* Ⓤ ① 한랭 ; 냉담. ② 딱딱함. ③ (여성의) 불감증.

Frígid Zòne (the ~) 한대(寒帶).

fri·jo·le [friːhóuli] (*pl.* ***fri·jo·les*** [-liːz, -leis]) *n.* Ⓒ 강낭콩의 일종《멕시코 요리에 씀》.

***frill** [fril] *n.* Ⓒ ① 주름 장식, 프릴. ② (새·짐승의) 목털. ③ (*pl.*) 젠체함 : put on ~*s* 젠체하다. ④ 싸구려 장식품 ; 겉치레, 허식 : without 〔with all〕 the ~*s* 겉치레가 없는 (간결한) 〔지나치게 치장하여 화려한〕. —— *vt.* …에 가두리 장식을 달다 ; 프릴을 달다. ⊕ ~**ed** [-d] *a.* 프릴이 달린.

frill·ies [fríliz] *n. pl.* 《口》 주름 장식〔프릴〕이 달린 스커트〔페티코트〕.

frill·ing [fríliŋ] *n.* Ⓤ,Ⓒ =FRILL ①, ④.

frilly [fríli] (***frill·i·er*** ; ***frill·i·est***) *a.* 주름 장식〔프릴〕이 달린. ⊕ **fríll·i·ness** *n.*

***fringe** [frindʒ] *n.* Ⓒ ① 술 ; (스카프·숄 따위의) 술장식. ② 가장자리, 가, 외변 : There was a road on the ~ of the forest. 숲 주변에는 길이 있었다. ③ (여성의) 이마에 드린 앞머리 ; (동식물의) 터부룩한 털. ④ (학문 등의) 초보적인 지식 ; (문제 따위의) 일단 : a mere ~ of philosophy 철학에 대한 수박 겉핥기식 지식 / the ~ of a subject 문제의 일단. ⑤ 〔集合的〕 (경제·사회·정치 등의) 과격파 그룹, 주류 일탈파(主流逸脫派) : ⇨ LUNATIC FRINGE. ⑥ =FRINGE BENEFIT. —— *vt.* …에 술을 달다 ; 테를 두르다 : Flowering bushes ~*d* the roadside. 꽃이 핀 관목들이 길의 양옆을 장식했다.

frínge àrea (도시) 주변 지역 ; 프린지 에어리어《라디오·텔레비전의 난시청 지역》.

frínge bènefit 〖勞動〗 부가〔특별〕 급여《본급 외에 주택·차량, 유급 휴가·건강 보험·연금 따위》: They have stopped work, demanding more pay and improved ~*s*. 그들은 더 많은 봉급과 개선된 특별 급부를 요구하면서 작업을 중단했다.

frínge gròup 비주류파.

frip·pery [frípəri] *n.* ① **a)** Ⓤ 값싸고 야한 장식. **b)** Ⓒ (흔히 *pl.*) 값싸고 번지르르한 옷〔장식품, 물건〕. ② Ⓤ (문장의) 허식 ; 시시한 수식 문자 ; 겉치레, 점잔뺌. —— *a.* 싸구려의, 하찮은.

Fris·bee [frízbiː] *n.* (때때로 f-) Ⓒ (원반던지기 놀이의) 플라스틱 원반(商標名).

Fris·co [frískou] *n.* 《口》 =SAN FRANCISCO.

frisk [frisk] *vi.* (어린이·동물 등이) 껑충껑충 뛰어 돌아다니다, 뛰놀다 ; 장난치다 : The lambs were *frisking* around the pen. 새끼 양들이 우리 주위를 뛰어다니고 있었다. —— *vt.* ① …을 가볍게 흔들다. ② 《口》(몸을 더듬어) 소지품 검사를 하다, 몸수색을 하다 : The policeman ~*ed* him for hidden weapons. 경찰은 그가 무기를 감추고 있는지를 확인하기 위해 몸수색을 했다. —— *n.* ① (a

~) 뛰어 돌아다님. ② Ⓒ《口》(옷 위로 몸을 더듬는) 몸수색.

frisky [fríski] (***frisk·i·er*** ; ***-i·est***) *a.* 뛰어 돌아다니는 ; 까부는 : a ~ colt 힘있게 뛰어 노는 망아지. ㊞ **frísk·i·ly** *ad.* **frísk·i·ness** *n.*

fris·son [fri:sɔ́:ŋ] (*pl.* ~*s* [-z]) *n.* 《F.》 두근두근하는 것, 전율, 스릴.

frith [friθ] *n.* 좁은 내포(內浦) ; 강어귀(firth).

frit·ter[1] [frítər] *vt.* (시간·돈 등)을 허비하다, 낭비하다《*away*》: He ~*ed away* the years of his youth. 그는 청년기를 허송했다.

frit·ter[2] *n.* Ⓒ 〔종종 複合語로〕 프리터《살코기·과일 등을 넣은 일종의 튀김》: apple ~*s* 사과 튀김.

fritz [frits] *n.* 〔다음의 慣用句로〕 ***on the*** ~ 《美俗》 (기계 따위가) 고장이 나서.

friv·ol [frívəl] (***-l-***, 《英》 ***-ll-***) 《口》 *vt.* 헛되게 하다, 낭비하다《*away*》. ── *vi.* 경박하게 행동하다.

fri·vol·i·ty [friváləti / -vɔ́l-] *n.* Ⓤ 천박, 경솔 ; Ⓒ (흔히 *pl.*) 경솔한 언동, 쓸데없는 일.

***friv·o·lous** [frívələs] *a.* ① 경솔한, 들뜬 : a ~ girl 경박한 소녀. ② 하찮은, 보잘 것 없는, 시시한 ; 바보 같은. ㊞ **~·ly** *ad.* **~·ness** *n.*

frizz, friz [friz] (*pl.* ***fríz·(z)es***) *n.* Ⓤ (또는 a ~) 곱슬곱슬한 것〔털〕, 고수머리. ── *vt.* (모발)을 곱슬곱슬하게 하다.

friz·zle[1] [frízl] *n.* (a ~) 고수머리, 지진 머리. ── *vt.* (모발)을 지지다, 곱슬곱슬하게 하다《*up*》. ── *vi.* 곱슬곱슬해지다《*up*》.

friz·zle[2] *vt.* (고기 등)을 지글지글 소리내며 기름에 지지다〔굽다〕 ; …을 태우다〔눋게 하다〕. ── *vi.* (고기·베이컨 등이) 지글지글 소리내며 튀겨지다.

friz·zly, friz·zy [frízli], [frízi] (***friz·zli·er*** ; ***-zli·est***), (***friz·zi·er*** ; ***-zi·est***) *a.* 곱슬곱슬한 ; 고수머리의.

‡**fro** [frou] *ad.* 저 쪽으로. 〔다음의 慣用句로〕 ***to and*** ~ 이리저리(로), 앞뒤로.

‡**frock** [frak / frɔk] *n.* Ⓒ ① 프록《여성 또는 소아용의 상하가 붙은 드레스》. ② (소매가 넓고 기장이 낙낙한) 수도사의 수도복. ③ (농부·노동자 등의) 일옷, 작업복. ④ 프록 코트.

fróck còat 프록 코트《남자용 예복》.

†**frog** [frɔ:g, frag / frɔg] *n.* Ⓒ ① 개구리 : an edible ~ 식용 개구리. ② (F-) 《口·蔑》 프랑스인《개구리를 식용으로 함을 경멸하여》. ③ (윗도리에 다는) 장식 단추. ④ 〖鐵〗 (교차점의) 철차(轍叉)《발가락을 벌린 개구리의 뒷발을 닮았음》. ⑤ (꽃꽂이의) 침봉. ***have a ~ in the*** 〔***one's***〕 ***throat*** 《口》 목이 쉬었다 ; 목에 가래가 끓고 있다.

frogged [frɔ:gd / frɔgd] *a.* 장식 단추가 달린.

fróg kìck 〖泳〗 개구리차기.

frog·man [-mæ̀n, -mən] (*pl.* ***-men*** [-mèn, -mən]) *n.* Ⓒ 잠수사, 잠수 공작원〔병〕.

frog-march, frog's- [-mà:rtʃ] *vt.* ① (저항하는 사람이나 취한 사람 등)을 엎어놓고 네 사람이 팔다리를 붙들고 나르다. ② (양쪽에서 팔을 비틀어 잡고) 걷게 하다 : He was ~*ed off* by two police officers. 그는 두 명의 경찰관에 의해 끌려 나갔다.

fróg spàwn 개구리 알 ; 〖植〗 민물말.

frol·ic** [frálik / frɔ́l-] (-ck-***) *vi.* 들떠서 떠들다, 야단법석떨다 ; 장난치다. ── *n.* Ⓒ Ⓤ 장난(침), 들떠서 떠들어댐, 야단 법석 ; 유쾌한 모임.

frol·ic·some [fráliksəm / frɔ́l-] *a.* 장난치는, 들뜬 기분의, 신바람난.

†**from** [frʌm, fram, 弱 frəm / frɔm, 弱 frəm] *prep.* ① 〔기점〕 …로부터, …에서. **a)** 〔운동·이동 따위의〕 : fall ~ the sky 하늘에서 떨어지다 / jump down ~ a wall 담(장)에서 뛰어내리다 / rise ~ a chair 의자에서 일어나다 / travel ~ Seoul to New York 서울에서 뉴욕까지 여행하다 / Bees fly ~ flower to flower. 꿀벌은 꽃에서 꽃으로 난다《to 의 앞뒤가 같은 명사 또는 밀접히 관련된 명사일 때에는, 보통 관사를 안 붙임. 같은 예 : *from person* to *person, from head* to *foot*》. **b)** 〔변화·추이의〕 : recover ~ illness 병에서 회복하다 / translate ~ English to Korean 영어에서 한국어로 번역하다 / He changed ~ a shy person into quite a politician. 그는 수줍은 인간에서 어엿한 정치가로 변신했다. **c)** 〔시간·공간의〕 : a month ~ today 내달의 오늘 / ~ childhood 〔a child〕 어릴 적부터 / ~ the lst of May, 5 월 1 일부터 / ~ now on 금후 / ~ then 〔that time〕 on 그때 이후 / ~ morning till night 아침부터 밤까지 / We go to school ~ Monday to Saturday. 월요일부터 토요일까지 학교에 간다《《美》에서는 종종 from 을 생략하고 Monday through Saturday 라고 함》 / I'll be on holiday ~ August 1 (onward). 8 월 1 일부터 휴가입니다 / The shop will be open ~ 9 o'clock. 그 가게는 아홉 시에 개점한다《start, begin, commence 따위 '시작'의 뜻인 동사에서는 from 은 쓸 수 없음 : School begins at 〔×from〕 9 o'clock. 수업은 9 시에〔부터〕 시작된다》 / How far is it ~ here *to* the station? 여기서 정거장까지 얼마나 됩니까.

> 語法 (1) **from** 과 **out of** He came ~ 〔*out of*〕 the room. (그는 방에서 나왔다)에서, from 은 방을 기점으로 파악하고 있음에 대하여, out of 는 '(방) 안에서 밖으로'의 뜻을 보임.
> (2) **since** 와 **from** since 는 과거에만 기점을 가지며 현재(또는 과거의 한 시점)까지의 추이가 문제이므로 완료형과 함께 쓰임 : I have known him *since* his childhood. 그를 어릴 때부터 알고 있다. from 은 단지 출발점을 나타낼 뿐임 : They worked *from* last week. 지난 주부터 일을 시작했다《현재 하고 있는지는 모름》.

② 〔떨어져 있음·없음〕 …로부터 (떨어져) : stay away ~ school (일부러) 학교를 빠지다 / live apart ~ one's family 가족과 별거하다 / Keep away ~ the dog. 개에 접근하지 마라 / The town is ten miles (away) ~ the coast. 그 시는 해안에서 10 마일 떨어져〔되는 곳에〕 있다 / The house is back ~ the road. 집은 길에서 들어간 곳에 있다.

③ 〔분리·제거 따위〕 …에서 (떨어져) : expel an invader ~ a country 침입자를 국외로 쫓아버리다 / be excluded ~ membership 모임에서 제명되다 / If you take 〔subtract〕 3 ~ 10, 7 remains. =3 ~ 10 is 〔leaves〕 7. 10 에서 3 을 빼면 7(이 남는다).

④ 〔격리·해방·면제〕 …로부터 : release a person ~ prison 아무를 교도소에서 석방하다 / Death had released him ~ his suffering. 죽음에 의해 그는 고통에서 벗어났다 / We are safe ~ the rain here. 여기면 비에 젖지 않는다.

⑤ 〔방지·억제 따위〕 …로부터 ; 〔do*ing*을 수반하여〕 …하는 것을(막다, 억제하다) : protect a person ~ disease 아무를 병에 걸리지 않게 하다 / He saved her ~ the fire. 그가 그녀를 화재에서 구했다 / I can't refrain 〔keep (myself)〕 ~ laugh*ing*. 웃지 않을 수 없다 / What hindered〔prevented, stopped〕 you ~ com*ing*? 무엇 때문에 못 왔는가.

⑥ 〔수량·가격의 하한〕 …부터(시작하여) : Count ~ 1 *to* 10. 1에서 10 까지 세시오 / We have

cheese(s) ~ $3 per pound. 당점(當店)에는 치즈가 파운드당 3달러인 것부터 있습니다 / There were ~ 50 *to* 60 present. 50명에서 60명 가량이 참석해 있었다 / The journey should take us ~ two *to* three hours. 여행은 2-3시간 걸릴 게다《이처럼 from ... to ... 전체가 하나의 數詞처럼 취급되어 명사를 수식할 때가 있음》.
⑦〔보내는 사람·발송인 따위〕 …로부터(의) : a letter ~ Bill to his wife 빌로부터 아내 앞으로 보낸 편지 / We had a visit ~ our aunt yesterday. 어제 숙모의 방문이 있었다.
⑧〔출처·기원·유래〕 …로부터(의) ; …출신의 : light ~ the sun 태양 광선 / passages (quoted) ~ Shakespeare 셰익스피어로부터의 인용구 / draw a conclusion ~ the facts 사실로부터 결론을 끌어내다 / They obtained rock samples ~ the moon. 암석 표본을 달에서 채집해 왔다 / Where do you come〔are you〕~? 어디 출신입니까《현재의 생활 근거지로서 살고 있는 곳을 묻는 데도 씀. Where did you come ~?은 '어디서 왔는가'란 뜻》/ These grapes come〔are〕~ France. 이 포도는 프랑스산이다.
⑨〔모범·표준〕 …을 본보기로〔본떠〕: a picture drawn ~ life 실물을 모델로 해서 그린 그림.
⑩〔관점·시점〕 …로부터 (보아) : ~ the political point of view 정치적(인) 견지에서 (보아) / The view ~ our school is beautiful. 우리 학교에서 본 경치는 아름답다 / *From* where I stood I could see the whole city. 내가 서있던 곳에서는 도시 전체를 볼 수 있었다.
⑪〔근거·동기〕 …로부터 (판단하여) ; …에 의거하여, …에 의하여 : speak ~ experience〔memory〕 경험에 의해서〔기억을 더듬어〕 이야기하다 / *From*〔Judging ~〕 the evidence, he must be guilty. 그 증거로 보아 그는 유죄임에 틀림없다 / *From* what I heard, he is to blame. 들어 보니 그가 나쁘다.
⑫〔원인·이유〕 …때문에, …의 결과 : shiver ~ cold 추위로 떨다 / faint ~ hunger 굶주린 나머지 정신을 잃다 / die ~ a wound 부상으로 죽다 / It was ~ no fault of his own, that he became bankrupt. 그가 파산한 것은 그 자신의 실수 때문이 아니었다.
⑬〔구별·차이〕 …와 : know〔tell〕 right ~ wrong 옳고 그름을 판별하다 / be of an opinion different ~ one's father's 부친의 의견과 다르다 / I'm sorry to differ ~ you. 죄송합니다만, 당신과 의견이 다릅니다.
⑭〔선택〕 …중에서 : Choose a book ~〔among〕 these. 이들 책 중에서 한 권을 골라라 / There are over thirty dishes to select ~. 30종류 이상의 요리 중에서 고를 수 있습니다.
⑮〔원료·재료〕 …으로 : Wine is made ~ grapes. 포도주는 포도로 만들어진다.

> 語法 Ⅰ. **be made from**과 **be made of** (1) 전자는 원료가 그 형태나 질이 바뀌어 제품으로 된 것이지만, 후자에선 재료가 그대로인 형태로 제품 중에 쓰인 것일 때 : That bridge is made *of* steel. 저 다리는 강철로 돼 있다. (2) 일부의 재료는 **with**로 나타낼 때도 있음 : You make a cake *with* eggs. 달걀로 케이크를 만든다.
> 語法 Ⅱ. **from**의 目的語 from은 종종 副詞(句)를 目的語로 취함 : ~ above〔below, afar〕 위〔아래, 멀리〕로부터 / come ~ beyond the mountains 산을 넘어서 오다 / speak ~ under the bedclothes 잠자리 속에서 이야기하다 / message ~ over the sea 해외로부터의 통신 / ~ behind the door 문 뒤에서 / She chose it ~ among many. 그는 많은 것 중에서 그것을 택했다 / ~ thence〔hence〕《詩》 거기〔여기〕서부터 / ~ far and near 원근 각처에서 / ~ within 내부로부터.

as ~ ⇨AS. ~ ***day to day*** ⇨DAY. ~ ***door to door*** ⇨DOOR. ~ ***out*** (***of***) …로 부터《out of의 강조형》. . . . ***week***(***s***) 〔***month***(***s***), ***year***(***s***)〕 ~ ***today***〔***tomorrow,*** etc.〕 오늘〔내일 (등)〕부터 …주간〔개월, 해〕 지난 때에 ; …주일〔개월, 년〕후의 오늘〔내일 (등)〕: I'll see you three *weeks*〔*months*〕 ~ *tomorrow*. 3주일〔3개월〕 후의 내일 만나뵙지요.

frond [frɑnd / frɔnd] *n.* Ⓒ〖植〗 ① (양치(羊齒)·종려 등의) 잎. ② (해초 등의) 엽상체(葉狀體).

†front [frʌnt] *n.* ① Ⓒ (the ~) 앞, 정면, 앞면 ; (문제 따위의) 표면 ; (건물의) 정면, 앞쪽 : a seat in *the* ~ of the bus 버스의 앞쪽 좌석 / *The* ~ of the car was dented. 차의 앞면이 움푹 들어갔다 / read a newspaper from ~ to back 신문을 첫면부터 마지막 면까지 읽다 / *the* ~ of a church 교회의 정면 / *the* west ~ of a building 건물의 서쪽면. ② Ⓒ (the ~) 바닷가〔호숫가〕의 산책길 : a hotel on *the* (sea) ~ 해안에 면한 호텔. ③ Ⓒ 앞부분에 붙인 것 ; (여자의) 앞머리 가발, (와이셔츠의) 가슴판. ④ Ⓒ 이마 ; 얼굴, 용모 : a genial ~ 다정한 얼굴 / with a smiling ~ 미소 띤 얼굴로. ⑤ Ⓤ 태도 ; 침착함, 뻔뻔함 : a cool ~ 침착한 태도 : have the ~ to say so 뻔뻔스럽게도 그렇게 말하다. ⑥ Ⓒ《口》 표면상의 간판 : The restaurant is ~ *for* a gambling operation. 그 식당은 도박행위를 위한 표면상의 사업이었다. ⑦ **a**) (the ~ ; 종종 F-)〖軍〗 전선(前線), 전선(戰線) : go〔be sent〕 to *the* ~ 전선으로 나가다, 출정하다. **b**) Ⓒ〔修飾語와 함께〕〖政〗 전선(戰線) : the popular ~ 인민 전선. ⑧ Ⓒ〖氣〗 전선(前線) : a cold〔warm〕 ~ 한랭〔온난〕 전선. ***at the*** ~ (1) 정면에, 앞면에 ; 선두에. (2) 전선(戰線)에서, 출정하여. (3) (문제 등이) 표면화되어 : The question is *at the* ~ again. 그 문제가 다시 표면화되었다. ***come to the*** ~ 정면에 나타나다, 뚜렷해지다 : New issues have *come to the* ~. 새로운 문제들이 전면에 나타났다. ~ ***of*** 《俗》 =in ~ of. ***get in*** ~ ***of*** one***self***《美口》 서둘러서 순서가 뒤죽박죽되다. ***in*** ~ (1) 앞에, 전방에. (2) (의복 등의) 앞 부분에. (3) 앞자리에, 맨 앞 줄에. ***in*** ~ ***of*** (1) …의 앞에. opp *at the* BACK *of*. ¶ She stood just *in* ~ *of* me. 그녀는 바로 나의 앞에 섰다 / A child ran out *in* ~ *of* the bus, so the driver had to stop. 어린애가 버스 앞에 뛰어드는 바람에 운전수는 차를 세워야 했다. (2) …의 면전에서 : Don't use swearwords *in* ~ *of* the children. 어린애들 앞에서 욕설 따위를 하지 마라. ***out*** ~ (1) 청중〔관객〕 중에. (2) (다른 경쟁자에) 앞서. (3) 문밖에서, 집 앞에서. (4)《口》 솔직히, 정직하게. ***put up a*** (***good***) ~《口》 속마음을 감추다, 짐짓 아무렇지도 않은 것 같은 태도를 보이다. ***show***〔***present, put on***〕 ***a bold*** ~ ***on*** …에 대담한 태도를 보이다. ***up*** ~ (1)〖排球〗 프론트 코트에서. (2)〖競〗 포워드 위치에서. (3)《美口》 미리,《특히》 선금으로. (4)《美口》 솔직히.

— *a.*〔限定的〕 ① 정면의, 전면의 : a ~ wheel 앞바퀴 / the ~ desk (호텔의) 프론트 / the ~ seat 앞좌석. ②《口》 방패막이가 되는, 간판격인. ③〖音聲〗 전설(前舌)의.

— *ad.* 정면에〔으로〕, 앞에〔으로〕. ~ ***and rear*** 앞뒤로〔에〕, 전후 양면에(서).

— *vi.* ①《+전+명/+부》(…에) 면하다 : The house ~*s on* the lake. 집은 호수 쪽으로 향해 있다. ② 사람의 눈을 피하는 구실을 하다, (…의) 방패막이가 되다《*for*》: The shop ~*s for* a drug ring. 그 가게는 마약조직의 비밀장소로 되어있다. — *vt.* ① …에 면하다 : The house ~*s* the lake. 집은 호수 쪽을 향하고 있다. ②〔흔히 受動으로〕《~+목/+목+전+명》…에 앞면을 붙이다〔대다〕《*with*》: ~ a building *with* marble 건물 전면에 대리석을 붙이다 / The building *is* ~*ed with* bricks. 그 건물의 정면은 벽돌로 되어 있다.

ront·age [frʌ́ntidʒ] *n.* Ⓒ ① 집의 정면 ; 전면(前面)의 폭, 횡간(橫間) ; (건물의) 방향 ; 전망. ② 길·하천 등에 면한 공지 ; 집 앞의 빈터.

róntage ròad 《美》 측면 도로(service road)《고속 도로 등과 평행하게 만든 연락 도로》.

ron·tal [frʌ́ntəl] *a.* 〔限定的〕 ① 앞(쪽)의, 정면의 : a ~ assault 〖軍〗 정면 공격. ② 이마의, 앞이마 부분의. ③〖氣〗 전선(前線)의. — *n.* Ⓒ ① 제단 전면의 휘장. ②〖建〗(집의) 정면.

rónt bénch (the ~)〔集合的 ; 單·複數 취급〕《英》 하원의 맨 앞자리《여당 및 야당 간부의 좌석》.

rónt béncher 《英》 front bench 에 앉는 여당 또는 야당의 간부.

rónt búrner 레인지의 앞의 버너〔화구〕. ***on the*** 〔one's〕 ~ 최우선 사항으로, 최대 관심사로.

rónt dóor (집의) 정면 현관.

rónt-end compúter [frʌ́ntènd-] 〖컴〗 전치용(前置用) 컴퓨터《통신 회로망과 중앙처리 장치의 중간에 있어서 중간적인 자료 처리를 함》.

ron·tier [frʌntíər, frantíər / frʌ́ntiər, frɔn-] *n.* ① Ⓒ 국경, 국경 지방. ② (the ~) 《美》 변경《개척지와 미개척지와의 경계지방》. ③ Ⓒ (종종 *pl.*) (지식·학문 등의) 미개척 영역 : work in the ~*s* of medicine 의학의 최첨단에서 연구하다. — *a.* 〔限定的〕 ① 국경〔변경〕의. ②《美》 서부 변경의.

rontíer spírit 《美》 개척자 정신.

ron·tiers·man [frʌntíərzmən / frʌ́n-, frɔn-] (*pl.* ***-men*** [-mən]) *n.* Ⓒ 국경 지방의 주민 ; 변경 개척자.

ron·tis·piece [frʌ́ntispìːs] *n.* Ⓒ ① 권두(卷頭) 그림 ; (책의) 속표지. ②〖建〗 정면 ; 장식을 한(정면의 입구) ; 입구 상부의 합각(合閣) 머리.

ront·lash [frʌ́ntlæ̀ʃ] *n.* Ⓒ 《美》 정치적인 반동에 대항하는 반작용.

ront·let [frʌ́ntlit] *n.* Ⓒ ① (리본 따위의) 이마 장식. ② (짐승의) 이마.

rónt líne (the ~) ① (활동·투쟁 등의) 최전선(最前線). ②〖軍〗 제 1 선, 전선.

ront-line [frʌ́ntláin] *a.* ①〖軍〗 전선(용)의. ② 우수한, 제 1 선의.

rónt màn ① (부정 행위의) 앞잡이 ; 표면에 내세우는 인물. ② =FRONTMAN ①.

ront·man [-mæ̀n, -mən] (*pl.* ***-men*** [-mèn, -mən]) *n.* Ⓒ ① 악단을 거느리고 있는 가수〔연주가〕. ② =FRONT MAN ①.

rónt màtter 책의 본문 앞의 부분《속표지·머리말·차례 등》. ⓒⓕ back matter.

rónt mòney 《美》 착수 자금 ; 계약금.

rónt òffice (회사 등의) 본부, 본사, 수뇌부.

rónt pàge (신문의) 제 1 면 ; (책의) 속표지.

ront-page [frʌ́ntpèidʒ] *a.* 〔限定的〕 (신문의) 제 1 면에 적합한, 중요한 : a ~ story 일면기사. — *vt.* (뉴스)를 제 1 면에 싣다〔보도하다〕.

rónt róom 거실(living room).

ront-run·ner [-rʌ́nər] *n.* Ⓒ ① 선두를 달리는 선수 ; 남을 앞선 사람. ② 가장 유력한 선수〔후보〕《*for*》.

rónt vówel 〖音聲〗 전(설)모음《[i, e, ɛ, æ] 따위》.

front·ward(s) [frʌ́ntwərd(z)] *a.* 전방의, 정면으로 향한. — *ad.* 정면쪽으로.

front-wheel [frʌ́nt*h*wìːl] *a.* (차 따위의) 앞바퀴의 ; 전륜 구동의.

frónt yàrd (집의) 앞뜰.

:frost [frɔːst / frɔst] *n.* Ⓤ,Ⓒ ① 서리 : The ground is covered with ~. 지면은 서리로 덮여 있다. ② 강상(降霜). ③ 얼어붙는 추위, 추운 날씨 ;《英》〔...degrees of ~ 로〕 빙점하의 온도 : The ~ is keen. 추위가 지독하다 / There was 3 *degrees of* ~ last night. 어젯밤은 빙점하 3 도였다. ④ 냉담 ; 음산. ⑤ (행사·연극 등의) 실패 : The party turned out a ~. 파티는 실패로 끝났다.
— *vt.* ① (밭·창 등)을 서리로 덮다 : A bitter cold ~*ed* trees and land *with* white. 혹한으로 나무들과 땅은 서리로 허옇게 덮였다. ② (식물)을 서리로 해치다, 서리로 얼리다. ③ (케이크에) 희게 설탕을 입히다. ④ (유리·금속의) 광택을 지우다. — *vi.* 서리로 뒤덮이다, 서리가 앉다〔내리다〕.

***frost·bite** [-bàit] *n.* Ⓤ 동상(凍傷) : suffer from ~ 동상에 걸리다.

frost·bit·ten [-bìtn] *a.* 동상에 걸린 ; 상해(傷害)를 입은 : ~ feet 동상에 걸린 발.

frost·bound [-bàund] *a.* (땅이) 동결(凍結)한.

frost·ed [frɔ́ːstid / frɔ́st-] *a.* ① 서리로 (뒤)덮인, 서리가 내린. ② (머리털이) 센. ③ (케이크 등에) 설탕을 입힌〔뿌린〕. ④ 광택을 지운.

fróst hèave 동상(凍上)《땅이 얼어 지면으로 솟아오르는 현상》.

frost·ing [frɔ́ːstiŋ / frɔ́st-] *n.* Ⓤ ① (과자의) 당의(糖衣). ② (유리의) 광택을 지움.

frost·work [-wə̀ːrk] *n.* Ⓤ ① (유리창 따위에 생기는) 서리꽃. ② 서리무늬 장식.

frosty** [frɔ́ːsti / frɔ́sti] (frost·i·er*** ; ***-i·est***) *a.* ① 서리가 내리는 ; 혹한의. ② **a**) 서리로 (뒤)덮인. **b**) 서리처럼 흰 ; (머리가) 반백인 : a ~ head 반백의 머리. ③ 냉담한, 쌀쌀한 : a ~ smile 쌀쌀한 미소, 냉소. ㊕ **fróst·i·ly** *ad.* **-i·ness** *n.*

***froth** [frɔːθ / frɔθ] *n.* Ⓤ ① (또는 a ~) (맥주 등의) 거품 : the ~ on a glass of beer 맥주잔에 넘치는 거품. ② 시시한〔하찮은〕 것 ; 객담(客談) : The play was amusing, but it was little more than ~. 그 연극은 재미있었으나, 한낱 객담에 지나지 않았다. — *vt.* …을 거품 일게 하다 ; 거품투성이로 하다《*up*》: ~ (*up*) egg whites 흰자위를 거품이 일게 하다. — *vi.* 거품이 일다, 거품을 뿜다 : The beer ~*ed* as it was poured out. 맥주를 따르니 거품이 일었다 / The sick animal was ~*ing* at the mouth. 병든 동물이 입에서 거품을 내뿜고 있다.

frothy [frɔ́ːθi / frɔ́θi] (***froth·i·er*** ; ***-i·est***) *a.* 거품투성이의 ; 거품 같은 ; 공허한, 천박한. ㊕ **fróth·i·ly** *ad.* **-i·ness** *n.*

frou·frou [frúːfrùː] *n.* Ⓒ ① (비단이 스치는) 버스럭 소리. ② 프루프루《드레스·스커트 따위에 붙이는 정교한 장식》.

:frown [fraun] *vi.* ①《~/+전+명》 눈살을 찌푸리다, 얼굴을 찡그리다, 뚱한 표정을 짓다 ; 불쾌한 얼굴을 하다, 기분 나쁜 모양을 하다《*at* ; *on*, *upon*》. ⓞⓟⓟ *smile*. ¶ His only reply was to ~. 그의 유일한 대답은 얼굴을 찡그리는 것이었다 / She ~*ed* in the bright sunlight. 눈부신 햇빛을 받아 그녀는 얼굴을 찌푸렸다 / He ~*ed at* me for laughing at him. 그를 보고 웃었기 때문에 그는 불쾌한 얼굴을 했다. ②《+전+명》…은 일정하지 않다, 난색을 표시하다, 불찬성의 뜻을 나타내다《*on*, *upon*》: ~ *upon* a scheme 계획에 난색을 표시하다 / He ~*s on* my smoking. 그는 내가 담배를 피우면 언짢은 얼굴을 한다. ③ (절벽·성

채 등이 밑에서 올려다 볼 때) 위압적으로 보이다, (사물이) 위압적인 양상을 보이다. ── *vt.* ① 언짢은 얼굴을 하여 …의 감정을 나타내다. ②《+目+前+名/+目+副》 눈살을 찌푸려 …을 위압하다 《*off; away; down; into*》: ~ a person *into* silence 언짢은[무서운] 얼굴을 하여 아무를 침묵하게 하다. ── *n.* Ⓒ ① 눈살을 찌푸림, 찡그린 얼굴, 우거지상: with an inquiring ~ 의아스러운 듯 얼굴을 찡그리고/A friend's ~ is better than a fool's smile. 《格言》 친구의 찡그린 얼굴이 바보의 웃는 얼굴보다 훨씬 낫다. ② 불쾌[불찬성]의 표정.

frown·ing [fráuniŋ] *a.* ① 언짢은, 찌푸린 얼굴의. ② 위압하는 듯한. ㊕ **~·ly** *ad.*

frowst [fraust] *n.* 《英口》 (a ~) (실내의) 퀴퀴한 공기, 후텁지근함. ── *vi.* 후텁지근한 곳에 있다.

frows·ty [fráusti] (***frows·ti·er; -ti·est***) *a.* 퀴퀴한, 숨막히는《실내 따위》.

frow·zy, frow·sy [fráuzi] (***-zi·er; -zi·est***) *a.* ① 퀴퀴한, 곰팡내나는. ② 더러운; 추레한, 흘게늦은.

***froze** [frouz] FREEZE 의 과거.

‡**fro·zen** [fróuzən] FREEZE 의 과거분사.
── *a.* ① 언, 곱은; 동상에 걸린: ~ limbs 동상에 걸린 수족. ② 결빙한, 냉동한: ~ meat 냉동한 고기. ③ 극한의: the ~ zones 한대. ④ 차가운, 냉담한: a ~ stare 차가운 응시. ⑤ 〔敍述的〕 (공포 따위로) 움츠린《*with*》. ⑥ 〖經〗 (자금 따위가) 동결(凍結)된: ~ assets 동결 자산/~ wages 동결된 임금. ㊕ **~·ly** *ad.*

frózen mítt (the ~) 《口》 쌀쌀한 응대.

F.R.S. Fellow of the Royal Society. **frs. frt.** freight; 《美》 Federal Reserve System.

fruc·ti·fi·ca·tion [frʌ̀ktəfikéiʃən] *n.* Ⓤ ① (식물의) 결실(結實), 과실(果實). ② 결과.

fruc·ti·fy [frʌ́ktəfài] *vt.* ① …에 열매를 맺게 하다. ② …을 성공하게 하다. ── *vi.* ① 열매를 맺다: With careful tending, the plant will ~. 정성들여 손질하면 그 나무는 열매를 맺을 것이다. ② (노력이) 결실하다.

fruc·tose [frʌ́ktous] *n.* Ⓤ 〖化〗 과당, 프럭토오스.

fru·gal** [frú:gəl] (more ~; most ~***) *a.* ① **a**) 검약한. **b**) 〔敍述的〕 …을 절약하는《*of; with*》: be ~ *of* 〔*with*〕 one's money 돈을 절약하다. ② 소박[질박]한, 조리차한《특히 음식에 관하여》: a ~ supper of bread and cheese 빵과 치즈만의 간소한 저녁 식사. ⓒⓕ thrifty. ㊕ **~·ly** [-gəli] *ad.*

fru·gal·i·ty [fru:gǽləti] *n.* Ⓤ 검약, 질소(質素).

†**fruit** [fru:t] *n.* Ⓤ,Ⓒ ① 과일, 실과: *Fruit* is good for the health. 과일은 건강에 좋다/Do you like 〔eat much〕 ~? 과일을 좋아하십니까[많이 잡수십니까]/An apple is a ~ with firm juicy flesh. 사과는 딱딱하며 즙이 많은 과육을 지닌 과일이다/Apples and oranges are familiar ~*s*. 사과와 귤은 흔한 과일이다. ★ 보통 단수 무관사로 집합적인 뜻을 가지고 있으며, 불(不)가산적으로 쓰임《처음 두 가지 보기》. 가산적 용법은 주로 종류를 나타내는 경우에 한정됨《나중의 두 가지 보기》. ② (*pl.*) (농작의) 수확(물): the ~*s of* the earth 〔ground〕 지상의 농작물. ③ Ⓒ (종종 *pl.*) 성과, 효과, 결과; 수익; 보상, 보수: the ~*s of* industry 근면의 보수, 노력의 결정/the ~*s of* one's labors 〔hard work〕 고생[근면]의 결과[성과]/the ~*s of* virtue 덕행의 보상. ④ Ⓒ 《美俗》 동성연애하는 남자. ***bear*** ~ (1) 열매를 맺다: Their plans haven't *borne* ~. 그들의 계획은 열매를 맺지 못했다. (2) 효과를 발생하다.
── *vi.* 열매를 맺다: Over the last few years, our apple trees have been ~*ing* much earlier than usual. 지난 몇년간, 우리 사과나무는 평년보다 훨씬 일찍 열매를 맺어오고 있다.

fruit·age [frú:tidʒ] *n.* Ⓤ ① 결실. ② 〔集合的〕 과일. ③ 성과.

frúit bàt 큰박쥐(flying fox).

fruit·cake [frú:tkèik] *n.* Ⓤ,Ⓒ 프루트케이크.

frúit còcktail 프루트칵테일《잘게 썬 과일에 셰리주(酒) 따위를 탄 것》.

frúit cùp 프루트컵《컵에 넣은 프루츠 펀치류》.

fruit·er·er [frú:tərər] (*fem.* ***frúit·er·ess***) *n.* Ⓒ 과일 장수, 과일상.

frúit flỳ 〖蟲〗 초파리《과실·채소의 해충으로 유전 연구에 쓰임》.

‡**fruit·ful** [frú:tfəl] (***more ~; most ~***) *a.* ① 열매가 많이 열리는, 열매를 잘 맺는; 다산의, 비옥한; (…)이 풍부한, 많은: ~ soil 비옥한 땅. ② 결실이 풍부한, 효과적인, 유익한; 수익이 많은: a ~ occupation 실수입이 많은 직업/His study was ~. 그의 연구는 많은 성과를 올렸다/It was a very ~ meeting; we made a lot of important decisions. 퍽 유익한[성과 있는] 모임이었다, 많은 중요한 결정을 했으니 말이다.
㊕ **~·ly** [-li] *ad.* **~·ness** *n.*

fru·i·tion [fru:íʃən] *n.* Ⓤ ① 성취, 실현, 성과. ② (식물의) 결실.

frúit knìfe 과도.

***fruit·less** [frú:tlis] *a.* ① 열매를 맺지 않는, 열매가 없는. ② 성과 없는, 무익한, 헛된《*of*》: Further resistance is ~. 더이상의 저항은 무익하다.
㊕ **~·ly** *ad.* **~·ness** *n.*

frúit machìne 《英》 슬롯 머신《도박·게임용》.

frúit sàlad ① 프루트[과일] 샐러드. ② 《軍俗》 군복 위에 줄줄이 단 장식끈과 훈장.

frúit sùgar 〖化〗 과당(fructose).

frúit trèe 과수.

fruity [frú:ti] (***fruit·i·er; -i·est***) *a.* ① 과일의, 과일 같은; 과일 맛이 나는: ~ wine 풍미가 넘치는 포도주. ② (음성 따위가) 풍부한, 감미로운. ③ 《口》 흥미 진진한, 재미있는《이야기 따위》. ④ 《美俗》 동성애의. ㊕ **frúit·i·ness** *n.*

frump [frʌmp] *n.* Ⓒ ① 추레하고 심술궂은 여자. ② 초라한 구식 복장을 한 여자.
㊕ **∠·ish** [-iʃ] *a.* =FRUMPY.

frumpy [frʌ́mpi] (***frump·i·er; -i·est***) *a.* 유행에 뒤진, 초라한 몸차림의.

***frus·trate** [frʌ́streit] *vt.* ① (계획 따위)를 실패하게 하다, 좌절시키다: Illness ~*d* his plans for the trip. 병(病)으로 그의 여행계획은 좌절되었다. ②《~+目/+目+前+名》 〔종종 受動으로〕 (사람)을 실망시키다; …을 방해하다; (의기를) 꺾다: He *was* ~*d by* the gloomy prospects. 암담한 전망에 실망하였다.

frus·trat·ed [frʌ́streitid] *a.* 실망한, 욕구불만의; 좌절된: a ~ boycott 좌절된 불매 운동/I'm feeling rather ~ in my present job; I need a change. 현재의 직업에 퍽 실망하고 있다. 내겐 변화가 필요하다.

frus·trat·ing [frʌ́streitiŋ] *a.* 좌절감을 가지게 하는, 초조한. ㊕ **~·ly** *ad.*

***frus·tra·tion** [frʌstréiʃən] *n.* Ⓤ,Ⓒ ① 좌절, 실패. ② 〖心〗 욕구 불만, 좌절감.

frus·tum [frʌ́stəm] (*pl.* ***~s, -ta*** [-tə]) *n.* Ⓒ ① 〖數〗 절두체(截頭體)《원뿔[각뿔]의 상부를 밑면에 평행으로 잘라낸 나머지; 두 개의 평면으로 잘라낸 부분》, 원뿔[각뿔]대. ② 〖建〗 기둥몸.

†**fry**[1] [frai] (*p., pp.* ***fried; frý·ing***) *vt.* ① (기름으로) 튀기다, 프라이로 하다. ② 《美俗》 전기 의

자로 처형하다. ── *vi.* ① 기름으로 튀기다. ② 《口》 볕에 그을다. ③ 전기 의자로 처형되다. ~ ***up*** (음식을) 프라이팬으로 데우다. ***have other fish to*** ~ ⇨ FISH.

── (*pl.* ***fries***) *n.* Ⓒ ① 프라이, 튀김. ② 《美》 (야외에서 하는) 프라이 회식.

fry[2] (*pl.* ~) *n.* Ⓒ ① 치어(稚魚); 연어의 2년생. ② 〖集合的〗 작은 물고기 떼; 아이들; 작은 동물.

fry·er, fri·er [fráiər] *n.* Ⓒ ① 프라이 요리인. ② 프라이팬. ③ 프라이용 재료《닭고기 따위》.

frý·ing pàn [fráiiŋ-] 프라이팬. ***leap*** 〔***jump***〕 ***out of the*** ~ ***into the fire*** 작은 난을 피하여 큰 재난을 당하다; 갈수록 태산.

fry·pan [fráipæ̀n] *n.* =FRYING PAN.

fry-up [fráiʌ̀p] *n.* Ⓒ 《英口》 (먹다 남은 것으로 만드는 즉석의) 볶은 음식.

FSLIC 《美》 Federal Savings and Loan Insurance Corporation(연방 저축 금융 공사).

ft. feet; foot; fort; fortification. **FTC, F.T.C.** 《美》 Federal Trade Commission(연방 무역 위원회). **ft-lb** foot-pound(s). 「관목).

fuch·sia [fjúːʃə] *n.* 〖植〗 퓨셔《바늘꽃과의 관상용

fuck [fʌk] 《卑》 *vi.* 성교하다. ── *vt.* …와 성교하다. ~ ***around*** 〔***about***〕 (1) 성교하다, 《특히》 난교(亂交)하다. (2) 어리석은 짓을 하다. ~ ***off*** 〔흔히 命令法으로〕 (1) 당장 꺼져라, 가로거치지 마라. (2) (근무를 피하기 위해) 꾀병을 앓다. ~ ***up*** 실수하다, 실패하다, 말썽을 일으키다; 못쓰게 만들다: He ~*ed up* our plans. 그 녀석이 우리의 계획을 망쳐놓았다.

── *n.* (흔히 *sing.*) ① Ⓒ 성교. ② Ⓒ **a**) 성교의 상대. **b**) 얼간이. ③ (the ~) 도대체《hell 따위 대신에 쓰는 강의어》: What *the* ~ is it? 도대체 그게 뭐냐. ***not care*** 〔***give***〕 ***a*** (***flying***) ~ 전혀 상관없다, 아무렇지도 않다. ── *int.* 〔종종 ~ you 로 혐오·곤혹을 나타내어〕 빌어먹을, 제기랄.

㊕ ∠·**er** *n.* Ⓒ 《卑》 ① 성교하는 사람. ② 《蔑》 바보 자식, 멍청이.

fuck·ing [fʌ́kiŋ] 〔强意語〕 《卑》 *a.* 〔限定的〕, *ad.* 우라질, 젠장칠; 지독한; 지독하게: Get your ~ hands off me. 그 우라질놈의 손을 치우게 / It's so ~ ridiculous. 정말 어리석군 / She's ~ rich. 그녀는 지독한 부자이다. ~ ***well*** 절대로, 반드시: You're ~ *well* going to pay me back. 자네는 반드시 내게 돈을 갚아야 하네.

fuck·up [fʌ́kʌ̀p] *n.* Ⓒ 《卑》 ① 바보짓을 하는 사람. ② 실패, 망침.

fud·dle [fʌ́dl] *vt.* …을 취하게 하다; (술로) 제정신이 없게 만들다, 혼미하게 만들다: be in a ~*d* state 곤드레만드레로 취해 있다; 혼란상태에 있다. ── *n.* (a ~) 머리가 멍한 상태, 혼미.

fud·dy-dud·dy [fʌ́didʌ̀di] *n.* Ⓒ 《口》 시대에 뒤진〔완고한〕 사람. ── *a.* 시대에 뒤진, 진부한; 귀찮은, 까다로운.

fudge[1] [fʌdʒ] *n.* ⓊⒸ (초콜릿·버터·밀크·설탕 따위로 만든) 연한〔무른〕 캔디, 퍼지. 「릴.

fudge[2] *n.* Ⓒ 실없는〔허튼〕 소리. ── *int.* 무슨 소

fudge[3] *vt.* ① (신문 기삿거리 등)을 날조하다, 적당히 꾸미다《*up*》: There must be no *fudging* the figures. (통계)숫자를 조작하는 일은 있어서는 안된다. ② (문제 등)을 회피하다.

── *vi.* ① 부정을 저지르다, 속이다《*on*》: ~ *on* an examination 시험에서 부정행위를 하다. ② …에 태도를 명백히 하지 않다, 얼버무리다: He ~*d off* when he was asked the matter. 그 문제에 대해 질문을 받으면 그는 얼버무리며 대답을 피했다.

‡**fu·el** [fjúːəl] *n.* ⓊⒸ ① 연료; 신탄(薪炭), 장작: nuclear ~ 핵연료 / gaseous〔liquid〕 ~ 기체〔액체〕 연료 / run out of ~ 연료가 떨어지다. ② Ⓤ 감정을 자극하는 것〔일〕: The boy's excuse was ~ to his father's rage. 소년의 변명이 한층 아버지의 노여움을 자극했다. ***add*** ~ ***to the fire*** 〔***flames***〕 불에 기름을 붓다; 격정을 부추기다.

── (**-*l*-,** 《英》 **-*ll*-**) *vt.* ① …에 연료를 공급〔보급〕하다, …에 장작을 지피다. ② (감정)을 자극하다: ~ anger 노여움을 부채질하다. ── *vi.* (배·비행기 따위가) 연료를 적재하다〔보급받다〕.

fúel cèll 〖化〗 연료 전지.

fúel òil 연료유.

fug [fʌg] *n.* (a ~) 실내에 차 있는 공기, 퀴퀴한 공기: *a* thick ~ of cigarette smoke 아주 탁한 담배 연기 / There's *a* terrible ~ in here; please open the window! 이 안은 지독하게 공기가 탁하군, 창문 좀 엽시다.

fug·gy [fʌ́gi] (**-*gi·er*; -*gi·est***) *a.* 《口》 (방 따위가) 후덥지근한, 숨이 막힐 듯한.

*__fu·gi·tive__ [fjúːdʒətiv] *a.* ① 〔限定的〕 도망치는; 탈주한; 망명의: a ~ soldier 탈주병. ② 변하기 쉬운; 일시적인, 덧없는; 그 때뿐인: a ~ color 바래기 쉬운 색. ── *n.* Ⓒ 도망자, 탈주자; 망명자《*from*》: a ~ *from* justice 도망친 범인.

fugue [fjuːg] *n.* Ⓒ 《F.》 〖樂〗 푸가, 둔주곡.

-ful *suf.* ① 명사에 붙어서 '…의 성질을 지닌, …을 내포하는, …이 많은'의 뜻의 형용사를 만듦: beauti*ful*, care*ful*. ② 동사·형용사에 붙어서 '…하기 쉬운'의 뜻의 형용사를 만듦: forget*ful*, dire*ful*. ③ 명사에 붙어서 '…에 가득(찬 양)'의 뜻의 명사를 만듦: cup*ful*, hand*ful*, mouth*ful*.

ful·crum [fúlkrəm; fʌ́l-] (*pl.* ~***s***, **-*cra*** [-krə]) *n.* Ⓒ ① 〖機〗 지레의 받침점, 지레받침, 지점(支點). ② (영향력 등의) 지점이 되는 것, 중심력, 지주(支柱).

‡**ful·fill,** 《英》 **-fil** [fulfíl] (**-*ll*-**) *vt.* ① (약속·의무 따위)를 이행하다, 완수하다: ~ one's duties 의무를 다하다 / ~ one's promises 약속을 이행하다. ② (일)을 완료하다, 성취하다. ③ (기한)을 만료하다, 마치다: The contract has been ~*ed*. 그 계약은 기한이 만료되었다. ④ (조건)에 적합하다, 충족시키다; 따르다: ~ the entrance reqirements 입학 요건을 충족시키다 / He ~*s* all the conditions for employment. 그는 모든 채용조건에 적합하다 / ~ the law 법에 따르다. ⑤ **a**) (희망·기대 따위)를 충족시키다: Tom ~*ed* his parent's hopes. 톰은 부모의 희망을 충족시켰다. **b**) 〔흔히 受動으로〕 (예언·기원을) 실현시키다: His desire *was* ~*ed*. 그의 희망은 충족되었다. ⑥ 〔再歸的〕 (자기 자신의) 힘을 완전히 발휘하다: He was not able to ~ *himself in* business, so he became a writer. 그는 사업에서는 자신의 소질을 충분히 발휘할 수 없어서 작가가 되었다.

ful·fil(l)·ment [∠-mənt] *n.* ⓊⒸ 이행, 수행; 완료, 성취; 달성; 실현.

†**full**[1] [ful] *a.* ① **a**) 가득찬, 가득한. **b**) 〔敍述的〕 가득 채워진, 충만한《*of*》: His glass was ~ to the brim. 그의 잔은 넘칠 정도로 가득차 있었다 / The tank is ~ *of* water. 그 탱크는 물로 가득차 있다. ② 가득 밀어닥친: a ~ audience 만장의 청중 / The hall was ~ *of* people. 홀은 사람들로 가득차 있었다. ③ (사람의) 가슴이 벅찬, 머릿속이 꽉 찬, 열중한; 배부른: She is ~ *of* her own affairs. 그녀는 자신의 일에 몰두하고 있다 / My heart is too ~ for words. 가슴이 너무나 벅차 말이 안 나온다 / She's ~ *of* herself. 그녀는 자신의 일만 생각하고 있다. ④ 충분한, 풍부〔완전〕한, 결여됨이 없는; 정규의; 정식의: a ~ supply 충분한 공급 / receive ~ pay 임금을 전부 받다 / a ~ hour

꼬박 한 시간 / ~ employment 완전 고용 / ~ size 실물 크기 / in ~ view 환히 다 보이는 곳에, 전체가 보이는 / in ~ bloom (꽃이) 만발하여. ⑤ 〔限定的〕 한도껏, 최고의, 최대한의 ; 한창의 ; 본격적인 : in ~ activity 〔swing〕 최고조로, 한창 / with ~ strength 전력으로 / rise to one's ~ height 허리를 곧게 펴고 일어서다. ⑥ (풍부하게) 충실한 ; (성량이) 풍부한 ; (맛이) 짙은 ; (빛 따위가) 강렬한 ; (빛깔이) 짙은 : Their days were ~. 그들의 하루하루는 충실했다 / a ~ and fruitful life 충실하고 결실 있는 인생 / The house basked in ~ sunlight. 그 집은 햇빛을 한껏 받고 있었다. ⑦ (풍부하게) 여유 있는 ; (옷이) 낙낙한 ; (모습 · 모양이) 통통한, 불룩한 : a ~ figure 통통한 몸집 / ~ bust 풍만한 가슴 / a ~ skirt 낙낙한 스커트. ⑧ 같은 부모의. ⑨ 〖野〗 풀카운트의 ; 만루의 : a ~ base 만루. ***at ~ length*** ⇨LENGTH. ~ ***face*** 〔副詞的으로〕 정면을 향하여. ~ ***of . . .*** (1) …로 꽉 찬. (2) …의 일로 꽉 찬, …에 전념하고 있는. ~ ***of beans*** 〔***prunes***〕 ⇨ BEAN 〔PRUNE〕. ~ ***of oneself*** 자기 일만 생각하고 ; 자부하여. ~ ***of years and honors*** 천수(天壽)를 다하고 공명도 떨쳐. ~ ***up*** 가득하여, 만원으로 ; 배가 부른 : The box was ~ *up with* toys. 그 상자는 장난감으로 가득 차 있었다 / I'm ~ *up*. 배가 부르다.

── *n.* Ⓤ ① 전부 : I cannot tell you the ~ of it. 죄다 이야기할 수는 없다. ② 충분, 완전. ③ 한창 때, 절정 : The moon is past the ~. 달은 만월을 지났다. ***at the*** ~ 한창 때에, 절정에 : The moon is *at the* ~. 만월이다. ***in*** ~ 생략하지 않고, 자세히 ; (지급 등의) 전부, 전액 : a receipt *in* ~ 전액 수령증 / payment *in* ~ 전액 지급. ***to the*** ~ 철저하게, 마음껏 : They enjoyed themselves *to the* ~. 그들은 마음껏 즐겼다.

── *ad.* ① 충분히, 완전히, 꼬박 … : ~ two hours 꼬박 두 시간. ② 꼭, 정면으로 : look a person ~ in the face 아무의 얼굴을 정면으로 바라보다. ③ 《稀》 필요 이상으로 : The chair is ~ high. 그 의자는 너무 높다. ④ 〔~ well 로 ; 또는 形容詞 · 副詞를 수식〕 대단히, 아주 : He knew ~ *well* his own shortcomings. 그는 자신의 결점을 아주 잘 알고 있다. ── *vt.* (의복 따위)를 낙낙하게 만들다. ── *vi.* 《美》 (달이) 차다.

full² [ful] *vt.* (천)을 축융(縮絨)하다 ; (빨거나 삶아서) 천의 올을 배게 하다.

full-add·er [fúlǽdər] *n.* 〖컴〗 전(全) 덧셈기《세 개의 2진 비트를 더할 수 있는 조합 논리 회로》.

fúll áge 성년.

full·back [-bæ̀k] *n.* Ⓒ,Ⓤ 〖蹴〗 풀백, 후위.

fúll blòod 순혈종의 사람〔동물〕.

full-blood·ed [-blʌ́did] *a.* 〔限定的〕 ① 순종의 ; 순수한. ② 다혈질의 ; 원기왕성한. ㊞ ~·**ness** *n.*

full-blown [-blóun] *a.* ① 만발의 ; 완전히 성숙한. ② 완전히〔충분히〕 발달한 ; 본격적인 : The border fighting has turned into a ~ war. 변경의 전투가 본격적인 전쟁으로 바뀌었다.

full-bod·ied [-bádid / -bɔ́d-] *a.* (술 따위가) 깊은 맛이 있는, 향기 있고 맛좋은, 짙은.

full-cream [-crì:m] *a.* (탈지하지 않은) 전유(全乳)의, 전유로 만든.

fúll dréss 정장, 예장.

full-dress [-drés] *a.* 〔限定的〕 ① 정장〔예장〕의. ② 본격적인, 정식의.

fúll dúplex 〖컴〗 전(全)양방《양쪽 방향으로 동시에 자료 전송이 이루어지는 통신 방식》.

full·er [fúlər] *n.* Ⓒ 축융업자(縮絨業者) ; 마전장이, 빨랫집.

fúller's èarth 백토(白土), 표토(漂土).

full-faced [-féist] *a.* ① 둥근 얼굴의. ② 정면을 향한.

full-fash·ioned [-fǽʃənd] *a.* 풀패션의《스웨터 · 스타킹 등을 몸 · 발에 꼭 맞도록 짠》.

full-fledged [-flédʒd] *a.* ① 깃털이 다 난. ② 자격이 충분한 ; 어엿한, 훌륭한 : After seven years of training she's now a ~ doctor. 7년간의 수습을 끝내고 그녀는 이제 어엿한 의사가 되었다. ⓞⓟⓟ *unfledged.*

full-fron·tal [-frʌ́ntəl] *a.* 《口》 ① (누드 사진 등이) 정면을 향한, 앞이 다 드러난. ② 공개적인, 숨김이 없는.

full-grown [-gróun] *a.* 충분히 성장〔발육〕한, 「성숙한.

fúll hánd 〖포커〗 같은 점수의 패 3장과 2장을 갖추기(full house).

full-heart·ed [-há:rtid] *a.* 정성들인, 성의 있는. ㊞ ~·**ly** *ad.* 「FULL HAND.

fúll hóuse ① (극장 등의) 만원. ② 〖포커〗 =

full-length [fúlléŋkθ] *a.* 〔限定的〕 ① 등신(等身)의, 전신대(全身大)의 : a ~ portrait 전신상(像). ② 생략이 없는, 원작 그대로의《소설 따위》; (치수를 짧게 하지 않은) 표준형의. ── *ad.* 몸을 쭉 펴고 《눕다》(ⓒⓕ at full LENGTH).

fúll móon ① (the ~, a ~) 만월, 보름달 : *A* ~ shone brightly. 보름달이 휘하게 빛났다. ② 만월 때 : at ~ 〔副詞的으로〕 만월 때에.

fúll nélson 〖레슬링〗 풀넬슨《목누르기의 일종》.

full·ness** [fúlnis] *n.* Ⓤ ① (가득) 참, 충만 : a feeling of ~ after meals 식후의 만복감 / in the ~ of one's heart 감개 무량하여. ② 비만. ③ (음색 등이) 풍부함. ***in the ~ of time 때가 되어〔차서〕 : I'm sure he'll tell us what's bothering him *in the ~ of time.* 그는 때가 되면 그를 괴롭히고 있는 것이 무엇인지 우리에게 말할 것이다.

full-page [-pèidʒ] *a.* 〔限定的〕 전면의, 페이지 전체의.

fúll póint =FULL STOP.

full-rigged [-rígd] *a.* 〖海〗 의장(艤裝)이 완전한 ; (돛배 따위가) 완전 장비의.

full-scale [-skéil] *a.* ① 실물 크기의 : a ~ model 실물 크기 모형. ② 〔限定的〕 전면적인, 완전한 ; 본격적인 : The government has ordered a ~ inquiry into the train crash. 정부는 열차 충돌에 대한 전면적인 조사를 명했다.

fúll scóre 〖樂〗 모음 악보.

fúll scréen 〖컴〗 전(체)화면.

fúll-screen éditor [-skri:n-] 〖컴〗 전(체)화면 편집기.

full-ser·vice [-sə́:rvis] *a.* 완전〔풀〕 서비스의.

full-size, -sized [fúlsáiz], [-sáizd] *a.* ① 보통〔표준〕 사이즈의. ② 《美》 (침대가) 풀사이즈인 《54×75 인치》(ⓒⓕ king-size).

fúll stóp 종지부(★ 《美》에서는 period). ***come to a ~*** 완전히 끝나다. ***put a ~ to*** …에 종지부를 찍다. ── *int.* 《英口》 (이야기의 끝을 강조하기 위한 말로) (이상) 끝 : That's all I'm going to say on the subject ; ~. 내가 그 문제에 대해 할 말은 그것 뿐, 더는 없습니다.

full-term [-tə́:rm] *a.* ① (아기가) 달 수를 채우고 태어난. ② 임기 만료까지 근무하는.

full-throat·ed [-θróutid] *a.* (목이 터질 것 같은) 큰 소리의 ; 낭랑한, 울려 퍼지는.

fúll tíme ① (일정 시간 내의) 전시간. ② 〖蹴〗 풀타임《시합 종료시》.

full-time [-táim] *a.* 전시간(제)의 ; 전임의. ⓒⓕ half-time, part-time. ¶ a ~ teacher 전임 교사.

full-tim·er [-táimər] *n.* Ⓒ 상근자(常勤者).

‡ful·ly [fúli] (***more ~ ; most ~***) *ad.* ① 충분히, 완전히 : I was ~ aware of the fact. 나는 그 사

실을 충분히 알고 있었다. ② 〔數詞 앞에서〕 만, 온통 : for ~ three days 만 3일 동안.

fúlly fáshioned 《英》 =FULL-FASHIONED.

fúlly flédged 《英》 =FULL-FLEDGED.

fúlly grówn 《英》 =FULL-GROWN.

ful·mar [fúlmər] n. Ⓒ 〖鳥〗 섬샛과(科) 물새의 「일종.

ful·mi·nate [fʌ́lmənèit] vt. ① …을 폭발시키다. ② (비난 따위)를 퍼붓다. ── vi. ① 폭발하다. ② 《+前+名》 호통치다, 맹렬히 비난하다《against》: The minister ~d *against* legalized vice. 목사는 합법화된 악덕을 맹렬히 비난했다.

ful·mi·na·tion [fʌ̀lmənéiʃən, fùl-] n. ⓊⒸ ① 폭발. ② 맹렬한 비난.

fulness ⇨ FULLNESS.

ful·some [fúlsəm, fʌ́l-] a. 억척스런, 집요한; 아첨이 지나치는: ~ admiration 민망할 정도의 칭찬. ㊞ ~·ly ad. ~·ness n.

Ful·ton [fúltn] n. **Robert** ~ 풀턴《미국의 기계 기사·증기선의 발명자; 1765-1815》.

fu·ma·role [fjú:məròul] n. Ⓒ (화산의) 분기공.

***fum·ble** [fʌ́mbəl] vi. ① 《+前+名/+副》 더듬(어 찾)다《about; around; for》; 만지작거리다, 주무르다《at; with》: She ~d *about* in her handbag *for* a pen. 그녀는 펜을 찾으려고 핸드백 속을 더듬거렸다 / He ~d *for* the light switch. 그는 스위치를 찾으려고 더듬거렸다. ② 실수를 하다; 망치다: He ~d in putting the finishing touch on the picture. 그는 최후의 마무리 손질에서 실수하여 그림을 망쳤다. ── vt. ① …을 서투르게 다루다; 실수하다. ② 〖球技〗 펌블하다, (공을) 헛잡다. ── n. Ⓒ 〖野〗 펌블, (공을) 헛잡음. ㊞ **-bler** n.

‡fume [fju:m] n. ① (흔히 pl.) 증기, 가스, 연무; (자극성의) 발연(發煙); 향기, 훈연(燻煙); (술 따위의) 독기: the ~s of wine 〔spirit〕 술의 독기. ② (a ~) (발작적인) 노여움, 흥분, 발끈함: be in *a* ~ 노발대발하고 있다, 성나서 씩씩거리다. ── vt. …을 그을리다; 불김을 쐬다; (암모니아 따위의) 증기에 쐬다; 증발시키다; …에게 향을 피우다. ── vi. ① 연기가 나다, 그을다, 불김에 쐬다; 증발하다《away》. ② 《~/+前+名》 노발대발하다, 씨근거리다: He ~d *with* rage because she did not appear. 그녀가 나타나지 않아서 화를 내며 노발대발했다.

fu·mi·gate [fjú:məgèit] vt. …을 그을리다, 그슬리다, 불김에 쐬다; 훈증소독하다.

fu·mi·ga·tion [fjù:məgéiʃən] n. Ⓤ 훈증, 훈증 「소독(법).

fumy [fjú:mi] (*fum·i·er; -i·est*) a. ① 연기〔연무〕가 많은〔로 가득찬〕. ② 증기 모양의.

‡fun [fʌn] n. Ⓤ ① 즐거운 생각〔경험〕, 재미있는 경험; 재미, 즐거움: We had a lot of ~ at the picnic. 피크닉은 대단히 재미있었다〔즐거웠다〕. ② 장난, 놀이; 농담: It was for ~ that they did it. 그들은 장난으로 그것을 하였다. ③ 〔앞에 形容詞를 수반하나, 不定冠詞는 오지 않음〕 재미있는 사람: He is great ~. 그는 퍽 재미있는 사람이다 / He's a lot of ~ to be with. 그는 함께 하기에 퍽 재미있는 친구다. ***for* 〔*in*〕 ~** 재미로: Try it just *for* ~. 장난삼아 그것을 해보아라 / read a book *for* ~ 오락을 위해 책을 읽다. ***for the ~ of it* 〔*the thing*〕** 그것이 재미있어서, 반장난으로: play cards just *for the ~ of it* 다만 즐기기 위해 카드놀이를 하다《돈을 걸거나 도박을 위해 하지 않는다는 뜻》. **~ *and games*** 기분전환, 즐거움. ***in* ~** 장난 삼아: Don't take offense. I said it *in* ~. 화내지 마세요. 장난 삼아 말했을 뿐예요 / His insults were only *in* ~. 그의 무례한 말은 단지 농담에 지나지 않았다. ***like* ~** (1) 기운차게; 한창, 크게《팔리는 따위》: laugh *like* ~ 호쾌하게 웃다. (2) 〔글머리에 와서〕《俗》〔否定을 강조하거나, 疑問을 나타내어〕 결코 (…않다), 조금도 (…이 아니다) (by no means): He told us that he finished the exam in an hour. *Like* ~ he did! 한 시간 안에 시험을 끝냈다고 그는 말했는데, 설마 그렇게 했을까《결코 못했을 거다》. ***make ~ of* =*poke ~ at*** …을 놀려대다: People *make* ~ *of* her because she wears such strange hats. 사람들은 그녀가 저렇듯 얄궂은 모자를 쓰고 있어서 놀려대고 있다.

── a. 〔限定的〕 유쾌한, 재미있는; 농담의.

‡func·tion [fʌ́ŋkʃən] n. Ⓒ ① 기능, 구실, 작용, 효용: the ~ of the heart 심장의 기능 / The ~ of education is to develop the mind. 교육의 기능은 정신을 발달시키는 데 있다. ② 직무, 임무; 직능; 역할: the ~ of the university 대학의 역할. ③ 의식, 행사; 제전; 공식 회합. ④ 〖數〗 함수; 상관 관계: trigonometrical ~ 삼각 함수 / Success is a ~ of opportunity and drive. 성공은 운과 추진력 여하에 달려 있다. ⑤ 〖文法〗 기능; 〖컴〗 기능《컴퓨터의 기본적 조작(操作)〔명령〕》.

── vi. 《~/+*as* 補》 작용하다, 구실을 하다; (기계가) 움직이다; 역할〔직분〕을 다하다: The engine failed to ~. 엔진은 작동하지 않았다 / He ~*ed as* boss. 그는 두목 노릇을 했다.

***func·tion·al** [fʌ́ŋkʃənəl] a. ① 기능의, 작용의; 직무(상)의; 기능〔작용〕을 가진. opp. *organic*. ② 기능〔실용〕 본위의: ~ furniture (실제로 써서) 편리한 가구. ③ 함수의. ㊞ **~·ly** ad.

func·tion·al·ism [fʌ́ŋkʃənəlìzəm] n. Ⓤ (건축 따위의) 기능주의; 실용 제일주의.

func·tion·al·ist [fʌ́ŋkʃənəlist] n. Ⓒ 기능주의자. ── a. 기능주의(자)의.

func·tion·ary [fʌ́ŋkʃənèri] n. Ⓒ 직원, 관리.

fúnction kèy 〖컴〗 기능(글)쇠《어떤 특정 기능을 갖는 키보드상의 키》.

fúnction wòrd 〖文法〗 기능어《전치사·접속사·조동사·관계사 따위》.

‡fund [fʌnd] n. ① Ⓒ 자금, 기금, 기본금: a reserve ~ 적립금 / a scholarship ~ 장학 기금. ② (pl.) 재원; 소지금: public ~s 공금. ③ (the ~s) 《英》 공채, 국채. ④ (a ~) (지식·재능 따위의) 축적, 온축(蘊蓄): *a* ~ of knowledge 지식의 축적. ── vt. ① (공채)에 투자하다. ② (단기 차입금)을 장기 공채로 바꾸어서 빌리다. ③ 자금으로 돌려 넣다, 적립하다. ㊞ ***∠·less** a.

‡fun·da·men·tal [fʌ̀ndəméntl] (*more ~; most ~*) a. ① 기초의, 기본의, 근본적인: ~ human rights 기본적 인권 / a ~ law 근본 법칙, 기본법; 헌법 / ~ colors 원색. ② **a)** 〔限定的〕 중요한, 주요한: a ~ factor of one's success 성공의 가장 주요한 요인. **b)** 〔敍述的〕 …에 있어 필수적인《to》: Patience is ~ *to* success. 인내는 성공에는 필수적인 것이다. ── n. ① (흔히 pl.) 원리, 원칙; 근본, 기본, 기초: We agreed upon the ~s. 우리들은 원칙에 대해서 합의했다. ② 〖樂〗 바탕음(=∠ **tóne**), 밑음(=∠ **nóte**).

fun·da·men·tal·ism [fʌ̀ndəméntəlìzəm] n. Ⓤ (종종 F-) 근본주의, 정통파 기독교(운동)《성경을 그대로 믿어 진화론 따위를 배격》; 원리주의. cf. modernism. ㊞ **-ist** n. Ⓒ 근본주의자, 정통파 기독교 신자.

***fun·da·men·tal·ly** [fʌ̀ndəméntəli] ad. 본질적〔근본적〕으로.

fund·ie [fʌ́ndi] n. Ⓒ ① 원리주의자. ② 과격한 「환경 보호주의자.

fund-rais·ing [fʌ́ndrèiziŋ] n. Ⓤ 자금 조달, 모금. ㊞ **fúnd-ràis·er** n. Ⓒ 기금 조성자; 《美》 기금 조달을 위한 모임.

fundy [fʌ́ndi] *n.* ＝FUNDIE.

‡**fu·ner·al** [fjú:nərəl] *n.* ① Ⓒ 장례식, 장례 : attend a ~ 장례식에 참석하다 / a public 〔state, national〕 ~ 국민장〔국장〕. ② Ⓒ (흔히 *sing.*) 장례 행렬. ③ (one's ~) 《口》 …에게만 관계되는 (싫은) 일 : none of *my*〔*your*〕 ~ 내〔네가〕 알 바 아니다 / That's *your* ~. 《口》 그것은 네 문제이다. ── *a.* 〔限定的〕 장례식의 ; 장례식용의.

fúneral dirèctor 장의사.

fúneral hòme 〔**pàrlor**〕 장례회관《유체 안치장·방부 처리장·화장장·장의장 등을 갖춤》.

fu·ner·ary [fjú:nərèri] *a.* 〔限定的〕 장례식의, 매장의 : a ~ urn 납골 단지.

fu·ne·re·al [fju:níəriəl] *a.* 장송의 ; 장례식에 어울리는 ; 슬픈, 음울한(gloomy). ㊕ **~·ly** *ad.*

fún fàir 《주로 英》 유원지(amusement park).

fun·gi [fʌ́ndʒai, fʌ́ŋgai] FUNGUS의 복수.

fun·gi·cide [fʌ́ndʒəsàid] *n.* Ⓤ,Ⓒ 살균제.

fun·go [fʌ́ŋgou] (*pl.* **~es**) *n.* Ⓒ 〖野〗 연습 플라이《외야수의 수비 연습을 위한》; 노크 배트, 연습 배트(=∠ **bàt** 〔**stìck**〕). ── *vi.* (연습을 위한) 비구(飛球)를 쳐올리다 ; 《美俗》 실패하다.

fun·goid [fʌ́ŋgɔid] *a.* 버섯과 비슷한 ; 균상종(菌狀腫)이 있는 ; 균류(菌類) 비슷한 ; 균성의.

fun·gous [fʌ́ŋgəs] *a.* ① 버섯의 ; 버섯 비슷한. ② 갑자기 생기는, 일시적인, 덧없는.

***fun·gus** [fʌ́ŋgəs] (*pl.* **-gi** [fʌ́ndʒai, fʌ́ŋgai], **~·es**) *n.* Ⓤ,Ⓒ 《L.》 ① 버섯, 균류(菌類) 《mushroom, toadstool 따위》. ② 〖醫〗 균상종(菌狀腫), 해면종 ; 물고기의 피부병.

fún hòuse (유원지의) 유령의 집《일그러진 거울, 괴상한 조명 장치 따위가 있어 관람객을 놀라게 함》.

fu·nic·u·lar [fju:níkjələr] *n.* ＝FUNICULAR RAILWAY.

funícular ráilway 케이블 철도.

funk[1] [fʌŋk] *n.* 《口》 ① (a ~) 움츠림, 두려움, 겁. ② 겁쟁이. ***in a blue*** ~ 《口》 겁을 내어 : The earthquake put us *in a blue* ~. 그 지진으로 우리는 공포에 떨었다. ── *vi.* 움츠리다, 겁내(어 떨)다. ── *vt.* …을 겁내(어 떨)게 하다 ; …을 두려워하게 하다 ; …하기를 회피하다.

funk[2] *n.* ① 《美》 (쿼쿼한) 악취. ② 펑크《비트가 강렬하고 상스러울 정도로 야성적인 재즈나 록》.

funky[1] [fʌ́ŋki] (***funk·i·er; -i·est***) *a.* 《口》 ① 움츠리는, 겁많은. ② 우울한, 움츠러든, 의기소침케 하는.

funky[2] (***funk·i·er ; -i·est***) *a.* ① 《口》 쿼쿼한, 악취나는. ② 〖재즈〗 소박한 블루스풍의, 펑키한. ③ 《俗》 파격적인, 멋진.

***fun·nel** [fʌ́nl] *n.* Ⓒ ① 깔때기 ; (깔때기 모양의) 통풍통(通風筒), 채광 구멍. ② (기선·기관차의) 굴뚝.

── (**-l-**, 《英》 **-ll-**) *vt.* ① 깔때기 모양이 되게 하다 ; 좁은 통로로 흐르게 하다. ② 《+목+전+명》 (정력·자금 따위)를 집중하다〔시키다〕, 보내다, 쏟다 : ~ all one's energy *into* one's job 온 정력을 일에 집중하다 / They ~*ed* all their income *into* research project. 그들은 수입 전액을 연구계획에 쏟아부었다. ── *vi.* (군중 등이) 좁은 통로를 통과하다 : A crowd of people ~*ed out* of the emergency exit. 수많은 사람들이 비상구로부터 나왔다.

fun·ni·ly [fʌ́nili] *ad.* ① 재미있게, 우습게, 익살스럽게. ② 〔文章修飾〕 묘하게(도) : *Funnily* enough, I was just about to phone you when you called me. 매우 뜻밖이지만 네가 내게 전화했을 때, 너에게 전화하려던 참이었어.

†**fun·ny** [fʌ́ni] (***-ni·er ; -ni·est***) *a.* ① 익살맞은, 우스운, 재미있는 : Don't be ~. 실떡거리지 마라《좀더 진지해라》/ What's (so) ~? 무엇이 그리도 우스운가. ② 《口》 기묘한, 괴상한, 별스러운, 진기(珍奇)한, 묘한 : act ~ 묘하게 처신하다 / It's ~ that he said nothing about it. 그가 그 일에 대해 침묵했다는 것은 묘하다. ③ 수상한, 의심스러운 : It's ~ Dad hasn't come home yet. 아버지가 아직 귀가를 하지 않았다니 이상하다. ④ 〔敍述的〕 《口》 **a**) 기분이 나쁜 ; 몸이 좋지 않은 : I felt quite ~ yesterday. 어제는 퍽 기분이 나빴다. **b**) 거북한, 난처한, 어색한 : I felt a little ~ accepting the gift. 그 선물을 받아서 마음이 좀 찜찜하다. **c**) 정신이 좀 돈 : He's a bit ~ in the head. 그는 머리가 좀 이상하다. ⑤ 〔限定的〕 《美》 만화(란)의. ***get ~ with...*** 《口》 …에게 건방진 태도를 취하다 : Don't *get ~ with* me, young man! 젊은이, 내게 건방지게 굴지 말게나.

── *n.* ① (*pl.*) 연재만화(comicstrips) ; ＝FUNNY PAPER. ② 《口》 농담, 우스갯소리 : make a ~ 농담하다. 「찌릿함》.

fúnny bòne (팔꿈치의) 척골(尺骨)의 끝《치면

fúnny bùsiness 《口》 ① 우스운 행동, 어리석은 짓. ② 수상한 행동.

fúnny fàrm 《戱》 정신 병원.

fun·ny-ha-ha [fʌ́nihɑ̀:hɑ́:] *a.* 《口》 재미있는, 우스운, 익살스런. 「모없이 된 화폐.

fúnny mòney 《口》 ① 가짜 돈. ② 인플레로 쓸

fúnny pàper 신문의 만화란.

fun·ny-pe·cul·iar [fʌ́nipikjú:ljər] *a.* 〔敍述的〕 《口》 기묘한, 이상한 ; 정신이 돈 ; 기분이 나쁜.

fún rùn 아마추어 마라톤《자선자금 모금이나 오락으로 하는 마라톤》.

fun·ware [fʌ́nwɛ̀ər] *n.* 〖컴〗 펀웨어《비디오 게임용 firmware》.

†**fur** [fə:r] *n.* ① Ⓒ 모피 ; (흔히 *pl.*) 모피제품 : a lady in ~*s* 모피 코트를 입은 숙녀. ② Ⓤ 〔集合的〕 부드러운 털이 있는 동물 : hunt ~ (토끼·여우 등의) 모피 짐승 사냥을 하다. ③ Ⓤ 부드러운 털. ④ Ⓤ 솜털 모양의 것 ; 물때, 백태(白苔) ; (포도주 표면에 생기는) 골마지. ◇ furry *a.* ***make the ~ fly*** 《口》 소동을 일으키다 ; 대판 싸움을 하다. ***The ~ starts*** 〔***begins***〕 ***to fly.*** 대소동〔논쟁〕이 시작되다.

── (**-rr-**) *vt.* ① …에 모피를 달다 ; 모피로 덮다 ; …에 모피 안〔가두리 장식〕을 대다. ② …에 물때가 끼게 하다 ; (보일러 따위에서) 물때를 벗기다 ; …에 백태가 끼게 하다. ── *vi.* 물때〔백태〕가 끼다.

── *a.* 〔限定的〕 모피(제)의.

fur·be·low [fə́:rbəlòu] *n.* ① (여자 옷의) 옷단 장식. ② (흔히 *pl.*) 현란〔화려〕한 장식 : frills and ~*s* 불필요한 현란한 장식.

── *vt.* …에 ~를 달다 ; 화려하게 꾸미다.

fur·bish [fə́:rbiʃ] *vt.* 《~+목/+목+부》 (오래 사용치 않던 물건들)을 닦다, 갈다, 닦아 손질하다《*up*》; (지식 등을) 새롭게 하다, 갱생시키다 : ~ *up* old furniture 옛 가구를 닦다 / You need to ~ *up* your English before you go to England. 영국에 가기 전에 영어를 새로 공부할 필요가 있다.

fur·cate [fə́:rkit, -keit] *a.* 포크형으로 된, 둘로 갈라진. ── [-keit] *vi.* 포크형으로 갈라지다, 분기하다.

Fu·ries [fjúəriz] *n. pl.* (the ~) 〖그神·로神〗 복수의 여신들《Alecto, Megaera, Tisiphone의 세 자매》. ⓒⓕ fury ④.

‡**fu·ri·ous** [fjúəriəs] (***more ~ ; most ~***) *a.* ① 〔敍述的〕 (사람에 대해) 격노한《*with*》; (어떤 일에) 화가 치민《*at*》; 미친 듯이 날뛰는《*about*》:

The boss got ~ *with* me 〔*at* what I had done〕. 상관은 내게〔내가 한 일에〕 몹시 화를 냈다 / I was ~ *with* myself for lack of courage. 용기가 없는 내자신에 몹시 화가 났다 / She was ~ *about* the accident. 그녀는 사고의일로 반 미친 꼴이었다《★ 보통 at 는 행위, about 는 사건·일, with 는 사람에 대해서 쓰임》. ② (바람·폭풍우 따위가) 사납게 몰아치는, 격렬한. ③ 맹렬한, 모진 : at a ~ speed 맹렬한 속도로 / with ~ violence 몹시 난폭하게 / be in a ~ hurry 몹시 서두르고 있다. ◇ fury *n.* ㊕ ~·**ly** *ad.* ~·**ness** *n.*

furl [fəːrl] *vt.* (돛·기 따위)를 감아〔말아〕 걷다 ; (우산 따위)를 접다. — *vi.* 감겨 오르다 ; 접어지다. — *n.* (a ~) 감아서〔말아서〕 걷음, 감아올림 : Give it *a* neat ~. 그것을 반듯하게 접어라.

fur·long [fə́ːrlɔ(ː)ŋ, -lɑŋ] *n.* 펄롱《길이의 단위 ; 1마일의 1/8, 약 201.17m.》. 「휴가.

fur·lough [fə́ːrlou] *n.* [U,C] (군인·공무원 등의)

‡**fur·nace** [fə́ːrnis] *n.* [C] ① **a**) 노(爐) ; 아궁이, 화덕. **b**) 난방로. **c**) 용광로. ② 몹시 뜨거운 곳.

‡**fur·nish** [fə́ːrniʃ] *vt.* ①《~+[목] / +[목]+[전]+[명] / +[목]+[목]》 (필요한 물건)을 공급하다, 제공하다, 주다 : The sun ~*es* enormous energy. 태양은 막대한 에너지를 공급하고 있다 / He ~*ed* the hungry *with* food. =He ~*ed* food *to* the hungry. 그는 굶주린 사람에게 먹을 것을 주었다 / I ~*ed* him food. ②〔종종 受動으로〕《~+[목] / +[목]+[부] / +[목]+[전]+[명]》 …에 (필수품, 특히 가구)를 비치하다, 갖추다, 설비하다 : ~ a house 집에 가구를 비치하다 / ~ the room luxuriously 방에 호화로운 가구를 들여놓다 / The room *was* ~*ed with* a desk, telephone and couch. 방에는 책상과 전화기, 그리고 긴 의자가 갖추어져 있었다.

***fur·nished** [fə́ːrniʃt] *a.* ① 가구가 있는 : a ~ apartment 가구가 딸린 아파트. ② 재고가 …한 : a well-~ store 재고가 풍부한 가게.

fur·nish·er [fə́ːrniʃər] *n.* [C] 공급자 ; 가구상.

***fur·nish·ing** [fə́ːrniʃiŋ] *n.* ① [U] 가구의 비치 ; (*pl.*) 비품, 가구. ②《美》 복식품(服飾品) ; 액세서리 : men's ~*s* 남자용 복식품.

‡**fur·ni·ture** [fə́ːrnitʃər] *n.* [U] 〔集合的〕 가구, 세간 : a set of ~ 가구 한 벌 / all the ~ of the room 방안의 가구 전부《★ 집합명사이며 단수 취급, 셀 때는 a piece 〔an article〕 of ~ '가구 한 점', a few sticks of ~ '가구 몇 점'처럼 세며, 또 양적으로 취급하여 some ~, much ~, a lot of ~ 따위로 말함》: We don't have *much* ~. 우리는 세간이 그리 많지 않다.

fu·ror [fjúrɔːr, fjúrər] *n.* [U,C] (a ~) 벅찬 감격〔흥분〕(의 상태), 격정 ; 열광적인 유행〔칭찬〕, 대소동 ; 분노, 격분 : make 〔create〕 *a* ~ 열광적인 칭찬을 받다 : The government's decision to raise taxes has caused *a* great ~. 세금을 인상한다는 정부의 결정은 심한 격분을 자아냈다.

fu·rore [fjúrɔːr / fjuərɔ́ːri] *n.* 《英》 =FUROR.

furred [fəːrd] *a.* ① 부드러운 털로 덮인 ; 모피제의, 털가죽을 붙인, 털가죽으로 안을 댄 ; 털가죽을 쓴〔입은〕. ② 물때가 낀 ; 〖醫〗 백태가 낀.

fur·ri·er [fə́ːriər / fʌ́riər] *n.* [C] 모피상 ; 모피공.

fur·ri·ery [fə́ːriəri / fʌ́r-] *n.* [C] 〔集合的〕 모피(류) ; 모피 장사 ; 모피 가공.

fur·row** [fə́ːrou / fʌ́rou] *n.* [C] ① 밭고랑 ; 보습 자리. ②《詩》 밭, 경지. ③ 바퀴자국 ; 항적(航跡). ④ (얼굴의) 깊은 주름. ***plow a lonely ~ (친구도 원조자도 없이) 묵묵히 혼자 일해 가다.

— *vt.* ① (밭)에 고랑을 만들다, 갈다, 경작하다 ; 이랑을 짓다. ② …에 주름살을 짓다 : The pain of his headache made him ~ his brow. 그는 두통으로 이마에 주름을 지었다.

— *vi.* 주름이 지다 : His brow ~*ed* as he read his bank statement. 그는 은행의 계산서를 읽으면서 이마에 주름을 지었다.

fur·ry [fə́ːri] (*-ri·er* ; *-ri·est*) *a.* ① 모피(제)의 ; 모피를 걸친 ; 모피와 비슷한 ; 모피 안〔깃〕을 댄. ② 물때가 앉은 ; 설태(舌苔)가 낀. ◇ fur *n.*

fúr sèal 〖動〗 물개.

‡**fur·ther** [fə́ːrðər] *ad.* 〖far의 比較級〗 ① 그 위에, 게다가, 더욱이, 더 나아가서 : Let's not discuss it ~. 이 이상의 토론은 그만 두자 / I'll give you ten dollars, but I cannot go any ~. 10달러 주겠다. 그러나 그 이상은 안된다. ② 더욱 멀리〔앞으로〕 : go ~ away 더욱 앞으로 가다 / not ~ than a mile from here 여기서 1마일이 채 안 되는 곳에 / A mile ~, and we shall be at our journey's end. 1마일만 더 가면 우리들의 여행은 끝난다 / ~ back than the 16th century, 16세기 보다 훨씬 이전에 / The ~ off from England, the nearer is France. 영국에서 더 멀어질수록 프랑스에 더 가까워진다. ~ ***on*** 더 앞에 : The village is two miles ~ *on.* 그 동네는 이제 2마일 남았다 / Let's deal with the matter ~ *on.* 좀더 후에 이 문제를 다루기로 하자. ~ ***to. . .*** …에 덧붙여 말하자면《상용문에서》: ~ *to* your letter of Jan. 10, 1월 10일자 귀사의 서한에 대해서는. ***go*** ~ 게다가〔그 이상으로〕 …하다 : (You may) *go* ~ and fare worse. 《格言》 갈수록 길은 험해진다. 곧, 과욕은 손해가 된다.

— *a.* 〔限定的〕 ① (거리적으로) 훨씬 먼 ; 훨씬 앞의 : The map shows the town to be ~ than I thought. 지도에 따르면 그 도시는 생각한 것보다 훨씬 저쪽에 있다. ② (정도가) 그 위의, 그 이상의 : Nothing could be ~ from the truth. 그것만큼 진실과 동떨어진 것은 없다 / We walked on without ~ conversation. 더 이상의 얘기는 하지 않고 계속 걸어갔다 / ~ news 후보, 뒷소식, 속보. ★ farther의 철자는 오늘날엔 거리의 뜻을 포함하는 경우에만 쓰이며, '더욱이'라는 뜻으로는 further가 사용됨. 그러나 이 구별도 점차 흐려져 further의 어형만이 남는 경향임. ***till ~ notice*** 추후 알려줄〔소식·통지가 있을〕 때까지.

— *vt.* …을 진전시키다, 조장〔촉진〕 하다 : ~ oneself 자신을 발전시키다 / The city tried to ~ its five-year plan. 시(市)는 5개년 계획을 추진하려고 노력했다.

㊕ ~·**ance** [-ðərəns] *n.* [U] 조장, 촉진, 증진.

fúrther educátion (영국의) 성인 교육《의무교육을 마치고 대학에 진학하지 않은 사람들을 대상으로 하는》.

‡**fur·ther·more** [fə́ːrðərmɔ̀ːr] *ad.* 더군다나, 그 위에, 더구나, 다시금 : It is nearly dark, and ~ it's going to rain. 어둠이 깔리기 시작하는데 그위에 비까지 내리려고 하고 있다 / He said, ~, that she hated me. 더욱이 그는 그녀가 나를 미워하고 있다고 말했다.

fur·ther·most [fə́ːrðərmòust] *a.* ① 〔限定的〕 가장〔제일〕 먼 (곳의) : The boats had sailed from the ~ parts of northern Europe. 그 배들은 북유럽의 가장 먼 곳에서 출항했다. ② 〔敍述的〕 (…에서) 가장 멀리 (떨어져서)《*from*》: He sat in the chair ~ *from* the TV set. 그는 텔레비전에서 가장 멀리 떨어진 의자에 앉았다.

‡**fur·thest** [fə́ːrðist] *a.* 〔far의 最上級〕 가장 먼〔멀리 떨어진〕. — *ad.* 가장 멀리 ;《美》 가장.

fur·tive [fə́ːrtiv] *a.* 은밀한, 내밀한, 남몰래 하는 ; 넌지시 하는, 사람의 눈을 속인 ; 교활한 ; 수상한 : a ~ glance 슬쩍 엿봄 / a ~ look 몰래 살

피는 표정 / There was something ~ *about* his behavior. 그의 행동에는 어딘가 수상한 데가 있었다. ㊉ ~·**ly** *ad.* 몰래, 슬그머니, 슬쩍, 은밀히. ~·**ness** *n.*

‡**fu·ry** [fjúəri] *n.* U,C ① **a**) U 격노, 격분 : be filled with ~ 격분하고 있다. **b**) (a ~) 격노·격분 상태 : fly into *a* ~ 격노하다. ② (a ~) 격정; 열광; 맹위; 광포(성) : He's in *a* ~ *of* excitement. 그는 몹시 흥분하고 있다. ③ U (병·날씨·전쟁 따위의) 격심함, 맹렬함 : in the ~ of battle 격전의 와중에 / the ~ of desire 강렬한 욕망 / The storm raged in all its ~. 폭풍우는 맹위를 떨쳤다. ④ (F-) (흔히 *pl.*) 〖그神·로神〗 복수의 여신. ⑤ 난폭한 사람; 《특히》 한부(悍婦), 표독한 여자. ◇ furious *a.* ***like*** ~ 《口》 맹렬히; 재빨리; 열중하여 : It rained *like* ~. 비는 억수로 쏟아졌다 / She has lied *like* ~. 그녀는 마구 거짓말을 늘어놓았다.

furze [fəːrz] *n.* U 〖植〗 바늘금작화(金雀花).

·**fuse**[1] [fjuːz] *n.* ① C (폭뢰·포탄 따위의) 신관(信管), (폭파 따위에 쓰는) 도화선. ② C 〖電〗 퓨즈. ***blow a*** ~ 퓨즈를 끊다; 《口》 몹시 화내다. ***have*** 〔***be on***〕 ***a short*** ~ 《美》 와락 흥분하다〔골내다〕. ── *vt.* …에 신관〔퓨즈·도화선〕을 달다. ── *vi.* 퓨즈가 나가다, 끊어지다.

·**fuse**[2] *vt., vi.* (금속 등을) 녹이다; 녹다; 녹여 합금을 만들다; 융합〔합동·연합〕시키다; 융합하다 : Copper and zinc are ~*d* to make brass. 구리와 아연이 용해되어 놋쇠를 만든다 / The two groups ~*d* to create one strong union. 두 그룹은 일체가 되어 강력한 연합조직을 결성했다.

fu·see [fjuːzíː] *n.* C ① 내풍(耐風) 성냥의 일종. ② (철도 따위에서 사용하는) (적색) 섬광 신호. ③ 신관.

fu·se·lage [fjúːsəlàːʒ, -lidʒ, -zə-, -zilàːʒ] *n.* (비행기의) 동체(胴體), 기체(機體).

fúse wìre 도화선.

fu·si·ble [fjúːzəbəl] *a.* 녹기 쉬운, 가용성의.

fu·sil·lade [fjúːsəlèid, -lɑ̀ːd, -zə-] *n.* C 《F.》 ① 〖軍〗 일제〔연속〕 사격, 맹사(猛射). ② (질문 등의) 연발 : a ~ of questions 질문 공세.
── *vt.* …에게 일제 사격하다.

·**fu·sion** [fjúːʒən] *n.* ① **a**) U 용해, 융해. **b**) C 용해〔융해〕물. ② 《美》 **a**) U,C (정당 등의) 합동, 연합, 합병. **b**) C 연합체 : a ~ administration 《美》 연립 내각(《英》 coalition cabinet). ③ U 〖物〗 핵융합. cf. fission. ④ 〖樂〗 퓨전《재즈에 록 등이 섞인 음악》. ◇ fuse[2] *v.*

fúsion bòmb 핵융합 폭탄, 수소 폭탄.

fu·sion·ism [fjúːʒənìzəm] *n.* U (정당의) 합병론, 합동〔연합〕주의. ㊉ **-ist** *n.* C 합병론자.

‡**fuss** [fʌs] *n.* ① U (또는 a ~) 공연한 소란; 안달(함) : What's all this ~ about? 도대체 무슨 일로 이리 소란하냐. ② (a ~) **a**) (쓸데없는 일에) 떠들어댐, 흥분. **b**) 싸움; 말다툼 : have *a* ~ with one's colleagues 동료들과 옥신각신하다. ***kick up a*** ~=***make a*** ~ (…로) 크게 떠들어대다; 투덜거리다《*about*; *over*》: The local residents are *kicking up a* ~ *about* the plans for the new airport. 그 지방 주민들은 새 공항(건설) 계획에 대해 크게 투덜거리고 있다. ***make a*** ~ ***of*** …을 과대히 대우하다〔칭찬하다〕. ── *vi.* 《~ / +副 / +前+名》 안달(복달)하다; 떠들어대다; 안달하여 돌아다니다《*about*》: ~ *up* and *down* 성급히 돌아다니다; 떠들며 돌아다니다 / ~ *about* 〔*over*〕 a person's trifling mistakes 아무의 사소한 잘못을 크게 떠들어대다. ── *vt.* (하찮은 일로) …을 소란케 하다, 괴롭히다《*about*》; 안달나게 하다 : Stop ~*ing* me. I'm busy. 나를 괴롭히지 말게. 바쁘니까. ◇ fussy *a.* ***not be*** ~***ed*** (***about***) 《英口》 …에 대하여는 상관 않다, 개의치 않다 : "Do you want to eat at once or later?"—"I'm *not* ~*ed*." '지금 먹겠느냐, 아니면, 후에 먹겠느냐'—'아무 때나 상관 없네' / I'm *not* ~*ed abou*t price. 가격 따위는 개의치 않는다. ㊉ ~·**er** *n.*

fuss·budg·et [fʌ́sbʌ̀dʒit] *n.* C 《口》 하찮은 일에 떠들어대는 사람; 공연히 떠드는 사람.

fuss·pot [fʌ́spɑ̀t / -pɔ̀t] *n.* C 《英口》 =FUSSBUDGET.

·**fussy** [fʌ́si] (***fuss·i·er***; ***-i·est***) *a.* ① **a**) (사소한 일에) 떠들기 좋아하는; 귀찮은; 성가신; 신경질적인. **b**) 〔敍述的〕 (…에) 까다로운, 마음을 쓰는《*about*; *over*》: He's very ~ *about* his food. 그는 음식에 대해 퍽 까다롭다 / Frances is too ~ *about* clothing. 프랜시스는 옷에 너무 신경을 쓴다. ② 〔敍述的〕 〔보통 否定文 또는 疑問文에서〕 마음을 쓰는; 염려하는《*about*》: "Would you like tea or coffee?"—"I'm *not* ~." '차를 들겠나, 커피를 마시겠나'—'어느 쪽도 상관없네' / Are you ~ (*about*) *what* you wear? 무엇을 입을까 걱정하나《★ wh- 절·구를 수반하는데 때로는 전치사를 생략함》. ③ 공(들여 만)든; 손〔노력〕이 많이 드는. ㊉ **fúss·i·ly** *ad.* **-i·ness** *n.*

fus·tian [fʌ́stʃən] *n.* U 퍼스티언 천《코르덴·벨벳 종류의 능직 천》.
── *a.* 〔限定的〕 ① 퍼스티언 천의. ② 야단스러운; 시시한, 쓸모 없는.

fus·ty [fʌ́sti] (***-ti·er***; ***-ti·est***) *a.* ① 곰팡내 나는 (musty). ② 진부한, 낡아빠진; 완미(頑迷)한 : We must to clear away all these ~ ideas about education and bring in some up-to-date methods. 우리는 교육에 대한 이들 진부한 생각을 일소하고 몇가지 최신의 방법을 도입해야 한다. ㊉ **-ti·ly** *ad.* **-ti·ness** *n.*

fut. future.

‡**fu·tile** [fjúːtl, -tail] (***more*** ~; ***most*** ~) *a.* ① 쓸데없는, 무익한 : The prisoner made a ~ attempt to escape. 죄수는 탈주를 꾀했으나 헛수고였다 / Don't waste time by asking ~ questions. 쓸데없는 질문을 하여 시간을 낭비하지 말게. ② 하찮은, 변변찮은.
㊉ ~·**ly** [-li] *ad.* ~·**ness** *n.*

·**fu·til·i·ty** [fjuːtíləti] *n.* ① U 쓸데없음, 무익(무용)(임). ② (종종 *pl.*) 하찮은 일〔것〕; 경망한 언동.

fu·ton [fjúːtɑn / -ɔn] *n.* C 《Jap.》 요, 이부자리.

†**fu·ture** [fjúːtʃər] *n.* ① U (흔히 the ~) 미래, 장래, 장차; (the F-) 내세 : Let us discuss *the* ~ of mankind 〔Korea〕. 인류〔한국〕의 미래에 대해서 토론하자 / You should provide for *the* ~. 장래에 대비해야 한다. ② C 장래성, 전도, 앞날 : a young man with a ~ 장래가 유망한 청년 / have no ~ 장래성이 없다 / He has a great ~ ahead of him as an actor. 배우로서의 그의 앞날은 크게 유망하다; U 〔흔히 否定·疑問文에서〕 《口》 성공의 가능성《*in*》: There's *no* ~ *in* this business. 이 사업은 성공할 가능성이 없다. ③ (the ~) 〖文法〗 미래, 미래 시제〔형〕. ④ (*pl.*) 〖商〗 (선물(先物), 선물 계약 : deal in ~*s* 선물(先物) 매매를 하다. ***for the*** ~=***in*** (***the***) ~ 장래, 미래에, 금후(는) : Be more careful *in* ~. 앞으로는 좀더 조심해라《★ 지금까지와는 상태가 달라질 것을 바라거나 또는 그것을 기대하고 경고 따위를 할 때에 씀. 한편 in the future는 특히 in the past, in the present 따위와 대조적인 뜻을 나타낼 때에 쓰임》.

— *a.* 〔限定的〕 ① 미래〔장래〕의 : ~ generations 후대 사람들. ② 내세의 : the 〔a〕 ~ life 내세. ③ 『文法』 미래(시제)의 : the ~ perfect 미래 완료(시제) / the ~ tense 미래 시제.
㊥ ~·**less** *a.* 장래성이 없는, 미래가 없는 ; 가망이 없는.

fúture lífe 〔státe〕 저 세상, 내세, 영계.

fúture shòck 미래의 충격《눈부신 사회 변화·기술 혁신이 초래하는 쇼크 ; 미국의 Alvin Toffler 의 조어》.

fu·tur·ism [fjú:tʃərìzəm] *n.* (때때로 F-) Ⓤ 미래파《인습을 타파하고 새로운 국면을 개척하려고 1910년경 이탈리아에서 일어난 미술·음악·문학의 유파》. ㊥ **-ist** *n.* Ⓒ 미래파 화가〔예술가〕.

fu·tur·is·tic [fjù:tʃərístik] *a.* ① 미래(파)의 : He writes ~ novels about voyage to distant galaxies. 그는 먼 은하계로의 여행에 관한 (공상적) 미래소설들을 쓴다. ② 《口》 미래파적인, 기발한. ㊥ **-ti·cal·ly** *ad.*

fu·tu·ri·ty [fju:tjúrəti, -tʃúr- / -tjúəri-] *n.* ① Ⓤ 미래, 장래, 후세 ; 장래성 ; 내세(來世). ② Ⓒ 후세의 사람들 ; (*pl.*) 장래에 일어날 일.

fu·tu·rol·o·gy [fjù:tʃərálədʒi / -rɔ́l-] *n.* Ⓤ 미래학《미래 사회의 과학기술이나 정치, 사회 구조 등의 추세 및 발달을 연구·예측하는 학문》.

fuze [fju:z] *n.* ① =FUSE[1]. ② 《美》 (지뢰·폭탄 따위의) 기폭(起爆) 장치, 신관.

fu·zee [fju:zí:] *n.* =FUSEE.

fuzz [fʌz] *n.* ① Ⓤ 괴깔 ; 미모(微毛), 잔털, 솜털. ② Ⓒ 《俗》 순경, 경관, 형사. ③ Ⓤ 〔흔히 the ~ ; 集合的〕 경찰.
— *vi., vt.* 보풀보풀 날아 흩어지다 ; 폭신폭신해지다〔하게 하다〕 ; 보풀〔괴깔〕이 일다 ; 보풀을 일으키다.

fuzzy [fʌ́zi] (***fuzz·i·er ; -i·est***) *a.* ① 보풀 같은, 솜털 모양의 ; 보풀이 인, 솜털로 덮인. ② (윤곽·사고 등이) 희미한, 분명치 않은 ; 탁한《소리》 : The television picture 〔sound〕 is rather ~ tonight. 오늘밤은 텔레비전 화면이〔소리가〕 퍽 흐리다〔탁하다〕. ㊥ **fúzz·i·ly** *ad.* **-i·ness** *n.*

fúzzy lógic 『電子』 애매모호한 논리, 퍼지 논리.

FWD, fwd. four-wheel drive ; front-wheel drive. forward. **FX** foreign exchange.

-fy *suf.* '…로 하다, …화하다, …이 되다'의 뜻을 지닌 동사를 만듦 : magni*fy*.

f.y. fiscal year. **FYI** 『軍』 for your information.

G

G, g [dʒiː] (*pl.* **G's, Gs, g's, gs** [-z]) ① [U,C] 지《영어 알파벳의 일곱째 글자》. ② [U] 〖樂〗 사음(音)《고정 도창법의 '솔'》, 사조(調) : a symphony in *G* minor 사단조(短調)의 교향곡 / *G* major 사장조. ③ [C] G 자 모양(의 것). ④ [U] 《美俗》 천 달러(grand) : 250 *G's*, 25만 달러. ⑤ [U] (연속된 것의) 7 번째(의 것). ⑥ 〖物〗 중력상수(常數) ; 중력 가속도. ***the hard g,*** [g]로 발음하는 g. ***the soft g,*** [dʒ]로 발음하는 g.

G [dʒiː] *a.* 《美》 일반용 영화(general)의.

G. German ; Germany ; Gulf. **g.** game ; gauge ; gender ; genitive ; gold ; good ; grain ; gram(s) ; gramme(s) ; gravity ; guinea(s).

Ga 〖化〗 gallium. **Ga.** Georgia. **ga.** gauge.

GA, G.A. General Agent ; General American ; General Assembly.

gab [gæb] 《口》 *n.* [U] 수다, 잡담 ; 말 많음. ***the gift of*** (***the***) ~ ⇨ GIFT. ***Stop*** 〔《俗》 ***Stow***〕 ***your*** ~ ***!*** 닥쳐.

— (**-bb-**) *vi.* 쓸데없는 말을 하다 ; 수다떨다《*about* ; *on*》. [파] ~·**ber** *n.* [C] 《口》 수다쟁이.

gab·ar·dine [gǽbərdìːn, ←-] *n.* [U] 능직(綾織)의 방수복지, 개버딘 ; [C] 개버딘제의 옷, (특히 중세 유대인의) 헐거운 긴 웃옷. — *a.* 〔限定的〕 개버딘의.

***gab·ble** [gǽbəl] *vi.* ① 빨리 지껄이다, 재잘〔종알〕거리다(chatter)《*away* ; *on*》. ② (거위 따위가) 꽥꽥 울다. — *vt.* 《~+[목] / +[목]+[보]》 …을 빠르게 말하다, (잘 알아듣지 못할 정도로) 지껄여대다《*out*》: He ~*d out* some incomprehensible instructions. 그는 몇 가지 이해할 수 없는 지시를 빠르게 내뱉았다 / You ~ me crazy. 수다스러워 미칠 것 같다.

— *n.* (*sing* ; 종종 the ~) 빨라서 알아듣기 어려운 말 ; 허튼 소리. [파] **-bler** *n.* [C] 수다쟁이(chatterer).

gab·by [gǽbi] (***-bi·er*** ; ***-bi·est***) *a.* 《口》 수다스러운(talkative).

gab·er·dine *n.* =GABARDINE.

gab·fest [gǽbfèst] *n.* [C] 《美口》 긴 사설〔잡담〕; 「그 모임.

***ga·ble** [géibəl] *n.* [C] 〖建〗 박공(牔栱), 박풍(牔風) ; 박공벽. [파] ~**d** [-d] *a.* 박공 구조의, 박풍이 있는 : ~ window 박공창.

gáble ènd 〖建〗 박공벽.

gáble ròof 〖建〗 맞배지붕.

Ga·bon [gæbɔ́ːŋ] *n.* 가봉《아프리카 중서부의 공화국 ; 수도 Libreville》.

Gab·o·nese [gæ̀bəníːz, -s] *a.* 가봉 (사람)의.

— (*pl.* ~) *n.* [C] 가봉 사람.

Ga·bri·el [géibriəl] *n.* ① 남자 이름. ② 〖聖〗 천사 가브리엘《처녀 마리아에게 그리스도의 탄생을 예고한》.

gad[1] [gæd] (**-dd-**) *vi.* 《~+[부]》 (놀이삼아서) 어슬렁거리다, 돌아다니다《*about* ; *abroad* ; *around*》: The girl ~*s about* at her pleasure. 저 소녀는 마음내키는 대로 돌아다닌다.

— *n.* 나돌아다니기. ***on*** 〔***upon***〕 ***the*** ~ 어정거리고.

gad[2] *n.* [C] ① 화살촉, 창끝, (가축을 모는) 찌름 막대기(goad). ② 끌, 정《석공이나 광산에서 쓰는》.

Gad[1], **gad**[3] *int.* 아이고, 당치 않은《가벼운 저주·놀람 따위를 나타냄》. ***by Gad*** =by GOD.

gad·a·bout [gǽdəbàut] *a., n.* [C] 《口》 (일 없이) 어정거리는 (사람), 놀러다니는 (사람).

gad·fly [gǽdflài] *n.* [C] ① (소·말에 꾀는) 등에, 쇠파리. ② 귀찮은 사람.

***gad·get** [gǽdʒit] *n.* [C] ① (집안에서 쓰는) 간단한 도구 : kitchen ~*s* 부엌 세간 / She's mad about ~*s*, her kitchen is just full of them. 그녀는 자질구레한 주방 도구들을 너무나 좋아하여 부엌에는 그런 것들로 가득 차 있다. ② (간단한) 기계장치 : This ~ opens bottles and cans. 이 간단한 기계는 병이나 깡통을 따는 데 쓰인다.

[파] **gad·ge·teer** [gæ̀dʒitíər] *n.* [C] 기계 만지기를 좋아하는 사람. **gad·get·ry** [gǽdʒətri] *n.* [U] 〔集合的〕 (간단한) 기계 장치.

gad·o·lin·i·um [gæ̀dəlíniəm] *n.* [U] 〖化〗 가돌리늄《희토류 원소 ; 기호 Gd ; 번호 64》.

Gaea [dʒíːə] *n.* 〖그神〗 가이아, 게(Gē)《대지의 여「신》.

Gael [geil] *n.* [C] 게일인(人)《스코틀랜드 고지의 주민, (드물게) 아일랜드의 켈트(Celt)인》.

Gael·ic [géilik] *n.* [U], *a.* 게일어(의) ; 게일인(의).

gaff[1] [gæf] *n.* [C] ① 작살 ; 갈고리《물고기를 끌어올리는》. ② 〖海〗 개프, 사형(斜桁)《종범(縱帆)의 위 끝에 댄 활대》. — *vt.* (물고기)를 갈고리로 끌어 올리다.

gaff[2] [gæf] *n.* 〔다음 成句로〕 ***blow the*** ~ 《英俗》 (비밀·음모 등)을 누설하다, 밀고하다.

gaff[3] [gæf] *n.* [U] 《美口》 심한 처사〔비난〕: stand the ~ 괴로움을 꾹 참다 ; 비난을 감수하다.

gaffe [gæf] *n.* [C] 《F.》 (의도적이 아닌) 과실, 실수, 실언《특히 사교·외교상의》: make〔commit〕 a bad ~ 엉뚱한 실수를 하다.

gaf·fer [gǽfər] *n.* [C] ① 시골 영감. [cf] gammer. ¶ *Gaffer* Johnson 존슨 영감. ② 《英口》 (노동자의) 십장, 감독(foreman) ; (술집 등의) 주인 영감. ③ 《美俗》 〖映·TV〗 전기〔조명〕 주임.

gag[1] [gæg] *n.* [C] ① 하무, 재갈. ② 발언 금지 ; 언론 탄압 : put a ~ on the papers (신문에) 보도 금지 조치를 하다.

— (**-gg-**) *vt.* ① …에 재갈을 물리다《*with*》: ~ a person *with* adhesive tape 반창고로 아무에게 재갈을 물리다. ②(아무)를 입다물게 하다 ; …의 언론〔발표〕의 자유를 억압하다 : ~ the press 언론을 탄압하다. ③ …를 메스껍게〔구역질나게〕 하다. — *vi.* (음식 등이 목에 걸려) 웩웩거리다《*on*》: The boy ~*ged on* the bone. 아이는 가시가 목에 걸려 캑캑거렸다.

***gag**[2] *n.* [C] 〖劇〗 개그《배우가 임기응변으로 대사 속에 끼워넣는 익살, 우스운 몸짓 따위》; 농담 : just for a ~ 그저 농담으로. — (**-gg-**) *vi.* (배우가) 개그〔즉흥 대사〕를 넣다〔말하다〕.

ga·ga [gáːgàː] *a.* 《俗》 ① (늙어서) 망령들린 : go ~ 노망이 나다. ② 〔敍述的〕 (…에) 열중한, 빠진《*about* ; *over*》: He's ~ *about* jazz. 그는 재즈에 미쳐 있다.

Ga·ga·rin [gəgáːrin] *n.* **Yuri Alekseyevich** ~ 가가린《옛 소련의 세계 최초의 우주 비행사 ; 1934-68》.

gage¹ [geidʒ] *n.* Ⓒ (옛날) 도전의 표시로서 던진 장갑·모자 따위.

gage² ⇨GAUGE.

gag·gle [gǽgəl] *n.* (a ~) ① 거위떼 ; 꽥꽥《우는 소리》. ② 시끄럽게 떠드는 무리들, 패거리《특히 여성》: a ~ of schoolchildren 요란하게 떠드는 어린 학생들.

gag·man [gǽgmæ̀n] (*pl.* ***-men*** [-mèn]) *n.* Ⓒ 개그 작가 ; 개그맨, 개그에 능한 희극 배우.

gág òrder 〖美法〗 (법원에서 심리 중인 사안에 관한) 보도〔공표〕 금지령.

gag·ster [gǽgstər] *n.* ① =GAGMAN. ②《美俗》 장난꾸러기, 익살꾼.

gai·e·ty, gay·e·ty** [géiəti] *n.* ① Ⓤ 유쾌, 쾌활, 명랑. ② (또는 *pl.*) 환락, 법석 : Music rang out adding to the ~ and life of the market. 시장이 법석대고 활기찬데다 음악까지 울려퍼졌다. ③ Ⓤ (복장 등의) 화려함. ***the ~ of nations 대중의 즐거움, 명랑한 풍조.

gai·ly** [géili] (more ~ ; most ~***) *ad.* ① 쾌활〔유쾌〕하게 : laugh 〔sing〕 ~ 유쾌하게 웃다〔노래하다〕. ② 화려하게, 호사스럽게 : ~ colored clothes 화려한 색깔의 옷 / a ~ dressed girl 화려하게 차려입은 소녀.

†**gain**¹ [gein] *vt.* ①《~+목》 …을 (노력하여) 얻다, 획득하다 : ~ a lot of support 많은 지지를 얻다 / ~ a reputation 명성을 얻다 / ~ a victory 승리를 거두다 / ~ (the) first prize 일등상을 타다 / He ~*ed* entry to her apartment. 그는 그녀의 아파트에 가까스로 들어갔다 / We have nothing to ~ by delaying our departure. 출발을 늦춰 우리가 이로울 게 하나도 없다. ②《+목+목 / +목+전+명》 (노력·선행 등이) …을 가져다 주다, 얻게 하다《*for*》: His kindness ~*ed* him popularity.=His kindness ~*ed* popularity *for* him. 그는 친절하였기 때문에 인망을 얻었다. ③ …을 벌다 (earn). OPP *lose.* ¶ ~ one's living 생활비를 벌다. ④ (무게·속도 등)을 늘리다, 더하다 : I've ~*ed* four pounds. 몸무게가 4파운드 늘었다 / The train ~*ed* speed. 열차는 속력을 더했다 / The plane ~*ed* height. 비행기는 고도를 높였다. ⑤ (시계가) (…분)을 더 가다. OPP *lose.* ¶ That clock ~*s* ten minutes in a week. 저 시계는 일주일에 10분을 더 간다. ⑥ (노력의 결과) …에 도달하다 : ~ the top of a mountain 산꼭대기에 이르다. ⑦《+목+부》 (아무)를 설득하다 ; 자기 편으로 만들다《*over*》: They ~*ed* him *over* to their side. 그들은 그를 자기들 편으로 만들었다.

── *vi.* ①《~ / +전+명》 (건강·체중·인기 따위가) 증대하다, 증진하다, 향상되다《*in*》: ~ *in* health 건강이 좋아지다 / She ~*ed* (*in* weight). 그녀는 몸이 불었다 / The car was ~*ing in* speed. 차는 속도를 늘리고 있었다. ②《+전+명》 이익을 얻다, 득을 보다《*by* ; *from*》: ~ *from* an experience 경험에 의하여 배우다 / No one will ~ *by* the deal. 그 거래에서 득보는 사람은 한 사람도 없을 게다. ③ 시계가 빠르다 : Does your watch ~? 네 시계 빠르지 않니 / My watch ~*s* by a minute a day. 내 시계는 하루 일분씩 빠르다. ***~ face*** 널리 알려지다, 권세를 얻다. ***~ ground*** ⇨ GROUND¹. ***~ on*** 〔***upon***〕 (1) …을 능가하다 : ~ *on* a competitor 경쟁 상대를 떼어놓다. (2) …에 접근하다 ; 따라붙다 : ~ *on* a ship 배에 다가가다. (3) (바다가 육지를) 침식하다. (4) 차차 …의 마음에 들게 되다, …의 환심을 사다 : ~ *on* another's heart 아무의 마음에 들다. (5) …을 사로잡다 : A bad habit ~*s on* me. 나는 못된 습관에 빠져들고 있다. ***~ over*** ⇨ *vt.* ⑦. ***~ one's point*** 자기의 의견을 관철하다. ***~ the upper hand*** 우위의 입장에 서게 되다 ; 이기다《*of*》.

── *n.* ① **a)** Ⓤ 이익, 이득 : without ~ or loss 손익 없이. **b)** (*pl.*) 수익, 수익금. OPP *loss.* ¶ ill-gotten ~*s* 부당 이득 / No ~*s* without pains. 《俗談》 수고 없이 소득 없다. ② Ⓤ 돈벌이 : be eager for ~ 돈벌이에 여념이 없다 / He will do anything for ~. 그는 돈벌이라면 못 할 짓이 없다. ③ Ⓒ (가치·무게 등의) 증가, 증진, 증대《*in* ; *of* ; *to*》: make a ~ of a pound *in* weight 체중을 1파운드 늘리다 / a ~ *in* efficiency 능률의 증진 / a ~ *to* knowledge 지식의 증진.

gain·er [géinər] *n.* Ⓒ ① 획득자 ; 이득자 ; 승자. OPP *loser.* ② 앞으로 뛰어 뒤로 공중제비하기《다이빙의 일종》.

gain·ful [géinfəl] *a.* ① 이익이 있는, 유리한, 수지 맞는(paying). ②《美》 수입이 있는, 유급의 (paid) : ~ employment 유급직(職). 파 **~·ly** *ad.*

gain·ings [géiniŋz] *n. pl.* 소득(액), 이익, 수입, 수익.

gain·say [gèinséi] (*p., pp.* ***-said*** [-séid, -séd], ***-sayed*** [-séid]) *vt.* 《~+목 / +*that* 절》 〔흔히 否定文·疑問文으로〕 …을 부정하다, 반박〔반대〕하다(contradict) : There is *no* ~*ing* his honesty 〔innocence〕. 그의 정직〔결백〕은 부정할 수 없다. 파 **~·er** *n.*

(')**gainst** [genst / geinst] *prep.* 《詩》 =AGAINST.

gait** [geit] *n.* (*sing.*) ① 걷는 모양, 걸음걸이 ; 보속(步速) : with a slow ~ 느린 걸음으로 / an awkward ~ 어색한 걸음걸이 / increase one's ~ 걸음을 빨리하다. ② (말의) 보조《walk, amble, trot, canter, gallop 의 순으로 빨라짐》. ***go one***'s*** (***own***) ~ 자기 방식대로 하다.

gait·ed [-id] *a.* 〔흔히 複合語를 이루어〕 …한 걸음걸이의 : heavy-~ 무거운 발걸음의.

gai·ter [géitər] *n.* (흔히 a pair of ~*s*) 게트르, 각반 ; 《美》 장화《고무줄이 든 천을 양쪽에 댄》.

gal [gæl] *n.* Ⓒ 《口》 =GIRL.

Gal. Galatians. **gal.** gallon(s).

ga·la [géilə, gǽlə / gɑ́ːlə] *n.* Ⓒ ① 축제 ; (특별한) 공연, 행사. ②《英》 (수영 등) 경기 대회.

── *a.* 축제의, 축제 기분의, 유쾌한(festive) : a ~ day 축일, 축제일.

ga·lac·tic [gəlǽktik] *a.* 〔限定的〕 ① 젖의, 젖 분비를 촉진하는. ② 〖天〗 은하(계)의 ; 성운(星雲)의.

ga·lac·tose [gəlǽktous] *n.* Ⓤ 〖化〗 갈락토오스.

Gal·a·had [gǽləhæ̀d] *n.* ① (Sir ~) 갤러해드 《아서 왕(King Arthur)의 원탁기사 중 가장 고결한 기사》. ② Ⓒ 이상에 헌신하는 (고결한) 사람.

gála nìght (극장의) 특별 흥행의 밤.

gal·an·tine [gǽləntiːn] *n.* Ⓤ 갤런틴《송아지·닭 등의 뼈바른 고기로 만든 요리》.

Ga·lá·pa·gos Íslands [gəlɑ́ːpəgəs-, -lǽp- / -lǽp-] (the ~) 〖地〗 갈라파고스 제도《에콰도르 서쪽 동태평양 적도 직하의 화산성 제도 ; 진귀한 동물의 보고(寶庫)「의 왕국」》.

Ga·la·tia [gəléiʃə, -ʃiə] *n.* 갈라티아《옛 소아시아

Ga·la·tian [gəléiʃən, -ʃiən] *a.* 갈라티아(사람)의. ── *n.* Ⓒ 갈라티아 사람 ; (the ~s) 〖聖〗 갈라디아서(書)《신약성서 중의 한 편 ; 略 : Gal.》.

***gal·axy** [gǽləksi] *n.* ① (the G-) 〖天〗 은하, 은하수(the Milky Way) ; 은하계(Milky Way galaxy 〔system〕) : Astronomers have discovered a distant ~. 천문학자들은 원거리에 있는 한 은하계를 발견했다. ② Ⓒ 은하, 은하계외 성운(星雲), 소(小)우주. ③ Ⓒ (귀인·고관·미인·재자(才子) 등의) 화려한 모임〔무리〕, 기라성처럼 늘

G

어선 사람(*of*): a ~ *of* film stars 기라성 같은 영화 스타들.

Gal·braith [gǽlbreiθ] *n.* **John Kenneth** ~ 갤브레이스(캐나다 태생의 미국의 경제학자·외교관; 1908–).

‡**gale** [geil] *n.* Ⓒ ① 질풍, 강풍; 〖海〗 폭풍; 〖氣〗 초속 13.9-28.4 m의 바람: Tall trees were blown down in the ~. 강풍으로 큰 나무들이 쓰러졌다. ② (종종 *pl.*) (감정·웃음 등의) 폭발, 돌발적인 소리: go into ~*s* of laughter 폭소가 터지다.

gál Fríday 여성 비서(= girl Friday).

Gal·i·le·an [gæ̀ləlíːən] *a.* Galilee (사람)의. — *n.* Ⓒ 갈릴리 사람; 기독교도; (the ~) 예수 그리스도.

Gal·i·lee [gǽləlìː] *n.* 갈릴리(Palestine 북부의 옛 로마의 주). ***the Sea of*** ~ 갈릴리 호수.

***Gal·i·le·o** [gæ̀ləlíːou, -léiou] *n.* ~ **Galilei** 갈릴레오(이탈리아의 천문학자·물리학자; 1564-1642).

gall**[1] [gɔːl] *n.* Ⓤ ① (동물의) 담즙, 쓸개즙('인간의 담즙'을 말할 때는 bile). ② 불쾌, 지겨움; 증오, (원래 *pl.*로) 원한. ③ (the ~) 《美口》 뻔뻔스러움, 철면피, 강심장: Of all *the* ~*!* 정말 뻔뻔하군 / He had *the* ~ to say it was my fault. 놈은 뻔뻔스럽게도 그것은 내 탓이라고 했다. ***dip one***'s*** 〔***the***〕 ***pen in*** ~ ⇨ PEN[1]. ***in the*** ~ ***of bitterness*** (신을 무시하다가) 고통스러운 경우를 당하여.

gall[2] *vt.* ①…을 문질러 벗기다. ②(남)의 감정을 쑤셔놓다, …을 성나게 하다: Her unkind remarks ~*ed* me. 그녀의 매몰찬 말에 나는 기분이 나빴다. — *n.* Ⓒ ① 물집, (피부의) 찰과상; (특히 말의) 까진 상처(마구·안장 등에 의한). ② 근심, 고민(거리).

gall[3] *n.* Ⓒ 충영(蟲癭), (식물의) 혹.

gall. gallon(s).

‡**gal·lant** [gǽlənt] (***more*** ~, ~***·er*** ; ***most*** ~, ~***·est***) *a.* ① 씩씩한, 용감한: a ~ warrior 용감한 전사 / a ~ deed 용감한 행위 / You made a ~ effort. 훌륭히 해냈구나. ② (배·말 따위) 당당한, 훌륭한, 아름답게 꾸민: a ~ ship. ③ [gəlǽnt, gǽlənt] (특히 여성에게) 친절한, 정중한. — [gǽlənt, gəlǽnt] *n.* Ⓒ 여성에게 친절한 남자; 호남; 정부(情夫). ***play the*** ~ 호남자인 체하다; 여성에게 구애하다.

㊕ *~**·ly** *ad.* ① [gǽləntli] 용감하게, 씩씩하게. ② [gəlǽntli, gǽlənt-] (여성에게) 정중히, 친절히, 상냥하게.

***gal·lant·ry** [gǽləntri] *n.* Ⓤ,Ⓒ ① 용감, 용기, 의협; 용감한 행위; 무공. ② 부녀자에게 친절함; 정중한 말〔행위〕.

gall·blad·der [gɔ́ːlblæ̀dər] *n.* Ⓒ 〖解〗 쓸개, 담낭.

gal·le·on [gǽliən] *n.* Ⓒ 15-18세기초의 스페인의 큰 돛배(3〔4〕층 갑판의 군함·상선).

‡**gal·lery** [gǽləri] *n.* ① Ⓒ 화랑, 미술관(picture ~); 미술품 전시실: the National *Gallery* (런던의) 국립 미술관 / I bought the picture from a ~ that we went to. 우리가 들렀던 화랑에서 나는 그 그림을 샀다. ② Ⓒ 회랑, 주랑(柱廊), 복도. ③ (기둥으로 떠받친) 발코니; 《美》 베란다(verandah). ④ (교회·홀 등의 벽면에서 쑥 내민) 계랑(階廊), 특별석; (국회 등의) 방청석: the press ~ (의회의) 기자석; 기자단 / the Strangers *Gallery* 《英》 (하원의) 방청석. ⑤ 〖劇〗 맨 위층 관람석(극장의 가장 싼 자리); (the ~) 〔集合的〕 맨 위층 관람석 손님, (일반) 관객. ⑥ (특별한 용도에 쓰이는) 조붓하고 길쭉한 방; 사진 촬영소; 사격 연습장: a shooting ~ 실내 사격 연습장. ⑦ 〔集合的〕 (골프 경기 등의) 관중; (의회 등의) 방청인. ⑧ (두더지 등의) 땅굴, 지하 통로. ⑨ 〖鑛山〗 갱도: Five miners were killed when a ~ collapsed. 5명의 광원이 갱도 붕괴 때 사망했다. ***play to the*** ~ 일반 관중이 좋아하도록 연기하다, 대중의 기호에 영합하다.

***gal·ley** [gǽli] *n.* Ⓒ ① 갤리선(옛날 노예나 죄수들에게 젓게 한 돛배); (옛 그리스·로마 시대의) 군함. ② (선박·항공기 내의) 취사〔조리〕실 (kitchen). ③ 〖印〗 게라; 교정쇄(校正刷) (~ proof).

gall·fly [gɔ́ːlflài] *n.* Ⓒ 〖蟲〗 몰식자(沒食子)벌.

Gal·lic [gǽlik] *a.* ① 골(Gaul)의; 골 사람의. ② 《戲》 프랑스 (사람)의.

gal·li·cism [gǽləsìzəm] *n.* Ⓒ (종종 *G*-) 프랑스 어법(표현 등); 관용(慣用) 프랑스말; 프랑스풍의 습관〔사고 방식〕.

gall·ing [gɔ́ːliŋ] *a.* 짜증나게 하는, 화나는: It was ~ to have to apologize to a man she detested. 그녀는 자기가 싫어하는 남자에게 사과해야 한다는 것이 화가 났다. ㊕ ~**·ly** *ad.*

gal·li·um [gǽliəm] *n.* Ⓤ 〖化〗 갈륨(희유금속 원소; 기호 Ga; 번호 31).

gal·li·vant [gǽləvæ̀nt / ⌒-⌒] *vi.* (흔히 ~ing) (이성과) 놀며 돌아다니다(gadabout); 놀며 다니다 (*about* ; *around*): They spent five months ~*ing around* Asia. 그들은 아시아를 유람하고 다니며 5개월을 보냈다.

gal·lon** [gǽlən] *n.* Ⓒ ① 갤런(용량의 단위로 4 quarts; 略: gal., gall.): the price of gasolin per ~ 가솔린 1갤런의 값 / a five-~ tank, 5갤런(짜리) 탱크. ② (흔히 *pl.*) 《口》 대량, 다수: drink ~*s* of beer 맥주를 물마시듯하다. ***imperial ~ 영국 갤런(4.546 *l*). ***wine*** ~ 미국 갤런(3.7853 *l*).

‡**gal·lop** [gǽləp] *n.* ① (흔히 a ~) 갤럽(말 따위의 최대 속도의 구보); 갤럽으로 말을 몰기, 질구(疾驅). ⓒⓕ gait. ¶ At the sound of gunfire the horse suddenly broke into *a* ~. 총소리에 놀라 말은 갑자기 내닫기 시작했다. ② Ⓒ 갤럽으로 달리는 승마: go for a ~ 갤럽하러 가다. (***at***) ***full*** ~ = ***at a*** ~ (1) (말이) 갤럽으로, (2) 전속력으로, 서둘러서, 급히: I have to complete the work *at a* ~. 나는 그 일을 서둘러 끝내야 한다. — *vi.* 《+전+명》 ① (말이) 갤럽으로 달리다; 말을 갤럽으로 달리게 하다: The horse ~*ed* away 〔off〕. 말이 질주하고 있었다. ② 아주 급하게 하다〔행동하다, 처리하다, 서두르다〕(*away* ; *over* ; *through*): I ~*ed through* my work. 서둘러서 일했다 / ~ *through*〔*over*〕 a book 책을 날려서 읽다. ③ (병세·시간 등이) 급속히 진행하다: It is the height of folly and a tragic waste to ~ into war. 이렇게 전쟁으로 치닫는 것은 어리석음의 극치요, 비극적인 소모다. — *vt.* (말)을 갤럽으로 달리게 하다.

gal·lop·ing [gǽləpiŋ] *a.* (병세·인플레·부패 등의) 급속 진행성의: ~ consumption 급성 폐결핵 / ~ inflation of 20 to 30%, 20에서 30퍼센트에 이르는 극심한 인플레이션.

gal·lows** [gǽlouz] (*pl.* ~·es*** [-ziz], ~) *n.* ① Ⓒ 교수대. ② (the ~) 교수형: come to *the* ~ 교수형이 되다 / send a person to *the* ~ 아무를 교수형에 처하다. ③ = GALLOWS BIRD.

gállows bìrd 《口》 교수형에 처해 마땅한 악인, 극악인(極惡人).

gállows hùmor 아주 심각한 얘기〔일〕을 농담처럼 얼버무리는 유머.

gall·stone [gɔ́ːlstòun] *n.* Ⓒ 〖醫〗 담석(膽石).

Gál·lup pòll [gǽləp-] 《美》 갤럽 (여론) 조사

《미국의 통계학자 George. H. Gallup (1901-84)이 창설》.

gal·lus·es [gǽləsiz] *n. pl.* 《方·美口》 바지 멜빵.

gal·op [gǽləp] *n.* Ⓒ 《F.》 갤럽(2/4 박자의 경쾌한 춤); Ⓤ 그 곡.

ga·lore [gəlɔ́:r] *a.* 〔名詞 뒤에 쓰여〕 풍부〔푸짐〕한: beef and ale ~ 성찬, 주지 육림 / Summer goods ~! 여름 상품 대량 (입하) / She has friends ~. 그녀는 친구가 대단히 많다.

***ga·losh** [gəlɑ́ʃ / -lɔ́ʃ] *n.* Ⓒ (흔히 *pl.*) 오버슈즈(overshoes), (방수·방한의) 고무 덧신.

gals. gallons.

Gals·wor·thy [gɔ́:lzwə̀:rði, gǽlz-] *n.* **John** ~ 골즈워디《영국의 소설가·극작가; 노벨 문학상 수상(1932); 1867-1933》.

ga·lumph [gəlʌ́mf] *vi.* 《口》 의기 양양하게 걷다, 신이 나서 달리다.

gal·van·ic [gælvǽnik] *a.* ① 갈바니 전기의, 동(動)〔직류〕전기의; 전류의〔에 의하여 생기는〕: ~ current 갈바니 전류(direct current) / a ~ belt (의료용의) 전기 띠. ② (전기에) 감전된 듯 깜짝 놀라는, 움찔하는; 발작적인 (웃음 따위); 충격적인: ~ effect 충격적인 효과. ㊕ **-i·cal·ly** *ad.* 감전된 듯이; 경련적으로.

gal·va·nism [gǽlvənìzəm] *n.* Ⓤ 갈바니 전기 《화학 반응으로 일어나는 전기》.

gal·va·nize [gǽlvənàiz] *vt.* ① …에 직류 전기를 통하다; (아무)를 자극하다, 갑자기 활기를 띠게 하다: The news ~*d* him into action. 그 뉴스를 듣고 재빨리 활동을 개시했다 / What the students need is a teacher who will somehow ~ them. 학생들은 어쨌든 자신들에게 활기를 불어넣을 선생님이 필요하다. ② 아연 도금을 하다.

gal·va·nom·e·ter [gæ̀lvənɑ́mitər / -nɔ́m-] *n.* Ⓒ 『電』 (적은 전류를 재는) 검류계(檢流計).

gam [gæm] *n.* Ⓒ 《美俗》 다리, 《특히》 여성의 날씬한 다리.

Gam·bia [gǽmbiə] *n.* (The ~) 감비아《서아프리카의 공화국; 수도 Banjul》.

Gam·bi·an [gǽmbiən] *a.* 감비아 (사람)의. ── *n.* Ⓒ 감비아 사람.

gam·bit [gǽmbit] *n.* Ⓒ ①『체스』 (졸 따위를 희생하고 두는) 첫 수. ② (교섭·의론·대화 등 앞일까지 계산한 뒤의) 시작, 개시: as an opening ~ 우선 시작으로.

‡gam·ble [gǽmbəl] *vi.* (*p., pp.* **~d; -bling**) 《~/+전+명》 ① 도박을 하다, (…로) 내기를 하다, (…에) 돈을 걸다《*at; on*》: We're forbidden to drink or ~. 술을 마시거나 노름하는 것을 금지당하고 있다 / ~ *at* cards 내기 트럼프를 하다 / ~ *on* the horse races 경마에 돈을 걸다. ② 투기하다; 홍망을 건 모험을 하다《*with*》: Don't ~ *with* your future. 장래를 거는 무모한 짓은 마라 / ~ *on* stock exchange 주식에 투기하다. ── *vt.* 《+목+부》 …을 도박해서 잃다《*away*》: He ~*d away* his savings. 그는 도박으로 저금한 돈을 날렸다. **~ on** …에 걸다; 《俗》 …을 기대하다: Don't ~ *on* his coming in time. 그가 제 시각에 온다고 기대해서는 안 된다. ── *n.* ① Ⓒ 도박, 노름. ② (a ~) 《口》 투기; 모험: It's a bit of *a* ~. 그건 좀 모험이다 / take *a* ~ on …에 홍망을 걸고 해 보다. ㊕ ***~r** *n.* Ⓒ 도박꾼, 노름꾼; 투기꾼.

***gam·bling** [gǽmbəliŋ] *n.* Ⓤ 도박, 내기.

gam·boge [gæmbóudʒ, -bú:ʒ] *n.* Ⓤ ① 갬부지, 자황(雌黃)《동남 아시아산 식물의 나무진; 노랑 그림물감·하제(下劑)로 씀》. ② 치자색, 자황색(雌黃色)(=∠ **yéllow**).

gam·bol [gǽmbəl] *n.* Ⓒ (새끼 양·어린이 등의) 장난, 뛰놀기. ── (-*l*-, 《英》 -*ll*-) *vi.* 뛰놀다, 장난하다《*about*》.

gam·brel [gǽmbrəl] *n.* Ⓒ ① (말 뒷다리의) 복사뼈 관절(hock). ② 푸줏간의 쇠갈고리(=∠ **stìck**)《고기를 매닮》. ③『建』 물매가 2 단으로 된 맞배지붕(=《美》 ∠ **ròof**).

†game[1] [geim] *n.* ① Ⓒ 놀이(sport), 유희, 오락, 장난: play a ~ 놀이하다 / indoor ~*s* 실내 유희 / To her, love is merely a ~. 그녀에게 있어 사랑이란 장난에 지나지 않는다 / We used to play ~*s* like tag. 우린 예전에 술래잡기 같은 놀이를 흔히들 했다 / What a ~! 이거 재미있다. ② Ⓒ 경기, 승부(★ 《美》에서는 보통 baseball, football 등 -ball 이 붙는 각종 스포츠 경기에 씀; ⓒⓕ match[2]); (한) 경기, (한) 게임: play〔have〕 a ~ of baseball 야구 경기를 하다 / athletic ~*s* 운동 경기 / a drawn ~ 무승부, 비김 / a rubber of three ~*s*, 3 판 승부 / no ~ 《野》 무효 경기 / a close〔heated〕 ~ 접전, 백중전 / We won〔lost〕 the ~ by a score of 8-0(= eight to nothing). 우리는 그 경기를 8대 0으로 이겼다〔졌다〕. ③ **a)** (*pl.*) (학교 교과로서의) 체육. **b)** 〔(the) … Games; 單·複數 취급〕 (국제적) 경기〔스포츠〕 대회: the Olympic *Games* 올림픽 대회. ④ Ⓒ (승리에 필요한) 승점(勝點): Five points is〔are〕 the ~. 5 점이면 이긴다. ⑤ **a)** Ⓒ (승부의) 형세: How goes the ~? 형세는 어떤가. **b)** (the ~) 승산, 승리: *The* ~ is ours. 승리는 우리 것이다, 우리가 이겼다. ⑥ Ⓒ 경기〔승부〕의 진행법; 수법, 경기 태도: play a fair ~ 정정 당당히 싸우다 / That's not the ~! 그건 정당한 수법이 아니다 / He played a good〔conventional〕 ~. 그의 경기(태도)는 훌륭했다〔예전대로였다〕. ⑦ Ⓒ (정치·외교 등에서의) 속임수, 수법; 책략, 술책, 계략(trick): the ~ of politics 정치적 책략 / play a waiting ~ 지구전을 쓰다 / I can see through your ~. 네 계략은 뻔하다 / None of your little ~*s!* 그런 수에는 안 넘어갈걸 / I wish I knew what his ~ is. 그의 속셈 좀 알았으면 싶다. ⑧ Ⓒ 놀이〔게임〕 도구, 장난감: a store selling toys and ~*s* 장난감과 게임용품을 파는 가게. ⑨ Ⓒ 농(담) (joke, fun): This is a mere ~. 이건 그저 농담이다 / No more ~*s.* 농담은 이제 그만 해. ⓞⓟⓟ *earnest.* ⑩ Ⓤ 〔集合的〕 사냥감, 사냥해서 잡은 것 《짐승·새 따위》, 그 고기: forbidden ~ 금렵조(禁獵鳥), 금렵수 / We have much ~ here. 여기에는 사냥감이 많다. ⑪ (the ~) 《口》 (위험·경쟁이 뒤따르는) 일, 장사, 직업: *the* acting ~ 연기자의 생업 / He is in *the* insurance ~. 그는 보험 회사에 다니고 있다. ⑫ Ⓤ 〔흔히 fair〔easy〕 ~으로〕 (공격·비난·조소의 좋은) 표적, 대상《*for*》: The new boy at school was *fair* ~ *for* practical jokers. 새로 전입한 학생은 악동들의 만만한 조소의 표적이었다.

ahead of the ~ 《美口》 이기고 있는, 경기를 리드하고 있는. ***anyone's*** ~ 승패를 가늠할 수 없는 경기, 예상할 수 없는 경기. ***beat*** a person ***at*** his ***own*** ~ (아무의 능한 수로) 도리어 그를 해치우다. ~ ***all*** = ~ ***and*** [ænd] ~ 1대1 동점. ~ ***and*** [ænd] (***set***) 『테니스』 게임 세트. ***give*** a person ***a*** ~ 아무에게 져주다. ***give the*** ~ ***away*** (무심코) 비밀을 누설하다, 속셈을 보이다. ***in*** ~ 농담으로. ⓞⓟⓟ *in earnest.* ***It's all in the*** ~. 규칙에 별로 벗어나지 않는다; 잘 안 돼도 참는 법이다. ***make*** (***a***) ~ ***of*** a person 아무를 놀리다〔조롱하다〕. ***on***〔***off***〕 one***'s*** ~ (경기자 등이) 컨디션이 좋은〔나쁜〕. ***on the*** ~ 《俗》 매음을 하여.

G

play a double ~ 표리 부동한 수단을 쓰다. ***play a good*** 〔***poor***〕 ~ 훌륭한〔졸렬한〕 경기를 하다. ***play*** a person ***at*** his ***own*** ~ =beat a person at his own ~. ***play ~s with***... 《美俗》 …을 속이다. ***play*** a person***'s*** ~ = ***play the*** ~ ***of*** a person 부지중에 남의 이익이 되는 짓을 하다. ***play the*** ~ 규칙대로 하다, 정정당당히 (경기)하다. ***That's your little*** ~. 그게 네 수법〔속셈〕이구나. ***Two can play at that*** ~. =***That's a*** ~ ***two people can play***. 그 수법〔수〕엔 안 넘어간다 ; 이쪽도 수가 있다. ***What's the*** ~***?*** 《口》 무슨 일이 일어났을까. ***What's your*** 〔***his***, etc〕 ~ ***?*** 너 〔그는〕어쩔 셈이냐〔의도가 뭐냐〕.

— (*gám·er ; gám·est*) *a.* ① 용감한, 쓰러질 때까지 굴하지 않는, 원기 왕성한 : a ~ little boy 다부진 아이 / a ~ fighter 용감 무쌍한 전사. ② 〔敍述的〕 기꺼이 …하는, …할 마음이 있는《*for* ; *to* do》: I'm ~ *for* 〔*to* do〕 it. 그걸 해볼 생각이다 / Are you ~ *for* a swim. 수영해 보겠나. ***die*** ~ 최후까지 싸우다 ; 용감히 싸우다 죽다.

— *vi.* 승부를 겨루다, 내기〔도박〕하다 : ~ deep 큰 승부를 하다.

game² *a.* 〔限定的〕 (팔·다리 따위가) 부자유스러운.

gáme bìrd (합법적으로 잡을 수 있는) 엽조(獵鳥).

game·cock [ˊ-kὰk / ˊ-kɔ̀k] *n.* Ⓒ 투계, 싸움닭.

gáme fish 낚싯고기.

game·keep·er [ˊ-kìːpər] *n.* Ⓒ 《英》 사냥터지기.

gam·e·lan [gǽməlæ̀n] *n.* Ⓒ 가믈란《(1) 인도네시아의 주로 타악기에 의한 기악 합주. (2) 이 합주에 쓰는 실로폰 비슷한 악기》.

game·ly [géimli] *ad.* 용감하게, 과감하게.

gáme plàn ①《美蹴》 작전 계획 ; 전략. ② (정치·사업 등의) 행동 방침, 전략.

gáme pòint (테니스 따위) 결승점.

gáme presèrve 금렵구, 조수 보호 구역.

gáme resèrve =GAME PRESERVE.

gáme ròom 오락실.

games·man·ship [géimzmənʃip] *n.* Ⓤ (반칙은 아니나) 더러운 수법.

game·some [géimsəm] *a.* 장난치는 ; 재미있게 뛰어노는 ; 놀기〔장난치기〕 좋아하는(playful). 㴱 ~**·ly** *ad.*

game·ster [géimstər] *n.* Ⓒ 도박꾼, 노름꾼.

ga·mete [gǽmiːt, gəmíːt] *n.* Ⓒ 〖生〗 배우자(配偶子), 생식체.

gáme thèory (the ~) 〖經〗 게임 이론《불확정한 요소 중에서 최대의 효과를 올리고 손실을 최소로 하기 위한 수학적 이론》.

gáme wàrden 수렵구(區) 관리자.

gam·ey [géimi] *a.* =GAMY.

gam·in [gǽmin] *n.* Ⓒ 《F.》 부랑아 ; 장난꾸러기.

gam·ine [gǽmiːn, -ˊ] *n.* Ⓒ 《F.》 여자 부랑아 ; 말괄량이.

gam·ing [géimiŋ] *n.* ① Ⓤ 도박, 내기(gambling). ② 〔形容詞的〕 도박용의.

gam·ma [gǽmə] *n.* Ⓤ,Ⓒ ① 감마《그리스어 알파벳의 셋째 글자 Γ, γ ; 로마자의 G, g 에 해당》. ② 세번째의 것. ③ 《英》(학업 성적의) 제 3 급《최저 합격점》. ~ ***plus*** 〔***minus***〕 (시험 성적 등의) 제 3 급〔등〕의 상〔하〕.

gámma glóbulin 〖生化〗 감마글로불린《혈장 단백질의 한 성분으로 항체(抗體)가 많음》.

gámma rày (흔히 *pl.*) 〖物〗 감마선.

gam·mon [gǽmən] *n.* Ⓤ 돼지의 넓적다리 고기, 베이컨용의 돼지 옆구리 밑쪽의 고기 ; 훈제(燻製) 햄.

gam·my [gǽmi] (*gam·mi·er ; -mi·est*) *a.* 《英口》 =GAME².

gamp [gæmp] *n.* 《英口·戲》 볼품 없이 큰 박쥐우산《Dickens의 작중 인물 Mrs. Sarah Gamp 의 우산에서》.

gam·ut [gǽmət] *n.* ① (*sing.* ; 흔히 the ~) 〖樂〗 전음계 ; 온음계 ; (목소리·악기의) 전음역. ② (사물의) 전범위, 전영역, 전반《*of*》. ***run the*** (***whole***) ~ ***of*** …의 갖은 인생 경험을 하다 : *run the* ~ *of* human experience 인생의 온갖 경험을 다하다.

gamy [géimi] (*gam·i·er ; -i·est*) *a.* ① (사냥한 짐승이나 조류의 고기가 썩기 시작하면서) 냄새가 좀 나는《식도락가들이 좋아함》. ②《美》(얘기 따위가) 상스러운, 외설적인. ③ 기운 좋은, 다부진(plucky).

-gamy '결혼·결합·번식·재생'의 뜻의 결합사 : bi*gamy*, exo*gamy*, allo*gamy*.

gan·der [gǽndər] *n.* ① Ⓒ 거위·기러기의 수컷. opp. *goose*. ② Ⓒ 얼간망둥이, 어리보기(simpleton). ③ (a ~) 《俗》 일별(look) : take 〔have〕 *a* ~ (*at*) (…을) 슬쩍〔흘끗〕 보다.

Gan·dhi [gáːndi, gǽn-] *n.* 간디. ① **Mohandas Karamchand** ~ 인도 민족 해방 운동의 지도자《1869-1948》. ② **Indira** ~ 인도의 정치가·수상 ; J. Nehru 의 딸《1917-84》.

ᵻgang [gæŋ] *n.* Ⓒ ① 〔集合的 ; 單·複數취급〕 (노동자·죄수 등의) 일단, 한 떼 ; 한 무리 : a ~ of laborers 한 패의 노동자들 / A ~ of roadmen are repairing the road. 일단의 도로 공사인부들이 도로 보수를 하고 있다. ② (악한 등의) 일단, 폭력단, 갱단《한 사람의 갱은 a gangster》: a ~ of robbers〔terrorists〕 도둑〔테러리스트〕의 일단. ③ **a**) (배타적인) 패거리, 동료, (특히) 비행 소년 그룹 : motorcycle ~ 폭주족. **b**) (나쁜 의미가 아닌 청소년) 놀이 친구, 또래 집단 : Let's invite the ~ to a party. 또래 친구들을 파티에 초대하자. ④ (같이 움직이는 도구의) 한 벌〔세트〕《*of*》: a ~ *of* oars 한 벌의 노.

— *vi.* ①《口》 집단을 이루다, 집단적으로 행동하다, 단결하다《*together* ; *up*》: He ~*ed up* with them. 그는 그들과 한 패가 되었다 / They ~*ed together*. 그들은 단결했다. ② (…을) 집단으로 습격하다 ; 단결하여 대항하다《*against*》.

gang·bust·er [gǽŋbʌ̀stər] *n.* Ⓒ ①《美口》 갱〔폭력단〕을 단속하는 경찰관. ② 박력 있는 사람. ***like ~s*** 《美俗》 요란스럽게, 세차게, 폭발적으로, 정력적으로.

gang·er [gǽŋər] *n.* Ⓒ (일단의 노동자의) 두목.

Gan·ges [gǽndʒiːz] *n.* (the ~) 갠지스 강.

gang·land [gǽŋlæ̀nd, -lənd] *n.* Ⓤ 암흑가, 범죄자의 세계.

gan·gle [gǽŋgəl] *vi.* 어색하게〔딱딱하게〕 움직이다〔걷다〕.

gan·glia [gǽŋgliə] GANGLION 의 복수.

gan·gling [gǽŋgliŋ] *a.* 호리호리한, 홀쭉한 (lanky).

gan·gli·on [gǽŋgliən] (*pl.* ***-glia*** [-gliə], ~***s***) *n.* Ⓒ ① 〖解〗 신경절(節), 신경구(球) ; 〖醫〗 갱글리언, 건초류(腱鞘瘤). ② (지적(知的)·산업적 활동의) 중심, 중추《*of*》.

gan·gly [gǽŋgli] (*more* ~, ***gan·gli·er*** ; *most* ~, ***-gli·est***) *a.* =GANGLING.

gang·plank [ˊ-plæ̀ŋk] *n.* Ⓒ 트랩《배와 선창 사이를 이어주는 발판》.

gan·grene [gǽŋgriːn, -ˊ] *n.* Ⓤ 〖醫〗 괴저(壞疽), 탈저(脫疽).

gan·gre·nous [gǽŋgrənəs] *a.* 〖醫〗 괴저〔탈저〕의 ; 썩은.

ˑgang·ster [gǽŋstər] *n.* Ⓒ 《口》 갱(의 한 사

람), 악한 : a ~ film 갱 영화.

gang·way [gǽŋwèi] *n.* Ⓒ ①《英》(극장·식당·버스 등 좌석 사이의) 통로. ②【船】(배의) 트랩(gangplank) ; 현문(舷門). ③ (건설 현장 등의) 건널판. ***bring to the*** ~ 현문에 끌어내어 매질하다《선원의 징벌》. ── *int.* (인파 속 등에서) 비켜라 비켜(Clear the way!) : *Gangway* please. 길 좀 비켜 주세요.

gan·net [gǽnit] (*p.* **~s**, ~) *n.* Ⓒ【鳥】북양가마우지.

gant·let¹ [gɔ́:ntlit, gǽnt-] *n.* = GAUNTLET².

gant·let² *n.* =GAUNTLET¹.

gant·let³ *n.* Ⓒ【鐵】곤틀릿 궤도.

gan·try [gǽntri] *n.* Ⓒ ① (이동 기중기의) 받침대. ②【鐵】신호교(橋)《신호기 설치용의 과선교(跨線橋)》. ③【宇宙】로켓의 이동식 발사 정비탑, 갠트리(=∠ **scáffold**).

Gan·y·mede [gǽnimì:d] *n.*【그神】가니메데스《신들을 위해 술을 따르던 미소년》. 「원).

GAO《美》General Accounting Office(회계 감사

*__gaol__ [dʒeil] *n., vt.*《英》=JAIL. ㊕ *∠·**er** *n.*《英》=JAILER.

gaol·bird [dʒéilbə:rd] *n.*《英口》=JAILBIRD.

‡**gap** [gæp] *n.* Ⓒ ① (담이나 벽 따위의) 금, 갈라진 틈《*in* ; *between*》: see through a ~ *in* a wall 벽 틈으로 들여다보다 / The boy has a ~ *between* his two front teeth. 소년의 두 앞니 사이가 벌어져 있다. ② **a**) (시간·공간적인) 간격《*of*》: a long ~ *of* time 오랜 기간의 간격 / a ~ *of* three years (miles) 3년(마일)의 간격. **b**) (연속된 것의) 짬, 틈, 단락《*in* ; *between*》: a ~ *between* programs (방송 등의) 프로와 프로의 짬 / a ~ *in* a conversation 대화의 잠시 중지. ③ 간격 ; (의견 따위의) 차이, 격차《*in* ; *between*》: a wide ~ *between* supply and demand 수요와 공급의 큰 차이 / a considerable ~ *in* the ages 큰 연령 차이 / admit a ~ *between* their views 그들 사이의 의견차를 인정하다. ④ 빈 곳 ; 결함 : There are wide ~*s in* my knowledge of history. 내겐 역사 지식이 태무하다시피 부족하다. ⑤ 골짜기, 협곡. ***bridge***(***close, fill, stop***) ***the*** ~ (1) 간격을 메우다. (2) 결함을 보완하다. ***make***(***leave***) ***a*** ~ 틈이 나게 하다, 간격이 생기게 하다.

*__gape__ [geip, gæp] *n.* ① Ⓒ 입을 크게 벌림 ; 하품(yawn) ; 입을 딱 벌리고 멍하니 봄 ; 벌어진(갈라진) 틈(새). ② (the ~s) (單數 취급) (주로 가금(家禽)의) 부리를 헤벌리는 병.
── *vi.* ① (놀라거나 해서) 입을 크게 벌리다 ; 멍청히 입을 벌리고 바라보다《*at*》: They ~*d at* the burned house. 그들은 입을 딱 벌리고 그 불타 버린 집을 바라보고 있었다 / Don't stand there *gaping*, do something useful. 멍청히 거기 서 있지 말고 뭔가 좀 보람 있는 일을 해라. ② 하품을 하다(yawn). ③ **a**) (흔히 ~ open으로) 크게 벌어지다 : All the drawers ~*d open*. 서랍은 모두 열려져 있었다. **b**) 갈라지다 ; (지면 따위가) 갈라져 있다 : a *gaping* wound(chasm) 쩍 벌어진 상처(깊은 구멍).

gap·ing·ly [géipiŋli, gǽp-] *ad.* 입을 딱 벌리고, 멍하니, 어처구니없어.

gap·toothed [gǽptù:θt] *a.* 이 사이가 벌어진.

‡**ga·rage** [gərɑ́:ʒ, -rɑ́:dʒ / gǽrɑ:dʒ, -ridʒ] *n.* Ⓒ ① 개러지, 차고 : a bus ~ / put a car in the ~ 차를 차고에 넣다 / a built-in ~ 건물의 일부로 된 차고. ② 자동차 수리소(정비 공장).
── *vt.* (차)를 차고에 넣다.

ga·rage·man [-mæ̀n] (*pl.* ***-men*** [-mèn]) *n.* Ⓒ 자동차 수리공(《英》garagist).

garáge sàle《美》개러지 세일《자기 집 차고 등을 이용, 중고품·불필요한 것 들을 파는 일》.

*__garb__ [gɑ:rb] *n.* Ⓤ ① 복장《어떤 직업·시대·민족 등에 특유한 옷》; (일반적으로) 옷 매무새, 옷차림 : priestly ~ 사제복 / in the ~ of a monk 수도사 복장을 하고. ② 외관. ── *vt.* 《+目+前+名》(受動으로 또는 再歸的) …을 입다, …의 복장을 하다 : The priest *was* ~*ed in* black. 그 성직자는 검은 옷을 입고 있었다.

‡**gar·bage** [gɑ́:rbidʒ] *n.* Ⓤ ①《주로 美》(부엌의) 쓰레기, 음식 찌꺼기(《英》에서는 rubbish). ②【集合的】잡동사니 ; 쓸데없는 것 ;《俗》너절한 이야기나 생각 : literary ~ 시시한 읽을거리 / Stop talking ~. 쓸데없는 말은 치워라 / The hack writer wrote only ~. 그 삼류 작가는 너절한 이야기만 썼다. ③【컴】쓰레기《기억 장치 속에 있는 불필요하게 된 데이터》. 「dustbin).

gárbage càn《美》(부엌 밖의) 쓰레기통(《英》

gárbage collèction【컴】불요(不要) 정보 정리《기억장치 속의 빈 부분을 모아 정리된 스페이스를 만드는 기술》.

gárbage collèctor《美》=GARBAGEMAN.

gar·bage·man [-mæ̀n] (*pl.* ***-men*** [-mèn]) *n.* Ⓒ《美》쓰레기 수거인(《英》dustman).

gárbage trùck (**wàgon**)《美》쓰레기차(《英》dust cart).

gar·ble [gɑ́:rbəl] *vt.* (보고·말·사실 등)을 (고의로) 왜곡하다 ; (기사)를 멋대로 고치다 ; 와전(訛傳)하다 ; (인용문 따위)를 깜박 혼동하다 : The boy ~*d* the message I gave him. 소년은 내가 말한 것을 잘못 전했다.

gar·bled [gɑ́:rbəld] *a.* (기사·보도 등) 사실을 왜곡한 ; (설명 등이) 앞 뒤가 맞지 않는, 요령부득의 : a ~ account 앞 뒤가 맞지 않는 설명 / a ~ report 왜곡된 보고(보도).

gar·çon [gɑ:rsɔ̃́:, ∠-] *n.* Ⓒ《F.》(호텔의) 보이, 사환, 급사(waiter).

†**gar·den** [gɑ́:rdn] *n.* ① Ⓒ 뜰, 마당, 정원 : a back(front) ~ 뒤뜰(앞마당) / a rock ~ 암석(석가산) 정원 / We don't have much ~. 우리 마당은 그리 넓지 않다. ② Ⓒ (주로 *pl.*) 공원, 유원지(park) : botanical (zoological) ~*s* 식물(동물)원. ③ Ⓒ 화원 ; 채원 ; 과수원 : a kitchen ~ 채마밭 : a market ~ (시장에 내기 위한) 채마 밭. ④ (G-s)《英》(地名을 앞에 두어) …가(街) : Abbey *Gardens* 애비가(街). ⑤ Ⓒ (의자·탁자 등이 있는) 옥외 시설(간이 식당) : a beer ~. ***lead*** a person ***up***(***down***) ***the*** ~ ***path***《口》아무를 속이다, 오도(誤導)하다. ***the Garden of Eden*** 에덴 동산. ── *a.* (限定的) ① 뜰의 ; 정원용의 ; 재배의 : a ~ trowel 모종삽 / ~ plants 원예 식물 / ~ balsam 봉선화 / ~ city 전원 도시 / ~ frame 촉성 재배용 온상 / ~ house 정자, 옥외 변소 / ~ stuff 야채류. ② 보통의, 흔해 빠진.
── *vi.* (취미로) 뜰을 가꾸다 ; 원예를 하다.

gárden apártment《美》뜰이 있는 낮은 층의 아파트.

gárden cènter 원예 용품점, 종묘점(種苗店).

‡**gar·den·er** [gɑ́:rdnər] *n.* Ⓒ 정원사 ; 원예가 ; 조경업자 : The majority of pineapples are still bred by enthusiastic amateur ~*s*. 대부분의 파인애플은 여전히 열성적인 아마추어 원예가에 의해서 재배되고 있다. 「무 ; 그 꽃.

gar·de·nia [gɑ:rdí:niə, -njə] *n.* Ⓒ【植】치자나

‡**gar·den·ing** [gɑ́:rdniŋ] *n.* Ⓤ 조경(造景)(술), 원예 : Many people in Denmark are fond of ~. 많은 덴마크 사람들은 정원 가꾸는 일을 좋아한다.

gárden pàrty 가든 파티, 원유회.

G

Gárden Státe (the ~) New Jersey 주의 속칭.

gárden súburb〔víllage〕 전원 주택지.

gar·den-va·ri·e·ty [gɑ́ːrdnvəràiəti] *a.* 〔限定的〕 흔해 빠진, 보통(종류)의.

Gar·field [gɑ́ːrfiːld] *n.* **James Abram** ~ 가필드(미국 제 20 대 대통령; 취임 후 4 개월만에 암살됨; 1831-81).

gar·fish [gɑ́ːrfiʃ] (*pl.* ~·**es**, ~) *n.* Ⓒ 〖魚〗 동갈치(needlefish).

gar·gan·tu·an [gɑːrgǽntʃuən] *a.* 거대한, 굉장히 큰, 굉장한, 엄청난(프랑스 작가 Rabelais의 작품 속에 나오는 거인 이름(Gargantua)에서): a man of ~ appetite 대식가 / a ~ development project 거대한 개발 계획 / ~ debts 엄청난 빚 / What a ~ bed! 굉장히 큰 침대구나.

gar·gle [gɑ́ːrgəl] *vi.* ① 양치질하다(*with*): ~ *with* salt water 소금물로 양치질하다. ② 양치질할 때와 같은 소리로 말하다. ── *n.* ① Ⓤ,Ⓒ 양치질 약. ② (a ~) 양치질.

gar·goyle [gɑ́ːrgɔil] *n.* Ⓒ 〖建〗 석누조(石漏槽), 이무기돌(고딕 건축 따위에서 낙숫물받이로 만든 괴물 형상의).

gar·i·bal·di [gæ̀rəbɔ́ːldi] *n.* Ⓒ ① (여성·어린이용의) 헐거운 블라우스(이탈리아의 애국자 Garibaldi (1807-82) 의 병사들의 빨간 셔츠에서). ② 《英》 건포도를 넣은 비스킷(=∠ **bìscuit**).

gar·ish [gέəriʃ] *a.* ① (빛·눈 등이) 번쩍이는. ② (옷·색조 등에) 야한; 화려한.
㊕ ~·**ly** *ad.* ~·**ness** *n.*

***gar·land** [gɑ́ːrlənd] *n.* Ⓒ ① 화환, 화관(花冠), 꽃줄(festoon): She wore a ~ of white roses on her head for her wedding. 그녀는 자신의 결혼식에 백장미 화관을 머리에 썼다. ② 명구집, 시가선(詩歌選) (anthology). ③ 영관(榮冠), 영예: gain 〔carry away, win〕 the ~ 승리의 영관을 얻다.
── *vt.* …에게 화관을 씌우다〔으로 장식하다〕: ~ a girl with flowers 소녀에게 화환을 걸어주다.

gar·lic [gɑ́ːrlik] *n.* Ⓤ 〖植〗 마늘; 《넓은 뜻으로》 파; (조미료로서의) 마늘: ~ salt 갈릭솔트(마늘가루에 소금을 섞은 조미료) / a clove of ~ 마늘 한 쪽. ㊕ **-licky** [-i] *a.* 마늘 맛〔냄새〕 나는.

‡gar·ment [gɑ́ːrmənt] *n.* ① **a**) Ⓒ 옷의 한 벌. **b**) (*pl.*) 의류, 의복(★ 의류 메이커가 쓰는 말로 clothes보다 우아한 표현): a ~ in the latest fashion 최신 유행의 옷 / This store sells ladies' ~*s.* 이 가게는 여성용 의류를 팔고 있다. ② Ⓒ 치장, 단장, 외관: Manners and morals are the ~*s* of our souls. 예절은 우리 마음의 옷이다.
── *vt.* 〔흔히 受動으로〕 《詩》 …에게 입히다, 차리게 하다.

gárment bàg (여행용) 양복 커버(휴대하기 편리하도록 손잡이가 달려 있음).

gar·ner [gɑ́ːrnər] 《詩·文語》 *n.* Ⓒ ① 곡창(穀倉) (granary). ② 비축.
── *vt.* ① (곡식 등)을 모으다, 모아 저장하다 (*up*): ~ (*up*) a crop 작물을 거둬 저장하다. ② (노력해서) …을 얻다: He's trying to ~ publicity. 유명해지려고 힘쓰고 있다.

gar·net [gɑ́ːrnit] *n.* ① Ⓤ,Ⓒ 〖鑛〗 석류석, 가닛(1 월의 탄생석). ② Ⓤ 심홍색(deep red).

***gar·nish** [gɑ́ːrniʃ] *n.* Ⓒ ① 장식, 장식물; 문식(文飾), 미사 여구. ② 식품의 배합, 요리에 곁들이는 것, 고명. ── *vt.* ① (+목+전+명) …을 장식하다(*with*): ~ a room *with* flowers 방을 꽃으로 꾸미다. ② (요리)에 야채나 해초 따위를 곁들이다: The cook ~*ed* the dish *with* parsley. 요리사는 음식에 파슬리를 곁들였다.

gar·nish·ee [gɑ̀ːrniʃíː] 〖法〗 *vt.* (채권·봉급 따위)를 압류하다; …에게 압류를 통고하다.

gar·nish·ment [gɑ́ːrniʃmənt] *n.* Ⓒ 〖法〗 채권 압류 통고〔통지서〕.

gar·ni·ture [gɑ́ːrnitʃər] *n.* ① Ⓤ 장식. ② Ⓒ 장식물, 장구(裝具).

***gar·ret** [gǽrət] *n.* Ⓒ 다락방; 맨 위층; 초라한 작은 방.

***gar·ri·son** [gǽrəsən] *n.* Ⓒ ① 〔集合的; 單·複數취급〕 수비대, 주둔군〔병〕: a fortress ~ 요새 수비대 / in ~ 수비에 배치되어. ② (수비대가 지키는) 요새, 주둔지: ~ artillery 요새 포병 / a ~ town (수비대의) 상주 도시.
── *vt.* …에 수비대를 두다; …을 수비하다; (부대)를 주둔시키다: A hundred soldiers were ~*ed in* the area. 100명의 군인을 그 지역에 주둔시켰다 / Our regiment will ~ a coastal town. 우리 연대는 해안 도시에 주둔하게 될 것이다.

gar·rote, ga·rotte [gərɑ́t, -róut / -rɔ́t] *n.* ① (the ~) 스페인식 교수형(구) (絞首刑(具))(기둥에 달린 쇠고리에 목을 끼워 넣고 쇠고리를 졸라 죽임). ② Ⓒ (①에 쓰이는) 쇠고리. ③ Ⓤ,Ⓒ 목을 조르는 강도(사람 뒤에서 새끼줄 따위로 목을 조르는). ── *vt.* …을 교수형에 처하다; (목)을 조르고 금품을 빼앗다.

gar·ru·li·ty [gərúːləti] *n.* Ⓤ 수다, 다변.

gar·ru·lous [gǽrjələs] *a.* 수다스러운, 말많은 (talkative): She's only a foolish, ~ woman. 그녀는 한낱 어리석고 말많은 여자일 뿐이다.
㊕ ~·**ly** *ad.* 재잘재잘, 중얼중얼. ~·**ness** *n.*

gar·ter** [gɑ́ːrtər] *n.* ① Ⓒ (흔히 *pl.*) 양말 대님 (《英》 suspender belt); (와이셔츠 소매를 올리는) 가터: a pair of ~*s* 한 벌의 가터〔대님〕. ② (the G-) 《英》 가터 훈위; (그 훈위를 나타내는) 가터 훈장(영국의 knight 최고 훈장). ***the Order of the Garter 《英》 가터 훈위(勳位); 가터 훈장.

gárter bèlt 《美》 (여성용) 양말 대님 (《英》 suspender belt).

gárter snàke (미국산의 독 없는) 줄무늬뱀.

gárter stìtch 〖編物〗 가터 뜨개질.

†gas [gæs] (*pl.* ∠·**es**, 《美》 ∠·**ses** [gǽsiz]) *n.* ① Ⓤ,Ⓒ 가스, 기체: Air is a mixture of ~*es.* 공기는 여러 기체의 혼합물이다. ② Ⓤ 연료용 가스: turn on〔off〕 the ~ 가스 꼭지를 틀다〔끄다〕 / turn down〔up〕 the ~ 가스불을 약하게〔강하게〕 하다 / coal〔liquid, natural〕 ~ 석탄〔액화, 천연〕 가스 / We're out of ~. 휘발유가 떨어졌다. ③ Ⓤ 《美口》 가솔린. ④ (흔히 the ~) (자동차의) 액셀러레이터. ⑤ Ⓤ (군사용) 독가스(poison gas); 최루 가스(tear gas); 소기(笑氣) 가스(laughing gas): a ~ attack 독가스 공격. ⑥ Ⓤ 《口》 허튼 소리, 허풍. ⑦ 뱃속에 찬 가스, 방귀. ⑧ (a ~) 아주 유쾌한 일〔사람〕: It's a real ~. 그거 정말 재미있다. ***step*〔*tread*〕 *on the* ~** 《口》 액셀러레이터를 밟다; 속력을 내다, 서두르다(hurry up): *Step on the* ~, or you'll be late. 서둘러라, 늦겠다. ── (**-ss-**) *vi.* ① 가스를 발산하다. ② 《俗》 허튼 소리하다, 허풍 떨다; 《美俗》 취하다: We sat there ~*sing* for hours. 우리는 여러 시간 노닥이면서 그 곳에 앉아 있었다 ── *vt.* ① …에 가스를 공급하다; 급유(給油)하다. ② …을 독가스로 공격하다; 가스로 중독시키다: She committed suicide by ~*sing* herself. 그녀는 가스로 자살했다. ③ 《俗》 …를 몹시 웃기다, 즐겁게 해주다. ~ ***up*** 《美口》 …에 가솔린을 가득 채우다: I usually ~ *up* the car at this service station. 나는 평소 이 주유소에서 휘발유를 넣는다.
── *a.* 〔限定的〕 가스의: a ~ heater 가스 난로.

gas·bag [gǽsbæ̀g] *n.* Ⓒ ① (비행선·기구 등의) 가스 주머니, 기낭. ②《口》허풍선이(boaster), 떠버리.

gás bùrner 가스 버너; 가스 스토브[레인지].

gás chàmber 가스(처형)실(gas oven). cf. lethal chamber.

gás còoker 《英》 가스 레인지.

gas-cooled [gǽskù:ld] *a.* 가스 냉각의: a ~ reactor 가스 냉각로.

***gas·e·ous** [gǽsiəs, -sjəs] *a.* ① 가스의; 가스질의, 가스 모양의, 기체의: Condensation is the process by which water change from a ~ state to a liquid state. 액화란 물이 기체상태에서 액체 상태로 변화되는 과정이다. ② (정보·의론 등이) 실속이 없는, 믿을 수 없는.

gás fire 가스불; 가스 난로.

gas-fired [gǽsfàiərd] *a.* 가스를 연료로 사용한: a ~ boiler 가스 보일러.

gás fitter 가스공(工); 가스 기구 설치업자.

gás fitting 가스 공사; (~s) 가스 기구, 가스 배관.

gas-guz·zler [gǽsgʌ̀zlər] *n.* Ⓒ 《美口》 연료 소비가 많은 대형차, 고연비차.

***gash**[1] [gæʃ] *n.* Ⓒ 깊이 베인 상처, 중상. — *vt.* …에게 깊은 상처를 입히다; …을 깊이 베다《*on; with*》: ~ one's hand *on* a piece of broken chip 깨진 사금파리에 손을 깊이 베다.

gas·hold·er [gǽshòuldər] *n.* Ⓒ 가스 탱크.

gas·i·fi·ca·tion [ˊ-əfikèiʃən] *n.* Ⓤ 가스화, 기화(氣化).

gas·i·fy [ˊ-əfài] *vt.* …을 가스화하다: ~ coal. — *vi.* 가스가 되다, 기화하다.

gas·ket [ˊ-kit] *n.* Ⓒ ①〖船〗 돛 묶는 밧줄. ②〖機〗 개스킷; 틈막이, 패킹(packing). ***blow a*** ~ 《俗》 격노하다, 버럭 화를 내다.

gás làmp 가스등.

gás lìghter 가스 점화 기구; 가스 라이터.

gas·man [gǽsmæ̀n] (*pl.* ***-men*** [-mèn]) *n.* Ⓒ 가스 검침원; 가스 요금 수금원; 가스공(工).

gás màsk 방독면.

gás mèter 가스 미터[계량기].

gas·o·hol [gǽsəhɔ̀:l] *n.* Ⓤ 가소홀《무연(無鉛) 가솔린 90%와 에틸알코올 10%의 혼합 연료》.

gás òil 경유(輕油).

‡gas·o·line [gæ̀səlí:n] *n.* Ⓤ 가솔린, 휘발유(《英》 petrol).

gásoline bòmb (가솔린을 넣은) 화염병.

gas·om·e·ter [gæsámitər / -ɔ́m-] *n.* Ⓒ ① 가스 계량기. ② (특히 가스 회사의) 가스 탱크(gasholder).

‡gasp [gæsp, gɑ:sp] *vi.* 《~/+전+명》 ① 헐떡거리다, 숨이 차다; 숨을 가쁘게 쉬다: I came out of the water and ~*ed for* breath. 물 위로 나온 나는 숨을 가쁘게 쉬었다. ② (놀라거나 해서) 숨이 막히다《*with; in*》: I ~*ed with* rage. 화가 나서 나는 숨이 막힐 정도였다 / The spectators ~*ed with*[*in*] horror when the performer fell. 곡예사가 추락했을 때 관객들은 순간 숨을 죽였다 / When she saw the pistol hidden in the trunk she ~*d in* surprise. 그녀는 트렁크 속에 은닉된 권총을 보자 놀라서 숨이 막혔다. ③ [흔히 進行形으로] …을 열망하다, 죽도록 바라다《*for*》: I was ~*ing for* a cigarette. 담배가 피우고 싶어 죽을 뻔했다. — *vt.* 《+목+부》 …을 헐떡이며 말하다《*away; forth; out*》: He ~*ed out* his story. 그는 헐떡이며 말을 했다 / "Call the police!" he ~*ed*. '경찰을 불러' 하고 그는 헐떡이며 외쳤다. — *n.* Ⓒ 헐떡거림; 숨막힘: give a ~ of surprise 놀라서 순간 숨을 죽이다 / breathe with ~*s* 헉헉하고 숨을 헐떡이다. ***at*** one***'s*** [***the***] ***last*** ~ 숨을 거두려 하고, 임종시에; 마지막 순간에. ㊕ **gás·per** *n.* Ⓒ ① 헐떡거리는 사람. ②《英俗》 싸구려 궐련. **ˊ-·ing·ly** [-iŋli] *ad.* 헐떡거리며.

gás pèdal 《美》 (자동차의) 액셀러레이터 페달.

gás rìng (조리용) 가스 풍로.

gas·ser [gǽsər] *n.* Ⓒ ①《俗》 수다쟁이. ②《美俗》 아주 재미있는 것[사람].

gás stàtion 《美》 주유소(filling station) (《英》 petrol station).

gas·sy [gǽsi] (***-si·er; -si·est***) *a.* ① 가스의; 가스 모양[질]의(gaseous): ~ odor 가스 냄새. ② 가스를 함유한; 가스가 찬. ③《口》 수다 떠는, 허풍 떠는, 제자랑하는.

gas·trec·to·my [gæstréktəmi] *n.* Ⓒ 〖醫〗 위절제(胃切除)(수술).

gas·tric [gǽstrik] *a.* [限定的] 위(胃)의: ~ cancer 위암 / ~ juice 위액 / a ~ ulcer 위궤양.

gas·tri·tis [gæstráitis] *n.* Ⓤ 〖醫〗 위염(胃炎).

gas·tro·cam·era [gæ̀stroukǽmərə] *n.* 〖醫〗 위(胃)카메라.

gas·tro·en·ter·i·tis [gæ̀strouèntəráitis] *n.* Ⓤ 〖醫〗 위장염.

gas·tro·en·ter·ol·o·gy [gæ̀strouèntərálədʒi / -ɔ́l-] *n.* Ⓒ 위장병학, 소화기병학(學).

gas·tro·in·tes·ti·nal [gæ̀strouintéstənəl] *a.* 〖解〗 위장의: a ~ disorder 위장병.

gas·tro·nom·ic, -i·cal [gæ̀strənámik / -nɔ́m-], [-əl] *a.* 요리법의; 미식법[식도락]의: Eat at this restaurant and you are guaranteed a ~ delight. 이 식당에서 식사하면 너는 식도락의 즐거움을 확실히 누릴 것이다.

gas·tron·o·my [gæstránəmi / -trɔ́n-] *n.* Ⓤ 미식학; (어느 지방의 독특한) 요리법.

gas·tro·pod [gǽstrəpàd / -pɔ̀d] 〖動〗 *n.* Ⓒ 복족류(腹足類)《달팽이 등》. — *a.* 복족류의[와 같은].

gas·tro·scope [gǽstrəskòup] *n.* Ⓒ 〖醫〗 위경(胃鏡), 위내시경.

gás tùrbine 가스 터빈.

gas·works [gǽswə̀:rks] *n. pl.* [單數 취급] 가스 공장(gashouse).

gat [gæt] *n.* Ⓒ 《美俗》 (자동)총, 권총.

†gate [geit] *n.* Ⓒ ① 문《출입구·개찰구·성문 따위》: a front[back] ~ 앞[뒷]문 / the main ~ 정문 / The ~ was left open. 문은 열린 채로 있었다 / go [pass] through a ~ 문을 통과하다. ② **a)** (일반적) 입구, 통로. **b)** (다리·유료 도로의) 요금 징수소; (도로·건널목의) 차단기. **c)** (공항의) 탑승구, 게이트. **d)** (경마의) 게이트. **e)** 수문, 갑문; (파이프 등의) 밸브. ③《比》(…으로의) 길, 방법《*to; for*》. ④〖스키〗 기문(旗門). ⑤《口》 (경기회 따위의) 입장자수; 입장료의 총액. ⑥〖컴〗 문《하나의 논리 기능》. ⑦ (the ~) 《美俗》 해고; 《野球俗》 스트라이크 아웃.
get the ~ 《美俗》 내쫓기다, 해고당하다, (이성 등에게) 채이다. ***give*** a person ***the*** ~ 《美俗》 아무를 내쫓다, 해고하다, (애인)을 차버리다(jilt). — *vt.* 《英》 (기숙사 학생)에게 외출 금지령을 내리다.

-gate (재계·정계의) '추문(醜聞)·스캔들'의 뜻의 결합사: Motor*gate*, GM 의혹 / Contra*gate*(이란의) 콘트라 의혹. [◂ Watergate]

gâ·teau [gɑtóu, gǽtou] (*pl.* ***~s, -teaux*** [-z]) *n.* Ⓤ,Ⓒ 《F.》 (대형) 팬시 케이크, 데코레이션 케이크.

gate-crash [géitkræ̀ʃ] *vi., vt.* 초대도 하지 않았는데 들어가다, 불청객이 찾아가다; …에 무료 입장하다. ㊞ ~·er *n.* Ⓒ 불청객 ; 무료 입장객.

gat·ed [géitid] *a.* (도로가) 문이 있는.

gate·fold [ˊ-fòuld] *n.* Ⓒ 〖印〗 접어넣은 쪽장《지도 등 책의 본문 쪽보다 큰 것》.

gate·house [ˊ-hàus] *n.* Ⓒ 수위실 ; (성문의) 누다락.

gate·keep·er [ˊ-kì:pər] *n.* Ⓒ ① 문지기, 수위. ② 건널목지기.

gáte-leg táble [ˊ-lèg-] 접 테이블.

gáte mòney 입장〔관람〕료 ; 입장료 총액.

gate·post [géitpòust] *n.* Ⓒ 문기둥. ***between you, me, and the*** ~ ⇨ BETWEEN.

‡**gate·way** [ˊ-wèi] *n.* ① Ⓒ (담·울타리 등의) 문, 출입구, (아치형의) 통로. ② (the ~) …에로의 길 : *the* ~ to success 성공으로 가는 길 / Lyons is *the* ~ to the Alps for motorists driving out from Britain. 리옹은 영국에서 온 자동차 여행가들에게는 알프스 산으로 가는 통로다.

†**gath·er** [gǽðər] *vt.* ① …을 그러모으다, 모으다, 수집하다《*up*; *together*》: ~ one's papers *up* 〔*together*〕 (흩어진) 서류들을 그러모아 정리하다 / The gagman ~*ed* a crowd around〔about〕 him. 개그맨은 군중들을 자기 주변에 모이게 했다. ② (열매·꽃 등)을 따다, 채집하다 ; 거두어들이다, 수확하다《*up* ; *in*》: ~ flowers 꽃을 따 모으다 / ~ (*in*) crops 작물을 거둬들이다 / ~ honey (from the hives) (벌통에서) 꿀을 따다 / How many shells have you ~*ed* ? 조개를 얼마나 주워 모았느냐. ③ (지식·정보 등)을 얻다, 수집〔입수〕하다 : ~ facts about UFOs, UFO 에 대한 사실을 모으다 / I ~*ed* all the necessary information from the sources available. 나는 손이 닿는 소식통들에게서 필요한 모든 정보를 수집했다. ④ (정력·노력 등)을 집중하다, 북돋아 일으키다《*up*》: ~ one's energies 온 정력을 쏟다 / I took a moment to ~ my thoughts. 생각을 집중하기 위해 잠시 뜸을 들였다. ⑤ (속력 따위)를 점차 늘리다, (부·힘 따위)를 축적하다, 증가〔증대〕시키다, (경험)을 쌓다 : ~ speed 속도를 올리다 / A rolling stone ~*s* no moss. 《俗談》 구르는 돌에 이끼가 안 낀다 / ~ experience / ~ wealth 부(富)를 쌓다, 재산을 모으다 / Her guitar is ~*ing* dust in the attic. 그녀의 기타는 다락에서 먼지가 쌓이고 있다. ⑥ 《+목+전+명 / +*that* 절》 (정보·징조 따위로) …을 헤아리다, 추측하다《*from*》: What did you ~ *from* his statement? 그의 말을 자네는 어떻게 받아들였나 / I ~ *that* he'll be leaving. 그분은 곧 떠날 모양입니다. ⑦ (스커트 따위)의 주름을 잡다 ; (자락)을 걷어올리다《*up*》: a ~*ed* skirt 주름 잡힌 치마《★ 過去分詞로 形容詞的으로 씀》. ⑧ (머리)를 묶다 ; (눈살)을 찌푸리다 : ~ one's brow into a frown 눈살을 찌푸려 떨떨음해하다. ⑨ 《+목+전+명》 (사람)을 끌어안다 : ~ a person *into* one's arms 아무를 두 팔로 껴안다.

── *vi.* ① 《~ / +전+명》 모이다, 모여들다, 집결하다 : *Gather around*〔*round*〕 me, boys and girls. 얘들아 내 주변에 모여라 / People ~*ed* in crowds to hear his speech. 그의 연설을 들으려고 사람들이 무리지어 모였다. ② 《~ / +전+명 / +부》 점차로 증대하다〔늘다〕, 점점 더해지다 : The storm ~*ed* rapidly. 폭풍의 기세는 갑자기 심해졌다 / Tears ~*ed* in her eyes. 눈물이 그녀의 눈에 괴었다 / Evening dusk is ~*ing* on. 어둠이 점점 깊어간다. ③ **a**) (이마에) 주름이 잡히다, 눈살을 찌푸리다 : His brow ~*ed* in a frown. 그는 눈살을 찌푸려 난색을 보였다. **b**) (옷에) 주름이 잡히다. ④ (종기가) 곪다.

be ~ed to one***'s fathers*** 조상 곁으로 가다 ; 죽다. ~ ***head*** (1) (비바람 따위가) 맹위〔기세〕를 더하다. (2) (종기가) 곪다. ~ one***self up*** 〔***together***〕 전력을 집중하다 ; 용기를 내다. ~ one***'s senses*** 〔***wits***〕 마음을 가라앉히다. ~ ***up*** (1) 집합하다. (2) 주워〔그러〕모으다 ; (일 따위)를 한데 마무르다. (3) (손·발 따위)를 움츠리다. ~ ***way*** (움직이는 것이) 힘을 더하다 ; 〖海〗 (배가) 속력을 더하다 ; 움직이기 시작하다.

── *n.* Ⓒ ① 그러모음 ; 수확 ; 집적(集積). ② (흔히 *pl.*) 〖洋裁〗 주름, 개더.

‡**gath·er·ing** [gǽðəriŋ] *n.* Ⓒ ① 모임, 회합, 집회《★ 주로 비공식적인, 격의없는 모임에 쓰임》: a family ~ (크리스마스 등의) 한 집안의 모임 / a social ~ 친목회 / a large ~ of people 많은 사람들의 모임 / There will be a ~ of world leaders in Seoul next month. 다음달 서울에서 세계 지도자들의 모임이 있다. ② Ⓤ,Ⓒ 채집, 수집, 채집 생활 ; 채집품, 수확, 집적(集積). ③ 〖醫〗 Ⓤ 화농 ; 고름 ; Ⓒ 종기. ④ (*pl.*) 〖洋裁〗 개더, 주름.

Gát·ling (gùn) [gǽtliŋ(-)] 개틀링 기관총《여러 개의 총신을 가진 초기의 기관총》.

GATT, Gatt [gæt] General Agreement on Tariffs and Trade (관세 무역에 관한 일반 협정), 가트.

gauche [gouʃ] *a.* 《F.》 솜씨가 서투른(awkward) ; 세련되지 못한.

gau·che·rie [gòuʃərí:, ˊ-ˊ] *n.* Ⓤ 《F.》 (사교에) 서투름 ; 세련되지 않음, 눈치 없음 ; Ⓒ 서투른 행동〔말〕.

gau·cho [gáutʃou] (*pl.* ~**s**) *n.* Ⓒ 가우초《남아메리카 카우보이 ; 스페인 사람과 인디언의 튀기》.

gaud [gɔ:d] *n.* ① Ⓒ 외양만 번지르르한 값싼 물건. ② (*pl.*) 화려한 의식.

gaudy** [gɔ́:di] (gaud·i·er*** ; ***-i·est***) *a.* ① (복장·장식 등이) 현란한, 야한 : a ~ dress 야한 복장 / ~ colors 야한 채색. ② (문체 등이) 지나치게 꾸민 : a ~ style. ── *n.* Ⓒ 축제《특히 영국의 대학에서 매년 졸업생을 위하여 베푸는 것》.

㊞ **gáud·i·ly** *ad.* **-i·ness** *n.* Ⓤ

gauge,** (美) 〔특히 전문어로서〕 **gage** [geidʒ] *n.* Ⓒ ① 표준 치수〔규격〕 ; (총포의) 내경(內徑), 구경(口徑) ; (철판의) 표준 두께. ② **a**) 계(량)기《우량계·풍속계·압력계 따위》; 자 ; (목공 등의) 줄치는 기구 : a rain〔pressure〕 ~ 우량〔압력〕계 / a wire ~ 와이어게이지 / a oil-pressure ~ 유압계. **b**) 용적, 용량, 범위, 한도. ③ 판단의 척도, 표준 ; 기준 : The number of fan letters is a ~ of an actor's popularity. 팬레터의 수는 배우의 인기의 척도다. ④ 〖鐵〗 게이지, 궤간(軌間) ; (자동차 따위의) 두 바퀴 사이의 거리 : a broad〔standard, narrow〕 ~ 광〔표준, 협〕궤(軌). ***take the ~ of …을 재다 ; …을 평가하다.

── (*p.*, *pp.* ~**d**; ***gáug·ing***) *vt.* ① (계기로) …을 정확히 재다, 측정하다 : ~ rainfall (with a rain ~) (우량계로) 강우량을 재다 / ~ the diameter of a wire 철사 굵기를 재다. ② …을 평가〔판단〕하다 : His mood can be ~*d* by his reaction. 그의 기분은 그의 반응으로 판단될 수 있다 / ~ the effect of TV on boys 아이들에 대한 TV의 영향을 평가하다. ③ …을 표준 치수에 맞추다.

Gau·guin [gougǽŋ] *n.* **Paul** ~ 고갱《프랑스의 화가 ; 1848-1903》.

***Gaul** [gɔ:l] *n.* ① 갈리아, 골《이탈리아 북부·프랑스·벨기에·네덜란드·스위스·독일을 포함한 옛 로마의 속령(屬領)》. ② **a**) 갈리아〔골〕 사람. **b**) 《戱》 프랑스 사람.

Gaull·ism [gɔ́:lizəm] *n.* Ⓒ 드골주의.

gaunt** [gɔ:nt] (ˊ·er*** ; ˊ·***est***) *a.* ① 수척한, 몹

시 여윈; 눈이 퀭한: a ~ old man 말라 빠진 노인 / Looking ~ and tired, he denied there was anything to worry about. 그는 수척하고 지친 모습이었으나 걱정거리는 아무 것도 없다고 했다. ② (장소가) 황량한, 쓸쓸한; 기분이 섬뜩한: a ~ desert〔moor〕 황량한 사막〔벌판〕.
㊕ ∠·ly *ad.* ∠·ness *n.*

gaunt·let[1] [gɔ́:ntlit, gá:nt-] *n.* Ⓒ ①〖史〗 (갑옷의) 손가리개. ② (승마·펜싱 등에 쓰는 쇠 혹은 가죽으로 만든) 긴 장갑. ***take*〔*pick*〕 *up the*** ~ 도전에 응하다; 반항적 태도를 보이다. ***throw*** 〔***fling***〕 ***down the*** ~ 도전하다.

gaunt·let[2] *n.* ① (the ~) 태형《예전 군대에서, 두 줄로 늘어선 사람들 사이를 죄인에게 달려가게 하고 양쪽에서 매질하는 형벌》. ② 시련(試練). ***run the*** ~ (1) 심한 비평이나 시련을 받다. (2) 태형을 받다.

gauss [gaus] (*pl.* ~, ~·*es*) *n.* Ⓒ〖物〗 가우스《자기력선속(磁氣力線束)의 CGS 단위; 기호 G》.

Gau·ta·ma [gɔ́:təmə, gáu-] *n.* 고타마(=≒ **Búddha**)《석가모니(563?-?483 B.C.)의 처음 이름》.

***gauze** [gɔ:z] *n.* Ⓤ ① 성기고 얇은 천, 거즈; 사(紗): a ~ curtain 사(紗)로 만든 커튼 / as fine as ~ 사처럼 얇은. ② (가는 철사로 뜬) 철망(wire ~). ③ 엷은 안개(thin mist). ㊕ ∠·like *a.*

gauzy [gɔ́:zi] (***gauz·i·er*** ; ***-i·est***) *a.* 사(紗)와 같은; 얇고 가벼운〔투명한〕: a ~ mist 엷은 안개.

†**gave** [geiv] GIVE 의 과거.

gav·el [gǽvəl] *n.* Ⓒ (의장·경매인 등의) 나무망치, 의사봉, 사회봉.

gav·el-to-gav·el [-tə-] *a.* 〔限定的〕 개회에서 폐회 때까지.

ga·vi·al [géiviəl] *n.* Ⓒ 인도산의 턱이 긴 악어.

ga·votte [gəvát / -vɔ́t] *n.* Ⓒ 가보트《프랑스의 활발한 4/4 박자의 춤》; 그 곡.

gawk [gɔ:k] *n.* Ⓒ 멍청이, 얼뜨기, 얼간이.
— *vi.* 《美口》 멍하니 (넋잃고) 바라보다《*at*》.

gawky [gɔ́:ki] (***gawk·i·er*** ; ***-i·est***) *a.* 멍청한, 얼빠진, 얼뜨기의: Ten years ago she was a ~ teenager. 10년 전에 그녀는 얼뜨기 십대였다.
㊕ **gáwk·i·ly** *ad.* **-i·ness** *n.*

gawp [gɔ:p] *vi.* 《英口》 멍청히 입을 벌리고 바라보다《*at*》: They stood ~*ing* open-mouthed *at* me. 그들은 입을 벌리고 멍청히 나를 바라보며 서 있었다.

‡**gay** [gei] (∠·***er*** ; ∠·***est***) *a.* ① 명랑한(merry), 즐거운, 쾌활한: ~ music 명랑한 음악 / ~ children 쾌활한 아이들 / ~ laughter 쾌활한 웃음소리. ② (색채·복장 등이) 화미(華美)한, 화려한 (bright): ~ colors / The room was ~ with various ornaments. 방은 여러가지 장식으로 화려했다. ③《婉》 방탕한, 음탕한; 들뜬: a ~ lady 바람난 여자 / the ~ quarters 홍등가, 화류계 / lead a ~ life 방탕하게 지내다. ④《口》 동성애(자)의: a ~ organization 동성애자 조직. ⑤《美俗》 건방진, 뻔뻔스러운: Don't get ~ with me. 건방진 소리 마라, 버릇없이 굴지 마라. — *n.* Ⓒ 《口》 동성애자, 게이, 호모.
㊕ ∠·ly ⇨ GAILY. ∠·ness *n.* =GAIETY.

gáy bár 《美俗》 게이 바《동성애자가 모이는 술집》.

gayety ⇨ GAIETY.

Ga·za [gá:zə, gǽ-, géi-] *n.* 가자《Gaza Strip 에 있는 항구 도시; 삼손(Samson)이 죽은 곳(사사기 XVI: 21-30)》.

Gáza Stríp (the ~) 가자 지구《시나이 반도 동북부에 접하는 지구, 1994년 팔레스타인의 잠정 자치 개시》.

‡**gaze** [geiz] *n.* (*sing.*) 응시, 주시, 눈여겨봄; (뚫어지게 보는) 시선: look with a fixed ~ 뚫어지게 보다 / a steady ~ 응시 / His ~ fell upon me. 그의 시선은 내게 멎었다 / He could hardly meet her ~ for shame. 그는 부끄러워 그녀의 시선을 바로 볼 수 없었다.
— *vi.* 《~ / +副 / +前+名》 (흥미·기쁨 따위로) 지켜보다, 응시하다《*at* ; *on, upon* ; *into*》: ~ *about* 〔*around*〕 (주변을) 둘러보다 / He ~*d* on 〔upon〕 her in bewilderment. 그는 당혹하여 그녀를 지그시 바라보았다 / He ~*d into* my face. 그는 내 얼굴을 지그시 들여다보았다 / What are you *gazing at*? 뭘 그렇게 보고 있나《★ 호기심·놀람·경멸 등의 표정으로 응시할 때는 stare 를 쓸 때가 많음》. ~ ***after*** …의 뒷모습을 응시하다: They were *gazing after* the slowly vanishing boat. 그들은 천천히 사라지는 배를 바라보고 있었다.

ga·ze·bo [gəzí:bou, -zéi-] (*pl.* ~(***e***)***s***) *n.* Ⓒ (옥상·정원 따위의) 전망대, 노대(露臺).

ga·zelle [gəzél] (*pl.* ~(***s***)) *n.* Ⓒ〖動〗 가젤《소형의 아프리카 영양의 일종》.

gaz·er [géizər] *n.* Ⓒ 눈여겨보는〔응시하는〕 사람; 《俗》 경관, 마약 단속관.

***ga·zette** [gəzét] *n.* Ⓒ ① 신문, (시사 문제 등의) 정기 간행물; (G-) …신문《명칭》: The Evening *Gazette* 이브닝지(紙). ②《英》 관보, 공보(official ~); (Oxford 대학 등의) 학보.
— *vt.* 《英》〔흔히 受動으로〕 (인명·승진 등)을 관보에 싣다, 관보로 공시(公示)하다: His retirement was ~*d* yesterday. 그의 퇴임이 어제 관보에 실렸다 / He was ~*d* major. 그의 육군 소령 승진이 관보에 공시되었다.

gaz·et·teer [gæ̀zətíər] *n.* Ⓒ ① 지명(地名) 사전. ② (지도책·사전 등 권말의) 지명 색인.

gaz·pa·cho [gəzpá:tʃou] *n.* Ⓤ 가스파초《잘게 자른 토마토·오이·양파 따위에 올리브유·식초를 넣어 만든 수프로, 차게 먹는 스페인 요리》.

ga·zump [gəzʌ́mp] *vt.* 《英俗》 ① (아무)를 속이다. ② (팔기로 약속해 놓고) 집값을 듬뿍 올려 (살 사람을) 난처하게 하다.

G.B. Great Britain. **G.B.H.** grievous bodily harm. **G.B.S.** George Bernard Shaw. **G.C.** 《英》 George Cross. **GCA, G.C.A.** 〖空〗 ground control(led) approach(지상 유도 착륙 (방식)). **G.C.D., g.c.d.** greatest common divisor. **G.C.E.** 《英》 General Certificate of Education(일반 교육 증명서, 대학 입학 자격을 인정하는 시험).

G clèf [dʒí:-] 〖樂〗 사 음자리표.

G.C.S.E. General Certificate of Secondary Education(중등 교육 일반 증명 시험). **Gd** gadolinium. **GDP** gross domestic product(국내 총생산). **gds.** goods. **Ge** 〖化〗 germanium. **GE** 《美》 General Electric (Company).

‡**gear** [giər] *n.* Ⓤ,Ⓒ ①〖機〗 전동 장치(傳動裝置); 기어, 톱니바퀴 장치; 활차(滑車): reverse ~ 후진 기어 / four forward ~*s* and one reverse 전진 4단, 후진 1단 기어 / He shifted〔changed〕 ~(*s*) from low to high. 그는 기어를 저속에서 고속으로 바꾸었다 / He put the car in ~ and drove away. 차에 기어를 넣고 차를 몰고 떠났다. ② (특정 용도의) 의복: Police in riot ~ arrived to control the protesters. 폭동 진압 보호 장구를 착용한 경찰이 시위자들을 통제하기 위해 도착했다. ③ (특정 용도에 쓰는) 기구, 도구, 용구; 가구; 일용품: All his camping ~ was packed in the rucksack. 그는 모든 캠핑 장비를 륙색 속에 챙겨 넣었다 / fishing ~ 낚시 도구 / medical ~ 의료 기구 / 《英

口》 (젊은이용의) 유행하는 복식품(服飾品) : teenage ~ 틴에이저의 (유행)복. ④ 마구(馬具)(harness) ; 장구(裝具) ; 선구(船具)(rigging). ***change*** 〔***shift***〕 ~ (1) 변속하다, 기어를 바꾸다. (2) (태도·방법을) 바꾸다. ***get*** 〔***go, move***〕 ***into*** ~ 순조롭게 움직이기 시작하다, 궤도에 오르다. ***go*** 〔***move***〕 ***into high*** ~ 최대의 활동을 시작하다. ***in*** ~ 기어가 걸려, 차의 기어를 넣어 ; 준비가 갖추어져, 원활히 운전하여, 순조롭게 : Everything is *in* ~. 만사 쾌조임. ***in high*** ~ 최고 속도로, 최고조에. ***out of*** ~ 기어가 풀려서, 차의 기어를 빼어 ; 원활치 못하여. ***throw*** 〔***put***〕 ... ***out of*** ~ …의 기어를 풀다 ; …의 운전을 방해하다, 상태를 원활치 못하게 하다.

— *vt.* ①《+[목]+[부]》 …에 기어를 넣다《*up*》, (기계)를 걸다《*to*》: ~ the machine 기계의 기어를 넣다 / ~ a motor *to* the wheels 모터를 차륜에 연동(連動)시키다. ②《+[목]+[전]+[명]》 …을 (계획·요구 따위에) 맞게 하다, 조정하다《*to*》: The producers ~*ed* their output *to* seasonal demands. 생산자들은 생산을 계절적 수요에 맞추었다.

— *vi.* 연결되다, (톱니바퀴가) 맞물리다《*into*》; (기계가) 걸리다《*with*》; 적합하다《*with*》. ~ ***down*** 기어를 저속으로 넣다 ; (활동·생산 따위 등을) 억제하다, 감소하다 ; (정도 따위를) 낮추다《*to*》. ~ ***up*** 기어를 고속으로 넣다 ; 준비를 갖추다《*for*》; (산업·경제 따위를) 확대하다 ; 준비시키다 : The team is ~*ing up for* the game. 그 팀은 경기에 대비해서 준비를 하고 있다.

gear·box [ˊ-bɑ̀ks / -bɔ̀ks] *n.* [C] 〖機〗 ① =GEAR CASE. ② (자동차의) 변속기.

géar càse 〖機〗 톱니바퀴 상자《전동(傳動) 장치를 덮는》.

gear·ing [gíəriŋ] *n.* [U] 〔集合的〕 전동〔톱니바퀴〕 장치.

géar lèver〔**stìck**〕《英》= GEARSHIFT.

gear·shift [ˊ-ʃìft] *n.* [C] 《美》 변속 레버, 기어 변환 장치.

gear·wheel [ˊ-*h*wìːl] *n.* [C] 〖機〗 (큰) 톱니바퀴(cogwheel).

gecko [gékou] (*pl.* ~***s***, ~***es***) *n.* [C] 〖動〗 (열대산) 도마뱀붙이.

gee[1]**, gee-gee** [dʒiː], [dʒíːdʒìː] *n.* [C] 《英俗·兒》 말(horse), 《특히》 경주마.

gee[2] *int.* 〔흔히 다음 成句로〕 ~ ***up*** (아무)를 격려하다 ; (말을 몰 때 명령조로) 이러, 어디여.

gee[3] *int.* 《美口》 아이고, 깜짝이야, 놀라워라 : "*Gee*, honey, is that all your own hair?" '아니, 여보, 이것이 모두 당신 머리카락이오.' ***Gee whiz*** (***z***)***!*** 깜짝이야. [◂Jesus]

gee[4] *n.* [C] (흔히 *pl.*) 《美俗》 1,000 달러.

‡**geese** [giːs] GOOSE 의 복수.

gee-whiz [dʒíː*h*wíz] *a.* ① (말·표현 등이) 사람을 선동하는 : ~ journalism 선정적 저널리즘. ② 《美口》 경탄할 만한, 깜짝 놀라게 할 만한 : ~ technology 놀랄 만한 기술. [◂Gee whiz(z)!]
— *int.* =GEE[3].

gee·zer [gíːzər] *n.* [C] 《俗》 괴짜 노인〔노파〕, 노틀.

Ge·hen·na [gihénə] *n.* ① 〖聖〗 힌놈(Hinnom)의 골짜기《Jerusalem 근처에 있는 쓰레기터, 페스트 예방을 위하여 끊임없이 불을 태웠음 ; 예레미야 Ⅶ : 31》. ② [U] 초열 지옥 ; 〖新約〗 지옥(Hell). ③ [C] 〔一般的〕 고난의 땅.

Géi·ger (-Mül·ler) cóunter [gáigər (mjúːlər) -] 〖物〗 가이거(뮐러) 계수관(計數管)《방사능 측정기》.

gel [dʒel] *n.* [U,C] 〖物·化〗 겔.
— (**-ll-**) *vi.* ① 교질화(膠質化)하다 ; 굳어지다. ② 《英》 (계획·생각 등이) 구체화하다 : My ideas are beginning to ~. 내 생각이 구체화되기 시작한다. [파] ˊ·**a·ble** *a.*

***gel·a·tin, -tine** [dʒélətən], [dʒélətən / dʒèlətíːn] *n.* [U] 젤라틴, 정제한 아교.

ge·lat·i·nous [dʒəlǽtənəs] *a.* 젤라틴 모양의《에 관한》, 아교질의 ; 안정된.

geld (*p., pp.* ~·***ed*** [géldid], ***gelt*** [gelt]) *vt.* ① (말 따위)를 거세하다, 불까다. ② …에서 정기(精氣)를 없애다.

geld·ing [géldiŋ] *n.* [C] 거세한 동물.

gel·id [dʒélid] *a.* 얼음 같은, 어는 듯한, 극한의(icy) ; 냉담한(frigid). [파] ~·**ly** *ad.* **ge·lid·i·ty** [dʒəlídəti] *n.*

gel·ig·nite [dʒélignàit] *n.* [U] 젤리그나이트《니트로글리세린을 함유한 강력 폭약의 일종》.

gelt [gelt] GELD 의 과거·과거분사.

‡**gem** [dʒem] *n.* [C] ① 보석, 보옥 ; 주옥(珠玉) : ~ cutting 보석 연마(술). ② 귀중품 ; 일품(逸品) ; 보석과 같은 것〔사람〕: the ~ *of* a collection 수집품 중의 빼어난 것 / a ~ *of* a boy 옥동자 / a ~ *of* a poem 주옥 같은 한 편의 시.
— (**-mm-**) *vt.* …을 보석으로 장식하다 ; (보석을) 박다.

gem·i·nate [dʒémənit, -nèit] *a.* 〖植·動〗 쌍생의, 짝을 이룬. — [-nèit] *vt., vi.* (…을) 2 배로〔2 중으로〕 하다〔되다〕; 겹치다, 겹쳐지다 ; 쌍으로 늘어놓다〔서다〕.

Gem·i·ni [dʒémənài, -ni] *n. pl.* 〔單數 취급〕 〖天〗 쌍둥이자리 ; 쌍자궁(雙子宮)(the Twins).

gem·ma [dʒémə] (*pl.* ***-mae*** [-miː]) *n.* [C] 〖植〗 무성 생식체 ; 무성아(無性芽).

gem·(m)ol·o·gy [dʒemɑ́lədʒi / -mɔ́l-] *n.* [U] 보석학. [파] **-gist** *n.* [C] 보석학자〔감정인〕.

gem·stone [dʒémstòun] *n.* [C] 보석용 원석(原石), 귀석(貴石) ; 준(準)보석.

gen [dʒen] 《英口》 *n.* [U] (the ~) (일반) 정보 ; 진상(the truth)《*on*》.
— (**-nn-**) *vt., vi.* 〔다음 成句로〕 ~ ***up*** (남에게) 정보를 주다〔얻다〕, 가르치다〔알다〕《*about* ; *on*》.

Gen. 〖軍〗 General ; 〖聖〗 Genesis. **gen.** gender ; general ; genitive ; genus.

-gen, -gene '…을 생기게 하는 것, …에서 생긴 것'이란 뜻의 결합사 : hydro*gen*.

gen·co [dʒénkou] *n.* [C] (*pl.* ~***s***) 《英》 전력회사.

gen·darme [ʒɑ́ːndɑːrm] *n.* [C] (*pl.* ~***s***) 《F.》 (프랑스 등지의) 헌병 ; 경찰.

gen·der [dʒéndər] *n.* [U,C] ① 〖文法〗 성(性), 성칭(性稱) : masculine〔feminine, neuter〕 ~ 남〔여, 중〕성 / German has three ~*s*. 독일어에는 세 가지 성이 있다. ② 《口》 (사람의) 성, 성별(sex).

gen·der-ben·der [ˊ-bèndər] *n.* [C] 《口》 이성(異性)의 복장을 하는 사람.

génder gàp (the ~) 사회 여론이 남녀의 성별로 갈리는 일.

gene [dʒiːn] *n.* [C] 〖生〗 유전자, 유전 인자, 겐 : a recessive ~ 열성(劣性) 유전자.

ge·ne·a·log·ic, -i·cal [dʒìːniəlɑ́dʒik, dʒèn- / -lɔ́dʒ-], [-ikəl] *a.* 계도〔족보〕의 ; 가계의 ; 계통을 표시하는 : a *genealogical* table〔chart〕 족보 / a *genealogical* tree (한집안·동식물의) 계통수(樹). [파] **-i·cal·ly** [-ikəli] *ad.*

ge·ne·al·o·gy [dʒìːniǽlədʒi, -ɑ́l-, dʒèn-] *n.* ① [C] 가계, 혈통 ; (동식물·언어의) 계도 ; 계통. ② [U] 계보학, 계통학. ③ [U] (동식물 등의) 계통 연구. [파] **-gist** *n.* [C] (계)보학자 ; 계도가.

géne amplificàtion 〖遺〗 유전자 증식(增殖).

géne bànk 유전자 은행(銀行).

géne màp 〚遺〛 유전자 지도(genetic map).

géne pòol 〚遺〛 유전자 풀《유성(有性) 생식하는 생물 집단이 가지는 유전자의 전체》.

gen·e·ra [dʒénərə] GENUS 의 복수.

‡**gen·er·al** [dʒénərəl] (*more* ~; *most* ~) *a.* ① (특수한 것이 아닌) 일반의, 보통의, 보편적인; 잡다한. OPP *special.* ¶ the ~ public 일반 대중 / ~ culture 일반 교양 / ~ affairs 총무, 서무 / a ~ clerk 서무계(係) / a ~ dealer 《英》 잡화상(인) / ~ principles 통칙, 일반원칙 / a ~ reader (전문가가 아닌) 일반 독자. ② 대체적인, 총괄적인, 개략의; 막연한(vague). OPP *specific, definite.* ¶ in ~ terms 개괄적인 말로 / a ~ impression 대체적인 인상 / a ~ outline 개요, 개관; 총칙 / ~ resemblance 대동소이 / ~ rules 총칙. ③ 전반에 걸치는, 전체적〔총체적〕인, 보편적인. OPP *particular.* ¶ a ~ agency 총대리점 / ~ cleaning 대청소 / a ~ attack 총공격 / a ~ examination 전과목 시험 / a ~ manager 《美》 총지배인 / a ~ meeting 〔council〕 총회 / a ~ war 전면 전쟁 / ~ provisions 〚法〛 총칙, 통칙. ④ 전체에 공통되는, 세간에 널리 퍼진, 보통의: a word in ~ use 세상에서 널리 쓰이는 말 / There is a ~ interest in sports. 스포츠는 일반이 모두 흥미를 갖고 있다 / a ~ opinion 여론 / the ~ good 공익. ⑤ 〔관직명 뒤에 붙여〕 총…, 장관의; (신분·권한이) 최상위의(chief): a governor ~ 총독 / attorney ~ 법무 장관. ⑥ (군의) 장관〔장성〕급의: a ~ officer (군의) 장성, 장관. ***as a ~ rule*** 〔文章修飾〕 대개, 대체로, 일반적으로: *As a ~ rule,* the artist is not a propagandist. 대체로 예술가는 선전이 서투르다. ***in a ~ sense*** 보통의 뜻으로. ***in a ~ way*** 일반적으로, 대체로.

— *n.* Ⓒ ① 〚軍〛 육군〔공군〕 대장(full ~); 장관(將官), 장군, 장성《준장 brigadier ~, 소장 major ~, 중장 lieutenant ~, 대장 full ~》《★ 미국에서는 장관의 계급을 별의 수로 나타내므로, 통속적으로 준장·소장·중장·대장·원수의 5 계급을 각각 a one-star 〔two-star, three-star, four-star, five-star〕 general 〔admiral〕이라고 부름. ② 군사령관; 병법가, 전략〔전술〕가; (구세군의) 대장; 《美俗》 〔一般的〕 장(長): a good 〔bad〕 ~ 뛰어난〔서투른〕 전략가 / He's no ~. 그는 전략가로서는 틀렸다. ***in*** ~ 일반적으로, 대체로, 보통. ***people in*** ~ 일반 대중.

géneral ágent 총대리인〔점〕《略: GA》.

Géneral Américan 일반 미국 영어《New England 및 남부를 제외한 미국 대부분의 지방에서 일상 쓰이는 영어(의 발음)》.

Géneral Assémbly (the ~) 《美》 주의회; 국제 연합 총회《略: G.A.》; (the g- a-) (장로교회 따위의) 총회, 대회.

géneral éditor 편집장, 편집 주간(chief editor).

géneral educátion (a ~) (전문 교육에 대하여) 일반〔보통〕 교육.

géneral eléction 총선거.

Géneral Eléction Dày 《美》 총선거일《4 년마다의 11 월의 제 1 월요일의 다음 화요일; 공휴일》.

géneral héadquarters 총사령부《略: G.H.Q., GHQ》.

géneral hóspital 종합 병원; 〚軍〛 통합 병원.

gen·er·al·ist [dʒénərəlist] *n.* Ⓒ 다방면에 지식이 있는 사람, 박식한 사람 《★ 전문가에는 경멸해서 쓰이는 일이 있음》. OPP *specialist.*

gen·er·al·i·ty [dʒènərǽləti] *n.* ① (종종 *pl.*) 일반론, 개설; 개론, 통칙: talk in *generalities* 개괄적으로 말하다. ② (흔히 the ~) 〔複數 취급〕 다수, 과반수, 대부분《★ majority 가 일반적임》: *the ~ of* people 대부분의 사람들 / *The ~ of* students work hard. 대다수의 학생들은 근면하다 / Such attempts end in failure in *the ~ of* cases. 그러한 시도는 대개의 경우 실패로 끝난다. ③ Ⓤ 일반적임, 일반성, 보편성: a rule of great ~ 극히 일반적인 규칙.

***gen·er·al·i·za·tion** [dʒènərəlizéiʃən] *n.* ① Ⓤ 일반화, 보편화. ② Ⓒ 귀납적 결과; 개념, 통칙; 일반론: be hasty in ~ =make a hasty ~ 속단〔지레짐작〕하다 / You make too many sweeping ~*s.* 너는 너무 뭉뚱그려 말하는 경향이 있다.

***gen·er·al·ize** [dʒénərəlàiz] *vt.* ① (원리·규칙 등)을 일반화〔보편화〕하다; (일반에게) 보급시키다. ② (…에서 법칙·결론)을 도출하다《*from*》. — *vi.* ① (…에 관해) 개괄적으로 논하다《*about*》: It's dangerous to ~ *about* people. 사람에 대해 일반론을 편다는 것은 위험하다. ② (…에서) 결론을 도출하다, (…으로부터) 개괄하다《*from*》: It is too soon to ~ *from* these findings. 이들 결과들로부터 결론을 도출하기에는 너무 이르다.
㊞ **-iz·er** [-ər] *n.* **-ized** *a.* 일반화된.

†**gen·er·al·ly** [dʒénərəli] (*more* ~; *most* ~) *ad.* ① 일반적으로, 널리(widely): a man ~ esteemed 널리 신망을 얻고 있는 인물 / The idea has not been ~ accepted. 그 생각은 일반적으로 인정되지 않고 있다. ② 보통, 대개: He ~ comes at noon. 대개 정오에 옵니다. ③ 전반에 걸쳐, 여러 면으로: She helps ~ in the house. 집안 살림을 여러 모로 돕고 있다. ④ 〔複數꼴과 함께〕 대체로: Little girls ~ like red. 소녀들은 대개 붉은 색을 좋아한다. ~ ***speaking*** =***speaking*** ~ =***to speak*** ~ 일반적으로 (말하면)《독립구》: *Generally speaking,* the Germans are taller than the French. 대체로 독일 사람이 프랑스 사람보다 키가 크다.

géneral póst òffice (the ~) 《美》 (도시의) 중앙 우체국; (the G- P- O-) (영국의) 런던 중앙 우체국《略: G.P.O.》.

géneral práctice 〚醫〛 일반 진료《특진(特診)에 대한》: She worked for several years as a hospital doctor and now she's in ~. 그녀는 수년간 병원에서 의사로 근무했고 지금은 개업 중이다.

géneral practítioner 일반 진료의(醫); (내과·외과의) 일반 개업의《★ 《口》로는 family doctor 라고도 함; 略: G.P.》.

gen·er·al-pur·pose [dʒénərəlpə́ːrpəs] *a.* 다목적의, 다용도의; 만능의(all-around): a ~ farm vehicle 다목적 농업용 차량 / a ~ tool 만능 공구.

géneral púrpose ínterface bùs 〚컴〛 범용(汎用) 인터페이스 버스《略: GP-IB》.

gen·er·al·ship [dʒénərəlʃip] *n.* ① Ⓤ 장군으로서의 기량(器量); 용병·전략의 수완; 〔一般的〕 지휘 능력, 통솔력. ② Ⓤ,Ⓒ 대장〔장군〕의 직〔지위, 신분〕.

géneral stáff (the ~) 〔集合的〕 〚軍〛 (사단, 군단 따위의) 참모(부), 막료: *the General Staff Office* 참모 본부.

géneral stóre 《美》 (시골의) 잡화점, 만물상(萬物商).

géneral stríke 총파업.

Géneral Wínter 〔擬人的〕 동장군(冬將軍).

***gen·er·ate** [dʒénərèit] *vt.* ① (전기·열 따위)를 발생시키다, 일으키다: ~ electricity by nuclear power 원자력으로 발전하다 / Friction ~*s* heat. 마찰로 열이 생긴다. ② (결과·상태·행동·감정 등)을 야기〔초래〕하다, 가져오다《★ 이 경우 cause 가 일반적》: His speech ~*d* mistaken opinions. 그의 연설로 여러가지 잘못된 의견들이 나왔다. ③ **a)** 〚數〛 (점·선·면이 움직여 선·면·입체)를 이

루다, 형성하다. **b)** 〖言〗 (규칙의 적용에 의해 문(文))을 생성하다. **c)** (새 개체(個體))를 낳다.

gén·er·at·ing stàtion 〔plànt〕 [dʒénərèitiŋ-] 발전소.

‡gen·er·a·tion [dʒènəréiʃən] *n.* ① Ⓒ 세대, 대(代)《대개 부모 나이와 자식 나이의 차에 상당하는 기간; 약 30 년》: three ~*s*, 3 대 / a ~ ago 한 세대〔약 30년〕 전 / All that happened a ~ ago. 한 세대나 전의 이야기다 / His family has lived in this city for many ~*s*. 그의 집안은 이 도시에서 여러 대를 살고 있다. ② 〔集合的〕 **a)** 한 세대의 사람들: the younger 〔rising〕 ~ 젊은 세대, 젊은이들 / the present〔last, coming〕 ~ 현〔전, 다음〕 세대의 사람들 / the future ~ 후세 (사람들). **b)** 어떤 사상·행동 등을 함께 하는 동시대의 사람들: the rock-and-roll ~ 로큰롤(시대에 자란) 세대 / beat ~ 비트족. ③ 자손, 일족. ④ Ⓤ 산출, 발생, 출생, 생식: spontaneous ~ 〖生〗 자연 발생 / the ~ of electricity by atomic energy 원자력에 의한 발전 / the ~ of hatred by racial prejudice 인종간의 편견에 의한 증오의 유발. ⑤ Ⓒ (기계·상품 등, 종래의 형을 발전시킨) 형(型), 타입: fifth-~ computer 제 5 세대의 컴퓨터 / the new ~ of supersonic air-liners 신형〔신세대〕의 초음속 여객기. ***alternation of ~s*** 〖生〗 세대 교번. ***from ~ to ~*** = ***~ after ~*** 대대로 계속해서.

generátion gàp (the ~) 세대차, 세대간의 단절: bridge *the* ~ 세대간의 단절을 메우다.

gen·er·a·tive [dʒénərèitiv, -rətiv] *a.* ① 생식의〔하는〕; 발생의〔하는〕; 생식력〔생성력〕이 있는: the ~ organ 생식기 / a ~ cell 〖生〗 생식 세포《특히 배우자》/ ~ force 〔power〕 발생〔원동〕력. ② 〖言〗 생성적인.

génerative grámmar 〖言〗 생성 문법.

***gen·er·a·tor** [dʒénərèitər] *n.* Ⓒ ① 발전기 (dynamo); (가스·증기 따위의) 발생기〔장치〕. ② 발생시키는 사람〔것〕. ③ 〖컴〗 생성기, 생성(生成) 프로그램.

géne recombinátion 〖遺〗 유전자 재조합.

ge·ner·ic [dʒənérik] *a.* ① 〖生〗 속(genus)의; 속(屬)이 공통으로 갖는: a ~ name〔term〕 속명. ② **a)** 일반적인, 포괄적인(general): "Stationery" is the ~ term for paper, pens, etc. '문방구'는 종이, 펜 등을 가리키는 일반적인 명칭이다. **b)** 〖文法〗 총칭적인. **c)** 상표등록에 의해 보호되어 있지 않은《상품명〔약〕》: a ~ drug 상표 미등록 약품. ***the ~ person*** 〖文法〗 총칭 인칭《일반적으로 사람을 가리키는 one, you, we, they 등》. ***the ~ singular*** 〖文法〗 총칭 단수《The dog is a faithful animal. 의 dog 처럼 그 속하는 종류 전체를 가리키는 단수꼴》. ㊞ **-i·cal** *a.* **-i·cal·ly** [-ikəli] *ad.* 속에 관해서, 속적(屬的)으로; 총칭적으로; 일반적으로.

***gen·er·os·i·ty** [dʒènərásəti / -rɔ́s-] *n.* ① Ⓤ 활수(滑手), 헙헙함: make a show of one's ~ 자기의 손큰 것을 과시하다 / I was surprised at his ~. 그의 활수한 데는 놀랐다. ② Ⓤ 관대, 아량; 고결: treat the captives with ~ 포로를 너그럽게 대하다. ③ Ⓒ (흔히 *pl.*) 관대한〔활수(滑手)한〕 행위. ◇ generous *a.*

‡gen·er·ous [dʒénərəs] (***more ~ ; most ~***) *a.* ① 활수한, 손이 큰, 후한: be ~ *with* one's money 돈을 잘 쓰다 / She is always ~ *in* giving help to her neighbor. 그녀는 이웃에게 늘 후하다. ② 푸짐한, 풍부한(plentiful): a ~ bosom 풍만한 가슴 / a ~ harvest 풍작 / a ~ branch 잎이 무성한 나뭇가지 / a ~ table 음식이 푸짐한 식탁. ③ 관대한, 아량 있는; 고결한; 편견 없는: a ~ nature 관대한 성품 / Try to be more ~ in your judgment of others. 남을 평가할 때에는 보다 관대하도록 힘써라 / The wise ruler is ~ in victory. 현명한 통치자는 승리한 경우에 너그럽다. ④ (땅 따위가) 건, 비옥한(fertile); (포도주가) 진한, 독한, 감칠맛 나는(rich): ~ soil 비옥한 땅 / a ~ wine. ◇ generosity *n.* ㊞ ***~·ly** *ad.* 활수하게, 푸짐하게; 관대하게. **~·ness** *n.*

gen·e·sis** [dʒénəsis] (*pl.* ***-ses [-siːz]) *n.* ① Ⓤ,Ⓒ (흔히 the ~) 발생, 창생(創生); 기원(origin), 내력: *the* ~ of civilization 문명의 기원 / Scientists are carrying out research into *the* ~ of cancer. 과학자들은 암 발생에 대한 연구를 하고 있다. ② (the G-) 〖聖〗 창세기《구약 성서의 제 1 권》.

gene-splic·ing [dʒíːnsplàisiŋ] *n.* Ⓤ 〖生〗 유전자 접합.

géne thèrapy 〖遺〗 유전자 치료《결손한 유전자를 보충하여 유전병을 고침》.

ge·net·ic, -i·cal [dʒinétik], [-əl] *a.* 발생〔유전, 기원〕의; 발생적〔유전학적〕인: *genetic* material 유전자 물질. ㊞ **-i·cal·ly** *ad.*

genétic códe (the ~) 〖遺〗 유전 암호〔정보〕.

genétic engineéring 유전자 공학.
㊞ **genétic engineér** *n.*

genétic fíngerprint(ing) 유전자 지문(법)《DNA 를 분석해 범인 등을 가림; 지문 조회보다 정밀도가 높음》.

ge·net·i·cist [dʒinétəsist] *n.* Ⓒ 유전학자.

genétic máp 〖遺〗 = GENE MAP.

genétic márker 〖遺〗 유전 표지(標識)《유전학적 해석(解析)에서 표지로 쓰이는 유전자〔형질〕》.

genétic mutátion 유전자 돌연변이, 유전 변종(變種).

ge·net·ics [dʒinétiks] *n.* Ⓤ ① 유전학(遺傳學). ② 〔複數취급〕 유전적 특질.

géne transplantàtion 유전자 이식.

***Ge·ne·va** [dʒəníːvə] *n.* 제네바《스위스의 도시》(★ '주네브'는 프랑스어식 읽기(Genève)).

Genéva bánds (스위스의 Calvin 파 목사가 사용한 것과 같은) 목 앞에 늘어뜨리는 2매의 하얀 헝겊의 장식 띠.

Genéva Convéntion (the ~) 제네바 협정《1864-65 년 체결한 적십자 조약; 야전 병원의 중립 및 병상병(病傷兵)·포로의 취급을 협정한 조약》.

Gen·ghis Khan [dʒéŋgis-káːn, dʒén-] 칭기즈칸《몽고 제국의 시조; 1162-1227》.

gen·ial** [dʒíːnjəl, -niəl] (more ~ : most ~***) *a.* ① (기후·풍토 따위가) 온화한, 기분 좋은, 쾌적한: a ~ climate 온화한 풍토. ② (성품·태도 등이) 다정한, 친절한, 상냥한, 온정 있는: a ~ disposition 밝고 상냥한 성품 / a ~ smile 부드러운 미소 / The headteacher is an easy-going ~ man. 교장 선생님은 태평한데다 다정한 분이다. ㊞ **~·ly** *ad.*

ge·ni·al·i·ty [dʒìːniǽləti, -njǽl-] *n.* Ⓤ 온화, 쾌적; 친절, 싹싹함; 다정한 표정; Ⓒ (흔히 *pl.*) 친절한 행위〔말〕.

gen·ic [dʒénik] *a.* 〖生〗 유전자(gene)의.

ge·nie [dʒíːni] *n.* (*pl.* ***gen·ni***) ① 〖이슬람 神話〗 =JINN. ② (종종 동화에서 인간의 모습으로 나타나, 소원을 들어주는) 정령(精靈).

ge·ni·i [dʒíːniài] *n.* GENIUS, GENIE 의 복수.

gen·i·tal [dʒénətəl] *a.* 생식(기)의: the ~ gland 〔organs〕 생식선(腺)〔생식기〕. ── *n.* (*pl.*) 생식기, 외음부.

gen·i·ta·lia [dʒènətéiliə] *n.* (*pl.*) 〖解〗 생식기, 성기(genitals).

gen·i·tive [dʒénətiv] *n., a.* 〖文法〗 소유격(의), 속격(屬格)(의) : the ~ case 소유격, 속격 / In English, the ~ of nouns is usually formed by adding 's. 영어에서 명사의 소유격은 's를 붙여 만든다.

‡gen·ius [dʒíːnjəs, -niəs] (*pl.* ~·**es** ; ⇨ ⑥) *n.* ① Ⓤ 천재, 비상한 재주 : a person of ~ 천재 / There is ~ in the way he deals with children. 그가 아이들 다루는 방법에는 천재적인 재능이 있다. ② Ⓒ (a ~) (…에 대한) 특수한 재능, …의 재주 : have *a* ~ for music 〔poetry〕 음악〔시〕에 천재적인 소질이 있다 / She has *a* ~ for raising money. 그녀는 돈 마련하는 데는 비상한 재주가 있다. ③ Ⓒ 천재(적인 사람) : a ~ in language 어학의 천재 / an infant ~ 신동. ④ Ⓒ 천성, 소질, 타고난 자질 : a task suited to one's ~ 소질에 맞는 일. ⑤ Ⓤ (the ~) (시대·사회·국민 등의) 특질, 정신, 경향, 풍토, 사조《*of*》; (인종·언어·법률·제도 등의) 특성, 특징, 진수(眞髓)《*of*》; (고장의) 기풍, 분위기《*of*》: *the* ~ *of* modern civilization 현대 문명의 특징 / *the* ~ *of* the Elizabethan age 엘리자베스 왕조의 풍조〔시대 정신〕. ⑥ Ⓒ (*pl.* ***ge·nii*** [dʒíːniài]) (사람·토지·고장·시설의) 수호신, 터주 ; (선악을 불문하고) 영향력이 강한 사람 : one's evil 〔good〕 ~ 몸에 붙어다니는 악귀〔수호신〕; 나쁜〔좋은〕 감화를 주는 사람.

ge·ni·us lo·ci [dʒíːniəs-lóusai] 《L.》 (=genius of the place) ① 터주, (그 고장의) 수호신. ② (흔히 the ~) (그 고장의) 기풍, 분위기.

Gen·oa [dʒénouə] *n.* 제노바, 제노아《이탈리아 북서부에 있는 상항(商港); 원명 Genova》.

gen·o·cide [dʒénəsàid] *n.* Ⓤ (민족·국민 따위에 대한) 계획적 대량 학살, 민족〔종족〕 근절《2차 대전시 나치스에 의한 유대인 학살 등》.

gen·o·ci·dal [dʒènəsáidl] *a.* 민족〔집단〕 대학살의 : This ~ killing must be stopped. 이 집단 대학살은 중단되어야 한다.

Gen·o·ese [dʒènouíːz] *a.* 제노바(사람)의. ── (*pl.* ~) *n.* Ⓒ 제노바 사람.

gen·o·type [dʒénoutàip, dʒíːnə-] *n.* Ⓒ 〖生〗 유전자형(遺傳子型), 인자형(因子型). opp. *phenotype.* ㊕ **gè·no·týp·ic, -i·cal** [-típ-] *a.*

gen·re [ʒáːnrə] *n.* 《F.》 ① Ⓒ 유형(類型)(type) ; (특히 미술·문학의) 양식, 장르. ② Ⓤ 〖美術〗 풍속화(=∠ **páinting**).

gent [dʒent] *n.* Ⓒ ① 신사 ; 남자, 놈(fellow) : He always behaves like a true ~. 그 자는 늘 진짜 신사인 것처럼 군다 / Let's have a drink, ~*s* ! 어이, 우리 한잔하자. ② 〔the G-s('), the ~s('), 單數취급〕 남자용 화장실(men's room) : Pardon me, where's *the* ~*s* ? 실례합니다만, 남자 화장실이 어딥니까.

***gen·teel** [dʒentíːl] *a.* ① 품위 있는 ; 고상한, 점잖은, 우아한 ; 예의바른 : The mansion had an atmosphere of ~ elegance. 그 저택은 고아(古雅)한 분위기를 지녔다. ② 유행을 따르는, 멋진 ; 점잖은 체하는, 신사연하는 : affect ~ ignorance 젠체하며 모르는 척하다 / live in ~ poverty 가난하면서도 있는 체하며 살다. ③ (흔히, 비꼬아서) 상류 사회의, 집안이 좋은. ㊕ **~·ism** [-ìzəm] *n.* Ⓤ,Ⓒ 고상한 말, 점잖은 말투.

***gen·tile** [dʒéntail] *n.* Ⓒ (*or* G-) 〖聖〗 (유대인 입장에서) 이방인, 《특히》 기독교도 ; 《稀》 이교도 ; 《美》 (모르몬교도 사이에서) 비(非)모르몬교도. ── *a.* (*or* G-) 유대인이 아닌 ; 《특히》 기독교도의 ; 《美》 (*or* G-) 모르몬 교도가 아닌. ◇ gentility *n.*

gen·til·i·ty [dʒentíləti] *n.* Ⓤ ① 점잖은 체함 : shabby ~ 구차스러운 체면 유지. ② 〔集合的〕 (the ~) 상류 계급의 사람들. ◇ gentle *a.*

†gen·tle [dʒéntl] (***-tler; -tlest***) *a.* ① (기질·성격이) 온화한(moderate), 점잖은, 부드러운(mild), 친절한 : a ~ reproof 점잖은 꾸중 / by ~ means 평화적 수단으로 / a ~ person 〔smile〕 부드러운 사람〔미소〕/ He's ~ with children. 그는 아이들에게 친절하다. ② 부드러운, 조용한 ; (양념 등이) 독하지 않은, 순한(mild) : a ~ wind 부드러운 바람. ③ (경사 등이) 완만한, 점진적인 : a ~ slope 완만한 비탈. ④ 가문이〔지체가〕 좋은, 양가의, 본데 있는(well-born). ⑤ 예의 바른, 정중〔공손〕한(courteous) ; 세련된, 고상한. ⑥ (마음이) 고결한, 너그러운(tolerant).
── *n.* Ⓒ 《英》 (낚싯밥용의) 구더기.
── *vt.* ① 《口》 (말 따위)를 길들이다. ② …의 마음을 누그러뜨리다, 어루만지다, …를 친절히 대하다.

géntle bréeze 〖氣〗 산들바람.

gen·tle·folk(s) [-fòuk(s)] *n. pl.* 양가(良家)의 〔신분이 높은〕 사람들.

†gen·tle·man [dʒéntlmən] (*pl.* ***-men*** [-mən]) *n.* Ⓒ ① 신사《명예와 남의 입장을 존중할 줄 아는 남성》; 〔一般的〕 군자, 점잖은 사람 : He was a true ~. 그는 정말 신사였다 / Behave like a ~ ! 신사답게 굴어라 / An elderly ~ sat reading a newspaper in the corner of the waiting room. 노신사 한분이 대기실 모퉁이에 앉아 신문을 보고 있었다. ② (*pl.*) 《호칭》 여러분, 제군 ; 근계(謹啓)《회사 앞으로 보내는 편지의 허두》: Ladies and *Gentlemen !* ③ 남성《여성에 대한》; 남자분 : Who is that ~? 저 분은 누구냐 / This ~ wants to talk to you. 이 분이 너와 이야기하고 싶어하신다. ④ (*pl.*) 〔單數 취급〕 '남자용'《변소》. ⑤ 유한 계급의 사람, 놀고 지내는 사람 : a country ~ 시골의 유지. ⑥ 〔一般的〕 집안이 좋은 사람 ; 지위가 높은 사람. ⑦ (왕·귀인 등의) 시종(侍從) : the King's ~ 왕의 측근자. ⑧ (the ~) (미국 상·하원의) 의원 : *the* ~ from South Dakota 사우스 다코타주의 의원. ***a ~ in waiting*** 시종. ***a ~ of fortune*** 《戲》 해적 ; 모험가 ; 협잡꾼. ***a ~ of the press*** 신문 기자. ***a ~ of the road*** 노상 강도 ; 부랑자, 거지. ***a ~ of the three outs*** 삼무인(三無人)《돈 없고, 옷 떨어지고, 신용 잃은(out of pocket, out of elbow, out of credit) 사람》.

gen·tle·man-at-arms [-ətáːrmz] (*pl.* ***-men-***) *n.* Ⓒ (영국 국왕의) 의장(儀仗) 친위병.

gen·tle·man-farm·er [-fáːrmər] (*pl.* ***-men-farm·ers***) *n.* 호농(豪農), 농장 경영자 ; (따로 수입이 있어) 취미로 농경에 종사하는 사람(opp. *dirt farmer*).

***gen·tle·man·ly** [-li] *a.* 신사적인, 점잖은, 예의바른. ── *ad.* 신사처럼.

géntleman's 〔géntlemen's〕 agréement 신사 협정〔협약〕.

géntleman's géntleman (*pl.* ***gentlemen's gentlemen***) 종복(從僕)(valet).

***gen·tle·ness** [dʒéntlnis] *n.* Ⓤ 온순, 친절, 관대〔얌전, 고상〕함, 우아.

gen·tle·per·son [dʒéntlpə̀ːrsn] *n.* ①《종종 戲》 여러분, 제군 ; 신사. ② (G-s) 근계(謹啓)《회사로 보내는 편지의 서두에》.

géntle séx (the ~) 〔集合的〕 여성.

gen·tle·wom·an [-wùmən] (*pl.* ***-wom·en*** [-wìmin]) *n.* Ⓒ 《古》 ① 양가의 부인, 숙녀, 귀부인(lady). ② 귀부인의 시녀.

‡gen·tly [dʒéntli] (***more ~ ; most ~***) *ad.* ① 온

화하게, 상냥하게, 친절하게 : Speak ~ to the children. 애들에게 다정하게 얘기하세요. ② 완만하게, 서서히 : The road slopes ~ to the sea. 길은 바다를 향해 완만하게 경사져 있다 / *Gently* does it!《英》무리하지 마라, 천천히 하라. ③ 점잖게, 우아하게. ④ 지체 높게 : ~ born 〔bred〕 좋은 집안 태생의. ◇ gentle *a.*

gen·tri·fy [dʒéntrəfài] *vt.* (슬럼화한 주택가)를 고급 주택(지)화하다. ㊖ **gèn·tri·fi·cá·tion** *n.* Ⓤ (주택가의) 고급 주택화.

***gen·try** [dʒéntri] *n.* (the ~) 〖集合的〗 ① 신사 계급, 상류 사회, 명문의 사람들《영국에서는 귀족과 향사(鄕士) 사이의 계급》. ②《口·蔑》(특정 계급·지역·직업의) 무리, 패거리 : *the* landed ~ 지주 계급 / *the* local ~ 지방의 유지 / these ~ 이런 무리(들) / *the* newspaper ~ 신문인〔쟁이〕. ★ 이 낱말의 복수꼴은 없음.

gen·u·flect [dʒénjuflèkt] *vi.* ① (예배를 위해) (한쪽) 무릎을 구부리다〔꿇다〕, 장궤(長跪)하다 《*before*》: People were ~*ing before*〔*in front of*〕 the alter. 사람들은 제단 앞에 장궤하고 있었다. ② (비굴하게) 아첨하다.
㊖ **-flèc·tor** *n.* **gèn·u·fléc·tion, -fléx·ion** [-ʃən] *n.* ① 무릎 꿇음, 장궤(長跪). ② 비굴한 아첨.

‡**gen·u·ine** [dʒénjuin] (***more ~; most ~***) *a.* ① 진짜의, 정짜의 : a ~ pearl 진짜 진주 / His suitcase was made of ~ leather. 그의 슈트케이스는 진짜 피혁 제품이었다. ② (원고·서명 등이) 저자 친필의 : a ~ writing 친필 / This signature is ~. 이 서명은 본인의 것이다. ③ 진심에서 우러난, 성실한(sincere, real) : ~ respect 충심으로부터의 존경 / a ~ friend 참된 친구 / show ~ regret 진심으로 유감스러워하다. ④ 순종의 (purebred) : the ~ breed of bulldog 순종 불독.
㊖ ***~·ly** *ad.* **~·ness** *n.*

G

ge·nus** [dʒí:nəs] (*pl.* ***gen·e·ra [dʒénərə], ~**·*es***) *n.* Ⓒ ① 종류, 부류. ②〖生〗속(屬)《과(family)와 종(種)(species)의 중간》: Oranges and lemons belong to the same ~. 오렌지와 레몬은 같은 속이다 / the ~ Homo 사람속(屬) ; 인류.

geo- '지구, 토지'의 뜻의 결합사.

ge·o·cen·tric [dʒì:ouséntrik] *a.* ① 지구 중심의 : a ~ theory 천동설(天動說). ②〖天〗지구 중심에서 본〔측량한〕, 지심(地心)의. opp *heliocentric.* ¶ the ~ position of the moon 지심에서 본 달의 위치. ㊖ **-tri·cal·ly** [-kəli] *ad.* 지구를 중심으로. **-tri·cism** [-trisìzəm] *n.* Ⓤ 지구 중심설.

geocéntric lóngitude 〖天〗지심(地心) 경도.

ge·o·chem·is·try [dʒì:oukémistri] *n.* Ⓤ 지구화학. ㊖ **-chém·ist** *n.*

ge·o·chro·nol·o·gy [dʒì:oukrənálədʒi / -nɔ́l-] *n.* Ⓤ 지질 연대학(地質年代學). ㊖ **-gist** *n.*

ge·o·des·ic [dʒì:oudésik, -dí:s-] *a.* 측지학의, 측량의 ; 〖數〗측지선(線)의. ── *n.* 〖數〗측지선(= ∠ **líne**). ㊖ **-i·cal** *a.*

geodésic dóme 〖建〗지오데식〔측지선〕돔《다각형 격자를 짜맞춘》.

ge·od·e·sist [dʒi:ádəsist / -ɔ́d-] *n.* Ⓒ 측지학자.

ge·od·e·sy [dʒi:ádəsi / -ɔ́d-] *n.* Ⓤ 측지학.

Geof·frey [dʒéfri] *n.* 제프리《남자이름(Jeffrey)》.

geog. geographer ; geographic ; geographical ; geography.

***ge·og·ra·pher** [dʒi:ágrəfər / dʒiɔ́g-] *n.* Ⓒ 지리학자.

***ge·o·graph·ic, -i·cal** [dʒì:əgrǽfik / dʒiə-], [-əl] *a.* 지리학의 ; 지리적인 : The city's success owes much to its *geographical* position. 그 도시의 발전은 그 지리학적 위치에 힘입은 바 크다 / *geographical* distribution 지리적(인) 분포 / *geographical* features 지세(地勢). ◇ geography *n.* ㊖ **-i·cal·ly** [-kəli] *ad.* 지리적으로 ; 지리학상.

geográphical míle 지리 마일(≒nautical 〔sea, air〕 mile ; 1,852 m).

‡**ge·og·ra·phy** [dʒi:ágrəfi / dʒiɔ́g-] *n.* ① Ⓤ 지리 ; 지리학 : human 〔physical〕 ~ 인문〔자연〕 지리학. ② (the ~) (어느 지역의) 지리, 지세, 지형 《*of*》;《英口》방 위치 ;《婉》화장실 위치. ◇ geographic *a.*

geol. geologic(al) ; geologist ; geology.

***ge·o·log·ic, -i·cal** [dʒì:əládʒik / dʒiəlɔ́dʒ-], [-əl] *a.* 지질학(상)의 ; 지질의 : a *geological* epoch 지질 연대. ◇ geology *n.* ㊖ **-i·cal·ly**

geológical súrvey 지질 조사.

geológic máp 지질도(圖).

***ge·ol·o·gist** [dʒi:álədʒist / dʒiɔ́l-] *n.* Ⓒ 지질학자.

***ge·ol·o·gy** [dʒi:álədʒi / dʒiɔ́l-] *n.* ① Ⓤ 지질학. ② (the ~) (어느 지역의) 지질《*of*》: *the* ~ *of* Mars 화성의 지질(구조).

geom. geometric(al) ; geometry.

ge·o·mag·net·ic [dʒì:əmægnétic] *a.* 지자기의.

ge·o·mag·net·ism [dʒì:oumǽgnətìzəm] *n.* Ⓤ 지자기(地磁氣)(학).

ge·om·e·ter [dʒi:ámitər / dʒiɔ́m-] *n.* Ⓒ ① 기하학자. ②〖蟲〗자벌레.

ge·o·met·ric, -ri·cal** [dʒì:əmétrik], [-əl] (more ~; most ~***) *a.* 기하학(상)의 ; 기하학적인 : a *geometric* design 기하학적 도형 / a *geometric* proof 기하학적 증명. ◇ geometry *n.* ㊖ **-ri·cal·ly** [-rikəli] *ad.*

geométric(al) progréssion 〖數〗등비 수열 ; 기하급수. cf. arithmetic progression.

ge·om·e·tri·cian [dʒiàmətríʃən / dʒìoumə-] *n.* Ⓒ 기하학자(geometer).

‡**ge·om·e·try** [dʒi:ámətri / dʒiɔ́m-] *n.* Ⓤ 기하학 : ⇨ ANALYTIC 〔PLANE, SOLID, SPHERICAL〕 GEOMETRY. ◇ geometric *a.*

ge·o·mor·phol·o·gy [dʒì:əmɔ:rfálədʒi / dʒìəmɔ:rfɔ́l-] *n.* Ⓤ 지형학. ㊖ **-gist** *n.* **-mor·pho·lóg·ic, -i·cal** *a.* **-i·cal·ly** *ad.*

geophys. geophysical ; geophysics.

ge·o·phys·i·cal [dʒì:oufízikəl] *a.* 지구 물리학(상)의 : International *Geophysical* Year 국제 지구 물리 관측년(觀測年)(略 : IGY). ㊖ **~·ly** *ad.*

ge·o·phys·i·cist [dʒì:oufízisist] *n.* Ⓒ 지구 물리학자.

ge·o·phys·ics [dʒì:oufíziks] *n.* Ⓤ 지구 물리학(地球物理學).

ge·o·pol·i·tic, -po·lit·i·cal [dʒì:oupálitik / -pɔ́l-], [-pəlítikəl] *a.* 지정학의. ㊖ **-i·cal·ly** *ad.*

ge·o·pol·i·ti·cian [dʒì:oupàlətíʃən / -pɔ̀l-] *n.* Ⓒ 지정학자.

ge·o·pol·i·tics [dʒì:oupálətiks / -pɔ́l-] *n.* Ⓤ 지정학《정치에 대한 지리의 영향을 연구》: The shape of ~ has been decisively altered by the democracies' victories in the Gulf War and the Cold War. 지정학의 양상은 걸프전과 냉전에서 민주주의가 승리함으로써 결정적으로 변경되었다.

George [dʒɔ:rdʒ] *n.* ① 조지《남자 이름》. ② 영국왕(王)의 이름. ③ (가터 훈장 목걸이의) 조지상(像)《St. George 가 용을 퇴치하는 보석상(像)》. ④《口》(항공기의) 자동 조종장치. ***by ~!*** 정말(참), 참말《가벼운 맹세 또는 감탄》. ***let ~ do it*** 《口》남에게 맡기다. ***St. ~,*** England 의 수호 성인. ***St. ~'s cross*** 성(聖) 조지 십자.

Géorge Cróss 〔Médal〕 (the ~)《英》조지 십자 훈장《略 : G.C.〔G.M.〕》.

geor·gette [dʒɔ:rdʒét] *n.* Ⓤ 조젯(= ∠ **crépe**)

《얇은 본견(本絹) 크레이프 ; 본디 商標名》.

***Geor·gia** [dʒɔ́:rdʒə] *n.* ① 조지아《미국 남부의 주 ; 略 : Ga ; 〖郵〗 GA ; 주도 Atlanta》. ② 그루지야(공화국)《옛소련의 한 공화국 ; 수도 Tbilisi》.

Geor·gian [dʒɔ́:rdʒən] *a.* ①〖英史〗 조지 왕조《George 1-4 세 시대(1714-1830)》의 ; 이 시대의 예술 양식의 ; 조지 5-6 세 시대(1910-52)의, 《특히》 조지 5 세 시대(1910-20)의《문학》. ② Georgia ①, ②의. ── *n.* Ⓒ ① 조지 왕조 시대의 사람. ② Georgia 주 사람 ; 그루지야(Georgia) 사람 ; Ⓤ 그루지야 말.

ge·o·sci·ence [dʒì:ousáiəns] *n.* Ⓤ 지구 과학, 지학. ㊞ **gè·o·scí·en·tist** *n.* 지구 과학자.

ge·o·sta·tion·a·ry [dʒì:oustéiʃənèri / -ʃənəri] *a.* 〖宇宙〗 (인공위성이) 지구에서 보아 정지하고 있는 : a ~ satellite 정지 위성.

ge·o·ther·mal, -mic [dʒì:ouθə́:rməl], [-mik] *a.* 지구 열학(熱學)의, 지열(地熱)의 : *geothermal* generation 지열 발전 / a *geothermal* power station 〔plant〕 지열 발전소.

ger [gɛər] *n.* 게르, 파오(包)《몽골인의 원형 주거(住居) 천막》.

Ger. German(ic) ; Germany. **ger.** gerund.

Ger·ald [dʒérəld] *n.* 제럴드《남자 이름 ; 애칭 Jerry》.

Ger·al·dine [dʒérəldì:n] *n.* 제럴딘《여자 이름 ; 애칭 Jerry》.

ge·ra·ni·um [dʒəréiniəm] *n.* Ⓒ 〖植〗 제라늄, 양아욱 ; (G-) 이질풀속(屬).

ger·bera [gə́:rbərə, dʒə́:r-] *n.* Ⓒ 〖植〗 솜나물.

ger·bil(le) [dʒə́:rbəl] *n.* Ⓒ 〖動〗 게르빌루스쥐.

ger·i·at·ric [dʒèriǽtrik] *a.* 노인병〔과〕의 : ~ medicine 노인 의학 / a ~ hospital〔ward〕 노인병 전문 병원〔병동〕 / No one would want to elect a ~ President. 늙고 병약한 사람을 대통령으로 뽑을 사람은 없다. ── *n.* Ⓒ 노인 ; 노인병 환자.

ger·i·a·tri·cian, -i·at·rist [dʒèriətríʃən], [-iǽtrist] *n.* Ⓒ 노인병 학자, 노인병 전문 의사.

ger·i·at·rics [dʒèriǽtriks] *n.* Ⓤ 노인병학〔과〕. cf. gerontology.

ger·kin [gə́:rkin] *n.* =GHERKIN.

germ** [dʒə:rm] *n.* ①Ⓒ 미생물, 병원균, 세균, 병균 : a ~ disease 세균병 / a ~ carrier 보균자 / *Germs* can be spread by rats. 병균은 쥐에 의해 전파된다. ② (the ~) 《比》 (사물의) 싹틈, 조짐 ; 기원, 근원《*of*》 : *the* ~ *of* an idea 어떤 생각의 싹틈 / *the* ~ *of* war 전쟁의 근원. ③Ⓒ 〖生〗 유아(幼芽), 배종(胚種). ***be in ~ 싹이 트는 중이다 ; 아직 발달을 못 보고 있다.

Germ. German ; Germany.

†**Ger·man** [dʒə́:rmən] *a.* 독일의 ; 독일풍〔식〕의 ; 독일 사람의 ; 독일어의. ── (*pl.* ***~s***) *n.* ①Ⓒ 독일 사람. ②Ⓤ 독일어. cf. High 〔Low〕 German.

ger·man [dʒə́:rmən] *a.* 부모〔조부모〕가 같은 : a brother-〔sister-〕~ 친형제〔자매〕 / a cousin-~ 사촌(firstcousin).

ger·mane [dʒə:rméin] *a.* 〔敍述的〕 밀접한 관계가 있는 ; …에게 적절한(pertinent)《*to*》 : Her remarks is not ~ *to* this issue. 그녀의 말은 이 문제와는 관계가 없다.

Ger·man·ic [dʒə:rmǽnik] *a.* 독일의 ; 튜턴〔게르만〕 민족의 ; 튜턴〔게르만〕어의 ; 게르만적인. ── *n.* Ⓤ 게르만〔튜턴〕어(語). cf. East〔North, West〕 Germanic.

ger·ma·ni·um [dʒə:rméiniəm] *n.* Ⓤ 〖化〗 게르마늄《희유금속 원소 ; 기호 Ge ; 번호 32》.

Gérman méasles 풍진(風疹)(rubella).

Gérman shépherd (dòg) (독일종) 셰퍼드《경찰견, 군용견, 맹도견》.

Gérman sílver 양은《니켈·아연·구리의 합금》.

†**Ger·ma·ny** [dʒə́:rməni] *n.* 독일《1990년 10월 3일 0시를 기해, 45년간의 동서 분단 끝에 재통일을 이룩함》. cf. East Germany, West Germany.

gérm cèll 〖生〗 생식 세포.

germ·free [dʒə́:rmfrì:] *a.* 무균의 : Places where medical operations are carried out should be kept as ~ as possible. 의과적 수술이 이루어지는 곳은 가능한 한 무균 상태로 유지되어야 한다.

ger·mi·cid·al [dʒə̀:rməsáidl] *a.* 살균(성)의, 살균력이 있는 : a ~ lamp 살균등.

ger·mi·cide [dʒə́:rməsàid] *n.* Ⓤ,Ⓒ 살균제.

ger·mi·nal [dʒə́:rmənəl] *a.* ① 새싹의, 배종(胚種)의, 씨방의. ② 초기의, 미발달의 : a ~ idea 아직 구체화되지 않은 생각.

***ger·mi·nate** [dʒə́:rmənèit] *vi.* ① 싹트다, 발아하다 : The beans will only ~ if the temperature is warm enough. 콩은 온도만 충분히 따뜻하면 싹이 틀 것이다. ② (생각·감정 등이) 생겨나다 : What he said caused an idea to ~ in my head. 그가 한 말로 해서 내 머리에는 한 생각이 떠올랐다. ── *vt.* …을 싹트게 하다 : The seeds were ~*d* in a green-house, then planted outside. 종자는 온실에서 싹을 틔우고 나서 밖에 심어졌다. ㊞ **gèr·mi·ná·tion** [-ʃən] *n.* Ⓤ 발아, 맹아(萌芽) ; 발생.

gérm plàsm 〔plàsma〕 〖生〗 생식질(生殖質) ; (한 조직체의) 생식 세포질.

gérm wárfare 세균전(germ campaign) : an international treaty banning ~ 세균전을 금지하는 국제 조약.

geront-, geronto- '노인, 노령'의 뜻의 결합사.

ger·on·toc·ra·cy [dʒèrəntákrəsi / -tɔ́k-] *n.* ① Ⓤ 노인 지배〔정치〕. ②Ⓒ 노인 지배국〔정부〕.

ger·on·tol·o·gy [dʒèrəntálədʒi / -tɔ́l-] *n.* Ⓤ 노인학, 노년학《geriatrics 보다 광범위하고 생리적 노화 현상 및 노인의 사회적 문제도 다룸》. ㊞ **-gist** *n.* 노년학자.

Ger·ry [géri] *n.* 게리《남자〔여자〕 이름》.

ger·ry·man·der [dʒérimæ̀ndər, gér-] *vt.* 《美》 ① (선거구)를 자기 당에 유리하게 고치다. ② (자기만 유리하게) 멋대로 조작하다, 속이다. ── *vi.* 선거구를 멋대로 고치다. ── *n.* Ⓒ 게리맨더링《당리당략을 위한 선거구 개편》 : The boundary changes have been denounced as political ~*ing*. 경계 변경은 정치적인 선거구 개편이라고 비난받았다.

Gersh·win [gə́:rʃwin] *n.* 거슈윈. ① **George** ~ 미국의 작곡가(1898-1937). ② **Ira** ~ 미국의 작사가, ① 의 형(1896-1983).

Ger·trude [gə́:rtru:d] *n.* 거트루드《여자 이름》.

‡**ger·und** [dʒérənd] *n.* Ⓒ 〖文法〗 동명사《명사적 성질을 띤 동사 변화형의 일종 : *Seeing* is *believing*.》. cf. verbal noun.

ge·stalt [gəʃtá:lt] (*pl.* ***-stal·ten*** [-tən], ***~s***) *n.* Ⓒ 《G.》 (때로 G-) 〖心〗 게슈탈트, 형태《지각(知覺)의 대상을 형성하는 통일적 구조》.

Gestált psychólogy 게슈탈트〔형태〕 심리학.

Ge·sta·po [gəstá:pou, ge-] *n.* Ⓤ 〔集合的〕 《G.》 게슈타포 《나치스 독일의 비밀 경찰》 ; 비밀 경찰.

ges·tate [dʒésteit] *vt.* ① …을 임신하다. ② (사상·계획 등)을 다듬다.

ges·ta·tion [dʒestéiʃən] *n.* ①Ⓤ 임신 : The baby was born prematurely at 30 weeks ~. 아기는 30주만에 조산했다. ②Ⓒ 임신 기간. ③Ⓤ (사상·계획 등의) 창안, 입안, 형성 : This project was one year in ~. 이 계획은 구상에 1년 걸렸다.

ges·tic·u·late [dʒestíkjəlèit] *vi., vt.* 손짓〔몸짓〕

으로 이야기〔표시〕하다.

ges·tic·u·la·tion [dʒestìkjəléiʃən] *n.* U,C (요란한) 몸짓, 손짓 ; 몸짓〔손짓〕을 하기.

ges·tic·u·la·to·ry [dʒestíkjəleitɔ̀:ri] *a.* 요란하게 몸짓·손짓하는.

‡ges·ture [dʒéstʃər] *n.* ① U,C 몸짓, 손짓, 얼굴의 표정 ; (연극·연설 등에서) 동작, 제스처 : make a ~ of assent〔dissent〕 찬성〔불찬성〕이라는 몸짓을 하다 / express impatience by ~ 짜증을 몸짓으로 나타내 보이다 / She made a very rude ~ at the other driver. 그녀는 거칠게 다른 차 운전자에게 제스처를 해보였다. ② C 태도, 거동 ; (형식적인) 의사 표시 : a ~ of apology 사과의 의사 표시 / I invited him as a ~ of friendship. 우정의 표시로 그를 초대했다 / The Government has donated $30,000 as a goodwill ~. 정부는 친선의 표시로 3만 달러를 기증했다. — *vt., vi.* =GESTICULATE : She ~*d* her son to be quiet. 그녀는 몸짓으로 아들에게 조용히 하라고 말했다.

géstures lànguage 몸짓 언어(言語) (sign language).

†get¹ [get] (**got** [gɑt / gɔt], 《古》 **gat** [gæt] ; **got, got·ten** [gɑ́tn / gɔ́tn] ; **gét·ting**) *vt.* ① **a**) …을 얻다, 입수하다, 획득하다(obtain) ; 사다 ; 받다, 타다(gain) ; 벌다(earn) : ~ a living 생활비를 벌다 / How did you ~ the money? 어떻게 그 돈을 만들었나 / John will ~ the prize. 존은 상을 탈 것이다 / Where can I ~ information about it? 어디 가면 그 정보를 얻을 수 있을까 / You can ~ it at a modest price. 그것은 싸게 살 수 있다. **b**) 《+목+목 / +목+전+명》 …에게 (물건)을 사서〔손에 넣어〕 주다 : She *got* me a camera. =She *got* a camera *for* me. 그녀가 내게 카메라를 사주었다 / He *got* me a job with the bank. 그는 내게 은행에 일자리를 얻어주었다.
② 《~+목 / +목+전+명》 (선물·편지·돈·허가 등)을 받다(receive), 갖게 되다 : ~ an〔no〕 answer 회답을 받다〔회답이 없다〕 / ~ permission 허가를 얻다 / ~ a letter *from* …로부터 편지를 받다 / Where did you ~ it? 어디서 그걸 손에 넣었느냐 / ~ a camera for Christmas 크리스마스 선물로 카메라를 받다.
③ (물고기·사람 등)을 잡다, 붙들다 ; (작물)을 수확하다 ; (열차·버스)를 시간에 대다, 타다 : I just *got* the train. 겨우 그 열차에 대어갔다 / I *got* him by the hand. 나는 그의 손을 잡았다 / The police *got* the robber. 경찰은 그 강도를 체포했다.
④ 《口》 (병·고통 등이) 사람을 압도하다 ; 해치우다, 죽이다 ; 〖野〗 아웃시키다 : Frost *got* our crop. 서리에 작물이 결딴났다 / Cancer *got* him. 암으로 쓰러졌다.
⑤ 《~ +목 / +목+목 / +목+전+명》 (무선 신호들)을 수신하다 ; (전화 등으로) …와 연락하다, 통화하다 : We can ~ 7 TV channels. TV로 7개 채널을 수상할 수 있다 / I'll ~ him *on* the phone. 그에게 전화로 연락을 할게 / Can you ~ London *on* that radio? 그 라디오로 런던 방송이 들리나 / *Get* me extension 235, please. 구내 235번 부탁합니다.
⑥ (타격·위해 등)을 입다, …을 당하다 ; (병에) 걸리다, (벌)을 받다 : He *got* a bad fall. 그는 심하게 넘어졌다 / I *got* a bad cut on the back. 나는 등에 심한 상처를 입었다 / The children *got* the measles. 아이들이 홍역에 걸렸다 / ~ twenty years in jail, 20년 금고형(刑)을 받다.
⑦ 《~ +목 / +목+전+명》 《口》 (타격·탄알 따위가) …에 미치다〔맞다〕, …을 맞히다(hit) : I *got* him at the first shot. 한 방에 그를 맞혔다 / The bullet *got* him in the shoulder. 탄알은 그의 어깨에 맞았다 / He *got* the fox *on*〔*in*〕 the leg with a stone. 그가 던진 돌은 여우의 다리에 맞았다.
⑧ 《口》 **a**) …을 곤란하게 하다, 두손 들게 하다(puzzle), 성나게 하다 ; (망상 등이) …에 들붙다 : His conceit ~*s* me. 놈의 우쭐대는 데는 신물이 난다 / This boy ~*s* me. 얘한테는 못당하겠다. **b**) …을 감동시키다, …의 마음을 사로잡다 : Her pleas *got* me. 그녀의 호소에 마음이 움직였다 / The music really ~*s* me. 이 음악은 정말 감동적이다.
⑨ 《~+목 / +목+보》 《口》 …을 알아듣다 ; 이해하다(understand) ; 익히다, 배우다 ; 《美俗》 깨닫다 : I can't ~ you. 네 말이 무슨 말인지 모르겠다 / Don't ~ me wrong. 나를 오해하지 마시오 / Have you *got* English grammar perfectly? 영어 문법을 완전히 익혔느냐 / I didn't ~ your name. 이름을 잘 듣지 못했다 / She didn't ~ his joke. 그녀는 그의 농담을 이해 못했다.
⑩ 《美》 (식사)를 준비하다(prepare) ; 《英口》 (식사 등)을 먹다 : I'll help you (to) ~ dinner. 식사 준비를 돕겠습니다 / We will ~ lunch at the inn. 여인숙에서 점심을 먹도록 하자 / I must ~ the children their lunch. 나는 아이들 점심을 차려 줘야 한다.
⑪ 《~+목 / +목+전+명》 …을 가서 가져오다(fetch) : Would you ~ a bottle of beer *from* a refrigerator for me? 냉장고에서 맥주 한 병 갖다 주시오 / *Get* me a chair. 의자 하나 가져오너라 / Shall I ~ you some more cake? 과자를 좀 더 갖다 드릴까요.
⑫ 《+목+목》 …을 가져다주다, 집어 주다 : I'll ~ you a highball. 하이볼 한 잔 가져다주겠네.
⑬ 《+목+전+명 / +목+부》 (…을 어떤 장소·위치로) 가져가다, 나르다, 데리고 가다, (어떤 장소에) 두다 : ~ a dog *out of* 〔*into*〕 a room 개를 방에서 내가다〔방으로 들이다〕 / ~ a piano upstairs 피아노를 2층에 가져가다 / ~ a picture *down* 그림을 내리다 / This car will ~ me anywhere I want to go. 이 차라면 가고 싶은 곳은 어디에나 갈 수 있을 것이다 / I cannot ~ the key *in* the hole. 열쇠가 구멍에 안 들어간다.
⑭ 《+목+-*ing* / +목+보》 …의 상태로 하다 : ~ everything right again 모든 것을 다시 정리하다 / We *got* the clock go*ing*. 시계를 가게 했다 / ~ everything ready 만반의 준비를 갖추다 / ~ one's hands dirty 손을 더럽히다 / ~ the machine run*ning* 기계를 작동시키다.
⑮ 《+목+ *to* do》 …시키다〔하게 하다〕(cause), …하도록 설득하다(persuade) ; 권하여 …하게 하다(induce) : I *got* him *to* prepare for our journey. 그에게 우리의 여행 준비를 시켰다 / I can't ~ this door *to* shut properly. 이 문은 잘 닫히지 않는다.
⑯ 《+목+*done*》 **a**) (아무에게) …을 시키다 : Where can I ~ it *repaired?* 어디서 그것을 수리할 수 있느냐 / I must ~ my hair *cut.* 이발을 해야겠다. **b**) …당하다 : He *got* his wrist *broken.* 그는 손목을 부러뜨렸다 / We *got* our roof *blown* off in the gale. 강풍에 지붕이 날아갔다. **c**) 《주로 美》 (일 따위)를 해치우다 : I'll ~ the work *finished* by noon. 정오까지 일을 해치울 작정이다.
⑰ 〔have got〕 《口》 **a**) 가지고 있다(have) : I'*ve got* plenty of time. 시간은 많이 있다. **b**) 〔have got to〕 …하지 않으면 안 되다(have to) : We'*ve got to* dismiss her. 그녀를 해고하지 않으면 안 된다. cf. have. ★ '…하지 않으면 안 된다'는 대개

G

have to, have got to, must, be obliged to, be compelled to, be forced to 로 점차 강의적이 됨. ─ *vi.* ①《+圓 / +*done*》…이 되다《변화·추이》; …되다《受動으로》: He *is* ~*ting* old. 그는 늙어가고 있다 / I *got* anxious. 걱정이 되었다 / We *got married* over thirty years ago. 우리는 결혼한 지 30 년이 넘는다 / I *got caught* in the rain. 비를 만났다 / They *got* hurt. 그들은 부상당했다. ②《+*to* do》…하게 되다; 겨우 …할 수 있다, 그럭저럭 …하다(manage) : I *got to* know her. 그녀를 알게 되었다 / I *got to* come. 겨우 오게 되었다. ③《+-*ing*》…하기 시작하다 : Let's ~ go*ing*. 슬슬 가보자 / The business *got* pay*ing*. 사업이 잘 되기 시작했다. ④《+前+名 / +副》(어떤 장소·지위·상태에) 이르다〔닿다〕, 도착하다, 오다, 가다 ; 〔it을 주어로〕(어느 시각·시기가) 되다《*to*》: ~ *within* range of …의 사정 내에 들다 / The train ~*s in* at noon. 기차는 정오에 도착한다 / It *got to* 3 o'clock. 3시가 되었다《★ 이 용법은 많은 숙어적 연어(連語)를 만듦》. ⑤《口》〔종종 [git] 로 발음〕 지체없이 가버리다(scram) : He drew his gun and told us to ~. 총을 빼들고 썩 꺼지라고 했다.

all ~ out ⇨ GET-OUT. ~ ***about*** (1) 돌아다니다, 여행하다, 여기저기 전근하다 : He ~*s about* a good deal. 그는 여행을 꽤 자주 한다 / A car makes it easier to ~ *about*. 차가 있으면 돌아다니기가 편하다. (2) (병자 등이) 기동할 수 있게 되다 : He is ~*ting about* again after his accident. 사고를 당한 후 다시 그는 나다닐 수 있게 되어가고 있다. (3) (소문이) 퍼지다 : How did the story of her marriage ~ *about?* 어떻게 그녀의 결혼 풍문이 퍼지게 되었는가. (4) (회합 등) 여기저기에 얼굴을 내밀다. ~ ***above*** one***self*** ⇨ ABOVE. ~ ***abreast of*** …와 어깨를 나란히 하다, 비견하다. ~ ***abroad*** ⇨ABROAD. ~ ***across*** (1) (강·거리 따위를) 건너다 ; (사람·말 등을) 건네주다. (2) (말 따위가〔를〕 청중 등에) 이해되다〔시키다〕, (연극 등이〔을〕) 성공하다〔시키다〕, 생각 따위를 알게 하다《*to*》: She couldn't ~ (her point) *across to* the audience. 그녀의 취지를 청중에게 이해시키지 못했다. (3)《口》…를 짜증나게 하다, 골나게 하다, …와 버성기다. ~ ***after*** …을 쫓다, 추적하다 ; 《口》…을 꾸짖다, 나무라다 ; …을 자꾸 요구하다《*to* do》. ~ ***ahead*** ⇨ AHEAD. ~ ***ahead of*** ⇨ AHEAD. ~ ***along*** (1) (그럭저럭) 살아가다, 해 나가다 : We can't ~ *along* without money. 돈이 없이는 살아갈 수 없다. (2) 진척시키다, (일 따위를) 진행시키다《*with*》: How are you ~*ting along with* your French? 프랑스어 공부는 잘 되어 가고 있나. (3) 사이좋게 해 나가다《*together*》, 좋은 관계에 있다《*with*》: How is he ~*ting along with* his wife? 그는 부인과의 사이가 어떤가. (4) (때가) 지나다, 늦어지다 ; 노경에 다가서다《★ 흔히 進行形을 취함》: He's ~*ting along* (in years). 그는 나이가 꽤 들었다. (5)《口》가다, 떠나다 : It's time for me to be ~*ting along*. 이젠 가봐야겠다. (6) (*vt.*) …을 먼저 가게 하다 ; (물건)을 보내다, 가져〔데려〕가다〔오다〕《*to*》. ~ ***along well*** 〔***badly***〕 협조하다〔하지 않다〕, 마음이 맞다〔맞지 않다〕 : I and Tom ~ *along well* together. 나와 톰은 사이가 좋다. ***Get along***〔***away***〕(***with you***)***!*** 《口》꺼져 ; 허튼소리 하지 마라. ~ ***anywhere*** 《口》〔否定語를 수반해〕 성공하다〔시키다〕: Such an idle life won't ~ you *anywhere*. 그런 나태한 생활로는 도저히 성공 못한다. ~ ***around*** (1) = ~ about (1)-(4). (2) (겨우) 착수하다, (…할) 여유가 생기다《*to* ; *to* doing》: I finally *got around to* sort*ing* out the cupboard yesterday. 드디어 어제 시간을 내어서 찬장을 정리할 수 있었다. (3) (장애·곤란 등을) 피하다, 헤쳐 나가다 ; (법 등의) 빠질 구멍을 찾아내다 ; (아무의) 의표를 찌르다 : ~ *around* the enemy 적의 의표를 찌르다. (4) (아무를) 설복시켜 (…)하게 하다《*to* do》; (아무의) 생각을 (…로) 바꾸다, 납득시키다《*to*》: I will ~ him *around to* my way of thinking. 내 생각에 찬성토록 해보겠다. (5) (아무를) (방문하기 위해) …로 데리고 가다〔오다〕; (…을) …에 보내다《*to*》. ~ ***at*** (1) (어느 지점)에 닿다, 도달하다. (2) …에 미치다, …을 붙잡다, …을 손에 넣다 : stretch in order to ~ *at* a top shelf 맨 윗선반에 닿도록 손을 뻗다. (3) …을 알아내다〔파악하다〕; 확인하다, 분명히 하다 : ~ *at* the root of a problem 문제의 핵심을 파악하다. (4) 〔進行形〕 …을 암시하다, 뜻하다(imply) : What is he ~*ting at?* 그는 무얼 말하고 싶은 건가. (5)《口》〔종종 受動으로〕 …을 매수하다 ; (경주말 등)에 부정 수단을 쓰다 : One of the jury *had been got at*. 배심원의 한 사람이 매수돼 있었다. (6)《口》…을 공격하다, …에게 불평하다, …을 놀리다. (7) (일 따위)에 정진하다, 착수하다. ~ ***away*** (*vi.*) (1) 떠나다, 가버리다, …로부터 떨어지다《*from*》; (여행 따위에) 출발하다 : I won't be able to ~ *away from* the office before 7. 7시 전에는 사무실을 떠날 수 없다 / ~ *away from* it all《口》(휴가를 얻는 등으로) 걱정〔잡일, 책임 등〕에서 벗어나다 / One of the prisoners *got away*. 죄수 하나가 달아났다. (2)〔흔히 否定文〕…을 피하다, 인정하지 않다, (어떠한 사실에서) 도망치다《*from*》: You *cannot* ~ *away from* that fact. 그 사실을 인정하지 않을 수 없다. (3) (race 등에서) 스타트하다. (*vt.*) …을 떼어내다, 제거하다《*from*》; 보내다, 내어보내다 : I can't ~ it *away* because it's nailed. 못질이 돼 있어 떼어 낼 수가 없다 / ~ a person *away* to the country 아무를 시골로 내려보내다. ~ ***away with*** (1) …을 가지고 달아나다. (2) …을 잘 해내다 ; 벌받지 않고 해내다 ; (가벼운 벌)로 때우다 : The accused lied and hoped to ~ *away with* it. 피고는 거짓말을 하고, 그것이 통할 수 있기를 바랬다. ~ ***back*** (*vi.*) (1) 돌아오〔가〕다 ; (일·화제 따위로) 돌아가다《*to*》; 〔종종 命令文〕 뒤로 물러나다 : ~ *back to* the original question 처음 문제로 돌아가다. (2) (…에) 후에 연락하다《*to*》: I'll ~ *back to* you on that. 그 일에 대해서는 다음에 다시 연락하겠습니다. (3) (정당 따위가) 정권을 되찾다. (*vt.*) …을 되돌려보내다 ; 되찾다 : ~ a person *back* home 아무를 집으로 데려다 주다 / I didn't ~ the money *back*. 그 돈은 돌아오지 않았다. ~ ***back at*** 〔***on***〕《口》…에 대갚음을 하다, 보복하다. ~ ***behind*** (1) (공부 등에서) 뒤지다 : During my illness I *got behind* in my school work. 앓고 있는 동안에 학교 공부가 뒤졌다. (2) 《美》…을 지지〔후원〕하다 ; …의 뒤로 물러서다 : If we all ~ *behind* him, he will win the election. 우리 모두가 그를 지지한다면 그는 선거에 이길 것이다. (3) …을 해명하다, …의 속내를 환히 알다. (4) (지급 등을) 지체하다. ~ ***by*** (1) (…의 곁을) 지나가다, 빠져나가다 : Please let me ~ *by*. 좀 지나가겠습니다. (2)《口》그럭저럭〔어떻게〕 헤어나다〔빠져나가다〕: I can't ~ *by* on such a limited income. 이런 적은 수입으로는 도무지 꾸려갈 수 없다. (3) (일 등의) 된 품이 그만그만하다, (검사 등을) 통과하다 ; (…이) 받아들여지다 : He should just about ~ *by* in the exam. 그는 그럭저럭 시험에 통과할 수 있었다. (4) (일 따위가) 그저 그만〔쓸만〕하다《*with*》: We can ~ *by with*

G

four computers at the moment, but we'll need a couple more when the new staff arrive. 당장은 컴퓨터 4대로 꾸려나갈 수 있으나 새 직원이 부임하면 더 필요할 것이다. ~ ***cracking*** ⇨ CRACK. ~ ***done with*** 《口》…을 마치다, 끝내다, 해버리다. ~ ***down*** (1) (*vi.*) (차 따위에서) 내리다《*from*; *off*》; (아이가) 식탁에서 물러나다; 몸을 굽히다, 무릎꿇다《*on* one's knees》: John, ~ *down off* the desk. 존, 책상에서 내려오너라 / May I ~ *down*, mother? 엄마, 이제 가도 좋아《식사 후 어린이가 엄마에게 식탁을 물러갈 허락을 구하는 말》. (2) (*vt.*) (…에서) 내리다; 삼키다; 베끼다; 낙심〔실망〕시키다: The news will ~ him *down*. 이 뉴스는 그를 실망시킬 것이다 / ~ unemployment *down* 실업률을 낮추다. ~ ***down to*** 차분히 …에 착수하다; …에 내리다: Now, let's ~ *down to* work. 자, 일에 착수하자 / have *got* ... *down to* a fine art ⇨ ART[1]. ~ ***even with*** ⇨ EVEN[1]. ~ ***far*** (1) 멀리까지 가다. (2) 진보하다, 성공하다: He'll ~ *far* in life. 그는 성공할 것이다. (3) …이 진척되다. ~ ***his*** 〔***hers***〕 벌을 받다. ~ ***hold of*** ⇨ HOLD. ~ ***home*** (1) 집에 닿다, 집으로 돌아가다; 귀국하다: He's drunk; we'd better call a taxi and ~ him *home*. 그 사람 많이 취했으니 택시를 불러 집에까지 바래다 주는 편이 낫겠다. (2) (골 등에) 일착으로 들어가다; 적중하다; (아무의) 급소를 찌르다《*on*》; 충분히 이해되다〔시키다〕《*to*》. ~ ***in*** (*vi.*) (1) (…에) 들어가다, 타다: He *got in* the train. 그는 열차에 탔다. (2) (배·열차가) 도착하다: The boat *got in* on time. 배는 정각에 입항했다. (3) (…와) 친해지다《*with*》; (…와) 한패가 되다《*with*》. (4) 선출되다, 당선되다; (시험에 붙어) 입학하다; (일·조직 등에) 참가하다. (5) (비·햇빛 등이) 숨어들다, 비쳐들다. (*vt.*) (1) …을 넣다, (말로) 끼어들다: May I ~ a word *in*? 한 말씀 해도 좋겠습니까. (2) (작물)을 거둬들이다; (기부금·대출금·세금)을 거두다; (상품을) 구입하다. (3) (의사·수리공 등)을 부르다: ~ a doctor *in* 의사를 부르다. (4) (씨)를 뿌리다; (타격 등)을 제대로 가하다: ~ a blow 〔punch〕 *in* 제대로 한 방 먹이다. ~ ***in on*** …에 참여〔참가〕하다; 얻〔잡〕다: This is your chance to ~ *in on* a good thing and make a fortune. 멋진 사업에 참여하여 한 밑천 잡을 기회다. ~ ***in*** a person***'s way*** ⇨ WAY. ~ ***into*** (1) …에 들어가다, …를 타다: ~ *into* a bus 버스를 타다. (2) …에 도착하다〔시키다〕. (3) (의회)에 당선하다〔시키다〕; …에 입학하다〔시키다〕. (4) 《口》〔흔히 完了形〕 (…의) 마음을 사로잡다《★ 종종 what을 주어로, 괴상한 행동에 대해 씀》: *What's got into* you all of a sudden? 갑자기 왜 그러는 거야. (5) …동아리〔패〕에 끼다: I want to ~ *into* that club. 그 동아리의 회원이 되고 싶다. (6) (옷)을 입다〔…에게 입히다〕, (신)을 신다〔…에게 신기다〕: ~ *into* one's dress 드레스를 입다. (7) (…이〔을〕) 어떤 상태로 되다〔빠뜨리다〕, (나쁜 버릇)이 붙다: ~ *into* a rage 성을 내다 / ~ *into* bad habits 나쁜 버릇에 물들다〔빠지다〕 / ~ a person *into* trouble 아무를 성가시게 하다. (8) 《口》 (여성)을 임신시키다. (9) …에 종사하다〔시키다〕: ~ *into* a new trade 새로운 사업을 시작하다 / ~ *into* a company 회사에 취직하다. (10) (방법·기술 등)을 습득하다〔…에게 습득시키다〕, …에 익숙해지다〔게 하다〕, (문제 등)에 흥미를 갖다〔갖게 하다〕. (11) (어떤 생각이) 머리에 떠오르다. ~ ***it*** 《口》 벌을 받다, 꾸지람듣다: (걸려온 전화·현관 벨 소리에) 응하다, 나가다; 손에 넣다. ~ ***it*** (***all***) ***together*** 《口》 (실력을 발휘하여) 잘〔냉정히〕 해내다; 자신을 갖다, 침착해지다. ~ ***it into*** one***'s head that*** ... …이라고〔…하다고〕 확신하게 되다. ~ ***next to*** ⇨ NEXT. ~ ***nowhere*** =***not*** ~ ***anywhere*** 효과〔성과, 진보〕가 없다, 아무 것도 안 되다, 잘 안 되다. ~ ***off*** (*vi.*) (1) 출발하다: We *got off* before daybreak. 우리는 날이 새기 전에 떠났다. (2) …에서 내리다, 하차하다: *Get off* at the next station. 다음 정거장에서 내리시오. (3) (…에서) 떨어지다, …에 들어가지 않다: *Get off* the grass. 잔디밭에 들어가지 마시오. (4) (편지 따위가) 발송되다. (5) (싫은 일 따위를) 면하다; 일을 그만두다, 쉬다; 조퇴하다. (6) 형벌〔불행〕을 면하다; (계약 등을) 면하다《*with*》. (7) 《俗》 (마약에) 취하다《*on*》; 오르가슴을 경험하다; (…에) 열중하다《*on*》; 뻔뻔스럽게도 …하다《do*ing*》. (8) 잠들다. (9) (이성과) 갑자기 가까워지다. (10) (화제에서) 벗어나다, 그만두다. (*vt.*) (1) (…으로) …을 떠나보내다《*to*》: ~ one's children *off to* school 아이들을 학교로 떠나보내다. (2) (편지 따위)를 부치다: ~ a letter *off* by express 편지를 속달로 부치다. (3) (…에서) …을 떼어놓다; 벗다, 빼다: ~ one's overcoat 〔ring〕 *off* 외투를 벗다〔반지를 빼다〕. (4) (…에서 얼룩 등)을 제거하다. (5) 《美口》 (농담 등)을 말하다. (6) …에게 형벌을 면하게 하다《*with*》: His counsel *got* him *off* (*with* a fine). 변호사의 수고로(벌금만으로) 방면되었다. (7) (승객 따위)를 하차시키다: ~ passengers *off* a bus 버스에서 승객을 하차시키다. (8) 《口》 …을 —에서 입수하다: I *got* this ticket *off* Bill. 이 표를 빌에게서 입수했다. ~ ***off on the wrong foot*** ⇨ FOOT. ~ ***off to sleep*** 잠들다〔잠들게 하다〕. ~ ***off with*** ... …의 벌을 받다; 《英口》 (이성)과 친해지다. ***Get off*** (***with you***)***!*** = Get along (with) you (成句). ~ ***on*** (*vi.*) (1) (탈것에) 타다: ~ *on* a train 열차에 타다. ★ 큰 것《배·여객기·열차·전차·버스 따위》에는 *get on*, 몸을 굽히고 올라타야 할 승용차 따위에는 *get in* 〔*into*〕을 쓰는 경향이 있음. (2) 진행되다, 진척하다; (일 따위를) 척척 진행시키다; (종종 중단 후에) 계속하다《*with*》: How are you ~*ting on with* your reading? 독서는 잘 진척되고 있느냐 / Be quiet and ~ *on with* your work. 조용히 하고 어서 일을 계속하라. (3) 서두르다《*with* it》. (4) 성공하다, 잘〔이럭저럭〕 해나가다《*in*》: ~ *on in* business 〔the world〕 사업이 번창하다〔출세하다〕. (5) (어떻게) 살다, 지내다: How are you ~*ting on?* 어떻게 지내십니까. (6) (…와) 사이좋게 지내다, 마음이 맞다《*with*》. (7) 〔進行形〕 (…할 시간이) 거의 되어가다; (사람이) 나이먹다: He *is* ~*ting on* in years. 그는 이제 지긋한 나이가 된다 / It*'s* ~*ting on for* 〔*to, toward*〕 midnight. 한밤중이 되어간다. (*vt.*) (1) (버스·열차 따위)에 태우다. (2) (옷 따위)를 몸에 걸치다, 입다, (신을) 신다, (뚜껑 따위를) 씌우다. (3) (학생)을 향상시키다. (4) (장작)을 지피다; (불)을 밝히다. ~ ***on at*** …에 (귀찮게) 잔말하다. ~ ***on for*** = ~ on toward. ~ ***on*** a person***'s nerves*** ⇨ NERVE. ~ ... ***on the*** 〔one***'s***〕 ***brain*** ⇨ BRAIN. ~ ***on to*** 〔***onto***〕 ... (1) (자전거·버스·열차 등)에 타다〔태우다〕. (2) (…의 부정을) 찾아내다, 깨닫다, 감지하다. (3) 《英》 …에게 (전화 따위로) 연락하다: I'll ~ *onto* the head office at once. 즉시 본사에 연락하겠소. (4) …하도록 잔소리하다《*about*; *to* do》: ~ *onto* a person *to* clean his hands 아무에게 손을 깨끗이 하라고 잔소리 하다. (5) (다른 화제 따위)로 바꾸다, 옮기다; 시작하다: Let's ~ *onto* the next topic. 다음 화제를 시작하자. (6) …에 당선되다, 임명되다. ~ ***on toward*** 〔《英》 ***for***〕 ... 〔進行形〕

(나이·시간 따위가) …에 다가가다. ***Get on*** (***with you***)! = Get along (with you). ~ ***out*** (*vt.*) (1)…을 꺼내다; (가시·이·얼룩 등)을 빼내다. (2) (말 등)을 하다, 입밖에 내다: He managed to ~ *out* a few words of thanks. 겨우 두서너마디 사례의 말을 했다. (3)…을 구해내다, 구하여 도망시키다. (4) (정보·비밀 등)을 듣다〔묻다〕; 발견하다, (문제)를 풀다. (5) (도서관 등)에서 책을 빌려내다; (예금 따위)를 찾아내다; (책 따위)를 출판〔발행〕하다. (*vi.*) (1) 나가다, 도망치다, 가버리다, 모면하다. (2)〔命令形〕《俗》 말도 안 돼; 꺼져라. (3) (비밀 따위가) 새다, 들통나다: The secret *got out* at last. 그 비밀은 끝내 새버렸다. ~ ***out of*** (1)…에서 나오다; (탈것)에서 내리다: *Get out of* here! 썩 나가/~ *out of* a car〔taxi〕 차에서 내리다《★ 버스인 경우는 get off 가 일반적임》. (2) (옷)을 벗다: *Get out of* those wet clothes. 젖은 옷을 벗어라. (3)…이 미치지 않는 곳으로 가다; …의 범위 밖으로 나가다: ~ *out of* sight 보이지 않게 되다. (4) (악습에서) 벗어나다, …을 버리다: ~ *out of* a bad habit 악습을 버리다. (5) (해야 할 일)을 피하다: He wanted to ~ *out of* his homework 〔attend*ing* the meeting〕. 그는 숙제를 안 하고〔모임에 안 나가고〕 싶었다. (6)…에서 면하게 하다: Apologizing won't ~ you *out of* your punishment. 사과했다고 벌을 면할 수는 없다. (7)…에서 (이익 등)을 얻다, …에서 손에 넣다: How much did you ~ *out of* the deal? 그 거래에서 얼마나 이득을 봤나. (8) (비밀·고백 따위를) …로부터 듣다: The police *got* a confession *out of* him. 경찰은 그를 자백시켰다. (9) (…에서) …을 제거하다, 빼내다: *Get* me *out of* here. 이 곳에서 나를 빼내주시오/~ a book *out of* the library 도서관에서 책을 빌리다. ~ ***over*** (1) 넘다, 넘게 하다: The soldiers *got over* the fence. 군인들은 담을 뛰어넘었다. (2) (곤란·장해 따위)를 이겨내다. (3) (슬픔·쓰라린 경험 따위)를 잊다; (병 따위)에서 회복하다: She never *got over* her son's death. 그녀는 아들의 죽음이 잊혀지지 않았다/It took a long time to ~ *over* the flu. 오래간만에 독감이 떨어졌다. (4) (어느 거리(距離))를 가다, 달리다: The horse *got over* the distance in ten seconds. 말은 그 거리를 10 초에 달렸다. (5) 건너다; (찾아뵈러) 가다《*to*》: ~ *over to* the other side 저쪽으로 건너가다/I'll ~ *over* to see you in a few days. 2, 3일 안에 자네를 찾아가겠네. (6)〔흔히 I〔we〕 can't ~ over ... 구문으로〕《口》…에 정말 놀라다: I just *can't* ~ *over* Jane's cheek 〔Jane behaving like that〕. 제인의 뻔뻔스러움〔그같은 행동〕에 정말 놀랐네. (7) (상대방에게 생각 따위가〔를〕) 전해지다〔전하다〕, 생각 따위를 알게 하다《*to*》: She didn't really ~ on her meaning *over to* her audience. 그녀는 청중들에게 자기의 말뜻을 이해시키지 못했다. (8) = ~ over with. (9)〔흔히 否定文〕(사실 등)을 부정하다: We can*not* ~ *over* that feat. 그 사실을 부정할 수는 없다. ~ ***... over*** (***and done***) ***with*** 《口》 (귀찮은 일을) 끝내버리다, 치워버리다; …을 잘하다《★ with 에는 목적어가 오지 않음》: Let's ~ the work *over with* now. 지금, 그 일을 끝내도록 하자/Jane will be glad to ~ the exam *over* (*and done*) *with*. 제인은 시험이 끝나서 기쁠 것이다. ~ ***round*** =~ around(成句). ~ one***self together*** 《口》 자제하다. ~ ***somewhere*** 효과가 있다, 잘 되어가다, 성공하다: The treatment is really ~*ting somewhere* — She can walk now. 치료가 정말 효과가 있어서 그녀는 이제 걸을 수 있게 되었다. cf. ~ nowhere.

~ ***there*** 《口》 목적을 달하다, 성공하다; 납득이 가다. ~ ***through*** (*vi.*) (1) (…을) 빠져나가다; (…을 지나 목적지에) 이르다《*to*》. (2) (의안이 의회를) 통과하다; (시험에) 합격하다: ~ *through* a driving test 운전 시험에 합격하다. (3) 일을 마치다; (…을) 종료하다, 완수하다《*with*》: ~ *through* college 대학을 나오다/As soon as I ~ *through with* my work, I'll join you. 일을 끝마치는대로 곧 자네들과 합류하겠다. (4) (음식)을 다 먹어치우다. (5) (시간)을 보내다. (6) (전화·의사가) 통하다; (…에게 전화) 연락을 하다, 말을 이해시키다《*to*》: He could not ~ *through to* his father. 그는 부친에게 연락을 취하지 못했다〔말을 이해받지 못하였다〕. 《口》(곤란·병 따위)를 극복하다. (*vt.*) (1)…을 빠져나가게 하다; (시험에) 합격시키다; (의회에서 의안을) 통과시키다: It was her English that *got* her *through*. 그녀는 영어 실력으로 합격했다. (2) (목적지에) 도착시키다, 보내주다《*to*》; (…을 …에) 통하게 하다, 이해시키다; (전화 등에서) 상대에게 연결시키다《*to*》;〖競〗(결승 등에) 진출시키다《*to*》. ~ ***to*** (1)…에 닿다, …에 이르다(arrive at). (2) (일)에 착수하다, …를 하기 시작하다《do*ing*》; (식사)를 시작하다: ~ *to* words 논쟁을 시작하다/I *got to* remember*ing* those good old days. 그리운 그 옛날을 생각하기 시작했다. (3)《口》…와 (잘) 연락이 되다; …에게 영향〔감명〕을 주다: The pressure of work is beginning to ~ *to* him. 일에 대한 중압감이 그를 초조하게 하기 시작했다. (4)《美口》(매수·협박 등의 목적으로) …에게 다가가다, …을 (매수〔협박〕하여) 움직이다;《俗》(마약 따위가) …에게 듣다(affect). ~ ***together*** (*vt.*) …을 모으다;《口》(생각·일을) 잘 정리하다, 뭉뚱그리다. (*vi.*) (1) 모이다; 의논하다; 의논을 종합하다, (의견이) 일치하다: When will we ~ *together?* 언제 모일까/We finally *got together* on that point. 우리는 그 점에 대해서 의견이 일치했다. (2) (…의 일로) 단결하다, 협력하다《*on; over*》. ~ ***under*** (1) 밑에 들다〔들이다〕. (2) 진압하다, 끄다(subdue): The fire was soon *got under*. 화재는 곧 진화되었다. (3) 쓰러지다, 굴복하다. ~ ***up*** (*vi.*) (1) 일어나다, 기상하다, (병후에) 자리에서 일어나다; (땅·좌석에서) 일어서다: What time do you ~ *up?* 몇 시에 일어나십니까/He *get up from* the chair. 그는 의자에서 일어섰다. (2) (…을) 올라가다; (자전거·말 따위에) 타다: ~ *up* the ladder 사다리를 오르다. (3) (불·바람·바다 따위가) 격해지다, 거칠어지다. (4)〔命令形〕 (말에게) 나가라! (*vt.*) (1)…를 기상시키다. (2) (계단 따위)를 …에게 오르게 하다, 올리다; (자전거 따위)에 태우다. (3) (회의 따위)를 준비하다; 설립〔조직〕하다; 계획하다, 짜다: ~ *up* a picnic 소풍을 계획하다. (4) (세탁물)을 마무르다: Have these shirts *got up*. 셔츠를 (다려서) 곧 입을 수 있게 당부해라. (5) (옷차림 등)을 꾸미다, …에게 성장(盛裝)시키다, (머리 따위)를 매만지다(dress): She was *got up* as a fairy. 선녀처럼 차리고 있었다. (6) (제본 및 인쇄)를 …모양으로 하여 출판하다;《英》(학과 등)을 공부하다, (시험 문제)를 풀다. ~ ***up and go*** 〔***get***〕《口》(1) 척척 움직이기〔분발하기〕 시작하다. cf. get-up-and-go. (2) 서두르다. ~ ***up to...*** (1)…에 이르다: We *got up to* page 10 last lesson. 지난 시간에는 10 페이지까지 했다. (2)…을 뒤따라잡다, 따라붙다: We soon *got up to* others. 우리는 앞선 사람들을 이내 따라잡았다. (3) (장난 따위)에 관계하다, …을 계획하다(plan). ~ ***what's coming*** (***to*** one) 당연한 대갚음을 받다. ~ ***wind of...*** ⇨ WIND[1]. ~

with it 《口》(1) 유행에 뒤지지 않도록 하다, 유행을 타다, 앞서 있다. (2) (일·공부에) 정성을 쏟다. ***have got it bad***(***ly***) 《俗》 확 달아 올라 있다, …에 열을 올리고 있다. ***tell*** 〔***put***〕 a person ***where*** he ***~s*** 〔***where to ~***〕 ***off*** 《口》 아무를 타이르다〔비난하다〕, 아무에게 분수를 알게 하다.
— *n.* Ⓒ ① (동물의) 새끼. ② 《英俗》 바보, 멍청이. ③ 〚테니스〛 겟.

get·at·a·ble [getǽtəbəl] *a.* 《口》 도달할 수 있는, 접근하기 쉬운; (책 등) 손에 넣기 쉬운: in a ~ place 손이 닿는 곳에.

get·a·way [gétəwèi] *n.* (*sing.*) 《口》 ① (특히 범인의) 도망, 도주(escape): They made their ~ along a pavement on a stolen motorcycle. 그들은 훔친 오토바이를 타고 차도를 따라 도망쳤다. ② (연극·경주의) 개시, 출발, 스타트. — *a.* 〔限定的〕 도주하는, 도주(용)의.

Geth·sem·a·ne [geθséməni] *n.* 겟세마네《예수가 Judas 의 배반으로 붙잡힌 Jerusalem 부근의 동산; 마태복음 XXVI : 36》; Ⓒ (g-) 고뇌; 고난의 장소〔때〕.

get-out [gétàut] *n.* Ⓤ 탈출 수단; 핑계, 발뺌. ***as*** 〔***like, for***〕 (***all***) ~ 《口》 극단으로, 몹시: It was *as* cold (*as*) *all* ~. 대단한 추위였다.

get-rich-quick [gétritʃkwík] *a.* 《口》 일확 천금의〔을 노리는〕: The ~ scheme was bound to fail. 일확천금의 꿈은 실패하게 마련이었다.

get·ta·ble [gétəbəl] *a.* 얻을〔손에 넣을〕 수 있는.

get-to·geth·er [géttəgèðər] *n.* Ⓒ 《口》 회의, 회합; (비공식) 모임, 친목회(= ∠ **mèeting**): It's time for the annual ~ of the heads of the seven leading industrial nations. 7개 선진 공업국 수뇌들이 연례 회의를 할 시기다.

Get·tys·burg [gétizbə̀ːrg] *n.* 게티즈버그《미국 Pennsylvania 주 남부의 도시; 남북 전쟁 최후의 결전장(1863 년)》.

Géttysburg Addréss (the ~) 게티즈버그 연설《1863 년 11 월 19 일 Abraham Lincoln 이 Gettysburg 에서 한 민주주의 정신에 관한 연설》.

get·up [gétʌ̀p] *n.* Ⓒ 《口》 ① (책 따위의) 꾸밈새, 체재, 장정. ② (색다른, 별난) 몸차림, 옷맵시: He was in a sort of beatnik ~. 그는 비트족 옷차림을 하고 있었다.

get-up-and-go〔**-get**〕 [gétʌ̀pəngóu〔gèt〕] *n.* Ⓤ 《口》 패기, 열의; 주도〔적극〕성: We need someone for the job with a bit of ~. 우리는 이 일에 좀 박력있는 사람이 필요하다 / He has a lot of ~. 패기만만하다.

gew·gaw [gjúːgɔː] *n.* Ⓒ (겉만 번드레한) 싸구려. — *a.* 겉만 번지르르한, 허울뿐인.

gey·ser [gáizər, -sər] *n.* Ⓒ ① 간헐천. ② [gíːzər] 《英》 (욕실 등의) 가스 순간 온수 장치 (《美》 hot-water heater).

G-FLOPS [dʒíːflɑ̀ps / -flɔ̀ps] *n.* 〚컴〛 연산(演算) 「속도 단위.

Gha·na [gάːnə] *n.* 가나《아프리카 서부의 공화국; 수도 Accra》. ⓒⓕ Gold Coast.
㊞ **Gha·na·ian, Gha·ni·an** [gάːniən, gǽ-] *a., n.* 가나의, 가나 사람(의).

ghast·ly** [gǽstli, gάːst-] (-li·er*** ; ***-li·est***) *a.* ① (표정 등이) 창백한, 핼쑥한; 송장같은: She staggered out of the room, her face a ~ white. 그녀는 비틀거리며 방을 나왔는데 얼굴은 백지장 같았다. ② 무서운(horrible), 소름 끼치는, 무시무시한: It was a ~ sight, and I had to look away. 그건 끔찍한 광경이어서 얼굴을 돌려야 했었다. ③ 《口》 아주 불쾌한, 싫은: have a ~ time 아주 불쾌한 일을 당하다. — *ad.* 송장같이; 핼쑥하여; 무섭게. ㊞ **-li·ness** *n.*

gher·kin [gə́ːrkin] *n.* Ⓒ (식초 절임용의) 작은 오이; (열대 아메리카산의) 오이의 일종.

ghet·to [gétou] (*pl.* ~(***e***)***s***) *n.* 《It.》 ① (본디, 유럽의 도시들에 있던) 유대인 지구. ② (특정 사회 집단의) 거주지; 《美》 (흑인 등 소수 민족) 빈민굴; 슬럼가.

ghétto blàster 《俗》 (거리 등에서 왕왕 울리는) 대형 포터블 라디오, (스테레오) 라디오 카세트.

꞉ghost [goust] *n.* ① Ⓒ 유령, 망령(亡靈), 원령(怨靈), 요괴: lay 〔raise〕 a ~ 유령을 물리치다〔나타나게 하다〕 / That house is said to be haunted by ~ of a dead woman who drowned in the lake. 저 집에는 호수에 빠져죽은 여인의 유령이 나온다고 한다. ② Ⓒ 《古》 (영)혼(spirit, soul). ⓒⓕ Holy Ghost. ③ (*sing.*; 《英》 흔히 the ~) 희미한 윤곽, 그림자 같은 것, 아주 조금: *a ~ of* a smile 엷은 미소 / He hasn't got the ~ *of* a chance to pass the exam. 시험에 붙을 가망은 전무하다. ④ Ⓒ 〚光學·TV〛 고스트, 제 2 영상(= ∠ ìmage). ⑤ Ⓒ 《口》 (문학 작품의) 대작자(代作者) (~ writer). ◇ ghastly, ghostly *a.* ***give*** 〔《古》 ***yield***〕 ***up the*** ~ (1) 죽다. (2) (물건이) 망가지다, 고장나다: Our TV has *given up the* ~. 우리 텔레비전은 고장났다.
— *vt.* …을 대작(代作)하다. — *vi.* 대작을 하다 (ghostwrite). 「괴성(性).

ghost·li·ness [góustlinis] *n.* Ⓤ 유령 같음, 요

ghost·ly** [góustli] (-li·er*** ; ***-li·est***) *a.* 유령의〔같은〕; 그림자 같은, 희미한: a ~ figure 유령 같은 모양의 것 / The old man looked ~ in the darkness. 노인은 어둠속에서 유령처럼 보였다 / *Ghostly* gray clouds drifted across the moon. 희미한 먹구름이 달을 가리며 흘러갔다.

ghóst stòry 괴담(怪談), 유령 이야기.

ghóst tòwn 《美》 유령 도시《전쟁·기근·폐광 등으로 주민이 떠난 황폐한 도시》.

ghost·write [góustràit] (***-wròte*** ; ***-writ·ten***) *vi., vt.* (연설·문학 작품의) 대작(代作)을 하다. ㊞ **-writ·er** *n.* Ⓒ 대작자.

ghoul [guːl] *n.* Ⓒ ① 송장 먹는 귀신《무덤을 파헤쳐 시체를 먹는다고 함》; 도굴꾼. ② 악귀같은 사람, 잔인한 사람.

ghoul·ish [gúːliʃ] *a.* 송장 먹는 귀신 같은; 잔인한. ㊞ **~·ly** *ad.* **~·ness** *n.*

GHQ, G.H.Q. 〚軍〛 General Headquarters.

GHz gigahertz.

GI, G.I. [dʒíːái] (*pl.* ***GIs, GI's, G.I.'s, G.I.s***) *n.* Ⓒ (현역 또는 퇴역) 미군 하사관·병, 미군, 《특히》 징모병: a *GI* Joe 미국 병사 / a *GI* Jane 〔Jill, Joan〕 미국 여군. — *a.* 〔限定的〕 (미군 당국의) 관급의, 미군 규격의: *GI* shoes 군화 / a *GI* haircut 군대식 머리〔이발〕 / a *GI* bride 미군인의 처〔약혼자〕가 된 타국의 여자《특히, 2차 대전 중》. [◂ *g*overnment 〔*g*eneral〕 *i*ssue]

꞉gi·ant [dʒáiənt] *n.* Ⓒ ① (신화·전설상의) 거인: No children's fairy tale is complete without a princess, witch or ~. 아이들 동화에 공주나 마녀, 거인 등이 없이는 제모양을 못갖춘다. ② 큰 사나이, 힘센 사람; 거대한 것〔동식물〕. ③ (재능·지력 따위에서의) 거인, 거장, 대가: He was, without question, one of the ~*s* of Chinese literature. 그가 중국 문학의 거장 중의 한 사람이란 데에 이의가 없었다 / a scientific ~ 과학계의 거인, 위대한 과학자 / an economic ~ 경제 대국.
— *a.* 거대한, 위대한, 특대의. ⓞⓟⓟ *dwarf.*
㊞ **~·ness** *n.*

gi·ant·ess [dʒáiəntis] *n.* Ⓒ 여자 거인, 여장부.

gíant kíller (스포츠 따위에서) 거물 잡는 선수〔팀〕, 상수(上手)잡이.

gíant pánda 〖動〗 자이언트 판다, 바둑곰.

gíant sequóia 〖植〗 세쿼이아삼(杉)나무(《美》 big tree)《미국 캘리포니아산(產)의 거대한 침엽수, 높이 100 m의 것도 있음》.

gíant stár 〖天〗 거성(巨星)《직경·광도·질량 따위가 대단히 큰 항성》. ⓒⓕ supergiant.

giaour [dʒauər] *n.* Ⓒ 이단자, 불신자(不信者)《이슬람 교도가 특히 기독교도를 이르는 말》.

Gib. Gibraltar.

gib·ber [dʒíbər, gíbər] *vi.* ① (놀람·무서움으로) 알아들을 수 없게 지껄이다; 빨리 지껄이다: Stop ~*ing*, man, and tell us what you saw. 여보슈, 그렇게 허둥대며 우물거리지 말고 당신이 본 것이나 말해보시오. ② (원숭이 등이) 깩깩거리다.

gib·ber·ish [dʒíbəriʃ, gíb-] *n.* Ⓤ 뭐가 뭔지 알 수 없는 말, 횡설수설.

gib·bet [dʒíbit] *n.* Ⓒ ① (사형수의) 효시대(梟示臺). ② 교수형. — *vt.* ① …을 효시대에 매달다; 효시하다. ② …을 공공연히 욕보이다.

gib·bon [gíbən] *n.* Ⓒ 〖動〗 긴팔원숭이《동남 아시아산(產)》.

gib·bous [gíbəs] *a.* ① (달·행성 따위) 반원보다 볼록한 상태의, 볼록한 원의; 튀어나온: the ~ moon 〖天〗 반달보다 크고 보름달보다 작은 달. ② 꼽추의. ⓟ ~**·ly** *ad.*

gibe, jibe [dʒaib] *vi.* (…을 …로) 비웃다, 조롱하다, 얕보다《*at* ; *for*》: They ~*ed at* my small mistake. 그들은 내 사소한 잘못을 헐뜯었다〔비웃었다〕/ He ~*d at* me *for* my ignorance. 그는 내가 무지하다고 비웃었다. — *vt.* …을 비웃다, 조롱하다. — *n.* Ⓒ 헐뜯음, 우롱, 비웃음《*at* ; *about*》: Don't make ~*s about* her behavior until you know the reason for it. 그 까닭을 알기까지는 그녀의 행동을 헐뜯지 마라.

gib·lets [dʒíblits] *n. pl.* (닭·거위 등의) 내장.

Gi·bral·tar [dʒibrɔ́:ltər] *n.* 지브롤터《스페인 남단(南端)의 항구 도시로 영국의 직할 식민지; 略: Gib(r).》. ***the Strait of*** ~ 지브롤터 해협.

__gid·dy__ [gídi] (-di·er* ; *-di·est*) *a.* ① 현기증나는; 어지러운, 아찔한; 눈이 핑핑 도는. ⓒⓕ dizzy. ¶ a ~ height 아찔해지는 높이 / The children enjoyed twirling round and round, but I felt ~ just watching them. 아이들은 빙글빙글 돌아가는 것을 좋아했으나 나는 그들을 보기만 해도 어지러웠다. ② 경솔한, 들뜬: a ~ young flirt 촐랑대는 계집애. ***act*** 〔***play***〕 ***the*** ~ ***goat*** 〔***ox***〕 경솔한 짓을 하다. ***feel*** 〔***turn***〕 ~ 어지럽다. ***My*** ~ ***aunt !*** 《俗》 저런, 어머나《놀라움을 나타냄》. ⓟ **gíd·di·ly** *ad.* **-di·ness** *n.* Ⓤ 현기증; 경솔.

gid·dy-go-round [-gouráund] *n.* Ⓒ 《英》 회전목마(《美》 merry-go-round).

Gide [ʒi:d] *n.* **André** (**Paul Guillaume**) ~ 지드《프랑스의 소설가·비평가; 노벨 문학상 수상 (1947) ; 1869-1951》.

gie [gi:] (~*d* ; ~*d*, *gien* [gi:n]) *v.* 《Sc. 方》 = GIVE.

Gif·ford [gífərd] *n.* 기퍼드《남자 이름》.

‡**gift** [gift] *n.* ① Ⓒ 선물, 선사품: a birthday ~ 생일 선물 / a ~ from the gods 행운 / I hope you'll like the small ~ I'm sending today. 오늘 조그만 선물을 보내드리겠는데 마음에 드실런지요 《★ gift는 present 보다 형식을 차린 말》. ② Ⓤ 증여, 선사; 증여권(權): The post is in 〔within〕 his ~. 그 지위를 줄 권한은 그에게 있다. ③ Ⓒ (타고난) 재능, 적성(talent)《*for* ; *of*》: the ~ *of* tongues 어학의 재능; 〖基〗 방언 / have a ~ *for* music 음악에 재능이 있다 / She has the ~ *of* making friends. 그녀는 친구 사귀는 재능이 있다. ④ Ⓒ (a ~) 《口》 싸게 산 물건; 썩 간단한 일: It's *a* ~. 거저나 다름 없구나; 그런 건 식은죽 먹기다. ***as*** 〔《古》 ***at***〕 ***a*** ~ 거저라도《싫다 따위》: I would not have 〔take〕 it *as a* ~. 거저 줘도 싫다. ***by*** 〔***of***〕 ***free*** ~ 거저. ***the*** ~ ***of*** (***the***) ***gab*** 《口》 능변.
— *vt.* 《+目+前+名》 ①(돈·물건)을 주다, 증여하다《*with*》: ~ a thing *to* a person = ~ a person *with* a thing 아무에게 물건을 주다 / These were ~*ed* by an old friend. 이것들은 한 옛친구의 선물이었다. ② (재능 따위)를 부여하다《*with*》: We are all ~*ed with* conscience. 우리에게는 모두 양심이 있다. ⓟ ∠**·less** *a.*

gíft certíficate 상품권(《英》 gift token).

*__gift·ed__ [gíftid] *a.* 타고난〔천부의〕 재능이 있는 (talented) ; 유능한; (아이가) 머리가 매우 좋은: a ~ child 천재아, 재능이 뛰어난 아이 / Schools, he said, were failing to cater for the needs of ~ children. 그는 학교 교육은 천부적 재능을 가진 아이들의 욕구를 채워주지 못했다고 말했다.

gíft hòrse 선물로 주는 말. ***look a*** ~ ***in the mouth*** 선물받은 물건을 흠잡다《말은 그 이로 나이를 알 수 있는 데서》.

gíft shòp 선물〔토산물〕 가게.

gíft tòken 〔**vòucher**〕 《英》 = GIFT CERTIFICATE.

gift-wrap [gíftræ̀p] (*-pp-*) *vt.* (선물 따위를 리본으로) 예쁘게 포장하다.

gig[1] [gig] *n.* Ⓒ ① (예전의) 말 한 필이 끄는 2 륜마차. ② 〖海〗 (선장 전용의) 소형 보트.

gig[2] *n.* Ⓒ 작살. — (*-gg-*) *vi.* 작살을 쓰다《*for*》. — *vt.* 작살로 (물고기)를 잡다.

gig[3] *n.* Ⓒ (재즈 등의) 연주; 출연; (1회 만의) 출연〔연주〕 계약. — (*-gg-*) *vi.* 《口》 하룻밤만 연주하다.

giga- '10 억, 무수(無數)'의 뜻의 결합사.

gig·a·bit [gígəbìt, dʒígə-] *n.* 〖컴〗 기가비트《10 억 비트 상당의 정보 단위》.

gig·a·byte [gígəbàit, dʒígə-] *n.* 〖컴〗 기가바이트《10 억 바이트 상당의 정보 단위》.

gi·ga·hertz [gígəhə̀:rts, dʒígə-] *n.* 기가헤르츠, 10 억 헤르츠《略: GHz》.

*__gi·gan·tic__ [dʒaigǽntik] (***more*** ~ ; ***most*** ~) *a.* 거인 같은, 거대한; 아주 큰; 엄청나게 큰: a man of ~ build 〔strength〕 거인 같은 큰〔힘이 장사 같은〕 남자 / This dog has a ~ appetite. 이놈은 먹새가 엄청난 개다 / The cost of the whole operation has been ~. 전체 작업 비용은 엄청났다 / This will be a ~ problem. 이것은 큰 문제가 될 것이다. ◇ giant *n.*
ⓟ **-ti·cal·ly** [-əli] *ad.*

*__gig·gle__ [gígəl] *vt., vi.* 킥킥 웃다《*at*》, 킥킥 웃어 (감정을) 나타내다: There's a lot of *giggling* going on *at* the back. 등뒤에서 킥킥거리는 소리가 계속 요란하게 들려 왔다 / She ~*d* her amusement *at* my joke. 내 농담이 재미있다며 그녀는 킥킥 웃었다. — *n.* Ⓒ ① 킥킥 웃음: give a ~ 킥킥 웃다. ② 《口》 우스운 것〔사람〕; 농담. ***for a*** ~ 《口》 장난 삼아, 농담으로.

gig·gly [gígli] (***gig·li·er*** ; ***-liest***) *a.* 킥킥 웃는 (버릇이 있는).

GIGO [gáigou, gí:-] *n.* 〖컴〗 기고《믿을 수 없는 데이터의 결과는 믿을 수 없다는 원칙》.

gig·o·lo [dʒígəlòu, ʒíg-] (*pl.* ~*s*) *n.* Ⓒ ① (창녀 등의) 기둥서방, 지골로; 남자 직업 댄서. ② 돈많은 여성에게 붙어 사는 남자.

Gí·la mónster [hí:lə-] 〖動〗 아메리카독도

마밤《미국 남서부의 사막 지방산(産)》.

Gil·bert [gílbərt] *n.* ① 길버트《남자 이름》. ② **Sir William Schwenck** ~ 길버트《영국의 희극 작가·시인 ; 1836-1911》.

gild**[1] [gild] (*p., pp.* ~**·ed** [gíldid], ***gilt) *vt.* ① …에 금〔금박〕을 입히다, …을 금도금하다 : ~ a frame 액자에 금박을 입히다 / The statue, recently ~*ed*, shone brightly in the sun. 최근에 도금한 상(像)이 햇빛에 빛나고 있었다. ② …을 아름답게 장식하다, 보기좋게 꾸미다, 치장하다 : The dusk was ~*ed with* fire-flies. 황혼에 개똥벌레가 아름답게 빛나고 있었다. ~ ***the lily*** 〔***refined gold***〕 이미 완전한 것을 개선하거나 장식하려고 해서 결국 못 쓰게 만들다.

gild[2] ⇨ GUILD.

gild·ed [gíldid] *a.* ① 금박을 입힌, 금도금한 ; 금빛나는 : a ~ frame. ② 부자의 ; 상류계급의 ; 부유한 : Both young princes are on the guest-list of this ~ occasion. 두 젊은 왕자는 이 상류계급의 축전의 내빈 명단에 들어 있다. ***the*** ~ ***youth*** 돈 많은 젊은 신사, 귀공자.

Gílded Áge (the ~) (남북전쟁 후 30년간의 미국의) 대호황 시대, 황금기.

gild·ing [gíldiŋ] *n.* Ⓤ ① 도금(술), 금박 입히기 : electric ~ 전기 도금. ② 도금 재료, 금박, 금가루《따위》. ③ 겉치레, 허식.

gill**[1] [gil] *n.* Ⓒ (흔히 *pl.*) ① 아가미. ② 턱과 귀밑의 군살. ***green 〔***blue, fishy, pale, white, yellow***〕 ***about*** 〔***around***〕 ***the*** ~***s*** (병·공포 따위로) 안색이 나쁜〔창백한〕. ***rosy*** 〔***red, pink***〕 ***about*** 〔***around***〕 ***the*** ~***s*** 혈색이 좋은, (술에 취해) 붉어진 얼굴을 하고. ***to the*** ~***s*** 《口》 꽉 차서, 잔뜩 : I was full 〔stuffed〕 *to the* ~*s.* 너무 먹어 배가 터질 지경이었다 / The bus was packed *to the* ~*s.* 버스는 초만원이었다.

gill[2] [dʒil] *n.* Ⓒ 질《액량의 단위 ; = $\frac{1}{4}$ pint ; 《美》 0.118*l*, 《英》 0.142*l*》.

gill[3]**, jill** [dʒil] *n.* Ⓒ (*or* G-, J-) 처녀, 소녀 ; 애인(sweetheart). ㊀ Jack. ¶ Jack and *Gill* 젊은 남녀 / Every Jack has his *Gill.* 《俗談》 젊은 남자에게는 누구나 애인이 있다, 헌 짚신도 짝이 있다.

gil·lie, gil·ly [gili] *n.* Ⓒ (스코틀랜드 고지 지방의 사냥꾼·낚시꾼의) 안내인, 가이드.

gil·ly·flow·er, gil·li- [dʒíliflàuər] *n.* Ⓒ 〖植〗 스톡.

***gilt**[1] [gilt] GILD[1]의 과거·과거분사.
—— *a.* =GILDED. —— *n.* Ⓤ 입힌〔바른〕 금, 금박, 금가루, 금니(金泥). ***take the*** ~ ***off the gingerbread*** 《英口》 허식〔가면〕을 벗기다 ; 실망시키다.

gilt[2] *n.* Ⓒ (새끼를 낳은 일이 없는) 어린 암돼지.

gilt-edge(d) [gíltèdʒ(d)] *a.* ① (종이·책 등이) 금테의. ② 일류의, 우량의《증권 따위》(㊀ blue-chip) : ~ securities 〔stocks〕 우량 증권〔주식〕.

gim·crack [dʒímkræ̀k] *a.* 굴퉁이의, 허울만 좋은 : They were terrible ~ planes we flew in. 우리가 타고간 비행기들은 몹시도 겉만 번지르르한 형편없는 것들이었다. —— *n.* Ⓒ 겉만 번지르르한 물건, 굴퉁이.

gim·crack·ery [dʒímkræ̀kəri] *n.* Ⓤ 〔集合的〕 겉만 번지르르한 물건 ; (작품의) 속보이는 기교.

gim·let [gímlit] *n.* ① Ⓒ 도래송곳. ② Ⓤ 김릿《진과 라임 주스의 칵테일》.

gim·let-eyed [gímlitàid] *a.* 날카로운 눈(매)의.

gim·me [gími] 〔發音綴字〕 《口》 give me : *Gimme* that pen, would you? 저 펜 좀 집어주겠나.
—— *n.* (종종 *pl.*) 《俗》 탐욕, 물욕, 사욕.

gim·mick [gímik] *n.* Ⓒ 《口》 ① (요술쟁이 등의) 눈속임 장치, 트릭(trick). ② (광고 등에서 이목을 끌기 위한) 고안 ; 새 고안물 : an advertising ~ 광고에서 잘 쓰는 수 / Free gifts given away with purchases are just another sale ~. 물건을 샀다고 주는 무료 증정품은 바로 또다른 판매술이다. ㊞ ~**·ry** *n.* Ⓤ 《口》 속임수 장치(의 사용).

gím·micky 《口》 *a.* 속임수가 있는 ; 이목을 끌기 위한.

gimp [gimp] *n.* Ⓒ 《俗》 다리가 불구인 사람.
—— *vi.* 절뚝거리다.

gimpy [gímpi] *a.* 《俗》 절름발이의.

***gin**[1] [dʒin] *n.* Ⓤ,Ⓒ 진 : (a) ~ and tonic 진토닉 / ~ mill 《美俗》 술집.

gin[2] *n.* Ⓒ (짐승 잡는) 덫. ② 조면기(繰綿機), 씨아(cotton ~). —— (**-nn-**) *vt.* 씨아로 목화씨를 빼다, 조면(繰綿)하다.

gín and ít 〔**Ít**〕 《英》 진과 이탈리아산 베르무트의 칵테일.

gín fìzz 진피즈《진에 레몬·탄산수를 탄 음료》.

***gin·ger** [dʒíndʒər] *n.* Ⓤ ① 〖植〗 생강 ; 그 뿌리 (약용·조미료·과자에 쓰이는). ② 《口》 정력, 원기, 기력 : Put some ~ into your running! 좀 힘내서 뛰어라. ③ 황〔적〕갈색 ; 《俗》 붉은 머리털(의 사람) : His nickname was Ginger because of his ~ hair. 갈색머리 때문에 그의 별명은 진저였다.
—— *a.* 〔限定的〕 생강을 넣은 ; 생강빛의 ; (머리가) 붉은. —— *vt.* ① …에 생강 맛을 내게 하다. ② 기운을 돋우다, 격려하다《*up*》 : More men are needed to ~ *up* the police force. 경찰의 사기를 위해 증원군이 필요하다.

gínger ále 진저 에일《생강맛을 곁들인 비(非) 알코올성 탄산 청량 음료의 일종》.

gínger bèer 진저 비어《진저 에일보다 생강 냄새가 더 강한 탄산 음료》.

gin·ger·bread [dʒíndʒərbrèd] *n.* Ⓤ,Ⓒ ① 생강 맛이 나는 케이크, 쿠키 : a ~ man 사람 모양을 한 생강 쿠키. ② (가구·건물 등의) 야한 장식.

gínger gròup 《英》 (정당 내부의) 소수 강경파.

gin·ger·ly [dʒíndʒərli] *ad.* 아주 조심스럽게, 신중히 : *Gingerly* he moved the glass bowl aside. 그는 조심스럽게 술잔을 옆으로 밀어놓았다 / in a ~ manner 극히 신중하게.

gínger póp 《口》 =GINGER ALE.

gin·ger·snap [dʒíndʒərsnæ̀p] *n.* Ⓒ,Ⓤ 생강이 든 쿠키.

gin·gery [dʒíndʒəri] *a.* ① 생강 같은 ; 매운, 얼얼한(pungent). ② 황갈색의 ; (머리가) 붉은(red). ③ 혈기 왕성한.

ging·ham [gíŋəm] *n.* Ⓤ,Ⓒ 깅엄《줄무늬 또는 바둑판 무늬의 무명》 ; Ⓒ 《英口》 박쥐 우산.

gin·gi·vi·tis [dʒìndʒəváitəs] *n.* Ⓤ 〖醫〗 치은염(齒齦炎).

gink·go, ging·ko [gíŋkou] (*pl.* ~***s,*** ~***es***) *n.* Ⓒ 〖植〗 은행나무.

gínkgo nùt 은행.

gi·nor·mous [ginɔ́ːrməs, dʒi-] *a.* 《英俗》 턱 없이 큰 : a ~ three-scoop ice-cream cone 국자 셋 분량의 턱없이 큰 아이스크림 콘.

gin·seng [dʒínseŋ] *n.* Ⓒ 〖植〗 인삼(人蔘) ; 그 뿌리《약용》.

Gio·con·da [dʒoukándə / -kɔ́n-] *n.* 《It.》 ***La*** ~ 라조콘다《Mona Lisa 의 다른 이름》.

Giot·to [dʒátou / dʒɔ́-] *n.* ~ **di Bondone** 조토《이탈리아의 화가·건축가 ; 1266?-1337》.

gíppy túmmy [dʒípi-] 《俗》 (열대지방 여행자가 걸리는) 설사.

***Gipsy** ⇨GYPSY.

‡gi·raffe [dʒəræ̀f, -ráːf] (*pl.* ~***s,*** ~) *n.* Ⓒ ① 〖動〗 기린, 지라프. ② (the G-) 〖天〗 기린자리.

gir·an·dole [dʒírəndòul] *n.* Ⓒ ① 가지 달린 장

식 촛대. ② 회전 꽃불. ③ 큰 보석 주위에 작은 보석을 박은 펜던트·귀걸이(따위).

***gird** [gəːrd] (*p., pp.* **~·ed** [gə́ːrdid], **girt** [gəːrt]) *vt.* ① (~+목/+목+전+명) …의 허리를 졸라매다(*with*), 허리띠로 조르다(*round; around*): ~ the waist *with* a sash 장식띠로 허리를 졸라매다(=~ a sash *around* one's waist) / be ~*ed* oneself *with* a rope 밧줄로 졸라매다. ② (+목+부) (칼 따위)를 허리에 차다: ~ *on* one's sword. ③ (+목+전+명/+목+*to* do) 〔再歸的〕 차리다, 채비를 하다, 긴장하다(*for*): I ~*ed myself to* face the examination. 마음을 단단히 먹고 시험에 임했다 / The knights ~*ed themselves for* battle. 기사들은 전투태세를 갖추었다. ④ (~+목/+목+전+명) (성 등)을 둘러싸다, 에워싸다(*with*): ~ a village 마을을 에워싸다 / ~ a castle *with* a moat 성에 해자를 두르다. ◇ girdle *n.* **~ (up) one's loins** (여행 등의) 행장을 갖추다; 단단히 태세를 갖추다: If you ~ (*up*) *your loins* you get ready to do something. 태세를 갖추려면 뭔가 채비를 해야 할 것이다. 「거더.

gird·er [gə́ːrdər] *n.* Ⓒ 〖土·建〗 도리; 대들보;

***gir·dle**[1] [gə́ːrdl] *n.* Ⓒ ① 띠, 허리띠. ② 띠모양으로 두르는 것: a ~ of trees around a pond 못을 둘러싼 나무숲 / within the ~ of the sea 바다에 둘러싸여. ③ 거들(코르셋의 일종; 고무가 든 짧은 것). ◇ gird *v.* **have** 〔**carry, hold**〕**... under one's ~** …을 지배하다, 복종시키다.

── *vt.* …에 띠를 두르다, 띠 모양으로 에두르다(*about; in; round*); 둘러싸다, 포위하다: a satellite *girdling* the moon 달 주위를 도는 위성 / The mountain was ~*d in* mist. 그 산은 안개에 휩싸였다 / The city is ~*d about with* gently rolling hills. 그 도시는 완만한 기복이 있는 언덕에 둘러싸여 있다.

†**girl** [gəːrl] *n.* Ⓒ ① 계집아이, 소녀. opp *boy.* ¶ a ~*s'* school 여학교 / teenage ~, 10대의 소녀 / A ~ was born to them. 그 부부에게 여자 아이가 태어났다 / This is my little ~. 얘가 내 딸이오. ② 젊은 여자, 미혼 여성, 처녀; 《특히》 여학생 (school ~). ③ (흔히 the ~s) 《口》 (나이·기혼·미혼을 불문하고) 여자; (친밀히) 여보, 아주머니: gossipy old ~*s* 수다쟁이 할머니들 / Mum says she's going out with *the* ~*s* tonight. 어머니는 오늘 밤 친구들과 외출한다고 말했다. ④ 여점원 (sales ~); 여사무원 (office ~); 여자 종업원, 여성 근로자; 하녀 (maidservant): a shop ~ 여점원. ⑤ (흔히 one's ~) 애인, 연인 (sweetheart, best ~), 약혼녀 (fiancée): She is *my* ~. 그녀는 내 연인이다. ⑥ 《口》 딸 (daughter). ⑦ (the ~s) (기혼·미혼 포함하여) 한 집의 딸들; 서로 아는 여자들. ***my dear*** ~ 여보, 당신(아내 등에 대한 호칭).

── *a.* 〔限定的〕 여자의, 계집애의(같은): a ~ student 여학생. ***That's the*** 〔***my***〕 ***~!*** 잘했다, 잘한다, 좋아.

gírl Fríday (종종 G-) (일을 잘해서 여러 일을 맡은) 여비서(여사무원).

***gírl frìend** 여자 친구〔애인〕, 걸프렌드.

Gírl Gúides (the ~) 《英》 소녀 단원, 걸가이드 단원(1910년 영국에 창설된 7-17세 까지의 단체 ; 《美》 Girl Scout).

***girl·hood** [gə́ːrlhùd] *n.* Ⓤ 소녀〔처녀〕임, 소녀〔처녀〕 시절; 〔集合的〕 소녀들. opp *boyhood.* ¶ the nation's ~ 나라의 소녀들 / She lived in India during her ~. 소녀시절 그녀는 인도에 살았다.

girl·ie, girly [gə́ːrli] *a.* 《口》 젊은 여성의 누드를 특색으로 하(여 인기를 끄)는(잡지·쇼 따위): a *girlie* magazine 〔show〕 누드 잡지〔쇼〕.

girl·ish [gə́ːrliʃ] *a.* 소녀의; 소녀다운; (사내아이가) 계집애 같은; 소녀를 위한. opp *boyish.* 파 **~·ly** *ad.* **~·ness** *n.*

Gírl Scòut (the ~) 《美》 걸스카우트 단원(1912년 미국에 창설된 걸스카우트단; 연령은 5-17세). cf. Girl Guides.

Gi·ro, gi·ro[1] [dʒáirou, ʒíə-] *n.* Ⓤ (유럽의) 지로제 (制), 은행〔우편〕 대체 (對替) 제도.

gi·ro[2] [dʒáirou] *n.* =AUTOGIRO.

***girt** [gəːrt] GIRD[1]의 과거·과거분사. ── *a.* 둘러싸인; a sea-~ isle 바다로 둘러싸인 섬.

girth [gəːrθ] *n.* ① Ⓒ (짐이나 안장을 묶는) 끈, 띠, 허리띠, (말 따위의) 배띠. ② Ⓤ,Ⓒ 몸통 둘레(의 치수); (원기둥 모양의 물건의) 둘레의 치수: My ~ has been increasing lately. 근래 허리가 굵어졌다〔배가 나왔다〕 / The trunk is 5 yards in ~. 그 나무 줄기는 둘레가 5야드이다.

Gis·card d'Es·taing [*F.* ʒiskar dɛstɛ̃] **Va·léry** ~ 지스카르 데스탱 (1926-) (프랑스의 정치가·대통령 (1974-81)).

gis·mo [gízmou] *n.* =GIZMO.

***gist** [dʒist] *n.* (the ~) (논문이나 일 따위의) 요점, 요지, 골자(*of*): Here is *the* ~ *of* the message. 통신의 요지는 이렇다 / I'll give you *the* ~ *of* the meeting over the phone. 회의의 요지를 전화로 말해 주겠다.

git [git] *n.* Ⓒ 《英俗》 쓸모없는 놈, 바보 자식.

†**give** [giv] (**gave** [geiv]; **giv·en** [gívən]) *vt.* ① (~+목/+목+목/+목+전+명) …을 주다, 거저 주다, 드리다, 증여하다: He *gave* me a book.=He *gave* a book *to* me. 그는 나에게 책을 주었다 / I *gave* it (*to*) her. 그것을 그녀에게 주었다(★ it 따위의 직접 목적어로서의 인칭 대명사 뒤에서 to를 생략함은 《英》에서 많음) / He was *given* a book. = A book was *given* (*to*) him. (★ 受動에서는 간접 목적어를 주어로 하는 것이 일반적.

② (~+목/+목+목/+목+전+명) (지위·명예·임무·허가 따위)를 주다, 수여〔부여〕하다; (축복·장려·인사 따위)를 주다, 하다, 보내다: ~ a title 직함을 주다 / He was *given* an important post. 그에게 중요한 지위가 부여됐다 / God, ~ me patience! 하느님 저에게 인내력을 주소서 / Jane was *given* first prize. 제인이 일등상을 탔다 / Let's ~ her a big hand. 그녀에게 큰 박수를 부탁합니다 / *Give* my love *to* Mr. Brown. 브라운씨에게 안부를 전해 주오.

③ (+목+목) (시간·기회·유예·편의 따위)를 주다: *Give* me a chance once more. 다시 한 번만 기회를 주십시오 / I'll ~ you a ride the station. 역까지 차로 모셔다 드리지요 / I *gave* him three days to do it. 그것을 하는데 3일의 여유를 주었다.

④ (~+목/+목+목) (타격·고통·벌 따위)를 주다, 가하다: ~ hard blows 몹시 때리다 / She *gave* the door a hard kick. 그녀는 문을 힘껏 걷어 찼다 / The judge *gave* him a nine-month suspended sentence. 재판관은 그에게 9월의 집행유예를 언도했다.

⑤ (~+목/+목+목) (슬픔·걱정·인상·감상·기쁨·희망 따위)를 주다, 느끼게 하다, 일으키다: ~ a person a lot of trouble 아무에게 많은 폐를 끼치다 / The results will ~ you satisfaction. 그 결과는 너에게 만족을 줄 것이다 / Try to ~ her a good impression. 그녀에게 좋은 인상을 주도록 힘

써라 / It ~*s* me great pleasure to meet you again. 다시 만나뵈어 참으로 기쁩니다.
⑥《+목+전+명》(형태·성질·모양)을 부여하다; 띠게 하다: Theory ~*s* shape *to* ideas. 이론에 의해 생각이 구체화된다 / The furniture *gave* the room a modern look. 그 가구들로 인해 그 방은 현대적인 모습을 띠었다.
⑦《~+목 / +목+목 / +목+전+명》…을 건네다, 넘겨주다, 인도하다: The enemy *gave* ground. 적은 물러갔다 / He *gave* me the letters. 그는 나에게 편지를 주었다 / *Give* this package *to* your brother from me. 내가 준다고 하고서 이 꾸러미를 네 형에게 주어라.
⑧《+목+목 / +목+전+명》(손)을 내밀다; (여자가) 몸을 맡기다, 허락하다《one*self*》: *Give* me your hand. 자 악수합시다 / Ann *gave* him her cheek to kiss. 앤은 그가 키스하도록 볼을 돌렸다.
⑨《+목+전+명》(보상으로서) …을 주다, 내다, 치르다《*for*》; 희생하다; 〔흔히 否定形〕…만한 관심을 기울이다《*for*》: What 〔How much〕 will you ~ *for* my old car? 내 중고차를 얼마에 사겠소 / I would ~ anything 〔the world〕 *to* have my health restored. 건강을 회복하기 위해서라면 무엇이든지 하겠다 / I don't 〔couldn't〕 ~ a hoot 〔damn, toss〕 *about* his opinion. 그의 의견 따위엔 전혀 관심이 없다.
⑩《+목+목》(병)을 옮기다: Keep off that I might not ~ you my cold. 내 감기가 옮지 않도록 가까이 오지 마시오.
⑪ (증거·예증·이유 등)을 보이다, 들다, 지적하다, 제출하다: The author ~*s* an instance of the tragedies induced by war. 저자는 전쟁이 가져온 비극 중의 한 예를 들고 있다 / Please ~ me the reason why you did not come. 못 온 이유를 말하시오.
⑫《+목+목》(시일)을 지시하다, 지정하다: They *gave* us the date of interview. 그들은 회견 날짜를 지정해 왔다.
⑬ (온도·기압·무게 따위)를 보이다, 가리키다: The thermometer ~*s* 75°F. 온도계는 화씨 75°를 가리키고 있다.
⑭《~+목 / +목+목》(겉으로) 보이다, 나타내다, …의 징후이다: High temperature ~*s* a sign of illness. 열이 높은 건 병의 징후이다 / Don't ~ me a wry face. 찡그린 얼굴일랑 보이지 말게.
⑮ (세상에 널리) 전하다, 보도하다, 표사하다: The newspaper ~*s* a full story of the game. 신문은 경기 상황을 자세하게 싣고 있다 / The author ~*s* every phase of human life. 작가는 인생의 모든 면을 묘사하고 있다 / The answer he *gave* was quite surprising. 그의 대답은 정말 놀라웠다.
⑯ (인쇄물이) …을 수록하고 있다: The dictionary doesn't ~ this word. 사전에는 이 말이 수록되어 있지 않다.
⑰《~+목 / +목+목》(의견·회답·조언·지식·정보 따위)를 말하다, 전하다, 표명하다, 선고하다: ~ advice 조언하다 / He *gave* us a brief account of the event. 그는 그 사건의 경위를 간단히 설명해 주었다 / The umpire *gave* him out. 심판은 그에게 아웃을 선언했다.
⑱《+목+전+명》(노력·주의 따위)를 …에 돌리다, 쏟다, 바치다(devote): ~ all the glory *to* God 모든 영광을 신에게 돌리다 / *Give* your mind *to* your trade. 자기 직업에 전념하시오 / He *gave* his life *to* charities. 그는 일생을 자선 사업에 바쳤다.
⑲《~+목 / +목+목》〔동작을 나타냄, 주로 단음절의 名詞를 目的語로 하여〕…하다: ~ a push 누르다 / She *gave* a cry seeing the rat. 그녀는 쥐를 보고 비명을 질렀다 / *Give* it a tug 〔pull〕, and it will open. 힘껏 당기면 열린다.
⑳《~+목 / +목+전+명 / +목+목》 **a**) (여흥 따위)를 제공하다; (모임)을 열다, 개최하다: ~ a party 파티를 열다 / They *gave* a show in aid of charity. 그들은 자선쇼를 열었다 / She *gave* a dinner *for* twenty guests. 그녀는 손님 20명을 초대하여 만찬회를 열었다 / We *gave* him a farewell banquet. 우리들은 그의 송별회를 열었다. **b**) (극 따위)를 상연하다, (강의 따위)를 하다, 낭독〔암송〕하다, 노래하다《*for*》: ~ a play 극을 상연하다 / *Give* us a song. 한 곡 불러주세요 / He *gave* a lecture *on* the international situation. 국제 정세에 관하여 강연을 했다.
㉑《+목+목》(프로의 사회자가) 소개하다: Ladies and gentlemen, I ~ you the Governor of Texas. 여러분, 텍사스주 지사를 소개합니다.
㉒《~+목 / +목+목》 **a**) (동식물 등이) 공급하다, 산출하다, 나(오)다; (결과 따위)를 내다 (produce, supply): ~ good results 좋은 결과를 가져오다 / Land ~*s* crops. 대지는 농작물을 산출한다 / Cows ~ us milk. 소에서 우유를 얻는다 / Five into ten ~*s* two. 10 나누기 5는 2. **b**) (아이를) 낳다〔갖다〕: She *gave* him two sons. 그녀는 그와의 사이에 두 아들을 낳았다.
㉓ (빛·소리·목소리)를 발하다, 내다: The floor ~*s* creaks when you walk on it. 그 마루는 걸을 때 삐걱거린다 / The sun ~*s* light and heat. 태양은 빛과 열을 발한다 / The car *gave* a jolt and stopped. 차는 덜컹하더니 섰다.
㉔《~+목 / +목+목 / +목+전+명》(실점(失點))을 하다, 양보하다(concede): I'll ~ you that point in this argument. 이 논쟁에서 그 점은 양보하지 / I *gave* my seat *to* an old lady. 할머니에게 자리를 양보했다.
㉕〔흔히 受動으로〕…을 (예측·추론 등의 전제로) 인정하다, (…임)을 가정하다《*that*》: These facts *being given*, the argument makes sense. 이 사실들을 전제로 하면 그 의론은 납득이 간다 / How can you write a grammar, *given that* no two people speak the same way? 누구나 같은 식으로 말하지 않는다면 대체 문법책을 쓸 수 있는 것일까.
㉖《+목+목》〔~ me의 형식으로〕…로 (해) 주시오, …의 편이 좋다; (전화를) …에 연결해 주시오: Could you ~ *me* Mr. Brown, please? 브라운씨 부탁합니다. ⇨Give me… (成句).
㉗《+목+목》(축배할 때) …을 제안하다: Now I ~ you United Nations. 자 유엔을 위해 축배를 듭시다.
㉘《+목+*to* do》〔종종 受動으로〕…에게 …하게 하다: I'*m given to* understand that …. 나는 …라고 듣고〔알고〕 있다 / We have *been given to* understand that the story is true. 그 이야기는 사실로서 알려졌다. ★ to do의 動詞로는 understand, believe 등을 쓰며, that 절을 이끌며 名詞句는 이끌지 않음.
— *vi.* ①《~ / +전+명》주다, 아낌없이 내(놓)다; 베풀다; 기부를 하다: ~ *to* the Red Cross 적십자에 기부를 하다 / He ~*s* generously (*to* charity). 아낌없이 (자선에) 돈을 내놓는다 / She ~*s* freely. 그녀는 활수하다 / It's more blessed to ~ than to receive. 받는 자보다 주는 자에게 더 복이 있다. ② (힘을 받아) 우그러〔찌그러〕지다; 휘다, 굽다; 무너〔허물어〕지다; (말라서) 오그라들다, 상하다: The branch *gave* but did not break. 가지는 휘었으나 꺾어지지는 않았다 / The

cushion ~*s* comfortably 이 쿠션은 푹신푹신하여 편안하다 / Her legs *gave* under〔beneath〕her. 다리에 힘이 하나도 없었다. ③ (추위 따위가) 누그러지다; (얼음·서리 따위가) 녹다; (색이) 바래다: Ice is beginning to ~. 얼음이 녹기 시작한다 / It's very cold now, but it will soon begin to ~. 지금은 매우 춥지만 곧 풀릴 것이다. ④ 순응하다, (…에) 가락을 맞추다《*to*》. ⑤《+전+명》(창이) …로 향하다, …에 면하다《*on, upon; onto*》; (복도가) …로 통하다《*into; onto*》: The window ~*s on* the street. 창이 가로에 면(面)해 있다. ⑥《口》(비밀 따위를) 털어놓다: Okay now, ~! What happened? 자 말해봐, 무슨 일이 있었니.

Don't ~ me that (***rubbish*** 〔***nonsense***〕)! 《口》그런 (말도 안되는) 소리 마라, 그런 것 믿을 수 없어. ~ ***again*** (되)돌려주다. ~ ***against*** a person 아무에게 불리한 판결을 내리다. ~ ***and take*** 서로 양보하다, 서로 유무상통하다; 의견을 교환하다. cf. give-and-take. ~ ***as good as*** one ***gets*** 교묘히 응수하다, 지지 않고 되쏘아붙이다. ~ ***away*** (1) 남에게 주다, 싸게 팔다: He has *given away* all his money. 그는 돈을 전부 주어버렸다. (2) (기회를) 놓치다; 무너지다;《美》양보하다: You've *given away* a good chance of success. 자네는 성공의 기회를 눈앞에서 놓쳐 버렸다. (3) (고의 또는 우연히) 폭로하다, 누설하다, …에게 정체를 드러내게 하다: Don't ~ *away* my secret. 내 비밀을 남에게 말하지 마라 / That remark *gave away* his real feelings. 그 말에는 그의 진정한 감정이 들어 있다. (4) 나눠주다: The mayor came to the ceremony and *gave away* the prizes. 시장은 식전에 나와 상을 나눠 주었다. (5)〔흔히 受動으로〕(결혼식에서 신부를) 신랑에게 인도하다: Mary *was given away* by her father. 메리는 아버지에 의해 (신랑에게) 인도되었다. (6) 저버리다, 배신하다; 밀고하다. ~ ***back*** (*vt.*) (1) 돌려주다, 되돌리다《*to*》; The operation *gave* him *back* the use of his legs. 그 수술로 그는 다시 다리를 쓸 수 있게 되었다. (2) …을 되갚음하다, 말대답하다, 응수하다《insult *for* insult》; (소리·빛)을 반향〔반사〕하다: The hill *gave back* echoes. 산은 메아리쳤다 / He *gave back* my reproaches. 그는 나의 비난에 항변했다. (*vi.*) 움츠리다, 물러서다, 굴복하다, 쑥 들어가다. ~ a person ***the best*** ⇨ BEST. ~ ***forth*** (1) (소리·냄새 따위를) 발하다, 내다: The fields ~ *forth* an odor of spring. 들판은 봄의 냄새를 풍긴다. (2) (작품 따위를) 발표하다. ~ ***ground*** ⇨ GROUND. ~ ***in*** (1) (*vt.*) (보고서 따위를) 제출하다, 건네다《*to*》; 공표하다: Names of competitors must be *given in* by tomorrow. 내일까지 경기자 명단을 제출할 것 / *Give in* your papers. 숙제를 내도록 해라. (2) (*vi.*) 굴복하다《*to*》; 양보하다; 싸움을〔논의를〕그만두다; 덤으로 첨부하다: He has *given in to* my views. 그는 내 의견에 따랐다 / The authorities have shown no signs of *giving in to* the kidnappers' demands. 관계 당국자는 어린이 유괴범의 요구에 양보할 조짐을 전혀 보이지 않았다. ~ ***it to*** a person (***hot***)《美口》아무를 (호되게) 꾸짖다, 때리다, 벌주다. cf. GET it. ***Give me . . .*** (1) 내게는 차라리 …을 다오(I prefer): As for me, ~ *me* liberty or ~ *me* death. 나에게는 자유를 달라, 아니면 죽음을 택하겠노라. (2)〖電話〗…에게 연결 부탁합니다. ~ ***of*** …을 아낌없이 주다. ~ ***off*** (1) (*vt.*) (냄새·빛 따위)를 내다, 방출하다; (가지를) 내다: Cheap oil ~*s off* bad odor. 싼 기름은 악취를 발한다. (2) (*vi.*) 가지를 내다. ~ ***of*** one's ***best*** 자기의 최선을 다하다. ~ ***of*** one***self*** 자신을 헌신적으로 바치다. ~ ***on to***〔***onto***〕⇨ *vi* ⑤. ~ ***or take*** (약간의 넘고 처짐은) 있다고 치고: He's 60 years old, ~ *or take* a year. 그는 60 세에서 한 살 더하거나 덜할 정도이다. ~ ***out*** (*vt.*) (1) …을 배포하다, 할당하다: The teacher *gave out* the examination papers. 선생은 시험지를 나누어 주었다. (2) 공표〔공개〕하다, 발표하다: The secret was *given out* after his death. 그의 사후 그 비밀은 공개되었다. (3) 말해버리다, 칭하다《*to be*》: The candidate *gave* himself *out to* be of a noble family. 후보자는 자신이 훌륭한 문벌의 자손이라고 칭했다. (4) (소리·빛 따위를) 발하다, 내다: This oil stove ~*s out* a good heat. 이 석유 난로는 따뜻하다. (5)〖野〗아웃을 선언하다. (*vi.*) (1) 지쳐 떨어지다, (공급·힘이) 다하다, 부족하다, (엔진 따위가) 작동을 멈추다; (물건이) 짜부라지다; 다하다, 떨어지다; 다 되다: The fuel *gave out.* 연료가 다 떨어졌다 / The engine has *given out.* 차의 엔진이 멎었다. (2)《口》〔종종 命令形〕마음껏〔자유로이〕행하다. (3)《口》(부르는 소리·웃음 소리 등으로) 기분을 나타내다: ~ *out with* a song 마음껏 노래를 부르다. ~ ***over*** (*vt.*) (1) …을 넘겨주다, 양도(讓渡)하다, 맡기다《*to*》; (경찰에 범인으로서) 넘기다《*to*》: They *gave over* the criminal *to* law. 그들은 범죄자를 법의 손에 넘겼다. (2) (습관 따위를) 버리다, 끊다;《英口》(…하는 것을) 그만두다《do*ing*》: ~ *over* an complaining〔a habit, a mode of life〕불평을〔습관을, 생활 양식을〕포기하다. (3)〔受動으로〕(…에) 배당되어 있다, 전용되다《*to*》; (나쁜 일에) 관계하고〔빠져〕있다《*to*》: The rest of the day *was given over to* sports and games. 그날 남은 시간은 경기나 게임을 하며 보냈다. (*vi.*)《英口》〔종종 命令形〕그만두다, 조용히 하다: Do ~ *over!* 그만해. ~ one***self over***〔***up***〕***to*** (음주 따위)에 빠지다, 몰두하다: ~ one*self over to* drink 술에 빠지다 / She *gave herself over to* writing full-time. 그녀는 모든 시간을 글 쓰는 데 몰두했다. ~ one***self up*** 항복하다, 단념하다《*for*》; 자수하다《*for* the murder; *to* the police》. ~ ***. . . something to cry for***〔***about***〕(대단한 일도 아닌데 우는 아이 따위)를 혼내주다. ~ ***the case against*** = ~ against. ~ ***the time of day*** 아침 저녁의 인사를 하다. ~ ***to the world*** 공표〔발표〕하다, 출판하다. ~ ***up*** (*vt.*) (1) (환자 등)을 단념〔포기〕하다; …와 손을 끊다: The doctor *gave up* the patient. 의사는 환자를 포기했다 / Why don't you ~ him *up?* 어째서 그와 단교하지 않느냐. (2) (신앙 등을) 버리다, (술·놀이 따위를) 그만두다, 끊다《smok*ing*》, (직업 등을) 그만 두다, (시도(試圖)를) 포기하다《do*ing*》: The enemy *gave up* the fort. 적은 요새를 포기했다. (3) (자리 등을) 양보하다, (영토 등을) 내주다, (죄인 따위를) 넘겨주다《*to*》: ~ *up* one's seat *to* an old man 노인에게 자리를 양보하다 / We *gave* the thief *up to* the police. 우리는 도둑을 경찰에 넘겼다. (4) (감정·일 따위에 몸을) 맡기다《*to* despair, paint*ing*, etc.》: He *gave* him*self up to* melancholy. 그는 수심에 잠겼다. (5)〔흔히 受動으로〕…을 주로 (…에) 배당하다《*to*》. (6) (공범자 등의 이름을) 말해버리다, 분명히 하다《*to*》. (7) (집·차 등을) 처분하다; (회복·도착 등의 가망이 없다고) …의 일을 단념하다;《口》= ~ up on …; (투수가 히트·주자 등을) 허용하다. (*vi.*) 그만두다, 포기하다, 단념하다. ~ ***up on . . .***《口》(글렀다고) …을 단념하다. ~ ***way*** ⇨ WAY[1]. ~ a person ***what for*** (아무를) 책(責)하다, 벌하다. ***Give***

you joy ! 축하〔축복〕합니다. ***What ~s ?*** 《口》 무슨 일이냐, 웬일이냐. ***would ~ a lot*** 〔***anything***〕 ***to*** do 꼭 …하고 싶다 : I *would ~ a lot to* know where she is. 그녀가 있는 곳을 꼭 알고 싶다.
— *n.* Ⓤ ① 줌 ; 일그러짐, 패임. ② (재료 따위의) 유연성, 탄력성(elasticity). ③ (정신·성격 따위의) 탄력〔협조, 순응〕성 : There is a lot of ~ in young people. 젊은이에게는 순응성이 많다.

give-and-take [gívəntéik] *n.* Ⓤ 대등〔공평〕한 교환 ; 타협, 협조 ; 의견의 교환, 대화〔농담, 재치〕의 주고받음, 응수 ; 쌍방의 양보, 호양(互讓) : There has to be a bit of ~ on both sides. 서로가 조금씩 양보할 필요가 있다.

give·a·way [gívəwèi] *n.* 《口》 ① (a ~) (비밀 등의) 누설, (비밀 등을) 드러내기, (뜻밖에) 드러난 증거 : He said he'd given up smoking, but the empty packets in the rubbish bin were a dead ~. 그는 금연했다고 했으나 쓰레기통의 빈 담뱃갑들이 거짓의 결정적 증거가 됐다. ② Ⓒ (손님을 끌기 위한) 서비스품, 경품 ; 무료 샘플(free sample) : a ~ price 헐값, 똥값. ③ Ⓒ 〖放送〗 현상이 붙은 프로.

†giv·en [gívən] GIVE의 과거분사.
— *a.* ① 〔限定的〕 주어진, 정해진, 소정(所定)의 ; 일정한 : under a ~ condition 일정한 조건하에서 / at a ~ rate 일정한 비율로 / within a ~ period 일정한 기간 내에 / They were to meet at a ~ time and place. 그들은 정해진〔약속된〕 시간과 장소에 모이기로 되어 있었다. ② 〖數〗 주어진 ; 가설(假說)의, 기지(既知)의. ③ 〔敍述的〕 경향을 띠는, 탐닉하는, 빠지는《*to*》, 좋아하는 : He is ~ *to* read*ing*. 그는 독서를 좋아한다 / He is ~ *to* tak*ing* a walk after dinner. 그는 저녁 식사 후에는 산책하는 버릇이 있다. ④ 〔前置詞的〕 …이 주어지면, …라고 가정하면 : *Given* time, it can be done. 시간만 있으면 될 수 있는 일이다. ⑤ (몇 월 며칠) 작성〔발행〕된(dated)《공문서 따위를 말함》 : *Given* under my hand and seal this 1st of July. 금(수) 7월 1일 자필 서명 날인하여 작성함《★ 흔히 공문서 등의 말미에 씀》.

·gíven náme 《美》 (성에 대한) 이름(Christian name). cf. name.

giv·er [gívər] *n.* Ⓒ 주는 사람, 증여〔기증〕자 : a generous ~ 무엇이나 선뜩 내주는 사람.

Gi·za, Gi·zeh [gí:zə] *n.* 기자《Egypt의 Cairo 근교의 도시 ; 피라미드와 스핑크스로 유명함》.

giz·mo [gízmou] *n.* Ⓒ 《美口》 ① 도구, 장치(gadget, gimmick). ② 거시기, 뭐라던가 하는 것《이름을 잊거나 알아도 초들기 싫을 때》: He played with a ~ on the machine and it suddenly started. 기계의 무엇인가를 만지니 그것은 갑자기 움직이기 시작했다.

giz·zard [gízərd] *n.* Ⓒ ① 〖鳥〗 모래주머니《특히 닭의》. ② 《口》 (사람의) 내장, 《특히》 위(장) ; 마음. ***stick in*** one's ***~*** 숨이 막히다 ; 마음에 차지〔들지〕 않다, 부아가 나다.

Gk., Gk Greek.

gla·brous [gléibrəs] *a.* 〖生〗 털이 없는(hairless) ; 반들반들한(smooth).

gla·cé [glæséi] *a.* 《F.》 ① 반드럽고 윤이 나는《옷감·가죽 등》. ② 설탕을 입힌, 설탕을 바른《과자 따위》; 《美》 냉동의. cf. marrons glacés.

gla·cial [gléiʃəl] *a.* ① 얼음의〔같은〕 ; 빙하의 ; 빙하 시대의 ; 얼음〔빙하〕의 작용에 의한 ; 극한(極寒)의 : a ~ valley 빙하 골짜기 / a ~ wind 얼음처럼 찬 바람. ② 냉담한 : She gave me a ~ smile. 그녀는 내게 차갑게 웃어보였다.

glácial èpoch 〔**èra, pèriod**〕 (the ~) 〖地質〗 빙하기.

gla·ci·ate [gléiʃièit, gléisi-] *vt.* …을 얼리다 ; 얼음으로〔빙하로〕 덮다 ; 〖地質〗 (골짜기)에 빙하 작용을 미치다 : the ~*d* peaks of the Himalayas 히말라야 산의 얼음으로 덮인 정상들.

gla·ci·a·tion [glèiʃiéiʃən, glèisi-] *n.* Ⓤ 빙결 ; 얼음으로〔빙하로〕 덮음 ; 빙하 작용.

‡gla·cier [gléiʃər, gléisjər] *n.* Ⓒ 빙하.

gla·ci·ol·o·gy [glèiʃiálədʒi / glèisiɔ́l-] *n.* Ⓤ 빙하학 ; (특정 지역의) 빙하 형성 상태〔특징〕.

†glad[1] [glæd] (*∠·der* ; *∠·dest*) *a.* ① 〔敍述的〕 기쁜, 반가운, 유쾌한(pleased). opp. *sorry.* ¶ I was ~ *at* the news. 그 소식을 듣고 기뻤다 / I am ~ *of* 〔*about*〕 that. 그거 잘 됐군 / I am very ~ *to* see you. 만나뵈서 반갑습니다, 잘 오셨습니다 / I am ~ (*that*) you weren't hurt in the accident. 그 사고에 무사했다니 다행입니다. ② 〔敍述的〕 기꺼이 (…하다)《*to* do》《★ 흔히 will, would, should를 수반함》 : I will be ~ *to* help you. 기꺼이 도와드리지요 / I should be ~ *to* know why. 〔反語的〕 까닭을 알고 싶군. ③ 〔限定的〕 (표정·목소리 따위가) 기뻐하는 ; (사건·소식 따위가) 기쁜, 좋은 : ~ news 〔tidings〕 기쁜 소식 / give a ~ shout 환성을 지르다 / a ~ occasion 경사(慶事) / her ~ countenance 그녀의 기뻐하는 표정. ④ (자연 따위가) 찬란한, 아름다운 : a ~ autumn morning 맑고 상쾌한 가을 아침.

glad[2] [glæd] *n.* Ⓒ 《口》 글라디올러스.

glad·den [glǽdn] *vt.* …을 기쁘게 하다 : The news ~*ed* his heart. 그 소식에 그는 행복했다.

glade [gleid] *n.* Ⓒ 숲 사이의 빈터〔오솔길〕.

glád èye (the ~) 《口》 추파. ***give*** a person ***the ~*** 아무에게 추파를 던지다.

glád hànd (the ~) 환영(의 손); 따뜻한 환영 : give a person *the* ~ 아무를 대대적으로〔따뜻하게〕 환영하다.

glad-hand [glǽdhǽnd] *vt.* …을 환영〔접대〕하다.

glad·i·a·tor [glǽdièitər] *n.* Ⓒ ① 〖古로〗 검투사《노예·포로 등이 격투장에서 목숨을 걸고 하던》. ② (일반적으로) 격투자, 투사 ; 논객.

glad·i·o·lus [glæ̀dióuləs] (*pl.* ***-li*** [-lai], ~(***·es***)) *n.* Ⓒ 〖植〗 글라디올러스.

‡glad·ly [glǽdli] *ad.* 즐거이, 기꺼이 : I'll ~ come 기꺼이 찾아 뵙겠습니다 / I'd ~ meet her, but I'm on holiday that week. 그녀를 꼭 만나고 싶지만 그 주에 나는 휴가란 말이다.

·glad·ness [∠nis] *n.* Ⓤ 기쁨 : They returned home with great ~. 그들은 희희낙락해 하며 집에 돌아 왔다.

glád ràgs (종종 one's ~) 《口》 나들이옷, 가장 좋은 옷(best clothes), 《특히》 야회복.

Glad·stone [glǽdstoun, -stən] *n.* ① **William Ewart ~** 글래드스턴《영국 자유당의 정치가, 수상 ; 1809-98》. ② Ⓒ (가운데서 양쪽으로 열게 된) 여행 가방(=∠ **bàg**).

glamor ⇨ GLAMOUR.

glam·or·ize, -our- [glǽməràiz] *vt.* ① …에 매력을 더하다, …을 매혹적으로 만들다 ; 돋보이게 하다. ② (사물)을 선정적으로 다루다, 미화(美化)하다 : ~ war 전쟁을 미화하다 / The film was criticized for *glamorizing* violence. 그 영화는 폭력을 미화했다는 비난을 받았다.

glam·or·ous, -our- [glǽmərəs] *a.* 매력에 찬, 매혹적인 : a ~ movie star / a ~ life 〔job〕 매력 있는 생활〔일〕. 파 **~·ly** *ad.*

·glam·our, -or [glǽmər] *n.* Ⓤ ① 신비적인 아름다움, 매력 : the ~ of poetry 시의 매력 /

Night-clubs have lost their ~ for me. 내게 나이트클럽은 매력을 잃었다. ② (여성의) 성적 매력 : an actress radiant with ~ 눈부시도록 성적 매력이 가득한 여배우.

‡glance [glæns, glɑːns] *n.* Ⓒ ① 흘긋 봄, 일별, 한번 봄, 일견(swift look)《*at* ; *into* ; *over*》. cf. glimpse. ② (뜻 있는) 눈짓. ③ 섬광, 번득임《*of*》. ④ (탄알·칼·공 따위가) 빗나감. ***at a* 〔*first*〕 ~** 일견하여, 첫눈에, 잠깐 보아서 : *At first* ~ I could see that something was wrong. 한눈에 나는 뭔가 잘못됐다는 것을 알 수 있었다. ***give* 〔*cast, shoot, throw*〕 *a* ~ *at*** …을 흘긋 보다. ***steal a* ~ *at*** …을 슬쩍 보다.
— *vi.* ① 《+副 / +前+名》 흘긋〔언뜻〕 보다, 일별하다《*at* ; *over*》; 대강 훑어보다《*over* ; *down* ; *through*》: ~ *over*〔*through*〕 the papers 서류들을 대충 훑어 보다 / She ~*d* back. 그녀는 언뜻 뒤를 돌아봤다. ② 《+前+名》 잠깐 언급하다《*over*》, 시사하다《*at*》: He only ~*d at* the incident without comment. 그는 논평은 않고 그 사건에 잠깐 언급했을 뿐이었다. ③ 《+前+名》 (탄알 따위가) 빗맞고 나가다, 스치다《*aside* ; *off*》: The bullet ~*d off* his metal shield. 탄환은 그의 금속 방패를 스치고 지나갔다 / The ball ~*d off* the goal-post into the net. 공은 골포스트를 빗맞고 네트에 꽂혔다. ④ 빛나다, 번쩍이다, 빛을 반사하다 : The moon ~*d* brightly on the lake. 달이 호수면에 빛나고 있었다. — *vt.* ① …을 쭉 훑어보다 ; (눈 따위)를 흘긋 돌리다《*at; over*》: ~ one's eyes *over*〔*down*〕 the map 지도를 대강 훑어보다. ② (칼·탄알 따위가) …에 맞고 빗나가다 : The arrow ~*d* his armor. 화살은 그의 갑옷을 스치고 지나갔다. ~ ***off*** (1) ⇨ *vi.* ③. (2)(잔소리·비꼼 따위가) 통하지 않다.

glanc·ing [glǽnsiŋ, glɑ́ːns-] *a.* ① (타격·탄환 따위가) 빗나가는 : He received a ~ blow on his head. 주먹이 그의 머리를 스치고 지나갔다. ② (말 따위가) 에두른. 㖾 ~·**ly** *ad.* 부수적으로.

***gland**[1] [glænd] *n.* Ⓒ 〖解〗 선(腺) : the sweat ~*s* 땀샘, 한선(汗腺).

glan·du·lar [glǽndʒələr] *a.* 선(腺)〔샘〕의 ; 선상(腺狀)의. 㖾 **-lar·ly** *ad.*

glans [glænz] (*pl.* ***glan·des*** [glǽndiːz]) *n.* 〖解〗 귀두(龜頭) ; 〖植〗 견과(堅果).

‡glare[1] [glɛər] *n.* ① Ⓤ (흔히 the ~) 번쩍이는 빛, 눈부신 빛 : Tinting the windows will cut down *the* sun's ~. 착색 유리창은 눈부신 햇빛을 감쇄할 것이다. ② Ⓤ (흔히 the ~) 현란함, 야함, 눈에 띔 : in *the* full ~ of publicity 세상의 평판이 자자하여. ③ Ⓒ 노려봄, 눈초리 : He looked at me with a ~ of hatred. 그는 나를 증오에 찬 눈초리로 노려보았다 / After several angry ~*s* she finally got the message and tore it to pieces. 그녀는 성나서 몇 번 노려보더니 마침내 메시지를 들고 갈기갈기 찢어버렸다.
— *vi.* ① 번쩍번쩍 빛나다, 눈부시게 빛나다 : The sun ~*d down* on them. 뙤약볕이 그들을 내리쬐었다 / I can't sit here—the sun is *glaring down* in my eyes. 햇빛에 눈이 부셔 여기 못 앉아 있겠다. ② 《+前+名》 노려보다《*at* ; *on, upon*》: She ~*d at* me with 〔in〕 rage. 그녀는 격분하여 나를 노려보았다.
— *vt.* 《~+目 / +目+前+名》 (증오·반항 따위)를 눈에 나타내다 : He ~*d* hate *at* me. 그는 증오의 눈으로 나를 보았다.

glare[2] [glɛər] *n.* Ⓒ 《美·Can.》 (얼음 따위의) 눈부시게 빛나는 표면.

glar·ing [glέəriŋ] *a.* ① 번쩍번쩍 빛나는, 눈부신 : bright ~ sunlight 번쩍번쩍 눈부시게 빛나는 햇빛. ② 노려보는 듯한 ; 눈을 부라리는 : with ~ eyes 눈을 부릅뜨고. ③ 지나치게 현란한 ; (결점, 잘못 등이) 몹시 눈에 띄는 : a ~ error 지나친 과실 / a ~ lie 새빨간 거짓말 / in ~ primary colors 현란한 원색으로. 㖾 ~·**ly** *ad.* 번쩍번쩍하게 ; 눈에 띄게 ; 분명히. ~·**ness** *n.*

glary [glέəri] (***glar·i·er*** ; ***-i·est***) *a.* 번쩍번쩍 빛나는, 눈부신 ; 《美》 (얼음처럼) 매끄러운.

Glas·gow [glǽsgou, -kou] *n.* 글래스고《스코틀랜드의 항구 도시》. ◇ Glaswegian *a.*

glas·nost [glɑ́ːsnəst] *n.* Ⓤ 《Russ.》 (=make public) 글라스노스트《1986년 Gorbachev가 취한 개방 정책》, 정보 공개.

†glass [glæs, glɑːs] *n.* ① Ⓤ 유리 ; 유리 모양의 물건 ; 판유리 : as clear as ~ 유리처럼 투명한, 극히 분명한 / colored ~ 색유리 / broken ~ 깨진 유리 / This bottle is made of ~. 이 병은 유리병이다. ② Ⓤ 〔集合的〕 유리 제품(~ ware). cf. china. ¶ table ~ 식탁용 유리 그릇. ③ Ⓒ 〔集合的〕《특히》 컵, 글라스《★ glass는 보통 찬 음료를, cup은 더운 음료를 넣음》; 한 컵의 양 ; (글라스 한 잔의) 술(drink) : two ~*es* of cocktail 칵테일 두 잔 / drink a ~ of water 물을 한 컵 마시다/ have a ~ together 함께 한잔 하다. ④ Ⓒ 렌즈 ; (*pl.*) 안경(spectacles), 쌍안경(binoculars) ; 망원경(telescope), 현미경(microscope) : Where are my ~*es* ? 내 안경이 어디 있나? / a pair of ~*es* 안경 하나 / wear ~*es* 안경을 쓰다 / take one's ~*es* off 안경을 벗다. ⑤ Ⓒ 거울(looking ~) : look in the ~ 거울을 들여다보다. ⑥ Ⓒ (흔히 the ~) 청우계(晴雨計)(weatherglass); 온도계 ; 모래 시계(sand ~), 물시계 : *The* ~ is rising. 온도가 높아진다. ⑦ 《英》 온실 : tomatoes grown under ~ 온실 재배의 토마토. ⑧ 《美俗》 다이아몬드. ***have had a* ~ *too much*** (너무 마셔) 만취하다. ***raise a* 〔*one's*〕 ~** 건배하다.
— *a.* 〔限定的〕 유리제의 ; 유리를 끼운, 유리로 덮은 : a ~ bottle 유리병 / a ~ door 유리문.
— *vt.* …에 유리를 끼우다 ; 유리로 덮다 ; 유리로 두르다〔싸다〕: ~ a window 창에 유리를 끼우다.

glass·blow·er [´-blòuər] *n.* Ⓒ 유리 부는 직공〔기계〕.

glass·blow·ing [´-blòuiŋ] *n.* Ⓤ 유리를 불어서 (제품을) 만드는 제법.

gláss clòth 유리 닦는 천 ; 유리 종이《연마용》; 유리 섬유 직물.

gláss cùlture 온실 재배.

gláss cùtter 유리 절단공 ; 유리칼.

gláss éye 유리로 만든 의안(義眼), 사기눈.

gláss fiber 글라스파이버, 유리 섬유.

glass·ful [glǽsfùl, glɑ́ːs-] *n.* Ⓒ 컵 한 잔의 분량 「《*of*》.

glass·house [´-hàus] *n.* ① Ⓒ 《英》 온실(greenhouse). ② Ⓒ 유리 공장. ③ (the ~) 《英俗》 군(軍) 교도소, 영창.

glásshouse effèct 〖氣〗 (대기의) 온실 효과(greenhouse effect). 「등에 쓰임》.

glass·ine [glæsíːn] *n.* Ⓤ 글라신《포장·책 커버

gláss jáw (특히 권투 선수의) 약한 턱.

glass-mak·er [´-méikər] *n.* Ⓒ 유리(기구) 제조인 ; 제조 공장.

gláss snàke 〖動〗 유리도마뱀《북아메리카 남부산의 발없는 도마뱀》.

***glass·ware** [´-wὲər] *n.* Ⓤ 〔集合的〕 유리제품, 유리 기구류, 글라스웨어.

gláss wóol 글라스 울, 유리솜.

glass·work [´-wəːrk] *n.* Ⓤ ① 유리 제조업. ② 유리 제품, 유리 세공.

[파] ~·er *n.* [C] 유리 제조〔세공〕인. ~s [-s] *n. pl.* 〔單數 취급〕 유리 공장.

*__glassy__ [glǽsi, glɑ́:si] (*__glass·i·er ; -i·est__*) *a.* ① 유리질의, 유리 모양의 ; 투명한 ; 거울처럼 반반한 : the ~ sea 거울같은 해면 / the moonlit ~ lake 달빛에 빛나는 잔잔한 호수. ② 생기 없는, 흐리멍덩한《눈 따위》: His eyes were ~. 그의 눈은 흐리멍덩했다.
[파] **gláss·i·ly** [-ili] *ad.* 유리같이. **-i·ness** *n.* 유리질.

glass·y-eyed [-àid] *a.* 흐리멍덩한 (눈의) ; 《美》 (취하여) 개개풀린 ; 멍하니 바라보는.

Glas·we·gian [glæswí:dʒiən] *a., n.* Glasgow 의 (사람).

glauc(o)- 'glaucous' 의 뜻의 결합사.

glau·co·ma [glɔ:kóumə, glau-] *n.* [U] 〖醫〗 녹내장(綠內障).

glau·cous [glɔ́:kəs] *a.* ① 녹회색의, 청록색의. ②〖植〗 (잎·열매 등이) 흰 가루에 덮인《자두·포도 따위》.

*__glaze__ [gleiz] *vt.* ①《~+[목] / +[목]+[부]》 (창 따위)에 판유리를 끼우다 ; (건물)에 유리창을 달다 : ~ a window 창에 유리를 끼우다 / ~ a porch *in* 현관(玄關)을 유리로 두르다. ② …에 유약(釉藥)을 바르다, …에 반수(礬水)를 입히다, …에 윤을 내다 : ~ leather 가죽에 광을 내다. ③〖料〗 (표면)에 설탕 시럽 등을 입히다. ④〖畫〗 …에 겉칠을 하다. ── *vi.* (눈이) 흐려지다, (표정이) 생기가 없어지다《*over*》: Their eyes *~d over* with boredom. 따분한 나머지 그들의 눈은 개개풀려 있었다.
── *n.* [U,C] ① 유약칠 ; 윤내기. ② 유약, 잿물 ; 덧칠. ③ 반들반들함 ; 그 면. ④〖料〗 요리에 입히는 투명질의 재료《특히, 설탕 시럽·젤라틴 따위》; 고기나 생선국에 젤라틴을 푼 것. ⑤《美》〖氣〗 우빙(雨氷)(《英》 ~ ice, ~d frost). ⑥ (눈에 생기는) 박막(薄膜).

glazed [gleizd] *a.* ① 유약을 바른, 광을 낸 : ~ brick 오지 벽돌 / ~ paper 광택지. ② 유리를 끼운 : a double-~ window, 2중 유리창 / All the rooms have ~ doors. 모든 방문들은 유리문이다. ③ (눈이) 흐리멍덩한, 생기가 없는.

gla·zier [gléiʒər] *n.* [C] 유리 장수 ; 유리 끼우는 사람.

glaz·ing [gléiziŋ] *n.* [U] ① 유리 끼우기 ; 유리 세공 ; 그 직업. ② 끼우는 유리, 창유리. ③ 잿물 바르기 ; 잿물 씌운 표면 ; 윤내기, 윤내는 재료. ④ 잿물 ;〖美術〗 겉칠하는 재료.

‡**gleam** [gli:m] *n.* [C] ① **a)** 반짝이는 빛, (새벽 따위의) 미광(微光) : the ~ of dawn 새벽의 미광 ; 여명 / see the ~ of a car's headlights through the curtains 커튼을 통해 번쩍하는 헤드라이트의 빛을 보다. **b)** 번득 비침, 섬광(beam, flash) : a sudden ~ of light 번쩍하는 광선. ② (흔히 *sing.*) (감정·희망·기지 등의) 번득임《*of*》: a ~ *of* hope 한가닥 희망 / a ~ *of* intelligence 지성(知性)의 번득임. ── *vi.* ① 번쩍이다, 빛나다 ; 미광을 발하다 ; 잠깐 보이다〔나타나다〕: Neon lights *~ed* in the deepening mists. 네온 불빛들이 짙은 안개속에서 빤짝이고 있었다. ② (생각·희망 등이) 번득이다, 어렴풋이 나타나다. [cf] glimmer, glint, glitter. ¶ Her eyes *~ed* with〔in〕 pleasure. 그녀의 눈이 기쁨으로 빛났다.

*__glean__ [gli:n] *vt.* ① (이삭)을 줍다 : ~ the grains 이삭을 줍다 / I spent hours *~ing* in the wheat fields. 밀밭에서 이삭을 주으며 몇 시간을 보냈다. ② (사실·정보 등)을 애써〔조금씩〕 수집하다《*from*》: He has *~ed* information *from* various periodicals. 그는 여러가지 정기 간행물에서 정보를 수집했다.
[파] ∠·**er** *n.* [C] 이삭 줍는 사람 ; 수집가.

glean·ing [glí:niŋ] *n.* [U] ① (수확 후의) 이삭 줍기. ② (흔히 *pl.*) (주워 모은) 이삭 ; 수집물 ; 단편적 집록(集錄), 낙수집(落穗集), 선집.

glebe [gli:b] *n.* ① [U] 《詩》 땅(earth), 대지 ; 전지(田地)(field). ② [C] 《英》 교회 부속지(=∠ lànd).

*__glee__ [gli:] *n.* ① [U] 기쁨, 환희(joy) ; 환락 : laugh with ~ 기뻐서 웃다 / When the check arrived he hugged me in ~. 수표가 도착하자 그는 기뻐서 나를 얼싸안았다. ② [C] 〖樂〗 무반주 합창곡《주로 3부 이상의 남성(男聲) 합창곡》. ***in high ~=full of ~*** 대단히 기뻐서, 매우 들떠서.

glée clùb (남성(男聲)) 합창단.

glee·ful [glí:fəl] *a.* 매우 기뻐하는 ; 즐거운.
[파] ~·**ly** *ad.*

*__glen__ [glen] *n.* [C] (스코틀랜드 등지의) 골짜기, 좁은 계곡, 협곡.

glen·gar·ry [glengǽri] *n.* [C] 글렌개리《스코틀랜드 고지인의 챙 없는 모자》.

glib [glib] (*__-bb-__*) *a.* ① 입심 좋은 ; 유창한 : a ~ salesman 〔politician〕 입심 좋은 세일즈맨〔정치가〕/ He has a ~ tongue. 입담이 좋은 사람이다. ② 말뿐인, 진실성이 없는 : a ~ answer 그럴 듯한 대답 / He is a ~, self-centered man. 그는 말만 앞세우는 자기 중심의 사람이다 / No one was convinced by his ~ explanation. 누구 하나 그의 그럴싸한 설명을 곧이듣지 않았다. [파] ∠·**ly** *ad.* 줄줄, 유창하게 ; 그럴싸하게. ∠·**ness** *n.*

‡**glide** [glaid] *n.* [C] ① 활주, 미끄러지기 ;〖空〗 활공. ②〖樂〗 슬러(slur) ; 운음(運音) ;〖音聲〗 경과음《한 음에서 딴 음으로 옮길 때 자연히 나는 이음소리》.
── *vi.* ① 미끄러지다, 미끄러지듯 나아가다〔움직이다〕, 활주하다《*across ; along ; away ; down,* etc.》;〖空〗 활공하다(volplane) : The swan *~d across* the lake. 백조는 호수를 미끄러지듯 헤엄쳐 가로질러 갔다. ②《+[부]》 (시간 따위가) 흘러가다, 어느덧 지나가다《*by ; past*》; (물이) 소리없이 흐르다 : The years *~d by.* 세월이 어느덧 지나갔다. ③《+[전]+[명]》 조용히 걷다〔가다〕《*in ; out ; from*》; 빠지다, 점점 변하다《*into*》; 차차 사라져 …이 되다 : He *~d out*〔*of*〕 the room. 그는 조용히 방에서 나갔다 / ~ *into* bad habits 못된 습관에 빠져들다. ── *vt.* …을 미끄러지게 하다, (배)를 미끄러지듯 나아가게 하다, 활주〔활공〕시키다.

glíde pàth 〔**slòpe**〕〖空〗《특히》 계기 비행 때 무선 신호에 의한 활강 진로.

‡**glid·er** [gláidər] *n.* [C] 미끄러지(듯 움직이)는 사람〔물건〕;〖空〗 글라이더, 활공기 ; 활주정(艇) ;《美》 (베란다 등에 놓는) 흔들의자.

glid·ing [gláidiŋ] *n.* [U] (스포츠로서의) 활공, 활주 ; 글라이더 경기.

*__glim·mer__ [glímər] *n.* [C] ① 희미한 빛, 가물거리는 빛 : the ~ *of* a candle 양초의 가물거리는 불빛 / a ~ *of* light at the end of the tunnel 터널 저 끝에 보이는 희미한 빛. ② 어렴풋함 ; 기미, 낌새 : a ~ *of* hope 가냘픈 희망 / He does not have the least ~ *of* wit. 그에게 위트라고는 전혀 없다 / I didn't have a ~ *of* what he meant. 그가 무엇을 말하려는지 전혀 몰랐다. ── *vi.* ① 희미하게 빛나다 ; 깜빡이다, 명멸하다(flicker) : The candle *~ed* and went out. 촛불이 깜빡이다가 꺼졌다. ② 어렴풋이 나타나다. [cf] gleam.

*__glim·mer·ing__ [glímәriŋ] *n.* [C] ① 희미한 빛, 미광. ② (종종 ~*s*) 희미한 낌새, 조짐 : We began to see the ~*s* of a solution to the problem. 그 문제에 대한 해답의 조짐을 희미하게나마 알기 시

작했다. ── *a.* 깜박깜박〔희미하게〕 빛나는, 어렴풋한 : I have only a ~ idea of the subject. 나는 그 주제에 대해 막연하게만 알고 있다. [파] ~·**ly** *ad.*

‡**glimpse** [glimps] *n.* [C] ① 언뜻 보임, 일별《*of*》: I had〔got〕 a ~ *of* the house from the running bus. 달리는 버스 안에서 그 집이 얼핏 보였다《★ glance는 '흘끗 보는 일', glimpse는 '언뜻 보이는 일'의 뜻. 따라서 흔히 give 〔take〕 a glance at ... 에 대해 get 〔catch, have〕 a glimpse of ... 구문을 씀》. ② 희미한 감지(感知) : I had a ~ *of* his true intention. 그의 진의를 어렴풋이 알았다. ── *vt., vi.* (…을) 흘끗 보(이)다, 얼핏 보(이)다 : I thought I ~*d* Meg at the station this morning. 오늘 아침 역에서 메그를 언뜻 본 것 같았다.

***glint** [glint] *vi.* 반짝이다, 빛나다 ; 번쩍번쩍 반사하다 : The stream ~*ed* in the moonlight. 시냇물이 달빛에 반짝반짝 빛나고 있었다. ── *vt.* 《+[목]+[부]》 …을 반짝이게 하다, 빛나게 하다 ; 반사시키다 : A mirror ~*s back* light. 거울은 빛을 반사한다.
── *n.* [C] 반짝임, 번득임, 섬광(flash) ; 광택 : She was startled by the ~ of a knife lying on the table. 식탁에 놓인 번득이는 칼을 보고 움찔했다.

glis·sade [glisɑ́:d, -séid] *n.* 《F.》 [C] ①〖登山〗 글리사드, 제동 활강(制動滑降). ② 글리사드《댄스에서 미끄러지듯 발을 옮기는 스텝》.
── *vi.* ① (등산에서) 글리사드로 미끄러져 내리다. ② 글리사드로 춤추다.

glis·san·do [glisɑ́:ndou] (*pl.* **-di** [-di:]) *n.* [C] 〖樂〗 글리산도, 활주(滑奏)법《손가락을 미끄러지듯 빨리 놀리는 연주법》; 활주부(部). ── *ad., a.* 글리산도로 (연주되는).

***glis·ten** [glísn] *vi.* (젖은 것, 광택을 낸 것 등이) 반짝이다(sparkle), 빛나다 : Tears ~*ed in* her eyes. =Her eyes ~*ed with* tears. 눈이 눈물로 빛났다. ── *n.* [C] 반짝임, 빛남, 섬광.

glitch [glitʃ] *n.* [C] ①《美俗》 (기계 등의) 돌연〔사소〕한 고장. ②《俗》 전류의 순간적 이상, 잘못된 전기적 신호.

‡**glit·ter** [glítər] *n.* ① (*sing.*) (흔히 the ~) 반짝임, 빛남, 빛 : *the* ~ of the jewels 보석들의 반짝임. ② [U] 화려〔찬란〕함 : He was attracted by the ~ of Hollywood. 그는 헐리우드의 화려함에 매혹됐다. ③ [C] 번쩍이는 작은 장식품《모조 다이아몬드 따위》. ── *vi.* ① 번쩍번쩍하다, 빛나다《*with*》: A myriad of stars ~*ed* in the sky. =The sky ~*ed with* a myriad of stars. 하늘에서 무수한 별이 빛났다 / All is not gold that ~*s.* 《格言》 번쩍인다고 다 금은 아니다. ②《+[전]+[명]》 (복장이) 야하다, 화려하다, 눈에 뜨이다《*with*》: a lady ~*ing with* jewels 보석으로 화려하게 꾸민 귀부인.

glit·te·ra·ti [glìtərɑ́:ti] *n. pl.* (흔히 the ~) 《口》 부유한 사교계의 사람들(beautiful people).

***glit·ter·ing** [glítəriŋ] *a.* 번쩍이는, 빛나는 ; 화려〔찬란〕한 ; 겉만 번지르르한 : a ~ starry night 별이 빛나는 밤 / a ~ future 밝은 미래.

glit·tery [glítəri] *a.* =GLITTERING.

glitz [glits] *n.* [U] 《美 · Can.》 (외견 · 분위기 따위가) 야할 정도로 눈부신 것〔상태〕, 현란한 것〔상태〕; 눈부심, 현혹(眩惑).

glitzy [glítsi] *a.* (**glítz·i·er** ; **-i·est**) 《美 · Can.》 야할 정도로 눈부신(dazzling), 현란한(showy), 번지르르한 : The movie star's wedding was a ~ affair. 그 영화 배우의 결혼식은 현란했다. [파] **glítz·i·ly** *ad.*

gloam·ing [glóumiŋ] *n.* (the ~) 《詩》 땅거미, 황혼, 박명(薄明) (dusk) : They sat on a hillside in *the* ~, watching the lights come on in the houses below. 그들은 황혼에 산중턱에 앉아 산밑 집들에 점등(點燈)되는 불빛을 바라보고 있었다.

gloat [glout] *vi.* (자기의 행운 또는 남의 불행을) 흡족한〔기분 좋은, 고소한〕 듯이 바라보다《*on* ; *over*》; 혼자서 기뻐하다《*over* ; *upon*》: He ~*ed over* his defeated rival. 그는 패배한 상태를 고소한 듯이 바라보았다. ── *n.* (a ~) 만족해함, 고소해함. [파] ∠·**ing·ly** *ad.* 만족한 듯이, 혼자 흡족해하며.

glob [glɑb / glɔb] *n.* [C] (액체의) 작은 방울, (진흙 따위의) 덩어리 ; A big ~ of chewing-gum had been stuck under the table. 큼지막한 껌덩어리가 탁자 밑에 붙어 있었다.

***glob·al** [glóubəl] *a.* 공 모양의 ; 지구의, 전세계의, 세계적인 (worldwide) ; 전체적인, 총체의 (entire) ; 〖컴〗 전역의 : a ~ flight 세계 일주 비행 / ~ warming 지구의 온난화 / a ~ war 세계〔전면〕 전쟁 / a ~ problem 세계적〔포괄적〕 문제 / take a ~ view of …을 전체적〔포괄적〕으로 바라보다 〔고찰하다〕/ The energy crisis is ~. 에너지 위기는 세계적인 문제이다.

glob·al·ism [glóubəlizəm] *n.* [U] 글로벌리즘《자국(自國)을 국제적 문제에 관여시켜나가는 정책 · 주의》, 세계화 정책. [파] **-ist** *n.*

glob·al·ize [glóubəlàiz] *vt.* …을 세계적으로 하다, 세계화하다, 전세계에 퍼뜨리다〔미치게 하다〕: Satellite broadcasting is helping to ~ television. 위성 방송은 텔레비전 방송을 세계화하는데 일조를 하고 있다. [파] **glòb·al·i·zá·tion** [-zéiʃən] *n.*

glob·al·ly [-bəli] *ad.* ① 지구 전체에, 세계적으로 : Think ~, act locally. 지구 규모로 생각하고, 지방 규모로 행동하라《환경 보호주의자의 주장》. ② 구형으로, 공모양으로. ③ 전체적으로.

glóbal víllage (the ~) 지구촌《통신의 발달로 지구가 좁은 하나의 마을처럼 됐다는 세계》.

glo·bate [glóubeit] *a.* 공 모양의(spherical).

***globe** [gloub] *n.* [C] ① 구(球), 공, 구체(球體). ② (the ~) 지구(the earth), 세계. ③ 천체《태양 · 행성 등》. ④ 지구의(儀), 천체의(儀). ⑤ 유리로 만든 공 모양의 물건《램프의 등피, 어항 등》; 〖解〗 눈알(eyeball). ◇ globular *a.*

globe·fish [∠fiʃ] *n.* [C] 〖魚〗 복어(puffer), 개복치.

globe-trot [∠trɑ̀t / ∠trɔ̀t] (**-tt-**) *vi.* 세계를 (관광)여행하며 다니다. [파] ~·**ter** *n.* [C] 세계 관광 여행자 ; 일 때문에 세계를 뛰어 돌아다니는 사람. ~·**ting** *n., a.* 세계 관광 여행(의) : The Prime minister's ~*ting* has led to accusation that he is ignoring domestic problems. 수상은 세계 여행으로 국내 문제를 소홀히 한다는 비난을 받고 있다.

glo·bose [glóubous, -∠] *a.* 공 모양의, 구형의 (globular).

glob·u·lar [glɑ́bjələr / glɔ́b-] *a.* (작은) 공 모양의(globate) ; 작은 공으로 이루어진.

glóbular chárt 구면(球面) 투영 지도.

glóbular clúster 〖天〗 구상 성단(球狀星團).

glob·ule [glɑ́bju:l / glɔ́b-] *n.* [C] (특히 액체의) 소구체, 작은 물방울 ; 혈구 ; 환약(pill).

glob·u·lin [glɑ́bjəlin / glɔ́b-] *n.* [U] 〖化〗 글로불린 《물에 녹지 않는 단백질군(群)》, 혈구소(素).

glock·en·spiel [glɑ́kənspì:l, -ʃpi:l / glɔ́k-] *n.* [C] 〖樂〗 철금(鐵琴) ; (한 벌의) 음계종(音階鐘).

glom [glɑm / glɔm] (**-mm-**) 《美俗》 *vt.* ① …을 훔치다 ; 붙잡다, 거머〔움켜〕잡다. ② …을 보다, 구경하다. ── *vi.* 붙잡히다. ~ **onto** 〔**on to**〕... 《美俗》 …을 잡다, 손에 넣다 ; …을 훔치다.

‡gloom [glu:m] *n.* ① Ⓤ 어둑어둑함, 어둠, 암흑 (darkness) : the green ~ of the trees around me 내 주변의 어둑한 나무 그늘. ② Ⓤ,Ⓒ 우울 (melancholy), 침울 ; 음침한 분위기 : be deep in ~ 울적해 있다 / sink into ~ 우울해지다 / The news of defeat filled them all with ~. 패배 소식에 그들 모두는 우울해졌다 / War casts[throws] a ~ over the country. 전쟁은 나라를 온통 침울하게 한다.
— *vi.* ① [it 를 주어로] 어둑어둑해지다 ; (하늘이) 흐려지다. ② 우울[침울]해지다《*at* ; *on*》. — *vt.* …을 어둡게 하다(obscure) ; 우울하게 하다.

‡gloomy [glúːmi] (***gloom·i·er*** ; ***-i·est***) *a.* ① 어둑어둑한, 어두운 : ~ skies 끄무레한 하늘 / a ~ room 어둑한 방. ② 음침(陰沈)한, 음울한(dark) : a ~ winter day 잔뜩 찌푸린 겨울날 / What ~ weather we're having! 무슨 놈의 날씨가 이렇담 / We waited in a ~ waiting room. 우리는 음침한 대합실에서 기다렸다. ③ 울적한, 침울한 (depressed) ; 우울한(melancholy) : in a ~ mood 우울한 기분으로 / The cemetery is a ~ place to visit. 공동묘지는 찾아가기에 침울한 곳이다. ④ 비관적인(pessimistic) : take a ~ view 비관적인 생각을 갖다.
㊞ ***glóom·i·ly** *ad.* **-i·ness** *n.*

glop [glɑp / glɔp]《美俗》*n.* Ⓤ ① 맛없는[질척한] 음식. ② 감상적임.

Glo·ria [glɔ́ːriə] *n.* 글로리아《여자 이름》.

glo·ria [glɔ́ːriə] *n.* (the ~)《L.》(*or* G-) (미사 통상문 중의) 대영광송(大榮光頌), 그 곡.

glo·ri·fi·ca·tion [glɔ̀ːrəfikéiʃən] *n.* Ⓤ ① 신의 영광을 기림 ; 칭송, 찬미. ② 실제 이상으로 미화하기[되기]《*of*》. ◇ glorify *v.*

***glo·ri·fy** [glɔ́ːrəfài] *vt.* ① (신)을 찬미하다, 찬송하다 : Jesus was not yet *glorified.* (그때는) 예수께서 아직 영광을 받지 않으셨다(《聖》요한 Ⅶ : 39). ② (행동·사람 등)을 칭찬하다 : ~ a hero 영웅을 찬양하다. ③ …에 영광을 가져오다 : Their deeds *glorified* their school. 그들의 행위는 학교의 명예를 높였다. ④《口》…을 실제 이상으로 아름답게 보이게 하다, 미화(美化)하다 : This novel *glorifies* war. 이 소설은 전쟁을 미화하고 있다. ◇ glorification *n.*
㊞ **-fi·er** [-fàiər] *n.* Ⓒ 찬미자 ; 칭송자.

‡glo·ri·ous [glɔ́ːriəs] (***more*** ~ ; ***most*** ~) *a.* ① 영광스러운, 명예[영예]로운 : a ~ victory [achievement] 빛나는 승리[업적] / die a ~ death in a battle 명예로운 전사를 하다. ② 장려한, 거룩한 ; 화려한 : a ~ sunset 찬연한 일몰. ③《口》멋진, 훌륭한 ; [反語的] 대단한, 지독한 : have a ~ time 유쾌한 시간을 보내다 / What a ~ mess! 정말 기막힌 정돈이군[지독하게 어지럽혔군]. ◇ glory *n.* ㊞ **~·ly** *ad.*

Glórious Fóurth (the ~)《美》(7월 4일의) 독립 기념일.

Glórious Revolútion (the ~)〖英史〗명예혁명《1688-89년의》.

‡glo·ry [glɔ́ːri] *n.* Ⓤ ① 영광, 명예, 영예 : win ~ 명예를 얻다 / be covered in[crowned with] ~ 영예에 빛나다. ② (신의) 영광 ; (신에 대한) 찬미, 송영(頌榮) : *Glory* be to God. 신에게 영광 있으라. ③ (하늘 나라의) 행복 ; 천국. ④ 영화, 번영, 전성. ⑤ 득의양양, 큰 기쁨. ⑥ 훌륭함, 장관, 미관(美觀), 화려함 ; Ⓒ (종종 *pl.*) 자랑거리 : the ~ of the sunrise 해돋이의 장관 / the *glories* of Rome 로마의 위업 / His son was his crowning ~. 아들은 아버지의 다시없는 자랑거리였다. ⑦ 후광, 원광(halo). ◇ glorious *a.*
Glory (***be***)***!*** 《口》이거 참 놀라운데, 고마워라 (Glory be to God). ***go to*** ~《口》죽다. ***in one's*** ~ 득의에 찬. ***send to*** ~ 천국으로 보내다, 죽이다. — *vi.* 《(+前+名)》기뻐하다 ; 자랑으로 여기다《*in*》: She is still ~*ing in* the success of her first Hollywood film. 그녀는 지금도 헐리우드에서의 첫데뷔 영화의 성공을 자랑한다.

glóry hòle《俗·方》잡살뱅이를 넣어 두는 서랍[방].

Glos. Gloucestershire.

gloss**[1] [glɔːs, glɑs / glɔs] *n.* ① Ⓤ (또는 a ~) 윤, 광택(luster) ; Ⓒ 광택나는 면 : the ~ of silk 비단의 윤 / put *a* ~ on an old wooden table 오래된 나무 탁자에 광을 내다. ② Ⓒ 허식, 겉치레, 허영 : a ~ of good manners 겉치레뿐인 고상함 / a surface ~ of politeness 겉치레뿐인 정중 / put a ~ of respectability on selfishness 이기주의를 호도하여 체면치레를 잘하다. ***take the ~ off (***of . . .***) (…의) 흥을 깨다.
— *vt.* …에 윤[광택]을 내다, 닦다. ~ (***over***) 용케 숨기다[둘러대다], 속이다, (좋지 않은 점)의 겉을 꾸미다 : ~ *over* one's errors 실패를 그럴싸하게 얼버무리다.
㊞ **⌐·er** *n.* ① 광택[윤]을 내는 것. ② 입술에 윤기를 내는 화장품.

gloss[2] *n.* Ⓒ ① (책의 여백·행간의) 주석, 주해 ; 해석, 해설《*on* ; *to*》: Expressions that are difficult to understand are explained in the ~*es* at the bottom of the page. 이해가 어려운 어법은 페이지 하단에 주석이 있다. ② 그럴 듯한 설명, 견강부회 ; 구실 ; 어휘(glossary) : The government is trying to put an optimistic ~ on the latest trade figures. 정부는 최근의 무역 통계에 대해 낙관적인 설명을 하려고 애쓰고 있다. — *vt.* …에 주석을 달다 ; 해석하다 ; 그럴 듯한 해석을 하다.

***glos·sa·ry** [glɑ́səri, glɔ́(ː)s-] *n.* Ⓒ (권말(卷末) 따위의) 용어풀이, 어휘 ; (술어 또는 특수어·어려운 말·사투리·폐어에 관한) 소사전《*to* ; *of*》: A Shakespeare [Chaucer] ~ 셰익스피어[초서] 용어집.

glossy** [glɔ́(ː)si, glɑ́si] (gloss·i·er*** ; ***-i·est***) *a.* ① 광택 있는, 번쩍번쩍하는, 번들번들한 : ~ black hair 윤나는 검은 머리. ② 그럴 듯한 (plausible), 모양새 좋은. — *n.* ① Ⓒ〖寫〗광택인화(印畫). ② =GLOSSY MAGAZINE.
㊞ **glóss·i·ly** *ad.* **-i·ness** *n.*

glóssy magazíne (사진이 많은) 광택지의 호화 잡지(slick)《내용은 통속적》.

glot·tal [glɑ́tl / glɔ́tl] *a.*〖解〗성문(聲門)(glottis)의 ;〖音聲〗성문으로 내는.

glóttal stóp [**cátch, plósive**]〖音聲〗성문(聲門) 폐쇄음.

glot·tis [glɑ́tis / glɔ́t-] (*pl.* **~·es, -ti·des** [-tidìːz]) *n.* Ⓒ〖解〗성문(聲門).

Glouces·ter·shire [glɑ́stərʃìər, glɔ́(ː)s-, -ʃər] *n.* 영국 남서부의 주《略 : Glos.》.

†glove [glʌv] *n.* Ⓒ ① (흔히 *pl.*) 장갑 ; (야구·권투용) 글러브 : put on[take off] one's ~*s* 장갑을 끼다[벗다] / with one's ~*s* on 장갑을 낀 채로. ② (중세 기사(騎士)의) 손등·팔의 보호구(具). ***bite one's*** ~ 복수를 맹세하다. ***fit like a*** ~ 꼭 맞다[끼다]. ***hand and*** [***in***] ~ ⇨ HAND. ***handle*** [***treat***] ***with*** (***kid***) ***~s*** 상냥하게 다루다, 신중하게 대처하다. ***take off the ~s*** 본격적으로 싸우다[나서다]. ***take up the*** ~ 도전에 응하다. ***the ~s are off*** 싸울 준비가 되어 있다. ***throw down the*** ~ 도전하다. ***with*** (***the***) ***~s***

off 본격적으로, 감연히.
— *vt.* ① …에 장갑을 끼다. ②〖野〗(볼)을 글러브로 잡다.

glóve bòx ① 방사선 물질 등을 다루기 위한 밀폐 투명용기《밖에서 부속 장갑으로 조작함》; 외부의 부속된 장갑으로 조작하는 내부 환경 조절용기. ②《英》= GLOVE COMPARTMENT.

glóve compàrtment 자동차 앞좌석의 잡물통, 글러브 박스(glove box).

glóve dòll 〔**pùppet**〕 손가락 인형(hand puppet).

‡**glow** [glou] *vi.* ① (불꽃 없이) 타다, 빨갛게 타다, 백열〔작열〕하다. ⓒⓕ blaze. ¶ coals still ~*ing* in the stove 난로 속에서 아직도 타고 있는 석탄 / The hot iron ~*ed* red. 단 쇠가 새빨갛게 작열했다. ② (등불・개똥벌레 등이) 빛을 내다, 빛나다; (저녁놀 등이) 빨갛게 빛나다, (빛깔이) 타오르는 듯하다: The maple leaves ~*ed* red in the sun. 단풍잎이 햇빛을 받아 붉게 타는 듯했다 / Fireflies ~ in the dark. 개똥벌레는 어둠 속에서 빛난다. ③《+전+명》(볼이) 붉어지다, (몸이) 달아 오르다, 화끈해지다: Her face ~*ed with* joy. 그녀의 얼굴은 기뻐서 홍조를 띠었다 / Whiskey makes the whole body ~. 위스키를 마시면 온 몸이 후끈해진다. ④《+전+명》(감정이) 복받치다, (격정〔분노〕 따위로) 마음이 타오르다, 열중하다; (자랑으로) 빛나다: His eyes ~*ed with* anger. 그의 눈은 분노로 이글거리고 있었다 / Her eyes ~*ed with* enthusiasm. 그녀의 눈은 열정으로 빛나고 있었다 / He ~*ed with* pride. 그는 득의만면해 있었다. ⑤ (건강하여) 혈색이 좋다《*with*》: The boy's face ~*ed with* health. 소년의 얼굴은 건강하여 혈색이 좋았다.
— *n.* (the ~, a ~) ① 백열, 적열(赤熱); 백열광, 빛; 불꽃 없이 타는 물체의 빛: *a* charcoal ~ 숯불의 빛 / Neon emits *a* characteristic red ~. 네온은 독특한 붉은 빛을 발한다 / *the* ~ of sunset 저녁놀 / *the* pale ~ of a firefly 개똥벌레의 파란 빛. ② (몸・얼굴의) 달아오름, (볼의) 홍조; 환한 기색: a ~ of excitement on her cheeks 흥분으로 인한 그녀 양볼의 홍조. ③ 만족감; 기쁨, 거나하게 취함; 열심, 열중: the ~ of happiness 넘치는 행복감 / She felt a ~ of pride in her success. 그녀는 자신의 성공이 자랑스러웠다. ***all of a*** ~ = ***in a*** ~ 빨갛게 달아올라서.

glów dischàrge 〖電〗 글로 방전(放電)《저압 가스 속에서의 소리 없는 발광 방전》.

glow·er [gláuər] *vi.* 《+전+명》 노려보다; 무서운〔언짢은〕 얼굴을 하다《*at; upon*》: They ~*ed at* each other without speaking. 그들은 말없이 서로 노려보았다. — *n.* Ⓒ 노려봄; 무서운 얼굴, 언짢은 얼굴. ㊕ ~**·ing** *a.* ~**·ing·ly** *ad.* 언짢은 얼굴을 하고서.

***glow·ing** [glóuiŋ] *a.* ① 백열의, 작열하는; 새빨갛게 달아 오른(red-hot): ~ charcoal 새빨갛게 타고 있는 숯. ② (하늘 따위가) 빨갛게 타오르는; 홍조를 띤; 선명한, 강렬한《색깔 따위》: ~ colors 타는듯한 색깔. ③ 열심인, 열렬한(enthusiastic): ~ praise 열렬한 찬사 / His latest book has received ~ reviews. 그의 최신작은 호평이었다.

glow·worm [glóuwə̀ːrm] *n.* Ⓒ 〖蟲〗 개똥벌레의 유충.

glox·in·ia [glɑksíniə / glɔks-] *n.* Ⓒ 〖植〗 글록시니아《브라질 산; 시홧과의 식물》.

gloze [glouz] *vt.* …을 그럴듯하게 말을 꾸며대다, 둘러대다(gloss)《*over*》.

glu·cose [glúːkous, -kouz] *n.* Ⓤ 〖化〗 포도당, 글루코오스.

***glue** [gluː] *n.* Ⓤ,Ⓒ 아교; 끈적끈적한 물건; 〔一般的〕 접착제, 풀: stick like ~ to a person 아무에게 끈덕지게 달라붙다 / instant ~ 순간 접착제.
— (*glú*(*e*)*·ing*) *vt.* 《~+목 / +목+전+명》 ① …을 아교〔접착제〕로 붙이다《*to*》: He ~*d* the wings *onto* the model airplane. 그는 모형 비행기에 날개를 붙였다. ② **a**) …을 붙어다니다, (시선 등)을 떼지 않다: She always remains ~*d to* her father. 그녀는 늘 아버지를 붙어다닌다 / ~ one's eyes *to* the TV 텔레비전에서 눈을 떼지 않다. **b**) 〔再歸的 또는 受動으로〕 …에 열중하다《*to*》: He has ~*d himself to* his book. 그는 책에 열중해 있다 / The boy *is* always ~*d to* the television. 그 아이는 항상 텔레비전 앞에서 떠날 줄을 모른다.
— *vi.* 《+부》 밀착하다; 아교〔접착제〕로 붙다: The wood ~*s* well. 목재는 아교로 잘 붙는다. ~ ***off*** 〖製本〗 (철한 것이 늘어지지 않도록) 아교로 책 등을 붙이다. ~ ***up*** 봉(封)하다; 밀폐하다. ***with*** one***'s eyes*** 〔***ear***〕 ~***d on*** 〔***to***〕 …에서 눈을〔귀를〕 떼지 않고.

glúe pòt ① 아교 냄비《아교를 끓이는 이중 냄비》. ②《英口》 진창.

glúe snìffer 접착제 톨루엔을 흡입하는〔맡는〕 사람, 시너 냄새를 흡입하여 취하는 사람.

glúe snìffing 톨루엔〔시너〕 냄새를 맡음.

gluey [glúːi] (***glú·i·er; -i·est***) *a.* 아교를 바른; 아교질〔투성이〕의; 끈적끈적한. ㊕ **glú·i·ly** *ad.*

glum [glʌm] (***glúm·mer; -mest***) *a.* 무뚝뚝한, 뚱한, 음울한(sullen): in a ~ mood 뚱해서 / look ~ 뚱한 얼굴을 하다 / Why are you so ~? 왜 그렇게 뚱해 있느냐. ㊕ ∠**·ly** *ad.* ∠**·ness** *n.*

glut [glʌt] *n.* Ⓒ (*sing.*) 차서 넘침, 과다, 충족; (상품의) 공급 과잉, 재고 과다: a ~ of fruit 과일의 범람 / a ~ in the market 시장의 재고 과잉 / Ph. D.'s are a ~ on the market. (취업처가 없어) 박사가 공급 과잉이다.
— (***-tt-***) *vt.* ① 《~+목 / +목+전+명》 …을 배불리 먹이다, 포식시키다; 물리게 하다; 실컷 …하게 하다; (욕망)을 채우다: ~ one's appetite 식욕을 만족시키다. ② 〔때로 受動으로〕 공급 과다가 되게 하다: The market *was* ~*ted with* fruit. 시장은 과일이 공급 과잉이었다. ~ one***self with*** …을 물리도록 먹다, 포식(飽食)하다.

glu·tám·ic ácid [gluːtǽmik-] 〖化〗 글루탐산(酸).

glu·ta·mine [glúːtəmìːn, -min] *n.* Ⓤ 〖化〗 글루타민《아미노산의 일종》.

glu·ten [glúːtən] *n.* Ⓤ 〖化〗 글루텐, 부소(麩素).

glu·ti·nous [glúːtənəs] *a.* 끈적끈적한, 점착성의; 아교질의; 〖植〗 점액으로 덮인: ~ rice 찹쌀.

glut·ton [glʌ́tn] *n.* Ⓒ ① 대식가(大食家): You ~! 이 식충아. ② 지칠 줄 모르는 정력가, 끈덕진 사나이《*of*》: a ~ *for* work 일밖에 모르는 사람 / a ~ *of* books 책벌레 / a ~ *for* punishment 사서 고생하는 사람.

glut·ton·ous [glʌ́tənəs] *a.* 많이 먹는, 게걸들린(greedy), …을 탐하는《*of*》.
㊕ ~**·ly** *ad.* 탐욕〔게걸〕스럽게. ~**·ness** *n.*

glut·tony [glʌ́təni] *n.* Ⓤ 대식, 폭음폭식.

glyc-, glyco- '당(糖)・설탕・단'의 뜻의 결합사.

***glyc·er·in, -ine** [glísərin], [-rin, -rìːn] *n.* Ⓤ 〖化〗 글리세린.

glyco- ⇨ GLYC-.

gly·co·gen [gláikədʒən, -dʒèn] *n.* Ⓤ 〖化〗 글리코겐, 당원질(糖原質).

glyph [glif] *n.* Ⓒ 〖考古〗 그림 문자, 상형 문자; 도안을 이용한) 표지《화장실, 비상구, 횡단보도 따위의》).

GM General Motors; guided missile. **gm.** gram(s); 《英》 gramme(s).
G-man [dʒíːmæ̀n] (*pl.* ***-men*** [-mèn]) *n.* [C] 《美口》 미국 연방 수사국(FBI)의 수사관(★ 여성은 G-woman). [◂ *Government man*]
Gmc. Germanic. **GMT, G.M.T., G.m.t.** Greenwich Mean Time.
*__gnarl__ [nɑːrl] *n.* [C] (나무의) 마디, 혹.
gnarled, gnarly [nɑːrld], [nɑ́ːrli] (***gnárli·er; -i·est***) *a.* ① (나무가) 옹이가 많아 울퉁불퉁한. ② (노령, 중노동 등으로 손·손가락 따위가) 거칠고 울룩불룩한. ③ (성격 따위가) 비꼬인, 비뚤어진.
gnash [næʃ] *vi.* (분노·고통 따위로) 이를 갈다. ― *vt.* (이)를 갈다; 이를 악물다. ~ one'***s teeth*** (분노·유감 따위로) 이를 갈다; 노여움을 노골적으로 나타내다: Villagers have been *~ing their teeth* about the council's decision to build a car park on the meadow. 목초지에 주차장을 건설하려는 시(市)의회의 결정에 마을 사람들은 이를 갈며 격분하고 있었다.
*__gnat__ [næt] *n.* [C] 〖蟲〗 각다귀, 《英》 모기 (mosquito). ***strain at a ~ (and swallow a camel)*** (큰 일을 소홀히 하고) 작은 일에 구애되다(마태복음 XXIII : 24).
*__gnaw__ [nɔː] (***~ed; ~ed, ~n*** [-n]) *vt.* ①《~+[목]/+[목]+[부]/+[목]+[전]+[명]》 (딱딱한 것)을 쏠다, 갉다; 물다(cf. bite); 물어 끊다《*away; off*》; 쏠아 …을 만들다: Babies like to ~ hard objects when they are teething. 아기들은 젖니가 날 때면 단단한 것을 갉기 좋아한다 / Rats *~ed* a hole *in* [*into, through*] a board. 쥐가 판자를 갉아 구멍을 냈다. ② (근심·질병 따위가) …을 괴롭히다(torment): Worry *~ed* her mind. 걱정 때문에 그녀 마음은 괴로웠다.
― *vi.* ①《+[전]+[명]》 갉다, 쏠다, 물다《*at; into; on, upon*》: ~ *into* a wall (쥐 따위가) 갉아서 벽에 구멍을 내다. ②《+[전]+[명]》 (끊임없이) 괴롭히다, 좀먹다, 들볶다; 기력을 꺾다《*at; in*》: anxiety *~ing at* his heart 그의 마음을 좀먹는 불안 / Financial worries *~ed at* her constantly. 그녀는 돈 문제로 항상 괴로웠다.
gnaw·ing [nɔ́ːiŋ] *n.* (*pl.*) 고통, 격통. ― *a.* 〔限定的〕 에는 듯한, 괴롭히는: I have a ~ pain in my leg. 다리가 쑤시고 아프다. [파] **~·ly** *ad.*
GNI gross national income(국민 총소득).
gnoc·chi [nάki/nɔ́ki] *n. pl.* 〖料〗 뇨키(치즈·감자 등으로 만든 경단의 일종).
gnome[1] [noum] *n.* [C] ① 땅 신령(땅속의 보물을 지킨다는). ② (the ~s) 《口》 국제 금융 시장의 흑막; 투기적 금융업자(흔히 *the ~s* of Zurich 라는 표현으로 쓰임).
「금언(金言).
gnome[2] (*pl.* ***~s, gnó·mae*** [-miː]) *n.* [C] 격언,
gno·mic [nóumik, nάm-] *a.* 격언(금언)의; 격언적인(시 등): ~ poetry 격언시.
gno·sis [nóusis] *n.* [U] 영적 인식(지식), 영지(靈知), 신비적 직관.
-gnosis (*pl.* ***-gnoses***) *suf.* '(특히 병적 상태의) 인식'의 뜻: dia*gnosis.*
GNP gross national product(국민 총생산).
gnu [njuː] (*pl.* ***~s,*** 〔集合的〕 ~) *n.* [C] 〖動〗 누우(암소 비슷한 일종의 영양; 남아프리카산).
GNW gross national welfare(국민 복지 지표).
†**go** [gou] (***went*** [went]; ***gone*** [gɔ(ː)n, gɑn]; ***go·ing*** [góuiŋ]) (중심적 뜻인 '가다'를 다음 3항목으로 대별할 수 있음: **a**) (목적지로) 향하다, 나아가다 ①–⑨; **b**) (목적지에 관계없이) 나아가다, 진행중이다 ⑩–⑲; **c**) (어떤 곳에서) 떠나다 ⑳–㉑).
― *vi.* ①《+[부]/+[전]+[명]》 (어떤 장소·방향으로) 가다, 향하다, 떠나다; 달하다, 이르다: *go abroad* [*overseas*] 해외로 가다 / This road *goes to* Seoul. 이 길은 서울에 이른다 / I need a rope that *goes from* the top window *to* the ground. 맨 위 창에서 지면까지 닿는 밧줄이 필요하다 / She has *gone to* France. 그는 프랑스에 갔다(★ have gone 은 「가고 지금 여기에 없다」의 뜻이지만 《美》에서는 「갔던 일이 있다」의 뜻으로도 쓰임).
②《+[전]+[명]/+*to* do/+*-ing*》 (어떤 목적으로) 가다, 떠나다《*for; on*》: *go for* a walk [drive, swim] 산책[드라이브, 수영]하러 가다 / *go on* a journey 여행을 떠나다 / *go* shop*ping* [fish*ing,* hunt*ing*] 장보러[낚시하러, 사냥하러] 가다(★ do*ing* 에는 스포츠·오락 활동의 동사가 옴. 따라서 *go* study*ing*[work*ing*]은 잘못) / *go out* shop*ping* 물건 사러 가다(★ go 에 out 등 부사를 수반할 경우가 있음).
③ **a**) 〔go to+冠詞 없는 名詞〕 …에 (특수한 목적으로) 가다: *go to* bed 잠자리에 들다, 자다 / *go to* school [church, market] 학교[교회, 시장]에 가다(★ 단순히 학교 따위가 있는 곳으로 가는 것이 아니라 각기 수업을 받으러, 예배보러, 매매를 위해 갈 때는 위에서처럼 뒤에 오는 명사가 무관사). **b**) 〔종종 go somewhere로〕 《婉》 화장실에 가다, 용변을 보다.
④《+[전]+[명]》 (상·재산·명예 등이) 주어지다, 넘겨지다《*to*》: The prize *went to* his rival. 상은 상대방에게 돌아갔다 / Victory *goes to* the strong. 승리는 강자에게 돌아간다 / *To* whom did the property *go* when he died? 그가 죽은 후 재산은 누구에게로 넘어갔는가 / All his spare money *goes to* [*in buying*] books. 그의 모든 여분의 돈은 책[사는데]에 쓰인다.
⑤《+[전]+[명]/+[부]》 (어떤 장소에) 놓이다, 들어가다, 안치되다, 넣어지다(be placed): Where does the piano *go,* sir? 피아노를 어디에 놓을까요 / This letter won't *go into* the envelope. 이 편지가 봉투에 안 들어간다 / The coat won't *go round* him. 이 코트는 작아서 그가 입지 못할 것이다.
⑥《+[전]+[명]》 (수량이) …이 되다《*to*》; (내용으로서) 포함되다, 들다《*into; in*》: All that will *go into* a very few words. 그것은 불과 몇 마디 말로 할 수 있다 / How many pence *go to* the pound? 몇 펜스로 1 파운드가 되나 / Seven *into* fifteen *goes* twice and one over. 15 나누기 7 은 2 로 1 이 남는다.
⑦《+*to* do》 …하는 데 힘이 되다, 소용되다: Decisiveness is one of the qualities that *go to* make a good businessman. 결단력은 훌륭한 사업가를 만드는데 도움이 되는 자질의 하나이다 / This *goes to* prove his innocence. 이것이 그의 무죄를 증명하는데 도움이 된다.
⑧《+[전]+[명]》 …에 사용되다, 이바지되다《*to; towards; for*》: This money *goes to* charity. 이 돈은 자선(사업)에 사용된다 / My money *goes for* food and rent. 돈은 식비와 방세로 들어간다.
⑨《+[부]/+[전]+[명]》 (노력·노고·수단 또는 정도에 대해서) …하기까지 하다, …하기에 이르다, 일부러 …까지 하다, …에 호소하다《*to*》: He *went* so *far* as to say I was a coward. 그는 (심지어) 나를 겁쟁이라고까지 말했다 / He *went to* great trouble to make me comfortable. 그는 나를 편하게 해주려고 무척 애를 썼다 / Never *go to* violence. 결코 폭력에 호소하지 마라.
⑩《~/+[부]/+[전]+[명]》 (특정한 목적·목표에 관계 없이) 나아가다, 진행하다, 이동하다, 여행하

다: The train *goes at* 70 miles an hour. 이 열차는 시속 70 마일로 달린다 / Let's talk as we *go*. 걸으며 이야기합시다 / *Go back to* your seat. 당신 자리로 돌아가시오 / The earth *goes round* the sun. 지구는 태양 둘레를 돈다.
⑪ (떠) 나가다, 사라지다 ; 출발〔발진〕하다 ; (행동을) 개시하다, 시작하다: One, two, three, *go !* 하나, 둘, 셋, 시작.
⑫ (기계 등이) 작동하다, 움직이다 ; (종 따위가) 울리다 ; (심장이) 고동치다: The machine *goes* by electricity. 이 기계는 전기로 움직인다 / A buzzer *went* on the table. 탁상의 버저가 울렸다 / The pulse *goes* quickly. 맥박이 빠르다 / My watch isn't *going*. 시계가 안 간다.
⑬ **a**) (사람이) 행동하다, 동작을 하다 ; 일을 진행시키다: While speaking, he *went* like this (with his hand). 그는 말하면서 이렇게 (손짓을) 했다 / He *went* according to the rules. 그는 규칙대로 행동했다. **b**) 〔흔히 否定疑問文〕《+*-ing*》《口》〔종종 비난·경멸의 뜻을 내포하여〕…같은 일을 하다: Don't *go* break*ing* any more things. 더 이상 물건을 망가뜨리는 일 따위는 그만 하게.
⑭ (일이 어떻게) 진행되다 ;《口》잘되다, 성공하다: How *goes* it? =How is it 〔are things〕 *going ?* 〔형편은〕 어떻습니까 / Everything *went* well 〔badly〕 (with him). (그는) 만사가 잘 되었다〔안되었다〕/ The new manager will make things *go*. 이번의 새 경영자는 일을 잘 해나갈 것이다.
⑮《~ / +副 / +前+名》뻗다, 뻗치다 ; 달하다: The road *goes across* the mountain. 이 도로는 산너머 저쪽까지 뻗쳐 있다 / This cord won't *go* as *far* as the wall outlet. 이 코드는 벽 콘센트까지 미치지 못한다.
⑯《~ / +前+名 / +*that* 節》유포되고 있다 ; 통용하다 ; …로서 통하다 ; (주장 따위로) 사람들에게 먹혀들다, 중시되다: Dollars *go* anywhere. 달러는 어디서나 통용된다 / He *went by* the name of Bluebeard. 그는 '푸른 수염'이란 이름으로 통했다 / The story *goes that*.... …이라는〔하다는〕 이야기다 ; …이라는〔하다는〕 평판이다.
⑰ (어느 기간) 지속〔지탱〕하다, 견디다: Ten dollars will be enough to *go* another week. 10 달러면 1 주일은 더 견딜 수 있을 거야.
⑱ (이야기·글·시·책 따위가) …이라는 구절〔말〕로 되어 있다, …라고 말하고 있다(run): as the saying *goes* 속담에도 있듯이 / The tune *goes* like this. 그 곡은 다음과 같이 되어 있다.
⑲《+補 / +前+名》**a**) (대체로 바람직하지 못한 상태로) 되다(become, grow): *go* blind 소경이 되다 / *go* flat 납작해지다 / *go* bad 나빠지다, 썩다 / *go* free 자유의 몸이 되다 / *go out of* print 절판이 되다 / The plan *went to* pieces. 그 계획은 엉망이 되었다 / *go* asleep 잠들다 / *go to* war 전쟁이 시작되다 / *go into* debt 빚을 지다. **b**) (어떤 상태에) 있다: *go* hungry 〔thirsty, naked, armed〕 굶주려〔목말라, 나체로, 무장하고〕 있다 / *go with* child 임신하다 / *go in* rags 넝마를 두르고 있다 / Her complaints *went* unnoticed. 그녀의 불평은 무시되어 버렸다.
⑳ 〔come 의 반대개념으로서〕 떠나다, 가다, 나가다 ; (시간 따위가) 지나다: Don't *go*, please! 가지 마십시오(Stay here, please.) ; 스위치를 끄지〔채널을 딴 데로 돌리지〕 마십시오《TV 아나운서의 말》/ The train has just *gone*. 열차는 이제 막 떠났다.
㉑ **a**) 소멸하다, 없어지다(disappear); 〔흔히 must, can 따위와 함께〕 제거되다: The pain has *gone* now. 통증은 이제 가셨다 / This car *must go*. 이 차는 처분해야겠다 / He *has to go*. 그는 모가지다《I'll fire him.의 완곡 표현》/ All my money is *gone*. 돈이 다 떨어졌다. **b**) 쇠하다 ; 죽다 ; 무너지다, 짜부라지다, 꺾이다 ; 손들다, 끽소리 못 하게 되다: His sight is *going*. 시력을 잃어가고 있다 / The roof *went*. 지붕이 내려앉았다 / Poor Tom is *gone*. 가엾게도 톰은 죽었다 / I thought the branch would *go* every minute. 가지가 금세라도 부러지는 줄 알았다.
㉒《+前+名 / +補》(…의 값으로) 팔리다: The house *went* cheap. 집은 헐값에 팔렸다 / There were good shoes *going at* 5 dollars. 좋은 신이 겨우 5 달러로 팔리고 있었다.
— *vt.* ①《~+目 / +(目)+目+前+名》《口》(돈 등)을 걸다(bet): I'll *go* you a shilling *on* it. 너를 상대로 그것에 1 실링 걸겠다. ②《口》〔흔히 否定形〕 …에 견디다, …을 참다: I can'*t go* his preaching. 그의 잔소리엔 참을 수 없다 / Who can *go* this agreement? 누가 이런 계약을 승복하겠나. ③ 〔could go 의 형식으로〕《口》(음식)을 먹고 싶어하다: I could *go* a glass of water. 물 한 컵 먹고 싶다. ④ **a**) …을 산출하다, 내다(yield). **b**)《美口》무게가 … 나가다(weigh). ⑤ …라고 말하다: His mother *goes*, "My boy is a big fan of you." 내 아들은 당신의 대단한 팬이오"라고 그의 어머니는 말한다.
as* 〔*so*〕 *far as . . . go …에 관한 한. ***as . . . go*** 보편적으로 말해서 ; …의 표준으로 말하면: Tom is a sincere husband, *as* husbands *go* nowadays. 오늘날 남편의 표준으로 말하면 톰은 성실한 남편이다. ***be going on*** ⇨ GOING. ***be going to*** do (1) 〔意志〕 …할 예정〔작정〕이다: I'*m going to* have my own way. 나 좋아하는 대로 할 작정이다 (I will...) / You *are going to* sleep here. 넌 여기서 자야 해《★ 말하는 사람의 의지를 나타내며 "하게 할 작정이다"의 뜻: He'*s* not *going to* cheat me. 그 녀석이 나를 속이지 못하게 하겠다》. (2) 〔可能性·展望〕 있을〔…할〕 것 같다(be likely to): *Is* there *going to* be a business depression this year? 올해에 불경기가 올 것 같은가. (3) 〔가까운 未來〕 바야흐로 …하려 하고 있다(be about to): Do you think it'*s going to* rain? 비가 올 것 같은가 / I *was* (just) *going to* open the door, when there was a knock on it. 막 문을 열려고 하는데, 노크 소리가 났다《★ 발음 [góuiŋtu, -tə]는 종종 [góuənə, gɔ́:nə]로 됨》. ***go about*** (1) 돌아다니다, 외출하다. (2) 교제하다《*with*》. (3) (소문·질병 등이) 퍼지다: A story is *going about* that.... …라는 얘기가 돌고 있다. (4) 열심히 (일 따위를) 하다, (일·문제 따위)에 달라 붙다 ; 힘쓰다《*to* do》; 끊임없이 …하다《do*ing*》: *Go about* your business! 네 일이나 해라 ; 남의 일에 참견 마라. (5) 〖海〗 이물을 돌리다, 침로를〔뱃길을〕 바꾸다. ***go after*** 《口》…의 획득에 노력하다 ; (여자 등)의 뒤를 좇아다니다 ; …을 추구하다, …에 열을 올리다. ***go against*** (1) …에 반항〔항거〕하다, …에 거스르다: Telling a lie *goes against* my conscience. 거짓말을 하는 것은 내 양심에 거리낀다. (2) (사업·경쟁 따위가) …에게 불리해지다: If the war *goes against* them, ... 만일 그들이 전쟁에 패하면 …. ***go ahead*** ⇨ AHEAD. ***go all lengths*** 철저하게 하다. ***go* (*all*) *out*** 전력을 다하다《*for ; to* do》. ***go along*** (앞으로) 나아가다, 해나가다 ; (…와) 동행하다《*with*》; (물건이) …에 부수하다《*with*》; 찬성〔동조〕하다, (결정 따위에) 따르다《*with*》: I can't *go along with* you on that idea. 자네의 생각에는 찬성할 수 없네. ***go a long* 〔*a***

good, a great*〕 *way =go far. ***Go along* (*with you*) !** 《口》 저리 가, 어리석은 짓 그만 둬. ***go and*** do (1) 〔흔히 不定詞꼴 또는 命令法으로〕 …하러 가다(go to do)《★ 現在時制만을 씀》: *Go and* see what he's doing. 그가 무엇을 하는지 가보고 오너라《★ 《美口》에서는 Go to see 〔take, *etc.*〕… 을 Go see 〔take, *etc.*〕… 로 하는 일이 많음》. (2) 〔움직이는 뜻이 아닌 단순한 강조〕: *Go and* try it yourself. 어디 스스로 한번 해 봐라. (3) 《英口》 놀랍게도〔어리석게도, 운 나쁘게도, 멋대로〕 …하다: What a fool to *go and* do such a thing! 그런 짓을 하다니 정말 어리석군 / Now you've *gone and* done it. 참 한심한 짓을 저질렀군 / *Go and* be miserable! 실컷 고생 좀 해 봐라. ***go around*** (1) 한 바퀴 돌 만한 길이가 있다: The belt won't *go around* my waist. 혁대는 내 허리에 맞지 않을 것이다. (2) 모두에게 고루 차례가〔돌아〕가다, 골고루 차례가 갈 만큼 있다: We didn't have enough food to *go around.* 골고루 돌아갈 만큼 음식이 충분하지 않았다. (3) 순력〔순회〕하다; (행성 따위가) 운행하다. (4) 돌아서 가다, 우회하다; 잠깐 방문하다〔들르다〕: *go around* to see a friend 친구한테 잠깐 들르다《비교: *Come around* to my place. 놀러 오게나》. (5) (건물 따위를) 돌아보다; (사람과) 교제하다《*with*》; (말·병 따위가 …에) 퍼지다: There's a story *going around* that…, …라는 소문이 나돌고 있다. (6) (…사이에서) 회람되다; (말·생각 등이 머리속을) 맴돌다. (7) 열심히 (일 등)을 하다, 끊임없이 …하다《do*ing*》; 머리가 핑 돌다. ***go as* 〔*so*〕 *far as to*** do 〔do***ing***〕 ⇨ *vi.* ⑨. ***go at*** …에 덤치다, 덤벼들다(attack); 열심히 …에 착수하다(undertake vigorously); …의 값으로 팔리다. ***go away*** (1) 가다, 떠나다; 신혼 여행을 가다. (2) …을 가지고 달아나다《*with*》. (3) 사라지다: The smell still hasn't *gone away.* 냄새가 아직도 사라지지 않는다. ***go back*** (1) (본디 장소로) 되돌아오다, 다시 하다. (2) …을 되돌아보다, 회고하다《*to*》; 거슬러 올라가다: His family *goes back to* the Pilgrim Fathers. 그의 가문은 필그림 파더스 시대까지 거슬러 올라간다. (3) (식물이) 한창때를 지나다(deteriorate): These old trees are *going back.* 이 노목(老木)들은 점점 늙어 간다. ***go back on upon . . .*** (약속 등을) 취소〔철회〕하다(revoke, break), (주의·신조 등)을 버리다, …을 어기다, (결심)을 뒤집다; (아무)를 배반〔배신〕하다; ***go bail for*** ⇨BAIL[1]. ***go before*** …에 앞서다; (변명 등을 하기 위해) …앞에 출두하다, (안(案) 따위가) …에 제출되다. ***go between*** …사이에 끼어들다, 중개하다; … 사이를 지나다. ***go beyond*** …을 넘어가다, …을 능가하다(exceed): *go beyond* the law 법을 어기다 / *go beyond* one's duty 직무〔권한〕 밖의 일을 하다. ***go by*** (1) (…의 옆〔앞〕을) 지나다. (2) (날·때가) 경과하다: in times *gone by* 지나간 옛날에. (3) 〔let … go by 의 꼴로〕 (기회 따위를) 놓치다: Don't *let* this chance *go by.* 이 기회를 놓치지 마라. (4) …에 따라 행동하다〔행해지다〕, …에 의하다; …으로 판단하다: *go by* the rules 규칙대로 하다 / The report is nothing to *go by.* 그 보고는 신빙성이 없다. ***go by the name of*** …의 이름으로 통하다, 통칭 …라고 하다. ***go down*** (1) 내려가다, 내리다, 넘어지다, 떨어지다; (물건값이) 내리다, (비행기가) 추락하다; (배가) 가라앉다, (해·달이) 지다; (약 따위가) 삼켜지다: The pill won't *go down.* 약이 잘 넘어가질 않는다. (2) 굴복〔항복〕하다; 지다. (3) (…에) 달하다, 미치다《*to*》; 기억에 남다; 기록〔기장〕되다; (후세·역사에) 전해지다《*to*》. (4) (물결·바람 따위가) 자다, 잔잔해지다. (5) 《英》 (대학에서) 귀향하다, 졸업하다; (도시에서) 시골 (따위)로 (내려)가다. (6) (…에게) 납득되다, 받아들여지다《*with*》; 성공하다; (연극이) 끝나다, 막(幕)이 내리다: The play *went down* very well *with* the audience. 연극은 관객의 인기리에 끝났다 / Nonsense *goes down* as truth *with* many people. 터무니없는 말이 많은 사람들 간에 진실로 통하고 있다. (7) (물건이) 이울다, (부푼 것이) 작아지다, (타이어 등이) 바람이 새다. (8) 《英》 (병에) 걸리다《*with*》. (9) 《美俗》 (컴퓨터의 작동이) 멎다. ***go easy*** ⇨ EASY. ***go far* 〔*a long way*〕** (1) 〔종종 未來形으로〕 성공하다. (2) 〔흔히 否定文·疑問文으로〕 (음식 따위가) 오래가다, 먹을 품이 있다; (모두에게 돌아가기에) 충분하다; (돈이) 가치가 크다, 쓸 품이 있다《*with*》. (3) (…에) 크게 효과가 있다〔소용되다〕《*to*; *toward(s)*》《★ (3)에서는 a long way가 a little 〔a good, a great〕 way 따위로 변하기도 함》. ***go for*** (1) …을 가지러〔부르러〕 가다, (산책·드라이브·수영 등)을 하러 가다. (2) …을 노리다, …을 얻으려고 애쓰다. (3) 〔much, little 등의 程度를 나타내는 낱말과 함께〕 …의 보탬이 되다; …을 위해 소비되다: Giving lies will *go for* little. 거짓말해야 이로울 것도 없다 / All the money *went for* the new house. 돈은 모두 새집을 짓는 데 들었다. (4) 〔종종 否定文·疑問文〕 …에게 끌리다, …을 좋아하다; …을 지지하다, …에게 찬성하다: What sort of men do you *go for?* 어떤 남자를 좋아하느냐. (5) …값으로 팔리다. (6) …로 통하다, …로 생각되다: material that *goes for* silk 비단의 대용품. (7) 《口》 …을 맹렬히 공격하다, 질책하다. (8) …에 들어맞다; …에게 유리하다. ***go for it*** 《口》 〔특히 命令形〕 (무언가를 위해) 노력하다; 최선을 다하다. ***go forth*** 《古·文語》 나가다, 발해지다, 공포되다, (소문 따위가) 퍼지다. ***go forward*** (일 등이) 진행되다; (일 등을) 진행시키다《*with*》. ***go foul of . . .*** ⇨ FOUL. ***go great length*(*s*)** 철저하게 하다. ***go halves with*** ⇨ HALF. ***go hang*** ⇨ HANG. ***go in*** 들어가다; (마개·열쇠 따위가 …에) 꼭 맞다; (경기 따위에) 참가하다; (학교 따위가) 시작되다; (해·달이) 구름 사이로 들어가다; (일이) 이해되다, 머리에 들어가다; (돈·시간 등이) …에 사용되다. ***go in and out*** (…을) 들락날락하다《*of*》; (빛 등이) 점멸하다. ***Go in and win !*** 《口》 (경기·시험 등에서) (자) 잘하고 와《선수에 대한 격려의 외침》. ***go in for*** (1) (경기 따위)에 참가하다, (시험)을 치르다: Are you *going in for* the Civil Service Examination? 공무원 시험을 칠 생각인가. (2) (취미 등으로) …을 (하려고) 하다, 즐기다, 좋아하다, …에 열중하다: She doesn't *go in for* team games. 그녀는 팀게임에는 취미가 없다. (3) (직업 등으로서) …(하려고) 뜻하다, …에 종사하다, (대학 등에서) …을 전공하다; …을 얻으려고 하다, 구하다. (3) …하려고 마음먹다, …에 몰두하다, …을 특히 좋아하다. ***go into*** (1) …에 들어가다, (문 등이) …로 통하다; …에 부딪치다: The door *goes into* the garden. 이 문은 뜰로 통해 있다. (2) …에 설명이 미치다, 걸치다; …을 조사〔연구〕하다. (3) …의 일원이 되다, …에 참가〔종사〕하다: *go into* a war 참전하다. (4) (어떤 기분·상태)로 되다, 빠지다: *go into* hypochondria 우울증이 발작하다. (5) (직업)에 발을 들여놓다: *go into* business 사업에 발을 내딛다. (6) (행동 따위)를 시작하다, …한 태도를 취하다. (7) …에 (꼭) 맞다; (서랍 등)의 속에 손을 넣다, 뒤지다. (8) …의 복장을 하다, (신 따위)를 신다《따위》. (9) (돈·노력

등이) …에 소비되다, 투입되다. ***go in with. . .*** …에 참가하다, 협력하다. ***go it***《口》(놀기·색다른 짓 따위를) 몹시 하다; 정신 차려 하다: *Go it!* 정신차려 해라, 힘을 내라. ***go it alone*** 혼자 힘으로 하다. ***go*** 〔***come***〕 ***it strong*** ⇨ STRONG.

go off (1) (일이) 행해지다, (일이) 되어 가다《*well, badly,* etc.》: The performance *went off* well 〔fine〕. 흥행은 잘 되어갔다. (2) (말없이) 떠나다, 사라지다, 달아나다; (배우가) 퇴장하다. (3) (약속 따위가) 불이행으로 끝나다; (가스·수도 따위가) 끊기다, 못쓰게 되다. (4)《英》(음식이) 상하다, 쉬다; (질 따위가) 나빠지다, 쇠하다. (5) 잠들다; 실신(失神)하다; 죽다. (6) (총포가) 발사되다, (폭탄 등이) 파열하다, (경보 등이) 울리다; 갑자기 …하기 시작하다《*into* laughter》. (7) 갑자기 제거되다; (물건이) …을 운반되다, 송부되다. (8) …에 흥미를 잃다, (고통·흥분이) 가라앉다; 시작하다; 싫어지다. ***go on*** (1) (다시) 나가다, (사태가) 계속되다; (남보다) 먼저 가다; 여행을 계속하다, (행동을) 계속하다《*with* the work, speak*ing, in* bad habits, *till* 3 o'clock, etc.》; 계속해 이야기하다. (2) 해나가다, 살아가다《*well; badly*》; 〔흔히 *-ing*로〕 (일이) 일어나다, (어떤 모임이) 행해지다; (시간이) 지나다. (3) 행동하다《보통 나쁜 뜻》: Don't *go on* like that! 그런 행동은 이제 그만 두게. (4) 지껄이다, 재잘거리다《*about*》; (아무를) 매도하다《*at*》. (5) 무대에 나타나다; 교체하다. (6) (불이) 켜지다, (수도 따위가) 나오다. (7) (옷·신 따위가) 입을〔신을〕 수 있다, 맞는다〔이하 on은 *prep.*〕. (8) (여행 따위)를 가다. (9) (유원지 따위에서 말·탈것 등)을 타다. (10) (돈이) …에 쓰이다. (11) (말·증거 등)에 의거하다: have no evidence to *go on* 내세울 증거가 없다. (12) …의 구조를 받다, 보살핌을 받다: *go on* the parish (극빈자가) 구빈구(救貧區)의 도움을 받다. (13)《英》〔흔히 否定形〕 …에 관심을 갖다, …을 좋아하다《*much*》. (14) =~ upon. ***Go on!*** (1)《口》자꾸〔계속〕 해라. (2) 〔反語的〕 어리석은 소리 좀 작작 해. ***go*** a person ***one better*** ⇨ BETTER. ***go on*** (***for***) 〔흔히 *-ing*로〕 ⇨ be GOING on. ***go on to. . .*** (다음 장소·주제 따위)로 나가다, 옮기다; (새 습관·방식)을 시작하다, 채용하다: *go on to* the pill 경구 피임약을 쓰기 시작하다 / *go on to* five-day week 주(週) 5 일제로 들어가다. ***Go on with you!***《口》말도 안 돼, 설마. ***go out*** (1) 외출하다, (벌이 따위로 외국에) 나가다《*to*》; 이주하다; 〔종종 *-ing* 로〕 (이성과) 나다니다, 교제하다: Tom has been *going out with* Kate for six weeks. 톰은 케이트와 6주간이나 사귀어 오고 있다. (2) (노동자가) 파업을 하다《*on* strike》; 권좌를 물러나다. (3) (불이) 꺼지다, (열의(熱意) 따위가) 사라지다, 의식을 잃다, 잠들다, 《婉》영면하다; 유행에 뒤지다, 쇠퇴하다; (제방 따위가) 무너지다; (엔진 따위가) 멎다; (조수가) 써다. (4) (관계자 모두에게) 발송되다《*to*》, 출판되다, 방송되다: *go out* live (프로그램이) 생방송되다. (5)《文語》(세월 따위가) 지나다, 끝나다. (6) (마음이 …로) 향하다, (애정·동정 따위가) 쏟아지다《*to*》; 《英》(일이) 행해지다: My heart *went out to* those refugees. 난민들이 측은해졌다. (7) (사교계)에 데뷔하다. (8)〘크리켓〙(1 회의 승부가 끝나) 타자가 물러나다;〘골프〙18 홀 코스에서 전반의 9 홀〔아웃〕을 돌다〔플레이하다〕. ***go out for***《口》…을 손에 넣으려고 힘쓰다;《美》(클럽·운동부)에 가입하려고 애쓰다. ***go out of. . .*** (1) …에서 나가다: *go out of* a room 방을 나가다. (2) (열기·긴장·화 따위가) …에서 사라지다: The heat *went out of* the debate. 토론에는 열기가 없었다. (3) …에서 벗어나다, …하지 않게 되다: The book *went out of* print. 이 책은 절판이 되었다 / It *went out of* fashion. 그것은 한물 갔다, 유행이 지났다. ***go over*** (1) (…을) 건너다, 넘다, (…로) 나가다《*to*》; (경비가) …을 넘다; (…에) 겹치다. (2) …을 시찰하다, 밑조사를 하다; …을 잘 조사하다, 검토하다; (방·차 등)을 깨끗이 하다, 고치다; …을 되짚어 보다, …을 사전 연습하다〔복습하다〕, 반복하다, (일어난 일을) 되새기다: *go over* the work he has done 그가 한 일을 면밀히 살피다 / *go over* the notes before the exam 시험 전에 노트를 다시 보다. (3) (새로 딴 방식 등을) 채용하다; (프로그램 등을 …로) 전환하다《*to*》; (딴 파·적측으로) 옮다, 전향〔개종〕하다《*to*》. (4)《美》(의안 등이) 연기되다. (5) (차 따위가) 뒤집히다. (6) (이야기·공연 등이) 인기를 끌다, 호평을 받다《*with*》: *go over* big 히트치다《★ 흔히 well, badly 등의 부사를 수반함; big는《口語》》. (7) …에게 폭력을 휘두르다, 덤벼들다. ***go places*** ⇨ PLACE. ***go round***《英》=go around. ***go shares*** ⇨ SHARE[1]. ***go so far as to*** do 〔do***ing***〕 =go as far as to do 〔doing〕. ***go*** one***'s own way*** 자기 길을 가다, 자기 생각대로 하다. ***go steady*** ⇨ STEADY. ***go through*** (1) (…을) 지나다, 빠져나가다, 관통하다; (전화 따위가) 통하다. (2) (서랍·주머니 등)을 뒤지다, 《美》(강탈하기 위해) …의 몸을 뒤지다; (서류 등)을 잘 조사하다; …을 되짚어보다, 복습하다. (3) (방 따위)를 깨끗이 하다; (학문·업무 등)을 빼지 않고 다 하다, 전과정을 마치다; 상세히 논하다; (의식·암송)을 행하다. (4) (법안 등이) 의회를 통과하다. (5) (고난·경험 등)을 거치다, 경험하다: She's been *going through* a bad patch recently. 그녀는 최근 고된 기간을 견디어 왔다; (책이 판)을 거듭하다; (일이 무사히) 끝나다, 실현하다; (…에게) 받아들여지다〔인정되다〕: 《口》(식용품·돈 등을) 모두 써버리다. ***go through with*** …을 끝까지 해내다(complete): He is determined to *go through with* the undertaking. 그는 맡은 일을 해낼 결심이다. ***Go to!***《古》좀〔글쎄〕 기다려, 이봐, 허, 자《항의·의심·재촉 따위를 나타냄》. ***go to all lengths*** ⇨ LENGTH. ***go together*** 동행하다, 공존하다; 어울리다, 조화되다; 《口》(남녀가) 교제하다, 사랑하는 사이이다. ***go to great*** 〔***any***〕 ***length***(***s***) ⇨ LENGTH. ***go to it*** 힘내어 하다《종종 격려에 쓰임》. ***go too far*** 지나치다, 극단에 흐르다. ***go to pieces*** ⇨ PIECE. ***go under*** (…의 밑으로) 가라앉다; (…에게) 굴복하다, 지다《*to*》; (사업 등에서) 실패하다, 망하다; 파멸하다, 영락(零落)하다: The firm will *go under* unless business improves. 경기가 호전되지 않으면 그 회사는 파산할 것이다. ***go up*** (1) (…을) 오르다; (수〔가치〕가) 늘다, (값이) 오르다; (외침 따위가) 들려오다, 솟다; (건물이) 서다. (2) (런던 등의 대도시로) 가다, 《英》대학으로 가다〔들어가다〕《*to*》. (3) 파열〔폭발〕하다; (건물 등이) 화염에 싸이다, 타오르다: Several refugee hostels have *gone up* (in flame) during firebomb attacks. 몇 채의 피난민 숙박소가 소이탄 공격 중에 화염에 휩싸였다. (4)《美》파멸〔파산〕하다; (희망 등이) 무너지다. ***go upon*** …에 의거하여 판단〔행동〕하다. ***go well with*** …이 잘 되어가다. ***go west*** ⇨ WEST. ***go with*** (1) …와 동행하다; …에 동의하다, …에 따르다(accompany): Disease often *goes with* poverty. 가난에는 종종 질병이 따른다. (2)《口》(이성)과 교제하다, …와 사랑하는 사이이다. (3) …에 부속되다〔딸리다〕: the land which *goes with* the house 집에 딸린 토지. (4) …와 어울리다, …와 조

화되다(match) : White wine *goes* well *with* fish. 백포도주에는 생선요리가 제격이다. ***go without*** …이 없다, …을 갖지 않다 ; …없이 때우다〔지내다〕. ***go without saying*** 물론이다, 말할 것도 없다 : It *goes without saying* that…. …(임)은 말할 것도 없다. ***go wrong*** 잘못되다, 좋지 않게 되다 : Has anything *gone wrong* with him? 그에게 뭔가 좋지 않은 일이라도 있는가. ***Here goes!*** 자 받아라. ***leave go*** (가진 것을) 놓다, 내놓다. ***let go*** ⇨ LET. ***so far as... go*** =as far as... go. ***to go***《흔히 數詞 뒤에서》(1) 남아 있는, 아직(도) …있는 : We have three days *to go*. 아직 사흘이 있다《★ to go 의 go 는 *vt.* 이기도 하고 *vi.* (로)도 됨. There are two holidays still *to go*.의 go 는 pass, continue (경과〔계속〕하다)의 뜻이 되며 *vi.*, We have one more test *to go*.의 go 는 undergo(견디다, 시련을 겪다)의 뜻으로 *vt.*》. (2)《美口》(식당의 음식에 대해) 갖고 갈 것으로 : order two sandwiches *to go* 샌드위치 두 개를 싸 달라다. ***to go*** 〔***be going***〕 ***on with*** 〔종종 something, enough 뒤에서〕 임시방편으로 (때우다) : That will be *enough to go on with*. 그것으로 당분간은 충분할 것이다. ***What goes?***《美俗》 무슨 일이(일어났느)냐. ***Who goes there?*** 누구야《보초의 수하》.

── (*pl.* ***goes*** [gouz]) *n.* ① Ⓤ 감, 떠나감, 진행 ; 푸른 신호 ;《美口》(진행의) 허가 : be given a *go* 가라는 신호를 받다 / the come and *go* of the seasons 계절의 순환. ② Ⓤ 생기, 정력, 기력 (energy, spirit) : The old driver still has plenty of *go* in him. 그 노 운전사는 아직도 대단한 기력이 있다. ③ Ⓒ《口》해봄, 한번의 시도 ; (게임 따위의) 차례, 기회 : He had several *goes at* the high jump. 그는 몇 번인가 높이뛰기를 해보았다 / It's your *go*. 네 차례다 / She passed her driving test first *go*. 그녀는 단번에 운전(면허)시험에 합격했다. ④ (흔히 *sing.*)《口》사태, 난처한 일 : Here's 〔What〕 a *go*! 이거 곤란한데 / Here's a pretty *go*! 난감하게 됐군 / It's a queer〔a rum〕 *go*. 거 이상한〔곤란한〕 일이군. ⑤ Ⓒ《口》타협이 된 일, 결말지은 일(bargain) : It's a *go*. 결정됐어. ⑥ Ⓤ (the ~)《口》유행, 형(型) : This type of bag is all *the go*. 이런 형태의 가방이 대유행이다. ⑦《口》(술 따위의) 한 잔 ; (음식의) 한 입 : a *go* of brandy 브랜디 한 잔. ⑧ Ⓒ《口》발작, 발병 : He have a bad *go* of flu. 심한 독감에 걸렸다. ⑨ Ⓒ《口》잘 되어감, 성공 : It's a sure *go*. 성공은 확실하다. ***a near go***《口》구사 일생, 아슬아슬한 고비(a close shave). ***from the word go***《口》처음부터(from the start). ***give it a go*** 한번 해 보다. ***have a go at...***《口》(1) …을 해 보다 : *I had* several *goes at* problem. 그 문제에 여러번 도전해왔다. (2) (남)을 책하다, 비난하다. ***It's all go*** 아주 분주하다 : *It's all go* in Seoul. 서울은 아주 분주한 곳이다. ***off the go***〔흔히 否定·疑問形〕《口》한숨 돌리고, 한가하게. ***on the go***《口》끊임없이 활동하여, 계속 일하여 : I've been *on the go* all week. 일주일 내내 바빴다.

── *a.*〔敍述的〕《口》준비가 된(ready) ; 순조롭게 작용〔작동〕하는 : All systems (are) *go*. (로켓 발사 따위에서) 전(全)장치 이상 없음, 준비 끝.

goad [goud] *n.* Ⓒ ① (가축의) 몰이 막대기. ② 격려(하는 것), (정신적) 자극. ── *vt.* ① …을 뾰족한 막대기로 찌르다〔몰아대다〕《*on*》: ~ an ox *on* 소를 몰아세우다. ②《+목+전+명 / +목+부 / +목+*to* do》…을 격려〔자극, 선동〕하다, 부추겨 …하게 하다《*to, into* ; *on*》; (꾸짖어) 괴롭히다 : ~ a person *to* madness 아무의 부아를 돋우다 / ~ a person *on* 아무를 선동하다 / ~ a person *to* steal 아무를 부추겨 도둑질시키다.

go-a·head [góuəhèd] *a.* 전진하는 ; 적극적인, 진취적인(enterprising), 활동적인 : a ~ signal 전진 신호. ── *n.* ① (the ~) (일 등에 대한) 허가, 인가 ; 전진 신호, 청(靑)신호 : The government has given *the* ~ for the road-building project. 정부는 그 도로 공사 사업을 승인했다. ② Ⓤ 원기, 진취적인 기질. ③ Ⓒ 적극적인 사람, 정력가.

ᵃgoal [goul] *n.* Ⓒ ① (축구 등에서의) 골 ; 결승점〔선〕: reach the ~ 득점하다 / keep ~ 골키퍼를 맡다《★ 무관사에 주의》/ score an own ~ 자살골을 넣다 / We won the game by three ~*s* to one. 3대 1로 경기에 이겼다. ② 골《공을 넣어 얻은 득점》, 득점. ③ 목적〔행선〕(지) ; 목표 : achieve〔reach, attain〕 one's ~ 목적을 이루다 / Our ~ this year is to increase sales by 10%. 금년의 목표는 매상을 10퍼센트 늘리는 일이다 / What's your ~ in your life? 네 인생의 목표는 뭐냐. ***get*** 〔***kick, make, score***〕 ***a*** ~ 득점하다. ⊕ ∠·less *a.* (축구 따위의) 무득점의.

góal àverage〖蹴〗득점률.

góal dìfference 골 득실차(得失差).

goal-driv·en [∠drìvən] *a.*〖컴〗(프로그램이) 귀납적(歸納的)인.

goal·ie, -ee [góuli] *n.* Ⓒ《口》=GOALKEEPER.

***goal·keep·er** [∠kì:pər] *n.*〖蹴·하키〗골키퍼, 문지기.

góal kìck〖蹴·럭비〗골킥.

góal lìne〖蹴·陸上 등〗골라인. cf. touchline.

góal mòuth〖蹴·하키〗골 앞 ; 골문의 기둥과 기둥 사이.

góal pòst〖蹴〗골대.

go-as-you-please [góuəzjuplí:z] *a.* 규칙에 얽매이지 않는 ; 아무 제약이 없는, 자유로운 : a ~ party (제약이 없는) 자유스러운 파티.

ᵃgoat [gout] *n.* ① **a)** Ⓒ 염소. cf. kid. ¶ a billy ~ = a he-~ 숫염소 / a nanny ~ = a she-~ 암염소. **b)** Ⓤ 염소 가죽. ② (the G-)〖天〗염소자리. ③ Ⓒ 호색, 호색인 : He's a sly old ~. 색을 밝히는 교활한 늙은이다. ④ Ⓒ《口》놀림감. ***act*** 〔***play***〕 ***the*** (***giddy***) ~ 바보짓을 하다, 실없이 굴다 : Stop *acting the* ~. 바보 같은 짓 그만해라. ***get*** a person***'s*** ~《口》아무를 골나게 하다, 약올리다.

goat·ee [goutí:] *n.* Ⓒ (사람 턱의) 염소 수염.

goat·herd [góuthə̀:rd] *n.* Ⓒ 염소지기.

goat·skin [∠skìn] *n.* Ⓤ 염소 가죽 ; Ⓒ 염소 가죽 제품《옷·술부대 따위》.

gob [gɑb / gɔb] *n.* ① Ⓒ (점토·크림 따위의) 덩어리(lump, mass)《*of*》. ② (*pl.*)《口》많음《*of*》: He has ~*s of* money. 그에겐 돈이 많다.

gob·bet [gɑ́bit / gɔ́b-] *n.* Ⓒ ① (날고기 따위의) 한 덩어리《*of*》: (음식물의) 작은 조각, 한 입, 한 방울(drop). ② 발췌, 단편(斷片).

gob·ble[1] [gɑ́bəl / gɔ́bəl] *vt.* …을 게걸스레 먹다《*up* ; *down*》: She ~*d* up her dinner — she must have been very hungry. 그녀는 걸신들린 듯이 저녁을 먹었다. 몹시 시장했었음에 틀림없다 / Small family businesses are being ~*d up* by larger firms. 영세한 가내 기업은 대기업에 의해 병탄(倂呑)되고 있다.

── *vi.* 게걸스럽게 먹다 : Don't ~, you'll give yourself indigestion. 천천히 먹어라, 배탈 날라.

gob·ble[2] *vi.* (수칠면조가) 골골 울다 ; (화가 나서) 칠면조와 같은 소리를 내다. ── *n.* Ⓤ,Ⓒ 칠면조 울음 소리.

gob·ble·de·gook, -dy- [gɑ́bəldigùk / gɔ́b-] *n.* Ⓤ《口》(공문서 따위의) 번잡하고 이해가 어려

운 표현[말투]: This computer manual is complete ~. 이 컴퓨터 설명서는 무슨 말을 하고 있는지 통 모르겠다.

gob·bler [gɑ́blər / gɔ́b-] *n.* Ⓒ 칠면조의 수컷.

Gob·e·lin [gɑ́bəlin, góub-] *a.* 고블랭직(織)의 [같은]: ~ tapestry 고블랭직 벽걸이 양탄자 / ~ blue 짙은 청록색. — *n.* Ⓒ 고블랭직(벽걸이 양탄자).

go-be·tween [góubitwìːn] *n.* Ⓒ 매개자, 주선인, 중매인.

Go·bi [góubi] *n.* (the ~) 고비 (사막).

***gob·let** [gɑ́blit / gɔ́b-] *n.* Ⓒ 고블렛《받침 달린 유리나 금속제의 포도주 잔》.

***gob·lin** [gɑ́blin / gɔ́b-] *n.* Ⓒ 악귀, 도깨비.

go·by [góubi] (*pl.* **-bies,** [集合的] ~) *n.* Ⓒ【魚】 문절망둑.

go-by [góubài] *n.* (the ~) 지나치기, 통과 (passing); 보고도 못 본 체함. ***get*** a thing ***the*** ~ 사물을 피하다[무시하다]. ***get the*** ~ 무시당하다. ***give*** a person ***the*** ~《口》아무를 못 본 체하고 지나가다.

go-cart [góukɑ̀ːrt] *n.* Ⓒ《英古》(유아용의) 보행기(步行器) (walker); 유모차; 손수레 (hand cart); =GO-KART.

†god [gɑd / gɔd] *n.* ① (G-) Ⓤ (일신교, 특히 기독교의) 신, 조물주(the Creator, the Almighty). ⓒⓕ trinity. ¶ *God* the Father, *God* the Son, *God* the Holy Ghost【基】성부와 성자와 성신《성삼위를 말함》/ *God* helps those who help themselves.《俗談》하늘은 스스로 돕는 자를 돕는다 / *God* is the maker and ruler of the world. 신은 세계의 창조자이며 지배자다. ② Ⓒ (다신교의) 신; 남신(男神) (ⓒⓕ goddess): the Greek and Roman ~*s* 그리스(신화) 및 로마(신화)의 신들. ③ Ⓒ 신상(神像); 우상; Ⓒ 신으로[신처럼] 떠받들리는 것[사람]: make a ~ of …을 가장 소중하다고 생각하다, …을 신처럼 떠받들다 / Money is his ~. 돈이 그의 신이다. ④ (the ~s)《英》【劇】일반석의 관객.

be with God 신과 함께 있다; (죽어서) 천국에 있다. ***by God*** 맹세코, 꼭, 반드시. ***for God's sake*** ⇨ SAKE. ***God bless . . . !*** …에게 행복을 내리소서. ***God bless me*** [***my life, my soul, us, you***]***!*** 아이구 큰일이다. ***God damn you!*** 이 빌어먹을 자식아, 뒈져 버려라. ***God forbid !*** ⇨ FORBID. ***God grant . . . !*** 신이여[하느님이시어] …하게 해주옵소서. ***God help*** [***save***] (her)! 하느님, (그녀를) 구해 주소서, 가엾어라. ***God knows*** (1) [+that 名詞節] 하늘이 알고 계시다, 맹세코(그렇다). (2) [+疑問의 名詞節] 하느님만이 아신다, 아무도 모른다. ***God's willing*** 신의 뜻이 그렇다면, 사정이 허락한다면: I'll be there tomorrow, *God willing.* 형편이 닿는다면 내일 거기 가겠다. ***My*** [***Good, Oh***] ***God !*** 아 야단[큰일]났다; 괘씸하다. ***on the knees*** [***in the lap***] ***of the ~s*** ⇨ KNEE. ***play God*** 신처럼 행동하다, 안하무인으로 굴다. ***please God*** ⇨ PLEASE. ***So help me God !*** ⇨ HELP. ***Thank God !*** 아아 고마워라: *Thank God* he's gone. 다행이도 놈이 가버렸군. ***the ~ of day*** 태양신(神) (Phoebus). ***the ~ of hell*** 지옥의 신(Pluto). ***the ~ of love*** =***the blind ~*** 사랑의 신(Cupid). ***the ~ of the sea*** 바다의 신 (Neptune). ***the ~ of this world*** 악마(Satan). ***the ~ of war*** 전쟁의 신(Mars). ***the ~ of wine*** 주신(酒神) (Bacchus). ***under God*** 하느님 다음으로 (감사하여야 할 사람으로); (하느님께는 못 미치지만) 온갖 정성을 다하여.

God-aw·ful [gɑ́dɔ́ːfəl / gɔ́d-] *a.* (종종 g-)《口》 굉장한, 심한, 지독한: What ~ weather! 고약한 날씨군.

god·child [⌐tʃàild] (*pl.* **-chil·dren**) *n.* Ⓒ 대자녀(代子女).

god·dam(n) [gɑ́dǽm / gɔ́d-] *int.*《口》빌어먹을, 제기랄. — *a.* [強調] 전연, 전혀: no ~ use 전혀 쓸모없는. — *n., v.*《口》(종종 G-) =DAMN. — *ad.* =DAMNED.

god·daugh·ter [⌐dɔ̀ːtər] *n.* Ⓒ 대녀(代女).

‡god·dess [gɑ́dis / gɔ́d-] *n.* Ⓒ 여신(ⓞⓟⓟ *god*); (절세) 미인; 숭배[동경]하는 여성: the ~ of liberty 자유의 여신. ***the ~ of corn*** 오곡의 여신 (Ceres). ***the ~ of heaven*** 하늘의 여신(Juno). ***the ~ of hell*** 지옥의 여신(Proserpina).

go·de·tia [goudíːʃiə] *n.*【植】고데시아《달맞이꽃과 비슷한 관상용 1년초》.

go-dev·il [góudèvl] *n.* Ⓒ ① 급유관 청소기. ② 목재[석재] 운반용 썰매.

***god·fa·ther** [gɑ́dfɑ̀ːðər / gɔ́d-] *n.* Ⓒ ①【가톨릭】대부(代父),【聖公會】교부(敎父): stand ~ to a child 아이의 대부가 돼주다. ② (사람·사업의) 후원 육성자. ③ (종종 G-)《口》마피아[폭력단]의 두목.

God-fear·ing [⌐fìəriŋ] *a.* (때로 g-) 신을 두려워하는, 독실한, 경건한.

god·for·sak·en [⌐fərsèikən] *a.* ① 신에게 버림받은, 타락한, 비참한. ② 황폐한, 아주 외진, 쓸쓸한: a ~ place 아주 외진 곳.

God·frey [gɑ́dfri / gɔ́d-] *n.* 고드프리《남자 이름》.

god·head [⌐hèd] *n.* (또는 G-) Ⓤ 신(神)임, 신성, 신격(divinity). ***the Godhead*** 하느님, 신.

god·hood [⌐hùd] *n.* Ⓤ (때로 G-) 신(神)임, 신격, 신성(神性).

god·less [gɑ́dlis / gɔ́d-] *a.* ① 신이 없는; 신을 믿지 않는[부정하는], 무신론자의: ~ doings 신을 두려워 않는 소행. ② 불경한, 사악한. ⓟ **~·ly** *ad.* **~·ness** *n.*

***god·like** [gɑ́dlàik / gɔ́d-] *a.* 신과 같은, 거룩한, 존엄한; 신에게 합당한.

god·ly [gɑ́dli / gɔ́d-] (**-li·er; -li·est**) *a.* 신을 공경하는, 독실한(pious), 경건한. ⓟ **gód·li·ness** [-linis] *n.* Ⓤ 경신(敬神), 경건, 신심(信心).

***god·moth·er** [⌐mʌ̀ðər] *n.* Ⓒ 대모(代母). ⓒⓕ godfather.

god·par·ent [gɑ́dpɛ̀ərənt / gɔ́d-] *n.* Ⓒ 대부(모) 「(代父(母)).

Gód's ácre 묘지, 《특히》 교회 부속 묘지.

Gód Sáve the Quéen [**Kíng**] 여왕[국왕] 폐하 만세《영국 국가; 작사·작곡자 불명》.

Gód's Bóok 성서(the Bible).

god·send [gɑ́dsènd / gɔ́d-] *n.* Ⓒ 하늘[하느님]의 선물, 하늘이 주신 것; 뜻하지 않은 행운.

god·son [⌐sʌ̀n] *n* Ⓒ 대자(代子). ⓒⓕ godchild.

Gód's (**ówn**) **cóuntry** 이상적인 땅[나라], 낙원;《美》자기 나라《미국》.

God·speed [gɑ́dspíːd / gɔ́d-] *n.* Ⓤ 성공[여행길의 안전]의 기원. ***bid*** [***wish***] a person ~ 아무의 성공[여행길의 안전]을 빌다.

go·er [góuər] *n.* Ⓒ ① 가는 사람: comers and ~*s* 오가는 사람들《나그네 등》. ② [複合語] …에 잘 가는[다니는] 사람: a movie- ~ 영화팬. ③ **a**) 활기 있는 사람; 활동가. **b**) 성적으로 음란한 사람[여자].

***Goe·the** [gə́ːtə] *n.* **Johann Wolfgang von ~** 괴테《독일의 문호; 1749-1832》.

go·fer [góufər] *n.* Ⓒ《美俗》잔심부름꾼.

go-get·ter [góugétər] *n.* Ⓒ《口》(사업 따위의) 수완가, 활동가, 민완가.

gog·gle [gɑ́gəl / gɔ́gəl] *vi.* (눈알이) 희번덕거리다; 눈알을 굴리다; (놀라서) 눈을 부릅뜨다

《*at*》: She ~*d* *at* the magnificent display of goods. 그녀는 눈을 크게 뜨고 장려한 상품진열을 바라보았다. ── *n.* ① Ⓤ (또는 a ~) 눈알을 희번덕거림. ② (*pl.*) 고글《스키어·용접공·잠수부 등이 쓰는 보안경》.

gog·gle-box [gágəlbàks / gɔ́gəlbɔ̀ks] *n.* Ⓒ 《英俗》 (the ~) 텔레비전.

gog·gle-eyed [gágəlàid / gɔ́gəl-] *a.* 퉁방울눈의; 눈을 희번덕거리는, (놀라서) 눈을 부릅뜬: He stared ~ at Kravis's sumptuous quarters. 그는 크라비스의 화려한 주택 지구를 눈을 크게 뜨고 보았다.

Gogh [gɔx, gou, gɔk] *n.* **Vincent van ~** 고흐《네덜란드의 화가; 1853-90》.

go-go [góugòu] *a.* ① 고고의, 로큰롤에 맞춰 춤추는; 디스코(풍)의: a topless ~ dancer 가슴을 드러낸 고고 댄서. ② 활발한, 생기 넘치는; 현대적인, 최신의. ── *n.* Ⓒ 고고 댄스.

Go·gol [góugəl] *n.* **Nikolai Vasilievich ~** 고골리《러시아의 소설가·극작가; 1809-52》.

‡**go·ing** [góuiŋ] GO 의 현재분사.
── *n.* Ⓤ ① 가기, 보행, 여행; 출발: His ~ made the little girl cry. 그가 나가니 소녀는 울었다. ② (도로·경주로 등의) 상태: The ~ is good since the road has been repaired. 도로가 보수되어 상태는 좋았다. ③《口》(일·계획 따위의) 진전; 진행 상태〔상황〕: The ~ is very slow. 일의 진전이 아주 느리다 / You'll find the work heavy ~. 그 일은 해 나가기가 몹시 힘들거다. ***while the ~ is good*** 상황이 불리해지기 전에(떠나다, 그만두다(등)): Let's leave *while the ~'s good*. 더 나빠지기 전에 떠나자. ── *a.* ①〔限定的〕진행중인; 운전 중의; 활동 중의; 영업 중인; 수지가 맞는: a ~ business 〔concern〕 영업 중인〔수지가 맞는〕 사업〔회사〕. ②〔흔히 名詞 뒤에서〕《口》손에 들어오는; 지금 있는, 현존하는: There is beefsteak ~. 비프스테이크 요리가 있습니다 / He's the biggest fool ~. 요즘 저 놈보다 바보는 없다. ③〔限定的〕현행의, 현재의; 통례의: the ~ rate 현행 이율(利率) / the ~ price for gold 금(金)의 시가(時價). ***be ~ on*** (1) (시각·연령이) …에 가깝다: It's ~ *on* four o'clock. 지금 4시가 다 돼 간다. (2) 일어나고 있다: What's ~ *on* here? 여기서 대체 무슨 일이 일어나고 있나. (3) 계속되고 있다: The party has *been ~ on* all night. 파티는 밤새 계속되고 있다. ***have ... ~ for*** 《口》(…가) 유리한 입장에 있다, 아무에게 유리하게 작용하다, (일이) 잘 되어가다: He has a lot 〔something, nothing〕 ~ *for* him. 그는 크게 유리한〔상당히 유리한, 불리한〕 입장에 있다.

go·ing-a·way [góuiŋəwèi] *a.* (신부의) 신혼 여행용의: a ~ dress 신혼 여행 드레스.

góing concérn 현행 기업, 성업 중인 회사.

go·ing-o·ver [góuiŋóuvər] (*pl.* ***go·ings-***) *n.* Ⓒ ①《口》철저한 조사〔시험〕, 점검, 체크: They gave the car a thorough ~. 그들은 그 차를 철저히 점검했다. ②《俗》통렬한 비난〔질책〕; 심한 매질: His wife gave him a real ~ for coming home late. 그의 아내는 귀가가 늦은 그에게 심한 잔소리를 했다.

go·ings-on [góuiŋzɔ́ːn / -ɔ́n] *n. pl.* (좋지 못한) 행위, 소행, 행실: There were some strange ~ next door last night. 지난 밤에 이웃집에 좀 이상한 일이 있었다.

goi·ter, 《英》 **-tre** [gɔ́itər] *n.* Ⓤ,Ⓒ 〖醫〗 갑상선종(甲狀腺腫) (struma).

go-kart [góukàːrt] *n.* =KART.

†**gold** [gould] *n.* Ⓤ ① 금(aurum)《금속 원소; 기호 Au; 번호 79》, 황금: pure ~ 순금 / strike ~ 금(광)을 발견하다 / Which is heavier ~ or silver? 금과 은의 어느 쪽이 더 무거운가 / All is not ~ that glitters. 번쩍인다고 다 금은 아니다. ② **a)** 〔集合的〕금제품; 금화: pay in ~ 금화로 지급하다 / a ~ watch〔coin〕 금시계〔금화〕. **b)** =GOLD MEDAL. ③ 부(富) (wealth), 돈(money); 재보(treasure): greed for ~ 금전욕. ④ (황금처럼) 귀중〔고귀〕한 것: a heart of ~ 아름다운〔고결한〕 마음(의 사람). ⑤ **a)** 금빛, 황금색: hair of ~ 금발 / the burning reds and ~*s* of autumn leaves 타는 듯한 가을의 붉고 누런 잎. **b)** 금도금; 금가루; 금실; 금박; 금빛 그림물감. ⑥ Ⓒ (과녁의) 정곡(bull's-eye). (***as***) ***good as*** ~ (아이·짐승 등이) 얌전한, 예절 바른; The children caused no trouble all day; they were *as good as* ~. 아이들은 종일 아무 말썽도 일으키지 않았다. 정말 얌전한 아이들이었다. ***make a*** ~ 과녁의 복판을 쏴 맞히다. ***worth*** one***'s weight in*** ~ 천금의 가치가 있는, 매우 귀중〔유용〕한.
── *a.* ① 금의, 금으로 만든, 금빛의: ~ plate 금제(金製) 식기류. ② 금본위의.

gold·beat·er [góuldbìːtər] *n.* Ⓒ 금박사(金箔師).

góld bèetle 〖蟲〗 풍뎅이(goldbug).

góld blòc 금본위제의 나라〔지역〕.

Góld Còast ① (the ~) 황금 해안《Ghana 공화국의 일부》. ②《美口》(특히 해안의) 고급 주택지(구).

góld dìgger ① 금갱(金坑)을 파는 사람, 채금업자. ②《俗》남자를 호려 돈을 우려내는 여자.

góld dùst 사금; 금분(金粉).

†**gold·en** [góuldən] *a.* ① 금빛의, 황금빛의; 황금처럼 빛나는: ~ hair 금발. ② 금을 함유하는, 금이 가득 찬; 금을 산출하는. ③〔限定的〕귀중한, (기회 따위가) 절호의; (시대 따위가) 융성한, 번영하는: ~ hours (라디오·TV의) 골든아워; 더없이 즐거운 시간 / a ~ boy 〔girl〕 인기 있는 남자〔여자〕 / ~ remedy 묘약 / a ~ opportunity 절호의 기회 / a ~ saying 금언. ④〔限定的〕50년째의: ~ wedding 금혼식 / ~ anniversary 50주년 기념일. ⑤《文語투》금의, 금으로 만든《이 뜻으로는 gold가 일반적》: a ~ crown 금관.

gólden áge (the ~) ①《문학·국가 등의》황금 시대, 최성기. ② (종종 G-) 〖그神〗 황금 시대《태고 때의 인류 지복(至福)의 시대; Silver Age, Bronze Age, Iron Age로 이어짐》. ③ (지혜·만족·여가가 있는) 중년 이후의 인생. ④《婉》노년: The ~ was never the present age. 《格言》현시대가 황금 시대였던 적은 결코 없었다.

gold·en-ag·er [-éidʒər] *n.* Ⓒ《美口》황금 연령의 사람《65세 이상의 은퇴한 사람》; 노인.

gólden bálls 전당포 간판《금빛 공이 세 개》.

gólden cálf (the ~) Ⓒ ① 금송아지《이스라엘 사람의 우상》. ② 숭배의 대상이 되는 물질, 《특히》 부(富), 돈; 물질적 부의 숭배.

Gólden Delícious 골든 딜리셔스《황금색 사과의 한 품종; 미국 원산》.

gólden dísc 골든 디스크《백만 장 또는 백만 달러 이상 팔린 히트 레코드; 또 이 레코드의 가수에게 상으로 주는 금제 레코드》.

gólden éagle 〖鳥〗 검둥수리《머리·목덜미가 황금색; 예전의 독일 국장(國章)》.

Gólden Fléece (the ~) 〖그神〗 금(金) 양털《Jason 이 Argonauts 를 이끌고 훔쳐왔다는》.

Gólden Gáte (the ~) 골든 게이트, 금문 해협(金門海峽)《San Francisco 만을 태평양과 잇는 해협; 여기 유명한 Golden Gate Bridge가 있음》.

gólden hándshake 《英》 (해고자·조기 퇴직

자에게 주는 고액의) 퇴직금.

gólden júbilee 50주년 축전. cf. jubilee.

gólden méan (the ~) 중용(中庸), 중도.

gólden párachute 〖經營〗 골든파라슈트(회사가 매입·합병될 때, 그 경영자에게 다액의 퇴직금을 준다는 계약; 퇴직금이라는 낙하산으로 내보낸다는 뜻).

gólden retríever 골든 리트리버(누런 털을 가진 영국 원산의 순한 조류 사냥개).

gold·en·rod [góuldnràd / -rɔ̀d] *n.* 〖植〗 메역취.

gólden rúle (the ~) 〖聖〗 황금률(마태복음 Ⅶ : 12, 누가복음 Ⅵ : 31의 교훈; 흔히 'Do (to others) as you would be done by.' 로 요약됨); 〔一般的〕 지도 원리, 금과 옥조.

Gólden Státe (the ~) California 주의 별칭.

gólden sýrup 골든 시럽(당밀로 만드는 조리용·식탁용의 정제 시럽).

gólden wédding 금혼식(결혼 50 주년 기념).

gólden yèars 《口》 노후(흔히 65 세 이후).

góld fèver (gold rush의) 금광열, 황금열.

gold·field [-fì:ld] *n.* Ⓒ 채금지(採金地), 금광지.

gold-filled [góuldfìld] *a.* 〖寶石〗 금을 씌운〔입힌〕.

gold·finch [-fìntʃ] *n.* 〖鳥〗 검은방울새의 일종; 《英俗》 금화, 1 파운드 금화(sovereign).

‡**gold·fish** [-fìʃ] (*pl.* ~, ~·**es**) *n.* ① Ⓒ 금붕어. ② (the G-) 〖天〗 황새치자리(Dorado).

góldfish bòwl 금붕어용의 어항; 《比·口》 프라이버시를 가질 수 없는 상태〔장소〕.

góld fòil 금박(gold leaf 보다 두꺼움; 치과용).

góld·ie [góuldi] *n.* 《美》 =GOLDEN DISC.

góld lèaf 금박. cf. gold foil. ㊞ **góld-lèaf** *a.*

góld médal (우승자에게 주는) 금메달.

góld mìne ① 금갱, 금광; 보고(寶庫)(*of*): a ~ *of* information 지식의 보고. ② 큰 돈벌이가 되는 것, 달러박스(*for*; *to*): The new product became a ~ *for* the company. 신제품은 그 회사의 달러박스가 되었다 / If a restaurant were to open here, it would be a real ~. 만약 여기에 식당을 개업한다면 돈방석에 앉게 된다.

góld pláte 금으로 된 식기류; (전기) 금도금(하기).

gold-plate [góuldplèit] *vt.* …에 금을 입히다, 금도금하다. ㊞ ~**d** *a.* 「있는(컵 따위).

gold·rimmed [-rímd] *a.* 금테의; 금테 무늬가

góld rùsh 골드러시, 새 금광지로의 쇄도, 금광열; 일확 천금을 노린 광분(狂奔). 「장이.

gold·smith [góuldsmìθ] *n.* Ⓒ 금 세공인, 금

góld stàndard (the ~) 〖經〗 금본위제.

‡**golf** [gɑlf, gɔ(:)lf] *n.* Ⓤ 골프. ── *vi.* 〔흔히 ~ing 으로〕 골프를 하다(play ~): go ~*ing* 골프 치러 가다.

gólf bàll 골프공.

gólf càrt 골프 카트(골프백을 나르는 손수레; 또는 골퍼와 그의 소지품을 나르는 자동차).

gólf clùb 골프용 타봉; 골프 클럽(조직 또는 건물·부지).

gólf còurse 골프장, 골프 코스(golf links).

golf·er [gálfər, gɔ́(:)lf-] *n.* Ⓒ 골퍼, 골프 치는 사람.

gólf lìnks =GOLF COURSE. (★ 《美》에서는 golf course 가 일반적).

Gol·go·tha [gálgəθə / gɔ́l-] *n.* ① 〖聖〗 골고다(예수가 십자가에 못박힌 Jerusalem 의 언덕). ② (g-) 수난의 땅; 묘지, 납골당.

Go·li·ath [gəláiəθ] *n.* 〖聖〗 골리앗(양치는 David 에게 살해된 Philistine 족의 거인); 〔一般的〕 거인; (g-) 〖機〗 이동식 대형 기중기(=**golíath cráne**).

gol·li·wog(g) [gáliwàg / gɔ́liwɔ̀g] *n.* Ⓒ 얼굴이 검고 머리털이 곤두선 인형; 얼굴이 괴물 같은 사람.

gol·lop [gáləp / gɔ́l-] *vt.* 《英口》 (액체)를 꿀꺽꿀꺽 마시다. ── *n.* (a ~) 꿀꺽꿀꺽 마심.

gol·ly[1] [gáli / gɔ́li] *int.* 《口》 저런, 어머나, 아이고(놀람·감탄 따위를 나타냄). ***by*** ~ 《口》 틀림없이, 확실히(without a doubt). ***By*** 〔***My***〕 ~***!*** 저런, 어머나.

gol·ly[2] *n.* =GOLLIWOG.

go·losh [gəláʃ / -lɔ́ʃ] *n.* =GALOSH.

Go·mor·rah, -rha [gəmɔ́:rə, -márə / -mɔ́rə] *n.* 〖聖〗 고모라(Sodom 과 함께 악덕·부패 때문에 하느님에 의해 멸망된 도시); 악덕과 타락의 악명 높은 장소.

-gon *suf.* '…각형(角形)'이란 뜻의 명사를 만듦: hexa*gon*; penta*gon*; n-*gon* (n 각형).

go·nad [góunæd, gán- / gɔ́n-] *n.* 〖解〗 생식선(腺).

***gon·do·la** [gándələ, gandóulə / gɔ́ndələ] *n.* Ⓒ ① (Venice 의) 곤돌라(평저 유람선): by ~ 곤돌라를 타고(無冠詞). ② 무개 화차(=∠ **càr**). ③ (비행선·기구(氣球) 따위의) 조선(吊船), 조롱(吊籠). ④ 곤돌라 상품 진열대(슈퍼마켓 등에서 상품을 사방에서 자유롭게 꺼낼 수 있도록 되어 있는 진열대). ⑤ (높은 벽이나 창의 수리·페인트칠 등을 할 때 타는) 조롱. 「공.

gon·do·lier [gàndəlíər / gɔ̀ndə-] *n.* Ⓒ 곤돌라 사

Gond·wa·na (·land) [gandwá:nə (lænd)] *n.* 곤드와나 대륙(가설상의 고생대 말기의 남반구 대륙).

†**gone** [gɔ:n, gan / gɔn] GO 의 과거분사.
── (***more*** ~; ***most*** ~) *a.* ① 지나간, 사라진; 없어진; 가버린: memories of ~ summer 지나가 버린 여름의 추억들 / I'll not be ~ long. 곧 돌아오겠습니다 / How long will you be ~ ? 얼마 동안 나가 계실겁니까 / When I came back, my suitcase was ~. 돌아와 보니 내 가방은 없었다. ② 〔敍述的〕 죽은, 세상을 떠난(dead). ③ 〔限定的〕 가망 없는(hopeless), 절망적인: a ~ case 절망적인 상태; 가망 없는 환자. ④ 쇠약한(faint); 정신이 아뜩한: a ~ feeling 〔sensation〕 아뜩해지는〔까무러질 것 같은〕 느낌, 쇠약감. ⑤ 〔월·일을 나타내는 名詞 뒤에 두어〕 《口》 임신한: She's six months ~. 그녀는 임신 6개월이다. ⑥ (시간·나이가) …을 넘은〔지난〕, …이상의: a man ~ ninety years of age 나이 90을 넘은 사람 / It's ~ three years since we met last. 지난번 만난 이래 3 년이 지났다 / It's ~ midnight already. 벌써 자정이 지났다. ⑦ 〔敍述的〕 **a**) 〔종종 far ~로〕 (…에) 깊이 빠진; 열을 올린(*in*): He is *far* ~ *in* crime. 그는 범죄의 늪에 깊이 빠져 있다. **b**) 이성에 반해서(*on*): He's ~ *on* her. 그는 그녀에게 반했다. ***dead and*** ~ 죽어버린. ***real*** ~ 《俗》 멋진, 굉장한, 근사한.

góne góose 〔**gósling**〕 《口》 어찌할 도리가 없는 사람, 가망 없는 사람; 절망적인 일〔상태〕.

gon·er [gɔ́(:)nər, gán-] *n.* Ⓒ 《口》 가망 없는 것, 죽은 사람, 글러먹은 사람〔일, 것〕: "Thanks for rescuing me. I thought I were a ~." 구해줘서 고맙소. 난 죽는 줄 알았소.

gon·fa·lon [gánfələn, -làn / gɔ́nfələn] *n.* Ⓒ (횡목에 매다는) 기(旗)(중세 이탈리아 도시 국가 따위에서 사용한).

gong** [gɔ:ŋ, gaŋ / gɔŋ] *n.* Ⓒ ① 징; 공(접시 모양의 종) (=∠ **bèll**), 벨: a dinner ~ 식사를 알리는 종 / beat〔ring, sound〕 a ~ 징을 울리다〔치다〕 (복싱 등의 「공」은 bell이라 함). ② 《英俗》 훈장(medal). ***be all ~ ***and no dinner*** 《口·戲》 큰소리만 치고 실제는 아무 것도 안 하다.

gon·na [góunə, gɔ́:nə, 弱 gənə] 《方·俗》 …할 예정인(going to) : Are ya ~ go? =Are you going to go? / What are we ~ do? 우리가 뭘 하려는 거지 / He wants me to lend him some money, but I'm not ~. 그는 내게 돈을 좀 꾸어 달라지만 나는 그럴 생각이 없다.

go-no-go [góunóugòu] *a.* 계속하느냐 중지하느냐의 결정(시기)에 관한 : make a ~ decision 가부간의 결정을 내리다.

gon·or·rhea, -rhoea [gànəríːə / gɔ̀n-] *n.* Ⓤ 〖醫〗 임질(clap).

-gony '발생(generation), 기원(origination)'의 뜻을 나타내는 결합사 : cosmo*gony* ; mono*gony*. 「친.

gon·zo [gánzou / gɔ́n-] *a.* 《美俗》 머리가 돈, 미

goo [gu:] *n.* Ⓤ 《俗》 (the ~) 찐득거리는 것 ; Ⓤ 감상(sentimentality)《burgoo의 간약형》.

†**good** [gud] (***bet·ter*** [bétər] ; ***best*** [best]) *a.* ① 좋은, 우량한 ; 질이 좋은, 고급의 : a ~ saying 금언(金言), 명구(名句) / ~ health 좋은 건강 상태 / a ~ family 좋은 집안 / a ~ book 양서(良書) / She'll be a ~ wife to him. 그녀는 그에게 좋은 아내가 될 것이다. ② (도덕적으로) 선량한(virtuous), 착한, 성실한(dutiful), 품행이 좋은, 방정(方正)한(well-behaved) ; 공정한 : a ~ wife 착한 아내 / a ~ deed 선행(善行) / a ~ husband 성실한 남편 / ~ conduct 옳은 행동. ③ 친절한, 인정 있는(benevolent) ; 너그러운 : ⇨ GOOD NATURE / do a person a ~ turn 아무에게 친절을 베풀다〔친절히 하다〕/ He was ~ enough *to* show me the way. 그 사람은 친절하게도 길안내를 해주었다 / How ~ of you! 아이구, 친절하십니다 / Would you be ~ enough to drive me home? 죄송하지만 집까지 태워다 주시겠습니까. ④ (아이가) 착한 : Be a ~ boy. 얌전하게 굴어라. ⑤ 유능한 ; 익숙한, 잘하는 : a ~ artist 뛰어난 화가 ; 그림 솜씨가 좋은 사람《아마추어이지만》/ ~ *at* all sports 스포츠에 만능인 / She's ~ *with* children. 그녀는 어린이를 잘 다룬다 / She's ~ *on* the piano 그녀는 피아노를 잘친다《★ at, in은 기술의 대상, on은 특정한 일〔것〕, with는 취급하는 대상에 각각 쓰임》. ⑥ 효과적인, 유효한 ; 자격 있는(qualified) ; (약 따위가) 효험이 있는 ; (표 따위가) 통용되는 ; 사용 가능한, 쓸모 있는 ; 견딜〔버틸〕 수 있는, 오래가는 ; 건전한, 튼튼한(strong, healthy)《*for*》: ~ *for* two months 유효기간 2개월의 / ~ *for* ten dollars, 10 달러의 값어치가 있는 / a car ~ *for* another ten years 아직 10년은 더 탈 수 있는 차. ⑦ (운 따위가) 좋은, 계제(가) 좋은 ; 안성맞춤의, 바람직한, 유익한 호적(好適)의《*for*》: ~ luck 행운 / a ~ answer 매우 적절한 대답 / She's a ~ woman *for* the job. 그녀는 그 일에는 안성맞춤이다. ⑧ 훌륭한, 완전한, 가짜가 아닌, 진짜의 ; (상업적으로) 신용할 수 있는, 확실한 ; 아름다운 ; (날씨가) 활짝 갠 : ⇨ GOOD LOOKS / This ten-dollar bill is ~; the other one is counterfeit. 이 10달러 지폐는 진짜고 다른 하나는 가짜다 / ~ weather 화창한 날씨. ⑨ (음식이) 맛있는 ; 먹을〔마실〕 수 있는, 썩〔상하〕지 않은 : This hotdog tastes ~. 이 핫도그는 맛있다 / This meat will not be ~ tomorrow. 이 고기는 내일까지 못 가겠다. ⑩ 즐거운 ; 행복한 ; 유쾌한(happy, agreeable, enjoyable) : It's ~ to be home again. 집에 다시 돌아오니 즐겁다 / ~ news 길보 / Have a ~ time! 즐거운 시간을. ⑪ 사이가 좋은, 친한, 친밀한 : a ~ friend 친우. ⑫ 〔數·量的으로〕 충분한(thorough, satisfying) : two ~ hours 족히 2시간 / a ~ half 듬뿍하게 절반, 절반 이상 / take 〔have〕 a ~ rest 충분한 휴식을 취하다. ⑬ 〔거의 아무 뜻 없이〕: her ~ man 그 여자의 남편 / the ~ ship Arethusa 아레두사호 《선박 이름》.

a ~ few ⇨ FEW. ***a ~ many*** ⇨ MANY. ***a ~ one*** 믿을 수 없는 거짓말〔과장〕, 재미있는 농담. ***as ~ as*** …에 못하지 않은 ; (사실상) …나 매한가지인 : It's *as* ~ *as* finished. 이제 끝난 거나 다름 없다. (***as***) ***~ as gold*** ⇨ GOLD. ***be as ~ as*** one'***s word*** ⇨ WORD. ***Be ~ enough to*** do. ⇨ ENOUGH *ad.* ***feel ~*** (1) 몸〔기분〕이 좋다, 호조(好調)이다. (2) 안심하다 : I don't *feel* too ~ about it. 도무지 마음에 안 든다 ; 좀 걱정이다. ***~ and*** [gúdn] 《口》 매우, 아주 : ~ *and* happy 아주 행복한 / I'm ~ *and* ready. 준비는 모두 끝났다. ***~ and proper*** 《美口》 철저히 ; The table is broken ~ *and proper.* 테이블은 완전히 부서졌다. ***~ for*** (1) ⇨ GOOD *a.* ⑥⑦. (2) …을 지불할 수 있는 : How much are you ~ *for?* 돈을 얼마나 낼 수 있나. ***Good for you*** 〔***him,*** etc.〕***!*** 잘 한다, 거 잘됐다, 말 잘 했다. ***~ old*** 제법 괜찮은 ; 그리운 : (in) the ~ *old* days 그리운 옛날(에는). ***had as ~*** 《口》 …하여도 마찬가지다, 오히려 …하는 편이 나을 정도다 : We *had as* ~ stay here. 여기 있는 게 낫겠다. ***have a ~ mind to*** do 꼭 …하고〔해보고〕 싶다고 생각하다. ***make a ~ thing*** (***out***) ***of*** ⇨ THING. ***make ~*** (1) (손해 따위)를 보상〔변제〕하다 ; (부족 따위)를 보충하다. (2) (계획)을 달성하다 ; (약속)을 이행하다 : *make* ~ a promise 약속을 이행하다. (3) 실증〔입증〕하다 : *make* ~ a boast 자랑한 것이 옳음을 증명하다. (4) (입장·지위)를 유지〔확보〕하다 ; 《주로 英》 회복〔수복〕하다. (5) (특히 장사)에 성공하다 : *make* ~ in business 사업에 성공하다. ***not ~ enough to*** do 《口》 …할 가치가〔자격이〕 없는. ***take in ~ part*** ⇨ PART.

— *n.* Ⓤ ① 선(善) ; 미덕. opp. *evil.* ¶ know ~ from evil 선악을 분별하다 / There is no ~ in him. 그에게서 아무 것도 취할 바가 없다. ② (흔히 the ~) 선량한 사람들 ; 좋은 일〔것, 결과〕: for ~ or evil 좋든 나쁘든 / *Good* and bad 〔*The* ~ and *the* bad〕 alike praised him. 선인(善人)도 악인도 모두 그를 칭찬하였다. ③ 이익, 이(利)(advantage) ; 소용, 효용, 가치 : public ~ 공익(公益) / What ~ is that? =What is the ~ of that? 그게 무슨 소용이 있는가 / Advice isn't much ~ to me. I need money. 충고 따위는 내게 소용없다. 나는 돈이 필요하다. ④ 행복 : the greatest ~ of the greatest number 최대 다수의 최대 행복《Bentham의 공리주의의 원칙》. ⑤ (*pl.*) ⇨ GOODS. ***be no ~*** 아무 쓸모도 없다, 소용없다. ***be up to no ~*** =***be after no ~*** (1) 나쁜〔못된〕 일을 꾸미고 있다 : Where's that child now? I'm sure he'll *be up to no* ~ wherever he is. 그 녀석 어디 있지. 그 녀석이 어디 있든, 틀림없이 못된 짓을 꾸미고 있을거야. (2) 《美》 아무 쓸모 없다. ***come to ~*** 좋은 열매를 맺다, 좋은 결과가 되다. ***come to no ~*** 좋은 결과를 못 보다, 실패하다 : His schemes will *come to no* ~. 그의 계획은 실패할 게다. ***do*** a person ***~*** 아무에게 도움이 되다, 이롭다 ; 아무의 건강에 좋다. ***do ~*** (1) 선행을 하다 ; 친절을 베풀다. (2) 도움이 되다, 효과가 있다. ***for ~*** (***and all***) 영구히 ; 이를 마지막으로. ***for the ~ of*** …의 이익을 위해서. ***in ~ with*** …의 마음에 들어, …에게 호감을 사서 : She's *in* ~ *with* the president. 그녀는 사장의 총애를 받고 있다. ***That's no ~.*** 무익하다, 소용 없다. ***to the ~*** (1) 이익이 되어 : It's all *to the* ~. 그것, 잘됐

군. (2)〖商〗 대변(貸邊)에, 순(이)익으로: We are 400 dollars *to the* ~. 400 달러 벌었다.
— *ad.* 《美口》 훌륭히, 잘: I'll show you how ~ everything is going. 만사가 어떻게 순조롭게 되어 가고 있는가를 보여 주겠다 / I don't hear you so ~, teacher. 선생님, 잘 안들립니다 / This watch runs ~. 이 시계는 잘 간다. ***have it*** ~ 《口》 유복하다; 즐거운 시간을 보내다.

gòod afternóon 〔오후 인사〕 ① 안녕하십니까 《만났을 때》. ② 안녕히 계〔가〕십시오《헤어질 때》.

Góod Bóok (the ~) 성서(Bible).

†**good-by, -bye** [gùdbái] *int.* 안녕; 안녕히 가〔계〕십시오. — (*pl.* ~***s***) *n.* Ⓒ 고별, 작별(의 인사)《God be with ye. 의 간약형》: We said our ~*s* and went home. 우리는 작별을 고하고 집으로 갔다. ***say*** ~ 작별을 고하다: I must *say* ~ now. 이제 작별을 고해야겠습니다《★ 종종 goodby(e)라고 하이픈 없이도 씀》.

góod chéer ① 원기, 기분 좋음: Be of ~ ! 기운 내라. ② 진수성찬: make 〔enjoy〕 ~ 맛있는 음식을 먹다.

gòod dáy 〔낮 인사〕 ① 안녕하십니까《만났을 때》. ② 안녕히 계〔가〕십시오《헤어질 때》. ★ 지금은 쓰이지 않음.

góod déal (a ~) 다수, 다량: I bought only a little, but he bought *a* ~. 나는 조금 샀지만 그는 많이 샀다.

góod égg 《俗》 명랑한〔신뢰할 수 있는〕 사람, 좋은 사람; 〔感歎詞的〕 이건 참말로《기쁜 놀라움을 나타냄》.

gòod évening 〔저녁 인사〕 ① 안녕하십니까 《만났을 때》. ② 안녕히 계〔가〕십시오《헤어질 때》.

góod fáith 성실, 성의(誠意), 정직: act in ~ 성실하게 행동하다.

góod féllow 착한 사람, (교제 상대로) 명랑하고 다정한 사람; 《俗》 멍청한 녀석.

good-fel·low·ship [gùdféloùʃìp] *n.* Ⓤ 친구간의 정의(情誼); 친목, 우정, 선의; 사교성.

good-for-naught [gúdfərnɔ̀:t] *n.* =GOOD-FOR-NOTHING.

good-for-noth·ing [gúdfərnʌ̀θiŋ] *a., n.* 아무 짝에도 못쓸 (사람), 변변치 못한 (인간): Just because his wife doesn't like cooking, he thinks she's ~. 그는 아내가 다만 음식하기를 꺼린다는 이유로 그녀를 아무 쓸모 없는 사람이라고 생각하고 있다.

Góod Fríday 성(聖)금요일, 예수의 수난일 「《Easter 전의 금요일》.

good-heart·ed [gúdhá:rtid] *a.* 친절한(kind), 호의 있는, 마음씨가 고운, 관대한, 선의의. ⊕ ~**·ly** *ad.* 친절히. ~**·ness** *n.*

Gòod Hópe =the CAPE (of Good Hope).

góod húmor 명랑한〔즐거운〕 기분: be in ~ 기분이 좋다 / a man of great ~ 굉장히 명랑한 사람.

good-hu·mored [gúdhjú:mərd] *a.* 기분 좋은, 명랑한; 상냥〔싹싹〕한: The crowds were patient and ~. 군중들은 참을성 있었고 명랑했다. ⊕ ~**·ly** *ad.* ~**·ness** *n.*

good·ie [gúdi] *n.* =GOODY.

good·ish [gúdiʃ] *a.* 〔限定的〕 ① 나쁘지 않은, 대체로 좋은 편인: It is a ~ day for tennis. 테니스 하기에는 대체로 좋은 날씨다. ② 적지 않은; 상당한《크기·수량·거리 따위》: You can walk from here to the park, but it's a ~ distance. 여기서 공원까지 걸어갈 수는 있으나 꽤 먼 거리다.

good-look·er [gúdlúkər] *n.* Ⓒ 잘 생긴 사람.

‡**good-look·ing** [gúdlúkiŋ] *a.* 잘 생긴, 미모의: 핸섬〔스마트〕한: a ~ woman 미모의 여인 / a ~ man 핸섬한 남자 / ~ legs 보기 좋은 미끈한 다리.

góod lóoks 매력적인 용모, 《특히》 미모.

*__good·ly__ [gúdli] (***-li·er; -li·est***) *a.* 〔限定的〕 ① 훌륭한; 미모의, 잘 생긴: a ~ building 훌륭한 빌딩. ② (a ~) 꽤 많은, 상당한《크기·수량 따위》: *a* ~ heritage 꽤 많은 유산 / *a* ~ sum of money 상당한 금액 / The audience was of *a* ~ size. 청중은 꽤 많았다.

gòod mórning 〔오전 중의 인사〕 ① (밤새) 안녕하십니까《만났을 때》. ② 안녕히 가〔계〕십시오.

góod náture 선량한 마음씨.

‡**good-na·tured** [gúdnéitʃərd] *a.* (마음씨가) 착한〔고운〕, 온후한, 친절한. opp *ill-natured*. ¶ a ~ girl 마음씨 착한 소녀. ⊕ ~**·ly** *ad.* 친절히. ~**·ness** *n.*

good-neigh·bor [gúdnéibər] *a.* 〔限定的〕 (정책 따위가) 선린의, (국제 관계가) 우호적인: a ~ policy 선린 정책.

‡**good·ness** [gúdnis] *n.* Ⓤ ① 선량, 미덕: No one can doubt his ~. 누구도 그의 선함을 의심하지 못할 것이다. ② (the ~) 친절, 우애, 자애: He had *the* ~ to accompany me. 그는 친절하게도 나와 동행했다. ③ 우수, 우량; 탁월. ④ 미점, 장점; 정수(精髓); (음식물의) 자양분. ⑤ 〔感歎詞的으로 God 의 대용어(語)로서〕 이키나, 어이구, 저런. ***for*** ~′ ***sake*** ⇨ SAKE. ***Goodness*** (***gracious***)***!*** 어머나, 야단났군《놀람·분노 따위를 나타냄》. ***Goodness knows !*** ⇨ GOD knows. ***in the name of*** ~ 신명께 맹세코; 도대체. ***Thank*** ~***!*** 고마워라, (잘) 됐다. ***wish*** 〔***hope***〕 ***to*** ~ 부디 …이길 바라다: I *wish to* ~ you'd be quiet. 부탁하는데 제발 조용히 해주게.

gòod níght 〔밤의 작별·취침시의 인사〕 안녕히 주무십시오; 안녕히 가〔계〕십시오.

góod óffices 〔複數취급〕 ⇨ OFFICE.

‡**goods** [gudz] *n. pl.* 〔單數形으로는 쓰이지 않고 many 나 數詞로 수식되지 않음〕 ① 물건, 물품, 상품(wares), 물자: canned ~ 통조림류 / war ~ 전쟁 물자 / convenience ~ 일용 잡화 / They sell various kinds of ~ at that store. 저 가게에서는 갖가지 물건을 팔고 있다. ② 재산, 재화(財貨); 〖經〗 재(財); 동산(movables), 소유물: household ~ 가재(도구) / consumer 〔producer〕 ~ 소비〔생산〕재 / ~ and chattels 〖法〗 인적 재산 《개인의 전 재산》. ③ 〔매로 單數 취급〕 《美》 천, 피륙: dry ~ 옷감. ④ 《英》 (철도) 화물(《美》 freight): a ~ agent 운송업자 / a ~ station 화물역(《美》 freight depot). ⑤ (the ~) **a**) 안성맞춤의 것〔사람〕, 적임인 사람, 진짜; 약속된〔기대되는〕 것: He is *the* real ~. 그이야 말로 바로 안성맞춤의 사람이다. **b**) 범죄의 증거, 《美口》 《특히》 장물(贓物): 《口》 get〔have〕 *the* ~ on a person 아무의 범죄의 증거를 잡다〔손에 넣다〕. ***a piece of*** ~ 《俗》 사람, 《특히》 여자. ***by*** ~ 《英》 화물 열차로. ***deliver*** 〔***produce***〕 ***the*** ~ 《口》 약속을 실행하다, 기대한 대로 하다.

góod Samáritan ⇨SAMARITAN.

góod sénse 양식(良識), (직관적인) 분별.

Góod Shépherd ⇨SHEPHERD.

good-sized [gúdsáizd] *a.* 꽤 큰〔넓은〕.

gòod spéed 행운, 성공《여행을 떠나는 사람에 대한 작별 인사》.

góods tràin 《英》 화물 열차 (《美》 freight 「train).

good-tem·pered [gúdtémpərd] *a.* 마음씨 고운, 상냥한, 유화한, 얌전한, 무던한. ⊕ ~**·ly** *ad.* ~**·ness** *n.*

góod thìng (a ~) ① 잘된〔좋은〕 일; 행운: He's really on to *a* ~. 그는 정말 좋은 일자리

〔일〕에 얻어걸렸다. ②바람직한 일 : Free trade is *a* ~. 자유무역은 바람직한 일이다. ③경구(警句). ***It is a*** ~ (***that***) . . . 《口》…은 행운이다, …해서 참 잘 됐다 : *It's a* ~ you are here. 자네가 와 주어서 잘 됐네. ***too much of a*** ~ 좋지만 도가 지나쳐서 귀찮은 것.

‡**good·will, góod wíll** [gúdwíl] *n.* Ⓤ ①호의, 친절, 후의 ; 친선 : international ~ 국제 친선 / a ~ visit to Korea 한국 친선 방문 / a policy of ~ 친선 외교 / The natives showed ~ *toward* 〔*to*〕 us. 원주민들은 우리에게 호의를 보였다. ②(상업·상점의) 신용, 성가(聲價) ; 단골 ; 영업권 : buy a business with its ~ 회사의 성가와 함께 사업을 매수하다 / build up the ~ of the shop 가게의 신용을 쌓다.

góod wórks 선행, 자선 행위.

goody [gúdi] *n.* Ⓒ 《口》① (흔히 *pl.*) 맛있는 것, 봉봉 ; 엿, 사탕. ②특별히 매력 있는〔탐낼 정도로 좋은〕 것《음식물·의복·작품 따위》. ③(영화·TV의) 주인공 ; =GOODY-GOODY. ── *a.* =GOODY-GOODY. ── *int.* 《兒》 신나다, 근사하다 : Oh ~ *!* Chocolate cake. 우와아, 초콜릿 과자다.

good·y-goody [-gùdi] *a.* 독실한 체하는, 도덕가연하는, 착한〔선량한〕 체하는. ── *n.* Ⓒ 독실한 체하는 사람.

goo·ey [gúːi] (***goo·i·er; -i·est***) *a.* 《俗》① (과자가) 달고 끈적끈적한(sticky). ②공연히 감상적인 : The song made her go all ~. 그 노래에 그녀는 아주 센티멘털해졌다.

goof [guːf] (*pl.* ***~s***) 《俗》 *n.* Ⓒ ①바보, 멍청이. ②실수 : make a ~ 실수하다. ── *vt.* …을 실수하여 잡쳐버리다《*up*》: She *~ed* her lines again. 그녀는 대사를 또 틀렸다. ── *vi.* ①게으름피우다 ; 빈둥거리다《*off ; around ; about*》: ~ *off* on the job 일을 사보타주하다. ②실수하다.

goof·ball, góof bàll [gúːfbɔ̀ːl] *n.* Ⓒ 《美俗》 ①신경 안정제 ; 수면제. ②바보.

go-off [góuɔ̀ːf / -ɔ̀f] *n.* (흔히 *sing.*) 출발 ; 출발 시간 ; 착수. ***at one*** ~ 한꺼번에, 단숨에. ***succeed at the first*** ~ 단번에 성공하다.

goof-off [gúːfɔ̀ːf / -ɔ̀f] *n.* Ⓒ 《俗》 책임을 회피하는 남자, 게으름뱅이.

goof-up [gúːfʌ̀p] *n.* Ⓒ 《口》 실수, 실패.

goofy [gúːfi] (***goof·i·er; -i·est***) *a.* 《俗》①얼빠진(foolish), 어리석은 : in a ~ state 멍청하게. ②뻐드렁니의. 㖈 **góof·i·ly** *ad.* **-i·ness** *n.*

goo-goo [gúːgùː] *a.* 《美古俗》 (눈이) 호색적인 : make ~ eyes 추파를 보내다.

gook [guk, guːk] *n.* 《美俗》 ①Ⓤ 끈적거리는 것. ②Ⓤ 짙은 화장. ③Ⓒ 《蔑》 동양인.

goon [guːn] *n.* Ⓒ 《俗》 ①깡패, (노동 쟁의 등에 고용되는) 폭력단(원). ②얼간이.

‡**goose** [guːs] (*pl.* ***geese*** [giːs]) *n.* ①Ⓒ 거위《수컷은 gander, 새끼는 gosling》: All his *geese* are swans. 《俗談》 자기의 것이면 거위도 백조로 보인다 ; 내 가족〔물건〕은 모두가 좋게 보인다. ②Ⓤ 거위고기. ③Ⓒ 바보, 얼간이(simpleton). ④ (*pl.* ***goos·es***) (놀래기 위해) 남의 궁둥이 사이를 뒤에서 쿡쿡 찌르는 일. ***can*** 〔***will***〕 ***not say boo to a*** ~ ⇨BOO. ***cook*** a person***'s*** ~ 아무의 악평을 하다 ; 《口》 (남의) 계획〔평판, 희망〕을 망치다. ***kill the*** ~ ***that lays the golden eggs*** 눈 앞의 이익에 눈이 어두워 장래의 큰 이익을 희생하다. ── *vt.* 《俗》 (놀래려고) …의 궁둥이 사이를 뒤에서 찌르다.

goose·ber·ry [gúːsbèri, -bəri, gúːz-] *n.* Ⓒ ①〖植〗 구즈베리(의 열매). ②(남의 사이를 파고드는) 훼방꾼. ***play*** ~ 《口》 (단 둘이 있고 싶어하는 연인들의) 훼방꾼이 되다.

góoseberry búsh 구즈베리나무 : I found him 〔her〕 under a ~. 《戱》 아기는 구즈베리나무 밑에서 주웠다《아기는 어디서 났느냐고 물을 때의 대답》.

góose búmps = GOOSEFLESH.

góose ègg ①《美》 영점, 제로(《英》 duck's egg)《시험·경기 등에서》. ②《美口》 (맞아서 생긴) 머리의 혹.

goose·flesh [-flèʃ] *n.* Ⓤ (추위·공포 따위에 의한) 소름, 소름 돋은 피부 : be ~ all over 온몸에 소름이 끼치다.

goose·foot [-fùt] (*pl.* ***~s***) *n.* Ⓒ 〖植〗 명아주.

goose·neck [-nèk] *n.* Ⓒ 거위 목처럼 휜〔휘는〕 것 ; 〖機〗 S자형의 관(管).

góose pìmples 〔**skìn**〕 =GOOSEFLESH.

góose stèp 무릎을 굽히지 않고 발을 높이 들어 행진하는 보조.

goose-step [-stèp] (***-pp-***) *vi.* ①goose step 식의 보조로 행진하다. ②(보복·협박이 두려워) 맹종하다, 순응하다.

G.O.P., GOP 《美》 Grand Old Party (공화당).

go·pher [góufər] *n.* Ⓒ 〖動〗 뒤쥐《굴을 파서 땅속에서 삶 ; 북아메리카산》.

Gor·ba·chev [gɔ̀ːrbətʃɔ́ːf / -tʃɔ́f] *n.* **Mikhail Sergeyevich** ~ 고르바초프《옛 소련 공산당 서기장, 대통령(1990-91) ; 1931-》.

Gór·di·an knót [gɔ́ːrdiən-] (the ~) Phrygia 국왕 Gordius 의 매듭《Alexander 대왕이 칼로 끊어버렸음》; 어려운 문제. ***cut the*** ~ 비상 수단으로 어려운 일을 해결하다.

górdian wórm 〖動〗 선형충(線形蟲)(=**gòrdiácean**). 「엉긴 피.

***gore**[1] [gɔːr] *n.* Ⓤ 《文語》 (상처에서 나온) 피,

gore[2] *n.* 삼각형의 헝겊 ; (옷의) 깃, 섶.

gore[3] *vt.* (뿔 따위로) …을 찌르다, 들이받다.

gorge** [gɔːrdʒ] *vt.* 《~+목 / +목+전+명》 ①…을 게걸스레 먹다. ②〔再歸的〕 …을 배가 터지게 먹다《*on ; with*》: If you ~ *yourself on*〔*with*〕 crisps like that, you won't eat your dinner. 포테이토칩을 그렇게 먹어대다가는 저녁을 못 먹을라. ── *vi.* 《~ / +전+명》 포식하다, 걸신들린 듯 먹다《*on*》: She ~*d* (herself) *on* cream cakes. 그녀는 크림케이크를 먹어대고 있었다. ── *n.* Ⓒ ① (양쪽이 절벽으로 된) 골짜기(ravine), 협곡 : the lower ~ where the Colorado River runs 콜로라도강이 흐르는 아래쪽의 협곡. ②(시냇물·통로 등을) 막는 방해물 ; 집적물 : An ice ~ has blocked the shipping lane. 얼음덩이가 항로를 막아버렸다. ***cast the ~ ***at*** …을 보고 구역질이 나다 ; …을 몹시 혐오하다. ***make a*** person***'s*** ~ ***rise*** …에게 구역질이 나게 하다, 심한 분노를 느끼게 하다 : The sight of so many starving children *made his* ~ *rise.* 그처럼 많은 굶주린 아동들을 보고 그는 분노를 느꼈다.

‡**gor·geous** [gɔ́ːrdʒəs] (***more*** ~ ; ***most*** ~) *a.* ①호화로운, 찬란한, 눈부신, 화려한 : a ~ sunset 찬란한 해넘이 / a ~ dress 호화찬란한 의상. ②《口》 멋진, 훌륭한 : a ~ meal 훌륭한 음식 / a ~ actress 매력적인〔멋진〕 여배우 / We had three days of ~ weather. 사흘동안 날씨는 아주 좋았다. 㖈 **~·ly** *ad.* **~·ness** *n.*

gor·get [gɔ́ːrdʒit] *n.* Ⓒ 〖史〗 (갑옷의) 목가리개.

Gor·gon [gɔ́ːrgən] *n.* ①〖그神〗 고르곤《머리가 뱀이며, 보는 사람을 돌로 변화시켰다는 세 자매의 괴물》. ②Ⓒ (g-) 추악한〔무서운〕 여자.

Gor·gon·zo·la [gɔ̀ːrgənzóulə] *n.* ⓊⒸ 치즈의 일종(=∠ **chéese**)《이탈리아 Gorgonzola 산》.

***go·ril·la** [gərílə] *n.* Ⓒ ①〖動〗 고릴라. ②《口》

힘세고 포학한 남자; 《俗》 폭한, 갱(gang).
gork [gɔːrk] *n.* Ⓒ 《俗》 (노령·사고·질병 따위로) 뇌 기능이 마비된 사람, 식물 인간.
Gor·ki, -ky [gɔ́ːrki] *n.* **Maxim** ~ 고리키《러시아의 극작가·소설가; 1868-1936》.
gor·man·dize [gɔ́ːrməndàiz] *vi.* 많이 먹다, 폭식하다, 게걸스럽게 먹다(gorge). ┌~·ly *ad.*
gorm·less [gɔ́ːrmlis] *a.* 《英口》 얼뜬, 아둔한. ⓜ
gory [gɔ́ːri] (***gor·i·er; -i·est***) *a.* ① (전쟁 등이) 피투성이의(bloody); 유혈이 낭자한: a ~ fight 혈투. ② (소설·영화 등이) 잔학한, 끔찍한: That was a very ~ film. 그건 아주 잔혹한 영화였다 / The film contains no ~ violence. 그 영화는 잔인한 폭력물이 아니다.
*__gosh__ [gɑʃ / gɔʃ] *int.* 아이쿠, 큰일 났군, 어머나《주로 여성이 씀》: *Gosh,* I didn't expect to see you here! 어머나, 여기서 널 만날 줄이야 / "Ten pounds! *Gosh,* that's a lot". "10파운드라니, 어이쿠, 대단하군". ***by Gosh!*** = by GOD. [◂God]
gos·hawk [gáshɔ̀ːk / gɔ́s-] *n.* Ⓒ 〖鳥〗 새매류.
gos·ling [gázliŋ / gɔ́z-] *n.* Ⓒ ① 새끼 거위. ② 풋내기. ┌slowdown).
go-slow [góuslóu] *n.* Ⓒ 《英》 태업(전술) (《美》
*__gos·pel__ [gáspəl / gɔ́s-] *n.* ① (the ~) 복음; 예수 및 사도들의 가르침; 기독교의 교의(教義): preach the ~ 예수의 가르침을 설교하다. ② (G-) 복음서《Matthew, Mark, Luke, John 의 네 권》; 복음 성경《미사 때 낭독하는 복음서의 일부》. ③ Ⓤ (절대의) 진리, 진실: She regards〔takes〕 his word as ~. 그녀는 그의 말을 진실이라고 여기고 있다. ④Ⓒ (행동 지침으로서의) 주의(主義), 신조: the ~ of efficiency 능률주의. ⑤Ⓤ 복음 성가(~ song). ── *a.* 복음서에 의한, 그 가르침에 맞는; 복음 성가의.
gos·pel·er, 《英》 **-pel·ler** [gáspələr / gɔ́s-] *n.* Ⓒ ①미사 때에 복음서를 낭독하는 사람. ② 복음 전도자. ┌음악》.
góspel sòng 복음 성가; 고스펠송《흑인의 종교
góspel trúth (the ~) 절대적인 진리〔사실〕《gospel이라고도 함》.
gos·sa·mer [gásəmər / gɔ́s-] *n.* ①Ⓒ (공중에 떠 있거나, 풀 같은 데 걸려 있는) 잔 거미집〔줄〕: (as) light as ~ 거미줄처럼 가벼운 / In the early morning the lawn was covered with ~. 이른 아침 잔디는 잔 거미줄로 덮여 있었다. ②Ⓒ 가냘픈〔덧없는〕 것: the ~ of youth's dreams 젊은 날의 덧없는 꿈. ③ Ⓤ 얇은 천, 얇은 사(紗)〔가제〕: The bride wore a delicate ~ veil. 신부는 얇고 고운 면사포를 쓰고 있었다.
── *a.* 얇고 부드러운, 섬세한.
:__gos·sip__ [gásip / gɔ́s-] *n.* ① Ⓤ,Ⓒ 잡담(chatter), 한담, 세상 이야기; 남의 소문 이야기, 험담, 뒷공론; Ⓤ (신문의) 가십, 만필(漫筆): a ~ writer 가십 기자 / have a friendly ~ with a neighbor 이웃과 세상 이야기를 하다. ② 수다쟁이; 떠버리《특히 여자》. ◇ gossipy *a.* ── *vi.* (남의 일을) 수군거리다; 가십 기사를 쓰다(*with; about*): Stop ~*ing* and get on *with* your work. 잡담은 그만하고 일이나 계속해라 / She's always ~*ing with* her friends *about* neighbor. 그녀는 늘상 친구들과 이웃 사람들에 대해 쑥덕거리고 있다.
góssip còlumn (신문·잡지의) 가십난.
gos·sip·mon·ger [gásipmʌ̀ŋgər, -mɑ̀ŋ- / gɔ́sipmʌ̀ŋ-] *n.* Ⓒ 수다쟁이, 소문을 내는 사람.
gos·sipy [gásipi / gɔ́s-] *a.* ①수다스러운, 남의 일 말하기 좋아하는: There are too many ~ people in this town. 이 마을에는 남의 말 하기 좋아하는 사람이 너무 많다. ② (신문·잡지 따위가) 가십 기사가 많이 실려 있는.
†**got** [gɑt / gɔt] GET 의 과거·과거분사.
got·cha [gátʃə, gɔ́tʃə] *int.* 《美俗》 ① 알았다. ② 잘 했다.
Goth [gɑθ / gɔθ] *n.* ① (the ~s) 고트족(族)《3-5세기경에 로마 제국을 침략한 튜턴계의 한 민족》. ②Ⓒ 고트 사람. ③Ⓒ (g-) 야만인(barbarian), 무법자.
Goth·am [gátəm, góut- / gɔ́t-] *n.* ①고텀읍《옛날에 주민이 모두 바보였다고 전해오는 잉글랜드의 한 읍》. ② New York 시의 속칭. ***the wise men of*** ~ 고텀 읍의 현인들《바보들》.
Goth·ic [gáθik / gɔ́θ-] *a.* ① **a)** 〖建·美術〗 고딕 양식의《(1) 12-16세기 서유럽에서 널리 행해진 건축 양식. (2) 13-15세기에 특히 북유럽에서 행해진 회화·조각·가구 등의 양식》: ~ art 고딕 미술. **b)** 〖文藝〗 고딕풍의《괴기·공포·음산 등의 중세기적 분위기》: a ~ novel 고딕〔괴기〕 소설. ②〖印〗 고딕체의. ⓒⓕ roman, italic. ── *n.* Ⓤ 고트 말; (흔히 g-) 〖印〗 고딕(자체); 〖建〗 고딕 양식.
Góthic árchitecture 고딕 (양식의) 건축.
Góthic Revíval (the ~) 고딕 부흥《고딕 건축을 모방한 19세기의 건축 양식; 영국 국회 의사당이 그 예》.
Góthic týpe 〖印〗 고딕 활자체《★ 《英》에서는 black letter, 《美》에서는 sanserif 를 지칭하는 경우가 많음》.
go-to-meet·ing [góutəmíːtn, -tiŋ] *a.* 〔限定的〕 교회 갈 때의, 나들이용의《옷·모자 따위》.
got·ta [gátə] 〔발음 철자〕 《口》 got a, got to.
*__got·ten__ [gátn / gɔ́tn] 《美》 GET 의 과거분사《★ 영국서는 ill-*gotten* 따위 복합어 이외에는 잘 안 쓰며, 미국서는 *got* 와 병용함》.
gouache [gwɑːʃ, guáːʃ] *n.* 《F.》 ① Ⓤ,Ⓒ 구아슈《아라비아 고무 따위로 만든 불투명한 수채화 채료》. ②Ⓤ 구아슈 수채화법. ③Ⓒ 구아슈 수채화.
Góu·da (chéese) [gáudə(-), gúː-] *n.* 치즈의 일종《네덜란드 원산》.
gouge [gaudʒ] *n.* Ⓒ ①둥근 정, 둥근 끌; (둥근 끌로 판) 홈, 구멍; 정으로 쫌. ② 《美口》 금품의 강요, 등쳐먹기. ── *vt.* ① …을 둥근 끌로 파다; (코르크)를 둥글게 잘라내다(*out*). ② 《형벌로서》 (눈알 등)을 도려내다(*out*): In Shakespeare's play "King Lear", the Earl of Gloucester's eyes are ~*d out.* 셰익스피어의 사극 '리어왕'에서 글로스터 백작은 두 눈을 도려내는 형벌을 받는다. ③ 《美》 착취하다, (돈)을 사기치다, (남)에게 터무니없는 값으로 바가지 씌우다.
gou·lash [gúːlɑːʃ, -læʃ] *n.* Ⓤ,Ⓒ 맵게 한 쇠고기와 야채의 스튜 요리.
Gou·nod [gúːnou] *n.* **Charles François** ~ 구노《프랑스의 작곡가; 1818-93》.
gourd [guərd, gɔːrd] 〖植〗 *n.* Ⓒ 호리병박《열매 또는 그 식물》; 조롱박: the bottle ~ 호리병박.
gour·mand [gúərmənd] *n.* 《F.》 Ⓒ 대식가(大食家)(glutton); 미식가: He was an enormous ~ and gambler as well as a splendid actor. 그는 훌륭한 배우일 뿐 아니라, 굉장한 대식가였고 도박사이기도 했다.
gour·met [gúərmei, -´] *n.* Ⓒ 《F.》 요리 따위에 감식력이 있는 사람, 미식가, 그루메.
gout [gaut] *n.* ① Ⓤ 〖醫〗 통풍(痛風)《팔·다리 따위에 염증을 일으켜 아픔》. ②Ⓒ (특히 피의) 방울(drop), 응혈(凝血)(clot): ~*s* of blood 핏방울.
gouty [gáuti] (***gout·i·er; -i·est***) *a.* 통풍(痛風)의; 통풍에 걸린〔을 일으키기 쉬운〕; 통풍과 같은.
Gov., gov. government; governor.
:__gov·ern__ [gʌ́vərn] *vt.* ① (국가·국민 등)을 통치

하다, 다스리다(rule) : the ~*ed* 피통치자 / The country was ~*ed by* military officers at that time. 당시 그 나라는 군정하에 있었다. ② (공공 기관 따위)를 운용하다, 관리하다(control) : ~ a public enterprise 공공 기업을 운용하다 / ~ a school〔a bank〕 학교를 운영하다〔은행을 경영하다〕/ The university is ~*ed by* the state. 그 대학은 주립이다. ③ (결의·행동 따위)를 좌우하다(sway) ; (운명 따위)를 결정하다(determine) : Never let your passions ~ you. 결코 감정에 지배받지 마라 / Policies are often ~*ed by* public opinion. 정책은 종종 여론에 의해 좌우된다. ④ **a)** (격정 따위)를 억제하다, 누르다(restrain) : He couldn't ~ his temper. 그는 치밀어오르는 노여움을 누를 수 없었다. **b)** 〔종종 再歸的〕 …을 자제하다 : It's not easy to ~ *yourself*. 자신을 억제하기란 쉽지 않다 / He learned to ~ *himself*. 그는 자신을 다스릴 수 있게 됐다. ⑤ 〔종종 受動으로〕 (원칙·정책이) …을 결정하다 : Prices are ~*ed by* supply and demand. 가격은 수요와 공급에 의해 결정된다. ⑥ 〖文法〗 (동사·전치사가 격(格)·목적어)를 지배하다.
— *vi.* 통치하다 ; 정무(政務)를 보다 ; 지배하다 ; 지배적이다 : The king reigns but does not ~. 왕은 군림하되 통치하지 않는다.

gov·ern·a·bil·i·ty [gʌ̀vərnəbíləti] *n.* Ⓤ 통치할 수 있는 상태, 자기 관리 능력.

gov·ern·a·ble [gʌ́vərnəbəl] *a.* 통치〔지배, 관리〕할 수 있는 ; 억제할 수 있는 ; 순응성이 있는.

gov·ern·ance [gʌ́vərnəns] *n.* Ⓤ 통치, 통할 ; 관리, 지배 ; 제어 ; 통치법〔조직〕, 관리법〔조직〕.

***gov·ern·ess** [gʌ́vərnis] *n.* Ⓒ ① (특히, 입주하는) 여자 가정 교사. cf. tutor. ¶ a daily〔resident〕 ~ 통근〔입주〕 여가정 교사. ② 여자 행정장관 ; 행정장관 부인.

gov·ern·ing [gʌ́vərniŋ] *a.* 〔限定的〕 통치하는 ; 지배하는 ; 통제하는 ; 지도적〔지배적〕인 : the ~ body (병원·학교 따위의) 관리부, 이사회 / the ~ classes 지배 계급.

†gov·ern·ment [gʌ́vərnmənt] *n.* ① Ⓒ (G-) 〔集合的〕 《英》 정부, 내각(《美》 Administration) : *Government* circles 관변(官邊) / a central ~ 중앙 정부 / The *Government* is〔are《英》〕 intending to carry out a tax reform. 정부는 세제를 개혁할 예정이다(★ 《英》에서는 종종 복수 취급). ② Ⓤ 통치(권), 행정(권), 지배(권) ; 정치 ; 정체, 통치 형태: We prefer democratic ~. 민주 정체를 선호한다 / Strong ~ is needed. 강력한 통치가 필요하다 / local ~ 지방 자치 / constitutional ~ 입헌 정치 / a form of ~ 정치 형태. ③ Ⓤ 〖文法〗 지배. ***be in the ~ service*** 국가 공무원이다. ***under the ~ of*** …의 관리하에.

***gov·ern·men·tal** [gʌ̀vərnméntl] *a.* 〔限定的〕 정치의, 통치상의 ; 정부의 ; 관립〔관영〕의. ㊞ ~·**ly** [-əli] *ad.* 정부로서, 정치상.

góvernment íssue (*or* G- I-) 《美》 정부 발행〔발급〕의, 관급(官給)의(略 : G. I.) ; 관급품.

góvernment màn 관리, 국가 공무원, 《특히》 =G-MAN ; 견실한 정부 지지자.

góvernment òffice 관청 ; 관직.

góvernment offícial 관리, 공무원.

góvernment páper (정부 발행의) 국채증서.

góvernment secúrity (흔히 *-ties*) =GOVERNMENT PAPER.

góvernment súrplus 정부 불하품(拂下品).

‡gov·er·nor [gʌ́vərnər] *n.* Ⓒ ① (미국의) 주지사 ; (영국 식민지의) 총독 ; 《英》 (관공서·협회·은행·학교 따위의) 장관, 총재, 이사장 ; 《英》 (교도소의) 간수장(《美》 warden) : the ~ of the state of Georgia 조지아주 지사 / a civil ~ 민정 장관 / the ~ of the Bank of England 잉글랜드 은행 총재 / the ~ of the prison 교도소 소장 / The principal sent in his resignation to the Board of *Governors*. 교장은 이사회에 사표를 제출했다. ② 《英口》 **a)** 두목, 주인(장)《고용주를 이르는 말》. **b)** 아버지, 부친. ③ 〖機〗 거버너, 조속기(調速機) ; (가스·증기·물 따위의) 조정기 : an electric ~ 전기 조속기.

gov·er·nor-e·lect [-ilèkt] *n.* Ⓒ (취임전의) 새 지사〔총독〕, 지사 당선자, 차기(次期) 지사〔총독〕.

gov·er·nor-gen·er·al [-dʒénərəl] *n.* Ⓒ (*pl.* ***gov·er·nors-gen·er·al, ~s***) 《英》 (식민지 따위의) 총독 ; 지사, 장관.

gov·er·nor·ship [gʌ́vərnərʃip] *n.* Ⓤ 지사·장관·총재의 직〔임기, 지위〕.

Govt., Gov't. govt. government.

gowk [gauk, gouk] *n.* Ⓒ 《英方》 바보, 멍청이.

‡gown [gaun] *n.* ① Ⓒ 가운, 긴 웃옷 ; (여성의) 야회용 드레스, 로브(evening ~). ② Ⓒ (여성의) 잠옷, 실내복 ; (외과 의사의) 수술복. ③ Ⓒ (판사·변호사·성직자와 졸업식 때 대학 교수·대학생 등이 입는) 가운 : a judge's ~ 판사복 / in cap and ~ (대학 졸업식 때에) 예복을 입고《무관사》. ④ (옛 로마의) 겉옷(toga). ⑤ Ⓤ 〔集合的〕 (시민에 대하여) 대학인 : town and ~ 《英》(대학 도시에서의) 시민과 대학 관계자《특히, Oxford, Cambridge 두 대학 도시를 이름》. ***arms and ~s*** 전쟁과 평화. ***in wig and ~*** 법관의 정장으로. ㊞ **~ed** *a.* 가운을 입은.

gowns·man [gáunzmən] (*pl.* ***-men*** [-mən]) *n.* Ⓒ (직업·지위를 나타내는) 가운을 입는 사람 《법관, 변호사, 성직자 따위》.

goy [gɔi] (*pl.* ***~·im*** [gɔ́iim], ***~s***) *n.* Ⓒ (유대인의 견지에서 본) 이방인, 이교도(gentile).

Go·ya [gɔ́iə, gɔ́:jɑ:] *n.* **Francisco José de** ~ 고야《스페인의 화가 ; 1746-1828》.

GP, G.P. Gallup Poll(《美》 갤럽 여론 조사) ; general practitioner ; *Grand Prix* (F.). **GPA** grade point average. **GPIB** 〖컴〗 general purpose interface bus. **GPSS** 〖컴〗 General Purpose Simulation System(범용(汎用) 시뮬레이션 시스템). **Gr.** Grecian ; Greece ; Greek. **gr.** grade ; grain(s) ; gram(s) ; grammar ; grand ; great ; gross ; group.

grab** [græb] (*-bb-*) *vt.* ① 《~+목 / +목+전+명》 …을 움켜잡다 ; 잡아채다 ; 붙잡다 ; (기회 따위)를 놓치지 않고 잡다 : The thief just ~*bed* the bag *from* my hand and ran off. 도둑은 내 손에서 가방을 낚아채고는 달아났다 / Sam didn't fail to ~ the chance to be sent abroad. 샘은 해외 파견이란 기회를 냉큼 잡아챘다 / He ~*bed* me *by* the arm. 그는 내 팔을 붙잡았다. ② 《~+목 / +목+전+명》 …을 횡령하다, 가로채다, 빼앗다 : ~ the property *from* a person 아무에게서 재산을 횡령하다. ③ 《俗》 …에게 (강한) 인상을주다, (남의) 마음을 사로잡다 : ~ an audience 관중을 매료하다. ④ …을 서둘러서 잡다〔이용하다〕: ~ a taxi 〔shower〕 급히 택시를 잡다〔샤워를 급히 하다〕. — *vi.* 《+전+명》 거머잡다, 낚아채려 하다(*at*) : ~ *at* an opportunity 기회를 잡다 / The scoundrel ~*bed at* me, but missed. 그 깡패는 나를 잡으려고 달려들었으나 헛잡았다. — *n.* Ⓒ ① 움켜 쥐기 ; 잡아〔가로〕채기 ; 횡령 ; 약탈 행위. ② 〖機〗 그랩 버킷《준설용의》, 집(어 올리)는 기계. ***make a ~ at 〔***for***〕 …을 잡아채다, …을 가로채다. ***up for ~s*** 《口》 누구라도 쉽게 손에

넣을 수 있는.

gráb bàg 《美》 보물 뽑기 주머니, 복 주머니 (《英》 lucky bag) ; 《口》 잡다한 것 : a ~ of political theories 가지가지의 잡다한 정치 이론.

grab·ber [grǽbər] *n.* Ⓒ 욕심쟁이 ; 강탈자.

grab·by [grǽbi] (***grab·bi·er*** ; ***-bi·est***) *a.* 《口》 욕심 많은, 탐욕스러운.

gráb hàndle 〔**ràil**〕 (기차·버스·건물에서의) 손잡이, (계단의) 난간.

Grace [greis] *n.* 그레이스《여자 이름》.

‡grace *n.* ① Ⓤ 우미, 우아(優雅) ; 얌전함, 품위 (delicacy, dignity, elegance) : dance with ~ 우아하게 춤추다 / Jenny's simplicity and ~ 제니의 순수함과 우아함 / There is ~ in the movement of every great performer. 모든 위대한 연기자의 동작은 세련되어 있다. ② Ⓤ.Ⓒ (*pl.*) 미점, 매력, 장점 : have all the social ~*s* 사교상의 매력을 골고루 다 갖추고 있다. ③ Ⓤ 호의, 두둔 ; (the ~) (…하는) 친절, 아량 ; 서슴없음 : an act of ~ 각별한 배려, 은전 / By some special ~ he was allowed to go out. 특별한 배려로 그는 외출이 허락됐다 / She had *the* ~ *to* apologize. 그녀는 서슴없이 사과했다. ④ Ⓤ (신의) 은총 ; 은혜, 자비 (clemency, mercy) : by the ~ of God 신의 은총으로 / The trouble cannot be settled without divine ~. 그 고통은 신의 은총 없이는 가라앉힐 수 없을 것이다. ⑤ Ⓤ.Ⓒ (식전·식후의) 감사 기도 : Who will say ~ this evening? 오늘 밤 식전 기도는 누가 드리지. ⑥ Ⓤ 특사(特赦) ; (지급) 유예(기간) : days of ~ (어음 등의 지급기일 후의) 유예일 / I'll give you a week's ~ to get it done. 그것을 끝내는데 네게 1주일의 유예를 주마. ⑦ Ⓒ (G-) 각하, 각하 부인. cf. majesty. ¶ Your *Grace* 각하 / His〔Her〕 *Grace* 각하〔각하 부인〕. ⑧ (G-) 〖그神〗 미(美)의 3여신의 하나 : the (three) *Graces* 미의 3여신《아름다움·우아·기쁨을 상징하는 3자매의 여신, 즉 Aglaia, Euphrosyne, Thalia》.

Act of ~ 대사령. ***a fall from*** ~ 실추(를 자초하는 행동). ***airs and ~s*** ⇨AIR. ***by*** (***the***) ~ ***of*** …의 도움〔힘, 덕택〕으로. ***fall*** 〔***lapse***〕 ***from*** ~ ⑴ 신의 은총을 잃다, 타락하다. ⑵ (당치 않은 일을 저질러) 유력자의 후원〔호감〕을 잃다 《*with*》 ; (재차) 못된〔버릇없는〕 짓을 하다. ***in*** a person***'s good*** 〔***bad***〕 ***~s*** 아무의 총애를〔미움을〕 받아서, …의 마음에 들어서〔안 들어서〕. ***with*** (***a***) ***bad*** ~ = ***with*** (***an***) ***ill*** ~ 싫은 것을 억지로, 마지못하여. ***with*** (***a***) ***good*** ~ 쾌히, 선뜻 : acknowledge defeat *with* (*a*) *good* ~ 패배를 깨끗이 인정하다.

── *vt.* 《~+목 / +목+전+명》 ① …을 우미〔우아〕하게 하다, 아름답게 꾸미다 : Fine paintings ~*d* the walls of the room. 아름다운 그림들이 벽을 장식하였다. ② …에게 영광을 주다《*with*》 : The queen ~*d* the party *with* her presence. 그 파티는 여왕폐하 참석의 영광을 누렸다. ~ a person ***with a title*** 아무에게 작위를 수여하다.

‡grace·ful [gréisfəl] (***more*** ~ ; ***most*** ~) *a.* ① 우미한, 우아한 ; 단아한, 품위 있는 : She runs up the stairs with her light ~ step. 그녀는 우아한 가벼운 걸음으로 계단을 뛰어 올라갔다. ② (난처한 상황에서) 정중한, 친절한, 적절한 : She finally apologized, but she wasn't very ~ about it. 마침내 그녀가 사과는 했으나 그다지 정중한 태도는 아니였다. 파 **~·ness** *n.*

grace·ful·ly [-f(ə)li] *ad.* 우아〔우미〕하게, 정중히, 깨끗이, 선선히 : It's difficult to grow old ~. 곱게 늙기는 쉽지 않다 / accept the criticism ~ 비평을 깨끗이 수용하다.

grace·less [gréislis] *a.* 버릇없는 ; 염치없는, 야비한, 품위없는. 파 **~·ly** *ad.* **~·ness** *n.*

gráce nòte 〖樂〗 꾸밈음, 장식음.

gráce pèriod (어음 등의) 결제〔지급〕 유예기간.

‡gra·cious [gréiʃəs] (***more*** ~ ; ***most*** ~) *a.* ① (아랫사람에게) 호의적인, 친절한, 정중한, 은근한 : in a ~ manner 정중히 / She is ~ to everybody. 그녀는 누구에게나 친절하다. ② 자비로우신 ; 인자하신《국왕·여왕 등에 대하여 일컬음》 : Her *Gracious* Majesty Queen Ann. 자비로우신 앤여왕 폐하. ③ 〔限定的〕 (생활 따위가) 품위 있는, 우아한 : ~ living 우아한 생활 / Our lifestyle isn't particulary ~, but we're happy. 우리가 사는 모양이 그다지 품위는 없으나 행복하다. ④ (신께서) 은혜가 넘쳐 흐르는, 자비심이 많은 : a ~ rain 자우(慈雨). ── *int.* (놀라움을 나타내어) 이키, 이런, 야단났군. ***Good*** (***ness***) ~ ***!*** = ***My*** ~ ***!*** = ***Gracious goodness!*** 이키나, 이런, 큰일났군 《놀라움·노여움을 나타냄》. 파 ***~·ly** *ad.* **~·ness** *n.*

grad [græd] *n.* Ⓒ 《美口》 (대학의) 졸업생 : a ~ school〔student〕 대학원〔대학원생〕. [◂graduate]

grad. gradient ; graduate(d).

grad·a·ble [gréidəbəl] *a.* ① 등급을 매길 수 있는 ; 채점할 수 있는. ② 〖文法〗 (형용사·부사가) 비교 변화하는.

gra·date [gréideit / grədéit] *vi., vt.* ① 단계적으로 변하(게 하)다 ; (색이) 차차 변하(게 하)다 ; 엷어지(게 하)다. ② …에 단계를〔등급을〕 매기다 : Society is ~*d* into ranks. 사회는 상하의 계층으로 나뉘어져 있다. ◇ gradation *n.*

***gra·da·tion** [greidéiʃən, grə- / grə-] *n.* ① Ⓤ.Ⓒ 단계〔점차〕적 변화〔증가·상승 등〕, 점차적 이행(移行) ; 〖美術〗 (회화의) 명암(明暗)의 이행 ; 바림 : change by ~ 서서히 변화하다 / ~ in shades and colors 농담과 색조의 점차적 변화. ② Ⓒ (흔히 *pl.*) (이행(移行)·변화의) 단계 ; 순서, 등급, 계급 : There are many ~*s* between good and bad. 선과 악 사이에는 여러 단계가 있다.

†grade [greid] *n.* ① Ⓒ 등급, 계급, 품등 ; (숙달·지능 따위의) 정도(step, degree) ; 〔集合的〕 동일 등급〔계급, 정도〕에 속하는 것 : persons of every ~ of society 사회의 온갖 계층의 사람들 / a high ~ of intelligence 고도의 지성 / pass through the ~*s* of growing up 성장의 여러 단계를 거치다 / Eggs are sold in ~*s*. 계란은 등급별로 팔린다. ② 《美》 (초·중·고등학교의) …학년, 연급(年級) (《英》 form) : the first ~ 《美》 초등 학교의 1학년 / As a child, he had skipped two ~*s* in school. 어려서 그는 2학년을 월반했다 / What ~ are you *in* now? — I'm in eighth ~. 몇 학년이냐. — 8학년(중학교 2학년)입니다. ③ (the ~s) 《美》 = GRADE SCHOOL. ④ 《美》(시험 따위의) 성적, 평점(mark) 《★ 다음 5단계 평가가 보통 : A (Excellent 수), B(Good 우), C(Fair, Average 미), D(Passing 양), F(Failure 불가)》 / Mary always gets good ~*s* in math. 메리의 수학 성적은 늘 우(優)이다. ⑤ **a**) (도로·철도 따위의) 물매, 경사(도) (《英》 gradient) : a ~ of one in ten 10분의 1의 물매. **b**) 사면(斜面), 비탈길 : easy ~*s* 완만한 물매 / a steep ~ 가파른 비탈길. ⑥ 〖牧畜〗 개량 잡종. ***at*** ~ 《美》 (철도와 도로의 교차가) 같은 수평면에서 ; 같은 수준에서. ***make the*** ~ 목적을 이루다, 성공〔급제〕하다 : He wanted to be an actor, but he didn't *make the* ~. 그는 배우가 되고 싶었지만 실패했다. ***on the***

down 〔***up***〕 ~ 내리받이〔치받이〕에, 내리막〔오르막〕에 ; 쇠퇴〔번영〕하여 : Business is *on the down* 〔*up*〕 ~. 경기가 침체〔부양〕되고 있다. ***up to*** ~ (품질이) 표준에 맞는, 규격에 달한, 상품(上品)인.
— *vt.* ① …에 등급〔격〕을 매기다, 유별하다 : Apples are ~*d* according to size and quality. 사과는 크기와 질에 따라 등급이 매겨진다. ② (답안 등)을 채점하다(《英》 mark) : The teachers are busy *grading* term papers. 교사들은 기말 시험의 채점으로 바쁘다. ③ …의 물매〔경사〕를 완만히 하다. — *vi.* ①《+보》 …한 등급이다 : This pen ~*s* B. 이 펜은 B급품이다 / This beef ~*s* prime. 이 쇠고기는 최고품이다. ② 점차 변화하다 《*into*》. ~ ***down*** 〔***up***〕 등급〔계급〕을 내리다〔올리다〕《*to*》. ~ ***up with . . .*** …와 어깨를 겨루다, …에 필적하다. ⊞ **grád·a·ble** *a.*

gráde cròssing 《美》 건널목, (도로·철도 따위의) 평면 교차(《英》 level crossing) : a ~ keeper 건널목지기.

gráde pòint àverage 《美》 성적 평가점 평균 《A = 4, B = 3, C = 2, D = 1, F = 0 로 구분》.

grad·er [gréidər] *n.* Ⓒ ① 등급 매기는 사람 ; 채점〔평점〕자. ② 그레이더《땅 고르는 기계》; (농산물 등의) 선별기(選別機). ③ 〔序數詞〕《美》 (초등학교·중학교의) …(학)년생 : a fifth ~, 5 학년생.

gráde 〔gráded〕 schòol 《美》 초등학교《6년제 또는 8년제》(《英》 primary school).

***gra·di·ent** [gréidiənt] *n.* Ⓒ ① (도로·철도 따위의) 경사도, 기울기, 물매 ; 언덕, 비탈 : The floor has a ~ of 1 in 5. 마루의 물매는 $^1/_5$이다. ② 〖物〗 (온도·기압 등의) 변화〔경사〕도(度).

‡**grad·u·al** [grǽdʒuəl] *a.* ① 단계적인, 서서히 하는, 점진적인, 순차적인 : ~ increase 점증(漸增) / Our situation showed a ~ change for the better. 우리 형편은 점차 호전되어 갔다 / There has been a ~ decrease in production. 생산이 줄어가고 있다. ② (경사 등이) 완만한 : The road takes a ~ rise until it reaches the city. 도로는 시내에 이르기까지 완만한 오르막이다.

grad·u·al·ism [grǽdʒuəlizəm] *n.* Ⓤ 점진주의 (정책).

grad·u·al·ly** [grǽdʒuəli] *ad.* (more ~ ; most ~***) 차차, 점차, 차례로 : I ~ understood what was going on. 무엇이 일어나고 있는지 나는 차차 알게 되었다 / His health is improving ~. 그의 건강은 점차 회복되어가고 있다.

‡**grad·u·ate** [grǽdʒuèit, -it] *vi.* ①《+전+명》 《美》 졸업하다《*from*》; 《英》 대학을 졸업하여 (학사) 학위를 받다《*at*》: ~ *at* Cambridge 케임브리지 대학을 졸업하다 / He ~*d in* medicine *from* Edinburgh. 그는 에든버러 대학의 의학부를 졸업하였다 / He ~*d in* history *at*〔*from*〕 Birmingham. 그는 버밍엄 대학에서 역사학을 전공하고 졸업했다《in 다음에는 학과명, from〔at〕 다음에는 학교명》. ★ 《英》에서는 학위를 취득하는 대학 졸업인 경우에만 쓰이며 대학 이외의 각종 학교인 경우에는 leave school, finish〔complete〕 the course (of …)라고 함. 그러나 《美》에서는 대학 이외의 각종 학교에도 graduate 를 씀 : ~ *from* a school of cookery 요리학교를 졸업하다. ② 자격을 따다 《*as*》. ③《+전+명》 (위의 단계로) 나아가다 《*from* ; *to*》; 점차로 변하다《*into*》: The dawn ~*d into* day. 날이 점점 밝아왔다 / The children will soon ~ *from* comics *to* novel. 아이들은 곧 만화를 졸업하고 소설을 읽게 될 것이다. — *vt.* ① 《~+목 / +목+전+명》 《美》 …에게 학위를 주다, 졸업시키다, 배출하다 : The university ~*s* 1,000 students every year. 그 대학은 매년 1천명의 졸업생을 배출한다 / He was ~*d from* Harvard. 하버드를 졸업했다《★ 현재는 흔히 자동사 용법》. ② …에 등급을 매기다, 계급별로 하다 ; (과세 따위)를 누진적으로 하다 : In a ~*d* tax scheme the more one earns, the more one pay. 누진적인 조세 구조에서는 많이 벌면 벌수록 세금도 많이 낸다. ③ …에 눈금을 매기다 : This ruler is ~*d* in centimeters. 이 자는 센티미터의 눈금이 매겨져 있다.
— [grǽdʒuit, -dʒuèit] *n.* Ⓒ (대학) 졸업자 ; 《美》 대학원 학생(~ student)《★ 미국에서는 대학 이외의 졸업생에게도 씀》: high school ~*s* 고등학교 졸업생 / a ~ *in* economics 경제학부의 졸업생. — *a.* 〔限定的〕 졸업생의 ; 학사 학위를 받은 ; 《美》 (대학의) 졸업생을 위한, 대학원의 : ~ courses 대학원 과정 / ~ students 대학원생.

grad·u·at·ed [∠-èitid] *a.* ① **a**) 등급〔계급〕이 있는, 등급별로〔단계적으로〕 배열한 : a ~ series of textbooks 단계적으로 나아가는 교과서 시리즈. **b**) 눈금을 표시한 : a ~ ruler 눈금 박은 자 / a ~ cup 미터 글라스. ② (세금이) 누진적인, 점증(漸增)하는 : ~ taxation 누진 과세.

gráduated detérrence (전략 핵무기 사용의) 단계적 억지 전략.

gráduate schòol 대학원.

‡**grad·u·a·tion** [grӕdʒuéiʃən] *n.* ① Ⓤ 졸업 (《英》에서는 대학의, 《美》에서는 그 밖의 학교 졸업에도 쓰임》: He went to college after ~ *from* high school. 그는 고교를 졸업하고 대학에 갔다 / After ~ *from* college, he got a job in France. 대학을 졸업하고 그는 프랑스에서 취직을 했다. ② Ⓒ 《美》 (대학 이외의) 졸업식(commencement) ; 《英》 대학 졸업식 ; 학위 수여식 : hold the ~ 졸업식을 거행하다. ③ Ⓤ 눈금〔등급〕 매기기. ④ Ⓒ (자·체온계 등의) 눈금 : The ~*s* are marked on the side of the flask. 플라스크의 측면에는 눈금이 새겨져 있다. ◇ graduate *v.*

graf·fi·to [grəfíːtou] (*pl.* ***-ti*** [-tiː]) *n.* Ⓒ 《It.》 ① 〖考古〗 (벽·바위에 긁어서 그린) 그림, 문자. ② (흔히 *pl.*) (벽·공중변소 등의) 낙서 : The subway walls are covered with *graffiti*. 지하철 벽면은 낙서투성이다.

graft[1] [grӕft, grɑːft] *n.* Ⓒ ① 접수(接穗), 접가지 ; 접지(椄枝). ② 〖醫〗 이식편(移植片), 이식(移植) 조직 : a skin ~ on a burnt hand 화상을 입은 손에 이식된 이식피부.
— *vt.* ① (접수)를 접목하다(insert, attach), 접(椄)붙이다《*on* ; *onto*》: ~ two varieties *together* 두 개의 변종을 서로 접목하다. ② 〖醫〗 (피부 따위)를 이식하다 ; 결합시키다, 융합시키다 《*on* ; *in* ; *into* ; *onto*》: ~ (*on*) a new skin 새로운 피부를 이식하다 / Skin from his back was ~*ed onto* his face. 그의 등의 피부가 얼굴에 이식되었다. ③ (…에) …을 융합하다 《*on, onto*》: ~ some innovations *onto* an outdated system 몇가지 기술 혁신을 낡은 방법에 융합시키다.
— *vi.* (나무가) …에 접목되다《*on*》.

graft[2] *n.* Ⓤ 《美》 ① (공무원 등의) 독직, 수뢰(收賂) (jobbery, corruption). ② (독직에 의한) 부정 이득. — *vi.* ① 독직하다, 수뢰하다. ② 《英口》 열심히 일하다, 힘든 일을 하다.
⊞ **∠·er** *n.* Ⓒ ① 수뢰자, 수뢰 공무원. ② 접붙이는 사람.

Gra·ham [gréiəm] *n.* 그레이엄《남자 이름》.

gra·ham *a.* 《美》 정맥제(精麥製)가 아닌, 기울이 든, 전맥(全麥)의(wholewheat) : ~ bread 전맥(全麥)빵 / ~ flour 전맥 가루.

Grail [greil] *n.* (the ~) 성배(聖杯) (Holy ~) 《예수가 최후의 만찬에 사용하였다고 함; Arthur 왕 전설 중의 원탁 기사(圓卓騎士)는 이것을 찾으려고 하였음》; (g-) Ⓒ 큰 접시(platter).

‡**grain** [grein] *n.* ① Ⓒ 낟알; Ⓤ 〔集合的〕 곡물, 곡류(《英》 corn), 알곡: a ~ of rice 쌀 한 알 / The farmers harvested the ~. 농부들은 곡식을 거둬들였다 / eat up every ~ of rice 밥알 하나 안남기고 다 먹다. ② Ⓒ (모래·소금·포도 따위의) 한 알: tiny ~*s* of gold 금싸라기 / There are ~*s* of sand in the rice. 쌀에 모래가 있다. ③ 〔주로 否定〕 극히 조금, 미량: He has *not* a ~ of common sense. 그에겐 상식이란 것이 털끝만큼도 없다. ④ Ⓤ 조직(texture), 살결, 나뭇결, 돌결: marble of fine ~ 결이 고운 대리석 / cut the wood along the ~ 결을 따라 나무를 자르다. ⑤ Ⓤ 기질, 성미, 성질. ⑥ Ⓒ 그레인《형량(衡量)의 최저 단위, 0.0648 g; 원래 밀 한 알의 무게에서 유래》; 진주〔《때로》 다이아몬드〕 무게의 단위《50mg 또는 ¼ 캐럿》. ***against the*** 〔*one's*〕 ~ 성질에 맞지 않게, 비위에 거슬리어: It goes *against the* ~ with me. 그것은 내 성미에 맞지 않는다. ***in*** ~ 본질적으로, 철저한, 타고난: a rogue *in* ~ (천성적으로) 타고난 악한. ***take . . . with a ~ of salt*** ⇨ SALT.

gráin bèlt 곡창 지대《미국에서는 Middle West의 대농업 지역을 지칭함》.

gráin èlevator (흔히, 원통형의) 대형 곡물 창고(elevator).

grain·field [gréinfi:ld] *n.* Ⓒ 곡식밭.

gráin sìde (짐승 가죽의) 털 있는 쪽. OPP *flesh side*.

‡**gram,** 《英》 **gramme** [græm] *n.* Ⓒ 그램《略: g., gm., gr.》.

-gram '기록, 그림, 문서'의 뜻의 결합사: epi*gram*; tele*gram*.

grá·ma (gràss) [grá:mə(-)] 〖植〗 목초의 일종 (=**blúe** ~)《미국 서남부에 많음》.

grám àtom 〖化〗 그램 원자《원소의 양의 단위》.

grám equìvalent 〖化〗 그램 당량(當量)《물질량의 단위; 그 화학 당량과 같은 그램 수(數)의 물질량》.

‡**gram·mar** [grǽmər] *n.* ① Ⓤ 문법; Ⓤ 문법론〔학〕; Ⓒ 문법책, 문전(文典): comparative ~ 비교 문법 / transformation(al) ~ 변형 문법. ② Ⓤ (개인의) 말투, (문법에 맞는) 어법: bad ~ 틀린 어법 / That is good ~. 그건 바른 어법이다. ◇ grammatical *a.*

***gram·mar·i·an** [grəmɛ́əriən] *n.* Ⓒ 문법가, 문법학자; 문법 교사.

grámmar schòol ① 《美》 (초급) 중학교 과정《8년제 초등 학교의 5년부터 8년까지》; 초급 중학교《primary school 과 high school 의 중간》. ② 《英》 고전 문법 학교《라틴 문법을 주요 학과로 삼았던》; 공립 중학교《대학 진학자를 위한 public school 과 같은 과정》.

***gram·mat·i·cal** [grəmǽtikəl] *a.* 문법의, 문법상의; 문법에 맞는: ~ error 〔sense〕 문법상의 오류〔의미〕 / ~ gender (자연의 성별이 아닌) 문법상의 성(性) / a ~ category 문법적 범주《성·수·격·인칭 등》. ◇ grammar *n.* ㊍ **gram·mát·ic** *a.* **~·ly** *ad.* **~·ness** *n.*

gram·mat·i·cal·i·ty [grəmæ̀tikǽləti] *n.* Ⓤ 〖言〗 문법성《문법 규칙에 맞는 일》.

gramme ⇨GRAM.

grám mòlecule 〖化〗 그램 분자《물질량의 단위; 그 분자량과 같은 그램 수(數)의 물질량; 분자의 1 mole》.

Gram·my [grǽmi] (*pl.* **~*s*, *-mies***) *n.* 《美》 그래미 상《레코드 대상(大賞)》.

‡**gram·o·phone** [grǽməfòun] *n.* 《英》 축음기 (《美》 phonograph) 《★ 현재는 record player 가 일반적임》. ㊍ **gràm·o·phón·ic, -i·cal** [-fán- / -fɔ́n-] *a.* **-i·cal·ly** *ad.*

gram·pus [grǽmpəs] *n.* Ⓒ 〖魚〗 돌고랫과의 일종; 범고래; 《口》 숨결이 거친 사람. ***breathe*** 〔***wheeze***〕 ***like a*** ~ 거칠게 숨쉬다.

gran [græn] *n.* Ⓒ 《英口·兒》 할머니.

Gra·na·da [grəná:də] *n.* 그라나다《(1) 스페인 남부의 주 및 그 주도; 옛 서사라센 왕국의 수도. (2) 니카라과 남서부 호반의 도시》.

***gra·na·ry** [grǽnəri, gréi-] *n.* Ⓒ ① 곡창, 곡물창고. ② 곡창지대: The Ukraine was the ~ of Russia. 우크라이나는 러시아의 곡창지대였다.

‡**grand** [grænd] (*∠·er*; *∠·est*) *a.* ① 웅대한, 광대한, 장대한 (magnificent): a ~ mountain 웅대한 산 / on a ~ scale 대규모로〔의〕. ② 호화로운, 장려한, 성대한: a ~ dinner 성대한 만찬회 / a ~ house 호화로운 집 / They held a wedding in ~ style. 그들은 성대하게 결혼식을 올렸다. ③ 당당한(majestic), 위엄 있는, 기품 있는; 저명한, 중요한: a lot of ~ people 많은 저명한 사람들 / a ~ air 당당한 풍채 / He looked ~ in his military uniform. 군복을 입은 그는 당당해 보였다. ④ (사상·구상·양식 따위가) 원대한, 숭고한, 장중한: the ~ style 장중한 문체 / a ~ design 〔plan〕 원대한 구상〔계획〕. ⑤ 거만한, 오만한(haughty), 젠체하는(pretentious): with ~ gestures 오만한 몸짓으로 / put on a ~ manner〔air〕 거드름피우다 / She is too ~ to speak to us. 너무 거만해서 우리에게 말도 안 건다. ⑥ 높은, (최)고위의: a ~ man 큰 인물, 거물. ⑦ (사물·사건 등이) 중대한, 주요한, 중요한(principal, main): a ~ mistake 중대한 오류 / the ~ staircase 〔entrance〕 (대저택 등의) 정면 대계단〔대현관〕. ⑧ 《口》 굉장한, 멋진(very satisfactory): have a ~ time 아주 유쾌한 시간을 보내다 / We had ~ weather for our trip. 여행에는 더할 나위없는 날씨였다 / It will be ~ if you can come. 네가 올 수만 있다면 참 멋지겠다. ⑨ 총괄적인, 전체의; 규모가 큰, 대(大)…: a ~ orchestra 대관현악단 / the ~ total〔sum〕 총합계 / a ~ imposture 대사기 사건. ◇ grandeur *n.* ***do the*** ~ 《口》 젠체하다, 점잔빼다; 굵게 나오다. ***live in ~ style*** 호화로운 생활을 하다. ***the Grand Army of the Republic*** 《美》 (북군의) 남북전쟁 종군 용사회.

— *n.* Ⓒ ① =GRAND PIANO. ② (*pl.* ~) 《美俗》 1,000 달러; 《英俗》 천파운드; 《美俗》 천, 1,000. ③ (클럽 등의) 회장. ㊍ **∠·ness** *n.* ~한 일; 위업, 공적.

grand- '일촌(一寸)의 차이가 있는'의 뜻의 결합사: *grand*father, *grand*son.

gran·dad [grǽndæ̀d] *n.* =GRANDDAD.

grand·aunt [grǽndæ̀nt, -à:nt] *n.* Ⓒ 대고모, 조부모의 자매(great-aunt).

Gránd Bánk(s) (the ~) Newfoundland 동남 앞바다의 큰 여울《대어장(大漁場)》.

Gránd Cányon (the ~) 그랜드 캐니언 《Arizona 주 Colorado 강의 대계곡; 이 계곡에 있는 국립 공원》.

Gránd Cányon Státe (the ~) Arizona 주의 속칭.

grand·child** [grǽn*d*tʃàild] (*pl.* ***-chil·dren [-tʃìldrən]) *n.* Ⓒ 손자, 손녀: a great ~ 증손.

grand·dad, grand·dad·dy [grǽn*d*dæ̀d], [-dæ̀di] *n.* Ⓒ 《口·兒》 할아버지.

grand·daugh·ter [grǽn*d*dɔ̀:tər] *n.* Ⓒ 손녀.

gránd dúchess 대공비(大公妃); 여자 대공, 제정 러시아의 황녀, 공주.

gránd dúchy (종종 G- D-) 대공국(大公國).
gránd dúke 대공(大公); 황태자《제정 러시아의》.
grand·ee [grændíː] *n.* [C] ① 대공(大公)《스페인·포르투갈의 최고 귀족》. ② 귀족; 고관.
***gran·deur** [grǽndʒər, -dʒuər] *n.* [U] ① 웅대, 장엄; 장관(壯觀), 위관(偉觀); 화려, 장려(壯麗): the ~ of the Alps 알프스의 웅대함. ② 위대, 숭고; 위엄, 위풍: the ~ of his nature 고결한 그의 본성. ◇ grand *a.*
†**grand·fa·ther** [grǽn*d*fàːðər] *n.* [C] ① 할아버지, 조부. ② 조상《남성》: a great ~ 증조부. [파] ~·**ly** [-li] *a.* 할아버지 같은; 친절한, 관대한.
grándfather('s) clóck 대형 괘종 시계《진자식(振子式); 사람의 키만하고 바닥에 세움》.
gránd finále (the ~) (오페라 따위의) 대단원.
gran·dil·o·quent [grændíləkwənt] *a.* ① (말이) 과장된. ② (사람이) 호언장담하는. [파] ~·**ly** *ad.* -**quence** [-kwəns] *n.* [U] 호언장담, 과장된 말.
gránd ínquest 〖法〗 =GRAND JURY.
gran·di·ose [grǽndiòus] *a.* ① 웅장〔웅대〕한, 숭고〔장엄〕한, 당당한. ②《蔑》 거드름피우는, 젠체하는. [파] ~·**ly** *ad.* ~·**ness** *n.* **gran·di·os·i·ty** [grændiásəti / -ɔ́s-] *n.* [U] 웅장〔웅대〕함; 과장함.
gránd júror 대배심원.
gránd júry 〖法〗 대배심《12-23인으로 구성》.
Gránd Láma (the ~) =DALAI LAMA.
***grand·ly** [grǽndli] *ad.* ① 웅대하게; 당당하게; 성대하게. ② 숭고하게. ③ 거만하게. ④ 호기롭게; 화려하게.
***grand·ma, -ma(m)·ma, -mam·my** [grǽn*d*màː], [-màːmə, -məmàː], [-mæ̀mi] *n.* [C] 《口·兒》 할머니.
gránd máster (G- M-) 기사단〔비밀 결사·공제 조합 등〕의 단장; Freemasons의 총본부장.
†**grand·moth·er** [grǽn*d*mʌ̀ðər] *n.* [C] ① 할머니, 조모. ② (흔히 *pl.*) 조상《여성》. ***teach** one's* ~ (***to suck eggs***) ⇨ TEACH. [파] ~·**ly** [-li] *a.* 할머니 같은; 지나치게 친절한〔참견하는〕.
Gránd Nátional (the ~) 《英》 Liverpool에서 매년 행하는 대(大)장애물 경마.
grand·neph·ew [grǽn*d*nèfjuː, -nèvjuː] *n.* [C] 조카(딸)의 아들, 형제〔자매〕의 손자.
grand·niece [grǽn*d*nìːs] *n.* [C] 조카(딸)의 딸, 형제〔자매〕의 손녀.
gránd òld mán (the ~, 종종 the G- O- M-) (정계·예술계 등의) 원로《특히, W. E. Gladstone 이나 W. Churchill 또는 W. G. Grace를 가리킴; 略: G.O.M.》.
Gránd Òld Párty (the ~) 《美》 공화당《1880년 이래의 애칭; 略: G.O.P.》.
gránd ópera 대가극, 그랜드 오페라.
***grand·pa, grand·pa·pa** [grǽn*d*pɑː, grǽm-], [-pàːpə / -pəpáː] *n.* 《口·兒》 할아버지.
***grand·par·ent** [grǽn*d*pɛ̀ərənt] *n.* [C] 조부, 조모; (*pl.*) 조부모.
gránd piáno 〔**pianofórte**〕 그랜드 피아노.
grand prix [grɑ̃ːnpríː] (*pl.* ***grand(s) prix*** [-príː(z)]) (F.) 그랑프리, 대상(大賞); (*G- P-*) 매년 6월 Paris에서 행하는 국제 경마 대회; 국제 장거리 자동차 경주.
gránd slám ① (bridge 놀이에서의) 완승. ② 〖野〗 만루 홈런(=**gránd-slám hóme rún**): hit a ~. ③〖골프·테니스 등〗 그랜드 슬램《주요한 대회를 모두 제패함》.
***grand·son** [-sʌ̀n] *n.* [C] 손자.
grand·stand [-stæ̀nd] *n.* [C] (경마장·경기장 등의 지붕이 있는) 정면〔특별〕 관람석(의 관객들).
— (*p., pp.* ~·***ed***) *vi.* 《美口》 인기를 노리는 경기〔연기〕를 하다.
grándstand fìnish 〖競〗 대접전의 결승.
grándstand plày 《美口》 ① 즉석의 재치나 기교로 인기를 노리는 연기《stand play는 잘못》: make a ~. ② 연극적인 제스처.
gránd stýle 장엄체(體)《Homer, Dante 등의 웅혼(雄渾)한 문체》.
gránd tóur (the ~) ① 대여행《전에 영국의 귀족 자제가 교육의 마무리로서 하던 유럽 여행》. ② 《美學生俗》 졸업 기념 여행《유럽으로의 여행》. ③ 《口》 (건물·시설 등의) 내부 견학. ***make the ~ of*** …을 일주〔순회〕하다.
grand·un·cle [grǽndʌ̀ŋkl] *n.* [C] 조부모의 형제, 종조부(great-uncle).
grange [greindʒ] *n.* [C] ① 《英》 (여러 건물을 포함한) 농장; 《英》〔一般的〕 대농(大農)의 저택. ② (the G-) 《美》 농민 공제 조합(the Patrons of Husbandry)《소비자와의 직접 거래를 목적으로 함》; 그 지방 지부(支部).
grang·er [gréindʒər] *n.* [C] ① 농부(farmer). ② (G-) 《美》 농민 공제 조합원.
gran·ite** [grǽnit] *n.* [U] 화강암, 쑥돌. ***as hard as ~ 몹시 단단한; 완고한. ***bite on*** ~ 헛수고하다.
Gránite Státe (the ~) 《美》 New Hampshire 주의 별칭.
gran·ite·ware [grǽnitwɛ̀ər] *n.* [U] (에나멜 입힌) 양재기; 쑥돌 무늬의 오지 그릇.
gran·ny, -nie [grǽni] (*pl.* **-nies**) *n.* ① 《口·兒》 할머니. ② 공연히 남의 걱정을 하는 사람, 수다스러운 사람. ③ 세로 매듭, (옭매듭의) 거꾸로 매기(=**granny's bènd** 〔**knòt**〕).
gránny ánnex 〔**flát**〕 《英》 (본채에 딸린) 노인들이 독립해서 생활하는 딴채.
gránny glásses (예전에 할머니가 끼던 것과 비슷한) 젊은이용의 금테 안경.
gra·no·la [grənóulə] *n.* [U] 그라놀라《납작 귀리에 건포도나 누런 설탕을 섞은 아침 식사용 식품》.
Grant [grænt, grɑːnt] *n.* **Ulysses Simpson** ~ 그랜트《미국 남북전쟁 때의 북군 총사령관, 제 18대 대통령(1822-85)》.
†**grant** [grænt, grɑːnt] *vt.* ① 《~+[목] / +[목]+[목] / +[목]+[전]+[명]》 …을 주다, 수여하다, 부여하다(bestow); (면허 등)을 교부하다; (허가)를 주다《*to*》: She was ~*ed* a pension. 그녀는 연금을 받게 되었다 / ~ a scholarship *to* a student =~ a student a scholarship 학생에게 장학금을 주다 / The Government should ~ public workers the right *to* strike. 정부는 공공 노동자에게 파업권을 줘야 한다. ② 《~+[목] / +[목]+[목] / +*that* [절] / +[목]+*to* do》 …을 승인하다, 허가하다(allow): ~ a person's request 아무의 요구를 들어주다 / The king ~*ed that* the prisoner should be freed. 왕은 죄수의 석방을 윤허했다 / We were ~*ed* permission *to* go abroad. 우리는 해외에 나가는 허가를 받았다. ③ 《~+[목] / +[목]+*to* do / +(*that*) [절]》 (의론·주장·진실성 등)을 인정하다, 승인하다, 시인하다(admit); (의론의 진행을 위해) …라고 가정하다, 가령 …라고 하다: I ~ you are right. 네가 옳다고 인정한다 / He's young, I ~ (you), but he's clever. 당신 말대로 그는 젊다. 그러나 그는 영리하오. ④〖法〗 (정식으로 재산 등)을 양도하다. ***God ~!*** ⇨ GOD. ~***ed*** 〔~***ing***〕 ***that...*** …이라고 하더라도: *Granted* 〔*Granting*〕 *that* it's true, I cannot hate her. 설령 그게 사실이라 하더라도 나는 그녀를 미워할 수 없다. ***take*** a thing ***for ~ed*** …을 당연하다고 생각하다: I *took* (it) *for* ~*ed* you would come. 나는 의당 네

가 올줄 알았다 / He never praises his wife : he just *takes* her *for ~ed*. 그는 아내를 전혀 칭찬하지 않는다 : 그는 그녀를 당연히 그러해야 할 사람으로 여기고 있다.

— *n.* ① [U] 허가 ; 인가 ; 수여, 교부. ② [C] 하사금 ; (특정 목적을 위한) 보조금, 조성금《연구 장학금 등》: a government ~ to universities 대학에의 정부 보조금 / student ~ 장학금.

gran·tee [grænti:, grɑ:n-] *n.* [C] 〖法〗 피수여자, 양수인 ; (보조〔장학〕금 등의) 수령자, 장학생.

grant-in-aid [græntinéid, grɑ́:nt-] (*pl.* ***gránts-***) *n.* [C] (정부가 공공 사업 등에 주는) 보조금, 교부금(subsidy).

gran·tor [grǽntər, grænt5:r, grɑ:nt5:r] *n.* [C] 〖法〗 수여자, 양도인.

grants·man·ship [grǽntsmənʃip] *n.* 《美》 [U] (연구비 등의) 조성〔보조〕금 획득술《재단 등으로부터의》.

gràn tu·rís·mo [grǽn-turí:zmou] (종종 G- T-) GT카《레이싱카(racing car) 제조 기술을 도입한, 주로 2인승의 고성능 승용차》.

gran·u·lar [grǽnjələr] *a.* ① 알갱이로 이루어진 ; 과립상(顆粒狀)의 : ~ snow 싸라기눈. ② (표면이) 도톨도톨한. ㊞ **gràn·u·lár·i·ty** [-lǽrəti] *n.* [U] 입상(粒狀), 입도(粒度).

gran·u·late [grǽnjəlèit] *vt.* …을 알갱이로 만들다 ; 깔깔하게 하다《★ 종종 과거분사로 形容詞的으로 쓰임》. — *vi.* 알갱이로 되다 ; 깔깔해지다 ; 〖醫〗 (상처에) 새살이 나오다.

gránulated súger [grǽnjəlèitid-] 그래뉴당「(糖).

gran·u·la·tion [grӕnjəléiʃən] *n.* [U] 알갱이로 만듦〔를 이룸〕.

gran·ule [grǽnju:l] *n.* [C] 작은 알갱이, 고운 알 ; 과립(顆粒).

gran·u·lo·cyte [grǽnjulosàit] *n.* [C] 과립(백혈「구.

‡grape [greip] *n.* ① [CU] 포도. [cf.] vine. ¶ a bunch〔cluster〕 of ~*s* 포도 한 송이 / Wine is made from ~*s*. 와인은 포도로 만든다. ② [C] 포도나무. ***belt the*** ~ 《美俗》 잔뜩 (퍼)마시다. ***sour ~s*** ⇨ SOUR GRAPES.

grape·fruit [gréipfrù:t] (*pl.* ~(*s*)) *n.* [U,C] 〖植〗 그레이프프루트, 자몽(pomelo)《귤 비슷한 과실, 껍질은 엷은 노랑 ; 미국산》; 그 나무.

grape·shot [gréipʃɑ̀t / -ʃɔ̀t] *n.* [U] 《古》 포도탄《옛날 대포에 쓰인 한 발이 9개의 작은 탄알로 이루어진 탄환》.

grápe sùgar 〖生化〗 포도당(dextrose).

grape·vine [gréipvàin] *n.* ① [C] 포도 덩굴, 포도나무. ② (the ~) (소문 등) 비밀 전달의 특수 경로, 비밀 정보망 ; (그것에 의한) 소문 : hear about ... *on*〔*through*〕 *the* ~ 소문으로 …에 대해 듣다 / The ~ has it that .... 소문에 의하면 …이다.

***graph** [græf, grɑ:f] *n.* [C] 그래프, 도식(圖式), 도표 : a line〔a bar〕 ~ 선〔막대〕 그래프 / make a ~ of …을 도표로 만들다〔그리다〕 / a temperature ~ 온도〔기온〕표. — *vt.* …을 그래프〔도표〕로 나타내다.

-graph '쓴〔기록한〕 것, 쓰는 도구'의 뜻의 결합사 : auto*graph*.

***graph·ic** [grǽfik] *a.* 〔限定的〕 ① 그래픽 아트의 : a ~ artist 그래픽 아트 전문가. ② 그려 놓은 듯한, 사실적인, 생생한《묘사 따위》: a ~ account of a traffic accident 교통 사고에 대한 생생한 설명. ③ 도표로 표시된, 도표의, 도해의, 그래프식의 : a ~ curve 표시 곡선 / a ~ method 도식법, 그래프법. ④ 필사(筆寫)의 ; 문자의 ; 그림의, 인각(印刻)의 : ~ symbols 서사 기호(書寫記號).

— *n.* [C] 시각 예술〔인쇄 미술〕의 작품 ; 설명도, 삽화 ; 〖컴〗 (화면에 표시된) 그림〔문자, 숫자, 도해, 도표〕.

graph·i·cal [grǽfikəl] *a.* =GRAPHIC. ㊞ **~·ly** [-kəli] *ad.* 사실적으로, 여실히 ; 도표로, 그래프식으로 ; 문자로.

gráphic árts 그래픽 아트《평면적인 시각 예술 · 인쇄 미술》.

gráphic desígn graphic arts를 응용하는 상「업 디자인.

graph·ics [grǽfiks] *n. pl.* ① 〔單 · 複數 취급〕 제도법, 도학(圖學) ; 〔單數 취급〕 그래프 산법(算法), 도식 계산학 ; 〔單 · 複數 취급〕〖컴〗 그림 인쇄《CRT 따위에의 도형 표시 및 이를 위한 연산 처리나 조작》; 〔單數 취급〕〖言〗 서기론(書記論). ② 〔複數 취급〕 시각 매체 ; (잡지 등에 이용되는) 복제 그림〔사진〕 등 ; =GRAPHIC ARTS.

graph·ite [grǽfait] *n.* [U] 〖鑛〗 흑연, 석묵(black lead).

grapho- '글자 쓰기, 그리기'의 뜻의 결합사.

gra·phol·o·gy [græfɑ́lədʒi / -f5l-] *n.* [U] 필적학, 필상학(筆相學). ㊞ **-gist** *n.* **gràph·o·lóg·i·cal** *a.*

graph·o·scope [grǽfəskòup] *n.* 〖컴〗 화면에 나타난 데이터를 light pen 등으로 수정할 수 있는 수상 장치.

gráph pàper 모눈종이, 그래프 용지.

-graphy *suf.* ① '서법(書法), 사법(寫法), 기록법'의 뜻 : photo*graphy*. ② '…지(誌), …기(記), 기술(記述)학'의 뜻 : biblio*graphy*.

grap·nel [grǽpnəl] *n.* [C] (네 갈고리의) 소형 닻(~ anchor).

***grap·ple** [grǽpəl] *vt.* 《美》 …을 (붙)잡다 ; 〖海〗 (적선 등)을 갈고랑쇠(grapnel)로 걸어잡다.

— *vi.* ① 《+[부] / +[전]+[명]》 격투하다, 맞붙어 싸우다《*with* ; *together*》: The two wrestlers ~*d together* 〔*with* each other〕. 두 레슬러가 서로 맞붙었다. ② 《+[전]+[명]》 완수하려고 애쓰다, 해결〔극복〕하려고 고심하다《*with*》: They ~*d with* the new problem. 그들은 그 새로운 문제와 씨름했다. — *n.* [C] ① 붙잡기 ; 드잡이, 격투 ; 접전. ② =GRAPNEL.

grápplìng hòok〔**ìron**〕 (적의 배 따위를 걸어 잡는) 갈고랑쇠(grapnel).

GRAS [græs] 《美》 generally recognized as safe 《식품 첨가물에 대한 FDA의 합격증》.

‡grasp [græsp, grɑ:sp] *vt.* ① …을 붙잡다(grip), 움켜 쥐다 : He suddenly ~*ed* both my hands. 그는 갑자기 내 두 손을 꼭 잡았다 / *Grasp* all, lose all. 《俗談》 욕심 부리면 다 잃는다 / He is a genius at ~*ing* an opportunity. 기회를 잡는데 그는 천재다. ② 납득하다, 이해〔파악〕하다 : I don't think he ~*s* what a serious situation it is. 사태가 얼마나 심각한지를 그는 모르는 것 같다. — *vi.* 《+[전]+[명]》 붙잡으려고 하다《*at* ; *for*》; (기회 따위에) 달려들다《*at*》: He tried to ~ *for* any support. 어떠한 지원에라도 매달리려 했다 / The boy was ~*ing at* the dangling rope. 소년은 늘어져 있는 밧줄을 잡으려 했다 / He ~*ed at* my offer. 그는 내 제의에 냉큼 달려들었다.

— *n.* (*sing.*) [U] (또는 a ~) ① 붙잡음 ; 꽉 잡음 : Get *a* good ~ on the rail. 난간을 꽉 잡아라. ② 권력 ; 통제, 지배 ; 점유 : The land was in the ~ of a tyrant. 그 나라는 폭군의 지배 아래 있었다. ③ 이해, 납득, 파악 ; 이해력(mental ~), 이해의 범위, 포괄력 : a mind of wide ~ 이해심이 넓은 마음 / He has a good ~ of the subject. 그는 주제를 잘 파악하고 있다. ***beyond***〔***within***〕 ***one's*** ~ 손〔힘〕이 미치지 않는〔미치는〕 곳에 ; 이해할 수 없〔있〕는 : a problem *beyond our* ~ 우리

가 이해할 수 없는 문제 / Victory is *within our* ~. 승리는 우리의 손이 미치는 곳에 있다. ***take a ~ on oneself*** 자기 감정을 누르다.
㊥ ∠**·ing** *a.* 붙잡는 ; 구두쇠의, 욕심 많은. ∠**·ly** *ad.* ∠**·ness** *n.*

†grass [græs, grɑːs] *n.* ① Ⓤ,Ⓒ 풀 ; 목초 ; (*pl.*) 풀의 잎〔줄기〕 : a blade〔leaf〕 of ~ 풀잎 / a field of ~ 풀밭, 초원 / Clover and milkworts are ~*es.* 클로바와 목초는 풀이다. ② 풀밭, 초원, 목초지(地) : My clothes were damp from walking in ~. 풀밭을 걸어서 옷이 축축해졌다. ③ Ⓤ 잔디 (lawn) : Keep off the ~. 잔디밭에 들어가지 마시오《게시》. ④ Ⓒ 【植】 벼과(科)의 식물《곡류 · 사탕수수 등》. ⑤ Ⓤ 《俗》 아스파라거스. ⑥ Ⓤ 《俗》 마리화나(marijuana) : smoke ~. ⑦ Ⓒ 《英俗》 밀고자. ***be* (*out*) *at ~*** (1) (가축 등이) 풀을 뜯(어 먹)고 있다, 방목(放牧)되고 있다. (2) 일을 쉬고 있다, 놀고 있다 ; 휴가 중이다. ***cut** one**'s own ~*** 《口》 자활(自活)하다. ***go to ~*** (1) (가축이) 목장에 나가다. (2) 《俗》 (아무가) 일을 쉬다〔그만두다〕 ; 은퇴〔은거〕하다, 물러나다. ***let the ~ grow under** one**'s feet*** 〔흔히, 否定的〕 꾸물거리다가 기회를 놓치다. ***put* 〔*send, turn*〕 *out to ~*** 방목하다 ; (경주말을) 은퇴시키다《노령 따위로》 ; 《口》 해고하다, 한직(閑職)으로 돌리다 : A lot of people in their sixties feel much too young to be *put out to* ~. 60대의 많은 사람들은 자신들이 은퇴하기에 너무나 젊다고 생각하고 있다.
── *vt.* ① (토지)를 풀로 덮다 ; 잔디로 덮다 : be ~*ed* down 풀로 덮이다〔덮여 있다〕. ② 《美》 (소 따위)에 풀을 먹이다, 방목하다. ── *vi.* 《英俗》 밀고하다《*on*》.

gráss cóurt 잔디를 심은 테니스 코트. ㊀ clay court, hard court.

‡grass·hop·per [-hɑ̀pər / -hɔ̀pər] *n.* Ⓒ 【蟲】 메뚜기, 황충, 여치. ***knee-high to a ~*** 《口》 (아무가) 아직 어린.

grass·land [-læ̀nd] *n.* Ⓤ 목초지, 초원 ; 목장.

gráss ròots (the ~) 〔單 · 複數 취급〕 ① 일반 대중, 민중《지식층 · 권력층에 대한 '풀뿌리'》 : This movement began at *the* ~. 이 운동은 일반 대중에서 비롯되었다. ② (사상 등의) 기본, 근원 : *the* ~ of international cooperation 국제 협력의 기본 / get〔go back〕 to (*the*) ~ 원점으로 돌아가다.

grass-roots [-rùːts] *a.* 〔限定的〕 (지도층에 대한) 일반 대중의 : a ~ movement 민중 운동 / get ~ support 민중의 지지를 얻다.

gráss skìing 잔디 위에서 타는 스키.

gráss snàke 독 없는 뱀의 일종《유럽산》.

gráss wídow (일 · 난봉 등으로) 남편이 오래 부재 중인 아내 ; 별거 중인 아내 ; 이혼한 여자.

gráss wídower 아내가 오래 부재 중인 남편 ; 이혼한 남자.

grassy** [grǽsi, grɑ́ːsi] (grass·i·er*** ; ***-i·est***) *a.* ① 풀이 무성한, 풀로 덮인. ② 풀 같은 ; 녹색의, 풀냄새가 나는.

***grate**[1] [greit] *n.* Ⓒ ① (난로 따위의) 쇠살대. ② 화상(火床)《그 위에 장작 · 석탄 등을 놓는》 ; 벽난로(fireplace).

***grate**[2] *vt.* ① …을 비비다, 갈다, 문지르다 ; 삐걱거리게 하다 : ~ one's teeth 이를 갈다. ② 비벼 부스러뜨리다, 뭉개다 ; (강판에) 갈다 : ~ apples 사과를 강판에 갈다. ── *vi.* ① 《+전+명》 **a**) (맞스쳐) 삐걱거리다《*against* ; *on, upon*》 : The wheel ~*d on*〔*against*〕 the rusty axle. 바퀴가 녹슨 굴대와 스쳐서 삐걱거렸다. **b**) (문 따위가) 삐걱거리다 : The window was *grating* in the wind. 창문이 바람에 삐걱거리고 있었다. ② 《+전+명》 불쾌감을 주다《*on, upon*》 : ~ *on*〔*upon*〕 the ears 귀에 거슬리다 / "Go and find her" she ordered, and her manner ~*d.* "가서 그녀를 찾아요"라고 명령한 그녀의 태도는 불쾌했다.

‡grate·ful [gréitfəl] (***more ~ ; most ~***) *a.* ① 〔敍述的〕 감사하고 있는, 고마워하는《*to, for*》 : I am ~ *to* you *for* your help. 도와주셔서 감사합니다 / I'd be (*most*) ~ if you would send me the book immediately. 그 책을 속히 보내주면 (더없이) 고맙겠소. ② 〔限定的〕 감사를 나타내는, 감사의 : a ~ letter 감사의 편지 / a ~ smile 고마워하는 미소. ③ 기분 좋은, 쾌적한(pleasant) : the ~ shade 상쾌한 그늘.
㊥ *~**·ly** *ad.* 감사하여, 기꺼이. ~**·ness** *n.*

grat·er [gréitər] *n.* Ⓒ 강판.

***grat·i·fi·ca·tion** [grӕtəfikéiʃən] *n.* ① Ⓤ 만족(시킴) : the ~ of one's appetite 식욕을 만족시킴. ② Ⓤ 욕구 충족 ; 만족감 : She had the ~ of knowing that she had done her best. 그녀는 최선을 다했다는 만족감에 잠겨 있었다. ③ Ⓒ 만족〔기쁨〕을 주는 것, 만족시키는 것 : His success is a great ~ to me. 그의 성공은 내게 대단한 기쁨이다. ◇ gratify *v.*

‡grat·i·fy [grǽtəfài] *vt.* 《~+목 / +목+전+명 / +목+*to* do》 …을 기쁘게 하다, 만족시키다 ; (욕망 · 필요 따위)를 채우다 : Beauty *gratifies* the eye. 아름다움은 눈을 즐겁게 해준다 / I am *gratified with* 〔*at*〕 the result. 그 결과에 만족하고 있다 / The mayor said he would ~ all our wishes in the matter. 시장은 이 일에서 우리의 모든 소원을 들어주겠다고 했다.

grat·i·fy·ing [grǽtəfàiiŋ] *a.* 즐거운, 만족스러운, 유쾌한 : The result is most ~ to me. 그 결과가 나로서는 이를데 없이 만족스럽다 / It is ~ that he didn't failed to get the job. 그가 일자리를 얻었다니 기쁘다. ㊥ ~**·ly** *ad.* 기쁘게, 만족하여.

grat·in [grǽtn, grɑ́ː-] *n.* Ⓒ,Ⓤ 《F.》 그라탱《고기 · 감자 등에 빵가루 · 치즈를 입혀 오븐에 구운 요리》.

grat·ing[1] [gréitiŋ] *n.* Ⓒ 격자(格子), 창살 ; 창살문 ; (배의 승강구 등의) 격자 모양의 뚜껑.

grat·ing[2] *a.* 삐걱거리는 ; 귀에 거슬리는 ; 신경을 건드리는, 짜증나게 하는 : a ~ sound 삐걱거리는 소리. ㊥ ~**·ly** *ad.* 삐걱거리어 ; 신경에 거슬려.

gra·tis [gréitis, grǽt-] *ad., a.* 〔敍述的〕 무료로〔의〕, 공짜로(for nothing) : The sample is sent ~. 견본은 무료로 보내드립니다 / Entrance is ~. 입장 무료《★ 종종 free ~로 뜻을 강조함》.

‡grat·i·tude [grǽtətjùːd] *n.* Ⓤ 감사, 감사하는 마음 ; 사의(謝意) : I owe you a debt of ~ *for* your help. 당신 도움에 크게 감사합니다 / She expressed her ~ *to* all those who had supported her. 그녀는 도움을 준 모든 분들에게 사의를 표했다. ***out of ~*** 은혜의 보답으로. ***with ~*** 감사하여.

gra·tu·i·tous [grətjúːətəs] *a.* ① 무료〔무상, 무보수〕의 ; 호의상의 : ~ serivce 무료 봉사 / He showed no ~ for my help. 내가 도와줬는데도 전혀 고마워하는 기색이 없었다. ② 이유없는, 까닭없는 ; 불필요한(uncalled-for) ; 정당성이 없는 : a ~ invasion of privacy 이유없는 사생활 침해 / His criticism is quite ~. 그의 비평은 전혀 근거가 없다. ㊥ ~**·ly** *ad.* 무료로, 선의에서 ; 까닭없이 : She had no wish to wound his feelings ~*ly.* 그녀는 까닭없이 그의 감정을 건드리고 싶지 않았다.

gra·tu·i·ty [grətjúːəti] *n.* Ⓒ ① 선물(gift) ; 팁

(tip)《★ tip 이 일반적》: No *gratuities* accepted. 팁은 사양합니다《게시》. ②〖英軍〗 (제대할 때의) 하사금 ; (퇴직할 때 받는) 퇴직금.

‡grave[1] [greiv] *n.* Ⓒ ① 무덤, 분묘, 묘혈 ; 묘비 : dig one's own ~ 스스로 묘혈을 파다, 파멸을 자초하다 / We visited our grandfather's ~. 할아버지 묘소에 성묘했다 / carry a secret to the ~ 죽을 때까지 비밀을 지키다 / Someone 〔A ghost〕 is walking 〔has just walked〕 on 〔across, over〕 my ~. 누군지 내 무덤 위를 걷고 있다〔걸어갔다〕《까닭없이 몸이 오싹할 때 하는 말》. ② (종종 the ~) 죽음, 종말, 파멸 ; 사지(死地) : go to an early ~ 요절하다, 일찍 죽다 / life beyond *the* ~ 사후의 생, 내세. ***(as) secret*** 〔***silent***〕 ***as the*** ~ 절대 비밀의〔쥐죽은 듯 고요한〕. ***from the cradle to the*** ~ ⇨ CRADLE. ***have one foot in the*** ~ ⇨ FOOT. ***make*** a person ***turn*** (***over***) ***in his*** ~ 아무로 하여금 죽어서도 눈을 못 감게 하다, 지하에서 탄식하게 하다 : Your conduct would *make* your father *turn in his* ~. 너의 행동을 보신다면 돌아가신 너의 아버님께서 크게 탄식하실 것이다. ***on this side of the*** ~ 이승에서.

‡grave[2] (***gráv·er*** ; ***gráv·est***) *a.* ① (표정·언행 따위가) 엄숙한, 위엄있는, 진지한 : He was standing quietly with a ~ face. 그는 진지한 얼굴을 하고 조용히 서 있었다 / She looked ~. 그녀는 엄숙한 표정을 했다 / a ~ ceremony 엄숙한 의식. ② 근심스러운, 수심을 띤, 침통한. ③ (문제·사태 등이) 중대한, 예사롭지〔심상치〕 않은, 위기를 안고 있는, 수월치 않은 ; (병이) 위독한 : make a ~ decision 중대한 결정을 내리다 / a ~ situation 예사롭지 않은 사태 / The patient is in a ~ condition. 환자는 위독한 상태이다 / a ~ responsibility 중대한 책임. ④ (색깔 등이) 수수한. ⑤〖音聲〗 저(低)악센트〔억음(抑音)〕(기호)의, 저음의. ◇ gravity *n.* ── [greiv, grɑːv] *n.* =GRAVE ACCENT. ㊥ **‡⌐·ly** *ad.* **⌐·ness** *n.*

grave[3] (***~d; grav·en*** [gréivən], ***~d***) *vt.* 《+목+전+명》《古·雅》〔종종 受動으로〕 …을 명심하다, 마음에 (깊이) 새기다《*in* ; *on*》: His words *are graven on* my memory〔heart〕. 그의 말은 내 기억〔마음〕에 아로새겨져 있다.

gráve áccent 〖音聲〗 저(低)악센트《è, æ̀ 따위의 (`)》.

grave·dig·ger [⌐dìgər] *n.* Ⓒ 무덤 파는 사람.

‡grav·el [grǽvəl] *n.* Ⓤ ①〔集合的〕 자갈. ⓒⓕ pebble. ¶ a ~ road 〔walk〕 (공원·정원 등의) 자갈길 / the sound of his feet on the ~ 자갈 위를 걷는 그의 발소리. ②〖醫〗 신사(腎砂), 요사(尿砂), 결사(結砂). ***hit the*** ~ 《美俗》 =hit the DIRT. ── (***-l-***, 《英》 ***-ll-***) *vt.* ① …에 자갈을 깔다, 자갈로 덮다. ② (남)을 난처하게 만들다, 괴롭히다(puzzle, perplex) ; 《美口》 신경질나게 하다 (irritate).

grav·el·ly [grǽvəli] *a.* ① 자갈이 많은 ; 자갈을 깐 ; 자갈로 된 : ~ soil 자갈밭. ② (목소리가) 불쾌한, 귀에 거슬리는.

grav·en [gréivən] GRAVE[3] 의 과거분사. ── *a.* 새긴, 조각한 ; 명기(銘記)된, 감명을 받은.

gráven ímage 우상(偶像).

grav·er [gréivər] *n.* Ⓒ 조각가 ; 조각칼.

grave·stone [gréivstòun] *n.* Ⓒ 묘석, 비석.

***grave·yard** [gréivjɑ̀ːrd] *n.* Ⓒ 묘지.

gráveyard shìft〔**wàtch**〕 (흔히, the ~) (3교대 근무제의) 밤 12 시부터 다음날 아침 8 시까지의 작업(원).

grav·id [grǽvid] *a.* 《文語》 임신한.

gra·vim·e·ter [grəvímitər] *n.* Ⓒ ①〖化〗 비중계. ②〖物〗 중력〔인력〕계.

gráving dòck 건(乾)독(dry dock).

grav·i·sphere [grǽvəsfìər] *n.* 〖天〗 (천체의) 중력권, 인력권.

grav·i·tate [grǽvətèit] *vi.* ① 중력〔인력〕에 끌리다《*to* ; *toward*》: The moon ~*s toward* the earth. 달은 지구의 중력에 끌린다. ② 가라앉다 ; 하강하다. ③ (사람·관심·사물 따위가) …에 자연히 끌리다《*to* ; *toward*》: People are *gravitating to* the cities. 사람들이 도시로 몰리고 있다 / The two artists ~*d toward* each other. 두 예술가는 서로에게 이끌렸다.

‡grav·i·ta·tion [grӕvətéiʃən] *n.* Ⓤ ①〖物〗 인력(작용), 중력 : the law(s) of universal ~ 만유인력의 법칙. ② …으로 향한 자연적인 경향, 추세 (tendency) : The ~ of the population from the country to the capital began in the 1960's. 지방에서 수도로의 인구 집중은 1960년대에 시작되었다.

gravitátional fíeld 〖物〗 중력장(重力場).

‡grav·i·ty [grǽvəti] *n.* Ⓤ ① 진지함, 근엄 ; 엄숙, 장중 : preserve one's ~ 위엄을 지키다 / behave 〔speak〕 with ~ 진지하게 처신하다〔말하다〕. ② 중대함 ; 심상치 않음 ; (죄·병 따위의) 위험성 ; 위기 : the ~ of the situation 정세의 중대성 / Punishment varies according to the ~ of the offence. 형벌은 범죄의 중대성에 따라 달라진다. ③〖物〗 중력, 지구 인력 ; 중량, 무게 : The force of ~ holds objects to the ground. 중력이 물체를 지상에 머물러 있게 한다 / the center of ~ 중심(重心). ◇ grave *a.* ***specific*** ~〖物〗 비중.

gra·vure [grəvjúər, grei-] *n.* Ⓤ,Ⓒ 그라비어 인쇄, 사진 요판(술). [◂photo*gravure*]

***gra·vy** [gréivi] *n.* Ⓤ ① (요리할 때의) 고깃국물, 그레이비 ; 육즙(肉汁) 소스. ②《俗》 부정하게〔쉽게〕 번 돈. 「=GRAVY TRAIN.

grávy bòat (배 모양의) 고깃국물 그릇 ;《俗》

grávy tràin 《俗》 부정 이득이 생기는 괜찮은 자리〔지위, 일, 정세〕: get on 〔ride, board〕 the ~ 쉽게 큰돈을 벌다, 괜찮은 벌이〔일자리〕를 만나다.

Gray [grei] *n.* **Thomas** ~ 그레이《영국의 시인 ; 1716-71》.

†gray, 《英》 **grey** [grei] (***⌐·er*** ; ***⌐·est***) *a.* ① 회색의, 잿빛의 ; (안색이) 창백한 : She was dressed in ~. 회색 옷차림을 하고 있었다 / Her face went〔turned〕 ~ as she read the letter. 편지를 읽으면서 그녀의 안색은 창백해졌다. ② 흐린 ; 어스레한, 어두컴컴한(dim) : a ~ sky / It's ~ outside. 밖은 흐려 있었다 / Night turned into morning, ~ and cold. 날이 새고 잔뜩 찌푸리고 쌀쌀한 아침이 되었다. ③《比》 회색의, 중간 단계의, 성격이 뚜렷치 않은. ④ 백발이 성성한, 희끗희끗한 : ~ hairs 노년 / turn ~ 백발이 되다. ⑤ 노년의 ; 노련〔원숙〕한 : ~ experience 노련. ⑥ 고대〔태고〕의 : the ~ past 고대, 태고. ⑦ (일·전망 등이) 어두운, 비관적인 : He only saw a ~ future stretch ahead of him. 그는 앞날이 암담할 뿐이었다. ***get*** ~ (***hair***) ⇨ HAIR.

── *n.* Ⓤ,Ⓒ ① 회색, 쥐색, 잿빛 : *Gray* is produced by mixing black and white. 회색은 검정 물감과 흰 물감을 섞으면 된다. ② 회색 그림 물감 ; 회색의 동물《특히 회색말》; 회색 옷 ; (종종 G-) 《美》 (남북 전쟁 때의) 남군 병사. ⓒⓕ blue. ¶ be dressed in ~ 회색 옷을 입고 있다. ③ (the ~) 어스름, 어스레한 빛, 황혼 : in *the* ~ *of* the morning 어슴 새벽에. ── *vt.* ① …을 회색으로 하다. ② 백발이 되게 하다 : Worry ~*ed* his hair. 근심 걱정으로 그의 머리는 백발이 됐다. ── *vi.* 회색으로 되다 ; 백발이 되다 ; 고령화하다 : the

~*ing* of our society 우리 사회의 노령화.
㊎ ∠·**ness** *n.*

gráy área (양극간의) 중간 영역, 어느 쪽이라 말할 수 없는 곳, 애매한 부분〔상황〕: the ~ between public and personal affairs 공무와 사삿일 사이의 분간이 불분명한 영역.

gray·beard [-bìərd] *n.* Ⓒ 노인; 노련한 사람, 현인(賢人).

gráy éminence =ÉMINENCE GRISE.

Gráy〔《英》 **Gréy**〕 **Fríar** 프란체스코회의 수사(修士).

gray-haired, -head·ed [-héərd], [-hédid] *a.* ① 백발의, 늙은, 노년의. ② 노련한《*in*》.

grayhound ⇨ GREYHOUND.

gray·ish [gréiiʃ] *a.* 회색빛 도는, 우중충한.

gray·mail [-mèil] *n.* Ⓤ 《美》 (소추(訴追) 중인 피의자가) 정부 기밀을 폭로하겠다는 협박.

gráy màtter (뇌수·척수의) 회백질; 《口》 지력(知力), 두뇌. ⓒⓕ white matter.

gráy squírrel 회색의 큰 다람쥐《미국산》.

graze[1] [greiz] *vi.* ① (가축이) 풀을 뜯어먹다《*in* ; *on*》: We saw sheep and cows *grazing in* the pasture. 양과 소가 목장에서 풀을 뜯고 있는 것을 보았다. ② 《口》 (정규식이 아닌) 간식을 사먹다; (슈퍼마켓 등의) 식품을 몰래 집어먹다; TV 의 채널을 마구 돌리다. ── *vt.* ① (가축에게) 풀을 뜯어먹게 하다, 방목하다: ~ cattle *on* the field 들판에서 소에게 풀을 뜯어먹게 하다. ② (풀밭)을 목장으로 쓰다.

graze[2] *vt.* …을 스치다, 스치고 지나가다; (피부)를 스쳐 벗기다, 까지게 하다《*against*》: He fell down and ~*d* his knee. 그는 넘어져서 무릎에 찰과상을 입었다 / ~ one's arm *against*〔*on*〕 a rock 바위에 스쳐 팔의 살갗이 까지게 하다. ── *vi.* 《+젼+명》 스치고 지나가다, 스치다《*along* ; *by* ; *past* ; *through*》: He ~*d past* me in the alley. 그는 골목에서 나를 스치고 지나갔다 / A fresh breeze ~*d along* the field. 상쾌한 바람이 들판을 스치고 지나갔다. ── *n.* Ⓤ 스침, 찰과(擦過); Ⓒ (*sing.*) 찰과상.

gra·zier [gréiʒər] *n.* Ⓒ 목축업자.

graz·ing [gréiziŋ] *n.* Ⓤ ① 방목; 목초(지). ② 《口》 (여러 프로를 보기 위해) TV 채널을 분주하게 돌리는 일.

Gr. Br(it). Great Britain.

‡**grease** [gri:s] *n.* Ⓤ ① 그리스, (기계의) 윤활유; 수지(獸脂), 지방(fat): put some ~ on the door hinge 돌쩌귀에 기름을 좀 치다 / ~-stained skirts 기름에 얼룩진 스커트. ② 유성(油性) 물질, 유지(油脂): His hair looks shiny with ~. 그의 머리는 포마드를 발라서 번들거린다. ③ 《美俗》 뇌물. ── [gri:z, gri:s] *vt.* ① …에 기름을 바르다〔치다〕: Clean and ~ the valve thoroughly. 밸브를 잘 닦고 기름을 잘 쳐라. ② …을 기름으로 더럽히다. ③ a) 《俗》 …에게 뇌물을 주다. b) (일)을 잘 되게 하다, 촉진시키다. ~ **a person's hand** 〔**fist, palm**〕 ⇨ PALM. **like ~d lightning** 《俗》 대단히 빠르게.

gréase gùn 윤활유 주입기(注入器), 그리스건.

gréase mònkey 《口》 기계공; 비행기〔자동차〕의 수리공, 정비공.

gréase pàint 도란《배우가 화장할 때 사용함》.

grease·proof [grí:sprù:f] *a.* 〔限定的〕 기름이 안 배는: ~ paper 납지(蠟紙).

greas·er [grí:sər] *n.* Ⓒ ① 기름치는 사람〔기구〕. ② 《英》 (기선의) 기관장. ③ 《俗》 (장발의) 오토바이 폭주족. ④ 《美俗·蔑》 멕시코 사람, 스페인계 미국인. ⑤ 《英俗》 알랑쇠.

greasy** [grí:si, -zi] (greas·i·er*** ; ***-i·est***) *a.* ① 기름에 전, 기름투성이의, 기름기 있는: I got my hands ~. 손이 기름으로 더러워졌다. ② (음식이) 기름기 많은. ③ (길 따위가) 미끄러운, 질척거리는. ④ 아첨하는; 미덥지 못한(unreliable); 《美俗》 교활한. ◇ grease *n.* ㊎ **gréas·i·ly** *ad.* 기름기 있게, 번드럽게, 미끄럽게; (말을) 번드르르하게. **-i·ness** *n.*

gréasy spóon 《俗》 (지저분한) 대중 식당, 밥집.

great** [greit] (∠·er*** ; ∠·***est***) *a.* ① 〔限定的〕 큰, 거대한, 광대한. ⓞⓟⓟ *little.* ¶ a ~ fire 큰 불 / a ~ city 대도시 / a ~ famine 대기근 / A ~ rock had fallen onto the road. 거대한 바위 하나가 길에 굴러 떨어졌다. ② 〔限定的〕 중대한, 중요한; (the ~) 가장 중요한; 성대한: ~ issues 중요한 문제 / a ~ occasion 성대한 행사, 축제일 / It is no ~ matter. 그건 대단한 문제가 아니다 / It's *the ~est* issue facing us. 그것은 우리가 당면한 가장 중요한 문제다. ③ 대단한, 심한: a ~ pain 격심한 고통 / It was a ~ success. 그건 대단한 성공이었다 / a ~ mistake 큰 실수. ④ 고도의, 극도의: ~ friends 아주 친한 사이 / a ~ eater 대식가 / make ~ strides 장족의 진보를 하다 / in ~ detail 상세히. ⑤ (수·양 따위가) 많은, 다수〔다량〕의, 큰; (거리 따위가) 먼: a ~ crowd 대군중 / a ~ quantity of oil 다량의 오일 / in ~ multitude 큰 무리를 이루어 / at a ~ distance 먼 곳에. ⑥ 위대한, 탁월한; (사상 등이) 심오한, 고귀한: a ~ little man 몸은 작으나 마음이 큰 사람 / a ~ truth 심오한 진리 / Lincoln was a ~ statesman. 링컨은 위대한 정치가였다. ⑦ 지위가 높은; 지체 높은, 고명한; (the G-) …대왕(大王): a ~ lady 귀부인 / Alexander *the Great* 알렉산더 대왕 / He was not considered ~ by his colleague. 그의 동료가 보기에 그는 그리 대단하지 않았다. ⑧ 《口》 굉장한, 멋진, 근사한: have a ~ time 멋지게 지내다 / That's ~! 그거 멋진데 / I feel ~ now. 지금 기분이 최고다 / That's a ~ idea. 거 참 좋은 생각이다. ⑨ 《口》 (…을) 잘하는, 능숙한《*at*》; (…에) 열중하는《*at* ; *for* ; *on*》: He is ~ *at* tennis. 테니스를 잘한다 / He is ~ *on* science fiction. 그는 공상 과학 소설에 열중하고 있다. ⑩ 〔限定的으로 시간을 나타내는 名詞와 함께〕 장기의, 오랜 동안: wait a ~ while 오랜 시간 기다리다 / live to a ~ age 오래 (고령까지) 살다. **feel ~** 기분이 상쾌하다. **Great God** 〔**Caesar, Scott**〕**!** 아이구〔어마〕 깜짝이야, 이거 큰일이군, 하나님 맙소사. (a man) ~ **of** (heart) (마음)이 큰 (사람). **the ~er** 〔**~est**〕 **part of** …의 대부분〔태반〕: He spent *the ~er part of* the day reading. 그는 그날 대부분을 독서하며 지냈다. **the ~ I am** 《英俗》 자칭 대가; 젠체하는 사람. **the ~ majority** 〔**body, part**〕 대부분. **The great leap forward** 대약진(大躍進)《중국의 공업화에 대한 Mao Zedong의 이념》.

── *ad.* ① 《美口》 잘, 훌륭하게(well): get along ~ with the boss 사장과 좋게 지내다 / Things are going ~. 만사가 잘 되어간다. ② 《英》 〔形容詞를 강조하여〕 굉장히, 아주: What a ~ big fish! 굉장히 큰 고기로군.

── *n.* ① Ⓒ 위대한 사람〔것〕; (the ~s) 훌륭한〔고귀한, 유명한〕 사람들: *the ~s* of stage 연극계의 거물들 / *the* scientific ~(*s*) 과학계의 거인들. ② (the ~est) 《口》 아주 훌륭한 사람〔물건〕: She's *the ~est.* 그녀가 최고다. **a ~** 《美俗》 대부분. **~ and small** 빈부 귀천(의 구별없이). **in** 〔**by**〕 **the ~** 총괄하여, 통틀어서. **no ~** 《美俗》 많

지 않은.

great- *pref.* 일대(一代)가 먼 촌수를 나타냄.

gréat ápe (대형) 유인원(類人猿)《고릴라, 오랑우탄 등》.

great-aunt [gréitæ̀nt, -ɑ̀:nt] *n.* Ⓒ 조부모의 자매, 대고모(grandaunt).

Gréat Bàrrier Rèef (the ~) (오스트레일리아 Queensland 연안에 평행하게 이어진) 그레이트 배리어 리프《세계 최대의 대 산호초》.

Gréat Béar (the ~) 〖天〗 큰곰자리.

Grèat Brítain ① 대브리튼(섬)《England, Wales, Scotland 를 포함함》. ②《俗用》=UNITED KINGDOM.

gréat cálorie 대칼로리《물 1kg 을 1℃ 높이는 데 필요한 열량》.

Gréat Chárter (the ~) 〖英史〗 대헌장, 마그나 카르타.

gréat círcle (*sing.*) ① (구면(球面)의) 대원(大圓)《구(球)의 중심을 지나는 평면이 구면(球面)과 교차되어 생기는 원》. ② (특히 지구의) 대권(大圈)《지구상의 두 점간의 최단 거리》.

great·coat [ˊ-kòut] *n.* Ⓒ (군인의 두꺼운) 외투(topcoat) ; 방한 외투.

Gréat Cúltural Revolútion (the ~) (중국의) 문화 대혁명(Cultural Revolution).

Gréat Dáne 그레이트 데인《덴마크종(種)의 큰 개》.

Gréat Dáy (the ~) ①〖宗〗 최후 심판의 날(=Judgment Day). ② (G- d-) (재판의) 판결일.

Gréat Depréssion (the ~) 세계 대공황《1929년, 미국에서 시작된》.

Gréat Dípper (the ~) 〖天〗 큰곰자리.

Gréat Divíde (the ~) 미대륙 분수계(the Rockies) ; (the g- d-) 대분수계 ;《比》생사의 갈림길, 중요한 경계, 일대 위기. ***cross the great divide*** 유명(幽明)을 달리하다.

Gréat Dóg (the ~) 〖天〗 큰개자리.

‡**great·er** [gréitər] *a.* (great 의 比較級) ① …보다 큰. opp. *lesser.* ② (G-) (지역명) 대(大)… 《근교까지 포함시켜 이름》: ⇨GREATER NEW YORK.

Gréater Brítain 대영 연방《자치령·식민지를 포함》.

Gréater Mánchester 그레이터맨체스터《잉글랜드 서부의 주 ; 주도는 Manchester》.

Gréater Nèw Yórk 대뉴욕《종래의 뉴욕에 the Bronx, Brooklyn, Queens, Richmond 를 추가한 New York City 와 같은 말》.

Gréat Fíre (the ~) (1666년의) 런던 대화재.

great-grand·child [grèitgrǽnd*t*ʃàild] (*pl.* ***-chil·dren***) *n.* Ⓒ 증손.

great-grand·daugh·ter [ˊ-grǽnd*d*ɔ̀:tər] *n.* Ⓒ 증손녀.

great-grand·fa·ther [ˊ-grǽnd*f*ɑ̀:ðər] *n.* Ⓒ 증조부.

great-grand·moth·er [ˊ-grǽnd*m*ʌ̀ðər] *n.* Ⓒ 증조모.

great-grand·par·ent [ˊ-grǽnd*p*ɛ̀ərənt] *n.* 증조부, 증조모.

great-grand·son [ˊ-grǽnd*s*ʌ̀n] *n.* Ⓒ 증손.

great-great- *pref.* great- 보다 1 대가 더 먼 촌수를 나타냄: ~-grandchild 현손(玄孫).

great-heart·ed [ˊ-hɑ́:rtid] *a.* ① 고결한, 마음이 넓은. ② 용감한. ㊞ **~·ly** *ad.* **~·ness** *n.*

gréat ínquest =GRAND JURY.

Gréat Lákes (the ~) 미국의 5 대호《Ontario, Erie, Huron, Michigan, Superior》.

‡**great·ly** [gréitli] *ad.* ① 크게, 대단히, 매우 ; (비교의 표현과 함께) 훨씬: ~ superior 훨씬 뛰어난 / He ~ desired to meet her. 그는 그녀가 몹시 보고 싶었다 / We were ~ impressed by their hospitality. 우리는 그들의 환대에 크게 감명 받았다《★ 주로 動詞(의 과거분사)를 수식하며 때때로 비교급 形容詞를 강조함》. ② 위대하게 ; 숭고하게, 고결하게 ; 중대하게 ; 관대하게: We shall all remember him for a life ~ lived. 위대한 생애를 마친 그를 영원히 잊지 못할 것이다《조사(弔辭)》.

great-neph·ew [gréitnèfju:, -nèvju:] *n.* Ⓒ 조카(조카딸)의 아들, 형제(자매)의 손자(grandnephew).

***great·ness** [gréitnis] *n.* Ⓤ 큼, 거대 ; 다대, 대량 ; 위대(함) ; 탁월, 저명 ; 고귀: Lincoln's true ~ 링컨의 참 위대함.

great-niece [gréitnì:s] *n.* Ⓒ 조카(딸)의 딸, 형제(자매)의 손녀(grandniece).

Gréat Pláins (the ~) 대초원《Rocky 산맥 동부의 캐나다와 미국에 걸친 건조 지대》.

Gréat Pówer 강국, 대국 ; (the ~s) (세계의) 열강(들).

Gréat Sàlt Láke 그레이트솔트 호《미국 Utah 주에 있는 서반구 최대의 함수호》.

gréat séal (the ~) 나라(주)의 인장 ; (the G- S-) 《英》 국새.

gréat tóe 엄지 발가락.

great-un·cle [gréitʌ̀ŋkl] *n.* Ⓒ 종조부(granduncle)《조부모의 형제》.

Gréat Wáll (of Chína) (the ~) 만리장성.

Gréat Wár (the ~) =WORLD WAR I.

greave [gri:v] *n.* Ⓒ (흔히 *pl.*) (갑옷의) 정강이받이.

grebe [gri:b] (*pl.* ***~, ~s***) *n.* Ⓒ 〖鳥〗 논병아리.

***Gre·cian** [grí:ʃən] *a.* 그리스의, 그리스식(式)의. 《★ 흔히 '용모, 자세, 머리형, 건축, 미술품' 따위를 말하는 이외는 Greek 를 씀》: ~ architecture 그리스 건축 / a ~ profile 그리스인 풍의 옆모습. ― *n.* Ⓒ 그리스 사람(Greek).

Grécian nóse 그리스 코《이마와 일직선을 이룸》. cf. Roman nose.

Greco- [gréko(u), grí:-] '그리스'의 뜻의 결합사.

Gre·co-Ro·man [grì:kouróumən, grèkou-] *a.* 그리스·로마(식)의. ― *n.* Ⓤ 〖레슬링〗 그레코로만 스타일.

†**Greece** [gri:s] *n.* 그리스《정식명 the Hellenic Republic ; 수도 Athens》. ◇ Greek, Grecian *a.*

***greed** [gri:d] *n.* Ⓤ 탐욕, 욕심(*for* ; *of*): one's ~ *of* gain 이득에 대한 욕심 / ~ *for* money 금전욕 / the glint of ~ in his eyes 탐욕스러운 그의 눈빛.

‡**greedy** [grí:di] (***greed·i·er*** ; ***-i·est***) *a.* ① 욕심 많은, 탐욕스러운 : a ~ eater 식충이, 대식가 / a ~ miser 탐욕스러운 수전노 / You ~ pig! 이 식충아. ② (敍述的) 갈망하는, 간절히 바라는 《*of* ; *for*》: He's ~ *for* power(money). 그는 권력(돈)에 눈이 어두웠다 / This plant is ~ *for* water. 이 나무는 물이 몹시 필요하다 / cast ~ eyes upon(on) …을 탐나는 듯이 보다. ③ 몹시 … 하고자 하는《*to* do》: He is ~ *to* gain power. 권력을 잡으려고 혈안이다. ㊞ ***gréed·i·ly** *ad.* 게걸스레 ; 욕심(탐)내어 : He looked *greedily* at the pile of cream cakes. 그는 쌓여 있는 크림 케이크를 탐욕스레 바라보았다. **-i·ness** *n.*

greed·y-guts [grí:digʌ̀ts] *n.* 《俗》 대식가, 먹보(glutton).

‡**Greek** [gri:k] *a.* 그리스(사람)의 ; 그리스어의, 그리스식의. ― *n.* ① Ⓒ 그리스 사람 : *a* ~ 그리스 사람 / the ~*s* 그리스인(전체) / When ~ meets ~, then comes the tug of war. 《俗談》 두 영웅이 만나면 싸움은 불가피하다. ② Ⓤ 그리스어. ③ 《口》 무슨 소린지 알 수 없는 말(gibberish) : It's (It sounds) all ~(quite a ~) to me. 도무지 무

손 말인지 모르겠다. ***Ancient*** 〔***Classical***〕 ~ 고대〔고전〕 그리스어《기원 200년경까지》. ***Modern*** ~ 현대 그리스어《기원 1500년 이후》.

Gréek álphabet (the ~) 그리스어 알파벳, 그리스 문자.

Gréek Cátholic 그리스 정교 신자《로마 교회 교리를 믿으면서 그리스 정교회의 의식·예식을 따르는 그리스인》.

Gréek Cátholic Chúrch 그리스 가톨릭 교회《로마 가톨릭 교회의 한 파》.

Gréek Chúrch =GREEK ORTHODOX CHURCH.

Gréek cróss 그리스 십자가《가로 세로가 똑같은》.

Gréek frét 〔**kéy**〕 =FRET².

Gréek gíft 남을 해치려고 보내는〔위험한〕 선물 《Troy 의 목마의 고사에서》.

Gréek-let·ter fratérnity [grí:klètər-] 《美》 남자 그리스 문자 클럽《그리스 문자를 써서 명명한 학생의 우애와 사교 클럽》.

Gréek-letter sorórity 《美》 여자 그리스 문자 클럽.

Gréek Órthodox Chúrch (the ~) 그리스 정교회.

†**green** [gri:n] (∠·***er*** ; ∠·***est***) *a.* ① 녹색의, 초록의, 싱싱하게 푸른(verdant) ; 푸른 잎으로 덮인 : ~ meadows 푸른 목장 / She had blond hair and ~ eyes. 그녀는 머리가 금발이고 눈은 초록색이었다. ② 야채〔푸성귀〕의 : ~ vegetables 푸성귀, 야채류 / a ~ salad 야채 샐러드 / Get him to eat freshly steamed potatoes and ~*s.* 그에게 갓 찐 감자와 야채를 먹여라. ③ 젊음이〔기운이〕 넘치는 : a ~ old age 정정한 노년. ④ 생생한, 싱싱한, 신선한 : It is still ~ in my memory. 그것은 아직도 내 기억에 생생하다. ⑤ (과일 따위가) 아직 퍼런, 익지 않은 ; 생(生)《담배·목재 등》; 아직 덜 마른, 생짜의 ; 미가공(未加工)의 : a ~ fruit 풋과실 / a ~ stone 떠낸 채로 아직 다듬지 않은 돌 / ~ hides 생피(生皮) / These bananas are too ~ to eat. 이 바나나는 덜 익어서 못 먹겠다. ⑥《比》 준비 부족의 ; 미숙한, 익숙지 않은, 무경험의 (raw) : a ~ hand 풋내기 / He's ~ at his job. 그는 일에 서툴다. ⑦ 속아넘어가기 쉬운 (credulous) ; 단순한 : I'm not so ~ as to be deceived by you. 나는 네게 속을 그런 햇내기가 아니다. ⑧ (얼굴빛이) 핼쑥한, 핏기가 가신 : The girl went slightly ~. 소녀는 얼굴이 좀 파리해졌다. ⑨《俗》 질투에 불타는(jealous) : a ~ eye 질투의 눈. ⑩ 푸름이 남아 있는 ; 따뜻한(mild) : ~ winter 푸근한 겨울 / ~ Christmas 눈 없는 따스한 크리스마스. ⑪ (종종 G-) 녹색당의〔을 지지하는〕, 환경 보호주의의 : ~ politics 환경 보호주의의 정책 / ⇨ GREEN PARTY / *Green*peace 그린피스 / ~ movements 환경 보호 운동. (***as***) ~ ***as grass*** 《口》 숙맥의, 세상 물정을 모르는. ***have a ~ thumb*** ⇨ GREEN THUMB. ── *n.* ① [U,C] 녹색, 초록색 : the first ~ of spring 봄의 신록 / *Green* suggests envy. 녹색은 질투를 암시한다. ② [C] 초원, 풀밭 ; (공공의) 잔디밭. ③ [U] 녹색 안료 ; 녹색의 물건《천 따위》: a girl dressed in ~ 녹색 옷을 입은 소녀. ④《美俗》 지폐, (특히) 달러 지폐 《흔히 long〔folding〕 ~이라 함》. ⑤ (*pl.*) 푸성귀, 야채(요리) : salad ~*s* 샐러드용 엽채류(葉菜類). ⑥ (*pl.*) 푸른 잎〔가지〕《장식용》: Christmas ~*s* 《美》 전나무·호랑가시나무의 푸른 가지. ⑦ [U] 청춘, 활기. ⑧ 미숙함 ; 잘 속을 것 같음. ⑨ (the G-s) 녹색당《아일랜드 국민당》. ⑩ 〖골프〗 그린 (putting ~) ; 골프 코스. ⑪ [U] 질이 나쁜 마리화나. ***in the*** ~ 혈기 왕성하여. ***see ~ in*** a person'***s eye*** 아무를 얕보다, 만만하게 보다 : Do you *see* 〔Is there〕 any ~ *in my eye ?* 내가 그렇게 숙맥으로 보이는가.
── *vt.* ① …을 녹색〔초록〕으로 하다〔칠하다, 물들이다〕, 녹화하다. ② …을 도로 젊어지게 하다, 활기를 되찾게 하다. ③《俗》 (사람)을 속이다 (cheat). ── *vi.* 녹색이 되다.
[파] ~·**ly** *ad.* ~·**ness** *n.*

gréen álga (담수에 사는) 녹조(綠藻).

green·back [∠bæ̀k] *n.* [C]《美》 그린백《뒷면이 초록인 미국 법정 지폐》; 달러 지폐.

green·belt [∠bèlt] *n.* [C] (도시 주변의) 녹지대 (綠地帶), 그린벨트.

Gréen Berét 그린 베레《미군의 대(對)게릴라 특수부대》; (g- b-) 그린 베레 모자.

gréen cárd 《美》 외국인〔특히 멕시코인〕이 받는 미국내에서의 노동 허가증 ; 《英》 해외에서의 자동차 상해 보험증 ; 영주권(permanent visa)의 별칭.

gréen còrn 《美》 덜 여문 옥수수《요리용》.

Greene [gri:n] *n.* **Graham** ~ 그린《영국의 작가 ; 1904-91》.

green·er [grí:nər] *n.* [C] 《俗》 무경험 직공, 생무지《특히 외국인을 이름》.

green·ery [grí:nəri] *n.* ① [U] 〔集合的〕 푸른 잎, 푸른 나무 ; (장식용) 푸른 나뭇가지. ② [C] 온실 (greenhouse).

green-eyed [grí:nàid] *a.* 질투가 심한, 샘이 많은 : the ~ monster 녹색눈의 괴물《질투》《Shakespeare 작 *Othello* 에서》.

gréen fát 바다거북의 기름《진미로 침》.

green·finch [∠fìntʃ] *n.* [C] 방울새《유럽산》.

gréen fíngers =GREEN THUMB.

gréen flỳ (*pl.* 《英》 ~, ***-flies***) 진디의 일종《초록색의》.

green·gage [∠gèidʒ] *n.* [C] 양자두의 일종.

gréen góods 청과류, 야채류 ; 《美俗》 위조지폐.

green·gro·cer [∠gròusər] *n.* [C] 《英》 청과물 상인, 야채 장수 : a ~'*s* (shop) 청과물 상점.

green·gro·cery [∠gròusəri] *n.* ① [C] 《英》 청과물상《가게》. ② [U] 〔集合的〕 푸성귀, 청과류.

green·horn [∠hɔ̀:rn] *n.* [C] ① 풋내기, 초심자. ② 얼간이(simpleton), 세상 물정 모르는 사람. ③ 《美》 새로 온 이민.

*__green·house__ [∠hàus] *n.* [C] 온실.

gréenhouse effèct 〖氣〗 온실 효과.

gréenhouse gàs 온실 가스《온실 효과의 원인이라 하는 이산화탄소, 메탄가스 등》.

*__green·ish__ [grí:niʃ] *a.* 녹색을 띤.

green·keeper [∠kì:pər] *n.* [C] 골프장 관리인.

Green·land [grí:nlənd] *n.* 그린란드《북아메리카 동북에 있는 큰 섬 ; 덴마크령》. [파] ~·**er** *n.*

gréen líght ① 파란 불, 청신호《교통 신호》 ([cf] red light). ② (the ~) 《口》 (정식) 허가 : get 〔give〕 *the* ~ 공식 허가를 얻다〔주다〕.

green·ly [grí:nli] *ad.* 녹색으로 ; 새로, 신선〔싱싱〕하게 ; 힘차게 ; 미련하게(foolishly).

gréen manúre 녹비, 풋거름 ; 덜 뜬 두엄.

Gréen Mòuntain Státe (the ~) 미국 Vermont 주의 별칭.

gréen páper (종종 G- P-) 《英》 녹서(綠書) 《국회에 내는 정부 시안(試案) 설명서》. [cf] Black Paper.

Gréen Pàrty (the ~) 녹색당《독일의 정당 ; 반핵, 환경 보호, 독일의 비무장 중립을 주장》.

Green·peace [grí:npì:s] *n.* 그린피스《핵무기 반대·야생동물 보호 등 환경 보호를 주장하는 국제적인 단체 ; 1969년 결성》.

gréen revolútion (the ~) 녹색 혁명《특히, 개발 도상국에서의 품종 개량에 의한 식량 증산》.

green·room [gríːnrù(ː)m] *n.* [C] (극장의) 배우 휴게실 ; 분장실. ***talk*** ~ 내막을 이야기하다.
gréen(s) fèe 골프 코스〔장〕 사용료.
green·stuff [ˊstʌ̀f] *n.* [U] 푸성귀, 야채류.
green·sward [ˊswɔ̀ːrd] *n.* [U] 푸른 잔디.
gréen téa 녹차(綠茶). [cf] black tea.
gréen thúmb 식물〔야채〕 재배의 재능(green fingers). ***have a*** ~ 원예의 솜씨가 있다 ; …에 적성이 있다《*for*》.
gréen túrtle 〖動〗 푸른거북.
***Green·wich** [grínidʒ, grén-, -itʃ] *n.* 그리니치《런던 동남부 교외 ; 본초 자오선의 기점인 천문대가 있던 곳》.
Gréenwich (Méan) Tìme (the ~) 그리니치 표준시《略 : GMT》.
Gréenwich Víllage 그리니치 빌리지《미국 New York 시의 예술가 · 작가 등이 사는 지역》.
green·wood [gríːnwùd] *n.* (the ~) 푸른 숲, 녹림(綠林).
greeny [gríːni] *a.* 녹색을 띤, 초록빛이 도는.
‡greet [griːt] *vt.* ①《~+[목]》 …에게 인사하다 ; …에게 인사장을 보내다 : She ~*ed* him by waving her hand. 그녀는 손을 흔들어 그에게 인사했다 / The teacher ~*ed* each child with a friendly "Hello !". 선생은 상냥하게 "헬로 ! "하며 각 어린이에게 인사했다. ②《+[목]+[전]+[명]》 (인사 · 경례 · 조소 · 증오 등으로) …을 맞이하다 : His speech was ~*ed with* jeers. 그의 연설에 야유가 쏟아졌다 / She ~*ed* me *with* a smile. 그녀는 미소로써 나를 맞이해 주었다. ③《~+[목]》 보이다, 들리다, 들어오다《눈 · 귀에》: ~ the ear 귀에 들리다 / ~ a person's eyes (아무의) 눈에 띄다 / A delicious odor ~*ed* me when I opened the door. 문을 열자 맛있는 냄새가 코를 찔렀다 / As we walked into the house, we were ~*ed by* a scene of chaos. 우리가 집으로 들어갔을 때 난장판이 벌어지고 있었다.
‡greet·ing [gríːtiŋ] *n.* ① [C] 인사 : smile in ~ 웃으며 인사하다 / give a friendly ~ 상냥하게 인사하다 / They briskly exchanged ~*s* before starting the session. 그들은 회의에 앞서 활발하게 인사를 교환했다. ② (흔히 *pl.*) (계절에 따른) 인사말 ; 인사장 : Send my ~*s* to your family. 자네 가족들에게도 안부를 부탁하오. ③ [C] 《美》 편지의 서두《Dear Mr. … 등》. ***Christmas*** 〔***Birthday***〕 ~***s*** 크리스마스〔생일〕 축하 인사(장).
gréeting càrd 축하장, 인사장.
gre·gar·i·ous [grigέəriəs] *a.* ① (사람 · 짐승이) 군거(群居)하는, 군생하는 ; 군거성의 ; 〖植〗 군생(群生)하는 : ~ instinct 군거〔집단〕 본능 / Pigeons are ~ birds. 비둘기는 군거성 새다. ② (사람이) 사교적인, 교제를 좋아하는 ; 집단의 : Emma is a ~, outgoing sort of person. 에마는 사교적이고 개방적인 성격의 사람이다. [파] ~·**ly** *ad.* 군거하여, 떼지어. ~·**ness** *n.*
Gre·go·ri·an [grigɔ́ːriən] *a.* 로마 교황 Gregory 의 ; 그레고리오력(曆)〔그레고리오 성가〕의 : the ~ style 신력(新曆). — *n.* =GREGORIAN CHANT.
Gregórian cálendar (the ~) 그레고리오력《1582년 교황 Gregory 13세가 Julius 력을 개정한 현행 태양력》.
Gregórian chánt 그레고리오 성가(聖歌)《가톨릭 교회에서 부름》.
Greg·o·ry [grégəri] *n.* ① 그레고리《남자 이름》. ② 그레고리《역대 로마 교황의 이름》.
grem·lin [grémlin] *n.* [C] 《口》 작은 악마《비행기에 고장을 낸다는》: We must have a ~ in the engine—it isn't working properly. 엔진에 악귀가 붙은 모양이다. 잘 돌아가지 않는다.
Gre·na·da [grənéidə] *n.* 그레나다《서인도 제도의 Windward 제도 최남단에 있는 입헌 군주국 ; 영연방의 일원 ; 수도 St. George's》.
gre·nade [grənéid] *n.* [C] 수류탄(hand ~) ; 최루탄 ; 소화탄(消火彈) : A hand ~ was thrown at an army patrol. 수류탄이 군 정찰병에게 투척되었다.
gren·a·dier [grènədíər] *n.* [C] ① (G-) 《英》 Grenadier Guards의 병사. ② 〖史〗 척탄병(擲彈兵).
Grénadier Guárds (the ~) 《英》 근위 보병 제 1 연대《1685년 발족》.
gren·a·din [grénədin] *n.* [C] 〖料〗 송아지 또는 닭의 프리캉도(fricandeau).
Gresh·am [gréʃəm] *n.* **Sir Thomas** ~ 그레셤《영국의 금융가 ; 1519 ? -79》.
Grésham's láw 〔**théorem**〕 〖經〗 그레셤의 법칙('악화가 양화를 구축한다'는).
†grew [gruː] GROW 의 과거.
†grey, etc. ⇨ GRAY, etc.
***grey·hound, 《美》 gray-** [gréihàund] *n.* ① [C] 그레이하운드《몸이 길고 날쌘 사냥개》. ② (G-) 그레이하운드《미국의 최대 장거리 버스 회사 ; 商標名》.
gréyhound rácing 그레이하운드 경주《전기 장치로 뛰게 만든 토끼를 그레이하운드로 하여금 뒤쫓게 하는 내기 승부》.
grid [grid] *n.* [C] ① **a)** 격자(格子), 쇠창살 ; 석쇠(gridiron) ; (차 지붕 따위에 붙이는) 격자로 된 짐 싣는 대. **b)** 〖電 · 컴〗 (전자관의) 그리드, 격자. **c)** 〖測〗 그리드《특정 지역의 표준선의 기본계(系)》; (지도의) 모눈, 그리드 ; (가로의) 바둑판눈. ② 망상(網狀)조직 ; 고압 송전선망 ; 부설망, 배관망, 도로망. ③ =GRIDIRON ②.
grid·dle [grídl] *n.* [C] 과자 굽는 번철. ***on the*** ~ 《口》 호된 심문을 받아, 도마 위에 올려져.
grid·dle·cake [-kèik] *n.* [C,U] 번철에 구운 과자《핫케이크 따위》.
grid·i·ron [grídàiərn] *n.* [C] ① 석쇠, 적철. ② 《美》 미식 축구(경기)장.
grid·lock [grídlɑ̀k / -lɔ̀k] *n.* [C] ① (시가지의) 교통 정체《사방에서 진입한 차량들이 엉겨 움직이지 못하게 된 상태》. ② (정상 활동의) 정체 : a financial ~ due to high interest rates 고금리로 인한 재정의 경색(상태).
‡grief [griːf] *n.* ① [U] (깊은) 슬픔, 비탄, 비통 : She died of ~ at the loss of her husband. 그녀는 남편을 잃어 비통한 나머지 죽었다 / He is in deep ~. 그는 비탄에 잠겨 있다 / She controlled her ~. 그녀는 슬픔을 내색하지 않았다. ② [C] 슬픔의 씨앗, 비탄의 원인, 통탄지사 : The foolish son is a ~ to his father. 그 우매한 아들이 그의 아버지에게는 슬픔의 씨앗이다. ◇ grieve[1] *v.* ***bring to*** ~ 불행〔실패〕하게 만들다 ; 다치게 만들다 ; 파멸시키다. ***come to*** ~ 재난〔불행〕을 당하다 ; 다치다 ; (계획이) 실패하다. ***Good*** 〔***Great***〕 ~***!*** 아이고, 야단났구나《맥이 풀리거나 놀랐을 때의 말》.
grief-strick·en [ˊstrìkən] *a.* 슬픔에 젖은, 비탄에 잠긴 : a ~ widow 비탄에 잠긴 미망인.
***griev·ance** [gríːvəns] *n.* [C] 불만, 불평의 씨 ; 불평하기 : Sam has 〔nurses, harbors〕 a ~ against his employer. 샘은 고용주에게 불만이 있다〔불평을 품고 있다〕 / Staff were invited to air their ~*s* at a special meeting. 직원들은 자기들의 불평을 피력하도록 특별히 마련한 모임에 초대되었다.
grievance committee 〔**machinery**〕 (노사간의) 불평〔고정(苦情)〕 처리 위원회〔기관〕.

‡grieve [gri:v] *vt.* 《~+목/+목+*to* do》 …을 슬프게 하다, 비탄에 젖게 하다, …의 마음을 아프게 하다: The death of the father ~*d* the whole family. 아버지의 죽음은 온 가족을 비탄에 잠기게 했다 / It ~*s* me *to see* him so changed. 그가 그렇게 심하게 변한 것을 보니 내 마음이 아프다. ── *vi.* 《~/+전+명》 몹시 슬퍼하다, 애곡(哀哭)하다《*at* ; *about* ; *for* ; *over*》: ~ *about* 〔*over*〕 one's misfortune 자신의 불행을 슬퍼하다. ◇ grief *n.*

***griev·ous** [gríːvəs] *a.* 〔限定的〕 ① 슬픈, 통탄할, 비통한; 괴로운, 고통스러운, 쓰라린: a ~ moan 비탄의 신음소리 / ~ news 슬픈 소식. ② 심한; 가혹한; 극악한: a ~ fault 중대한 과실 / ~ pain 심한 고통. ③ 무거운, 부담이 되는(oppressive). ㊞ **~·ly** *ad.* **~·ness** *n.*

grif·fin[1] [grífin] *n.* 〖그神〗 독수리의 머리·날개에 사자 몸을 한 괴수(怪獸)《황금 보물을 지킨다 함》.

grif·fin[2] *n.* Ⓒ 《Ind.》 (동양, 특히 인도에) 새로 온 유럽인.

grif·fon [grífən] *n.* Ⓒ =GRIFFIN[1]; 털이 거친 작은 몸집의 개《포인터의 개량종》; 독수리의 일종.

grift [grift] 《美俗》 *n.* Ⓤ (돈 따위를) 사기해 먹음; 사기친 돈. ── *vt.* (금전 따위)를 사취(詐取)하다.

grig [grig] *n.* Ⓒ 《方》 ① 귀뚜라미, 여치; 작은 뱀장어; 다리가 짧은 닭의 일종. ② 쾌활한 사람: a ~ of a girl 쾌활한 소녀. **(*as*) *merry* 〔*lively*〕 *as a* ~** 아주 기분 좋은〔명랑한〕.

***grill** [gril] *n.* Ⓒ ① 석쇠, 적철(gridiron). ② 불고기, 생선 구이. ③ =GRILLROOM; GRILLE. ── *vt.* ① (석쇠에 고기 따위)를 굽다; 불에 굽다(broil): I decided to ~ the sausages rather than fry them. 소시지를 기름에 튀기지 않고 구워 먹기로 했다. ② (햇볕 등이) …을 뜨거운 열로 괴롭히다: The scorching sun ~*ed* us. 작열하는 태양에 몸이 탈 정도였다. ③ (경찰 등이) …을 엄하게 신문하다: After being ~*ed* by the police for two days, he signed a confession. 이틀 동안 경찰의 엄한 심문을 받은 후에야 그는 자술서에 서명했다. ── *vi.* ① 적철에 구워지다. ② 뜨거운 열에 쬐어지다: sit ~*ing* oneself in the sun 뜨거운 햇볕을 받으며 앉아 있다.

grille [gril] *n.* Ⓒ ① 격자, 쇠창살. ② (은행·매표구·교도소 따위의) 창살문. ③ (자동차의) (라디에이터) 그릴(=**rádiator grìll**).

grill·room [grílrù(ː)m] *n.* Ⓒ 그릴《호텔·클럽 안의 일품 요리점》; 고기 굽는 곳.

grill·work [ˊ-wə̀ːrk] *n.* Ⓒ 격자 모양으로 만든 것; 속이 비치게 만든 격자 세공.

grilse [grils] (*pl.* ~, ***gríls·es***) *n.* Ⓒ 〖魚〗 (바다에서 강으로 처음 올라오는 3년 정도 된) 어린 연어.

‡grim [grim] (**ˊ·*mer* ; ˊ·*mest***) *a.* ① 엄(격)한, 모진(severe, stern), 잔인한, 냉혹한: a ~ face 위엄있는 얼굴 / a ~ struggle 격투, 잔인한 전쟁. ② 〔限定的〕 (사실 따위가) 엄연한, 움직일 수 없는: a ~ reality〔truth〕 엄연〔냉혹〕한 사실〔진리〕. ③ 굳센, 불요 불굴의: ~ courage 불굴의 용기. ④ **a)** (얼굴이) 험상스러운; 소름끼치는: a ~ smile 소름끼치는 웃음. **b)** 불쾌한, 싫은: What ~ weather! 무슨 날씨가 이렇담. ***hold* 〔*hang, cling,* etc.〕 *on like ~ death*** 결사적으로 달라붙다. ◇ grimace *n.* ㊞ ***ˊ·ly** *ad.* 엄격〔냉혹〕히, 완강히, 굴하지 않고; 무섭게, 징그럽게. **ˊ·ness** *n.*

***gri·mace** [gríməs, griméis / griméis] *n.* Ⓒ 얼굴을 찡그림, 찡그린 얼굴: She made a ~ of disgust when she saw the raw meat. 그녀는 날고기를 보고는 역겨워서 얼굴을 찌푸렸다. ── *vi.* 얼굴을 찡그리다: He ~*d* with pain when he tried to stand. 그는 일어서려고 할 때 고통스러워 얼굴을 찡그렸다.

gri·mal·kin [grimǽlkin, -mɔ́ːlkin] *n.* Ⓒ 늙은 암코양이; 심술궂은 할망구.

grime [graim] *n.* Ⓤ 때, 먼지, 검댕: His face was streaked with sweat and ~. 그의 얼굴은 땀과 먼지로 더러워져 있었다. ── *vt.* …을 더럽히다.

‡Grimm [grim] *n.* 그림. ① **Jakob Ludwig Karl** ~ 독일의 언어학자(1785-1863). ② **Wilhelm Karl** ~ 독일의 동화 작가, ①의 아우(1786-1859).

grimy [gráimi] (***grim·i·er* ; *-i·est***) *a.* 때 묻은, 더러워진. ㊞ **grím·i·ly** *ad.* **-i·ness** *n.*

‡grin [grin] *n.* Ⓒ ① (이를 드러내고) 씩〔싱긋〕 웃음: a silly ~ 바보 같은 웃음 / Ted always has a happy ~ on his face. 테드는 언제나 싱긋싱긋 행복한 웃음을 짓고 있다. ② (고통·노여움·경멸 따위로) 이빨을 드러냄, 이를 악묾. ***on the* (*broad*) ~** 싱글거리며. ***take* 〔*wipe*〕 *the* ~ *off* a person's *face*** 《口》 아무의 얼굴에서 웃음을 지우다, (우쭐거리고 있는) 사람을 면박하다. ── **(-*nn*-)** *vi.* 《~/+전+명》 ① (이를 드러내고) 씩 웃다; 싱글거리다《*at* ; *with*》: ~ *with* delight 좋아서 씩 웃다 / What are you ~*ning at*? 뭣때문에 그렇게 싱글거리느냐. ② (고통 등으로) 이를 악물다《*with*》; (노여움·경멸 따위로) …에 이를 드러내다《*at*》: The dog ~*ned at* her. 개가 그녀를 보고 이를 드러내고 으르렁거렸다. ── *vt.* 씩〔씽긋〕 웃으며〔이를 드러내고〕 …의 감정을 표시하다: ~ defiance 이를 옥물고 반항의 뜻을 나타내다. ~ ***and bear it*** (불쾌한 일을) 억지로 웃으며 참다. ~ ***from ear to ear*** 입이 째지게 웃다. ~ ***like a Cheshire cat*** ⇨CHESHIRE.

‡grind [graind] (*p., pp.* ***ground*** [graund]) *vt.* ① 《~+목/+목+전+명》 (맷돌로) …을 타다, 갈다; 가루로 만들다, 으깨다; 깨물어 으스러뜨리다; 갈아서 …을 만들다《*to* ; *into*》: ~ a stone *to* pieces 돌을 조각조각 깨다 / ~ wheat (down) *into* flour at a mill 방앗간에서 밀을 가루로 빻다. ② (맷돌 따위)를 돌리다; (손풍금 따위)를 돌려서 소리를 내다: ~ a hand organ 손풍금을 돌리다. ③ (연장이나 렌즈 따위)를 갈다(whet); 닦다(polish); 갈아서 닳게 하다, 깎다: ~ a lens 렌즈를 갈다 / He *ground* his knife *on* the grindstone. 그는 숫돌에다 칼을 갈았다. ④ (착취하여) …을 학대하다, 혹사하다, 괴롭히다, 짓밟다《*down*》: The government is ~*ing* the people under its heel with all these new taxes. 정부는 이들 새로운 세금으로 국민을 괴롭히고 있다. ⑤ 《+목+전+명》《口》 (학문 따위)를 마구 주입시키다(cram)《*in*, *into*》: The teacher *ground* English *into* our heads. 선생님은 우리들 머리에 영어를 마구 주입시켰다. ⑥ 이를 갈다; 문지르다: He *ground* his teeth in anger. 그는 화가 나서 이를 갈았다. ── *vi.* ① 빻다, 맷돌질을 하다. ② 《+부》 빻아지다, 가루가 되다: This wheat ~s *well.* 이 밀은 잘 빻아진다. ③ 갈리다, 닦이다. ④ 《~/+전+명》 (맷돌이) 돌다; 바드득〔삐걱〕거리다; 서로 스치다: The ship *ground against* the rocks. 배는 바위에 부딪쳐 삐걱거렸다 / Oil the machine if the gears ~. 기어가 삐걱거리면 기계에 기름을 쳐라. ⑤ 《~/+전+명》《口》 부지런히 일〔공부〕하다《*at* ; *for*》: ~ *for* an exam 시험에 대비하여 부지런히 공부하다 / He is ~*ing* (*away*) *at* his English. 그는 영어 공부에 몰두하고 있다. ⑥ (이를) 갈다. ~ ***down*** …을 갈아서 가루

로 하다 ; 마멸시키다 ; (아무)를 괴롭히다. ~ **on** (사태·절차 등이) 사정없이 진행[계속]되다 《*toward*》: He *ground on* for another half hour. 그는 30분을 더 계속했다. ~ **out** (1) 맷돌로 갈아 (가루를) 만들다. (2) (손풍금 따위로) 연주하다. (3) 이를 갈며 말하다 : ~ *out* an oath 이를 갈면서 욕설을 퍼붓다. (4) 짓눌러 끄다 : ~ *out* a cigarette butt 담배 꽁초를 비벼 끄다. (5) (작품 따위를) 연이어 (기계적으로) 만들어내다. (6) (음악 따위를) 기계적으로 연주하다. ~ ***the faces of the poor*** 〖聖〗 가난한 자에게서 무거운 세금을 거둬들이다 ; 빈민을 학대하다《이사야 Ⅲ : 15》. ~ ***to a halt*** (차가) 끼익하며 서다 ; (활동 등이) 천천히 멈추다 : The bus *ground to a halt.* 버스가 끼익 소리를 내며 멎었다. ~ **up** 갈아서 가루로 만들다. ***have an ax to*** ~ ⇨ AX.

── *n.* ① Ⓤ (맷돌로) 타기, 갈기, 빻기, 갈아 뭉개기[으깨기] ; 그 소리. ② Ⓤ (날붙이 따위를) 갈기 ; 깎기 ; 그 소리. ③ Ⓒ (*sing.*) 《口》 **a**) 힘드는 일, 고역 ; 따분하고 고된 공부 : go through the daily ~ 매일같이 되풀이되는 따분한 일을 하다. **b**) 《美口》 공부벌레. ④ Ⓒ 《口》 (쇼의 춤에서) 몸을 비틀기.

***grind·er** [gráindər] *n.* Ⓒ ① (맷돌을) 가는 사람 ; (칼 따위를) 가는 사람. ② (*pl.*) 《口》 이빨. ③ 분쇄기 ; 연삭기 ; 숫돌.

***grind·ing** [gráindiŋ] *a.* ① 삐걱거리는 : a ~ sound 삐걱거리는 소리 / come to a ~ stop [halt] (차 따위가) 끼익하며 서다. ② (일이) 힘드는, 지루한, 따분한 : ~ toil 힘든 일. ③ 괴롭히는 ; 압제의, 폭정의 : ~ poverty 짓누르는 가난. ④ 매우 아픈[쑤시는] : a ~ pain 욱신거리는 통증.
── *n.* Ⓤ ① 제분, 타기, 갈기, 연마, 연삭, 분쇄. ② 삐걱거림, 마찰. ③ 《口》 주입식 교수[공부].

grind·stone** [gráindstòun] *n.* Ⓒ 회전 숫돌 ; 회전 연마기. ***hold [***have, keep, put***] a person***'s*** [one***'s***] ***nose to the*** ~ 아무를 쉴새없이 부려먹다 ; 쉴새없이 열심히 일하다.

grin·go [gríŋgou] (*pl.* ~***s***) *n.* Ⓒ 《美俗》 《종종 蔑》 외국인, 《특히》 영미(英美) 사람《라틴 아메리카 사람이 이르는》.

‡**grip**[1] [grip] *n.* ① (흔히 *sing.*) Ⓒ 꽉 쥠[잡음] (grasp, clutch) : She would not loosen her ~ on my arm. 그녀는 내 팔을 붙들고 놓으려하지 않았다 / let go one's ~ …을 놓다 / take a ~ on …을 잡다. ② **a**) Ⓒ 잡는[쥐는] 법 : My golf has got better but I still need to improve my ~. 내 골프가 늘기는 했으나 채잡는 법을 더 익혀야겠다. **b**) (*sing.*) 악력, 쥐는 힘 : have a strong ~ 악력이 세다. ③ Ⓒ **a**) (기물·무기 따위의) 자루, 손잡이, 쥘손(handle). **b**) 잡는 도구[기계·장치]. ④ (*sing.*) 파악력, 이해력, 터득(mastery)《*of*》: I can't seem to get to ~*s* with this problem. 내가 이 문제를 제대로 파악하지 못한 것 같다. ⑤ (*sing.*) 지배[통제]력, (남의) 주의를 끄는 힘《*of* ; *on*》: keep [get] a ~ *on* oneself 자제하다, 냉정히 행동하다 / He has a ~ *on* the audience. 그는 청중의 마음을 끌어당기는 힘이 있다. ⑥ Ⓒ 《美》 여행용 손가방(gripsack). ***be at*** ~***s*** (문제·사람과) 맞붙어 있다 ; 씨름하고 있다《*with*》: *be at* ~*s with* one's subject 문제와 씨름하고 있다. ***come*** [***get***] ***to*** ~***s*** (1) (레슬러가) 서로 맞붙다, 드잡이하다《*with*》. (2) (문제 따위에) 진지하게 달려들다《*with*》: I *came to* ~*s with* the problem. 나는 그 문제에 진지하게 달려들었다. ***in the*** ~ ***of*** …에게 잡혀[속박되어] : be *in the* ~ *of* envy [a fixed idea] 질투[고정 관념]에 사로잡혀 있다 / The local economy is *in the* ~ *of* a recession. 지방 경제는 경기 후퇴로 휘청거리고 있다. ***lose*** one***'s*** ~ 능력이[열의가] 없어지다, 통제력을 잃다 : I could see they thought I was *losing my* ~. 나는 그들이 내가 통제력을 상실해 가고 있다고 생각하는 것을 알 수 있었다.

── (*p., pp.* ~***ped,*** 《古》 ~***t*** ; ∠·***ping***) *vt.* ① **a**) …을 꽉 쥐다, 꼭 잡다(grasp, clutch) : The frightened child ~*ped* his mother's hand. 겁에 질린 아이는 엄마 손을 꽉 잡았다. **b**) (기계 따위가) …을 죄다. ② …의 마음을 사로잡다 ; (주의·흥미)를 끌다(arrest) : Terror has ~*ped* the city for days. 며칠간 그 도시는 공포에 휩싸였다.
── *vi.* 꽉 잡다《*on*》; (도구 따위가) 꽉 물다[조이다] : The tires failed to ~ *on* the slippery road. 미끄러운 길이라 타이어는 접지력을 잃었다 / The pliers don't ~ well. 이 펜치는 잘 물리지 않는다.

grip[2] *n.* (the ~) =GRIPPE.

gripe [graip] *n.* ① (the ~s) 《口》 (갑작스러운) 심한 복통(colic) : I've got *the* ~*s.* 갑자기 배가 아프구나. ② Ⓒ 《口》 불평, 불만 : Her main ~ is that she's not being trained properly. 그녀의 주된 불만은 제대로 훈련을 받지 못했다는 것이다.
── *vt.* ① (배)를 몹시 아프게 하다, …을 복통으로 괴롭히다. ② 《美口》 …을 초조하게 하다, 애먹이다 ; 괴롭히다. ── *vi.* ① (배가) 쥐어짜듯 뒤틀리다. ② 《口》 불평(불만)을 하다, 투덜대다《*at* ; *about*》.

grípe wàter (유아의) 배 아픈 데 먹는 물약, 구풍제(驅風劑) (drill water).

grippe [grip] *n.* 《F.》 (the ~) 유행성 감기, 인플루엔자, 독감.

grip·ping [grípiŋ] *a.* (책·이야기 등) 주의를 끄는. ㊫ ~·**ly** *ad.*

gris·ly [grízli] (***gris·li·er*** ; ***-li·est***) *a.* 섬뜩한, 소름끼치는 ; 음산한(dismal) : a ~ winter's night 스산한 겨울 밤 / a ~ account of the murder 살인에 대한 섬뜩한 기사. ㊫ **-li·ness** *n.*

grist [grist] *n.* Ⓤ 제분용 곡물. ***All is*** ~ ***that comes to his mill.*** 《俗談》 그는 무엇이든 이용한다, 넘어져도 그냥은 안 일어난다. ~ ***to*** [***for***] ***the mill*** 이익이[벌이가] 되는 것, 이득.

gris·tle [grísl] *n.* Ⓤ (식용의) 연골, 물렁뼈. ***in the*** ~ 아직 뼈가 굳지 않은, 아직 성숙하지 않은. ㊫ **grís·tly** [-i] *a.* 연골의(같은).

grist·mill [grístmìl] *n.* Ⓒ 방앗간, 제분소.

grit [grit] *n.* Ⓤ ① 〔集合的〕 (기계 따위에 끼이는) 잔모래 ; (도로 따위에 뿌리는) 왕모래 : The icy road had been covered with ~ to make it less slippery. 얼어붙은 길은 덜 미끄럽도록 모래가 뿌려져 있었다. ② (끈질긴) 근성, 용기, 담력 : I admire his ~. 나는 그의 담력에 감탄한다. ***put*** (***a little***) ~ ***in the machine*** 훼방놓다, 찬물을 끼얹다.
── (**-tt-**) *vi.* 삐걱거리다.
── *vt.* ① (길 따위에) 모래를 깔다. ② (결심 등으로) 이를 윽물다 ; (분하거나 해서) 이를 갈다. 〔흔히 다음 成句로〕 ~ one***'s teeth*** : We'll just have to ~ *our teeth* and carry on. 이를 악물고 계속 추진해야 한다.

grits [grits] *n.* 〔單·複數취급〕 거칠게 탄 메귀리 (오트밀)《미국 남부에서는 쪄서 조반으로 먹음》.

grit·ty [gríti] (***grit·ti·er*** ; ***-ti·est***) *a.* ① 자갈이 섞인, 모래투성이의 : The sandwiches we ate on the beach were ~ with sand but delicious. 해변에서 먹은 샌드위치는 모래투성이었지만 맛은 좋았다. ② 《美口》 용기 있는, 굳센, 불굴의 : She showed ~ courage when it came to fighting her illness. 투병 생활에 들어갔을 때 그녀는 불굴의 용기를 보여주었다.

griz·zle [grízəl] *vi.* 《英口》① 투덜거리다《*about*》: They're always *grizzling about* how nobody invites them anywhere. 그들은 어째서 아무도 그들을 어디에고 초대를 않느냐며 노상 불평이다. ② (어린아이가) 보채다, 떼를 쓰다 : The baby ~*s* all night. 아이가 밤새도록 보챈다.

griz·zled [grízld] *a.* 회색의 ; 백발이 섞인, 반백의 : *Grizzled* veterans in uniform gathered at the war monument. 군복 차림으로 반백이 된 노병들이 전쟁 기념탑 앞에 모였다.

griz·zly [grízli] (*-zli·er* ; *-zli·est*) *a.* = GRIZZLED. — *n.* [C] 〖動〗 회색의 큰곰(=∠ **bèar**)《북아메리카 서부산》.

‡groan [groun] *vi.* ① 《+[전]+[명]》 신음하다, 신음 소리를 내다 : He lay on the floor ~*ing.* 마루에 쓰러져 신음하고 있었다. ② 《~/+[전]+[명]》 신음하며〔몹시〕 괴로워하다 ; 번민하다 ; 압박당하다, 무거운 짐에 시달리다《*beneath* ; *under* ; *with*》: The desk ~*s under* a big computer. 책상은 큰 컴퓨터로 인하여 짜부러질 듯하다 / ~ *beneath* one's toil 중노동에 신음하다 / The people ~*ed under* the tyrant. 압제자 아래서 국민들은 신음했다. ③ 《+[전]+[명]》 (식탁 · 선반 등이) 휘도록 가득 놓이다〔차다〕《*with*》: Table was ~*ing with* food. 식탁 위에는 음식이 가득 놓여 있었다. — *vt.* 《~+[목]/+[목]+[부]》 …을 (신음하듯) 말하다《*out*》; 으르렁대서 침묵시키다《*down*》: The old woman ~*ed out* a request. 노파는 괴로운 숨을 쉬면서 부탁을 했다 / The audience ~*ed* the speaker *down.* 청중은 연사에게 야유를 퍼부어 연설을 못하게 만들었다. ~ ***inwardly*** 남몰래 괴로워하다. — *n.* [C] 신음(소리) ; (연사(演士)에 대한) 불평〔불만, 불찬성〕의 소리 ; 삐걱거리는 소리 : give a ~ 신음소리를 내다.
[파] ∠·**er** *n.* ∠·**ing·ly** *ad.*

groats [grouts] *n.* 〔單 · 複數 취급〕 (맷돌 따위로) 탄〔간〕 귀리〔밀〕.

‡gro·cer [gróusər] *n.* [C] 식료품 상인, 식료 잡화상《영국에서는 밀가루 · 설탕 · 차 · 커피 · 버터 · 비누 · 양초 등을, 미국에서는 육류 · 과일 · 야채도 팖》: a ~*'s* (shop) 《英》 식료 잡화점.

‡gro·cery [gróusəri] *n.* ① (흔히 *pl.*) 식료 · 잡화류. ② [U] 식료 잡화 판매업. ③ [C] 식료 잡화점《★ 《美》 grocery store, 《英》 grocer's (shop)》.

grody [gróudi] (*grod·i·er* ; *-i·est*) *a.* 《美俗》 지독한, 너절한, 징그러운(gross).

grog [grɑg / grɔg] *n.* [U] 그로그술《물탄 술 ; 예전엔 물탄 럼주(rum) ; 독주 ; 본디 뱃사람 말》.

grog·gy [grɑ́gi / grɔ́gi] (*grog·gi·er* ; *-gi·est*) *a.* ① (강타 · 피로 · 병 등으로) 비틀거리는, 휘청거리는 ; 그로기의 : I was feeling a bit ~ with the injections. 나는 그 주사를 맞아서 다리가 좀 휘청거리는 것을 느꼈다. ② (집 · 기둥 · 책상 다리 등이) 흔들흔들하는, 불안정한 : a ~ tooth 흔들거리는 이. [파] **-gi·ly** *ad.* **-gi·ness** *n.*

groin [grɔin] *n.* [C] ① 〖解〗 샅. ② 〖建〗 궁륭(穹窿)《2 개의 vault 의 교차선》. ③ 〖土木〗 방파제.

grom·met [grɑ́mit / grɔ́m-] *n.* [C] 〖海〗 (노를 끼우는) 쇠고리 ; 밧줄 고리 ; (구멍 가장자리의) 덧테쇠.

Gro·my·ko [grəmíːkou, grou-] *n.* **Andrei Andreevich** ~ 그로미코《구(舊)소련의 정치가 · 외교관 ; 1909-89》.

***groom** [gru(ː)m] *n.* [C] ① 말구종. ② 신랑(bridegroom). ③ 《英》 궁내관(官) ; 《古》 하인(manservant).
— *vt.* ① (말)을 손질하다, 돌보다 : He spent hours in the stable ~*ing* his pet pony. 그는 귀여운 조랑말을 손질하면서 마구간에서 여러 시간을 보냈다. ② 《+[목]+[전]+[명]》 〔흔히 再歸的 또는 受動으로 또는 副詞를 수반하는 *pp.*〕 (자기)의 몸가축〔몸단장〕을 하다《*as* ; *for*》: a *well* 〔*badly*〕 ~*ed* man 차림새가 단정한〔너절한〕 남자 / She ~*ed herself* for the party. 그녀는 파티를 위한 옷차림을 했다. ③ …을 훈련〔교육〕시키다 ; (아무)를 훈련시켜 …로 만들다《*as*》: My boss is ~*ing* me to take over his job next year. 주인은 내년에 자기 일을 내게 넘기려고 나를 훈련시키고 있다 / The party ~*ed* him *as* a presidential candidate. 그 당은 그를 대통령 후보로 만들었다.

grooms·man [grú(ː)mzmən] (*pl.* **-men** [-mən]) *n.* [C] 신랑의 들러리. [cf] bridesmaid. ★ 들러리가 여럿일 때 주(主)들러리를 best man 이라고 함. 영국에서는 들러리가 한 사람이므로 best man 만 씀.

groove** [gruːv] *n.* [C] ① 홈《문지방 · 레코드 판 따위의》; 바퀴 자국. ② (생각 · 행동 등의 정해진) 관례, 관습. ③ 《俗》 즐거운 한때(경험) : 《俗》 즐거운 시간〔경험〕. ***fall 〔***get***〕 ***into*** 〔***be stuck in***〕 ***a*** ~ 판에 박히다, 버릇이 되다. ***in the*** ~ 《俗》 〔一般的〕 쾌조(快調)로 ; 《美》 유행하여, 당세풍으로 ; 《美俗》 조리가 닿아, 제대로 되어 : Things are going well, we are *in the* ~ now! 만사가 잘 되어가고 있다. 우린 이제 궤도에 올랐다.
— *vt.* …에 홈을 파다〔내다〕.
— *vi.* 《俗》 즐기다, 멋진 일을 하다《*with*》. ~ ***it*** 《俗》 즐기다, 유쾌하게 지내다.

groov·er [grúːvər] *n.* [C] 《俗》 멋있는 놈.

groovy [grúːvi] (*groov·i·er* ; *-i·est*) *a.* ① 《俗》 멋있는 : That's a ~ hat you're wearing. 쓰고 있는 그 모자 멋있구나. ② 홈의, 홈 같은 ; 《俗》 판에 박은.

grope** [group] *vi.* 《~/+[부]/+[전]+[명]》 ① 손으로 더듬다, 더듬어 찾다《*about* ; *around*》: He ~*d* (*about*) *for* his shoes in the dark. 그는 어둠 속에서 신을 더듬어 찾았다. ② (암중) 모색하다, 찾다《*after* ; *for*》: He ~*d for* a plausible explanation. 그는 더 나은 설명은 없을까 하고 이것저것 생각했다 / They're *groping for* a clue to the case. 그들은 사건의 단서를 찾고 있다. — *vt.* …을 더듬어 찾다 ; 《俗》 (여성의 몸)을 더듬거리다. 〔흔히 다음 成句로〕 ~ one's way*** (길을) 더듬어 나아가다 : I had to ~ *my way* up the dark stairs. 어두운 계단을 더듬어 올라가야 했다. — *n.* [C] 더듬음, 더듬어 나감 ; 《俗》 성적 애무.

grop·ing·ly [gróupiŋli] *ad.* 손으로 더듬어 ; 암중모색하여〔하듯이〕.

‡gross [grous] *a.* ① (불쾌할 정도로) 뚱뚱한, 큰(big, thick) : a ~ body 뚱뚱한 몸집 / ~ feature 크고 야무지지 못한 얼굴 생김새. ② 〔限定的〕 (잘못 · 부정 따위가) 큰, 엄청난, 심한 : a ~ insult 심한 모욕 / The court has made a ~ error in sending an innocent man to prison. 법정은 한 무고한 사람을 교도소에 보냄으로써 커다란 잘못을 저질렀다. ③ 막돼먹은, 거친(coarse, crass) ; (취미 등이) 천한, 상스러운 ; (말씨 따위가) 추잡한(obscene) ; (감각이) 둔한(dull) : a ~ eater 조식가(粗食家) / ~ food 조식 / a ~ word 야비한 말 / He's really ~. 정말 막돼먹은 자다. ④ 〔限定的〕 총체의, 총계의(total) ; (무게가) 포장까지 친 ; 〖골프〗 총합계 타수. [cf] net². ¶ the ~ amount 총계 / ~ profits 총이익 / the ~ area 총면적 / Her ~ income in last year is £30,000. 그녀의 작년 총수입은 3만 파운드다. ⑤ (식물이) 무성한, 우거진 ; (공기 · 액체 등이) 탁한(dense) : the ~ vegetation of the island 그 섬의 무성한 식

물 / a ~ fog 농무, 짙은 안개. ⑥ (감각이) 둔한, 둔감한 : a ~ palate 둔감한 미각.
— *n.* ① (*sing., pl.*) 그로스《12 다스, 144개 ; 略 : gr.》: great gross, 1728개 / small gross, 120개. ② (the ~) 총체, 총계, 총액. ***by the*** ~ 전체〔모개〕로, 통틀어서 ; 도매로 : He bought them *by the* ~. 그는 그것들을 도매로 샀다. ***in*** (***the***) ~ 총체로, 대체로 ; 도매로.
— *vt.* (경비 포함) …의 총수익을 올리다 : He ~*ed* $10,000 and netted $1,000 in the dealings. 그는 그 거래에서 총 수익 1만 달러, 순익 1천 달러를 올렸다. ~ ***out*** (상스러운 말로 남)을 불쾌하게 만들다. ㊞ ∠·**ly** *ad.* ∠·**ness** *n.*

gróss doméstic próduct 국내 총생산《略 : GDP》.

gross·ly [-li] *ad.* ① 몹시, 심하게《★ 나쁜 것을 더욱이 강조하는 말》: ~ unfair 전혀 공평하지 못한 / They ~ mistreated their men. 그들은 하인들을 심하게 혹사했다. ② 막되게, 천하게 : behave ~ 상스럽게 굴다.

gróss nátional próduct 국민 총생산《略 : 「GNP》.

gróss tón 영(英)톤(long ton)《2,240 파운드》.

gróss tónnage (선박의) 총 톤수.

grot [grɑt / grɔt] *n.* Ⓤ 《英俗》 쓰레기, 잡동사니.

gro·tesque** [groutésk] (more*** ~ ; ***most*** ~) *a.* ① 그로테스크풍〔양식〕 무늬의. ② 기괴한 ; 이상한, 괴상한, 우스운 ; 바보스런 : The idea was simply ~. 그건 단지 바보스런 구상이었다 / a ~ mask 괴상한 가면. — *n.* (the ~) ①〖美術〗그로테스크《인간이나 동물을 풀이나 꽃에 환상적으로 결합시킨 장식예술의 양식》, 괴기주의. ②〖文藝〗희극·비극이 복잡하게 얽힌 양식, 그로테스크풍. ㊞ ~·**ly** *ad.* ~·**ness** *n.*

grot·to [grátou / grɔ́t-] (*pl.* ~(***e***)***s***) *n.* Ⓒ 동굴, 석굴 ; 동굴 모양으로 꾸민 방《피서용》.

grot·ty [gráti / grɔ́ti] (***grot·ti·er*** ; ***-ti·est***) *a.* 《英俗》 불쾌한, 더러운, 초라한, 보기 흉한. ㊞ **-ti·ness** *n.*

grouch [grautʃ] 《美口》 *n.* Ⓒ ① 꾀까다로운 사람 ; 불평가. ② (*sing.*) 부루퉁함 : Don't go near him, he has a ~ this morning. 그 사람한테 가까이 가지 마라. 오늘 아침 저기압이다. — *vi.* 불평을 하다《*about*》: She is always ~*ing about* her job. 그녀는 자기 직책에 늘 불평이다. ㊞ **gróuch·i·ly** [gráutʃili] *ad.* ∠·**i·ness** [-inis] *n.* ∠·**y** [-i] (***gróuch·i·er*** ; ***∠·i·est***) *a.* 《美口》 까다로운, 토라진 ; 투덜대는 : Don't be so *grouchy !* 그렇게 투덜대지 마라.

ground[1] [graund] *n.* ① Ⓤ (the ~) 지면, 땅(soil), 토지, 대지(earth, land) : till *the* ~ 땅을 갈다 / rich〔poor〕 ~ 비옥한〔척박한〕 땅 / lie on *the* ~ 땅 위에 눕다 / He fell to *the* ~. 그는 땅에 넘어졌다 / He set down a bundle of sticks carefully on *the* ~. 그는 조심스레 한묶음의 막대기를 땅에 내려 놓았다. ② (종종 *pl.*) 운동장, (특정 목적을 위한) 장소, 장 : baseball ~*s* 야구장 / a fishing ~ 어장 / a classic ~ 사적, 고적. ③ (종종 *pl.*) (건물에 딸린) 뜰, 마당, 구내 : the school ~*s* 학교 구내 / The house has extensive ~*s*. 그 집에는 넓은 뜰이 있다. ④ ⓊⒸ (종종 *pl.*) 기초, 근거 ; 이유, 동기 ; (불평 등의) 씨 : a ~ for divorce 이혼의 사유 / They had no ~*s* to arrest him. 그들은 그를 구속할 하등의 이유가 없었다. ⑤ Ⓤ 지반 ; 입장 ; 의견 : We couldn't find any common ~ in our discussion. 우리는 토론에서 공통된 입장을 찾을 수 없었다. ⑥ Ⓤ (연구의) 분야 ; 화제, 문제 : forbidden ~ 금제(禁制)된 화제 / The lectures covered a lot of ~. 그 강의는 여러 많은 분야를 망라했다《★ 흔히 무관사임》. ⑦ Ⓤ 바다〔물〕 밑, 해저. ⑧ Ⓒ (밑) 바탕 ; (회화(繪畫)의) 애벌칠 ; (직물의) 바탕색 ; (돋을새김의) 판면(板面) ; (에칭의 방식(防蝕)용) 바탕칠. ⑨ (*pl.*) 침전물, 앙금, (커피 따위의) 찌꺼기 : coffee ~*s*. ⑩ Ⓒ 《美》〖電〗 접지(接地), 어스(《英》 earth). ⑪〔形容詞的〕 지상의 ; 지표에 가까운 ; 기초의 ; 뭍에 사는《새 따위》; 혈거하는 (동물) ; 땅 위를 기는 (식물) : ~ forces 지상군 / ~ flares 〖空〗 지상 조명등. ***above*** ~ (1) 지상에. (2) 생존하여, 살아(alive). ***be burned to the*** ~ (건물 등이) 전소하다. ***below*** ~ 땅밑에 ; 무덤에 묻혀, 죽어서. ***break fresh*** 〔***new***〕 ~ 처녀지를〔새로운 분야를〕 개척하다. ***break*** ~ (땅을) 파다, 갈다 ; (건물을) 기공하다 ; (사업 따위에) 착수하다. ***change*** one'***s*** ~ =shift one's ~. ***cover*** (***the***) ~〔흔히 ground 앞에 much, a lot of 등을 붙여〕 (1) …한 만큼의 거리를〔지역을〕 가다〔주파하다〕: He *covered a great deal of* ~ that day. 그는 그날 아주 먼데까지 갔다. (2) (일 따위가) …하게 진척되다〔나아가다〕; (보고 등이) …에 걸치다 : *cover much* 〔*a lot of*〕 ~ (연구·보고가) 광범위에 걸치다 / They have *covered a lot of* ~ in this project. 그들은 이 계획을 크게 진척시켰다. ***cut the*** ~ (***out***) ***from under*** a person'***s feet*** 아무의 계획에 의표〔허〕를 찌르다. ***down to the*** ~ 《英口俗》 철저히, 완전히 : It suits me *down to the* ~. 그건 내게 아주 제격이다. ***fall to the*** ~ (1) (계획 따위가) 실패로 끝나다. (2) 땅에 쓰러지다. ***from the*** ~ ***up*** (1) 처음부터 다시 : rebuild the house *from the* ~ *up* 집을 완전히 새로 짓다. (2) 철저하게 ; 모든 점에서. ***gain*** 〔***gather***〕 ~ (1) 전진하다 ; …에 따라붙다《*on*》. (2) 확고한 지반을 쌓다, 세력을 넓히다. (3) 널리 퍼지다, 유행하다. ***get off the*** ~ 이륙하다〔시키다〕, (계획·활동 등)을 궤도에 올리다. ***give*** ~ (1) 퇴각하다. (2) 양보하다. (3) (선행자에) 점점 더 뒤지다. ***go over the same*** (***old***) ~ 이전의 이론을 다시 되풀이하다. ***go*** 〔***run***〕 ***to*** ~ (여우·개가) 굴로 도망치다 ; 은신처에 잠적하다. ***hold*** 〔***stand, keep, maintain***〕 one'***s*** ~ 자기 입장을 굽히지 않다, 소신을 관철하다. ***kiss the*** ~ ⇨ KISS. ***lose*** ~ (1) (밀려서) 퇴각〔후퇴, 패배〕하다. (2) (건강 등이) 쇠퇴하(기 시작하)다. (3) 환영 못 받게 되다《*to*》. (4) =give ~ (3). ***on firm*** 〔***solid,*** etc.〕 ~ 안전한 입장〔상황〕에(서) ; 사실〔증거〕의 확실한 뒷받침이 있는. ***on good*** ~***s*** 상당한 이유로. ***on*** one'***s own*** ~ 자신에게 유리한 상황〔장소〕에서, 자신이 선택한〔잘 아는〕 문제에 대해서. ***on the*** ~ 즉석〔현장〕에서 ; 서민들 사이에서. ***on the*** ~ ***of*** 〔***that***〕. . . =***on*** (***the***) ~***s of*** 〔***that***〕 …의 이유로 ; …을 구실로. ***run . . . into the*** ~ (1) …을 정도가 지나치게 하다, 장황하게 설명하다. (2) …을 신랄하게 비판하다. (3) (남)을 지치게 만들다 ; (물건)을 더 못쓸 정도로 사용하다. ***run to*** ~ = go to ~ ; 몰아 붙이다, 추궁하다, 밝혀내다 ; …을 지칠 때까지 달리게 하다. ***shift*** 〔***change***〕 one'***s*** ~ 주장〔입장·의견·방식〕을 바꾸다, 변절하다. ***take*** ~ (배가) 얕은 곳에 얹히다, 좌초하다. ***thick*** 〔***thin***〕 ***on the*** ~ 많아〔드물어〕. ***to the*** ~ 아주, 완전히. ***work*** one***self into the*** ~ 《口》 기진맥진할 때까지 일하다.
— *vt.* ①《~+목/+목+전+명》 …에 기초를 두다, (원칙·신념 따위)를 세우다, (사실)에 입각시키다《*on* ; *in*》: His phobia is ~*ed in* a childhood experience. 그의 공포증은 어렸을 때의 경험에 기초를 두고 있다 / *On* what do you ~ your argument? 네 의론은 무엇을 근거로 하고 있나.

②《+[목]+[전]+[명]》〔흔히 受動으로〕(…에게 초보〔기초〕)를 가르치다(*in*): The girl *is* well ~*ed in* French. 그 소녀는 프랑스어의 기초를 잘 배웠다. ③ (무기 따위)를 땅 위에 놓다〔내던지다〕《항복 표시로》: The enemies ~*ed* their arms. 적들은 무기를 땅 위에 내려놓았다. ④〖海〗좌초시키다: The ship was ~*ed* on the reef. 배는 암초에 좌초됐다. ⑤〖空〗(짙은 안개 등이) …의 비행〔이륙〕을 불가능하게 하다: Our plane was ~*ed* by fog today. 우리 비행기는 짙은 안개로 인해 오늘 이륙을 못했다. ⑥〖電〗접지〔어스〕하다(《英》earth). ⑦〖畫〗…에 바닥칠을 하다. ⑧《美》(벌로서 아이)를 외출 금지시키다. ── *vi.* ① 지상에 떨어지다; 착륙하다. ②〖海〗좌초하다. ③〖野〗땅볼을 치다; 땅볼로 아웃되다(*out*).

ground² [graund] GRIND 의 과거·과거분사.
── *a.* (가루로) 빻은; 연마한, 간; 문지른: ~ pepper 후춧가루 / ~ meat 저민〔간〕고기.

gróund bàit〖낚시〗(물고기를 모으는) 밑밥.

gróund báll〖野·크리켓〗땅볼(grounder).

gróund clòth 무대를 덮는 캔버스 천; = GROUNDSHEET.

gróund contròl〖空〗지상 관제〔유도〕.

gróund-con·tròl(led) appròach [-kəntròul(*d*)-] (레이더에 의한) 착륙 유도 관제, 지상 유도 착륙, 지상 제어 진입 장치(略: GCA).

gróund còver〖生態·林業〗지피(地被) 식물《나지(裸地)를 덮은 왜소한 식물들》.

gróund crèw《美》〔集合的〕(비행장의) 지상 근무원(《英》ground staff)《사무직·정비원 등》.

ground·er [gráundər] *n.* [C]〖野·크리켓〗땅볼, 포구(匍球).

gróund flóor《英》1층(《美》first floor); (사업 따위의) 제일보; 유리한 입장〔기회〕;《美俗》(사업·직업 따위의) 최저 수준. ***get*** 〔***come, be let***〕***in on the*** ~ (기획이나 사업에) 처음부터 참가하여 유리한 지위를 차지하다.

gróund fròst 지표의 서리, 지하 동결; 지면이 빙점 이하로 떨어져 작물에 해를 주는 기온.

gróund gláss 젖빛 유리; (연마용) 유리 가루.

ground·hog [-hàg / -hɔ̀g] *n.* [C]〖動〗① = WOODCHUCK. ② = AARDVARK.

Gróund-hog('s) Dày《美》성촉절(聖燭節)(Candlemas)《2월 2일; 곳에 따라 14일》.

gróund ìce ① 묘빙(錨氷). ② 지표(地表)를 덮는 투명한 얼음《영구 동토 내의》.

ground·ing [gráundiŋ] *n.* [U] (또는 a ~) 기초 훈련; 초보, 기초 지식(*in*): have *a* good ~ *in* English 영어의 충분한 기초 지식이 있다.

ground·keep·er [-kìːpər] *n.* [C]《美》운동장〔경기장·공원·묘지〕관리인(groundskeeper).

ground·less [gráundlis] *a.* 근거 없는, 사실무근한; 기초가 없는: ~ fears 〔rumors〕 이유 없는 공포〔사실무근한 소문〕/ His allegations, when investigated, prove ~. 그의 진술은 조사하자 근거없음이 드러났다.
[파] **~·ly** *ad.* **~·ness** *n.*

gróund lèvel ① 1층(의 높이): The room was at ~. 그 방은 1층에 있었다. ②〖化〗기저(基底) 상태《원자 등의 에너지가 가장 낮고 안정된 상태》.

ground·ling [gráundliŋ] *n.* [C] ① 물 밑에 사는 물고기《미꾸라지·문절망둑 따위》; 포복(匍匐) 동물〔식물〕. ② 저급한 관객〔독자〕; 저속한 사람, 속물. ③ (기내 근무자에 대한) 지상 근무자.

ground·nut [-nʌ̀t] *n.* [C] 먹을 수 있는 괴경(塊莖)〔괴근(塊根)〕이 있는 식물;《英》땅콩.

ground·out [-àut] *n.*〖野〗내야 땅볼에 의한 아웃.

gróund plàn ① (건축물의) 평면도. ② 기초안(案)〔계획〕.

gróund rènt 땅세, 지대(地代).

gróund rùle (흔히 *pl.*) ① 행동 원칙, 기본 원리: establish ~*s* 기본 원칙을 세우다. ②〖競〗(특수 정황을 위한) 특별 규정.

ground·sel [gráundsəl] *n.* [C]〖植〗개쑥갓.

ground·sheet [gráundʃìːt] *n.* [C] 그라운드 시트《천막 안 등에 까는》방수 깔개(ground cloth).

grounds·keep·er [gráundzkìːpər] *n.*《美》= GROUNDKEEPER.

grounds·man [gráundzmən] (*pl.* ***-men*** [-mən]) *n.*《英》= GROUNDKEEPER.

gróund spèed〖空〗대지(對地) 속도(略: GS). [cf.] air speed.

gróund stàff《英》= GROUND CREW; (크리켓 등) 경기장 관리인들.

gróund stàte〖物〗바닥 상태(ground level).

gróund stròke〖테니스〗그라운드 스트로크.

ground·swell [-swèl] *n.* ① [U] (또는 a ~) (먼 곳의 폭풍·지진 등에 의한) 큰 놀. ② [C] (흔히, *sing.*) (정치 여론·감정 등의) 고조(高潮), 비등(*of*): There is a ~ *of* opinion against the new reform. 새로운 개혁을 반대하는 여론이 비등하고 있다.

ground-to-air [gráundtuéər] *a.* 지대공의: ~ missiles.

ground-to-ground [-təgráund] *a.* 지대지(地對地)의: ~ missiles 지대지 미사일.

ground·wa·ter [-wɔ̀ːtər] *n.* [U] 지하수.

gróund wìre《美》라디오의 접지선, 어스선(《英》= **éarth wìre**).

ground·work [-wə̀ːrk] *n.* [U] (흔히 the ~) 토대, 기초(공사); 기초 작업〔훈련, 연구〕(*for*): lay *the* ~ *for* …의 기초를 만들다.

gróund zéro〖軍〗① (원폭의) 폭심지(爆心地), 제로 지점. ②《俗》최초, 출발점; 초보.

†**group** [gruːp] *n.* [U,C] ① 떼; 그룹, 집단(集團), 단체: a ~ of girls 일단의 소녀 / ~ games〔travel〕단체 경기〔여행〕/ They came in small ~*s.* 그들은 삼삼오오 모여들었다 / people standing about in ~*s* 무리를 이루어 서 있는 사람들. ②《英》(동일 자본·경영의) 기업 그룹: the Burton *Group.* ③ (이해 관계·주의·취미 등을 같이하는 사람들의) 무리, 집단, 그룹, 동호회: a research ~ 연구회 / a vanguard ~ of artists 전위파 예술인들의 그룹 / A parents' ~ has accused the local authority of breaking the law. 일단의 부모들은 지방 자치체가 법을 어겼다고 비난했다. ④ 류(類), 형(型): the woodwind ~ of instruments 목관 악기류 / a blood ~ 혈액형. ⑤〖化〗기(基), (원자)단;〖數〗군(群); 집단, 그룹〖言〗어파(語派), (언어)군.
── *vi.*《+[전]+[명]》떼를 짓다, (…의 둘레에) 모이다: The family all ~*ed* together around the table. 가족이 다 함께 탁자 둘레에 모였다.
── *vt.* ① **a**)《+[목]+[전]+[명]》…을 한 떼로만들다, (…의 둘레에) 모으다: The teacher ~*ed* all the pupils (*together*) in the hall. 선생은 전 생도를 강당에 집합시켰다. **b**)〔再歸的으로〕(…둘레에) 모이다《종종 受動으로서 "모여 있다"의 뜻이 됨》: The guests ~*ed* them*selves* 〔*were* ~*ed*〕 around the table. 내객들이 탁자 둘레에 모였다〔모여 있었다〕. ② …을 분류하다(*together*): *Group* all the books (*together*) by the author. 모든 책들을 저자별로 분류해라.

gróup càptain〖英空軍〗비행대장《대령》.

group·er¹ [grúːpər] (*pl.* ~, ~*s*) *n.* [C] 농어 ㅂ

숫한 열대산의 식용 물고기.

group·er² *n.* Ⓒ ① 여행 그룹 등의 일원. ②《口》 공동으로 별장 등을 빌리는 청년 그룹의 일원(一員).

group·ie [grúːpi] *n.* Ⓒ 그루피《록그룹 등을 쫓아다니는 10대의 소녀팬》; 〔一般的〕 유명인을 따라다니는 팬.

***group·ing** [grúːpiŋ] *n.* ① Ⓤ 그룹으로 나누기, 분류. ② Ⓒ 그 분류된 것.

gróup insùrance 단체 보험.

group·ism [grúːpizəm] *n.* Ⓤ 집단주의.

Gróup of Séven (the ~) 7개국 그룹《미국·일본·독일·영국·프랑스·캐나다·이탈리아의 7개국; 略: G-7》.

gróup práctice (전문이 다른 의사가 협력하여 하는) 집단〔그룹〕 진료.

gróup thérapy 〔**psychothérapy**〕 〖精神醫〗 집단 요법.

group-think [⌐θìŋk] *n.* Ⓤ 집단 사고(思考)《집단 구성원의 토의에 의한 문제 해결법》.

grouse¹ [graus] (*pl.* ~, ***gróus·es***) *n.* Ⓒ 뇌조(雷鳥); Ⓤ 그 고기.

grouse² *n.* (흔히 *sing.*) 불평(가). — *vi.* 불평하다, 투덜대다《*about*》: ~ *about* the workload 업무량을 불평하다.
㊞ **gróus·er** *n.* 불평만 하는 사람.

grout [graut] *n.* 회삼물(灰三物)《벽돌이나 암석의 틈새기 따위에 부어넣는 묽은 모르타르 또는 시멘트》, 그라우트, 시멘트풀. — *vt.* ~을 붓다, ~로 마무리하다.

‡**grove** [grouv] *n.* Ⓒ 작은 숲; (특히, 감귤류의) 과수원; 〖英〗 (G-) 가로수 길《거리의 명칭으로도 쓰임》.

grov·el [grʌ́vəl, grάvəl / grɔ́vəl] (*-l-*, 《英》 *-ll-*) *vi.* 기다; 넙죽 엎드리다, 굴복하다, 비굴하게 굴다《*before*; *to*》: ~ *before* authority 권위 앞에 굴복하다 / I will apologize to him but I won't ~. 그에게 사과는 할테지만 비굴하게 굴지 않겠다 / They are going to make you ~. 그들은 너를 굴복시킬 작정이다. ㊞ **gróv·el·(l)er** *n.* Ⓒ 아첨꾼, 비굴한 사람.

†**grow** [grou] (***grew*** [gruː]; ***grown*** [groun]) *vi.* ① 성장하다, 자라다; (식물이) 무성해지다; 나다; 싹트다: Rice ~*s* in warm countries. 쌀은 따뜻한 지방에서 자란다 / She has *grown* two centimeters taller in the past couple of months. 그녀는 지난 두 달 사이 키가 2센티미터 더 자랐다. ② 생기다, 일어나다, 발생하다: His suspicions *grew out of* nothing in particular. 그의 의심은 특히 이렇다 할 까닭없이 생겼다. ③ (크기·수량·길이 따위가) 증대하다, 커지다; 늘어〔불어〕나다《*in*》; 강해지다: He has *grown in* experience. 경험이 풍부해졌다 / The village continues to ~. 그 마을은 계속 발전하고 있다. ④《+전+명 / +*to be* 보》 성장하여〔커서〕 …이 되다; (…으로) 변화하다: ~ *into* a woman 성숙한 여자가 되다 / The boy *grew up to be* a fine gentleman. 소년은 자라서 훌륭한 신사가 되었다 / Sofia has *grown out of* her sundress. 소피아는 자라서 여름옷이 작아졌다. ⑤《+보 / +전+명 / +*to* do》 차차 …이 되다, …으로 변하다(turn): She's ~*ing* old. 그녀는 점점 늙어가고 있다 / It *grew* cold. 추워졌다 / Her face *grew* paler than before. 그녀 얼굴은 전보다 더 창백해졌다 / The sound *grew to* a shriek. 소리가 커지더니 비명으로 변했다 / He is ~*ing to* like me. 그는 나를 점점 좋아하게 되었다 / The sun *grew* so hot that they were forced to stop working. 별이 어찌나 뜨거워졌는지 그들은 일을 중단하지 않을 수 없었다.
— *vt.* ① …을 키우다, 성장시키다; 나게 하다, 재배하다(cultivate): ~ apples 사과를 재배하다 / I *grew* a beard so as not to have the bother of shaving every morning. 매일 아침 면도하기가 귀찮아 턱수염을 길렀다. ② 〔受動으로〕 (초목으로) 덮여 있다《*with*》: *be grown* (*over*) *with* ivy 담쟁이덩굴로 덮여 있다. ◇ growth *n.*
~ ***away from*** . . . (부모·친구 등과) 소원해지다, 멀어져가다: She has *grown away from* her husband. 그녀의 마음은 점점 남편에게서 멀어져 갔다. ~ ***into*** (1) (성장하여) …이 되다: ⇨ *vi.* ④. (2) 익숙해지다: It may take you a few weeks to ~ *into* the work. 그 일에 익숙해지려면 한두 주일 걸릴 게다. ~ ***into one*** = ~ ***together*** 하나가 되다, 결합하다. ~ ***on*** 〔《文》 ***upon***〕 (1) (불안·악습 등이) 점점 더해 가다, 몸에 배다: An uneasy feeling *grew upon* him. 그의 불안한 마음은 점점 더해 갔다. (2)《口》 (…의 마음에) 점점 들어 가다: The village ~*s on* me. 그 마을이 점점 마음에 들어간다. ~ ***on trees*** ⇨ TREE(成句). ~ ***out of*** (1) (습관 따위)를 벗어버리다〔탈피하다〕: Eventually these youths ~ *out of* reckless driving. 결국, 이 젊은이들은 나이가 들면서 난폭 운전은 하지 않게 된다. (2) (커서) …을 못 입게 되다: ⇨ *vi.* ④. (3) …에서 생기다〔기인하다〕: His illness *grew out of* his bad habits. 그의 병은 여러 악습에서 생겼다. ~ ***up*** (1) 성인이 되다, 성장하여 …이 되다; 어른처럼 행동하다; 다 성장하다: ~ *up* into a fine young man 자라서 훌륭한 청년이 되다 / Resistance to parents is (a) part of ~*ing up*. 부모에 항거한다는 것은 그만큼 자랐다는 뜻이다 / I *grew up* in Seoul. 나는 서울에서 자랐다. (2) (습관·감정 따위가) 발생하다: A warm friendship *grew up* between us. 우리들 사이에 두터운 우정이 생겼다. (3) 〔命令法으로〕 어른스럽게 행동하다: Why don't you ~ *up*? 어른스럽게〔의젓하게〕 굴려무나.
㊞ ⌐**·a·ble** *a.* 재배가능한.

grow·er [gróuər] *n.* Ⓒ 재배자; 사육자; 자라는 식물: a quick 〔slow〕 ~ 조생〔만생〕 식물.

‡**grow·ing** [gróuiŋ] *a.* ① 성장하는, 자라는; 차차 커지는; 증대하는: the ~ season (식물 따위의) 성장하는 시기〔계절〕. ② 발육기의; 성장에 따르는: a ~ boy 발육기의 소년. ③ 성장을 촉진하는. ㊞ ~**·ly** *ad.* 점점 더.

grówing pàins ① (성장기의) 수족의 신경통; 청춘의 번민. ② (사업 등의) 초기 장애〔애로〕: The business is still suffering from ~. 그 기업은 아직도 초창기의 어려움에서 헤어나지 못하고 있다.

‡**growl** [graul] *n.* Ⓒ ① **a**) (개 등의) 으르렁거리는 소리. **b**) (사람의) 볼멘 소리, 고함 소리: He answered with a ~ of anger. 그는 화난 볼멘소리로 대답했다. ② (천둥 따위의) 우르릉하는 소리: the ~ of the distant thunder 먼데서 우르릉하는 천둥 소리. — *vi.* (…을 향해) 으르렁거리다《*at*》; 투덜거리다《*at*》; (우레·대포 등이) 우르릉 울리다《*out*》: The dog ~*ed at* me. 개가 나를 보고 으르렁거렸다. — *vt.* …라고 볼멘 소리로 말하다, 고함치다《*out*》: He ~*ed* (*out*) a refusal. 그는 싫다고 볼멘 소리로 말했다 / "Get away!" he ~*ed*. "꺼져"라고 그는 고함쳤다. ㊞ ⌐**·ing** *a.* 으르렁거리는; 투덜거리는; 우르릉하는. ⌐**·ing·ly** *ad.*

growl·er [gráulər] *n.* Ⓒ ① 으르렁거리는 사람〔짐승〕. ② 작은 빙산(氷山).

†**grown** [groun] GROW의 과거분사.

— *a.* ①〔限定的〕 성장한, 자라난, 성숙한 : a ~ man 성인, 어른 / You can't tell her what to do anymore—she's a ~ woman. 그녀에게 더이상 이래라저래라 해서는 안 된다. 그녀도 이제는 성숙한 여인이다. ②〔複合語〕 …으로 덮인 ; 재배한, …산(産)의 : home-~ tomato 집에서 기른 토마토. ③〔敍述的〕 (장소가) …로 뒤덮인, 무성하여 《*with*》 : The garden was thickly ~ *with* weeds. 정원은 잡초로 무성하게 뒤덮였다.

‡**grown-up** [gróunʌ̀p] *a.* 성장한, 성숙한 ; 어른다운 ; 어른을 위한 : a ~ fiction 성인용 소설 / ~ manners 어른다운 예의 범절.

— *n.* [C] 성인, 어른(adult) : The ~*s* always spoil our fun, telling us to be quiet or play outside. 어른들은 조용히 하라거나 밖에 나가 놀라고 하면서 늘 우리 기분을 잡치게 한다.

‡**growth** [grouθ] *n.* ① [U] 성장, 발육 ; 생성, 발전, 발달(development) : industrial ~ 산업의 발달 / reach full ~ 충분히 성장하다 / Science-based industries are key points of ~ in the economy. 과학을 기초로 한 산업이 경제 성장의 관건이다. ② [U] 증대, 증가, 증진, 신장 : the recent ~ in〔of〕 violent crime 폭력 범죄의 최근의 증가 / The rapid ~ of opposition to the plan has surprised the council. 그 계획에 대한 급격한 반대파의 증가는 지방 의회를 놀라게 했다. ③ [U] 재배, 배양(cultivation) : fruits of one's own ~ 자작한 과일 / apples of foreign ~ 외국산 사과. ④ [C] 생장물《초목·수풀·수염·손톱 등》. ⑤ [U]〖醫〗 종양(腫瘍), 병적 증식(增殖) : The doctor said the ~ on her arm is not cancerous. 그녀 팔에 난 종양은 암과는 무관하다고 의사가 말했다. ◇ grow *v.*

grówth hòrmone〖生化〗 성장 호르몬.

grówth ìndustry 성장 산업.

grówth shàres 《英》 =GROWTH STOCK.

grówth stòck〖經〗 성장주(成長株).

groyne [grɔin] *n.* =GROIN ③.

***grub** [grʌb] (**-bb-**) *vt.* ①《~+[목]/+[목]+[부]》 …을 파다, (땅)을 개간하다 ; 뿌리를 뽑다, 파내다 《*up* ; *out*》 : The old apple trees must be ~*bed up* and young ones planted. 오래된 사과나무들을 뽑아 버리고 어린 것들을 심어야 한다. ②《+[목]+[부]》 (데이터·기록 등)을 힘들여 찾아내다〔얻다〕 《*out* ; *up*》 : a task of ~*bing out* new data 새 데이터를 꾸준히 찾는 일. ③《俗》 (아무)에게 먹을 것을 주다. — *vi.* ①《+[부]/+[전]+[명]》 파다 ; 파헤쳐 찾다 ; 열심히 찾아 헤매다《*about* ; *for*》 : ~ *about* in the public library *for* material 공공 도서관에서 자료를 찾아 뒤지다. ②《+[부]》 부지런히 일〔공부〕하다《*along* ; *away* ; *on*》 : ~ *along* from day to day 매일 열심히 일하며 보내다 / ~ for a living 먹고 살려고 열심히 일하다. ③《俗》 먹다. — *n.* ① [C] (풍뎅이나 딱정벌레 따위의) 유충(=**grúb·wòrm**), 굼벵이, 구더기. ② [U] 《口》 음식물 : It's time we had some ~. 벌써 밥먹을 때가 됐다 / OK, everyone, ~'*s* up. 자아, 모두 식사합시다.

grub·by [grʌ́bi] (**-bi·er** ; **-bi·est**) *a.* ① 구더기〔굼벵이〕 따위가 뒤끓는. ② 더러운(dirty), 지저분한 : Don't wipe your ~ hands on my clean towel. 내 깨끗한 수건에 네 더러운 손을 닦지 마라. [파] **-bi·ly** *ad.* **-bi·ness** *n.*

grub·stake [grʌ́bstèik] *vt.* 《美口》 (남)에게 사업 자금을 대주다〔물질적 원조를 하다〕.

— *n.* [U,C] 《美口》 (탐광자(探鑛者)·신규 사업자에 빌려주는) 자금.

Grúb Strèet ① 삼류 작가들의 거주 지구《런던 Milton Street 의 옛 이름》. ②〔集合的〕 삼류 작가들. — *a.* (종종 grubstreet) 삼류 작가의〔가 쓴〕, 저급한.

grudge** [grʌdʒ] *vt.* ①《~+[목]/+[목]+[목]/+-*ing*》 …을 주기 싫어하다, 아까워하다, 인색하게 굴다 ; …하기를 꺼리다, …하기 싫어하다 : ~ no effort 노력을 아끼지 않다 / I ~ you nothing. 너에겐 무엇을 주어도 아깝지 않다 / He ~*d* pay*ing* so much for such bad food. 그는 그따위 음식에 그렇게 많은 돈을 내기가 싫었다 / Don't ~ the expense. 비용은 아끼지 마라. ②《+[목]+[목]》 …을 부러워하다 ; 시기하다, 질투하다 : He ~*s* her earning more than he does. 그는 자기보다 수입이 좋은 그녀를 부러워한다 / I don't ~ him his success. 나는 (당연한) 그의 성공을 시기하지 않는다. — *n.* [C] 악의, 적의, 원한, 유감 : pay off an old ~ 여러 해 묵은 원한을 풀다 / a personal 〔private〕 ~ 개인적 원한, 사원(私怨). ***bear 〔***owe***〕 a person ***a*** ~ =***bear*** 〔***have,*** 《美》 ***hold, nurse***〕 ***a*** ~ ***against*** a person 아무에게 원한을 품다 : I don't *bear* any ~ *against* you. 난 네게 아무 원한도 없다 / She still *has*〔*holds*〕 *a* ~ *against* me for refusing to lend her that book. 그녀는 그 책을 빌려 달라는 것을 거절한데 대해 아직 내게 유감을 갖고 있다.

grudg·ing [grʌ́dʒiŋ] *a.* 인색한, 마지못해 하는, 싫어하는 ; 시기하는 ; 앙심을 품은 : a ~ allowance 인색한 용돈. [파] **~·ness** *n.*

grudg·ing·ly [-li] *ad.* 억지로 : She ~ conceded that I was right. 그녀는 할 수 없이 내가 옳다는 것을 인정했다.

gru·el [grúːəl] *n.* [U] (환자 등에게 주는) 묽은 죽, (우유·물로 요리한) 오트밀.

gru·el·ing, 《英》 **-el·ling** [grúːəliŋ] *a.* 녹초로 만드는 ; 심한, 격렬한 : I've had a ~ day. 몹시나 힘든 하루를 보냈다. [파] **~·ly** *ad.*

grue·some [grúːsəm] *a.* 무시무시한, 소름끼치는, 섬뜩한 : a ~ murder 소름끼치는 살인 / ~ scenes of violence 무시무시한 폭력 장면들. [파] **~·ly** *ad.* **~·ness** *n.*

***gruff** [grʌf] *a.* 우락부락한, 난폭한 ; 무뚝뚝한, 퉁명스러운 ; (소리·목소리가) 굵고 탁한, 몹시 거친. [cf] coarse, harsh, rude. ¶ a ~ manner 거친 태도 / Beneath his ~ exterior he's really very kind-hearted. 그의 외모는 우락부락해도 진정으로 정말 마음착한 사람이다. [파] **∠·ly** *ad.* **∠·ness** *n.*

‡**grum·ble** [grʌ́mbəl] *vi.* ①《~/+[전]+[명]》 불평하다, 투덜거리다《*about* ; *over* ; *at* ; *for*》 : He is always *grumbling about* 〔*over*〕 his food. 그는 언제나 음식 타박이다 / They're always *grumbling at* their low pay. 그들은 자기들의 급료가 낮다고 항상 투덜거리고 있다 / "How are you feeling?" "Oh, I mustn't ~." '기분이 어떤가' '그럭저럭 지낼만 하네.' ② (멀리서 우레 따위가) 우르릉 울리다 : The thunder ~*d* in the distance. 먼 곳에서 천둥이 우르릉 울렸다. — *vt.* 《~+[목]/+[목]+[부]/+*that* [절]》 …을 불평스레 말하다 《*out*》 : ~ *out* a reply 투덜거리며 대답하다 / The pupils ~*d that* the teacher assigned them too much homework. 학생들은 선생이 숙제를 너무 내신다고 툴툴댔다.

— *n.* ① [C] 투덜대는 소리, 불만, 불평, 푸념 : If I hear any more ~*s* about the food, you can learn to cook yourself. 다시 밥투정을 했다가는 네손으로 해먹어야 한다. ② (*sing.*) (흔히 the ~) (멀리서 들려오는 뇌성 따위의) 울림, 우르릉하는 소리. [파] **-bler** [-blər] *n.* [C] 불평가.

grum·bling [grʌ́mbliŋ] *a.* ① 불평하는. ② (맹장 등) 계속 아픈. ㊕ **~·ly** *ad.*

grump [grʌmp] *n.* 《口》 ① Ⓒ 불평만 하는 사람, 불평가. ② (the ~s) 저기압, 울적한 기분: get out of one's seclusive ~*s* 대인(對人)기피적 울적함에서 벗어나다.

grumpy [grʌ́mpi] (***grump·i·er*** ; ***-i·est***) *a.* 까다로운, 기분이 언짢은, 심술궂은: She made a ~ remark about how late I was. 그녀는 내가 너무 늦었다고 기분나쁜 소리를 했다 / Mother looked less ~ than usual. 어머니가 평소보다는 기분이 괜찮아보였다.
㊕ **grúmp·i·ly** *ad.* **-i·ness** *n.*

Grun·dy [grʌ́ndi] *n.* **Mrs.** ~ 수다스러운 사람, 세상 평판《Thomas Morton 의 희극 중의 인물로부터》: What will *Mrs.* ~ say? 남들이 뭐라고들 할까. ㊕ **~·ism** [-ìzəm] *n.* Ⓤ 《주로 英》 인습에 매임, 남의 소문에 신경 씀, 체면차리기.

grun·gy [grʌ́ndʒi] (***grun·gi·er*** ; ***-gi·est***) *a.* 《美俗》 ① 보기 흉한, 몹시 거친. ② 더러운, 불결한.

***grunt** [grʌnt] *vi.* (돼지 따위가) 꿀꿀거리다 ; (사람이) 투덜투덜 불평하다, 푸념하다《*with*》: She ~*ed with* pain. 그녀는 아파서 투덜거렸다.
— *vt.* 《~+목/+목+부》 …에게 으르렁〔끙끙〕거리며 말하다《*out*》: ~ (*out*) an answer 투덜거리며〔불만스럽게〕 대답하다.
— *n.* Ⓒ 꿀꿀거리는 소리 ; 불평 소리.

Gru·yère (chèese) [gru:jέər, gri-] *n.* Ⓤ (종종 g-) 스위스산(産) 치즈의 일종.

gr. wt. gross weight.

gryph·on [grífən] *n.* =GRIFFIN[1].

GS, G.S., g.s. 〖軍〗 general staff.

G-7 [dʒí:sévn] =GROUP OF SEVEN.

G-string [dʒí:strìŋ] *n.* Ⓒ ①〖樂〗 (바이올린의) G 선(線). ② (스트리퍼의) 버터플라이.

G-suit [dʒí:sù:t] *n.* Ⓒ 〖空〗 (가속도가 붙었을 때의 충격을 방지하는) 내가속도복(耐加速度服).

GT 〖車〗 Gran Turismo. **G.T.** gross ton. **Gt. Br., Gt. Brit.** Great Britain. **gtd.** guaranteed.

gua·ca·mo·le, -cha- [gwɑ̀:kəmóuli] *n.* Ⓤ 구아카몰레《아보카도(avocado)를 으깨어 토마토·양파·양념을 넣은 멕시코 요리》.

Guam [gwɑ:m] *n.* 괌 섬《남태평양 북서부 마리아나 군도의 섬 ; 미국령》. ㊕ **Gua·ma·ni·an** [gwɑ:méiniən] *a.*, *n.* Ⓒ 괌 섬 (주민)(의).

gua·na·co [gwənɑ́:kou] (*pl.* ~***s***) *n.* Ⓒ 〖動〗 과나코《남아메리카 Andes 산맥에 야생하는 라마(llama)》.

gua·no [gwɑ́:nou] (*pl.* ~***s***) *n.* Ⓤ 구아노, 조분석(鳥糞石)《Peru 부근의 섬에서 나며, 비료로 사용됨》; 인조 질소 비료.

‡guar·an·tee [gæ̀rəntí:] *n.* Ⓒ ① 보증(security) ; 담보(물); 보증서《상품의 내용 연수(耐用年數) 따위의》: a ~ on a camera 카메라의 보증서 / put up one's house as a ~ 가옥을 담보로 넣다 / There is no ~ that they are telling the truth. 그들이 진실을 말한다는 아무런 보증이 없다. ② 개런티《최저 보증 출연료》. ③ 보증인, 인수인: stand ~ for …의 보증인이 되다. ④〖法〗 피보증인. ⓞⓟⓟ *guarantor.* ⑤ 보증이 되는 것: Wealth is no ~ of happiness. 부(富)가 행복의 보증은 아니다 / Honesty〔Effort〕 alone is no ~ of success. 정직〔노력〕만으로 성공할 수는 없다. — (*p.*, *pp.* ~***d*** ; ~***·ing***) *vt.* ①《~+목/+목+목/+목+전+명/+목+*to* do/+*to* do/+*that* 절》 …을 보증하다, …의 보증인이 되다: ~ a person's debts 아무의 빚보증을 서다 / He ~*d* us possession of the house by June. 그는 그 집이 6월까지 우리 것이 될 것임을 보증하였다 / The jeweler ~*d* the diamond (*to be*) genuine. 보석상은 그 다이아몬드가 진짜임을 보증했다 / ~ a watch *to* keep perfect time 시계가 시간이 절대로 틀리지 않을 것을 보증하다 / ~ *that* the contract shall be carried out 계약이 이행될 것을 보증하다. ② …을 확실히 하다, 보장하다: He thought a good education would ~ success. 그는 훌륭한 교육이 성공을 보장한다고 생각했다. ③《+(*that*) 절/+*to* do》 …을 확언하다, 꼭 …라고 말하다, 장담하다(affirm), 약속하다: I ~ (*that*) he will come. 그가 올 것임은 내가 장담하지 / I ~ *to* be present. 꼭 출석합니다. ***on a*** 〔***under the***〕 ~ ***of*** …의 보증 아래, …의 보증을 하여.

guar·an·tor [gǽrəntɔ:r, -tər] *n.* Ⓒ〖法〗 보증인, 담보인: You must have a ~ in order to get a visa to enter the country. 그 나라에 입국하기 위한 비자를 얻기 위해서는 보증인이 있어야 한다. ⓞⓟⓟ *guarantee.*

***guar·an·ty** [gǽrənti] *n.* Ⓒ ① 보증 ;〖法〗 보증계약 ; 보증서. ②〖法〗 보증물, 담보(물건).
— *vt.* =GUARANTEE.

‡guard [gɑ:rd] *n.* ① Ⓤ 경계, 망을 봄, 감시 ; 보호: Policemen were keeping ~ outside the building. 경찰이 건물 밖에서 감시하고 있었다. ② Ⓒ 경호인 ; 수위, 문지기 ; 《美》 간수(《英》 warder): The prisoner slipped past the ~*s* 〔a ~〕 on the gate and escaped. 죄수는 문 옆의 간수들을〔간수를〕 살짝 지나 달아났다. ③ Ⓒ 보초, 파수꾼 ; 위병 ; 호위병 ; (포로 따위의) 호송병〔대〕; (*pl.*) 《英》 근위병〔대〕; 수비대 ; (the G-s) 《英》 근위 사단: a coast ~ 연안 경비대 / There were ~*s* around the president. 대통령 주변에는 수명의 경호원이 배치되어 있었다. ④ Ⓒ 《英》 (열차의) 차장, 승무원(《美》 conductor). ⑤ Ⓒ 방호물 ; 위험 방지기, 안전 장치 ; 예방약, 방지제(劑)《*against*》: a ~ *against* infection 〔tooth decay〕 전염병 방지제〔충치 예방약〕. ⑥ Ⓒ (칼의) 날밑 ; (총의) 방아쇠울 ; 난로의 울(fender) ; 시계줄 ; (차의) 흙받기 ; 모자끈. ⑦ Ⓤ (농구·미식 축구의) 가드. ⑧ Ⓤ,Ⓒ (권투 등의) 방어 자세: get in under one's opponent's ~ 상대의 가드를 제치고 나아가다. ***keep*** ~ 파수 보다. ***mount*** (***the***) ~ 보초서다 ; 망을 보다, 지키다《*over* ; *at*》. ***off*** ~ 비번으로. ***off*** one***'s*** ~ 경계를 소홀히 하여, 방심하여: throw 〔put〕 a person *off his* ~ 아무를 방심시키다. ***on*** ~ 당번으로. ***on*** one***'s*** ~ 보초를 서서 ; 경계〔주의〕하여: put 〔set〕 a person *on his* ~ 아무에게 경계시키다, 조심시키다. ***relieve*** ~ 교대하여 보초서다. ***run the*** ~ 보초의 눈을 속이고 지나가다. ***stand*** ~ ***over*** …을 호위하다〔지키다〕: You'll be expected to *stand* ~ *over* the village. 네가 그 마을을 지켜주었으면 좋겠다.
— *vt.* ①《~+목/+목+전+명》 (위험 따위에 대비하여) …을 보호하다, 호위하다, 방호하다, 지키다《*from* ; *against*》: ~ the palace 궁전을 호위하다 / ~ a person *against* 〔*from*〕 temptations 아무를 유혹으로부터 보호하다 / A dog ~*ed* the house *against* strangers. 개 한 마리가 낯선 사람이 못 들어오게 집을 지키고 있었다. ② …을 망보다, 감시하다, 경계〔주의〕하다: The prisoner was ~*ed* night and day. 포로는 밤낮으로 감시를 받았다. ③ …을 억제하다 ; 삼가다. ④ (기계 따위)에 위험 방지 장치〔조처〕를 베풀다. — *vi.* 《+전+명》 경계하다, 조심하다《*against*》: ~ *against* accidents 사고가 일어나지 않도록 조심하다.

guárd chàin (시계·브로치 등의) 사슬줄.

guard·ed [gá:rdid] *a.* ① 방위〔보호〕되어 있는; 감시받고 있는. ② 조심성 있는; 신중한: a ~ reply 조심스러운 대답 / He was ~ in his remarks. 그의 말은 신중했다. ㊞ **~·ly** *ad.*

guard·house [-hàus] *n.* Ⓒ 위병소; 유치장.

‡**guard·i·an** [gá:rdiən] *n.* Ⓒ ① 감시인, 수호자; 보호자; 보관소: The police are ~*s* of law and order. 경찰은 법과 질서의 수호자이다. ②【法】후견인(opp *ward*).

guárdian ángel (개인·회사·지방의) 수호천사(守護天使); 타인의 복지를 주선하는 사람.

guard·i·an·ship [gá:rdiənʃip] *n.* Ⓤ ①【法】후견인의 임무〔지위〕. ② 보호, 수호: under the ~ of …의 보호하에.

guard·rail [-rèil] *n.* Ⓒ (도로의) 가드레일; 난간; 철제 방호책(柵);【鐵】(탈선 방지용) 보조 레일.

guard·room [-rù(:)m] *n.* Ⓒ 위병소, 수위실; 「감방, 영창.

guards·man [gá:rdzmən] (*pl.* **-men** [-mən]) *n.* Ⓒ ① 위병. ②《英》근위병. ③《美》주(州)방위병《National Guard 의 병사》.

guárds ván【英鐵】=CABOOSE.

Guat. Guatemala.

Gua·te·ma·la [gwɑ̀:təmɑ́:lə, -te-] *n.* 과테말라《중앙 아메리카의 공화국》. ㊞ **Guà·te·má·lan** [-lən] *n., a.* 과테말라(사람)(의).

Guatemála Cíty 과테말라의 수도.

gua·va [gwɑ́:və] *n.* Ⓤ,Ⓒ 물레나물과의 관목《아메리카 열대산》; 그 과실《젤리·잼의 원료》.

gua·yu·le [gwɑ:jú:li, wɑ:-] *n.* Ⓒ【植】구아율《멕시코 및 텍사스산; 그 나무진은 고무의 원료가 됨》.

gu·ber·na·to·ri·al [gjù:bərnətɔ́:riəl] *a.* 〔限定的〕《美》지사(知事)(governor)의, 지방 장관의; 행정의: a ~ election (주)지사 선거.

gudg·eon [gʌ́dʒən] *n.* Ⓒ ①【魚】모샘치《잉어과; 쉽게 잡히므로 낚싯밥으로 쓰임》; 미끼; 오스트레일리아산의 구굴무치. ② 잘 속는 사람, 봉.

guél·der ròse [géldər-]【植】불두화나무 (snowball).

Guer·ni·ca [gəirní:kə] *n.* 게르니카《스페인 북부의 마을; 스페인 내전시 독일의 무차별 폭격을 받음; 이를 소재로 한 Picasso 의 그림은 유명》.

Guern·sey [gə́:rnzi] *n.* 건지. ① 영국 해협내의 섬. ② Ⓒ Guernsey 섬 원산의 젖소. ③ Ⓒ (g-) 털실로 짠 셔츠 또는 스웨터《뱃사람·어린이용》.

***guer·ril·la, gue·ril·la** [gərílə] *n.* Ⓒ 게릴라병, 비정규병; (*pl.*) 유격대. ── *a.* 〔限定的〕게릴라병의: ~ war 〔warfare〕게릴라전(戰) / ~ activity 게릴라 활동.

‡**guess** [ges] *vt.* ①《~+목/+목+전+명/+*that* 절/+목+*to be* 보/+목+*to* do/+*wh. to* do/+*wh.* 절》…을 추측하다, 추정하다, 미루어 헤아리다; (어림)짐작으로 말하다: ~ the population 인구를 추측하다 / I ~ *that* he is about 40. =I ~ him *to be* about 40. 그는 40 세 정도 되는 것으로 생각한다 / I ~ this library *to* contain 50,000 books. 내 생각으로는 이 도서실에 책이 5만 권은 있다 / I cannot ~ *what to* do next. 다음에 무엇을 해야 될지 짐작이 가지 않는다 / "Will you be there?" "I ~ so." '거기 갈 것이냐' '그럴 거다' / Can you ~ *who* that man is? 저 사람이 누군지 아는가. ② 알아맞히다, 옳게 추측하다; (수수께끼 등)을 풀어 맞히다: He ~*ed* the riddle. 그가 수수께끼를 풀었다 / You've ~*ed* it. 맞았다. ③《+(*that*)절》《美》…라고 생각하다 (suppose, think): I ~ (*that*) I can get there in time. 제 시간에 거기 도착할 수 있을게다 / I ~ I'll go to bed. 이제 자야겠다 / *Guess* what? 뭐라고 생각하나 / The children don't like it, I ~. 내 생각엔 아이들은 그것을 싫어할 것 같다(★ 흔히, that가 생략되며 I guess의 형태로 글머리나 글끝에 둠). ── *vi.* ①《~/+전+명》추측하다, 미루어서 살피다; 추정해 보다(*at*), 여러 가지로 생각해 보다(*about*): We can only ~ *at* the murderer's real motives. 우리는 살인범의 참된 동기를 단지 추정해 볼 수 있을 뿐이다. ② 옳게 추측하다, 알아맞히다: You've ~*ed* right 〔wrong〕! 멋지게 맞혔다〔아쉽게도 틀렸구나〕. ***Guess what?*** (놀라운 일을 알려주고서는) 어떻게 생각하나, 어때: Hey, ~? we won the match 4-0. 어이 어때, 우리가 4:0으로 이겼거든. ***keep*** a person **~*ing*** (사정을 알려주지 않고) 아무를 마음 졸이게 하다: *Keep* him ~*ing* about the result. 그 결과는 그에게 알리지 말아라.

── *n.* Ⓒ 추측, 추정; 억측: Both teams made some wild ~*es*, none of which were right. 두 팀은 모두가 몇가지 어림짐작도 하였으며, 어느 쪽도 틀렸다. ***anybody's*** 〔***anyone's***〕 ~ 불확실한 것, 아무도 모르는 것. ***at a*** ~=***by*** ~ (***and by god***) 추측으로, 어림(짐작)으로: "What's the time?" "It's about six o'clock, *at a* ~." '지금 몇시지' '여섯시 쯤이다. 짐작으로 말이야.' ***Your*** ~ ***is as good as mine.*** 네가 모른다면 내가 알 리 없지.

guess·ti·mate [géstəmèit] *vt.* 《口》…을 억측하다; 어림짐작하다. ── [-mit] *n.* Ⓒ 《口》억측; 어림짐작. [◀ *guess*+es*timate*]

***guess·work** [-wə̀:rk] *n.* Ⓤ 억측〔어림짐작〕(으로 한 일): She had to reply on pure ~ in calculating her expenditure. 비용을 계산하는 데 순 짐작으로 대답할 수밖에 없었다.

†**guest** [gest] *n.* Ⓒ ① 손(님), 객, 내빈, 빈객(賓客). cf. host¹. ¶ a ~ of honor (만찬회 따위의) 주빈 / a ~ of distinction 귀빈 / You should make a ~ list of who you want to invite. 초대 손님 명단을 만들어야 한다. ② (여관 등의) 숙박인, 하숙인: a paying ~ (개인집의) 하숙인. ③ (TV·라디오 등의) 특별 출연 연예인, 게스트: Our special ~ on the program is Michael Jackson. 오늘 프로그램의 특별초대 손님은 마이클잭슨입니다. ④ 기생 동물〔식물〕. ***Be my*** ~. 《口》(간단한 청을 받고) 예〔어서〕, 그러세요; 좋으실 대로: "Can I try out your new bicycle?" "*Be my* ~." '네 새 자전거 한번 타볼까' '아무렴.'

── *a.* 〔限定的〕손님용의; 초대〔초빙〕받은: a ~ member 객원(客員), 임시 회원 / ~ conductor 〔professor〕초빙〔객원〕지휘자〔교수〕.

── *vt.* …을 손님으로서 대접하다. ── *vi.*【放送】게스트로 출연하다: He's been ~*ing* on all the TV talk show. 그는 TV의 모든 토크쇼에 게스트로 출연하고 있다.

guest·cham·ber [géstt∫èimbər] *n.* Ⓒ = GUEST ROOM.

guest·house [gésthàus] *n.* Ⓒ 간이 호텔, 여관.

guést nìght 《英》(대학·클럽 따위에서) 내빈 접대의 밤. 「님용 침실.

guést ròom (여관·하숙의) 객실; 사랑방; 손

guff, goff [gʌf], [gɔ:f] *n.* Ⓤ 《俗》허황된〔실없는〕이야기, 허튼 소리.

guf·faw [gʌfɔ́:, gə-] *n.* Ⓒ 갑작스런 너털웃음, (천한) 큰 웃음.

── *vi.* 실없이 크게 웃다. ── *vt.* …에게 실없이 크게 웃으며 말하다: He ~*ed* and thumped his friend between the shoulder blades. 그는 너털웃음을 터뜨리고는 친구의 등줄기를 탁 쳤다.

GUI [gúːi] *n.* 〖컴〗 컴퓨터의 그림 인쇄 기능을 활용한 사용자 사이틀. [◂graphical user interface]

‡guid·ance [gáidns] *n.* Ⓤ ① 안내, 인도. ② 지도, 학생〔학습〕지도, 가이던스, 보도(輔導) ; 지휘, 지시 : vocational ~ 직업 보도. ③ (우주선・미사일 따위의) 유도. ◇ guide *v.* ***under*** a person's ~ 아무의 안내〔지도〕로.

†guide [gaid] *n.* Ⓒ ① 안내자, 가이드 : employ 〔hire〕 a ~ 안내인을 고용하다. ② 지도자, 선구자 : His elder sister had been his ~, counselor and friend. 그의 누나는 그의 안내자요, 상담자이며 친구가 되어 주었다. ③ 규준, 지침 ; 입문서 ; 길잡이, 도표(道標) ; 안내서, 편람, 여행 안내(서) : a ~ to mathematics 수학 입문서 / Do you sell tourist ~*s* ? 여행 안내서 팝니까. ④ 지도적 원리《신념・이상 따위》. ⑤《英》 소녀단원(girl ~). ⑥ 〖機〗 유도 장치.
── *vt.* ①《~+目/+目+前+名/+目+副》 …을 안내하다, 인도하다《*to*》; …을 인도하여 (…을) 빠져나가게 하다《*through*》: A light in the distance ~*d* him *to* the village. 멀리 보이는 불빛에 인도되어 그는 그 마을에 다다랐다 / The stars ~*d* us *back*. 우리는 별의 인도로 돌아왔다. ② 지도하다《*in*》: ~ students *in* their studies 학생들의 공부를 지도하다 / As managing director, he ~*d* company policy for twenty years. 전무로서 그는 20년 동안 회사 경영 방침을 이끌었다. ③ 〔흔히 受動으로〕 (사상・감정 따위가) …을 지배하다, 좌우하다(control) : *be* ~*d by* one's passion〔feelings〕 정열〔감정〕이 내키는 대로 하다 / Politicians will in the end always *be* ~*d by* changes in public opinion. 정치가란 결국은 여론의 추이에 따라 움직인다. ④ (차・배・미사일 등)을 어느 방향으로 나아가게 하다, 유도하다《*through*》: He skillfully ~*d* his car *through* the heavy traffic. 그는 엄청난 차량의 물결 속을 교묘히 헤치며 차를 몰았다.

guide·board [-bɔ̀ːrd] *n.* Ⓒ 길 안내판.

‡guide·book [-bùk] *n.* Ⓒ 여행 안내(서), 가이드북.

guíd·ed míssile [gáidid-] 〖軍〗 유도탄.

guíde dòg 맹도견(盲導犬).

guíded tóur 안내인이 딸린 여행.

guide·line [gáidlàin] *n.* Ⓒ ① (동굴 따위에서의) 인도(引導) 밧줄. ② (종종 *pl.*) (장래 정책 등을 위한) 지침, 가이드라인 : The EU has issued some ~*s* on appropriate levels of pay for part-time manual workers. 유럽 연합은 비상근 육체 노동자를 위한 적정 임금수준에 대한 가이드라인을 발표했다.

***guide·post** [-pòust] *n.* Ⓒ 이정표, 길잡이, 도로 표지.

guíde wòrd (사전 따위의 페이지 윗부분에 인쇄한) 난외 표제어, 색인어(catchword).

***guild, gild** [gild] *n.* Ⓒ ① (중세 유럽의) 장인(匠人)・상인의 동업 조합, 길드. ② 동업 조합. ③ (상호 부조・자선 등을 위한) 조합, 협회. ㊞ **guíld·er**¹ [-ər] *n.* guild 의 일원(一員).

guil·der² *n.* Ⓒ ① 길더《네덜란드의 화폐단위 ; 기호 G, Gld》; 길더 은화. ② 네덜란드・독일・오스트리아의 옛 금화〔은화〕.

guild·hall [gíldhɔ̀ːl] *n.* ① Ⓒ (중세의) 길드〔직인・상인조합〕 집회소. ② Ⓒ 《英》 시청, 읍사무소 ; 시회의장. ③ (the G-) 런던시 청사, 길드홀.

guilds·man [gíldzmən] (*pl.* ***-men*** [-mən]) *n.* Ⓒ 길드 조합원 ; guild socialism 의 신봉자.

guíld sócialism 길드 사회주의《20 세기초에 영국에서 발달》.

***guile** [gail] *n.* Ⓤ 교활, 간지(奸智) ; 간계(奸計), 기만 : get something by ~ 간계를 써서 무엇을 손에 넣다.

guile·ful [gáilfəl] *a.* 교활한, 음험한. ㊞ **~·ly** [-fəli] *ad.* **~·ness** *n.*

guile·less [gáillis] *a.* 간특하지 않은, 악의 없는, 정직한, 순진한(frank). ㊞ **~·ly** *ad.* **~·ness** *n.*

guil·le·mot [gíləmɑ̀t / -mɔ̀t] *n.* Ⓒ 〖鳥〗 바다오리류.

guil·lo·tine [gílətìːn, gíːjə-] *n.* ① (the ~) 단두대, 기요틴 : send a person to *the* ~ 아무를 단두대로 보내다, 참수형에 처하다. ② Ⓒ 《英》 (종이 등의) 재단기. ③ Ⓒ 〖外科〗 (편도선 등의) 절제기(切除器). ④〖英議會〗 (의사 방해를 막기 위한) 토론 종결. ── *vt.* ① …을 단두대로 목을 자르다, …의 목을 베다. ②〖英議會〗 (토론)을 종결하다 ; (법안)을 강제로 통과시키다 : ~ a motion〔debate〕 동의〔토의〕를 종결하다.

‡guilt [gilt] *n.* Ⓤ ① (윤리적・법적으로) 죄를 범하였음, 죄가 있음 ; 죄(sin), 유죄 ; 범죄행위 : The prosecution established his ~ beyond all doubt. 검찰은 한점의 의혹도 없이 그의 범죄를 입증했다. ②〖心〗 죄(과)의식, 죄책감 : He was haunted by a sense of ~ because he had not done enough to help his sick friend. 그는 그의 앓고 있는 친구를 충분히 돕지 못했기 때문에 죄책감에 시달렸다. ③ 죄〔과실〕의 책임.

***guilt·less** [gíltlis] *a.* ① 죄없는, 무죄의, 결백한(innocent). ② …의 경험이 없는, …을 알지 못하는《*of*》: be ~ *of* the alphabet 알파베트도 모르다. ③ …이 없는《*of*》: be ~ *of* a beard 수염을 기르고 있지 않다. ㊞ **~·ly** *ad.* **~·ness** *n.*

‡guilty [gílti] (***guilt·i·er*** ; ***-i·est***) *a.* ① 유죄의 ; …의 죄를 범한《*of*》: a ~ man 죄가 있는 사람 / He's ~ *of* murder. 그는 살인죄를 범하였다. ② 떳떳하지 못한, 죄를 느끼고 있는 : a ~ conscience 죄책감(感), 뒤가 켕기는 마음 / a ~ look 뒤가 구린 듯한 얼굴 / I feel so ~ about forgetting your birthday. 네 생일날을 잊어 미안하기 짝이 없구나. ③ 과실〔결점〕이 있는《*of*》. ~ 〔***not*** ~〕 유죄〔무죄〕《배심원의 평결에서》. ***plead*** ~ 〔***not*** ~〕 ⇨ PLEAD(成句). ㊞ **guílt·i·ly** *ad.* **-i·ness** *n.* 죄가 있음, 유죄.

Guin. Guinea.

Guin·ea [gíni] *n.* 기니《아프리카 서부의 공화국 ; 수도 Conakry》; 아프리카의 서해안 지방의 총칭. ㊞ **Guín·e·an** *a., n.* 기니(사람)(의).

***guin·ea** *n.* Ⓒ ① 기니《영국의 옛 금화로 이전의 21실링에 해당함 ; 현재는 계산상의 통화 단위로, 상금・사례금 등의 표시에만 사용 ; Guinea 산 금으로 만든데서》. ②〖鳥〗 =GUINEA FOWL.

Guin·ea-Bis·sau [gíːniːbisàu] *n.* 기니비사우《서아프리카 해안의 공화국 ; 수도 Bissau》.

guínea fòwl 〖鳥〗 뿔닭.

guínea hèn 〖鳥〗 뿔닭의 암컷.

guínea pìg ①〖動〗 기니피그(cavy)《속칭 모르모트》. ②《口》 실험 재료〔대〕: He was used as a ~ to test a new cure for AIDS. 그는 새로운 에이즈 치료법을 시험하기 위한 재료로 사용되었다.

Guin·ness [gínəs] *n.* Ⓤ 기네스《아일랜드산의 흑맥주 ; 商標名》. ***the ~ Book of Records*** 기네스북《영국의 맥주 회사인 Guinness 가 매년 발행하는 세계 기록집》.

***guise** [gaiz] *n.* Ⓒ (흔히 *sing.*) ① 〔흔히 in the ~ of로〕 (사람을 속이기 위한) 외관, 외양, 겉보기 ; (옷)차림 : The men who arrived *in the* ~ *of* drug dealers were actually undercover police officers. 마약 거래자처럼 꾸미고 도착한 사람은 사실은 비밀 경찰 요원들이었다. ② 〔흔히 under the

~ of로〕: *under the ~ of* friendship 우정을 가장하여; 우정을 구실로.

†gui·tar [gitɑ́:r] *n.* Ⓒ 기타: an electric ~ 전기기타 / play the ~ 기타를 치다. ㊕ **~·ist** [-rist] *n.* Ⓒ 기타 연주가.

gulch [gʌltʃ] *n.* Ⓒ《美》협곡《양쪽이 깎아지른 듯「한》.

gul·den [gú:ldən] (*pl.* ~, ~**s**) *n.* =GUILDER².

‡gulf [gʌlf] (*pl.* ~**s**) *n.* Ⓒ ① **a**) 만《흔히 bay 보다 크며 폭에 비해 안이 깊음》: the *Gulf* of Mexico 멕시코 만. **b**) (the G-) 페르시아 만. ⓒⓕ bay¹. ② (지표(地表)의) 깊이 갈라진 틈; 《詩》심연(深淵) (abyss). ③ (의견 등의) 현격한 차이 《*between*》: the ~ *between* East and West 동양과 서양 사이의 격절(隔絶) / the ~ *between* rich and poor 〔theory and practical〕 빈부〔이론과 실제〕의 차 / It is hoped that the peace plan will bridge the ~ *between* the government and the rebels. 평화안이 정부와 반군들 사이의 큰 간격을 잇는 가교가 될 것이 기대되고 있다.

Gúlf Stàtes (the ~) ①《美》멕시코만 연안의 다섯 주《Texas, Louisiana, Mississippi, Alabama 및 Florida》. ② 페르시아만 연안 제국《산유국》.

Gúlf Strèam (the ~) 멕시코 만류《난류》.

Gúlf Wár ① 걸프 전쟁《이라크의 쿠웨이트 침공에 대해, 미국이 주도한 다국적군이 이라크와 벌였던 전쟁(1991)》. ② =IRAN-IRAQ WAR.

gulf·weed [gʌ́lfwì:d] *n.* Ⓒ 〖植〗 모자반류의 해초《멕시코 만류 따위에서 볼 수 있는》.

***gull¹** [gʌl] *n.* Ⓒ 〖鳥〗 갈매기 (sea mew).

gull² *n.* Ⓒ 쉽게 속는 사람, 숙맥. ── *vt.* 〔흔히, 受動으로〕 …을 속여서 …하게 하다. ~ a person *into* 〔*out of*〕 아무를 속여서 …시키다〔…을 빼앗다〕: He *was* ~*ed into* buying rubbish. 속아서 그는 쓰레기같은 것을 샀다.

Gul·lah [gʌ́lə] (*pl.* ~(**s**)) *n.* ① Ⓒ 갈러족(의 사람)《미국 South Carolina, Georgia 주 연안의 섬에 사는 흑인》. ② Ⓤ 갈러 사투리의 영어.

gul·let [gʌ́lit] *n.* Ⓒ ① 식도 (food passage). ② 목 (throat). 「함.

gul·li·bil·i·ty [gʌ̀ləbíləti] *n.* Ⓤ 속기 쉬움, 멍청

gul·li·ble [gʌ́ləbəl] *a.* 속기 쉬운: He must have been pretty ~ to fall for that old trick. 그런 낡은 수에 속다니 꽤나 어리석었던 모양이다. ㊕ **-bly** *ad.* 「는 식의《문짝》.

gull-wing [gʌ́lwìŋ] *a.* 〖自動車〗 위로 젖혀서 여

gul·ly, gul·ley [gʌ́li] *n.* ⒸⒸ ① (보통 물이 마른) 골짜기, 소협곡. ② (인공의) 도랑, 배수구(溝); 〖크리켓〗 point 와 slips 사이의 수비 위치; 홈골 레일의 일종. ── *vt.* …에 도랑을 만들다; (물이) 침식하여 소협곡을 만들다.

***gulp** [gʌlp] *vt.* ①《+目+副》…을 꿀떡꿀떡〔꿀꺽꿀꺽〕 마시다; (음식)을 급하게 먹어대다《*down*》: ~ *down* water 물을 벌컥벌컥 마시다. ②《+目+副》 (눈물·슬픔 등)을 삼키다, 참다; (노여움)을 참다《*down* ; *back*》: ~ *down* 〔*back*〕 tears 〔anger〕 울음〔노여움〕을 꾹 참다 / ~ *down* a sob〔sobs〕 오열을 참다. ── *vi.* ① 꿀떡꿀떡〔꿀꺽꿀꺽〕 마시다. ② (놀라거나 해서) 숨을 죽이다: She ~*ed* and stepped up onto the diving board. 그녀는 숨을 죽이고 다이빙보드로 다가갔다.

── *n.* Ⓒ 꿀떡꿀떡 마심, 그 소리; 한 입에 마시는 양; 〖컴〗 몇 바이트로 이루어진 2진 숫자의 그룹. ***at a*** 〔***one***〕 ~ =***in one*** ~ 한 입에, 단숨에.

‡gum¹ [gʌm] *n.* ① Ⓤ 고무질(質), 점성(粘性) 고무《수피(樹皮)에서 분비하는 액체로 점성이 강하며 말려서 고체화함; resin(수지)과 달라서 알코올에는 녹지 않으나 물에는 녹음》; (광의(廣義)로 resin, gum resin 을 포함하여) 수지; 탄성 고무(~ elastic, india rubber) (ⓒⓕ rubber). ② Ⓒ 고무나무(~ tree). ③《美》(*pl.*) 오버슈즈(overshoes), 고무 장화. ④ Ⓤ 껌(chewing ~); Ⓒ《英》= GUMDROP. ⑤ Ⓤ 고무풀, 아라비아풀; (우표에 바른) 풀. ⑥ Ⓤ 눈곱; (과수의) 병적 분비 수액(樹液).

── (**-mm-**) *vt.* ① …에 고무를 바르다; …을 고무로 붙이다〔굳히다〕《*down* ; *together*》. ②《口》 (고무풀로 굳히듯이 계획 등)을 망쳐놓다《*up*》: ~ *up* the works 일을 망쳐놓다. ── *vi.* ① 고무를 분비하다. ② 찐득찐득해지다; 들러붙다.

gum² *n.* Ⓒ (흔히 *pl.*) 잇몸, 치은(齒齦): Do your ~*s* bleed when you brush your teeth? 양치질할 때 잇몸에서 피가 나오느냐.

gum³ *int.*《口》God(신)의 변형《저주·맹세에 사용함》. ***By*** 〔***My***〕 ~ ***!*** 《口》틀림없이, 이런, 저런: *By* ~, you're right. 그래, 네가 옳다.

gúm árabic 〔**acácia**〕 아라비아 고무.

gum·bo [gʌ́mbou] *n.* ① (*pl.* ~**s**) Ⓒ 〖植〗 오크라(okra); 오크라의 깍지. ② Ⓤ 오크라를 넣은 진한 수프.

gum·boil [gʌ́mbɔ̀il] *n.* Ⓒ 〖醫〗 잇몸 궤양.

gúm bòots 《주로 英》 고무 장화.

gum·drop [gʌ́mdràp / -drɔ̀p] *n.* Ⓒ 검드롭《젤리 모양의 캔디》.

gum·ma [gʌ́mə] (*pl.* ~·**ta** [-tə], ~**s**) *n.* Ⓒ 《L.》 〖醫〗 (제 3 기 매독의) 고무종(腫).

gum·my¹ [gʌ́mi] (**-mi·er** ; **-mi·est**) *a.* 고무질의, 점착성의; 고무액을〔수지를〕 분비하는; 고무(질)로 덮인.

㊕ **gúm·mi·ness** *n.* Ⓤ 고무질, 점착성.

gum·my² *a.* 이〔치아〕가 없는, 잇몸을 드러낸: The baby gave her a ~ smile. 애기는 잇몸을 드러내며 그녀를 보고 웃었다.

gump·tion [gʌ́mpʃən] *n.* Ⓤ《口》① 적극성, 진취적인 기상, 의기. ②《英》재치, 지혜; 상식.

gúm rèsin 고무 수지.

gum·shoe [gʌ́mʃù:] *n.* Ⓒ ① (흔히 *pl.*) 오버슈즈 (galoshes). ②《美口》탐정, 형사, 순경(= **gúm·shòer, ∠ màn**). ── *vi.* 탐정〔형사〕 노릇을 하다.

gúm trèe 고무질을 분비하는 나무. ***up a*** ~《英口·戲》진퇴 양난에 빠져.

‡gun [gʌn] *n.* Ⓒ ① **a**) 대포, 평사포《곡사포(howitzer) 및 박격포(mortar)와 구별하여》; 총, 소총; 엽총(shotgun); …총《air gun 따위》; 권총, 연발 권총(revolver): carry〔charge, fire〕 a ~ 총을 휴대〔장전, 발사〕하다 / Look out, he's got a ~. 조심해라. 놈은 총을 가지고 있다. **b**) 대포의 발사《예포·축포·조포·호포(號砲) 등》: a salute of six ~*s* 예포 6 발. **c**) 〖스포츠〗 출발 신호용 총, 스타트: At the ~, the runners sprinted away down the track. 출발신호총이 울리자 선수들은 트랙으로 뛰쳐나갔다. ② (살충제·기름·도료 따위의) 분무〔주입〕기; 《美俗》 (마약 중독자의) 피하 주사기; 《口》 (엔진의) 스로틀(밸브) (throttle); 〖電子〗 전자총(electron ~). ③ **a**) 총렵(銃獵)대원; 포수(gunner); 《口》 권총잡이, 살인 청부업자: a hired ~ 살인 청부업자. **b**) 《俗》 거물, 중요 인물(big ~). ***a son of a*** ~ 《俗》 ⇨ SON. ***blow great ~s*** (바람이) 사납게 불다, 강풍〔질풍〕이 불다. ***bring out*** 〔***up***〕 ***the*** 〔one's〕 ***big ~s*** = ***bring the*** 〔one's〕 ***big ~s out*** 〔***up***〕 《口》 ⇨ BIG GUN. ***give it*** 〔***her***〕 ***the*** ~ 《口》 (탈것의) 속력을 내다; 시동시키다. ***go great ~s*** 《口》 〔흔히 進行形〕 데꺽데꺽 해치우다, 신속히 진격하다, 크게 성공하다: Work is *going great* ~*s* now. 작업은 현재 착착 성공적으로 진척

되고 있다. ***jump the*** ~ 《口》 조급히 굴다, 성급한 짓을 하다; 〖스포츠〗 스타트를 그르치다, 플라잉(flying)하다. ***spike*** a person***'s*** ~***s*** 아무를 무력하게 하다, 패배시키다. ***stick to*** one***'s*** ~(***s***) =***stand to*** 〔***by***〕 one***'s*** ~(***s***) 입장〔자기의 설〕을 고수〔고집〕하다, 굴복하지 않다, 물러서지 않다. — (***-nn-***) *vi.* ① 총으로 사냥하다; 사냥 가다; 사냥을 하다: go ~*ning* 총사냥 가다. ② 〔흔히 進行形〕 (사람의 목숨·어떤 지위를) 노리다, 겨누다《*for*》: He is ~*ning for* a position in the government. 그는 정부 내의 어떤 자리를 노리고 있다. — *vt.* ① …을 총으로 쏘다《*down*》: He was ~*ned down* as he left his home. 그는 집을 떠나자 사살당했다. ② 스로틀(throttle)을 열고 가속하다; (엔진)을 고속 회전시키다: You must have been really ~*ning* the engine to get here on time. 제시간에 여기에 대려고 어지간히 차를 몰아댄 모양이군.

gun·boat [´-bòut] *n.* Ⓒ 포함(砲艦)《소형 연안 경비정》.

gúnboat diplómacy 포함 외교《약소국에 대한 무력 외교》.

gún càrriage 〖軍〗 포차(砲車), 포가(砲架).

Gún Contról Àct 《美》 총포 규제법《1968년 의회에서 승인된 총포 판매 따위에 관한 규제법》.

gun·cot·ton [gʌ́nkɑ̀tn / ´-kɔ̀tn] *n.* Ⓤ 면(綿)화약.

gun·dog [´-dɔ̀(:)g, ´-dɑ̀g] *n.* Ⓒ 사냥개.

gun·fight [´-fàit] *n.* Ⓒ 총격전, 결투.

gun·fight·er [´-fáitər] *n.* Ⓒ 《美》 (서부 개척 시대의) 총잡이, 건맨: He was a ~ by trade. 총잡이가 그의 직업이었다.

gun·fire [´-fàiər] *n.* Ⓤ 발포; 포격, 포화; 그 소리: hear the crack of ~ 탕하는 총성이 들리다.

gunge [gʌndʒ] *n.* Ⓤ 《英俗》 끈적끈적한〔끈적거리는〕 것: He's always got this revolting ~ in the corner of his eyes. 그의 눈가에는 늘 보기 싫은 진물같은 것이 묻어 있었다.

gung-ho [gʌ́ŋhóu] *a.* 《口》 아주 열심인, 열렬한: a ~ admirer 열렬한 찬미자 / The Prime Minister was widely criticized for his ~ enthusiasm for the war. 수상은 전쟁에 대한 광적인 열의로 크게 비난을 받았다. — *ad.* 열심히.

gunk [gʌ́ŋk] *n.* Ⓤ 끈적끈적하고 기분 나쁜 것.

gún làw 총기 단속법.

gun·man** [´-mən] (*pl.* ***-men [´-mən]) *n.* Ⓒ 총잡이, 총을 가진 악한; 건맨; 살인 청부업자.

gún mètal 〖冶〗 포금(砲金), 청동(靑銅); 암회색(=´ **gràỳ**).

gún mòll 《俗》 (권총을 가진) 여자 범인; 권총 강도의 정부(情婦).

gunned [gʌnd] *a.* 대포를 장비한.

gun·nel[1] [gʌ́nl] *n.* Ⓒ 〖魚〗 베도라치의 일종.

gun·nel[2] *n.* =GUNWALE.

***gun·ner** [gʌ́nər] *n.* Ⓒ ① 포수(砲手), 사수(射手): Its crew comprises a commander, a ~ and a driver. 탑승원은 지휘관과 사수 그리고 운전병이 각 1명씩으로 이루어져 있다. ② 〖海軍〗 장포장(掌砲長)《준사관》. ③ 총사냥꾼.

gun·nery [gʌ́nəri] *n.* Ⓤ 포술; 사격(술), 포격; 〔集合的〕 포, 총포(guns).

gun·ny [gʌ́ni] *n.* Ⓤ 올이 굵은 삼베, 즈크; Ⓒ 즈크 자루, 마대(=´ **bàg** 〔**sàck**〕).

gun·play [´-plèi] *n.* Ⓤ (권총의) 맞총질, 권총 소동.

gun·point [´-pɔ̀int] *n.* Ⓤ,Ⓒ (권총의) 총부리. ***at*** ~ 권총을 들이대고: hijack a van *at* ~ 권총을 들이대고 유개 트럭을 납치하다.

gun·pow·der** [´-pàudər] *n.* Ⓤ (흑색) 화약. ***white 〔***smokeless***〕 ~ 백색〔무연〕 화약.

Gúnpowder Plòt (the ~) 〖英史〗 화약 음모 사건《1605년 11월 5일 의회 지하에 화약을 장치하고 폭파하려던 구교도의 음모》.

gún ròom ① 《英》 (대저택의) 총기 진열실. ② 〖英海軍〗 하급 장교실.

gun·run·ner [´-rʌ̀nər] *n.* Ⓒ 총포 화약의 밀수입자.

gun·run·ning [´-rʌ̀niŋ] *n.* Ⓤ 총포 화약의 밀수입.

gun·sel [gʌ́nsəl] *n.* Ⓒ 《美俗》 ① =GUNMAN. ② (남색의) 상대자, 면. ③ 무능한 풋내기.

gun·ship [´-ʃìp] *n.* Ⓒ 《美》 무장 헬리콥터, 건십.

gun·shot [´-ʃɑ̀t / ´-ʃɔ̀t] *n.* ① Ⓒ 사격, 포격, 발포: the sound of ~*s* 총성, 포성 / Most of the people admitted to the hospital were suffering from ~ wounds. 병원에 수용된 대부분의 사람은 총상으로 고통을 받고 있었다. ② Ⓤ 착탄 거리, 사정(射程). ③ Ⓒ 발사된 탄알. ***within*** 〔***out of, beyond***〕 ~ 착탄 거리내〔밖〕에.

gun-shy [´-ʃài] *a.* (사냥개나 말 따위가) 총소리에 놀라는〔총소리를 무서워하는〕.

gun·site [´-sàit] *n.* Ⓒ 포(격)진지.

gun·sling·er [´-slìŋər] *n.* Ⓒ 《美俗》 =GUNFIGHTER.

gun·smith [´-smìθ] *n.* Ⓒ 총공(銃工), 총기 제작자.

gun·stick [gʌ́nstìk] *n.* Ⓒ (총의) 꽂을대.

gun·stock [´-stɑ̀k / ´-stɔ̀k] *n.* Ⓒ 총상(銃床), 개머리판.

gun·wale [gʌ́nl] *n.* Ⓒ 〖海〗 뱃전의 위 끝, 거널, 뱃전.

gup·py [gʌ́pi] *n.* Ⓒ 〖魚〗 거피《서인도 제도산의 관상용 열대어》.

***gur·gle** [gə́:rgəl] *vi* ① (물 따위가) 꼴딱꼴딱〔콸콸〕 흐르다; 콸콸〔꾸르륵〕거리다: I heard water *gurgling* somewhere. 어디선가 콸콸거리는 물소리를 들었다. ② (어린애가) 좋아서 옹알거리다; (동물들이) 기분이 좋아 목을 가르랑 거리다: The baby was *gurgling* happily. 아기가 즐거워 옹알거리고 있었다. — *n.* Ⓒ 꼴깍꼴깍〔꼴록꼴록〕하는 소리.

Gur·kha [gə́:rkə:, gúər-] (*pl.* ~, ~***s***) *n.* 구르카족《Nepal에 살며 호전적이고 힌두교를 믿음》.

gu·ru [gú:ru:, gurú:] *n.* Ⓒ ① 힌두교의 도사(導師), 교사(敎師). ② 《때로 蔑》 (신봉자가 숭배하는) 지도자; (정신적) 지도자. ③ 베테랑, (한정된 분야의) 권위자: Jean-Paul Sartre was the ~ of postwar French philosophy. 사르트르는 전후 프랑스 철학의 권위자였다.

***gush** [gʌʃ] *n.* (*sing.*) ① 용출, 내뿜음, 분출; 분출한 액체: The oil came out in a ~. 기름은 한꺼번에 왈칵 쏟아져 나왔다. ② (감정·말 따위의) 쏟아짐; 복받침: a ~ of emotion 감정의 격발 / She was quite unprepared for the ~ of praise which her play received. 그녀는 자기 연기에 격찬의 말이 쏟아질 줄은 전혀 예상못했다. — *vi.* ① 《~/+副/+전+명》 (액체·말 따위가) 분출하다, 쏟아져나오다《*forth; up; out*》: a hot spring ~*ing up* in a copious stream 그치지 않고 분출하는 온천 / His nose ~*ed out with* blood. 그의 코에서 피가 쏟아졌다. ② 《+전+명》 잘난 척하며 떠벌리다《*over; about*》: A young mother ~*ed* on and on *about* her baby. 젊은 엄마가 자기 갓난 아기의 일을 열심히 떠벌리고 있었다.
— *vt.* …을 용솟음쳐 나오게 하다; 내뿜다.

gush·er [gʌ́ʃər] *n.* Ⓒ ① 용솟음쳐 나오는 것. ② 분출 유정(噴出油井). ③ 과장된 감정적 표현을 하는 사람. ***in*** ~***s*** 줄대어서, 대량으로.

gush·ing [gʌ́ʃiŋ] *a.* 〔限定的〕 ① 용솟음쳐〔쏟아져〕 나오는; (감정 따위가) 넘쳐 나오는: a ~ fountain 물을 분출하고 있는 분수. ② 과장해서 감정 표현을 하는, 지나치게 감상적인 : She was too flirtatious and ~. 그녀는 너무 경박하고 수다스러웠다. ㈜ ~·ly *ad.* ~·ness *n.*

gushy [gʌ́ʃi] (**gush·i·er** ; **-i·est**) *a.* =GUSHING ②. ㈜ **gúsh·i·ly** *ad.* ~·i·ness *n.*

gus·set [gʌ́sit] *n.* Ⓒ ① (의복·장갑 따위의) 보강용 삼각천, 바대, 무, 섶; 갑옷 겨드랑 밑의 쇠미늘; (장갑의) 덧댄 가죽. ②〖機〗거싯《보강용 덧붙임판》. ③〖建〗(교량용의) 계판(繫板).

gus·sy, gus·sie [gʌ́si] *vt., vi.*《口》(…을) 화려하게 꾸미다; 성장(盛裝)하다《*up*》.

***gust** [gʌst] *n.* Ⓒ ① 돌풍, 일진의 바람, 질풍 : a violent ~ of wind 맹렬한 일진의 돌풍 / A sudden ~ of wind blew his umbrella inside out. 돌풍으로 그의 우산이 뒤집혔다. ② 소나기; 확 타오르는 불길〔연기〕; 갑자기 나는 소리 : She could hear ~*s* of laughter from within the room. 그녀는 방안에서 나오는 폭소(爆笑) 소리를 들을 수 있었다. ③ (격정, 특히 분노의) 폭발(outburst) : a sudden ~ of anger 분노의 폭발. ── *vi.* (바람이) 갑자기 강하게 불다.

gus·ta·tion [gʌstéiʃən] *n.* Ⓤ 맛보기; 미각.

gus·ta·to·ry [gʌ́stətɔ̀:ri / -təri] *a.*〖解·生理〗맛의; 미각의 : ~ bud 미뢰(味蕾)《혀에 있는 미각 기관》/ ~ nerve 미각 신경.

gus·to [gʌ́stou] *n.* Ⓤ ① (음식을 먹을 때의) 흡족한 맛 : eat *with* ~ 맛있게〔입맛을 다시며〕 먹다. ② 대단한 기쁨, 열의 : The actors sang and danced with such ~ that they managed to compensate for the play's weakness. 배우들이 얼마나 활기차게 노래하고 춤추었는지 그들의 연기면에서의 약점을 족히 상계했다.

gusty [gʌ́sti] (**gust·i·er** ; **-i·est**) *a.* ① 돌풍의; 폭풍우가 휘몰아치는; (비바람 등이) 세찬, 거센 : a ~ wind 세찬 바람 / ~ weather 사나운 날씨 / The day was dark and ~. 그날은 음산하고 바람은 세찼다. ② (소리·웃음 등이) 돌발적인, 갑자기 일어나는.

gut [gʌt] *n.* ① **a**) Ⓤ,Ⓒ 소화관, 창자, 장 : the large〔small〕 ~ 대장〔소장〕/ the blind ~ 맹장 / Meat stays in the ~ longer than vegetable matter. 고기는 채소류보다 오래 장(腸)에 머문다. **b**) (*pl.*) 내장; 배, 위. **c**) 〔單數취급〕(~*s*)《口》 대식가 : What a (greedy) ~*s* he is! 굉장히 먹어대는군. **d**) (*sing.*) 툭 불거진 배 : He's got a disgusting beer ~ hanging over his trousers. 바지에 축 늘어져 있는 불룩한 보기싫은 술배가 나와 있다. ② (*pl.*) **a**)《口》(극·책 등의) 내용; 실질(contents), 핵심. **b**) (기계 내부의) 가동부 : the vital working ~*s* of a machine 기계의 주요 가동부(稼動部). ③ Ⓤ 장선(腸線)(catgut); (바이올린·라켓 등의) 거트. ④ (*pl.*)《口》기운, 용기, 배짱, 끈기 : He disagrees with her but doesn't have the ~*s* to say so. 그는 그녀와 생각이 달랐지만 그걸 말할 용기가 없었다. ⑤ Ⓒ =GUT COURSE. ⑥ Ⓤ《口》감정, 본능 : appeal to the ~ rather than the mind 이성보다 감정에 호소하다. ***hate** a person's **~s*** 《口》아무를 몹시 미워하다. ***have** a person's **~s for garters*** 《口·戲》아무를 혼내주다 : If he has taken my bike again I'll *have his ~s for garters*! 놈이 또 내 자전거를 가져갔다가는 혼쭐내주겠다. ***spill** one's **~s*** 《俗》모조리 털어놓다. ***sweat*** 〔***work, slog, slave***〕 ***one's ~s out*** 고생을 마다하지 않고 (열심히) 일하다 : We have been *working our ~s out* for the past two months. 지난 두달간 우린 뼈빠지게 일해왔다.
── (**-tt-**) *vt.* ① (죽은 짐승)에서 내장을 빼내다 : She cut the fish's head off and ~*ted* it. 생선의 머리를 잘라내고 내장을 빼냈다. ② (책·논문 등)의 요소를〔요점을〕 빼버리다. ③ 〔종종 受動으로〕 (특히 화재가 건물 등)의 내부를 파괴하다 : The whole building *was ~ted by* the fire so that only the charred walls remained. 건물 전체가 불에 타버리고 까맣게 탄 벽만 남았다.
── *a.* 〔限定的〕《口》① 직감적인; 본능적인 : ~ feeling 직감, 본능적인 느낌. ② 근본적인, 중대한《문제 따위》: a ~ issue 근본 문제.

gút còurse《美口》학점 따기 쉬운 과목(gut).

***Gu·ten·berg** [gú:tənbə̀:rg] *n.* **Johannes** ~ 구텐베르크《독일 활판 인쇄 발명자; 1400?-68》.

gut·less [∠lis] *a.* 패기〔활기〕없는; 겁 많은 : The performance by the two main actors was ~, but the supporting cast did their best to compensate. 두 주역 배우의 연기는 시원치 않았으나 조연들은 이를 벌충하려고 최선의 연기를 했다.

gut-rot [∠rɑ̀t / ∠rɔ̀t] *n.* Ⓤ ①《英口》싸구려 술. ② 복통.

gutsy [gʌ́tsi] (**guts·i·er** ; **-i·est**) *a.*《口》① 용감한, 힘찬 : She gave a very ~ performance on stage tonight. 오늘밤 무대에서의 그녀의 연기는 아주 박력이 있었다. ②《英》걸신들린. ㈜ **gúts·i·ly** *ad.* **-i·ness** *n.*

gut·ta-per·cha [gʌ́təpə́:rtʃə] *n.* Ⓤ 구타페르카《열대수(樹)의 수지를 말린 고무 비슷한 물질; 치과 충전·전기 절연용》.

***gut·ter** [gʌ́tər] *n.* ① Ⓒ (처마의) 낙수홈통《물받이》: clean out a blocked ~ 막힌 홈통을 뚫다. ② Ⓒ (광산 등의) 배수구; (길가의) 하수도, 시궁, 수로. ③ (the ~) 빈민가 : She rose from *the* ~ to become a great star. 그녀는 빈민가에서 입신하여 위대한 배우가 되었다. ④ Ⓒ〖볼링〗거터《레인 양쪽의 홈》.
── *vt.* …에 도랑을 만들다; 홈통을 달다. ── *vi.* ① 촛농이 흘러 내리다 : He walked down the path in the dark, with the candle ~*ing* in the candlestick. 그는 촛대에서 촛농이 흐르는 양초를 들고 어두운 길을 내려갔다. ② 도랑〔흐른 자국〕이 생기다; 도랑을 이루며 흐르다.

gútter préss (the ~) 선정적인 저속한 신문.

gut·ter·snipe [-snàip] *n.* Ⓒ 빈민굴의 어린이; 떠돌이, 부랑아.

gut·tur·al [gʌ́tərəl] *a.* ① 목구멍의, 인후의; 목구멍에서 나오는; 쉰 목소리의. ②〖音聲〗후음(喉音)의. ── *n.* Ⓒ 후음《[g, k] 등; 현재는 velar 라 부름》; 연구개음(軟口蓋音)《[k, g, x] 따위》.

gut·ty *a.* ⇨ GUTSY.

guv [gʌv] *n.*《英口》=guvnor.

guv·nor, guv'nor [gʌ́vnər] *n.* Ⓒ《英俗》두목, 두령, 대장; 바깥양반《★ governor의 방언》.

‡guy¹ [gai] *n.* Ⓒ ① **a**) 〔흔히, 形容詞와 함께〕《口》사내, …한 녀석(fellow), 놈 : Come on, (you) ~*s* let's get going! 자, 얘들아 어서 가자 / At the end of the film the bad ~ gets shot. 영화의 끝장면에서 그 악당은 사살된다. **b**) (*pl.*) 〔성별(性別) 불문〕사람들, 패거리들 : Can one of you ~*s* go with me? 너희들 중 누가 나와 같이 안갈래. ② **a**) 《주로 英》웃음가마리《사람》, 기이한 옷차림을 한 사람. **b**) (종종 G-) Guy Fawkes 의 익살스러운〔그로테스크한〕 인형(⇨GUY FAWKES DAY).
── (*p., pp.* **~ed**) *vt.* …을 웃음가마리가 되게 하다, 조롱하다.

guy² *n.* Ⓒ〖海〗받침〔버팀〕 밧줄, 당김 밧줄; 기중기에 달린 짐을 안정시키는 밧줄; (기중기·굴뚝 따위의) 버팀줄. ── *vt.* …을 버팀줄로 정착〔안정〕시키다, …에 버팀줄을 팽팽히 치다.

Guy·ana [gaiǽnə, -áːnə] *n.* 가이아나《남아메리카 동북 해안 지방에 있는 공화국; 수도는 조지타운(Georgetown)》.
Guy·a·nese [gàiəníːz, -s] *a., n.* (*pl.* ~) 가이아나 (사람)(의).
Gúy Fáwkes Dày〔**Nìght**〕 [-fɔ́ːks-] 《英》 가이포크스제(祭)《Gunpowder Plot 의 주모자 중 하나인 Guy Fawkes 체포 기념일; 11월 5일》.
gúy rópe 〖海〗 당김 밧줄.
guz·zle [gʌ́zəl] *vi.* 폭음〔폭식〕하다. ── *vt.* ① (술 따위)를 폭음하다; …을 게걸스레 먹다. ② (돈·시간 등)을 술로 낭비하다《*away*》: ~ *away* the family fortune. 집안 재산을 술로 탕진하다.
guz·zler [-ər] *n.* Ⓒ ① 술고래, 대주가. ② (연료를 많이 소비하는) 자동차: My old Pontiac was a real (gas) ~. 내 고물차 폰티액은 휘발유만 엄청나게 잡아먹었다.
gweep [gwiːp] *n.* Ⓒ 컴퓨터광(狂).
Gwent [gwent] *n.* 궨트《영국 웨일스 남동부의 주; 1974년 신설》.
G-wo·man [dʒíːwùmən] (*pl.* ***G-wo·men*** [-wìmin]) *n.* Ⓒ 《美》 FBI 여자 수사관.
Gwy·nedd [gwíneð] *n.* 귀네드《영국 웨일스 북서부의 주; 1974년 신설》.
GY 〖理〗 gray.
‡**gym** [dʒim] *n.* 《口》 ① Ⓒ 체육관(gymnasium). ② Ⓤ (교과목으로서의) 체조, 체육(gymnastics): I don't enjoy ~ 체육은 싫다.
gym·kha·na [dʒimkáːnə] *n.* Ⓒ 《英》 마술 경기 대회; 운동 대회; 자동차 장애물 경주.
‡**gym·na·si·um** [dʒimnéiziəm] (*pl.* ***~s, -sia*** [-ziə]) *n.* Ⓒ ① 체육관, 실내 체육장. ② (G-) (독일의) 김나지움《대학 진학 과정의 9〔7〕년제 중학교》.
gym·nast [dʒímnæst] *n.* Ⓒ 체육교사, 체육(전문)가, 체조 선수.
‡**gym·nas·tic** [dʒimnǽstik] *a.* 〔限定的〕 체조〔체육〕의: ~ apparatus 체조 기구.
㊀ **-ti·cal** [-tikəl] *a.* **-ti·cal·ly** [-tikəli] *ad.* 체육상.
‡**gym·nas·tics** [dʒimnǽstiks] *n. pl.* ① 〔複數취급〕 체조, 체육. ② Ⓤ (교과로서의) 체육(과).
gymn(o)- '벌거벗은, 나체'의 뜻의 결합사.
gym·no·sperm [dʒímnəspə̀ːrm] *n.* Ⓒ 〖植〗 겉씨 식물, 나자(裸子) 식물. ㊀ **gym·no·sper·mous** [dʒìmnəspə́ːrməs] *a.* 겉씨 식물의.
gým shòe (흔히 *pl.*) 운동화(sneaker).
gym·slip [dʒímslìp] *n.* Ⓒ 《英》 짐슬립《소매가 없고 무릎까지 내려오는 소녀용 교복》.
gým sùit 체육복.
gyn- =GYNO-《모음 앞》.
gynec(o)- '여성(의), 여자(의), 암컷(의)'의 뜻의 결합사.
gy·ne·co·log·ic, -i·cal [gàinikəládʒik, dʒìn-, dʒàin- / -lɔ́dʒ-], [-əl] *a.* 부인과(科) 의학의.
gy·ne·col·o·gist [gàinikálədʒist, dʒìn-, dʒài- / -kɔ́l-] *n.* Ⓒ 부인과 의사.
gy·ne·col·o·gy [gàinikálədʒi, dʒìn-, dʒài- / -kɔ́l-] *n.* Ⓤ 부인과 의학.
gyno- gyneco-의 간약형.
-gyny '여자, 암컷'의 뜻의 결합사.
gyp[1] [dʒip] *n.* 《美俗》 Ⓒ 협잡꾼, 사기꾼(swindler); 사기, 야바위(swindle).
── (***-pp-***) *vt.* 《俗》 …을 사기치다, 속이다; 속여 빼앗다《*out of*》: ~ a person *out of* his money 아무를 속여 돈을 빼앗다.
gyp[2] *n.* Ⓤ 《英口》 고통. 〔다음 成句로〕 ***give*** a person ~ 아무를 꾸짖다, 벌주다, 혼내주다; (상처 등이) …을 괴롭히다: My leg was *giving* me ~. 다리가 몹시 아팠다.
gyp·soph·i·la [dʒipsáfilə / -sɔ́f-] *n.* Ⓒ 〖植〗 안개꽃.
gyp·sum [dʒípsəm] *n.* Ⓤ 〖鑛〗 석고; 깁스; = PLASTERBOARD.
***Gyp·sy,** 《주로 英》 **gip-** [dʒípsi] *n.* ① Ⓒ 집시《★ 본디 인도에서 나온 유랑 민족; 이집트인(Egyptian)으로 잘못 알고 Gýpsy 로 불렸음》. ② Ⓤ 집시어(Romany). ③ Ⓒ (g-) 집시 같은 사람; (한군데 못있는) 방랑벽이 있는 사람; 《戱》 살갗이 거뭇한 여자, 장난꾸러기 여자. ── *a.* 〔限定的〕 (g-) 집시의: a ~ caravan 집시 캐러번 / a ~ fortuneteller 집시 점쟁이.
gýpsy mòth 〖蟲〗 매미나방《해충》.
gy·rate [dʒáiəreit, -´-] *vi.* 선회〔회전〕하다.
gy·ra·tion [dʒaiəréiʃən] *n.* ① Ⓤ 선회, 회전. ② Ⓒ (종종 ~s) 선회 동작〔운동〕.
gy·ra·to·ry [dʒáiərətɔ̀ːri / -təri] *a.* 선회의, 선전(旋轉)하는.
gyro- '바퀴, 회전'의 뜻의 결합사.
gy·ro·com·pass [dʒáiəroukʌ̀mpəs] *n.* Ⓒ 자이로컴퍼스, 회전 나침반.
gy·ro·scope [dʒáiərəskòup] *n.* Ⓒ 자이로스코프, 회전의(回轉儀)《팽이의 회전 관성(慣性)을 이용한 기계 장치》.
gy·ro·scop·ic [dʒàiərəskápik / -kɔ́p-] *a.* 회전의(回轉儀)의, 회전 운동의.
㊀ **-i·cal·ly** [-ikəli] *ad.*
gy·ro·sta·bi·liz·er [dʒàiəroustéibəlàizər] *n.* Ⓒ 자이로스태빌라이저《자이로스코프를 이용하여 배나 비행기의 롤링〔옆질〕을 막는 장치》.
gyve [dʒaiv] 《古·詩》 *n.* Ⓒ (흔히 *pl.*) 차꼬, 고랑(fetter). ── *vt.* …에 차꼬를〔고랑을〕 채우다.

H

H, h [eitʃ] (*pl.* **H's, Hs, h's, hs** [éitʃiz]) ① U,C 에이치《영어 알파벳의 여덟째 글자》. ② C H자 모양의 것 ; 여덟 번째(의 것) : an *H*-branch, H자관(管). ③〖樂〗(독일 음명(音名)의) 하, 나음〔조〕(B). ***drop** one's **h's*** 〔***aitches***〕 h 음을 빼고 발음하다《ham 을 'am, hair 를 air 로 하는 런던 사투리 ; 보통 교양이 없음을 나타냄》. ***4-H club*** = FOUR-H CLUB.

H 〖鉛筆〗 hard ; 〖電〗 henry ; 《俗》 heroin ; 〖化〗 hydrogen. ***h*** 〖物〗 Planck's constant. **H., h.** harbor ; hard, hardness ; height ; high ; 〖野〗 hit(s) ; hour(s) ; hundred ; husband. **H¹, ¹H, Hᵃ** 〖化〗 protium. **H², ²H, Hᵇ** 〖化〗 deuterium. **H³, ³H, Hᶜ** 〖化〗 tritium.

‡ha [hɑː] *int.* 허어, 어머《놀람·기쁨·의심·주저·뽐냄 등을 나타내는 발성》; 하하《웃음 소리》: *Ha!* So I am right after all! 그것봐! 그러니 결국 내가 옳지! ── *n.* C 허어〔하하〕하는 소리. ── *vi.* 허어하고 말하다 ; 으하하 웃다. [imit.]

Ha 〖化〗 hahnium. **ha., ha** hectare(s).

H.A. Hockey Association. **h.a.** *hoc anno* 《L.》 (=in this year).

Hab. 〖聖〗 Habakkuk.

Ha·bak·kuk [həbǽkək, hǽbəkʌ̀k, -kùk] *n.* 〖聖〗 히브리의 예언자 ; (구약의) 하박국서(書).

ha·ba·ne·ra [hɑ̀ːbənέərə] *n.* C 《Sp.》 하바네라《탱고 비슷한 춤》; 그 곡.

ha·be·as cor·pus [héibiəs-kɔ́ːrpəs] 《L.》〖法〗 출정 영장, 인신보호 영장《구속 적부 심사를 위해 피(被)구속자를 법정에 출두시키는 영장》.

Hábeas Córpus Àct (the ~) 〖英史〗 인신 보호령《1679년 Charles 2 세 때 의회에서 제정》.

hab·er·dash·er [hǽbərdæ̀ʃər] *n.* C 《美》 신사용 장신구 상인《셔츠·모자·넥타이 등을 팖》; 《주로 英》 방물장수《바늘·실·단추 등을 팖》. ㊕ **-ery** [-ri] *n.* ① 《美》 U 〔集合的〕 신사용 장신구류 ; C 그 가게. ② 《주로 英》 U 〔集合的〕 방물류 ; C 그 가게.

ha·bil·i·ment [həbíləmənt] *n.* (*pl.*) 옷, 복장 ; 제복. ***in working ~s*** 작업복을 입고. ㊕ **~·ed** [-id] *a.* (옷을) 입은《*in*》.

‡hab·it [hǽbit] *n.* ① U,C 습관, 버릇, 습성(custom) : It is a ~ with him to take a daily walk. 매일 산책하는 것이 그의 습관이다 / *Habit* is (a) second nature. 《俗談》 습관은 제2의 천성 / Out of 〔From〕 ~ I reached into my pocket for my pencil. 평소 버릇처럼 나는 주머니에 손을 넣어 연필을 찾았다. ② C 〖動·植〗 습성《어떤 종·개체군의 습관적 행동양식》. ③ U 기질, 성질(~ of mind) ; 체질(~ of body). ④ C (특수 사회·계급의) 옷, 복장(garment) ; 〖宗〗 제의(祭衣) ; 《古》 의복 : a monk's ~ 수도복. ⑤ C 여자용 승마복(riding ~). ⑥ (the ~) 《美俗》 (코카인·마약 따위의) 상습, 중독(addiction).

be in 〔***have***〕 ***the*** 〔***a***〕 ***~ of*** do*ing* …하는 버릇이 있다 : I'*m* not *in the ~ of* lend*ing* money, but I'll make an exception in this case. 나는 좀처럼 돈을 빌려주지 않으나, 이번만은 예외로 하겠다 / He'*s in the ~ of* stay*ing* up late.(=It's his ~ to stay up late.) 그는 늦도록 자지 않는 버릇이 있다. ***break*** a person ***of a ~*** 아무의 버릇을 고치다 : I cannot *break* him *of the ~*. 나는 그의 그 버릇을 고칠 수 없다. ***break off a ~*** 습관을 깨뜨리다. ***early ~s*** 아침 일찍 일어나는 습관. ***fall*** 〔***get***〕 ***into a ~ of*** do*ing* …하는 버릇이 들다. ***form*** 〔***acquire, cultivate, build*** (***up***), ***develop***〕 ***a good ~*** 좋은 습관을 몸에 익히다. ***grow into*** 〔***out of***〕 ***a ~*** 어떤 버릇이 생기다〔없어지다〕. ***make a ~ of*** do*ing* (=make it a ~ to do) (습관으로) …하도록 하고 있다.

── *vt.* ① …에 옷을 입히다(clothe) : be *~ed* in …을 입고 있다. ② 《古》 …에 살다.

hab·it·a·bil·i·ty [hæ̀bətəbíləti] *n.* U 살 수 있음, 살기에 적합함.

hab·it·a·ble [hǽbətəbəl] *a.* 거주할 수 있는, 거주〔살기〕에 적당한. opp *uninhabitable*. ¶ Only four percent of the land is ~. 그 토지의 4%에만 사람이 살 수 있다.

hab·it·ant [hǽbətənt] *n.* C ① 사는 사람, 주민, 거주자. ② [*F.* abitɑ̃] 《F.》 캐나다 또는 미국 Louisiana 주의 프랑스계 주민〔농민〕.

hab·i·tat [hǽbətæ̀t] *n.* C ① 〖生態〗 (생물의) 환경, 주거환경 ; (특히 동식물의) 서식지, 생육지, 번식지, 산지 ; 〖農林〗 입지. ② 거주지, 주소 ; (무엇이 있는) 곳 : Paris and New York are the major *~s* of artists. 파리와 뉴욕은 예술가들이 즐겨 사는 곳이다.

***hab·i·ta·tion** [hæ̀bətéiʃən] *n.* ① C 주소 ; 주택. ② U 거주.

hab·it-form·ing [hǽbitfɔ̀ːrmiŋ] *a.* (약재·마약 따위가) 습관성인.

***ha·bit·u·al** [həbítʃuəl] *a.* ① 〔흔히 限定的〕 습관적인(customary), 습성적인 ; 버릇의〔이 된〕, 상습적인 : The weariness of expression was ~ to him. 피로에 지친 듯한 표정은 몸에 밴 그의 버릇이었다. ② 〔限定的〕 평소의, 여느 때와 같은, 예(例)의. ③ 체질적인, 타고난(inborn).

ha·bit·u·ate [həbítʃuèit] *vt.* 〔때때로 再歸的 또는 受動으로〕 (사람·동물 등)을 익숙게 하다 ; 습관들이다(accustom)《*to*》: Wealth *~d* him *to* luxury. 부자였기 때문에 그는 어느덧 사치에 익숙해졌다 / Over the centuries, these animals have become *~d to* living in such a dry environment. 여러 세기를 거치는 동안, 이 동물들은 이런 건조한 환경에 사는 데 익숙하게 되었다 / *~ oneself to* a foreign climate 외국 기후에 익숙해지다. ── *vi.* (마약 따위가) 습관이 되다.

hab·i·tude [hǽbətjùːd] *n.* ① U 체질 ; 성질, 기질. ② U,C 습성, 습관.

ha·bit·ué [həbítʃuèi] (*fem.* **-uée** [─]) *n.* C 《F.》 단골 손님《특히 오락장의》; 상주자(常住者) ; 마약 상습자.

ha·ci·en·da [hɑ̀ːsiéndə / hæ̀s-] *n.* C 《Sp.》 (브라질을 제외한 라틴 아메리카의) 농가, 농장(plantation) ; 목장(ranch), 토지 ; 공장 ; 광산.

***hack¹** [hæk] *vt.* ① 《+목+전+명 / +목+부》 (자귀나 칼 따위로) …을 마구 자르다 〔베다〕, 잘게 토막내다〔썰다〕(chop), 난도질 하다《*down* ; *up* ; *off*》: He *~ed* the box *to* pieces〔apart〕 with his ax. 그는 도끼로 상자를 토막냈다 / *~ off* a branch 가지를 잘라내다. ② (땅)을 개간하다;

(cultivate); (땅을 일구어) …을 파종하다《*in*》: ~ *in* wheat 밭을 일구어 밀을 파종하다. ③〖럭비〗(상대)의 정강이를 차다;〖籠〗(상대방)의 팔을 치다. ④《+목+전+명》(산울타리 따위)를 치다(trim); (초목을 베어 길)을 트다: ~ one's way *through* the bushes (덤불을 베어 헤치며 나아가다. ⑤(예산 따위)를 대폭 삭감하다; (소설·논문 따위)를 망치다: ~ the budget severely 예산안을 과감하게 삭감하다. ⑥〔~ it 으로; 흔히 否定文〕《口》…을 잘 다루다〔해내다〕, 용납하다, 참다: I can't ~ *it* alone. 혼자서는 도저히 할 수 없다. ⑦〖컴〗(프로그래밍)과 씨름하다. ── *vi.* ① 마구 자르다, 잘게 베다《*at*》: He ~*ed* (*away*) *at* the tree. 그는 그 나무를 마구 잘랐다. ②〖럭비〗정강이를 차다. ③ 마른 기침을 몹시 하다. ④〖컴〗프로그래밍과 씨름하다, (컴퓨터로) 일을 하다. ***How's ~ing ?*** 여, 잘 지내느냐.

── *n.* ①Ⓤ 마구 자르기, 난도질. ②Ⓒ 벤 자국, 벤 상처; (발로) 깐 상처;〖럭비〗정강이까기;〖籠〗(상대방의) 팔을 치기. ③Ⓤ《美》밭은 기침. ④ⓊⒸ《美俗》(컴퓨터의) 프로그램을 뜸; 컴퓨터의 프로그램; 프로그래밍의 기법; 재미있는 장난. ***take a ~ at*** …을 한 번 해보다.

hack² *n.* Ⓒ ①《美》전세 마차(마부);《美口》택시(taxi), 택시 운전사;《英》삯말. ② 늙은 말, 못쓸 말(jade). ③ 승용 말;《英》(재미로 하는) 승마. ④《蔑》고되게 일하는 사람(drudge); (저술가 밑에서) 일을 거드는 사람;《英》3류 정치가.

── *a.*〔限定的〕① 돈으로 고용된, 밑에서 거드는. ② 써서 낡은, 진부한(hackneyed), 흔해 빠진.

── *vi.* 삯말을 타다;《英》(보통 속도로) 말을 몰다《*along*》;《口》택시에 타다, 택시를 몰다; 하청으로 문필업을 하다. ── *vt.* (말)을 빌려주다; (말)에 타다; …을 하청 문사(文士)로 고용하다; 써서 낡게 하다, 진부하게 하다.

hack·ber·ry [hǽkbèri, -bəri] *n.* Ⓒ〖植〗(미국산) 팽나무의 일종; 그 열매; Ⓤ 그 재목.

hack·er [hǽkər] *n.* Ⓒ ① 자르는 사람〔것〕. ②《俗》(스포츠 등에서) 서툰 사람〔경기자〕. ③《口》〖컴〗**a**) 해커, 컴퓨터광. **b**) 헤살꾼, 침입자.

hack·ie [hǽki] *n.* Ⓒ《美口》택시 운전사.

hácking cóugh 밭은 마른 기침.

hácking jàcket〔**còat**〕승마복; (남자의) 스포츠용 재킷.

hack·le¹ [hǽkəl] *n.* Ⓒ ①(삼 따위를 훑는) 빗. ② 닭의 목의 깃털; 위의 털로 만든 제물낚시(=∠ **flỳ**); (제물낚시의) 깃털. ③(*pl.*) (위험을 당하여) 개나 수탉이 곤추세우는 털;《比》흥분; 분노. ***get*** a person***'s ~s up*** =***make*** a person***'s ~s rise*** =***raise the ~s of*** a person 아무를 화나게 하다. ***with*** one***'s ~s up***〔***rising***〕성이 나서, 싸우려는 자세로.

hack·le² *vt.* …을 잘게 저미다〔베다〕, 토막내다.

hack·man [hǽkmən] (*pl.* ***-men*** [-mən]) *n.* Ⓒ《美》(전세 마차의) 마부; (택시) 운전사.

hack·ney [hǽkni] *n.* Ⓒ 승용마(馬); (종종 H-) 해크니말《영국의 밤색털 승용마》; 삯말, 전세 마차;《美》택시.

háckney còach〔**càb, càrriage**〕전세 마차; 택시.

hack·neyed [hǽknid] *a.* 낡아〔흔해〕빠진, 진부한; 익숙해진: a ~ phrase 판에 박힌 말/make ~ jokes 흔해 빠진 농담을 하다.

hack·saw [hǽksɔ̀:] *n.* Ⓒ〖機〗쇠톱.

hack·work [hǽkwə̀:rk] *n.* Ⓤ 남의 밑에서 하는 고된 일; 매문(賣文).

†**had** [hæd, 弱 həd, əd, d] *v.* HAVE 의 과거·과거분사. ① **a**)〔過去〕⇨HAVE. **b**)〔假定法過去〕I wish I ~ more money. 돈이 더 있으면 좋겠는데/Had enough time, I could do it better. 시간이 충분히 있으면 더 잘 할 수 있는데. ②〔過去分詞〕**a**)〔完了形으로 쓰이어〕I have ~ a real good time. 참으로 즐거운 시간을 보냈습니다. **b**)〔受動으로〕Good meat could not *be* ~ at all during the food shortage. 식량이 부족한 기간엔 전혀 좋은 고기를 입수할 수 없었다.

── *aux. v.* ①〔過去完了로 쓰이어〕: The train ~ started when I got to the station. 내가 역에 도착했을 때 기차는 이미 출발하고 없었다. ②〔假定法過去完了에 쓰이어〕: If Cleopatra's nose ~ been a little shorter, the history of the world might have changed. 클레오파트라의 코가 조금만 더 낮았더라면 세계역사는 달라졌을지도 모른다/If you ~ come earlier, you could have seen Jane. 조금만 더 빨리 왔더라면 제인을 만났을 텐데. ~ ***better***〔***best***〕do ⇨ BETTER, BEST(成句). ~ ***better have*** done …한 편이 좋았었다: I'*d better have* accepted his offer. 그의 제안을 수락했으면 좋았었는데. ~ ***like to have*** done《古》하마터면 …할 뻔했다: I ~ *like to have* been run over by a truck. 하마터면 트럭에 치일뻔 했다. ~ ***sooner*** do ***than*** ... = ~ ***as soon*** (***good, well***) do ***as*** ... …하는 것보다 오히려 ─하고 싶다. ⇨SOON.

had·dock [hǽdək] (*pl.* ~***s***,〔集合的〕~) *n.* Ⓒ〖魚〗대구의 일종《북대서양산》.

Ha·des [héidi:z] *n.*〖그神〗하데스, 황천《죽은 사람의 혼이 있는 곳》; 그 지배자(Pluto, Dis); (종종 h-) Ⓤ 지옥.

hadj ⇨HAJJ.

hadji, Hadji [hædʒi:] *n.*=hajji.

†**had·n't** [hǽdnt] had not 의 단축형.

Há·dri·an's Wáll 하드리아누스의 장성(長城)《로마 황제 하드리아누스가 북방 민족의 침입에 대비해서 축조한 방벽》.

hadst [hædst, 弱 hədst]《古》HAVE 의 제 2 인칭 단수·과거《주어가 thou 일 때》.

haem·a·tite [hí:mətàit] *n.*《英》=HEMATITE.

haemo- =HEMO-.

haf·ni·um [hǽfniəm] *n.* Ⓤ〖化〗하프늄《금속 원소; 기호 Hf; 번호 72》.

haft [hæft, hɑ:ft] *n.* Ⓒ (나이프·단도 따위의) 자루, 손잡이.

hag [hæg] *n.* Ⓒ 버커리, 간악한 노파; 마녀(witch);《俗》못생긴 여자.

Hag.〖聖〗Haggai.

Hag·gai [hǽgeiài, -giai] *n.* 학개서《구약성서 중의 한 편》.

***hag·gard** [hǽgərd] *a.* ① 야윈, 수척한, 초췌한: She was looking a bit ~ as if she hadn't slept for days. 그녀는 마치 수일동안 잠을 못잔 것처럼 약간 초췌해 보였다. ②(매가) 길들지 않은, 야생의.

── *n.* Ⓒ 길들지 않은 매.

hag·gish [hǽgiʃ] *a.* 마귀할멈 같은; 추악한.

hag·gle [hǽgəl] *vi.* (조건·값 등에 대해) 옥신각신〔입씨름〕하다, 짓궂게 값을 깎다《*about*; *over*》; (…와) 논쟁하다《*with*》: It's traditional that you ~ *over*〔*about*〕the price of things in the market. 시장에서는 물건값을 깎으려는 것이 인습이다.

── *n.* Ⓒ 값깎기; 말다툼, 입씨름.

hag·i·og·ra·phy [hæ̀giάgrəfi, hèidʒ-/hæ̀giɔ́g-] *n.* Ⓤ 성인전(聖人傳)(연구); Ⓒ 성인 언행록; 주인공을 성인취급〔이상화〕한 전기.

hag·i·ol·o·gy [hæ̀giάlədʒi, hèidʒ-/hæ̀giɔ́l-] *n.* ⓊⒸ 성인(聖人)문학; 성인전 (연구); 성인록.

hag·rid·den [hǽgridn] *a.* 악몽에 시달린, 가위눌린.

***Hague** [heig] *n.* (The ~) 헤이그.
hah [hɑː] *int.* =HA. [imit.]
ha-ha¹, **ha·ha** [hɑ́:hɑ́:, ⌐⌐] *int.* 하하《즐거움·비웃음을 나타냄》. ── *n.* Ⓒ 웃음 소리 ; 《口》 농담, 재미있는 것.
ha-ha² [hɑ́:hɑ̀:] *n.* Ⓒ 은장(隱墻)(sunk fense).
hahn·i·um [hɑ́:niəm] *n.* Ⓤ 【化】 하늄《인공 방사성 원소 ; 기호 Ha ; 번호 105》.
‡**hail**¹ [heil] *n.* ① Ⓤ 〔集合的〕 싸락눈, 우박. ② (흔히 a ~) (우박처럼) 쏟아지는 것. ── *vi.* ① 〔it을 주어로〕 우박〔싸락눈〕이 내리다. ② (화살·총알이) 비오듯 하다《*down*》: Stones came ~*ing down* on their heads. 그들 머리 위로 돌맹이가 우박처럼 쏟아졌다. ── *vt.* 《+목+전+명》 (강타·욕설)을 퍼붓다《*on, upon*》: The crowd ~*ed down* curses *on* the traitor. 군중들은 반역자에게 욕설을 퍼부었다.
‡**hail**² *vt.* ① …을 큰 소리로 부르다 ; (택시 따위)를 부르다 : The hotel doorman will ~ a cab for you. 호텔 정문지기가 차를 불러줄 것입니다. ② …을 환호하여 맞이하다(welcome), …에게 인사하다(greet), 축하하다(congratulate) : The crowd ~*ed* the winner. 군중은 승자를 환호하여 맞이했다. ③ 《+목+(*as*)보》 …라고 부르다, …라고 부르며 맞이하다 ; 인정하다, 찬양하다 : He is ~*ed as* the father of modern science. 그는 현대 과학의 아버지라고 불리운다. ── *vi.* 큰 소리를 지르다《인사·불러 세움》. ~ ***from*** . . . (배가) …에서 오다 ; (사람이) …의 출신이다 : She ~*s from* Liverpool. 그녀는 리버풀 출신이다. ── *n.* Ⓒ ① 부르는 소리(shout), 큰 소리로 부름. ② Ⓒ 인사(salutation) ; 환영 ; 환호(cheer). ***out of*** 〔***within***〕 ~ 소리가 미치지 않는〔미치는〕 곳에 : She warned her children not to be *out of* ~. 아이들에게 불러도 들리지 않는 곳에는 가지 말라고 주의했다.
── *int.* 《文語》 어서 오십쇼, 안녕, 만세.
hail-fel·low(**-well-met**) [⌐félou(wélmét)] *a.* 친한, 다정한 (사이의)《*with*》: He's ~ *with* everybody. 그는 누구에게나 다정하다.

háiling dìstance 목소리가 닿는 거리 ; 가까운 거리.
Háil Máry =AVE MARIA.
hail·stone [⌐stòun] *n.* Ⓒ 싸락눈, 우박.
hail·storm [⌐stɔ̀ːrm] *n.* Ⓒ 어지러이 쏟아지는 우박, 우박을 동반한 폭풍 ; 우박처럼 쏟아져 내리는〔날아오는〕 것《탄환·욕설 따위》.
haily [héili] *a.* 우박 같은, 우박이 섞인.
hain't [heint] 《方》 have 〔has〕 not의 간략형.
†**hair** [hεər] *n.* ① Ⓤ 〔集合的〕 털, 머리카락, 머리털 ; 몸의 털 ; Ⓒ (a ~) 한 오라기의 털 : brush 〔comb〕 one's ~ 머리를 빗다 / braid one's ~ 머리를 땋다 / set〔put up, style〕 one's ~ (여자가) 머리를 세트하다 / He had his ~ cut. 그는 머리를 깎았다. ② Ⓤ 모직물《낙타·알파카 따위의 털로 짠》. ③ 털 모양의 것 ; 털 모양의 철사 ; (시계 따위의) 유사 ; (잎·줄기 따위의) 털. ④ (a ~) 털끝만한 양(量)〔차이, 거리〕, 약간 : be not worth *a* ~ 한 푼의 가치도 없다 / lose a race by *a* ~ 근소한 차로 경주에 지다 / He hasn't changed *a* ~ in the last ten years. 그는 최근 10년 동안 조금도 변하지 않았다.
against the ~ 성질에 반하여 ; 자연의 이치에 어긋나는. ***a*** 〔***the***〕 ~ ***of the*** (***same***) ***dog*** (***that bit*** one) 독을 제(制)하는 독 ; 《口》 (숙취 푸는) 해장술. ***both of a*** ~ 우열이 없음, 같은 정도. ***by*** (***the turn of***) ***a*** ~ 간신히, 겨우, 아슬아슬하게 : The falling rock missed the climber *by a* ~. 낙석은 아슬아슬하게 등산자를 스쳤다. ***comb*** 〔***rub, smooth***〕 a person***'s*** ~ 아무를 몹시 꾸짖다, 호되게 책망하다. ***do*** one***'s*** ~ 머리 치장을 하다. ***get*** 〔***have***〕 a person ***by the short*** ~***s*** 《口》 아무를 완전히 설복〔지배〕하다. ***get gray*** ~ 머리가 시다 ; 《口》 걱정하다, 마음 고생으로 늙다. ***get in*** 〔***into***〕 a person***'s*** ~ 《口》 아무를 괴롭히다 ; 가로거치다, 방해하다. ***give*** a person ***gray*** ~ 《口》 아무를 걱정시키다. ***hang by a*** ~ 위기에 직면하다, 위험하다. ***have*** ~ 《美俗》 용기가 있다, (남자가 성적) 매력이 있다. ***Keep your*** ~ ***on.*** 《英口》 침착해라, 서둘지 마라. ***let*** one***'s*** (***back***) ~ ***down*** 《口》 스스럼을〔경계심을〕 풀다, 편안하게 쉬다〔지내다〕 ; 속을 털어놓다, 솔직히 말하다 ; (여자가) 머리를 풀다. ***make*** a person***'s*** ~ ***stand on end*** =***make*** a person***'s*** ~ ***curl*** =***curl*** a person***'s*** ~ 아무를 쭈뼛하게 만들다, 등골이 오싹하게 만들다. ***not a*** ~ ***out of place*** (몸가짐이) 조금도 흐트러지지 않은 ; 한치의 틈〔허점〕도 없는. ***not harm a*** ~ ***of*** a person***'s head*** 아무에게 조금도 상처를 입히지 않다, 아무에게 항상 친절〔다정〕하게 대하다. ***not turn a*** ~ (말이) 땀도 안 흘리다 ; 태연하다 ; 피로의 기색도 안 보이다. ***put*** ~ ***on*** a person***'s chest*** 《口·戱》 (술로) 기운을 돋우다. ***put*** 〔***turn***〕 ***up*** one***'s*** ~ 머리를 얹다 ; 소녀가 어른이 되다. ***split*** ~***s*** 《蔑》 쓸데없이 세세한 구별을 하다, 사소한 것에 구애되다. ⓒⓕ hairsplitting. ***tear*** one***'s*** ~ (***out***) 머리털을 쥐어뜯다 ; 몹시 흥분〔격정〕하다 : He's *tearing* his ~ over the way he was treated by them. 그들이 그에게 취한 태도에 몹시 분격하고 있다. ***to*** (***the turn of***) ***a*** ~ 조금도 틀리지 않고, 정밀하게. ***wear*** one***'s own*** ~ (가발이 아니고) 제머리다. ***without moving*** 〔***turning***〕 ***a*** ~ 《俗》 냉정〔침착〕하게, 까딱도 하지 않고.
hair·ball [hέərbɔ̀ːl] *n.* Ⓒ (소 따위가 삼킨 털이 위 속에서 엉긴) 위모괴(胃毛塊).
hair·breadth [⌐brèdθ, ⌐brètθ] *n.* (a ~) 털끝만한 폭〔간격〕(hair's-breadth). ***by a*** ~ 위기일발로 : We escaped an accident *by a* ~. 위기일발로 사고를 면했다. ***to a*** ~ 조금도 어김〔틀림〕없이. ***within a*** ~ 하마터면, 자칫했더라면 : They were *within a* ~ of death. 그들은 하마터면 죽을 뻔 했다. ── *a.* 〔限定的〕 털끝만한 틈의, 위기일발의, 간발의, 아슬아슬한, 구사일생의 : have a ~ escape 간신히 피하다, 구사일생으로 살아나다.
hair·brush [⌐brʌ̀ʃ] *n.* Ⓒ 머리솔.
hair·cloth [⌐klɔ̀(ː)θ, ⌐klɑ̀θ] *n.* ① Ⓤ (특히 말·낙타 털로 짠) 모직 천, 마미단(馬尾緞). ② =HAIR SHIRT.
háir cràck 모세(毛細) 균열.
hair·cut [⌐kʌ̀t] *n.* Ⓒ 이발 ; (여자 머리의) 커트 ; 머리형, 헤어스타일 : get 〔have〕 a ~ 이발하다.
hair·do [⌐dùː] (*pl.* **-dos**) *n.* Ⓒ (여자의) 머리 치장법, 머리형 ; 결발(結髮).
hair·dress·er [⌐drèsər] *n.* Ⓒ ① 미용사 ; 이용사. ② 미용원 ; 《英》 이발사.
hair·dress·ing [⌐drèsiŋ] *n.* Ⓤ 조발, 이발, 결발(結髮) : a ~ saloon 이발소 ; 미장원.
háir drìer 〔**drỳer**〕 헤어드라이어.
hair·dye [⌐dài] *n.* Ⓤ 머리 염색제.
haired [hεərd] *a.* 털이 있는 ; 〔複合語〕 머리카락〔털〕이 …한 : fair-~ 금발의.
háir grìp 《英》 =BOBBY PIN.
hair·less [hέərlis] *a.* 털〔머리털〕이 없는.
hair·like [hέərlàik] *a.* (머리)털 같은, 가느다란.
hair·line [⌐làin] *n.* Ⓒ ① 털의 결 ; (이마의) 머리털이 난 금, 머리선. ② (서화 등에서) 매우 가는 선 ; (망원경 등)의 조준선 ; (마른 도료·도자기 · 유리 등의) 가는 금. ③ 타락줄, 말총의 낚싯줄. ④〖印〗(영문 활자 따위의) 선이 가는 활자체. ⑤ 헤어라인(가는 줄무늬의 천). ⑥ 작은 차. ***to a ~*** 정밀[정확]하게. ── *a.* 〔限定的〕 가는; 근소한 차의; (공간 · 간격이) 몹시 좁은: a ~ victory 신승(辛勝) / a ~ fracture 금이 간 골절.

háir nèt 헤어네트.

hair·piece [hέərpiːs] *n.* =TOUPEE.

hair·pin [ˊ-pìn] *n.* Ⓒ ① (U자형의 가는) 머리핀; U자 모양의 것, 《특히》 U자형의 급커브. ②《俗》 사람(a person), 말라깽이; 《美俗》 여자, 주부; 《美俗》 이상한 사람, 괴짜. ── *a.* 〔限定的〕 (도로 따위가) U 자 모양의: a ~ turn 〔bend〕, U 자형 커브.

hair-rais·ing [hέərrèiziŋ] *a.* 《口》 소름이 끼치는, 머리끝이 쭈뼛해지는.

háir restòrer 양모제, 생모제.

hairs·breadth, hair's-breadth [hέərzbrèdθ, -brètθ] *n., a.* =HAIRBREADTH.

háir shírt (옛날 고행자가 맨살에 걸친) 거친 모직 셔츠; 응징하는 사람[것].

háir slìde 《英》 (대모갑 또는 셀룰로이드로 만든) 머리집게.

hair·split·ting [ˊ-splìtiŋ] *a.* 쓸데없이 따지는, 사소한 일에 구애되는. ── *n.* Ⓤ 사소한 일에 구애됨[신경을 씀].

háir spràу 헤어 스프레이.

hair·spring [ˊ-sprìŋ] *n.* (시계의) 유사(遊絲).

hair·style [ˊ-stàil] *n.* Ⓒ (개인의) 머리 스타일.

háir trànsplant 모발 이식.

háir trìgger (총의) 촉발 방아쇠.

hair-trig·ger [ˊ-trìgər] *a.* 〔限定的〕 ① 일촉즉발의 ② 촉발성의, 반응이 빠른.

hairy** [hέəri] (hair·i·er*** ; ***-i·est***) *a.* ① 털 많은, 털투성이의. ② 털의[같은]; 텁수룩한. ③ 울퉁불퉁한, 험한. ④《口》 곤란한, 위험이 많은, 무서운; 《俗》 조야(粗野)한, 거친: It was rather ~ driving down that narrow road in the dark. 캄캄한 밤중에 그 좁은 길을 차를 몰고 내려간다는 것은 퍽 위험하였다. ***~ at*** 〔***about, in, round***〕 ***the heel(s)*** 〔***fetlocks***〕 《俗》 버릇없이 자란, 막돼먹은. ⓜ **hair·i·ness** *n.*

Hai·ti [héiti] *n.* 아이티 섬; 아이티(서인도 제도(諸島)에 있는 공화국; 수도 Port-au-Prince).

Hai·tian [héiʃən, héitiən] *a.* Haiti (사람)의. ── *n.* Ⓒ Haiti 사람; Ⓤ Haiti 말.

haj(j), hadj [hædʒ] *n.* Ⓒ 하즈(메카(Mecca) 참배(순례)).

haj(j)i, hadji [hǽdʒi] *n.* (종종 H-) 《Ar.》 하지 (Mecca 순례를 마친 이슬람 교도(의 칭호); 예루살렘 성지 참배를 마친 근동의 기독교도).

hake [heik] (*pl.* ***~s,*** 〔集合的〕 ~) *n.* Ⓒ〖魚〗 대구류.

Ha·ken·kreuz [háːkənkrɔ̀its] *n.* Ⓒ 《G.》 하켄크로이츠(갈고리 십자(장(章)); 나치스의 문장(紋章) 卐).

ha·kim[1]**, ha·keem** [haːkíːm] *n.* Ⓒ (인도 · 회교국의) 의사, 학자. 「지사, 판사.

ha·kim[2] [háːkiːm] *n.* Ⓒ (인도 · 회교국의) 태수,

Hal [hæl] *n.* 남자 이름(Henry, Harold 의 애칭).

Hal. 〖化〗 halogen.

ha·lal [haːláːl] *vt.* 《Ar.》 (동물)을 이슬람교 율법에 따라 죽이다. ── *n.* Ⓤ 그 죽은 동물의 고기.

ha·la·tion [heiléiʃən, hæ-/hə-] *n.* Ⓤ〖寫〗 헐레이션.

hal·berd, -bert [hǽlbərd, hɔ́ːl-], [-bərt] *n.* Ⓒ〖史〗 도끼창(槍)(창과 도끼를 겸한 무기).

ⓜ **hal·berd·ier** [hæ̀lbərdíər] *n.* Ⓒ〖史〗 창부병.

hal·cy·on [hǽlsiən] *n.* ①〖그神〗 할키온(동지 무렵 바다에 둥지를 띄워 알을 까며 파도를 가라앉히는 마력을 가졌다고 믿음). ②〖鳥〗《詩》 물총새 (kingfisher). ── *a.* 〔限定的〕 물총새의[같은]; 고요한, 평화로운, 온화한, 화려한, 번영의: ~ weather 온화한 날씨 / ~ times of peace 평화로운 번영의 시대 / a ~ era 황금 시대.

hálcyon dáys ① (the ~) 동지 전후의 온화한 날씨의 2주일간. ② 평온한 시대.

hale**[1] [heil] *a.* 강건한, 꿋꿋한, 정정한(주로 노인을 말함). ***~ and hearty (늙었지만) 원기왕성한, 정정한, 근력이 좋은.

hale[2] *vt.* …을 거칠게 잡아끌다, 끌어당기다; 끌고 오다[가다], 끌어내다.

†**half** [hæf, haːf] (*pl.* ***halves*** [hævz, haːvz]) *n.* ⒸⓊ ① 반; 절반; 반시간, 30분: Out of fifty students, ~ failed the exam. 50명 중 절반의 학생은 시험에 떨어졌다. ② (*pl.* ***~s, halves***) 반 파인트[마일]; 《口》 50 센트 (은화); 《英》 반학년 (semester), 1 학기(한 학년 2 개 학기 제도에서); (어린이의) 반액표: the winter ~ (2학기 제도의) 겨울 학기. ③ (*pl.* ***~s, halves***) 〖골프〗 동점, 하프; 《口》〖蹴〗 =HALFBACK; (축구, 하키 따위에서) 그라운드의 절반; (경기의) 전반, 후반; 〖野〗 …초, …말: first 〔second〕 ~ of the seventh inning, 7회 초[말]. ④ (신발 따위와 같은 한 쌍으로 된 것의) 한 쪽; =PARTNER (ⓒf. better half); (소송의) 한 쪽 당사자(party).

. . . ***and a ~*** 《口》 〔and 앞에 a 가 붙은 명사가 와서〕 특별한, 훌륭한: a job *and a* ~ 대단히 큰 [중요한, 어려운] 일 / It was a game *and a* ~. 훌륭한 경기였다. ***be not the ~ of*** (이야기 따위가) 여기서 그치는 것이 아니다, 아직 더 남아 있다: He accused them of being responsible for the error, and that's *not the* ~ *of* the story. 그는 그들에게 그 과실에 대한 책임이 있다고 비난했으나 실은 그뿐만이 아니다. ***by ~*** 반쯤; 반만큼; 〔흔히 too ... by ~로 《反語的》〕 매우 …하다: You're *too* clever *by* ~. 자네는 너무 똑똑하네. ***by halves*** 〔흔히 否定文〕 절반만, 이도 저도 아니게, 불완전하게: He's *not* a man who does things *by halves*. 그는 일을 아무렇게나 하는 사람이 아니다. ***go halves*** (***with*** a person ***in*** 〔***on***〕 a thing) (아무와 물건을) 절반씩 나누다; (아무와 물건의 비용을) 평등하게 부담하다. ***how the other ~ lives*** (자기와 계층이 다른) 여느 사람들 [《특히》 부자들]의 생활상(을 엿보다 따위). ***into*** 〔***in***〕 ***halves*** 반으로, 2등분으로: He cut it *into* exact *halves*. 그는 그것을 정확히 반으로 쪼갰다. ***on halves*** 《美》 이익의 반을 받기로 하고(빌려주다); 반씩 내어(빌리다). ***say ~ to oneself*** 누구에게랄 것 없이 말하다. one***'s better ~*** 《戲》 아내. one***'s worse ~*** 《戲》 남편. ***to the halves*** 절반까지; 불충분하게; 《美》 (이익을) 반씩 나누어.

── *a.* ① 절반의, 2 분의 1 의: a ~ share 절반의 몫 / a ~ hour 반 시간. ② 일부분의; 불완전한 (imperfect): A ~ smile came to her lips. 희미한 미소가 그녀의 입가에 떠올랐다. ── *ad.* ① 절반, 반쯤: She is ~ Chinese and ~ French. 그녀는 반은 중국인, 반은 프랑스인이다(튀기이다). ② 불완전하게, 어중간하게, 적당히, 되는 대로: ~ cooked 반쯤[설] 익힌 / a ~-educated man 제대로 교육을 받지 못한 남자. ③ 《口》 얼마쯤, 퍽; 거의: feel ~ dead 퍽 지치다. ***~ and ~*** 반반으로: Let's share it ~ *and* ~. 반반으로 나누자. ***~ as many*** 〔***much***〕 ***again as*** …의 1배 반. ***~ as many*** 〔***much***〕 ***as*** …의 절반. ***~ the time***

《口》 거의 언제나. **not ~** (1)《口》 조금도 …하지 않다 : *not* ~ bad 조금도 나쁘지 않은, 매우 좋은. (2)《俗》 몹시 : Do you like beer? —*Not* ~! 맥주를 좋아해—좋아하고 말고 / She did*n't* ~ scream. 굉장한 비명을 질렀다《큰 소동이었다》. **not ~ so** 〔**as, such**〕 (. . .**as**) …의 절반도〔…만큼〕 …아니다. **see with ~ an eye** 눈을 감고 있어도 알다.

háIf àdder 〖컴〗 반(半)덧셈기.

half-a-doz·en, hálf a dózen [hǽfədʌ́zən, hɑ́:f-] *n., a.* =HALF-DOZEN.

half-and-half [hǽfən*d*hǽf, hɑ́:fən*d*hɑ́:f] *a.* ① 반반의, 등분의. ② 이도저도 아닌, 얼치기의. —*ad.* 등분하게, 같은 양으로. —*n.* Ⓤ,Ⓒ ① 반반씩 섞은 것 ; 얼치기 물건 ; 《美》 우유와 크림을 혼합한 음료 ; 《英》 흑맥주와 에일의 혼합주. ② (흑백의) 혼혈아.

half-assed [ˊǽst] *a.* 《美俗》 ① 저능한, 무능한. ② 엉터리의.

half·back [ˊbæ̀k] *n.* Ⓒ,Ⓤ (축구 따위의) 중위.

half-baked [ˊbéikt] *a.* ① 설구운, 반구운. ② 미완성의, 불완전한 : a ~ theory 어설픈 이론 / a ~ proposal for tax reform 불완전한 세제 개혁안. ③ 무경험의 ; 지혜가 모자라는, 저능한, 상궤를 벗어난.

hálf báth ① 변기와 세면 설비만 있는 욕실. ② 욕조가 없고 샤워 노즐만 있는 욕실.

hálf bìnding 반 가죽 장정.

hálf blòod ① 배〔아비〕 다른 형제〔자매〕(관계). ② 튀기, 혼혈아(half-breed).

half-blood·ed [ˊblʌ̀did] *a.* 혼혈의, 잡종의.

hálf bòard (호텔 등의) 하루 두끼 식사 제도.

half-boiled [ˊbɔ́ild] *a.* 반숙의, 설익힌.

hálf bòot 반장화, 편상화.

half-bred [ˊbrèd] *a.* ① 잡종의. ② 버릇없는.

half-breed [ˊbrì:d] *n.* Ⓒ ①《蔑》 혼혈아. ② 잡종. —*a.* =HALF-BLOODED.

hálf bròther 배다른〔의붓〕 형제.

half-caste [hǽfkæ̀st, hɑ́:fkɑ̀:st] *n.* Ⓒ, *a.* 혼혈아(의)《특히 백인과 힌두교도 또는 회교도와의》.

hálf cóck (총의) 반 안전 장치. ***go off at ~*** (총이) 빨리 격발하다 ; 《比》 빨라지다 ; (계획 등을) 준비 불충분한 가운데 시작하다 ; 주제넘게 앞지르다 ; (계획 등이) 유산되다 : His schemes always *go off at* ~ because he never prepare them properly. 그의 계획은 언제나 성공을 거두지 못하는데 이는 그가 전혀 그 계획들을 완전하게 입안(立案)하지 않기 때문이다.

half-cocked [ˊkɑ́kt / ˊkɔ́kt] *a.* 반 안전장치를 한 ; 준비 부족의.

half-cooked [ˊkúkt] *a.* 설익은, 설구운, 반쯤 익은 ; 《美口》 미숙한.

half-dol·lar [ˊdɑ́lə*r* / ˊdɔ́lə*r*] *n.* Ⓒ 《美 · Can.》 50센트 은화.

half-doz·en [ˊdʌ́zən] *n., a.* 반 다스(의).

hálf dúplex 〖컴〗 반(半)양방《데이터 통신에서 데이터의 전송이 반(半) 이중방식으로 이루어지는 것 ; 略 : HDX》. ⓒⓕ full duplex.

hálf gàiner 〖다이빙〗 하프 게이너《앞으로 뛰어 거꾸로 돌아 입수(入水)하기》. ⓒⓕ gainer.

half-har·dy [ˊhɑ́:*r*di] *a.* 〖園藝〗 반(半)내한성의.

half-heart·ed [ˊhɑ́:*r*tid] *a.* 마음이 내키지 않는, 할 마음이〔열의가〕 없는, 냉담한 : a ~ reply 건성하는 대답. ㊎ **~·ly** *ad.* **~·ness** *n.*

***half-hol·i·day** [ˊhɑ́lədèi / ˊhɔ́l-] *n.* Ⓒ 반휴일, 반공일(半空日).

***hálf hóur** 반 시간, 30 분(간) ; (매시의) 30 분의 시점.

half-hour [ˊáuə*r*] *a.* 〔限定的〕 30분간의, 30분마다 : at ~ intervals 매 30분간의 간격으로.

half-hour·ly [ˊáuə*r*li] *a.* 30분의, 반시간 마다의. —*ad.* 30분마다.

hálf lánding (계단의) 층계참.

half-length [ˊlèŋ*k*θ] *n.* Ⓒ 반신상(像), 반신 초상화. —*a.* 절반 길이의 ; 반신(상)의.

hálf lìfe, hálf-life (pèriod) [ˊlàif] 〖物〗 (방사성 원소 등의) 반감기(半減期).

half-light [ˊlàit] *n.* Ⓤ 어스름.

half-mast [hǽfmǽst, hɑ́:fmɑ́:st] *n.* Ⓤ (조의·조난을 표시하는) 반기(半旗)의 위치. (**at**) **~** 반기의 위치에 : All the flags were *at* ~ when the king died. 임금이 서거하였을 때 모든 기는 반기로 게양되었다. —*a.* 반기(위치)의. —*vt.* (기)를 반기의 위치에 달다.

hálf méasures (*pl.*) 불만족한 타협, 부적절한 처치, 미봉책.

half-moon [ˊmú:n] *n.* Ⓒ 반달, 반달 모양(의 것).

hálf mòurning ① 반상복(半喪服). ② 반상복의 기간.

hálf nélson 〖레슬링〗 목누르기.

hálf nòte 《美》〖樂〗 2분음표.

half·pen·ny** [héipəni] (*pl.* **-pence** [héipəns], **-pen·nies** [héipəniz]) *n.* 《英》 ① (*pl.* **-pen·nies**) 반 페니 동전 ; (*pl.*) 《口》 잔돈, 동전. ② (*pl.* **-pence**) 반 페니(의 가격). ***a bad ~《口》 언제나 나타나는 사람. ***not have two halfpennies to rub together*** 《英》 아주 가난하다. ***not worth a ~***《英》 전혀 값어치가 없는, 취할 것이 못되는 : His opinion is *not worth a* ~. 그의 의견은 취할 것이 못된다. ***receive more kicks than halfpence*** 칭찬은 고사하고 호되게 야단맞다.

—*a.* 반 페니의 ; 싸구려의, 하찮은 ; 《英口》 (신문이) 선정적인.

half·pen·ny·worth [héipəniwə̀:*r*θ] *n.* (a ~) ① 반페니어치(의 물건〔분량〕). ② 극히 소량(*of*).

half-pint [hǽfpáint, hɑ́:f-] *n.* Ⓒ 반 파인트《1/4 quart ; 건량(乾量) · 액량(液量)의 단위》 ; 《口》 키 작은 사람《특히 여자》, 꼬마 ; 《俗》 젊은이 ; 별볼일 없는 사람. —*a.* 반 파인트의 ; 《俗》 키가 작은, 꼬마의 ; 《俗》 소형의.

half-plate [ˊplèit] *n.* Ⓒ 하프 사이즈의 건판〔필름〕, 하프 사이즈의 사진《16.5×10.8 cm》.

hálf rèst 〖樂〗 2분 쉼표.

hálf-seas-ó·ver [ˊsì:z-] *a.* 《英俗》 얼근히 취한.

hálf sìster 배다른〔의붓〕 자매.

half-slip [ˊslìp] *n.* Ⓒ 하프 슬립《허리 아래쪽만 있는 슬립》.

hálf sòle (구두의) 앞창.

half-sole [ˊsòul] *vt.* (구두에) 앞창을 대다.

half-staff [hǽfstǽf, hɑ́:fstɑ́:f] *n.* 《美》 =HALF-MAST.

hálf stèp 〖樂〗 반음 ; 〖美軍〗 반보(半步).

half-term [ˊtə́:*r*m] *n.* Ⓒ 《英》 (초등학교 · 중학교의) 학기의 중간 휴가《보통 1주일간》.

half-tim·bered [ˊtímbə*r*d] *a.* 〖建〗 뼈대를 목조로 한.

half·time [ˊtàim] *n.* Ⓤ 반일(半日) 근무 ; 〖競〗 중간 휴식, 하프타임.

half·tone [ˊtòun] *n.* Ⓒ ①〖印 · 寫〗 망판(網版) ; 〖美術〗 (명암의) 반색조. ② 《美》〖樂〗 반음.

half-ton·ing [ˊtòuniŋ] *n.* 〖컴〗 점밝기《점의 굵기나 농도가 다른 여러가지 점패턴으로 영상의 섬세한 명암을 표시하고 있는 법》.

half-track [ˊtræ̀k] *n.* Ⓒ 앞바퀴만이 자유롭게 움직이는 반무한궤도식 자동차.

half-truth [ˊtrùːθ] *n.* U.C (일부러) 진상의 일부만을 전하는 이야기《흔히 중요 부분은 빠져있음》.

‡**half·way** [ˊwéi] *a.* 〔限定的〕 ① 도중의, 중간의. ② 불충분한 : ~ measures 철저하지 못한 조치. — *ad.* ① 도중에〔까지〕. ② 거지반, 거의 ; 어중되게, 불완전하게 : He ~ acknowledged the fact. 그는 어중되게 그 사실을 인정했다 / in a voice ~ to sleep 졸음섞인 음성으로. ***go ~ to meet*** a person =***meet*** a person ~ (1) 아무를 도중까지 나가 맞다. (2) (상대의 요구를) 어느 정도 인정하다 ; (상대에게 …의 점에서) 양보하다, 타협하다《*on*》. (3) (상대의) 나오는 것을 보아 행동하다, 적절히 응대하다 : Whenever she asked for anything he'd *meet* her ~. 그는 그녀가 어떤 것을 졸라대도 보기 좋게 응대해 주었다. ***go ~ with*** 도중까지 …와 동행하다. ***meet ~*** …와 도중에서 만나다 ; …와 타협하다 : The union and the company finally agreed to *meet* ~ and settle their dispute. 조합측과 회사측은 드디어 타협하여 쟁의를 해결하는 데 합의했다. ***meet trouble ~*** 쓸데없는 고생을 하다.

hálfway hòuse ① 두 읍 중간에 있는 여인숙. ② 갱생〔재활〕원《출감자, 정신·지체 장애자 등의 사회 복귀를 준비시키는 사회 사업 시설》.

half-wit [ˊwìt] *n.* C 얼뜨기 ; 정신 박약자.

half-wit·ted [ˊwítid] *a.* 아둔한, 얼빠진.

half-year·ly [ˊjíərli/ˊjə́ːr-] *ad., a.* 반년마다(의).

hal·i·but [hǽləbət, hál-] (*pl.* **~s,** 〔集合的〕 ~) *n.* C 〖魚〗 핼리벗《북방 해양산의 큰 넙치》.

hal·ide, -id [hǽlaid, héil-], [-lid] *n.* C, *a.* 〖化〗 할로겐 화합물(의).

Hal·i·fax [hǽləfæ̀ks] *n.* 캐나다 Nova Scotia 주의 주도.

hal·ite [hǽlait, héi-] *n.* U 〖鑛〗 암염(岩塩).

hal·i·to·sis [hæ̀lətóusis] *n.* U 〖醫〗 구취.

†**hall** [hɔːl] *n.* C ① 홀, 집회장, 오락실. ② 현관(의 넓은 공간) ; 《美》 복도. ③ (종종 H-) 공회당, 회관 ; (조합·협회 등의) 본부, 사무실. ④ (사교적) 집회장, 오락장 ; (흔히 *pl.*) =MUSIC HALL. ⑤ 《美》 (대학의) 특별 회관, 강당, 기숙사 ; 학부, 학과 ; 《英》 (대학의) 식당, 식당에서의 회식. ⑥ 《英》 지주의 저택 ; (중세의) 장원 영주의 저택. ***a ~ of residence*** (대학의) 기숙사(《美》 dormitory, 《英》 hall). ***a liberty ~*** 멋대로 굴 수 있는 장소. ***the Independence Hall*** 《美》 독립기념관.

hal·le·lu·jah, -iah [hæ̀ləlúːjə] *int., n.* C 《Heb.》 할렐루야《'하느님을 찬송하라'의 뜻》.

Hál·ley's cómet [hǽliz-] (종종 H- C-) 〖天〗 핼리 혜성《76 년 주기》.

hal·liard [hǽljərd] *n.* =HALYARD.

hall·mark [hɔ́ːlmɑ̀ːrk] *n.* C ① (금은의 순도를 나타내는) 검증각인(刻印). ② 성질〔품질〕 우량 품질증명 ; 검증서, 증명 ; (현저한) 특징, 특질. — *vt.* …에 ~을 찍다〔붙이다〕 ; …을 보증하다. ㊔ **~·er** *n.* C

***hal·lo** [həlóu, hæ-] *int.* 여보세요, 여보, 이봐, 야 ; 쉿, 덤벼《사냥개를 추기는 소리》. — (*pl.* **~s**) *n.* C hallo 의 소리 ; 큰 소리로 부르기 ; 사냥개를 추기는 소리 ; 놀람의 외침.
— *vt.* (주의를 끌기 위해) …을 큰 소리로 외치다. — *vi.* 큰 소리로 부르다 : Do not ~ till you are out of the wood. 《俗談》 위기를 벗어날 때까지는 안심하지 마라.

Háll of Fáme 《美》 (위인·공로자를 기리는) 영예의 전당.

Háll of Fámer 영예의 전당에 든 사람.

***hal·low**¹ [hǽlou] *vt.* 〔종종 受動으로〕 …을 신성하게 하다, 깨끗하게 하다, 신에게 바치다 ; (신성한 것으로서) 숭배하다 : The grove was ~*ed* by the local people. 그 지역 사람들은 그 숲을 신성한 것으로 숭배하고 있었다 / a life ~*ed* by piety and goodness 경건함과 선량함으로 신에게 바쳐진 생애 / *Hallowed* be thy name. 이름을 거룩하게 하옵소서《마태복음 Ⅵ : 9》. — *n.* C 《古》 성인(聖人).

hal·low² [həlóu] *int., n., vt., vi.* =HALLO.

hal·lowed [hǽloud, 〔기도 때는 종종〕 -ouid] *a.* 신성화(神聖化)된, 신성한 : a ~ ground 영지(靈地). ㊔ **~·ly** *ad.* **~·ness** *n.*

‡**Hal·low·een, -e'en** [hæ̀ləwíːn, hæ̀louíːn, hɑ̀l-] *n.* 《美·Sc.》 '모든 성인(聖人)의 날' 전야(前夜)《10월 31일》.

háll pòrter (호텔의) 짐 운반인.

hall·stand [hɔ́ːlstæ̀nd] *n.* C 홀스탠드《거울·코트걸이·우산꽂이 등이 달린 가리개》.

háll trèe (현관 따위의) 모자〔외투〕걸이.

hal·lu·ci·nate [həlúːsənèit] *vt.* …에게 환각을 일으키게 하다 ; …을 환각으로 보다〔경험하다〕 : She ~*d* a sweet ordor of violets. 향긋한 제비꽃 향기가 풍겨오는 듯한 환각을 느꼈다. — *vi.* 환각을 일으키다 : Mental disorders, drug use and hypnosis can all cause people to ~. 정신 이상, 마약 사용 및 최면술은 모든 사람들에게 환각을 일으키게 할 수 있다. ㊔ **-nà·tor** *n.* C

hal·lu·ci·na·tion [həlùːsənéiʃən] *n.* ① U.C 환각. ② C 망상.

hal·lu·ci·na·to·ry [həlúːsənətɔ̀ːri / -təri] *a.* 환각의〔적인〕 ; 환각을 일으키는.

hal·lu·ci·no·gen [həlúːsənədʒən] *n.* C 환각제.

hall·way [hɔ́ːlwèi] *n.* C ① 현관. ② 입구 홀, 복도, 낭하.

ha·lo [héilou] (*pl.* ~(*e*)*s*) *n.* ① C (해·달의) 무리 ; 후광《그림에서 성인의 머리 위쪽에 나타내는 광륜(光輪)》. ② U (전설·역사에서 유명한 사람·사건에 붙어 다니는) 영광 : the ~ around Shakespeare's works 셰익스피어 작품이 갖는 불멸의 광휘. ③ C 〖解〗 유두륜(乳頭輪), 젖꽃판. — *vt.* …에 무리를 씌우다 ; …에게 영광을 주다. — *vi.* 무리가 생기다, 후광이 되다.

hal·o·car·bon [hæ̀ləkɑ́ːrbən] *n.* U 〖化〗 할로카본, 할로겐화(化) 탄소.

hálo effèct 〖心〗 후광〔위광〕 효과.

hal·o·gen [hǽlədʒən, -dʒèn, héi-] *n.* U 〖化〗 할로겐.

hal·o·ge·na·tion [hæ̀lədʒənéiʃən, hælɑ̀dʒə-] *n.* U 할로겐화(化), 할로겐과의 화합.

halp [hælp] *int.* 《美口》 사람 살려.

‡**halt**¹ [hɔːlt] *vi.* 멈춰서다, 정지〔휴지〕하다 ; 부대가 정지하다 : Production has ~*ed* at all of the company's factories because of the pay dispute. 임금 분쟁으로 회사의 모든 공장에서 생산이 중지되었다. — *vt.* …을 멈추다, 정지〔휴지〕시키다 ; 군대를 머무르게 하다 : Security forces ~*ed* the demonstrators by blocking the road. 치안유지군이 도로를 봉쇄하여 시위군중들을 막았다 / The train was ~*ed* by work on the line. 열차는 궤도 공사로 정지되었다. — *n.* C (a ~) ① (멈추어) 섬, 정지 ; 휴지(休止) ; 주군(駐軍) ; 휴식 ; 〖컴〗 멈춤. ② 《英》 (건물이 없는) 정거장, (전차·버스의) 정류소. ***bring to a ~*** 세우다, 정지시키다 : Economic progress was *brought to a* ~. 경제 성장이 정지되었다. ***call a ~ to*** …에게 정지를 명하다 ; …을 멈추다. ***come to*** 〔***make***〕 ***a ~*** 정지하다, 멈추다, 서다. ***grind to a ~*** ⇨GRIND. ㊔ ˊ**·er**¹ *n.*

halt² *vi.* 주저하다, 망설이다 ; 머뭇거리며 말하다〔걷다〕 ; (논지(論旨)·운율 따위가) 불완전하다,

H

유창하지 못하다. ~ ***between two opinions*** 두 가지 의견 사이에서 망설이다.
— *n., a.* 《古》 절름발이(의). ㊞ ∠·**er**² *n.*

hal·ter³ [hɔ́:ltər] *n.* Ⓒ (말의) 고삐; 목조르는 밧줄; 교수(형); 《美》 홀터(어깨에 끈이 달리고 잔등과 팔이 노출된 여자의 운동복·야회복). ***come to the*** ~ 교수형을 받다. — *vt.* …에 굴레를 씌우다, 고삐를 달다(*up*); …을 교수형에 처하다; 속박하다, 억제하다. ㊞ ~·**like** *a.*

hal·ter·neck [-nèk] *a.* (여자용 드레스가) 홀터넥의(어깨끈 따위를 목뒤에서 매어 팔이나 등을 노출시키는 스타일).

halt·ing [hɔ́:ltiŋ] *a.* ① 불완전한; 주저하는, 망설이는; 위태로운; 절름발이의. ② 유창〔원활〕하지 못한, 더듬거리는, 확실치 못한: He said in ~ English. 더듬거리는 영어로 말하였다. ㊞ ~·**ly** *ad.*

halve [hæv, hɑ:v] *vt.* …을 2등분하다; 반씩 나누다(*with*); 반감하다: When shared, joy is doubled and sorrow ~*d.* 《俗談》 기쁨은 나눌수록 커지고 슬픔은 나눌수록 적어진다 / They tried to double the profit by *halving* the cost. 원가를 반감시킴으로써 이익을 배증하려고 그들은 힘썼다. ~ ***a hole with*** 〖골프〗 …와 동점으로 홀인하다. ~ ***a match*** 〖골프〗 동점이 되다(*with*).

***halves** [hævz, hɑ:vz] HALF의 복수형.

hal·yard [hǽljərd] *n.* Ⓒ 〖船〗 마룻줄(돛·기 따위를 올리고 내림).

Ham [hæm] *n.* 〖聖〗 함(노아의 차남; 창세기 Ⅹ: 1).

‡**ham¹** *n.* ① Ⓤ 햄; (*pl.*) 《美》 햄샌드위치. ② (동물의) 넓적다리; (*pl.*) 넓적다리의 뒤쪽, 넓적다리와 궁둥이; 《美·英古》 Ⓒ 오금. ③ 《美俗》 음식, 식사. ④ (바느질에서) 만곡부에 대는 쿠션.

ham² *n.* Ⓒ ① 《美俗》 (연기를 과장하는) 엉터리〔서투른〕 배우. ② 《口》 아마추어 무선기사, 햄. ③ 〔形容詞的〕 《俗》 아마추어의, 서투른, 뒤진. — (**-mm-**) *vi., vt.* 《口》 연기가 지나치다, 과장되게 연기하다; (이야기)에 감상적 통속성을 부여하다. ~ (***it*** 〔***the*** (***whole***) ***thing, part,*** etc.〕) ***up*** 《口》 과장된 연기를 하다.

ham·a·dry·ad [hæ̀mədráiəd, -æd] (*pl.* ~***s,*** ***-a·des*** [-ədi:z]) *n.* ① 〖그·로神〗 하마드리아스(나무의 요정). ② Ⓒ =KING COBRA.

ham·a·drý·as babòon [hæ̀mədráiəs-] 〖動〗 망토비비(아프리카산; 고대 이집트에서 신성시했음).

Ham·burg [hǽmbə:rg] *n.* ① 함부르크(독일 북부의 항도). ② (흔히 h-) 《美》 =HAMBURGER.

***ham·burg·er** [hǽmbə̀:rgər] *n.* Ⓒ ① 《美》 =HAMBURG STEAK. ② Ⓤ 햄버그스테이크용의 다진 고기. ③ 《口》 햄버거. ④ (H-) Hamburg 주민; 《美俗》 얼굴에 상처투성이인 권투선수; 부랑자.

Hámburg stèak (때때로 h-) 햄버그스테이크.

ham-hand·ed, -fist·ed [hǽmhǽndid], [-fístid] *a.* 손이 유난히 큰; 솜씨 없는, 서투른: You're far too ~ to become a surgeon! 자네는 외과의사가 되기에는 너무 손재주가 없네.

Ham·ite [hǽmait] *n.* Ⓒ ① 〖聖〗 (Noah의 둘째 아들) Ham의 자손. ② 햄어족(語族).

Ham·it·ic [hæmítik, hə-] *a.* 햄족(族)의; 햄어족(語族)의. — *n.* Ⓤ 햄어(語).

Ham·i·to-Se·mit·ic [hǽmətousəmítik] *n., a.* 햄셈어족(의)(Afro-Asiatic의 구칭).

***Ham·let** [hǽmlit] *n.* 햄릿(Shakespeare 작의 4대 비극의 하나; 그 주인공).

ham·let *n.* Ⓒ 작은 마을, 부락.

‡**ham·mer** [hǽmər] *n.* Ⓒ ① 해머, (쇠)망치. ② 해머 모양의 물건; 《특히》 (피아노의) 해머; (의장·경매자용의) 나무 망치; (총의) 공이치기, 격철(擊鐵); 〖解〗 (중이(中耳)의) 추골(槌骨); 《美俗》 (차의) 액셀러레이터; 《美黑人俗》 멋진 아가씨. ③ (해머 던지기의) 해머; =HAMMER THROW. ~ ***and tongs*** 맹렬한 소리〔기세〕로. ***under*** 〔***to***〕 ***the*** ~ 경매에 부쳐져서: come 〔go, be〕 *under* 〔*to*〕 *the* ~ 경매에 부쳐지다 / bring 〔put up, send〕 *under* 〔*to*〕 *the* ~ 경매에 부치다. ***up to the*** ~ 《俗》 더할 나위 없는.
— *vt.* ① 《~+目/+目+副/+目+補》 …을 망치로 치다, 탕탕 두들기다, (못 따위)를 쳐서 박다(*in, into*); (망치로) 못을 쳐서 (뚜껑 등)을 붙박다(*down; up; on; onto*); 못을 박아 만들다(*together*); (망치로) 두들겨 펴다〔만들다〕(*out* / *into*); (울퉁불퉁한 것)을 고르다; (의견의 차이)를 조정하다(*out*): ~ steel *into* a sword 강철을 두들겨 칼을 만들다 / They ~*ed out* their differences over a glass of beer. 그들은 맥주를 마시면서 의견의 차이를 조정했다. ② 《+目+副》 (힘들여서) …을 만들어내다, 생각해내다, 안출하다(*out; together*); (구실 따위)를 만들어내다, 조작하다: ~ *out* a plan 애써서 계획을 세우다 / ~ *together* a plot 애써 (이야기의) 줄거리를 꾸며내다 / Father was trying to ~ me into shape. 아버지는 나를 어엿한 인간으로 만들려고 애를 쓰셨다. ③ 《+目+副》 (소리 등)을 두드려서 내다: ~ *out* a tune on the piano 피아노를 쾅쾅 쳐서 곡을 연주하다. ④ 《口》 (주먹으로) …을 마구 때리다; 맹렬히 포격하다; 여지없이 이기다, 해치우다. ⑤ …을 헐뜯다, 혹평하다. ⑥ 《+目+前+名/+目+副》 (사상 따위)를 억지로 주입시키다, 명기시키다(*home; in*): ~ *in* 〔*home*〕 the difficulty of the present situation to the people 작금의 어려운 상황을 국민에게 명기시키다. ⑦ 〖英證〗 (망치를 세 번 쳐서) …을 퇴장시키다; 거래소에서 제명처분하다; (공매(空賣)해서, 주식)의 가격을 떨어뜨리다. — *vi.* ① 《+前+名》 (망치로) 치다(*at; on*); 탕탕 두들기다; 망치질하는 소리가 나다〔느낌이 들다〕: ~ *at* the table 테이블을 탕탕 치다. ② 《+副/+前+名》 꾸준히 애쓰다(*at*); (생각 따위가) 끈질기게 떠나지 않다; 되풀이해서 강조〔역설〕하다(*away*); 《英方》 떠듬떠듬 말하다. ~ ***away at*** (1) …을 꾸준히〔반복하여〕 두드리다: Somebody was ~*ing away at* 〔*on*〕 the door. 누군가가 문을 계속 두드리고 있었다. (2) …을 지멸있게 계속하다; 반복하여 강조하다: ~ (*away*) *at* one's studies 열심히 공부하다 / They all ~ *away at* their thesis. 그들은 모두 학위 논문에 열심히 매달려 있다 / The teacher ~*ed away at* the multiplication tables. 선생은 되풀이해서 99단을 가르쳤다. ~ ***down*** 못질하다. ~ a thing ***into*** a person's ***head*** 어떤 일을 아무에게 주입시키다. ~ a thing ***into shape*** 망치로 때려 모양을 내다. ~ ***out*** (1) (금속 등을) 두드려 펴서 모양을 만들다; (문제를) 해결하다, (곤란 따위를) 애써 타개하다. (2) 안출하다, 애써 만들어내다.

ham·mer-and-tongs [-əndtɔ́:ŋz, -tɑ́ŋz] *a.* 맹렬〔격렬〕한.

ham·mer·head [-hèd] *n.* Ⓒ ① 망치의 대가리; 굴통이, 바보. ② 〖魚〗 귀상어.

ham·mer·ing [hǽməriŋ] *n.* Ⓤ,Ⓒ 해머로 치는 일; (은세공 등의) 두들겨 만든 돋을새김 무늬.

ham·mer·lock [-lɑ̀k / -lɔ̀k] *n.* Ⓒ 〖레슬링〗 해머록(팔을 등뒤로 비틀어 꺾기).

hámmer thròw (the ~) 〖競〗 해머던지기. ㊞ **hámmer thròwer** 해머던지기 선수.

hám·ming còde [hǽmiŋ-] 〖컴〗 해밍부호(회로망 위나 기억 영역 안에서의 오류를 검출하여 자동 수정하는 데 쓰는 코드).

hámming dìstance 〖컴〗 해밍거리《같은 비트수를 갖는 2진 코드 사이에 대응되는 비트 값이 일치하지 않는 것의 개수》.

***ham·mock** [hǽmək] *n.* Ⓒ 해먹《달아맨 그물 침대》. ***sling* 〔*lash*〕 *a* ~** 해먹을 달다〔거두다〕.

Hám·mond órgan [hǽmənd-] 해먼드오르간 《2 단 건반의 전기 오르간 ; 商標名》.

Ham·mu·ra·bi [hɑ̀ːmurɑ́ːbi, hæ̀mu-] *n.* 함무라비《BC 18세기경의 바빌로니아 왕 ; 법전 제정자》. ***~'s code*** 함무라비 법전.

***ham·per**[1] [hǽmpər] *vt.* …을 방해하다, (동작·진보)를 훼방하다 ; 곤란하게 하다 : The search was *~ed* by appalling weather conditions. 수색은 지독한 기상 조건 때문에 어렵게 되었다 / Her tight skirt *~ed* her walking. 그녀는 타이트 스커트를 입고 있어서 제대로 걸을 수가 없었다. Ⓒⓕ hinder[1], obstruct.

ham·per[2] *n.* Ⓒ (식료품·의복 따위를 담는) 바구니, (보통 뚜껑 달린) 바스켓 ; 그 속에 담은 식료품. ― *vt.* …을 바구니에 넣다.

Hamp·shire [hǽmpʃiər] *n.* 햄프셔《영국 남해안의 주 ; 별칭 Hants》; Hampshire 산의 양〔돼지〕의 일종(=∠ **Dówn**).

Hamp·stead [hǽmpstid, -sted] *n.* 햄스테드《런던의 북서구 ; 예술가·문인의 거주지》.

Hámpton Cóurt 〔Pálace〕 햄프턴 코트 《London 서쪽의 옛 왕궁》.

ham·ster [hǽmstər] *n.* Ⓒ 햄스터《일종의 큰 쥐 ; 동유럽·아시아산》.

ham·string [hǽmstrìŋ] *n.* Ⓒ 〖解〗 슬와근(膝窩筋), 오금 ; 규제력, 단속. ― (*p., pp.* ***-strung*** [-strʌ̀ŋ], 《稀》 ***-stringed***) *vt.* 〔종종 受動으로〕 (사람·말 등)의 오금을 잘라 절름발이를 만들다 ; 《比》 …을 불구를 만들다, …의 효과를 줄이다, …을 못 쓰게 만들다, 무력하게 만들다 : The economic growth of the West *is hamstrung* by the lack of purchasing power. 서유럽의 경제성장은 구매력의 부족으로 어려움을 당하고 있다.

Han [hɑːn] *n.* (중국의) 한(漢)나라.

†hand [hænd] *n.* ① Ⓒ 손, 팔, (원숭이 따위의) 앞발 ; (붙들 기능이 있는 동물의) 뒷발, 하지(下肢) ; (매 따위의) 발 ; (게의) 집게발 : She was leading her mother by the ~. 그녀는 어머니의 손을 잡고 인도하고 있었다. ② Ⓒ 손 모양의 것, 손의 기능을 가진 것 ; 《특히》 (시계) 바늘 ; (바나나) 송이 ; 손가락표(☞) ; (담뱃잎의) 한 다발. ③ Ⓒ (종종 *pl.*) 소유, 점유 ; 관리 ; 지배 ; 돌봄, 보호, 권력. ④ Ⓒ 수공, 노력 ; (흔히 *pl.*) 일손, 고용인 ; 직공 ; 승무원 : farm *~s* 농장 노동자, 머슴 / factory *~s* 공원, 직공 / Many *~s* make light work. 《格言》 일손이 많으면 일은 쉬워진다. ⑤ Ⓒ (흔히 a ~) 원조의 손길, 조력 ; 참가 : lend 〔give〕 *a* (helping) ~ 조력하다 / keep *~s* off 간섭하지 않다. ⑥ ⓊⒸ 힘, 작용 ; 영향력 ; (교섭 따위에서의) 입장 : strengthen one's ~ 지배력을 강화하다 / keep one's ~ 〔a firm ~〕 on …의 지배권을 장악하고 있다, …을 통제하고 있다. ⑦ Ⓒ 수단, 수법. ⑧ Ⓒ 기량, 솜씨, 재주《*for* ; *in*》: a ~ *for* bread 빵만드는 솜씨 / He has a good ~ *in* teaching. 그는 가르치는 수완이 있다. ⑨ Ⓤ 필적 ; 서명, 기명. ⑩ Ⓒ (오른쪽·왼쪽 따위의) 쪽, 측 ; 방면. ⑪ Ⓒ 결혼, 약혼, 서약. ⑫ Ⓒ 〖카드〗 가진 패 ; 경기자 ; 한 판 (승부). ⑬ Ⓒ 핸드《손바닥 폭, 4 인치 ; 말의 키를 재는 단위》. ⑭ 〔a big〔good〕 ~로〕 박수 갈채. ⑮ (a ~) (천·가죽 등의) 감촉. ⑯ Ⓒ (*pl.*) 〖蹴〗 핸들링《반칙》. ***a bird in the ~*** 수중에 있는 확실한 물건. ***All ~s to the pump***(*s*) ***!*** ⇨ PUMP. ***a man of his ~s*** 실무에 적격인 사람. ***ask for a lady's*** 〔***her***〕 **~** 여자〔그녀〕에게 청혼하다. ***at first ~*** 직접으로. ***at ~*** 바로 가까이에 ; 가까운 장래에, 곧 ; 즉시 쓸 수 있도록(준비하여) : Remember to keep a first-aid kit close〔near〕 *at ~* all the time. 구급상자는 언제나 바로 가까운 곳에 두도록 명심해라. ***at second ~*** ⇨ SECOND HAND[2]. ***at*** a person***'s ~s*** = ***at the ~***(*s*) ***of*** 아무의 손에서, 아무의 손으로, …에 의해 : I received rough treatment *at his ~s.* 그에게서 푸대접을 받았다. ***at*** 〔***on***〕 a person***'s right ~*** 아무의 심복으로서, 오른팔로서. ***be a good*** 〔***poor***〕 ***~ at*** …이 능하다〔서투르다〕, …을 잘하다〔못하다〕. ***bear a ~*** 거들다, 돕다 ; 참가〔관계〕하다 ***bear in ~*** 억제하다 ; 주장하다, 약속하다. ***bite the ~ that feeds*** one 배은망덕한 짓을 하다. ***by ~*** 손으로, 손으로 만든〔만들어서〕 ; 사람을 보내어 ; 자필로 ; 자기가 돌보아 : made *by ~* 손으로 만든 / deliver *by ~* (우송하지 않고) 손수 전하다, 사람을 보내어 건네주다 / bring up *by ~* 《美》 자기 손으로 키우다. ***by*** one***'s own fair ~*** 〖戱〗 자기 혼자서, 자기 힘으로. ***change ~s*** 손을 바꾸어 쥐다, 임자가 바뀌다. ***chuck*** one***'s ~ in*** 《俗》 =throw one's ~ in. ***clean*** one***'s ~s of*** …와의 관계를 끊다, …에서 손을 떼다. ***come to ~*** 손에 들어오다 ; 발견되다, 나타나다 ; 도착하다. ***decline*** 〔***refuse***〕 ***a man's ~*** (여자가 남자의) 구혼을 거절하다. ***dirty*** one***'s ~s*** =soil one's *~s.* ***do a ~'s turn*** =lift 〔raise〕 a ~. ***eat*** 〔***feed***〕 ***out of*** a person***'s ~*** 〔보통 have ... eating out of a person's hand 꼴로〕 (기르는 개처럼) 잘 따르다, 시키는 대로 하다 : She soon *had* him *eating out of her ~.* 그녀는 곧 그를 그녀 손아귀에 넣었다. ***fight ~ to ~*** 백병전을 하다, 드잡이하다. ***force*** a person***'s ~*** ⇨FORCE. ***for*** one***'s own ~*** 자기의 이익을 위하여. ***foul*** one***'s ~s with*** ⇨ FOUL. ***from ~ to ~*** 이 손에서 저 손으로, 여러 사람의 손을 거쳐. ***from ~ to mouth*** 하루 벌어 하루 사는. ***get out of ~*** 과도해지다 ; 건잡을 수 없이 되다. ***get . . . out of ~*** …을 마치다. ***get*** one***'s ~ in*** …에 익숙해지다. ***get*** one***'s ~s on*** …을 손에 넣다 ; (위해를 가하기 위해) …을 붙잡다, …에 접근하다. ***get*** 〔***gain, have***〕 ***the upper ~ of*** ⇨ UPPER HAND. ***give*** 〔***lend***〕 a person ***a ~*** 아무에게 손을 빌려주다, 도와주다《*to*》; 박수를 보내다 : Please *give*〔*lend*〕 me *a ~ with* this trunk. 이 트렁크를 옮기도록 도와주십시오. ***give*** a person one***'s ~ on*** (a bargain) 아무에게 (계약의 이행)을 굳게 다짐하다. ***give*** one***'s ~ to*** (여자가) …와 약혼하다. ***grow on*** one***'s ~s*** ⇨ GROW. ***~ and foot*** 손도 발도, 완전히《사람을 묶다 따위》; 손발이 되어, 충실히, 정성껏《아무를 섬기다》. ***~ and glove***=***~ in glove*** 극히 친밀한 〔하여〕, (…와) 한통속이 되어 《*with*》. ***~ in ~*** 손을 맞잡고, 제휴하여 ; 협력하여 : I saw Pat and Chris walking *~ in ~* through town. 패트와 크리스가 손을 맞잡고 거리를 걸어가는 것을 보았다 / My proposal goes *~ in ~ with* your idea. 내 제안은 자네 생각과 합치한다 / Doctors and nurses work *~ in ~* to save lives. 의사와 간호사는 사람의 목숨을 구하려고 협력하여 일한다. ***~ over ~*** = ***~ over fist*** 〖海〗 (밧줄 따위를) 번갈아 잡아 당겨 ; 《口》 죽죽, 부쩍부쩍《벌다·따라가다 등》: make money *~ over fist* 자꾸 돈을 벌다. ***~s down*** (1) 쉽게 : win *~s down* 쉽게 이기다. (2) 분명히. ***Hands off . . . !*** (…에) 손대지 마시오 ; 관여하지 마라, 손을 떼라. ***Hands up !*** 손들어 《항복 하라》; (찬성하실 분은) 손을 들어 주시오.

H

~ *to* ~ 상접(相接)하여《전투(戰鬪) 따위에서》, 접전(接戰)으로: ⇨ fight ~ *to* ~. ***have a ~ for*** …에 솜씨가 있다, …을 잘하다. ***have a ~ in*** 〔***at***〕 = take a ~ in. ***have only got one pair of ~s*** 《口》 손이 나지〔돌아가지〕 않다, 손은 둘밖에 없다(따라서 그 이상의 일은 못한다). ***have*** one***'s ~ in*** …에 관여하고 있다; …에 익숙하다. ***have*** one***'s ~s free*** 한가하다. ***have*** one***'s ~ full*** (바빠서) 손이 안돌아가다〔꼼짝 못 하다〕, 매우 바쁘다: She *has her ~s full with* her three children. 그녀는 세명의 아이들 일로 언제나 바쁘다. ***have*** one***'s ~s tied*** 손이 묶여 있다, (의무 등에 묶여) 자유로 행동할 수 없다. ***heavy on*** 〔***in***〕 ~ (말이) 힘 없이 고삐에 매달리어; (사람이) 몹시 울적하여, 즐겁게 하기〔다루기〕 힘든. ***Here's my ~ upon it.*** (악수하며) 찬성이다; 약속하다. ***hold ~s*** (특히 남녀가) 정답게 굴다. ***hold*** one***'s ~*** 《英》 (처벌 등을) 꺼리다, 참다, 삼가다. ***hold*** a person***'s ~*** 아무의 손을 잡다; 아무를 돕다, 격려하다, 지지하다. ***Hold up your ~s!*** = Hands up! ***in good ~s*** 잘 손질된, 확실한 사람에게 맞겨져. ***in ~*** 손에 넣고; 제어하고; 지배〔보호〕하에; 착수〔준비〕하고; 연구 중으로; 후불(後拂)로. ***in*** a person***'s ~s*** 아무의 생각대로. ***in the ~s of*** …의 수중에; …에게 맡겨져서〔조종되어〕. ***join ~s*** 서로 손을 잡다; 결혼하다; 제휴하다: *join ~s* in marriage 결혼하다 / The democracies must *join ~s* in order to survive. 민주주의 국가는 존속하기 위해 협력해야 한다. ***keep*** one***'s ~ in*** 《口》 (1) …에 대한 관심을〔지배를〕 지속하다: He turned the business over to his sons, but he *keeps his ~ in* it. 그는 사업을 아들들에게 물려주었으나, 아직도 실권을 장악하고 있다. (2) (끊임없이 연습하여) 실력을 유지하다. ***keep*** one***'s ~s off*** …에 손을 대지 않다; …에 간섭지 않다. ***keep*** one***'s ~s on*** = ***keep a firm ~ on*** …을 꽉 장악하고 있다. ***know . . . like the back of*** one***'s ~*** …을 잘 알고 있다. ***lay*** 〔***put***〕 (one***'s***) ~(***s***) ***on*** (1) …을 손에 넣다; (찾고 있던 것을) 찾아내다. (2) …을 잡다, 붙잡다. (3) (축복·성직 수임을 위해) …의 머리에 손을 놓다, 안수하다, …에 손을 대고 축복하다. (4) 폭행하다, 습격하다. ***lay ~s on*** one***self*** 자살하다. ***lie on*** a person***'s ~(s)*** ⇨ LIE[1]. ***lift*** 〔***raise***〕 ***a ~*** 〔흔히 否定으로〕 조금 수고하다: He did*n't lift a ~* to do anything for me. 그는 나를 위해 아무것도 하지 않았다. ***lift*** one***'s ~*** 한손을 들고 선서하다. ***lift*** 〔***raise***〕 one***'s ~ to*** 〔***against***〕 (때릴 것같이) 손을 들어올리다; 공격〔위협〕하다. ***light on ~*** 다루기 쉬운. ***make a ~*** 이득을 보다; 효과가 있다, 성공하다, 이루다. ***off ~*** 준비 없이, 즉석에서. ***off*** a person***'s ~s*** 아무의 손을 떠나서, 아무의 임무가 끝나서. ***oil*** 〔***grease***〕 a person***'s ~*** = grease a person's PALM[1]. ***on all ~s*** = ***on every ~*** (1) 사방에(서): There was chaos *on every ~*. 사방팔방이 모두 대혼란이었다. (2) 모든 사람으로부터, 널리《찬성을 얻다, 요청되다 따위》. ***on ~*** (1) 마침 갖고 있는. (2) 《美》 손 가까이에; 마침 동석해서, 출석하여; 가까이 (임박하여): A change of government may be *on ~*. 정변이 곧 있을지 모른다 / There were not enough members *on ~* to constitute a quorum. 정족수를 충족시킬 만한 위원이 출석하지 않았다. ***on*** one***'s*** 〔a person***'s***〕 ***~s*** (1) 자기〔아무〕의 책임이 되어. (2) 자기〔아무〕의 짐이 돼서, 주체할 수 없어. ***on*** (***the***) ***one ~*** 한편으로〔에서〕는. ***on the other ~*** 또 (다른) 한편으로는, 이와 반대로. ***out of ~*** 힘에 겨워; 끝나서; 즉시; 깊이 생각지 않고: Things are getting *out of ~*. 사태는 수습하기 힘들어져가고 있다. ***out of*** a person***'s ~s*** (문제·일 따위가) 아무의 관리를〔책임을〕 떠나서. ***play into*** a person***'s*** 〔***one another***〕 ***~s*** ⇨ PLAY. ***put*** 〔***dip***〕 one***'s ~ in*** one***'s pocket*** ⇨ POCKET. ***put*** 〔***set***〕 one***'s ~ to*** (1) …을 잡다. (2) …에 착수하다, …에 종사하다. ***put*** 〔***set***〕 one***'s ~ to the plow*** ⇨ PLOW. ***raise a ~*** = lift a ~. ***raise*** one***'s ~ to*** 〔***against***〕 = lift one's ~ to 〔against〕. ***ready to*** (one***'s***) ~ = under one's ~. ***see the ~*** 〔***finger***〕 ***of God in*** …에서 신의 조화를〔힘을〕 보다〔생각하다〕. ***set*** one***'s ~ to*** (서류)에 서명하다; …에 착수하다. ***shake*** a person***'s ~*** = ***shake ~s with*** a person 아무와 악수하다. ***show*** 〔***reveal***〕 one***'s ~*** 손 속을 펴 보이다; 계획을 털어놓다. ***sit on*** one***'s ~s*** 팔짱을 끼고 (보고) 있다, 수수 방관하다; 갈채하지 않다, 감동하지 않다. a person***'s left ~ does not know what*** his ***right ~ is doing*** 조직의 일부가 다른 부분이 하는 일을 모르고 제각각이다. ***soil*** 〔***dirty***〕 one***'s ~s*** (…에 관계하여) 손을 더럽히다《*with*》: I would not *soil my ~s with* it. 그 일에 관여하여 손을 더럽히고 싶지 않다. ***stand*** a person***'s ~*** 《英口》 아무의 셈〔외상〕을 치르다, 한턱 내다. ***stay*** a person***'s ~*** 《文語》 때리려는 손을 붙들다, 아무의 행동을 막다. ***strengthen*** a person***'s ~*** 아무의 입장을 유리하게 하다〔굳히다〕, 아무를 적극적으로 행동하게 하다. ***strike ~s*** 협력을 약속하다; 계약을 맺다. ***take a ~ in*** 〔***at***〕 …에 관여〔관계〕하다, …에 손을 대다: If the strike continues, the government will have to *take a ~ in* the negotiations. 파업이 계속되면, 정부는 중재에 나서야만 할 것이다. ***take*** a person ***by the ~*** 아무의 손을 잡다; 아무를 보호해 주다. ***take . . . in ~*** (…의 관리를) 떠맡다, 인수하다, 처리하다, 결말을 짓다; (아무를) 훈련하다: We'll *take* the matter *in ~* at the next meeting. 그 문제는 다음 모임에서 처리하자 / *take* the orphan *in ~* 그 고아의 뒷바라지를 떠맡다. ***take matters into*** one***'s own ~s*** (책임자가 응해 주지 않아서) 자기 스스로 일을 추진하다. ***take*** one***'s life in*** one***'s*** (***own***) ***~s*** ⇨ LIFE. ***take the law into*** one***'s own ~s*** ⇨ LAW[1]. ***throw in*** one***'s ~*** = ***throw*** one***'s ~ in*** (계획·게임을) 가망 없는 것으로 단념하다, 포기하다, 내던지다. ***throw up*** one***'s ~s*** 〔***arms***〕 (단념·포기를 나타내어) 두손 들다; 기진맥진하다, 단념하다. ***tie*** a person***'s ~ and foot*** 아무의 손발을 묶다; 자유를〔행동을〕 구속하다: The prisoners were *tied ~ and foot.* 포로들은 손발이 묶여 있었다. ***tip*** one***'s ~*** 《美》 = show one's ~. ***to ~*** 손 닿는 곳에, 입수되어, 소유하여. ***to*** one***'s ~*** (1) 안성맞춤으로, 요행으로. (2) 길들여, 복종시켜. ***try*** one***'s ~*** (처음으로 시험삼아) 해 보다《*at*》; 솜씨를 시험해 보다: After becoming a successful painter, he decided to *try his ~ at* sculpture. 그는 화가로서 성공한 후 조각에 손을 대보기로 결심했다. ***turn a ~*** 〔흔히 否定文〕 원조의 손을 뻗치다, 돕다. ***turn*** one***'s*** 〔***a***〕 ***~ to*** = put one's ~ to. ***under ~*** 비밀히. ***under*** one***'s ~*** 손 가까이에 있는, 수중에 있는; 곧 소용이 닿는. ***under the ~ of*** …의 서명(署名)부로. ***wash*** one***'s ~s*** 《婉》 변소에 가다; …에서 손을 떼다, …와 관계를 끊다《*of*》. ***win a lady's ~*** 여자한테서 약혼의 승낙을 얻다. ***with a bold ~*** 대담〔거만〕하게. ***with a heavy*** 〔***an iron***〕 ***~*** 강압적으로, 가혹하게; 서투르게, 골사납게. ***with a high ~*** 오만하게, 고압적으로; 멋대로. ***with an open ~*** ⇨ OPEN. ***with both ~s*** 양손으로, 전력

을 다하여. ***with clean ~s*** 청렴 결백하게. ***with one ~ (arm) (tied) behind one's back (behind one)*** 《口》 아주 쉽게, 힘 안들이고. ***with (one's) bare ~s*** (무기·도구 없이) 맨손으로. ***with one's ~ on one's heart*** 충심으로.
— *vt.* ①《+목+목 / +목+전+명》…을 건네〔넘겨〕주다, 수교하다, 주다《*to*》; (음식 담은 접시 따위)를 집어주다; (편지 따위로) 보내다. ②《+목+전+명》…을 손을 잡고 인도하다, 손으로 돕다《*to; into; out of; across; over*》. ③〖海〗(돛)을 접다, 말아 올리다. **~ *back*** (주인에게) 되돌려 주다《*to*》. **~ *down*** 〔흔히 受動으로〕 (1) 손을 잡고 (차 등에서) 내려주다. (2) (판결을) 언도하다: The jury *~ed down* a verdict of guilty. 배심원들은 유죄의 판결을 내렸다. (3) 유산으로 남기다, (후세에) 전하다《*to*》. **~ *in*** 건네주다, 수교하다; (보고서 등을) 제출하다: *Hand in* your homework tomorrow. 숙제를 내일 제출해라 / *~ in* one's resignation 사표를 제출하다. **~ *in one's dinner pail*** 《俗》 죽다; 사직하다. **~ *it to*** a person 《口》 상대의 승리를 인정하다, 아무의 우수성을 인정하다; 아무에게 경의를 표하다: You've got to *~ it to* her, she's a wonderful cook. 그녀가 놀랄만한 요리사라는 점은 인정해주어야 한다. **~ *off*** (*vt.*) 〖美蹴〗 (공)을 가까운 자기 팀 선수에게 넘기다; 〖럭비〗 손으로 (상대편)을 밀어제치다. **~ *on*** 차례로 건네주다, 돌리다, 알려주다; (재산·전통 등을) 전하다, 남기다. **~ *out*** 나눠주다, 도르다; 돈을 내다; (비판 등을) 가하다. **~ *over*** (*vt.*) …을 건네주다; 양도하다: The criminal was *~ed over* to the police. 범인은 경찰에 인도되었다. (*vi.*) 〖軍〗 임무·명령 등을 인계하다《*to*》. **~ *round* 〔*around*〕** 차례로 돌리다, 도르다: I *~ed round* the box of chocolates. 초콜릿 상자를 돌렸다. **~ *up*** (낮은 데서 높은 데로) 건네주다, 인도하다; 《美俗》 (기소장을) 상급 법원에 제출하다.

hánd àx 〔《英》 **àxe**〕 자귀, 손도끼.

***hand·bag** [hǽndbæ̀g] *n.* Ⓒ 핸드백, 손가방.

hand·ball [ˊbɔ̀ːl] *n.* ① Ⓤ 벽에서 튀는 공을 상대방이 받게 하는 구기(球技). ② Ⓤ 핸드볼, 송구. ③ Ⓒ 핸드볼에 쓰이는 공.

hand·bar·row [ˊbæ̀rou] *n.* Ⓒ ① (들것 식의) 운반기. ② (하나 혹은 두 바퀴) 손수레.

hand·bell [ˊbèl] *n.* Ⓒ 작은 종, 요령(搖鈴).

hand·bill [ˊbìl] *n.* Ⓒ 전단(傳單), 광고지.

***hand·book** [ˊbùk] *n.* Ⓒ ① 편람, 안내; 참고서: a ~ of radio 라디오 편람. ② 안내서, 여행 안내. ③ 논문집. ④ (경마에) 건 돈을 기입하는 장부.

hánd bràke 수동(手動) 브레이크.

hand·breadth [ˊbrèdθ, ˊbrètθ] *n.* Ⓒ 손의 폭《4 인치, 10.16 cm》.

hand·car [hǽndkɑ̀ːr] *n.* Ⓒ 〖美鐵〗 핸드카, (선로 보수용의 소형) 수동차(手動車).

hand·cart [ˊkɑ̀ːrt] *n.* Ⓒ (보통 바퀴가 둘이고 손잡이가 긴) 손수레.

hand·clap [ˊklæ̀p] *n.* Ⓒ 박수, 손뼉.

hand·clasp [ˊklæ̀sp, ˊklɑ̀ːsp] *n.* Ⓒ (굳은) 악수.

hand·craft [ˊkræ̀ft, ˊkrɑ̀ːft] *n.* =HANDICRAFT.
— [ˊˊ] *vt.* …을 수세공으로 만들다.

hand·cuff [ˊkʌ̀f] *n.* Ⓒ (흔히 *pl.*) 수갑, 쇠고랑.
— *vt.* …에게 수갑을 채우다; …의 자유를 빼앗다, 구속하다; 방해하다.

hand-down [ˊdàun] *n.* =HAND-ME-DOWN.

(-)hand·ed [hǽndid] *a.* …의 손을 가진; …의 인원수로 하는《놀이 따위》; 〖機〗 (나사 따위가) …(쪽)으로 도는〔돌리는〕.

Han·del [hǽndl] *n.* **George Frederic(k)** ~ 헨델《독일 태생의 영국의 작곡가; 1685-1759》.

‡**hand·ful** [hǽndfùl] (*pl.* **~s, hands·ful** [-*dz*-]) *n.* Ⓒ ① 한 움큼, 손에 그득, 한 줌(의 양). ② (a ~) 소량, 소수《*of*》. ③《口》 다루기 힘든 사람〔물건, 일〕; 귀찮은 존재: The little boy is quite a ~. 그 어린 소년은 아주 귀찮은 놈이다.

hánd glàss ① 손거울. ② 자루 달린 돋보기, (독서용의) 확대경.

hánd grenàde 수류탄.

hand·grip [ˊgrìp] *n.* Ⓒ ① 악수. ② 손잡이, 자루, (자전거 등의) 핸들; (여행용의) 대형 가방. ③ (*pl.*) 드잡이, 격투, 접근전: come to ~*s* 드잡이하다.

hand·gun [ˊgʌ̀n] *n.* Ⓒ 피스톨, 권총.

hand-held [ˊhèld] *a.* 〔限定的〕 손에 든; 손으로 쥘만한 크기의; 한손〔양손〕으로 사용하는; (사진기 따위를) 손으로 들고 촬영하는.

hand·hold [ˊhòuld] *n.* Ⓒ ① 손으로 쥠, 파악. ② 손잡을 곳, (붙)잡을 데.

‡**hand·i·cap** [hǽndikæ̀p] *n.* Ⓒ ① 핸디캡. ② 핸디캡이 붙은 경기. ③ 불이익, 불리한 조건; 신체장애; 어려움. — (**-pp-**) *vt.* ① …에게 핸디캡을 붙이다. ② 〔종종 受動으로〕 …을 불리한 입장에 두다: Rescue efforts have been *~ped* by rough seas. 거친 파도가 구조 작업을 어렵게 했다. ③ …을 방해하다; 약하게 하다. ④《美》 (경마 따위)의 승자를 예상하다, (경기자)에게 승패의 확률을 매기다. — *vi.* 경마의 예상자 노릇을 하다.

hand·i·capped [-kæ̀pt] *a.* 신체〔정신〕적 장애가 있는, 불구의; (경기에서) 핸디캡이 붙은; (the ~; 名詞的으로 複數취급) 신체〔정신〕 장애자.

***hand·i·craft** [hǽndikræ̀ft, -krɑ̀ːft] *n.* ① Ⓒ (흔히 *pl.*) 수세공(手細工), 수공예, 손일. ② Ⓤ 손끝의 숙련, 솜씨.

hand·i·crafts·man [hǽndikræ̀ftsmən, -krɑ̀ːfts-] (*pl.* **-men** [-mən]) *n.* Ⓒ 수세공인, 손일하는 장인, 수공업자.

Hand·ie-Talk·ie [hǽnditɔ́ːki] *n.* 휴대용 소형 무선 송수신기《商標名》.

hand·i·ly [hǽndili] *ad.* ① 교묘히, 재빨리. ② 용이하게. ③ 알맞게, 편리하게.

hand·i·ness [hǽndinis] *n.* Ⓤ ① 솜씨가 좋음; 알맞음. ② 편리, 간편.

hand-in-hand [hǽndinhǽnd] *a.* 손에 손을 잡은, 친밀한; 잘 어울리는, 알맞은.

hand·i·work [hǽndiwə̀ːrk] *n.* ① Ⓤ,Ⓒ 손일, 수세공(품), 수공(품). ② Ⓤ 제작, 공작. ③ Ⓤ 짓, 소행.

***hand·ker·chief** [hǽŋkərtʃif, -tʃìːf] (*pl.* **~s** [-tʃifs, -tʃìːfs], **-chieves** [-tʃìːvz]) *n.* Ⓒ 손수건 (pocket ~).

hánd lànguage (벙어리의) 수화(手話)(법).

‡**han·dle** [hǽndl] *n.* Ⓒ ① 손잡이, 핸들, 자루. ② 손잡을 곳, 실마리, 수단; 틈탈〔편승할〕 기회, 구실《*to*》. ③《俗》 직함, 이름《특히 given name》, 별명《*to*》: a ~ *to* one's name 직함, 경칭《Dr., Rev. 따위》. ④ (노름·경마의) 판돈 총액; 《美俗》 쏠쏠한 이득. ⑤ (직물의) 감촉. ⑥〖컴〗 다룸, 다루기, 핸들. ***fly off the ~*** 욱하다, 냉정을 잃다. ***give a ~ for*** …의 기회를〔구실을〕 주다. ***go 〔be〕 off the ~*** 《口》 (1) 죽다. (2) =fly off the ~. ***have 〔get〕 a ~ on*** 《美》 …을 파악〔이해〕하다, 지배하에 두다. ***the ~ of the face*** 《戲》 코. ***up to the ~*** 《美口》 진심으로; 철저하게.
— *vt.* ① …에 손을 대다, (손으로) …을 다루다, 사용하다, 조종하다: Please do not ~ the

exhibits. 전시품에 손대지 마시오. ② …을 취급하다, 처리하다; (문제)를 논하다: The play ~d the racial problem sensitively. 그 연극은 인종문제를 미묘하게 다루었다. ③ (아무)를 대우하다; (군대 따위)를 지휘하다. ④ (상품)을 다루다, 장사하다. ⑤ (말)을 길들이다. — *vi.* 《+副》 〔well 따위 副詞를 수반하여〕(차·배 따위가) 취급〔조종〕되다, 다루기가 …하다.

han·dle·bar [hǽndlbɑ̀ːr] *n.* Ⓒ (종종 *pl.*) (자전거의) 핸들(바).

hándlebar mustáche 카이저 수염.

han·dler [hǽndlər] *n.* Ⓒ 손으로 만지는 사람; 다루는 사람; 〖拳〗 트레이너; 세컨드.

han·dling [hǽndliŋ] *n.* Ⓤ ① 취급, 조작, 손을 대기. ②〖蹴〗 핸들링, 핸드. ③ (상품의) 출하: ~ charges 화물 취급료.

hand·loom [´-lùːm] *n.* Ⓒ 베틀.

hánd lùggage 수화물.

hand·made [´-méid] *a.* 손으로 만든, 수세공의.

hand-me-down [hǽn*d*midàun] *a.* 〔限定的〕 기성품의, 값싼; 중고의. — *n.* Ⓒ (흔히 *pl.*) 헌옷; 윗사람에게서 물려받은 것(《英》 reach-me-down).

hand-off [hǽndɔ̀(ː)f, ´ɑ́f] *n.* Ⓒ 〖럭비〗 손으로 상대방을 밀어 제치기; 〖美蹴〗 (자기 팀 선수끼리 공을) 주고받기.

hánd òrgan 손으로 핸들을 돌려 타는 풍금.

hand·out [´-àut] *n.* Ⓒ ① (가난한 사람에게 베푸는) 구호품. ② 상품 안내〔견본〕. ③ (정부가 신문사에 돌리는) 발표 문서; (교실·회의 등에서의) 배포 인쇄물, 유인물. 「이양.

hand·o·ver [´-òuvər] *n.* Ⓤ (책임·권력 등의)

hand·pick [´-pík] *vt.* (과일 등)을 손으로 따다; 정선하다; …을 주의하여 뽑다.

hand·rail [´-rèil] *n.* Ⓒ 난간.

hand·saw [´-sɔ̀ː] *n.* Ⓒ (한 손으로 켜는) 톱.

hands-down [hǽndzdáun] *a.* ① 쉬운, 용이한: a ~ victory. ② 확실한, 틀림없는.

hand·sel [hǽnsəl] *n.* Ⓒ 새해 선물; (개업 따위를 축하하는) 선물; (결혼식 날에) 신랑이 신부에게 보내는 선물; 마수걸이(의 돈); 첫 지불; 첫 시험; 시식(試食); 《古》 계약금.

hand·set [´-sèt] *n.* Ⓒ (주로 무선기의) 핸드세트.

***hand·shake** [´-ʃèik] *n.* Ⓒ ① 악수. ② = GOLDEN HANDSHAKE. ㊕ **hánd·shàk·ing** *n.* 〖컴〗 주고받기(전기적으로 연결된 두 장치간에서 데이터를 교환할 때 동기(同期)를 맞추기 위해 일련의 신호를 주고받는 절차).

hands-off [hǽndzɔ́(ː)f, -ɑ́f] *a.* 〔限定的〕 불간섭(주의)의: a ~ policy 불간섭 정책.

‡hand·some [hǽnsəm] (***-som·er***; ***-som·est***) *a.* ① 풍채 좋은, (얼굴이) 잘생긴, (균형이 잡혀) 단정한. ② 훌륭한, 당당한; 《美口》 재주 있는, 능란한: *Handsome* is that 〔as〕 ~ does. 《俗談》 행위가 훌륭하면 인품도 돋뵌다, '거죽보다 마음'. ③ 꽤 큰, 상당한(금액·재산 따위). ④ 활수한, 손이 큰, 후한: It's ~ *of* him *to* give me a present. 내게 선물을 보내다니 그는 퍽 활수하군. ⑤《美方》 어울리는, 알맞은. ***do the ~ thing by*** …을 우대하다. — *ad.* 〔다음 成句에서〕 ***do*** a person ~ = do a person PROUD. ㊕ **~·ly** *ad.*

hands-on [hǽndzɑ́n, -ɔ́(ː)n] *a.* 〔限定的〕 실제의, 실천의: The computer course includes plenty of ~ training. 컴퓨터 과정에는 많은 실제 훈련이 포함되어 있다.

hand·spike [´-spàik] *n.* Ⓒ (나무) 지레.

hand·spring [´-spriŋ] *n.* Ⓒ (땅에 손을 짚고 하는) 재주넘기.

hand·stand [´-stæ̀nd] *n.* Ⓒ 물구나무서기.

hand-to-hand [´-təhǽnd] *a.* 〔限定的〕 백병전의, 드잡이의, 서로 맞붙어 싸우는.

hand-to-mouth [´-təmáuθ] *a.* 그날그날 살아가는; 일시 모면의.

hand·work [´-wə̀ːrk] *n.* Ⓤ 수공, 수세공, 손으로 하는 일. ㊕ **-worked** [-kt] *a.* 손으로 만든.

hand·wo·ven [´-wóuvən] *a.* 손으로 짠, 수직의.

hand·write [´-ràit] *vt.* 손으로 쓰다.

‡hand·writ·ing [´-ràitiŋ] *n.* Ⓤ 손으로 씀, 육필; 필적, 서풍(書風); Ⓒ 필사물(筆寫物). (***see*** 〔***read***〕) ***the ~ on the wall*** 〖聖〗 재앙의 전조(를 알아차리다).

hand·writ·ten [´-rìtn] *a.* 손으로 쓴.

‡handy [hǽndi] (***hand·i·er***; ***-i·est***) *a.* ① 알맞은; (배·연장 따위가) 다루기 쉬운. ② 편리한, 간편한. ③〔敍述的〕 능숙한, 솜씨 좋은(dexterous), 재빠른(*with*; *at*): We want an office girl ~ *with* a computer. 컴퓨터에 능숙한 여자 사무원을 구하고 있다. ④〔敍述的〕 가까이 있는, 곧 소용에 닿는: My house is ~ *to*〔*for*〕 the subway station. 우리 집은 지하철 역 근처에 있다. ***come in*** ~ 편리하다, 곧 쓸 수 있다: Don't throw those bottles away they'll *come in* ~ for the picnic next Sunday. 그 병들을 버리지 마라. 다음 일요일 피크닉에 쓸 수 있을 테니까. — *ad.* 《口》 곁에, 바로 가까이에.

hand·y·man [-mæ̀n] (*pl.* ***-men*** [-mèn]) *n.* Ⓒ 잡역부; 재주 있는 사내〔수병〕.

Han·ford [hǽnfərd] *n.* 핸퍼드(미국 Washington 주 남부에 있는 원자력 연구의 중심지).

†hang [hæŋ] (*p.*, *pp.* ***hung*** [hʌŋ], ***hanged***) *vt.* ① 《+목+부/+목+전+명》 …을 매달다, 걸다, 늘어뜨리다, 내리다(*to*; *on*; *from*): ~ curtain *on* a window 창문에 커튼을 치다. ② (*p.*, *pp.* ***hanged***) …을 목매달다, 교수형에 처하다: The murderer was ~*ed* for his crime. 살인범은 자신이 저지른 범죄로 교수형에 처해졌다. ③ (고개·얼굴)을 숙이다: He hung his head in shame. 그는 부끄러워 고개를 숙였다. ④ 《+목+전+명》 〔종종 受動으로〕 (벽지 등)을 바르다, (족자 따위로) …을 꾸미다(*with*). ⑤ (그림 따위)를 전시〔진열〕하다. ⑥ 《+목+전+명》 …을 달다, 끼우다(문짝을 문설주에, 손잡이를 기구에): ~ an ax *to* its helve 도끼에 자루를 끼우다. ⑦ (첨가물)을 덧붙이다; (별명 따위)를 붙이다(*on*). ⑧《俗》 (타격)을 가하다(*on*). ⑨《美》 (특정 배심원의 반대로 배심)의 평결이 불가능하게 하다. ⑩ (책임·죄)를 씌우다, 전가하다(*on*): The police *hung* the rap *on* him. 경찰은 그에게 범죄 혐의를 씌웠다. — *vi.* ① 《+부/+전+명/+보》 매달리다, 늘어지다, 걸리다: pictures ~*ing above* 머리 위에 걸려 있는 그림 / The leaves *hung* lifeless. 잎이 생기 없이 달려 있었다. ② 허공에 뜨다, 공중에 떠돌다: The humming bird seemed to ~ *in* the air. 그 벌새는 공중에 떠 있는 것처럼 보였다 / The smell of sulfur *hung* in the air. 유황 냄새가 풍겼다. ③ 《+전+명》 뒤덮다, 내밀다(*over*); (위험 등이) 다가오다(*on*; *over*): a huge rock ~*ing over* the stream 시내 위로 돌출한 큰 바위 / A danger is ~*ing over* him. 위험이 그에게 다가오고 있다. ④ (*p.*, *pp.* ***hanged***) 교살당하다; 교수형에 처해지다. ⑤ 《+전+명》 (문짝이) 경첩으로 자유로이 움직이다: a door ~*ing on* its hinges 경첩으로 자유로이 움직이는 문. ⑥ 《+전+명》 (…에) 걸리다, 달리다, (…)나름이다(*on*): a question *on* which life and death ~ 생사가 걸려 있는 문제. ⑦ 《+전+명》 달라붙다, 매달리다, 기

대다《on ; onto》. ⑧《+전+명 / +부》 우물쭈물하다 ; 떠나지 않고 있다 ; 서성대다《about ; around》: The silence *hung on* the table. 식탁에는 침묵이 이어졌다. ⑨《~/ +전+명》망설이다, 주저하다. ⑩《~/ +전+명》 그대로 두다, 결정을 보류하다. ⑪《+전+명》〖美術〗 (전람회 등에) 출품〔진열〕되다: His works ~ *in* the Metropolitan Museum of Art. 그의 작품은 메트로폴리탄 미술관에 진열되어 있다. ⑫《+전+명》 주의를 기울이다, 물끄러미 지켜보다, 귀담아 듣다: I *hung on* her every word 〔her words, her lips〕. 나는 그녀의 말을 한 마디도 놓치지 않으려고 귀를 기울였다.

be*〔*get*〕 *hung up on*〔*about*〕 . . .** 《口》 …에 열중하고 있다, …로 머리가 꽉 차 있다 ; 괴로워하다: Don't *get hung up on* trivial things. 사소한 일로 괴로워 마라 / She's very *hung up about* being alone. 그녀는 외로움에 가슴앓고 있다. ***go* ~** (1) 〔Go ~ yourself ! 형의 명령문으로〕《俗》 꺼져라, 뒈져라. (2) 〔흔히 let ... go ~형으로〕 《口》 …을 내버려두다, 무시하다: Don't *let* your opportunity *go* ~. 모처럼의 기회를 내버려두지 마라. **~ *a few on* = ~ *on a few 《美俗》 한잔 들이켜다. **~ *a right*** 〔***left***〕 《美俗》 (스키·차의 운전에서) 오른쪽〔왼쪽〕으로 돌다〔커브를 틀다〕. **~ *around*** 〔***about***〕 (1) …에게 귀찮게 달라붙다 ; (아무와) 어울리다, 사귀다《*with*》: He ~*s around with* an older crowd. 그는 나이 많은 친구와 사귀고〔어울리고〕 있다. (2) 《口》 방황하다, 어슬렁〔꾸물〕거리다 ; (전화를 끊지 않고) 기다리다. **~ *back*** 주춤거리다, 꽁무니 빼다: The students *hung back from* telling the truth. 학생들은 사실을 말하려 들지 않았다. **~ *behind*** 뒤지다, 처지다. **~ *by a*** (***single***) ***hair*** 〔***a thread***〕 풍전 등화〔위기 일발〕이다: The sick man's life *hung by a thread.* 그 환자의 목숨은 풍전등화였다. **~ *down*** 늘어지다 ; 늘어뜨리다 ; 전해지다: Her hair *hung down* on her shoulders. 그녀의 머리는 어깨에 드리워져 있었다. **~ *fire*** ⇨ FIRE. **~ *five*** 〔***ten***〕 (체중을 앞에 실어) 한쪽〔양쪽〕 발가락을 서프보드의 앞끝에 걸고 보드를 타다. **~ *heavy*** 〔***heavily***〕 ***on*** 〔***upon***〕 a person 〔a person***'s hand***〕 (시간·물건이) 아무에게 짐스럽다, 견디기 힘들다 ; 따분하다: The world ~*s heavy on* him. 그에게는 세상 일이 짐스럽기만 하다 / Time ~*s heavy on my hands.* 시간이 너무 많아 주체하지 못하겠다《따분하다》. **~ *in the balance*** 〔***air, wind, doubt***〕 미지수이다, 불안정한 상태에 있다: The government's future now ~*s in the balance.* 정부의 장래는 현재로선 어떻게 될지 미지수이다. **~ *in*** (***there***) 《口》 곤란을 견디다, 버티다 ; 우물쭈물하다. ***Hang it*** (***all***)***!*** 제기랄, 빌어먹을. **~ *it out*** 대화를 통해서 충분히 이해하게 되다. **~ *loose*** (팽팽하던 것이) 축 처지다 ; 《美俗》 마음 편히 쉬다, 태평스럽게 마음먹다. **~ *off*** 놓아 주다 ; = ~ back. **~ *on*** (1) …을 꼭 붙잡다, …에 매달리다, 붙잡고 늘어지다, (소유물을) 놓지 않다《*to*》; (사람 곁을) 떠나지 않다 ; 일을 계속해 나가다, 버티어나가다《*at*》; …에 주의를 기울이다, 귀를 기울여 열심히 듣다 ; (경주 따위에서) 리드를 유지하다 ; (병이) 오래 가다 ; 미결인 채로 있다 ; (결과 등이) …에 달려 있다, 좌우되다 ; 《美俗》 …을 비난하다, 규탄하다 ; 《口》 〔보통 命令法〕 전화를 끊지 않고 두다. (2) 〔on은 前置詞〕 ⇨*vi.* ⑥, ⑫. **~ *one on*** 《俗》 …에게 일격을 가하다 ; 억병으로 취하다. **~ *out*** (1) (간판·기 따위를) 걸다, 내다 ; (세탁물을) 밖에 말리다 ; (개의 혀 따위)가 밖으로 늘어지다 ; 몸을 내밀다《*of*》: ~ *out of* the window 창 밖으로 몸을 내밀다. (2) …와 교제하다, 어울리다《*with*》. (3) 《口》 살다, 묵다《*at* ; *in*》; 《美俗》 (바·drugstore 등)에 노상 가서 살다, …을 서성거리다 ; …에 잘 가다. (4) 〔종종 let it all ~ out〕 《美俗》 멋대로 행동하다〔지껄이다〕, 탁 터놓다, 드러내 보이다, 털어놓다: People used to be very inhibited, but now they *let it all ~ out.* 옛날에는 심하게 규제를 당했으나 요사이는 모두가 멋대로 행동하고 있다. **~ *out for*** 끝까지 주장〔요구〕하다. **~ *over*** (1) …의 위로 튀어나와 있다 ; …에 다가오다, …을 위협하다. (2) 《俗》 (상태 따위가) 뒤까지 남다 ; (결정·안건 등이) 미결 상태이다. **~ *round*** = ~ around. **~ one*self*** 목매어 죽다. **~ one*'s head*** ⇨ HEAD. **~ *together*** (1) 단결하다 ; 찰싹 달라붙다, 혼연 일체를 이루다: We must indeed all ~ *together,* or most assuredly, we shall all ~ separately. 우리 모두는 굳게 단결해야 한다. 그렇지 않으면 아마도 틀림없이 각기 교수형에 처해질 것이다《★ B. 프랭클린의 말》. (2) (말 따위가) 앞뒤가 맞다, 조리가 서다. **~ *tough*** 《美俗》 결심을 바꾸지 않다, 참고 견디다. **~ *up*** (1) (행어·모자걸이 등에) 걸다, 매달다《*on*》. (2) 〔종종 受動으로〕 …의 진행을 늦추다, 지체시키다, 시간 걸리게 하다: The accident *hung up* the traffic for several hours. 사고로 교통이 수시간 동안 정체했다. (3) 《口》 〔흔히 受動으로〕 (…로) 꼼짝 못 하게 되다, (…에) 구애되게 하다《*on*》. (4) 《口》 (사람을) 괴롭히다: The experience *hung* her *up* for years. 그 체험이 그녀를 수년간 괴롭혔다 / ⇨ be〔get〕 hung up on 〔about〕. (5) 수화기를 놓다, 전화를 끊다《*on*》: ~ *up on* a person 아무가 말하는 중에 전화를 끊다. (6) 《美口》 (경기 등에서 (신)기록을) 만들다 ; 〔흔히 命令法〕 《美俗》 (말·장난 등에 대하여) 그만 둬〔해〕. **~ *up a bill*** 묵살하다. **~ *up* one*'s hat in another's house*** 남의 집에 오래 묵다. **~ *up with*** 《俗》 …와 어깨를 나란히 하다. ***hung up*** ⇨ HUNG. ***I'll be ~ed if*** . . . . 결단코 …안 하다 ; 절대로 …한 일은 없다: *I'll be hanged if* I'll let you insult my wife ! 자네가 내 마누라를 모욕하면 결코 가만두지 않겠어. ***leave*** . . . ***~ing*** (***in the air***) …을 미결인 채로 두다. ***let it all ~ out*** 《口》 ⇨ ~ out (4). ***Thereby ~s a tale.*** ⇨ TALE.

— *n.* ① Ⓤ (흔히 the ~) 걸림새, 늘어진 모양 ; 속력〔움직임〕 등의 느려짐, 둔해짐. ② Ⓤ (흔히 the ~) 《美口》 (바른) 취급법, 사용법, 요령, 하는 법. ③ Ⓤ (흔히 the ~) 《口》 (문제·의론 따위의) 의미, 취지. ④ (a ~) 《口》 조금도('a damn'보다 가벼운 표현). ***get*** 〔***have, see***〕 ***the ~ of*** . . . =***get into the ~ of*** . . . 《口》 다루는 법을 알게 되다, …의 요령을 터득하다. ***lose the ~ of*** . . . =***get out of the ~ of*** . . . 《口》 …의 요령을 잊다〔모르게 되다〕. ***not give*** 〔***care***〕 ***a ~*** 《口》 조금도 상관 않다.

hang·ar [hǽŋər] *n.* Ⓒ 격납고 ; 곳집 ; 차고.

hang·dog [-dɔ̀(:)g, -dɑ̀g] *a.* 〔限定的〕 살금거리는, 비굴한, 비열한.

***hang·er** [hǽŋər] *n.* Ⓒ ① 매다는〔거는〕 사람, (포스터 등을) 붙이는 사람 ; 교수형 집행인. ② (물건을) 매다는〔거는〕 것 ; 양복걸이 ; 달아매는 (밧)줄 ; 갈고리 ; 자재(自在)갈고리《늘였다 줄였다 할 수 있는》. ③ S자 모양의 선《활자 위치를 바꾸라는 표시의》; (글씨 연습용의) 갈고리(꼴). ④ (혁대에 다는) 단검. ⑤《英》 급경사지의 숲. ⑥ (가게에) 매단 광고〔포스터〕. ⑦ 심사원.

hang·er-on [hǽŋərán, -ɔ́(:)n] (*pl.* ***hang·ers-*** [-ərz-]) *n.* Ⓒ 《口》 식객 ; 부하, 언제나 따라다니

는 사람 ; 엽관 운동자 ; 《口》 애착을 갖는 사람. (어떤 장소에) 늘 오는 사람.

hang-glide [hǽŋglàid] *vi.* 행글라이더로 날다.

háng glìder 행글라이더(활공기) ; 또 활공하는 사람.

háng glìding 행글라이딩.

***hang·ing** [hǽŋiŋ] *n.* ① Ⓤ 걸기, 매달려 늘어짐. ② Ⓤ,Ⓒ 교수형. ③ Ⓒ (*pl.*) 벽걸이 천 ; 커튼 ; 벽지. ── *a.* 〔限定的〕 교수형 (처분)의 : a ~ offense 교수형에 해당하는 죄.

Hánging Gárdens (the ~) (고대) 바빌론의 가공(架空)정원.

hánging válley 〖地〗 현곡(懸谷), 걸린 곡.

hang·man [hǽŋmən] (*pl.* ***-men*** [-mən]) *n.* Ⓒ 교수형 집행인. ⓒⓕ hanger.

hang·nail [ˊ-nèil] *n.* Ⓒ (손가락의) 거스러미.

hang-on-the-wall [ˊ-ɑːnðəwɔ̀ːl, -ɔ(ː)n-] *a.* 벽걸이식의 : a ~ television 벽걸이식 TV.

hang-out [ˊ-àut] *n.* 《美俗》 (정보·비밀 등의) 전면공개, 폭로.

hang·out *n.* Ⓒ 《口》 (악한 등의) 소굴, 연락 장소 ; 집 ; 즐겨찾는 곳 ; 《口》 저급한 오락장.

hang·o·ver [ˊ-òuvər] *n.* Ⓒ ① 잔존물, 유물 《*from*》. ② 숙취(宿醉) ; (약의) 부작용.

Han·gul [hɑ́ːŋgul] *n.* Ⓒ 한글.

hang-up [hǽŋʌ̀p] *n.* Ⓒ 《俗》 ① 정신적 장애, 고민, 곤란, 문제, 콤플렉스 ; 약점 : She's got a real ~ about her appearance. 그녀는 자신의 외모가 퍽 마음에 걸렸다 / The most serious ~ the project has is a shortage of funds. 그 계획이 안고 있는 가장 심각한 약점은 자금부족이다. ② 장해. ③ 〖컴〗 단절《컴퓨터 프로그램의 수행 도중 뜻밖의 원인으로 수행이 중단되는 것》.

hank [hæŋk] *n.* Ⓒ 다발, 묶음, (실 등의) 타래 ; 실 한 타래 ; 한 테실.

han·ker [hǽŋkər] *vi.* 동경하다, 갈망〔열망〕하다 《*after* ; *for* ; *to* do》 : He's lonely and ~*s after* friendship. 그는 외로워서 우정을 갈망하고 있다.

han·ker·ing [hǽŋkəriŋ] *n.* Ⓒ (흔히 a ~) 《口》 동경, 갈망, 열망《*after* ; *for* ; *to* do》 : have *a* ~ *after* fame and wealth 명성과 재산을 갈망하다 / have *a* ~ *to* go abroad 외국에 가기를 열망하다.

H

han·ky, han·kie [hǽŋki] *n.* 《口》 손수건.

han·ky-pan·ky [hǽŋkipǽŋki] *n.* Ⓤ 《口》 협잡 ; 사기 ; 요술 ; 협의쩍은〔떳떳하지 못한〕 일 ; 간통. ***be up to some*** ~ 무엇인가 의심스러운 짓을 하고 있다.

Han·ni·bal [hǽnəbəl] *n.* 한니발《카르타고의 장군 ; 247-183 B.C.》.

Ha·noi [hænɔ́i, hə-] *n.* 하노이《베트남의 수도》.

Han·o·ver [hǽnouvər] *n.* 하노버《독일 북부의 주 ; 그 주도》.

Han·o·ve·ri·an [hæ̀nouvíəriən] *a.* Hanover 주의. ── *n.* Ⓒ Hanover 사람〔주민〕.

Hans [hæns, hænz] *n.* ① 남자 이름. ② 독일 사람 또는 네덜란드 사람에 대한 별명.

Han·sard [hǽnsərd] *n.* Ⓤ 영국 국회 의사록.

Han·se·át·ic Léague [hæ̀nsiǽtic-] (the ~) 한자 동맹.

han·sel [hǽnsəl] *n., vt.* =HANDSEL.

Hán·sen's disèase [hǽnsənz-] 〖醫〗 한센병, 문둥병(leprosy).

han·som [hǽnsəm] *n.* Ⓒ 한층 높은 마부석이 뒤에 있고 말 한 필이 끄는 2인승 2륜 마차.

Hants [hænts] *n.* =HAMPSHIRE.

Ha·nuk·kah, -nu·kah [hɑ́ːnəkə] *n.* 〖유대教〗 하누카《신전 정화 기념 제전, 성전 헌당 기념일》.

hap·haz·ard [hǽphæ̀zərd] *n.* Ⓤ 우연. ── [ˊ-ˊ-] *a.* 우연한 ; 되는 대로의. ── *ad.* 우연히 ; 함부로.

hap·less [hǽplis] *a.* 불운한, 운 나쁜, 불행한.

hap'orth, ha'porth, ha'p'orth [héipərθ] *n.* 《英口》 반 페니 어치의 물건.

†**hap·pen** [hǽpən] *vi.* ① 《~ / +前+名》 (어떤 일이) 일어나다, 생기다. ② 《+*to* do / +*that* 節》 마침〔공교롭게〕…하다, 우연히 …하다 : I ~*ed to* be out 〔*to* hear it〕. 공교롭게도 외출 중이었다〔그것을 들었다〕. ③ **a)** 《~ / +前+名》 《美口》 (우연히) 나타나다 ; 우연히 발견하다 《*on, upon*》 : I did not find out the book ; it just ~*ed*. 그 책은 내가 찾아낸 게 아냐, 우연히 내 눈에 띄었어 / I ~*ed on*〔*upon*〕 the very book I wanted. 내가 바라던 바로 그 책을 우연히 발견했다. **b)** 《+副》 우연히 있다〔오다, 가다, 들르다〕 《*in* ; *along* ; *by*》 : My friend ~*ed in* to see me. 친구가 우연히 들렀다. ***as it*** **~*s*** 우연히, 마침, 공교롭게 : *As it* ~*s*, I have left the watch at home. 공교롭게도 시계를 집에 두고 왔다. ~ ***what may***〔***will***〕 =***whatever may*** ~ 어떤 일이 있더라도. ***if anything should*** ~ ***to*** …에게 만일의 사태가 일어나면('만약 죽으면'의 뜻). ***Never*** ~ ***!*** 말도 안 돼, 절대로 안 돼.

***hap·pen·ing** [hǽpəniŋ] *n.* Ⓒ ① (종종 *pl.*) 사건, 사고. ② (종종 관객도 참가하는) 즉흥극〔연기〕, 해프닝(쇼). ── *a.* 《俗》 현대적인, 최신의, 최신 유행의.

hap·pen·stance [hǽpənstæ̀ns] *n.* Ⓒ 《美》 우연한〔뜻하지 않은〕 일 ; 생각지도 않은 일.

hap·pi·ly** [hǽpili] (more*** ~ ***; most*** ~) *ad.* ① 행복하게, 즐겁게. ② 운좋게, 다행히 : *Happily*, he did not die. 다행히도 그는 목숨을 잃지 않았다. ③ 기꺼이, 자진해서 : I'll ~ take you to the station. 기꺼이 역까지 태워다 드리겠습니다. ④ 알맞게, 적절히《표현하다 따위》.

‡**hap·pi·ness** [hǽpinis] *n.* Ⓤ ① 행복 ; 행운. ② 만족, 유쾌. ③ (평(評)·용어 등의) 적절, 교묘. ***I wish you*** ~. 결혼을 축하합니다《신부에게》.

†**hap·py** [hǽpi] (***-pi·er*** ; ***-pi·est***) *a.* ① 〔限定的〕 행운의, 운좋은, 경사스러운. ② 〔敍述的〕 기쁜, 즐거운, 행복에 가득찬 : I am ~ *to* accept your offer. 기꺼이 제의를 받아들입니다. ③ 〔敍述的〕 만족해 하는 만족한《*with* ; *about*》 : He's ~ *with* his new job. 그는 새 일에 만족하고 있다. ④ 희색이 도는, 즐거운 듯한. ⑤ 아주 어울리는, 적절한. ⑥ 《口》 **a)** 〔敍述的〕 거나한, 한잔 한 기분인, 휘청거리는. **b)** 〔複合語의 제 2 요소로〕 …을 좋아〔사랑〕하는 ; 멍해진 ; 정신 잃은 : ⇨ TRIGGER-HAPPY. (***as***) ~ ***as a king***〔***lark***〕 = (***as***) ~ ***as the day is long*** 매우 행복스러운, 참으로 마음 편한. ***as*** ~ ***as*** ~ ***can be*** 더 없이 행복한. ***be*** ~ ***in*** (1) 다행히도 …을 갖다 : I *was* once ~ *in* a daughter. 나에게도 딸 하나가 있었습니다(만…). (2) …을 잘하다 : He *is* ~ *in* his expressions. 그는 말주변이 좋다. ~ ***as a pig in shit*** 《俗》 몹시 만족하고 있는. ***Happy birthday*** (***to you***)***!*** 생일을 축하합니다.

háppy dispátch 《戱》 할복 (자살).

háppy evént 경사, 《특히》 출산, 탄생.

hap·py-go-lucky [hǽpigoulʌ́ki] *a.* 마음 편한, 낙천적인 ; 되는 대로의, 운에 내맡기는.

háppy hóur 《美口》 (술집 등에서의) 서비스 타임《할인 또는 무료 제공되는》 ; (회사·대학에서의) 비공식적인 모임의 시간.

háppy húnting gròund (아메리카 인디언들의) 극락, 천국 ; 만물이 풍성한 곳 ; 절호의 활동 장소 : a ~ for antique collectors 골동품 수집가

가 진품을 얻기에 가장 좋은 장소.

háppy lánd 천국(heaven).

háppy médium (흔히 *sing.*) (양극단의) 중간, 중용(中庸)(golden mean), 중도(中道). ***strike* 〔*hit*〕 *the*〔*a*〕 ~** 중용을 취하다.

hapt-, hapto- '접촉'의 뜻의 결합사.

ha·rangue [hərǽŋ] *n.* Ⓒ 열변; 장황한 이야기, 장광설(長廣舌). ── *vi., vt.* 열변을 토하다, 장광설을 늘어놓다.

***har·ass** [hǽrəs, hərǽs] *vt.* 《~+목 / +목+전+명》 (사람)을 괴롭히다, 애먹이다; 〖軍〗 (적)을 쉴새없이 공격하여 괴롭히다: Our soldiers *~ed* the enemy. 아군(我軍)은 계속 적을 공격하며 괴롭혔다. ★ 종종 受動으로 "(사람이) …으로 번민하다, 괴로워하다"란 뜻이 됨: He *was ~ed by*〔*with*〕 crank phone call. 그는 장난 전화로 시달렸다.

ha·rassed [hərǽst, hǽrəst] *a.* 지친, …로 시달려 지친; 시달린; 불안한, 근심스러운: He has a ~ look. 그는 불안한 표정을 하고 있다.

har·ass·ment [hǽrəsmənt, hərǽs-] *n.* ① Ⓤ harass하기; 애먹음. ② Ⓒ 괴로움, 골칫거리.

har·bin·ger [há:rbindʒər] *n.* Ⓒ 선구자; 전조(前兆): a ~ of a storm 폭풍우의 전조.

‡**har·bor,** 《英》 **-bour** [há:rbər] *n.* Ⓤ,Ⓒ ① 항구, 배가 닿는 곳. ② 피난처, 잠복처, 은신처. ③ (전동차·장갑차 등의) 차고. ***give ~ to*** …을 숨기다, …을 비호하다. ***~ of refuge*** 피난항. ***in ~*** 입항 중에: We were *in* ~ for a week. 우리는 일주일 간 입항하고 있었다.

── *vt.* ① …에게 피난〔은신〕처를 제공하다; …을 감추다, (죄인 등)을 숨기다: He *~ed* fugitives in his basement. 그는 탈주자들을 자기 집 지하실에 숨겼다. ② 《~+목 / +목+전+명》 (악의·계획·생각 따위)를 품다. ── *vi.* ① (항구에) 정박하다. ② 잠시 묵다; 숨다, 잠복하다.

har·bor·age [há:rbəridʒ] *n.* ① Ⓤ 피난; 보호. ② Ⓒ (선박의) 피난소, 정박소.

hárbor màster 항무부장.

hárbor sèal (점박이) 바다표범.

‡**harbour** ⇨HARBOR.

†**hard** [ha:rd] (**∠·er; ∠·est**) *a.* ① **a**) 굳은, 단단한, 견고한, 딱딱한(opp. *soft*); 튼튼한, 내구력 있는: Iron is *~er* than gold. 철은 금보다 단단하다. **b**) 단단히 맨〔감은〕; 괴깔이 없는, 매끄러운《소모사》; 〖農〗 글루텐이 많은: ⇨ HARD WHEAT. **c**) 〖軍〗 (군비가) 견고한; (핵무기·기지가) 지하에 설치된. **d**) 〔限定的〕 견실한, 움직일 수 없는, 믿을 수 있는《자료》; 〖商〗 (시장이) 견실한 상태인, 오름세인, (시가 등) 하락의 기미가 없는.

② **a**) 곤란한, 어려운(opp. *easy*): ~ work 힘이 드는 일 / It is ~ to climb the hill. =The hill is ~ to climb. 그 산은 오르기 어렵다 / a ~ nut to crack ⇨ NUT / Life is getting ~ these days. 최근에는 살기가 어려워지고 있다. **b**) 《口》 성가신, 구제할 길 없는, 악당의. **c**) (물이) 경질(硬質)인 《비누가 잘 안 풀리는》, 염분을 포함하는(opp. *soft*); 〖化〗 (산·염기가) 안정도가 높은: ~ water 센물, 경수(硬水).

③ **a**) 격렬한, 맹렬한; 괴로운, 참기 어려운; (날씨 따위) 거친, 험악한; (금융이) 핍박한. **b**) (기질·성격·행위 등) 엄한, 무정한, 어쩔 수 없는; 뻔뻔스러운; 빈틈없는, 민완의; 《方》 쩨쩨한, 구두쇠인: He's ~ on his little girl. 그는 자기 어린 딸에게 엄하게 대한다 / a ~ look 집어삼킬 듯한 표정; 자세한 검토《*at*》. **c**) 정력적〔열심〕인, 근면한: a ~ worker 노력가 / try〔do〕 one's *~est* 전력을 다하다 / He made a ~ run for the presidency. 그는 대통령 선거에서 열심히 뛰었다〔싸웠다〕 / be ~ *at* one's studies 공부에 힘쓰다.

④ **a**) 자극적인, 불쾌한; (색·윤곽 등) 콘트라스트가 강한, 선명한, 몹시 강렬한; (포르노 등) 외설성이 짙은; =HARD-CORE. **b**) (소리 등이) 금속성인; 〖音聲〗 경음(硬音)인《영어의 c, g가 [k, g]로 발음되는 (cf. soft)》; 〖音聲〗 fortis의 구칭; 〖音聲〗 (슬라브계 언어에서) 비(非)구개화음의. **c**) (술이) 독한; 알코올분이 22.5% 이상인; 《口》 (마약이) 유해하고 습관성인〔이 높은〕; 〖物〗 (X 선 따위) 투과율이 높은: ⇨ HARD DRINK 〔LIQUOR〕. **d**) (음식 등이) 검소한, 맛없는; (술이) 신, 덜 익은: ~ food 〔fare〕 조식(粗食).

⑤ (생각 등이) 현실적인, 냉철한; 객관적인. opp. *soft*. ¶ Good words are no substitute for ~ deeds. 아무리 좋은 말이라도 실제의 행동을 대신하지 못한다.

a ~ row to hoe ⇨ ROW[1]. ***a ~ saying*** 이해하기 어려운 말; 너무 심한 말: This is *a ~ saying* to people who have worked so much. 이처럼 일을 많이 한 사람들에게는 너무 심한〔가혹한〕 말이다. ***as ~ as brick*** 매우 단단한〔굳은〕. (***as***) ***~ as nails*** 근골이 튼실한, 내구력 있는; =HARDHEARTED. ***at ~ edge*** 진지하게, 필사적으로. ***be ~ on*** 〔***upon***〕 …에게 심하게〔모질게〕 굴다; (신발·옷 등)을 빨리 해뜨리다: You are *being* too ~ *on* him. 그에게 너무 모질게 굴고 있다. ***~ and fast*** 단단히 고정된, 움쭉도 않는《좌초된 배 따위》; (규칙 등이) 변경할 수 없는, 엄격한. ***~ of hearing*** 귀가 어두운. ***~ to please*** 성미가 까다로운: Tom is ~ *to please.* 톰은 성미가 까다롭다(=Tom is a hard person to please.). ***have a ~ time*** (***of it***) 되게 혼나다, 곤경을 맛보다. ***have ~ luck*** 불운하다; 몹쓸 대접을 받다. ***No ~ feelings.*** 나쁘게〔언짢게〕 생각지 말게; 별로 악의가 있었던 건 아니야. ***play ~ to get*** 《口》 (남의 권유, 이성의 접근 등에 대해) 일부러 관심이 없는 체하다. ***the ~ way*** (1) 고생하면서; 견실〔착실〕하게: I rose to my present position *the ~ way.* 나는 고생끝에 현재의 지위에 까지 출세했다. (2) (쓰라린) 경험에 의하여: I found out *the ~ way* that hepatitis is a terrible disease. 나는 경험을 통해서 간염이 무서운 병이라는 것을 알았다.

── *ad.* 〔hardly와 공통점도 있으나, 주요한 용법에서는 매우 다름〕 ① 열심히; 애써서, 간신히, 겨우. ② 몹시, 심하게, 지나치게. ③ 굳게, 단단히: hold on ~ 단단히 붙들고 놓지 않다 / It will freeze ~. 꽁꽁 얼어붙을 것이다. ④ 가까이; 접근하여: His car followed ~ after mine. 그의 차는 내 차를 바싹 뒤쫓아왔다 / He was ~ on forty at the time. 그는 당시 40줄에 들어서고 있었다. ⑤ 가혹하게, 엄하게, 무자비하게. ***be ~ at it*** 〔***work***〕 《俗》 매우 분주하다. ***be ~ done by*** 부당한 취급을 받다〔받고 있다〕; 화내고〔언짢아하고〕 있다. ***be ~ hit*** 타격을 입다: The farmers *were ~ hit by* the bad weather. 농부들은 악천후로 큰 타격을 입었다. ***be ~ pressed*** 심히 몰리다〔쫓기다〕. ***be ~ put*** (***to it***) 진퇴 양난〔곤경〕에 빠지다: We *were ~ put* (*to it*) to finish the examination in one hour. 1시간 내에 시험을 끝내기 위해 우리는 혼쭐났다. ***be ~ set*** 크게 어려움에 처해 있다. ***be ~ up*** 곤경에 빠져 있다, 돈이 궁색하다, …이 없어 곤란 하다《*for*》: He's *~ up for* ideas. 좋은 생각이 없어 쩔쩔매고 있다. ***come ~*** 하기 어렵다, 어려워〔곤란해〕지다. ***die ~*** ⇨ DIE[1]. ***go ~ with*** 〔***for***〕 〔흔히 it을 主語로 하여〕 (일이) …에게 고통을 주다, 혼내주다. ***~ by*** (…의) 바로 가까이에. ***~ going*** 《美口》 좀처럼 진보〔진척〕하지 않는. ***~ on the heels of*** …의 바로

H

뒤에, 곧 이어서: War came ~ *on the heels of* the economic depression. 경제적 불황 직후에 전쟁이 일어났다. ~ ***over*** 〖海〗 (키를) 될 수 있는 대로 한쪽으로. ~ ***run*** 돈에 몰려, 곤궁해서. ***It shall go ~ but*** (I will do ...) 대단한 일이 없는 한 (꼭 …해 보이겠다). ***look*** 〔***gaze, stare***〕 ~ ***at*** …을 지그시 보다. ***run*** a person ~ 아무에게 육박하다. ***take...*** ~ …에 크게 낙담하다, …을 몹시 괴롭게〔슬프게〕 생각하다《★ 종종 it을 목적어로 취함》: Maybe I just *took it* too ~ 내가 좀 너무 낙담했던 것 같다.

hard-and-fast [há:rdənfǽst, -fá:st] *a.* 〔限定的〕 확정된, 엄중한: ~ rules 엄격한 규칙.

hard·back [ˊ-bæ̀k] *n., a.* =HARDCOVER.

hard·ball [ˊ-bɔ̀:l] *n.* ① Ⓒ 야구의 경구(硬球). ② 《美·Can.俗》〔종종 形容詞的〕 엄격하고 적극적인 자세〔수단〕, 수단을 가리지 않는 태도, 노골적인 수법, 강경한 정치 자세. ***play*** ~ 《美·Can.俗》 엄격한 조치를 취하다; 적극적인 태도를 취하다.

hard-bit·ten [ˊ-bítn] *a.* ① 만만치 않은, 다루기 힘든, 억센, 완고한. ② (태도 등이) 엄격한. ③ 쓰라린 경험을 쌓은; 산전수전 다 겪은.

hard·board [ˊ-bɔ̀:rd] *n.* Ⓤ 경질(硬質) 섬유판《벽판·가구용 등에 쓰임》.

hard-boiled [ˊ-bɔ́ild] *a.* ① (달걀 따위를) 단단하게 삶은; 빳빳하게 풀먹인. ② 《口》 무정한, 냉철한, 현실적인; 고집센; 억센; 비정(非情)한《작품 등》.

hard·bound [ˊ-báund] *a.* =HARDCOVER.

hárd búbble 〖電子〗 하드 버블《컴퓨터 회로에서 자연 발생하여 기억의 분열을 일으키는 신종의 자기(磁氣) 버블》.

hárd cásh ① 경화(硬貨). ② 현금, 정금(正金) 《수표·어음·증권 등에 대해》.

hárd cóal 무연탄.

hárd cópy 〖컴〗 인쇄 출력, 복사.

hárd córe ① 돌멩이·벽돌 조각 등으로 다진 지반이나 노반. ② (the ~) (운동·저항 따위의) 핵심, 중심, 중견층; 강경파; 중요 문제.

hard-core [ˊ-kɔ́:r] *a.* 〔限定的〕 ① 기간(基幹)의, 핵심적인. ② 고집센, 철저한. ③ (포르노 영화 등에서) 성묘사가 노골적인. ④ 치료 불능의, 만성적인.

hárd cóurt 아스팔트나 콘크리트 등으로 굳힌 테니스 코트.

hard·cov·er [ˊ-kʌ́vər] *a., n.* Ⓒ 딱딱한 표지의 (책).

hárd cúrrency 〖經〗 경화.

hárd detérgent 경성 세제.

hárd dísk 〖컴〗 경성〔굳은〕 (저장)판.

hárd drínk (위스키 등처럼) 도수가 높은 술.

‡**hard·en** [há:rdn] *vt.* ① (물건)을 굳히다, 딱딱하게 하다; (금속)을 경화(硬化)하다. ② …을 강하게 하다, 단련하다: Years of farm work has ~*ed* his body. 여러 해의 농장일로 그의 몸은 강건해졌다. ③ 《~+목/+목+전+명》 (마음)을 (…에 대해) 무정〔냉혹〕하게 하다; 완고하게 하다; 〔受動으로〕 무감각하게 하다《*to*》: Dennis *is* becoming ~*ed to* failure〔failing〕. 데니스는 실수에 무감각해지고 있다. ④ 《~+목/+목+전+명》 (결의·태도 등)을 굳히다, 강화하다, 견고하게 하다. ―― *vi.* ① 딱딱해지다, 굳다. ② 강해지다. ③ 무정해지다. ④ (시세 따위가) 보합되다, 오름세를 보이다; (의견 등이) 분명해지다, 고정되다. ~ ***off*** (묘목 등을) 차츰 찬 기운에 쐬어 강하게 하다.

hard·ened [há:rdnd] *a.* ① 단단해진, 경화된, 단련된, 강해진, (태도 등이) 굳어진: a ~ heart 굳어진 마음. ② 상습적인: He was described in court as a ~ criminal. 법정에서는 그를 상습범이라고 했다. ③ 비정한, 냉담한.

hard·en·ing [há:rdniŋ] *n.* Ⓤ ① (시멘트·기름 따위의) 경화; 경화제; (구리의) 표면 경화: ~ of the arteries 동맥 경화. ② 담금질. ③ 단련.

hárd físh 건어, 어포.

hard-fist·ed [ˊ-fístid] *a.* ① (노동자 등이) 거친 손을 가진, 손이 딱딱한. ② 비정한. ③ 구두쇠의, 인색한.

hárd hàt =DERBY ④; (작업원의) 헬멧, 안전모; 《口》 (안전모를 쓴) 건설 노동자; 《口》 보수 반동가, 강경 탄압주의자; 《美俗》 실크해트를 쓴 사람, (19세기 말의) 동부 실업가.

hard·head·ed [ˊ-hédid] *a.* 냉정한; 실제적인; 빈틈없는; 완고한.

hard·heart·ed [ˊ-há:rtid] *a.* 무정한, 무자비한, 냉혹한.

hard-hit [ˊ-hít] *a.* (불행·재해 따위로) 심한 타격을 입은.

hard-hit·ting [ˊ-hítiŋ] *a.* 《口》 활기 있는, 적극적인, 강력한.

har·di·hood [há:rdihùd] *n.* ① Ⓤ 대담; 어기참; 철면피, 뻔뻔스러움. ② (the ~) 대담하게도 …하는 것《*to* do》: He had *the* ~ *to* defend his rights. 그는 대담하게도 자기의 권리를 옹호했다.

har·di·ly [há:rdili] *ad.* 고난을 견뎌; 튼튼히; 대담하게; 뻔뻔스레.

Har·ding [há:rdiŋ] *n.* **Warren G.** ~ 하딩《미국의 제 29 대 대통령; 1865-1923》.

hárd lábor (형벌로서의) 중노동.

hárd líne 강경 노선.

hard-line [ˊ-làin] *a.* 〔限定的〕 강경론〔노선〕의.

hárd línes 《英口》 괴로운 처지, 불운《*on*》; 〔感歎詞的〕 딱하군, 안됐군(hard cheese).

hárd líquor 증류주《위스키, 브랜디 등》.

hárd lúck 불운, 불행.

hard·ly [há:rdli] (***more*** ~; ***most*** ~) *ad.* ① 거의 …아니다〔않다〕: I can ~ hear him. 그가 하는 말을 거의 들을 수 없다《I cannot hardly...는 非標準語임》/ I gained ~ anything. 거의 아무것도 얻지를 못했다 / I need ~ say that I am innocent. 내가 굳이 자신의 결백을 말할 필요는 거의 없을 거다 / Did many people come? —No, ~ anybody. 많이들 왔습니까 — 아뇨, 거의 아무도 (안왔습니다) / You ~ know him, do you? 자네는 그를 거의 모르겠지《★ 부가의문문의 경우 긍정형을 씀》/ *Hardly* a day passed, without more news of political bribery. 정치(가)에 관련된 독직(瀆職)의 뉴스가 없는 날은 거의 하루도 없었다 / She answered with ~ a smile. 그녀는 별로 웃지도 않고 대답했다《이 구문에서는 항상 hardly+a+名詞. without ~ a smile은 非標準語임》.
② 조금도〔전혀〕 …아니다〔않다, 못하다〕; 도저히 …않다〔못하다〕: This is ~ the time for going out. 지금 외출할 시간은 아니다.
③ 〔3인칭의 主語·助動詞와 함께〕 거의〔아마〕 …할〔일〕 것 같지 않다: He can ~ have arrived yet. 그는 아직 도착하지 않았을 것이다.

> **語法** (1) hardly는 準否定語이므로 부정의 뜻을 가진 딴 말과 함께 쓸 수는 없음. 또, 부사 ever와는 같이 쓸 수(가) 있으나, always와는 함께 쓰지 못함. 또한, hardly〔scarcely〕의 반대말은 almost이며, 별항 hard *ad.* 와는 크게 다른 점에 주의할 것.
> (2) hardly의 위치는 일반적으로 수식하는 말 앞에 오며, 조동사가 (몇 개) 있을 때에는 보통 그 (첫 조동사의) 뒤에 옴.

~ ***any*** 거의 …않다〔없다〕, 그다지 …않다〔없다〕 (scarcely any) : He has ~ *any* sense of humor. 그는 유머 감각이 거의 없다. ★ hardly any는 few 〔little〕보다 의미가 강하며, no, never보다는 약함. ~ ***ever*** ⇨ EVER. ~ . . . ***when*** 〔***before***〕 … 하기가 무섭게, …하자마자 : The man had ~ seen〔*Hardly* had the man seen〕 the policeman *before*〔*when*〕 he ran away. 그 남자는 경찰을 보자마자 달아났다. ★ 주절(主節)에서는 be동사 이외에는 흔히 과거완료형을 씀.

***hard·ness** [hɑ́:rdnis] *n.* ① Ⓤ 견고 ; 굳기. ② Ⓤ 경도(硬度). ③ Ⓤ 곤란, 난해. ④ Ⓤ,Ⓒ 냉담, 무정.

hard-nosed [ˊ-nóuzd] *a.* 《口》 ① 불굴의, 고집센, 콧대 센. ② 빈틈없이 실제적인.

hárd nút 《英俗》 다루기 어려운 사람.

hard-on [ˊ-ɑ̀n, ˊ-ɔ̀:n / ˊ-ɔ̀n] *n.* Ⓒ 《俗》 발기.

hárd pálate (the ~) 경구개(硬口蓋).

hard·pan [ˊ-pæ̀n] *n.* Ⓒ 경토층(硬土層).

hard-pressed [ˊ-prést] *a.* 돈〔시간〕에 쪼들리는〔쫓기는〕, 곤궁한 ; 장사가 시원치 않은.

hárd róck 〖樂〗 하드록.

hárd scíence 자연 과학.

hard·scrab·ble [ˊ-skræ̀bəl] *a.* 《美》 열심히 일해도 겨우 먹고 살 수 있는.

hárd séctored 〖컴〗 하드섹터의《floppy disk의 섹터 구멍을 광학적으로 검출하여 섹터로 나누는 방식의》.

hárd séll *n.* (종종 the ~) 끈질긴 판매〔광고〕; 《口》 어려운 설득(의 일).

hard-set [ˊ-sét] *a.* ① 곤경에 빠진. ② 결심이 「굳은 ; 단단한.

hard-shell(ed) [ˊ-ʃél(d)] *a.* ① 껍질이 딱딱한. ② 《美口》 비타협적인, 완고한.

‡**hard·ship** [hɑ́:rdʃip] *n.* Ⓤ,Ⓒ (종종 *pl.*) 고난, 고초, 신고, 곤란, 곤궁 ; 곤경 ; 궁핍.

hárd shóulder *n.* Ⓒ 《英》 (도로의) 대피선《고속도로의 긴급 대피용 단단한 갓길》.

hard·stand(·ing) [ˊ-stæ̀nd(iŋ)] *n.* Ⓒ (중량차량·항공기용의) 포장된 주차〔주기(駐機)〕장.

hard·tack [ˊ-tæ̀k] *n.* Ⓤ 딱딱한 비스킷, 건빵.

hard·top [ˊ-tɑ̀p / ˊ-tɔ̀p] *n.* Ⓒ 하드톱《지붕이 금속이고 창과 창 사이에 창을 분리시키는 틀〔중간기둥〕이 없는 승용차》.

‡**hard·ware** [ˊ-wɛ̀ər] *n.* Ⓤ 〔集合的〕 ① 철물, 철기류. ② 병기, 무기. ③ **a)** (컴퓨터·로켓 등의) 하드웨어. **b)** (일에 필요한) 기계설비, 기재, 기기. ④ 보석(jewelry), 대체 보석. ⑤ 《美俗》 (군의) 기장, 훈장, 메달.

hard-wear·ing [ˊ-wɛ́əriŋ] *a.* 《英》 (천 따위가) 오래 가는, 질긴, 내구성의(《美》 longwearing).

hárd whéat 경질(硬質) 밀.

hard·wired [ˊ-wáiərd] *a.* 〖컴〗 (논리회로가 소프트웨어에 의하지 않고) 하드웨어에 의해 실현되는.

hard·wood [ˊ-wùd] *n.* ① Ⓤ 단단한 나무《떡갈나무·벚나무·마호가니 등》; 단단한 재목. ② Ⓒ 광엽수(廣葉樹).

***hard·work·ing** [ˊ-wə̀:rkiŋ] *a.* 근면한, 열심히 일〔공부〕하는, 몸을 아끼지 않는.

Har·dy [hɑ́:rdi] *n.* **Thomas** ~ 하디《영국의 소설가·시인 ; 1840-1928》.

‡**har·dy** [hɑ́:rdi] (***-di·er*** ; ***-di·est***) *a.* ① 내구력이 있는, 고통〔고초〕에 견디는, 강건한, 튼튼한. ② 〖園藝〗 내한〔저항〕성의 : ⇨ HALF-HARDY. ③ 내구력을 요하는 : ~ sports 격심한 운동. ④ 대담한, 배짱 좋은, 용감한 ; 무모한.

‡**hare** [hɛər] (*pl.* **~s,** 〔集合的〕 ~) *n.* Ⓒ ① **a)** 산토끼, 야토 : First catch your ~ (then cook him). 《俗談》 떡 줄 놈은 생각도 않는데 김칫국부터 마신다 ; 먼저 사실을 확인해라. **b)** 산토끼 가죽. ② 《口》 겁쟁이 ; 바보. ③ 《英俗》 무임 승차객. ④ (the H-) 〖天〗 토끼자리. (***as***) ***mad as a*** (***March***) ~ (3월 교미기의 토끼같이) 미쳐 날뛰는, 변덕스러운, 난폭한. (***as***) ***timid as a*** ~ 몹시 수줍어하는, 소심한. ~ ***and tortoise*** 토끼와 거북이(의 경주). ***make a ~ of*** …을 조롱하다. ***put up the*** ~ 《英口》 무엇인가 일을 시작하다. (***rabbit,***) ~ ***and hounds*** 산지(散紙)놀이《토끼가 된 아이가 종잇조각을 뿌리며 달아나는 것을 사냥개가 된 아이가 쫓아감》. ***raise a*** ~ 화제를 꺼내다. ***run with the ~ and hunt with the hounds*** = ***hold with the ~ and run with the hounds*** 어느 편에나 좋게 굴다 ; (줏대없이) 이쪽에 붙었다 저쪽에 붙었다 하다. ***start a*** ~ 《英》 화제를 갑자기 바꾸다, (논의 등이) 지엽으로 흐르다. ── *vi.* (토끼처럼) 재빨리 달리다, 질주하다.

hare·brained [ˊ-brèind] *a.* 경솔한, 변덕스러운 ; 지각없는, 무모한. ㊎ **~·ly** *ad.* **~·ness** *n.*

hare·heart·ed [ˊ-hɑ́:rtid] *a.* 겁 많은, 소심한.

hare·lip [ˊ-lìp] *n.* Ⓤ (또는 a ~)언청이.

har·em [hɛ́ərəm] *n.* Ⓒ (회교국의) 후궁 ; 〔集合的〕 후궁의 처첩들 ; (바다표범·물개 등, 수컷 하나를 둘러싼) 여러 암컷.

har·i·cot [hǽrikòu] *n.* (F.) 양고기와 콩의 스튜 ; 《英》 강낭콩(kidney bean).

hark** [hɑ:rk] *vi.* 귀를 기울이다《주로 명령문에서》. ~ ***after …을 뒤쫓다, …을 따르다. ~ ***at*** 《英口》 〔흔히 命令法〕 (…의 얘기)를 듣다 : Just ~ *at* him! 《비꼬는 투》 저자가 하는 말 좀 들어 봐라 (어이가 없어 말이 안나와). ***Hark away*** 〔***forward, off***〕***!*** 가라《사냥개에게 하는 소리》. ~ ***back*** (사냥개가 되돌아와) 사냥감의 냄새를 다시 맡다 ; (사냥개를) 되부르다 ; 환원하다, (본제(本題) 따위로) 되돌아가다〔오다〕《*to*》; …을 회상케 하다, 생각케 하다. ~ ***to*** 《古·詩》 …에 귀를 기울이다. ***Hark*** (***ye***)***!*** 들어라.

hark·en [hɑ́:rkən] *vi.* ＝HEARKEN.

Har·lem [hɑ́:rləm] *n.* 할렘《New York 시 Manhattan 섬 북동부의 흑인 거주 지구》.

har·le·quin [hɑ́:rlikwin, -kin] *n.* Ⓒ ① (H-) 할리퀸《무언극이나 발레 따위에 나오는 어릿광대 ; 가면을 쓰고, 얼룩빼기 옷을 입고, 나무칼을 가짐》. ② 어릿광대, 익살꾼(buffoon). ── *a.* 얼룩빛의, 잡색의, 다채로운 ; 익살스러운.

har·le·quin·ade [hɑ̀:rlikwinéid, -kin-] *n.* Ⓒ (무언극에서) harlequin이 활약하는 장면 ; 익살.

Hár·ley Strèet [hɑ́:rli-] 할리 거리《일류 의사가 많은 런던의 시가》.

har·lot [hɑ́:rlət] *n.* Ⓒ 《古》 매춘부, 창부.

‡**harm** [hɑ:rm] *n.* Ⓤ ① 해(害), 해악 : *Harm* set, ~ get. ＝*Harm* watch, ~ catch. 《俗談》 남잡이가 제잡이 / Bad books do more ~ than bad companions. 나쁜 책은 나쁜 친구보다 더 해롭다. ② 손해, 손상. ***come to*** ~ 〔흔히 否定文〕 다치다, 불행〔고생〕을 겪다. ***do*** a person ~ ＝ ***do ~ to*** a person 아무에게 해를 입히다, …의 해가 되다, …을 해치다. ***No ~ done.*** 전원(全員) 이상 없음 ; 피해 무(無). ***out of ~'s way*** 안전한 곳에, 무사히.

── *vt.* …을 해치다, 손상하다, …에게 상처를 입히다.

harm·er [hɑ́:rmər] *n.* Ⓒ 해를 끼치는 것〔자〕.

‡**harm·ful** [hɑ́:rmfəl] (***more*** ~ ; ***most*** ~) *a.* 해로운, 유해한, 해가 되는 : Drinking and smoking are ~ to health. 음주와 흡연은 건강에 해롭다.

‡**harm·less** [hɑ́:rmlis] *a.* ① 해가 없는, 무해한 : a ~ snake 무해한 뱀 / This drug is ~ to pets

H

and people. 이 약은 애완 동물과 사람에게 해를 주지 않는다. ② 악의 없는, 순진한.

har·mon·ic [hɑːrmánik / -mɔ́n-] *a.* 조화된, 음악적인 ;〖樂〗 화성의 ;〖數〗 조화의 ;〖通信〗 (고) 조파((高)調波)의.

har·mon·i·ca [hɑːrmánikə / -mɔ́n-] *n.* Ⓒ 하모니카 ; 유리〔금속〕판 실로폰.

hármonic mótion 〖物〗 조화 운동.

har·mon·ics [hɑːrmániks / -mɔ́n-] *n.* Ⓤ〖樂〗 화성학.

‡**har·mo·ni·ous** [hɑːrmóuniəs] (*more ~; most ~*) *a.* ① 조화된, 균형 잡힌《*with*》. ② 화목한, 사이 좋은, 정다운. ③〖樂〗 가락이 맞는, 화성의.

har·mo·ni·um [hɑːrmóuniəm] *n.* Ⓒ 소형 리드(reed) 오르간, 페달식 오르간.

*__har·mo·nize__ [hɑ́ːrmənàiz] *vt.* ①《~+목/+목+전+명》 …을 조화시키다, 화합시키다, 일치시키다《*with*》. ②〖樂〗 …에 조화음을 가하다. ── *vi.* ① 조화〔화합〕하다, (배색(配色) 등이) 잘 어울리다《*with*》: The building *~s with* its surroundings. 그 건물은 주위 환경과 잘 어울린다. ②〖樂〗 해조(諧調)로 되다, 가락이 맞다.

‡**har·mo·ny** [hɑ́ːrməni] *n.* Ⓤ ① 조화, 화합, 일치. ②〖樂〗 화성, 해조(諧調), 협화. ③ Ⓒ (4 복음서 따위의) 일치점, 공관 복음서(共觀 福音書). ***be out of ~*** 조화되어 있지 않다. ***in ~*** 조화되어 ; 사이좋게《*with*》. ***the ~ of the spheres*** = the MUSIC of the spheres.

‡**har·ness** [hɑ́ːrnis] *n.* Ⓤ,Ⓒ ① (마차용) 마구(馬具) ;《古》 갑옷. ② 장치, 장비 ; 작업 설비. ③ 평소의 일, 직무. ④〖空〗 (낙하산, 아기 업을 때의) 멜빵 ;《美》 (경찰관·차장 등의) 제복. ***get back into*** 〔***in***〕 ~ 평소의 일로 되돌아가다. ***in double ~*** 《口》 결혼하여 ; 두 사람이 협력하여 ; 맞벌이하여. ***in ~*** 평소의 업무에 종사하여 ; 근무〔작업〕 중. ***out of ~*** 일에 종사하지 않고, 취업을 하지 않고. ── *vt.* ① …에 마구를 채우다 ;《古》 …에게 갑옷을 입히다. ② (하천·폭포·바람 등 자연력을 동력으로) 이용하다.

Har·old [hǽrəld] *n.* 해럴드《남자 이름 ; 애칭 Hal》.

‡**harp** [hɑːrp] *n.* Ⓒ〖樂〗 하프 ; (H-)〖天〗 거문고 자리(Lyra). ── *vi.* 하프를 타다 ; 같은 말을 뇌고 또 뇌다《*on, upon ; about*》. ── *vt.* (곡)을 하프로 타다 ;《古》 이야기하다. ***~ on the same string*** 같은 말을 귀찮을 정도로 되뇌다.

*__har·poon__ [hɑːrpúːn] *n.* Ⓒ (고래잡이용) 작살. ── *vt.* …에 작살을 쳐박다, …을 작살로 잡다.

*__harp·si·chord__ [hɑ́ːrpsikɔ̀ːrd] *n.* Ⓒ 하프시코드.

Har·py [hɑ́ːrpi] *n.* Ⓒ ①〖그神〗 하피《얼굴과 몸은 여자로, 날개·발톱을 가진 탐욕스런 괴물》. ② (h-) 잔인하고 탐욕스런 사람 ; 근성이 나쁜 여자.

har·que·bus [hɑ́ːrkwibəs, -kə-] *n.* Ⓒ〖史〗 화승총(火繩銃)《1400년경부터 사용》.

har·ri·dan [hǽrədən] *n.* = HAG ①.

har·ri·er[1] [hǽriər] *n.* Ⓒ ① 토끼·여우 사냥에 쓰이는 사냥개의 일종. ② cross-country 경주 주자(走者).

har·ri·er[2] *n.* Ⓒ ① 약탈자, 침략자. ② 괴롭히는 사람.

Har·ri·et [hǽriət] *n.* 해리엇《여자 이름 ; 애칭은 Hatty》.

Har·ro·vi·an [həróuviən] *a.* 영국 Harrow학교의. ── *n.* Ⓒ Harrow학교 출신자〔재학생〕.

Har·row [hǽrou] *n.* 영국 London 근교(近郊)에 있는 public school로서 1571년 창립》.

*__har·row__ [hǽrou] *n.* Ⓒ 써레, 쇄토기(碎土機). ***under the ~*** 시달림〔어려움〕을 당하여〔겪어〕. ── *vt.* …을 써레질하다 ; 〔때로 受動〕 (정신적으로) …을 괴롭히다(torment) ; (사람의 마음)을 흔들어놓다, …의 폐부를 찌르다. ── *vi.* 써레질되다.

har·row·ing [hǽrouiŋ] *a.* 마음 아픈, 비참한.

Har·ry [hǽri] *n.* 해리《남자 이름 ; Henry의 애칭》.

*__har·ry__ [hǽri] (*p., pp.* ***har·ried ; har·ry·ing***) *vt.* ① (공격 등의 반복으로) …을 괴롭히다, 곤란케 하다 ; (…하도록) 몰아대다《*for ; to* do》: Guerrillas *harried* our rear. 게릴라들이 우리 후방을 집요하게 공략해왔다. ② (전쟁 등으로 도시 따위)를 황폐케 하다, 약탈하다. ── *vi.* 침략하다 ; 공격하여 약탈하다.

‡**harsh** [hɑːrʃ] (*∠·er ; ∠·est*) *a.* ① 거친, 껄껄한. opp. *smooth.* ② (소리·음이) 불쾌한, 귀에 거슬리는 ; 눈에 거슬리는, (빛깔 따위가) 야한, 난한. ③ 호된, 모진, 가혹한《*to*》. ── *vt., vi.* ~하게 하다〔되다〕.

hart [hɑːrt] *n.* Ⓒ 수사슴.

har·te·beest [hɑ́ːrtəbìːst] *n.* Ⓒ 큰 영양.

har·um-scar·um [hέərəmskέərəm]《口》 *a.* 덤벙대는, 경솔한 ; 무모한, 엉망인. ── *ad.* 경솔히 ; 무모하게. ── *n.* Ⓒ 덤벙대는 사람〔행위〕 ; Ⓤ 덤벙댐 ; 무모. 파 **~·ness** *n.*

Har·vard [hɑ́ːrvərd] *n.* 하버드 대학《미국의 가장 오랜 대학, Massachusetts 주 Cambridge 소재 ; 1636년에 창립》.

‡**har·vest** [hɑ́ːrvist] *n.* Ⓤ,Ⓒ ① 수확, 추수. ② 수확기 ; 초가을 ; 수확물. ③ 보수, 결과 : reap the ~ of one's labors 노력의 성과를 손에 넣다. ***make a long ~ for*** 〔***about***〕 ***a little corn*** 작은 노력으로 큰 수확을〔결과를〕 얻다, 새우로 고래를 낚다. ***owe*** a person ***a day in the ~*** 아무에게 은혜를 입고 있다. ── *vt., vi.* (…을) 수확하다 ; (노력의 성과 등을) 손에 넣다.

har·vest·er [hɑ́ːrvistər] *n.* Ⓒ 수확자〔기(機)〕 ; 벌채 기계.

hárvest féstival 〔**féast**〕 ① 수확제. ②《英》 (교회에서 행하는 수확의) 추수 감사제.

hárvest hóme 수확의 완료 ; 수확제 ; 수확 축하의 노래.

har·vest·man [hɑ́ːrvistmən] (*pl.* ***-men*** [-mən]) *n.* Ⓒ ① (수확 때) 거둬들이는 인부. ②〖動〗 장님거미.

hárvest móon 중추 명월.

Har·vey [hɑ́ːrvi] *n.* 남자 이름.

†**has** [hæz, 약 həz, əz, z] HAVE 의 직설법 3 인칭 단수 현재형.

has-been [hǽzbìn] *n.* Ⓒ ①《口》 한창때를 지난 사람〔것〕 ; 시대에 뒤진 사람〔방법〕 ; 과거의 사람〔것〕. ② (*pl.*)《美口》 옛날 (일).

hash[1] [hæʃ] *n.* Ⓤ 해시〔잘게 썬 고기〕 요리 ;《口》 (뒤)범벅 ; 혼란 ; (아는 사실의) 재탕, 고쳐 만듦, 개작 ;〖컴〗 잡동사니. ***make a ~ of***《口》 …을 망쳐 놓다, 엉망으로 만들다. ***settle*** 〔***fix***〕 a person***'s ~***《口》 아무를 끽소리 못 하게 만들다, 죽이다 : Her blunt reply really *settled my ~*. 그녀의 무뚝뚝한 대답에 나는 끽소리 못했다. ── *vt.* (고기·야채)를 잘게 썰다《*up*》 ;《口》 엉망으로 만들다《*up*》. ***~ out***《口》 (어려운 문제 등)을 철저히 논의하여 해결하다. ***~ over***《美口》 (옛날 일을) 재고하다 ; 다시 논하다 ; 재탕하다.

hash[2] [hæʃ, hɑːʃ, heiʃ] *n.*《口》 = HASHISH ;《美俗》 마리화나,《널리》 마약.

háshed bròwn potátoes [hǽʃt-] 해시 브라운스(= **hásh·bròwns, háshed-bròwns**)《삶은 감자를 썰어 프라이팬에 넣어 양면을 알맞게 구운

미국 요리》.

hásh hòuse 《美俗》 대중 식당.

hash·ing [hǽʃiŋ] *n.* 『컴』 (잡동사니) 추리기.

hash·ish, -eesh [hǽʃi:ʃ] *n.* Ⓤ 해시시《인도 대마초로 만든 마취제》.

hásh màrk 《美軍俗》 연공 수장(年功袖章).

hásh tòtal 『컴』 해시 토털《특정 field의 합으로 그 자체는 별 뜻이 없으나 제어나 체크의 목적에 쓰이는 것》.

†**has·n't** [hǽznt] has not의 간략형.

hasp [hæsp, hɑːsp] *n.* Ⓒ 문고리; 실의 한 타래; 북, 방추(紡錘). — *vt.* …을 빗장으로 잠그다.

has·sel, has·sle [hǽsl] *n.* 《口》 ① Ⓒ 격론, 말다툼, 싸움. ② Ⓤ,Ⓒ 곤란(한 입장): My boss has been giving me a lot of ~ this week. 부장은 이번 주(週)에는 내게 많은 어려움을 주어왔다. — *vt.* 《口》 …을 들볶다; 괴롭히다: I'll do the work, so don't ~ me. 그 일을 하겠으니, 들볶지를 말게. — *vi.* 싸우다, 격론하다《*over*; *about*》; 번거로운 일을 당하다《*with*》.

has·sock [hǽsək] *n.* Ⓒ 걸상식의 방석; (꿇어앉아 기도 드릴 때의) 무릎 깔개〔방석〕; 풀숲.

hast [hæst, 弱 həst, əst, st] 《古》 HAVE의 2인칭·단수·직설법·현재형《주어가 thou일 때》.

‡**haste** [heist] *n.* Ⓤ ① 급함, 급속, 신속: in hot 〔great〕 ~ 몹시 서둘러. ② 성급, 서두름, 허둥댐; 경솔: *Haste* makes waste. 《格言》 급히 먹는 밥에 체한다; 서두르면 일을 그르친다 / More ~, less speed. 《格言》 급할수록 천천히.

in ~ (1) 바삐, 허둥지둥. (2) 서둘러, 안달하여《*to* do》: be *in* ~ *to* get ahead in the world 출세하려고 안달이 나다. ***in*** one's ~ 서두른 나머지: *In my* ~ I took the wrong bus. 서두른 나머지 버스를 잘못 탔다. ***make*** ~ 서두르다: He *made* ~ *to* run away. 그는 서둘러 도망쳤다.

— *vt., vi.* 《詩》 (…을) 서두르다; 재촉하다.

‡**has·ten** [héisn] *vt.* 《~+목/+목+부/+목+전+명》 …을 서두르다, 죄어치다, 재촉하다; 빠르게 하다, 촉진하다: ~ agricultural modernization 농업의 근대화를 촉진하다 / His busy life ~*ed* him *to* death. 그의 바쁜 생활이 그의 죽음을 앞당겼다. — *vi.* 《~/+부/+*to* do/+전+명》 서둘러 가다《*to*》; 서두르다: ~ *upstairs* 급히 2층에 올라가다 / I ~ *to* let you know the good news. 급히 이 기쁜 소식을 알려드립니다 / The policeman ~*ed to* the spot. 경관은 현장에 급행했다.

‡**hast·i·ly** [héistili] (*more* ~; *most* ~) *ad.* ① 바삐. ② 덤벙〔허둥〕대어; 성급히, 조급히.

hast·i·ness [héistinis] *n.* Ⓤ 화급; 경솔; 조급.

Has·tings [héistiŋz] *n.* ① **Warren** ~ 헤이스팅스《초대 벵골 총독; 1732-1818》. ② 영국 East Sussex 주의 도시.

‡**hasty** [héisti] (*hast·i·er*; *-i·est*) *a.* ① 급한, 바삐 서두는, 황급한. ② 조급한, 경솔한: a ~ conclusion 속단. ③ 성마른: a ~ temper 급한 성질.

hásty púdding 《美》 옥수수 죽.

†**hat** [hæt] *n.* Ⓒ ① **a**) (테가 있는) 모자. cf. bonnet, cap. **b**) (모자 등) 외출시의 옷〔신변물〕. **c**) 제모(制帽), 헬멧《따위》. ② (교황청 추기경의) 진홍색 모자; 추기경의 직〔지위〕, (특별한 모자에 의해 상징되는) 지위; 일, 직업, 직함: wear two ~*s* 재임하다; 일인이역을 하다. ③ (새우 따위의) 대가리. ④ 《俗》 뇌물 수수, 뇌물. ★ hat는 흔히 사람이나 그 생활 상태를 상징함: a bad *hat* 나쁜 자식, 악한, 건달패. (***as***) ***black as*** one's ~ 새까만. ***at the drop of a*** ~ ⇨ DROP. ***be in a*** 〔***the***〕 ~ 곤란해 하고 있다. ***bet*** one's ~ 《口》 모든 것을 걸다, 절대 안전하다. ***by this*** ~ 맹세코. ***hang up*** one's ~ 오래 머무르다; 은퇴하다. ~ ***in hand*** 모자를 손에 들고; 공손한 태도로, 굽실거리며. ***have a place to put*** one's ~ 입장을 주장하다. ***have*** 〔***throw, toss***〕 one's 〔***a***〕 ~ ***in the ring*** (경기 등에) 참가할 뜻을 알리다, (선거 따위에) 출마하다. ***His*** ~ ***covers his family***. 그는 (가족이 없는) 홀몸이다. ***Hold*** 〔***Hang***〕 ***on to your*** ~ ***!*** 《口》 놀라지 마십시오. ***I'll eat my*** ~ (***if . . .***) 《口》 (…라면) 손에 장을 지지겠다. ***lift*** one's ~ 모자를 살짝 들어 인사하다《*to*》. ***My*** ~ ***!*** 《俗》 어머, 이런. ***pass*** 〔***send***〕 (***round***) ***the*** ~ =***go round with the*** ~ (모자를 돌려) 기부금〔희사금〕을 걷다. ***pull . . . out of a*** ~ (요술·마술로 모자에서 물건을 꺼내듯이) …을 아주 쉽게 만들어내다, 생기게 하다. ***put the tin*** ~ ***on*** ⇨ TIN. ***raise*** 〔***take off, touch***〕 one's 〔***the***〕 ~ 모자를 들어〔를 벗고, 에 손을 대고〕 인사하다《*to*》, …에 대해 모자를 벗다; 경의를 표하다. ***talk through*** one's ~ 《口》 큰〔흰〕소리하다, 허튼〔무책임한〕 소리를 하다. ***throw*** one's ~ ***in the air*** 크게〔날뛰며〕 기뻐하다. ***under*** one's ~ =***for the*** 〔one's〕 ~ 《口》 비밀리에, 남몰래. ***wear more than one*** ~ 몇 가지 분야에서 자격이 있다.

— (***-tt-***) *vt.* …에게 모자를 씌우다.

hat·band [hǽtbæ̀nd] *n.* Ⓒ 모자의 리본; 모자에 두른 상장(喪章).

hat·box [⁻bɑ̀ks/⁻bɔ̀ks] *n.* Ⓒ 모자 상자.

hat·case [⁻kèis] *n.* =HATBOX.

‡**hatch**[1] [hætʃ] *vt.* ① (알·병아리)를 까다, 부화하다: Eggs are being ~*ed out* in the boxes. 그 상자에서 알이 지금 부화되고 있다. ② (음모 따위)를 꾸미다, 꾀하다. — *vi.* ① 《~/+부》 알이 깨다《*out*; *off*》. ② (어미새가) 알을 품다〔까다〕. ③ (음모 따위가) 꾸며지다. ***be ~ed, matched, and dispatched*** (사람이) 태어나서 결혼하고 죽다《사람의 일생》; (일이) 기획되고 완전히 끝나다. — *n.* Ⓤ,Ⓒ 부화; 한 배의 병아리; 결말. ***the ~es, catches, matches, and dispatches*** 《戲》 (신문의) 출생·약혼·결혼 및 사망 통지란.

‡**hatch**[2] *n.* Ⓒ ① 『海』 (갑판의) 승강구, 창구(艙口); 승강구〔창구〕의 뚜껑, 해치. ② (마루·천장·지붕 등에 만든 출입구의) 뚜껑, 반문(半門) 《상하 2단으로 된 문의 아래짝》. ③ (우주선의) 출입문. ④ 수문(水門). ⑤ 통발의 뚜껑. ***Down the*** ~ ***!*** 《口》 건배! ***under ~es*** (1) 갑판 밑에, 비번이어서. (2) 감금되어. (3) 영락하여, 남에게 버림받아. (4) 죽어서.

hatch[3] *vt.* (조각·제도·그림)에 음영(陰影)이 되게 가는 선을 긋다; 『建』 해치〔교차된 평행선 무늬〕를 넣다. — *n.* Ⓒ 평행선의 음영, 선영(線影); 『建』 해치, 교차된 평행선 장식.

hatch·back [⁻bæ̀k] *n.* Ⓒ 해치백《뒷부분에 위로 열리게 되어 있는 문을 가진 차; 또 그 부분》.

hat·check [hǽttʃèk] *a.* 〔限定的〕 휴대품 보관(용)의.

hatch·ery [hǽtʃəri] *n.* Ⓒ (물고기·병아리의) 부화장; 이유기(離乳期) 돼지의 대규모 사육장.

hatch·et** [hǽtʃit] *n.* Ⓒ 자귀; (북아메리카 원주민의) 전부(戰斧) (tomahawk). ***bury 〔***dig up, take up***〕 ***the*** ~ 화해하다 〔싸움을 시작하다〕. ***throw the helve after the*** ~ ⇨ HELVE.

hátchet fàce 마르고 뾰족한 얼굴(의 사람).

hatch·et-faced [-féist] *a.* 마르고 뾰족한 얼굴의.

hátchet jòb 《口》 욕, 중상: The reviewers did a ~ on her latest novel. 평론가들은 그녀의

최신의 소설을 혹평했다.

hátchet màn 《口》 호전가(好戰家); 달갑잖은 일을 맡아 처리하는 부하; 살인 청부업자(triggerman); (중상적 기사를 쓰는) 독설 기자; 〔一般的〕 비평가; 사형 집행인; 자객.

hatch·ing [hǽtʃiŋ] *n.* Ⓤ 해칭, (조각·제도·그림 따위의) 평행선의 음영, 선영(線影).

hatch·ment [hǽtʃmənt] *n.* Ⓒ 〖紋章〗 상중(喪中)임을 알리는 문표(紋標)《죽은 자의 무덤이나 문 앞 따위에 검》.

hatch·way [hǽtʃwèi] *n.* Ⓒ (배의) 승강구.

‡hate [heit] *vt.* ① 《～+목 / +목+전+명》 …을 미워하다, 증오하다; 몹시 싫어하다: We ～ injustice. 우리들은 부정을 증오한다 / He ～*s* me *for* it. 그는 그 일 때문에 나를 미워한다. ② 《+*to* do / +*-ing*》 …을 유감으로 여기다(regret): I ～ *to* trouble 〔troubl*ing*〕 you. 폐를 끼쳐서 죄송합니다 / I ～ not *to* see〔see*ing*〕 you anymore. 앞으로는 자네를 더 만나지 못하여 유감스럽군 / I ～ (hav*ing*) *to* say this, but .... 이런 것은 말하고 싶지는 않으나 …. ③ 《+*to* do / +*-ing* / +목+*to* do / +목+*-ing* / +*that* 절》 …을 싫어하다; …하고 싶지 않다: I ～ his smack*ing* his lips like that. 그가 저렇게 쩍쩍 입맛을 다시는 것이 싫다 / I ～ *to* do it. 그런 것은 하고 싶지 않다 / I ～*d* tell*ing* a lie, but I couldn't help it. 거짓말을 하고 싶지 않았으나, 어쩔 수 없었다 / I ～ my daughter liv*ing* 〔*to* live〕 alone. 딸이 혼자 사는 건 곤란해 / I ～ *that* you should talk about it. 네가 그 이야기를 안 했으면 싶다. ◇ hatred *n.* ～ ***out*** 《美》 (미워하여) …을 쫓아내다, 따돌리다. ～ a person**'s *guts*** ⇨ GUT. ── *n.* Ⓤ 혐오, 증오 (hatred).

‡hate·ful [héitfəl] *a.* ① 미운, 지겨운, 싫은. ② 증오에 찬. 파 ～**·ly** *ad.* ～**·ness** *n.* Ⓤ

háte màil 매도나 협박투의 서신.

***hath** [hæθ, 弱 həθ] 《古》 HAVE 의 3 인칭·단수·직설법·현재.

hat·less [hǽtlis] *a.* 모자를〔가〕 안 쓴〔없는〕.

hat·rack [⌐ræ̀k] *n.* Ⓒ 모자걸이; 《美俗》 말라깽이.

‡ha·tred [héitrid] *n.* Ⓤ (또는 a ～) 증오, 원한; 혐오; 《口》 몹시 싫음; 집단적인 적의, 집단 증오: feel *a* positive ～ *of*〔*for*〕 a person 아무에게 강한 증오를 느끼다. ***have a*** ～ ***for*** …을 미워하다, …을 싫어하다.

hat·ter [hǽtər] *n.* Ⓒ 모자 제조인; 모자상(商). (***as***) ***mad as a*** ～ 《俗》 아주 미쳐서; 몹시 성이 나서.

hát trèe (가지가 있는) 모자걸이.

hát trìck ① 〖크리켓〗 해트 트릭《투수가 세 타자를 연속 아웃시킴》; 〖蹴·하키〗 해트 트릭《혼자 3 골 획득》; 〖競馬〗 (한 기수에 의한 하루) 3 연승; 〖野〗 사이클 히트. ② 모자를 사용해서 하는 요술; 교묘한 수〔술책〕.

Hat·ty [hǽti] *n.* 여자 이름《Harriet 의 애칭》.

hau·berk [hɔ́:bə:rk] *n.* Ⓒ (중세의) 미늘 갑옷.

‡haugh·ty [hɔ́:ti] (***-ti·er; -ti·est***) *a.* 오만한, 거만한, 건방진, 도도한, 불손한: have〔carry〕 a ～ air 불손한 태도를 취하다 / be ～ to one's inferiors 손아랫사람에게 도도하다.

‡haul [hɔ:l] *vt.* ① 《～+목 / +목+부 / +목+전+명》 …을 (세게) 잡아끌다; 끌어당기다: I ～*ed* the boat ashore. 나는 보트를 해안으로 끌어 올렸다 / The fishermen were ～*ing in*〔*up*〕 the net. 어부들은 그물을 잡아 당기고〔끌어 올리고〕 있었다. ② 《+목+전+명》 (트럭 따위로) …을 운반하다: ～ timber *to* a sawmill 재목을 제재소로 나르다. ③ 《+목+부 / +목+전+명》 (법정 등으로) …을 끌어내다, 연행하다: ～ a person *into* court 아무를 법정에 끌어내다. ④ 〖海〗 (배)의 방향을 돌리다《특히 바람이 불어 오는 쪽으로》. ── *vi.* ① 《+전+명》 잡아당기다《*at; upon*》: ～ *at* 〔*on, upon*〕 a rope 로프를 끌어당기다. ② 《～ / +부 / +전+명》 어떤 방향으로 나아가다; 방침을 바꾸다; 〖海〗 (배가) 방향을 바꾸다; (바람이) 방향을 바꾸다《*around*》: ～ *south* (배가) 남진하다 / The wind ～*ed around to* the east. 바람이 방향을 동쪽으로 바꿨다. ～ ***down*** 《口》 (야구 등에서) 달려가서 (공을) 잡다; (미식 축구에서) 태클(tackle)하다. ～ ***down*** one**'s *flag*** 〔***colors***〕 기(旗)를 내리다〔감다〕; 굴복〔항복〕하다(surrender). ～ ***in*** 《美俗》 잡아〔끌어〕당기다. ～ a person ***in*** 《俗》 (견책·신문을 위해) 아무를 호출하다. ～ ***in with*** 〖海〗 …에 가까이 가도록 배를 돌리다. ～ ***it*** 《俗》 도망가다. ～ ***off*** 〖海〗 (피하기 위하여) 침로를 바꾸다; 후퇴하다, 물러나다; 《口》 (사람을 치기 위해) 팔을 뒤로 빼다. ～ a person ***over the coals*** 아무의 흠을 들추어내다; 몹시 꾸짖다. ～ ***to***〔***on***〕 one**'s**〔***the***〕 ***wind*** 〖海〗 이물을 더욱 바람 불어 오는 쪽으로 돌리다. ～ ***up*** 〖海〗 이물을 바람 불어 오는 쪽으로 돌리다; (차 따위가) 멈추다; (…을) 끌어올리다; 〔흔히 受動으로〕 (사람을 법정 등에) 소환하다: He *was* ～*ed up* before the judge. 그는 법관 앞에 끌려 나왔다. ── *n.* ① (a ～) 세게 끌기, 견인; 운반, 수송. ② Ⓒ 수송물〔품〕. ③ (a ～) 운반 거리; 거리. ④ Ⓒ 〖漁業〗 그물을 끌어올리기; 한 그물의 어획(량). ⑤ Ⓒ 《口》 잡은〔번〕 것; 번 액수.

a 〔***the***〕 ***long*** ～ (1) 꽤 긴 기간〔거리〕; 긴〔괴로운〕 여정. (2) 〖海〗 (겨울 따위에) 배를 오래 뭍에 올려 둠. ***a*** 〔***the***〕 ***short*** ～ (비교적) 가까운 거리, 짧은 시간. ***make*** 〔***get***〕 ***a fine*** 〔***good, big***〕 ～ 고기를 많이 잡다; 큰 벌이를 하다.

haul·age [hɔ́:lidʒ] *n.* Ⓤ ① 당기기, 끌기. ② 운반. ③ 운임, 운반료.

haul·er [hɔ́:lər] *n.* Ⓒ haul 하는 것〔사람〕; 운반인; 운송업자.

haul·i·er [hɔ́:liər] *n.* 《英》 = HAULER.

haulm [hɔ:m] *n.* ⒸⓊ (콩·감자·곡물 따위의) 줄기; (곡물 따위를 베고 난 후의) 줄기, 짚.

haunch [hɔ:ntʃ, ha:ntʃ] *n.* Ⓒ (흔히 *pl.*) 허리, 궁둥이; (양고기 따위의) 허리 부분; 〖建〗 홍예 허리.

‡haunt [hɔ:nt, ha:nt] *vt.* ① (어느 장소)를 종종 방문하다, …에 빈번히 들르다. cf. frequent, resort. ¶ He ～*ed* the galleries and bars that the artists went to. 그는 화가들이 다니는 화랑이나 선술집을 자주 들렀다. ② (유령 등이) …에 출몰하다, 나오다: a ～*ed* house 유령이〔도깨비가〕 나오는 집. ③ 〔흔히 受動으로〕 (생각 따위가) …에 늘 붙어 따라다니다, (붙어) 따라다니며 괴롭히다: I *am* ～*ed* by the thought that.... …이라는 생각이 머리에서 떠나지 않는다 / I *was* ～*ed* by his last words to me. 그의 마지막 말이 나를 떠나지 않고 괴롭혔다. ── *vi.* ① 자주 들르다《*about; in*》. ② (유령 등이) 출몰하다. ③ 서성거리다; (사람 곁을) 떠나지 않고 치근거리다. ── *n.* Ⓒ ① 자주 드나드는 곳, 늘 왕래하는 곳. ② 출몰하는 곳; 서식지; (범인 등의) 소굴. ③ 《方》 유령.

haunt·ed [hɔ́:ntid, há:n-] *a.* (귀신 따위가) 붙은; 도깨비가〔유령이〕 나오는〔출몰하는〕; 고뇌에 시달린.

haunt·ing [hɔ́:ntiŋ, há:nt-] *a.* 자주 마음속에 떠오르는, 뇌리를 떠나지 않는.

haute cou·ture [òutku:túər] 《F.》 고급 양장점; 고급 패션계(界); 일류 디자이너.

haute cui·sine [òutkwizí:n] 《F.》 고급(프랑스) 요리.

haut·eur [houtə́:r] *n.* Ⓤ 《F.》 오만, 거만.

Ha·vana [həvǽnə] *n.* ① 아바나《Cuba 의 수도》. ② Ⓒ 아바나 여송연.

†**have** [hæv, 弱 həv, əv; "to" 앞에서 흔히 hæf] (*p.*, *pp.* ***had*** [hæd, 弱 həd, əd]; 현재분사 ***hav·ing*** [hǽviŋ]; 직설법 현재 3인칭 단수 ***has*** [hæz, 弱 həz, əz]; have not의 간약형 ***haven't*** [hǽvənt]; has not 의 간약형 ***hasn't*** [hǽznt]; had not의 간약형 ***hadn't*** [hǽdnt]) *vt.*

> 用法 (1) 미국식으로는 부정·의문에 두루 조동사 do 를 사용하여 have 를 일반동사로 취급하고 있으며, 최근에는 영국에서도 이런 경향이 많아짐. 그러나 전통적인 영국 영어의 입장에서는 대체로 a) 상태동사의 have 는 습관적이 아니면 변칙동사, 습관적이면 일반동사 취급, b) 동작·과정의 have 는 항상 일반동사로 취급함: How many brothers *have* you? 《습관과 무관계》/ *Do* you usually *have* enough time for pleasure at weekend? 《습관적》/ We *didn't have* much trouble solving the problem. 《과정》
> (2) 변화꼴은 현대꼴 외에 다음의 옛꼴이 있음: 2 인칭 단수 현재형 (thou) **hast** [hæst, 弱 həst, əst], 과거형 **hadst** [hædst, 弱 hədst]; 3 인칭 단수 현재형 **hath** [hæθ, 弱 həθ].

A) 《영국에서는 습관적인 경우 이외에는 변칙동사 취급; 흔히 進行形·受動態 없음》. ① **a)** 《~+목/+목+전+명》 …을 가지고 있다, 소유하다; …이 있다: He *has* a large fortune. 그는 재산가이다 / We don't ~ 〔=《英》 We ~*n't*〕 a house of our own. 우리는 제 집이 없다 / This house *has* a fine garden. 이 집엔 훌륭한 정원이 있다 / He *has* a large room *to* himself. 그는 큰 방을 독차지하고 있다. **b)** 《+목+전+명》 …을 몸에 지니고〔걸치고〕 있다《*about*; *on*; *with*; *around*》. cf. have on (成句). ¶ Do you ~ 〔《英》 *Have* you (got)〕 any money *with* 〔*on*〕 you? 돈 가지신 것 있습니까 / She *had* a scarf *around* her neck. 그녀는 목에 스카프를 두르고 있었다. **c)** 〔종종 목적어에 形容詞 용법의 to 不定詞를 수반하여〕 (…할 일·시간 따위)를 갖고 있다, …이 주어져 있다: I ~ a letter *to* write. 편지 쓸 일이 있다 / Do you ~ 〔《英》 *Have* you〕 anything *to* declare? (세관에서) 무언가 신고할 것이 있으십니까 / He *did*n't ~ 〔*had*n't〕 time *to* see her. 그 여자를 만나 볼 시간이 없었다.

② 〔어떤 관계를 나타내어〕 **a)** (육친·친구 등)이 있다; (사용인 따위)를 두고 있다: She *has* a nephew in the navy. 그녀는 해군에 있는 조카가 있다 / The college *has* a faculty staff of ninety. 그 대학은 90 명의 교수진을 갖고 있다. **b)** (애완용으로 동물)을 기르다: I want to ~ 〔keep〕 a dog. 개를 기르고 싶다.

③ 〔부분·속성〕 **a)** (신체 부분·신체 특징·능력 따위)를 가지고 있다; (…에게는) —이 있다: A hare *has* long ears. 토끼는 긴 귀를 가지고 있다 / Does she ~ 〔《英》 *Has* she〕 brown eyes or blue eyes? 그 여자의 눈은 갈색인가 푸른가 / I ~ a bad memory for names. 나는 사람들 이름을 잘 기억하지 못한다. **b)** (사물이 부분·부속물·특징 따위)를 갖고 있다; (…에는) —이 있다; …을 포함하고 있다: This coat *has* no pockets. 이 상의에는 호주머니가 없다 / This room *has* five windows. 이 방에는 창이 다섯 개(가) 있다(=There are five windows in this room.) / How many days does May ~〔《英》 *has* May〕? 5월달은 며칠이 있는가.

④ **a)** (감정·생각 따위)를 갖다, 품고 있다: Do you ~ 〔《英》 *Have* you (got)〕 any questions? 무언가 질문이 있으십니까 / I'*ve* no idea what she means. 그녀의 말뜻을 알 수가 없다(=I don't know what....) / He *has* no fear of death. 그는 죽음을 조금도 두려워하지 않는다. **b)** 《+목+전+명》 (…에 대해 원한 따위)를 품다《*against*》: I don't know what she *has against* me. 그 여잔 내게 무슨 원한이 있는지 모르겠다 / I *have* a grudge *against* him. 나는 그에게 원한이 있다. **c)** (…에 대한 감정 따위)를 (태도·행동에) 나타내다《*on*; *for*》: ~ pity *on* him 그에게 동정하다(=pity him) / *Have* some consideration *for* others. 남의 처지도 좀 헤아려 주지. **d)** 〔목적어에 'the+추상명사+*to* do'를 수반〕 (…할 친절·용기 따위)가 있다; …하게도 —하다: She *had the* impudence 〔《美口》 gall〕 *to* refuse my invitation. 그녀는 건방지게도 내 초대를 거절했다 / *Have the* kindness *to* help me. 부탁이니 좀 도와 주세요《상대가 마음에 안 들 때의 정중한 명령에 가까운 표현》/ You should ~ *the* patience *to* wait. 참고 기다려야 한다.

⑤ (병 따위)에 걸리다, 걸려 있다; 시달리다: ~ a headache 〔toothache〕 두통〔치통〕이 있다 / ~ a heart attack 심장 발작을 일으키다 / I ~ a cold now. 나는 지금 감기에 걸려 있다.

B) 《《美》《英》에서 모두 일반 동사 취급》 ① 입수하다《進行形 없고, a)에 한하여 受動態 가능》. **a)** 《~+목/+목+전+명》 …을 얻다, 받다: ~ English lessons 영어 수업을 받다 / ~ a holiday 휴가를 얻다 / You may 〔can〕 ~ it 〔It may 〔can〕 *be had*〕 for the asking. 요구만하면 그것을 가질 수 있다 / We don't ~ classes on Saturday. 토요일에는 수업이 없다 / He *had* a letter 〔a telephone call〕 *from* his mother. 그는 어머니로부터 편지〔전화〕를 받았다. **b)** …을 택하다: I'll ~ that white dress. 그 흰색 드레스로 하겠습니다 / Do you ~ butter on your toast? 토스트에 버터를 바르시겠습니까. **c)** (정보 따위)를 입수하(고 있)다, 들어서 알(고 있)다: May I ~ your name, please? 존함을 무어라고 하시는지요 / We must ~ the whole story: don't hold anything back. 이야기를 전부 들어야겠다, 숨김없이 말해라.

② **a)** (식사 따위)를 하다, 들다, (음식)을 먹다, 마시다; (담배)를 피우다《進行形·受動態 가능》: He *had* cake and coffee for dessert. 그는 디저트로 케이크와 커피를 들었다 / He is *having* breakfast now. 그는 지금 아침을 먹고 있다 / Breakfast can be *had* at seven. 아침식사는 7시에 먹을 수 있습니다 / *Have* a cigarette. (담배) 한 대 피우시죠. **b)** 《+목+보》 …하게 (음식)을 먹다: "How do you ~ your steak?" "I'll ~ it rare." '스테이크는 어떻게 잡수십니까?' '설익게 해 주십시오.'

③ **a)** …을 경험하다, 겪다; (사고 따위)를 당하다, 만나다《進行形 있고, 受動態는 불가》: ~ a shock 충격을 받다 / ~ an adventure 모험을 하다 / ~ an accident 사고를 당하다 / I'm *having* trouble with the computer. 난 컴퓨터에 애를 먹고 있다 / I'm *having* an operation next week. 내주에 수술을 받는다 / Do they ~ much snow in Boston in winter? 보스턴에는 겨울에 눈이 많이 옵니까 / *Have* a nice day. 안녕《헤어질 때의 말임》/ *Have* a nice trip. 즐거운여행을 하고 오십시오. **b)** (시간 따위)를 보내다, 지내다《進行形 있

고, 受動態 가능》: ~ a good 〔bad〕 time 즐거운 시간을 보내다〔혼이 나다〕/ We are *having* a good time. 우리는 즐겁게 지내고 있다 / A good time was *had* by all. 모두가 즐거운 시간을 보냈다《*have* a ... time 같은 정형적(定型的) 표현에 한해 수동태·진행형이 가능함》.
④ (모임 따위)를 열다, 개최하다, 갖다《進行形 있음》: ~ a party 〔a conference〕 파티〔회의〕를 열다 / ~ a game 경기를 하다 / We are *having* a picnic tomorrow. 내일 소풍을 갑니다.
⑤ 〔흔히 a+동작 名詞를 目的語로〕《口》 …하다, …을 행하다《(1) 進行形 있고, 受動態는 불가 ; (2) have got 은 쓰지 않음》: ~ *a* try 해보다(=try) / ~ *a* rest 쉬다(=rest) / ~ *a* bath 목욕하다(=bathe) / ~ *a* walk 산책하다 / I want to ~ *a* talk with him. 그와 이야기 좀 하고 싶다 / Let me ~ 〔take〕 *a* look at it. 잠깐 보여 주시오 / Go and ~ *a* lie-down. 가서 누우시오. ★ give, make 에도 비슷한 용법이 있음.
⑥《~+목 / +목+부 / +목+전+명》 (아무)를 대접하다, (…에) 초대하다《(*a*)*round* ; *over* ; *for* ; *to*》《進行形은 가까운 장래의 일만을 나타내고, 受動態는 없음》: We *had* Evelyn and Everett (*over*) *for*〔*to*〕 dinner. 우리는 이블린과 에베렛을 저녁 식사에 초대했다.
⑦ (언어·학과 따위)를 알다, 알고 있다. …의 지식이 있다《進行形·受動態 없음》: I ~ it by heart. 나는 그것을 외우고 있다 / She *has* a little Arabic. 그녀는 아랍어를 조금 안다 / Now I ~ you. 이제 네 말을 알겠다.
⑧ (아이·새끼)를 낳다《進行形은 가까운 미래만을 나타내고, 受動態는 불가》: He *had* two sons by that woman. 그는 그녀와의 사이에 두 아들을 두었다 / My dog *had* pups. 우리 집 개가 새끼를 낳았다 / She's *having* a baby in April. 그녀는 4월에 출산할 예정이다.
⑨ …을 붙잡아 두다, 잡다《進行形·受動態 없음》: Now I ~ you. 자 (이제) 붙잡았다.
⑩《~+목 / +목+전+명》 **a**) (경기·언쟁 따위에서 상대)를 꺾다, 지게 하다 ; 윽박지르다, 해내다, 이기다《進行形·受動態 없음》: I *had* him in that discussion. 그 토론에서 그 사람을 끽소리 못하게 했다 / You ~ me there. 졌다, 맞았어《당신 말대로야》; 그건 (몰라서) 대답할 수 없다. **b**)《口》〔흔히 受動으로〕 …을 속이다 ; (뇌물로) 매수하다 : I'm afraid you've *been had*. 아무래도 속으신〔당하신〕 것 같군요 / He has *been had* over the bargain. 그는 그 거래에서 속았다.
⑪ 〔~ one*self*〕《+목+목》《美口》 …을 즐기다 : ~ one*self* a time 시간을 즐겁게 보내다 / ~ one*self* steak 스테이크를 즐기다.
⑫《俗》 …와 성교하다《*away* ; *off*》; (여자)를 정복하다《進行形있고, 受動態는 불가》.
C) 《受動態 없음》 ① **a**)《+목+부 / +목+전+명》 …을 ―상태〔위치〕에 두다 : We'll ~ the table *here*. 그 테이블은 여기에 두자 / He *had* the sun *at* his back. 그는 등에 햇살을 받고 있었다 / He *had* his arm *around* her shoulders. 그는 그녀의 어깨에 팔을 두르고 있었다 / They *had* their heads *out* (*of* the window). 그들은 (창)밖으로 머리를 내밀고 있었다. **b**)《+목+보》 …을 ―하게 하다 : *Have* your nails *clean*. 손톱을 깨끗이 해 두어라 / I'll ~ him a good teacher in future. (난) 그를 장차 훌륭한 선생으로 만들겠다 / We can't afford to ~ them *idle*. 그들을 빈둥거리게 내버려 둘 수는 없다. **c**)《+목+-*ing*》 …을 ―하게 내버려 두다 ; (아무)에게 …하도록 하다 : She *has* the water run*ning* in the bathtub. 그녀는 욕조에 물을 틀어 놓은 채로 있다 / He *had* us all laugh*ing*. 그는 우리 모두를 웃겼다 / I ~ several problems troubl*ing* me. 몇 가지 문제로 골치를 앓고 있다 / We ~ friends stay*ing* with us. 친구들이 우리 집에 머무르고 있다.
②《+목+*done*》 **a**) …을 ―하게 하다, …을 ―시키다 : I *had* my hair *cut*. 나는 이발을 했다 / I *had* a new suit *made* last month. 지난 달 새 양복을 맞췄다 / I *had* the house *painted*. 집에 페인트칠을 하게 했다 / I *had* my composition *corrected* by our teacher. 내 작문을 선생님에게 고쳐 받았다. **b**) …을 ―당하다 : He *had* his wallet *stolen*. 그는 돈지갑을 소매치기당했다 / I *had* my hat *blown* off. 바람에 모자가 날아갔다. **c**) …을 ―해 버리다《完了를 나타내며《美》에서 많이 사용됨》: She *had* little money *left* in her purse. 그녀의 지갑에는 돈이 조금밖엔 남아 있지 않았다 / *Have* your work *done* by noon. 정오까지는 일을 다 끝내 주시오.
③《+목+*do*》 **a**) (아무)에게 …하게 하다, …시키다《make 보다 사역의 뜻이 약함》: *Have* him *come* early. 그를 일찍 오게 해라 / I *had* my secretary *typewrite* the draft. 나는 비서에게 원고를 타자시켰다. **b**) …에 ―당하다《사역보다는 경험을 나타내는 표현》: She *had* a man *rob* her last night. 그녀는 어젯밤 남자에게 도둑을 맞았다(She was robbed by a man last night.가 일반적임) / I have never *had* that *happen* to me. 나는 그런 일을 당한 적이 없다. **c**) 〔will, would 와 함께〕 …이 꼭 ―해 주었으면 하다 : What *would* you ~ me *do*? 내게 무엇을 시키고 싶은가(내가 무엇을 해 주었으면 좋겠는가).
④ 〔흔히 1인칭 주어와 함께 ; will, can ~의 否定形이나 進行形으로〕 **a**)《~+목 / +-*ing*》 …을 용납하다, 참다 : I *won't* ~ such a conduct. 이런 행위는 용서할 수 없다 / We'*ll* ~ *no* more of that. 그런 일은 이제 더 이상 용납할 수 없다 / I *am not having* sing*ing* here. 여기서 노래하는 것을 용납할 수는 없다. **b**)《+목+-*ing*》 …이 ―하는 것을 용납하다〔참다〕: I *won't* ~ her be*ing* so rude. 그녀가 그렇게 무례한 태도로 나오는 것을 용납할 수 없다 / I *can't* ~ you play*ing* outside with a bad cold! 독감에 걸려 있으면서 밖에서 노는 것은 안 된다《can't 를 사용하면 '상대에게 좋지 않으므로 그렇게 할 수 없다'의 뜻》. **c**)《+목+*done*》 …이 ―당하는 것을 용납하다〔참다〕: We *won't* ~ him *bullied*. 그가 괴롭힘을 당하는 것은 용납 않겠다.
~ at …을 공격하다, …에게 덮쳐〔덤벼, 달려〕들다 ; …을 시작하다 ; …을 먹다 : I'll ~ *at* the files tomorrow. 내일 파일조사에 착수하겠다 / *Have at* it. 어서 먹어라. ***~ . . . back***《受動態 불가》 (1) …을 돌려받다, 되찾다 : I want to ~ my book *back* earlier. 책을 더 일찍 돌려받고 싶다. (2) (헤어진 남편·아내·애인·동료 등)을 다시 맞아들이다. (3) (아무)를 답례로 초대하다. ***~ down***《受動態 불가》 (시골·별장 따위로 아무)를 초청하다, 내려오게하다. cf. have up. ¶ We're *having* the Chesters *down* for a couple of days. 체스터씨 집 분들이 이삼일 머무르러 온다. ***~ got to do with*** ⇨ have to DO with. ***~ had it***《口》 (1)《美》 (…에) 질리다, 진절머리가 나다《*with*》: I'*ve had it with* her. 그녀라면 이제 지겹다. (2) 이제 틀렸다〔글렀다〕; 끝장이다《문맥에 따라 '죽다·지다·실패하다·소용이 안 되다' 등의 나쁜 뜻을 나타냄》: You'*ve had it!* 기대해도 소용없다 ; 이제 그만이다 / The car *has* really *had it*. 그 차는 다 되어 이제 탈 수 없게 되었다. (3) 한창

〔제〕때를 지나다, 한물 가다, 시대에 뒤떨어지게 되다 : Quiz shows ~ *had it.* 퀴즈쇼도 이제 한물 갔다. ~ ***in***《受動態 불가》(1) (장색·의사 등을 집·방에) 들이다, 부르다 ; (아무를 집에) 잠깐 청해 오게 하다 : We ~ a housekeeper *in* once in a week. 한주일에 한 번 파출부를 오게 한다. (2) (…을 집·가게 따위에) 저장해 두다, 들여 놓다 : ~ enough coal *in* for winter 겨울에 대비해 충분한 석탄을 저장해 두다. ~ ***it*** (1) 이기다, 유리하다 : The ayes ~ *it.* 찬성자가 다수다. (2)〔I를 主語로〕(답 따위를) 알다 : I ~ 〔I've *got*〕 *it !* 알았다, 그렇지. (3) (…에게) 들어서 알(고 있)다《*from*》: I ~ *it from* Bill. 빌에게서 들었다. (4) (…라고) 표현하다, 말하다, 주장하다《*that*》: Rumor *has it that*.... …라는 풍문〔소문〕이다 / She *will* ~ *it that* the conditions are unfair. 그녀는 (끝까지) 조건이 불공평하다고 주장할 거다 / As Kant *has it*... 칸트가 말하듯이. (5) (어떤 식으로) 일을 하다 : *Have it* your own way! (더 이상 말 않겠다) 네 멋〔마음〕대로 하여라 / You can't ~ *it* both ways. 양다리 걸치지는 못한다. (6)〔will, would 와 함께 ; 否定文에서〕인정하다, 받아들이다 : I tried to excuse but he *would not* ~ *it.* 나는 변명하려 했으나 그는 도무지 받아들이려 하지 않았다. (7) (운명 등이) 지배하다 : ⇨ as LUCK would have it (成句). (8)《口》(탄알 따위에) 맞다 ; 응징〔징계〕당하다, 꾸중을 듣다 : Let him ~ *it.* 녀석을 응징해라〔혼내 주어라〕. ~ ***it*** (***all***) ***over*** 〔***on***〕... (1) (…에서 상대)보다 낫다〔유리하다〕《*in*》. (2) (…라는 점에서 상대)보다 우위에 있다《*that*》: She *has it over* me *that* she's been abroad and I haven't. 그녀는 외국에 가 본 일이 있지만 나는 가본 적이 없다는 점에서 그녀가 나보다 우위에 있다. ~ ***it coming*** (***to*** one) (특히 비난·벌 등을) 받아 마땅하다, 그것은 당연한 응보이다《it 대신 구체적인 명사도 사용됨》: When they lost their fortune, everyone said that they *had it coming* (*to* them). 그들이 재산을 잃었을 때 누구나가 자업자득이라 했다. ~ ***it good***《口》유복하다 ; 즐거운 시간을 보내다 : He's never *had it* so *good*. 그가 이렇게 유복한 때는 없었다. ~ ***it in for*** a person《口》아무에게 원한을 품고 있다, 아무를 싫어〔미워〕하고 있다 ; 아무를 난처하게 하다 : Max *has it in for* Lefty. 맥스는 레프티를 싫어하고 있다. ~ ***it in*** one (***to*** do)《口》(…할) 소질이〔능력이, 용기가〕 있다 : You will succeed if you ~ *it in* you. 할 마음만 있으면 성공한다 / He doesn't ~ *it in* him *to* be mean. 비열한 짓을 하는 것은 그의 성격이 아니다. ~ ***it made***《口》성공은 틀림없다. ~ ***it off*** 〔***away***〕《英俗》(…와) 성교하다《*with*》. ~ ***it out***《口》(…와) 거리낌없이 논쟁하다 ; 시비를〔싸움을〕 하여 결말을 맺다〔짓다〕《*with*》: I must ~ *it out with* him, and stop all this uncertainty. 그와 시비를 가려 이 모든 걸 확실히 하고 말아야겠다. ~ ***nothing on*** (1) 아무것도 입고 있지 않다. (2) …보다 나은 점이 없다. (3) 약속이 없다, 시간이 있다 : I ~ *nothing on* this evening. 오늘 저녁은 약속이 없다. (4)《美》(경찰이 아무를) 죄인으로 몰 증거가 없다. ~ ***off***《受動形 불가》(1) (요일 따위)를 쉬다 : I ~ every Monday *off*. 매주 월요일은 쉰다. (2) …을 벗(기)다, 떼다 : ~ one's hat *off* 모자를 벗다. (3) (손가락 따위)를 절단하다, 자르다 : This knife is as sharp as a razer. You'll ~ your finger *off* if you're not careful. 이 칼은 면도칼처럼 예리하다. 주의하지 않으면 손가락을 잘린다. (4) …을 외고〔암기하고〕 있다 : I ~ the poem *off* (by heart) already. 그 시(詩)를 이미 외고 있다. (5) …을 보내다 : I'll ~ the book *off* in the next mail. 다음 편(便)에 그 책을 보내 드리지요. (6) 교묘히 (아무)의 흉내를 내다(hit *off*). ~ ***on***《受動態 불가》(1) 입고 있다, 쓰고〔신고〕 있다, 몸에 걸치고 있다 : She *had* a new dress *on*. 그녀는 새 드레스를 입고 있었다. (2) (약속·해야 할 일 등)이 있다, (모임 따위)의 예정이 있다 : I ~ nothing *on* (for) tomorrow. 내일은 아무 예정도 없다 / This afternoon I ~ 〔I've *got*〕 a lecture *on*. 오늘 오후엔 강의가 있다. (3) (등불·라디오 따위)를 켜고 있다, 스위치를 넣고 있다. (4)〔종종 進行形으로〕《英口》(아무)를 속이다, 놀리다(put on) : You didn't believe her, did you? She *was* just *having* you *on*. 자네는 믿지 않았겠지? 그녀는 자네를 속이고 있었을 뿐이네. ~ ***only to*** do ⇨ ONLY *ad.* ~ ***out***《受動態 불가》(1) …을 밖으로 내(놓)다〔내놓고 있다〕. (2) (이빨·편도선 따위)를 제거케 하다 : ~ one's tooth *out* 이를 뽑게 하다. (3) (불·조명 따위)를 꺼 두다. (4)《英》(수면 따위)를 끝까지 계속하다, 중단되지 않다 : Let her ~ her sleep *out*. (깰 때까지) 그녀를 푹 자게 해라. ~ ***over***《受動態 불가》(1)《…을 (집에) 손님으로 맞다. (2) …을 전복〔전도〕시키다 : You'll ~ the sailboat *over* if you are not careful. 조심하지 않으면 요트는 뒤집힌다. (3) (싫은 일)을 끝내다, 마치다 : We'll be glad to ~ our tests *over*. 시험을 끝내면 기쁠 것이다. (4) …보다 (어떤 점에서) 우위(優位)에 있다 : What does he ~ *over* me? 그는 어떤 점에서 나보다 나은가. ~ one***'s eye on***... …에 주의하다, …에서 눈을 떼지 않다. ~ ***something on*** a person《口》아무의 약점을 쥐고 있다. ~ ***something*** 〔***nothing, little,*** etc.〕 ***to do with***... ⇨ DO[1]. ~ ***to*** do (1) …해야 한다, …하지 않으면 안 된다《영국에서는 습관적 이외의 경우는 변칙동사 취급》: I ~ 〔*had*〕 *to* see him. 나는 그를 만나 보아야 한다〔했다〕 / Do we often ~ *to* come? 가끔 와야 하느냐《습관적 ;《美》·《英》공통》/ Do you ~ 〔《英》*Have* you〕 *to* go today? 오늘 가야만 하는가《특정한 경우》/ You do not 〔don't〕 ~ *to* be rich to help others. 남을 돕는 데엔 반드시 부자이어야 할 필요(까지)는 없다《항상 ;《美》·《英》공통》/ You don't ~ 〔《英》You ~n't〕 to go today. 오늘은 안 가도 된다《특정한 경우》. (2) …임에 틀림없다《동사는 보통 be》: You ~ *to be* joking. 농담이겠지 ; 농담을 하고 있음에 틀림없다 / Judging by the noise, there *has to have been* an explosion. 소리로 판단하면 폭발이 있었음에 틀림없다.

> 參考 (1) have to do 는 약속, 사정 등의 외적 구속에 의한 의무를 나타내며 다소 어감이 부드러운 구어체임. 부정문의 경우 "…하지 않아도 된다, …할 필요가 없다"란 뜻. must not과의 뜻 차이에 주의.
> (2) must 에는 미래·과거·완료형이 없어서, have to 가 대용되지만, that-절에서는 must 를 그대로 과거형으로 쓸 수도 있음 ; I thought that I *must* ask him for help. (그에게) 도움을 청해야 한다고 생각했다).

~ ***up*** (1) (도시 따위로 아무)를 초청하다, 올라오게 하다《受動態 불가》. cf. have down. (2)〔흔히 受動으로〕《英口》(아무)를 법정에 불러내다 ; (…로 아무)를 고소하다《*for*》: I'll ~ him *up for* slander. 그를 명예 훼손으로 고소하겠다 / He *was had up for* speeding. 그는 속도 위반으로 기소되었다. (3) (무엇)을 올리(고 있)다, (천막 따위)를 치다《受動態 불가》: The shops *had* their shutters *up.* 가게들은 셔터를 열고 있었다. **~ *yet to* do** ⇨ YET. ***let* a person *~ it*** ⇨ LET[1]. ***not having any*** ⇨ ANY. ***to ~ and to hold*** (1) 법적으로 소유하고〔할〕: On her father's death, the villa was here *to ~ and to hold.* 아버지의 죽음으로 그 별장은 법적으로도 그녀의 소유가 되었다. (2) 언제까지나 소중히 여겨야 할(아내 따위) : *to ~ and to hold* from this day forward (결혼한) 오늘부터 앞으로 사랑하고 이껴야《결혼 서약 중의 한 구절》. ***You can't ~ it so.*** 그렇게는 안 된다. ***You ~ me there.*** ⇨ THERE. ***You shouldn't ~!*** 정말 고맙습니다《선물을 받을 때 하는 말》.

— *aux. v.* ① 〔現在完了 : have+過去分詞〕《현재까지의 '완료·결과·경험·계속'을 나타냄》. **a**) 〔완료〕 (지금 막) …하였다, …한 참이다 : I ~ *written* it. 그것을 다 썼다 / The clock *has* just *struck* ten. 시계가 이제 막 열 시를 쳤다(=The clock struck ten just now.) / I ~ *been* to the station to see him off. 그를 전송하러 역에 다녀왔다.

> 語法 (1) 완료를 나타낼 때에는 just, now, already, this year〔week, month〕, lately, recently, (疑問·否定文에서) yet 따위의 부사(구)를 이끌 때가 많음.
> (2) 때·조건을 나타내는 부사절 안에서는 현재완료로 미래완료를 대용함.

b) 〔결과〕 …해 버렸다 : The taxi *has arrived.* 택시가 도착했다《그 결과 The taxi is here. 라는 뜻을 포함》/ She *has grown!* 그녀는 어른이 되었군 / What I ~ *said,* I ~ *said.* 이미 한 말은 주어담을 수 없다 / She *has gone* to Paris. 그녀는 파리로 가 버렸다《She is not here.의 뜻을 포함》. **c**) 〔경험〕 …한 적이 있다 : *Have* you (ever) *been* to Canada?—Yes, I ~. 캐나다에 가 본 적이 있습니까—네, 있습니다 / I ~ never *had* a cold lately. 나는 최근 감기에 걸린 일이 없다.

> 語法 (1) 경험을 나타낼 때에는 ever, never, before, once 〔twice, etc.〕와 같은 부사(구)를 수반할 때가 많음. 또한, 이런 부사(구)가 있으면 과거형으로 대용해도 좋음 : *Have* you ever *tasted* beer? ⇄ *Did* you *ever taste* beer? 맥주를 맛본 적이 있소. 이 경우, 현재완료는 보통의 의문에, 과거는 강한 의심이나 놀라움의 뜻이 포함된 의문에 쓰는 경향이 있음.
> (2) 경험을 나타낼 때, 주어가 가리키는 인물·사물은 현존해 있어야 함.

d) 〔계속〕 (죽) …해 왔다, …하고 있다《흔히 상태를 나타내는 동사와 함께》: He *has lived* in Seoul for three years. 그는 3년 동안 서울에 살고 있다 / Nancy *has been* ill since last Tuesday. 낸시는 지난 화요일부터 앓고 있다.

★ 진행형이 허용되는 동사(動詞)에는 *have been* do*ing* 의 형식을 취함 : He *has been* sing*ing* two hours.

② 〔過去完了 : had+過去分詞〕《과거의 일정시(時)까지의 '완료·결과·경험·계속'을 나타냄》. **a**) 〔완료·결과〕: When I got to the station, the train *had left* already. 내가 정거장에 도착했을 때엔 열차는 이미 떠나고 없었다 / By that time I *had* finish*ed* my work. 그때까지 나는 일을 마쳤다. **b**) 〔경험〕: I *had*n't *seen* a lion before I was ten years old. 열 살이 될 때까지 사자를 본 적이 없었다. **c**) 〔계속〕: He *had stayed* in his father's company till his father died. 그는 자기 아버지가 죽을 때까지 아버지 회사에 있었다. **d**) 〔假定法〕 (그때) …했(었)더라면〔이었다면〕《과거에 있었던 사실과 반대의 가정을 나타냄》: If she *had helped* me, I would have succeeded. 그녀가 도와 주었더라면 나는 성공했을 텐데. **e**) 〔과거 어느 때보다 더 전에 일어난 일을 나타내어〕: I lost the watch my father *had given* me as a present. 나는 아버지께서 선물로 주신 시계를 잃어버렸다. **f**) 〔hope, expect, mean, think, intend, suppose, want 따위 동사가 함께 써서, 실현되지 않은 희망·의도 따위를 나타내어〕: I *had hoped* that I would succeed. 성공할 수 있을 것으로 생각했는데(=I hoped to have succeed.=I hoped to succeed but failed.) / I *had intended* to make a cake, but I ran out of time. 케이크를 만들 작정이었는데, 시간이 없게 되었다.

③ 〔未來完了 : will 〔shall〕 have+過去分詞〕《미래의 일정시까지의 '완료·결과·경험·계속'을 나타냄》. **a**) 〔완료·결과〕: I *shall ~ written* the letter by the time he comes back. 그가 돌아올 때까지 나는 편지를 다 쓸 것이다 / By next Sunday, I'*ll ~ moved* into the new house. 내주 일요일까지는 새집에 이사해 있을 거다. **b**) 〔경험〕: If I visit the place once more, I *will*〔*shall*〕 *have been* there five times. 또 한번 그곳을 찾는다면 나는 그곳에 다섯번 간 것이 된다. **c**) 〔계속〕: By the end of next month she *will ~ been* here for five months. 내월 말이면 그녀는 이곳에 다섯 달 있는 셈이 된다.

> 語法 (1) can, may, must, need 따위 조동사 뒤에 사용되는 完了形은 과거나 현재완료를 나타냄 : She *can*not *have done* such a thing. 그녀가 그런 것을 했을 리가 없다(=I'm sure that she *did*n't do 〔*has*n't *done*〕 such a thing.) / He may ~ *left* last monday. 그는 지난 월요일 출발했는지도 모른다.
> (2) 不定詞·分詞·動名詞의 完了形은 主節의 동사가 나타내는 때보다도 앞선 時制를 나타냄 : He seems to *have been* ill. 그는 병을 앓고 있었던 것 같다(=It seems that he has been 〔was〕 ill.) / *Having finished* my work, I went out for a walk. 일을 끝내고(나서) 나는 산책하러 나갔다(=After 〔When〕 I *had finished* my work, I went out for a walk.) / I regret *having been* so careless. 그토록 부주의 했던 것을 후회하고 있다.
> (3) 完了否定詞는 희망·의도·예정 등을 나타내는 동사의 과거의 뒤에 와서 '실현되지 않은 사실'을 나타냄 : I should like *to ~ seen* it. 그것을 보고 싶었는데(보지 못했다) / She was *to ~ bought* some stamps. 그녀는 우표를 사올 예정이었다.
> (4) claim, expect, hope, promise 등의 뒤에 와서 '미래에 완료할 사실'을 나타냄 : He *expects* 〔*hopes*〕 *to ~ finished* by May. 5월 까지는 끝낼 예정으로 있다〔것을 바라고 있다〕.

~ been to ⇨ BE. ***~ done with*** ⇨ DO[1]. ***~ got*** 《口》 (1) 갖고 있다 : I'*ve got* 20 dollars. 20 달러를 갖고 있다 / Mary *has*n't got blue eyes. 메리는 눈이 푸르지 않다 / *Have* you *got* a newspaper?—Yes, I *have.* 〔《美》 Yes, I *do.*〕 신문이 있습니까—네 있습니다. (2) 《+*to* do 〔be〕》 …해야 한다 : I'*ve got to* write a letter. 편지를 써야(만) 한다. (3) 〔否定文에서〕《+*to* do 〔be〕》 (…)할 필요가 없다 : We *haven't got to* work this afternoon. 오늘 오후엔 일을 안 해도 된다. (4) 《+*to* be 〔do〕》

《美》…임에 틀림없다, 틀림없이 …일 거다: It's *got to* be the postman. 집배원임에 틀림없다 / You'*ve got to* be kidding. 농담이겠지.

> 參考 (1) 일반적으로 have got (to)는 have (to) 보다 강조적.
> (2) 《美》에서는 have를 생략하고 got (to) 만을 쓰기도 함: I *got* an idea. 생각이 있다 / You *got to* see a doctor. 의사한테 가 봐야 한다.
> (3) have got은 다음과 같은 경우를 제외하고는, 助動詞 뒤 또는 不定詞·分詞·動名詞형으로는 보통 쓰이지 않음. 또 명령문에서도 쓰지 않음: He may ~ *got* 〔seems to ~ *got*〕 a key to the car. 그는 차의 키를 갖고 있을 지도 모른다〔갖고 있는 것 같다〕.
> (4) 특히 《美》에서는 과거인 had (to) 대신 had got (to)를 쓰는 일은 드묾.
> (5) 《英》에서는 got 대신 gotten을 사용치 않지만 《美》에서는 종종 씀: He *has*n't *got* a ticket. 표를 갖고 있지 않다《비교: He *has*n't *gotten* a ticket. 표를 입수하지 못하고 있다》.

— [hæv] *n.* Ⓒ ① (흔히 the ~s) 가진 자〔나라〕; 유산자: *the* ~*s* and (*the*) ~-nots 가진 자〔나라〕와 못 가진 자〔나라〕 / *the* nuclear ~*s* 핵(核) 보유국. ② 《美俗》 사기, 협잡(swindle): What a ~! 이거 무슨 협잡이야.

***ha·ven** [héivən] *n.* Ⓒ ① 항구, 정박소. ② 안식처, 피난처. — *vt.* (배)를 피난시키다.

have-not [hǽvnɑ̀t / -nɔ̀t] *n.* 《口》 (the ~s) 무산자; (자원·핵 등을) 갖지 못한 나라: The next few years are going to be a great deal tougher for *the* ~*s.* 오는 몇년은 가난한 사람에게는 훨씬 더 고달픈 해가 될 것이다.

†**haven't** [hǽvənt] have not 의 간약형.

ha·ver [héivər] *vi.* 《英》 객쩍은 소리를 하다, 실떡거리다. — *n.* (흔히 *pl.*) 수다, 객담.

hav·er·sack [hǽvərsæ̀k] *n.* Ⓒ (군인·여행자의) 잡낭(雜囊).

hav·ing [hǽviŋ] *v.* 〔have 의 現在分詞〕 ① 〔be+~〕 …하고 있다. ② 〔分詞構文〕 …을 갖고 있으므로, …을 갖고 있으면.
— *aux., v.* 〔分詞構文〕 …해 버리고, …을 마치고.
— *n.* Ⓤ 소유, 소지; (흔히 *pl.*) 소유물, 소지품, 재산(possession).

hav·oc** [hǽvək] *n.* Ⓤ 대황폐; 대파괴. ***cry ~ (닥쳐오는 위험 등에 대하여) 위급(危急)을 알리다. ***play*** 〔***work, create***〕 ~ ***with*** 〔***among***〕 = ***wreak*** ~ ***on*** 〔***in, with***〕 = ***make*** ~ ***of*** …을 혼란시키다, 엉망으로 만들다; …을 파괴하다, 파멸시키다: The earthquake *wreaked* ~ *on* the city. 지진으로 도시는 크게 파괴되었다.
— (*p., pp.* **~ked** [-t]; **~k·ing**) *vt.* …을 파괴하다, 사정없이 때려부수다.

haw[1] [hɔː] *n.* Ⓒ 산사나무(hawthorn); 그 열매.

haw[2] *n.* (개·말 따위의 눈의) 순막(瞬膜); 《특히》 염증을 일으킨 순막; (종종 *pl.*) 순막병.

haw[3] *int.* 저라《소·말을 왼쪽으로 돌릴 때 지르는 소리》. cf gee[2].
— *vi., vt.* 왼쪽으로 돌(게 하)다.

haw[4] *int.* 에에, 어어《말을 더듬을 때의 소리》.
— *vi.* 에에〔어어〕하다, 말이 막히다.

‡**Ha·waii** [həwáiiː, -wɑ́ː-, -wɑ́ːjə, hɑːwɑ́ːiː] *n.* 하와이(제도)《1959년 미국 50번째의 주로 승격; 주도는 Honolulu》; 하와이 섬《하와이 제도 중 최대의 섬》.

‡**Ha·wai·i·an** [həwáiən, -wɑ́ːjən] *a.* 하와이의; 하와이 사람〔어〕의.
— *n.* Ⓒ 하와이 사람; Ⓤ 하와이어(語).

Hawáiian guitár 하와이안 기타.

Hawáiian Íslands (the ~) 하와이 제도.

Hawáii tìme, Hawáiian (stándard) tìme 하와이 표준시《GMT보다 10시간 늦고 시간대는 Alaska time과 같음》.

haw-haw [hɔ́ːhɔ̀ː] *int., n.* = HA-HA[1].
— *vi.* 하하 웃다, 큰 소리로 웃다.

‡**hawk**[1] [hɔːk] *n.* Ⓒ ① 매. ② 남을 등쳐 먹는 사람, 탐욕가, 사기꾼. ③〖野〗 명(名)외야수. ④ 강경론자, 매파(派). cf dove.
know a ~ ***from a handsaw*** 판단력〔상식〕이 있다. ***watch*** . . . ***like a*** ~ …을 엄중히 감시하다《현장을 잡기 위해서나 범죄 등의 방지를 위해》.
— *vi.* ① 매사냥을 하다, 매를 부리다. ② (매처럼) 하늘을 날다; 엄습하다(*at*): An eagle does not ~ *at* flies. 매는 파리를 덮치지 않는다《큰 인물은 작은 일에 얽매이지 않는다》.

hawk[2] *vi.* 기침하다 — *vt.* (기침하여 가래를) 내뱉다(*up*).

hawk[3] *vt., vi.* ① 행상하다, 외치고 다니며 팔다: ~ newspapers. ② (소문 따위를) 퍼뜨리며 다니다(*about*; (*a*)*round*).

hawk·er[1] [hɔ́ːkər] *n.* Ⓒ 매사냥꾼, 매부리.

hawk·er[2] *n.* Ⓒ 도붓장수, 행상인.

hawk-eyed [hɔ́ːkàid] *a.* ① 매 같은 눈초리의, 눈이 날카로운. ② 방심 않는.

Hawk·ing [hɔ́ːkiŋ] *n.* **Stephen William** ~ 호킹《영국의 물리학자; 1942- 》.

hawk·ish [hɔ́ːkiʃ] *a.* 매 같은; 매파적인; 강경론자의. 派 **~·ness** *n.* Ⓤ

hawk·ism [hɔ́ːkizəm] *n.* 매파적 경향〔태도〕.

hawk·nosed [-nòuzd] *a.* 매부리코의.

haw·ser [hɔ́ːzər] *n.* Ⓒ〖海〗 (선박에서 사용되는) 굵은 밧줄이나 철제(製) 케이블.

***haw·thorn** [hɔ́ːθɔːrn] *n.* Ⓒ 산사나무, 서양 산사 나무.

háwthorn chìna (중국 등지의) 청색〔흑색〕 바탕에 매화를 그린 자기(磁器).

Haw·thorne [hɔ́ːθɔ̀ːrn] *n.* **Nathaniel** ~ 호손《미국의 소설가; 1804-64》.

‡**hay** [hei] *n.* Ⓤ ① **a**) 건초, 마초: Make ~ while the sun shines. 《俗談》 해 있을 때 풀을 말려라《호기를 놓치지 마라, 물실호기(勿失好機)》. **b**) 건초용 풀. ② **a**) (일·노력의) 성과, 보상. **b**) 《美口》 〔흔히 否定語〕 푼돈. ③ (the ~) 《口》 잠자리《특히 성에 관하여》. ***hit the*** ~ 《口》 잠자다. ***look for a needle in a bundle of*** ~ ⇨ NEEDLE. ***make*** ~ 건초를 만들다; 기회를 살리다. ***make*** ~ (***out***) ***of*** …을 혼란시키다, 엉망으로 만들다. ***not*** ~ 《俗》 상당한 금액. ***raise*** ~ 《美俗》 혼란〔소동〕을 일으키다.
— *vt.* ① …을 건초로 하다. ② …에 건초를 주다.
— *vi.* 건초를 만들다.

hay·cock [-kɑ̀k / -kɔ̀k] *n.* Ⓒ (원뿔형의) 건초 더미.

Hay·dn [háidn] *n.* **Franz Joseph** ~ 하이든《오스트리아의 작곡가; 1732-1809》.

háy fèver〖醫〗 꽃가룻병, 건초열《꽃가루로 인한 알레르기성 염증》.

hay·field [héifiːld] *n.* Ⓒ 건초밭, (건초용) 풀밭.

hay·fork [-fɔ̀ːrk] *n.* Ⓒ 건초용 쇠스랑; 자동식 건초 하역 기계《쌓거나 부리는》.

hay·loft [-lɔ̀ːft / -lɔ̀ft] *n.* Ⓒ 건초 보관장.

hay·mak·er [-mèikər] *n.* Ⓒ ① 건초 만드는 사람; 건초기. ② 《口》 녹아웃 펀치, 강타. ③ 《美俗》 (연예인 등의) 가장 장기로 치는 것; 최후의 수단.

hay·mak·ing [-mèikiŋ] *n.* Ⓤ 건초 만들기.

hay·mow [héimàu] *n.* Ⓒ ① (헛간 속의) 건초 더미 ; 건초 시렁. ② =HAYLOFT.

hay·rack [-ræk] *n.* Ⓒ 꼴〔건초〕 시렁 ; (건초 나를 때 짐수레에 두르는) 꼴틀.

hay·rick [-rìk] *n.* =HAYSTACK.

hay·ride [-ràid] *n.* Ⓒ 《美》 건초를 깐 마차를 타고 가는 밤의 소풍.

hay·seed [-sì:d] *n.* ① Ⓤ.Ⓒ (흘린) 건초의 씨 ; 건초 부스러기, 검부러기. ② Ⓒ 《美口》 촌뜨기.

hay·stack [-stæk] *n.* Ⓒ 건초 가리. ***look for a needle in a*** ~ ⇨ NEEDLE.

hay·wire [-wàiər] *n.* Ⓤ ① 《美》 건초를 동여매는 철사. ② 감자병의 일종. ── *a.* 《口》 〔敍述的〕 복잡한, 엉클어진, 틀린 ; 미친, 흥분한 : The town is ~ because of the bus strike. 도시는 버스회사의 스트라이크로 크게 혼란스럽다. ***go*** ~ 《口》 흥분하다, 발광하다 ; 고장나다 : Our plans have (all) *gone* ~ since the rail strike. 철도파업 이래 우리들의 계획은 (몽땅) 엉망이 되었다.

haz·ard** [hǽzərd] *n.* ① Ⓒ 위험, 모험 ; 위험요소 ; Ⓤ 운에 맡기기 ; 우연, 운 : Smoking is both a health ~ and a fire ~. 흡연은 건강에 해롭고 또한 화재의 요인이기도 하다. ② Ⓤ 주사위 놀이의 일종 ; Ⓒ 〖골프〗 장애 구역 ; 〖馬〗 펜스 따위 장애물 ; 옥내 테니스코트의 벽의 구멍《3 개 있음》 ; (테니스 등의) 리시버쪽의 코트 ; 〖撞球〗 포켓게임의 득점 치기. ◇ hazardous *a.* ***at all ~s 만난을 무릅쓰고, 꼭. ***at*** 〔***by***〕 ~ 운에 맡기고, 아무렇게나 ; 우연히 : We meet occasionally *at* ~. 우리는 가끔 우연히 만난다. ***at the ~ of*** …을 걸고, …의 위험을 무릅쓰고 : *at the ~ of* one's life 목숨을 걸고. ***in***〔***at***〕 ~ 위기에 당면하여, 위험에 처하여 : He put his life *in*〔*at*〕 ~ in order to save me. 그는 나를 구하기 위해 그의 목숨을 아랑곳하지 않았다. ***run the*** ~ 성패는 하늘에 맡기고 해보다.

── *vt.* …을 위태롭게 하다, 걸다 ; 운에 맡기고 해보다, 모험하다 : He ~*ed* all his money in the attempt to save the business. 그는 그 사업을 구하려는 시도에 그의 전 재산을 걸었다.

haz·ard·ous [hǽzərdəs] *a.* 위험한 ; 모험적인, 아슬아슬한 : a ~ operation 위험한 수술.

házardous wáste =TOXIC WASTE.

***haze**[1] [heiz] *n.* Ⓤ (또는 a ~) ① 아지랑이, (특히 봄철의) 안개, 이내 : *a* ~ of cigar smoke 담배 연기. ② (투명한 액체·고체의) 흐림, 탁함 ; (시력·정신의) 몽롱 : The victims were still in *a* ~ and couldn't describe the accident. 피해자들은 아직도 정신이 몽롱하여 사고의 진상을 설명할 수 없었다. ── *vt.* …을 안개로 둘러싸다 ; 아련하게 만들다.

haze[2] *vt.* 《美俗》 (엉뚱한 일을 시켜) 괴롭히다, (신입생·하급생 등의) 버릇을 고치다(《英》 rag) ; 〖海〗 (선원)을 혹사시키다.

***ha·zel** [héizəl] *n.* Ⓒ, *a.* 개암(나무)(의) ; Ⓤ 담갈색(의).

ha·zel·nut [-nʌ̀t] *n.* Ⓒ 개암.

Haz·litt [hǽzlit] *n.* **William** ~ 해즐릿《영국의 수필가·비평가 ; 1778-1830》.

ha·zy** [héizi] (-zi·er*** ; ***-zi·est***) *a.* 흐릿한, 안개낀, 안개 짙은 ; 몽롱〔아련〕한 ; 모호한 ; 《古》 거나하게 취한.

HB. 〖鉛筆〗 hard black ; heavy bomber. **H.B.** halfback. **Hb** 〖生化〗 hemoglobin.

HB ántibody [éitʃbì:-] 〖醫〗 HB 항체.

H bèam [éitʃ-] 〖冶〗 H형 강(鋼), H형 빔.

H.B.M. His 〔Her〕 Britannic Majesty.

H-bomb [éitʃbàm / -bɔ̀m] *n.* Ⓒ 수소 폭탄.

H.C. House of Commons. **H.C.F., h.c.f.** highest common factor (최대 공약수). **Hd., hd.** hand ; head. **hdbk.** handbook. **hdqrs.** headquarters. **HDTV** 〖電子〗 high-definition television 고(高)선명〔품위〕 텔레비전. **hdw., hdwe.** hardware. **He** 〖化〗 helium. **H.E.** His Eminence ; His〔Her〕 Excellency.

†**he**[1] [《흔히》 hi: ; 弱 i:, hi, i] (*pl.* ***they***) *pron.* 《인칭 대명사의 3 인칭·남성·단수·주격 ; 목적격은 him, 소유격은 his》 ① 그가〔는〕, 그 사람이〔은〕. ② 〔남녀 공통으로〕 그 사람 : Go and see who is there and what *he* wants. 누가 무슨 일로 왔는지, 가서 알아보아라. ③ 《어린아이에 대한 친밀한 호칭》 아가(you) : Did *he* bump *his* little head? 아가야 머리를 부딪쳤니. ── [hi:] (*pl.* ***hes, he's*** [hi:z]) *n.* Ⓒ 남자, 남성 ; 수컷. ── *a.* 〔주로 複合語〕 수컷의(male) ; 남성적인.

he[2] [hi:] *int.* 히이, 히히이《종종 he! he! 로 반복함 ; 우스움·조소를 나타냄》.

†**head** [hed] *n.* ① Ⓒ **a**) 머리, 두부 : Better be the ~ of an ass than the tail of a horse. 닭의 머리는 될지언정 쇠꼬리는 되지 마라. **b**) 목숨, '목' : It cost him his ~. 그것으로 인하여 목숨을 잃었다. **c**) 머리털 ; 사슴의 가지뿔(antlers). **d**) 두부를 본뜬 것 ; 주화의 겉쪽《왕의 두상(頭像)이 있는 면》. opp. *tail.* ¶ *Heads* I win, tails I lose 〔you win〕. (던져올린 동전이) 겉이면 내가 이기고 안이면 네가 이긴다. **e**) (*pl.* ~) 마릿수, 수 ; 《俗》 (표 등을 살 때의 손님 머릿 수로서의) 한 사람. **f**) 사람 ; 《俗》 마약〔LSD〕 상용자, 마약 중독 ; 《美俗》 (마약 등에 의한) 도취 ; 열광〔열중〕자, 팬 ; 《俗》 (쓸 만한) 젊은 여자.

② Ⓒ 두뇌, 머리, 지력, 이지(理知), 지능, 지혜, 추리력, 상상력 ; 재능 ; (흔히 *sing.*) 냉정 ; 침착.

③ (흔히 the ~) **a**) 정상, 상부, 위 ; 선단, 말단. **b**) (페이지·층계 등의) 상부 ; 모두(冒頭), 필두 ; 〖建〗 문지방 돌, 받침돌 ; 〖鑛山〗 수평갱, 횡갱(橫坑). **c**) 벼랑 꼭대기, (종종 H-) (지명 따위에서) 갑(岬) ; (고개 등의) 마루, 정상 ; (부스럼의) 꼭지. **d**) 《英》 (자동차의) 지붕 ; (통의) 뚜껑, (북의) 가죽. **e**) 《口》 헤드라이트 ; 〖海〗 이물, 돛의 상단, derrick 의 선단부, 닻의 꼭대기(crown) ; (the ~, 《英》 에서는 종종 the ~s) 《俗》 목욕탕, 《특히》 변소《원래 해군 용어》. **f**) (나무의) 우듬지 ; (푸나무의) 위쪽(의 꽃〔잎〕), 이삭(끝), 꽃머리, (양배추 따위의) 결구(結球). **g**) (못·핀 따위의) 대가리, (해머·장도리 따위의) 대가리 ; 탄두(彈頭) ; 〖樂〗 (음표(音標)의) 머리. **h**) Ⓤ.Ⓒ (액체(液體)를 부어넣었을 때 겉면에 뜨는) 거품, (맥주의) 거품 ; 《英》 (우유의) 상부 크림. **i**) (내·샘 등의) 근원, 수원 ; 종(착)점. **j**) (침대·무덤 등의) 머리 위치.

④ Ⓒ **a**) (페이지·장의) 표제, (소(小))표제, (평론 등의) 주된 항목, 제목, (특히 신문의 톱 전단의) (대)표제. **b**) (기기의) 중추부, 공구〔커터〕 부착부 ; (테이프리코더 등 자기(磁氣) 기록 장치의) 헤드. **c**) 〖文法〗 주요부〔어구〕.

⑤ (흔히 the ~) **a**) 선두, 수위, 수석, 상위, 상석 ; 수좌, 상좌, 사회자석, 좌상석. **b**) 우두머리, 장, 수령, 지배자, 지휘자 ; (일가(一家)의) 장 ; 장관, 총재, 회장, 사장, 교장. **c**) 〔形容詞的〕 …장.

⑥ Ⓒ 용수(用水)(의 수위), 내뿜는 물 ; (물레방아 등의) 낙차, 수압 ; 증기압, (유체의) 수두(水頭).

⑦ Ⓒ 극점, 절정 ; 위기 ; 결론 : The assassination of the president *brought matters to a* ~. 대통령의 암살은 사태를 위기로 몰아 넣었다.

⑧ Ⓒ 《口》 (흔히 *sing.*) 숙취로 인한 두통 : have a (morning) ~ 숙취로 머리가 아프다.

⑨ 〖컴〗 머리 ; 머리틀《저장 매체 안에서 정보를 읽

거나 기록하고 지우는 장치》.
at the ~ of …의 선두에 서서; …의 수위에; …의 상좌에. ***bang*** [***beat, knock***] one***'s*** ~ ***against a brick*** [***stone***] ***wall*** 《口》 불가능한 일을 시도하다: I've been *banging my ~ against a brick wall*, trying to get her to understand. 그녀를 이해시키려는 무모한 노력을 나는 해왔다. ***beat*** a person***'s ~ off*** 아무를 철저히 패배시키다. ***bite*** a person***'s ~ off*** 《口》 (별것 아닌 일에) 시비조로 대답하다, 심하게 해대다: I just said hello to him and he *bit my ~ off*. 그에게 "여보게"라고 했을 뿐인데, 그는 내게 시비조로 나왔다. ***bring . . . to a ~*** ⇨ *n.* ⑦. ***bury*** [***hide, have, put***] one***'s ~ in the sand*** 현실을 회피하다[모르는 체하다]. ***by a ~*** 머리만큼; 〖競馬〗 말머리 만큼의 차로. ***by the ~ and ears*** = ***by ~ and shoulders*** 무리하게, 거칠게. ***come*** [***draw, gather***] ***to a ~*** (종기가) 곪아 터질 지경이 되다; 때가 무르익다; 위기에 처하다; 막바지에 이르다. ***come*** [***fall***] ***under the ~ of*** …의 항목[부류]에 넣다: This subject *comes under the ~ of* sociology. 이 문제는 사회학 분야에 속한다. ***cost*** a person ***his ~*** ⇨ *n.* ① b). ***do . . . on*** one***'s ~*** 《俗》 …을 쉽게 해치우다. ***eat*** one***'s ~ off*** 대식(大食)하다, 무위 도식하다; 먹은 양만큼 일하지 않다. ***enter*** [***come into***] one***'s ~*** (생각 등이) 떠오르다, …에 미치다. ***from ~ to foot*** [***heel***] 머리 끝에서 발 끝까지, 전신에; 온통, 완전히. ***gather ~*** ⇨ GATHER. ***get it into*** a person***'s ~*** 아무에게 …을 잘 이해시키다[깨닫게 하다]. ***get*** [***take***] ***it into*** one***'s ~ that . . .*** …라고 믿다[생각하다]: Kate has *got it into her ~ that* everyone hates her. 케이트는 모든 사람이 자기를 싫어한다고 믿었다. ***get*** one***'s ~ down*** 《口》 (1) 하던 일로 되돌아가다. (2) (자기 위해) 눕다. ***get . . . through*** a person***'s ~*** (…을) 아무에게 이해시키다. ***get . . . through*** one***'s ~*** (…을) 이해하다. ***give*** a person ***his ~*** 아무의 자유에 맡기다, 제 마음대로 하게 하다. ***go off*** [***out of***] one***'s ~*** 머리가 돌다. ***go to*** a person***'s ~*** (1) 머리를 혼란하게 만들다, 눈을 멀게 하다: Power *went to his ~*. 그는 권력에 눈이 멀었다. (2) 흥분시키다; 자만케 하다. ***hang over*** a person***'s ~*** (걱정 따위가) 머리에서 떠나지 않다; (어떤 일)이 위험[위협]으로 아무에게 다가오다: A heart attack *hung over his ~*. 그는 심장 발작이 있지 않을까 늘 걱정이었다. ***hang*** [***hide***] one***'s ~*** 부끄러워 고개를 숙이다; 기가 죽다. ***have a*** (***good***) ***~ on*** one***'s shoulders*** 상식이 있다, 현명하다; 실무의 재능이 있다. ***have a ~ for*** …의 재능이 있다. ***have . . . hanging over*** one***'s ~*** …을 두려워하다, …이 마음에 걸리다. ***have rocks in*** one***'s ~*** 머리가 좀 돌다. ***have*** one***'s ~ in the clouds*** 비현실적이다; 공상에 잠겨있다. ***have*** one***'s ~ screwed on the right way*** ⇨ SCREW. ***~ and ears*** 전신(全身)에; 완전히; 푹 빠져《*in*》. ***~ and front*** 주요(主要)한 것《*of*》. ***~ and shoulders above*** …보다 훨씬 잘된[뛰어난]: This book is[stands] *~ and shoulders above* all the others on the subject. 이 책은 그 주제에 관해 다른 어떤 책보다도 잘 되어 있다. ***~ first*** [***foremost***] 곤두박이로; 무모하게: He threw himself *~ first* into the fight. 그는 앞뒤 생각없이 그 싸움에 뛰어들었다. one***'s ~ off*** 《俗》 지나치게, 퍽: cry *one's ~ off* 큰소리로 울부짖다. ***~ on*** 이물을 앞으로 하고; 정면으로. ***~ over ears*** 전념하여, 깊이[푹] 빠져. ***~ over heels*** = ***heels over ~*** 곤두박이로; 허겁지겁; 《口》 깊이 빠져 들어; 충동적으로. ***~*** (***s***) ***or tail*** (***s***) 앞이냐 뒤냐《동전을 던져 어느 쪽이 나오는가 맞힐 때》. ***Heads up!*** 《美口》 비켜라; 조심해. ***Heads will roll.*** 《口》 (책임상) 누군가가 벌을 받을 것이다; 해고될 것이다. ***in*** one***'s ~*** 머리 속에서, 암산으로. ***keep*** one***'s ~*** 침착하다, 냉정을 유지하다: She *kept her ~* and put a damp blanket over the flames. 그녀는 침착을 잃지 않고 젖은 담요를 불꽃 위에 덮었다. ***keep*** one***'s ~ above ground*** 살아 있다. ***keep*** one***'s ~ above water*** (물에) 빠지지 않고 있다; (빚 안 지고) 자기 수입으로 생활하다; 대과없이 지내다. ***keep*** one***'s ~ down*** (머리를 숙이고) 숨어 있다; 자중하다; 위험을 피하다. ***knock*** [***run***] one***'s ~ against*** [***into***] (좋지 않은 사건 등)에 맞닥뜨리다, 직면하다. ***knock their ~s together*** 《口》 힘으로 싸움을 말리다, 도리를 깨닫게 하다. ***laugh*** one***'s ~ off*** ⇨ LAUGH. ***let*** a person ***have his ~*** 아무를 멋대로 하게 하다. ***lift up*** one***'s ~*** 나타나다, (두각을) 나타내다; 기운을 되찾다; 긍지를 느끼다; (산이) 솟아 있다. ***lose*** one***'s ~*** (1) 목이 잘리다. (2) 허둥대다. (3) 몰두[열중]하다: *lose one's ~* over a girl 소녀에게 홀딱 빠지다. ***make ~*** 전진하다, 나아가다; 저항하다, 저항하며 나가다《*against*》. ***make ~*** (***s***) ***on tail*** (***s***) ***of . . .*** [否定・疑問文] …을 이해하다: I could not *make ~ on tail of* what he said. 그가 말하는 것을 이해할 수 없었다. ***make ~s roll*** 많은 종업원을 해고하다. ***make*** a person***'s ~ spin*** [***go around***] (사물이) 아무의 머리를 혼란하게[어질어질하게] 하다. ***need to*** [***ought to, should***] ***have*** one***'s ~ examined*** 《口》 머리가 이상하다, 제정신이 아니다. ***not know whether*** one ***is*** (***standing***) ***on*** one***'s ~ or*** one***'s heels*** 《口》 (매우) 혼란하여, 영문[까닭]을 알 수 없게 되어. ***off*** [***out of***] one***'s ~*** 《口》 미쳐서, 정신이 착란되어; 몹시 취하여; 매우 흥분하여. ***off the top of*** one***'s ~*** ⇨ TOP. ***on*** [***upon***] one***'s ~*** (1) 물구나무서서: stand *on one's ~* 물구나무 서다. (2) 《俗》 쉽게, 어려움 없이: I can do it *on my ~*. 그런 일은 쉽게 할 수 있다. (3) [종종 be it를 수반하여] 자기의 책임으로, 자신에게 떨어져[닥쳐서]. ***open*** one***'s ~*** 《美俗》 이야기하다. ***over ~ and ears*** = ~ over ears. ***over*** a person***'s ~*** = ***over the ~ of*** a person. (1) 아무의 이해력을 넘는, 이해하지 못하는: The lecture was a bit *over their ~s*. 그 강의는 그들에게 다소 어려웠다. (2) 아무를 제쳐놓고; 아무를 앞질러: She went *over* her supervisor's ~ and complained to a vice president. 그녀는 자기의 상사를 거치지 않고 직접 부사장에게 호소했다. (3) 아무의 능력 이상으로. ***put a ~ on*** 《美俗》 …에게 해대다, 마구 때리다. ***put*** (a thing) ***into*** [***out of***] a person***'s ~*** 아무에게 (무엇)이 생각나게 하다[잊혀지게 하다]. ***put*** [***place, run***] one***'s ~ into the lion's mouth*** 스스로 위험에 몸을 내맡기다, 호랑이 굴에 들어가다. ***put*** [***lay***] one***'s ~ on the block*** 위험한 짓을 하다, 위험을 돌보지 않다. ***put*** [***lay***] one***'s ~s together*** 이마를 맞대고 의논[밀의]하다. ***rear*** [***raise***] ***its*** [one***'s***] (***ugly***) ~ (나쁜 일이) 머리를 쳐들다, 일어나다, 나타나다. ***scratch*** one***'s ~*** (당혹하여) 머리를 긁다. ***shout*** [***scream***] one***'s ~ off*** 《口》 (길게) 목이 터져라 소리지르다, 목청껏 소리지르다. ***Shut your ~!*** 《美俗》 입 닥쳐. ***snap*** a person***'s ~ off*** ⇨ SNAP. ***take it into*** one***'s ~*** …을 믿게 되다, …이라고 생각하다《*that*》. ***take the ~*** 선도(先導)하다. ***talk*** a person***'s ~ off*** 장황한 이야기로 아무를 지

루하게 만들다. ***turn*** a person***'s*** ~ (성공 따위가) 아무를 우쭐하게 만들다; (미모 등이) …의 마음을 사로잡다: Her beauty had quite *turned his head.* 그녀의 아름다움이 그를 완전히 사로잡았다. ***where*** one***'s*** ~ ***is at*** 《俗》 아무의 (그 당시의) 기분, 생각, 인생관.

— *a.* 〔限定的〕 우두머리의, 장(長)인; 수위의, 선두의; 주된, 주요한.

— *vt.* ① …의 맨 앞에 있다, 처음에 두다〔싣다〕. ② …의 선두에 서다; …의 장이 되다, …을 지휘하다, 이끌다. ③ 《+목+전+명》 (배·자동차 등)을 향하게 하다, (…쪽으로) 나아가게 하다《*for*; *towards*》: The captain ~*ed* the ship *for* the channel. 선장은 배를 해협으로 향하게 했다. ④ (여우 사냥 등에서 여우)를 도망가려는 길에서 옆길로 몰다, 옆길로 가게 하다《*off*; *from*》. ⑤ …에 대항하다, 가로막다. ⑥ (핀·못 따위에 대가리)를 달다; (표제, 제목, 편지의 주소 등)을 붙이다〔쓰다〕. ⑦ (나무 따위에서 머리처럼 된 가지)를 자르다. ⑧ 〖蹴〗 (공)을 머리로 받다, 헤딩하다: He ~*ed* the ball *into* the goal. 그는 헤딩으로 공을 골에 넣었다. — *vi.* ① 《+전+명/+부》 (…를 향해) 진행하다, 향하다《*for*; *towards*》: ~ *for* one's destination 목적지를 향해 나아가다/~ south 남쪽을 향해 나아가다. ② (강이) 발원(發源)하다《*from*; *in*》. ③ (식물이) 결구(結球)하다《*out*》.

be ~ed for …로 향하다. ~ ***back*** …의 침로(針路)를 바꾸다; 돌아가다. ~ ***down*** (a tree) (나무의) 가지를 치다, 전정(剪定)하다. ~ ***off*** (1) 가로막다, 저지하다; 회피하다; …을 피하여 진로를 바꾸다; 《美》 목적〔방침〕을 바꾸다. ~ ***out*** …로 향하다; 《口》 출발하다. ~ ***up*** 발원(發源)하다; 《英》 …의 우두머리가 되다, 주재(主宰)하다.

‡**head·ache** [hédèik] *n.* Ⓒ,Ⓤ ① 두통. ② 《口》 두통〔골칫, 걱정〕거리, 고민; 《俗》 아내; 귀찮은 사람; 애물.

head·achy [⌐èiki] *a.* ① 머리가 아픈, 두통 증세가 있는. ② 두통을 일으키는, 두통거리가 되는.

head·band [⌐bæ̀nd] *n.* Ⓒ 헤어밴드, 머리띠.

head-bang·er [⌐bæ̀ŋər] *n.* Ⓒ 《俗》 ① 정신이상자; 충동적으로 폭력을 휘두르는 사람; 감정을 억제 못하는 사람. ② 록 음악《특히 헤비메탈》의 열광적인 팬.

head·board [⌐bɔ̀ːrd] *n.* Ⓒ (침대의) 머리판.

héad bùtt 박치기.

head·cheese [⌐tʃìːz] *n.* Ⓒ,Ⓤ 《美》 헤드치즈《돼지머리나 발을 잘게 썰어 삶은 치즈같은 식품》.

héad-clean·ing dísk [⌐klìːniŋ-] 〖컴〗 (머리틀) 닦기판.

héad còld 코감기.

héad còunt 《口》 인원수, 머릿수.

héad cònter 《口》 국세〔인구〕 조사원; 여론 조사원.

héad cràsh 〖컴〗 헤드 크래시《자기(磁氣) 디스크 장치의 헤드가 매체와 접촉하여 헤드 및 매체가 파괴됨》.

head·dress [⌐drès] *n.* Ⓒ 머리 장식.

head·ed [hédid] *a.* 〔複合語를 이루어〕 '…머리의, …머리를 한, 머리가 …인'의 뜻.

head·er [hédər] *n.* Ⓒ ① **a**) 대가리를〔끝을〕 자르는 사람〔기계〕; (곡물의) 이삭 끝을 베는 기계, 벼 베는 기계. **b**) (못·바늘 따위의) 대가리를 만드는 사람〔기계〕; 통의 뚜껑을 만드는 통메장이. ② **a**) 우두머리, 수령; 포경선의 지휘자; 소〔양〕의 무리를 유도하는 개. **b**) 《英方》 머리가 이상한 사람. ③ **a**) 《口》 거꾸로 뛰어듦, 곤두박이로 떨어짐; 〖蹴〗 헤딩슛〔패스〕. **b**) 《俗》 (건곤일척으로) 해봄, 시도, 내기; 《俗》 실패, 실수. ④ **a**) 〖建〗 (벽돌 따위 면의) 가장 작은 면. **b**) (창이나 출입구의) 상인방(lintel); (배관의) 분배 주관(主管), 본관, 헤더; 압력 조정 탱크. ⑤ 〖컴〗 머리말《각 데이터의 머리 표제 정보》.

héader làbel 〖컴〗 머리말 레이블《파일(file) 또는 데이터 세트의 레이블로서, 하나의 기억 매체(storage medium)상의 레코드에 선행하는 것; title label 이라고도 함》.

héader rècord 〖컴〗 머리말 레코드《뒤에 이어지는 일군의 레코드에 공통 정보, 고정 정보, 또는 식별용 정보를 포함하는 레코드》.

héader tànk 《英》 (수도의) 압력 조절 탱크.

head·first, -fore·most [⌐fə́ːrst], [⌐fɔ́ːrmòust] *ad.* ① 곤두박이로. ② 몹시 서둘러서; 무모하게, 무작정으로.

héad gàte 수문; 운하 상류 끝의 조절 수문.

head·gear [⌐gìər] *n.* Ⓤ 쓸것, 모자; 〖拳〗 헤드기어; 머리 장식; 말 머리에 쓰이는 마구《굴레 따위》.

head·hunt [⌐hʌ̀nt] *vt.* …을 간부로 스카우트하다.

head·hunt·er [⌐hʌ̀ntər] *n.* Ⓒ ① 사람 사냥하는 야만인. ② (기업의) 인재 스카우트 담당자; 인재 공급 회사.

head·hunt·ing [⌐hʌ̀ntiŋ] *n.* Ⓤ ① (야만인의) 사람 사냥. ② (타사에서의) 인재 스카우트.

***head·ing** [hédiŋ] *n.* Ⓒ ① 표제, 제목, 항목; 제자(題字); 두부(頭部); (편지의) 주소와 일부(日附). ② 방향, 진로; 비행방향; (이물의) 방향. ③ 참수(斬首); (초목의) 순치기. ④ 〖建〗 (벽돌·돌 쌓기의) 마구리를 밖으로 하여 쌓기. ⑤ Ⓤ 〖蹴〗 헤딩. ⑥ 〖鑛山〗 수평갱, 도갱(導坑). ⑦ = HEADER ⑤.

héad làmp = HEADLIGHT.

head·land [⌐lənd] *n.* Ⓒ ① 갑(岬), 삐죽 나온 육지. ② 밭 구석의 갈지 않은 곳, 두렁 길.

***head·less** [hédlis] *a.* ① 머리가 없는. ② 지도자가〔수령이〕 없는. ③ 분별〔양식〕 없는, 어리석은, 무지한. ㉮ ~·**ness** *n.*

***head·light** [⌐làit] *n.* Ⓒ (종종 *pl.*) 헤드라이트.

head·line** [⌐làin] *n.* Ⓒ ① (신문기사 따위의) 표제, 《특히》 제 1 면의 큰 표제; (*pl.*) 방송 뉴스의 주요 제목(총괄). ② (책의) 윗 난《제목·페이지수 따위를 기입함》. ③ 〖海〗 활대에 돛을 동여매는 밧줄. ***capture a ~ 신문에 나다; 뉴스에 나다. ***go into ~s*** = ***hit*** 〔***make***〕 ***the ~s*** 신문에 크게 취급되다; 유명해지다, (이름이) 알려지다. — *vt.* …에 표제를 붙이다, …을 큰 표제로 다루다〔언급하다〕; 떠들썩하게 세상에 퍼뜨리다; …의 주역을 맡다: Frank Sinatra ~*s* tonight's show. 오늘 저녁 쇼의 주역은 프랭크 시내트라다. — *vi.* 주역을 맡아 하다.

head·lin·er [⌐làinər] *n.* Ⓒ 〖新聞〗 표제를 붙이는 기자; 인기있는 배우.

head·lock [⌐lɑ̀k / ⌐lɔ̀k] *n.* 〖레슬링〗 헤드록.

‡**head·long** [⌐lɔ̀ːŋ / ⌐lɔ̀ŋ] *ad.* ① 곤두박이로, 거꾸로; 곧바로. ② 앞뒤를 가리지 않고, 무모하게; 사납게; 황급히, 허둥지둥: plunge ~ into work 황급히 일에 착수하다.

— *a.* ① 곤두박이의. ② 앞뒤를 가리지 않는, 경솔한; 매우 서두는.

head·man *n.* Ⓒ ① [⌐mən, ⌐mæ̀n] (*pl.* ***-men*** [⌐mən, ⌐mèn]) 수령, 지도자; 추장. ② [⌐mən, ⌐mǽn] (*pl.* ***-men*** [⌐mən, ⌐mén]) (노동자의) 감독, 직공장.

head·mas·ter [⌐mǽstər, ⌐mɑ́ːs-] *n.* Ⓒ 《英》 (초등학교·중학교) 교장; 《美》 (사립학교) 교장.

head·mis·tress [⌐místris] *n.* Ⓒ headmaster의 여성형.

head·most [⌐mòust] *a.* 맨 앞의, 맨 먼저의, 선두의(foremost).
héad òffice 본사, 본점.
head-on [hédán / -ɔ́n] *a.* 정면의 : a ~ collision 정면 충돌. ── *ad.* 정면으로, 정통으로, 일거에.
head·phone [hédfòun] *n.* Ⓒ (흔히 a pair of ~s) 헤드폰.
head·piece [⌐pìːs] *n.* Ⓒ ① 투구, 모자. ②〖印〗책의 권두·장두(章頭)의 꽃장식.
head·pin [⌐pìn] *n.* Ⓒ〖볼링〗제일 첫머리의 핀, 헤드핀(the No.1 pin), 1번 핀.
***head·quar·ters** [⌐kwɔ̀ːrtərz] *n. pl.* 〔종종 單數취급〕 본부, 사령부; 본사, 본국, 본서(本署); 〔集合的〕 사령부원, 본부원.
head·rest [⌐rèst] *n.* Ⓒ (치과의 의자·자동차 좌석 따위의) 머리 받침.
head·room [⌐rù(ː)m] *n.* Ⓤ (터널·출입구 등의) 머리위 공간〔거리〕.
héad scàrf (모자 대용의) 머리 스카프.
héad séa 역랑(逆浪), 마주치는 물결.
head·set [⌐sèt] *n.* Ⓒ = HEADPHONE.
head·ship [⌐ʃìp] *n.* Ⓤ 우두머리의 직위〔권위〕, 수령〔교장〕의 직〔권위〕; 지도적 지위.
head·shrink·er [⌐ʃrìŋkər] *n.* Ⓒ ① 자른 머리를 수축 가공하여 보존하는 종족. ②《俗》 정신병 의사〔학자〕.
heads·man [hédzmən] (*pl.* ***-men*** [-mən]) *n.* Ⓒ 목베는 사람, 사형 집행인.
head·stall [⌐stɔ̀ːl] *n.* Ⓒ (말의) 굴레 장식띠.
head·stand [⌐stæ̀nd] *n.* Ⓒ (머리를 땅에 대는) 물구나무서기.
héad stárt (a ~) ① (경주 따위의) 시발점에서 주어진〔얻은〕 우위(優位). ② 유리한 스타트, 한발 앞선 출발; 선수(先手)《*over* ; *on*》: He has lived in America for a year, so he has *a* ~ *on* 〔*over*〕 the other students in English. 그는 일년간 미국에 살았었기 때문에 영어학습에서 다른 학생보다 처음부터 유리하다.
head·stone [⌐stòun] *n.* Ⓒ 묘석(墓石), (무덤의) 개석(蓋石);〖建〗초석, 귀돌, 기초, 토대.
head·stream [⌐strìːm] *n.* Ⓒ (하천의) 원류.
head·strong [⌐strɔ̀ːŋ, ⌐stràŋ] *a.* 완고한, 고집센, 억지 센, 방자스러운; 억제〔제어〕할 수 없는.
heads-up [hédzʌ́p] *a.*《口》 기민한, 민첩한, 빈틈없는 : ~ playing.
head·teach·er [⌐tìːtʃər] *n.*《英》 교장.
head-to-head [⌐təhéd] *a.* 〔限定的〕 접근전의.
head-trip [⌐trìp] *n.* Ⓒ《俗》 ① 마음에 영향을 끼치는 체험, 정신을 자극하는 일; 자유로운 연상(聯想). ② = EGO TRIP.
héad vòice Ⓒ〖樂〗두성(頭聲).
head·wait·er [⌐wéitər] *n.* Ⓒ 급사장(長).
head·wa·ters [⌐wɔ̀ːtərz, ⌐wàt-] *n. pl.* (the ~) (강의) 원류, 상류, 급수원(給水源).
head·way [⌐wèi] *n.* Ⓤ ① 전진, 진보. ② (발차·출항 시간의) 간격.
héad wìnd 역풍, 맞바람.
head·word [⌐wə̀ːrd] *n.* Ⓒ ① 표제어. ②〖文法〗주요〔중심〕어.
head·work [⌐wə̀ːrk] *n.* Ⓤ 정신〔두뇌〕 노동, 머리쓰는 일, 사고(思考).
heady [hédi] (***head·i·er*** ; ***-i·est***) *a.* ① 완고한; 무모한, 성급한. ② (술이) 빨리 취하는. ③ 들뜨게 하는 : He's ~ with success. 그는 성공으로 들떠 있다 / On the last day of term there was a ~ atmosphere of excitement and relief. 학기 마지막날에는 흥분과 해방의 들뜬 분위기가 감돌았다.
‡**heal** [hiːl] *vt.* ①《~+目 / +目+前+名》 (병·상처·마음의 아픔 등)을 고치다, 낫게 하다 : ~ disease 병을 고치다 / be ~*ed of* one's wound 상처가 낫다 / Time ~*s* all sorrows. 세월은 모든 슬픔을 잊게 한다(세월이 약이다). ② (불화)를 화해시키다, 무마하다. ③ …을 정화시키다, 깨끗이 하다 : be ~*ed* of one's sins 죄를 씻다. ── *vi.* ①《+副》 고쳐지다, 낫다《*up* ; *over*》. ② 치료하다. ~ ***a breach*** 화해시키다. ~ ***up*** 〔***over***〕 상처가 아물다; 치료하다, 불화가 해소되다.
heal-all [híːlɔ̀ːl] *n.* Ⓒ 만병 통치약.
heal·ee [hìːlíː] *n.* Ⓒ 치료를 받는 사람.
heal·er [híːlər] *n.* Ⓒ 약; 의사, 치료자 : Time is the great ~.《俗談》 시간은 위대한 의사이다.
heal·ing [híːliŋ] *a.* 치료의; 낫게 하는, 회복시키는. ── *n.* Ⓤ 치료; 회복, 아물.
†**health** [helθ] *n.* Ⓤ ① 건강(상태), 건전 : lose one's ~ 건강을 잃다 / be out of ~ 건강이 좋지 않다 / the value of good ~ 건강의 값어치〔고마움〕 / *Health* is better than wealth.《俗談》 건강이 부보다 낫다. ② 위생, 보건, 건강법. ③ (건강을 비는) 축배. ④ Ⓤ,Ⓒ 번영; 활력 : a serious menace to our economic ~ 경제 번영에 대한 중대한 위협. ***a bill of*** ~ (선원의) 건강 증명서. ***drink*** (***to***) a person***'s*** ~ = ***drink*** (***to***) ***the*** ~ ***of*** a person 아무의 건강을 축복하여 축배를 들다. ***in bad*** 〔***poor***〕 ~ 건강이 좋지 않은. ***in good*** ~ 건강하여. ***not . . . for*** one***'s*** ~《口》 좋아서〔취미로〕 …하는 것이 아닌. (***To***) ***your*** (***good***) ~***!*** 건강을 축하합니다《축배의 말》.
héalth càre, health·care [⌐kɛ̀ər] *n.* Ⓤ,Ⓒ 건강 관리.
héalth cènter 보건소, 의료 센터.
héalth certìficate 건강 증명서.
health-conscious [hélθkànʃəs / -kɔ̀n-] *a.* 건강을 항상 의식하는.
héalth fárm 건강 시설《운동·다이어트를 위한 교외 시설》.
héalth fòod 건강 식품.
***health·ful** [hélθfəl] *a.* 건강에 좋은, 위생적인, 보건상 유익한; 건강〔건전〕한.
héalth sèrvice 〔集合的〕 공공 의료(시설).
héalth vìsitor《英》 (가정을 방문하는 여성) 순회 보건관〔원〕.
health·wise [hélθwàiz] *ad.*《口》 건강을 위해, 건강 유지를 위해.
‡**healthy** [hélθi] (***health·i·er*** ; ***-i·est***) *a.* ① 건강한, 건장한, 튼튼한 : perfectly ~ 완전히 건강한《특히 신생아에 쓰임》. ② (정신·태도 따위가) 건전한; 정신상 유익한. ③ 건강상 좋은, 위생적인. ④ (수량이) 상당한. ⑤ 왕성한, 기운찬.
‡**heap** [hiːp] *n.* Ⓒ ① 쌓아올린 것, 퇴적, 더미, 덩어리. ②〖컴〗더미. ③《口》 (흔히 a ~ of; ~s of...) 많음, 다수, 다량. ④《口》 (흔히 ~s) 〔副詞的〕 매우 : Thanks ~*s*. 대단히 고맙다. ⑤《口》 고물차. ***a*** ~ ***sight***《口》〔副詞的〕 크게, 매우. ***all of a*** ~《口》 깜짝 놀라; 갑자기, 느닷없이. ***in a*** ~ 더미〔무더기〕가 되어, 산더미를 이루어. ***in*** ~***s*** 많이. ***top*** 〔***bottom***〕 ***of the*** ~ 승자〔패자〕.
── *vt.* ①《~+目 / +目+副》 …을 쌓아올리다《*up* ; *together*》. ②《+目+副》 …을 산처럼 쌓다; 축적하다 : ~ *up* riches 부(富)를 축적하다. ③《+目+前+名》 …을 듬뿍 주다 : ~ favors *upon* a person 아무에게 갖가지 은혜를 베풀다 / The officer ~*ed* abuse *on* his men. 장교는 부하들에게 마구 욕을 퍼부었다. ④《+目+前+名》 (접시 따위)에 …을 수북이 담다《*with* ; *on, upon*》.
── *vi.* (쌓여) 산더미가 되다, (산더미처럼) 쌓이다《*up*》.

†hear [hiər] (*p., pp.* **heard** [həːrd]) *vt.* ①《~+목/+목+*do*/+목+-*ing*/+목+*done*》 …을 듣다, …이 들리다. ② …의 소리를 듣다; …을 주의하여 듣다, 경청하다, …에 귀를 기울이다(listen to), (강연·연주 따위)를 들으러 가다; (강의)를 방청〔청강〕하다. ③《+목+부》 …의 말을 알아듣다; 말을 끝까지 들어주다〔듣다〕《*out*》. ④ (소원·기도 등)을 받아들이다, 들어주다; 《주로 英》 (아무의 공부)를 돌봐주다: *Hear* my prayer. 나의 소원을 들어주십시오 / The priest *heard* my confession. 신부는 내 고백을 들어 주었다 / My parents would not ~ me at all. 부모님은 내가 말하는 것을 전혀 들어주려 하지 않았다. ⑤《~+목/+*that* 절》 **a**) 들어서 알다, 듣다, 소문으로 듣다, 전하여 듣다: ~ the truth 사실을 들어서 알다 / We haven't yet *heard* any news of the event. 그 사건에 대해 아직 아무 소식도 못들었다 / I ~ (*that*) he was married. 그는 결혼했다고 한다. **b**) 〔So I ~ 로〕 그렇게 듣고 있다: "He quit his job, didn't he?" "*So I ~.*" '그가 직장을 그만두었다며' '응, 그렇게 듣고 있네'. ⑥〖法〗 …의 진술을 듣다; (사건 따위)를 심리하다, 신문하다.
— *vi.* ① 듣다, 들을 수 있다; 청각을 갖추고 있다: Can you ~? 들리니 / He doesn't ~ well. 그는 (귀가 멀어) 잘 듣지 못한다. ②《~/+전+명》〔won't, wouldn't와 함께〕 …을 들어주다《*of*》: I *will not* ~ *of* your going. 네가 가는 것을 승인할 수 없다. ③《+전+명》 소식을 듣다, 편지를 받다《*from*》: Have you *heard from* him of late? 최근 그에게서 소식이 있었나. ④《+전+명》 소문을 듣다《*of*》, 전해 듣다《*of*》: He was never *heard of* since. 그 후 그의 소문은 딱 끊어졌다 / That's the funniest thing I ever *heard of.* 이렇게 우스운 일은 처음 들었다. ⑤《+전+명》《口》 야단맞다《*from*》; 칭찬받다《*about*; *of*》: If you don't obey him, you will ~ *from* him. 그의 말을 안 들으면 야단맞는다. **~ *about*** …에 관해 자세히 듣다; …에 관한 비판〔꾸지람, 칭찬〕을 듣다: I have *heard* a lot *about* you. 당신에 대해 여러가지로 들었습니다. **~ *from*** (1) ⇨*vi.* ③. (2) …에게서 듣다: I *heard* it *from* him. 그것을 그에게서 들었다. (3) ⇨*vi.* ⑤. **~ *of*** (1) ⇨*vi.* ④. (2) ⇨*vi.* ②. **~ one*self think*** 〔종종 否定文〕 (주위가 떠들썩한 중에) …을 생각하다, 골똘히 생각하다. **~ a person *out*** 아무의 말을 끝까지 듣다. **~ *say*** 〔《英口》 ***tell***〕 ***of*** 〔***that***〕《美口·英古》 …에 대해 아무가 말하는 것을 듣다〔…라는 소문을 듣다〕: I've *heard say that*.... …라는 소문을 듣고 있다. **~ *the grass grow*** 매우 민감하다. **~ *to*** . . . 《美》 …에 동의하다; …에 귀를 기울이다: He wouldn't ~ *to* it. 그 일에 동의하지 않을 것이다. **~ *things*** 《口》 환청을 일으키다, 헛듣다: I must be ~*ing things.* 내가 헛들은 거겠지《지금 들은 말을 전혀 믿을 수 없다》. ***Let's ~ it for*** . . . . 《美口》 …에 성원(聲援)을〔박수를〕 보내자. ***make*** one***self heard*** (소음 때문에 큰 소리로 말하여) 자기의 목소리가 상대에게 들리게 하다; 자기의 의견〔주장〕을 들려주다.

†heard [həːrd] HEAR의 과거·과거분사.

***hear·er** [híərər] *n.* Ⓒ 듣는 사람; 방청인, 청중.

†hear·ing [híəriŋ] *n.* ① Ⓤ,Ⓒ 청각, 청력, 듣기: the hard of ~ 난청자 / lose one's ~ 청각을 잃다, 귀가 먹다. ② (외국어 따위의) 청취(력). ③ Ⓒ 들어줌, 들려줌, 발언의〔들려줄〕 기회. ④ Ⓒ 들리는 거리〔범위〕. ⑤ Ⓒ 신문, 심리, 공판; 청문회. ***gain*** 〔***get***〕 ***a*** ~ 들려주다, 발언할 기회를 얻다. ***give*** a person ***a*** (***fair***) ~ 아무의 할 말을 (공평히) 들어주다: I think we should *give him a* (*fair*) ~. 우리는 그의 말을 (공평히) 들어 주어야 한다고 나는 생각한다. ***hard of*** ~ 난청의, 귀가 어두운. ***in*** a person***'s*** ~ 아무가 듣고 있는 곳에서. ***out of*** 〔***within***〕 ~ 들리지 않는〔들리는〕 곳에서.

héaring àid 보청기.

hear·ing-im·pair·ed [híəriŋimpέərd] *a.* 난청의, 청각 장애의.

heark·en [háːrkən] *vi.* 《文語》《+전+명》 귀를 기울이다, 경청하다《*to*》: ~ *to* a sound.

hear·say [híərsèi] *n.* Ⓤ 소문, 풍문. ***by*** 〔***from, on***〕 ~ 소문으로. — *a.* 소문〔풍문〕의〔에 의한〕.

héarsay èvidence 〖法〗 전문(傳聞) 증거.

hearse [həːrs] *n.* Ⓒ 영구차, 장의차.

†heart [hɑːrt] *n.* ① Ⓒ 심장: He has a weak ~. 그는 심장이 약하다〔나쁘다〕 / My ~ leaps up. 가슴〔심장〕이 뛴다〔두근거린다〕 / A ~ fails〔stops〕. 심장이 멎다 / My ~ leapt into my mouth 〔throat〕. 너무 놀라 숨이 막힐 것 같았다. ② Ⓒ 가슴, 흉부: clasp a person to one's ~ 아무를 가슴에 끌어안다. ③ Ⓒ 마음, 심정, 감정, 기분, 마음씨: speak out of one's ~ 본심을 말하다 / pity a person from one's ~ 마음으로부터 아무를 동정하다 / touch a person's ~ 아무의 마음을 움직이다, 감동을 주다: The film moved〔affected, stirred〕 my ~. 나는 그 영화에 감동했다. ④ Ⓤ 애정, 동정심: a man without a ~ 무정한 사람. ⑤ Ⓒ 사랑하는 사람. ⑥ Ⓤ 용기, 기운; 열의. ⑦ Ⓒ 〔흔히 修飾語를 수반〕 용기 있는 자, 우수한 사람. ⑧ Ⓤ 열의, 관심, 흥미. ⑨ Ⓤ 기억. ⑩ Ⓒ (the ~) 중심, (문제 따위의) 핵심, 본질, 급소《*of*》. ⑪ 〔흔히 修飾語를 수반〕 중심부, 오지. ⑫ Ⓒ (the ~) 과일의 속. ⑬ Ⓒ 하트 모양의 것; 〖카드놀이〗 하트(의 패); (*pl.*) 〔單·複數 취급〕 하트의 한 벌; (*pl.*) 〔單數 취급〕 하트패를 잡지 않은 자가 이기는 게임. ⑭ Ⓤ 땅이 걺, 수확이 풍부함. ⑮《俗》=AMPHETAMINE. ***after*** a person***'s*** (***own***) ~ 마음에 드는, 생각대로의. ***break*** a person***'s*** ~ 아무를 비탄에 젖게 하다; 몹시 실망시키다. ***bring*** a person***'s*** ~ ***into*** his ***mouth*** (사람을) 조마조마하게 하다. ***by*** ~ 외어서, 암기하여. ***change of*** ~ 회심(回心), 개종(改宗); 기분〔마음〕의 변화. ***close*** 〔***dear***〕 ***to*** a person***'s*** ~ =DEAR to a person's ~. ***cross*** one***'s*** ~ (***and hope to die***) 《口》 (하늘을 두고) 맹세하다, 틀림없다. ***cry*** one***'s*** ~ ***out*** 가슴이 터지도록 울다, 통곡하다. ***cut*** a person ***to the*** ~ 마음에 사무치게 하다. ***do the*** 〔a person***'s***〕 ~ ***good*** (아무)를 대단히 기쁘게 하다. ***find it in*** one***'s*** ~ ***to*** do ⇨FIND. ***give*** one***'s*** ~ ***to*** =lose one's ~ to. ***go to*** a person***'s*** 〔***the***〕 ~ 마음에 울리다〔찔리다〕, 마음을 아프게 하다. ***have*** one***'s*** ~ ***in*** one***'s boots*** 《口》 실망〔낙담〕하고 있다, 의기 소침해 있다; 《口》 두려워하고 있다. ***have*** one***'s*** ~ ***in*** one***'s mouth*** 〔***throat***〕 (깜짝) 놀라다, 혼비백산〔질겁〕하다. ***have*** one***'s*** 〔***the***〕 ~ ***in the right place*** 《口》 (외모와는 달리) 인정미가 있다, 부드러운〔착한〕 마음을 가지고 있다. ***have the*** 〔***have no***〕 ~ ***to*** do …할 용기가 있다〔마음이 없다〕. ***Heart alive!*** 아아 깜짝이야, 이것 놀랍군. ~ ***and hand*** 〔***soul***〕 열심히; 완전히: She loves those children ~ *and soul.* 그녀는 이들 아이들을 진정으로 사랑한다. ~ ***to*** ~ 숨김없이, 털어놓고. ***in*** (***good***) ~ 기운차게. ***in*** one***'s*** ~ (***of*** ~***s***) 마음속에서(는), 몰래; 실제로는. ***lay*** . . . ***to*** ~ = take ... to ~. ***learn*** 〔***know***〕 ***by*** ~ 암기하다〔하고 있다〕. ***lift*** (***up***) one***'s*** ~ 기운을 내다, 희망을 가지다; 기도를 올리다. ***lose*** one***'s*** ~ ***to*** …에게 마음을 주다, 사랑하다, 연모하다. ***man of*** ~ 인

정 많은 사람. ***near*** 〔***nearest, next***〕(***to***) a person***'s*** ~ (아무에게) 중요한〔가장 중요한〕; 그리운〔가장 친애하는〕. ***put*** ~ ***into*** a person 아무에게 용기를 북돋우다. ***put*** one***'s*** ~ (***and soul***) ***into*** …에 열중〔몰두〕하다. ***put*** 〔***set***〕 a person***'s*** ~ ***at rest*** 〔***ease***〕 아무를 안심시키다. one***'s*** ~ ***goes out to...*** 《口》…에 대하여 애착〔동정, 연민〕을 느끼다. one***'s*** ~ ***leaps*** 〔***comes***〕 ***into*** his ***mouth*** 깜짝 놀라다; 조마조마〔아슬아슬〕해하다. one***'s*** ~ ***sinks*** (***low within*** him) = one***'s*** ~ ***sinks in*** 〔***into***〕 his ***boots*** 〔***heels***〕 몹시 기가 죽다, 낙담하다, 의기 소침하다. ***take*** ~ ***of grace to*** do 용기를 북돋우어 …하다. ***take ... to*** ~ 마음에 새기다, 진지하게 생각하다, 통감하다; 몹시 슬퍼하다. ***take ... to*** one***'s*** ~ …을 기꺼이 받아들이다, 환영하다. ***to*** one***'s*** ~***'s content*** ⇨ CONTENT[1]. ***wear*** 〔***pin***〕 one***'s*** ~ ***on*** 〔***upon***〕 one***'s sleeve*** 생각하는 바를 기탄없이 말하다, 감정〔연모의 정〕을 노골적으로 나타내다. ***with all*** one***'s*** ~ (***and soul***) = ***with*** one***'s whole*** ~ 진심을 다하여; 충심으로, 기꺼이.

heart·ache [há:*r*tèik] *n.* Ⓤ 마음의 아픔; 비탄.

héart attàck 심장 발작, 심장마비.

heart·beat [ˊbì:t] *n.* Ⓤ,Ⓒ 고동, 심장박동.

heart·break [ˊbrèik] *n.* Ⓤ 비통, 비탄.

heart·break·er [ˊbrèikə*r*] *n.* Ⓒ (가슴이 찢어지게) 애끊는 생각을 하게 하는 것〔사람〕.

heart·break·ing [ˊbrèikiŋ] *a.* 가슴이 터질〔찢어질〕 듯한, 애끊는; 감동적인.

heart·bro·ken [ˊbròukən] *a.* 비탄에 잠긴.

heart·burn [ˊbə̀:*r*n] *n.* Ⓤ ① 가슴앓이(cardialgia, pyrosis). ② 질투, 시기.

heart·burn·ing [ˊbə̀:*r*niŋ] *n.* Ⓤ 질투, 불만.

héart disèase 심장병.

heart·ed [há:*r*tid] *a.* 〔複合語로〕 …의 마음을 지닌, 마음이 …한: good-~ 친절한.

heart·en [há:*r*tn] *vt.* 〔흔히 受動으로〕 …의 원기〔용기〕를 북돋우다, …을 격려하다, 고무하다.

héart fàilure 심장 마비, 심부전.

heart·felt [ˊfèlt] *a.* (말·행위 따위가) 마음으로부터의, 진심에서의; 정성어린.

heart·ful [há:*r*tfəl] *a.* 진심으로부터 우러난.

‡hearth [hɑ:*r*θ] *n.* Ⓒ ① 화롯가 노상(爐床). ② 가정.

hearth·rug [ˊrʌ̀g] *n.* Ⓒ 난로 앞에 까는 깔개.

hearth·side [ˊsàid] *n.* (흔히 the ~) 노변.

hearth·stone [ˊstòun] *n.* Ⓒ ① 노〔용광로〕의 바닥돌. ② 노변; 가정.

‡heart·i·ly [há:*r*t*i*li] *ad.* ① 마음으로부터, 열의를 갖고, 진심으로. ② 많이, 배불리; 철저히. ③ 완전히, 아주.

heart·land [ˊlæ̀nd] *n.* Ⓒ 중심 지대, 심장부.

heart·less [há:*r*tlis] *a.* 무정한, 박정한, 냉혹한.

heart·rend·ing [ˊrèndiŋ] *a.* 가슴이 터질〔찢어질〕 듯한, 비통한. 㖈 ~**·ly** *ad.*

heart's-blood [há:*r*tsblʌ̀d] *n.* Ⓤ 심혈(心血); 생명. 「(內省).

heart-search·ing [ˊsə̀:*r*tʃiŋ] *n.* Ⓤ 자성, 내성

hearts·ease, heart's-ease [há:*r*tsì:z] *n.* Ⓤ ① 마음의 평화. ②〖植〗 팬지.

heart-shapped [ˊʃèipt] *a.* 심장(하트)형의.

heart·sick [ˊsìk] *a.* 비탄에 잠긴, 의기소침한.

heart·sore [ˊsɔ̀:*r*] *a.* 마음이 아픈.

heart·strings [ˊstrìŋz] *n. pl.* 심금(心琴), 깊은 감정〔애정〕.

heart·throb [ˊθrɑ̀b / ˊθrɔ̀b] *n.* Ⓒ ① 심장의 고동. ②《口》 정열, 감상(感傷). ③《口》 연인, 멋진 사람〔남성〕, 동경의 대상.

heart-to-heart [ˊtəhá:*r*t] *a.* 〔限定的〕 숨김없는, 솔직한, 흉금을 터놓는.

— *n.* Ⓒ (a ~) 《俗》 솔직한 이야기.

heart·warm·ing [ˊwɔ̀:*r*miŋ] *a.* 마음이 푸근해지는, 친절한, 기쁜.

heart·wood [ˊwùd] *n.* Ⓤ (목재의) 심재(心材), 적목질(赤木質).

‡hearty [há:*r*ti] (***heart·i·er; -i·est***) *a.* ① 마음으로부터의, 친절한, 애정 어린. ② 기운찬, 건강한, 튼튼한; (식욕이) 왕성한; (비·바람 따위가) 억센; (미움 따위가) 강렬한. ③ 〔限定的〕 (식사 따위가) 많은, 풍부한. ④ (음식물이) 영양가 있는; (토지가) 비옥한. ***hale and*** ~ ⇨ HALE[1]. — *n.* Ⓒ ① 기운찬 사람; 친구. ②〖英大學〗 (지성·감성(感性)이 모자라는) 기운찬 학생, 운동 선수.

‡heat [hi:t] *n.* ① Ⓤ 열, 더위, 더운 기운; 열기; 온도. ② Ⓤ 열심, 열렬; 격노, 흥분. ③ Ⓤ (the ~) 한창때; (토론·투쟁 등의) 최고조. ④ Ⓤ (후추 등의) 매운 맛. ⑤ (a ~) (1 회의) 노력〔동작〕; Ⓒ〖競〗 (예선의) 1 회; (경기 등의) 1 라운드. ⑥ Ⓤ《俗》 (경찰의) 추적. ⑦ Ⓤ《口》 위압, 고문. ⑧〖製鐵〗 용해〔불림〕 작업;〖冶〗 열처리. ⑨ 몸의 열; 홍조; 흥분. ⑩ Ⓤ (짐승 암컷의) 발정, 교미기. ⑪ Ⓤ《美俗》 경찰; Ⓒ 권총. ⑫《美俗》 (특히 모욕받은 군중의) 소동, 폭동. ***at a*** ~ 단숨에. ***in the*** ~ ***of the moment*** 불끈 화가 난 찰나에; 흥분한 나머지. ***on*** 〔《美》 ***in***〕 ~ 《英》 (암컷이) 암내가 나서. ***put*** 〔***turn***〕 ***the*** ~ ***on ...*** 《口》 …에 강한 압박을 가하다, …의 행동에 눈을 부라리다. ***take the*** ~ 《口》 비난을 정면으로 받다, 공박당하다; 공격에 참고 견디다. ***take*** 〔***remove***〕 ***the*** ~ ***out of ...*** 《口》 …의 흥분을〔열기를〕 식히다. ***turn on the*** ~ 《口》 정력적으로 하다; 《口》 흥분되다; (마음을) 불타오르게 하다; 《口》 (범죄자 등의) 추적을〔수사를〕 엄중히 하다; 《美俗》 (…을 향하여) 총구를 돌리다, 발포하다.

— *vt.* ①《~+目 / +目+副 / +目+前+名》 …을 가열하다, 따뜻이 하다: ~ *up* cold meat 식은 고기를 데우다 / ~ oneself *with* wine 포도주를 마셔 몸을 덥게 하다. ②《+目+前+名》 〔흔히 受動으로〕 …을 흥분시키다, 격하게 하다; 《俗》 …에 생기를 불어넣다: *be* ~*ed with* argument 논의로 흥분해 있다.

— *vi.* 뜨거워지다; 흥분하다. ~ ***up*** 다시 데우다; (엔진 등이) 가열되다; (행위 따위가) 한층 더 열기를 띠다.

héat bàrrier〖宇宙〗 열 장벽.

héat capàcity 열용량.

heat·ed [hí:tid] *a.* ① 가열한. ② 격앙한, 흥분한.

héat èngine 열기관.

***heat·er** [hí:tə*r*] *n.* Ⓒ ① 가열기, 히터, 난방장치. ②《美俗》 권총.

***heath** [hi:θ] *n.* Ⓤ 히스《영국의 황야에 무성하는 관목》; Ⓒ 《英》 히스가 무성한 황야.

‡hea·then [hí:ðən] (*pl.* ~***s,*** 〔集合的〕 ~) *n.* Ⓒ ① 이교도; 불신앙자; 미개인, 교양이 낮은 사람. ② (*pl.*)〖聖〗 이방인《유대인 이외의 자》; (the ~) 이교도. — *a.* 〔限定的〕 이교(도)의.

hea·then·ish [hí:ðəniʃ] *a.* ① 이교(도)의; 비기독교적인. ② 야만의.

hea·then·ism [hí:ðənìzəm] *n.* Ⓤ ① 이교, 우상숭배. ② 야만; 만풍(蠻風). 「식물.

***heath·er** [héðə*r*] *n.* Ⓤ 히스(heath)속(屬)의

héather mìxture 《英》 혼색 모직물.

heath·ery [héðəri] *a.* = HEATHY.

Héath Róbinson 《英》 (기계 따위가) 너무나 정교하여 비실용적인.

Héath·row Áirport [hí:θrou-] 히스로 공항《London 의 국제공항》.

heathy [híːθi] (***heath·i·er*** ; ***-i·est***) *a.* 히스의 ; 히스 비슷한 ; 히스가 무성한.

heat·ing [híːtiŋ] *a.* 가열하는, 따뜻하게 하는 : a ~ apparatus 〔system〕 난방 장치〔설비〕.
— *n.* Ⓤ 가열 ; 난방(장치).

héat lìghtning (여름밤의) 소리 없는 번개.

heat·proof [híːtprùːf] *a.* 내열(耐熱)의.

héat pùmp ① 열 펌프. ② 냉난방 장치.

héat ràsh 땀띠.

heat-re·sist·ant [∸rizístənt] *a.* =HEATPROOF.

héat-seek·ing míssile [híːtsìːkiŋ-] 열선 추적〔적외선 유도〕 미사일.

héat shìeld (우주선의) 열차폐(熱遮蔽).

heat·stroke [∸stròuk] *n.* Ⓤ 일사〔열사〕병.

héat wàve ①긴 혹서. ②〖氣〗 열파(hot wave).

‡heave [hiːv] (*p., pp.* ***~d,*** 〖海〗 ***hove*** [houv]) *vt.* ① (무거운 것)을 (들어)올리다(lift). ②…을 울렁거리게 하다 ; 부풀리다. ③ (신음 소리)를 내다, 발하다 ; (한숨)을 쉬다. ④…을 게우다. ⑤《~+목/+목+부/+목+전+명》…을 던지다(throw). ⑥《~+목/+목+부》〖海〗 (밧줄로) …을 끌어올리다 ; (배)를 이동시키다. — *vi.* ① (가슴이) 울렁거리다, 뛰다 ; 헐떡거리다 ; (파도·바다가) 놀치다. ②《+부》 토하다, 게우다(vomit) 《*up*》. ③ (지면이) 융기하다 ; 부풀어오르다. ④《+전+명》 〖海〗 끌다, 잡아당기다《*at*》. ⑤《+전+명》〖海〗 (배가) 움직이다, 흔들리다.

Heave away 〔***ho***〕***!*** 이영차 감아라《닻줄을 감을 때 내는 소리》. ~ ***down*** (배)를 기울이다《수리하려고》; (배가) 기울다. ~ ***in sight*** 〔***view***〕 (배가 수평선 위로) 보이기 시작하다. ~ ***on*** 밧줄을 세게 당기다〔끌다〕. ~ ***to*** 선수를 바람 불어오는 쪽으로 돌려 (배를) 멈추다 ; (배가) 서다. ~ ***up*** (1) 끌어올리다, 닻을 올리다. (2) 내버리다 ; 단념하다. (3)《口》 몹시 메슥거리다, 구토하다. — *n.* Ⓒ ①들어올림 ; 무거운 것을 들어올리는 노력 ; (무거운 것을) 던지는 일. ② 융기 ; 기복. ③ 메스꺼움. ④〖地質〗 수평 전위. ⑤〖레슬링〗 오른손을 상대의 오른쪽 어깨에 돌리며 던지는 수.

heave-ho [híːvhòu] *n.* Ⓒ 《美口》 해고, 거절. ***get*** 〔***give*** a person〕 ***the*** ~ 해고당하다〔아무를 해고하다〕 ; 무시하다, 괄시하다.

‡heav·en [hévən] *n.* ①Ⓤ (종종 the ~s) 하늘, 천공(天空)(sky). ②Ⓤ (H-) 신(神), 하느님 : *Heaven's* vengeance is slow but sure. 천벌은 늦지만 반드시 내린다. ③Ⓤ 천국 ; 극락 ; 신들, 천인(天人) : be in ~ 천국에 계시다. ④Ⓤ 매우 행복한 상태 ; Ⓒ 낙원. ***By Heaven***(***s***)***!*** 맹세코, 꼭. ***for ~'s sake*** ⇨ SAKE. ***Good*** 〔***Gracious, Great***〕 ***~s !*** 이거 큰일이군 !, 저런 ! ***go to ~*** 승천하다, 죽다. ~ ***and earth*** 우주, 삼라 만상. ***Heaven be praised !*** = ***Thank Heaven***(***s***) ***!*** 고마워라. ***Heaven forbid !*** ⇨FORBID. ***Heaven knows.*** (1) 신만이 안다, 아무도 모른다. (2) 하느님은 아실 거다, 맹세코. ***in*** ~ (1) 하늘에 계신 ; 죽어서. (2)〔疑問詞 뒤에서〕 대관절, 도대체. ***move ~ and earth to*** do ⇨ MOVE. ***smell*** 〔***stink***〕 ***to high*** ~ 《口》 (1) 지독한 악취를 내뿜는다, 지독하게 냄새나다. (2) 의심스럽다 : The drains *stink to high* ~. 그 배수시설에서는 지독하게 악취가 난다. ***the ~ of ~s*** = SEVENTH HEAVEN. ***the ~s open*** 갑자기 소나기가 쏟아지다. ***under*** ~ 이 세상에 ; 도대체, 대관절.

‡heav·en·ly [hévənli] (***-li·er*** ; ***-li·est***) *a.* ①〔限定的〕 하늘의, 천상(天上)의. ②〔限定的〕 천국과 같은, 신성한(holy), 거룩한(divine), 천래의, 지상(至上)의. ③《口》 멋진, 훌륭한.
— *ad.* 천국처럼 ; 매우.

heav·en-sent [hévənsènt] *a.* 천부의 ; 시의(時宜)를 얻은, 절호의.

heav·en·ward [hévənwərd] *ad., a.* 하늘쪽으로(의), 하늘을 향해〔향한〕.
㊞ **~·ly** *ad.* **~·ness** *n.*

heav·en·wards [-wərdz] *ad.* =HEAVENWARD.

‡heav·i·ly [hévili] (***more ~ ; most ~***) *ad.* ① 무겁게, 묵직하게, 육중하게, 무거운 듯이. ②《古》 답답하게, 느릿느릿 힘들게, 시름겹게, 침울하게, 낙담하여. ③ 짙게 ; 빽빽이, 울창하게. ④ 몹시, 크게, 심하게 ; 다량으로.

***heav·i·ness** [hévinis] *n.* Ⓤ ① 무거움, 무게 ; 힘겨움. ② 낙담, 슬픔. ③ 활발치 못함.

†heavy [hévi] (***heav·i·er*** ; ***-i·est***) *a.* ①**a)** 무거운, 중량이 있는(weighty) ; 비중이 큰 : a ~ metal 중금속. opp *light.* **b)** 속이 찬〔빽빽한〕 ; 두툼한《옷》 ; (빵·케이크 따위가) 설 구워진, 덜 부푼. **c)** 몸이 무거운, 임신한 ; 《특히》 출산이 임박한. **d)** 대형의 ; 〖軍〗 중장비의 ; 〖化〗 (동위원소가) 보다 큰 원자량을 갖는. ②**a)** 대량의, 다량의. **b)** 대량으로 소비하는〔쓰는〕《*on*》 : His car is ~ *on* oil. 그의 차는 휘발유를 꽤나 먹는다 / She's ~ *on* the make-up. 그녀는 진하게 화장하고 있다. **c)** (능력·지식 따위를) 충분히 갖춘, (…에) 강한 《*on*》. ③**a)** 격렬한, 맹렬한 ; 과도한 ; 지나친 ; (바다가) 거칠어진 ; (록이) 대(大)음향과 비트가 강렬한. **b)** 깊은《사고·잠 등》 ; 굵직하고 잘 울리는《목소리》 ; 〖音聲〗 강음의, (음절이) 강세가 있는. ④**a)** 힘이 드는 ; 견디기 어려운, 괴로운, 압제적인, 모진, 과중한《요구 따위》 ; 《口》 하는 식이 가혹한, 모진. **b)** (음식이) 느끼한, 소화가 잘 안 되는 ; (음료가) 진한, 알코올이 든 ; (향기가) 짙은, 쉬이 빠지지 않는 ; 《美俗》 (마실 것 등) 너무 뜨거운. **c)** 급한, 험한 ; (지면·흙이) 끈적한, 경작하기 어려운 ; (도로·주로가) 긴, 걷기〔달리기〕 어려운, 〖競馬〗 (마장이) 불량한. ⑤**a)** 울적한, 슬픈, 의기소침한 ; (하늘이) 음산한, 흐리터분한 ; 께느른한, 노곤한, 활기 없는 ; (걸음 등이) 무거운, 나른한. **b)** (예술·문장 등) 경쾌하지 못한, 재미없는, 지루한. **c)** 둔한 ; 재주가 무딘 ; 무무한《생김새》 ; 섬세함이 없는. ⑥**a)** 뜻이 깊은, 무게 있는《말》 ; 《口》 진지한《음악》 ; 《俗》 태를 부린, 고지식한《사람》 ; 〖劇〗 진지한 (역의), 장중〔장대〕한, 비극적인 : a ~ part 원수역, 악역. **b)**《美口》 중대한, 중요한 ; 유력한, 부자인. **c)** 훌륭한, 멋진. **d)**《俗》 속인, 위법인. ***find*** ... ~ ***going*** …을 어렵다고 느끼다, 해보고 어렵다고 생각하다 ; (사람의) 얘기 따위가 재미없다고〔어렵다고〕 생각하다.

have a ~ hand 손재주가 무디다 ; 엄〔잔인〕하다, 강압적이다. ~ ***in*** 〔***on***〕 ***hand*** ⇨ HAND. ~ ***with*** …으로 무거운, …을 가득 가진. ~ ***with young*** (동물이) 새끼를 밴. ***make ~ weather of*** ⇨ WEATHER. ***play the ~ father*** 엄하게 꾸짖다. ***with a ~ hand*** 서툰 솜씨로 ; 고압적으로, 엄하게.
— *n.* Ⓒ ① (*pl.*) 〖劇〗 원수역, 악역(惡役) ; 그 배우. ② (the heavies) 중기병(重騎兵), 중포(重砲)(병) ; 중폭격기, 중(重)전차. ③ (*pl.*) 중공업. ④ 중량급 권투 선수. ⑤《俗》 불량배, 악당, 강도 ; 《美俗》 거물, 중요 인물, 중대한 일〔것〕 ; (the heavies) 딱딱한 신문(新聞). ***come*** 〔***do***〕 ***the ~*** (***father***) 《俗》 윗사람인 체하며 충고하다, 잘난 체하다 ; 허풍을 떨다. ***on the ~*** 《美俗》 범죄를 저지르고.
— *ad.* =HEAVILY. ***lie*** 〔***hang***〕 ~ ***on*** …을 무겁게 짓누르다 ; 괴롭히다 : Time *hangs* ~ *on* my

hands. 시간을 주체할 수 없다, 할 일이 없어 무료하다. ***sit* 〔*weigh*〕 *~ on* 〔*upon*〕** =lie ~ on.

héavy artíllery 중포대〔병〕.

héavy bómber 중폭격기.

heav·y-du·ty [-djúːti] *a.* 〖限定的〗 ① 격무에 견뎌낼 수 있는, 매우 튼튼한. ② 중대한, 퍽 중요한.

heav·y-foot·ed [-fútid] *a.* ① 발이 무거운 ; 따분한. ② (동작이) 둔한, 둔중한.

heav·y-hand·ed [-hǽndid] *a.* ① 솜씨 없는, 서툰. ② 고압적인 ; 비정한.

heav·y-heart·ed [-háːrtid] *a.* 마음이 무거운.

héavy índustries 중공업.

heav·y-lad·en [-léidn] *a.* ① 무거운 짐을 실은〔짊어진〕. ② 걱정거리가 많은.

héavy métal ①〖化〗 중금속《비중 5.0 이상》. ② 거포(巨砲)(탄).

heav·y-met·al [-métəl] *a.* 〖樂〗 헤비메탈록의.

héavy óil 중유(重油). 「딸막한.

heav·y·set [-sét] *a.* ① 체격이 큰, 실팍한. ② 땅

héavy wáter 〖化〗 중수(重水).

heav·y·weight [héviwèit] *n.* Ⓒ ① 평균 몸무게 이상의 사람 ; (권투·레슬링 등의) 헤비급 선수. ② 유력자. ── *a.* 헤비급의 ; 몸무게가 무거운 ; 평균 체중 이상의 ; 유력한, 중요한.

Heb., Hebr. 〖聖〗 Hebrew(s).

heb·dom·a·dal [hebdámədl / -dɔ́m-] *a.* 일주의 ; 매주의, 7 일째마다의.

He·be [híːbiː] *n.* 〖그神〗 헤베《청춘의 여신》.

He·bra·ic [hibréiik] *a.* 헤브라이〔말, 문화〕의.

He·bra·ism [híːbreiìzəm, -bri-] *n.* ① Ⓒ 헤브라이어풍〔어법〕. ② Ⓤ 헤브라이 문화〔주의〕. ③ Ⓤ 유대교. ㊞ **-ist** *n.* Ⓒ 헤브라이 학자 ; 유대교 신자.

He·bra·is·tic [hìːbreiístik, -bri-] *a.* 헤브라이풍의 ; 헤브라이어 학자의.

***He·brew** [híːbruː] *n.* ① Ⓒ 헤브라이 사람, 유태인. ② Ⓤ (고대의) 헤브라이어, (현대의) 이스라엘어. ③ Ⓤ 이해 못할 말.
── *a.* 헤브라이 사람의, 유대인의 ; 헤브라이말의.

Heb·ri·de·an, -di·an [hèbrədíːən] *a.* 헤브리디스 제도(諸島)(주민)의. ── *n.* Ⓒ 헤브리디스 제도의 주민.

Heb·ri·des [hébrədìːz] *n. pl.* (the ~) 헤브리디스 제도《스코틀랜드 서쪽의 열도(列島)》.

Hec·a·te [hékətiː] *n.* 〖그神〗 헤카테《달·천지 및 하계를 다스리는 여신 ; 마법을 맡음》.

hec·a·tomb [hékətòum, -tùːm] *n.* Ⓒ ① (고대 그리스의) 황소 백 마리의 제물. ② 다수의 희생, 대학살.

heck [hek] *n.* Ⓤ 《口》 ① 지옥《hell의 완곡한 말》. ② (흔히 the ~) (분노했을 때의 발성·강조어로서) 도대체, 대관절. ***a ~ of a ...*** 《口》 대단한, 엄청난. ── *int.* 염병할, 빌어먹을.

heck·le [hékəl] *vt.* …에 질문 공세를 펴다, (선거 후보자 등)을 조롱〔야유〕하다.

***hec·tare** [héktɛər, -tɑːr] *n.* Ⓒ 헥타르.

hec·tic [héktik] *a.* ① 열이 있는 ; 소모열의, 소모열에 걸린 : a ~ flush 홍조《결핵환자의 뺨에 나타난》. ② 《口》 흥분한, 열광적인 ; 매우 바쁜.

hec·to·gram, 《英》 **-gramme** [héktəgræ̀m] *n.* Ⓤ 헥토그램《100 그램》.

hec·to·li·ter, 《英》 **-tre** [-lìːtər] *n.* Ⓒ 헥토리터《100 리터》. 「토미터《100 미터》.

hec·to·me·ter, 《英》 **-tre** [-mìːtər] *n.* Ⓒ 헥

hec·to·pas·cal [héktəpæskæ̀l] *n.* Ⓒ 헥토파스칼《기압의 SI 조립 단위 ; 1 millibar 와 같음 ; 기호 hpa》.

hec·tor [héktər] *vt.* …을 으르다 ; …을 괴롭히다 (bully) ── *vi.* 허세 부리다.
── *n.* (H-) 헥토르《Homer 의 *Iliad* 에 나오는 용사》 ; Ⓒ (h-) 허세부리는〔호통치는〕 사람, 약자를 괴롭히는 자.

†he'd [hiːd] he had, he would 의 간약형.

‡hedge [hedʒ] *n.* Ⓒ ① 산울타리, 울. ② 장벽, 장애. ③ (손실·위험 따위에 대한) 방지책《*against*》; 양쪽에 돈 걸기 ; 〖商〗 헤지, 연계 매매, 딴 상거래로 한쪽 손실을 막기. ④ 언질이 잡히지 않도록 빠져나갈 구멍을 계산한 언동. ***come down on the wrong side of the ~*** 결정을 그르치다, 잘못을 저지르다. ***look as if one has been dragged through a ~ backwards*** 《口》 (무리를 한 뒤에) 추레한 모습을 하고 있다. ***make a ~*** 양다리 걸치다. ***not grow on every ~*** 흔히 있는 것이 아니다. ***sit* 〔*be*〕 *on* (*both sides of*) *the ~*** 형세를 관망하다 ; 결정을 보류하다. ***take a sheet off a ~*** 공공연히 훔치다. ***the only stick left in* one's *~*** 오직 하나 남은 수단〔방법〕.
── (*p., pp.* ***hedged ; hédg·ing***) *vt.* ① 《~+目/+目+副》 …을 산울타리로 두르다, …에 울을 치다《*in ; off ; about*》: ~ a garden. ② 《+目+副》 …을 둘러〔에워〕싸다 (encircle); (규칙 따위로) 꼼짝 못하게 하다, (행동)을 구속하다 (restrict) 《*about ; in ; off*》: be *~d in* rules 규칙에 매이다. ③ …에 방호 조치를 취하다, (손실 등)을 양쪽에 걸어서 방지하다 ; (투기에서) 연계 매매 따위로 손해를 막다 : ~ a person *round with* care and affection 아무를 보호와 애정으로 지키다.
── *vi.* ① 산울타리를 만들다. ② 《口》 (옹근 손해를 막기 위하여) 양쪽에 걸다 ; 〖商〗 헤지 거래를 하다. ③ 변명할〔빠져나갈〕 여지를 남겨 두다 ; 애매한 대답을 하다 ; 울타리 뒤에 숨다 : stop *hedging* and tell me what you really think 우물우물 얼버무리지 말고 진심을 내게 말하게. ④ (재산 따위를) 보호하다 : ~ *against* inflation 인플레로부터 재산을 지키다. ⑤ 몸을 숨기다. ~ ***in*** 에워싸다 ; 칸막이하다 ; 자유를 구속하다. ~ ***off*** 울타리로 막다. ~ ***out*** 울타리로 막다, 제외하다.

***hedge·hog** [ˊhàg, ˊhɔ̀ːg / ˊhɔ̀g] *n.* Ⓒ ① 고슴도치. ② 《美》 호저(豪猪).

hedge·hop [ˊhàp / ˊhɔ̀p] (**-pp-**) *vi.* 《口》 초저공 비행을 하다《기총 소사·살충제 살포를 위해》.

hedge·row [hédʒròu] *n.* Ⓒ (산울타리의) 죽 늘어선 관목 ; 산울타리.

hédge schòol 노천〔야외〕 학교.

hédge spàrrow 〖鳥〗 바위종다리의 일종.

hedg·ing [hédʒiŋ] *n.* Ⓒ 〖商〗 헤징, 연계 매매.

he·don·ism [híːdənìzəm] *n.* Ⓤ 〖哲〗 쾌락주의.

he·don·ist [híːdənist] *n.* Ⓒ 쾌락〔향락〕주의자.

he·do·nis·tic [hìːdənístik] *a.* 쾌락주의(자)의.

hee·bie-jee·bies [híːbidʒíːbiz] *n. pl.* (the ~) 《口》 (긴장·근심 따위로부터 오는) 안절부절 못하는 기분.

‡heed [hiːd] *vt.* …을 주의〔조심〕하다, …을 마음에 두다 : He did not ~ the warning. 그는 경고를 무시했다. ── *vi.* 주의하다. ***give* 〔*pay*〕 *~ to*** … 에 주의〔유의〕하다. ***take ~* 〔*no ~*〕 *of*** …에 조심〔유념〕하다〔하지 않다〕. ㊞ **ˊ·er** *n.*

***heed·ful** [híːdfəl] *a.* 주의 깊은 (attentive), 조심성이 많은《*of*》.

***heed·less** [híːdlis] *a.* 부주의한, 무관심한《*of*》; 경솔한 ; 무분별한, 잊고 있는《*of*》; …를 무시하고 《*of ; about*》: be ~ *about* expense 비용은 생각않다.

hee·haw [híːhɔ̀ː] *n.* (a ~) ① 나귀의 울음 소리. ② 바보웃음.
── *vi.* (나귀가) 울다 ; 바보같이 웃다.

‡heel[1] [hiːl] *n.* Ⓒ ① 뒤꿈치 ; (동물의) 발 ; (말 따위의) (뒷)굽 ; (*pl.*) (동물의) 뒷발. ② (신발·양말의) 뒤축. ③ 뒤꿈치 모양의 것〔부분〕. ④ 말미(末尾), 말단 ; 말기. ⑤《俗》비열한 녀석, 상놈, 병신, 싫은 놈 ; 《俗》도망, 탈옥. ⑥ (럭비에서) 힐《스크럼 때 공을 뒤꿈치로 차기》. ***at*** ~ 바로 뒤에서, 뒤를 따라. ***bring*** (a person) ***to*** ~ 뒤를 따라오게 하다 ; 복종시키다. ***come*** 〔***keep***〕 ***to*** ~ 뒤에서 따르다, (규칙·명령 등에) 충실히 따르다 ; 반대를 중지하다 ; (개에게 소리쳐) 따라와. ***cool*** 〔***kick***〕 one***'s*** ~***s*** ⇨ COOL *ad.* ***dig*** one***'s*** ~***s*** 〔***feet, toes***〕 ***in*** 자기의 입장〔의견〕을 고수하다, 완강(頑強)하게 버티다, ***down at*** (***the***) ~(***s***) 뒤축이 닳은 신을 신은 ; 초라한 차림새로 (shabby) ; 칠칠치 못한(slovenly). ***drag*** one***'s*** ~***s*** ⇨ DRAG. ~ ***and toe*** 보통으로 걸어서. ~***s over head*** =***head over*** ~***s*** ***kick up*** a person***'s*** ~***s*** 아무를 때려 쓰러뜨리다, 해치우다. ***kick up*** one***'s*** ~***s*** (1) (자유롭게 되자) 들떠서 날뛰다, (일한 뒤에) 자유롭게 쉬다. (2)《俗》죽다. ***lay*** 〔***clap, set***〕 a person ***by the*** ~***s*** 아무에게 족쇄를 채우다 ; 감금〔투옥〕하다 ; 무력하게 하다, 움직일 수 없게 하다. ***make a*** ~ (발로) 차다. ***on the*** ~***s of*** a person=***on*** a person***'s*** ~***s*** 아무의 뒤를 바싹 따라서, …에 잇따라서. ***out at*** (***the***) ~(***s***) =down at the ~*s.* ***raise*** 〔***lift***〕 ***the*** ~ ***against*** …을 (발로) 차다. ***set*** a person (***back***) ***on*** his ~***s*** 아무를 당황하게 하다, 놀라게 하다. ***show*** one***'s*** ~***s*** =***show a clean pair of*** ~***s*** =***take to*** one***'s*** ~***s*** 부리나케 달아나다, 줄행랑치다, 쏜살같이 도망치다. ***turn on*** one***'s*** ~(***s***) 홱 돌아서다, 갑자기 떠나다. ***under*** ~ 굴복하여. ***under the*** ~ ***of*** =***under*** a person's ~ …에게 짓밟혀〔학대받아〕: Caesar had all Rome *under his* ~. 시저는 전(全)로마를 그의 지배하에 두었다.

— *vt.* ① (신발 따위)에 뒤축을 대다. ② …의 바로 뒤에서 따라가다. ③〖골프〗(공)을 (골프채의) 힐〔만곡부〕로 치다. ④〖럭비〗(공)을 뒤꿈치로 뒤로 차다《*out*》. ⑤ 뒤꿈치로 마루를 차면서 춤추다. ⑥ (싸움닭)에 쇠발톱을 달다. ⑦《美口》무장하다, (아무)에게 무기를〔군자금을〕 공급하다. ⑧《美俗》(대학내에서 아르바이트 학생으로) 일하다.

— *vi.* 뒤축으로 춤추다 ; 〔때때로 命令法〕 (개가) 뒤따라오다.

heel[2] [hiːl] *vt.* (배)를 기울이다《*over*》. — *vi.* (배가) 기울다. — *n.* Ⓒ (배의) 기울기, 경사.

heel-and-toe [híːləntóu] *a.* 뒷발의 발끝이 땅에서 떨어지기 전에 앞발의 뒤꿈치가 땅에 붙는 걸음걸이의 : a ~ walking race 경보(競步).

— *vi.* (자동차 경주 따위에서) 힐 앤드 토로 운전하다《브레이크는 발끝으로 밟고 같은 발의 뒤꿈치로는 가속 페달을 조작하는 일》.

heel·ball [-bɔ̀ːl] *n.* Ⓤ.Ⓒ 뒤꿈치의 아랫부분 ; (광내는) 검은 색 구두약의 일종《답본(搨本)용으로도 쓰임》.

heeled [hiːld] *a.* ① 뒤축이 있는, 뒷굽이 …모양의 ; (싸움닭이) 쇠발톱을 단. ②《口》군자금이 마련된 ; 유복한. ⓒⓕ well-heeled. ③《俗》(권총 따위) 무기를 갖고 있는.

heel·tap [-tæ̀p] *n.* Ⓒ ① 신발 뒤축의 가죽(lift). ② 술잔 바닥의 마시다 남은 술.

heft [heft] *n.* Ⓤ《美》① 중량, 무게. ② 세력, 중요한 지위. — *vt.* 들어서 무게를 달다 ; (물건)을 들어 올리다(lift).

hefty [héfti] (***heft·i·er*** ; ***-i·est***) *a.* ① 무거운. ② 크고 건장한, 힘있는, 억센. ③ 많은 ; (꽤) 큰.

He·gel [héigəl] *n.* **Georg Wilhelm Friedrich** ~ 헤겔《독일의 철학자 ; 1770-1831》. 「(신봉자).

He·ge·li·an [heigéiliən] *a., n.* Ⓒ 헤겔철학의

he·gem·o·ny [hidʒéməni, hédʒəmòuni] *n.* Ⓤ 패권, 지도권, 주도권, 지배권, 헤게모니 : The country will never regain its political and economic ~. 그 나라는 정치적, 경제적 지배권을 결코 되찾지는 못할 것이다.

Heg·i·ra [hidʒáirə, hédʒərə] *n.* ① (the ~) 헤지라《Mecca에서 Medina로의 Mohammed의 도피 ; 622 년》; (the ~) (622년부터 시작되는) 회교 기원. ② (h-) Ⓒ (대량) 이주, 망명《*of*》.

he-goat [híːgóut] *n.* Ⓒ 숫염소. ⓒⓕ she-goat.

Hei·del·berg [háidəlbə̀ːrg] *n.* 하이델베르크《독일 서남부 도시 ; 대학과 옛 성으로 유명》.

heif·er [héfər] *n.* Ⓒ ① (새끼를 낳지 않은 3 살 미만의) 어린 암소. ②《俗》소녀.

heigh [hei, hai] *int.* 여보, 어어, 야아《주의·격려·기쁨·놀람 따위의 뜻을 나타냄》.

heigh-ho [héihóu, hái-] *int.* 음, 아아《놀람·낙담·권태·피로 따위를 나타냄》.

‡height [hait] *n.* ① Ⓤ 높음. ② Ⓤ.Ⓒ 높이, 키. ③ Ⓒ 고도, 해발, 표고 : At the ~*s* of 4,000 or 5,000 metres above sea level the air gets quite thin. 해발 4,000-5,000 미터 고도에서는 공기가 꽤 희박해진다. ★ 구체적인 높이는 不定冠詞, 비유적인 경우에는 定冠詞가 보통. ④ Ⓒ (흔히 *pl.*) 고지, 산, 언덕. ⑤〖聖〗하늘. ⑥ Ⓒ (the ~) 정상, 절정, 극치, 한창인 때, 탁월 : the ~ of folly 더없는 어리석음 / in the ~ of summer 한여름에 (ⓒⓕ in the DEPTH of winter). ⑦ 고귀, 고위(高位). ***at its*** ~=***at the*** ~ ***of*** …의 절정에서 ; 한창 …중에. ***in*** ~ 높이〔키〕는 : He is 2 meters *in* ~. 그는 키가 2미터이다. ***in the*** ~ ***of fashion*** 한창 유행 중인 : She was dressed *in the* ~ *of fashion.* 그녀는 한창 유행되는 옷을 입고 있었다.

***height·en** [háitn] *vt.* ① …을 높게 하다, 높이다. ② 고상하게 하다. ③ …을 더하다, 강화시키다 ; 증대〔증가〕시키다 : His appreciation ~*ed* her confidence. 그의 칭찬은 그녀의 자신감을 더욱 강화시켰다 / ~ a person's anxiety 아무의 불안감을 가중시키다. ④ (묘사 따위)를 과장하다.

— *vi.* 높아지다 ; 강해지다, 증대하다.

height·ism [háitizm] *n.* Ⓤ 키 작은 사람에 대한 멸시〔차별〕.

Hei·ne [háinə] *n.* **Heinrich** ~ 하이네《독일의 시인 ; 1797-1856》. 「악〕한.

hei·nous [héinəs] *a.* 가증스런, 악질의, 극악〔흉

‡heir [ɛər] (*fem.* ***heir·ess*** [ɛ́əris]) *n.* Ⓒ ① 상속인, 법정 상속인. ② 후계자《*to* ; *of*》; 《比》(기쁨·벌 따위를) 받는 사람 : The Prince of Wales is ~ *to* the throne. 웨일즈 왕자가 왕위 계승자이다 / The king's eldest son is the ~ *to* the throne. 왕(王)의 장자(長子)가 왕위 계승자이다《★관사를 생략할 수도 있음》/ ~*s of* salvation 하느님의 구원을 받는 사람. ③ (특질·전통 등의) 승계자, 전승자(傳承者)《*of* ; *to*》: He's ~ *to* his father's fine brain. 그는 아버지의 뛰어난 두뇌를 물려받고 있다 / Englishmen are the ~*s of* liberty. 영국사람이야말로 자유의 전승자다. ***fall*** ~ ***to*** (a property) (재산)을 상속받다. ★ 무관사에 주의. ***Flesh is*** ~ ***to many ills.*** 인간은 여러 가지 재앙을 이어받고 있다. ~ ***of the body*** 직계 상속인. ***make*** a person one***'s*** ~ 아무를 자기의 상속인으로 삼다. — *vt.* 《方》…을 상속하다.

héir appárent 법정 추정 상속인.

héir at láw 법정 상속인.

heir·ess [ɛ́əris] *n.* Ⓒ HEIR의 여성형, 《특히》 상

당한 재산을 상속받는 여성.

heir·less [ɛ́ərlis] *a.* 상속인이 없는.

heir·loom [ɛ́ərlù:m] *n.* Ⓒ ①〖法〗법정 상속 동산(動產). ② 조상 전래의 가재(家財)〔가보〕.

héir presúmptive〖法〗추정 상속인.

Hei·sen·berg [háizənbə:rg] *n.* **Werner Karl** ~ 하이젠베르크《독일의 물리학자; 1932년 노벨 물리학상 수상; 1901-75》.

heir·ship [ɛ́ərʃip] *n.* Ⓤ 상속(권).

heist [haist] *n.* Ⓒ《俗》강도, 노상 강도, 도둑, 은행 강도《행위》;《美俗》도둑질한 물건, 장물. ── *vt.* …을 강도질하다, 훔치다.

Hejira ⇨ HEGIRA.

Hek·a·te [hékəti, hékət] *n.* =HECATE.

Hel, Hela [hel], [helá:] *n.*〖북유럽神〗① 헬《죽음과 저승을 다스리는 여신》. ② 사후의 세계.

†held [held] HOLD의 과거·과거분사.

Hel·en [hélən / -lin] *n.* ①〖그神〗헬레네(=∠ **of Tróy**)《Sparta왕 Menelaus의 왕비로 절세의 미녀; 트로이 왕자 Paris에게 납치되어 Troy 전쟁의 발단이 됨》. ② 헬렌《여자의 이름》.

Hel·e·na [hélənə, helí:-] *n.* 헬레나《여자 이름》.

hel·i·borne [héləbɔ̀:rn] *a.* 헬리콥터로 수송되는.

hel·i·cal [hélikəl] *a.* 나선형의. ㊎ **~·ly** *ad.*

Hel·i·con [héləkɑ̀n, -kən / -kɔ̀n] *n.* ①〖그神〗헬리콘 산(山)《Apollo와 Muses가 살았다는 그리스 남부의 산》; 시상(詩想)의 원천(源泉). ② Ⓒ (h-)〖樂〗대형 취주악기의 일종.

Hel·i·co·ni·an [hèləkóuniən] *a.* 헬리콘 산의. ***the ~ maids*** =the MUSES.

†hel·i·cop·ter [hélikɑ̀ptər, hí:l- / -kɔ̀p-] *n.* Ⓒ 헬리콥터. ── *vt.* …을 헬리콥터로 나르다. ── *vi.* 헬리콥터로 가다.

he·lio·cen·tric [hì:liouséntrik] *a.* 태양 중심의.

he·lio·graph [hí:liougræ̀f, -grɑ̀:f] *n.* Ⓒ ① 일광 반사 신호기; 회광(回光) 통신기. ② 태양 촬영기. ③ 일조계(日照計). ── *vt.* …을 일광 반사 신호기로 송신하다.

He·li·os [hí:liɑ̀s / -ɔ̀s] *n.*〖그神〗헬리오스《태양의 신》.

he·lio·trope [hí:liətròup / héljə-] *n.* ① Ⓒ〖植〗주일성(走日性) 식물. 헬리오트로프. ② Ⓤ 연보랏빛.

he·lio·trop·ic [hì:liətrápik / -tróp-] *a.*〖植〗주일성(走日性)의.

he·li·ot·ro·pism [hì:liátrəpìzəm / -ɔ́t-] *n.* Ⓤ〖植〗주일성: negative ~ 배일성(背日性).

hel·i·pad [héləpæ̀d, hí:lə-] *n.* =HELIPORT.

hel·i·port [héləpɔ̀:rt, hí:lə-] *n.* Ⓒ 헬리포트, 헬리콥터 발착장.

***he·li·um** [hí:liəm] *n.* Ⓤ〖化〗헬륨.

he·lix [hí:liks] (*pl.* ***hel·i·ces*** [hélisì:z], ***~·es***) *n.* Ⓒ ① 나선(螺旋); 나선형의 것. ②〖建〗소용돌이 장식.

‡hell [hel] *n.* ① **a)** Ⓤ 지옥, 저승: the torture of ~ 지옥의 괴로움. **b)** Ⓒ〔集合的〕지옥에 빠진 사람들; 악귀. **c)** Ⓒ 도박굴; 마계(魔界), 마굴. ② Ⓤ,Ⓒ 지옥과 같은 상태, 고통, 곤경; 질책: For him, life was ~. 그에게 있어서 인생은 지옥이었다 / The battle turned into an absolute ~. 그 싸움은 틀림없는 지옥으로 화했다. ③ **a)**〔咀呪·強意語〕염병할, 제기랄, 빌어먹을, 도대체: The ~ with ...! …가 뭔데, …따위엔 볼일 없어 / The ~ with it. 그깐놈, 뒈져버리라지, 그놈은 저주받을 놈이야 / *Hell* no, I'm not going. 절대로 싫다, 가지 않겠다. **b)**〔상대의 말에 강한 否定을 나타내어, 副詞的으로〕(the ~)《俗》절대로 …않다: He says he will win.— *The* ~ he will. 그는 자기가 이긴다고 하는데. ─ 천만에, 어림도 없지. **c)**〔強意語; 疑問詞의 다음에 와서 그것을 강조함〕대관절, 도대체(the ~, in (the) ~): What *the*〔*in* (*the*)〕~ have I done with my keys? 대관절 열쇠를 어떻게 했지 / What *the* ~ has happened? 도대체 어떤 일이 일어났어. ***a ~ of a ...***《口》대단한, 굉장한; 심한, 지독한: (*a*) ~ *of a* life 지옥 같은 생활 / *a* ~ *of a* trip 고생스러운 여행 / *a* ~ *of a* good time 아주 유쾌한 한 때 / have *a* ~ *of a* time 아주 혼나다 / She is *a* ~ *of an* attractive woman. 그녀는 굉장히 매력적이다. ***a ~ of a lot***《口》매우, 대단히: I like you *a* ~ *of a lot.* 너를 매우 좋아한다 / He has *a* ~ *of a lot* of money. 그는 큰 부자이다. **(*a*)** ***~ on earth*** (이 세상의) 지옥: They made their father's life *a* ~ *on earth.* 그들로 인해 아버지는 숱한 고생을 하였다. ***all*** **(*gone*)** ***to ~*** (계획 따위가) 차질이 나서, 아주 잡치어. ***all ~ breaks*** 〔***is let***〕 ***loose***《口》큰 혼란이 일어나다. ***as ~***《口》크게, 대단히, 매우, 지독하게: As the sun went down it became as cold *as* ~. 해가 지자, 날씨는 몹시 추워졌다. ***beat*** 〔***knock***〕 ***the ~ out of*** …을 호되게 혼내 주다. ***be ~ on***《俗》(1) …에게 엄하다〔모질게 굴다〕. (2) …에 해롭다, …을 해치다. ***between ~ and high water***《口》매우 어려운 처지에 빠져, 곤궁하여. ***by ~*** 절대(로). ***catch*** 〔***get***〕 ***~***《俗》혼이 나다, 많은 책망을 듣다. ***come ~ and*** 〔***or***〕 ***high water***《口》어떤 장애가 일어나더라도, 어떤 일이 있어도. ***for the ~ of it***《口》말장난으로; 까닭〔목적〕도 없이. ***frighten*** 〔***scare***, etc.〕 ***the ~ out of*** a person《口》아무를 몹시 두려워하게 하다. ***Get the ~ out*** (***of here***)***!***《俗》꺼져 버려. ***give*** a person ***~***《口》아무를 혼내주다. ***Go to ~!*** 뒈져라. ***~ and gone*** (돌아올 수 없는) 머나먼 곳에, 어찌할 수 없게 되어. ***~ for*** …에 유난히 열중하여. ***~ for leather***《口》전속력으로. ***~ of a note***《俗》이상한〔놀랄 만한, 대담 무쌍한〕것, 터무니〔어처구니〕없는 것. ***~ to pay***《口》매우 성가신 일, 후환, 뒤탈. ***~ to split*** 지체하지 않고, 단번에, 크게 서둘러. ***like ~***《口》마구, 맹렬히, 필사적으로;〔語句·文章 앞에 두고〕천만에; 절대로〔전혀〕…아니다: We worked *like* ~ to finish the job. 그 일을 끝내기 위해 필사적으로 일했다 / Did you go?— *Like* ~ (I did). 갔었느냐? — 가긴 왜 가. ***make*** one***'s life*** **(*a*)** ***~*** 지옥같은 생활을 하다: The class bully *made her life* ~ at school. 학급폭력배로 인해 그녀의 학교 생활은 지옥이었다. ***not have a chance in ~***《口》전혀 가능성이 없다. ***not a hope in ~*** 전혀 가망이 없이. ***Oh, ~!*** 빌어먹을. ***play*** **(*merry*)** ***~ with ...***《口》…을 엉망으로 만들다, …을 잡쳐 놓다〔혼란시키다〕;《口》몹시 화를 내다, 격노하다: Snowstorms *played* ~ *with* the flow of city traffic. 눈보라로 시내의 교통의 흐름은 엉망이었다. ***raise ~*** (1) 야단법석을 치다. (2) 화가 나서 대소동을 벌이다. ***scare the ~ out of*** a person ⇨ frighten the ~ out of a person. ***surely to ~***《口》제발〔부디〕…이면 좋겠다. ***The ~ you say.*** 이것 참 놀랐는데. ***to beat ~*** ⇨ BEAT. ***to ~ and gone***《俗》극단적으로;《美俗》영구히 사라져. ***to ~*** (1)〔強意的〕정말로, 굳게: swear *to* ~ 굳게 맹세하다. (2)〔hope, wish를 強調〕부디 (…했으면〔이면〕) 좋겠다: I *hope to* ~ he didn't go alone. 그가 혼자 가지 않았으면 좋겠다. ***To ~ with...!*** …을 없애 버려라〔타도하라〕. ***until*** 〔***till***〕 ***~ freezes over***《口》영구히: She'll be waiting *until* ~ *freezes over* if she's trying to get the boss's permission for a year off. 부장으로부터 1년간의 휴가를 얻으려 한다면 그녀는 영원히 기다려야 할 것이다. ***What the ~*** (do you want)? 도대체 무슨 (볼)일인가? ***when the ~ freezes over*** 《口》 결단코(never) : I'll tell you the secret *when the ~ freezes over.* 어떤 일이 있어도 비밀은 누설하지 않겠다. — *vi.* 《美俗》 엉뚱한〔난폭한〕 짓을 하다, 방종하게 생활하다.

he'll [hi:l] he will, he shall 의 간약형.

Hel·las [héləs] *n.* 《雅》 (고대의) Greece.

hell·bent [-̀bènt] *a.* ① 〔敍述的〕 맹렬한, 필사적인《*on*》; 단호한. ② 맹렬한 속도로 질주하는, 무모한. — *ad.* 맹렬히, 맹렬한 속도로.

hell·cat [-̀kæ̀t] *n.* Ⓒ 악녀, 못된 계집 ; 굴러먹은〔닳고 닳은〕 여자.

Hel·lene [héli:n] *n.* Ⓒ (순수한) 그리스 사람.

Hel·le·nic [helí:nik, -lén-] *a.* (특히 고대의) 그리스 말〔사람〕의.

Hel·le·nism [hélənìzəm] *n.* ① Ⓤ 그리스 주의〔정신, 문화〕, 헬레니즘. ② Ⓒ 그리스 어법.

Hel·le·nist [hélənist] *n.* Ⓒ (고대) 그리스어 학자, 그리스 학자.

Hel·le·nis·tic, -ti·cal [hèlənístik], [-əl] *a.* Hellenism 〔Hellenist〕에 관한.

hell·er [hélər] *n.* Ⓒ 《美口》 난폭자, 못된 녀석.

hell·fire [hélfàiər] *n.* Ⓤ 지옥의 불 ; 지옥의 괴로움〔형벌〕.

hell·hole [-̀hòul] *n.* Ⓒ 악의 소굴 ; 지옥 같은 집〔곳〕; 불쾌〔불결, 난잡〕한 장소.

hel·lion [héljən] *n.* Ⓒ 《美口》 난폭자, 무법자.

hell·ish [héliʃ] *a.* 지옥의, 지옥과 같은 ; 흉악한 ; 소름이 끼치는 ; 《口》 섬뜩한, 징그러운, 매우 불쾌한. — *ad.* 몹시, 굉장히.

‡**hel·lo** [helóu, hə-, hélou] *int.* ① 여보, 이봐 ; 어이구 ; 〖電話〗 여보세요. ② 안녕하시오《가벼운 인사》. — (*pl.* **~s**) *n.* Ⓒ ~하는 말〔인사〕. — *vi.* ~하고 부르다〔말하다〕.

hell-rais·er [hélrèizər] *n.* Ⓒ 《俗》 말썽꾸러기, 무모한 사람.

Héll's béllś 〔**téeth**〕 (화가 나거나 초조할 때) 이게 어찌된 일인가.

Hélls kítchen 《美》 우범 지구.

hell·u·va [héləvə] 《俗》 *a.* 썩 곤란한, 불쾌한 ; 보통이 아닌, 빼어난 ; 상당한. — *ad.* 대단히, 굉장하게. [◂hell of a]

‡**helm** [helm] *n.* ① Ⓒ 〖船〗 키(자루), 타륜 ; 조타 장치, 타기(舵機) ; 키의 움직임 ; 배의 방향. ② (the ~) 《比》 지배(권), 지도. ***be at the ~*** (of state affairs) 키를 잡다 ; 정권을 쥐다. ***Down*** 〔***Up***〕 (***with the***) ***~!*** 키 내려〔올려〕. ***ease the ~*** 키를 중앙 위치로 되돌리다. ***Mind your ~!*** 주의해, 조심해. ***Starboard*** (***the***) ***~!*** 우현으로 (키 돌려).

‡**hel·met** [hélmit] *n.* Ⓒ ① 헬멧《군인·소방수·노동자 등의》. ② 철모 ; 헬멧. ③ (야구·미식 축구 등의) 헬멧. ④〖紋〗 투구 모양. ⑤ (중세의) 투구 ; (펜싱의) 면(面). ⑥ 투구 모양의 것. — *vt.* …에게 헬멧을 씌우다. ㊞ **~·ed** [-id] *a.* 헬멧을 쓴. **~·lìke** *a.* 헬멧 모양의.

helms·man [hélmzmən] (*pl.* ***-men*** [-mən]) *n.* Ⓒ 타수(舵手), 키잡이. ㊞ **~·shìp** *n.*

Hel·ot [hélət, hí:l-] *n.* Ⓒ ① 고대 스파르타의 농노. ② (h-) 노예, 농노.

†**help** [help] (**~ed,** 《古》 ***holp*** [houlp] ; **~ed,** 《古》 ***holp·en*** [hóulpən]) *vt.* ① 《~+목 / +(*to*) do / +목+(*to*) do / +목+전+명》 …을 돕다, 조력〔원조〕하다, 거들다, …하는 데 도움을 주다, …하는 것을 돕다 : I ~*ed* him (*to*) water the crops. 나는 그가 작물에 물을 주는 것을 도왔다. ② 《+목+부 / +목+전+명》 〔down, in, out, over, into, out of, through, up 따위의 副詞(句)·前置詞(句)를 사용하여〕 …을 거들어 …하게 하다, 도와서 …시키다 : Can you ~ me *up with* this case please? 이 상자 들어올리는 것 좀 도와 주시겠습니까.
③ 《~+목 / +목+부》 …을 조장하다, 촉진하다, 가미하다, 효과가 있게 하다 : Curiosity ~*s* learning. 호기심은 학습을 촉진한다 / The fall in the oil price will ~ our economic development. 유가 하락은 우리의 경제발전을 촉진할 것이다.
④ (고통·병 따위)를 완화하다, 덜다, 편하게 하다 ; (결함 따위)를 보충하다, 구제하다 : This medicine will not ~ your cold. 이 약을 먹어도 감기는 떨어지지 않을 것이다.
⑤ 《~+목 / +목+전+명》 …에게 식사 시중을 들다, 술을 따르다, 권하다《*to*》; 《口》 …을 도르다 ; (음식물)을 담다 : Use this spoon *to* ~ the gravy. 이 스푼으로 고깃국물을 뜨시오 / Will you ~ her *to* some cake? 그녀에게 과자를 좀 집어주시지 않겠습니까.
⑥ 〔can(not) ~〕 …을 삼가다, 그만두다, 피하다 《do*ing*》; …하는 것은 어쩔 수 없다(do*ing*) : I *can't* ~ it 〔myself〕. =It *cannot* be ~*ed.* 어찌할 수가 없다 / I never eat out if I *can* ~ it. 부득이한 경우 외에는 나는 외식(外食)을 하지 않는다 / I won't stay so late, if I *can* ~ it. 가능하면 그렇게 늦게까지 머물지 않도록 하겠다.
— *vi.* ① 거들다, 돕다 ; 도움이 되다 : We all ~*ed with* the harvest. 우리는 모두 수확하는 일을 도왔다 / Every little bit ~*s.* 《俗談》 하찮은 것도 각기 쓸모가 있다. ② 식사 시중을 들다, 술을 따르다, 담다 : Let him ~ at table. 그에게 식사 시중을 들게 합시다.
★[1] help+목적어+부정사 : 《美》에서는 다음에 'to 없는 부정사(bare infinitive)'가 흔히 쓰이며, 《英口》에서도 일반화됨 : He ~*ed* us *peel* the onions. 그는 우리가 양파 까는 것을 거들어 주었다. 그러나 help 를 수동태로 쓸 경우에는 We were ~*ed to* get out.와 같이 반드시 to가 따름.
★[2] help+부정사 : 《美》에서는 흔히 help 다음의 목적어가 생략됨. 이런 경우 부정사에는 'to 부정사'와 'to 없는 부정사'의 양쪽 형식이 있음 : I ~ *to support* the establishment. 나는 그 시설의 유지에 힘이 되어 주고 있다. 이 문장에서는 help 다음에 목적어 them, people 이 생략되었다고 생각해도 좋음.
cannot ~ but do =***cannot ~*** do*ing* …하지 않을 수 없다, …하는 것을 피할 수 없다 ; 어찌할 도리가 없다 : I *cannot ~ but* laugh.=I *cannot ~* laugh*ing.* 웃지 않을 수 없다. ***God*** 〔***Heaven***〕 ***~ you*** 〔***him,*** etc.〕***!*** 가엾어라 ; 불쌍한 녀석. ***~ along*** 〔***forward***〕 도와서 나아가게 하다, 촉진하다. ***~ down*** 거들어서〔부축해서〕 내려주다. ***~ off with*** (1) …을 도와서 …을 벗기다 : *Help* the child *off with* his coat. 거들어서 그애의 웃옷을 벗겨 주시오. (2) …을 제거하는〔없애는, 처치하는〕 것을 돕다 : His son's success ~*ed* him *off with* his worries. 아들의 성공 덕분으로 그는 근심을 없앨 수 있었다. ***~ on*** (1) …을 도와서 입혀 주다《*with*》: I ~*ed* her *on with* her coat. 그녀를 도와 웃옷을 입게 했다. (2) …을 도와 태워주다 : I ~*ed* him *on* his horse. 그를 도와서 말에 태웠다. (3) …을 도와서 진척시키다. ***~ out*** 원조하다, (곤란 등에서) 구출하다 ; 거들다 ; (비용 따위를) 보충하다 ; 도와서 완성시키다《*with*》: John fell into a hole, and I ~*ed* him *out.* 존이 구덩이

에 빠져서 그를 꺼내 주었다 / Please ~ me *out with* these problems. 이 문제들을 푸는데 도와 주게 / My mother ~*ed* me *out* (*with* some money) when I lost my job. 내가 실직했을 때 어머니가 (약간의 금전을) 원조해 주었다. ~ a person ***over*** 아무를 도와서 넘어가게〔헤어나게〕 하다. ~ one***self*** (1) 필요한 일을 자기 스스로 하다, 자조(自助)하다 : Heaven〔God〕 ~*s* those who ~ them*selves.* 하늘은 스스로 돕는 자를 돕는다. (2)〔cannot 을 수반하여〕 참을 수가 없다 : I *couldn't* ~ my*self,* and I burst out laughing. 나는 참을 수가 없어서 웃음을 터뜨렸다. ~ one***self to*** (1) …을 마음대로 집어먹다〔마시다〕: *Help* your*self to* the fruit. 과일을 마음대로 드십시오. (2) …을 착복(着服)하다 ; …을 마음대로 취하다 : The money was on the table and no one was there, so he ~*ed* him*self* (*to* it). 테이블 위에는 돈이 있었고 그 곳엔 아무도 없어서 그는 그 돈을 꿀꺽 했다. ★ steal 의 격식차린 말. ~ a person ***through*** 아무를 도와서 …을 완성시키다. ~ ***up*** 도와서 일으키다, 받치다 ;〔受動으로〕 방해되다 : He ~*ed* the old man *up* from the chair. 그는 노인을 도와 의자에서 일으켰다. ~ . . . ***with*** (1) …의 (일)을 돕다. (2) …에 보급하다. ***not . . . more than*** one ***can*** ~ 되도록 …하지 않다 : Do*n't* sneeze *more than* you *can* ~. 되도록 재채기를 안하도록 하라. ***So ~ me*** (***God***)***!*** 정말이야, (하늘에) 맹세코 (I swear) ; 어떤 일이 있어도, 꼭 : *So ~ me,* I never received money from him. 맹세코 그로부터 돈을 받지 않았다.

── *n.* ① Ⓤ 도움, 원조, 구조 ; 조력, 거듦 : by ~ of favorable circumstances 순조로운 환경 덕분에 / A little ~ is worth a deal of pity. 《俗談》 많은 동정보다는 적으나마 도움이 값지다. ② Ⓒ 소용되는 사람〔것〕, 도움이 되는 사람〔것〕《*to*》: It was a great ~ *to* me. 그것은 내게 큰 도움이 되었다. ③ Ⓒ 고용인, 하인 ; 《주로 英》 가정부 : a part-time ~ 파트타임의 종업원 / a household 〔《英》 a home〕 ~ 가정부. ★ 근래에는 servant, laborer 보다도 help 가 잘 쓰임. 정부 요원을 public servant (공복)라고 부르는 것과 좋은 대조가 됨. ④ Ⓤ 〔集合的〕 일군《특히 농장 노동자》: The ~ have walked out. 일군들은 파업에 들어갔다. ⑤ Ⓤ 〔否定文〕 (병 등의) 치료법, 구제〔방지〕 수단 ; 도피구《*for*》: There was *no ~ for* it but to wait. 기다리는 것 외에는 방법이 없다. ⑥ Ⓒ (음식의) 한 그릇(helping). ⑦ Ⓒ 『컴』 도움말. ***be beyond*** ~ (환자 따위가) 회복할 가망이 없다. ***be of*** ~ 유용하다, 도움〔힘〕이 되다 : His warning *was* (*of*) much 〔no〕 ~ to me. 그의 경고가 내게 크게 도움이 되었다〔전혀 도움이 되지 않았다〕. ***by the ~ of*** …의 도움으로. ***cry for*** ~ 구해 달라고 외치다, 도움을 요청하다. ***Help wanted.*** 사람을 구함《구인 광고 ; 비교 : Situation wanted. 일자리를 구함》. ***on the*** ~ 《美俗》 (죄수가) 교도소 안의 일에 사역당하여.

㊕ ∠**·a·ble** [-əbəl] *a.*

‡help·er [hélpər] *n.* Ⓒ 조력자, 구조자 ; 조수.

‡help·ful [hélpfəl] (***more*** ~ ; ***most*** ~) *a.* 도움이 되는, 유용한, 편리한(useful)《*to*》: a ~ comment 참고가 되는 의견 / This will be ~ *to* you when you're grown up. 이것은 네가 어른이 되었을 때 유용할 것이다 / I think the shop assistants are very ~. 나는 그 가게의 점원들은 퍽 서비스가 좋다고 생각한다.

help·ing [hélpiŋ] *n.* ① Ⓤ 도움, 조력. ② Ⓒ (음식물의) 한 그릇. ③ Ⓤ (음식을) 그릇에 담기.
── *a.* 도움의, 원조의.

hélping hánd (a ~) 원조의 손길, 도움.

‡help·less [hélplis] *a.* ① 스스로 어떻게도 할 수 없는, 무력한, 소용에 닿지 않는. ② 도움이 없는 ; 난감한《표정 등》. ③ 〔敍述的〕 (…에) 도움이 안되는, 무력한《*at* ; *to* do》: I was ~ *to* save him from drowning. 나는 그를 익사에서 구출하는데 전혀 손을 쓰지 못했다 / I'm ~ *at* math(s). 나는 수학에는 백치일세. ④ (표정·태도 등이) 당혹한, 망연자실한 : The child looked at her with a ~ expression on her face. 어린이는 얼굴에 당혹스러운 표정을 띠고 있는 그녀를 바라보았다.
㊕ *~**·ly** *ad.* 어찌할 도리 없이, 힘없이.

help·mate, -meet [hélpmèit], [-mìːt] *n.* Ⓒ ① 협조자, 동료. ② 내조자, 배우자, 《특히》 아내 : a model ~ 양처.

hel·ter-skel·ter [héltərskéltər] *n.* ① Ⓤ,Ⓒ 당황하여 어쩔 줄 모름, 당황, 혼란. ② Ⓒ 《英》 (유원지의) 나선식 미끄럼틀. ── *a.* ① 당황한. ② 난잡한, 무질서한, 변덕의. ── *ad.* ① 허둥지둥. ② 난잡하게.

helve [helv] *n.* Ⓒ (도끼 등의) 자루.
throw the ~ after the hatchet (너무나 많은 것을 잃어) 마지막 물건까지 없앨 각오로 …하다, (자포자기로) 끝까지 해 보다.
── *vt.* …에 자루를 달다.

Hel·ve·tia [hɘlvíːʃə] *n.* 헬베티아《(1) 스위스에 있던 옛 로마의 알프스 지방. (2) 《詩》 스위스의 라틴어 이름》. ㊕ **~n** *a., n.* Helvetia〔스위스〕의 ; Helvetia 〔스위스〕 사람(의).

hem**[1] [hem] *n.* Ⓒ ① (천·모자 등의) 가두리, 가 ; 헴《특히 풀어지지 않게 감친 가두리》, 가선 ; 감침질. ② 경계. ── (-mm-***) *vt.* ① …의 가장자리를 감치다, …에 가선을 대다. ② (+목+부) …을 에워싸다 ; 가두다《*in* ; *about* ; *round* ; *up*》: The yard was ~*med round* 〔*about*〕 by an iron fence. 그 마당은 주위가 철책으로 둘러싸여 있었다. ~ ***out*** 쫓아내다(shut out).

hem[2] [mm, hm] *int.* 헴, 에헴《헛기침 소리》.
── [hem] *n.* Ⓒ 헛기침. ── [hem] (***-mm-***) *vi.* 에헴하다, 헛기침하다 ; 말을 머뭇거리다. ~ ***and ha***(***w***) 떠듬거리다 ; 미적거리다, 우물쭈물하다 ; 얼버무리다.

he-man [híːmæ̀n] (*pl.* ***-men*** [-mèn]) *n.* Ⓒ 《口》 사내다운 사내.

hem·a·tite [hémətàit, híːm-] *n.* Ⓤ 『鑛』 적철광.

hemi- *pref.* '반(half)'의 뜻. ⓒⓕ demi-, semi-.

Hem·ing·way [hémiŋwèi] *n.* **Ernest** ~ 헤밍웨이《미국의 소설가 ; 노벨 문학상 수상(1954) ; 1899-1961》.

‡hem·i·sphere [hémisfìər] *n.* Ⓒ ① (지구·천체의) 반구 ; 반구의 주민〔국가〕. ② 『解』 뇌반구. ③ 반구의 지도. ④ 반구체(半球體). ⑤ (사상·활동 따위의) 범위.

hem·i·spher·ic, -i·cal [hèmisférik], [-əl] *a.* 반구의 ; (-ical) 반구체의.

hem·line [hémlàin] *n.* Ⓒ (스커트·드레스의) 옷단의 공그른 선.

***hem·lock** [hémlɑk / -lɔk] *n.* ① **a)** Ⓒ 『植』 《美》 북미산 솔송나무(= ∠ **fír** 〔**sprúce**〕). **b)** Ⓤ 그 재목. ② **a)** Ⓒ 독당근. **b)** Ⓤ 그 열매에서 채취한 독약《강한 진정제》.

hemo- '피'의 뜻의 결합사 《모음 앞에서는 hem-》.

he·mo·phil·ia [hìːməfíliə] *n.* Ⓤ 『醫』 혈우병.

hem·or·rhage, haem- [hémərìdʒ] *n.* Ⓤ,Ⓒ ① 출혈. ② (인재·자산 등의) 유출, 손실 : The higher salaries paid overseas have caused a ~ of talent〔scientific brains〕 from this country. 외국에서 지급하는 높은 급료는 이 나라로부터의 인재

〔과학자의 두뇌〕 유출을 야기했다. ***have a*** ~ 출혈하다; 몹시 흥분하다, 발끈하다.
— *vi.* (다량으로) 출혈하다.; 거액의 자산을 잃다, 큰 손실을 입다. — *vt.* (자산)을 잃다.

hem·or·rhoids [hémərɔ̀idz] *n. pl.* 〖醫〗 치질.

he·mo·stat [hí:məstæ̀t, hém-] *n.* Ⓒ 지혈 겸자.

he·mo·stat·ic [hì:məstǽtik, hèm-] *a.* 지혈(止血)의, 지혈 작용이 있는. — *n.* Ⓒ 지혈제.

***hemp** [hemp] *n.* ① Ⓤ 삼, 대마. ⓒⓕ flax. ② Ⓤ 삼의 섬유. ③ (the ~) 《古·戲》 목매는 끈. ④ Ⓤ 인도 대마(bhang)로 만든 마약.

hemp·en [hémpən] *a.* 대마의〔로 만든〕.

hem·stitch [hémstìtʃ] *n.* Ⓤ 휘갑장식.
— *vt.* …에 휘갑장식을 하다.

†**hen** [hen] *n.* Ⓒ ① 암탉(ⓒⓕ cock[1]). ②〔一般的〕 암새; 물고기·갑각류 등의 암컷. ③《俗》 여자, (특히 중년의) 수다스러운 여자. — *a.* 〔限定的〕 암컷의; 여자들만의.

hen·bane [hénbèin] *n.* ① Ⓒ 〖植〗 사리풀《가짓과(科)의 유독 식물》. ② Ⓤ 사리풀에서 뽑은 독.

‡**hence** [hens] *ad.* ① 그러므로; 〔動詞를 생략하여〕 이 사실에서 …이 유래하다: He's an extremely private person; ~ his reluctance to give interviews. 그는 극히 비사교적인 사람이다; 그리하여 회견하기를 꺼린다 / A better working environment improves people's performance, and ~ productivity. 보다 좋은 근로 환경은 종업원의 작업을 향상시키고 따라서 생산성도 높인다. ② 지금부터, 금후; 《古》 이 자리에서. ③ 현세에서; 《古》 여기에서: After a long, hard life they were taken ~. 길고 힘든 삶 끝에 그들은 이 세상을 떠났다. ***from*** ~ 《古》 금후는, 이 이후는; 지금부터, 현재부터: *From* ~ I'll love no one 이후로는 어느 누구도 사랑하지 않겠다. (***Go***) ~*!* 나가(거)라. ***go*** 〔***depart, pass***〕 ~ 죽다.

‡**hence·forth, -for·ward** [hènsfɔ́:rθ, ˊˊ], [-fɔ́:rwərd] *ad.* 이제부터는, 금후, 이후.

hench·man [héntʃmən] (*pl.* ***-men*** [-mən]) *n.* Ⓒ ① 충실한〔믿을 수 있는〕 부하〔심복, 측근〕. ② (갱단의) 똘마니. ③ (정치상의) 후원자.

hen·coop [hénkù:p] *n.* Ⓒ 닭장.

hen·di·a·dys [hendáiədis] *n.* Ⓤ 〖修〗 중언법(重言法)《두 개의 명사나 형용사를 and로 이어 '形容詞+名詞' 또는 '副詞+形容詞'의 뜻을 나타내는 법: buttered bread를 bread and butter, honorable death를 death and honor로 하는 따위》.

hen·house [ˊhàus] *n.* Ⓒ 닭장.

hen·na [hénə] *n.* Ⓤ ① 〖植〗 헤너《부처꽃과(科)에 속하는 관목》. ② 헤너 물감《머리를 붉게 물들이는》; 적갈색. — *vt.* …을 헤너 물감으로 물들이다.

hen·nery [hénəri] *n.* Ⓒ 양계장.

hén pàrty 《口》 여자만의 회합. ⓞⓟⓟ *stag party.*

hen·peck [ˊpèk] *vt.* (남편)을 깔고 뭉개다.

Hen·ry [hénri] *n.* ① 헨리《남자 이름》. ② **O.** ~ 오 헨리《미국의 단편 작가; 1862-1910》.

hen·ry [hénri] (*pl.* ***~s, -ries***) *n.* Ⓒ 〖電〗 헨리《자기 유도 계수의 실용 단위; 기호 H》.

hep[1] [hep] 《俗》 *a., vt., n.* =HIP[4].

hep[2] *n.* =HIP[2].

hep[3] *int.* 으윽《재즈 음악 연주자가 내는 소리》; 하나 둘 하나 둘《행진할 때의 구령》.

he·pat·ic [hipǽtik] *a.* ① 간장의. ② 간장에 좋은. ③ 간장색의, 암갈색의.

he·pat·i·ca [hipǽtikə] (*pl.* ***~s, -cae*** [-si:]) *n.* Ⓒ 〖植〗 노루귀속(屬)의 식물; 설앵초.

hep·a·ti·tis [hèpətáitis] (*pl.* ***-tit·i·des*** [-títədì:z]) *n.* Ⓤ 〖醫〗 간염: ~ A, A형 간염.

hepatítis nòn-A, nòn-B [-ei, -bi:] 〖醫〗 비(非)A, 비B 간염《수혈에 의해 발병하는 A 형도 B 형도 아닌》.

hept(a)- '7'의 뜻의 결합사. ★ 모음 앞에서는 「hept-.

hep·ta·gon [héptəgɑ̀n / -gən] *n.* Ⓒ 〖數〗 7 각형, 7 변형. ㊕ **hep·tag·o·nal** [heptǽgənəl] *a.*

hep·tam·e·ter [heptǽmitər] *n.* Ⓒ 〖韻〗 칠보격(七步格).
㊕ **hep·ta·met·ri·cal** [hèptəmétrikəl] *a.*

hep·tar·chy [héptɑ:rki] *n.* ① Ⓒ 7두 정치, 7국 연합. ② (the H-) 〖英史〗 7 왕국《5-9 세기경까지의 Kent, Sussex, Wessex, Essex, Northumbria, East Anglia, Mercia》.

†**her** [hə:r, 弱 ər, hər] *pron.* ① **a)** 〔she의 目的格〕 그 여자를〔에게〕. **b)** 《口》 〔be動詞의 補語로서, 또는 than, as but 뒤에 와서 主格 대용〕 =SHE. **c)** 《古》 그 여자 자신을〔에게〕. ② 〔she의 所有格〕 그 여자의.

He·ra [hírə, hérə] *n.* 〖그神〗 헤라《Zeus 신의 아내; 로마 신화의 Juno에 해당》.

Her·a·cles, -kles [hérəklì:z] *n.* = HERCULES.

‡**her·ald** [hérəld] *n.* ① Ⓒ 선구자, 사자(使者). ② Ⓒ 고지자, 보도자, 포고자, 통보자. ★ 신문 이름에 종종 쓰임. ③ Ⓒ 군사(軍使); (중세기 무술 시합의) 호출역(役), 진행계; (의식·행렬 따위의) 의전관. ④ Ⓒ 《英》 문장관(紋章官). — *vt.* ① …을 알리다, 포고하다, 전달하다. ② …을 예고하다, …의 도래(到來)를 알리다《*in*》: The song of birds ~*s* (*in*) spring. 새 소리는 봄이 가까이 왔음을 알려준다. ㊕ **~·ist** *n.* Ⓒ 문장학자〔연구가〕.

he·ral·dic [herǽldik] *a.* 문장(紋章)(학)의.

her·ald·ry [hérəldri] *n.* ① Ⓤ 문장학(紋章學). ② Ⓤ 문장관의 임무. ③ Ⓒ 〔集合的〕 문장.

Herb [hə:rb] *n.* 허브《남자 이름; Herbert의 애칭》.

***herb** [hə:rb] *n.* ① Ⓒ (뿌리와 구별하여) 풀잎. ② Ⓒ 풀, 초본. ③ Ⓒ 약용〔향료〕 식물, 약초, 향초(香草). ④ (the ~) 《美俗》 마리화나.

her·ba·ceous [hə:rbéiʃəs] *a.* 초본〔풀〕의, 풀 비슷한; 잎 모양의; 초록색의; 풀이 난.

herbáceous bórder (다년생의 초화(草花)를 심어 만든) 화단의 가.

herb·age [hɔ́:rbidʒ] *n.* Ⓤ 〔集合的〕 ① 초본(류), 풀, 목초. ② 약초(류).

herb·al [hɔ́:rbəl] *a.* 초본의, 풀의; 약초의.
— *n.* Ⓒ 본초서(本草書), 식물지(誌).

herb·al·ist [hɔ́:rbəlist] *n.* Ⓒ ① 한방 의사. ② 약초상.

her·bar·i·um [hə:rbέəriəm] (*pl.* ***~s, -ia*** [-iə]) *n.* Ⓒ ① (건조) 식물 표본집. ② 식물 표본 상자.

hérb dòctor 한의사, 약초의(藥草醫).

Her·bert [hɔ́:rbərt] *n.* 허버트《남자 이름; 애칭은 Bert, Bertie, Herb》.

herb·i·cide [hɔ́:rbəsàid] *n.* Ⓤ,Ⓒ 제초제.

her·bi·vore [hɔ́rbəvɔ̀:r] *n.* Ⓒ 초식 동물.

her·biv·o·rous [hə:rbívərəs] *a.* 초식성의.
㊕ **~·ly** *ad.*

herby [hɔ́:rbi] (***herb·i·er, -i·est***) *a.* ① 풀과 같은; 초본성(草本性)의. ② 풀이 많은.

Her·cu·le·an [hə̀:rkjəlí:ən, hə:rkjú:liən] *a.* Hercules의〔와 같은〕, 초인적인, 매우 곤란한: Digging the tunnel was a ~ task. 터널을 판다는 것은 매우 어려운 과제였다.

Her·cu·les [hɔ́:rkjəlì:z] *n.* ① 〖그神〗 헤르쿨레스《Zeus의 아들로, 그리스 신화 최대의 영웅》. ② (또는 h-) 장사. ③ 〖天〗 헤르쿨레스자리.
~' choice 안일을 버리고 고생을 택함.

‡**herd** [hə:rd] *n.* ① Ⓒ 짐승의 떼, 《특히》 소·돼

지의 떼. cf. flock. ② (the ~) 군중;《蔑》대중, 하층민. ③ (a ~) 대량, 다수(*of*). **~s and flocks** 소떼와 양떼. **ride ~ on** 《美》말을 타고 가축을 감시하다; 망보다, 감독하다.
— *vt.* ① (사람)을 모으다; (소·양 따위)의 무리를 모으다. ②…의 무리를 지키다〔이끌다〕: A woman was *~ing* the goats up the mountainside. 한 여인이 염소떼들을 산기슭으로 몰고 있었다. — *vi.* 《+副》(떼지어) 모이다, 이동하다; 떼짓다《*together*; *with*》: Sheep always ~ *together.* 양들은 언제나 무리를 이루고 있다.

herd·er [hə́:rdər] *n.* Ⓒ 목부(牧夫), 목자(牧者), 목동, 목양자.

hérd ìnstinct (the ~) 〖心〗 군거(群居) 본능.

***herds·man** [hə́:rdzmən] (*pl.* **-men** [-mən]) *n.* ① Ⓒ 목자, 목부(牧夫), 목동, 가축지기; 소떼의 주인. ② (the H-) 〖天〗 목자자리 (Boötes).

here** [hiər] *ad.* ① 여기에(서), 여기〔이곳〕까지, 이곳으로. opp. there. ② 〔문두(文頭)에 와서〕 이 점에서; 이때; 지금: *Here* he paused and look around. 여기서 그는 잠시 숨을 돌리고 주위를 둘러보았다 / *Here* it is October, and I haven't paid my tuition yet. 벌써 10월이다. 그런데 나는 아직 등록금을 내지 못했다. ③ 〔문두에 두어〕 자 여기에《주의를 환기함》. ④ 〔흔히 名詞의 뒤에 두고〕 (가까운 사람·물건을 가리키며) 여기에 있는 《指示形容詞 this 〔these〕를 수반하는 경우가 많음》. ⑤ 〔전화에서〕 이쪽은. ⑥ (출석·점호 때의 대답) 네. ★ 윗사람에게는 sir! 를 붙임: *Here,* sir! ⑦ 이 세상에(서): Nobody is ~ forever. 이 세상에서 영원히 살 사람은 아무도 없다. ⑧ 자 《꾸중하거나 달랠 때의 말》: *Here,* don't cry…. 자 울지 말고…. **~ and now** (1) 〔副詞的으로〕 지금 바로, 곧: Let's discuss the problem ~ *and now.* 지금 곧 그 문제를 토의합시다. (2) (흔히 the ~) 〔名詞的으로〕 지금 이때; 현재; 현세, 이 세상: She complained that while most people were interested in what had happened in the past and what would happen in the future, he was only interested in the ~ *and now.* 그녀는 대개의 사람들이 과거에 일어났던 일과 앞으로 일어날 일에 대해 관심을 가졌지만, 그는 오직 현실에만 관심을 가졌다고 불평했다. **~ and there** 여기저기에. ***Here we go (***again***)***!*** (1) 《口》 자 시작한다, 자 간다. (2) 《口》 또 시작이야. ***Here you are*** 〔***go***〕. 자 이것〔옜다〕《상대방에게 무엇을 건네어 줄 때》. ★ Here you are 〔go〕. 는 상대방에게 중점을, Here it is. 는 물건에 중점을 둠: "Could you pass the sugar, please?" "*Here* you are". '설탕(그릇) 좀 주시겠습니까' '네, 여기 있습니다'. **neither ~ nor there** 문제 밖의; 대수롭지 않은; 무관계한: The fact that her family has no money is *neither ~ nor there.* 그녀의 집이 무일푼이라는 사실은 문제 밖의 일이다. **up to ~** 《口》 (1) 일이 지나치게 많아《*with*》: I'm *up to ~ with* work. 일이 너무 많다. (2) 참을 수 없게 되어, 진절머리가 나서《*with*》: I've had it *up to ~ with* his constant complaining. 그의 끊임없는 불평에는 진절머리가 났네. (3) 배가 잔뜩 불러《*with*》. (4) 가슴이 벅차서《*with*》.
— *n.* Ⓤ 여기; 이 점; 이 세상. **from ~** 여기서부터. **in ~** 여기에, 이 안에. **near ~** 이 근처에. **out of ~** 여기서부터. **the ~ and the hereafter** 현재와 미래. **up to ~** 여기까지.

here·a·bout(s) [híərəbàut(s)] *ad.* 이 부근〔근처〕에: somewhere ~ 어딘가 이 근처에(서).

‡**here·af·ter** [hiərǽftər, -á:f-] *ad.* ① 지금부터는, 금후(로는), 장차는. ② 내세에서(는). — *n.* (a ~, the ~) ① 장래, 미래. ② 내세, 저 세상.

***here·by** [hìərbái] *ad.* 《文語》〖法〗 이에 의하여, 이 문서〔서면〕에 의하여, 이 결과.

he·red·i·ta·ble [hirédətəbəl] *a.* =HERITABLE.

her·e·dit·a·ment [hèrədítəmənt] *n.* Ⓒ 〖法〗 상속 재산《특히 부동산》.

he·red·i·tar·i·ly [hiréditèrəli, hirèditέərəli] *ad.* 세습적으로; 유전적으로.

***he·red·i·tary** [hirédətèri / -təri] *a.* ① 세습의; 부모한테 물려받은. ② 유전적인; 유전(성)의: ~ characters 유전 형질 / ~ property 세습 재산.
㊞ **-tàr·i·ness** *n.*

heréditary péer 세습 귀족. 「세습; 상속.

he·red·i·ty [hirédəti] *n.* Ⓤ ① (형질) 유전. ②

Her·e·ford [hérəfərd, hérifəd] *n.* Ⓒ 헤레포드종(의 소)《식용종》.

***here·in** [hìərín] *ad.* 《文語》 이 속에, 여기에.

here·in·af·ter [hìərinǽftər, -á:f-] *ad.* 《文語》 (서류 등에서) 아래에, 이하에.

here·in·be·fore [hìərinbifɔ́:r] *ad.* 《文語》 (서류 등에서) 위에, 윗글에.

here·of [hìərʌ́v / -rɔ́v] *ad.* ① 《文語》 이것의, 이 문서의. ② 이에 관하여.

here·on [hìərán / -rɔ́n] *ad.* =HEREUPON.

***here's** [hiərz] here is의 간약형.

***her·e·sy** [hérəsi] *n.* Ⓤ,Ⓒ (특히 기독교에서 본) 이교, 이단; 이설(異說).

***her·e·tic** [hérətik] *n.* Ⓒ 이교도, 이단자.

he·ret·i·cal [hərétikəl] *a.* 이교의, 이단의.

here·to [hiərtú:] *ad.* ① 여기까지. ② 《文語》 이 문서에, 여기〔이것〕에: attached ~ 여기에 딸린. ③ 이 점에 관하여.

***here·to·fore** [hìərtəfɔ́:r] *ad.* 《文語》 지금까지(에는) (hitherto), 이전에(는).

here·un·der [hìərʌ́ndər] *ad.* ① 아래에. ② 이 기재에 따라서.

here·up·on [hìərəpán / -ɔ́n] *ad.* ① 여기에 있어서. ② 이 시점에, 이 직후에.

***here·with** [hìərwíð, -wíθ] *ad.* ① 이것과 함께 (동봉하여): I ~ return your check. 당신의 수표를 동봉하여 보냅니다. ② 이 기회에; 이것으로, 이에 의해 (hereby).

her·i·ta·bil·i·ty [hèritəbíləti] *n.* Ⓤ 상속〔유전〕 가능성.

her·i·ta·ble [héritəbəl] *a.* ① 물려줄 수 있는. ② 상속할 수 있는. ③ (성질·병 등) 유전성의.

***her·i·tage** [héritidʒ] *n.* ① Ⓤ,Ⓒ 상속〔세습〕 재산. ② (a ~) (대대로) 물려받은 것; 유산.

her·maph·ro·dite [hə:rmǽfrədàit] *n.* Ⓒ ① 남녀 양성자(兩性者). ② 〖生〗 양성 동물; 양성화(花).
— *a.* 자웅 동체〔동주〕의.
㊞ **her·màph·ro·dít·ic, -i·cal** [-dítik], [-əl] *a.* ① 양 성기(性器)를 가진. ② 반대의 두 성질을 가진.

Her·mes [hə́:rmi:z] *n.* 〖그神〗 헤르메스.

her·met·ic, -i·cal [hə:rmétik], [-əl] *a.* ① 밀봉〔밀폐〕한(airtight), ② (종종 H-) 연금술의; 신비한, 심원한, 비전(祕傳)의; 난해한.

‡**her·mit** [hə́:rmit] *n.* Ⓒ ① 수행자(修行者), 신선, 도사; 은자(anchorite); 독거성의 동물. ② 향료를 넣은 당밀쿠키.

her·mit·age [hə́:rmitidʒ] *n.* Ⓒ ① 암자, 외딴집. ② 은자의 집.

hérmit cràb 〖動〗 소라게.

her·nia [hə́:rniə] (*pl.* **~s, -ni·ae** [-niì:]) *n.* Ⓤ,Ⓒ 《L.》 헤르니아, 탈장.

her·ni·ate [hə́:rnièit] *vi.* 〖醫〗 헤르니아가 되다.

‡**he·ro** [hí:rou, híər-] (*pl.* **~es**) *n.* Ⓒ ① 영웅; 용사, 이상적인 인물: one of my *~es* 내가 심취하

는 인물의 하나 / No man is a ~ to his valet. 《格言》 영웅도 그 하인에게는 평범한 사람. ② 〖神〗 반신적(半神的)인 용사, 신인(神人). ③ (시·극·소설 등의) 주인공, 주요 인물. ④ (중대한 사건·경기 등의) 중심 인물. ***make a ~ of*** …을 영웅화하다.

Her·od [hérəd] *n.* 〖聖〗 헤롯 왕.

He·rod·o·tus [hirádətəs / -rɔ́d-] *n.* 헤로도토스 《그리스의 역사가; 484 ? - ? 425B.C.》.

‡he·ro·ic [hiróuik] (***more ~ ; most ~***) *a.* ① 영웅적인, 씩씩한, 용감한; 대담한, 과감한. ② 초인적인. ③ 〖韻〗 (시가) 영웅을 찬미한; (문체 따위가) 웅대한(grand); 과장한, 흰소리 치는. ④ 〖美術〗 실물보다 큰《조각 따위》. ⑤ (효과가) 큰; 다량의. —— *n.* (*pl.*) 영웅시(격), 사시(史詩)(격); 과장된 표현〔태도, 행위, 감정〕. ***go into ~s*** 감정을 과장하여 표현하다.

heróic cóuplet 〔詩〕 압운(押韻)된 약강(弱強) 5보각(步脚)의 대구(對句).

heróic vérse 영웅시, 사시(史詩)격.

her·o·in [hérouin] *n.* Ⓤ 헤로인《모르핀제; 진정제·마약》.

‡her·o·ine [hérouin] *n.* Ⓒ ① 여걸, 여장부. ② (극·소설 등의) 여주인공.

***her·o·ism** [hérouizəm] *n.* Ⓤ ① 영웅적 자질, 장렬, 의열(義烈). ② 영웅적 행위.

her·on** [hérən] (*pl.* ***~s, 〔集合的〕 ***~***) *n.* Ⓒ 〖鳥〗 왜가리.

㊕ **~·ry** [-ri] *n.* Ⓒ 왜가리〔백로〕의 번식지.

héro sándwich 롤빵 따위를 쓴 속이 푸짐한 대형 샌드위치.

héro wòrship 영웅 숭배.

her·pes [hə́:rpi:z] *n.* Ⓤ 〖醫〗 포진(疱疹).

her·pe·tol·o·gy [hə̀:rpətálədʒi / -tɔ́l-] *n.* Ⓤ 파충류학. ㊕ **-gist** *n.* Ⓒ 파충류 학자.

Herr [hɛər] (*pl.* ***Her·ren*** [hérən]) *n.* 《G.》 ① 님, 군(君), 선생, 씨(氏)《영어 Mr.에 해당하는 독일어의 경칭》. ② Ⓒ 독일 신사.

her·ring** [hériŋ] (*pl.* ***~s, 〔集合的〕 ***~***) *n.* ① Ⓒ 청어. ② Ⓤ 청어의 살: kippered ~ 훈제한 청어.

her·ring·bone [-bòun] *n.* ① Ⓒ 청어 뼈. ② Ⓤ 오늬 무늬(로 짠 천), 헤링본. ③ 〖建〗 (벽돌 따위의) 오늬 무늬 쌓기, 헤링본. —— *a.* 〔限定的〕 오늬(무늬) 모양의.

hérring gùll *n.* Ⓒ 〖鳥〗 재갈매기.

†hers [hə:rz] *pron.* 〔she 의 所有代名詞〕 그녀의 것.

†her·self [hə:rsélf, hər-] (*pl.* ***them·selves***) *pron.* 3인칭 단수 여성의 재귀대명사. ① 〔再歸的〕 그녀 자신을〔에게〕: She tired ~ out. 그녀는 녹초가 되도록 지쳤다. ② 〔強意的〕 그녀 자신: She did it ~. 그녀 자신이 하였다 / Mary ~ said that. 메리 자신이〔다른 사람 아닌 메리조차〕 그렇게 말했다. ③ 언제나의 그녀, 본래의 그녀: She is not ~ today. 오늘은 평소의 그녀와는 다르다. ④ 《Ir.·Sc.》 중요한 여성, 주부.

hertz [hə:rts] (*pl.* ***~, ∠·es***) *n.* Ⓒ 〖電〗 헤르츠《진동수·주파수의 단위; 기호 Hz》.

he / she [hí:ʃí:] *pron.* 《美》 〔인칭대명사 3인칭 단수 통성 주격(通性主格)〕 그 또는 그녀는〔가〕.

hes·i·tance, -tan·cy [hézətəns], [-i] *n.* Ⓤ 머뭇거림, 주저, 망설임; 우유부단; 의심.

hes·i·tant [hézətənt] *a.* ① 〔敍述的〕 머뭇거리는, 주저하는, 주춤거리는《*about ; over*》. ② (태도가) 분명치 않은; 말을 더듬는.

‡hes·i·tate [hézətèit] *vi.* ① 《~ / +*to* do / +전+명 / +*wh. to* do》 주저하다, 망설이다, 결단을 못 내리다: I ~*d to* take the offer. 제의를 받아들이기를 망설였다 / Don't ~. 주저〔사양〕하지 마라 / He who ~*s* is last. 《俗談》 망설이면 기회는 두 번 다시 오지 않는다 / They ~ *about* taking such a dangerous step. 그들은 그같은 위험한 방책을 쓰기를 주저하고 있다 / ~ (about) *what to* buy 무엇을 살 것인지 망설이다 / ~ *between* fighting and giving in 싸울 것인가 항복할 것인가를 놓고 주저하다. ② 《+*to* do》 …할 마음이 나지〔내키지〕 않다: I ~ *to* affirm. 단언하고 싶지 않다 / He ~*d to* break the law. 그는 범법하고 싶지 않았다. ③ (도중에서) 제자리 걸음하다, 멈춰서다: I ~*d* before reciting the next line. 다음 행(行)을 암송하기 전에 잠시 숨을 돌렸다. ④ 말이 막히다, 말을 더듬다, 머뭇거리다: He ~*d* in replying. 그는 더듬거리며 대답했다 / Embarrassment caused the speaker to ~. 당황하여 연사는 말을 더듬었다. —— *vt.* …을 주저하며〔머뭇거리며〕 말하다. ㊕ **-tàt·er, -tà·tor** *n.* **-tàt·ing** *a.* **-tàt·ing·ly** *ad.*

‡hes·i·ta·tion [hèzətéiʃən] *n.* Ⓤ,Ⓒ ① 주저, 망설임. ② 말을 더듬음: I have no ~ in commending Ms. Sharleen for the job. 나는 샬린 여사(女史)를 그 직책의 적임자로서 쾌히 추천한다.

hes·i·ta·tive [hézətèitiv] *a.* 주저하는.

Hes·per·i·des [hespérədi:z] *n. pl.* 〖그神〗 ① 헤스페리데스《황금 사과밭을 지킨 네 자매》. ② 〔單數 취급〕 황금 사과밭.

Hes·per·us [héspərəs] *n.* 태백성(太白星).

Hesse[1] [hes / hési] *n.* 헤센《독일의 주》.

Hes·se[2] [hésə] *n.* **Hermann ~** 헤세《독일의 시인·소설가; 1877-1962》.

Hes·ter [héstər] *n.* 헤스터《여자 이름》.

Hes·tia [héstiə] *n.* 〖그神〗 헤스티아《화로·불의 여신; 로마 신화의 Vesta에 해당》.

het [het] 《古·方》 HEAT의 과거·과거분사. (***all***) ~ ***up*** 《口》 격앙〔흥분〕하여, 안달하여《*about ; over*》.

heter(o)- '딴, 다른'의 뜻의 결합사(opp *homo-, iso-*)《★ 모음 앞에서는 heter-》.

het·er·o·dox [hétərədàks / -dɔ̀ks] *a.* 이교(異教)의; 이설의, 이단의. opp *orthodox.*

㊕ **~y** *n.* Ⓤ,Ⓒ 이교; 이단, 이설(異說).

het·er·o·ge·ne·i·ty [hètəroudʒəní:əti] *n.* Ⓤ ① 이종(異種); 불균질(不均質). ② 이성분(異成分), 이류혼교(異類混交).

het·er·o·ge·ne·ous [hètərədʒí:niəs, -njəs] *a.* 이종(異種)의; 이질의; 이(異)성분으로 된. opp *homogeneous.* ¶ Switzerland is a ~ confederation of 26 self-governing cantons. 스위스는 26개의 이질의 자치주(自治州)로 이루어진 연방이다.

het·er·o·nym [hétərənìm] *n.* Ⓒ 철자는 같으나 음과 뜻이 다른 말《tear[1] [tiər] (눈물)와 tear[2] [tɛər] (찢다) 따위》. cf. homonym, synonym.

het·er·o·pho·bia [hètərəfóubiə] *n.* Ⓤ (성적인) 이성(異性) 공포증.

het·er·o·sex [hètərəséks] *n.* Ⓤ 이성애(異性愛).

het·er·o·sex·ism [hètərouséksizm] *n.* Ⓤ 이성애주의《이성애만이 옳다고 믿음; 암시적으로 동성애를 반대》.

het·er·o·sex·u·al [hètərəsékʃuəl] *a.* 이성애(異性愛)의. —— *n.* Ⓒ 이성을 사랑하는 사람.

het·er·o·sex·u·al·i·ty [hètərəsèkʃuǽləti] *n.* Ⓤ 이성애(異性愛).

heu·ris·tic [hjuərístik] *a.* 학습을 돕는, 관심을 높이는; 학생으로 하여금 스스로 발견케 하는, 발견적인《학습법 따위》. —— *n.* (흔히 *pl.*) 발견적 교수법.

hew** [hju:] (~ed ; hewn*** [hju:n], ***~ed***) *vt.* 《~ +

목/+목+전+명/+목+부) ① (도끼·칼 따위로) …을 자르다(cut), 마구 베다, 토막내다; 베어 넘기다《*down*》; 베어〔잘라〕 내다《*down*; *off*; *out*; *from*》. ② …을 만들다, 깎아 새기다. ⓒf. cut, carve. ¶ They ~*ed* a path through the forest. 그들은 숲을 벌채하여 좁은 길을 냈다 / Excavators have ~*n out* an underground car park for 1,000 cars. 굴착 기술자들은 자동차 1,000대가 주차할 수 있는 지하 주차장을 만들었다. — *vi.* ① (도끼 따위로) 자르다. ②《+전+명》《美》(법·기준·주의 따위를) 지키다, 준수하다《*to*》: ~ *to* the party line 당의 방침을 지키다. ~ one*'s* ***way*** 진로를 개척하다. ~ ***to pieces*** 토막내다.

hew·er [hjú:ər] *n.* Ⓒ (나무나 돌을) 자르는 사람; 채탄부. ~***s of wood and drawers of water*** 〖聖〗 천역에 종사하는 사람, 노복(奴僕)《여호수아서 Ⅸ: 21》.

hewn [hju:n] HEW 의 과거 분사.

hex [heks]《美口·英方》*vt.* …을 홀리게 하다, 마법에 걸다. — *vi.* 마법을 행하다《*on*》. — *n.* Ⓒ ① 여자 마법사(witch). ② 불길한 물건〔사람〕(jinx); 주문.

hex·a·gon [héksəgὰn/-gən] *n.* Ⓒ 〖數〗 육각형.

hex·a·gram [héksəgræ̀m] *n.* Ⓒ 〖數〗 육각〔육선〕 성형(星形).

hex·a·hed·ron [hèksəhí:drən] (*pl.* ~***s***, **-ra** [-rə]) *n.* Ⓒ 육면체.

hex·am·e·ter [heksǽmitər] 〖韻〗 *n.* Ⓒ 육보격(六步格)의 시행(詩行). — *a.* 육보격의.

hex·ane [héksein] *n.* Ⓤ 〖化〗 헥산.

hex·a·pod [héksəpὰd/-pɔ̀d] *n.* Ⓒ 곤충, 육각류(六脚類)의 동물. — *a.* 육각류의, 곤충의.

hey** [hei] *int.* 이봐, 어이《호칭》; 어《놀람》; 야아《기쁨》. ***Hey for . . . ! …잘한다. ***Hey presto!*** ⇨ PRESTO².

hey·day², **hey·dey** [héidèi] *n.* (*sing.*; 흔히 *the* 〔*one's*〕 ~) 전성기《*of*》: a dictator in *the* ~ *of* his power 권력의 절정에 있는 독재자 / She was a great singer in *her* ~. 그녀는 한창 때에는 훌륭한 가수였다. ***in the ~ of youth*** 한창 때에.

Hf 〖化〗 hafnium. **hf.** half; high frequency. **HG** High German. **Hg** 〖化〗 *hydrargyrum*《L.》(= mercury). **hg.** hectogram(s). **HGV**《英》heavy goods vehicle. **hgwy.** high way. **HH** 〖鉛筆〗 double hard. **H.H.** His〔Her〕 Highness; His Holiness. **HHC** 〖컴퓨터〗 hand-held computer. **hhd** hogshead. **HHH** 〖鉛筆〗 treble hard.

***hi** [hai] *int.*《口》야아; 어어《인사 또는 주의를 끄는 말》.

HI 〖美郵〗 Hawaii. **H.I.** Hawaiian Islands.

hi·a·tus [haiéitəs] (*pl.* ~***·es***, ~) *n.* Ⓒ ① 틈, 벌어진 틈(gap); (연속된 것의) 중단, 휴지(기), 휴게, 휴회; 탈락, 탈문(脫文), 탈자(脫字): Tourists are once again visiting the country's capital after a brief ~ caused by the war. 전쟁으로 일시 중단되었다가 관광객들이 또다시 그 나라의 수도를 찾고 있다. ② 〖音聲〗 모음 접속.

hi·ber·nal [haibə́:rnl] *a.* 겨울의.

hi·ber·nate [háibərnèit] *vi.* (들어박혀) 겨울을 지내다, 동면하다(ⓞⓟⓟ. *aestivate*); (사람이) 피한(避寒)하다: Each winter finds us *hibernating* in Florida. 우리는 겨울에는 언제나 플로리다에서 피한하며 지낸다.

Hi·ber·nia [haibə́:rniə] *n.*《詩》Ireland 의 라틴「이름.

Hi·ber·ni·an [haibə́:rniən] *a.* 아일랜드(사람)의. — *n.* Ⓒ 아일랜드 사람.

hi·bis·cus [haibískəs, hi-] *n.* Ⓒ 하이비스커스《목부용속(屬)의 식물; 무궁화·목부용 따위; Hawaii 주의 주화》.

hic·cough [híkʌp] *n.*, *vi.*, *vt.* = HICCUP.

hic·cup [híkʌp] *n.* (종종 *pl.*) 딸꾹질; 딸꾹질의 발작; 약간의 문제, (주식의) 일시적 하락: You can usually get rid of ~*s* by drinking water very quickly. 물을 아주 재빨리 마심으로써 딸꾹질을 없앨 수 있다. — (**-pp-**) *vi.* 딸꾹질하다, 딸꾹질하며 말하다.

hic ja·cet [hík-dʒéisit]《L.》여기(에) 잠들다《비명(碑銘)의 문구; 略: H.J.》; 비명(epitaph).

hick [hik] *n.* Ⓒ ①《英口》시골뜨기, 촌사람. ②《美俗》시체. — *a.* 〔限定的〕 시골(뜨기)의, 촌스러운.

hick·ey [híki] *n.* Ⓒ《美》① 기계, 장치. ②《俗》여드름; 키스 마크.

hick·o·ry [híkəri] *n.* ① Ⓒ 히코리《북아메리카산 호두과(科) 식물》; 그 열매(=∠ **nùt**). ② Ⓤ 히코리 목재; Ⓒ 히코리나무 지팡이〔가구, 도구〕. ③ Ⓤ《美》일종의 면직물. — *a.* ① 히코리의〔로 만든〕. ② 강직한; 신앙심이 두텁지 않은.

†**hid** [hid] HIDE¹ 의 과거·과거 분사.

‡**hid·den** [hídn] HIDE¹의 과거분사.
— *a.* ① 숨은, 숨겨진, 숨긴, 비밀의, 내밀의: ~ agenda 숨은 동기〔계획〕. ② 신비의.

híďden táx 간접세.

†**hide¹** [haid] (***hid*** [hid]; ***hid·den*** [hídn], ***hid***) *vt.* ① …을 숨기다: She used to ~ her diary under her pillow. 그녀는 일기장을 자기 베개 밑에 감추곤 했다 / They *hid* the escaped prisoner in their barn. 그들은 창고에 탈주한 죄수를 숨겼다. ② …을 덮어 가리다, 덮다: The moon was *hidden* by the clouds. 달은 구름에 가려졌다. ③ 《~+목/+목+전+명》 …을 감추다, 비밀로 하다: ~ one's feeling 감정을 드러내지 않다 / ~ the fact *from* a person 사실을 아무에게 숨기다 / I'm not *hiding* anything *from* you. 자네에게 아무 것도 숨기지 않고 있네.
— *vi.* 《~/+전+명/+부》 숨다, 잠복하다: He must be *hiding* behind the door. 그는 틀림없이 문 뒤에 숨어 있다. ~ ***away*** (1) …을 …에게 숨기다《*from*》: I *hid* the cookies *away from* the children. 나는 아이들이 찾지 못하게 쿠키를 숨겼다. (2) = ~ out. ~ ***behind bushes***《俗》도망쳐 숨다, 비겁하게 굴다. ~ ***out*** 〔***up***〕《口》도피하다, 지하에 숨다. ~ one***self*** 숨다: The wounded tiger *hid himself* in the bushes. 부상입은 호랑이는 덤불 속에 숨었다. ~ one*'s* ***head*** 〔***face***〕 머리를〔얼굴을〕 숨기다; 부끄러워 숨다. ~ one*'s* ***light under a bushel*** ⇨ BUSHEL(成句).
— *n.* Ⓒ《英》(야생 동물을 포획·촬영하기 위한) 잠복 장소.

hide²** *n.* ① Ⓤ,Ⓒ (특히 큰) 짐승의 가죽: raw 〔green〕 ~ 생가죽. ② Ⓒ《口·戲》사람의 피부. ③ Ⓤ《口》(몸의) 안전, 안락. ④ Ⓒ《美俗》경주마(racehorse);《野球俗》볼;《재즈俗》드럼. ***have a thick ~ 낯가죽이 두껍다. ~ ***and hair*** (가죽도 털도) 모조리, 모두. ~ ***or*** 〔***nor***〕 ***hair*** = ***neither ~ nor hair***《口》〔보통 否定文·疑問文〕 (실종된 사람·분실물 등의) 자취, 종적: Nobody ever saw ~ *or* hair of him again. 아무도 다시는 그를 보지 못했다. ***save*** one*'s* ***own*** ~ 부상〔벌〕을 면하다. — *vt.* ① …의 가죽을 벗기다. ②《口》…을 심하게 매질하다, 때리다.

hide-and-seek,《美》**hide-and-go-seek** [háidənsí:k], [-gousí:k] *n.* Ⓤ, *vi.* 숨바꼭질(하다); 서로 속여먹기(를 하다). ***play*** (***at***) ~ 숨바꼭질

하다 ; 피해 다니다, 속이다《with》. ★ 술래는 it.

hide·a·way [háidəwèi] *n.* Ⓒ 《口》 숨은 곳, 은신처 ; 잠복 장소, 사람 눈에 띄지 않는 곳.
— *a.* 〔限定的〕 숨은, 사람 눈에 띄지 않는.

hide·bound [háidbàund] *a.* ① 편협한, 도량이 좁은, 완고한. ② (가축이 영양 불량 때문에) 여위어 피골이 상접한 ; (나무가) 껍질이 말라붙은 ; 〖醫〗 경피증(硬皮症)의.

***hid·e·ous** [hídiəs] *a.* ① 무시무시한, 소름끼치는, 섬뜩한(frightful). ② 가증한, 끔찍한, 비열한 : a ~ crime 가증스러운 범죄.

hide·out [háidàut] *n.* Ⓒ 《口》 (범죄자의) 은신처.

hid·ey-hole, hidy- [háidihòul] *n.* 《口》 = HIDEAWAY.

hid·ing[1] [háidiŋ] *n.* Ⓤ 숨김, 은폐, 숨음 ; Ⓒ 숨은 장소, 은신처. ***be in*** ~ 남의 눈을 피해 살다. ***come*** 〔***be brought***〕 ***out of*** ~ 나타나다〔세상에 드러나게 되다〕. ***go into*** ~ 몸을 숨기다, 지하로 숨다 : She escaped, and *went into* ~. 그녀는 도망쳐서 지하로 숨어 들었다.

hid·ing[2] *n.* Ⓒ 《口》 매질, 후려갈기기. ***be on a ~ to nothing*** 성공의 가능성은 전혀 없다. ***give*** a person ***a good*** ~ 아무를 호되게 때리다 : Dad *gave me a good* ~ for smoking secretly. 몰래 숨어서 담배를 피운다고 아버지에게 호되게 맞았다.

hie [hai] (*p., pp.* ***~d*** ; ***∠·ing, hý·ing***) *vi.* 《古·詩》 서두르다, 급히 가다《to》. — *vt.* 서두르게 하다 《종종 인칭 대명사와 함께 再歸的으로》.

hi·er·arch [háiərὰːrk] *n.* Ⓒ 교주, 고승, 고관.

hi·er·ar·chic, -chi·cal [hàiərάːrkik], [-əl] *a.* 교주의 ; 성직 정치의 ; 권력을 가진 ; 계급 조직의.

***hi·er·ar·chy** [háiərὰːrki] *n.* ① Ⓤ,Ⓒ 성직자 계급 제도 ; 그 성직자단(團) ; 성직자 정치 ; 〔一般的〕 계급 제도, 계층 제도 ; 계층 ; Ⓒ (the ~) 〔集合的〕 전(全)계급조직의 사람 ; 지배자들. ② Ⓒ 천사의 3급의 하나 ; 〔集合的〕 천사들 ; 천사의 9계급. ③ Ⓒ 〖生〗 (분류) 체계《강·목·과·속·종 따위》. ㊞ **-chism** [-kìzəm] *n.* Ⓤ ~의 제도〔권위〕. **-chist** *n.*

hi·er·o·glyph [háiərəglif] *n.* Ⓒ ① 상형 문자, 그림 문자. ② 비밀 문자 ; (보통 *pl.*) 《戱》 악필.

hi·er·o·glyph·ic [hàiərəglífik] *a.* 상형문자의, 그림문자의 ; 상징적인 ; 《戱》 알아보기 어려운.
— *n.* ① Ⓒ 상형문자, 그림 문자. ② (*pl.*) 상형 문자로 된 문서 ; 《戱》 판독하기 힘든 문서.

hi-fi [háifái] (*pl.* ***~s***) 《口》 *n.* ① Ⓤ 하이파이(high fidelity). ② Ⓒ 하이파이 장치《레코드 플레이어·스테레오 따위》. — *a.* 〔限定的〕 하이파이의.
— *vi.* 하이파이 장치로 듣다, 하이파이 레코드를 듣다.

hig·gle (-hag·gle) [hígəl(hǽgəl)] *vi.* 값을 깎다(chaffer), 흥정하다《with》.

hig·gle·dy-pig·gle·dy [hígəldipígəldi] *n.* Ⓤ, *a., ad.* 엉망진창(인, 으로), 뒤죽박죽(인, 으로), 몹시 혼란한〔하게〕, 왁자지껄(한, 하게).

†**high** [hai] (***∠·er*** ; ***∠·est***) *a.* ① 높은(lofty, tall), 높이가 …인〔되는〕. opp *low.* ② **a**) 높은 곳에 있는 ; 고지(지방)의, 오지(奧地)의 ; 고위도의 ; 높은 곳으로의〔으로부터의〕, 고공의. **b**) 〖音聲〗 혀의 위치가 높은. ③ **a**) (신분·지위 따위가) 높은, 고위의, 고귀한. **b**) 주된, 중요한 ; 〖카드놀이〗 (패가) 고위인, 트릭을 딸 수 있는. ④ 고결한(noble), 숭고한(sublime). ⑤ 콧대 높은, 교만한. ⑥ (가치·평가 따위가) 높은, 값비싼, 귀중한 ; (정도·품질 따위가) 고급의, 상등의 ; 고급인, 고등의. ⑦ **a**) (정도·척도 등이) 높은, 고도의 ; 격심한, 두드러진 ; 중대한 ; (주의·견해 등이) 극단적인, 완고한 ; 극히 형식적인, 엄숙한 : a ~ crime 중대한 범죄. **b**) 고율의 ; 고에너지의, 고성능의 ; 〖車〗 하이 기어의. **c**) 의기양양한 ; 《口》 (취하여) 기분좋은, (마약이) 몸에 돌아, 앙양되어, 황홀한 ; 격앙된. **d**) (소리가) 높은, 날카로운 ; (색이) 짙은, 빨간 ; (시절이) 충분히 진행한, 한창인 ; (사냥감이나 고기가) 작아서 먹기 알맞게 된. **e**) 먼 옛날의. ⑧ (H-) 고(高)교회파의. ◇ height, highness *n.* ***get*** 〔***become***〕 ~ (술·마약 따위에) 취하다《on》. ***have a ~ old time*** 《口》 유쾌히 지내다, 즐기다. ***have a ~ opinion of*** …을 높이 평가하다, …을 존중〔존경〕하다. ~ ***and dry*** (1) (배가) 모래 위에 얹혀. (2) (사람이) 시류에서 밀려나, 고립되어. ~ ***and low*** 상하 귀천의(모든 사람들). ~ ***and mighty*** 《口》 거만한, 건방진 ; 《古》 지위가 높은 : There's no need to be so ~ *and mighty* about it ! 그렇다고 그렇게 거만 떨 필요는 없네. ~ ***on . . .*** 《口》 …에 열중하여, 열광하여 ; …로 좋은 기분이 되어, 취하여. ~ ***up*** (1) 훨씬 높은 곳에〔에서〕. (2) (지위 따위가) 상위에서, 높은. ~, ***wide, and handsome*** 유유히, 당당하게, 멋지게. ***How is that for ~?*** 《俗》 참 멋진데《경탄》. ***in ~ favor with*** …의 마음에 (크게) 들어, 총애를 (많이) 받아. ***in ~ terms*** ⇨ TERMS. ***of ~ antiquity*** 태고(太古)적의. ***on the ~ horse*** ⇨ HORSE. ***the Most High*** 하느님(God).
— *n.* ① Ⓤ,Ⓒ 높은 것 ; 높은 곳, 고지. ② Ⓒ 〖氣〗 고기압권. ③ Ⓤ (자동차의) 하이 기어, 톱 : shift from second *into* ~ 기어를 세컨드에서 톱으로 바꿔 넣다. ④ Ⓒ 《美》 높은 수준 ; 〖證〗 높은 시세 ; 최고 기록. ⑤ 〖카드놀이〗 최고점의 으뜸패. ⑥ 《美口》 = HIGH SCHOOL. ⑦ (the H-) 《英口》 (특히 옥스퍼드의) 큰 거리. ⑧ Ⓤ 《俗》 도취경, 황홀감. ⑨ (the ~) 《英學生俗》 = HIGH TABLE ②.
— *ad.* ① 높이, 높게. ② (정도가) 높게, 세게, 몹시(intensely) ; 크게. ③ 고가로, 비싸게 ; 사치〔호화〕스럽게 : live ~ 호화롭게 살다. ④ 높은 가락으로. ***bid*** ~ 비싸게 부르다. ***fly*** ~ ⇨ FLY[1]. ***stand*** ~ 높은 위치를 차지하다 : *stand* ~ in popular esteem 세상에서 높이 평가되고 있다.

-high '…높이의'의 뜻의 결합사 : waist*high.*

hígh áltar (교회의) 주제단(主祭壇).

high-and-mighty [háiən*d*máiti] *a.* 《口》 거만한.

hígh atmosphéric prèssure 〖氣〗 고기압.

high·ball [háibɔ̀ːl] *n.* Ⓤ,Ⓒ ① 《美》 하이볼《보통 위스키 따위에 소다수 따위를 섞은 음료》. ② 〖鐵〗 신호기의 전속 진행 신호, 발차 신호 ; 《俗》 직선 코스, 급행 열차. ③ 《美陸軍俗》 경례. — *vi.* 《俗》 (열차가) 최대 속도로 달리다. — *vt.* 《俗》 (열차 운전사)에게 출발 신호를 하다.

hígh béam (보통 the ~s) 하이빔《헤드라이트의 원거리용 상향 광선》.

hígh blóod prèssure 〖醫〗 고혈압(hypertension).

***high·born** [∠bɔ̀ːrn] *a.* 명문 출신의, 집안이 좋은.

high·boy [∠bɔ̀i] *n.* Ⓒ 《美》 높은 발이 달린 옷장(tallboy). cf lowboy.

high·bred [∠bréd] *a.* 상류 가정에서 자라난, 교양과 기품을 갖춘 ; 순종의. cf lowbred.

high·brow [∠bràu] *n.* Ⓒ 《口》 ① 지식인(intellectual). opp *lowbrow.* ② 《蔑》 지식인인 체하는 사람. — *a.* 지식인용〔상대〕의, 학자 티를 내는 : ~ radio programes 지식인 상대의 라디오 프로그램.

hígh cámp 예술적으로 진부한 소재 등의 의도적

인 사용.
high·chair [-tʃɛ̀ər] *n.* [C] (식당의) 어린이용 높은 의자.
Hígh Chúrch (the ~) 고교회파.
Hígh Chúrch·man [-mən] 고교회파 사람.
high-class [-klǽs, -klɑ́:s] *a.* 고급의 ; 일류의.
hígh cómedy 고급〔상류〕 희극《상류 인텔리 사회를 다룬 것》. [파] **hígh comédian** *n.*
hígh commánd (the ~) ① 최고 사령부. ② 수뇌부.
hígh commíssioner (종종 H- C-) 고등 판무관(辦務官)《영(英) 연방 가맹국 간의 대사 상당의 대표》.
Hígh Cóurt (of Jústice) (the ~)《英》 고등 법원.
hígh-def·i·ní·tion télevision [-defəníʃən-] 고선명도 텔레비전, 하이비전.
high·er-up [háiərʌ́p] *n.* [C] (흔히 *pl.*) 《口》 상사, 고관.
hígh explósive 고성능 폭약.
high·fa·lu·tin, -ting [-fəlú:tin], [-tiŋ] *a.* 《口》 (문체 등이) 과장된, 과대한 ; 거만한.
hígh fáshion ① 유행 스타일. ② 고급 패션 (high style).
hígh fidélity (레코드 플레이어·스테레오 등으로 원음을 재생 할 때의) 고충실도.
high-fi·del·i·ty [háifidéləti] *a.* 〔限定的〕 충실도가 높은, 하이파이의.
hígh fínance 다액 금융 거래, 대형 융자.
hígh fíve = HIGH-FIVE.
high-five [háifáiv] *n.* [C] 하이파이브《상대방이 올린 손바닥에 자기가 올려든 손바닥을 맞대어 치는 것 : 농구나 야구 등에서 득점했을 때 동료 친구들과 나누는 환희의 인사》. ── *vi.* ~를 하다.
high·fli·er, -fly- [-flàiər] *n.* [C] ① 높이 나는 것〔사람, 새〕. ② 포부가 큰 사람, 야심가.
hígh fréquency 고주파, 단파.
hígh géar 《美》 고속 기어 ; 최고 속도(《英》 top gear).
Hígh Gérman 고지 독일어《현재 독일의 표준어》.
high-grade [-gréid] *a.* 고급의, 우수한.
high-hand·ed [-hǽndid] *a.* 횡포한, 고압적인.
hígh hát 실크해트.
high-hat [-hǽt] *n.* [C] 《俗》 뻐기는 사람, 속물. ── *a.* 멋진 ; 거드름부리는, 뻐기는. ── (*-tt-*) *vt.* (남)을 업신여기다, 멸시하다. ── *vi.* …에게 태깔부리다, 젠체하다, 뻐기다.
high-heeled [-hí:ld] *a.* 굽높은, 하이힐의.
Hígh Hóliday, Hígh Hóly Dày (the ~) (유대교의) Rosh Hashanah 나 Yom Kippur 중의 한 제일(祭日).
hígh hórse 오만.
highjack ⇨ HIJACK.
hígh jìnks 《口》 야단 법석.
hígh jùmp (the ~) ① 높이뛰기. ② 《英口》 엄한 벌. ***be for the*** ~ 《英口》 엄한 처벌을 받게 될 것 같다, 《예전에》 교수형에 처해질 것 같다.
high-keyed [-kí:d] *a.* ① 〖寫〗 전체적으로 화면이 밝은 ; 〖樂〗 가락이 높은. ② 민감한, 신경질적인.
hígh kíck 〖舞踊〗 하이킥, 위로 높이 차는 동작.
high-kick·er [-kìkər] *n.* [C] 〖美蹴〗 치어리더, 응원단원.
*__high·land__ [-lənd] *n.* ① [C] (종종 *pl.*) 고지(高地), 산지, 고랭지. ② (the H-s) 스코틀랜드 북부의 고지. ── *a.* 〔限定的〕 고지의 ; (H-) 스코틀랜드 고지(특유)의.
high·land·er [-ləndər] *n.* [C] ① 고지에 사는 사람. ② (H-) 스코틀랜드 북부 고지 사람.
híghland flíng 스코틀랜드 고지의 민속춤.
high-lev·el [-lévl] *a.* 〔限定的〕 ① 상부의. ② 상급 간부에 의한.
hígh-lével lánguage 〖컴〗 고급 언어.
*__high·light__ [-làit] *n.* [C] (그림·사진 따위의) 가장 밝은 부분 ; (이야기·사건·프로에서) 가장 중요한〔흥미 있는〕 부분, (뉴스 중의) 주요 사건〔장면〕 ; 하이라이트, 인기물 ; 현저한 특징. ── *vt.* …에게 강렬한 빛을 비추다 ; …을 강조하다, 눈에 띄게 하다, 두드러지게 하다.
high·light·er [-làitər] *n.* [C] 하이라이트(화장품)《얼굴에 입체감을 냄》.
‡**high·ly** [háili] (***more*** ~ ; ***most*** ~) *ad.* ① 〔形容詞·過去分詞를 수식〕 높이, 고도로, 세게 ; 대단히. ② 격찬하여, 칭송하여. ③ 고위에, 고귀하게. ④ (가격 등이) 비싸게, 고가로.
high·ly-strung [-strʌ́ŋ] *a.* = HIGH-STRUNG.
Hígh Máss 〖가톨릭〗 대미사, 창(唱)미사.
high-mind·ed [-máindid] *a.* 고상한, 고결한.
high-necked [-nékt] *a.* 깃을 깊이 파지 않은《여성복 따위》. [opp] *low-necked.*
*__high·ness__ [háinis] *n.* ① [U] 높음 ; 높이 ; 고위 ; 고율 ; 고가 : The ~ of the wall prevents thieves from entering. 담이 높아 도둑의 침입을 막는다. ② (H-) 전하(殿下)《왕족 등에 대한 경칭 ; His 〔Her, Your〕 (Imperial, Royal) *Highness* 의 꼴로 쓰임》.
high-oc·tane [-ɑ́ktein / -ɔ́k-] *a.* (가솔린 따위가) 옥탄값이 높은 ; (알코올이) 순도 높은.
high-pitched [-pítʃt] *a.* ① 가락이〔감도·긴장도가〕 높은 ; (감정적으로) 격한, 격렬한. ② 콧대가 높은, 교만한. ③ (지붕의) 물매가 싼. ④ (사상·목적 등이) 고매한, 고상한.
hígh póint 중대한 시점.
hígh pólymer 고분자화합물, 고중합체.
high-pow·er(ed) [-páuər(d)] *a.* ① 정력적인, 활동적인. ② (엔진 등이) 고출력의.
high-pres·sure [-préʃər] *a.* ① 고압의. ② 고압적인, 강요하는. ③ 긴장도가 높은《작업 등》. ── *vt.* 《+[목]+[전]+[명]》 …에게 고압적으로 나오다, 강요〔강제〕하다.
high-priced [-práist] *a.* 비싼, 고가의.
hígh príest ① 고승 ; 대제사《유대교》. ② (주의, 운동의) 주창자(主唱者), 대지도자.
hígh prófile (a ~) 명확한〔선명한〕 태도 : The president adopted *a* ~ on that issue. 대통령은 그 문제에 대해 명확한 태도를 취했다.
high-rank·ing [-rǽŋkiŋ] *a.* 〔限定的〕 높은 계급의, 고위 관리의.
hígh ríse 고층 건물.
high-rise [-ráiz] *a.* 〔限定的〕 (건물이) 고층의 ; 핸들을 높이 올린, 핸들이 높은《자전거》; 고층 건물의〔이 많은〕.
high-risk [-rísk] *a.* 〔限定的〕 위험성이 높은.
high·road [-ròud] *n.* [C] ① 《英》 큰길, 간선 도로. ② 순탄한 길, 왕도(王道).
‡**hígh schòol** 고등 학교, 《美》 중등 학교 ; 《英》 (주립) 고등 학교.
hígh schòoler high school 의 학생.
hígh séa 높은 파도 ; (the ~s) 공해(公海), 외양(外洋).
hígh séason (the ~) ① 가장 바쁜 시기, 대목 때. ② 가격이 제일 높은 시기.
hígh shériff 《英》 주장관(州長官).
hígh sìgn 《口》 (경고·정보 등의) 은밀한 신호.
high-souled [-sóuld] *a.* 숭고한 정신의.
high-sound·ing [-sáundiŋ] *a.* (말이) 어마어마

한 : a ~ title 굉장한〔어마어마한〕 직함.
high-speed [ˊ-spí:d] *a.* 〔限定的〕 고속도의.
high-spir·it·ed [ˊ-spíritid] *a.* ① 기운찬, 기개있는. ② (말이) 괄괄한.
hígh spót 두드러진 특징, 가장 중요한 점, 하이라이트, 재미있는 곳.
high-step·per [ˊ-stépər] *n.* [C] ① 발을 높이 쳐들고 걷는 말. ② 위세 좋은 사람.
high-step·ping [ˊ-stépiŋ] *a.* (말이) 발을 높이 올리며 걷는 ; 쾌락에 빠지는, 방종한 생활을 하는.
high-strung [ˊ-strʌ́ŋ] *a.* 신경질적인, 흥분하기 쉬운, 극도로 긴장한.
hígh stýle 최신 패션〔디자인〕.
hígh táble ① 주빈 식탁. ② 《英》 (대학 식당에서) 학장·교수·내빈 등의 식탁.
high·tail [háitèil] *vi.* 《美俗》 급히 도망하다 ; 급히 달려가다 ; 남의 차 바로 뒤에 바싹 붙어 운전하다, 추적하다.
hígh téa 《英》 오후 5 ~ 6 시경의 고기〔생선〕 요리가 따르는 가벼운 식사. [cf] low tea.
high-tech [ˊ-ték] *a.* 〔限定的〕, *n.* [U] ① 하이테크 《공업디자인〔재료·제품〕을 응용한 가정용품의 디자인이나 실내 장식의 양식》(의). ② = HIGH-TECHNOLOGY ; HIGH TECHNOLOGY.
hígh technólogy 첨단〔고도〕 기술.
high-tech·nol·o·gy [ˊ-teknáləd͡ʒi / -nɔ́l-] *a.* 〔限定的〕 첨단〔고도〕 기술의.
high-ten·sion [ˊ-ténʃən] *a.* 〖電〗 고압의.
hígh tíde 만조(때), 고조(선) ; (흔히 *sing.*) 절정 : at ~ 만조 때에 / The signing of the peace treaty was the ~ of her presidency. 평화조약의 서명이 그녀의 대통령 임기중의 최고 업적이었다.
high-tone(d) [háitóun(d)] *a.* ① 고결한. ② 고상한, 품위있는.
high-up [ˊ-ʌ́p] *a., n.* [C] (흔히 *pl.*) 《口》 높은 양반(의) ; 상급자(의).
hígh wáter ① 만〔고〕조 ; (강·호수 등의) 최고 수위. ② 절정, 최고조. ***come hell or*** ~ ⇨ HELL (成句).
hígh-wá·ter màrk [ˊwɔ́:tər, ˊwát-] ① (강·호수의) 고(高)수위선〔점〕, (해안의) 고조선. ② 최고 수준, 절정, 정점.
‡**high·way** [háiwèi] *n.* [C] ① 공도(公道), 간선 도로, 큰길. [cf] byway. ¶ the king's ~ 천하의 공도. ② 《比》 대도, 탄탄대로.
high·way·man [háiwèimən] (*pl.* ***-men*** [-mən]) *n.* [C] (옛날의 말 탄) 노상 강도.
híghway ròbbery (가로에서의) 백주의 강도, (여행자에 대한) 약탈 ; 《口》 상거래에 의한 터무니 없는 이익, 폭리.
hígh wíre 높이 친 줄타기 줄.
H.I.H. His 〔Her〕 Imperial Highness (일본 등의) 전하.
hi·jack, high·jack [háid͡ʒæ̀k] *vt.* 《口》 (수송 중인 화물, 특히 금제품)을 강탈하다 ; (배·비행기)를 약탈하다, 공중〔해상〕 납치하다 ; …을 강요〔강제〕하다. ── *vi.* 《口》 수송 중인 화물을 강탈하다 ; 하이잭하다.
‡**hike** [haik] *vi.* ① 하이킹하다, 도보 여행하다. ② (셔츠 등이) 밀려 올라가다《*up*》. ── *vt.* 《~+[목] / +[목]+[부]》 《美口》 (무리하게) …을 밀다, 움직이게 하다, 휙 잡아당기다〔끌어 올리다〕 ; (임금·물가)를 갑자기 올리다, 인상하다. ── *n.* [C] ① 하이킹 ; 도보 여행. ② 《美口》 (임금·가격) 인상. ***go on a*** ~ 하이킹 가다 : People *go on* ~*s* for pleasure and for exercise. 사람들은 즐거움과 운동을 위해 하이킹을 떠난다. ***Take a*** ~. 《美口》 어디에든 가버려, 저리 가 : The manager came up to us and suggested we *take a* ~. 감독은 우리에게 다가와서 떠나라고 넌지시 말했다.
[파] ***hík·er** *n.* [C] 하이커.
‡**hik·ing** [háikiŋ] *n.* [U] 하이킹, 도보 여행.
hi·lar·i·ous [hilέəriəs, hai-] *a.* 들뜬, 명랑한, 즐거운 ; 들떠서 떠드는 ; 웃음을 자아내는.
hi·lar·i·ty [hilǽrəti, hai-] *n.* [U] 환희, 유쾌한 기분 ; 기분 좋아 떠들어댐.
Hil·a·ry [híləri] *n.* 힐러리《여자〔남자〕 이름》.
Hil·da [híldə] *n.* 힐더《여자 이름》.
†**hill** [hil] *n.* [C] ① 언덕, 작은 산, 구릉《보통 초목이 있는 험하지 않은 산으로, 영국에서는 2000 ft. 이하의 것》 ; (the ~s) (오지의) 구릉 지대 ; (the ~s) (인도의) 고지 주재〔주둔〕지, 피서지《★ 지명으로서도 쓰임》. ② 고개, 고갯길, 흙더미, 가산(假山). ③ (농작물의 밑동의) 돋운 흙, 두덩 ; 흙을 돋운 농작물. ④ (the H-) 《美》 국회 의사당 (Capitol H-) ; (the H-) = HARROW. ⑤ (도로의) 사면. ⑥ 《野球俗》 마운드. ***go over the*** ~ 《美俗》 탈옥하다, 부대를 무단 이탈하다 ; 갑자기 자취를 감추다, 증발하다. (***as***) ***old as the*** ~***s*** 극히 낡은, 아주 오래된. ***over the*** ~ (질병 등의) 위기를 벗어나서 ; 절정기를 지나서, 나이먹어 : As a poet he was *over the* ~ at twenty. 20세 때에 시인으로서의 그의 전성기는 끝이 났다. ***take to*** 〔***head for***〕 ***the*** ~***s*** 모습을 감추다, 잠적하다. ***up*** ~ ***and down dale*** 언덕을 오르고 골짜기를 내려가 ; 도처에, 샅샅이, 끈기 있게 : Where have you been? We've been searching *up* ~ *and down dale* for you. 어디 갔었나? 자네를 샅샅이 찾아 다니고 있었네.
hill·bil·ly [hílbìli] 《口》 *n.* [C], *a.* (특히 미국 남부의) 산골의 주민, 산사람, 시골 사람(의).
híllbilly mùsic 힐빌리《현재 컨트리 뮤직의 원형》.
hill·i·ness [hílinis] *n.* [U] 기복이 많음, 구릉성.
hill·ock [hílək] *n.* [C] 작은 언덕 ; 무덤.
‡**hill·side** [hílsàid] *n.* [C] 언덕의 중턱〔사면(斜面)〕.
‡**hill·top** [híltɑ̀p / -tɔ̀p] *n.* [C] 언덕〔야산〕의 꼭대기.
hilly [híli] (***hill·i·er*** ; ***-i·est***) *a.* 산이 많은, 구릉성의, 기복이 있는 ; 작은 산 같은, 조금 높은 ; 가파른.
hilt** [hilt] *n.* [C] (칼·도구 따위의) 자루, 손잡이. (up***) ***to the*** ~ 자루 밑까지 ; 완전히, 철저하게.
Hil·ton [híltn] *n.* 힐튼. ① **Courad** (Nicholson) ~ 《미국의 실업가·호텔왕 ; 1887-1979》. ② **James** ~ 《영국의 소설가 ; 1900-54》.
†**him** [him, 弱 im] *pron.* ① 〔he 의 目的格〕 **a)** 그를, 그에게. **b)** 〔前置詞의 目的語〕 : I went *with* ~. 나는 그와 함께 갔다. ② **a)** 《口》 〔be 의 補語로〕 = HE[1]. **b)** 《口》 〔as, than, but 다음에 쓰이어 主語로〕 = HE[1]. **c)** 〔感歎詞的으로 독립하여〕. ③ 《古·詩》 = HIMSELF. ④ 《口》 〔動名詞의 의미상 主語〕 = HIS.
HIM, H.I.M. His 〔Her〕 Imperial Majesty.
Him·a·lá·ya Móuntains [hìməléiə-, himá:ləjə-] (the ~) = HIMALAYAS.
Him·a·la·yan [hìməléiən, himá:ləjən] *a.* 히말라야(산맥)의.
Himaláyan cédar 〖植〗 히말라야삼(杉) 나무.
***Him·a·la·yas** [hìməléiəz, himá:ləjəz] *n. pl.* (the ~) 히말라야 산맥.
him / her [hímhə́:r] *pron.* he / she의 목적격.
†**him·self** [himsélf] (*pl.* ***them·sélves***) *pron.* 《3인칭 단수·남성의 재귀대명사》. ① 〔再歸的으로 動詞·前置詞의 目的語〕 그 자신을〔에게〕. ② 〔強意的〕 그 자신(이) **a)** 〔同格的으로〕. **b)** 〔he,

him 대신 쓰이어 : and ~로) : His father *and* ~ were invited to the party. 그와 아버지는 그 파티에 초대받았다. ③ 평상시[본래]의 그《흔히 주격 보어 또는 come to ~로서》: He is ~ again. 그는 본래의 자신으로 돌아왔다, 그는 정상으로 돌아왔다. ④ 〔獨立構文의 主語관계를 나타내어〕 그 자신이 : *Himself* diligent, he did not understand his son's idleness. 자기가 부지런했으므로, 그는 아들의 게으름을 이해할 수 없었다. ⑤《口》=HE[1] 《비교구문 as... as, than 다음에서 he 대신 쓰임》: His mother is *as* obstinate *as* ~. 그의 어머니는 그와 마찬가지로 옹고집이다. ***beside*** ~ 제정신을 잃고, 미쳐서. ***by*** ~ 자기 혼자서, 단독으로 ; 독력으로, 자신이. ***for*** ~ 스스로, 자신이 ; 자기를 위해서. cf. myself, oneself.

Hi·na·ya·na [hìːnəjáːnə] *n.* Ⓤ 《Sans.》〖佛敎〗 소승 불교. cf. Mahayana.

‡**hind**[1] [haind] (**∠·er** ; **∠·(er·)mòst**) *a.* 〔限定的〕 후부의, 후방의. opp. *fore.* ***on** one's **~ legs*** 분연히 일어나 ;《戲》 일어서서 : get up *on* one's ~ *legs* 일어서다, (말하기 위해) 일어서다.

hind[2] (*pl.* **~, ~s**) *n.* Ⓒ 암사슴《특히 3살 이상의 고라니》(cf. hart, stag) ;〖魚〗 (남대서양의) 농어과 능성어류의 바닷물고기.

hind·brain [háindbrèin] *n.* Ⓒ 후뇌(後腦).

Hin·den·burg [híndənbə̀ːrg] *n.* **Paul von** ~ 힌덴부르크《독일의 장군·정치가 ; 1847-1934》.

‡**hin·der**[1] [híndər] *vt.* 《~+목/+목+전+명》 ① …을 방해하다, 훼방하다《*in*》: My heavy pack ~*ed* my moving swiftly. 짐이 무거워 빨리 움직이지 못했다 / Broken water pipes and gas leaks have ~*ed* firefighters *in* their efforts. 파열된 수도관과 가스의 누출이 소방관의 (진화) 노력을 방해했다. ② …의 방해를 하다 ; …을 지체케 하다, 늦게 하다 : Her career was not ~*ed* by the fact that she had three children. 세 자녀를 가졌다는 사실로 인해 그녀의 출세가 방해받지는 않았다. — *vi.* 방해가 되다, 행동을 방해하다. ~ a person ***from*** do*ing* 아무가 …하는 것을 방해하다 〔못 하게 막다〕: A heavy rainfall ~*ed* me *from* go*ing* out. 폭우로 나는 외출하지 못했다.

hind·er[2] [háindər] *a.* 〔限定的〕 뒤쪽의, 후방의. — *n.* (*pl.*) 《美俗》 (사람의) 다리(leg).

hin·der·er [híndərər] *n.* Ⓒ 방해자 ; 장애물.

Hin·di [híndiː] *a.* 북인도의, 힌디 말의. — *n.* Ⓤ 힌디 말《북인도 말》.

hind·most [háin*d*mòust, -məst] *a.* 〔HIND[1]의 最上級〕 가장 뒤쪽의, 최후부의.

Hin·doo [híndu:] *n., a.* = HINDU.

hind·quar·ter [háindkwɔ̀ːrtər] *n.* Ⓒ (짐승의) 뒤 4반부 고기 ; (*pl.*) (짐승의) 궁둥이와 뒷다리.

***hin·drance** [híndrəns] *n.* ① Ⓤ 방해, 장애, 지장. ② Ⓒ 방해물[자], 고장《*to*》.

hind·sight [háindsàit] *n.* Ⓤ 때늦은 지혜.

***Hin·du** [híndu:] (*pl.* **~s**) *n.* Ⓒ 힌두 사람 ; 힌두교도 ; 인도 사람. — *a.* 힌두(사람)의 ; 힌두교(도)의 ; 《古》 인도(사람)의.

Hin·du·ism [híndu:ìzəm] *n.* Ⓤ 힌두교.

Hin·du·stan, -do- [hìndustǽn, -stáːn] *n.* 힌두스탄《(1) 인도의 페르시아명. (2) 인도의 힌두교 지대로, 회교 지대인 파키스탄 지방에 대칭하는 호칭. (3) 15-16세기에 있었던 북인도의 왕국》.

Hin·du·sta·ni, -do- [hìndustǽni, -stáːni] *a.* 힌두스탄(사람, 어)의 ; 힌두스타니의. — *n.* Ⓤ 힌두스탄 어《인도의 주요 공용어》.

***hinge** [hindʒ] *n.* Ⓒ ① 돌쩌귀, 경첩 ; 쌍각류(雙殼類) 껍질의 이음매 ; 관절(ginglymus) ; 우표첩의 종잇조각(mount). ② 요체(要諦), 요점, 중심점. — *vt.* ① …에 돌쩌귀를 달다. ② 《+목+전+명》 …을 (…에 의해) 정하다《*on*》: I will ~ the gift *on* your good behavior. 선물은 네가 얌전히 굴면 준다. — *vi.* ① 돌쩌귀로 움직이다. ② 《+전+명》 …여하에 달려 있다, …에 따라 정해지다 《*on*》.

hin·ny [híni] *n.* Ⓒ 수말과 암나귀의 잡종, 버새.

‡**hint** [hint] *n.* ① Ⓒ 힌트, 암시, 넌지시 알림《*on* ; *about* ; *as to*》; (때로 *pl.*) (간단히 표현한 유익한) 조언, 알아둘 일, 지시《*on*》. ② (a ~) 미약한 징후, 기미, 기색 ; 미량(의…)《*of*》: There was *a* ~ *of* the teacher about him. 그에게는 선생티가 조금 있었다. ③ 《古》 기회. ***by ~s*** 넌지시. ***drop*** 〔***give, let fall***〕 ***a*** ~ 변죽 울리다, 암시를 주다. ***find a ~ to*** ... …에 대한 해결의 실마리를 찾아내다. ***take a*** ~ 깨닫다, 알아차리다. — *vt.* 《~+목/+목+전+명/+*that* 절》 …을 넌지시 말하다, 암시하다《*to*》. — *vi.* 《~/+전+명》 암시하다, 넌지시 비추다《*at*》: He ~*ed at* his intention. 그는 그의 의향을 넌지시 비추었다.

hin·ter·land [híntərlæ̀nd] *n.* Ⓤ 《G.》 (해안·하안 따위의) 후배지(後背地) (opp. *foreland*), (도시의 경제적, 문화적 영향을 받는) 배역(背域), 후배지 ; 오지(奧地), 시골.

‡**hip**[1] [hip] *n.* Ⓒ ① 궁둥이, 허리《골반부》, 히프, 히프 둘레(치수) ;〖解〗 고관절(股關節). cf. waist. ②〖建〗 추녀 마루, 귀마루. ③〖動〗 기절(基節). ***fall on** one's **~s*** 엉덩방아를 찧다. ***have*** 〔***catch, get, take***〕 a person ***on the*** ~ 《古》 아무를 (마음대로) 억누르다 ; (상대를) 밑에 깔고 누르다 ; 지배하다. ***smite*** a person ~ ***and thigh*** 〖聖〗 크게 도륙하다, 사정없이 해치우다《사사기 XV : 8》.

hip[2] [hip] *n.* Ⓒ (흔히 *pl.*) 찔레의 열매(rose ~).

hip[3] (**∠·per ; ∠·pest**) *a.* 《俗》 ①(최신 유행의) 사정에 밝은, 정보통의. ② 〔敍述的〕 (…을) 알고 있는, (…에) 정통한《*to*》: put a person ~ *to* modern jazz 아무를 모던 재즈통(通)으로 만들다.

hip[4] *int.* 응원 등의 선창하는 소리, 갈채 소리 : *Hip*, ~, hurrah! 힙, 힙, 후라.

híp bàth 뒷물, 좌욕(座浴).

hip·bone [hípbòun] *n.* Ⓒ 좌골, 무명골 ; (가축의) 요각(腰角).

híp bòot (흔히 *pl.*) (고무제의 허리까지 오는) 장화.

híp càt =HIPSTER[1].

híp flàsk 휴대용 술 담는 용기《바지 뒷주머니에 넣는》.

hip-hop [híphɑ̀p / -hɔ̀p] *n.* Ⓤ 1980년대 미국에서 유행하기 시작한 새로운 감각의 춤과 음악《음반의 같은 곡조를 반복·역회전시키거나 브레이크 댄싱 등을 종합한 것》.

hip-hug·ger [híphʌ̀gər] *a.* 〔限定的〕 허리에 꼭 맞는, 허리의 선이 낮은《바지·스커트》.

hip-hug·gers [híphʌ̀gərz] *n. pl.* 허리뼈에 걸쳐 입는 바지〔스커트〕.

híp jòint 고관절(股關節).

hipped[1] [hipt] *a.* ① 히프가 있는. ② 〔複合語〕 둔부가 …한. ③ 고관절을 다친《주로 가축에 대해》. ④〖建〗 (지붕이) 추녀마루가 있는.

hipped[2] *a.* ① 〔敍述的〕 《美口》 …에 열중한 《*on*》: He's ~ *on* learning to play the piano. 그는 피아노 연습에 열중하고 있다. ② 《口》 우울한 ; 몹시 골이 난.

hipped[3] *a.* 《美俗》 정통한, 잘 알고 있는.

hip·pie, -py [hípi] *n.* Ⓒ 히피(족) ; 1960년대 후반에 미국에서 나타난 장발에 색다른 복장의 반체제적인 젊은이.

hipp(o)- '말(horse)'의 뜻의 결합사.
hip·pock·et [híppàkit / -pɔ̀k-] *n.* Ⓒ (바지·스커트의) 뒷주머니. —— *a.* 소형의, 소규모의.
Hip·poc·ra·tes [hipákrəti:z / -pɔ́k-] *n.* 히포크라테스《그리스의 의사; 460 ? -377 ? B.C.; Father of Medicine 이라 불림》.
Hip·po·crát·ic óath [hipoukrǽtik-] 히포크라테스 선서《의사 윤리 강령의》.
Hip·po·crene [hípəkri:n, hìpəkrí:ni:] *n.* ①〖그神〗 Helicon 산의 영천(靈泉)《시신(詩神) Muses 에게 봉헌됨》. ② Ⓤ 시적 영감.
hip·po·drome [hípədròum] *n.* Ⓒ ① (고대 그리스·로마의 말·전차 경주의) 경기장. ② 곡마장, 마술 경기장.
***hip·po·pot·a·mus** [hìpəpátəməs / -pɔ́t-] (*pl.* **~·es, -mi** [-mài]) *n.* Ⓒ〖動〗 하마.
hip·py[1] [hípi] *a.* 엉덩이가 큰.
hippy[2] ⇨ HIPPIE.
híp ròof〖建〗 우진각 지붕.
hip·shoot·ing [hípʃù:tiŋ] *a.* 마구잡이의, 엉터리의; 성급한, 무모한, 충동적인.
hip·ster[1] [hípstər] *n.* Ⓒ《俗》 최신 유행에 민감한 사람, (남보다 먼저) 새로운 지식을 받아들이는 사람, 정통한 (체하는) 사람, 소식통; 비트족, 히피; (사회와 어울리지 않고) 마음 맞는 사람하고만 사귀는 사람. 「俗》 =HIP-HUGGER.
hip·ster[2] *n.*《英俗》 =HIP-HUGGERS. —— *a.*《英
híp wràp 스웨터 등을 허리에 둘러 매는 스타일.
‡**hire** [háiər] *vt.* ①《~+目/+目+*to* do》 …을 고용하다. ② (세를 내고) …을 빌려오다, 세내다. ③《+目+副》 **a)** …을 임대하다; (세를 받고) 빌려주다《*out*》. **b)**〔~ oneself out 으로〕 (…로) 고용되다《*as*》. ④ …에게 보수를 주다; …에게 뇌물을 주다. ⑤《古》 (돈)을 꾸다; (조사 따위)를 돈을 내고 의뢰하다. ~ a person ***away from*** … 아무를 …에서 빼돌려 고용하다. ~ ***and fire*** (사람)을 임시로 고용하다. ~ ***on*** (***as***) (…로서) 고용되다. ~ ***out*** (*vi.*)《美口》 하인으로〔노동자로〕 고용되다. —— *n.* Ⓤ ① 고용; 임차. ② 세, 사용료, 임대료. ③ 보수, 급료, 임금(wages). ***for*** 〔***on***〕 ~ 임대하여〔의〕; 고용되어. ***let out . . . on*** ~ …을 세놓다.
hired [háiərd] *a.* 고용된; 임대의; 세낸 물건의.
hire·ling [háiərliŋ] *a.*《蔑》 고용되어 일하는; 돈이면 뭐든지 하는. —— *n.* Ⓒ 고용인; 돈을 위해 일하는 사람; 타산적인 남자; 삯말; 세낸 물건.
híre-púr·chase (sỳstem) [háiərpə́:rtʃəs (-)]《英》 분할불 구입 (방식), 할부(방식) (《英》 never-never system;《美》 installment plan).
hir·er [háirər] *n.* Ⓒ 고용주; 임차인.
hir·ing [háiəriŋ] *n.* Ⓤ,Ⓒ ① 고용: ~ and firing 고용과 해고. ② 임대차. **~ *of a ship*** 용선(傭船).
hir·sute [hə́:rsu:t, -́-] *a.* 털 많은; 텁수룩한; 털〔모질(毛質)〕의;〖動·植〗 긴 강모(剛毛)로 덮인.
†**his** [hiz, 弱 iz] *pron.* ①〔he 의 所有格〕 그의. ⓒⓕ my. ②〔he 의 所有代名詞〕 그의 것; 그의 가족. ③ (of ~) 그의. ④〔성별을 모르는〔불문하는〕 사람을 지시〕 그 사람의 것(소유물): Everyone hopes to pass what is ~ to his descendents. 사람은 누구나 자기의 것을 자손에게 물려주기를 바라고 있다.
His·pa·nia [hispéiniə, -njə] *n.* 히스파니아《이베리아 반도의 라틴명》;《詩》 =SPAIN.
His·pan·ic [hispǽnik] *a.* =SPANISH; LATIN-AMERICAN. —— *n.* Ⓒ 스페인 사람〔계 주민〕;《美》 (미국 안의 스페인 말을 쓰는) 라틴 아메리카 사람〔계 주민〕. 「섬.
His·pan·io·la [hìspənjóulə] *n.* 히스파니올라
‡**hiss** [his] *vi.* ① (뱀·증기·거위 따위가) 쉿 소리를 내다. ②《+前+名》 (경멸·비난의 뜻으로) 시 소리를 내다《*at*》.
—— *vt.*《~+目/+目+副》 …을 쉿하고 꾸짖다〔제지하다, 야유하다〕; (비난·불만 등)을 쉿 소리내어 나타내다《*at*》. ~ ***away*** 쉿쉿 하여 쫓아버리다. ~ ***down*** 쉿쉿 야유하여 꼼짝 못하게 하다〔내쫓다〕: They ~*ed down* the author when he tried to speak. 그 작가가 말을 시작하려 하자, 그들은 쉿쉿 소리를 내며 야유하여 내쫓았다. ~ ***off***〖종종 受動으로〗 (배우)를 쉿쉿 야유하여 (무대에서) 퇴장시키다: They ~*ed* the actor *off* the stage. 쉿쉿 야유소리를 퍼부어 배우를 무대에서 퇴장시켰다 / The actress *was* ~*ed off* the stage. 그 여배우는 쉿쉿하는 야유소리로 무대에서 물러났다. —— *n.* Ⓤ,Ⓒ ① 쉿하는 소리〔음성〕; 쉿소리를 냄《불안·경멸·분노의 소리》:〖電子〗 고음역의 잡음. ②〖音聲〗 =HISSING SOUND. —— *a.* = HISSING.
hiss·ing [hísiŋ] *a.* 치찰음(齒擦音)이 현저한.
híssing sòund〖音聲〗 치찰음(齒擦音)《[s, z]》.
hist. histology; historian; historical; history.
his·ta·mine [hístəmi:n, -min] *n.* Ⓤ〖化〗 히스타민《위액 분비 촉진·혈압 저하·자궁 수축제》.
his·tol·o·gy [histálədʒi / -tɔ́l-] *n.* Ⓤ〖生〗 조직학; (생물의) 조직 구조. 「공자.
‡**his·to·ri·an** [histɔ́:riən] *n.* Ⓒ 역사가, 사학 전
‡**his·tor·ic** [histɔ́(:)rik, -tár-] (***more*** **~; *most*** ~) *a.* ① 역사적으로 유명한〔중요한〕, 역사에 남는. ②《古》 역사(상)의, 역사적인 (historical);〖文法〗 사적(史的)인.
‡**his·tor·i·cal** [histɔ́(:)rikəl, -tár-] *a.* 역사(상)의, (역)사적인, 사학의; 역사〔사실(史實)〕에 기인하는;《稀》 역사적으로 유명한. ㊎ **~·ly** *ad.*
históric(al) présent (the ~)〖文法〗 사적 현재《과거의 일을 생생히 묘사하기 위한 현재 시제》.
his·to·ri·og·ra·pher [histɔ̀:riágrəfər / -ɔ́g-] *n.* Ⓒ 역사가, 수사가(修史家); 사료 편찬 위원.
his·to·ri·o·graph·ic, -i·cal [histɔ̀:riəgrǽfik], [-əl] *a.* 역사 편찬의. ㊎ **-i·cal·ly** *ad.*
his·to·ri·og·ra·phy [histɔ̀:riágrəfi / -ɔ́g-] *n.* Ⓤ 역사 편찬, 수사(修史)(론).
†**his·to·ry** [hístəri] *n.* ① Ⓤ 역사; 사실(史實). ② Ⓤ (역)사학; Ⓒ 사서. ③ Ⓒ 경력, 이력, 병력(病歷); 유래; 연혁, 변천, 발달사: He has no ~. 그에게는 이렇다 할 만한 이력이 없다. ④ Ⓒ 기구한 운명. ⑤ Ⓒ 사극(historical play): Shakespeare's *histories*. ⑥ Ⓤ (자연계의) 조직적 기술; (금속 따위에) 이미 시공된 처리〔가공〕; Ⓒ 전기; (보고적인) 이야기(story). ⑦ Ⓤ 과거(의 일), 옛일: pass into ~ 과거사가 되다. ◇ historic, historical *a.* ***become*** ~ = ***go down in*** 〔***to***〕 ~ 역사에 남다. ***make*** ~ 역사에 남을 만한 일을 하다; 후세에 이름을 남기다: The landing of Apollo 11 in the moon's surface *made* ~. 아폴로 11호의 달착륙은 역사에 남을 일이었다. ***past*** ~ 진부하게 된 사실(事實); 지나간 일.
his·tri·on·ic [hìstriánik / -ɔ́n-] *a.* 배우의; 연극(상)의;《蔑》 연극 같은, 일부러 꾸민 듯한;〖解〗 안면근(顔面筋)의. —— *n.* Ⓒ 배우; (*pl.*) 연극.
his·tri·on·ics [hìstriániks / -ɔ́n-] *n. pl.* 〔때로 單數 취급〕 연극, 연예; 연기; 연극 같은 행위〔짓거리〕.
†**hit** [hit] (*p., pp.* ***hit*** ; ***hit·ting***) *vt.* ① …을 치다; (공 따위)를 치다,〖野〗 (안타 따위)를 치다, …루타를 치다;〖크리켓〗 쳐서 득점하다;《學生俗》 (시험·과목에서) 좋은 성적을 얻다. ②《+目+前+名 / +目+目》 …을 때리다, (타격)을 가하다《*in*;

on》: I ~ him a blow. 그를 한 대 먹였다 / He ~ me *on* the head〔*in* the face〕. 그는 내 머리〔얼굴〕를 때렸다 / I was ~ a crack *on* the head. 딱 하고 머리에 한대 얻어맞았다 / You should never ~ a child. 절대 어린이를 때려서는 안 된다. ③ …을 맞히다, …에 명중시키다. ④《~+목/+목+전+명》 **a**) (몸의 일부)에 맞다, (총알 따위가) …에 명중하다. **b**) …을 (…에) 부딪다 ; 부딪뜨리다《*against* ; *on*》. **c**) (물고기가 미끼)를 물다. ⑤ …와 마주치다, …와 조우하다 ; (답·길 등)을 (우연히·용케) 찾아내다. ⑥《俗》…에 이르다 ; (길)을 가다 : The landing troops ~ the beach. 상륙부대는 해안에 닿았다. ⑦ (생각이) …에게 떠오르다 : An idea ~ me. 한 생각이 떠올랐다. ⑧ …을 알아맞히다, (진상)을 정확히 표현하다 ; 본떠서 감쪽같이 만들다〔그리다〕. ⑨ (목적·기호(嗜好))에) 맞다. ⑩ …에게 강한 인상을 주다. ⑪〔종종 hard, badly 를 수반〕…에 타격을 주다, …을 덮치다, …에게 재해를 입히다, 상처를 주다, …의 감정을 상하게 하다 ; …을 혹평하다 : We were ~ by the depression. 우리는 불경기로 타격을 받았다 / The crop will be ~ *bad*(*ly*). 작물은 큰 타격을 받을 것이다. ⑫《俗》…에게 음료를〔술을〕 따르다《특히 두 잔째 이후》; (포커 등)에서 카드를 한 장 더 도르다. ⑬《+목+전+명》…에게 부탁〔청〕하다, 요구하다 : ~ a person *for* a loan 아무에게 돈 차용을 부탁하다. ⑭ (기사가) …에 실리다〔나다〕: The story ~ the front page. 그 기사가 제 1면에 실렸다. ⑮ (기록적 숫자)에 달하다 : The new train can ~ 150 m.p.h. 새 열차는 시속 150마일 낼 수 있다. ⑯《口》(치거나 건드리어) …을 움직이게 하다 ; (브레이크)를 걸다 : ~ a light 불을 켜다. ⑰《美俗》…에게 마약을 주사하다 ; …을 죽이다. ⑱ (천재·불행 등이) …을 엄습하다 ; (도둑 등이) …을 약탈하다, 털다 : A heavy storm ~ California. 폭풍우가 캘리포니아를 엄습했다 / The village was ~ by floods. 홍수가 그 마을을 덮쳤다.

— *vi.* ①《~/+전+명》치다 ;〖野〗안타를 때리다 : ~ *at* a mark 표적을 겨누어 치다. ② 충돌하다《*against* ; *on, upon*》: She tumbled and ~ hard *against* the wall. 그녀는 넘어져 벽에 세게 부딪쳤다. ③《+전+명》마주치다, 우연히 발견하다〔생각나다〕《*on, upon*》: ~ *upon* a good idea 좋은 생각이 떠오르다 / You've ~ *upon* the right word. 딱 들어맞는 말을 했군. ④ 공격하다, 공격을 시작하다 ; (폭풍 등이) 엄습하다, 일어나다 : The armies ~ at dawn. 군대는 동틀녘에 공격을 시작했다. ⑤ (제비·추첨 따위에서) 당첨되다 ; (경기에서) 득점하다. ⑥ (내연 기관이) 점화하다. ⑦ (물고기가) 미끼를 물다. ⑧《俗》마약을 주사하다.

be hard*〔*bad*(*ly*)〕~** 큰 타격을 받다. ***be ~ by a pitch〖野〗사구(死球)를〔데드 볼을〕 맞다. ***go in and ~*** 경기의 진행을 빨리하다. **~ *a likeness*** 흡사하게 만들다〔그리다〕. **~ *a man below the belt***〖拳〗허리 아래를 치다 ; 비겁한 행위를 하다. **~ *a man when he's down*** 넘어진 상대를 치다 ; 비겁한 행동을 하다. **~ *at* = ~ *out at*〔*against*〕** …에게 덤벼들어 치다 ; …을 심하게 비난하다, 혹평하다 : Mike ~ *at* the boy. 마이크는 그 소년에게 덤벼들어 때렸다. **~ *back*** (*vt.*) …을 되받아치다 ; (*vi.*) (…에게) 반격하다, 대갚음하다, 반박하다《*at*》. **~ *for* . . .**《俗》…을 향하여 출발하다〔떠나다〕, …을 향하다. **~ *home* = ~ *where it hurts*** (아무의 말 따위가) 급소를 찌르다 ; 적중하다, 치명상을 입히다. **~ a person *in the face*** 아무의 얼굴을 치다. **~ *it*** 잘 알아맞히다, 핵심을 찌르다 ;《俗》연주를 시작하다 : You've ~ *it*. 맞았다 / *Hit it*.《俗》빨리 해라, 서둘러라. **~ *it off***《口》사이좋게 지내다, 뜻이 잘 맞다《*with* ; *together*》;《俗》(집단에) 받아들여지다, (지위에) 적합하게 할 수 있다 : We ~ *it off* immediately *with* the new neighbors. 새로 이사온 이웃 사람들과 우리는 곧 친해졌다. **~ *it up*** 버티어 나가다 ; 급히 가다 ;《俗》악기를 연주하다 ; 즐겁게 지내다. **~ *off*** (1) (*vt.*) (곡·시·그림 따위)를 즉석에서 짓다, 그리다 ; 정확히 표현하다. (2)〔흔히 풍자적〕…을 모방하다, 흉내내다 : The actor ~ *off* the Prime Minister's voice perfectly. 그 배우는 수상의 음성을 정확하게 흉내냈다. **~ *on*** (1) …에 부딪히다 ; 우연히 …을 발견하다, (묘안 따위가) 생각나다, …이 마음에 짚이다. (2)《美俗》(엉터리 상품을) …에게 집요하게 강매하다 ; 귀찮게 굴다, 괴롭히다. **~ *or miss*** = HIT-AND-MISS. **~ *out*** (주먹으로) …을 맹렬히 공격〔반격〕하다《*at*》: Ralph ~ *out at* his assailant. 랄프는 그의 공격자를 맹렬히 반격했다 / The Prime Minister ~ *out at* her colleagues in Europe. 수상은 유럽 내의 동맹국들을 맹렬히 비난했다. **~ *the air*** 방송하다. **~ *the ball***《俗》바지런히 일하다, 급히 여행하다. **~ *the*〔*one's*〕*books***《俗》맹렬히 공부하다. **~ *the dirt*** 베이스에 미끄러져 들어가다, 달리는 차에서 뛰어내리다. **~ *the fan*** (갑자기 심한) 혼란상태가 되다, 복잡해지다 ; 귀찮게 되다 : When news of the incident was leaked to the press, everything ~ *the fan* at once. 그 사건의 뉴스가 보도기관에 누설되자, 곧 세상은 소란해졌다. **~ *the hay***《俗》자다. **~ *the headlines*** ⇨ HEADLINE. **~ *the papers*** 신문에 발표되다. **~ *the pipe***《美俗》아편을 피우다. **~ *the sack***《口》잠자리에 들다. **~ *the silk***《美空軍俗》낙하산으로 뛰어내리다. **~ *the spot***《口》만족시키다. **~ *up*** 재촉하다 ;〖크리켓〗연달아 득점하다 ; (보트의) 피치를 올리다. **~ a person *up for*** 아무에게 부탁하다.

— *n.* Ⓒ ① 타격 ; 충돌 ;〔感歎詞적〕딱《소리》. ② 적중, 명중, 명중탄. ③ 들어맞음, 성공, 히트 ;《口》(연예계의) 인기인(人), 히트 작품〔곡〕; (backgammon 에서) 이긴 게임. ④ 핵심을 찌르는 말, 급소를 찌르는 비꼼〔야유〕《*at*》, 적평(適評), 명언 : His answer was a clever ~. 매우 적절한 대답이었다. ⑤〖野〗안타(safe ~) : a sacrifice ~ 희생타. ⑥《俗》마약〔헤로인〕주사, 헤로인이 든 담배, 마약〔각성제〕1 회분, 마리화나 한 대. ⑦《美俗》(범죄 조직에 의한) 살인. ⑧〖컴〗적중《두 개의 데이터의 비교·조회가 바르게 행해짐》. ***make a ~***《美俗》죽이다, 살해하다 ;《俗》훔치다(steal). ***make*〔*be*〕*a ~* (*with . . .*)**《口》(투기 따위에서) 들어맞다, 이익을 얻다 ; (…에게) 크게 호평받다 : He *made a* great〔big〕~ in his enterprise. 그는 사업에서 큰 이익을 보았다 / *be a ~ with* teenagers, 10대들의 인기를 독차지하다.

HIT homing inceptor technology.

hit-and-miss [hítənmís] *a.* 상태가 고르지 못한 ; 되는 대로의, 마구잡이의 : The professor criticized the ~ quality of our research. 교수는 우리들의 연구의 불철저함을 비판했다.

hít and rún ①〖野〗히트앤드런. ② 사람을 치고 뺑소니치기. ③ 공격 후에 즉시 후퇴하기.

hit-and-run [hítənrʌ́n] *a.*〔限定的〕①〖野〗히트앤드런의 ; 대성공의. ② (자동차 따위가) 치어놓고 뺑소니치는. ③ (공습·공격 등이) 전격적인, 기습의, 게릴라전〔유격전〕의.

***hitch** [hitʃ] *vt.* ①《~+목/+목+전+명》(말 따

위)를 매다《*up*》: He ~*ed* (*up*) a horse *to* the wagon. 그는 말을 짐수레에 매었다. ②《+목+전+명》(갈고리·밧줄·고리 따위)를 걸다: I ~*ed* the rope *round* a bough of the tree. 그 밧줄을 나뭇가지에 걸었다. ③《~+목/+목+부/+목+전+명》…을 와락 잡아당기다〔끌어당기다, 움직이다〕; 획 끌어올리다《*up*》. ④《목+전+명》(이야기 속에) …을 집어넣다: ~ an incident *into* one's book 에피소드를 책 속에 삽입하다. ⑤《俗》〔흔히 受動으로〕…을 결혼시키다: *be*〔get〕~*ed* 결혼하다. ⑥《口》=HITCHHIKE.
— *vi.* ①《+전+명》엉키다, 걸리다《*in* ; *on* ; *to*》: My sleeves ~*ed on* a nail. 못에 소매가 걸렸다. ② 왈칵 움직이다; 끌어당기다; 심하게 덜컹거리며 움직이다《*along*》: The old buggy ~*ed along*. 낡은 마차가 덜컹거리며 갔다. ③ 다리를 절다《*along*》: ~ slowly *along* on one's cane 지팡이를 짚고 천천히 다리를 절며 걸어가다. ④《美俗》결혼하다《*up*》; 마음이 맞다, 화합하다《*on*》: We ~ *on* well together. 우리는 함께 잘 지내고 있다. ⑤《口》=HITCHHIKE. ~ ***a ride*** 차에 편승하다. ~ ***horses*** 《古》협조하다《*together*》. ~ ***one's wagon to a star*** 대망을 품다. ~ ***up*** 획 끌어올리다; (말 따위를) 수레에 매다: ~ *up* one's trousers (단정하도록) 바지를 치켜올리다.
— *n.* Ⓒ ① 달아맴; 얽힘, 연결(부). ② 급격히 잡아당김〔움직임, 올림, 떪〕; 급정지. ③ 지장, 장애; 틀림. ④ 와락 끎〔움직임〕; 다리를 젊; 《口》=HITCHHIKE, 차에 편승함《본래는 히치하이크에서》. ⑤ Ⓒ 〖海〗결삭(結索). ⑥《美口》병역기간, 복무〔복역〕기간. ⑦〖鑛〗소(小)단층《채굴광층 이하의 단층》; 동발 구멍《갱목을 버티기 위해 벽에 뚫은 구멍》. ⑧ 타자가 배팅 직전에 배트를 내리거나 당기거나 하는 동작. ***without a*** ~ 거침없이, 척척, 순조롭게.

Hitch·cock [hítʃkɑk / -kɔk] *n.* **Sir Alfred** ~ 히치콕《영국의 영화 감독; 1899-1980》.

‡**hitch·hike** [hítʃhàik] *n.* Ⓒ ① 히치하이크《지나가는 자동차에 편승하면서 하는 도보 여행》. ②〖放送〗=HITCHHIKER. — *vi.* 지나가는 차에 거저 편승하여 여행하다, 히치하이크를 하다. ⓒⓕ lorry-hop. ¶ He ~*d* to New York during his Christmas vacation. 그는 크리스마스 휴가 중에 뉴욕까지 히치하이크를 하였다 / Women should never go *hitchhiking* on their own. 여자는 단독으로 히치하이크를 절대로 해서는 안 된다.

hitch·hik·er [hítʃhàikər] *n.* Ⓒ 자동차 편승 여행자; 〖放送〗(방송 인기 프로 뒤에 하는) 짧은 광고 방송, 편승적 광고(hitchhike).

hi-tech [háiték] *n.* 《口》=HIGH-TECH.

‡**hith·er** [híðər] *ad.* 《古·文語》여기에, 이쪽으로 (here). ⓞⓟⓟ *thither*. ~ ***and thither*** 〔***yon, yond***〕여기저기에: She ran ~ *and thither* in the orchard. 그녀는 과수원 안을 이리저리 뛰어다녔다. — *a.* 이쪽의. ***on the*** ~ ***side*** (***of*** ...) (…보다) 이쪽편의; (…보다) 젊은: *on the* ~ *side of* the river 강의 이쪽에 / *on the* ~ *side of* sixty, 60세보다 젊은.

hith·er·most [híðərmòust] *a.* 가장 가까운(쪽의).

‡**hith·er·to** [hìðərtúː] *ad.* 지금까지(는), 지금까지로 봐서는 (아직). — *a.* 지금까지의.

hith·er·ward(s) [híðərwərd(z)] *ad.* 《古》=HITHER.

Hit·ler [hítlər] *n.* **Adolf** ~ 히틀러《나치당의 영수로 독일의 총통; 1889-1945》.

hít lìst 《俗》살해 예정자 명단.

hít màn 《俗》청부 살인자.

hit-or-miss [-ərmís] *a.* 〔限定的〕=HIT-AND-MISS.

hít paràde 히트퍼레이드《히트곡 등의 인기순위(표)》; 《俗》좋아하는 상대의 리스트.

Hitt. Hittite.

hit·ter [hítər] *n.* Ⓒ 치는 사람, 〖野·크리켓〗타자(打者); 《俗》=HIT MAN; 《美俗》총.

hít·ting strèak [hítiŋ-] 〖野〗연속 안타.

Hit·tite [hítait] *n.* ① (the ~s) 히타이트족(族). ② Ⓤ 히타이트말. — *a.* 히타이트족〔말, 문화〕의.

HIV human immunodeficiency virus(인체 면역 결핍 바이러스; AIDS 바이러스).

‡**hive** [haiv] *n.* Ⓒ ① 꿀벌통(beehive); 그와 같은 모양의 것. ② 한 꿀벌통의 꿀벌떼. ③ 와글와글하는 군중〔장소〕, 바쁜 사람들이 붐비는 곳, (활동 등의) 중심지: a ~ of industry 산업의 중심지 / The office was a ~ of activity. 사무실은 활기에 넘쳐 흘렀다.
— (*p.*, *pp.* ***hived*** ; ***hív·ing***) *vt.* (꿀벌)을 벌집에 모으다〔살게 하다〕; (사람)을 조촐하게 모여 살게 하다; (꿀)을 벌집에 저장하다; (장래에 대비하여) …을 축적하다《*up*》. — *vi.* (꿀벌이) 벌집에 살다; 군거(群居)하다; 틀어박혀 나오지 않다《*up*》. ~ ***off*** (벌집의 꿀벌이) 갈라져서 딴 곳으로 옮기다, 분봉(分蜂)하다; 《英口》(말없이) 사라지다, 떠나다; 《英》(새로운 일을 시작하기 위하여 회사 등을) 그만두다, 갈라지다《*from*》; (…에서) 분리하다《*from*》; 자(子)회사를 발족시키다.

hive-off [háivɔ̀ːf] *n.* 〖英商〗=SPIN-OFF ①.

hives [haivz] *n. pl.* 〔單·複數취급〕발진, 피진(皮疹), 《특히》두드러기(urticaria); 후두염(喉頭炎).

H.J.(S.) *hic jacet.*

hm(.) hectometer(s). **H.M.** His〔Her〕Majesty. **H.M.S.** His〔Her〕Majesty's Service〔Ship〕. **H.M.S.O.** 《英》His〔Her〕Majesty's Stationery Office.

*__ho, hoa__ [hou] *int.* ① 호, 야, 저런《주의를 끌거나 부를 때 또는 놀람·만족·득의·냉소·칭찬 따위를 나타내는 소리》: *Ho* there! 어이, 야 이봐. ★ 주의를 끄는 경우는 後置가 됨. ② 워, 서《말을 멈출 때 내는 소리》. ***Ho! ho!*** (***ho !***) 허허《냉소》. ***Westward*** ~ ***!*** 〖海〗서쪽으로 향해.

Ho 〖化〗holmium. **Ho, H.O.** Head Office; 《英》Home Office.

hoar [hɔːr] *a.* 《稀》서리로 덮인; =HOARY; 《方》곰팡내나는. — *n.* Ⓤ =HOARFROST; HOARINESS.

*__hoard__ [hɔːrd] *n.* ① Ⓒ 저장물, 축적; (재물의) 비장(祕藏), 퇴장(退藏), 사장(死藏), 축재: In the kitchen we found a huge ~ of tinned food. 부엌에서 우리는 막대한 양의 통조림 식품이 저장되어 있는 것을 발견했다. ② Ⓤ (지식 따위의) 조예, 보고(寶庫); (불평 등의) 울적. — *vt.*, *vi.* (…을) (몰래) 저장하다, 축적하다《*up*》; (…을) 저금하다; (…을) 사장하다《*up*》; 가슴 속에 간직하다; (…을) 사재기하다: Because people expected prices to rise rapidly, they started to ~ goods. 사람들은 빠르게 물가가 오를 것으로 예상했기 때문에 물건을 사재기하기 시작했다. ⓟ ∠·er *n.*

hoard·ing[1] [hɔ́ːrdiŋ] *n.* Ⓤ 축적, 사재기; 비장; 퇴장, 사장; (*pl.*) 저장〔축적〕물, 저금.

hoard·ing[2] *n.* 《英》① (공사장·공터 등의) 판장. ② 게시판, 광고판(《美》billboard).

hoar·frost [hɔ́ːrfrɔ̀(ː)st, -frɑ̀st] *n.* Ⓤ (흰)서리 (white frost).

hóarfrost pòint 〖氣〗서릿점.

hoar·i·ness [hɔ́ːrinis] *n.* Ⓤ 머리가 흼; 노령; 고색 창연; 엄숙함.

*__hoarse__ [hɔːrs] (***hóars·er*** ; ***-est***) *a.* 목쉰; 쉰 목소리의; 귀에 거슬리는; (강물·폭풍·우레 등

의 소리가) 떠들썩한 : ~ from a cold 감기로 목이 쉬어 / shout one*self* ~ 목이 쉬도록 외치다.

hoary** [hɔ́ːri] (hoar·i·er*** ; ***-i·est***) *a.* ① 회백색의 ; 나이 먹어 머리카락이 하얗게 된, 백발의 ; 늙은 : at the〔one's〕 ~ age 늙어서. ② 고색이 창연한(ancient) ; 나이 들어 점잖은 ; 진부한 : from ~ antiquity 태고로부터 / Please don't tell that ~ joke at dinner again tonight. 제발 오늘 저녁 식사때에서는 그런 진부한 농담은 다시는 하지 말게. ③〖植·蟲〗 회백색의 솜털로 덮인 ; (식물이) 회백색 잎이 있는.

hoar·y·head·ed [-hédid] *a.* 흰 머리의, 백발의.

hoax [houks] *vt.* …을 감쪽같이 속이다, 골탕 먹이다《*into* do*ing*》: They ~*ed* me *into* believ*ing* it. 그들은 나를 속여 그것을 믿게 했다. ── *n.* Ⓒ 사람을 속이기, 짓궂은 장난 ; 날조.

hob[1] [hɑb / hɔb] *n.* Ⓒ 벽난로(fireplace) 내부 양쪽의 시렁《물주전자 등을 얹음》; (고리던지기 놀이의) 표적 기둥 ; =HOBNAIL ; (수레의) 바퀴통 ; 〖機〗 호브《톱니 내는 공구(工具)》.

hob[2] *n.* Ⓒ 흰족제비의 수컷 ; 요괴(妖怪) ; (H-) 장난꾸러기 작은 요정(puck) ;《口》 장난. ***play ~ with . . .*** 《美口》 …에 피해를 주다, 망치다, 장난치다, 어지럽히다 ; …을 멋대로 고치다. ***raise ~*** 《美口》 망치다, 손상하다《*with*》; 화내다, 격분하다《*with*》.

Hobbes [hɑbz / hɔbz] *n.* **Thomas** ~ 홉스《영국의 철학자 ; *Leviathan* 의 저자 ; 1588-1679》.

Hob·bit [hɑ́bit / hɔ́b-] *n.* 호빗《영국의 작가 J.R.R. Tolkien(1882-1973)의 작품 *Hobbit*에 나오는 난쟁이 요정족(妖精族) ; 발에 털이 났음》.

hob·ble** [hɑ́bəl / hɔ́bəl] *vi.* 절뚝거리며 걷다《*along* ; *about*》; (동작·말 등이) 더듬거리다 ; 비슬비슬 날아가다〔오다〕: ~ *along* on a cane 지팡이에 의지하여 비틀비틀 걷다. ── *vt.* …을 절뚝거리게 하다 ; (말 따위)의 두 다리를 한데 묶다 ; …을 방해하다 ; 난처하게 하다 : A long list of amendments have ~*d* the new legislation. 수많은 수정안이 새로운 입법을 방해했다. ── *n.* Ⓤ 절뚝거림 ; Ⓒ 말의 다리 매는 줄 ; 방해물, 속박 ; Ⓤ 《口·古·方》 곤경, 곤란. ***be in 〔***get into***〕 ***a nice ~*** 곤경에 빠져 꼼짝도 못하다〔못하게 되다〕.

hob·ble·de·hoy [hɑ́bldihɔ̀i / hɔ́b-] *n.* Ⓒ 《稀》 눈치없는 청년, 애송이.

hóbble skìrt 무릎 아래를 좁힌 긴 스커트.

‡**hob·by** [hɑ́bi / hɔ́bi] *n.* Ⓒ ① 취미, 도락 ; 장기, 여기(餘技), 가장 자신 있는 이야깃거리 : My ~ is making model airplane. 내 취미는 모형비행기 제작이다. ② =HOBBYHORSE ; 《古》 작은 말(pony), 활기있는 승용마 ; 《學生俗》 (외국어 등의) 자습서(pony) ; (페달 없는) 초기의 자전거. ③《廢》 멍텅구리, 익살꾼. ***make a ~ of*** …을 도락으로 삼다 : Some elderly women *make a ~ of* sitting on committees. 나이든 부인 중에는 위원이 되는 것을 도락으로 삼고 있는 사람도 있다. ***ride*** 〔***mount***〕 ***a ~*** 〔***hobbyhorse***〕 (***to death***) 재주를 (남이 싫증이 날 정도로) 부리다.

hóbby compùter 취미용 컴퓨터.

hob·by·horse [hɑ́bihɔ̀ːrs / hɔ́b-] *n.* Ⓒ ① 모리스춤(morris dances)에 사용하는 말의 모형, 그 댄서 ; (회전 목마의) 목마 ; 흔들 목마 ; 대말《끝에 말머리가 있는 장난감》; (페달 없는) 초기의 자전거(=**dándy hòrse**). ② 장기(長技)(의 이야깃거리). ***ride a ~*** ⇨HOBBY(成句).
── *vi.* 〖海〗 (배가) 심하게 위아래로 흔들리다.

hob·gob·lin [hɑ́bgɑ̀blin / hɔ́bgɔ̀b-] *n.* Ⓒ 요귀(妖鬼), 장난꾸러기 꼬마 도깨비 ; 개구쟁이.

hob·nail [hɑ́bnèil / hɔ́b-] *n.* Ⓒ (대가리가 큰) 징 ; 징 박은 구두를 신은 사람, 시골뜨기 ; (유리 접시 등의) 돌기 장식.

hob·nob [hɑ́bnɑ̀b / hɔ́bnɔ̀b] (***-bb-***) *vi.* 권커니 작커니 술을 마시다 ; 친하게〔허물없이〕 사귀다, 사이좋게 이야기하다, …와 매우 친밀하다《*with*》; 간담하다《*with*》.

ho·bo [hóubou] (*pl.* ~(***e***)***s***) *n.* Ⓒ 《美》 뜨내기 노동자 ; 부랑자, 룸펜.

Hób·son's chóice [hɑ́bsnz- / hɔ́bsnz-] 주어진 것을 갖느냐 안 갖느냐의 선택, 골라잡을 수 없는 선택《17 세기에 영국의 Hobson이라는 삯말 업자가 손님에게 말의 선택을 허락하지 않은 데서》.

Ho Chi Minh [hóutʃíːmín] 호치밍, 호지명《월맹 대통령 ; 1890-1969》: ~ Trail 호치밍 루트.

Hó Chì Mính Cíty 호치민시《구칭은 Saigon》.

hock[1] [hɑk / hɔk] *n.* Ⓒ ① (네발 짐승의 뒷다리의) 무릎, 복사뼈 마디 ; 닭의 무릎. ② (돼지 따위의) 족(足)의 살.

hock[2] *n.* Ⓤ, *vt.* 《俗》 (…을) 전당(잡히다)(pawn) ; 교도소. ***in ~*** 《口》 전당잡혀 ; 옥에 갇혀 ; 《口》 곤경에 빠져 ; 《俗》 빚을 져《*to*》. ***out of ~*** 《口》 전당품을 되찾아서 ; 《俗》 빚지지 않은.

hock[3] *n.* Ⓤ 《英》 (종종 H-) 독일 라인 지방산 백포도주.

***hock·ey** [hɑ́ki / hɔ́ki] *n.* Ⓤ 하키(field ~), 아이스 하키(ice ~) ; 하키용 스틱.

hóckey pùck 하키용 퍽 ; 《美俗》 햄버거.

hóckey stick 하키용 스틱.

hock·shop [hɑ́kʃɑ̀p / hɔ́kʃɔ̀p] *n.* Ⓒ 《美口》 전당포(pawnshop).

ho·cus-po·cus [hóukəspóukəs] *n.* Ⓤ ① 요술, 기술(奇術). ② 주문. ③ 속임수, 야바위. ── (***-s-***, 《英》 ***-ss-***) *vi.*, *vt.* (요술을) 부리다 ; (…을) 감쪽같이 속이다《*with* ; *on*》.

hod [hɑd / hɔd] *n.* Ⓒ 호드《벽돌·회반죽 따위를 담아 나르는 나무통》; 《美》 석탄통(coal scuttle).

hód càrrier (벽돌·회반죽 등을) hod 로 나르는 인부 ; 벽돌공의 조수(《英》 hodman).

hodge [hɑdʒ / hɔdʒ] *n.* Ⓒ 《英》 (전형적인) 머슴, 시골뜨기.

hodge·podge [hɑ́dʒpɑ̀dʒ / hɔ́dʒpɔ̀dʒ] *n.* (a ~) 《美》 뒤범벅《*of*》: His theory is *a ~ of* borrowed ideas. 그의 이론은 남의 생각들을 뒤범벅한 것이다 ; =HOTCHPOTCH《英》. ── *vt.* …을 뒤범벅으로 만들다.

hod·man [hɑ́dmən / hɔ́d-] (*pl.* ***-men*** [-mən]) *n.* Ⓒ 《英》 ① =HOD CARRIER. ② 〔一般的〕 남의 일을 거드는 사람, 뒤뿔치는 사람(hack). ③ 하청 문필업자, 삼류 문사.

hoe** [hou] *n.* Ⓒ (자루가 긴) 괭이 ; (괭이형(形)의) 제초기 ; (모르타르·회반죽용(用)의) 괭이. ⓒⓕ spade[1]. ── (*p.*, *pp.* ***hoed ; ***hóe·ing***) *vt.*, *vi.* (…을) 괭이질하다, 갈다 ; (잡초를) 괭이로 파헤치다《*in* ; *into* ; *up*》.

hoe·down [hóudàun] *n.* Ⓒ 《美》 (hillbilly 조의) 활발하고 경쾌한 스퀘어댄스 ; 그 곡〔파티〕.

***hog** [hɔːg, hɑg] *n.* Ⓒ ① 돼지《특히 거세한 수퇘지 또는 다 자란 식용 돼지》. ② 《口》 돼지 같은 녀석, 욕심꾸러기, 불결한 사람. ③ 《美俗》 대형 오토바이, 대형 자동차 ; 《美鐵俗》 기관차, 기관사. ④ 《美俗》 죄수(yard bird). ⑤ 《美俗》 1 달러(화폐〔지폐〕).
bring one's ~s to the wrong market ⇨ MARKET. ***go*** (***the***) ***whole ~*** 《俗》 ⇨ WHOLE. ***live*** 〔***eat***〕 ***high off*** 〔***on***〕 ***the ~*** 〔***~'s back***〕 《口》 호화롭게〔떵떵거리며〕 살다.
── (***-gg-***) *vt.* 《口》 ① …을 독차지 하려하다 ; 탐

내어 제몫 이상을 갖다. ② 게걸스레 먹다《*down*》, 걸근대다 : I hate the way he ~*s down* his food. 그의 게걸스럽게 먹는 태도가 역겹다. ③ (등 따위)를 둥글게 하다. ④ (배 밑)을 솔로 문지르다.
— *vi.* ① 머리를 숙이고 등을 둥글게 하다 ; (가운데가) 돼지 등처럼 구부러지다 ; 〖海〗 선체의 양 끝이 늘어지다. ② 탐하다, 무모한〔버릇없는, 탐욕스런〕 짓을 하다, 《口》 자동차를 마구 몰다. ~ ***the road*** (차로) 도로의 중앙을 달리다.

hog·gish [hɔ́ːgiʃ, hɑ́g-] *a.* 돼지 같은 ; 이기적인, 욕심 많은 ; 더러운, 불결한 ; 상스러운.

Hog·ma·nay [hɑ̀gmənéi / hɔ̀g-] *n.* Ⓤ,Ⓒ 《Sc.》 (종종 h-) 섣달 그믐날(New Year's Eve) ; 그날의 축제 ; 그날의 축하 선물《과자 따위》.

hogs·head [ˊzhèd] *n.* Ⓒ 큰통《영국 100-140 갤런들이 ; 미국 63-140 갤런들이》; 액량(液量)의 단위《미국 63 갤런 ; 영국 52.5 갤런》; 맥주 · 사이다 등의 단위《245.4 리터 ; 영국 54 갤런》.

hog·tie [ˊtài] *vt.* 《美》 ① (동물)의 네 발을 묶다. ② …을 방해하다, 저해하다.

hog·wash [ˊwɑ̀ʃ, ˊwɔ̀(ː)ʃ] *n.* Ⓤ ① 돼지 먹이《먹다 남은 음식 찌꺼기에 물을 섞은 것》. ② 맛없는 음식〔음료〕, 하찮은 것, 시시한 것.

hog-wild [ˊwàild] *a.* 몹시 흥분한, 난폭한, 억제할 수 없는, 절도 없는.

ho-hum [hóuhʌ́m] *int.* 하아《권태 · 피로 · 지루함 · 하품 등의 소리》.
— *a.* 《俗》 흥미없는, 시시한, 질력나는.

hoick, hoik [hɔik] *vt., vi.* 《口》 (…을) 번쩍 들다, 던지다 ; (비행기를) 급각도로 상승시키다 ; (비행기가) 급각도로 상승하다.

hoi pol·loi [hɔ́ipəlɔ́i] 《蔑》 (the ~) 민중, 대중.

hoist**¹ [hɔist] *vt.* ① 《~+목 / +목+부》 (기 따위)를 내걸다 ; 올리다, (무거운 것)을 천천히 감아 올리다 ; 들어서 나르다〔마시다〕; 높이 올리다 《*up*》: ~ sails 돛을 올리다 / ~ a person shoulder-high 아무를 헹가래치다 / With some difficulty he managed to ~ her onto his shoulders. 그는 간신히 그녀를 어깨에 둘러멨다. ② (물가 따위)를 올리다 ; 잔을 들어 쭉〔맛나게〕 마시다. ③ 《俗》 …을 쌔비다. — *vi.* 높이 오르다 ; 높이 올리기 위해 밧줄을 당기다. ~ ***down 끌어내리다. ~ one***self*** (***up***) …에서 일어서다《*from*》.
— *n.* ① Ⓤ 끌어〔감아, 달아〕 올리기 ; 게양. ② Ⓒ **a)** 감아올리는 기계〔장치〕, 호이스트(hoister). **b)** 《英》 (화물용) 승강기. ③ Ⓤ 《俗》 도둑질, 강탈. ④ Ⓒ 〖海〗 게양된 일련의 신호기. ⑤ Ⓤ (기 · 돛의) 세로폭.

hoist² HOISE 의 과거분사. ~ ***with*** 〔***by***〕 ***one's own petard*** 자승자박이 되어, '남잡이가 제잡이' 꼴이 되어.

hoi·ty-toi·ty [hɔ́itìtɔ́iti] *a.* 거만한, 젠체하는 ; 까다로운 ; 들뜬, 성마른 ; 《古》 경박한. — *n.* Ⓤ 거만함, 거만한〔우쭐하는〕 태도, 시치미 떼는 태도 ; 《古》 야단 법석, 경박함, 경솔한 행위. — *int.* 거참, 질렸어《놀라움 · 경멸 등의 탄성》.

hoke [houk] 《俗》 *vt.* …을 겉만 훌륭하게 꾸미다, 그럴듯하게 만들어내다《*up*》. — *n.* =HOKUM.

ho·key [hóuki] *a.* 《美俗》 ① 가짜의, 부자연한. ② 유난히 감상적인, 진부한. ㊞ **~·ness** *n.*

ho·k(e)y-po·k(e)y [hóukipóuki] *n.* ① Ⓤ 《口》 요술 ; 속임수(hocus-pocus). ② Ⓒ (길거리에서 파는) 싸구려 아이스크림 ; 《俗》 가짜 상품.

ho·kum [hóukəm] *n.* Ⓤ 《美》 ① (극 · 소설 따위의) 인기를 노리는 대목〔줄거리〕, 저속한 수법. ② 익살 ; 어이없는 일, 엉터리 ; 아첨.

hol [hɑl / hɔl] *n.* (흔히 *pl.*) 《英口》 방학(holiday).

†**hold**¹ [hould] (***held*** [held] ; ***held,*** 《古》 ***hold·en*** [hóuldən]) *vt.* ① 《~+목 / +목+전+명 / +목+부》 …을 (손에) 갖고 있다, 유지하다 ; 붙들다, 잡다《*by*》; 쥐다 ; 가까이 끌어당기다 ; (껴)안다《*in*》; (총 따위)를 겨누다, 향하다《*on*》: The girl was ~*ing* some packages *in* her arms. 소녀는 몇개의 짐꾸러미를 껴안고 있었다.
② (요새 · 진지 등)을 지키다, 방위하다(defend).
③ (지위 · 직책 등)을 차지하다 ; 소유하다, 갖다(own) ; 보관하다 : ~ shares 주주이다 / ~ large estates 많은 부동산을 소유하다 / ~ the rights to do …할 권리가 있다.
④ 《~+목 / +목+전+명》 (신념 · 신앙 등)을 간직하다, (학설 등)을 신봉하다 ; (마음에) 품다(cherish) ; (기억 따위에) 남기다《*in*》: ~ a firm belief 굳은 신념을 갖다 / ~ the event *in* memory 그 사건을 기억에 남기다 / Many people *held* him in respect. 많은 사람이 그를 존경했다.
⑤ 《~+목 / +*that* 절 / +목+(*to be*) 보 / +목+보 / +목+전+명》 …을 주장하다, 생각하다 ; 평가하다 ; 판정하다 ; 〖法〗 판결하다 : He ~*s that*.... 그는 …라고 주장한다〔생각하고 있다〕.
⑥ …을 계속 유지하다, 그치지 않다, (대화 따위)를 계속하다, 주고받다.
⑦ 《~+목 / +목+전+명》 …을 멈추게 하다, 제지하다, (억)누르다.
⑧ 〔종종 受動으로〕 (모임 등)을 열다, 개최하다 ; (식)을 올리다, 거행하다 ; (수업 등)을 행하다.
⑨ 《美》 …을 구류〔유치〕하다.
⑩ (결정 따위)를 보류하다 ; 삼가다 ; 팔지 않고 아껴 두다.
⑪ 《~+목 / +목+전+명》 …을 붙들어 놓다, 끌어 당기다, 놓지 않다 ; (주의 따위)를 끌어두다 ; (의무 · 약속 따위)를 지키게 하다 : We will ~ you *to* your promise to pay back the money. 돈을 갚겠다는 약속을 꼭 지키게 하겠다.
⑫ 《+목+보 / +목+전+명》 …을 (어떤 상태 · 위치로) 유지하다 ; (어떤 자세)를 취하다 ; 〖컴〗 (데이터)를 다른 데로 전사(轉寫)한 후에도 기억장치에 남겨 두다 ; 〖樂〗 (음 · 휴지(休止) 따위)를 지속시키다, 늘이다《*on*》: ~ the head straight 고개를 바로 들고 있다 / ~ the door open 문을 열어 놓다 / He *held* his hands *above* his head. 그는 머리 위로 양손을 들고 있었다.
⑬ 《~+목 / +목+전+명》 (물건 따위)를 버티다, 지탱하다《*in* ; *between*》: The building is *held* by concrete underpinning. 그 건물은 콘크리트 토대로 지탱되어 있다.
⑭ (그릇이 액 따위)를 수용하다, (건물 · 탈것 등이) …의 수용력〔용량〕이 있다 : ~ a pint 한 파인트 들어가다 / This room can ~ eighty people. 이 방에는 80명이 들어갈 수 있다 / He can really ~ his liquor. 그는 정말 술이 세다.
⑮ 《~+목 / +목+전+명》 …을 안에 포함하다, 마련〔예정〕하고 있다《*for*》: His tone *held* reproach (in it). 그의 말투에는 비난이 들어 있었다 / This contest ~*s* a scholarship *for* the winner. 이 경연대회에서는 우승자에게 장학금이 마련되어 있다.
⑯ 《美食堂俗》 〔흔히 命令形〕 (소스 등)을 치지 말고 주시오, 빼고 주시오 : Give me a burger—~ the pickle. 피클을 빼고, 햄버거 하나 주시오.
— *vi.* ① 《+전+명》 붙들고〔쥐고〕 있다, 매달려 있다《*to, onto*》. ② 보존하다, 지탱하다, 견디다. ③ 《~ / + 보》 (법률 따위가) 효력이 있다, 타당성이 있다, (규칙이) 적용되다 : My promise still ~*s* true〔good〕. 내 약속은 아직도 통한다〔효력이

있다). ④《+보/+부》 (날씨 등이) 계속되다 (last), 지속하다 ; 전진을 계속하다 ; 계속 노래〔연주〕하다. ⑤ 보유하다, 소유권을 가지다《*of* ; *from*》; 마약을 소지하다. ⑥《+전+명》〔흔히 否定文〕 동의〔찬성〕하다《*by* ; *with*》; 인정하다. ⑦《~/+전+명》 버티다《*for* ; *with*》; (신조·결의 등을) 고수하다, 집착하다《*by* ; *to*》. ⑧〔종종 命令形〕 그만두다, 기다리다, 삼가다 ; 초읽기를 중단하다. ~ . . . ***against*** a person …을 거론하여 아무를 비난하다, …의 이유로 아무를 원망하다 : She still ~*s* it *against* him that he criticized her once. 그가 그녀를 한번 비난한 것을 그녀는 지금도 원망하고 있다. ~ ***back*** (1) 제지하다 ; 방해하다 ; 억제하다, 자제하다 ; 보류〔취소〕하다《*from*》; 숨기다《*from*》: As I listened to the touching story, it was difficult to ~ *back* my tears. 애처로운 이야기를 듣고 눈물을 자제하기가 힘들었다. (2) 망설이다. ~ ***by*** …을 굳게 지키다 ; …을 고집〔집착〕하다. ~ ***down*** (1) (억)누르다, (물가·인원수 등을) 억제하다 ; (소리 등을) 제지하다 : They failed to ~ costs *down*. 그들은 경비억제에 실패했다. (2)《口》 (지위를) 보존하다. ~ ***forth*** (1) 제시〔공표〕하다. (2)《蔑》 장황하게 지껄이다《*on*》: ~ *forth on* the subject for hours 그 문제에 관해 여러 시간동안 장광설을 늘어놓다. ~ ***hard*** (말을 정지시키기 위해) 고삐를 세게 당기다 ;〔命令形〕 기다려!, 덤벙대지 마라! 멈춰! ~ ***in*** (1) (감정 등을) 억제하다 ; 참다 ; 잠자코 있다 : ~ *in* one's temper 노여움을 참다. (2)〔再歸的〕 자제하다 : ~ one*self in* 자제하다. ~ ***in esteem*** 존경〔존중〕하다. ~ (***in***) ***one's breath*** ⇨ BREATH. ***Hold it*** 〔***everything***〕***!***《口》 움직이지 마 ; 가만 있어 ; 잠깐 기다려. ~ ***off*** (1) 멀리하다, 가까이 못 하게 하다, 막다 : I'll ~ *off* the bill collectors until pay day. 월급날까지 수금원을 가까이 못하게 할 작전이다. (2) (아무를) 피하다, 떨어져 있다《*from*》; 멀리 떨어지다. (3) 꾸물거리다, 뒤지다 ; 지체시키다《do*ing*》. (4)《美》 (결단·행동 등을) 미루다, 연기하다. (5)《美》 (비 따위가) 내리(려고 하)지 않다 : I hope the rain ~*s off* while we walk home. 우리가 집에 가는 동안 비가 안 오면 좋겠다. ~ ***on*** (*vi.*) (1) 계속〔지속〕하다, (비가) 계속 내리다. (2) 붙잡고 늘어지다《*to* ; *by*》; 버티어 나가다, 견디다, 사수하다. (3) (전화를) 끊지 않고 놔두다〔기다리다〕: *Hold on*, please. (전화를 끊지 말고) 기다려 주십시오. (4)《口》〔命令形〕 기다려(Stop!) : *Hold on!* What's that strange noise? 가만 있어! 저 이상한 소리는 무슨 소리지. (*vt.*) (물건)을 고정해 두다. ~ ***on to*** 〔***onto***〕 …을 붙잡고 있다 ; …을 의지하다, …에 매달리다 ; 계속하여 (끝까지) 노래하다. ~ ***out*** (*vt.*) (1) (손 따위)를 내밀다 ; 제출하다. (2) …을 제공〔약속〕하다, (희망 따위)를 품게 하다 : The company ~*s out* the promise of promotion to hardworking young people. 그 회사는 근면한 젊은 사원에게 승진을 약속하고 있다. (3) (기분 등)을 나타내다. (4)《美口》 (당연히 기대하는 것)을 보류해 두다, 말하지 않고〔감추고〕 있다. (*vi.*) (1) (여축·재고품 따위가) 오래 가다 : Will the food ~ *out*? 식량은 넉넉할까. (2) …에 마지막까지 견디다, 계속 저항하다《*against*》. (3) (처우개선을 요구하여) 취업을 거부하다, 계약갱신을 하지 않다. ~ ***out for . . .***《口》 …을 끝까지 지지〔주장, 요구〕하다 : The workers *held out for* better working conditions. 노동자들은 노동조건의 개선을 강력히 요구했다. ~ ***out on . . .***《口》 …에 대해 (정보·돈 따위를) 쥐고 넘겨 주지 않다, 비밀로 하다, (사물을) 보류해 두다 ;《口》 …에게 바라는 대로 하지 않다, …에 대해 회답을〔원조를〕 거부하다. ~ ***over*** (1) 연기하다 ; (예정 이상으로) 계속하다《종종 受動으로》: Let's ~ the problem *over* till the next session. 그 문제를 다음 회기까지 연기하자. (2)〖法〗 기간 만료 후에도 계속 재직하다. (3)〖樂〗 (음을) 다음 박자〔소절〕까지 끌다. ~ a thing ***over*** a person 아무를 무엇으로 위협하다. ~ ***one's hand*** ⇨ HAND. ~ ***one's head high*** 도도하게 굴다. ~ ***one's own*** 자기 입장을 견지하다, 임무를 다하다, 굴하지 않다. ~ ***one's peace*** 〔***tongue***〕 잠자코 있다, 항의 하지 않다. ~ ***one's side with laughter*** ⇨ SIDE. ~ ***open*** 열어놓다, 놓아 주다. ~ ***to*** …에 꼭 들어붙다, …을 고수하다(~ by). ~ ***together*** 결합하다〔시키다〕, 계속 단결해 나가(게 하)다 : John ~*s* the group *together* with his personality. 존은 자신의 개성으로 그 그룹을 결속하고 있다. ~ . . . ***under*** (국민 등을) 억압하다. ~ ***up*** (1) 떠받치다 ; 올리다 ; (모범·예로) 들다, 나타내다《*as* ; *to*》; (불빛 따위에) 비추어 보다《*to*》. (2) (…을 웃음거리로) 내세우다《*to*》. (3)〔종종 受動으로〕 가로막다, 방해하다 ; 늦추다, 연기하다《종종 *on*》. (4) (…의 이야기를) 지지하다. (5)《口》 세우다, 정지시키다,〔命令形〕 서라 ; (권총을 들이대고) …에게 정지를 명하다, …에게서 강탈하다 ;〔命令形〕 꼼짝 마라《강도의 말》; 바로 서다《보통, 말(馬)이 비틀거릴 때 하는 말 '바로 서!'》: They *held up* at the gate. 그들은 문앞에서 발을 멈추었다 / ~ *up* the bank 은행을 덮치다. (6) (굽히지 않고) 버티다, 지탱하다 ; 보조를 늦추지 않다 ; 좋은 날씨가 계속되다,《美》 비가 멎다 : They *held up* through all their troubles. 그들은 온갖 고난을 견뎌냈다. (7)《美口》 부당한 요구를 하다, 시비(是非)를 걸다. ~ ***water*** ⇨ WATER. ~ ***with . . .*** 〔흔히 否定形〕 …에 찬동〔동의〕하다 ; …을 편들다 : You know I do*n't* ~ *with* smoking. 자네는 내가 흡연을 반대하고 있음을 알고 있지. ***Hold your noise*** 〔***jaw, row***〕. 잠자코 있어, 떠들지 마.

── *n.* ① Ⓤ,Ⓒ 파악(grip), 움켜쥠 ; 악력(握力). ② Ⓒ 잡는 곳 ; 버팀 ; 자루, 손잡이 ;〖登山〗 (바위 오르기의) 잡을 데, 발붙일 데 ; 그릇. ③ Ⓤ,Ⓒ 장악, 지배력, 위력, 영향력《*on* ; *over*》; 세력 ; 파악력, 이해(력)《*on* ; *of*》: Nancy has a ~ *on* 〔*over*〕 her husband. 낸시는 남편을 좌지우지하고 있다. ④ Ⓒ 확보, 예약. ⑤ Ⓒ《古》 감옥. ⑥ Ⓒ《古》 성채, 요새(stronghold) ; 은신처, 피난처. ⑦〖樂〗 늘임표, 페르마타《𝄐, 𝄑》. ⑧ Ⓒ〖레슬링〗 (게의 집게발처럼) 상대방을 꽉 붙잡는 방법. ⑨ Ⓤ〖法〗 소유권의 보유. ⑩ 보류 ; (착수·집행 등의) 일시적 정지〔지연〕. ⑪ (미사일 발사 등에서의) 초읽기의 정지〔지연〕;〖空〗 대기 명령〔지령〕. ***catch*** 〔***seize***〕 ~ ***of*** 〔***on***〕 …을 잡다〔쥐다〕, …을 붙들다 ; 말꼬리를 잡다〔잡고 트집을 잡다〕: She *caught* ~ *of* the slip of his tongue. 그녀는 그의 말의 꼬리를 잡았다. ***get*** ~ ***of*** (1) =catch ~ of. (2) …을 손에 넣다, 찾아내다, …을 이해하다. (3) …와 (전화로) 연락을 취하다, 이야기를 하다 : If she's not at home, try to *get* ~ *of* her at the office. 그녀가 집에 없으면 사무실로 전화하여 연락을 취해 보게. (4) …을 억제하다, 지배하다 : *Get* ~ *of* your*self*. 침착하게. ***have a*** ~ ***on*** 〔***over***〕 …에 대해 지배력〔권력〕이 있다, …의 급소를 쥐고 있다 : She *has a* strong ~ *on*〔*over*〕 her daughters. 그녀는 딸들을 강력히 단속하고 있다. ***in*** ~***s*** 드잡이하여, 서로 붙들고. ***lay*** ~ ***of*** 〔***on, upon***〕 …을 붙잡다〔쥐다〕; …을 체포하다 ; …을 발견하다, 손에 넣다 : *Lay* ~ *of* it firmly. 그것을 꼭 잡아라 / They *laid* ~ *of* him and threw him in prison. 그들은 그를 붙잡아 투옥했다 / *lay ~ of* a good used car 쓸만한 중고차를 손에 넣다. ***keep*** one***'s ~ on*** …을 꼭 붙들고 있다 ; …을 붙잡고 놓지 않다. ***let go*** one***'s ~*** 손을 놓다〔늦추다〕. ***lose*** one***'s ~ of*** 〔***on, over***〕 …을 놓치다, …의 손잡을 데를 잃다 ; …의 지배〔인기, 이해〕를 잃다 : I *lost ~ of* the rail and fell into the sea. 나는 난간을 놓쳐 바다로 떨어졌다. ***maintain*** one***'s ~ over*** 〔***on***〕 …에 대한 지배권을 쥐고 있다. ***on ~*** 《美》 (1) (통화에서) 상대를 기다려 전화를 끊지 않고 : I'll put you *on ~* while I check that for you. 그것을 확인할 테니 전화를 끊지 말아 주세요. (2) (일·계획 등이) 보류 상태로, 일시 중단되어 ; 연기되어, 지연된. ***take a*** (***firm***) ***~ on*** one***self*** (곤경에서) 자제하다, 냉정하게 행동하다. ***take ~*** 달라붙다 ; 확립하다, 뿌리를 내리다 ; (약이) 효력이 있다. ***take ~ of*** 〔***on***〕 (유형·무형의 것을) 잡다, 붙잡다, 제어(制御)하다 ; (마약 등을) 상습하게 되다 : Fear *took ~ of* him 〔his heart〕. 공포가 그를〔그의 마음을〕 사로잡았다. ***with no ~s barred*** 모든 수단이 허용되어, 규칙을 무시하여, 제한없이, 제멋대로 : The book is an account of the actor's life *with no ~s barred.* 그 책은 아무 제약을 받지 않고 그 배우의 생애를 서술하고 있다.

hold² [hould] *n.* Ⓒ ①〖海〗 선창(船倉), 화물창(艙)《배 밑의》. ②〖空〗 (비행기의) 화물실(室).

hold·all [hóuldɔ̀ːl] *n.* Ⓒ 《英》 대형 여행 가방.

hold·back [⌐bæ̀k] *n.* Ⓒ 저지(하는 것) ; 보류.

hold-down [⌐dàun] *n.* Ⓒ ① 죔쇠. ② (가격의) 억제《*on*》.

hold·er** [hóuldər] *n.* Ⓒ 〔흔히 複合語〕 ① (권리·관직·토지·기록 등의) 소유〔보유〕자 ; (어음 따위의) 소지인. ② 버티는 물건 ; 그릇, 케이스. ***a ~ in due course 〖法〗 (유통증권의) 정당(正當)한 소지인.

hold·fast [⌐fæ̀st, ⌐fɑ̀ːst] *n.* ① Ⓤ 파악, 꼭 잡음〔달라붙음〕. ② Ⓒ 고정시키는 철물《못·죔쇠·꺾쇠·거멀장 따위》. ③ Ⓒ (해초·기생 동물 등의) 흡착(吸着) 기관〔근(根)〕.

***hold·ing** [hóuldiŋ] *n.* ① Ⓤ 파지(把持) ; 지지. ② Ⓤ 보유, 점유, 소유(권) ; 토지보유(조건). ③ Ⓒ (흔히 *pl.*) 소유물 ; 《특히》 소유주, 보유주 ; 소작지 ; 은행의 예금 보유고 ; 지주(持株) 회사 소유의 회사 ; 재정(裁定). ④ Ⓤ 〖拳〗 껴안기《반칙》 ; 〖排球〗 공을 잠시 받치고 있기《반칙》 ; 〖籠球〗 방해행위 ; 〖美蹴〗 ball carrier 이외의 상대를 잡음《반칙》.

— *a.* 지연시키기 위한, 방해의 ; 일시적인 보존〔보유〕용의 : ~ operation 현상 유지책 / a ~ tank 《美》 배의 오수조(汚水槽).

hólding còmpany (타사 지배를 위한) 지주회사.

hold·out [⌐àut] *n.* Ⓒ ① 인내, 저항. ② (저항의) 거점. ③ 동의〔타협〕하지 않는 사람〔집단〕.

hold·o·ver [⌐òuvər] *n.* Ⓒ 《美口》 ① 이월(移越) (carryover) ; 잔존물, 계속 상연하는 영화〔연극 따위〕. ② 잔류〔유임〕자《*from*》 ; 낙제자, 재수생 (repeater) ; (벌채·피해를 면하고) 남아 있는 수목. ③ 숙취(hangover) ; 구치소, 유치장. ④〖印〗 보판(保版).

hold·up [⌐ʌ̀p] *n.* Ⓒ ① 강도, 강탈. ② 정체, 정지.

†hole [houl] *n.* Ⓒ ① 구멍 ; 틈 ; (옷 따위의) 터진〔째진〕 구멍 ; (도로 등의) 패인 곳, 구덩이(pit) : a ~ in one's sock 양말의 뚫어진 구멍. ② (짐승의) 굴. ③ 누추한 집〔숙소, 동네, 장소〕 ; (the ~) 독방, 지하 감옥. ④ 함정 ; 《口》 (a ~) 궁지, 곤경(fix). ⑤ 결함, 결점, 흠, 손실 : The argument is full of *~s.* 그 논의는 결점투성이다 / I can't find any *~s* in his theory. 그의 이론에는 전혀 결점이 발견되지 않는다. ⑥ 물살이 잔잔하고 깊은 곳 : a swimming ~. ⑦ 《美》 후미(cove), 작은 항구. ⑧〖골프〗 구멍, 홀, 득점 ; 티(tee)에서 그린(green)까지의 구역 ; 공〔유리구슬〕을 쳐 넣는 구멍. ⑨〖物〗 양공(陽孔) ; 〖電子〗 (반도체의) 정공(正孔). ⑩〖카드놀이〗 stud poker 의 엎어 놓은 패. ⑪ 《俗》 질(膣)(vagina) ; 성교 ; (성교 대상자로서의) 여자 ; 항문. ⑫〖野〗 두 내야수 사이의 공간, 《특히》 3루수와 유격수 사이의 공간.

a better ~ 〔***'ole***〕 (***to go to***) 《俗》 가장 좋은 (안전한) 장소. ***a ~ in the head*** 《口》 정말로 바람직하지 못한〔엉뚱한〕 일〔것〕 : I need 〔want〕 … like *a ~ in the head.* …따윈 전혀 필요없다. ***a ~ in the*** 〔one***'s***〕 ***head*** 《美俗》 방심, 멍청함, 어리석음 : You must have *a ~ in your head* if you've willing to do all that work for free. 그 일을 전부 보수없이 하겠다고 나선다면 자네는 멍청이가 틀림없네. ***a ~ in the wall*** 비좁은 집〔장소〕. ***a round peg*** 〔***man***〕 ***in a square ~=a square peg in a round ~*** 부적임자. ***burn a ~ in*** one***'s pocket*** (돈이) 몸에 붙지 않다. ***every ~ and corner*** 구석구석까지, 샅샅이 : They searched *every ~ and corner* for the suspect. 그들은 용의자를 샅샅이 수색했다. ***~ in one*** 〖골프〗 (1) 홀인원(ace)《한번 쳐 hole 로 들어가기》. (2) (*vi.*) 홀인원을 치다. ***in ~s*** 구멍이 나도록 닳아빠져서 : be *in ~s* 구멍투성이다. ***in a*** 〔***the***〕 ***~*** (1) 《美》 곤경에 처하여. (2) 돈에 궁하여, 빚을 지고 : I'm fifty dollars *in the ~* this month. 이 달은 50달러가 적자다. (3) 〖野〗 (투수·타자가) 볼카운트가 불리하여. ***like a rat in a ~*** 독 안에 든 쥐처럼. ***make a ~ in*** …에 구멍을 뚫다 ; (돈 따위를) …에 많이 들이다 ; …을 망치다, (명성·인기 등)을 떨어뜨리다. ***pick*** 〔***knock***〕 ***a ~*** 〔***~s***〕 ***in*** ⇨ PICK.

— *vt.* ① …에 구멍을 뚫다 ; 구멍을 파다 : ~ a wall. ② 《+목+전+명》 (터널·통로 등)을 뚫다 《*through*》 : They *~d* a tunnel *through* the hill. 그들은 그 언덕을 뚫어 터널을 냈다. ③ …을 구멍에 넣다 ; (토끼 등)을 구멍으로 몰다 ; 〖골프〗 (공)을 구멍에 쳐 넣다《*out*》. — *vi.* ① 구멍을 파다〔뚫다〕 ; 구멍으로 기어들어가다. ②〖골프〗 공을 hole 에 쳐 넣다《*out*》 : *~ out* in one 한타(打)로 공을 홀에 넣다. ***~ in*** 《美口》 숨다, 몸을 숨기다. ***~ up*** (1) 구멍으로 들어가다 ; 동면하다. (2) 〔종종 受動으로〕 (경찰 등을 피해) 숨다, 몸을 숨기다《*in ; at*》 ; 《口》 (호텔 등에 부득이하게) 임시로 방을 정하다, 숙박하다.

hole-and-cor·ner [hóulənd*k*ɔ́ːrnər] *a.* 〖限定的〗 비밀의 ; 은밀한, 눈에 안 띄는.

hole-in-the-wall [⌐inðəwɔ́ːl] (*pl.* ***-s-in-the-wall***) *n.* Ⓒ (찾기 힘든) 옹색한〔누추한〕 장소〔방, 가게〕. — *a.* 옹색한, 누추한.

hóle pùncher 펀처 (=**hóle pùnch**)《구멍 뚫는 사무용품》.

holey [hóuli] *a.* 구멍이 있는 ; 구멍투성이인.

†hol·i·day [hɑ́lədèi / hɔ́lədèi] *n.* Ⓒ ① 휴일, 축(제)일(holy day) ; 정기 휴일. ② 휴가 ; (~(s)) 《英》 긴 휴가, 휴가철 ; 휴가 여행(《美》 vacation). ***make a ~ of it*** 휴업하여 축제를 벌이다〔즐겁게 보내다〕. ***make ~*** 휴무로 하다, 일을 쉬다. ***on ~=on*** one***'s ~s*** 《英》 휴가를 얻어, 휴가 중으로(《美》 on vacation). ***take a*** (week's) ***~*** (일주일의) 휴가를 얻다. — *a.* 〖限定的〗 ① 휴일의, 휴가의. ② 휴일〔축제일〕다운, 즐거운 : a ~ mood 휴일 기분. ③ 새삼스런, 나들이의 : ~ clothes 나들

이웃 / ~ English 격식차린 영어.
— *vi.* 《英》 휴일을 보내다〔즐기다〕, 휴가로 여행하다(《美》 vacation).
hóliday càmp 《英》 (해변의 항구적인) 휴가용 캠프장《오락시설이 있는》.
hóliday cènter 행락지.
hol·i·day·mak·er [-mèikər] *n.* Ⓒ 《英》 휴일의 행락객, 휴일을 즐기는 사람(《美》 vacationer).
hol·i·day·mak·ing [-mèikiŋ] *n.* Ⓤ 휴일의 행락. 「휴일마다.
hol·i·days [hálədèiz / hɔ́lədiz] *ad.* 휴일에(는),
ho·li·er-than-thou [hóuliərðənðáu] *a.* 〔限定的〕, *n.* Ⓒ 《口·蔑》 독선적인 ; 경건한 체하는 (사람), 남을 업신여기는〔젠체하는〕 녀석.
***ho·li·ness** [hóulinis] *n.* ① Ⓤ 신성 ; 청렴결백. ② 〖가톨릭〗 (H-) 성하(聖下)《로마 교황의 존칭 ; His 〔Your〕 Holiness 처럼 쓰임》.
— *a.* (종종 H-) 〖基〗 성결파 교회의.
Hol·ins·hed, -lings- [hálinzhèd, -inʃèd / hɔ́linʃèd], [-liŋz-] *n.* **Raphael** ~ 홀린셰드《영국의 연대기 작가 ; ?-1580 ? 》.
ho·lism [hóulizəm] *n.* Ⓤ 〖哲·心·生〗 전체론.
‡**Hol·land** [hálənd / hɔ́l-] *n.* ① 네덜란드《공식 명칭은 the Netherlands》. cf. Dutch. ② Ⓤ (h-) 삼베의 일종《제본용》. ③ (*pl.*) (네덜란드산의) 진.
Hol·land·er [hálǝndər / hɔ́l-] *n.* Ⓒ 네덜란드 사람(Dutchman) ; 네덜란드 배〔선박〕 ; (네덜란드에서 발명된) 일종의 종이 펄프 제조기.
hol·ler[1] [hálər / hɔ́l-] *vi.* 《~ / +전+명》 《口》 외치다, 투덜대다, 불평하다《*about*》 ; 꾸짖다《*at*》 ; 《美俗》 밀고〔고자질〕하다 : I got ~*ed at* for not doing my home work. 숙제를 하지 않았다고 꾸중들었다. — *vt.* 《~+목 / +목+전+명 / +(*that*) 절》 《口》 …을 큰 소리로 부르다〔말하다〕《*at* ; *to* ; *about*》. — *n.* Ⓒ 《口》 외침, 외치는 소리 ; 불만 ; 《美口》 흑인 노동가(歌)의 일종.
hol·ler[2] *a., n., ad., v.* 《方》 =HOLLOW.
Hol·ler·ith [hálǝriθ / hɔ́l-] *n.* 〖컴〗 펀치카드를 사용하는 영어 숫자 코드(=~ **códe**).
hol·lo, hol·loa [hálou, həlóu / hɔ́lou] *int.* 어이, 이봐《주의·응답하는 소리》.
— (*pl.* ~*s*) *n.* Ⓒ (특히 사냥에서) 어이 하고 외치는 소리. — *vi., vt.* (…을) 어이 하고 부르다 ; (사냥개를) 부추기다《*away* ; *in* ; *out*》.
‡**hol·low** [hálou / hɔ́l-] (*more* ~ ; *most* ~) *a.* ① 속이 빈, 공동(空洞)의 : a ~ tree 속이 빈 나무. ② (목소리 등이) 공허한, 힘 없는 : speak in a ~ voice 힘없는 소리로 말하다. ③ 내실이 없는, 무의미한, 빈(empty) ; 불성실한, 허울만의. ④ 공복의. ⑤ 우묵한, 움푹 꺼진. ⑥ 《口》 철저한.
— *n.* Ⓒ 우묵한 곳 ; 계곡, 분지 ; 구멍(hole) ; 도랑 ; (통나무·바위의) 공동(空洞) : the ~ of the hand 손바닥 / They took the sheep to graze in the ~. 풀을 뜯게 하기 위해 그들은 양들을 계곡으로 끌고 갔다. ***in the ~ of*** a person***'s hand*** 아무에게 완전히 예속되어.
— *vt.* 《~+목 / +목+부》 …을 속이 비게 하다 ; 도려내다, 에다《*out*》 ; 파내어 만들다《*out of*》 : ~ a cave 굴을 파다 / ~ a dugout *out of* a log 통나무 속을 파내 마상이를 만들다. — *vi.* 속이 비다. — *ad.* 텅 비게 ; 불성실하게 ; 《口》 철저하게 : The politician's accusation rang ~. 그 정치가의 비난 발언은 허황되게 들렸다. ***beat . . .*** (***all***) ~ ⇨ BEAT. 「WARE.
hol·lo·ware [hálouwɛ̀ǝr / hɔ́l-] *n.* =HOLLOW-
hol·low-eyed [hálouàid / hɔ́l-] *a.* 눈이 우묵한.
hol·low-heart·ed [hálouhá:rtid / hɔ́l-] *a.* 불성실한.
hol·low·ware [hálouwɛ̀ǝr / hɔ́l-] *n.* Ⓤ 〔集合的〕 속이 깊은 식기류《bowl 따위》.
***hol·ly** [háli / hɔ́li] *n.* Ⓤ 호랑가시나무(가지)《크리스마스 장식용》. 「시꽃.
hol·ly·hock [hálihàk / hɔ́lihɔ̀k] *n.* Ⓒ 〖植〗 접
Hol·ly·wood [háliwùd / hɔ́l-] *n.* 할리우드《Los Angeles 시의 한 지구 ; 영화 제작의 중심지》 ; 미국 영화계〔산업〕.
holm [houm] *n.* 〖植〗 HOLM OAK ; 《方》 =HOLLY.
Holmes [houmz] *n.* ① **Oliver Wendell** ~ 홈스《미국의 생리학자·시인·수필가 ; 1809-94》. ② **Sherlock** ~ 홈스《영국의 소설가 Connan Doyle 의 작품 중의 명탐정》. ③ 〔一般的〕 Ⓒ 명탐정.
hol·mi·um [hóulmiəm] *n.* Ⓤ 〖化〗 홀뮴《희토류 원소 ; 기호 Ho ; 번호 67》.
hólm òak 〖植〗 너도밤나무류.
hol·o·caust [hálǝkɔ̀:st, hóu-] *n.* ① Ⓒ (유대교의) 전번제(全燔祭)《짐승을 통째 구워 신 앞에 바침》. ② (사람·동물을) 전부 태워 죽임 ; 대학살 ; 대파괴. ③ (the H-) 나치스의 유대인 대학살.
Hol·o·cene [hálǝsì:n, hóu-] *n., a.* (the ~) 〖地質〗 충적세(沖積世)(의). 「진.
hol·o·gram [háləgræ̀m, hóu-] *n.* Ⓒ 레이저 사
hol·o·graph [háləgræ̀f, -grà:f, hóulǝ-] *n.* Ⓒ 자필 문서〔증서〕. — *a.* 〔限定的〕 자필의.
ho·log·ra·phy [həlágrəfi, hou- / -lɔ́g-] *n.* Ⓤ 《光》 레이저 광선을 이용하는 입체 사진술.
hols [halz / hɔlz] *n. pl.* 《英口》 휴가.
Hol·stein [hóulstain, -sti:n] *n.* Ⓒ 홀스타인.
hol·ster [hóulstər] *n.* Ⓒ 권총용 가죽 케이스.
ho·lus-bo·lus [hóuləsbóuləs] *ad.* 《口》 단번에, 한꺼번에, (통째) 한 모금에.
ho·ly** [hóuli] (-li·er*** ; ***-li·est***) *a.* ① 신성한, 정결한 : a ~ war 성전(聖戰). ② 신에게 바쳐진 ; 신에게 몸을 바친 ; 종교상의. ③ 성자 같은, 경건한, 덕이 높은 ; 성스러운 ; 신앙심이 두터운. ④ 《口》 대단한, 심한. ⑤ 황공한 ; 놀라운. ***Holy cats*** 〔***cow, mackerel, Moses, smoke***(***s***)〕***!*** 《口》 에그머니나, 정말, 저런, 설마, 어쩌면, 대단해, 이거 참《놀람·분노·기쁨 등을 표시함》. ***Holy fuck*** 〔***shit***〕***!*** 《卑》 =Holy cats! ***Holy Toledo !*** 《美俗》 =Holy cats! ***the Holiest*** 지성자(至聖者)《그리스도·하느님의 존칭》 ; =the ~ of holies.
— *n.* Ⓒ 신성한 장소〔것〕. ***the ~ of holies*** 가장 신성한 장소 ; (유대 신전의) 지성소 , 신성 불가침의 곳〔물건, 사람〕.
Hóly Commúnion 〖가톨릭〗 영성체, 성체 성사, 성체 배령 ; (개신교의) 성찬식.
hóly dày 종교상의 축제일《주로 일요일 이외》.
Hóly Fáther (the ~) 로마 교황.
Hóly Ghóst (the ~) 성령.
Hóly Gráil (the ~) (예수가 최후의 만찬 때 사용하였다고 하는) 성배(聖杯).
Hóly Jóe ① 《口》 군목, (종군) 목사〔사제〕. ② 경건한 사람, 독신자(篤信者).
Hóly Lànd (the ~) 성지.
Hóly Móther 성모 (마리아).
hóly órders 성직 : take ~ 성직자〔목사〕가 되다.
Hóly Róller 《美·蔑》 예배중에 열광하는 오순절파의 신자.
Hóly Róman Émpire (the ~) 신성 로마 제국《962-1806》.
Hóly Sáturday 성(聖) 토요일.
Hóly Scrípture (the ~) 성서.
Hóly Sée (the ~) (교황의) 성좌 ; 교황청.
Hóly Spírit (the ~) 성령(Holy Ghost).

Hóly Thúrsday 예수 승천 축일; 성목요일《부활절 전주의 목요일》.
hóly wár (십자군 원정 따위의) 성전(聖戰).
hóly wàter 성수(聖水), 정화수.
Hóly Wèek (the ~) 성주간《부활절의 전주》.
Hóly Wrít (the ~) 성서.
hom·age** [hámidʒ / hɔ́m-] *n.* Ⓤ ① 경의, 존경. ② (봉건시대의) 충성(의 맹세), 신하로서의 예〔봉사 행위〕. ***pay 〔***do, render***〕 ~ ***to*** …에게 경의를 표하다; 신하의 예를 다하다.
hom·bre [ɔ́:mbrei] *n.* Ⓒ 《Sp.》 사나이, 녀석 (fellow); 《美俗》 늠름한 사나이.
hom·burg [hámbə:rg / hɔ́m-] *n.* Ⓒ (종종 H-) 챙이 좁은 중절 모자의 일종.
†**home** [houm] *n.* ①Ⓤ 가정, 가정 생활; 내 집, 자택; 가족. ②Ⓒ 《美·Austral.》 가옥, 주택, 주거. ③Ⓤ 생가(生家). ④Ⓤ 고향; 본국, 고국, (영연방에서) 영국 본토. ⑤Ⓒ 원산지, 서식지 《*of*》; 본고장, 발상지《*of*》. ⑥Ⓒ (자기 집 같은) 안식처; 숙박소; 요양소, 시료소(施療所), 양육원, 고아원, 양로원《따위》; (극빈자 등의) 수용소 《*for*》. ⑦Ⓒ《口》정신 병원; 묘지; (탐험대의) 근거지, 기지, 본부. ⑧Ⓤ〖競〗골, 결승점;〖野〗본루; (놀이에서) 진(陣); lacrosse의 홈《상대방의 골에 가장 가까운 공격 거점》, 홈 플레이어; 홈 경기. (***a***) ~ (《美》***away***) ***from*** ~ 제 집과 같은 안식처《가정적인 하숙 따위》. ***at*** ~ (1) 집에 있어; (자기) 집에서; 홈그라운드에서: be *at* ~ 집에 있다. (2) 면회일로; 《古》 …의 방문을 맞을 준비가 되어있는《*to*》. (3) 본국〔고향〕에; (경기가) 홈그라운드에서 행해지는. (4) 편히, 마음 편히: Please make yourself *at* ~. (스스럼 없이) 편히 하십시오. (5) 정통하여, 숙달하여《*in*; *on*; *with*》: He is *at* ~ *in* the classics. 그는 고전(古典)에 정통하고 있다. ***from*** ~ 부재 중으로; 집〔본국〕을 떠나. ***go to*** one***'s last*** 〔***lasting***〕 ~ 영면(永眠)하다. ~, ***sweet home*** 그리운 내 집이여《오랜만에 귀가할 때 하는 말》. ***near*** ~ 《比》 절실한〔하게〕.
— *a.* 〔限定的〕 ① 가정(용)의, 제 집〔자택〕의: ~ life 가정 생활 / one's ~ address 아무의 자택 주소 《비교: office address 근무처의 주소》 / a ~ project 가정 실습《가정과 등의》. ② 고향의, 본국의; 본고장(에서)의; 본거지의, 주요한: a ~ team 본고장 팀. ③ 자국의, 국산의; 국내의; 내정상(內政上)의 (domestic) (opp. *foreign*); 본토의: ~ affairs 내정(內政) / ~ trade 국내무역 / the ~ market 국내 시장 / ~ products 국산품 / ~ consumption 국내 소비 / a ~ loan 내국채; 주택대부. ④ 급소를 찌르는, 통렬한: a ~ question 급소를 찌르는 질문. ⑤〖競〗결승의;〖野〗본루(생환)의: a ~ game 홈경기, 홈게임. ~ ***and dry*** 《英》 목적을 달성하여, 성공하여, 안전한.
— *ad.* ① 자기 집으로〔에〕, 자택으로; 자국〔고국, 본국〕으로〔에〕: come 〔go〕 ~ 집〔본국〕으로 돌아가다; 《俗》 출소(出所)하다 / write ~ once a week 일주일에 한 번 집에 편지를 쓰다. ② (자택·본국에) 돌아와서; 《美》 집에 있어(~ at): Is he ~ yet? 벌써 돌아와 있습니까 / He is ~. 돌아왔다; 귀성중(歸省中)이다; 《美》 집에 있다 / I'm ~! 다녀왔습니다. ③ 깊숙히, 충분히, 철저하게: drive a nail ~ 못을 단단히 박다. ④〖海〗(배 안〔해안〕쪽으로) 말끔히; 최대한(限)으로; 적합한 위치로: heave the hawser ~ 뱃줄을 말끔히 배안으로 끌어들이다. ⑤〖野〗본루(생환)의: come 〔reach〕 ~ 홈인하다.
be on one***'s*** 〔***the***〕 ***way*** ~ 귀로에 있다. ***bring*** ... ~ ***to*** …을 차근히 호소하다, 절실히 느끼게 하다, 확신케 하다. ***bring*** one***self*** ~ 재정적〔경제적〕으로 다시 일어서다; 지위를 회복하다. ***come*** ~ ***to*** a person 아무의 가슴에 와 닿다, 분명히 이해되다: The sad news *come* ~ *to* Sue. 그 비보(悲報)는 수의 가슴을 아프게 했다. ***drive*** ~ ⇨ DRIVE. ***get*** ~ ⇨ GET[1]. ***go*** ~ (1) 귀가〔귀국〕하다; 《婉》 죽다. (2) 깊이 찌르다; 적중하다. (3) (총고 따위가) 뼈에 사무치다. (4) 〔命令形〕《俗》 입닥쳐라, 시끄러워! (5)《俗》 닳아 빠지다, 상하다, 수명이 다 되다: The prophecy *went* ~. 그 예언은 적중했다. ***nothing to write*** ~ ***about*** ⇨ WRITE. ***press*** 〔***push***〕 ~ …을 힘껏 밀어 넣다; …을 마구 공격하다; (논점 등을) 자세히 설명하다; (이점(利點)을) 최대로 활용(이용)하다: *press* ~ an 〔one's〕 advantage 기회를 최대로 활용하다. ***see*** a person ~ 아무를 집까지 바래다주다. ***take*** ~ . . . 실수령액으로 …(의 임금)을 받다. ***write*** ~ ***about*** 《口》 〔종종 否定文〕 …에 대해 특히 언급하다.
— *vi.* ① 집으로〔근거지로〕 돌아오다. ② 집·근거지를 마련하다〔갖다〕. ③ (미사일 따위가) 유도되다《*in*; *on*》. ④ 좌표에 의해 항해하다.
— *vt.* ① …을 집에 돌려 보내다. ② …에게 집을〔안식처를〕 갖게 하다; 본거지를 마련해 주다, …의 본거지를 정하다: ~ oneself 집을 장만하다. ③ (비행기·미사일 따위)를 자동 조종으로 항진〔착지〕시키다. ~ (***in***) ***on*** . . . (비행기 등이) 무선 표지 따위를 향하여〔에 유도되어〕 항진하다, (미사일 등이) 목표를 향하여 자동 조종으로 항진하다, …을 자동 추적하다. ~ ***on to*** 〔***onto***〕 . . . =~ (in) on…; (목표)를 향하게 하다: The critics immediately ~*d in on* the group's essential members. 비평은 즉시 그 그룹의 핵심회원들에게로 돌아갔다.
hóme bànking 홈뱅킹《가정에서의 단말기를 이용한 은행거래》.
home·body [-bàdi / -bɔ̀di] *n.* Ⓒ 가정적인 사람, 잘 나다니지 않는 사람.
home·bound [-báund] *a.* 본국행의, 귀향(중)의.
hóme bòy (*fem.* ***hóme gìrl,*** 〔集合的〕 ***hóme pèople***) 《美》 ① 한고향 사람. ②《俗》 동료.
home·bred [-bréd] *a.* ① 제 집〔제 나라〕에서 자란. ② 국산의.
home-brew [-brú:] *n.* Ⓤ,Ⓒ 자가양조의 술《특히 맥주》.
hóme càre 자택 요양〔치료〕.
home·com·ing [-kʌ̀miŋ] *n.* Ⓒ ① 귀향, 귀가, 귀국. ②《美》 일년에 한번 졸업생들의 동창회.
hóme compúter 가정용 (소형) 컴퓨터.
hóme económics 가정학.
hóme fàrm 《英》 (지방 지주의) 자작 농장.
hóme frònt 국내 전선, (전선의) 후방의 국민.
hóme gròund 홈 그라운드.
home·grown [-gróun] *a.* 자가제의; (과일·야채 등이) 자기 집〔그 지방, 국내〕에서 산출된〔되는〕; 조국의, 출생지의; 토착의.
hóme guárd ① (the H- G-) 《英》 국방 시민군. ②《美》 지방 의용대. ③《美俗》 정주자. ④《美俗》 한 직장의 장기 근속자. ⑤《美俗》 기혼 선원(船員).
hóme héalth 가정 건강〔보건〕.
hóme hèlp 《英》 가정봉사원《병자·노인을 돌보기 위해서 지방당국에서 파견된 여성》.
hóme índustry 가내(家內) 공업.
home·keep·er [-kì:pər] *n.* Ⓒ 흔히 집 안에만 틀어박혀 있는 사람.
***home·land** [-lǽnd] *n.* Ⓒ ① 고국, 모국, 조국. ②《南아》 홈랜드《인종 격리 정책에 의하여 설정되었던 흑인 거주 지구》.

***home·less** [hóumlis] *a.* ① 집 없는. ② (the ~) 집 없는 사람들.
home·like [hóumlàik] *a.* 자기 집 같은; 편안한.
‡**home·ly** [hóumli] (*-li·er*; *-li·est*) *a.* ① 가정적인, 자기 집 같은, 친절한. ② 검소한, 꾸밈 없는, 수수한; 세련되지 않은; 눈에 익은, 흔한. ③ 《美》 (용모가) 보통의, 못생긴.
‡**home·made** [´-méid] *a.* ① 자가제의, 집에서〔손으로〕 만든. ② 미숙한. ③ 국산의 opp *foreign-made.*
home·mak·er [´-mèikər] *n.* Ⓒ 주부.
***home·mak·ing** [´-mèikiŋ] *n.* Ⓤ 가사, 가정.
hóme óffice 본사, 본점. cf. branch office.
ho·me·o·path·ic [hòumiəpǽθik] *a.* 〖醫〗 유사〔동종〕 요법의. ㊞ **-i·cal·ly** *ad.*
ho·me·op·a·thy [hòumiápəθi / -5p-] *n.* Ⓤ 〖醫〗 유사(類似)〔동종(同種)〕 요법, 호메오파티.
ho·me·o·ther·a·py [hòumiouθérəpi] *n.* Ⓤ 〖醫〗 동종(同種)〔유사(類似)〕요법《건강체에 쓰면, 치료해야 할 병과 같은 증세를 일으키는 약을 극소량 투여하는 치료법》.
home·own·er [hóumòunər] *n.* Ⓒ 자가 소유자.
hóme pèople ⇨ HOME BOY.
hóme pláte 〖野〗 본루.
hóme pòrt 모항(母港), (선박의) 소속항.
Ho·mer [hóumər] *n.* 호메로스, 호머《B.C. 10세기경 그리스의 시인; *Iliad* 및 *Odyssey*의 작자》.
***hom·er** [hóumər] *n.* Ⓒ 《口》 〖野〗 본루타, 홈런; 전서(傳書) 비둘기; 《美스포츠俗》 그 고장 사람을 편들어 주는 임원(任員). — *vi.* 《口》 홈런을 치다.
hóme ránge (정주성(定住性) 동물의) 행동권.
Ho·mer·ic [houmérik] *a.* ① Homer(풍(風))의; Homer 시대의. ② 규모가 웅대한, 당당한.
‡**home·room** [hóumrù(:)m] *n.* 〖敎〗 ① Ⓒ 홈룸《전원이 모이는 생활지도 교실》. ② Ⓤ 홈룸시간〔수업〕.
hóme rúle 내정〔지방〕 자치; (H- R-) 《英》 (아일랜드의) 자치.
‡**hóme rún** 홈런, 본루타.
hóme schóoling 자택 학습.
Hóme Sécretary (the ~) 《英》 내무 장관.
***home·sick** [´-sìk] (*more* ~; *most* ~) *a.* ① 회향병(懷鄕病)의; 향수병에 걸린. ② 〔敍述的〕 (…이) 그리운《*for*》: He is ~ *for* his mother's cooking. 그는 어머니의 음식 솜씨를 그리워하고 있다. ㊞ **~·ness** *n.* Ⓤ 향수(nostalgia).
hóme sígnal (철도의) 구내 신호기.
***home·spun** [´-spʌ̀n] *a.* ① 홈스펀의, 손으로 짠. ② 소박한, 서민적인, 세련되지 않은; 거친; 평범한. — *n.* Ⓤ 홈스펀《수직물 또는 그 비슷한 직물》; 소박함; 《廢》 촌뜨기.
home·stay [´-stèi] *n.* Ⓒ 홈 스테이《유학생 등이 가정에 체류하여 가족과 같이 생활하는 것》.
***home·stead** [´-stèd, ´-stid] *n.* Ⓒ ① 농장이 딸린 농가. ② 《美·Can.》 (이민에게 이양되는) 자작 농장.
hóme stráight 《英》 =HOMESTRETCH.
home·stretch [´-strétʃ] *n.* Ⓒ 《美》 〖競〗 결승점 앞의 최후의 직선 코스(cf. backstretch); 일〔여행〕의 마지막 부분〔최종 단계〕.
home·style [´-stàil] *a.* 〔限定的〕 《美》 (음식물이) 가정에서 만든, 가정적인.
hóme tèrminal 〖컴〗 가정용 단말기.
home·town [´-tàun] *n.* Ⓒ 고향(의 도시), 출생지; 주된 거주지.
hóme trúth 아니꼽고 불쾌한 사실〔진실〕; 명백한 사실의 표명(表明).

***home·ward** [hóumwərd] *a.* 귀로의, 집〔모국〕으로 향하는. — *ad.* 집〔모국〕을 향하여. ㊞ **~s** *ad.* =homeward.
home·ward-bound [hóumwərdbáund] *a.* 본국행의, 본국을 향하는, 귀항(중)인.
†**home·work** [´-wə̀:rk] *n.* Ⓤ ① 숙제, 예습. ② (회의 등을 위한) 사전 준비. ***do** one's* ~ 《口》 사전 조사를 하다, 완전히 준비하다; 숙제하다.
home·work·er [´-wə̀:rkər] *n.* Ⓒ 집안일을 돕는 사람《하녀·정원사 등》.
hom·ey, homy [hóumi] (*hom·i·er*; *-i·est*) *a.* 《口》 가정의〔다운〕; 마음 편한, 스스럼 없는; 편안한, 아늑한. — *n.* Ⓒ 《美俗》 촌뜨기, 어수룩한 사람.
hom·i·ci·dal [hàməsáidl / hɔ̀m-] *a.* ① 살인의. ② 살인할 경향이 있는.
hom·i·cide [háməsàid / hɔ́m-] *n.* 〖法〗 ① Ⓤ 살인; Ⓒ 살인 행위: The suspect was charged with ~. 그 용의자는 살인죄로 고발되었다 / ~ in self-defense 자기 방위를 위한 살인. ② Ⓒ 살인범.
hom·i·let·ic, -i·cal [hàmələ́tik / hɔ̀m-], [-əl] *a.* 설교(술)의; 교훈적인. ㊞ **-i·cal·ly** [-ikəli] *ad.*
hom·i·let·ics [hàməlétiks / hɔ̀m-] *n.* Ⓤ 설교술, 설교법, 설교학.
hom·i·list [háməlist / hɔ́m-] *n.* Ⓒ 설교사(師).
hom·i·ly [háməli / hɔ́m-] *n.* Ⓒ 설교; 훈계, 장황한 꾸지람.
homin-, homini- '사람, 인간'의 뜻의 결합사.
hom·ing [hóumiŋ] *a.* 집에 돌아오〔가〕는; 귀소성(歸巢性)〔회귀성〕이 있는《비둘기 따위》; (자동) 유도〔추적〕의. — *n.* Ⓤ 귀래(歸來), 귀환, 회귀; 귀소 본능.
hóming devìce 〖空軍〗 (유도미사일 등의) 자동 유도 장치.
hóming pìgeon 전서(傳書) 비둘기.
hóming torpèdo (음향·자기 이용의) 감응〔자동 추적〕 어뢰.
hom·i·nid [hámənid / hɔ́m-] *n.* Ⓒ, *a.* 사람과(科)의 동물(의).
hom·i·ny [háməni / hɔ́m-] *n.* Ⓤ 《美》 묽게 탄 옥수수(죽).
ho·mo [hóumou] *a.*, (*pl.* **~s**) *n.* 《口》 =HOMOSEXUAL.
Ho·mo *n.* 《L.》 사람《학명》.
ho·moe·op·a·thy [hòumiápəθi/-5p-] *n.* = HOMEOPATHY.
ho·mo·ge·ne·i·ty [hòumədʒəní:əti, hàm-] *n.* Ⓤ 동종(성), 동질(성); 〖數〗 동차성(同次性): cultural〔racial〕 ~ 문화적〔인종적〕 동질성.
ho·mo·ge·ne·ous [hòumədʒí:niəs, hàm-] *a.* 동종〔동질, 균질〕의; 동원(同原)의, 순일(純一)의; 〖數〗 동차(同次)의; 〖生〗 (발생·구조가) 상동(相同)의. opp *heterogeneous.* ¶ a ~ group 〔society〕 동질 집단〔사회〕. ㊞ **~·ly** *ad.* **~·ness** *n.*
ho·mog·e·nize [həmádʒənàiz, houmá- / -mɔ́-] *vt., vi.* (…을) 균질로 하다, 균질화하다. **~d milk** 균질〔호모〕 우유. ㊞ **ho·mòg·e·ni·zá·tion** *n.* Ⓤ 균질화; 균질화된 상태〔성질〕.
hom·o·graph [háməgræ̀f, -grà:f, hóumə-] *n.* Ⓒ 동형 이의어(同形異義語)《bark(짖다; 나무 껍질) 따위》. ㊞ **~·ic** [hàmougrǽfik, hòumə-] *a.*
homolog ⇨HOMOLOGUE.
ho·mol·o·gous [həmáləgəs, hou- / -mɔ́l-] *a.* ① (위치·비율·가치·구조 등이) 상응〔대응〕하는, 일치하는. ② 〖生〗 상동(相同) (기관)의, 이체(異體)〔이종(異種)〕 동형의. ③ 〖化〗 동족의. ④ 〖數〗 상동의.
homólogous chrómosomes 〖生〗 상동(相同) 염색체.
hom·o·logue, -log [hóuməlɔ̀:g, hámə-, -làg / -lɔ̀g] *n.* Ⓒ 상당하는 것, 서로 같은〔비슷한〕 것;

상동(相同) ; 〖生〗 상동 기관《따위》; 〖化〗 동족체.
ho·mol·o·gy [həmɑ́lədʒi, hou-] *n.* [U] ① 상동(相同) 관계〔성〕, 상사, 이체 동형. ② 〖化〗 동족(관계). ③ 〖生〗 (종류가 다른 기관의) 상동《포유 동물의 앞다리와 조류의 날개처럼 그의 기원이 동일한 것》. ④ 〖數〗 상동, 위상 합동(位相合同).
hom·o·nym [hɑ́mənim / hɔ́m-] *n.* [C] ① 동음 이의어(同音異義語)《meet와 meat, fan(팬)과 fan(부채) 등》. ② =HOMOGRAPH. ③ =HOMOPHONE.
ho·mon·y·mous [həmɑ́nəməs, hou- / -mɔ́n-] *a.* ① 애매한(ambiguous) ; 동음이의어의 ; 이물동명(異物同名)의 ; 쌍관(雙關)의. ② 〖眼科·光〗 같은 쪽의. ㊞ **~·ly** *ad.*
ho·mo·pho·bia [hòuməfóubiə] *n.* [U] 호모〔동성애〕 혐오. ㊞ **-phó·bic** *a.*
hom·o·phone [hɑ́məfòun, hóu-] *n.* [C] 동음 이자(異字) ; 동음 이형 이의어《meet 와 meat, foul 과 fowl 따위》. ㊞ **ho·moph·o·nous** [həmɑ́fənəs, hou- / -mɔ́-] *a.*
hom·o·phon·ic [hɑ̀məfɑ́nik, hòumə- / -fɔ́n-] *a.* 동음의 ; (이철(異綴)) 동음 이의어(異義語)의 ; 〖樂〗 단성(單聲)〔단선율(單旋律)〕의.
㊞ **-i·cal·ly** *ad.*
ho·moph·o·ny [həmɑ́fəni, hou- / -mɔ́f-] *n.* [U] 동음 ; 동음 이의 ; 〖樂〗 동음성 ; 단음악(單音樂) ; 제창(齊唱) ; 단음〔단선율〕적 가곡 ; 〖言〗 (어원이 다른 말의) 동음화.
Hómo sá·pi·ens [-séipiənz] 《L.》 호모사피엔스《사람의 학명》; 인류.
ho·mo·sex·u·al [hòuməsékʃuəl] *a., n.* [C] 동성애의 (사람) ; 동성의. ㊞ **~·ist** *n.* **~·ly** *ad.*
ho·mo·sex·u·al·i·ty [hòuməsekʃuǽləti] *n.* [U] 동성애, 동성 성욕.
homy ⇨HOMEY.
hon [hʌn] *n.* 《口》 사랑스런 사람, 연인(honey).
Hon. Honduras ; Honorable ; (종종 an ~) 《英》 Honorary. **hon.** honor ; honorable.
Hon·du·ras [hɑndjúərəs / hɔn-] *n.* 온두라스《중앙 아메리카의 공화국 ; 수도는 Tegucigalpa ; 略 : Hond.》. ㊞ **Hon·dú·ran** [-rən], **Hòn·du·rá·ne·an, -ni·an** [-réiniən] *a., n.* 온두라스의(사람).
hone [houn] *n.* [C] 면도날 가는 숫돌.
— *vt.* …을 면도날숫돌에 갈다 ; (기술 따위)를 연마하다 : ~ one's skills 기술을 연마하다 / Her debating skills were ~*d* in the students' union. 그녀의 토론술은 학생 자치회에서 연마되었다.
㊞ **hón·er** *n.*
†**hon·est** [ɑ́nist / ɔ́n-] (***more* ~ ; *most*** ~) *a.* ① 정직한, 숨김(이) 없는, 성실한, 공정(公正)한, 훌륭한 : an ~ servant 정직한 하인 / It was ~ of Pete to admit he was partly to blame. 피트가 자기에게도 일부 책임이 있다고 인정하였다니 정직하구나 / She was ~ about it. 그녀는 그것에 대해 숨김없이 말했다. ② 거짓 없는, 진실한 : give one's ~ opinion 솔직한 의견을 말하다. ③ 정당한 수단으로 번, 정당한 : make an ~ living 건실한 생활을 하다. ④ 진짜의(genuine), 순수한 : ~ silk 본견. ⑤ 믿음직한 ; 칭찬할 만한 ; 정숙한. ⑥ 순진한, 단순한. ***be ~ with*** …와 올바르게 교제하다 : Let us *be* ~ *with* each other. 서로 올바로 사귀도록 하자. ***earn*** 〔***turn***〕 ***an ~ penny*** ⇨ PENNY. ~ ***to God*** 〔***goodness***〕 정말로, 맹세코. ***make an ~ woman of*** 《종종 戲》 (관계한 여자를) 정식 아내로 삼다. ***to be ~ with you*** 정직하게 말하면 : *To be ~ with you,* I don't think it will be possible. 솔직히 말하면 그것도 가능할 것 같지가 않다. — *ad.* 《口》 정말로, 정말이야, 거짓말이 아냐 ; 《古》 정직하게.
hónest Ínjun 《口》 정말로, 틀림없이.
‡**hon·est·ly** [ɑ́nistli / ɔ́n-] (***more* ~ ; *most*** ~) *ad.* 정직하게, 거짓없이 ; (초조·곤혹·불신·혐오를 나타내어) 정직하게 말해서, 정말로 : He spoke ~ about his involvement in the affair. 그는 그 사건에 관계했다고 솔직하게 말했다 / confess ~ 거짓없이 고백하다 / *Honestly,* I can't work with you any longer. 정직히 말해서 더이상 너와 일할 수가 없다 / *Honestly,* I can't bear it. 참으로 못해 먹겠군요.
hon·est-to-God, -good·ness [ɑ́nis*t*təgɑ́d / ɔ́nis*t*təgɔ́d], [-gúdnis] *a.* 〔限定的〕 《口》 정말의, 진짜의 : You want to know the ~ truth? 거짓 없는 사실을 알고 싶은가.
‡**hon·es·ty** [ɑ́nisti / ɔ́n-] *n.* [U] 정직, 성실, 실직(實直), 충실 ; 성의 : In all ~ I don't agree with you. 솔직히 찬성할 수 없네 / *Honesty* is the best policy. 《格言》 정직은 최선의 방책 / *Honesty* pays. 《格言》 정직해서 손해 없다.
‡**hon·ey** [hʌ́ni] *n.* ① [U] 벌꿀, 화밀(花蜜) ; 꿀. ② [U.C] 감미 ; 《比》 단 맛, 단 것 : ~ of flattery 달콤한 발림말. ③ 사랑스런 사람《부부·애인끼리 또는 약혼자·아이에 대한 호칭으로》: My ~ ! 여보, 당신《아내·애인에 대한 호칭》/ my ~*s* 얘들아 《어머니가 아이들을 부르는 말》. ④ 《口》 훌륭한 것 : a ~ of an idea 훌륭한 생각 / That car is a ~. 저 차는 고급차다. — *a.* 〔限定的〕 꿀의 ; 꿀과 같은 ; 단 꿀이 나오는, 꿀을 먹는.
hon·ey·bee [-bìː] *n.* 〖蟲〗 꿀벌.
hon·ey·bun, -bunch [-bʌ̀n], [-bʌ̀ntʃ] *n.* 《美口》 =HONEY ③.
*__hon·ey·comb__ [-kòum] *n.* [C] (꿀)벌집 ; 벌집 모양의 물건 ; (반추동물의) 벌집위(胃)(=∠ **stòmach**) 《둘째 위》. — *a.* 벌집 모양의 : a ~ coil 〖電〗 벌집형 코일. — *vt.* ① …에 숭숭 구멍을 많이 내다, ② (악폐·사람 따위가) …에 침투하다 : The government is ~*ed with* spies. 그 정부에는 스파이들이 침투되어 있다. — *vi.* 벌집 모양이 되다. ㊞ **~ed** *a.* 벌집 모양의 ; 〔敍述的〕 벌집 모양이 되어, 구멍투성이가 되어《*with*》: a city ~*ed with* subways 지하철이 사방으로 통하는 도시.
hon·ey·dew [-djùː] *n.* [U] ① (나무·잎·줄기에서 나오는) 단물. ② 감로 멜론(=∠ **mèlon**).
hon·eyed [hʌ́nid] *a.* ① **a)** 꿀이 있는〔많은〕. **b)** 꿀로 달게 한 ; 달콤한(sweet), ② 간살이 넘치는.
*__hon·ey·moon__ [-mùːn] *n.* [C.U] ① 신혼 여행(기간), 밀월, 허니문 : Where are you going on (your) ~ ? 어디로 신혼여행을 가려는가. ② 《比》 행복한 시기 ; 단기간의 협조적 관계. — *vi.* 신혼여행을 하다, 신혼기를 보내다《*at* ; *in*》: They are ~*ing in* the Bahamas. 그들은 바하마에서 신혼기를 보내고 있다. ㊞ **~·er** *n.* [C]
hóneymoon brídge 〖카드놀이〗 두 사람이 하는 각종 브리지.
*__hon·ey·suck·le__ [-sʌ̀kəl] *n.* 인동덩굴 ; 인동덩굴 비슷한 식물.
hon·ey-sweet [-swíːt] *a.* (꿀처럼) 달콤한.
*__Hóng Kóng, Hong·kong__ [hɑ́ŋkɑ́ŋ / hɔ́ŋkɔ́ŋ] *n.* 홍콩. ㊞ **Hóng Kóng·er, Hóng kóng·ite** [-ait] *n.* 홍콩 주민.
hon·ied [hʌ́nid] *a.* =HONEYED.
honk [hɔːŋk, hɑŋk / hɔŋk] *n.* [C] 기러기의 울음소리(와 같은 목소리〔소리〕) ; 자동차의 경적 소리.
— *vi., vt.* (기러기가) 울다, 그러한 소리가 나다〔를 내다〕; 《口》 경적을 울리다 ; 《英俗》 (왝 하고) 토하다《*up*》: He drove up in front of the house and ~*ed.* 그는 집앞까지 차를 몰고 와서 경적을 울

렸다.

hon·kie, -ky, -key [hɔ́ːŋki, háŋki / hɔ́ŋki] *n.* [C] 《美黑人俗·蔑》 백인, 흰둥이.

honk·y-tonk [hɔ́ːŋkitɔ̀ːŋk, háŋkitàŋk / hɔ́ŋkitɔ̀ŋk] *n.* ① [C] 《俗》 떠들썩한 대폿집〔카바레, 나이트 클럽〕; 《美俗》 초라한 극장; 매음굴; 싸구려 환락가. ② [U] 홍키통크《싸구려 카바레 등에서 연주하는 래그타임(ragtime) 음악》. ── *a.* 싸구려 술집의; 홍키통크 가락의.

‡Hon·o·lu·lu [hànəlúːluː / hɔ̀n-] *n.* 호놀룰루《하와이주의 주도(州都)》.

†hon·or, 《英》 **-our** [ánər / ɔ́n-] *n.* [U] ① **a)** 명예, 영예; 영광: die with ~ on the battlefield 명예로운 전사를 하다. **b)** 명성, 면목, 체면; 신용: save one's ~ 체면을 유지하다, 면목을 세우다. **c)** 명예를 존중하는 마음; 자존심; 염치: a man of ~ 신의를 존중하는 사람. **d)** 절개; (여성의) 정조: defend one's ~ 정조를 지키다 / sell one's ~ 지조를 팔다. ② **a)** [C] 명예로운 것〔사람〕, 자랑거리; 명예장(章), 훈장; 명예의 표창; (*pl.*) 서위(敍位), 서훈(敍勳): an ~ to a family 한 집안의 영광 / I take your visit as a great ~. 당신의 방문을 큰 광영으로 생각합니다. **b)** (*pl.*) 《학교에서》우등: graduate with ~*s* 우등으로 졸업하다. **c)** 〔單數취급〕 〖大學〗 우등; =HONORS COURSE: the ~ roll = 《英》 roll of ~ 우등생(명부). ③ 경의, 존경; (*pl.*) 의례, 의식: a memorial in ~ of the dead 사망자를 위한 위령비 / (full) military ~*s* 군장(軍葬)의 예; 귀인에 대한 군대의 예 / give〔pay〕 ~ to a person 아무에게 경의를 표하다 / have〔hold〕 a person in ~ 아무를 존경하다. ④ 고위, 고관; (His H-, Your H-) 각하《영국에서는 시장·지방판사, 미국에서는 법관의 경칭》. ⑤ (*pl.*) 〖카드놀이〗 최고의 패《whist 에서는 ace, king, queen, jack; bridge 에서는 ten 도 낌》; 〖골프〗 (tee 에서) 제일 먼저 공을 칠 권리. ***a debt of*** ~ (내기·노름 따위의) 신용빚. ***a maid of*** ~ 궁녀. ***a point of*** ~ 명예에 관한 일, (이행하지 않으면) 체면에 관한 일. ***be on*** one***'s*** ~ ***to*** do =***be bound in*** ~ ***to*** do =***be*** (***in***) ~ ***bound to*** do 명예를 걸고 …하여야 한다: West Point cadets *are on their* ~ not *to* cheat in an exam. 웨스트 포인트 사관 생도들은 명예를 걸고 시험중에 부정행위를 해서는 안된다. ***do*** ~ ***to*** a person =***do*** a person ~ ⑴ 아무에게 경의를 표하다. ⑵ 아무의 명예가 되다, 아무에게 면목이 서게 하다: Such good students would *do* ~ *to* any teacher. 이런 훌륭한 학생들은 어느 교사에게나 자랑스러울 것이다. ***give*** a person one***'s*** (***word of***) ~ 명예를 걸고 아무에게 맹세〔약속〕하다. ***have the*** ~ ***to*** do 〔***of*** do***ing***〕 …하는 영광을 얻다, 삼가 …합니다: I *have the* ~ *to* inform you that... 삼가 말씀드립니다만… / May I *have the* ~ *of* do*ing*? …하게 해 주시겠습니까〔…해도 좋겠습니까〕. ~ ***bright*** 《口》 맹세코, 확실히: *Honor bright?* 확실하지? 할 수 있겠나 / I did sweep the floor, ~ *bright.* 맹세코, 바닥청소를 했다. ***in*** ~ 도의상. ***in*** ~ ***of*** …에게 경의를 표하여; …을 축하하여: A bust has been erected *in* ~ *of* the great scientist. 그 위대한 과학자를 추앙하여 흉상이 건립되었다. ***on*** 〔***upon***〕 ***my*** ~ 맹세코, 명예를 걸고. ***pledge*** one***'s*** ~ 자신의 명예를 걸고 맹세하다. ***put*** a person ***on*** his ~ 아무를 명예를 걸고 맹세케 하다: I must *put* you *on* your ~ not to speak of this to anyone. 이 일은 아무에게도 말하지 않겠다고 자네 명예를 걸고 맹세해야 하네. ***render the last*** ~***s*** 장례식을 거행하다; 장례에 참가하다. ***the*** ~***s of war*** 항복한 적에게 베푸는 특전. ***upon*** one***'s*** (***word of***) ~ 《口》 맹세코. ***with*** ~ 훌륭하게; 예로써. ***with*** ~***s*** (학생이) 우등으로: pass *with* ~*s* in mathematics.

── *vt.* ① …을 존경〔존중〕하다(respect), …에게 경의를 표하다: *Honor* your father and your mother. 네 부모를 공경하라《십계명의 한가지》/ an ~*ed* guest 빈객. ② 《~+[목] / +[목]+[전]+[명]》 …에게 명예를 주다; 영광을 주다《*with*》; 수여하다《*with*》: ~ a person *with* a title 〔an invitation〕 아무에게 칭호를 수여하다〔아무를 초대하다〕 / I am most ~*ed* to be invited. 초대를 받아 대단히 영광입니다 / The university ~*ed* him *with* its leadership award. 대학은 지도력 상을 그에게 수여하여 표창했다. ③ …을 승낙하다, 삼가 받다: ~ an invitation. ④ 〖商〗 (어음)을 인수하고 기일에 지급하다, 인수하다; (입장권·표 등)을 유효로 (간주)하다; (약속 등)을 지키다: The hotel ~*s* all major credit cards. 그 호텔에서는 주요 크레디트 카드는 모두 사용할 수 있다.

‡hon·or·a·ble [ánərəbəl / ɔ́n-] (***more*** ~; ***most*** ~) *a.* ① 명예 있는, 명예로운; 명예를 손상치 않는: win ~ distinctions 명예로운 훈공을 세우다 / die an ~ death 영예로운 최후를 마치다. ② 존경할 만한, 훌륭한; 수치를 아는, 올바른 (upright): a ~ man 존경할 만한 사람 / ~ conduct 훌륭한 행위. ③ 고귀한, 고위의. ④ (H-) 사람의 이름에 붙이는 경칭《略: Hon.》. ★ 미국에서는 양원 의원·주의원 등에 대한 경칭; 영국에서는 각료·고등 법원 판사·하원의장; 식민지 행정관·궁녀·백작 이하의 귀족의 자제에 대한 경칭. ***the Most Honorable*** 후작(侯爵)·Bath 작위의 사람·추밀 고문관의 경칭《略: Most Hon.》. ***the Right Honorable*** 백작·그 이하의 귀족·추밀 고문관·런던 시장 등의 경칭《略: Rt. Hon.》.

[파] *-**bly** *ad.* 존경받도록, 훌륭히; 올바르게, 정당하게.

hónorable méntion 선외가작(選外佳作).

hon·o·rar·i·um [ànəréəriəm / ɔ̀n-] (*pl.* ~***s,*** ***-ia*** [-iə]) *n.* (명예직 등의) 보수; 사례(금)《특히 받는 쪽에서 청구하지 않음이 관례》.

hon·or·ary [ánərèri / ɔ́nərəri] *a.* 명예의, 명예직의《실권·직무 따위가 없는 것》; 무급의; 도의상의: an ~ degree 명예학위 / an ~ member 〔office〕 명예 회원〔직(職)〕. ── *n.* [C] 명예직〔학위〕(을〔를〕 가진 사람).

hon·or·if·ic [ànərífik / ɔ̀n-] *a.* 존경의, 경의를 표하는, 경칭의. ── *n.* [C] 경어, 경칭.

hónor ròll ① 수상자 일람, (초등〔중〕학교의) 우등생 명부. ② 전사자 명부, 재향군인 명부.

hónors còurse (주로 영국 대학의) 우등과정《보통 개개의 연구에 종사하는 독립과정》.

hónors lìst 《英》 은전 방명록(恩典芳名錄) 《국왕생일·신년 등에 발표되는 수작(受爵) 등의 인명록》.

hon·ors·man [ánərzmæ̀n / ɔ́nərz-] (*pl.* ***-men*** [-mèn]) *n.* 《美》 (대학의) 우등졸업생.

hónor sỳstem 무감독 시험제도, (교도소의) 자주관리 제도; (대학의) 우등 시험제도.

‡honour ⇨ HONOR.

hooch¹, hootch¹ [huːtʃ] *n.* 《美口》 [U] 술, 위스키; 《특히》 밀주, 밀수입한 술; 독한 술《위스키 따위》.

hooch² ⇨ HOOTCH².

‡hood¹ [hud] *n.* [C] ① 두건; (외투 따위의) 후드; 대학 예복의 등에 드리는 천. ② 두건 모양의 물건; (매·말의) 머리씌우개; (타자기·발동기 등의)

덮개 ; 《美》 (자동차의) 엔진 뚜껑(《英》 bonnet) ; 《英》 (자동차의) 지붕 ; 굴뚝의 갓 ; 마차 따위의 포장 ; 포탑(砲塔)의 천개(天蓋) ; (승강구·천창 따위의) 덮개, 뚜껑 ; 〖寫〗 후드《렌즈용 테》 ; (독사의) 우산 모양의 목. — *vt.* …에 ~를 달다, …을 ~로 덮다〔가리다〕. [파] ∠·lìke *a.*

hood² *n.* 《俗》 = HOODLUM.

-hood [hùd] *suf.* 〔名詞語尾〕 ① 성질·상태·계급·신분·경우 등을 나타냄 : child*hood*, man*hood*. ② 드물게 형용사에 붙어서 상태를 나타냄 : false*hood*, likeli*hood*. ③ 집합체를 나타냄 : priest*hood*, neighbor*hood*.

hood·ed [húdid] *a.* 두건을 쓴 ; 두건 모양의 ; 〖動·植〗 두건 모양의 도가머리가 있는.

hood·lum [hú:dləm, húd-] *n.* [C] 《口》 건달, 깡패, 폭력단원, 신변 경호자. [파] ~·ish *a.* ~·ìsm *n.* [U] 깡패의 행위〔수법〕, 비행(非行).

hoo·doo [hú:du:] *n.* [C] ① (*pl.* ~*s*) 《口》 재수없는 사람〔물건〕 ; 《口》 불운. ② = VOODOO.
— *vt.* 《口》 …에게 마법(魔法)을 걸다 ; …을 불행하게 하다.

hood·wink [húdwìŋk] *vt.* (남)의 눈을 속이다.

hoo·ey [hú:i] 《口》 *n.* [U] 허튼 소리, 바보 짓.
— *int.* 바보 같은.

‡**hoof** [hu:f, huf] (*pl.* ~*s*, **hooves** [hu:vz, huvz]) *n.* [C] ① 발굽 ; (굽 있는 동물의) 발. ② 《戱》 (사람의) 발(foot). ***get the*** ~ 《俗》 쫓겨나다, 해고되다. ***on the*** ~ (가축이) 살아 있는(alive) ; 생생한. ***under the*** ~ 짓밟혀. — *vi.* 《口》 걷다 ; 《俗》 (특히 탭댄스를) 추다. — *vt.* 《口》 …을 굽으로 차다 ; 《英俗》 (아무)를 쫓아내다《*out*》 : be ~*ed* 채다 ; (지위·직에서) 쫓겨나다. ~ ***it*** 《口》 춤추다 ; (마지못해) 걷다

hoof·beat [hú:fbì:t] *n.* [C] 발굽 소리.

hoofed [hu:ft] *a.* ① 발굽 있는 : a ~ animal 유제(有蹄) 동물. ② 〔複合語〕 …한 발굽이 있는 : broad-~ 발굽이 넓은.

hoof·er [hú:fər] *n.* [C] 《俗》 (직업) 탭댄서.

hoo-ha [hú:hà:] *n.* [U] 《口》 (사소한 일에 대한) 흥분, 대소동. — *int.* 《口》 와아《떠드는 소리》.

‡**hook** [huk] *n.* [C] ① **a**) 갈고리 ; 걸쇠 ; a clothes ~ 양복걸이. **b**) 호크 ; 경첩(의 고정부). **c**) 낚싯바늘 : a ~ and line 낚시 달린 낚싯줄. ② **a**) 갈고리 모양의 것 ; 초승달 모양의 낫 ; 《海俗》 닻. **b**) 〖動·植〗 갈고리 모양의 기관〔돌기〕 ; (*pl.*) 《俗》 손(가락) : Get your ~*s* off the cake! 케이크에서 손을 치워라. **c**) 갈고리 모양의 갑(岬) ; (하천의) 굴곡부 ; 〖서핑〗 파도마루. **d**) 인용부, 작은 따옴표(' ') ; 〖樂〗 음표 꼬리《♪의 꼬리 부분》. **e**) 《美學生俗》 (성적평가의) C. ③ 〖野〗 커브 ; 〖골프〗 좌곡구(左曲球) ; 〖拳〗 훅.
above one***'s*** ~ 이해할 수 없는, 분에 넘치는. ***by*** ~ ***or by crook*** 기어코, 어떻게 하든. ***get*** one***'s*** ~***s into*** 〔***on***〕 ... 《口》 (남자)의 마음을 끌다, …을 사로잡다 : Has she *got her* ~*s on* you too? 그녀가 자네까지 사로잡았는가. ***get the*** ~ 《美俗》 해고되다. ***give*** a person ***the*** ~ 《美俗》 아무를 해고하다. ***go on the*** ~ 학과 중 빼먹다. ~ ***and eye*** 훅 단추. ~, ***line, and sinker*** 〔副詞的〕 《口》 전적으로 믿고. ***off the*** ~ 《口》 책임〔위기, 곤란〕을 벗어나 : get *off the* ~ 궁지에서 벗어나다 / He let us *off the* ~. 그는 우리를 궁지에서 구해주었다. ***off the*** ~***s*** 《俗》 죽어, 뒈져 : drop 〔go, pop, slip〕 *off the* ~*s* 뒈지다, 죽다. ***on*** one***'s own*** ~ 《口》 혼자 힘으로. ***on the*** ~ 《俗》 (1) (상황 등에) 구속되어 ; 궁지에 빠져 : put a person *on the* ~ 아무를 궁지에 빠뜨리다 / He's already *on the* ~ for $10,000. 그는 이미 10,000 달러의 빚으로 옴짝달싹 못하고 있다. (2) 대기상태로, 기다리게 : We've had him *on the* ~ for two weeks now. 우리는 그를 벌써 2주간이나 기다리게 했다. ***take*** 〔***sling***〕 one***'s*** ~ 《俗》 살짝 도망치다.
— *vt.* ① …을 (갈고리처럼) 구부리다 : ~ a finger. ② 《~+[목]/+[목]+[부]/+[목]+[전]+[명]》 …을 갈고리로 걸다, 드리우다, 채우다, 찌르다《*up* ; *on* ; *onto* ; *over* ; *round*》 ; 끌어당기다《*in*》 : ~ (*up*) a skirt 스커트의 훅을 채우다 / ~ a dress *over* a nail 옷을 못에 걸다 / Would you ~ me *up*? 훅을 채워주겠습니까. ③ …을 낚시로 낚다 ; 《比》 (아무)를 올가미로 호리다. ④ 《口》 …을 슬쩍 후무리다, 훔치다. ⑤ 〖拳〗 …에게 훅을 넣다 ; 〖골프〗 (공)을 좌곡구(左曲球)로 치다. ⑥ 《俗》 (아무)를 붙잡다. ⑦ 《口》 (사람·남자)를 걸려들게 하다, 낚다, 매춘하다. ⑧ 〖럭비〗 (스크럼 때 발로 공)을 뒤쪽으로 차내다.
— *vi.* ① (갈고리처럼) 굽다. ② 《+[전]+[명]》 (옷이) 훅으로 채워지다〔채우게 돼 있다〕 : a dress that ~*s at* the back 등을 훅으로 채우는 드레스. ③ 《俗》 도망치다 ; 급히 떠나다 : ~ for home 급히 귀로에 오르다. ④ 〖野〗 커브로 던지다. ~ ***in*** 갈고리로 당기다 ; 갈고리로 고정시키다. ~ ***it*** 《俗》 도망치다. ~ ***on*** 훅으로 연결하다 ; …을 훅으로 채우다. ~ ***on to*** . . . …에 (훅 따위로) 고정하다, 잇다 ; 《美口》 (생각 등을) 이해하다, …이 마음에 들다. ~ ***up*** (1) 훅으로 채우다〔채워지다〕 ; 갈고리·훅 따위로 매달다, 달아매다 : ~ *up* a curtain 커튼을 매달다. (2) 말을 마차에 매달다 ; (기계 따위를) 조립하다. (3) 〔종종 受動으로〕 (기기(機器)를 전원·본선에) 연결하다《*to*》.

hooka, hook·ah [húkə] *n.* 수연통(水煙筒)《물을 통하여 담배를 빨게 된 장치》.

hóok-and-lád·der trùck [∠ənlǽdər∠] 사다리 소방차(ladder truck).

*__hooked__ [hukt] *a.* 갈고리 모양의 ; 갈고리가 있는 ; 갈고리로 만든 ; 〔敍述的〕 갈고리에 걸린《*on*》 ; 마약 중독증의 ; (…에) 열중한, 몰두한《*on*》 : a ~ nose 매부리코 / She's ~ *on* drugs. 그녀는 마약에 중독되어 있다 / He's ~ *on* the idea of going on a round-the-world trip. 그는 세계 일주 여행을 떠난다는 생각에 골몰해 있다.

hook·er [húkər] *n.* ① 네덜란드의 두대박이 어선 ; 아일랜드·잉글랜드의 외대박이 어선. ② 〔一般的〕 《蔑》 구식〔볼품 없는〕 배. ③ 갈고리로 걸어당기는 사람〔것〕 ; 낚시질하는 사람〔어부〕. ④ 《美俗》 위스키의 한잔하기. ⑤ 《口》 매춘부. ⑥ 《美俗》 사기꾼, 프로 도박사 ; 《美俗》 구속 영장. ⑦ 〖럭비〗 후킹하는 선수.

hook(·e)y¹ [húki] *n.* 〔다음 成句로〕 ***play*** ~ 《口》 학교를 빼먹다, 농땡이 부리다.

hook(·e)y² *a.* 갈고리가 많은 ; 갈고리 모양의.

hook·nose [húknòuz] *n.* 매부리코 ; 《美俗·蔑》 유대인. [파] **hóok-nòsed** *a.* 매부리코의.

hook·up [∠ʌ̀p] *n.* [C] ① 〖無電〗 접속, 중계 : a nationwide ~ 전국 중계 방송. ② 《美口》 제휴, 동맹, 협력, 친선 : a closer ~ of Caribbean nations 카리브 연안 제국들의 보다 친밀한 제휴. ③ (라디오·전화 따위의) 조립, 접속 ; 접속도 ; 연결 : Each campsite has electric, water and sewage ~*s*. 각 캠프장은 전기, 수도, 하수 시설이 연결되어 있다.

hook·worm [∠wə̀:rm] *n.* [C,U] 십이지장충(병).

hoo·li·gan [hú:ligən] *n.* [C] 무뢰한, 깡패, 불량소년(hoodlum) ; 《美俗》 〖車競走〗 이류 경주자 : a gang of ~*s* 폭력단, 불량배. [파] ~·ìsm *n.* [U] 난폭, 폭력 ; 깡패 기질.

hoop** [huːp, hup] *n.* Ⓒ ① 테. ② (장난감의) 굴렁쇠. ③ 쇠테 ; (기둥의) 가락지 ; 등(籐) 따위의 버팀테《옛날 여자의 스커트 폭을 벌어지게 하는 데 씀》; (크로케(croquet)에서) 활 모양의 작은 문; 반지. ***go* [*jump*] *through the ~(*s*) 시련을 겪다, 고생하다. ***put*** a person ***through the*** ~ 《口》 아무를 단련하다 ; 본때를 보여 주다. ── *vt.* …에 테를 두르다 ; 둘레를 치다 ; …을 둘러싸다.

hoop·la [húːplɑː] *n.* Ⓤ 고리던지기《놀이》; 《口》 대소동, 요란한〔과대〕 선전.

hóop skìrt 버팀테로 버티어 펼친 스커트.

hoo·rah, -ray [hurɑ́ː, -rɔ́ː], [hu(ː)réi] *int.* = HURRAH.

hoos(e)·gow [húːsgau] *n.* 《美俗》 교도소, 유치장 ; 옥외 변소.

Hoo·sier [húːʒər] *n.* Ⓒ 《美》 Indiana 주의 주민.

***hoot**[1] [huːt] *vi.* ① (올빼미가) 부엉부엉 울다. ② 《英》 (기적·자동차의 경적 등이) 울리다. ③ 《+전+명》 야유하다, 야료하다《경멸·분노하여》《*at* ; *to*》: The andience ~*ed at* the judge for his mistake. 관중들은 심판의 오심을 야유했다.

── *vt.* ① 《+목+부 / +목+전+명》 …을 소리내어 쫓아 버리다 ; 아무를 야유하여 물러가게 하다 : The audience ~*ed* the speaker *off* the platform. 청중은 연사를 야유하여 연단에서 몰아냈다. ② …을 우우하며 야유하다. ③ (경멸·분노 등)을 소리질러 나타내다.

── *n.* Ⓒ ① 올빼미 울음소리, 부엉부엉 ; 빼이《고동·경적소리》: The ship gave two ~*s*. 배는 두 번 고동을 울렸다. ② 야유소리, 우우. ③ 《英口》 무한정으로 재미있는 일〔것〕: What a ~! 정말 재미있군. ④ 〔보통 否定文〕 무가치한 것, 소량 : I do*n't* give 〔care〕 a ~ 〔two ~*s*〕. 조금도 상관없다 / It does*n't* matter two ~*s*〔a ~〕. 전혀 문제가 없다 / She does*n't* give two ~*s* about being in debt. 그녀는 빚지고 있다는 것에 대해 전혀 신경을 안 쓴다.

hootch[1] ⇨ HOOCH[1].

hootch[2], **hooch**[2] [huːtʃ] *n.* Ⓒ 《美俗》 (아시아의 이엉 지붕의) 초가집 ; 주거 ; (미군의) 병사(兵舍), 막사, 바라크.

hoot·en·an·ny [húːtənæ̀ni] (*pl.* ***-nies***) *n.* Ⓒ 《口》 (댄스·포크송 등의) 격식 없는 모임〔파티〕.

hoot·er [húːtər] *n.* Ⓒ 올빼미 ; 야유하는 사람 ; 기적, 경적 ; 〔否定文〕 조금 ; 《英俗》 코.

hóot òwl 〖鳥〗 (특히 울음소리가 큰 각종) 올빼미.

Hoo·ver[1] [húːvər] *n.* **Herbert Clark** ~ 후버《미국 제 31대 대통령 ; 1874-1964》.

Hoo·ver[2] *n.* Ⓒ 후버 전기 청소기(《美》 vacuum cleaner)《商標名》. ── *vt.* (h-) 《英口》 …을 전기 청소기로 청소하다, 흡수하다.

‡**hop**[1] [hɑp / hɔp] (***-pp-***) *vi.* ① 《~ / +부 / +전+명》 뛰다, 한 발로 뛰다, 깡충 뛰다 : ~ *onto*〔*off*〕 a train 열차에 뛰어 오르다〔내리다〕. ② 《+부》 (특히 비행기로) 단기여행을 하다, 잠깐 가다 : I'll ~ *down* to the city. 시내에 잠깐 다녀와야지 / I ~*ped* over to Hawaii for the weekend. 주말에 하와이까지 잠시 여행했다. ③ 《+부》 《口》 이륙하다《*off*》; 비행하다. ④ 《口》 춤추다(dance). ⑤ 절름거리다. ⑥ (술집 따위를) 돌아다니다, 술집 순례를 하다 : nightclub ~*ping*. ⑦ 〖野〗 (공이) 바운드하다.

── *vt.* ① …을 뛰어넘다 ; 뛰어다니다 : ~ a fence 울타리를 뛰어넘다. ② 《口》 (기차 등)에 뛰어오르다, 타다 : ~ a train 열차에 뛰어오르다. ③ 《口》 …을 (비행기로) 횡단하다. ④ (공 따위)를 날리다 ; 〖野〗 바운드하다. ~ ***it*** 〔흔히 命令法〕 《口》 훌쩍 떠나 버리다 : *Hop it !* 저리 가라. ~ ***off*** 《口》 이륙하다. ~ (***on***) (a train) (기차에) 뛰어오르다. ~ ***to it*** 《口》 (급히) 일을 시작하다, 착수하다.

── *n.* Ⓒ ① 도약, 앙감질 ; 토끼뜀. ② 《口》 이륙 ; (장거리 비행의) 한 항정(航程)(stage) ; 비행. ③ 《口》 댄스 (파티). ④ (공의) 튐 : catch a ball on the first ~ 원 바운드에 공을 잡다. ~, ***skip, and jump*** (1) 〔a를 붙여〕 근거리, 바로 가까이 : It's just *a* ~, *skip, and* (*a*) *jump* from here. 여기에서 엎드리면 코 닿을 거리다. ~, ***step, and jump*** 세단뛰기(triple jump). ***on the*** ~ (1) 《英》 현장을 불시에 : catch a person *on the* ~ 아무를 불시에 덮치다. (2) 바쁘게〔뛰어〕 다니며 : keep a person *on the* ~ 아무를 계속 바쁘게 돌아다니게 하다〔만들다〕.

hop[2] *n.* Ⓒ Ⓤ 〖植〗 홉 ; (*pl.*) 홉 열매 ; 《俗》 마약《헤로인·아편》; 《美俗》 마약 중독 ; 《美俗》 어수선함, 혼란 ; 《美俗》 허튼 소리, 농담, 난센스. ***be full of ~s*** 《美俗》 마약으로 취해 있다 ; 허튼 말만을 지껄이고 있다. ── (***-pp-***) *vt.* …에 홉으로 풍미(風味)를 내다 ; 《口》 …에게 마약을 먹이다 《*up*》, (경주마)에게 흥분제를 주다, 〔흔히 受動으로 ; 一般的〕 …을 자극〔격려〕하다 ; 흥분시키다 《*up*》; 《美俗》 (엔진 등)의 출력을 강화하다《*up*》: He'*s* ~*ped up*. 그는 마약으로 흥분하고〔취해〕 있다 / What *are* you all ~*ped up* about? 무슨 일로 그렇게 흥분들 하고 있느냐. ── *vi.* 홉 열매를 따다 ; (홉이) 열매를 맺다.

Hope [houp] *n.* **Anthony** ~ 호프《영국의 소설가 ; 1863-1933》.

†**hope** [houp] *n.* ① Ⓒ Ⓤ 희망 ; Ⓒ 기대 ; 가망. opp. *despair.* ¶ Don't give up ~. 절망하지 말게 / There is no ~ of success. 성공할 가망은 전혀 없다 / While there is life there is ~. 《俗談》 목숨이 있고서야 희망도 있다 / We have great ~*s* of his success. 그의 성공을 크게 기대하고 있다. ② Ⓒ 기대를 받고 있는 사람〔물건〕: He's the ~ of his family. 그는 일가의 호프이다 / a ~ of the musical world 악단의 호프. ③ Ⓤ 《古》 신뢰. ***be in great ~s*** (***that...***) (…을) 크게 기대하고 있다. ***be past*** 〔***beyond***〕 ***all*** ~ 전혀 가망이 없다. ***in ~s of*** = ***in the ~ of*** (***that***) …을 기대하여. ★ 보통 실현 가능성이 적은 경우에 쓰임. ***Not a ~.*** = 〔反語的〕 ***Some ~***(***s***) 〔***What a ~***〕***!*** 《口》 전혀 가망이 없네.

── *vt.* 《+(*that*) 절 / +*to* do》 …을 바라다, 기대하다 ; 《口》 (바람직한 방향으로) 생각하다 : I ~ *to* see you again. 또 만나뵙기를 바랍니다 / I ~ (*that*) the rain will stop soon. 비는 곧 멎겠지요 / It will be fine today, I ~. 오늘은 날씨가 좋으리라 생각한다 / "Will he live?" ― "I ~ so." '그는 살수 있을까'―'그랬으면 좋겠네' / "Will he die?" ―"I ~ not." '그는 죽을까'―'그렇지 않기를 바라네'《위 두 예문 중 so, not는 앞문장을 받는 것으로, that-절의 대용임》. ★ 나쁜 일에는 I fear나 I am afraid를 씀. ── *vi.* ① 《~ / +전+명》 희망을 갖다, 기대하다《*for*》: We are still *hoping.* 우리는 아직도 희망을 가지고 있다 / I'm *hoping for* an interview next week. 내주에 면회하기를 기대하고 있다. ② 《古》 의지하다, 기대를 걸다, 신뢰하다《*in*》. ~ ***against*** ~ 요행을 바라다 ; 헛바라다 : She glanced about the hall, *hoping against* ~ the Richard would be waiting for her. 그녀는 리처드가 자기를 기다리고 있으리라는 실낱같은 희망을 품고서 홀을 훑어보았다. ~ ***and pray*** …을 진심으로〔절실히〕 바라다 : We have to ~ *and pray* (that) the operation will go well. 수술이 순조롭게 이루어지기를 진심으로 바라지 않을 수 없다. ~ ***for*** (***the***) ***best*** 최선을 바라다 : *Hope for the best* and prepare for the worst.

《격언》 최선을 바라고 최악에 대비해라. ***I ~ not.*** 그렇지 않기를 바란다: Won't it hurt him?—*I ~ not.* 그것으로 그가 기분 상하지 않을까—괜찮겠지.

hópe chèst 《美》 처녀의 혼수감함(《英》 bottom drawer).

‡**hope·ful** [hóupfəl] (***more ~; most ~***) *a.* ① 희망이 있는, 전망이 밝은, 전도 유망한: Prospects of Mike's promotion seemed ~. 마이크의 승진 전망도 밝다. ② 희망을 안고 있는; 희망에 차 있는, 기대에 부푼: I am ~ *that* they will be here. 그들이 올 것으로 기대합니다 / She feels ~ *about* the future. 그녀는 장래를 낙관하고 있다. ③〔反語的으로〕설마: "Do you think there will be a pay rise this year?" — "You're ~!" '금년에 급료가 오를 것으로 생각합니까'—'설마'. ***be ~ of*** 〔***about***〕 …을 기대하다, 바라다: Beth *was ~ of* her success as a pianist. 베스는 피아니스트로서의 성공을 바라고 있었다. ── *n.* [C] 전도 유망한 사람; (당선) 유력한 후보; 우승을 노리는 선수〔팀〕. ***a young ~*** 장래가 촉망되는 젊은이; 〔反語的〕 앞날이 걱정되는 젊은이. ㊕ *~·**ly** [-fəli] *ad.* ① 유망하게, 희망을 걸고. ② 바라건대; 아마. ~·**ness** *n.*

‡**hope·less** [hóuplis] (***more ~; most ~***) *a.* ① 희망 없는, 가망 없는; 절망적인(desperate): feel ~ 절망하다 / a ~ situation 절망적인 상황 / a ~ case of cancer 회복할 가망이 없는 암환자. ② 쓸모없는, 헛된, 어쩔 도리 없는; (…이) 맞지 않는, 서툰《*at*》: As a bridge play, you're ~. 자네는 브리지 놀이에는 걸맞지 않네 / I'm afraid I'm quite ~ *at* math. 나는 수학에는 영 재능이 없는 것 같다. ***be ~ of*** …의 희망을 잃다: I'*m ~ of* success〔succeeding〕. 성공의 희망을 잃었다. ㊕ *~·**ly** *ad.* 희망을 잃고, 절망적으로. ~·**ness** *n.*

hop·head [háphèd / hɔ́p-] *n.* [C] 《美俗》 마약중독자.

Ho·pi [hóupi:] (*pl.* ~, ~***s***) *n.* 호피족《미국 Arizona 주 북부에 사는 Pueblo 족》; 호피어(語).

hop-o'-my-thumb [hápəmaiθʌ́m, -mi- / hɔ́p-] *n.* [C] 난쟁이(dwarf).

hop·per[1] [hápər / hɔ́p-] *n.* [C] ① 뛰는 사람, 한 발로 뛰는 사람, 앙감질하는 사람. ②〔흔히 複合語〕《口》 여기저기 떠다니는 사람, (술집 따위를) 여기저기 순례하는 사람: a bar-~ 술집을 순례하는 사람 / a bed-~ 잠자리 상대를 계속 바꾸는 사람. ③ 뛰는 벌레《메뚜기·벼룩 등》; 뛰는 동물《캥거루 따위》. ④ 피아노의 해머를 튕겨올리는 장치. ⑤ 저탄기(貯炭器)·제분기 (따위)의 깔때기 모양의 아가리, 호퍼. ⑥ 개저식(開底式) 배〔화차, 쓰레기차〕. ⑦《俗》 (호텔의) 보이. ⑧《野球俗》 높이 튕기는 타구.

hop·per[2] *n.* [C] 홉을 따는 사람, 홉 즙을 내는 통.

hop·pick·er [ˊ-pìkər] *n.* [C] 홉 따는 사람〔기계〕.

hop·ping[1] [hápiŋ / hɔ́p-] *n.* [U] 홉따기〔채집〕; 홉을 넣는 쓴맛 조미.

hop·ping[2] *a.* ① 깡충깡충 뛰는; 바쁘게 움직이는, 정력적으로 일하는. ②〔흔히 複合語〕 (비슷한 장소를) 순례하는: We went bar-~ last night. 어젯밤은 술집을 몇 군데나 들락거렸다. ***~ mad*** 몹시 노한. ***keep*** a person ~ (아무를) 바쁘게 돌아다니게 하다. ── *n.* 앙감질; 토끼뜀.

hop·scotch, hop·scot [hápskɑ̀tʃ / hɔ́pskɔ̀tʃ], [hápskɑ̀t / hɔ́pskɔ̀t] *n.* [U] 돌차기 놀이.

ho·ra, ho·rah [hɔ́:rə] *n.* [C] 루마니아·이스라엘의 원무(圓舞).

Hor·ace [hɔ́:rəs, hár- / hɔ́:ris, hɔ́-] *n.* ① 호러스《남자 이름》. ② 호라티우스《로마의 서정 시인; 65-8 B.C.》.

Ho·ra·tian [houréiʃən / hɔ-] *a.* 로마의 시인 Horace(풍)의: ~ ode, Horace 풍의 시.

***horde** [hɔ:rd] *n.* ① [C] 유목민의 무리; 유랑민의 떼; 대집단, 군중, 대군(大群). ②〔a ~ of 또는 ~s of 로〕 (동물의) 이동군(群): *a ~ of* wolves 이리 떼. ── *vi.* 군집하다, 무리져 이동하다.

‡**ho·ri·zon** [həráizən] *n.* [C] ① 수평선, 지평선: above〔below〕 the ~ 지평선 위〔아래〕로. ② (흔히 *pl.*) (사고·지식 등의) 한계, 범위; 시야. ③ 〖地質〗 지평층; 〖天〗 지평(地平). ***on the ~*** (사건 따위가) 임박한. ***within the ~*** 시계에.

‡**hor·i·zon·tal** [hɔ̀:rəzántl / hɔ̀rəzɔ́n-] (***more ~; most ~***) *a.* ① 수평의, 평평한, 가로의. [cf.] vertical. ¶ a ~ line〔plane〕 수평선〔면〕 / Bottles of wine should be kept ~. 술병은 뉘어 놓아야 한다. ② 수평선〔지평선〕의. ③ (기계 따위의) 수평동(水平動)의. ── *n.* [U.C] 지평〔수평〕선; 수평 위치. ㊕ ~·**ly** *ad.* 수평으로, 가로로.

horizóntal bár (체조용) 철봉(high bar).

hor·mo·nal [hɔ́:rmounl] *a.* 호르몬의.

hor·mone [hɔ́:rmoun] *n.* 〖生化〗 [U] 호르몬.

hor·mon·ic [hɔ:rmánik / -mɔ́n-] *a.* =HORMONAL.

‡**horn** [hɔ:rn] *n.* ① [C] **a**) (소·양·코뿔소 등의) 뿔, 사슴뿔; (악마 따위의) 뿔. **b**) (달팽이 등의) 신축성있는 뿔, 촉각, 각상기관〔돌기〕. **c**) 〖聖〗 힘의 상징으로서의 뿔, 힘의 원천. ② **a**) [U] 각질(角質), 각질 모양의 물질; 각재. **b**) [C] 뿔 제품: a drinking ~ 뿔로 만든 잔 / a shoe ~ 구둣주걱. ③ [C] **a**) 뿔피리; 〖樂〗 호른; (재즈의) 관악기(주자), 《특히》 트럼펫(취주); 호른꼴 스피커(의 혼); 확성기. **b**) (자동차 따위의) 경적: No ~! 경적 금지. **c**) (the ~) 《美口》 전화: get on *the* ~ 전화를 걸다. ④ 초승달의 한쪽 끝; 활고자, 모루의 첨단, 뿔 모양의 것; 모래톱〔곶 등〕의 선단. ⑤ (the H-) =CAPE HORN. ⑥ 깎아지른 봉우리, 〖地質〗 빙식 첨봉(氷蝕尖峰)(pyramidal peak). ***be on the ~s of a dilemma*** ⇨ DILEMMA. ***blow*** one***'s*** (***own***) ~ 자랑을 늘어놓다, 자화자찬(自畫自讚)하다. ***draw*** 〔***haul, pull***〕 ***in*** one***'s ~s*** 슬금슬금 움츠리다, (기(氣)가 죽어) 수그러지다, 꽁무니를 빼다; 《英》 지출을 억제하다: Customers are *drawing in their ~s* at a time of high interest rates. 이자율이 높을 때에는 고객들은 지출을 억제한다. ***drive on the ~*** ⇨ DRIVE. ***lift up*** one***'s ~*** ⇨ LIFT. ***lock ~s*** 의견을 달리하다, 다투다《*over*》: The administration and the staff *locked ~s over* the proposed measures. 경영자측과 참모들은 제출된 조치를 둘러싸고 다투었다 / During his six years in office, John has often *locked ~s* with lawmakers. 존은 6년간 재직하는 동안 자주 입법자들과 다투었다. ***show*** one***'s ~s*** 본성을 드러내다; 시비조로 나오다. ***take the bull by the ~s*** ⇨ BULL. ***the gate of ~*** ⇨ GATE[1]. ── *a.* 뿔의, 뿔모양의, 각질의. ── *vt.* ① …을 뿔로 받다. ② …에 뿔이 나게 하다. ③ …의 뿔을 뽑다: ~ cattle. ── *vi.* 《口》 중뿔나게 나서다, 간섭하다《*in*》: ~ *in* on a local matter 지역 문제에 개입하다 / Whenever we have a private conversation, she tries to ~ *in.* 우리가 개인적인 대화를 나눌 때마다 그녀는 중뿔나게 나서려고 한다. ㊕ ˊ·**lìke** *a.*

horn·beam [ˊ-bì:m] *n.* [C] 〖植〗 서나무속(屬)《자작나뭇과의 낙엽수》; 그 목재.

horn·bill [ˊ-bìl] *n.* [C] 〖鳥〗 코뿔새.

horned [hɔ:rnd, 《詩》 hɔ́:rnid] *a.* 〔흔히 複合語〕 뿔 있는; 뿔 모양의: a ~ beast 뿔이 있는 동물 / a large-~ deer 뿔이 큰 사슴 / the ~ moon 《詩》

초승달.

hórned ówl 〚鳥〛 부엉이.

hor·net [hɔ́ːrnit] *n.* Ⓒ 〚蟲〛 말벌류(類) ; 《比》 끊임없이 맹공격해 오는 적, 성가신〔심술궂은〕 사람 ; 성가심, 귀찮은 일 ; 맹공격, 요란한 비난. **(as) mad as a** ~ ⇨ MAD.

hórnet's nèst 말벌의 집 ; 《比》 커다란 소동〔말썽〕; 깊은 미움 ; 적의 맹공 ; 맹렬한 비난. ***bring a* ~ *about* one*'s ears* = *stir up a* ~** 말썽을 일으키다, 소란을 일으키다, 많은 사람을 적으로 만들다 : His remarks about the low quality of women tennis players *stirred up a* (real) ~. 여자 테니스 선수들의 저질성(低質性)에 대한 그의 언급은 커다란 분란을 일으켰다.

horn·less [hɔ́ːrnlis] *a.* 뿔 없는 ; 나팔 없는《축음기 등》.

horn·pipe [ˊpàip] *n.* Ⓒ ① (양끝에 뿔이 달린) 나무피리. ② (영국 선원 사이에 유행했던) 활발한 춤(곡).

horn-rimmed [ˊrímd] *a.* (안경이) 대모〔뿔〕테의《금테, 무테 등에 대해》.

horny [hɔ́ːrni] (***horn·i·er*** ; ***-i·est***) *a.* 뿔의, 뿔 모양의 ; 각질의 ; 뿔로 만든 ; 뿔(모양의 돌기) 있는 ; 뿔처럼 단단〔딱딱〕한 ; 《俗》 (남자가) 성적으로 흥분한, 발정한, 호색의.

hor·o·loge [hɔ́ːrəlòudʒ, -lὰdʒ, hár-] *n.* Ⓒ 시계 (timepiece)《특히 원시적 측시기》.

ho·rol·o·gy [hɔːrάlədʒi, har-] *n.* Ⓤ 시계학 ; 시계 제조술 ; 측시법(測時法).

hor·o·scope [hɔ́ːrəskòup, hár-] *n.* Ⓒ 점성 ; 탄생시의 별의 위치 (관측) ; 점성용 천궁도(天宮圖), 12 궁도(宮圖), 별자리표의 일종 ; 주야 장단표(長短表). ***cast a*** ~ 운세도를 만들다 ; 별점을 치다. ── *vi.* 점성 천궁도를 만들다. ── *vt.* …의 운세도를 만들다 ; …을 점치다. ㊕ **hór·o·scòp·er** *n.* 점성가.

ho·ros·co·py [hɔːrάskəpi, hou-] *n.* Ⓤ 점성술 ; 출생시의 별의 위치 ; 천궁도.

hor·ren·dous [hɔːréndəs, har-] *a.* 무서운, 끔찍한, 무시무시한 : ~ weather 지독한 날씨 / a ~ crime 끔찍한 범죄 / a ~ accident 끔찍한 사고 / ㊕ **~·ly** *ad.*

‡**hor·ri·ble** [hɔ́ːrəbəl, hár-] (***more*** ~ ; ***most*** ~) *a.* 무서운, 끔찍한, 모골이 송연해지는 ; 《口》 잔혹한, 냉정한 ; 《口》 오싹하도록 싫은 : a ~ dream 무서운 꿈 / a ~ sight 무서운 광경 / ~ living conditions 처참한 생활 상태 / She was ~ to him. 그녀는 그에게 냉정했다. ㊕ **-bly** *ad.* **~·ness** *n.*

***hor·rid** [hɔ́ːrid, hár-] *a.* ① 무서운 : a ~ look 무서운 표정. ② 《口》 매우 불쾌한, 지겨운 : I was a ~ little child! 나는 대단한 개구쟁이였다 / ~ weather 지긋지긋한 날씨 / The medicine tasted ~. 그 약맛은 지독했다. ③ 〔敍述的〕 (…에) 불친절한, 엄한《*to*》: He was ~ *to* the children. 그는 아이들에게 엄했다. ◇ horror *n.*
㊕ **~·ly** *ad.* **~·ness** *n.*

hor·rif·ic [hɔːrífik, har-] *a.* 《文語》 무서운, 대단한. ㊕ **-i·cal·ly** *ad.*

hor·ri·fi·ca·tion [hɔ̀ːrəfikéiʃən, hὰr-] *n.* Ⓤ,Ⓒ ① 공포, 전율. ② 혐오. ③ 무서운 것〔사람〕.

***hor·ri·fy** [hɔ́ːrəfài, hár-] *vt.* 〔흔히 受動으로〕 ① …을 소름끼치게 하다, 무서워 떨게 하다 : The accident *horrified* us all. 그 사건은 우리를 모두 몸서리치게 했다. ② 《口》 …에게 혐오를〔반감을〕 느끼게 하다 ; 충격을 주다 ; …을 질리게 하다 : Bill *was horrified* to learn the truth. 빌은 그 사실을 알고 질렸다. ㊕ **~·ing** *a.* 소름끼치는 ; 《口》 어이없는 : a ~*ing* disaster〔murder〕 소름끼치는 재난〔살인〕. **~·ing·ly** *ad.* 어이 없게.

‡**hor·ror** [hɔ́ːrər, hár-] *n.* ① Ⓤ 공포, 전율 : shrink back in ~ 기겁을 하여 물러서다. ② Ⓒ 전율할 만한 일, 참사, 잔혹 (행위) : the ~*s* of war 전쟁의 참사. ③ Ⓤ,Ⓒ 혐오, 증오. ④ Ⓒ 소름이 끼치도록 싫은 것. ⑤ 〚醫〛 오한. ⑥ (the ~s) 《口》 공포, 우울, (알코올 중독의) 떨리는 발작 : give a person *the* ~*s* 아무를 우울하게 하다. ***be filled with* ~ *at*** …에 오싹하다. ***have a* ~ *of*** …이 질색이다 : Jane *has a* ~ *of* spiders. 제인은 거미를 몹시 싫어한다. ***the Chamber of Horrors*** 공포의 방《본디 런던 Madame Tussaud의 흉악범의 납인형 진열실》. ***throw up* one*'s hands in*** ~ 두려움〔충격〕으로 망연자실하다. ── *a.* 〔限定的〕 공포를 느끼게 하는 ; 전율적인 : a ~ fiction 공포 소설 / a ~ film 〔comic〕 공포 영화〔만화〕.

hor·ror-struck, -strick·en [hɔ́ːrərstrʌ̀k, hár- / hɔ́r-], [-strìkən] *a.* ① 공포에 질린 : ~ look 공포에 질린 표정. ② 〔敍述的〕 (…에) 오싹한《*at*》: I stood ~ *at* the sight. 그 광경에 몸이 오싹하여 걸음을 멈추었다.

hors de com·bat [ɔːrdəkɔ̃mbɑː] 《F.》 전투력을 잃은 : put one's opponent ~ 상대방의 전투력을 상실시키다.

hors d'oeu·vre [ɔːrdə́ːrv] 《F.》 전채(前菜), 오르 되브르.

†**horse** [hɔːrs] (*pl.* ***hórs·es*** [-iz], 〔集合的〕 ~) *n.* ① **a)** Ⓒ 말 ; (성장한) 수말 ; 말과의 짐승《얼룩말, 당나귀 따위》. cf. colt(수망아지), foal(망아지), gelding(불깐 말), mare(암말), pony(작은 말), stallion (씨말), steed(군마(軍馬)). ¶ an entire ~ 씨말 / as strong as a ~ 몹시 강건한 / Hungry ~*s* make a clean manger. 《俗談》 시장이 반찬. **b)** Ⓤ 〔集合的〕 기병, 기병대(cavalry) : a thousand ~ 기병 1,000 명. **c)** Ⓒ 《체스口》 = KNIGHT. ② Ⓒ **a)** 목마 ; 〚體操〛 안마 : go round on the hobby-~ 회전목마에 타다. **b)** 접사다리, 톱질모탕, 빨래거는 틀(clotheshorse), 횃대, (가죽의) 무두질대. ③ Ⓒ 〚鑛〛 광맥 속의 바위. ④ Ⓒ 《口》 마력(horsepower) ; 《俗》 헤로인, 《널리》 마약 ; (*pl.*) 《美俗》 세공한 한 조의 주사위. ⑤ Ⓒ 《美俗》 자습서(crib). ⑥ 1,000 달러. ⑦ (교도소 내의) 연락꾼《매수되어 편지 등을 날라 주는 교도관》. ***a* ~ *of another* 〔*a different*〕 *color*** 《比》 전혀 별개의 사항. ***a rocking*** ~ 흔들목마《어린이용》. ***a willing*** ~ 《口》 자진해서 (묵묵히) 일하는 사람 : Do not spur *a willing* ~. 달리는 말에 채찍질하지 마라《쓸데없는 참견은 마라》. ***back* 〔*bet on*〕 *the wrong*** ~ (경마에서) 질 말에 걸다 ; 《口》 판단을 그르치다, (모르고) 약한 쪽을 지지하 다. ***change* 〔*swap*〕 ~*s in midstream*** 강(江) 가운데서 말을 바꿔타다 ; 계획의 진행중에 방침을 바꾸다. ***come* 〔*get*〕 (*down*) *off* one*'s high*** ~ 《口》 (1) 오만한 태도를 버리다. (2) 노여움을 풀다, 기분을 바꾸다. ***eat like a*** ~ 대식하다, 많이 먹다 ; 일 잘하다. ***flog* 〔*beat*〕 *a dead*** ~ ⇨ DEAD HORSE. ***from the* ~*'s mouth*** 가장 확실한 계통에서 들은. ***hold* one*'s* ~*s*** 〔흔히 命令法〕 참다, 유유히 기다리다 : *Hold your* ~*s* ! 침착하라. ~ ***and carriage*** 말 한 필이 끄는 마차. ~ ***and foot*** 기병과 보병 ; 전력을 기울여. ~ ***and*** ~ 《美俗》 피장파장으로. ~, ***foot and dragoons*** 전군, 누구라 가릴 것 없이. ***light*** ~ 〔集合的〕 경기병. ***on* ~ *of ten toes*** 《戱》 도보로. ***on* one*'s high*** ~ 뽐내어. ***pay for a dead*** ~ ⇨ DEAD HORSE. ***play the* ~*s*** 경마를 하다. ***play*** ~ 승마놀이하다 ; 속이다 ; 괄시하다《*with*》. ***put***

the cart before the ~ ⇨CART. *run before* one*'s* ~ *to market* 김칫국부터 마시다 ; 너구리 굴 보고 피물돈 내 쓰다. *take* ~ 말을 타고 가다. *take the* ~(암말이) 교미하다, 새끼 배다. *talk* ~ 허풍을 떨다. *the flying* ~ =PEGASUS①. *To* ~ *!* 《口令》 승마. *work like a* ~ 힘차게〔충실히〕 일하다. ── *a.* 〔限定的〕 말의 ; 말에 쓰는 ; 말 이용의 ; 강대한 ; 기마의. ── *vt.* ①…에 말을 마련해 주다 ; (마차)에 말을 매다. ②…을 말에 태우다 ; 말로 나르다. ③…을 짊어지다. ④(암말)과 교미하다. ⑤…에게 채찍질하다 ; 《口》 …을 찌르다, 밀다 ; (맨손으로) 움직이다 : It took three men to ~ the trunk up the stairs. 세 명의 남자가 달려들어 힘겹게 그 트렁크를 위층으로 날랐다. ⑥《口》…을 혹사하다, (신입생)을 괴롭히다 ; 조롱하다 ; 《美俗》 속이다. ⑦《俗》…을 야단스럽게 연기하다. ── *vi.* ①말에 타다 ; 말을 타고 가다. ②(암말이) 발정하다 ; 《口》 희롱거리다, 법석떨다 《*around*》.

horse-and-bug·gy [-ənbʌ́gi] *a.* 〔限定的〕 마차 시대의 ; 낡은, 구식의 : ~ methods 낡은 방법.

‡horse·back [-bæ̀k] *n.* Ⓤ 말 등. 〔다음 成句로〕 *a man on* ~ 강력한〔야심적인〕 지도자, 군사독재자. (go) *on* ~ 말 타고 (가다). ── *ad.* 말을 타고 : ride ~ 말 타다. ── *a.* 《美口》 말등의 ; 성급한 ; 어림잡은 ; 《美俗》 (일이) 재빠른 : ~ riding 승마 / a ~ estimate on the construction costs 건설비용의 어림잡은 견적.

hórse blòck 승마용 발판.

hórse bòx 말 운송차 ; 《比》 커다란 의자.

horse·break·er [-brèikər] *n.* Ⓒ 조마사(調馬師).

hórse brèaking 말 조련(調練).

horse·car [-kɑ̀:r] *n.* Ⓒ 《美》 (객차를 말이 끄는) 철도마차 ; 말 운반차.

hórse chèstnut 〖植〗 마로니에 ; 그 열매.

horse·cloth [-klɔ̀(:)θ, -klɑ̀θ] *n.* Ⓒ 말에 입히는 옷.

hórse dòctor 마의(馬醫), 수의사.

horse-drawn [-drɔ̀:n] *a.* 말에 끌린, 말이 끄는.

horse-faced [-fèist] *a.* 말상의.

horse·fair [-fɛ̀ər] *n.* 마시장.

horse·feath·ers [-fèðərz] *n.* Ⓤ 《美俗》 난센스, 엉터리.

horse·flesh [-flèʃ] *n.* Ⓤ 말고기 ; 말(horses) ; 〔集合的〕 말, 경주마, 승용마.

horse·fly [-flài] *n.* 〖蟲〗 말파리, 쇠등에.

Hórse Guàrds (the ~) 《英》 근위기병 ; (런던 Whitehall 에 있는) 근위기병 연대본부.

horse·hair [-hɛ̀ər] *n.* Ⓤ 말총 ; 마미단(馬尾緞) (haircloth).

horse·hide [-hàid] *n.* Ⓤ (무두질한) 말가죽 ; Ⓒ 《口》 (경식) 야구공.

hórse látitudes 〖海〗 (북위〔남위〕 30 도 부근의) 아열대 무풍대(無風帶).

horse·laugh [-læ̀f, -lɑ̀:f] *n.* Ⓒ, *vi.* 홍소(哄笑)(하다) (guffaw).

hórse·less cárriage [hɔ́:rslis-] 《戲》 (구식) 자동차.

hórse màckerel 〖魚〗 전갱이 ; 다랑어 (tunny).

‡horse·man [-mən] (*pl.* **-men** [-mən]) *n.* Ⓒ 승마자, 기수 ; 마술가 ; 말 키우는 사람. ㊕ ~**·shìp** *n.* Ⓤ 마술(馬術).

hórse mùshroom 〖植〗 식용 버섯의 일종.

hórse òpera 《口》 (TV · 영화의) 서부극.

horse·play [-plèi] *n.* Ⓤ 야단법석, 난폭한 놀이.

horse·pond [hɔ́:rspɑ̀nd / -pɔ̀nd] *n.* Ⓒ 말에 물을 먹이거나 씻기는 작은 연못.

***horse·pow·er** [-pàuər] *n.* 〔單 · 複數同形〕 마력《1 초에 75 kg 을 1 m 높이로 올리는 일률의 단위 ; 略 : HP, H.P., hp, h.p.》.

horse·pow·er-hour [-àuər] *n.* 마력시(馬力時)《1마력으로 1시간에 하는 일의 양(量)의 단위》.

***hórse ràce** (1 회의) 경마.

hórse ràcing 경마(horse races).

horse·rad·ish [-rædiʃ] *n.* Ⓒ Ⓤ 〖植〗 양고추냉이.

hórse sènse 《口》 (속된) 상식.

horse·shit [-ʃit] 《美卑》 *n.* Ⓤ 실없는 소리, 허풍 ; 하찮은 것. ── *int.* 바보같이, 같잖아.

***horse·shoe** [hɔ́:rsʃù:, hɔ́:rʃʃù:] *n.* Ⓒ ①편자, U 자형의 물건. ②〖動〗 참게(=∠ **crab**). ③(*pl.*) 〔單數취급〕 편자던지기《유희》. ── *vt.* …에 편자를 박다 ; (아치 등)을 편자꼴로 하다. ── *a.* 편자꼴의. ㊕ **hórse·shó·er** *n.* 편자공.

hórseshoe màgnet 말굽 자석《U자형의》.

hórse sòldier 기병(騎兵).

horse·tail [-tèil] *n.* Ⓒ ①말꼬리. ②《口》 소녀의 (뒤로) 드리운 머리, 포니테일(ponytail). ③옛 터키 군기(軍旗). ④〖植〗 속새.

hórse tràde 《美口》 빈틈없는 거래, 정치적 흥정 : make a ~ 말을 매매하다 / a political ~ 정치적 흥정.

hórse tràder 말 매매인 ; 흥정 잘하는 사람.

hórse tràding 말 매매 ; 빈틈없는 흥정, 교활한 거래.

hórse tràiler 말 운송용 트레일러.

horse·whip [-hwìp] *n.* Ⓒ 말채찍. ── *vt.* (말)을 채찍질하다 ; …에게 벌을 주다.

horse·wom·an [-wùmən] (*pl.* **-wom·en** [-wìmin]) *n.* Ⓒ 여자 승마자, 여류 기수.

hors·ey, horsy [hɔ́:rsi] (**hors·i·er ; -i·est**) *a.* 말의 ; 말과 같은 ; 말을 좋아하는 ; 경마의 ; 경마를〔여우 사냥을〕 좋아하는 ; 경마인다운, 기수연하는 ; 《俗》 볼품없이 큰. ㊕ **hórs·i·ness** *n.* 말을 좋아함 ; 경마광(狂).

hor·ta·tion [hɔ:rtéiʃən] *n.* Ⓤ 권고, 장려.

hor·ta·tive, -to·ry [hɔ́:rtətiv], [hɔ́:rtətɔ̀:ri / -təri] *a.* 권고의, 장려의.

hor·ti·cul·ture [hɔ́:rtəkʌ̀ltʃər] *n.* Ⓤ 원예 농업 ; 원예술〔학〕.

hor·ti·cul·tur·ist [hɔ̀:rtəkʌ́ltʃərist] *n.* Ⓒ 원예가.

Hos. 〖聖〗 Hosea.

ho·san·na, -nah [houzǽnə] *int.* 호산나 ; 신을 찬미하는 말《마태복음 XXI : 9, 15 따위》.

***hose** [houz] (*pl.* ~, 《古》 **ho·sen** [hóuzn]) *n.* ① **a**) 〔集合的 ; 複數취급〕 긴 양말, 스타킹 (stockings) : six pairs of ~ 긴 양말 6 켤레 / half ~ 짧은 양말, 속스. **b**) Ⓒ 《古》 반바지, (doublet 과 함께 착용한) 타이츠. ②(*pl.* **hós·es**) Ⓤ,Ⓒ 호스. ── *vt.* (호스로 뜰 따위)에 물을 뿌리다, (차 등)을 물을 뿌려 씻다《*down*》 : ~ (*down*) the car. ㊕ ∠**·lìke** *a.*

Ho·sea [houzí:ə, -zéiə] *n.* 〖聖〗 호세아《헤브라이의 예언자》 ; 호세아서(書)《구약성서 중의 한 편》.

hose·pipe [hóuzpàip] *n.* Ⓒ 호스(hose).

ho·sier [hóuʒər] *n.* Ⓒ 《英》 양말〔메리야스〕 장수.

ho·siery [hóuʒəri] *n.* Ⓤ 제조업〔매매업〕 ; 양말류, 메리야스류 ; 양말〔메리야스〕 장사.

hosp. hospital.

hos·pice [hɑ́spis / hɔ́s-] *n.* Ⓒ (종교 단체 등의) 여행자 숙박〔접대〕소 ; 《英》 (빈민·병자 등의) 수용소(home) ; 호스피스《말기 환자(와 가족)의 고통을 덜기 위한 시설〔지원 활동〕》.

***hos·pi·ta·ble** [hɑ́spitəbəl, ─∠── / hɔ́s-, ─∠──] (*more* ~ ; *most* ~) *a.* ①호의로 맞이하는, 붙임성 있는, 후히 대접하는 : He was very ~ to me. 그는 나를 크게 환대해 주었다. ②(새 사상 등에 대하여) 개방된(open) 《*to*》 : ~ *to* new ideas 새 사상을 받아들이는 / be ~ *to* a person's suggestion

아무의 제안을 쾌히 받아들이다. ③ 쾌적한: an environment ~ *to* wild life 야생생물이 살기에 적합한 환경. ㊞ **-bly** *ad.*

†hos·pi·tal [háspitl / hɔ́s-] *n.* Ⓒ ① 병원: an isolation ~ 격리〔피(避)〕병원. ② 자선 시설《양육원 따위》. ③《英》공립 학교《Christ's Hospital 과 같이 고유 명사로서만》. ④〖史〗(Knights Hospitalers 가 세운) 구호소. ⑤ (인형 따위의) 수리점: a doll 〔violin〕 ~. ⑥《美俗》형무소(jail) 《CIA 나 암흑가의 용어》. ***be in* (*the*)** ~ 입원해 있다. ***be out of* (*the*)** ~ 퇴원해 있다. ***go into* 〔*enter*, *go to*〕 (*the*)** ~ 입원하다. ★ '입원, 퇴원'의 경우, 《英》에선 흔히 the 를 생략. ***leave*** ~ 퇴원하다. ***walk the*** ~(***s***) (의학도가) 병원에서 수련하다. ── *a.* 〔限定的〕 병원의, 병원 근무의: a ~ ward 병동(病棟).

hos·pi·tal·ism [háspitəlìzəm / hɔ́s-] *n.* Ⓤ 병원 제도; 병원 설비와 관리 상황.

‡hos·pi·tal·i·ty [hàspitǽləti / hɔ̀spi-] *n.* Ⓤ ① 환대, 후한 대접: boundless ~ 극진한 환대. ② (*pl.*) 친절. ③ 호의적인 수락: Afford me the ~ of your columns. 귀지(貴紙)에 실어 주십시오《기고가(寄稿家)의 용어》.

hos·pi·tal·i·za·tion [hàspitəlizéiʃən / hɔ̀spitəlaizéi-] *n.* Ⓤ,Ⓒ 입원 (가료); 입원 기간.

hos·pi·tal·ize [háspitəlàiz / hɔ́s-] *vt.* 〔흔히 受動으로〕 …을 입원시키다: He *was* ~*d* for diagnosis and treatment. 그는 진료를 위해 입원했다.

hóspital núrse 《英》 병원 간호사.

hóspital shìp (전시 등의) 병원선.

Host [houst] *n.* (the ~) 〖宗〗 성체(聖體), 성찬 떡《성체 성사·미사의 빵》.

‡host[1] (*fem.* ~·***ess*** [hóustis]) *n.* ① (연회 등의) 주인 (노릇), 호스트《*to*》; (여관 따위의) 주인 (landlord); 〖라디오·TV〗 사회자. Ⓒⓕ guest. ¶ be 〔act〕 as (the) ~ at a party 파티에서 주인 노릇을 하다 / act as ~ to a conference 회의를 주재하다 / play〔be〕 ~ to …의 주인 노릇을 하다, …의 주최자가 되다《★ ~ to …의 경우는 무관사》/ He's the ~ for a TV talk show. 그는 TV 의 토크쇼 프로의 호스트 역을 하고 있다. ②〖生〗 (기생 동식물의) 숙주(宿主)(ⓞⓟⓟ *parasite*). ③ 〖컴〗 =HOST COMPUTER. ④〔形容詞的〕 주최자측의: the ~ country for the Olympic Games 올림픽 개최국. ***reckon* 〔*count*〕 *without one's*** ~ 중요한 점을 빠뜨리고 결론을 내리다〔계획을 세우다〕. ── *vt.* …을 접대하다, (파티 등)의 주인역을 하다; …의 사회를 하다; (국제회의 등)의 주최국 역할을 하다: He ~*ed* a reception for new members. 그는 신입 회원을 위한 환영회를 주최했다.

host**[2] *n.* Ⓒ (흔히 *sing.*) 많은 사람, 많은 떼, 다수《*of*》; 《古》 군세, 군대: a ~ *of* friends 많은 친구들 / ~*s of* troubles 많은 말썽. ***a ~ ***in oneself*** 일기 당천의 용사. ***a whole*** ~ ***of*** 많은: There's *a whole* ~ *of* reasons why he didn't get the job. 그가 일자리를 구하지 않았던 이유는 여러 가지 있다. ***the*** ~(***s***) ***of heaven*** 천사의 무리; 일월 성신(日月星辰). ***the Lord* 〔*God*〕 *of Hosts*** 만군(萬軍)의 주(主)《Jehovah를 말함》.

hos·tage** [hástidʒ / hɔ́s-] *n.* Ⓒ 볼모(의 처지), 인질; 저당물; 담보: be held *in* ~ 볼모로 잡히다 / hold〔keep, take〕 a person (as a) ~ 아무를 인질로 잡다. ***give ~***s to fortune*** 운명에 인질을 맡기다, 장차 불행의 씨가 될 일을 맡다. ── *vt.* …을 볼모로 주다: He was ~*d* to the Indians. 그는 인디언의 인질이 되었다.

hóst compùter 〖컴〗 주전산기《대형 컴퓨터의 주연산(主演算) 장치인 CPU 가 있는 부분》.

‡hos·tel [hástəl / hɔ́s-] *n.* Ⓒ ① 호스텔(youth ~). ②《英》 대학 기숙사.

hos·tel·(l)er [hástələr / hɔ́s-] *n.* Ⓒ hostel 이용의 여행자.

hos·tel·ry [hástəlri / hɔ́s-] *n.* Ⓒ 《古》 여관.

‡host·ess [hóustis] *n.* Ⓒ ① 여주인(역). ② 여관의 안주인. ③ (여객기 등의) 스튜어디스(air ~). ④ 나이트 클럽·댄스 홀 등의 호스티스.

‡hos·tile [hástil / hɔ́stail] (***more*** ~; ***most*** ~) *a.* ① 적의 있는, 적개심에 불타는《*to*》: have ~ relations with …와 적대관계에 있다 / ~ criticism 적의 있는 비평 / Those cities in Greece were ~ *to* Athens. 그리스 내의 도시들은 아테네에 적대하고 있었다. ② 반대의, 호의적이 아닌《*to*》. ③ 냉담한, 성미에 맞지 않는《*to*》. ④ 적의, 적군의. ⑤ **a**) (사람·일에) 불리한, 달갑지 않은. **b**) 적합치 않은《*to*》: The Antarctic climate is ~ *to* most forms of life. 남극의 기후는 대개의 생물에 적합치 않다. ㊞ ~**·ly** *ad.*

***hos·til·i·ty** [hastíləti / hɔs-] *n.* ① Ⓤ 적의(敵意), 적개심《*toward*》. ② Ⓒ 적대 행위. ③ (*pl.*) 전쟁 행위, 교전(상태). ④ (사상·계획 등에 대한) 반대, 반항, 저항.

hos·tler [*h*áslər / ɔ́s-] *n.* Ⓒ 《美》 ① (기계 등의) 정비원. ②《古》(여관의) 마부.

†hot [hat / hɔt] (***hót·ter*** ; ***-test***) *a.* ① **a**) 뜨거운, 더운; 〖冶〗 고온의, 열간(熱間)의. **b**) (몸이) 달아오르는, 더운; 고열의. ② **a**) 격렬한, 열띤 (fiery)《의론·싸움 등》, (구기에서) 센, 어려운《공》; 〖재즈〗 즉흥적이며 격렬한. **b**) 열렬한, 달아오른; 열망하는, 몹시 하고 싶어 하는(eager) 《*for*; *to* do》; 열중한《*on*》. **c**) 혈기 왕성한, 화난, 흥분한, 발끈한《*with* rage》. **d**)《俗》 가슴 설레게 하는, 센세이셔널한. **e**) 호색인, 발정한, 외설한. ③ (맛이) 자극성이 있는, 매운; (색깔·냄새 따위가) 강렬한. ④ **a**) (요리 따위가) 따끈따끈한, 갓 만든; 《英口》 갓 찍어낸《지폐》. **b**) (뉴스 따위가) 새로운, 최신의, (지금) 화제인, 목하 인기인 《레코드·상품》. **c**) 〖獵〗 (냄새 흔적이) 강한(Ⓒⓕ cold, cool, warm); 접근하여, (숨바꼭질·퀴즈 따위에서) 목표〔정해〕에 가까운. ⑤ **a**) 《口》 (선수 따위) 잘하는, 훌륭한; 더할 나위없는《*in*; *on*》; 사정에 밝은. **b**) 《俗》 우연히 들어맞는, 운이 닿은. ⑥ **a**) 《俗》 부정으로 입수한, (막) 훔쳐낸; 금제(禁制)의(contraband); 《俗》 지명 수배된; (은신처로서) 위험한, (들킬) 위험이 있는: ~ goods (곧 발목이 잡힐) 장물. **b**) 《俗》 방사능의, 방사성의; 방사성 물질을 다루는《실험실 따위》; (원자가) 들뜬 상태에 있는; 고전압의; (비행기가) 빠른, 《특히》 착륙 속도가 큰. **c**) 《俗》 어리석은, 터무니없는, 《Austral. 口》 무리한《요금·가격》. ⑦ (자동차·엔진이) 고속의, (엔진이) 고마력의. ⑧ (자금이) 단기간에 대량으로 움직이는: ⇨ HOT MONEY. ⑨《美俗》 근사한, 멋진. ***get*** ~ 《口》 흥분하다, 화내다; 열중하다; (퀴즈의 답, 사냥 목적물 등에) 가까워지다. ***get into*** ~ ***water*** 《俗》 고생하다. ***get too*** ~ ***for*** a person (어떤 일이) 아무를 그이상 배겨 있을 수 없게 만들다. ***give* 〔*have*〕 *it*** a person ~ 《口》 아무를 몹시 꾸짖다. ~ ***and bothered*** 《口》 흥분하여, 당혹하여. ~ ***on the heels of*** ... …에 잇따라서. ~ ***on*** a person***'s trail* 〔*track*〕** = ~ ***on the trail* 〔*track*〕 *of*** a person (잡을 수 있을 정도로) 아무의 뒤를 바짝 좇아: The police were ~ *on the trail of* the criminal. 경찰은 범인을 바짝 뒤좇고 있었다. ~ ***under the collar*** ⇨ COLLAR. ~ ***with*** 《口》 설탕을 넣은 술(Ⓒⓕ cold without). ***in*** ~ ***blood*** ⇨

BLOOD. ***make it*** 〔***a place, things,*** etc.〕 (***too***) ~ ***for*** 〔***to hold***〕 a person《口》(구박 등으로) 아무를 붙어 있을 수 없게 만들다, (약점을 기화로) 호되게 몰아치다: The police *made it too ~ for* him here so he escaped abroad. 경찰이 너무나 못살게 굴어 그는 이곳에서 있을 수 없어 외국으로 탈출했다. ***not so*** 〔***that, too***〕 ~《口》별로 좋지 않은, 평범한: For mayor he is *not so* ~. 시장(市長)으로서는 평범하다 / I'm *not* feeling *so* ~ today. 오늘은 기분이 별로 좋지 않다.
— *ad.* 뜨겁게; 심하게; 성내어; 열심히;〖冶〗고온으로, 열간(熱間)으로. ~ ***and heavy*** 〔***strong***〕《口》⑴ 호되게; 맹렬히: get〔catch〕it ~ *and strong*《口》호되게 야단맞다 / give it (to a person) ~ *and strong* 아무를 호되게 꾸짖다 / argue ~ *and strong* 격론하다. ⑵ 몹시 매운: I like curry ~ *and strong*. 카레는 아주 매운 것이 좋다.
— (*-tt-*) *vt.* ① …을 데우다, 뜨겁게 하다《*up*》; (음식)을 맵게 하다. ② …에 활기를 불어넣다. ***be ~ted up***《美俗》(모터·자동차 등이) 가속되다.
— *vi.* ① 뜨거워지다, 따뜻해지다《*up*》. ② 활발해지다, 격렬해지다《*up*》. — *n.* 훔친 물건; 식사; (*pl.*)《美俗》강한 성욕. ㊞ ∠·**ness** *n.*

hót áir ① 열기. ②《俗》열풍; 허풍, 자기 자랑.

hót-áir ballòon [hátέər- / hɔ́t-] 열기구.

hot·bed [hátbèd / hɔ́t-] *n.* Ⓒ ①〖農〗온상. ② (범죄 등의) 온상: a ~ of crime.

hót blást 용광로에 불어 넣는 열풍.

hot-blood·ed [hátblʌ́did / hɔ́t-] *a.* ① 열렬한, 욱하는. ② 정열적인, 색정이 강한. ③ (가축이) 혈통이 좋은.

hót bùtton (선택을 해야 할) 중요한 문제; 강한 관심; 결정적 요인.

hót-but·ton [∠bʌ̀tn] *a.* 열의 있는; 감정적인; 결정적인, 중대한.

hót càke 핫케이크: sell〔go〕like ~*s* 날개 돋친 듯이 팔리다.

hotch·potch [hátʃpàtʃ / hɔ́tʃpɔ̀tʃ] *n.* ① Ⓒ Ⓤ (고기·야채 따위의) 잡탕찜. ②《英》뒤범벅.

hót cròss bún ＝CROSS BUN.

hót dòg ① ＝FRANKFURTER. ②《口》핫도그. ③《美俗》뛰어난 묘기를 부리는 운동 선수. — *int.*《美俗》기막히군, 근사하다.

hot-dog [hátdɔ̀:g / hɔ́t-] *vi.* 여봐란 듯한 태도를 취하다, (서핑·스키·스케이트에서) 곡예사 같은 기교를 보이다. — *a.* (여봐란 듯이) 잘하는, 뛰어난《스키어 등》; 핫도그의.

†**ho·tel** [houtél] *n.* Ⓒ 호텔, 여관: a temperance ~ 금주(禁酒) 여관 / run a ~ 호텔을 경영하다 / put up〔stay〕at a ~ 호텔에 숙박하다〔머물러 있다〕.
His 〔***Her***〕 ***Majesty's*** ~《戲》교도소.
— (*-l-*,《英》*-ll-*) *vt.* 〔흔히 ~ it의 꼴로〕 호텔에 숙박하다.

ho·tel·ier [òutəljéi, houtéljər] *n.* 《F.》 ＝ HOTELKEEPER.

ho·tel·keep·er [houtélkì:pər] *n.* Ⓒ 호텔 경영자〔지배인〕.

ho·tel-keep·ing [-kì:piŋ] *n.* Ⓤ 호텔 경영(업).

hót flásh 〔**flúsh**〕〖生理〗(폐경기 등의) 신체 열감(熱感).

hot·foot [hátfùt / hɔ́t-] (*pl.* ~*s*) *vi.* 〔흔히 ~ it의 꼴로〕 급히 서둘러 가다. — *ad.* 급히 서둘러서, 허겁지겁.

hot·head [∠hèd] *n.* Ⓒ 성미 급한 사람: He is a ~ just like his dad. 그는 아버지와 똑같이 성급한 사람이다.

hot·head·ed [∠hédid] *a.* 성미 급한, 격하기 쉬운. ㊞ ~·**ly** *ad.* ~·**ness** *n.*

hot·house [∠hàus] *n.* Ⓒ ① 온실. ② 온상. — *a.* 〔限定的〕 ① 온실에서 자란. ② 온실 재배의.

hót lìne 핫라인《두 나라 정부 수뇌간의 긴급 직통 전화》; 〔一般的〕 긴급 직통전화; (익명의) 전화 신상 상담 서비스; 《美·Can.》(전화를 이용한) 시청자 참가 프로. 「내어.

***hot·ly** [hátli / hɔ́t-] *ad.* 뜨겁게; 몹시; 매우 성을

hót móney 국제 금융시장에서 부동(浮動)의 투기적인 단기 금융자금.

hót pànts《美俗》색정; (여성용) 핫팬츠.

hót pépper〖植〗고추.

hót plàte ① 요리용 철판. ② 음식용 보온기. ③ 전열기(電熱器). 「찐 요리.

hót pòt 쇠고기〔양고기〕와 감자를 냄비에 넣고

hót potáto 껍질채 구운 감자;《口》난(難)〔불유쾌한〕 문제, 뜨거운 감자.

hót ròd ① 엔진을 고속용으로 갈아 낀 (중고) 자동차. ② ＝HOT RODDER.

hót ród·der [-rádər / -rɔ́dər]《俗》고속용 개조 자동차 운전자; 폭주족(暴走族).

hót sèat (the ~)《俗》① (사형에 쓰이는) 전기의자. ② 무거운 책임이 있는 입장.

hot-short [hátʃɔ̀:rt / hɔ́t-] *a.* 열에 약한.

hot·shot [∠ʃàt / ∠ʃɔ̀t]《美俗》*a.* 〔限定的〕 ① 적극적이며 유능한. ② 화려한 솜씨를 보이는. ③ 쉼없이 움직이는〔나가는〕, 직행의, 급행의. — *n.* Ⓒ ① 적극적이고 유능한 사람, 능수꾼; 거물; (비행기·열차 등의) 직통 급행편, (화물의) 지급편; 최신 정보, 뉴스: She's (quite) a ~ *at* chess. 그녀는 체스의 명수이다. ② 소방사.

hót spòt ① (정치적·군사적) 분쟁 지대. ②《口》나이트클럽, 환락가. 「람.

***hót spríng** 온천.

hot·spur [∠spə̀:r] *n.* Ⓒ 성급한 사람; 무모한 사

hót stúff《俗》① 멋진〔굉장한, 재미있는〕 (것); 〔感歎詞的〕 잘했다, 멋지다, 아주 좋다. ② 〔흔히 反語的〕 능력 있는〔잘 알고 있는, 대단한〕 녀석, 전문가: Don't underestimate him. He's really ~. 그 녀석을 얕보지 마라. 그는 정말 대단한 놈이거든. ③ 장물; 외설적인 것《책·필름 따위》. ④ 정력가; 섹시한 사람.

hot-tem·pered [∠témpərd] *a.* 성 잘 내는, 신경질적인.

Hot·ten·tot [hátntàt / hɔ́tntɔ̀t] *n.* Ⓒ (남아프리카의) 호텐토트 사람; Ⓤ 호텐토트 말; Ⓒ 지능·교양이 낮은 사람, 미개인. — *a.* ~의.

hot·tie, hot·ty [háti / hɔ́ti] *n.* 《英·Austral.》탕파(湯婆).

hót wár 열전, 본격적 전쟁. opp. *cold war.*

hót wáter ① 더운 물. ②《口》곤란, 고생: get into ~ 곤경에 빠지다.

hót-wá·ter bàg 〔**bòttle**〕 [∠wɔ̀:tər-] 탕파.

hót-wáter héating 온수 난방.

hót wèll 온천.

hot-wire [∠wàiər] *vt.* 《俗》(점화 장치를 단락(短絡)시켜 차·비행기의) 엔진을 걸다.

‡**hound** [haund] *n.* Ⓒ ① 사냥개. ② 비열한(漢). ③ 〔흔히 複合語〕《口》열중하는 사람, …광. ④ (산지(散紙)놀이(hare and hounds)의 '개'가 된) 술래. ⑤ (the ~s) (여우 사냥하는) 사냥개의 떼. ***a ~ of law*** 포졸(捕卒). ***follow the ~s***＝***ride to ~s*** 말 타고 사냥개를 앞세워 사냥을 가다.
— *vt.* ① …을 사냥개로 사냥하다. ②《~+목/+목+전+명》…을 추적하다; 쫓아다니다; 몰아대다, 박해하다. ③《+목+전+명》…을 격려하다; 부추기다《*at*; *on*》.

hóund's tòoth [háundztù:θ] 〖服〗 새발자국 무늬를 교차시킨 격자 무늬(=**hóund's-tooth chéck**).

†**hour** [áuər] *n.* ① Ⓒ 한 시간 ; 한 시간 가량, 한참 동안 ; (수업의) 한 시간 ; 한 시간의 노정〔거리〕. ② 시각 : the early ~*s* of the morning 아침 이른 시각. ③ 지금 시각, 현재 ; (the ~) 정시 ; (the ~, one's ~) 죽을 때, 최후 ; 중대시, 성시(盛時) : the man 〔question〕 of the ~ 화제의 인물〔시사 문제〕. ④ (…할, …의) 때, 시기, 계제 ; (…인) 때, 시대. ⑤ **a**) (*pl.*) 근무〔집무, 공부〕 시간 ; 취침〔기상〕 시각. **b**) (종종 H-s) 〖가톨릭〗 1일 7회의 과업《정시의 기도》. **c**) (the H-s) 〖그神〗 때의 여신(Horae). ⑥ 〖天〗 경도간의 15 도. ***after ~s*** 정규 업무시간 후에. ***at all ~s*** 언제든지. ***at the eleventh ~*** ⇨ ELEVENTH HOUR. ***by the ~*** (1) 시간제로. (2) 몇시간이건 (계속해서). ***~ after ~*** 매시간 ; 계속해서. (***every ~***) ***on the half ~*** (매)시 30분에. (***every ~***) ***on the ~*** (매)시 정각에 : These trains leave *on the ~*. 이들 열차는 정시에 떠난다. ***~ by ~*** 시시각각으로 : Our anxiety increased ~ *by* ~. 우리의 불안은 시간이 흐름에 따라 더해만 갔다. ***improve each*** 〔***the shining***〕 ~ 시간을 활용하다. ***in a good*** 〔***a happy***〕 ~ 운 좋게, 다행히도. ***in an evil*** 〔***an ill***〕 ~ 불행히도. ***keep bad*** 〔***late***〕 ***~s*** (밤늦게 자고) 아침에 늦잠자다. ***keep good*** 〔***early***〕 ***~s*** 일찍 자고 일찍 일어나다. ***of the ~*** 목하의, 바로 지금의. ***out of ~s*** (근무) 시간 외에. ***take ~s over*** …에 몇 시간이나 걸리다. ***the small ~s*** ⇨ SMALL HOURS. ***till*** 〔***to***〕 ***all ~s*** 밤늦게까지. ***to an ~*** 꼭 ; 바로 정각에 : It took four days *to an* ~. 그것은 꼭 4일 걸렸다.

hour·glass [áuərglæ̀s, -glɑ̀:s] *n.* Ⓒ 모래〔물〕시계.

hóur hànd (시계의) 단침, 시침.

hou·ri [húəri, háuri] *n.* Ⓒ ① 〖이슬람〗 극락의 미녀. ② 매혹적인〔요염한〕 미인.

***hour·ly** [áuərli] *a.* 한 시간마다의, 매시의 ; 빈번한 ; 끊임없는 : There are ~ buses to the airport. 공항으로 가는 버스는 한 시간마다 있다 / ~ workers 시간급 노동자. ── *ad.* 매시간마다, 시시각각 ; 빈번히 ; 끊임없이.

†**house**[1] [haus] (*pl.* **hous·es** [háuziz]) *n.* ① Ⓒ 집, 가옥, 주택, 저택 : An Englishman's ~ is his castle. 《俗談》 영국 사람의 집은 성(城)이다《사생활에 남의 간섭을 용납 안 함》. ② Ⓒ **a**) 집에 사는 사람, 가족 ; 가정 : The whole ~ was snoring in its〔their〕 sleep. 온 집안식구가 코를 골고 자고 있었다. **b**) 가계, 혈통. ③ Ⓒ **a**) 의사당 ; (의회의) 정원수 ; (the H-) 의회 ; (the H-) 《英口》 상하원 ; 《美》 하원 ; 〔集合的〕 의원(議員)들 : both *Houses* 상원과 하원, 양원 / ⇨ UPPER 〔LOWER〕 HOUSE. **b**) 수도원 ; 교회당(church), 사원(temple), 회당(synagogue) ; 종교 단체, 교단 ; (교회·대학의) 평의원회 : ⇨ a ~ of God. ④ Ⓒ **a**) 회장, 집회장, 회관 ; 극장, 연주회장 ; 흥행 ; 〔集合的〕 관중, 청중. **b**) 도박장 ; 도박장 경영자 ; 《軍俗》 하우스 도박. **c**) (컬링에서) 하우스《표적(tee) 주변의 원》. ⑤ Ⓒ 곳집, 창고, 차고, (가축 등의) 우리, 집 ; 〖海〗 =DECKHOUSE. ⑥ Ⓒ 상사(商社), 상점 ; (the H-) 《俗》 런던 증권 거래소. ⑦ Ⓒ 여인숙, 여관 ; 술집 ; 《美口》 매춘굴 : (the) Sloane *House* 슬론 호텔《뉴욕시》. ⑧ Ⓒ (대학의) 기숙사 ; 〔集合的〕 기숙생 ; (종합 대학 내의) 칼리지 ; (the H-) Oxford 대학의 Christ Church College ; (교내 경기를 위한) 조, 그룹. ⑨ Ⓒ 〖占星〗 궁(宮), 수(宿). ⑩ 〔形容詞的〕 집의, 가옥〔주거〕용의 ; 집으로 잘 출입하는 ; (동물이) 집에서 기른. ***a ~ of call*** 단골집 ; (주문 받으러 가는) 단골처 ; 여인숙, 술집. ***a ~ of cards*** 어린이가 카드로 지은 집 ; 위태로운 계획 : The regime collapsed like *a* ~ *of cards*. 그 정권은 카드로 지은 집처럼 무너졌다. ***a ~ of God*** =***a ~ of worship*** 교회(당). ***as safe as ~s*** 〔***a ~***〕 아주 안전한. ***bring down the ~*** =***bring the ~ down*** 《口》 만장의 갈채를 받다 : It's really an amazing dance. It just always *brings the* ~ *down*. 그것은 정말 놀랄만한 무용이다. 언제나 만장의 갈채를 받는다. ***clean ~*** 집을 정리하다 ; 숙청하다, (악조건)을 일소하다. ***dress the ~*** 극장을 실제보다 손님이 많은 것같이 보이게 하다《무료 초대자 따위를 들여서》. ***enter*** 〔***be in***〕 ***the House*** 하원 의원이 되다. ***from ~ to ~*** 집집이. ***~ and home*** 〔強調的〕 가정 : be driven〔turned〕 out of ~ *and home* 집에서 쫓겨나다 / eat a person out of ~ *and home* 너무 많이 먹어 아무에게 무거운 부담을 지우다 ; 아무의 재산을 먹어 없애다. ***keep a good ~*** 호사스럽게 살다 ; 손님을 잘 대접하다. ***keep ~*** 가정을 갖다 ; 살림을 꾸려나가다 : Tom lives with an aunt who *keeps* ~ for him. 톰은 자기를 위해 살림을 도맡아 하고 있는 숙모와 함께 살고 있다. ***keep ~ with*** …와 같은 집에 살다, 공동 생활을 하다. ***keep*** 〔***have***〕 ***open ~*** ⇨ OPEN HOUSE. ***keep to the*** 〔***one's***〕 ***~*** 집에 틀어박히다. ***like a ~ on fire*** 《口》 재빠르게 ; 후딱후딱 : The new product took off *like a ~ on fire*. 신상품은 날개 돋친듯 팔렸다. ***make a House*** 《英》 (하원에서 출석 의원이 정족수에 달해) 의회를 성립시키다. ***move ~*** 이사하다. ***on the ~*** (비용 따위) 회사 부담으로 ; 무료의 : They had a drink *on the* ~. 그들은 술대접을 받았다. ***play ~*** 소꿉장난하다. ***put*** 〔***set***〕 ***one's ~ in order*** (신변)을 정리하다 ; 자기 행실을 바로잡다 : He's *put*〔*set*〕 *his* ~ *in order* and made some tremendous decisions. 그는 신변을 정리하고 몇 가지 대단한 결정을 했다. ***set up ~*** (독립하여) 가정을 이루다. ***the House of Commons*** 《英》 하원. ***the House of Lords*** 《英》 상원. ***the House of Representatives*** (미국·오스트레일리아 등의) 하원. cf. Senate. ***the Houses of Parliament*** 《英》 국회 의사당.

house**[2] [hauz] (*p., pp.* ***housed ; hóus·ing) *vt.* ① …에 거처할 곳을 주다 ; …을 집에 받아들이다 ; 집에 재우다, 숙박시키다 ; 숨겨 주다, 수용하다. ② …을 덮어 가리다 ; 비바람을 막아 주다 ; (비행기 따위)를 격납하다 ; 〖海〗 (대포)를 함내(艦內)로 들여놓다, (윗 돛대·가운데 돛대)를 끌어내리다. ③ 《~+목 / +목+전+명》 …을 (집안에) 간수〔저장〕하다 : This library ~*s* 600,000 books. 이 도서관에는 60만 권의 장서가 있다.
── *vi.* 묵다, 살다 ; 안전한 곳에 들어가다.

hóuse àgent 《英》 가옥〔부동산〕 중개업자 ; 부동산 관리인.

hóuse arrèst 자택 감금, 연금(軟禁).

house·boat [háusbòut] *n.* Ⓒ (살림하는) 집배 ; (숙박 설비가 된) 요트. ── *vi.* ~에 살다〔로 순행(巡行)하다〕.

house·bound [∸bàund] *a.* (질병·악천후 등으로) 집에 틀어박혀 있는.

house·boy [∸bɔ̀i] *n.* Ⓒ (집·호텔 등의) 잡일꾼 (houseman).

house·break·er [∸brèikər] *n.* Ⓒ ① 가택 침입자 ; (백주의) 강도. cf. burglar. ② 《英》 가옥 철거업자, 해체업자.

house·break·ing [∸brèikiŋ] *n.* Ⓤ ① 가택 침

입, 침입 강도질〔죄〕. ②《英》 가옥 철거.

house·bro·ken [ˊbròukən] *a.* (개·고양이 등) 집 안에서 길들인 ; 《美》 사회에 받아들여지는.

house·build·er [ˊbìldər] *n.* 건축업자, 목수.

hóuse càll 왕진 ; (외판원 등의) 가정 방문.

house·clean·ing [ˊklìːniŋ] *n.* Ⓤ ① 대청소. ② 숙청.

house·coat [ˊkòut] *n.* Ⓒ 실내복《여성이 집에서 입는 길고 헐렁한 원피스》.

house·craft [ˊkræ̀ft, ˊkrɑ̀ːft] *n.* Ⓤ 《英》 살림을 꾸려 나가는 솜씨 ; 가정학.

hóuse detèctive (호텔·백화점 등의) 경비원.

hóuse dòctor 병원 입주 의사.

house·dress [ˊdrès] *n.* 가정복, 실내복.

house·fa·ther [ˊfɑ̀ːðər] *n.* Ⓒ 사감(舍監).

house·fly [ˊflài] *n.* 〖蟲〗 집파리.

house·ful [háusfùl] *n.* Ⓒ 집에 가득함.

‡**house·hold** [ˊhòuld / ˊhòuld] *n.* ① Ⓒ 가족, 세대 ; 한 집안. ② (the H-) 《英》 왕실. ***the Imperial*** 〔***Royal***〕 ***Household*** 왕실《소속 직원 포함》. ── *a.* 〔限定的〕 가족의, 한 세대의, 가사의 ; 귀에 익은 ; 왕실의.

Hóusehold Cávalry (the ~) 《英》 근위〔의장〕 기병대. 「주, 가장(家長).

house·hold·er [ˊhòuldər / ˊhòuld-] *n.* Ⓒ 세대

house·hunt·ing [ˊhʌ̀ntiŋ] *n.* Ⓤ 집 구하기.

house·hus·band [ˊhʌ̀zbənd] *n.* Ⓒ 가사를 맡은 남편.

‡**house·keep·er** [ˊkìːpər] *n.* Ⓒ ① 주부 : a good ~ 살림 잘하는 주부. ② 가정부, 우두머리 하녀. ③ 가옥〔사무소〕 관리인.

*__house·keep·ing__ [ˊkìːpiŋ] *n.* Ⓤ 가사, 가정(家政), 가계 ; 가계비 ; (회사 등의) 경영, 관리 ; 〖컴〗 하우스키핑《문제 해결에 직접 관계하지 않는 시스템의 운용에 관한 루틴》 : set up ~ 살림을 차리다.

house·less [háuslis] *a.* 집 없는.

house·lights [háuslàits] *n. pl.* (극장 등의) 객석 조명.

*__house·maid__ [ˊmèid] *n.* Ⓒ 가정부.

hóusemaid's knée 〖醫〗 무릎 피하의 염증, 전슬개골 활액낭염(前膝蓋骨滑液囊炎).

house·man [ˊmən, ˊmæ̀n] (*pl.* ***-men*** [ˊmən, ˊmèn]) *n.* Ⓒ ① (가정·호텔 등의) 잡일꾼. ② (병원의) 인턴.

hóuse màrtin 〖鳥〗 흰털발제비《유럽산》.

house·mas·ter [ˊmæ̀stər, ˊmɑ̀ːstər] *n.* Ⓒ ① 주인. ② (영국 public school 따위의) 사감.

house·mate [ˊmèit] *n.* Ⓒ 동거인.

house·mis·tress [ˊmìstris] *n.* Ⓒ 여자 집주인, 주부 ; 여(女)사감.

house·moth·er [ˊmʌ̀ðər] *n.* Ⓒ 기숙사 여사감.

house·music [ˊmjùːzik] *n.* Ⓤ 하우스 뮤직《신시사이저(synthesizer)에 의해 샘플링을 많이 사용한 단조로운 리듬의 댄스뮤직 ; 1980년대에 출현》.

house·par·ents [ˊpɛ̀ərənts] *n.* (*pl.*) (학생 기숙사 등의) 관리인 부부.

hóuse pàrty 별장 따위에 손님을 초대하여 숙박하면서 여는 연회 ; 그 초대객들.

hóuse physícian (병원 등의) 입주 (내과) 의사, 병원 거주 의사. 「은 화분 식물.

house·plant [ˊplæ̀nt, ˊplɑ̀ːnt] *n.* Ⓒ 실내에 놓

house-proud [ˊpràud] *a.* 집〔살림〕 자랑의 ; (주부 따위가) 집의 정리·미화에 열심인.

house·rais·ing [ˊrèiziŋ] *n.* Ⓒ (시골에서 집 지을 때 동네 사람이 다 모인) 상량식.

house·room [ˊrù(ː)m] *n.* Ⓤ 집의 공간 ; (사람·물건 등의) 수용력.

house-sit [ˊsìt] *vi.* 《美》 남의 (부재중) 집을 그 집에 살면서 봐주다《*for*》. ㊞ **hóuse(-)sìt·ter** *n.* **hóuse-sìt·ting** *n.* 「sparrow).

hóuse spàrrow 〖鳥〗 참새의 일종(English

hóuse stýle (각 출판사·인쇄소만의) 용자(用字) 용어, (조판) 독자적 스타일. 「사.

hóuse sùrgeon (병원에 입주한) 연수 외과 의

house-to-house [ˊtəháus] *a.* 〔限定的〕 집집마다의, 호별(방문)의(door-to-door).

*__house·top__ [ˊtɑ̀p / ˊtɔ̀p] *n.* Ⓒ 지붕(roof), 지붕 꼭대기. ***shout*** 〔***proclaim, cry, preach***〕 ***... from the ~s*** 〔***rooftops***〕 …을 세상에 퍼뜨리다〔선전하다〕.

hóuse tràiler (자동차로 끄는 바퀴 달린) 간이 이동 주택(trailer coach).

house-trained [ˊtrèind] *a.* =HOUSEBROKEN.

house·wares [háuswɛ̀ərz] *n. pl.* 가정용품.

house·warm·ing [ˊwɔ̀ːrmiŋ] *n.* Ⓒ 새 집〔새살림〕 축하 잔치, 집들이.

‡**house·wife** *n.* Ⓒ ① [háuswàif] (*pl.* ***-wives*** [-wàivz]) 주부(主婦). ② [hʌ́zif] (*pl.* ***~s, -wives*** [hʌ́zivz]) 《英》 반짇고리.

*__house·work__ [háuswə̀ːrk] *n.* Ⓤ 집안일, 가사.

house·wreck·er [ˊrèkər] *n.* Ⓒ 집 철거업자.

*__hous·ing__[1] [háuziŋ] *n.* Ⓤ ① 주택 공급, 주택 건설. ② 〔集合的〕 주택 ; 피난처, 수용소. ③ Ⓒ 울(타리). ④ Ⓒ 〖機〗 틀, 샤프트의 덮개, 하우징 ; 〖建〗 통맞춤 ; 〖電〗 외피(外被).

hous·ing[2] *n.* 마의(馬衣) ; (*pl.*) 말의 장식.

hóusing assocíation (공동)주택 조합.

hóusing devèlopment 〔《英》 **estàte**〕 (공영)주택 단지.

hóusing pròject 《美》 (공영) 주택단지《저소득층을 위한》.

Hous·ton [hjúːstən] *n.* 휴스턴《미국 Texas 주의 공업 도시 ; 우주 비행 관제 센터 소재지》.

Hou·yhn·hnm [huːínəm, hwínəm / húi*h*nəm, huínəm] *n.* Ⓒ 휘넘(족)《*Gulliver's Travels* 중에 나오는 인간적인 이성을 갖춘 말》.

hove [houv] HEAVE 의 과거·과거분사.

hov·el [hʌ́vəl, hɑ́v-] *n.* Ⓒ 광, 헛간 ; 가축의 우리 ; 누옥(陋屋), 오두막집.

‡**hov·er** [hʌ́vər, hɑ́v-] *vi.* ①《~ / +부 / +전+명》 (곤충·새·헬리콥터 등이) 한곳을 맴돌다, 선회하다 ; (웃음 따위가) 감돌다 ; (안개 등이) 자욱하게 끼다. ②《+부 / +전+명》 (…의 곁을) 서성거리다, (…에) 붙어다니다, 떠나지 않다. ③《+전+명》 주저하다, 망설이다 ; 헤매다.

Hov·er·craft [-kræ̀ft, -krɑ̀ːft] *n.* Ⓒ 호버크라프트《고압 공기를 아래쪽으로 분사하여 기체를 지상〔수상〕에 띄워서 날아가는 교통기관 ; 商標名》.

hov·er·train [hʌ́vərtrèin, hɑ́v-] *n.* Ⓒ 호버트레인《공기압으로 차체를 띄워 콘크리트 궤도를 달리는 고속 열차》.

†**how** [hau] *ad.* **A)** ≪疑問詞≫ ① 〔방법·수단〕 어떻게, 어찌, 어떤 방법〔식〕으로. **a)** 〔보통의 疑問文에서〕 : *How* can I get there ?─(You can get there) by bus. 거기엔 어떻게 갈 수 있습니까 ─버스로 가실 수가 있습니다 / *How* did the accident happen ? 사고는 어떻게 일어났는가 / *How* can I ever thank you ? 무어라고 감사의 말을 해야 할지. **b)** 〔to 不定詞와 함께, 또는 從屬節을 이끌어서〕 : He knows ~ *to* write. 그는 쓰는 법을 알고 있다 / Tell me ~ she did it. 그녀가 어떻게 그것을 했는지 말해 주게나 / I can't imagine ~ the thief got in. 도둑이 어떻게 들어왔는지 상상도 할 수 없다.

參考 how와 what : 우리말에서 흔히 '어떻게'로

나타낼 때에도, 영어로는 how가 아니라 what 를 사용해야 할 때가 있음 : I don't know *what* to do. (무엇을 해야 할지 →) 어떻게 해야 할지 모른다. *What* do you think ? 어떻게 생각하나. How do you think ? 는 이것과는 뜻이 다르며, 예를 들어 다음과 같은 생략문에 사용됨 : How did you do it ? —*How do you think* (I did it) ? 어떻게 했는가—어떻게 하였다고 생각하나.

② 〔정도〕 **a**) 얼마만큼, 얼마나 : *How* old is he ? 그는 몇 살입니까 / *How* often does the train come ? 열차는 얼마나 자주 옵니까 / *How* many students are there in your school ? 너희 학교의 학생수는 몇 명이나 되나 / *How* much did it cost you ? 얼마 들었지《how much 대신 what를 쓰는 것은 《口》》 / *How* much longer will it take ? 시간이 얼마만큼이나 더 걸리겠는가《비교급의 앞에는 much 가 삽입됨》 / *How* do you like Korea ? 한국이 어떻습니까 《싫은가 좋은가》 / *How* is sugar〔the dollar〕 today ? 오늘 설탕〔달러〕의 시세는 얼마인가. **b**) 〔節을 이끌어〕 : I don't know ~ many books he has. 나는 그가 책을 몇 권이나 갖고 있는지 모른다 / *How* tall do you think I am ? 내 키는 얼마나 된다고 생각하는가.

③ 〔상태·형편〕 어떤 상태〔형편〕에《건강·날씨·감각 따위의 일시적 상태를 물음》 : *How* is your mother ? 어머니는 어떠십니까 / *How*'s life ?=*How* are things ? (상태·형편이) 어떻습니까《life, things 는 건강·직업·생활 따위 일체의 것을 가리킴》 / *How* do I look in this dress ? 이 드레스는 내게 어떻습니까 / *How* are you ?—Fine (, thanks). And you ? 어떻게 지내십니까—(덕분에) 잘 지냅니다. 당신은 (어떠십니까) / *How* does this soup taste ?—It tastes too sweet. 이 수프의 맛은 어떻습니까—너무 달군요 / *How* have you 〔things〕 been ? (그 후) 어떻게 지내(오)셨습니까《오래간만에 만났을 때에 하는 인사》.

④ 〔이유〕 어찌하여, 어떤〔무슨〕 이유로 ; 왜《흔히 *How* can …? 또는 *How* is it (that) …?의 형식으로》 : *How can* you live alone ? 어찌 혼자 살 수 있느냐 / *How can* I leave my child alone ? 어떻게 아이를 홀로 내버려 둘 수 있을까 / *How* is it that he is absent ? 그가 결석한 것은 웬일인가 / *How* is that ? 그건 어떤 이유인가 ; 그렇게 한다면 어떻게 될까〔어떨까〕 / *How* comes 〔is〕 it (that) you have taken my notebook ? 내 노트를 가져간 건 무슨 이유인가.

⑤ 〔상대의 의도·의견을 물어〕 어떻게, 어떤 뜻으로〔의미로〕 ; 어찌할 셈으로 : *How ?* 《美》 어떻게(요) ; 뭐(라고요)《되물을 때 씀 ; 《英》에서는 흔히 What ?을 씀》 / *How* do you mean that ? 무슨 뜻〔말씀〕이죠, 무슨 말(씀)을 하려는 겁니까(=What do you mean by that ?) / *How* do you feel about it ? 그것을 어떻게 생각하느냐(=What do you think of 〔about〕 it ?) / *How* will your father take it ? 자네 아버지는 그것을 어떻게 받아들이시겠는가 / *How* would it be to start the day after tomorrow ? 모레 떠나는 것이 어떨까.

⑥ 〔感歎文에서〕 **a**) 얼마나 …(할까), 정말(이지) …(하기도 하여라) : *How* beautiful (it is)! 정말 예쁘기도 하다 / *How* well she sing ! 그녀는 정말 노래를 잘 하는군 / *How* foolish of you to say so ! 그런 말을 하다니 얼마나 바보인가 / *How* hard it rains ! 정말 지독하게 내리는 비군 / *How* I wish to go to Paris ! 진정 파리에 가고 싶구나.

語法 (1) 感歎文의 補語가 名詞일 때에는 보통 what을 씀 : *What* a beautiful picture (it is) ! 정말 아름다운 그림이군요. How를 써서 *How* beautiful a picture (it is)! 라고도 하지만 잘 쓰지 않음. 또, 名詞가 複數일 때에는 how는 쓰지 않고 what만 씀 : *What* beautiful pictures (they are) !
(2) how 로 수식되는 부사, 또는 「주어+동사」 따위가 문맥상 분명한 경우에는 생략되는 경우도 있음 : *How* (fast) the greyhound ran ! 저 그레이하운드는 얼마나 빨리 달렸을까 / *How* nice (it is) of you to think of my family ! 우리 가족의 일까지 염려해 주다니 정말 친절하군요.

b) 〔節을 이끌어〕 : I saw ~ sad he was. 그 사람이 얼마나 슬퍼하고 있는지를 알았다 / You cannot imagine ~ wonderfully he sang. 그가 얼마나 멋지게 노래를 불렀는지 자네는 상상도 못할 게다.

B) 〈關係詞〉 ① 〔名詞節을 이끌어〕 **a**) …한〔인〕 경위〔사정, 모양〕, …하는 방법 : That is ~ it happened. 이같이 해서 일은 일어났던 것이다 / Watch ~ I kick the ball. 나의 공차는 법을 보아라. ★ 이 how는 the way (that) 또는 the way in which로 말을 바꿀 수 있음《the way how 는 드묾》. ¶ *How* 〔*The way*〕 she spoke to us was suspicious. 그녀의 우리에 대한 말투는 사뭇 의심쩍어 하는 눈치였다. **b**) 《口》 …이라는〔하다는〕 것《接續詞로도 봄》 : She told him ~ God was almighty. 그녀는 그에게 신이 전능하다는 것을 가르쳐 주었다. ★ how를 that 대신에 쓰는 것은 이야기투로 복잡한 사정 따위를 말하는 경우.
② 〔副詞節을 이끌어〕 어떻게든 (…하도록) 《接續詞로도 봄》 : Do it ~ you can. 어떻게든 해 보아라 / You can travel ~ you please. 좋을 대로 여행을 하고 와도 된다.

— *n.* (the ~) 방법 : I want to know *the* ~ and the why of it. 그 방법과 이유를 알고 싶다.

And ~! 〔비꼼 또는 강조적으로〕 《口》 매우, 대단히, 무척 ; 그렇고말고 : Prices are going up, *and ~ !* 물가가 뛴다뛴다 하지만 이건 정말 엄청나다 / You mean it, Peggy ?—*And ~ !* 너 제정신으로 말하는 거니, 페기야—물론이지. ***any old ~=all any ~*** 《口》 아무렇게나, 되는 대로, 조잡하게. ***Here's ~ !*** ⇨ HERE. ***How about . . . ?*** …하는 것이 어떻습니까, …에 대해서 어찌 생각하나. cf. What about …?(成句). ¶ *How about* the results ? 그 결과는 어떤가〔어떠했나〕 / It's all right with me. *How about* you ? 나는 괜찮네〔상관없네〕. 자네는 어떤가 / *How about* going for a swim ? 수영하러 가지 않겠나. ***How about that ?*** 《口》 그건 멋지다〔정말이지 잘됐다, 놀라운데〕 (=What about that ?). ***How are you ?*** 안녕하십니까《인사말 ; 이 말에 대한 응답은 Fine, thank you ; and (how are) you ?》. ***How come . . . ?*** 《口》 …은 어째서인가, 왜《How did it come that … ?의 단축형》 : *How come* you didn't join us ? 왜 우리측에 들지 않느냐. ***How come you to* do…?** 어째서 그렇게 하는가 : *How come you to* say that ? 무슨 이유로 그런 말을 하지 / *How came you to* be there ? 어째서 그곳에 있었느냐. ***How do you do?*** (1) 처음 뵙겠습니다《초대면의 인사 ; 응답도 이 말을 되풀이함》. (2) 안녕하십니까. ★ 대화체에는 ***How d'ye do ?*** [háudidú:]. ***How do you like . . . ?*** ⇨ LIKE[1]. ***How far* (. . .)*?*** (1) 〔거리를 물어〕 얼마나 되는(거리인)가 : *How far* is it from here to your school ? 여기서 너의 학교까지는 얼마나 되는가. (2) 〔정도를 물어〕 어느 정도, 얼마(쯤) : I don't know ~ *far* we can trust him. 얼마나 그를 믿을 수 있는지 모르겠다. ***How goes it?*** 《口》 어떻게

지내나, 경기는 어떤가(=*How* are things going?). ***How is it that . . . ?*** ⇨ *ad.* ④ ***How in the world*** 〔***on earth, the devil,*** etc.〕 ***. . . ?*** (도)대체〔대관절〕 어떻게…: Good heavens! John! *How in the world* did you get here? 야아! 존, 도대체 이곳엔 어떻게 왔는가. ***How is that again?*** 《美》〔되물을 때〕 뭐라고요, 다시 한번 말씀(을) 해 주십시오. ***How is that for . . . ?*** 〔形容詞 또는 名詞를 수반하여〕 (1) 《口·反語的》 정말 …하지 않은가: *How is that for* impudent? 이건 정말 뻔뻔스럽지 않은가. (2) …은 어떤가: *How's that for* color 〔size〕? 색상은〔사이즈는〕 어떻습니까. ***How long*** **(. . .)*?*** (길이·시일·시간이) 얼마나, 어느 정도, 언제부터, 언제까지: *How long* would 〔will〕 it take (me) to go there by bus? 그곳에 버스로 가면 (시간이) 얼마나 걸릴까요. ***How many*** **(. . .)*?*** 얼마나 (많은): *How many* apples are there in the box? 상자에 사과가 몇 개나 있느냐. ***How much ?*** (값은) 얼마입니까; 《戱》 뭐라고요(=What?, How?). ***How often*** **(...)*?*** 몇 번(…)인가: *How often* are there buses to Pusan? 부산행 버스는 몇 번이나 있습니까. ***How say you?*** 당신의 생각은. ***How so?*** 어째서 그런가, 왜 그런가. ***How soon*** **(. . .)*?*** 얼마나 빨리: *How soon* can I expect you? 얼마나 빨리 와 주시겠습니까. ***How's that ?*** (1) 그것은 어째서 그렇지; 그것을 어떻게 생각하나. (2) (뭐라고요) 다시 한번 말씀해 주세요. (3) 〖크리켓〗 (심판에게) 지금 것은 아웃인가 아닌가. ***no matter*** ~ ⇨MATTER. ***This is*** 〔***That's***〕 ~ ***it is.*** (다음에〔이미〕 말씀드린 것이) 그 이유입니다.

How·ard [háuərd] *n.* 하워드(남자 이름).

how·dah [háudə] *n.* Ⓒ 상교(象轎)《코끼리·낙타의 등에 얹은 닫집이 있는 가마》.

how-do-you-do, how-d'ye-do [hàudəjədúː], [hàudidúː] *n.* Ⓒ《口》 곤란한〔어려운〕 처지, 괴로운 입장.

how·dy [háudi] *int.* 《美口》 야! 《인사말; how do you do 의 간약형》.

how·e'er [hauέər] however 의 간약형.

†**how·ev·er** [hauévər] *ad.* ① 〔接續副詞〕 그러나, 그렇지만; 하지만(still; nevertheless)《문장 앞 또는 뒤에 쓰이나, 보통은 문장 도중에 삽입됨》: Later, ~, he made up his mind to marry the farmer's daughter. 그러나 나중에 그는 그 농부의 딸과 결혼을 하기로 결심했다 / I hate concerts. I will go to this one, ~. 나는 음악회는 싫어하지만 그러나 이번 것은 가겠다 / *However,* I will do it in my own way. 하지만 나는 나대로의 방식으로 하겠다. ② 〔讓步節을 이끌어〕 아무리 …할지라도〔해도〕, 아무리 …라도〔하더라도〕: *However* late you are 〔may be〕, be sure to phone me. 아무리 늦더라도 꼭 전화를 하도록 하여라《흔히 《口》에서는 may를 생략함》 / *However* loudly he cried, he could not make himself heard. 아무리 큰 소리로 외쳐도 그의 소리는 미치지를 못했다 / *However* great the pitfalls (are), we must do our best to succeed. 위험이 아무리 클지라도, 우리는 성공을 위해 최선을 다해야 한다《★ however가 수식하는 형용사가 be 동사의 보어이고, 그 주어가 추상적인 명사일 때, be 동사는 생략될 때가 있음》.

> 參考 讓步節에서는 how*ever* = *no matter* how 와 같이, ever 를 no matter 로 바꿔 쓸 수가 있음. 이 점은 whenever, wherever 및 whatever, whoever 〔whomever〕, whichever 와 공통적임. 다만, when*ever* = *at any* time when 과 같이, however 이외의 말에는 any 의 뜻을 품고 있는 중요한 용법도 있음.

③ 〔疑問詞 how 의 강조형으로 쓰이어〕 대체〔대관절〕 어떻게 (해서): *However* did you find us? 대관절 어떻게 우리를 발견했나요《놀라움》 / *However* did you go yourself? 대체 자넨 어떻게 스스로 갈 수 있었나《감탄》. ★ 정식으로는 how ever 로 나누어 씀.

— *conj.* (…하는) 어떠한 방식으로라도: You may act ~ you like. 좋을 대로 행동해도 좋다 / *However* we (may) go, we must get there by six. 어떤 방법으로 가든, 6 시까지는 거기에 도착해야 한다.

how·itz·er [háuitsər] *n.* Ⓒ 〖軍〗 곡사포.

‡**howl** [haul] *vi.* ① (개·이리 따위가) 짖다, 멀리서 짖다. ② 바람이 윙윙거리다. ③ 《+전+명》 (사람이) 울부짖다, 악쓰다; 조소하다. — *vt.* ① …을 악을 쓰며 말하다《*on; away*》. ② …을 호통쳐서 침묵게 하다《*down*》. ③ 《美俗》 …을 조롱하다. — *n.* Ⓒ ① 짖는 소리; 신음 소리, 큰 웃음; 《口》 몹시 웃기는 것, 농담, 우스운 사람. ② 〖無線〗 하울링《이상 귀환 따위로 증폭기 속에서 일어나는 잡음》. ③ 불평, 반대. ④ 《美俗》 조롱, 우롱.

howl·er [háulər] *n.* Ⓒ ① 짖는 짐승; 목놓아 우는 사람; 곡꾼. ② 《俗》 큰 실수, 대실패. ③ 액셀러레이터 페달을 밟으면 짖는 듯한 소리를 내는 차.

howl·ing [háuliŋ] *a.* 〔限定的〕 짖는; 울부짖는; (풍경이) 쓸쓸한, 황량한; 《口》 엄청난, 터무니없는, 대단한.

how·so·ev·er [hàusouévər] *ad.* 《古·詩》 = HOWEVER. ★ however의 강조형으로, how… soever 로 끊어서도 쓰임.

how-to [háutúː] *a.* 〔限定的〕 《美口》 실용 기술을 가르치는, 입문적인, 초보의.

hoy·den [hɔ́idn] *n.* Ⓒ 말괄량이, 왈가닥 처녀. — *vi.* 말괄량이로 굴다. ㊉ **~·ish** [-iʃ] *a.*

Hoyle [hɔil] *n.* Ⓒ 카드놀이법의 책. ***according to*** ~ 규칙대로; 공정하게.

HP, H.P., hp., h.p. high pressure; horsepower. **H.P.** hire-purchase. **H.Q., HQ., hq, h.q.** Headquarters. **hr.** hour(s). **h.r., hr.** 〖野〗 home run(s). **H.R.** Home Rule; House of Representatives; Human Relations. **H.R.H.** His 〔Her〕 Royal Highness. **H.R.I.P.** *hic requiescit in pace* 《L.》 (=here rests in peace). **H.S.** high school; high speed. **hse.** house. **H.S.E.** *hic sepultus est* 《L.》 (=here he 〔she〕 lies buried). **H.S.H.** His 〔Her〕 Serene Highness. **HST** hypersonic transport(극초음속 수송기); high speed train ((영국 국철의) 고속 열차). **H.T.** 〖電〗 high-tension(고압). **ht.** heat; height.

hub[1] [hʌb] *n.* Ⓒ (차륜의) 바퀴통; (활동의) 중심, 중추; (고리던지기의) 표적. ***from*** ~ ***to tire*** 완전히. ***the*** ~ ***of the universe*** 만물의 중추; 세계의 중심 도시; 《美》 Boston 시.

hub[2] *n.* 《英口》 남편, 우리 집 양반, 바깥 주인.

húb àirport 허브공항《국제〔장거리〕선과 국내〔단거리〕선의 바꿔타기가 가능한, 어느 나라〔지역〕의 거점 공항》.

hub-and-spoke [-əndspóuk] *n., a.* 〖空〗 (항공노선의) 대도시 터미널 집중방식(의).

hub·ble-bub·ble [hʌ́bəlbʌ̀bəl] *n.* Ⓒ ① 수연통(水煙筒)의 일종. ② 지글지글, 부글부글《소리》. ③ 와글와글. [imit.]

hub·bub, hub·ba·boo, hub·bu·boo [hʌ́bʌb], [hʌ́bəbùː] *n.* (흔히 a ~) ① 왁자지껄, 소

음. ② 함성 ; 소동, 소란.

hub·by [hʌ́bi] *n.* [C] 《口》 남편, 주인.

hub·cap [hʌ́bkæ̀p] *n.* [C] (자동차의) 휠캡.

hu·bris [hjú:bris] *n.* [U] 지나친 자신, 오만.

huck·a·back, huck [hʌ́kəbæ̀k], [hʌk] *n.* [U] 허커백 천《베나 무명 ; 타월감》.

huck·le·ber·ry [hʌ́kəlbèri] *n.* [C] 월귤나무류 《미국산(産)》.

huck·ster [hʌ́kstər] (*fem.* **-stress** [-stris]) *n.* [C] ① 소상인(小商人) ; 도붓장수, (야채 따위의) 행상인 (《英》 costermonger) ; 강매하는 세일즈맨. ② 《美口》 광고업자〔작가〕, 선전원, (특히 라디오·TV의) 커머셜 제작업자, 카피라이터.

HUD 〖空〗 head-up display 《조종사가 전방을 향한 채 필요한 데이터를 읽을 수 있는 장치》; Department of Housing and Urban Development (미국 주택 도시 개발부).

hud·dle** [hʌ́dl] *vt.* ① 《~+[목] / +[목]+[전]+[명] / +[목]+[부]》 …을 뒤죽박죽 주워 모으다〔쌓아올리다〕; 되는 대로 쑤셔넣다《*together* ; *up* ; *into*》. ② 〔受動으로, 再歸的〕 웅크리다《*up*》. ③ 《+[목]+[부]》 《주로 英》 …을 아무렇게나 하다《*up* ; *over* ; *through*》: ~ *up* one's work 일을 아무렇게나 하다. ④ 《+[목]+[부]》 (옷)을 급히 입다, 걸치다《*on*》. — *vi.* ① 붐비다, 와시글거리다, (떼지어) 몰리다 《*together*》: They ~*d together* around the fire. 그들은 불 주위에 몰렸다. ② 〖美蹴〗 (선수들이) 스크럼선 뒤로 집합하다. ③ 《美口》 (비밀히) 의논하다 ; 토론하려고 모이다. ~ oneself up*** = ***be*** **~*d up*** 몸을 곱송그리다, 움츠리다.

— *n.* ① [U,C] 혼잡, 붐빔 ; 난잡 ; [C] 군중 : A small group of people stood in a ~ at the bus stop. 소수의 사람들이 버스 정류장에 한데 몰려 서 있었다. ② 〖美蹴〗 작전 회의, 선수들의 집합《다음 작전을 결정하기 위한》. ③ 《美口》 (비밀) 회담, 상담, 밀담 : The labor representatives have been in a ~ for two hours. 노동자 대표들은 이미 2시간이나 비밀 회의를 하고 있었다. ***go into a*** ~ 《口》 비밀히 타합하다《*with*》, 밀담을 하다 : The judges *went into a* ~ to decide who was to be the winner. 심판들은 승자를 가리기 위해 이마를 맞대고 숙의했다.

[파] **húd·dler** *n.* [C] 뒤죽박죽 쑤셔넣는 사람.

***Hud·son** [hʌ́dsən] *n.* 허드슨. ① **Henry** ~ 영국의 항해가·탐험가(?-1611). ② (the ~) 미국의 New York 주 동부의 강.

Húdson Báy 허드슨 만《캐나다 북동부의 만》.

Húdson Ínstitute 허드슨 연구소(H. Kahn이 설립(1961)한, 미래 예측·분석을 하는 두뇌 집단》.

‡hue¹ [hju:] *n.* [U,C] ① 색조 ; 빛깔 ; 색상. ② (의견·태도 따위의) 경향, 특색. ③ 《廢》 안색 ; 모양, 모습.

hue² *n.* [C] (추적의) 고함〔외침〕 소리. ★ 다음 관용구에만 쓰임. ***a ~ and cry*** (1) 고함소리 ; 심한 비난《*against*》. (2) 〖英史〗 죄인 추적의 고함 소리 ; 추적 ; 죄인 체포 포고서(布告書) ; 죄상·범죄 수색 따위에 관한 공보 : raise *a* ~ *and cry* 도둑이야, 도둑이야 하고 소리치다.

hued [hju:d] *a.* 〔흔히 複合語〕 …한 색조의 : golden-~ 황금색의 / many-~ 다채로운.

huff [hʌf] *vt.* ① 〔흔히 受動으로〕 (사람)을 노하게 하다. ② …을 으르다, 호통치다, 괴롭히다. — *vi.* 골내다, 왈칵 성내다 ; 가쁜 숨을 쉬다. ~ ***and puff*** 《口》 크게 분개하다 ; 숨을 죽이고 참다 ; 떠들어대다 : The British government ~*ed and puffed* at the commission's decision. 영국 정부는 위원회의 결정에 분개했다 / Stop ~*ing and puffing* and tell me exactly what happened. 동닿지 않는 소리 그만하고 무슨 일이 있었는지 똑똑히 말해라. ~ a person ***to pieces*** 아무를 못살게 괴롭히다. — *n.* [C] 분개, 골냄 ; 〖체스〗 말을 잡기. ***in a*** ~ 불끈하여 : They went off *in a* ~ because we didn't invite them to our party. 그들은 우리 파티에 자기들을 초대하지 않았다고 화를 내고 떠났다. ***take*** ~ = ***get*** 〔***go***〕 ***into a*** ~ 불끈 성내다.

huff·ish [hʌ́fiʃ] *a.* = HUFFY.

huffy [hʌ́fi] (***huff·i·er*** ; ***-i·est***) *a.* 심술난 ; 찌무룩한 ; 거만한, 뽐내는.

[파] **húff·i·ly** *ad.* **húff·i·ness** *n.*

‡hug [hʌg] (**-gg-**) *vt.* ① 《~+[목] / +[목]+[부] / +[목]+[전]+[명]》 (사랑스럽게) …을 꼭 껴안다, 축복하다 ; (물건)을 팔로 껴안다 ; (곰이) …을 앞발로 끌어 안다. ② (편견 등)을 품다, …을 고집하다. ③ (길이 하천 등)을 따라 나 있다 ; 〖海〗 (해안) 가까이를 항해하다. ④ …의 곁을 떠나지 않다, (몸에) 찰싹 달라붙다. — *vi.* 서로 접근하다 ; 바싹 붙다. ~ one***'s chains*** 속박을 달게 받다. ~ one***self*** 기뻐하다《*on* ; *for* ; *over*》: ~ *oneself on* finding a job 일자리를 찾아 기뻐하다. ~ ***to*** one***'s bosom*** 마음에 품다.

— *n.* [C] 꼭 껴안음, 포옹 ; 〖레슬링〗 껴안기 : He gave her a great〔big〕 ~. 그는 그녀를 힘껏 껴안았다 / We always exchange ~*s* and kisses when we meet. 우리는 만날 때마다 언제나 포옹을 하고 키스를 교환한다.

‡huge [hju:dʒ, ju:dʒ] (***húg·er*** ; ***-est***) *a.* 거대한 ; 막대한 ; 대단한 : a ~ success〔victory〕 대성공〔승리〕.

hug·ger-mug·ger [hʌ́gərmʌ̀gər] *a., ad.* 비밀의〔히〕 ; 난잡한〔하게〕. — *n.* [U] 난잡, 혼란 ; 비밀. — *vt.* …을 숨기다, 쉬쉬해 버리다(hush up). — *vi.* 몰래 하다 ; 밀담하다.

Hugh [hju:] *n.* 휴《남자 이름》.

Hu·go [hjú:gou] *n.* **Victor** ~ 위고《프랑스의 작가·시인 ; 1802-85》.

Hu·gue·not [hjú:gənɑ̀t / -nɔ̀t] *n.* [C] 위그노 《16-17세기 프랑스의 Calvin파 신교도》.

huh [hʌ] *int.* 하, 정말 ; 흥, 그런가《놀람·의문 따위를 나타냄》. [imit.]

Hu·he·hot, Huh·hot [hú:heihóut], [hú:hhóut] *n.* 후허하오터(呼和浩特)《중국의 내몽고 자치구의 수도》.

Hu·la-Hoop [hú:ləhù:p] *n.* [C] 훌라후프《훌라댄스같이 허리를 흔들어 돌리는 플라스틱 테 ; 商標名》. [파] **hú·la-hòop** *vi.*

hu·la(-hu·la) [hú:lə(hú:lə)] *n.* [C] (하와이의) 훌라댄스(곡) : dance the ~ 훌라댄스를 추다.

hulk [hʌlk] *n.* [C] 노후한 배, 폐선《창고 대신으로 쓰임》; 커서 주체스러운 배 ; (종종 *pl.*) 〖史〗 감옥선 ; 《比》 뚱보, 거한(巨漢). — *vi.* 큼직한 모습으로 불쑥 나타나다《*up*》; 부피가 커지다.

hulk·ing, hulky [hʌ́lkiŋ], [hʌ́lki] *a.* 《口》 부피가〔몸집이〕 큰 ; 볼꼴 사나운.

***hull¹** [hʌl] *n.* [C] (곡식·종자 등의) 껍질, 껍데기, 외피, 깍지 ; (딸기 따위의) 꼭지 ; 덮개 ; (*pl.*) 의복. — *vt.* …의 껍질을〔껍데기를, 외피를〕 벗기다, 꼬투리를 까다 : ~*ed* rice 현미.

hull² *n.* [C] 〖海〗 선체《원재(圓材)·삭구(索具) 따위를 제외한》; 〖空〗 (비행정의) 정체(艇體), (비행선의) 선체 ; (로켓·미사일의) 외각(外殼) ; (탱크의) 차체 : ~ insurance 선체 해상 보험. ~ ***down*** 돛대만 보이고 선체는 보이지 않을 정도로 아득히. ~ ***up***〔***out***〕 (배가) 선체가 보일 만큼 가까이, 수평선상에 나타나서.

— *vt.* …의 선체를 뚫다《포탄·수뢰 따위로》.
— *vi.* (동력·돛 없이) 표류하다.

hul·la·ba·loo [hʌ́ləbəlùː] *n.* Ⓒ (흔히 a ~) 왁자지껄, 떠들썩함, 큰 소란.

***hul·lo** [həlóu, hʌ́lou, hʌlóu] *int., n.* Ⓒ 《英》 = HELLO.

‡hum[1] [hʌm] (*-mm-*) *vi* ①《~/+副》 (벌·팽이·선풍기 따위가) 윙윙거리다. ② (주저·난처함·불만 따위로) 우물거리다, 우물쭈물 말하다. ③ 콧노래를(허밍으로) 부르다. ④《~/+前+名》 (공장 따위가) 바쁘게(경기 좋게) 움직이다; (장소가) 법석거리다, 혼잡을 이루다. ⑤《英口》 고약한 냄새가 나다.
— *vt.* 《~+目/+目+副/+目+前+名》 ① …을 입속으로 중얼(흥얼)거리다; (노래의 가락 따위)를 허밍하다, 콧노래 부르다. ② …에게 노래를 불러주어 …시키다. ~ ***along*** (자동차 따위가) 쌩쌩 달리다; (사업 등이) 잘 되어 가다. ~ ***and haw*** (***ha***(***h***)) 말을 더듬다; 망설이다. ***make things*** ~ 《口》 활기를 불어 넣다.
— *n.* Ⓤ ① 윙윙 (소리). ② 멀리서의 잡음, 와글와글. ③ Ⓒ (주저·불만 따위를 나타내는) 흥, 흠흠. ④ 콧노래, 허밍. ⑤ 험《라디오의 낮은 웅 소리》. ⑥ (사람의) 활동. ⑦《英口》 고약한 냄새.
— *int.* 〔의심·놀람·불찬성〕 흥, 음. [imit.]

hum[2] *n.* Ⓤ,Ⓒ 《俗》 사기, 협잡(humbug).

‡hu·man [*h*júːmən] (***more*** ~ ; ***most*** ~) *a.* ① 인간의, 사람의. ⓒⓕ divine, animal. ¶ ~ affairs 인간사 / a ~ being 〔creature〕 인간 / ~ frailty 인간의 약함 / ~ knowledge 인지 / ~ resources 인적 자원 / ~ milk 모유 / a ~ sacrifice 인신 공양 / a ~ satellite 인간 위성《우주 유영인》/ a ~ touch 인간미, 인정미. ② 인간적인, 인간다운, 인간에게 흔히 있는: To err is ~, to forgive divine. ⇨ERR. ③ 동정적인 (humane) : We should devise a more ~ way of killing animals. 보다 고통을 덜 주고 동물을 죽이는 방법을 고안해야 한다. ***more*** 〔***less***〕 ***than*** ~ 보통 인간 이상〔이하〕인.
— *n.* Ⓒ 인간(=∠ **béing**) ; (the ~) 인류.

húman cháin 인간 사슬《반핵 평화 운동 그룹의 시위 행동의 한 형태》. ⓒⓕ die-in.

‡hu·mane [*h*juːméin] *a.* ① 자비로운, 인도적인, 인정 있는, 친절한. ② 고아한, 우아한. ③ 교양적인, 인문(학)적인.

húman ecólogy 인간〔인류〕 생태학.

húman engineéring ① 인간 공학. ② 인간 관리.

húman equátion 편견, 선입감.

Humáne Socìety (the ~) ①《英》투신 자살자 구조회. ② (종종 h- s-) (미국의) 동물 애호 협회.

húman grówth hòrmone 〖生化〗 인간성장 호르몬.

Húman immunodefíciency vìrus 인체 면역 결핍 바이러스《AIDS 발병의 원인이 됨; 略: HIV》.

húman ínterest 〖新聞〗 인간적 흥미.

hu·man·ism** [*h*júːmənìzəm] *n.* Ⓤ ① 인간성. ② 인도주의. ③ 인문〔인본〕주의; (*or* H-) 인문학. ***New Humanism 신휴머니즘.

***hu·man·ist** [*h*júːmənist] *n.* Ⓒ 인간성 연구학자; 인문〔인본〕주의자; 인도주의자; (*or* H-) 인문학자.

hu·man·i·tar·i·an [*h*juːmæ̀nətέəriən] *n.* Ⓒ 인도주의자; 박애가; 〖神〗 예수 인간론자《예수의 신성(神性)을 인정치 않음》. — *a.* 인도주의의; 박애(주의)의; 〖神〗 예수 인간설의.

‡hu·man·i·ty [*h*juːmǽnəti] *n.* ① Ⓤ 인류; 인간: a crime against ~ 인류에 대한 범죄 / Roads were overflowing with ~. 도로는 사람으로 넘쳐 흐르고 있었다. ② Ⓤ 인간성; (*pl.*) 인간의 속성, 인간다움: Poetry redeems ~. 시(詩)는 인간성을 회복한다. ③ Ⓤ 인간애, 박애, 자애, 인정, 친절. ④ (흔히 *pl.*) 자선 행위. ⑤ (the humanities) (그리스·라틴의) 고전 문학; 인문학, 인문과학. ***the Religion of Humanity*** 인도교(人道敎). ***with*** ~ 부드러운 마음씨를 갖고, 정답게.

hu·man·ize [*h*júːmənàiz] *vt.* …을 인간답게 만들다; 교화하다, 인정 있게 하다; (상황 따위)를 보다 인간적으로 하다, 인간에 적합하게 하다, 쾌적하게 하다. — *vi.* 인간답게 되다, 인정 있게 되다; 교화되다.

hu·man·kind [*h*júːmənkáind] *n.* Ⓤ 인류, 인간.

hu·man·ly [*h*júːmənli] *ad.* 인간답게; 인력으로(서); 인간의 (할 수 있는) 방법으로; 인간의 판단으로, 경험으로, 인간적 견지에서. ~ ***possible*** 인간적인 판단으로 가능한, 인력으로 할 수 있는.

húman náture 인성(人性), 인간성; 인정.

hu·man·oid [*h*júːmənɔ̀id] *a.* 인간을 닮은.
— *n.* Ⓒ 원인(原人); (SF 따위에서) 우주인.

húman pówer 인적 자원.

húman ráce (the ~) 인류(humanity, mankind).

húman relátions 인간 관계 (연구).

húman ríghts (기본적) 인권.

húman scíence 인문 과학《인류학·언어학·문학 등의 총칭; 또 그 한 부문》.

húman végetable 식물 인간.

‡hum·ble [hʌ́mbəl] (***-bler*** ; ***-blest***) *a.* ① (신분 등이) 천한, 비천한. ② 시시한, 변변찮은; 작은. ③ 겸손한, 겸허한, 조심성(이) 있는. ***in a*** ~ ***measure*** 부족하나마. ***in my*** ~ ***opinion*** 비견(卑見)〔사견〕을 말씀드린다면. ***your*** ~ ***servant*** 경구(敬具)《예전의 공식 편지의 맺음말》; 《蔑》 소생(=I, me). — *vt.* …을 천하게 하다. ~ one***self*** 겸손하다, 황송해하다.

hum·ble·bee [hʌ́mblbìː] *n.* = BUMBLEBEE.

húmble pìe 굴욕; 《古》 돼지〔사슴〕 내장으로 만든 파이. ***eat*** ~ 굴욕을 참다; 백배사죄하다.

***hum·bly** [hʌ́mbli] *ad.* 겸손하게, 황송하게; 천한 신분으로.

hum·bug [hʌ́mbʌ̀g] *n.* Ⓤ,Ⓒ 속임, 허위, 사기, 가짜; 헛소리; 아첨; 바보짓; 박하사탕; Ⓒ 사기〔협잡〕꾼, 허풍선이(humbugger); 아첨꾼.
— (***-gg-***) *vt.* 《~+目/+目+前+名》 …을 기만하다, 속이다, …에게 야바위치다: ~ a person *into* buying rubbish 아무를 속여서 엉터리 물건을 사게 하다 / ~ a person *out of* his money 아무를 속여서 그의 돈을 후무리다. — *vi.* 협잡을 하다.
— *int.* 엉터리, 시시해. ⓟ ~**·ger** *n.* Ⓒ 사기꾼.

hum·bug·gery [hʌ́mbʌ̀gəri] *n.* Ⓤ 눈속임, 협잡, 기만, 사기.

hum·ding·er [hʌ́mdíŋər] *n.* Ⓒ, *a.* 《美俗》 아주 굉장한 (사람·물건), 극히 이상한〔이례적인〕 (것), 고급품: His latest novel is a ~. 그의 최근 나온 소설은 극히 이례적인 것이다.

hum·drum [hʌ́mdrʌ̀m] *a.* 평범한, 단조로운, 지루한: The current news was decidedly ~. 최근 뉴스는 매우 평범했다. — *n.* Ⓤ 평범, 단조; 지루함; Ⓒ 따분한 〔평범한〕 사람: settle down to the ~ of country life 시골 생활의 단조로움에 익숙해지다. — (***-mm-***) *vi.* 단조롭게〔평범하게〕 해 나가다.

Hume [hjuːm] *n.* **David** ~ 흄《스코틀랜드 태생의 철학자·정치가; 1711-76》.

hu·mer·al [hjúːmərəl] *a.* 상완골(上腕骨)〔상박골〕의, 상완부(部)〔상박부〕의; 어깨의. — *n.* (성직자가) 어깨에 걸쳐 입는 옷(=∠ **véil**).

hu·mer·us [hjú:mərəs] (*pl.* *-meri* [-mərài]) *n.* Ⓒ 〖解〗 상완(상박)(골) ; 상완(상박)부.

***hu·mid** [*h*jú:mid] *a.* 습기 있는, 눅눅한, 습기가 많은.

hu·mid·i·fi·ca·tion [*h*ju:midəfikéiʃən] *n.* Ⓤ 축축하게 함, 가습(加濕).

hu·mid·i·fi·er [*h*ju:mídəfàiə*r*] *n.* Ⓒ 급습기(給濕機), 습윤기(濕潤器), 가습기.

hu·mid·i·fy [*h*ju:mídəfài] *vt.* …을 축이다, 축축하게 하다.

***hu·mid·i·ty** [*h*ju:mídəti] *n.* Ⓤ 습기, 습윤(dampness) ; 〖物〗 습도 : absolute (relative) ~ 절대(상대) 습도.

hu·mi·dor [*h*jú:mədɔ̀:*r*] *n.* Ⓒ (적당한 습도를 유지 하는) 담배 저장상자(실) ; (이와 유사한) 가습(加濕) 설비.

hu·mil·i·ate** [*h*ju:mílièit] *vt.* …을 욕보이다, …에게 창피를 주다, 굴욕을 주다, …을 굴복시키다. ~ oneself*** 창피를 당하다, 면목을 잃다.

hu·mil·i·at·ing [*h*ju:mílièitiŋ] *a.* 면목 없는, 치욕이 되는, 굴욕적인.

***hu·mil·i·a·tion** [*h*ju:mìliéiʃən] *n.* Ⓤ,Ⓒ 창피줌 ; 굴욕, 수치, 굴종, 면목 없음.

‡**hu·mil·i·ty** [*h*ju:míləti] *n.* Ⓤ 겸손, 겸양, 비하(卑下) ; (*pl.*) 겸손한 행위 : in(with) ~ 겸손하게 / *Humility* is the foundation of virtues. 겸손은 미덕이 기본이다.

hum·mer [hʌ́mə*r*] *n.* Ⓒ 윙윙대는 것 ; 콧노래하는 사람 ; =HUMMINGBIRD ; 〖野〗 속구.

hum·ming·bird [hʌ́miŋbə̀:*r*d] *n.* Ⓒ 〖鳥〗 벌새.

húmming tòp 윙윙 소리내는 팽이.

hum·mock [hʌ́mək] *n.* Ⓒ 작은 언덕(hillock) ; (빙원(氷原) 위의) 빙구(氷丘).

hu·mon·gous, -mun- [*h*ju:mʌ́ŋgəs, -máŋ-], [-mʌ́n-] *a.* 《美俗》 거대한, 턱없이 큰, 굉장한.

‡**hu·mor,** 《英》 **-mour** [*h*jú:mə*r*] *n.* ① Ⓤ 유머, 해학(諧謔) ; 유머를 이해하는 힘(sense of ~). ② (*pl.*) 재미있는 대문, 익살스러운 점. ③ 유머가 깃들인 문장(말). ④ Ⓤ(또는 a ~)(일시적인) 기분, 변덕. ⑤ **a**) Ⓤ 〖生理〗 액(液) : aqueous ~ (눈알의) 수양액. **b**) Ⓒ 〖中世醫〗 체액 : the four cardinal ~*s*, 4 체액 《blood, phlegm, choler, melancholy 의 4 종 ; 옛날에는 그 배합으로 체질·기질이 정해지는 것으로 생각했음》. ⑥ Ⓤ 기질, 성질. ***in a good*** (***a bad, an ill***) ~ 기분이 좋아서(나빠서). ***in no ~ for*** …을 할 마음이 안 나서. ***in the ~ for*** …을 할 마음이 내켜. ***out of ~*** 기분이 언짢아 : The unexpected happening put Bill *out of* ~. 그 뜻밖의 생긴 일로 빌은 기분이 나빴다. ***please*** a person***'s*** ~ 비위를 맞추다.
— *vt.* ① …의 비위를 맞추다 ; (사람·기질·취미 등)을 만족시키다. ② …에 보조를 맞추다 ; 잘 다루다.

(-)**hu·mored** [*h*jú:mə*r*d] *a.* 기분이 …한 : good-(ill-)~ 기분이 좋은(언짢은).

hu·mor·esque [*h*jù:mərésk] *n.* Ⓒ, *a.* 〖樂〗 표일곡(飄逸曲), 유머레스크(의).

‡**hu·mor·ist** [*h*jú:mərist] *n.* Ⓒ ① 유머를 이해하는 사람, 익살꾼. ② 유머 작가(배우).

hu·mor·is·tic [*h*jù:mərístik] *a.* 익살맞은(humorous) ; 유머 작가풍의.

hu·mor·less [*h*jú:mə*r*lis] *a.* 유머가 없는 ; 재미없는, 하찮은.

‡**hu·mor·ous** [*h*jú:mərəs] (***more*** ~ ; ***most*** ~) *a.* ① 유머러스한, 익살스러운. ② 유머를 이해하는, 유머가 풍부한.

hump** [hʌmp] *n.* ① Ⓒ **a**) (등허리의) 군살, (낙타 따위의) 혹. **b**) 둥근 언덕 ; 〖空〗 산, 산맥. ② Ⓤ (the ~) 《口》 풀죽음, 의기 소침, 짜증. ③ Ⓒ 난관 ; 위기 ; 〖鐵〗 험프《중력을 이용, 차량을 분리하기 위해 조차장에 마련된 경사지》. ④ Ⓒ 《卑》 성교(의 상대). ⑤ (the H-) 히말라야 산맥《제 2 차 세계 대전 중 연합국 공군이 쓴 말》. ***get a ~ on 《美口》 서두르다. ***hit the ~*** 《美俗》 (교도소·군대에서) 탈주를 기도하다 ; 허둥대다 ; 급히 행동하다. ***live on*** one***'s ~*** 자급 자족의 생활을 하다《낙타의 혹에 비겨서》. ***on the ~*** 활동하여. ***over the ~*** 《口》 어려운 고비를 넘긴 ; 《俗》 (고용기간·병역·형기 등을) 반 이상 마친 : The doctor says she's *over the* ~ now and should improve steadily. 그녀의 병세가 이제는 위험한 고비를 넘겨서 점차 좋아질 것이라고 의사는 말한다.
— *vt.* ① (등 따위)를 둥그렇게 하다, 구부리다 (hunch) 《*up*》 : A cat often ~*s* its back. 고양이는 곧잘 등을 활처럼 구부린다. ② 《英俗》 (무거운 짐)을 어깨에 메다. ③ 《卑》 …와 성교하다. — *vi.* (등을) 둥글게 구부리다 ; 《美口》 노력하다 ; 서두르다 : be tired of ~*ing* 너무 노력하여 지치다. ~ one***self*** 《美俗》 열심히 일하다. ***Hump yourself !*** 《俗》 나가 없어져라, 저리 꺼져라.

hump·back [⌐bæ̀k] *n.* Ⓒ ① 꼽추, 곱사등(이). ② 혹등고래. ③ =HUMPBACK BRIDGE.

húmpback brídge 《英》 가운데가 반원형으로 된 다리 ; 홍예다리.

humped [hʌmpt] *a.* 혹이 있는, 등을 구부린.

humph [hʌmf, m̩mm̩, mm̩m] *int.* 흥《불만·의혹·혐오·경멸 따위를 나타내는 소리》.
— [hʌmf] *vi.* 흥 하다.

hump·less [hʌ́mplis] *a.* 혹이 없는.

Hump·ty-Dump·ty [hʌ́m*p*tidʌ́m*p*ti] *n.* (*or* h- d-) 험프티덤프티《Mother Goose 의 동요집에 나오는 의인화(擬人化)된 달걀 ; 담장에서 떨어져 깨어짐》 ; Ⓒ 땅딸보 ; 한 번 넘어지면 일어서지 못하는 사람(물건) ; 《美俗》 낙선이 뻔한 후보자(cf. Mickey Mouse).

humpy [hʌ́mpi] (***hump·i·er*** ; ***-i·est***) *a.* 혹이 있는(많은) ; 혹 모양의, 등이 구부러진.

hu·mus [hjú:məs] *n.* Ⓤ 《L.》 부식토(=⌐ **sòil**).

Hun [hʌn] *n.* ① (the ~s) 훈족, 흉노(匈奴). ② (종종 h-) Ⓒ (예술 따위의) 파괴자 ; 야만인 ; 《蔑》 독일군(사람)《특히 제 1·2차 세계대전 때의》.

***hunch** [hʌntʃ] *n.* Ⓒ 군살, 혹(hump) ; 두꺼운 조각, 덩어리(lump) ; 예감, 육감《곱사등에 닿으면 행운이 온다는 미신에서》.
— *vt.* ① 《~+目 / +目+副》 (등 따위)를 활 모양으로 구부리다《*out* ; *up*》 : She sat like a frightened child, ~ (*up*) in a corner. 그녀는 놀란 어린이처럼 한구석에 웅크리고 앉아 있었다. ② 《俗》 …을 팔꿈치로 찌르다 ; 밀다, 밀어내다. ③ 《口》 …한 예감이 들다. — *vi.* 돌출하다, 앞으로 뛰쳐나가다 ; 등을 웅크리다.

hunch·back [⌐bæ̀k] *n.* Ⓒ 곱사등(이).

hunch·backed [⌐bæ̀kt] *a.* 곱사등의.

hunched [hʌntʃt] *a.* 등이 굽은, 등을 구부린 ; 웅크린 : You'll get a backache if you sit with ~ shoulders. 어깨를 구부리고 앉으면 요통을 앓을 것이다.

†**hun·dred** [hʌ́ndrəd] *a.* ① 〔限定的〕 **a**) 100 의, 100 개의. ★ 보통 a, one 또는 수사가 붙음 : two ~ people, 200명의 사람. **b**) 〔敍述的〕 (a ~) 100 세의 : He's *a* ~. 그는 100세이다. ② 〔限定的〕 (a ~) 몇백의 ; 다수의. ***a ~ and one*** 다수의, 아주 많은. ***not a ~ miles away*** 《戱》 바로 가까이에. — (*pl.* ***~s,*** 〔數詞 다음에서는〕 ~) *n.* ① Ⓒ 100, 100 개 ; 100 명 ; 100 살. ② Ⓒ 100 의 기호《100

또는 C). ③ Ⓒ《英》100 파운드;《美》100 달러; 〖競〗 100 야드 경주. ④ (*pl.*) 몇백, 다수. ⑤ Ⓒ〖英史〗 촌락; 소행정 구획(county 또는 shire 의 구성 단위).

a great* 〔*long*〕 ~,** 120. ***a ~ to one (1) 거의 확실히, 십중 팔구: It's *a ~ to one* he'll win. 그가 우승한다는 것은 거의 확실하다. (2) 거의 가망이 없는. ***a* 〔*one*〕 *~ percent*** 《美》 백 퍼센트로, 완전히, 유감 없이. ***by ~s = by the ~(s)*** 몇백이나; 많이. ***~s (and ~s) of*** 몇백의, 많은. ***~s and thousands*** 몇백 몇천; (케이크 장식에 뿌리는) 굵은 설탕. ***~s of thousands of*** 수십만의, 무수한. ***in the ~,*** 100 에 대해, 100 분의. ***like a ~ of bricks*** ⇨ BRICK.

hun·dred-and-eight·y-de·gree, 180-de·gree [hʌ́ndrədndéitidigríː] *a., ad.* 180도의〔로〕; 완전한〔히〕; 정반대의〔로〕.

hun·dred·fold [hʌ́ndrədfòuld] *n., a., ad.* ① 100 배의 수〔양〕(의, 로); 100 배〔의, 로〕. ② 100겹(의, 으로).

hun·dred-per·cent [-pərsént] *a., ad.* (a ~) 전면적인〔으로〕, 철저한〔하게〕, 완전한〔히〕.

***hun·dredth** [hʌ́ndrədθ] *a.* ① (흔히 the ~) 100 번째의. ② 100 분의 1 의. — *n.* (a ~, one ~) 100분의 1; (흔히 the ~) 100번; 100번째 사람〔것〕.

hun·dred·weight [hʌ́ndrədwèit] (*pl.* **~s,** 〔數詞 다음에서는〕 ~) *n.* (흔히 Ⓤ) 무게의 단위(《英》 112 파운드(50.8 kg); 《美》 100 파운드(45.36 kg); 略: cwt.).

Húndred Yéars' Wár (the ~) 백년 전쟁 (1337-1453 년의 영국과 프랑스 전쟁).

‡hung [hʌŋ] HANG 의 과거·과거분사.
— *a.* 《俗》 ① 짜증나는, 불쾌한; 피곤한; 숙취의; (…로) 괴로운, 고민하는(*about*); 결론이 나지 않은; (사태가) 미해결인. ② 페니스가 큰. ***be ~ on*** …에 열중하다. ***be ~ over*** 숙취하다. ***~ up*** (곤란한 일로) 방해되어, 꼼짝 못 하게 되어; 〖野〗 (주자가) 협공당하여. ***~ up on* 〔*about*〕** (1) …에 구애되고 있는, …에 심리적으로 매여 있는. (2) …에 열중하여: a clerk ~ *up on* pretty details 극히 사소한 일로 골머리 앓는 사무원 / I'm ~ *up on* oysters. 나는 굴이라면 사족을 못 쓴다.

Hun·gar·i·an [hʌŋgɛ́əriən] *a.* 헝가리(사람·말)의. — *n.* Ⓒ 헝가리 사람; Ⓤ 헝가리 말.

Hungárian rísing 헝가리 동란(1956 년 10 월 부다페스트에서 일어난 반소(反蘇)·자유화 운동).

Hun·ga·ry [hʌ́ŋgəri] *n.* 헝가리(수도는 Budapest). — *a.* = HUNGARIAN.

hun·ger** [hʌ́ŋgər] *n.* ① Ⓤ 공복, 배고픔; 굶주림, 기아(飢餓); 기근: ~ export (외화 획득을 위한) 기아 수출 / die *of* ~ 굶어 죽다 / satisfy one's ~ 공복을 채우다 / *Hunger* is the best sauce. 《俗談》 시장이 반찬, 기갈이 감식(甘食) / *Hunger* stalks Ethiopia once again. 기근이 또다시 에티오피아를 엄습한다. ② (a ~) 《比》 갈망, 열망 (*for ; after*): a ~ *for* 〔*after*〕 fame〔learning〕 명예〔지식〕욕 / The boy's ~ *for* approval made him study hard. 인정받고 싶은 그 소년의 열망이 그로 하여금 공부에 전념케 했다. ◇ hungry *a.* ***from ~ 《美俗》 좋지 않은, 싸구려의, 못 생긴, 최저의, 싫은. — *vi.* ① 배가 고프다, 굶주리다; 굶어 죽게 되다: They must ~ in frost that will not work in heat. 《俗談》 여름에 일하려 하지 않는 자는 겨울에 굶주려야 한다. ② 갈망하다(long) (*for ; after*): People ~ *for* peace. 사람들은 평화를 갈망한다 / She ~*ed* to see him again. 그녀는 또다시 그가 몹시 보고 싶었다.
— *vt.* 《~+목/+목+전+명》 …을 굶주리게 하다; 배를 곯려 …시키다: ~ a person *into* submission 굶겨서 굴복시키다.

húnger màrch 기아 행진.

húnger strìke 단식 투쟁.

húnger strìker 단식 투쟁자.

húng júry 《美》 불일치 배심, 의견이 엇갈려 판결을 못 내리는 배심(단).

hung·over [hʌ́ŋòuvər] 《口》 *a.* 숙취하여.

húng párliament 《英》 여당이 과반수의 의석을 차지하지 못한 의회.

†hun·gry [hʌ́ŋgri] (***-gri·er ; -est***) *a.* ① 배고픈, 주린: I am ~. 시장하다 / a ~ look 허기진 표정 / Leonidas' family had been poor, he went ~ for years. 레오니다스의 가정은 계속 가난하여, 그는 몇 년을 굶주렸다 / A ~ man, an angry man. 《俗談》 굶주린 사람은 기분이 나쁘다; 배부른 다음에야 예의를 가린다. ② 〔敍述的〕 갈망하는, 몹시 원하는(*for ; after*); 무턱대고〔몹시〕 …하고 싶어하는(*to* do): be ~ *for* 〔*after*〕 knowledge 지식을 갈망하다 / She's ~ *to* get on in the company. 그녀는 회사에서의 출세를 몹시 갈망하고 있다 / I left Oxford in 1996 ~ *to* be a critic. 나는 비평가가 몹시 되고 싶어 1996년에 옥스퍼드를 떠났다. ③ 불모의, 메마른(barren): ~ land 메마른 땅 / ~ ore 빈광(貧鑛). ④ 식욕을 돋우는: ~ work 배가 쉬 고파지는 일. ◇ hunger *n.* ***as ~ as a hunter* 〔*hawk*〕** 몹시 시장하여. ***feel ~*** 시장기를 느끼다. ***go ~*** 굶주리다; 배고프다; 굶(주리)고 있다.

hunk [hʌŋk] *n.* Ⓒ 《口》 (빵 따위의) 두꺼운 조각(*of*), 큰 덩어리; 군살(hunch), 고깃덩어리; 《美俗》 멋진〔섹시한〕 남자; (때로 H-) 《美俗》 여자(애).

hun·ker [hʌ́ŋkər] *vi.* 쭈그리고 앉다(*down*).
— *n.* (*pl.*) 궁둥이(다음 句에만 쓰임). ***on one's ~s*** 쭈그리고 앉아서.

hunky [hʌ́ŋki] (***hunk·ier ; -iest***) *a.* 《美俗》 ① 튼튼한, 늠름한, 멋진: I like my men to have really ~ bodies. 내 일꾼들이 정말 늠름한 체격을 갖기를 바란다. ② 승패 없는, 양편이 맞먹는, 호각의.

hunk·y-do·ry [hʌ́ŋkidɔ́ːri] *a.* 《美口》 안심할 수 있는, 멋있는, 최고의.

†hunt [hʌnt] *vt.* ① …을 사냥하다. ② (짐승이 있는 지역)을 사냥하러 다니다. ③ (말·개 따위)를 사냥에 쓰다. ④ 《+목+부/+목+전+명》 …을 추적하다; 쫓아내다(*from ; out of*); 쫓아버리다 (*away*). ⑤ 《~+목/+목+부/+목+전+명》 …을 찾다, 뒤져내다(*up ; out*); (장소)를 찾아 헤매다, 조사하다: ~ the house *for* the gun 총을 찾아 온 집안을 뒤지다. — *vi.* ① 사냥을 하다. ② 찾아 헤매다(*after ; for*). ③ (기계가) 불규칙하게 움직이다. ***~ down*** 몰아넣다, 추적해서 잡다; 박해하다: The police ~*ed down* the murderer. 경찰은 살인범을 추적하여 잡았다. ***~ out*** 〔종종 受動으로〕 …을 찾아내다, (사냥감을) 몰아내다: ~ *out* an old photo album 낡은 사진첩을 찾아내다 / The forest *is ~ed out.* 그 숲은 샅샅이 (몰이꾼에 의해) 몰이되었다. ***~ up*** (숨어 있는 것 따위를) 찾다, 찾아내다: He's studying his family history, so he spends all his time in the library, *~ing up* references. 그는 집안 역사를 연구하고 있는 중이라, 참고 문헌을 찾으면서 모든 시간을 도서관에서 보낸다. — *n.* Ⓒ ① 사냥, 수렵. ② 수렵대. ③ 수렵지(구). ④ 추적, 수색, 탐색 (search); 탐구(*for*): Police are on the ~ *for* the kidnappers. 경찰들은 유괴범들을 수색하고 있다. ***have a ~ for*** …을 찾다; …의 사냥을

하다.

‡**hunt·er** [hʌ́ntər] (*fem.* ***hunt·ress***) *n.* Ⓒ ① 사냥꾼(huntsman). ② 사냥개, 사냥말; 《특히》 헌터종(種)의 말. ③ 탐구자, …을 찾아 헤매는 사람 《*for*; *after*》: a ~ *after* fame 명예욕이 강한 사람. ④ (사냥꾼용의) 뚜껑이 앞뒤에 달린 회중시계. ⑤ (the H-) 〖天〗 오리온자리(Orion).

húnter gréen 연둣빛.

húnter's móon (흔히 the ~) 사냥달《harvest moon 다음의 만월》.

‡**hunt·ing** [hʌ́ntiŋ] *n.* Ⓤ ① 사냥; 《英》 여우 사냥(fox ~); 《美》 총사냥(《英》 shooting). ② 추구, 수색; 탐구. ***Good ~!*** 잘 하십시오, 행운을 빕니다(Good luck!).

── *a.* 사냥을 좋아하는, 사냥용의.

húnting bòx 《英》 사냥꾼의 산막.

húnting càp 헌팅캡, 사냥 모자.

húnting cròp 수렵용 채찍.

húnting gròund 사냥터; 찾아 뒤지는 곳; (유익한 정보나 물건을) 구할 수 있는 곳.

húnting hòrn 수렵용 나팔.

húnting pìnk 여우 사냥꾼이 입는 붉은색 상의(上衣)(의 옷감); 여우 사냥꾼.

Hún·ting·ton's choréa 〔**disèase**〕 [hʌ́ntiŋtənz-] 〖醫〗 헌팅턴 무도병(舞蹈病), 유전성 진행성 무도병.

hunt·ress [hʌ́ntris] *n.* Ⓒ 여자 사냥꾼.

hunts·man [hʌ́ntsmən] (*pl.* ***-men*** [-mən]) *n.* Ⓒ ① 사냥꾼. ② 《英》 (여우 사냥의) 사냥개 담당자.

hur·dle** [hə́:rdl] *n.* Ⓒ ① 바자(울). ② Ⓒ 〖競·競馬〗 장애물, 허들; 《美》 장애(obstacle), 곤란; (*pl.*) 장애물 경주. ③ 〖史〗 죄인을 형장으로 이송할 때 쓰는 썰매 모양의 운반구. ***jump the ~ 장애물을 뛰어넘다; 《美俗》 결혼하다. ***the high*** 〔***low***〕 ***~s*** 고〔저〕장애물 경주. ── *vt.* ① …에 바자로 울타리를 두르다《*off*》. ② (허들)을 뛰어넘다. ③ (장애·곤란 따위)를 극복하다(overcome). ── *vi.* 장애물 경주에 나가다.

hur·dy-gur·dy [hə́:rdigə̀:rdi] *n.* Ⓒ (옛날의) 현악기의 일종.

‡**hurl** [hə:rl] *vt.* ① 《~+목/+목+전+명》 …을 집어던지다, 세게 던지다; 〔再歸的〕 기세 좋게〔힘껏〕 덤벼들다: After his wife's death, he *~ed himself into* his work. 아내가 죽은 후에 그는 자기 일에 몰두했다. ② (욕설 등)을 퍼붓다《*at*》; (비명 등)을 지르다. ③ 《+목+부》 …을 메어붙이다; 뒤엎다: ~ *down* tyranny 전제정치를 쓰러뜨리다. ④ …을 내쫓다; 추방하다. ── *vi.* ① 집어던지다; 발사하다; 〖野〗 투구하다; hurling 하다. ② 기세 좋게 날다〔나아가다〕, 돌진하다; 빙글빙글 돌다. ── *n.* Ⓒ 집어던짐.

hurl·ing [hə́:rliŋ] *n.* Ⓤ 던지기; 헐링《아일랜드식 하키; 규칙은 하키·soccer 와 거의 같음》.

hur·ly-bur·ly [hə́:rlibə́:rli] *n.* Ⓤ 혼란, 큰 소동.

‡**hur·rah, hur·ray** [hərɔ́:, -rá:], [huréi] *int.* 만세, 후레이. ── *n.* Ⓒ 만세 소리, 환성. ── *vi.* 만세를 부르다, 환성을 지르다. ── *vt.* …을 환성을 올리며 맞이〔응원, 갈채〕하다.

***hur·ri·cane** [hə́:rəkèin, hʌ́ri- / hʌ́rikən] *n.* Ⓒ ① 폭풍, 태풍, 허리케인. ② (감정 따위의) 격앙, 폭풍(우)《*of*》: a ~ *of* applause 우레와 같은 박수갈채.

húrricane bìrd 〖鳥〗 ＝FRIGATE BIRD.

húrricane dèck (내해 항로용 객선의) 최상갑판(最上甲板).

húrricane glòbe 〔**glàss**〕 램프의 등피(lamp chimney).

húrricane hòuse 〖海〗 갑판실.

húrricane làmp 〔**làntern**〕 내풍(耐風) 램프《등유를 씀》. 「의보〕.

húrricane wàrning 〔**wàtch**〕 폭풍경보〔주

‡**hur·ried** [hə́:rid, hʌ́rid] *a.* 매우 급한; 재촉받은; 허둥대는, 소홀한: make a ~ departure 총망히 출발하다.

†**hur·ry** [hə́:ri, hʌ́ri] *n.* Ⓤ ① 매우 급함, 허둥지둥 서두름: Everything was ~ and excitement. 야단 법석이었다. ② 열망《*for*; *to* do》. ③ 〔否定文·疑問文에서〕 서두를 필요: There's *no* ~. 서두를 필요없어. ④ 〖樂〗 (현악기의) 트레몰로; (북의) 연타. ***~ and bustle*** 〔***confusion***〕 크게 허둥댐, 법석거리는 소동. ***in a ~*** (1) 급히, 서둘러. (2) 《口》 〔否定文〕 쉬이, 쉽사리: You wo*n't* have another chance *in a* ~. 이제 다른 기회는 거의 없을 것이다. (3) 《口》 〔否定文〕 기꺼이, 자진하여: I sha*n't* come again *in a* ~. 이제 두 번 다시 안 올께 / *No* one will call on him *in a* ~. 자진하여 그를 방문할 사람은 없을 것이다. ***in no ~*** 서두르지 않고; 쉽사리 …하지 않고; …할 마음이 내키지 않아《*to* do》: He was *in no* ~ *to* leave. 그는 좀처럼 떠나려 하지 않았다. ***in*** one***'s ~*** 서둘렀기 때문에, 서두른 나머지: *In my* ~ to leave for the office, I forgot my wallet. 너무 출근을 서두른 나머지 지갑을 잊어버렸다.

── (*p., pp.* ***hur·ried; ~·ing***) *vt.* 《~+목/+목+부/+목+전+명》 …을 서두르게 하다, 재촉하다; 재촉해서 가게 하다《*along*; *away*》, 재촉하여 …을 내보내다《*out*》: ~ one's clothes off〔on〕 급히 옷을 벗다〔입다〕/ They *hurried* the injured *to* the hospital. 부상자들을 서둘러 병원으로 운반했다 / They were *hurried into* decision. 그들은 재촉을 받아 결정을 내렸다. ── *vi.* 《~/+부/+*to* do/+전+명》 서두르다, 조급하게 굴다, 덤비다. ***~ along*** 《口》 서두르다, 급히 가다. ***~ away*** 〔***off***〕 급히 자리를 뜨(게 하)다. ***~ back*** 급히 되돌아오다; 곧 다시 오다: He *hurried back* to his seat. 그는 급히 자리로 되돌아왔다. ***~ in*** 《口》 급히 들어가다. ***~ over*** …을 끝마치다. ***~ through*** 대충대충 마치다. ***~ up*** 《口》 〔종종 命令形〕 서두르다; 서두르게 하다: I tried to ~ him *up*. 그가 서두르도록 하였다 / *Hurry up*, or you'll be late for school. 서둘러라, 그렇지 않으면 학교에 늦겠다.

hur·ry·ing·ly [hə́:riiŋli, hʌ́r-] *ad.* 급히, 서둘러, 허둥지둥.

hur·ry-scur·ry, -skur·ry [hə́:riskə́:ri / hʌ́riskʌ́ri] *ad.* 허둥지둥. ── *a.* 허겁지겁하는.

── *n.* Ⓤ 허겁지겁함; 혼란, 법석.

── *vi.* 허둥지둥 서두르다〔달리다〕.

hur·ry-up [-ʌ̀p] *a.* 《口》 ① 급히 서두르는: a ~ lunch. ② 긴급(용)의.

†**hurt** [hə:rt] (*p., pp.* ~) *vt.* ① …을 상처내다, 다치게 하다(wound). ② …에 아픔을 느끼게 하다〔주다〕: "You're *~ing* me, Martin", she said, disengaging herself from his embrace. '아파요, 마틴' 그녀는 이렇게 말하고 그의 포옹에서 벗어났다. ③ 〔종종 受動으로〕 (감정)을 상하게 하다(offend); (아무)를 불쾌하게 하다: She ~ his feelings by not asking him to the party. 그녀는 파티에 초대하지 않아 그의 감정을 상하게 했다. ④ 《比》 …을 상하게 하다, 해치다. ⑤ 《口》 〔it 를 주어로 한 否定文·疑問文에서〕 …에게 지장이 있다, 곤란하다, 난처하다: Another glass wo*n't* ~ you. 한잔 더 마셔도 지장은 없을 것이다 / Will *it* ~ you to stay out late? 늦도록 돌아가지 않아도 괜찮겠나.

— *vi.* ① 고통을 주다 : We must face the truth even though it ~*s.* 비록 고통스럽더라도 진실을 직시해야 한다 / Her remarks really ~. 그녀의 말은 정말 아니꼬왔다. ② 아프다 : My finger still ~*s.* 손가락이 아직 아프다 / Where does it ~ (most)? 어디가 (가장) 아픕니까. ③《美俗》궁지〔곤란〕에 처해 있다. ④《口》〔it를 주어로 하여〕지장이 되다, 해롭다, 곤란해지다, 난처해지다 : *It* ~*s* when he doesn't cooperate. 그가 협력을 하지 않으면 난처해진다. ***cry*** 〔***holler***〕 ***before*** one ***is*** ~《口》〔흔히 否定文〕까닭 없이 트집잡다〔두려워하다〕. ***feel*** ~ 불쾌하게 여기다. ***get*** ~ = ~ one***self*** 다치다, 부상하다. ***It*** ~***s.***《口》아프다. ***It doesn't*** ~ ***what*** 〔***how,*** etc.〕. . . .《口》무엇이〔아무리〕…해도 태연하다. ***It won't*** ~ ***me*** 〔***you***〕 ***to*** (help him). (그에게 조력)해도 좋다〔해주어도 좋겠지〕.

— *n.* Ⓒ Ⓤ ① 부상, 상처(wound). ② 해(harm), 손해(damage). ③ (정신적) 고통(pain) : intend no ~ *to* a person's feelings 아무의 감정을 해칠 생각은 없다. ***do*** ~ ***to. . .*** …을 손상시키다 ; …을 해치다 : The incident *did* great ~ *to* American prestige. 그 사건은 미국의 위신에 커다란 손상을 입혔다. — *a.* ① 다친 ;《美》파손된. ② (the ~)〔名詞的 ; 複數 취급〕다친 사람들, 부상한 사람들.

hurt·ful [hə́:rtfəl] *a.* ① (육체적 · 정신적으로) 고통을 주는, 감정을 해치는. ②〔敍述的〕(건강에) 해로운, 유해한《*to*》.

hur·tle [hə́:rtl] *vi.* (돌 · 화살 · 차 등이) 돌진하다, 고속으로 움직이다 ; 요란스레 격동〔돌진〕하다 ; (소리 따위가) 울려 퍼지다 / The truck was *hurtling* along at breakneck speed. 트럭이 무서운 속도로 달리고 있었다. — *vt.* ① …을 맹렬히 달리게 하다 ; 내던지다 ; 돌진케 하다 : Without gravity we would be ~*d* (*off*) into space. 중력이 없다면 우리는 우주공간 속으로 내던져질 것이다. ②《古》…에 충돌시키다. — *n.* Ⓤ《詩》던지기 ; 부딪침, 충돌 ; 충돌하는 소리.

hurt·less [hə́:rtlis] *a.* 무해한 ; 상처를 입지 않은. ㊀ ~**·ly** *ad.* ~**·ness** *n.*

†**hus·band** [hʌ́zbənd] *n.* Ⓒ ① 남편 : A good ~ makes a good wife. 훌륭한 남편이 훌륭한 아내를 만든다. ②《古》절약가 : a good 〔bad〕 ~ 절약〔낭비〕가. — *vt.* ① …을 절약하다(economize), 절약하여 쓰다 : ~ one's resources 자금을 아껴 쓰다. ②《古》…에게 남편을 얻어 주다, …의 남편이 되다. ③《古》(땅)을 갈다, 재배하다.

hus·band·like [hʌ́zbəndlàik] *a.* 남편다운.

***hus·band·ry** [hʌ́zbəndri] *n.* Ⓤ ① (낙농·양계 등을 포함하는) 농업, 경작. ② 절약(thrift), 검약. ③ 가정(家政) ; (자원 등의) 관리 · 보호 : good 〔bad〕 ~ 규모 있는〔없는〕 살림살이 / The proper ~ of the forests concerns everyone. 산림의 적절한 보호 · 관리는 누구에게나 중요하다.

‡**hush** [hʌʃ] *int.* [ʃ:] 쉿《조용히 하라는 신호》.

— *n.* Ⓤ (또는 a ~) ① 침묵, 조용함(stillness) : in the ~ of night 밤의 정적 속에. ② 묵살.

— *vt.* ①《~+目 / +目+前+名》…을 조용하게 하다, 침묵시키다 ; (아이)를 잠재우다 : All nature is ~*ed*. 모든 것이 죽은 듯이 잠잠하다 / The news ~*ed* us. 그 뉴스를 듣고 우리는 입을 다물었다 / She ~*ed* the crying baby *to* sleep. 그녀는 울고 있는 아기를 달래어 잠자게 했다. ②《+目+副》…의 입막음을 하다 ; (사건 · 악평 등)을 뭉개어 버리다《*up*》: The incident has been ~*ed up* for twenty years. 그 사건은 20년 동안이나 묵살되어 왔다. ③ (노염 따위)를 달래다(soothe) : ~ a person's fears 아무의 불안을 진정시키다.

— *vi.* 조용해지다, 입다물다.

hush·a·by(e) [hʌ́ʃəbài] *int.* 자장자장.

— *vt.* …을 자장가를 불러 재우다.

hushed [hʌʃt] *a.* 조용해진 ; 비밀의.

hush-hush [hʌ́ʃhʌ́ʃ] *a.*《口》극비의, 내밀한 : ~ experiments 비밀 실험. — *n.* 비밀(주의) ; 검열. — *vt.* …을 극비로 하다 ; (보도 · 발표 등)을 덮어 두다, 쉬쉬하다.

húsh mòney (스캔들의) 입막음 돈, 입씻이.

***husk** [hʌsk] *n.* Ⓒ ① 꼬투리, 껍데기, 겉껍질《*of*》;《美》옥수수 껍데기. ② 찌끼, 폐물. ③《美俗》녀석. — *vt.* ① …의 껍질을 벗기다, 꼬투리〔깍지〕를 까다 ;《俗》옷을 벗기다. ② …을 쉰목소리로 말〔노래〕하다《*out*》. — *vi.* 목소리가 쉬다.

husk·ing [hʌ́skiŋ]《美》*n.* ① Ⓤ 옥수수 껍데기 벗기기. ② = HUSKING BEE.

húsking bèe《美》옥수수 껍데기 벗기기 모임(cornhusking)《친구나 이웃이 와서 돕는데, 일이 끝나면 보통 댄스 등을 즐김》.

husky** [hʌ́ski] (husk·i·er*** ; ***-i·est***) *a.* ① 껍데기〔껍질〕의〔와 같은〕; 껍질이 많은 ; 껍데기처럼 바싹 마른(dry). ② 목쉰(hoarse) ; (가수의 목소리가) 허스키보이스인, 허스키한. ③《口》크고 센, 억센, 튼튼한, 늠름한.

—《口》*n.* Ⓒ 건장한 사람 ; 강력한 기계.

Huss [hʌ́s] *n.* **John** ~ 후스《보헤미아의 종교개혁가 ; 1372?-1415》.

hus·sar [huzɑ́:r] *n.* Ⓒ 경(輕)기병.

hus·sy [hʌ́si, hʌ́zi] *n.* Ⓒ 말괄량이 ; 왈패 ; 바람둥이 처녀 : a brazen〔shameless〕 ~ 뻔뻔스러운〔수치 모르는〕 왈패.

hus·tings [hʌ́stiŋz] *n. pl.* (the ~)〔單 · 複數취급〕정견 발표회장(의 연단) ; 선거 절차 ; 선거 운동. ***on the*** ~ 선거 운동 중에.

***hus·tle** [hʌ́səl] *vt.* ①《~+目 / +目+副 / +目+前+名》(사람 등)을 거칠게 밀치다(jostle), 떠밀다《*against*》; 밀어넣다《*into*》; 밀어내다《*out*》: He ~*ed* the suspect. 그는 용의자를 떠밀었다 / ~ unwelcome visitors *out* (*of* one's house) 귀찮은 방문객을 (집밖으로) 밀어내다. ②《~+目 / +目+前+名》…에게 무리하게 …시키다《*into* do*ing*》; …을 강요하다 : ~ a person *into* a decision 아무에게 결심을 강요하다 / He ~*d* them *into* buy*ing* drinks. 그는 그들에게 술을 강매했다. ③《+目+副》《美口》(일 따위)를 척척 해치우다 : ~ something *up* 〔*through*〕 무엇을 서둘러 완성시키다〔끝나게 하다〕. ④《俗》강탈하다 ; 훔치다, 사취하다, 《특히》노름에 유인하다. ⑤〔~ one's way 로〕 밀치고 나아가다 : ~ *one's way* through a crowded street 사람으로 혼잡한 거리를 밀치고 나아가다. — *vi.* ① 세게 밀다 : Someone ~*d against* me in the elevator. 엘리베이터 안에서 누군가가 나를 난폭하게 떠밀었다. ②《+前+名》밀고 나아가다 ; 서두르다 : He ~*d through* the crowd. 군중을 헤치고 나아갔다. ③《美口》정력적으로 일하다 ;《美俗》부정하게 돈을 벌다, 부지런히 벌다, (여자가) 몸을 팔다, 손님을 유혹하다 : ~ about putting a house in order 부지런히 집안을 정돈하다 / We ~*d* to make the business pay. 영업 이익이 오르게 하기 위해 우리는 장사에 힘썼다.

— *n.* Ⓤ ① 몹시 서두름, 밀치락달치락(jostling) ; 한바탕 소동 : the ~ and bustle 혼잡, 북적댐《*of* a city》. ②《美口》정력적 활동, 원기 ; 억지 판매〔세일즈〕. ③《俗》사취(詐取), 강도. ***get a*** ~ ***on***《美口》〔흔히 命令形〕서둘러〔힘내어〕 일하다.

hus·tle-bus·tle [hʌ́səlbʌ́səl] *n.* 활기 넘치는 북적거림.

hus·tler [hʌ́slər] *n.* Ⓒ 거칠게 미는〔때리는〕 사람 ; 《口》 활동가, 민완가(敏腕家) ; 《俗》 사기꾼, 노름꾼 ; 매춘부, 남창.

‡**hut** [hʌt] *n.* Ⓒ ① 오두막, 오막살이집 : an Alpine ~ 등산객을 위한 산막. ②〖軍〗 임시 막사 ; 《美俗》 유치장 ; 《美俗》 (대학의) 기숙사.

hutch [hʌtʃ] *n.* Ⓒ ① 저장 상자, 궤(chest) ; (작은 동물·가금용의) 우릿간, 우리(pen). ② (곡식 등을 넣는) 상자, (빵집의) 반죽통. ③ 오두막.

hút cìrcle 〖考古〗 (주거지를 나타내는) 환상열석(環狀列石).

hut·ment [hʌ́tmənt] *n.* Ⓤ 임시 사무소 ; 〖軍〗 임시 막사에 숙박하기.

Hux·ley [hʌ́ksli] *n.* 헉슬리. ① **Aldous** (**Leonard**) ~ 영국의 소설가·평론가(1894-1963). ② **Thomas Henry** ~ 생물학자로 Aldous 의 할아버지(1825-95).

Hwang Ho [hwǽŋhóu] (the ~) 황허(黃河) 《중국의 강》.

hwy. highway.

***hy·a·cinth** [háiəsinθ] *n.* Ⓒ 〖植〗 히아신스 ; Ⓤ 보라색 ; Ⓤ,Ⓒ 〖鑛〗 적등색(赤橙色)의 지르콘 광물.

hyaena ⇨ HYENA.

hy·a·line [háiəlin, -làin, -lìːn] *a.* 유리의 ; 유리질〔모양〕의(glassy), 수정 같은, 투명한.

hy·a·lite [háiəlàit] *n.* Ⓤ 〖鑛〗 옥적석(玉滴石).

hy·a·loid [háiəlɔ̀id] 〖解〗 *a.* 유리 모양의(glassy), 투명한. ── *n.* Ⓒ (눈알의) 유리체(體)의 막.

***hy·brid** [háibrid] *n.* Ⓒ 잡종, 튀기, 혼혈아 ; 혼성물 ; 〖言〗 혼성어. ── *a.* 잡종의, 혼혈의 ; 혼성의.

hýbrid compúter 혼성형 컴퓨터《analogue 와 digital 양쪽의 하드웨어를 갖는 컴퓨터》.

hy·brid·i·za·tion [hàibridizéiʃən] *n.* Ⓤ (이종) 교배.

hy·brid·ize [háibridàiz] *vt., vi.* 교배시키다(cross) ; 혼혈아를 낳다 ; 잡종을 만들어내다, 잡종이 생기다 ; 〖言〗 혼성어를 만들다.

Hyde [haid] *n.* **Mr.** ~ ⇨ JEKYLL.

Hýde Párk 하이드 파크《런던 시내의 대공원》 : a ~ orator 하이드파크 가두 연설자.

hy·dra [háidrə] (*pl.* ~*s,* ~*e* [-driː]) *n.* ① (H-) 〖그神〗 히드라《Hercules 가 퇴치한 머리가 아홉인 뱀 ; 머리 하나를 자르면 머리 둘이 돋아남》. ② Ⓒ 근절키 어려운 재해, 큰 재해 ; 결말이 나지 않는 난문(難問). ③ (H-) 〖動〗 히드라속(屬) ; (h-) 〖動〗 히드라. ④ (H-) 〖天〗 바다뱀자리.

hy·dran·gea [haidréindʒiə] *n.* Ⓒ 〖植〗 수국.

hy·drant [háidrənt] *n.* Ⓒ ① 급수〔수도〕전(栓). ② 소화전(消火栓).

hy·drate [háidreit] *n.* Ⓤ 〖化〗 수화물(水化物). ── *vt., vi.* 수화시키다〔하다〕.

hy·drau·lic [haidrɔ́ːlik] *a.* ① 수력의, 수압〔유압〕의. ② 수력학의. ③ 물 속에서 굳어지는.

hydráulic bráke (액압 프레스에 의한) 유압 브레이크.

hydráulic cemént 수경(水硬)(성) 시멘트《보통 시멘트》.

hy·drau·li·cian [hàidrɔːlíʃən] *n.* Ⓒ 수리(水理)학자, 수력 기사.

hy·drau·lic·i·ty [hàidrɔːlísəti] *n.* Ⓤ 수경성(水硬性).

hydráulic líft 〖機〗 수압〔유압〕 승강기.

hydráulic pówer 수력 : a ~ plant 수력 발전소.

hydráulic préss 〖機〗 액압〔수압〕 프레스.

hydráulic rám 자동 양수기.

hy·drau·lics [haidrɔ́ːliks] *n.* Ⓤ 수리학(水理學), 수력학.

hy·dra·zide [háidrəzàid] *n.* Ⓤ 히드라지드《결핵 치료제》.

hy·dra·zine [háidrəziːn, -zin] *n.* Ⓤ 〖化〗 히드라진《환원제·로켓 연료용》.

hy·dric [háidrik] *a.* 〖化〗 수소의, 수소를 함유한 ; 〖生態〗 습윤한 (환경에 알맞은), 수생(水生)의.

hy·dride, -drid [háidraid], [-drid] *n.* Ⓤ 〖化〗 수소화물 ; 《古》 수산화물.

hy·dro [háidrou] (*pl.* ~*s*) *n.* 수력 전기〔발전소〕; Ⓒ《口》 수상 비행기 ; Ⓒ《英口》 수(水)치료원. ── *a.* 수소의 ; 수력 전기〔발전〕의.

hy·dro-air·plane, 《英》 **-aero-** [hàidrouέərplèin], [-έərə-] *n.* Ⓒ 수상 비행기.

hy·dro·bi·ol·o·gy [hàidroubaiάlədʒi / -ɔ́l-] *n.* Ⓤ 수생(水生) 생물학 ; 호소(湖沼) 생물학.

hy·dro·car·bon [hàidroukάːrbən] *n.* Ⓒ 〖化〗 탄화수소.

hy·dro·ceph·a·lus [hàidrouséfələs] *n.* Ⓤ 〖醫〗 뇌수종, 수두(증).

hy·dro·chlo·ric [hàidrouklɔ́ːrik] *a.* 〖化〗 염화수소의. 「산염.

hy·dro·chlo·ride [hàidrouklɔ́ːraid] *n.* 〖化〗 염

hy·dro·cy·an·ic [hàidrousaiǽnik] *a.* 〖化〗 시안화수소의.

hy·dro·dy·nam·ic [hàidroudainǽmik] *a.* 유체역학의 ; 수력〔수압〕의, 동수(動水) 역학의.

hy·dro·dy·nam·ics [hàidroudainǽmiks] *n.* Ⓤ 유체 역학, 수력학(hydromechanics), 동수(動水) 역학.

***hy·dro·e·lec·tric** [hàidrouiléktrik] *a.* 수력 전기의

hy·dro·ex·trac·tor [hàidrouikstrǽktər] *n.* Ⓒ 원심 탈수기.

hy·dro·foil [háidroufɔ̀il] *n.* Ⓒ ① 수중익(水中翼). ② 수중익선(船).

‡**hy·dro·gen** [háidrədʒən] *n.* Ⓤ 〖化〗 수소《기호 H ; 번호 1》.

hýdrogen bòmb 수소 폭탄(H-bomb).

hýdrogen bònd 수소 결합.

hýdrogen ìon 〖化〗 수소 이온.

hy·drog·e·nous [haidrάdʒənəs / -drɔ́dʒ-] *a.* 수소의 ; 수소를 함유한.

hýdrogen peróxide 과산화수소.

hýdrogen súlfide 황화수소.

hy·drog·ra·phy [haidrάgrəfi / -drɔ́g-] *n.* Ⓤ 수로학 ; 수로 측량술.

hy·dro·me·chan·ics [hàidroumikǽniks] *n.* Ⓤ 유체 역학.

hy·drom·e·ter [haidrάmitər / -drɔ́-] *n.* Ⓒ 액체 비중계, 부칭(浮秤) ; 유속계(流速計).

hy·dro·met·ric, -ri·cal [hàidroumétrik], [-əl] *a.* 액체 비중계의 ; (액체) 비중 측정의.

hy·drom·e·try [haidrάmitri / -drɔ́m-] *n.* Ⓤ 액체 비중 측정법.

hy·dro·nau·tics [hàidrounɔ́ːtiks] *n.* Ⓤ 해양 개발 공학.

hy·dro·path·ic [hàidroupǽθik] *a.* 수(水)치료법의 : ~ treatment 수치료법.

hy·drop·a·thy [haidrάpəθi / -drɔ́p-] *n.* Ⓤ 〖醫〗 수(水)치료법《온천이나 약수터에서의》.

hy·dro·pho·bia [hàidroufóubiə] *n.* Ⓤ 공수병(恐水病), 광견병.

hy·dro·pho·bic [hàidroufóubik] *a.* 〖化〗 소수성(疎水性)의 ; 공수병(恐水病)의.

hy·dro·plane [háidrouplèin] *n.* Ⓒ 수상 비행기 ; 수상 활주정(滑走艇) ; 수중익선(水中翼船) ; (잠수함의) 수평타(水平舵). ── *vi.* 물 위를 (스칠 듯이) 활주하다 ; 수중익선을〔수상기를〕 타다〔조종하다〕 ; (자동차 등이) hydroplaning 을 일으키다.

hy·dro·plan·ing [háidrouplèiniŋ] *n.* Ⓤ 하이드로플레이닝《물기 있는 길을 고속으로 달리는 차가 옆으로 미끄러지는 현상》.
hy·dro·pon·ics [hàidrəpániks / -pɔ́n-] *n.* Ⓤ *pl.* 〔單數취급〕〖農〗 수경법(水耕法), 물재배.
hy·dro·scope [háidrəskòup] *n.* Ⓒ 수중 투시경 ; (옛날의) 물시계. 「(水壓機).
hy·dro·stát·ic prèss [hàidrəstǽtik-] 수압기
hy·dro·stat·ics [hàidrəstǽtiks] *n.* Ⓤ 유체 정역학(靜力學), 정수학(靜水學).
hy·dro·ther·a·py [hàidrəθérəpi] *n.* Ⓤ 〖醫〗 수(水)치료법.
hy·drot·ro·pism [haidrátrəpìzəm / -drɔ́t-] *n.* Ⓤ 〖植〗 굴수성(屈水性).
hy·drox·ide, -id [haidráksaid, -sid / -drɔ́k-said], [-sid] *n.* Ⓤ 수산화물(水酸化物).
Hy·dro·zoa [hàidrəzóuə] *n. pl.* 히드로충류(蟲類).
hy·e·na, -ae·na [haiíːnə] *n.* Ⓒ ①〖動〗 하이에나《아시아·아프리카산(産)으로 썩은 고기를 먹음》. ② 잔인한 사람 ; 욕심꾸러기 ; 배신자.
Hy·ge·ia [haidʒíːə] *n.* 〖그神〗 히기에이아《건강의 여신》.
***hy·giene** [háidʒiːn] *n.* Ⓤ 위생(학) ; 건강법 : public 〔mental〕 ~ 공중〔정신〕 위생.
***hy·gi·en·ic, -i·cal** [hàidʒiénik, haidʒíːn-], [-əl] *a.* 위생(상)의, 보건상의 ; 위생학의.
hy·gi·en·ics [hàidʒiéniks, -dʒíːn-] *n.* Ⓤ 위생학.
hy·gien·ist [haidʒíːnist, háidʒen-, háidʒiːn-] *n.* Ⓒ 위생학자.
hy·grom·e·ter [haigrámitər / -grɔ́m-] *n.* Ⓒ 습도계.
hy·gro·scop·ic [hàigrəskápik / -skɔ́p-] *a.* 습도계의 ; 축축해지기 쉬운, 습기를 빨아들이는, 흡습성의.
hy·ing [háiiŋ] HIE의 현재 분사.
Hy·men [háimən] *n.* ①〖그神〗 히멘《결혼의 신》. ② Ⓒ 〖解〗 처녀막.
hy·me·ne·al [hàiməníːəl] *a.* 〔限定的〕 결혼의.
‡**hymn** [him] *n.* Ⓒ 찬송가, 성가 ; 〔一般的〕 찬가 : a national ~ 국가. ── *vt.* …을 찬송가로 찬미〔표현〕하다. ── *vi.* 찬송가를 부르다.
hym·nal [hímnəl] *n.* Ⓒ 찬송가집 (hymnbook). ── *a.* 찬송가의, 성가의.
hymn·book [hímbùk] *n.* Ⓒ 찬송가〔성가〕집.
hype [haip] 《俗》 *n.* Ⓒ ① 피하 주사침(針) ; 마약 중독자〔판매인〕. ② Ⓤ,Ⓒ 과대 광고〔선전〕, 과장해서 팔아넘김 ; 거스름돈을 속이는 사람. ── *vt.* …을 속이다 ; (아무)에게 거스름돈을 속이다 ; 《美》 (마약으로) …을 흥분시키다《*up*》 ; 과장 선전하다 : fears of AIDS is ~*d up* by the newspapers 에이즈에 대한 공포가 신문에 의해 부추겨지다.
hyped-up [háiptʌ̀p] *a.* 〔敍述的〕 《美俗》 흥분한, 과열한 ; 속임수의, 겉치레의, 외관만의 : Don't get so ~ about what he said. 그가 한 말로 그렇게 흥분하지 말게.
hyp·er [háipər] 《俗》 *a.* ① 흥분 잘하는 ; 매우 흥분〔긴장〕한. ② 매우 활동적인. ── *n.* Ⓒ ① 활동적인 사람 ; 흥분하고 있는 사람. ② 선전꾼.
hy·per·ac·id [hàipərǽsid] *a.* 위산 과다의.
hy·per·ac·tive [hàipərǽktiv] *a., n.* Ⓒ 지극히 활동적인 (사람) : ~ children.
hy·per·ba·ton [haipə́ːrbətàn / -tɔ̀n] (*pl.* **-ta** [-tə]) *n.* Ⓤ 〖文法〗 도치법.
hy·per·bo·la [haipə́ːrbələ] (*pl.* **~s, -lae** [-liː]) *n.* Ⓒ 〖數〗 쌍곡선.
hy·per·bo·le [haipə́ːrbəliː] *n.* Ⓤ,Ⓒ 〖修〗 과장(법), 과장 어구.
hy·per·bol·ic, -i·cal [hàipəːrbálik / -bɔ́l-], [-əl] *a.* 〖修〗 과장법의 ; 과장된, 과대한 ; 〖數〗 쌍곡선의.
hy·per·bo·lism [haipə́ːrbəlìzəm] *n.* Ⓤ 과장법 사용.
hy·per·crit·ic [hàipərkrítik] *n.* Ⓒ 혹평가. ㊞ **-i·cal** *a.* 혹평하는.
hy·per·crit·i·cize [hàipərkrítisàiz] *vt., vi.* 혹평하다 ; 흠잡다.
hy·per·in·fla·tion [hàiparinfléiʃən] *n.* Ⓤ 초(超)인플레이션.
hy·per·mar·ket [háipərmàːrkit] *n.* Ⓒ 《英》 (변두리의) 대형 슈퍼마켓.
hy·per·o·pia [hàipəróupiə] *n.* 〖醫〗 원시(遠視). ㊞ **-óp·ic** [-ápik / -ɔ́p-] *a.*
hy·per·re·al·ism [hàipərríːəlìzəm] *n.* Ⓤ 〖美術〗 하이퍼〔초(超)〕리얼리즘.
hy·per·sen·si·tive [hàipərsénsətiv] *a.* 〖醫〗 감각 과민(성)의 ; 과민한, (약·알레르기원(源) 등에 대해) 과민증의 ; 〖寫〗 초고감도(超高感度)의 ; 〔敍述的〕 (…에) 지나치게 민감한, 신경질적인《*to* ; *about*》.
hy·per·son·ic [hàipərsánik / -sɔ́n-] *a.* 극초음속의《음속의 5배 이상》.
hypersónic áirliner 〖空〗 극초음속 여객기《마하 4-6》.
hypersónic tránsport 극초음속 수송기《略 : HST》.
hy·per·ten·sion [háipərtènʃən] *n.* Ⓤ 〖醫〗 고혈압(증) ; 긴장 항진(증).
hy·per·ten·sive [hàipərténsiv] *a.* 고혈압(성)의. ── *n.* Ⓒ 고혈압 환자.
hy·per·text [háipərtèkst] *n.* 〖컴〗 하이퍼텍스트《전자적으로 축적된 방대한 정보를 컴퓨터로 검색하게 할 수 있는 기술》.
hy·per·tro·phy [haipə́ːrtrəfi] *n.* Ⓤ,Ⓒ 〖生〗 비대《영양 과다 등에 의한》; 이상 발달.
── *vi.* 비대해지다.
‡**hy·phen** [háifən] *n.* Ⓒ 하이픈, 연자 부호(連字符號)(-) ; (담화 중에서) 음절간의 짧은 휴지(休止). ── *vt.* …을 하이픈으로 연결하다.
hy·phen·ate [háifənèit] *vt.* ＝HYPHEN.
hy·phen·at·ed [háifənèitid] *a.* ① 하이픈을 넣은. ② 《英戲》 상류 계급의, 귀족적인《귀족·명문의 성(姓)은 흔히 이중으로 되어 있는 데서》.
hy·phen·a·tion [hàifənéiʃən] *n.* Ⓤ 하이픈으로 연결하기.
Hyp·nos [hípnas / -nɔs] *n.* 〖그神〗 히프노스《잠의 신 ; 꿈의 신 Morpheus의 아버지 ; 로마신의 Somnus에 해당》.
hyp·no·sis [hipnóusis] (*pl.* **-ses** [-siːz]) *n.* Ⓤ,Ⓒ 최면 (상태), 최면술.
hyp·no·ther·a·py [hìpnouθérəpi] *n.* Ⓤ 최면(술) 요법.
hyp·not·ic [hipnátik / -nɔ́t-] *a.* (약이) 최면(성)의, 최면술의 ; 최면술에 걸리기 쉬운.
── *n.* Ⓒ 수면제 (soporific) ; 최면 상태에 있는 사람 ; 최면술에 걸리기 쉬운 사람.
hypnótic suggéstion 최면 암시《최면하에서의 암시(요법)》.
hyp·no·tism [hípnətìzəm] *n.* Ⓤ 최면술 ; 최면상태 (hypnosis).
hyp·no·tize, 《英》 **-tise** [hípnətàiz] *vt.* …에게 최면술을 걸다 ; 《口》 …을 매혹시키다. ── *vi.* 최면술을 쓰다 ; 암시를 주다. ㊞ **-tìz·er** [-ər] *n.* Ⓒ 최면술사(師). **hýp·no·tìz·a·ble** *a.* 잠재울 수 있는, 최면술에 걸리는.
hy·po[1] [háipou] (*pl.* **~s**) *n.* Ⓤ 〖寫〗 하이포《정착

액용(定着液用) 티오(thio)황산나트륨》. [◂ *hyposulfite*]

hy·po² (*pl.* ~*s*) *n.* =HYPODERMIC ; 자극 ; 마약 중독자.

hy·po³ (*pl.* ~*s*) *n.* 《口》 히포콘(hypochondriac).

hy·po·acid·i·ty [hàipouəsídəti] *n.* Ⓤ (위액 등의) 산(酸)과소, 저산증(低酸症).

hy·po·cen·ter [háipəsèntər] *n.* Ⓒ (핵폭발의) 폭심(爆心)(지(地))(ground zero) ; (지진의) 진원지.

hy·po·chon·dria [hàipəkándriə / -kɔ́n-] *n.* Ⓤ 〖醫〗 히포콘드리증, 우울〔심기(心氣)〕증.

hy·po·chon·dri·ac [hàipəkándriæ̀k / -kɔ́n-] *a., n.* 히포콘드리증의 (환자).

hy·po·chon·dri·a·cal [hàipoukəndráiəkəl] *a.* 히포콘드리증〔우울증〕의. ㊞ ~·**ly** *ad.*

hy·po·chon·dri·a·sis [hàipoukəndráiəsis] (*pl.* **-ses** [-si:z]) *n.* 〖醫〗 히포콘드리증, 심기증(心氣症), 침울증.

hyp·o·crise, -crize [hípəkràiz] *vi.* 가면을 쓰다, 위선적인 행위를 하다.

***hy·poc·ri·sy** [hipákrəsi / -pɔ́k-] *n.* Ⓤ,Ⓒ 위선 ; 위선(적인) 행위 : *Hypocrisy* is a homage that vice pays to virtue. 《俗談》 위선이라는 것은 악이 선에게 바치는 경의다.

***hyp·o·crite** [hípəkrìt] *n.* Ⓒ 위선자 : play the ~ 위선적인 태도를 취하다.

hyp·o·crit·i·cal [hìpəkrítikəl] *a.* 위선의 ; 위선(자)적인.

hy·po·der·mic [hàipədə́:rmik] *a.* 〖醫〗 피하(주사용)의. ── *n.* Ⓒ 피하 주사(기).

hy·po·gly·ce·mia [hàipəglaisí:miə] *n.* Ⓤ 〖醫〗 저혈당(증).

hy·poph·y·sis [haipáfəsis / -pɔ́f-] (*pl.* **-ses** [-si:z]) *n.* 〖解〗 뇌하수체.

hy·pos·ta·sis [haipástəsis / -pɔ́s-] (*pl.* **-ses** [-si:z]) *n.* Ⓒ ① 〖哲〗 본질, 실체(substance). ② 〖神學〗 (그리스도의) 인성(人性) ; 삼위 일체의 하나. ③ 〖醫〗 침하성(沈下性) 충혈 ; (특히 오줌의) 침전물.

hy·pos·ta·tize [haipástətàiz / -pɔ́s-] *vt.* (관념)을 실체화하다.

hy·po·sul·fite [hàipəsʌ́lfait] *n.* Ⓤ 〖化〗 하이포아황산염 ; 하이포아황산나트륨《사진 정착제》.

hy·po·tax·is [hàipətǽksis] *n.* Ⓤ 〖文法〗 종속(구문). ⓞⓟⓟ *parataxis.*

hy·po·ten·sion [hàipəténʃən] *n.* Ⓤ 〖醫〗 저혈압(증).

hy·pot·e·nuse [haipátənjù:s / -pɔ́tənjù:s] *n.* Ⓒ 〖數〗 직각삼각형의 빗변.

***hy·poth·e·sis** [haipáθəsis / -pɔ́θ-] (*pl.* **-ses** [-si:z]) *n.* Ⓒ 가설(假說), 가정(假定) ; 전제.

hy·poth·e·size [haipáθəsàiz / -pɔ́θ-] *vi., vt.* 가설을 세우다, 가정하다.

hy·po·thet·ic, -i·cal [hàipəθétik], [-əl] *a.* ① 가설〔가상〕의. ② 〖論〗 가정(假定)의, 가언(假言)의.

hy·son [háisən] *n.* Ⓤ 희춘차(熙春茶)《중국산 녹차의 하나》.

hys·sop [hísəp] *n.* Ⓤ 히솝풀《옛날 약으로 썼던 향기로운 꿀풀과(科)의 식물》.

hys·ter·ec·to·my [hìstəréktəmi] *n.* Ⓤ,Ⓒ 〖醫〗 자궁 적출(수술).

hys·te·ria [histíəriə] *n.* Ⓤ 〖醫〗 히스테리 ; 〔一般的〕 병적 흥분.

hys·ter·ic [histérik] *a.* =HYSTERICAL.
── *n.* Ⓒ 히스테리 환자 ; (흔히 *pl.*) 히스테리의 발작, 병적 흥분, 광란.

***hys·ter·i·cal** [histérikəl] *a.* ① 히스테리(성)의, 히스테리에 걸린. ② 병적으로 흥분한 ; 《口》 아주 우스꽝스러운.

Hz, hz 〖電〗 hertz.

I

I, i [ai] (*pl.* **I's, Is, i's, is** [-z]) ① Ⓤ,Ⓒ 아이 《영어 알파벳의 아홉째 글자》. ② Ⓤ 아홉번째(의 것). ③ Ⓤ 로마 숫자의 I : Ⅲ[iii]=3/Ⅸ[ix]=9. ④ Ⓒ I 자 모양의 물건. **dot the** [one's] **i's and cross the** [one's] **t's** 신중에 신중을 기하다 ; 상세히 기술하다[설명하다]《i 을 쓸 때 점을 찍고, t 을 쓸 때 가로줄을 친다는 뜻에서》.

†**I** [ai] *pron.* 내가, 나는《인칭 대명사·제1인칭·단수·주격 ; 소유격은 my, 목적격은 me, 소유 대명사는 mine ; 복수는 we》: Am *I* not right? = Ain't *I* right? 《최근에는 Aren't I right? 를 흔히 씀》/ It is *I*. 《文語》=《口》 It's me. / It is *I* who am to blame. =《口》 It's *me* who is to blame. 《★ 회화체에서는 이런 구문일 때, I 보다는, me 를 쓰는 것이 보통》.

> 語法 (1) You[He, She, My son] and *I* are .... 《병기할 때에는 2인칭, 3인칭, 1인칭의 순서가 관례임》. (2) 인칭 대명사 중 I만은 문장 중간에서도 대문자로 표기함.

— (*pl.* **I's**) *n.* Ⓒ 〖哲〗 (the I) 자아, 나.

I 〖化〗 iodine. **I.** Idaho ; Independent ; Island(s) ; Isle(s). **i.** interest ; intransitive ; island(s).

-i [i] *suf.* 중동의 국명에 붙여서 형용사를 만듦: Iraq*i*, Somal*i*, Israel*i*.

Ia[**IA**]. Iowa. **I.A.A.F.** International Amateur Athletic Federation(국제 육상 경기 연맹). **IAC** International Apprentices Competition(국제 기능 올림픽). **IAEA** International Atomic Energy Agency(국제 원자력 기구).

Ia·go [iɑ́:gou] *n.* 이아고 《Shakespeare 작 *Othello* 에 나오는 음흉하고 간악한 인물》.

-ial *suf.* =-AL : ceremon*ial*, colloqu*ial*. 「《⏑-》.

iamb [áiæm*b*] *n.* Ⓒ 〖韻〗 약강격《×⏑́》; 단장격

iam·bic [aiǽmbik] 〖韻〗 *a.* 약강격(弱強格)의 ; 단장격(短長格)의. — *n.* =IAMB.

iam·bus [aiǽmbəs] (*pl.* **-bi** [-bai], **~·es**) *n.* = IAMB.

I·an [iən] *n.* 이안《남자 이름 ; John에 해당하는 스코틀랜드 말》.

-ian ⇨ -AN.

-iana ⇨ -ANA.

IATA, I.A.T.A. [aiɑ́:tə, iɑ́:-] International Air Transport Association.

iat·ro·gen·ic [aiæ̀trədʒénik] *a.* 의사의 진단으로[치료로] 인하여 생기는 : an ~ disease 의원병(醫原病).

ib. *ibidem.*

I-beam *n.* Ⓒ 아이빔, I 형 강철.

Ibe·ria [aibí:riə] *n.* =IBERIAN PENINSULA.

Ibe·ri·an [aibí:riən] *a.* 이베리아 반도(사람)의. — *n.* ① Ⓒ (옛) 이베리아 사람. ② Ⓤ (옛) 이베리아 말.

Ibérian Península (the ~) 이베리아 반도.

ibex [áibeks] (*pl.* **~·es** [-iz], **ib·i·ces** [íbisì:z, áibi-], 《集合的》 ~) *n.* Ⓒ (알프스·아펜니노 산맥 등지의) 야생 염소.

IBF International Boxing Federation.

ibid. [íbid] *ibidem.*

ibi·dem [íbidèm, ibáidəm] *ad.* 《L.》(=in the same place) 같은 장소에, 같은 책[페이지, 구, 장]에《略 : 흔히 ib. 또는 ibid.의 생략형으로 인용문이나 각주(脚註) 등에 쓰임》.

ibis [áibis] (*pl.* **~·es** [-iz], 《集合的》 ~) *n.* Ⓒ 〖鳥〗 따오기.

-ible *suf.* '…할[될] 수 있는'의 뜻의 형용사를 만듦《-able 와 같은 뜻》: permiss*ible*.

IBM International Business Machines 《商標名》.

I·bo [íbou] (*pl.* ~, **~s**) *n.* ① **a)** (the ~(s)) 이보족《나이제리아 남동부의 종족》. **b)** Ⓒ 이보족의 사람. ② Ⓤ 이보어.

IBRD, I.B.R.D. International Bank for Reconstruction and Development(국제 부흥 개발 은행)《★ 보통 the World Bank(세계 은행)라고 함》.

Ib·sen [íbsən] *n.* **Henrik** ~ 입센《노르웨이의 극작가·시인 ; 1828-1906》.

-ic *suf.* ① '…의, …의 성질의, …같은, …에 속하는, …으로 된'의 뜻의 형용사를 만듦 : hero*ic*, rust*ic*, magnet*ic*. ② 명사(특히 기술·학술명 따위)를 만듦 : crit*ic*, mus*ic*, rhetor*ic*. ⓒⓕ -ics.

IC integrated circuit 〖電子〗 (집적 회로).

-ical *suf.* =-IC ① : poet*ical*=poet*ic*. ★ 대체로 -ic, -ical 은 서로 바꾸어 쓸 수 있으나 뜻이 다른 경우도 있음.

-ically *suf.* -ic, -ical 로 끝나는 形容詞의 副詞語尾 : crit*ically*《★ publ*icly*, impolit*icly* 는 특별한 예》.

ICAO International Civil Aviation Organization(국제 민간 항공 기구).

Ica·rus [íkərəs, ái-] *n.* 〖그神〗 이카로스《날개를 밀랍으로 몸에 붙이고 날다가 너무 높이 올라 태양열로 밀랍이 녹아서 바다에 떨어졌다는 인물》.

ICBM, I.C.B.M. Intercontinental Ballistic Missile. ⓒⓕ IRBM, MRBM. **ICC, I.C.C.** International Chamber of Commerce(국제 상공 회의소) ; 《美》 Interstate Commerce Commission(국내 통상 위원회).

†**ice** [ais] *n.* ① Ⓤ 얼음 ; 얼음처럼 찬 것 : a piece [cube] of ~ 얼음 한 조각 / The pond was covered in thick ~ all winter. 연못은 겨울 내내 두꺼운 얼음으로 덮여 있었다 / *Ice* has formed on the water. 물 위에 얼음이 얼었다. ② (the ~) (강·호수 등에 얼어 붙은) 얼음, 빙판. ③ Ⓒ 《美》 얼음과자, 셔벗 ; 《英》 아이스크림(~ cream). ④ Ⓤ 냉담 ; 차가운 태도. ⑤ Ⓤ (과자의) 당의(糖衣)《icing, frosting 이 일반적임》; Ⓒ,Ⓤ 《美俗》 다이아몬드, [一般的] 보석. ⑥ Ⓤ 《美俗》 (부정 업자가 경찰에 내는) 뇌물, 암표상이 극장측에 내는 수수료. ***break the*** ~ (분위기를 부드럽게 하기 위해) 말머리를 꺼내다, 긴장을 풀다 : This new proposal could indeed *break the* ~ between the two sides. 어쩌면 이 새 제안은 확실히 양측 사이의 긴장을 풀 수 있을 것이다. ***cut no*** ~ (***with*** a person) 《口》 (…에 대해) 조금도[별로] 효과가 없다, 전연[별로] 쓸모 없다 : That sort of romantic attitude *cuts no* ~ *with* moneymen. 그런 비현실적인 태도는 자본가들에겐 전혀 통하지 않는다. ***on*** ~ (1) (쇼 등이) 빙상의, 스케이터에 의한. (2) (와인 등이) 차게 되어. (3) 《口》 (장래에 대비

해) 준비하여; 보류하여: They've put the project *on* ~. 그들은 그 계획을 보류하고 있다. (4) 《口》 성공이〔승리가〕 확실한. ***skate on thin*** ~ ⇨SKATE.

— *vt.* ① …을 얼리다(freeze), 냉장하다; 얼음으로 식히다. ② 《+目+副》 …을 얼음으로 덮다 《*over*; *up*》: ~ *up* fish 생선을 얼음에 채우다 / The lake is already ~*d over*. 호수는 이미 얼어 있다. ③ (과자 따위)에 당의를 입히다. cf. iced. ④ 《美口》 (성공·승리 따위)를 확고히 하다. ⑤ 《美俗》 …을 죽이다; 묵살하다, 도외시하다《*out*》. ⑥ 〖아이스하키〗 (퍽)을 쳐서 상대의 골라인을 넘다, 아이싱하다.

— *vi.* 《+副》 (못·길 따위가) 얼다, 얼음으로 덮이다《*over*》, (기체·기구 따위가) 빙결〔착빙〕하다 《*up*》: The windshield has ~*d up*. 방풍 유리가 얼어 붙었다. ㊕ **íce·less** *a.* **íce·lìke** *a.*

-ice *suf.* 성질을 나타내는 명사 어미: just*ice*, serv*ice*.

íce àge 〖地質〗 빙하 시대(glacial epoch).

íce àx(e) (등산용) 피켈, (얼음 깨는) 도끼(= pickel).

íce bàg 얼음 주머니.

***ice·berg** [⌐bəːrg] *n.* Ⓒ 빙산. ***the tip of the* 〔*an*〕 ~** 빙산의 일각.

ice·boat [⌐bòut] *n.* Ⓒ ① 빙상 요트. ② 쇄빙선 (碎氷船).

ice·bound [⌐bàund] *a.* 얼음에 갇힌, 얼음이 꽉 얼어붙은: an ~ harbor 동결항.

***ice·box** [⌐bàks / ⌐bɔ̀ks] *n.* Ⓒ ① 아이스박스; 《美》 냉장고《전기용에도 씀》. ② 《英》 (냉장고의) 냉동실.

ice·break·er [⌐brèikər] *n.* Ⓒ ① 쇄빙선; 쇄빙기; (부두의) 유빙(流氷) 제거장치. ② 분위기를 부드럽게 하는 것, 서먹서먹함을 푸는 것《파티의 게임·춤 등》.

ice bucket = ICE PAIL.

ice cap (높은 산마루·극지 따위를 뒤덮는) 만년설〔빙〕《산악 빙하가 되어 저지로 흐른다》. cf. ice sheet.

ice-cold [⌐kóuld] *a.* ① 얼음처럼 차가운: ~ beer 얼음처럼 차가운 맥주. ② 냉담한.

‡**íce crèam** 아이스크림.

íce-cream còne 아이스크림 콘《원뿔형의 웨이퍼; 거기에 담은 아이스크림》.

íce-cream sóda 아이스크림이 든 탄산수.

íce cùbe (전기 냉장고로 만드는) 각빙(角氷).

iced [aist] *a.* ① 얼음으로 뒤덮인; 얼음으로 차게 한: ~ water 얼음 물. ② 당의를 입힌.

ice·fall [⌐fɔ̀ːl] *n.* Ⓒ ① 얼어 붙은 폭포. ② 빙하의 붕락(崩落).

íce fìeld ① (극 지방의) 부유 빙원. ② (육상의) 만년 빙원.

íce flòe ① (해상의) 빙원(氷原). ② 유빙(流氷), 성엣장.

ice-free [⌐fríː] *a.* 얼지 않는, 부동(不凍)의: an ~ port 부동항.

íce hòckey 〖競〗 아이스하키.

ice·house [⌐hàus] *n.* Ⓒ 빙고(氷庫), (특히 지하의) 저빙고(貯氷庫).

***Ice·land** [áislənd] *n.* 아이슬란드《북대서양에 있는 공화국; 수도 Reykjavik》.
㊕ **~·er** [áislæ̀ndər, -ləndər] *n.* Ⓒ 아이슬란드 사람. **Ice·lan·dic** [aislǽndik] *a.* 아이슬란드(사람·말)의. — *n.* Ⓤ 아이슬란드어.

íce 〔íced〕 lólly 《英口》 (가는 막대기에 얼린) 아이스캔디. cf. Popsicle.

ice·man [áismæ̀n, -mən] (*pl.* ***-men*** [-mèn, -mən]) *n.* Ⓒ 얼음 장수〔배달인〕.

íce pàck ① 유빙군(流氷群). ② 얼음 주머니.

íce pàil 얼음통《포도주병 따위를 차게 하는》.

ice pick 아이스픽《얼음 덩어리를 쪼개는 끌, 송곳 같은 것》.

íce rìnk (실내) 스케이트장.

íce shèet 빙상(氷床), 대륙빙, 대빙원. cf. ice cap.

íce shèlf 빙붕(氷棚)《ice sheet 의 끝》.

íce shòw 아이스 쇼《빙상 연기》.

íce skàte (빙상) 스케이트 구두〔날〕.

ice-skate [⌐skèit] *vi.* 스케이트를 타다.

íce skàting 빙상 스케이트(를 하는 일).

íce stàtion (남극의) 극지 관측소〔기지〕.

íce tòngs (흔히 a pair of ~ 로) 얼음 집게.

íce trày (냉장고용의) 제빙 그릇.

íce wàter 《美》 얼음이 녹은 찬 물; 얼음으로 차게 한 물(《英》 iced water).

ich·neu·mon [iknjúːmən] *n.* Ⓒ ① 〖動〗 몽구스의 일종《악어의 알을 먹는다고 함》. ② 〖蟲〗 맵시벌(=⌐ flỳ).

ich·nog·ra·phy [iknágrəfi / -nɔ́g-] *n.* Ⓤ 평면도(법). ㊕ **ìch·no·gráph·ic, -i·cal** *a.*

ich·thy·ol·o·gy [ìkθiálədʒi / -ɔ́l-] *n.* Ⓤ 어류학.

-ician *suf.* ① -ic(s)로 끝나는 낱말 끝에 붙어, '연구가, 전문가'의 뜻을 나타냄: mag*ician*, mathemat*ician*, mus*ician*, techn*ician*. ② -ic(s)에 관계 없이 어떤 종류의 직업을 나타냄(미칭): beaut*ician*, mort*ician*.

***ici·cle** [áisikəl] *n.* Ⓒ 고드름.

ici·ly [áisəli] *ad.* 얼음처럼 차갑게; 쌀쌀하게.

ici·ness [áisinis] *n.* Ⓤ 쌀쌀함, 냉담함.

ic·ing [áisiŋ] *n.* Ⓤ ① (과자의) 당의(frosting): cake covered in chocolate ~ 초콜릿으로 아이싱을 한 케이크. ② 〖航空〗 (비행기 날개에 생기는) 착빙(着氷); (물체 표면·지표면의) 결빙. ③ 〖아이스하키〗 아이싱《퍽이 센터라인 앞에서 상대측 골라인을 넘어 흐름》. **(*the*) ~ *on the cake*** 《口》 사람의 눈을 끌 뿐인 무익한 꾸밈; 금상 첨화: All further changes are ~ *on the cake*. 그 이상의 모든 개혁은 실속 없는 사탕 발림이다.

ICJ International Court of Justice(국제 사법 재판소).

icky [íki] (***ick·i·er, -i·est***) *a.* 《美俗》 ① 끈적끈적한, 칙칙한. ② 불쾌한, 싫은: What an ~ color that green is! 그 초록빛은 정말 불쾌한 빛깔이군. ③ (재즈 등이) 너무 감상적인, 여린. ④ 세련되지 못한, 시대에 뒤진. ★ sticky 의 처음 음이 탈락한 어린이의 발음에서 생긴 말.

icon, ikon, ei·kon [áikɑn / -kɔn] (*pl.* ***~s, ~·es*** [-iːz]) *n.* Ⓒ ① (회화·조각의) 상, 초상. ② 〖그리스正教〗 (예수·성인 등의) 성화상, 성상(聖像); 우상(idol). ③ 〖言〗 유사(적) 기호. ④ 〖컴〗 쪽그림《컴퓨터의 각종 기능·메시지를 나타낸 그림 문자》.

icon·ic [aikánik / -kɔ́n-] *a.* ① 상(像)의, 초상의; 우상의. ② 〖彫〗 인습적인《주로 조상(彫像) 등에 말함》. ㊕ **icón·i·cal·ly** *ad.*

icon·o·clasm [aikánəklæ̀zəm / -kɔ́n-] *n.* Ⓤ ① 〖基〗 성상〔우상〕 파괴(주의). ② 인습 타파.

icon·o·clast [aikánəklæ̀st / -kɔ́n-] *n.* Ⓒ ① 성상〔우상〕 파괴자. ② 인습 타파주의자.
㊕ **icòn·o·clás·tic** *a.* ① 성상〔우상〕 파괴(자)의. ② 인습 타파의. **-ti·cal·ly** *ad.*

ico·nog·ra·phy [àikənágrəfi / -nɔ́g-] *n.* ① Ⓤ 도상(圖像)학《화상·조상(彫像) 등에 의한 주제의 상징적 제시법》. ② Ⓤ,Ⓒ 도상의 주제; (특히 종교적인) 도상; 초상〔조상〕 연구(서).

ico·nol·o·gy [àikənálədʒi / -nɔ́l-] *n.* Ⓤ ① 도상

(해석)학；성상학(聖像學). ② 도상에 의한 상징. ㊫ **-gist** *n.* **icòn·o·lóg·i·cal** *a.*

ICPO International Criminal Police Organization(=Interpol).

-ics *suf.* '…학, …술, …론'의 뜻의 명사를 만듦 : eth*ics*, phonet*ics*. ★ 복수어형이지만 (1) 보통 '학술·기술명'으로서는 單數 취급 : linguist*ics*, opt*ics*, econom*ics*. (2) 구체적인 '활동·현상·특성·규칙' 따위를 가리킬 때는 複數 취급 : athlet*ics*, gymnast*ics*, eth*ics*. (3) 개중에는 單·複數 취급되는 것도 있음 : hyster*ics*.

ic·tus [íktəs] (*pl.* ~, ~·**es**) *n.* Ⓒ ①〖韻〗강음(強音), 양음(揚音). ②〖醫〗급발(急發) 증상, 발작.

ICU〖醫〗intensive care unit(집중 치료실).

:icy [áisi] (**ic·i·er ; -i·est**) *a.* ① 얼음의, 얼음 같은 ; 얼음이 많은, 얼음으로 덮인 : an ~ road 꽁꽁 얼어붙은 길. ② 몹시 차가운 : *Icy* wind blew all day yesterday. 어제는 하루 종일 차디찬 바람이 불었다. ③〔副詞的으로〕얼음처럼 : His hands were ~ cold. 그의 손은 얼음처럼 차가웠다. ④ 쌀쌀한, 냉담한 : He spoke with ~ politeness. 그는 냉담하리만큼 정중하게 말했다.

id [id] *n.* (the ~)〖精神醫〗이드《개인의 본능적 충동의 원천》.

†I'd [aid] I would, I should, I had 의 간약형.

ID, Id., Ida. Idaho. **id.** *idem.*

Ida [áidə] *n.* 아이다《여자 이름》.

·Ida·ho [áidəhòu] *n.* 아이다호《미국 북서부의 주 ; 略 : Id., Ida.,〖郵〗ID》. ㊫ **Ida·ho·an** [áidəhòuən, ⌐-⌐-] *a., n.* Ⓒ ~주의 (사람).

I.D.〔ID〕 càrd [àidí:-]《美》신분증(identity card).

†idea [aidí:ə] *n.* ① Ⓒ 생각, 관념, 심상(心像), 개념 : a general ~ (일반적인) 개념 / the ~*s* of good and evil 선악의 관념 / an abstract ~ 추상 관념 / Western ~*s* 서양사상 / I feel shocked at the bare ~ of his death. 그의 죽음에 대해 생각만 해도 가슴이 뛴다. ② Ⓤ.Ⓒ 인식, 이해 : This book gives you some ~ of life in ancient Greece. 이 책을 읽으면 고대 그리스의 생활에 대해 대강 알게 될 것이다 / I don't have the vaguest ~ of it. 그 일은 전혀 어림짐작도 할 수 없다. ③ Ⓤ.Ⓒ 짐작, 지식 : I had no ~ (that) he was there. 그가 거기 있었다는 것을 전혀 몰랐다 / He has some ~ of chemistry. 그는 화학을 좀 알고 있다. ④ Ⓒ 의견, 견해 : his progressive ~*s* 그의 진보적 의견 / Scientists should exchange ~*s* with each other. 과학자는 서로 의견을 교환해야 한다. ⑤ Ⓒ 착상, 고안 ; 취향 ; 의미, 요점 : A trip to the seaside? What a great ~! 바닷가 여행은 어때. 정말 좋은 생각이야 / a man of ~*s* 착상이 풍부한 사람 / She's full of bright ~*s*. 그녀의 머리속은 좋은 아이디어로 꽉 차 있다 / An ~ struck me. 어떤 생각이 불현듯 떠올랐다 / Have you got the ~? (취지를) 알았습니까. ⑥ Ⓒ (막연한) 느낌, 인상 ; 예감 ; 환상(fancy) : I had an〔no〕~ we'd win. 우리가 이길 것 같은 느낌이 들었다〔전혀 없었다〕/ I have an ~ it's going to rain. 비가 올 것 같은 느낌이 든다. ⑦ Ⓒ 사고 방식 : the young ~ 젊은이의 생각. ⑧〔one's ~ ; 흔히 否定文으로〕이상(ideal)으로 삼는 것 : Watching TV is *not* my ~ *of* fun. 텔레비전을 보는 것이 내가 생각하는 진정한 즐거움은 아니다. ⑨ Ⓤ.Ⓒ (플라톤 철학의) 이데아, 형상(形相) ; (칸트 철학의) 순수 이성 개념. ◇ ideal *a.*

get an* ~ *of …을 (대개) 알다 : I've *got a* rough ~ *of* what you want. 네가 원하는 것을 대충은 알고 있다. ***get*** 〔***have***〕 ~***s*** (***into*** one***'s head***) 망상〔좋지 않은 생각, 야심, 역심〕을 품다 : Don't *get* any ~*s*. 이상한 생각은 하지말아요(여자가 남자에게 하는 말). ***get the*** ~ (1) 이해하다. (2) …라고(가끔 잘못) 생각하게 되다《*that*》. ***give*** a person ***an*** ~ ***of*** 아무에게 …을 알게 하다. ***put*** ~***s in*** 〔***into***〕 a person***'s head*** 아무에게 공허한 기대를〔좋지 않은 생각을〕품게 하다. ***That's an*** ~. 《口》좋은 생각이다. ***The*** (***very***) ~ (***of*** it 〔do*ing*…〕)!《口》(그런 생각을 하다니) 너무하군, 지독해, 거 무슨 소리야. ***What an*** ~***!*** 참 어처구니 없군 ; 정말로 기가 막히는군. ***What's the*** (***big***) ~ (***of*** do*ing*…)***?***《口》(…하다니) 대체 어떻게 할 작정이야〔무슨 이유야〕《불만을 나타냄》.

:ide·al [aidí:əl] *n.* Ⓒ ① 이상, 극치(*of*) : He's the ~ *of* the aggressive salesman. 그는 적극적인 세일즈맨의 전형이다. ② 고매한 목적, 이념, 원리. ③ 이상적인 것〔사람〕.

── *a.* ① 이상의, 이상적인, 더할 나위 없는(perfect) : an ~ companion 이상적인 벗 / In an ~ world there would be no poverty and disease. 이상적인 세계에는 가난과 질병은 없을 것이다. ② 관념적인, 상상의, 가공의. ⓞⓟⓟ *real.* ③〖哲〗관념에 관한, 관념론적인, 유심론의 ; 이상〔이념〕적인. ◇ idea *n.*

·ide·al·ism [aidí:əlìzəm] *n.* Ⓤ ① 이상주의. ⓞⓟⓟ *realism.* ②〖哲〗관념〔유심〕론. ⓞⓟⓟ *materialism.* ③〖藝〗관념주의. ⓞⓟⓟ *formalism.*

:ide·al·ist [aidí:əlist] *n.* Ⓒ ① 이상가, 이상주의자 ; 공상가, 몽상가. ⓞⓟⓟ realist. ② 관념론자, 관념주의자. ── *a.* =IDEALISTIC.

ide·al·is·tic [aidì:əlístik] (***more*** ~ ; ***most*** ~) *a.* ① 이상주의적인 ; 공상〔비현실〕적인. ② 관념〔유심〕론적인. ㊫ **-ti·cal·ly** [-tikəli] *ad.*

ide·al·ize [aidí:əlàiz] *vt.* …을 이상화하다, 이상적이라고 생각하다. ㊫ **i·dé·al·ìz·er** *n.* Ⓒ 이상화하는 사람, 이상가. **i·de·al·i·za·tion** [-dì:əlizéiʃən] *n.* Ⓤ 이상화.

ide·al·ly [aidí:əli] *ad.* ① 관념적으로 ; 전형적으로 ; 이상적으로, 더할 나위 없이. ②〔文章 전체를 수식하여〕이론적으로 말하면 ; 이상〔욕심〕을 말한다면.

idéa màn 아이디어맨《기업내 등에서 창의를 제공하는 사람》.

ide·ate [áidièit / aidí:eit] *vt., vi.* (…을) 상상하다, 마음에 그리다, 생각하다.

i·de·a·tion [àidiéiʃən] *n.* Ⓤ 관념 작용, 관념화(하는 힘).

idée fixe [i:déifí:ks] (*pl.* ***idées fixes*** [—])《F.》(=fixed idea) 고정 관념《병적으로 집착되어 떠나지 않는 관념 ; 강박 관념 등》.

idem [áidem] *pron., a.*《L.》(=the same) ① 같은 저자(의) ;《美》같음, 앞서 말한 바와 같음〔같은〕. ② 같은 말(의), 같은 서적(의), 같은 전거(典據)(의)《略 : id.》.

iden·tic [aidéntik, i-] *a.* (외교 문서가) 동문(同文)의, 동일 형태의.

:i·den·ti·cal [aidéntikəl, i-] *a.* ① (흔히 the ~)〔限定的〕아주 동일한(the very same) : *the* ~ person 동일 인물 / This is *the* ~ umbrella that I have lost. 이것은 내가 잊어버린 우산과 같은 것이다《바로 그것이다》. ② (상이한 것에 대하여) 같은, 일치하는, 빼쏜《*with ; to*》: replace the broken dish *with* an ~ one 깨진 접시와 꼭 같은 접시로 대체하다. ③ 일란성의 : ~ twins 일란성 쌍둥이《늘 동성임. ⓒⓕ fraternal twins》. ④〖數〗동일한, 항등의 : an ~ equation 항등식. ㊫ **~·ly** *ad.* 같게.

iden·ti·fi·a·ble [aidéntəfàiəbəl, i-] *a.* 동일함을 증명할 수 있는, 신원을 확인할 수 있는.

iden·ti·fi·ca·tion** [aidèntəfikéiʃən, i-] *n.* Ⓤ,Ⓒ ① (사람·물건의) 신원〔정체〕의 확인〔인정〕; 동일하다는 증명〔확인, 감정〕: The ~ of the murdered woman took place last week. 살해된 여인의 신원 감정은 지난 주에 행해졌다. ②〖精神醫〗 동일시〔화〕;〖社〗 동일시, 일체화. ③ 신원을〔정체를〕 증명하는 것: The traveler lost his ~ papers. 그 여행객은 신분 증명서류를 잃어버렸다 / Can I see some ~, please? 신분증을 좀 보여주시겠습니까. ***station ~ 〖라디오·TV〗 국명(局名) 밝히기.

identificátion càrd 〔**pàpers**〕 신분 증명서 (identity 〔ID〕 card).

identificátion paràde 경찰에서 범인 확인을 위해 피의자 등을 줄세움(《美》 lineup).

identificátion tàg 〔《英》 **dìsc**〕〖軍〗 인식표.

‡iden·ti·fy [aidéntəfài] *vt.* ①《~+목 / +목+*as* 보》 (본인·동일물임)을 확인하다; (사람의 성명·신원, 물건의 명칭·분류·소속 따위)를 인지〔판정〕하다;〔~ oneself로〕 …라고 신원을 밝히다; 감정하다: Can you ~ your umbrella among these? 이들 중에서 네 우산을 식별할 수 있는가 / An individual bird can ~ the call of its own species. 개개의 새는 자기 종(種)의 지저귐을 인지할 수 있다 / The police officer *identified* himself and asked for our help. 경찰관은 자기 신분을 밝히고서 우리의 도움을 요청했다 / ~ handwriting 필적을 감정하다 / She *identified* the fountain pen *as* hers. 그녀는 그 만년필이 자기 것임을 확인하였다. ②《+목+전+명》 …와 동일시하다, 동일한 것으로 간주하다《*with*》; 관련지어 생각하다《*with*》; …와 제휴시키다: We should not ~ wealth *with* happiness. 부(富)와 행복을 동일시해선 안된다 / They *identified* Jones *with* the progress of the company. 그들은 존스야말로 곧 회사의 발전이라고 생각하였다.

— *vi.* 일체가 되다, 일체감을 갖다; 자기를 동일시하다, 동정(同定)하다《*with*》: ~ *with* the hero of a novel 자신이 소설의 주인공이 된 듯한 기분이 되다. ◇ identification, identity *n.* ~ one***self*** 〔***be identified***〕 ***with*** …와 행동〔사상〕을 같이하다; …와 제휴〔관계〕하다; …의 편이 되다: He didn't want to ~ him*self* 〔*be identified*〕 *with* the program. 그는 그 계획에 깊이 관계하고 싶지 않았다.

Iden·ti·kit [aidéntəkit] *n.* Ⓒ ① 몽타주식 얼굴 사진 합성장치《商標名》. ② (때로 i-) 몽타주 얼굴 사진: Police have issued an *identikit* of the wanted man. 경찰은 지명 수배자의 몽타주 사진을 배부했다.

iden·ti·ty** [aidéntəti] *n.* ① Ⓤ 동일함, 일치, 동일성: groups united by ~ of interests 이해의 일치로 결합된 집단. ② Ⓤ,Ⓒ (딴 것이 아닌) 자기〔그것〕 자신임, 본인임; 주체성, 독자성, 개성 (individuality); 본체, 정체, 신원: There is no clue to the ~ of the killer. 살인자의 신원에 대한 단서가 없다 / double ~ 이중인격 / It has a separate ~. 그것은 그것으로서 존재한다. ③ Ⓒ〖數〗 항등원(恒等元). ***conceal one's ~ 신원을 숨기다. ***establish*** 〔***prove, recognize***〕 a per***son's*** ~ 아무가 본인임을 확인하다, 신원을 밝히다. ***a case of mistaken*** 〔***false***〕 ~ 사람을 잘못 봄.

idéntity càrd 신분 증명서《공적 기관에서 발행한 신분 증명서를 일컫는다》.

idéntity crìsis 자기 인식의 위기《자기의 실체에 의심을 가짐》, 자기 상실.

idéntity parade = IDENTIFICATION PARADE.

id·e·o·gram, -graph [ídiəgræ̀m, áid-], [-græ̀f, -grɑ̀ːf] *n.* Ⓒ 표의 문자(表意文字). ⓒⓕ phonogram.

ide·o·log·ic [àidiəládʒik, ìd- / -lɔ́dʒ-] *a.* = IDEOLOGICAL.

ide·o·log·i·cal [àidiəládʒikəl, ìd- / -lɔ́dʒ-] *a.* ① 관념 형태의, 이데올로기의: an ~ dispute 이데올로기 논쟁. ② 관념학의; 공론의. ㊞ **-i·cal·ly** *ad.*

ide·ol·o·gist [àidiálədʒist, ìd- / -ɔ́l-] *n.* Ⓒ ① 특정 이데올로기 신봉자. ② 공론가, 공상가. ③ 관념학자, 관념론자.

ide·o·logue [áidiəlɔ̀(ː)g, -lɑ̀g, íd-] *n.* Ⓒ ① 특정 이데올로기 신봉자. ② 공상가(visionary).

***ide·ol·o·gy** [àidiálədʒi, ìd- / -ɔ́l-] *n.* ① Ⓤ 관념학〔론〕; 공리, 공론. ② Ⓒ〖社〗 (사회·정치상의) 이데올로기, 관념 형태.

ides [aidz] *n.* 〔單數 취급; 흔히 the ~〕〖文〗 (고대 로마력(曆)에서) 3〔5, 7, 10〕월의 15일, 그 밖의 달은 13일》. ***Beware the Ides of March.*** 3월 15일을 경계하라《이 날은 Caesar 암살의 날로 예언되어 있었던 데서, 궂은 일의 경고로 쓰임》.

id est [id-ést] 《L.》 (=that is) 즉, 다시〔바꿔〕 말하면《略: i.e. 또는 *i.e.*》.

id·i·o·cy [ídiəsi] *n.* ① Ⓤ 백치(상태). ② Ⓒ 백치적 행위: What ~! 정말 어리석구나.

‡id·i·om [ídiəm] *n.* ① Ⓒ **a**) (일정한 형식의 특수한 뜻을 갖는): 이디엄, 성구(成句), 관용구: To "have bitten off more than you can chew" is an ~ that means you have tried to do something which is too difficult for you. "씹을 수 있는 이상(의 것)을 물다"라는 말은 힘에 겨운 일을 하려고 한다는 뜻의 관용구이다. **b**) 숙어《이 사전에서 고딕체 또는 표제어 안에 예시한 전체의 뜻이 독특한 어군; 예: kick the *bucket* (죽다, 뻗다) / hang 〔hide〕 one's *head* (부끄러워 고개를 숙이다; 죽다) 등》. ② Ⓤ,Ⓒ (어떤 민족의) 고유어, 통용어; (어떤 지역의) 방언, 어풍: He speaks a peculiar ~. 그는 독특한 표현을 쓴다. ③ Ⓤ (예술가 등의) 개성적 표현 방식, 작풍: The opera is very much in the modern ~. 그 오페라는 매우 현대적인 작풍을 띠고 있다.

***id·i·o·mat·ic, -i·cal** [ìdiəmǽtik], [-əl] *a.* 관용구적인, 관용구가 많은; (어떤 언어의) 특색을 나타내는: an ~ phrase 관용구 / He speaks ~ English. 그는 정말 영어다운 영어를 말한다 / an ~ writer 관용구를 많이 쓰는 작가. ㊞ **-i·cal·ly** *ad.* 관용적으로; 관용구를 써서.

id·i·op·a·thy [ìdiápəθi / -ɔ́p-] *n.* Ⓒ〖醫〗 특발성(特發性) 질환, 원인 불명의 질환.

id·i·o·syn·cra·sy, -cy [ìdiəsíŋkrəsi] *n.* Ⓒ ① (어느 개인의) 특이성, 특이한 성격〔경향, 성벽(性癖), 표현법〕. ② 남다른 언행, 기행(奇行). ③〖醫〗 특이 체질. ⓒⓕ allergy.

id·i·o·syn·crat·ic [ìdiəsiŋkrǽtik] *a.* ① 특질의, 특이질의. ② 특유한, 색다른. ③ 특이 체질의. ㊞ **-i·cal·ly** *ad.*

***id·i·ot** [ídiət] *n.* Ⓒ ① 천치, 바보: Oh, don't be such an ~! 이봐, 그런 바보짓은 작작 해 / an ~ since birth 선천적인 바보 / a bunch of ~ journalists waiting to ask me stupid questions 나에게 시시한 질문을 하려고 기다리고 있는 일단의 바보같은 신문기자들. ②〖心〗 백치《I.Q. 20-25 이하로, 성장 후의 지능 정도가 2-3세 정도임》. ★ 지능이 가장 낮은 상태부터 차례로 idiot, imbecile, moron이

I

라 함).

ídiot bòx (흔히 the ~) 바보 상자(텔레비전의 속칭).

ídiot càrd 〔bòard〕 대형 문자판(텔레비전 출연자가 대사를 잊었을 때를 위한).

***id·i·ot·ic, -i·cal** [ìdiátik / -ɔ́t-], [-əl] *a.* 백치의; 천치의: He had an ~ expression on his face. 그는 멍청한 표정을 하고 있었다. ㊞ **-i·cal·ly** [-kəli] *ad.*

‡idle [áidl] (*idl·er*; *idl·est*) *a.* ① 게으름뱅이의, 태만한: He is a stupid, ~, good-for-nothing man. 그는 어리석고 게으름뱅이고 아무데도 쓸모없는 인간이다. ② 한가한, 놀고 있는, 할 일이 없는: Thousands of workers are ~ now that the car factories are closed. 수천의 근로자는 자동차 공장이 문을 닫았기 때문에 실직 중이다 / the ~ rich 유한층 / in an ~ moment 한가한 때에 / an ~ spectator 수수 방관하는 사람. ③ (기계·공장·돈 따위가) 쓰이고 있지 않은 (unemployed): The factory machines lay ~ during the workers' strike. 근로자의 파업 기간 동안에 공장의 기계는 돌지 않고 있었다. ④ 무익한, 헛된, 쓸모 없는 (useless): ~ boast 허풍 / an ~ threat〔promise〕 헛된 위협〔약속〕/ an ~ talk 잡담. ⑤ 근거 없는, 하찮은: ~ fears 막연한 두려움. ⑥〖競技〗 경기가 없는: The team is ~ today. 그 팀은 오늘 경기가 없다.

run ~ (기계가) 헛돌다.

— *vi.* ① 게으름 피우고〔놀고〕 있다, 빈둥거리고 있다, 무위로 시간을 보내다: Stop *idling* and help me clean up. 빈둥거리지 말고 청소를 도와다오. ②〖機〗 헛돌다; 부하(負荷)없이 회전하다: He left the car engine *idling.* 그는 자동차 엔진이 공회전하도록 놓아 두었다. — *vt.* ①《+目+副》(시간)을 빈둥거리며 보내다(waste), 놀며 보내다《*away*》: ~ *away* the hours watching television TV를 보며 시간을 보내다. ②〖機〗 헛돌게 〔겉돌게〕 하다. ③《美口》(노동자)를 놀게〔한가하게〕 하다《불경기·스트라이크 따위로》: The strike has ~*d* many workers. 파업으로 많은 노동자들이 놀게 되었다.

— *n.* Ⓤ 무위(無爲); (엔진 등의) 헛돎, 공전.

‡idle·ness [áidlnis] *n.* Ⓤ ① 나태; 무위(無爲): *Idleness* is the root of all vice. 《俗談》 게으름은 백악(百惡)의 근원. ② 무익(無益).

idler [áidlər] *n.* Ⓒ ① 게으름뱅이. ②〖機〗 = IDLE PULLEY.

ídle(r) pùlley 〖機〗 (벨트나 체인의 유도·죄기용으로 공전하는) 유동(遊動) 바퀴, 아이들 풀리.

ídle(r) whèel 〖機〗 유동 바퀴, 두 톱니바퀴 사이의 톱니바퀴, 아이들 휠《idle gear, idle pulley 따위》.

***idly** [áidli] *ad.* 빈둥거리며; 헛되이; 무익하게; 멍청히: sit ~ by while others work 남은 일을 하고 있는데 옆에 아무 일 하지 않고 앉아 있다 / He was ~ leafing through a book. 그는 멍청히 책장을 넘기고 있었다.

‡idol [áidl] *n.* Ⓒ ① 우상, 신상(神像); 사신상(邪神像). ② 숭배되는 사람〔것〕, 경애(敬愛)의 대상: Elvis Presley is still the ~ of countless teenagers. 엘비스 프레슬리는 여전히 수많은 십대 젊은이의 우상이다. ③〖論〗 (선입적) 유견(謬見), 오류(誤謬).

idol·a·ter [aidálətər / -dɔ́l-] (*fem.* ***idol·a·tress*** [-tris]) *n.* Ⓒ 우상 숭배자; 〔一般的〕 숭배자, 심취자.

idol·a·trous [aidálətrəs / -dɔ́l-] *a.* 우상 숭배하는〔숭배적인〕; 맹목적으로 숭배하는; 심취하는. ㊞ ~·**ly** *ad.* ~·**ness** *n.* Ⓤ 우상 숭배.

***idol·a·try** [aidálətri / -dɔ́l-] *n.* Ⓤ 우상 숭배, 사신(邪神) 숭배; 맹목적 숭배, 심취.

idol·ize [áidəlàiz] *vt.* ① …을 우상화〔시〕하다. ② …에 심취하다. — *vi.* 우상을 숭배하다. ㊞ **ìdol·i·zá·tion** [-li- / -lai-] *n.* Ⓤ 우상화; 심취.

idyl(l) [áidl] *n.* Ⓒ ① 전원시, 목가, (산문의) 전원 문학. ② 전원 풍경〔생활〕. ③〖樂〗 전원곡. ④ 정사(情事).

idyl·lic [aidílik] *a.* 전원시(풍)의; 목가적인, 한가로운. ㊞ **-li·cal·ly** *ad.*

i.e., ***i.e.*** [áiíː, ðǽtíz] 즉, 다시 말하면《*id est* (L.); 참고서 등 이외에는 흔히 that is를 씀》.

-ie *suf.* = -Y³. 「기구).

IEA International Energy Agency. (국제 에너지

-ier *suf.* '관계자, 취급자, 제작자'의 뜻의 명사를 만듦: glaz*ier*, hos*ier*, gondol*ier*, grenad*ier*. ⓒⓕ -yer.

†if [if] *conj.* **A)** 〔副詞節을 이끌어〕 ① 〔가정·조건〕 (만약) …이면〔하면〕; (만일) …라고 하면. **a)** 〔현재·과거·미래의 실현 가능성 있는 일에 대한 추측〕《미래를 나타내는 경우에도 if절에서는 보통 현재 시제를 씀; 가정법의 동사를 쓰는 것은 《古》》: *If* you are tired, you should have a rest. 피곤하면 쉬는 게 좋다 / *If* it was raining, I think he did not go out. 비가 오고 있었다면 그는 외출을 안 했을 것으로 생각한다 / *If* it rains tomorrow, I will stay at home. 만일 내일 비가 온다면 나는 집에 있겠다 / I'll help you *if* you come. 온다면 도와 주지《*if*-節이 뒤로 오면 only if 의 뜻이 되어 '조건적'이지만, *If* you come I'll... 과 같이 앞에 올 때에는 '권유적'》.

> 語法 다음과 같은 경우에는 if절에 will을 씀.
> (1) if절의 주어의 의지를 나타낼 경우: He can do it *if* he *will.* 그가 하고자 한다면 그것을 할 수 있다 / I shall be glad to go *if* you *will* 〔*would*〕 come with me. 함께 가 주신다면야 기꺼이 가죠《would를 쓰면 정중한 표현이 됨》.
> (2) if절이 미래의 가정·조건을 나타내지만 문장 전체가 현재의 사실과 관계가 있을 때: *If* it'*ll* suit you, I'll meet you at the lobby. 편하시다면 로비에서 만나뵙죠.

b) 〔현재 사실에 반대되는 가정〕《if절에는 과거(be 동사는 were)를, 주절에는 보통 조동사의 과거형을 씀》: *If* he *knew,* he would tell you of course. 만약 그가 알고 있다면, 물론 이야기하겠죠 / I should 〔would〕 come *if* I *could.* 갈 수 있다면 가겠는데 / *If* I *were* you, I should 〔would〕 not hesitate. 내가 당신이라면 망설이지 않겠는데요《★ 오늘날 구어에서는 if I 〔he, she, it〕 were의 경우는 흔히 were 대신 was를 즐겨 씀. 다만, If I were you는 거의 하나의 관용구(慣用句)로 굳어 버렸음》.

c) 〔과거 사실에 반대되는 가정〕《if절에는 과거완료형을, 주절에는 보통 조동사의 과거형+have+과거분사의 형식을 씀》: *If* she *had been* awake, she would have heard the noise. 잠에서 깨어 있었더라면 그녀는 그 소리를 들었을 텐데《She didn't hear the noise, because she was not awake.의 뜻을 내포함》/ He would be more successful now *if* he *had had* more time to study then. 그 때 좀더 공부할 시간이 있었다면 지금쯤 더 성공해 있을 텐데《★ 이와 같이 조건절이 가정법 과거완료라도 귀결이 현재 또는 미래에 관계되는 것이면 주절은 과거시제로 씀》.

d) 〔가능성이 적은 未來의 일에 대한 가정〕《if...

I

should의 형식을 씀》: *If* it *should* rain tomorrow, I shall not come. 내일 만일 비가 오면 오지 못합니다《if it rains tomorrow, ...는 단순한 예상을 나타냄》.

e) 〔미래의 일에 대한 순수한 가정〕《if ...were to (do)의 형식을 씀》: What would happen *if* the earth *were to* stop its rotating motion? 만일 지구가 자전을 멈춘다면 어떻게 될까 / *If* you *were to* be hanged tomorrow, what would you do? 가령 내일 교수형을 받게 된다면 무엇을 하겠나.

> 語法 (1) *if*-절 중에서는 종종 주어·동사가 생략됨: Come *if* (it is) necessary 〔possible〕. 필요하면 〔될 수 있으면〕 와 주시오 / *If* (he is) still alive, he must be at least ninety years. 만약 그가 아직도 살아 있다면 적어도 90 살은 되었을 것이다.
> (2)《文語》에서는 b)부터 e)의 경우에 if를 생략하고 주어와 술어를 도치할 경우가 있음: *If I were* you ⇨ *Were I* you; *If I had* much money⇨ *Had I* much money; *If he had seen* me ⇨ *Had he seen* me; *If they should* leave me ⇨ *Should they* leave me; *If I were* to live in Paris ⇨ *Were I* to live in Paris.

② 〔양보·대조〕 설사 〔비록〕 …라 하더라도 〔일지라도〕; …이기는 하지만《if절에는 가정법을 쓰지 않으나, 《古》에서는 씀》: I am not surprised *if* it happens. 그런 일이 일어나더라도 별로 놀라울 것이 없다 / I'll go out even *if* it rains. 설사 비가 와도 외출하겠다 / *If* he was not industrious in his youth, he now works very hard. 그는 젊었을 때 근면하지 않았지만 지금은 아주 열심히 일한다.

> 語法 (1)《文語》에서는 if를 생략하고 주어와 술어를 도치할 때가 있음: Home is home, *be it* ever so humble. 비록 아무리 초라해도 내 집만한 곳은 없다.
> (2) if절의 주어·동사를 생략하여 삽입적으로도 씀: Her style, *if* not refined, was easy to read. 그녀의 문체는 세련됐다고는 할 수 없지만 읽기가 쉬웠다 / Most, *if* not all, of them are young. 그들은, 모두는 아니더라도, 대부분 젊다.

③ 〔인과 관계〕 …하면 (언제나), …한 때에는 (when, whenever)《if절과 주절의 시제가 같음》: *If* you mix yellow and blue, you get green. 노랑과 파랑을 섞으면 초록이 된다(≒whenever) / *If* it was too cold, we stayed indoors. 너무 추울 때는 집 안에 있었다.

④ 〔귀결을 생략한 감탄문〕 **a)** 〔바람을 나타냄〕 (그저) …하기만 하면 (좋으련마는)《if only의 형식을 취할 때가 많으며, 사실에 반대되느냐, 가능성이 있느냐에 따라서 가정법, 직설법을 가려씀》: *If only* she arrives in time! 그 여자가 그저 제 시간에 와주기만 한다면《올 가능성이 남아 있음》/ *If only* you could have seen it! 자네가 만일 그것을 보기만 했더라도 《실제로는 보지 않았음》/ *If* I *only* knew! 알고 있기만 하더라도 좋을 텐데《알지 못하는 것이 유감임》. **b)** 〔놀라움·곤혹·호소〕 …라니 놀랍다《직설법 부정문으로》: Why, *if* it is*n't* you! 어머, 누군가 했더니 당신이었군요《뜻밖의 사람을 만났을 때》/ Well, *if* I have*n't* left my false teeth at home! 어렵쇼, 틀니를 집에 두고 나왔구먼.

B) ＜間接疑問文을 이끌어＞ …인지 어떤지: I wonder *if* he is at home. 그가 집에 있을까 / He asked *if* I liked Chinese food. 그 사람은 나에게 중국 음식을 좋아하느냐고 물었다 (= He said to me, "Do you like Chinese food?").

> 語法 **if 와 whether** (1) if 는 whether 에 비해 구어에 많이 쓰이며, ask, doubt, know, try, wonder, see, tell, be not sure 따위의 목적절을 이끎.
> (2) B)에 보인 경우 외에 다음과 같은 경우엔 whether 를 사용함. (a) 主語節·補語節 을 이끎: *Whether* she comes or not does not concern me. 그녀가 오느냐 아니냐는 내게는 아무래도 좋은 일이다《뒤로 오면, if 도 때로 쓰임: It does not concern me *whether* 〔*if*〕 she comes or not.》. (b) 不定詞句가 계속됨: I don't know *whether to* go or stay. 가야 할지 머물러 있어야 할지 모르겠다. (c) 전치사의 목적어: the question *of whether* I should go or not 내가 가야 할지 어떨지의 문제. (d) Send me a telegram *if* you are coming. 에서는 의미가 A) ①로도 B)로도 해석할 수 있는데 B)의 뜻일 때에는 whether 를 사용하는 것이 좋음.

as if ⇨ AS. ***even if*** ⇨ EVEN. ***if a day*** 〔***an inch, a penny, an ounce, a man, etc.***〕 (나이·금액·길이·중량·인원수 등에 대해) 확실히, 적어도《day 는 나이, penny, cent, dime 은 돈의 액수에, yard, inch 는 길이, ounce 는 무게에, man은 인원수 등에 대해서 쓰임》: He is seventy *if a day.* 그는 아무래도 70 은 된다 / The enemy is 3,000 strong, *if a man.* 적의 병력은 적어도 3천을 밑돌지는 않는다 / He measures six feet, *if an inch.* 그는 적어도 키가 6 피트는 된다. ***if and only if*** 만약 …의 경우에만《수학·논리학에서 많이 쓰임. 略: iff.》. ***if and when...*** 만일 …한 때에는: *If and when* you come to Seoul 만일 서울에 오실 때에는. ***if any*** 만일〔조금이라도〕 있으면; 비록〔설혹〕 있다 하〔손치〕더라도: Correct the errors, *if any.* 틀린 것이 있으면 고치시오. ***if anything*** 어느 편이냐 하면, 오히려, 그렇기는 커녕; 어쨌든: Today, Mother is worse, *if anything.* 오늘 어머니의 용태는 어느 편이냐 하면 나빠진 편이다 / True greatness has little, *if anything,* to do with rank and power. 어쨌든 참된 위대함은 지위와 권력과는 거의 관계가 없다. ***if anywhere*** 어디냐 하면, 어쨌든: You can buy it there, *if anywhere.* 어쨌든 그것은 거기서 살 수 있습니다. ***if at all*** 〔***ever***〕 적어도 …한다면; …한다〔있다〕 하여도: He seldom goes out, *if at all.* 거의 외출하는 일이 없다. ***If it had not been for...*** 〔과거의 사실에 반대되는 가정을 나타내어〕 만일 …이 없었다면〔아니었더라면〕 (But for...) 《문어에서는 if 대신 도치시켜 Had it not been for...》: *If it hadn't been for* the storm, we would have been in time. 만일 폭풍이 아니었더라면, 우리는 제때에 도착했을 텐데 (=*Had it not been for* the storm... =*But for* 〔*Without*〕 the storm, ... =As it was stormy, we weren't in time.) / *If it had not been for* her help, I would not be alive now. 그녀의 도움이 없었더라면 지금쯤 나는 살아 있지 못할 것이다. ***If it were not for...*** 〔현재 사실의 반대되는 가정을 나타내어〕 만약 …없으면〔아니라면〕 《《口》에서는 were 대신 was 도 가능; 문어에서 if 를 쓰지 않고 도치되어 Were it not for... 라고는 할 수 있으나 Was it not for... 로는 할 수 없음》: *If it weren't for* her help, I would never succeed. 그녀의 도움이 없으면 나는 결코 성공 못할 게다(=

But for [Without] her help, ...). ***if necessary* [*possible*]** 필요하면[될 수 있으면]: Come tomorrow *if* (it is) *necessary.* 필요하다면 내일 오게나 / Do so, *if possible.* 될 수 있으면 그렇게 해주십쇼. ***if not*** (1)…은 아니(더)라도: It is highly desirable, *if not* essential, to draw the distinction. 그 구별을 짓는 것은 절대 필요하다고는 할 수 없어도 극히 바람직한 일입니다. (2) 만일 …이 아니라고 한다면: Where should I get stationery, *if not* at a department store? 백화점에서가 아니라면 어디서 문구를 구할 수 있는 건가 / Who would know *if not* she[her]? 그녀가 모른다면 누가 알겠는가. ***if only*** (1) ⇨ ④ a). (2) 만약 …하기만 하면. (3) 그저[단지] …만으로도: We must respect him *if only* for his honesty [*if only* because he is honest]. 정직한 것만으로도 그를 존경해야 한다. ***if that*** 《口》 [앞의 말을 받아] 그것조차도 아니다: She is about ten years old, *if that.* 그녀는 열 살쯤이다, 아니 열 살도 안됐을 게다. ***if you like*** ⇨ LIKE[1]. ***if you please*** ⇨ PLEASE. ***what if*** . . . ⇨ WHAT.

— *n.* Ⓒ (*pl.* **~s**) 가정, 조건: There are too many *ifs* in his theory. 그의 이론에는 가정이 지나치게 많다. ***ifs and buts*** 《口》 일을 앞으로 미루기 위한 이유[구실, 변명] 《否定文에서는 ifs or buts로 될 때도 있음》: Do it now, and no *ifs and buts!* 변명하지 말고 지금 그걸 하세요.

IFC International Finance Corporation (국제 금융 공사).

iff [if] *conj.* 〔數·論理〕 …의 경우에만《if and only if 라고 읽는 일이 많다》.

if·fy [ífi] (종종 ***if·fi·er; if·fi·est***) *a.* 《口》 if 가 많은, 조건부의, 불확실한, 의문점이 많은, 모호한: an ~ question 모호한 문제. ㊕ **if·fi·ness** *n.* Ⓤ

-i·form [-əfɔ̀ːrm] *suf.* =-FORM.

-i·fy [-əfài] *suf.* =-FY.

Ig·bo [ígbou / -bəu] *n.* =IBO.

ig·loo, ig·lu [íglu:] (*pl.* **~s**) *n.* Ⓒ 이글루《에스키모의 집; 주로 눈덩이로 만드는데, 현재는 주거용으로 쓰는 일이 적음》.

ig·ne·ous [ígniəs] *a.* ① 불의, 불 같은. ② 〔地質〕 화성(火成)의: ~ rock 화성암.

ig·nis fat·u·us [ígnəs-fǽtʃuəs] *n.* Ⓒ (*pl.* ***ig·nes fat·ui*** [ígni:z-fǽtʃuài]) 《L.》 ① 도깨비불. ② 현혹시키는 것.

ig·nite [ignáit] *vt.* ① …에 불을 붙이다, 불나게 하다: He lit a match to ~ the fuse. 도화선에 불을 붙이기 위해 그는 성냥을 그었다. ② …를 흥분시키다: Her flat refusal ~*d* her husband's anger. 그녀의 쌀쌀한 거절에 남편이 격분했다. ③ 〔化〕 …을 세게 가열하다. — *vi.* 불이 댕기다, 발화하다: Petrol ~*s* easily. 가솔린은 쉽게 발화한다. ㊕ **ig·nít·er, -ní·tor** [-ər] *n.* 점화기[장치].

ig·ni·tion [igníʃən] *n.* ① Ⓤ 점화, 발화, 인화(引火); 연소: an ~ point 발화점. ② Ⓒ (내연 기관의) 점화 장치: switch on[turn off] the ~ of a car 자동차의 점화 스위치를 켜다[끄다].

***ig·no·ble** [ignóubəl] *a.* ① (성품이) 저열한, 비열한, 천박한: an ~ action 비열한 행동 / an ~ idea 비열한 생각. ② (태생·지위가) 비천한. OPP *noble.* ◇ ignobility *n.*

㊕ **-bly** *ad.* 천하게, 비열하게. **~·ness** *n.*

ig·no·bil·i·ty [ìgnoubíləti] *n.*

ig·no·min·i·ous [ìgnəmíniəs] *a.* 수치스러운 (shameful), 불명예스러운; 비열한; 굴욕적인: an ~ defeat 굴욕적인 패배.

㊕ **~·ly** *ad.* **~·ness** *n.*

ig·no·miny [ígnəmìni] *n.* ① Ⓤ 치욕, 불명예 (disgrace), 불면목. ② Ⓒ 부끄러운 행위, 추행.

ig·no·ra·mus [ìgnəréiməs] *n.* Ⓒ 《L.》 무식한 사람, 무지한 사람.

‡**ig·no·rance** [ígnərəns] *n.* Ⓤ 무지, 무학; (어떤 일을) 모름: *Ignorance* is bliss. 《俗談》 모르는 것이 약 / I was in complete ~ *of* his intention. 그의 의향을 전혀 몰랐다.

‡**ig·no·rant** [ígnərənt] (***more ~; most ~***) *a.* ① 무지한, 무학의, 무식한《*in*》: an ~ person 무학자 / I'm ~ *in* classical music 클래식 음악은 모른다 / People don't like to ask questions for fear of appearing ~. 사람들은 무식하게 보이는 것을 두려워하여 질문하기를 싫어한다. ② 예의를 모르는, 실례되는: ~ behavior 버르장머리 없는 행위. ③ 〔敍述的〕 (어떤 일을) 모르는 《*of; about; that*》: He was ~ *of* the world. 그는 세상 물정을 몰랐다 / I'm ~ (*of*) *how* it happened. 그것이 어떻게 일어난 것인지 나는 모른다.

㊕ **~·ly** *ad.* 무식하게; 모르고.

‡**ig·nore** [ignɔ́ːr] *vt.* (의식적으로) …을 무시하다, 묵살하다, 모른체 하다: ~ a person's advice 남의 충고를 무시하다 / How can the government ~ the wishes of the majority? 정부가 어떻게 대다수 국민의 소망을 모른체 할 수 있는가.

igua·na [igwáːnə] *n.* Ⓒ 〔動〕 이구아나《서인도 및 남아메리카의 수림 속에 사는 초식성 큰 도마뱀》.

IGY, I.G.Y. International Geophysical Year. (국제 지구 관측년). **IH** induction heating.

IHS, I.H.S. Jesus 《그리스어의 예수(ΙΗΣΟΥΣ)의 처음의 3자 ΙΗΣ를 로마자(字)화한 것》.

Ike [aik] *n.* 아이크. ① 남자 이름《Isaac 의 애칭》. ② Dwight D. Eisenhower 의 애칭.

ik·ky [íki] *a.* =ICKY.

ikon ⇨ICON.

il- *pref.* =IN-[1,2]의 이형(異形)《l 앞에 씀》: *il*lusion, *il*luminate.

IL Illinois.

-ile *suf.* '…에 관한, …할 수 있는, …에 적합한'의 뜻의 형용사를 만듦: sen*ile,* ag*ile*

ilex [áileks] *n.* Ⓒ 〔植〕 너도밤나뭇과의 일종 (holm oak); 호랑가시나무류.

Il·i·ad [íliəd] *n.* ① (the ~) 일리아드《Troy 전쟁을 읊은 서사시; Homer 작이라고 전해짐》. cf Odyssey. ② Ⓒ 일리아드풍의 서사시. ③ Ⓒ 재해[불행]《*of*》. ***an ~ of woes*** 잇단 불행.

ilk [ilk] *n.* (*sing.*) 가족, 식구; 종류. ***of that ~*** 같은 이름[집안, 지방]의; 같은 종류의: Guthrie *of that* ~ 거드리《지명》 태생의 거드리《가명(家名)》.

†**ill** [il] (***worse*** [wəːrs]; ***worst*** [wəːrst]) *a.* ① 〔敍述的〕 병든; 건강[기분]이 나쁜; 《美》 메스꺼운. OPP well. ¶ He's been seriously ~ for two weeks. 2주 동안 중병을 앓아왔다 / The sight made me ~. 그 광경을 보니 속이 메스꺼웠다. ② 〔限定的〕 (건강이) 좋지 못한, 부실한: be in ~ health 건강치 못하다. ③ 〔限定的〕 나쁜, 부덕한, 사악한; 심사 고약한, 불친절한: ~ deeds 악행 / ~ fame 악평, 오명 / ~ nature 비뚤어진 성질. ④ 〔限定的〕 싫은, 불쾌한; 유해한; 형편이 좋지 않은; 비참한. ⑤ 〔限定的〕 불운의; 불길한; 불행한: an ~ omen 흉조 / *Ill* news runs apace. 《俗談》 악사천리(惡事千里). ⑥ 서투른; 불충분한, 부적당한; 불만족한: The business folded due to ~ management. 그 사업은 서투른 경영 때문에 망했다 / ~ manners 버릇없음. ⑦ 〔限定的〕 적의가 있는, 불친절한.

be taken ~ = fall ~ 병에 걸리다. ***do*** a person

an* ~ *turn 아무를 해치다, 아무에게 불리한 짓을 하다.
— *n.* ① Ⓤ 악, 사악 ; 죄악 ; 불리한 일 : She has done him no ~. 그녀는 그에게 아무런 나쁜 짓을 하지 않았다. ② Ⓒ (종종 *pl.*) 불행, 재난, 곤란, 병고, 병 : a social ~ 사회악 / I wish no one~. 나는 누구의 불행도 원치 않는다. ***for good or*** ~ 좋든 나쁘든, 결과는 차치하고.
— (***worse; worst***) *ad.* ① 나쁘게 : speak ~ of a person 아무를 나쁘게 말하다, 아무의 험담을 하다 / *Ill* got, ~ spent. 《俗談》 부정하게 번 돈은 오래가지 않는다. ② 부적당하게, 서투르게 ; 운 나쁘게. ③ 고약하게, 불친절하게, 언짢게 : treat [use] a person ~ 아무를 학대하다. ④ 불완전하게, 불충분하게, 거의 …없이 (scarcely) : I can ~ afford the expense. 그 비용은 내기가 곤란하다 / ~ equipped[provided] 장비[공급] 불충분으로. ⑤ 운나쁘게, 여의치 않게. OPP well. ***be ~ off*** 살림 [형편]이 어렵다, 여의치 않다. ~ ***at ease*** ⇨ EASE. *n.* ~ ***become*** a person 아무에게 어울리지 않다, 아무답지 않다 : It ~ *becomes* You to complaln. 불평을 늘어 놓다니 자네답지 않다. ***take*** a thing ~ 무엇을 나쁘게 여기다, 화내다.

†I'll [ail] I will, I shall 의 간약형.

Ill. Illinois. **ill.** illumination ; illustrated ; illustration.

ill-ad·vised [-ədváizd] *a.* 분별 없는, 사려없는, 경솔한 : You would be ~ to do that. 그런 짓을 하는 것은 경솔하다. cf. well-advised. ㊕ **-vis·ed·ly** [-zidli] *ad.* 분별없이.

ill-af·fect·ed [-əféktid] *a.* 호감을 갖지 않은, 불만을 가진 《*toward*》.

ill-as·sort·ed [-əsɔ́ːrtid] *a.* 조화되지 않은, 어울리지 않는 : an ~ pair 어울리지 않는 한쌍의 부부.

ill-be·haved [-bihéivd] *a.* 버릇없는 ; 행실이 바르지 못한.

íll blóod = BAD BLOOD.

ill-bred [-bréd] *a.* 버릇없이 자란, 본데없는 (rude) : ~ children 버르장머리 없는 아이들.

íll bréeding 버릇[본데]없음.

ill-con·sid·ered [-kənsídərd] *a.* 분별 없는, 부적당한, 현명치 못한.

ill-de·fined [-difáind] *a.* 분명치 않은, (윤곽이) 뚜렷하지 못한.

ill-dis·posed [-dispóuzd] *a.* 근성이 나쁜 ; 비협조적인, 악의를 품은 《*toward*》.

‡il·le·gal [ilíːgəl] *a.* 불법[위법]의 (unlawful), 비합법적인. OPP *legal.* ¶ an ~ sale 밀매 / an ~ alien 불법 입국자. ㊕ ~**·ly** *ad.*

il·le·gal·i·ty [ìliːgǽləti] *n.* ① Ⓤ 불법, 비합법, 위법. ② Ⓒ 불법 행위, 부정.

il·leg·i·ble [ilédʒəbəl] *a.* 읽기[판독하기] 어려운, 불명료한 : an ~ signature 판독하기 어려운 서명. ㊕ **-bly** *ad.* **il·lèg·i·bíl·i·ty** [-bíləti] *n.* Ⓤ

il·le·git·i·ma·cy [ìlidʒítəməsi] *n.* Ⓤ ① 불법, 위법. ② 사생(私生), 서출(庶出) : He was never worried by the fact of his ~. 그는 자기가 사생아라는 사실 때문에 전혀 고민하지 않았다. ③ 부조리, 불합리.

***il·le·git·i·mate** [ìlidʒítəmit] *a.* ① 불법의, 위법의 : All parties regarded the treaty as ~ and not binding. 모든 정당은 그 조약을 불법이며 구속력이 없는 것으로 여겼다. ② 서출(庶出)의 : an ~ child 사생아. ③ 추론을 그르친, 비논리적인 ; (어구 등) 오용의. ④ (생리학적으로) 이상한. — *n.* Ⓒ 사생아, 서자(bastard). ㊕ ~**·ly** [-mətli] *ad.* ① 불법으로 ; 불합리하게. ② 사생아로서.

ill-e·quipped [ílikwípt] *a.* 준비가 부실한 : school-leavers ~ *for* adult life 성인 생활에 대한 준비가 되어 있지 않은 졸업생들.

ill-famed [-féimd] *a.* 악명 높은, 평판이 나쁜.

ill-fat·ed [-féitid] *a.* 운이 나쁜, 불행한 ; 불행을 가져오는 : The ~ aircraft later crashed into hillside. 그 운이 나쁜 비행기는 나중에 산자락에 추락했다.

ill·fa·vored [ílféivərd] *a.* ① (용모가) 못생긴, 추한. ② 불쾌한.

ill-found·ed [-fáundid] *a.* 정당한 근거[이유]가 없는 : ~ complaints 근거가 없는 불평들.

ill-got·ten [-gátn / -gɔ́t-] *a.* 부정 수단으로 얻은, 부정한 : ~ gains 부당 이득.

ill-hu·mored [-hjúːmərd] *a.* 기분이 언짢은, 찌무룩한. ㊕ ~**·ly** *ad.*

il·lib·er·al [ilíbərəl] *a.* ① 도량이 좁은, 편협한. ② 다라운, 인색한. ③ 교양 없는, 상스러운. OPP *liberal.*
㊕ **il·lib·er·al·i·ty** [ilìbərǽləti] *n.* Ⓤ 인색 ; 협량, 편협 ; 천박, 비열. ~**·ly** *ad.*

***il·lic·it** [ilísit] *a.* 불법의, 부정한 ; 불의의 ; 금제(禁制)의 : an ~ distiller 밀주 양조자 / ~ sex 간통, 밀통 / ~ business dealings 부정한 상(商)거래. ㊕ ~**·ly** *ad.* ~**·ness** *n.*

il·lim·it·a·ble [ilímitəbəl] *a.* 무한한, 광대한, 끝없는 : ~ space 끝없는 우주. ㊕ **-bly** *ad.* 무한히, 끝없이.

***Il·li·nois** [ìlənɔ́i, -nɔ́iz] *n.* 일리노이《미국 중서부의 주(州) ; 주도 Springfield ; 略 : Ill., 〖郵〗 IL ; 속칭 the Prairie State》.
㊕ ~**·an** [-ən] *a., n.* ~주의 (사람).

il·liq·uid [ilíkwid] *a.* (자산이 손쉽게) 현금화할 수 없는 ; 현금 부족의.

il·lit·er·a·cy [ilítərəsi] *n.* Ⓤ 문맹 ; 무학, 무식 : The ~ rate of that country is almost thirty percent. 그 나라의 문맹률은 거의 30%에 이른다.

***il·lit·er·ate** [ilítərit] *a.* ① 무식한, 문맹의 ; 무학의 : an ~ child 문맹아동 / They know nothing and they read nothing—they're completely ~. 그들은 아무 것도 모르며 아무 것도 읽지 못하니 완전히 문맹이다. cf. ignorant. ② (말씨 등이) 관용에서 벗어난.
— *n.* Ⓒ 무식자 ; 문맹자 : She had to teach a class of ~*s.* 그녀는 문맹자반을 가르쳐야 했다.

ill-judged [-dʒʌ́dʒd] *a.* 생각이 깊지 않은, 분별[사려] 없는.

ill-man·nered [-mǽnərd] *a.* 버릇없는, 행실이 바르지 못한 : an ~ child 버릇없는 아이.

***ill-na·tured** [-néitʃərd] *a.* 심술궂은, 비뚤어진 (bad-tempered) ; 찌무룩한, 지르퉁한.
㊕ ~**·ly** *ad.*

‡ill·ness [-nis] *n.* Ⓤ,Ⓒ 병 : have a severe ~ 중병이다 / die of an ~ 병사하다 / He's absent because[on account] of ~. 그는 병이 나서 쉬고 있다 / I've spent a fortune on my various ~*es.* 여러가지 병을 앓아 많은 돈이 들었다.

il·log·i·cal [iládʒikəl / -lɔ́dʒ-] *a.* 비논리적인, 불합리한, 이치가 닿지 않는 : an ~ conclusion 당치 않은 결론 / his ~ request 얼토당토 않은 요구. ★ irrational은 이치에 닿지 않은, 불합리한의 뜻 ; unreasonable은 비이성적인, 몰상식한의 뜻. ㊕ **il·lòg·i·cál·i·ty** [-kǽləti] *n.* Ⓤ,Ⓒ 불합리, 비논리성 ; 불합리한 일. ~**·ly** *ad.*

ill-o·mened [-óumənd] *a.* 재수 없는, 불길한 ; 불운한.

I

ill-starred [-stáːrd] *a.* 운수〔팔자〕가 사나운, 불행〔불운〕한 : ~ lovers 비운의 연인들.

ill-suit·ed [-súːtid] *a.* 어울리지〔맞지〕 않는 : a man by nature ~ *to* be a schoolmaster 본디 교사로는 맞지 않는 사람.

ill-tem·pered [íltémpərd] *a.* 성마른, 까다로운.

ill-timed [íltáimd] *a.* 타이밍이 나쁜, 계제가 나쁜 : an ~ joke 계제가 나쁜 어색한 농담.

ill-treat [íltríːt] *vt.* 〔종종 受動으로〕 …을 냉대〔학대〕하다 : ~ one's dog 개를 못살게 들볶다. ㊀ **~·ment** *n.* Ⓤ 냉대, 학대, 혹사.

il·lu·mi·nant [ilúːmənənt] *a.* 빛을 내는 ; 비추는. ── *n.* Ⓒ 광원(光源), 발광체.

‡il·lu·mi·nate [ilúːmənèit] *vt.* ① …을 조명하다, 밝게 하다, 비추다 ; …에 등불을 밝히다 : This room is poorly ~*d*. 이 방은 조명이 나쁘다 / Spotlights ~*d* the courtyard. 스포트라이트가 안마당을 밝혔다. ② (건물·거리 등)을 조명장치로〔조명등으로〕 장식하다: The streets were ~*d with* Chinese lanterns for the festival. 거리는 축제의 등롱으로 장식되어 있었다. ③ (문제 따위)를 설명〔해명〕하다 : The results of the recent research will ~ the mystery of the creation of the universe. 최근의 조사 결과는 우주 창조의 신비를 해명할 것이다. ④…을 계발(啓發)하다, 계몽하다. ⑤ (사본(寫本) 따위)를 채색·금자(金字)·그림 따위로 장식하다. ⑥…에게 영광〔명성〕을 주다, 광채를 더하다 : Shakespeare ~*d* Elizabethan drama. 셰익스피어는 엘리자베스 시대의 연극에 광채를 더했다.

㊀ **-nàt·ed** [-id] *a.* ① 전등 등을 달아 장식한 ; 조명을 비춘 : an ~ fountain 조명을 받고 있는 분수. ② (사본 등이) 채식(彩飾)된 : an ~ manuscript 금니(金泥)로 장식된 사본.

il·lu·mi·nat·ing [ilúːmənèitiŋ] *a.* ①조명하는, 비추는. ②분명히 하는, 밝히는, 설명적인, 계몽적인 : an ~ remark 계몽적인 말. ㊀ **~·ly** *ad.*

‡il·lu·mi·na·tion [ilùːmənéiʃən] *n.* ① Ⓤ 조명(법) ; 조명도(illuminance). ② Ⓤ 계몽, 계발, 해명. ③ Ⓒ (종종 *pl.*) 전등 장식, 일루미네이션. ④ (흔히 *pl.*) (사본 따위의) 채식(彩飾) (무늬). ㊀ **~·al** *a.*

il·lu·mi·na·tive [ilúːmənèitiv] *a.* ① 밝게 하는 ; 밝히는. ② 계몽적인.

il·lu·mi·na·tor [ilúːmənèitər] *n.* Ⓒ ① 조명하는 사람〔것〕, 조명기, 반사경, 발광체《따위》. ② 계몽가. ③ 사본 채식사(彩飾師).

il·lu·mine [ilúːmin] *vt.* ① …을 비추다, 밝게 하다. ② …을 계몽하다, 계발하다. ③ (마음·얼굴 따위)를 밝게 하다.

illus illustrated, illustration.

ill-us·age [iljúːsidʒ, -júːz-] *n.* Ⓤ 학대, 혹사.

ill-use [iljúːz] *vt.* …을 학대하다, 혹사(酷使)하다 (ill-treat) ; 악용〔남용〕하다(abuse). ── [íljúːs] *n.* Ⓤ 학대, 혹사.

‡il·lu·sion [ilúːʒən] *n.* ① Ⓤ,Ⓒ 환영(幻影), 환각 : Life is only (an) ~. 인생은 허깨비에 지나지 않는다. ② Ⓒ 환상, 망상 ; 착각, (…하다고) 잘못 생각함 : A warm day in winter gives an ~ of spring. 겨울의 따뜻한 날씨가 봄인 것 같은 착각을 일으킨다 / We have no ~*s about* how difficult the job will be. 우리는 그 일이 어려울 것이라는 것을 똑바로 인정하고 있다 / It's an ~ tó think that all wisdom is contained in books. 모든 지혜가 책 속에 있다고 생각하는 것은 착각이다. ③〖心〗 착각 : an optical ~ 착시(錯視). ㊀ **~·al**, **~·ary** [-ʒənəl], [-ʒənèri / -nəri] *a.* 곡두〔환영〕의 ; 환상의, 착각의. **~·ism** [-ʒənìzəm] *n.* Ⓤ ① 환상설, 미망설(迷妄說)《실재는 하나의 환각이라고 제창》. ②〖藝〗 환각법, 눈속임 그림 기법. **~·ist** *n.* Ⓒ ① 미망론자, 환상가. ② 눈속임 그림 화가. ③ 요술쟁이.

il·lu·sive [ilúːsiv] *a.* =ILLUSORY. ㊀ **~·ly** *ad.*

***il·lu·so·ry** [ilúːsəri] *a.* ① 환영의 ; 착각의 ; 사람 눈을 속이는. ② 가공의, 비현실적인. ㊀ **-ri·ly** *ad.* 혼미하게. **-ri·ness** *n.*

illus(t). illustrated ; illustration ; illustrator.

‡il·lus·trate [íləstrèit, ilʌ́streit] *vt.* ①《~+目 / +目+前+名 / +*wh.* 節》 (실례 · 도해 따위로) …을 설명하다, 예증(例證)하다 : The phenomenon is well ~*d* in history. 그 현상은 역사에서 충분히 예증되고 있다 / This diagram ~*s how* the blood circulates through the body. 이 도표는 어떻게 피가 몸속을 돌고 있는가를 설명하고 있다. ② 삽화〔설명도〕를 넣다, 도해(圖解)하다 : The author has ~*d* the book *with* some excellent pictures. 저자는 책에 훌륭한 삽화를 넣었다. ── *vi.* 실례를 들어〔구체적으로〕 설명하다. ◇ illustration *n.*

il·lus·trat·ed [íləstrèitid, ilʌ́streit-] *a.* 삽화가 든, 그림〔사진〕이 든 : an ~ book 삽화가 든 책.

‡il·lus·tra·tion [ìləstréiʃən] *n.* ① Ⓒ 삽화 ; 도해. ② Ⓒ 예해(例解), 실례, 보기, 예증이 되는 것; Ⓤ (실례·그림 등에 의한) 설명, 해설, 예증 : The accident is a good ~ of his carelessness. 그 사고는 그의 부주의에 대한 좋은 실례이다. ◇illustrate *v.* ***by way of*** ~ 실례로서. ***in*** ~ ***of*** …의 예증으로서.

***il·lus·tra·tive** [íləstrèitiv, ilʌ́strə-] *a.* 실례가 되는, 예증이 되는 ; (…을) 설명하는, 예증하는《*of*》: an ~ sentence 예문 / These episodes are ~ *of* his character. 이들 에피소드는 그의 성격을 잘 설명하고 있다. ㊀ **~·ly** *ad.*

***il·lus·tra·tor** [íləstrèitər, ilʌ́s-] *n.* Ⓒ 삽화가 ; 도해(圖解)자, 설명자, 예증하는 사람.

***il·lus·tri·ous** [ilʌ́striəs] *a.* ① 뛰어난, 이름난, 저명한 : an ~ scientist 저명한 과학자. ② (행위 따위가) 빛나는, 화려한《공적 등》. ㊀ **~·ly** *ad.* **~·ness** *n.* 저명 ; 탁월.

íll wíll 악의, 나쁜 감정 : bear a person ~ = feel ~ for a person 아무에게 악의를 품다. OPP *good will.*

ill-wish·er [ílwíʃər] *n.* Ⓒ 남이 못되기를 바라는 사람.

ILO, I.L.O. International Labor Organization(국제 노동 기구). **ILS** 〖空〗 instrument landing system(계기 착륙 방식).

I'm [aim] I am 의 간약형.

im- *pref.* =IN-[1,2] 《b, m, p 의 앞에 쓰임》: *im*bibe ; *im*moral ; *im*possible.

I.M. Isle of Man《Irish Sea 에 있는 섬》.

‡im·age [ímidʒ] *n.* Ⓒ ① (시각 · 거울 따위에 비친) 상(像), 모습, 모양, 꼴 : He began to dress, never taking his eyes off his ~ in the mirror. 그는 거울에 비친 제 모습에서 눈을 떼지 않고, 옷을 입기 시작했다 / I have this ~ of you as always being cheerful. 나는 항상 쾌활했던 너의 모습을 기억하고 있다 / The company is trying to improve its poor ~. 회사는 자체의 좋지 못한 이미지를 개선하려고 애쓰고 있다 / She photographed ~*s* of all the poorest parts of New York. 그녀는 뉴욕의 좋지 못한 모든 곳의 모습을 사진 찍었다 / God created man in his own ~. 하느님은 자신의 모습대로 사람을 만드셨다. ② 화상(畫像), 초상 ; 조상(彫像), 성상(聖像), 우상 : a marble ~ of the Virgin Mary 성모 마리아 대리석 성상 / worship ~*s* 우상을 숭배하다. ③ 꼭 닮음, 꼭 닮은〔빼쏜〕 사람, 아주 비슷한 것 : Jane's son was the ~ of his father. 제인의 아들은 제 아

버지를 빼쏘았다. ④ (심중의) 영상(映像), 잔상(殘像); 심상(心像), 표상, 관념: The ~ of my father is still fresh in my mind. 아버지 모습이 아직도 내 마음속에 생생하다. ⑤〖光〗(거울·망막상의) 영상(映像). ⑥ 사실적 묘사, 표현; 말의 비유적 표현《특히 직유·은유 등》: speak in ~*s* 비유로 말하다 / a vivid ~ of prison life 옥중 생활의 생생한 묘사. ⑦ 상징, 전형, 화신(type): He's the ~ *of* the successful businessperson. 그는 성공한 사업가의 전형이다. ⑧ (대중이 품고 있는) 이미지, 관념: She has a good〔bad〕~. 그녀는 세상의 평판이 좋다〔나쁘다〕. ⑨〖컴〗영상, 이미지《어떤 정보가 다른 정보 매체에 그대로 기억되어 있는 것》.

— *vt.* ① …의 상을 만들다〔그리다〕: ~ a saint in bronze 청동으로 성인의 상을 만들다. ②《+목+전+명》…의 영상을 비추다: ~ a film *on* a screen 필름을 스크린에 비추다. ③《+목+전+명》…을 살아 있는 것같이〔생생하게〕묘사하다: The hero is finely ~*d in* the poem. 그 시에 영웅의 모습이 생생하게 묘사되어 있다. ④ …을 상상하다. ⑤ …을 상징하다.

im·age-mak·ing [-mèikiŋ] *n., a.* 이미지 형성(의).

ímage procèssing〖컴〗영상(影像) (정보) 처리.

ímage pròcessor〖컴〗영상 처리 장치.

ím·age-rec·og·ní·tion compùter [-rèkəgníʃən-]〖컴〗도형 인식 컴퓨터.

im·age·ry [ímidʒəri] *n.* Ⓤ〔集合的〕마음에 그리는 상, 심상;〖文〗비유적 표현, 형상, 이미지.

ímage scànner 화상 스캐너《그림이나 글자의 화상적 특징을 광학적으로 해독해서 디지털 신호로 바꾸는 장치》.

‡**imag·in·a·ble** [imǽdʒənəbəl] *a.* 상상할 수 있는; 상상할 수 있는 한의《★ 강조하기 위하여 최상급 형용사 또는 all, every, no 따위와 함께 쓰임》: try *every* means ~ 가능한 모든 방법을 다하다 / the *best* thing ~ 상상할 수 있는 최상의 것 / meet with the great*est* difficulty ~ 상상도 할 수 없는 큰 곤란을 당하다. ㊞ **-bly** *ad.* 상상할 수 있게, 당연히. **~·ness** *n.*

‡**imag·i·na·ry** [imǽdʒənèri / -nəri] (***more*** ~; ***most*** ~) *a.* ① 상상의, 가상의: an ~ enemy 가상의 적. ②〖數〗허(수)(虛(數))의. opp. *real.* ¶ an ~ number 허수. ◇ imagine *v.* ㊞ **-ri·ly** *ad.* 상상으로.

†**imag·i·na·tion** [imæ̀dʒənéiʃən] *n.* U,C ① 상상(력); 창작력, 구상력(構想力): beyond all ~ 상상을 초월한 / He couldn't by any stretch of the ~ be called a handsome man. 아무리 상상력을 구사한다 해도 그를 미남자라고 부를 수는 없다. ② (종종 one's ~) 상상〔공상〕의 산물, 심상; 공상, 망상: Her illness is a product of *her* ~. 그녀의 병은 마음의 병이다《스스로 병이라고 생각하고 있을 뿐 아무데도 아프지 않다》. ◇ imagine *v.*

*__imag·i·na·tive__ [imǽdʒənətiv, -nèitiv] *a.* ① 상상의, 상상적인, 가공의: an ~ story 상상으로 지어낸 이야기 / ~ products 상상의 소산. ② 상상력〔창작력, 구상력〕이 풍부한, 기량이 무궁무진한; 상상력으로 생긴《문학 등》; 상상을 좋아하는: an ~ designer 상상력이 풍부한 디자이너. ◇ imagine *v.* ㊞ **~·ly** *ad.*

†**imag·ine** [imǽdʒin] *vt.* ①《~+목 / +(*that*) 절 / +-*ing* / +목+(*to be*) 보 / 목+*as* 보》…을 상상하다(conceive), 마음에 그리다; 가정하다: When I ~ see*ing* him again I feel so happy. 그를 다시 만난다고 상상하니 퍽 기쁘다 / Can you ~ their do*ing* such a thing? 당신은 그들이 그런 짓을 하는 것을 상상할 수 있습니까 / *Imagine* yourself (*to be*) on the top of Mt. Everest. 에베레스트 산 정상에 있다고 가정해 봐. ②《+*wh.* 절 / +(*that*) 절》추측하다, 짐작하다(guess), 생각하다(suppose): I cannot ~ *who* the man is. 그 사람이 누구인지 짐작이 안 간다 / I ~ I have met you before. 만나뵌 적이 있는 것 같은데요 / I ~ (*that*) Kangnung must be a wonderful place to live. 강릉은 틀림없이 살기에 굉장히 좋은 곳으로 생각하고 있다. ③〔插入句的으로〕…라고 생각하다: He'll come back, I ~. 그는 돌아오리라 생각한다.

— *vi.* 상상하다《*of*》. ◇ imagination *n.* imaginative, imaginary *a.* ***Just*** **~*!*** 생각 좀 해봐(우습지 않은가). ㊞ **imág·in·er** *n.*

im·ag·ism [ímədʒìzəm] *n.* Ⓤ (때로 I-) 이미지즘《1912 년경에 일어난 시의 풍조; 운율에 중요성을 두어 적확한 영상으로 표현의 명확을 꾀함》. ㊞ **-ist** *n.* 이미지스트《이미지즘을 좇는 시인》. **ìm·ag·ís·tic** *a.* **-ti·cal·ly** *ad.*

ima·go [iméigou] (*pl.* ***~es, ~s, ima·gi·nes*** [-dʒinìːz]) *n.* Ⓒ ①〖動〗(나비 따위의) 성충(成蟲). ②〖精神醫〗심상《어릴 적의 사랑의 대상이 이상화된 것》.

imam [imáːm] *n.* Ⓒ (종종 I-) 이맘《(1) 모스크에서의 집단 예배의 지도자. (2) 이슬람교 사회에서의 지도자, 칼리프. (3) 이슬람교의 학식이 풍부한 학자의 존칭. (4) 시아파(Shi'a)의 최고 지도자》. ㊞ **~·ship** *n.*

im·bal·ance [imbǽləns] *n.* U,C 불균형, 불안정, 언밸런스《★ unbalance 는 주로 정신적 불안정의 뜻. 일반적으로 imbalance 를 씀》: a serious ~ between our import and export trade 우리나라의 수출입 무역간의 심각한 불균형.

im·bal·anced [imbǽlənst] *a.* 균형이 잡히지 않는, 《특히》(종교적·인종적으로) 인구 비율의 불균형이 현저한.

im·be·cile [ímbəsil, -sàil / -sìːl] *a.* 저능한, 우둔한, 천치의(stupid).

— *n.* Ⓒ 저능자; 바보, 천치.

㊞ **~·ly** *ad.* 어리석게. **ìm·be·cíl·ic** [-síl-] *a.*

im·be·cil·i·ty [ìmbəsíləti] *n.* ① Ⓤ 저능, 우둔. ② Ⓒ 바보 같은 언동.

im·bed [imbéd] (***-dd-***) *vt.* =EMBED.

im·bibe [imbáib] *vt.* ① (술 등)을 마시다; (공기·연기 등)을 빨아들이다, 흡입하다. ② (습기·수분 등)을 흡수하다; (양분 등)을 섭취하다. ③ (사상 등)을 받아들이다, 동화하다: ~ new idea 새로운 사상을 받아들이다. — *vi.* 술을 마시다, 수분〔기체, 빛, 열 등〕을 흡수하다.

im·bro·glio, em- [imbróuljou], [em-] (*pl.* ***~s***) *n.* Ⓒ 《It.》① (일의) 뒤얽힘; 분규. ② (극·소설 등의) 복잡한 줄거리.

im·brue, em- [imbrúː], [em-] *vt.* (손·칼)을 (피 따위로) 더럽히다, 물들이다《*with*; *in*》: ~ one's sword *with*〔*in*〕blood 칼을 피로 물들이다.

im·bue, em- [imbjúː], [em-] *vt.* 《+목+전+명》① …을 불어넣다《*with*》《★ 때때로 受動으로》: a mind ~*d with* liberalism 자유주의로 물든 정신. ② 스며들게 하다; 물들이다《*with*》: clothes ~*d with* black 검게 물든 옷.

I.M.F. International Monetary Fund(국제 통화 기금).

IMIS〖컴〗integrated management information system(집중〔종합〕경영 정보 시스템).

im·i·ta·ble [ímitəbəl] *a.* 모방할 수 있는. ㊞ **ìm·i·ta·bíl·i·ty** [-bíləti] *n.*

‡**im·i·tate** [ímitèit] *vt.* ① …을 모방하다, 흉내내다; 따르다, 본받다: ~ a bird's cry with the

I

lips 휘파람으로 새 소리를 흉내내다 / A parrot can ~ human speech. 앵무새는 사람의 말을 흉내낼 수 있다 / He ~*s* the way his grandmother speaks. 그는 자기 할머니의 말투를 흉내내고 있다. ② 모조〔위조〕하다 : This synthetic fabric ~*s* silk so well. 이 합성 섬유 직물은 명주와 꼭같다.

‡im·i·ta·tion [ìmitéiʃən] *n.* ① Ⓤ 모방, 흉내 ; 모조, 모사(模寫) ; 모의 : learn by ~ 모방을 통해 배우다 / She can do a wonderful ~ of a blackbird's song. 그녀는 지빠귀의 지저귀는 소리를 훌륭히 흉내낼 수 있다. ② Ⓒ 모조품 ; 가짜 : a clever ~ of a picture by Rembrandt 렘브란트 그림의 교묘한 모조품. ― *a.* 〔限定的〕 모조의, 인조의 : ~ pearls 모조 진주 / an ~ flower 조화. ***give an ~ of*** …의 흉내를 내다, …을 흉내내어 보이다 : "Come here, my dear." she said, *giving a reasonable ~ of* Isabel Travers. "여보 이리와요"라고 그녀는 이자벨 트래버스를 그럴듯하게 흉내내면서 말했다. ***in ~ of*** … 을 흉내내어, …을 모방하여.

im·i·ta·tive [ímətèitiv, -tətiv] *a.* 모방의, 모방적인, (…을) 흉내낸《*of*》; 모조의, 가짜의 ; 〖言〗 의성(擬聲)의 : ~ arts 모방 예술《그림이나 조각 따위》/ ~ words 의성어. ㊞ **~·ly** *ad.* **~·ness** *n.*

im·i·ta·tor [ímitèitər] *n.* Ⓒ 모방자, 모조자.

im·mac·u·la·cy [imǽkjələsi] *n.* Ⓤ 오점〔흠, 결점, 과실〕이 없음, 순결, 무구(無垢), 결백.

***im·mac·u·late** [imǽkjəlit] *a.* 더럼 안 탄, 오점 없는 ; 청순한, 순결한 : an ~ white shirt 순백의 셔츠 / an ~ writing style 완벽한 문체. ㊞ **~·ly** *ad.* **~·ness** *n.*

Immáculate Concéption (the ~) 〖가톨릭〗 (성모 마리아의) 원죄 없는 잉태.

im·ma·nence, -nen·cy [ímənəns], [-si] *n.* Ⓤ 내재(성) ; 〖神學〗 (신의) 우주 내재론. opp. *transcendence.*

im·ma·nent [ímənənt] *a.* ① 내재(內在)하는, 내재적인 (inherent)《*in*》. ② 〖哲〗 주관적인. ③ 〖神學〗 우주 내재의, 어디나 계시는.

Im·man·u·el [imǽnjuəl] *n.* ① 임마누엘《남자 이름》. ② 〖聖〗 구세주, 그리스도.

im·ma·te·ri·al [ìmətíəriəl] *a.* ① 중요하지 않은, 하찮은, 대수롭지 않은, 미미한 : It's ~ (to me) whether you like it or not. 네가 그것을 좋아하든 싫어하든(내겐) 중요하지 않다. opp. *material.* ② 실체 없는, 비물질적인, 무형의 ; 정신상의, 영적인 (spiritual).

im·ma·te·ri·al·i·ty [ìmətìəriǽləti] *n.* ① Ⓤ 비물질성, 비실체성 ; 비중요성. ② Ⓒ 비물질적인 것, 실체 없는 것.

***im·ma·ture** [ìmətjúər] *a.* ① 미숙한, 생경(生硬)한 (crude) ; 미성년의, 미완성의 ; 어른답지 않은 : ~ fruit 익지 않은 과일 / an ~ understanding of life 인생에 대한 유치한 이해. ② 〖地〗 침식이 초기인, 유년기의. ㊞ **~·ly** *ad.*

im·ma·tu·ri·ty [ìmətjú(:)rəti] *n.* Ⓤ 미숙(상태), 미완성.

***im·meas·ur·a·ble** [iméʒərəbəl] *a.* 헤아릴〔측정할〕 수 없는 ; 광대 무변의, 끝없는 (limitless) ; 광대한 (vast) : the ~ space of the universe 광대무변의 우주 공간 / His films had an ~ effect on the younger generations of Americans. 그의 영화는 미국의 젊은 세대에게 헤아릴 수 없는 영향을 끼쳤다. ㊞ **-bly** *ad.*

im·me·di·a·cy [imí:diəsi] *n.* Ⓤ 직접(성) ; 즉시(성) ; 〖哲〗 직접성.

‡im·me·di·ate [imí:diit] *a.* 〔限定的〕 ① 〔공간적〕 바로 이웃의, 인접한 (next, nearest) : an ~ neighbor 바로 이웃 사람. ② 〔시간적〕 곧 일어나는, 즉석의, 즉시의 (instant) ; 가까운, 머지않은 : ~ delivery 즉시 배달 / ~ payment 즉시불 / an ~ reply 즉답 / We need to take ~ action. 즉시 실행해야 한다 / What will you do in the ~ future? 가까운 장래에 무엇을 하겠는가 / We require ~ notice of a change of address. 주소 변경은 즉시 통지 요망. ③ 〔관계〕 직접의〔으로 얻은〕, 거리를 두지 않은 : She lives with her ~ family—husband, two children and her parents. 그녀는 남편, 두 아이들, 그리고 그녀의 부모 등 직계 가족과 함께 살고 있다 / The ~ cause of the accident was engine failure. 사고의 직접적인 원인은 엔진 고장이었다. ④ 당면한, 목하의 : We have no ~ plans. 우리는 당면한 계획이 없다. ㊞ **~·ness** *n.* 직접, 직접적인 접촉 ; 당돌.

immédiate constítuent 〖文法〗 직접 구성 (요)소《略 : IC》《★ 예컨대, I ate my dinner. 에서 먼저 I 와 ate my dinner 로, 다음에는 ate my dinner 는 ate 와 my dinner 로 나누어 각각 직접 구성 요소로 분석된다》.

‡im·me·di·ate·ly [imí:diitli] *ad.* ① 곧, 바로 (at once), 즉시. ② 바로 가까이에 : She sat in the seat ~ in front of me. 그녀는 내 바로 앞자리에 앉았다. ③ 직접(으로) : be ~ responsible to … 에 대해 직접 책임을 지다.
― *conj.* …하자마자 (as soon as) : *Immediately* he got home, he went to bed. 귀가하자 곧 잠자리에 들었다 / Call me ~ (*that*) there's an emergency. 급한 일이 있으면 곧 전화 주세요.

im·med·i·ca·ble [imédikəbəl] *a.* 낫지 않는, 불치의 ; 돌이킬 수 없는 ; 교정할 수 없는《악폐 따위》. cf. incurable.

im·me·mo·ri·al** [ìmimɔ́:riəl] *a.* (기억·기록에 없는) 먼 옛적의, 태고의, 아주 오랜 : an ~ custom 먼 옛날부터의 관습. ***from 〔***since***〕 ***time ~*** 아득한 옛날부터.

‡im·mense [iméns] (*more ~, im·mens·er ; most ~, im·mens·est*) *a.* ① 막대한 (enormous, vast), 무한한, 헤아릴 수 없는 ; 광대한, 끝없는 ; 거대한 : an ~ amount of money 막대한 액수의 돈. ② 《口》 멋진, 훌륭한 : The show was ~. 그 쇼는 훌륭했다 / He has an ~ grasp of nuclear physics. 그는 원자 물리학을 아주 잘 알고 있다. ㊞ ***~·ly** *ad.* 무한히, 막대하게 ; 《口》 매우, 굉장히 : He's ~*ly* popular with his fellow workers. 그는 동료에게 매우 인기가 있다.

im·men·si·ty [iménsəti] *n.* Ⓤ 광대 ; 무한(한 공간) ; (*pl.*) 막대한 것〔양〕 : There was nothing but an ~ of sea and sky. 끝없는 바다와 하늘만이 있었다.

im·merse** [imə́:rs] *vt.* ① …을 담그다 ; 잠그다, 가라앉히다《*in*》: ~ the cloth *in* the boiling dye 끓는 물감에 천을 담그다. ② 〖教會〗 …에게 침례를 베풀다. ③ 〔흔히 受動으로 또는 再歸的〕 …을 빠져들게 하다, 몰두시키다《*in*》. ***be ~d in = ~ one***self in*** … (일·생각·쾌락 따위)에 깊이 빠져들다 ; …에 몰두〔열중〕하다 : *be ~d in* politics and history 정치학과 역사학에 몰두하다 / She ~*d herself* totally *in* her work. 그녀는 완전히 자기일에 몰두하고 있었다. ㊞ **-mersed** *a.*

im·mer·sion [imə́:rʃən, -ʒən] *n.* ① Ⓤ 잠금. ② Ⓤ,Ⓒ 〖教會〗 침례. ③ Ⓤ 열중, 몰두.

immérsion hèater 물 끓이는 투입식 전열기 《코드 끝에 있는 방수 발열체를 직접 물에 담금》.

***im·mi·grant** [ímigrənt] *a.* 〔限定的〕 (타국에서) 이주하는, 내주하는 ; 이민자의 (opp. *emigrant*).
― *n.* Ⓒ ① (타국에서의) 이주자, 이민 : New

York has a huge number of ~*s.* 뉴욕에는 굉장히 많은 이민들이 있다 / illegal ~*s* 불법 이민들. ② 귀화 식물〔동물〕.

***im·mi·grate** [ímәgrèit] *vi.* (타국·타지역에서) 이주하다《*into, to ; from*》. ── *vt.* …을 이주시키다.

***im·mi·gra·tion** [ìmәgréiʃәn] *n.* ① [U,C] (입국) 이주, 이입, 입식 : restrictions on ~ 이주에 관한 규제〔제한〕. ② [U] (공항·항구 등에서의) (출)입국 관리, 입국 심사 : pass〔go〕 through ~ 입국 관리소를 통과하다. ③ [C] (일정 기간내의) 이민(수). [파] ~·al *a.*

Immigrátion contròl = IMMIGRATION ②.

im·mi·nence [ímәnәns] *n.* ① [U] 급박, 긴박(성). ② [C] 절박한 위험.

im·mi·nen·cy [ímәnәnsi] *n.* [U] 절박, 긴급, 위급(imminence).

***im·mi·nent** [ímәnәnt] *a.* 절박한, 급박한, 긴급한(impending) : The regime is in ~ danger of collapse. 그 정권은 붕괴 직전의 위험에 처해 있다 / They warned that an attack is ~. 그들은 공격이 목전에 닥쳐왔다고 경고했다. [파] ~·ly *ad.*

im·mo·bile [imóubәl, -bi:l] *a.* 움직일 수 없는, 고정된 ; 움직이지〔변하지〕 않는 : She sat ~, wondering what to do next. 그녀는 다음에 무엇을 할까 생각하면서 꼼짝 안 하고 앉아 있었다. [파] **im·mo·bil·i·ty** [ìmoubílәti] *n.*

im·mo·bi·lize [imóubәlàiz] *vt.* ① …을 움직이지 않게 하다, 고정하다 : The firm has been ~*d* by a series of strikes. 그 회사는 일련의 파업으로 인해 운영이 정지됐다. ② (화폐)의 유통을 막다 ; (유동 자본)을 고정 자본화하다. ③ (깁스·부목 따위로 환부)를 고정시키다. [파] **-mó·bi·lìz·er** *n.* **im·mòbi·li·zá·tion** [-lizéiʃәn] *n.*

im·mod·er·ate [imádәrit / imɔ́d-] *a.* 무절제한, 절도 없는 ; 중용을 잃은, 과도한, 엄청난(extreme) : ~ drinking 무절제한 음주 / make ~ demands 과도한 요구를 하다. [파] ~·ly *ad.* ~·ness *n.* **im·mod·er·a·cy** [imádәrәsi / imɔ́d-] *n.*

im·mod·est [imádist / imɔ́d-] *a.* 조심성 없는, 무례한 ; 거리낌 없는, 건방진, 상스러운 ; 음란한. [opp] *modest.* [파] ~·ly *ad.* 조심성 없이 ; 거리낌 없이. **im·mód·es·ty** *n.* [U] 불근신, 음란한 행위 ; 거리낌 없음 ; [C] 조심성 없는 것〔말〕.

im·mo·late [ímәlèit] *vt.* …을 신에게 바치기 위해 죽이다 ; (…의) 희생으로 바치다(sacrifice) 《*to*》 : ~ oneself for one's family's sake 가족을 위해 자신을 희생하다. [파] **im·mo·lá·tion** [-ʃәn] *n.* [U,C] 산 제물을 바침 ; 산 제물, 희생. **ím·mo·là·tor** [-әr] *n.* [C] 산 제물을 바치는 사람.

***im·mor·al** [imɔ́(:)rәl, imár-] *a.* 부도덕한 ; 행실 나쁜 ; 음란한, 외설적인 : an ~ woman 품행이 단정치 못한 여자 / Some people still think it is ~ to have sex before marriage. 사람들 중에는 여전히 혼전 성교가 부도덕하다고 생각하는 사람도 있다. [파] ~·ly *ad.*

im·mo·ral·i·ty [ìmәrǽlәti] *n.* ① [U] 부도덕, 패덕 ; 품행이 나쁨 ; 음란, 외설. ② [C] (흔히 *pl.*) 부도덕 행위, 추행, 난행, 풍기 문란.

‡**im·mor·tal** [imɔ́:rtl] *a.* ① 죽지 않는(undying) : No one is ~. 사람은 모두 죽는다 / The soul is ~ 영혼은 불멸이다. ② 불후(不朽)의, 영원한. ── *n.* ① [C] 불사신. ② [C] 불후의 명성을 가진 사람《특히 작가·시인》: She is one of the ~*s* among classical opera singers. 그녀는 불후의 명성을 가진 고전 오페라 가수 중의 한 사람이다. ③ (*pl.* 종종 I-s) 신화의 신들. [파] ~·ly *ad.* ① 영원히. ② 무한히, 매우.

***im·mor·tal·i·ty** [ìmɔ:rtǽlәti] *n.* [U] 불사, 불멸, 불후 ; 무궁 ; 불후의 명성.

im·mor·tal·ize [imɔ́:rtәlàiz] *vt.* …을 불멸〔불후〕하게 하다 ; …에게 영원성〔불후의 명성〕을 주다 : the church ~*d* in Gray's "Elegy in a Country Churchyard." 그레이의 '묘반(墓畔)의 애가'로 불후의 명물이 된 교회.

***im·mov·a·ble** [imú:vәbәl] *a.* ① 움직이지 않는, 고정된 : The rock weighed over a ton and was completely ~. 바위의 무게는 1톤이 넘었고 전혀 움직이지 않았다 / an ~ chair 고정 의자. ② 확고한, 흔들리지 않는 ; 냉정한 : an ~ heart 냉정한 마음 / an ~ expression 딱딱하게 굳은 표정 / He seems to be ~ on this point. 이 점에서는 그의 결심이 확고한 것 같다. ③ (축일·기념일 등이) 매년 한 날짜로 고정된 : an ~ feast 고정 축일《크리스마스 따위》. ④ 부동산의. ── *n.* (흔히 *pl.*) 〖法〗 부동산(=∠ **próperty**). [파] **-bly** *ad.* 냉정하게 ; 확고하게. **~·ness** *n.* **im·mòv·a·bíl·i·ty** [-bílәti] *n.*

im·mune [imjú:n] *a.* ① 면역의, 면역된, 면역성의《*from ; against ; to*》: an ~ body 면역체, 항체 / be ~ *to*〔*from*〕 smallpox 천연두에 대해 면역성이 있다. ② (과세·공격 등에서) 면제된 ; (…을) 받을 염려가 없는 ; 영향을 받지 않는 : be ~ *from* arrest 체포될 염려가 없다 / He was ~ *to* all pursuation. 그는 아무리 설득해도 끄떡도 하지 않았다. ── *n.* [C] 면역자 ; 면제자.

***im·mu·ni·ty** [imjú:nәti] *n.* [U] ① (책임·의무의) 면제《*from*》: ~ *from* taxation 과세 면제. ② 면역(성), 면역질《*from*》. ③ 특전.

im·mun·ize [ímjәnàiz] *vt.* …을 면역이 되게 하다, 면역성을 주다《*against*》: Vaccination ~*s* people *against* smallpox. 종두는 천연두에 대해 면역이 되게 한다. [파] **ìm·mu·ni·zá·tion** [-nizéiʃәn] *n.* [U] (병에 대해) 면역이 되게 하는 일.

im·mu·no·de·fi·cien·cy [ìmjәnoudifíʃәnsi, imjú:-] *n.* [U] 〖醫〗 면역 부전(免疫不全)《면역 기구에 결함이 생긴 상태》. [cf] AIDS. [파] **-de·fí·cient** *a.*

im·mu·nol·o·gy [ìmjәnálәdʒi / -nɔ́l-] *n.* [U] 면역학(免疫學)《略 : immunol.》. [파] **-gist** *n.* 면역학자. **ìm·mu·no·lóg·ic, -i·cal** *a.*

im·mu·no·re·ac·tion [-riǽkʃәn] *n.* [U] 면역 반응.

im·mu·no·sup·pres·sion [ìmjәnousәpréʃәn, imjù-] *n.* [U] 면역 억제.

im·mu·no·sup·pres·sive [-sәprésiv] *a., n.* [U,C] 거부 반응 억제의(약) ; 면역 억제제(= **ìm·mu·no·sup·prés·sor**).

im·mure [imjúәr] *vt.* …을 감금하다, 유폐하다, 가두다(imprison)《*in*》. ~ one***self in*** …에 틀어박히다, 죽치다. [파] ~·**ment** *n.* [U] 감금, 유폐 ; 죽침.

im·mu·ta·ble [imjú:tәbәl] *a.* 변경할 수 없는, 불변의, 변치〔바뀌지〕 않는 : ~ laws 불변의 법칙 / an ~ decision 변치 않은 결심. [파] **-bly** *ad.* ~·**ness** *n.* **im·mù·ta·bíl·i·ty** [-bílәti] *n.*

***imp** [imp] *n.* [C] ① 꼬마 도깨비. ② 개구쟁이.

imp. imperative ; imperfect ; imperial ; impersonal ; import ; imported ; importer ; imprimatur.

***im·pact** [ímpækt] *n.* ① [U] 충돌(collision) ; 충격, 쇼크 : The bullet explodes *on* ~. 탄알은 어떤 물체에 부딪치는 순간에 폭발한다 / the ~ of sound *on* the ear 소리가 고막을 울림. ② [C] (흔히 *sing.*) 영향(력), 효과 ; 감화《*on*》: The anti-

I

smoking campaign had had 〔made〕 quite an ~ *on* young people. 금연 운동은 젊은 사람들에게 상당한 영향을 끼쳤다 / The disintegration of the USSR has made〔had〕 a great ~ *on* the world. 소련의 붕괴는 세계에 커다란 영향을 끼쳤다.
—[-ˊ] *vt.* ① …에 박아넣다, 꽉 채우다《*in* ; *into*》: The bullet was ~*ed in* the wall. 탄환은 벽에 박혔다. ② 강력한 영향을 주다 : The ad campaign has ~*ed* sales favorably. 그 선전 활동은 매상에 좋은 영향을 끼쳤다.
— *vi.* ① 강한 충격을 주다. ② 영향을 끼치다《*on* ; *against*》: The embargo ~*ed on* export revenues. 금수(禁輸)조치는 수출 수입에 큰 영향을 끼쳤다.

im·pact·ed [impǽktid] *a.* (쐐기처럼) 꼭 박힌 ; 꽉〔빽빽하게〕 찬, 빈틈이 없는 ; 〖齒〗 (새 이가 턱뼈 속에) 매복(埋伏)한 ; 《美》 인구가 조밀한 : a foreign body ~ in the larynx 목구멍에 걸린 이물질 / an ~ tooth 매복치(齒) / an ~ curriculum 과밀 교과 과정 / an ~ area 인구 급증 지구.

*__im·pair__ [impέər] *vt.* (건강·장점·가치 따위)를 해치다, 손상하다, 감하다 : Drinking ~*ed* his health. 음주로 그는 건강을 해쳤다 / Lack of sleep had ~*ed* her concentration. 수면 부족으로 그녀의 집중력은 떨어졌다. ㊞ **~·ment** *n.* Ⓤ 손상, 해침 ; 감손 ; 〖醫〗 결함, 장애.

im·pa·la [impǽlə, impáːlə] (*pl.* ~, ~**s**) *n.* Ⓒ 임팔라《아프리카산 영양의 일종》.

im·pale [impéil] *vt.* (뾰족한 것으로) …을 찌르다, 꿰찌르다《*on*》: The butterflies were ~*d on* pins. 나비는 핀으로 꽂혀 있었다.
㊞ **~·ment** *n.*

im·pal·pa·ble [impǽlpəbəl] *a.* ① 만져도 모르는 ; 감지할 수 없는 ; 실체가 없는, 무형의 : ~ shadows 실체없는 그림자. ② 쉽게 이해되지 않는, 이해하기 어려운 ; 영묘한 : the ~ power of faith 신앙의 영묘한 힘.
㊞ **-bly** *ad.* **im·pàl·pa·bíl·i·ty** [-bíləti] *n.*

im·pan·el [impǽnəl] (**-l-**, 《英》 **-ll-**) *vt.* 〖法〗 …의 이름을 배심(陪審) 명부에 올리다 ; (배심원)을 명부에서 선택하다.

*__im·part__ [impáːrt] *vt.* 《+목+전+명》 ① …을 나누어 주다, 주다(give)《*to*》; 첨가하다 : He ~*ed* his fortune *to* the needy. 그는 자기 재산을 가난한 사람에게 나누어 주었다 / The new curtains ~*ed* an air of luxury *to* her room. 새 커튼이 그녀의 방에 호사로운 감을 주었다. ② (지식·비밀 따위)를 전하다(communicate), 알리다(tell)《*to*》: ~ news *to* a person 아무에게 소식을 전하다 / Teachers ~ a great deal of knowledge *to* their pupils. 교사는 학생들에게 많은 지식을 전달한다.

*__im·par·tial__ [impáːrʃəl] *a.* 공평한, 편견 없는, 편벽되지 않은 : *Impartial* news coverage is quite hard to find. 공평한 뉴스 보도는 정말 찾아보기 힘들다. opp. *partial.* ㊞ **~·ly** *ad.* **im·par·ti·al·i·ty** [impɑ̀ːrʃiǽləti / ímpɑ̀ːr-] *n.* Ⓤ 공평, 공명정대, 불편부당(不偏不黨).

im·pass·a·ble [impǽsəbəl, -páːs-] *a.* ① 통행할 수 없는, 지나갈〔통과할〕 수 없는. ② 넘지 못할, 극복할 수 없는 : ~ difficulties 이러지도 저러지도 못할 어려움. ㊞ **-bly** *ad.* 지나갈〔통행할〕 수 없게. **~·ness** *n.* **im·pass·a·bil·ity** [impæ̀səbíləti, -pɑ̀ːsə-] *n.*

im·passe [ímpæs, -ˊ] *n.* Ⓒ (흔히 *sing.*) 《F.》 막다름 ; 막다른 골목(blind alley) ; 난국, 곤경(deadlock).

im·pas·sion [impǽʃən] *vt.* …을 깊이 감동〔감격〕케 하다. ㊞ **~ed** *a.* 정열적인, 열렬한, 감동이 넘친 : an ~*ed* speech 열변 / make an ~*ed* defense of one's views 자기 견해를 열렬히 변호하다.

im·pas·sive [impǽsiv] *a.* 감정이 없는, 무감동의, 무표정한, 냉정한 ; 고통을 느끼지 않는, 무감각한 : The girl student remained ~ throughout the interview. 그 여학생은 면접 동안 내내 반응없는 태도를 견지했다. ㊞ **~·ly** *ad.* 태연히 ; 무감각하게. **~·ness** *n.* **ìm·pas·sív·i·ty** [-sívəti] *n.*

*__im·pa·tience__ [impéiʃəns] *n.* Ⓤ ① 성마름 ; 성급함, 참을성 없음, 조급함 ; 초조 : wait *with* ~ (이제나저제나 하고) 초조히 기다리다. *Impatience at* delay is one of his traits. 늦어지는 것을 참지 못하는 것이 그의 특성의 하나이다. ② (하고 싶은) 안타까움, 안달《*to* do ; *for*》: one's ~ *for* fame 명성에 대한 초조한 갈망 / My ~ *to* take a vacation increased daily. 휴가를 얻고 싶어 안달하는 마음이 나날이 깊어갔다. 「초본(草本).

im·pa·tiens [impéiʃənz] *n.* Ⓒ 〖植〗 봉선화속의

‡**im·pa·tient** [impéiʃənt] (***more*** ~ ; ***most*** ~) *a.* ① 참을 수 없는(intolerant) : He was ~ *of* interruption. 그는 방해받는 것이 참을 수 없었다. ② 성마른, 조급한, 성급한(irritable) ; 침착하지 못한, 가만히 있지 못하는 : an ~ gesture 조바심 나는 듯한 몸짓. ③ 몹시 …하고파 하는, …하고 싶어 애태우는《*to* do ; *for*》: Walter was ~ *to* know his test results. 월터는 그의 시험 결과를 몹시 알고 싶어했다 / The children are ~ *for* Christmas (to come). 아이들은 크리스마스(가 오기)를 손꼽아 기다리고 있다. ≠ inpatient.
㊞ *~·**ly** *ad.* 성급〔초조〕하게, 마음 졸이며.

*__im·peach__ [impíːtʃ] *vt.* ① 《~+목 / +목+전+명》 …을(…의 죄로) 문책하다 ; (관공리)를 탄핵하다《*for*》; 고소〔고발〕하다《*of* ; *with*》: ~ a person *of* 〔*with*〕 crimes 아무를 범죄 혐의로 고발하다 / They ~*ed* the judge *for* taking a bribe. 그들은 그 판사를 수뢰 혐의로 탄핵했다. ② 비난하다 ; 문제삼다, 의심하다 : ~ a person's motives〔loyalty, character〕 아무의 동기〔충성, 인격〕을 의심하다.
㊞ **~·a·ble** *a.* 탄핵해야 할, 고발〔비난〕해야 할. **~·ment** *n.* Ⓤ,Ⓒ 비난 ; 탄핵 ; 고발.

im·pec·ca·ble [impékəbəl] *a.* 죄를〔과실을〕 범하는 일이 없는 ; 결함〔흠, 나무랄데〕 없는, 비난의 여지 없는 ; 완벽한 : one's ~ manners 흠잡을 데 없는 태도. ㊞ **-bly** *ad.* 더없이, 완벽하게. **im·pec·ca·bil·i·ty** [impèkəbíləti] *n.*

im·pe·cu·ni·ous [ìmpikjúːniəs] *a.* 돈이 없는, (언제나) 무일푼의, 가난한. ㊞ **~·ly** *ad.* **~·ness** *n.* **ìm·pecù·ni·ós·i·ty** [-niásəti / -ɔ́s-] *n.*

im·ped·ance [impíːdəns] *n.* 〖電〗 임피던스《교류 회로에서의 전압과 전류의 비(比)》.

*__im·pede__ [impíːd] *vt.* …을 방해하다(hinder), 훼살을 놓다(obstruct). ◇ impediment *n.*

*__im·ped·i·ment__ [impédəmənt] *n.* Ⓒ ① 방해(물), 장애《*to*》: His poor academic background was the only ~ *to* his promotion. 그의 빈약한 학력이 승진의 유일한 장애였다. ② 신체 장애 ; 언어 장애, 말더듬기.

im·ped·i·men·ta [impèdəméntə, ìmped-] *n. pl.* ① (행동을 가로막는) 장애물, (주체스러운) 짐. ② 〖軍〗 보급물, 병참《운반하는 식량·무기·탄약 따위》.

*__im·pel__ [impél] (**-ll-**) *vt.* ① 《~+목+*to* do》 …을 (…하도록) 재치다, 몰아대다 ; 강제(하여 …하게) 하다(force) : I felt ~*led to* investigate the matter further. 그 문제를 더 깊이 조사하지 않을

수 없다고 느꼈다 / Poverty *~led* him *to* crime. 그는 가난에 쫓기어 죄를 범했다. ② 추진시키다, 앞으로 나아가게 하다(drive forward) : an *~ling* force 추진력 / The strong wind *~led* their boat *to* shore. 그 강풍으로 보트는 강가로 밀려 갔다. ◇ impulse *n.*

im·pel·lent [impélənt] *a.* 추진하는, 채치는. ── *n.* Ⓒ 추진하는 것〔사람〕, 추진력.

im·pend [impénd] *vi.* (위험·사건 따위가) 절박하다, 바야흐로 일어나려 하다.

***im·pend·ing** [impéndiŋ] *a.* 절박한, 박두한 (imminent) : an ~ disaster 임박한 재난 / his ~ retirement 눈앞에 닥친 그의 은퇴.

im·pen·e·tra·bil·i·ty [impènətrəbíləti] *n.* Ⓤ ① 관통할 수 없음 ; 내다볼 수 없음. ② (마음을) 헤아릴 수 없음. ③ 무감각, 둔감.

im·pen·e·tra·ble [impénətrəbəl] *a.* ① (꿰)뚫을 수 없는《*to* ; *by*》; (삼림 등) 지날 수 없는, 발을 들여놓을 수 없는 : ~ rock 꿰뚫을 수 없는 바위층 / ~ forests 발들여놓을 수 없는 삼림. ② 앞을 내다볼 수 없는, 헤아릴 수 없는(inscrutable), 불가해한 : an ~ mistery 불가해한 신비. ③ (사상·요구 등을) 받아들이지 않는, 완고한(unyielding) ; 무감각한, 둔감한《*to* ; *by*》: a person ~ *to* pity 정에 끌리지 않는 비정한 사람 / He's ~ *to* criticism. 그는 비판에 무감각하다. ㊞ **-bly** *ad.* 꿰뚫을 수 없을 만큼 ; 헤아릴 수 없을 정도로 ; 무감각하게.

im·pen·i·tence [impénətəns] *n.* Ⓤ ① 회개하지 않음. ② 완고, 고집.

im·pen·i·tent [impénətənt] *a.* ① 회개하지 않는 : an ~ murderer 개전의 정이 없는 살인자. ② 완고한, 고집이 센. ── *n.* Ⓒ 회개하지 않는〔완고한〕 사람. ㊞ **~·ly** *ad.*

imper., imperat. imperative.

***im·per·a·tive** [impérətiv] *a.* ① 명령적인, 강제적인(pressing) ; 엄연한(peremptory), 권위 있는 : an ~ gesture 권위있는 듯한 제스처 / in an ~ tone of voice 명령적인 말투로. ② 피할 수 없는, 절박한, 긴요한, 긴급한(urgent) ; 절대 필요한 : an ~ conception 강박 관념 / an ~ duty 피할 수 없는 의무 / It was ~ that the king (should) leave his country at once. 왕은 즉시 자기 나라를 떠나야만 했다(=It was ~ for〔《美》 on〕 the king to leave ...). ③ 〖文法〗 명령법의 : the ~ mood 명령법 / an ~ sentence 명령문. ── *n.* ① Ⓒ 명령(command) ; 불가피한 것〔임무〕; 의무, 책임 : legal *~s* 법령 / moral *~s* 도덕적 요청. ② Ⓤ 〖文法〗 명령법 ; Ⓒ 명령어〔형, 문〕. ㊞ **~·ly** *ad.* 명령적으로 ; 위엄있게.

im·per·cep·ti·ble [ìmpərséptəbəl] *a.* 감지할 수 없는 ; 알아차릴 수 없을 만큼의 ; 미세한 : an ~ difference 미세한 차이 / be ~ *to* our sense 우리의 감각으로는 알 수가 없다. ㊞ **-bly** *ad.* **ìm·per·cèp·ti·bíl·i·ty** [-ptəbíləti] *n.*

im·per·cep·tive [ìmpərséptiv] *a.* 감지하지 않는 ; 지각력이 없는. ㊞ **~·ness** *n.*

imperf. imperfect ; imperforate.

‡**im·per·fect** [impə́ːrfikt] *a.* ① 불완전한, 불충분한 ; 미완성의(incomplete), 결함이 있는, 결점이 있는, 불비한 : an ~ world 불완전한 세계. ② 〖文法〗 미완료(시제)의, 반과거의 : the ~ tense 미완료 시제. ── *n.* 〖文法〗 미완료 시제, 반과거. ㊞ **~·ly** *ad.* 불완전〔불충분〕하게. **~·ness** *n.*

***im·per·fec·tion** [ìmpərfékʃən] *n.* ① Ⓤ 불완전(성). ② Ⓒ 결함, 결점.

im·per·fo·rate [impə́ːrfərit] *a.* 구멍이 없는 ; 절취선(切取線)이 없는《우표 등》. ── *n.* Ⓒ 절취선이 없는 우표. ㊞ **im·pèr·fo·rá·tion** *n.* 무공, 무개구(無開口), 폐쇄.

‡**im·pe·ri·al** [impíəriəl] (***more ~ ; most ~***) *a.* ① 제국(帝國)의 ; (때때로 I-) 영(英)제국의. ② 황제(皇帝)〔황후〕의. ③ 최고의권력을 갖는, 제위(帝位)의(sovereign), 지고(至高)한, 지상(至上)의(supreme). ④ 위엄 있는, 장엄한, 당당한 (majestic) ; 오만한(imperious). ⑤ (상품 따위가) 특대(特大)의 ; 극상〔상질〕의. ⑥ 영국 도량형법에 의한. ── *n.* ① Ⓒ (I-) 황제, 황후. ② Ⓒ 황제 수염《아랫입술 바로 밑에 약간 기른》. ③ Ⓤ (양지(洋紙)의) 임페리얼판(判)《《美》 23×31인치 ; 《英》 22×30 인치》. ④ Ⓒ 〖商〗 특대품, 우수품. ***His*** 〔***Her***〕 ***Imperial Highness*** 전하《황족의 존칭》. ***His*** 〔***Her***〕 (***Imperial***) ***Majesty*** ⇨ MAJESTY. ㊞ **~·ly** *ad.* 제왕처럼, 위엄 있게.

impérial gállon 영(英)갤런《4.546*l*》.

im·pe·ri·al·ism [impíəriəlìzəm] *n.* Ⓤ ① 제국주의, 영토 확장주의 ; 제정(帝政). ② 개발 도상국 지배(정책) : economic〔cultural〕 ~ 개발 도상국에 대한 경제〔문화〕 지배.

im·pe·ri·al·ist [impíəriəlist] *n.* Ⓒ 제국〔영토 확장〕주의자 ; 제정주의자 ; 황제파의 사람. ── *a.* 제국주의(자)의, 제정주의(자)의.

im·pe·ri·al·is·tic [impìəriəlístik] *a.* 제국주의(자)의 ; 제정(주의)의. ㊞ **-ti·cal·ly** [-kəli] *ad.* 제국주의적으로.

im·per·il [impéril] (***-l-***, 《英》 ***-ll-***) *vt.* (생명·재산 따위)를 위태롭게 하다, 위험하게 하다(endanger). ㊞ **~·ment** *n.*

***im·pe·ri·ous** [impíəriəs] *a.* ① 거만한, 오만한, 교만한 : an ~ manner 거만한 태도. ② 절박한, 긴급한 ; 중대한 ; 필수의 : an ~ need 긴급한 필요성. ㊞ **~·ly** *ad.* **~·ness** *n.*

im·per·ish·a·ble [impériʃəbəl] *a.* ① 불멸의, 불후의(indestructible), 영속적인(everlasting) : ~ glory 불후의 영광. ② (식품 등) 부패하지 않는. ㊞ **-bly** *ad.* 영구히. **im·pèr·ish·a·bíl·i·ty** [-bíləti] *n.*

im·per·ma·nent [impə́ːrmənənt] *a.* 오래 가지〔영속하지〕 않는, 일시적인(temporary), 덧없는. ㊞ **~·ly** *ad.* **-nence** *n.*

im·per·me·a·ble [impə́ːrmiəbəl] *a.* 스며들지 못하는 ; 불침투성〔불투과성〕의《*to*》: ~ rocks 불투과성 암석 / a coat ~ *to* rain 빗물이 스며들지 않는 코트. ㊞ **-bly** *ad.* **im·pèr·me·a·bíl·i·ty** [-əbíləti] *n.*

im·per·mis·si·ble [ìmpərmísəbəl] *a.* 허용〔용인〕되지 않는, 허용할 수 없는.

impers. impersonal.

***im·per·son·al** [impə́ːrsənəl] *a.* ① (특정한) 개인에 관계가 없는, 일반적인 ; 개인 감정을 섞지 아니한, 객관적인 ; 비정한《태도》: We had an ~ relationship in the company. 우리는 회사에서 개인적 교분은 없었다. ② 인격을 갖지 않은, 비인격적인 : ~ forces 인간 외적인 힘《자연력·운명 따위》. ③ 〖文法〗 비인칭의 : an ~ verb 비인칭 동사 / the ~ "it" 비인칭의 it. ㊞ **~·ly** [-nəli] *ad.* 비개인적〔비인격적〕으로.

im·per·son·al·i·ty [impə̀ːrsənǽləti] *n.* ① Ⓤ 비인격〔비인간〕성, 개인에 관계치 않음. ② Ⓒ 특정 개인에 관계없는 일 ; 비인간적인 것.

im·per·son·ate [impə́ːrsənèit] *vt.* ① (배우가) …의 역을 맡아 하다, …으로 분장하다. ② …인 양 행세하다 ; (남의 음성 등)을 흉내내다(mimic) : The man was arrested for *impersonating* a doctor. 그 사나이는 의사 행세를 하다가 구속되었다. ㊞ **im·pèr·son·á·tion** [-ʃən] *n.* Ⓤ,Ⓒ 분장(법) ; (역을) 맡아하기 ; 흉내, 성대 모사(聲帶模寫) :

I

She did a good *impersonation* of me. 그녀는 내 흉내를 아주 잘 냈다. **im·pér·son·à·tor** [-tər] *n.* (어떤 역을 연출하는) 배우, 연기자 ; 분장자 ; 성대 모사자.

***im·per·ti·nence** [impə́:rtənəns] *n.* ① Ⓤ 건방짐, 뻔뻔함 ; 무례, 버릇없음(impudence), 주제넘음 ; 부적절, 무관계 : What ~! 이 무슨 실례인가 / He had the ~ *to* say the fault was mine. 그는 무례하게도 과실의 책임이 내게 있다고 말했다. ② Ⓒ 부적절〔무례〕한 행동〔말〕.

***im·per·ti·nent** [impə́:rtənənt] *a.* ① 건방진, 뻔뻔스러운 ; 버릇없는《*to*》: Don't be ~ *to* your elders. 어른에게 무례하게 굴지 마라. ② 적절하지 않은 ; 당치않은, 무관계한《*to*》. ㊎ **~·ly** *ad.*

im·per·turb·a·ble [ìmpərtə́:rbəbəl] *a.* 침착한, 태연한, 동요하지 않는 : (an) ~ equanimity 조금도 동하지 않는 침착함. ㊎ **-bly** *ad.* **-bil·i·ty** [ìmpərtə̀:rbəbíləti] *n.*

im·per·vi·ous [impə́:rviəs] *a.* ① (물·공기·광선 따위를) 통과시키지 않는, 스며들게 하지 않는(impenetrable)《*to*》: a fabric ~ *to* water 물이 스미지 않는 천. ② (비평에) 영향을 받지 않는《*to*》; 손상되지 않는, 상하지 않는《*to*》. ③ 무감동한, 무감각한, 둔감한《*to*》.
㊎ **~·ly** *ad.* **~·ness** *n.*

im·pet·u·os·i·ty [impètʃuásəti / -ɔ́s-] *n.* ① Ⓤ 격렬, 열렬 ; 성급. ② Ⓒ 성급한 언동, 충동.

***im·pet·u·ous** [impétʃuəs] *a.* ① (바람·속도 따위가) 격렬한, 맹렬한(violent) : the ~ winds 폭풍 / with ~ speed 맹렬한 속도로. ② 성급한, 충동적인(rash) : She regretted her ~ decision. 그녀는 자기의 성급한 결정을 후회했다. ㊎ **~·ly** *ad.*

im·pe·tus** [ímpətəs] *n.* ① Ⓤ,Ⓒ (움직이고 있는 물체의) 힘, 추진력, 운동량. ② Ⓒ (정신적인) 기동력(機動力), 유인, 자극. ***give 〔***lend***〕 (***an***) ~ ***to*** …을 자극〔촉진〕하다.

imp. gall. imperial gallon.

im·pi·e·ty [impáiəti] *n.* ① Ⓤ 신심(信心)이 없음 ; 경건하지 않음 ; 불경, 불손 ; 불효. ② (흔히 *pl.*) 불경한〔사악한〕 행위〔말〕. ◇ impious *a.*

im·pinge [impíndʒ] *vi.* ①《+前+名》…에 부딪치다, 충돌하다《*on, upon ; against*》: Sight is made possible by rays of light *impinging on* the retina. 광선이 망막에 닿아서 눈이 보인다. ② …에게 영향을 주다《*on*》: ~ *on* a person's way of thinking 아무의 사고에 영향을 끼치다. ③ (아무의 재산·권리를) 침범〔침해〕하다《*on, upon*》.
㊎ **~·ment** *n.* 충돌, 충격.

im·pi·ous [ímpiəs / impáiəs] *a.* 신심이 없는, 경건치 못한, 불경한(profane), 사악한(wicked) ; 불효한(unfilial). opp *pious.* ◇ impiety *n.*
㊎ **~·ly** *ad.* **~·ness** *n.*

imp·ish [ímpiʃ] *a.* 장난꾸러기〔개구쟁이〕의.
㊎ **~·ly** *ad.* **~·ness** *n.*

im·plac·a·ble [implǽkəbəl, -pléik-] *a.* 달래기 어려운, 화해할 수 없는 ; 마음 속 깊이 맺힌 ; 용서 없는, 무자비한(relentless).
㊎ **-bly** *ad.* **~·ness** *n.* **im·plàc·a·bíl·i·ty** [-əbíləti] *n.*

im·plant [implǽnt, -plá:nt] *vt.* ① …을 (마음에) 심다, 불어넣다, 주입(注入)시키다(instil)《*in, into*》: Every word of his father's advice was ~*ed in* his mind. 그의 아버지의 충고 한 마디 한 마디가 그의 마음속에 새겨졌다. ② 심다(plant) ; 끼워 넣다, 끼우다(insert)《*in*》. ③〖醫〗(산 조직)을 이식하다. ── [ímplæ̀nt, -plà:nt] *n.* Ⓒ〖醫〗이식(移植) 조직. ㊎ **~·er** *n.*

im·plan·ta·tion [ìmplæntéiʃən] *n.* Ⓤ ① 심음, 이식. ②〖醫〗(체내)이식. ③ 가르침 ; 주입, 고취.

im·plau·si·ble [implɔ́:zəbəl] *a.* 믿기 어려운 ; 정말 같지 않은 : an ~ story 믿어지지 않는 이야기. ㊎ **-bly** *ad.* **~·ness** *n.* **im·plau·si·bil·i·ty** [implɔ̀:zəbíləti] *n.*

:im·ple·ment [ímpləmənt] *n.* ① Ⓒ 도구, 기구(tool) ; (*pl.*) 용구〔가구〕 한 벌 ; 비품, 장구 : agricultural ~*s* 농기구. ② 수단, 방법(means).
── [ímpləmènt] *vt.* ① (계약·약속 따위)를 이행하다(fulfill), (조건 등)을 충족하다, 채우다. ② …에 도구를〔수단을〕 제공하다.
㊎ **im·ple·men·tal** [ìmpləméntl] *a.* 기구의 ; 도구가〔수단이〕 되는, 도움〔힘〕이 되는 ; 실현에 기여하는《*to*》.

im·ple·men·ta·tion [ìmpləmentéiʃən] *n.* Ⓤ 이행, 수행, 실시 ; 완성, 충족, 성취.

im·pli·cate [ímpləkèit] *vt.* ① …을 (…에) 관련시키다, 휩쓸려들게 하다, 연좌시키다《*in*》《★ 종종 受動으로》. ② (말 따위가) …의 뜻을 함축하다(imply), 포함하다. ***be ~d in*** (a crime) (범죄)에 관련되다.

***im·pli·ca·tion** [ìmpləkéiʃən] *n.* ① Ⓤ,Ⓒ (뜻의) 내포, 함축, 암시(hint) : by ~ 함축적으로, 은근히, 넌지시. ② Ⓤ 연루, 연좌, 관계, 관련《*in*》; (흔히 ~s) (…에 대한) 밀접한 관계, (예상되는) 영향 ; 결과《*for*》: ~ *in* a crime 공범 / the religious ~*s* of ancient astrology 고대 점성술의 종교와의 밀접한 관계 / Their ~ of her *in* the conspiracy was obvious. 그들이 그녀를 그 음모에 연루시킬 것임은 명백했다.

***im·plic·it** [implísit] *a.* ① 은연중의, 함축적인, 암시적인, 암묵의. opp *explicit*. ¶ an ~ promise 묵계 / an ~ threat 무언의 협박 / give ~ consent 묵시적으로 응락하다. ②〔限定的〕 무조건의(absolute), 절대적인, 맹목적인 : ~ faith 맹신.
◇ implicate *v.* ㊎ **~·ly** *ad.* 암암리에, 넌지시 ; 절대적으로. **~·ness** *n.*

im·plied [impláid] *a.* 함축된, 암시적인 ; 언외의 (opp *express*) : an ~ consent 암묵의 동의.
㊎ **im·pli·ed·ly** [impláiidli] *ad.* 암암리에, 넌지시.

im·plode [implóud] *vi.* (진공관 따위가) 안쪽으로 파열하다, 내파(內破)하다. ── *vt.*〖音聲〗내파시키다, (파열음)을 내파적으로 발음하다.

:im·plore [implɔ́:r] *vt.* 《~+目 / +目+前+名 / +目+*to* do》 …을 애원〔탄원〕하다 ; 간청하다 : *Implore* God *for* mercy. 신에게 자비를 구하라.

im·plor·ing [implɔ́:riŋ] *a.* 애원하는 : an ~ glance 애원하는 듯한 눈초리. ㊎ **~·ly** *ad.*

im·plo·sion [implóuʒən] *n.* Ⓤ,Ⓒ (진공관 등의) 안쪽으로의 파열 ;〖音聲〗(폐쇄음의) 내파(內破) (cf. explosion).

im·plo·sive [implóusiv] *a.*〖音聲〗내파의.
── *n.* Ⓒ 내파음. cf. explosive. ㊎ **~·ly** *ad.*

:im·ply [implái] *vt.* ① …을 넌지시 비추다, 암시하다(suggest). ② 의미하다(mean). ③ (필연적으로) 포함〔수반〕하다, …을 당연히 수반하다 : The subject of an imperative sentence is not expressed, but is *implied.* 명령문의 주어는 명시되어 있지 않지만 함축되어 있다. ◇ implication *n.*

im·pol·der [impóuldər] *vt.*《英》…을 개척하다 ; 매립(埋立)하다(reclaim).

***im·po·lite** [ìmpəláit] *a.* 무례한, 버릇 없는, 실례되는(ill-mannered) : Take care not to be ~ *to* the customers. 손님에게 실례되지 않도록 조심해라. ㊎ **~·ly** *ad.* **~·ness** *n.*

im·pol·i·tic [impálitik / -pɔ́l-] *a.* 무분별한, 졸렬한 ; 불리한. ㊎ **~·ly** *ad.*

im·pon·der·a·ble [impándərəbəl / -pɔ́n-] *a.* ① 무게가 없는, 극히 가벼운; 극히 적은: The accident happened in an ~ fraction of a second. 사고는 순식간에 일어났다. ② 평가〔계량〕할 수 없는; 헤아릴 수 없는. ── *n.* Ⓒ (흔히 *pl.*) 계량할 수 없는 것《열·빛 따위》; (효과·영향을) 헤아릴 수 없는 것《감정·여론 등》. ㊕ **-bly** *ad.*

‡**im·port** [impɔ́:rt] *vt.* ①《~+목/+목+전+명》(상품 따위)를 수입하다《*from*》. opp. *export.* ¶ Most of our coffee is ~*ed* from Brazil. 우리 나라 커피는 주로 브라질에서 수입된다. ②《+목+전+명》(감정 등)을 개입시키다; 가져오다《*into*》: ~ one's feeling *into* discussion 토론에 감정을 개입시키다. ③《~+목/+*that* 절》…의 뜻을 내포하다, 의미하다(mean), 나타내다(express): What does the word ~? 그 낱말은 무슨 뜻인가 / Honor ~*s* justice. 명예는 정의를 의미한다 / His words ~*ed that* he wanted to quit the job. 그의 말은 직장을 그만두고 싶다는 것을 나타낸 것이었다. ── *vi.* 중요하다(matter).
── [´-] *n.* ① Ⓤ 수입; Ⓒ (흔히 *pl.*) 수입품, 수입(총)액: an ~ letter of credit 수입 신용장. ② Ⓤ 의미, 취지: the ~ of his remarks 그의 말의 취지. ③ Ⓤ 중요성〔함〕: a matter of great ~ 극히 중요한 사항. ④〖컴〗가져오기.
── [´-] *a.* 〔限定的〕수입의.
㊕ **im·pòrt·a·bíl·i·ty** [-əbíləti] *n.* 수입할 수 있음. **im·pórt·a·ble** [-əbəl] *a.* 수입할 수 있는.

‡**im·por·tance** [impɔ́:rtəns] *n.* Ⓤ ① 중요성, 중대함: a matter of great 〔no〕 ~ 중대한〔하찮은〕 일. ② 중요한 지위, 관록(dignity); 유력: a man of ~ 중요 인물, 유력자. ③ 잘난 체함, 거드름 부림(pompousness): have an air of ~ 잘난체하는 태도를 취하다/ be full of one's own ~ (평하며) 우쭐해하다, 자신(自信) 과잉이다. cf. self-importance. ***attach ~ to*** …을 중요시하다: People *attach* ~ *to* freedom. 인간은 자유를 중요시한다. ***be conscious of*** 〔***have a good idea of, know***〕 one***'s own*** ~ 자부〔젠체〕하고 있다, 우쭐해 있다. ***be of*** ~ 중대〔중요, 유력〕하다. ***make much ~ of*** …을 존중〔존경〕하다. ***with an air of*** ~ 젠체하고, 거드름 부리며.

†**im·por·tant** [impɔ́:rtənt] (***more ~; most ~***) *a.* ① 중요한; 〔敍述的〕…에게 중대한, 의의 있는 (significant)《*for*; *to*》: ~ decisions 중대한 결정 / ~ books 주목할 만한 책 / It's very ~ that you (should) act confidently. 자신만만하게 행동하는 것이 아주 중요하다 / His cooperation is very ~ *to* me 〔*for* the plan〕. 그의 협력이 내게는〔그 계획에는〕 아주 중요하다. ② 유력한, 높은: a very ~ person 몹시 중요한 인물《略: VIP》. ③ 젠체하는: with an ~ look 잘난체하는 얼굴을 하고. ㊕ **~·ly** *ad.*

im·por·ta·tion [ìmpɔ:rtéiʃən] *n.* ① Ⓤ 수입; 도입: put a ban on the ~ of guns 총기의 수입을 금지하다. ② Ⓒ 수입품. opp. *exportation.*

im·port·ed [impɔ́:rtid] *a.* 수입된: ~ goods 수입품 / an ~ car (수입) 외제차.

im·port·er [impɔ́:rtər] *n.* Ⓒ 수입자〔상〕, 수입업자.

im·por·tu·nate [impɔ́:rtʃənit] *a.* ① (사람·요구 따위가) 끈질긴, 귀찮게 졸라대는: ~ creditors 바득바득 졸라대는 채권자들. ② (사태가) 절박한. ㊕ **~·ly** *ad.*

im·por·tune [ìmpərtjú:n, impɔ́:rtʃən] *vt.* 《~+목/+목+전+명/+목+*to* do》…에게 끈덕지게〔성가시게〕 조르다, 청하다; 귀찮게 하다(annoy): ~ one's parents *for* money 돈을 달라고 부모를 조르다 / ~ a person *with* demands 이것저것 여러 가지 요구를 가지고 사람을 귀찮게 하다 / The Prime Minister ~*d* Mr. Brown *to* join the Cabinet. 수상은 브라운씨에게 입각하도록 거듭거듭 간청했다.

im·por·tu·ni·ty [ìmpɔ:rtjú:nəti] *n.* ① Ⓤ (또는 an ~) 끈질김. ② Ⓒ 끈질긴 요구〔간청〕.

‡**im·pose** [impóuz] *vt.* ①《+목+전+명》(의무·세금·벌 따위)를 지우다, 과(課)하다, 부과하다(inflict)《*on, upon*》: ~ a tax *on* an article 물품에 과세하다. ②《+목+전+명》강요〔강제〕하다(force)《*on, upon*》: ~ silence *on* a person 아무를 침묵시키다 / ~ one's opinion *upon* others 자기 의견을 남에게 강요하다. ③《+목+전+명》(가짜 등)을 떠맡기다, 속여 팔다: They make a living by *imposing* junk *on* the tourists. 그들은 관광객들에게 잡동사니를 강매하여 생계를 꾸리고 있다. ④〖印〗조판하다.
── *vi.* 《+전+명》① (남의 선의 등에) 편승하다, …을 기화로 삼다; 폐를 끼치다《*on, upon*》: He has ~*d on* your good nature. 그는 자네가 호인임을 이용했다 / "Why don't you stay at my house?"—"Oh, I don't want to ~ *on* you." '왜 우리 집에 묵지 않나' '응, 자네에게 폐를 끼치고 싶지 않네'. ② 속이다; 기만하다《*on, upon*》: I will not be ~*d upon*. 나는 속지 않을거야. ③ 용훼하다, 참견하다. ◇ imposition *n.* ~ one***self on*** a person (불청객으로 찾아가〔오래 머무르며〕) 폐를 끼치다; …의 일에 주제넘게 나서다.

***im·pos·ing** [impóuziŋ] *a.* 위압하는, 당당한, 훌륭한; 인상적인(impressive): His father has an ~ appearance. 그의 아버지는 당당한 풍체를 하고 있다. ㊕ **~·ly** *ad.* **~·ness** *n.*

im·po·si·tion [ìmpəzíʃən] *n.* ① Ⓤ (세금·벌 따위를) 과(課)하기, 부과, 과세. ② Ⓒ 부과물, 세(금); 부담; 벌, 《英》 벌로서의 과제(課題)《흔히 impo, impot 로 생략》. ③ (사람 좋음을) 기화로 삼기; 속임, 사기. ④〖印〗조판. ◇ impose *v.*

***im·pos·si·bil·i·ty** [impàsəbíləti / -pɔ̀s-] *n.* ① Ⓤ 불가능(성): an absolute ~ 절대적 불가능성. ② Ⓒ 있을 수 없는 일, 불가능한 일〔것〕: I cannot do *impossibilities* 불가능한 일은 할 수 없다.

‡**im·pos·si·ble** [impásəbəl / -pɔ́s-] *a.* ① 불가능한, …할 수 없는《*to* do》: next to 〔nearly〕 ~ 거의 불가능한 / It is ~ for me *to* do that. 그것을 하기는 불가능하다 / It is ~ *to* overpraise him. 아무리 그를 칭찬하여도 지나치지 않는다. ② 믿기 어려운(unbelievable), 있을 수 없는: an ~ story 있을 수 없는 이야기 / It's ~ that such a thing could happen. 그런 일이 일어날 수 있다니 믿을 수 없다. ③《口》견딜〔참을〕 수 없는(unendurable, unacceptable), 불쾌한, 몹시 싫은. ④ (the ~) 〔名詞的으로; 單數 취급〕 불가능한 일.
㊕ **-bly** *ad.* 불가능하게; 극단적으로: an *impossibly* difficult problem 도저히 풀 수 없는 어려운 문제 / not *impossibly* 경우에 따라서는, 어쩌면.

> 用法 impossible 에 계속되는 *to* 不定詞에는 受動態를 쓸 수 없다. ×The job was ~ to be done. 이는 It was ~ *to* do the job. 이나 The job could not be done. 으로 씀.

im·post [ímpoust] *n.* Ⓒ ① 조세; (특히) 수입세, 관세. ②〖競馬〗부담 중량《레이스에서 핸디캡으로서 출주마(出走馬)에 싣는 중량》.

im·pos·tor, -post·er [impástər / -pɔ́s-] *n.* Ⓒ 사칭자(詐稱者); 사기꾼, 협잡꾼.

im·pos·ture [impástʃər / -pɔ́s-] *n.* Ⓤ,Ⓒ 사기, 협잡.

im·po·tence, -ten·cy [ímpətəns], [-i] *n.* Ⓤ ① 무력, 무기력, 허약: a feeling of ~ 무력감. ②〖醫〗(남성의) 성교 불능(증), 음위(陰痿).

***im·po·tent** [ímpətənt] *a.* ① 무력한, 무기력한; 허약한: He's ~ *to* help her. 그는 그녀를 도울 능력이 없다. ② 효과가〔실행력이〕없는, 헛된: (an) ~ rage 부질없는 노여움. ③〖醫〗음위의 (opp. *potent*). ㊕ **~·ly** *ad.*

im·pound [impáund] *vt.* ① (가축)을 우리 안에 넣다. ② (사람)을 가두다, 구치하다; (증거물 따위)를 압수〔몰수〕하다(confiscate). ③ (저수지에 물)을 채우다: water ~*ed* in a reservoir 저수지에 비축된 물.
㊕ **~·ment** *n.* 가둠; 저수, 인공호; 저수량.

***im·pov·er·ish** [impávəriʃ / -pɔ́v-] *vt.* ① …을 가난하게 하다, 곤궁하게 하다《흔히 受動으로》. ② (땅 따위)를 메마르게 하다, 불모로 만들다: ~*ed* soil 메마른 땅. ㊕ **~·ment** *n.*

im·prac·ti·ca·bil·i·ty [impræ̀ktikəbíləti] *n.* ① Ⓤ 비실제성(非實際性), 실행 불능. ② Ⓒ 실행할 수 없는 일.

***im·prac·ti·ca·ble** [impræ̂ktikəbəl] *a.* ① (방법·계획 따위가) 실행〔실시〕불가능한(unworkable); 쓸 수가 없는(unusable). ② (길 따위가) 다닐〔통행할〕수 없는(impassable). ㊕ **-bly** *ad.* 실행〔사용〕할 수 없게; 다룰 수 없을 정도로.

***im·prac·ti·cal** [impræ̂ktikəl] *a.* ① 실제적이 아닌, 비현실적인, 비실용적인; 실제에 어두운: a brilliant but thoroughly ~ student 우수하지만 전혀 현실적이지 못한 학생. ② 실행할 수 없는 (impracticable). ㊕ **im·prac·ti·cál·i·ty** [-kǽləti] *n.* Ⓤ 비(非)실제성, 실행 불능; Ⓒ 실제적이 아닌〔실행 불가능한〕일. **~·ly** *ad.*

im·pre·cate [ímprikèit] *vt.* 《~+목 / +목+전+명》(아무에게 재난·불행이 있기)를 빌다, 방자하다; 저주하다.
㊕ **im·pre·cá·tion** *n.* Ⓤ 방자; Ⓒ 저주.

im·pre·cise [imprəsáis] *a.* 부정확한, 불명확한: ~ instruments 부정확한 계기 / ~ contract terms 애매한 계약 조건. ㊕ **~·ly** *ad.* **~·ness** *n.*

im·pre·ci·sion [imprəsíʒən] *n.* Ⓤ,Ⓒ 부정확, 불명확.

im·preg·na·bil·i·ty [imprègnəbíləti] *n.* Ⓤ 난공 불락(難攻不落); 견고.

im·preg·na·ble[1] [imprégnəbəl] *a.* ① 난공 불락의, 견고한. ② 끄떡없는, 움직일 수 없는; (신념 따위가) 확고부동한. ㊕ **-bly** *ad.*

im·preg·na·ble[2] *a.* 수정〔수태〕가능한.

im·preg·nate [imprégnèit, ímpreg-] *vt.* ① 《+목+전+명》…에 (…을) 채우다(fill), …에 함유(含有)시키다, 스며들게〔침투하게〕하다; 포화〔충만〕시키다(saturate)《*with*》《종종 受動으로》: The air in the room *is* ~*d with* the smell of stale beer. 방안은 김빠진 맥주 냄새로 가득차 있다. ② 《+목+전+명》(사상·감정·원리 따위를) …에게 불어넣다(inspire), 주입하다(imbue)《*with*》: ~ the students *with* new ideas 학생들에게 신(新) 사상을 불어넣다. ③ …에게 임신〔수태〕시키다;〖生〗…에 수정시키다(fertilize).
── [imprégnit, -neit] *a.* ① 임신한. ②〔敍述的〕함유한, 포화한, 스며든; 주입된《*with*》.
㊕ **im·preg·ná·tion** [impregnéiʃən] *n.* Ⓤ ① 주입, 침투; 충만; 포화. ② 고취. ③ 임신; 수정.

im·pre·sa·rio [imprəsɑ́:riòu] (*pl.* **-ri·òs**) *n.* Ⓒ 《It.》(가극·음악회 등의) 주최자, 흥행주(主), (가극단·악단 등의) 감독; 지휘자; 경영자.

‡**im·press**[1] [imprés] (*p., pp.* ~*ed,* 《古》 *im·prést*) *vt.* 《~+목 / +목+전+명》① …에게 인상을 주다; …라고 인상지우다: ~ a person favorably 아무에게 좋은 인상을 주다 / He ~*ed* me *as* honest〔an honest person〕. 그는 내게 정직하다〔정직한 사람이라〕는 인상을 주었다. ② **a)** 《목+전+명》…에게 명기〔인식〕시키다《*on, upon*》; …을 통감시키다, 강하게 인식시키다《*with*》: ~ a person *with* the value of education 아무에게 교육의 가치를 통감케 하다(=~ *on* a person the value of...). **b)**〔再歸的〕…이 아무에게 깊이 새겨지다《*on, upon*》: His words ~*ed themselves* on me〔my memory〕그의 말은 내 기억 속에 깊이 새겨졌다. ③ …에게 감명을 주다, …을 감동시키다: His firmness ~*ed* me. 그의 굳은 결의에 감명을 받았다. ④ …에 도장을 누르다, 날인하다; …에 표하다, 자국을 남기다: ~ a surface *with* a mark 표면에 자국을 남기다(=~ a mark *on* a surface). ◇ impression *n.* ***be ~ed by*〔*at, with*〕**…에 감동하다, …에 깊은 감명을 받다: I *was* deeply ~*ed by*〔*at, with*〕his performance. 그의 연기에 깊이 감동하였다.
── [⌐-] *n.* Ⓤ,Ⓒ ① 날인; 흔적: All letters carry the ~ of a postmark. 편지에는 모두 소인이 찍혀 있다. ② 특징. ③ 인상, 감명; 영향.

im·press[2] [imprés] *vt.* …을 징발하다, 징용하다; (특히 해군에) 강제 징모하다.

im·press·i·ble [imprésəbəl] *a.* 다감한, 감수성이 예민한. ㊕ **-bly** *ad.*

‡**im·pres·sion** [impréʃən] *n.* ① Ⓤ,Ⓒ 인상, 감명: the first ~ 첫(번)인상 / auditory〔visual〕~*s* 청각적〔시각적〕인상 / Her lecture made a deep〔great〕~ *on* the audience. 그녀의 연설은 청중에게 깊은〔큰〕감명을 주었다. ② Ⓒ (종종 the / an ~) (막연한) 느낌, 마음, 생각(notion)《*of; that*》: I had〔got, was under〕*the* ~ *that* they were brothers. 그들이 형제라는 느낌을 나는 받았다 / What is your ~ *of* her response to our offer? 우리들의 제의에 대한 그녀의 반응을 어떻게 느끼셨습니까. ③ Ⓤ 영향, 효과《*on, upon*》: Punishment made little ~ *on* him. 벌을 주어도 그에게는 효과가 없다. ④ Ⓤ,Ⓒ 날인, 압인, 각인; (눌러서 생긴) 자국, 흔적. ⑤ Ⓒ〖印〗쇄(刷)《개정·증보 등의 판(edition)에 대해 내용은 그대로임; 略: imp.》. ⑥ (흔히 *sing.*) (연예인 등 유명인의) 흉내: do〔give〕an ~ of the politician 그 정치가의 흉내를 내다. ◇ impress *v.*

***im·pres·sion·a·ble** [impréʃənəbəl] *a.* 감동하기 쉬운, 감수성이 예민한; 외부로부터 영향을 받기 쉬운. ㊕ **-bly** *ad.* **im·près·sion·a·bíl·i·ty** *n.* Ⓤ 감수〔감동〕성, 민감.

im·pres·sion·ism [impréʃənizəm] *n.* Ⓤ (흔히 I-)〖藝〗인상파〔주의〕.

im·pres·sion·ist [impréʃənist] *n.* Ⓒ (흔히 I-) ① 인상파의 화가〔조각가, 작가, 작곡가〕. ② 유명인의 흉내를 내는 예능인. ── *a.* =IMPRESSIONISTIC.

im·pres·sion·is·tic [imprèʃənístik] *a.* 인상파〔주의〕의; 인상적인. ㊕ **-ti·cal·ly** *ad.*

‡**im·pres·sive** [imprésiv] (***more*** ~; ***most*** ~) *a.* 강한 인상을 주는, 인상에 남는, 인상적인, 감동을 주는: achieve an ~ success 눈부신 성공을 거두다. ㊕ ***~·ly** *ad.* ***~·ness** *n.*

im·pri·ma·tur [imprimɑ́:tər, -méi-, -prai-] *n.* Ⓒ ① (흔히 *sing.*)〖가톨릭〗(성당이 부여하는) 출판〔인쇄〕허가《略: imp.》. ② 허가, 인가, 면허.

***im·print** [imprínt] *vt.* 《+목+전+명》① (도장·문자 따위)를 누르다, 찍다《*on; with*》: ~ footsteps *on* the snow 눈 위에 발자국을 남기다 / ~ a receipt *with* a seal 영수증에 날인하다 / ~ a

postmark *on* a letter = ~ a letter *with* a postmark 편지에 소인을 찍다. ② 강하게 인상지우다, 감명케 하다; …에게 감명을 주다《*on, upon; in*》《종종 受動으로》: The scene *was ~ed on* 〔*in*〕 my memory. 그 광경은 내 뇌리에 강하게 새겨졌다.
— [ㅡ] *n.* [C] ① 날인; 자국, 흔적: a thumb ~ 무인(拇印). ② 인상; 모습; 얼굴빛. ③ 〖印〗 (책 따위의) 간기(刊記)《양서(洋書) 속표지 밑에 인쇄된 출판사 이름·주소·발행 연월일 따위》.

im·print·ing [imprínti ŋ] *n.* 〖動·心〗 각인(刻印); (어렸을 때의) 인상 굳힘.

‡**im·pris·on** [imprízən] *vt.* …을 투옥하다, 수용하다, 감금하다; 구속하다: remain *~ed* at home 집에 연금되다. ⓟ ***~·ment** *n.* [U] 투옥, 구금, 금고; 감금, 유폐.

***im·prob·a·ble** [imprábəbəl/-prɔ́b-] *a.* 있을 법하지 않은, 참말 같지 않은: an ~ story 거짓말 같은 이야기 / It's not ~ that she will pass. 어쩌면 그녀는 합격할는지도 모른다. ⓟ **-bly** *ad.* 있을 법하지 않게, 참말 같지 않게《★ 지금은 다음의 구로만 쓰임. not *improbably* 경우에 따라서는, 어쩌면》. **im·prob·a·bíl·i·ty** *n.* [U,C] 일어날 것 같지 않는 일, 사실 같지 않음.

im·promp·tu [imprámpt*j*uː/-prɔ́m-] *ad.* 준비 없이, 즉석에서, 즉흥적으로: verses written ~ 즉흥시.
— *a.* 즉석의, 즉흥적인; (음식 등) 서둘러 만든, 있는 것만으로 만든.
— (*pl.* *~s*) *n.* [C] 즉석 연설〔연주〕, 즉흥시; 〖樂〗 즉흥곡(improvisation).

im·prop·er** [imprápər/-prɔ́p-] (more*** ~; ***most*** ~) *a.* ① (장소·목적 등에) 걸맞지 않은, 부적당한: It was thought ~ for elderly women to wear bright clothes. 나이 지긋한 여성들이 현란한 옷을 입는 것은 걸맞지 않다고 생각되었다. ② (사실·규칙 등에) 맞지 않는, 그릇된, 타당치 못한: (an) ~ usage 틀린 어법 / He drew ~ conclusion from the scant evidence. 그는 불충분한 증거에서 잘못된 결론을 이끌어냈다. ③ 부도덕한, 음란한; 예의에서 벗어난: ~ manners 에티켓에 어긋난 태도 / ~ jokes 품위없는〔음란한〕 농담. ⓟ **~·ly** *ad.*

impróper fráction 〖數〗 가(假)분수.

im·pro·pri·e·ty [ìmprəpráiəti] *n.* [U,C] ① 틀림, 부정, 잘못. ② 부적당, 부적절. ③ 못된 행실, 부도덕; 야비, 버릇없음.

im·prov·a·ble [imprúːvəbəl] *a.* 개량〔개선〕할 수 있는.

‡**im·prove** [imprúːv] *vt.* ①《~+[목]/+[목]+[전]+[명]》(결함 따위)를 개량하다, 개선하다; 〔再歸的〕 향상시키다《*in; at*》, …에 익숙해지다: ~ a method 방법을 개선하다 / ~ one's health 건강을 증진하다 / ~ a pony *into* racehorse 망아지를 경마말로 키우다 / His health is much *~d.* 그의 건강은 많이 좋아졌다 / He's anxious to ~ *himself in* 〔*at*〕 English. 그는 영어가 더 숙달되기를 갈망하고 있다. ② (기회·시간)을 이용〔활용〕하다, 보람있게 하다: ~ one's time by studying 시간을 활용해 공부하다. ③ (토지·건물 따위)의 가치를〔생산성을〕 높이다: ~ a lot by building on it 건물을 세워서 땅값을 올리다.
— *vi.* ①《~/+[전]+[명]》 좋아지다, 호전(好轉)하다, 개선되다《*in*》: His manners are *improving.* (=He's *improving in* manners.) 그의 행실이 좋아져가고 있다. ② 향상〔진보, 개량〕되다: ~ *on* one's own record 자기 기록을 갱신하다 / This can hardly be *~d on*〔*upon*〕. 이것은 개량의 여지가 거의 없다. ③ (주가·시세 등이) 올림세로 돌아서다.

‡**im·prove·ment** [imprúːvmənt] *n.* ① [U,C] 개량, 개선《*in*》: a marked ~ *in* working conditions 두드러진 노동 조건의 개선. ② [C] 개량한 곳, 개선점; 개량〔개선〕한 것. ③ [U] 향상, 진보, 증진《*in*》. ④ [C] 개수 (공사).

im·prov·i·dence [imprávədəns/-prɔ́v-] *n.* [U] (장래를) 생각지 않음〔보지 못함〕, 무사려함, 경솔; 준비 없음, 낭비.

im·prov·i·dent [imprávədənt/-prɔ́v-] *a.* ① 선견지명이 없는, 앞일을 생각하지 않는; 부주의한. ② 장래에 대비치 않는; 아낄 줄 모르는, 헤픈. [opp.] *provident.* ⓟ **~·ly** *ad.* 선견지명 없이.

im·prov·i·sa·tion [imprὰvəzéiʃən, ìmprəvi-] *n.* [U] 즉석에서 하기; [C] 즉흥 연주, 즉석 작품《시·음악 따위》. ⓟ **~·al** *a.*

***im·pro·vise** [ímprəvàiz] *vt.* ① (시·음악·축사·연설 따위)를 즉석에서 하다〔만들다〕; 즉흥 연주를 하다. ② 임시 변통으로 만들다: ~ a bandage out of a clean towel 깨끗한 타월로 (임시 변통의) 즉석 붕대를 만들다. — *vi.* (연주·연설 등을) 즉석에서 하다. ⓟ **~d** [-d] *a.* 즉흥적인〔적으로 만든〕.

***im·pru·dence** [imprúːdəns] *n.* ① [U] 경솔, 무분별. ② [C] 경솔한 언행.

***im·pru·dent** [imprúːdənt] *a.* 경솔한, 무분별한, 조심하지 않는. [opp.] *prudent.* ¶ It was ~ *of* you *to* say so. =You were ~ *to* say so. 그런 말을 하다니 당신도 경솔한 사람이다. ⓟ **~·ly** *ad.*

im·pu·dence** [ímpjədəns] *n.* ① [U] 뻔뻔스러움, 후안 무치; (the ~) 건방짐. ② [C] 건방진 언동: None of your ~! 건방진 수작마라. ***Such ~! 정말 뻔뻔스럽구나!

‡**im·pu·dent** [ímpjədənt] *a.* 뻔뻔스러운, 철면피의, 염치없는; 건방진: He was ~ enough to make faces at the teacher. 그는 건방지게도 선생님에게 찌푸린 얼굴을 했다. ⓟ **~·ly** *ad.*

im·pugn [impjúːn] *vt.* …를 비난〔공격, 논란, 배격, 반박〕하다: There is no *~ing* his industry. 그의 근면함에 이의를 달 여지가 없다. ⓟ **im·púgn·a·ble** [-əbəl] *a.* 비난〔공격, 반박〕의 여지가 있는. **im·púgn·ment** *n.* [U] 비난, 공격, 반박.

im·pu·is·sant [impjúːisnt] *a.* 무능한; 무기력한, 허약한.

‡**im·pulse** [ímpʌls] *n.* ① [C] 추진(력); 충격; 자극: the ~ of a propeller 프로펠러의 추진력 / The incident gave a new ~ to the anti-government movement. 그 사건은 반정부 운동에 새로운 자극을 주었다. ② [U,C] (마음의) 충동, 일시적 충격: a man of ~ 충동적인 사람 / He felt an irresistible ~ to say no. 그는 아니오하고 싶은 걷잡을 수 없는 충동을 느꼈다. ③ [C] 〖電〗 충격 전파, 임펄스; 〖力學〗 충격력; 충격량(힘과 시간의 곱). ◇ impel *v.* (act) ***on*** (***an***) ~ 충동적으로 〔무의식적으로〕(행동하다): *On an ~,* he grasped her hand. 그는 자신도 모르게 그녀의 손을 잡았다. ***under the ~ of*** …에 이끌려서.

ímpulse bùy〔**pùrchase**〕 충동 구매한 물품.

ímpulse bùyer 충동 구매자.

ímpulse bùying (특히 소비재의) 충동 구매.

im·pul·sion [impʌ́lʃən] *n.* [U,C] 충동, 충격, 자극, 원동력, 추진(력); 계기.

im·pul·sive [impʌ́lsiv] *a.* ① 충동적인; 감정에 끌린〔흐른〕, 직정적인: an ~ person 직정적인 사람. ② 추진적인: an ~ force 추진력. ③ 〖力學〗 충격력의. ⓟ **~·ly** *ad.* 감정에 끌려. **~·ness** *n.*

***im·pu·ni·ty** [impjúːnəti] *n.* [U] 처벌되지 않음;

무사. *with* ~ 벌을 〔해를〕 받지 않고 ; 무사히, 무난히 : You cannot commit a crime *with* ~. 죄를 지으면 반드시 처벌된다.

***im·pure** [impjúər] *a.* ① 불결한, 더러운 : ~ water and air 오염된 물과 공기. ② 불순한 ; 순결하지 않은, 부도덕한, 외설한 : ~ motives 불순한 동기 / ~ gold 불순물이 섞인 금.
[파] ~·ly *ad.* ~·ness *n.*

***im·pu·ri·ty** [impjúərəti] *n.* ① [U] 불결, 불순 ; 죄의 더러움 ; 추잡함. ② [C] 불순물 ; 더러운 행위 : contain 〔remove〕 *impurities* 불순물을 함유하다 〔제거하다〕.

im·put·a·ble [impjú:təbəl] *a.* 〔敍述的〕 (책임을) 지울〔돌릴〕 수 있는《*to*》: No blame is ~ *to* him. 그에게는 아무런 허물〔책임〕도 없다 / His failure is ~ *to* want of application. 그의 실패는 노력이 부족했기 때문이다.

im·pu·ta·tion [impjutéiʃən] *n.* ① [U] (죄·책임 따위를) 씌우기, 전가. ② [C] 비난, 비방 ; 오명(汚名) : an ~ of dishonesty 부정직하다는 비방 / cast an ~ *on* a person's good name =make an ~ *against* a person's good name 아무의 명성(名聲)을 손상시키다.

***im·pute** [impjú:t] *vt.* 《+[목]+[전]+[명]》(죄·책임 따위)를 …에게 돌리다, …의 탓으로 하다 (ascribe)《*to*》: He ~*s* his fault *to* his wife. 자기 잘못을 아내의 탓으로 돌린다.

†in [in ; (*prep.* 로서는 때때로) [弱] ən] *prep.* ① 〔장소〕 **a**) 〔위치〕 …의 속에〔의〕 ; …속〔안〕에서, …에 있어서, …에, …에서(⇨AT① a) [語法]) : *in* Korea 한국에서 / sit *in* 〔on〕 a chair 의자에 앉다 / the characters *in* the novel 소설 속의 등장 인물 / with a cigaret *in* one's mouth 담배를 (입에) 물고 / There is some reason *in* what he says. 그 사람이 하는 말에는 일리(一理)가 있다. **b**) 《口》 〔방향〕 …쪽에〔으로, 에서〕 ; 속〔안〕으로 : *in* that direction 그 쪽 방향으로 / The sun rises *in* the east and sets *in* the west. 해는 동쪽에서 떠서 서쪽으로 진다 / She went *in* 〔*into*〕 the house. 그녀는 집안으로 들어갔다. **c**) 〔탈것 따위〕에 타고 : *in* a car 차를 타고, 차로. **d**) 〔冠詞 없이 장소의 기능을 나타내어〕 …에(서) ; …하고 : *in* school 재학 중에 ; 교사내(校舍內)에서 / *in* class 수업 중에 / *in* bed 잠자리에(서), 자고.

> [參考] 운동·동작을 나타내는 dive, fall, jump, put, throw, thrust ; break, cut, divide, fold 따위의 동사 뒤에서 into 대신 in이 사용될 때에는 동작보다도 결과로서의 상태에 중점이 있음. 예컨대 jump *in* the river 는 jump (*into* the river and be) *in* the river 의 압축 표현으로 볼 수 있음.

② **a**) 〔상태〕 …한 상태로〔에〕 : *in* ruins 폐허가 되어서 / *in* good health 건강하게 / *in* debt 빚을 지고 / *in* liquor (술에) 취하여 / *in* full blossom (꽃이) 만발하여. **b**) 〔환경〕 …한 속에(서), …속을 : *in* the dark 어둠(속)에 / go out *in* the rain 우중에 나가다.
③ **a**) 〔행위·활동·종사〕 …하고, …에 종사하고 : *in* search of truth 진실을 찾아 / be *in* politics 정치에 종사하고 있다 / be *in* business 장사를〔사업을〕 하고 있다 / spend much time *in* reading 독서에 많은 시간을 소비하다《口語에서는 in 을 생략할 때가 많음》 / I was *in* conversation with a friend. 나는 친구와 이야기를 하고 있었다. **b**) 〔소속·직업〕 …에 소속하여, …을 하고, …에 참가하여 : be *in* the navy 해군에 있다 / He is *in* building 〔advertising〕. 그는 건설〔광고〕 관계의 일을 하고 있다.
④ 〔착용·포장〕 …을 입고, …을 몸에 걸치고, …을 신고 〔쓰고〕(wearing) ; …에 싸서 : *in* uniform 제복을 입고 / *in* black shoes 검정 구두를 신고 / a man *in* spectacles 〔an overcoat, a red tie〕 안경을 쓴〔외투를 입은, 빨간 넥타이를 맨〕 남자 / be dressed *in* rags 〔red〕 누더기를〔빨간 옷을〕 입고 있다 / wrap this *in* 〔with〕 paper 이것을 종이로 〔에〕 싸다《with 는 재료를 나타낼 뿐이지만, in 은 싼다는 느낌이 강함》.
⑤ 〔때·시간〕 **a**) 〔기간〕 …동안〔중〕에, …에, …때에 : *in* 1990, 1990 년에 / *in* one's youth 젊(었)을 때 / *in* the morning 〔afternoon, evening〕 오전〔오후, 저녁〕에 / *in* March, 3 월에 / *in* (the) winter 겨울(철)에 / I learned French *in* six weeks. 6 주일 동안에 프랑스어를 배웠다. **b**) 〔경과〕 (지금부터) …후에, …지나면, …지나서《주로 미래에 쓰임 ; 《美口》에서는 종종 within 과 같은 뜻으로도 사용됨》 : *in* a week, 1 주일이면〔지나서〕 be back *in* a few days, 며칠〔2, 3일〕이면 돌아오다. **c**) 《주로 美》 …동안〔간, 중〕(에) : the coldest day *in* 30 years 지난 30 년 동안에 가장 추운 날 / I have never seen him *in* 〔for〕 months. 그를 몇 달간 만나지 못했다《영국에서는 for 만 씀》.

> [語法] **in, at, on** in 은 어떤 기간을 나타내며, at 는 때〔시간〕의 한 점을, on 은 어느 특정의 날 또는 어느 특정일의 아침이라든가 밤에 대해서 쓰임 : *in* the morning, *in* April, *in* (the) summer ; *at* six, *at* daybreak, *at* noon, *at* the beginning of this lesson ; *on* Sunday, *on* the 20th day, *on* Saturday morning. 다만, '밤에는'은 *at* night 라고 하며, *in* the night 는 '밤중에'임.

⑥ **a**) 〔전체와의 관계를 나타내어〕 …중(에서) : the highest mountain *in* the world 세계에서 가장 높은 산 / the tallest boy *in* the class 반에서 제일 키 큰 소년. **b**) 〔비율·정도·단위〕 …당, …로, 매(每) …에 一로 : be sold *in* dozen 다스(단위)로 팔리다 / packed *in* tens 열개씩 포장을 하여(서) / One *in* ten will pass. 열 사람 중 하나는 합격할 것이다.
⑦ 〔제한·관련〕 **a**) 〔범위〕 …의 범위내에, …안에 : *in* (one's) sight 시야 안에 / *in* one's power 세력 범위에 / *in* my opinion 내 의견〔생각〕으로는. **b**) 〔수량·분야 따위를 한정하여〕 …에 있어서, …이 : ten feet *in* length 〔height, depth, width〕 길이〔높이, 깊이, 너비〕가 10 피트 / seven *in* number 수가 일곱 / equal *in* strength 힘이 같은 / vary *in* size 〔color〕 크기가 〔색깔이〕 각기 다르다 / be weak *in* 〔at〕 Latin 라틴어에 약하다 / rich *in* vitamin C, 비타민 C 가 풍부한. **c**) 〔最上級 형용사를 限定하여〕 …면에서 : the latest thing *in* cars 최신형의 자동차. **d**) 〔특정 부위〕 …의, …에 관해 : a wound *in* the head 머리의 부상 / wounded *in* the leg 발에 부상을 당하여 / blind *in* one eye 한 눈이 안 보이는 / He looked me *in* the face. 그는 내 얼굴을 정면으로 쳐다보았다.
⑧ 〔사람의 성격·능력·재능〕 …속에, …에게는 : He has something of the artist *in* him〔his nature〕. 그에겐 다소 예술가다운 데가 있다.
⑨ 〔동격관계〕 …라는 : *In* him I have a true friend. 그는 나의 진정한 벗이다 / You have done us a great favor *in* encouraging us. 격려해 주심으로써 큰 힘이 돼 주셨습니다.
⑩ 〔수단·재료·도구 따위〕 …로, …로써, …로

만든 : paint *in* oils 유화(油畫)를 그리다 / print *in* color(s) 색인쇄를 하다 / speak *in* English 영어로 말하다 / a statue (done) *in* bronze 청동상. ⑪〔방법·형식〕 …(으)로, …하게 : *in* that manner 그(런) 식으로 / *in* a loud voice 큰 소리로 / Do it (*in*) this way. 이와 같이 해라 / write *in* a concise style 간결한 문체로 쓰다. ⑫〔배치·형상·순서 따위〕 …을 이루어, …이 되어 : *in* a row 일렬로, 연속적으로 / *in* alphabetical order 알파벳 순으로 / sit *in* a circle 둥그렇게〔빙 둘러〕 앉다. ⑬ **a)**〔이유·동기〕 …때문에, …(이유)로 : cry out *in* alarm 놀라서 소리지르다 / rejoice *in* one's recovery 회복을 기뻐하다. **b)**〔목적〕 …을 목적으로, …을 위해 : *in* self-defense 자기 방어를 위해 / shake hands *in* farewell 작별의 악수를 하다. **c)** …로서(의) : *in* return for his present 그의 선물에 대한 답례로 / She said nothing *in* reply. 그녀는 아무 대답도 안 했다. **d)**〔조건〕 (만일) …인 경우에는, …이니까 : *in* that case (만일) 그런 경우에는 / *in* the circumstances 이런 사정이니까. ⑭〔행위의 대상〕 …에 관해, …을 : believe *in* God 하느님의 존재를 믿다 / persist *in* one's belief 끝까지 자기 신념을 관철하다.
be in it (***up to the neck***) 《口》 (1) (아무가) 어려운 처지에 놓여 있다. (2) 깊숙이 관여하고 있다, 관계하고 있다. ***be not in it*** 《口》 (…에는) 못 당하다, (…에는) 비교도 안 되다, 훨씬 못하다, 승산(勝算)이 없다《*with*》: He's got a fantastic car. A Benz *isn't in it !* 그는 훌륭한 차를 갖고 있다, 벤츠도 그만 못할 것 같다. ***in all*** ⇨ ALL. ***in as much as*** ⇨ INASMUCH AS. ***in itself*** ⇨ ITSELF. ***in so far as*** ⇨ FAR. ***in so much that*** ⇨ INSOMUCH. ***in that*** …이라는 점에서, …한 이유로, …이므로 (since, because) : *In that* he disobeyed, he was a traitor. 복종치 않았다는 점에서 그는 반역자였다.
— *ad.* ①〔운동·방향〕 안에, 안으로, 속에, 속으로(opp. *out*) : Get *in.* (차를) 타시오《Get *in* the car. 의 목적어가 생략된 것》/ Come (on) *in.* 들어오시오 / He put it *in.* 그것을 안에 넣었다.
② 집에 있어, 집에서 : stay *in* for a day 하루 종일 집에 있다 / Is he *in ?* 그는 집에 있나요.
③ **a)** (탈것 등이) 들어와, 도착하여 : The train is *in.* 열차가 들어와 있다. **b)** 제출되어 : The report must be *in* by Saturday. 리포트는 토요일까지 제출할 것. **c)** (계절 따위가) (돌아)와 ; (수확 따위가) 거둬들여져 : The summer is *in.* 여름이 왔다.
④ (과일·식품 따위가) 제철에, 한창인 : Oysters are now *in.* 굴이 지금 한창이다.
⑤ (복장이) 유행하고 : Short skirts are *in.* 짧은 스커트가 유행이다.
⑥ **a)** (정당이) 정권을 잡고〔맡고〕: The Liberals is *in* now. 자유당이 지금 여당〔집권당〕이다. **b)** (정치가 등이) 당선되어, 재직하여 : Kennedy is *in* again. 케네디가 재당선되었다.
⑦ (기사 등이) (잡지에) 실리어, 게재되어 : Is my article *in ?* 내 논문은 실려 있습니까.
⑧《英》(불·등불이) 타고 : keep the fire *in* 불을 타게 해두다.
⑨ (조수가) 밀물에〔이 되어〕.
⑩ (야구·크리켓에서) 공격 중에 ; (테니스에서 공이) 라인 안에 : Which side is *in ?* 어느 팀이 공격 중입니까.
⑪〖골프〗 (18 홀 코스에서) 후반 (9 홀)을 끝내고. ***all in*** ⇨ ALL. ***be in at . . .*** (1) …에 참여〔관여〕하고 있다, 참석해 있다. (2) (때) 마침 그자리에 있다 : I *was in at* his death. 마침 그의 임종의 자리에 있었다. ***be in for . . .*** (1)《口》(어려움·악천후 따위)를 만날 것 같다, …을 당하게 되다 : We *are in for* rain. 비가 올 것 같다(=It is going to rain.) / We *were in for* a surprise. 놀랄 만한 일이 우리를 기다리고 있었다. (2) (경기 따위)에 참가하기로 되어 있다 : I'*m in for* the 100 meters. 백미터 경기에 출전하기로 돼 있다. (3) (일 따위)를 지원하다, 신청하다. ***be in for it*** 어쩔 도리 없게 되다, 벌은 면할 수 없게 되다. ***be*** 〔***get***〕 ***in on . . .*** 《口》 (계획 따위)에 참여하다 ; (비밀 따위)에 관여〔관계〕하다 : I *was in on* his plan. 나는 그의 계획에 참여했다. ***be*** 〔***keep***〕 (***well***) ***in with . . .*** 《口》 …와 친(밀)하게 지내다 : He *is in with* the bosses. 그는 상사들과 잘 해나가고 있다. ***breed in*** (***and in***) ⇨ BREED. ***go in for . . .*** =be in for …(2). ***have it in for*** ⇨ HAVE. ***in and out*** (1) (…을) 나왔다 들어갔다《*of*》: She is constantly *in and out of* hospital. 그녀는 입원 퇴원을 거듭하고 있다. (2) 아주, 완전히, 철저히 (completely). cf. inside out. (3) 보였다 안 보였다 ; 구불구불, 굽이쳐 : The brook winds *in and out* among the bushes. 그 시냇물은 덤불숲 사이를 꾸불꾸불 흐르고 있다. ***in between*** ⇨ BETWEEN. ***In with . . .*** 〔命令文에서〕 …을 안에 넣어라〔들여보내라〕: *In with* you ! 들어와라 !
— *a.*〔限定的〕 ① 내부의 ; 안의 ; 안에 있는 : an *in* patient 입원 환자(an inpatient). ② 들어오는 : the *in* train 도착 열차. ③ 정권을 잡고 있는 : the *in* party 여당. ④《口》 유행의 ; 인기 있는 : Her new novel is the *in* book to read this winter. 그녀의 신작 소설이 올 겨울 크게 읽히고 있다. ⑤《口》 (농담 따위) 동아리끼리의〔통하는〕: an *in* joke 동아리끼리만 통하는 농담. ⑥ (크리켓에서) 공격(측)의 : the *in* side 〔team〕 공격측〔팀〕. ⑦ (골프의 18홀 코스에서) 후반(9홀)의.
— *n.* ① (the ~s) 여당. ② Ⓒ《美口》 애고(愛顧), 연줄 : have an *in* with the boss 상사의 총애를 받고 있다. ③ (the ~s) (크리켓의) 공격측.
the ins and outs (***of . . .***) (…의) 내막, 이면, 자초지종 : know (all) *the ins and outs of* the stock market 주식 시장의 내막을 알다.

in-¹ *pref.* 전치사 또는 부사의 in, into, upon, on, against, toward(s) 따위의 뜻《종종 en 으로 됨(보기 : *in*quiry, *en*quiry) ; l 앞에서는 *il-* ; b, m, p 앞에서는 *im-* ; r 앞에서는 *ir-* 로 됨》.

***in-**² *pref.* '무(無), 불(不)'의 뜻《il-, im-, ir-로도 됨》. cf. in-¹.

-in '집단 항의〔시위, 운동〕, 사교적 집회'의 뜻의 복합어를 만드는 결합사 : teach-*in* ; be-*in.*

In 〖化〗 indium. **in.** inch(es) ; **IN** Indiana.

***in·a·bil·i·ty** [ìnəbíləti] *n.* Ⓤ 무능(력), 무력 ; …할 수 없음《*to* do》: one's ~ in〔at〕 English 영어를 하지 못함 / I must confess my ~ *to* help you. 도와드리지 못한다고 말씀드려야만 하겠습니다.
◇ unable *a.*

in ab·sen·tia [ìn-æbsénʃiə] 《L.》 부재 중에.

in·ac·ces·si·bil·i·ty [ìnæksèsəbíləti] *n.* Ⓤ 가까이〔도달〕하기 어려움.

***in·ac·ces·si·ble** [ìnəksésəbəl] *a.* 가까이하기〔접근하기, 도달하기, 얻기〕 어려운《*to*》: an ~ mountain 도저히 오를 수 없는 산 / materials ~ *to* us 우리로서는 얻을 수 없는 자료 / an ~ person 가까이하기 어려운 사람. ㊞ **-bly** *ad.*

in·ac·cu·ra·cy [inǽkjərəsi] *n.* ① Ⓤ 부정확 : avoid ~ in the use of words 말의 오용을 피하다. ② Ⓒ (종종 *pl.*) 잘못, 틀림 : the historical *inaccuracies* which the book contains 그 책에 있는 역사적 기술(記述)의 잘못.

in·ac·cu·rate [inǽkjərit] *a.* 부정확한, 정밀하지 않은 ; 틀린, 잘못된 : an ~ statement 부정확한 진술 / have an ~ memory 기억이 확실하지 않다. ㊀ **~·ly** *ad.*

in·ac·tion [inǽkʃən] *n.* Ⓤ 활동〔활발〕하지 않음, 무위(無爲) ; 게으름, 나태.

in·ac·ti·vate [inǽktəvèit] *vt.* …을 활발치 않게 하다 ; 비활성(非活性)으로 만들다.
㊀ **in·àc·ti·vá·tion** [-ʃən] *n.* 비활성화(化).

***in·ac·tive** [inǽktiv] *a.* ① 활동치 않는, 활발하지 않은, 무위의 ; 움직이지 않는 ; 게으른. ② 〖物·化〗 방사능이 없는 ; 비활성〔불선광성(不旋光性)〕의. ③ 현역이 아닌.
㊀ **~·ly** *ad.* **in·ac·tív·i·ty** *n.*

in·ad·e·qua·cy [inǽdikwəsi] *n.* ① Ⓤ 부적당, 불완전 ; 불충분, (역량 따위의) 부족. ② (종종 *pl.*) 부적당한 점, 미비점 : The plan has many *inadequacies.* 이 계획에는 미비점이 많다.

‡in·ad·e·quate [inǽdikwit] *a.* ① 부적당한 ; 불충분한 ; 부적절한《*for* ; *to*》: an ~ income 불충분한 수입 / He is ~ *to* 〔*for*〕 the present job. 그는 지금의 일에 적합하지 않다. ② 미숙한, 적응성〔능력, 자격〕이 모자라는. ㊀ **~·ly** *ad.* **~·ness** *n.*

in·ad·mis·si·bil·i·ty [ìnədmìsəbíləti] *n.* Ⓤ 허용〔용인, 시인〕할 수 없음.

in·ad·mis·si·ble [ìnədmísəbəl] *a.* 허용〔허락〕하기 어려운, 승인할 수 없는. ㊀ **-bly** *ad.*

in·ad·vert·ence, -en·cy [ìnədvə́ːrtəns], [-si] *n.* ① Ⓤ 부주의, 태만, 소홀. ② Ⓒ (부주의에 의한) 실수, 잘못.

in·ad·vert·ent [ìnədvə́ːrtənt] *a.* ① 부주의한, 소홀한, 태만한 : an ~ remark 부주의한 말. ② (행동 등이) 무심코 저지른, 우연의, 고의가 아닌.
㊀ **~·ly** *ad.* 「수 없음.

in·ad·vis·a·bil·i·ty [ìnədvàizəbíləti] *n.* Ⓤ 권할

in·ad·vis·a·ble [ìnədváizəbəl] *a.* 권할 수 없는 ; 현명하지 않은, 어리석은. ㊀ **-bly** *ad.*

in·al·ien·a·ble [inéiljənəbəl] *a.* ① (권리 등이) 양도할〔넘겨 줄〕 수 없는. ② (아무에게서) 빼앗을 수 없는 : the ~ rights of man 인간의 절대적 권리. ㊀ **-bly** *ad.* **~·ness** *n.*

in·al·ter·a·ble [inɔ́ːltərəbəl] *a.* 변경할 수 없는, 불변의. ㊀ **-bly** *ad.*

in·ane [inéin] *a.* ① 공허한, 텅 빈 : ~ space 허공. ② 어리석은(silly), 무의미한 : ~ questions 어리석은 질문. ── *n.* (the ~) 공허한 것 ; 무한한 공간. ㊀ **~·ly** *ad.*

***in·an·i·mate** [inǽnəmit] *a.* ① 생명 없는, 무생물의 ; 죽은 : ~ matter 무생물 / ~ nature 무생물계. ② 활기〔생기〕없는 : ~ looks 생기없는 표정. ㊀ **~·ly** *ad.* **~·ness** *n.* **in·àn·i·má·tion** [-méiʃən] *n.* Ⓤ 생명이 없음 ; 불활동, 무기력.

in·a·ni·tion [ìnəníʃən] *n.* Ⓤ ① 공허, 텅빔 (emptiness) ; 영양 실조. ② 무기력.

in·an·i·ty [inǽnəti] *n.* ① Ⓤ 공허함 ; 어리석음, 우둔. ② Ⓒ 어리석은〔무의미한〕 짓.

in·ap·pli·ca·bil·i·ty [inæ̀plikəbíləti] *n.* Ⓤ 적용〔응용〕할 수 없음.

in·ap·pli·ca·ble [inǽplikəbəl] *a.* 적용〔응용〕할 수 없는, 관계 없는 ; (딱) 들어맞지 않는, 부적당한《*to*》: The rule is ~ in this case. 그 규칙은 이 경우에는 적용되지 않는다. ㊀ **-bly** *ad.*

in·ap·po·site [inǽpəzit] *a.* 적절하지 않은, 부적당한, 엉뚱한. ㊀ **~·ly** *ad.* **~·ness** *n.*

in·ap·pre·ci·a·ble [ìnəpríːʃiəbəl] *a.* 느낄 수 없을 만큼의, 미미한. ㊀ **-bly** *ad.*

in·ap·pre·cia·tive [ìnəpríːʃiətiv, -ʃièit-] *a.* 평가할 능력이 없는, 감식력이 없는 ; 인식 부족의 ; 높이 평가하지 않는. ㊀ **~·ly** *ad.* **~·ness** *n.*

in·ap·proach·a·ble [ìnəpróutʃəbəl] *a.* 가까이할 수 없는 ; 서먹서먹한 ; 비길 데 없는, 대적할 자가 없는, 당해낼 수 없는, 무적의.

in·ap·pro·pri·ate [ìnəpróupriit] *a.* 부적당한 ; 걸맞지 않는《*for* ; *to*》. ㊀ **~·ly** *ad.* **~·ness** *n.*

in·apt [inǽpt] *a.* ① 부적당한, 적절치 않은 (unsuitable), 어울리지 않는《*for*》. ② 서툰 ; 졸렬한《*at*》. ㊀ **~·ly** *ad.* **~·ness** *n.*

in·apt·i·tude [inǽptətjùːd] *n.* Ⓤ ① 부적당, 어울리지 않음, 부적절. ② 서투름, 졸렬.

***in·ar·tic·u·late** [ìnɑːrtíkjəlit] *a.* ① (발음이) 똑똑지 못한, 분명치 않은, 뜻을 전하지 못하는. ② (고통·흥분 등으로) 말을 못하는 : ~ passion 말을 못할 정도의 격정 / He was ~ with rage. 너무 흥분해서 말이 똑똑지 않았다. ③ 분명히 의견〔주장〕을 말하지 못하는 : politically ~ 정치적으로 발언권이 없는. ④ 〖醫〗 관절이 없는.
㊀ **~·ly** *ad.* 똑똑지 못한 발음으로, 불명료하게. **~·ness** *n.*

in·ar·tis·tic [ìnɑːrtístik] *a.* ① 예술적〔미술적〕이 아닌. ② 예술을 이해 못 하는, 몰취미한.
㊀ **-ti·cal·ly** [-əli] *ad.*

in·as·much as [ìnəzmʌ́tʃ-] ① …이므로, …하므로, …인 까닭에 (because, since) : *Inasmuch as* we have no money, it is no good thinking about a holiday. 돈이 없으니까 휴가 따위를 생각해봤자 부질없는 일이다. ② …인 한은(insofar as).

in·at·ten·tion [ìnəténʃən] *n.* Ⓤ ① 부주의, 방심, 태만 ; 무관심 : through ~ 부주의해서. ② 무뚝뚝함 ; 무심.

in·at·ten·tive [ìnəténtiv] *a.* 부주의한, 태만한 ; 무관심한 : an ~ pupil (수업 중에) 멍하니 앉아있는 학생. ㊀ **~·ly** *ad.* **~·ness** *n.*

in·au·di·bil·i·ty [inɔ̀ːdəbíləti] *n.* Ⓤ (알아)들을 수 없음.

in·au·di·ble [inɔ́ːdəbəl] *a.* 알아들을 수 없는, 들리지 않는. ㊀ **-bly** *ad.* 들리지 않게, 들리지 않을 만큼.

***in·au·gu·ral** [inɔ́ːgjərəl] *a.* 〔限定的〕 취임(식)의 ; 개시의, 개회의 : an ~ address 취임 연설 ; 《美》 (대통령 등의) 취임 인사 ; 개회사 / an ~ ceremony 취임〔개회, 개관〕식 / an ~ meeting 창립 총회.
── *n.* 《美》 (대통령 등의) 취임 연설 ; 취임식.

***in·au·gu·rate** [inɔ́ːgjərèit] *vt.* ① 《~+목 / +목+*as* 보》 …의 취임식을 거행하다 ; 취임시키다《흔히 受動으로》: A President of the United States *is* ~*d* every four years. 미국의 대통령은 4년마다 취임한다. ② 준공〔제막, 개통, 발회〕식을 열다, 개관〔개통, 개강, 개업〕하다 ; 시작하다. ③ (새 시대를) 열다, 개시하다 : The end of World War Ⅱ ~*d* the era of nuclear power. 제2차 세계대전의 종막은 원자력 시대의 막을 열었다. ◇ inauguration *n.*

***in·au·gu·ra·tion** [inɔ̀ːgjəréiʃən] *n.* ① Ⓤ,Ⓒ 취임(식). ② Ⓒ 개업〔개관, 개통, 개강, 준공, 제막, 발회〕식. ③ Ⓤ,Ⓒ 개시 ; 개업 ; 발회. ◇ inaugurate *v.*

Inaugurátion Dày (the ~) 《美》 대통령 취임식날《당선된 다음 해의 1월 20일》.

in·aus·pi·cious [ìnɔːspíʃəs] *a.* 불길한, 상서롭지 않은, 재수없는 ; 불행한, 불운한 : an ~ beginning 불길한 시발. ㊀ **~·ly** *ad.* **~·ness** *n.*

in-be·tween [ìnbitwíːn] *a.* 〔限定的〕 중간적인, 중간의.
── *n.* Ⓒ 중간물 ; 중개자 : yeses, noes, and ~s 찬성자와 반대자와 이도저도 아닌 사람.

in·board [ínbɔ̀:rd] *a.* 〔限定的〕, *ad.* 〖海·空〗 비행기 안의〔에〕, 배안의〔에〕; 〖空〗 동체(胴體) 중심 가까이의〔에〕; (엔진이) 선내〔기내〕에 장착된〔되어〕. OPP. outboard.

***in·born** [ínbɔ́:rn] *a.* 타고난, 천부의; 선천적인.

in·bound [ínbáund] *a.* ① 본국으로 돌아가는, 본국행의. OPP. outbound. ② 도착하는, 들어오는; 시내로 들어가는: catch an ~ bus 시내로 들어가는 버스를 타다.

in-box [ínbɑ̀ks / -bɔ̀ks] *n.* Ⓒ 《美》 도착〔미결〕 서류함.

in·bred [ínbréd] *a.* ① 타고난. ② 동종(同種) 번식의, 근친 교배의.

in·breed [ínbrí:d] *vt.* (동물을) 동종 번식〔교배〕 시키다. ㊕ **ín·brèed·ing** *n.* Ⓤ 동종 번식, 근친 교배.

in-built [ínbílt] *a.* ＝BUILT-IN.

***Inc.** 《美》 〔기업명 뒤에〕 Incorporated(《英》 Ltd.).

inc. inclosure; included; including; inclusive; income; incorporated; increase.

In·ca [íŋkə] *n.* ① (the ~(s)) 잉카 사람〔족〕《페루 원주민 중 세력이 가장 컸던 종족》. ② (the ~) 잉카 국왕.

in·cal·cu·la·bil·i·ty [inkæ̀lkjələbíləti] *n.* Ⓤ,Ⓒ 셀 수 없음, 무수; 예측할 수 없음.

in·cal·cu·la·ble [inkǽlkjələbəl] *a.* ① 헤아릴 수 없는, 막대한, 무한량의: an ~ loss 막대한 손실. ② 어림할 수 없는, 예측할 수 없는: in the most ~ way 전혀 뜻밖의 방법으로 / fall into an ~ position 예상밖의 처지에 놓이다. ③ 믿을〔기대할〕 수 없는: a person of ~ moods 기분파. ㊕ **-bly** *ad.* **~·ness** *n.*

In·can [íŋkən] *a.* 잉카 사람〔왕국·문화〕의. ── *n.* Ⓒ 잉카 사람.

in·can·des·cence [ìnkəndésəns] *n.* Ⓤ 백열(광).

in·can·des·cent [ìnkəndésənt] *a.* ① 백열의; 백열광을 내는: an ~ lamp 〔light〕 백열등. ② 눈부신, 빛나는; 열의〔의욕〕에 불타는: her ~ smile 그녀의 눈부시듯 환한 미소.

in·can·ta·tion [ìnkæntéiʃən] *n.* Ⓤ,Ⓒ 주문(을 욈); 주술, 마법.

in·ca·pa·bil·i·ty [inkèipəbíləti] *n.* Ⓤ 불능, 무능; 무자격; 부적임(不適任).

‡**in·ca·pa·ble** [inkéipəbəl] (***more ~; most ~***) *a.* ① 〔敍述的〕 …할 힘이 없는, …을 할 수 없는; 자격이 없는《*of*》: ~ *of* pity 인정을 모르는. ② 무능〔무력〕한, 쓸모 없는: ~ workers 무능한 일꾼들. ③ 〔敍述的〕 …될 수 없는: The case is ~ *of* swift decision. 이 문제는 조속히 결정될 수 없다. ***drunk and ~*** 취해 곤드라져(incapably drunk). ㊕ **-bly** *ad.* **~·ness** *n.*

in·ca·pac·i·tate [ìnkəpǽsətèit] *vt.* 《~+목/+목+전+명》 ① …을 무능력하게 하다; 못하게 하다; 부적당하게 하다《*for*》: His illness ~*d* him *for* work 〔work*ing*〕. 그는 병으로 일할 수 없게 되었다. ② 〖法〗 …의 자격을 빼앗다. ㊕ **ìn·ca·pàc·i·tá·tion** [-ʃən] *n.* Ⓤ 능력을 없앰; 자격 박탈; 실격(失格).

in·ca·pac·i·ty [ìnkəpǽsəti] *n.* ① Ⓤ (또는 an ~) 무능, 무력, 부적당《*for* work; *for* do*ing*; *to* do》: (*an*) ~ *for* work〔work*ing*〕 일을 할 능력이 없음 / *an* ~ *to* lie 거짓말을 할 수 없음. ② Ⓤ 〖法〗 무능력, 무자격, 실격.

in·car·cer·ate [inkɑ́:rsərèit] *vt.* …을 투옥〔감금〕하다(imprison), 유폐하다〔흔히 受動으로〕: *be* ~*d* in the Tower (of London) 런던 탑에 유폐되다. ㊕ **in·càr·cer·á·tion** [-ʃən] *n.* Ⓤ 감금, 투옥; 유폐(상태).

in·car·na·dine [inkɑ́:rnədàin, -din, -dì:n] 《古·詩》 *n.* Ⓤ, *a.* 살〔핏〕빛(의), 진홍〔담홍〕색(의). ── *vt.* …을 붉게 물들이다(redden).

in·car·nate [inkɑ́:rneit, -nit] *vt.* ① 《+목+*as* 보》 …에게 육체를〔육신을〕 갖게 하다《*in*; *as*》《흔히 受動으로 "…의 육체(모습)을 하고 있다"의 뜻이 됨》; (특히) 인간의 모습을 갖게 하다: the devil ~*d as* a serpent 뱀의 모습을 한 악마(惡魔). ② 《+목+전+명》 〔흔히 受動으로〕 (관념 따위)를 구체화하다, 실현하다: His ideals *were* ~*d in* his poems. 그의 이상은 그의 시 속에 구체화되었다. ③ …을 대표하다; …의 전형이다.
── [inkɑ́:rnit, -neit] *a.* 〔흔히 名詞의 뒤에〕 ① 육신을 갖춘, 사람의 모습을 한: the devil ~ 악마의 화신. ② 구체화(化)한, 구현한.

in·car·na·tion [ìnkɑ:rnéiʃən] *n.* ① Ⓤ 육체를 갖추게 함; 인간의 모습을 취함. ② (the ~) 화신(化身), 권화(權化)《*of*》: He is *the* ~ *of* honesty. 그는 정직 바로 그것이다. ③ Ⓤ 구체화, 체현(體現). ④ Ⓒ 어떤 특정 시기〔단계〕(의 모습): a previous ~ 전세(의 모습). ⑤ (the I-) 성육신(成肉身), 강생《신이 인간 예수로서 지상에 태어남》.

in·case [inkéis] *vt.* ＝ ENCASE.

in·cau·tious [inkɔ́:ʃəs] *a.* 조심성이 없는, 무모한, 경솔한. ㊕ **~·ly** *ad.* **~·ness** *n.*

in·cen·di·a·rism [inséndiərìzəm] *n.* Ⓤ ① 방화(放火). cf. arson. ② 선동.

in·cen·di·ary [inséndièri] *a.* 〔限定的〕 ① 불나게 하는, 방화의: an ~ bomb 〔shell〕 소이탄 / an ~ fire 방화. ② 선동적인.
── *n.* Ⓒ ① 방화범; 소이탄. ② 선동자.

***in·cense**[1] [ínsens] *n.* Ⓤ 향(香); 향냄새〔연기〕; 〔一般的〕 방향(芳香): a stick of ~ 선향(線香).
── *vt.* …에 향을 피우다; …앞에 분향하다.

in·cense[2] [inséns] *vt.* …을 (몹시) 성나게 하다《★ 흔히 과거분사로 형용사적; 전치사는 행위·말 등에는 *at, by*, 사람에게는 *with, against*》: He was ~*d by* her conduct 〔*at* her remarks〕. 그는 그녀의 행위〔말〕에 화가 났다 / Why are you so ~*d against* us? 왜 우리에게 그렇게 화를 내느냐. ㊕ **~·ment** *n.*

***in·cen·tive** [inséntiv] *a.* ① 자극적인, 고무하는《*to*》. ② 〔限定的〕 장려 〔격려〕하는: ~ goods 〔articles〕 보상 물자 / ~ pay 장려금.
── *n.* Ⓒ,Ⓤ 격려, 자극, 유인, 동기; (생산성 향상을 위한) 장려금: an ~ *to* work harder 더욱 열심히 일하려고 하는 동기.

in·cep·tion [insépʃən] *n.* Ⓒ 처음, 발단. ***at the*** (***very***) ***~ of*** …의 처음에, 당초에.

in·cep·tive [inséptiv] *a.* ① 처음의, 발단의. ② 〖文法〗 동작의 시작을 나타내는, 기동(起動)(상(相))의. ── *n.* Ⓒ 〖文法〗 기동상(相); 기동 동사(=∠ **vérb**). ㊕ **~·ly** *ad.*

in·cer·ti·tude [insə́:rtətjù:d] *n.* Ⓤ 불확실; 불안정(不安定), 의혹, 의구, 불안.

‡**in·ces·sant** [insésənt] *a.* 끊임없는, 그칠 새 없는, 간단 없는. cf. ceaseless. ¶ an ~ noise 끊임없는 소음. ㊕ ***~·ly** *ad.* 끊임없이. **~·ness** *n.*

in·cest [ínsest] *n.* Ⓤ 근친 상간, 상피(相避): commit ~ 근친 상간하다.

in·ces·tu·ous [inséstʃuəs] *a.* 근친상간의 (죄를 저지른). ㊕ **~·ly** *ad.* **~·ness** *n.*

†**inch** [intʃ] *n.* ① Ⓒ 인치《12 분의 1 피트, 2.54 cm; 기호 ″; 略: in.》: He is five feet six ~*es* (tall). 그의 키는 5피트 6인치이다 / an ~ of rain 〔snow〕 1인치의 강우량〔적설량〕. ② (an ~) 조금, 소량: win by *an* ~ 근소한 차로 이기다 / Give him 〔knaves〕 *an* ~ and he 〔they〕 will take a mile 〔a yard, an ell〕. 《俗談》 봉당 빌려주니 안방까지 달란다. ***by ~es*** (1) 하마터면, 겨우, 간신

히(by an ~): escape death *by ~es* 아슬아슬하게 죽음을 모면하다. (2) 조금씩, 점차로, 서서히, 싸목싸목: die *by ~es* 서서히 죽다. ***every ~*** 어디까지나, 완전히, 철두 철미; 구석구석까지: He is *every* ~ a gentleman. 그는 어느 모로 보나 신사다 / He knows *every* ~ of this town. 그는 이 도시의 구석구석까지 환하다. ~ ***by*** ~ 조금씩(by ~es). ***to an*** ~ 조금도 틀림없이, 정밀하게. ***within an ~ of*** 《口》 …의 바로 곁에까지, 거의 …할 정도까지: He came *within an ~ of* being killed 그는 거의 죽을 뻔했다.

— *vt.* ① …을 조금씩 움직이게 하다. ②〔~ one's way로〕 천천히 나아가다; 다가가다: *~ one's way* through the crowd 군중을 비집고 나아가다.

— *vi.* 천천히〔조금씩〕 움직이다《*along*》: We got caught in a traffic jam and we were *~ing along* for ages. 우리는 교통 체증에 걸려 오랫동안 조금씩 나아가고 있었다.

inch·meal [íntʃmì:l] *ad.* 조금씩(gradually), 서서히(slowly).

in·cho·ate [inkóuit / ínkouèit] *a.* ① 이제 막 시작한, 초기의. ② 불완전한, 미완성의; 미발달의; 미정리의. [파] **~·ly** *ad.* **~·ness** *n.*

inch·worm [íntʃwə̀:rm] *n.* [C] 〖蟲〗 자벌레 (looper).

in·ci·dence [ínsədəns] *n.* ① (*sing.*) (사건·영향 따위의) 발생; 발생률, 빈도; (세금 등의 부담) 범위: decrease the ~ *of* a disease 어떤 병의 발생률〔이환율〕을 줄이다. ② [U,C] 〖物〗 투사(投射), 입사: an angle of ~ 입사각.

‡**in·ci·dent** [ínsədənt] *a.* ①〔敍述的〕 (부수적으로) 일어나기 쉬운, 흔히 있는; 부수하는, 부대(附帶)하는《*to*》: new duties ~ *to* increased rank 지위가 오르면서 따라 붙는 새로운 의무. ②〖物〗 **a**) 투사〔입사〕의: an ~ angle 입사각. **b**)〔敍述的〕(…에) 투사하는《*on, upon*》: rays of light ~ *upon*〔*on*〕 a mirror 거울에 투사하는 광선.

— *n.* [C] ① 사건, 생긴 일; (어떤 사건의) 부수 사건, 작은 사건: the ordinary *~s* of daily life 일상사(日常事). ② (전쟁·폭동 따위의) 사건, 사변, 분쟁: a border〔religious〕 ~ 국경〔종교〕 분쟁. ③ (극·소설 중의) 삽화(episode). ④〖法〗 부수 조건, 재산에 부대하는 권리〔의무〕.

***in·ci·den·tal** [ìnsədéntl] *a.* ① (…에) 일어나기 쉬운, 흔히 있는; (…에) 부수하여 일어나는《*to*》: an ~ image 잔상(殘像) / That is ~ *to* my story. 그것은 여담입니다《to 이하를 생략할 때도 있음》. ② 주요하지 않은, 부차적인; 임시의, 우연한, 우발적인: ~ expenses 임시비, 잡비.

— *n.* ① [C] 부수적〔우발적〕인 일. ② (*pl.*) 임시비, 잡비.

***in·ci·den·tal·ly** [ìnsədéntəli] *ad.* ① (흔히 문장의 앞머리에 쓰여 문 전체를 수식) 그런데, 그래서; 첨언하면: *Incidentally*, I saw Philip the other day. 그런데, 일전에 필립을 만났다. ② 부수적으로. ③ 우연히.

incidéntal músic (극·영화 따위의) 부수〔반주〕 음악.

in·cin·er·ate [insínərèit] *vt.* ① (불필요한 것)을 태워서 재로 만들다, 태워 없애다, 소각하다. ② 화장(火葬)하다(cremate).

[파] **in·cìn·er·á·tion** [-ʃən] *n.* [U] ① 소각. ② 화장.

in·cín·er·à·tor [-ər] *n.* [C] (쓰레기의) 소각로(爐)〔장치〕; 화장로.

in·cip·i·ence, -en·cy [insípiəns], [-si] *n.* [U] ① 시초, 발단. ② (병 따위의) 초기.

in·cip·i·ent [insípiənt] *a.* ① 시초의, 발단의: the ~ light of day 서광(曙光). ②〖醫〗 (병 등의) 초기의: the ~ stage of a disease 발병 초기.
[파] **~·ly** *ad.*

in·cise [insáiz] *vt.* ① …을 절개하다; …을 째다. ② …에 표〔문자, 무늬〕를 새기다, 조각하다.

in·ci·sion [insíʒən] *n.* ① [U] 칼〔벤〕자국을 내기, 베기; 새김; [C] 칼〔벤〕자국. ②〖醫〗 짼, 절개: make an ~ 절개하다.

in·ci·sive [insáisiv] *a.* ① (말 따위가) 날카로운, 가시 돋친, 신랄한: ~ criticism 날카로운 비평 / an ~ tone of voice 날카로운 소리. ② (두뇌 등이) 예민한; 기민한: an ~ mind 영민한 두뇌. ③ (칼붙이가) 예리한. [파] **~·ly** *ad.* **~·ness** *n.*

in·ci·sor [insáizər] *n.* [C] 〖解〗 앞니.

in·ci·ta·tion [ìnsaitéiʃən, -sit-] *n.* [U.C] = INCITEMENT.

***in·cite** [insáit] *vt.* 《+[목]+[전]+[명] / +[목]+*to* do》 ① …을 자극〔격려〕하다; 추기다, 선동하다: ~ a person *against* the government 정부에 대항하도록 아무를 꼬드기다 / ~ a person *to* work hard 아무를 격려하여 열심히 일하게 하다. ② (분노·호기심 등) 을 일으키게 하다, 자극하다: Her remark *~d* anger in him. 그녀의 말은 그를 화나게 했다. [파] **in·cít·er** *n.*

in·cite·ment [insáitmənt] *n.* ① [U] 격려, 고무, 선동, 자극《*to*》. ② [C] 자극하는 것; 동기, 유인(誘因)《*to*》: an ~ *to* riot 폭동의 유인.

in·ci·vil·i·ty [ìnsivíləti] *n.* ① [U] 버릇없음, 무례. ② [C] 버릇없는〔무례한〕 말〔행동〕.

incl. inclosure; including; inclusive(ly).

in·clem·en·cy [inklémənsi] *n.* [U] (날씨가) 사나움, 거침.

in·clem·ent [inklémənt] *a.* (날씨가) 험악한, 거칠고 궂은; 혹독한, 한랭한(severe): ~ weather 몹시 궂은 날씨.

‡**in·cli·na·tion** [ìnklənéiʃən] *n.* ① [C] (*sing.*) (고개 따위를) 숙임, (몸을) 구부림《*of*》: with a slight ~ *of* one's head 가볍게 고개를 끄덕이며. ② [U] 기울기, 경사; [C] 사면(斜面). ③ [C] (흔히 *sing.*) 경향, 성향, 성벽《*toward; for*》: an ~ *for* stealing 〔*to* steal〕 도벽. ④ [C] (흔히 *sing.*) (체질적인) 경향: She has an ~ *to* get headaches. 그녀는 자주 두통을 앓는다. ⑤ [C,U] (종종 *pl.*) 좋아함, 기호, 의향, 기분; 취향《*for; toward*》: I have a strong ~ *for* sports. 나는 스포츠를 무척 좋아한다.

‡**in·cline** [inkláin] *vt.* ① …을 기울이다, 경사지게 하다; (몸)을 굽히다; (머리)를 숙이다; (귀)를 기울이다: ~ one's ear to … 에 귀를 기울이다 / ~ one's head in greeting 고개를 숙여 인사하다. ②《+[목]+*to* do》 (마음)에 내키게 하다, …할 마음이 일게 하다《★ 종종 과거분사로서 형용사적으로 씀》: ~ a person's mind *to* do …하도록 아무의 마음이 쏠리게 하다 / The news *~d* him *to* anger. 그 뉴스를 듣고 그는 화를 냈다.

— *vi.* ① 기울다, 기울어지다, 경사지다; 몸을 구부리다, 고개를 숙이다: ~ forward 몸을 앞으로 굽히다 / The road *~s toward* the river. 그 길은 강쪽으로 경사져 있다. ②《+[전]+[명] / +*to* do》 마음이 기울다〔내키다〕, …하고 싶어하다; …경향이 있다, …하기 쉽다: ~ *to* luxury 사치스런 경향이 있다 / ~ *to* leanness 〔stoutness〕 야위는 〔뚱뚱해지는〕 체질이다. ◇ inclination *n.*

— [ínklain] *n.* [C] ① 경사(면), 물매(slope). ② 사면, 비탈: a steep ~ 가파른 언덕.

[파] ‡**in·clíned** [-d] *a.* ①〔敍述的〕 …하고 싶어하는《*to* do》; …할 마음이 있는《*for*》; …의 경향이 있는《*to; toward*》: I'm *~d to* believe that he's innocent. 그가 결백하다고 믿고 싶다. ②〔敍述的〕

(체질적으로) …한 경향이 있는((to; toward)); …하는 체질인; 쉽게 …하는((to do)): She's ~*d to* get tired easily. 그녀는 쉬 피곤해 한다. ③ 경사진: an ~*d* tower 기울어진 탑.

inclíned pláne 사면(斜面).

in·cli·nom·e·ter [inklənámitər / -klənɔ́mi-] *n.* Ⓒ 복각계(伏角計); 경사계 (clinometer).

***in·close** [inklóuz] *vt.* =ENCLOSE.

in·clo·sure [inklóuʒər] *n.* =ENCLOSURE.

‡**in·clude** [inklú:d] *vt.* ① (전체의 일부로서) …을 포함하다: This price ~*s* service charges. 이 요금은 봉사료를 포함하고 있다. ② ((+목+전+명)) 포함시키다, 넣다; 셈에 넣다. opp *exclude.* ③ 〔過去分詞로 獨立分詞로 쓰여〕 …포함하여: Price $ 5, postage ~*d.* 우송료 포함 대금 5달러.

***in·clud·ing** [inklú:diŋ] *prep.* …을 포함하여, …을 넣어서, …함께: There are seven of us ~ myself. 나까지 넣어 7명이다.

***in·clu·sion** [inklú:ʒən] *n.* ① Ⓤ 포함, 포괄; 산입(算入). ② Ⓒ 함유물. ◇ include *v.*

***in·clu·sive** [inklú:siv] (*more ~; most ~*) *a.* ① 일체를 포함한, 포괄적인: an ~ fee for a package tour 패키지 여행의 일괄 요금. ② 〔數詞 등의 뒤에 놓아서〕 …를 포함하여, (셈에) 넣어서. ((★ 명확을 기하여 both inclusive 라고도 함)). opp *exclusive.* ¶ page 10 to 30 ~, 10페이지부터 30페이지까지 / (from) April 1st to May 3rd (both) ~, 4월 1일부터 5월 3일까지. ~ *of* 〔前置詞的으로〕 …을 포함하여: a party of ten ~ *of* the host 주인(主人)을 포함한 10명의 파티. ◇ include *v.* ㊞ ~·**ly** *ad.* 포함하여, 셈에 넣어서. ~·**ness** *n.*

in·cog [inkág / -kɔ́g] *a., ad., n.* ((英口)) =INCOGNITO.

in·cog·ni·to [inkágnitòu / -kɔ́gni-] *a.* ① 〔흔히 名詞 뒤에 두어〕 암행〔잠행, 미행(微行)〕의; 변명(變名)〔익명〕의: a king ~ 미행하는 왕. ② 〔敍述的〕 알려지지 않고: He preferred to remain ~. 그는 알려지지 않은 채 있기를 좋아했다. ── *ad.* 변명으로, 익명으로, 미행으로.
── (*pl.* ~*s,* -*ti* [-ti:]) *n.* Ⓒ 익명(자).

in·co·her·ence, -en·cy [inkouhíərəns, -hér-], [-ənsi] *n.* Ⓤ 조리가 맞지 않음, 지리멸렬: His theory is a mass of *incoherences.* 그의 이론은 모순 투성이이다.

in·co·her·ent [ìnkouhíərənt, -hér-] *a.* (논리적으로) 일관되지 않는, 사리가 맞지 않는, 모순된, 지리멸렬의, 뒤죽박죽인: an ~ sentence 조리가 맞지 않은 문장. ㊞ ~·**ly** *ad.*

in·com·bus·ti·bil·i·ty [ìnkəmbʌ̀stəbíləti] *n.* Ⓤ 불연성(不燃性).

in·com·bus·ti·ble [ìnkəmbʌ́stəbəl] *a.* 불연성의. ㊞ -**bly** *ad.*

‡**in·come** [ínkʌm] *n.* U,C 수입 ((주로 정기적인)), 소득. opp *outgo.* ¶ have a steady ~ 일정한 수입이 있다 / live beyond 〔within〕 one's ~ 수입 이상〔이내〕의 생활을 하다 / He has an ~ of $ 3,000 a week. 주급(週給) 3천 달러의 수입이 있다 / He has a very good ~. 그는 매우 수입이 좋다. ***earned*** 〔***unearned***〕 ~ 근로〔불로〕 소득. ***net*** ~ 실수입, 순수입.

íncome gròup 〖社〗 소득층 ((소득 세액이 같은 집단)).

íncome(s) pòlicy 〖經〗 소득 정책.

íncome tàx 소득세.

in·com·ing [ínkʌ̀miŋ] *n.* ① Ⓤ (들어)옴, 도래: the ~ of the tide 밀물이 듦. ② (흔히 *pl.*) 수입, 소득: ~*s* and outgoings 수입과 지출. opp *outgoing.* ── *a.* 〔限定的〕 ① 들어오는; (이익 등이) 생기는: an ~ line 〖電〗 옥내 도입선 / an ~ call 걸려온 전화. ② 다음에 오는, 뒤를 잇는; 후임의: the ~ mayor 후임 시장.

in·com·men·su·ra·bil·i·ty [ìnkəmènʃərəbíləti] *n.* Ⓤ 같은 표준으로 잴 수 없음; 〖數〗 약분할 수 없음.

in·com·men·su·ra·ble [ìnkəménʃərəbəl] *a.* ① 같은 기준으로 잴 수 없는; 비교할 수 없는, 엄청나게 다른((*with*)); 전혀 (걸)맞지 〔어울리지〕 않는: a statement ~ *with* the facts 사실과 동떨어진 진술. ② 〖數〗 약분할 수 없는, 무리(수)의. ㊞ -**bly** *ad.*

in·com·men·su·rate [ìnkəménʃərit] *a.* 〔敍述的〕 어울리지 않는, 맞지 않는(disproportionate) ((*with; to*)); 불충분한, 너무 적은〔작은〕; =INCOMMENSURABLE: His abilities are ~ *to* 〔*with*〕 the task. 그의 능력은 그 일에 어울리지 않는다. ㊞ ~·**ly** *ad.* ~·**ness** *n.*

in·com·mode [ìnkəmóud] *vt.* ① …에게 불편을 느끼게 하다, 폐를 끼치다: His late arrival ~*d* us. 그가 늦게 도착해 우리가 불편을 느꼈다. ② …을 방해하다: The corn harvest was ~*d* by the daily showers. 연일 내리는 소나기로 옥수수 수확이 방해를 받았다.

in·com·mo·di·ous [ìnkəmóudiəs] *a.* (방 따위가) 비좁은, 옹색한; 불편한(inconvenient). ㊞ ~·**ly** *ad.* ~·**ness** *n.*

in·com·mu·ni·ca·ble [ìnkəmjú:nəkəbəl] *a.* ① 전달〔말로 표현〕할 수 없는: ~ joys 말할 수 없는 기쁨. ② =INCOMMUNICATIVE.

in·com·mu·ni·ca·do [ìnkəmjù:nəká:dou] *a.* 〔敍述的〕 ① 통신이 끊어진, 외부와 연락이 끊긴. ② (죄수가) 감금된: The prisoner was held 〔kept〕 ~ for 15 days. 죄수는 15일 동안 (외부와 연락 못하고) 감금되어 있었다.

in·com·mu·ni·ca·tive [ìnkəmjú:nəkèitiv, -kətiv] *a.* 말하기 싫어하는, 입이 무거운, 뚱한.

in·com·mut·a·ble [ìnkəmjú:təbəl] *a.* ① 교환할 수 없는. ② 바꿀 수 없는, 불변의.

***in·com·pa·ra·ble** [inkámpərəbəl / -kɔ́m-] *a.* 견줄〔비길〕 데 없는, 비교가 되지 않는((*with; to*)): Cleopatra had ~ beauty. 클레오파트라는 절세의 미인이었다 / His income is ~ *with* mine. 그의 수입은 내 수입과는 비교가 안된다(안될 정도로 많다). ㊞ -**bly** *ad.* 비교가 안될 정도로, 현저히. -**bil·i·ty** [-bíləti] *n.* Ⓤ 무비(無比).

in·com·pat·i·bil·i·ty [ìnkəmpæ̀təbíləti] *n.* U,C 양립하지 않음, 상반(相反), 성격의 불일치.

***in·com·pat·i·ble** [ìnkəmpǽtəbəl] *a.* ① 성미가 맞지 않는, 사이가 나쁜((*with*)): He is totally ~ *with* his wife. 그는 아내와 성격이 전혀 맞지 않는다. ② 상반되는, 양립할 수 없는, 모순된((*with*)): a theory ~ *with* the facts 사실과 모순되는 이론. ㊞ -**bly** *ad.*

in·com·pe·tence, -ten·cy [inkámpətəns / -kɔ́m-], [-tənsi] *n.* Ⓤ 무능력; 부적격; 무자격.

***in·com·pe·tent** [inkámpətənt / -kɔ́m-] *a.* 무능한, 쓸모없는; 부적당한; 무자격의.
── *n.* Ⓒ 무능력자, 비적격자. ㊞ ~·**ly** *ad.*

***in·com·plete** [ìnkəmplí:t] *a.* 불완전〔불충분〕한, 불비한; 미완성의: the ~ verb 〖文法〗 불완전 동사. ㊞ ~·**ly** *ad.* ~·**ness** *n.* 「미완성.

in·com·ple·tion [ìnkəmplí:ʃən] *n.* Ⓤ 불완전;

in·com·pli·ant [ìnkəmpláiənt] *a.* 순종하지 않은, 완고한. ㊞ ~·**ly** *ad.*

in·com·pre·hen·si·bil·i·ty [ìnkamprihènsəbíləti, inkàm- / inkɔ̀m-] *n.* Ⓤ 이해할 수 없음, 불가해(성).

***in·com·pre·hen·si·ble** [ìnkɑmprihénsəbəl, inkɑ̀m-/inkɔ̀m-] *a.* 이해할 수 없는, 불가해한: for some ~ reason 어떤 알 수 없는 이유로. [파] **-bly** *ad.* 이해할 수 없게, 불가해하게.

in·com·pre·hen·sion [inkɑ̀mprihénʃən / -kɔ̀m-] *n.* [U] 몰이해, 이해할 수 없음.

in·com·press·i·ble [inkəmprésəbəl] *a.* (굳어서) 압축할 수 없는.

in·con·ceiv·a·bil·i·ty [ìnkənsì:vəbíləti] *n.* [U] 불가해(不可解), 상상도 할 수 없음.

***in·con·ceiv·a·ble** [ìnkənsí:vəbəl] *a.* ① 상상할 수 없는, 생각조차 못할: It is ~ that a man can live for two hundred years. 사람이 2백년 동안 살 수 있다는 것은 상상조차 할 수 없다. ②《口》 믿을 수 없는, 매우 놀랄 만한. [파] **-bly** *ad.*

in·con·clu·sive [ìnkənklú:siv] *a.* 결론적〔결정적〕이 아닌, 확정이 안 난, 요령 부득의: ~ arguments 요령 부득의 토론 / ~ evidence 확정적이 아닌 증거. [파] **~·ly** *ad.* **~·ness** *n.*

in·con·gru·i·ty [ìnkəŋgrú:əti, -kɑŋ-] *n.* ① [U] 안 어울림, 부조화, 부적합. ② [C] 부조화〔불합리·부적합〕한 것.

in·con·gru·ous [inkáŋgruəs / -kɔ́ŋ-] *a.* 일치〔조화〕하지 않는《*with*》; 어울리지 않는, 부조리한《태도 따위》, 앞뒤가 안 맞는《이야기》: His private opinions were ~ *with* his public statements. 그의 개인적 소견은 공식 성명과는 모순되어 있었다. [파] **~·ly** *ad.* **~·ness** *n.*

in·con·se·quence [inkánsikwèns, -kwəns / -kɔ́nsikwəns] *n.* [U] 비논리성; 모순; 동닿지 않음.

in·con·se·quent [inkánsikwènt, -kwənt / -kɔ́nsikwənt] *a.* ① 비논리적인 (illogical), (앞뒤가) 모순된, 동닿지 않는: ~ reasoning 비논리적 추리. ② 관계 없는, 핀트를 벗어난, 엉뚱한. ③ 하잘 것 없는, 사소한. [파] **~·ly** *ad.*

in·con·se·quen·tial [inkɑ̀nsikwénʃəl / -kɔ̀n-] *a.* ① 논리에 맞지 않는, 불합리한. ② 중요하지〔대수롭지〕 않은. [파] **~·ly** *ad.*

in·con·sid·er·a·ble [ìnkənsídərəbəl] *a.* 적은; 중요치 않은, 하잘 것 없는: His contribution to the project was not ~. 그 계획에 대한 그의 공헌은 적지 않았다. [파] **-bly** *ad.*

in·con·sid·er·ate [ìnkənsídərit] *a.* ① (남에 대한) 헤아림〔생각〕이 없는《*of*》: It is ~ *of* him to keep us waiting like that. 우리를 그렇게 기다리게 하다니 그는 매정한 사람이다. ② 분별이〔사려가〕 없는, 경솔한. [파] **~·ly** *ad.* **~·ness** *n.*

***in·con·sist·en·cy** [ìnkənsístənsi] *n.* ① [U] 불일치, 모순; 무정견(無定見). ② [C] (*pl.*) 모순된 사물: She hated war but liked soldiers—it was one of her amiable *inconsistencies*. 그녀는 전쟁은 미워해도 군인은 좋아했다—그것은 그녀의 사랑스런 모순의 하나였다.

***in·con·sist·ent** [ìnkənsístənt] *a.* ① 일치하지 않는, 조화되지 않는, 상반하는《*with*》; 앞뒤가 맞지 않는, 모순된: The results of the experiment were ~ *with* his theory. 실험의 결과는 그의 이론과 일치하지 않았다. ② 무정견한, 무절조한, 변덕스러운. [파] **~·ly** *ad.*

in·con·sol·a·ble [ìnkənsóuləbəl] *a.* 위로할 길 없는; 슬픔에 잠긴: She was ~ for his death. 그의 죽음으로 그녀는 슬픔에 잠겨 있었다. [파] **-bly** *ad.*

in·con·spic·u·ous [ìnkənspíkjuəs] *a.* 두드러지지 않는; 눈을 끌지 않는: She tried to make herself as ~ as possible at the party. 그녀는 파티에서 될 수 있는 한 두드러지지 않도록 노력했다. [파] **~·ly** *ad.* **~·ness** *n.*

in·con·stan·cy [inkánstənsi / -kɔ́n-] *n.* ① [U] 변하기 쉬움, 부정(不定). ② [U,C] 변덕(스러운 행위).

in·con·stant [inkánstənt / -kɔ́n-] *a.* ① 변하기 쉬운, 일정치 않은, 변화가 많은. ② 변덕스러운, 불실〔불신〕의: Fortune is ~. 운명의 여신은 변덕이 심하다. [파] **~·ly** *ad.*

in·con·test·a·ble [ìnkəntéstəbəl] *a.* 논의의 여지가 없는, 명백한. [파] **-bly** *ad.* 틀림없이, 명백하게, 물론. **-bil·i·ty** [-bíləti] *n.*

in·con·ti·nence [inkántənəns / -kɔ́nt-] *n.* [U] ① 자제심이 없음; 무절제. ②〖醫〗(대소변의) 실금(失禁). ③ 음란.

in·con·ti·nent [inkántənənt / -kɔ́nt-] *a.* ① 자제〔억제〕할 수 없는《*of*》: an ~ talker 쉴새 없이 지껄이는 사람 / be ~ *of* temper 성질은 억제할 수 없다. ② 절제 없는, 음란한《*of*》. ③〖醫〗 실금(失禁)의. [파] **~·ly** *ad.* 홀게 늦게; 음란하게; 경솔히.

in·con·trol·la·ble [ìnkəntróuləbəl] *a.* 억제〔제어〕할 수 없는 (uncontrollable). [파] **-bly** *ad.*

in·con·tro·vert·i·ble [inkɑntrəvə́:rtəbəl, inkɑ̀n-/ìnkɔn-] *a.* 논쟁의 여지가 없는 (indisputable), 부정할 수 없는, 틀림없는, 명백한: ~ facts 명백한 사실. [파] **-bly** *ad.*

‡in·con·ven·ience [ìnkənví:njəns] *n.* [U,C] 불편(한 것), 부자유; 폐(가 되는 일): It is no ~ to me. 조금도 불편하지 않습니다 / You know the ~*s* of driving to the office from the suburbs. 교외에서 사무실까지 자동차로 통근하는 불편을 아시겠지요. ***cause*** 〔***occasion***〕 ***to*** a person ~ = ***put*** a person ***to*** ~ 아무에게 폐를 끼치다.
—— *vt.* …에게 불편을 느끼게 하다; …에게 폐를 끼치다 (trouble): I hope I do not ~ you. 당신에게 폐가 되지 않기를 바랍니다 / Don't ~ yourself for my sake. 제 걱정은 마십시오.

‡in·con·ven·ient [ìnkənví:njənt] (***more*** ~; ***most*** ~) *a.* 불편한, 부자유스러운; 형편이 나쁜, 폐가 되는: If (it is) not ~ *to* 〔*for*〕 you, I should like to help you. 폐가 되지 않으신다면 도와드리고 싶군요 / Would four o'clock be ~? 4시면 형편이 어렵습니까 / at an ~ time 계제가 나쁠 때에. [파] **~·ly** *ad.* 불편하게.

in·con·vert·i·ble [ìnkənvə́:rtəbəl] *a.* ① 바꿀〔상환할〕 수 없는. ② (지폐가) 태환할 수 없는: an ~ note 불환 지폐. [파] **-bly** *ad.*

in·con·vin·ci·ble [ìnkənvínsəbəl] *a.* 납득시킬 수 없는; 이치에 따르지 않는.

***in·cor·po·rate** [inkɔ́:rpərèit] *vt.* ①《~+[목]/+[목]+[전]+[명]》 …을 (…와) 합동〔합체〕시키다《*with*》: 통합〔합병, 편입〕하다; 짜 넣다《*in, into*》: ~ one firm *with* another 한 회사를 다른 회사와 합체시키다 / Our original proposals were not ~*d in* the new legislation. 우리 원안은 새 입법에 포함되지 않았다. ② …을 혼합하다, 섞다;〖컴〗(기억 장치에) 짜넣다. ③ …을 법인(조직)으로 만들다;《美》(유한 책임) 회사로 하다, 주식 회사로 하다. ④《~+[목]/+[목]+(*as*)[보]》 …을 (단체의) 일원으로 하다, 가입시키다: I was ~*d* a member of the society for the annual fee of $500. 나는 일년 회비 500달러로 그 회의 회원이 되었다. ⑤《~+[목]/+[목]+[전]+[명]》 …에 실질(實質)을 주다, …을 구체화하다: ~ one's thoughts *in* an article 논설에서 자기의 생각을 구체적으로 제시하다. —— *vi.* ①《~/+[전]+[명]》 통합〔합동〕하다; 결합하다《*with*》: The company ~*d with* another. 그 회사는 다른 회사와 합병했다. ② 법인조직으로 되다;《美》(유한책임) 회사(주식회사)로 되다. —— [-rit] *a.* 통합〔합동〕된, 일체화된; 법인〔회사〕(조직)의.

***in·cor·po·rat·ed** [inkɔ́ːrpərèitid] *a.* ① 합동〔합병, 편입〕한. ② 법인〔회사〕 조직의 ; 주식 회사의, 《美》 유한 책임의 : an ~ company 《美》 유한 책임 회사. ★ 영국에서는 a limited(-liability) company 라고 함. incorporated 는 Inc. (《英》에서는 Ltd.)로 생략하여 회사명 뒤에 붙임 : The U.S. Steel Co., *Inc.*

in·cor·po·ra·tion [inkɔ̀ːrpəréiʃən] *n.* ① Ⓤ 합체, 합동, 합병, 편입. ② Ⓒ 결사, 법인 단체, 회사(corporation). ③ Ⓤ 〖法〗 법인격 부여, 법인〔회사〕 설립.

in·cor·po·ra·tor [inkɔ́ːrpərèitər] *n.* Ⓒ 합동〔결합〕자 ; 《美》 법인〔회사〕 설립자.

in·cor·po·re·al [ìnkɔːrpɔ́ːriəl] *a.* 실체 없는, 무형의 ; 영적인 ; 〖法〗 무체(無體)의 《특허권 · 저작권 따위》. ㊞ ~·**ly** *ad.*

:in·cor·rect [ìnkərékt] *a.* ① 부정확한(inaccurate), 틀린(faulty) : an ~ answer 틀린 대답. ② 적당하지 않은(improper) ; 온당치 못한, 어울리지 않는 : ~ behavior 온당치 못한 행동.
㊞ ~·**ly** *ad.* ~·**ness** *n.*

in·cor·ri·gi·bil·i·ty [inkɔ̀ridʒəbíləti] *n.* Ⓤ 교정(矯正)할 수 없음 ; 끈질김, 완강함.

in·cor·ri·gi·ble [inkɔ́ridʒəbəl] *a.* ① 교정(矯正)〔선도〕할 수 없는, 구제할 수 없는 ; (습관 등이) 뿌리깊은 : an ~ liar 어쩔 수 없는 거짓말쟁이 / ~ habits 교정할 수 없는 습관. ② 어쩔 도리 없는, 제멋대로의. ── *n.* Ⓒ 교정〔구제〕할 수〔길〕 없는 자 ; 상습자. ㊞ -**bly** *ad.*

in·cor·rupt·i·bil·i·ty [ìnkərʌ̀ptəbíləti] *n.* Ⓤ 부패〔타락〕하지 않음 ; 매수되지 않음, 청렴 결백.

in·cor·rupt·i·ble [ìnkərʌ́ptəbəl] *a.* ① 부패하지 않는, 썩지 않는 ; 불멸의 : Some people think the soul, unlike the body, is ~. 일부 사람들은 육체와는 달리 영혼은 불멸이라고 생각한다 / Gold is ~. 금은 부식하지 않는다. ② 매수되지 않는, 청렴한 : Judge must be ~. 재판관은 청렴결백해야 한다. ㊞ -**bly** *ad.*

:in·crease [inkríːs, ´-] *vt.* ① (수 · 양 따위)를 늘리다, 불리다, 증대〔확대〕하다 : ~ one's wealth 부를 늘리다 / This will ~ our difficulties. 이것 때문에 우리들의 어려움은 더해질 것이다. ② (질 따위)를 강하게 하다, 증진시키다 : ~ one's efforts 더 한층 노력하다 / ~ one's pace 걸음을 빨리하다. ── *vi.* ① 《~ / +전+명》 늘다, 증대하다, 붇다 ; 강해지다, 증진하다. opp. *decrease, diminish.* ¶ ~ two fold, 2배가 되다 / ~ *in* power 〔wages〕 권력이 증대하다〔임금이 증액되다〕 / Farm production ~*d* by 25 percent. 농업 생산은 25% 증가했다. ② 증식하다, 번식하다 : His family ~*d.* 가족이 늘었다.
── [´-, -´] *n.* ① U,C 증가, 증대, 증진 : an ~ in population 인구의 증가. ② Ⓒ 증가액〔량〕 ; 증가물 : a wage ~ of 50 cents an hour, 1시간에 50 센트의 임금 증액. ***be on the*** ~ 증가〔증대〕하고 있다 : The membership of the club *is on the* ~. 그 클럽의 회원은 증가하고 있다.

in·creas·ing [inkríːsiŋ] *a.* 〔限定的〕 점점 증가〔증대〕하는 : An ~ number of people are buying laptop computers. 더욱더 많은 사람들이 랩톱 컴퓨터를 사고 있다. ***the law of ~ return*** (경제의) 수확 체증(遞增)의 법칙.
㊞ *~·**ly** *ad.* 점점, 더욱더 ; 증가하여.

in·cred·i·bil·i·ty [inkrèdəbíləti] *n.* Ⓤ 믿을〔신용할〕 수 없음.

:in·cred·i·ble [inkrédəbəl] (***more*** ~; ***most*** ~) *a.* ① 믿을〔신용할〕 수 없는 : an ~ story 믿을 수 없는 이야기 / It's ~ to me that there should be an afterlife. 내세가 있다는 것은 믿기지 않는다. ② 《口》 놀랄 만한, 엄청난 : an ~ cost 엄청난 비용 / His appetite is ~. 그의 식욕은 놀랍다. ㊞ -**bly** *ad.* 믿을 수 없을 만큼 ; 《口》 매우. ~-**ness** *n.*

in·cre·du·li·ty [ìnkridjúːləti] *n.* Ⓤ 쉽사리 믿지 않음, 의심이 많음, 회의심.

***in·cred·u·lous** [inkrédʒələs] *a.* ① 쉽사리 믿지 않는, 의심 많은, 회의적인《*of*》: Even after she read the letter herself, she was still ~ *of* the fact. 그녀는 직접 편지를 읽어본 후에도 여전히 그 사실을 믿으려 하지 않았다. ② 의심하는 듯한《눈치 따위》: an ~ smile 의심하는 듯한 웃음.
㊞ ~·**ly** *ad.*

in·cre·ment [ínkrəmənt] *n.* ① **a)** Ⓤ 증대, 증진, 증식, 증강. **b)** Ⓒ 증가량, 증액 : annual salary ~*s* of $1,000, 1,000달러의 연수 증액. ② Ⓤ 이익, 이득. opp. *decrement.* ¶ unearned ~ (땅값 등의) 자연 증가(增價). ㊞ **ìn·cre·mén·tal** [-méntl] *a.* 점점 증가하는 : ~*al* cash flow 증가하는 현금 유통.

in·crim·i·nate [inkrímənèit] *vt.* ① …에게 죄를 씌우다〔돌리다〕 ; 유죄가 되게 하다 ; 〔再歸的〕 (스스로) 죄(罪)를 자인하다 : He refused to speak because he was worried that he would ~ *himself.* 그는 죄를 자인하게 되지나 않을까 두려워한 나머지 진술을 거부했다. ② …의 탓으로 치다, …의 원인으로 간주하다 : Automobile exhaust has been ~*d as* one of the causes of air pollution. 자동차의 배기 가스가 대기 오염의 한 원인으로 여겨지고 있다.
㊞ **in·crim·i·na·tion** [inkrìmənéiʃən] *n.*

in·crim·i·na·to·ry [inkrímənətɔ̀ːri / -təri] *a.* 죄를 씌우는, 유죄로 하는 ; 고소의.

in·crust [inkrʌ́st] *vt., vi.* = ENCRUST.

in·crus·ta·tion [ìnkrʌstéiʃən] *n.* ① Ⓤ 외피로 덮(이)기. ② Ⓒ 외피, 껍질 ; (부스럼의) 딱지 : ~*s* of barnacles on the hull 선체(船體)표면을 덮은 조개 껍데기들. ③ U,C 상감(象嵌) (세공).

in·cu·bate [ínkjəbèit, íŋ-] *vt.* ① (알)을 품다, 부화하다(hatch). ② (세균 따위)를 배양하다. ③ (계획 따위)를 숙고하다, 생각해 내다.
── *vi.* ① 알을 품다, 둥우리에 들다 ; (알이) 부화되다. ② 생각이 떠오르다, 구체화되다. ③ 〖醫〗 (병균이) 잠복하다.

in·cu·ba·tion [ìnkjəbéiʃən, ìŋ-] *n.* Ⓤ ① 알을 품음, 부화(孵化) : artificial ~ 인공 부화 / The ~ period of the swan is 42 days. 백조의 부화기간은 42일이다. ② 〖醫〗 (병균의) 잠복 ; 잠복기(=∠ **périod**). 「(기)의.

in·cu·ba·tive [ínkjəbèitiv, íŋ-] *a.* 부화의 ; 잠복

in·cu·ba·tor [ínkjəbèitər, íŋ-] *n.* Ⓒ ① 부화기(器), 부란기. ② 세균 배양기. ③ 조산아 보육기.

in·cu·bus [ínkjəbəs, íŋ-] (*pl.* ***-bi*** [-bài], ~·***es***) *n.* Ⓒ ① 몽마(夢魔)(nightmare) 《잠자는 여인을 덮친다는》. cf. succubus. ② 악몽. ③ 압박하는 일〔사람〕 ; (마음의) 부담《빚 · 시험 따위》.

in·cul·cate [inkʌ́lkeit, ´-´] *vt.* ① (사상 · 지식 따위)를 가르치다, 되풀이하여 가르치다〔깨우치다〕, 설득하다《*in, into* ; *on, upon*》: ~ sound values *upon* a person 〔*in* a person's mind〕 아무〔아무의 마음〕에 건전한 가치관을 주입하다. ② (미덕 · 감정 등을) 심어주다, 불어넣다《*with*》: ~ young men *with* patriotism 청년들에게 애국심을 불어넣다.

in·cul·ca·tion [ìnkʌlkéiʃən] *n.* Ⓤ 자상히〔반복하여〕 가르침, 깨우침 : the ~ *of* new ideas 새로운 사상의 깨우침.

in·cul·pa·ble [inkʌ́lpəbəl] *a.* 죄없는, 나무랄〔비

난할] 데 없는, 결백한.
in·cul·pate [inkʌ́lpeit, ˊ--] *vt.* 죄를 씌우다; …을 비난하다(blame); 고발하다.
in·cum·ben·cy [inkʌ́mbənsi] *n.* Ⓤ,Ⓒ (특히 목사의) 직무, 임기; 재직(기간); 의무, 책무.
in·cum·bent [inkʌ́mbənt] *a.* ① 〔限定的〕 현직〔재직〕의: the ~ governor 현직 주지사. ② 〔敍述的〕 의무로 지워지는《*on, upon*》: It's ~ *on* 〔*upon*〕 you to do your best. 최선을 다하는 것이 네 책임이다. ── *n.* Ⓒ ① 성직록 소유자; (영국 교회의) 교회를 가진 목사《rector, vicar 등》. ② 재직자, 현직자. ㊞ **~·ly** *ad.*
‡**in·cur** [inkə́:*r*] (*-rr-*) *vt.* (위해)를 당하다, (빚)을 지다, (손해)를 입다; (분노·비난·위험)을 초래하다: ~ person's displeasure 〔wrath〕 아무의 비위를 건드리다〔노여움을 사다〕/ The company ~*red* a loss of $ 5 million last year. 그 회사는 작년에 5백만 달러의 손실을 입었다. ◇ incurrence *n.*
in·cur·a·bil·i·ty [inkjùərəbíləti] *n.* Ⓤ 고쳐지지 않음, 불치, 교정 불능.
in·cur·a·ble [inkjúərəbəl] *a.* ① 낫지 않는, 불치의; 교정할〔고칠〕 수 없는: an ~ disease 불치병. ② 구제〔선도〕하기 어려운: My mother is an ~ optimist. 내 어머니는 고치기 어려운 낙천가다. ── *n.* Ⓒ 불치의 병자; 구제하기 어려운 사람. ㊞ **-bly** *ad.* 낫지 않을 만큼; 교정할 수 없을 만큼.
in·cu·ri·ous [inkjúəriəs] *a.* 호기심이 없는, 무관심한: a blank ~ expression 멍청한 표정.
in·cur·sion [inkə́:*r*ʒən, -ʃən] *n.* Ⓒ (돌연한) 침입, 침략; 습격《*on, upon; into*》.
in·cur·sive [inkə́:*r*siv] *a.* 침입하는, 침략적인.
in·curve [ínkə̀:*r*v] *n.* Ⓤ 안으로 굽음, 만곡; 〖野〗 인커브(inshoot).
── [inkə́:*r*v] *vt.* …을 안으로 굽게 하다.
in·curved [inkə́:*r*vd] *a.* 안으로 굽은.
Ind. India(n); Indiana; Indies. **ind.** independent; index; indicated; indicative; indirect; industrial.
***in·debt·ed** [indétid] *a.* 〔敍述的〕 ① …에게 부채가 있는, 빚이 있는《*to; for*》: He is ~ *to* his friend *for* a large sum. 그는 친구에게 많은 빚을 지고 있다. ② 덕을 보고, 은혜를 입고《*to*》: I am ~ *to* you *for* the situation I hold now. 지금의 지위를 얻은 것은 당신의 덕택입니다. ㊞ **~·ness** *n.* Ⓤ 은의(恩義), 신세, 부채, 책무; Ⓒ 부채액.
in·de·cen·cy [indí:snsi] *n.* ① Ⓤ 예절 없음, 천박함; 외설. ② Ⓒ 추잡한 행위〔말〕.
in·de·cent [indí:snt] *a.* ① 버릇없는, 방정치 못한; 외설〔음란〕한, 상스러운: an ~ joke 천박한 농담 / It's ~ to say that. 그런 말을 하는 것은 상스럽다. ② 부당한, 부적당한: an ~ amount of work 부적당한 양의 일거리. ③ 꼴사나운. ***with ~ haste*** (이것저것 생각할 여유도 없이) 몹시 당황해서. ㊞ **~·ly** *ad.* 버릇없이; 음란하게.
indécent assáult 〖法〗 강제 추행죄.
indécent expósure 〖法〗 공연(公然)음란죄.
in·de·ci·pher·a·ble [ìndisáifərəbəl] *a.* 판독〔해독〕할 수 없는(illegible): ~ handwriting 판독할 수 없는 필적. ㊞ **-bly** *ad.*
in·de·ci·sion [ìndisíʒən] *n.* Ⓤ 우유부단, 주저.
in·de·ci·sive [ìndisáisiv] *a.* 결단성이 없는, 엉거주춤한, 우유부단한; 또렷하지 않은: an ~ answer 이도저도 아닌 막연한 대답 / an ~ character 결단력이 없는 미지근한 성격.
㊞ **~·ly** *ad.* **~·ness** *n.*
in·de·clin·a·ble [ìndikláinəbəl] 〖文法〗 *a.* 어미〔어형〕 변화를 하지 않는. ── *n.* Ⓒ 불변화사(不變化詞)《격(格)변화를 하지 않는》.
in·dec·o·rous [indékərəs, ìndikɔ́:rəs] *a.* 버릇〔예의〕없는, 천격스러운. ㊞ **~·ly** *ad.* **~·ness** *n.*
in·de·co·rum [ìndikɔ́:rəm] *n.* Ⓤ 버릇없음, 무례, 천함; Ⓒ 버릇없는 행동.
†**in·deed** [indí:d] *ad.* ① 〔강조〕 실로, 참으로: I am ~ glad. =I am glad ~. 정말 기쁘다 / Are you thirsty? —Yes, ~. 목이 마르냐? —예, 그렇구 말구요 / Do you ~ believe so? 정말 그렇게 믿습니까? / A friend in need is a friend ~. 유사시에 도와주는 친구가 진짜 친구이다. ② 〔앞말을 반복하여 동감을 표시하거나 때로 反語的으로〕 정말로: What is that noise?—What is that, ~? 저 소리는 무엇이지요—무엇일까요, 정말《동감》; 〔反語的〕 저게 무어라니요, 놀랍군. ③ 〔양보〕 과연, 정말, 확실히《★ 때로 반대를 나타내는 but 으로 시작하는 절(節)을 이끎》: I may, ~, be wrong. 과연 내가 잘못인지도 모른다 / *Indeed* he is young, *but* he is prudent. 그는 정말 어리기는 하지만 빈틈이 없다. ④ 〔接續詞的〕 그뿐 아니라, 게다가: He is a good fellow. *Indeed*, a trustworthy one. 그는 좋은 녀석이야, 게다가 믿을 수 있는 놈이지.
── *int.* 저런, 설마, 그래요《놀람·의심·빈정거림 등을 나타냄》: I have lived in New York. —*Indeed?* 뉴욕에 산 적이 있다 —정말?
indef. indefinite.
in·de·fat·i·ga·bil·i·ty [ìndifæ̀tigəbíləti] *n.* Ⓤ 피곤치 않음, 끈기 있음.
in·de·fat·i·ga·ble [ìndifǽtigəbəl] *a.* 지칠 줄 모르는, 끈질긴, 물리지 않는: He was ~ at his work. 그는 지칠 줄 모르고 일했다. ㊞ **-bly** *ad.*
in·de·fea·si·ble [ìndifí:zəbəl] *a.* 무효로 할 수 없는, 취소〔파기〕할 수 없는. ㊞ **-bly** *ad.*
in·de·fen·si·bil·i·ty [ìndifensəbíləti] *n.* Ⓤ 방어〔변호, 옹호〕할 수 없음.
in·de·fen·si·ble [ìndifénsəbəl] *a.* ① 지킬 수 없는, 방어할 수 없는. ② 변호〔변명〕할 여지가 없는, 옹호할 수 없는. ㊞ **-bly** *ad.*
in·de·fin·a·ble [ìndifáinəbəl] *a.* ① 한정할 수 없는: an ~ boundary 확실하지 않은 경계. ② 정의를 내릴 수 없는; (뭐라고) 말할 수 없는, 애매한, 막연한(vague). ㊞ **-bly** *ad.*
‡**in·def·i·nite** [indéfənit] (***more ~; most ~***) *a.* ① 불명확한, 분명하지 않은, 막연한: His plans are still ~. 그의 계획은 아직 막연하다. ② (시간·기한 따위가) 일정하지 않은, 한계가 없는: for an ~ time 무기한으로, 언제까지나. ③ 〖文法〗 부정(不定)의: an ~ pronoun 부정 대명사. OPP. *definite.* ㊞ **~·ness** *n.*
‡**indéfinite árticle** 〖文法〗 부정 관사《a, an》.
***in·def·i·nite·ly** [indéfənitli] *ad.* ① 막연히, 애매하게. ② 무기한으로, 언제까지나: Negotiations have been postponed ~. 교섭은 무기한 연기되었다.
in·del·i·ble [indéləbəl] *a.* 지울 수 없는, 지워지지 않는《얼룩 등》; 씻을〔잊을〕 수 없는《치욕 등》: the ~ memories of war 지워지지 않는 전쟁의 기억. ㊞ **-bly** *ad.* 지워지지 않게, 영원히.
in·del·i·ca·cy [indélikəsi] *n.* Ⓤ 상스러움, 야비함, 무례함; 외설; Ⓒ 상스러운 언행.
in·del·i·cate [indélikit] *a.* ① 천박한, 야비한, 무무한: ~ remarks 천박한 말. ② 외설한, 음란한. ③ 동정심이 없는; 상스러운. ㊞ **~·ly** *ad.*
in·dem·ni·fi·ca·tion [indèmnəfikéiʃən] *n.* ① Ⓤ 배상; 보장, 보증; 면책. ② Ⓒ 보상〔배상〕금〔물〕.
in·dem·ni·fy [indémnəfài] *vt.* 《~+목/+목+전+명》 ① …에게 배상〔변상, 보상〕하다《*for*》:

~ a person *for* loss 아무에게 손실을 보상하다. ②…에게 (법률적으로) 보장하다, …을 보호하다《*from*; *against*》: This policy *indemnifies* the bearer *from*〔*against*〕 all loss from fire. 이 보험 증서는 명의인에 대해 화재에 의한 손해를 전액 보장한다. ③〖法〗…의 법적 책임〔형벌〕을 면제하다, …에게 면책의 보증을 하다《*for*》: ~ a person *for* an action 아무의 행위를 벌하지 않겠다는 보증을 하다. ㊕ **-fi·er** *n.*

in·dem·ni·ty [indémnəti] *n.* ①Ⓤ (법률적인) 보호, 보장; 배상; (법률적 책임·형벌로부터의) 면책, 사면. ②Ⓒ 보장이 되는 것; (전승국이 요구하는) 배상금; 보상(금).

***in·dent**[1] [indént] *vt.* ① (가장자리)에 톱니 모양의 자국을 내다, 톱니 모양으로 (절취선을) 만들다. ②…을 만입(灣入)시키다(★ 종종 과거 분사로서 형용사적으로 씀): an ~*ed* coastline 들쭉날쭉한 해안선. ③…을 톱니꼴 절취선에 따라 떼다 《한 장에 정부(正副) 2 통을 쓴 증서 따위를》; (증서 따위)를 정부 2 통을 쓰다. ④ (장·절의 첫 행)을 다른 행보다 한 자 (또는 두 자) 내려서〔안으로 들여서〕 쓰다. ― *vi.* ①《英》(부서(副書)는 떼어두고) 정식으로 주문하다《*on, upon*; *for*》: ~ *upon* a person *for* an article 아무에게 상품의 정식 주문서를 떼다. ② (패러그래프 첫 행이) 한 자 들이켜서 시작되다. ③ 절취선 자국을 내다.
― [-́, -̀] *n.* Ⓒ ①톱니 모양의 결각(缺刻)〔자국〕. ② (두 통으로 되는) 계약서. ③《英》신청, 청구; 〖商〗주문서, (해외로부터의) 주문서, 매입위탁서, 수탁 매입품. ④ (새 행을) 들여 쓰기.

in·dent[2] [indént] *vt.* ①…을 움푹 들어가게 하다. ②…을 누르다, 찍다, 박다.

in·den·ta·tion [ìndentéiʃən] *n.* ①Ⓤ 톱니 모양으로 만듦(notch). ②Ⓒ 톱니; 결각(缺刻), 깔쭉깔쭉함. ③Ⓒ 움푹 들어감; (해안선 따위의) 만입(灣入). ④Ⓤ〖印〗=INDENTION ①.

in·den·tion [indénʃən] *n.* ①Ⓤ〖印〗(패러그래프의 첫 줄의) 한 자 들이킴. ②Ⓒ (들이켜서 생긴) 공간, 공백. ③ =INDENTATION ①②③.

in·den·ture [indéntʃər] *n.* Ⓒ ① (정부(正副) 2 통을 써서 날인한) 계약서, 약정서; 증명서, 증서. ② (흔히 *pl.*) (옛날의) 도제(徒弟)살이 계약서.
― *vt.* 계약서를 쓰고 …의 고용을 결정하다; …을 고용살이시키다.

‡**in·de·pend·ence** [ìndipéndəns] *n.* Ⓤ 독립, 자립, 자주《*of*; *from*》: ~ *from* one's parents 부모로부터의 독립 / The Republic of Nigeria won its ~ *from* British rule in 1960. 나이지리아 공화국은 1960년에 영국의 지배에서 독립했다 / enjoy ~ *of* outside control 외부로부터의 지배를 받지 않다.

Independénce Dày《美》독립 기념일《7월 4일》.

Independénce Háll《美》독립 기념관《Philadelphia 에 있으며 자유의 종을 보존》.

in·de·pend·en·cy [ìndipéndənsi] *n.* ①Ⓤ = INDEPENDENCE. ②Ⓒ 독립국. ③Ⓤ (I-)〖基〗독립 조합(組合) 교회주의.

‡**in·de·pend·ent** [ìndipéndənt] (***more*** ~; ***most*** ~) *a.* ①독립한, 자주의《*of*》. opp. *dependent*. ¶ an ~ state〔country〕독립국 / He has a job and is ~ *of* his parents. 그는 취직을 해서 부모에게서 독립하고 있다(★ dependent는 on을 수반하나, independent는 on을 쓰지 않음). ②독립 정신이 강한, 자존심이 강한; 독자적인; 자활할 수 있는, 일하지 않고도 살아갈 만한: an ~ young man 독립심이 왕성한 청년 / an ~ income 편히 살 수 있는 수입 / a man of ~ means 일하지 않고도 살아갈 만한 자산을 가진 사람 / an ~ thinker 독자적 생각을 가진 사람. ③〖政〗무소속의, 독립당의: an ~ candidate 무소속 후보. ④〖文法〗독립의: an ~ clause 독립절, 주절. ― *n.* Ⓒ ① (사상·행동에 있어서) 독립한 사람. ②무소속 후보자〔의원〕.

***in·de·pend·ent·ly** [ìndipéndəntli] *ad.* 독립하여, 자주적으로; 무관계하게, 별개로《*of*》: The mother and the son lived ~ *of* each other. 어머니와 아들은 서로 독립해서 살았다.

independént schóol《英》독립 학교《공비(公費) 보조를 받지 않는 사립 학교》.

in-depth [indépθ] *a.* 〔限定的〕면밀한, 상세한, 완전한; 심층의, 철저한《연구 따위》: an ~ study 면밀한 연구 / ~ data 상세한 데이터.

***in·de·scrib·a·ble** [ìndiskráibəbəl] *a.* 형언할 수 없는; 막연한; 필설로 다할 수 없는. ㊕ **-bly** *ad.*

in·de·struct·i·bil·i·ty [ìndistrʌ̀ktəbíləti] *n.* Ⓤ 파괴할 수 없음, 불멸성.

in·de·struc·ti·ble [ìndistrʌ́ktəbəl] *a.* 파괴할 수 없는, 불멸의. ㊕ **-bly** *ad.*

in·de·ter·min·a·ble [ìnditə́ːrmənəbəl] *a.* 결정〔확정, 확인〕할 수 없는; 해결할 수 없는. ㊕ **-bly** *ad.*

in·de·ter·mi·nate [ìnditə́ːrmənit] *a.* ①불확실한, 확정되지 않은; 명확하지 않은; 막연한; 애매한: an ~ vowel 모호한 모음《ago 의 a [ə] 따위》/ He was of ~ nationality. 그는 국적이 분명하지 않았다. ②미결의, 미정의. ㊕ ~**·ly** *ad.*

in·de·ter·mi·na·tion [ìnditə̀ːrmənéiʃən] *n.* Ⓤ ①불확정, 부정(不定), 애매. ②결단력이 없음; 우유 부단.

‡**in·dex** [índeks] (*pl.* ~**·es**, ***-di·ces*** [-disìːz]) *n.* Ⓒ ①(*pl.* ~**·es**) 색인, 찾아보기; (사서 따위의) 손톱〔반달〕색인(thumb ~). ②**a**) (계기 등의) 눈금, 지침; 〖印〗손가락표(fist)(☞). **b**) 표시하는 것, 표시; 지표: Style is an ~ of the mind. 글은 마음의 거울이다. **c**) (*pl.* ***-di·ces***)〖數〗지수, (대수(對數)의) 지표; 율: Dow-Jones ~ 다우존스 지수 / the price ~ 물가지수.
― *vt.* …에 색인을 붙이다; …을 색인에 넣다.

índex càrd 색인 카드.

índex fìnger 집게손가락.

in·dex-link [índekslìŋk] *vt.*《英》〖經〗(연금·세금 등)을 물가(지수)에 연동시키다.

índex nùmber〖經·數·統〗지수(指數).

†**In·dia** [índiə] *n.* 인도《영연방 소속의 아시아 남부의 공화국; 수도 New Delhi》.

Índia ínk《美》먹(Chinese ink).

†**In·di·an** [índiən] *a.* ①인도의, 인도제(製)의; 인도 사람〔어〕의. ②(아메리칸) 인디언(어)의. ― *n.* ①Ⓒ 인도 사람; Ⓤ 인도어(語). ②Ⓒ (아메리칸) 인디언; Ⓤ 아메리카 토어(土語) (★ 미국에 사는 인디언은 인도 사람과 구별하여 정확하게는 American Indian 이라고 하지만, 현재는 Native American 이라는 호칭을 선호함).

***In·di·ana** [ìndiǽnə] *n.* 인디애너 주《미국 중서부의 주; 주도 Indianapolis; 略: Ind.;〖美郵〗IN》.

In·di·an·an, -an·i·an [ìndiǽnən], [-niən] *a., n.* Indiana 주의 (사람). cf. Hoosier.

In·di·an·ap·o·lis [ìndiənǽpəlis] *n.* 인디애나폴리스《Indiana 주의 주도》.

Índian clùb 병 모양의 체조용 곤봉.

Índian córn 옥수수(《英》maize).

Índian élephant〖動〗인도 코끼리.

Índian file (보행자 따위의) 1 열 종대.

Índian gìver《美口》한 번 준 것을 되돌려 받는 사람; 답례〔대가〕를 바라고 선물하는 사람.

Índian hémp〖植〗①인도삼. ②북아메리카산

의 협죽도(夾竹桃).

Índian ínk 《英》 =INDIA INK.

Índian méal 옥수수 가루(cornmeal).

Índian Mútiny (the ~) 1857 년의 Bengal 원주민의 폭동.

Índian Ócean (the ~) 인도양.

Índian súmmer 《美·Can.》 ① (늦가을의) 봄날 같은 화창한 날씨. ② 평온한 만년(晩年).

Índian Térritory (the ~) 〖美史〗 인디언 특별 보호구《인디언 보호를 위해 특설한 준주(準州); 지금의 Oklahoma 동부 지방; 1907 년에 전폐》.

Índia pàper 인도지 (Bible paper)《얇고 질긴 인쇄용지》.

Índia rúbber (종종 i-) 탄성 고무; 지우개 「(eraser).

In·dic [índik] *a.* ① 인도(인)의. ② 〖言〗 (인도 유럽어족의) 인도어파의. ── *n.* Ⓤ (인도 유럽어족의) 인도어파.

ᵎin·di·cate [índikèit] *vt.* ① 《~+목/+*wh.* 절》 …을 가리키다, 지시하다, 지적하다 : ~ the door (나가라고) 문을 가리키다 / ~ a chair (앉으라고) 의자를 가리키다 / ~ an error in a sentence 문장의 틀린 데를 지적하다 / The arrow ~*s where* we are. 화살표는 우리가 현재 있는 곳을 가리킨다. ② 《~+목/+*that* 절》 …을 표시하다, 나타내다; …의 징후이다 : Fever ~*s* illness. 열은 질병의 징후이다 / Thunder ~*s that* a storm is near. 천둥이 치는 것은 태풍이 가까이 왔다는 표시이다. ③ (몸짓 따위로) …을 암시하다 : ~ assent by nodding 고개를 끄덕여 동의의 뜻을 나타내다 / They ~*d* a willingness to negotiate. 그들은 상담할 의향이 있음을 내비쳤다. ④ 《+*that* 절》 …을 간단히 말하다 : He ~*d* to us *that* he accepted the offer. 그는 그 제의를 받아들였다고 우리에게 말했다. ⑤ 〔때로 受動으로〕 (징후 따위가 어떤 치료)의 필요를 보이다〔를 필요로 하다〕 : An operation *is* ~*d.* 수술이 필요하다 / A rest cure is ~*d for* his condition. 그의 상태는 안정요법을 요한다. ◇ indication *n.*

***in·di·ca·tion** [ìndikéiʃən] *n.* Ⓤ,Ⓒ ① 지시, 지적; 표시; 암시《*of*》: Faces are a good ~ *of* age. 얼굴은 나이를 잘 나타낸다 / His reply gave no ~ *of* discontent. 그의 대답에 불만을 표시하는 것은 없었다. ② 징조, 징후; (계기(計器)의) 시도(示度), 표시 도수 : There is every ~ 〔no ~〕 *that* business will recover. 경기가 좋아질 징후가 충분히 있다 〔전혀 없다〕. ◇ indicate *v.*

***in·dic·a·tive** [indíkətiv] *a.* ① 〔敍述的〕 (…을) 나타내는, (…의) 표시인, 암시하는《*of*》: His gesture was ~ *of* contempt. 그의 몸짓은 경멸을 드러내 보였다. ② 〖文法〗 직설법의. cf imperative, subjunctive. ¶ the ~ mood 직설법. ── *n.* 〖文法〗 직설법(의 동사형). ㊕ ~·**ly** *ad.* 〖文法〗 직설법으로.

***in·di·ca·tor** [índikèitər] *n.* Ⓒ ① 지시하는 사람. ② 인디케이터, (신호) 표시기(器), (차 따위의) 방향지시기; (내연기관의) 내압(內壓) 표시기; 〖化〗 지시약《리트머스 따위》; 〔一般的〕 지표.

in·di·ces [índisìːz] INDEX 의 복수.

in·di·cia [indíʃiə] *n. pl.* (*sing.* **-ci·um** [-ʃiəm]) 《L.》 ① 표시; 징후. ② 《美》 (요금 별납 우편물 따위의) 증인(證印).

in·dict [indáit] *vt.* 〖法〗 〔종종 受動으로〕 …을 기소〔고발〕하다《*for*》: ~ a person *for* murder 〔*on* a charge of murder〕 아무를 살인죄로 기소하다 / He *was* ~*ed as* an accomplice in the crime. 그는 그 범죄의 공범자로서 기소되었다.

in·dict·a·ble [indáitəbəl] *a.* 기소〔고발〕되어야 할; (죄 등이) 기소거리가 되는 : an ~ offense 기소 범죄.

***in·dict·ment** [indáitmənt] *n.* ① Ⓤ 기소, 고발 : be under ~ *for* murder 살인죄로 기소되고 있다. ② Ⓒ 기소〔고발〕장 : bring in an ~ *against* a person 아무를 기소하다.

in·die [índi] *n.* Ⓒ, *a.* 《美口》 (영화·텔레비전 따위의) 독립 프로(의); 《美口》 (주요 네트워크 계열외의) 독립 TV국.

***In·dies** [índiz] *n. pl.* (the ~) ① 〔單數 취급〕 인도 제국(諸國)《인도·인도차이나·동인도 제도 전체의 구칭》. ② 동인도 제도 (the East ~). ③ 서인도 제도(the West ~).

ᵎin·dif·fer·ence [indífərəns] *n.* Ⓤ ① 무관심, 냉담《*to; toward; as to; about*》: ~ *to*〔*toward*〕 modern art 현대 미술에 대한 무관심. ② 중요하지 않음, 대수롭지 않음, 사소함 : Where he came from was a matter of ~ *to* me. 그의 출신이 어딘가 하는 것은 내게 있어 대수로운 것이 아니었다. **with** ~ 무관심〔냉담〕하게.

ᵎin·dif·fer·ent [indífərənt] (**more** ~; **most** ~) *a.* ① 〔敍述的〕 무관심한, 마음에 두지 않는, 냉담한《*to*》: She was ~ *to* him〔politics〕. 그녀는 그에게〔정치에〕 무관심했다. ② 〔敍述的〕 대수롭지 않은, 중요치 않은, 아무래도 좋은《*to*》: It was utterly ~ *to* him who she was. 그녀가 어떤 사람이든 간에 그에게는 전혀 상관없는 일이었다. ③ 〔限定的〕 평범한, 좋지도 나쁘지도 않은 : He is a boxer of ~ skills. 그는 그저 그런 기량의 권투선수이다. ④ 〔종종 very를 수반하여〕 좋지 않은, (솜씨가) 아주 서툰 : a *very* ~ player 아주 엉터리 연주자〔선수〕. ⑤ 치우치지 않은, 공평한, 중립의《*to*》: make an ~ decision 공평한 결정을 하다. ⑥ 〖化·電〗 중성의. ── *n.* Ⓒ (특히 정치·종교에) 무관심한 사람.

in·dif·fer·ent·ism [indífərəntìzəm] *n.* Ⓤ (종교적) 무관심주의. ㊕ **-ist** *n.*

***in·dif·fer·ent·ly** [indífərəntli] *ad.* ① 무관심하게, 냉담히. ② 보통으로, 좋지도 나쁘지도 않게; 평범하게.

in·di·gence [índidʒəns] *n.* Ⓤ 가난, 빈곤.

in·dig·e·nous [indídʒənəs] *a.* ① 토착의 (native), 원산의, 자생의, 그 고장에 고유한《*to*》: ~ people 선주민 / an ~ faith〔religion〕 토착 신앙 / This plant is ~ *to* Mexico. 이 식물은 멕시코 고유의 것이다. ② 타고난《*to*》; 고유의《*to*》: Love and hate are emotions ~ *to* all humankind. 사랑과 미움은 모든 인간의 고유한 감정이다. ㊕ ~·**ly** *ad.*

in·di·gent [índidʒənt] *a.* 가난한.

in·di·gest·ed [ìndidʒéstid, -dai-] *a.* ① 소화되지 않는. ② (계획 따위가) 숙고되지 않은(ill-considered); 미숙한, 조잡한, 엉성한.

in·di·gest·i·bil·i·ty [ìndidʒèstəbíləti, -dai-] *n.* Ⓤ 소화 불량; 이해하지 못함.

***in·di·gest·i·ble** [ìndidʒéstəbəl, -dai-] *a.* ① 소화되지 않는, 삭이기 어려운. ② 이해하기 어려운, (학설 따위가) 받아들이기 어려운. ㊕ **-bly** *ad.*

***in·di·ges·tion** [ìndidʒéstʃən, -dai-] *n.* Ⓤ 소화가 안 됨, 소화 불량, 위약(胃弱) (dyspepsia).

***in·dig·nant** [indígnənt] (**more** ~; **most** ~) *a.* 분개한, 성난《*at; over; with*》: write an ~ letter 분노를 표시한 편지를 쓰다 / He was ~ *over* her rough treatment. 그는 그녀의 거친 대접에 분개했다 / The professor seemed quite ~ *with* his research assistant. 그 교수는 그의 연구 조수에게 크게 화를 내고 있는 것 같았다 / He was hotly ~ *at* the insult. 그는 그 모욕에 크게 분개했다. ㊕ ~·**ly** *ad.* 분연히.

‡in·dig·na·tion [ìndignéiʃən] *n.* Ⓤ 분개, 분노 ; 의분(義憤)《*at* a thing ; *against* 〔*with*〕 a person》. ⓒⓕ anger, wrath. ¶ His face reddened *with* ~. 그의 얼굴이 노여움으로 빨개졌다 / I felt great ~ *with* him *over*〔*at*〕 his questioning my motives〔*for* questioning my motives〕. 그가 내 동기를 묻는 데 크게 분노를 느꼈다.
in ~ 분개하여.

***in·dig·ni·ty** [indígnəti] *n.* Ⓤ 모욕, 경멸, 무례 ; Ⓒ 모욕적인 언동〔대우〕: treat a person with ~ 아무를 모욕적으로 다루다.

***in·di·go** [índigòu] (*pl.* ~(*e*)*s*) *n.* Ⓤ 쪽《물감》; 남색 ; 〖化〗 인디고.

índigo blúe 남빛 ; 인디고 블루.

‡in·di·rect [ìndirékt, -dai-] (*more* ~ ; *most* ~) *a.* ① 곧바르지 않은《길 따위》, 우회하는, 멀리 도는. ② 간접적인 ; 이차적인, 부차적인 : an ~ effect 〔cause〕 간접적인 영향〔원인〕. ③ 우회적인 ; 에두른 ; 솔직하지 않은 : make an ~ allusion 은근히 내비치다. ④〖文法〗 간접(화법)의. ⓞⓟⓟ *direct.* ⓜ ~·**ness** *n.*

in·di·rec·tion [ìndirékʃən, -dai-] *n.* Ⓤ,Ⓒ ① 에두름. ② 부정직, 사기 ; 술책, 부정 수단. ③ 무(無)목적. *by* ~ 에둘러서.

***in·di·rect·ly** [ìndiréktli, -dai-] *ad.* 간접적으로, 에둘러서, 부차적으로.

índirect óbject 〖文法〗 간접 목적어《보기 : He gave *me* a watch.의 me》.

índirect táx 간접세.

in·dis·cern·i·ble [ìndisə́ːrnəbəl, -zə́ːrn-] *a.* 식별〔분간〕하기 어려운, 눈에 띄지 않는. ⓜ **-bly** *ad.*

in·dis·ci·pline [indísəplin] *n.* Ⓤ 규율 없음.

***in·dis·creet** [ìndiskríːt] *a.* 무분별한, 지각없는, 경솔한(injudicious). ◇ indiscretion *n.* ⓜ ~·**ly** *ad.*

in·dis·crete [ìndiskríːt] *a.* 따로따로 떨어져 있지 않은, 연속한, 밀착한(compact). ⓜ ~·**ly** *ad.* ~·**ness** *n.*

***in·dis·cre·tion** [ìndiskréʃən] *n.* Ⓤ,Ⓒ 무분별, 철없음, 경솔《*in*》; 경솔한 짓 ; (the ~) 무분별하게 (…하는) 것 《*to* do》: I warned him against ~ *in* his conversation. 나는 그에게 경솔하게 말을 하지 않도록 주의했다 / He had *the* ~ *to* accept the money. 그는 분별없이 그 돈을 받았다. ◇ indiscreet *a.*

in·dis·crim·i·nate [ìndiskrímənit] *a.* ① 무차별의, 닥치는 대로의, 분별 없는 : ~ bombing 무차별 폭격 / My brother is ~ in collecting stamps. 동생은 닥치는 대로 우표를 모은다. ② 난잡한(confused). ⓜ ~·**ly** *ad.* ~·**ness** *n.*

in·dis·pen·sa·bil·i·ty [ìndispènsəbíləti] *n.* Ⓤ 불가결함, 필수, 긴요(성).

‡in·dis·pen·sa·ble [ìndispénsəbəl] *a.* ① 불가결한, 없어서는 안 될, 절대 필요한, 긴요한《*to* ; *for*》: Health is ~ *to* everyone. 건강은 모든 이에게 절대 필요하다. ② (의무·약속 등을) 게을리〔기피〕할 수 없는 : an ~ duty 불가피한 의무. ── *n.* Ⓒ 불가결한 사람〔것〕. ⓜ **-bly** *ad.* 반드시, 꼭.

in·dis·pose [ìndispóuz] *vt.* ① …할 마음을 잃게 하다 ; …에게 싫은 마음을 일어나게 하다《*to* do ; *toward* ; *for*》《★ 종종 과거분사로서 형용사적으로 씀》: Heavy taxes ~ people *to* work hard. 무거운 세금은 사람들의 근로의욕을 잃게 한다 / Ill-treatment ~*d* him *toward* his boss. 학대로 인해 상사가 싫어졌다. ② …을 부적당하게 하다 ; 불능케 하다《*for* ; *to* do》: Ill health ~*d* him *for* physical labor. 그는 건강이 나빠 육체노동을 할 수 없었다. ③ …의 몸 상태를〔컨디션을〕 나쁘게 하다 《★ 오늘날은 과거분사로서 형용사적으로 쓰는 것이 예사임》.

in·dis·posed [ìndispóuzd] *a.* 〔敍述的〕 ① 기분이 언짢은, 몸이 찌뿌드드한 ; 병에 걸린 : He is ~ with a cold. 그는 감기로 몸이 좋지 않다 / He became suddenly ~. 그는 갑자기 기분이 나빠졌다. ② 싫은, (…할) 마음이 없는, 내키지 않는《*to* do ; *for* ; *toward*》: She seems ~ *to* read books. 그녀는 독서할 생각이 없는 것 같다.

in·dis·po·si·tion [ìndispəzíʃən] *n.* Ⓤ,Ⓒ ① 기분이 언짢음, 찌뿌드드함 ; 가벼운 병《두통·감기 따위》: She has fully recovered *from* her recent ~. 그녀는 최근의 가벼운 몸살에서 완전히 회복하였다. ② 내키지 않음, (…할) 마음이 없음 (unwillingness)《*to* ; *toward*》. ◇ indispose *v.*

in·dis·pu·ta·ble [ìndispjúːtəbəl, indíspju-] *a.* 논의〔반박〕의 여지가 없는(unquestionable), 명백〔확실〕한. ⓜ **-bly** *ad.* ~·**ness** *n.*

in·dis·sol·u·ble [ìndisáljəbəl / -sɔ́l-] *a.* ① 용해〔분해, 분리〕할 수 없는. ② 단단한, 확고한 ; 불변의, 영속성 있는《계약 따위》: an ~ friendship 변함없는 우정. ⓜ **-bly** *ad.*

in·dis·tinct [ìndistíŋkt] *a.* (형체 · 기억 따위가) 불분명한, 희미한. ⓜ ~·**ly** *ad.* ~·**ness** *n.*

in·dis·tinc·tive [ìndistíŋktiv] *a.* ① 눈에 띄지 않는, 특색 없는. ② 차별 없는, 구별할 수 없는.

in·dis·tin·guish·a·ble [ìndistíŋgwiʃəbəl] *a.* 분간〔구별〕할 수 없는《*from*》. ⓜ **-bly** *ad.* 분간〔구별〕할 수 없을 정도로.

in·di·um [índiəm] *n.* 〖化〗 인듐《금속 원소 ; 기호 In ; 번호 49》.

‡in·di·vid·u·al [ìndəvídʒuəl] (*more* ~ ; *most* ~) *a.* ① 〔限定的〕 개개의, 각개(各個)의 : We make exceptions in ~ cases. 우리는 개개의 경우에 예외를 둔다. ② 〔限定的〕 일개인의, 개인적인 : ~ difference 개인차 / ~ instruction 개인 교수 / an ~ locker 개인용 로커. ③ 독특한, 특유의 : an ~ style 독특한 문체(文體) / in one's ~ way 독자적인 방법으로.
── *n.* Ⓒ ① 개인 : a private ~ 한 사인(私人). ② 개체, 단일체, (물건의) 한 단위. ③ 〔修飾語를 수반해서〕《口》 사람 : a strange ~ 이상한 사람.

***in·di·vid·u·al·ism** [ìndəvídʒuəlìzəm] *n.* Ⓤ 개인주의 ; 이기주의.

***in·di·vid·u·al·ist** [ìndəvídʒuəlist] *n.* Ⓒ 개인주의자 ; (윤리상의) 이기주의자.
ⓜ **in·di·vid·u·al·ís·tic** *a.* **-ís·ti·cal·ly** *ad.*

***in·di·vid·u·al·i·ty** [ìndəvìdʒuǽləti] *n.* ① Ⓤ 개성, 개인적 성격 ; 개인성, 개체성 : a man of marked ~ 특이한 개성의 사람. ② (*pl.*) 개인적 특성, 특질. ③ Ⓒ 개체, 개인, 단일체.

in·di·vid·u·al·ize [ìndəvídʒuəlàiz] *vt.* ① …을 낱낱으로 구별하다 ; …에 개성을 부여하다〔발휘시키다〕, …을 개성화하다 ; 특기하다. ② …을 개별적으로 다루다〔고려하다〕. ③ …을 개인의 취향〔사정〕에 맞추다. ⓜ **ìn·di·vìd·u·al·i·zá·tion** *n.*

***in·di·vid·u·al·ly** [ìndəvídʒuəli] *ad.* ① 개별적으로 ; 하나하나 ; 낱낱이 ; 단독으로 : I spoke to them ~. 그들 한 사람 한 사람에게 이야기했다. ② 개인적으로 ; 개성〔독자성〕을 발휘하여 ; (딴 것과 구별하여) 분명하게.

in·di·vid·u·ate [ìndəvídʒuèit] *vt.* ① …을 낱낱으로 구별하다, 개별〔개체〕화하다. ② …에 개성을 부여하다, 개성화하다.

in·di·vis·i·bil·i·ty [ìndivìzəbíləti] *n.* Ⓤ 가를 수 없음 ; 〖數〗 나눌 수 없음.

in·di·vis·i·ble [ìndivízəbəl] *a.* ① 분할할 수 없는, 불가분의. ② 〖數〗 나뉘지 않는 : Eleven is ~

by two. 11은 2로 나눌 수 없다. ── n. Ⓒ 분할할 수 없는 것; 극소량, 극미량. ⓜ **-bly** *ad.*

Indo- '인도(사람)'의 뜻의 결합사.

In·do·chi·na, In·do-Chi·na [índoutʃáinə] *n.* 인도차이나 《★ 넓은 뜻으로 Myanmar, Thailand, Malay를 포함하는 경우와, 옛 프랑스령 인도차이나를 가리키는 경우가 있음》.

In·do·chi·nese [índoutʃainí:z] *a.* 인도차이나의, 인도차이나 사람의. ── *n.* Ⓒ (*pl.* ~) 인도차이나 사람.

in·do·cile [indásil / -dɔ́sil] *a.* 말을 듣지 않는, 고분고분하지 않는; 가르치기〔훈련시키기〕 어려운. ⓜ **in·do·cíl·i·ty** *n.*

in·doc·tri·nate [indáktrənèit / -dɔ́ktr-] *vt.* 〔종종 受動으로〕 (교의(敎義)·신앙 따위)를 주입하다(instruct)《*in; with*》; 가르치다《주로 기초적인 것을》: ~ a person *with* dogmas 아무에게 교리를 가르치다 / She has *been* ~*d in* Judaism. 그녀에게 유대교의 교의가 주입되었다.
ⓜ **in·dòc·tri·ná·tion** *n.* Ⓤ 교화, 주입.

In·do-Eur·o·pe·an [índoujùərəpí:ən] *a., n.* Ⓤ 인도 유럽어족(語族)(의).

in·do·lence [índələns] *n.* Ⓤ 나태, 게으름.

***in·do·lent** [índələnt] *a.* ① 나태한, 게으른. ② 【醫】 무통(성)의. ⓜ **~·ly** *ad.*

***in·dom·i·ta·ble** [indámətəbəl / -dɔ́m-] *a.* 굴하지 않는, 불요불굴의: an ~ spirit 불굴의 정신. ⓜ **-bly** *ad.*

***In·do·ne·sia** [ìndouní:ʒə, -ʃə] *n.* 인도네시아; 인도네시아 공화국《수도 Jakarta》.
ⓜ **-sian** [-n] *a., n.* Ⓒ 인도네시아의, 인도네시아 사람(의); Ⓤ 인도네시아어(語)(의).

***in·door** [índɔ̀:r] *a.* 〔限定的〕 실내의, 옥내의. opp. *outdoor*. ¶ ~ games 실내 경기.

‡**in·doors** [indɔ́:rz] *ad.* 실내에〔에서, 로〕, 옥내에〔에서, 로〕. opp. *outdooors*.

indorse ⇨ ENDORSE.

in·drawn [indrɔ̀:n] *a.* ① 마음을 터놓지 않는, 서먹서먹한(aloof); 내성적인(introspective). ② 숨을 들이마신.

in·du·bi·ta·ble [indjú:bətəbəl] *a.* 의심할 여지가 없는, 확실〔명백〕한. ⓜ **-bly** *ad.*

‡**in·duce** [indjú:s] *vt.* ①《+목+*to* do / +목+전+명》…을 꾀다, 권유하다, 설득〔권유〕하여 …하게 하다: Nothing could ~ me *to* go. 그 어떤 것도 나를 가게 할 수 없었다 / ~ a person *to* an action 아무에게 어떤 행동을 일으키게 하다. ② …을 야기하다, 일으키다, 유발하다: This drug ~*s* sleep. 이 약은 졸음을 가져온다. ③【醫】〔종종 受動으로〕 (진통·분만 등)을 인공적으로 일으키다, 촉진하다; 《口》 (인공적으로) 분만시키다. ④【論】 …을 귀납하다. opp. *deduce*. ⑤【電·物】 (전기·자기·방사능 따위)를 유도하다: ~*d* current 유도 전류.

***in·duce·ment** [indjú:smənt] *n.* Ⓤ,Ⓒ 유인(誘引), 유도, 권유, 장려; 유인(誘因), 동기, 자극《*to*》: an ~ *to* action 행동의 동기.
on any ~ 어떤 권유가 있어도.

in·duc·er [indjú:sər] *n.* Ⓒ INDUCE하는 사람〔것〕; 【遺·化】 유도 물질.

in·duct [indʌ́kt] *vt.* ①《+목+전+명》〔종종 受動으로〕 (지위·자리)에 앉히다, 취임시키다《*to; into*》: Mr. White has been ~*ed into* the office of governor. 화이트씨는 지사에 취임했다 / ~ clergyman *to* a benefice 성직자를 유급 목사로 취임시키다. ②〔종종 受動으로〕《美》 …을 병역에 복무시키다, 징병하다《*into*》. ③ …을 입회〔입단〕시키다.

in·duct·ance [indʌ́ktəns] *n.* Ⓤ,Ⓒ 【電】 인덕턴스.

in·duc·tee [indʌktí:] *n.* Ⓒ ① 신입 회원. ②《美》「징모병.

***in·duc·tion** [indʌ́kʃən] *n.* ① Ⓤ,Ⓒ 끌어들임, 유도, 도입. ② Ⓤ,Ⓒ 【論】 귀납법, 귀납 추리(에 의한 결론). opp. *deduction*. ③ Ⓤ 【電】 유도; 감응, 유발. ④ Ⓤ,Ⓒ 【醫】 (약에 의한) 진통〔분만〕 유발. ⑤ Ⓤ,Ⓒ (특히 성직(聖職)의) 취임식. ◇ induce *v.*

indúction còil 【電】 유도〔감응〕 코일.

indúction héating 유도 가열.

in·duc·tive [indʌ́ktiv] *a.* ①【論】 귀납적인. opp. *deductive*. ¶ ~ reasoning 〔inference〕 귀납적 추리. ②【電】 유도성의, 감응의. ⓜ **~·ly** *ad.*
ìn·duc·tív·i·ty *n.* Ⓤ 유도성; 【電】 유도율.

in·duc·tor [indʌ́ktər] *n.* Ⓒ ① 성직 수여자. ② 【電·物】 인덕터.

in·due [indjú:] *vt.* =ENDUE.

‡**in·dulge** [indʌ́ldʒ] *vt.* ① (욕망·정열 따위)를 만족시키다, 충족시키다: ~ one's hobby 도락에 빠지다 / He spent the holidays *indulging* his passion *for* climbing and fishing. 그는 좋아하는 등산과 낚시를 마음껏 즐기면서 휴가를 보냈다. ② …을 어하다, (떠받들어) …의 버릇을 잘못 들이다, …을 제멋대로 하게 두다: ~ one's grandchildren 손자들을 응석받이로 키우다. ③《+목+전+명》 (사람 따위)를 즐겁게〔기쁘게〕 하다: ~ the company *with* a song 노래를 불러 좌중을 즐겁게 하다. ④《+목+전+명》 …에게 베풀다, 주다《*with*》: They ~*d* me *with* a bottle of excellent wine. 그들은 내게 최고품 와인을 한 병 주었다. ── *vi.* ①《+전+명》 (취미·욕망 따위에) 빠지다, 탐닉하다《*in*》; 즐기다, 마음껏 누리다《*in*》: ~ *in* pleasures〔drinking〕 쾌락〔술〕에 빠지다. ②《口》 (마음껏) 마시다. ~ one***self in*** …에 빠지다: He often ~*s himself in* daydreams. 그는 종종 공상에 빠지곤 한다. ~ one***self with*** …을 마시다〔먹다〕: Let's ~ *ourselves with* a bottle of champagne. 자, 샴페인 한 병 마시도록 하자.

in·dul·gence** [indʌ́ldʒəns] *n.* Ⓤ ① 응석을 받음, 멋대로 하게 둠, 관대: treat a person with ~ 아무를 관대하게 다루다. ② …에 빠짐, 탐닉《*in*》; Ⓒ 도락, 즐거움: Smoking is his only ~. 담배는 그의 유일한 도락이다. ③ 은혜, 특권. ④【商】 지급 유예. ⑤ Ⓤ,Ⓒ 【가톨릭】 대사; Ⓒ 면죄부(免罪符). ***the Declaration of Indulgence 신교 자유 선언《1672년과 1678년에 발포》.

***in·dul·gent** [indʌ́ldʒənt] *a.* 멋대로 하게 하는, 어하는; 눈감아 주는, 관대한《*with; to; of*》: an ~ mother 엄하지 않은 어머니 / They are ~ *with* 〔*to*〕 their children. 그들은 아이들에게 무르다〔관대하다〕. ⓜ **~·ly** *ad.* 관대하게.

in·du·rate [índjurèit] *vt.* ① …을 굳히다, 경화(硬化)시키다. ② …을 무감각하게 하다; 아무렇지 않게 하다. ── *vi.* ① 굳어지다, 경화되다. ② 무감각해지다.
── [índjurit] *a.* ① 굳어진. ② 무감각하게 된.

in·du·ra·tive [índjurèitiv] *a.* ① 굳어지는, 경화성의. ② 완고한.

In·dus [índəs] *n.* (the ~) 인더스 강.

‡**in·dus·tri·al** [indʌ́striəl] (***more*** ~; ***most*** ~) *a.* ① 산업(상)의, 공업(상)의, 공업용의; 산업〔공업〕이 발달한: an ~ nation 공업국 / ~ alcohol 공업용 알코올 / an ~ exhibition 산업 박람회 / an ~ spy 산업 스파이. ② 공업〔산업〕에 종사하는; 공업〔산업〕 노동자의: ~ workers 산업 노동자 / an ~ accident 산업 재해. ⓜ **~·ly** *ad.* 공업〔산업〕적으로; 공업〔산업〕상.

indústrial áction 《英》 (노동자의) 쟁의 행위

《파업 등》.

indústrial archaeólogy 산업 고고학《산업 혁명 초기의 공장·기계·제품 따위를 연구하는》.

indústrial árts 공예 (기술).

indústrial desígn 공업 디자인《略 : ID》.

indústrial desígner 공업 디자이너.

indústrial diséase 직업병. 「《略 : IE》.

indústrial enginéering 산업 〔경영〕 공학

indústrial estáte 《英》 =INDUSTRIAL PARK.

in·dus·tri·al·ism [indʌ́striəlìzəm] *n.* [U] 산업주의, (대)공업주의.

in·dus·tri·al·ist [indʌ́striəlist] *n.* [C] (대)생산회사의 사주〔경영자〕, 공업가, 실업가 ; 생산업자.

in·dus·tri·al·i·za·tion [indʌ̀striəlizéiʃən] *n.* [U] 산업화, 공업화.

***in·dus·tri·al·ize** [indʌ́striəlàiz] *vt.* …을 산업〔공업〕화하다.

indústrial párk 《美》 공업단지(《英》 industrial estate).

indústrial psychólogy 산업 심리학.

indústrial relátions 노사 관계 ; 노무관리 ; 산업과 지역사회와의 관계.

Indústrial Revolútion (the ~) 〖史〗 산업혁명《18-19 세기에 영국을 중심으로 일어난 사회조직상의 대변혁》.

indústrial schóol 실업 학교 ; 직업 보도 학교 《불량아의 선도를 위한》.

indústrial stríſe 〔**dispúte**〕《英》 노동쟁의.

indústrial únion 산업별 노동 조합(vertical union).

indústrial wáste 산업 폐기물.

‡**in·dus·tri·ous** [indʌ́striəs] (***more*** ~ ; ***most*** ~) *a.* 근면한, 부지런한 ; 열심인 : He is ~ in his job. 그는 일에 열심이다. ≠industrial. [派] **~·ly** *ad.* 부지런히, 열심히, 꾸준히. **~·ness** *n.*

†**in·dus·try** [índəstri] *n.* ① [U] (제조) 공업, 산업. ② [C] 〔흔히 修飾語를 수반하여〕 …업(業) : the steel ~ 제강업 / manufacturing ~ 제조업, 공업 / the automobile ~ 자동차 산업 / the tourist ~ 관광 사업 / the shipbuilding ~ 조선업. ◇ industrial *a.* ③ [U] 〔集合的〕 산업 〔공업〕 경영자 ; 산업계 : friction between labor and ~ 노사간의 갈등. ④ [U] 근면(diligence) : Poverty is a stranger to ~. 《俗談》 부지런하면 가난은 없다.

in·dwell [indwél] (*p., pp.* ***-dwelt*** [-dwélt]) *vi., vt.* (…의) 안에 살다 ; (정신·주의 등이) 깃들이다. [派] **~·ing** *a.* 〔限定的〕 내재하는.

-ine[1] *suf.* ① '…에 속하는, …성질의'의 뜻 : serpent*ine*. ② 여성명사를 만듦 : hero*ine*. ③ 추상적 의미를 나타냄 : discipl*ine*, doctr*ine*.

-in(e)[2] *suf.* 〖化〗 염기(塩基) 및 원소 이름의 어미 : anil*ine*.

in·e·bri·ate [iníːbrièit] *vt.* …을 취하게 하다 ; 도취하게 하다. ── [-briət] *a.* 술취한. ── [-briət] *n.* [C] 주정뱅이, 고주망태. [派] **in·è·bri·á·tion** [-ʃən] *n.* [U] 취하게 함, 명정(酩酊).

in·e·bri·e·ty [ìnibráiəti] *n.* [U] 취함, 명정 ; (병적인) 음주벽.

in·ed·i·ble [inédəbəl] *a.* 식용에 적합지 않은, 못 먹는. [派] **in·èd·i·bíl·i·ty** *n.*

in·ed·u·ca·ble [inédʒukəbəl] *a.* (정신 박약·심리 이상 등으로) 교육 불가능한. [派] **-bly** *ad.* **in·èd·u·ca·bíl·i·ty** [-bíləti] *n.*

in·ef·fa·ble [inéfəbəl] *a.* ① 말로 나타낼 수 없는, 이루 말할 수 없는(unutterable) : ~ joy 무어라 이루 말할 수 없는 기쁨. ② 입에 올리기에도 황송한〔함부로 말할 수 없을 만큼〕 신성한 : the ~ name of Jehovah 여호와의 신성한 이름. [派] **-bly** *ad.* **~·ness** *n.*

in·ef·face·a·ble [ìniféisəbəl] *a.* 지울〔지워 없앨〕 수 없는 ; 지워지지 않는. [派] **-bly** *ad.*

in·ef·fec·tive [ìniféktiv] *a.* ① 무효의, 효과 없는(ineffectual) ; 쓸모 없는. ② 무력한, 무능한 ; (예술품이) 감명을 주지 않는. [派] **~·ly** *ad.* **~·ness** *n.*

in·ef·fec·tu·al [iniféktʃuəl] *a.* ① 효과〔효력〕 없는 ; 헛된. ② 무력한, 무능한. [派] **~·ly** *ad.*

in·ef·fi·ca·cious [ìnefəkéiʃəs] *a.* (약 등이) 효력〔효험〕 없는. [派] **~·ly** *ad.*

in·ef·fi·ca·cy [inéfəkəsi] *n.* [U] (약 따위의) 무효력, 효험〔효과, 효능〕 없음.

in·ef·fi·cien·cy [ìnifíʃənsi] *n.* [U] 무효력, 비능률 ; 무능(력) ; [C] 비능률적인 점〔것〕.

in·ef·fi·cient [ìnifíʃənt] *a.* ① 효과 없는, 능률이 오르지 않는. ② 무능한, 쓸모 없는, 기능〔역량〕 부족의. [派] **~·ly** *ad.*

in·e·las·tic [ìnilǽstik] *a.* ① 탄력〔탄성〕이 없는. ② 신축성이 없는 ; 적응성 없는, 융통성 없는. [派] **in·e·las·tic·i·ty** [ìnilæstísəti] *n.*

in·el·e·gance [inéləgəns] *n.* [U] 우아하지〔세련되지〕 않음, 운치 없음, 무풍류 ; [C] 운치 없는 행위〔말·문체〕.

in·el·e·gant [inéləgənt] *a.* 우아하지 않은, 무무한, 세련되지 않은(unrefined). [派] **~·ly** *ad.*

in·el·i·gi·bil·i·ty [inèlidʒəbíləti] *n.* [U] 부적당, 부적격, 무자격.

in·el·i·gi·ble [inélidʒəbəl] *a.* (법적으로) 선출될 자격이 없는 ; 부적임인, 비적격의《*for ; to*》 : He's ~ *to* vote. 그는 투표할 자격이 없다 / He's ~ *for* a pension. 그는 연금을 받을 자격이 없다. ── *n.* [C] 선출될 자격이 없는 사람 ; 비적격자, 부적임자. [派] **-bly** *ad.*

in·e·luc·ta·ble [ìnilʌ́ktəbəl] *a.* 면할 길 없는, 불가피한, 불가항력의. [派] **-bly** *ad.*

in·ept [inépt] *a.* ① 부적당한 ; 부적절한 ; 적성이 아닌《*at ; in*》 : He's totally ~. 그는 전혀 쓸모가 없다 / He's ~ *at*〔*in*〕 ball games. 그는 구기(球技)에는 맞지 않는다. ② 부조리한 ; 바보 같은, 어리석은 ; 서투른, 무능한 : an ~ remark 어리석은 발언. [派] **~·ly** *ad.*

in·ept·i·tude [inéptətjùːd] *n.* ① [U] 부적당 ; 부조리, 어리석음. ② [C] 어리석은 언행(言行) (absurdity).

***in·e·qual·i·ty** [ìnikwáləti / -kwɔ́l-] *n.* [U,C] ① 같지 않음, 불평등, 불공평, 불균형 ; (*pl.*) 불평등한 일〔점〕 : social *inequalities* in education 교육의 사회적 불평등. ② (표면의) 거칢 ; (*pl.*) 기복, 우툴두툴함 : the *inequalities* of the ground 지면의 기복. ③ (크기·가치·계급 따위의) 부동(不同), 차이 : ~ in size 크기의 부동. ④ 〖數〗 부등식.

in·eq·ui·ta·ble [inékwətəbəl] *a.* 불공평한, 불공정한. [派] **-bly** *ad.*

in·eq·ui·ty [inékwəti] *n.* [U,C] 불공평, 불공정 (unfairness) ; 불공평한 사례.

in·e·rad·i·ca·ble [ìnirǽdikəbəl] *a.* 근절할 수 없는, 뿌리 깊은. [派] **-bly** *ad.*

in·er·rant [inérənt] *a.* 잘못〔틀림〕 없는.

***in·ert** [inə́ːrt] *a.* ① (육체적·정신적으로) 활발하지 못한, 생기가 없는 ; 활동력이 없는. ② 자력으로는 움직이지 못하는. ③ 비활성의 : an ~ gas 비활성 기체. [派] **~·ly** *ad.* **~·ness** *n.*

in·er·tia [inə́ːrʃiə] *n.* [U] ① 불활동, 불활발 ; 지둔(遲鈍) (inactivity). ② 〖物〗 관성, 타성, 타력 : the moment of ~ 관성 모멘트. ③ 〖醫〗 이완(弛緩), 무력증(無力症). [派] **-tial** *a.*

inértia sélling 《英》 강매《멋대로 상품을 보내고 반품하지 않으면 대금을 청구하는》.

***in·es·cap·a·ble** [ìneskéipəbəl] *a.* 달아날〔피할〕 수 없는, 불가피한. cf. inevitable. ㊇ **-bly** *ad.*

in·es·sen·tial [ìnisénʃəl] *a.* 긴요〔중요〕하지 않은, 없어도 되는. ── *n.* Ⓒ (종종 *pl.*) 긴요〔필요〕하지 않은 것.

***in·es·ti·ma·ble** [inéstəməbəl] *a.* 평가〔계산〕할 수 없는; 헤아릴 수 없는; 헤아릴 수 없을 만큼 큰〔존귀한〕; 더없이 귀중한: a thing of ~ value 더없이 귀중한 것. ㊇ **-bly** *ad.*

in·ev·i·ta·bil·i·ty [inèvətəbíləti] *n.* Ⓤ 피할 수 없음, 불가피, 불가항력, 필연(성): historical ~ 역사적 필연성 / the ~ of death 죽음의 불가항력성.

‡in·ev·i·ta·ble [inévitəbəl] *a.* ① 피할 수 없는, 면할 수 없는; 당연한, 필연적인: an ~ result 당연한 결과 / It's almost ~ that the two companies will merge. 그 두 회사의 합병은 거의 불가피하다. ②〔限定的〕〔one's, the 를 수반하여〕《口》 여전한, 예(例)의: a Japanese tourist with *his* ~ camera 여전히 그 카메라를 멘 일본인 관광객. ── *n.* (the ~) 피할 수 없는 일, 필연의 운명.

***in·ev·i·ta·bly** [inévitəbli] *ad.* 불가피하게, 필연적으로, 아무래도; 부득이; 반드시, 확실히: *Inevitably*, these negotiations will take time. 아무래도 이 교섭은 시간이 걸릴 것이다.

in·ex·act [ìnigzǽkt] *a.* 정확〔정밀〕하지 않은, 부정확한. ㊇ ~·**ly** *ad.* ~·**ness** *n.*

in·ex·act·i·tude [ìnigzǽktətjùːd] *n.* U.C 부정확(한 것), 부정밀(한 것).

in·ex·cus·a·ble [ìnikskjúːzəbəl] *a.* 변명이 되지 않는; 용서할 수 없는: an ~ error 변명할 수 없는 잘못. ㊇ **-bly** *ad.*

***in·ex·haust·i·ble** [ìnigzɔ́ːstəbəl] *a.* ① 다할 줄 모르는, 무진장한; 다 써버릴 수 없는: Natural resources are not ~. 천연 자원은 무진장하지 않다. ② 지칠 줄 모르는, 끈기 있는. ㊇ **-bly** *ad.*

in·ex·o·ra·bil·i·ty [inèksərəbíləti] *n.* Ⓤ 용서 없음; 무정, 냉혹.

***in·ex·o·ra·ble** [inéksərəbəl] *a.* ① 무정한, 냉혹한: an ~ creditor 인정사정 없는 채권자. ② 굽힐 수 없는, 움직일 수 없는: ~ truth 불변의 진리. ㊇ **-bly** *ad.*

in·ex·pe·di·en·cy [ìnikspíːdiənsi] *n.* Ⓤ 불편; 부적당; 득책이 아님.

***in·ex·pe·di·ent** [ìnikspíːdiənt] *a.* 불편한; (어떤 입장에) 부적당한; 득책이 아닌.

***in·ex·pen·sive** [ìnikspénsiv] *a.* 비용이 들지 않는, 값싼; 값에 비하여 품질이 좋은. ★ cheap 는 '싸구려'라는 느낌이 있기 때문에 inexpensive 를 많이 씀. ㊇ ~·**ly** *ad.* ~·**ness** *n.*

in·ex·pe·ri·ence [ìnikspíəriəns] *n.* Ⓤ 무경험, 미숙련, 미숙, 서투름, 물정을 모름.

***in·ex·pe·ri·enced** [ìnikspíəriənst] *a.* 경험이 없는; 숙련되지 않은, 미숙한《*at; in*》; 세상 물정을 모르는: an ~ young man 풋내기 / He's ~ *at* driving. 그는 운전이 미숙하다 / He is ~ *in* business. 그는 장사에 경험이 없다.

in·ex·pert [inékspəːrt, ìnikspə́ːrt] *a.* 미숙한, 서투른; 아마추어의. ㊇ ~·**ly** *ad.* ~·**ness** *n.*

in·ex·pi·a·ble [inékspiəbəl] *a.* ① 보상할 수 없는《죄악 따위》, 죄 많은: an ~ sin 속죄 받을 수 없는 죄. ② 달랠 수 없는《노여움 등》, 억누를 수 없는, 누그러뜨릴 수 없는; 앙심을 품은.

in·ex·pli·ca·bil·i·ty [inèksplikəbíləti] *n.* Ⓤ 설명할 수 없음, 불가해함.

***in·ex·pli·ca·ble** [inéksplikəbəl, ìnikspllík-] *a.* 불가해한, 설명할 수 없는, 납득이 안 가는: an ~ phenomenon 불가해한 현상. ㊇ **-bly** *ad.* 불가해하게;〔文章 전체를 修飾하여〕 어떤 이유인지: *Inexplicably*, Ed behaved very rudely at the party. 어떤 이유인지는 몰라도 에드는 그 파티에서 몹시 교양 없는 처신을 했다.

in·ex·press·i·ble [ìniksprésəbəl] *a.* 말로 나타낼 수 없는, 이루 다 말할 수 없는. ㊇ **-bly** *ad.*

in·ex·pres·sive [ìniksprésiv] *a.* 표정이 없는, 무표정한. ㊇ ~·**ly** *ad.* ~·**ness** *n.*

in·ex·tin·guish·a·ble [ìnikstíŋgwiʃəbəl] *a.* ① (불등을) 끌 수 없는. ② 억누를 수 없는, 멈출 수 없는《노여움 등》.

in ex·tre·mis [ìn-ikstríːmis] 《L.》 ① 극한 상황에서. ② 죽음에 임하여, 임종에.

in·ex·tri·ca·ble [inékstrikəbəl] *a.* ① 탈출할〔헤어날〕 수 없는: an ~ maze 헤어날 수 없는 미로 / an ~ situation 꼼짝할 수 없는 사태. ② 풀 수 없는《문제·매듭 따위》, 뒤엉킨; 해결할 수 없는: in ~ confusion 손댈 수 없을 정도로 혼란하여. ㊇ **-bly** *ad.*

INF intermediate-range nuclear forces (중거리 핵전력). **inf.** infantry; infinitive; infinity.

in·fal·li·bil·i·ty [infæ̀ləbíləti] *n.* Ⓤ ① 절대로 과오가 없음; 절대 확실. ②〖가톨릭〗 무류성(無謬性). ***papal*** ~ 교황 무류설.

***in·fal·li·ble** [infǽləbəl] *a.* ① 결코 잘못이 없는, 전혀 틀림이 없는, 의심할 여지 없는: A court of law is not ~. 법원(의 판결)에도 잘못이 없는 것은 아니다. ② (절대로) 확실한: an ~ means 절대로 확실한 수단 / an ~ remedy 확실히 듣는 약. ── *n.* Ⓒ 절대로 확실한 사람〔물건〕. ㊇ **-bly** *ad.* ① 틀림없이, 확실히. ②《口》 언제나, 꼭.

***in·fa·mous** [ínfəməs] *a.* ① 수치스러운, 불명예스러운, 파렴치한: an ~ crime 파렴치죄. ② 악명 높은, 평판이 나쁜. ◇ infamy *n.* ㊇ ~·**ly** *ad.*

***in·fa·my** [ínfəmi] *n.* Ⓤ 악평, 오명(汚名), 추명(醜名); Ⓤ 불명예; Ⓒ 파렴치 행위, 추행(醜行), 비행. ◇ infamous *a.*

‡in·fan·cy [ínfənsi] *n.* Ⓤ ① 유소(幼少), 어릴 때; 유년기: a happy ~ 행복한 유년기. ② 초기, 요람기, 미발달기: Organ transplant surgery is still in its ~. 장기 이식(臟器移植) 수술은 아직 초기 단계에 있다. ③ 미성년(minority).

‡in·fant [ínfənt] *n.* Ⓒ (7세 미만의) 유아;〖法〗 미성년자. ── *a.*〔限定的〕 ① 유아(용)의; 유치한, 유년(기)의: ~ food 유아식 / ~ mortality 유아 사망률. ② 초기의, 미발달의. ③〖法〗 미성년의.

in·fan·ti·cide [infǽntəsàid] *n.* Ⓤ 유아〔영아〕 살해; Ⓒ 유아〔영아〕 살해 범인.

in·fan·tile [ínfəntàil, -til] *a.* ① 유아의; 아이다운, 천진스러운: ~ behavior 어린애 같은 행동. ② 유년〔유아〕기의; 초기〔초보, 미발달〕의: ~ diseases 소아병. ㊇ **in·fan·tíl·i·ty** [-tíləti] *n.* Ⓤ 유아성(性).

ínfantile parálysis〖醫〗 소아 마비.

in·fan·ti·lism [ínfəntailìzəm, infǽntə-] *n.* Ⓤ〖醫〗 발육 부전(不全), 유치증(幼稚症); Ⓒ 어린애 같은 언동.

in·fan·tine [ínfəntàin, -tìːn] *a.* =INFANTILE.

ínfant pròdigy 천재아, 신동(=**ínfantile pròdigy**).

***in·fan·try** [ínfəntri] *n.* Ⓤ〔集合的〕 보병, 보병대. cf. cavalry. ¶ an ~ regiment. 보병 연대.

in·fan·try·man [ínfəntrimən] (*pl.* ***-men*** [-mən]) *n.* Ⓒ (개개의) 보병(步兵).

ínfant(s') schòol 《英》 (7 세 미만의) 유아 학교.

in·farct [infáːrkt] *n.* Ⓤ〖醫〗 경색(梗塞).

in·farc·tion [infáːrkʃən] *n.* U.C〖醫〗 경색(梗塞)

(형성) : (a) cerebral ~ 뇌경색 / (a) cardiac ~ 심근경색.

in·fat·u·ate [infǽtʃuèit] *vt.* …을 얼빠지게 만들다, …에 분별〔이성〕을 잃게 하다, 매혹하다 ; 열중케 하다《★ 흔히 과거분사로서 형용사적으로 쓰임》.

in·fat·u·at·ed [infǽtʃuèitid] *a.* 얼빠진 ; 열중한, 혹한 : George is ~ *with* Kate. 조지는 케이트에게 빠져 있다. ㊞ **~·ly** *ad.* 혹하여, 열중하여.

in·fat·u·a·tion [infæ̀tʃuéiʃən] *n.* Ⓤ 열중케 함 ; 열중함, 심취《*for* ; *with*》; Ⓒ 심취케 하는 것〔사람〕: one's ~ *for* a girl〔*with* football〕 소녀〔축구〕에 빠짐 / Stamp collecting is his latest ~. 최근 그는 우표 수집에 열중하고 있다.

in·fea·si·ble [infí:zəbəl] *a.* 실행 불가능한, 수행할 수 없는(unfeasible).

ᵻin·fect [infékt] *vt.* ①《~+목 / +목+전+명》…에 감염시키다 ; …에 병균을 전염시키다 : His flu ~*ed* his wife. 그의 독감이 아내에게 옮았다 / He's ~*ed with* malaria. 그는 말라리아에 감염되었다 / ~ a person *with* flu 아무에게 감기를 옮기다. ②《~+목 / +목+전+명》(병독 따위로) 오염시키다 : The area is ~*d with* cholera. 그 지역은 콜레라로 오염되었다. ③《~+목 / +목+전+명》악풍(惡風)에 물들게〔젖게〕하다 ; 영향을 미치다 : Her happiness ~*ed* the company. 그녀의 행복감이 동료들까지 행복하게 했다 / ~ a person *with* a radical idea 아무에게 과격 사상을 불어넣다. ④〖컴〗(컴퓨터의) 데이터를 오염시키다. ◇ infection *n.*

ᵻin·fec·tion [infékʃən] *n.* ① Ⓤ 전염, 감염《특히 공기·물에 의한 것을 말함》; (상처로의) 병원균의 침입. cf. contagion. ② Ⓒ 전염병, 감염증. ③ Ⓤ 나쁜 감화〔영향〕. ◇ infect *v.*

***in·fec·tious** [infékʃəs] (*more* ~ ; *most* ~) *a.* ① 전염하는 ; 전염병의 : an ~ disease 전염병 / an ~ carrier 전염병 보균자. ② (영향이) 옮기 쉬운 : ~ weeping 끌려서 같이 욺 / He has a hearty laugh which is ~. 그는 남이 따라 웃는 그런 밝은 웃음을 웃는다. ◇ infect *v.* ㊞ **~·ly** *ad.* **~·ness** *n.*

in·fec·tive [inféktiv] *a.* =INFECTIOUS.

in·fe·lic·i·tous [ìnfəlísitəs] *a.* ① 불행한, 불운한. ② 부적절한《표현 따위》. ㊞ **~·ly** *ad.*

in·fe·lic·i·ty [ìnfəlísəti] *n.* ① Ⓤ 불행, 불운. ② Ⓒ (표현 등의) 부적절(한 것).

***in·fer** [infə́:r] (*-rr-*) *vt.* ①《~+목 / +목+전+명》(…로 부터) …을 추리〔추론, 추측, 추단(推斷)〕하다 : (*From* his speech) I ~*red* that the man was drunk. (그의 말투로) 나는 그 사나이가 취했다고 추측했다 / They ~*red* his displeasure *from* his cool tone of voice. 냉랭한 어조에서 그의 불쾌함을 판단했다. ② (결론으로서) 나타내다, 의미〔암시〕하다 ;《口》…가 넌지시 말하다. ◇ inference *n.* ㊞ **~·a·ble** *a.* 추리〔추론〕할 수 있는《*from*》.

***in·fer·ence** [ínfərəns] *n.* ① Ⓤ 추리, 추측, 추론 : (a) deductive 〔(an) inductive〕 ~ 연역〔귀납〕추리 / by ~ 추론에 의해. ② Ⓒ 추정, 결론 : make 〔draw〕 an ~ from …으로부터 추론하다, 단정하다. ◇ infer *v.*

in·fer·en·tial [ìnfərénʃəl] *a.* 추리〔추론〕에 의한, 추리〔추론〕의 ; 추리 〔추론〕상의, 추단한. ㊞ **~·ly** *ad.* 추론적으로, 추론에 의해.

ᵻin·fe·ri·or [infíəriər] *a.* ① (등위·등급 등이) 아래쪽의, 하위〔하급, 하층〕의 ; 낮은, (손)아랫사람의 : an ~ official 하급 공무원 / Your position is ~ *to* hers. 당신 직위는 그녀의 아래입니다 / be in an ~ position 낮은 지위에 있다. ② (품질·정도 등이) 떨어지는, 열등한, 조악한 : an ~ poet 이류 시인 / goods of ~ quality 이류 제품 / This wine is ~ *to* that (one) in robustness. 이 포도주는 저것에 비해 감칠맛이 떨어진다. ③〖植〗(꽃받침·자방(子房)이) 하위〔하생〕의 ;〖印〗밑에 붙는(H_2, D_n의 $_2$, $_n$ 등). OPP. *superior.* ★ 어미의 -ior 는 라틴어의 비교급을 나타냄. ── *n.* Ⓒ (흔히 one's ~) 손아랫사람, 하급자 : Be kind to your ~*s.* 아랫사람에게 친절하라. ㊞ **~·ly** *ad.*

***in·fe·ri·or·i·ty** [infìəriɔ́(:)rəti, -ɑ́r-] *n.* Ⓤ ① 하위, 하급 ; 열등, 열세. ② 조악(粗惡). OPP. *superiority.*

inferiórity còmplex〖心〗열등(감) 콤플렉스 ;《흔히》마음의 비뚤어짐. OPP. *superiority complex.*

***in·fer·nal** [infə́:rnl] *a.* ① 지옥(inferno)의. OPP. *supernal.* ¶ the ~ regions 지옥. ② 악마 같은, 극악무도한. ③《口》지독한, 정말 싫은 : It's an ~ lie! 그건 정말 지독한 거짓말이다. ㊞ **~·ly** [-nli] *ad.* 악마〔지옥〕같이 ;《口》몹시, 지독하게 : an ~*ly* lonely place 몹시 호젓한 곳.

in·fer·no [infə́:rnou] (*pl.* **~s**) *n.* Ⓒ《It.》① 지옥(hell). ② (대화재 따위) 흡사 지옥 같은 광경〔장소, 상황〕; 대화(大火) : The oil well turned into a raging ~. 유전은 사납게 타오르는 불바다로 화했다.

in·fer·ra·ble [infə́:rəbəl] *a.* =INFERABLE.

in·fer·tile [infə́:rtəl / -tail] *a.* (땅이) 비옥하지 않은 ; 불모의 ; 생식력이 없는, 불임의 ; 수정하지 않은 : ~ eggs 무정란(卵).
㊞ **in·fer·til·i·ty** [ìnfə(:)rtíləti] *n.* Ⓤ ① 불모, 불임(성). ② 생식 〔번식〕 불능(증), 불임증.

***in·fest** [infést] *vt.* ①〔종종 受動으로〕(해충·도둑 등이) 떼지어 몰려들다 ; 횡행하다《*by* ; *with*》: The sea was ~*ed by* 〔*with*〕 pirates. 그 해역에는 해적들이 출몰하고 있었다 / a house ~*ed with* rats 쥐가 들끓고 있는 집. ②〔종종 受動으로〕(해충 등이) 동물에 기생하다 : a dog ~*ed by* fleas 벼룩이 꾀어 있는 개.

in·fes·ta·tion [ìnfestéiʃən] *n.* Ⓤ,Ⓒ 떼지어 엄습함 ; 횡행, 출몰 ; 만연 : an ~ of locusts 메뚜기 떼의 습격.

in·fi·del [ínfədl] *a.* 신을 믿지 않는, 이교도의, 이단의 ; 믿음이 없는 (자의). ── *n.* Ⓒ 믿음이 없는 자, 무신론자 ; 이교도, 이단자.

in·fi·del·i·ty [ìnfidéləti] *n.* Ⓤ,Ⓒ ① 신을 믿지 않음, 불신앙. ② 배신 (행위) ; 부정(不貞) (행위).

***in·field** [ínfi:ld] *n.* ① Ⓒ 농가 주위의 경지. ② (the ~) **a)**〖野〗내야(內野) : an ~ hit 내야 안타. **b)** Ⓒ〔集合的 ; 單·複數 취급〕내야진. OPP. *outfield.* ㊞ **~·er** [-ər] *n.* Ⓒ〖野〗내야수.

ínfield flỳ〖野〗내야 플라이.

in·fight·ing [ínfàitiŋ] *n.* Ⓤ ①〖拳〗인파이팅, 접근전. ② 내부 항쟁, (정당 등의) 내분(內紛). ③ 혼전, 난투.

in·fil·trate [infíltreit, ⌐-⌐] *vt.* ① …에 스며들다, 침투〔침윤〕하다 : Caves form when water ~*s* limestone. 동굴은 물이 석회암에 스며들어 생긴다. ② …에 잠입〔침입〕하다, (병력)을 침투시키다《*into* ; *through*》: ~ a spy *into* the enemy camp 스파이를 적의 야영장에 잠입시키다 / The organization is ~*d by* communists. 그 조직에는 공산주의자들이 침투해 있다. ── *vi.* ① 스며들다, 침투하다《*into*》. ② 잠입하다《*into*》. ㊞ **-trà·tor** *n.*

in·fil·tra·tion [ìnfiltréiʃən] *n.* ① Ⓤ 스며듦, 침입, 침투 ;〖醫〗침윤(浸潤). ② Ⓒ (흔히 *sing.*) (조직·적진으로) 침투〔잠입〕(행동).

infin. infinitive.

‡in·fi·nite [ínfənit] *a.* ① 무한한, 끝없는 : ~ space 무한한 공간. ② 막대한, 무수한, 한량없는 : possess ~ wealth 막대한 부를 소유하다. ③〖文法〗부정형(不定形)의《인칭·수 등의 제한을 안 받는 꼴, 즉 infinitive, participle, gerund》. ── *n.* ① (the ~) 무한(한 공간〔시간〕) ; 무한대(大)〔량〕. ② (the I-) 조물주, 신(God).
[파] *~·ly *ad.* 무한히, 끝없이 ; 대단히, 극히 : It's ~*ly* worse than I thought. 생각했던 것보다 훨씬 더 나쁘다.

in·fin·i·tes·i·mal [infìnitésəməl] *a.* ① 극소의, 극미의. ②〖數〗무한소의, 미분(微分)의. ── *n.* [C] 극소량, 극미량 ;〖數〗무한소(小). [파] ~·**ly** *ad.*

infinitésimal cálculus〖數〗미적분학.

in·fin·i·ti·val [ìnfinitáivəl] *a.*〖文法〗부정사(不定詞)의 : an ~ construction 부정법 구문.

‡in·fin·i·tive [infínətiv] *n.* [C]〖文法〗부정사(不定詞)《I can go. 나 I want to go. 에서의 *go, to go* ; *to* 가 붙는 것을 to-~, *to* 가 없는 것을 bare 〔root〕~라고 함. [cf.] split ~》. ── *a.* 〔限定的〕〖文法〗부정형의, 부정사의.

in·fin·i·tude [infínətjù:d] *n.* ① [U] 무한, 무궁. ② (an ~) 무한량, 무수 : *an* ~ *of* varieties 무수한 다양성.

in·fin·i·ty [infínəti] *n.* ① [U] = INFINITUDE. ② [U]〖數〗무한대《기호 ∞》. ③ (an ~) 무수, 무량《*of*》: an ~ *of* possibilities 무한한 가능성. ④〖寫〗무한원(無限遠) : at ~ 무한원으로. **to** ~ 무한히.

in·firm [infə́:rm] (~·*er* ; ~·*est*) *a.* ① (신체적으로) 약한 ; 허약한 : be ~ with age 노쇠하다. ② (성격·의지가) 우유 부단한, 마음이 약한, 결단력이 없는《*of*》: He is ~ *of* purpose. 그는 의지가 약하다. [파] ~·**ly** *ad.* ~·**ness** *n.*

in·fir·ma·ry [infə́:rməri] *n.* [C] ① 병원. ② (학교·공장 따위의) 부속 진료소, 양호실.

***in·fir·mi·ty** [infə́:rməti] *n.* ① [U] 허약, 쇠약, 병약. ② [C] 병, 질환. ③ [C] (정신적인) 결점, 약점. ◇ infirm *a.*

‡in·flame [infléim] *vt.* ① …에 불을 붙이다, …을 불태우다. ② (하늘 등)을 불꽃으로 붉게 물들이다 ; (얼굴 등)을 빨갛게 달아오르게 하다. ③ (감정 따위)를 흥분시키다, 선동하다, 자극하다. ④〖醫〗…에 염증을 일으키게 하다, (눈)을 충혈시키다. ── *vi.* ① 불이 붙다, 타오르다. ② 흥분하다 ; (얼굴 따위가) 빨개지다. ③〖醫〗염증을 일으키다, 부어오르다. ◇ inflammation *n.* inflammable *a.*

in·flamed [infléimd] *a.* ① 염증을 일으킨, 빨갛게 부은 : an ~ eye 충혈된 눈. ② 흥분한《*with*》: He is ~ *with* rage. 그는 격노하고 있다. ③ 빨갛게 달아오른《*with*》: His face was ~ *with* anger. 그의 얼굴은 노여움으로 빨개져 있었다.

in·flam·ma·bil·i·ty [inflæ̀məbíləti] *n.* [U] ① 가연성, 인화성. ② 흥분하기 쉬움, 흥분성.

***in·flam·ma·ble** [inflǽməbəl] *a.* ① 타기 쉬운, 가연성의. ② 격하기 쉬운, 흥분하기 쉬운, 열광하기 쉬운. ── *n.* (*pl.*) 가연물, 인화성 물질.
[파] -**bly** *ad.*

in·flam·ma·tion [inflәméiʃən] *n.* ① [U] 점화, 발화, 연소. ② [U] 흥분, 격노. ③ [U,C]〖醫〗염증 : ~ of the lungs 폐렴.

in·flam·ma·to·ry [inflǽmətɔ̀:ri / -təri] *a.* ① 열광〔격앙〕시키는, 선동적인 : an ~ speech 선동적인 연설. ②〖醫〗염증성의.

in·flat·a·ble [infléitəbəl] *a.* (공기 등으로) 부풀릴 수 있는, (공기) 팽창식의.

***in·flate** [infléit] *vt.* ① (공기·가스 따위로) …을 부풀리다 : ~ a balloon 풍선을 부풀리다. ②《+[목]+[전]+[명]》〔종종 受動으로〕우쭐하게 하다, 만심(慢心)을 갖게 하다《*with*》: He is ~*d with* pride. 그는 우쭐해 하고 있다. ③〖經〗(통화)를 팽창시키다([opp] *deflate*) ; (물가)를 올리다. ── *vi.* ① 팽창하다, 부풀다. ② 인플레가 되다.

in·flat·ed [infléitid] *a.* ① (공기 따위로) 부푼, 충만된, 팽창한. ② (사람이) 우쭐해진. ③ (문체·언어가) 과장된 : ~ language 호언 장담. ④ (인플레로 인해) 폭등한, (통화가) 현저하게 팽창된.

‡in·fla·tion [infléiʃən] *n.* ① [U,C]〖經〗통화 팽창, 인플레(이션) ; (물가·주가 등의) 폭등 ;《口》물가 상승률. [opp] *deflation.* ② [U] 팽창. ③ [U] 만심 ; 과장.

in·fla·tion·a·ry [infléiʃənèri / -əri] *a.* 인플레이션〔통화 팽창〕의 ; 인플레를 유발하는, 인플레 경향의 : an ~ tendency 인플레 경향 / an ~ spiral 악성 인플레이션.

in·fla·tion·ism [infléiʃənìzəm] *n.* [U] 인플레 정책, 통화 팽창론.

in·flect [inflékt] *vt.* ① (보통, 안쪽으로) …을 구부리다, 굴곡시키다. ②〖樂〗(목소리의) 가락을 바꾸다 ; (음성)을 조절하다, 억양을 붙이다. ③〖文法〗굴절시키다, 어형 변화시키다.
── *vi.*〖文法〗(낱말이) 굴절〔어형 변화〕하다.

***in·flec·tion,**《英》**-flex·ion** [inflékʃən] *n.* ① [U,C] 굽음, 굴곡, 만곡. ② [U,C] 음조의 변화, 억양. ③〖文法〗**a**) [U] 굴절, 활용, 어형 변화《동사의 활용, 명사·대명사·형용사의 격(格)변화》. **b**) [C] 변화형, 굴절형, 어형 변화에 쓰이는 어미.

in·flec·tion·al [inflékʃənəl] *a.* ① 굴곡〔만곡〕하는. ②〖文法〗굴절이〔어미 변화가〕있는 ; 억양의 : an ~ language 굴절(언)어.

in·flex·i·bil·i·ty [inflèksəbíləti] *n.* [U] ① 구부릴 수 없음, 불요성(不撓性). ② 강직함, 불요 불굴.

in·flex·i·ble [infléksəbəl] *a.* ① 구부러지지〔굽지〕않는. ② 불굴의 ; 강직한, 완고한 ; 불변의 : her ~ will 그녀의 불굴의 의지 / an ~ rule 불변의 규칙. [파] -**bly** *ad.*

inflexion ⇨ INFLECTION.

‡in·flict [inflíkt] *vt.*《~+[목] / +[목]+[전]+[명]》① (타격·상처·고통 따위)를 주다, 입히다, 가하다《*on, upon*》: He ~*ed* a blow *on* me. 그가 나에게 일격을 가했다. ② (형벌 따위)를 과하다《*on*》: The police ~*ed* a penalty *on*〔*upon*〕the driver. 경찰은 운전사에게 벌금을 과했다. ◇ infliction *n.*
~ one***self***〔one's ***company***〕***on*** …의 신세를 지다, …에게 폐를 끼치다 : I wan't ~ *myself on* you today. 오늘은 자네에게 폐는 끼치지 않겠다.

in·flic·tion [inflíkʃən] *n.* ① [U] (고통·벌 따위를) 가(加)함, 과(課)함《*on, upon*》. ② [C] (가(加)〔과(課)〕해진) 처벌, 형벌 ; 고통 ; 괴로움, 폐 : ~ from God 천벌.

in·flight [ínflàit] *a.* 〔限定的〕비행 중의, 기내(機內)의.

in·flo·res·cence [ìnflɔ:résns] *n.* [U] ① 개화(開花). ②〔集合的〕꽃. ③〖植〗꽃차례.

in·flo·res·cent [ìnflɔ:résnt] *a.* 꽃이 핀.

in·flow [ínflòu] *n.* ① [U] 유입(流入) : the ~ of money *into* bank 은행에 대한 돈의 유입. ② [C] 유입물 ; 유입량.

‡in·flu·ence [ínfluəns] *n.* ① [U] (또는 an ~) 영향(력), 작용 ; 감화(력) : have a good〔bad, beneficial, harmful, great〕~ on a person's behavior 아무의 행동에 좋은〔나쁜, 유익한, 해로운, 커다란〕영향을 끼치다 / the ~ of the mind on the body 정신의 육체에 미치는 영향 / He has a strong ~ *over*〔*with*〕his classmates. 그는 급우들에 대해 강력한 영향력을 가지고 있다. ② [U] 세력, 권세 ; 사람을 좌우하는 힘 ; 설득력 : a person of ~ 세력가. ③Ⓒ 영향력이 있는 사람(것), 세력가, 유력자 : He is an ~ for good (evil). 사람을 선(악)으로 이끄는 사람이다 / an ~ in the political world 정계의 실력자. ④Ⓤ 〖電〗 유도, 감응. ⑤Ⓤ 〖占星〗 감응력《천체로부터 발하는 영기가 사람의 성격·운명에 영향을 미친다고 하는》. ◇ influential *a.* ***through the ~ of*** …의 덕분으로, …의 진력으로. ***under the*** ~ …의 영향으로 《*of*》; 《口》 술에 취하여 (drunk) : He was caught for driving *under the* ~. 음주 운전으로 걸렸다. ── *vt.* ①…에게 영향을 미치다, 감화하다 : ~ a person *for* good (아무)에게 좋은 감화를 주다. ② (사람·행동 등)을 좌우하다, (아무)를 움직여서 … 하게 하다 : She was ~*d* by her mother *to* accept it. 그녀는 어머니의 의견에 좇아서 그것을 받아들였다.

in·flu·en·tial** [ìnfluénʃəl] ***(more ~, most ~) *a.* 세력 있는, 유력한 : an ~ congressman 유력한 하원 의원 / He was ~ *in* getting the project started. 그 계획을 발족시키는 데 그는 영향력을 끼쳤다. ㊞ **~·ly** *ad.*

‡**in·flu·en·za** [ìnfluénzə] *n.* Ⓤ 인플루엔자, 유행성 감기, 독감(★ 구어로는 flu).

in·flux [ínflʌ̀ks] *n.* ①Ⓤ 유입(流入). opp *efflux.* ② (an ~) (사람·물품의) 도래(到來), 쇄도 : *an* ~ of visitors 내객의 쇄도. ③Ⓒ (지류와 본류의) 합류점 ; 하구(河口) (estuary).

in·fo [ínfou] (*pl.* **~s**) *n.* Ⓤ 《口》 정보.

in·fold [infóuld] *vt.* =ENFOLD.

‡**in·form** [infɔ́ːrm] *vt.* ①《+목+전+명 / +목+*that* 절 / +목+*wh.* 절 / +목+*wh. to* do》 …에게 알리다, …에게 고(告)하다, …에게 보고(통지)하다《*of* ; *about*》: I ~*ed* him *of* her success. =I ~*ed* him *that* she had been successful. 그에게 그녀의 성공을 알렸다 / The letter ~*ed* me *when* the man was coming. 그 편지로 그 사람이 언제 도착하는지 알았다 / Please ~ me *what to* do next. 다음엔 무엇을 해야할 지 가르쳐 주십시오. ②《+목+전+명》 (감정·생기 따위)를 …에게 불어넣다, 활기(생기) 돋우다 ; 채우다《*with*》: ~ a person *with* new life 아무에게 새 생명을 불어넣다 / A keen sense of humor ~*s* all his essays. 날카로운 유머 감각이 모든 그의 수필에 생기를 주고 있다.
── *vi.* 《~ / +전+명》 정보를 (지식을) 주다 ; 밀고하다, 고발하다《*on* ; *against*》: One of the gang ~*ed against* (*on*) the rest. 갱의 한 명이 나머지들을 밀고하였다. ◇ information *n.*

‡**in·for·mal** [infɔ́ːrməl] *a.* ***(more ~ ; most ~)*** ① 비공식의, 약식의 : ~ proceedings 약식 절차 / an ~ talks between the officials of two governments 두 정부 당국자 간의 비공식 회담. ② 격식 차리지 않는, 스스럼없는 : an ~ party 비공식 파티 / ~ clothes 평복. ③ (말이) 평이한, 일상 회화적인, 구어체의.
㊞ **~·ly** [-li] *ad.* 비공식(약식)으로 ; 격식을 차리지 않고, 스스럼없이 ; 구어적으로.

***in·for·mal·i·ty** [ìnfɔːrmǽləti] *n.* ①Ⓤ 비공식, 약식. ②Ⓒ 약식 행위 (조처).

***in·form·ant** [infɔ́ːrmənt] *n.* Ⓒ 통지자, 정보 제공자 ; 밀고자 ; 〖言〗 (지역적 언어 조사의) 피(被)조사자, 자료 제공자.

in·for·mat·ics [ìnfərmǽtiks] *n.* Ⓤ (單數 취급) 정보 과학(information science).

‡**in·for·ma·tion** [ìnfərméiʃən] *n.* Ⓤ ① 정보, 지식 : get (obtain) ~ 정보를 얻다 / A dictionary gives ~ about words and phrases. 사전은 어구에 관한 지식을 제공한다 / For further ~, please ask at Reception. 더 자세한 것은 접수에 문의해 주십시오. ② (정보·지식의) 통지, 전달. ③ (호텔·역 등의) 안내소(원), 접수(계) : Call ~ and ask for her phone number. 안내계에 전화하여 그녀의 전화 번호를 물어라. ④〖컴〗 정보(량), 데이터. ***for your ~*** 참고하시도록. ㊞ **~·al** [-ʃənəl] *a.* 정보의 ; 정보를 제공하는.

Informátion Àge 정보(화) 시대.

informátion dèsk 안내소, 접수(처) : Ask at the ~. 안내소에 문의 바람.

informátion bànk 〖컴〗 정보은행《정보 데이터 library 의 집합체》.

informátion dèsk 접수(처) ; 안내소.

informátion engineèring 정보 공학.

informátion ìndustry 정보 산업.

informátion òffice (역 따위의) 안내소.

informátion pròcessing (컴퓨터 등에 의한) 정보 처리.

informátion retrìeval 〖컴〗 정보 검색《略 : IR》.

informátion scìence 정보 과학.

informátion technòlogy 정보 과학 기술.

informátion thèory (the ~) 정보 이론.

***in·form·a·tive** [infɔ́ːrmətiv] *a.* ① 정보의, 지식(정보, 소식)을 제공하는. ② 견문을 넓히는, 유익한, 교육적인. ㊞ **~·ly** *ad.*

in·formed [infɔ́ːrmd] *a.* ① 정보(소식)통의, 소식에 밝은 ; 정보에 근거한 : ~ sources 소식통 / an ~ guess 자세한 정보에 근거한 추측 / He is well ~ *about* (*on, as to*) foreign affairs. 그는 해외 사정에 밝다. ② 지식이 넓은.

infórmed consént 〖醫〗 고지(告知)에 입각한 동의《수술이나 실험적 치료를 받을 때, 그 자세한 내용의 설명을 들은 뒤 환자가 내리는 승낙》.

in·form·er [infɔ́ːrmər] *n.* Ⓒ ① 통지자 ; (특히, 범죄의) 밀고자. ② (경찰에 정보를 파는) 직업적 정보 제공자, 첩보원.

in·fra [ínfrə] *ad.* 《L.》 아래에, 아래쪽에 : See ~ p. 40. 40 페이지 이하 참조하라.

infra- *pref.* '밑에, 하부에' 의 뜻 : *infra*costal.

in·frac·tion [infrǽkʃən] *n.* ①Ⓤ 위반 ; 침해. ②Ⓒ 위반 행위.

ínfra díg =INFRA DIGNITATEM.

infra dig·ni·ta·tem [-dìgnətéitəm] 《L.》 위엄을 손상하는, 체면에 관한.

in·fra·red [ìnfrəréd] *a.* 〖物〗 적외선의, 적외선 이용의. cf. ultraviolet. ── *n.* Ⓤ 적외선.

ínfrared ráys 〖物〗 적외선.

in·fra·struc·ture [ínfrəstrʌ̀ktʃər] *n.* Ⓒ ① (단체 등의) 하부 조직 (구조), (경제) 기반 ; 기초 구조, 토대. ② (集合的) (수도·전기·학교·에너지 공급·폐기물 처리 등 사회의) 기간 시설, 산업 기반, 사회적 생산 기반. ③ (군사 작전에 필요한) 영구 기지.

in·fre·quence, -quen·cy [infríːkwəns], [-i] *n.* Ⓤ 드묾, 희유(稀有).

in·fre·quent [infríːkwənt] *a.* 드문. ㊞ **~·ly** *ad.* 드물게 : not ~*ly* 때때로, 종종.

***in·fringe** [infríndʒ] *vt.* (법규)를 어기다, 범하다 ; (규정)에 위반하다 ; (권리)를 침해하다. ── *vi.* 《+전+명》 침해하다 《*on, upon*》: ~ *on* (*upon*) a person's privacy 아무의 프라이버시를 침해하다. ㊞ **~·ment** *n.* ①Ⓤ (법규) 위반 ; (특허권 등의) 침해. ②Ⓒ 위반(침해) 행위 : an ~ of national sovereignty 국가 주권에 대한 침해행위.

***in·fu·ri·ate** [infjúərièit] *vt.* …을 격노케 하다.

in·fu·ri·at·ing [infjúərièitiŋ] *a.* 격노시키는, 몹시 화나게 하는. ㊞ **~·ly** *ad.* 격노하여 ; 화날정도

로.

***in·fuse** [infjúːz] *vt.* ①《+목+전+명》(사상·희망 따위)를 주입하다, 불어넣다《*into* ; *with*》: We were ~*d with* new hope. 새로운 희망이 솟았다. ② (약·약초 따위)를 우려내다 ; (액체 따위)를 따르다, 붓다. ── *vi.* (찻잎 등이) 우러나다. ◇ infusion *n.*

in·fu·si·ble [infjúːzəbəl] *a.* 용해하지 않는, 불용해성의.

in·fu·sion [infjúːʒən] *n.* ① Ⓤ 주입, 불어넣음 ; 고취 ; (약 등을) 우려냄. ② Ⓒ 주입물 ; 혼화물(混和物) ; 우려낸〔달여낸〕즙. ③ Ⓤ,Ⓒ 〖醫〗(정맥에의) 주입, 주입액. ◇ infuse *v.*

-ing *suf.* 동사의 원형에 붙여 현재분사·동명사(gerund)를 만듦 : go*ing*, wash*ing*.

in·gath·er [ingǽðər, ˊ-ˋ-] *vt.* …을 거둬들이다, 모으다. ㊞ **~·ing** *n.* Ⓤ,Ⓒ 수납, 수확.

‡in·ge·nious [indʒíːnjəs] (***more*** **~** ; ***most*** **~**) *a.* ① (발명의) 재능이 있는, 영리한, 재간 있는 : an ~ researcher 독창적인 연구가. ② (발명·착상이) 교묘한, 착상이 좋은, 독창적인. ≠ ingenuous. ¶ an ~ clock 정교한 시계. ◇ ingenuity *n.* ㊞ **~·ly** *ad.* **~·ness** *n.* =INGENUITY.

in·gé·nue [ǽndʒənjùː] *n.* Ⓒ《F.》천진한 소녀 ; 천진한 소녀역(을 맡은 여배우).

***in·ge·nu·i·ty** [indʒənjúːəti] *n.* Ⓤ ① 발명의 재주, 현명함, 재간 : a designer of ~ 극히 독창적인 디자이너 / He showed great ~ in solving the problem. 그는 그 문제를 해결하는 데 독창적 재능을 발휘했다. ② 교묘〔정교〕함. ◇ ingenious *a.*

***in·gen·u·ous** [indʒénjuəs] *a.* ① 솔직한, 성실한, 정직한, 꾸밈없는. ② 순진한, 천진난만한 : It's ~ of you *to* believe what he says. 그가 말한 것을 믿다니, 자네도 순진하군.
㊞ **~·ly** *ad.* **~·ness** *n.*

in·gest [indʒést] *vt.* (음식·약 등)을 섭취하다 ; (사상·지식 등)을 받아들이다.

in·ges·tion [indʒéstʃən] *n.* Ⓤ 음식물 섭취.

in·gle·nook [íŋgəlnùk] *n.* 《英》 =CHIMNEY CORNER.

in·glo·ri·ous [inglɔ́ːriəs] *a.* 불명예스러운, 창피스러운(dishonorable). ㊞ **~·ly** *ad.* **~·ness** *n.*

in·go·ing [íngòuiŋ] *a.* 〔限定的〕 들어오는, 취임하는 : an ~ tenant 새로 세드는 사람. opp *outgoing.*

in·got [íŋgət] *n.* Ⓒ 〖冶〗 잉곳, (금속의) 주괴(鑄塊) ; 《특히》 금은괴.

in·graft [ingrǽft, -gráːft] *vt.* =ENGRAFT.

in·grain [ingrèin] *a.* ① 짜기 전에 염색한, 원료 염색의. ② 깊이 배어든, 뿌리 깊은. ── *n.* Ⓒ 짜기 전에 염색한 실〔양탄자〕《따위》. ── [-ˊ] *vt.* (습관 등을) 깊이 뿌리박히게 하다. cf. engrain.

in·grained [ingréind, ˊ-ˋ] *a.* ① 깊이 스며든《사상·이론 따위》, 뿌리 깊은 : ~ morality 마음에 깊이 스민 도덕성. ② 철저한《거짓말쟁이 따위》; 타고난, 본래부터의 : an ~ liar 상습적인 거짓말쟁이 / an ~ skeptic 본래 태생이 의심 많은 사람. ③ (때때로) 찌든.

in·grate [íngreit] *n.* Ⓒ 은혜를 모르는 사람, 배은 망덕자. ── *a.* 은혜를 모르는, 배은 망덕한.

in·gra·ti·ate [ingréiʃièit] *vt.* 〔再歸的〕 마음에 들도록 하다, …의 비위를 맞추다 : John tried to ~ *himself* with her by giving her presents. 존은 그녀에게 선물을 주고 환심을 사려고 했다.

in·gra·ti·at·ing [ingréiʃièitiŋ] *a.* 알랑거리는 ; 애교〔매력〕 있는, 남에게 호감을 주는 : an ~ smile 애교있는 웃음. ㊞ **~·ly** *ad.*

‡in·grat·i·tude [ingrǽtətjùːd] *n.* Ⓤ 배은망덕, 은혜를 모름.

***in·gre·di·ent** [ingríːdiənt] *n.* Ⓒ ① (주로 the ~s) (혼합물의) 성분, 합성분 ; 원료 ; (요리의) 재료《*of* ; *for*》: *the* ~*s of* 〔*for* (making)〕 a cake 케이크의〔를 만들기 위한〕 재료. ② 구성 요소, 요인 : The most important ~ in personal relationships is honesty. 인간관계에 있어서 가장 중요한 요소는 정직이다.

in·gress [íngres] *n.* Ⓤ ① 들어섬〔감〕, 진입. ② 입장(入場)의 자유, 입장권(入場權). opp *egress.*

in·group [íngrùːp] *n.* Ⓒ 〖心〗 우리들 집단 ; 내(內) 집단. opp *out-group.*

in·grow·ing [íngròuiŋ] *a.* 〔限定的〕 ① 안쪽으로 성장하는. ② 살 속으로 파고드는《특히 손〔발〕톱이》.

in·grown [íngròun] *a.* 〔限定的〕 ① 안쪽으로 성장한. ② (발톱 따위가) 살로 파고든 : an ~ toenail 살 속으로 박힌 발톱.

‡in·hab·it [inhǽbit] *vt.* ① (…에) 살다, 거주하다, 서식하다《★ live 와는 달리 타동사로 쓰이며, 통상 개인에게는 안 쓰고 집단에 씀》: The island is ~*ed* only birds and animals. 그 섬에는 조류와 동물들만이 살고 있다 / These fish ~ muddy rivers. 이 고기는 뻘이 많은 강에서 산다 / This neighborhood is ~*ed* by rich people. 이 지구(地區)에는 부자들이 살고 있다. ② …에 존재하다, 깃들이다 : Cares ~*ed* his mind. 여러 가지 걱정이 그의 마음 속에 자리잡고 있었다. ㊞ **~·a·ble** *a.* 살기에 알맞은.

‡in·hab·it·ant [inhǽbətənt] *n.* Ⓒ ① 주민, 거주자《*of*》. ② 서식 동물《*of*》.

in·hal·ant [inhéilənt] *n.* Ⓒ 흡입제(劑) ; 흡입기〔장치〕. cf. inhaler. ── *a.* 빨아들이는, 흡입하는, 흡입용의.

in·ha·la·tion [in*h*əléiʃən] *n.* ① Ⓤ 흡입 : the ~ of oxygen 산소 흡입. ② Ⓒ 흡입제.

in·ha·la·tor [ín*h*əlèitər] *n.* Ⓒ 흡입기(器)〔장치〕.

***in·hale** [inhéil] *vt., vi.* ① (공기 따위를) 빨아들이다, 흡입하다. ② (담배 연기를) 빨다, 허파까지 들이마시다 : John lit another cigarette and ~*d* deeply. 존은 또 한 대의 담배에 불을 붙인 다음 깊이 빨아들였다. opp *exhale.* ㊞ **in·hál·er** [-ər] *n.* Ⓒ 흡입자 ; 흡입기 ; 호흡용 마스크.

in·har·mon·ic [inhaː*r*mánik / -mɔ́n-] *a.* 부조화의, 불협화의.

in·har·mo·ni·ous [inhaː*r*móuniəs] *a.* ① 가락이 맞지 않는, 부조화의, 불협화의. ② 어울리지 않는, 불화한. ㊞ **~·ly** *ad.* **~·ness** *n.*

in·here [inhíər] *vi.* ① (성질 따위가) 본래부터 타고나다〔존재하다〕, 내재하다《*in*》: Selfishness ~*s in* human nature. 이기심은 인간성에 내재한다. ② (권리 따위가) 본래 부여되어 있다, 귀속되어 있다《*in*》: Power ~*s in* the office, not its holder. 권력은 그 직위에 부여되어 있으며, 그 직위에 있는 사람에게 귀속되어 있지 않다.

in·her·ence, -en·cy [inhíərəns], [-i] *n.* Ⓤ 고유, 타고남, 천부(天賦) ; 천성.

‡in·her·ent [inhíərənt] (***more*** **~**, ***most*** **~**) *a.* 본래부터 가지고 있는, 고유의, 본래의, 타고난 ; 선천적인《*in*》: an ~ right 생득권 / A love of music is ~ *in* human nature. 음악을 좋아하는 것은 인간성에 고유한 것이다. ㊞ **~·ly** *ad.* 생득적(生得的)으로 ; 본질적으로.

‡in·her·it [inhérit] *vt.* ①《~+목 / +목+전+명》(재산·권리 따위)를 상속하다 ; 이어받다 : I ~*ed* my father's fortune 〔~*ed* a fortune *from* my father〕. 〔아버지로부터〕 재산을 물려받았다 / My brother is ~*ing* the house. 형이 집을 상속받게

되어 있다《진행·계속 중인 뜻의 진행형으로는 쓰이지 않음》. ② 《~+목/+목+전+명》(체격·성질 따위)를 물려받다, 유전하다《*from*》: Habits are ~*ed.* 버릇은 유전한다 / I ~ a weak heart *from* my mother. 어머니로부터의 유전으로 나는 심장이 약하다. ── *vi.* 재산을 상속하다 ; 성질〔직무·권한〕을 물려받다《*from*》.

in·her·it·a·ble [inhéritəbəl] *a.* ① 상속할 수 있는 ; 상속할 자격이 있는. ② 유전하는 : an ~ trait 유전하는 특성.

‡**in·her·i·tance** [inhéritəns] *n.* ① Ⓤ 〖法〗 상속, 계승. ② Ⓒ (*sing.*) 상속 재산, 유산 : an ~ of $50,000, 5만 달러의 유산. ③ Ⓒ 이어받은 것. ④ Ⓒ 〖生〗 유전형질, 유전성 ; 타고난 재능.

by ~ 상속에 의하여.

inhéritance tàx 상속세. cf estate tax.

in·her·i·tor [inhéritər] (*fem.* ***-tress*** [-tris], ***-trix*** [-triks]) *n.* Ⓒ (유산) 상속인, 후계자.

***in·hib·it** [inhíbit] *vt.* ① (욕망·행동 따위)를 억제하다 ; 방해하다 : ~ desires〔impulses〕욕망〔충동〕을 억제하다 / Her tight dress ~*ed* her movements. 그녀는 꽉 끼는 옷을 입고 있어서 마음대로 움직이지 못했다. ② …을 막다, 하지 못하게 하다《*from* do*ing*》: His shyness ~*ed* him *from* talk*ing* to her. 그는 수줍어서 그녀에게 말도 하지 못했다.

㊞ ~·**er**, **in·híb·i·tor** [-ər] *n.* Ⓒ ① 억제자, 억제물. ② 〖化〗 반응 억제제(劑), 저해물질.

in·hib·it·ed [inhíbitid] *a.* 억제된, 억압된 ; 자기 규제하는, 내성적인 : an ~ person 내성적인 사람 / She is very ~ about sex. 그녀는 성에 대해서 상당히 엄격하다.

***in·hi·bi·tion** [ìn*h*əbíʃən] *n.* Ⓤ,Ⓒ ① 금지, 금제(禁制) ; 억제 : without any ~(*s*) 아무 거리낌 없이, 자유롭게. ② 〖心理, 生理〗 억제.

in·hib·i·to·ry [inhíbitɔ̀:ri] *a.* 억제하는, 금지의.

***in·hos·pi·ta·ble** [inháspitəbəl, ˗ˊ˗˗ / -hɔ́s-, ˗ˊ˗˗] *a.* ① 대접이 나쁜, 무뚝뚝한, 불친절한. ② 비바람을 피할 데가 없는, 황량한《황야 따위》: ~ desert regions 황량한 사막 지대. ㊞ **-bly** *ad.*

in·hos·pi·tal·i·ty [inhàspitǽləti / inhɔ̀s-] *n.* Ⓤ 대우가 나쁨, 냉대, 쌀쌀함, 불친절.

in-house [ínhàus] *a.* 〔限定的〕 사내(社內)의, 기업〔조직, 집단〕 내부의 : ~ newsletters 사내보(報) / ~ training 사내(社內)〔기업내〕 훈련〔연수〕. ── *ad.* 조직〔회사〕내에서.

***in·hu·man** [in*h*jú:mən] *a.* ① 인정없는, 잔인한, 비인간적인. ② 초인적인 : Success was due to his ~ effort. 성공은 그의 초인적인 노력의 덕택이었다. ㊞ ~·**ly** *ad.* ~·**ness** *n.*

in·hu·mane [ìn*h*ju:méin] *a.* 몰인정한 ; 박정한 ; 잔인한, 무자비한, 비인도적인 : ~ treatment 몰인정한 대우. ㊞ ~·**ly** *ad.*

in·hu·man·i·ty [ìn*h*ju:mǽnəti] *n.* Ⓤ 몰인정, 잔인 ; Ⓒ (종종 *pl.*) 잔학〔몰인정한〕 행위 : man's ~ to man 인간의 인간에 대한 잔학행위.

in·im·i·cal [inímikəl] *a.* ① 적의가 있는, 사이가 나쁜《*to*》: two blocs ~ *to* one another 서로 반복하는 양 진영 / an ~ gaze 적의 있는 응시. ② 〔敍述的〕 불리한, 유해한《*to*》: His policies are ~ *to* academic freedom. 그의 정책은 학문의 자유를 해치는 것이다. ㊞ ~·**ly** [-kəli] *ad.*

in·im·i·ta·ble [inímitəbəl] *a.* 흉내낼 수 없는, 독특한 ; 비길 데 없는 : in one's own ~ way 자기만의 독특한 방식으로. ㊞ **-bly** *ad.*

in·iq·ui·tous [iníkwitəs] *a.* 부정한, 불법의 ; 간악한(wicked). ㊞ ~·**ly** *ad.*

***in·iq·ui·ty** [iníkwəti] *n.* ① Ⓤ 부정, 불법, 죄악. ② Ⓒ 부정〔불법〕 행위.

init. initial.

‡**in·i·tial** [iníʃəl] *a.* 〔限定的〕 ① 처음의, 최초의, 시작의 ; 초기의 : make a good ~ impression 좋은 첫〔처음〕 인상을 주다 / the ~ stage of a disease 병의 초기 단계. ② 어두(語頭)의 ; 머리글자의, 어두에 있는 : an ~ letter 머리글자.

── *n.* Ⓒ ① 머리글자. ② (*pl.*) 고유명사의 머리글자《George Bernard Shaw 의 G.B.S. 따위》.

── (***-l-***, 《英》 ***-ll-***) *vt.* …에 머리글자로 서명하다.

㊞ ~·**ly** [-ʃəli] *ad.* (맨)처음(에는) : *Initially*, all went well. 처음에는 만사가 잘 되어 갔다.

in·i·tial·ize [iníʃəlàiz] *vt.* 〖컴〗 (counter, address 등)을 초기화(初期化)하다.

inítial wòrd 〖言〗 이니셜어(語), 두문자어(語) 《한 단어로 발음하지 않고, 글자마다 따로따로 발음함. 예 : BBC, IBM 따위》.

***in·i·ti·ate** [iníʃièit] *vt.* ① …을 시작하다, 개시하다, 창시하다, 창설하다 : ~ an enterprise 새로운 사업을 시작하다. ② 《+목+전+명》 …에게 초보를 가르치다《*in, into*》; (…에게 비전·비법)을 전하다, 전수하다《*into*》《★ 종종 受動으로》: ~ pupils *in*〔*into*〕 English grammar 학생들에게 영문법의 초보를 가르치다 / I was ~*d into* the techniques of wrestling *by* him. 그에게서 레슬링의 기술을 전수받았다. ③ 《+목+전+명》 가입〔입회〕시키다 : I was ~*d into* the club last month. 나는 지난 달 (의식을 치르고) 그 클럽에 입회했다.

── [⁺iníʃiit] *a.* ① 초보를 배운, 입문이 허락된 ; 전수받은. ② 신입의, 새로 가입한. ── [⁺iníʃiit] *n.* Ⓒ 신입〔입문, 입회〕자 ; 전수받은 사람.

***in·i·ti·a·tion** [inìʃiéiʃən] *n.* ① Ⓤ 개시 ; 창시, 창업 : the ~ of a new bus route 새로운 버스 노선의 개통. ② Ⓤ 초보교수 ; 비결〔비방〕 전수. ③ **a)** Ⓤ 가입, 입회, 입문. **b)** Ⓒ 입회식, 입문식.

‡**in·i·ti·a·tive** [iníʃ*i*ətiv] *n.* ① Ⓒ (흔히 the ~, one's ~) 발의, 발기, 선창 ; 주도(主導) : take *the* ~ (in doing) (어떤 일을 하는 데) 이니시어티브를 잡다. ② (the ~) 주도권 ; 의안 제출권, 발의권. ③ Ⓤ 창의, 진취적 기상, 솔선하는 정신, 독창력, 기업심 : He has〔lacks〕 ~. 독창력이 있다〔없다〕. ◇ initiate *v.*

on one***'s own*** ~ 자발적으로, 자진하여.

── *a.* 처음의 ; 창시의 ; 초보의.

in·i·ti·a·tor [iníʃièitər] *n.* Ⓒ ① 창시자, 수창자(首唱者). ② 발기인 ; 교도자 ; 전수자.

in·i·ti·a·to·ry [iníʃiətɔ̀:ri / -təri] *a.* ① 시작의, 최초의 ; 초보의. ② 입회〔입당, 입문〕의.

***in·ject** [indʒékt] *vt.* 《+목+전+명》 ① …을 주사하다, 주입하다《*into* ; *with*》: ~ medicine *into* a vein =~ a vein *with* medicine 정맥에 약을 주사하다. ② 삽입(挿入)하다, 끼우다, 넣다 ; 도입하다《*into*》: ~ a remark *into* a conversation 이야기에 한 마디 의견을 말하다 / He used to ~ a little humor *into* his lecture. 그는 강의에는 약간의 유머를 삽입하곤 했다. ◇ injection *n.*

***in·jec·tion** [indʒékʃən] *n.* ① Ⓤ,Ⓒ 주입 ; 주사(액) ; 관장(灌腸)(약) : make〔give〕 an ~ 주사하다 / I have had an ~ in the left arm. 나는 왼팔에 주사를 맞았다. ② Ⓤ,Ⓒ 〖宇宙〗 진입, 인젝션 《인공위성〔우주선〕을 궤도에 진입시키는 것》. ③ Ⓤ 〖機·空〗 (연료·공기 등의) 분사 : fuel ~ 연료 분사. ◇ inject *v.*

in·jec·tor [indʒéktər] *n.* Ⓒ 주사 놓는 사람 ; 주사기 ; (내연 기관의) 연료 분사 장치, 인젝터.

in-joke [ˊ-dʒòuk] *n.* Ⓒ 동료간의 조크.

in·ju·di·cious [ìndʒu(:)díʃəs] *a.* 지각 없는, 분별

없는(unwise). ㊞ ~·ly ad. ~·ness n.

In·jun [índʒən] n. 《美口·方》 =INDIAN ②.

***in·junc·tion** [indʒʌ́ŋkʃən] n. Ⓒ ① 명령, 지령, 훈령 : an ~ *against* …금지령 / He ignored his father's ~ *to* be silent. 그는 침묵하라는 아버지의 명령을 무시했다. ②〖法〗(법원의) 금지〔강제〕 명령 : lay an ~ upon a person to do 아무에게 …하도록 명하다. ◇ injunct v.

‡in·jure [índʒər] vt. ① **a)** …에 상처를 입히다, …을 다치게 하다 : ~ one's eye 눈을 다치다 / Smoking ~*s* your health. 흡연은 건강을 해친다. **b)** 〔再歸的〕 상처를 입다, 다치다 : He ~*d himself* in the leg. 다리에 부상을 입었다. ② (감정·명예 등을) 해치다, 손상시키다 ; 훼손하다 : ~ a person's feelings 〔reputation〕 감정을〔명예를〕 해치다. ◇ injury n.

in·jured [índʒərd] a. ① 상처 입은, 부상한 : the ~ 부상자 / the ~ party 피해자 / Two people were ~ in the accident. 그 사고로 두 사람이 부상했다. ② 감정이 상한, 명예가 손상된 : an ~ look 〔voice〕 감정이 상한 표정〔목소리〕.

***in·ju·ri·ous** [indʒúəriəs] a. ① 해가 되는, 유해한 (*to*) : Air pollution is ~ *to* all living things. 대기 오염은 모든 생물에 유해하다. ② 불법의, 부정한. ③ 중상적〔모욕적〕인 : ~ words 모욕적인 말. ◇ injury n. ㊞ ~·ly ad.

‡in·ju·ry [índʒəri] n. Ⓤ,Ⓒ ① (사고 등에 의한) 상해, 상처 ; 손해, 손상 : suffer *injuries* to one's head 머리에 부상을 입다 / We escaped without ~. 우리는 아무런 상처도 입지 않고 도망쳤다. ② (감정 따위를) 해치기, 모욕, 무례 ; 명예훼손 : an ~ *to* a person's reputation 명예 훼손 / He never did ~ *to* anyone. 그는 아무에게도 모욕을 준 적이 없다. ③〖法〗 위법행위, 권리 침해. ◇ injure v. ***add insult to*** ~ ⇨ INSULT. ***do a*** person 〔one***self***〕 ***an*** ~ 《口》 아무에게 상해를 가하다〔상처를 입다〕.

ínjury tìme (축구·럭비 등에서) 부상에 대한 치료 따위로 소비한 시간만큼의 연장 시간.

‡in·jus·tice [indʒʌ́stis] n. ① Ⓤ 부정, 불의, 불공평 : She was the victim of ~ 그녀는 불공정의 피해자였다. ② Ⓒ 부정〔불법〕행위, 비행 : commit a great ~ 중대한 부정 행위를 저지르다. cf. unjust. ***do*** a person ***an*** ~ (1) 아무를 부당하게 다루다. (2) 아무를 오해하다.

†ink [iŋk] n. Ⓤ,Ⓒ (필기용·인쇄용의) 잉크, 먹, 먹물 ; (오징어의) 먹물 : write with pen and ~ 펜으로 쓰다 / write a letter in ~. 잉크로 편지를 쓰다. (***as***) ***black as*** ~ 새까만.
── vt. ① …을 잉크로 쓰다 ; …에 잉크를 칠하다 ; 잉크로 더럽히다 : Don't ~ your fingers. 잉크로 손가락을 더럽히지 마라. ② 잉크로 지우다 (*out*) : ~ *out* three lines 잉크로 석 줄을 지우다. ③《美俗》(계약서 따위에) 서명하다. ~ ***in*** 〔***over***〕 (연필로 그린 밑그림 따위)를 잉크로 칠하다.

ink·blot [∸blɑ̀t / ∸blɔ̀t] n. Ⓒ (심리 테스트용의) 잉크 얼룩 : ~ test 잉크 반점(斑點) 테스트.

ínk bòttle 잉크병.

ink·horn [∸hɔ̀ːrn] n. Ⓒ (뿔로 만든) 잉크통.

ink·ling [íŋkliŋ] n. Ⓤ (또는 an ~) 암시 (*of*) ; 어렴풋이 눈치챔〔앎〕 (*of*) : I had *an* ~ *of* what he intended to do. 그가 무엇을 하려고 하는지 어렴풋이 알고 있었다 / They hadn't given us *an* ~ *of* what was going to happen. 그들은 무엇이 일어나려고 하고 있는지 우리에게 아무 것도 알려주지 않았다.

ink·pad [∸pæ̀d] n. Ⓒ 스탬프대(臺), 인주(=**ínking pàd**).

ink·pot [∸pɑ̀t / ∸pɔ̀t] n. Ⓒ 잉크병(inkwell).

ink·stand [∸stæ̀nd] n. Ⓒ 잉크스탠드 ; =INKWELL.

ink·well [∸wèl] n. Ⓒ (탁상 구멍에 꽂는) 잉크병.

inky [íŋki] (***ink·i·er*** ; ***-i·est***) a. ① 잉크로 쓰인 ; 잉크로 더럽혀진. ② 잉크 같은 ; 새까만 : the ~ black of night 칠흑같은 밤. ㊞ **ínk·i·ness** n.

***in·laid** [inléid, ∸∸] INLAY의 과거·과거분사.
── a. 아로새긴, 상감(象嵌)의 ; 상감으로 꾸민, 무늬를 박아 넣은 : ~ work 상감 세공(細工).

‡in·land [ínlənd] a. 〔限定的〕 ① 오지(奧地)의, 내륙의 : ~ rivers 내륙 하천. ② 《英》 국내의, 국내에서 영위되는(domestic) : an ~ duty 내국세 / ~ mails 국내 우편(《美》 domestic mails) / ~ commerce 〔trade〕 국내 무역. ── [ínlæ̀nd, -lənd / inlǽnd, ∸∸] ad. 오지로, 내륙으로 : Seabirds sometimes fly ~. 바닷새들이 때때로 내륙으로 날아들기도 한다. ── [ínlæ̀nd, -lənd] n. Ⓒ 오지, 내륙, 벽지.
㊞ ~·**er** n. Ⓒ 내륙 지방〔오지〕의 사람.

ínland révenue 《英》 내국세 수입(收入) (《美》 internal revenue) ; 《英》 (the I- R-) 내국세 징수국.

ínland séa 〖海洋〗 내해(內海).

in-law [∸lɔ̀ː] n. Ⓒ (흔히 pl.) 《口》 인척(姻戚). 《son-*in-law*, cousin-*in-law* 따위의 총칭》.

in·lay [ìnléi, ∸∸] (p., pp. ***-laid*** [-léid]) vt. ① (장식으로서) 박아 넣다 (*in, into*) ; 아로새기다, 상감하다 (*with*) : ~ ivory *into* wood 목재에 상아를 박아넣다 / ~ gems *in* a ring 반지에 보석을 박다. ② 〖園藝〗 (접붙일 눈)을 대목에 끼워넣다.
── [ínlèi] n. ① Ⓤ,Ⓒ 상감 ; 상감 세공, 상감 무늬. ② Ⓒ 〖齒科〗 인레이《충치의 봉박기》. ③ Ⓒ 〖園藝〗 눈 접붙이기(=∸ **gràft**). ㊞ ~·**er** n. Ⓒ 상감공.

***in·let** [ínlèt] n. Ⓒ ① 후미 ; 좁은 해협. ② (물 등의) 입구 ; 주입구, 흡입구 : oil ~ 오일 주입구 / ~ valve 흡입 밸브. ③ 삽입물, 상감물.
── (~ ; ***-let·ting***) vt. …을 끼워〔박아〕 넣다.

in lo·co pa·ren·tis [in-lóukou-pəréntis] 《L.》 (=in the place of a parent) 어버이 대신에, 아버지의 처지에서.

in·ly [ínli] ad. 《詩》 안에 ; 마음 속에 ; 충심으로, 깊이 ; 친하게(intimately).

***in·mate** [ínmèit] n. Ⓒ ① (병원·교도소 따위의) 입원자, 재소자(在所者), 피수용자. ② 동거인, 동숙인.

in me·mo·ri·am [in-mimɔ́ːriəm, -riæ̀m] prep. (비문 등에 쓰이어) …을 기념〔애도〕하여.

in·most [ínmòust] a. 〔限定的〕 ① 맨 안쪽의, 가장 내부의. ② 마음 속에 품은, 내심의《감정 따위》 : one's ~ secrets 마음속 깊이 간직한 비밀.

‡inn [in] n. Ⓒ 여인숙, 여관《보통 hotel 보다 작고 구식인 것》. ***the Inns of Chancery*** (변호사 임면권을 가진 런던의) 법학원《the Inner Temple, the Middle Temple, Lincoln's Inn, Gray's Inn의 4 법학원》. ***the Inns of Court*** 〖英史〗 법학생의 숙사.

in·nards [ínərdz] n. pl. 《口》 ① 내장(內臟). ② (물건의) 내부(inner parts) ; 내부(구조).

***in·nate** [inéit, ∸∸] a. (성질 따위가) 타고난, 천부의, 선천적인 : ~ ability 타고난 재능. ㊞ ~·**ly** ad. ~·**ness** n.

‡in·ner [ínər] a. 〔限定的〕 ① 안(쪽)의, 내부의, 중심적인, 중추(中樞)의. OPP. *outer*. ¶ an ~ court 안뜰. ② 내적〔영적〕인, 정신적인 ; 주관적인 : one's ~ thoughts 마음속의 생각 / the ~ life 내적〔정신〕 생활. ③ 보다 친한 ; 내밀〔비밀〕의 : the ~ circle of one's friends 특별히 친밀한 친구들. ── n. Ⓒ ① 과녁의 내권(內圈)《과녁의 중심

(bull's-eye)과 외권(外圈) 사이의 부분》. ② 내권에 명중한 총알〔화살〕. ⓟ ~·ly *ad.* ~·ness *n.*

ínner círcle 권력 중추부의 측근 그룹.

ínner cíty 《美》 ① 도심(부). ② 대도시 중심의 저소득층이 사는 지역《슬럼 가를 완곡히 이르는 말》. ⓟ **ín·ner-cíty** *a.*

in·ner-di·rect·ed [ínərdiréktid] *a.* 자기의 기준에 따르는, 내부 지향적인, 비순응형의. opp *other-directed.*

ínner éar 〖解〗 내이(內耳) (internal ear).

ínner mán 〔**wóman**〕 (the ~) ① 마음, 영혼. ② 《戲》 위(胃) ; 식욕 : refresh 〔satisfy, warm〕 *the* ~ 배를 채우다.

Ínner Mongólia 내몽고(자치구).

***in·ner·most** [ínərmòust] *a.* =INMOST. —*n.* (the ~) 가장 깊숙한 곳.

in·ner·sole [ínərsòul] *n.* =INSOLE.

in·ner·spring [ínərspriŋ] *a.* (매트리스 따위가) 용수철이 든.

in·ning** [íniŋ] *n.* ① Ⓒ (야구 · 크리켓 등의) 이닝, (공을) 칠 차례, 회(回) : the top 〔first half〕 of the fifth ~ 5회초 / It will be your ~ next. 다음은 네 타순이다. ② (종종 *pl.*) (정당의) 정권 담당기(期), (개인의) 능력발휘의 기회, (개인의) 재임〔재직〕 기간, 활약기 : The Democrats will have their ~*s.* 민주당이 정권을 잡겠지. ③ 날리던 때, 행운시대. ★ ①, ②, ③의 뜻으로는 《英》에서는 *pl.*로 單數취급. ***have a good ~s 《口》 행운이 계속하다, 장수하다.

***inn·keep·er** [ínkiːpər] *n.* Ⓒ 여인숙 주인.

‡in·no·cence [ínəsns] *n.* ① Ⓤ 무구(無垢), 청정 ; 순결. ② Ⓤ 결백, 무죄 : prove one's ~ 무죄를 입증하다. ③ Ⓤ 무해, 무독. ④ Ⓤ 순진, 천진난만(simplicity) : She has a child-like ~. 그녀에게는 어린애 같은 순진함이 있다 / in all ~ 아주 순진하게. ⑤ Ⓤ 무지, 단순 : in entire ~ of …를 전혀 알지 못하고. ⑥ Ⓒ 순진〔단순〕한 사람.

‡in·no·cent [ínəsnt] (***more*** ~ ; ***most*** ~) *a.* ① 무구한, 순결한. ② (법률적으로) 결백한, 무죄의 : He was ~ *of* the crime. 그는 죄를 짓지 않았었다. ③ 순진한, 천진 난만한 ; (머리가) 단순한 : She is as ~ as a newborn baby. 그녀는 갓난 아기처럼 순진하다. ④ 사람이 좋은 ; 무지(無知)한 (ignorant)《*of*》 ; 알아채지 못하는(unaware) 《*of*》 : play ~ 짐짓 모르는 체하다 / She is ~ in the ways of the world. 그녀는 정말 세상을 모른다. ⑤ (놀이 · 음식물 따위가) 무해한, 해롭지 않은 : ~ amusements 무해한 오락. ⑥ 〔敍述的〕 《口》 …이 없는 : an idea ~ of the least sense. 털끝만한 양식도 없는 생각. —*n.* Ⓒ ① 죄 없는〔결백한〕 사람. ② 순진한 아이. ③ 호인, 바보 : a political ~ 정치는 전혀 모르는 사람. ⓟ ·~·ly *ad.*

in·noc·u·ous [inákjuːəs / inɔ́k-] *a.* ① (뱀 · 약 따위가) 무해한, 독 없는 : an ~ snake 독 없는 뱀 / ~ drugs 무해한 약제. ② (언동 따위에) 악의가 없는, 화나게 할 의도가 없는. ⓟ ~·ly *ad.* ~·ness *n.*

in·no·vate [ínouvèit] *vi.* 쇄신하다, 혁신하다 《*in* ; *on*》 ; (…에) 새로운 영역을 개척하다 : ~ *in*〔*on*〕 school customs 교풍을 쇄신하다 / He ~*d on* past practices. 그는 과거의 관습을 혁신했다. —*vt.* (새로운 사물)을 받아들이다, 도입하다 : He ~*d* a plan for increased efficiency. 그는 능률 증진을 위한 새 방식을 도입했다. ⓟ **-và·tor** *n.* Ⓒ 혁신자 ; 신제품을 최초로 발견 · 사용하는 자.

***in·no·va·tion** [ìnouvéiʃən] *n.* ① Ⓤ (기술)혁신, 일신, 쇄신 : recent technological ~ 최신의 기술 혁신. ② 새로이 도입〔채택〕된 것, 혁신된 것 ; 신기축(新機軸) ; 신제도.

in·no·va·tive [ínouvèitiv] *a.* 혁신적인. ⓟ ~·ness *n.* ~·ly *ad.*

in·nu·en·do [ìnjuéndou] (*pl.* ~(***e***)***s***) *n.* U,C 풍자, 비꼼, 빈정거림 : make ~*s* about … …에 대해 이러쿵저러쿵 빈정거리다.

In·(n)u·it [ínjuit, ínjuː-] (*pl.* ~, ~***s***) *n.* 이뉴잇 《북아메리카 · 그린란드의 에스키모 ; 캐나다에서의 에스키모족에 대한 공식 호칭》 ; 그 언어.

‡in·nu·mer·a·ble [injúːmərəbəl] *a.* 셀 수 없는, 무수한, 대단히 많은 : an ~ throng of people 무수한 군중. ⓟ **-bly** *ad.* 셀 수 없을 정도로, 무수히.

in·nu·mer·ate [injúːmərit] *a., n.* Ⓒ 수학〔과학〕의 기초원리에 대한 이해가 전혀 없는 (사람), 수학을 모르는 (사람).

in·nu·tri·tion [ìnjuːtríʃən] *n.* Ⓤ 영양(營養)불량〔부족〕, 자양분 결핍.

in·ob·serv·ance [ìnəbzə́ːrvəns] *n.* Ⓤ ① 부주의, 태만. ② (습관 · 규칙의) 무시, 위반.

in·oc·u·late [inákjəlèit / -ɔ́k-] *vt.* 《+목+전+명》 ① 접종하다《*with*》 ; 배양하다《*into* ; *onto*》 : ~ a virus *into* 〔*upon*〕 a person = ~ a person *with* a virus 아무에게 병균을 접종하다 / ~ bacteria *into*〔*onto*〕 a culture medium 박테리아를 배양기에 심다. ② 예방 접종하다《*against* ; *for*》 : ~ a person *for* 〔*against*〕 the smallpox 아무에게 우두를 놓다 / We all have to be ~*d against* cholera. 우리들은 모두 콜레라 예방 주사를 맞아야 한다. ③ (사상 등)을 주입하다, 불어넣다《*with*》 : ~ a person *with* new ideas 아무에게 새로운 사상을 주입하다.

in·oc·u·la·tion [inàkjəléiʃən / -ɔ̀k-] *n.* U,C ① 〖醫〗 (예방) 접종 : protective ~ 예방 접종 / have typhoid ~*s* 티푸스의 예방 접종을 받다. ② (사상 등의) 주입, 불어넣기 ; 감화.

in·of·fen·sive [ìnəfénsiv] *a.* ① 해가 되지 않는. ② (사람 · 행위가) 악의가 없는. ③ (말 따위가) 거슬리지 않는, 불쾌감을 주지 않는. ⓟ ~·ly *ad.* ~·ness *n.*

in·op·er·a·ble [inápərəbəl / -ɔ́p-] *a.* ① 〖醫〗 수술 불가능한《환자 따위》 : (an) ~ cancer 수술 불가능한 암. ② 실행할 수 없는 : an ~ plan 실행할 수 없는 계획.

in·op·er·a·tive [inápərèitiv, -ətiv / -ɔ́pərətiv] *a.* ① 작동〔활동〕하고 있지 않는 : an ~ TV set 고장난 TV. ② 효험이 없는. ③ (법률이) 효력이 없는, 시행되지 않고 있는.

in·op·por·tune [inàpərtjúːn / -ɔ́p-] *a.* 시기를 놓친, 시기가 나쁜(ill-timed), 부적당한, 형편이 나쁜 : an ~ visit 시기가 나쁜 때의 방문 / at an ~ time 〔moment〕 계제(階梯) 사납게. ⓟ ~·ness *n.*

in·or·di·nate [inɔ́ːrdənit] *a.* ① 과도한, 터무니없는, 엄청난 : ~ demands 터무니없는 요구. ② 무절제한, 불규칙한 : keep ~ hours 불규칙한 생활을 하다. ⓟ ~·ness *n.*

***in·or·gan·ic** [ìnɔːrgǽnik] *a.* ① 생활기능이 없는, 무생물의. ② (사회 · 정치 따위가) 유기적이지 않은, 유기적 조직이 아닌. ③ 〖化〗 무기(無機)의, 무기물의 : ~ chemistry 무기화학. ⓟ **-i·cal·ly** [-ikəli] *ad.*

in·pa·tient [ínpèiʃənt] *n.* Ⓒ 입원 환자. cf. outpatient. ≠impatient.

***in·put** [ínpùt] *n.* ① U,C 〖經〗 (자본의) 투입(량). ② Ⓤ 〖機 · 電 · 言〗 입력(入力). ③ Ⓤ 〖컴〗 입력(신호), 인풋. opp *output.* —(**-tt-**) *vt., vi.* 〖컴〗 입력하다.

in·put / out·put [ínpùtáutpùt] *n.* 〖컴〗 입출력 《略 : I/O》.

in·quest [ínkwest] *n.* [C] ① (배심원의) 심리, 사문(査問) ; (검시관의) 검시(檢屍) (coroner's ~). ② 〔集合的 ; 單·複數 취급〕 검시 배심원. ③《口》 (실패·패배에 대한) 조사, 사문《*on* ; *into*》 : hold on ~ *on* …에 대한 조사를 하다.

in·qui·e·tude [inkwáiətjù:d] *n.* [U] 불안, 동요.

‡**in·quire** [inkwáiər] *vt.* 《~+[목] / +[목]+[전]+[명] / +[전]+[명]+*wh.* [절] / +*wh. to* do》 …을 묻다, 문의하다 : ~ weather conditions *of* the weather bureau 기상대에 날씨를 알아보다 / He ~*d of* the policeman the best way to the station. 그는 경관에게 역으로 가는 가장 좋은 길을 물었다《★ 흔히 of 절이 목적어 앞에 옴》/ I ~*d* (*of* him) *when* he would come. 그에게 언제 오는지 물었다 / He ~*d how to* handle it. 그것을 다루는 법을 물었다.
— *vi.* 《~ / +[전]+[명]》 아무에게 (…에 대해) 묻다, 문의하다 : I ~*d* (*of* him) about buses to the station. (그에게) 역으로 가는 버스에 대해 문의했다. ◇ inquiry, inquisition *n.* ~ ***after*** …의 건강을〔안부를〕 묻다, …을 문병하다 : People called to ~ *after* the baby. 사람들은 아이의 안부를 묻는 전화를 했다. ~ ***for*** (1) (물건의 유무를) 문의하다, (무엇을) 찾다. (2) …에게 면회를 청하다. ~ ***into*** (사건 따위를) 조사하다. ~ ***within*** 용무 있는 분은 안으로《안내소 등의 게시》.

***in·quir·er** [inkwáiərər] *n.* [C] 묻는 사람, 조회자 ; 탐구자, 조사자.

in·quir·ing [inkwáiəriŋ] *a.* ① 묻는 ; 조회하는 : an ~ look 미심쩍은 듯한 얼굴. ② 캐묻기 좋아하는, 탐구적인 : an ~ mind 캐묻기 좋아하는 사람. [파] ~·**ly** *ad.*

‡**in·qui·ry** [inkwáiəri, ∸--, ínkwəri] *n.* [U,C] ① 문의, 조회, 질문 : a letter of ~ 조회서, 문의서. ② 조사, 심리 : make a searching ~ into …을 엄중히 조사하다 / hold a public ~ (의회 등이) 공식 조사를 하다. ③ 연구, 탐구 : scientific ~ 과학연구 / an ~ *into* the shape of the cosmos 우주 형상의 연구. ◇ inquire *v.* ***on*** ~ 물어〔조사해〕 보니 : *On* ~, I learned the book was out of print. 조회해 보고, 그 책이 절판된 것임을 알았다.

inquíry àgent 《英》 사립 탐정.

inquíry òffice 《英》 (호텔·역 등의) 안내소.

***in·qui·si·tion** [ìnkwəzíʃən] *n.* ① [U,C] (때로 인권을 무시한) 가혹한 문초, 신문, 조사. ② (the I-) 〖가톨릭史〗 (이단(異端) 심리의) 종교재판(소). ◇ inquire *v.*

***in·quis·i·tive** [inkwízətiv] *a.* ① (나쁜 뜻에서) 캐묻기 좋아하는 : Don't be so ~ —it makes people uncomfortable. 그렇게 꼬치꼬치 캐어 묻지 말게, 사람들이 언짢아 하네. ② 듣고〔알고〕 싶어하는, 탐구적인 : an ~ mind 탐구심 / be ~ *about* other people's affairs 남의 일을 몹시 알고 싶어하다. [파] ~·**ly** *ad.* ~·**ness** *n.*

in·quis·i·tor [inkwízətər] *n.* [C] ① (엄격한) 심문자, 심리자 ; 검찰관. ② (I-) 〖가톨릭〗 종교 재판관.

in·quis·i·to·ri·al [inkwìzətɔ́:riəl] *a.* 심문자〔종교 재판관〕의〔같은〕 ; 엄하게 심문하는. [파] ~·**ly** *ad.*

in re [in-rí:, -rei] 《L.》 …에 관하여.

in-res·i·dence [inrézədəns] *a.* 〔흔히 名詞 뒤에서 複合語를 이루어〕 (예술가·의사 등이 일시적으로) 대학·연구소 등에 재직〔재주〕하는 : He is an artist-~ at the university. 대학에 재직하는 예술가이다.

I.N.R.I., INRI *Iesus Nazarenus, Rex Iudaeorum* 《L.》 (=Jesus of Nazareth, King of the Jews)《요한복음 XIX : 19》.

in·road [ínròud] *n.* [C] (흔히 *pl.*) 침입, 침략, 습격 ; 침해, 잠식《*on, upon* ; *into*》 : make ~*s into* 〔*on*〕 …을 잠식하다 ; …에 침입하다.

in·rush [ínrʌ̀ʃ] *n.* [C] ① 침입, 내습. ② 유입, 쇄도《*of*》 : an ~ *of* tourists 관광객의 쇄도. [파] ~·**ing** *n., a.*

INS Immigration and Naturalization Service (연방 이민국). **ins.** inches ; inspector ; insulated ; insulation ; insulator ; insurance.

in·sa·lu·bri·ous [ìnsəlú:briəs] *a.* (기후·장소·토지 따위가) 건강에 좋지 않은.

‡**in·sane** [inséin] (***in·san·er*** ; ***-est***) *a.* ① 미친, 발광한, 광기의 : He went ~. 그는 미쳤다. ② 정신이상자를 위한 : an ~ asylum 〔hospital〕 정신병원. ③ 미친 것 같은, 어리석은, 비상식적인 : an ~ scheme 비상식적인 계획. [opp] *sane.* ◇ insanity *n.* [파] ~·**ly** *ad.*

in·san·i·ta·ry [insǽnətèri / -təri] *a.* 비위생적인, 건강에 나쁜 (unhealthy).

***in·san·i·ty** [insǽnəti] *n.* ① [U] 광기, 발광, 정신 이상〔착란〕. ② [C] 미친 짓, 미치광이 같은 행위 : It was sheer ~ *to* drive across the mountains in the dark. 이 밤중에 차로 산을 넘다니 정말 미친 짓이었다. ◇ insane *a.*

in·sa·tia·ble [inséiʃəbəl] *a.* 만족을〔물릴 줄〕 모르는, 탐욕스러운 ; …을 덮어놓고 탐을 내는《*of*》 : an ~ curiosity 만족을 모르는 호기심 / He is ~ *of* power. 그는 권력을 덮어놓고 탐낸다. [파] -**bly** *ad.* ~·**ness** *n.*

in·sa·tia·te [inséiʃiit] *a.* =INSATIABLE.

***in·scribe** [inskráib] *vt.* ① 《~+[목] / +[목]+[전]+[명]》 (문자·기호 따위를 비석·금속판·종이)에 적다, 새기다, 파다《*on* ; *in* ; *with*》 : ~ a name *on* a gravestone =~ a gravestone *with* a name 묘비에 이름을 새기다 / The tombstone is ~*d with* his name and the date of his death. 그 비석에는 그의 이름과 사망 연월일이 새겨져 있다 / ~ one's name *in* a book 책 속에 이름을 써넣다. ② 《~+[목] / +[목]+[전]+[명]》 (책에 이름을 써서) 헌정(獻呈)하다, 증정하다 : He ~*d* the poem *to* his wife. 그는 그 시를 아내에게 바쳤다. ③ 《~+[목] / +[목]+[전]+[명]》 (마음 속에) 명기하다, 명심하다 : His father's words were ~*d in* 〔*on*〕 his memory. 아버지의 말씀이 그의 마음속에 새겨져 있었다. ④ 《英》 (주주·신청자의 이름)을 등록하다, (주식)을 사다, 팔다. ⑤ 〖數〗 내접시키다 : an ~*d* circle 내접원. ◇ inscription *n.*

‡**in·scrip·tion** [inskrípʃən] *n.* ① [U] 새김, 명각(銘刻). ② [C] 명(銘), 비명(碑銘), 비문(碑文), (화폐 따위의) 명각(銘刻). ③ [C] (책의) 제명(題銘) ; 서명(書名) ; 헌사(獻詞). ◇ inscribe *v.*

in·scru·ta·ble [inskrú:təbəl] *a.* 헤아릴 수 없는, 불가사의한, 수수께끼 같은 (mysterious) : an ~ smile 뜻 모를 웃음 / The riddle remains ~ *to* us. 그 수수께끼는 여전히 우리에게는 풀리지 않은 채로 있다. [파] -**bly** *ad.* ~·**ness** *n.*

in·seam [ínsì:m] *n.* [C] (바지의) 가랑이쪽 솔기 ; (구두·장갑의) 안쪽 솔기.

‡**in·sect** [ínsekt] *n.* [C] ① 〖動〗 곤충 ; 벌레. ② 벌레 같은 인간.

in·sec·ti·cid·al [insèktəsáidl] *a.* 살충(제)의.

in·sec·ti·cide [inséktəsàid] *n.* [U,C] 살충(제).

in·sec·ti·vore [inséktəvɔ̀:r] *n.* [C] 〖動〗 식충(食蟲) 동물〔식물〕.

in·sec·tiv·o·rous [ìnsektívərəs] *a.* 〖生〗 벌레류를 먹는, 식충(성)의 ; 식충 동물〔식물〕의.

in·se·cure [ìnsikjúər] (*-cur·er* ; *-est*) *a.* ① 불안정한, 위태위태한 ; 무너질 듯한《지반 따위》, 깨질 듯한《얼음 따위》: The footing was ~. 그 발판은 당장이라도 무너질 것 같았다. ② 기대할 수 없는, 불확실한 : an ~ grasp of the facts 사실의 모호한 파악. ③ 불안한, 자신이 없는 : be 〔feel〕 ~ 불안하다. ◇ insecurity *n.* [파] **~·ly** *ad.*

in·se·cu·ri·ty [ìnsikjúəriti] *n.* ① [U] 불안정, 위험성, 불확실 ; 불안, 근심 : a sense of ~ 불안감. ② [C] 불안한 것.

in·sem·i·nate [insémənèit] *vt.* ① (씨앗)을 뿌리다, 심다. ② …을 (인공)수정시키다.

in·sem·i·na·tion [insèmənéiʃən] *n.* [U,C] ① 파종. ② 수태, 수정 : artificial ~ 인공 수정.

in·sen·sate [insénseit] *a.* ① 감각이 없는. ② 비정한, 잔인한 : ~ brutality 잔인 무도. ③ 이성〔이해력〕이 결여된, 무분별한 : ~ destruction 무분별한 파괴. [파] **~·ly** *ad.*

***in·sen·si·bil·i·ty** [insènsəbíləti] *n.* [U] (또는 an ~) ① 무감각 ; 무신경, 둔감《*to*》: (*an*) ~ *to* pain 통증에 대한 무감각 / his ~ *to* the feelings of the others 남의 감정에 대한 그의 무관심. ② 무의식, 인사 불성.

***in·sen·si·ble** [insénsəbəl] *a.* ① 의식을 잃은, 인사불성의 : be ~ from cold 추위로 감각을 잃다. ② 〔敍述的〕 감각이 둔한, 느끼지 않는《*of*》: He was ~ *of* his danger. 그는 위험이 닥쳐 오는 것을 느끼지 못했다 / She is ~ *to* shame. 그녀는 부끄러움을 모른다. ③ 느끼지 못할〔눈에 띄지 않을〕 정도로 : by ~ degrees 조금씩. [파] **-bly** *ad.* 느끼지 못할 만큼, 서서히.

in·sen·si·tive [insénsətiv] *a.* ① 감각이 둔한, 무감각한《*to*》: ~ skin 감각이 둔한 피부 / be ~ *to* heat 〔pain〕 열〔아픔〕을 느끼지 않다. ② 무신경한, 남의 기분을 모르는《*of* ; *to*》: an ~ remark (남의 기분을 헤아리지 않는) 무신경한 말 / It is ~ *of* you *to* mention that. = You are ~ *to* mention that. 그것을 이야기하다니 자네도 무신경하군. [파] **~·ly** *ad.*

in·sen·si·tiv·i·ty [insènsətívəti] *n.* [U] 무감각, 둔감.

in·sen·ti·ent [insénʃiənt] *a.* 지각〔감각〕이 없는 ; 생명이〔생기가〕 없는 ; 비정(非情)한.

in·sep·a·ra·bil·i·ty [insèpərəbíləti] *n.* [U] 분리할 수 없음, 불가분성.

***in·sep·a·ra·ble** [insépərəbəl] *a.* 분리할 수 없는 ; 불가분의 ; 떨어질 수 없는《*from*》: ~ friends 극친한 친구 / Rights are ~ *from* duties. 권리는 의무와 분리할 수가 없다. ── *n.* (흔히 *pl.*) 뗄 수 없는 사람〔것〕; 친구. [파] **-bly** *ad.* 밀접히, 불가분하게. **~·ness** *n.*

‡**in·sert** [insə́:rt] *vt.* 《~+[목] / +[목]+[전]+[명]》 ① …을 끼워 넣다, 끼우다, 삽입하다《*in, into* ; *between*》: ~ a key *into* a lock 자물쇠에 열쇠를 집어 넣다. ② 적어〔써〕넣다 : ~ a clause *in* a sentence 문장 안에 절 하나를 써 넣다. ③ (신문 기사 등을) 게재하다《*in, into*》: ~ an ad *in* a magazine 잡지에 광고를 싣다.
── [ˊ-] *n.* [C] 삽입물 ; (신문·잡지 등의) 삽입 광고 ; 〖映·TV〗 삽입 화면 ; 〖컴〗 끼움, 끼우기.

***in·ser·tion** [insə́:rʃən] *n.* ① [U] 삽입. ② [C] 삽입물 ; 삽입 문구 ; 삽입 광고. ③ [C] (레이스·자수 따위의) 꿰매어 넣은 천. ④ 〖宇宙〗 = INJECTION. ◇ insert *v.*

in-ser·vice [insə́:rvis, ˊ-ˋ] *a.* 〔限定的〕 현직의 : ~ training (현직 직원들의) 연수 교육, 사내 연수 / ~ courses for teachers 교원 연수 과정.

in·set [insét] (*p., pp.* ~, **~·ted** ; **-tt-**) *vt.* …을 끼워 넣다, 삽입하다《*in, into*》. ── [ínsèt] *n.* [C] ① 삽입물. ② (사진 따위가) 삽입된 페이지 ; 삽화, 삽입광고〔도표, 사진〕. ③ 〖服飾〗 장식용 등으로 꿰매 붙인 천.

in·shore [ínʃɔ́:r] *a.* 〔限定的〕 해안 가까이의, 근해의 ; 육지를 향한. [OPP] *offshore.* ¶ ~ fishing 〔fishery〕 연안 어업〔어장〕/ an ~ current 해안으로 밀려 오는 조류.
── *ad.* 해안 가까이, 연해〔근해〕에서 ; 육지 쪽으로. **~ *of*** …보다 해안에 가깝게.

†**in·side** [ínsáid, ˊ-ˊ] *n.* ① (*sing.* ; 흔히 the ~) 안쪽, 내면, 내부, 안. [opp] *outside.* ¶ *the* ~ of a box 상자의 안쪽 / lock a door on *the* ~ 안에서 문을 잠그다. ② (the ~) (도로의) 집쪽에 가까운 부분 ; (경기장의) 내측 경주로. ③ (흔히 the ~) **a)** 내부사정, 속사정 ; (사건 등의) 내막. **b)** 내심, 속셈, 본성 : know *the* ~ of a person 남의 본심〔속셈〕을 알다. ④ (흔히 *pl.*) 《口》 배, 뱃속 : I have something wrong with my ~(*s*). 뱃속이 편치 않다. **~ *out*** 〔副詞的〕 (1) 뒤집어 : turn ~ *out* 뒤집다 ; 혼란하게 하다. (2) 《口》 구석구석까지, 샅샅이, 완전히 : I know Seoul ~ *out.* 서울은 구석구석까지 다 알고 있다.
── [ˊ-] *a.* 〔限定的〕 ① 안쪽의, 내면〔내부〕의 : the ~ edge of a skate 스케이트의 안쪽 날 / the ~ pocket of one's coat 코트의 안주머니. ② 내밀한, 비밀의, 공표되지 않은(private) : ~ information 〔knowledge〕 내부〔비밀〕정보 / the ~ story 내막 / an ~ man 내막을 염탐하는 사람〔스파이〕.
── [ˊ-, -ˊ] *ad.* ① 내부에〔로〕(within), 안쪽에〔으로〕: look ~ 안을 엿보다 / Please go ~. 어서 들어가세요. ② 옥내에서(indoors) : play ~ on rainy days 비오는 날에는 집안에서 놀다. ③ 마음속으로 : know ~ that he is lying 그가 거짓말을 하고 있다는 것을 속으로는 알고 있다 / I was miserable ~. 마음 속으로는 처참한 기분이 들었다. ④ 《英俗》 교도소에 수감되어. ***get*** ~ (1) 집안으로 들어가다. (2) (조직 따위의) 내부로 들어가다. (3) 속사정을 환히 알다. **~ *of*** (1) …의 속〔안〕에 : ~ *of* a room 방 안에. (2) …이내에 : ~ *of* a week, 1 주일 이내에.
── [ˊ-, -ˊ] *prep.* …의 안쪽에, 내부에 ; …이내에 : ~ an hour 한 시간내에 / ~ the tent 텐트 안쪽에.

ínside jób 《口》 내부 사람이 저지른 범죄, 내부 범죄 : The robbery was an ~. 도둑은 내부 사람의 짓이었다.

in·sid·er [insáidər] *n.* [C] ① 내부의 사람, 회원, 부원. ② 내막을 아는 사람, 소식통, 내부자《공표 전에 회사의 내부 사정을 알 수 있는 입장에 있는 사람》. [OPP] *outsider.*

insíder dèaling = INSIDER TRADING.

insíder tràding 내부자 거래(去來).

ínside tráck (트랙의) 안쪽 주로, 인코스 ; 《口》 (경쟁상) 유리한 입장〔지위〕. ***have*** 〔***get, be on***〕 ***the*** ~ (1) 경주로 안쪽을 달리다. (2) 유리한 지위에 있다, 우위를 점하다.

in·sid·i·ous [insídiəs] *a.* ① 음험한, 교활한, 방심할 수 없는(treacherous) : an ~ tempter. ② (병 등이) 모르는 사이에 진행하는, 잠행성(潛行性)의 : the ~ advance of age 모르는 사이에 드는 나이 / an ~ disease 잠행성 질병.
[파] **~·ly** *ad.* **~·ness** *n.*

***in·sight** [ínsàit] *n.* [U,C] 통찰(력), 식견《*into*》: a man of ~ 통찰력이 있는 사람 / He has an ~ *into* human character. 그는 사람의 성격을 꿰뚫어보는 능력을 가지고 있다.

in·sig·nia [insígniə] (*pl.* ~(**s**)) *n.* [C] 기장(記章)

(badges), 훈장, 표지; (특별한) 표(signs): an ~ of mourning 상장(喪章).

in·sig·nif·i·cance [insignífikəns] *n.* [U] ① 대수롭지 않음, 하찮음(unimportance). ② 천함, 미천함; 무의미.

‡**in·sig·nif·i·cant** [insignífikənt] *a.* ① 하찮은, 사소한, 무가치한: an ~ matter 하찮은 일 / an ~ number of people 몇 안 되는 사람 / His influence is ~. 그의 영향력은 별로 대단치 않다. ② 무의미한: an ~ quarrel 무의미한 입씨움. [파] **~·ly** *ad.*

in·sin·cere [ìnsinsíər] *a.* 불성실한, 성의가 없는, 언행 불일치의; 위선적인(hypocritical): an ~ compliment 입에 발린 치사. [파] **~·ly** *ad.*

in·sin·cer·i·ty [ìnsinsérəti] *n.* ① [U] 불성실, 무성의. ② [C] 불성실한 언행.

***in·sin·u·ate** [insínjuèit] *vt.* ① ((+[목]+[전]+[명])) (사상 등)을 은근히 심어주다, 남몰래 박히게 하다((*into*)): ~ doubt *into* a person 아무의 마음에 의심을 품게 하다. ② [再歸的] …에 서서히 침투하다; 교묘히 환심을 사다: Slang ~*s itself into* a language. 속어는 은연중에 언어 속에 침투한다 / ~ *oneself into* a person's favor 교묘하게 아무의 환심을 사다. ③ ((~+[목] / +*that* [절])) 넌지시 비추다, 에둘러 말하다(imply): He ~*s* (*to* me) *that* you are a liar. 그는 네가 거짓말쟁이라고 (내게) 은근히 비추고 있다. [파] **in·sím·u·à·tor** *n.*

in·sin·u·at·ing [insínjuèitiŋ] *a.* ① 교묘히 환심을 사는, 알랑거리는(ingratiating), 영합적인: in an ~ voice 간사스러운 목소리로. ② 넌지시 암시하는. [파] **~·ly** *ad.* ① 에둘러. ② 알랑거리며, 영합적으로.

in·sin·u·a·tion [insìnjuéiʃən] *n.* ① [U] 슬며시 들어감[스며듦](instillment); 교묘하게 환심을 삼. ② [U.C] 암시(하는 짓), 빗댐, 넌지시 비춤[비추는 짓]: make ~*s* about [against] a person's honesty 아무의 정직성에 관하여 빈정거리다 / by ~ 넌지시.

in·sin·u·a·tive [insínjuèitiv] *a.* ① 완곡한, 빗대는, 암시하는. ② 교묘하게 환심을 사는, 알랑거리는. [파] **~·ly** *ad.*

in·sip·id [insípid] *a.* ① (음식 등이) 싱거운; 김빠진, 맛없는. ② 활기 없는(lifeless), 무미건조한(dull), 재미없는(uninteresting): an ~ conversation 지루한 재미없는 대화 / an ~ performance 맥빠진 연기. [파] **~·ly** *ad.* **~·ness** *n.*

in·si·pid·i·ty [ìnsipídəti] *n.* [U] 평범, 무미 건조; [C] 평범한 말[생각].

‡**in·sist** [insíst] *vi.* ((+[전]+[명] / +*that*[절])) ① 우기다(maintain), (끝까지) 주장하다, 단언하다; 역설[강조]하다((*on, upon*)): He ~*ed on* his innocence. 그는 자기의 결백을 주장했다. ② 강요하다; 조르다((*on, upon*)): He ~*ed on* his right to cross-examine the witness. 그는 증인에게 반대 심문할 권리를 강력히 요구했다.

—— *vt.* ((~+ *that* [절])) …라고 주장하다, 우기다: She ~*ed that* he (should) be invited to the party. 그를 파티에 초대해야 한다고 그녀는 주장했다 / Mike ~*ed that* he was right. 마이크는 그가 옳았다고 우겼다.

***in·sist·ence, -en·cy** [insístəns], [-i] *n.* [U] ① 주장, 강조: ~ on one's innocence 무죄의 주장. ② 강요((*on, upon*)): ~ *on* obedience 복종의 강요 / with ~ 집요하게.

***in·sist·ent** [insístənt] *a.* ① [敍述的] 주장하는, (…이라고) 고집 세우는((*on, upon*)): He was ~ *on* going out. 그는 나가겠다고 고집을 부렸다 / He was ~ *that* he was innocent. 그는 무죄라고 주장하였다. ② 강요하는; 끈질긴(persistent): an ~ demand 집요한 요구 / their ~ protests 그들의 끈질긴 항의. ③ 주의를 끄는, 강렬한, 눈에 띄는, 뚜렷한(색·소리 등): an ~ tone 두드러진 음색. [파] **~·ly** *ad.* 끈덕지게, 끝까지.

in si·tu [in-sáitjuː] ((L.)) 원위치에서[로], 원장소에서[로], 본래의 장소에서[로].

in·so·bri·e·ty [ìnsəbráiəti] *n.* [U] 부절제; 과음, 폭음(暴飮) (intemperance).

in·so·far [ìnsoufáːr] *ad.* …하는 한[범위, 정도]에 있어서(in so far). ~ ***as*** [***that***] …하는 한에 있어서는: I shall do what I can ~ *as* I am able. 내가 할 수 있는 한의 일은 하겠다 / *Insofar as* I know, things are going fine. 내가 알고 있는 한, 사태는 순조롭게 진행되고 있다.

in·so·la·tion [ìnsouléiʃən] *n.* [U] ① 햇빛에 쬠, 볕에 말림; 일광욕. ② [醫] 일사병(sunstroke).

in·sole [ínsòul] *n.* [C] 구두의 안창[깔창].

***in·so·lence** [ínsələns] *n.* ① [U] 오만, 무례; (the ~) 건방지게도[무례하게도] …하는 것((*to* do)): He had *the* ~ *to* tell me to leave the room. 그는 무례하게도 나에게 방을 나가 달라고 말했다. ② [C] 오만한[건방진] 언동: an ~ reply 건방진 대답.

***in·so·lent** [ínsələnt] *a.* (말·태도 따위가) 거만한(arrogant), 무례한(impudent), 거드럭거리는: an ~ young man 건방진 청년 / He is ~ *to* his customers. 그는 손님들에게 건방지다. [파] **~·ly** *ad.*

***in·sol·u·ble** [insáljubəl / -sɔ́l-] *a.* ① 용해하지 않는, 불용해성의: Cholesterol is ~ in water. 콜레스테롤은 물에 녹지 않는다. ② 설명할 수 없는, 해결할 수 없는: ~ conflicts within the department 그 부서 내부의 해결할 수 없는 마찰. [파] **-bly** *ad.*

in·solv·a·ble [insálvəbəl / -sɔ́l-] *a.* = INSOLUBLE.

in·sol·ven·cy [insálvənsi / -sɔ́l-] *n.* [U] [法] (빚의) 반제(返濟)불능, 채무 초과, 파산(상태).

in·sol·vent [insálvənt / -sɔ́l-] *a.* 지급불능의, 파산한(bankrupt). —— *n.* [C] 지급 불능자, 파산자.

in·som·nia [insámniə / -sɔ́m-] *n.* [U] [醫] 불면증. [파] **-ni·ac** [-niæ̀k] *a.* 불면증의. —— *n.* [C] 불면증 환자.

in·so·much [ìnsoumʌ́tʃ] *ad.* …의 정도로, …만큼, …만((*as*; *that*)); …이므로[하므로], …이니까(inasmuch)((*as*)): The rain fell in torrents, ~ *that* we were wet to the skin. 비가 억수같이 퍼부었으므로 우리는 속옷까지 푹 젖었다.

‡**in·spect** [inspékt] *vt.* ① …을 (세밀히) 조사하다, 검사하다, 점검하다: He ~*ed* the car for defects. 그는 무슨 결함이 없는가 하고 자동차를 세밀히 점검했다. ② 검열[사열]하다, 시찰[견학]하다: ~ a regiment 연대를 사열하다.

‡**in·spec·tion** [inspékʃən] *n.* [U.C] ① (정밀) 검사, 조사; 점검, (서류의) 열람: on first [the first] ~ 일견한[일차 조사한] 바로는 / a medical ~ 검역(檢疫); 건강 진단 / ~ free 열람 자유((게시)) / On closer ~, it was found to be human blood. 더욱 자세히 조사해 보니 그것은 사람의 피임이 밝혀졌다. ② (정식·공식의) 시찰, 검열: a tour of ~ 시찰 여행 / They made an ~ of the plant. 그들은 공장을 시찰했다. [파] **~·al** *a.*

‡**in·spec·tor** [inspéktər] (*fem.* ***-tress*** [-tris]) *n.* [C] ① 검사자[관], 조사자[관], 검열관, 시찰자; 장학사(school ~): a ticket ~ ((英)) (열차·버스 등의) 검표원. ② 경감(police ~).

in·spec·tor·ate [inspéktərit] *n.* ① [U.C] inspector의 직[지위, 임기, 관할 구역]. ② [集合

的〕 검사관〔검열관〕 일행, 시찰단.

in·spec·tor·ship [inspéktərʃìp] *n.* = INSPECTORATE ①.

‡in·spi·ra·tion [ìnspəréiʃən] *n.* ① Ⓤ 인스피레이션, 영감(靈感) ; Ⓒ 영감에 의한 착상 ; 《口》(갑자기 떠오른) 신통한 생각, 명안 : have a sudden ~ 갑자기 명안이 떠오르다. ② Ⓤ 고취, 고무, 격려 ; Ⓒ 격려가 되는〔고무시키는〕 것〔사람〕 : Our cheers gave ~ to the team. 우리들의 응원은 팀의 사기를 높였다. ③ Ⓒ 암시, 시사 ; 감화 : the ~ of a teacher 교사의 감화. ④ Ⓤ 〖神學〗 신의 감화력, 신령감응. ⑤ Ⓤ 숨을 들이쉼 ; 들숨. opp. *expiration.*

in·spi·ra·tion·al [ìnspəréiʃənəl] *a.* ① 영감을 띤, 영감을 주는. ② 고무하는. ㊔ **~·ly** *ad.*

‡in·spire [inspáiər] *vt.* ①《~+목/+목+전+명/+목+*to* do》(아무)를 고무(鼓舞)〔격려〕하다, 발분시키다 ; (아무)를 고무시켜 …하게 하다 《*to*》 ; (아무)를 고무시켜 …할 마음이 되게 하다 : His bravery ~*d* us. 그의 용감한 행위는 우리를 고무했다 / The failure ~*d* him *to* greater efforts. 그 실패가 그를 더욱 분발하도록 하였다 / His brother's example ~*d* him *to* try out for the football team. 그는 형의 예(例)에 자극되어 축구팀의 선발 테스트를 받겠다고 마음 먹었다. ②《+목+전+명》(사상·감정 등)을 일어나게 하다, 느끼게 하다《*with*》: His conduct ~*d* us *with* distrust. 그의 행동을 보고 우리는 불신감을 느꼈다. ③《+목+전+명》(어떤 사상·감정 등)을 …에게 불어넣다, 고취하다《*in, into*》: He ~*d* self-confidence *in*〔*into*〕 his pupils. 그는 학생들의 마음 속에 자신감을 불어넣었다. ④ …에게 영감을 주다《★ 종종 과거분사로 형용사적으로 쓰임 ⇨ INSPIRED》. ⑤ …을 시사하다 ; (소문 따위)를 퍼뜨리다 : ~ false stories about a person 아무에 관한 헛소문을 퍼뜨리다. ⑥ (어떤 결과)를 낳게 하다, 생기게 하다, 초래하다 : Honesty ~*s* respect. 정직은 존경심을 일으키게 한다. ⑦ 들이쉬다, 빨아들이다. ── *vi.* 숨을 들이쉬다(inhale). ◇ inspiration *n.*

in·spired [inspáiərd] *a.* ① 영감을 받은 ; 영감에 의한 ; (발상 따위가) 참으로 멋진 : an ~ poet 타고난 시인 / the ~ writings 성서 / make an ~ guess 멋진 추측을 하다. ② (어떤 권력자·소식통의) 뜻을 받은, 견해를 반영한《신문 기사 등》: an ~ article (신문의) 어용 기사(記事).

in·spir·ing [inspáiəriŋ] *a.* 분발케 하는 ; 고무하는, 감격시키는 : an ~ teacher (학생들을) 분발케 하는 선생 / an ~ sight 가슴뛰게 하는 광경 / The music was ~. 그 음악은 사람의 마음을 뒤흔들게 하는 것이었다.

in·spir·it [inspírit] *vt.* …을 분발시키다, 원기를 북돋우다, 고무하다(encourage).

Inst. Institute ; Institution. **inst.** instant (이달의) ; instrument ; instrumental.

in·sta·bil·i·ty [ìnstəbíləti] *n.* Ⓤ ① 불안정(성) (insecurity) : political ~ 정정 불안. ② (마음의) 불안정, 변하기 쉬움(inconstancy) : emotional ~ 정서 불안. ◇ unstable *a.*

‡in·stall [instɔ́:l] *vt.* 《~+목/+목+전+명》 ① …을 설치하다, 가설하다, 장치하다《*in*》: ~ a heating system *in* a house 집에 난방설비를 설치하다. ② (정식으로) 취임시키다, (…에) 임명하다 《*in* ; *as*》: ~ a chairperson 의장에 임명하다 / The new college president was ~*ed* last week. 새 학장은 지난 주에 취임했다 / ~ a person *in* an office 아무를 어떤 직위에 임용하다 / ~ a person *as* chairman 아무를 의장에 취임시키다. ③ …을 자리에 앉히다 : ~ a visitor *in* the best seat 손님을 제일 좋은 자리에 앉히다 / We ~*ed ourselves in* the easy chair. 우리는 안락 의자에 앉았다. ㊔ **~·er** [-ər] *n.* 설치자 ; 임명자.

***in·stal·la·tion** [ìnstəléiʃən] *n.* Ⓤ,Ⓒ ① 임명, 임관 ; 취임(식). ② 설치, 설비, 가설. ③ (흔히 *pl.*) (설치된) 장치, 설비(furnishings). ④ 군사 시설 〔기지〕.

‡in·stall·ment, 《英》 **-stal-** [instɔ́:lmənt] *n.* Ⓒ ① 할부(割賦)(의 일회분), 할부금. ② (전집·연속간행물 따위의) 1 회분 : the first ~ of a new encyclopedia 새로운 백과사전의 제1회분 / a serial *in* three ~*s*, 3 회의 연재물. ***in*** 〔***by***〕 **~*s*** 할부로 ; 몇 번에 나누어 : pay *in* 〔*by*〕 monthly ~*s* of $20, 20 달러 월부로 지급하다.
── *a.* 할부 방식의 : ~ buying 〔selling〕 월부구입 〔판매〕.

instállment plàn (the ~) 《美》 할부 판매법 (《英》 hire-purchase system) : buy on *the* ~ 월부〔연부〕로 사다.

‡in·stance [ínstəns] *n.* ① Ⓒ 실례(example), 사례, 예증(illustration). ② Ⓒ 사실, 경우(case) ; 단계. ***at the ~ of*** …의 의뢰로, …의 제의〔발기〕로. ***for ~*** 예를 들면. ***in the first ~*** 우선 첫째로. ***in the last ~*** 최후로. ***in this ~*** 이 경우(에는). ── *vt.* ① …을 예로 들다. ② …을 예증하다 (exemplify).

‡in·stant [ínstənt] *a.* ① 즉시의, 즉각의(immediate) : an ~ reply 즉답 / ~ glue 순간접착제. ② 〔限定的〕 긴급한, 절박한(urgent) : be in ~ need of help 신속한 구조를 요한다. ③ 〔限定的〕 당장의, 즉석(요리용)의 : ~ coffee 인스턴트 커피. ④ 이달의《略 : inst.》. cf. proximo, ultimo. ¶ the 15th *inst.* 이달 15 일.
── *n.* ① Ⓒ 순간, (…할) 때, 찰나(moment) ; 〔the ~ ; 接續詞的으로〕 …하는 순간에 ; …하자마자《★ ~ 다음에 that을 수반하는 경우가 있음》: at that very ~ 그 순간에 / Let me know *the* ~ she comes. 그녀가 오면 즉각 알려 주게. ② Ⓤ 인스턴트 식품〔음료〕, 《특히》 인스턴트 커피.
not for an ~ 잠시도 …하지 않다 ; 조금도 …하지 않다 : *Not for an* ~ did I believe him. 나는 그의 말을 조금도 믿지 않았다 / *Not for an* ~ did the thought of her sick child leave her mind. 병든 자식에 대한 생각이 잠시도 그녀의 마음에서 떠나지 않았다. ***in an ~*** 즉시, 순식간에. ***this*** 〔***that***〕 ***~*** 지금 곧〔그때 바로〕.

***in·stan·ta·ne·ous** [ìnstəntéiniəs] *a.* 즉시〔즉석〕의, 순간의 ; 동시에 일어나는, 동시적인 : ~ death 즉사 / an ~ photograph 즉석사진 / an ~ reaction 순간적 반응. ㊔ **~·ly** *ad.* **~·ness** *n.*

ínstant bóok 인스턴트 북《(1) 선집(選集)처럼 편집이 거의 필요치 않은 책. (2) 사건발생 후 1 주일-1 개월 이내에 발행되는 속보성(速報性)이 중시되는 책》.

ínstant càmera 인스턴트 카메라《촬영직후 카메라 안에서 인화되는 카메라》.

‡in·stant·ly [ínstəntli] *ad.* 당장에, 즉각, 즉시 (immediately) : be killed ~ 즉사하다 / They recognized him ~. 그들은 금방 그를 알아보았다.
── *conj.* …하자마자(as soon as) : I telegraphed ~ I arrived there. 도착하자마자 곧 타전하였다.

ínstant réplay 〖TV〗 (경기 장면을 슬로모션 등으로 재생하는) 비디오의 즉시재생 (《英》 action replay).

in·state [instéit] *vt.* …를 (직(職)에) 임명하다, 취임시키다, 서임(敍任)하다(install)《*in*》; 두다, 앉히다.

†in·stead [instéd] *ad.* 그 대신에 ; 그보다도 :

Give me this ~. 그 대신에 이것을 주시오 / He did not look annoyed at all. *Instead* he was very obliging. 귀찮아하는 기색은커녕 오히려 대단히 친절히 해 주었다. ~ ***of*** …의 대신으로; …하지 않고, …하기는커녕 : He thanked me ~ *of* gett*ing* angry. 성내기는커녕 나에게 감사했다.

in·step [ínstèp] *n.* Ⓒ ① 발등 《★ '손등'은 back of the hand》. ② (구두·양말 따위의) 발등에 해당하는 부분.

in·sti·gate [ínstəgèit] *vt.* 《~+목 / +목+*to* do》 …을 부추기다, 선동하다(incite), 부추기어 … 시키다〔하게 하다〕; 선동하여 (폭동·반란)을 일으키다 : ~ a rebellion 반란을 선동하다.
㊕ **-ga·tor** [-ər] *n.* Ⓒ 선동자, 교사자.

in·sti·ga·tion [ìnstəgéiʃən] *n.* ① Ⓤ 부추김; 선동, 교사. ② Ⓒ 자극(이 되는 것), 유인(誘因). ***at*** 〔***by***〕 ***the*** ~ ***of*** …에게서 부추김을 받아, …의 선동으로.

***in·still, in·stil** [instíl] *vt.* ① 《~+목 / +목+전+명》 (사상 따위)를 스며들게 하다《*in, into*》, 주입시키다, 서서히 가르치다(infuse) : ~ confidence *in* a person 아무에게 자신감을 심어주다. ② (방울방울) 떨어뜨리다; 점적(點滴)하다.

in·stil·la·tion [ìnstəléiʃən] *n.* Ⓤ (사상 따위를) 서서히 주입시킴〔가르침〕; (방울방울) 떨어뜨림, 적하(滴下); Ⓒ 적하물(物).

‡**in·stinct**[1] [ínstiŋkt] *n.* Ⓤ,Ⓒ ① 본능(natural impulse); (종종 *pl.*) 직관, 육감, 직감 : maternal ~*s* 모성 본능 / the ~ of self-preservation 자기보존 본능 / My ~*s* warned me of the approaching danger. 나는 직감적으로 위험이 다가오고 있음을 느꼈다. ② 천성, 천분《*for*》: an ~ *for* art 예술적 천분. ***act on*** ~ 본능대로 행동하다. ***by*** 〔***from***〕 ~ 본능적으로; 직감적으로, 육감으로.

in·stinct[2] [instíŋkt] *a.* 〔敍述的〕 차서 넘치는, 가득 찬, …이 스며든《*with*》: Her face was ~ *with* benevolence. 그녀의 얼굴은 자애로 넘쳐 있었다.

***in·stinc·tive** [instíŋktiv] *a.* 본능적인, 직감〔직각(直覺)〕적인; 천성의 : We have an ~ fear of snakes. 우리는 뱀을 본능적으로 무서워한다.
㊕ *~**·ly** *ad.* 본능적으로, 직감적으로.

in·stinc·tu·al [instíŋktʃuəl] *a.* =INSTINCTIVE.

‡**in·sti·tute** [ínstətjùːt] *vt.* ① (제도·습관)을 만들다, 제정하다; (시설·공공기관 등)을 설립하다 (establish) : ~ a welfare system 복지 제도를 제정하다 / New laws were ~*d* by Congress. 몇개의 새로운 법률이 국회에서 제정되었다. ② (조사 등)을 시작하다, (소송)을 제기하다 : ~ a suit *against* a person 아무를 상대로 소송을 제기하다 / They ~*d* a search of the house. 그들은 가택 수색을 시작했다. ③ 《+목+전+명》 …를 임명하다, 취임시키다(inaugurate); 〖宗〗 …에게 성직을 수여하다《*to*; *into*》 ~ a person *into* a benefice 아무를 성직에 임명하다. ◇ institution *n.*
── *n.* Ⓒ ① (학술·미술 등의) 회(會), 협회, 학회(society); 그 건물, 회관. ② 연구소; (주로 이공계의) 대학, 전문학교 : Massachusetts *Institute* of Technology 매사추세츠 공과 대학. ③ 《美》 (단기의) 강습회〔강좌〕: an adult ~ 성인 강좌 / a teacher's 〔teaching〕 ~ 교원 강습〔연수〕회. ④ 규칙, 관습, 관행, 원리.

‡**in·sti·tu·tion** [ìnstətjúːʃən] *n.* ① Ⓒ (학술·사회적) 회, 학회, 협회, (공공) 시설, (공공) 기관〔단체〕; 그 건물 : an academic 〔a charitable〕 ~ 학술〔자선〕 단체 / an educational ~ 교육 시설. ② Ⓒ (확립된) 제도, 관례, 관습, 법령 : the ~ of marriage 결혼 제도. ③ Ⓒ 《口》 명물, 평판 있는 사람〔물건〕. ④ Ⓤ (학회·협회 따위의) 설립; (법률 따위의) 제정, 설정 : the ~ of civil rights laws 시민 권리에 관한 법률의 제정.

***in·sti·tu·tion·al** [ìnstətjúːʃənəl] *a.* ① 제도(상)의. ② 공공〔자선〕 단체의〔같은〕; 회(會)의, 협회의, 학회의 : an ~ investor 기관 투자가. ③ 《美》 (판매 증가보다는) 기업 이미지를 좋게 하기 위한 : an ~ advertising 기업 광고.

in·sti·tu·tion·al·ize [ìnstətjúːʃənəlàiz] *vt.* ① (관습 등)을 제도〔관행〕화하다 : ~ customary laws 관습법을 성문화하다. ② (범죄자·정신 병자 등)을 시설에 수용하다.

‡**in·struct** [instrʌ́kt] *vt.* ① 《~+목 / +목+전+명》 (아무)를 가르치다, 교육〔교수〕하다(teach), 훈련하다 : ~ students *in* English 학생들에게 영어를 가르치다 / Mr. Brown ~*s* our class *in* Latin. 브라운 선생님은 우리 학급에 라틴어를 가르치십니다. ② 《+목+*to* do》 …에게 지시하다, …에게 지령하다, …에게 명령하다(direct) : He ~*ed* them *to* start at once. 그는 그들에게 곧 출발하도록 지시했다. ③ 《+목+*that* 절 / +목+전+명》 …에게 알리다, …에게 통지〔통고〕하다 (inform) : I ~*ed* him *that* he had passed the examination. 나는 그에게 그가 시험에 합격했음을 알렸다. ④ 〖컴〗 …에 명령하다. ㊕ ~**·i·ble** *a.*

‡**in·struc·tion** [instrʌ́kʃən] *n.* ① Ⓤ 훈련, 교수, 교육(education) : give 〔receive〕 ~ *in* French 프랑스어의 교수를 하다〔받다〕/ He has had very little formal ~. 그는 정규 교육을 거의 받지 않았다. ② (*pl.*) 지시, 지령, 훈령(directions), 명령 : follow ~*s* 지시를 따르다. ③ (*pl.*) (제품 따위의) 사용〔취급〕법 설명서 : Show me the ~*s* for this watch. 이 시계의 설명서를 보여 주십시오. ④ Ⓒ (*pl.*) 〖컴〗 명령(어) : execute an ~ 명령을 실행하다.
㊕ ~**·al** [-ʃənəl] *a.* 교육(상)의.

‡**in·struc·tive** [instrʌ́ktiv] (***more*** ~; ***most*** ~) *a.* 교훈〔교육〕적인, 본받을 점이 많은, 도움이 되는, 계발적인 : an ~ book 유익한 책 / The hint was ~ to me. 그 힌트는 나에게 도움이 됐다.
㊕ ~**·ly** *ad.* ~**·ness** *n.*

‡**in·struc·tor** [instrʌ́ktər] (*fem.* ***-tress*** [-tris]) *n.* Ⓒ ① 교사, 선생, 교관(teacher), 지도자《*in*》. ② 《美》 (대학의) 전임 강사 : an ~ *in* history 역사 담당 강사.

‡**in·stru·ment** [ínstrəmənt] *n.* Ⓒ ① (실험·정밀 작업용의) 기계(器械), 기구(器具), 도구 : medical ~*s* 의료 기구 / drawing ~*s* 제도 기구. ② (비행기·배 따위의) 계기(計器) : nautical ~*s* 항해 계기 / fly on ~*s* 계기 비행을 하다. ③ 악기 : a stringed 〔wind〕 ~ 현악〔관악〕기. ④ 수단, 방편(means) : an ~ of study 연구의 수단 / The nuclear bomb is a terrifying ~ of death. 핵폭탄은 사람을 죽이는 무서운 수단이다. ⑤ (남의) 앞잡이, 도구, 로봇 : an ~ of the Mafia 마피아의 앞잡이. ⑥ 〖法〗 법률 문서《계약서·증서·증권 따위》.

***in·stru·men·tal** [ìnstrəméntl] *a.* ① 기계(器械)의, 기계를 쓰는 : ~ errors in measurement 측정상의 기계 오차 / ~ drawing 용기화(用器畫). ② 〔敍述的〕 유효한, 수단이 되는, 쓸모 있는, 도움이 되는 : He was ~ *in* obtaining a job for his friend. 그는 친구의 취직에 힘이 됐다. ③ 〖樂〗 악기의, 기악의. ⓒⓕ vocal. ¶ ~ music 기악.
㊕ ~**·ist** *n.* 기악가. ⓒⓕ vocalist.

in·stru·men·tal·i·ty [ìnstrəmentǽləti] *n.* ① Ⓤ 도움(helpfulness), 덕분. ② Ⓒ **a)** 수단(means), 방편(이 되는 것). **b)** (정부 따위의) 대행 기관. ***by*** 〔***through***〕 ***the*** ~ ***of*** …에 의해, …

의 힘을 빌려, …의 도움으로.

in·stru·men·tal·ly [ìnstrəméntəli] *ad.* ① 기계(器械)로. ② 악기로. ③ 수단으로서 ; 간접으로.

in·stru·men·ta·tion [ìnstrəmentéiʃən] *n.* Ⓤ ① 기계(器械)〔기구〕 사용〔설치〕, 계측기의 고안〔조립, 장비〕, 계장(計裝) ; 과학〔공업〕 기계 연구. ② (특정 목적의) 기계〔기구〕류. ③〖樂〗 기악 편성(법), 악기〔관현악〕법.

ínstrument bòard 〔pànel〕 (자동차 따위의) 계기판.

ínstrument flỳing 〔flìght〕〖空〗 계기 비행.

ínstrument lànding〖空〗 계기 착륙.

in·sub·or·di·nate [ìnsəbɔ́ːrdənit] *a.* 고분고분〔순종〕하지 않는, 말을 듣지 않는, 반항하는. ── *n.* Ⓒ 순종 않는 사람, 반항자. ㉥ **~·ly** *ad.*

in·sub·or·di·na·tion [ìnsəbɔ̀ːrdənéiʃən] *n.* Ⓤ 불순종, 반항.

in·sub·stan·tial [ìnsəbstǽnʃəl] *a.* ① 실체가 없는, 공허한, 상상의. ② 실질이 없는 ; 내용이 없는, 단단치 못한 : an ~ meal 먹을 것이 없는 식사 / This pot is very ~. 이 항아리는 매우 무르다.

in·suf·fer·a·ble [insʌ́fərəbəl] *a.* ① (사람이) 견딜 수 없는, 참을 수 없는(intolerable) : their ~ insolence 참을 수 없는 그들의 오만함. ② 건방진, 우쭐해 하는 : an ~ fool (우쭐해 하는 꼴이) 눈꼴 신 바보. ㉥ **-bly** *ad.*

in·suf·fi·cien·cy [ìnsəfíʃənsi] *n.* ① Ⓤ 불충분, 부족(lack) : ~ of provisions 식량 부족. ② Ⓤ 부적당, 부적임(inadequacy). ③ Ⓒ (종종 *pl.*) 불충분한 점, 결점. ④ Ⓤ〖生〗(심장 따위의) 기능 부전(不全) : cardiac ~ 심부전.

***in·suf·fi·cient** [ìnsəfíʃənt] *a.* ① 불충분한, 부족한 : an ~ supply of fuel 연료의 공급 부족 / There're ~ doctors. 의사가 부족하다 / be ~ *in* quantity 양이 부족하다. ② 부적당한(inadequate), 능력이 없는 : He is ~ *for* the job. 그는 그 일에 적임이 아니다. ㉥ **~·ly** *ad.*

***in·su·lar** [ínsələr, -sjə-] *a.* ① 섬의 ; 섬사람의 ; 섬 특유의. ② 섬나라 근성(根性)의, 편협한(narrow-minded) ; 고립한, 외떨어진. ㉥ **~·ìsm** *n.* Ⓤ 섬나라 근성, 편협성. **in·su·lar·i·ty** [insəlǽrəti, -sjə-] *n.* Ⓤ 섬(나라)임 ; 고립 ; 섬나라 근성, 편협.

in·su·late [ínsəlèit, -sjə-] *vt.* ①《~+目/+目+前+名》…을 (…에서) 격리(隔離)하다, 고립시키다(isolate)《*from*》; …로 부터 보호(保護)하다《*against*》: Her family ~*s* her *from* contact with the world. 그녀의 가족들은 그녀를 세상과 접촉을 못하도록 격리하고 있다. ②《~+目/+目+前+名》〖電·物〗 절연〔단열, 방음〕하다 ; …을 (열·음으로부터) 차단하다《*from* ; *against*》: ~ a studio *from* noise 스튜디오를 방음하다.

ín·su·lat·ing tàpe [ínsəlèitiŋ-, -sjə-] 절연테이프.

in·su·la·tion [ìnsəléiʃən, -sjə-] *n.* Ⓤ ① 격리 ; 고립. ② (전기·열·소리 따위 전도의) 차단, 절연. ③ 절연체, 절연물〔재(材)〕, 단열재, 애자.

in·su·la·tor [ínsəlèitər, -sjə-] *n.* Ⓒ ① 격리하는 사람〔것〕. ②〖電·物〗 절연물, 애자(碍子). ③ (건물 따위의) 단열〔차음(遮音), 방음〕재.

in·su·lin [ínsəlin, -sjə-] *n.* Ⓤ 인슐린《췌장에서 분비되는 단백질 호르몬 ; 당뇨병 치료제》.

‡in·sult [ínsʌlt] *n.* ① Ⓤ 모욕, 무례《*to*》: They treated him with cruelty and ~. 그들은 그를 무자비하고 모욕적으로 대했다. ② Ⓒ 모욕 행위, 무례한 짓 : It is an ~ *to* your dignity. 그것은 당신의 품위를 모욕하는 짓이다. ③ Ⓒ〖醫〗 손상, 상해(의 원인) ; 발작. ***add ~ to injury*** 혼내 주고 모욕까지 하다.

── [-ˊ] *vt.* …을 모욕하다, …에게 무례한 짓을 하다 ; 자존심을 해치다 : He ~*ed* her by refusing her offer of help. 그는 그녀의 원조 제안을 거절하여 그녀를 모욕했다.

in·sult·ing [insʌ́ltiŋ] *a.* 모욕적인, 무례한 : ~ remarks 모욕적인 언사. ㉥ **~·ly** *ad.*

in·su·per·a·ble [insúːpərəbəl] *a.* ① 정복할 수 없는, 무적(無敵)의. ② (곤란·반대 등을) 이겨낼 수 없는, 극복할 수 없는 : an ~ obstacle 극복할 수 없는 장애. ㉥ **-bly** *ad.* **in·sù·per·a·bíl·i·ty** [-bíləti] *n.* Ⓤ 이겨 내기 어려움.

in·sup·port·a·ble [ìnsəpɔ́ːrtəbəl] *a.* ① 참을 수 없는, 견딜 수 없는(unbearable) : ~ pain 견딜 수 없는 아픔 / ~ behavior 눈꼴 신 태도. ② 지지할 수 없는, (충분한) 근거 없는. ㉥ **-bly** *ad.* 견딜 수 없을 정도로.

in·sur·a·ble [inʃúərəbəl] *a.* 보험(保險)에 들 수 있는, 보험의 대상이 되는 : ~ interests 피보험 이익 / ~ property 피보험 재산 / ~ value 보험 가격. ㉥ **in·sùr·a·bíl·i·ty** [-bíləti] *n.*

‡in·sur·ance [inʃúərəns] *n.* Ⓤ ① 보험(계약) ; 보험업 : accident ~ 상해 보험 / fire ~ 화재 보험 / life ~ 생명 보험 / automobile〔car〕 ~ 자동차 보험 / sell ~ 보험을 팔다〔권유하다〕/ buy ~ 보험에 들다 / take out ~ 〔an ~ policy〕 *on* one's house 가옥을 보험에 들다. ② 보험금(액) ; 보험료(premium) ; 보험 증서(~ policy) : carry a lot of ~ on …에 많은 보험금을 들다 / pay one's ~ 보험료를 내다. ③ (또는 an ~) 보증 ; (실패·손실 등에 대한) 대비(對備), 보호《*against*》: put money away as (*an*) ~ *against* bad times 불황에 대비하여 저축하다. ◇ insure *v.* 《★ assurance는 《英》에서 많이 쓰이고, 《美》에서는 insurance 가 쓰임》. ── *a.* 〔限定的〕 보험의 : an ~ agent 보험 모집인, 《英》 보험 중개인 / an ~ company〔firm〕 보험 회사 / ~ money 보험금.

insúrance pòlicy 보험 증서.

insúrance prèmium 보험료.

in·sur·ant [inʃúərənt] *n.* Ⓒ 보험 계약자 ; 피보험자.

‡in·sure [inʃúər] *vt.* 《~+目/+目+前+名》 ① (보험 회사가) …의 보험을 계약하다, …의 보험을 인수하다〔맡다〕: The insurance company will ~ your property *against* fire. 보험 회사는 당신의 재산에 대한 화재 보험을 인수합니다. ② (보험 계약자가) …에 보험을 들다, …의 보험 계약을 하다 : ~ oneself 〔one's life〕 *for* a million dollars, 100만 달러의 생명 보험에 들다. ③ 《英》= ENSURE. ◇ insurance *n.*

in·sured [inʃúərd] *a.* 보험에 들어 있는. ── *n.* (the ~) 피보험자, 보험 계약자, 보험금 수취인.

in·sur·er [inʃúərər] *n.* Ⓒ 보험 회사, 보험업자 (underwriter).

in·sur·gence, -gen·cy [insə́ːrdʒəns], [-i] *n.* Ⓤ,Ⓒ 모반, 폭동, 반란 행위.

in·sur·gent [insə́ːrdʒənt] *a.* 〔限定的〕 ① 모반하는, 폭동을 일으킨, 반정부의. ② 밀려 오는《파도 따위》. ── *n.* Ⓒ (*pl.*) ① 폭도, 반란자. ② 《美》 (당내의) 반대 분자. ㉥ **~·ly** *ad.*

in·sur·mount·a·ble [ìnsərmáuntəbəl] *a.* 극복할 수 없는 ; 넘을 수 없는 : ~ difficulties 타개할 수 없는 난국. ㉥ **-bly** *ad.* **~·ness** *n.* **ìn·sur·mòunt·a·bíl·i·ty** *n.*

***in·sur·rec·tion** [ìnsərékʃən] *n.* Ⓤ,Ⓒ 반란, 폭동, 봉기. cf. rebellion. ¶ an armed ~ against the party in power 집권당에 대항하는 무장 반란. ㉥ **~·al** *a.* **~·ist** *n.* 폭도, 반도(叛徒).

in·sus·cep·ti·ble [insəséptəbəl] *a.* ① 무감각한, 느끼지 못하는 ; 동하지 않는《*of* ; *to*》: a heart ~ *of* 〔*to*〕 pity 동정을 모르는 마음〔사람〕. ② (치료 따위를) 받아들이지 않는 ; …에 영향 받지 않는《*of* ; *to*》: a physique ~ *to* disease 질병에 영향 받지 않는 체격. [파] **-bly** *ad.* **in·sus·cep·ti·bíl·i·ty** [-bíləti] *n.* [U] 무감각, 감수성이 없음.

int. interest ; interior ; interjection ; internal ; international ; intransitive.

in·tact [intǽkt] *a.* 〔敍述的〕 본래대로의, 손대지 않은(untouched), 완전한 ; 처녀의 : keep one's pride ~ 자존심을 유지하다.

in·tagl·io [intǽljou, -tɑ́:l-] (*pl.* **~s**) *n.* ① [U] 음각, 요조(凹彫). [opp] *relief, relievo*. ¶ carve a gem in ~ 보석에 무늬를 새겨넣다. ② [C] 새긴 무늬; (무늬를) 음각한 보석. [cf] cameo. ③ [U] 〖印〗 요각(凹刻) 인쇄.
— *vt.* (무늬)를 새겨넣다, 음각하다.

***in·take** [íntèik] *n.* ① [C] (물·공기·연료 따위를) 받아들이는 입구〔주둥이〕, 취수구(取水口). [opp] *outlet*. ② (*sing.*) 끌어들인 분량 ; 흡입〔섭취〕량 : What is your daily ~ *of* calories? 매일의 칼로리 섭취량은 얼마나 됩니까. ③ [C] (관(管)·양말 따위의) 잘록한 부분.

in·tan·gi·bil·i·ty [intæ̀ndʒəbíləti] *n.* [U] 손으로 만질 수 없음, 만져서 알 수 없음; 파악할 수 없음, 불가해.

***in·tan·gi·ble** [intǽndʒəbəl] *a.* ① 만질 수 없는, 만져서 알 수 없는(impalpable) ; 실체가 없는 : The soul is ~. 영혼은 만져볼 수가 없다. ② 무형의(insubstantial) : ~ assets 무형 자산《특허권·영업권 따위》. ③ (막연하여) 파악하기 어려운, 불가해한. — *n.* [C] 만질 수 없는 것 ; 무형의 것〔재산〕.
[파] **-bly** *ad.* 손으로 만질 수 없을 만큼 ; 파악하기 어렵게, 막연하여.

in·te·ger [íntidʒər] *n.* [C] ① 완전한 것, 완전체 (complete entity). ② 〖數〗 정수(整數) (whole number). [cf] fraction.

***in·te·gral** [íntigrəl] *a.* 〔限定的〕 ① 완전한 (entire), 완전체의 ; 빠진 것이 없는. ② (전체를 구성하는 데) 빠뜨릴 수 없는, 필수의(essential) ; 구성 요소로서의 : A compressor is an ~ part of an air conditioner. 압축기는 냉방기에서 없어서는 안될 부품이다. ③ 〖數〗 정수(整數)의, 적분(積分)의. [cf] differential.
— *n.* [C] ① 전체. ② 〖數〗 적분.
[파] **in·te·gral·i·ty** [ìntəgrǽləti] *n.* 완전, 불가결성, 절대 필요성. **~·ly** *ad.*

íntegral cálculus 〖數〗 적분학.

in·te·grate [íntəgrèit] *vt.* ① (각 부분을 전체)에 통합하다(unify)《*into* ; *with*》; 융합하다 ; 조화시키다 ; 완전하게 하다 : The theory ~*s* his research findings. 그 이론은 그의 연구 결과를 집대성한 것이다 / ~ blacks *with* whites 흑인을 백인과 융합시키다. ② (면적·온도 등)의 합계〔평균치〕를 나타내다 ; 〖數〗 적분하다. ③ (학교·공공 시설 등)에서의 인종〔종교〕적 차별을 폐지하다. [cf] segregate. — *vi.* 인종〔종교〕적 차별이 없어지다 ; 융합하다. — [-grit] *a.* 각 부분이 다 갖추어진, 완전한.

in·te·grat·ed [íntəgrèitid] *a.* ① 통합된 ; 완전한 : an ~ approach to pollution control 공해 통제를 위한 종합적 접근. ② 〖心〗 (인격이) 통합〔융화〕된 : an ~ personality (육체·정신·정서가 고루 균형잡힌) 통합〔융합〕된 인격. ③ 인종적〔종교적〕 차별이 없는.

íntegrated applicátions pàckage 〖컴〗 통합 응용 패키지.

íntegrated círcuit 〖電子〗 집적 회로(集積回路)《略 : IC》.

íntegrated dáta pròcessing 〖컴〗 통합 자료 처리《略 : IDP》.

íntegrated sóftware 〖컴〗 복수의 응용 프로그램 사이의 데이터 교환을 할 수 있고 동시에 각 일을 병행해 실행할 수 있는 소프트웨어.

***in·te·gra·tion** [ìntəgréiʃən] *n.* [U] ① 통합 ; 완성, 집성 : racial ~ 인종 통합. ② 〖數〗 적분법. [cf] differentiation. ③ (학교 등에서의) 인종〔종교〕 차별 폐지. [cf] segregation. [파] **~·al** *a.*

in·te·gra·tion·ist [ìntəgréiʃənist] *n.* [C] 인종〔종교〕 차별 폐지론자.

***in·teg·ri·ty** [intégrəti] *n.* [U] ① 성실, 정직 (honesty), 고결(uprightness), 청렴 : a man of ~ 성실한 사람. ② 완전, 무결(의 상태) : relics in their ~ 완전한 상태의 유물. ③ 〖컴〗 보전.

in·teg·u·ment [intégjəmənt] *n.* [C] ① 〖生〗 외피(外皮), 포피(包皮). ② 껍데기.

in·teg·u·men·ta·ry [intègjəméntəri] *a.* 외피〔포피〕의, 《특히》 피부의.

‡in·tel·lect [íntəlèkt] *n.* ① [U] 지력(知力), 지성, 이지, 지능 : a combination of ~ and feeling 지성과 감정의 결합. ② [C] (the ~(s)) 〔單數形으로는 集合的〕 식자(識者), 지식인, 인텔리 : *the* ~(*s*) of the age 당대의 지식인들 / *the* whole ~(*s*) of the country 전국의 지식 계급〔지식층〕.
◇ intellectual *a.* ***a person of*** ~ 지성있는 사람.

‡in·tel·lec·tu·al [ìntəléktʃuəl] (***more*** ~ ; ***most*** ~) *a.* ① 지적인, 지력의 : the ~ faculties 〔powers〕 지적 능력. ② 지능적인, 지능〔지력〕을 요하는, 두뇌를 쓰는 : ~ occupations 지능을 요하는 일 / lead an ~ life 지적 생활을 보내다. ③ 지력이 뛰어난, 이지적인 : an ~ person 이지적인 사람 / the ~ class 지식 계급 / ~ culture 지육(知育). ◇ intellect *n.*
— *n.* [C] 지식인, 인텔리 ; (the ~s) 지식 계급.
[파] **~·ly** *ad.*

in·tel·lec·tu·al·i·ty [ìntəlèktʃuǽləti] *n.* [U] 지성, 지능, 지력, 총명.

in·tel·lec·tu·al·ize [ìntəléktʃuəlàiz] *vt.* …을 지적으로 하다 ; 지성적으로 처리〔분석〕하다 : tendency to ~ the problems 문제들을 지성적으로 처리하려는 경향. — *vi.* 지적으로 되다 ; 지적으로 생각하다, 말하다.

intelléctual próperty 지적 재산 ; 지적 재산권(=**intelléctual próperty rìght**).

in·tel·li·gence** [intéləd3əns] *n.* [U] ① 지성, 이지 ; 이해력, 사고력, 지능 ; 지혜, 총명 : human ~ 인지(人知) / have the ~ to do 머리를 써서 …하다 / He had the ~ to put the fire out with a fire extinguisher. 그는 머리를 잘 굴려서 소화기로 불을 껐다 / a man of much 〔ordinary〕 ~ 뛰어난〔보통의〕 지능을 가진 사람. ② 정보, 보도, (특히 군사에 관한 기밀적인) 첩보 ; 첩보 기관, (비밀) 정보부 : an ~ agent 정보원, 간첩 / He is in 〔works for〕 ~. 그는 첩보 기관에 있다〔근무한다〕. ★ information 은 정보의 제공으로 인한 service 의 뜻이 강하고, intelligence 는 반드시 남에게 전하지 않아도 좋음. ③ (종종 I-) 지성적 존재, 영혼 ; 천사. ***the Supreme Intelligence 신(神).

intélligence bùreau 〔**depàrtment**〕 (특히 군의) 정보부, 정보국.

intélligence quòtient 〖心〗 지능 지수《略 : IQ, I.Q.》.

intélligence tèst 〖心〗 지능 검사.

:in·tel·li·gent [intéləd3ənt] (*more ~; most ~*) *a.* ① 지적인, 지성을 갖춘, 지능이 있는 : Is there ~ life on other planets? 다른 행성에도 지능이 있는 생물이 있습니까. ② 이해력이 뛰어난, 영리한 : an ~ child 영리한 아이 / Be a bit more ~! 좀더 머리를 써라. ③ 〖컴〗 정보 처리 기능이 있는, 집중컴퓨터로 관리되는 : an ~ building 인텔리전트 빌딩. ㊎ ***~·ly** *ad.*

intélligent compúter 인공 지능 컴퓨터.

intélligent prínter 〖컴〗 지능 프린터.

intélligent róbot 지능 로봇.

in·tel·li·gent·sia, -zia [intèləd3éntsiə, -gén-] *n.* Ⓤ 《Russ.》 (보통 the ~) 〔集合的〕 지식 계급, 인텔리겐치아; 정신〔두뇌〕 노동자.

intélligent términal 〖컴〗 지능 단말기《데이터의 입출력 외에 편집·연산·제어 등의 처리 능력을 어느 정도 가지고 있는 것》.

in·tel·li·gi·bil·i·ty [intèləd3əbíləti] *n.* Ⓤ 알기 쉬움, 명료함; 가해성(可解性).

***in·tel·li·gi·ble** [intéləd3əbəl] *a.* 이해할 수 있는, 알기 쉬운, 명료한. cf. sensible. ¶ an ~ explanation 알기 쉬운 설명 / The book is ~ to anyone. 그 책은 누구라도 다 이해할 수 있다. ㊎ **-bly** *ad.* 알기 쉽게, 명료하게 : I was not able to answer the question *intelligibly*. 나는 (상대가) 알기 쉽게 질문에 답할 수가 없었다. **~·ness** *n.*

In·tel·post [íntelpòust] *n.* Ⓒ 《英》 인텔포스트 《(1) Intelsat 을 통한 국제 전자 우편. (2) 영국 국내 전자 우편》.

***In·tel·sat** [íntelsæ̀t] *n.* 인텔샛, 국제 상업 통신 위성 기구; Ⓒ 인텔샛의 통신 위성. [◂*Interna*tional *Tel*ecommunications *Sat*ellite Consortium]

in·tem·per·ance [intémpərəns] *n.* Ⓤ ① 무절제, 방종; 과도(excess). ② 폭주(暴酒), 폭음.

in·tem·per·ate [intémpərit] *a.* ① 무절제한, 과도한. ② 폭음 폭식의; 《특히》 술에 빠지는 : ~ habits 과음하는 버릇. ㊎ **~·ly** *ad.*

:in·tend [inténd] *vt.* ① 《+*-ing* / +*to* do / +*that* 절 / +목+*to* do》 …할 작정이다, …하려고 생각하다 : I ~ *to* go there. =I ~ go*ing* there. 거기에 갈 작정이다 / I had ~*ed to* become a lawyer. 나는 변호사가 되려고 생각하였다 / We ~ *that* the work shall be finished immediately. 우리들은 그 일을 곧 끝낼 작정이다 / I ~ my daughter *to* take over the business. 딸이 이 사업을 물려 받도록 할 작정이다.

> 参考 의도한 것이 실현되지 않았을 때를 표현할 경우에는 intend 를 과거완료형으로 하든가, 아니면 완료의 부정사를 쓴다 : I had ~*ed to* take 〔=I ~*ed to* have taken〕 these books back to the library. 이 책들을 도서관에 돌려 줄 생각이었다(그런데 실제로는 돌려주지 않았다).

② 《~+목 / +*to* do》 의도하다, 기도하다, 고의로 하다 : He ~*ed* (you) no harm. 악의는 없었다. ③ 《+목+전+명 / +목+*to be* 보 / +목+*as* 보》 (어떤 목적)에 쓰려고 하다, 예정하다, …으로 만들려고 하다 : This gift is ~*ed for* you. 너에게 줄 선물이다 / The building was ~*ed to be* a library. 그 건물은 도서관으로 쓸 예정이었다 / This is not ~*ed as* a joke. 이건 농담이 아니야. ④ 《~+목 / +목+전+명》 …의 뜻으로 말하다, 의미하다(mean), (…을 목표로) (말)하다《*for*》; 〖法〗 해석하다 : What do you ~ *by* these words? 무슨 뜻으로 그렇게 말하는가 / His remark was ~*ed for* me 〔*for* a joke〕. 그의 말은 나를 빗대어 〔농담으로〕 한 것이었다. ◇ intention, intent *n.*

in·tend·ant [inténdənt] *n.* Ⓒ 감독관, 관리자.

***in·tend·ed** [inténdid] *a.* ① 기도〔의도〕된, 고의의; 예정된, 소기의 : the ~ purpose 소기의 목적. ② 《口》 약혼한, 약혼자의 : my ~ wife 곧 내 아내가 될 사람. ── *n.* (one's ~) 《口》 약혼자. ㊎ **~·ly** *ad.* **~·ness** *n.*

:in·tense [inténs] (*-tens·er; -tens·est*) *a.* ① (빛·온도 따위가) 격렬한, 심한, 맹렬한 : an ~ light 강렬한 빛 / ~ cold 〔heat〕 혹한〔혹서〕 / ~ pain 격통. ② 격정적인, 열정적인; 강렬한, 극단적인 : ~ love〔hatred〕 열애〔증오〕. ③ 일사 불란한, 온 신경을 집중한, 열심인, 열띤 : an ~ face 진지한 얼굴 / He is ~ *in* everything he does. 그는 그가 하는 모든 일에 열심이다. ◇ intensity, intension *n.* ㊎ ***~·ly** *ad.* **~·ness** *n.*

in·ten·si·fi·ca·tion [intènsəfikéiʃən] *n.* Ⓤ 격화; 강화.

in·ten·si·fi·er [inténsəfàiər] *n.* Ⓒ ① 격렬하게 〔세게〕 하는 것, 증강〔증배(增倍)〕 장치. ② 〖文法〗 강의어.

***in·ten·si·fy** [inténsəfài] *vt.* …을 격렬〔강렬〕하게 하다; …의 도를 더하다, 증강〔증배〕하다 : ~ one's efforts 더 한층 노력하다. ── *vi.* 강렬〔격렬〕하게 되다.

in·ten·sion [inténʃən] *n.* Ⓤ ① 세기, 강도; 강화, 증강. ② (마음의) 긴장, (정신의) 집중, 결의의 단단함. ③ 〖論〗 내포(內包). opp. *extension*. ㊎ **~·al** *a.* 내포〔내재〕적인. **~·al·ly** *ad.*

:in·ten·si·ty [inténsəti] *n.* Ⓤ ① 강렬, 격렬 : 열렬 : work with greater ~ 보다 더 열심히 일하다 / I was surprised by the ~ of his anxiety. 그가 너무나 걱정하고 있어서 놀랐다. ② 〖物〗 세기; 농도 : the degree of ~ 세기의 정도 / ~ of illumination 조명도. ◇ intense *a.*

***in·ten·sive** [inténsiv] *a.* ① 강한, 격렬한; 집중적인, 철저한. opp. *extensive*. ¶ ~ reading 정독 / an ~ investigation 철저한 조사. ② 〔명사 다음에 하이픈을 붙이고 複合語를 만들어〕 …집중적인 : calorie-~ 칼로리 집중적인 / labor-~ 노동집약적인. ③ 〖文法〗 강의(強意)의. ④ 〖論〗 내포적인. ⑤ 〖經·農〗 집약적인 : ~ agriculture 집약 농업.

── *n.* Ⓒ 〖文法〗 강의어《예컨대, very, awfully 따위》. ㊎ **~·ly** *ad.* **~·ness** *n.*

inténsive cáre 〖醫〗 (중증(重症) 환자에 대한) 집중 치료.

:in·tent [intént] *n.* Ⓤ 〔보통 관사 없이〕 의향, 목적, 의지, 의도, 기도, 계획 : I had no ~ *to* deceive you. 당신을 속일 생각은 없었다. ***to*** 〔***for***〕 ***all ~s and purposes*** 어느 점으로 보나, 사실상. ***with good*** 〔***evil, malicious***〕 ~ 선의〔악의〕로써.

── (*more ~; most ~*) *a.* ① (시선·주의 따위가) 집중된 : an ~ look 진지한 시선. ② 〔敍述的〕 전념하고 있는, (…에) 여념이 없는, 열중해 있는 《*on*》; 열망하고 있는 : He was too ~ *on* his video game to notice anything else. 그는 비디오 게임에 너무 열중해서 다른 일은 알아차리지 못했다. ③ 열심인 : an ~ person 열성가. ◇ intend *v.* ㊎ ***~·ly** *ad.* 열심히, 일사 불란하게, 오로지.

:in·ten·tion [inténʃən] *n.* ① Ⓤ 의향, 의지, 목적; 의도《*of*》 : He returned with the ~ *of* spending Christmas with his family. 그는 크리스마스를 가족과 함께 지낼 의향으로 돌아왔다. ② Ⓒ 의도하는 것, 목적 : His ~ was to depart a week earlier. 그의 생각은 한 주일 더 빨리 출발하려는 것이었다. ③ (*pl.*) 《口》 결혼할 뜻 : He has honorable ~*s.* 그는 정식으로 결혼할 생각을 가지고 있다. ***by*** ~ 고의로. ***have no*** ~ ***of*** do*ing* …하려고 하는 의지가 없다. ***without*** ~ 무심히.

*__in·ten·tion·al__ [inténʃənəl] *a.* 계획적인, 고의의. cf. accidental. ¶ an ~ insult 의도적인 모욕. ㊕ *~·**ly** *ad.* 계획적으로, 고의로.

in·ten·tioned [inténʃənd] *a.* 〔종종 複合語를 만들어〕 …할 작정인 : well-~ lie 호의적인 거짓말.

in·ter [intə́:r] (*-rr-*) *vt.* (시체)를 매장하다, 묻다 (bury).

inter- *pref.* '간(間), 중(中), 상호'의 뜻 : *inter*lay ; *inter*act.

in·ter·act [ìntərǽkt] *vi.* …와 상호 작용하다, 서로 영향을 주다《*with*》: Children learn by ~*ing* (*with* one another). 어린이는 서로 영향을 주면서 배운다.

in·ter·ac·tion [ìntərǽkʃən] *n.* U.C ① 상호 작용〔영향〕, 교호(交互) 작용《*between* ; *with*》. ②〖컴〗 대화. ㊕ ~·**al** *a.*

in·ter·ac·tive [ìntərǽktiv] *a.* ① 상호 작용하는, 서로 영향을 미치는. ②〖컴〗 대화식의. ㊕ ~·**ly** *ad.*

interáctive vídeo 쌍방향 TV〔비디오〕.

in·ter alia [ìntər-éiliə] 《L.》 그 중에서도, 특히.

in·ter·breed [ìntərbrí:d] *vt.* (동식물)을 이종 교배(異種交配)시키다. ── *vi.* 잡종을 만들다 ; 잡종 번식을 하다 : Ducks don't normally ~ (with each other) in the wild. 오리들은 야생(상태)에서는 보통은 잡종번식을 하지 않는다.

in·ter·ca·lary [intə́:rkəlèri, ìntərkǽləri] *a.* ① 윤일〔윤달, 윤년〕의 : an ~ day 윤일《2월 29일》/ an ~ year 윤년. ② 사이에 삽입한〔된〕.

in·ter·ca·late [intə́:rkəlèit] *vt.* ① (윤일·윤달)을 역(曆)에 넣다. ② 사이에 넣다, 삽입하다 (insert).

in·ter·cede [ìntərsí:d] *vi.* 《+전+명》 중재하다, 조정하다《*with*》: ~ *with* the teaches *for* 〔*on behalf of*〕 John 존을 위해 선생님께 좋게 말해 주다.

in·ter·cel·lu·lar [ìntərséljələr] *a.* 세포 사이의〔에 있는〕. ㊕ ~·**ly** *ad.*

*__in·ter·cept__ [ìntərsépt] *vt.* ① …을 도중에서 빼앗다〔붙잡다〕, 가로채다 : ~ a confidential letter 밀서를 중도에서 가로채다. ② (빛·물 따위)를 가로막다 ; 차단〔저지〕하다 : In the jungle, the dense foliage ~*s* light from above. 밀림에서는, 밀집한 잎이 위로부터의 빛을 가린다. ③ (통신)을 엿듣다. ④〖競〗 인터셉트하다 : ~ an pass (상대의) 패스를 인터셉트하다. ⑤〖軍〗 (적기·미사일)을 요격하다 : missiles that ~ missiles 미사일 요격용 미사일. ── [⌐-⌐] *n.* C ① 차단, 방해 (interception). ②〖競〗 인터셉트.

in·ter·cep·tion [ìntərsépʃən] *n.* U.C ① 도중에서 빼앗음〔붙잡음〕; 가로챔. ② 차단 ; 방해. ③〖軍〗 요격, 저지. ④〖通信〗 방수(傍受). ⑤〖競〗 인터셉션.

in·ter·cep·tive [ìntərséptiv] *a.* 가로막는, 방해하는.

in·ter·cep·tor, -cept·er [ìntərséptər] *n.* C ① 가로채는〔저지하는, 가로막는〕 사람〔것〕. ②〖軍〗 요격기.

in·ter·ces·sion [ìntərséʃən] *n.* U.C ① 중재, 조정, 알선《*with* ; *in*》: make an ~ *to* A *for* B, B를 위해 A에게 잘 말해 주다. ② (남을 위한) 기원. ◇ intercede *v.*

in·ter·ces·sor [ìntərsésər, ⌐-⌐] *n.* C 중재자, 조정자, 알선자. ㊕ **in·ter·ces·so·ry** [-sésəri] *a.* 중재〔조정〕의 : *intercessory* prayer 〖宗〗 중재의 기도.

*__in·ter·change__ [ìntərtʃéindʒ] *vt.* 《~+목 / +목+전+명》 ① …을 서로 교환하다, 주고받다 : ~ opinions freely 의견을 서로 자유로이 교환하다. ② …을 교체〔대체〕시키다《*with*》; 번갈아 일어나게 하다 : You can ~ these two parts and the machine still works. 이 두 부품을 서로 교체해도 기계는 작동한다. ── *vi.* ① 교체하다. ② 번갈아 일어나다. ── [⌐-⌐ / ⌐-⌐] *n.* ① U.C 상호 교환, 주고받기 ; 교체. ② C (고속도로의) 입체 교차(交叉)(점), 인터체인지.

in·ter·change·a·bil·i·ty [ìntərtʃèindʒəbíləti] *n.* U 교환〔교체〕 가능성, 호환성.

in·ter·change·a·ble [ìntərtʃéindʒəbəl] *a.* 교환할 수 있는, 바꿀 수 있는 ; 교체할 수 있는 ; 호환성이 있는 : These lenses are ~ *with* one another. 이들 렌즈는 서로 교환해 쓸 수 있다. ㊕ **-bly** *ad.* ~·**ness** *n.*

in·ter·city [ìntərsíti] *a.* 〔限定的〕 (교통 등이) 도시 사이의〔를 연결하는〕: ~ traffic 도시간 교통.

in·ter·col·le·gi·ate [ìntərkəlí:dʒiit] *a.* 대학간의, 대학 연합〔대항〕의《★ 중·고교의 경우에는 interscholastic 이라고 말함》: an ~ football game 대학 대항 축구 경기.

in·ter·com [íntərkàm / -kɔ̀m] *n.* 《口》 =INTERCOMMUNICATION SYSTEM.

in·ter·com·mu·ni·cate [ìntərkəmjú:nəkèit] *vi.* ① 서로 왕래〔연락〕하다《*with*》. ② (방 따위가) 서로 통하다《*with*》: The dining room ~*s with* the kitchen. 식당은 부엌과 연결이 되어 있다.

in·ter·com·mu·ni·ca·tion [ìntərkəmjù:nəkéiʃən] *n.* U 상호의 교통, 교제, 상호 연락《*between* ; *with*》; 교통로.

intercommunicátion sỳstem (배·비행기·사무실 따위의) 인터폰, 인터콤(intercom).

in·ter·com·mun·ion [ìntərkəmjú:njən] *n.* U 상호 교제〔연락〕, 친교.

in·ter·con·nect [ìntərkənékt] *vt., vi.* 서로 연락〔연결〕시키다〔하다〕; (여러 대의 전화를) 한 선에 연결하다.

in·ter·con·ti·nen·tal [ìntərkàntənéntl / -kɔ̀n-] *a.* 대륙간의, 대륙을 잇는 : an ~ flight 대륙간 비행 / an ~ ballistic missile 대륙간 탄도탄《略 : ICBM, I.C.B.M.》.

in·ter·cos·tal [ìntərkástl / -kɔ́s-] *a.* 〖解〗 늑간(肋間)의 : ~ neuralgia 늑간 신경통. ㊕ ~·**ly** *ad.*

‡**in·ter·course** [íntərkɔ̀:rs] *n.* U ① 교제, 교섭, 왕래 : social ~ 사교 / friendly ~ 친교 / commercial ~ 통상(관계) / diplomatic ~ 외교. ② (신과 사람과의) 영적 교통. ③ 성교(sexual ~), 육체 관계. ***have*** 〔***hold***〕 ~ ***with*** …와 교제하다 《★ 오늘날은 흔히 '성교(性交)'를 암시하므로 사용에 주의》.

in·ter·cul·tur·al [ìntərkʌ́ltʃərəl] *a.* 이종(異種) 문화간의 : ~ communication 이종 문화간의 커뮤니케이션. ㊕ ~·**ly** *ad.*

in·ter·de·nom·i·na·tion·al [ìntərdinàmənéiʃənəl / -nɔ̀m-] *a.* 각 종파간의.

in·ter·de·part·men·tal [ìntərdipà:rtméntl] *a.* 각 부처간의 ; (특히 교육 기관의) 각 과〔학부〕 사이의 : ~ rivalry 부처간 대항 의식.

in·ter·de·pend [ìntərdipénd] *vi.* 상호 의존하다.

in·ter·de·pend·ence, -en·cy [ìntərdipéndəns], [-si] *n.* U 상호 의존(성)《*of* ; *between*》: *interdependence between* different countries 국가간의 상호 의존.

in·ter·de·pend·ent [ìntərdipéndənt] *a.* 서로 의존하는, 서로 돕는. ㊕ ~·**ly** *ad.*

in·ter·dict [ìntərdíkt] *vt.* ① 《~+목 / +목+전+명》 …을 금지하다, 막다, 제지하다. cf. forbid. ¶ ~ trade *with* belligerents 교전국과의

통상을 금하다. ② (폭격·포격 따위로 적의 보급·통신 시설 등)을 차단하다 ; (적의 진격)을 제지하다. —[⌐-⌐] *n.* Ⓒ ① 금지, 금령(禁令), 금제. ②〖가톨릭〗 성무(聖務) 정지.

in·ter·dic·tion [ìntərdíkʃən] *n.* Ⓤ,Ⓒ 금지, 금제(禁制).

in·ter·dis·ci·pli·nary [ìntərdísəplənèri] *a.* 둘(이상)의 학문 분야에 걸치는, 이분야(異分野) 제휴의 : an ~ conference 협동연구 회의.

†in·ter·est [íntərist] *n.* ① Ⓤ,Ⓒ 관심, 흥미, 감흥, 홍취《*in*》: take a fresh ~ *in* life 인생에 새로운 흥취를 느끼다 / He has little ~ *in* politics. 그는 정치에 거의 흥미를 느끼지 않는다. ② Ⓒ 관심사, 흥미의 대상, 취미 : He is a businessman with no outside ~*s*. 그는 일 이외에는 아무 취미도 없는 사업가이다. ③ Ⓤ 흥미를 돋우는 힘, 재미, 홍취(興趣)《*to*》: places of ~ 명소(名所) / It's of no ~ *to* me. 그것은 내게 아무런 흥미도 없다 / Football doesn't hold much ~ *for* her. 축구는 그녀에게 별로 재미가 없다. ④ Ⓤ 중요성, 중대함《*to*》: It is a matter of no little ~ (*to* us). 그것은 (우리에게) 중대한 일이다. ⑤ (종종 *pl.*) 이익 ; 이해 관계 ; 사리(私利) : It is (*in* 〔*to*〕) your ~ to go. 가는 것이 너에게 이익이 된다 / public ~*s* 공익. ⑥ Ⓤ 권리, 소유권 ; 주(株) : I have an ~ *in* the business. 그 사업에 관계〔출자〕하고 있다. ⑦ Ⓒ 〔集合的〕 …사업 관계자, …파, …측 ; 실업계〔재계〕의 실력자 그룹, 대기업 : the shipping ~ 해운업 / the banking ~ 은행업자 / the conservative ~ 보수파 / the landed ~ 지주측 / the business ~*s* 대사업가들. ⑧ Ⓤ 이자, 이율 ; 《比》 덤, 나머지 : at 5 % ~, 5 푼 이자로 / annual〔daily〕 ~ 연리〔일변(日邊)〕 / simple 〔compound〕 ~ 단리〔복리〕 / at high〔low〕 ~ 고리〔저리〕로. ***buy an ~ in*** …의 주를 사다, …의 주주가 되다. ***declare an*** 〔one'***s***〕 ~ (바람직스럽지 않은, 특히 금전적인) 일에의 관여를 자인하다. ***in the*** ~(***s***) ***of*** …을 위하여 : *In the ~s of* safety, smoking is forbidden. 안전을 위해 흡연을 금함. ***know*** one'***s own*** ~ 사리(私利)에 이악하다〔빈틈이 없다〕. ***look after*** one'***s own*** ~***s*** 자기의 이익을 도모하다. ***with*** ~ (1) 흥미를 가지고. (2) 이자를 붙여서 : return a blow *with* ~ 덤을 붙여서 되때리다.

—[íntərèst] *vt.* ①《~+목 / +목+전+명》…에 흥미를 일으키게〔갖게〕 하다, …의 관심을 끌다 : The story did not ~ me. 그 이야기는 재미있다고 생각지 않았다 / ~ boys *in* science 소년들에게 과학에 대한 흥미를 갖게 하다 / This is the book which first ~*ed* me in English literature. 이것이 내게 처음으로 영문학에 관심을 갖게 해준 책이다. ②《+목+전+명》…을 관계시키다, 관여시키다 ; 끌어넣다, 말려들게 하다《사건·사업 따위에》: The agent tried to ~ him *in* (buying) the house. 중개인은 그에게 그 집을 사게 하려고 애썼다 / Can I ~ you *in* a chess? 장기 한판 어떻습니까. ~ one***self in*** (1) …에 관계하다, 진력하다. (2) …에 흥미를〔관심을〕 갖다 : I began to ~ *myself in* politics. 정치에 관심을 갖기 시작했다.

‡in·ter·est·ed [íntəristid, -trəst-, -tərèst-] (***more ~ ; most*** ~) *a.* ① 흥미를 가지고 있는, 흥겨워하는, 호기심이 생기게 된 : ~ spectators 매우 흥겨워하는 구경꾼 / I'm very (much) ~ *in* music. 나는 음악에 매우 흥미가 있다 / I'm ~ *in* studying Chinese history. 나는 중국사를 공부하고 싶다 / I'm ~ *to* know why he left the job so suddenly. 그가 왜 그렇게 갑자기 그 직장을 떠났는지 퍽 알고 싶다 / I was ~ *that* they didn't get on together. 나는 그들이 원만히 함께 지내지 못하고 있는 일에 관심이 있었다. ② (이해) 관계가 있는, 관여하고 있는 : ~ parties 이해 관계자, 당사자들 / the person〔people〕 ~ 관계자 / My father was once ~ *in* shipping. 아버지는 한때 해운업에 관여했었다. ③ 사심(私心)에 쏠린, 불순한, 편견이 있는 ; 타산적인 : ~ marriage 정략 결혼 / ~ motives 불순한 동기. ㊞ ~**·ly** *ad.* 흥미를 갖고 ; 사정(私情)에 얽혀.

ínterest gròup 이익 공동체〔집단, 단체〕.

†in·ter·est·ing [íntəristiŋ, -trəst-, -tərèst-] (***more ~ ; most*** ~) *a.* 흥미있는, 재미있는, (아무에게) 흥미를 일으키게 하는 : an ~ book 재미있는 책 / I found the study ~. 그 연구는〔논문은〕 재미있었다 / It is ~ to study people's expressions. 사람의 표정을 유심히 보는 것은 흥미있는 일이다.
㊞ ~**·ly** *ad.*

ínterest ràte 금리, 이율(利率).

in·ter·face [íntərfèis] *n.* Ⓒ ① (양자 간의) 경계면, 접점 : The issue of organ transplants is at the ~ of medicine, law and ethics. 장기이식 문제는 의학, 법률, 윤리라는 세 접점에 있다. ② 공통 문제〔사항〕. ③〖컴〗 인터페이스, 사이틀. — *vt., vi.* …을 (…에) 잇다 ; (순조롭게) 조화〔협력〕시키다 ;〖컴〗 (…와) 사이틀〔인터페이스〕로 접속하다《*with ; to*》.

in·ter·fac·ing [íntərfèisiŋ] *n.* Ⓤ (옷감 등의) 심지.

in·ter·faith [ìntərféiθ] *a.* 〔限定的〕 이교파〔교도〕간의.

‡in·ter·fere [ìntərfíər] *vi.* ①《~ / +전+명》 간섭하다, 말참견하다《*in*》: You should not ~ *in* their private affairs. 그들의 사삿일에 참견해서는 안된다 / ~ *between* husband and wife 부부 문제에 참견하다. ②《~ / +전+명》 훼방놓다, 방해하다 ; 저촉하다 ; 해(害)치다《*with*》: You may go if nothing ~*s*. 지장 없으면 가도 좋다 / The bad weather ~*d with* our plans. 나쁜 날씨가 우리 계획에 지장을 초래했다. ③ (남의 물건을) 마음대로 만지작거리다《*with*》: Who's been *interfering with* the clock? 누가 시계에 손을 대었느냐. ④《~ / +전+명》 중재〔조정〕하다 : He can't ~ *in* our labor strife. 그는 우리의 노동 쟁의를 조정할 수 없다. ⑤〖球技〗 (불법으로) 방해하다. ◇ interference *n.* ㊞ **-fer·er** *n.*

***in·ter·fer·ence** [ìntərfíərəns] *n.* Ⓤ ① 간섭 ; 참견 ; 방해, 훼방 : ~ *in* internal affairs 내정 간섭 / He hates ~ *with* his work. 그는 자기 일에 참견하는 것을 싫어한다. ②〖物〗 (광파·음파·전파 따위의) 간섭, 상쇄. ③〖無電〗 혼신. ④〖球技〗 방해.

in·ter·fe·ron [ìntərfíərən] *n.* Ⓤ,Ⓒ〖生化〗 인터페론《바이러스 증식 억제 물질》.

in·ter·fuse [ìntərfjúːz] *vt.* …을 혼입〔침투〕시키다 ; 배어들게 하다. — *vi.* 혼합하다 ; 침투하다. ㊞ **-fú·sion** [-ʒən] *n.* Ⓤ 혼입 ; 혼합 ; 침투.

in·ter·gla·cial [ìntərgléiʃəl] *a.*〖地質〗 (두) 빙하시대 중간의, 간빙기의.

in·ter·gov·ern·men·tal [ìntərgʌ̀vərnméntl] *a.* 정부간의 : an ~ agreement 정부간 협정.

***in·ter·im** [íntərim] *a.* 〔限定的〕 중간의 ; 임시의, 가(假), 잠정의 : an ~ report〔dividend〕 중간 보고〔배당〕 / an ~ certificate 가(假)증서 / an ~ government 임시 정부〔내각〕 / an ~ policy 잠정적인 정책.
— *n.* (the ~) 중간 시기, 한동안, 잠시. ***in the*** ~ 당분간, 그 동안.

‡in·te·ri·or [intíəriər] (**more** ~; **most** ~) a. 〔限定的〕 ① 안의, 안쪽의, 내부의, 속의. opp. *exterior*. ¶ the ~ parts of a house 집의 내부. ② 오지(奧地)의, 내륙의, 해안〔국경(國境)〕에서 먼. ③ 내국의, 국내의. opp. *foreign*. ④ 내적인, 정신적인; 내밀한, 비밀의; 개인적인: one's ~ life 내면〔숨겨진, 드러나지 않은〕 생활. — *n.* ① (the ~) 안쪽, 내부. ② (the ~) 오지, 내륙. ③ (the ~) 내정, 내무. ④ Ⓒ 옥내, 실내; 〖美術〗 실내도〔사진〕; 실내 장면〔세트〕. ⑤ (the ~) 내심, 본성. ***the Department*** 〔***Secretary***〕 ***of the Interior*** 《美》 내무부〔장관〕(《英》 Home Office 〔Secretary〕). ㊕ **~·ly** *ad.*

intérior decorátion 〔**desígn**〕 실내장식.

intérior mónologue 〖文〗 내적 독백('의식의 흐름'의 수법에 씀).

in·te·ri·or-sprung [intíəriərsprʌ̀ŋ] a. 《英》 = INNERSPRING: an ~ mattress 스프링이 든 매트리스.

interj. interjection.

in·ter·ject [ìntərdʒékt] *vt., vi.* (말 따위를) 불쑥 한마디 하다, 던지다, 사이에 끼우다.

***in·ter·jec·tion** [ìntərdʒékʃən] *n.* ① U.C 불쑥 외침, 또 그 외치는 소리; 감탄. ② Ⓒ 〖文法〗 간투사, 감탄사(ah!, Heavens!, Wonderful! 따위).

in·ter·jec·tion·al [ìntərdʒékʃənəl] a. 간투사〔감탄사〕의. ㊕ **~·ly** [-əli] *ad.*

in·ter·jec·to·ry [ìntərdʒéktəri] a. 감탄사적인; 갑자기 삽입한.

in·ter·lace [ìntərléis] *vt.* 《~+목/+목+전+명》 …을 섞어 짜다, 짜맞추다; 얽다: ~ one's fingers 깍지 끼다.
— *vi.* 섞어 짜다, 섞이다, 얽히다.

in·ter·lard [ìntərlá:rd] *vt.* 《+목+전+명》《戱》 (이야기·문장 등에) …을 섞다(*with*).

in·ter·leaf [íntərlì:f] (*pl.* **-leaves**) *n.* Ⓒ (책 따위의) 삽입(백)지, 간지(間紙), 속장.

in·ter·leave [ìntərlí:v] *vt.* 《~+목/+목+전+명》 (책 따위의) 사이에 (흰) 종이를 끼우다; 삽입하다(*with*): She ~*d* the weeks of hard work *with* short vacations. 그녀는 수주간의 힘든 일 사이사이에 짧은 휴가를 삽입하였다.

in·ter·line[1] [ìntərláin] *vt.* 《~+목/+목+전+명》 (글자 따위)를 행간에 써 넣다〔인쇄하다〕, 적어 넣다: The teacher ~*d* corrections *on* the pupils' compositions. 선생님은 학생들의 작문 행간에 교정을 보아 써넣었다.

in·ter·line[2] *vt.* 심(心)을 넣다(옷의 거죽과 안 사이에): ~ a coat 코트에 심을 넣다.

in·ter·lin·e·ar [ìntərlíniər] a. 행간의; 행간에 쓴〔인쇄한〕: an ~ gloss 행간 주석

in·ter·link [ìntərlíŋk] *vt.* …을 이어붙이다, 연결하다.

in·ter·lock [ìntərlák/-lɔ́k] *vi.* 맞물리다, 연결하다. — *vt.* …을 맞물리게 하다, 연결하다. ***an ~ing signal*** 〖鐵〗 연동 신호(기), 연쇄 신호.
— [´-`] *n.* ① Ⓤ 연결, 연동. ② Ⓒ 연동 장치.

in·ter·lo·cu·tion [ìntərləkjú:ʃən] *n.* U.C 대화, 회담, 문답(dialogue).

in·ter·loc·u·tor [ìntərlákjətər/-lɔ́k-] (*fem.* **-tress** [-tris], **-trice** [-tris], **-trix** [-triks]) *n.* Ⓒ 대화〔대담〕자, 회담자.

in·ter·loc·u·to·ry [ìntərlákjətɔ̀:ri/-lɔ́kjətəri] a. 대화(체)의, 문답체의.

in·ter·lope [ìntərlóup] *vi.* ① 남의 일에 간섭하다, 중뿔나게 나서다. ② 남의 인권을 침해하다; 침입하다. ㊕ **ín·ter·lòp·er** *n.*

***in·ter·lude** [íntərlù:d] *n.* Ⓒ ① 동안, 중간참; (두 사건) 중간에 생긴 일. ② 막간의 주악, 간주곡. ③ 막간, 쉬는 참(interval); 막간 희극〔촌극〕.

in·ter·mar·riage [ìntərmǽridʒ] *n.* Ⓤ ① 다른 종족·계급·종교인 사이의 결혼(특히 백인과 흑인, 기독교인과 비기독교인 사이의): ~ between black and white 흑인과 백인간의 결혼. ② 근친〔혈족〕 결혼.

in·ter·mar·ry [ìntərmǽri] *vi.* ① (이종족·이교도 사이에) 결혼하다(*with*). ② 근친 결혼하다.

in·ter·med·dle [ìntərmédl] *vi.* 간섭〔참견〕하다, 주제넘게〔중뿔나게〕 나서다(*in*; *with*).

in·ter·me·di·ary [ìntərmí:dièri] a. 중간의; 중개의, 매개의: an ~ agent 중개업자 / an ~ stage 중간 단계. — *n.* Ⓒ 〔一般的〕 중개자, 조정자: act as an ~ 중재자의 역할을 하다.

***in·ter·me·di·ate** [ìntərmí:diit] a. 중간의: an ~ course book 중급용의 책.
— *n.* Ⓒ ① 중간물. ② 《美》 중형차(車).
— [ìntərmí:dièit] *vi.* 사이에 들다(intervene); 중개하다, 조정하다(*between*). ㊕ **~·ly** *ad.*

in·ter·ment [intə́:rmənt] *n.* U.C 매장, 토장(土葬)(burial).

in·ter·mez·zo [ìntərmétsou, -médzou] (*pl.* **~s, -mez·zi** [-tsi:, -dzi:]) *n.* Ⓒ ① (극·가극 따위의) 막간 연예, 막간극. ② 〖樂〗 간주곡.

***in·ter·mi·na·ble** [intə́:rmənəbəl] a. 끝없는; 지루하게 긴(설교 등): an ~ lecture 지루하게 계속되는 강의. ㊕ **-bly** *ad.*

***in·ter·min·gle** [ìntərmíŋgəl] *vi.* 《~/+전+명》 혼합되다(*with*); 섞이다: They soon ~*d with* the crowd. 그들은 이내 군중 속에 섞였다 / Shadow ~*d with* sunlight beneath the leafy tree. 잎이 무성한 나무 아래 그늘이 햇빛에 무르녹았다.
— *vt.* 《~+목/+목+전+명》 …을 혼합하다, 섞다(*with*): ~ A *with* B, A와 B를 섞다.

in·ter·mis·sion** [ìntərmíʃən] *n.* U.C ① 휴지, 중단: work with a short ~ at noon 정오에 잠시 휴식하고 일하다. ② (연극·음악회 따위의) 휴게시간(《英》 interval). ***without ~ 간단없이, 끊임없이.

in·ter·mit [ìntərmít] (**-tt-**) *vi., vt.* 일시 멈추다, 중단〔중절〕되다〔시키다〕(suspend); 〖醫〗 (신열 따위가) 단속하다; (맥박이) 결체(結滯)하다.

in·ter·mit·tence [ìntərmítəns] *n.* Ⓤ 중단; 단속.

in·ter·mit·tent [ìntərmítənt] a. 때때로 중단되는, 간헐적인: an ~ fever 간헐열 / an ~ spring 간헐천(泉). ㊕ **~·ly** *ad.*

in·ter·mix [ìntərmíks] *vt., vi.* 혼합하다, 섞(이)다: smiles ~*ed with* tears 울음 섞인 웃음. ㊕ **~·ture** [-tʃər] *n.* Ⓤ 혼합; Ⓒ 혼합물.

in·tern[1] [intə́:rn] *vt.* (일정 구역내에) …을 억류〔구금〕하다(*in*)(교전국의 포로·선박·국민 등을); (위험 인물 등)을 강제 수용〔격리〕하다: They were ~*ed* for subversive activities. 그들은 파괴활동 때문에 격리 수용되었다. — [´-] *n.* Ⓒ 피억류자(internee).

in·tern[2] [íntə:rn] *n.* Ⓒ ① 《美》 인턴, 수련의(醫)(interne). ② = STUDENT TEACHER. — *vi.* 인턴으로 근무하다.

‡in·ter·nal [intə́:rnl] a. ① 내부의, 안의 (opp. *external*); 〖解〗 체내의: ~ regulations 내부 규율 / ~ troubles 내분 / ~ organs 내장 / ~ bleeding 내출혈. ② 내면적인, 정신적인, 본질적인: ~ evidence 내재적 증거(외물(外物)의 증명을 요하지 않는). ③ 국내의, 내국의: an ~ debt 〔loan〕 내국채(債) / ~ trade 내국 무역 / an ~ flight 국내편.
— *n.* ① Ⓒ (사물의) 본질. ② (*pl.*) 내장, 창자.

㊉ ~·ly *ad.* 내부에, 내면적으로, 국내에서.
in·ter·nal-com·bus·tion [intə́:rnəlkəmbʌ́stʃən] *a.* 〖機〗 내연의 : an ~ engine 내연 기관.
in·ter·nal·ize [intə́:rnəlàiz] *vt.* (사상 따위)를 내면화〔주관화〕하다 ; 《특히》 (타집단의 가치관·사상 따위)를 받아들여 자기의 것으로 하다.
㊉ **in·tèr·nal·i·zá·tion** *n.* 내면화.
intérnal révenue (the ~) 《美》 내국세 수입.
Intérnal Révenue Sèrvice (the ~) 《美》 국세청《略 : IRS》.
intérnal stórage 〖컴〗 내부 기억 장치.
†**in·ter·na·tion·al** [intərnǽʃənəl] (*more* ~ ; *most* ~) *a.* 국제(상)의, 국제적인, 만국의 : an ~ conference 국제 회의 / an ~ exhibition 만국 박람회 / an ~ servant 국제 공무원《유엔 전문 기관 따위의 직원》/ ~ affairs 국제 문제 / ~ balance of payments 국제 수지 / an ~ call 국제 통화〔전화〕/ an ~ official record 〖競〗 공인 세계 기록.
── *n.* Ⓒ ① 국제 경기 출전자 ; 국제 경기. ② (종종 I-) 국제 노동 운동 기관, (I-) 국제 노동자 동맹, 인터내셔널(International Workingmen's Association). ◇ internationalize *v.*
㊉ ~·ly [-əli] *ad.* 국제간에, 국제적으로.
Internátional Áir Trànsport Associàtion (the ~) 국제 항공 운송 협회《略 : IATA》.
Internátional Atómic Énergy Àgency (the ~) 국제 원자력 기구《略 : IAEA》.
Internátional Bánk for Reconstrúction and Devélopment (the ~) 국제 부흥 개발 은행《略 : I.B.R.D. ; 속칭 World Bank》.
Internátional Cívil Aviátion Organizàtion (the ~) (유엔의) 국제 민간 항공 기구 《略 : ICAO》.
Internátional Commíttee of the Réd Cróss (the ~) 적십자(赤十字) 국제 위원회《略 : ICRC》.
internátional cópyright 국제 저작권.
Internátional Cóurt of Jústice (the ~) 국제사법 재판소《略 : ICJ》.
internátional dáte lìne (the~) (국제) 날짜 변경선(date line)《略 : IDL》.
In·ter·na·tio·nale [ìntərnæ̀ʃənǽl, -ná:l] *n.* 《F.》 (the ~) 인터내셔널의 노래《공산주의자·노동자들이 부르는 혁명가》.
Internátional Énergy Àgency (the ~) 국제 에너지 기구《略 : IEA》.
Internátional Geophýsical Yéar (the ~) 국제 지구 관측년《略 : IGY》.
in·ter·na·tion·al·ism [ìntərnǽʃənəlìzəm] *n.* Ⓤ 국제(협조)주의 ; 국제성. ㊉ **-ist** *n.* Ⓒ 국제주의자 ; 국제법 학자.
in·ter·na·tion·al·ize [ìntərnǽʃənəlàiz] *vt.* …을 국제화하다 ; 국제 관리 아래에 두다.
㊉ **ìn·ter·nà·tion·al·i·zá·tion** [-əlizéiʃən] *n.* Ⓤ 국제화 ; 국제 관리 아래에 둠.
Internátional Lábor Organizàtion (the ~) (유엔의) 국제 노동 기구《略 : ILO》.
internátional láw 국제(공)법.
Internátional Mónetary Fùnd (the ~) 국제 통화 기금《略 : IMF》.
Internátional Olýmpic Commìttee (the ~) 국제 올림픽 위원회《略 : IOC》.
Internátional Préss Ìnstitute (the ~) 국제 신문 편집인 협회《略 : I.P.I.》.
Internátional Réd Cróss (the ~) 국제 적십자(사)《略 : IRC》.
internátional relátions 국제 관계 ; 〔單數 취급〕 국제 관계론.
Internátional Stándard Bóok Nùmber 국제 표준 도서 번호《略 : ISBN》.
Internátional Sýstem of Únits 국제 단위계《略 : SI》.
Internátional Telecommunicátions Sátellite Organizàtion (the ~) 국제 전기 통신 위성 기구. cf. intersat.
Internátional Telecommunicátion Ùnion (the ~) 국제 전기 통신 연합《略 : ITU》.
in·terne [íntə:rn] *n.* = INTERN².
in·ter·ne·cine [ìntərní:sin, -sain] *a.* ① 서로 죽이는. ② 다 같이 쓰러지는 ; 피비린내나는.
in·tern·ee [ìntərní:] *n.* Ⓒ 피억류자, 피수용자. cf. intern¹, internment.
In·ter·net [íntərnèt] *n.* 인터넷《전자 우편 서비스를 중심으로 한 국제적 컴퓨터 네트워크》.
in·tern·ist [intə́:rnist, íntə:rn-] *n.* Ⓒ 내과 의사 ; 《美》 일반 개업의(開業醫).
in·tern·ment [intə́:rnmənt] *n.* Ⓤ,Ⓒ 유치, 억류, 수용 ; 억류 기간 : an ~ camp (정치범·포로의) 수용소. cf. detention camp.
in·tern·ship [íntə:rnʃìp] *n.* Ⓤ intern² 의 신분〔지위, 기간〕.
in·ter·nu·cle·ar [ìntərnjú:kliər] *a.* ① 〖解·生〗 핵간의. ② 〖物〗 원자핵간의.
in·ter·of·fice [ìntərɔ́(:)fis, -áf-] *a.* (같은 조직에서) office 와 office 사이의, 사내의 : an ~ phone 〔memo〕 사내 전화〔메모〕.
in·ter·pel·late [ìntərpéleit, intə́:rpəlèit] *vt.* (의원이 장관)에게 질의〔질문〕하다, 설명을 요구하다. ㊉ **-pél·la·tor** [-ər] *n.* Ⓒ (의회에서의) (대표) 질문자.
in·ter·pel·la·tion [ìntərpəléiʃən, intə̀:rpə-] *n.* Ⓤ,Ⓒ (의회에서의 장관에 대한) 질문, 설명 요구.
in·ter·pen·e·trate [ìntərpénətrèit] *vt., vi.* …에 (완전히) 스며들다, …에 침투하다 ; 서로 스며들다〔침투하다〕.
㊉ **-pèn·e·trá·tion** *n.* Ⓤ 완전〔상호〕 침투.
in·ter·per·son·al [ìntərpə́:rsənəl] *a.* 사람과 사람 사이의, 개인간의, 개인간에 일어나는.
in·ter·phone [íntərfòun] *n.* Ⓒ 《美》 (배·비행기·건물내 따위의) 내부〔구내〕 전화, 인터폰《원래 商標名》.
in·ter·plan·e·ta·ry [ìntərplǽnətèri / -təri] *a.* 〖天〗 행성(과 태양)간의 ; 태양계 내의.
in·ter·play [íntərplèi] *n.* Ⓤ 상호 작용《*of*》 : the ~ *of* light and shadow 빛과 그림자의 교차.
In·ter·pol [íntərpɔ̀(:)l, -pàl] *n.* (the ~) 인터폴, 국제 경찰. cf. ICPO. [◂ *Inter*national *Pol*ice]
in·ter·po·late [intə́:rpəlèit] *vt.* ① …에 수정 어구를 써 넣다 ; 개찬(改竄)하다. ② (의견 등)을 개진하다. ③ 〖數〗 (중간항)을 급수(級數)에 보간(補間)〔삽입〕하다.
㊉ **in·tèr·po·lá·tion** [-ʃən] *n.* Ⓤ,Ⓒ ① 개찬 ; 써 넣음 ; 써 넣은 어구. ② 〖數〗 보간(법).
***in·ter·pose** [ìntərpóuz] *vt.* 《~+목 / +목+전+명》 ① …의 사이에 넣다, 끼우다 : ~ a barrier *between* them 그들 사이에 장벽을 두다. ② (말·이의 따위)를 삽입하다 ; (거부권 따위)를 제기하다.
── *vi.* 《~ / +전+명》 ① 중재하다, 사이에 들다 《*between* ; *among* ; *in*》 : ~ *in* a dispute 분쟁을 중재하다. ② 간섭하다 ; 주제넘게 말참견하다 《*in*》. cf. interfere, intervene.
in·ter·po·si·tion [ìntərpəzíʃən] *n.* ① Ⓤ 개재(의 위치) ; 중재 ; 간섭 ; 방해. ② Ⓒ 삽입물.
‡**in·ter·pret** [intə́:rprit] *vt.* ① …의 뜻을 해석하다, 설명하다 ; 해몽하다 : ~ a person's silence

unfavorably 아무의 침묵을 나쁘게 받아들이다 / Can you ~ the passage? 그 일절을 해석할 수 있겠느냐 / He ~*ed* those symbols for me. 그는 그 부호를 내게 해석해 주었다. ②《+목+*as* 보》… 을 (…로) 해석〔판단〕하다 : ~ a person's remark *as* a mere threat 아무의 말을 단순한 위협이라고 판단하다. ③…의 통역을 하다 : ~ what he says into English 그가 말한 것을 영어로 통역하다. ④〖劇·樂〗 (자기의 해석에 따라) 연출〔연주〕하다 ; (맡은 역)을 연기하다. ⑤〖컴〗 (프로그램)을 기계 언어로 해석하다. — *vi.* 《~ / +전+명》 통역하다 : ~ *between* two persons 두 사람 사이의 통역을 하다. ㊞ **~·a·ble** [-əbəl] *a.* 해석〔설명, 통역〕할 수 있는, 판단(判斷)할 수 있는.

‡in·ter·pre·ta·tion [intə̀ːrprətéiʃən] *n.* U,C ① 해석, 설명 ; (꿈·수수께끼 따위의) 판단《*of*》: a strict ~ *of* the law 법률의 엄격한 해석 / put a different ~ on the President's statement 대통령의 성명을 달리 해석하다. ②통역 : simultaneous ~ 동시 통역. ③〖藝〗 (자기 해석에 따른) 연출 ; 연기 ; 연주.

in·ter·pre·ta·tive [intə́ːrprətèitiv / -tətiv] *a.* 설명을 위한, 해석(용)의 ; 통역의. ㊞ **~·ly** *ad.*

‡in·ter·pret·er [intə́ːrprətər] (*fem.* ***-pre·tress*** [-prətris]) *n.* C ① 해석자, 설명〔판단〕자《*of*》. ② 통역(자) : He acts as an ~ at an international conference. 그는 국제회의에서 통역을 맡고 있다. ③〖컴〗 해석기《지시를 기계 언어로 해석하는》.

in·ter·pre·tive [intə́ːrprətiv] *a.* =INTERPRETATIVE. ㊞ **~·ly** *ad.*

in·ter·ra·cial [ìntərréiʃəl] *a.* 다른 인종간의 ; 인종 혼합의 : ~ harmony 인종간 조화.

in·ter·reg·num [ìntərrégnəm] (*pl.* ***~s, -na*** [-nə]) *n.* C ①공위(空位) 기간《제왕의 붕어(崩御)·폐위 따위에 의한》; (내각 경질 등에 의한) 정치 공백 기간. ② 휴지〔중절(中絶)〕(기간).

in·ter·re·late [ìntərriléit] *vt.* …을 서로 관계시키다, 서로 연관짓다 : ~ the functions of government office 관청의 기능을 서로 연관시키다. — *vi.* 서로 관계를 가지다《*with*》: His research project ~*s with* mine. 그의 연구 과제는 내 것과 서로 관련이 있다.

in·ter·re·lat·ed [-riléitid] *a.* 서로 (밀접한) 관계가 있는, 상관되는 : Unemployment and inflation are ~. 실업과 인플레이션은 상관이 있다. ㊞ **~·ly** *ad.* **~·ness** *n.*

in·ter·re·la·tion [-riléiʃən] *n.* U,C 상호 관계. ㊞ **~·shìp** *n.* U 상호 관계(성).

interrog. interrogation ; interrogative(ly).

in·ter·ro·gate [intérəgèit] *vt.* ①…에게 질문하다 ; 심문〔문초〕하다 : The policeman ~*d* him *about* the purpose of his journey. 경관은 그에게 여행 목적을 꼬치꼬치 물었다. ② (응답기 따위)에 응답 지령 신호를 보내다 ; (컴퓨터)에 응답시키다 : We're having trouble in *interrogating* the database. 데이터베이스에서 응답 신호가 오지 않고 있다.

‡in·ter·ro·ga·tion [intèrəgéiʃən] *n.* U,C 질문, 심문 ; 의문 ; 의문부(question mark) : undergo (an) ~ 심문을 받다.

‡interrogátion màrk 〔pòint〕 물음표(question mark).

‡in·ter·rog·a·tive [ìntərɑ́gətiv / -rɔ́g-] *a.* ①질문의, 미심쩍은 듯한, 무엇을 묻고 싶어하는 듯한 : an ~ tone of voice 무언가 묻고 싶은 듯한 어조. ②〖文法〗 의문(형)의 : "Who" and "what" are ~ pronouns. who와 what은 의문 대명사이다. — *n.* C 〖文法〗 의문사 ; 《특히》 의문 대명사 ; 의문문 : Put this statement into the ~. 다음 말을 의문문으로 옮기시오. ㊞ **~·ly** *ad.*

interrógative ádverb 〖文法〗 의문 부사 《when?, why?, how? 따위》.

interrógative séntence 〖文法〗 의문문.

in·ter·ro·ga·tor [intérəgèitər] *n.* C 심문〔질문〕자.

in·ter·rog·a·to·ry [ìntərɑ́gətɔ̀ːri / ìntərɔ́gətəri] *a.* 의문 〔질문, 심문〕의, 의문을 나타내는 : in an ~ tone 질문하는 말투로. — *n.* C ① 의문, (공식) 질문, 심문. ②〖法〗 (피고·증인에 대한) 질문서, 심문 조서. ㊞ **ìn·ter·ròg·a·tó·ri·ly** *ad.*

‡in·ter·rupt [ìntərʌ́pt] *vt.* ①…을 가로막다, 저지하다, 훼방 놓다, (이야기 따위)를 중단시키다 : The view was ~*ed* by a high wall. 조망이 높은 담으로 가로막혔다 / May I ~ you a while? 이야기하시는데 잠깐 실례해도 괜찮겠습니까. ② (교통 따위)를 방해하다, 차단하다, 불통하게 하다 ; 〖컴〗 가로채기하다 : The traffic was ~*ed* by the flood. 홍수 때문에 교통이 두절됐다. — *vi.* 방해하다, 중단하다 : It is rude to ~ when someone-else is speaking. 남이 이야기할 때 가로막는 것은 실례이다. ◇ interruption *n.*

in·ter·rupt·er, -rup·tor [ìntərʌ́ptər] *n.* C ① 차단하는 것〔사람〕. ②〖電〗 (전류) 단속기.

‡in·ter·rup·tion [ìntərʌ́pʃən] *n.* U,C 가로막음 ; 방해 ; 중단, 중지, 중절 ; (교통의) 불통 : ~ of electric service 정전. ◇ interrupt *v.* ***without*** ~ 간단없이, 잇따라.

in·ter·scho·las·tic [ìntərskəlǽstik] *a.* 〔限定的〕 (중등) 학교간의, 학교 대항의《intramural에 대하여》. cf intercollegiate.

***in·ter·sect** [ìntərsékt] *vt.* …을 가로지르다 ; …와 교차하다 : The plain is ~*ed* by a network of canals. 그 들판에는 수로망이 교차하고 있다. — *vi.* (선·면 등이) 엇갈리다, 교차하다.

***in·ter·sec·tion** [ìntərsékʃən] *n.* ①U 가로지름, 교차, 횡단. ②C (도로의) 교차점. ③C〖數〗 교점(交點), 교선(交線) ; 공통(부)분.

in·ter·space [íntərspèis] *n.* U 사이의 공간〔시간〕, 중간, 틈《장소와 시간에 두루 쓰임》. — [ìntərspéis] *vt.* …의 사이를 비우다, …의 사이에 공간〔시간〕을 두다〔남기다〕; …의 사이를 차지하다〔메우다〕.

in·ter·sperse [ìntərspə́ːrs] *vt.* 《+목+전+명》 ①…을 흩뿌리다, 산재시키다《*between* ; *in* ; *among*》: Bushes are ~*d among* the trees. 덤불이 나무 사이사이에 산재해 있다. ②군데군데 놓다 ; 띄엄띄엄 두다 ; 점점이 장식하다《*with*》: Lilies were ~*d among* the grass. 백합꽃이 풀밭 여기저기에 피어 있었다 / He ~*d* the text *with* explanatory diagrams. 그는 본문의 여기저기에 설명용의 도표를 넣어 변화를 주었다.

in·ter·sper·sion [ìntərspə́ːrʒən / -ʃən] *n.* U 군데군데 둠, 점재(點在), 산재 ; 살포.

***in·ter·state** [íntərstèit] *a.* 〔限定的〕 (미국 따위의) 주(州) 사이의 : ~ commerce 각 주 사이의 통상. — *n.* C 《美》 주간(州間) 고속 도로(=≺ híghway).

Ínterstate Cómmerce Commìssion (the ~) 《美》 주간(州間) 통상 위원회《略 : ICC》.

in·ter·stel·lar [ìntərstélər] *a.* 〔限定的〕 별과 별 사이의, 항성(行星)간의 : ~ space 태양계 우주 공간, 성간(星間) 공간 / ~ gas 성간 가스.

in·ter·stice [intə́ːrstis] *n.* C (*pl.*) 간극 ; 틈새기, 갈라진 틈(crevice).

in·ter·tid·al [ìntərtáidl] *a.* 만조와 간조 사이의, 「간조(間潮)의.

in·ter·trib·al [ìntərtráibəl] *a.* 〔限定的〕 (다른)

종족간의 : ~ warfare 종족〔부족〕간 싸움.
in·ter·twine [ìntərtwáin] *vt.* 《~+목 / +목+전+명》…을 뒤얽히게 하다, 한데 꼬이게 하다〔엮다〕, 얽어 짜다(interlace)《*with*》: The fence was ~*d with* ivy. 울타리에는 담쟁이덩굴이 뒤엉켜 있었다. ── *vi.* 뒤얽히다, 한데 꼬이다.
in·ter·twist [ìntərtwíst] *vt., vi.* 비비〔한데〕 꼬(이)다, 틀어 꼬(이)다, 뒤얽히게 하다.
in·ter·ur·ban [ìntərə́:rbən] *a.* 〔限定的〕 도시 사이의 : ~ railways 도시간 연락 철도.
‡**in·ter·val** [íntərvəl] *n.* Ⓒ ① (장소적인) 간격, 거리 ; (시간적인) 간격, 사이 : at 〔after〕 an ~ of five years, 5년의 간격을 두고 / at ~*s of* fifty feet, 50피트의 거리를 두고. ② 《英》 (극장 등의) 막간, 휴게 시간(《美》 intermission). ③ 〚樂〛 음정. ***at ~s*** 때때로, 이따금 ; 군데군데에, 여기저기에. ***at long*** 〔***short***〕 ***~s*** 간혹〔자주〕. ***at regular*** 〔***irregular***〕 ***~s*** 일정한〔불규칙한〕 사이를 두고. ***in the ~*** 그 사이에, 그러고 있는 중에. ***without ~*** 끊임없이.
‡**in·ter·vene** [ìntərví:n] *vi.* 《~ / +전+명》① (사건·시간 등이) 사이에 들다〔끼다〕; 사이에 일어나다, 개재하다 : Only a week ~*d between* the two conferences. 두 회의 사이는 단지 1주일밖에 없다 / Ten kilometers ~*s between* the two cities. 그 두 도시는 10킬로미터의 사이가 있다. ② (사이에서) 방해하다. ③ (사이에서) 조정〔중재〕하다 ; 개입하다, 간섭하다《*in*》: ~ *in* a dispute 분쟁을 중재하다 / The U.N. ~*d in* the civil war. 유엔이 그 내전에 개입했다. ***if nothing ~s*** =***should nothing ~*** 지장이 없으면 : I will see you tomorrow, *should nothing* ~. 지장이 없으면 내일 찾아 뵙겠습니다.
***in·ter·ven·tion** [ìntərvénʃən] *n.* Ⓤ,Ⓒ ① 사이에 듦 ; 개재. ② 조정, 중재 ; 간섭 : armed ~=~ by arms 무력 간섭 / He was against American ~ *in* the war. 그는 그 전쟁에 대한 미국의 간섭을 반대했다.
㊞ **~·ìsm** *n.* **~·ist** *n.* Ⓒ, *a.* (내정) 간섭론자〔주의자〕; 간섭주의의.
‡**in·ter·view** [íntərvjù:] *n.* Ⓒ ① 회견 ; 회담, 대담 : an ~ *with* the President 대통령과의 회견. ② (입사 따위의) 면접, 면회《*for* ; *with*》: a job ~ =an ~ *for* a job 구직자의 면접. ③ (기자 따위의) 인터뷰, 취재 방문, 회견 ; 회견〔방문, 탐방〕기(記). ***ask for an ~ with*** …와의 회견을 요청하다. ***have*** 〔***hold***〕 ***an ~ with*** …와 회견하다. ── *vt.* …와 회견〔면접〕하다, (기자가) 인터뷰하다. ── *vi.* 인터뷰하다.
㊞ **in·ter·view·ee** [ˋ-vju(:)í:] *n.* Ⓒ 피회견자. **~·er** [-ər] *n.* Ⓒ 회견자, 면담자, 면접자 ; 탐방 기자.
in·ter·weave [ìntərwí:v] (***-wove*** [-wóuv], ***-weaved*** ; ***-wov·en*** [-wóuvən], ***-wove, -weaved***) *vt.* 섞어 짜다, 짜넣다 ; 뒤섞다 : ~ polyester *with* cotton 폴리에스테르와 면을 교직하다.
in·ter·wín·dow trànsfer [ìntərwíndou-] 〚컴〛 윈도간(間) 전송.
in·tes·ta·cy [intéstəsi] *n.* Ⓤ 유언을 남기지 않고 죽음 ; 유언 없이 죽은 사람의 유산.
in·tes·tate [intésteit, -tit] *a.* (적법한) 유언(장)을 남기지 않은 ; (재산이) 유언에 의하여 처분되지 않은 : die ~ 유언 없이 죽다 / an ~ estate 무(無)유언의 재산. ── *n.* Ⓒ 유언 없는 사망자.
in·tes·ti·nal [intéstənəl] *a.* 〚解〛 장(腸)〔창자〕의 ; 장내의, 장에 있는〔기생하는〕: the ~ canal 장관(腸管), 장 / an ~ worm 회충.
in·tes·tine** [intéstin] *a.* 〔限定的〕 내부의 ; 국내의 : an ~ war 내란. ── *n.* Ⓒ (흔히 *pl.*) 〚解〛 장(腸). ***the large 〔***small***〕 ~ 대〔소〕장(腸).
in·ti·fa·da, -fa·deh [intifá:də] *n.* 《Ar.》 인티파다〔데〕(uprising)《이스라엘 점령하의 가자 등지에서 일어난 팔레스타인 인들의 봉기》.
in·ti·ma·cy** [íntəməsi] *n.* ① Ⓤ 친밀함, 친교, 절친함. ② Ⓤ 정교(情交), 육체 관계. ③ (*pl.*) 애무, 친밀함을 나타내는 행위《포옹·키스 등》. ◇ intimate *a.* ***be on terms of ~ 친한 사이이다.
‡**in·ti·mate** [íntəmit] (***more ~ ; most ~***) *a.* ① 친밀한, 친한, 절친한 : an ~ friend 친한 친구 / ~ friendship 친교《★ 종종 ⑤의 뜻으로 쓰이는 수가 있어서 흔히 close, 또는 good을 쓴다》. ② (지식이) 깊은, 자세한 ; 정통한 : He has an ~ knowledge of history. 그는 역사에 정통하고 있다. ③ 내심의, 마음 속의 : one's ~ feelings 마음속 깊이 간직한 감정. ④ 일신상의, 사사로운, 개인적인 : one's ~ affairs 사삿일. ⑤ (남녀가) 정을 통하고 있는, 육체 관계가 있는 : How long have they been ~? 그들은 얼마 동안이나 정을 통하는 사이였습니까. ⑥ (방 따위가) 아늑한 : an ~ restaurant 분위기가 아늑한 레스토랑. ◇ intimacy *n.* ***be on ~ terms with*** (1) …와 절친한 사이이다. (2) …와 육체 관계가 있다.
── *n.* Ⓒ 친구, 절친한 친구.
── [íntəmèit] *vt.* 《~+목 / +목+전+명 / +*that* 절》…을 넌지시 비추다, 암시하다(hint) : ~ one's wish *to* a person 아무에게 자기의 소망을 넌지시 비추다 / She ~*d* (*to* me) *that* she intended to marry him. 그와 결혼할 생각임을 (나에게) 비추었다. ㊞ ***~·ly** [-mitli] *ad.* 친밀하게 ; 밀접하게 ; 내심으로 ; 상세하게. **~·ness** *n.*
in·ti·ma·tion [ìntəméiʃən] *n.* Ⓤ,Ⓒ 암시, 넌지시 비춤(hint) ; 시사(示唆).
in·tim·i·date [intímədèit] *vt.* (위협하여) …을 으르다, 위협하다, 협박하다 : He was ~*d into* silence. 그는 위협을 받아 침묵했다 / I won't be ~*d into* quitting. 나는 협박을 받아 사직하지는 않는다.
㊞ **in·tìm·i·dá·tion** [-ʃən] *n.* Ⓤ 으름, 위협, 협박 : surrender to *intimidation* 협박에 굴복하다. **in·tím·i·dà·tor** [-ər] *n.* 위협자, 협박자.
intl. international.
†**in·to** [intu, 《주로 文尾》 íntu:, 《子音 앞》 íntə] *prep.* ① 〔내부로의 운동·방향〕 **a**) 〔장소·공간〕 …안으로〔에〕, …로, …에(opp. *out of*) : go ~ the house 집 안으로 들어가다 / look ~ a box 상자를 들여다보다. **b**) 〔시간〕 …까지 : work far 〔late, well〕 ~ the night 밤늦게까지 일하다. **c**) 《比》 (어떤 상태) 속으로, …로, …에 : run ~ debt 빚을 지다 / go ~ business 사업에 들어가다〔투신하다〕/ I got ~ difficulties. 나는 곤란에 빠졌다. **d**) 〔행위의 대상〕 …을《'깊이·상세히'라는 뉘앙스를 풍길 때가 많음》: inquire ~ the matter 그 사건을 조사하다 / You need not go ~ details. 상술(詳述)할 필요는 없다.
② 〔변화·결과〕 …으로 (하다, 되다) : burst ~ laughter 웃음을 터뜨리다 / divide the cake ~ three pieces 케이크를 셋으로 나누다 / turn water ~ ice 물을 얼음으로 만들다 / translate English ~ Korean 영어를 한국어로 번역하다 / Those words scared him ~ silence. 이 말에 그는 두려워서 입을 다물었다.
③ 〔충돌〕 …에 부딪쳐 : The car ran ~ a wall. 자동차가 벽에 부딪쳤다 / She bumped ~ me. 그녀는 내게 쾅 부딪쳤다.
④ 〚數〛 …을 나눠(서) : 2 ~ 6 is〔equals〕 3. =2 ~ 6 goes three (times). =Dividing 2 ~ 6 gives 3.

6 ÷2 = 3.
⑤《口》…에 열중〔몰두〕하고(keen on), …에 관심을 갖고: She's very much ~ jazz. 그녀는 재즈에 열중해 있다 / What are you ~? 무엇에 흥미를 가지고 있느냐.
⑥《美俗》(아무)에게 빚을 지고: How much are you ~ him for? 그에게 얼마나 빚이 있느냐.

***in·tol·er·a·ble** [intálərəbəl / -tɔ́l-] (*more ~; most ~*) *a.* 견딜〔참을〕수 없는(unbearable) : an ~ humiliation 참을 수 없는 굴욕 / ~ working conditions 견디기 어려운 노동 조건. [파] **-bly** *ad.*

in·tol·er·ance [intálərəns / -tɔ́l-] *n.* [U] ① 불관용(不寬容), 편협; 아량이 없음《특히 종교상의》: religious ~ 종교적 편협성. ② 견딜 수 없음.

in·tol·er·ant [intálərənt / -tɔ́l-] *a.* ① 아량이 없는; 편협한; (특히 이설(異說) 따위를) 허용하지 않는《특히 종교상의》; 불관용의《*of*》: an ~ person 편협한 사람 / Don't be so ~. 너무 편협하게 굴지 마라. ② …에 견디지〔참지〕 못하는《*of*》: a plant ~ *of* direct sunlight 직사 광선에 견디지 못하는 식물. [파] **~·ly** *ad.*

in·to·nate [íntənèit] *vt.* =INTONE.

‡**in·to·na·tion** [ìntənéiʃən, -tou-] *n.* ① [U] (찬송가·기도문 등을) 읊음, 영창, 음창(吟唱). ② [U,C] 〖音聲〗 인토네이션, 억양; 음조, 어조. [cf.] stress. [파] **~·al** *a.*

in·tone [intóun] *vt., vi.* ① (찬송가·기도문 따위를) 읊조리다, 영창하다. ② …에 억양을 붙이다, 억양을 붙여 말하다.

in to·to [in-tóutou] 《L.》 (=on the whole) 전체로서, 전부, 몽땅, 모개로: They accepted the plan ~. 그들은 그 계획을 전적으로 수락했다.

in·tox·i·cant [intáksikənt / -tɔ́ksi-] *n.* [C] 취하게 하는 것《마취제·술 따위》.
— *a.* 취하게 하는. [파] **~·ly** *ad.*

***in·tox·i·cate** [intáksikèit / -tɔ́ksi-] *vt.* 《~+[목] / +[목]+[전]+[명]》 ① (사람)을 취하게 하다《★ 종종 과거분사로서 형용사적으로 쓰임》: Too much drink ~*d* him. 그는 과음해서 취해 버렸다 / He ~*d* them *with* wine. 그는 와인으로 그들을 취하게 만들었다. ② 흥분시키다, 도취시키다《★ 종종 과거분사로서 형용사적으로 쓰임》. ◇ intoxication *n.*

in·tox·i·cat·ed [-tid] *a.* ① 취한: an ~ person 취한 사람 / be〔get〕 ~ 취해 있다〔취하다〕. ② 흥분한; 도취한, 열중한《*with; by*》: They were ~ *with* victory〔*by* success〕. 그들은 승리에〔성공에〕 도취되어 있었다.

in·tox·i·cat·ing [intáksikèitiŋ / -tɔ́ksi-] *a.* ① 취하게 하는: ~ drinks 주류. ② 도취하게 하는: an ~ charm 넋을 잃을 정도의 매력. [파] **~·ly** *ad.*

in·tox·i·ca·tion [intàksikéiʃən / -tɔ̀ksi-] *n.* [U] ① 취하게 함; 명정(酩酊). ② 흥분, 도취.

intr. intransitive.

intra- '안에, 내부에'의 뜻의 결합사. [opp] *extra-*.

in·tra·cel·lu·lar [ìntrəséljələr] *a.* 세포 안의.

in·trac·ta·ble [intrǽktəbəl] *a.* ① 말을 듣지 않는, 고집센, 제어할 수 없는; 다루기 힘든: ~ children 말을 듣지 않는 아이들. ② 처리〔가공〕하기 어려운: The economy still faces ~ problems. 경제는 여전히 처리하기 힘든 문제에 직면하고 있다. ③ (병 따위가) 낫지 않는, 난치(성)의. [파] **-bly** *ad., n.* **in·tràc·ta·bíl·i·ty** [-bíləti] *n.* [U]

in·tra·mo·lec·u·lar [ìntrəmoulékjələr] *a.* 〖化〗 분자내의〔에서 일어나는〕. [파] **~·ly** *ad.*

in·tra·mu·ral [ìntrəmjúərəl] *a.* 〔限定的〕 ① 같은 학교내의, 교내(대항)의《interscholastic에 대해》. ② 같은 도시의, 시내의; 건물 내의; 성벽 안의. [opp] *extramural.* [파] **~·ly** *ad.*

in·tra·mus·cu·lar [ìntrəmʌ́skjələr] *a.* 〖解〗 (주사 등이) 근육내의《略: IM》. [파] **~·ly** *ad.*

in·tran·si·gence, -gen·cy [intrǽnsədʒəns], [-si] *n.* [U] 타협〔양보〕하지 않음, (정치상의) 비타협적 태도. [파] **-gent** *a., n.* (특히 정치상) 비타협적인 (사람). **-gent·ly** *ad.*

‡**in·tran·si·tive** [intrǽnsətiv] 〖文法〗 *a.* 자동(사)의. [cf.] transitive. — *n.* [C] 자동사. [파] **~·ly** *ad.* 자동사적으로, 자동사로서.

‡**intránsitive vérb** 자동사《略: v.i.》.

in·tra·state [ìntrəstéit] *a.* 《美》 주내(州內)의: ~ commerce 주내 통상.

in·tra·u·ter·ine [ìntrəjú:tərin] *a.* 〖解〗 자궁내의: an ~ device 자궁내 피임 기구《링; 略: IUD》.

in·tra·vas·cu·lar [ìntrəvǽskjələr] *a.* 〖解〗 혈관내의. [파] **~·ly** *ad.*

in·tra·ve·nous [ìntrəví:nəs] *a., n.* 정맥(내)의, 정맥주사(의)《略: IV》: an ~ injection 정맥 주사 / ~ feeding 정맥 급식. [파] **~·ly** *ad.*

in-tray [íntrèi] *n.* [C] 미결 서류함. [opp] *out-tray.*

in·trep·id [intrépəd] *a.* 두려움을 모르는, 용맹스러운, 호담한, 대담 무쌍한. [파] **~·ly** *ad., n.*

in·tre·pid·i·ty [ìntrəpídəti] *n.* ① [U] 두려움을 모름, 용맹, 대담, 무적. ② [C] 대담한〔무적의〕 행위.

in·tri·ca·cy [íntrikəsi] *n.* ① [U] 얽히고 설킴, 복잡, 착잡. ② (*pl.*) 복잡한 사물〔사정〕.

***in·tri·cate** [íntrəkit] *a.* ① 뒤얽힌, 얽히고 설킨. ② 착잡한, 복잡한(complicated); 번잡한; 난해한. [파] **~·ly** *ad.*

***in·trigue** [intrí:g] *n.* ① [U,C] 음모, 밀모(密謀); 술책. ② [C] 정사, 밀통, 간통《*with*》.
— *vi.* 《~ / +[전]+[명]》 음모를 꾸미다《*with; against*》: ~ *with* Tom *against* Jones 존스에 대해 톰과 음모를 꾸미다〔공모하다〕. — *vt.* …의 흥미를〔호기심을〕 자극하다: The subject ~*d* many writers. 그 문제는 많은 작가의 흥미를 자극했다. [파] **in·trígu·er** [-ər] *n.* 음모가; 밀통자.

in·trigu·ing [intrí:giŋ] *a.* 흥미를〔호기심을〕 자극하는. [파] **~·ly** *ad.*

***in·trin·sic** [intrínsik] *a.* (가치·성질 따위의) 본질적인, 본래 갖추어진, 고유의 (inherent)《*to; in*》. [opp] *extrinsic (al)*. ¶ the ~ value of the gold coin 금화의 실질 가치 / the beauty ~ *to* 〔*in*〕 a work of art 예술 작품의 본질을 이루는 미(美). [파] **-si·cal·ly** [-sikəli] *ad.*

intro- '속에, 안에'의 뜻의 결합사. [opp] *extro-*.

intro(d). introduction; introductory.

†**in·tro·duce** [ìntrədjú:s] *vt.* 《~+[목] / +[목]+[전]+[명]》 ① (아무)를 소개하다, (가수·배우 등)을 데뷔시키다; 대면시키다: Please ~ me to Mr. Jones. 존스 씨에게 소개해 주십시오 / Allow me to ~ myself. 저의 소개를 하겠습니다 / ~ a girl *into*〔*to*〕 society 젊은 여성을 사교계에 내보내다.
② …을 받아들이다; (처음으로) 수입하다《*into; in*》; 채용하다: ~ a new fashion 새 유행을 전하다 / Potatoes were ~*d* *into* Europe from America. 감자는 미국에서 유럽에 전래되었다 / ~ a new concept *in* mathematics 수학에 새 개념을 도입하다 / ~ a new method 새로운 방법을 도입하다.
③ …의 (초보)를 가르치다《*to*》, …에게 처음으로 경험시키다: ~ people from abroad *to* the tea ceremony 외국인에게 다도(茶道)를 가르치다.
④ (서론을 붙여서) 시작하다《*with*》; (논문·방송 프로 따위)에 서문을 붙이다: ~ a speech *with* a joke 농담을 서두로 이야기를 시작하다.
⑤ (의안·화제 따위)를 제출하다, 꺼내다《*into*》:

~ a bill *into* Congress 법안을 의회에 제출하다. ⑥ 삽입하다, 끼워 넣다 : ~ a key *into* a lock 자물쇠에 열쇠를 끼우다.
⑦ 〖文法〗(접속사가 절)을 이끌다. ◇ introduction *n.* **~*d species*** 〔***variety***〕 외래종〔수입종〕. ~ one***self to*** …에게 자기 소개를 하다.
[파] **-dúc·er** [-ər] *n.* 소개자, 수입자 ; 창시자.

‡in·tro·duc·tion [intrədʌ́kʃən] *n.* ① [U,C] 소개, 피로(披露) ; (의안 따위의) 제출《*of ; to*》: a letter *of* ~ 소개장 / When making ~*s*, speak people's names clearly. 소개할 때에는 사람의 이름을 똑똑히 말하시오. ② [U] 받아들임 ; 전래, 첫 수입, 도입, 이입(移入)《*into ; to*》: the ~ *of* robots *to* the production line 생산 라인에의 로봇 도입 / the ~ of Christianity *into* Korea 기독교(敎)의 한국 전래. ③ [C] 서언, 서문. ④ [C] 입문(서), 초보 지도, 개론《*to*》: an ~ *to* (the study of) electricity 전기공학 입문. ⑤ [C] 〖樂〗 서곡, 전주곡(prelude). ⑥ [U] 끼워넣기, 삽입(insertion)《*into*》. ⑦ [U] (의안 등의) 제출.

***in·tro·duc·to·ry** [təri / -tri] *a.* 소개의 ; 서론의, 서문의 ; 예비적인(preliminary), 초보의 : an ~ chapter 서장(序章), 서설(序說) / ~ remarks 머리말.

in·tro·it [intróuit, íntrɔit] *n.* 〖가톨릭〗 (I-) 입당송(入堂誦) ; 〖英國 國敎〗 성찬식 전에 부르는 노래.

in·tro·spec·tion [ìntrəspékʃən] *n.* [U] 내성(內省), 내관(內觀), 자기 반성(self-examination). [opp] *extrospection.*

in·tro·spec·tive [ìntrəspéktiv] *a.* 내성적인, 내관적인, 자기 반성의 : an ~ nature 내성적 성질. [파] **~·ly** *ad.* **~·ness** *n.*

in·tro·ver·sion [ìntrəvə́ːrʒən, -ʃən] *n.* [U] ① 내향, 내성(內省). ② 〖醫〗 내곡(內曲), 내측 전위(內側轉位). ③ 〖心〗 내향성. [opp] *extroversion.*

in·tro·vert [íntrəvə̀ːrt] *a.* ① 안으로 굽은. ② 내향적〔내성적〕인.
── *n.* [C] 〖心〗 내향적〔내성적〕인 사람 ; 《口》 암띤 사람. ── [--́, --̀] *vt.* ① …을 안으로 굽히다. ② (마음·생각 따위)를 안으로 향하게 하다, 내성(內省)시키다. ③ 〖動·醫〗 (기관·장기 등)을 체내로 쑥 들이다〔함입시키다〕. [opp] *extrovert.*

in·tro·vert·ed [intrəvə́ːrtid] *a.* ＝INTROVERT.

‡in·trude [intrúːd] *vt.* ① 《+[목]+[전]+[명]》 …을 밀어넣다《*into*》: The thought ~*d* itself *into* my mind. 그 생각이 내 마음속에 파고 들었다 / ~ oneself *into* an affair 사건에 끼어들다〔간섭하다〕. ② 《+[목]+[전]+[명]》 …을 강제하다, 강요하다 : ~ one's views *upon* others 자기의 견해를 남에게 강제하다. ── *vi.* 《+[전]+[명]》 ① 밀고 들어가다, 침입하다《*into*》. ② (남의 일에) 끼어들다, 방해하다 ; (미움을 사며) 아무의 집에 쳐들어가다 : ~ *upon* a person's hospitality 후한 대접을 기화로삼고 아무의 집에 쳐들어가다 / I hope I am not *intruding* (*upon* you). 방해가 되지 않겠는지요. ◇ intrusion *n.* ~ one***self upon*** a person (아무의 집에) 쳐들어가다, 폐를 끼치다.

***in·trud·er** [intrúːdər] *n.* [C] 침입자, 난입자 ; 훼방꾼, 방해자.

***in·tru·sion** [intrúːʒən] *n.* [U,C] ① (의견 따위의) 강요《*upon*》. ② (장소에의) 침입《*into ; to*》. ③ (사사로운 일에 대한) 간섭, 주제넘게 나섬《*on*》: an ~ *on* a person's privacy 아무의 개인 사정에 대한 간섭〔개입〕. ④ 〖法〗 (무권리자의) 토지 점유〔침입〕. ◇ intrude *v.*

in·tru·sive [intrúːsiv] *a.* ① 침입적인, 밀고 들어오는 ; 주제넘게 나서는 ; 훼방을 놓는 : an ~ question 주제넘은 질문. ② 〖音聲〗 삽입음의 : an ~ r 삽입음 r 《idea of [aidíərəv]의 r 음 등》. [파] **~·ly** *ad.* **~·ness** *n.*

in·trust [intrʌ́st] *vt.* ＝ENTRUST.

in·tu·it [íntju(ː)it, --́-] *vt., vi.* 직관(直觀)으로 알다〔이해하다〕, 직관하다.

***in·tu·i·tion** [ìntjuíʃən] *n.* [U,C] 직각(直覺), 직관(력) ; 직관적 통찰 ; 직관적 지식〔사실〕: by ~ 직감적으로, 직관력으로 / He had an ~ *that* there was something wrong. 무언가 잘못되었다고 그는 직감했다.

in·tu·i·tion·al [ìntjuíʃənəl] *a.* 직각〔직관〕의, 직관적〔직각적〕인. [파] **~·ly** *ad.*

in·tu·i·tive [intjúːitiv] *a.* 직각적(直覺的)〔직관적〕인 ; 직관력이 있는 : an ~ person 직관력이 있는 사람 / an ~ response 직각적 반응.
[파] **~·ly** *ad.* **~·ness** *n.*

in·tu·mesce [ìntjumés] *vi.* (열 따위로) 부어〔부풀어〕 오르다, 팽창하다.

in·tu·mes·cence [ìntjumésəns] *n.* ① [U] 팽창, 부어오름. ② [C] 종기(swelling).

Inuit ⇨INNUIT.

in·un·date [ínəndèit, -nʌn-] *vt.* ① 《~+[목] / +[목]+[전]+[명]》 (물이) …에 범람하다, …을 침수(浸水)시키다《*with*》: The flood ~*d* the field. 홍수가 논밭을 휩쓸었다. ② …을 그득하게 하다, 충만시키다 ; …에 밀어 닥치다, 쇄도하다 : a place ~*d with* visitors 방문객이 몰려드는 장소 / His office has been ~*d with* letters of protest. 그의 사무실에 항의의 편지가 쇄도했다.

in·un·da·tion [ìnəndéiʃən] *n.* ① [U] 범람, 침수. ② [C] 홍수 ; 충만 ; 쇄도(deluge)《*of*》.

in·ure [injúər] *vt.* 〔흔히 再歸的〕 (곤란 등)에 익숙해지다《*to*》《★ 또 과거분사로 형용사적으로도 쓰임》: My mother is ~*d to* hardships. 어머니는 어려움에 익숙해져 있다 : He has ~*d himself to* accept misfortune. 그는 불행을 감수하도록 자신을 단련시켰다. [파] **~·ment** *n.* [U] 익힘, 익숙 ; 단련.

inv. invented ; inventor ; invoice.

‡in·vade [invéid] *vt.* ① …에 침입하다, …를 침공하다 : The enemy forces ~*d* the town. 적군이 그 도시를 침공했다. ② (많은 사람이) …에 몰려 들어가다, …에 밀어닥치다, 쇄도하다 : Italy is annually ~*d* by tourists from all parts of Europe. 이탈리아에는 매년 유럽 각지로부터 관광객이 몰려든다. ③ (병·감정 따위가) …를 침범〔엄습〕하다 : Terror ~*d* our minds. 우리 마음은 공포에 휩싸였다. ④ (소리·냄새 따위가) …에 퍼지다, 충만하다. ⑤ (법·권리 등)을 범하다, 침해하다 : We must not ~ the privacy of others. 우리는 남의 프라이버시를 침해해서는 안된다. ── *vi.* ① 침입하다. ② 우르르 몰려들다. ◇ invasion *n.*
[파] **‡ in·vád·er** [-ər] *n.* [C] 침략자〔국〕, 침입자〔군〕.

‡in·va·lid[1] [ínvəlid / -lìːd] *a.* ① 폐질(廢疾)의, 병약한, 허약한 : my ~ wife 병약한 아내. ② 환자(용)의 : an ~ diet 환자용 식사.
── *n.* [C] 폐질자, 병자, 환자, 병약자. [cf] patient.
── *vt.* ① 〔흔히 受動으로〕 …을 병약하게 하다 : He *was* ~*ed* for life. 그는 평생 병약했다. ② 《+[목]+[부] / +[목]+[전]+[명]》 〔흔히 受動으로〕 병약자로서 취급하다 ; 상병병(傷病兵) 명부에 기입하다. ***be ~ed home*** 상병병으로 송환되다. ***be ~ed out of the army*** 상병병으로 현역이 면제되다.

in·va·lid[2] [invǽlid] *a.* ① (의론 등이) 논거 박약한, 근거〔설득력〕 없는 : an ~ argument 논거 박약한 논증. ② 실효성이 없는 ; (법적으로) 무효의 :

His passport was out of date and ~. 그의 여권은 기한이 지나 무효였다. ⊞ ~·ly *ad.*

in·val·i·date [invǽlədèit] *vt.* …을 무효로 하다. ⊞ **in·vàl·i·dá·tion** [-ʃən] *n.* Ⓤ 실효(失效).

in·va·lid·ism [ínvəlidìzəm / -lì:dizəm] *n.* Ⓤ ① (흔히, 만성질환에 의한) 병약(함), 부자유한 지체(肢體), 허약. ② 인구에 대한 병약자의 비율.

in·va·lid·i·ty [ìnvəlídəti] *n.* Ⓤ ① 무효. ② 병약.

***in·val·u·a·ble** [invǽljuəbəl] *a.* 값을 헤아릴 수 없는, 매우 귀중한(priceless) : ~ experience 매우 귀중한 경험 / He is an ~ asset to the firm. 그는 회사에 있어 매우 귀중한 존재이다. ⓒⓕ valueless. ⊞ **-bly** *ad.*

in·var·i·a·ble [invέəriəbəl] *a.* ① 변화하지 않는, 불변의 : an ~ rule 불변의 법칙. ②〖數〗일정한, 상수의. ―*n.* Ⓒ ① 불변의 것. ②〖數〗상수(常數). ⊞ **in·vàr·i·a·bíl·i·ty** [-əbíləti] *n.* Ⓤ 불변(성).

‡in·var·i·a·bly [invέəriəbli] *ad.* 변함 없이, 늘, 항상, 언제나, 반드시 : His intuition is ~ correct. 그의 직감은 언제나 틀림없다.

***in·va·sion** [invéiʒən] *n.* Ⓤ,Ⓒ ① 침입, 침략 : make an ~ upon …에 침입하다, …을 습격하다. ② (권리 따위의) 침해, 침범. ◇ invade *v.*

in·va·sive [invéisiv] *a.* ① 침입하는, 침략적인. ② 침해하는.

in·vec·tive [invéktiv] *n.* ① Ⓤ (또는 an ~) 비난, 독설. ② (*pl.*) 욕하는 말, 악담. ―*a.* 욕설하는, 비난의, 독설의.

in·veigh [invéi] *vi.* (…을) 통렬히 비난〔항의〕하다, 호되게 매도하다《*against*》: ~ *against* isolationism 고립주의를 통렬히 비난하다.

in·vei·gle [inví:gəl, -véi-] *vt.* 《+목+전+명》① (사람)을 유혹〔유인〕하다, 꾀다, (감언으로) 속이다《*into*》: ~ a person *into* do*ing* 아무를 속여서 …하게 하다. ② (감언·아첨으로) …로 부터(…을) 우려내다《*from; out of*》: ~ a person *out of* money 아무로부터 돈을 우려내다.

†in·vent [invént] *vt.* ① …을 발명하다, 고안〔창안〕하다 ; (이야기 따위)를 상상력으로 만들다 ; 창작하다 : Watt ~*ed* the steam engine. 와트는 증기기관을 발명했다. ② (거짓말 따위)를 날조하다, 꾸며내다 : ~ an excuse for being late 지각한 핑계를 꾸며내다.

‡in·ven·tion [invénʃən] *n.* ① Ⓤ 발명, 안출, 고안 ; 창조력, 발명의 재능 : Necessity is the mother of ~.《俗談》필요는 발명의 어머니. ② Ⓒ 발명품 : Computers are a recent ~. 컴퓨터는 근래의 발명품이다. ③ Ⓒ 꾸며낸 이야기, 허구(虛構), 날조 : Don't believe this obvious ~. 이 빤한 거짓말을 믿지 마라.

***in·ven·tive** [invéntiv] *a.* 발명의 ; 발명의 재능이 있는 ; 창작의 재능이 있는, 독창적인 : He has an ~ genius. 그는 발명의 재능이 있다 / an ~ design 독창적인 디자인. ⊞ ~·**ly** *ad.* ~·**ness** *n.*

‡in·ven·tor [invéntər] (*fem.* **-tress** [-tris]) *n.* Ⓒ 발명자, 발명가 ; 고안자.

in·ven·to·ry [ínvəntɔ̀:ri / -təri] *n.* ① Ⓒ 물품 명세서 ; (재산·상품 따위의) (재고) 목록 ; 목록 중의 물품, 재고품(의 총가격). ② Ⓤ,Ⓒ《美》재고(품) ; 재고조사. ***make*〔*take*〕(*an*) ~ *of*** … (1) …의 목록을 만들다. (2) (재고품 등)을 조사하다. (3) (기능·성격 등)을 평가하다.
―*vt.* (재산·상품 따위)를 목록에 기입하다 ; …의 목록을 만들다 ;《美》재고품 조사를 하다.

In·ver·ness [ìnvərnés] *n.* (종종 i-) 인버네스(=∠ [∸∸] **càpe**〔**clòak, còat**〕)《남자용의 소매 없는 외투》.

in·verse [invə́:rs, ∸∸] *a.*〔限定的〕(위치·관계 등이) 반대의, 역(逆)의, 도치의, 전도된 ; 도착(倒錯)의 : ~ matrix 역행렬 / ~ number 역수 / in ~ proportion〔relation〕to …과 반비례〔역비례〕해서. ―*n.* ① (the ~) 반대, 역 : *The* ~ *of* good is evil. 선의 반대는 악이다 / *The* ~ *of* 1/3 is 3. 1/3 의 역수는 3이다. ② Ⓒ 반대되는 것 ;〖數〗역함수.
⊞ ~·**ly** *ad.* 반대로, 역으로, 역비례하여.

***in·ver·sion** [invə́:rʒən, -ʃən] *n.* Ⓤ,Ⓒ ① 전도(轉倒), 역(逆), 정반대. ②〖文法〗(어순의) 전도, 도치(법). ③〖樂〗자리바꿈. ④〖音聲〗반전. ⑤〖醫〗성대상(性對象) 도착.

***in·vert** [invə́:rt] *vt.* ① …을 거꾸로 하다, 역으로 하다, 뒤집다 : ~ a glass 유리잔을 엎어놓다 / ~ the order 차례를 뒤바꾸다. ②〖樂〗자리바꿈하다 ;〖音聲〗(혀)를 반전하다. ―[∸∸] *n.* Ⓒ ①〖建〗역(逆)홍예, 역아치. ②〖心〗성도착자. ③〖컴〗뒤바꿈. ◇ inversion *n.* ⊞ **in·vért·i·ble** *a.*

in·ver·te·brate [invə́:rtəbrit, -brèit] *a.* ① 등뼈〔척추〕가 없는. ②《比》기골이 없는, 우유 부단한. ―*n.* Ⓒ ① 무척추 동물. ② 기골이 없는 사람.

in·vért·ed cómma [invə́:rtid-]〖印〗인용부(quotation marks).

‡in·vest [invést] *vt.* 《~+목 / +목+전+명》① (자본)을 투자하다 : He ~*ed* his money *in* stocks and bonds. 그는 주식과 채권에 돈을 투자했다. ② (시간·노력 따위)를 들이다《*in*》: ~ a lot of time *in* helping the poor 가난한 사람들을 돕는데 많은 시간을 들이다. ③ …에게 입히다 ; …을 싸다 : ~ oneself *in*〔*with*〕a coat 옷을 입다 / Darkness ~*s* the earth at night. 밤에는 어둠이 땅 위를 뒤덮는다. ④ (관직·지위·권력·성질 따위)를 …에게 주다, …에게 서임(敍任)하다, …에게 수여하다《*with*》: Prince Charles was ~*ed* as the Prince of Wales in 1969. 찰스 공자(公子)는 1969년에 영국 황태자로 서임되었다 / The Constitution ~*s* the President *with* the power of veto. (미국) 헌법은 대통령에게 거부권을 부여하고 있다 / He is ~*ed with* full authority. 그는 전권을 위임받고 있다 / He was ~*ed with* an air of dignity. 그에게는 어딘지 모르게 위엄이 있었다. ⑤〖軍〗…을 포위(공격)하다.
―*vi.* ①《~ / +전+명》투자하다《*in*》: ~ *in* stocks 주식에 투자하다. ②《+전+명》《口》돈을 들이다, 사다《*in*》: ~ *in* a new car 새 차를 사다.

‡in·ves·ti·gate [invéstəgèit] *vt.* …을 조사하다, 연구하다, 심사하다(examine) : The police ~*d* the cause of the accident. 경찰은 사고 원인을 조사했다. ―*vi.* 조사〔연구, 심사〕하다《*into*》.

‡in·ves·ti·ga·tion [invèstəgéiʃən] *n.* Ⓤ,Ⓒ ① 조사, 연구, 심사《*of* ; *into*》. ② 조사 보고, 연구 논문. ***make an ~ into*** . . . …을 조사〔연구〕하다. ***under*** ~ 조사 중의. ***upon*〔*on*〕** ~ 조사해 보니.

in·ves·ti·ga·tive [invéstəgèitiv] *a.* 조사의, 조사에 관한 ; 연구를 좋아하는, 연구적인 : ~ reporting 조사 보도《독직·부정 등에 대한 언론 기관의 독자적인 조사를 보도함》.

***in·ves·ti·ga·tor** [invéstəgèitər] *n.* Ⓒ 조사자, 수사관, 연구자.

in·ves·ti·ture [invéstətʃər] *n.* ① Ⓤ,Ⓒ 수여(식) ; 서임(식), 임관(식). ② Ⓤ (자격 등의) 부여. ③ Ⓤ《文語》착용. ◇ invest *v.*

‡in·vest·ment [invéstmənt] *n.* ① Ⓤ,Ⓒ 투자, 출자 ; 투자액 ; 투자의 대상 : make an ~ of £3,000 in securities 증권에 3천 파운드를 투자하다 / Education is an ~. 교육은 일종의 투자이다.

②Ⓤ (관직의) 서임(敍任), 임관. ③Ⓤ〖軍〗포위, 봉쇄. ④Ⓤ (옷의) 착용. ◇ invest *v.*

invéstment còmpany〔**trùst**〕투자(신탁)회사.

***in·ves·tor** [invéstər] *n.* Ⓒ ①투자자. ②수여〔서임〕자. ③포위자.

in·vet·er·a·cy [invétərəsi] *n.* Ⓤ ①(습관 따위가) 뿌리 깊음; 상습벽, 만성. ②강한 집념; 숙원(宿怨).

in·vet·er·ate [invétərit] *a.* 〔限定的〕①(감정·병이) 뿌리 깊은, 지병의: an ~ disease 고질, 숙환. ②버릇이 된, 상습적인. ③(감정 등이) 뿌리 깊은: an ~ dislike of foreign customs 외국 관습에 대한 뿌리깊은 반감. ㊕ **~·ly** *ad.*

in·vid·i·ous [invídiəs] *a.* ①비위에 거슬리는, 불쾌한《말 따위》: an ~ remark 불쾌한 말. ②부당하게 차별하는, 불공평한: ~ comparisons 불공평한 비교. ㊕ **~·ly** *ad.* **~·ness** *n.*

in·vig·i·late [invídʒəlèit] *vi.* 《英》시험 감독을 하다.

in·vig·or·ate [invígərèit] *vt.* 원기〔활기〕를 돋우다, 북돋다: His confidence ~*d* his workers. 그의 자신(自信)이 그 밑에서 일하는 사람들을 고무했다. ◇ invigoration *n.*

in·vig·or·at·ing [invígərèitiŋ] *a.* 기운을 돋우는, 격려하는; (공기·산들바람 등이) 상쾌한: an ~ speech 격려하는 연설 / an ~ climate 상쾌한 기후. ㊕ **~·ly** *ad.*

in·vin·ci·bil·i·ty [invìnsəbíləti] *n.* Ⓤ 무적.

***in·vin·ci·ble** [invínsəbəl] *a.* ①정복할 수 없는, 무적의: an ~ will 불굴의 의지 / He is ~ at tennis. 그는 테니스에서는 무적이다. ②극복할 수 없는, 완강한: their ~ contempt for foreigners 외국인에 대한 그들의 완강한 멸시. ◇ invincibility *n.* ㊕ **-bly** *ad.*

Invíncible Armáda (the ~) ⇨ ARMADA.

in·vi·o·la·ble [inváiələbəl] *a.* 범할 수 없는, 불가침의; 신성한; 거역할 수 없는.
㊕ **-bly** *ad.* **in·vì·o·la·bíl·i·ty** [-bíləti] *n.* Ⓤ

in·vi·o·late [inváiəlit] *a.* 범하여지지 않은, 손상되지 않은; 더럽혀지지 않은; 신성한: the ~ spirit of the law 법의 신성한 정신.
㊕ **~·ly** *ad.* Ⓤ **~·ness** *n.*

in·vis·i·bil·i·ty [invìzəbíləti] *n.* Ⓤ 눈에 보이지 않음, 불가시성(不可視性).

‡in·vis·i·ble [invízəbəl] *a.* ①눈에 보이지 않는; 감추어진; 통계〔재무 제표〕에 나타나지 않은: an ~ man (SF 등에 나오는) 투명 인간 / an ~ asset 목록에 기록되지 않은 재산 / Germs are ~ *to* the naked eye. 세균은 맨눈으로는 안 보인다. ②얼굴〔모습〕을 보이지 않는: He remains ~ when out of spirits. 그는 울적할 때는 모습을 안 나타낸다.
── *n.* ①Ⓒ 눈에 보이지 않는 것. ②(the ~) 영계(靈界). ③(the I-) 신(God).
㊕ **-bly** *ad.* **~·ness** *n.*

invísible éxports〖經〗무형 수출품, 무역 외 수출.

invísible ímports〖經〗무형 수입품, 무역 외 수입.

invísible tráde 무역외 수지, 무형 무역《운임·관광 등 상품 이외의 무역》(opp. *visible trade*).

‡in·vi·ta·tion [ìnvətéiʃən] *n.* ①Ⓤ.Ⓒ 초대, 안내, 권유: a letter of ~ 초대장 / an ~ to a dance 댄스파티로의 초대 / go to a party on ~ 초대를 받아 파티에 가다 / He declined〔accepted〕an ~ to give a lecture. 그는 강연을 해달라는 초대를 거절〔수락〕했다. ②초대〔안내, 권유〕장(~ card, letter of ~): He received an open ~ to visit his uncle in U.S.A. 그는 미국의 아저씨로부터 언제라도 방문하라는 초청장을 받았다. ③Ⓒ.Ⓤ 유인, 꾐, 유혹; 유발: an ~ to crime 범죄로의 유인 / Tyranny is often an ~ to rebel. 압정은 때로 반역을 유발한다. ***at*〔*on*〕*the* ~ *of*** …의 초대에 의하여. ***admission by* ~ *only*** 입장은 초대 손님에 한함.
㊕ **~·al** *a.* (시합·전람회 따위가) 초대자만의.

invitátional càrd〔**tìcket**〕초대장, 초대권.

†in·vite [inváit] *vt.* ①《+목+전+명 / +목+*to* do / +목+부》(사람)을 초청하다, 초대하다: ~ a person *to* dinner = ~ a person *to* have dinner 아무를 만찬에 초대하다 / They have been ~*d out to* dinner. 그들은 만찬에 초대되어 외출했다. ②《~+목 / +목+*to* do》(주의·흥미 따위)를 이끌다, 끌다; 유혹하여 …하게 하다: The book ~*s* interest. 그 책은 흥미를 끈다 / The bull market ~*d* us *to* risk an investment. 오름세에 있는 주식시장에 이끌리어 우리들은 위험을 무릅쓰고 투자했다. ③(비난·위험 따위)를 초래하다, 야기하다: The bill ~*d* much discussion. 그 법안은 많은 논의를 일으켰다. ④《~+목 / +목+*to* do》(정식으로) …을 청하다, 요청하다, 부탁하다: We ~ questions. 마음껏 질문해 주십시요! / Suggestions are ~*d*. 제안을 들려주세요 / ~ a person *to* be chairman 아무에게 의장이 되어달라고 요청하다.

in·vit·ing [inváitiŋ] *a.* 매혹적인, 마음을 끄는; 기분 좋은; 구미가 당기는: an ~ smile 매력적인 미소 / an ~ dish 맛있어 보이는 요리. ㊕ **~·ly** *ad.*

in vi·tro [in-víːtrou] 《L.》시험관〔유리관〕내에, 생체 밖의: ~ fertilization 시험관 수정, 체외 수정《略 IVF》.

in vi·vo [in-víːvou] 《L.》생체 내에서(의).

in·vo·ca·tion [ìnvəkéiʃən] *n.* ①Ⓤ 신의 도움을 빎, 기원(祈願). ②Ⓒ 시신(詩神)《Muse에게 작시(作詩)의 영감을 기원하는 주문》. ③Ⓤ.Ⓒ (법의) 발동, 실시.

***in·voice** [ínvɔis] *n.*〖商〗송장(送狀), 인보이스: write out an ~ for …의 송장을 작성하다.
── *vt.* ①…의 송장을〔청구서를〕작성〔제출〕하다. ②…에게 송장을 보내다.

***in·voke** [invóuk] *vt.* ①(신에게 도움·가호 따위)를 기원하다, 빌다; (권위 있는 것·신성한 것)을 예로서 인용하다: ~ God's mercy 하느님의 자비를 빌다 / The government has ~*d* the Official Secrets Act in having the book banned. 정부는 그 책을 발금(發禁)함에 있어서 국가기밀보호법을 내세웠다. ②(법률)에 호소하다; 발동하다: ~ the power of the law 법의 힘에 호소하다 / ~ martial law 계엄령을 시행하다. ③(악마 따위)를 주문으로 불러내다; 불러 일으키다, 자극하다: Human error ~*d* the disaster. 사람의 과실이 그런 참사를 불러 일으켰다. ◇ invocation *n.*

***in·vol·un·tar·y** [inváləntèri / -vɔ́ləntəri] *a.* ①무심결의, 무의식적인, 모르는 사이의: an ~ cry 무의식적인 외침 / ~ manslaughter 과실 치사(죄). ②본의 아닌;〖生理〗불수의(不隨意)의: ~ muscles 불수의근.
㊕ **-ri·ly** [-rili] *ad.* 모르는 사이에; 본의 아니게. **-ri·ness** *n.* 무의식, 본의 아님.

in·vo·lute [ínvəlùːt] *a.* ①뒤얽힌, 복잡한, 착잡한. ②〖植〗안으로 말린〔감긴〕;〖動〗(패각 등이) 나선 모양의. ── *n.* Ⓒ〖數〗신개선(伸開線).

***in·vo·lu·tion** [ìnvəlúːʃən] *n.* ①Ⓤ 말아넣음; 안으로 말림. ②Ⓤ 복잡, 혼란; Ⓒ 복잡한 것.

‡in·volve [inválv / -vɔ́lv] *vt.* ①《+목+전+명》연좌〔연루, 관련〕시키다《*in*》; 말려들게 하다, 휩쓸리게 하다《*in; with*》; …에 영향을 끼치다: get ~*d in* a trouble 분쟁에 말려들다 / Your troubles are mostly ~*d with* your attitudes. 자네 문

제는 자네 자신의 태도와 밀접히 관련되어 있다 / He ~*d* himself deeply *in* the plot. 그는 음모에 깊이 관련되었다. ② (~+목 / +-*ing*) (필연적으로) …을 수반하다, 필요로 하다, 포함하다 : An accurate analysis will ~ intensive tests. 정확한 분석에는 철저한 검사를 필요로 한다 / Persistent efforts were ~*d in* complet*ing* the work. 그 일을 성취하는 데는 부단한 노력이 필요했다. ③ (+목+전+명) 〔흔히 受動으로 또는 再歸用法〕 …에 몰두시키다, 열중시키다 (*in* ; *with*) : *be* ~*d in* working out a puzzle = *be* ~*d with* a puzzle 수수께끼 푸는 데 열중하고 있다. ④ …을 복잡하게 하다 : It would ~ matters. 그것은 일을 복잡하게 할 것이다. ***get ~d with*** …에 휘감기다 : *get* ~*d with* a rope 로프에 휘감기다. ⓟ *~**d** [-d] *a.* ① 뒤얽힌, 복잡한 : an ~*d* sentence 복잡한 문장. ② (사건 등에) 관계한, 참가한 ; …에 말려든 (*in*) : He's ~*d in* a conspiracy. 그는 음모에 말려들고 있다. ③ …에 열중한 (*in*) : He is very ~*d in* his work. 그는 일에 열중하고 있다.

***in·volve·ment** [inválvmənt / -vɔ́lv-] *n.* ① Ⓤ 말려듦 ; 휩쓸려듦, 관련, 연루, 연좌 (*in*) : avoid ~ *in* an affair 사건에 관련되는 것을 피하다. ② Ⓒ 난처한 일 ; 어려움 ; (재정) 곤란.

in·vul·ner·a·ble [invʌ́lnərəbəl] *a.* ① 상처 입지 않는, 불사신의. ② (논의 따위가) 논파할 수 없는, 반박할 수 없는. ⓟ **-bly** *ad.* **~·ness** *n.*

‡**in·ward** [ínwərd] *a.* ① 안의, 안쪽의, 내부의, 내부에의. opp *outward*. ¶ an ~ room 안방 / on the ~ side 안쪽으로〔에〕. ② (말소리 따위가) 입속말로 하듯이 낮은. ③ 내적인, 정신적인, 영적인 : ~ peace 마음의 평정. — *ad.* ① 내부로, 안으로 : The door opens ~. 그 문은 안쪽으로 열린다. ② 마음 속에서, 내심(內心)으로 : turn one's thoughts ~ 내성(內省)하다. — *n.* (*pl.*) [ínərdz] (口) 배 ; 내장 (★ in'ard로도 씀). ⓟ *~·**ly** *ad.* ① 안에, 안으로 ; 내부에서. ② 마음속에서, 몰래. ③ 내밀히, 작은 목소리로. **~·ness** *n.* Ⓤ 내적인 것, 참뜻, 본질 ; 정신적인 것, 영성(靈性).

in·wards [ínwərdz] *ad.* = INWARD.

in·wrought [inrɔ́ːt] *a.* 〔敍述的〕 ① 짜〔박아〕 넣은, 수놓은 ; 상감(象嵌)한 ; 무늬가 든 : arabesques ~ on silk 실크에 직조한 당초 무늬. ② 혼합된, 뒤섞인 (*with*) : His thoughts were ~ *with* his love for her. 그의 생각에는 그녀에 대한 애정이 뒤섞여 있다.

Io [áiou] *n.* 〖그神〗 이오 (Zeus의 사랑을 받은 여자 ; Hera의 질투로 흰 암소로 변신됨).

Io 〖化〗 ionium. **Io.** Iowa. **I/O** 〖컴〗 input / output(입출력).

I / O bús 〖컴〗 입출력 버스 (입출력 기기의 접속을 위한 외부 공통 모선(母線)).

IOC International Olympic Committee.

io·din, io·dine [áiədin], [áiədàin, -dìːn] *n.* 〖化〗 요오드 (비금속 원소 ; 기호 I ; 번호 53) ; (口) 요오드팅크.

io·dize [áiədàiz] *vt.* 요오드로 처리하다 ; 요오드를 함유시키다.

io·do·form [aióudəfɔ̀ːrm, -ád- / -ɔ́d-] *n.* Ⓤ 〖化〗 요오드포름 (소독, 방부제).

I.O.M., I.o.M. Isle of Man.

ion [áiən, -an / -ɔn] *n.* 〖物〗 이온. ***a negative*** ~ 음이온(anion). ***a positive*** ~ 양이온(cation).

-ion *suf.* 라틴계의 동사의 명사를 만들며, -ation, -sion, -tion, -xion의 꼴을 취함.

íon exchànge 〖物·化〗 이온 교환(交換).

Io·nia [aióuniə] *n.* 이오니아 (소아시아 서안 지방의 고대 그리스 식민지).

Io·ni·an [aióuniən] *a.* 이오니아(인)의 ; 〖建〗 이오니아식의. — *n.* Ⓒ 이오니아인.

Iónian Séa (the ~) 이오니아해 (이탈리아 남동부와 그리스 사이의 지중해의 일부).

Ion·ic [aiánik / -ɔ́n-] *a.* 이오니아(사람)의 ; 〖建〗 이오니아식의 : the ~ dialect 이오니아어(語).

io·ni·um [aióuniəm] *n.* Ⓤ 〖化〗 이오늄 (토륨의 방사성 동위 원소 ; 기호 Io).

ion·i·za·tion [àiənizéiʃən] *n.* Ⓤ 이온화 ; 전리(電離).

ion·ize [áiənàiz] *vt., vi.* 〖理〗 이온화하다, 전리하다. ⓟ **-iz·er** *n.* 이온화〔전리〕 장치.

ion·o·sphere [aiánəsfiər / -ɔ́n-] *n.* (the ~) 〖理〗 이온층, 전리층. ⓟ **iòn·o·sphér·ic** *a.*

-ior[1] *suf.* 라틴어계(系) 형용사의 비교급을 만듦 : jun*ior*, sen*ior*, infer*ior*.

-ior[2] *suf.* '…하는 사람'의 뜻 : sav*ior*, pav*ior*.

io·ta [aióutə] *n.* Ⓤ.Ⓒ ① 이오타 (그리스어 알파벳의 아홉째 글자 Ι ; 로마자(字)의 i에 해당함). ② 미소(微少) (*of*) ; 〔否定文에서〕 (an ~) 아주 조금 (도 …없다), 티끌만큼(도 …없다) : There is *not an* ~ *of* truth in the story. 그 이야기에는 진실이란 조금도 없다.

IOU, I.O.U. [àiòujúː] (*pl.* **~*s*, ~'*s***) *n.* 약식 차용 증서. [◂I owe you.]

I.O.W., I.o.W. Isle of Wight.

***Io·wa** [áiəwə, -wei] *n.* 아이오와 (미국 중서부의 주(州)) (略 : Ia., IA). ⓟ **~n** [áiəwən] *a., n.* Iowa 주의 (사람).

IPA International Phonetic Alphabet 〔Association〕.

ip·so fac·to [ípsou-fǽktou] (L.) (= by the fact itself) 바로 그 사실에 의하여, 사실상.

IQ, I.Q. intelligence quotient (지능 지수(指數)).

Ir 〖化〗 iridium.

ir- ⇨ in-²

I.R.A., IRA Irish Republican Army (아일랜드 공화국군 ; 반영(反英) 지하조직).

Iran [irǽn, ai-, -rάːn] *n.* 이란 (수도 Teheran ; 옛 이름은 Persia).

Ira·ni·an [iréiniən] *a.* 이란(사람)의 ; 이란어계(語系)의. — *n.* ① Ⓒ 이란 사람. ② Ⓤ 이란 말.

Irán-Iráq Wàr [irǽn-irάːk-] 이란 이라크 전쟁 (1980-88).

Iraq [irάːk] *n.* 이라크 (수도는 Baghdad).

Ira·qi [irάːki] (*pl.* **~*s***) *n.* ① Ⓒ 이라크 사람. ② Ⓤ 이라크 말. — *a.* 이라크의 ; 이라크 사람〔말〕의.

iras·ci·ble [irǽsəbəl, air-] *a.* 성을 잘 내는, 성미가 급한, 성마른. ⓟ **-bly** *ad.* **iràs·ci·bíl·i·ty** [-bíləti] *n.*

irate [áireit, -´] *a.* 성난, 노한. ⓟ **~·ly** *ad.*

IRBM, I.R.B.M. intermediate range ballistic missile.

IRC International Red Cross.

ire [áiər] *n.* Ⓤ (詩) 분노(anger).

Ire. Ireland.

ire·ful [áiərfəl] *a.* 성난, 성마른. ⓟ **~·ly** *ad.* **~·ness** *n.*

‡**Ire·land** [áiərlənd] *n.* 아일랜드 (아일랜드 공화국과 북아일랜드). ***the Republic of*** ~ 아일랜드 공화국 (옛 이름은 Irish Free State (1922-37), Eire (1937-49) ; 수도 Dublin).

Ire·ne [airíːn, ´-´ / airíːni] *n.* ① 여자 이름. ② [airíːni] 〖그神〗 이레네 (평화의 여신).

ir·i·des [íridìːz, ái-] IRIS의 복수.

ir·i·des·cence [ìrədésəns] *n.* Ⓤ 무지개 빛깔, 진줏빛 (보는 각도에 따라 색이 변함).

ir·i·des·cent [ìrədésənt] *a.* 무지개 빛깔의, 진줏빛의. ⓟ **~·ly** *ad.*

irid·i·um [airídiəm, ir-] *n.* Ⓤ 〖化〗 이리듐 (금속 원소 ; 기호 Ir ; 번호 77).

Iris [áiris] *n.* ① 아이리스 (여자의 이름). ② 〖그神〗 이리스 (무지개의 여신).

iris** (*pl.* ~·*es*, ***ir·i·des [írədìːz, ái-]) *n.* Ⓒ ① 붓꽃속(屬)의 식물 ; 그 꽃. ②〖解〗(안구의) 홍채.

‡**Irish** [áiriʃ] *a.* 아일랜드의 ; 아일랜드 사람〔말〕의. — *n.* ① Ⓤ 아일랜드 말. ② (the I-) 〔集合的〕 아일랜드 사람〔군〕. ⓟ ~·**ness** *n.*

Írish búll ⇨ BULL[3].

Irish·ism [áiriʃìzəm] *n.* Ⓤ 아일랜드풍 ; Ⓒ 아일랜드 사투리〔어법〕.

Irish·man [áiriʃmən] (*pl.* ***-men*** [-mən] ; *fem.* ***-wom·an*** [-wùmən], *pl.* ***-wom·en*** [-wìmin]) *n.* Ⓒ 아일랜드 사람.

Írish potáto 《美》 감자《sweet potato 와 구별하여》.

Írish Renáissance (the ~) 아일랜드 문예부흥《19 세기 말 Yeats, Synge 등이 중심》.

Írish Séa (the ~) 아일랜드 해《아일랜드와 잉글랜드 사이에 있음》.

Írish sétter 사냥개의 일종.

Írish stéw 양고기〔쇠고기〕· 감자 · 홍당무 · 양파 등을 넣은 스튜《요리명》.

Írish térrier 아일랜드종의 테리어《털이 곱슬곱슬한 작은 개》.

irk [əːrk] *vt.* 〔흔히 it 를 주어로 하여〕 지루하게 하다, 지치게 하다: *It* ~*s* me to do .... …하는 것은 질색이다.

irk·some [ə́ːrksəm] *a.* 진력나는, 넌더리나는 ; 지루한. ⓟ ~·**ly** *ad.* ~·**ness** *n.*

†**iron** [áiərn] *n.* ① Ⓤ 철《금속 원소 ; 기호 Fe ; 번호 26》. ⓒⓕ pig iron, cast iron, wrought iron, steel. ¶ Strike while the ~ is hot. ⇨ HOT ① a). ② Ⓒ 철제 기구 ; 《특히》 아이론, 다리미, 인두 (smoothing ~), 헤어아이론 ; 〖골프〗 쇠머리 달린 골프채, 아이언 ; 낙철(烙鐵) ; 낙인(烙印) ; (*pl.*) 차꼬, 수갑 ; (*pl.*) 등자(鐙子) ; (포경용) 작살 ; (*pl.*) 기형 교정용 보족구(補足具) ; 《美俗》 권총, 총. ③ Ⓤ〖藥〗 철제(鐵劑) ; (음식 중의) 철분. ④ Ⓤ (쇠처럼) 강함〔단단함〕; 엄하고 혹독함. ***a man of*** ~ 의지가 강한 사람, 냉혹한 사람. (***as***) ***hard as*** ~ 철과 같이 굳은 ; 몹시 엄격한. ***a will of*** ~ 무쇠 같은 의지. ***have*** (***too***) ***many*** ~***s in the fire*** (너무) 많은 사업에 손을 대다 ; 해결해야 할 문제가 많다. ***in*** ~***s*** 차꼬를〔수갑을〕 차고 ; 잡힌 몸이 되어. ***muscles of*** ~ 쇠같이 단단한 근육. ***pump*** ~ 《俗》 바벨을 들다, 역도를 하다. ***rule*** (***...***) ***with a rod of*** ~ 〔***with an*** ~ ***hand***〕 (사람 · 국가 따위)를 엄하게 관리〔지배〕하다.

— *a.* 〔限定的〕 ① 철의, 철제의: an ~ hat 철모 / an ~ bar 철봉 / an ~ ore 철광. ② 쇠처럼 단단한〔강한〕. ③ 냉혹〔무정〕한: an ~ hand 냉혹한 지배, 압정.

— *vt.* ①《~+목 / +목+목 / +목+전+명》 …에 다림질하다: Won't you ~ me this suit? = Won't you ~ this suit *for* me? 이 옷을 다려 주지 않겠어요. ② …에 차꼬를〔수갑을〕 채우다. ③ …에 철(판)을 붙이다〔대다, 씌우다, 입히다〕, 장갑하다. — *vi.* 다림질하다 ; (천 따위가) 다림질되다. ~ ***out*** (1) 다림질하다 ; (주름을) 펴다, (울퉁불퉁한 것을) 고르다, 가지런히 하다. (2) (견해차 따위를) 해소하다, 타협하다 ; (일을) 원활하게 하다 ; (장애를) 제거하다: ~ *out* misunderstandings 오해를 풀다.

Íron Àge ① (the ~) 〖考古〗 철기 시대《Stone Age, Bronze Age 에 계속되는 시대》. ② (the i- a-) 〖그神〗 흑철(黑鐵) 시대《golden age, silver age, bronze age에 계속되는 세계 최악, 최후의 시대》.

iron·bound [-báund] *a.* ① 쇠를 댄〔붙인〕. ② 단단한, 굽힐 수 없는. ③ (해안 등이) 바위가 많은.

iron·clad [-klǽd] *a.* ① 철판을 입힌〔댄〕, 장갑의. ② 깨뜨릴 수 없는, 엄격한《계약 · 협정 따위》. — [⌐⌐] *n.* Ⓒ (19세기 후반의) 철갑함(鐵甲艦).

íron cúrtain (the ~, 때로는 the I- C-) 철의 장막: behind the ~ 철의 장막 뒤에서.

iron-gray [-gréi] *n.* Ⓤ, *a.* 철회색(의)《약간 녹색을 띤 광택 있는 회색》.

***iron·ic, iron·i·cal** [airánik / -rɔ́n-], [-əl] *a.* 반어의, 비꼬는, 풍자적인. ⓟ **-cal·ly** [-kəli] *ad.* 빈정대어 ; 얄궂게도: *Ironically* (enough), the murderer was killed with his own gun. 얄궂게도 살인자는 그 자신의 총으로 사살되었다. **-cal·ness** *n.*

iron·ing [áiərniŋ] *n.* Ⓤ ① 다림질: do the ~ 다림질하다. ② 〔集合的〕 다림질하는 옷〔천〕.

íroning bòard 〔**tàble**〕 다림질판〔대〕.

íron lúng 철의 폐《철제 호흡 보조기》.

íron mòld (천 따위에 묻은) 쇠녹 또는 잉크의 얼룩.

iron·mon·ger [-mʌ̀ŋgər] *n.* Ⓒ 《英》 철물상.

iron·mon·gery [-mʌ̀ŋgəri] *n.* 《英》 ① Ⓤ 철기류, 철물. ② Ⓒ 철물상〔점〕.

iron-on [-àn / -ɔ̀n] *a.* 아이론으로 붙여지는.

íron óxide 〖化〗 산화철.

íron ràtion (종종 *pl.*) 〖軍〗 비상 휴대 식량.

iron·side [-sàid] *n.* Ⓒ 용맹한 사람.

iron·stone [-stòun] *n.* Ⓤ 철광석, 철광.

iron·ware [-wɛ̀ər] *n.* Ⓤ 〔集合的〕 철기, 철물《특히 주방용품》.

iron·wood [-wùd] *n.* Ⓤ,Ⓒ 경질재(硬質材), 그 수목.

iron·work [-wə̀ːrk] *n.* Ⓤ (구조물의) 철제 부분 ; 철제품. ⓟ ~·**er** *n.* 철공 ; 철골 조립공.

‡**iro·ny**[1] [áirəni] *n.* ① **a**) Ⓤ 풍자, 비꼬기, 빈정댐, 빗댐: with ~ 아이러니하게 / His stories are full of ~ and wit. 그의 이야기는 기지와 아이러니로 가득 차 있다. **b**) Ⓒ 비꼬는 말, 빈정거리는 언동: a bitter ~ 신랄한 풍자. ② Ⓤ〖修〗 반어법《사실과 반대되는 말을 쓰는 표현법》. ③ Ⓒ (운명 등의) 뜻밖의 결과.

irony[2] [áiərni] *a.* 철의, 쇠 같은 ; 철을 함유하는.

Ir·o·quoi·an [ìrəkwɔ́iən] *n., a.* 이러쿼이 사람(의) ; 이러쿼이 말(의).

Ir·o·quois [írəkwɔ̀i] (*pl.* ~ [-z]) *n.* (the ~) 이러쿼이 족《북아메리카 원주민 ; 여러 부족으로 이루어짐》.

ir·ra·di·ance, -an·cy [iréidiəns], [-i] *n.* Ⓤ 발광(發光), 광휘(光輝).

ir·ra·di·ate [iréidièit] *vt.* ① …을 비추다 ; 밝게 하다. ② 밝히다, 계발하다: ~ a problem 문제를 밝히다. ③ (얼굴 따위)를 밝게 하다, 생기가 나게 하다 ; (애교)를 떨다, (친절하게) 굴다: Her face was ~*d with* joy. 그녀의 얼굴은 기쁨으로 빛나고 있었다. ④ 방사선 치료를 하다 ; (자외선 따위)를 조사(照射)하다.

ir·ra·di·a·tion [irèidiéiʃən] *n.* Ⓤ ① 발광, 방사, 방열 ; 조사, 투사(投射). ② 계발, 계몽. ③ 방사선 조사, 방사선 치료.

***ir·ra·tion·al** [irǽʃənəl] *a.* ① 불합리한 ; 도리를 모르는, 분별없는: an ~ fellow 도리를 모르는 녀석 / ~ arguments 바보스런 논의. ② 이성〔분별〕이 없는. ③〖數〗 무리(수)의. opp. *rational.* — *n.* Ⓒ〖數〗 무리수. ⓟ ~·**ly** *ad.*

ir·ra·tion·al·i·ty [iræ̀ʃənǽləti] *n.* ① Ⓤ 불합리, 부조리 ; 이성〔분별〕이 없음. ② Ⓒ 불합리한 생각〔언동〕.

ir·re·claim·a·ble [irikléiməbəl] *a.* ① 돌이킬 수 없는 ; 교정〔회복〕할 수 없는. ② 개간〔간척〕할 수 없는. ⓟ **-bly** *ad.*

ir·rec·on·cil·a·ble [irékənsàiləbəl] *a.* ① 화해할 수 없는, 타협할 수 없는. ② 조화하지 않는, 모순된《*to* ; *with*》: The theory is ~ *with* the facts. 그 이론은 사실과 일치하지 않는다. — *n.* Ⓒ 화

해〔협조〕할 수 없는 사람 ; (*pl.*) 서로 용납될 수 없는 생각〔신념〕. [파] **-bly** *ad.* **ir·rèc·oncìl·a·bíl·i·ty** [-əbíləti] *n.*

ir·re·cov·er·a·ble [ìrikʌ́vərəbəl] *a.* 회수할 수 없는, 돌이킬 수 없는 ; 회복할 수 없는, 고칠 수 없는. [파] **-bly** *ad.*

ir·re·deem·a·ble [ìridí:məbəl] *a.* ① 되살 수 없는 ; 돌이킬 수 없는 : an ~ mistake 돌이킬 수 없는 실패. ② (국채 따위가) 상환되지 않는 ; 태환(兌換)할 수 없는《지폐 따위》: ~ bank note 불환 지폐. ③ 구제할 수 없는, 희망이 없는. [파] **-bly** *ad.*

ir·re·duc·i·ble [ìridjú:səbəl] *a.* ① (일정 한도 이상으로는) 단순화〔축소〕할 수 없는, (다른 상태·형식으로) 돌릴〔바꿀〕 수 없는《*to*》. ② 줄일 수 없는, 삭감할 수 없는. ③〖數〗 약분할 수 없는, 기약(旣約)의. [파] **-bly** *ad.*

ir·ref·u·ta·ble [iréfjutəbəl, ìrifjú:t-] *a.* 반박〔논파〕할 수 없는. [파] **-bly** *ad.*

‡**ir·reg·u·lar** [irégjələr] (*more* ~ ; *most* ~) *a.* ① 불규칙한, 변칙의 ; 비정상의, 이례(異例)의 ; 부정기의 ; 파격적인 : an ~ liner 부정기선 / an ~ heartbeat 불규칙한 심장 박동 / at ~ intervals 불규칙한 간격을 두고. ② 규칙〔규범〕을 따르지 않은 ; 불법의 : ~ procedure 위법한 절차. ③ 규율이 없는 ; 단정치 못한 : ~ conduct 단정치 못한 품행. ④ 층이 지는, 고르지 않은 ; 울퉁불퉁한, 평탄치 않은 : ~ teeth 치열이 고르지 못한 이 / a coast with an ~ outline 해안선이 고르지 못한 해안. ⑤〖軍〗 정규가 아닌 : ~ troops 비정규군. ⑥〖文法〗 불규칙변화의 : ~ verbs 불규칙동사 / ~ conjugation 동사의 불규칙 활용. [OPP] *regular.* ── *n.* [C] 비정규병 ; (*pl.*)《美》 규격에 맞지 않는 상품, 흠 있는 물건. [파] ~·**ly** *ad.* 불규칙하게 ; 부정기로.

***ir·reg·u·lar·i·ty** [irègjəlǽrəti] *n.* ① [U] 불규칙, 변칙 ; (*pl.*) 요철(凹凸) ; 가지런하지 않음 : the *irregularities* of the earth's surface 지구 표면의 요철. ② [C] 반칙, 불규칙한 것 ; (*pl.*) 불법〔부정〕 행위 : *irregularities* in city government 시정(市政)에 얽힌 부정 행위 / There's an ~ in your application. 당신의 신청서에는 미비한 점이 있습니다. ③ [U]《美》 변비(便祕).

ir·rel·e·vance, -van·cy [iréləvəns], [-si] *n.* ① [U] 부적절 ; 무관계. ② [C] 잘못 짚은 비평, 빗나간 질문《따위》.

ir·rel·e·vant [iréləvənt] *a.* ① 부적절한 ; 무관계한《*to*》; 잘못 짚은, 당치 않은 : an ~ argument 빗나간 의론 / His question is ~ *to* the subject. 그의 질문은 그 문제와 관계가 없다 / Age is ~ if he can do the job. 나이는 그가 그 일을 할 수 있느냐 하고는 관계가 없다. ② 중요치 않은, 무의미한. [파] ~·**ly** *ad.*

ir·re·li·gious [ìrilídʒəs] *a.* ① 무종교의. ② 반종교적인. ③ 신앙 없는, 불경건한. [파] ~·**ly** *ad.*

ir·re·me·di·a·ble [ìrimí:diəbəl] *a.* ① (병이) 불치의 ; 고칠 수 없는《악폐 따위》: an ~ disease 불치의 병. ② 돌이킬 수 없는《실책 따위》: an ~ error 돌이킬 수 없는 실책. [파] **-bly** *ad.*

ir·re·mov·a·ble [ìrimú:vəbəl] *a.* ① 옮길 수 없는 ; 제거할 수 없는. ② 면직시킬 수 없는, 종신직의. [파] **-bly** *ad.*

ir·rep·a·ra·ble [irépərəbəl] *a.* 고칠〔만회할, 돌이킬〕 수 없는. [파] **-bly** *ad.*

ir·re·place·a·ble [ìripléisəbəl] *a.* 바꿔 놓을〔대체할〕 수 없는 ; 둘도 없는. [파] **-bly** *ad.*

ir·re·press·i·ble [ìriprésəbəl] *a.* 억누를〔억제할〕 수 없는 : an ~ burst of laughter 억제할 수 없는 웃음. [파] **-bly** *ad.*

ir·re·proach·a·ble [ìripróutʃəbəl] *a.* 비난할 수 없는, 결점이 없는, 탓할〔흠잡을〕 데 없는 (blameless) : The way she tackled the problem was ~. 그 문제를 다루는 그녀의 방식은 흠 잡을 데가 없었다. [파] **-bly** *ad.*

***ir·re·sist·i·ble** [ìrizístəbəl] *a.* ① 저항할 수 없는 : an ~ force 불가항력. ② 억제할 수 없는, 억누를 수 없는 : an ~ urge 억제할 수 없는 충동. ③ 못 견디게 매혹적인, 매력적인 : (an) ~ charm 뇌쇄적인 매력. ④ (논점·이유 따위가) 두말할 나위없는, 군말할 수 없는 : an ~ proof 두말할 나위없는 확실한 증거. [파] **-bly** *ad.*

***ir·res·o·lute** [irézəlù:t] *a.* 결단력이 없는, 우유부단한, 망설이는. [파] ~·**ly** *ad.*

ir·res·o·lu·tion [irèzəlú:ʃən] *n.* [U] 결단성 없음, 우유부단 ; 무정견(無定見).

ir·re·spec·tive [ìrispéktiv] *a.* 〔다음 成句로〕 ~ ***of*** ... 〔전치사적으로〕 …에 관계없이 : ~ *of* age 〔sex〕 연령〔성별〕에 관계 없이 / It must be done, ~ *of* cost. 그것은 비용의 다소에 관계없이 해야 한다 / The idea is a good one ~ *of* who may have submitted it. 그 생각은 누가 냈던 간에 좋은 생각이다. [파] ~·**ly** *ad.*

***ir·re·spon·si·ble** [ìrispánsəbəl / -spɔ́n-] *a.* ① 책임이 없는 ; 책임 능력이 없는《*for*》: She left the baby in ~ hands. 그녀는 아기를 책임 능력이 없는 사람(의 손)에 맡겼다 / The mentally ill are ~ *for* their actions. 정신병 환자는 자신들의 행동에 대한 책임이 없다. ② 책임감이 없는 ; 믿을 수 없는 : It is ~ *of* you to leave the job unfinished. 일을 끝내지 않고 방치하다니 자네는 무책임하군. ── *n.* [C] 책임(감)이 없는 사람. [파] **-bly** *ad.* **ìr·re·spòn·si·bíl·i·ty** [-bíləti] *n.* [U]

ir·re·triev·a·ble [ìritrí:vəbəl] *a.* 돌이킬 수 없는, 회복〔만회〕할 수 없는 : an ~ loss 돌이킬 수 없는 손실. [파] **-bly** *ad.* 돌이킬 수 없을 정도로.

ir·rev·er·ence [irévərəns] *n.* ① [U] 불경 ; 비례(非禮). ② [C] 불경한 행위〔말씨〕.

ir·rev·er·ent [irévərənt] *a.* 불경한, 불손한 : ~ laughter 불손한 웃음. [파] ~·**ly** *ad.*

ir·re·vers·i·ble [ìrivə́:rsəbəl] *a.* ① 거꾸로 할 수 없는, 뒤집을 수 없는, 역행〔역전〕할 수 없는 : an ~ change 역행할 수 없는 변화. ② 철회할 수 없는, 파기할 수 없는《법률 등》. [파] **-i·bly** *ad.*

ir·rev·o·ca·ble [irévəkəbəl] *a.* ① 되부를 수 없는. ② 취소〔변경〕할 수 없는, 결정적인 : an ~ judgment 최종 판결. [파] **-bly** *ad.*

ir·ri·ga·ble [írigəbəl] *a.* 물을 댈 수 있는, 관개할 수 있는.

***ir·ri·gate** [írəgèit] *vt.* ① (토지)에 물을 대다 ; 관개하다(water). ②〖醫〗 (상처 등)을 관주(灌注)〔세척〕하다.
── *vi.* ① 관개〔관주〕하다. ②〖醫〗 세척하다. ◇ irrigation *n.*

***ir·ri·ga·tion** [ìrəgéiʃən] *n.* [U] ① 물을 댐 ; 관개 : an ~ canal 〔ditch〕 용수로. ②〖醫〗 (상처 등을) 씻음, 관주(灌注)(법). ◇ irrigate *v.*

ir·ri·ta·bil·i·ty [ìrətəbíləti] *n.* [U] ① 성미가 급함 ; 민감. ②〖生理〗 자극 감〔반〕응성, 과민성.

***ir·ri·ta·ble** [írətəbəl] *a.* ① 성미가 급한, 성마른 (touchy) ; 안달하는, 애를 태우는(fretful) : an ~ person 성마른 사람 / get ~ 안달이 나다, 초조해지다. ②〖醫〗 자극에 민감한, 흥분성의. [파] **-bly** *ad.*

ir·ri·tant [írətənt] *a.* 〔限定的〕 자극하는, 자극성의. ── *n.* [C] 자극물〔제〕.

‡**ir·ri·tate** [írətèit] *vt.* ①《~+[목] / +[목]+[전]+[명]》 (사람)을 초조하게 하다, 노하게 하다, 안달나게〔속타게〕 하다 : My son's foolish questions ~*d*

me. 아들놈의 바보같은 질문에 화가 났다. ② (신체의 기관)을 자극하다, …에 염증을 일으키게 하다 : This cream may ~ sensitive skin. 이 크림은 민감한 피부를 자극할지도 모르겠다. ◇ irritation *n.*

ir·ri·tat·ed [írətèitid] *a.* ① 안달복달한, 화를 낸 : My husband gets ~ whenever I ask him to stop smoking. 남편은 담배를 끊으라고 할 때마다 내게 화를 낸다 / She was ~ by his carelessness. 그녀는 그의 부주의에 화를 냈다《★ 보통 사람에게는 with, against, 그밖의 사안에 대해서는 at, by 를 쓴다》. ② 자극된, 염증을 일으킨, 따끔따끔한 : an ~ throat 따끔따끔 아픈 목구멍.

***ir·ri·tat·ing** [írətèitiŋ] *a.* 초조하게 하는, 약올리는, 화나게 하는 : an ~ reply 비위를 건드리는 대답 / He has an ~ habit of giggling. 그의 킥킥 웃는 버릇은 남을 화나게 한다. ㊕ **~·ly** *ad.*

***ir·ri·ta·tion** [ìrətéiʃən] *n.* ① Ⓤ 속타게〔성나게〕 함 ; 안달, 초조, 노여움 : I was full of ~. 나는 잔뜩 화가 났다. ② Ⓤ 〖醫〗 자극(상태), 흥분, 염증 : eye ~ 눈의 염증. ③ Ⓒ 화나게 하는 일〔것〕.

ir·ri·ta·tive [írətèitiv] *a.* 자극하는, 자극성의.

ir·rupt [irʌ́pt] *vi.* ① …에 침입〔돌입〕하다《*into*》. ② 〖生態〗 (개체수가) 급증하다, 대량으로 발생하다.

ir·rup·tion [irʌ́pʃən] *n.* Ⓤ,Ⓒ 돌입 ; 침입, 난입.

IRS, I.R.S. 《美》 Internal Revenue Service (국세청).

†**is** [iz, 弱 (유성음의 다음) z, (무성음의 다음) s] BE 의 3 인칭 · 단수 · 직설법(直說法) · 현재.

Is. Isaiah ; Island. **is.** island ; isle. **Isa.** 〖聖〗 Isaiah.

Isaac [áizək] *n.* ① 남자 이름. ② 〖聖〗 이삭《Abraham 의 아들 ; Jacob 과 Esau 의 부친 ; 창세기 XVII : 19》.

Is·a·bel(le), Is·a·bel·la [ízəbèl], [ìzəbélə] *n.* 이사벨(라)《여자 이름》.

Isai·ah [aizéiə / -záiə] *n.* 〖聖〗 이사야《헤브라이의 대(大)예언자》 ; 이사야서(書)《구약의 한 편》.

ISAM 〖컴〗 Indexed Sequential Access Method (색인 순차 접근 방식).

-isation *suf.* 《英》 = -IZATION.

ISBN International Standard Book Number (국제 표준 도서번호).

Is·car·i·ot [iskǽriət] *n.* ① 〖聖〗 이스가리옷《유다(Judas)의 성(姓)》. ② Ⓒ 〔一般的〕 배반자.

-ise *suf.* ① 상태 · 성질 따위를 나타내는 명사를 만듦 : exerc*ise*. ② 《英》 = -IZE.

-ish[1] *suf.* ① '…같은, …다운, …의, …의 기미를 띤, …스름한, …비슷한, 다소 …의'의 뜻의 형용사를 만듦 : brown*ish*, child*ish*, Turk*ish*. ② 《口》 수사(數詞)에 붙여서 '대략, …쯤, …경'의 뜻 : thirty*ish*.

-ish[2] *suf.* 동사를 만듦 : abol*ish*, aston*ish*.

Ish·ma·el [íʃmiəl, -meiəl] *n.* ① 〖聖〗 이스마엘《Abraham 의 아들 ; 창세기 XVI : 11》. ② Ⓒ 추방인, 뜨내기, 떠돌이 ; 사회의 적(outcast).
㊕ **~·ite** [íʃmiəlàit, -meiəl-] *n.* Ⓒ ① 〖聖〗 ~의 자손. ② 사회에서 버림받은 자, 세상에서 미움받는 자.

isin·glass [áiziŋglæ̀s, -glɑ̀ːs] *n.* Ⓤ ① 부레풀, 젤라틴. ② 〖鑛〗 운모(雲母)(mica).

Isis [áisis] *n.* 〖이집트神〗 이시스《농사와 수태를 관장하는 여신》.

isl. (*pl.* ***isls.***) (종종 Isl.) island ; isle.

Is·lam [islɑːm, íz-, -læm] *n.* ① Ⓤ 이슬람〔마호메트〕교, 회교. ② 〔集合的〕 회교도 ; 이슬람 세계.

Is·la·ma·bad [islɑ́ːməbɑ̀ːd] *n.* 이슬라마바드《파키스탄의 수도》.

Íslam fundaméntalism 이슬람 원리주의 (=**Islámic Fundaméntalism**). cf. Moslem fundamentalism.

Is·lam·ic, Is·lam·it·ic [islǽmik, -lɑ́ːmik, iz-], [ìsləmítik, iz-] *a.* 이슬람〔마호메트〕교의, 회교의 ; 회교도의, 이슬람교적인.

Is·lam·ism [ísləmìzəm, íz-] *n.* Ⓤ 이슬람교.

Is·lam·ite [ísləmàit, íz-] *n.* Ⓒ 회교도.

†**is·land** [áilənd] *n.* Ⓒ ① 섬《略 : is.》 : an uninhabited ~ 무인도 / a volcanic ~ 화산섬 / live on〔in〕 an ~ 섬에 살다. ② 섬 비슷한 〔고립된〕 것 ; 《특히》 고립된 언덕 ; (가로상의) 안전 지대 (safety ~) ; 고립된 집단〔지역〕. ── *a.* 〔限定的〕 섬의, 섬 모양의 : an ~ country 섬나라.
── *vt.* ① …을 섬으로〔같이〕 만들다 ; 고립시키다. ② …을 섬처럼 점재(點在)시키다 ; …에 섬같이 군데군데 두다《*with*》 : The sea *was ~ed with* the shadows of clouds. 바다에는 구름의 그림자가 여기저기 흩어져 있었다. ㊕ **~·er** *n.* Ⓒ 섬 사람.

‡**isle** [ail] *n.* Ⓒ ① 《詩》 섬, 작은 섬. ② (I-) … 섬《고유 명사로서》 : the *Isle* of Man 맨 섬 / the British *Isles* 영국 제도.

***is·let** [áilit] *n.* Ⓒ ① 아주 작은 섬. ② 동떨어진 곳〔점〕.

isls. Islands.

ism [ízəm] *n.* Ⓒ 주의, 학설, 이즘(doctrine).

-ism *suf.* ① '…의 행위 · 상태 · 특성'의 뜻 : hero*ism*. ② '…주의, 설(說), …교(教), …제(制), …풍'의 뜻 : social*ism*, modern*ism*. ③ '…중독'의 뜻 : alcohol*ism*. ④ -ize 로 끝나는 동사의 명사형 : bapt*ism*, ostrac*ism*.

†**isn't** [íznət] is not 의 간약형.

iso- '같은, 유사한'의 뜻의 결합사 : *iso*tope.

ISO International Standardization Organization (국제 표준화 기구).

iso·bar [áisəbɑ̀ːr] *n.* Ⓒ 〖氣〗 등압선.

‡**iso·late** [áisəlèit, ísə-] *vt.* 《~+목 / +목+전+명》 ① …을 고립시키다, 분리〔격리〕하다 : A high wall ~*d* the house *from* the rest of the village. 높은 담이 그 집을 마을의 다른 집으로부터 격리시켰다 / ~ *oneself from* society 세상과의 교제를 끊다. ② 〖化〗 격리시키다 ; 〖菌〗 (특정균)을 분리하다. ③ 〖電〗 절연하다(insulate). ◇ isolation *n.* ㊕ ***-lat·ed** *a.* ① 고립된, 격리된 : an *isolated* house 외딴 집. ② 절연된.

‡**iso·la·tion** [àisəléiʃən, ìsə-] *n.* Ⓤ,Ⓒ ① 고립(화), 고독. ② 격리. ③ 〖化〗 단리. ④ 〖電〗 절연. ***in*** ~ 고립〔분리〕하여. ㊕ **~·ism** [-ìzəm] *n.* Ⓤ 고립〔쇄국〕주의 ; 《美》 먼로주의. **~·ist** *n.* 고립주의자.

isolátion hòspital 격리 병원.

isolátion wàrd 격리 병동.

iso·mer [áisəmər] *n.* Ⓒ 〖化〗 이성질체.
㊕ **iso·mer·ic** [aisəmérik] *a.* **isom·er·ism** [aisɑ́mərìzəm / -sɔ́-] *n.* Ⓤ 〖化〗 (화합물 따위의) 이성질(異性質)현상.

iso·met·ric, -ri·cal [àisəmétrik], [-əl] *a.* 크기〔길이 · 면적 · 체적 · 각 · 둘레〕가 같은, 등척성(等尺性)의.

isos·ce·les [aisɑ́səlìːz / -sɔ́s-] *a.* 〖數〗 2등변의 : an ~ triangle 이등변 삼각형.

iso·therm [áisəθə̀ːrm] *n.* Ⓒ 〖氣〗 등온선.

iso·ther·mal [àisəθə́ːrməl] *a.*, *n.* 등온의 ; 등온선(의).

iso·tope [áisətòup] *n.* Ⓤ 〖物〗 아이소토프, 동위원소 : a radioactive ~ 방사선 동위원소.

iso·tron [áisətrɑ̀n / -trɔ̀n] *n.* Ⓒ 〖物〗 아이소트론《동위원소 전자(電磁) 분리기의 일종》.

iso·trop·ic [àisətrɑ́pik / -trɔ́p-] *a.* 〖物 · 生〗 등

방성(等方性)의, 균등성의.

*****Is·ra·el** [ízriəl, -reiəl] *n.* ①〖聖〗 이스라엘《Jacob의 별명 ; 창세기 XXXII : 28》. ②〔集合的〕 이스라엘의 자손, 이스라엘 사람, 유대인(Jew) ; 신의 선민, 기독교도. ③ 이스라엘 공화국《1948 년에 창건된 유대인의 나라 ; 수도 Jerusalem》.

Is·rae·li [izréili] *a.* (현대의) 이스라엘(사람)의. ── (*pl.* ~(*s*)) *n.* Ⓒ (현대의) 이스라엘 사람〔국민〕.

Is·ra·el·ite [ízriəlàit, -reiə-] *n.* Ⓒ 이스라엘〔야곱〕의 자손, 유대인(Jew) ; 신의 선민. ── *a.* 이스라엘의.

is·su·a·ble [íʃuːəbəl] *a.* ① 발행〔발포(發布)〕할 수 있는 ; 발행이 인가된《통화·채권 등》. ②〖法〗(소송 등의) 쟁점이 될 수 있는.

is·su·ance [íʃuːəns] *n.* Ⓤ ① 발행, 발포(發布). ② 발급, 급여. ③ 배급. ◇ issue *v.*

‡**is·sue** [íʃuː / ísjuː] *vt.* ①《~+目 / +目+前+名》(명령·법률 따위)를 내다, 발하다, 발포하다 : ~ a statement 성명을 발표하다 / ~ orders *to* soldiers 군인들에게 명령을 내리다. ②《~+目 / +目+前+名》(지폐·책 따위)를 발행하다, 출판하다 ;〖商〗(어음)을 발행하다 : Stamps are ~*d* by the government. 우표는 정부가 발행한다 / When was your driver's license ~*d to* you? 당신의 운전면허는 언제 발행되었습니까. ③《+目+前+名》〖軍〗(식량·의복 등)을 지급하다, 급여하다 : ~ rifles *to* the troops (=《英》 ~ the troops *with* rifles) 부대에 총을 지급하다. ── *vi.* ①《+前+名 / +副》 나오다, 발하다, 나타나다, 유출하다, 분출하다《*forth* ; *out*》: No words ~*d from* his lips. 그의 입에선 아무말도 나오지 않았다. ②《+前+名》 유래하다, …에서 생기다《*from*》: An accident often ~*s from* carelessness. 사고는 종종 부주의에서 일어난다 / All good civil laws ~ *out of* the law of nature. 좋은 민법은 모두 자연법에서 유래한다.

── *n.* ① Ⓤ (또는 an ~) 나옴, 유출(물) : *an* ~ of blood from the wound 상처로부터의 출혈. ② Ⓤ,Ⓒ 발행 ; Ⓒ 발행물 ; 발행 부수 ; …판(版) ; …호 : the second ~ 제 2 판 / the May ~ of a magazine 잡지의 5 월호 / today's ~ *of* The Times 오늘 발행의 타임스(신문). ③ Ⓒ 논쟁, 토론 ; 논쟁〔계쟁〕점 ; 문제 : The real ~ is how to call in the best brains. 정말로 중요한 점은 어떻게 가장 좋은 인재를 얻느냐에 있다 / I don't want to make an ~ of it. 그것은 문제삼고 싶지 않다. ④ Ⓒ (*sing.*) 결과, 결말 ; 결과로서 생기는 것 : the ~ of an argument 의론의 결과 / The ~ of the election was difficult to predict. 그 선거의 결과를 예상하기란 어려웠다. ⑤ Ⓤ〖法〗 자녀, 자손 : die without ~ 후사(後嗣) 없이 죽다. ***at*** ~ (1) 논쟁〔계쟁〕 중에〔의〕, 미해결로〔의〕(=***in*** ~) : the point *at* ~ 쟁점, 문제점. (2) 의견이 엇갈리어, 다투어 : They are *at* ~ *with* each other. 서로 의견이 맞지 않는다. ***in the*** ~ 결국은, 요컨대. ***join*** 〔***take***〕 ~ 의견이 대립하다, 논쟁하다, …에 이의를 제기하다《*with* ; *about* ; *on* ; *over*》: I must *take* ~ *with* you *on* that point. 그 점에 대해서는 자네에게 이의(異意)를 주장하지 않을 수 없다.

㊞ **ís·su·er** [-ər] *n.* Ⓒ 발행인.

-ist *suf.* '…하는 사람, …주의자, …을 신봉하는 사람, 가(家)'의 뜻의 명사를 만듦 : ideal*ist*, novel*ist*, special*ist*《★ -ism 과 달라 영미 모두 악센트가 없음》.

Is·tan·bul [ìstænbúːl, -tɑːn-] *n.* 이스탄불《터키의 옛 수도 ; 구명 Constantinople》.

isth·mi·an [ísmiən] *a.* ① 지협의. ② (I-) 그리스 Corinth 지협의 ; (I-) Panama 지협의 : the *Isthmian* Canal Zone 파나마 운하 지대.

***isth·mus** [ísməs] (*pl.* ~**·es,** **-mi** [-mai]) *n.* Ⓒ ① 지협. ②〖解·植·動〗 협부(峽部).

ISV International Scientific Vocabulary (국제 과학 용어).

†**it** [it] (소유격 ***its*** [its], 목적격 ***it*** ; *pl.* 주격 ***they,*** 소유격 ***their,*** 목적격 ***them*** ; it is, it has의 간약형 ***it's*** [its] ; 複合人稱代名詞 ***itself***) *pron.* ①〔3 인칭 中性의 人稱代名詞〕 그것《일반적으로 앞서 말한 사물을 가리킴. 또, 성별의 명시를 필요로 하지 않든가 그것이 불분명한 때의 사람·동물을 지칭함》: What's that book?─*It*'s a dictionary. 그 책은 무엇인가─(그것은) 사전입니다 / I took the book and gave *it* (to) him. 나는 책을 집어 그에게 주었다《간접목적어가 대명사일 때에는 직접목적어 뒤로 옴. ×I gave it him.》/ Who is there?─*It* is I 〔《口》 me〕. 거기 누구요─접니다《It is Tom and Mary.처럼 It is 다음에 두 사람이 상이 올 때도 있음》/ Mother took the baby and gave *it* suck. 엄마는 아기를 안고 젖을 물렸다 / The dog came wagging *its* 〔his〕 tail. 개가 꼬리를 치면서 왔다.

②〔非人稱의 it : 單數뿐이며, 우리말로 새기지 않음〕 **a)** 〔날씨·계절·시간·거리·명암 따위를 나타내어〕: *It* looks like snow. 눈이 내릴 것 같다 / *It* is warm for this time of the year. 이맘때치고는 따뜻하다 / What time is *it*?─*It* is half past ten. 지금 몇 시죠─10 시 반입니다 / *It* is (now) five years since he died. 그가 죽은 지 (벌써) 다섯 해가 된다 / How long does *it* take from here to the post office? 여기서 우체국까지는 (시간이) 얼마나 걸립니까 / *It*'s eight miles from here to Seoul. 여기서 서울까지는 8 마일이다 / *It* grew dark. 주변은 점차 어두워졌다. **b)** 〔막연히 사정·상황·부정(不定)의 것을 나타내어〕: *It* is all over with him. 그는 볼장 다 보았다 / How goes *it* with you today? 오늘은 재미가 어떻습니까 / *It* says in the Bible〔papers〕 *that*... 성경〔신문〕에 …라고 쓰여〔나와〕 있다 / *It* says, "Keep to the left." '좌측 통행'이라고 쓰여 있다.

③〔특수한 용법의 동사의 主語로서〕《뒤에 that 절이 오며, that 은 생략되기도 함》: *It* seems 〔appears〕 (*that*) Smith is satisfied with our program. 스미스는 우리 계획에 만족하는 것 같다 / *It* happened (*that*) he was not present. 마침 그는 출석하지 않았다 / *It* follows from this *that* you are wrong. 이래서 네가 틀린 게 된다《★ it seems〔appears〕는 삽입절로도 쓰임 : Margaret, *it seems,* told him about her past. 마가렛은 자기 과거에 관해 그에게 말한 것 같다》.

④《口》〔특수한 成句 중에서 동사 (보통, 자동사나 명사가 타동사로 전용된 것) 또는 전치사의 目的語로서〕: They fought *it* out. 그들은 끝까지 싸웠다 / Let's walk *it*. 걸어가자 / Damn *it* (all)! 빌어먹을 / Shall we foot *it* or bus *it*? 걸어갈까 버스로 갈까 / He will lord *it* over us. 그는 몹시 뽐낼 것이다 / have a hard time of *it* 몹시 혼나다 / run for *it* 달아나다 / There is no help for *it* but to do so. 그렇게 하는〔할〕 수밖에 없다.

⑤〔形式主語로서 뒤에 오는 語·句·節을 대표〕 **a)** 〔it is+(a) 名詞〔形容詞〕+to do〔do*ing*〕〕: *It* is a great pleasure *to* be here. 여기 있는 것은 매우〔퍽〕 즐겁다 / *It* is no use *crying* over spilt milk. 《俗談》 엎지른 물은 다시 담을 수 없다《動名詞》. **b)** 〔it is+形容詞+for+(代)名詞+to do〕: *It* is necessary *for* Bill *to* go right away. 빌은

곧 떠날 필요가 있다(=*It* is necessary *that* Bill (should) go right away.) / *It* is easy *for* the baby *to* walk. 아기가 걷는다는 것은 간단하다《easy, difficult의 경우엔 that節을 써서 바꿔 말할 수가 없음》. **c**) 〔it is+形容詞+of+(代)名詞+to do〕: *It* was careless *of* him *to* do that. 그런 짓을 하다니 그 사람은 부주의했다(=He was careless to do that)《★ (1) 이런 구문에 사용되는 주요 형용사: brave, careful, careless, clever, clumsy, considerate, cowardly, cruel, foolish, generous, good(=kind), (dis)honest, (un)kind, mean, nasty, nice(=kind), (im)polite, reasonable, rude, (un)selfish, sensible, silly, stupid, sweet, weak, wicked, wise, wonderful, wrong. (2) foolish, wise 따위는 for 구문도 가능함: *It* is foolish *of*〔*for*〕 you *to* do that. 그런 일을 하다니, 자네도 어리석군》. **d**) 〔it is +名詞〔形容詞〕+ that〔wh-〕節〕《that은 생략될 때가 있음》: *It's* a pity (*that*) you can't come. 당신이 오실 수 없는 것은 유감입니다 / *It's* doubtful *whether* he'll be able to attend the concert. 그가 음악회에 나올 수 있을지 어떨지는 확실치가 않다. **e**) 〔it+自動詞+that〔wh-〕節〕: Does *it* matter *when* we leave here? 우리들이 언제 여기를 떠나는가가 문제입니까 / *It* depends on you *whether* we go or not. 우리가 가느냐 안 가느냐는 너에게 달려 있다. **f**) 〔it+他動詞+(代)名詞+*to* do〕: *It* surprised me 〔I was surprised〕 *to* hear that Bill had won the race. 빌이 달리기에서 이겼다는 것을 듣고 나는 놀랐다. **g**) 〔it is+과거분사+to do〔that 節, wh-節〕〕: *It* is said *that* he is the richest man in the city. 그는 시에서 제일가는 갑부라고들 한다(=He is said to be the richest...) / Is *it* known *where* she has gone? 그녀가 어디 갔는지 알고들 있는가.

⑥〔形式目的語로서 뒤에 오는 語·句·節을 대표〕 **a**) 〔主語+動詞+it+名詞〔形容詞〕+to do〔doing, that節, wh-節〕〕: I thought *it* wrong *to* tell her. 그녀에게 이야기하는 것은 나쁘다고 나는 생각했다 / Let's keep *it* secret *that* they got married. 그들이 결혼한 것은 비밀로 해두자. **b**) 〔主語+動詞+it+前置詞+(代)名詞+to do〔that節〕〕: We owe *it to* you *that* no one was hurt in the accident. 그 사고에서 부상자가 나지 않은 것은 당신 덕분입니다 / We must leave *it to* your conscience *to* decide what *to* choose. 무엇을 택해야 하는가를 정하는 것은 당신의 양심에 맡기지 않을 수 없다. **c**) 〔主語+動詞+前置詞+it+that節〕: depend *on it that* … …라는 것을 기대하다 / See *to it that* this letter is handed to her. 이 편지가 그 여자의 손에 들어가게끔 해 주시오. **d**) 〔主語+動詞+it+that節〕: I took *it that* this was my last chance. 이것이 내 마지막 기회라고 생각했다.

⑦〔앞 또는 뒤에 나온 句나 節 따위를 가리켜〕: I tried *to get up,* but found *it* impossible. 나는 일어나려고 애썼지만 일어날 수 없었다 / *He is an honest man;* I know *it* quite well. 그는 정직한 사람이다. 나는 그것을 잘 알고 있다 / I did not know *it* at the time, but *she saved my son's life.* 그 때는 몰랐지만, 그녀가 내 아들의 생명을 구해 주었던 것이다.

⑧〔強調構文〕《It is X that〔wh-〕 … 따위 構文에서 특정 부분 X를 강조》: *It* was he *who*〔*that*〕 broke the vase yesterday. 어저께 꽃병을 깨뜨린 것은 그였다 / *It* was the vase *which* 〔*that*〕 he broke yesterday. 어제 그가 깨뜨린 것은 꽃병이었다 / *It* was Mary (*that*) we saw. 우리가 본 것은 메리였다《종종 that 따위의 관계사가 생략됨》/ *It* was because of her illness 〔because she was ill〕 (*that*) we decided to return. 우리가 돌아가기로 정한 것은 그녀가 병이 있었기 때문이었다《because 대신 as, since는 쓸 수가 없음》/ *It* was to Mary *that*〔Mary to *whom*〕 George was married. 조지와 결혼한 사람은 메리였다《★ 강조구문에서 it 다음에 오는 be 동사의 時制는 clause 내의 동사의 시제와 일치하며, clause 안의 동사의 인칭은 바로 앞의 名詞·代名詞에 일치함》.

— *n.* Ⓤ ① 술래. ②《口》 **a**) 이상(理想) (the ideal), 지상(至上), 극치, 바람직한〔필요한〕 수완〔능력〕, 바로 그것: In her new dress she really was *it.* 새 드레스를 입은 그 여자는 정말 멋이 있었다 / As a Christmas gift, this is really *it.* 크리스마스 선물로는 이것이 안성맞춤이다. **b**) 중요 인물, 제일인자: Among physicists he is *it.* 물리학자 중에서 그는 제일인자다《★ 보통 이탤릭으로 쓰고 보어로 쓰이며, 읽을 때 특히 강세를 둠》. ③《口》 성적 매력(sex appeal). ***be with it***《俗》 (1) 〔때로 남을 깎아 내려〕 (아무가) 유행을 알다, 현대적이다, 시류를 타고 있다. (2) (남의 이야기 따위를) 확실히 이해할 수 있다. ***That's it.*** (1) 바로 그렇습니다, 맞습니다. (2) 그거야, 그게 문제란 말야. (3) 이것으로 마감〔마지막〕이다: *That's it* for today. 오늘은 이만 (끝). ***This is it.***《口》 (드디어) 올 것이 왔다, 이거다.

It., Ital. Italian; Italy.

‡Ital·ian [itǽljən] *a.* ① 이탈리아의; 이탈리아 사람의. ② 이탈리아 말〔식〕의. — *n.* ① Ⓒ 이탈리아 사람. ② Ⓤ 이탈리아어.

***ital·ic** [itǽlik] *a.* 〖印〗 이탤릭체의: an ~ letter 이탤릭체 문자. — *n.* (주로 *pl.*) 이탤릭체 글자《어구의 강조·선명(船名)·출판물명·외래어 따위를 표시하는 데에 씀》: Print *in* ~*s.* 이탤릭체로 인쇄해 주세요. ⓒⓕ Roman.

***ital·i·cize** [itǽləsàiz] *vt.* ① …을 이탤릭체로 인쇄하다. ② (이탤릭체를 표시하기 위해) …에 밑줄을 치다. — *vi.* 이탤릭체를 쓰다.

†It·a·ly [ítəli] *n.* 이탈리아 (공화국)《수도 Rome》.

itch** [itʃ] *n.* ① (an ~) 가려움: I have *an* ~ *on* my back. 등이 가렵다. ② (the ~) 옴, 개선(疥癬): have *the* ~ 옴에 걸려 있다. ③ (흔히 *sing.*) 참을 수 없는 욕망, 갈망《*for*; *to* do》: He had an ~ *to* get away for a vocation. 그는 몹시 휴가를 가고 싶어했다. — *vi.* ① 가렵다, 근질거리다: My back ~*es* 등이 가렵다 / I ~ all over. 온몸이 가렵다. ②《+전+명 / +*to* do》 …하고 싶어서 좀이 쑤시다, …이 탐이 나서 못 견디다, 초조를 느끼다: He was ~*ing to* hear the results. 그 결과를 듣고 싶어 그는 좀이 쑤셨다. ***have an ~ing palm ⇨ PALM[1].

itchy [ítʃi] (***itch·i·er; -i·est***) *a.* ① 옴이 오른; 가려운: My eyes sometimes get red and ~ in the summer. 내 눈은 여름이면 때때로 붉어지고 가려워진다. ② 탐이 나서〔하고 싶어〕 좀이 쑤시는; 안달하고 있는. ***have*〔*get*〕 *~ feet*** (어딘가로) 뜨고 싶어 좀이 쑤시다. ⓟ **ítch·i·ness** *n.*

it'd [itud] it had, it would의 간약형.

-ite *suf.* ① '…의 사람(의), …신봉자(의)'의 뜻: Israel*ite.* ② '광물·화석·폭약·염류(塩類)·제품' 등의 뜻: bakel*ite,* dynam*ite.*

‡item [áitəm, -tem] *n.* Ⓒ ① 항목, 조목, 조항, 품목, 세목: sixty ~*s* on the list 목록상의 60개 품목 / ~*s* of business 영업 종목. ② (신문 따위의) 기사, 한 항목: local ~*s* 지방 기사. ③《美俗》 이야깃〔소문〕거리. ~ ***by*** ~ 항목별로, 한 조목 한 조목씩.

item·ize [áitəmàiz] *vt.* 조목별〔세목별〕로 쓰다,

항목별로 나누다. ***an ~d account*** 대금 명세서.
it·er·ate [ítərèit] *vt.* (몇 번이고) 되풀이하다 (repeat); 되풀이해(서) 말하다. ㊞ **ìt·er·á·tion** [-ʃən] *n.* U,C 되풀이, 반복; 복창(復唱).
it·er·a·tive [ítərèitiv, -rət-] *a.* 반복의; 되뇌는, 곱씹는; 〖文法〗 반복(상)의.
Ith·a·ca [íθəkə] *n.* 이타카《그리스 서쪽의 섬; 신화의 Odysseus〔Ulysses〕의 고향》.
***itin·er·ant** [aitínərənt, itín-] *a.* 〔限定的〕 순회하는, 편력 중의; 이리저리 이동하는《노동자 따위》; (감리교파에서) 순회 설교하는: an ~ library 순회〔이동〕 도서관 / an ~ peddler 〔trader〕 행상인 / an ~ judge 순회 판사. ── *n.* C ① 편력자; 순회 설교자〔판사〕; 행상인, (유랑 극단의) 배우《따위》. ② 방랑자.
itin·er·ary [aitínərèri, itín- / -rəri] *n.* C 여정(旅程); 여행 일정 계획(서); 여행 안내서; 여행(일)기: His ~ would take him from Bordeaux to Budapest. 그의 여행 계획서에 의하면 그는 보르도에서 부다페스트로 가게 되어 있다. ── *a.* 〔限定的〕 여정의, 여행의.
itin·er·ate [aitínərèit, itín-] *vi.* ① 순회〔순력〕하다. ② 순회 설교를〔재판을〕 하다.
-ition *suf.* '동작·상태'를 나타냄: defin*ition*, exped*ition*.
-itious *suf.* -ition, -tion의 어미를 갖는 명사를 형용사로 만듦: expedit*ious*.
-itis *suf.* ① '염(증)'의 뜻: bronch*itis*. ② 《口》 '…열, …광'을 나타냄: golf*itis* 골프광 / telephon*itis* 전화광.
-itive *suf.* 형용사·명사를 만듦: pos*itive*, infin*itive*.
it'll [itl] it will, it shall 의 간약형.
-itous *suf.* 형용사를 만듦: felic*itous*, calam*itous*.
†**its** [its] *pron.* 〔it의 所有格〕 그것의, 그, 저것의. cf. it[1].
†**it's** [its] it is, it has 의 간약형.
†**it·self** [it-sélf] (*pl.* ***them·selves***) *pron.* ① 〔再歸用法〕 그 자신을〔에게〕, 그 자체를〔에〕. cf. -self. ¶ The fox hid ~ behind a tree. 여우는 나무 뒤에 몸을 숨겼다. ② 〔強意用法〕 바로 그것(마저), …조차: The well ~ was empty. 우물조차 말라 있었다 / She's beauty ~. 그녀는 아름다움 그 자체였다《매우 아름답다》. ③ (동물 따위의) 정상적인〔건강한〕 상태: The pussy was soon ~. 고양이는 곧 건강해졌다. ***by*** ~ 그것만으로, (딴 것과 떨어져) 홀로; 자동적으로. ***for*** ~ 단독으로. ***in*** ~ 본래, 본질적으로. ***of*** ~ 저절로, 자연히.
ITTF International Table Tennis Federation(국제 탁구 연맹).
it·ty-bit·ty, it·sy-bit·sy [ítibíti], [ítsibítsi] *a.* 〔限定的〕 《口》 조그만, 하찮은: an ~ puppy dog 작은 강아지.
ITU, I.T.U. International Telecommunication Union((UN 의) 국제 전기 통신 연합).
-i·tude *suf.* =-TUDE.
-ity *suf.* =-TY[2].
IU international unit (국제 단위). **IU(C)D, I.U.(C.)D.** intrauterine (contraceptive) device (피임용 자궁내 링). **IUCN** International Union for Conservation of Nature and Natural Resources(국제 자연보호 연맹).
-ium *suf.* ① 라틴어계(系) 명사를 만듦: med*ium*, prem*ium*. ② 화학 원소명을 만듦: rad*ium*.
Ivan·hoe [áivənhòu] *n.* 아이반호《Sir Walter Scott의 소설명; 그 주인공》.
†**I've** [aiv] 《口》 I have 의 간약형.
-ive *suf.* '…의 성질을 지닌, …하기 쉬운'의 뜻의 형용사를 만듦: act*ive*, attract*ive*.
IVF in vitro fertilization(체외 수정).
ivied [áivid] *a.* 담쟁이(ivy)로 덮인.
‡**ivo·ry** [áivəri] *n.* ① U 상아, (코끼리·하마 따위의) 엄니. ② C (흔히 *pl.*) 《俗》 상아 제품; 당구알〔공〕; 피아노의 건반; 주사위: tickle the *ivories* 피아노를 치다. ③ U 상아빛. ④ (*pl.*) 《俗》 이, 치아: show one's *ivories* 이를 드러내다. ── *a.* 〔限定的〕 상아제의, 상아 비슷한; 상아빛의; =IVORY-TOWERED.
Ívory Cóast (the ~) 코트디부아르《서아프리카의 공화국; 수도 Abidjan》.
ívory tówer 상아탑《실사회에서 떨어진 사색의 세계, 특히 대학》.
ivo·ry-tow·ered [áivəritáuərd] *a.* 세속과 인연을 끊은, 상아탑에 사는; 인가에서 멀리 떨어진.
***ivy** [áivi] *n.* U ① 〖植〗 담쟁이덩굴: a house covered all over with ~ 담쟁이덩굴로 뒤덮힌 집 / ⇨ POISON IVY. ② (흔히 I-) 《美口》 =IVY LEAGUE. ── *a.* 〔限定的〕 학원의, 학구적인; (흔히 I-) Ivy League 출신의.
Ívy Léague (the ~) 《美》 아이비 리그 《Harvard, Yale, Princeton, Columbia, Pennsylvania, Brown, Cornell, Dartmouth 북동부 8개 명문 사립대학의 총칭》; 이 8개 대학으로 된 운동경기 연맹: an ~ college 《美》 아이비칼리지《북동부의 명문 대학》 / an ~ suit 아이비리그 대학생 스타일의 옷.
Ívy Léaguer Ivy League 학생〔졸업생〕.
I.W. Isle of Wight. **IWA** International Whaling Agreement (국제 포경 협정). **IWC** International Whaling Commission(국제 포경 위원회). **I.W.W., IWW** Industrial Workers of the World(세계 산업 노동자 조합). **I.X., IX** Jesus Christ.
-ix *suf.* -or 의 남성 명사에 대한 여성 명사를 만듦: inherit*rix*. cf. -ess.
-ization *suf.* -ize 로 끝나는 동사의 명사를 만듦: civil*ization*, real*ization*.
-ize, -ise *suf.* '…으로 하다, …화하게 하다; …이 되다, …화하다'의 뜻의 동사를 만듦: Anglic*ize*, crystall*ize*《★ 《美》에서는 주로 -ize 가 쓰이나, 《英》에서는 -ise 도 쓰임. 다만, chastise, supervise 따위는 《美》·《英》에서 다 같이 -ise 임》.
Iz·ves·tia [izvéstiə] *n.* 《Russ.》 (=news) 이즈베스티야《옛 소련 정부 기관지; 현재는 독립》.

J

J, j [dʒei] (*pl.* **J's, Js, j's, js** [-z]) ① U,C 제이《영어 알파벳의 열째 글자》. ② U 열 번째(의 것). ③ C J자 모양(의 것). ④ C 《美俗》 마리화나 담배.
J joule. **J.** James ; Journal ; Judge ; Justice.
jab [dʒæb] (*-bb-*) *vt.* ① **a**) (팔꿈치로) …을 쿡 찌르다《*in*》: He ~*bed* me *in* the stomach. 그는 내 배를 쿡 찔렀다. **b**) 〖拳〗 (상대)에게 잽을 먹이다. ② (예리한 것으로) …을 푹 찌르다《*into*》: The nurse ~*bed* a needle *into* my arm. 간호사는 내 팔에 주사바늘을 푹 찔렀다. ― *vi.* ① (팔꿈치·날카로운 것 등으로) 쿡〔푹〕 찌르다《*at*》. ② 〖拳〗 잽을 먹이다《*at*》. ― *n.* C ① 갑자기 찌르기〔치기〕. ② 〖拳〗 잽 : I threw a left ~ to his jaw. 나는 그의 왼편 턱에 잽을 먹였다. ③ 《美俗》 (피하)주사 ; 접종(接種).
jab·ber [dʒǽbər] *vi., vt.* (알아듣지 못할 정도로) 빨리 지껄이다, 재잘거리다《*out, away*》: ~ French / ~ *out* one's prayers 빠른 말로 주절주절 기도하다. ― *n.* U (또는 a ~) (알아듣기 힘든) 지껄임, 재잘거림.
jab·ber·wock(y) [dʒǽbərwɑ̀k(i) / -wɔ̀k(i)] *n.* U,C 뜻모를 소리 ; 종잡을 수 없는 말.
ja·bot [dʒæbóu, ʒæbóu] *n.* C 《F.》 자보《브라우스 등 여성복의 앞가슴 주름장식》.
***jack** [dʒæk] *n.* ① (J-) 잭《남자 이름 ; John, 때로 James, Jacob 의 애칭》. ② C (흔히 J-) 보통 남자 ; 무례한 놈 ; 남자(man), 놈(fellow), 소년 ; (보통, 모르는 사람을 불러) 너 ; 동료, 짝패(buddy, guy)《보통, 호칭으로 쓰임》: Every *Jack* has his Jill. 《俗談》헌 짚신에도 짝이 있다 / *Jack* of all trades, and master of none. 《俗談》 다예(多藝)는 무예(無藝). ③ C 밀어올리는 기계, 잭. ④ C 〖電〗 잭《플러그를 꽂는 구멍》. ⑤ C (카드의) 잭(knave) ; =JACKPOT ; BLACKJACK④. ⑥ C 〖海〗 (국적을 나타내는) 선수기(船首旗). ⑦ U 《美俗》 돈(money). ⑧ C 《英俗》 순경, 형사.
a piece of ~《美俗》상당한 돈. ***hook Jack*** 《美口》 꾀부리고 쉬다(play hooky). ***I'm all right, Jack.*** 《口》 난 걱정없다《다른 사람의 일은 모르지만》. ***Jack and Gill*** 〔***Jill***〕 젊은 남녀. ***on*** one***'s Jack*** (***Jones***) 《俗》 혼자서.
― *a.* (당나귀 따위가) 수컷의.
― *vt.* …을 잭으로 밀어올리다; 들어올리다《*up*》: ~ *up* the car and change the tire 잭으로 차를 들어 올리고 타이어를 교환하다. ~ ***in*** 《英俗》 (일 따위)를 그만두다, 포기하다. ~ a person***'s wig*** ⇨ WIG. ~ ***up*** (1) 잭으로 밀어올리다. (2) (일·계획 따위)를 포기하다. (3) 《美口》 (값·임금 등)을 올리다(raise).
jack·al [dʒǽkɔːl] *n.* C ① 〖動〗 재컬《여우와 이리의 중간형》. ② 《比》 남의 앞잡이 ; 악인(惡人).
jack·a·napes [dʒǽkənèips] (*pl.* ~) *n.* C (흔히 *sing.*) (원숭이처럼) 건방진 놈 ; 잘난 체하는 사람 ; 되바라진 아이.
jack·ass [dʒǽkæ̀s] *n.* C ① 수탕나귀. ② 바보, 멍청이, 촌놈.
jack·boot [dʒǽkbùːt] *n.* ① C (흔히 *pl.*) (기병이나 나치 군인이 신던) 긴 장화 ; (무릎 위까지 오는 어부 등의) 긴 장화. ② (the ~) 강압적인 행위, 강제, 전횡(專橫).
jack·daw [dʒǽkdɔ̀ː] *n.* C 〖鳥〗 갈가마귀.
‡**jack·et** [dʒǽkit] *n.* C ① (소매 달린 짧은) 웃옷, 재킷《남녀 구별 없이 씀》; 양복 저고리. ② 상의 위에 덧입는 것 : a life ~ 구명대. ③ (책의) 커버 ; (가(假)제본의) 표지《★ 흔히 말하는 책의 '커버'는 jacket 이며, 영어의 cover 는 '표지'의 뜻》. ④ 《美》 (문서를 넣는) 봉하지 않은 봉투. ⑤ 《美》(레코드의) 재킷(《英》sleeve). ⑥ **a**) (총탄의) 금속 외피. **b**) (증기관(蒸氣罐) 등 열의 발산을 막는) 포피(재)(包被(材)). ⑦ 감자 따위의 껍질. ***dust*** 〔***trim***〕 a person***'s*** ~ 《口》 아무를 갈기다. ― *vt.* ① …에 재킷을 입히다, 재킷으로 덮다. ② (책)에 커버를 하다.
Jáck Fróst 서리, 엄동, 동장군《의인화한 호칭》.
jack·ham·mer [dʒǽkhæ̀mər] *n.* C 잭해머《압착 공기에 의한 휴대용 착암기》.
jack-in-a-box [ˊ-inəbɑ̀ks / -bɔ̀ks] (*pl.* ~**·es, jacks-**) *n.* =JACK-IN-THE-BOX.
jack-in-of·fice [ˊ-inɔ̀(ː)fis, -ɑ̀f-] (*pl.* ***jacks-***) *n.* C (종종 J-) 거들먹거리는 하급 관리.
jack-in-the-box [ˊ-inðəbɑ̀ks / -bɔ̀ks] (*pl.* ~**-es, jacks-**) *n.* C 도깨비 상자《장난감》.
jack·knife [ˊ-nàif] *n.* C ① 잭나이프《접을 수 있게 된 튼튼한 대형 나이프》. ② 〖다이빙〗 잭나이프(다이빙) : do a ~ 잭나이프 다이빙을 하다. ― *vt.* …을 구부리다. ― *vi.* ① (잭나이프처럼) 구부러지다. ② (잭 나이프 다이빙을 할 때) 몸을 (꺾어)구부리다. ③ (열차·트레일러 등이 운전 잘못이나 사고로) 연결부에서 급각도로 구부러지다.
jáckknife dive = JACKKNIFE *n.* ②.
jack-of-all-trades [ˊ-əvɔ́ːltréidz, ˋ-ˋ-ˊ] (*pl.* ***jacks-***) *n.* C (때로 J-) 무엇이든 대충은 아는〔하는〕 사람.
jack-o'-lan·tern [ˊ-əlæ̀ntərn] *n.* C (종종 J-) ① 도깨비불. ② (속빈 호박(따위)에 눈·코·입을 낸) 호박등(燈).
jack·pot [ˊ-pɑ̀t / ˊ-pɔ̀t] *n.* C ① (포커에서) 계속해서 태우는 돈《한 쌍 또는 그 이상의 jack 패가 나올 때까지 적립하는》. ② 《口》 (뜻밖의) 대성공, 대히트. ③ (퀴즈에서 정답자가 없어) 적립된 많은 상금. ***hit the*** ~ (1) (포커에서) 장땡을 잡다. (2) 히트치다, 대성공하다.
jack·rab·bit [ˊ-ræ̀bit] *n.* C 〖動〗 귀와 뒷다리가 특히 긴 북아메리카산 산토끼.
jack·screw [ˊ-skrùː] *n.* C 〖機〗 나사식 잭.
jack·snipe [ˊ-snàip] *n.* C 〖鳥〗 꼬마도요.
Jack·son [dʒǽksən] *n.* **Andrew** ~ 잭슨《미국 제 7 대 대통령 ; 1767-1845》.
Jack·so·ni·an [dʒæksóuniən] *a.* Andrew Jackson(류(流) 민주주의)의. ― *n.* C 잭슨의 지지자.
jack·straw [ˊ-strɔ̀ː] *n.* (*pl.*) 〔單數 취급〕 잭스트로《나무·뼛조각 등을 쌓아놓고 다른 조각은 움직이지 않게 한 개씩을 뽑아내 많이 뺀 쪽이 이기는 놀이》. 「수병.
jack-tar, Jáck Tár [ˊ-tɑ́ːr] *n.* C 《俗》 선원,
***Ja·cob** [dʒéikəb] *n.* ① 제이콥《남자 이름》. ② 〖聖〗 야곱《이스라엘 사람의 조상》.

Jac·o·be·an [dʒæ̀kəbíːən] *a.* ①【英史】 James 1 세시대(1603-25)의. ② 재코비언(시대) 양식의: ~ furniture 재코비언 풍(風)의 가구《흑갈색》. — *n.* Ⓒ James 1 세 시대의 정치가〔작가〕.
Jac·o·bin [dʒǽkəbin] *n.* Ⓒ ①【史】 자코뱅당원《프랑스 혁명 때의 과격 공화주의자》. ② 과격한 정치가.
Jac·o·bin·ism [dʒǽkəbinìzm] *n.* Ⓤ ① 자코뱅주의. ② (정치의) 과격 급진주의.
Jac·o·bite [dʒǽkəbàit] *n.* Ⓒ, *a.*【英史】 James 2 세파의 사람(의)《퇴위한 James 2 세를 옹립한》.
Jácob's ládder ①【聖】 야곱의 사닥다리《야곱이 꿈에 본 하늘에 닿는 사닥다리; 창세기 XXVIII: 12》. ②【海】 줄사닥다리.
Jácob's stáff【測】 (측량기를 받치는) 단각가(單脚架); 거리〔고도〕 측정기.
jac·quard [dʒəkáːrd, dʒǽkərd] *n.* Ⓒ 자카드직《자카드기로 짠 문직물(紋織物)의 총칭》.
Ja·cuz·zi [dʒəkúːzi] *n.* Ⓒ 저쿠지《분류식 기포(噴流式氣泡) 목욕탕; 商標名》.
jade[1] [dʒeid] *n.* ① Ⓤ,Ⓒ【鑛】 비취, 옥(玉)《경옥(硬玉)·연옥을 합쳐 말함》. ② Ⓤ 비취색, 녹색 (=∠ **gréen**). — *a.* ① 비취로 만든. ② 녹색의.
jade[2] *n.* Ⓒ ① 쇠약한 말, 야윈 말. ② 닳아빠진 계집.
jad·ed [dʒéidid] *a.* ① (사람·표정 등이) 몹시 지친: a ~ look 지친 표정. ② 넌더리난.
jae·ger [jéigər] *n.* Ⓒ《美》【鳥】 도둑갈매기.
Jag [dʒæg] *n.* Ⓒ《英口》 재규어차(車)(Jaguar).
jag[1] [dʒæg] *n.* Ⓒ (톱니와 같이) 깔쭉깔쭉한 것; (암석 등의) 뾰족한 끝.
— (*-gg-*) *vt.* …을 깔쭉깔쭉하게 만들다, (천 따위)를 오늬 새기듯 에어내다, 깔쭉깔쭉하게 찢다.
jag[2] *n.* Ⓒ《俗》 ① 주연, (요란한) 술잔치(spree); 법석. ② 한 바탕의 소란: go on a crying ~ 한 바탕 울다. ***have a ~ on*** …에 취해 있다.
jag·ged [dʒǽgid] (~·*er*; ~·*est*) *a.* (물건이) 깔쭉깔쭉한, 톱니 같은, 지그재그의: a hill with a ~ crest 정상이 톱니 같은 산.
㊕ ~·**ly** *ad.* ~·**ness** *n.*
jag·gy [dʒǽgi] (*-gi·er*; *-gi·est*) *a.* =JAGGED.
jag·uar [dʒǽgwaːr, -gjuàːr/-gjuər] *n.* Ⓒ ①【動】 재규어, 아메리카표범. ② (J-) 영국제 고급 승용차.
jai alai [háiəlài, hàiəlái] 《Sp.》 하이알라이《주로 스페인·중남미에서 행해지는, handball, squash tennis 비슷한 공놀이》.
‡jail, 《英》 **gaol** [dʒeil] *n.* ① Ⓒ 교도소, 감옥; 구치소: He went to ~ for attempted robbery. 그는 강도 미수죄로 감옥에 갔다. ② Ⓤ 구치, 투옥, 교도소 생활: put a person in ~ 아무를 투옥하다 / break 〔escape from〕 ~ 탈옥하다.
— *vt.* …을 투옥하다, 구치하다《*for*》: be ~*ed* for 10 years *for* robbery 강도 죄로 10년간 복역하다.
jail·bird [∠bə̀ːrd] *n.* Ⓒ《口》 ① 죄수; 전과자. ② 상습범(《英》 goalbird).
jail·break [∠brèik] *n.* Ⓒ 탈옥.
***jail·er, -or,** 《英》 **gaol·er** [dʒéilər] *n.* Ⓒ (교도소의) 교도관, 간수, 옥리(獄吏).
Jain, Jai·na [dʒain], [dʒáinə] *a.* 자이나교(敎)의. — *n.* Ⓒ 자이나교도.
Jain·ism [dʒáinizəm] *n.* Ⓤ 자이나교《불교와 비슷한 동부 인도의 한 종파》.
Ja·kar·ta, Dja- [dʒəkáːrtə] *n.* 자카르타《인도네시아 공화국의 수도; 옛 이름은 Batavia》.
jake [dʒeik] *a.* 《俗》 좋은, 괜찮은: It's ~ with me. 나는 좋다.
ja·lop·(p)y, jal·lopy [dʒəlápi/-lɔ́pi] *n.* Ⓒ 《口》 고물 자동차.
jal·ou·sie [dʒǽləsiː/ʒǽluːziː] *n.* Ⓒ 《F.》 미늘살 창문; 미늘 발, 베니션 블라인드.
‡jam[1] [dʒæm] (*-mm-*) *vt.* ①《~+目/+目+전+명/+目+副》 (좁은 데에) …을 쑤셔넣다, (꽉) 채워 넣다《*in*; *into*》: ~ a thing *into* a box 물건을 상자에 쑤셔넣다 / She ~*med* her scarf *into* her pocket. 그녀는 스카프를 호주머니속에 쑤셔넣었다. ②《+目+전+명》 (손가락 등)을 끼우다: get one's finger ~*med* in the door 문에 손가락이 끼다. ③《+目+전+명/+目+副》 …을 밀어붙이다, 콱 누르다《*on*》; (법안 등)을 억지로 통과시키다《*through*》: ~ one's foot on the brake 브레이크를 밟다 / ~ a bill *through* Congress 법안을 억지로 의회에서 통과시키다. ④《~+目/+目+전+명》 (장소)에 몰려들다, …를 가득 메우다: Crowds ~*med* the doorway. 군중들이 입구에 쇄도했다 / The theater was ~*med* with people. 극장은 관객들로 꽉 차 있었다. ⑤ …을 움직이지 않게 하다《기계의 틈새에 물건이 끼여서》: The copying machine is ~*med* (up). 그 복사기는 (용지가 끼여서) 움직이지 않는다. ⑥【通信】 (동일 주파수의 주파를 보내서 통신 등)을 방해하다: Some sticky substance has ~*med* the machine. 뭔가 끈끈한 것이 있어 기계가 서 버렸다. ⑦《+目+副》 (물건)을 …에 세차게 놓다《*down*》: He ~*med* the receiver *down* on the cradle. 수화기를 탕하고 전화기 위에 놓았다. — *vi.* ① 밀고 들어가다, 억지로 끼여들다《*into*》: They ~*med into* the bus. 그들은 우르르 버스안으로 밀고 들어갔다. ② (기계 등에 물건이 끼여) 움직이지 않게 되다《*together*》: The two parts ~ *together* in the cylinder. 두 부품이 실린더 안에서 맞딱뜨려서 제자리에 잘 들어가지 않는다 / His rifle has ~*med*. 그의 라이플 총이 고장났다. ③《俗》 재즈를 즉흥적으로 연주하다. ***be ~med with*** …으로 붐비다. **~ . . . on** (브레이크 등)을 세게 밟다: She ~*med* the brakes *on*. 급히 그녀는 브레이크를 밟았다.
— *n.* Ⓒ ① 꽉 들어참, 혼잡: a traffic ~ 교통 혼잡, 교통 마비. ② (기계의) 고장, 정지;【컴】 엉킴, 잼. ③《口》 곤란, 궁지: get into a ~ 곤경에 빠지다. ④【재즈】 =JAM SESSION.
‡jam[2] *n.* ① Ⓤ 잼: apple〔strawberry〕 ~ 사과〔딸기〕 잼 / spread ~ on bread 빵에 잼을 바르다 / a ~ jar 〔pot〕 잼 단지, 잼병. ② Ⓒ 《英俗》 즐거운 〔손쉬운〕 것: have ~ on it 아주 즐거운 일을 하고 있다. ***D'you want ~ on it?*** 《口》 그 밖에 뭣이 더 필요하니. ***~ tomorrow*** (늘 약속만으로 끝나는) 내일의 즐거움〔기대〕. ***money for ~*** 손쉬운 (돈)벌이. ***real ~*** 《俗》 진수 성찬; 아주 즐거운 일, 식은죽 먹기.
Jam. Jamaica; James.
Ja·mai·ca [dʒəméikə] *n.* 자메이카《서인도 제도에 있는 영연방 내의 독립국; 수도 Kingston》.
Ja·mai·can [dʒəméikən] *a.*, *n.* Ⓒ 자메이카의 (사람).
jamb(e) [dʒæm] *n.* Ⓒ【建】 문설주.
jam·bo·ree [dʒæ̀mbəríː] *n.* Ⓒ ① (전국 또는 국제적인) 보이스카우트 대회, 잼버리. ② (정당·스포츠 연맹 따위의) 대회《때때로 여흥이 따름》. ③《口》 떠들썩한 연회〔회식〕.
James [dʒeimz] *n.* ① 제임스《남자 이름》. ②【聖】 야고보《그리스도의 제자 두 사람의 이름》; (신약성서의) 야고보서.
James·town [dʒéimstaun] *n.* 제임스 타운《미국 Virginia 주의 James 강 하구의 폐촌(廢村); 북아메리카 최초의 영국인 정주지(定住地)(1607)》.

jam·my [dʒǽmi] (*-mi·er* ; *-mi·est*) *a.* ① (잼처럼) 진득진득한. ② **a)** 《英口》 (시험이) 쉬운. **b)** 운이 썩 좋은(fortunate) : You ~ so-and-so! 이 행운아야.

jam-packed [dʒǽmpǽkt] *a.* 《口》 빈틈없이 꽉 채운〔찬〕: a ~ bus 초만원 버스.

jám sèssion 《口》 즉흥 재즈 연주회 ; 즉흥적으로 조직한 밴드의 재즈 연주.

***Jan.** January.

Jane [dʒein] *n.* ① 제인《여자 이름》. ② (j-) Ⓒ 《美俗》 계집애, 여자. cf. John.

Jáne Dóe JOHN DOE의 여성형.

Jan·et [dʒǽnit, ˊət] *n.* 재닛《여자 이름》.

jan·gle [dʒǽŋgəl] *n.* (*sing.*) ① 귀에 거슬리는 소리, (종소리 등의) 난조(亂調). ② 싸움, 언쟁. ── *vi.* ① 짤랑짤랑〔딸랑딸랑〕 울리다 ; 귀에 거슬리는 소리를 내다 : ~ on a person's ears 귀에 거슬리다 / keys *jangling* in one's pockets 주머니 속에 짤랑거리는 열쇠. ② 시끄럽게 말하다〔떠들다〕; 언쟁하다. ── *vt.* ① (종·동전 따위)를 딸랑딸랑〔짤랑짤랑〕 울리다 : He ~*d* the keys. 그는 열쇠를 짤랑거렸다. ② (신경)을 건드리다, 자극하다 : The noise ~*d* his nerves. 그 소음에 그는 신경이 쓰였다.

‡**jan·i·tor** [dʒǽnətər] (*fem.* **-tress** [-tris]) *n.* Ⓒ ① 문지기, 수위. ② 《주로 美》 (아파트·빌딩의) 관리인.

Jan·sen·ism [dʒǽnsənìzəm] *n.* Ⓤ 얀센주의 《17 세기 네덜란드 신학자 Jansen이 주창한 가톨릭교회 개혁 정신 ; 그 운동》. ㊞ **-ist** *n.*

†**Jan·u·ary** [dʒǽnjuèri / -əri] *n.* 1 월《略 : Jan.》: in ~ of 1995〔in ~, 1995〕 1995년 1월에 / on ~ 5 〔on 5 ~, on the 5th of ~〕 1월 5일에《★《美》에서는 January 5.《英》에서는 5 January가 일반적. 또, January 5를《美》에서는 January (the) fifth, January five.《英》에서는 January (the) fifth라고 읽음》. [◂the month dedicated to Janus]

Ja·nus [dʒéinəs] *n.* 〖로神〗 야누스《앞뒤로 두 얼굴을 가진 신(神) ; 문·출입구를 수호함》.

Ja·nus-faced [-fèist] *a.* ① (Janus 처럼) 앞 뒤에 두 얼굴을 가진, 동시에 두 방향을 향한, 양면성을 가진 : a ~ foreign policy 양면 외교. ② 표리 있는, 두 마음의, 남을 속이는(deceitful).

Jap [dʒæp] *a., n.* 《口·蔑》 =JAPANESE.

Jap. Japan ; Japanese.

***Ja·pan** [dʒəpǽn] *n.* 일본.

ja·pan *n.* Ⓤ ① 옻칠(漆). ② 칠기(漆器) : ~ ware 칠기류. ── (*-nn-*) *vt.* …에 옻칠을 하다 ; …에 검은 칠을 하다, 검은 윤을 내다.

***Jap·a·nese** [dʒæ̀pəníːz, -s] *a.* 일본의 ; 일본인〔말〕의 : the ~ language 일본어 / He is ~. 그는 일본 사람이다《국적을 강조할 때는 명사를 사용하여 He is a ~. 라고 함》. ── (*pl.* ~) *n.* ① Ⓒ 일본인 : a ~ (한 사람의) 일본인 / the ~ 일본인(전체). ② Ⓤ 일본말.

Jápanese encephalítis 일본 뇌염.

jape [dʒeip] *n.* Ⓒ 《文語》 농담, 장난. ── *vi.* 농담〔장난〕을 하다, 놀리다(jest). 「유의.

Ja·pon·ic [dʒəpánik / -pɔ́n-] *a.* 일본의 ; 일본 특

‡**jar**[1] [dʒɑːr] *n.* Ⓒ ① (아가리가 넓은) 항아리, 단지. ② 한 단지, 한 단지 가득한 양 : a ~ of jam 한 단지의 잼.

***jar**[2] *n.* (*sing.*) ① 귀에 거슬리는 소리, (신경에 거슬리게) 삐걱거리는 소리. ② 충격, 격렬한 진동, 격동. ③ (정신적인) 충격, 쇼크. ④ (의견 등의) 충돌 ; 불화, 버성김, 다툼. ***be at* (*a*) ~** 다투고 있다.

── (*-rr-*) *vi.* 《~ / +전+명》 ① (귀·신경·감정 따위에) 거슬리다《*on, upon*》: His loud laugh ~*red on* 〔*upon*〕 my ears 〔nerves〕. 그의 높은 웃음 소리가 내 귀〔신경〕에 거슬렸다. ② 귀에 거슬리는 소리를 내다, 삐걱거리다 : The brakes ~*red.* 브레이크가 삐익 소리를 냈다. ③ (귀에 거슬리는 소리를 내면서) 부딪치다《*upon ; against*》: The iron gate ~*red against* the wall. 그 철문이 삐〔찍〕 소리를 내며 벽에 부딪쳤다. ④ 덜컹덜컹 흔들리다, 진동하다 : The window ~*red.* 창문이 덜거덕거렸다. ⑤ (의견 등이) 일치되지 않다 ; (색깔이) 조화되지 않다《*with*》: Your ideas ~ *with* mine. 네 생각은 내 생각과 맞지 않는다 / ~*ring* color. ── *vt.* ① …을 삐걱거리게 하다, (삐걱삐걱·덜컹덜컹) 진동시키다 : The earthquake ~*red* the house very hard. 지진으로 집이 몹시 흔들렸다. ② (타격 등)으로 깜짝 놀라게 하다 ; …에게 충격을 주다 ; 뒤흔들다 : My mention of her seemed to ~ him. 나의 그녀에 대한 말에 그는 충격을 받은 듯했다.

jar[3] *n.* 〔다음 成句로〕 ***on the* 〔*a*〕 ~** (문이) 조금 열려(ajar). 「《*of*》.

jar·ful [dʒɑ́ːrfùl] *n.* Ⓒ 항아리〔단지〕에 가득한 양

jar·gon [dʒɑ́ːrgən / -gɔn] *n.* Ⓤ,Ⓒ ① 뜻을 알 수 없는 말〔이야기〕, 허튼 소리 : He babbled ~. 그는 알 수 없는 말을 지껄였다. ② (특수 그룹·동업자·동일 집단 내의) 전문어, 특수 용어, 통어(通語) ; 변말, 은어 : critic's 〔medical〕 ~ 비평가〔의학〕 용어 / the ~ of the advertising business 광고업계의 전문어. ③ 심한 사투리. ④ 혼합 방언 《pidgin English 따위》. ── *vi.* 알 수 없는 소리로 지껄이다.

jar·ring [dʒɑ́ːriŋ] *a.* ① 삐걱거리는, 귀에 거슬리는, 신경을 건드리는 : a ~ sound 귀에 거슬리는 소리. ② 〔限定的〕 (의견 등이) 안 맞는, (색깔 등이) 조화되지 않는 : ~ colors 조화되지 않는 색채. ── *n.* Ⓤ 삐걱거림 ; 진동 ; 충돌 ; 부조화.

Jas. James.

jas·min(e) [dʒǽzmin, dʒǽs-] *n.* ① Ⓤ,Ⓒ 재스민속(屬)의 식물. ② Ⓤ 재스민 향수.

Ja·son [dʒéisən] *n.* ① 제이슨《남자 이름》. ② 〖그神〗 이아손《황금 양털(the Golden Fleece)을 획득한 영웅》. cf. Argonaut. 「퍼.

jas·per [dʒǽspər] *n.* Ⓤ 〖鑛〗 벽옥(碧玉), 재스

jaun·dice [dʒɔ́ːndis, dʒɑ́ːn-] *n.* Ⓤ ① 〖醫〗 황달. ② 편견, 빙퉁그러짐. ── *vt.* …을 황달에 걸리게 하다.

jaun·diced [dʒɔ́ːndist, dʒɑ́ːn-] *a.* ① 《稀》 황달에 걸린. ② 시의심(猜疑心)이〔질투가〕 심한, 편견을 가진. ***take a* ~ *view of*** …에 대하여 비뚤어진 견해를 가지다 : *take a* ~ *view of* the peace movement 평화운동을 색안경을 쓰고 보다.

jaunt [dʒɔːnt, dʒɑːnt] *n.* Ⓒ (근(近)거리의) 산책, 소풍 : go on a weekend ~ 주말 소풍을 가다〔나서다〕. ── *vi.* 산책〔소풍〕가다. 「마차.

jáunt·ing càr [ˊiŋ-] (아일랜드의 경쾌한) 2 륜

jaun·ty [dʒɔ́ːnti, dʒɑ́ːn-] (*-ti·er* ; *-ti·est*) *a.* ① (사람·태도 등이) 쾌활〔명랑〕한 ; 발랄한 ; 멋낸 : She adjusted her hat to a ~ angle. 그녀는 멋을 내 모자를 비스듬이 썼다. ② (옷이) 스마트한, 멋부리는. ㊞ **-ti·ly** *ad.* **-ti·ness** *n.*

***Ja·va** [dʒɑ́ːvə, dʒǽvə] *n.* ① 자바《인도네시아 공화국의 중심이 되는 섬》. ② Ⓤ **a)** 자바산 커피. **b)** (j-) 《美俗》 커피.

Jáva màn 〖人類學〗 자바인《원시인의 한 형(型) ; 1891 년 자바에서 화석(化石)을 발견 ; Pithecanthropus의 하나》.

Jav·a·nese [dʒɑ̀ːvəníːz, dʒæ̀v-] *a.* ① 자바의. ② 자바 사람의. ③ 자바어의. ── (*pl.* ~) *n.* ① Ⓒ

J

자바 사람, 자바 섬 사람. ② Ⓤ 자바어(語).

***jave·lin** [dʒǽvəlin] *n.* ① Ⓒ 던지는 창, 투창(dart). ② (the ~) 〖競〗 창던지기(= ∠ thròw).

‡jaw [dʒɔː] *n.* ① Ⓒ 턱: She dropped her ~ at that. 그녀는 그것을 보고 입을 딱 벌렸다《놀란 표정》. ② (*pl.*) (짐승의) 입 (부분)《아래위 턱뼈·이를 포함한 입 부분》. ③ (*pl.*) **a**) (골짜기·해협 등의) 좁은 입구. **b**) (집게 따위의) 집는 부분. ④ (the ~s) 절박한 위기 상황: She was snatched from *the ~s* of death. 그는 사지(死地)에서 구출되었다. ⑤ U.C 《口》(시시한) 잡담: We had a long ~. 우리는 내내 잡담을 했다. ***get ~s tight*** 《口》 성내다, 노하다. ***give*** a person ***a*** ~ 야단치다, 귀아프게 잔소리하다. ***Hold* 〔*Stop*〕 *your ~!*** (입)닥쳐. ***set*** one***'s*** ~ 작정하고 덤비다. ― *vi.* 《俗》 수다떨다; 장황하게 지껄이다. ― *vt.* 《俗》 …을 꾸짖다, 잔소리하다.

jaw·bone [∠bòun] *n.* Ⓒ 턱뼈; 《특히》 아래턱뼈. ― *vt.* 《美口》 (정부 등이 대중)에게 설득을 시도하다.

jaw·break·er [∠brèikər] *n.* Ⓒ 《口》 ① (혀를 물 정도의) 아주 발음하기 어려운 어구(tongue twister). ② 아주 크고 딱딱한 캔디.

***jay**[1] [dʒei] *n.* Ⓒ ① 〖鳥〗 어치. ② 《口》 건방진〔경박한〕 수다쟁이; 얼간이.

jay[2] *n.* Ⓒ 《美俗》 마리화나 담배.

jay·vee [dʒéivíː] *n.* 《美口》 =JUNIOR VARSITY.

jay·walk [dʒéiwɔ̀ːk] *vi.* 《口》 교통규칙·신호를 무시하고 도로를 횡단하다. ㊞ **~·er** *n.*

‡jazz [dʒæz] *n.* Ⓤ ① 재즈, 재즈 음악〔댄스〕: a ~ band〔singer〕 재즈 밴드〔가수〕. ② 《口》 소란, 흥분, 활기. ③ 《俗》 거창하고 되잖은 소리, 허풍: Don't give me that ~ . 쓸데 없는 소리 말게, 거짓말 마라.

― *a.* 재즈의, (재즈식으로) 가락이 흐트러진, 시끄러운: ~ music / a ~ fan / a ~ band / a ~ singer. ***...and all that*** ~ 《口》 그밖의 이런것 저런것: He lectured us about loyalty, duty *and all that* ~. 그는 우리에게 충성이니 의무니 그밖에 이러니 저러니하고 설교를 했다.

― *vi.* ① 재즈를 연주하다, 재즈를 추다. ② 쾌활하게〔씩씩하게〕 행동하다. ― *vt.* 《+목+전》 ① …을 재즈 식으로 연주〔편곡〕하다. ② **a**) (음악, 파티 등)을 활기있게 하다《*up*》: Let's ~ the party *up*, shall we? 파티를 좀 활기있게 하자. **b**) (장식 등)을 현란하게 하다.

Jázz Àge 재즈 시대, 재즈 에이지《재즈가 유행한 미국의 1920년대》.

jaz·zer·cise [dʒǽzərsàiz] *n.* Ⓤ 재즈 체조《재즈 댄스에 맞추어서 하는 미용 체조의 일종》. [◂ *jazz* + ex*ercise*]

jazz·man [dʒǽzmæ̀n, -mən] (*pl.* ***-men*** [-mèn, -mən]) *n.* Ⓒ 재즈 연주자.

jazzy [dʒǽzi] (***jazz·i·er*** ; ***-i·est***) *a.* 《口》 ① 재즈풍(風)의, 재즈적인. ② 활기 있는, 화려한, 야한, 요란스러운.

J.C. Jesus Christ; Julius Caesar.

JCL 〖컴〗 job control language.

JCS Joint Chiefs of Staff.

JD juvenil delinquency; juvenil delinquent.

J.D. *Juris* 〔*Jurum*〕 *Doctor* 《L.》 (=Doctor of Law〔Laws〕). **Je.** June.

‡jeal·ous [dʒéləs] (***more*** ~; ***most*** ~) *a.* ① **a**) 질투심이 많은, 투기가 강한《*of*》: a ~ lover〔husband〕 질투심 많은 애인〔남편〕/ a ~ disposition 샘이 많은 기질. **b**) 〔敍述的〕 질투하는, 시샘하는, 선망하는(envious)《*of*》: My wife is ~ *of* my secretary. 아내는 내 비서를 질투하고 있다. ② (물건·권리 따위를 잃지 않으려고) 전전긍긍하는, 몹시 마음을 쓰는《*of*》: watch with a ~ eye 방심하지 않고 지켜보다 / be ~ *of* one's right 권리를 지키기에 급급하다. ◇ jealousy *n.* ㊞ ***~·ly** *ad.* 투기〔시샘〕하여; 방심하지 않고.

‡jeal·ousy [dʒéləsi] *n.* ① U.C 질투, 투기, 시샘: burning with ~ 질투에 불타는 / Don't show ~ of another's success. 남의 성공을 시기하지 마라. ② Ⓤ 엄중한 경계, 방심하지 않는 주의, 경계심: his ~ of his own privacy 사생활의 침해를 받지 않으려는 그의 경계(심). ◇ jealous *a.* ***race jealousies*** 인종 사이의 시샘.

***jean** [dʒiːn / dʒein] *n.* ① Ⓤ 진《올이 가늘고 질긴 능직(綾織) 무명의 일종》. ⓒⓕ denim. ② (*pl.*) 진으로 만든 의복류《바지·작업복 따위》: She was in ~*s*. 그녀는 진바지를 입고 있었다. ㊞ **~ed** *a.* 진을 입은.

Jeanne d'Arc [ʒɑːndárk] (F.) =JOAN OF ARC.

jeep [dʒiːp] *n.* Ⓒ 《美》 지프《상표명 J-》: by ~ 지프를 타고〔몰고〕《★ 관사 없음》.

jée·pers (créepers) [dʒíːpərz(-)] =GEE[3].

***jeer** [dʒiər] *n.* Ⓒ 조소, 조롱, 야유. ― *vi.* 《~/+전+명》 조소하다, 야유〔조롱〕하다(taunt)《*at*》: The audience ~*ed at* the speaker. 청중은 연사를 야유했다 / ~ *at* a person's idea 아무의 생각을 우습게 여기다. ― *vt.* 《~+목 / +목+부》 …을 조롱하다, 놀리다, 야유하다: Don't ~ the losing team. 지고 있는 팀을 놀리지 마라 / They ~*ed* me *out*. 그들은 나를 웃음가마리로 만들어 방에서 내쫓았다.

jeer·ing·ly [dʒíəriŋli] *ad.* 희롱조로, 조롱〔야유〕하여.

jeez [dʒiːz] *int.* 《俗》 (종종 J-) 저런, 어머나, 어럽쇼《가벼운 놀람·낙심》.

Jeff [dʒef] *n.* 제프《남자 이름; Geoffr(e)y, Jeffr(e)y의 애칭》.

Jef·fer·son [dʒéfərsən] *n.* **Thomas** ~ 제퍼슨《미국 제 3 대 대통령; 1743-1826》.

Jef·fer·so·ni·an [dʒèfərsóuniən] *a.* Jefferson식(민주주의)의.

― *n.* Ⓒ Jefferson(식 민주주의)의 지지자.

Jeff·rey [dʒéfri] *n.* 제프리《남자 이름》.

jehad ⇨JIHAD.

***Je·ho·vah** [dʒihóuvə] *n.* 〖聖〗 여호와《구약성서의 신》; 하느님(the Almighty).

Jehóvah's Wítnesses 여호와의 증인《그리스도교의 한 종파; 1872 년 창시》.

je·hu [dʒíːhjuː] *n.* Ⓒ ① 스피드 광(狂)의 운전자. ② 마부(coachman). ***drive like*** ~ 《口》 차를 난폭하게 몰다.

je·june [dʒidʒúːn] *a.* ① **a**) 영양가가 낮은. **b**) (토지가) 불모의. ② 무미건조한; 흥미 없는. ③ 미숙한, 어린애 같은. ㊞ **~·ly** *ad.* **~·ness** *n.*

Je·kyll [dʒékəl, dʒíːkəl] *n.* 지킬 박사(R. L. Stevenson 의 소설 중의 인물). (***Dr.***) ~ ***and*** (***Mr.***) ***Hyde*** 이중 인격자: He's a real ~ *and Hyde*. 그는 정말 이중 인격자다.

jell [dʒel] *vi.* ① 젤리 모양이 되다(jelly). ② 《口·比》 (계획·의견 따위가) 굳어지다, 구체화되다: Wait till my plans ~ a bit. 계획이 좀 굳어질 때까지 기다려 주게. ― *vt.* ① …을 젤리 모양으로 만들다. ② (계획·의견 따위)를 굳히다, 구체화하다.

jel·lied [dʒélid] *a.* ① 젤리 모양으로 된〔굳힌〕. ② 「젤리를 바른.

Jell-O [dʒélou] *n.* Ⓤ 젤로《미국 General Food 사 디저트 식품의 일종; 商標名》.

‡jel·ly [dʒéli] *n.* ① **a**) Ⓤ 젤리. **b**) U.C 젤리《과자》. ② U.C 젤리 모양의 것. ***beat*** a person ***to***

a ~ 아무를 떡이 되도록 패다. ***shake like a*** ~ 《口》 (무서워) 벌벌 떨다.
── (*-lied*) *vt.* …을 젤리 모양으로 만들다. ── *vi.* 젤리모양으로 되다〔굳다〕, 졸아서 엉기다.

jélly bàby (아기 모양의) 젤리 과자.

jel·ly·bean [-bìːn] *n.* Ⓒ 젤리빈《콩 모양의 젤리 과자》.

***jel·ly·fish** [-fìʃ] *n.* Ⓒ ①【動】 해파리 : Some ~ can sting you. 사람을 쏘는 해파리도 있다. ②《口》 의지가 약한 사람.

jélly ròll 젤리롤《카스테라에 젤리를 발라 만든 「케이크》.

jem·my [dʒémi] *n.* 《英》 =JIMMY.

Jen·ghis〔Jen·ghiz〕 Khan [dʒéŋgis〔dʒéŋgiz〕káːn, dʒéŋgis-] =GENGHIS KHAN.

Jen·ner [dʒénər] *n.* **Edward** ~ 제너《영국의 의사 ; 종두법 발견자 ; 1749-1823》.

jen·net [dʒénit] *n.* Ⓒ ① 스페인종의 조랑말. ② 암탕나귀.

Jen·ny [dʒéni] *n.* 제니《여자 이름 ; Jane의 애칭》.

jen·ny [dʒéni] *n.* Ⓒ ① 이동식 기중기. ② 제니《옛날 방적기의 일종(spinning ~)》. ③ (짐승의) 암컷. OPP *jack.* ④ 암탕나귀(=∠ **àss**).

jeop·ard·ize [dʒépərdàiz] *vt.* …을 위태롭게 하다 : Reckless driving will ~ your life. 부주의한 운전은 생명을 위태롭게 한다.

jeop·ar·dy [dʒépərdi] *n.* Ⓤ 위험(risk). ***be in*** ~ 위태롭게 되어 있다 : Their future *is in* ~. 그들의 장래가 위태롭다.

Jer. Jeremiah ; Jeremy ; Jersey.

jer·boa [dʒəːrbóuə] *n.* Ⓒ 【動】 날쥐《아프리카산》.

jer·e·mi·ad [dʒèrəmáiəd, -æd] *n.* Ⓒ (장기간에 걸친) 비탄(의 말) ; 원한.

Jer·e·mi·ah, -as [dʒèrəmáiə], [-əs] *n.* 【聖】 ① 예레미야《헤브라이의 비관적 예언자》. ② (구약성서의) 예레미야서(書). ③ Ⓒ (종종 j-) 미래에 대한 비관론자.

Jer·i·cho [dʒérikòu] *n.* 【聖】 여리고, 예리코《옛날 Palestine 지방에 있었던 도시》. ***Go to ~!*** 《口》 어디든 꺼져 버려, 귀찮아.

‡jerk[1] [dʒəːrk] *n.* ① Ⓒ 급격한 움직임, 갑자기 당기는〔미는, 찌르는, 비트는, 던지는〕 일 : pull with a ~ 냅다 잡아당기다 / The car started with a ~. 그 차는 덜컥하고 움직이기 시작했다. ② **a)** Ⓒ (근육·관절의) 반사운동, 경련. **b)** (the ~s) (종교적 감동 따위에 의한) 안면·손발 등의 무의식적 경련, 약동. ③ (*pl.*) 《英口》 체조, 운동 (physical jerks). ④ Ⓒ 《俗》 물정에 어두운 사람, 바보, 얼간이. ⑤ Ⓤ 【力道】 용상(聳上). ***put a ~ in it*** 《口》 활발하게〔제꺽제꺽〕 하다.
── *vt.* ①《~+目 / +目+전+명》 …을 홱 움직이게 하다, 급히 흔들다〔당기다, 밀다, 던지다《따위》〕 : ~ reins 고삐를 홱 당기다 / He ~*ed* the carpet *from* under my feet. 그는 내 발 아래 융단을 홱 잡아당겼다. ②《~+目 / +目+副》 …을 갑자기 말하다. ③《美口》 (소다수 가게에서 아이스크림 소다)를 만들어 내다. ── *vi.* ① **a)** 《~ / +副》 홱 움직이다 ; 덜커덩거리며 나가다 ; 씰룩거리다 ; 경련을 일으키다 : ~ *over* a stone (차가) 덜커덩하고 돌 위로 지나가다. **b)** 《~+보》 덜컹하면서 (…한 상태로) 되다 : The door ~*ed* open. 문이 덜컹 열렸다. ② 띄엄띄엄 말하다. ~ one***self free*** 뿌리쳐 떼어놓다. ~ ***up*** 휙 잡아당기다 ; (얼굴 따위를) 홱 들어올리다〔쳐들다〕.

jerk[2] *n.* Ⓤ 포육(脯肉)(jerky). ── *vt.* (쇠고기)를 가늘고 길게 저미어 햇볕에 말리다.

jer·kin [dʒə́ːrkin] *n.* Ⓒ 저킨《(1) (16-17 세기경의) 소매 없는 짧은 남자용 상의 ; 주로 가죽. (2) 짧은 조끼 ; 여성용》.

jerk·wa·ter [dʒə́ːrkwɔ̀ːtər, -wɑ̀t-] *a.* 《美口》 외진, 시골의 : a ~ college 지방 대학.

jerky[1] [dʒə́ːrki] (*jerk·i·er ; -i·est*) *a.* ① 갑자기 움직이는, 움찔하는, 실룩이는, 경련적인 : a ~ bus 덜컹거리는 버스. ② (말이) 띄엄띄엄 이어지는. ③《美俗》 (사람·행동이) 어리석은. 파 **-i·ly** *ad.* **-i·ness** *n.*

jerky[2] *n.* Ⓤ,Ⓒ 포육(脯肉)(jerked meat), 육포.

jer·o·bo·am [dʒèrəbóuəm] *n.* Ⓒ 제로보암《약 30*l* 들이의 특히 샴페인용의 큰 병》.

Jer·ry [dʒéri] *n.* ① 제리. **a)** 남자 이름《Gerald, Gerard의 애칭》. **b)** 여자 이름《Geraldin 의 애칭》. ②《英口》 독일 병사, 독일 사람《별명》.

jer·ry [dʒéri] *n.* Ⓒ 《英俗》 실내 변기(便器).

jer·ry-build [-bìld] (*-built* [-bìlt] ; ~ *-ing*) *vt.* (집)을 날림으로 짓다, 날림집을 짓다 ; 아무렇게나 만들어 내다. 파 ~·**er** *n.*

jer·ry-built [-bìlt] *a.* 날림으로 지은.

jérry càn (네모진) 석유통《용량은 5갤런》.

Jer·sey [dʒə́ːrzi] *n.* ① 저지《영국 해협에 있는 섬 이름》. ② Ⓒ 저지종(種)의 소《Jersey 섬 원산의 젖소》.

jer·sey [dʒə́ːrzi] *n.* ① Ⓒ 모직의 운동 셔츠 ; (여성용) 메리야스 속옷〔재킷〕. ② Ⓤ 저지《모직 옷감의 일종》. ── *a.* 저지 털실의, 털로 짠.

***Je·ru·sa·lem** [dʒirúːsələm, -zə-] *n.* 예루살렘 《Palestine 의 옛 수도》.

Jerúsalem ártichoke 【植】 뚱딴지.

Jes·per·sen [jéspərsən, dʒés-] *n.* **Otto** ~ 예스페르센《덴마크의 언어·영어학자 ; 1860-1943》.

jes·sa·min(e) [dʒésəmin] *n.* = JASMIN(E).

Jes·se [dʒési] *n.* ① 제시《남자 이름》. ②【聖】 이새《다윗(David)의 아버지》.

Jes·sie [dʒési] *n.* 제시《여자 이름》.

‡jest [dʒest] *n.* Ⓒ ① 농, 농담(joke), 익살 : speak half in ~, half in earnest 농담 반 진담 반으로 말하다 / I said it as a ~. 농으로 한 말이야. ② 조롱, 희롱, 놀림. ③ 조롱의 대상, 웃음가마리 : He is a standing ~. 그는 늘 웃음거리다. ***a dry*** ~ 진지한 표정으로 하는 농담. ***an offhand*** ~ (그 경우에 꼭 들어맞는) 즉흥적인〔임기응변의〕 재담. ***be a standing*** ~ 늘 웃음거리가 되다. ***break a*** ~ 농담하다, 익살떨다. ***in*** ~ 농(담)으로, 장난으로. ***make a ~ of*** …을 희롱하다. ── *vi.* 《~ / +전+명》 ① 시시덕거리다, 농담을 하다(joke) ; 익살부리다《*with*》 : Please don't ~ *with* me. 놀리지 말게. ② 조롱하다, 조소하다 (jeer)《*at*》 : ~ *at* the opponent's errors 상대방의 실책을 야유하다. ~ ***with edge(d) tools*** 위험한〔아슬아슬한〕 짓을 하다.

jest·er [dʒéstər] *n.* Ⓒ ① 농담하는 사람. ② (특히, 중세 왕후·귀족들이 거느리던) 어릿광대.

jest·ing [dʒéstiŋ] *a.* 농담의, 우스꽝스러운 ; 농담을 좋아하는. 파 ~·**ly** *ad.*

Jes·u·it [dʒéʒuit, -zju-] *n.* Ⓒ ①【가톨릭】 예수회 수사《the Society of Jesus 의 수사》. ② (흔히 j-) 《蔑》 (음험한) 책략가, 음모가, 궤변자(詭辯者).

Jes·u·it·ic, -i·cal [dʒèʒuítik, -zju-], [-ikəl] *a.* ① 예수회(교의(教義))의. ② (때로 j-) 교활〔음험〕한 ; 궤변적인.

‡Je·sus [dʒíːzəs, -z] *n.* 예수, 예수 그리스도. ~ (***Christ***) ***!*** 《俗》 아이 깜짝이야 ; 염병할. ***the Society of*** ~ 예수회. cf Jesuit. ***beat*** 〔***kick, knock***〕 ***the ~ out of*** a person 《美俗》 아무를 몹시 때리다〔발길질하다, 치다〕. ~ (***Christ***) ***!*** = ***Holy ~!*** 《卑》 쳇, 제기랄, 우라질. ~ ***wept!*** 《卑》 원 이럴 수가 있나《분노·비탄의 소리》.

J

Jésus frèak 《蔑》 광적인 기독교 신자.
‡**jet**[1] [dʒet] *n.* Ⓒ ① (가스·증기·물 따위의) 분출, 사출 ; 분사 : ~ of water 〔gas〕 물〔가스〕의 분출. ② 분출구, 내뿜는 구멍 : a gas ~ 가스 버너, 가스등의 불꽃. ③ 제트기(機) : by ~ 제트기로 (★ 無冠詞). ④ = JET ENGINE.
— *a.* ① 분출하는 : a ~ nozzle 분출구. ② 제트기〔엔진〕의 : ~ exhaust 제트 엔진의 배기 가스 / a ~ pilot 제트기 조종사 / a ~ fighter 제트 전투기. ③ 제트기에 의한 : a ~ trip.
— (**-tt-**) *vt.* …을 분출〔분사〕하다. — *vi.* ① 《~+副》 분출하다, 뿜어나오다《*out*》. ② 《+前+名》 분사 추진으로 움직이다〔나아가다〕 ; 급속히 움직이다〔나아가다〕 ; 제트기로 여행하다 : ~ from Seoul to New York 서울에서 뉴욕까지 제트기로 가다 / ~ *in* 제트기로 도착하다 / ~ *about* 제트기로 돌아다니다. ~ ***up*** 《美俗》 열심히〔날래게〕 일하다.
jet[2] *n.* Ⓤ ① 〖鑛〗 흑석(黑石). ② 칠흑.
— *a.* 〔限定的〕 ① 흑색으로 만든. ② = JET-BLACK.
jet-black [dʒétblǽk] *a.* 흑석(黑石)색의, 새까만.
jét éngine 〔**mótor**〕 제트 기관.
jét làg 제트기 피로《제트기 여행의 시차로 인한》. ㊕ **jét-làgged** *a.*
jet·liner [⌐-làinər] *n.* Ⓒ 제트 여객기.
‡**jét pláne** 제트기.
jet·port [⌐-pɔ̀ːrt] *n.* Ⓒ 제트기용 공항.
jet-pro·pelled [⌐-prəpéld] *a.* ① 제트 추진식의. ② 무섭게 빠른.
jét propúlsion 제트 추진《略 : JP》.
jet·sam [dʒétsəm] *n.* ① Ⓤ 〖海保險〗 투하(投荷) 《조난 때 배를 가볍게 하기 위하여 바다에 던진 짐》. ㊀ flotsam. ② Ⓒ 표류물 ; 버려진 것, 잡동사니.
jét sèt 《口》 (the ~) 〔集合的 ; 單·複數 취급〕 제트족(族)《제트기로 유람다니는 부유층》.
jet-set·ter [⌐-sètər] *n.* Ⓒ 《口》 제트족의 한 사람.
jét strèam ① 〖氣〗 제트 기류(氣流). ② 〖空〗 제트 분류(噴流), 로켓 엔진의 배기류(排氣流).
jet·ti·son [dʒétəsən, -zən] *n.* Ⓤ 〖海保險〗 투하(投荷). — *vt.* ① (긴급시에 중량을 줄이기 위해 배·항공기에서 짐)을 버리다. ② (방해물·부담 등)을 버리다.
jet·ty[1] [dʒéti] *n.* Ⓒ ① 둑, 방파제(breakwater). ② 잔교(棧橋), 부두, 선창(pier) ; 〖建〗 건물의 돌출부〔달아낸 부분〕. — *vi.* (건물의 일부가) 내밀다.
jet·ty[2] (***-ti·er*** ; ***-ti·est***) *a.* 흑석질(黑石質)〔색(色)〕의, 흑석 같은 ; 칠흑의.
Jet·way [dʒétwèi] *n.* Ⓒ 탑승교(搭乘橋), 제트웨이《여객기와 공항 건물을 잇는 신축통(伸縮筒)식의 승강 통로 ; 商標名》.
‡**Jew** [dʒuː] (*fem.* ***Jew·ess*** [dʒúːis]) *n.* 유대인, 이스라엘 사람, 히브리 사람. ***as rich as a*** ~ 큰 부자인.
— *a.* 《蔑》 유대인의〔같은〕(★ Jewish를 쓰는 편이 좋음).
‡**jew·el** [dʒúːəl] *n.* Ⓒ ① 보석 : put on ~*s* 보석을 몸에 붙이다 / She was wearing even more ~*s* than the Queen mother! 그녀는 황태후보다 더 많은 보석을 착용하고 있었단 말이다. ② 보석 박은 장신구 : a ring set with a ~ 보석 반지. ③ 귀중품 ; 소중한 사람, 지보(적인 사람) : add another ~ to his crown of glory 그의 명예에 한층 광채를 더하다 / a ~ of a boy 소중한 사내 아이 / The maid is a household ~. 그 가정부는 우리집의 보배다. ④ 보석 비슷한 것《별 따위》. ⑤ (시계·정밀 기계의 베어링용) 보석 : a watch of 17 ~*s*, 17 석의 손목시계. ***a*** ~ ***of a*** ... 보석과 같은 …, 귀중한… : She is *a* ~ *of a* servant. 그녀는 보기 드문 훌륭한 하녀다.
— *vt.* (**-l-**, 《英》 **-ll-**) 〔흔히 過去分詞 꼴로〕 《~+目 / +目+前+名》 …을 보석으로 장식하다, …에 금은〔주옥〕을 박아넣다 ; (손목시계 등)에 보석을 끼워넣다 : the sky ~*ed with* stars 별들로 수놓은 하늘.
jéwel bòx 〔**càse**〕 보석 상자.
jew·eled [dʒúːəld] *a.* 보석으로 장식된 : a ~ ring 보석 반지.
***jew·el·er**, 《英》 **-el·ler** [dʒúːələr] *n.* Ⓒ ① 보석 세공인. ② 보석상, 귀금속상.
***jew·el·ry**, 《英》 **-el·lery** [dʒúːəlri] *n.* Ⓤ 〔集合的〕 보석류(jewels) ; (보석 박힌) 장신구류.
Jew·ess [dʒúːis] *n.* Ⓒ 《종종蔑》 유대인 여자.
***Jew·ish** [dʒúːiʃ] *a.* ① 유대인의 ; 유대인 같은, 유대인 특유의, 유대인풍〔식〕의. ② 유대교의.
— *n.* Ⓤ 《口》 이디시어(語)(Yiddish).
Jéwish cálendar (the ~) 유대력(曆)《천지창조를 기원전 3761 년으로 함》.
Jew·ry [dʒúəri] *n.* Ⓤ 〔集合的〕 유대인 ; 유대민족.
Jéw's 〔**Jéws'**〕 **hàrp** (종종 j-) 구금(口琴)《입에 물고 손가락으로 타는 악기》.
Jez·e·bel [dʒézəbèl, -bl] *n.* ① 〖聖〗 이세벨《Israel 왕 Ahab 의 사악한 왕비》. ② Ⓒ (종종 j-) 수치를 모르는 여자 ; 독부, 요부.
JFK, J.F.K. John Fitzgerald Kennedy.
Jiang Jie·shi, Chiang Kai·shek [dʒiáːŋdʒiéʃíː], [tʃǽŋkáiʃék] *n.* 장제스(蔣介石)《중국의 군인·정치가·중화민국 총통 ; 1887-1975》.
jib[1] [dʒib] *n.* Ⓒ ① 〖海〗 지브, 뱃머리의 삼각돛《이물에 있는 제 2 사장(斜檣)의 버팀줄에 달아 올림》. ② 〖機〗 지브《기중기의 앞으로 내뻗친, 팔뚝 모양의 회전부》. ***slide*** one***'s*** ~ 《美俗》 이성을 잃다, 머리가 돌다 ; 마구 지껄이다. ***the cut of*** a person***'s*** ~ 《口》 (1) 풍채, 몸차림. (2) 성격.
— (**-bb-**) *vt.* 〖海〗 (돛)을 한쪽 뱃전에서 다른 쪽 뱃전으로 돌리다. — *vi.* (돛이) 빙 돌다(★ jibb 라고도 씀).
jib[2] (**-bb-**) *vi.* ① **a**) (말이 옆으로 빗가거나 뒷걸음치며) 앞으로 나아가려 하지 않다(balk)《*at*》. **b**) (기계가) 갑자기 딱 멈추다. ② 《+前+名》 주저하다, 꽁무니 빼려 하다《*at* ; *on*》. ~ ***at*** …에 싫은 기색을 보이다.
jíb bòom 〖海〗 제 2 사장(斜檣)《이물에 있는 비낀 돛대》.
jibe[1] ⇨GIBE.
jibe[2] [dʒaib] *vi.* 《美口》 일치하다《*with*》 : Your testimony doesn't ~ *with* the facts. 당신의 증언은 사실과 일치하지 않는다.
Jid·da, Jed·da [dʒídə], [dʒédə] *n.* 지다, 제다《사우디아라비아 서부의 홍해에 면한 도시》.
jif·fy, jiff [dʒífi], [dʒif] *n.* (a ~) 《口》 잠시, 순간(moment). ***in a*** ~ 곧. ***Wait*** (***half***) ***a*** ~. 잠깐만 기다려라.
Jíffy bàg 지피 백《(1) 부드러운 패킹으로 채운 우송용(郵送用) 종이 주머니. (2) 여행용 소형 가방》.
jig [dʒig] *n.* Ⓒ ① 지그《보통 4 분의 3 박자의 빠르고 경쾌한 춤》 ; 그 곡 ; 《美俗》 댄스파티. ② 〖機〗 지그《공작물에 붙여 절삭 공구를 유도하는 도구》. ③ 상하로의 급격한 움직임. ***in*** ~ ***time*** 재빨리, 즉석에서. ***The*** ~ ***is up***. 《俗》 이젠 다 틀렸다, 끝장이다.
— (**-gg-**) *vt.* 《~+目 / +目+副》 …을 급격히 상하〔전후〕로 움직이게 하다 : ~ a child on one's knee 아이를 무릎 위에서 위아래로 흔들다.

— *vi.* ① 지그춤을 추다; 지그를 연주하다. ② 《+副》 급격하게 상하로 움직이다《*up, down*》: He ~*ged up* and *down* to warm himself. 그는 몸을 녹이려고 깡충깡충 뛰었다. ~ ***about*** 안절부절 못하다, 머뭇거리다: Stop ~*ging about*, Bill, and just stand still for a moment! 빌, 안절부절하지 말고 잠시 좀 가만히 서 있거라.

jig·ger[1] [dʒígər] *n.* Ⓒ ①〖골프〗작은 쇠머리 달린 골프채. ②《美》지거, 칵테일용 계량 컵《1½ 온스들이》. ③《口》기계 장치(gadget), 그 뭐란 것《뭐라고 해야 좋을지 모를 때 쓰는 말》.

jig·ger[2] *n.* Ⓒ〖蟲〗모래벼룩(chigoe).

jig·gered [dʒígərd] *a.* 《英口》 ① 'damned' 등의 완곡한 대용어: I'll be ~ if .... 천만에, …따위는 말도 안 된다 / I'm ~ if I know. 그 따위 알게 뭐냐. ② 몹시 놀란; 몹시 지친《*up*》.

jig·ger·y-po·kery [dʒígəripóukəri] *n.* Ⓤ 《英口》 속임수, 사기.

jig·gle [dʒígəl] *vt., vi.* (아이를) 상하 좌우로 가볍게 흔들다〔흔들리다〕《*about*》. — *n.* Ⓒ 가볍게 흔듦〔흔들림〕.

jig·saw [dʒígsɔ̀ː] *n.* Ⓒ ① 실톱의 일종《곡선으로 켜는 데 씀》. ② = JIGSAW PUZZLE. — *vt.* …을 실톱으로 켜다〔끊다〕.

jígsaw pùzzle 조각 그림 맞추기 장난감.

ji·had, je- [dʒihάːd] *n.* Ⓒ ① (종종 J-) 지하드《이슬람 교도의 회교 성전(聖戰)》. ② (주의·정책 등의) 옹호〔반대〕 운동《*against*; *for*》: a ~ *for* temperance 금주 운동.

Jill [dʒil] *n.* ① 질《여자 이름》. ② Ⓒ (흔히 j-) 소녀, 젊은 여자; 애인.

jil·lion [dʒíljən] *n.* Ⓒ 《口》 방대한 수.

jilt [dʒilt] *vt.* (여자가 남자)를 차(버리)다.
— *n.* Ⓒ 남자를 차버리는 여자.

Jim [dʒim] *n.* 짐《남자 이름; James 의 애칭》.

Jím Crów 《美口》 (따로 j- c-) ①《蔑》흑인(Negro)《crow는 까마귀》. ② 흑인에 대한 인종 차별《★ Jim Crowism 이 일반적》.
— *a.* 흑인을 차별하는; 흑인 전용의: a ~ car 〔school〕 흑인 전용차〔학교〕.

Jím Crów·ism [-króuizm] (*or* j- c-) 흑인 차별주의〔정책〕.

jim-dan·dy [dʒímdǽndi] *a., n.* Ⓒ 《美口》 멋있는 (것): a ~ invention.

jim·jams [dʒímdʒæ̀mz] *n. pl.* (the ~) ① = DELIRIUM TREMENS. ② 섬뜩한 느낌, 대단한 신경과민(the jitters).

jim·my [dʒími] *n.* Ⓒ 《美》(도둑의) 짧은 쇠지레(《英》 jemmy). — *vt.* …을 쇠지레로 비집어 열다: The thief *jimmied* the door (open). 도둑은 쇠지레로 문을 비집어 열었다.

Jim·my, Jim·mie [dʒími] *n.* 지미《남자 이름; James 의 애칭》.

Jín·ghis Khán [dʒíŋgizkάːn, dʒíŋgiz-] = GENGHIS KHAN.

***jin·gle** [dʒíŋgəl] *n.* Ⓒ ① **a)** 짤랑짤랑, 딸랑딸랑, 찌르릉《방울·동전·열쇠 등의 금속이 울리는 소리》: the ~ of a piano 피아노의 단조로운 음의 반복. **b)** 그 소리를 내는 것. ② 같은 음의 운율적 반복; 같은 음의 반복으로 어조가 잘 어울리는 시구(詩句). ③ (라디오·TV의) 커머셜 송《상품명, 회사명을 넣어 부름》.
— *vi.* ① 딸랑딸랑〔짤랑짤랑, 찌르릉〕 소리나다〔울리다〕: The bell ~*d.* 벨이 찌르릉 찌르릉 울렸다. ② 짤랑짤랑 울리면서 나아가다. ③ (시구(詩句)가) 잘 어울려 들리다, 압운(押韻)하다(rhyme). — *vt.* …을 딸랑 딸랑〔짤랑 짤랑, 찌르릉〕 울리다.

jíngle bèll 딸랑딸랑 울리는 방울〔벨〕; 썰매의 방울; (가게 문에 달린) 내객을 알리는 종.

jin·gly [dʒíŋgli] *a.* 딸랑딸랑〔짤랑짤랑〕 울리는.

jin·go [dʒíŋgou] (*pl.* ~***es***) *n.* Ⓒ ① 주전론자. ② 맹목적 애국자(chauvinist). ***by*** (***the living***) ~**!** 《口》 절대로, 정말로《강조, 놀람, 긍정 등을 나타냄; jingo는 Jesus 의 완곡어인 듯》. — *a.* 〔限定的〕 대외 강경의, 주전론의.

jin·go·ism [dʒíŋgouìzm] *n.* Ⓤ 맹목적 애국주의; 강경 외교 정책, 주전론.

jin·go·ist [dʒíŋgouist] *n.* Ⓒ 맹목적 애국주의자; 강경 외교론자.

jin·go·is·tic [dʒìŋgouístik] *a.* (맹목적인) 대외 강경주의(자)의, 주전론(자)의.

jinks [dʒiŋks] *n. pl.* 장난, 법석. ***high*** ~ 야단 법석.

jinn [dʒin], **jin·nee, jin·ni** [dʒiníː] (*pl.* ***jinn, jinns***) *n.* Ⓒ (이슬람교 신화의) 영마(靈魔).

jinx [dʒiŋks] *n.* Ⓒ 《美俗》 재수없는〔불길한〕 물건〔사람〕(hoodoo), 불운, 징크스: put a ~ on … 에 불행을 가져오다. ***break*** 〔***smash***〕 ***the*** ~ 징크스를 깨다; (경기에서) 연패 후에 승리하다.
— *vt.* …에게 불행을 가져오다; …에 트집잡다〔시비하다〕.

jit·ney [dʒítni] *n.* Ⓒ 《美俗》 5 센트 백통돈; 요금이 싼 버스〔택시〕《본디 요금이 5 센트》.

jit·ter [dʒítər] 《口》 *n.* (the ~s) 대단한 신경 과민, 불안감: I always get *the* ~*s* the morning before an exam. 시험 날 아침이면 나는 늘 불안해진다. ***give*** 〔***set, have***〕 ***the*** ~***s*** 초조해하다, 안절부절 못하(게 하)다. — *vi.* 신경질부리다, 안절부절 못하다; (무서움·추위로) 덜덜 떨다.

jit·ter·bug [dʒítərbʌ̀g] 《口》 *n.* Ⓒ ① 지르박《재즈에 맞추어 열광적으로 추는 사교춤》. ② 지르박을 추는 사람. ③ 신경질적인 사람. — (***-gg-***) *vi.* 지르박을 추다.

jit·tery [dʒítəri] *a.* 《口》 신경과민의.

jive [dʒaiv] *n.* ① Ⓒ 선정적인 스윙곡, 재즈. ② Ⓤ 《美俗》 무책임한 말, 허풍. ③ Ⓤ (특히, 흑인 재즈맨이 쓰는) 알 수 없는 은어, 최신 속어, 특수 용어. — *vi.* ① 스윙을 연주하다; 지르박을 추다. ② 《美俗》 놀리다. — *vt.* 《美俗》 (사람)을 놀리다, 바보 취급하다. — *a.* 《美俗》 속임수의, 거짓의: a ~ excuse 거짓 핑계.

Jl. July. **Jn.** June. **jnr.** junior.

Jo [dʒou] *n.* 조. ① 여자 이름《Josephine 의 애칭》. ② 남자 이름《Joseph 의 애칭》.

Jóan of Árc [dʒóunəvάːrk] 잔다르크(Jeanne d'Arc) (1412-31).

Job [dʒoub] *n.* ①〖聖〗욥《욥기(記)의 주인공》: (as) patient as ~ 참을성이 대단한. ② (구약성서의) 욥기(記). ***the patience of*** ~ (욥과 같은) 대단한 인내: You will need *the patience of* ~ to do it. 그것을 하는 데는 대단한 인내가 필요할 것이다.

‡job [dʒɑb / dʒɔb] *n.* Ⓒ ① 일; 볼일, 직무; 《口》 대단한 품이 드는 것〔일〕: get on the ~ 일에 착수하다 / do a side ~ 부업을 하다 / What kind of ~ do you have? 어떤 일을 하고 있습니까 / It's quite a ~ to do that in a week. 그걸 일주일에 해내기란 여간 벅찬 일이 아니다. ② **a)** (*sing.*) 구실, 임무, 의무: It's my ~ to look after the baby. 그 아이를 돌보는 것이 나의 임무다 / It is your ~ to be on time. 시간을 좀 지킬 수 없겠나. **b)** (a ~) 《口》 대단히 어려운 일: It is quite *a* ~ to do it in a day. 그것은 하루에 하기에는 꽤 어려운 일이다. ③ 직업(employment), 일자리, 지위(post): get a ~ as a teacher 선생이 되다 / lose one's ~ 실직하다 / get a ~ in〔with〕 an insurance company 보험 회사에 취직하다 / He has a

~ as a bus driver. 그는 버스 운전 기사로서 일하고 있다. ④ 〔a good〔bad〕 ~로〕《英口》 일(matter), 사건(affair), 운(luck): That's *a good* ~. 그것 잘 했다 / give up a thing as *a bad* ~ 희망없는 일이라고 포기하다. ⑤Ⓒ (흔히 *sing.*) 제품《특히 우수한 기계, 탈것, 냉장고 등; 주로 직업 용어》: a nice little ~ 괜찮은 물건 / Look at that Italian ~ parked over there. 저기 세워 놓은 저 이탈리아 차를 봐라. ⑥Ⓒ (공직을 이용한) 부정행위, 독직, 《특히》 정실 인사. ⑦Ⓒ 《口》 도둑질, 나쁜 일: pull a ~ 《俗》 도둑질하다. ⑧Ⓒ 〖컴〗 작업《전산기에 처리시키는 작업 단위》: a ~ card 작업 카드 / a ~ control program 작업 통제 프로그램 / a ~ control statement 작업 통제문 / a ~ management program 작업 관리 프로그램 / a ~ queue 작업 큐 / a ~ scheduler 작업 스케줄러 / a ~ step 작업 단계.

a bad ~ 채산이 안 맞는 일, 실패; 어려운 사태. ***a good ~*** (운이) 좋은 일: It's *a good* ~ the parcel was insured. 소포를 보험에 들어 잘 됐다. ***(and) a good ~ 〔thing〕, too*** 그거 참 좋은 일이다, 잘 했다. ***by the ~*** 청부로; 일단위(의 계약으)로. ***do a ~ on*** 《美俗》 (1) …을 때려부수다; 의기를 꺾다. (2) 속이다. ***do the ~ for*** a person =***do*** a person***'s ~ for*** him 《俗》 아무를 해치우다, 죽이다. ***fall down on the ~*** 《口》 제대로 일을 안 하다. ***fit for the ~*** 쓸모가 있는; 매우 적합한. ***give up . . . as a bad ~*** 《口》 …을 희망없다고 단념〔포기〕하다. ***have a hard ~ to*** do (…하기에) 힘이 들다. ***have a ~*** 《口》 (…하기) 가 큰 일이다《*to* do; do*ing*》: He *had a* ~ find*ing* the house. 그 집을 찾는 데 애먹었다. ***~s for the boys*** 《英口》 (지지자나 동료에게 논공행상으로 주는) 좋은 일자리. ***just the ~*** 《口》 안성맞춤의 것. ***lie down on the ~*** 《口》 (일부러) 농땡이 부리다. ***make a bad ~ of*** …을 망쳐 놓다. ***make a good ~ of it*** …을 훌륭히 해내다, 철저하게 하다. ***make the best of a bad ~*** 궂은 사태를 이럭저럭 헤쳐 나가다, 역경을 이겨내다. ***odd ~s*** 허드렛일. ***on the ~*** (1) 일하는 중(에), (기계 따위) 작동 중인. (2) 《口》 열심히 일하여; 나쁜 짓을 하고 있는. (3) 《俗》 방심하지 않고. ***out of a ~*** 실직하여. ***pay*** a person ***by the ~*** 실적에 따라 지급하다. ***pull a ~*** 《俗》 (도둑이) 한탕하다.

── (*-bb-*) *vi.* ① 품팔이하다; 청부맡아 일하다. ② (주식·상품의) 거간을 하다. ③ 공직을 이용하여 사리를 꾀하다, 독직(瀆職)하다.

── *vt.* ① 《+목+전+명》 (큰 일을 나누어) …을 하청주다《*out*》: He ~*bed* (*out*) the work *to* a number of building contractors. 그는 그 공사를 몇 건축 청부인에게 하청주었다. ② (주식·상품 따위)를 거간하다; 도매하다. ③ 《英》 (말·마차 따위)를 세 주다, 임차(賃借)하다. ④ 《~+목 / +목+전+명》 (공직)을 이용해서 부정을 하다. ⑤ 《+목+전+명》 《美俗》 …을 속이다, (아무에게서) 우려먹다, 빼앗다《*of*》: He was ~*bed out of* his money. 사기를 당해 돈을 빼앗겼다. ⑥ 《+목+전+명》 《美》 직권을 이용해서 (아무)를 …지위에 앉히다《*into*》: He ~*bed* his friend *into* the post. 직권을 이용해서 친구를 그 자리에 앉혔다.

── *a.* 〔限定的〕 ① 임대(용)의. ② 일의, 직업의, 품팔이〔삯일〕의, 임시고용의: ~ work 삯일. ③ 어중간한 (일의); (명함·광고지 등) 잡종 인쇄(용)의: ~ printing 잡물〔낱장짜리〕 인쇄.

jób àction 《美》 (노동자의) 태업; 준법 투쟁.

jób bànk 취업 은행, 직업 소개 은행《정부기관에 의한 직업 알선 업무; 컴퓨터 처리에 의함》.

job·ber [dʒábər / dʒɔ́b-] *n.* Ⓒ ① 중개상《싼 물건을 한 몫에 사서 조금씩 파는》. ② 삯일꾼(pieceworker). ③ 탐관오리.

job·bery [dʒábəri / dʒɔ́b-] *n.* Ⓤ (공직을 이용한) 부정 이득, 독직; 이권 운동.

job·bing [dʒábiŋ] *a.* 〔限定的〕 《英》 삯〔임시〕일을 하는, 임시 고용의: a ~ gardener 임시 고용 정원사. ── *n.* =PIECEWORK; JOBBERY.

jób cènter 《英》 공공 직업 안정소.

job·hold·er [dʒábhòuldər / dʒɔ́b-] *n.* Ⓒ ① 일정한 직업이 있는 사람. ② 《美口》 공무원, 관리.

job-hop [-hàp / -hɔ̀p] *vi.* 직업을 전전하다.

job-hop·per [-hàpər / -hɔ̀p-] *n.* Ⓒ 직업을 전전하는 사람.

job-hop·ping [-hàpiŋ / -hɔ̀p-] *n.* Ⓤ (눈앞의 이익을 찾아) 직업을 전전하기.

job-hunt [-hʌ̀nt] *vi.* 직업〔일〕을 찾다〔구하다〕.

job-hunt·er [-hʌ̀ntər] *n.* Ⓒ 《口》 구직자.

job-hunt·ing [-hʌ̀ntiŋ] *n.* Ⓤ 《口》 구직.

job·less [dʒáblis / dʒɔ́b-] *a.* ① 실업의(unemployed), 일이 없는; 실업자를 위한. ② (the ~) 〔名詞的; 複數 취급〕 실업자(들).

jób lòt ① 한 무더기 얼마의 싸구려 물건. ② 잡다한 물건의 더미. ***in ~s*** 통틀어, 모개로.

Jób's còmforter 〖聖〗 욥의 위안자《위로하려 하면서 오히려 고통을 더 주는 사람; 욥기 XVI: 2》; 달갑잖은 친절.

jób strèam 〖컴〗 작업의 흐름《순번으로 실행되는 일련의 작업》.

jób wòrk 삯일, 품팔이.

joc. jocose; jocular.

Jock [dʒak / dʒɔk] *n.* Ⓒ 《英俗》 스코틀랜드인.

jock [dʒak / dʒɔk] *n.* Ⓒ ① **a**) 경마의 기수(jockey). **b**) =DISC JOCKEY. ② **a**) =JOCKSTRAP. **b**) 《美》 운동 선수. ③ 《口》 열중하는 사람.

***jock·ey** [dʒáki / dʒɔ́ki] *n.* Ⓒ ① (경마의) 기수(騎手). ② 《俗》 (탈것·기계 등의) 운전사, 조종자: a truck ~ 트럭 운전사 / a video ~ 비디오 (조작) 담당 / typewriter ~ 타이피스트.

── *vt.* ① (말)에 기수로서 타다. ② 《口》 …을 운전〔조종〕사로서 운전〔조종〕하다. ③ …을 속이다, 속여서 …하게 하다, 속여서 뺏다《*into* do*ing*; *out of*》: He ~*ed* me *into* do*ing* that. 그는 나를 속여서 그 일을 시켰다 / The old woman was ~*ed into* believ*ing* him. 노파는 속아서 그를 믿어버렸다. ── *vi.* ① 기수로서 말을 타다. ② 《+전+명》 (…을 얻으려고) 책략을 쓰다《*for*》: ~ *for* power 권력을 얻으려고 획책하다. ③ 속이다, 사기치다. ***~ for position*** (1) 〖競馬〗 상대를 제치고 앞서다. (2) 〖요트〗 교묘히 조종하여 앞지르다. (3) 《口》 유리한 입장에 서려고 (획책)하다.

jóckey clùb 경마 클럽.

jock·strap [dʒákstræ̀p / dʒɔ́k-] *n.* Ⓒ (남자 운동 선수 등이 사용하는) 서포터(supporter)《★ athletic supporter 보다도 구어적이고 일반적임》.

jo·cose [dʒoukóus] *a.* 《文語》 (사람됨이) 우스꽝스런, 익살맞은(facetious). ⊕ **~·ly** *ad.*

jo·cos·i·ty [dʒoukásəti / -kɔ́s-] *n.* ① Ⓤ 우스꽝스러움. ② Ⓒ 우스꽝스러운 말〔짓〕, 익살.

joc·u·lar [dʒákjələr / dʒɔ́k-] *a.* 익살맞은, 우스운, 농담의. ⊕ **~·ly** *ad.*

joc·u·lar·i·ty [dʒɑ̀kjəlǽrəti / dʒɔ̀k-] *n.* ① Ⓤ 익살맞음. ② Ⓒ 익살스러운 이야기〔짓〕.

***joc·und** [dʒákənd, dʒóuk- / dʒɔ́k-] *a.* 《文語》 명랑〔쾌활〕한(cheerful), 즐거운(merry). ⊕ **~·ly** *ad.*

jo·cun·di·ty [dʒoukʌ́ndəti] *n.* ① Ⓤ 즐거움, 쾌

활, 명랑(gaiety). ② Ⓒ 활달한 말〔행동〕.
jodh·purs [dʒɑ́dpərz] *n. pl.* 승마(乘馬) 바지.
Joe [dʒou] *n.* ① 조《남자 이름 ; Joseph 의 애칭》. ②《口》여보게, 자네《이름을 모르는 상대를 부를 때》. ③ Ⓒ《美口》(종종 j-) **a)** 미국 병사. ⓒⓕ GI. **b)** 사내(fellow), 놈(guy) : He's a good ~. 좋은 놈이다. **c)** (…을 대표하는) 전형적인 미국인 남성 : ~ College 미국의 전형적인 남자 대학생.
joe [dʒou] *n.* Ⓤ《美口》커피.
Jo·el [dʒóuəl] *n.* 〖聖〗 ① 요엘《헤브라이의 예언자》. ② (구약성서의) 요엘서(書).
***jog** [dʒɑg / dʒɔg] (*-gg-*) *vt.* ① …을 살짝 밀다〔당기다, 흔들다〕, (팔꿈치 따위로) 가만히 찌르다(nudge) ; (살짝 찔러서) …을 알려 주다 : The rider ~*ged* the reins. 기수는 고삐를 살짝 흔들었다. ② (기억)을 불러일으키다(remind).
— *vi.* ① 덜커덕거리며 나아가다, 터벅터벅〔터덜터덜〕 걷다〔타고 가다〕: They ~*ged* down to town on horseback. 그들은 말을 타고 터벅터벅 읍을 향해 나아갔다. ② 천천히 달리다, 조깅하다《*on*》: We ~*ged on* to the goal. 우리는 골까지 천천히 달려갔다/My dad ~*s*〔goes ~*ging*〕 every morning. 부친께서는 매일 아침 조깅을 하신다. ③ 그럭저럭 해 나가다《*on* ; *along*》: Matters ~ *along* somehow. 일이 그럭저럭 진척되어 간다. **~ *on*** 터벅터벅 걸어가다.
— *n.* Ⓒ ① 슬쩍 밀기〔흔들기〕; 가볍게 치기. ② 터벅터벅 걷기 ; (말의) 완만한 속보(jog trot). ③ (1회의) 조깅 : go for a ~ 조깅하러 가다.
jog·ging [dʒɑ́giŋ / dʒɔ́g-] *n.* Ⓤ 조깅, 달리기.
jog·gle [dʒɑ́gəl / dʒɔ́gəl] *vt.* …을 살짝〔가볍게〕 흔들다. — *vi.* 가볍게 흔들리다, 휘청거리다.
— *n.* Ⓒ (가벼운) 흔들림.
jóg tròt ①〖馬〗느릿느릿한 규칙적인 속보(速步). ② 단조로운 방식〔생활〕.
Jo·han·nes·burg [dʒouhǽnəsbə̀ːrg] *n.* 요하네스버그《남아프리카 공화국의 도시 ; 금·다이아몬드의 산지》.
***John** [dʒɑn / dʒɔn] *n.* ① 존《남자 이름》. ②〖聖〗 **a)** 세례 요한(~ the Baptist). **b)** 사도 요한. ③〖聖〗 **a)** (신약성서의) 요한 복음. **b)** (신약성서의) 요한 1서〔2 서, 3 서〕. ④ 존 왕(王)《1167 ?-1216 ; 영국의 왕(1199-1216), 1215년 Magna Carta 에 서명》.
john [dʒɑn / dʒɔn] *n.* Ⓒ《美》①《口》변소, 변기. ②《俗》매춘부의 손님.
Jóhn Bárleycorn (의인적으로 쓰인) 맥주, 위스키.
Jóhn Búll 존불《전형적 영국인》. ⓒⓕ Jonathan, Uncle Sam.
Jóhn Dóe ①〖法〗존 도우《소송에서 당사자의 본명이 불명일 때 쓰이는 남성의 가명》. ⓒⓕ Jane Doe. ②《美》이름 없는〔평범한〕 사람 ; 모씨(某氏), 아무개. **~ *and Richard Roe*** (소송사건에서) 원고와 피고.
Jóhn Dó·ry [-dɔ́ːri]〖魚〗달고기류(類).
Jóhn Hán·cock [-hǽnkɑk / -kɔk]《美口》자필 서명(signature).
John·ny, -nie [dʒɑ́ni / dʒɔ́ni] *n.* ① 조니《남자 이름 ; John 의 애칭》. ② Ⓒ《口》놈, 녀석, 사나이. ⓒⓕ Jack. ③ = JOHN ①.
john·ny·cake [-kèik] *n.* Ⓤ,Ⓒ ①《美》옥수수빵. ②《Austral.》얇게 구운 밀가루빵.
John·ny-come-late·ly [-kʌ̀mléitli] (*pl.* ***-láte·lies, Jóhn·nies-còme-láte·ly***) *n.* Ⓒ《口》신참자(新參者), 신출내기, 풋내기.
Jóhn o'Gróat's (Hòuse) [dʒɑ́nəgróuts(-) / dʒɔ́n-] 스코틀랜드의 최북단(最北端)의 마을. ***from John o'Groat's to Land's End*** 영국의 끝에서 끝까지, 영국내.
Jóhn Pául Ⅱ 요한 바오로 2 세《폴란드 태생의 로마 교황(1978-) ; 1920- 》.
Jóhn Q. Públic 〔Cítizen〕 [-kjúː-]《美俗》평균적〔전형적〕 미국 시민.
John·son [dʒɑ́nsn / dʒɔ́n-] *n.* ① **Lyndon Baines** ~ 존슨《미국의 제 36 대 대통령 ; 1908-73》. ② **Samuel** ~ 존슨《영국의 문학가·사전 편찬가 ; 1709-84》.
Jóhnson cóunter〖컴〗존슨 계수기.
John·son·ese [dʒɑ̀nsəníːz / dʒɔ̀n-] *n.* Ⓤ Samuel Johnson 식의 문체《라틴계(系)의 말이 많이 사용된 장중한 문체》.
John·so·ni·an [dʒɑnsóuniən / dʒɔn-] *a.* Samuel Johnson(식)의 ; 장중한《문체》. — *n.* Ⓒ Samuel Johnson 연구가〔모방자, 숭배자〕.
Jóhn the Báptist〖聖〗세례 요한.
†join [dʒɔin] *vt.* ①《~+목 / +목+전+명 / +목+부》…을 결합하다(unite), 연결하다(connect), 접합하다(fasten) : ~ one thing to the other 어떤 것을 다른 것에 연결시키다 / ~ the end of a rope to another 로프의 끝을 다른 로프의 끝에 잇다 / ~ two things together 두 물건을 하나로 잇다 / ~ two sheets of metal by soldering 두 개〔장〕의 금속판을 납땜으로 접합하다. ② (강·길 따위가) …와 합류하다, …와 함께 되다, …와 한 곳에서 만나다 : I'll ~ you later. 이따 너와 합류하겠다. ③ …을 합병하다, 하나로 하다(unite) : ~ forces 힘을 합치다. ④《~+목 / +목+전+명》…에 들다, …에 가입〔참가〕하다, …의 회원이 되다 : ~ a society 회에 들다 / ~ the army 군대에 들어가다 / ~ church 교회의 신도가 되다 / ~ an expedition 원정대에 참가하다 / Will you ~ us *for*〔*in*〕a game? 함께 게임을 안 하겠나 / Will you ~ me for a cup of coffee? 같이 커피 한잔 하시겠소. ⑤ …에 인접하다(adjoin) : His farm ~*s* mine. 그의 농장은 내 농장과 인접해 있다. ⑥《+목+전+명》(결혼 따위로) (아무)를 맺어 주다 : ~ two persons *in* marriage 두 사람을 결혼시키다. ⑦〖幾〗(두 점)을 잇다.
— *vi.* ① 합하다, 만나다, 연결〔결합〕되다 : The two roads ~ at this place. 두 도로는 이 곳에서 합친다. ②《+전+명》합체되다, 합동하다, 동맹하다, 함께 되다《*with; to*》: ~ *with* the enemy 적과 손을 잡다. ③《+전+명 / +부》참가하다, 한패가 되다, 동아리에 들다, 가입되다《*in*》: Let's all ~ *in.* 모두 가입하자 / ~ *with* a person *in* his sorrow 아무와 슬픔을 같이하다. ④《+전+명》인접하다, 접하다 : Our land ~*s along* the brook. 우리 땅은 시내에 접해 있다. ◇ joint *n.* **~ *forces with*** …와 협력하다. **~ *hands with*** …와 손을 맞잡다 ; …와 제휴하다. **~ *issue*** ⇨ ISSUE. **~ *on*** (차량 따위를) 연결〔증결〕하다. **~ *out*** (서커스에) 입단하다 ;《美俗》(방랑자가) 고용되어 공짜로 이동하다. **~ *the colors*** 입대하다. **~ *up*** 동맹〔제휴〕하다 ; 입회〔가입〕하다 ; 합류〔합병〕하다 ; 입대하다(enlist).
— *n.* Ⓒ ① 접합, 합류 ; 접합〔합류〕점(joint). ②〖컴〗골라잇기.
join·er [dʒɔ́inər] *n.* Ⓒ ① 결합자 ; 접합물. ② 소목장이, 가구장이. ③《口》여러 회(會)에 가입하고 있는 사람, 얼굴이 널리 알려진 사람.
join·er·y [dʒɔ́inəri] *n.* Ⓤ ① 소목장이 일, 가구 제조업 ; 소목 세공. ②〔集合的〕가구류.
‡joint [dʒɔint] *n.* Ⓒ ① **a)** 이음매, 접합 부분〔점, 선, 면〕: Water leaks from the ~ in the pipe. 파이프 이음매에서 물이 샌다. **b)**〖木工〗(목재를 잇기 위해) 장부를 낸 곳 ; (두 부재(部材)의) 이

J

음촉, 조인트. **c**) (벽돌쌓기 따위의) 메지. **d**) 〖地質〗 절리(節理)《암석의 갈라진 틈》. **e**) (푸주에서 잘라 놓은) 큰 고깃덩어리, 뼈가 딸린 고기《요리용》. ②〖解〗 관절: the middle ~ of the forefinger 집게손가락의 제2 관절. ③《俗》 (원래 밀주를 판) 비밀 술집, 싸구려 술집; 〔一般的〕 (사람이 모이는) 장소, 집, 건물, 감방(prison, jail). ④《俗》 마리화나(담배). ⑤《卑》 음경. ◇ join *v.* ***out of*** ~ (1) 접질려, 탈구하여: He knocked his thumb *out of* ~ playing football. 그는 축구하다 엄지발가락을 접질렀다. (2) 고장이 나서, 뒤죽박죽이 되어: throw a machine *out of* ~ 기계를 고장내다〔나게하다〕. (3) 어울리지 않게《*with*》. ***put*** a person***'s nose out of*** ~ ⇨ NOSE.
—*a.* 〔限定的〕 공동의, 합동의, 공유의, 공통의; 연대의: ~ communiqué 공동 코뮈니케 / ~ ownership 공유권 / a ~ responsibility 연대 책임 / a ~ offense 공범 / ~ maneuvers 합동 연습 / make ~ efforts 협력하다.
—*vt.* ① …을 접합하다, 이어맞추다. ② (고기)를 큰 덩어리로 베어 내다《관절 마디마다 끊어서》: She ~*ed* the chicken before cooking it. 그녀는 닭을 요리하기 전에 관절 마디마다 잘라 토막냈다.

jóint(bank) accóunt (은행의) 공동 예금 계좌.

Jóint Chìefs of Stáff (the ~) 《美》 합동 참모 본부〔회의〕《略: JCS》.

jóint commíttee (의회의) 양원 합동 위원회.

jóint cústody 〖法〗 (이혼하거나 별거 중인 양친에 의한) 공동 친권(親權).

joint·ed [dʒɔ́intid] *a.* ① 마디〔이음매〕가 있는; 관절이 있는: ~ fishing rod 이음 낚싯대. ② 〔複合語를 이루어〕 접합이 …한: well-~ 잘 이어진.

joint·less [dʒɔ́intlis] *a.* 이음매가 없는, 관절이 없는.

***joint·ly** [dʒɔ́intli] *ad.* 연합하여, 공동으로; 연대로.

jóint stóck 〖經〗 공동 자본.

jóint-stóck còmpany [dʒɔ́intstɑ́k- / -stɔ́k-] 《英》 주식회사(《美》 stock company).

join·ture [dʒɔ́intʃər] *n.* Ⓒ 〖法〗 과부 급여《남편 사후 아내의 소유가 되도록 정해진 토지 재산》.

jóint vénture ① 조인트 벤처《공동으로 자산·기술을 제공하여 하나의 사업을 경영하는 일》. ② 합판(合辦) 사업〔회사〕.

joist [dʒɔist] *n.* Ⓒ 〖建〗 장선; 들보.

†joke [dʒouk] *n.* Ⓒ ① **a**) 농담, 익살: have a ~ with …와 농담을 주고받다 / make a ~ 농담을 하다 / carry a ~ too far 농담이 지나치다. **b**) 장난: play a ~ on〔upon〕 a person ⇨(成句) / a practical ~ ⇨(成句). ② 웃을 일; 하찮은 일; 쉬운 일: It is no ~. 웃을 일이 아니다. ③ 웃음거리. ④ 우스운 상황〔사태〕. ***a practical*** ~ 몹쓸 장난《말뿐 아니라 실제 행동으로 사람을 놀림》. ***be*** 〔***go***〕 ***beyond a*** ~ 웃을 일이 아니다, 중대한 일이다. ***for a*** ~ 농담으로. ***in*** ~ 농담으로. ***no*** ~ 《口》 농담할 일이 아니다, 큰일이다. ***play a*** ~ ***on*** a person 아무를 조롱하다, 놀리다. ***see a*** ~ 재담을 알아듣다. ***take a*** ~ 놀려도 화내지 않다, 농담을 웃으며 받아들이다. ***The*** ~ ***is on*** .... (남에 대한 계략·몹쓸 장난이) 자기에게 돌아온다.
—*vi.* 농담을 하다; 희롱하다; 장난치다: I'm just〔only〕 *joking*. (그저) 농담(일 뿐)이야.
—*vt.* 《~+目 / +目+前+名 / +目+副》 …을 조롱하다, 비웃다: The question was ~*d* away between them. 그 문제는 그들 사이에서는 농담으로 끝났다. ***joking apart*** 〔***aside***〕 농담은 그만하고. ***You must*** 〔***have to***〕 ***be joking.*** 《俗》 설마 농담이겠지.

joke·book [-bùk] *n.* Ⓒ 소화집(笑話集).

***jok·er** [dʒóukər] *n.* Ⓒ ① 농담하는 사람, 익살꾼. ② **a**) 놈, 녀석(fellow). **b**) 보잘 것 없는〔싫은, 무능한〕 사람. ③〖카드놀이〗 조커.

jok·ing·ly [dʒóukiŋli] *ad.* 농담으로.

joky [dʒóuki] (***jok·i·er*** ; ***-i·est***) *a.* 농담을 좋아하는.

jol·li·fi·ca·tion [dʒɑ̀ləfikéiʃən / dʒɔ̀-] *n.* ① Ⓒ 즐거운 연회, 잔치, 유쾌한〔신나는〕 축하회. ② Ⓤ 환락, 흥에 겨워 즐거이 놀기(merrymaking).

jol·li·fy [dʒɑ́ləfài / dʒɔ́-] 《口》 *vt.* …을 즐겁게 하다, 명랑하게 하다. —*vi.* (마시고) 얼근한 기분이 되다, 신이 나다.

jol·li·ty [dʒɑ́ləti / dʒɔ́-] *n.* ① Ⓤ 명랑, 즐거움. ② Ⓒ 환락, 술잔치.

‡jol·ly [dʒɑ́li / dʒɔ́li] (***-li·er*** ; ***-li·est***) *a.* ① 명랑한, 즐거운, 유쾌한: have a ~ time 즐겁게 지내다〔보내다〕. ② (술로) 거나한, 얼근한 기분의: the ~ god ⇨(成句). ③ **a**) 《英口》 훌륭한, 참 좋은〔멋있는〕, 기분좋은: That's a ~ doll, Susie. 수지, 그것 참 멋있는 인형인데. **b**) 〔종종 反語的〕 이만저만이 아닌, 지독한: a ~ fool 지독한 바보 / What a ~ mess I am in! 이거 큰일났는데. ***the*** ~ ***god*** 술의 신(Bacchus).
—*n.* (*pl.*) ① 《口》 잔치 소동, 즐거운 흥분, 스릴. ② 《英口》 파티, 축하회. ③ =JOLLY BOAT. ***get*** one***'s jollies*** 매우 즐기다, 유쾌하게 하다.
—*ad.* 《英口》 대단히(very), 엄청나게: You're ~ late. 꽤 늦었구나. ~ ***well*** 《英俗》 틀림없이, 아주 잘: You ~ *well* know it. 너도 잘 알 것이다.
—*vt.* 《口》 ① …을 기쁘게 해 주다, 추어주다《*along* ; *up*》: He *jollied* her *along* until she lent him some money. 그는 그녀를 슬슬 구슬려 그녀에게서 돈을 빌렸다. ② …을 놀리다, 조롱하다(rally). —*vi.* 남을 추어주다.

jólly bòat 〖海〗 (함선에 딸린) 작은 보트.

Jólly Róg·er [-rɑ́dʒər / -rɔ́dʒər] (the ~) 해적기《검은 바탕에 흰 두개골과 두 개의 대퇴골을 교차시켜 그린 기》. cf. black flag.

***jolt** [dʒoult] *vi.* 《~ / +副》 덜걱덜걱 흔들리면서 가다, 덜컹거리다: The car ~*ed along*. 차는 덜컹덜컹 흔들거리면서 갔다.
—*vt.* ① 《~+目 / +目+前+名》 …을 난폭하게 흔들다, 덜컹거리게 하다: Her bump against the cupboard ~*ed* a bottle *off* the shelf. 그녀가 찬장에 부딪히는 바람에 병이 선반에서 떨어졌다. ② 《~+目 / +目+補 / +目+前+名》 …을 세게 때리다; …에 충격을 주다; (정신적으로) …에 심한 동요를 주다; 깜짝 놀라게 하다: The mention of her name ~*ed* him awake. 그녀 이름이 들리자 그는 퍼뜩 눈을 떴다 / The event ~*ed* them *into* action. 그 사건은 그들을 갑작스런 행동으로 들어가게 했다.
—*n.* Ⓒ ① 급격한 동요, (마차 따위의) 덜커덕거림(jerk): The train gave a ~. 열차는 덜커덕거렸다. ② (정신적) 충격: The car hit against the wall with a ~. 차는 벽에 쾅하고 부딪혔다 / My words gave the kids a ~. 내 말은 아이들에게 충격이었다. ③ (독한 술 따위의) 한 모금, 한 잔: have a ~ of whisky 위스키를 한 잔 쭉 마시다.

jolty [dʒóulti] (***jolt·i·er*** ; ***-i·est***) *a.* 덜커덕거리는.

Jo·nah [dʒóunə] *n.* ①〖聖〗 **a**) 요나《헤브라이의 예언자》. **b**) (구약 성서의) 요나서(書). ② Ⓒ 불행·흉변을 가져오는 사람.

Jon·a·than [dʒɑ́nəθən / dʒɔ́n-] *n.* ① 조나단《남자 이름》. ②〖聖〗 요나단《Saul 의 장자; David 의

J

친구》. ③《英》 전형적인 미국인.

Jones [dʒounz] *n.* 존스. ① (the ~es) 근처의 사람들《Jones가 가장 흔한 이름인데서》. ② 〔다음 成句로〕 ***keep up with the ~es*** 《口》 이웃사람에게 지지 않으려고 허세를 부리다.

jon·quil [dʒáŋkwil, dʒán- / dʒɔ́ŋ-] *n.* ①Ⓒ〖植〗 노랑수선화. ②Ⓤ 연한 황색.

Jon·son [dʒánsən / dʒɔ́n-] *n.* **Ben(jamin)** ~ 존슨《영국의 시인·극작가; 1572-1637》.

Jor·dan [dʒɔ́ːrdn] *n.* ① 요르단《아라비아의 왕국; 수도 Amman》. ② (the ~) 요단강《팔레스타인 지방의 강》.

***Jo·seph** [dʒóuzəf] *n.* ① 조지프《남자 이름; 애칭 Jo, Joe》. ② **a)**〖聖〗요셉《Jacob의 아들; 이집트의 고관》. **b)** Ⓒ 지조가 굳은 남자. ③ 성요셉《성모 마리아의 남편으로 나사렛의 목수》.

Jo·se·phine [dʒóuzəfiːn] *n.* 조세핀《여자 이름; 애칭 Jo, Josie》.

josh [dʒɑʃ / dʒɔʃ] *n.* Ⓒ《美口》 악의없는 농담, 놀리기. ── *vt., vi.* (…을) 놀리다, 조롱하다(banter), 속이다(hoax). ㊕ **∠·er** *n.*

Josh *n.* 조시《남자 이름; Joshua의 애칭》.

Josh·ua [dʒáʃuə / dʒɔ́ʃuə] *n.* ① 조수아《남자 이름; 애칭 Josh》. ②〖聖〗 여호수아《모세의 후계자》; (구약성서의) 여호수아기(記).

Jo·si·ah [dʒousáiə] *n.* ① 조사이아《남자 이름》. ②〖聖〗 요시야《종교 개혁을 수행한 유대왕: 640?-? 609B.C.》.

Jo·sie [dʒóuzi] *n.* 조지《여자 이름; Josephine의 「애칭》.

joss [dʒɑs, dʒɔːs / dʒɔs] *n.* Ⓒ (중국인이 섬기는) 우상, 신상(神像).

jos·ser [dʒásər / dʒɔ́sər] *n.* Ⓒ《英俗》 ① 남자, 녀석, 놈. ② 바보.

jóss hòuse 중국인의 절, 영묘(靈廟).

jóss stìck 선향(線香)《joss 앞에 피우는》.

***jos·tle** [dʒásl / dʒɔ́sl] *vt.* ①《~+目/+目+副/+目+전+명》 (난폭하게) …을 떠밀다, 찌르다, 부딪치다, 팔꿈치로 밀다(elbow), 밀어 제치다, 헤치고 나아가다《*away*; *from*》: Don't ~ me. 밀지 마 / He ~*d* me *away*. 그는 나를 밀어 제쳤다 / He ~*d* his way *out of* the bus. 그는 사람을 밀어 제치고 버스에서 내렸다. ② …와 인접하다, …의 바로 가까이에 있다.
── *vi.* ①《+전+명》 서로 밀다(crowd), 부딪치다《*against*》; 헤치고 나아가다《*through*》: He ~*d against* the crowd. 그는 군중과 부딪쳤다 / I ~*d through* the crowd. 군중을 헤치고 나아갔다. ② 겨루다, 다투다《*with*》: Ben and I ~*d* (*with* each other) *for* the position. 벤과 나는 (서로) 그 지위를 다투었다.
── *n.* Ⓤ 서로 밀치기, 혼잡; 부딪침.

***jot** [dʒɑt / dʒɔt] *n.* 〔a ~; 흔히 否定文으로〕 (극히) 조금, 약간, 미소(微小): I do*n't* care *a* ~ what she thinks. 그녀가 어떻게 생각하든 내 알 바가 아니다 / There's *not a* ~ of truth in it. 그것에는 추호의 진실도 없다. ── (*-tt-*) *vt.* 《+目+副》 …을 간단히 적어 두다, 메모하다《*down*》: ~ *down* one's passport number 여권의 번호를 적어두다. 「비망록.

jot·ter [-tər] *n.* Ⓒ ① 메모하는 사람. ② 메모장,

jot·ting [-tiŋ] *n.* ⓊⒸ 메모, 약기.

joule [dʒuːl, dʒaul] *n.* Ⓒ〖物〗 줄《에너지의 절대단위; $=10^7$ 에르그; 기호 J; 영국의 물리학자 J. P. Joule(1818-89)의 이름에서》.

jounce [dʒauns] *vi.* (위 아래로) 덜컹거리다; 덜컹거리며 나아가다. ── *vt.* …을 위아래로 흔들다.
── *n.* Ⓒ 덜커덩거림, 진동, 동요.

‡**jour·nal** [dʒɔ́ːrnəl] *n.* Ⓒ ① 신문, 일간 신문: a college ~ 대학 신문 / a trade ~ 무역 신문. ② 잡지(periodical); 정기 간행물《학회 간행물 따위》: a monthly ~ 월간 잡지 / a home ~ 가정 잡지. ③ 일지, 일기(diary)《보통 diary보다 문학적인 것, 또는 공적(公的) 기록의 성격을 갖는 것을 말함》: keep a ~ 일기를 쓰다. ④《英》 (the J-s) 국회 의사록. ⑤〖海〗 항해 일지(logbook). ⑥〖簿記〗 분개장(分介帳); 일기장(daybook).

jour·nal·ese [dʒəːrnəlíːz] *n.* Ⓤ 신문 용어, 신문 기사투; 신문 잡지 문체.

‡**jour·nal·ism** [dʒɔ́ːrnəlìzəm] *n.* Ⓤ ① 저널리즘, 신문 잡지업(業); 신문 잡지 편집, 신문 잡지 기고 집필: follow ~ as a profession 직업으로서 저널리즘에 종사하다. ② 신문 잡지(업)계, 보도 (관계). ③〔集合的〕 신문 잡지. ④ 신문 잡지식 문체.

‡**jour·nal·ist** [dʒɔ́ːrnəlist] *n.* Ⓒ 저널리스트, 신문잡지 기자〔기고가, 업자〕, 신문인, 보도 관계자.

***jour·nal·is·tic** [dʒəːrnəlístik] *a.* 신문 잡지(업)의; 신문 잡지 기자의; 신문 잡지 특유의; 기자 기질의. ㊕ **-ti·cal·ly** *ad.*

‡**jour·ney** [dʒɔ́ːrni] *n.* Ⓒ ① (보통 육상의) 여행: a ~ around the world 세계일주 여행 / a ~ of two months = a two months' ~ = a two-month ~, 2개월간의 여행 / My mother is away on a ~. 어머니는 여행 중이어서 안계신다. ② 여정(旅程), 행정(行程): Rome is a day's ~ by train from here. 로마는 여기서 기차로 하루가 걸린다. ③ (*pl.*) 왕복(往復): The bus goes ten ~*s* a day. 버스는 하루 열 고팽이 왕복한다. ***break*** one***'s*** ~ (1) 여행을 중단하다; 도중하차하다. (2) 여행 도중에 …에 들르다(*at*): We broke our ~ *at* Paris. 우리는 여행 도중 파리에 잠시 들렀다. ***I wish you a pleasant*** ~. 잘 다녀오시오. one***'s*** ~***'s end*** (1) 여로의 끝. (2) 인생 행로의 종말.
── *vi.* 여행하다.

jour·ney·man [-mən] (*pl.* ***-men*** [-mən]) *n.* Ⓒ (수습 기간을 마친) 제구실을 하는 장색; (일류는 아니나) 확실한 솜씨를 가진 사람. cf. apprentice, master.

jour·no [dʒɔ́ːrnou] *n.* Ⓒ《英口》= JOURNALIST.

joust [dʒaust, dʒuːst] *n.* Ⓒ (중세 기사의) 마상 창시합(槍試合). ── *vi.* 마상 창시합을 하다.

Jove [dʒouv] *n.* = JUPITER. ***By ~!*** (1) 신을 두고, 맹세코. (2) 천만에; 빌어먹을; 그렇고말고《놀람·찬동 등을 나타냄》.

jo·vi·al [dʒóuviəl] *a.* 쾌활한, 명랑한, 즐거운, 유쾌한(merry): a ~ laugh 쾌활한 웃음 / a ~ disposition 명랑한 성질.
㊕ **~·ly** *ad.* **~·ness** *n.*

jo·vi·al·i·ty [dʒòuviǽləti] *n.* ①Ⓤ 쾌활, 명랑; 즐거움. ② (흔히 *pl.*) 명랑한 말〔행동〕.

Jo·vi·an [dʒóuviən] *a.* ① Jove 신의; (Jove 신처럼) 위풍당당한. ② 목성(木星)의. ㊕ **~·ly** *ad.*

jowl [dʒaul, dʒoul] *n.* Ⓒ (흔히 *pl.*) ① 턱(jaw), 턱뼈. ② 뺨(cheek). ***cheek by*** ~ 볼을 맞대고, 정답게.

jowly [dʒáuli] (*more ~, jowl·i·er ; most ~, jowl·i·est*) *a.* 2중턱의, 군턱의: a ~ old man 군턱이 축 늘어진 노인.

†**joy** [dʒɔi] *n.* ①Ⓤ 기쁨, 환희(gladness): to my ~ 기쁘게도 / tears of ~ 기쁨의 눈물 / in ~ and (in) sorrow 기쁠 때나 슬플 때나. ②Ⓤ 기쁨의 상태, 행복. ③Ⓒ 기쁨을 주는 것: the ~*s* and sorrows of life 인생의 애환〔고락〕/ The baby is a constant ~ to her grandparents. 애기는 조부모에게는 변함없는 기쁨의 샘이다 / A thing of beauty is a ~ forever. 아름다운 것은 영원한 기쁨이다《Keats의 말》. ***for*** 〔***with***〕 ~ 기뻐서:

J

weep〔leap〕 *for* ~ 기뻐서 울다〔뛰다〕. ***in*** one's ~ 기쁜 나머지. ***I wish you*** ~. 축하합니다(I congratulate you.). ***No*** ~. 《英口》 틀렸다, 실패했다. ***to the*** ~ ***of . . .*** …이 기쁘게도. ***wish*** a person ~ ***of . . .*** (종종 비꼬아) …에 재미 많이 보시오.

— *vi.* 《~ / +前+名》 《詩》 기뻐하다: He ~*ed in* my good luck. 그는 나의 행운을 기뻐했다.

Joyce [dʒɔis] *n.* ① 조이스《여자 이름; 남자 이름》. ② **James** ~ 조이스《아일랜드의 소설가·시인(詩人); 1882-1941》.

‡**joy·ful** [dʒɔ́ifəl] (***more*** ~ ; ***most*** ~) *a.* ① 즐거운(happy), 기쁜: a ~ heart 기쁨에 넘치는 마음 / She was deliriously ~ at the birth of a grandson. 그녀는 손자가 태어나니까 미칠듯이 기뻐했다. ② (마음을) 기쁘게 하는: ~ news 기쁜 소식 / a ~ atmosphere 즐거운 분위기. ③ 기쁜 듯한: a ~ look 즐거운 듯한 표정. ***be*** ~ ***of*** …을 기뻐하다. 㘝 ***~·ly** *ad.* **~·ness** *n.*

joy·less [dʒɔ́ilis] *a.* 즐겁지 않은, 쓸쓸한: a ~ outlock on life 인생을 쓸쓸한 것이라고 보는 견해〔인생관〕. 㘝 **~·ly** *ad.* **~·ness** *n.*

***joy·ous** [dʒɔ́iəs] *a.* =JOYFUL.
㘝 ***~·ly** *ad.* **~·ness** *n.*

joy·ride [⌐ràid] *n.* Ⓒ 《口》 ① 재미로 하는 드라이브《특히 난폭하게 운전하거나 훔친 차를 몰고 돌아다니는 일》. ② (비용이나 결과를 생각 않는) 무모한 행동〔행위〕. — (***joy·rode*** ; ***joy·ridden***) *vi.* 《口》 재미로 자동차를 몰고 돌아다니다.
㘝 **jóy·rìd·er** *n.* joyride 하는 사람.

jóy stìck ① 《口》 (비행기의) 조종간. ② (컴퓨터·비디오 등의) (수동) 조작 레버.

jóy swìtch 【컴】 조이 스위치《joy stick 비슷한 컴퓨터의 입력 장치》.

J.P. Justice of the Peace.

Jr., jr., Jr, jr junior.

JSP 【컴】 Josephson signal processor(조집슨 신호 처리장치).

ju·bi·lance [dʒú:bələns] *n.* Ⓤ 환희, 환호.

ju·bi·lant [dʒú:bələnt] *a.* (환성을 지르며) 기뻐하는, 환호하는; 기쁨에 찬: *Jubilant* crowds cheered and waved flags as the Prince and Princess drove along. 황태자 부부가 차를 타고 지나가자 기쁨에 찬 군중들이 환성을 지르며 기를 흔들었다. 㘝 **~·ly** *ad.*

ju·bi·la·tion [dʒù:bəléiʃən] *n.* ① Ⓤ 환희, 환호 (exultation); 기쁨: give shouts of ~ 몇번이나 환호성을 올리다. ② Ⓒ (흔히 *pl.*) 축제.

ju·bi·lee** [dʒú:bəli:, ⌐-⌐] *n.* ① Ⓒ 【유대史】 희년(禧年), 요벨〔안식〕의 해. ② Ⓒ 【가톨릭】 성년(聖年), 대사(大赦)의 해. ③ Ⓒ 기념제(祭)《50 년제(祭); 25 년제(祭): ⇨the silver〔golden〕 ~ (成句)》. ④ Ⓒ 경축의 날〔해, 시기〕, 축제(festival). ⑤ Ⓤ 환희. ***the Diamond Jubilee, Victoria 여왕 즉위 60 년제《1897 년 거행》. ***the silver*** 〔***golden***〕 ~, 25〔50〕 년제.

Ju·dah [dʒú:də] *n.* ① 주다《남자 이름》. ② 【聖】 유다《Jacob 의 넷째 아들; Judas 와는 다름》. ③ 유대《팔레스타인의 고대 왕국》.

Ju·da·ic, -i·cal [dʒu:déiik], [-ikəl] *a.* 유대(교)의, 유대인〔민족, 문화〕의. cf. Jewish.

Ju·da·ism [dʒú:dəìzəm / -dei-] *n.* Ⓤ ① 유대교; 유대교 신봉. ② 유대주의; 유대식; 유대인 기질.

Ju·da·ist [-ist] *n.* Ⓒ 유대교도, 유대주의자.

Ju·da·ize [dʒú:diàiz, -də- / -dei-] *vt.* …을 유대(인)식으로 하다, 유대교〔주의〕화하다. — *vi.* (습관 따위가) 유대교〔주의〕화하다; 유대(인)식이 되다.

Ju·das [dʒú:dəs] *n.* ① 【聖】 유다《예수의 제자 중 한 사람으로 예수를 배반했음; Judah 와는 다름》. ② Ⓒ (우정을 가장한) 배반자. ③ Ⓒ (j-) (문 따위의) 엿보는 구멍(=∠ **wìndow,** ∠**-hòle**).

Júdas kíss 【聖】 유다의 키스; 겉치레만의 호의·친절.

Júdas trèe 【植】 박태기나무속(屬)의 일종. [◂예수를 배반한 유다가 이 나무에 목을 메어 죽었다는 전설에서]

jud·der [dʒʌ́dər] *n.* Ⓒ 심한 진동.
— *vi.* ① (기계 따위가) 심하게 진동하다. ② 【樂】 (소프라노 발성이) 심하게 진동하다.

Jude [dʒu:d] *n.* ① 주드《남자 이름》. ② 【聖】 (Saint ~) 성(聖) 유다(Judas). ③ 【聖】 (신약성서의) 유다서.

Ju·de·an [dʒu:dí:ən] *a.* 유대(인)의. — *n.* Ⓒ 유대인(Jew).

Judg. 【聖】 Judges.

†**judge** [dʒʌdʒ] *n.* ① Ⓒ (종종 J-) 재판관, 판사: a side ~ 배석 판사 / the chief ~ 재판장 / a ~ of the High Court (영국의) 고등 법원 판사. ② Ⓒ (토의·경기 등의) 심판관, 심사원: a ~ of〔in, at〕 a beauty contest 미인 선발 대회의 심사원. ③ Ⓒ 감식안(鑑識眼)이 있는 사람, 감정가《*of*》: a ~ *of* horses 〔pictures〕 말〔회화〕 감정가 / He's no 〔a poor〕 ~ of art. 그는 예술을 보는 눈이 없다〔시원찮다〕. ④ (최고 심판자로서의) 신(神), 하느님. ⑤ 【聖】 **a**) Ⓒ 사사(士師). **b**) (J-s) 〔單數취급〕 【聖】 (구약 성서의) 사사기(記). ***as grave as a*** ~ 자못 엄숙한. (***as***) ***sober as a*** ~ 시치미를 떼고; 아주 진지〔냉정〕하게.

— *vt.* ① 《~+目 / +目+補》 (사건·사람)을 판가름하다, 재판하다, …에 판결을 내리다, …을 심리하다: ~ a prisoner 죄수를 재판하다 / ~ a case 소송 사건을 심리하다 / The court ~*d* him guilty. 법정은 그에게 유죄판결을 내렸다. ② …을 심판하다, 심사하다; 감정하다: ~ horses 말을 감정하다 / My dog was ~*d* the best in the contest. 나의 개는 콘테스트에서 최우수 판정을 받았다. ③ 《~+目 / +目+前+名》 …을 판단하다, 비판〔비난〕하다: ~ the distance 거리를 판단하다 / You must not ~ a man *by* his income. 사람을 그 수입의 다과에 따라 판단해서는 안 된다. ④ 《+目+(*to be*) 補 / +*that* 節》 …라고 생각〔판단〕하다: He ~*d* it better to put off his departure. 그는 출발을 연기하는 것이 좋겠다고 판단했다 / I ~*d* her (*to be*) about forty. 나는 그녀의 나이를 40세쯤으로 보았다. ⑤ 《+*wh.*節 / +*wh. to* do》 (…인지 어떤지) 판단하다: I cannot ~ *whether* he is honest or not. 그가 정직한지 어떤지 판단할 수가 없다 / It is difficult to ~ *what to* do in such circumstances. 이와 같은 경우 무엇을 할 것인가를 판단하기란 어렵다. — *vi.* 《~ / +前+名》 ① 재판하다, 판결을 내리다; 심사하다: Mrs. White will ~ *at* the flower show. 화이트 부인은 화초품평회에서 심사를 할 것이다. ② 판정하다, 판단하다《*of* ; *from*》: as far as I can ~ 내가 판단할 수 있는 한 / ~ *of* its merits and faults 그 장단점을 판단하다 / ~ by appearances 외모로 판단하다. ***judging from*** …로 미루어 보건대〔판단하건대〕.

júdge ádvocate 【軍】 법무관, (군사 법원의) 판사《略: JA》.

jùdge ádvocate géneral (the ~) (《美》 육해공군 및 《英》 육공군의) 법무참모, 법무감《略: JAG》.

‡**judg·ment,** 《英》 **judge-** [dʒʌ́dʒmənt] *n.* ① Ⓤ,Ⓒ 재판, 판결, 심판: hand down a ~ 판결을 선고하다 / It's the ~ of this court that .... …라

고 하는 것이 본 법정의 판결이다. ② Ⓒ (판결로) 확정된 채무, 판결 채무. ③ U.C 판단, 판정 ; 감정 ; 비판, 비난 : make a ~ on …에 대하여 판단을 내리다 / They accepted his ~ that they had better put off their departure. 그들은 출발을 연기하는 것이 좋겠다는 그의 판단을 받아들였다. ④ Ⓤ 판단〔비판〕력, 견식, 사려 분별, 양식 : a man of good ~ 분별이 있는 사람. ⑤ (the J-) 〖宗〗 최후의 심판(the Last Judgment). ⑥ Ⓒ (신의 판가름에 의한) 천벌《*on* ; *upon*》: His misfortunes were ~ *upon* him for his wickedness. 그의 불행은 부도덕한 행동에 대한 천벌이었다 / The accident is a ~ *on* you for being careless. 그 사고는 부주의한 너에게 대한 천벌이다. ***against*** one's ***better*** ~ 본의 아니게, 어쩔 수 없이. ***in my*** ~ 나의 생각으로는. ***pass***〔***give***〕 ~ ***on***〔***upon***〕 …에 판결을 내리다. ***sit in*** ~ 재판하다 ; 판단을 내리다, 비판하다《*on, upon*》. ***the Day of Judgment*** ⇨ JUDGMENT DAY.

judg(e)·men·tal [dʒʌdʒméntl] *a.* ① 판단(상)의, 판단에 관한. ②《종종 蔑》(윤리적인) 판단을 하기 쉬운, 교훈적인.

Júdgment Dày (the ~) 〖宗〗 최후 심판의 날 ; 세상이 끝나는 날(doomsday).

ju·di·ca·to·ry [dʒú:dikətɔ̀:ri / -təri] *a.* 재판의, 사법의. —— *n.* ① Ⓒ 재판소. ② Ⓤ 사법(행정).

ju·di·ca·ture [dʒú:dikèitʃər] *n.* ① Ⓤ 사법〔재판〕(권). ② Ⓤ 재판관의 권한〔직권〕. ③ Ⓤ 사법 행정. ④ (the ~) 〔集合的〕 재판관(judges). ***the Supreme Court of Judicature*** 《英》 최고 법원《the Court of Appeal 과 the High Court of Justice 로 구성됨》.

***ju·di·cial** [dʒu:díʃəl] *a.* ① 사법의, 재판상의 ; 재판소의, 재판관의 ; 재판관에 걸맞은 ; 판결에 의한 : ~ police 사법 경찰 / ~ power(s) 사법권 / a ~ precedent 판(결)례 / a ~ decision 판결 / the ~ bench 판사들〔일동〕 / a ~ district 재판 관할구. ② 재판관 같은〔에 어울리는〕; 공정한, 공평한 ; 판단력 있는 : ~ mind 공정한 마음. ③ 천벌의 : ~ blindness 천벌에 의한 실명(失明). ㊀ **~·ly** *ad.* ① 사법상 ; 재판에 의하여. ② 재판관답게, 공정하게.

judícial múrder 법의 살인《부당한 사형선고》.

judícial separátion 재판에 의한 별거(legal separation).

ju·di·ci·a·ry [dʒu:díʃièri, -ʃəri] *a.* 사법의 ; 법원의 ; 재판관의 : ~ proceedings 재판〔소송〕 절차. —— *n.* ① (the ~) 사법부. ② Ⓒ (국가 등의) 사법 조직, 사법 제도. ③ (the ~) 〔集合的 ; 單·複數 취급〕 재판관, 사법관.

ju·di·cious [dʒu:díʃəs] *a.* 사려 분별이 있는, 현명한 : ~ handling of the situation 사태에 대한 사려깊은 조치 / a ~ decision 사려 깊은 결정. ㊀ **~·ly** *ad.* **~·ness** *n.*

Ju·dith [dʒú:diθ] *n.* 주디스《여자 이름 ; 애칭 Judy, Jody》.

Ju·dy [dʒú:di] *n.* ① 주디《Judith 의 애칭》. ② (인형극 *Punch and Judy* 의) Punch 의 처.

‡**jug**[1] [dʒʌg] *n.* ① Ⓒ (주둥이가 넓은) 주전자, (손잡이가 달린) 항아리. ② Ⓒ 《美》 (코르크 마개의 목이 가늘고 손잡이가 붙은) 도기〔유리〕제의 주전자. ③ Ⓤ ((the) ~) 《俗》 교도소 : in (*the*) ~ 교도소에 들어가. ④ (*pl.*) 유방.

—— (**-gg-**) *vt.* ① 〔過去分詞〕 (토끼 고기 등)을 항아리에 넣고 삶다 : ~*ged* hare 도자기 항아리에 넣고 푹 끓인 토끼 고기의 스튜(stew) 요리. ②《俗》 …을 교도소에 처넣다.

júg bànd 《美》 (냄비 · 주전자 등의) 잡동사니 악대(樂隊).

jug·ful [dʒʌ́gful] *n.* Ⓒ jug로 하나 가득(한 양).

Jug·ger·naut [dʒʌ́gərnɔ̀:t] *n.* Ⓒ ① (인도 신화의) Krishna 신의 상(像)《이것을 실은 차에 치여 죽으면 극락에 갈 수 있다고 믿었음》. ② (종종 j-) Ⓒ 압도적인 파괴력을 지닌 것《전쟁 따위》, 불가항력의 것 ; 괴물《군함 · 전차 따위》; 거대 조직. ③ (j-) Ⓒ 《英口》 장거리 대형 트럭.

***jug·gle** [dʒʌ́gəl] *vi.* ①《~ / +전+명》 요술을 부리다, (공 · 접시 따위로) 곡예를 하다 : ~ with two balls 공 두개를 가지고 공기놀이 비슷한 재주를 부리다 / ~ with two flaming torches 불타는 두 횃불로 재주를 부리다. ②《+전+명》 (숫자 · 사실 등을) 조작하다, 속이다《*with*》: ~ *with* figures〔facts〕 숫자를〔사실을〕 속이다. —— *vt.* ①《~+목 / +목+부 / +목+전+명》 (곡예 등에서, 공 · 접시 따위)를 절묘히 다루다, …에 요술을 부리다 : ~ three apples and an orange 사과 세 개와 귤 하나로 곡예를 하다 / ~ a cigarette *away* 요술로 궐련 한 대를 없애다 / ~ a handkerchief *into* a pigeon 손수건을 비둘기로 변하게 하다. ② …을 조작하다, 거짓 꾸미다 : ~ accounts〔the facts〕 계산〔사실〕을 조작하다. ③《+목+전+명》 …을 속이다, 속여 …에게서 빼앗다《*out of*》: He ~*d* her *out of* her money. 그는 그녀를 속여서 돈을 우려냈다. ④〖野〗 (공)을 저글하다, 떨어뜨릴 뻔하다 다시 잡다. —— *n.* U.C ① 요술, 곡예. ② 사기, 속임. ③〖野〗 저글.

jug·gler [dʒʌ́glər] *n.* Ⓒ ① 요술사. ② (던지기의) 곡예사. ③ 사기꾼 : a ~ with words 궤변가.

jug·glery [dʒʌ́gləri] *n.* Ⓤ ① **a**) (공 · 나이프 · 접시 등을 가지고) 공기놀이하듯이 재주를 부리는 곡예. **b**) 요술, 마술. ② 속여 넘기기, 사기.

jug·u·lar [dʒʌ́gjulər] 〖解〗 *a.* ① 인후의, 목의, 경부(頸部)의. ② 경정맥(頸靜脈)의.

—— *n.* ① Ⓒ 경정맥(=∠ **véin**). ② (the ~) (상대의) 최대 약점, 급소 : have a person by *the* ~ 남의 급소를 찌르다 / go for *the* ~ 급소를 찌르다.

‡**juice** [dʒu:s] *n.* ① U.C (과일 · 채소 · 고기 따위의) 주스, 즙, 액 : a glass of orange ~ 오렌지 주스 한 컵 / extract ~ from lemons 레몬에서 주스를 짜내다 / a pear full of ~ 즙이 많은 배. ② Ⓤ **a**) 정수(精髓), 본질. **b**)《口》 정력, 활력 : a man full of ~ 정력적인 사람. ③ U.C (흔히 *pl.*) 체액(體液) ; 분비액 : gastric ~*s* 위액 / digestive ~*s* 소화액. ④ Ⓤ 《俗》 가솔린, 경유, (기타의) 액체 연료 ; 전기, 전류. ⑤ Ⓤ 술, 위스키. ⑥ Ⓤ 《俗》 터무니없는 고리(高利), 폭리. ◇ juicy *a.* ***stew in*** one***'s own*** ~ 자업자득을 하다 : Let him *stew in* his *own* ~. 제 잘못이니 내버려 둬라.

—— *vt.* ① …의 즙액을 짜내다. ② …에 즙을 타다. ~ ***up*** 《美口》 (1) 활기를 띠게 하다 ; 재미있게 하다. (2) …에 연료를 재(再)보급하다, …을 가속하다.

juiced [dʒu:st] *a.* ① 〔複合語〕 …즙을 함유한. ②《美俗》 술취한(juiced up), 마약의 효과가 나타난. ㊀ ∠**·less** *a.* 즙이 없는, 마른.

juice·head [dʒú:shèd] *n.* Ⓒ 《俗》 술고래, 모주꾼.

juic·er [dʒú:sər] *n.* Ⓒ ① 주서《과즙 짜는 기계》. ②《美俗》 술고래.

juicy** [dʒú:si] (juic·i·er*** ; ***-i·est***) *a.* ① 즙이 많은, 수분이 많은 : a ~ orange. ②《口》 (날씨가) 구중중한. ③ (떠도는 이야기 따위가) 재미있는, 흥미있는 : ~ gossip 흥미진진한 풍설. ④《口》 (계약 · 거래 따위가) 이익이 많은, 벌이가 되는. ㊀ **júic·i·ly** *ad.* **júic·i·ness** *n.*

ju·ju [dʒú:dʒu:] *n.* ① Ⓒ (서아프리카 원주민의) 주물(呪物)(fetish), 부적(amulet), 주문. ② Ⓤ (주문에 의한) 마력.

ju·jube [dʒú:dʒu:b] *n.* Ⓒ ① 대추나무 ; 대추. ② 대추 젤리.

J

juke·box [dʒúːkbɑ̀ks / -bɔ̀ks] *n.* Ⓒ 주크박스, 자동 전축.

Jul. Julius ; July.

ju·lep [dʒúːlip] *n.* Ⓒ 《美》 ① 줄렙(위스키·브랜디에 설탕·박하 등을 섞은 청량 음료). ② = MINT JULEP.

Jul·ia [dʒúːljə] *n.* 줄리아(여자 이름).

Jul·ian [dʒúːljən] *n.* 줄리안(남자 이름 ; Julius 의 애칭). ── *a.* Julius Caesar 의.

Ju·li·ana [dʒùːliǽnə] *n.* 줄리애나(여자 이름).

Júlian cálendar (the ~) 율리우스력(曆).

Ju·lie [dʒúːli] *n.* 줄리(여자 이름 ; Julia 의 별칭).

ju·li·enne [dʒùːlién] *n.* Ⓤ 《F.》 잘게 썬 야채를 넣은 고기 수프. ── *a.* 잘게 썬, 채친 : ~ potatoes 〔peaches〕 채친 감자〔복숭아〕.

Ju·liet [dʒúːljət, dʒùːliét, ⌐-⌐] *n.* 줄리엣. ① 여자 이름. ② Shakespeare 작의 *Romeo and Juliet* 의 여주인공.

Ju·lius [dʒúːljəs] *n.* 줄리어스(남자 이름 ; 애칭 Julian).

Július Cáesar = CAESAR ①.

†Ju·ly [dʒuːlái] (*pl.* **~s**) *n.* 7월(略 : Jul., Jy.) : on ~ 7 = on 7 ~ = on the 7th of ~, 7월 7일에 / The summer vacation begins in ~. 여름 방학은 7월에 시작된다 / the Fourth of ~ = ~ the Fourth, 7월 4일(미국 독립 기념일).

***jum·ble** [dʒʌ́mbl] *vt.* 《~+目(+副)》 (옷·생각 등)을 뒤죽박죽으로 만들다, 난잡하게 하다, 뒤범벅으로 해놓다(*up* ; *together*) : ~ *up* things in a box 상자의 물건을 엉망으로 해놓다 / Don't ~ *up* those papers. 이 서류를 뒤죽박죽으로 만들지 마라. ── *vi.* ① 뒤범벅이 되다, 뒤섞이다 : Memories tend to ~ together. 기억은 혼동되기 쉽다. ② 질서 없이 떼지어 나아가다 : The children ~*d* out of the bus. 아이들은 버스에서 밀치락 달치락하며 나왔다. ── *n.* ① (a ~) **a)** 혼란 : fall into *a* ~ 혼란해지다. **b)** 뒤범벅 ; 주워모은 것 : *a* ~ of toys (이것저것) 주워모은 장난감. ② Ⓤ 〔集合的〕 잡동사니.

júmble sàle 《英》 바자(bazaar) 등에서 하는 (중고) 잡화 특매(《美》 rummage sale).

jum·bo [dʒʌ́mbou] (*pl.* **~s**) *n.* Ⓒ 《口》 ① 크고 볼품없는 사람〔동물, 물건〕. ② = JUMBO JET. ── *a.* 〔限定的〕 엄청나게 큰, 거대한(huge) ; 특대의 : a ~ size 특대의 사이즈 / a ~ hamburger 특대의 햄버거.

júmbo jèt 점보 제트기(초대형 여객기).

†jump [dʒʌmp] *vi.* ① **a)** 《~ / +副 / +前+名》 깡충 뛰다, 뛰어오르다, 도약하다, 갑자기〔재빨리〕 일어서다 : ~ *down* 뛰어내리다 / ~ *into* a train 기차에 뛰어오르다 / ~ *on to* the stage 무대 위에 뛰어오르다 / ~ *on* a bus 버스에 뛰어오르다 / ~ *out of* a bus 버스에서 뛰어내리다 / I ~*ed up out of* the chair. 나는 의자에서 벌떡 일어났다. **b)** 낙하산으로 뛰어내리다. ② 장애물을 뛰어넘다 ; (체커에서) 상대방의 말을 뛰어넘어서 잡다 : ~ over a stream 개울을 건너 뛰다. ③ 《~ / +前+名》 움찔하다 ; (가슴이) 섬뜩하다 ; (종기·충치 따위가) 욱신거리다, 쑤시다 : The explosion made me ~. 그 폭발음에 가슴이 덜컹했다 / The news made him ~. 그 소식에 그는 깜짝 놀랐다 / My heart ~*ed at* the news. 그 소식을 듣고 가슴이 뛰었다. ④ 《+前+名》 (결론 등에로) 서두르다, 비약하다 : ~ *to* 〔*at*〕 conclusions 성급하게 결론을 내리다, 속단하다. ⑤ 《+前+名》 힘차게〔갑자기〕 …하다 : He ~*ed into* the discussion right away. 그는 곧 기세좋게 토의를 시작했다. ⑥ 《~ / +副 / +前+名》 (물가 따위가) 급등하다, 폭등하다 ; 갑자기 변하다 : The stock ~*ed* in value. 그 주식은 값이 급등했다 / The price of green vegetables ~*ed up* this month. 이 달에는 채소 값이 급등하였다 / The conversation ~*ed from* one topic *to* another. 대화의 화제가 잇따라 급속히 바뀌었다. ⑦ 〖映〗 화면이 끊어져서 건너뛰다 ; (타자기가 글자를) 건너뛰다. ⑧ 《美俗》 떠들며 흥청거리다, 활기를 띠다 : The joint was ~*ing.* 그 싸구려 술집은 떠들썩했다. ⑨ 〖컴〗 건너뛰다(프로그램의 어떤 일련의 명령에서 다른 것으로 건너뛰는 일). ⑩ 〖체커〗 뛰어넘어 상대방의 말을 잡다.
── *vt.* ① …을 뛰어넘다 : ~ a stream 시내를 뛰어넘다 / The boy ~*ed* the ditch. 소년은 도랑을 건너뛰었다. ② 《~+目 / +目+前+名》 (말)을 껑충 뛰게 하다, 뛰어넘게 하다 : ~ a horse *over* a fence 〔*across* a ditch〕 말에게 울타리를〔도랑을〕 뛰어넘게 하다. ③ (사냥감)을 뛰어나오게〔날아 오르게〕 하다. ④ 《~+目 / +目+副》 (애기)를 위아래로 까부르다 : ~ a baby *up* and *down* (on one's knees) 아이를 (무릎 위에서) 둥개둥개 어르다. ⑤ (물가)를 올리다. ⑥ (중간단계)를 뛰어 승진〔진급〕하다〔시키다〕 : ~ the third grade, 3 학년에서 월반하다 / They ~*ed* him *into* the chief executive position over the heads of the others. 그들은 그를 일약 사장으로 승진시켰다. ⑦ (기차가 선로)를 벗어나다, 탈선하다 : The train ~*ed* the rails. 열차가 탈선했다. ⑧ (책의 일부)를 건너뛰며 읽다 : You can ~ the third chapter. 제 3 장은 건너뛰어도 된다 / ~ pages in reading. ⑨ …보다 앞서 뛰어나가다 : ~ the red light 붉은 신호를 무시하고 뛰어나가다. ⑩ 《美》 (기차 따위)에 뛰어오르다 ; …에서 뛰어내리다 : ~ a train 열차에 뛰어오르다. ⑪ 《口》 갑자기 떠나다, 달아나다 (flee) : ~ a town 동네에서 갑자기 사라지다. ⑫ 《口》 …을 급습(急襲)하다, …에 달려들다 : I was ~*ed* in the dark. 어둠 속에서 갑자기 습격을 당했다. ⑬ (권리 등)을 횡령하다, (체커에서 상대편의 말)을 건너뛰어 잡다. **~ *a claim*** 남의 땅·광업권 등을 가로채다. **~ *all over*** a person 《口》 (해명도 듣지 않고) 아무를 몹시 비난하다 〔닦아세우다〕(*for*). **~ *a question on*** …에 질문을 던지다. **~ *aside*** 뛰어 비키다. **~ *at*** (초대·제의 따위)에 냉큼 응하다, …에 달려들다. **~ *down*** a person**'*s throat*** ⇨ THROAT. **~ *in*** 갑자기 말참견하다, 중뿔나게 굴다. **~ 〔*go and* ~〕 *in the lake*** 《口》 〔흔히 命令形〕 방해 안되게 떠나다 : *Jump in the lake,* you nuisance! 이 애물단지야 썩 꺼져. **~ *off*** 〖軍〗 공격을 개시하다. **~ *into*** (1) …에 뛰어들다, 열심히 …을 하다. (2) 《口》 갑자기 〔일약〕 …이 되다 : ~ *into* popularity 갑자기 인기가 오르다. **~ *on*** 〔***upon***〕 (1) 《俗》 …에 달려들다. (2) 《口》 …을 꾸짖다. **~** one**'*s bill*** 계산을 하지 않고 가버리다, 무전 취식하고 도망하다. **~ *ship*** 〖海〗 (선원 등이) 배에서 탈주하다. **~ *the gun*** 《俗》 (경주 따위에서) 신호 전에 스타트하다 ; 섣부른 행동을 하다. **~ *the track*** 〔***rails***〕 (1) (차량이) 탈선(脫線)하다. (2) 《口》 마음이 산란하다. **~ *to*** 〔***at***〕 ***a conclusion*** 속단하다, 지레짐작하다. **~ *to it*** 《口》 〔흔히 命令形〕 지체하지 않고 착수하다, 서두르다. **~ *to*** one**'*s feet*** 펄쩍 뛰다, 뛰어오르다. **~ *up*** (1) 급히 일어서다. (2) (가격 따위가) 급등하다.
── *n.* ① Ⓒ **a)** 도약, 비약, 뜀, 뛰어오름(leap). **b)** 〖競〗 점프, 도약 경기 : the long〔broad〕 ~ 멀리뛰기. ② Ⓒ 흠칫〔움찔〕함(start) : My heart gave a ~ at the sight. 그 광경을 보고 나는 가슴이 덜컹했다. ③ Ⓒ 급등 ; (주식이) 급등했을 때의 값 : a ~ in prices 물가의 급등. ④ Ⓒ 급전, 갑작

J

스런 변동. ⑤ Ⓒ 〖馬〗 (뛰어넘는) 장애(물); (체커에서) 상대의 말을 뛰어넘어서 잡음. ⑥ Ⓒ 낙하산 강하(降下). ⑦ Ⓒ (비행기에 의한) 짧은 여행: make a night ~ 야간 비행하다. ⑧ 〖컴〗 Ⓒ 건너뜀《프로그램 제어의 전환》. ⑨ (흔히 the ~s) 《口》 **a**) (알코올 중독증 등의) 신경성 경련〔떨림〕, 섬망증(delirium tremens). **b**) 무도병(chorea). ***be all of a*** ~ 《口》 무서워 안절부절 못하고 있다. ***(at a) full*** ~ 전속력으로. ***at a*** ~ 훌쩍〔한 번〕 뛰어, 일약. ***from the*** ~ 처음부터. ***get*** 〔***have***〕 ***the*** ~ ***on*** 《口》 …을 앞지르다, (빨리 시작해서) …보다 뛰어나다. ***give*** a person ***a*** ~ 〔***the*** ~***s***〕 《口》 아무를 깜짝 놀래다. ***have the*** ~***s*** 깜짝 놀라다. ***one*** ~ ***ahead*** (***of*** . . .) (상대보다) 한발 앞서. ***on the*** ~ 《美口》 바쁘게 뛰어다녀, 바빠서: My job keeps me *on the* ~. 일 때문에 연중 바쁘다.

júmp bàll 〖籠〗 점프볼.

jumped-up [dʒʌ́mptʌ̀p] *a.* 〔限定的〕 벼락 출세한, 벼락부자의; 우쭐대는: a ~ bureaucrat 벼락출세한 관료 / He's nothing better than a ~ bank clerk. 우쭐대지만 은행원에 불과하다.

***jump·er**[1] [dʒʌ́mpər] *n.* Ⓒ ① 도약하는 사람. ② 도약 선수. ③ 뛰는 벌레《벼룩 따위》. ④ 〖電〗 회로의 절단부를 잇는 짧은 전선.

***jump·er**[2] *n.* Ⓒ ① 점퍼, 작업용 상의. ② 점퍼스커트〔드레스〕(=∠ **drèss**)《여성·아동용의 소매 없는 원피스》. ③ 《英》 블라우스 위에 입는 헐렁한 스웨터. ④ (*pl.*) 《美》 아이의 놀이옷, 롬퍼스(rompers).

jump·ing [dʒʌ́mpiŋ] *a.* 뛰는, 도약〔점프〕(용)의. ── *n.* Ⓤ 도약.

júmping bèan 〔**sèed**〕 〖植〗 뜀콩《멕시코산(產) 등대풀과(科) 식물의 씨; 안에 든 나방의 애벌레가 움직이는 데 따라 튀듯이 움직임》.

júmping jàck (조종하는) 꼭두각시, 뛰는 인형《실을 당기면 춤을 춤》.

júmp·ing-óff plàce 〔**pòint**〕 [dʒʌ́mpiŋɔ́:f- / -ɔ̀f-] ① 문명 세계의 끝, 외딴 곳. ② (가능성의) 한계, 극한, (최후의) 막바지. ③ (여행·사업·연구 따위의) 기점, 출발점, 시발점.

júmp jèt 《英口》 수직 이착륙 제트기(VTOL).

júmp ròpe 《美》 ① 줄넘기. ② 줄넘기의 줄(skipping rope).

júmp sèat (자동차 따위의) 접게 된 보조 좌석.

júmp shòt 〖籠〗 점프샷.

jump-start [dʒʌ́mpstɑ̀:rt] *vt.* (자동차)를 밀어서 시동걸다.

júmp sùit ① 낙하산 강하용 낙하복. ② 그와 비슷한 내리닫이의 캐주얼 웨어.

jumpy** [dʒʌ́mpi] (jump·i·er*** ; ***-i·est***) *a.* ① 튀어오르는. ② (신경질·흥분으로) 실룩거리는; 흥분하기 쉬운; 신경에 거슬리는. ③ (탈것이) 몹시 흔들리는; (이야기가) 급격히 변화하는.
㊞ **júmp·i·ness** *n.*

Jun. June; Junior. **jun.** junior. **Junc.**, **junc.** junction.

***junc·tion** [dʒʌ́ŋkʃən] *n.* ① Ⓤ 연합, 접합, 연접, 연락, 합체. ② Ⓒ **a**) 접합점, 교차점; (강의) 합류점: a road ~ 도로의 교차점. **b**) 환승역, 갈아타는 역: a railroad ~ 연락〔환승〕역. ③ Ⓤ 〖文法〗 연결《a red rose 처럼 수식·피수식 관계의 어군》. ㊞ ~·**al** *a.*

júnction bòx 〖電〗 접속 상자.

***junc·ture** [dʒʌ́ŋktʃər] *n.* ① Ⓤ 접합, 접속, 연결. ② Ⓒ 이음매, 접합점, 관절. ③ Ⓒ (중대한) 때, 경우, 정세, 전기(轉機); 위기(crisis). ③ Ⓤ.Ⓒ 〖言〗 연접(連接).
at this ~ 이 중대한 때에; 이때에.

†**June** [dʒu:n] *n.* 6월《略: Jun., Je.》: in ~, 6월에 / on ~ 5 =on 5 ~ =on the 5th of ~, 6월 5일에.

Júne bèetle 〔**bùg**〕 풍뎅이의 일종《유럽·북아메리카산》.

Ju·neau [dʒú:nou, -nəu] *n.* 주노《미국 Alaska 주의 주도》.

Jung·frau [júŋfràu] *n.* (the ~) 융프라우《알프스 산맥 중의 고봉; 4,158 m》.

‡**jun·gle** [dʒʌ́ŋgl] *n.* ① **a**) (the ~) (인도 등지의) 정글, 총림: deep〔thick〕 ~ 깊은 정글 / cut a path through the ~ 정글 속에 길을 내다. **b**) Ⓒ 밀림지대. ② Ⓒ 혼란; 잡다하게 모인 것; 곤혹〔현혹〕되게 하는 것, 미궁: the ~ of patent laws 복잡한 특허법. ③ Ⓒ 비정한 생존 경쟁(장). ④ 《俗》 실업자나 부랑자의 숙박소〔지〕.

júngle gým 정글짐《유치원 등에 마련된 철골 유희 시설》.

jun·gly [dʒʌ́ŋgli] *a.* 정글의, 밀림의.

†**jun·ior** [dʒú:njər] *a.* ① **a**) 손아래의, 연소한; 젊은 쪽의《★ 특히 두 형제 중의 아우, 동명(同名)인 부자(父子) 중 아들, 동명인 학생 중의 연소자를 가리키며, 이름 뒤에 jun. 또는 jr. 로 생략해서 붙임》: John Smith jr. 아들 쪽의 존 스미스, 존 스미스 2세. OPP *senior*. cf. minor. **b**) 후배의, 후진의, 하급의(subordinate): a ~ officer 후임〔하급〕 사관 / a ~ partner 하급 사원. ② 〔敍述的〕 **a**) (…보다) 연하인《*to*》《than 은 쓰지 않음》: He is ~ *to* me by two years. 그는 나보다 두 살 아래다. **b**) (제도·임명 등) (…보다) 새로운《*to*》: He's ~ *to* me by a year. 그는 나보다 1년 늦게 들어왔다. ③ 〔限定的〕 《美》 senior 아래 학년의《4년제 대학·고교의 3년생; 3년제 대학·고교의 2년생; 2년제 대학 1년생의》. ④ 〔限定的〕 **a**) 청소년용의〔으로 된〕: a ~ book 청소년용의〔을 위한〕 책. **b**) (옷 따위) 주니어 사이즈의〔젊은 여성을 위한〕.
be ~ ***to*** a person ***in*** …으로는 아무의 후배이다.
── *n.* Ⓒ ① 손아랫사람, 연소자: Jack is my ~ *by* two years. =Jack is two years my ~. 잭은 나보다 두 살 아래다. ② (때로 J-) 《美》 아들, 2세(son). ③ 소녀, 젊은 여자; (복장의) 주니어 사이즈《젊은 여성용의 의복 치수》: coats for teens and ~*s* 십대의 소녀나 젊은 여성용의 웃옷. ④ (one's ~) 후배, 후진, 하급자. ⑤ 《美》 (4년제 대학·고교의) 3학년생; (3년제 대학·고교의) 2학년생; (2년제 대학의) 1학년생; 《英》 초등학교(junior school)의 학생. cf. senior, sophomore, freshman. ⑥ 젊은 친구야《호칭》.

júnior cóllege (미국의) 2년제 대학; (한국의) 전문 대학; 성인교육 학교.

júnior cómmon ròom (Oxford 대학 등의) 학생 사교실《略: J.C.R.》.

júnior hígh (**schòol**) 《美》 하급 고등학교《한국의 중학교에 해당함; 위는 senior high (school)》.

júnior schòol 《英》 (7-11세 아동의) 초등학교. cf. primary school.

júnior vársity 《美》 대학〔고교〕 운동부의 2군 팀《varsity 의 하위》. cf. jayvee.

ju·ni·per [dʒú:nəpər] *n.* Ⓤ.Ⓒ 〖植〗 노간주나무 종류. ***common*** ~ 노간주나무.

***junk**[1] [dʒʌŋk] *n.* Ⓤ ① 《口》 쓰레기(trash), 잡동사니, 폐물(廢物); 고철. ② 《口》 하찮은 것. ③ 《俗》 헤로인, 마약: be on the ~ 마약중독이다.
── *vt.* 《美口》 (폐물·쓰레기로) …을 버리다.

junk[2] *n.* Ⓒ 정크《중국의 밑이 평평한 범선》.

júnk àrt 폐물이용 조형미술.

júnk bònd 정크 본드《배당율은 높으나 위험 부담이 큰 채권》.

junk·er [dʒʌ́ŋkər] *n.* Ⓒ 《美口》 고물 자동차.

J

jun·ket [dʒʌ́ŋkit] *n.* ① Ⓤ Ⓒ 정킷《응유(凝乳) 식품의 일종》. ② Ⓒ 연회, 향연. ③ Ⓒ 《美》 **a)** 피크닉, 유람 여행 : go on a ~ to country 시골로 피크닉 가다. **b)** 관비 여행. — *vt.* …을 주연을 베풀어 대접하다. — *vi.* ① 연회를 하다. ② 《美》 관비 여행을 하다.

júnk fòod 정크 푸드《칼로리는 높으나 영양가가 낮은 스낵풍의 식품》.

junk·ie [dʒʌ́ŋki] *n.* Ⓒ 《口》 ① 마약 상습자〔밀매자〕. ② 매니어, 열광적인 팬, 심취자 : a baseball ~ 야구광.

júnk màil 《美》 광고물 등 수취인의 명시도 없이 오는 제 3 종 우편물.

junk·man [dʒʌ́ŋkmæ̀n] (*pl.* ***-men*** [-mèn]) *n.* Ⓒ 《美》 고물장수, 폐품업자.

júnk shòp ① (싸구려) 고물상, 중고품 판매점 : I bought this old table in a ~. 이 헌 탁자는 고물상에서 샀다. ② 고물선.

junky [dʒʌ́ŋki] *n.* 《口》 =JUNKIE.

junk·yard [dʒʌ́ŋkjɑ̀ːrd] *n.* Ⓒ (고철·고물 자동차 등의) 폐품 적치장(積置場)〔매장(賣場)〕.

Ju·no [dʒúːnou] *n.* ①〖로神〗 주노《Jupiter의 아내로 결혼의 여신》. cf. Hera. ② Ⓒ 기품있는 미인 (queenly woman). ③〖天〗 주노《제3 소행성》.

Ju·no·esque [dʒùːnouésk] *a.* (여성이) 당당하고 기품이 있는, 풍채가 훌륭한.

jun·ta [hú(ː)ntə, dʒʌ́ntə, hʌ́n-] *n.* Ⓒ ① 《Sp.》 (스페인·남아메리카 등지의) 의회, 회의. ② (쿠데타 후의) 군사 정권. ③ =JUNTO.

jun·to [dʒʌ́ntou] (*pl.* ***~s***) *n.* Ⓒ (정치상의) 비밀결사 ; 도당, 파벌.

‡**Ju·pi·ter** [dʒúːpətər] *n.* ①〖로神〗 주피터《고대 로마 최고의 신으로 하늘의 지배자 ; 그리스의 Zeus에 해당》. cf. Jove. ②〖天〗 목성 : ~ has more than one moon. 목성에는 위성이 몇 개가 있다《무관사에 주의》.

Ju·ras·sic [dʒuərǽsik]〖地質〗 *a.* 쥐라기(紀)의, (암석이) 쥐라계(系)의 : the ~ period 쥐라기 / the ~ system 쥐라계(系)《쥐라기에 생긴 지층군》. — *n.* (the ~) 쥐라기〔층〕.

ju·rid·i·cal [dʒuərídikəl] *a.* ① 재판상의, 사법상의 : ~ days (재판) 개정일(開廷日). ② 법률상의 : a ~ person 법인. ㊕ **~·ly** [-kəli] *ad.*

***ju·ris·dic·tion** [dʒùərisdíkʃən] *n.* ① Ⓤ 재판권, 사법권 ; 재판관할 ; 관할권 : have〔exercise〕 ~ over …을 관할하다. ② Ⓒ 관할 구역 : be outside my ~ 내 관할구 밖에 있다. ㊕ **~·al** *a.* 사법권의, 재판권의 ; 관할권의 ; 관할의.

ju·ris·pru·dence [dʒùərisprúːdəns] *n.* Ⓤ 법학, 법률학, 법리학 : comparative ~ 비교 법학 / medical ~ 법의학.

***ju·rist** [dʒúərist] *n.* Ⓒ ① 법학자, 법리학자 ; 법학생. ② 법률 전문가《변호사(lawyer)·재판관(judge)》.

ju·ris·tic, -ti·cal [dʒuərístik], [-əl] *a.* ① 법률의, 법률상의 ; 법학의. ② 법학자〔도〕의, 법학자적인. ㊕ **-ti·cal·ly** [-əli] *ad.*

ju·ror [dʒúərər] *n.* Ⓒ ① 배심원(juryman). ② (경기·전시회 등의) 심사원. ③ 선서자(宣誓者). cf. nonjuror.

***ju·ry** [dʒúəri] *n.* Ⓒ〔集合的; 單·複數취급〕 ① 배심(원단)《법정에서 사실의 심리·평결을 하고 재판장에 답신함》: sit on the ~ 배심원을 하다 / coroner's ~ 검시(檢屍) 배심원 / ⇨COMMON〔GRAND, PETIT, SPECIAL〕 JURY. ② (콘테스트 따위의) 심사원회〔단〕.

júry bòx (법정의) 배심원석.

ju·ry·man [dʒúərimən] (*pl.* ***-men*** [-mən]) *n.* Ⓒ 배심원(juror).

ju·ry·wom·an [-wùmən] (*pl.* ***-wom·en*** [-wìmin]) *n.* Ⓒ 여성 배심원.

†**just** [dʒʌst] (***more ~, ∠·er ; most ~, ∠·est***) *a.* ① 올바른, 공정한, 공명정대한《*in* ; *to* ; *with*》: He is fair and ~ *in* judgement. 그는 판결이 공정하다 / Mr. Hall was always ~ *to*〔*with*〕 his men. 홀씨는 부하에 대하여 항상 공정했다 / He tried to be ~ *to*〔*with*〕 all the people concerned. 그는 관계자 전원에게 공평하려고 노력했다. ② (행위 등이) 정당한, 지당한 ; (보수·요구·비난 등이) 타당한, 당연한 : a ~ claim 당연한〔정당한〕 요구 / It is ~ that we should pay his share. 그의 몫〔배당〕을 지급하는 것은 당연하다. ③ (의견·감정 등이) 충분한 근거가 있는 : a ~ opinion 지당한〔충분한 근거가 있는〕 의견. ④ **a)** (값·균형·배합 등이) 적정한, 적절한 : in ~ proportions 적당한 비율로, 과부족 없이. **b)** (저울·계량·숫자·보고 등이) 정확한, 사실 그대로의 : a ~ balance 정확한 저울. ◇ justice *n.*

— *ad.* ① 정확히, 틀림없이, 바로, 꼭 : It's ~ seven o'clock. 꼭 7시다 / I know ~ how he feels. 나는 그의 기분을 정확히 안다 / *Just* then a knock was heard. 바로 그때 노크 소리가 들렸다/ This is ~ what I mean. 그것이 바로 내가 하고 싶은 말이다. ②〔完了形과 함께〕 이제 방금, 막 …하였다 : He has ~ left. 그는 방금 떠났다. ③〔종종 only 와 함께〕 겨우, 간신히, 가까스로 : I was (*only*) ~ in time for school. 간신히 학교시간에 대갔다. ④ 다만, 단지 ; 오로지 : He is ~ an ordinary man. 그는 그저 보통 사람이다 / How many are you?—*Just* one. 《손님에게》 몇 분이세요—혼자요. ⑤ 《口》〔命令形과 함께〕 좀, 조금, 제발 : *Just* feel it. 좀 만져 보게나 / *Just* a moment, please. 잠깐만 기다리세요. ⑥ 《口》 아주, 정말로 : *Just* awful! 정말 지독하군 / It's ~ splendid. 정말 멋지다 / I'm ~ starving. 정말 시장하다 / I ~ don't like oysters. 나는 굴은 딱 질색이다. ⑦ 《俗》〔否定疑問形과 함께〕 정말, 참으로 : You remember?—Do*n't* I, ~! 기억하고 있습니까—기억하다뿐입니까 / Did*n't* they beat us ~? 정말 참패했어. **~ *about*** 《口》 (1) 그럭저럭, 겨우, 간신히 (barely) : *Just about* right! 그럭저럭 괜찮다 ; 아주 좋다. (2)〔힘줌말〕 정말로, 아주(quite) : ~ *about* everything 몽땅, 모조리. **~ *as*** (1) 꼭 …처럼〔같은〕: It's ~ *as* you say. 바로 당신이 말하는 그대로 입니다. (2) 바로 …할 때 : He came ~ *as* I was going out. 마침 외출하려는 데 그가 왔다. **~ *as it is*** 있는 그대로, 그대로. **~ *as you please*** 좋으신 대로. **~ *because*** 오로지 …이니까, …인고로 : I came ~ *because* I was asked to. 부탁받았으니까 왔지. **~ *in case*** 만일을 위해서. **~ *now*** (1) 바로 지금 : I am busy ~ *now.* (2)〔過去形과 함께〕 이제 막, 방금 : He came ~ *now.* (3)〔未來形과 함께〕 머지않아, 곧. **~ *on*. . .** 대체로〔거의〕…. **~ *so*** (1) 《때로 感歎詞적으로》 바로 그대로(quite so). (2) 말끔히 치워져〔정리되어〕. (3) 매우 조심스럽게, 신중하게. (4) …이란 조건으로, …이면은. ***only ~ enough*** 겨우 충족될 만큼 : The road is *only* ~ *enough* for a car to pass. 길은 겨우 차 한 대가 지나갈 정도다. ***That's ~ it***〔***the point***〕. 바로 그것〔그 점〕이다.

‡**jus·tice** [dʒʌ́stis] *n.* ① Ⓤ 정의(righteousness), 공정, 공평, 공명정대(fairness) : social ~ 사회정의 / a sense of ~ 정의감 / treat a person with ~ 사람을 공정하게 다루다. ② Ⓤ 정당(성), 옳음, 타당(lawfulness) : inquire into the ~ of a claim 요구가 타당한가를 검토하다 / I see the ~ of your claim. 나는 네 요구가 정당하다는 것을 안다.

③ Ⓤ (당연한) 응보; 처벌: providential ~ 천벌. ④ Ⓤ 사법, 재판: the Minister of *Justice* 〔一般的〕 법무장관 / the Department of *Justice* = the *Justice* Department 《美》 법무부《그 장관은 Attorney General》 / give oneself up to ~ 자수하다. ⑤ Ⓒ 사법관, 재판관; 치안판사; 《美》(연방 및 몇몇 주의) 최고재판소 판사; 《英》 대법원 판사: the chief ~ 재판장 / Mr. *Justice* Brown 브라운 판사님. ⑥ (J-) 정의의 여신. ◇ just *a.* ***administer*** ~ 법을 집행하다. ***bring*** a person ***to*** ~ 아무를 법정에 끌어내다. ***do*** a person 〔thing〕 ~ = ***do*** ~ ***to*** a person〔thing〕 (1) (사람〔물건〕을) 바르게 나타내다〔평가하다〕: The portrait does not *do* him ~. 그 초상화는 실물과 다르다〔실물보다 못하다〕. (2) 정확히〔완전히〕 처리하다: He *did* ~ *to* the good dinner. 그는 성찬을 실컷 먹었다. ***do*** one***self*** ~ = ***do*** ~ ***to*** one***self*** 자기의 진가를〔기량을〕 충분히 발휘하다: He *did* ~ *to* him*self* in politics. 그는 정치에서 그 진가를 십분 발휘했다. ***in*** ~ ***to*** a person = ***to do*** a person ~ 아무를 공평히 평하면. ***see*** ~ ***done*** 일의 공평을 기하다; 보복하다. ***with*** ~ 공평하게; 정당하게, 무리 없이(reasonably): He complained *with* ~ of his pitiful salary. 그는 자기의 형편없는 급료에 대해 불평했는데 무리가 아니다.

㊞ **~·ship** [-ʃìp] *n.* Ⓤ 판사의 직〔자격, 지위〕.

Jústice of the Péace (*pl.* ***Justices of the Peace***) 치안 판사《경미한 범죄만을 담당하는 재판관; 지방 유지가 무급으로 하는 경우가 많음; 略 J.P.》.

jus·ti·fi·a·ble [dʒʌ́stəfàiəbəl, ⌐-⌐--] *a.* 정당화할 수 있는, 변명할 수 있는, 타당한, 정당한: ⇨ JUSTIFIABLE HOMICIDE. ㊞ **-bly** *ad.* 정당히, 당연히; 〔文章修飾〕 그도 그럴것이. **jùs·ti·fi·a·bíl·i·ty** *n.* Ⓤ 정당함, 이치에 맞음.

jústifiable hómicide 〖法〗 정당 살인《정당방위, 사형 집행관의 사형 집행 따위》.

jus·ti·fi·ca·tion** [dʒʌ̀stəfikéiʃən] *n.* Ⓤ ① 행위의 정당화, (정당하다는) 변명, (정당화의) 이유, 근거《*of*; *for*》: You have 〔There is〕 no ~ *for* your behavior. 네 행동을 정당화할 수는 없다. ② 〖神學〗 의롭다고 인정됨〔인정받음〕. ③〖컴〗 조정. ***in ~ ***of*** …의 변호로서, …의 명분이 서도록.

jus·ti·fi·ed [dʒʌ́stəfàid] *a.* 〔敍述的〕 (…하는 것은) 지당한, 정당한 이유가 있는: He is ~ *in* saying so. 그가 그렇게 말하는 것은 당연하다 / He is ~ *in* his claim. 그의 주장에는 정당한 이유가 있다.

‡jus·ti·fy [dʒʌ́stəfài] (***-fies***[-z]; ***-fied***[-d]; ***~ing***) *vt.* ① (행위·주장 따위)를 옳다고 하다, 정당화하다(vindicate), …의 정당함을 증명하다: His behavior is impossible to ~. 그의 행동은 변명의 여지가 없다 / The end *justifies* the means. 《格言》 목적은 수단을 정당화한다 / The end does not always ~ the means. 목적은 언제나 수단을 정당화하는 것은 아니다. ② 《~+목 / +목+전+명》 …을 옳다고 변명〔주장·용인〕하다: She tried to ~ herself *for* her conduct. 그녀는 자기 행위에 대해 변명하려고 했다. ③〖神學〗 (신이 죄인)을 죄 없다고 용서하다. ④〖印〗 …의 행간(行間)을 가지런히 하다, 정판(整版)하다. ⑤〖컴〗 자리맞춤을 하다. ── *vi.* ①〖法〗 (어떤 행위에 대하여) 충분한 근거를 제시하다, 보증(인)이 되다. ②〖印〗 정판되다, (행이) 정돈되다. ◇ just *a.* ***be justified in*** do***ing*** …하는 것은 정당〔당연〕하다, …해도 무방하다. ~ one***self*** 자기의 행위를〔주장을〕 변명하다; 자기의 결백함을 증명하다.

Jus·tin [dʒʌ́stin] *n.* 저스틴《남자 이름》.

Jus·ti·na [dʒʌstáinə] *n.* 저스티나《여자 이름》.

Jus·tin·i·an [dʒʌstíniən] *n.* 유스티니아누스《동로마 제국 황제(527-565); 483-565》.

jus·tle [dʒʌ́sl] *vt., vi., n.* = JOSTLE.

***just·ly** [dʒʌ́stli] *ad.* ① 바르게, 공정하게, 정당하게: deal ~ with a person 아무를 공정하게 다루다 / He has been ~ rewarded. 그는 정당한 보수를 받고 있다. ② 당연하게, 타당하게: He ~ remarked that .... 그가 …라고 한 것은 옳은 이야기다 / He is ~ proud of his son. 그가 아들 자랑을 하는 것도 당연하다.

just·ness [dʒʌ́stnis] *n.* Ⓤ (올)바름, 공정, 정당; 타당; 정확.

Jus·tus [dʒʌ́stəs] *n.* 저스터스《남자 이름》.

***jut** [dʒʌt] (*-tt-*) *vi.* 돌출하다, 불룩 내밀다《*out*; *forth*; *up*》: a wharf that ~*s* out into the harbor 항구로 돌출한 방파제.
── *n.* Ⓒ 돌출부, 불룩 내민 곳; 첨단.

Jute [dʒuːt] *n.* ① (the ~s) 주트족《5-6 세기에 영국에 침입한 게르만 민족》. ② Ⓒ 주트 인.

jute [dʒuːt] *n.* Ⓤ ①〖植〗 황마(黃麻). ② 황마의 섬유, 주트《마대·밧줄 따위의 재료》.

Jut·land [dʒʌ́tlənd] *n.* 유틀란트 반도《독일 북부의 반도; 덴마크가 그 대부분을 차지함》.

jut·ting [dʒʌ́tiŋ] *a.* 〔限定的〕 튀어 나온, 쑥 내민, 돌출한: a ~ chin 튀어나온 턱, 주걱턱.

ju·ve·nes·cence [dʒùːvənésns] *n.* Ⓤ (되) 젊어짐; 젊음, 청춘; 청소년기.

ju·ve·nes·cent [dʒùːvənésnt] *a.* 소년〔청년〕기에 달한, 젊음이 넘치는; 다시 젊어지는.

***ju·ve·nile** [dʒúːvənəl, -nàil] *a.* ① 젊은, 어린, 소년〔소녀〕의; 소년소녀를 위한: There has been a big increase in ~ crime in the last few years. 지난 수년간 소년 범죄가 크게 증가했다 / ~ literature 아동 문학 / a ~ part 〔role〕 어린이 역. ② 미숙한, 어린애 같은: Your way of thinking is still ~. 당신의 생각은 아직 미숙하다.
── *n.* Ⓒ ① 소년 소녀, 아동. ② 아동을 위한 읽을거리. ③ 어린이 역《배우》.

júvenile cóurt 소년 법원.

júvenile delínquency 미성년 비행〔범죄〕.

júvenile delínquent 비행 소년.

ju·ve·nil·ia [dʒùːvəníliə] *n. pl.* ① (어느 작가의) 초기〔젊었을 때〕의 작품(집). ② 소년소녀를 위한 읽을거리.

ju·ve·nil·i·ty [dʒùːvəníləti] *n.* ① Ⓤ 연소, 유년(幼年); 젊음. ② (*pl.*) 미숙〔유치〕한 언행.

jux·ta·pose [dʒʌ̀kstəpóuz, ⌐-⌐] *vt.* …을 나란히 놓다, 병렬하다.

jux·ta·po·si·tion [dʒʌ̀kstəpəzíʃən] *n.* Ⓤ,Ⓒ 나란히 놓기, 병렬.

JV, J.V., j.v. junior varsity. **J.X.** 《L.》 *Jesus Christus* (= Jesus Christ). **Jy.** July.

J

K

K, k [kei] (*pl.* **K's, *Ks*, k's, *ks*** [-z]) ① U.C 케이(영어 알파벳의 열 한째 글자). ② C K자 모양의 것 ; 11번째(의 것)(J를 빼면 10번째).

K 〖化〗 kalium(=potassium) ; 〖物〗 Kelvin ; kilobyte (기억 용량의 단위 ; 1,024 바이트). **K.** King(s) ; Knight ; 〖樂〗 Köchel (number). **K., k.** karat(=carat) ; kilogram(s) ; 〖체스〗 king ; knight ; knot(s). **KAAA** Korea Amateur Athletic Association(대한 육상경기 연맹).

Kaa·ba, Ka'·ba, Caa- [ká:bə] *n.* (the ~) 카바(사우디아라비아 Mecca에 있는 이슬람 교도가 가장 신성시하는 신전).

kab(b)ala ⇨ CABALA.

ka·bob, ke·bab [kéibɑb / kəbɔ́b], [kəbɑ́b] *n.* C.U (흔히 *pl.*) 꼬챙이에 채소와 고기를 꿰어 구운 요리, 산적(散炙) 요리. 「수도).

Ka·bul [ká:bul, kəbú:l] *n.* 카불 (Afghanistan의

Kaf·fir, Kaf·ir [kǽfər] (*pl.* **~s**, 〔集合的〕 ~) *n.* ① C **a)** 카피르 사람(남아프리카의 Bantu 종족). **b)** (종종 k-) 《蔑》 아프리카 흑인. ② U 카피르 말.

Kaf·ka [ká:fkɑ:, -kə] *n.* **Franz ~** 카프카(오스트리아의 소설가 ; 1883-1924).

kaftan ⇨ CAFTAN.

kail ⇨ KALE.

***kai·ser** [káizər] *n.* (종종 K- ; the ~) ① 황제, 카이저. ② 독일 황제 ; 오스트리아 황제 ; 신성 로마제국 황제. cf. Caesar, czar.

KAIST Korea Advanced Institute of Science and Technology (한국 과학 기술원 ; 1981년 한국과학원과 KIST가 통합된 것 ; 카이스트).

Ka·la·ha·ri [kɑ̀:ləhá:ri, kæ̀lə-] *n.* (the ~) 칼라하리(남아프리카 남서쪽의 대사막 지대).

kale, kail [keil] *n.* ① C.U 케일(무결구성(無結球性) 양배추의 일종). ② U 양배추〔채소〕 수프. ③ U 《美俗》 돈, 현금.

ka·lei·do·scope [kəláidəskòup] *n.* C ① 만화경(萬華鏡). ② (흔히 *sing.*) 항상 변하는 것, 변화무쌍한 것. ***the ~ of life*** 인생 만화경.

ka·lei·do·scop·ic, -i·cal [kəlàidəskɑ́pik / -skɔ́p-], [-kəl] *a.* (경치·인상 등) 만화경 같은 ; 끊임없이 변화하는. 파 **-i·cal·ly** [-əli] *ad.*

kalends ⇨ CALENDS.

Ka·le·va·la [kɑ̀:ləvá:lə] *n.* (the ~) 칼레발라 (핀란드의 민족적 서사시). 「반도.

Kam·chat·ka [kæmtʃǽtkə] *n.* (the ~) 캄차카

Kam·pu·chea [kæ̀mputʃí:ə] *n.* 캄푸치아(1976년에 캄보디아를 고친 이름인데, 1989년에 다시 State of Cambodia로 개칭). cf. Cambodia. 파 **-ché·an** *a., n.*

Kan., Kans. Kansas.

Ka·naka [kəná:kə, kǽnəkə] *n.* C 카나카 사람 (하와이 및 남양군도의 원주민).

***kan·ga·roo** [kæ̀ŋgərú:] (*pl.* **~s** [-z], 〔集合的〕 ~) *n.* C 〖動〗 캥거루.

kangaróo clósure (the ~) 〖英議會〗 캥거루식 토론 종결법(의장이 어떤 수정안을 골라 토론에 부치고 다른 안을 버리는 방식).

kangaróo cóurt 《美口》 사적(私的) 재판〔탄핵〕, 인민 재판(재판의 진행이 캥거루가 걷는 것처럼 불규칙하며 비약적인 데서).

kangaróo ràt 〖動〗 캥거루쥐(미국 서부·멕시코산). 「람).

Kan·san [kǽnzən] *a., n.* 미국 Kansas 주의(사

***Kan·sas** [kǽnzəs] *n.* 캔자스(미국 중부의 주 ; 略 : Kan. 또는 Kans. ; 〖郵〗 KS).

Kánsas Cíty 캔자스 시티(Kansas 주의 도시).

Kánsas Cíty Stándard 〖컴〗 캔자스 시티 규격(오디오 카세트테이프에 대한 데이터의 기록·재생을 위한 규격 ; 略 : KCS).

Kant [kænt] *n.* **Immanuel ~** 칸트(독일의 철학자 ; 1724-1804).

Kant·i·an [kǽntiən] *a.* 칸트 (철학)의.
—— *n.* C 칸트 학파의 사람.

Kant·i·an·ism [-nizm], **Kant·ism** [-izm] *n.* U 칸트 철학.

ka·o·lin(e) [kéiəlin] *n.* U ① 〖鑛〗 고령토, 도토(陶土) : ~ porcelain 자기(磁器). ② 〖化〗 카올린(함수규산(含水硅酸) 알루미늄).

ka·pok, ca- [kéipɑk / -pɔk] *n.* U 〖植〗 케이폭, 판야(ceiba의 씨앗을 싼 솜 ; 베개·이불 속·구명대 등에 넣음).

kápok trèe 〖植〗 판야나무.

Ka·pó·si's sarcóma [kəpóusi:z-, kǽpə-] 〖醫〗 카포지 육종(특발성 다발성 출혈성 육종).

kap·pa [kǽpə] *n.* U.C 그리스어 알파벳의 열째 글자, 카파(K, *k* ; 로마자의 K, k에 해당).

ka·put(t) [kəpú:t] *a.* 〔敍述的〕 《口》 못쓰게 된, 아주 결딴난, 파손〔파멸〕된 : The TV seems to have gone ~. 텔레비전이 아주 못 쓰게 된것 같다 / The city was ~. 그 도시는 폐허가 되었다.

Ka·ra·chi [kərá:tʃi] *n.* 카라치(파키스탄의 전 수도).

kar·at [kǽrət] *n.* C 캐럿(《英》 carat)(순금 함유도의 단위 ; 순금은 24 karats ; 略 : kt.) : gold 18 ~*s* fine, 18금.

Kar·en [kǽrən, ká:r-] *n.* 카렌(여자 이름).

kar·ma [ká:rmə] *n.* ① 〖佛敎·힌두敎〗 갈마(羯磨), 업(業), 카머 ; (일반적으로) 인과응보, 업보(業報), 인연. ② 숙명, 운명. ③ (사람·사물에서 느껴지는) 분위기, 감화력 : There was good 〔bad〕 ~ in the room that night. 그날 밤 그 방의 분위기는 좋았다〔나빴다〕.

karst [kɑ:rst] *n.* C 〖地〗 카르스트 지형(침식된 석회암 대지).

kart [kɑ:rt] *n.* C 어린이용 놀이차(go-cart).

KASA Korea Amateur Sports Association(대한체육회).

Kas·bah [ká:zbɑ:] *n.* (북아프리카 도시의) 원주민 거주 지구.

Kash·mir [kæʃmíər] *n.* ① 카슈미르(인도 북서부의 지방). ② (k-) =CASHMERE.

Kate [keit] *n.* 케이트(여자 이름 ; Catherine, Katherine의 애칭).

Kath·a·rine, Kath·e·rine [kǽθəri:n] *n.* 캐서린(여자 이름).

Kathy, Kath·ie [kǽθi] *n.* 캐시(여자 이름 ; Katherine, Katherina의 애칭).

Kat·man·du, Kath- [kɑ̀:tmɑ:ndú:] *n.* 카트만두(Nepal의 수도).

K

Kat·rine [kǽtrən] *n.* (Loch ~) 카트린 호(湖)《스코틀랜드 중부의 아름다운 호수》.

Kat·te·gat [kæ̀tigǽt] *n.* (the ~) 카테갓 해협《덴마크와 스웨덴 사이의 해협》.

KATUSA, Ka·tu·sa [kətú:sə] Korean Augmentation Troops to United States Army (카투사 ; 미육군에 파견 근무하는 한국 군인).

Ka·ty [kéiti] *n.* 케이티《여자 이름》.

ka·ty·did [kéitidìd] *n.* Ⓒ 〖蟲〗 (녹색의) 철써기(류)《미국산 여칫과(科)의 곤충》.

kau·ri, -rie, -ry [káuri] *n.* ① Ⓒ 〖植〗 카우리 소나무《소나뭇과(科) 식물의 일종. 뉴질랜드산》. ② Ⓤ 그 재목 ; 그 나뭇진《니스 제조용》.

Kay [kei] *n.* 케이《여자 또는 남자 이름》.

kay·ak, kai·ak [káiæk] *n.* Ⓒ ① 카약《에스키모인의 가죽배》. ② 그것을 본뜬 캔버스를 입힌 카누형 보트.

kayo [kéióu] (*pl.* ***káy·ós***) *n.* Ⓒ 녹아웃. ── *vt.* …을 녹아웃시키다《KO 라고도 씀》. [◂*k*nock *o*ut]

Ka·zakh [kəzá:k, -zǽk] *n.* ① Ⓤ,Ⓒ 카자흐족〔인〕. ② Ⓤ 카자흐어《튀르크어군(語群)의 하나》.

Ka·zakh·stan [kɑ̀:zɑ:kstɑ́:n] *n.* 카자흐스탄 공화국《Republic of ~ ; 서아시아의 독립국가 연합 가맹국 ; 수도 Alma Ata》.

ka·zoo [kəzú:] *n.* Ⓒ 커주《장난감 피리의 일종》. ***tootle*** one***'s own*** ~ 허풍치다〔떨다〕. [imit.]

KBS Korean Broadcasting System. **kc, kc.** kilocycle(s). **K.C.** King's College ; King's Counsel. **kcal, kcal.** kilocalorie(s). **KCCI** Korea Chamber of Commerce and Industry. **kc / s** kilocycles per second.

KD fùrniture [kéidí:-] 조립식 가구. [◂*k*nocked-*d*own]

KDI Korea Development Institute(한국 개발원).

KE Korean Air《국제 항공 약호》.

Keats [ki:ts] *n.* **John** ~ 키츠《영국의 시인 ; 1795-1821》.

kebab ⇨KABOB.

ked·ger·ee, keg·er·ee [kédʒərì:] *n.* Ⓤ,Ⓒ 케저리《쌀·달걀·양파·콩·향신료 따위를 재료로 한 인도 요리 ; 유럽에서는 생선을 곁들임》.

keel** [ki:l] *n.* Ⓒ ① (배나 비행선의) 용골(龍骨), 킬. ②《詩》 배. ***on an even ~ (1)〖海〗 선수와 선미의 흘수(吃水)가 같이. (2) 원활하여, 안정되어 : keep the economy *on an even* ~ 경제를 안정시키다.

── *vt.* ①《~+目+副》(수선하기 위해 배)를 옆으로 눕히다 ; 뒤집어 엎다《*over* ; *up*》: A blast of wind ~*ed over* the yacht. 돌풍이 요트를 전복시켰다. ② (아무)를 넘어뜨리다, 졸도시키다《*over*》: The excessive heat ~*ed over* the boy. 혹심한 더위 때문에 소년은 졸도했다. ── *vi.*《+副》① (배가) 뒤집히다, 전복되다《*over* ; *up*》: The boat ~*ed over* in the wind. 배는 바람에 전복되었다 / ~ *over* with laughter 대굴대굴 구르며 웃다. ② 갑자기 쓰러지다, 졸도하다《*over*》: She suddenly ~*ed over* in a faint. 그녀는 갑자기 의식을 잃고 쓰러졌다.

keel·haul [-hɔ̀:l] *vt.* ① (사람)을 밧줄에 매어 배 밑을 통과하게 하다《옛날 행해졌던 뱃사람의 벌》. ② …을 호되게 꾸짖다.

‡**keen**¹ [ki:n] (***<·er*** ; ***<·est***) *a.* ① 날카로운, 예리한(sharp) : a ~ blade 예리한 날 / a ~ knife 잘 드는 나이프. ② (바람이) 몸을 에는 듯한 (cutting) ; 뼈에 스미는, 통렬한(incisive) : a ~ wind 살을 에는 듯한 바람 / a ~ satire 신랄한 풍자. ③ (빛·음·목소리·냄새 등이) 강렬한, 강한, 선명한. ④ (경쟁·고통·식욕 따위가) 격렬한, 격심한 : ~ pain 격통 / ~ competition 치열한 경쟁. ⑤ (지력·감각·감정 따위가) 예민한, 명민한, 민감한 : a ~ sense of hearing 예민한 청각 / ~ powers of observation 예리한 관찰력 / a ~ brain 명민한 두뇌 / Bears are ~ of scent. 곰은 후각이 예민하다. ⑥ **a**) (아무가) 열심인, (몹시) …하고 싶어하는《*about* ; *for* ; *on* ; *to* do》: She is ~ *on* tennis. 그녀는 테니스에 열심이다 / be ~ *about* 〔*on*〕 going abroad =be ~ *to* go abroad 외국에 가고 싶어하다 / She's ~ that her son should enter college. 그녀는 아들이 대학에 입학하기를 간절히 바라고 있다 / They're ~ *for* independence. 그들은 독립을 열망하고 있다. **b**)〔敍述的〕《口》(…을) 열애하는《*on*》: He's ~ *on* Helen. 그는 헬렌에게 반해 있다. ⑦《俗》 아주 좋은, 썩 훌륭한. ⑧《英》(값이) 경쟁적인, 품질에 비해 값이 싼 : a ~ price 품질에 비해 싼 가격. (***as***) ~ ***as mustard*** ⇨ MUSTARD. ***be ~ about*** 《美口》…에 골몰하다. ***be ~ on*** (1) …에 열중하고 있다《do*ing*》. (2) …을 매우 좋아하다.

keen² *n.* Ⓒ《Ir.》(곡하며 부르는) 장례식 노래 ; (죽은이에 대한) 슬픈 울음소리, 곡(哭). ── *vi., vt.* 슬퍼하며 울다, 통곡하다, 울부짖다. ㊞ ***<·er*** [kí:nər] *n.* (장례식에 고용된) 곡꾼.

***keen·ly** [kí:nli] *ad.* ① 날카롭게, 예민하게. ② 격심하게, 통렬히 : Her absence was ~ felt. 그녀가 없다는 것이 통절히 느껴졌다. ③ 열심히.

keen·ness [kí:nnis] *n.* Ⓤ ① 날카로움, 예민. ② 격심함, 격렬함. ③ 열심.

†**keep** [ki:p] (*p., pp.* ***kept*** [kept]) *vt.* ①《~+目》(어떤 상태·동작)을 계속하다, 유지하다 ; (길 따위)를 계속 걷다 : ~ guard 파수보다 / ~ step 계속 걷다 / ~ silence 침묵을 지키다 / ~ watch 계속 감시하다 / ~ hold of …을 잡고 놓지 않다, 붙잡고 있다.

②《+目+補/+目+副/+目+前+名/+目+*done* / +目+-*ing*》(사람·물건)을 …한 상태로 간직하다, …으로 하여 두다, 계속 …하게 하여 두다 : ~ oneself warm 몸을 따뜻하게 하다 / ~ one's children *in* 아이들을 밖으로 내보내지 않다 / *Keep* your hands clean. 손을 항상 깨끗이 유지해라 / *Keep* the door *shut*. 문을 닫아 두어라 / *Keep* the fire burn*ing*. 불을 꺼지지 않도록 해라 / I am sorry to have *kept* you wait*ing*. 기다리게 해서 미안합니다.

③《~+目 / +目+前+名》…을 간직하다, 간수하다, 가지(고 있)다, 유지〔보유〕하다 ; 보존하다 : ~ meat 고기를 (썩지 않도록) 보존하다 / I want to ~ this *with* me. 이것을 갖고 싶다 / We will ~ these for another day. 하루 더 이것을 둡시다《버리지 않고 ; 팔지 않고》/ You can ~ it for the summer. 여름동안 사용해도 좋다 / *Keep* that *in* mind. 그 일을 기억해 두시오〔잊지 마시오〕.

④《+目+前+名 / +目+副》(아무)를 가두어 놓다, 구류하다, 감금하다 ; 붙들어 두다 : ~ a person *in* custody 아무를 구류하다 / What *kept* you *there* so *long*? 왜 그리 오랫동안 거기에 있었느냐 / I won't ~ you *long*. 오래 걸리지 않도록 하겠다 / *Where* (have) you been ~*ing* yourself? 《口》어디에 가 있었느냐 / His teacher *kept* him *after* school. 그의 선생님은 방과 후에 그를 붙들어 놓았다.

⑤ …을 먹여 살리다, 부양하다 ; (하인 따위)를 두다, 고용하다《*on*》; (하숙인)을 치다 ; (자가용 등)을 소유하다 ; (첩)을 두다 : ~ oneself 생계를 이어나가다(make a living) / ~ car and chauffeur 차와 운전사를 두다 / He ~*s* a large family. 그는 대가족을 부양하고 있다 / I ~ a lodger in my

K

house. 집에 하숙을 한 사람 시키고 있다.
⑥ (친구)와 사귀다; 교제를 하다: She ~s very rough company. 그녀는 매우 거친 친구들과 사귀고 있다 / Don't ~ company with him. =Don't ~ him company. 그와 교제하지 마라.
⑦ (동물)을 기르다, 사육하다: ~ a dog 〔cat〕 개〔고양이〕를 기르다 / ~ pigs 〔bees〕 돼지를 〔벌을〕 치다 / ~ hens 닭을 치다.
⑧ (상품)을 갖추어 놓다, 팔다, 취급하다: That store ~s canned goods. 저 가게는 통조림류를 팔고 있다 / We don't ~ silver plate in stock. 은식기류는 재고가 없습니다.
⑨《~+목/+목+전+명》…을 관리하다, 맡다; 보존하다, 남겨두다; 따로 놓아두다: ~ valuables *under* lock and key 귀중품을 자물쇠를 채워 보관하다 / Banks ~ money for us. 은행은 우리 돈을 맡아준다 / Will you ~ this jewel for me? 이 보석을 보관해 주시겠습니까? / Please ~ this seat for me. 이 좌석을 좀 잡아놓아 주십시오.
⑩《~+목/+목+전+명》(남에게) …을 알리지 않다, 비밀로 해두다; 허락하지 않다, 시키지 않다; 방해〔제지〕하다, …에게 —못하게 하다《*from*》: I ~ nothing *from* you. 네게 아무 것도 숨긴 것이 없다 / You had better ~ your own counsel. 네 생각을 밝히지 않는 것이 좋겠다 / The heavy rain *kept* us *from* going out. 호우로 외출을 못했다.
⑪ (계속해서 일기·장부 따위)를 적다, 기입〔기장〕하다: I have *kept* a diary for ten years. 나는 10년간 일기를 쓰고 있다 / He ~s books for a business firm. 그는 회사의 경리 담당이다 / ~ accounts 출납을 기입하다 / ~ records 기록해〔적어〕 두다.
⑫ (법률·규칙 따위)를 지키다; (약속·비밀 따위)를 어기지 않다, 이행하다: ~ a promise 〔one's word〕 약속을 이행하다 / ~ an appointment 만날 약속을 지키다; 약속시간에 늦지 않다 / ~ a secret 비밀을 지키다 / Can he ~ a secret? 그는 비밀을 지킬 수 있을까 / ~ good time (시계가) 시간이 정확하다.
⑬ (의식·습관 따위)를 거행하다, 지키다; 축하〔경축〕하다(celebrate): ~ the Sabbath 안식일을 지키다 / ~ Christmas 크리스마스를 축하하다 / ~ one's birthday 생일을 축하하다.
⑭ (상점·학교 따위)를 경영하다: Now his son ~s the shop 〔inn〕. 이제는 그의 아들이 상점〔여관〕을 경영하고 있다.
⑮《~+목/+목+전+명》…의 파수를 보다, …을 지키다, 보호하다: ~ a person *from* harm 아무가 해를 입는 것을 막다 / ~ a town *against* the enemy 도시를 적으로부터 지키다 / ~ one's ground 자기의 입장〔진지, 주장〕을 고수하다, 한 발도 물러서지 않다 / Henry ~s goal. 헨리는 골을 지킨다 / God ~ you! 신의 가호가 있기를.
⑯ …을 보살피다, 손질을 하다: ~ a garden 정원을 손질하다 / He always ~s his room in order. 그는 언제나 방을 정돈해 둔다 / This room is always well *kept*. 이 방은 언제나 정리가 잘 되어 있다.
⑰ (집회·법정·시장 따위)를 열다, 개최하다: ~ an assembly 모임을 열다.
⑱ (어떤 곳)에 머무르다, 틀어박히다: Please ~ your seats. 자리를 뜨지 마세요.
⑲ …을 보지〔유지〕하다; (신문 등)을 돈으로 누르다〔장악하다〕: ~ the peace 치안을 유지하다.
— *vi* ①《+보/+부/+전+명/+-*ing*》…한 상태에 있다; …한 위치에 있다; 계속해서 …하다, 늘 …하다: ~ quiet 조용히 있다 / *Keep* cool, boys! 자아, 진정해라 / ~ well 건강하다 / *Keep on,* boys! (그 요령으로) 모두들 계속하여라 / *Keep* (*to* the) left. 좌측 통행 / *Keep in* touch. 연락을 유지토록 해라 / The wind *kept to* the east all day. 바람은 온종일 동쪽으로 불고 있었다 / It *kept* rain*ing* for a week. 한 주일 동안 비가 계속 왔다. ②《+전+명》떨어져 있다《*from*》; …하지 않고 있다, …을 삼가다《*from* do*ing*》: He ~s *from* his parent's house. 그는 부모님 집에 들르지 않는다 / He ~s *from* talk*ing* about it. 그는 그것에 대해서 말하기를 피하고 있다 / I couldn't ~ *from* laugh*ing*. 웃지 않을 수 없었다. ③ 견디다, 썩지 않다: The sausage will ~ till tomorrow morning. 소시지는 내일 아침까지는 상하지 않을 것이다. ④《+부/+전+명》(어떤 장소·위치에) 머무르다, 틀어박히다: ~ indoors 〔at home〕 집 안에 틀어박혀 있다 / ~ *out of* the way (방해가 되지 않도록) 떨어져 있다 / *Where* do you ~? 어디 머무르고 있는가. ⑤ 열려 있다, 영업하고 있다: School ~s till four o'clock. 수업은 4시까지다. ⑥ 뒤로 미룰 수 있다, 기다릴 수 있다: The news will ~. 그 이야기는 뒤에 해도 좋다. ⑦ (비밀 따위가) 유지되다, 새지 않다: I knew the secret would ~ if I told nobody. 나만 잠자코 있으면 비밀이 새나가지 않으리라는 것을 알고 있었다. ⑧《口》거주하다; 체류하다; 숙박하다. ⑨〖크리켓〗 삼주문의 수비 노릇을 하다.
How are you ~ing? 안녕하십니까(=How are you?). ~ ***after*** . . . (…의 뒤를) 계속해서 쫓다; …을 계속해서 궁리〔생각〕하다; …에게 끈덕지게 말하다〔졸라대다, 꾸짖다〕《*about*》: ~ *after* a person to clean his room 아무에게 방을 청소하라고 잔소리하다. ~ ***ahead*** 남보다 앞서 있다; (상대·추적자보다) 앞서 가다: He *kept* (one step) *ahead* of his rivals. 그는 경쟁자들보다 (한 발) 앞서 있었다. ~ ***at*** …을 계속해서 하다, 열심히 하다: *Keep at* it. 꾸준히 노력해라, 포기하지 마라. ~ a person ***at*** 아무에게 …을 계속시키다: *Keep* him *at* the experiment. 그에게 실험을 계속시켜라. ~ ***away*** (*vt.*) …에 가까이 못하게 하다, …에게 …을 쓰지〔만지지〕 못하게 하다《*from*》: ~ knives *away from* children 애들에게 칼을 못 만지게 하다 / *Keep* children *away from* the fire. 아이들을 불 가까이에 오지 못하게 해라 / What *kept* you *away* yesterday? 어제는 왜 못 왔느냐. (*vi.*) 가까이 가지 않다, (술·담배 등을) 손대지 않다《*from*》: *Keep away from* the base. 기지에 접근하지 마라. ~ ***back*** (1) (비밀·정보 등)을 감추다, 숨겨 두다《*from*》; (일부)를 간직해 두다《*for*》: ~ *back* some tickets *for* a friend. 친구를 위해 표를 미리 확보해 두다 / I suspect he is ~*ing* something *back from* me. 그는 나에게 무엇인가를 숨기고 있다고 생각된다. (2) 삼가다, 억제하다: The police had to ~ the crowd *back*. 경관은 군중을 제지하지 않으면 안되었다. (3) 틀어박히다: Hey, boys! Why do you ~ *back?* Come up here! 어이, 얘들아, 왜 안에 틀어박혀 있느냐, 나와라. ~ ***bad*** 〔***late***〕 ***hours*** 밤 늦게까지 자지 않고 일어나 있다. ~ a person ***company*** = ~ ***company with*** ⇨ *vt.* ⑥. ~ ***down*** (1) (감정 따위)를 억누르다; (목소리·소리)를 낮추다: He *kept down* the base emotion. 그는 그 비열한 감정을 억눌렀다. (2) (경비)를 줄이다: We must ~ *down* expenses. 우리는 지출을 억제해야 한다. (3) (음식물 따위)를 받아들이다: He couldn't ~ his food *down*. 그는 먹은 것을 토해 버렸다. (4) (반란 따위)를 진압하다; (주

민·국민)을 억압하다, (사람)을 억누르다 : ~ *down* a mob 폭도를 진압하다 / You can't ~ a good man *down*. 유능한 사람은 두각을 나타내게 마련이다. (5) 몸을 낮추다, 엎드리다. (6) (바람 따위가) 자다. ~ (...) ***from*** ⇨ *vt.* ⑩, *vi.* ②. ~ a person 〔thing〕 ***going*** (1) 아무를 지탱하여 가게 하다, (물건)을 오래 가게 하다, 계속되게 하다 : ~ the conversation *going* 이야기가 중도에 끊어지지 않도록 하다 / Will $ 200 ~ you *going* until payday? 200 달러로 다음 봉급날까지 지낼 수 있겠는가. (2) 아무의 목숨을 이어 주다 : The doctors managed to ~ him *going*. 의사들은 겨우 그의 목숨을 이어 주었다. (3) 아무에게 주다《*with*》; 아무에게 부족됨이 없도록 해 주다《*with* ; *in*》. ~ ***good*** 〔***early, regular***〕 ***hours*** 일찍 자고 일찍 일어나다. ~ ***in*** (1) (감정 따위)를 억제하다 : I couldn't just ~ my anger *in*. 화나는 것을 참을 수가 없었다. (2) 가두다 ; (벌로서 학생)을 남아 있게 하다 : We were *kept in* by the rain. 우린 비 때문에 외출을 못 했다 / The boy was *kept in* after school. 소년은 방과 후 남게 되었다. (3) (집에) 틀어박히다. (4) 계속 태우다, 계속 타다 : Shall we ~ the fire *in* or let it out? 불을 그대로 타게 둘까요 끌까요 / The fire *kept in* all night. 불은 밤새도록 꺼지지 않았다. ~ ***in with*** …와 사이좋게 지내다, …와 우호를 유지하다《보통 자기 편의를 위해》. ~ ***it up*** (어려움을 무릅쓰고) 계속하다, 꾸준히 계속해 나가다. ~ ***off*** (*vt.*) (1) (재해·적 따위)를 막다, 가까이 접근하지 못하게 하다 : *Keep off* the dog. 그 개를 가까이 못 오게 해라. (2) (…에서) …을 떼어 놓다, …에 들어오지 못하게 하다 : *Keep* your dirty hands *off*. 더러운 손을 대지 마라. (3) (음식물)을 입에 대지 못하게 하다 : The doctor *kept* him *off* cigarettes. 의사는 그에게 금연토록 했다. (*vi.*) (1) 떨어져 있다, 접근하지 않다 ; (비·눈 따위가) 오지 않다, 그치다 : If the rain ~*s off* ..., …만일 비가 오지 않으면…. (2) …에서 멀리 떨어지다, …에 들어가지 않다 : *Keep off* the grass. 《게시》 잔디밭에 들어가지 마시오. (3) (음식물을) 입에 대지 않다 : ~ *off* drinks 술을 삼가다. (4) (화제 등에) 언급하지 않다, …을 피하다 : try to ~ *off* a ticklish question 까다로운 문제를 피하려 하다. ~ ***on*** (*vt.*) (1) (옷 따위)를 몸에 입은 채 있다 : *Keep* your hat *on*. 모자를 쓴 채 있어도 괜찮다. (2) 계속해 고용하다〔머무르게 하다〕《*at* ; *in*》: ~ one's son *on at* school 아들을 계속 학교에 보내다. (3) (집·차 따위)를 계속 소유〔차용〕하다. (*vi.*) (1) 계속 나아가다 : *Keep* straight *on*. 그대로 곧장 가시오. (2) 계속 지껄이다, 계속 이야기하다《*about*》: He *kept on about* his adventure. 그는 그의 모험에 관하여 계속 이야기했다. (3) 계속 …하다《do*ing*》: He *kept on* smok*ing* all the time. 그는 줄 담배를 피웠다. ★ keep doing 은 동작이나 상태의 계속을 나타내는 데 반해, keep on doing 은 집요하게 반복되는 동작·상태임을 암시함. ~ ***on at*** (아무)를 끈덕지게 졸라대다, …에게 심하게 잔소리하다 : His son *kept on at* him *to* buy a new car. 아들은 그에게 새 차를 사달라고 끈덕지게 졸라댔다. ~ ***out*** (*vt.*) …을 안에 들이지 않다《*of*》: Shut the windows and ~ *out* the cold. 창문을 닫고 방을 차게 하지 마라 / Shall I ~ him *out of* school? 그에게 학교를 쉬게 할까요. (*vi.*) 들어가지 않다《*of*》: Danger! *Keep out!* 《게시》 위험, 출입 금지 / He *kept out* last night. 그는 어제 밤 돌아오지 않았다. ~ ***out of...*** (추위·귀찮은 일 등)을 피하다〔피하게 하다〕; (태양·위험 따위)에 노출되지 않게 하다 : ~ *out of* trouble 성가신 일에 관여않다 / *Keep* those plants *out of* the sun. 이 식물들을 햇볕에 쏘이지 않도록 해 주시오. ~ ***one's bed*** 몸져 누워 있다. ~ ***oneself to oneself*** 남과 교제하지 않다, 홀로 있다. ~ ***one's house*** 〔***room***〕 집〔방〕에 틀어박히다. ~ ***time*** (1) (시계가) 똑딱거리다, 시간을 기록하다 ; 시간이 맞다. (2) 박자를 유지하다 ; 장단을〔박자를〕 치다〔맞추다〕. ~ ***to*** (1) (길·진로 등)에서 벗어나지 않다〔벗어나지 않게 하다〕, …을 따라 나아가다. (2) (본론·화제 등)에서 이탈하지 않다. (3) (계획·예정·약속)을 지키다〔지키게 하다〕; (규칙·신념 따위)를 고집하다, 고수하다 : ~ *to* time (교통 기관이) 시간대로 운행하다. (4) (집안에) 틀어박히다. ~ ***together*** …을 한데 모으다〔모아 두다〕; (사람들이 서로) 협조하다 ; 협조〔단결〕시키다, 단결하다 : ~ Christmas cards *together* 크리스마스 카드를 한데 모아 두다 / ~ one's class *together* 학급을 단결시키다. ~ ***to one's bed*** 잠자리를 떠나지 못하다, 누운 채로이다. ~ ***to oneself*** (1) 남과 교제하지 않다. (2) (정보 따위)를 남에게 누설하지 않다, 나누어 주지 않다. ~ ***under*** (1) …을 억제하다, 억누르다, 복종시키다 : The fire was so big that the firemen could not ~ it *under*. 불길이 너무 세서 소방수들은 불을 끌 수가 없었다. (2) (마취제로) 의식을 잃게 하다, 진정시키다. ~ ***up*** (1) 계속 상승하다 : Prices still ~ *up*. 물가는 계속 오르고 있다. (2) 좋은 상태를 유지하다, 쇠약해지지 않다, 꺾이지 않다 : Their courage *kept up* wonderfully. 그들의 용기는 놀라울 만큼 꺾일 줄 몰랐다 / If the weather will only ~ *up*, ... 날씨가 이 상태로 계속된다면 …. (3) 유지하다, (손질해) 보존하다 : He has to ~ *up* a large household. 그는 대가족을 거느려야 했다 / ~ *up* one's appearances 체면을 유지하다. (4) 계속하다, 멈추지 않다 : Are you still ~*ing up* morning exercises? 아직 아침 체조를 계속하고 있느냐. (5) 밤잠을 못 자게 하다, 밤잠을 자지 않다. (6) 가라앉지 않게 하다 : ~ oneself *up* in the water 물 속으로 몸이 가라앉지 않게 하다. (7) 선 채로 있다 : The shed *kept up* during the storm. 곳간은 폭풍에도 쓰러지지 않았다. ~ ***up on*** …에 대해 정보를 얻고 있다, 알고 있다 : ~ *up on* current events 시사에 관해 잘 알고 있다. ~ ***up with*** (1) (아무)에게 (뒤떨어)지지 않다 ; (시류)에 뒤지지 않게 노력하다 : He could not ~ *up with* his class. 그는 학급의 다른 아이들을 따라가지 못했다. (2) (서신왕래 따위로) 접촉을 유지하다, 교제를 계속하다. ~ ***up with the Joneses*** ⇨ JONESES.

── *n.* ① Ⓒ (옛 성채의) 아성(牙城), 본거(本據), 본성(本城). ② Ⓤ 양식, 식량, 사료, 생활 필수품, 생활비 : work for one's ~ 살기 위해서 일하다 / I live with my married daughter and pay her for my ~. 결혼한 딸의 집에 살고 있는데 내 먹을 것은 내가 내고 있다. ③ Ⓤ 보존, 유지, 관리 : leave the dog in her ~ for the weekend 주말 동안 개를 그녀에게 보살펴 달라고 맡기다. ***be in good*** 〔***bad***〕 ~ 손질〔보존〕이 잘〔잘못〕되어 있다. ***be worth one's*** ~ 보존〔사육〕할 가치가 있다. ***earn one's*** ~ 생활비를 벌다, 자립하다. ***for ~s*** (1) (아이들의 놀이 따위에서) 따먹 돌려주지 않기로 하고, 정식으로 : play *for* ~*s* 진짜 따먹기로 하다. (2) 《口》 언제까지나, 영구히 : You may have this *for* ~*s*. 이것을 너에게 주겠다《돌려주지 않아도 괜찮다》. (3) (놀이 아니라) 진정으로.

‡**keep·er** [kíːpər] *n.* Ⓒ ① 파수꾼, 간수, 수위 ; 《英》 사냥터지기 ; (미친 사람의) 보호자 : a level crossing ~ 건널목지기 / Am I my brother's ~? 〖聖〗 내가 아우를 지키는 자니이까《창세기 IV : 9》.

K

② 관리인, 보관자; (상점 따위의) 경영자: ⇨ INNKEEPER / SHOPKEEPER. ③ (동물의) 사육자; 소유주, 임자: ⇨ BEEKEEPER. ④〖競〗 수비자, 키퍼; =GOALKEEPER; WICKETKEEPER. ⑤ (결혼 반지 따위의) 보조 반지. ⑥ 저장할 수 있는 과일〔채소〕: a good 〔bad〕 ~ 오래도록 저장할 수 있는〔없는〕 과일〔채소〕.

keep-fit [-fít] *n.* [U] (건강 유지를 위한) 체조〔운동〕, 보건 체조: ~ class 보건 체조 교실.

‡**keep·ing** [kíːpiŋ] *n.* [U] ① 지님; 보관; 보존, 저장(성): I left my bankbook in her ~. 예금 통장을 그녀에게 맡겼다 / The papers are in my ~. 서류는 내가 가지고 있다 / in good 〔safe〕 ~ 잘〔안전하게〕 보존〔보관〕되어. ② 관리; 경영. ③ 부양, 돌봄; 사육; 식량; 사료. ④ 일치, 조화, 상응(相應)《*with*》: What he did is out of ~ *with* his promise. 그가 한 것은 약속과 틀린다. ⑤ (의식·습관의) 준수, 축하, 의식을 행하기: the ~ of a birthday 생일의 축하(행사). ***have the ~ of*** … 을 맡고 있다.

*__keep·sake__ [kíːpsèik] *n.* [C] 기념품, 유품(memento): She gave him a lock of her hair as a ~. 기념물로 그녀는 머리 한 타래를 그에게 주었다.

keg [keg] *n.* 작은 나무통《보통 용량이 5-10 갤런; 못의 경우는 50kg 남짓》: a ~ of beer 〔brandy〕 맥주〔브랜디〕 한 통 / a nail ~ 작은 못통.

kég bèer (금속제 통에 넣은) 생맥주.

keg·ler [kéglər] *n.* [C] 《美口》 볼링 경기자(bowler).

Kel·ler [kélər] *n.* **Helen** (**Adams**) ~ 켈러《미국의 여류 저술가·사회 사업가; 농맹아(聾盲啞)의 삼중고를 극복함; 1880-1968》.

ke·loid [kíːlɔid] *n.*〖醫〗 켈로이드.

ke·loi·dal [-dl] *a.* 켈로이드(모양)의.

kelp [kelp] *n.* [U] ①〖植〗 켈프《해초의 일종; 대형의 갈조(褐藻)》. ② 켈프의 재《요오드의 원료》.

Kelt, Keltic ⇨ CELT, CELTIC.

Kel·vin [kélvin] *n.* ① 켈빈《남자 이름》. ② **William Thomson** ~, 1st Baron 켈빈《영국의 수학자·물리학자; 1824-1907》.

kel·vin *n.* [C]〖物〗 켈빈《절대 온도의 단위; 기호 K.》.

Kélvin scàle〖物〗 켈빈(절대 온도) 눈금.

Ken [ken] *n.* 켄《남자 이름; Kenneth 의 애칭》.

*__ken__ [ken] *n.* [U,C] 시야, 시계; 이해, 지식; 지식의 범위: A new world had opened to my ~. 내 눈에는 새로운 세계가 열려 있었다. ***beyond*** 〔***outside, out of***〕 one**'s** ~ (1) 시야 밖에〔의〕. (2) 지식의 범위 밖에〔의〕, 이해하기 어렵게〔어려운〕: His friend's suicide was completely *beyond* 〔*outside*〕 *his* ~. 그의 친구의 자살은 그에게는 전혀 이해할 수 없는 일이었다. ***in*** one**'s** ~ 시야 안에, 눈으로 볼 수있는 곳에; 이해할 수 있게.

Ken. Kentucky.

Ken·ne·dy [kénədi] *n.* **John Fitzgerald** ~ 케네디《미국의 제35대 대통령; 1917-63》. ~ ***International Airport*** 케네디 국제 공항《New York 시 Long Island 에 있는 국제 공항; 구명 Idlewild》.

Kénnedy Spáce Cènter (NASA의) 케네디 우주 센터《Florida 주의 Cape Canaveral 에 있음》.

*__ken·nel__ [kénəl] *n.* ① [C] 개집(《美》doghouse). ② (흔히 *pl.*) 개의 사육〔훈련〕장; 개를 맡아주는 곳. ③ [C] 초라한 집, 오두막집.
── (*-l-*, 《英》 *-ll-*) *vt.* (개)를 개집에 넣다〔에서 기르다〕. ── *vi.* (개가) 개집에서 살다. 「Ken」.

Ken·neth [kéniθ] *n.* 케니스《남자 이름; 애칭

Ken·sing·ton [kénziŋtən] *n.* 이전의 London 서부의 자치구; 현재는 Kensington and Chelsea의 일부《Kensington Gardens 로 유명; 略: Kens.》.

*__Kent__ [kent] *n.* 켄트《잉글랜드 남동부의 주; 주도 Maidstone》. ***a man of*** ~, Medway 강 이동(以東) 태생의 켄트 사람.

Kent·ish [kéntiʃ] *a.* Kent 주(사람)의. ── *n.* [U] (중세의) Kent 방언.

Ken·tuck·i·an [kəntʌ́kiən] *a., n.* [C] Kentucky 주의 (주민); Kentucky 태생의 (사람).

*__Ken·tucky__ [kəntʌ́ki] *n.* 켄터키《미국 중동부의 주; 주도(州都) Frankfort; 略: Ky., Ken.;〖郵〗 KY; 속칭 the Bluegrass State》.

Kentúcky Dérby (the ~) 켄터키 경마《Kentucky 주 Louisville 에서 매년 5월에 벌어지는》.

Ken·ya [kénjə, kíːn-] *n.* 케냐《동아프리카의 공화국; 수도 Nairobi》.

Ken·yan [kénjən, kíː-] *a.* 케냐(인)의. ── *n.* [C] 케냐인.

kepi [képi] *n.* [C] 《F.》 케피 모자《프랑스의 군모》.

Kep·ler [képlər] *n.* **Johann** ~ 케플러《독일의 천문학자(1571-1630); 행성 운동에 관한 Kepler's law 를 발견》.

†**kept** [kept] KEEP의 과거·과거분사.
── *a.* ① 유지〔손질〕된: a well-~ garden 손질이 잘된 정원. ② 금전상의 원조를 받고 있는: a ~ mistress 〔woman〕 첩 / a ~ press 어용 신문.

ker·a·tin [kérətin] *n.* [U]〖化〗 케라틴, 각질(角質), 각소(角素). 「질의.

ker·a·ti·nous [kərǽtənəs] *a.* 케라틴(질)의, 각

kerb [kəːrb] *n.* 《英》 =CURB ③.

kérb màrket (증권의) 장외 시장(curb).

kerb·stone [kə́ːrbstòun] *n.* 《英》 =CURBSTONE.

ker·chief [kə́ːrtʃif] *n.* [C] ① (여성의) 머릿수건; 목도리(neckerchief). ②〖詩〗 손수건.
[파] ~**ed** [-t] *a.* 머릿수건을 쓴.

ker·fuf·fle [kərfʌ́fəl] *n.* [U,C] 《英口》 소동(騷動), 법석, (하찮은 일에 대한) 말다툼《*about*; *over*》. ***fuss and*** ~ 공연한 대소동〔법석〕.

*__ker·nel__ [kə́ːrnəl] *n.* ① [C] (과실의) 인(仁), 심(心). ② [C] (쌀·보리 따위의) 낟알. ③ (the ~) (문제 따위의) 요점, 핵심, 중핵(中核), 심수(心髓)《*of*》; 가장 중요한 부분: *the* ~ *of* a matter 〔question〕 사건〔문제〕의 핵심.

*__ker·o·sine, -sene__ [kérəsìːn, ˌ--ˊ] *n.* [U] 등유(《英》 paraffine): a ~ lamp 램프(등) / a ~ heater 석유 난로.

ker·sey [kə́ːrzi] (*pl.* ~**s**, **ker·sies**) *n.* ① [U] 커지 천《투박한 나사》. ② (*pl.*) 커지제 바지 또는 작업복.

kes·trel [késtrəl] *n.* [C]〖鳥〗 황조롱이.

ketch [ketʃ] *n.* [C]〖海〗 쌍돛 범선의 일종.

*__ketch·up__ [kétʃəp] *n.* [U] (토마토 따위의) 케첩(catchup, catsup). ***in the*** ~ 《俗》 적자의, 적자 운영하는(in the red).

ke·tone [kíːtoun] *n.* [U]〖化〗 케톤.

‡**ket·tle** [kétl] *n.* [C] ① 솥, 탕관; 주전자: put the ~ on the stove 주전자를 난로에 올려 놓다 / The ~ is boiling. 주전자의 물이 끓고 있다. ②〖地質〗 구혈(甌穴) (=ˊ~ **hòle**)《빙하 바닥의 출구가 없는 큰 구멍》. ***a different*** ~ ***of fish*** 별개 사항, 별문제. ***a pretty*** 〔***nice, fine***〕 ~ ***of fish*** 소동, 난장판, 북새통; 골치아픈〔난처한〕 사태, 분규《pretty, fine, nice는 반어적 표현》. ***keep the*** ~ ***boiling*** =keep the POT boiling.

ket·tle·drum [-drʌ̀m] *n.* [C]〖樂〗 케틀드럼《솥 모양의 큰북》.

Kev·in [kévin] *n.* 케빈《남자 이름》.

Kéw Gárdens (종종 *sing.*) 큐 식물원《London 의 서부 교외 Kew 에 있는 국립 식물원》.

Kew·pie [kjú:pi] *n.* [C] 큐피 인형《商標名》.

‡**key**[1] [ki:] (*pl.* **~s**) *n.* ① [C] 열쇠 ; 열쇠 모양의 물건. [cf] lock. ¶ a room ~ 방의 열쇠 / She put the ~ in the lock and turn it. 그녀는 열쇠를 자물통에 꽂고 돌렸다 / This is the wrong ~ to this door. 이것은 이 문 열쇠가 아니다 / turn the ~ on a prisoner 죄수를 옥에 가두고 문에 쇠를 채우다. ② **a)** (the ~) 요소, 관문《*to*》: Gibralter is *the* ~ *to* the Mediterranean Sea. 지브롤터는 지중해에의 관문이다. **b)** [C] (문제·사건 등의) 해답 ; 해결의 열쇠〔실마리〕(clue)《*to*》; 비결《*to*》; (외국 서적의) 직역본 ; (수학·시험문제의) 해답서, 자습서 ; (동식물의) 검색표 ; (지도·사서 따위의) 기호〔약어〕표 : the ~ *to* a riddle 수수께끼를 푸는 열쇠 / the ~ *to* (solving) a problem 문제 해결의 열쇠 / the ~ *to* good health 건강의 비결 《the는 강의(強意)》/ a ~ *to* a test 시험의 해답서. **c)** [C] 〖컴〗 글쇠, 쇠. **d)** [C] 중요 인물. ③ [C] **a)** (시계의 태엽을 감는) 키(watch ~). **b)** (타이프라이터 등의) 키 ; 〖電〗 전건(電鍵), 키 ; (오르간·피아노·취주악기의) 키 : Don't hit the ~*s* so hard. 그렇게 세게 키를 두드리지 마라. ④ [C] **a)** (목소리의) 음조 : speak in a high 〔low〕 ~ 높은〔낮은〕 목소리로 말하다 / in a minor ~ 침울한〔슬픈〕 음조로. **b)** 〖樂〗 (장단의) 조(調) : all in the same ~ 모두 같은 가락으로, 단조로이 / the major 〔minor〕 ~ 장조〔단조〕. **c)** (사상·표현·색채 등의) 기조(tone), 양식(mode). ⑤ 〖植〗 시과(翅果)(~ fruit).

get* 〔*have*〕 *the ~ of the street 《戲》 내쫓기다 ; 잘 곳이 없어지다. ***have* 〔*hold*〕 *the ~ to* 〔*of*〕** …을 좌지우지〔지배〕하다, …의 열쇠〔급소〕를 쥐다. ***in* 〔*out of*〕 *~ with*** …와 조화를 이루어〔이루지 못하고〕. ***lay* 〔*put*〕 *the ~ under the door*** 살림을 걷어치우다. ***the gold ~*** 황금 건장(鍵章)《Lord Chamberlain의 기장》. ***the golden* 〔*silver*〕 *~*** 뇌물(로 주는 돈). ***the power of the ~s*** 교황권. ***under lock and ~*** 엄중히 보관되어.

── *a.* 〔限定的〕 기본적인, 중요한, 기조(基調)의 ; 해결의 열쇠가 되는 : a ~ color 기본색 / a ~ position 〔issue〕 중요한 지위〔문제〕 / a ~ currency 기축(機軸)〔국제〕 통화 / the ~ industries of Korea 한국의 기간 산업.

── *vt.* ① 《+[목]+[전]+[명]》 (이야기·문장 따위)를 분위기에 맞추다 : ~ one's speech *to* the occasion 그 자리의 분위기에 맞춰서 이야기하다 / His lectures were ~*ed to* the intellectual level of his students. 그의 강의는 학생들의 지적 수준에 맞추어져 있었다. ② …에 쇠를 채우다, …을 쇠로 채우다 ; 마개〔쐐기〕로 고정시키다《*in* ; *on*》. ③ (문제집 따위)에 해답을 달다. ④ 《+[목]+[부]》 〖樂〗 …의 음조를 올리다〔내리다〕《*up* ; *down*》; (악기)를 조율(調律)하다 : The guitar was ~*ed to* D minor. 기타는 라단조로 조율되었다. ⑤ = KEYBOARD. ⑥ (회반죽·페인트 등이 잘 붙도록 벽 등의 표면)을 거칠게 하다. **(*all*) *~ed up*** (…에) 매우 흥분〔긴장〕하여《*about* ; *over* ; *for*》: They are *all* ~*ed up about* an exam. 그들은 시험에 관한 일로 매우 긴장해 있다. **~ *down*** …의 음조를 낮추다, …을 가라앉히다. **~ *up*** (1) …의 음조를 올리다. (2) …의 기분을 북돋우다, 고무시키다, 긴장〔흥분〕시키다 : The coach ~*ed up* the team for the game. 코치는 그 경기를 앞두고 팀의 사기를 북돋아 주었다. (3) (신청·요구)를 더욱 강조하다.

key[2] *n.* [C] 사주(砂洲), 모래톱 ; 산호초(珊瑚礁).

kéy accòunt (회사 등의) 큰 단골, 주요 고객 : Pan Am is a ~ with my advertising firm. 팬암 항공사는 내가 근무하는 광고회사의 큰 단골이다.

***key·board** [kí:bɔ̀:rd] *n.* [C] ① 건반《피아노·타자기 등의》, (컴퓨터의) 글쇠판, 자판 : a ~ instrument 건반악기. ② (팝 뮤직의) 건반악기, 키보드. ③ (호텔 등에서) 각 방의 열쇠를 걸어 두는 판. ── *vt.* ① (컴퓨터 따위)의 키를 치다. ② (정보·원고)를 키를 쳐서 입력하다〔식자하다〕. ── *vi.* 건반을 조작하다. [파] **~·er** *n.*

key·board·ist [-dist] *n.* [C] 건반악기 연주자.

kéy chàin (여러 개의 열쇠를 꿰는) 열쇠 꾸러미.

kéy clùb (열쇠를 받은 회원만이 들어갈 수 있는) 회원제 (나이트) 클럽.

kéy cúrrency 기축(機軸)〔국제〕 통화.

keyed [ki:d] *a.* ① 유건(有鍵)의, 건(鍵)이 있는 : a ~ instrument 건반 악기《피아노·오르간 따위》. ② 〖機〗 키로 채워진. ③ 쐐기〔마개〕가 있는 ; 홍예머리〔쐐기돌〕로 죈. ④ 현(絃)을 죈, 조율(調律)한. ⑤ 〔敍述的〕 (이야기·문장 등이 …의) 분위기〔가락〕에 맞추어진. ⑥ 〔종종 複合語로〕 (특정의 색·생각 등을 기조로) 통합된 : color-~ carpeting 색깔의 통일〔통합〕이 이루어진 융단〔카펫〕.

kéy frùit 〖植〗 시과(翅果).

key·hole [´-hòul] *n.* [C] (자물쇠의) 열쇠 구멍 : look through 〔listen at〕 the ~ 열쇠 구멍으로 들여다보다〔엿듣다〕. ── *a.* (기사·보고 등이) 내막을 파헤친, 비밀의 ; (신문기자 등이) 내막을 파헤치고 싶어하는 : a ~ report 내막 기사.

kéy índustry 기간 산업《전력·화학공업이나 탄광업·철강업 따위》.

key·less [kí:lis] *a.* ① 열쇠가 (필요) 없는. ② (시계가) 용두로 태엽을 감는.

kéy mòney 《英》 (세 드는 사람이 내는) 보증금, 권리금.

Keynes [keinz] *n.* **John Maynard ~,** lst Baron 케인스《영국의 경제학자 ; 1883-1946》.

Keynes·i·an [kéinziən] *a.* 영국의 경제학자 케인스의 ; 케인스 학설의 : ~ economics 케인스 경제학. ── *n.* [C] 케인스 학파의 사람. [파] **~·ìsm** *n.*

key·note** [kí:nòut] *n.* [C] ① 〖樂〗 으뜸음, 바탕음. ② (연설 등의) 요지, 주지(主旨), (행동·정책·성격 따위의) 기조, 기본 방침 : The ~ of his speech was Christian love. 그의 연설의 요지는 그리스도교적인 사랑이었다. ***give the ~ to …의 기본 방침을 정하다. ***strike* 〔*sound*〕 *the ~ of*** …의 본질에 언급하다〔을 살피다〕.

── *vt.* ① (정당 대회 등)에서 기본 정책〔방침〕을 발표하다, 기조 연설을 하다. ② (어떤 생각)을 강조하다, 역설하다.

kéynote addréss〔spéech〕 《美》 (정당·회의 등의) 기조 연설.

key·pad [´-pæ̀d] *n.* [C] 〖컴〗 키패드《컴퓨터나 TV의 부속 장치로서 손 위에 놓고 수동으로 정보를 입력하거나 채널을 선택하는 작은 상자 꼴의 것》.

kéy pùnch 〖컴〗 (컴퓨터 카드의) 천공기(穿孔機), 키펀치.

key·punch [´-pʌ̀ntʃ] *vt.* (카드)에 키펀치로 구멍을 내다.

key·punch·er [-pʌ́ntʃər] *n.* [C] 키펀처《천공원(員)》.

kéy rìng (많은 열쇠를 꿰는) 열쇠 고리.

kéy sìgnature 〖樂〗 조표, 조호(調號)《오선지 첫머리에 기입된 #(sharp), ♭(flat) 따위 기호》.

kéy státion 〖라디오·TV〗 키스테이션, 본국(本局)《네트워크 프로를 보내는 중앙국》.

K

key·stone [ˊstòun] *n.* Ⓒ ①〖建〗(아치 중앙의) 이맛돌, 종석(宗石). ② (이야기의) 주지(主旨), 요지, 근본 원리《*of*》.

Kéystone Státe (the ~)《美》Pennsylvania 주의 별칭.

key·stroke [ˊstròuk] *n.* (타자기·컴퓨터 등의) 글쇠 누름 : She can do 3,000 ~*s* an hour. 그녀는 1 시간에 3 천 자를 친다.

Kéy Wést 키웨스트《미국 Florida 주 남서 끝에 있는 섬 ; 또 이 섬의 해항(海港) ; 미국 최남단의 도시》.

kéy wòrd ① (암호 해독 등의) 실마리〔열쇠〕가 되는 말. ② (작품의 주제를 나타내는) 중요〔주요〕어, 키워드. ③ (철자·발음 등의 설명에 쓰이는) 보기 말. ④〖컴〗핵심어.

kg. keg(s) ; kilogram(s) ; **K.G.** Knight of the Garter. **KGB, K.G.B.** 《Russ.》*Komitet Gosudarstvennoi Bezopasnosti* (=Commission for State Security 국가보안 위원회《옛 소련의 국가 경찰·정보기구(1954-91)》).

Kha·ba·rovsk [kəbáːrəfsk] *n.* 하바로프스크《시베리아 동부 Amur강 연안의 중심 도시》.

ⁱ**khaki** [káːki, kǽki] *a.* 카키색의, 황갈색의 ; 카키색 천〔복지〕의. ── *n.* ① Ⓤ 카키색(의 옷감). ② Ⓒ 카키색 군복〔제복〕: in ~(*s*) 카키색 군복을 입은〔입고〕. ***get into*** ~ 육군에 입대하다.

kha·lif, -li·fa [kéilif, kǽl-, kəlíːf], [-fə] *n.* = CALIPH.

khan[1] [kɑːn, kæn] *n.* Ⓒ 칸, 한(汗)《중세의 타타르·몽골·중국의 주권자의 칭호 ; 지금은 이란·아프가니스탄 등의 주권자·고관의 칭호》.

khan[2] *n.* Ⓒ (중근동(中近東) 등의) 대상(隊商)의 숙사(caravanserai).

Khar·toum, -tum [kɑːrtúːm] *n.* 하르툼《수단의 수도》.

Khmer [kəmέər] *n.* (*pl.* ~, ~*s*) ① **a**) (the ~(s)) 크메르족(族)《Cambodia 의 원주 민족》. **b**) Ⓒ 크메르족 사람. ② Ⓤ 크메르어《캄보디아의 공용어》.

Khmér Róuge [-rúːʒ] 크메르 루주《캄보디아 내의 공산계 게릴라의 일파》.

Kho·mei·ni [kouméini, hou-] *n.* **Ayatollah Ruhollah Mussaui** ~ 호메이니《이란 이슬람 공화국 최고 지도자 ; 1900-89》.

kHz kilohertz. **K.I.A.** Killed in Action(전사자).

kib·butz [kibúːts] (*pl.* ***-but·zim*** [-butsíːm]) *n.* 키부츠《이스라엘의 집단 농장》.

kib·butz·nik [-nik] *n.* Ⓒ 키부츠의 주민.

kibe [kaib] *n.* Ⓒ〖醫〗추위에 손발이 트는 것, 동창(凍瘡). ***tread on*** a person***'s*** ~***s*** 아무의 감정을 해치다.

kib·itz [kíbits]《口》*vi.* ① 쓸데없이〔주제넘게〕참견하다. ② (노름판에서) 참견하다, 훈수하다.

kib·itz·er [-ər]《口》*n.* Ⓒ ① (쓸데없이 참견하는) 노름판의 구경꾼 ; 노름판에서 중뿔나게 훈수하는 사람. ② 주제넘게 참견하는 사람.

ki·bosh, ky- [káibɑʃ/-bɔʃ] *n.* Ⓤ《俗》허튼소리, 실없는 소리, 난센스《지금은 다음 성구로만 쓰임》. ***put the*** ~ ***on*** …에 결정타를 먹이다, 쑥 들어가게 하다 ; (계획 따위를) 망쳐 놓다, 방해하다.

ⁱ**kick** [kik] *vt.* ①《~+목/+목+전+명/+목+보》…을 (걷어)차다 : ~ a ball 공을 차다 / be ~*ed* by a horse 말에 채이다 / ~ the door open 문을 차서 열다 / He ~*ed* me *in* the side. 그는 내 옆구리를 찼다 / ~ a person *out of* a house 아무를 집밖으로 내쫓다. ②《+목+전+명》(특히 레이스에서 자동차·말 따위)의 속도를 갑자기 올리다 : I ~*ed* the car *into* top gear. 나는 톱 기어를 넣어 자동차의 속도를 높였다. ③〖蹴〗(골)에 공을 차 넣다, (득점)을 올리다 : The forward ~*ed* a goal. 포워드가 공을 골에 차 넣었다. ④ (총이 어깨 따위)에 반동을 주다 : The rifle ~*ed* my shoulder when I fired. 발사했을 때 총은 어깨에 반동을 주었다. ⑤《美俗》(구혼자 등)을 퇴짜놓다 ; (고용인)을 해고하다《*out*》: ~ a suitor 〔one's suit〕구혼자〔구애〕를 차버리다〔퇴짜놓다〕. ⑥〔흔히 ~ the habit 으로〕(마약의 습관성)을 끊다.

── *vi.* ①《~/+전+명》차다《*at*》: I ~*ed at* the ball. 나는 공을 (겨냥해) 찼다. ★ He ~*ed* a ball.은 공을 실제로 찬 것을 말하지만, He ~*ed at* a ball.은 발에 공이 맞았는지 안 맞았는지는 불명임. ② (말 따위가) 차는 버릇이 있다 : The horse ~*s* when men approach him. 그 말은 사람이 가까이 가면 차는 버릇이 있다. ③ (총이) 반동하다(recoil) : The shotgun ~*ed* hard. 산탄총(散彈銃)은 심하게 반동했다. ④《~/+전+명》《口》반대〔반항〕하다(resist) ; 불평을 말하다, 흠잡다《*at* ; *against, about*》: The farmers ~*ed at* 〔*against*〕 the government's measure. 농민들은 정부의 조치에 반대했다 / ~ *about* poor service 서비스가 좋지 않다고 불평하다.

~ ***about*** =~ around. ~ ***against*** 〔***at***〕 (1) …을 향하여 차다, …에 차며 덤비다. (2) …에 반항하다. ~ ***against the pricks*** 〔***goad***〕 ⇨ PRICK. ~ ***a man when he's down*** (1) 넘어진 사람을 차다. (2) 약점을 이용하여 몹쓸 짓을 하다. ~ ***around***《口》(*vt.*) (1) (아무)를 거칠게 다루다, 학대하다, 괴롭히다 ; (아무)를 이용하다. (2) (문제·안 등)을 이리저리 생각하다〔논의하다〕, 시험적으로 해보다. (*vi.*)〔주로 ing 꼴로〕(1) (…을) 여기저기 돌아다니다, 주거를〔직업을〕여기저기 바꾸다, 각지를 전전하며 살아가다 ; (…으로) 살고 있다. (2) (물건이) 어지럽게 흩어져 있다, …에 버려져 있다. ~ ***back***《口》(*vt.*) …을 되차다 ; (훔친 것을) 주인에게 되돌리다 ; (돈을) 상환하다, (리베이트로서) 지불하다. (*vi.*) 앙갚음하다《*at*》; (총기 따위가) 되튀다 ; 상환금을 지불하다, 리베이트를 치르다 ;《美俗》쉬다. ~ ***downstairs*** 아래층으로 차 내리다 ; 집에서 쫓아내다 ; 격하(格下)시키다. ~ ***down the ladder*** ⇨ LADDER. ~ ***in*** (*vt.*) …을 차 부수고 들어가다 ; (문 따위를 밖에서) 차 부수다 ;《美俗》배당된 돈을 내다, (돈)을 기부하다. (*vi.*)《美俗》뻗다(die) ; 기부를 하다. ~ a person ***in the teeth*** 〔***pants***〕《口》아무에게 예상 밖의 면박을 주다, 무조건 야단치다, 낙심시키다. ~ ***it***《美俗》(마약 따위)의 습관을 버리다 ;《美俗》(재즈 따위를) 열심히 하다. ~ ***off*** (1) …을 걷어차다 ; (신)을 차 벗다. (2)〖蹴〗킥오프하다 ;《俗》(회합 등)을 시작하다, 출발하다. (3)《美俗》뻗다, 죽다. ~ ***out*** (*vt.*) (1)《口》…을 차내다. (2)《口》(사람·생각)을 쫓아내다 ; 해고〔해임〕하다《*of*》. (3)〖컴〗(정보 등)을 (검색을 위해) 분리하다. (*vi.*) (1) 반항하다. (2)《俗》죽다, 뻗다. (3)〖서핑〗뒷다리에 체중을 실어 서프보드를 회전시켜 파도타기를 중지하다. (4) (공급이) 끊기다. (5)〖蹴〗시간을 벌기 위해 공을 고의로 터치라인 밖으로 차내다. ~ ***over*** (1)《口》(엔진)에 점화하다, 시동하다. (2)《美俗》(돈)을 내다, 지불하다. (3)《美俗》강도짓을 하다. ~ ***over the traces*** ⇨TRACE[2]. ~ one***self***《口》자신을 책하다. ~ one***'s heels***《俗》(1) 춤을 추다. (2) 공중에 매달리다, 교수형을 당하다. (3) 지루하게 기다리다 ; 오래 기다리게 되다. ~ ***the bucket***《俗》죽다. ~ ***the wind*** 〔***clouds***〕《俗》교수형을 당하다. ~ ***up*** (1) …을 차 올리다. (2)《口》(먼지 등)을 일으키다. (3)《口》(소란)을 피우다 ; 불순(不順)해지다. ~ ***up a row*** 〔***dust, fuss, shindy***〕《口》소동을 일으키다 : She ~*ed* *up a row*〔*fuss, shindy*〕 over it. 그녀는 그 일로 한바탕 소란을 피웠다. ~ ***up*** one*'s* ***heels*** ⇨ HEEL[1]. ~ a person ***upstairs***《口》아무를 한직으로 몰아내다, 승진시켜서〔작위를 주어서〕 퇴직시키다.

— *n.* ① Ⓒ 차기, 걷어차기 : give a person a ~ 아무를 걷어차다 / receive a ~ on the shin 정강이를 걷어 채다. ② Ⓒ (총의) 반동 : This gun has almost no ~. 이 총은 거의 반동이 없다. ③ Ⓒ《口》반대, 반항, 거절 ; 항의, 불평. ④ (the ~)《俗》해고 ; (군대로부터의) 추방 : get〔give a person〕 *the* ~ 해고 당하다〔시키다〕. ⑤ Ⓒ 〖蹴〗 킥, 차기, 차는 사람 : a free 〔penalty〕 ~ 프리〔페널티〕킥 / a good ~ 잘 날아간 킥볼 ; 킥을 잘하는 선수. ⑥ Ⓤ《口》(위스키 따위의) 톡 쏘는 맛, 자극성 : This vodka has a lot of ~ in it. 이 보드카는 톡 쏜다. ⑦ Ⓒ《口》(유쾌한) 흥분, 스릴 ; 즐거움 : I get a ~ 〔~*s*〕 from 〔out of〕 diving. 나는 다이빙에 스릴을 느낀다. ⑧ Ⓤ《俗》원기, 활력, 반발력. ⑨ Ⓒ《俗》포켓. ***a ~ in the pants*** 〔***teeth***〕《口》(뜻밖의) 심한 처사, 모진 비난, 거부 ;《英俗》비참한 좌절. ***for ~s*** 〔***the*** ~〕 반 재미로, 스릴을 맛보려고. ***get a*** ~ 〔one*'s* ***~s***〕 ***from*** 〔***out of***〕《口》…이 자극적이다, …이 재미있다. ***get*** 〔***receive***〕 ***more ~s than halfpence*** 친절은커녕 경을 치다. ***get*** 〔***give*** a person〕 ***the*** ~ 해고당하다〔시키다〕. ***have no ~ left***《俗》(피곤해서) 반발력이 없다, 더 할 기운이 없다. ~ ***in*** one*'s* ***gallop***《俗》변덕. ***on*** 〔***off***〕 ***a*** ~《美俗》한창 열을 올리며〔벌써 열이 식어〕.

kick·back [kíkbæ̀k] *n.* Ⓤ,Ⓒ《美口》① (격렬한) 반동, 반응. ② (단골손님에의) 일부 환불, 리베이트(rebate), 중개료. ③ 임금의 일부를 떼내기〔가로채기〕;《俗》뻥땅 ; 정치 헌금, 상납(上納).

kick·ball [⌐bɔ̀ːl] *n.* Ⓤ 킥볼《야구 비슷한 아이들의 구기(球技) ; 배트로 치는 대신에 발로 큰 공을 참》.

kíck bòxing 킥 복싱.

kick·down [⌐dàun] *n.* Ⓒ (자동차의) 킥다운(장치)《자동 변속기가 달린 자동차에서, 액셀러레이터를 힘껏 밟고 저속으로 기어를 변속하기, 또는 그 장치》.

kick·er [kíkər] *n.* Ⓒ ① 차는 사람. ② 차는 버릇이 있는 말. ③《美俗》뜻밖의 장애〔함정〕; 의외의 결말.

kick·off [kíkɔ̀ːf / -ɔ̀f] *n.* Ⓒ ①〖蹴〗킥오프. ②《口》시작, 개시, (회의·조직적 활동의) 첫단계, 발단 : for a ~ 처음에, 우선 먼저〔첫째로〕/ the election ~ 선거 유세의 첫시작 / We arrived at the ground only moments before ~. 우리는 축구 경기가 시작되기 직전에 운동장에 도착했다.

kíck plèat 킥플리트《걷는데 불편하지 않도록 좁은 스커트의 앞이나 옆에 잡은 주름》.

kick·start [⌐stàːrt] *n.* Ⓒ ① 킥스타터《자전거·오토바이 등, 발로 차는 시동장치》. ② (오토바이처럼) 차서 시동거는 일.

kick·start·er [⌐stàːrtər] *n.* = KICKSTART ①.

kíck tùrn 〖스키〗 킥턴《정지했다가 행하는 180°의 방향 전환법》.

‡kid[1] [kid] *n.* ① Ⓒ 새끼염소. ② Ⓤ **a**) 키드 가죽. **b**) 새끼염소의 고기. ③ (*pl.*) 키드 가죽 장갑〔구두〕. ④ Ⓒ 《口》아이(child) ; 젊은이 : I have three ~*s*. 아이가 셋 있다 / Be quiet ; the ~*s* are asleep. 조용히 해요. 아이들이 자고 있다.

— *a.* ① 키드제(製)의 : ⇨ KID GLOVES. ②《口》손아래의 ; 미숙한 : one's ~ brother 동생.

kid[2] (*-dd-*)《口》*vt.* ① …을 조롱하다, 놀리다《*on* ; *along*》: Don't ~ me. 농담 마라 / You're ~*ding* me! 농담이(겠)지. ② 속이다, 속여 넘기다《*into*》: He ~*ded* me *into* thinking it was true. 그에게 속아넘어가 나는 그것이 정말인 줄 알았다. ③ 〔再歸的〕 (사실은 그렇지 않은데) 쉽게 생각하다, 헛 짚고 기분 좋아하다 : He's ~*ding himself* if he thinks he can learn to do it in a day. 그것을 하루에 암기할 수 있으리라 그가 생각한다면 오산이다. — *vi.*《口》조롱하다, 속이다《*on* ; *around*》. ***I ~ you not.***《口》농이 아니고 진담이다. ***No ~ding.*** (1) 농담이겠지《말 끝을 올릴 때》. (2) 농담이 아니다, 진담이다《말 끝을 내릴 때》. ⊕ ⌐·**der** *n.* 사기꾼 ; 조롱하는 사람.

kid·die, kid·dy [kídi] (*pl.* ***-dies***) *n.* Ⓒ《口》어린애.

kid·do [kídou / -dəu] *n.* Ⓒ《口》(친절하게 불러) 너, 자네 : Hello, ~. 어이, 이사람.

kid-glove [kídglʌ̀v] *a.* 〔限定的〕 (부드러운 키드가죽 장갑을 끼고 물건을 다루는 데서) 세심한 주의를 기울인, 조심스러운, 신중한 : ~ treatment 신중한 취급〔처리〕.

kíd glóves 키드 가죽 장갑. ***handle*** 〔***treat***〕 ***with*** ~《口》신중히 다루다.

kid·nap** [kídnæp] (-dd-*** ⌐***-d-***) *vt.* (아이)를 유괴하다 ; (몸값을 노리고 사람)을 납치하다 : The wife of a policeman has been ~*ped* from her home in downtown. 한 경찰관의 아내가 시내의 그녀 집에서 납치되었다 / The child was ~*ped* for ransom, but was rescued two days later. 그 아이는 몸값을 노려 유괴되었으나 이틀 뒤에 구출되었다. ⓒⓕ abduct. ⊕ **kìd·nap·(p)ée** [-íː] *n.* 유괴된 사람. **kíd·nàp(p)·er** *n.* 유괴자, 유괴범.

***kid·ney** [kídni] *n.* ① Ⓒ 〖解〗 신장(腎臟) : an artificial ~ 인공 신장. ② Ⓒ,Ⓤ (식용으로서의) 양·소 따위의 콩팥. ③ (*sing.*)《文語》성질, 기질, 종류, 형(型)(type) : a man of that ~ 그런 기질의 사람 / a man of the right ~ 성질이 좋은 사람. ◇ renal *a.*

kídney bèan 〖植〗 강낭콩 ; 붉은꽃잠두.

kídney machìne 인공 신장.

kid·ney-shaped [-ʃèipt] *a.* 신장〔콩팥〕 모양의, 강낭콩 모양의.

kídney stòne 〖解〗 신장 결석(結石).

kídney trànsplant 신장 이식.

kid·skin [kídskìn] *n.* Ⓤ 새끼염소의 가죽, 키드가죽.

Kier·ke·gaard [kíərkəgàːrd] *n.* **Sören Aabye** ~ 키르케고르《덴마크의 신학자·철학자·사상가 ; 1813-55》.

Ki·ev [kíːef, -ev] *n.* 키예프《우크라이나 공화국의 수도》.

kike [kaik] *n.* Ⓒ《美俗·蔑》유대인(Jew) ; 유대교인.

Kil·i·man·ja·ro [kìləməndʒáːrou] *n.* 킬리만자로《Tanzania에 있는 아프리카의 최고봉》.

†kill [kil] *vt.* ① …을 죽이다, 살해하다 : He was ~*ed* in a traffic accident. 교통사고로 죽었다. ② …을 도살하다 ; 쏘아 잡다 ; 말라 죽게 하다 : He ~*ed* the bear. 그는 곰을 죽였다 / The frost ~*ed* all the flower. 서리로 꽃이 다 말라 죽었다. ③ 《~+목 / +목+전+명》 (시간)을 보내다, 때우다 : ~ time 시간을 보내다 / Reading ~*s* time on the train. 열차 여행 때는 책을 읽으면 시간이 잘 간다 / It's rather difficult to ~ time here. 거기서 시간 때우기는 꽤 힘들거요. ④ **a**) (효과)를 약하게 하다 ; (바람·병 등)의 기세를 꺾다, 가라앉히다 ; (용수철)의 탄력성을 없애다 ; (빛깔)을 중화하다 : ~ the pain with a drug 약으로 통증을 가라앉히다 / The scarlet curtain ~*ed* the room. 저 빨간색 커튼은 방 안의 색조를 죽였다 / The trumpets ~ the strings. 트럼펫 소리 때문에 현악기 소리가 잘 안 들린다. **b**) (소리·냄새)를 없

애다; (엔진·전기·조명 따위)를 끄다: ~ the noise with a muffler 소음 장치로 소리를 없애다 / *Kill* the engine. 엔진을 끄시오. ⑤ (감정 따위)를 억압하다; (애정·희망 따위)를 잃게 하다, (기회)를 놓치게〔잃게〕 하다: ~ a person's hope 아무의 희망을 꺾다 / ~ one's affection 애정이 떨어지게 하다. ⑥ (의안 따위)를 부결하다; 깔아뭉개다: The bill was ~*ed* in Congress. 그 의안은 의회에서 부결되었다. ⑦〖印·編輯〗…을 지우다, 삭제하다(delete): The editor ~*ed* the story. 편집자는 그 이야기를 삭제했다. ⑧《~+目/+目+前+名》《口》(복장·모습·눈초리 등이) …을 압도하다, 뇌쇄(惱殺)하다; 포복절도케 하다: ~ a person with a glance 흘끗 한 번 보아 아무를 뇌쇄하다. ⑨ …을 녹초가 되게 하다, 몹시 지치게 하다; (술·노고 등이) …의 수명을 줄이다; (병 등이) …의 목숨을 빼앗다; …을 몹시 괴롭히다: My shoes are ~*ing* me. 구두가 끼어서 죽을 지경이다. ⑩《口》(음식물)을 다 먹어치우다, (술병 따위)를 비우다. ⑪〖테니스〗(공)을 받아치지 못하게 강타하다(smash). ⑫〖美蹴〗(공)을 딱 멈추다.
— *vi.* ① 사람을 죽이다, 살생하다; 《口》 사람을 뇌쇄〔압도〕하다: She was dressed 〔got up〕 to ~. 그녀는 황홀할 정도의 옷차림을 하고 있었다. ② 피살되다, 죽다; (식물이) 말라 죽다. ③《+副》(도살했을 때) …의 고기가 나다: The ox ~*ed* well 〔badly〕. 그 소는 고기가 많이 나왔다〔안 나왔다〕. ~ ***down*** 죽이다, 말라 죽게 하다. ~ ***off*** 〔***out***〕 모두 죽이다: The severe frost ~*ed off* the vegetables. 된 서리로 채소가 모두 죽었다. ~ one***self*** 자살하다: He ~*ed* him*self* in despair. 그는 절망하여 자살했다. ~ ***two birds with one stone*** 일거양득하다. ~ a person ***with kindness*** 친절이 지나쳐 도리어 화를 입히다. ***That ~s it.*** 이것으로 〔이젠〕 다 글렀다, 망쳐 버렸다, 할 마음이 없어졌다.
— *n.* ① (the ~) (사냥에서 짐승을) 죽이기, 잡기. ② (*sing.*) 잡은 사냥감. ③〖컴〗 없앰. ***be in at the*** ~ (1) 사냥감을 죄죽일 때 (마침) 그 자리에 있다. (2) (사건 등의) 최후를 끝까지 지켜보다. ~ ***or cure*** 죽기 아니면 살기로.

kill·er** [kílər] *n.* Ⓒ ① 죽이는 것; 살인자, 살인 청부업자; 살인귀. ②〖動〗=KILLER WHALE. ③ 치명적인 병. ④《口》 **a)** 경이적인 것, 대단한〔굉장한〕 것. **b)** 유쾌한 농담. **c)** 결정적인 타격. ***a humane ~ 무통(無痛) 도살기. — *a.* 〔限定的〕 치명적인, 생명에 관계되는, 무서운: a ~ disease 생명에 관계되는 병 / a ~ cold 살인적인 추위.

kíller ìnstinct (*sing.*) 살해 본능; 잔인한(이기적인) 성질: Sharks have the ~. 상어에게는 살해 본능이 있다.

kíller whàle 〖動〗 범고래.

***kill·ing** [kíliŋ] *a.* ① 죽이는, 치사(致死)의(fatal); 시들게 하는; 죽을 지경의, 무척 힘이 드는: I rode at a ~ pace. 죽을 힘을 다해서 말을 달렸다 / ~ power 살상력 / a ~ frost 식물을 고사(枯死)시키는 서리. ②《口》 뇌쇄적인; 우스워 죽을 지경인: You are too ~. 자네 정말 웃기는군 / Jane looked ~ in gray. 회색 옷을 입은 제인은 정말 매력적이었다. — *n.* ① Ⓤ 살해; 살인; 도살. ② Ⓤ 〔集合的〕 사냥한 동물. ③ (a ~) 《口》 큰 벌이, (주(株)·사업 등의) 대성공: make *a* ~ in stocks 주식에서 크게 한몫 보다. ㊕ **~·ly** *ad.* 못 견딜 정도로, 뇌쇄하듯이.

kílling bòttle (곤충 채집용의) 살충병.

kill-joy [kíldʒɔ̀i] *n.* Ⓒ (좌중의) 흥을 깨는 사람.

kiln [kiln] *n.* Ⓒ 가마, 노(爐); 건조로(爐)〔실〕: a brick ~ 벽돌 가마 / a hop ~ 홉 건조실. — *vt.* …을 가마에 굽다; 건조로〔실〕에서 말리다.

kilo [kí(ː)lou] (*pl.* **~s**) *n.* Ⓒ 킬로(kilogram, kilometer 등의 간약형).

kilo- '천(千)'의 뜻의 결합사.

kil·o·bit [kíləbìt] *n.* Ⓒ 〖컴〗 킬로비트《1,000 bits》.

kil·o·byte [kíləbàit] *n.* Ⓒ 〖컴〗 킬로바이트《1,000 bytes》.

kil·o·cal·o·rie [kíləkæ̀ləri] *n.* Ⓒ 킬로칼로리《열량의 단위; 1,000 cal; 略: kcal, Cal》.

kil·o·cy·cle [kíləsàikl] *n.* Ⓒ 〖物〗 킬로사이클《주파수의 단위; 1,000 사이클; 略: kc; 지금은 kilohertz 라고 함》.

***kil·o·gram,** 《英》 **-gramme** [kíləgræ̀m] *n.* Ⓒ 킬로그램《1,000 g, 약 266.6 돈쭝; 略: kg》.

***kil·o·hertz** [kíləhə̀ːrts] *n.* Ⓒ 킬로헤르츠《주파수의 단위; 略: kHz》.

***kil·o·li·ter,** 《英》 **-tre** [kíləlìːtər] *n.* Ⓒ 킬로리터《1,000 리터; 略: kl》.

***kil·o·me·ter,** 《英》 **-tre** [kilámitər, kíləmìːtər / kilɔ́-] *n.* Ⓒ 킬로미터《1,000 m; 略: km》: The fire destroyed some 50,000 square ~*s* of forest. 그 화재는 5만 평방 킬로미터의 숲을 불태워 버렸다.

kil·o·met·rage [kilámətridʒ / -lɔ́-] *n.* Ⓒ (행정(行程)·여정(旅程)의) 킬로미터수(數), 주행 킬로수.

kil·o·ton [kílətʌ̀n] *n.* Ⓒ 킬로톤《1,000톤 또는 TNT 1,000 톤에 상당하는 폭파력; 略: kt》.

kil·o·volt [kíləvòult] *n.* Ⓒ 〖電〗 킬로볼트《전압의 단위; 略: kv》.

***kil·o·watt** [kíləwàt / -wɔ̀t] *n.* Ⓒ 〖電〗 킬로와트《전력의 단위; 1,000와트; 略: kW》.

kil·o·watt-hour [-áuər] *n.* Ⓒ 킬로와트시(時)《1시간 1킬로와트의 전력; 略: kWh》.

kilt [kilt] *n.* ① Ⓒ 킬트《스코틀랜드 고지 지방에서 입는 남자의 짧은 스커트》. ② (the ~) 스코틀랜드 고지 사람의 의상. — *vt.* (스커트 자락)을 걷어 올리다; (스커트)에 세로주름을 잡다.

kilt·ed [kíltid] *a.* ① 킬트를 입은. ② (스커트가) 세로주름을 잡은.

kil·ter [kíltər] *n.* Ⓤ 〔다음의 成句로만〕 ***out of*** ~ 상태가 나쁜, 고장난: I'm having terrible trouble adding up these totals.—I think my brain must be *out of* ~! 이들 총계를 내는 데 머리가 아파 죽겠다. 내 머리가 잘못된 게 분명하다.

kim·chi, kim·chee [kímtʃiː] *n.* Ⓤ 김치.

kin** [kin] *n.* Ⓤ ① 〔集合的〕 친족, 친척, 일가, 혈연 (관계): be no ~ to …와 친척이 아니다〔혈연 관계가 없다〕 / We're ~ to the President. 우리는 대통령과 친척이 된다. ② 동류(同類), 동질(同質): of the same ~ as …와 동질인. ***count ~ ***with*** 《Sc.》 (…와) 가까운 핏줄〔혈연〕이다. ***near of*** ~ 근친인. ***next of*** ~ 최근친(인). ***of*** ~ (1) 친척의. (2) 같은 종류의(*to*).
— *a.* ① 동족인, 친척 관계인. ② 동류인, 동질인 《*to*》: He is ~ *to* me. 그는 나의 친척이다. ***more ~ than kind*** 친척이지만 정이 없는, 매우 가까운 친척이지만 친밀하지 않은《*Hamlet* 에서》. ㊕ **∠·less** *a.* 친척〔일가〕 없는.

-kin *suf.* '작은'의 뜻: lamb*kin*, prince*kin*.

†**kind**[1] [kaind] *n.* ① Ⓒ 종류(class, sort, variety): many ~*s* of fruit 많은 종류의 과일 / a book of the best ~ 가장 좋은 종류의 책 / three ~*s* of magazine(s) (성격이 다른) 3 종류의 잡지 《≠three magazines 잡지 3 권》/ What ~ of (a) man is he? 그는 어떠한 사람입니까《★ ~ of 다음의 單數形에 a(n)을 붙이면 감정적인 뜻을 지니

는 경우가 있음》/ We need a different ~ of test. 다른 종류의 검사가 필요하다 / He is not the ~ (of person) to break his promise. 그는 약속을 어길 그런 (종류의) 사람이 아니다. ② [C] 종족《동식물 따위의 유(類)·종(種)·족(族)·속(屬)》: the cat ~ 고양이속 / the human ~ 인류. ③ [U] (유별(類別)의 기초가 되는) 성질, 본질. ④ [C] 〖敎會〗 성찬의 하나《빵 또는 포도주》. ***after** one's* ~ 자기 본성에따라. ***a ~ of*** …의 일종, 일종의…, 말하자면 …라 할 수 있는; …와 같은 것; 하찮은…: He is *a ~ of* stockbroker. 그는 일종의 주식 중매인 같은 일을 하고 있다. ***all ~(s) of*** 각종의, 모든 종류의; 다량〔다수〕의: *all ~s of* possibilities 모든 종류의 가능성. ***in a ~*** 어느 정도, 얼마간; 말하자면. ***in ~*** (1) (지급을 금전이 아닌) 물품으로: taxes paid *in ~* 물납세(稅) / wage *in ~* 현물 급여. (2) 같은 것〔방법〕으로: repay a person's insult *in ~* 모욕을 모욕으로 되갚다. (3) 본래의 성질이, 본질적으로: The two differ *in ~*, not in degree. 양자(兩者)는 성질이 다른 것이지 정도가 다른 것은 아니다. ***~ of*** [káindəv, -də] 《口》 얼마쯤, 그저, 좀, 오히려: The room was *~ of* dark. 방은 조금 어두웠다. ★ 함께 쓰이는 형용사·동사의 뜻을 약화시키기 위해 口語에서 잘 쓰임. kind o', kinder, kinda로 쓰기도 함. [cf.] SORT of. ***of a ~*** (1) 같은 종류의, 동일종의: four *of a ~* (포커에서) 포 카드《같은 패 4장의 수》. (2) 일종의, 이름뿐인, 도저히 …라고 말할 수 없는, 엉터리의: coffee *of a ~* (커피라고 말할 수 없는) 이상한 커피 / wine *of a ~* 싸구려 포도주 / a gentleman *of a ~* 이름뿐인 신사. ***something of the ~*** 그저 그렇고 그런 것. ***these*** 〔***those***〕 ***~ of men*** 이런〔저런〕 사람들(men of this〔that〕 ~).

†kind² *a.* ① 친절한, 다정한, 인정있는, 동정심이 많은《*to*》: She was very ~ *to* us. 그녀는 우리에게 아주 친절했다 / It is very 〔so〕 ~ *of* you to lend me the book. 책을 빌려주셔서 정말 고맙습니다 / It's ~ *of* you to say so. 그렇게 말씀해 주시니 감사합니다 / Would you be ~ enough to post this letter? 미안하지만 이 편지를 좀 부쳐주겠나. ② (편지에서) 정성어린: Please give my ~ regards to your mother. 어머님께 안부 전해 주시오. ③ 순한; 온화한《*to*》: The new detergent is ~ *to* your skin. 새로운 세제는 피부에 부드럽다 / a ~ climate 온화한 기후. ◇ kindness *n.* ***be cruel to be ~*** 마음을 모질게 먹다. ***Be so ~ as to*** do. =***Be ~ enough to*** do. 부디 … 해 주십시오. ***with ~ regards*** 여불비례《편지의 끝맺음 말》.

kinda, kind·er [káində], [káindər] *ad.* 《口》 =KIND¹ of.

kin·der·gar·ten [kíndərgɑ̀:rtn] *n.* [C,U] 《G.》 유치원.

㊕ **~·er, -gart·ner** [-ər] *n.* [C] ① (유치원의) 보모. ② (유치원) 원아.

kind·heart·ed [káindhɑ́:rtid] *a.* 마음이 친절한, 인정 많은(compassionate): a ~ man / a ~ attitude 인정스러운 태도.

㊕ **~·ly** *ad.* **~·ness** *n.*

‡kin·dle¹ [kíndl] *vt.* ① …에 불을 붙이다, 태우다, 지피다: ~ straw 짚에 불을 붙이다 / ~ twigs with a match 성냥으로 잔 가지에 불을 붙이다. ② …을 밝게〔환하게〕하다, 빛내다: The rising sun ~*d* the distant peaks. 솟아오르는 아침 해가 멀리 있는 산정을 밝게 빛냈다. ③《~+[목] / +[목]+[전]+[명] / +[목]+*to* do》 (정열 따위)를 타오르게 하다(inflame), 선동하다, 부추기다(stir up): The insult ~*d* his anger. 그 모욕이 그의 분노를 타오르게 했다 / The policy ~*d* them to revolt. 정책이 그들의 폭동을 유발했다 / The second world war ~*d* his enthusiasm for politics. 2차 세계 대전은 그에게 정치에 대한 의욕을 부추겼다.

── *vi.* ① 불이 붙다, 타오르다《*up*》: The dry wood ~*d up* quickly. 마른 나무가 빠르게 불타 올랐다 / Damp wood will not ~. 젖은 나무는 불이 붙지 않는다. ② (얼굴 등이) 화끈 달다, 뜨거워지다, 빛나다(glow); 번쩍번쩍하다《*with*》: His eyes were *kindling with* joy. 그의 눈은 기쁨으로 빛나고 있었다. ③ 흥분하다, 격하다(be excited) 《*at*》: ~ *at* the harsh words 거친 언사에 흥분하다〔벌컥 화내다〕.

***kind·li·ness** [káindlinis] *n.* ① [U] 친절, 온정. ② [C] 친절한 행위. ③ [U] (기후 따위의) 온화.

kin·dling [kíndliŋ] *n.* [U] ① 점화, 발화. ② 흥분, 선동. ③ 불쏘시개(=∠ **wòod**).

‡kind·ly [káindli] (***-li·er; -li·est***) *a.* ① 〖限定的〗 친절한, 상냥한, 이해심 많은, 인정 많은: a ~ heart 친절한 마음씨 / a ~ smile 상냥한 미소 / ~ words of advice 친절한 조언 / Ellen's ~ eyes were on him. 엘렌의 다정한 눈길이 그에게 쏠려 있었다. ② (기후 따위가) 온화한, 쾌적한, 상쾌한: a ~ climate for crops 작물에 적합한 온화한 기후. ③〖敍述的〗 (땅 따위가) (…에) 알맞은 《*for*》.

── *ad.* ① 친절하게, 상냥하게: She ~ helped me with my work. 그녀는 친절하게 내 일을 도와주었다. ②〖命令文 따위와 함께〗 부디 (…해 주십시오) (please): *Kindly* give me your address. 주소를 알려 주십시오 / Will 〔Would〕 you ~ tell me...? …을 가르쳐 주시지 않겠습니까 / Would you ~ 〔please〕 shut the window? 미안하지만 창문 좀 닫아 주시겠습니까. ③ 쾌히, 기꺼이 (agreeably), 진심으로: take a person's advice ~ 아무의 충고를 쾌히 받아들이다 / I would take it ~ if you would speak to him about this. 이 일을 그에게 말씀해 주시면 고맙겠습니다만 / Thank you ~. 참으로 고맙습니다. ④ 자연히, 무리 없이(naturally).

take ~ to . . . 〔종종 否定文에서〕 …을 쾌히 받아들이다, 선의로 해석하다, …을 좋아하다: He does*n't take ~ to* criticism. 그는 비판을 순순히 받아들이지 않는다.

‡kind·ness [káindnis] *n.* ① [U] 친절, 상냥함; 인정: treat a person with ~ 아무에게 친절하게 하다 / Thank you for your ~. 친절을 베풀어 주셔서 감사합니다 / Would you have〔do me〕 the ~ to pull up the window? 미안하지만 창문을 좀 올려 주시겠습니까. ② [C] 친절한 행위〔태도〕, 돌봄: Would you do〔show〕 me a ~? 부탁이 하나 있습니다만 / Thank you for your many ~*es*. 여러가지로 친절히 해 주셔서 감사합니다 / He has done〔shown〕 me many ~*es*. 그는 여러 모로 나를 친절하게 돌보아 주었다. ***have a ~ for*** a person 아무에게 호의를 가지다, …가 어쩐지 좋다. ***kill*** a person ***with ~*** ⇨ KILL. ***out of ~*** 친절심〔호의〕에서.

kind o' [káində] 《口》 =KIND¹ of.

‡kin·dred [kíndrid] *n.* ①〖集合的; 複數 취급〗 친족, 친척: All her ~ are living in the country. 그녀의 친척은 모두 시골에 살고 있다. ② [U] 혈연, 혈족 관계, 친척 관계(relationship)《*with*》: The swindler claimed ~ *with* royalty. 그 사기꾼은 왕실과 혈연 관계가 있다고 말했다 / The offender made proper restitution to the victim's ~. 그 범죄자는 희생자의 유족에게 손해배상을 했

다. ── *a.* 〔限定的〕 ① 혈연의, 친척 관계의 : ~ races 동족. ② 유사한, 같은 성질의《*with*》: a ~ spirit 마음이 맞는〔취미가 같은〕 사람 / ~ languages 같은 계통의 언어.

kindsa [káindzə] 〔발음 철자〕 = kinds of.

kine [kain] *n.* 《古》 cow 의 복수형.

kin·e·mat·ic, -i·cal [kìnəmǽtik / kài-], [-əl] *a.* 〖物〗 운동학적인, 운동학(상)의. ⊞ **-i·cal·ly** *ad.*

kin·e·mat·ics [kìnəmǽtiks, kàinə-] *n.* Ⓤ 〖物〗 운동학.

kin·e·scope [kínəskòup] *n.* Ⓒ ① 키네스코프《브라운관의 일종》; (K-) 그 상표 이름. ② 키네스코프 녹화《텔레비전 프로의 필름 녹화》.

ki·ne·sics [kiní:siks, kai-, -ziks] *n.* Ⓤ 동작학《몸짓·표정과 전달의 연구》.

ki·net·ic [kinétik, kai-] *a.* ① 〖物〗 운동의, 운동에 의한 ; 동역학(kinetics)의 : ⇨ KINETIC ENERGY. opp. *static.* ② 활동력이 있는, 활동적인 : a man of ~ energy 활동적인 사람.

kinétic árt 키네틱 아트《동력·빛의 효과 등의 움직임을 도입한 조각·아상블라주(assemblage) 등》. ⊞ **kinétic ártist** 키네틱 아트를 다루는 예술가.

kinétic énergy 〖物〗 운동 에너지.

ki·net·ics [kinétiks, kai-] *n.* Ⓤ 〖物〗 동역학. opp. *statics.*

kin·folk(s) [kínfòuk(s)] *n.* 〔複數취급〕 친척 《★ 《美》에선 흔히 kinfolk 라고 하나, kinsfolk, kinfolks 도 씀》.

King [kiŋ] *n.* **Martin Luther ~, Jr.** 킹《미국의 종교가·흑인 공민권 운동 지도자 ; Nobel 평화상 (1964) ; 암살되었음 ; 1929-68》.

†**king** [kiŋ] *n.* ① (때로 K-) Ⓒ 왕, 국왕, 군주 : the *King* of Sweden 스웨덴 국왕 / His Majesty the *King* 국왕 폐하 / become ~ 왕위에 오르다, 왕이 되다. cf. queen. ② Ⓒ 〖카드놀이〗 킹 ; 〖체스〗 왕장(王將) : the ~ of spades 스페이드의 킹 / check the ~ 장군을 부르다. ③ Ⓒ (각 분야의) 제1인자, 거물(巨物), 큰 세력가 : an oil ~ 석유왕 / a railroad ~ 철도왕. ④ Ⓒ (종종 the ~) 왕에 비견되는 동물〔식물 등〕 : *the* ~ of beasts 백수의 왕《사자》 / *the* ~ of birds 조류의 왕《수리》 / *the* ~ of day 태양 / *the* ~ of forest 숲의 왕《떡갈나무》 / *the* ~ of jungle 밀림의 왕 《호랑이》 / *the* ~ of fish 어류의 왕《연어》 / *the King* of Waters 강 중의 왕《아마존 강》. ⑤ (the (Book of) K-s) 〖聖〗 열왕기. ***King of Kings*** (the ~) (1) 하느님, 신(Almighty God), 그리스도. (2) 왕자(王者)중의 왕자, 황제《옛날 페르시아 등 동방 여러 나라의 왕의 칭호》. ***the King of Arms*** (영국의) 문장원(紋章院) 장관. ***the King of Heaven*** 신, 그리스도. ***the King of Misrule*** = LORD of Misrule. ***the ~ of terrors*** 〖聖〗 사신(死神)《욥기 XVIII : 14》. ***the King of the Castle*** 《英》 (1) 서로 떨어뜨리며 높은 곳으로 올라가는 왕놀이《아이들의 놀이》. (2) ((the) k- of the c-) 조직〔그룹〕 중의 최중요〔중심〕 인물. ***to the*** 〔***a***〕 ***~'s taste*** ⇨ TASTE.

── *vi., vt.* 왕이 되다, 왕으로 모시다, (…에) 군림하다, 통치하다 ; 왕자처럼 행동하다. ~ ***it over*** …에게 왕과 같이 행동하다 : ~ *it over* one's associates 동료들에게 왕처럼 굴다.

⊞ **∠·like** *a.* 국왕과 같은(kingly), 당당한.

king·bird [∠bə̀:rd] *n.* Ⓒ 〖鳥〗 딱새류《북아메리카산》; 풍조(風鳥)의 일종.

king·bolt [∠bòult] *n.* Ⓒ 〖機〗 킹볼트, 중심핀 (kingpin) ; 〖建〗 중심 볼트.

Kìng Chárles spániel 〖動〗 킹 찰스 스패니얼《흑갈색의 작은 애완용 개》.

kíng cóbra 〖動〗 킹코브라《인도산의 독사》.

kíng cráb 〖動〗 참게(horseshoe crab).

king·craft [∠krǽft, ∠krɑ̀:ft] *n.* Ⓤ (왕으로서의) 치국책(治國策), 통치 수완 ; 왕도.

king·cup [∠kʌ̀p] *n.* Ⓒ 〖植〗 ① 미나리아재비 (buttercup). ② 눈동이나물속(屬)의 일종.

‡**king·dom** [kíŋdəm] *n.* ① Ⓒ 왕국, 왕토, 왕령 (王領) (realm) : the *Kingdom* of England 잉글랜드 왕국 / ⇨ UNITED KINGDOM. ② (the 〔thy〕 ~) 〖基〗 신정(神政) ; 신국 : Thy ~ come. 〖聖〗 나라이 임하옵소서《마태 VI : 10》. ③ Ⓒ 〖生〗 …계(界) : the animal ~ 동물계 / the plant ~ 식물계. ④ Ⓒ (학문·예술 등의) 세계, 분야(分野), 영역 : the ~ of music 음악의 세계 / the ~ of science 과학계 / the ~ of the mind 정신계, 마음의 세계. ***come into*** one***'s ~*** 권력〔세력〕을 잡다. ***the ~ of Heaven*** 천국.

kíngdom cóme 《口》 내세(來世), 천국 : go to ~ 죽다. ***blow*** 〔***send***〕 a person ***to ~*** (폭탄 등으로) 죽이다. ***until ~*** 《口》 이 세상 다할 때까지, 영원히, 언제까지나.

king·fish [∠fìʃ] (*pl.* **~es,** ~) *n.* Ⓒ ① 북아메리카산의 큰 물고기《붉은개복치(opah) 등》. ② 《口》 거물, 거두.

king·fish·er [∠fìʃər] *n.* Ⓒ 〖鳥〗 물총새.

Kìng Jámes 〔**Jámes's**〕 **Vérsion** 〔**Bíble**〕 (the ~) 흠정(欽定) 영역 성서(the Authorized Version).

Kíng Kóng [kíŋkɔ̀:ŋ, -kɑ́ŋ] 킹콩《영화 따위에 등장하는 거대한 고릴라》; 거한(巨漢).

Kíng Léar 리어 왕《Shakespeare 작 4 대 비극의 하나 ; 또, 그 주인공》.

king·less [kíŋlis] *a.* 국왕이 없는 ; 무정부 상태의.

king·let [kíŋlit] *n.* Ⓒ ① 《종종 蔑》 소왕(小王), 작은 나라의 왕. ② 〖鳥〗 상모솔새.

***king·ly** [kíŋli] (**-li·er ; -li·est**) *a.* ① 왕의, 왕자(王者)의. ② 왕다운 ; 왕자에 어울리는 ; 당당한, 위엄 있는 : a ~ bearing 왕자다운 태도. ⊞ **-li·ness** *n.*

king·mak·er [kíŋmèikər] *n.* Ⓒ ① 국왕 옹립자. ② (정부 요직의 안배 등에 영향력을 가지는) 정계 실력자 : He was content with the role of ~ within the party. 그는 당내의 정계 실력자 역할에 만족하고 있었다.

king·pin [∠pìn] *n.* Ⓒ ① 〖볼링〗 중앙의 핀《5번 핀 또는 headpin》. ② 〖機〗 중심 핀(kingbolt). ③ 《口》 두령 ; 주요 인물, 중추.

kíng pòst 〔**pìece**〕 〖建〗 왕대공, 쪼구미. cf. queen post.

Kíng's Bénch (**Divìsion**) (the ~) 《英》 (고등법원(High Court)의) 왕좌부(王座部) ; 《본디》 왕좌 재판소.

Kíng's Cóunsel 《英》 칙선(勅選) 변호사《略 : K.C. ; 여왕일 때는 Queen's Counsel》.

Kíng's Énglish (the ~) (잉글랜드 남쪽에서 교양인이 쓰는) 표준 영어.

kíng's évil (the ~) 연주창(scrofula) 《왕의 손이 닿으면 낫는다고 믿어진 데서》.

king·ship [kíŋʃip] *n.* Ⓤ ① 왕의 신분 ; 왕위, 왕권 ; 왕의 존엄. ② 왕의 지배〔통치〕(력) ; 왕정.

king-size(d) [∠sàiz(d)] *a.* 〔限定的〕 《口》 ① 특별히 긴〔큰〕, 킹사이즈의 : a ~ cigarette. ② (침대가) 특대의《76×80 인치》. cf. queen-〔twin-〕 size.

kíng's ránsom 왕이 포로가 되었을 때의 몸값 ; 엄청난 돈 : worth a ~ 매우 가치가 큰.

K

Kings·ton [kíŋstən] *n.* 킹스턴《자메이카의 수도; 해항(海港)》.

kink [kiŋk] *n.* Ⓒ ① (밧줄·쇠사슬·실 따위의) 꼬임, 비틀림; (머리털의) 곱슬곱슬함: a ~ in a rope 밧줄의 꼬임 / straighten out the ~*s* 꼬인 것을 곧게 펴다 / The water isn't coming out because there is a ~ in the hosepipe. 호스에 꼬인 데가 있어 물이 나오지 않는다. ② (목 따위의) 뻐근함, 결림, 경련: a ~ in the back. ③《口》성도착(性倒錯). ④ (기계·계획 등의) 결함.
— *vi., vt.* 비꼬이(게 하)다, 비틀리(게 하)다.

kinky [kíŋki] (***kink·i·er*** ; ***-i·est***) *a.* ① 비꼬인, 비틀린; 꼬이기 쉬운; 곱슬머리의. ② **a)**《英口》마음이 빙퉁그러진, 변덕스러운, 괴팍한. **b)** 성적으로 도착된, 변태의.

-kins ⇨ -KIN.

Kin·sey [kínzi] *n.* **Alfred Charles** ~ 킨제이《미국의 동물학자; 1948 년과 1951 년에 각각 남·여의 성(性)행동에 관한 연구 보고(Kinsey Reports)를 발표; 1894-1956》.

kins·folk [kínzfòuk] *n. pl.* ＝KINFOLK(S).

Kin·sha·sa [kinʃɑ́:sə] *n.* 킨샤사《Zaire 의 수도; 구칭 Léopoldville》.

kin·ship [kínʃip] *n.* Ⓤ ① 친족〔혈족〕 관계, 친척임. ② (성질 따위의) 유사, 근사.

kins·man** [kínzmən] (*pl.* ***-men [-mən]) *n.* Ⓒ ① 혈족〔친척〕인 남자. ② 동족인 남자.

kins·wom·an [kínzwùmən] (*pl.* ***-wo·men*** [-wìmin]) *n.* Ⓒ ① 혈족〔친척〕인 여자. ② 동족인 여자.

ki·osk, ki·osque [kí:ɑsk, -ˊ/-ɔsk] *n.* Ⓒ ① 벽 없는 오두막, (터키 등지의) 정자. ② 키오스크, 가판대《역·광장 등에 있는 신문·잡지 등의 매점》: I was getting cigarettes at the ~. 나는 역의 가판대에서 담배를 사고 있었다. ③《英》공중전화 박스.

Ki·o·wa [káiəwɔ̀:, -wɑ̀:] (*pl.* ~, ~*s*) *n.* ① Ⓒ 카이오와 족《북아메리카 서부의 유목 인디언; 현재 Oklahoma 주에 거주》. ② Ⓤ 카이오와어(語).

kip[1] [kip] *n.* Ⓤ 어린〔작은〕 짐승의 가죽, 킵가죽 (＝**kíp·skìn**).

kip[2]《英俗》*n.* ① Ⓒ 하숙; 여인숙; 잠자리. ② Ⓤ (또는 a ~) 잠, 수면: have a ~ 한잠 자다.
— (**-pp-**) *vi.* 잠자다《*down*》.

Kip·ling [kípliŋ] *n.* **(Joseph) Rudyard** ~ 키플링《영국의 시인·소설가; 노벨 문학상(1907); 1865-1936》.

kip·per [kípər] *n.* ① Ⓒ,Ⓤ 키퍼《청어〔연어〕를 훈제해 말린 것》. cf. bloater. ② Ⓒ 산란기〔산란 후〕의 연어〔송어〕의 수컷. — *vt.* …을 훈제〔건물(乾物)〕로 하다: a ~*ed* herring 훈제 청어.

Kir·ghi·zi·a [kiərgí:ziə / kə́:rgiziə] *n.* Ⓒ 키르기스 사람《1990년 Kyrgyzstan 으로 국명을 바꿈》.

Ki·ri·ba·ti [kìribɑ́:ti, kírəbæ̀s] *n.* 키리바시《태평양 중부의 섬으로 된 공화국; 수도 Tarawa》.

kirk [kə:rk] *n.* Ⓒ《Sc.》교회. ***the Kirk*** (***of Scotland***) 스코틀랜드 교회.

kirsch(·was·ser) [kiərʃ(vɑ̀:sər)] *n.*《G.》Ⓤ 버찌술.

kis·met [kízmet, kís-] *n.* Ⓤ 운명, 천명.

†**kiss** [kis] *n.* Ⓒ ① 키스, 입맞춤: She gave him a ~ on the lips〔cheek〕. 그녀는 그의 입술〔볼〕에 키스했다 / The young couple exchanged ~*es* at the airport. 그 젊은 남녀는 공항에서 키스를 교환했다. ②《詩》(산들바람이 꽃·머리카락 등에) 가볍게 스침〔흔듦〕, 가벼운 접촉: the ~ of the wind on the trees 바람이 나무에 가볍게 스침. ③〖撞球〗(공과 공의) 접촉, 키스. ④ 달걀 흰자와 설탕을 섞어 구운 과자. ***blow a ~ to*** …에게 키스를 보내다《멀리서 손시늉으로》. ***give a ~ to*** …에게 키스하다. ***the ~ of death***《口》죽음의 키스, 위험한 관계〔행위〕, 재앙의 근원. ***the ~ of life***《英》(입으로 하는) 인공 호흡(법);《比》기사(起死) 회생책.
— *vt.* ①《~＋목 / ＋목＋전＋명》…에 키스하다, 입맞추다: ~ one's love 연인에게 키스하다 / ~ a person *on* the mouth〔cheek〕＝~ a person's mouth〔cheek〕아무의 입〔볼〕에 키스를 하다. ②《＋목＋목》(아무에게) …의 키스를 하다: ~ a person good-night 아무에게 잘 자라는 키스를 하다. ③ (미풍·파도가) …에 가볍게 스치다; (당구공 등이 서로) 가볍게 부딪(치)다: The wind ~*ed* my hair. 바람이 머리카락을 스치고 지나갔다. — *vi.* ① 입맞추다, 키스하다: The couple ~*ed* passionately. 두 남녀는 뜨거운 키스를 했다. ②〖撞球〗(공과 공이) 가볍게 맞닿다. ~ ***and be friends*** 키스하고 화해하다. ~ ***and tell***《口》신뢰를 저버리다, 비밀을 입 밖에 내다, 서약을 깨다. ~ a person***'s ass***《俗》남에게 아부하다. ~ ***away*** (눈물·걱정 등을) 키스로 지우다〔없애다〕: She ~*ed away* the baby's tears. 아기에게 키스를 해서 울음을 멈추게 했다. ~ ***good-by*** (1) 이별의 키스를 하다《*to*》. (2)《口》…을 (내)버리다; 체념하다: You can ~ your bicycle *good-by* if you don't lock it. 자물쇠를 채우지 않으면 자전거가 없어질 수 있다. ~ ***hands*** 〔***the hand***〕 (of a sovereign) (황제의) 손에 입맞추다《대신 등의 취임 예식》. ~ ***off*** (1) (입술 연지 등을) 키스로 지우다: He ~*ed* her lipstick *off*. 그의 키스로 그녀의 입술 연지가 지워지고 말았다. (2)《美俗》해고하다(dismiss), 거절〔무시〕하다. (3)《美俗》피하다, 도망치다. ~ one***'s hand to*** …에게 키스를 보내다. ~ ***the Bible*** 〔***the Book***〕 성경에 입맞추어 선서하다. ~ ***the canvas*** 〔***resin***〕《美俗》(복싱에서) 케이오〔다운〕당하다. ~ ***the dust*** (1) 굴복하다, 굴욕을 당하다. (2) 결투로 쓰러지다, 피살되다. ~ ***the ground*** 넙죽 엎드리다; 굴욕을 맛보다. ~ ***the post*** (늦어서) 내쫓기다. ~ ***the rod*** 〔***cross***〕 순순히 처벌을 받다.

kiss·a·ble [kísəbəl] *a.* 키스하고 싶어지는《입·입술》: a ~ mouth.
㊞ ~**·ness** *n.* **-bly** *ad.*

kiss-and-tell [kísændtel] *a.*〔限定的〕정사를 폭로하는 가십 기사의.

kíss cùrl《英》(이마·관자놀이에) 착 붙게 한 「고수〔애교〕머리.

kiss·er [kísər] *n.* Ⓒ ① 키스하는 사람. ②《俗》입; 입술; 얼굴.

kiss·ing [kísiŋ] *a., n.* 키스하는(하기).

kíssing cóusin ① **a)** 만나면 키스나 할 정도의 먼 친척. **b)** ＝KISSING KIN. ② 아주 닮은 것.

Kiss·ing·er [kísəndʒər] *n.* **Henry Alfred** ~ 키신저《미국의 정치학자·정치가; 1923- 》.

kíssing kín 인사로 키스를 나눌 정도의 먼 친척 (kissing cousin).

kiss-me-quick [-mikwìk] *n.* Ⓒ ① 앞이마에 늘어뜨리는 애교 머리. ② 뒤통수에 쓰는 챙 없는 모자(kiss-me-quick hat)《19 세기 후반에 유행했음》.

KIST Korea Institute of Science and Technology(한국 과학 기술 연구원, 키스트).

***kit**[1] [kit] *n.* ① Ⓒ 연장통〔주머니〕; 도구 한 벌; 여행·운동 용구 일습: a toilet ~ 세면 도구 / a first-aid ~ 구급 상자 / a doctor ~ 의사 가방 / a golfing ~ 골프용품. ② Ⓒ (모형 비행기 등의) 조립용 부품 세트〔한 벌〕. ③ Ⓤ《英》**a)**〖軍〗(무기 이외의 병사의) 장구(裝具), 장비. **b)** (특정 목적

을 위한) 장비, 복장: flying ~ 비행복. ④ Ⓒ 〖컴〗 맞춤짝. ***the whole*** ~ (***and caboodle*** 〔***boodle, boiling***〕) 《口》 이것저것〔너나 없이〕 모두, 전부.
—— (*-tt-*) *vt.* 《英》 …에게 장비를〔복장을〕 갖추게 하다《*out* ; *up*》.

kit[2] *n.* Ⓒ 새끼고양이《kitten의 간약형》.

kít bàg (군인·여행자 등의) 배낭.

†**kitch·en** [kítʃən] *n.* Ⓒ ① 부엌, 주방: The ~ had an oven, a refrigerator, and a washing machine. 부엌에는 오븐과 냉장고 그리고 세탁기가 있었다. ② (호텔 따위의) 조리부. ③ 《俗》 (오케스트라의) 타악기 부문. —— *a.* 〔限定的〕 부엌(용)의; 주방에서 일하는: a ~ chair 부엌용 의자 / a ~ stove 부엌〔요리〕용 스토브.

kítchen càbinet ① 부엌 찬장. ② (종종 K- C-) 《美口》 (대통령 등의) 사설 고문단.

kitch·en·et(te) [kìtʃənét] *n.* Ⓒ (아파트 등의) 간이 부엌.

kítchen gàrden (가정용의) 채마밭.

kítchen knìfe 부엌칼.

kitch·en·maid [-mèid] *n.* Ⓒ (요리사 밑에서 일하는) 주방〔부엌〕의 하녀.

kítchen mìdden 〖考古〗 패총, 조개무지.

kítchen políce 〖美軍〗 ① 취사(반) 근무《종종 가벼운 벌로서 과해짐; 略: K.P.》. ② 〔集合的; 複數취급〕 취사병, 취사장 근무병.

kítchen sínk 부엌의 개수대. ***everything*** 〔***all***〕 ***but*** 〔***except***〕 ***the*** ~ 《口·戲》 (필요 이상으로) 있는 것 모두, 무엇이나 다: (take) *everything but the* ~ (여행갈 때) 부엌의 개수대만 내놓고 모조리 (가져가다).

kitch·en-sink [-síŋk] *a.* 〔限定的〕 ① 《英》 (생활상의 지저분한 면을 묘사하여) 극단적으로 리얼리스틱한《그림·연극 등》. ② 《美》 온갖 것을 투입하는〔소재로 하는〕: a ~ campaign 수단을 가리지 않는 선전전(戰).

kitch·en·ware [-wὲər] *n.* Ⓤ 〔集合的〕 주방 용구, 부엌 세간.

kite** [kait] *n.* Ⓒ ① 연: let out a ~ 연을 날리다 / draw in a ~ 연을 (끌어)내리다. ② 〖鳥〗 솔개. ③ 사기꾼, 욕심꾸러기. ④ 《英俗》 비행기. ⑤ 《俗》 융통 어음. ***fly 〔***send up***〕 ***a*** ~ (1) 연을 날리다. (2) 《商俗》 융통 어음을 발행하다. (3) 의향〔여론〕을 살피다(Ⓒf trial balloon). ***Go fly a*** ~. 《俗》 저리 꺼져라; 시시한 소리 하지 마라.
—— 《口》 *vi.* ① 솔개처럼 날다. ② 《俗》 융통 어음으로 돈을 마련하다. —— *vt.* …을 융통어음으로 사용하다.

kíte ballóon 연 모양의 군사용 계류(繫留) 기구 (略: K.B.).

kite·mark [⌐mὰːrk] *n.* (the ~) 카이트 마크《영국 규격 협회(BSI)의 증명 표시》.

kith [kiθ] *n.* 〔흔히 다음 成句로〕 ~ ***and kin*** 친척과 지기(知己), 일가 친척, 일가붙이.

KITSAT-A [kítsætéi] *n.* 한국의 인공위성 우리별 1호의 국제 호칭《1992년 발사》.

kitsch [kitʃ] *n.* Ⓤ 저속한 작품: His new film is pure ~. 그의 새 영화는 정말 저질이다.
㊞ **kítschy** *a.* 저속한, 악취미의.

‡**kit·ten** [kítn] *n.* Ⓒ 새끼고양이; (널리 작은 동물의) 새끼. ***have*** (***a litter of***) ~***s*** =***have a*** ~ 《口》 몹시 신경이 과민해 있다; 발끈하다, 몹시 흥분하다.

kit·ten·ish [⌐t(ə)niʃ] *a.* ① 새끼고양이 같은; 재롱부리는, 장난치는. ② (여자가) 새롱거리는, 아양부리는. ㊞ ~**·like** *a.*

kit·ti·wake [kítiwèik] *n.* Ⓒ 〖鳥〗 갈매기의 일종.

Kit·ty [kíti] *n.* 키티《여자 이름; Katherine의 애칭》.

***kit·ty**[1] [kíti] *n.* Ⓒ 《兒》 야옹, (새끼) 고양이.

kit·ty[2] *n.* Ⓒ ① 〖카드놀이〗 **a**) (딴 돈에서 자릿값·팁 등으로 떼어놓는) 적금(통). **b**) 건 돈 전부 (pool[2]). ② 공동 출자〔적립〕금.

kit·ty-cor·ner(ed) [kítikɔ̀ːrnər(d)] *a., ad.* = CATERCORNER.

Ki·wa·nis [kiwάːnis] *n.* 키와니스 클럽《1915년 미국에 창설된 실업가 사교 단체》.

ki·wi [kíːwiː] *n.* Ⓒ ① 〖鳥〗 키위, 무익조(無翼鳥) (apteryx). ② (K-) 《口》 뉴질랜드 사람. ③ = KIWI FRUIT.

kíwi frùit 〔**bèrry**〕 〖植〗 양다래, 키위(프루트) 《뉴질랜드산 과일; 중국 원산》.

KJV, K.J.V. King James Version.

K.K.K., KKK Ku Klux Klan.

Klan [klæn] *n.* =Ku KLUX KLAN; 그 지방 지부(支部).

Klans·man [klǽnzmən] (*pl.* **-men** [-mən]) *n.* Ⓒ Ku Klux Klan 단원.

klax·on [klǽksən] *n.* Ⓒ (자동차 등의) 전기 경적(警笛), 클랙슨; (K-) 그 상표.

Kleen·ex [klíːneks] *n.* Ⓤ 클리넥스《tissue paper의 일종; 商標名》.

klep·to·ma·nia [klèptəméiniə, -njə] *n.* Ⓤ (병적인) (절)도벽.

klep·to·ma·ni·ac [-méiniæk] *a.* 도벽이 있는, 절도광의〔인〕. —— *n.* Ⓒ 도벽이 있는 사람.

Klon·dike [klάndaik / klɔ́n-] *n.* (the ~) 클론다이크《캐나다 Yukon 강 유역; 골드러시(1897-98)의 중심적 금의 산지》.

klutz [klʌts] *n.* Ⓒ 《美俗》 손재주 없는 사람; 얼간이: He's such a ~! 그는 그런 바보다.
㊞ **klútzy** *a.* **klútz·i·ness** *n.*

km. kilometer(s). **KMA** Korean Military Academy(한국 육군 사관 학교).

***knack** [næk] *n.* (*sing.*) 《口》 숙련된 기술; 기교; 요령(*of* ; *for* ; *in*): get the ~ *of* …의 요령을 익히다 / He has a〔the〕 ~ *of* making friends wherever he goes. 어디를 가나 그는 친구를 사귀는 재주가 있다.

knack·er [nǽkər] *n.* Ⓒ 《英》 ① 폐마(廢馬) 도살업자. ② 폐옥(廢屋)〔폐선(廢船)〕 매입 해체업자.

knack·ered [nǽkərd] *a.* 〔敍述的〕 《英俗》 기진맥진한.

knap[1] [næp] (*-pp-*) *vt.* ① (돌 따위)를 망치로 빠개다. ② 〖聖〗 탁 꺾다; 탁 치다〔부딪뜨리다〕.
—— *n.* Ⓒ 탁 침〔빠갬〕. ㊞ ⌐**·per** *n.* Ⓒ ~하는 사람; 파쇄기(破碎機); 돌 깨는 망치.

knap[2] *n.* Ⓒ 《方》 언덕 꼭대기; 언덕, 작은 야산.

***knap·sack** [nǽpsæk] *n.* Ⓒ (군인·여행자의) 냅색, 배낭, 바랑.

‡**knave** [neiv] *n.* Ⓒ ① 악한, 무뢰한, 악당. ② 〖카드놀이〗 잭(jack).

knav·ery [néivəri] *n.* ① Ⓤ 속임수. ② Ⓒ 무뢰한〔파렴치한〕의 짓; 부정 행위; 악행.

knav·ish [néiviʃ] *a.* ① 악한의, 악한 같은, 무뢰한의. ② 부정한. ㊞ ~**·ly** *ad.*

***knead** [niːd] *vt.* ① (가루·흙 따위)를 반죽하다; 개다: ~ dough〔clay〕 반죽〔진흙〕을 이기다. ② (어깨·근육 따위)를 주무르다, 안마하다: ~ muscles 근육을 주무르다 / If your muscles are stiff, ~ them with your fingers for a minute. 만일 근육이 뻐근하면 잠시 손가락으로 주물러라. ③ (빵·도자기 등)을 빚어 만들다. ④ (인격)을 닦

다, 도야하다.

†knee [niː] *n.* Ⓒ ① 무릎, 무릎 관절 ; (의복의) 무릎 부분 : She dandled her grandson on her ~*s.* 그녀는 손자를 무릎에 놓고 얼렀다 / He was down on his ~*s.* 그는 무릎을 꿇고 있었다 / My ~*s* were knocking in fear. 무서워서 무릎이 와들와들 떨고 있었다 / up to the ~*s* in water 무릎까지 물에 잠겨. ② (특히 말·개 따위의) 완골(腕骨) ; (새의) 경골(脛骨), 정강이뼈. ③ 무릎 모양의 것 ; 곡재(曲材) ; 완목(腕木) ; 〖建〗 무릎같이 굽은 재목. ***at*** one***'s mother's*** ~ 어머니 슬하에서, 어린 시절에. ***bend*** 〔***bow***〕 ***the*** ~ ***to*** 〔***before***〕 …에 무릎을 꿇고 탄원하다 ; …에 굴복하다. ***bring*** 〔***beat***〕 a person ***to*** his ~***s*** 아무를 굴복시키다. ***draw up the*** ~***s*** 무릎을 세우다. ***fall*** 〔***go*** (***down***)〕 ***on*** 〔***to***〕 one***'s*** ~***s*** (1) 무릎(을) 꿇다〔꿇고 탄원하다〕. (2) 무릎 꿇다, 패배를 인정하다. ***get*** ~ ***to*** ~ ***with*** …와 무릎을 맞대고 의논하다. ***give*** 〔***offer***〕 ***a*** ~ ***to*** …을 무릎에 눕혀 쉬게하다, …을 시중들다. ***gone at the*** ~***s*** 《口》 (1) (말이) 늙어 빠져서. (2) (바지가) 무릎이 닳아. ~ ***to*** ~ 바싹 나란히 붙어서 ; 무릎을 맞대고 : sit ~ *to* ~ 무릎을 맞대고 앉다. ***on bended*** ~(***s***) 무릎(을) 꿇고. ***on*** one***'s*** ~***s*** 무릎 꿇고, 저자세로, 무릎을 꿇듯이. ***on the*** ~***s of the gods*** 인력이 미치지 않는 ; 미정(未定)의. ***rise on the*** ~***s*** 무릎으로 서다. ***weak at the*** ~***s*** 《口》 무릎의 힘이 빠져.
— (~***d***) *vt.* ① …을 무릎으로 건드리다〔차다, 밀다〕 : She ~*d* him in the crotch. 그녀는 무릎으로 그의 사타구니를 올려찼다. ② 《口》 (바지의) 무릎이 불거지게 하다.

knee-bend [-bènd] *n.* Ⓒ 무릎의 굴신(屈伸) 운동.

knée brèeches (무릎이 좁은) 반바지.

knee·cap [ˊ-kæ̀p] *n.* Ⓒ ① 〖解〗 슬개골(patella), 종지뼈. ② 무릎받이《무릎 보호용》.
— *vt.* (테러범 등이) …의 무릎을 쏘다.

knee-deep [ˊ-díːp] *a.* ① 무릎 깊이의, 무릎까지 빠지는 : stand ~ in water 무릎 깊이의 물에 서다. ② (빚 따위로) 옴쭉을 못하는《*in*》 : be ~ *in* debt 빚에 몰려 옴쭉을 못하다.

knee-high [ˊ-hái] *a.* 무릎 높이의. ~ ***to a grasshopper*** 〔***duck***〕 《口》 (사람이) 꼬마인, 아주 작은.

knee·hole [ˊ-hòul] *n.* Ⓒ (책상 밑 따위의) 두 무릎을 넣는 빈 자리.

knée jèrk 〖醫〗 무릎〔슬개〕 반사(patellar reflex).

knee-jerk [ˊ-dʒəːrk] *a.* ① (반응 등이) 반사적인. ② (사람·행동 등이) 틀에 박힌.

knée jòint ① 〖解〗 무릎마디. ② 〖機〗 토글 장치 (toggle joint).

‡kneel [niːl] (*p., pp.* ***knelt*** [nelt], ***kneeled*** [niːld]) *vi.* 《~ / +副 / +前+名》 무릎을 꿇다 : ~ to a person 아무 앞에 무릎을 꿇다 / ~ in prayer 무릎을 꿇고 기도하다 / *Kneeling* in front of the altar, he prayed for an answer. 제단 앞에 무릎을 꿇고 그는 기도를 드리며 응답을 간구했다. ~ ***down*** 무릎꿇다 ; 굴복하다《*to* ; *before*》. ~ ***to*** … 앞에 무릎꿇다〔굽히다〕 ; …을 간원하다. ~ ***up*** 무릎을 짚고 일어서다. 㖞 ˊ·***er*** [-ər] *n.* Ⓒ ① 무릎 꿇는 사람. ② 무릎 밑에 까는 방석(hassock).

knee-length [níːlèŋkθ] *a.* (옷·부츠 등이) 무릎까지 오는 : ~ socks 무릎까지 올라오는 양말.

knee·pad [níːpæ̀d] *n.* Ⓒ (옷의) 무릎에 덧대는 것.

knee·pan [ˊ-pæ̀n] *n.* Ⓤ 〖解〗 슬개골(kneecap).

knee·room [ˊ-rùːm] *n.* Ⓤ (자동차·비행기 등 좌석의) 무릎 공간.

knees-up [ˊ-sʌ̀p] *n.* Ⓒ 《英》 활기 있는 댄스 파티.

knee·top [ˊ-tɑ̀p / -tɔ̀p] *n.* Ⓒ 〖컴〗 =LAPTOP.

***knell** [nel] *n.* Ⓒ ① 종소리 ; 《특히》 조종(弔鐘). ② (일의 종말을 나타내는) 불길한 징조, 흉조《*of*》. — *vt.* (조종)을 울리다 ; (흉한 일)을 알리다. — *vi.* (조종이) 울리다 ; 불길하게 들리다.

‡knelt [nelt] KNEEL 의 과거·과거분사.

†knew [njuː] KNOW 의 과거.

Knick·er·bock·er [níkərbɑ̀kər / -bɔ̀k-] *n.* Ⓒ ① New Amsterdam(지금의 뉴욕)에 처음으로 이민 온 네덜란드인의 자손. ② 뉴욕 사람. ③ (k-) (*pl.*) 〖服〗 니커보커(knickers) 《무릎 아래에서 졸라매는 낙낙한 짧은 바지》.

knick·ers [níkərz] *n. pl.* 《口》 ① =KNICKERBOCKERS. ② 니커보커형의 여성용 블루머. ***get*** 〔***have***〕 one***'s*** ~ ***in a twist*** 《英俗》 당혹하다, 애태우다, 성내다. — *int.* 《英俗》 제기랄, 바보같이《경멸·초조 등을 나타냄》.

knick·knack, nick·nack [níknæ̀k] *n.* Ⓒ 《口》 ① 장식적인 작은 물건 ; 자질구레한 장신구〔패물〕. ② (장식적인) 골동품.

†knife [naif] (*pl.* ***knives*** [naivz]) *n.* ① Ⓒ 나이프, 찬칼 ; 식칼(kitchen ~) : a fruit ~ 과도(果刀) / a paper ~ (편지 등을 개봉하는) 페이퍼 나이프 / a sharp〔blunt〕 ~ 날이 날카로운〔무딘〕 나이프 / Europeans eat with (a) ~ and fork. 유럽인은 나이프와 포크로 식사를 한다 / She was attacked by a gang wielding *knives.* 그녀는 마구 칼을 휘두르는 폭력단의 습격을 받았다. ② **a**) Ⓒ 수술용 칼, 메스. **b**) (the ~) 외과 수술 : have a horror of *the* ~ 수술을 무서워하다. ③ Ⓒ 〖機〗 (도구·기계 등의) 날 : the *knives* of a band saw 띠톱의 날.
before you can say ~ 《口》 순식간에 ; 돌연. ***cut like a*** ~ (바람 따위가) 살을 에는 듯이 차다. ***get*** 〔***have***〕 one***'s*** ~ ***into*** 〔***in***〕 …에 대해서 원한을 보이다〔적의를 품다〕 ; …에게 욕을 퍼붓다. ***have the*** ~ ***out for*** …을 노리다, …을 비난·공격의 목표로 삼다. ~ ***in the teeth*** 적의(敵意). ***like a*** (***hot***) ~ ***through butter*** 《英俗》 재빨리, 아주 간단하게. ***play a good*** 〔***capital***〕 ~ ***and fork*** 배불리 먹다. ***under the*** ~ (1) 《口》 수술을 받고 : go *under the* ~ 수술을 받다 / The patient died *under the* ~. 환자는 수술 중에 사망했다. (2) 축소〔폐지 등〕의 대상이 되어 ; 파멸로 치닫는 : Some projects came *under the* ~ owing to recession. 불경기 때문에 몇 개의 계획은 폐기됐다. ***war to the*** ~ 혈전, 사투.
— (~***d***) *vt.* ① …을 나이프로 베다 ; 단도로 찌르다〔찔러 죽이다〕 : She ~*d* him in the back. 그녀는 그의 등을 단도로 찔렀다. ② …을 배신하려 하다 ; 비겁한 수단으로 해치려고 하다. — *vi.* 《+副》 (칼로 베듯이) 헤치고 나아가다 : ~ through the waves 파도를 헤치고 나아가다 / A hot sun ~*d* down through the haze. 따가운 햇빛이 안개를 뚫고 비쳤다.

knife·board [ˊ-bɔ̀ːrd] *n.* Ⓒ 나이프 가는 대.

knife-edge [ˊ-èdʒ] *n.* Ⓒ ① 나이프의 날 ; 예리한 것. ② 〖機〗 나이프 에지《저울 받침점의 쐐기 모양의 날》. ③ 〖登山〗 칼날 같은 능선 : We had to climb over a ~ mountain ridge. 우리는 칼날같은 산 등성이를 등반해야 했다. ④ (국면을 일변시킬) 갈림길, 고비 : The game had a ~ conclusion. 그 경기는 누가 이길지 불분명했다. ***on a*** ~ 아슬아슬한, 결과 등이 불안정한, 예측불허의.

knífe grìnder 칼 가는 사람〔기구〕.

knífe plèat 스커트의 잔 주름.

K

knife-point [ˊ-pɔ̀int] *n.* Ⓒ 나이프의 끝. ***at*** ~ 나이프로 위협받아 ; 최후 통첩을 받아.

knífe rèst (식탁용의) 칼 놓는 대.

‡knight [nait] *n.* Ⓒ ① (중세의) 기사, 무사《양가의 자제로서 국왕·제후를 섬기고 무용·의협을 중히 여기며 여성을 경애했음》. ② (근세 영국의) 나이트작(爵), 훈작사(勳爵士)《Sir 칭호가 허용되며, baronet(준남작)의 아래에 자리하는 당대에 한한 작위》. ③ 용사, 의협심 있는 사람 ; 《특히》 여성에게 헌신적인 사람. ④〖체스〗나이트. ~ ***of the road*** 《口》 (1) 노상강도. (2) 행상인, 도붓장수. (3) 부랑자. (4) 트럭·택시 운전사. ***the Knight of the Rueful Countenance*** 우수(憂愁)의 기사《Don Quixote》. ***the Knights of Columbus*** 미국 가톨릭 자선회《1822 년에 창립됨》. ***the Knights of Pythias*** 피디애스 자선회《1864년 미국에서 창립된 비밀결사》. ***the Knights of the Round Table*** (아서왕 전설의) 원탁(圓卓)기사단. — *vt.* …에게 나이트 작위를 수여하다 : He was ~*ed* for his services to English lexicography. 그는 영어 사서 편집에 대한 공적으로 나이트 작위를 받았다. cf. dub[1].

knight báchelor (*pl.* ***knights bachelor*** (***s***)) 《英》 최하급의 훈작사(勳爵士).

knight-er·rant [ˊ-érənt] (*pl.* ***knights-***) *n.* Ⓒ ① (중세의) 무술 수련자, 편력(遍歷)의 기사. ② 협객(俠客) ; 돈키호테 같은 인물.

knight-er·rant·ry [ˊ-érəntri] *n.* Ⓤ ① 무술 수련. ② 의협〔돈키호테〕적 행위.

knight·hood [náithùd] *n.* ① Ⓤ 기사〔무사〕의 신분 ; 기사도 ; 기사 기질. ② Ⓤ,Ⓒ 나이트 작위, 훈작사(勳爵士)의 위(位) : the Orders of *K*- 훈작사단(團) / receive a ~ 나이트 작위를 받다 / He has been given a ~, so he is now Sir James. 그는 기사 작위를 받아 지금은 제임스 경이다. ③ (the ~) 〔集合的〕 기사단, 훈작사단.

knight·ly [náitli] (***knight·li·er*** ; ***-li·est***) *a.* ① 기사의 ; 기사다운 ; 의협적인. ② 훈작사의.

knish [kniʃ] *n.* Ⓒ,Ⓤ〖유대料〗크니슈《감자·쇠고기 등을 밀가루 반죽피(皮)로 싸서 튀기거나 구운 것》.

‡knit [nit] (*p.*, *pp.* ~, ˊ·***ted*** [nítid] ; ˊ·***ting***) *vt.* ① 《~+목/+목+전+명》 …을 뜨다, 짜다 : ~ goods 편물, 메리야스 등속 / ~ gloves〔socks〕 *out of* wool =~ wool *into* gloves〔socks〕 털실로 장갑〔양말〕을 짜다. ② 《~+목/+목+부》 …을 밀착시키다, 접합하다(join) ; 짜맞추다 : ~ bricks *together* 벽돌을 접착시키다 / Only time will ~ broken bones. 시일이 지나야만 부러진 뼈가 붙는다. ③ 《~+목/+목+부》 (애정·서로의 이익 따위)로 굳게 결합시키다(unite) : The two families were ~ *together* by marriage. 양가는 혼인으로 결합되었다 / The government's oppressive politics ~*ted* the opposition groups closer *together*. 정부의 탄압 정책은 반대파 그룹의 사람들을 한층 더 굳게 뭉치게 했다. ④ (눈살·이맛살)을 찌푸리다 ; (근육 따위)를 긴장시키다 : ~ one's brows 눈살을 찌푸리다. ⑤ …을 짜내다, 만들어 내다 : ~ a new plan 새로운 계획을 짜내다.
— *vi.* ① 뜨개질을 하다 : She ~*s* from morning to night. 그녀는 아침부터 밤까지 뜨개질을 한다. ② 《~/+부》 …을 밀착〔접합, 결합〕하다 : The broken bone should ~ (*together*) in a couple of weeks. 부러진 뼈는 2, 3주면 아물 겁니다. ③ (눈살·이맛살 따위가) 찌푸려지다. ~ ***in*** 짜넣다 ; 섞어 짜다. ~ ***up*** (1) 짜깁다. (2) 결합〔밀착〕하다. (3) (토론 등을) 종결하다.

knit·ted [-tid] *a.* 〔限定的〕 짠, 뜬, 편물(編物)의 ; 메리야스의 : a ~ article 니트 제품 / ~ work 편물.

knit·ter [-tər] *n.* Ⓒ ① 뜨개질하는 사람, 메리야스공. ② 편물 기계, 메리야스 기계.

knit·ting [nítiŋ] *n.* Ⓤ ① 뜨개질 ; 뜨개질 세공 ; 편물 ; 메리야스 : do one's ~ 뜨개질을 하다. ② 접합, 밀착, 결합.
stick 〔***tend***〕 ***to*** one′***s*** ~=***mind*** one′***s*** ~ 자기 일에 전념하다, 남의 일에 간섭〔개입〕하지 않다.

knítting machìne 편물 기계, 메리야스기(機).

knítting nèedle 뜨개바늘.

knit·wear [nítwɛ̀ər] *n.* Ⓤ 뜨개질한 옷, 뜨개것.

‡knives [naivz] KNIFE의 복수.

knob** [nab / nɔb] *n.* Ⓒ ① (나무 줄기 따위의) 혹, 마디 ; 둥근 덩이. ② (문·서랍 따위의) 손잡이, 쥐는 곳 ; (TV·라디오·전기 기구의) 노브, 스위치 ; (깃대 끝의) 둥근 장식 : turn the ~ of the door 출입문의 손잡이를 돌리다 / Pull this ~ to turn the TV on. 텔레비전을 켜시려면 이 노브를 당기세요. ③ (석탄·설탕 따위의) 작은 덩어리 《*of*》 : a ~ *of* butter 버터의 작은 덩어리. ④ 《英》 (고립한) 둥근 언덕, 작은 산. (And***) ***the same to you with*** (***brass***) ~***s on*** 《英口》 자네야말로 《빈정대는 말대꾸》 : "You stupid fool!" "*And the same to you with ~s on!*" '이 멍텅구리야' '너야 말로 그렇다.' ***with ~s on*** 《英口》 한층 더, 훨씬 더, 두드러지게. — (*-bb-*) *vt.* (…에) ~을 붙이다. — *vi.* 혹이 생기다《*out*》.

knóbbed [-d] *a.* ① 혹이〔마디가〕 있는. ② (끝이) 혹처럼 된 ; 손잡이가 달린.

knob·bly [nábli / nɔ́b-] (***-bli·er*** ; ***-bli·est***) *a.* 《英》 =KNOBBY.

knob·by [nábi / nɔ́bi] (***-bi·er*** ; ***-bi·est***) *a.* ① 마디가 많은, 혹이 많은 : a ~ hand 거칠게 울퉁불퉁한 손. ② 혹같이 둥글게 된 : a ~ nose 주먹코.

†knock [nak / nɔk] *vi.* ① 《~/+전+명》 (…을) 치다, 두드리다《*at* ; *on*》 : Someone is ~*ing on* 〔*at*〕 the door. 누군가 문을 두드리고〔노크하고〕 있다 / Who's ~*ing*? 노크하고 있는 사람은 누구냐 / When they ~*ed* someone said, "Come in." 그들이 노크했을 때 누군가가 '들어 오세요'라고 했다. ② 《+전+명》 부딪치다, 충돌하다(bump) ; 우연히 만나다《*against* ; *into*》 : ~ *into* a table 테이블에 부딪치다 / I ~*ed into* him on the street. 나는 거리에서 우연히 그를 만났다 / The noise of a rope ~*ing against* the side of the ship woke him up. 뱃전에 부딪치는 로프 소리에 그는 잠을 깼다. ③ (엔진이) 노킹을 일으키다 (《美》 ping ; 《英》 pink). ④ 《口》 험담하다, 흠〔트집〕잡다. — *vt.* ① 《~+목/+목+전+명》 …을 세게 치다, 때리다, 두드리다 : ~ the door 문을 두드리다 《*vi.* ①의 ~ *at* 〔*on*〕 the door로 함이 보통》 / ~ a person *on* the head 아무의 머리를 때리다. ② (구멍 따위)를 쳐서〔두드려서〕 만들다 : ~ a hole in the door 두드려서 문에 구멍을 내다. ③ 《+목+전+명/+목+보》 …을 세게 쳐서 —이 되게 하다 : ~ something *to* pieces 무엇을 쳐서 산산조각을 내다 / He ~*ed* the boy senseless. 그는 아이를 때려서 기절시켰다. ④ 《+목+전+명》 …에 부딪치다, 충돌시키다《*against* ; *on*》 : He ~ed his head *against* 〔*on*〕 the wall. 그는 벽에 머리를 부딪혔다 / ~ one's foot *on* a stone 발을 돌에 부딪치다. ⑤ 《+목+전+명》 …을 두드려서 떨다, 털어내다 : ~ the dust *out of* one's clothes 옷의 먼지를 털다. ⑥ 《英俗》 …을 깜짝 놀라게 하다, 감동시키다 ; 《美俗》 (관객)을 압도하다 : That ~*s* me! 그것 참 놀랐는데 / ~ ... in the AISLES. ⑦

K

《口》…을 깎아내리다, 흠잡다(decry). ~ **about** 〔**around**〕 (*vt.*) (1) (파도·바람이 배)를 뒤흔들다. (2) (아무)를 들볶다, 학대하다; …을 난폭하게 다루다: He was ~*ed about*〔*around*〕 by the demonstrators. 그는 시위자들에게 심하게 당했다. (*vi.*) (1) 헤매다, 방랑하다. (2) 사귀다, 성교하다 《*with*》. ~ **against** (1) …에 부딪치다. (2) …을 우연히 만나다. ~ **at an open door** 공연한 일을 하다, 헛수고하다. ~ **away** 두들겨서 떼다〔벗기다〕. ~ **back** 《口》 (1) (술 따위)를 꿀꺽 마시다, 실컷 먹다. (2) …을 당황케 하다. (3) …에 (얼마) 들다(cost): This TV set ~*ed* me *back* 300 pounds. 이 텔레비전에 300 파운드가 들었다. ~ a person **cold** (1) …을 때려서 기절시키다; 〖拳〗 녹아웃시키다. (2) (아무)를 깜짝 놀라게 하다. ~ a person **dead** 아무를 감동시키다, 감탄케 하다: She ~*ed* the audience *dead* with that song. 그녀는 그 노래로 관객을 감동시켰다. ~ **down** (1) …을 때려눕히다; (차 등이) (사람)을 들이받아 나가 떨어지게 하다: The child was ~*ed down* by a car. 그 아이는 차에 받혀 나뒹굴었다. (2) 때려부수다; 〖商〗 (기계 등)을 분해〔해체〕하다《선적(船積) 따위를 위해》; (이론)을 뒤집어엎다, 논파(論破)하다. (3) 〖競賣〗 …을 경락〔낙찰〕시키다《*to* a bidder》. (4) 《口》 (사회자가 아무)를 지명(指名)하다: ~ *down* a person for a song 노래하라고 아무를 지명하다. (5) (값)을 깎아 내리다. (6) 《美俗》 (차장 등이 운임)을 삥땅치다, 후무리다. (7) 《美俗》 …을 소개하다《*to*》. ~**ed out** 《美俗》 (술에) 곯아 떨어진, 녹초가 된. ~ **for admittance** 문을 두드려서 안내를 청하다. ~ **head** 인사하다. ~ **home** (1) (못 따위)를 단단히 때려박다. (2) …을 철저하게 깎아내리다. (3) (취지 따위)를 철저히 이해시키다. ~ **in** 〔**into . . .**〕 (1) …을 두들겨 넣다, 처박(아 넣)다: ~ *in* a wedge〔nail〕 쐐기를〔못을〕 처박다. (2) (~ in) 〖野〗 (안타로 주자)를 홈인시키다: He ~*ed in* two runs. 그는 안타를 쳐서 두 주자를 홈인시켰다. ~ **into a cocked hat** ⇨ COCKED HAT. ~ . . . **into shape** …을 정돈〔정리〕하다; (사람이 되게끔) 잘 가르치다. ~ a thing **in head** 어떤 일을 머릿속에 주입시키다. **Knock it off!** 《俗》 조용히 해; 그만둬. ~ **it over the fence** 홈런을 때리다; 대성공을 거두다. ~ **off** (*vt.*) (1) …을 두드려 떨어버리다. (2) 《口》 (일)을 그만하다, 중단하다: We ~ *off* at 6. (매일) 일은 6시에 끝난다. (3) 《口》 …을 빨리 마무르다, 데꺽 끝내다; (시)를 즉석에서 짓다. (4) 《俗》 (사람)을 해치우다, 죽이다; 《美俗》 패배시키다. (5) 《俗》 훔치다, (은행 등)에 강도로 들어가다: ~ *off* a store 상점을 털다. (6) 《美俗》 (경찰 등이) …을 덮치다, 급습하다. (*vi.*) (1) (속력·값등을) 감하다, 깎다: ~ *off* 20 cents from the price 값을 20센트 깎다. (2) knockoff 상품을 만들다〔어 싸게 팔다〕. (3) 《俗》 (여자와) 자다, 성교하다. ~ . . . **off** a person**'s pins** 몹시 놀라게 하다. ~ a person **on the head** (1) 아무의 머리를 때리다; 기절시키다; 죽이다. (2) 《比》 (계획 따위를) 깨뜨리다. ~ **out** (1) …을 두들겨 내쫓다, 때려 쓰러뜨리다; 기절시키다. (2) 〖拳〗 녹아웃시키다(ⓒⓕ knockout). (3) 《俗》 …을 피곤하게〔지치게〕 하다. (4) 패퇴〔항복〕시키다《*in* a competition, *of* a contest》; 파괴하다; 못쓰게 만들다; (훌륭하여) …을 깜짝 놀래다; 쳐서〔떨어〕(속의 것을) 꺼내다. (5) 《美俗》 (계획 따위)를 급히 세우다〔생각해 내다〕. (6) 〖英競賣〗 (서로 짜고) 싸게 낙찰시키다. (7) 《口》 (곡(曲)을) 난폭하게 연주하다. ~ **out** (**of the box**) 〖野〗 (투수를) 녹아웃시키다. ~ **over** (1) 《俗》 …을 때려눕히다, 뒤집어엎다. (2) (곤란)을 물리치다; 압도하다, 손들게 하다; 감동시키다, 감탄케 하다. (3) 《俗》 …을 강탈〔강도질〕하다. (4) 《美俗》 (경찰이) …을 덮치다, 급습하다; 붙잡다, 검거하다. (5) 《美俗》 …을 마시다, 먹어치우다. ~ a person**'s hat off** 깜짝 놀라게 하다. ~ a person**'s head off** 때려눕히다; 《俗》 아무를 손쉽게 이기다. ~ **the bottom out of** ⇨ BOTTOM. ~ **the breath out of** a person**'s body** ⇨ BREATH. ~ **the end in** 〔**off**〕 …을 망치다, 잡치다. ~ **their heads together** 강경 수단으로 싸움을 말리다. ~ (**the**) **spots out of** 〔**off**〕 ⇨ SPOT. ~ **through** 벽〔칸막이 등〕을 없애다. ~ **together** (1) 서로 부딪다: Her knees began to ~ *together* from fear. 무서워 그녀 무릎이 와들거리기 시작했다. (2) (손님 등)을 급히 끌어 모으다; 부랴부랴 만들어 내다〔짜맞추다〕: Those houses were ~*ed together* after the war. 이 집들은 전후에 급히 세워진 것이다. ~ **under** 항복하다《*to*》. ~ **up** (1) 쳐 올리다, 불쑥 올리다. (2) 《英口》 (아무)를 문을 두드려서 깨우다: Please ~ me *up* at 7 o'clock tomorrow morning. 내일 아침 일곱 시에 깨워 주게. (3) 〖크리켓〗 (점수)를 얻다. (4) 《口》 (돈)을 벌다(earn). (5) 〖테니스 등〗 (시합 전 따위에) 가볍게 연습하다. (6) 《英口》 …을 지치게 되다〔하다〕. (7) 급히 만들다. (8) 충돌하다, 마주치다《*with*》. (9) 《俗》 …을 임신시키다.

— *n.* Ⓒ ① 노크, 문을 두드림〔두드리는 소리〕: There is a ~ at the door. 노크 소리가 들린다, 누군가 왔다. ② 타격, 구타(blow)《*on* the head etc.》: get a ~ on the head 머리를 얻어맞다. ③ **a**) 〖野〗 노크《수비 연습을 위한 타구》. **b**) 〖크리켓〗 타격 차례(innings). ④ 노킹《내연기관 내의 불완전한 기화로 엔진이 푸득푸득거리는 일》; 폭음: a ~ in the engine 엔진의 노킹 소리. ⑤ 《美口》 **a**) 비난, 악평. **b**) (경제적·정신적) 타격, 불행, 재난. **get the** ~ 《俗》 해고되다; (배우 등이) 인기가 떨어지다. **on the** ~ 《口》 할부(割賦)로. **take the** ~ 경제적 타격을 받다; 《俗》 돈에 궁해지다.

knock·a·bout [nákəbàut / nɔ́k-] *a.* 〔限定的〕 ① 소란스러운; (코미디 등) 공연히 부산을 떠는: a ~ comedy. ② 방랑(생활)의. ③ 막일할 때 입는, 튼튼한《의복 따위》.

— *n.* ① **a**) Ⓤ 법석떠는 희극. **b**) Ⓒ 그 배우. ② Ⓒ 〖海〗 소형 범선(帆船)의 일종.

***knock·down** [⁻dàun] *a.* ① 쓰러뜨리는, 쓰러뜨릴 정도의; 압도적인: a ~ blow 상대를 쓰러뜨리는 일격. ② (현지) 조립식의, 분해할 수 있는《가구 따위》; (가옥이) 프리패브(prefab)의: a ~ table 조립식 테이블. ③ 《英》 최저가격의: the ~ price (경매의) 최저가격 / He bought the three mansions for a ~ $1.5 million. 그는 저택 세 채를 최저가인 150만 달러에 구입했다. ~ **export** 녹다운 수출《현지 조립 수출》. — *n.* Ⓒ ① 때려눕힘; 타도하는 일격; 난투; 압도적인 것, 대타격《불행 등》. ② 값 내리기, 깎기, 할인. ③ 조립식으로 된 것《가구 따위》.

knock-down-(and-)drag-out [⁻dàun(ən)-drǽgàut] *a.* 《俗》 〔限定的〕 가차없는, 철저한: a ~ fight 인정사정 없는 싸움, 사투(死鬪).

***knock·er** [nákər / nɔ́k-] *n.* Ⓒ ① 두드리는 사람, 문두드리는 사람. ② 《英》 호별 방문 외판원. ③ (현관 문짝의) 노커, 문 두드리는 고리쇠: bang the ~ 노커를 울리다. ④ 《美口》 욕쟁이, 험구가. ⑤ (*pl.*) 《俗》 유방, 젖통이. **oil the** ~ 《英俗》 문지기에게 팁을 주다. **on the** ~ 《英口》 (1) 호별 방문〔판매〕하여. (2) 대금 후불로, 크레디트로.

knock·ing [nákiŋ / nɔ́k-] *n.* Ⓒ 노크(소리); (엔진의) 노킹.

K

knock·ing-shop [-ʃɑ̀p / -ʃɔ̀p] *n.* Ⓒ《英俗》 갈봇집 (brothel).

knock-knee [nɑ́kni̇̀: / nɔ́k-] *n.* ① Ⓤ 〖醫〗 X각(脚), 외반슬(外反膝)《양 무릎 아랫부분이 밖으로 굽은 기형》. ② (*pl.*) 안짱다리. ⓒⓕ bowleg.

knock-kneed [-d] *a.* X 각(脚)의, 안짱다리의.

knock·off [-ɔ̀:f, -ɑ̀f / -ɔ̀f] *n.* Ⓒ《美俗》(오리지널 디자인을 모방한) 싸구려 복제품《의류품 등》.

knock-on [-ɑ̀n / -ɔ̀n] *n.* Ⓒ〖럭비〗 녹온《반칙임》.

knock-on effèct 《英》 도미노 효과, 연쇄 반응.

knock·out** [-àut] *a.* 〔限定的〕 ①〖拳〗 녹아웃의, 통렬한《펀치》: a ~ blow 통렬한〔상대를 쓰러뜨리는〕 일격. ② 압도적인 ; 굉장한, 훌륭한 : a ~ performance 훌륭한 연기 / a ~ girl 굉장한 미인. ③《口》 의식을 잃게 하는, 최면성의 : ~ drops 〔pills〕 최면제, 마취약. ── *n.* Ⓒ ①〖拳〗 녹아웃《略 : K.O., KO》: He won the fight by a ~. 그는 K.O 승을 했다. ② 결정적인 타격. ③《口》 굉장한 것〔사람〕 ; 매력적인 미녀 : He has a ~ of a girlfriend. 그에게는 굉장한 미인 여자 친구가 있다. ④ 크게 히트한 영화〔상품〕. ⑤《英》 토너먼트식 경기. ***a technical ~〖拳〗 테크니컬 녹아웃《略 : TKO》.

knóckout dròps 《俗》 몰래 음료 속에 넣는 마취제, 《특히》 포수(抱水) 클로랄 (chloral).

knock·up [-ʌ̀p] *n.* Ⓒ 가벼운 연습, 워밍업《시합 개시 전에 하는》.

knoll [noul] *n.* Ⓒ 작은 산〔언덕〕 ; 무덤.

‡**knot** [nɑt / nɔt] *n.* Ⓒ ① 매듭, 고 ; (외과수술용 봉합사(縫合絲)의) 결절(結節) : a ~ in a rope 〔necktie〕 새끼〔넥타이〕의 매듭. ② (장식용의) 매는 끈 ; 나비〔꽃〕 매듭, (견장 등의) 장식 매듭. ③ 무리, 소수의 집단 ; 일파《*of*》: a ~ *of* people 일단의 사람들 / gather in ~*s* 삼삼오오 / People were standing in ~*s.* 사람들이 몇 무리를 이루어서 있었다. ④ (부부 등의) 인연, 연분, 유대 (bond) : the marriage〔nuptial〕 ~ 부부의 유대 / tie the ~ 결혼하다. ⑤ **a**) 혹, 군살, 사마귀 ; 〖醫〗 결절(結節). **b**) (초목의) 마디, 옹이 ; (판자·목재의) 옹이 (구멍). ⑥ 분규 ; 난문, 어려운 일, 문제의 요점, 중요 대목 : The police had great difficulty unraveling all the ~*s* of the case. 경찰은 그 사건의 난문들을 모두 푸는데 큰 어려움을 겪었다. ⓒⓕ Gordian knot. ⑦〖海〗 **a**) 노트《1 시간에 1 해리(약 1852m)를 달리는 속도》. **b**) 측정선(側程線)의 마디. ***a ~ in a play*** 연극의 절정. ***a running*** ~ 잡아당기면 풀리는 매듭. ***at the*** 〔***a*** (***great***)〕 ***rate of ~s*** 재빨리. ***cut the*** ~ 영단을 내려 난관을 처리하다. ***in ~s*** 삼삼오오 : gather *in* ~*s* 삼삼오오 모이다. ***make*** 〔***loosen***〕 ***a*** ~ 매듭을 짓다〔풀다〕. ***seek a ~ in a rush*** 〔***bulrush***〕 (등심초에서 마디를 찾다 →) 쓸데없는 소란을 피우다. ***tie the*** ~《口》 결혼하다 ; (성직자가) 결혼식을 집행하다. ***tie*** a person (***up***) ***in*** 〔***into***〕 ***~s*** (아무)를 곤경에 빠뜨리다 ; …을 당황하게 만들다 : She easily *ties* herself *in* ~*s* over a trifle. 그녀는 사소한 일에도 곧 당황한다.

── (**-tt-**) *vt.* ①《~+목 / +목+부》 …을 매다, …에 매듭을 짓다 ; 결합하다, 묶다 : ~ a parcel tightly 소포를 단단히 묶다 / ~ two strings *together* 두 가닥의 끈을 잇다 / ~ one's tie 넥타이를 매다. ② (눈살)을 찌푸리다 (knit). ③ …을 얽히게 하다. ── *vi.* ① 매듭이 생기다 ; 엉클어지다 : My fishing line has ~*ted.* 낚싯줄이 엉클어졌다. ② 맺어지다. ③ 매듭을 짓다. ④ 혹이〔덩어리가〕 생기다.

knot·hole [-hòul] *n.* Ⓒ (널빤지의) 옹잇구멍.

knot·ted [nɑ́tid / nɔ́t-] *a.* ① 매듭이〔마디가〕 있는 ; (옹이가 많아) 울퉁불퉁한. ② 얽힌 ; 어려운, 곤란한. ***Get ~!*** 《英俗》(경멸·불신 등을 나타내어) 귀찮다 !, 저리 꺼져 !, 바보같은 소리 마라.

knot·ty [nɑ́ti / nɔ́ti] (***-ti·er ; -ti·est***) *a.* ① 매듭이 있는 ; 마디가 많은, 혹투성이의 : a ~ rope 매듭이 많은 밧줄 / a ~ wood 혹투성이의 나무. ② 얽힌, 엉클어진, 해결이 곤란한 : a ~ problem 해결이 어려운 문제.

㊕ **-ti·ness** *n.* 마디투성이 ; 분규.

knot·work [-wə̀:rk] *n.* Ⓤ 합사(合絲) 장식, 매듭 세공 ; 편물 세공.

knout [naut] *n.* ① Ⓒ 가죽 채찍《옛날 러시아에서 가죽을 엮어 만든 매》. ② (the ~) 태형.
── *vt.* …에게 매질하다, 태형을 가하다.

†**know** [nou] (***knew*** [nju: / nju:] ; ***known*** [noun]) *vt.* ①《~+목 / +목+*as*보 / +*to be* 보 / +(*that*)절 / +*wh. to* do / +*wh.* 절》 …을 알고 있다, 알다 ; …을 이해하다〔하고 있다〕: Let me ~ the result. 결과를 알려 주시오 / She is *known as* a pop singer. 그녀는 대중가요 가수로 알려져 있다 / We *knew* (*that*) they were innocent. 그들이 무죄라는 것을 우리는 알고 있었다 / I don't ~ *whether* he is here (or not). 그가 여기 있는지 없는지 알지 못한다 / I ~ *how to* drive a car. 차의 운전법을 알고 있다 / I ~ him *to be* honest. 그가 정직하다는 건 알고 있다 / You ought to ~ your place. 자신의 처지를 알아야 한다 / She grew up in Paris so she ~*s* it well. 그녀는 파리에서 성장해서 그 도시를 잘 알고 있다. ② …와 아는 사이이다 : Do you ~ Angela? 안젤라를 압니까 / I ~ her by sight. 그녀의 얼굴은 알고 있다 / I've *known* him since I was a child. 어릴 때부터 그를 알고 있다 / How did you make yourself *known* to him? 어떻게 그와 가까워졌습니까 / The police showed me a photo of the guy, but I had to admit I didn't ~ him from Adam. 경찰은 나에게 그 녀석의 사진을 보여주었지만 그를 전연 모르는 사이라고 할 수 밖에 없었다. ③ …에 정통하다, …을 잘 알고 있다, 기억하고 있다 : He ~*s* the law. 그는 법률에 정통하다 / I ~ the value of time. 나는 시간이 중요함을 잘 알고 있다 / The actor ~*s* his lines. 배우는 대사를 기억하고 있다. ④《~+목 / +목+전+명》 (양자)를 식별할 수 있다, 구별할 줄 알다 ; 보고 (그것인 줄) 알다 : I ~ a gentleman when I see him. 신사는 보면 안다 / ~ right *from* wrong 옳고 그른 것을 알다 / They are so alike that you hardly ~ one *from* the other. 두 사람은 아주 닮아서 거의 구별할 수가 없다. ⑤《~+목 / +목+*do* / +*wh.*절》 …의 경험이 있다, 체험하고 있다 : He ~*s* hardship. 그는 고생이 무엇인지 알고 있다 / I have never *known* him *break* his word. 그는 약속을 어긴 적이 없다 / We ~ *what* it is to be poor. 가난이 어떤 것임을 우리는 체험으로 알고 있다 / His uncle has *known* better days. 그의 아저씨에게도 좋은 시절이 있었다. ⑥《古》〖聖·法〗 …와 성적 교섭을 갖다, (여자)를 알다 : Adam *knew* Eve. 아담은 그의 처 이브와 동침하였다. ⑦《~+목》〔무생물을 主語로 하여 否定文〕 (한계·예외 등)을 알다 : Ambition ~*s no* bounds. 야심에는 한이 없다 / Necessity ~*s no* law. 《俗談》 필요 앞에서는 법이 없다.

── *vi.*《~ / +전+명》 알고 있다, 알다 : as far as I ~ 내가 아는 한 / How should I ~? 내가 어찌 알겠는가 / He didn't ~ *about* it. 그는 그 내용을 알지 못했다 / I ~ of him, but I don't know him (personally). 그의 얘기는 들어서 (간접적으로) 알

고 있지만 (개인적으로) 아는 사이는 아니다. ***all*** one **~s** 《口》 (1) 할 수 있는 모든 것; 전력: I did *all* I *knew.* 나는 전력을 다했다. (2) 〔副詞的〕 될 수 있는 대로; 전력을 다해. ***before*** one **~s *where*** one ***is*** 순식간에, 어느새. ***Don't I ~ it !*** 《口》 (분해하면서) 그런것(쯤)은 (이미) 알고 있어! ***don't you ~?*** 〔가벼운 末尾句·挿入句로서〕 정말, 전혀: It's such a bore, *don't you ~?* 정말 지루한 일이군요. ***God*** 〔***Heaven***〕 **~s . . .** (1) (신이 알고 계시다 →) 맹세코, 틀림없이, 참으로: *God* 〔*Heaven*〕 *~s* that it is true. 신에게 맹세코 그건 정말이다. (2) (신만이 아신다 →)아무도 모르다, …인지 모르다: *God* 〔*Heaven*〕 *~s* where he went. 그가 어디로 갔는지 아무도 모른다. ***have known*** a person do 아무가 …하는 것을 본 일이 있다〔알고 있다〕: *Have* you ever *known* him sing a song? 그가 노래하는 것을 들은 적이 있는가. ***if you ~ what I mean*** 이해해 주실지〔아실지〕 모르(겠)지만. ***I want to ~.*** 《美口》 이런, 저런 저런《놀라움 등을 나타냄》. ***I wouldn't ~.*** (내) 알게 뭐야. **~ *about*** …에 대해서 알고 있다《★ know a thing이 직접적 (경험적)지식인 데 반해서, know *about* 〔*of*〕 a thing은 간접적, 관념적 지식》: I *knew about* that last week. 지난 주에 그 일을 전해 들었다 / *~ about* misery 가난에 대해서 알고 있다《★ know misery 가난을 경험하다》. **~ *a hawk from a handsaw*** 판단력이 있다, 어리석지는 않다. **~ *all about*** …의 일을 전부 알고 있다: I *~ all about* that. 그 일이라면 죄다 알고 있다《알고도 남는다》. **~ *a thing or two*** =**~ *how many beans make five*** =**~ *the ropes*** =**~ *what's what*** 사물을 잘 알고 있다, 상식이 있다. **~ *best*** 가장 잘 알고 있다. **~ *better*** 좀더 분별이〔사려가〕 있다. **~ *better than*** …할 정도로 어리석지는 않다: He *~s better than* to do that. 그런 일을 할 만큼 어리석진〔예절이 없진〕 않다. ~ a person ***by name*** 이름은 알고 있다《잘 아는 처지는 아니지만》. ~ a person ***by sight*** 아무의 얼굴은 알고 있다《이름은 모르지만》. ~ a person ***for*** 아무가 …이라고 알고 있다 〔알다〕: I ~ him *for* a German. 그가 독일 사람이라는 것을 나는 안다. **~ *for certain*** 확실히 알고 있다. ~ A ***from*** B, A와 B를 구별〔식별〕할 수 있다. **~ *how*** 하는 방법을 알고 있다. **~ *of*** (…이 있는 것)을 알고〔듣고〕 있다: I ~ *of* a shop where you can get things cheaper. 물건을 더 싸게 살 수 있는 가게를 알고 있다 / This is the best method I ~ *of.* 이것이 내가 아는 최선의 방법이다. ~ one***self*** 자신을 알다: *Know thyself.* 너 자신을 알아라. ~ one***'s onion*** 〔***stuff***〕 일에 정통하다. ~ one***'s own business*** 자기의 일을 잘 알고 있다; 쓸데 없는 짓을 삼가다. ~ one***'s own mind*** ⇨ MIND. **~ *the time of day*** 《口》 이야기가 통하다, 빈틈이 없다, 세상을 알고 있다. ~ a person ***to speak to*** (만나면) 말을 건넬 정도로 안면이 있다. **~ *what*** one ***is about*** 만사에 빈틈이 없다. **~ *which side*** one***'s bread is buttered*** 처신을 위해 해야 할 바를 알다. ***let*** a person ~ 알리다. ***make*** (...) ***known*** (1) …을 알리다, 발표하다. (2) (…을) (에게) 소개하다《*to*》. ***make*** one***self known*** (1) 자기 소개를 하다《*to*》. (2) 유명해지다. ***nobody*** **~s *what*** 〔***where, why, how, when***〕 무엇 〔어디, 무엇 때문, 어떻게, 언제〕인지 아무도 모르다: *Nobody ~s what* may happen. 무슨 일이 일어날지 아무도 모른다 / He has gone *nobody* 〔*God*〕 *~s where.* 그는 아무도 모르는 어디론가 가버렸다. ***Not if I ~ it !*** 《口》 누가 그런 짓을 하겠니. (***not***) **~ *from nothing*** 《美俗》 전혀 모르다《*about*》. ***not*** ~ a person ***is alive*** 남의 일을 괘념치 않다, 무시하다. ***not*** ~ one ***is born*** 《口》 (옛날에 비해서) 편한 생활을 하다, (생활의) 어려움을 모르다. ***not*** **~ *where to put*** one***self*** 〔one***'s face***〕 《口》 (있기에) 거북하다, 멋쩍다. ***not*** **~ *whether*** one ***is coming or going*** 《英俗》 매우 당혹하다, 어찌해야 좋을지 전혀 모르다. (***not***) ***that I ~ of*** 《口》 내가 아는 바로는 (…는 아니다). ***not want to*** ~ 고려하려고 하지 않다, 흥미가〔관심이〕 없다. ***That's all you ~*** (***about it***). 그것밖에 모르고 있군, 얘기는 그뿐만이 아니다. ***There is no ~ing . . . .*** …을 알 도리가 없다: *There is no ~ing* what troubles we shall have. 어떤 귀찮은 일이 일어날지 알 도리가 없다. (***Well,***) ***what do you ~*** (***about that***) ***?*** 《口》 설마, 놀랐는데. ***What do you ~ !*** 《口》 (1) 놀랐는데. (2) 뭔가 뉴스거리〔재미있는 얘기〕가 있는가. ***who*** **~s *?*** 잘은 모르지만, 어쩌면: *Who ~s,* this book may become a best seller? 누가 아나, 이 책이 베스트셀러가 될는지. ***Who*** **~s *what*** 〔***where,*** etc.〕. . . …은 아무도 모르다(Nobody *~s* what 〔where, etc.〕...) : He was taken *who* 〔*nobody, God*〕 *~s where.* 아무도 모르는 곳에 끌려 갔다. ***You ~, . . . = . . . , you ~*** 《口》 저…, 말하자면…; (아시는 바와 같이) …이니까요《다음에 이를 말을 찾을 때; 다짐, 동의를 구할 때 등, 부가적으로 쓰임》. ***You must ~ that . . .*** …으로 양해해 주십시오; (그러면) 말씀드리지요.

── *n.* Ⓤ 숙지, 지식. 〔다음 成句로만〕 ***be in the ~*** 《口》 (기밀 등)을 잘 알고 있다, …의 내막에 밝다: The boss must *be in the ~.* 사장은 내막을 잘 알고 있음이 분명하다.

know·a·ble [nóuəbəl] *a.* 알 수 있는, 인식할 수 있는. ── *n.* Ⓒ 알 수 있는 것.

know-all [⌐ɔ̀:l] *n., a.* 《口》 =KNOW-IT-ALL.

know-how [⌐hàu] *n.* Ⓤ 《口》 (방법에 대한) 실제적인 지식; 기술 지식 〔정보〕, 노하우: business ~ 장사의 요령 / the ~ of space travel 우주여행(의) 기술.

:know·ing [nóuiŋ] *a.* ① 알고 있는, 아는 것이 많은, 학식이 풍부한. ② 기민한, 빈틈없는, 교활한; (비밀 등을) 알고 있는 것 같은, 뜻이 있는 듯한 《눈짓 따위》: a ~ look 알고 있는 듯한 얼굴〔눈〕 표정 / a ~ blade 빈틈없는 사람. ③ 고의적인. ***there is no*** ~ 누구도 모른다, 알길이 없다.

know·ing·ly [-li] *ad.* ① 알고 있다는 듯이; 아는 체 하고: The girls looked ~ at each other. 소녀들은 아는 듯이 서로를 마주 보았다. ② 알면서, 고의로: He would never ~ do such a thing. 그는 결코 일부러 그런 짓을 할 사람이 아니다 / ~ kill 고의로 죽이다.

know-it-all [⌐itɔ̀:l] *n.* Ⓒ 《口》 아는 체하는 사람: He's a bit of a ~, but that's not surprising. 그는 좀 아는체 하나 별것 아니다.

:knowl·edge [nálidʒ / nɔ́l-] *n.* Ⓤ (또는 a ~) ① 지식: scientific ~ 과학 지식 / every branch of ~ 모든 지식의 분야 / the ~ *of* the world 세상에 대한 지식, 세상을 알고 있음 / His general ~ is considerable. 그의 일반 지식은 상당한 것이다 / *Knowledge* is power. 《俗談》 아는 게 힘 / *A* little ~ is a dangerous thing. =*A* little learning is a dangerous thing. 《俗談》 선무당이 사람 잡는다. ② 학식, 학문; 정통(精通), 숙지; 견문: a good ~ *of* physics 물리학에 관한 깊은 학식 / Literature is a branch of ~. 문학은 학문의 한 분야다 / The details of the scandal are now common ~. 그 추문의 상세한 내막은 지금 대부분의

사람들이 알고 있다. ③ 인식; 이해: the ~ of good and bad 선악의 분별 / *a ~ of* the truth 사실의 이해. ④ 경험: *a ~ of* life 인생 경험. ⑤ 보도, 소식: I had no ~ of it. 그런 소식 조금도 듣지 못했다. ◇ know *v.* ***come to*** a person***'s*** ~ 아무에게 알려지다. ***have some* 〔*no*〕 *~ of*** 다소 알고 있다〔전혀 알고 있지 못하다〕. ***It is common ~ that ...*** …라는 것은 주지의 사실이다. ***of common*** ~ 널리 알려져 있는, 누구나 알고 있는: It is a matter *of common ~.* 그것은 일반이 다 아는 바다. ***of*** one's ***own*** ~ (들어서가 아닌) 자기 지식으로, 직접: *Of your own ~,* do you know who did it? 누가 그랬는지 직접 알고 있단 말이지. ***out of all*** ~ 상상을 초월하는. ***to*** (***the best of***) one***'s*** ~ 아무가 아는 바로는; 확실히: *To my ~,* he is living alone. 내가 아는 바로는 그는 혼자 산다 / I have never seen him *to my ~.* 나는 그를 본 적이 없다. ***without*** a person***'s*** ~ =***without the ~ of*** a person 아무도 모르게, 아무에게도 알리지 않고: He left for Paris *without the ~ of* his friends. 그는 친구들에게 알리지도 않고 파리로 떠났다.

knowl·edge·a·ble [nálidʒəbəl / nɔ́l-] *a.* ① 지식이 있는; 아는 것이 많은: I'm not very ~ about electronics. 나는 전자 공학은 별로 잘 알지 못한다. ② 식견이 있는; 총명한.

knowl·edge·a·bly [-dʒəbli] *ad.* 풍부한 지식을 가지고; 아는 체하고.

knówledge bàse 〖컴〗 지식 베이스《필요한 지식을 일정 format 으로 정리·축적한 것》.

knówl·edge-based sýstem [-bèist-] 〖컴〗 지식 베이스 시스템《knowledge base 에 의거하여 추론(推論)하는 시스템》.

†known [noun] KNOW의 과거분사.
— *a.* (이름이) 알려진; 이미 알고 있는: a ~ number 기지수 / a ~ fact 기지〔주지〕의 사실 / He is ~ to the public. 그는 세상에 이름이 알려져 있다 / This change is ~ to occur at high temperatures. 이 변화는 고온에서 일어난다고 알려져 있다.

know-noth·ing [nóunʌθiŋ] *n.* Ⓒ 아무것도 모르는 사람, 무식한 사람.

knuck·le** [nʌ́kəl] *n.* Ⓒ ① **a**) (특히 손가락 밑 부분의) 손가락 관절(마디). **b**) (the ~s) 주먹(의 손가락 관절): His ~*s* were white as he clutched the glass. (흥분해서) 컵을 쥔 그의 손가락은 핏기가 없었다. ② (송아지 따위의) 무릎도가니. ③ 〖機〗 수〔암〕톨쩌귀. ④ (*pl.*) =BRASS KNUCKLES. ***give a wipe over the ~s 사납게 꾸짖다, 주먹으로 갈기다. ***near the ~*** 《口》 자칫 상스러워질 듯한, 노골적인. ***rap*** a person ***on*** 〔***over***〕 ***the ~s*** =***rap*** a person***'s ~s*** (벌로) 아이의 손마디를 가볍게 때리다; 나무라다.
— *vt.* …을 손가락 마디로 치다. ~ ***down*** (1) 항복하다《*to*》. (2) 진지하게 일에 착수하다, 열심히 하다. ~ ***under*** 굴복〔항복〕하다《*to*》.

knuck·le·ball [-bɔ̀:l] *n.* Ⓒ 〖野〗 너클볼《손가락 끝을 공 표면에 세워서 던지는 볼; 타자 근처에서 낙하함》.

knuck·le·bone [-bòun] *n.* Ⓒ ① 손가락 마디의 뼈. ② 짐승의 발가락뼈.

knuck·le-dust·er [-dʌ̀stər] *n.* Ⓒ =BRASS KNUCKLES.

knuck·le·head [-hèd] *n.* Ⓒ 《美口》 바보 (dumbbell). ㊞ **~·ed** [-id] *a.* 우둔한, 어리석은.

knúckle sàndwich 《英俗》 (상대의 입에) 주먹을 한방 먹임.

knurl [nə:rl] *n.* Ⓒ ① (나뭇줄기의) 마디, 혹. ② (미끄러짐을 막는) 우툴두툴한 것, (금속면의) 깔쭉깔쭉한 것.

KO, K.O., k.o. [kéióu] (*pl.* **~'s**) *n.* Ⓒ 녹아웃, 타도. — (**~'d ~'ing**) *vt.* …을 녹아웃시키다. [◂ *k*nock*o*ut]

ko·a·la [kouá:lə] *n.* Ⓒ 〖動〗 코알라(=∠ **bèar**) 《새끼를 업고 다니는 곰; 오스트레일리아산》.

KOC Korean Olympic Committee.

Köch·el (**nùmber**) [kɔ́:rʃəl-] 쾨헬 번호 《Mozart 의 전(全) 작품에 붙인 번호; 略: K.》.

Ko·dak [kóudæk] *n.* Ⓒ 코닥《미국 Eastman Kodak 회사제의 소형 카메라; 商標名》.

Koh·i·noor [kóuənùər] *n.* (the ~) 코이누르 《1849 년 이래 영국 왕실 소장의 유명한 106 캐럿짜리 인도산 다이아몬드》.

kohl [koul] *n.* Ⓤ 화장 먹, 콜먹《아라비아 여성 등이 눈언저리를 검게 칠하는 데 쓰는 가루》.

kohl·ra·bi [kòulrǽbi, -rá:bi, kóulrà:bi] (*pl.* **~es**) *n.* ⒸⓊ 〖植〗 구경(球莖) 양배추《샐러드용》.

ko·la [kóulə] *n.* Ⓒ 〖植〗 ① =COLA[1]. ② KOLA NUT.

kóla nùt 콜라 열매《청량 음료의 자극제》.

ko·lin·sky [koulínski] *n.* ① Ⓒ 〖動〗 시베리아산의 담비. ② Ⓤ 그 모피.

kol·khoz [kalkɔ́:z / kɔl-] *n.* Ⓒ 《Russ.》 (구소련의) 농업 생산 협동 조합, 집단 농장(collective farm), 콜호스.

koo·doo [kú:du:] (*pl.* **~s**) *n.* =KUDU.

kook [ku:k] *n.* Ⓒ 《美俗》 괴짜, 기인(奇人).

kook·a·bur·ra [kúkəbə̀:rə / -bʌ̀rə] *n.* Ⓒ 〖鳥〗 물총새의 일종(laughing jackass) 《우는 소리가 웃음소리 같음; 오스트레일리아산》.

kook·ie, kooky [kú:ki] *a.* (**-i·er ; -i·est**) 《美俗》 기인(奇人)의, 괴짜의, 미친.

ko·pe(c)k, co·peck [kóupek] *n.* Ⓒ 코펙《러시아의 동화(銅貨), 또 금액의 단위(單位); 1/100 루블(ruble)》.

Kor. Korea; Korean.

Ko·ran [kouræ̃n, -rá:n, kɔ:rá:n] *n.* (the ~) 코란《회교 성전》. ㊞ **~·ic** [-ik / kɔ-] *a.*

†Ko·rea [kərí:ə, kourí:ə] *n.* 한국《공식명은 the Republic of Korea; 略: ROK》.

Koréa Báy 서한만(西韓灣).

†Ko·re·an [kərí:ən, kourían] *a.* 한국의; 한국인〔어〕의. ***of ~ make*** 한국제의. — *n.* ① Ⓒ 한국인: a second-generation ~ 한국인 2 세. ② Ⓤ 한국 말. ★ 관사 없음: teach ~; 단, the ~ language 는 다름.

Ko·re·a·na [kɔ̀:riá:nə] *n.* (*pl.*) 한국 관계의 문헌, 한국 사정, 한국지(誌).

Koréan Áir 대한 항공. ⓒⓕ KAL.

Koréan azálea 〖植〗 산(山)철쭉.

Koréan gínseng 고려 인삼.

Koréan láwn gràss 〖植〗 금잔디.

Ko·re·a·nol·o·gy [kɔ̀:ri:ənálədʒi / -nɔ́l-] *n.* Ⓤ 한국학〔연구〕.

Koréan píne 〖植〗 잣나무.

Koréan vélvet gràss 〖植〗 =KOREAN LAWN GRASS.

Koréan Wár (the ~) 한국 전쟁《1950 년 6 월 25 일-1953 년 7 월 27 일》.

Koréa Stráit (the ~) 대한 해협.

ko·sher [kóuʃər] *a.* ① (음식물 특히 육류가 유대인의 율법에 맞도록 조리된) 적법한, 정결한《음식·식기·음식점 따위》. ② 《口》 순수한, 진짜의; 정당한, 합법적인, 적당한: Their business activities aren't quite ~. 그들의 사업활동은 사실상 합법적이 아니다. — *n.* ① Ⓤ 적법한〔정결한〕 식품. ② Ⓒ 적법한 음식점.

ko·tow, kow·tow [káutáu, ∠tàu] *n.* Ⓒ

《Chin.》 고두(叩頭)《넙죽 엎드려 머리를 조아리는 절》. — *vi.* ① 고두하다《*to*》. ② 아부하다, 빌붙다《*to*》.

KOTRA Korea Trade Promotion Corporation (대한 무역 진흥 공사, 코트라).

kou·miss [ku:mís, ⌐-] *n.* =KUMISS.

KP kitchen police. **k.p.h.** kilometer(s) per hour. **Kr** 〖化〗 krypton. **kr.** kreutzer; krona; krone(n); kroner.

kraal [krɑ:l, krɔ:l] *n.* Ⓒ《南아》① (원주민의) 울타리를 친 부락; (울타리로 두른) 오두막(hut). ② (양·소의) 우리.

kráft pàper 크라프트지《시멘트 부대용》.

K ràtion [kéi-] 〖美軍〗 (1일분의) 휴대 식량.

Krem·lin [krémlin] *n.* (the ~) (Moscow에 있는) 크렘린 궁전.

krill [kril] (*pl.* ~) *n.* Ⓒ 크릴《남극해에서 나는 새우 비슷한 갑각류》.

kris [kris] *n.* =CREESE.

Krish·na [kríʃnə] *n.* 〖힌두敎〗 크리슈나 신(神)《Vishnu의 제 8 화신(化身)》.

Kriss Krin·gle [krískríŋgəl] 《G.》 산타클로스.

kro·na [króunə] *n.* Ⓒ ① (*pl.* ***-nor*** [-nɔ:*r*]) 크로나《스웨덴의 화폐 단위; =100 öre; 기호 Kr》; 그 은화. ② (*pl.* ***-nur*** [-nə:*r*]) 크로나《아이슬란드의 화폐 단위; =100 aurar; 기호 Kr》; 그 화폐.

kro·ne [króunə] *n.* Ⓒ ① (*pl.* ***-ner*** [-nə*r*]) 크로네《덴마크·노르웨이의 화폐 단위; =100 öre; 기호 Kr》; 그 은화. ② (*pl.* ***-nen*** [-nən]) 크로네《본래의 독일 10 마르크 금화; 본래 오스트리아 은화》.

kru·ger·rand [krú:gəræ̀nd] *n.* Ⓒ 크루거랜드《남아프리카 공화국의 1온스 금화》.

kryp·ton [kríptɑn / -tɔn] *n.* Ⓤ 〖化〗 크립톤《비활성 기체 원소; 기호 Kr; 번호 36》.

KS Korean (Industrial) Standards; 〖美郵〗 Kansas.

Kshat·ri·ya [kʃǽtriə] *n.* Ⓒ 크샤트리아《인도 4 성(姓) 중의 제 2 계급; 귀족과 무사》. ⓒⓕ caste.

Kt. Knight. **kt.** kiloton(s); karat 〔carat〕; knot(s).

K 2 [kéitú:] *n.* K 2 봉(峰)《(Kashmir 지방의) Karakoram 산맥에 있는 세계 제 2 의 고봉; 8611 m》.

Kua·la Lum·pur [kwɑ́:ləlúmpuə*r*] *n.* 콸라룸푸르《말레이시아의 수도》.

Ku·blai Khan [kú:blaikɑ́:n] 쿠빌라이 칸《원(元)나라의 초대 황제; 1215-94》.

ku·chen [kúkən, -xən] (*pl.* ~) *n.* ⒸⓊ (건포도를 넣은) 독일식 과자.

ku·dos [kjú:dɑs / kjú:dɔs] *n.* Ⓤ 《口》 명성, 영광, 영예: Being an actor has a certain amount of ~ attached to it. 배우가 되면 그에 따른 어느 정도의 명성을 누린다.

ku·du [kú:du:] *n.* 〖動〗 얼룩영양《남아프리카산》.

kúd·zu (vìne) [kúdzu:] *n.* Ⓤ 〖植〗 칡.

Ku Klux Klan [kú:klʌ̀ksklǽn, kjú:-] 3 K 단(團), 큐클럭스클랜《略: K.K.K., KKK》.

kuk·ri [kúkri] *n.* Ⓒ 《Hind.》 쿠크리 칼《인도 Gurkha 족이 쓰는 날이 넓은 단도》.

ku·ma·ra [kú:mərə] *n.* Ⓒ 《N. Zeal.》 고구마.

ku·miss [kú:mis] *n.* Ⓤ 쿠미스, 젖술《말 또는 낙타의 젖으로 만든 아시아 유목민의 술; 약용으로도 함》.

kum·quat [kʌ́mkwɑ̀t / -kwɔ̀t] *n.* Ⓒ 〖植〗 금귤 「(의 열매).

kung fu, kung-fu [kʌ́ŋ fù:] 《Chin.》 쿵후(功夫)《중국의 권법(拳法)》.

Kurd [kə:*r*d, kuə*r*d] *n.* Ⓒ 쿠르드 사람《서아시아 Kurdistan에 사는 호전적인 유목민》.

Kurd·ish [kə́:*r*diʃ, kúə*r*d-] *a.* ① Kurdistan의. ② 쿠르드인〔어〕의. — *n.* Ⓤ 쿠르드어.

Kur·di·stan [kə́:*r*dəstæ̀n] *n.* (터키·이란·이라크에 걸친) 고원 지대《주민은 주로 쿠르드 사람》.

Kú·ril(e) Íslands [kú:ril-, kurí:l-] (the ~) 쿠릴 열도. ★ the Kuril(e)s 라고도 함.

Ku·wait [kuwéit, -wáit] *n.* 쿠웨이트《아라비아 북동부의 회교국; 또, 그 수도》.

Ku·wai·ti [kuwéiti] *a.* 쿠웨이트(인)의. — *n.* Ⓒ 쿠웨이트 사람.

kv, kV, kv. kilovolt(s).

kvass [kvɑ:s] *n.* Ⓤ (러시아의) 호밀 맥주.

kvetch [kvetʃ] *n.* Ⓒ《美俗》 불평가; 불평, 푸념. — *vi.* 늘 불평만 하다, 투덜거리다; …라고 불평을 말하다.

kw, kW, kw. kilowatt(s).

kwash·i·or·kor [kwɑ̀:ʃiɔ́:*r*kɔ:*r*, -kə*r*] *n.* Ⓤ 〖醫〗 콰시오르코르, 단백 열량 부족증《아프리카의 단백 결핍성 소아 영양 실조증》.

kWh, kwh(r) kilowatt-hour.

KY 〖美郵〗 Kentucky. **Ky.** Kentucky.

Kyr·gyz·stan [kirgistɑ́:n] *n.* 키르기스탄《CIS 구성 공화국의 하나; 수도 Bishkek》.

kyrie ele·i·son [kírieiléiisɑ̀n / -eiléiisɔ̀n] 《Gr.》 (종종 K- E-) 〖敎會〗 키리에 엘레이손《'하느님, 자비를 베푸소서'의 뜻; 그리스 정교회 및 가톨릭에서는 미사의 첫머리에 외며, 영국 국교회에서는 십계(十誡)에 대한 응창(應唱)에 쓰임》; 또, 이에 붙인 음악.

K

L

L, l [el] (*pl.* **L's, Ls, l's, ls** [-z]) ① Ⓤ,Ⓒ 엘《영어 알파벳의 열 두째 글자》. ② Ⓒ L자 모양의 것; 〖機〗 L자관(管). ③ Ⓤ (연속된 것의) 12 번째의 것. ④ (the L) 《美俗》 고가 철도(elevated railroad, el) : an *L* station 고가 철도역. ⑤ 로마 숫자의 50 : LX=60.

L large ; Latin ; lira(s) ; longitude. **L.** Lady ; Law ; Left ; *liber* 《L.》 (=book) ; Liberal ; Licentiate ; London ; Lord. **L., l.** lake ; latitude ; law ; league ; left ; length ; low. **l.** land ; large ; leaf ; *libra* 《L.》 (=pound) ; lira(s) ; lire ; liter(s). **£** *libra(e)* (=pound(s) sterling). **La** 〖化〗 lanthanum. **La.** Louisiana. **LA** 《美郵》 Louisiana. **L.A.** Los Angeles.

***la** [lɑ(:)] *n.* Ⓤ,Ⓒ 〖樂〗 라《장음계의 여섯째 음》.

lab [læb] *n.* Ⓒ 《口》 연구실, 실험실 : a language 〔science〕 ~ 어학〔과학〕 실습실. [◂ *lab*oratory]

Lab. Labor (Party) ; Laborite ; Labrador.

‡la·bel [léibəl] *n.* Ⓒ ① **a)** 라벨, 레테르, 딱지, 쪽지, 꼬리표, 부전(附箋) : affix a ~ 라벨을 붙이다 / The bottles got wet and all the ~*s* came off. 병들이 젖어서 레테르가 다 떨어져나갔다. **b)** (의류품(衣類品) 등의) 상표, 브랜드. ② (사람·단체·사상 등의 특색을 나타내는) 호칭, 딱지 : The ~ "niggard" was applied to the old man. 그 늙은이에게 '구두쇠'라는 딱지가 붙어 있었다. ③ (사전 등에서 용법·전문어 등을 나타내는) 표시《이를테면 《俗》, 《口》, 〖植〗 등》. ④ 〖컴〗 이름표, 라벨《수치가 아닌 문자로서의 기호》.

— (*-l-*, 《英》 *-ll-*) *vt.* ① 《~+目 / +目+전+명 / +目+보》 …에 레테르〔딱지〕를 붙이다 : ~ a trunk *for* Hongkong 트렁크에 홍콩행 딱지를 붙이다 / ~ a bottle 'Danger' 병에 '위험'이라는 딱지를 붙이다. ② 《+目+보 / +目+*as* 보》 《比》 …에 …라는 레테르를 붙이다, …에 명칭을 붙이다 : The newspapers had unjustly ~*led* him (*as*) a coward. 신문들은 부당하게 그를 겁쟁이로 낙인찍었다. ③ (레테르를 붙여서) …을 (…라고) 분류하다 ; …을 (…라고) 부르다.

la·bi·al [léibiəl] *a.* ① 입술(모양)의. ② 〖音聲〗 순음(脣音)의. — *n.* Ⓒ 순음《[p, b, m] 따위》. cf. dental. 派 **~·ly** *ad.*

la·bia ma·jo·ra [léibiə-mədʒɔ́:rə] 《L.》 〖解〗 대음순(大陰脣).

lábia mi·nó·ra [-mənɔ́:rə] 《L.》 〖解〗 소음순.

la·bio·den·tal [lèibioudéntl] 〖音聲〗 *a.* 순치음(脣齒音)의 : a ~ sound 순치음. — *n.* Ⓒ 순치음《[f, v] 따위》.

‡la·bor, 《英》 **-bour** [léibər] *n.* ① Ⓤ 노동, 근로 : mental 〔physical〕 ~ 정신〔육체〕노동 / hard ~ 중노동 / manual ~ 육체 노동 / money gained by 〔from〕 one's ~ 노동에 의해 번 돈. ② Ⓤ 〔集合的 ; 單·複數 취급〕 노동자, 《특히》 육체 노동자 ; 노동〔근로〕 계급. cf. capital. ¶ ~ and management 노동자와 경영자, 노사 / ~ and capital 노동자와 자본가, 노자 / a shortage of ~ 노동력의 부족. ③ Ⓤ 애씀, 노력, 고심, 노고 : with ~ 고생하여, 애써서 / lost ~ 헛수고. ④ Ⓒ (힘드는) 일, 고역 : This building was a ~ of nearly 5 years. 이 빌딩은 거의 5년이 걸린 대역사였다. ⑤ (흔히 Labour) (영국의) 노동당. ⑥ Ⓤ (또는 a ~) 산고, 진통 ; 출산 : go into ~ 진통이 시작되다 / be in ~ 산고를 겪고 있다, 분만중이다 / She had *a* difficult ~. 그녀는 난산이었다. ◇ laborious *a.*

— *vi.* ① 《~ / +전+명 / +*to* do》 (부지런히) 일하다, 노동하다 ; 애쓰다, 노력하다 : ~ in the fields 밭에서 일하다 / ~ *for* peace 평화를 위해 노력하다 / He ~*ed to* complete the task. 그는 그 일을 완성시키려고 노력했다. ② 《+전+명》 고민하다, 괴로워하다(suffer) 《*under*》 : He ~*ed under* the misapprehension that nobody liked him. 아무도 자기를 좋아하지 않는다는 잘못된 생각으로 그는 괴로워했다. ③ 《+전+명》 애써서 나아가다 ; 난항하다 《*through* ; *in*》 : The van ~*ed up* the steep mountain track. 트럭은 가파른 산길을 힘들게 올라갔다 / The boat ~*ed in* the heavy seas. 배는 거친 파도에 시달리며 난항했다. ④ 《+전+명》 산고를 겪다 : She is ~*ing with* child. 진통을 일으키고 있다.

— *vt.* …을 (필요 이상) 상세히 논하다〔취급하다〕 : You're ~*ing* the obvious. 넌 빤한 것을 뇌고 또 뇌고 있다. ~ one**'s way** 곤란을 무릅쓰고 나아가다 : She ~*ed her way* up the hill. 그녀는 기를 쓰고 언덕을 올라갔다.

— *a.* 〔限定的〕 ① 노동의〔에 관한〕 : a ~ dispute 노동 쟁의. ② (흔히 Labour) (영국의) 노동당의 : ⇨LABOUR PARTY. ③ 출산의 : ~ pains 진통.

‡lab·o·ra·to·ry [lǽbərətɔ̀:ri / ləbɔ́rətəri] *n.* Ⓒ ① 실험실, 시험실 ; 연구소〔실〕 : a chemical ~ 화학 실험실〔연구소〕 / a hygienic ~ 위생 시험소. ② (약품 등의) 제조소 : a medical ~ 약품 시험소〔실〕. ③ **a)** (교육·사회과학 등 설비가 있는) 실습실, 연습〔연구〕실 : language ~ 어학 실습실. **b)** (교육의 장(場)에서의) 연습, 실습.

— *a.* 〔限定的〕 ① 실험실(용)의 : ~ animals 실험용 동물. ② 실습의, 연습의 a ~ course 실습 코스.

lábor càmp ① 강제 노동 수용소. ② 계절 농업 노동자의 숙박소.

Lábor Dày 《美·캐나다》 노동절《9월의 첫째 월요일로, 유럽의 May Day에 해당》.

la·bored [léibərd] *a.* ① 곤란한 ; 고통스러운. opp *easy.* ¶ Mother's breathing was ~. 어머니는 숨쉬기가 고통스러웠다. ② 애쓴, 고심한 흔적이 보이는 ; 부자연한, 억지의 : a ~ style 어색한 문체 / a ~ speech 부자연스런 연설.

‡la·bor·er [léibərər] *n.* Ⓒ 노동자, 인부 : a day ~ 날품팔이 노동자.

lábor fòrce 노동력 ; 노동 인구.

la·bor-in·ten·sive [léibərintènsiv] *a.* 노동 집약형의 : ~ industry 노동 집약형 산업. opp *capital-intensive.*

***la·bo·ri·ous** [ləbɔ́:riəs] *a.* ① 힘드는, 고된, 인내력이 필요한 : Clearing the forest is a ~ business. 삼림개간은 힘든 사업이다. ② 일 잘하는, 부지런한(industrious). ③ 고심한, 애쓴, 공들인《문체 등》. ◇ labor *n.*

派 **~·ly** *ad.* 애써서, 고생하여. **~·ness** *n.*

La·bor·ite [léibəràit] *n.* =LABOURITE.
lábor màrket (the ~) 노동 시장.
la·bor·sav·ing [léibərsèiviŋ] *a.* 노력(勞力) 절약의, 생력화(省力化)(의) : ~ devices such as washing machines 세탁기 같은 노력 절약 기기.
lábor ùnion 《美》 노동 조합(《英》 trade union).
‡**labour, etc.** ⇨LABOR, etc.
Lábour Exchànge 《英》 공공 직업 안정소《지금의 정식 명칭은 Employment Service Agency》.
La·bour·ite [léibəràit] *n.* Ⓒ 《英》 노동당원《略: Lab.》.
Lábour Pàrty (the ~) 《英》 노동당.
Lab·ra·dor [lǽbrədɔ̀ːr] *n.* 래브라도《북아메리카 북동부의 Hudson 만과 대서양 사이의 반도》.
Lábrador retríever 〔dóg〕 래브라도 리트리버《캐나다 원산의 사냥개·맹도견(盲導犬)》.
la·bur·num [ləbə́ːrnəm] *n.* Ⓤ,Ⓒ 〖植〗 (유럽 원산의) 콩과의 낙엽 교목의 하나.
***lab·y·rinth** [lǽbərìnθ] *n.* ① Ⓒ 미궁(迷宮) ; 미로(maze) : be lost in a ~ of passages 복잡한 통로에서 방향을 잃다. ② Ⓒ 뒤얽혀 복잡한 것, 엉클어진 사건 : the ~ of legal procedure 복잡한 법적 절차. ③ (the ~) 〖解〗 내이(內耳). ④ (the L-) 〖그神〗 라비린토스《Crete 섬의 Minos 왕이 Minotaur를 감금하기 위하여 Daedalus 에게 만들게 한 미궁》.
lab·y·rin·thi·an, lab·y·rin·thine [læ̀bərínθiən], [-θi(ː)n / -θain] *a.* ① 미궁〔미로〕의〔같은〕. ② 복잡한, 엉클어진 : a ~ problem 복잡한 문제.
lac [læk] *n.* Ⓤ 랙《랙깍지진디의 분비물 ; 니스·붉은 도료 따위를 만듦》.
‡**lace** [leis] *n.* ① Ⓒ (구두·코르셋 등의) 끈, 꼰끈 : tie 〔undo〕 a shoe ~ 구두끈을 매다〔풀다〕. ② Ⓤ 레이스 : a handkerchief edged with ~ 가장자리가 레이스로 된 손수건. ③ Ⓤ (금·은의) 몰 ; 가장자리 장식 : gold 〔silver〕 ~ 금〔은〕 몰.
── *vt.* ① 《~+목/+목+부》 …을 끈으로 묶다〔졸라매다〕《*up*》: ~ *up* one's shoes (firmly) 구두끈을 (단단히) 매다. ② 《+목+부/+목+전+명》 (끈 따위)를 꿰다《*through*》: ~ a cord *through* (a hole) (구멍에) 끈을 꿰다. ③ …을 (…으로) 섞어 짜다, 짜 넣다 ; 짜맞추다. ④ …을 레이스〔몰〕로 장식하다 ; …에 줄무늬를 넣다. ⑤ 《+목+전+명》 (브랜디 따위를 커피 등)에 가미하다《*with*》: ~ coffee *with* spirits 커피에 알코올 성분을 타다. ⑥ …을 치다, 매질하다.
── *vi.* ① 《~/+부》 끈으로 매다〔매어지다〕, 끈이 달려 있다 : These shoes ~ easily. 이 구두끈은 매기 쉽다. ② 《+전+명》 (말로 또는 때려) 공격하다, 비난하다, 헐뜯다《*into*》: ~ *into* a person 아무개를 공격하다〔비난하다, 헐뜯다〕.
laced [leist] *a.* ① 끈이 달린, 레이스로 장식한. ② 알코올을 탄.
lac·er·ate [lǽsərèit] *vt.* ① (살 따위)를 찢다, 잡아 찢다, 찢어내다 : Its claws ~*d* his thighs. 그 발톱이 그의 넓적다리 살을 찢었다. ② (마음 따위)를 상하게 하다, 괴롭히다. ── [-ˊ-, -rit] *a.* 찢어진, 찢긴 : a ~ wound 열상(裂傷).
lac·er·a·tion [læ̀səréiʃən] *n.* ① **a)** Ⓤ,Ⓒ 잡아 찢음, 갈가리 찢음. **b)** Ⓒ 열상(裂傷), 찢어진 상처. ② Ⓤ (감정을) 상하게 함, 고뇌.
lace-up [léisʌ̀p] *n.* Ⓒ (흔히 *pl.*) 편상화, 부츠.
lace·work [léiswə̀ːrk] *n.* Ⓤ 레이스 (세공), 레이스 모양의 성긴 뜨개질.
Lach·e·sis [lǽkəsis] *n.* 〖그神·로神〗 운명의 3 여신(Fates) 중의 하나.
lach·ry·mal [lǽkrəməl] *a.* 눈물의 ; 눈물을 흘리는 : ~ glands 누선(淚腺) / a ~ farewell 눈물의 이별.
lach·ry·ma·tor [lǽkrəmèitər] *n.* Ⓤ 최루 물질, 최루 가스(tear gas).
lach·ry·ma·to·ry [lǽkrəmətɔ̀ːri, -tòuri] *n.* Ⓒ 눈물 단지《옛 로마에서 애도자의 눈물을 받아 담았다는》. ── *a.* 눈물의, 눈물을 자아내는 : ~ gas 최루 가스 / a ~ shell 최루탄.
lach·ry·mose [lǽkrəmòus] *a.* ① 눈물 잘 흘리는 : a ~ disposition 잘 우는 성질. ② (이야기 등이) 눈물을 자아내는, 애절한. ㊕ **~·ly** *ad.*
lac·ing [léisiŋ] *n.* ① Ⓤ 레이스 장식. ② Ⓤ (구두·코르셋 등의) 끈 ; 선두름, 레이스 ; 금몰, 은몰. ③ (a ~) 《口》 매질, 벌.
‡**lack** [læk] *n.* ① Ⓤ (또는 a ~) 부족(want), 결핍 ; 없음 : ~ *of* sleep 〔exercise〕 수면〔운동〕 부족. ② Ⓒ 부족한 것 : Money is the chief ~. 무엇보다도 돈이 모자란다. ***for*** 〔***from, through***〕 ~ ***of*** …의 결핍〔부족〕 때문에 : The project was abandoned *through* ~ *of* funds. 계획은 자금 부족으로 중단됐다. ── *vi.* 《~/+전+명》 결핍하다, 모자라다《*in* ; *for*》: She did not ~ *for* love. 그녀는 애정에 굶주리지는 않았다 / ~ *for* nothing 아무것도 부족하지 않다. ⓒⓕ lacking.
── *vt.* …이 결핍〔부족〕되다, 없다 : A desert ~*s* water. 사막에는 물이 없다 / He ~*s* common sense. 그는 상식이 없다.
lack·a·dai·si·cal [læ̀kədéizikəl] *a.* 활기 없는, 열의 없는 ; 의욕이 없는 : Dr. Smith seemed a little ~ at times. 스미스 박사는 때로 기운이 없어 보였다. ㊕ **~·ly** *ad.*
lack·ey [lǽki] *n.* Ⓒ ① (제복을 입은) 종복(從僕), 하인. ② 《蔑》 아첨꾼, 빌붙는 사람(toady).
***lack·ing** [lǽkiŋ] *a.* 〔敍述的〕 부족한《*for* ; *in*》: Money is ~ *for* the plan. 그 계획에는 자금이 부족하다 / Nothing is ~ *in* their happy life. 그들의 행복한 생활에는 부족한 것이 아무것도 없다 / He is ~ *in* intelligence. 그는 지능이 부족하다〔머리가 나쁘다〕.
lack·lus·ter, 《英》 **-tre** [lǽklʌ̀stər] *a.* ① (눈 따위가) 빛이 없는, 거슴츠레한, 흐리멍덩한 : ~ eyes 흐리멍덩한 눈. ② 활기 없는(dull, dim) : a ~ performance 활기〔정채(精彩)〕 없는 공연〔연주, 연기〕.
la·con·ic [ləkɑ́nik / -kɔ́n-] *a.* ① 간결한《어구 따위》, 간명한 : a ~ style 〔reply〕 간결한 문체〔대답〕. ② (사람이) 말수가 적은 : a ~ person 말수가 적은 사람.
lac·o·nism [lǽkənìzəm] *n.* ① Ⓤ (어구의) 간결함. ② Ⓒ 간결한 어구〔문장〕.
***lac·quer** [lǽkər] *n.* ① Ⓤ,Ⓒ **a)** 래커《도료의 일종》; 칠(漆), 옻(Japanese ~). **b)** 헤어 스프레이. ② Ⓤ 〔集合的〕 칠기(漆器)(=~ **wàre**).
── *vt.* …에 래커를〔옻을〕 칠하다 ; (머리)에 헤어 스프레이를 뿌리다.
lac·ri·mal, lac·ry- *a.* =LACHRYMAL.
lac·ri·ma·tor, lac·ry- *n.* =LACHRYMATOR.
la·crosse [ləkrɔ́(ː)s, -krɑ́s] *n.* Ⓤ 라크로스《하키 비슷한 구기의 일종 ; 캐나다의 국기(國技)》.
lac·tate [lǽkteit] *vi.* 젖을 분비하다, 젖을 빨리다〔주다〕.
lac·ta·tion [læktéiʃən] *n.* Ⓤ 젖분비 ; 수유(授乳) (기간).
lac·te·al [lǽktiəl] *a.* ① 젖의, 젖으로 된, 젖 같은(milky) : a ~ gland 유선(乳腺). ② (림프관(管)이) 유미(乳糜)를 보내는〔넣는〕: the ~ vessels 유미관.
lac·tic [lǽktik] *a.* 〔限定的〕 젖의 ; 젖에서 얻는.
láctic ácid 젖산.
lac·tom·e·ter [læktɑ́mitər / -tɔ́m-] *n.* Ⓒ 검유

기(檢乳器)《비중이나 농도를 조사함》.

lac·tose [lǽktous] *n.* Ⓤ 〖化〗 락토오스, 젖당.

la·cu·na [ləkjúːnə] (*pl.* ***-nae*** [-niː], ~*s*) *n.* Ⓒ ① (원고, 특히 고문서 따위의) 탈락(부분) ; 탈문(脫文), 결문(缺文). ② (지식 따위의) 공백, 결함 : There were numerous ~ in his argument. 그의 의론에는 허다한 결함이 있었다. ③〖解〗 열공(裂孔), 소와(小窩).

la·cus·trine [ləkʌ́strin] *a.* ① 호수의. ② 호수에서 사는, 호상(湖上) 생활의 : ~ dwellings 호상 가옥.

lacy [léisi] (***lac·i·er*** ; ***-i·est***) *a.* 끈의 ; 레이스(모양)의 : a ~ blouse 레이스 블라우스.

‡lad [læd] *n.* Ⓒ ① 젊은이, 청년(youth), 소년(boy). opp. *lass.* ②《口》〔一般的〕 사내, 녀석, 친구 : my ~*s* 제군(諸君), 자네들. ③《英口》 씩씩〔대담, 대단〕한 남자 : He's quite 〔a bit of〕 a ~. 대단한 녀석이다.

‡lad·der [lǽdər] *n.* Ⓒ ① 사닥다리. cf. rung. ¶ a rung of a ~ 사닥다리의 한 단(분의 가로대) / prop a ~ up against a wall 담에 사닥다리를 놓다 / climb (up) a ~ 사닥다리를 오르다. ②《比》 출세의 연줄〔수단, 방편〕; 사회적 지위 : a ~ to 〔of〕 success 성공의 수단 / be high on the social ~*s* 사회적 지위가 높다. ③ 사닥다리 모양의 물건. ④《英》 (양말의) 올풀림(《美》 run). ***kick down the*** ~ 출세에 도움을 주었던 친구를〔직업을〕 버리다. ── *vt.* 《英》 (양말)을 올이 풀리게 하다(《美》 run). ── *vi.* 《英》(양말이) 올이 풀리다.

lad·die [lǽdi] *n.* Ⓒ 《Sc.》 젊은이, 소년. opp. lassie.

‡lade [leid] (***lád·ed*** [léidid] ; ***lád·en*** [-n]) *vt.* ① …을 싣다(load), 적재하다 ; (열차·배)에 싣다《*with*》: ~ a ship (*with* cargo) 뱃짐을 싣다. ②《比》 …에게 (짊어)지우다《*with*》: be ~*n with* responsibility 책임이 지워지다. ③ (국자 따위로) …을 퍼내다(ladle).
── *vi.* ① 짐을 싣다. ② 액체를 퍼내다.

***lad·en** [léidn] LADE 의 과거분사. ── *a.* ① 실은, 적재한《*with*》; (과실이) 많이 달린《*with*》: a heavily ~ truck 짐을 잔뜩〔무겁게〕 실은 트럭 / trees ~ *with* fruit 열매가 많이 열린 나무. ② 무거운 짐을 진(마음 따위), 고민하는, 괴로워하는《*with*》: ~ *with* sin 〔care〕 죄의식〔근심〕으로 괴로워하는.

la-di-da [láːdidáː] 《口》 *n.* Ⓒ ① 젠체하는 사람. ② 젠체하는 태도〔행동, 이야기〕. ── *a.* 젠체하는, 고상한 체하는.

La·dies' [léidì(ː)z] *n.* = LADY ⑤.

ládies' 〔lády's〕 màn 여성에게 곰살궂은 남자 ; 여자를 좋아하여 인기가 있는 남자.

ládies' ròom (때로 L- r-) 《美》 (호텔·극장 등의) 여성용 화장실.

lad·ing [léidiŋ] *n.* Ⓤ ① 짐 싣기, 적재, 선적. ② 선하(船荷), 화물. ***a bill of*** ~ ⇨ BILL¹.

la·dle [léidl] *n.* Ⓒ 국자, 구기 : a soup ~ 수프용 국자. ── *vt.* 《~+목 / +목+부 / +목+전+명》 ① …을 국자로 퍼서 옮기다《*into*》; 국자로 퍼〔떠〕 내다《*up* ; *out*》: She ~*d* the soup *into* bowls. 사발에 국을 퍼 담았다. ② (돈·선물 등)을 마구 주다《*out*》: ~ *out* praise 마구 칭찬을 늘어놓다.
㊞ **~·fùl** [-fùl] *n.* Ⓒ 한 국자(분).

†la·dy [léidi] (*pl.* ***la·dies***) *n.* ① **a)** Ⓒ 《woman에 대한 정중한 말》 여자분, 여성 : *ladies* hats 여성모. **b)** (*pl.*) 《호칭》 (숙녀) 여러분 : *Ladies* (and Gentlemen) (신사) 숙녀 여러분, 여러분. **c)** 《호칭》 마님, 아씨 ; 아주머님, 아가씨《종종 경멸적으로 받아들여지기 때문에, 다음과 같은 경우 외에는 madam 쪽이 일반적임》: my dear 〔good〕 ~ 《호칭》 당신 / your good 〔dear〕 ~ 마님, 부인《여자 주인에 대해 쓰는 말》/ my ~ 마님, 아씨《특히 귀부인에 대한 하인의 말》/ young ~ 《口》 아씨. **d)** 〔形容詞的〕 여류…, …부인 : a ~ aviator 여류 비행사《이 용법으로는 woman 도 좋음》/ a ~ dog 《戱》 암캐. ② Ⓒ 귀부인, 숙녀 : He saw at once that she was a real ~. 그는 한눈에 그녀가 정말 숙녀인 것을 알았다. ③ (L-) 레이디 : our Sovereign *Lady* 《古·詩》 여왕《★ 영국에서는 다음의 경우 여성에 대한 경칭 : ⑴ 여성의 후·백·자·남작. ⑵ Lord(후·백·자·남작)와 Sir (baronet 또는 knight)의 부인. ⑶ 공·후·백작의 영애》. ④ Ⓒ **a)** 아내, 부인 : the general's ~ 장군의 부인. **b)** 《俗》 애인, 연인(戀人). ⑤ (ladies('), 종종 Ladies(')) 〔單數취급〕 《英》 여성 화장실. ***Our Lady*** 성모 마리아. ***the first*** ~ 《美》 대통령〔주지사〕 부인. ***the ~ of the house*** 주부, 여자 주인, 마님.

la·dy·bird, -bug [-bə̀ːrd], [-bʌ̀g] *n.* Ⓒ〖蟲〗 무당벌레.

Lády Chàpel 성모 성당, 마리아당(堂)《큰 교회당에 부속됨》.

Lády Dày 성모 영보 대축일《3 월 25 일 ; 천사 Gabriel 이 그리스도의 잉태를 성모 마리아에게 고한 기념일》; (영국에서) quarter day의 하나.

la·dy·fin·ger [-fiŋgər] *n.* Ⓒ (손가락 모양의) 카스텔라식 과자.

la·dy-in-wait·ing [-inwéitiŋ] (*pl.* ***ladies-***) *n.* Ⓒ 시녀, 궁녀.

la·dy-kill·er [-kìlər] *n.* Ⓒ 《口》 레이디킬러, 색한.

la·dy·like [-làik] *a.* ① 귀부인다운, 고상한, 정숙한. ② 여자 같은《남자》; 유약한.

lády's fingers 〖植〗 오크라(okra).

la·dy·ship [-ʃip] *n.* ① 귀부인의 신분. ② (종종 L-) 영부인, 영양(令孃)《Lady 의 칭호를 가진 부인에 대한 경칭》: Your *Ladyship* 영부인《호칭에 씀》/ Her *Ladyship* is out. 영부인은 안 계십니다.

lády's màid 몸종, 시녀.

lag¹** [læg] (-gg-***) *vi.* ①《~ / +부 / +전+명》 처지다, 뒤떨어지다《*behind*》; 천천히 걷다, 꾸물거리다(linger) : He ~*ged* far *behind* the other runners in the marathon. 그는 마라톤 경기에서 다른 주자들보다 훨씬 처졌다 / The construction ~*ged* two months. 건설 공사는 두 달 지연되어 있었다. ② (흥미·관심 등이) 점점 줄다 : Interest ~*ged* toward the end of the novel. 소설의 끝에 가서는 재미가 없었다. ── *vt.* …보다 늦어지다.
── *n.* Ⓤ,Ⓒ ① 지연 : a ~ of several seconds between the lightning and the thunder 번개와 천둥 사이의 몇 초간의 지체. ②〖物〗 (흐름·운동등의) 지체(량(量)).

lag² (***-gg-***) *vt.* (보일러 따위)를 피복재(被覆材)로 싸다 : Water tank should be well ~*ged.* 물탱크는 피복재로 잘 싸두어야 한다.

lag³ (***-gg-***) 《俗》 *vt.* …을 투옥하다 ; 체포하다 (arrest). ── *n.* Ⓒ ① 죄수, 전과자 : an old ~ 상습범. ② 복역 기간.

la·ger [láːgər] *n.* ① Ⓤ 라거비어, 저장 맥주(= ∠ **béer**)《저온에서 6 주 내지 6 개월 저장하여 숙성(熟成)시킨 것 ; ale보다 약함》. ② Ⓒ 라거비어 한 잔〔병〕. cf. beer.

láger lòut 《英口》 술집에서 맥주를 많이 마시고 난동을 부리는 젊은이.

lag·gard [lǽgərd] *a.* 느린, 꾸물거리는 ; 늦은.
── *n.* Ⓒ 느림보, 굼벵이 ; 늦은 사람.
㊞ **~·ly** *ad.* **~·ness** *n.*

lag·ging [lǽgiŋ] *n.* [U] ① (보일러·파이프 등의) 보온 피복(被覆). ② 보온재, 단열(피복)재.

la·gniappe, -gnappe [lænjǽp, ⌐-] *n.* [C] ① (물건을 산 고객에게 주는) 경품, 덤. ② 팁.

***la·goon** [ləgúːn] *n.* [C] 개펄, 석호(潟湖); 초호(礁湖)《환초로 둘러싸인 해면》.

la·ic, -i·cal [léiik], [léiikəl] *n.* [C] (성직자에 대하여) 평신도, 속인(俗人)(layman). — *a.* 평신도의; 속인의.

la·i·cize [léiəsàiz] *vt.* ① …을 환속〔속화〕시키다. ② (제도)를 속인의 지배 아래 두다.

†**laid** [leid] LAY¹의 과거·과거분사.

laid-back [léidbǽk] *a.* 《俗》 한가로운, 느긋한, 유유한: a ~ life style 유유 자적하는 생활.

‡**lain** [lein] LIE¹ 의 과거분사.

lair [lɛər] *n.* [C] ① (짐승의) 굴(den): a fox's ~ 여우굴. ② (악인 등의) 은신처, 소굴: The village was once a pirates' ~. 그 마을은 한때 해적들의 소굴이었다.

lais·sez-faire, lais·ser- [lèiseifέər] *n.* [U] 《F.》 (특히, 경제상의) 무간섭주의, (자유) 방임주의.

la·i·ty [léiəti] *n.* (the ~) 〔集合的; 複數 취급〕 ① 평신도 계급(laymen)《성직자 계급에 대하여》. ② 문외한《전문가에 대하여》.

†**lake**¹ [leik] *n.* [C] ① 호수: *Lake* Leman 레만호. ② (공원 따위의) 못, 연못. ③ (the L-s) = LAKE DISTRICT.

lake² *n.* [U] ① 레이크《짙은 다홍색 안료(顔料)》. ② 진홍색.

Láke Dìstrict 〔**Còuntry**〕 (the ~) 호수 지방《잉글랜드 북서부》.

lake·front [léikfrʌ̀nt] *n.* [C] 호안(湖岸), 호반.

lake·let [léiklit] *n.* [C] 작은 호수.

Láke Pòets (the ~) 호반 시인《Lake District에 산 Wordsworth, Coleridge, Southey 등》.

lake·shore [léikʃɔ̀ːr] *n.* = LAKEFRONT.

lake·side [léiksàid] *n.* (the ~) 호반.

la(l)·la·pa·loo·za, lol·la·pa·loo·za [làləpəlúːzə], [làləpəlúːzə / lɔ̀l-] *n.* [C] 《美俗》 뛰어나게 우수한〔기발한〕 것〔사람, 사건〕.

lal·ly·gag [lǽligæ̀g] (**-gg-**) *vi.* 《美俗》 ① 빈둥거리다. ② (사람 앞에서) 껴안고 애무하다; 농탕치다.

lam¹ [læm] (**-mm-**) *vi., vt.* 《俗》 (…을) 치다, 때리다: If he says it again, ~ him. 그자가 또 그 말을 하거든 쥐어박아라.

lam² (**-mm-**) 《美俗》 *vi.* 내빼다, 달아나다.
— *n.* (the ~) 도망《★ 흔히 다음 성구(成句)로 쓰임》. ***on the*** ~ (경찰에 쫓겨) 도망중인. ***take it on the*** ~ 급히 내빼다.

Lam. 『聖』 Lamentations (of Jeremiah).

la·ma [láːmə] *n.* [C] 라마승(僧). ***Dalai Lama*** 달라이 라마《티베트의 라마교 교주》.

La·ma·ism [láːməizəm] *n.* [U] 라마교.

La·ma·ist [láːməist] *n.* [C] 라마교도.

La·marck [ləmáːrk] *n.* **Jean de** ~ 라마르크《프랑스의 생물학자·진화론자; 1744-1829》.

la·ma·sery [láːməsèri / -səri] *n.* [C] 라마 사원.

La·máze mèthod [ləmáːz-] (the ~) 라마즈법《프랑스의 산부인과 의사 Fernand Lamaze가 개발한 자연 무통 분만법》.

Lamb [læm] *n.* **Charles** ~ 램《영국의 수필가·비평가; 필명은 Elia; 1775-1834》.

‡**lamb** *n.* ① [C] 어린 양: a man as gentle〔meek〕 as a ~ 어린 양처럼 순한 사람. ② [U] 새끼 양의 고기. ③ [C] **a)** 유순한 사람, 천진난만한 사람. **b)** 귀여운〔친애하는〕 사람: my ~ 아가야. ***like a*** ~ 어린 양과 같이 순한. ***the Lamb*** (***of God***) 하느님의 어린 양, 예수.
— *vi.* (양이) 새끼를 낳다(yean).

lam·ba·da [lɑːmbáːdə, læm-] *n.* [C] ① 람바다《브라질에서 시작된 빠르고 에로틱한 춤》. ② 람바다 곡.

lam·bast, -baste [læmbéist] *vt.* 《俗》 ① …을 후려치다(beat). ② …를 몹시 꾸짖다.

lamb·da [lǽmdə] *n.* [U,C] 람다《그리스어 알파벳의 열 한째 자; Λ, λ; 로마자의 L, l에 해당》.

lam·ben·cy [lǽmbənsi] *n.* [U] ① (화염 따위의) 한들거리는 빛, 한들거림. ② (눈·하늘 따위의) 부드러운 빛, 부드럽게 빛남. ③ (재치 따위의) 경묘(輕妙)함.

lam·bent [lǽmbənt] *a.* ① (불꽃·빛 따위가) 가볍게 흔들리는. ② (눈·하늘 따위가) 부드럽게 빛나는. ③ (재치 따위가) 경묘한. [파] ~**·ly** *ad.*

lamb·kin, -ling [lǽmkin], [-liŋ] *n.* [C] ① 새끼양. ② 《애칭》 귀여운 아기.

lamb·like [lǽmlàik] *a.* 새끼양 같은; 온순한; 순진한.

lamb·skin [lǽmskìn] *n.* ① [C] 새끼양 모피. ② [U] 무두질한 새끼양 가죽; 양피지.

‡**lame** [leim] (***more*** ~, ***lám·er***; ***most*** ~, ***lám·est***) *a.* ① 절름발이의, 절룩거리는: a ~ old man 절룩거리는 노인 / He is ~ in the left leg. 왼쪽 다리를 전다 / go〔walk〕 ~ 절룩거리(며 걷)다. ② (설명·변명 등이) 불충분한, 어설픈: a ~ excuse 어설픈 변명 / Mr. Taylor said the rumors were ~ fabrications. 테일러씨는 그 소문은 어설프게 날조된 것이라고 말했다. ③ 《文語》 (운율·시가) 불완전한: a ~ meter 불완전한〔서투른〕 운율.
— *vt.* ① …을 절름발이〔불구〕로 만들다: He was ~*d* for life. 그는 일생 낫지 않는 불구자가 되었다. ② (일)을 망쳐놓다.
[파] ∠**·ly** *ad.* 절룩거리며; 불완전하게. ∠**·ness** *n.* [U] 절름발이; 불충분〔불완전〕함.

la·mé [læméi] *n.* [U] 《F.》 라메《금·은실 등을 섞어 짠 금란(金襴)의 일종》.

lame·brain [léimbrèin] *n.* [C] 《口》 어리석은 자, 얼간이.

láme dúck 《口》 [C] ① 쓸모 없는 자〔것〕; 무능자; 폐물. ② (채무 불이행에 의해) 제명된 증권 거래원; 파산자. ③ 《美口》 재선거에 낙선하고 남은 임기를 채우고 있는 의원〔지사·대통령 등〕: the ~ president 낙선 대통령. ④ 재정 위기의 회사.

la·mel·la [ləmélə] (*pl.* ~***s***, ***-lae*** [-liː]) *n.* [C] (뼈·조직 등의) 얇은 판, 박막(薄膜), 얇은 층〔조각〕.

‡**la·ment** [ləmént] *vt.* ① …을 슬퍼하다, 애도하다; 한탄하다: He ~*ed over* his misfortune. 그는 자기의 불운을 한탄했다 / We ~*ed* his death. 우리는 그의 죽음을 애도했다. ② …을 후회하다, 애석해하다: ~ (making) an error 잘못을 (저지른 것을) 후회하다. — *vi.* 《~ / +[전]+[명]》 슬퍼〔한탄〕하다《*for*; *over*》. [opp] *rejoice.* ¶ ~ *for*〔*over*〕 the death of a friend 친구의 죽음을 슬퍼하다. ◇ lamentation *n.* ***the late*** ~***ed*** 고인; 《특히》 망부(亡夫).
— *n.* [C] ① 비탄, 한탄; 애도. ② 비가(悲歌), 애가(elegy), 만가(輓歌).

***lam·en·ta·ble** [lǽməntəbəl] *a.* ① 슬퍼할, 통탄할. ② 유감스러운, 한심한: His command of English was ~. 그의 영어를 구사할 수 있는 능력은 한심했다. [파] **-bly** *ad.*

***lam·en·ta·tion** [læ̀məntéiʃən, -men-] *n.* ① [U] 비탄, 애도. ② [C] 비탄의 소리; 애가(哀歌). ③ (L-s) 〔單數취급〕 『聖』 (Jeremiah 의) 애가(哀歌)

L

《구약성서 중의 한 편》. ◇ lament *v.*

lam·i·na [lǽmənə] (*pl.* **-nae** [-nìː], ~**s**) *n.* Ⓒ 박판(薄板), 박막(薄膜), 얇은 층.

lam·i·nate [lǽmənèit] *vt.* ① …을 박편(薄片)으로 만들다, (금속을 두드려 늘여서) 박판(薄板)으로 만들다. ② …에 박판을 씌우다. ── *vi.* 박편으로 쪼개지다, 박편이 되다. ──[-nit] *a.* 박판〔박편〕 모양의. ──[-nit] *n.* Ⓤ,Ⓒ 박판〔박편〕 제품, 적층물(積層物), 적층 플라스틱.

lam·i·nat·ed [-id] *a.* ① 박판 모양의. ② 얇은 층으로 된 : ~ glass 합판(合板) 유리《안전 유리의 하나》/ ~ wood 적층재(積層材), 합판.

lam·i·na·tion [læ̀mənéiʃən] *n.* ① Ⓤ 얇은 판자로〔조각으로〕 만들기. ② Ⓒ 적층 구조물.

Lam·mas [lǽməs] *n.* 《英》 수확제(收穫祭) (=∠ **Dày**)《옛날 8월 초하루에 행하여졌음》.

†**lamp** [læmp] *n.* Ⓒ ① 등불, 램프, 남포 : an electric 〔a gas〕 ~ 전등〔가스등(燈)〕/ an oil 〔《美》 a kerosene〕 ~ 석유 램프 / a spirit ~ 알코올 램프 / a desk ~ 전기 스탠드 / an infrared ~ (의료용) 적외선 램프 / In the evenings we eat by the light of an oil ~. 저녁이면 우리는 남폿불을 켜놓고 밥을 먹는다. ② (정신적) 광명, 지식의 샘. ③ 《詩》 횃불 ; 태양, 달, 별 : the ~*s* of heaven 천체, 별. ④ (one's ~s) 《美俗》 눈. ***smell of the*** ~ (문장·작품 등이) 밤새워 고심한 흔적이 엿보이다.

lamp·black [lǽmpblæ̀k] *n.* Ⓤ ① 철매, 유연(油煙). ② (철매로 만든) 흑색 안료.

lámp chìmney 램프의 등피.

lamp·light [∠làit] *n.* Ⓤ 등불, 램프 빛 : read by ~ 등불 아래서 독서하다. ㊞ ~·**er** *n.* Ⓒ ① (가로등의) 점등부(點燈夫). ② 《美》 점등 용구.

lam·poon [læmpúːn] *n.* Ⓒ 풍자문〔시〕, 비아냥거리는 글귀 : a political ~ 정치적 풍자문.
── *vt.* (시, 글로) …을 풍자하다.
㊞ ~·**er**, ~·**ist** *n.*

lamp·post [lǽmppòust] *n.* Ⓒ 가로등 기둥.

lam·prey [lǽmpri] *n.* Ⓒ 〖魚〗 칠성장어.

lamp·shade [lǽmpʃèid] *n.* Ⓒ 램프갓, 조명 기구의 갓.

lámp stàndard =LAMPPOST.

LAN local area network (동일 건물〔기업〕 내 정보 통신망, 랜).

Lan·ca·shire [lǽŋkəʃiər, -ʃər] *n.* 랭커셔《잉글랜드 북서부의 주 ; 주도 Preston》.

Lan·cas·ter [lǽŋkəstər] *n.* 랭커스터《(1) 영국 Lancaster 왕가(1399-1461). (2) Lancashire 의 옛 주도(州都)》.

Lan·cas·tri·an [læŋkǽstriən] *a., n.* Ⓒ ① 〖英史〗 Lancaster 왕가의 (사람), 홍장미당(黨)의 (당원)《장미전쟁 (Wars of the Roses) 중 Lancaster 왕가를 지지한》. ② Lancashire 의 (주민). Ⓒⓕ Yorkist.

‡**lance** [læns, lɑːns] *n.* Ⓒ ① (옛날 창기병이 쓰던) 창《★ spear 는 무기로서의 보통 창, javelin 은 투창 경기의 창》. ② 작살. ③ (*pl.*) 창기병(槍騎兵). ④ 〖醫〗 =LANCET. ***break a ~ with*** …와 시합〔논쟁〕하다. ── *vt.* ① …을 창으로 찌르다. ② 〖醫〗 …을 랜싯(lancet)으로 절개하다.

lánce còrporal 〖英軍〗 ① 하사 근무 병장. ② 〖美海兵隊〗 병장.

lanc·er [lǽnsər, lɑ́ːns-] *n.* Ⓒ 창기병(槍騎兵).

lánce sèrgeant 〖英軍〗 중사 근무 하사.

lan·cet [lǽnsit, lɑ́ːn-] *n.* Ⓒ 〖醫〗 랜싯《양날의 외과용 메스》.

láncet àrch 〖建〗 꼭대기가 뾰족한 아치.

láncet wíndow 〖建〗 바소 모양의 창(窓).

Lancs(.) [læŋks] Lancashire.

†**land** [lænd] *n.* ① Ⓤ 뭍, 육지. ⓄⓅⓅ *sea, water.* ¶ on ~ or at sea 전세계에 걸쳐 어디서나 / close with the ~ (배가) 육지에 접근하다 / The ship cleared the ~. 배는 먼 바다로 나갔다. ② Ⓤ 〔흔히 修飾語와 함께〕 (성질·용도상으로 본) 땅, 토지, 지면 : rich 〔poor〕 ~ 비옥〔척박〕한 땅 / go on the ~ 농부가 되다 / arable 〔barren〕 ~ 경작지〔불모지〕/ There was not much ~ to cultivate in the village. 그 마을에는 경작할 땅이 적었다 / forest ~ 삼림지대 / private 〔public〕 ~ 사유〔공유〕지. ③ Ⓒ **a**) 국토, 나라, 국가 : from all ~*s* 각국에서 / one's native ~ 모국, 고국. **b**) 지방(region) ; 영역, …의 세계 : the ~ of dreams 꿈나라 ; 이상향. **c**) 국민 : The whole ~ rejoiced at the news. 온 국민이 그 소식을 반겼다. ④ (the ~) (도회에 대한) 지방, 시골 ; 전원 (생활) : Many farmers are leaving *the* ~ to work in industry. 많은 농민들이 제조업에서 일하려고 농촌을 떠나고 있다 / go back to *the* ~ 농촌으로〔전원 생활로〕 되돌아가다, 귀농하다. ***by*** ~ 육로로. ⓄⓅⓅ *by sea.* ***make*** (***the***) ~=***sight the*** ~ 육지가 보이는 곳으로 오다. ***see how the ~ lies*** 사태를 미리 조사하다 ; 형세를 보다, 사정을 살피다. ***the ~ of Nod*** 〖聖〗 (1) 카인이 살던 땅《창세기 Ⅳ : 16》. (2) 잠(의 나라). ***the Land of Promise*** 〖聖〗 약속의 땅《가나안의 땅 ; 창세기 Ⅻ : 7, Ⅷ : 15》.

── *vt.* ① **a**) 《~+목/+목+전+명》 …을 상륙시키다, 양륙하다 ; (항공기 등)을 착륙〔착수, 착함〕 시키다 ; (탈것에서 승객 등)을 내려놓다, 하차〔하선〕시키다 : ~ troops *in* France 군대를 프랑스에 상륙시키다 / ~ an airplane 비행기를 착륙시키다. **b**) (낚시에 걸린 물고기)를 끌어〔낚아〕올리다 ; 《口》 (애쓴 결과) …을 손에 넣다《직업·계약·상 따위》: ~ a trout 송어를 낚아올리다 / ~ a prize 수상하다 / He ~*ed* job with K.B.S. 그는 케이 비 에스에 일자리를 얻었다. ② 《+목+부/+목+전+명》 (아무)를 (나쁜 상태 등에) 빠지게 하다 : A theft ~*ed* him *in* jail. 절도죄로 그는 감옥에 들어가게 되었다. ③ 《+목+전+명/+목+목》 《口》 (타격 등)을 가하다 : ~ a punch *on* a person's head 아무의 머리에 일격을 가하다 / ~ a person a blow on the nose 아무의 코빼기에 한대 먹이다.

── *vi.* ① 《~/+전+명》 상륙하다 ; 착륙〔착수, 착함(着艦)〕하다《*at* ; *in* ; *on*》; 하선(下船)〔하차〕하다《*from*》: ~ *from* a train 열차에서 내리다. ② 《+전+명/+부》 뛰어내리다 ; 떨어지다《*on*》: ~ *on* one's back 벌렁 뒤로 자빠지다. ③ **a**) (어떤 상태로) 빠지다, 떨어지다《*in*》. **b**) 도착하다《*at*》: The boat ~*ed at* the port. 배가 항구에 도착했다. ~ ***all over***. . . =~ ***on***. . . 《口》 …을 몹시 꾸짖다, 혹평하다. ~ ***on*** one***'s feet*** ⇨ FOOT (成句). ~ ***up*** (어떤 장소에) 이르다《*in* ; *at*》; (어떤 상태로) 되다, 빠지다《*in*》: ~ *up at* a motel 모텔에 이르다 / ~ *up in* debt 빚지게 되다. ~ ***up*** do***ing*** 《口》 마침내〔마지못해〕 …하게 되다 : His business went bankrupt and he ~*ed up* work*ing* in a factory. 그의 회사가 망해 한 공장에서 품을 팔게 됐다.

lánd àgent ① 《美》 토지 매매 중개업자, 부동산업자. ② 《英》 토지 관리인.

lan·dau [lǽndau, -dɔː] *n.* Ⓒ 랜도《앞뒤 포장을 따로따로 개폐할 수 있는 4륜 마차의 일종》.

lánd brèeze 육풍(陸風)《해안 부근에서 밤에 뭍에서 바다로 부는 미풍》. Ⓒⓕ sea breeze.

lánd cràb 참게《번식할 때만 물에 들어감》.

***land·ed** [lǽndid] *a.* 〔限定的〕 ① 토지를 소유하

L

고 있는, 땅을 가진: a ~ proprietor 토지 소유자, 지주 / the ~ classes 지주계급. ② 땅의, 땅으로 된: ~ property〔estate〕 부동산, 토지, 소유지.

land·er [lǽndər] *n.* [C] ① 상륙자; 양륙자. ② 〖宇宙〗 (달 표면 등에의) 착륙선〔기〕.

land·fall [lǽndfɔ̀:l] *n.* [C] ①〖海〗 (항해 또는 비행중) 최초로 육지를 봄; 또 그 본 육지: make a good ~ 예측대로 육지가 보이다〔에 접근하다〕. ② (선박 등의) 육지 접근〔상륙〕.

land·fill [⌐fìl] *n.* 《美》 ① [C] 쓰레기 매립지. ② [U] 쓰레기 매립 처리(법).

lánd fòrce 〖軍〗 지상 부대, 지상군.

land·form [lǽndfɔ̀:rm] *n.* [C] 지형, 지세(地勢).

lánd grànt 《美》 무상 토지 불하《대학·철도 건설 등을 위해 정부가 시행하는》; 그 땅.

land·hold·er [lǽndhòuldər] *n.* [C] 지주; 차지인(借地人)(tenant). 「(의).

land·hold·ing [⌐hòuldiŋ] *n.* [U], *a.* 토지 소유

‡**land·ing** [lǽndiŋ] *n.* ① [U,C] 상륙, 양륙; 〖空〗 착륙, 착수: a lunar〔moon〕 ~ 달〔월면〕 착륙 / a smooth ~ 연착륙 / a forced ~ 불시착 / Because of engine trouble the plane had to make an emergency ~. 기관 고장으로 비행기는 비상착륙을 해야 했다. ② [C] 상륙장; 화물 양륙장; 부두. ③ [C] 〖建〗 (계단의) 층계참. ***Happy ~s!*** 《口》 건배.

lánding cràft 〖軍〗 상륙용 주정(舟艇).

lánding field〔**gròund**〕 착륙장.

lánding gèar 〖空〗 착륙〔착수(着水)〕 장치.

lánding nèt 사내끼《낚은 고기를 떠올리는 그물》.

lánding stàge 부잔교(浮棧橋); 돌제(突堤).

lánding strìp 가설(假設) 활주로.

***land·la·dy** [lǽndlèidi] *n.* [C] ① (여관·하숙의) 안주인. [cf.] landlord. ② 여자 집주인; 여자 지주.

lánd làw (흔히 *pl.*) 토지(소유)법.

land·less [lǽndlis] *a.* ① 토지가 없는, 땅〔부동산〕을 소유하지 않은: ~ peasants 농지가 없는 소작농들. ② 육지가 없는.

land·locked [lǽndlɑ̀kt / -lɔ̀kt] *a.* ① 육지로 둘러싸인: a ~ country 내륙국. ② (물고기 따위가) 육봉(陸封)된《바다와 단절되어》.

‡**land·lord** [lǽndlɔ̀:rd] *n.* [C] ① 지주; 집주인: His ~ doubled the rent. 집주인은 세를 두 배로 올렸다. ② (하숙·여관·술집 등의) 주인. [cf.] landlady. [파] ~·ìsm [-ìzəm] *n.* [U] 지주 제도.

land·lub·ber [lǽndlʌ̀bər] *n.* [C] 풋내기 뱃사람; 물에 익숙하지 못한 사람.

‡**land·mark** [lǽndmɑ̀:rk] *n.* [C] ① 경계표. ② 육상 목표《항해자 등의 길잡이가 되는 특이한 모양의 산꼭대기, 높은 탑 따위》. ③ 획기적인 사건: the ~*s* of history 역사상의 획기적 사건.

land·mass [lǽndmæ̀s] *n.* [C] 광대한 토지; 대륙.

lánd mìne ① 지뢰. ② 파라슈트 폭탄.

lánd-of·fice búsiness [lǽndɔ̀(:)fis-, -ɑ̀f-] 《美口》 인기 있는 장사; 벼락 경기를 타는 사업, 대번창《*in*》: do a ~ *in* a product 갑자기 어떤 제품으로 큰 돈벌이를 하다.

***land·own·er** [⌐òunər] *n.* [C] 땅 임자, 지주.

land-poor [⌐pùər] *a.* 《美》 (땅이 비생산적이어서) 토지가 많으면서도 현금에 궁색한.

lánd refòrm 토지 개혁.

Lánd Ròver 랜드 로버《지프 비슷한 영국제의 범용(汎用) 4륜 구동차; 商標名》.

Land·sat [lǽndsæ̀t] *n.* 랜드샛《미국의 지구자원 탐사 위성》. [◂*Land sat*ellite]

‡**land·scape** [lǽndskèip] *n.* ① [C] 풍경, 경치; 조망, 전망. [cf.] seascape. ¶ the beauty of the Korean ~ 한국의 풍경미 / A picturesque ~ presented itself before our eyes. 우리들 눈앞에 그림같은 풍경이 펼쳐졌다. ② **a**) [C] 풍경화: a ~ painter 풍경화가. **b**) [U] 풍경화법. ③ 〖컴〗 가로 방향. ── *vt.* …에 조경 공사를 하다; …을 미화〔녹화(綠化)〕하다.

lándscape àrchitect 조경사, 풍치 도시 계획 기사.

lándscape àrchitecture 조경술〔법〕, 풍치 도시 계획법.

lándscape gàrdener 정원사.

lándscape gàrdening 조원(造園)술〔법〕.

lándscape pàinting 풍경화(법).

Lánd's Énd (the ~) 영국 Cornwall 주의 남서쪽 끝의 갑(岬)《영국의 서쪽 끝》.

***land·slide** [lǽndslàid] *n.* [C] ① 사태, 산사태. ② 《美》 (선거에서의) 압도적 승리: The opinion polls forecast a Democratic ~. 여론조사는 민주당의 압승을 예상하고 있다. ── *a.* 〔限定的〕 (선거 등) 압도적인: a ~ victory 압도적인 승리.

land·slip [lǽndslìp] *n.* 《英》 = LANDSLIDE ①.

lands·man [lǽndzmən] (*pl.* ***-men*** [-mən]) *n.* [C] ① 육상 생활〔근무〕자. [opp] *seaman*. ② 풋내기 선원.

land-to-land [lǽndtəlǽnd] *a.* 〔限定的〕 (미사일이) 지대지(地對地)의.

land·ward [lǽndwərd] *a., ad.* 육지쪽의〔으로〕.

land·wards [⌐wərdz] *ad.* = LANDWARD.

***lane** [lein] *n.* [C] ① (산울타리·벽 따위 사이의) 좁은 길, 골목; 좁은 시골길: a winding ~ 구불구불한 골목길 / a blind ~ 막다른 골목 / It is a long ~ that has no turning. 《俗談》 갈림길 없는 길이란 없다; 쥐구멍에도 볕들 날이 있다. ② (배·비행기 따위의) 규정 항로: ⇨AIR LANE, SEA LANE. ③ (도로의) 차선: a 4-~ highway, 4 차선 간선 도로 / a passing ~ 《美》 추월선(《英》 an overtaking). ④ 〖競〗 (단거리 경주·경영(競泳) 등의) 코스. ⑤ (볼링의) 레인.

lang·syne [lǽŋsáin, -záin] 《Sc.》 *ad., n.* [U] 오래 전, 옛날: ⇨AULD LANG SYNE.

†**lan·guage** [lǽŋgwidʒ] *n.* ① [U] (음성·문자에 의한) 언어, 말: spoken ~ 음성 언어, 구어 / written ~ 문자 언어, 문어 / *Language* is an exclusive possession of man. 언어는 인간 고유의 것이다. ② [C] (어떤 국가·민족의) 국어, …어(語): How many ~*s* does he speak? 그는 몇 개 국어를 아나 / He speaks five ~*s*. 그는 5개 국어를 한다 / a foreign ~ 외국어 / the French ~ 프랑스 말(★ 단지 French 라고 하기보다 딱딱한 표현. 후자는 관사가 붙지 않는 점에 주의: He speaks *French*〔*English*〕). ③ [U] 어법(語法), 어투, 말씨; 문체; 언어 능력: strong ~ 강경한 말, 격한 말투 / bad ~ 심한〔상스러운〕 말(씨) / in the ~ of …의 말을 빌려 말한다면. ④ [U] 술어, 전문어, 용어: legal〔scientific〕 ~ 법률〔과학〕 용어. ⑤ [U] **a**) (새·짐승 등의) 울음소리. **b**) (비(非)언어적인) 전달(수단): body〔gesture〕 ~ 몸짓말 / the ~ of flowers 꽃말. ⑥ [U] 어학; 언어학. ⑦ [U] 〖컴〗 언어《정보를 전달하기 위한 일련의 표현·약속·규칙》: artificial ~ 인공 언어 / machine ~ 기계 언어 / ~ processing program 언어처리 프로그램 / object〔target〕 ~ 목적 언어.

speak the same ~ 생각이 같다, 마음이 통하다.

lánguage làb = LANGUAGE LABORATORY.

lánguage làboratory 어학 실습실.

lánguage pròcessor 〖컴〗 언어 처리기.

langue [lɑ̃:g] *n.* [U] 《F.》 〖言〗 (체계로서의) 언어. [cf.] parole ②.

L

***lan·guid** [lǽŋgwid] *a.* ① 께느른한, 늘쩍지근한 : feel ~ 께느른하다 / with a ~ gesture 나른한 듯한 몸짓으로. ② 마음 내키지 않는, 무관심한 : a ~ attempt 마음 내키지 않는 시도. ③ (시장 등이) 활기 없는, 불경기의 : a ~ trade 〔market〕 한산한 거래〔시장〕. ◇ languish *v.*
[파] **~·ly** *ad.* **~·ness** *n.*

***lan·guish** [lǽŋgwiʃ] *vi.* ① 기운이 없어지다, (쇠)약해지다, 시들다, 느른해지다 : Our conversation *~ed.* 우리들의 대화는 시들해졌다 / The flowers *~ed* in the heat. 더위에 꽃이 시들었다. ② (역경 따위에) 시달리다, 고생하다 : ~ in a foreign jail 외국의 감옥에서 신음하다. ③《+[전]+[명] / +*to* do》 동경하다, 그리워하다, 간절히 바라다(*for*) : ~ *for* home 고향을 그리워하다 / She *~ed for* a kind word. 그녀는 친절한 말에 굶주려 있었다. ◇ languor *n.*

lan·guish·ing [-iŋ] *a.* ① 점점 쇠약해가는. ② 번민하는 ; 그리워하는 : a ~ look 수심에 잠긴 표정. ③ 꾸물대는, 오래 끄는 : a ~ illness 오래 끄는 병. [파] **~·ly** *ad.*

lan·guor [lǽŋgər] *n.* ① [U] 께느른함, 권태, 피로 ; 무기력 : I found it difficult to shake off my ~. 무력감을 떨쳐버리기란 어려웠다. ② [C] (종종 *pl.*) 근심 ; 시름 ; 울적함. ③ [U] (날씨 따위의) 음울. ◇ languid *a.*

lan·guor·ous [lǽŋgərəs] *a.* ① 께느른한, 늘쩍지근한 ; 개운치 않은, 음울한. ② 울적한.
[파] **~·ly** *ad.* **~·ness** *n.*

lan·gur [lʌŋgúər] *n.* [C] 【動】 긴꼬리원숭이의 일종《남아시아산(産)》.

lank [læŋk] *a.* ① 여윈, 홀쭉한. ② (머리카락·풀 따위가) 길고 부드러운, 곱슬곱슬하지 않은.
[파] **∠·ly** *ad.* **∠·ness** *n.*

lanky [lǽŋki] (***lank·i·er*** ; ***-i·est***) *a.* (손발·사람이) 홀쭉〔호리호리〕한 ; 멀대 같은 : a ~ teenager 멀대 같은 10대의 아이.
[파] **lánk·i·ly** *ad.* **-i·ness** *n.*

lan·o·lin(e) [lǽnəlin, -li:n] *n.* [U] 라놀린《정제 양모지(羊毛脂) ; 연고·화장품 재료》.

Lan·sing [lǽnsiŋ] *n.* 랜싱《Michigan 주의 주도·공업도시》.

‡**lan·tern** [lǽntərn] *n.* [C] ① 랜턴, 호롱등, 제등, 등롱(Chinese ~) : a paper ~ 등롱 / a ~ parade 〔procession〕 제등 행렬. ② 환등(기) (magic ~). ③ (등대의) 등(화)실(燈(火)室). ④ 【建】 꼭대기탑 ; 채광창.

lan·tern-jawed [lǽntərndʒɔ̀:d] *a.* 홀쭉한 주걱턱의.

lan·tha·num [lǽnθənəm] *n.* [U] 【化】 란탄《희토류 원소 ; 기호 La ; 번호 57》.

lan·yard [lǽnjərd] *n.* [C] ①【海】 죔줄. ② (뱃사람들이 나이프·호각 등을 꿰차는) 목줄.

La·oc·o·ön [leiǽkouὰn / -ɔ́kouɔ̀n] *n.* 【그神】 라오콘《Troy 의 Apollo 신전의 사제(司祭) ; 여신 Athena의 노여움을 사서 아들과 함께 바다뱀에 감겨 죽었음》.

La·os [lά:ous, léiɑs] *n.* 라오스《인도차이나 서북부의 나라 ; 수도 Vientiane》.

La·o·tian [leióuʃən, láuʃiən] *a.* 라오스(사람·말)의. ── *n.* ① [C] 라오스사람. ② [U] 라오스말.

Lao-tse, -tzu [láudzʌ́ / lά:outséi] *n.* 노자(老子)《604 ? -531 B.C.》.

‡**lap**[1] [læp] *n.* [C] ① 무릎《앉아서 허리에서 무릎까지의 부분》 : sit with a child *in*〔*on*〕 one's ~ 아이를 무릎에 올려놓고 앉다. [cf] knee. ② (스커트·의복의) 무릎 (닿는) 부분 : She gathered the fallen apples and carried them in her ~. 그녀는 땅에 떨어진 사과를 주워 모아 치맛자락에 담아 날랐다. ③ (어린애를 안는 어머니의 무릎 같은) 품어 기르는 곳〔환경〕, 안락한 곳 ; 보호〔책임 따위〕의 범위 : in the ~ of Fortune = in Fortune's ~ 행운을 타고난〔타고나서〕 / Everything fell into his ~. 만사가 그의 뜻대로 되었다 / Don't drop all this work on my ~. 이 일을 죄다 내게 떠맡기지 마라. ④《詩》 산골짜기 ; 산의 우묵한 곳 : the ~ of valley 골짜기의 깊은 곳. ⑤ (두 가지 것의) 겹침〔겹친 부분〕. ⑥【競】 랩, (주로(走路)의) 한 바퀴 : 【建】 판자 등이 겹친 부분.
in the ~ of luxury 온갖 사치를 다하여. ***in the ~ of the gods*** ⇨ GOD(成句).
── (*-pp-*) *vt.* ①《+[목]+[부] / +[목]+[전]+[명]》 …을 싸다, 둘러싸다 ; 감다, 휘감다, 걸치다(*about* ; *around*) : ~ a baby *in* a blanket 아기를 담요로 싸다 / a beautiful valley *~ped in* hills 구릉에 둘러싸인 아름다운 골짜기 / Joy *~ped* him *over.* 그는 기쁨에 싸여 있었다 / ~ a bandage *around* the leg = ~ the leg *in* a bandage 다리에 붕대를 감다. ②《~+[목] / +[목]+[전]+[명]》 …에 겹치다 ; …을 부분적으로 겹치다(*on* ; *over*) : ~ a slate *over* 〔*on*〕 another 슬레이트를 다른 슬레이트 위에 겹치다. ③ (경마·자동차 레이스에서) 한 바퀴 (이상) 앞서다.
── *vi.* ①《~ / +[부]》 접혀 겹치다 ; 겹쳐지다, 걷어 올려지다 : The shingles ~ *over* elegantly. 지붕널이 우아하게 겹쳐져 있다. ②《+[부] / +[전]+[명]》 …에 미치다, 연장되다 : Its effects *~ped over into* the next administration. 그 영향은 차기 정권에까지 미쳤다.
be ~ped in luxury 호화스럽게 살다.

‡**lap**[2] *n.* ① [C] 핥아먹음 ; 한 번 핥아먹는 분량 : empty a plate with two *~s* of the tongue (개 따위가) 두 번 핥아서 접시를 비우다. ② [U] (뱃전·기슭을 치는) 잔물결소리. ③ [U] (개의) 유동식(食). ── (*-pp-*) *vt.* ①《~+[목] / +[목]+[부]》 …을 핥다, 핥아 먹다(*up* ; *down*) : The dog *~ped up* the milk. 개가 우유를 말끔히 핥아 먹었다. ② (물결 따위가) …을 찰싹찰싹 치다〔씻다〕. ── *vi.* 《~ / +[전]+[명]》 (파도가) 찰싹찰싹 밀려오다〔소리를 내다〕 : ~ *against* the shore (파도가) 해안에서 물결치다.

lap·board [lǽpbɔ̀:rd] *n.* [C] 무릎 위에 올려 놓는 책상 대용 평판(平板).

láp compùter 휴대용 컴퓨터.

láp dòg 애완용의 작은 개.

la·pel [ləpél] *n.* [C] (양복의) 접은 옷깃 : wear a flower in one's ~ 옷깃에 꽃을 달고 있다.

lap·ful [lǽpfùl] *n.* [C] (스커트의) 무릎 위에 가득 안은〔앞치마 그득한〕 분량 : a ~ of chestnuts 앞치마에 가득한 밤.

lap·i·da·ry [lǽpədèri] *n.* ① [C] 보석 세공인 ; 보석상 ; 보석 감식가. ② [U] 보석 세공술. ── *a.* 〔限定的〕 ① 보석 세공의 : ~ work 보석 세공. ② 돌에 새긴〔조각한〕. ③ 비문(체)의, 비명(碑銘)에 알맞은 : a ~ style 【修】 비명체(體).

lap·is laz·u·li [lǽpis-lǽzjulài] 《L.》 ①【鑛】 청금석(青金石) ; 유리. ② 유리빛, 야청빛.

Lap·land [lǽplæ̀nd] *n.* 라플란드《유럽 최북부 지역》. [파] **~·er** *n.* [C] ~ 사람.

Lapp [læp] *n.*, *a.* ① [C] Lapland 사람(의). ② [U] Lapland 어(의).

lap·pet [lǽpit] *n.* [C] ① (의복 따위의) 늘어져 달린 부분〔장식〕. ② (칠면조 따위의) 처진 살. ③ 귓불(lobe).

láp ròbe 《美》 (썰매를 탈 때, 스포츠 관전 때 등에 쓰는) 무릎가리개.

L

‡lapse [læps] *n.* Ⓒ ① (시간의) 경과, 흐름, 추이 : after a ~ of several years 수년 후에 / with the ~ of time 시간이 흐름에 따라. ② (우연한) 실수, 잘못 : a ~ of the pen 〔tongue〕 잘못 씀〔말함〕 / suffer from frequent ~*s* of memory 자주 깜박 잊어먹는 바람에 애를 먹다. ③ (정도(正道)에서) 일시적으로 벗어남 ; 죄에 빠짐, 타락 : a ~ from virtue 배덕(背德) / a ~ from faith 배신 / a ~ into crime 죄를 범함. ④ (습관 따위의) 쇠퇴, 폐지 ; (자신 따위의) 상실 : a momentary ~ from one's customary attentiveness 평소의 신중함의 순간적인 상실. ⑤〖法〗(태만 따위로 인한 권리 등의) 소멸, 실효.
— *vi.* ① (시간이) 어느덧 경과하다, 모르는 사이에 지나다《*away*》: The days ~*d away*. 어느덧 여러 날이 지났다. ②《~ / +전+명》**a**) (차츰, 서서히) (나쁜) 상태에 이르다 ; (죄악 등에) 빠지다 ; 타락하다《*into*》: ~ *into* a coma 혼수상태에 빠지다 / ~ *into* idleness 게으름 피우는 버릇이 붙다 / The building has ~*d into* decay. 건물이 노후화되었다. **b**) (정도에서) 일탈하다《*from*》: ~ *from* good manners 매너가 점점 나빠지다. ③〖法〗(권리·재산 따위가) 소멸하다, 무효로 되다 ; 남의 손에 넘어가다《*to*》: My membership of the club has ~*d*. 그 클럽의 내 회원 자격은 실효(失效)〔소멸〕되었다.

lapsed [læpst] *a.* 〔限定的〕 ① 타락한 ; 신앙을 잃은. ② (관습 등이) 쇠퇴한, 스러진. ③〖法〗(권리 등이) 실효(失效)된, 남의 손에 넘어간.

lápse ràte〖氣〗기온 저하율《고도에 비례해 기온이 내려가는 비율 ; 보통 100m당 0.6℃ 정도》.

láp tìme 랩타임《트랙의 한 바퀴, 또는 경영(競泳) 코스의 1 왕복에 소요되는 시간》.

lap·top [lǽptɑ̀p / -tɔ̀p] *a.* 〔限定的〕〖컴〗랩톱형의 컴퓨터《무릎에 얹을 만한 크기의》. — *n.* Ⓒ 랩톱(형) 컴퓨터, 무릎전산기《desktop보다 작음》.

La·pu·tan [ləpjúːtən] *n.* Ⓒ ① Laputa 섬《Swift 작 *Gulliver's Travels*에 나오는 부도(浮島)》의 주민《터무니없는 일만 꿈꿈》. ② 몽상〔공상〕가.
— *a.* ① Laputa 섬의. ② 공상적인, 터무니없는 (absurd).

lap·wing [lǽpwiŋ] *n.* Ⓒ〖鳥〗댕기물떼새.

lar·ce·ner, -ce·nist [lɑ́ːrsənər], [-nist] *n.* Ⓒ 절도, 도둑 : a petty ~ 좀도둑.

lar·ce·nous [lɑ́ːrsənəs] *a.* 절도의, 도둑질을 하는, 손버릇이 나쁜 : a ~ act 도둑질.
㊞ ~**·ly** *ad.*

lar·ce·ny [lɑ́ːrsəni] *n.* ① Ⓤ,Ⓒ 절도. ② Ⓤ〖法〗절도죄〔범〕(《英》 theft).

larch [lɑːrtʃ] *n.* Ⓒ 낙엽송 ; Ⓤ 그 재목.

***lard** [lɑːrd] *n.* Ⓤ 라드《돼지 비계를 정제한 요리용 돼지기름》. — *vt.* ① …에 라드를 바르다. ② (맛을 돋우기 위해) …에 베이컨 조각을 집어넣다, 라딩하다. ③《종종 蔑》《+목+전+명》(문장·이야기 등)을 꾸미다, 윤색〔수식〕하다《*with*》: ~ one's conversation *with* quotations 얘기를 인용구로 꾸미다.

lard·er [lɑ́ːrdər] *n.* Ⓒ ① 식료품실(室)〔장(欌)〕. ㊀ pantry. ② 저장 식품.

lardy [lɑ́ːrdi] *a.* 라드의 ; 라드가 많은.

†large [lɑːrdʒ] (*lárg·er* ; *-est*) *a.* ① (공간적으로) 큰, 넓은(spacious) : a ~ tree 큰 나무 / a ~ dog 큰 개 / be ~ of limb 손발이 크다 / a ~ room 〔area〕 넓은 방〔지역〕 / He moved into a ~ house. 그는 큰 집으로 이사를 갔다. ② **a**) (정도·규모·범위 등이) 큰, 넓은, 광범위한 ; (상대적으로) 큰 쪽〔종류〕의, 대(大)…. OPP *small*. ¶ a ~ family 대가족 / a ~ crowd 많은 군중 / ~ powers 광범위한 권한 / ~ farmers 대농 / in ~ part 크게(largely) / a man of ~ experience 경험이 풍부한 사람. **b**) 과장된, 허풍이 섞인 : ~ talk 허풍 / speak in a ~ way 과장되게 말하다. **c**) (사람·마음이) 도량이 넓은, 활수한(generous), 호방한(broad). ㊀ petty, mean. ¶ have a ~ heart 〔mind〕 도량이 넓다. ③ (수량적으로) 상당한(considerable) ; 다수의(numerous) ; 다량의 : a ~ population 많은 인구 / a ~ income 많은 수입 / She inherited a ~ fortune. 많은 재산을 상속받았다. ④〖海〗순풍의(favorable). (***as***) ~ ***as life*** ⇨LIFE(成句).
— *n.* 〔다음 成句로〕 ***at*** ~ (1) (짐승·범인이) 붙잡히지 않고 : The culprit is still *at* ~. 범인이 아직도 체포되지 않았다. (2) 전체로서 ; 널리, 일반적으로 : people *at* ~ 일반 국민 / society *at* ~ 사회 전체. (3)《美》전주(全州)〔전군(全郡)〕에서 선출되는 : a congressman *at* ~ 전주 선출 의원. ***in*** (***the***) ~ (1) 대규모로. (2) 일반적으로.
— *ad.* ① 크게 : Write ~. 크게 써라. ② 과장해서 : talk ~ 흰소리치다. ***by and*** ~ ⇨BY[1]. *ad.*

large-heart·ed [-hɑ́ːrtid] *a.* 마음이 큰, 친절한, 관대한.

lárge intéstine〖解〗대장(大腸).

‡large·ly [lɑ́ːrdʒli] *ad.* ① 크게, 대규모로. ② 대부분, 주로(mainly) : His success was ~ due to luck. 그의 성공은 주로 행운에 의한 것이었다. ③ 풍부하게, 활수(滑手)하게, 아낌없이(generously) : She spends her money ~ on jewelry. 보석에는 돈을 아끼지 않는다.

large-mind·ed [-máindid] *a.* =LARGE-HEARTED.

large·ness [lɑ́ːrdʒnis] *n.* Ⓤ 큼, 거대, 다대, 위대 ; 광대 ; 관대.

larg·er-than-life [lɑ́ːrdʒərðənláif] *a.* ① 과장된 : Everything about her is ~. 그녀에 대한 모든 것은 과장된 것이다. ② 영웅적인, 아주 당당한.

large-scale [lɑ́ːrdʒskèil] *a.* ① 대규모의, 대대적인 : a ~ police search 대규모의 경찰 수색. ② (지도 등이) 대축척(大縮尺)의《축소율이 작음》.

lárge-scale integrátion〖電子〗고밀도〔대규모〕 집적 회로《略 : LSI》.

lar·gess(e) [lɑːrdʒés, lɑ́ːrdʒis] *n.* Ⓤ (지위·지체가 높은 사람으로부터의) 아낌없는 선물〔원조, 부조 등〕.

lar·ghet·to [lɑːrgétou] *a., ad.* 《It.》〖樂〗라르게토의〔로〕, 조금 느린〔느리게〕《largo보다 조금 빠름》. — (*pl.* ~***s***) *n.* Ⓒ 라르게토의 곡.

larg·ish [lɑ́ːrdʒiʃ] *a.* 약간 큰〔넓은〕.

lar·go [lɑ́ːrgou] *a., ad.* 《It.》〖樂〗라르고의〔로〕, 느린〔느리게〕. — (*pl.* ~***s***) *n.* Ⓒ 라르고.

lar·i·at [lǽriət] *n.* Ⓒ ① (마소를) 잡아 매는 밧줄. ② =LASSO.

‡lark[1] [lɑːrk] *n.* Ⓒ〖鳥〗종다리(skylark). ***as happy as a*** ~ 몹시 즐거운. ***be up*** (***rise***) ***with the*** ~ 아침 일찍 일어나다.

lark[2] *n.* Ⓒ《口》희롱거림, 장난, 농담 ; 유쾌 : have a ~ 장난을 치다, 희롱거리다 / for a ~ 장난삼아, 농담으로. ***up to*** one***'s*** ~ 장난에 팔려. ***What a*** ~***!*** 거 참 재미있군.
— *vi.* 희롱거리다, 장난치다《*about* ; *around*》: Stop ~*ing around* and get on with your work. 희롱거리지 말고 일이나 해라.

lark·spur [lɑ́ːrkspə̀ːr] *n.* Ⓒ〖植〗참제비고깔속(屬).

larn [lɑːrn] *vt.* 《口》…에게 가르치다, …을 알게 하다. — *vi.* 《俗·戲》=LEARN.

Lar·ry [lǽri] *n.* 래리《남자 이름 ; Laurence, Lawrence의 애칭》.

lar·va** [lɑ́ːrvə] (*pl.* ***-vae [-viː]) *n.* ①〖蟲〗애벌

레, 유충. ② [生] 유생(幼生)《올챙이 따위》.
[파] **-val** [-vəl] *a.* 유충의; 미숙한.
la·ryn·ge·al [lərínd ʒiəl, læ̀rəndʒí:əl] *a.* ① [解] 후두(喉頭)(부)의. ② [音聲] 후두음의.
lar·ynx [lǽriŋks] (*pl.* **~·es, la·ryn·ges** [lərínd ʒi:z]) *n.* [C] [解] 후두.
la·sa·gna, -gne [ləzɑ́:njə] *n.* [U,C] 라자냐《치즈·토마토 소스·국수·저민 고기 따위로 만든 이탈리아 요리》.
las·civ·i·ous [ləsíviəs] *a.* ① 음탕한, 호색의. ② 외설적인, 선정적인. [파] **~·ly** *ad.* **~·ness** *n.*
lase [leiz] *vi.* 레이저 광선을 발하다.
la·ser [léizər] *n.* [C] 레이저《빛의 증폭 장치》. ── *a.* [限定的] 레이저의[에 의한]: a ~ beam 레이저 광선. [◂ *l*ight *a*mplification by *s*timulated *e*mission of *r*adiation]
láser dìsk [컴·TV] 레이저 디스크《optical disk의 商標名》.
láser prìnter 레이저 인쇄기.
‡**lash**[1] [læʃ] *n.* [C] ① **a**) 챗열, 채찍의 휘는 부분. **b**) 채찍질; 채찍질의 한 대; (the ~) 태형(笞刑): He was given 20 *~es* for stealing. 그는 도둑질로 채찍 스무 대를 맞았다. ② 통렬한 비난; (말 따위가 매질하듯) 심한 모양; 매도; (비·바람·파도 따위의) 심한 몰아침: the ~ of waves against the rock 바위에 부딪치는 파도 / She gave her husband a ~ with her tongue. 그녀는 남편을 심하게 비난했다. ③ (흔히 *pl.*) 속눈썹(eyelash): long dark *~es* 길고 검은 속눈썹.
── *vt.* ① **a**) …을 채찍질[매질]하다, 때려뉘다: He was *~ing* the horse mercilessly. 그는 사정없이 말에 채찍을 가하고 있었다. **b**) (파도·바람이) …에 세차게 부딪치다; (바람이 비 따위)를 몰아치게 하다. ② 《+[목]+[전]+[명]》 …을 몹시 꾸짖다[비난하다], 욕하다, 빈정대다: He *~ed* the students *with* harsh criticism. 학생들을 가혹하게 비판하면서 심하게 꾸짖었다. ③ (꼬리·발·부채 따위)를 휙[세차게] 움직이다[흔들다]: The tiger *~ed* its tail angrily. 성난 듯이 호랑이는 세차게 꼬리를 흔들었다. ④ …을 (…한 상태로) 몰아대다; 자극하다: ~ a person *into* a fury 아무를 몹시 화나게 하다. ── *vi.* ① **a**) 채찍질[매질]하다 《*at*》. **b**) (비·파도가) 세차게 부딪다: The rain was *~ing* hard *against* the window. 비가 세차게 창에 부딪고 있었다. ② 세차게[휙] 움직이다.
~ ***out*** (1) 강타하다; 달려들어 때리다《*at*》: Her husband has a terrible temper and *~es out at* her for no good reason. 그녀 남편은 성미가 고약해서 이렇다 할 이유없이 그녀를 팬다. (2) 폭언을 퍼붓다, 혹평하다, 비난하다 《*at*; *against*》. (3) …에 마구 돈을 쓰다[들이다]《*on*》.
lash[2] *vt.* 《~+[목] / +[목]+[부] / +[목]+[전]+[명]》 (밧줄·새끼줄 따위로) …을 묶다, 매다《*down*; *on*; *together*》: ~ a thing *down* 무엇을 단단히 동여매다 / ~ things *together* 한데 동여매다 / ~ one stick *to* another 하나의 막대기를 다른 막대기에 붙들어 매다.
lash·ing[1] [lǽʃiŋ] *n.* ① [C] 채찍질, 매질; 통매(痛罵), 질책: She was determined to give him a ~ with her tongue. 그녀는 그를 호되게 야단쳐 주려고 마음먹고 있었다. ② (*pl.*) 《口》 많음(plenty) 《*of*》: *~s of* drink 많은 음료 / toast with *~s of* butter and home-made jam 버터와 집에서 만든 잼을 듬뿍 바른 토스트.
lash·ing[2] *n.* ① [U] 묶음. ② [C] 밧줄, 끈.
lash-up [lǽʃʌ̀p] *n.* [C] ① 임시 변통의 것[일]. ② 즉석에서의 결정[고안].
‡**lass** [læs] *n.* [C] 《Sc.》 ① 젊은 여자, 소녀. [opp] *lad.* ② 연인(sweetheart), 정부(情婦).
Lás·sa fèver [lǽsə-, lɑ́:sə-] [醫] 라사열《바이러스에 의한, 사망률이 높은 급성 열병》.
las·sie [lǽsi] *n.* =LASS.
las·si·tude [lǽsitjù:d] *n.* [U] (정신·육체적인) 나른함, 권태, 피로(fatigue): I felt a sudden ~ descend on me. 갑자기 피로가 엄습했다.
las·so [lǽsou] (*pl.* ~(**e**)**s** [-z]) *n.* [C] 올가미밧줄. ── *vt.* (야생말 따위)를 올가미줄로 잡다.
†**last**[1] [læst, lɑ:st] [본디 late 의 最上級] *a.* ① (the ~) (순서·시간이) 맨 마지막의, 끝의, 최후의. [opp] *first.* ¶ the ~ carriage of a train 열차의 맨 뒤의 차량 / *the* ~ two chapters of a book 책의 마지막 두 장 / I split up with my ~ boyfriend three years ago. 내 마지막 남자친구와는 3년 전에 갈라졌다 / *the* ~ day of the vacation 휴가의 맨 마지막날. ② 임종의; 사별(死別)[고별]의: the ~ days 임종; (세계의) 말기 / one's ~ days (아무의) 만년 / in one's ~ hours [moments] 죽음에 임하여서 / pay one's ~ respects to a person 아무에게 고별하다. ③ (행위·일 등이) 마지막[최후로] 남은: the ~ half 후반 / one's ~ dollar 마지막 1달러 / drink to the ~ drop 마지막 한 방울까지 마시다. ④ [冠詞 없이] 바로 전의, 요전[지난 번]의, 지난 …. [opp] *next.* [cf] yesterday. ¶ ~ month 지난 달 / ~ year 지난해, 작년 / ~ evening [night] 엊저녁[지난밤] / ~ summer 작년 여름 / ~ week 지난주 / ~ Sunday =on Sunday ~ 지난 일요일에 / She looked very happy (the) ~ time I saw her. 지난번 그녀를 만났을 땐 아주 행복해 보였다. ★ *last* day, *last* morning, *last* afternoon 이라고는 하지 않고 yesterday, yesterday morning, yesterday afternoon 이라고 함. 또 *last* evening은 《美》식, 《英》식으로는 yesterday evening 이라 함. ⑤ [前置詞+the last 의 형식] 최근[지난] …동안(에): *in* [*during*] *the* ~ century 전(前)세기에[동안에] / *in the* ~ fortnight 요[지난] 2주간에 / I have been teaching *for the* ~ four years. 나는 요 4년 동안 교직 생활을 하고 있다 / *for the* ~ month (or so) 요 한 달(내외)《month 앞에 one이 붙지 않음에 주의. 다음 예도 같음》 / He wrote [has written] two books *during the* ~ year. 지난 1년 동안 그는 책 두 권을 썼다《관사 없는 (during) last year '작년(중에)'와는 다름. 이때 구어로는 wrote…가 has written… 보다 자주 쓰임》. ★ past 에도 같은 용법이 있음. ⑥ (the ~) 최근의; 최신(유행)의: *the* ~ thing in hats 최신 유행의 모자 / *The* ~ (news) I heard.... 최근의 소식으로는 … (⇨ *n.* ③). ⑦ (the ~) 가장 …할 것 같지 않은[하고 싶지 않은], 가장 부적당한[어울리지 않는]: He is *the* ~ man to succeed in the attempt. 그는 아무리 해도 좀처럼 성공할 것 같지 않다 / He is *the* ~ man (in the world) I want to see. 내가 가장 만나기 싫어하는 사람이다 / *The* ~ thing I would ever do is to flatter my boss. 내가 가장 하고 싶지 않은 일은 상사에게 아첨하는 일이다. ⑧ (결론·결정·제안 등이) 최종적인, 결정적인: my ~ price 최종 가격《더 이상 깎을 수 없는》 / give the ~ explanation 최종적인 해석을 내리다 / He has the ~ say[word] in the matter. 그 문제는 그가 결정권을 갖고 있다. ⑨ (the ~) 최상의; 지극한, 대단한: of *the* ~ importance 극히 중요한. ⑩ (the ~) 최하위의, 맨 꼴찌의: *the* ~ boy in the class. ⑪ 개개[낱낱]의《센 뜻》: every ~ thing 이것저것 모두. ***for the ~ time*** 그것을 최후로: see a thing *for the* ~ *time* 마지막으로 보다. ***in the ~ place*** 최후로, 마지막으로

L

(lastly). ***on** one's* ~ ***legs*** 마지막 길에, 파멸에 가까워. ***the** ~ **but one** 〔**two**〕 = **the second** 〔**third**〕* ~ 끝에서 둘째〔셋째〕. (***the***) ~ ***thing at night*** 〔副詞的〕 밤늦게 ; 《口》 자기 전에 ; 최후로. ***to the** ~ **man*** 마지막 한 사람까지, 한 사람도 남김 없이 ; 철저하게.

— *ad.* ① 최후로, 맨 나중〔끝〕에 ; 마지막으로, 결론으로 : come ~ 맨 나중에 오다 / come in ~ 꼴찌로 들어오다. ② 요전, 전번에, 최근(에). OPP next. ¶ since we met ~ 요전에 만난〔헤어진〕 이래. ~ ***but not least*** 마지막으로 말하는 것이지만 결코 가벼이 볼 것이 아닌(것인)데 ; 중요한 말을 하나 빠뜨렸는데《★ Shakespeare *'Julius Caesar'* 에서》: *Last but not least*, I'd like to thank all the catering staff. 마지막으로 말씀드리지만, 기내(機內) 식사 (제공)부의 모든 직원들에게 감사를 드리고 싶습니다. ~ ***of all*** 최후로〔에〕.

— *n.* Ⓤ (흔히 the ~) ① 최후의 물건〔사람〕: Elizabeth I was *the* ~ *of* the Tudors. 엘리자베스 1 세는 튜더 왕가 최후의 군주였다. ② (흔히 the ~) 최후, 마지막, 끝, 결말, 종말 ; 임종, 죽음 : *the* ~ of the story 이야기의 결말 / *the* ~ of May, 5월 말 / *The* emperor was near his ~. 황제의 임종이 가까웠다. ③ (편지 · 정보 따위의) 최근〔바로 전〕의 것 : This is the ~ I received from him. 이것이 그로부터 받은 마지막 소식이다. ***at** ~* 마지막에, 드디어, 마침내. ***at long** ~* 기다리고 기다린 끝에, 겨우, 마침내, 결국. ***breathe** one's* ~ 숨을 거두다, 죽다. ***hear the** ~ **of*** …을 마지막으로 듣다 : I shall never *hear the* ~ *of* it. 이 일은 언제까지나 사람들 입에 오르내릴 게다. ***see the** ~ **of*** …을 마지막으로 보다 ; …을 내쫓다 ; … 와 손을 끊다 : It was *the* ~ she ever *saw of* her son. 그것이 그녀가 아들을 본 마지막이었다. ***to*** 〔***till***〕 ***the*** ~ 최후까지 ; 죽기까지.

‡last² [læst, lɑːst] *vi.* 《~ / +副 / +전+명》 ① 계속〔지속, 존속〕하다, 끌다 : The lecture ~*ed* (*for*) two hours. 강연은 2시간 계속되었다 / The marriage had ~*ed for* less than two years. 결혼 생활은 2년이 채 못갔다. ② 오래 가다〔견디다〕, (튼튼하고 마디어) 오래 쓰다 : These socks will ~ *long.* 이 양말은 오래 신을 수 있을 게다 / The supplies will not ~ *for* two months. 사둔 물건〔식량〕은 2 개월을 지탱하지 못할 것이다.

— *vt.* ① 《~+목 / +목+부》 …보다 오래가다〔견디다, 연명하다〕《*out*》: Our money will ~ *out* the year. 가진 돈으로 올 1년(은) 쓸 수 있을 게다 / They ~*ed* (*out*) the famine. 그들은 기근 (동안)에도 생명을 보전했다. ② …에 충분하다, 족하다(suffice) : This only ~*s* me a week. 이것은 내게 1 주일분밖에 안 된다 / This will ~ me a fortnight. 이 정도면 2 주간은 충분하겠지.

— *n.* Ⓤ 지속력, 내구력(耐久力), 끈기(staying power, stamina).

last³ *n.* Ⓒ (제화용의) 골. ***stick to** one's* ~ 자기의 본분을 지키다, 쓸데없는 일에 참견하지 않다.

last-ditch [-dítʃ] *a.* 〔限定的〕 막판의, 마지막 희망을 건 ; 끝까지 버티는, 완강한 : a desperate, ~ counter attacks 필사적인 최후의 반격.

‡last·ing [lǽstiŋ, lɑ́ːst-] *a.* 영속하는 ; 오래가는〔견디는〕; 영원한, 영구(불변)한 : a ~ peace 항구적인 평화 / a ~ friendship 오래도록 변치 않는 우정 / a ~ impression 길이 남는 인상.

派 **~·ly** *ad.* 오래 지탱하여. **~·ness** *n.*

Lást Júdgment (the ~) 최후의 심판(일).

***last·ly** [lǽstli, lɑ́ːst-] *ad.* 최후로 ; 마지막으로 (finally) : *Lastly*, I would like to ask you about your future plans. 마지막으로, 네 장차 계획을 묻고 싶다.

last-min·ute [lǽstmínit / lɑ́ːst-] *a.* 최후 순간의, 막바지의 : make a ~ change 막판에 가서 변경하다.

lást nàme 《美》 성(姓) (surname).

lást rítes (the ~) 〖가톨릭〗 종부 성사(終傅聖事), 병자의 성사.

lást stráw (the ~) 더 이상 견딜 수 없게 하는 마지막의 얼마 안되는 추가적인 부담, 인내의 한계를 넘게 하는 것 : His laughing was *the* ~. 그의 웃음이 참을 수 있는 한계였다. ***That's the** ~ **!*** 더는 못참겠다. 「찬 ; 그 그림.

Lást Súpper (the ~) (그리스도의) 최후의 만

lást wórd ① **a)** (one's ~) 임종의 말, 유언. **b)** (the ~) 결정적인 말 : have 〔say, give〕 *the* ~ (토론 따위에서) 결정적인 발언을 하다, 최종적인 의견을 말하다 / The boss has *the* ~ *on* the proposal. 제안에는 사장이 최종 판단을 내린다. ② (the ~) **a)** 완벽한〔나무랄 데 없는〕 것 : His research is *the* ~ *in* microbiology. 그의 연구는 미생물학에서 최고 권위의 것이다. **b)** 최신 유행〔발명〕품 ; 최우량품 : That's *the* ~ *in* cars. 저것이 차 중에서 최신 유행형이다.

Las Ve·gas [lɑːsvéigəs / lǽs-] 라스베이거스 《미국 Nevada 주의 도시 ; 도박으로 유명》.

Lat. Latin. **lat.** latitude.

‡latch [lætʃ] *n.* Ⓒ ① 걸쇠, 빗장 : set the ~ 빗장을 걸다 / You left the ~ off the gate and the dog escaped. 네가 문 걸쇠를 벗긴 채 두어 개가 달아났다. ② 자동〔스프링〕 걸쇠《닫으면 저절로 잠기고, 밖에서는 열쇠로 엶》. ***off the*** ~ 걸쇠를〔빗장을〕 벗기고. ***on the*** ~ (자물쇠는 안 잠근 채) 걸쇠만 걸고.

— *vt.* …에 걸쇠를 걸다. — *vi.* 걸쇠가 걸리다 : This door won't ~. 이 문의 걸쇠가 잘 안 걸린다. ~ ***onto*** 〔***on to***〕 《口》 (1) …을 손에 넣다, 자기 것으로 하다. (2) …을 이해하다. (3) (아무)와 친하게 지내다, …에 붙어다니다. (4) …을 꽉 붙잡다, (붙)잡고 놓지 않다. 「쇠의 열쇠.

latch·key [lǽtʃkìː] *n.* Ⓒ 걸쇠의 열쇠 ; 자동 걸

látchkey chìld(ren) (부모가 맞벌이하는 집 아이로) 열쇠를 가지고 다니는 아이.

†late [leit] (***lat·er*** [léitər], ***lat·ter*** [lǽtər] ; ***lat·est*** [léitist], ***last*** [læst, lɑːst]) *a.* ★ later, latest 는 '때 · 시간'의, latter, last 는 '순서'의 관계를 보임. ① **a)** 늦은(OPP *early*), 지각한, 더딘 : a ~ arrival 지각자 / be ~ *for* the train 늦어 기차를 못 타다 / The bus was ten minutes ~. 버스는 10분 늦었다 / It is never too ~ to mend. 《俗談》 잘못을 고치는 데 늦는 법은 없다. **b)** 여느때보다 늦은 : (a) ~ marriage 만혼(晩婚) / a ~ breakfast 늦은 조반. ② 철늦은, 늦되는 : the ~ fruits 늦되는 과일. ③ (시각이) 늦은 ; 해 저물 때가 가까운 : It's getting ~. 시간이 늦어졌다 ; 점점 늦어진다 / It was very ~ and the streets were deserted. 밤이 너무 늦어 거리엔 사람의 왕래가 없었다. ④ 끝〔마지막〕에 가까운, 말기〔후기〕의. OPP *early.* ¶ ~ summer 늦여름 / ~ Latin 후기 라틴어 / be in one's ~ thirties, 30 대 후반이다《★ 비교급을 쓰면 시기가 한층 불명료하게 됨 : the *later* Middle Ages 중세 말경》. ⑤ 〔限定的〕 (요)전의, 최근의, 요즈음의 : the ~ typhoon 요전의 태풍 / the ~ prime minister 전(前)수상. ⑥ 〔限定的〕 (최근) 돌아간, 고(故)… : the ~ Dr. A, 고(故) A 박사 / my ~ mother 돌아가신 어머니. ***keep** ~ **hours*** 밤늦게까지 안 자고 아침에 늦잠을 자다. OPP *keep early hours.* ***of** ~ **years*** 요 몇

해, 최근, 근년. (**rather** 〔**very**〕) ~ **in the day** (일이) 너무 늦어, 뒤늦어 ; 기회를 놓쳐.
— (**lát·er ; lát·est, last**) *ad.* ① 늦게, 뒤늦게, 더디게. opp *early, soon.* ¶ arrive ~ 늦게 도착하다 / We arrived an hour ~. 한 시간 늦게 도착했다 / Better ~ than never. 《俗談》 늦더라도 안하느니보단 낫다. ② (시각이) 늦어져, 날이 저물어 ; 밤늦어. opp *early.* ¶ dine ~ 늦은 정찬(正餐)을 들다. ③ **a**) 늦게까지, 밤늦도록 : stay 〔sit〕 up ~ 밤늦도록 자지 않다 / She had to work ~ at night. 그녀는 밤늦게까지 일해야만 했다. **b**) (시기의) 끝 가까이(에) : ~ in the nineteenth century, 19세기 말에. ④ 전에, 최근까지(formerly). ⑤ 요즈음, 최근(lately). **as ~ as** 바로 …최근에 : *as* ~ *as* yesterday 바로 어제.
— *n.* 〔다음 成句로〕 **of** ~ 요즘, 최근(recently). **till** ~ 늦게까지.
㊥ ⌐·**ness** *n.* 늦음, 더딤, 느림, 지각.

late·com·er [⌐kʌ̀mər] *n.* Ⓒ 지참자(遲參者), 지각자 ; 신참자.

la·teen [lætíːn, lə-] *a.* (지중해의 작은 범선에 쓰는) 대삼각범(大三角帆)의 : a ~ sail 대삼각범.

‡late·ly [léitli] *ad.* 요즈음, 최근(of late) : I haven't seen him ~. 요즘 그를 만나지 못했다 / Has he been here ~? 최근 여기에 왔습니까 / She was here only ~ 〔as ~ as last Sunday〕. 그녀는 바로 최근에〔지난 일요일에〕 이곳에 왔었다 / Dad's health hasn't been too good ~. 아버지의 건강은 요즈음 과히 좋지 않으시다《★ 보통 부정문·의문문에 완료 시제로 쓰이며, 긍정문일 때는 only 와 함께 또는 as ~ as 의 꼴로 씀》. **till** ~ 최근까지.

la·ten·cy [léitənsi] *n.* Ⓤ 숨어 있음 ; 잠복, 잠재.

látency pèriod ①〖心〗 잠재기(期). ②〖醫〗 =LATENT PERIOD.

látency tìme〖컴〗 회전 지연 시간, 호출 시간.

***la·tent** [léitənt] *a.* ① 숨어 있는, 보이지 않는 ; 잠재적인 : ~ power 잠재(능)력 / Grave dangers were ~ *in* the situation. 그 사태에는 중대한 위험이 잠재해 있었다. ②〖醫〗 잠복기〔성〕의 : ⇨ LATENT PERIOD. ㊥ ~·**ly** *ad.*

látent pèriod〖醫〗 (병의) 잠복기.

‡lat·er [léitər] 〔late 의 比較級〕 *a.* 더 늦은, 더 뒤〔나중〕의. opp *earlier.* ¶ in one's ~ life 만년(晩年)에 / in ~ years 후년에.
— *ad.* 뒤에, 나중에 : You can do it ~. 뒤에라도 할 수 있다 ; 뒤로 돌려도 좋다 / I'll join you ~. 나중에 만나자 / three hours ~, 3시간 후에.
~ **on** 뒤〔나중〕에, 후에 : I'll tell it to you ~ *on.* 나중에 얘기하지요. **See you** ~ (**on**). 《口》 그럼 다음에 또, 안녕. **sooner or** ~ 조만간, 언젠가는.

***lat·er·al** [lǽtərəl] *a.* ① 옆의〔으로의〕, 측면의〔에서의, 으로의〕 : a ~ pass (축구에서) 옆으로 하는 패스. cf. longitudinal. ②〖生〗 측생(側生)의 : a ~ bud 곁눈, 측아(側芽). ③〖音聲〗 측음의 : a ~ consonant 측음《[l] 음과 같이 혀 양쪽으로부터 숨이 빠지는 음》.
— *n.* Ⓒ ① 옆쪽, 측면부(部) ; 측면에서 생기는 것. ②〖植〗 측생아(芽)〔지(枝)〕. ③〖音聲〗 측음.
㊥ ~·**ly** [-rəli] *ad.*

láteral thínking 수평사고(水平思考)《상식·기성 개념에 의거하지 않는 사고 방식》.

‡lat·est [léitist] 〔late 의 最上級〕 *a.* ① 〔限定的〕 최신의, 최근의 : the ~ fashion 〔news〕 최신 유행〔뉴스〕 / the ~ thing 최신 발명품, 신기한 것. ② 맨 뒤의, 가장 늦은, 최후의 : the ~ arrival 마지막 도착자.
— *n.* (the ~) 최신의 것 ; 최신 뉴스〔유행〕. **at** (**the**) ~ 늦어도 : She should be back by ten o'clock *at the* ~. 그녀는 늦어도 열시까지는 돌아와야 한다. — *ad.* 가장 늦게.

la·tex [léiteks] *n.* Ⓤ〖植〗 (고무나무 등의) 유액(乳液), 라텍스.

lath [læθ, lɑːθ] (*pl.* ~**s** [læðz, -θs, lɑːθs, -ðz]) *n.* ① U,C 외(椳), 욋가지 ; 오리목. ② **a**) 얇은 나무조각. **b**) 여윈 사람. (**as**) **thin as a** ~ 말라빠진.
— *vt.* …에 욋가지를 붙이다.

lathe [leið] *n.* Ⓒ〖機〗 선반(旋盤) (turning ~).
— *vt.* …을 선반으로 깎다〔가공하다〕.

lath·er [lǽðər, lɑ́ːðər] *n.* Ⓤ (또는 a ~) ① 비누〔세제〕의 거품. ② (말 따위의) 거품 같은 땀. (**all**) **in a** ~ ⑴ 땀에 흠뻑 젖어, 땀투성이가 되어. ⑵《口》 흥분하여, 불끈하여.
— *vt.* ① (면도질하기 위하여) …에 비누 거품을 칠하다 : ~ one's face 얼굴에 비누칠을 하다. ②《口》 …을 후려갈기다. ③《口》 …을 흥분시키다.
— *vi.* ① 거품이 일다. ② (말이) 땀투성이가 되다.

‡Lat·in [lǽtin] *a.* ① 라틴어의, 라틴(어)계(系)의 ; 라틴의 : the ~ peoples 〔races〕 라틴계 민족《프랑스·이탈리아·스페인·포르투갈·루마니아 따위의 라틴계 말을 하는 민족》. ② 라틴계 민족의 : the ~ cultures 라틴계의 여러 문화.
— *n.* ① Ⓤ 라틴어. ② Ⓒ 라틴계 사람 ; 고대 로마 사람. ③ Ⓒ 로마 가톨릭 교도. **Classical** ~ 고전 라틴어《75 B.C.-A.D. 175》. **Modern** 〔**New**〕 ~ 근대 라틴어《1500 년 이후》. **Vulgar** 〔**Popular**〕 ~ 속(俗)라틴어《고전 시대 이후의 민간 용어》.

***Látin América** 라틴 아메리카《라틴계 언어인 스페인어·포르투갈어를 쓰는 중·남미 지방》.

Látin Américan 라틴 아메리카 사람.

Lat·in-A·mer·i·can [lǽtinəmérikən] *a.* 라틴 아메리카(사람)의.

Látin cróss 세로대의 밑 부분이 긴 보통의 십자가.

Lat·in·ism [lǽtənìzəm] *n.* U,C 라틴어풍(風)〔어법(語法)〕 ; 라틴적 성격〔특징〕.

Lat·in·ist [lǽtənist] *n.* Ⓒ 라틴어 학자.

lat·in·ize [lǽtənàiz] (종종 L-) *vt.* ① …을 라틴어로 번역하다 ; 라틴어풍(風)으로 하다, 라틴(어)화하다. ② …을 고대 로마풍으로 하다 ; 로마 가톨릭풍으로 하다. — *vi.* 라틴어법을 사용하다.
㊥ **làt·in·i·zá·tion** *n.*

la·ti·no [lætíːnou, lə-] (*pl.* ~**s**) *n.* Ⓒ《美》 (종종 L-) (미국에 사는) 라틴 아메리카 사람.

Látin Quàrter (the ~) (파리의) 라틴구(區)《학생·예술가가 많이 삶》.

‡lat·i·tude [lǽtətjùːd] *n.* ① Ⓤ **a**) 위도(緯度)《略 : lat.》. opp *longitude.* ¶ the north 〔south〕 ~ 북〔남〕위 / at ~ 18°N 북위 18도 지점에서. **b**)〖天〗 황위(黃緯). ② Ⓒ (흔히 *pl.*) (위도상으로 본) 지방, 지대 : high ~*s* 고위도〔극지〕 지방 / low ~*s* 저위도〔적도〕 지방 / cold ~*s* 한대 지방. ③ Ⓤ (견해·사상·행동 등의) 폭, (허용) 범위, 자유《허용된》 : comparative sexual ~ 상당한 성의 자유 / There is much ~ of choice. 선택의 범위가 매우 넓다.

lat·i·tu·di·nal [lætətjúːdinəl] *a.* 위도(緯度)의.
㊥ ~·**ly** *ad.* 위도로 보아.

lat·i·tu·di·nar·i·an [lætitjùːdənέəriən] *a.* ① (신앙·사상 등에 관한) 자유〔관용〕주의적인. ②〖宗〗 교의(敎義)·형식에 얽매이지 않는 ; 광교회(廣敎會)파의. — *n.* Ⓒ ① 자유주의자. ② 광교회파의 사람.

La·ti·um [léiʃiəm] *n.* 라티움《지금의 로마 동남쪽에 있었던 고대 나라》.

la·trine [lətríːn] *n.* Ⓒ (땅을 파고 만든) 변소《특

L

히 막사·공장 등의》.

‡lat·ter [lǽtər] 〔late의 比較級〕 *a.* 〔限定的〕 ① 〔the, this, these 등과 함께〕 뒤쪽〔나중쪽〕의, 뒤〔나중〕의, 후반의, 끝의: *the* ~ half 후반(부) / *the* ~ of April, 4월 하순 / He is getting into *the* ~ years of his career. 그는 생애의 후반기에 들어서고 있다. ② (the ~) 〔종종 代名詞的〕 《俗》 (둘 중의) 후자(의) (opp *the former*): I prefer *the* ~ proposition. (둘 중) 나중 제안이 좋다.

lat·ter-day [-déi] *a.* 〔限定的〕 ① 요즈음의, 근년의, 근대의, 현대의. ② 뒤의, 차기(次期)의.

Látter-day Sáint 말일 성도(末日聖徒) 《모르몬 교도의 자칭》.

lat·ter·ly [-li] *ad.* ① 최근, 요즈음(lately). ② 후기〔말기〕에, 뒤에.

***lat·tice** [lǽtis] *n.* ① Ⓒ 격자(格子), 래티스. ② =LATTICEWORK. **—** *vt.* …을 격자 구조〔무늬〕로 하다.

lat·ticed [lǽtist] *a.* 격자로 짠, 격자를 단.

lat·tice·win·dow [lǽtiswìndou] *n.* Ⓒ 격자창.

lat·tice·work [-wə̀:rk] *n.* Ⓤ ① 격자 세공〔무늬〕. ② 〔集合的〕 격자.

Lat·via [lǽtviə] *n.* 라트비아(공화국) 《1940년 옛 소련에 병합되었다가 1991년 독립; 수도 Riga》.

Lat·vi·an [lǽtviən] *a.* 라트비아의; 라트비아 사람〔말〕의. **—** *n.* ① Ⓒ 라트비아 사람. ② Ⓤ 라트비아말.

lau·an [lú:ɑ:n, -⌐, lauɑ́:n] *n.* ① Ⓒ 〖植〗 나왕. ② Ⓤ 나왕재(材).

laud [lɔ:d] *vt.* …을 찬미〔찬양, 칭찬〕하다. **—** *n.* Ⓒ 찬(미)가.

laud·a·ble [lɔ́:dəbəl] *a.* 상찬〔칭찬〕할 만한, 장한. 파 **-bly** *ad.* **~·ness** *n.*

lau·da·num [lɔ́:dənəm] *n.* Ⓤ 아편 팅크.

lau·da·tion [lɔ:déiʃən] *n.* Ⓤ 상찬, 찬미.

laud·a·to·ry [lɔ́:dətɔ̀:ri / -təri] *a.* 찬미〔상찬〕의: ~ words 칭찬의 말, 찬사.

†laugh [læf, lɑ:f] *vi.* ① **a**) (소리를 내어) 웃다, 홍소하다: burst out *~ing* 웃음을 터뜨리다 / ~ silently *to* oneself 혼자 속으로 웃다 / Don't make me ~. 《口》 웃기지 마라; 웃기는군 / He *~s* best who *~s* last. =He who *~s* last *~s* longest. 《格言》 최후에 웃는 자가 진짜 웃는 자이다, 지레〔성급히〕 기뻐하지 마라 / Everyone *~ed* loudly when he appeared. 그가 나타나자 모두가 크게 웃었다. **b**) (…을) 보고〔듣고〕 웃다, 재미 있어하다《*at*》: ~ *at* a funny story 익살 맞은 얘기를 듣고 재미있어 하다. ② 《詩·雅》 (초목·자연물이) 미소짓다, 싱싱하다: The brook flows *~ing*. 개울이 졸졸 소리 내며 흐르고 있다.

— *vt.* ① 〔同族目的語와 함께〕 …한 웃음을 웃다: ~ a bitter laugh 쓴웃음을 짓다 / ~ an evil laugh 악의에 찬 웃음을 웃다. ② 《~+목/+목+부》 …을 웃으며 표현하다: ~ a reply 웃으며 대답하다 / ~ one's approval 웃으며 동의하다 / ~ *out* a loud applause 큰 소리로 웃어 갈채하다. ③ 《+목+전+명/목+보》 웃기어〔웃으며〕 …시키다〔하게 하다〕; 〔再歸的〕 웃어서 …로 되다: They *~ed* her out of the house. 그들이 웃어서 그녀는 집을 나가버렸다 / ~ *oneself* helpless 우스워 견디지 못하다. **~ at** (1) …을 듣고〔보고〕 웃다: I thought they were *~ing at* me because I was ugly. 내가 못생겨서 그들이 웃는다고 생각했다. (2) …을 비웃다; …을 일소에 부치다, 무시하다: He *~ed at* me 〔my proposal〕. 그는 나를 비웃었다 〔내 제안을 일소에 부쳤다〕 《★ 수동태가 가능: I *was ~ed at*. 나는 비웃음을 당했다》. **~ away** (1) (슬픔·걱정 따위)를 웃어 풀어 버리다; (때·시간)을 웃으며 넘기다〔보내다〕. (2) (문제 등)을 일소에 부치다. **~ down** 웃어대어 중지〔침묵〕시키다. **~ in** a person**'s face** 아무를 대놓고 비웃다. **~ off** 웃어서 넘기다〔피하다〕, 일소에 부치다. **~ on** 〔**out of**〕 **the wrong** 〔**other**〕 **side of** one**'s mouth** 〔《英》 **face**〕 웃다가 갑자기 울상이 되다, 갑자기 풀이 죽다. **~ out of court** 웃어 버려 문제로 삼지 않다, 일소에 부치다. **~ over** …을 생각하고〔읽으면서〕 웃다; 웃으며 …을 논하다.

— *n.* Ⓒ ① 웃음; 웃음 소리: a loud ~ 큰 웃음소리. ② (흔히 a ~) 《口》 웃음거리: That's *a* ~. 그거 (참) 웃기는군. **burst** 〔**break**〕 **into a ~** 웃음을 터뜨리다. **have the last ~** 최후에 웃다, (불리를 극복하고) 최후의 승리를 거두다. **have** 〔**get**〕 **the ~ of** 〔**on**〕 (아무)를 되웃어 주다; 형세를 역전시켜 (아무)에게 이기다. **The ~ is on . . .** …이 웃음거리가 될 차례다: *The* ~ *is on* us 〔them〕 this time. 이번엔 우리가〔그들이〕 웃음거리가 될 차례다.

파 **⌐·er** *n.* Ⓒ ① 웃는 사람, 잘 웃는 버릇이 있는 사람. ② 《美》 〖競〗 완전히 일방적인 경기.

laugh·a·ble [lǽfəbəl, lɑ́:f-] *a.* ① 우스운, 재미있는. ② 웃을 만한, 어리석은.

파 **-bly** *ad.* **~·ness** *n.*

***laugh·ing** [lǽfiŋ, lɑ́:f-] *a.* 웃는, 웃고 있는 (듯한); 기쁜 듯한; 우스운: It is no ~ matter. 웃을 일이 아니다. **—** *n.* Ⓤ 웃기, 웃음: hold one's ~ 웃음을 참다. 파 **~·ly** *ad.* 웃으며; 비웃듯이.

láughing gàs 〖化〗 웃음 가스, 소기(笑氣) 《nitrous oxide(아산화질소)의 속칭》.

laugh·ing·stock [lǽfiŋstɑ̀k, lɑ́:fiŋ- / -stɔ̀k] *n.* Ⓒ 웃음거리(가마리): make a ~ of oneself 웃음거리가 되다 / The truth must never get out. If it did she would be a ~. 진실이 탄로나면 안 된다. 탄로나면 그녀는 웃음거리가 된다.

‡laugh·ter [lǽftər, lɑ́:f-] *n.* Ⓤ 웃음; 웃음소리 《★ laugh 보다 오래 계속되는 것으로, 웃는 행위와 소리에 중점을 두는 말》: a house full of ~ 웃음이 가득한 집 / *Laughter* is the best medicine. 웃음은 최고의 약. **burst** 〔**break out**〕 **into ~** 웃음보를 터뜨리다.

‡launch[1] [lɔ:ntʃ, lɑ:ntʃ] *vt.* ① (새로 만든 배)를 진수시키다: The Navy is to ~ a new warship today. 해군은 오늘 새 전함을 진수시킨다. ② (화살·창 등)을 던지다; (미사일 등)을 발사하다; 발진시키다: ~ an artificial satellite 인공 위성을 발사하다. ③ 《+목+전+명》 (사람)을 (세상에) 내보내다, 진출〔독립〕시키다; (상품 따위)를 시장에 내다; (책)을 발행하다: He *~ed* his son *in* the world. 그는 아들을 세상에 내보냈다 / A magazine called "The Today" was *~ed in* March 1996. '오늘'이라는 잡지가 1996년 3월에 발행됐다 / The new model will be *~ed* soon. 새 모델이 곧 나올 것이다. ④ 〔종종 受動으로〕 (사업 등)을 시작〔착수〕하다, 일으키다: He *is ~ed on* a new enterprise. 새로운 사업을 착수하고 있다. ⑤ 《~+목/+목+전+명》 (비난 따위)를 퍼붓다; (타격)을 가하다: ~ threats *against* a person 아무를 협박하다.

— *vi.* 《+부/+전+명》 ① 나서다, (사업 따위에 기세좋게) 착수하다《*forth*; *out*; *into*》, (…을) 시작하다《*into*》: ~ (*out*) *into* a new business 새 사업을 시작하다 / ~ *out upon* a new adventure 새로운 모험에 나서다. ② 날아 오르다: A bird *~ed off*. 새가 날아갔다.

— *n.* ① 〔單數꼴로; 흔히 the ~〕 (새로 만든 배의) 진수. ② (우주선, 로켓 등의) 발사: *The* ~ of the satellite was again delayed. 인공위성의

L

발사는 다시 연기됐다. ③ (신문, 잡지의) 창간(創刊), 발행.
launch² *n.* [C] 론치. ① 대형 함재정(艦載艇). ② 기정(汽艇), 소(小)증기선: by ~ 론치로(無冠詞).
launch·er [lɔ́:ntʃər, lɑ́:ntʃ-] *n.* [C] 〖軍〗 ① **a)** 발사통, 척탄통(擲彈筒)(=**grenáde** ~). **b)** (미사일·우주선 등의) 발사 장치. ② 함재기 발사기; 캐터펄트.
launch·ing [lɔ́:ntʃiŋ, lɑ́:ntʃ-] *n.* (새 배의) 진수(식); (함재기의) 발진; (로켓 등의) 발진.
láunch(ing) pàd (로켓·미사일·우주선 등의) 발사대.
láunching sìte (로켓·미사일·우주선 등의) 발사장(場). 「사용 로켓.
láunch vèhicle (우주선·인공 위성 등의) 발
láunch wìndow (로켓·우주선 따위의) 발사 가능 시간대(帶).
laun·der [lɔ́:ndər, lɑ́:n-] *vt.* ① …을 세탁하다, 세탁하여 다리미질하다: She wore a freshly ~*ed* and starched white shirt. 그녀는 깨끗이 빨아 풀을 먹인 흰 셔츠를 입고 있었다. ② 《口》 (부정한 돈)을 합법적인 것처럼 위장하다, 돈세탁하다. ── *vi.* 《+[副]》 세탁이 되다: This fabric ~*s well*〔*poorly*〕. 이 직물은 세탁이 잘 된다〔안 된다〕. [파] ~·**er** [-rər] *n.* 세탁소; 세탁자.
laun·der·ette [lɔ̀:ndərét, lɑ̀:n-] *n.* [C] 《英》 = LAUNDROMAT.
laun·dress [lɔ́:ndris, lɑ́:n-] *n.* [C] 세탁부(婦).
laun·dro·mat [lɔ́:ndrəmæ̀t, lɑ́:n-] *n.* [C] 《美》 동전 투입식 전기 세탁기의 일종, 코인론드리(商標名); 그것을 설치한 곳. [◂ *laundr*y + taut*omat*ic]
‡**laun·dry** [lɔ́:ndri, lɑ́:n-] *n.* ① [U] 〔集合的〕 세탁물: He'd put his dirty ~ in the clothes basket. 그는 더러운 빨랫감을 빨래 바구니에 넣었다. ② [C] 세탁소; 세탁실〔장〕: Pick up my trousers from the ~. 세탁소에서 내 바지 찾아오너라.
láundry bàsket 빨래 바구니.
láundry lìst 상세한 표〔리스트〕.
laun·dry·man [-mən] (*pl.* **-men** [-mən]) *n.* [C] 세탁소의 점원(주문 받으러 다니는).
laun·dry·wom·an [-wùmən] (*pl.* **-wom·en** [-wìmin]) *n.* [C] 세탁부(婦) (laundress).
Lau·ra [lɔ́:rə] *n.* 로라(여자 이름).
***lau·re·ate** [lɔ́:riit] *a.* ① 월계관을 쓴〔받은〕. ② 〔종종 名詞 뒤에 두어〕 (시인이) 명예를〔영관(榮冠)을〕 얻은: the poet ~ 계관 시인. ── *n.* [C] ① 계관 시인(poet ~). ② 수상자: a Nobel prize ~ 노벨상 수상자.
[파] ~·**shìp** *n.* [U] 계관 시인의 지위〔직〕.
‡**lau·rel** [lɔ́:rəl, lɑ́:r-] *n.* ① [U,C] 〖植〗 월계수(bay, bay ~ 〔tree〕); 월계수와 비슷한 관목(灌木). ② (*pl.*) (승리의 표시로서의) 월계수의 잎〔가지〕; 월계관; 승리, 명예, 영관(榮冠): win 〔gain, reap〕 ~*s* 명예를〔명성을〕 얻다. ***look to*** one***'s ~s*** 영관을〔명예를〕 잃지 않도록 조심하다. ***rest on*** one***'s ~s*** 이미 얻은 명예〔성공〕에 만족하다〔안주하다〕. ── (*-l-*, 《英》 *-ll-*) *vt.* …에게 월계관을〔영예를〕 주다. 「애칭 Larry).
Lau·rence [lɔ́:rəns, lɑ́r-] *n.* 로런스(남자 이름;
lav [læ(:)v] *n.* [C] 《口》 변소, 화장실(lavatory).
***la·va** [lɑ́:və, lǽvə] *n.* [U] 용암, 화산암; 용암층: a ~ field 용암원(原).
lav·a·to·ri·al [læ̀vətɔ́:riəl] *a.* 《蔑》 (농담 따위가) 변소에 관한(배설이나 성(性)에 이상한 흥미를 나타내는).
***lav·a·to·ry** [lǽvətɔ̀:ri / -təri] *n.* [C] ① 세면소, 화장실; (수세식) 변기; 변소. ② 《美》 (벽에 붙박이한) 세면대.
lávatory páper = TOILET PAPER.
lave [leiv] *vt.* ① 《詩》 …을 씻다, (물)에 잠그다. ② (흐르는 물이 기슭)을 씻어 내리다.
lav·en·der** [lǽvəndər] *n.* [U] ① 〖植〗 라벤더(방향 있는 꿀풀과(科)의 식물). ② 라벤더의 말린 꽃〔줄기〕(의복의 방충용). ③ 엷은 자주색. ***lay (***up***) ***in*** ~ (나중에 쓰기 위하여) 소중히 보존하다. ── *a.* 라벤더색의, 엷은 자줏빛의.
lávender wàter 라벤더 향수(香水).
lav·er [léivər] *n.* [U] 〖植〗 김, 청태(따위).
lav·ish** [lǽviʃ] (more*** ~; ***most*** ~) *a.* ① 아낌없는, 활수한, 손이 큰: ~ *of* 〔*with*〕 money 돈을 잘 쓰는 / spend money *with* a ~ hand 마구 돈을 쓰다 / ~ *in* kindness 친절을 아끼지 않는 / He was ~ *in* 〔*with*〕 his praise. 그는 아낌없이 칭찬했다. ② 남아도는, 지나치게 많은, 풍부한: ~ chestnut hair 풍부한 밤색 머리카락 / ~ expenditure 낭비. ③ 낭비 버릇이 있는, 사치스러운: a ~ party to celebrate Lee's sixtieth birthday 이씨의 호화스러운 회갑연. ── *vt.* 《~+[목] / +[목]+[전]+[명]》 ① (돈·애정 따위)를 아낌 없이 주다: ~ money *on* a person 아무에게 아낌 없이 돈을 주다 / ~ affection *on* a child 아이에게 한없는 애정을 쏟다. ② …을 낭비하다: ~ one's money *upon* 〔*on*〕 one's pleasure 유흥에 돈을 물쓰듯 하다.
[파] *~·**ly** *ad.* 아낌 없이, 헙헙하게. ~·**ness** *n.*
†**law** [lɔ:] *n.* ① **a)** [U] (흔히 the ~) 법률, 법: *the* ~ of the land 국법 / Everybody is equal before *the* ~. 법 앞에서는 만인이 평등하다 / His word is ~. 그의 말이 곧 법률이다(절대 복종을 요구하는 말) / I didn't know I was breaking *the* ~. 내가 법을 어기고 있다는 것을 몰랐다. **b)** [C] (개개의) 법률, 법규: A bill becomes a ~ when it passes Diet. 법안은 국회를 통과하면 법률이 된다 / The new ~ comes into force next month. 새 법률은 다음 달 시행된다. ② [U] 법학, 법률학: study ~ 법률을 배우다 / the department of ~ (대학의) 법학부 / a ~ student 법학도 / He holds a ~ degree from Bristol University. 그는 브리스톨 대학의 법학 박사 학위를 갖고 있다. ③ [U] (흔히 the ~) 법률업, 법조계(界), 변호사업: He's learned 〔versed〕 in *the* ~. 그는 법률에 정통하다 / practice 〔follow〕 *the* ~ 법률을 업으로 하다 〔변호사가 되다〕. ④ [U] 법률적 수단, 소송, 기소: contend at ~ 법정에서 다투다 / resort to ~ 법에 호소하다. ⑤ [C] (종교상의) 계율, 율법: the new 〔old〕 ~ 신〔구〕약 / the Law (of Moses) 모세의 율법. ⑥ [C] (도덕·관습상의) 관례, 풍습: Children soon accept social ~*s*. 아이들은 쉽게 사회적 관습에 순응한다 / inflexible moral ~*s* 불변의 도덕률. ⑦ [C] (과학·기술·예술·철학·수학상의) 법칙, 원칙, 정률: the ~ of supply and demand 수요와 공급의 법칙 / the ~ of gravitation〔gravity〕 인력의 법칙 / the ~*s* of nature 자연의 법칙. ⑧ (the ~s) (경기의) 규칙, 규정, 룰(rules): *the* ~*s* of tennis. ⑨ (the ~) 《口》 법의 집행자, 경찰(관): *the* ~ in uniform 제복 입은 경찰관 / Watch out—here comes *the* ~! 조심해라. 경찰이 온다.
be a ~ unto one***self*** 자기 마음대로 하다, 관례를 무시하다. ***go to ~ with*** 〔***against***〕 =***have*** 〔***take***〕 ***the ~ of*** 〔***on***〕 …에 대해 법적 조치를 취하다, …을 고소〔기소〕하다: I'll *have the* ~ *on* you. 널 고소하겠다(흔히 협박에 쓰임). ***lay down the*** ~ 독단적인 말을 하다, 명령적으로 말하다; 야단치다(*to*). ***take the ~ into*** one***'s own hands*** (법률에 의하지 않고) 제멋대로 제

L

재(制裁)를 가하다, 린치를 가하다.

law-a·bid·ing [-əbàidiŋ] *a.* 법률을 지키는, 준법의 : ~ people 법률을 준수하는 양민. ㊎ **~·ness** *n.*

law·break·er [-brèikər] *n.* Ⓒ 법률 위반자, 위법자.

law·break·ing [-brèikiŋ] *n.* Ⓤ, *a.* 위법(의).

láw cènter 《英》 (무료) 법률 상담소.

***láw còurt** 법정.

‡law·ful [lɔ́:fəl] *a.* ① 합법적인, 적법한, 정당한. opp *illegal, illegitimate.* ¶ take power by ~ means 적법한 수단으로 권력을 잡다 / a ~ transaction 합법적 거래 / a ~ marriage 정식 결혼. ② 법정의, 법률이 인정하는 ; (아이가) 적출(嫡出)의 : ~ age 법적 연령, 성년 / a ~ child 적출자 / his ~ heir 그의 법적 상속인 / ~ money 법정 화폐. ㊎ **~·ly** *ad.* **~·ness** *n.*

law·giv·er [lɔ́:gìvər] *n.* Ⓒ 입법자, 법률 제정자.

***law·less** [lɔ́:lis] *a.* ① 법(률)이 없는, 법(률)이 시행되지 않는 : a ~ region 〔society〕 무법 지대〔사회〕. ② 비합법적인, 불법의 : ~ means 불법수단. ③ 무법의, 멋대로 구는, 제어할 수 없는 : a ~ fellow〔man〕 무법자. ㊎ **~·ly** *ad.* **~·ness** *n.*

law·mak·er [-mèikər] *n.* Ⓒ 입법자(legislator), (국회)의원.

law·mak·ing [-mèikiŋ] *n.* Ⓤ, *a.* 입법(의).

law·man [-mæ̀n] (*pl.* ***-men*** [-mèn]) *n.* Ⓒ 《美》 법 집행관《경찰관, 보안관 등》.

‡lawn[1] [lɔ:n] *n.* Ⓒ 잔디(밭) : Keep off the ~. 잔디밭에 들어가지 말 것 / mow the ~ 잔디를 깎다 / a well-kept ~ 손질이 잘된 잔디밭.

lawn[2] *n.* Ⓤ 한랭사류(寒冷紗類), 론《영국국교회에서 bishop 의 가운의 소매에 쓰임》.

láwn bòwling 《美》 잔디밭에서 하는 볼링.

láwn mòwer 잔디 깎는 기계.

láwn tènnis ① 론 테니스《잔디밭에서 하는 테니스. cf. court tennis》. ② 테니스, 정구.

Law·rence [lɔ́:rəns, lɑ́r- / lɔ́r-] *n.* 로렌스. ① 남자이름. ② **D**(avid) **H**(erbert) ~《영국의 작가·시인 ; 1885-1930》.

law·ren·ci·um [lɔ:rénsiəm] *n.* Ⓤ 〖化〗 로렌슘《인공 방사성 원소의 하나 ; 기호 Lr. ; 번호 103번》.

law·suit [lɔ́:sù:t] *n.* Ⓒ (민사) 소송 : bring in 〔enter〕 a ~ against a person 아무를 상대로 하여 소송을 제기하다.

láw tèrm ① 법률용어. ② 재판 개정기(期).

‡law·yer [lɔ́:jər] *n.* Ⓒ 변호사, 법률가 : a good ~ 좋은 변호사, 법률에 밝은 사람 / He is going to be a ~. 그는 변호사가 되려고 하고 있다. ★ lawyer 는 변호사를 가리키는 가장 일반적인 말; 《美》 counselor, 《英》 barrister 는 법정에 서는 변호사 ; 《美》 attorney, 《英》 solicitor 는 주로 사무적인 일을 하는 변호사.

lax [læks] *a.* ① **a**) (줄 등이) 느슨한, 느즈러진. **b**) (피륙 따위가) 올이 성긴. opp *tense*[1]. ② (정신·덕성 등이) 해이한, 흘게 늦은, 단정치 못한, 방종한 : a ~ attitude to health 건강에 대한 무관심한 태도 / I was ~ in my duties. 내 의무에 충실치 못했다. ③ (생각 등이) 애매한, 흐린. ④ (조치·방책 등이) 미지근한, 엄하지 않은 : The law is rather ~ on this point. 법은 이 점에 있어서는 엄하지 않다. ⑤ (창자가) 늘어진 ; 설사하는 (loose). ⑥ 〖音聲〗 느즈러진. opp *tense*[1]. ㊎ **∠·ly** *ad.* **∠·ness** *n.*

lax·a·tive [lǽksətiv] *a.* 대변이 잘 나오게 하는. ── *n.* Ⓒ 하제(下劑), 완하제.

lax·i·ty [lǽksəti] *n.* Ⓤ,Ⓒ ① 느슨함 ; 흘게 늦음, 방종. ② (이야기·문체 등의) 애매함, 부정확.

†lay[1] [lei] (*p., pp.* ***laid*** [leid]) *vt.* ① 《~+목 / +목+전+명》 …을 누이다, 가로눕히다 : ~ a child *to* sleep 아이를 눕혀서 재우다 / ~ *oneself on* the ground 땅에 (가로)눕다. ② 《+목+전+명 / +목+부》 …을 (누이듯이) 두다, 놓다 : ~ one's head *on* a pillow 베개를 베다 / ~ a book *on* a shelf 책을 선반에 두다 / She *laid* the doll *down* carefully. 인형을 조심스럽게 눕혔다. ③ 《~+명 / +목+전+명》 …을 깔다, 부설하다, 놓다 : ~ a corridor *with* a carpet = ~ a carpet *on* a corridor 복도에 융단을 깔다 / They're ~*ing* water pipes and electricity cables. 그들은 송수관과 전선을 부설하고 있다. ④ (벽돌 따위)를 쌓다, 쌓아올리다, 건조하다 : ~ the foundations 기초를 쌓다〔만들다〕. ⑤ (알)을 낳다《새가 땅바닥에 알을 낳는 데서》: This hen ~*s* an egg every day. 이 닭은 매일 알을 낳는다. ⑥ (올가미·함정·덫)을 놓다, 장치하다 ; (복병)을 배치하다《*for*》: They were ~*ing* a trap *for* the kidnapper. 그 유괴범을 잡으려고 그들은 함정을 놓고 있었다. ⑦ (계획 등)을 마련하다, 안출하다 ; (음모)를 꾸미다 : ~ a scheme 〔plan〕 계획을 세우다 / ~ a conspiracy 음모를 꾸미다. ⑧ 《~+목 / +목+보 / +목+전+명》 …을 옆으로 넘어뜨리다, 때려눕히다, 쓰러뜨리다 : The crops were *laid* by high winds. 강풍으로 농작물이 쓰러졌다 / One punch *laid* him low. 일격에 그를 쓰러뜨렸다. ⑨ …을 누르다, 가라앉히다, 진정〔진압〕시키다 : ~ the dust 먼지를 가라앉히다 / ~ a person's fears to rest 아무의 걱정을 진정시키다. ⑩ 《~+목 / +목+전+명》 …을 입히다, 씌우다, 흩뜨려 놓다 ; 바르다, 칠하다 : ~ paint *on* a floor 〔a floor *with* paint〕 마루에 페인트 칠을 하다 / ~ newspapers everywhere 신문을 아무데나 어질러 놓다 / The wind *laid* the garden *with* leaves. 바람이 뜰에 나뭇잎을 흩뜨려 놓았다. ⑪ (식탁 등)을 준비하다 : ~ the table for breakfast 아침 식사를 위한 식탁 준비를 하다. ⑫ 《+목+전+명》 (신뢰·강세 따위)를 두다, (무거운 짐·의무·세금 등)을 과하다, 지우다 : ~ one's hopes *on* a person 아무에게 희망을 걸다 / ~ a burden 〔duty〕 *on* a person 아무에게 무거운 짐을〔의무를〕 지우다 / ~ a heavy tax *on* income 소득에 중과세하다. ⑬ 《+목+전+명》 (죄)를 짊어지우다 ; 돌리다, 넘겨씌우다 : ~ a crime *to* his charge 죄를 그의 책임으로 돌리다 / ~ blame *on* a person 허물을 아무에게 뒤집어씌우다 / ~ an accusation *against* a person 아무를 책〔비난〕하다. ⑭ 《~+목 / +목+전+명》 …을 제출하다, 제시〔게시〕하다, 주장〔개진〕하다 : ~ a case *before* the commission 문제를 위원회에 제기하다 / ~ claim *to* the estate 재산 소유권을 주장하다 / He *laid* his trouble *before* me. 그는 나에게 고민을 털어놓았다. ⑮ 《+목+전+명》 (손해액)을 정하다, 얼마로 결정하다 : The damage was *laid at* $ 300. 손해는 300 달러로 산정(算定)되었다. ⑯ 《~+목 / +목+전+명 / +*that* 절》 (내기에 돈)을 걸다, 태우다(bet) : I ~ five dollars *on* it. 그것에 5 달러 건다 / I'll ~ *that* he will not come. 그가 오지 않는다는 쪽에 걸겠다 ; 그는 절대로 오지 않는다. ⑰ 《+목+전+명》〔흔히 受動으로〕 (극·소설의 장면)을 설정하다 : The scenes of the story *is laid*

in the Far East. 그는 이야기의 장면을 극동으로 설정했다.
⑱《+目+補/+目+前+名》…을 (…한 상태에) 두다, (…상태로) 되게 하다 ; …을 매장하다 (bury) : ~ one's chest bare 가슴을 드러내다 / ~ the land fallow 땅을 놀리다 / ~ a town *in* aches 한 작은 도시를 잿더미로 만들다 / ~ a person *in* a churchyard 아무를 묘지에 묻다 / The war *laid* the country waste. 전쟁으로 나라는 황폐해졌다.
— *vi.* ① 알을 낳다 : The hen is ~*ing* well. 그 닭은 알을 잘 낳는다. ② 내기하다, 걸다 ; 보증하다 : You may ~ *to* that. 틀림없다. **~ *about*** (one) (1) 전후 좌우로 마구 휘둘러치다, 맹렬히 싸우다《*with*》: He *laid about* them *with* his hands. 그들에게 맨손으로 덤벼들었다. (2) 정력적으로 움직이다. **~ *aside*** (1) (한) 옆에 치워〔떼어〕 두다 ; 저축해 두다 : She finished the tea and *laid* the cup *aside*. 그녀는 차를 다 마시고 나서는 잔을 한 옆에 치워 놓았다. (2) 버리다, 버리어 돌보지 않다. (3) (병(病) 따위가 사람을) 일을 못 하게 하다. **~ *. . . at* a person's *door*** ⇨ DOOR(成句). **~ *away*** (1) 떼어〔간직해〕 두다 ; 저축〔비축〕하다 ; (상품을) 보관하다, 맡아두다(⇨LAYAWAY). (2) 〔受動으로〕 매장하다, (파)묻다. **~ *back*** 뒤쪽으로 기울이다〔재우다〕; 《俗》 한가로이 지내다, 긴장을 풀다. **~ *by*** = ~ aside (1). **~ *down*** (1) 밑에〔내려〕 놓다 ; (펜 따위를) 놓다. (2) (포도주 따위를) 저장하다. (3) (철도·도로 따위를) 놓다, 부설하다 ; 기공하다 ; (군함을) 건조하다. (4) (계획을) 입안(立案)하다, 세우다. (5) 〔종종 受動으로〕 (강력히) 주장하다, 진술〔말〕하다 : ~ it *down* that …이라고 주장하다. (6) (원칙 따위를) 규정하다 ; (규정을) 정하다 : ~ *down* rules. (7) 《俗》 그만두다, 사직하다 ; (무기·목숨 따위를) (내)버리다 : ~ *down* one's arms 무기를 버리다, 항복하다 / ~ *down* an office 사직하다 / ~ *down* one's life for the country 나라를 위해 목숨을 바치다. (8) (밭에) 심다, 뿌리다 : ~ *down* a field *in* grass 밭에 목초를 심다, 땅을 목초지로 만들다. **~ *for*** 《口》 …을 숨어 기다리다. **~ *hands on*** (1) …을 붙잡다〔붙들다〕, …을 움키다 ; …을 덮치다. (2) 〖宗〗 …을 목사〔주교〕로 임명하다. **~ *hold of*** 〔***on***〕 …을 (붙)잡다〔쥐다〕, …을 붙들다. **~ *in*** 사들이다 ; 모아서 저장〔저축〕하다 : They began to ~ *in* extensive stores of food supplies. 그들은 여러 가게에서 식량을 사들이기 시작했다. **~ *into*** 《口》 …을 때리다, 꾸짖다, 호되게 비난하다. **~ *it on thick*** 《口》 과장하다, 지나치게 칭찬하다〔치살리다〕, 몹시 발림말을 하다. **~ *low*** ⇨LOW¹(成句). **~ *off*** (1) (불쾌·유해한 일을) 그만두다 ; 〔종종 命令法〕 상관〔간섭〕하는 것을 그만두다, 놔두다 : *Lay off* me. 혼자 놔두어 달라. (2) 일을 쉬다 ; 《美》 휴양하다. (3) 일시 해고하다, 귀휴시키다 : They did not sell a single car for a month and had to ~ *off* workers. 그들은 한달 동안 차를 한 대도 못 팔아 직원들을 일시 해고해야 했다. (4) 점찍어 두다, 구분하다. (5) 《美》 (외투 따위를) 벗다. **~ *on*** (*vt.*) (1) (타격)을 가하다, (채찍으로) 치다. (2) (그림 물감·페인트 등)을 칠하다. (3) 《英》 (가스·수도 등)을 끌어들이다, 부설하다. (4) (모임·식사·차 따위)를 준비하다, 제공하다. (5) (세금 따위)를 (부)과하다. **~ *on the table*** (심의를) 무기 연기하다. **~ *open*** (1) 열다, 벗기다 ; 드러내다 ; 폭로하다. (2) 절개(切開)하다. **~ *out*** (1) 《口》 (돈을 많이) 쓰다, 내다, 투자하다. (2) (세밀하게) 계획〔설계, 기획〕하다 ; (정확히) 배열〔배치〕하다, …의 지면을 구획하다 : a well *laid out* magazine 레이아웃이 잘 된 잡지. (3) (옷 따위를) 펼치다 ; 진열하다. (4) 입관(入棺)할 준비를 하다 : Friends *laid out* the body. 친구들이 시신을 입관했다. (5) 《口》 꾸짖다 ; 기절시키다, 때려눕히다, 죽이다. **~ *over*** (*vt.*) (1) 칠하다, 바르다. (2) 《美》 연기하다 : The party was *laid over* for a week. 파티는 1주일 연기되었다. (*vi.*) 《美》 (갈아타기 위해) 기다리다, 도중하차하다. **~ one*self out for*** 〔***to*** do〕 《口》 …에 애쓰다 ; …의 준비를 하다, …할 각오로 있다. **~ *store on*** 〔***by***〕 …을 중요시하다. **~ *to*** (1) 〖海〗 (이물을 바람 불어오는 쪽으로 향하고) 정선(停船)시키다〔하다〕. (2) 분발하다, 참고 계속 노력하다. **~ *together*** (1) 모으다. (2) 비교하다, 종합하여 생각하다. **~ *to rest*** 〔***sleep***〕 쉬게 하다, 잠들게 하다 ; 묻다. **~ *up*** (1) 저축〔저장〕하다 ; 쓰지 않고 두다. (2) 〔흔히 受動으로〕 (병·상처가 아무를) 일하지 못하게 하다, 죽치게 하다, 몸져 눕게 하다 : *be laid up* with a cold 감기로 누워 있다. (3) 〖海〗 계선(繫船)하다, (휴항선(休航船)을) 독(dock)에 넣다. **~ *up for* one*self*** (곤란 따위를) 자초하다.
— *n.* Ⓤ (종종 the ~) (물건이 위치하는) 방향, 상태. ***the ~ of the land*** 《美》 지세(地勢), 지형 ; 형세, 상황(《英》 the lie of the land).

lay² *a.* 〔限定的〕 ① 속인(俗人)의, 평신도의《성직자에 대하여》. opp *clerical*. ¶ ⇨LAY READER / a ~ sermon 평신도의 설교. ② (특히, 법률·의학에 대해) 전문가가 아닌, 풋내기의, 문외한의 : a ~ opinion 문외한의 의견. 「정시》.

lay³ *n.* Ⓒ 노래, 시《짧은 이야기체의 시(詩)·서
‡**lay⁴** LIE¹의 과거. 「뱅이.

lay·a·bout [léiəbàut] *n.* Ⓒ 《英》 부랑자, 게으름

lay·a·way [léiəwèi] *n.* Ⓒ 《美》 (예약 할부 판매의) 유치(留置) 상품《대금 완납시 인도함》.

láy bròther 〔**sìster**〕 평(平)수사〔수녀〕《노동만 하는》.

lay-by [-bài] *n.* Ⓒ ① 철도의 대피선. ② 《英》 (도로에서 딴 차의 통과를 기다리는) 대피소.

‡**lay·er** [léiər] *n.* Ⓒ ① 층(層), (한) 켜 : A fresh ~ of snow covered the street. 갓 내려 쌓인 눈이 길을 덮고 있었다. ② (한 번) 바르기, 칠하기 : three ~*s* of paint 페인트를 세 번 칠하기. ③ 〔흔히 複合語로〕 놓는〔쌓는, 까는〕 사람 ; =BRICKLAYER. ④ 알낳는 닭 : a good 〔poor〕 ~ 알을 잘 낳는〔못 낳는〕 닭. ⑤ 〖園藝〗 휘묻이.
— *vt.* ① …을 층으로 하다. ② (옷)을 껴입다 : ~ a vest over a shirt 셔츠 위에 조끼를 껴입다.
— *vi.* (가지에서) 뿌리가 내리다.

láyer càke 레이어 케이크《켜 사이에 잼·크림 등을 넣은 카스텔라》.

lay·ette [leiét] *n.* Ⓒ 《F.》 갓난아기 용품 일습《배내옷·침구 따위》.

láy figure ① 모델 인형《미술가나 양장점에서 쓰는》. ② 멍텅구리 ; 개성이 없는 사람.

lay·man** [léimən] (*pl.* ***-men [-mən]) *n.* Ⓒ ① 속인(俗人), 평(平)신도《성직자에 대해》. opp *clergyman*. ② 아마추어, 문외한. opp *expert*. ¶ He's a ~ in politics 정치에는 문외한이다.

lay·off [-ɔ̀(ː)f, -ɑ̀f] *n.* Ⓒ (특히, 불경기로 인한) 일시 해고(기간), 일시 귀휴(歸休).

***lay·out** [-àut] *n.* ① ⓊⒸ (지면·공장 등의) 구획, 배치, 설계(disposing, arrangement) ; 기획 ; Ⓒ 배치〔구획〕도 : an expert in ~ 설계〔기획〕 전문가 / the ~ of a house 집의 배치. ② ⓊⒸ **a)** (신문·잡지 등의 편집상의) 페이지 배정, 레이아웃 : a magazine's attractive new page ~ 잡지의 매력적인 새로운 페이지 레이아웃. **b)** 〖컴〗 판짜기, 얼개짓기, 레이아웃. ③ Ⓒ 《口》 (음식 따위 식

탁에) 차려놓은 것 : There was a nice ~ for supper. 훌륭한 저녁 식사가 차려져 있었다.

lay·o·ver [-òuvər] *n.* Ⓒ《美》(여행 중의) 도중하차, 잠시 들름(stopover) : have a three hour ~ in Tokyo 도쿄에 세 시간 머물다.

láy rèader 〖英國敎·가톨릭〗 평신도 독서자(讀書者)《약간의 종교 의식 집행이 허용됨》.

laze [leiz] *vi.* 빈둥빈둥 지내다, 빈둥거리다 《*about* ; *around*》: He ~*s about* all day. 하루 종일 빈둥거린다. ── *vt.* (시간·인생 등)을 빈둥빈둥 지내다《*away*》: ~ *away* the afternoon 오후를 빈둥거리며 지내다.

── *n.* (a ~) 빈둥대며 보내는 시간.

‡la·zy [léizi] (*-zi·er* ; *-zi·est*) *a.* ① 게으른, 나태한, 게으름쟁이의 : a ~ correspondent 글〔편지〕쓰기를 싫어하는 사람 / He's not stupid, just ~. 그는 어리석은 게 아니고 단지 게으르다 / You ~ bum! 이 게을러빠진 놈아. ② 졸음이 오는, 나른한 : a ~ day 〔summer afternoon〕 졸음이 오는 〔께느른한〕 날〔여름날의 오후〕. ③ (흐름 따위가) 느린, 완만한 : a ~ stream. ㊔ **lá·zi·ly** *ad.* **lá·zi·ness** [-nis] *n.* Ⓤ 게으름, 나태.

la·zy·bones [-bòunz] *n. pl.* 〔一般的으로 單數취급〕《口》 게으름뱅이.

lázy Súsan 회전식 쟁반(《英》 dumbwaiter) 《식탁용》.

lázy tòngs (먼데 있는 것을 집는) 집게.

lb., lb [paund] (*pl.* ***lb.***, ***lbs.***) *libra* 《L.》 (= pound). **lbs.** *librae* 《L.》 (=pounds). **LC, L.C.** 《美》 landing craft ; 《美》 Library of Congress ; 《英》 Lord Chamberlain ; 《英》 Lord Chancellor. **L / C, l / c.** 〖商〗 letter of credit. **l.c.** *loco citato* 《L.》 (=in the place cited) ; 〖印〗 lowercase. **LCD** 〖電子〗 liquid crystal display 〔diode〕 (액정 표시(기), 액정 소자(素子)). **L.C.D., l.c.d.** 〖數〗 lowest 〔least〕 common denominator. **L.C.J.** Lord Chief Justice. **L.C.M., l.c.m.** lowest 〔least〕 common multiple. **Ld.** limited ; Lord. **ldg** landing ; loading.

L-driv·er [éldráivər] *n.* Ⓒ《英》 가면허 운전자, 운전 실습자《L은 learner》.

-le *suf.* ① '작은 것'의 뜻 : icic*le*, knuck*le*. ② '…하는 사람〔도구〕'의 뜻 : bead*le*, gird*le*, lad*le*. ③ '반복'의 뜻 : dazz*le*, fond*le*.

lea [liː] *n.* Ⓒ《詩》 풀밭, 초원 ; 목초지.

leach [liːtʃ] *vt.* ① (액체)를 거르다. ② (가용물(可溶物))을 밭다 ; 물에 담가 우리다 : ~ alkali *out* from ashes 재에서 알칼리를 추출하다. ── *vi.* 걸러지다 ; 용해하다. ── *n.* ① Ⓤ 거르기 ; 거른 액체, 잿물. ② Ⓒ 여과기 ; 거름 잿물통.

†lead[1] [liːd] (*p.*, *pp.* ***led*** [led]) *vt.* ①《~+목 / +목+전+명 / +목+부》…을 이끌다, 인도〔안내〕하다, 데리고 가다 : ~ a person *to* a place / ~ a person *in* 〔*out*〕 아무를 안〔밖〕으로 안내하다. ②《+목+전+명》…의 손을 잡아 이끌다, (고삐로) 끌다《말 따위를》; (댄스에서) (파트너)를 리드하다 : ~ a blind man *by* the hand 장님의 손을 이끌어 주다 / She *led* the horse back into the stable. 그녀는 말을 마구간으로 도로 끌고 갔다. ③ …을 인솔하다, 거느리다, …에 솔선하다 ; (행렬·사람들)의 선두에 서다 ; …의 첫째〔톱(top)〕이다, …을 리드하다, (유행)의 첨단을 가다 : Iowa ~*s* the nation in corn production. 아이오와 주는 미국 제일의 옥수수 산지다 / A baton twirler *led* the parade. 배턴 걸이 퍼레이드의 선두에 서서 갔다 / He *led* a demonstration through the city. 그는 시내 전역의 시위를 주도했다. ④ …을 선도하다, 지도하다 ; (군대 따위)를 지휘하다 ; 감화하다 : ~ an orchestra 《美》 오케스트라를 지휘하다 ; 《英》 오케스트라의 제 1 바이올린을 담당하다. ⑤ …을 끌어〔꾀어〕 들이다, 유인하다. ⑥《+목+*to* do》…의 마음을 꾀다, 꼬드겨 …한 마음이 일어나게 하다 : What *led* you *to* think so? 어떻게 그런 생각을 하게 되었는가 / Fear *led* him *to* tell lies. 그 남자는 무서워서 거짓말을 했다. ⑦《~+목 / +목+전+명》(줄·물 따위)를 끌다, 통하게 하다 ; 옮기다 : ~ water *through* a pipe / ~ a rope *through* a pulley 도르래에 로프를 끼우다. ⑧《+목+전+명》(길 따위가 사람)을 …로 이르게 하다〔데리고 가다〕; 《比》 (어떤 결과〔상태〕로) 이끌다 : This road will ~ you *to* the station. 이 길을 따라가면 정거장이 나타날 겁니다 / Poverty *led* him *to* destruction. 가난 때문에 그는 몸을 망쳤다 / Unwise investments *led* the firm *into* bankruptcy. 어리석은 투자 때문에 회사가 파산하게 되었다. ⑨《~+목 / +목+목》(…한 생활)을 보내다, 지내다 ; (…한 생활)을 하게 하다 : ~ a happy life 행복하게 살다 / ~ a person a dog's life 아무에게 비참한 생활을 하게 하다 / That *led* him a miserable life. 그 때문에 그는 비참하게 살았다. ⑩〖카드놀이〗 (첫번째 사람이 어떤 패)를 최초로 내다 : ~ a heart.

── *vi.* ① **a**) 앞장서서 가다, 안내하다, 선도(先導)하다 : green car is ~*ing* 녹색차가 선두를 달리고 있다. **b**) 지휘하다. ② 이끌다, 거느리다 ; (댄스에서) 파트너를 리드하다. ③ **a**)〖競〗 남을 앞지르다, 리드하다. **b**) (…에서) 수위를 점하다 : I ~ *in* French. 프랑스어는 내가 일등이다. ④《+전+명》(길·문 따위가 …에) 이르다, 통하다 : All roads ~ *to* Rome. 모든 길은 로마로 통한다 / the main street ~*ing* to the center of the city 시 중심지로 통하는 간선 도로. ⑤《+전+명》(…로) 이끌다, (…의) 원인이 되다, 결국 (…이) 되다 《*to*》: The incident *led to* civil war. 그 사건 때문에 결국 내전이 일어났다 / Such conduct will ~ *to* nothing good. 그런 행동은 하나도 좋을 것 없다. ⑥〖카드놀이〗 맨 먼저 패를 내다.

~ a person ***a jolly*** 〔***pretty***〕 ***dance*** ⇨DANCE. ~ ***astray*** (1) …를 잘못된 방향으로 이끌다, 길을 잃게 하다. (2) …을 미혹시키다, 타락(墮落)시키다. ~ a person ***by the nose*** ⇨ NOSE(成句). ~ ***nowhere*** 《比》(결국은) 아무것도 안 되다, 헛일로 끝나다. ~ ***off*** (*vt.*) 데리고 가다 ; (…에서) 시작하다《*with*》; 〖野〗 (…회)의 선두 타자를 맡다. (*vi.*) 시작하다《*with*》. ~ ***on*** 꾀다, 꾀어들이다, …하도록〔하게〕 하다《*to* do》; 알쏭달쏭한〔은근한〕 태도로 꾀다〔애먹이다〕. ~ a person ***up*** 〔***down***〕 ***the garden path*** ⇨GARDEN. ~ ***up to*** 점차 …로 유도하다 ; 이야기를 …로 이끌어 가다 ; 결국은 …란 것이 되다 : the events ~*ing up to* the strike 파업으로 치달은 사건들.

── *n.* ① (the ~) 선도(先導), 선두 : Opinion polls give him a clear ~. 여론 조사에서 그가 단연 선두다. ② (the ~, a ~) 본, 전례 ; 모범 ; 《口》 문제 해결의 계기, 실마리. ③〖競〗 **a**) (the ~) 리드, 앞섬, 우세. **b**) (a ~) 앞선 거리〔시간〕: have *a* ~ of one length 말〔배〕 하나 길이만큼 앞서다. ④ Ⓒ《口》 실마리, 단서 : So far there're no firm ~*s* as to who the hit-and-run driver is. 지금으로서는 사람을 치고 달아난 범인에 대한 확실한 단서가 없다. ⑤ Ⓒ〖劇〗 주연 ; 주연 배우 : play the ~ 주역을 맡아 하다, 주연(主演)하다. ⑥ Ⓒ 개(끄는)줄 : have 〔keep〕 a dog on a ~ 개를 끈으로 매놓다. ⑦ Ⓒ〖카드놀이〗 맨 먼저 내는 패, 선수(先手) (의 권리) : Whose ~ is it? 누가 선수

인가. ⑧ Ⓒ (신문 기사의) 첫머리, 허두: The Turkish situation makes the ~ in tomorrow's Guardian. 터키 사태가 내일자(字) 가디언지의 첫머리 기사가 된다. ⑨ Ⓒ 〖電〗 도선(導線), 리드선 (a ~ wire); 안테나의 도입선.
give** a person **a** ~* 아무에게 모범을 보이다; 아무에게 단서를 주다. ***take the ~ 앞장서다, 솔선하다, 주도권(主導權)을 잡다, …을 좌우하다 《*in*; *among*》: France *took the* ~ *in* the development of the airbus. 에어버스 개발에 프랑스가 앞서 있다.
— *a.* 〔限定的〕 ① 선도하는: the ~ car 선도차. ② (신문·방송의) 주요기사의, 톱뉴스의: a ~ editorial 사설(社說), 논설.

‡**lead²** [led] *n.* ① Ⓤ 〖化〗 납, 연《금속 원소; 기호 Pb; 번호 82》: heavy as ~ 납(덩이)처럼 무거운. ② Ⓒ 측연(測鉛)(plummet): cast 〔heave〕 the ~ 측연을 내려 수심을 재다. ③ (*pl.*) 《英》 지붕 이는 연판(鉛板), 연판 지붕; 창유리의 납 테두리. ④ Ⓒ 〖印〗 인테르《활자의 행간에 삽입하는 납》. ⑤ **a**) Ⓤ 흑연(black ~). **b**) Ⓒ 연필의 심. ⑥ Ⓤ 〔集合的〕 (납으로 된) 탄알: a hail of ~ 빗발치는 듯한 탄환. ***get the*** ~ ***out*** 《美口》 서두르다, (마음을 다잡고) 시작하다. ***swing the*** ~ 꾀병을 앓아 일을 태만히 하다.
— *a.* 〔限定的〕 납으로 만든: a ~ pipe 연관.
— *vt.* ① …을 납으로 씌우다; …에 납을 채워 메우다; …에 납으로 추를 달다: a ~*ed* window 납테두리를 한 유리창. ② (휘발유)에 납(화합물)을 혼입(混入)시키다. ③ 〖印〗 (활자 조판시 행간)에 인테르를 끼우다.

lead·ed [lédid] *a.* (가솔린이) 유연(有鉛)의, 가연(加鉛)한.

lead·en [lédn] *a.* ① 납의, 납으로 만든. ② 납빛의; (날씨 등이) 잔뜩 찌푸린: a ~ sky 납빛의 (잔뜩 찌푸린) 하늘. ③ 무거운; 답답한, 께느른한: a ~ heart 답답한 마음 / walk with ~ feet 무거운 발걸음으로 걷다. ④ 둔한, 활기 없는, 무기력한: at a ~ pace 무기력하게 느린 걸음걸이로. ㊞ **~·ly** *ad.* **~·ness** *n.* Ⓤ 무기력.

†**lead·er** [líːdər] *n.* Ⓒ ① **a**) 선도자, 지도자, 리더; 《英》 (정당의) 당수; 수령, 주장, 대장; 지휘관: a military ~ 군 지휘관 / a political ~ 정치 지도자. **b**) (경기 등 어느 시점에서의) 선두(주자). ② 〖樂〗 (악단의) 지휘자; 제 1 바이올린〔코넷〕 수석연주자. ③ (마차의) 선두 말. OPP *wheel horse*. ④ 《주로 英》 (신문의) 논설, 사설. ⑤ 리더 《필름이나 녹음테이프의 양쪽 선단부》. ⑥ (수도·스팀의) 도관(導管), 수도관, 홈통; 도화선. ⑦ 〖機〗 주축, 주동부(部). ⑧ 〖植〗 애가지. ⑨ (낚시의) 목줄. ⑩ 〖印〗 점선(…) 또는 대시(—). ⑪ (손님을 끌기 위한) 특매품, 특가품: ⇨LOSS LEADER. ㊞ **~·less** *a.* 지도자가 없는.

Léader of the Hóuse (of Cómmons 〔Lórds〕) 〖英議會〗 (하원〔상원〕) 원내 총무.

léader of the opposítion 〖英議會〗 야당 원내 총무.

‡**lead·er·ship** [líːdərʃip] *n.* ① Ⓤ 지도, 지휘, 지도(력); 통솔(력), 리더십: Poor ~ led the troops to defeat. 치졸한 통솔력으로 군을 패배하게 했다. ② Ⓤ 지휘자의 지위〔임무〕. ③ Ⓒ 〔集合的; 單·複數취급〕 지도부, 수뇌부.

lead-free [lédfríː] *a.* 무연(無鉛)의: ~ gasoline 무연 가솔린.

lead-in [líːdìn] *n.* Ⓒ ① 〖電〗 (안테나 등의) 도입선. ② 〖TV·라디오〗 (CM의) 도입부.

‡**lead·ing¹** [líːdiŋ] *n.* Ⓤ ① 지도, 선도, 지휘, 통솔. ② 통솔력(leadership). — *a.* 〔限定的〕 ① 이끄는, 선도하는, 지도〔지휘〕하는, 지도적인: play a ~ role in a political campaign 정치 운동에서 지도적인 역할을 하다. ② 일류의, 우수한: a ~ university 일류 대학. ③ 주요한, 주된(chief); 주역(主役)의: a ~ cause of an accident 사고의 주요한 원인.

lead·ing² [lédiŋ] *n.* Ⓤ ① (창 유리용의) 납테두리. ② 〔集合的〕 (지붕 이는) 연판(鉛板).

léading árticle [líːdiŋ-] ① 《美》 (신문·잡지의) 톱기사. ② 〖英新聞〗 사설(editorial). ③ 《英》 =LOSS LEADER.

léading édge [líːdiŋ-] ① 〖空·氣〗 프로펠러 앞쪽의 가장자리. ② (기술·발전 등의) 최전선, 첨단: the ~ of technology 과학 기술의 최전선〔첨단〕.

léading lády [líːdiŋ-] 주연 여배우.

léading líght [líːdiŋ-] ① 〖海〗 도등(導燈)《항구·운하 등의 길잡이 등》. ② 주요 인물, 태두(泰斗), 대가(大家).

léading mán [líːdiŋ-] 주연 남우.

léading quéstion [líːdiŋ-] 〖法〗 유도 신문.

léading rèin [líːdiŋ-] ① (말 따위의) 고삐. ② (*pl.*) =LEADING STRINGS.

léading stríngs [líːdiŋ-] ① 이끄는 줄《어린애가 걸음마 익힐 때 씀》. ② 엄한〔지나친〕 가르침〔지도〕, 속박《*in*》: be *in* ~ 아직 자립 못하다 / keep one's child *in* ~ 아이를 엄하게 지도하다〔가르치다〕, 아이를 과보호하여 기르다.

lead-off [líːdɔ̀(ː)f, -ɑ̀f] *a.* 〖野〗 (타순이) 1번인: the ~ batter 선두 타자 / a ~ hitter 〔man〕 1번타자.

léad péncil [léd-] (보통의) 연필.

léad-pipe (cínch) [lédpàip(-)] (a ~) 《美俗》 ① 아주 쉬운 일, 식은죽 먹기. ② 확실한 것.

léad pòisoning [léd-] 〖醫〗 납중독.

léad tìme [líːd-] 리드타임《제품의 기획에서 완성까지 또는 발주에서 배달까지의 소요 시간》.

†**leaf** [liːf] (*pl.* ***leaves*** [liːvz]) *n.* ① Ⓒ 잎, 나뭇잎, 풀잎: sweep up the dead *leaves* 낙엽을 쓸어 모으다 / The *leaves* of the trees are turning yellow. 나뭇잎들이 노랗게 물들고 있다. ② Ⓤ 〔集合的〕 **a**) 잎, 군엽(群葉)(foliage): come into ~ 잎이 나오다 / the fall of the ~ 낙엽의 계절, 가을. **b**) (상품으로서의 담배·차의) 잎: Virginia ~ 버지니아산 담뱃잎. ③ Ⓒ (책종이의) 한 장《2 페이지》: turn over a ~ 책장을 넘기다. ④ Ⓤ 금은 따위의 박(箔): a ~ gold =gold ~ 금박(金箔) / a picture frame coated with gold ~ 금박을 입힌 액자. ⑤ Ⓒ (접어 여는 문 따위의) 한 쪽 문짝; 테이블의 자재판(自在板): a folding screen with 6 *leaves* 여섯 폭짜리 병풍. ***in*** ~ 잎이 돋아, 잎이 푸르러. ***take a*** ~ ***from*** 〔***out of***〕 a person**'s** ***book*** 아무를 본뜨다. ***turn over a new*** ~ (1) 새 페이지를 넘기다. (2) 마음을 고쳐먹다, 새 생활을 시작하다. — *vi.* ① 잎이 나다. ② 책장을 대충대충 (훑어)넘기다: ~ through a book 책을 대충 훑어보며 넘기다. — *vt.* 《美》 (책장)을 훑어 넘기다.

leaf·age [líːfidʒ] *n.* Ⓤ 〔集合的〕 잎, 나뭇잎(leaves, foliage).

léaf bèet =CHARD.

léaf bùd 〖植〗 잎눈.

leafed [liːft] *a.* =LEAVED.

***leaf·less** [líːflis] *a.* 잎이 없는; 잎이 떨어진. ㊞ **~·ness** *n.*

***leaf·let** [líːflit] *n.* Ⓒ ① 작은 잎; 어린 잎. ② 낱장으로 된 인쇄물; 전단 광고: pass out ~*s* 전단을 돌리다. — *vt.* …에 전단을 돌리다.

léaf mòld 〔《英》 **mòuld**〕 부엽토(腐葉土).

leaf·stalk [líːfstɔ̀ːk] *n.* Ⓒ 〖植〗 잎꼭지, 엽병(葉柄).

leafy** [líːfi] (leaf·i·er***; ***-i·est***) *a.* ① 잎이 우거진; 잎이 많은. ② 잎으로 된: a ~ shade 녹음(綠

陰), 나무 그늘. ③ 넓은 잎의: ~ vegetables 잎줄기 채소. ④ 잎 모양의. ㊕ **léaf·i·ness** *n.*

‡**league**[1] [liːg] *n.* Ⓒ ① 연맹, 동맹, 리그; 맹약: enter 〔join〕 a ~ 연맹에 가입하다. ② 〔集合的〕 연맹 참가자〔단체, 국가〕(leaguers). ③ (야구 등의) 경기 연맹, 리그: a baseball ~ 야구 리그. ④ 《口》 (동질의) 그룹, 한패, 부류. ***in* ~ (*with*)** … 와 동맹〔연합, 결탁〕하여. ***not in the same* ~ (*with*)** 《口》 (…보다) 아주 못한, (…와) 비교도 안되는. ***the League* (*of Nations*)** 국제 연맹 (1919-46). ⓒⓕ United Nations.
— *vt.* …을 동맹〔연맹, 맹약〕시키다; 단결시키다 《*with*》: be ~*d with* one another 서로 동맹을 맺고 있다. — *vi.* 동맹〔연맹〕하다; 단결〔연합〕하다 《*with*》.

league[2] *n.* Ⓒ 리그《옛날의 거리의 단위; 영국·미국에서는 약 3 마일》.

lea·guer [líːgər] *n.* Ⓒ ① 가맹자〔단체, 국〕; 동맹국. ② 〖野〗 리그에 속하는 선수.

***leak** [liːk] *n.* ① Ⓒ **a**) 샘; 새는 구멍: a gas ~ 개스의 누출 / stop〔plug〕 a ~ 새는 구멍을 막다. **b**) (흔히 *sing.*) 누출량: This boat has a bad ~. 이 배는 몹시 샌다. ② Ⓒ (비밀 등의) 누설. ③ Ⓒ 〖電〗 누전(되는 곳), 리크. ④ (a ~) 《俗》 방뇨: have 〔take〕 *a* ~ 오줌누다. ***spring* 〔*start*〕 *a* ~** (배가) 새는 곳이 생기다, 새기 시작하다.
— *vi.* ① 새다, 새어나오다《*out*》: The rain began to ~ *in.* 빗물이 새기 시작했다 / The roof ~*s.* 지붕이 샌다 / water ~*ing from* a pipe 파이프에서 새는 물. ② (비밀 등이) 새다, 누설되다 《*out*》: The secret ~*ed out.* 비밀이 누설되었다.
— *vt.* ① …을 새게 하다: The tank is ~*ing* oil. 그 탱크는 기름이 샌다. ② (비밀 등)을 누설하다, 흘리다: Someone ~*ed* the secret to the enemy. 누군가가 적에게 비밀을 흘렸다.

leak·age [líːkidʒ] *n.* ① Ⓤ (또는 a ~) **a**) 샘, 누출: radioactive ~ 방사능 누출. **b**) (비밀 따위의) 누설: There was *a* ~ of information. 정보가 누설되었다. ② Ⓒ 누출물; 누출량. ③ Ⓒ 〖商〗 누손(漏損).

leaky [líːki] (***leak·i·er*** ; ***-i·est***) *a.* ① 새는, 새기 쉬운; 새는 구멍이 있는: a ~ roof 〔ship〕 새는 지붕〔배〕. ② 비밀을 잘 누설하는, 비밀이 새기 쉬운: a ~ vessel 입이 가벼운 사람 / ~ memory 잊기 쉬운 기억. ㊕ **léak·i·ness** *n.*

‡**lean**[1] [liːn] (*p., pp.* ***leaned*** [liːnd / lent, liːnd], 《英》 ***leant*** [lent]) *vi.* ① 《+전+명》 **a**) 기대다 《*against* ; *on* ; *over*》: ~ *on* a person's arm 아무의 팔에 기대다 / He ~*ed against* a wall. 그는 벽에 기댔다. **b**) 의지하다, 기대다《*on, upon*》: ~ *on* others for help 남의 도움에 매달리다. ② 《~ / +전+명》 기울다, 경사지다: The tower ~*s to* the south. 탑이 남쪽으로 기울어져 있다. ③ 《+전+명 / +부》 상체를 굽히다; 뒤로 젖히다 《*back*》; 몸을 구부리다《*over*》: He ~*ed forward* to give her a kiss. 그녀에게 키스하려고 그는 상체를 앞으로 구부렸다. ④ 《+전+명》 (사상·감정이) 기울다, 쏠리다, …의 경향이 있다, 호의를 갖다《*to* ; *toward*》: He ~*s to* 〔*towards*〕 socialism. 그는 사회주의에 기울어 있다.
— *vt.* ① 《+목+전+명》 …을 (…에) 기대다; 기대어 세워놓다《*against*; *on*》: ~ one's cheek *on* one's hand 손에〔으로〕 턱을 괴다 / ~ one's stick *against* a wall 지팡이를 벽에 기대어 세우다. ② 《+목+부》 …을 기울이다, 구부리다: He ~*ed* his head *forward.* 머리를 앞으로 숙였다. ~ ***on*** . . . (1) …에 기대다. (2) …에 의지하다. (3) 《口》 …에 압력을 가하다, 협박〔공갈〕하다. ~ ***over backward*(*s*)** ⇨BACKWARD.
— *n.* (a ~) 기울기, 경사(slope); 치우침, 구부러짐: a tower with *a* slight ~ 약간 기울어진 탑 / *a* ~ of 45°, 45도의 경사.

***lean**[2] (*∠·er* ; *∠·est*) *a.* ① 야윈, 깡마른(thin). ⓞⓟⓟ *fat.* ¶ a ~ face 야윈 얼굴 / ~ as a rake 뼈와 가죽뿐인. ② 기름기가 적은, (고기가) 살코기의: People buying meat want ~ meat with not too much fat. 고기를 사는 사람들은 기름기가 적은 살코기를 원한다. ③ **a**) 내용이 하찮은, 빈약한: His argument is ~ of common sense. 그의 의론은 상식이 결여돼 있다. **b**) 영양분이 적은: a ~ diet 조식(粗食). ④ (땅이) 메마른, 수확이 적은; 흉작의: ~ crops 흉작 / a ~ year 흉년.
— *n.* Ⓤ (종종 the ~) 기름기가 없는 고기, 살코기. ⓞⓟⓟ *fat.* ㊕ *∠·ness* *n.*

lean·ing [líːniŋ] *n.* Ⓒ 경향, 성향, 성벽(性癖); 기호, 편애(偏愛)《*to* ; *towards*》: a youth with literary ~*s* 문학 취미의 청년 / their different political ~*s* 그들의 상이한 정치적 성향. ***the Leaning Tower of Pisa*** 피사의 사탑(斜塔).

***leant** [lent] 《英》 LEAN[1] 의 과거·과거분사.

lean-to [líːntùː] (*pl.* ~***s***) *n.* Ⓒ 달개지붕〔집〕.
— *a.* 달개의: a ~ roof 달개지붕, 부섭 지붕.

‡**leap** [liːp] (*p., pp.* ***leaped, leapt*** [liːpt, lept]) 《★ 《美》에서는 leaped, 《英》에서는 leapt가 일반적》. *vi.* ① 《~ / +전+명 / +부》 껑충 뛰다, 뛰다, 도약하다, 뛰어오르다《★ 비유적 또는 문어적 용법 이외에는 보통 jump 를 씀》: ~ *down* 뛰어내리다 / ~ *aside* 껑충 뛰어 비키다 / ~ *for* joy 너무 기뻐 껑충껑충 뛰다 / The two men ~*ed into* the jeep and roared off. 그 두 남자가 지프에 뛰어오르자 차는 윙하고 떠나갔다 / Look before you ~. 《俗談》 실행하기 전에 잘 생각하라; 유비무환. ② (화제·상태 따위가) 비약하다, 갑자기 바뀌다; (생각 따위가 불현듯이) 나다: A good idea ~*ed into* my mind. 좋은 생각이 문뜩 떠올랐다 / ~ *into* 〔*to*〕 fame 갑자기 유명해지다 / ~ from one topic *to* another 화제를 잇달아 바꾸다. ③ 날듯이 가다〔행동하다〕; 휙 달리다〔일어나다〕: ~ home 날듯이 귀가하다 / ~ *to* a conclusion 속단하다.
— *vt.* ① …을 뛰어넘다: ~ a ditch 도랑을 뛰어넘다. ② 《~+목 / +목+전+명》 …에게 뛰어넘게 하다: ~ a horse *across* a ditch 말에게 도랑을 뛰어넘게 하다. **~ *at*** (1) …에 냉큼〔발바투〕 달려들다. (2) (제안에) 기꺼이 응하다. **~ *out*** …의 눈에 띄다《*at*》. **~ *to the eye*** 곧 눈에 띄다.
— *n.* Ⓒ ① 뜀, 도약(jump); 한 번 뛰는 거리〔높이〕: take a sudden ~ 갑자기 뛰어오르다. ② (수·양 등의) 급상승《*in*》: There has been a big ~ *in* sales. 매상이 비약적으로 신장했다. ***a* ~ *in the dark*** 무모한 짓, 모험, 폭거. ***by* 〔*in*〕 ~*s and bounds*** 일사천리로; 급속하게.

léap dày 윤일《2월 29일》.

leap·er [líːpər] *n.* Ⓒ 뛰는 사람〔말〕.

leap·frog [líːpfrɔ̀ːg, -fràg / -frɔ̀g] *n.* Ⓤ 목마넘기《사람의 등을 뛰어넘는 놀이》: play ~.
— (*-gg-*) *vi.* 목마넘기를 하다. — *vt.* ① …을 뛰어넘다 : ~ the fence 담장을 뛰어 넘다. ② (장애물)을 피하다.

leapt [liːpt, lept] LEAP 의 과거·과거분사.

léap yèar 〖天〗 윤년. ⓒⓕ common year. ¶ the ~ day 윤년의 2월 29일 / a ~ proposal 여성으로부터의 청혼《윤년에 한해서 허용됨》.

Lear [liər] *n.* ⇨KING LEAR.

†**learn** [ləːrn] (*p., pp.* ~***ed*** [-d, -t / -t, -d], ~***t*** [-t]) *vt.* ① 《~+목 / +(*wh.*) *to* do》 …을 배우다,

익히다, 습득하다; 공부하다: ~ French 프랑스어를 배우다 / ~ (*how*) *to* swim 수영을 배우다 / He has ~*ed to* drive a car. 그는 자동차 운전을 배웠다. ② 외다, 암기하다, 기억하다: ~ a poem (by heart) 시를 외다 / I have to ~ ten English words a day. 나는 영어 단어를 하루에 열개씩 외어야 한다. ③《~+목 / +목+전+명 / (+전+명)+*that* 절 / +*wh.* 절》 듣다, 알다: ~ the truth 진실을 알다 / I ~*ed* (*from* the newspaper) *that*.... 나는 …이라는〔하다는〕 것을 (신문에서) 알았다 / We have yet to ~ whether he arrived safely. 그가 무사히 도착했는지 어떤지 우리는 아직 모른다 / ~ a thing from 〔of〕 a person 아무로부터 사정을 듣다. ④ 겪어 알다, 체득하다: She ~*ed* patience from her father. 그녀는 아버지에게서 인내심을 배웠다. ⑤《+목+*wh. to* do》《俗·口》 가르치다(teach): He ~*ed* me *how to* play chess. 그는 체스놀이하는 법을 내게 가르쳐 주었다.

— *vi.* ① 배우다, 익히다, 가르침을 받다, 외다: ~ by experience 경험으로 배우다 / He ~*s* very fast. 배우는 것이 빠르다, 기억력이 좋다. ②《+전+명》 듣다, (들어서) 알다《*of*》: ~ *of* an accident 사고가 있었다는 사실을 듣다.

~ ***by heart*** 외다, 암기하다.

‡**learn·ed** [lə́:rnid] *a.* ① 학문〔학식〕이 있는, 박학〔박식〕한, 정통한, 조예가 깊은《*in*》: a ~ man 학자 / the ~ 학자들 / The man is ~ *in* economics. 그 사람은 경제학에 조예가 깊다. ②〔限定的〕 학문상의, 학문적인, 학문〔학자〕의: a ~ book 학문적인 책, 학술서적 / a ~ society 학회 / a ~ journal 학술지 / the ~ professions 학문적 직업《원래는 신학·법학·의학의 셋》.

㊕ **~·ly** [-nid-] *ad.* **~·ness** [-nid-] *n.*

‡**learn·er** [lə́:rnər] *n.* Ⓒ ① 학습자: an advanced ~*'s* dictionary 상급 학습(자용) 사전. ② **a)** 초학자, 초심자. **b)** =LEARNER-DRIVER.

learn·er-driv·er [-dràivər] *n.* Ⓒ《英》 가면허 운전(연습)자(L-driver).

†**learn·ing** [lə́:rniŋ] *n.* Ⓤ ① (또는 a ~) 학문, 학식(學識)(knowledge), 지식; 박식; (터득한) 기능: *A* little ~ is a dangerous thing.《俗談》 선무당이 사람 잡는다 / *a* man of ~ 유식한 사람, 학자 / *a* man without ~ 무식한 사람. ② 배움; 학습.

léarning cùrve〖心·教〗 학습 곡선.

léarning disabílity 학습 곤란〔불능〕(증).

learn·ing-dis·a·bled [-diséibld] *a.* 학습곤란증의: a ~ child 학습곤란증의 아동.

*·**learnt** [lə:rnt] LEARN의 과거·과거분사.

*·**lease** [li:s] *n.* ① Ⓤ,Ⓒ (토지·건물 따위의) 차용 계약, 임대차(계약): take〔hold〕 a house on a long ~ 장기계약으로 집을 임차하다 / put out land to ~ 토지를 임대하다. ② Ⓒ 임차〔임대〕권; 차용〔임대차〕 기간. ***take*** 〔***get, have***〕 ***a new*** 〔***fresh***〕 ~ ***on*** 〔***of***〕 ***life*** (1) 병이 나아 수명이 연장되다. (2) (사태가 좋아져) 더 잘살게 되다.

— *vt.* …을 빌리다, 임대〔임차〕하다: a ~*d* territory 조차지(租借地).

lease·back [lí:sbæ̀k] *n.* Ⓤ,Ⓒ 부동산의 매도인이 매수인으로부터 그 부동산을 임차하는 일(=**sále and léaseback**).

lease·hold [lí:shòuld] *a.* 임차한, 조차(租借)의.

— *n.* Ⓤ,Ⓒ 차지(借地)(권); 정기 임차권.

㊕ **~·er** *n.* Ⓒ 차지인(人).

leash [li:ʃ] *n.* ① Ⓒ (개 따위를 매는) 가죽끈〔사슬〕: All dogs in public places should be on a ~. 공공 장소의 모든 개는 가죽끈에 매둬야 한다. ② (a ~) (개·토끼 따위의 한데 매인) 세 마리(한 조). ③ Ⓤ 속박. ***hold*** 〔***have, keep***〕 ***in*** ~ (1) (개를) 가죽끈으로 매어두다. (2) 속박〔제어〕하다. ***hold ... on a short*** ~ …의 행동을 속박하다. ***strain at the*** ~ (사냥개가) 뛰쳐나가려고 가죽끈을 끌어당기다; 자유를 갈망〔얻고자〕하다.

— *vt.* …을 가죽끈으로 매다; 억제〔속박〕하다.

‡**least** [li:st] 〔little의 最上級〕 *a.* (흔히 the ~) ① 가장 작은; 가장 적은. opp *most.* ¶ *the* ~ sum 최소액 / *the* ~ amount 최소량 / without *the* ~ shame 아무런 부끄러움 없이 / The greatest talkers are *the* ~ doers.《俗談》 가장 말 많은 자는 하는 일은 거의 없다. ②〔限定的〕 아주 적은, 하찮은: quarrel over a ~ thing 하찮은 일로 다투다.

not the ~ (1) 최소의 …도 없는〔않는〕(no ... at all): I have*n't* got *the* ~ appetite today. 오늘은 조금도 식욕이 없다. (2) 적지않은(★ 'not'을 강하게 발음): There is *not the* ~ danger. 적지않이 위험하다.

— *ad.* 가장 적게: the ~ important ... 중요성(性)이 가장 적은 … / (The) ~ said (the) soonest mended.《俗談》 말수는 적을수록 좋다 / She chose the ~ expensive of the hotels. 그녀는 가장 싼 호텔을 택했다. ~ ***of all*** 가장 …이 아니다, 특히〔그 중에서도〕 …아니다: *Least of all* do I want to hurt you. 너를 해치고 싶은 생각은 조금도 없다 / I like that ~ *of all.* 나는 그것이 가장 싫다. ***not*** ~ 특히, 그 중에서도: The documentary caused a lot of bad feeling, *not* ~ among the workers whose lives it described. 그 기록영화는 불쾌감을 자아냈는데 그 영화가 묘사한 삶을 사는 노동자들은 특히 더했다. ***not the*** ~ 조금도 …(하)지 않은: I am *not the* ~ afraid to die. 나는 죽음이 조금도 두렵지 않다.

— *pron.* (흔히 the ~) 〔單數 취급〕 최소, 최소량〔액〕: That's *the* ~ you could do. 너도 그쯤은 해야지. ***at*** (the) ~ (1) (at ~로) 어떻든, 어쨌든: You must *at* ~ talk to her. 하여간 그녀에게 이야기는 해봐야 한다. (2) 적어도: Cut the grass *at* ~ once a week in summer. 여름에는 적어도 1주일에 한번은 잔디를 깎아라. ***not in the*** ~ 조금도 …하지 않은, 조금도 …이 아닌: Really, I'm *not in the* ~ tired. 정말이지 나는 조금도 피곤하지 않다. ***to say the*** ~ (of it) 줄잡아 말하더라도.

least·wise [lí:stwàiz] *ad.*《口》 적어도.

‡**leath·er** [léðər] *n.* ① Ⓤ 무두질한 가죽, 가죽: a ~ dresser 피혁공 / ⇨ PATENT LEATHER. ② Ⓒ 가죽제품. **a)** 가죽끈. **b)** (크리켓·축구 따위의) 공. **c)** (*pl.*) 가죽제 짧은 바지, 가죽각반. ***hell for*** ~ ⇨ HELL(成句).

— *vt.*《口》…을 가죽끈으로 치다〔때리다〕. — *a.* 가죽의, 가죽제의: a ~ jacket.

leath·er-bound [-bàund] *a.* (책이) 가죽 장정〔제본〕의.

Leath·er·ette [lèðərét] *n.* Ⓤ 모조 가죽, 레저「《商標名》.

leath·er·neck [-nèk] *n.* Ⓒ《美俗》 해병대원.

leath·ery [léðəri] *a.* ① (피부 따위) 가죽 같은, 가슬가슬한. ② 가죽처럼 질긴: ~ meat.

†**leave**[1] [li:v] (*p., pp.* ***left*** [left]) *vt.* ① **a)**《~+목 / +목+보 / +목+전+명 / +목+목》 …을 남기다, 남기고〔두고〕 가다, 놓아 두다: ~ a puppy alone 강아지를 홀로 남겨 두다 / Two from seven ~*s* five. 7 빼기 2는 5 / She *left* a note *for* her husband. 그 여자는 남편에게 메모를 남겨 놓았다 / Don't ~ your truck here. 트럭을 여기 세워두지 마시오 / The bear *left* tracks in the snow. 곰은 눈 위에 발자국을 남겼다. **b)**《+목+전+명》 (편

지 등)을 배달하다 : The postman *left* a letter *for* him. 집배원이 그에게 편지를 배달했다. **c**) …을 둔 채 잊다 : Be careful not to ~ your umbrella. 우산을 잊지 않도록 조심하시오. **d**) 《~+목/+목+보》 (아무)를 남겨 둔 채(로) 가다, 버리다, (아무)를 남기고 죽다 : His wife has *left* him. 그의 아내는 집을 나가버렸다 / He *left* a wife and three children. 그는 아내와 세 아이를 남기고 죽었다 / He was *left* orphan at the age of five. 그는 다섯 살 때 고아가 되었다. **e**) 《+목+목/+목+전+명》 (유산·명성·기록 따위)를 남기다, …에게 (…을) 남기고 죽다 : The businessman *left* his wife $10,000 by (his) will. 그 사업가는 부인에게 유언으로 1만 달러를 남겼다 / He *left* debt behind him. 그는 빚을 남기고 죽었다.

② **a**) 《~+목/+목+전+명》 …을 떠나다, …을 뒤로 하다, …에서 출발하다 : We ~ here tomorrow. / They hate *leaving* home. 그들은 집을 떠나기 싫어한다 / He *left* New York *for* London. 그는 뉴욕을 떠나 런던으로 향했다. **b**) 지나가다, 통과하다 : ~ the building on the right 건물을 오른쪽으로 보며 지나가다.

③ **a**) (업무 따위)를 그만두다, 탈회〔탈퇴〕하다 ; (초·중등 학교 등)을 졸업〔퇴학〕하다 ; (고용주)에게서 물러나다 : ~ one's job 일을 그만두다, 사직(辭職)하다 / The boy had to ~ school. 소년은 학교를 그만둬야 했다. **b**) 《+-*ing* / +목+*to* do》 그치다, 중지하다 : He *left* drink*ing* for nearly two years. 그는 술을 끊은 지 거의 2년이 된다 / Just ~ complain*ing*. 좀 투덜대지 마라.

④ 《+목+보/+목+*as* 보/+목+-*ing* /+목+*done*》 …을 …한 채로 놔 두다, 방치하다, …인 채로 남겨 두다, (결과로서) …상태로 되게 하다 : Who *left* that door open? 누가 문을 열어 놓았느냐 / *Leave* nothing *undone*. 무엇이든 끝까지 해내어라 / *Leave* things *as* they are. 현상태로 놔 두시오 / Somebody has *left* the water run*ning*. 누군가 물을 틀어 놓은 채로 두었다.

⑤ **a**) 《+목+전+명》 …을 (…에게) 맡기다, 위탁하다《*with*》; 일임하다, 위임하다《*to*》: I *left* my trunks *with* a porter. 트렁크를 짐꾼에게 맡겼다 / I'll ~ the decision (*up*) *to* him 〔~ him *to* decide〕. 결정은 그에게 맡기겠다〔맡겨서 결정케 하자〕 / Much has been *left to* guesswork. 추측에 맡긴 부분이 많다. **b**) 《+목+*to* do / +목+전+명》 …에게 자유로 …하게 하다, …할 것을 허용하다 : *Leave* her *to* do as she likes. 그녀 좋은 대로 하게 내버려 두시오 / Please ~ me *to* my reflections. 생각 좀 하게 내버려 두어 주게. **c**) 《美口》 (아무에게) …시키다(let) : *Leave* us go. 보내주십시오 / *Leave* him be. 가만 놔 두시오.

> 語法 leave 와 let 의 차이 : 형태상으로 let 는 to 없는 부정사가 따름 : I *let* him go. 이에 대해서 leave 의 뒤에는 to 있는 부정사가 오는 것이 보통임. 다만, 미국에서는 to 없는 부정사가 올 때도 있음 : I *left* him (to) have it. 그로 하여금 마음대로 갖게 내버려 두었다.

— *vi.* ① 《~ / +전+명》 떠나다, 출발하다(depart), 뜨다, 물러가다(go away) : I'm afraid I must be *leaving* now. 이젠 가봐야겠습니다 / The train ~*s* at six. 기차는 6시에 떠난다 / I am *leaving for* Europe tomorrow. 내일 유럽으로 떠납니다. ★ *leave* Seoul 〖他動詞〗 서울을 출발하다 ≠ *leave for* Seoul 〖自動詞〗 서울로(향해서) 떠나다. ② **a**) 퇴직하다, 그만두다. ② 졸업하다 ; 퇴학하다.

get left 《口》 버림받다 ; 따돌림을 당하다 ; 지다. ~ things ***about*** 〔***around***〕 (...) 무엇을 치우지 않고 (…에) 내버려 두다, 방치하다. ~ ... ***alone*** …을 상관 않고 두다, 간섭하지 않다, 그대로 두다. ~ ***behind*** (1) 두고 잊다, 잊고 오다 ; 둔채 가다〔잊다〕 : things *left behind* 두고 잊은 것 / The car *left* the wheels far *behind*. 자동차는 자전거를 훨씬 앞질렀다. (3) (영향·흔적 등을) 남기다. ~ a person ***cold*** 〔***cool***〕 아무를 흥분시키지 않다 ; (보아도, 들어도) 재미를 못 느끼게 하다. ~ ***go*** 〔***hold***〕 ***of*** (…에서) 손을 놓다, 놓아 주다, 손을 떼다 : Don't ~ *go* (*of* it) until I tell you. 내가 말할 때까지 손을 놓지 마라. ~ ***in*** 넣은 채〔그대로〕 놔 두다. ~ ***in the lurch*** ⇨ LURCH¹(成句). ~ ***it at that*** 《口》 (비평·행위 등을) 그쯤 해 두다. ~ ***no stones unturned*** ⇨ STONE(成句). ~ ***off*** (1) 그만두다 : It's time to ~ *off* work. 일을 그만 할 시간이다 / *Leave off* bit*ing* your nails. 손톱 씹는〔깨무는〕 짓을 그만해라. (2) 벗다, 입지 않다 : We ~ *off* our winter underwear when the warm weather comes. 날씨가 따뜻해지면 겨울 속옷을 벗는다. ~ ***on*** 입은〔둔, 건, 켠〕 채로 두다. ~ ***out*** (1) 빠뜨리다, 빼다《*of*》: ~ *out* a letter 한 자 빠뜨리다. (2) 생각지 않다, 고려치 않다, 잊다, 무시하다 : ~ *out* a possibility 어떤 가능성을 생각지 않다. ~ A ***out of*** B, A 를 B 에서 빼다. ~ ***over*** 《英》 (1) 남기다. (2) 드티다, 미루다, 연기하다. ~ a person ***to himself*** 〔***to his own devices***〕 아무를 멋대로 하게 내버려 두다, 방임하다. ~ ***well*** 〔《美》 ***well enough***〕 ***alone*** (기왕 잘 된 것은) 그대로 두다 ; 지나치게 욕심부리지 않다. ***Take it, or ~ it.*** (승낙하든 안 하든) 마음대로 해라. ***To be left till called for.*** 우체국 유치(留置)《우편물에 표기하는 지시문》.

‡**leave**² *n.* ① Ⓤ 허가, 허락(permission) : Give me ~ to go. 나를 가게 해 주세요 / You have my ~ to act as you like. 허락할 테니 좋을 대로 해라 / beg〔ask〕 ~ to do …할 허락을 청하다. ② **a**) Ⓤ (특히, 관리·군인의) 휴가 허가, 말미 : ask *for* ~ 휴가를 신청하다. **b**) Ⓤ,Ⓒ 휴가 (기간) : take (a) three months' ~ 3개월의 휴가를 얻다 / He got ~ after basic training. 신병 훈련을 마치고 그는 휴가를 얻었다. ③ Ⓤ 고별, 작별 (farewell). ***on*** ~ 휴가로. ***take French*** ~ 중도에 (무단히) 자리를 뜨다 ; 작별의 인사 없이 나가다. ***take*** one***'s*** ~ ***of*** (작별(인사)하고) 떠나가다 : She *took her* ~ *of* me at the door. 그녀는 문간에서 내게 작별 인사를 했다.

leave³ *vi.* (식물이) 잎을 내다, 잎이 나오다(leaf) 《*out*》.

leaved [liːvd] *a.* ① 잎이 달린. ② 〔複合語〕 …의 잎이 있는, 잎이 …개의 ; (문 등이) …짝으로 된 : a broad-~ tree 활엽수 / a four-~ clover 네잎 클로버 / a two-~ door 두짝 문.

***leav·en** [lévən] *n.* ① Ⓤ 효모 ; 이스트 ; 발효시킨 밀반죽 ; 베이킹 파우더《★ 이 뜻으로는 yeast 가 일반적임》. ② Ⓤ,Ⓒ 《比》 감화·영향을 주는 것, 원동력 ; 기미(氣味), 기운《*of*》: the ~ *of* reform 개혁의 기운. — *vt.* 《~+목/+목+전+명》 ① …을 발효시키다, …에 이스트를 넣어 부풀리다. ② …에 영향〔잠재력〕을 미치다 ; 기미를 띠게 하다《*with*》: a sermon ~*ed with* wit 위트가 섞인 설교.

†**leaves** [liːvz] LEAF 의 복수.

leave-tak·ing [líːvtèikiŋ] *n.* Ⓤ,Ⓒ 작별, 고별 (farewell).

leav·ings [líːviŋz] *n. pl.* 나머지, 지스러기, 찌꺼기. Ⓒf. residue.

Leb·a·nese [lèbəní:z] *a.* 레바논(사람)의. — (*pl.* ~) *n.* Ⓒ 레바논 사람.

*__Leb·a·non__ [lébənən] *n.* 레바논《지중해 동부의 공화국; 수도 Beirut》.

Lébanon cédar 〖植〗 레바논 삼목(cedar of Lebanon)《히말라야 삼목의 일종》.

lech [letʃ] 《口》 *vi.* 호색(好色)하다; (…을) 추구하다《*after*》. — *n.* Ⓒ 《口》 색욕; 색골.

lech·er [létʃər] *n.* Ⓒ 호색가, 음탕한 남자.

lech·er·ous [létʃərəs] *a.* 호색적인, 음란한. ㊞ ~·**ly** *ad.* ~·**ness** *n.*

lech·ery [létʃəri] *n.* ① Ⓤ 호색; 색욕. ② Ⓒ 음란한 행위.

lec·i·thin [lésəθin] *n.* Ⓤ 〖生化〗 레시틴《신경 세포·노른자위에 들어 있는 인지질(燐脂質)》.

lec·tern [léktərn] *n.* Ⓒ ① (교회의) 성서 낭독대(朗讀臺), 성서대. ② 강연〔연설〕대.

‡**lec·ture** [léktʃər] *n.* Ⓒ ① 강의, 강연《*on*》: a ~ *on* literature 문학 강의. ② 설유, 훈계, 잔소리: give〔read〕 a person a ~ 아무에게 설교하다〔잔소리를 하다〕/ have〔get〕 a ~ from …에게서 잔소리를 듣다.
— *vt.* ① …에게 강의〔강연〕하다《*on*; *about*》: ~ an audience *on* freedom 청중에게 자유에 대한 강연을 하다. ② …에게 훈계하다, 잔소리하다, …을 나무라다: He ~*d* Tom severely. 그는 톰에게 호되게 훈계했다. — *vi.* 《~/+전+명》 강의〔강연〕하다: ~ *on* foreign affairs 외교 문제에 대해 강의하다.

lécture háll 강당(講堂).

‡**lec·tur·er** [léktʃərər] *n.* Ⓒ ① 강연자; (대학의) 강사: a ~ *in* English *at* ... University …대학의 영어 강사. ② 훈계자.

lec·ture·ship [léktʃərʃìp] *n.* Ⓒ 강사(lecturer)의 직〔지위〕.

lécture thèater 계단식 강의실〔교실〕.

‡**led** [led] LEAD[1] 의 과거·과거분사.

LED [èli:dí:, led] 〖電子〗 light-emitting diode(발광(發光) 다이오드).

‡**ledge** [ledʒ] *n.* Ⓒ ① (벽에서 돌출한) 선반; 쑥 내민 것: She put her glasses on the ~ in front of the mirror. 그녀는 안경을 거울 앞의 선반에 얹어놓았다. ② (암벽에 쑥 내민) 바위 턱. ㊞ ~**d** [-d] *a.* 선반〔쑥 내민 곳〕이 있는.

ledg·er [lédʒər] *n.* Ⓒ ① 〖簿記〗 원부(原簿), 원장, 대장: ~ balance 원장 잔고. ② (무덤의) 대석. ③ 〖建〗 비계 여장, (비계 따위에) 가로로 댄 장나무(~ board). ④ =LEDGER LINE.

lédger lìne 〖樂〗 (오선보(五線譜)의) 덧줄.

Lee [li:] *n.* 리《남자 이름》.

*__lee__ [li:] (the ~) ① 〖海〗 바람이 불어가는 쪽. opp *windward.* ¶ in〔on, under〕 *the* ~ 바람 불어가는 쪽에. ② (풍우를 피할 수 있는) 그늘(shelter). ***have the ~ of . . .*** (1) …의 바람 불어가는 쪽에 있다. (2) …보다 못하다〔불리하다〕.
— *a.* 〔限定的〕 바람 불어가는 쪽의(leeward): the ~ side〔shore〕 바람이 불어가는 쪽〔쪽 해안〕.

leech [li:tʃ] *n.* Ⓒ ① 〖動〗 거머리《특히 의료용의》. ② 남의 돈을 빨아먹는 자, 흡혈귀, 고리 대금업자: He's nothing but a ~. 놈은 거머리에 지나지 않는다. ③ 《古·詩》 의사. ***stick*** 〔***cling***〕 ***like a*** ~ 찰거머리처럼 달라붙어 떨어지지 않다.
— *vt.* ① (아무)에게 거머리를 붙여 피를 빨아내다. ② …에 달라붙어 피를〔돈을, 재산을〕 착취하다. — *vi.* 달라붙어 떨어지지 않다《*onto*》.

leek [li:k] *n.* Ⓒ 〖植〗 부추《Wales 의 국장(國章)》. ***not worth a*** ~ 한푼의 가치도 없는.

leer [liər] *n.* Ⓒ 곁눈질《불쾌감을 주거나 음탕한》: He gave her a sly ~. 그는 그녀에게 짓궂은 곁눈질을 했다. — *vi.* 곁눈질을 하다, 징그러운 눈으로 보다.

leer·ing [líəriŋ] *a.* 〔限定的〕 ① 곁눈질하는; 심술궂은 눈초리의. ② (눈짓이) 짓궂은: with~ eyes 짓궂은 눈으로. ㊞ ~·**ly** *ad.* 곁눈질로.

leery [líəri] (***leer·i·er***; ***-i·est***) *a.* 조심〔경계〕하는, 의심하는《*of*》: I tend to be a bit ~ *of* cut-price 'bargains'. 나는 바겐세일이 별로 미덥지가 않다.

lees [li:z] *n. pl.* (흔히 the ~) (포도주 등의) 재강; 찌꺼기: drain〔drink〕 life's troubles to the ~ 인생의 온갖 고난을 다 겪다.

lee·ward [lí:wərd, 《海》 lú:ərd] *a.* 〖海〗 바람 불어가는 쪽의〔에 있는〕. opp *windward.* — *ad.* 바람 불어가는 쪽으로〔에〕.
— *n.* Ⓤ 바람 불어가는 쪽: on the ~ of …의 바람 불어가는 쪽에〔으로〕/ to ~ 바람 불어가는 쪽을 향하여.

lee·way [lí:wèi] *n.* Ⓤ (또는 a ~) ① 〖海〗 풍압《배나 항공기가 바람 불어가는 쪽으로 밀려감》; 풍압차(差)《가는 방향과 실제 항로와의 편차》; 풍압각(角)《가는 방향과 항로와의 각도》. ② 〖空〗 편류차(偏流差)〔각〕《항공기의 앞뒤 축(軸)과 비행 방향이 이루는 편차〔각〕》. ③ 《英》 (시간, 작업의) 지체: make up ~ 늦은 것을 만회하다. ④ 《口》 (공간·시간·활동·돈 등의) 여지, 여유, 자유재량의 폭: A week should be (a big) enough ~ to finish the job. 1주일이면 그 일을 마치는데 충분할 것이다 / I have ten minutes' ~ to catch the train. 기차 시간까지 10분의 여유가 있다 / There was little ~ for anything to go wrong. 일이 잘못될 여지는 별로 없었다. ***have*** ~ (1) (바람 불어가는 쪽에) 여지가 있다, (그 쪽이) 넓다. (2) 활동의 여지가 있다.

†**left**[1] [left] *a.* ① 왼쪽의, 왼편의, 좌측의: the 〔one's〕 ~ hand 왼손; 왼편 / the ~ bank of a river 강(江)의 좌안《하류를 향해서》/ Who's the man on her ~ side? 그녀 왼편의 사람은 누구냐. ② (종종 L-) (정치적·사상적으로) 좌파의, 혁신적인: be very ~ 극좌파다. opp *right.* ***have two ~ feet*** (매우) 서투르다; 꼴사납다(very clumsy).
— *ad.* 왼쪽에〔으로〕, 좌편〔좌측〕에: move〔turn〕 ~ 왼쪽〔편〕으로 움직이다〔향하다〕/ Turn ~ at the crossroads. 네거리에서 좌회전하시오. ***Eyes ~!*** 〖軍〗 좌(左)로 봐. cf Eyes front! ***Left turn*** 〔***face***〕***!*** 좌향좌.
— *n.* ① (the ~, one's ~) 왼쪽〔편〕, 좌측: sit *on* a person's ~ 아무의 왼편에 앉다 / You will find the house *on* your ~. 집은 왼쪽에 있습니다 / She was sitting immediately to my ~. 그녀는 내 바로 왼쪽에 앉아 있었다. ② Ⓤ (흔히 the L-) 〔集合的; 單·複數 취급〕 〖政〗 좌파, 좌익, 급진당, 혁신당; 의장석의 좌측 의원들《유럽 여러 나라에서 급진파가 차지하는》: The government's industrial policy has been fiercely attacked by the ~. 정부의 산업정책은 좌파의 맹렬한 공격을 받아왔다. ③ Ⓒ 〖軍〗 좌익; 〖野〗 좌익(수), 레프트; 〖拳〗 왼손(에 의한 타격). ***Keep*** (***to the***) ~. 좌측 통행. ***make a*** ~ 왼쪽으로 구부러지다.

†**left**[2] LEAVE[1] 의 과거·과거분사.

léft fíeld 〖野〗 레프트 필드, 좌익.

léft fíelder 〖野〗 좌익수.

*__left-hand__ [∠hǽnd] *a.* 〔限定的〕 ① 왼손의; 왼쪽〔왼편〕의, 좌측의: ~ traffic 좌측 통행 / a car with a ~ drive 왼쪽 핸들의 차. ② =LEFT-HANDED ①, ④.

left-hand·ed [-hǽndid] *a.* ① 왼손잡이의 ; 왼손으로의 ; 왼손용의 : a ~ batter 좌타자. ② 서투른, 솜씨 없는. ③ 의심스러운(dubious), 애매한, 성의가 없는(insincere) : a ~ compliment 비아냥으로 들리는 인사. ④ (기계·문 등) 왼쪽으로 돌아가는〔돌리는〕; (나사 등) 왼쪽으로 감는 : a ~ screw. ── *ad.* 왼손으로 ; 왼손에 : He writes ~. 그는 왼손으로 쓴다.
[파] **~·ly** *ad.* **~·ness** *n.*

left-hand·er [-hǽndər] *n.* [C] 왼손잡이 ; 좌완 투수 : Da Vinci, Michelangelo, Raphael, and Picasso were all ~*s.* 다빈치, 미켈란젤로, 라파엘 및 피카소는 모두 왼손잡이였다.

left·ie [léfti] *n., a.* 《口》 = LEFTY.

left·ism [léftizəm] *n.* [U] 좌익〔급진〕주의.

left·ist [léftist] *n.* [C] (종종 L-) 좌익(사람), 좌파, 급진파([opp] *rightist*).
── *a.* 좌파〔급진파〕의.

léft jústify 〖컴〗 왼쪽으로 행의 머리 부분을 맞추는 인자(印字) 형식 ; 일반 편지의 타자 형식《워드 프로세서의 명령어》.

léft-lúg·gage òffice [léftlʌ́gidʒ-] 《英》 수화물 임시 보관소(《美》 checkroom, baggage room).

left·most [-mòust] *a.* 맨 왼쪽의, 극좌의.

left-of-cen·ter [léftəvséntər] *a.* 중도 좌파의 : a midly ~ government 온건 중도 좌파 정부.

left·o·ver [-òuvər] *n.* (*pl.*) 나머지, 먹다 남은 밥 : Don't throw away the ~*s*—we can have them for supper. 남은 음식 버리지 마라. 저녁에 먹을테니.
── *a.* 〔限定的〕 나머지의 ; 먹다 남은.

left·ward [-wərd] *a.* 왼쪽의, 좌측의.
── *ad.* 왼쪽에〔으로〕, 왼손에〔으로〕.

left·wards [-wərdz] *ad.* = LEFTWARD.

léft wíng (the ~) ① 〔集合的〕 좌익, 좌파. ② 〖스포츠〗 좌익(左翼)(수), 레프트 윙. [opp] *right wing.*

left-wing [-wiŋ] *a.* ① 좌익〔좌파〕의. ② 〖스포츠〗 좌익의. [파] **~·er** *n.* [C] 좌파의 사람.

lefty [léfti] 《口》 *n.* [C] ① 왼손잡이 ; 좌완 투수(southpaw). ② 좌익《사람》.

†**leg** [leg] *n.* ① **a)** [C] 다리《특히 발목에서 윗부분 또는 무릎까지, 넓은 뜻으로는 foot 도 포함》, 정강이 : have long 〔sturdy, skinny〕 다리가 길다〔튼튼하다, 앙상하다〕/ stand on one ~ 외발로 서다. [cf] foot. **b)** [U,C] (식용 동물의) 다리 ; 다리(부분의) 고기 : a chicken ~ 닭다리. [cf] foot. ② [C] **a)** (책상·의자·컴퍼스 따위의) 다리 ; (기계 따위의) 다리, 버팀대 : a chair with a broken ~ 다리 하나가 부러진 의자. **b)** 삼각형의 밑변 이외의 변. ③ [C] (옷의) 다리 부분, 가랑이 : the ~*s* of a pair of trousers 바짓가랑이. ④ [C] 의족(義足) : a wooden ~ 나무 의족. ⑤ [U] (때로 the ~) 〖크리켓〗 타자의 왼쪽 뒤편의 필드 ; [C] 그 수비자. ⑥ [C] (전행정(全行程) 중의) 한 구간 ; (장거리 비행의) 한 노정(路程)〔행정〕 : I ran the second ~ of the relay. 나는 릴레이의 제2구간을 뛰었다 / The last ~ of our trip was the most tiring. 여행의 마지막 노정이 가장 힘들었다.
as fast as one's ***~s would*** 〔***will***〕 ***carry*** one 전속력으로. ***be all ~s*** (***and wings***) 키만 멀쑥하다. ***feel*** 〔***find***〕 one's ***~s*** 걸을 수 있게 되다 ; 자기의 능력을 알다. ***get*** 〔***be***〕 (***up***)***on*** one's ***~s*** (1) (장시간) 서 있다, 돌아다니다. (2) (건강이 회복되어) 거닐 수 있게 되다. ***give*** a person ***a ~ up*** 아무를 거들어 말〔탈것〕에 태우다 ; 아무를 지원하다. ***have no ~s*** 《口》 (골프 등에서) 공의 속도가 나지 않다. ***keep*** one's ***~s*** 내처 서 있다, 쓰러지지 않다. ***not have a ~ to stand on*** (의론이) 성립되지 않는, 정당한 근거가 없는. ***on*** one's 〔its〕 ***last ~s*** 다 죽어가, 기진〔난감〕하여. ***on*** one's ***~s*** 서서, 연설하고 ; 활발히 돌아다니고. ***pull*** a person's ***~*** 《口》 아무를 속이다, 놀리다. ***shake a ~*** 《俗》 (1) 〔종종 命令形〕 서두르다. (2) 춤추다. ***show a ~*** 《口》 나타나다 ; (잠자리에서) 일어나다. ***stretch*** one's ***~s*** 다리를 뻗다 ; (오래 앉아 있다가) 잠시 다리를 풀다〔산책하다〕. ***take to*** one's ***~s*** 도망치다(run away).
── (***-gg-***) *vt.* 《口》 (종종 ~ it) 걷다, 달리다, 도망치다 : We had to ~ *it* back. 우리는 걸어서 되돌아와야만 했다.
~ ***out*** 〖野〗 빠른 발로 히트가 되게 하다. ~ ***up*** (1) (아무를) 부축하여 말 따위에 태우다. (2) (운동 선수의) 몸의 상태가 경기 때 최상이 되도록 지도 조절하다.

leg. legal ; legislative ; legislature.

***leg·a·cy** [légəsi] *n.* [C] 유산 ; 유증(遺贈)(재산) ; 이어〔물려〕받은 것 : inherit a ~ 유산을 상속하다 / a ~ of hatred 〔ill will〕 조상 때부터 내려오는 원한 / He said the ~ of the Cold War years must be cleared away. 냉전 시대의 유산은 청산되어야 한다고 그는 말했다.

‡**le·gal** [lí:gəl] *a.* ① 〔限定的〕 법률(상)의, 법률에 관한 : the ~ profession 변호사업 / a ~ advisor 법률고문 / take ~ action against a person 아무를 고소하다 / a ~ person 〔man〕 법인(法人). ② 〔限定的〕 법정(法定)의, 법률이 요구〔지정〕하는 : ~ interest 법정 이자 / the ~ age for marriage 결혼 법정 연령 / a ~ reserve 법정 준비금. ③ 합법적인, 적법한, 정당한. [opp] *illegal.* ¶ It's her ~ right to appeal. 상소(上訴)하는 것은 그녀의 정당한 권리다.
[파] *~·ly *ad.* 법률적〔합법적〕으로, 법률상.

légal áid (비용을 부담할 수 없는 극빈자를 위한) 법률 구조(救助).

légal hóliday 《美》 법정 휴일(《英》 bank holiday).

le·gal·ism [lí:gəlìzəm] *n.* [U] 법률의 글자 뜻에 구애받는 일, 법규 (존중) 주의 ; 관료적 형식주의.
[파] **-ist** *n.* [C] 법률 존중주의자, 형식주의자.
lè·gal·ís·tic *a.* 법률 존중주의의.

le·gal·i·ty [li:gǽləti] *n.* [U] 적법, 합법, 정당함.

le·ga·li·za·tion [lì:gəlizéiʃən / -laiz-] *n.* [U] 적법화, 합법화 ; 공인, 인가.

le·gal·ize [lí:gəlàiz] *vt.* …을 법률상 정당하다고 인정하다, 공인하다 ; 적법〔합법〕화하다.

légal procéedings 소송 절차.

leg·ate [légət] *n.* [C] ① 교황 특사. ② 공식 사절《대사·공사 등》.

leg·a·tee [lègətí:] *n.* [C] 〖法〗 유산 수령인.

le·ga·tion [ligéiʃən] *n.* ① [C] 공사관(館). [cf] embassy ①. ② [C] 〔集合的 ; 單·複數 취급〕 공사관 직원. ③ [U] 공사〔사절〕 파견.

le·ga·to [ligɑ́:tou, lə-] *a., ad.* 《It.》 〖樂〗 레가토, (음을 끊지 않고) 부드럽게 잇는〔이어서〕《略 : leg.》. [opp] *staccato.*

‡**leg·end** [lédʒənd] *n.* ① **a)** [C] 전설, 전해 오는 이야기 : the ~*s* of King Arthur and his knights 아서왕과 그 기사들의 전설 / There's a ~ that... …라는 전설이 있다. **b)** [U] 〔集合的〕 (민족 등에 관한) 설화, 전설 : famous in ~ 전설상 유명한. ② [C] 전설〔신화〕적인 인물 : He was a ~ in his own lifetime. 그는 살아 있을 때부터 전설적인 인물이 되었다. ③ [C] (메달·화폐 따위의) 명(銘)(inscription). ④ [C] (삽화 따위의) 설명(문)(caption) ; (지도·도표 따위의) 범례.

*__leg·end·ary__ [lédʒəndèri / -dəri] *a.* ① 전설(상)의; 전설적인: a ~ British ruler 영국의 전설상의 지배자. ② (전설이 될 정도로) 유명〔저명〕한: Their victory is ~. 그들의 승리는 전설적으로 널리 알려져 있다. ── *n.* Ⓒ 전설집, 《특히》 성인전; 그 작자〔편집자〕.

__leg·er·de·main__ [lèdʒərdəméin] *n.* Ⓤ ① 요술. ② 눈속임, 속임수(deception); 궤변, 억지.

__léger lìne__ [lédʒər-] 〖樂〗 (오선보의) 덧줄.

(-)__leg·ged__ [légid] *a.* ① 다리가 있는. ②〔흔히 複合語를 이루어〕 다리가 …한: long-~ 다리가 긴 / a three-~ stool 삼발이 / four-~ creatures 네발 짐승 / a three-~ race 2인 3각.

*__leg·gings__ [léginz] *n. pl.* ① 정강이받이, 각반(脚絆), 행전. cf. gaiter. ② (소아용) 레깅스《보온용 바지》.

__lég guàrd__ 〖球技〗 정강이받이.

__leg·gy__ [légi] (*-gi·er* ; *-gi·est*) *a.* ① (아이·망아지 등이) 다리가 긴〔껑충한〕. ②《口》 (여성이) 다리가 미끈한: a ~ beauty 〔model〕 미끈한 다리의 미인〔모델〕. ③〖植〗 줄기가 길고 가느다란. ㊕ __lég·gi·ness__ *n.*

__leg·horn__ [légərn, léghɔ̀ːrn] *n.* Ⓒ (흔히 L-) 레그혼《닭》.

__leg·i·ble__ [lédʒəbəl] *a.* (필적·인쇄가) 읽기 쉬운 (easily read) : a crumpled but still ~ document 구겨졌지만 아직도 읽기 쉬운 문서. ㊕ __-bly__ [-bli] *ad.* __~·ness__ *n.*

*__le·gion__ [líːdʒən] *n.* ① Ⓒ (고대 로마의) 군단 《300-700 명의 기병을 포함하여 3,000-6,000 명의 보병으로 구성》. ② Ⓒ 군세(軍勢), 군단, 군대: the French Foreign *Legion* 프랑스 외인 부대. ③ (a ~ 또는 複數形으로) 다수, 많음《*of*》: *a* ~ *of* people 많은 군중 / ~*s*〔*a* ~〕 *of* pigeons 비둘기 떼 / His delightful sense of humor won him a ~ *of* friends. 명랑한 유머 감각으로 해서 그에게는 아주 많은 친구가 있었다. ④ Ⓒ 재향 군인회: the American *Legion* 미국 재향 군인회. ── *a.*〔敍述的〕 많은, 무수한: The tales of his exploits are ~. 그의 위업에 관한 이야기는 아주 많다.

__le·gion·ary__ [líːdʒənèri / -nəri] *a.* (고대 로마) 군단의, 군단으로 이루어진. ── *n.* Ⓒ (고대 로마의) 군단병.

__leg·is·late__ [lédʒislèit] *vi.* 《~ / +전+명》 (…을 위한, 또는 …에 반대하는) 법률을 제정하다《*for*; *against*》; (법적으로) 금지하다, 억제하다《*against*》: ~ *for* the preservation of nature 자연 보호(保護)에 관한 법률을 제정하다 / Most member countries have already ~*d against* excessive overtime. 대부분의 회원국들은 과도한 시간외 근로를 법률로 금지하고 있다.

‡__leg·is·la·tion__ [lèdʒisléiʃən] *n.* Ⓤ ① 입법, 법률 제정. ②〔集合的〕 법률, 법령. ◇ legislate *v.*

*__leg·is·la·tive__ [lédʒislèitiv, -lət-] *a.*〔限定的〕 입법(상)의, 입법권이 있는; 입법〔법률〕에 의한; 입법부의: the ~ body 〔branch〕 입법부 / a ~ bill 법률안. ── *n.* Ⓒ 입법부. ㊕ __~·ly__ *ad.* 입법상.

*__leg·is·la·tor__ [lédʒislèitər] *n.* Ⓒ 입법자, 법률 제정자; 입법부〔국회〕 의원.

*__leg·is·la·ture__ [lédʒislèitʃər] *n.* Ⓒ 입법부, 입법 기관: a two-house ~ (상하) 양원제 입법부.

__le·git__ [lidʒít] 《俗》 *a.* =LEGITIMATE.

__le·git·i·ma·cy__ [lidʒítəməsi] *n.* Ⓤ ① 합법성, 적법; 정당(성). ② 정통, 정계(正系), 적출. opp. *bastardy.*

*__le·git·i·mate__ [lidʒítəmit] *a.* ① 합법적인, 적법한; 옳은, 정당한. opp. *illegitimate.* ¶ a ~ claim 정당한 요구 / I'm not sure that his business is strictly ~. 그가 하는 사업이 엄밀한 의미에서 합법적인지는 잘 모르겠다. ② 정계(正系)의; 적출의: a ~ child 적출자, 본처 소생(所生). ③〖劇〗 순정극(純正劇)의: the ~ drama〔theater〕 정통극, 순정극《TV 드라마, 영화 등 통속극에 대하여 본격적인 무대극》. ④ 이치에 맞는, 합리적인: a ~ argument 이치에 맞는 의론. ◇ legitimacy *n.* ㊕ __~·ly__ *ad.*

__le·git·i·ma·tize__ [lidʒítəmətàiz] *vt.* =LEGITIMIZE.

__le·git·i·mize__ [lidʒítəmàiz] *vt.* ① …을 합법으로 인정하다, 합법〔정당〕화하다. ② (서자)를 적출(嫡出)로 인정하다.

__leg·less__ [léglis] *a.* ① 다리가 없는. ②《英俗》(몹시) 취한.

__leg·man__ [légmən] (*pl.* __*-men*__ [-mən]) *n.* Ⓒ ①〖新聞〗 취재〔탐방〕 기자《기사는 쓰지 않음》. ② 외무사원; 취재원, 정보 수집자.

__leg-of-mut·ton__ [légəvmʌ́tn] *a.*〔限定的〕 ① (여성복의 소매가) 양(羊) 다리모양의. ② (요트 따위의 돛이) 삼각형의.

__leg-pull__ [légpùl] *n.* Ⓒ《口》 못된 장난, 속여 넘기기, 놀려 대기.

__leg-rest__ [∠rèst] *n.* Ⓒ (환자용) 발받침.

__leg·room__ [∠rù(ː)m] *n.* Ⓒ (극장·자동차 등의 좌석 앞의) 다리를 뻗는 공간: Tall drivers won't have enough ~. 키큰 운전자는 다리를 충분히 뻗지 못한다.

__lég shòw__ 각선미 따위를 보이는 레뷰.

__leg·ume__ [légjuːm] *n.* Ⓒ 콩과(科)의 식물; 그 꼬투리《가축 사료》.

__le·gu·mi·nous__ [ligjúːminəs, le-] *a.* 콩의; 콩이 열리는;〖植〗 콩과(科)의.

__lég wàrmer__ (흔히 ~s) 레그워머《여성의 다리 보온에 쓰임; 털실로 짬》.

__leg·work__ [légwə̀ːrk] *n.* Ⓤ ① (취재·조사 등으로) 돌아다님, 탐방. ② (형사의) 탐문 수사.

__le·hua__ [leihúːɑː] *n.* Ⓒ《Haw.》 레후아《다홍색의 꽃이 피는 참나무; 태평양 제도산(產); 꽃은 하와이주의 주화(州花)》.

__lei__ [lei, léiː / léiː] (*pl.* __*le·is*__) *n.* Ⓒ《Haw.》 레이 《사람을 영송할 때 그 목에다 거는 화환》.

__Leices·ter__ [léstər] *n.* ① 레스터《영국 Leicestershire 의 주도(州都)》. ② Ⓒ 레스터종(種)의 양.

__Leices·ter·shire__ [léstərʃiər, -ʃər] *n.* 레스터셔주(州)《영국 중부의 주; 略: Leics.》.

__Leigh__ [liː] *n.* 리《남자 이름; Lee의 이형(異形)》.

‡__lei·sure__ [líːʒər, léʒ- / léʒ-] *n.* Ⓤ 틈, 여가, 레저; 한가한 시간, 자유(로운) 시간: I have no ~ *for* reading〔*to* read〕. 한가하게 독서할 틈이 없다 / a lady 〔woman〕 of ~ 유한 부인 / wait a person's ~ 아무의 시간이 날 때까지 기다리다 / enjoy a life of ~ 한가한 시간을 즐기다. ***at*** ~ (1) 틈이 있어서, 일손이 비어, 실업하여. (2) 천천히, 한가하게: I'll take the report home and read it *at* ~. 나는 그 보고서를 집에 가져가서 천천히 읽어보겠다. ***at*** one'***s*** ~ 한가한 때에, 편리한 때에: Do it *at your* ~. 한가한 때에 해라. ── *a.*〔限定的〕 한가한, 볼일이 없는; 유한(有閑)의; 여가의; 레저용의: ~ time 〔hours〕 여가 / the ~ class 유한 계급 / ~ industries 레저〔여가〕 산업 / a ~ suit 레저 슈트. ㊕ __~d__ *a.* 틈〔짬〕이 있는, 한가한: (the) ~*d* class(es) 유한 계급. __~·less__ *a.* 여가가 〔짬이〕 없는, 분주한.

*__lei·sure·ly__ [líːʒərli, léʒ- / léʒ-] *a.* 느긋한, 유유한, 여유 있는: He drove at a ~ pace. 그는 천천히 차를 몰았다. ── *ad.* 천천히, 유유히: He walked ~ into the room. 천천히 방으로 걸어 들어갔다. ㊕ __-li·ness__ *n.*

leit·mo·tif, -tiv [láitmoutì:f] *n.* Ⓒ《G.》① (악극의) 시도(示導) 동기 ; 주악상. ② (행위 따위에 일관된) 주목적, 중심 사상.

LEM, Lem [lem] *n.* Ⓒ lunar excursion module(달착륙〔탐사〕선).

lem·me [lémi]《口》〔발음 철자〕let me.

lem·ming [lémiŋ] *n.* Ⓒ《Norw.》〖動〗레밍, 나그네쥐《북유럽산》.

‡**lem·on** [lémən] *n.* ① Ⓒ 레몬《열매》; 레몬나무(=∠ **trèe**). ② Ⓤ (홍차 등에 넣는) 레몬(의 풍미) : a slice of ~ 레몬 한 조각. ③ Ⓤ 레몬빛, 담황색(=∠ **yéllow**). ④ Ⓒ《俗》불쾌한 것〔일·사람〕, 시시한 것 ; 매력없는 여자 ; 바보, 멍청이 : I just stood there like a ~. 나는 거기에 그저 바보처럼 서 있었다. ⑤ Ⓒ《口》불량품《결함 있는 차(車) 따위》: He took a little test drive and agreed the car was a ~. 그는 잠시 시운전을 하다가 그 차에 결함이 있다는 것을 인정했다.
— *a.* ①〔限定的〕레몬의, 레몬이 든. ② 레몬빛깔의, 담황색의.

***lem·on·ade** [lèmənéid] *n.* Ⓤ,Ⓒ 레몬수 ; 레모네이드.

lémon chèese 〔cùrd〕 레몬 치즈〔커드〕《레몬에 설탕·달걀 등을 넣어 가열하여 잼 모양으로 만든 식품 ; 빵에 바르거나 파이에 넣음》.

lémon làw《美俗》불량품법《불량품의 교환·환불의 청구 권리를 정한 주법(州法)》.

lémon lìme《美》레몬 라임《무색·투명한 탄산 음료》.

lémon sòda《美》레몬 소다《레몬 맛이 나는 탄산 음료》.

lémon sòle〖魚〗가자미의 일종《유럽산》.

lémon squásh《英》레몬 스쿼시.

lémon squèezer 레몬을 짜는 기구.

lem·ony [léməni] *a.* 레몬 맛이〔향기가〕나는.

le·mur [lí:mər] *n.* Ⓒ〖動〗여우원숭이.

Le·na [lí:nə] *n.* ① 리너《여자 이름》. ② 레나 강《시베리아 중동부의 러시아 최장의 강》.

†**lend** [lend] (*p., pp.* ***lent*** [lent]) *vt.* 《~+목 / +목+목 / +목+전+명》① …을 빌리다, 빌려주다, 대부〔대출〕하다. opp *borrow.* ¶ ~ an umbrella 우산을 빌려주다 / *Lend* me five dollars. 5 달러만 빌려주십시오 / Will you ~ me your overall for a little while? 네 작업 바지를 잠시 빌려주겠니 / I *lent* that video to Tom but he never gave it back. 그 비디오를 톰에게 빌려주었는데 여태까지 돌려주지 않았다. ② (조력 따위)를 주다, 제공하다 ; (위엄·아름다움 따위)를 더하다, 부여(賦與)하다《*to*》: ~ assistance 도와주다, 원조하다 / ~ enchantment 〔dignity〕 *to* …에 매력〔기품〕을 더하다 / Could you ~ me a hand with these parcels? 짐꾸리는〔푸는〕데 도와주시지 않겠습니까 / This fact ~*s* probability *to* the story. 이 사실로 보면 그 이야기는 있을 법하다. ③〔再歸的〕**a**) …에 적극적으로 나서다 : You should not ~ your*self* to such a movement. 그런 운동에 함부로 나서는게 아니다. **b**) …에 도움이 되다, 적합하다 : This book ~*s* it*self* to beginners. 이 책은 초심자에게 알맞다.
— *vi.* (돈을) 빌려주다, 대부를 하다 : She neither ~*s* nor borrows. 그녀는 빌려주지도 않고 꾸지도 않는다.
~ ***an ear*** 〔one***'s ear*** (***s***)〕 ***to*** …에 귀를 기울이다, …을 경청하다. ~ ***itself to*** …의 구실을 하다, 소용에 닿다, …에 적합하다 ; (악용 따위의) 대상이 되기 쉽다, …되기 쉽다. ~ one***self to*** …에 가담하다 ; …에 진력하다 ; 감히 …하다 : Don't ~ *yourself to* such a scheme. 그런 계획에는 손대지 마라. 파 ∠·**er** *n.* Ⓒ 빌려주는 측〔사람〕; (고리) 대금업자.

lénding lìbrary ① =RENTAL LIBRARY. ②《英》(관외 대출을 하는) 공공 도서관.

‡**length** [leŋkθ] *n.* ① Ⓤ 길이, 기장 ; (가로 세로의) 세로 ; 키. cf. breadth, thickness. ¶ The snake was a meter and half in ~. 뱀은 길이가 1 미터 반이었다. ② Ⓤ,Ⓒ **a**) (시간의) 길이, 기간 : the ~ of a stay 체류기간 / You spend a ridiculous ~ of time in the shower. 너는 샤워를 하는데 터무니없이 긴 시간을 소비한다. **b**) (담화·기술 따위의) 길이 ; 어떤 길이(의 물건) : a book at least 200 pages in ~ 적어도 200페이지가 되는 책. **c**)〖音聲〗모음(母音)·음절의 길이, 음량. ③ Ⓤ,Ⓒ 거리(행동 등의) 한도, 범위, 정도 ; 도정(道程), 여정(旅程) ; 깁 (opp *shortness*) : the ~ of a journey 여정. ④ Ⓒ (보트의) 1 정신(艇身) ;〖競馬〗1 마신(馬身) ; (헤엄친 거리의 단위로서의) 풀의 길이 : The horse won the race by two clear ~*s*. 그 말은 온전한 2마신의 차이로 경마에 이겼다. ⑤〖複合語〗…길이의 : an ankle-~ gown 복사뼈까지 내려오는 가운. ◇ long *a.*
at arm's ~ (1) 팔 뻗친 거리에. (2) 멀리하여 : keep a person *at arm's* ~ 아무를 가까이하지 않다, 경원하다. (3) (거래나 교섭에서) 당사자가 각기 독립을 유지하여. ***at full*** ~ (1) 충분히, 상세히. (2) 온몸을 쭉 펴고《눕다》: lie *at full* ~ on the sofa 소파에 몸을 쭉 뻗고 눕다. (3) 줄이지 않고, 상세히. ***at great*** ~ 길게, 장황하게. ***at*** ~ (1) 드디어, 마침내. cf. at last. (2) 기다랗게 ; 오랫동안, 장황하게 ; 충분히. ***at some*** ~ 상당히 자세하게〔길게〕. ***measure*** one***'s*** (***own***) ~ (***on the ground***) (…의 위에) 큰대자로 자빠지다. ***over*** 〔***through***〕 ***the*** ~ ***and breadth of*** …의 전체에 걸쳐, …을 남김없이.

‡**length·en** [léŋkθən] *vt.* …을 길게 하다, 늘이다 : ~ a runway 활주로를 연장하다 / She ~*ed* her skirt. 스커트 길이를 늘렸다. — *vi.* ① 길어지다, 늘어나다. ②《+전+명》늘어나 …으로 되다, …으로 변천하다 : Summer ~*s out into* autumn. 여름이 가고 가을이 된다 / His face ~*ed.* 그의 얼굴은 우울해졌다.

length·ways [∠wèiz] *ad.* =LENGTHWISE.

***length·wise** [∠wàiz] *ad., a.* 세로로(의) ; 길게〔긴〕: Cut it ~. 세로로 잘라라.

lengthy** [léŋkθi] (length·i·er*** ; ***-i·est***) *a.* ① (시간적으로) 긴, 긴긴 : a ~ meeting 긴 회합. ② (연설·글 등) 장황한 : a ~ article 〔speech〕 장황한 기사〔연설〕. 파 **léngth·i·ly** *ad.* **-i·ness** *n.*

le·ni·ence, -en·cy [lí:niəns, -njəns], [-i] *n.* Ⓤ 관대함 ; 연민, 자비, 인자 : She was grateful for his ~. 그녀는 그의 관대함에 감사했다.

le·ni·ent [lí:niənt, -njənt] *a.* ① (처벌 따위가) 관대한 ; 인정 많은, 자비로운《*with* ; *toward*》: I hope the judge will be ~ *with* them. 판사가 그들에게 관대하기를 바란다. ② 너그러운, 무른《*with* ; *to* ; *toward*》: He is ~ *with* his children. 그는 자식들에게 무르다.

Len·in [lénin] *n.* **Nikolai** ~ 레닌《러시아의 혁명가 ; 1870-1924》.

Len·in·grad [léningræ̀d, -grɑ̀:d] *n.* 레닌그라드《Petersburg의 옛 소련 시절의 이름》.

Len·in·ism [léninìzəm] *n.* Ⓤ 레닌주의.

Len·in·ist [léninist] *n.* Ⓒ 레닌주의자. — *a.* 레닌주의(자)의.

len·i·tive [lénətiv] *a.* 진통(성)의 (soothing), 완화하는. — *n.* Ⓒ〖醫〗진통제, 완화제.

len·i·ty [lénəti] *n.* Ⓤ,Ⓒ 자비 ; 관대(한 조처).

‡**lens** [lenz] (*pl.* ~·***es*** [lénziz]) *n.* Ⓒ ① 렌즈 :

grind ~*es* 렌즈를 갈다. ②〖解〗(눈알의) 수정체: the ~ of the eye 눈의 수정체.

Lent [lent] *n.* 〖基〗 사순절(四旬節)《Ash Wednesday 부터 Easter Eve 까지의 40 일; 단식과 참회를 └함》.

†lent [lent] LEND 의 과거 · 과거분사.

Lent·en [léntən] *a.* ① 사순절(四旬節)의. ② (사순절의 식사처럼) 고기 없는; 검소한; 궁상스러운: ~ fare 고기 없는 요리, 소식(素食).

len·til [léntil] *n.* Ⓒ 〖植〗 렌즈콩, 편두(扁豆).

len·to [léntou] *a., ad.* 《It.》 〖樂〗 느린; 느리게, 렌토로(의). —— (*pl.* **~s**) *n.* Ⓒ 렌토의 악장(곡).

Lént tèrm (보통 the ~) 〖英大學〗 봄 학기《크리스마스 휴가 후부터 부활절 무렵까지》.

Leo [líːou] *n.* ① 리오《남자 이름》. ②〖天〗 사자자리《성좌》(the Lion). ③〖占星〗 **a**) (12 궁의) 사자궁(宮), 사자자리. **b**) Ⓒ 사자자리에 태어난 사람.

Leon·ard [lénərd] *n.* 레오나드《남자 이름》.

Le·o·nar·do da Vin·ci [lìːənáːrdoudəvíntʃi] ⇨ DA VINCI.

Le·o·nids, Le·on·i·des [líːənidz], [liɑnədìːz / liɔn-] *n. pl.* 〖天〗 사자자리 유성군(流星群).

le·o·nine [líːənàin] *a.* 사자의; 사자와 같은; 당당한, 용맹한.

Le·o·no·ra [lìːənɔ́ːrə] *n.* 레오노라《여자 이름; 애칭 Nora》.

leop·ard** [lépərd] *n.* Ⓒ〖動〗 표범(panther). ***a hunting ~〖動〗 치타. ***Can the ~ change his spots?*** 표범이 그 반점을 바꿀 수 있느뇨《성격은 좀처럼 못 고치는 것; 예레미야서 XIII: 23》.

Le·o·pold [líːəpòuld] *n.* 레오폴드《남자 이름》.

le·o·tard [líːətàːrd] *n.* Ⓒ (종종 *pl.*) 레오타드《곡예사 · 댄서 등이 입는》 소매 없고 몸에 착 붙는 옷》; =TIGHTS.

lep·er [lépər] *n.* Ⓒ ① 나(병)환자, 문둥이: a ~ village 나병 환자 마을. ⓒⓕ leprosy. ② (도덕적 이유 등으로) 세상으로부터 배척당하는 사람.

lep·re·chaun [lépréəkɔ̀ːn, -kɑ̀n] *n.* Ⓒ 〖Ir. 傳說〗 (붙잡으면 보물이 있는 곳을 알려 준다는, 장난을 좋아하는) 작은 요정(妖精).

lep·ro·sy [léprəsi] *n.* Ⓤ ①〖醫〗 나병, 한센병. ② (사상 · 도덕적인) 부패: moral ~ (감염되기 쉬운) 도덕적인 부패, 타락.

lep·rous [léprəs] *a.* 나병의, 나병에 걸린.

les·bi·an [lézbiən] *a.* (여성간의) 동성애의, 레스비언의: ~ love 여성간의 동성애. —— *n.* Ⓒ 동성애를 하는 여자, 레스비언.

㊞ **~·ism** [-ìzəm] *n.* Ⓤ 여성간의 동성애 (관계).

les·bie [lézbiː] *n.* 《口》 =LESBIAN.

lése májesty [líːz-] ①〖法〗 불경죄, 대역죄 (high treason). ②〖戱〗 분수없는 행동.

le·sion [líːʒən] *n.* Ⓒ ① 외상, 손상(injury); 정신적 상해. ②〖醫〗 (조직 · 기능의) 장애; 병변.

Le·so·tho [ləsúːtuː, -sóutou] *n.* 레소토《아프리카 남부의 왕국; 수도는 Maseru》.

†less [les] *a.* 〔little 의 比較級〕 ① 더 적은, 보다 적은《양(量) 또는 수에 있어서》. ⓞⓟⓟ *more.* ¶ Eat ~ meat but more vegetable. 고기를 줄이고 채소를 더 많이 잡수십시오 / A shower uses ~ water than a bath. 샤워는 목욕보다 물이 덜 든다 / *Less* noise, please! 좀더 조용히 해 주십시오 / spend ~ time at work *than* at play 일보다도 노는 데 더 많은 시간을 보내다 / I have ~ drink than I used to have. 전보다는 술을 덜한다 / People should eat *less* fat to reduce the risk of heart disease. 심장병의 위험을 감소시키려면 지방을 덜 먹어야 한다. ② 한층 작은, 보다 작은, (…보다) 못한《크기 · 무게 · 가치 따위에 있어서》. ⓞⓟⓟ *greater.* ¶ of ~ magnitude 크기에 있어서 미치지 못하는 / The area of this ground is ~ than that of neighbor. 이 땅 넓이는 이웃집 땅보다 작다. ③ (정도 등 추상적 성질에 관해) 보다 덜한(낮은), 보다 적은: a matter of ~ important 그다지 중요하지 않은 일.

> 語法 수에 있어서는 fewer를 쓰는 것이 원칙이나, 종종 less도 씀《특히 수사(數詞)를 수반할 때》: *Fewer* Koreans learn Chinese than English. 중국어를 배우는 한국인은 영어를 배우는 사람보다 적다 / I have two *less* children than you. 나는 너보다 어린애가 둘 적다.

—— *ad.* 〔little 의 比較級〕 ① 〔形容詞 · 名詞를 수식하여〕 보다〔더〕 적게, …만 못하게: The more I hear about him, the ~ I like him. 그에 대한 이야기를 들을수록 그가 싫어진다 / It is ~ hot today than yesterday. 오늘은 어제보다 덜 덥다. ② 〔動詞를 수식〕 (보다) 적게: He was ~ scared *than* surprised. 무서워했다기보다는 오히려 놀랐다(=not so much as surprised). ~ ***and*** ~ 점점 더 적게. ~ ***than*** (*ad.*) 결코 … 아니다(not at all) (ⓞⓟⓟ *more than*): She is ~ *than* pleased. 조금도 기뻐하지 않는다. ***little ~ than*** . . . …와 거의 같은 정도로 (많은). ***no*** ~ (1) …보다 적지 않은 (것), 그 정도의 (것): We expected *no* ~. 그 정도는 각오하고 있었다. (2) 〔附加的; 종종 反語的〕 바로, 확실히: He gave me $100. And in cash, *no* ~. 그는 나에게 100 달러나 주었다. 그것도 정확하게 현금으로. ***no ~ a person than*** 다른 사람 아닌 바로: He was *no* ~ *a person than* the King. 그 사람은 바로 다른 사람 아닌 임금이었다. ***no ~ than*** (1) …와 같은〔마찬가지의〕, …나 다름없는: It is *no* ~ *than* a fraud. 그것은 사기 행위나 다름없다. (2) (수 · 양이) …(만큼)이나(as many 〔much〕 as): He has *no* ~ *than* 10 children. 그는 어린애가 10 명이나 있다. ***no ~. . . than*** …못지않게, …와 같이〔마찬가지로〕 …: He is *no* ~ clever *than* his elder brother. 그는 형만큼 영리하다. ***none the*** ~ 그래도 (역시), 그럼에도 불구하고: He had some faults, but was loved *none the* ~ 〔was *not* loved *the* ~〕. 그에게는 결점이 있었지만, 그래도 역시 사랑을 받았다. ***nothing ~ than*** (1) 적어도 …이상, 꼭 …만은: We expected *nothing* ~ *than* a revolution. 우리는 적어도 혁명쯤은 예기했었다. (2) …과 마찬가지인, 바로 …인: He is *nothing* ~ *than* an impostor. 그는 순전한 사기꾼이다. ***not ~ than*** …이상; 적어도 …은, …보다 더하면 더했지 못하지 않은 (as…as): He has *not* ~ *than* 10 children. 어린애가 적어도 10 명은 있다. ***still*** 〔***much***〕 ~ 〔否定的 어구 뒤에서〕 하물며〔더욱더〕 …이 아니다. ⓒⓕ still 〔much〕 more. ¶ No explanation was offered, *still* ~ an apology. 한마디 변명도 없었는데 하물며 사과를 했겠나.

—— *pron.* 보다 적은 양〔수, 액〕(ⓞⓟⓟ *more*); (the ~) 작은 편의 것, 보다 못한 사람: I shall see you in ~ than a week. 1 주일 이내에 뵙겠습니다 / *Less* than ten meters is not enough. 10 미터 이하로는 모자란다 / Some had more, others ~. 더 많이 갖고 있는 사람이 있는가 하면, 더 적게 갖고 있는 사람도 있었다 / He sold it for ~. 그는 그것을 더 싼 값에 팔았다.

—— *prep.* …만큼 감한(minus), …만큼 모자라는; …을 제외하여(excluding): two months ~ three days, 3 일 모자라는 두 달 / pay $500 ~ tax, 500 달러에서 세금을 빼고 지급하다.

-less *suf.* ① 명사에 붙여서 '…이 없는, …을 모면한' 또는 '무한한, 무수의'의 뜻의 형용사를 만듦:

child*less*, home*less*, number*less*, price*less*. ② 동사에 붙여서 '…할 수 없는, …않는'의 뜻의 형용사를 만듦 : tire*less*, count*less*.

les·see [lesíː] *n.* Ⓒ 『法』 (토지 · 가옥의) 임차인(賃借人). cf. lease. opp. *lessor*.

‡**less·en** [lésn] *vt.* …을 작게〔적게〕 하다, 줄이다 : Separating the sick from the healthy ~*s* the risk of infection. 환자와 건강인의 격리는 감염의 위험을 줄인다. ── *vi.* 작아지다 ; 적어지다, 줄다 : My strength is ~*ing* with the years. 해마다 체력이 쇠퇴하고 있다. ◇ less *a.*

***less·er** [lésər] *a.* 〔little의 이중 比較級〕 작은〔적은〕 편의, 소(小)… ; 못한〔떨어지는〕 편의. opp. *greater.* ¶ ~ powers 〔nations〕 약소 국가 / ~ poets 군소(群小) 시인 / the ~ sin of the two 두 가지 죄 중에서 덜한 쪽(의 죄). ★ less가 수 · 양의 적음을 나타냄에 대하여, lesser는 가치 · 중요성의 덜함을 나타낼 때가 많음 ; than은 수반하지 못함. ── *ad.* 〔흔히 複合語를 이루어〕 보다 적게 : ~-known 그다지 유명하지 않은.

†**les·son** [lésn] *n.* ① **a)** Ⓒ 학과, 과업, 학업 : neglect one's ~ 학업을 게을리하다. **b)** (*pl.*) (연속되는) 수업, 레슨(*in*) : give ~*s in* piano 피아노를 가르치다 / take〔have〕 ~*s in* English 영어를 배우다. ② Ⓒ (교과서 중의) 과(課) : Lesson Eight 제8과 / memorize the entire ~ 그 과 전부를 암기하다. ③ Ⓒ 교훈, 훈계 ; 본때 : the ~*s* of history 역사의 교훈 / valuable ~*s* of the past 과거의 귀중한 교훈 / Let this be a ~ to you never to play with matches! 이것을 교훈으로 다시는 성냥을 가지고 놀지 마라. ④ Ⓒ 『教會』 일과(日課) 《조석으로 읽는 성서 중의 한 부분》 : the first ~ 제1일과《구약에서 읽는 것》 / the second ~ 제2일과《신약에서 읽는 것》. ***learn** one's* ~ 《口》 경험을 통해 교훈을 얻다〔깨닫다〕.

les·sor [lésɔr, -ˊ] *n.* Ⓒ 『法』 (토지 · 가옥의) 임대인(賃貸人), 빌려 준 사람. opp. *lessee.*

‡**lest** [lest] *conj.* ① …하지 않도록, …하면 안 되므로(for fear that…) : Be careful ~ you (should) fall from the tree. 나무에서 떨어지지 않도록 조심해라. ② 〔fear, afraid 등의 뒤에서〕 …은 아닐까 하고, …하지나 않을까 하여(that…) : I fear ~ he (should) die. 그가 죽지나 않을까 걱정이다 / There was danger ~ the secret (should) leak out. 비밀이 누설될 위험성이 있었다.

> 參考 lest로 이끌리는 절 중에서는, 주절의 시제에 불구하고 《美》에서는 종종 가정법 현재를, 《英》에서는 should를 쓰나, might, would를 쓸 때도 있음. 주절이 현재시제일 때 lest의 뒤에 shall을 쓰는 것은 옛날 문체임. 《美》에서는 lest… should의 should가 가끔 생략됨.

†**let**[1] [let] (*p.*, *pp.* ~ ; ***lét·ting***) *vt.* ① 《+目+*do*》 **a)** …시키다, …하게 하다, …을 허락하다(allow to) : He won't ~ anyone enter the house. 아무도 그 집에 들여보내려 하지 않는다 / She wanted to go out, but her father wouldn't ~ her (go out). 그녀는 외출하고 싶었으나 아버지가 허락하지 않았다 / Please ~ me know what to do. 무엇을 해야 할지 가르쳐 주시오. **b)** 〔命令形을 써서 권유 · 명령 · 허가 · 가정 등을 나타냄〕 : *Let's* 〔*Let* us〕 start at once, shall we? 곧 떠납시다《권유》 / Don't ~'*s* start yet! 아직 출발하지는 말아줘요 《Let's의 부정》 / *Let* her come at once. 그녀를 곧 보내 주세요 / *Let* the two lines be parallel. 두 선이 평행하다고 하자 / *Let* it rain! 비 따위 올 테면 오라지.

> 語法 (1) 본래 let 다음에는 to가 없는 원형 부정사가 오고, 수동태에서는 to부정사가 왔으나, 현재는 없는 쪽이 보통임 : I was *let* (to) see him. 그러나, 이런 때에는 오히려 be allowed to (do)가 쓰임.
>
> (2) Let's와 Let us : '…합시다'의 뜻일 때 Let us는 일반적으로 문어적이며, 구어에서는 다음과 같이 뜻이 갈릴 때가 많음 : *Let's* go. 자 가자. *Let us* go. 저희들을 가게 해 주세요.

② 《+目+前+名 / +目+副》 (아무)를 가게 하다, 오게 하다, 통과시키다, 움직이게 하다 : He ~ me *into* his study. 나를 서재로 안내했다 / They ~ the car out. 그들은 차를 내보냈다. ★ let 다음에 go, come 따위 동사가 생략된 것. ③ 《~+目 / +目+副》 …을 빌리다, 세주다 : This house is to be ~. 이 집을 세놓습니다 / a house to ~ 셋집 / ~ out a car by the day 하루 계약으로 차를 세주다 / Rooms 〔House〕 to ~. 《게시》 셋방〔셋집〕 있음《To Lent.라고 쓰기도 함》. ④ 《~+目 / +目+副》 (액체 · 공기 · 목소리 따위)를 쏟다, 내다, 새(나)게 하다 : ~ a sigh 한숨을 쉬다. ⑤ 《~+目 / +目+前+名》 (일)을 주다, 떠맡게〔도급 맡게〕 하다《특히 입찰에 의해서》, 계약하게 하다 : ~ a contract 도급일을 맡기다 / ~ work *to* a carpenter 목수에게 일을 맡기다. ⑥ 《+目+補》 (어떤 상태)로 되게 하다, …해 두다 : You shouldn't ~ your dog loose. 개를 풀어 놓지 마라 / *Let* my things alone. 내 물건들은 그대로 두어라.

── *vi.* 《+前+名 / +副》 임대되다, 빌려쓸〔빌릴〕 사람이 있다 : The apartment ~*s* for $100 per week. 이 방세는 일주일에 백 달러씩이다 / The house ~*s* well. 이 집은 세들려는 사람이 많다.

~ ***alone*** ⇨ALONE. ~ ***by*** (1) …에게 (곁을) 통과시키다 : *Let* them *by*. 그들을 통과시켜라. (2) (잘못 따위)를 간과하다 : He doesn't ~ errors by unnoticed. 그는 잘못을 그냥 간과하지는 않는다. ~ ***down*** (1) …을 아래로 내리다. (2) (비행기가 착륙하려고) 고도를 낮추다. (3) (옷단을 고쳐 꿰매어) 길이를 늘리다. (4) (사람의) 신뢰〔기대〕를 저버리다, 실망시키다 : He will never ~ you *down.* 그는 결코 자네를 실망시키지 않을걸세. (5) 템포를 늦추다, 힘을 빼다 ; (타이어 등)의 바람을 빼다. ~ *a person* ***down gently*** (무안을 주지 않고) 아무를 온화하게 타이르다. ~ ***drive*** ⇨DRIVE. ~ ***drop*** 〔***fall***〕 (1) 떨어뜨리다. (2) (무심코) 입밖에 내다, 비추다, 누설하다 : She ~ *drop* a hint. 그녀는 무심코 암시를 주었다. ~ ***fly*** ⇨FLY[1]. ~ ***go*** (1) 해방〔석방〕하다, 방면하다 : *Let* them *go*. 저들을 석방해 주어라. (2) 놓아 주다, (손)에서 놓다《*of*》 : Don't ~ *go* the rope. 줄을 놓아서는 안 돼 / *Let go of* my hand. 손 좀 놓아주시오. (3) 해고하다 : The housekeeper was ~ *go*. 가정부는 해고됐다. (4) 〔~ oneself go의 꼴로〕 제멋대로 행동하다 ; 열광〔열중〕하다 ; (옷차림 따위)에 무관심하다. (5) 감행하다《*with*》. ~ *a person* ***have it*** 아무를 몹시 꾸짖다〔몰아세우다〕. ~ ***in*** (1) 들이다(admit) : *Let* him *in*. 그를 안에 들여보내라. (2) (빛 · 물 · 공기 따위)를 통하다 : These shoes ~ (*in*) water. 이 구두는 물이 스며든다. (3) (곤경 · 손실 등)에 빠뜨리다《*for*》. ~ *a person* ***in on*** . . . (비밀 따위)를 아무에게 누설하다〔알려 주다〕 ; (계획 따위)에 아무를 참가시키다. ~ ***into*** . . . (*vt.*) (1) …에 들이다〔넣다〕, …에 입회시키다. (2) …에게 비밀 등을 알리다 : She has been

~ *into* the secret. 그녀에게는 비밀이 알려져 있다. (3) …에 끼우다 : ~ a plaque *into* a wall 벽에 장식판을 끼워넣다. ~ ***it go at that*** 《美》 그쯤 해 두다, 그 이상 추궁〔언급〕하지 않다 : I don't agree with all you say but we'll ~ *it go at that.* 자네 말을 모두 찬성하는 것은 아니지만 그쯤 해 두자. ~ . . . ***know*** 〔***hear***〕 …에게 알리다. ~ ***loose*** ⇨LOOSE *a.* ***Let me*** 〔***us***〕 ***see.*** 그런데, 뭐랄까, 글쎄요 : *Let me see*—where did I leave my hat? 그런데 내 모자를 어디 두었지. ~ (. . .) ***off*** (1) (…을 형벌·일 따위)에서 면제하다 : ~ a person *off* (doing) his homework 아무에게 숙제를 면제해 주다. (2) (탈것)에서 내리게 하다, 내려놓다《off 는 *ad.*》. (3) (총 따위)를 쏘다, 발사하다; (농담 따위)를 방언(放言)하다, 함부로 하다 : Who ~ *off* that gun? 누가 발포했나. (4) 석방〔방면〕하다, (가벼운 벌)로 용서해 주다《*with*》; (일시적으로) 해고하다 : He was ~ *off with* a small fine. 그는 소액의 벌금만 물고 석방되었다. (5) (액체·증기 따위)를 방출하다 : ~ *off* a fart〔belch〕 방귀를 뀌다〔트림을 하다〕. (6) 《英》 (집 따위의) 일부를 빌려 주다. ~ ***on*** 《口》 (1) 입밖에 내다, 고자질하다, 비밀을 알리다〔누설하다〕《*about* ; *that*》 : Don't ~ *on* 발설하지 마라. (2) (사람을 차)에 태우다. (3) (짐짓) …인 체하다《*that*》. ~ ***out*** (*vt.*) (1) 유출시키다, (공기 따위)를 빼다《*of*》 : He ~ the air *out of* the tires. 그는 타이어의 바람을 뺐다. (2) (소리)를 지르다; 입밖에 내다 : ~ *out* a secret 〔scream〕 비밀을 누설하다〔고함을 지르다〕. (3) …을 놓아주다; 해방〔방면, 면제〕하다. (4) (옷 따위)를 크게 하다, 늘리다 : My trousers need to be ~ *out* round the waist. 바지 허리를 늘릴 필요가 있다. (5) (말 따위)를 세 놓다, 임대하다. (6) 맹렬히 치고〔차고〕 덤비다, 욕을 퍼붓다《*at*》. (7) (학교·모임 따위)가 해산하다, 파하다, 끝나다 : School ~*s* out at 3. 학교는 3시에 파한다. ~ ***pass*** 관대히 봐 주다, 불문에 부치다 : He could not ~ *pass* his daughter's misconduct. 그는 딸의 비행을 봐줄 수가 없었다. ~ ***ride*** ⇨ RIDE. ~ ***rip*** ⇨ RIP[1]. ~ one***self in*** 들어가다 : I ~ *myself in* with a latchkey. 열쇠로 자물쇠를 열고 안으로 들어갔다. ~ one***self in for*** (1) …일을 당하다. (2) …에 말려들다. ~ one***'s hair down*** ⇨ HAIR. ~ ***slide*** (사태 등)을 그냥 내버려두다. ~ ***slip*** (1) (기회)를 놓치다. (2) (개 따위)를 풀어놓다. ~ ***through*** (1) (사람·물건 등)을 통과시키다. (2) (잘못 따위)를 묵과하다. ~ ***up*** 《口》 (1) 늦추다, 느즈러지다 : We mustn't ~ *up,* even though we're winning. 우리가 이기고는 있지만 긴장을 풀어서는 안된다. (2) (비·바람 등)이 그치다, 잠잠해지다 : Will the rain never ~ *up?* 비는 전혀 안 그칠 것인가. (3) 그만두다. (4) …을 관대히 봐 주다《*on*》. ~ ***well*** (***enough***) ***alone*** 너무 욕심부리지 않다; 부질없는 간섭을 안 하다. ***To Let*** 《英》 셋집〔셋방〕 있음(《美》 For Rent).

—— *n.* [C] 《英口》 빌려줌, 임대(lease) : I cannot get a ~ for the room. 방에 세들 사람을 구하지 못하고 있다.

let[2] [let] *n.* [C] 〖球技〗 레트《테니스 등에서, 네트를 스치고 들어간 서브 공; 한번 더 서브함》. ***without ~ or hindrance*** 〖法〗 아무 장애 없이.

-let *suf.* '작은 것, 몸에 착용하는 것'의 뜻 : stream*let,* ring*let,* wrist*let.*

letch [letʃ] *vi., n.* =LECH.

let·down [létdàun/ ⌐⌐] *n.* [C] ① (생산고·속도·분량 등의) 후퇴, 감퇴, 이완; 부진 : a ~ in sales 매상 감소. ② 실망, 낙담, 환멸 : Being refused a date was quite a ~ for him. 데이트를 거절당하고 그는 아주 실망했다 / The party was a real ~. 파티는 정말 한심했다. ③〖空〗 (착륙을 위한) 고도 낮추기.

le·thal [líːθəl] *a.* 죽음을 가져오는, 치사의, 치명적인 : a ~ chamber 무통 가축 도살실 / a ~ dose of poison 독약의 치사량 / ~ ashes 죽음의 재.

[파] ~·**ly** *ad.*

le·thar·gic [leθάːrdʒik] *a.* ① 무기력한, 나른한; 활발치 못한 : The hot weather made me feel ~. 날씨가 더워 나른했다. ② 혼수 상태의, 기면성(嗜眠性)의. [파] **-gi·cal·ly** *ad.*

leth·ar·gy [léθərdʒi] *n.* [U] ① 무기력, 활발치 못함. ② 혼수 상태.

Le·the [líːθi(ː)] *n.* ①〖그神〗 레테《그 물을 마시면 일체의 과거를 잊는다고 하는 망각의 강; Hades에 있다는 저승의 강》. ② [U] 망각. 「는.

Le·the·an [liːθíːən] *a.* Lethe 의; 과거를 잊게 하

let-out [létàut] *n.* [C] 《英》 (곤란·의무 따위로부터) 빠져 나갈 구멍.

†**let's** [lets] let us 의 간약형《권유하는 경우》.

†**let·ter** [létər] *n.* ① [C] 글자, 문자. [cf.] character. ¶ a capital 〔small〕 ~ 대〔소〕문자 / an initial ~ 머리 글자. ② [C] 〖印〗 활자(의 자체) : a roman ~ 로마체 활자 / in italic ~ 이탤릭체로. ③ [C] 편지, 서한 : write a ~ 편지를 쓰다 / mail〔(《英》 post〕 a ~ 편지를 투함하다 / a private ~ 사신 / publish an open ~ 공개장을 내다 / put a ~ into an envelope 편지를 봉투에 넣다 / I received a ~ from a very close friend. 절친한 친구에게서 편지를 받았다. ④ (the ~) (내용에 대해) 글자 그대로의 뜻, 자의(字義), 자구(字句) : Observe the spirit of the law rather than *the* ~. 법률의 자구보다는 그 정신을 지켜라. ⑤ (*pl.*) 〔單·複數 취급〕 문학; 학문; 학식; 문필업(the profession of ~*s*) : arts and ~*s* 문예 / a doctor of ~*s* 문학박사 / the world of ~*s* 문학계, 문단. ⑥ [C] (흔히 *pl.*) 증서, 면허증〔장〕, …증(證)〔장(狀)〕 : a ~ of attorney 위임장 / ~(*s*) of credence (대〔공〕사에게 주는) 신임장. ⑦ [C] 《美》 학교의 머리글자《우수한 선수 등에게 사용되는 것이 허용됨》 : win a baseball ~ (학교의) 우수 야구 선수가 되다. ***a ~ of advice*** 〖商〗 송하(送荷) 통지서, 어음 발행 통지서. ***a ~ of credit*** 〖商〗 (은행의) 신용장《略 : L/C》. ***a man of ~s*** 문학자, 저술가, 학자. ***to the ~*** 문자(그)대로, 엄밀히 : carry out 〔follow〕 instructions *to the* ~ 지시를 엄수〔충실히 실행〕하다.

—— *vt.* ①《~+[목]/+[목]+[전]+[명]》 …에 글자를 넣다〔박다, 찍다〕; …에 표제를 넣다 : ~ a poster 포스터에 글자를 넣다. ② …을 활자체로 쓰다.

létter bòmb 우편 폭탄《폭탄을 장치한 우편물》.

létter bòx (개인용의) 우편함(《美》 mail box); 우체통.

let·ter·card [-kὰːrd] *n.* [C] 봉함 엽서.

létter càrrier 《美》 우편 집배원(postman, mailman).

let·tered [létərd] *a.* ① 학식〔교육〕이 있는 (educated). [opp.] *unlettered.* ② 글자를 넣은〔새긴〕 : a book ~ in gold 금자박이 책.

let·ter·head [-hèd] *n.* ① [C] 레터헤드《편지지 윗부분의 인쇄 문구; 회사명·소재지 따위》. ② [U] 레터헤드가 인쇄된 편지 용지.

let·ter·ing [létəriŋ] *n.* [U] ① 글자 쓰기〔새기기〕《문자의 도안화》. ② 쓴〔새긴〕 글자, 명(銘); (쓰거나 새긴) 글자의 배치〔체재〕, 자체.

let·ter·less [létərlis] *a.* 무학의, 문맹의.

let·ter·per·fect [-pə́ːrfikt] *a.* ① (배우·학생 등이) 대사(臺辭)〔학과〕를 완전히 외고 있는. ②

(문서 · 교정 따위가) 완전한, 정확한.

let·ter·press [-près] *n.* [U] ① 철판〔활판〕 인쇄(법) ; 활판 인쇄물. ② 《英》 (책의) 본문《삽화에 대해》.

let·ter-size [-sàiz] *a.* (종이가) 편지지 크기의, 22×28 cm 크기의.

***let·tuce** [létis] *n.* ① [C] 〖植〗 상추, 양상추. ② [U] (샐러드 용의) 상추잎 : shred ~ for a salad 샐러드용으로 상추잎을 찢다. ③ [U] 《俗》 지폐.

let·up [létʌ̀p] *n.* [U,C] 《口》 ① (긴장, 힘 등의) 해이(解弛) ; 감소 ; 감속(減速) : There was no ~ in the storm. 폭풍우(의 기세)는 여전했다. ② 정지, 휴지. ***without*** **(*a*)** ~ 끊임없이, 쉴새없이, 쉬지 않고 : We worked *without* (*a*) ~ till nightfall. 우리는 황혼 때까지 쉬지 않고 일했다.

leu·ke·mia, -kae- [lu:kí:miə] *n.* [U] 〖醫〗 백혈병. [파] **-mic** *a.* 백혈병의.

leu·ko·cyte [lú:kəsàit] *n.* [C] 〖生〗 백혈구.

Lev. Leviticus.

Le·vant [livǽnt] *n.* ① (the ~) 레반트《동부 지중해 연안 제국 ; 시리아 · 레바논 · 이스라엘 등》. ② (l-) [U] (염소 가죽제) 고급 모로코 피혁.

le·vant *vi.* 《英》 (내기에 지고) 빚〔내깃돈〕을 갚지 않고 도망하다.

lev·ee[1] [lévi, leví:] *n.* [C] ① 《英》 군주의 접견《이른 오후 남자에 한하는》. ② 《美》 대통령의 접견(회).

lev·ee[2] [lévi] *n.* [C] ① **a)** 충적제(冲積堤). **b)** 하천의 제방, 둑. ② (강의) 방파제, 안벽(岸壁) (quay).

‡lev·el [lévəl] *n.* ① [U,C] 수평 ; 수평선〔면〕, 평면 (plane) : bring the tilted surface to a ~ 경사면을 수평이 되게 하다 / birds flying just above the water ~ 수면 바로 위를 날고 있는 새들. ② [C] 평지, 평원(plain). ③ [U,C] (수평면의) 높이 (height). ④ [U,C] 동일수준〔수평〕, 같은 높이, 동위(同位), 동격(同格), 동등(同等) ; 평균 높이 : at the ~ of one's eyes 눈 높이에 / students at college ~ (수준이) 대학 정도의 학생. ⑤ [C] (지위 · 품질 · 정도 따위의) 수준, 단계 : rise to a higher ~ 보다 높은 수준에 달하다 / the ~ of living 생활 수준 / talks at cabinet ~ 각료급의 회담 / Your cholesterol ~ is low. 너의 콜레스테롤치(値)는 낮다. ⑥ [C] 수준기(器), (측량용) 레벨. ***a dead*** ~ 전혀 높낮이가 없는 평지. ***find*** one***'s*** **(*own*)** ~ 분수에 맞는 지위를 얻다, 마땅한 곳에 자리잡다 : Water *finds its* ~. 물은 낮은 곳으로 흐른다. ***on a*** ~ ***with*** …와 같은 수준으로〔높이로〕 ; …와 동격으로. ***on the*** ~ 《口》 (1) 공평하게〔한〕, 정직하게〔한〕. (2) 〔文章修飾〕 솔직히 말해서 : *On the* ~, I don't like him. 솔직히 말해서 그를 좋아하지 않는다. ***take a*** ~ (두 지점의) 고도차를 재다.

— (*~·er, ~·est ;* 《英》 *~·ler, ~·lest*) *a.* ① 수평의(horizontal) ; 평평한, 평탄한(even) : pitch a tent on ~ ground 평지에 천막을 치다 / The road is not ~. 길은 평탄하지 않다. ② 같은 수준〔높이, 정도〕의, 호각(互角)의, 대등한 《*with*》: a ~ race 백중한 경주 / draw ~ *with* … 와 동점(同點)이 되다. ③ 한결같은, 변화가 없는 : give a person a ~ look 아무를 응시하다. ④ (어조 따위가) 침착한, (판단 따위가) 냉정한 : answer in a ~ tone 침착한 어조로 대답하다 / keep〔have〕 a ~ head (위기에 처해서도) 냉정을 유지하다, 분별이 있다. ***do*** one***'s*** ~ ***best*** 전력을 다하다.

— (*-l-,* 《英》 *-ll-*) *vt.* ① 《~+[목]/+[목]+[부]》 …을 수평하게 하다, 평평하게 하다, 고르다 : ~ ground 땅을 고르다 / ~ a road down 〔up〕 before building 건축하기 전에 노면을 평평하게 깎다〔돋우다〕. ② 《~+[목]/+[목]+[부]》 …을 평등〔동등〕하게 하다 ; (차별)을 없애다《*out ; off*》: ~ *out* all social distinctions 모든 사회적 차별을 없애다 / Death ~*s* all men. 죽음은 만인을 동등하게 한다. ③ 《~+[목]/+[목]+[전]+[명]》 …을 수평하게 놓다 ; (시선 따위)를 돌리다《*at*》; (총)을 겨누다《*at*》; (풍자나 비난 따위)를 퍼붓다《*at ; against*》: ~ a gun *at* a lion 사자에게 총을 겨누다. ④ 《~+[목]/+[목]+[전]+[명]》 (지면)에 쓰러뜨리다, 뒤엎다(lay low) ; 때려 눕히다(knock down) : ~ trees to make way for the highway 큰길을 내기 위하여 나무들을 베어 넘기다 / He ~*ed* his opponent with one blow. 일격에 상대방을 때려 눕혔다. — *vi.* ① 수평하게 되다, 평평하게 되다 ; 같은 수준으로 하다. ② (수평으로) 조준하다, 겨누다 《*at*》. ③ 《口》 숨김없이〔솔직히〕 말하다, 까놓고 말하다《*with*》: Let me ~ *with* you. 솔직히〔사실대로〕 말할께. ~ ***down*** 〔***up***〕 표준을 낮추다〔올리다〕 ; 똑같이 낮추다〔올리다〕. ~ ***off*** 〔***out***〕 (1) 평평(平平)하게〔한결같이〕 하다〔되다〕. (2) (물가 따위)가 안정 상태로 되다 : Economic growth was starting to ~ *off*. 경제성장은 (기복이 없이) 안정을 찾기 시작했다. (3) 〖空〗 (착륙 직전에) 수평〔저공〕 비행 태세로 들어가다.

— *ad.* 수평으로, 평평하게 ; 곧바로, 일직선으로 : The pheasant flew ~ with the ground. 꿩은 지면을 스치듯이 날아갔다.

lével cróssing 《英》 (철도 · 도로 등의) 평면 교차, 건널목(《美》 grade crossing).

lev·el·er, 《英》 **-el·ler** [lévələr] *n.* [C] ① 수평하게 하는 사람〔기구〕, 땅을 고르는 기계. ② 평등주의자.

lev·el-head·ed [lévəlhédid] *a.* 온건한, 분별있는. [파] **~·ly** *ad.* **~·ness** *n.*

lev·el·ing, 《英》 **-el·ling** [lévəliŋ] *n.* [U] ① 평평하게 하기 ; 땅 고르기, 정지(整地). ② (사회의) 평등화〔계급 타파〕 운동.

lével pégging (득점 · 성적 등의) 동점.

***lev·er** [lévər, lí:vər] *n.* [C] ① 〖機〗 지레, 레버. [cf.] simple machine. ② (목적 달성의) 수단, 방편 : use one's position as a ~ to gain votes 표를 얻기 위해 지위를 이용하다. — *vt.* 〔종종 along, out, over, up 등을 수반하여〕 …을 지레로 움직이다, 지레로 움직여 (…한 상태로) 만들다 ; …에 지레를 사용하다 : ~ *up* a manhole lid 맨홀의 뚜껑을 지레로 비집어 열다 / ~ a stone *out* 지레로 돌을 제거하다. — *vi.* 지레를 사용하다.

lev·er·age [lévəridʒ, lí:v-] *n.* [U] ① 지레의 작용〔힘〕 ; 지레 장치 : Use a longer handle to increase ~. 지레가 힘을 더 쓰게끔 더 긴 자루를 사용하라. ② (목적을 이루기 위한) 수단. ③ 《美》 차입 자본 이용, 레버리지.

— *vt.* ① …에 영향력을 행사하다. ② 《美》 차입 자본을 이용해 …에 투기를 하다.

léveraged búyout 레버리지드 바이아웃《차입 자본에 의한 회사 매수》.

lev·er·et [lévərit] *n.* [C] (그 해에 낳은) 새끼토끼.

le·vi·a·than [liváiəθən] *n.* ① (종종 L-) 〖聖〗 리바이어던《거대한 해수(海獸)》. ② [C] 거대한 것《특히, 거선(巨船)이나 거대한 고래》.

Le·vi's, Le·vis [lí:vaiz, -viz] *n. pl.* 리바이스《리벳을 박은 주머니가 있는 청바지 ; 商標名》.

lev·i·tate [lévətèit] *vt., vi.* (초능력으로) (…을) 공중에 뜨게 하다 ; 공중에 뜨다.

[파] **lèv·i·tá·tion** [-ʃən] *n.* [U] 공중 부양(浮揚).

Le·vit·i·cus [livítikəs] *n.* 〖聖〗 레위기(記)《구약

성서 중의 한 편).

lev·i·ty [lévəti] *n.* ① [U] 경솔, 경박, 촐싹거림. ② [C] 경솔한 행위, 경거망동.

***levy** [lévi] *vt.* ①《~+[목]/+[목]+[전]+[명]》(세금 따위)를 과[징수]하다 : ~ a large fine 많은 벌금을 과하다 / ~ taxes on a person 아무에게 세금을 과하다. ② …을 소집[징집]하다, 징용하다. ③《+[목]+[전]+[명]》(전쟁 등)을 시작하다, 행하다 : ~ war on [upon ; against] …에 대하여 전쟁을 시작하다, …와 전쟁하다. ── *vi.* 〖法〗 압수[압류]하다 《*on*》.

── *n.* [C] ① 부과, 징세 ; 징수액 : a ~ of 7% on profits 이익에 대한 7퍼센트 과세. ② 소집, 징집 ; 징용 ; 징모병수(數), 소집 인원. ***a ~ in mass*** 〖軍〗 국민군 소집 ; 국가 총동원.

lewd [lu:d] *a.* 추잡한, 음란한 ; 외설한 : a ~ joke[song] 음란한 농담[노래]. [파] **∠·ly** *ad.* **∠·ness** *n.*

Lew·is [lú:is] *n.* 루이스《남자 이름 ; Louis의 이형(異形)》.

lex·es [léksi:z] LEXIS 의 복수.

lex·i·cal [léksikəl] *a.* ① 사전(편집)의, 사전적인. ② 어휘의, 어구의. [cf.] grammatical.

lex·i·cog·ra·pher [lèksəkágrəfər / -kɔ́g-] *n.* [C] 사전 편찬자.

lex·i·co·graph·ic, -i·cal [lèksəkougrǽfik], [-əl] *a.* 사전 편집(상)의. [파] **-i·cal·ly** *ad.*

lex·i·cog·ra·phy [lèksəkágrəfi / -kɔ́g-] *n.* [U] 사전 편집(법).

lex·i·col·o·gy [lèksəkálədʒi / -kɔ́l-] *n.* [U] 어휘학(語彙學).

lex·i·con [léksəkən] *n.* [C] ① 사전《특히 그리스어·헤브라이어·라틴어의》; (특정한 언어·분야·작가·작품 등) 어휘. ② 〖言〗 어휘 목록.

lex·is [léksis] (*pl.* ***lex·es*** [-si:z]) *n.* ① [C] (특정한 언어·작가 등의) 어휘. ② [U] 〖言〗 어휘론.

ley [lei] *n.* [C] 초지, 목초지(lea).

léze májesty ⇨LESE MAJESTY.

L. F. 〖電〗 low frequency(낮은 주파). **lf.** left field(er). **LH, lh** left hand. **L. H. C.** 《英》 Lord High Chancellor. **Li** 〖化〗 lithium.

li [li:] (*pl.* ~) *n.* (중국의) 이(里)《약 0.6 km》.

***li·a·bil·i·ty** [làiəbíləti] *n.* ① [U] (…의) 경향이 있음, 빠지기[걸리기] 쉬움《*to*》: one's ~ *to* error 잘못을 저지르기 쉬움 / ~ *to* disease[cancer] 병[암]에 걸리기 쉬움. ② [U] 책임이 있음 ; 책임, 의무, 부담 : ~ for a debt 채무 / ~ for military service 병역의 의무 / ~ to pay taxes 납세의 의무 / limited[unlimited] ~ 유한[무한] 책임. ③ [C] 불리한 일[조항, 사람] : Poor handwriting is a ~ in getting a job. 글씨를 잘못 쓰면 취직하는데 불리하다. ④ (*pl.*) 빚, 채무. [opp] *assets.* ◇ liable *a.*

‡li·a·ble [láiəbəl] (***more ~ ; most ~***) *a.* 〔敍述的〕 ① 책임을 져야 할, 지변[지급]할 책임이 있는 : You are ~ *for* the damage. 손해 배상의 책임은 당신에게 있소. ② 부과되어야 할, (…할 것을) 면할 수 없는《*to* ; *to* do》; …할 의무가[책임이] 있는 : ~ *to* income tax 소득세를 물어야 할, 소득세 과세의 / ~ *to* military service 병역 의무를 지는 / be ~ *to* pay a debt 채무를 갚을 의무를 지다. ③ 자칫하면 …하는, (까딱하면) …하기 쉬운 《*to* do》: All men are ~ *to* make mistakes. 무릇 인간은 잘못을 저지르기 쉽다 / The child is ~ *to* catch cold. 이 아이는 감기에 잘 걸린다. ★ 주로 나쁜[달갑지 않은] 일이 일어나기 쉬울 때 씀. ④ 빠지기 쉬운, 걸리기 쉬운, 면하기 어려운《*to*》: ~ *to* rheumatism 류머티즘에 걸리기 쉬운 / rule ~ *to* exceptions 예외를 허용하는 규칙 / plan ~ *to* modifications 변경될 것을 예상하고 짠 계획. ⑤ …할 것 같은(likely) : He is ~ to go. 그는 갈 것 같다 / It is ~ to rain. 비가 올 것 같다.

li·aise [liéiz] *vi.* ① 연락을 취하다《*with*》: It is advisable to ~ closely *with* the authorities. 관계 당국과 긴밀한 연락을 갖는 것이 바람직하다. ② 연락 장교 노릇을 하다.

***li·ai·son** [lí:əzàn, li:éizan / li:éizɔ:ŋ] *n.* 《F.》 ① **a)** [U] (또는 a ~) 〖軍〗 연락, 접촉 ; 〔一般的〕 섭외, 연락 (사무). **b)** [C] 연락원[관]《*between*》: act as (a) ~ *between* A and B. A와 B 사이에서 연락관 노릇을 하다. ② [C] 간통, 밀통《*between* ; *with*》. ③ [C] 〖音聲〗 연성(連聲), 리에종《특히 프랑스어에서 어미의 묵음인 자음이 다음에 오는 말의 모음과 연결되어 발음되는 것》.

líaison ófficer 연락 장교.

‡li·ar [láiər] *n.* [C] 거짓말쟁이 : I think the man is a coward and a ~. 나는 그 사람이 겁쟁이에다 거짓말쟁이라고 생각한다.

lib [lib] *n.* [U] 《口》〔修飾語와 함께〕 해방 운동 : women's ~ 여성 해방 운동. [◂ *lib*eration]

Lib. Liberal ; Liberia. **lib.** librarian ; library ; *liber* 《L.》 (=book).

li·ba·tion [laibéiʃən] *n.* [C] ① 헌주(獻酒)《고대 로마·그리스에서 신에게 올린》. ② 신주(神酒). ③ 《戱》 술, 음주.

lib·ber [líbər] *n.* [C] 《口》 (여성) 해방 운동가.

li·bel [láibəl] *n.* ① **a)** [U] 〖法〗 (문서·그림·사진 등에 의한) 명예 훼손(죄) : accuse a person of … 을 명예훼손으로 고소하다. **b)** [C] 비방[중상]하는 글 : a ~ on him 그에 대한 명예 훼손 기사[문서]. ② [C] 모욕이[불명예가] 되는 것, 모욕《*on*》: This photograph is a ~ *on* him. 이 사진은 그에게 모욕이 된다[그의 실물보다 아주 못하다].

── (***-l-***, 《英》 ***-ll-***) *vt.* ① …의 명예를 훼손하다 ; 명예를 훼손하는 글을 공개하다 : She alleged that the magazine had ~*led* her. 그녀는 그 잡지가 자기 명예를 훼손했다고 주장했다. ② 《俗》 (사람의 품성·용모 따위)를 매우 부정확하게 말하다[표현하다].

[파] **lí·bel·(l)er, -(l)ist** *n.* [C] 중상(中傷)자, 명예훼손자. **lí·bel·(l)ous** [-ləs] *a.* 명예 훼손의, 중상적인 ; 중상하기를 좋아하는.

‡lib·er·al [líbərəl] *a.* ① 〖政〗 자유주의의, 자유를 존중하는 ; 진보적인. [opp] *conservative.* ¶ ~ democracy 자유민주주의 / Mr. Smith was a ~ politician. 스미스씨는 진보적 정치가였다. ② **a)** 관대한(tolerant), 도량이 넓은(broadminded), 개방적인, 편견이 없는《*in*》. [opp] *illiberal.* ¶ a ~ attitude toward student dress 학생의 복장에 대한 관대한 태도. **b)** (해석 따위가) 자유로운, 자의(字義)에 구애되지 않는 : a ~ translation 의역, 자유역. ③ **a)** 대범한, 인색하지 않은(generous), 아끼지 않는. [opp] *illiberal.* ¶ ~ of [with] one's money 돈을 잘 쓰는 / ~ in giving 활수한. **b)** 풍부한, 많은 : a ~ table 푸짐한 성찬. ④ 교양[생각]을 넓히기 위한, 일반 교양의 : the ~ arts 일반 교양 과목 / (a) ~ education(직업·전문 교육에 대하여) 일반 교양 교육. [cf.] professional, technical.

── *n.* ① [C] 편견 없는 사람 ; 자유주의자, 진보주의자. ② (L-) 《英·Can.》 자유당원.

***lib·er·al·ism** [líbərəlìzəm] *n.* [U] 자유주의.

lib·er·al·ist [líbərəlist] *n.* [C] 자유주의자.

lìb·er·al·ís·tic [-tik] *a.* 자유주의적인.

lib·er·al·i·ty [lìbərǽləti] *n.* ① [U] 너그러움, 관대, 관후. ② [U] 활수함, 인색하지 않음. ③ [C] (혼

히 *pl.*) 베푼 것, 선물.

lib·er·al·ize [líbərəlàiz] *vt.* …의 제약을 풀다 ; 관대하게 하다 ; 자유(주의)화하다. ── *vi.* liberal하게 되다, 개방적이 되다, 관대해지다.
㊥ **lìb·er·al·i·zá·tion** [-lizéiʃən / -laiz-] *n.*

lib·er·al·ly [líbərəli] *ad.* ① 활수하게, 후하게. ② 관대하게 ; 개방적으로 ; 편견없이.

Líberal Párty (the ~) 《英》 자유당.

*__lib·er·ate__ [líbərèit] *vt.* ①《~+目 / +目+前+名》…을 해방하다, 자유롭게 하다 ; 방면〔석방〕하다 ; 벗어나게 하다《*from*》. opp. *enslave.* ¶ ~ a slave 노예를 해방하다 / ~ a person *from* his misery 비참한 상태에서 아무를 구하다 / The new government has ~*d* all political prisoners. 새 정부는 모든 정치범을 석방했다. ②〖化〗(가스 따위)를 유리(遊離)시키다.
㊥ **líb·er·àt·ed** [-èitid] *a.* (사회적·성적 편견에서) 해방된, 진보적인.

lib·er·a·tion [lìbəréiʃən] *n.* Ⓤ ① 해방 ; 석방 ; 해방 운동. cf. lib. ②〖化〗유리(遊離).
㊥ **~·ist** *n.* 해방 운동가.

liberátion theòlogy 해방 신학.

lib·er·a·tor [líbərèitər] *n.* Ⓒ 해방자, 석방자.

Li·be·ria [laibíəriə] *n.* 라이베리아《아프리카 서부의 공화국 ; 수도 Monrovia》.
㊥ **-ri·an** *a., n.* 라이베리아의 (사람).

lib·er·tine [líbərtì:n] *n.* Ⓒ 방탕자, 난봉꾼. ── *a.* 방탕한 ; (종교적으로) 자유 사고〔사상〕의.

lib·er·tin·ism [líbərti:nìzəm] *n.* Ⓤ 방탕, 난봉.

‡**lib·er·ty** [líbərti] *n.* ① Ⓤ 자유(freedom) ; 해방, 석방 : religious ~ 신앙의 자유 / ~ of conscience〔expression, thought, speech, the press〕 양심〔표현, 사상, 언론, 출판〕의 자유 / natural ~ 천부의 자유권. ② Ⓤ …할 자유, 권리 : grant a person ~ *to* go out 아무에게 외출할 자유를 주다. ★ 엄밀하게는 freedom 과는 달리, 과거에 있어서 제한·억압 따위가 있었던 것을 암시함. ③ Ⓒ 멋대로 함, 방자, 도를 넘은 자유 ; 멋대로의〔방자한〕 행동 : Who gave you the ~ *to* leave your class? 누가 멋대로 교실을 나가도 좋다고 했나. ④ (*pl.*) (칙허·시효로 얻은) 특권(privileges)《자치권·선거권·참정권 따위》. ***at*** **~** (1) 속박당하지 않고 ; 자유로. (2) 자유로 …해도 좋은 : You are *at* ~ to use it. 마음대로 그것을 써도 좋다. (3) (아무가) 일이 없는, 한가한 : I'm *at* ~ for a few hours. 두세 시간 한가하다. ***take liberties with*** (1) …와 무람없이 굴다, …에게 무례한 짓을 하다 : You shouldn't *take liberties with* your women employees. 여직원에게 무례하게 굴어서는 안된다. (2) (규칙 따위)를 멋대로 변경하다 : He was told not to *take liberties with* the script. 대본을 함부로 바꾸지 말라는 말을 들었다.

Líberty Bèll (the ~) 《美》 자유의 종(鐘)《Philadelphia 에 있는 미국 독립 선언 때 친 종》.

líberty càp 자유의 모자(cap of liberty)《고대 로마에서 해방된 노예에게 준 삼각 두건 ; 지금은 자유의 표상》.

Líberty Ísland 자유의 여신상이 있는 뉴욕항 입구의 작은 섬.

li·bid·i·nal [libídənəl] *a.* libido 의. ㊥ **~·ly** *ad.*

li·bid·i·nous [libídənəs] *a.* 호색의, 육욕적인, 선정적인. ㊥ **~·ly** *ad.* **~·ness** *n.*

li·bi·do [libí:dou, -bái-] (*pl.* **~*s***) *n.* Ⓤ,Ⓒ ① 애욕, 성적 충동. ②〖精神醫〗리비도《모든 행위의 숨은 동기를 이루는 근원적 욕망》.

li·bra [láibrə] (*pl.* ***-brae*** [-bri:]) *n.* ① Ⓒ (무게의) 파운드《略 : lb., lb》: 6*lb*(*s*), 6파운드. ② Ⓒ (영국 통화의) 파운드《略 : £》. cf. pound[1]. ¶ £9, 9파운드. ③ (L-)〖天〗천칭자리. ④〖占星〗**a**) (L-) 천칭자리, 천칭궁(宮). **b**) (흔히 L-) Ⓒ 천칭자리 출생의 사람.

‡**li·brar·i·an** [laibrέəriən] *n.* Ⓒ 도서관 직원 ; 사서(司書). ㊥ **~·shìp** *n.* Ⓤ ~의 직무〔지위〕.

†**li·bra·ry** [láibrèri, -brəri / -brəri] *n.* Ⓒ ① 도서관, 도서실 : a college ~ 대학 도서관 / a public〔traveling〕 ~ 공공〔순회〕 도서관. ② (개인의) 서고 ; 서재, 독서실. ③ (출판사의) …총서(叢書), …문고, 시리즈. ④《美》세책집, 대본집(rental ~). ⑤ 장서, 문서 ; (레코드·테이프 등의) 라이브러리《수집물 또는 시설》;〖컴〗(프로그램·서브루틴 등의) 자료관, 라이브러리 : a record〔software〕 ~ 레코드〔소프트웨어〕 라이브러리. ***the Library of Congress*** 《美》 국회 도서관.

líbrary edìtion ① (도서관용) 특제판. ② (같은 장정·판형인 동일 저자의) 전집판.

líbrary scíence 도서관학.

li·bret·tist [librétist] *n.* Ⓒ (가극의) 대본 작자.

li·bret·to [librétou] (*pl.* **~*s***, ***-bret·ti*** [-bréti]) *n.* Ⓒ 《It.》 (가극 따위의) 가사, 대본.

Lib·ya [líbiə] *n.* 리비아《아프리카 북부의 공화국 ; 수도 Tripoli》.

Lib·y·an [líbiən] *a.* 리비아(사람)의. ── *n.* Ⓒ 리비아 사람.

Líbyan Désert (the ~) 리비아 사막.

lice [lais] LOUSE 의 복수.

‡**li·cense, -cence** [láisəns] 〔*v.*는 《英》《美》 모두 license, *n.*은 《英》에서 -cence 가 보통〕 *n.* ① Ⓤ,Ⓒ 면허, 인가 ; 관허, 특허 : a ~ to practice medicine 의사 개업 면허 / sell liquor under ~ 허가를 얻어 주류를 판매하다. ② Ⓒ 허가증, 인가서, 감찰(鑑札), 면허〔특허〕장 : a dog ~ 개표(標) / a ~ for the sale of alcoholic drinks 주류 판매 허가서 / The policeman asked me for my driver's ~. 경찰은 내게 운전 면허증의 제시를 요구했다. ③ Ⓤ (문예 작품에서 허용되는) 파격(破格), 허용 : ⇨ POETIC LICENCE. ④ Ⓤ 멋대로 함, 방자, 방종 ; (행동의) 자유 : have ~ to do …할 자유가 있다 / Freedom of the press must not be turned into ~. 출판의 자유가 남용돼서는 안된다. ── *vt.* ①《+目+*to* do》…에게 면허〔특허〕를 주다, …을 인가〔허가〕하다 : The office ~*d* me *to* sell tobacco. 관청은 내게 담배 판매를 허가했다. ② (…의 출판〔흥행〕 등)을 허가하다.

li·censed [láisənst] *a.* 면허를 얻은, 허가를 받은, 인가된 ; a ~ practical nurse 《美》 유자격 준간호사《略 : LPN》 / a ~ house 주류 판매 허가점《음식점·여관 따위》; 유곽 / a ~ victualler 《英》 주류 판매 허가점 주인.

li·cen·see [làisənsí:] *n.* Ⓒ 면허〔인가〕를 받은 사람, 감찰이 있는 사람 ; 《특히》 공인 주류 판매인.

lícense plàte 《美》 (자동차 따위의) 번호판 (《英》 number plate).

li·cen·ti·ate [laisénʃiit, -ʃièit] *n.* Ⓒ 면허장 소유자, 개업 유자격자 : a ~ *in* medicine 의사 개업 유자격자.

li·cen·tious [laisénʃəs] *a.* 방탕한 ; (성적 행동이) 방종한. ㊥ **~·ly** *ad.* **~·ness** *n.*

*__li·chen__ [láikən, -kin] *n.* Ⓤ ①〖植〗지의류(地衣類). ②〖醫〗태선(苔癬). cf. moss.

li·chened [-d] *a.* 이끼가 낀, 지의〔이끼〕로 덮「인.

li·chen·ous [-nəs] *a.* 지의의, 지의 같은 ; 지의〔이끼〕가 많은.

lích gàte [lítʃ-] (교회 묘지입구의 지붕 있는)「묘지문.

lic·it [lísit] *a.* 합법적인, 정당한. opp. *illicit.*

‡**lick** [lik] *vt.* ①《~+目 / +目+前+名 / +目+副 / +目+補》…을 핥다, 핥아먹다, 핥아서 떼다

《*off* ; *up* ; *from*》: The cat ~*ed* and washed its paws. 고양이는 발을 핥아 씻었다 / ~ the honey *off* 〔*from*〕 one's lips 입에 묻은 꿀을 핥아먹다 / He ~*ed* a stamp and put it on an envelope. 우표를 핥아서 봉투에 붙였다 / The dog ~*ed up* the spilt milk. 개는 엎질러진 우유를 다 핥아먹었다. ②《~+목/+목+부》 (물결이) …을 스치다, 넘실거리다, (불길 등이) 널름널름 태워버리다 : The flames ~*ed up* the wooden house in less than a minute. 불길은 1분도 안 걸려서 목조건물을 널름널름 태워버렸다. ③《~+목/+목+전+명》《口》 …을 때리다, 때려서 (결점 따위)를 고치다《*out of*》: be well ~*ed* 호되게 매맞다 / I cannot ~ the fault *out of* him. 아무리 때려도 그의 결점을 고칠 수 없다. ④ **a)**《口》 …에게 이기다(overcome) ; …보다 낫다. **b)** …에게 알 수 없게 하다 : This ~*s* me. 이것엔 손들었다《무언지 전혀 모르겠다》. — *vi.* ①《+전+명》 (불길·파도 따위가) 급속히 번지다 ; 너울거리다, 출렁이다 : The waves ~*ed about* her feet. 그녀의 발 밑을 파도가 씻어갔다. ②《口》 속력을 내다, 서두르다(hasten) : run away as hard as one can ~ 쏜살같이 도망치다. ~ ***into shape*** 《口》 제 구실을 하게 하다, 어연번듯하게 만들다, 형상을 만들다. ~ ***one's lips*** 〔***chops***〕 입맛을 다시다 ; 군침을 흘리다. ~ ***one's wound***(***s***) 상처를 치료하다 ; 패배 후 다시 일어서려고 힘을 기르다.

— *n.* ① Ⓒ 핥기, 한 번 핥기 : She had a ~ at the jam. 잼을 한 번 핥았다. ② Ⓒ 한 번 핥는 양, 소량 : I don't care a ~ about her. 그녀에게는 전혀 무관심하다 / a ~ of salt. ③ Ⓒ 한 번 닦기〔쓸기〕, (페인트 따위를) 한 번 칠하기《*of*》: give the wall a ~ *of* paint 벽을 한 번 칠하다 / give the room a quick ~ 방을 한 번 휙 쓸다. ④ Ⓒ 동물이 소금을 핥으러 가는 곳. ⑤ Ⓒ《口》 강타, 일격 : give (a person) a ~ on the ear (아무의) 따귀를 갈기다. ⑥ Ⓤ (또는 a ~)《口》 빠르기, 속력 : at *a* great ~ 굉장한 스피드로 / (at) full ~ 전속력으로. ***give a ~ and a promise*** (1) (일 따위)를 적당히〔아무렇게나〕 하다. (2) (손 따위)를 서둘러 씻다.

lick·e·ty-split [líkətisplít] *ad.* 《口》 전속력으로.

lick·ing [líkiŋ] *n.* Ⓒ ① 핥음 ; 한 번 핥기. ②《口》 매질, 때림 : give a person a good ~ 아무를 되게 때리다 / get〔take〕 a ~ 지다, 패배하다.

lick·spit·tle [líkspìtl] *n.* Ⓒ 아첨꾼, 알랑쇠.

lic·o·rice [líkərəs] *n.* ① Ⓤ 감초(甘草) ; 감초뿌리 (엑스)《약용·향미료》. ② Ⓤ,Ⓒ 감초를 넣어 만든 사탕.

‡lid [lid] *n.* ① Ⓒ 뚜껑 : a dustbin ~ 휴지통 뚜껑. ② Ⓒ 눈꺼풀(eyelid). ③ (*sing.*) 규제, 억제, 단속. ④ Ⓒ《俗》 모자. ***blow the ~ off*** (추문·좋지 않은 내막 따위를) 여러 사람 앞에 드러내다, 폭로하다. ***flip one's ~*** 《俗》 몹시 화내다, 분노를 폭발시키다. ***put the*** (***tin***) ***~ on*** 《英口》 (1) (계획·행동 따위를) 망쳐 놓다. (2) (일련의 좋지 않은 일이) 최악의 상태로 끝나다.

lid·less [lídlis] *a.* ① 뚜껑이 없는. ② 눈꺼풀이 없는. ③《古·詩》 경계를 게을리하지 않는 (vigilant).

li·do [líːdou] *n.* Ⓒ 해변 휴양지 ; 옥외 수영 풀.

†lie[1] [lai] (***lay*** [lei] ; ***lain*** [lein] ; ***ly·ing*** [láiiŋ]) *vi.* ①《+전+명/+부》 (사람·동물 등이) 눕다, 드러〔가로〕눕다, 누워 있다 ; 엎드리다, 자다《*down*》: ~ *on* the bed 침대에 눕다 / He *lay down* on the grass. 그는 잔디 위에 누웠다 / The injured man was *lying* motionless *on* his back. 그 부상자는 반듯이 누운채 움직이지 않았다. ②《+전+명/+부》 기대다(recline), 의지하다《*against*》: a ladder *lying against* the wall 벽에 세워져 있는 사닥다리 / ~ *back in* an arm chair 안락 의자의 등받이에 기대다. ③《+전+명》 (사람·시체가) 묻혀 있다, (지하에) 잠들고 있다 : His ancestors ~ *in* the cemetery. 그의 조상은 공동 묘지에 묻혀 있다. ④《+전+명》 (물건이) 가로놓이다, 놓여 있다 : the book *lying on* the table 테이블 위에 놓여 있는 책 / Snow *lay on* the ground. 눈이 지면에 쌓여 있었다. ⑤《+전+명》 (경치 따위가) 펼쳐져〔전개되어〕 있다 ; (길이) 뻗어 있다, 통(通)해 있다(lead) 《…에서 —까지 *between* ; …을 통(通)하여 *through* ; …의 옆을 *by* ; …을 따라 *along*》: The valley ~*s at* our feet. 발 아래 골짜기가 펼쳐져 있다 / The path ~*s along* a stream 〔*through* the woods〕. 길은 시내를 따라〔숲을 지나〕 뻗어 있다. ⑥《+부/+전+명/+보》 (…에) 있다, 위치하다 : *Where* does the park ~ ? 공원은 어느 쪽에 있습니까 / Ireland ~*s to* the west of England. 아일랜드는 영국의 서쪽에 있다. ⑦《+전+명/+보》 (원인·이유·본질·힘·책임 따위가 …에) 있다, 존재하다, 찾을 수 있다 : The remedy ~*s in* education. 그것을 구제하는 길은 교육에 있다 / The real reason ~*s* deeper. 진짜 이유는 더 깊은 곳에 있다 / The problem ~*s in* his attitude. 문제는 그의 태도 여하에 있다. ⑧《+전+명/+보》 가만히 있다, (물건이) 잠자고〔놀고〕 있다 : money *lying at* the bank 은행에서 잠자고 있는 돈 / We'll let the matter ~. 그 건은 그냥 내버려 두자 / These machines have *lain* idle since the factory closed. 공장 폐쇄 후 이 기계들은 놀고 있다. ⑨《+보/+전+명/+부+*done*/+-*ing*》 …상태에 있다 (remain) : ~ *in* prison 감옥살이를 하고 있다 / ~ *under* a charge 고발당하고 있다 ; 비난받고 있다 / ~ watch*ing* television 드러누워 텔레비전을 보고 있다. ⑩《(+보)+전+명》 (사물이 …을) 내리누르다, 압력을 가하다 ; (음식이 …의) 부담이 되다《*on, upon*》; (사물이 …의) 책임〔의무, 죄〕이다《*with*》: The problem *lay* heavily *upon* me. 그 문제는 나를 무겁게 내리눌렀다 / Time *lay* heavy *on* his hands. 그는 시간을 주체 못 하고 있었다 / The oily food *lay* heavy *on* my stomach. 그 기름기 있는 음식이 위에 부담을 주었다. ⑪〖法〗 (소송 따위가) 제기되어 있다 ; (주장 등이) 성립하다, 인정되다 : Objection will not ~. 이의(異義)는 성립되지 않을 거야. ***as far as in me ~s*** 내 힘이 미치는〔닿는〕 한. ***Let sleeping dogs ~.*** 《俗談》 자는 범 코침 주지 마라 ; 긁어 부스럼 만들지 마라. ~ ***about*** (1) (여기 저기) 흩어져 있다 : He left his papers *lying about*. 그는 서류(書類)를 흩어진 채로 두었다. (2) 빈둥빈둥 놀며 지내다. ~ ***ahead*** 앞〔전도(前途)〕에 가로놓여〔대기하고〕 있다 : Great difficulties still ~ *ahead*. 커다란 어려움이 여전히 앞에 가로놓여 있다. ~ ***around*** =~ about. ~ ***at*** a person***'s door*** (책임이) 아무에게 있다 : The fault ~*s at your door*. 책임은 너에게 있다(=The fault ~*s with you*.). ~ ***at*** a person***'s heart*** 아무의 사모를 받고 있다 ; 아무의 걱정거리다. ~ ***back*** 벌렁 눕다 ; 뒤에 기대다 : She ~ *back* in the bed. 그녀는 침대에 벌렁 드러누웠다. ~ ***by*** (1) 수중에 있다, 보관되어 있다, 쓰이지 않고 있다. (2) 쉬다, 물러나 있다. ~ ***down*** (1) 눕다, 자다《*on*》. (2) 굴복하다, (모욕 따위를) 감수하다 : ~ *down under* a defeat 패배를 감수하다 / You mustn't just ~ *down under* such treatment. 그따위 대접을 받고 그냥 잠자코 있어서는 안된다. ~ ***in*** (1) 산욕(産褥)에 들다, 산원에 들어가다. (2)

《英口》 평소보다 늦게까지 누워 있다 : It's a holiday tomorrow, so you can ~ *in*. 내일은 일요일이니 더 늦게까지 자도 된다. **~ off** (1)〖海〗 해안〔딴 배〕에서 좀 떨어져 있다. (2) 잠시 일을 쉬다, 휴식하다. **~ over** 연기되다 ; 보류되다 : There are a few important matters *lying over* from last week. 전주부터 현안이 되어있는 몇개의 중요한 사항이 있다. **~ to** 〖海〗 (이물을 바람 부는 쪽으로 돌리고) 거의 정선(停船)하고 있다. **~ up** (1) 휴식하다 ; (병으로) 자리에 눕다. (2) 은퇴하다, 활동을 그치다, 물러나다. (3)〖海〗 (배가) 독(dock)에 들어가다, 선거(船渠)에 매여 있다. **~ with** (일이, …의) 의무〔역할, 책임〕이다 ; (책임 등이) …에게 있다 : The decision in this matter ~*s with* him. 이 일의 결정은 그가 할 일이다.

— *n.* ① Ⓤ (종종 the ~)《英》 위치, 방향, 향(向) ; 상태, 형세 : *the* ~ of the land 지세 ; 형세, 사태. ② Ⓒ 동물의 집〔굴〕. ③ Ⓒ〖골프〗 라이 ; 공의 위치.

†lie² [lai] *n.* Ⓒ ① (고의적인) 거짓말, 허언 : You're telling ~*s* now. 넌 지금 거짓말하고 있다. ② 속이는 행위, 허위, 속임수 : Her smile is a ~ that conceals her sorrow. 그녀의 미소는 슬픔을 감추기 위해 꾸민 허위이다.

give the ~ to . . . (1) 아무를 거짓말쟁이라고 비난하다. (2) …이 거짓임을 입증하다 : His behavior *gave the ~ to* his words. 그의 행동으로 그의 말이 거짓임을 알았다. ***live a ~*** 바르지 못한 생활을 보내다, 배신을 계속하다.

— (*p., pp.* **lied** [laid] ; **ly·ing** [láiiŋ]) *vi.* ①《+전+명》 거짓말을 하다 : ~ *to* a person 아무에게 거짓말하다 / The camera doesn't ~. 카메라는 정직하다.

> 參考 lie는 언제나 의도적 기만의 함축성을 가짐. 따라서 You are *lying*. 이라든가 You are a *liar !* 따위의 표현은 다소 과장한다면 '새빨간 거짓말이다'라든지 '이 사기꾼아' 따위의 기분을 풍기며 상대의 성의를 정면으로 의심하는 도발적인 말로 보아야 할 때가 많음. a white (little) *lie* '악의 없는 (사소한) 거짓말'과 같은 표현이 엄연히 있는 것이 이를 뒷받침함.

② 속이다, 눈을 속이다, 현혹시키다 ; (계기 따위가) 고장 나 있다 : Mirages ~. 신기루는 사람의 눈을 속인다.

— *vt.* 《+목+부 / +목+전+명》 거짓말을 하여 …하다 ; 거짓말을 하여 …을 빼앗다(*out of*) : ~ a person's reputation *away* 거짓말을 하여 아무의 명성을 손상시키다. ~ a person ***into*** 아무를 속여서 …에 빠뜨리다. ***~ in*** one***'s teeth*** 〔***throat***〕 새빨간 거짓말을 하다. ~ one***self*** 〔one***'s way***〕 ***out of . . .*** 거짓말을 하여 (궁지 등에서) 벗어나다.

Liech·ten·stein [líktənstàin] *n.* 리히텐슈타인 《오스트리아와 스위스 사이에 있는 입헌 군주국》.

lied [li:d] (*pl.* **~·er** [lí:dər]) *n.* Ⓒ 《G.》 리트, 가곡(歌曲).

líe detèctor 《口》 거짓말 탐지기 : give a person a ~ test 아무를 거짓말 탐지기로 조사하다.

lie-down [láidàun] *n.* Ⓒ 《英口》 결잠.

lief [li:f] (∠·**er**) *ad.* 《古》 기꺼이, 쾌히 (willingly)《★ 주로 다음의 용법으로만 쓰임》.

would 〔***had***〕 ***as ~ . . .*** (***as*** __), (—보다는) …하는 것이 좋다 ; (—하느니 차라리) …(하는 편)이 낫다 : I *would as* ~ go there *as* anywhere else. 어디 딴 곳에 가느니 차라리 그곳으로 가는 편이 좋다. ***would*** 〔***had***〕 ***~er . . . than*** __ —하느니 차라리 …하는 편이 낫다 : I *would ~er* die *than* do it. 그런 짓을 하느니 차라리 죽는 편이 낫다.

liege [li:dʒ] *n.* Ⓒ ① (봉건제도하의) 군주, 영주 : My ~ ! 전하, 상감마마《호칭》. ② (봉건제도하의) 가신 ; (the ~s) 신하, 가신 : His Majesty's ~*s* 폐하의 신하. — *a.* 〔限定的〕 ① 군주로서의, 군주의 : a ~ lord 군주. ② (봉건제도하의) 신하로서의, 신하의 : ~ homage 신하로서의 예.

lie-in [láiìn] *n.* Ⓒ ① 연좌 데모. ②《英口》 늦잠 : have a ~ 늦잠을 자다.

lien [li:n, lí:ən] *n.* Ⓒ〖法〗 선취특권, 유치권(留置權)《*on*》.

lieu [lu:] *n.* Ⓤ 장소. ★ 다음 成句로만. ***in ~ of*** …의 대신으로(instead of).

Lieut. Lieutenant. **Lieut. Col.** 《英》 Lieutenant Colonel.

‡lieu·ten·ant [lu:ténənt /《陸軍》 leftén-, 《海軍》 lətén-] *n.* 《略 : lieut., 複合語일 때는 Lt.》 ①〖美陸·空軍·海兵〗 중위(first ~), 소위(second ~) ; 〖英陸軍〗 중위. ②〖美英海軍〗 대위 : ~ junior grade《美》 해군 중위 / sub~ 《英》 해군 중위. ③ 상관 대리, 부관(deputy). ④《美》 (경찰·소방서의) 지서 차석, 서장 보좌.

lieuténant cólonel 〖美陸空軍·英陸軍〗 중령.

lieuténant commánder 해군 소령.

lieuténant géneral 〖美陸空軍·英陸軍〗 중장.

lieuténant góvernor 《美》 (주(州)의) 부지사 ; 《英》 (식민지의) 부총독, 총독(總督) 대리.

lieuténant júnior gráde (*pl.* ***lieutenants junior grade***) 〖美海軍〗 중위.

†life [laif] (*pl.* **lives** [laivz]) *n.* ① Ⓤ 생명 ; 생존, 삶, 생(生) : the origin of ~ 생명의 기원 / the struggle for ~ 생존 경쟁 / human ~ 인명 / at the sacrifice of ~ 인명을 희생으로 하여 / a matter of ~ and〔or〕 death 사활의 문제.

② **a)** Ⓒ 수명, (개인의) 목숨, 평생, 생애 : a long 〔short〕 ~ 장수〔단명〕/ How many *lives* were saved? 몇 사람이 구출되었나 / Many *lives* were lost. 많은 인명이 희생되었다 / He was single all his ~. 그는 평생을 독신으로 지냈다 / live out one's ~ 수명을 다하다. **b)** Ⓒ (무생물의) 수명, 내구〔내용〕 기간 ;〖物〗 (소립자 따위의 평균) 수명 : a machine's ~ 기계의 수명 / the ~ of a popular novel 인기 소설의 수명 / This battery has a ~ of 100 hours. 이 배터리의 수명은 100시간이다. **c)** Ⓤ 종신형(~ sentence) : get ~ 종신형에 처해지다 / The judge gave the murderer ~. 재판관은 살인범에게 종신형을 선고했다.

③ Ⓤ 〔集合的〕 생물 : animal 〔vegetable〕 ~ 동〔식〕물 / The waters swarm with ~. 바다와 강에는 생물이 많이 살고 있다 / There seems (to be) no ~ on the moon. 달에는 생물이 존재하는 것 같지 않다.

④ Ⓒ 태어나서 현재까지의 기간 : He had never been ill in his ~. 그 때까지 아파 본 적이 없었다. ★ '한평생'으로 새기면 잘못.

⑤ **a)** ⒸⓊ 생활(상태) : a simple 〔single〕 ~ 간편한〔독신〕 생활 / city 〔country〕 ~ 도시〔전원〕 생활 / lead a dismal 〔comfortable〕 ~ 쓸쓸한〔안락한〕 생활을 하다. **b)** Ⓤ 인생 ; (이) 세상 ; 실(사회)생활, 사회 활동 : this〔the other〕 ~ 이승〔저승〕/ *Life* begins at fifty. 인생은 50부터 / Such is ~. = That's ~. = *Life*'s like that. 인생이란 그런 것이다 / get on in ~ 출세하다 / *Life* is but an empty dream. 인생은 한 낱 헛된 꿈에 지나지 않는다.

⑥ Ⓒ 전기, 일대기, 언행록 : Boswell's '*Life* of Johnson' 보즈웰의 '존슨전(傳)'.

⑦ Ⓤ 실물, 진짜 ; (사진 따위가 아닌) 진짜 (누드) 모델 ; 실물크기(의 모양) : a picture sketched from (the) ~ 사생화 / larger than ~ 실물보다 큰, 과대(誇大)의 ; 특출한, 유별난.
⑧ Ⓤ **a)** 활기, 기운 ; 활력, 건강의 원천 ; 신선함 : full of ~ 활기에 찬 / with ~ 기운차게 / The child is all ~. 어린아이는 생기에 차 있다. **b)** (식품의) 신선도, 싱싱함 ; (포도주 따위의) 발포성.
as I have ~ 확실히, 틀림없이. ***as large*** 〔***big***〕 ***as*** ~ (1) 실물 크기의, 등신대(等身大)의. (2) 《戯》 다른 사람 아닌, 정말로, 어김 없이, 몸소, 자신이 : Here he is, *as large as* ~. 자 여기 본인이 나타났다. ***bring ... to*** ~ …을 소생시키다 ; 활기 띠게 하다. ***come to*** ~ 소생하다, 의식을 회복하다 ; 활기 띠다. ***for*** ~ 종신(의), 무기(의), 일생(의) : imprisonment *for* ~ 종신 징역. ***for*** one***'s*** ~ =***for dear*** 〔***very***〕 ~ 필사적으로, 죽을 힘을 다해서. ***for the*** ~ ***of*** one 《口》 〔흔히 否定文에서〕 아무리 해도(…않다) : I ca*n't for the* ~ *of* me understand it. 나는 아무리 해도 그것을 이해할 수 없다. ***in*** ~ (1) 살아 있는 동안에는, 생전에, 이승에서(는) : late *in* ~ 만년에. (2) 〔all, no 따위를 강조하여〕 아주, 전혀 : with *all* the pleasure *in* ~ 아주 크게 기뻐하며 / I own *nothing in* ~. 재산은 전무(全無)다. ~ ***and limb*** 생명과 신체 : safe in ~ *and limb* 신체·생명에 별 이상 없이 / escape with ~ *and limb* 이렇다 할 부상〔손해〕 없이 도망치다. ***Not on your*** ~ ***!*** 《口》 절대로 안 그렇다, 천만의 말씀. ***on your*** ~ 반드시, 꼭(by all means). ***take*** one***'s*** ~ ***in*** one***'s hands*** 번연히 알면서 죽음을 무릅쓰다. ***take*** one***'s own*** ~ 자살하다. ***to the*** ~ 실물 그대로, 생생하게 : a portrait drawn *to the* ~ 살아 있는 것 같은 초상화. ***true to*** ~ (이야기·연극 따위가) 박진(迫眞)하여〔한〕, 현실 그대로(의). ***upon my*** ~ (1) 목숨을 내걸고 ; 맹세코, 반드시. (2) 어렵쇼. ***What a*** ~ ***!*** 이게 뭐람, 아이고 맙소사.
— *a.* 〔限定的〕 ① 일생의, 생애의, 종신의 : a ~ member 종신 회원 / a ~ story 전기. ② 생명의 : ⇨ LIFE SPAN. ③ 생명 보험의 : a ~ office 생명 보험 회사.

life-and-death [ˊ-əndéθ] *a.* 사활에 관계되는, 극히 중대한.

life assùrance 《英》 생명 보험.

life bèlt 구명띠〔대〕.

life·blood [ˊ-blʌ̀d] *n.* Ⓤ ① 생혈(生血), 삶에 필요한 피. ② 활력〔생기〕의 근원.

***life·boat** [ˊ-bòut] *n.* Ⓒ 구명정, (해난) 구조선.

life bùoy 구명 부대(浮袋).

life cỳcle ①〚生〛 라이프 사이클, 생활사(史). ②〚컴〛 수명.

life expèctancy 기대 수명, 평균 예상 여명(餘命) (expectation of life).

life-giv·ing [ˊ-gìviŋ] *a.* 생명〔활력〕을 주는.

life·guard [ˊ-gɑ̀ːrd] *n.* Ⓒ ① (수영장 따위의) 감시원, 구조원. ② 호위(병).

Life Guàrds 《英》 (the ~) 근위병 연대.

life hístory 〚生〛 생활사(史) 《발생에서 죽음에 이르기까지의 생활 과정·변화》.

life insùrance 생명 보험.

life jàcket 구명 재킷(life vest).

***life·less** [láiflis] *a.* ① 생명이 없는 ; 생물이 살지 않는 : ~ planet 생물이 살지 않는 행성. ② 생명을 잃은, 죽은 : He knelt beside her ~ body. 그는 그녀의 시신 곁에 무릎을 꿇었다. ③ 기절한 : fall ~ 기절하다. ④ 활기〔생기〕가 없는 ; 기력이 없는 ; (이야기 따위가) 김빠진(dull) : a ~ story 김빠진 이야기 / speak in a ~ manner 힘 없이 말하다. ㊞ ~·**ly** *ad.* ~·**ness** *n.*

life·like [láiflàik] *a.* 살아 있는 것 같은 ; (초상화 따위) 실물과 똑같은 ; (연기 따위) 박진감있는.

life·line [ˊ-làin] *n.* Ⓒ ① 구명삭(索). ② (우주 유영자·잠수부의) 생명줄. ③ 《比》 유일한 의지. ④ 〚手相〛 생명선.

***life·long** [ˊ-lɔ̀(ː)ŋ, ˊ-lɑ̀ŋ] *a.* 〔限定的〕 일생〔평생〕의, 생애의 : ~ education 〚教〛 평생 교육 / a ~ friendship 평생토록 지속되는 우정.

life nèt (소방용의) 구명망(網).

life pèer (영국의) 일대(一代) (한(限)의) 귀족.

life presèrver ① 《美》 구명구(具) 《구명 재킷 따위》. ② 《英》 호신용 단장 《끝에 납을 박음》.

lif·er [láifər] *n.* Ⓒ 《俗》 ① 무기수(囚). ② 《美》 직업 군인. ③ 그 일에 평생을 바친 사람.

life ràft (고무로 된) 구명 보트.

life-sav·er [ˊ-sèivər] *n.* ① 인명 구조자〔장비〕. ② 《口》 곤경에서 건져주는 사람〔물건〕 : That money you lent me was a ~. 네가 빌려준 그 돈으로 곤경에서 벗어났다.

life·sav·ing [ˊ-sèiviŋ] *a.* 〔限定的〕 인명구조의, 구명의 : ~ first-aid techniques 구명 응급 기술.

life scìence (흔히 ~s) 생명 과학 《physical science 에 대하여 생물학·생화학·의학·심리학 등》.

life sèntence 〚法〛 종신형 ; 무기 징역.

life-size(d) [ˊ-sáiz(d)] *a.* 실물대(大)의.

life spàn (생물체·동식물·제품 등의) 수명.

life-style [ˊ-stàil] *n.* Ⓒ (개인·집단 특유의) 생활 양식, 라이프 스타일.

life-sup·port [ˊ-səpɔ̀ːrt] *a.* 〔限定的〕 생명 유지를 위한 : a ~ system〔machine〕 생명 유지 장치〔기계〕.

‡life·time [ˊ-tàim] *n.* Ⓤ,Ⓒ ① 일생, 생애, 평생 : a ~ of suffering 고난의 생애 / the chance of a ~ 일생에 다시 없는 호기. ② (물건의) 수명, 존속기간. — *a.* 〔限定的〕 생애의, 필생〔일생〕의 : ~ employment 종신 고용.

life vèst =LIFE JACKET.

life·work [ˊ-wə̀ːrk] *n.* Ⓤ ① 일생의 일 ; choose government service as one's ~ 평생의 직업으로 공무원의 길을 택하다. ② 필생의 대사업.

LIFO [láifou] *n.* Ⓤ 〚會計·컴〛 후입 선출(後入先出), 끝먼저내기. [◂ *last-in-first-out*]

†lift [lift] *vt.* ① 《+목+전+명》. **a)** …을 들어올리다, 올리다, 안아 올리다 : The girl ~*ed* the phone and dialed her home. 그 소녀는 수화기를 들고 집에다 전화를 걸었다 / He ~*ed* the glass *to* his mouth. 그는 잔을 들어 입에다 댔다 / ~ a baby *in* one's arms 두 팔로 아기를 안아올리다. **b)** …을 들었다가 내려놓다 《*down*》 : ~ a trunk *down* to the floor (선반 등에서) 트렁크를 들어 마루에 내려놓다 / *Lift* me that book *down from* the shelf. 선반에서 저 책 좀 내려주시오. ② 《~+목 / +목+부 / +목+전+명》 (손 따위)를 위로 〔들어〕 올리다 ; (눈·얼굴 따위)를 쳐들다 《*up* ; *from*》 : ~ (*up*) one's eyes 올려다보다 / ~ one's head from the morning paper 조간을 보다가 고개를 들다. ③ **a)** 《+목+전+명》 …을 향상시키다, 고상하게 하다 ; …의 사회적 지위를 높이다 ; 출세시키다 : ~ a man *out of* obscurity 무명인(無名人)을 출세시키다. **b)** 《+목+부》 (기운)을 돋우다 《*up*》 : ~ (*up*) one's heart〔spirits〕 기운을 내다. **c)** 《+목+부》 (목소리)를 높이다 ; (큰소리)를 지르다 : ~ (*up*) one's voice in song 노랫소리를 높이다 / ~ a shout 고함을 지르다 《★ raise가 더 일반적임》. ④ 《~+목 / +목+전+명》 (바리케이드·천막 따위)를 치우다, 철거하다, 일

소〔제거〕하다; (포위 따위)를 풀다, (금령(禁令) 따위)를 해제하다: ~ a siege 포위를 풀다 / ~ the ban 금제(禁制)를 풀다 / ~ a tariff 관세를 폐지하다. ⑤ (부채)를 갚다; (잡힌 물건·화물 등)을 찾(아내)다: ~ a mortgage 잡힌 것을 찾다. ⑥《+목+전+명》《口》(남의 문장)을 따다, 표절하다《*from*》: ~ a passage *from* Milton 밀턴의 한구절을 표절하다. ⑦《俗》…을 훔치다, 후무리다: ~ a shop 가게에서 몽태치다 / She had her purse ~*ed*. 그녀는 지갑을 들치기 당했다. ⑧〖農〗…을 파내다: ~ potatoes 감자를 캐내다. ⑨〖골프〗(공)을 쳐 올리다. ⑩ (성형 수술로 얼굴의) 주름살을 없애다: have one's face ~*ed* (정형수술로) 얼굴의 주름살을 없애다. ⑪ …을 공수(空輸)하다, 수송하다; (승객)을 태우고 가다《*to*》: ~ tourists *to* Chicago 관광객을 시카고로 수송하다.

— *vi.* ① 오르다; (창·뚜껑 등이, 위로) 열리다: The curtain slowly ~*ed*. 막이 서서히 올라갔다 / The cover doesn't ~. 뚜껑이 열리지 않는다. ② (구름·안개가) 걷히다, 없어지다(disperse); (비 따위가) 그치다, 개다; (표정·기분이) 밝아지다: The fog soon ~*ed*. 안개가 곧 걷혔다. ③ (로켓·우주선 등이) 발사대를 떠나다, 이륙하다; 발진하다《*off*》: The space shuttle ~*ed off* without a hitch. 우주 왕복선은 순조롭게 발진했다. ~ ***a finger*** 〔***hand***〕〖흔히 否定文에서〗(…하는) 약간의 노력을 하다《*to* do》: He did*n't* ~ *a finger to* help me. 그는 나를 돕기 위한 아무런 노력도 하지 않았다.

— *n.* ① Ⓒ **a**) (들어)올리기, 오르기: I gave the rock a ~ to test the weight. 나는 무게를 알려고 돌을 들어올렸다. **b**) 한 번에 들어올리는 양〔무게〕, 올려지는 거리〔정도〕, 상승 거리《*of*》: a ~ *of* two meters, 2미터를 들어올림 / There was so much ~ *of* sea. 파도가 굉장히 높았다. ② (a ~) 정신의 앙양〔고양〕, (감정의) 고조(高潮): Getting the job gave him *a* ~. 취직이 돼서 그는 신이 났다. ③ Ⓒ **a**) 승진, 승급, 출세《*in*》: a ~ *in* one's career 출세. **b**) (물가·경기 따위의) 상승《*in*》: a ~ *in* prices 물가의 상승. ④ Ⓒ (흔히 *sing.*) (보행자를) 차에 태워줌; 조력, 도움, 거들어 주기: give a person a ~ 아무를 동승시켜 주다〔도와 주다〕. ⑤ Ⓒ《英》승강기(《美》elevator); 기중기; 리프트: hydraulic ~ 유압〔수압〕 승강기 / ⇨ SKI LIFT. ⑥ Ⓒ 공수(空輸) (airlift); 수송. ⑦ Ⓤ 양력(揚力).

lift·boy [ˊbɔ̀i] *n.* Ⓒ《英》= LIFTMAN.

lift·er [líftər] *n.* Ⓒ ① 들어올리는 사람〔물건〕. ②《俗》도둑놈, 들치기, 후무리는 사람.

lift·man [ˊmæ̀n] (*pl.* ***-men*** [ˊmən]) *n.* Ⓒ《英》승강기 운전사(《美》elevator operator).

lift-off [ˊɔ̀(ː)f, ˊɑ̀f] *n.* Ⓒ (우주선·로켓 따위의) 발사, 발진(發進)(★ 일반 항공기의 경우는 take off).

lig·a·ment [lígəmənt] *n.* Ⓒ ①〖解〗인대(靭帶). ② 연줄, 기반(羈絆).

lig·a·ture [lígətʃùər, -tʃər] *n.* ① Ⓤ 동여 맴, 묶음. ② Ⓒ **a**) 동여매는 것《끈·새끼 등》. **b**)〖醫〗결찰사(結紮絲). ③ Ⓒ〖印〗합자(合字)《æ, fi 등》. ④ Ⓒ〖樂〗이음줄, 슬러(slur).

— *vt.* …을 묶다; 결찰 봉합하다.

†light[1] [lait] *n.* ① **a**) Ⓤ 빛, 광선; 햇빛; 낮, 대낮; 새벽: the ~ of the sun〔the fire〕햇빛〔불빛〕/ in ~ 빛을 받아 / before ~ 날이 밝기 전에 / before the ~ fails 해지기 전에 / I must finish the work while the ~ lasts. 나는 낮 동안에 일을 끝내야 한다. **b**) Ⓤ 밝음, 광명, 광휘, 빛남(opp. *darkness*); (比) 명백, 밝은 곳, 노현(露顯): come to ~ 밝혀지다, 드러나다 / bring a fact to ~ 사실을 밝히 드러내다〔폭로하다〕. **c**) Ⓤ (또는 a ~) 눈의 빛남;〖畫〗밝은 부분(cf. shade): The ~ of his eyes died. 눈의 빛이 사라졌다, 활기(活氣)가 없어졌다.

② **a**) Ⓒ 발광체, 광원; 천체: We saw ~*s* in the distance. 멀리 불빛이 보였다. **b**) Ⓒ〔종종 集合的〕등불, 불빛, 교통 신호등; (컴퓨터 등의) 표시 램프; 횃불; 등대; (*pl.*) (무대의) 각광: jump the ~ 신호를 무시하다 / put out the ~ 불을 끄다 / before the ~*s* 각광을 받고, 무대에 나가, 출연하여. **c**) Ⓒ 채광창(採光窓), 유리창, (온실의) 유리 지붕〔벽〕.

③ Ⓤ〖法〗채광권, 일조권.

④ Ⓒ (발화를 돕는) 불꽃, 점화물, 불쏘시개; (담배의) 불, 점화: a box of ~*s* 한 통의 성냥 / Will you give me a ~? (담배) 불 좀 빌려주시겠습니까.

⑤ **a**) (*pl.*) 정신적 능력, 재능, 지력(智力); 판단, 생각; 지식, 견식. **b**) Ⓤ (또는 a ~) (문제의 설명에) 도움이 되는 사실〔발견〕《*upon* a subject》: We need more ~ *on* this subject. 이 문제에 대해서는 좀더 알 필요가 있다.

⑥ Ⓒ 견해, 사고방식; 양상(aspect): He saw it in a favorable〔good〕~. 그는 그것을 유리하게〔좋은 뜻으로〕해석했다.

⑦ Ⓒ 지도적인 인물, 선각자, 현인, 대가(大家), 권위자: the ~*s* of antiquity 옛 성현(聖賢) / shining ~*s* 명성이 높은 대가〔권위자〕들.

⑧ Ⓤ 정신적인 빛; 계몽; 진실;〖宗〗영광(靈光), 빛《*of*》;〖聖〗영광(榮光), 복지(福祉).

according to one'***s*** 〔a person'***s***〕~ 자기〔그 사람〕의 생각〔능력〕에 따라, 자기〔그 사람〕나름대로. ***by the*** ~ ***of nature*** 직감으로, 자연히. ***hide*** one'***s*** ~ ***under a bushel*** ⇨ BUSHEL. ***in a good*** 〔***bad***〕~ (1) 잘 보이는〔보이지 않는〕곳에. (2) 좋은〔나쁜〕면을 강조하여; 유리〔불리〕한 입장에서: I saw him *in a* pretty *bad* ~ when I first met him. 처음 그를 만났을 때 그다지 좋은 느낌은 아니었다. ***in the*** ~ ***of*** …에 비추어, …을 생각하여〔하면〕, …의 관점〔견지〕에서: study the present *in the* ~ *of* the past 과거에 비추어서 현재를 생각하다. ***see the*** ~ (1) 햇빛을 보다, 세상에 나오다. (2) 이해하다, 납득하다: Now I *see the* ~. 이제야 알겠다. (3) (종교적으로) 깨닫다; 개종하다. ***set*** (***a***) ~ ***to*** . . . …에 불을 붙이다. ***shed*** 〔***throw***〕~ ***on*** …을 밝히다, …의 설명을 돕다. ***stand in*** a person'***s*** ~ (1) 빛을 가리어 (아무의) 앞을 어둡게 하다. (2)《口》(아무의) 호기〔출세·성공 따위〕를 방해하다. ***stand in*** one'***s*** own ~ (분별 없는 행위로) 스스로 불이익을 자초하다. ***the*** ~ ***of*** one'***s eyes*** 가장 마음에 드는〔사랑하는〕사람; 소중한 물건.

— (ˊ·***er***; ˊ·***est***) *a.* ① 밝은(bright). (opp. *dark*.) ¶ a ~ airy room 밝고 공기가 잘 통하는 방. ② (색이) 엷은, 연한, 엶은(pale), 희읍스름한(whitish): ~ blue 담청색 / a ~ evening 아직 해가 안 넘어간 저녁 / a ~ complexion 흰 얼굴(빛).

— (*p.*, *pp.* ***lit*** [lit], ˊ·***ed*** [láitid]; 《英》에서는 과거형으로 lit, 과거분사·형용사로는 lighted, 《美》에서는 과거형으로도 lighted 를 사용할 때가 많음) *vt.* ① …에 불을 켜다〔밝히다〕, 점화하다, 불을 붙이다; …을 태우다: ~ a candle 〔cigarette〕 초〔담배〕에 불을 붙이다 / a ~*ed* oven 점화된 오븐. ②《~+목 / +목+부 / +목+전+명》…을 밝게 하다, 비추다, 조명하다; 불을 켜서 안내하다《*to*》: Gas lamps *lit* the street. 가스 램프가 거리를 밝

히고 있었다 / The hall was brightly *lit up*. 홀은 휘황하게 불이 켜져 있었다 / I ~*ed* him up the stairs *to* bed with a candle. 촛불을 밝혀 그를 위층 침실로 안내했다. ③《~+目 / +目+副》(얼굴 따위)를 빛내다, 밝게 하다 : Her face was *lit up* by a smile. 그녀의 얼굴은 미소로 빛났다.

— *vi.* ① 불이 붙다, 불이 켜지다《*up*》: It's eight o'clock, but the room hasn't *lit up*. 여덟시인데도 방에는 불이 안 켜져 있다. ② 밝아지다, 빛나다《*up*》: The room suddenly *lit up*. 방 안이 갑자기 밝아졌다. ③ (얼굴 등이) 환해[명랑해]지다《*up*》.

†**light²** (∠·*er* ; ∠·*est*) *a.* ① 가벼운, 경량의. OPP *heavy*. ¶ ~ as a feather 깃털처럼 가벼운 / The bag was very ~, as though there were nothing in it. 가방은 마치 아무것도 들어 있지 않는 것처럼 아주 가벼웠다. ② 경쾌한, 민첩한, 재빠른 : with a ~ step 발걸음도 가볍게 / The boy was ~ of foot[on his feet]. 소년은 발이 빨랐다. ③ 경장(비)의, 가벼운 화물용의, 적재량이 적은, 경편(輕便)한 : a ~ truck 경량 트럭 / a ~ cruiser 경순양함 / ~ cavalry 경기병(輕騎兵) / ~ infantry 경보병. ④ 짐[부담]이 되지 않는, 손쉬운, 가벼운 : a ~ task 편한[가벼운] 일 / Since her accident she can only do ~ work. 다친 후로는 그녀는 쉬운 일밖에 못한다. ⑤ 경미한, 약한, (양·정도가) 적은, 소량의 ; (잠이) 얕은 : ~ fog 엷은 안개 / a ~ rain 가랑비 / a ~ snowfall 약간의 강설 / a ~ loss 경미한 손해 / a ~ eater 소식가(小食家) / The traffic is ~ today. 오늘은 교통이 혼잡하지 않다 / a ~ sleep 얕은 잠. ⑥ (식사가) 소화가 잘 되는, 담박한 : ~ foods 소화가 잘 되는 음식. ⑦ 힘을 넣지 않은; 가벼운 : a ~ blow 가벼운 타격 / a ~ touch 가볍게 손댐 ; 가벼운 필치. ⑧ (비중·밀도·농도 따위가) 낮은 ; (술·맥주가) 약한, 순한 : ~ beer 순한 맥주 / a ~ table wine 순한 식탁용 포도주. ⑨ (벌 따위가) 가벼운, 엄하지 않은, 관대한 : a ~ punishment 가벼운 벌 / ~ expense 가벼운 지출 / ~ sentence 가벼운 형(刑). ⑩ 걱정[슬픔 등]이 없는 ; (마음이) 쾌활한, 가벼운 : a ~ laugh 구김살 없는 웃음 / a ~ conscience 거리낌없는 양심 / with a ~ heart 가벼운 마음으로 ; 쾌활하게. ⑪ 딱딱하지 않은, 오락 본위의 : ~ reading 가벼운 읽을거리 / ~ music 경음악. ⑫ 방정맞은, 경망한, 경솔한, 변덕스러운 ; (여자가) 몸가짐이 헤픈(wanton), 행실이 좋지 않은(unchaste). ⑬ (자태 따위가) 육중하지 않은, 늘씬한, 선드러진, 아름다운 ; (무늬·모양이) 섬세하고 우아한 ; (익살 따위가) 경묘(輕妙)한. ⑭ (빵이) 부드럽게 부푼 ; (흙 따위가) 무른, 푸석푸석한 : ~ bread 부드럽게 부풀어 오른 빵 / ~ soil 흐슬부슬한 흙. ⑮ 법정 중량에 모자라는 : a ~ coin 중량이 빠지는 화폐. ⑯ 현기증이 나는, 어지러운(giddy) : I get ~ *on* one martini. 마티니 한 잔에 핑 돈다. ⑰【音聲】강세[악센트]가 없는, 약음의.

have a ~ hand [***touch***] 손끝이 야무지다, 손재간이 있다, 수완이 있다. **~ *on* . . .** 《口》…이 부족해, 불충분해서. ***make ~ of*** …을 얕보다 ; 경시하다.

— *ad.* ① 가볍게, 경쾌하게. ② 경장으로 : travel ~ 가뿐한 차림으로[홀가분하게] 여행하다. ③ 수월하게, 쉽게, 간단히 : *Light* come, ~ go. 《俗談》 쉬이 얻은 것은 쉬이 없어진다 ; 부정한 돈은 남아나지 않는다. ***get off*** ~ 《口》 큰 벌 받지[피해 입지] 않고 끝나다.

light³ (*p., pp.* ∠·*ed, lit* [lit]) *vi.* ① (말 따위에서) 내리다. ② (새 따위가 …에) 앉다. ③《+전+명》 우연히 만나다[발견하다]《*on, upon*》; (재앙·행운 따위가) 불시에 닥쳐오다《*on*》: ~ *on* a clue 우연히 실마리를 발견하다.

~ *into* 《口》 …을 공격하다 ; …을 꾸짖다[비난하다]. **~ *on* one's *feet*** [***legs***] (떨어졌을 때) 오뚝 서다 ; 《比》 행운이다, 성공하다. **~ *out*** 《口》 (…을 향하여) 급히 떠나다《*for*》.

líght áir 【氣】 실바람.

líght áircraft 경비행기.

líght ále 라이트 에일《영국의 병맥주》.

líght bréeze 【海·氣】 남실바람.

líght bùlb 백열 전구.

‡**light·en¹** [láitn] *vt.* ① …을 밝게 하다, 비추다(illuminate) : We ~*ed* our way with a flashlight. 손전등으로 우리가 가는 길을 비추었다. ② (얼굴 따위)를 명랑하게 하다, (눈)을 빛내다 : ~ one's tone of voice 목소리(의 음조)를 (좀더) 밝게 하다. ③ …의 빛깔을 여리게 하다.

— *vi.* ① 밝아지다 : The eastern sky ~*ed.* 동쪽 하늘이 밝아졌다. ② (눈·얼굴 등이) 밝아지다, 빛나다 : His face[expressien] ~*ed*. 그의 표정이 밝아졌다. ③ [it을 主語로] 번개가 번쩍하다 : *It* ~*ed.* 번개가 번쩍했다.

‡**light·en²** *vt.* ① (짐)을 가볍게 하다 ; (배 따위)의 짐을 덜다 : ~ a ship *of* her cargo 실은 짐을 내려 배를 가볍게 하다 / ~ a horse of its load 말의 짐을 가볍게 해주다. ② …을 완화[경감]하다, 누그러뜨리다 : The prime minister has failed to ~ the economic burden of government. 수상은 정부의 경제적 부담을 더는 데 실패했다. ③ 기운을 북돋우다, 위로하다, 기쁘게 하다. — *vi.* ① (짐이) 가벼워지다. ② (마음이) 가벼워지다, 편해지다 : My mood gradually ~*ed.* 기분이 서서히 풀렸다.

***light·er¹** [láitər] *n.* Ⓒ ① 불을 켜는 사람, 점등부(點燈夫). ② 점등[점화]기, 라이터 : snap on a ~ 라이터 불을 켜다.

light·er² *n.* Ⓒ 거룻배.

light·er·age [láitəridʒ] *n.* Ⓤ ① 거룻배 운반. ② 거룻배 삯.

light·face [∠fèis] *n.* Ⓤ 【印】 가는 활자. OPP *boldface*. 파 **~d** [-t] *a.*

light-fin·gered [∠fíŋgərd] *a.* ① (악기의 연주 등에서) 손끝이 잰. ②《口》 손버릇이 나쁜 : a ~ gentleman 소매치기.

light-foot·ed [∠fútid] *a.* 발이 빠른, 민첩한(nimble), 발걸음이 가벼운.
파 **~·ly** *ad.* 민첩하게. **~·ness** *n.*

light-hand·ed [∠hǽndid] *a.* ① 손재주 있는, 솜씨 좋은. ② 일손이 모자라는(short-handed). ③ 빈손의, 맨손의.

light-head·ed [∠hédid] *a.* ① (술·고열 등으로) 머리가 어쩔어찔한, 몽롱해진. ② 사려 없는, 경솔한. 파 **~·ly** *ad.* **~·ness** *n.*

light·heart·ed [∠hɑ́ːrtid] *a.* 마음 편한, 낙천적인 ; 쾌활한, 명랑한. 파 **~·ly** *ad.* **~·ness** *n.*

líght héavyweight 라이트 헤비급의 권투[레슬링] 선수(=**líght héavy**).

light-horse·man [∠hɔ̀ːrsmən] (*pl.* ***-men*** [mən]) *n.* Ⓒ 경기병(輕騎兵).

‡**light·house** [∠hàus] *n.* Ⓒ 등대 : a ~ keeper 등대지기.

líght índustries 경공업. cf heavy industries.

***light·ing** [láitiŋ] *n.* Ⓤ ① 조명(법) ; 조명 효과 ; 조명 설비 : ~ fixtures 조명 기구 / direct [indirect] ~ 직접[간접] 조명 / the stage ~ 무대 조명. ② 점화 ; 점등. ③ (그림 등의) 명암.

líght·ing-up tìme [∠ʌ̀p-] 《英》 (도로·자동차

의) 점등 시각〔시간〕.

‡light·ly [láitli] (***more*** ~ ; ***most*** ~) *ad.* ① 가볍게, 살짝, 가만히 : push ~ 가볍게 밀다 / He kissed her ~ on the mouth. 그는 가볍게 그녀의 입에 키스했다. ② 부드럽게, 온화하게 : speak ~ 온화하게 이야기하다. ③ 사뿐히, 경쾌하게, 민첩하게 : walk ~ 사뿐히 걷다 / dance ~ 경쾌하게 춤추다. ④ 선뜻, 선선히 : admit one's defeat ~ 선선히 패배를 인정하다. ⑤ 경솔하게 ; 경시하여 ; 가벼이 : an offer not to be refused ~ 가벼이 거절할 수 없는 제의(提議) / think ~ of …을 경시하다. ⑥ 쾌활하게 ; 태연하게 : He accepted the loss ~. 그는 그 손실을 태연하게 받아들였다. ⑦ 손쉽게, 수월하게 : *Lightly* come, ~ go.＝LIGHT² come, light go. ⑧ 엷게, 얕게. ⑨ 살짝, 조금 : a ~ fried fish 살짝 기름에 튀긴 생선.

líght mèter 광도계 ; 〖寫〗 노출계(exposure meter).

light-mind·ed [⌐máindid] *a.* 경솔〔경박〕한 ; 무책임한. ㊕ ~·**ly** *ad.* 불성실하게.

light·ness¹ [láitnis] *n.* Ⓤ ① 밝음 ; 밝기. ② 빛깔이 엷음〔열음, 연함〕.

light·ness² *n.* Ⓤ ① 가벼움. ② 민첩, 기민. ③ 능란함, 교묘. ④ 경솔 ; 불성실 ; 몸가짐이 헤픔. ⑤ 명랑, 경쾌.

‡light·ning [láitniŋ] *n.* Ⓤ 번개, 전광 : thunder and ~ 천둥과 번개 / Another flash of ~ lit up the cave. 또 하나의 번갯불이 굴속을 밝혔다 / The house was struck by ~. 그 집이 벼락을 맞았다. ***like*** (《口》 ***greased***) 〔《口》 ***like a streak of***〕 ~ 번개같이, 전광석화처럼.
── *a.* 〔限定的〕 번개의, 번개 같은〔같이 빠른〕, 전격적인 : a ~ operation 전격작전 / at 〔with〕 ~ speed 순식간에.

líghtning arrèster 피뢰기.

líghtning bùg 《美》 반딧불이, 개똥벌레.

líghtning condùctor 〔ròd〕 피뢰침.

líghtning strìke 낙뢰, 벼락 ; 전격 파업.

light-o'-love [láitəlʌ́v] *n.* Ⓒ 매춘부 ; 정부《남녀》.

líght pèn 〖컴〗 ① 광전(光電) 펜, 라이트 펜(＝**líght pèncil**)《표시 스크린에 신호를 그려 입력하는 펜 모양의 입력 장치》. ② 바코드 판독기.

líght pollùtion (천체 관측 등에 지장을 주는, 도시 과잉 조명의) 빛 공해.

light·proof [⌐prùːf] *a.* 빛을 통과시키지 않는.

lights [laits] *n. pl.* (양 · 돼지 등의) 폐장《개 · 고양이 등의 먹이》.

light·ship [⌐ʃìp] *n.* Ⓒ 등대선(船).

líght shòw 라이트 쇼《슬라이드나 다채로운 빛 따위를 사용한 전위 예술 표현》.

light·some¹ [láitsəm] *a.* ① 빛나는, 번쩍이는. ② 조명이 잘된, 밝은.

light·some² *a.* ① 경쾌한 ; 민활한. ② 고상한, 우미한《자태 따위》. ③ 경박한.
㊕ ~·**ly** *ad.* ~·**ness** *n.*

lights-out [láitsáut] *n.* Ⓤ ① 소등 신호〔나팔〕. ② (기숙사 · 군대 등의) 소등 시간.

light·weight [⌐wèit] *n.* Ⓒ ① 표준 무게 이하의 사람〔물건〕. ② 〖拳 · 레슬링〗 라이트급 선수. ③ 《口》 하찮은 사람. ── *a.* ① 경량의. ② 라이트급의. ③ 하찮은 ; 진지하지 못한.

líght whísky 라이트 위스키《알코올 성분이 적고 향기가 순한 미국산 위스키》.

light-year [⌐jìər] *n.* Ⓒ 〖天〗 광년《빛이 1년 동안에 나아가는 거리 ; 9.46×10¹⁵ m ; 略 : lt-yr》.

lig·ne·ous [lígniəs] *a.* (풀이) 나무 같은, 목질의.

lig·nite [lígnait] *n.* Ⓤ 아탄(亞炭), 갈탄.

lik·a·ble, like- [láikəbəl] *a.* 마음에 드는 ; 호감이 가는 : a ~ person 호감이 가는 사람.

†like¹ [laik] *vt.* ① 《~＋목 / ＋목＋(*to* be) 보》 …을 좋아하다, …이 마음에 들다(be fond of) : I ~ green tea. 녹차(綠茶)를 좋아한다 / I ~ my coffee hot. 커피는 따끈한 것이 좋다 / She ~*s* him but doesn't love him. 그를 좋아하지만 사랑하는 것은 아니다 / I ~ your impudence. 〔反語的〕 건방지게시리 / (Well,) I ~ that! 《口》 〔反語的〕 괜찮군《싫다》. ② 《＋*to* do / ＋목＋*to* do / ＋-*ing* / ＋목＋-*ing*》 …하기가〔하는 것이〕 좋다 : I don't ~ women *to* smoke. 여자가 담배 피우는 것은 못마땅하다 / I ~ play*ing* tennis, but don't ~ swim*ming*. 테니스는 좋아하지만 수영은 좋아하지 않는다 / I don't ~ him behav*ing* like that. 그가 그렇게 행동하는 것이 마음에 안 든다. ③ 《~＋목 / ＋*to* do / ＋목＋*to* do》 〔should 〔would〕 ~〕 …을 바라다 ; …하고 싶다《*to* do》 : *Would* you ~ coffee? 커피를 드시겠습니까 / I *should* 〔I *would*, I'*d*〕 ~ *to* read the book. 그 책이 읽고 싶은데 / *Would* you ~ *to* tell me what happend? 무슨 일이 있었는지 말 좀 해 주겠나 / He *would* have ~*d to* come alone. 그는 혼자 오고 싶었다.

> 參考 (1) should 〔would〕 like…는 정중하고 삼가는 듯한 표현. (2) 구어에서는 종종 I'd like… 가 됨. (3) to 만 남기고 동사가 생략될 때도 있음 : Yes, *I'd like to.* 예, 그렇게 하고 싶습니다.

④ (음식이 사람)의 체질〔건강〕에 맞다(suit) : I ~ oysters, but they don't ~ me. 굴을 좋아하지만 내 체질에 안 맞는다.
── *vi.* 마음에 들다〔맞다〕, 마음이 내키다(be pleased) : Do as you ~. 좋을 대로 해라 / Come whenever you ~. 언제든 좋은 때 오너라.
How do you **~. . . ?** (1) …은 어떤가, 좋은가 싫은가 : *How do you* ~ my new dress? 내 새 옷이 어때요. (2) …을 어떻게 할까요 : *How do you* ~ your tea? — I ~ my tea iced. 차는 어떻게 할까요—얼음을 채워 주시오. ***if you*** ~ (1) 좋다면, 그렇게 하고 싶으면 : Come *if you* ~. 괜찮으시다면 오십시오. (2) 그렇게 말하고 싶다면(그럴 수도 있겠지) : I am careless *if you* ~. 부주의하다고 해도 괜찮습니다〔할 수 없습니다〕.
── *n.* (*pl.*) 취미, 기호《★ 흔히 다음 용법으로》 : ~*s* and dislikes 좋은 것과 싫은 것.

†like² [laik] (***more*** ~, ***most*** ~ ; 《주로 詩》 ***lík·er*** ; ***lík·est***) *a.* 〔종종 目的語를 수반, 前置詞로 볼 때도 있음〕 ① …와 닮은(resembling), …와 같은 : stars ~ diamonds 다이아몬드 같은 별 / The brothers are *as* ~ *as* two peas. 형제는 꼭 닮았다. ② 〔限定的으로 名詞 앞에서〕 같은(equal), 비슷한(similar) : I cannot cite a ~ instance. 비슷한 예가 생각나지 않는다 / a ~ sum 동액 / a cup of sugar and a ~ amount of flour 한 컵 분량의 설탕과 같은 양의 밀가루 / ~ figures 〖數〗 닮은꼴 / *Like* father, ~ son. 《俗談》 그 아비에 그 아들, 부전자전 / *Like* master, ~ man. 《俗談》 주인도 주인이려니와 부하도 부하 ; 그 주인에 그 부하. ③ …의 특징을 나타내는, …다운, …에 어울리는 : Why does he want to do a mad thing ~ that? It's not ~ him. 어째서 그가 그런 무모한 짓을 하려고 하는지, 그답지 않다. ④ …하게 될 것 같은, 〔~ do*ing* 의 형태로〕 …할〔일〕 것 같은 : It looks ~ rain. 비가 올 것 같다 / The rain looks ~ last*ing*. 장마가 될 것 같다. ⑤ 《美口 · 英方》 〔to 不定詞를 수반하여〕 …할 것 같은 ; 〔완료형의 不定詞를 수반하여〕 거의 …할 뻔한(about to). cf.

likely. ¶ He is ~ *to* succeed. 그는 성공할 게다 / He was ~ *to* have drowned. 하마터면 빠져 죽을 뻔했다. ⑥《方》 아마 …일 것 같은. [cf.] likely. ¶ It is ~ we shall see him no more. 이제는 아마 그를 만나지 못할 게다. ***feel* ~ *doing*** …하고 싶은 마음이 (들)다 : I *feel* ~ *going* to bed. 슬슬 자고 싶군. ***in* ~ *manner*** 마찬가지로, 똑같이. **~ *nothing on earth*** 매우 드문, 뛰어난. ***nothing*** ~ (1) …을 따를 것이 없다 ; …만한 것이 없다 : There is *nothing* ~ doing so. 그렇게 하는 게 제일 좋다 / There's *nothing* ~ candlelight for creating a romantic mood. 로맨틱한 무드를 내는 데는 촛불만한 것이 없다. (2) 조금도 …답지 않다, 전혀 다르다 : The place was *nothing* ~ home. 조금도 가정다운 데가 없었다. ***something*** ~ (1) 어느 정도 …같은 (것), 좀 …와 비슷한 (것) : This feels *something* ~ silk. 이것은 마치 비단 같은 촉감이 든다. (2)《英口》 대략, 약 : It cost *something* ~ 10 pounds. 10 파운드쯤 들었다. (3)《俗》〔like에 강세를 두어〕 굉장한, 근사한, 멋진 : This is *something* ~ a present. 이건 굉장한 선물이다 / This is *something* ~. 이거 굉장하군. ***That's more* ~ *it.*** 《口》 그 쪽이 더 낫다.

— *prep.* …와 같이〔처럼〕, …와 마찬가지로, …답게 ; 이를테면 …같은 (such as) : Do it ~ this. 이렇게 해라 / He works ~ a beaver. 비버처럼〔고되게〕 일한다. **~ *anything* 〔*blazes, crazy, mad, the devil*〕**《口》 맹렬히, 몹시, 대단히 : sell ~ *crazy*〔*mad*〕 날개 돋친 듯 팔리다.

— *ad.* ①《口》 대략, 거의, 얼추 : "What time is it?" "*Like* three o'clock."《俗》 '몇시지?' '3시나 되었을까'. ② 〔~ enough 꼴로〕《口》 아마, 필시 : *Like enough* he'll come with them. 필시 그는 그들과 함께 올 것이다. ③ **a)** 〔어구의 끝에 붙여〕《비표준》 마치 (as it were), 어쩐지 (somehow) : He looked angry ~. 어쩐지 화난 것 같았다. **b)** 〔거의 무의미한, 連結語로서〕《美俗》 자, 그 …, …같애 : *Like*, let's go, man. 어이, 하여간 가 보세. **(*as*) ~ *as not*** 《口》 아마, 십중팔구(十中八九), 필시. **~ *so*** 《口》 이와〔그와〕 같이.

— *conj.* ①《口》 …과 같이, …처럼 : I cannot do it ~ you do. 너처럼은 못하겠다 / *Like* I said, I cannot attend the meeting. 내가 말한 것처럼 그 회의에는 참석하지 못한다. ②《口》 마치 …한〔인〕 듯이 : He acted ~ he felt sick. 기분이 나쁜 듯이 행동했다.

— *n.* ① (the ~, one's ~)〔흔히 疑問·否定文에서〕 비슷한 사람〔것〕 ; 같은 사람〔것〕《*of*》 : I shall *never* do *the* ~ again. 이런 일 다시는 안하겠다 / Did you ever hear *the* ~ *of* it. 이런 말을 들은 적이 있나 / We shall *not* see his ~ again. 그(사람) 같은 사람은 다시는 없을 것이다. ② [C] (흔히 the ~s) 같은 종류의 것〔사람〕 ; …과 같은 사람들《*of*》 : *the* ~*s of* me《口》 나같은 (시시한) 사람 / *the* ~*s of* you 당신 같은 (훌륭한) 사람들. ***and the*** ~ 그 밖의 같은 것, …따위《etc. 보다 격식차린 말씨》. ***or the*** ~ 또는 그런 종류의 다른 것 ; … 따위.

-like *suf.* 명사에 붙여서 '…와 같은'의 뜻 : woman*like* 《★ -ish와 같은 나쁜 뜻은 아님》.

likeable ⇨ LIKABLE.

like·li·hood** [láiklihùd] *n.* [U] (또는 a ~) 있음직한 일 (probability), 가능성, 공산 : There is no ~ of his succeeding〔winning〕. 그가 성공할〔이길〕 가능성은 전혀 없다 / The ~ of infection is minimal. 전염될 우려는 별로 없다. ***in all ~ 아마, 십중팔구 : *In all* ~ the meeting will be cancelled. 십중팔구 모임은 취소될 것이다.

like·li·ness [láiklinis] *n.* = LIKELIHOOD.

‡like·ly [láikli] (***like·li·er, more ~ ; like·li·est, most ~***) *a.* ① 있음직한, 그럴듯한 ; 정말 같은 : a ~ result 있음직한 결과 / a ~ story 그럴 듯한 이야기 / the least ~ possibility 있을 법도 하지 않은 일 / It seemed hardly ~ that they would agree. 그들이 합의할 가능성은 거의 없어 보였다. ② …할 것 같은, …듯한《*to* do》 : He is ~ *to* come. 그는 아마 올 것입니다 / It is ~ *to* rain. 비가 올 것 같다 / a thing not ~ *to* happen 일어날 것 같지도 않은 일 / He is ~ *to* do well. = It is ~ *that* he will do well. 그는 잘 할 것 같다. ③ 〔反語的〕 설마 : A ~ story! 설마 (그런 일이). ④ 유망한, 믿음직한 : a ~ young man 믿음직한 젊은이 / the *likeliest*〔most ~〕 candidate 가장 유망한 후보자. ⑤ 적당한, 안성맞춤의《*for* ; *to* do》 : a ~ place *to* fish 〔build on〕 낚시질〔집짓는 데〕에는 안성맞춤인 곳.

— *ad.* 〔종종 very, quite, most 와 함께〕 아마, 십중팔구 : He'll *very* ~ be (at) home tomorrow. 그는 아마 내일 집에 있을 것이다 / *Most* ~ it will be a woman. 십중팔구 여성일 것이다. **(*as*) ~ *as not*** 혹시 …일지도 모르는, 아마도. ***Not*** **~.** 《口》 설마, 천만의 말씀, 어림없는 소리.

like-mind·ed [-máindid] *a.* 한 마음의, 동지의 ; 같은 취미〔의견〕의《*with*》 : He is ~ *with* Tom. 톰과 의견이 같다. [파] **~·ness** *n.*

lik·en [láikən] *vt.* …을 — 에 비유하다, 견주다《*to*》 : ~ virtue *to* gold 덕(德)을 황금에 비유하다 / She ~*s* marriage *to* slavery. 그녀는 결혼을 노예 상태로 비유한다 / Life is often ~*ed to* a journey. 인생은 흔히 여행에 비유된다. ◇ like² *a.*

‡like·ness [láiknis] *n.* ① [U] 비슷함, 닮음, 유사 ; [C] 유사점《*between* ; *to*》 : The girl bears a striking ~ *to* her mother. 그 소녀는 자기 엄마를 꼭 빼 닮았다 / I can't see much ~ *between* them. 그들은 별로 닮은 데가 있는 것 같지 않다. ② [C] 닮은 얼굴, 화상, 초상, 사진 : take a person's ~ 아무의 초상을 그리다. ③ [C] 아주 닮은〔비슷한〕 사람〔것〕. ④ 〔in the ~ of로〕 겉보기, 외관 : an enemy *in the* ~ *of* a friend 아군을 가장한 적.

‡like·wise [láikwàiz] *ad.* ① 똑같이, 마찬가지로 : He studies hard, and you should do ~. 그는 열심히 공부하고 있다. 너도 그래야지. ② 또한, 게다가 또 (moreover, also, too) : The food was excellent, (and) ~ the atmosphere. 식사는 아주 훌륭했고 분위기 또한 그랬다. ◇ like² *a.*

***lik·ing** [láikiŋ] *n.* [U] (또는 a ~) 좋아함 (fondness)《*for* ; *to*》 : 애호, 기호, 취미 : *a* ~ *for* popular music 대중 가요에 대한 취미 / have *a* (particular) ~ *for* wine 와인을 (특히) 좋아하다 / to one's ~ 마음에 드는, 취미에 맞는 / It is to your ~? 마음에 드나.

***li·lac** [láilək] *n.* ① **a)** [C] 〖植〗 라일락. **b)** [U] 〔集合的〕 라일락꽃. ② [U] 라일락빛, 연보라색.

— *a.* 연보라색의.

Lil·li·put [lílipʌ̀t] *n.* 릴리펏, 소인국(小人國)《Swift 작 *Gulliver's Travels* 중의 상상의 나라》.

Lil·li·pu·tian [lìlipjúːʃən] *a.* ① 소인국 (Lilliput)의. ② (종종 l-) 아주 작은 ; 편협한.

— *n.* [C] ① Lilliput 사람. ② (종종 l-) 키가 작은 사람 (dwarf) ; 소인.

Li·lo [láilou] (*pl.* **~s**) *n.* [C] 《英》 라일로《해변에서 쓰이는 플라스틱〔고무〕 에어매트 ; 商標名》.

lilt [lilt] *vi.* 경쾌〔쾌활〕하게 노래하다〔말하다〕 ; 경쾌하게 움직이다. — *vt.* (노래)를 경쾌한 리듬으로 부르다. — *n.* (a ~) 명랑하고 경쾌한 가락〔가곡, 동작〕: sing with *a* ~ 경쾌한 리듬으로 노래하다 / She had *a* ~ to her voice. 그녀의 음성에는 경쾌한 리듬이 있었다.

lilt·ing [líltiŋ] *a.* 〔限定的〕 (목소리·노래 따위) 경쾌한 (리듬이 있는). [파] ~·**ly** *ad.*

†**lily** [líli] *n.* [C] ① 나리, 백합; 백합꽃: ⇨ TIGER LILY, WATER LILY. ② (백합꽃처럼) 순결한 사람; 새하얀〔순백의〕 물건. ③ (종종 *pl.*) (프랑스 왕가의) 백합 문장(fleur-de-lis). ***gild*** 〔***paint***〕 ***the*** ~ 이미 완벽한 것에 잡손질하다.
— *a.* 〔限定的〕 백합 같은, 백합같이 흰; 청아한.

lily-liv·ered [-lívərd] *a.* 겁 많은(cowardly).

lily-white [-*h*wáit] *a.* ① 백합처럼 흰: ~ skin 하얀 피부. ② 흠〔결점〕없는, 결백한(innocent). ③《美口》 흑인의 참정(參政)에 반대하는, 인종 차별 지지의. — *n.* [C] 흑인 배척파 (사람).

Li·ma [líːmə] *n.* 리마《페루의 수도》.

lí·ma bèan [láimə-] 〖植〗 리마콩《강낭콩의 일종》; 그 열매.

‡**limb**[1] [lim] *n.* [C] ① (사람·동물의) 수족, 사지의 하나, 팔, 다리; (새의) 날개. ② (나무의) 큰 가지. ③ 갈라진 가지〔부분〕, 돌출부; (십자가의) 4 개의 가지: a ~ of river 지류 / a ~ of the sea 후미, 바닷가의 만곡부. ④《口》 개구쟁이, 선머슴. ⑤《口》 (남의) 부하, 앞잡이.
out on a ~《口》 궁지에 몰린, 고립 무원이 된《가지 끝에 밀려나온의 뜻》: go *out on a* ~ (섣부른 언동 등으로) 궁지에 몰리다.

limb[2] *n.* [C] ①〖天〗 (해·달 따위의) 가장자리. ②〖植〗 (잎의) 가장자리.

-limbed [limd] *a.* (…한) 사지〔가지〕가 있는: a long-~ person 팔다리가 긴 사람.

lim·ber[1] [límbər] *a.* ① (근육·손발 등) 유연한. ② 경쾌한. — *vt.* ① (근육)을 유연하게 하다: A short walk will ~ the legs. 잠깐 걸으면 다리가 풀릴 것이다. ② 〔再歸的〕 (몸을 움직여) 근육을 풀다, 유연 체조를 하다《*up*》: *Limber yourself up* before swimming. 수영하기 전에 유연 체조를 하시오. — *vi.* 유연해지다《*up*》.

lim·ber[2] *n.* [C] 〖軍〗 (포가(砲架)의) 앞차.
— *vt.* (포가)에 앞차를 연결하다. — *vi.* 포와 앞차를 연결하다.

limb·less [límlis] *a.* 손발〔날개, 가지〕 없는.

lim·bo [límbou] (*pl.* **~s**) *n.* ① [U] (종종 L-) 림보, 지옥의 변방(邊方)《지옥과 천국 사이에 있으며, 기독교 이전의 착한 사람 또는 세례를 받지 못한 어린아이 등의 영혼이 머무는 곳》. ② [U] 잊혀진〔무시된〕 상태: The reform proposal remains in ~. 그 개혁안은 무시되고 있다. ③ [C] 림보 댄스.

‡**lime**[1] [laim] *n.* [U] ① 석회(石灰): slaked ~ 소석회. ② 새 잡는 끈끈이, 감탕(birdlime).
— *vt.* ① **a**) …을 석회로 소독하다, …에 석회를 뿌리다. **b**) (생가죽 등)을 석회수에 담그다. ② …에 끈끈이를 바르다; (새 등)을 끈끈이로 잡다.

lime[2] *n.* [C] 〖植〗 =LINDEN.

lime[3] *n.* ① [C] 〖植〗 라임《운향과의 관목》; 그 열매. ② [U] 라임 주스(=**líme jùice**).

lime·ade [làiméid, ⌐⌐] *n.* [U] 라임수(水), 라임에이드.

lime·kiln [⌐kìln] *n.* [C] 석회 굽는 가마.

lime·light [⌐làit] *n.* ① [U] 석회광(光)《석회를 산수소(酸水素) 불꽃에 쬐었을 때 생기는 강렬한 백광》. ② 라임라이트《무대 조명용》. ③ (the ~)《比》 주목의 대상: enter *the* political ~ 정계에서 주목을 받다 / in *the* ~ 각광을 받아, 이목을 끌어, 주목의 대상이 되어.

lim·er·ick [límərik] *n.* [C] 리메릭《약약강격(弱弱強格)의 5행 희시(戲詩)》.

***lime·stone** [láimstòun] *n.* [U] 석회석, 석회암: ~ cave 〔cavern〕 석회굴, 종유(鍾乳)굴.

líme trèe =LINDEN.

lime·wa·ter [⌐wɔ̀(ː)tər, ⌐wɑ̀t-] *n.* [U] 석회수.

lim·ey [láimi] (*pl.* **~s**) *n.* [C]《美俗》① 영국 수병(水兵)〔선원〕. ② 영국인.

‡**lim·it** [límit] *n.* ① [C] 한계(선), 한도, 극한, 제한: to the (utmost) ~ 한계까지; 극도로 / go to any ~ 무슨 일이라도 하다 / reach the ~ of one's patience 인내의 한계에 이르다 / a speed ~ 제한 속도. ② **a**) [C] (종종 *pl.*) 경계(boundary): outside〔within〕 the city ~*s* 시계(市界) 밖〔안〕에. **b**) (*pl.*) 범위, 구역: within the ~*s* of …의 범위 내에서. ③ (the ~)《口》 더 이상 참을 수 없는 것〔사람〕: That's〔He's〕 *the* ~. 이건〔그 녀석은〕 더 이상 못참겠다. ***go the*** ~《口》 철저히 하다, 갈 데까지 가다. ***off*** **~*s***《美》 출입 금지 구역(의). ***The sky is the*** ~.《俗》 무제한이다, 기회는 얼마든지 있다, (내기에) 얼마든지 걸겠다. ***within*** **~*s*** 적당히, 조심스럽게. ***without*** ~ 무제한으로, 한없이.
— *vt.* 《~+[목] / +[목]+[전]+[명]》 …을 (…으로) 제한〔한정〕하다《*to*》: I was told to ~ the expense *to* $20. 비용을 20 달러 이내로 제한당했다.

‡**lim·i·ta·tion** [lìmətéiʃən] *n.* ① [U] 제한, 한정, 규제; [C] (종종 *pl.*) 제한하는 것: without ~ 무제한으로 / ~*s* on imports 수입 제한 / armament ~*s* 군축. ② (흔히 *pl.*) (지력·능력 따위의) 한계, 한도, 취약점: know one's ~*s* 자기 능력의 한계를 알다. ③ [U,C] 〖法〗 (출소권(出訴權)·법률 효력 등의) 기한, 시효: Prosecution is barred by ~. 기소는 시효에 걸려 있다. ◇ limit *v.*

‡**lim·it·ed** [límitid] *a.* ① 한정된, 유한한; 좁은, 얼마 안 되는: a ~ edition (서적 등의) 한정판 / a ~ war 국지전 / ~ ideas 편협한 생각. ②《美》 (열차 등이) 승객수·정차역에 제한이 있는, 특별한: a ~ express 〔train〕 특급 (열차). ③《英》 (회사가) 유한 책임의《略: Ltd.》 ([cf.] 《美》 incorporated).
— *n.* [C]《美》 특급 열차〔버스〕. [파] ~·**ly** *ad.*

lim·it·ing [límitiŋ] *a.* 제한〔제약〕하는; 진보를 방해하는; 〖文法〗 제한적인.

lim·it·less [límitlis] *a.* 무한의; 무제한의; 무기한의; 광대한: The opportunities are ~. 기회는 무한하다 / He makes ~ demands. 그의 요구는 끝이 없다. [파] ~·**ly** *ad.*

lim·nol·o·gy [limnɑ́lədʒi / -nɔ́l-] *n.* [U] 육수학(陸水學), 호소학(湖沼學).
[파] **-gist** *n.* **lìm·no·lóg·i·cal, -ic** *a.* **-i·cal·ly** *ad.*

limo [límou] (*pl.* **~s**) *n.* 《美口》 =LIMOUSINE.

li·mo·nite [láimənàit] *n.* [U] 〖鑛〗 갈(褐)철광.

lim·ou·sine [líməziːn, ⌐⌐⌐] *n.* [C] 리무진《운전석과 객석 사이에 유리 칸막이가 있는 대형 승용차》; 여객 송영용 공항 소형 버스.

‡**limp**[1] [limp] *vi.* ① 절뚝거리다: That dog must be hurt — it's ~*ing.* 저 개가 다친 것이 틀림없다. 다리를 저는구나. ② (배·비행기가) 느릿느릿 가다《고장으로》《*along*》. ③ (작업·경기 등이) 지지부진하다《*along*》. ④ (시가(詩歌)의) 운율이 고르지 않다, 억양이 안 맞다. — *n.* (a ~) 발을 절기: walk with *a* ~ 한 발을 절뚝거리다.

limp[2] *a.* ① (몸 따위가) 나긋나긋한(flexible), 흐느적거리는. [opp] *stiff.* ② 맥빠진, 지친, 무기력한: a ~ handshake 힘없는 악수. ③ 생기없는, 휘주근한: a ~ shirt 휘주근한 셔츠.
[파] ⌐·**ly** *ad.* ⌐·**ness** *n.*

lim·pet [límpit] *n.* [C] ①〖貝〗 꽃양산조개. ②

《戱》 지위에 집착하여 의자에 눌어붙어 있는 관리. ***hold on*** 〔***hang on, cling, stick***〕 ***like a*** ~ (***to***) (…에) 딱 들러 붙다, 물고 늘어지다.

lim·pid [límpid] *a.* ① 맑은, 투명한(clear) : a pool of ~ water 물이 맑은 풀. ② (문체 등이) 명쾌한 : a ~ style 명쾌한 문체.
[파] ~·**ly** *ad.* ~·**ness** *n.*

lim·pid·i·ty [limpídəti] *n.* [U] 맑음, 투명 ; 명쾌.

límp wríst 암사내, 호모.

limp-wristed [-rístid] *a.* (남자가) 계집애 같은 ; 유약한.

limy [láimi] (***lim·i·er ; -i·est***) *a.* ① 석회를 함유한, 석회질의. ② 끈끈이를 바른 ; 끈적끈적한.

lin·age, line·age [láinidʒ] *n.* [U] ① (인쇄물의) 행수(行數). ② (원고료의) 행수에 따른 지급.

linch·pin, lynch- [líntʃpìn] *n.* [C] ① 바퀴 멈추개 ; 바퀴의 비녀장. ② (전체의 결합에) 요긴한 사람〔것〕.

‡**Lin·coln** [líŋkən] *n.* **Abraham** ~ 링컨《미국의 제 16 대 대통령 ; 1809-65》.

Lin·coln·shire [líŋkənʃìər, -ʃər] *n.* 링컨셔《잉글랜드 중동부의 주 ; 略 : Lincs.》.

linc·tus [líŋktəs] *n.* [U] 〖藥〗 빨아 먹는 기침약.

lin·dane [líndein] *n.* [U] 린데인《살충제 · 제초제 ; 인체에 유해》.

Lind·bergh [líndbəːrg] *n.* **Charles Augustus** ~ 린드버그《1927년, 최초로 대서양 무착륙 횡단에 성공한 미국인 비행사(飛行士) ; 1902-74》.

*__lin·den__ [líndən] *n.* [C] 〖植〗 린덴《참피나무속(屬)의 식물 ; 참피나무 · 보리수 따위》.

†**line**[1] [lain] *n.* ① [C] **a**) 선, 줄 ; 화선(畫線) ; 〖數〗 (직)선《점의 자취》; 〖스포츠〗 라인 ; (TV 의) 주사선(走査線) ; 〖物〗 (스펙트럼의) 선 : straight 〔curved〕 ~ 직〔곡〕선 / a broken ~ 파선 / draw parallel ~ 평행선을 긋다 / a dotted ~ 점선. **b**) (자연물에 나타난) 줄, 금 ; (인체의) 줄, 주름, 《특히》 손금 ; (인공물의) 선, 줄, 줄무늬 ; 솔기 : She has deep ~*s* in her face. 얼굴에 깊은 주름이 있다 / the ~ of fortune〔life〕 생명〔운명〕선 / She has many ~*s* around her eyes. 눈가에 잔주름이 많다. **c**) (the ~) 적도(赤道) ; 경(經)〔위(緯)〕선 ; 경계선 ; 경계(border) ; 한계 : under *the* ~ 적도 직하에 / cross *the* ~ into Panama 국경을 넘어 파나마에 들어가다. **d**) (*pl.*) 설계도 ; 〖樂〗 (오선지의) 선. **e**) (종종 *pl.*) 윤곽(outline) ; 얼굴 모습 ; (유행 여성복 등의) 형, 라인 : He has good ~*s* in his face. 얼굴 윤곽이 번듯하다 / That car has nice ~*s*. 그 차 모양이 좋다.
② [C] **a**) (글자의) 행 ; 정보, 짧은 소식《*on*》; 〖컴〗 (프로그램의) 행(行) : the fifth ~ from the top 위에서 다섯째 행 / drop a person a ~ 〔a few ~*s*〕 아무에게 한 줄〔몇 줄〕 적어보내다. **b**) (시의) 한 행〔줄〕, 시구(詩句), (*pl.*) 단시(短詩). **c**) (*pl.*) 벌과(罰課)《벌로서 학생에게 베끼게 하는 고전시》. **d**) (*pl.*) (연극의) 대사 ; (말만의) 유창한 변설, 허풍 : blow one's ~*s* 대사를 잊다. **e**) (*pl.*) 결혼 증명서 : the marriage ~*s*.
③ [C] 핏줄, 혈통, 가계(家系) ; 계열 : come of a good ~ 가문이 좋다 / a long ~ of kings 역대의 왕.
④ [C] **a**) 열, 줄, 행렬 ; 《美》 (순번을 기다리는) 사람의 줄(《英》queue) ; 〖軍〗 (전후의 2 열) 횡대. [cf] column. ¶ a ~ of trees 한 줄로 늘어선 나무들 / We were waiting for the bus (in) a ~. 우린 줄을 서서 버스를 기다리고 있었다. **b**) (전투의) 전선(戰線 · 前線), (*pl.*) 참호, 누벽(壘壁) ; 방어선 ; 전열(戰列) : go into the front ~(*s*) 전선으로 나가다 / behind the ~ 후방에서 / go up the ~ 기지에서 전선으로 나가다. **c**) (the ~) 〖英陸軍〗 보병, 상비군 ; 《美陸軍》 전투 부대. **d**) (기업 등의 목적을 집행하는) 라인. **e**) 〖美蹴〗 스크리미지 라인(line of scrimmage). **f**) 〖볼링〗 1 게임(string)《10프레임》.
⑤ [C] **a**) 밧줄, 끈, 포승, 로프 ; 낚싯줄 ; 빨랫줄 ; (*pl.*) 《美》 고삐 : ⇨ROD and ~. **b**) 측량 줄 ; 〖電〗 전선, (전)선로 ; 전선〔통신선〕망 ; 배관망 : on a direct ~ 직통 전화로 / *Line*('*s*) busy. 《美》 (전화에서) 통화 중입니다(《英》 Number's engaged.).
⑥ [C] **a**) 도정(道程), 진로, 길(course, route) ; 선로, 궤도 ; (운수 기관의) 노선 ; (정기) 항로 ; 운수 회사 : a main ~ 본선 / the up 〔down〕 ~ 상행〔하행〕선 / the new bus ~ 신설 버스 노선 / You'll find a bus stop across the ~. 선로 저쪽에 버스 정류소가 있습니다. **b**) (일관 작업 등의 생산 공정의) 배열, 순서, 라인, 공정선(production ~).
⑦ [C] **a**) (종종 *pl.*) 방침, 주의 ; 경향, 방향 : try a different ~ of approach to a problem 다른 방향에서 문제에 접근하다. **b**) 방면, 분야 ; 장사, 직업(trade, profession) ; 기호, 취미, 장기 ; 전문 : in the banking ~ 은행가로서 / What ~ (of business) are you in? =《口》 What's your ~? 무슨 일을 하고 계십니까 / I'm in the building ~. 나는 건축 계통의 일을 하고 있다. **c**) 〖商〗 품종, 종류 ; 재고품, 구입(품) ; 《美俗》 값 : a cheap ~ in hats 값싼 모자 / a new ~ of sporting goods 새로운 스포츠 용품.
⑧ (*pl.*) 《英》 운명, 처지 : hard ~*s* 불행, 고난.
⑨ [C] 라인《(1) 〖物〗 자속(磁束)의 단위, 1 maxwell. (2) 〖植〗 길이의 단위, 1/12 인치》.
all (***the way***) ***along the*** ~ 전선(全線)에 걸친《승리 등》; 도처에, 모조리 ; 모든 시점〔단계〕에. ***bring into*** ~ …을 정렬시키다, 한 줄로 하다 ; …을 (…과) 협력〔일치〕시키다《*with*》. ***come into*** ~ (1) 정렬하다. (2) 행동을 같이 하다 ; 동의〔협력〕하다《*with*》. ***down the*** ~ 완전히, 전면적으로. ***draw the*** 〔***a***〕 ~ (1) 선을 긋다. (2) 구별하다《*between*》: You must *draw a* ~ *between* right and wrong. 사람은 선악을 분간해야 한다. (3) 한계를 짓다 ; (…의) 선을 넘지 않다, (…까지는) 하지 않다 : I *draw the* ~ *at* murder. 살인까지는 하지 않을 것이다. ***give a*** ~ ***on . . .*** 《口》 …에 관해 정보를 주다. ***give*** a person ~ ***enough*** 《比》 아무를 한동안 멋대로 하게〔하는 대로〕 내버려두다. ***hit the*** ~ 〖蹴〗 공을 가지고 상대팀의 라인을 돌파하려고 하다 ; 대담〔용감〕한 일을 시도하다. ***hold the*** ~ (1) 현상을 유지하다, 꽉 버티다. (2) 전화를 끊지 않고 기다리다 : *Hold the* ~, please. 〖電話〗 끊지 말고 기다려 주세요. (3) 물러 서지 않다, 고수하다. ***in a direct*** ~ 직계의. ***in*** ~ (1) 정렬하여. (2) …와 조화〔일치〕하여《*with*》: It's not *in* ~ *with* our policy. 그건 우리 방침과 다르다. (3) 준비를 끝내고《*for*》, 승산이 있어《*for*》, …을 받을〔얻을〕 입장에 있는《*for*》. (4) 억제하고 : keep one's feelings *in* ~ 감정을 억제하다. (5) (지위 등을) 얻을 수 있고 : He's *in* ~ for the presidency. 다음에 사장이 될 차례다. ***in*** ~ ***of duty*** 직무로〔중〕: die *in* ~ *of duty* 순직하다. ***in*** 〔***out of***〕 ***one's*** ~ 성미에 맞는〔안 맞는〕; 장기(長技)인〔능하지 못한〕: Poetry is not *in my* ~. 시에는 서투르다. ***jump the*** ~ 《美》 새치기하다. ***lay*** 〔***put, place***〕 ***something*** 〔***. . .***〕 ***on the*** ~ (1) (돈을) 전액 맞돈으로 치르다. (2) 남김없이 나타내다〔보이다〕, 털어놓고〔분명히〕 이야기하다《*with*》. (3) (생명 · 지위 · 명성 등을) 걸다 : *lay* one's life *on the* ~ for 〔*to* do〕 …을〔하기〕 위해 목숨을 걸다. ~ ***of fire*** 사선(射線). ~ ***of flow*** 유선(流線). ~

of fortune (손금의) 운명선. ~ ***of life*** (손금의) 생명선. ~ ***of communication(s)*** 〖軍〗 (기지와 후방과의) 연락선, 병참선; 통신 (수단). ~ ***upon*** ~ 〖聖〗 교훈에 교훈을 더하며《이사야 28: 10》; 《口》 휴업하여, 운전을 정지하여. ***off*** ~ (1) 일관 작업에서 떠나. (2) 기계가 작동을 멈춰. (3) 〖컴〗 컴퓨터에 연결이 안되어, 오프라인에. ***on a*** ~ 평균하여, 같은 높이로; 대등하게. ***on*** ~ 측량선상에; 《口》 취업하여; 가동하여. ***on the*** ~ (1) (벽의 그림 따위가) 눈 높이만한 곳〔제일 좋은 위치〕에: hang paintings *on the* ~ 그림을 눈높이에 걸다. (2) 애매하여. (3) (명예 등을) 걸고. (4) 당장에: pay cash *on the* ~ 맞돈으로 치르다. ***on the ~s of*** …와 비슷한, …에 따라서. ***out of*** ~ 일렬이 아닌; 일치〔조화〕되지 않은; 관례〔사회 통념〕에 안 맞는; 주제넘은, 말을 안 듣는; 《美俗》 (값·품질 등이) 유별나게. ***reach the end of*** ~ (관계 등이) 끊어지다, 끝장나다, 파국에 이르다. ***read between the ~s*** 글의 행간을 읽다. ***shoot a*** ~ 《口》 큰소리치다(boast), 떠벌리다. ***step on*** a person***'s ~s*** 〖劇〗 (배우가) 때아닌 대사로 공연자를 방해하다. ***the ~s of the palm*** 수상(手相). ***the male*** 〔***female***〕 ~ 남계〔여계〕. ***toe the*** ~ ⇨TOE.

── *vt.* ① …에 선을 긋다: ~ paper 종이에 괘를 〔줄을〕 치다 / ~*d* paper 괘지(罫紙). ② 선을 그어 구획하다《*off*; *out*; *in*》. ③ …에 윤곽을 잡다, …의 윤곽을 그리다. ④ (문장 따위에서) …의 대략을 묘사하다《*out*》. ⑤ 《+[목]+[부]》 (종종 ~ up) 일렬로 (늘어) 세우다, 정렬시키다; 일원화〔통일〕하다: They ~*d* us *up* and marched us off. 그들은 우리를 한 줄로 세워 행진시켰다. ⑥ 《+[목]+[전]+[명]》 …에 나란히 세우다《*with*》: ~ a road *with* houses 길을 따라〔연변에〕 죽 집을 세우다. ⑦ (군인·차량 등이) …을 따라 죽 늘어서다; 할당하다(assign)《*to*》: The wrecks of Iraqui tanks ~*d* the road. 파괴된 이라크군 전차들이 길에 즐비했다. ⑧ (흔히 *pp.*) (얼굴에) 주름살을 짓다: a face ~*d* with care 걱정으로 주름진 얼굴. ── *vi.* ① 늘어서다《*up*》. ② 〖野〗 라이너를 치다. ~ ***out*** (1) (설계도·그림 등)의 대략을 그리다. (2) (깎아내거나 하려고) …에 선으로 표시하다. (3) 《口》 (찬송가 등을) 한 줄 한 줄 읽다《따라 부르게》. (4) 〖野〗 라이너를 쳐서 아웃이 되다. ~ ***up*** (행사 등을) 준비〔기획〕하다; (출연자 등을) 확보하다: A formal farewell party was ~ *up*. 정식 송별연이 준비되었다 / ~ *up* a charity concert 자선 음악회를 기획하다 / ~ *up* witnesses for a trial 재판에 필요한 증인들을 확보하다. ~ ***up against*** …에 대항하여 결속하다. ~ ***up behind*** …을 결속하여 지원하다: ~ *up behind* a new leader 새 지도자를 모두가 지지하다.

***line**² [lain] *vt.* 《~+[목] / +[목]+[전]+[명]》 ① (의복 따위)에 안을 대다; (상자 따위)의 안을 바르다 《*with*》: ~ a garment *with* fur 옷에 털가죽으로 안을 대다. ② (주머니·배 등)을 꽉 채우다 《*with*》: ~ a refrigerator *with* food and drink 냉장고를 음식물로 꽉 채우다 / ~ one's pocket *with* bribes 뇌물로 사복을 채우다.

line·a·ble [láinəbəl] *a.* 한 줄로 세울 수 있는.

lin·e·age¹ [líniidʒ] *n.* [U] (또는 a ~) 혈통, 계통; 가문: *a* man of good ~ 가문이 좋은 사람 / They can trace their ~ directly back to the 19th century. 그들은 그들의 혈통을 19세기까지 바로 거슬러 올라간다고 한다.

lineage² ⇨LINAGE.

líne ahéad 〖海軍〗 종진(縱陣); 〖軍〗 종대.

lin·e·al [líniəl] *a.* ① 직계의, 정통의, 적류(嫡流)의(cf. collateral); 선조로부터의; 동족(同族)의: a ~ ascendant〔descendant〕 직계 존속〔비속〕 / a ~ descendant of the company's founder 회사 창립자의 직계 후손. ② 선(모양)의(linear). ㊖ ~·ly [-əli] *ad.*

lin·e·a·ment [líniəmənt] *n.* [C] (each, every 에 수반될 때 이외는 *pl.*) ① 용모, 얼굴 생김새, 인상(人相); 윤곽: fine ~*s* 단정한 용모 / the exquisite ~*s* of his face 세련된 그의 얼굴 생김새. ② 특징: the ~*s* of the time 세태(世態).

***lin·e·ar** [líniər] *a.* ① 직선의; 선과 같은: ~ expansion 선(線) 팽창. ② 〖數〗 1차의, 선형의. ③ 〖植·動〗 실 모양의, 길쭉한. ④ 〖컴〗 선형(線形)의, 리니어의. ㊖ ~·ly *ad.*

línear álgebra 〖數〗 선형(線形) 대수(학).

línear equátion 〖數〗 1차 방정식.

línear IC [-áisíː] 〖電子〗 리니어 아이시, 리니어〔아날로그〕 집적 회로. [opp] *digital IC.*

lín·e·ar-in·dúc·tion mòtor [líniərindʌ́kʃən-] 〖電〗 =LINEAR MOTOR.

línear méasure 길이의 단위, 척도법.

línear mótor 〖電〗 리니어〔선형〕모터.

línear mótor càr 리니어모터 추진 차량.

línear perspéctive (선에 의한) 투시 화법, 원근법(遠近法).

línear prógramming 〖數·經·컴〗 선형 계획(법).

línear spáce 〖數〗 선형 공간.

line·back·er [láinbæ̀kər] *n.* [C] 〖美蹴〗 라인배커《수비의 2 열째에 위치하는 선수; 略: LB》.

líne contròl 〖通信〗 회선 제어(回線制御).

lined¹ [laind] *a.* 줄〔괘선〕을 친: ~ paper 괘지(罫紙), 인찰지(印札紙).

lined² *a.* 안(감)을 댄.

líne dràwing 선화(線畫)《펜화·연필화 등》.

líne dríve 〖野〗 라이너, 라인드라이브(liner¹).

líne èditor 라인에디터《(1) 저자와 긴밀히 연락하면서 편집작업을 진행시키는 편집자. (2) 〖컴〗 줄(단위) 편집기》.

líne engràving 줄새김, 선조(線彫)(화); 선조 동판화.

line·man [láinmən] (*pl.* ***-men*** [-mən]) *n.* [C] ① (전신·전화의) 가설공; 《英》 (철도의) 보선공. ② 〖測〗 측부(測夫). ③ 〖美蹴〗 전위.

‡**lin·en** [línin] *n.* [U] ① 아마포(布), 리넨, 린네르. ② 〔集合的〕 (종종 *pl.*) 린네르 제품《셔츠·속옷·시트 따위》: a ~ shower 《美》 (신부에게 주는) 린네르 제품의 선물 / change one's ~*s* 내의를 갈아입다. ***wash*** one***'s dirty*** ~ ***at home*** 〔***in public***〕 집안의 수치를 감추다〔외부에 드러내다〕.

── *a.* 〔限定的〕 아마의, 리넨〔린네르〕제의; 린네르처럼 흰.

línen dràper 《英》 리넨〔린네르〕상(商), 셔츠류 판매상.

línen páper 리넨〔린네르〕지(紙).

línen wédding 아마혼식《결혼 12 주년 기념》.

lìne of fórce 〖理〗 역선(力線)《전자장(電磁場)에서 힘의 방향을 나타내는 상상의 선(線)》.

líne of scrímmage 〖美蹴〗 스크럼 선(線)《스크럼을 짤 때 양 팀을 나누는 가공의 선》.

líne of síght ① (사격·측량 등의) 조준선. ② 〖天〗 시선(視線)《관측자와 천체를 잇는 직선》. ③ 〖放送〗 가시선《지평선에 막히지 않고 송신·수신 안테나를 잇는 직선》.

líne of vísion 〖眼〗 시선(視線)《눈동자의 중심점과 외계의 주시점을 잇는 선》.

line-out [-àut] *n.* [C] 〖럭비〗 라인 아웃《터치라인 밖으로 나간 공을 스로인하기》.

líne prìnter 〖컴〗 라인 프린터《단번에 한 줄 한 줄씩 고속으로 인쇄하는 기계》.

***lin·er**[1] [láinər] *n.* Ⓒ ① 정기선(cf. tramp) ; 정기 항공기. ② 선을 긋는 사람〔기구〕; 아이섀도용 붓. ③〖野〗 라이너(line drive).

lin·er[2] *n.* Ⓒ ① 안을 대는 사람 ; 안에 대는 것. ②〖機〗(마멸 방지용) 입힘쇠, 덧쇠, 라이너. ③ (코트 안에 분리할 수 있게 댄) 라이너. ④ = LINER NOTES.

líner nòtes 《美》 라이너노트《레코드, 카세트 테이프 등의 재킷, 곽 등에 적힌 설명서; 《英》 sleeve notes》.

líner pòol 땅에 판 구덩이 안쪽에 비닐을 댄 가정용 풀.

líner tràin 《英》(컨테이너 수송용) 고속 화물 열차.

líne sègment 〖數〗 선분(線分).

line-shoot [-ʃùːt] *vi.* 《口》 허풍떨다. ㊕ **~·er** *n.* Ⓒ 《口》 허풍선이.

line spacing 〖컴〗 줄띄(우)기.

lines·man [láinzmən] (*pl.* **-men** [-mən]) *n.* Ⓒ ① 전신〔전화, 송전〕선의 가설공. ②〖球技〗 선심 ; 〖蹴〗 전위.

line-up, line·up [láinʌ̀p] *n.* Ⓒ ① 사람〔물건〕의 열(列) ; 라인업, (선수의) 진용(표) : Jones will be missing from the team ~. 존스는 선수 진용표에서 빠지게 된다. ②〔一般的〕 구성, 진용 : the ~ of a new cabinet 새 내각의 진용. ③ (대질하기 위해 나란히 세운) 용의자의 열, 라인업 : He failed to identify the suspect from photographs, but later picked him out of a police ~. 그는 사진으로 용의자를 가려내는 데는 실패했으나, 나중에 경찰의 용의자 열에서 집어냈다. ④〖球技〗(시합 개시 전의) 정렬(整列) : the ~ for the next game.

ling[1] [liŋ] *n.* Ⓒ 〖魚〗 대구 비슷한 식용어.

ling[2] *n.* Ⓒ 〖植〗 히스(heather)의 일종.

-ling[1] *suf.* 《종종蔑》 ① 명사에 붙여 지소사(指小辭)를 만듦 : duck*ling*, prince*ling*. ② 명사 · 형용사 · 부사 · 동사에 붙여 '…에 속하는〔관계 있는〕 사람 · 물건'의 뜻의 명사를 만듦 : dar*ling*, nurs(e)*ling*, young*ling*.

-ling[2], **-lings** *suf.* 방향 · 위치 · 상태 따위를 나타내는 부사를 만듦 : side*ling*, dark*ling*, flat*ling*.

‡lin·ger [líŋgər] *vi.* ① (우물쭈물) 오래 머무르다, 떠나지 못하다《*on*》: ~ awhile after the party 파티가 끝난 뒤에도 잠시 동안 떠나지 않다 / The resentment and longings ~*ed* after the divorce. 이혼한 뒤에도 원한과 그리움은 오래 남았다. ② (겨울 · 의심 따위가) 좀처럼 사라지지 않다 ; (습관이) 남다 ; (병 · 전쟁이) 질질 끌다 ; (환자가) 간신히 버티다《*on*》: Though desperately ill he could ~ *on* for months. 오늘내일 하면서도 그는 몇달을 버티었다. ③《+전+명》(꾸물거려) 시간이 걸리다《*over* ; *on* ; *upon*》: She ~*ed over* her decision. 좀처럼 결심이 서지 않았다 / There's no time to ~ — it'll soon be dark. 꾸물댈 시간이 없다. 곧 어두워진다. ④《+*to* do》 우물쭈물 망설이다, …하기로 마음을 정하지 못하다 : ~ *to* bid her good night 잘 자라는 인사를 좀처럼 못하다. ⑤ 근처를 서성거리다《*about*》: ~ on the way home 돌아오는 길에 지정거리다 / She was still ~*ing* around the theater long after the other fans had gone home. 그녀는 다른 팬들이 집에 간 뒤에도 오랫동안 극장 주위를 서성거리고 있었다. — *vt.* ① …을 질질 끌다. ②《+목+부》(시간)을 우물쭈물〔어정버정〕 보내다《*away* ; *out*》: He ~*ed out* his final years alone. 그는 만년을 외롭게 살았다. **~ *on*** (환자가) 오래 앓다. **~ *on*** 〔***round***〕 ***a subject*** 한 가지 문제를 가지고 질질 끌다. **~ *out* one's *life*** 좀처럼 죽지 않다 ; 헛되이 살아가다.

lin·ge·rie [làːndʒəréi, lǽnʒəriː] *n.* Ⓤ 《F.》 란제리, 여성의 속옷류 ; 《古》 리넨〔린네르〕 제품.

lin·ger·ing [líŋgəriŋ] *a.* ① 오래〔질질〕 끄는, 우물쭈물하는 : a ~ illness 오래 끄는 병 / ~ heat 늦더위. ② 미련이 있는 듯싶은, 망설이는. ㊕ **~·ly** *ad.*

lin·go [líŋgou] (*pl.* **~(e)s**) *n.* Ⓒ ① 외국어 : He doesn't speak the ~. 그는 외국어를 못 한다. ②《口 · 蔑》 횡설수설, 뜻 모를〔알 수 없는〕 말《사투리 · 술어 따위》: I had mastered the commercial ~ at last. 나는 마침내 거래 용어를 터득했다. ③〖言〗 링고, 전문어.

lin·gua [líŋgwə] (*pl.* **-guae** [-gwiː]) *n.* 《L.》 혀 ; 설상(舌狀) 기관 ; 언어.

língua frán·ca [-frǽŋkə] 《It.》 (종종 L- F-) 링궈 프랭커《이탈리아어 · 프랑스어 · 그리스어 · 스페인어의 혼합어로 Levant 지방에서 쓰임》; 〔一般的〕(혼성) 공통어 ; 의사전달의 매개가 되는 것.

lin·gual [líŋgwəl] *a.* ① 혀 (모양)의. ②〖音聲〗 설음(舌音)의. ③ 말〔언어〕의. — *n.* Ⓒ 설음 ; 설음자(字)《t, d, th, s, n, l, r》. ㊕ **~·ly** *ad.*

Lin·gua·phone [líŋgwəfòun] *n.* 링궈폰《어학 자습용 녹음 교재 ; 商標名》.

lin·gui·form [líŋgwəfɔ̀ːrm] *a.* 혀 모양의.

***lin·guist** [líŋgwist] *n.* Ⓒ ① 어학자, 언어학자. ② 여러 외국어에 능한 사람 : She's an excellent ~. 그녀는 수개국 언어에 아주 능하다. ㊕ **~·er** [-ər] *n.* Ⓒ 통역자.

***lin·guis·tic, -ti·cal** [liŋgwístik], [-əl] *a.* 어학(상)의, 언어의 ; 언어학의 ; 언어 연구의. ㊕ **-ti·cal·ly** [-əli] *ad.*

linguístic átlas 〖言〗 언어 지도.

linguístic fórm 〖言〗 언어 형식《의미를 가지는 구조상의 단위 ; 문(文) · 구(句) · 낱말 등》.

linguístic geógraphy 언어 지리학.

***lin·guis·tics** [liŋgwístiks] *n.* Ⓤ 어학 ; 언어학. cf. philology. ¶ comparative 〔descriptive, general, historical〕 ~ 비교〔기술, 일반, 역사〕 언어학.

lin·gu·late [líŋgjəlèit] *a.* 혀 모양의.

lin·i·ment [línəmənt] *n.* Ⓤ,Ⓒ (액상의) 바르는 약 : rub on (a) ~ 도포제(塗布劑)를 문질러 바르다 / a ~ that a sportsman would use for painful muscles 운동선수의 근육통에 바르는 연고.

***lin·ing** [láiniŋ] *n.* ① Ⓒ (옷 따위의) 안찝 : Every cloud has a silver ~. ⇨ CLOUD. ② Ⓤ 안감. ③ Ⓒ (지갑 · 위 따위의) 알맹이, 내용.

‡link[1] [liŋk] *n.* Ⓒ ① (사슬의) 고리. ② (뜨개질의) 코. ③ (고리처럼 이어진) 소시지의 한 토막 ; (*pl.*) 커프스 버튼(cuff ~). ④ 연결하는 사람〔물건〕; 유대 ; 연관, 관련《*with* ; *between*》: the ~ *between* smoking and lung cancer 끽연과 폐암의 관계 / The photos are my ~ *with* my past. 그 사진들은 나와 내 과거를 연결시켜 주는 것이다. ⑤〖機〗 링크 ; 연동 장치. ⑥〖컴〗 연결, 연결로. — *vt.* ① …을 잇다, 연접하다《*to* ; *with*》; 관련짓다, 결부하다〔하여 생각하다〕《*with* ; *together*》: two towns ~*ed* by a canal 운하로 연결된 두 도시. ②《~+목 / +목+전+명》(팔)을 끼다 : ~ one's arm *in* 〔*through*〕 another's 아무와 팔을 끼다 / He ~*ed* the fingers of his hands *together* on his gross stomach. 그는 뚱뚱한 배 위에 양손을 깍지끼어 놓았다. — *vi.* ① 이어지다, 연결되다, 제휴하다《*up*》: The police had to ~ *up with* them to catch the kidnapper. 경찰은 납치범을 잡기 위해 그들과 제휴하여야 했다. ② 팔을 끼고 가다. ~

up with …와 동맹하다.

link² *n.* Ⓒ 횃불.

link·age [líŋkidʒ] *n.* ⓊⒸ ① 연합; 연쇄; 결합: No one disputes the direct ~ between the unemployment rate and crime. 아무도 실업률과 범죄의 직접적 연관에 이의를 제기 하지 않는다. ②〖政〗연관(聯關)외교, 링키지. ③〖機〗연동 장치; 〖컴〗연계.

línkage èditor〖컴〗연계 편집 프로그램.

link·er [líŋkər] *n.* Ⓒ〖컴〗링커, 연계기.

línk·ing vèrb [líŋkiŋ-]〖文法〗연결 동사 (copula)《be, appear, seem, become 등》.

link·man [ˊ-mən] (*pl.* ***-men*** [-mən]) *n.* Ⓒ ① 횃불 드는 사람. ② (축구 따위의) 링커. ③ (라디오·TV 좌담회의) 사회자. ⓒⓕ anchor man.

línk mòtion〖機〗링크 장치, 연동 장치.

links [liŋks] *n.* ①Ⓒ 골프장《특히, 해안의》. ② (*pl.*) 《Sc.》(해안의) 모래펄.

links·man [ˊ-mən] (*pl.* ***-men*** [ˊ-mən]) *n.* Ⓒ 골퍼.

link·up [líŋkʌ̀p] *n.* Ⓒ ① 연결; (우주선의) 도킹: the ~ of two satellites in space 두 인공 위성의 우주 도킹. ② (두 조직체간의) 연대, 제휴: British Airways has proposed ~ *with* Dutch airline KLM. 영국 항공은 네덜란드의 KLM과 제휴할 것을 제의했다.

línk vèrb = LINKING VERB.

link·work [ˊ-wəːrk] *n.* ⒸⓊ 사슬 세공; 연동장치; 연쇄.

Linn. Linnaean; Linnaeus.

Lin·nae·us [liníːəs] *n.* **Carolus** ~ 린네《스웨덴의 식물학자; 본명 Carl von Linné; 1707-78》.

lin·net [línit] *n.* Ⓒ〖鳥〗홍방울새.

li·no [láinou] *n.* 《주로 英》 = LINOTYPE; LINOLEUM.

li·no·cut [láinoukʌ̀t] *n.* ⓊⒸ 리놀륨 인각(印刻)(화(畫)).

li·no·le·um [linóuliəm] *n.* Ⓤ 리놀륨《마루의 깔개》.

Lin·o·type [láinoutàip] *n.* ①Ⓒ 자동 주조 식자기, 라이노타이프《商標名》. ②Ⓤ 라이노타이프에 의한 인쇄(법). [◂ *line of type*] ⓜ **líno·tỳp·er, -tỳp·ist** [-ər], [-ist] *n.* Ⓒ 라이노타이프 식자공.

lin·seed [línsìːd] *n.* ⓊⒸ 아마인(亞麻仁).

línseed càke 아마인 깻묵《가축 사료》.

línseed òil 아마인유(油).

lin·sey(-wool·sey) [línzi(wúlzi)] *n.* Ⓤ 삼〔무명〕과 털의 교직물.

lint [lint] *n.* Ⓤ ① 린트 천《붕대용의 부드러운 베의 일종》. ②실보무라지; 솜 보무라지.

lin·tel [líntl] *n.* Ⓒ〖建〗상인방; 상인방돌. ⓜ **-teled, -telled** [-d] *a.* 상인방(돌)이 있는.

lint·er [líntər] *n.* ①Ⓒ (천에서) 실보무라지 제거기(機). ② (*pl.*) 실보무라지.

liny [láini] (***lin·i·er; -i·est***) *a.* 선을 그은; 주름투성이의;〖美術〗선을 많이 쓴.

†li·on [láiən] *n.* ①Ⓒ (*pl.* ***~s,*** ~) 사자, 라이온. ★ 사자는 영국 왕실의 문장(紋章)으로 Great Britain 의 상징. ②Ⓒ 용맹한 사람. ③Ⓒ 유명한〔인기 있는〕사람: political ~*s* 정계의 명사. ④Ⓒ《英》인기 끄는 것; (*pl.*) 명물, 명소. ⑤ (the L-)〖天〗사자자리; 사자궁(Leo). ⑥Ⓒ〖紋章〗사자 무늬. ***a ~ in the way*** 〔***path***〕앞길에 가로놓인 난관《특히 상상적인》. ***~'s skin*** 헛위세. ***make a ~ of*** a person 아무를 치켜세우다. ***put*** 〔***run***〕 one***'s head in*** 〔***into***〕 ***the ~'s mouth*** 자진하여 위험한 곳에 들다, 대모험을 하다. ***the ~ and unicorn*** 사자와 일각수《영국 왕실의 문장을 떠받드는 짐승》. ***the ~'s share*** 가장 좋은 부분, 노른자위: take *the ~'s share* 실속을 차리다 / As usual, *the ~'s share* of the budget is for defence. 늘 그렇듯이 예산의 가장 큰 몫은 방위비다. ***throw*** 〔***feed***〕a person ***to the ~s*** 죽게 된〔곤경의〕사람을 내버려두다. ***twist the ~'s tail*** (특히, 미국 기자가) 영국의 욕을 하다〔쓰다〕.

li·on·ess [láiənis] *n.* Ⓒ 암사자.

li·on·et [láiənit, -nèt] *n.* Ⓒ 새끼사자. ⓒⓕ cub.

li·on·heart [-hàːrt] *n.* ①Ⓒ 용맹〔담대〕한 사람. ②(L-) 사자왕《영국왕 Richard 1세의 별명》. ⓜ **~·ed** *a.* 용맹한. **~·ed·ness** *n.*

li·on·i·za·tion [làiənizéiʃən / -nai-] *n.* Ⓤ 치켜세움, 떠받듦, 명사 취급함.

li·on·ize [láiənàiz] *vt.* …을 치켜세우다, 떠받들다, 명사 취급하다: be ~*d* by the press 언론이 명사 취급을 하다.

Líons Clùb 라이온스 클럽《1917년 미국에서 창설된 국제적 사회봉사회》. [◂ *l*iberty, *i*ntelligence, *o*ur *n*ation's *s*afety]

†lip [lip] *n.* ① **a)** Ⓒ 입술: the upper 〔lower, under〕~ 윗〔아랫〕입술. **b)** (*pl.*) (발성 기관으로서의) 입: open one's ~*s* 입을 열다, 말하다. **c)** Ⓤ《美俗》건방진〔주제넘은〕말: None of your ~! 건방진 소리 마라. ②Ⓒ 입술 모양의 것; (식기·단지·우묵한 데·상처·포구 등의) 가장자리; (식기 따위의) 부리, 귀때;〖植〗입술꽃잎, 순형 화판(脣形花瓣);〖動〗(고둥의) 아가리; (공구의) 날; 상처. ③Ⓒ〖樂〗(관악기의) 마우스피스; 리핑(lipping)《취주 때의 입놀림》. ***be on every-one's*** ~ 뭇입에 오르내리다, 말들이 많다. ***be steeped to the ~s in*** a person 악덕·죄 등이 아무의 몸에 깊이 배어 있다. ***bite*** one***'s ~s*** 노염〔고통, 웃음〕을 참다; 입술을 깨물다. ***button*** one***'s*** ~《俗》입을 다물고 있다, (비밀 등을) 누설하지 않다. ***carry*** 〔***keep, have***〕 ***a stiff upper*** ~ (어려움 따위에) 끄떡 않다, 겁내지 않다, 지그시 참다 ; 꿋꿋하다. ***curl the*** 〔***one's***〕 ***~(s)*** 입술을 비죽거리다《경멸·불쾌·냉소의 표정》. ***hang on*** a person***'s ~s*** = ***hang on the ~s of*** a person 아무의 말에 귀를 기울이다〔매료되다〕. ***hang*** one***'s*** ~ 울상을 짓다. ***lick*** 〔***smack***〕 one***'s ~s*** (맛이 있어서) 입술을 핥다; (먹고 싶어서) 군침을 삼키다. ***My ~s are sealed.*** (거기에 대해서는) 말하지 않겠다. ***part with dry ~s*** 키스하지 않고 헤어지다. ***pass*** one***'s ~s*** (말이) 입에서 새다, 무심코 지껄이다; 음식물이 입에 들어가다. ***put*** 〔***lay***〕 one***'s finger to*** one***'s ~s*** 입술에 손가락을 대다《입 다물라는 신호》. ***shoot out the*** ~〖聖〗(경멸·불쾌 때문에) 입을 삐쭉 내밀다.

— (***-pp-***) *vt.* ①…에 입술을 대다. ②〖골프〗공을 쳐서 (컵)의 가장자리를 맞히다. ③…에게 속삭이다. — *a.* 〔限定的〕①입술의, 말뿐인: ~ devotion 말뿐인 신앙 / ~ praise 말뿐인 칭찬〔공언(空言)〕. ②〖音聲〗순음의: a ~ consonant 순자음(脣子音).

li·pase [láipeis] *n.* Ⓒ〖生化〗리파아제.

lip-gloss [ˊ-glɔ̀ːs] *n.* Ⓤ 립글로스《입술에 윤기를 주는 화장품》.

lip·id, li·pide [lípid, lái-], [lípaid, -id, láipàid, -pid] *n.* Ⓒ〖生化〗지질(脂質).
ⓜ **li·pid·ic** [lipídik] *a.*

líp lànguage 시화(視話), 독순(讀脣) 언어《벙어리가 입술 움직임으로 의사 소통하기》.

Li Po [líːpóu] *n.* 이백(李白)《701-762》.

lipo- '지방(脂肪)'의 뜻의 결합사《모음 앞에서는 lip-》: *lip*ase, *lipo*protein.

lipped [lipt] *a.* 입술이〔귀때가〕있는; …한 입의,

입술 모양의 : a ~ jug 귀때 항아리 / red-~ 입술이 빨간 / thick ~ 입술이 두꺼운.
lip·o·suc·tion [lípəsʌ́kʃ(ə)n] *n.* U,C (미용을 위한) 지방 흡인술.
lip·py [lípi] (*-pi·er ; -pi·est*) *a.* 《口》 ① 건방진. ② 수다스러운.
lip-read [líprìːd] (*p., pp.* ***-read*** [-rèd]) *vt., vi.* (…을) 독순술(讀脣術)로 이해하다 : They are not given hearing aids or taught to ~. 그들에게는 보청기도 지급되지 않았고 독순술도 가르치지 않았다.
líp rèading 독순술, 시화(視話).
lip·salve [-sæ̀v, -sɑ̀ːv] *n.* ① U,C 입술에 바르는 연고. ② U 아첨.
líp sèrvice 입에 발린 말 ; 말뿐인 호의〔찬의, 경의〕: pay 〔give〕 ~ (to...) (…에) 입발린 말을 하다, 말로만 동의하다.
***lip·stick** [-stìk] *n.* U,C 입술 연지, 립스틱.
lip·sync(h) [-síŋk] *vt., vi., n.* U 〖TV·映〗 녹음〔녹화〕에 맞추어 말〔노래〕하다〔하기〕.
liq. liquid ; liquor ; liquor store.
liq·ue·fac·tion [lìkwifǽkʃən] *n.* U 액화 ; 용해 ; 액화 상태 : ~ of coal 석탄 액화.
líq·ue·fied nátural gás [líkwifàid-] 액화 천연 가스《略 : LNG》.
líquefied petróleum gàs 액화 석유 가스《略 : LPG》.
liq·ue·fy [líkwifài] *vt.* …을 녹이다, 액화하다 : A lot of energy is wasted *~ing* the methane. 메탄을 액화하는 데는 에너지가 많이 소모된다. — *vi.* 녹다 ; 액화되다.
li·ques·cence, -cen·cy [likwésəns], [-si] *n.* U 액화 (상태).
li·ques·cent [likwésənt] *a.* 액화하기 쉬운, 액화성의.
li·queur [likə́ːr / -kjúər] *n.* 《F.》 ① U 리큐어 《달고 향기 있는 독한 술》. ② C 리큐어 한잔.
‡liq·uid [líkwid] *a.* ① 액체의, 유동체의 : Fats are solid at room temperature, and oil is ~ at room temperature. 지방은 실온에서 굳고 기름은 실온에서 액상이다. ② (소리·시 등이) 흐르는 듯한, 막힘 없는, 유창한. ③ 《比》 (빛깔·눈 따위가) 맑은, 투명한. ④ 움직이기 쉬운, 불안정한. ⑤ 〖經〗 현금으로 바꾸기 쉬운 : ~ assets 〔capital〕 유동자산〔자본〕/ The bank has sufficient ~ assets to continue operations. 은행에는 계속 운용할 수 있는 충분한 유동 자산이 있다. ⑥ 〖音聲〗 유음(流音)의《[l, r] 등》. ◇ liquidity *n.* liquidize *v.*
— *n.* ① U,C 액체, 유동체. cf. gas, solid. ② C 유음, 유음 문자《[l, r] ; 때로 [m, n, ŋ] 포함》; 구개화음《스페인어의 ñ, ll 등》.
㊎ **~·ly** *ad.* 액상(液狀)으로, 유동하여, 유창하게. **~·ness** *n.* =LIQUIDITY.
líquid áir 액화 공기.
liq·ui·date [líkwidèit] *vt.* ① (빚)을 청산하다, 갚다. ② (회사의 부채)를 정리하다. ③ …을 폐지하다. ④ …을 숙청하다 ; 《婉》 죽이다 : He retained power by *liquidating* his opponents. 그는 정적들을 숙청함으로써 권력을 유지했다. ⑤ (증권 따위)를 현금으로 바꾸다. — *vi.* 청산하다 ; 정리하다. ㊎ **-dà·tor** [-tər] *n.* C 청산인.
liq·ui·da·tion [lìkwidéiʃən] *n.* U ① (빚의) 청산 ; (파산자의) 정리 : The number of company *~s* rose 11 percent. 청산 회사의 수는 11퍼센트 늘었다. ② 폐지, 일소. ③ 숙청, 살해. ***go into ~*** (회사가) 청산〔파산〕하다.
líquid crýstal 〖化〗 액정(液晶) : ~ display 〖電子〗 액정 표시《略 : LCD》.
líquid díet 유동식(流動食).
li·quid·i·ty [likwídəti] *n.* ① U 유동성. ② **a)** U 유동자산의 환금(換金) 능력. **b)** (*pl.*) 유동 자산.
liq·uid·ize [líkwidàiz] *vt.* (즙을 내려고 야채·과일 등)을 갈다 : *Liquidize* the vegetable and then pass it through a sieve. 그 채소를 (믹서에) 갈아서 체에 밭아라.
liq·uid·iz·er [líkwidàizər] *n.* C (요리용) 믹서 《《美》 blender》.
líquid méasure 액량(液量)《gill, pint, quart, gallon 등》. cf. dry measure.
líquid óxygen 액체〔액화〕 산소.
líquid propéllant 〖로켓〗 액체 추진제.
‡liq·uor [líkər] *n.* ① U,C 《美》 독한 증류주《brandy, whisky 따위》; 《英》 알코올 음료, 술 : ~ traffic 주류 판매 / ⇨MALT LIQUOR / spirituous ~(*s*) 증류주(酒), 화주(火酒) / hold one's ~ well 술을 마셔도 흐트러지지 않다. ② U (고기 따위를) 곤〔다린〕 물 : meat ~ 육수(肉水). ③ U 《藥》 용액 ; 물약. ***be in ~=be*** (***the***) ***worse for ~*** 술에 취하다. ***take*** 〔***have***〕 ***a ~*** (***up***) 《口》 한잔 하다〔마시다〕.
— *vt.* 《美口》 (남)에게 술을 먹이다〔권하다〕 《*up*》. — *vi.* 《美口》 술을 많이 마시다《*up*》.
liq·uo·rice [líkəris] *n.* =LICORICE.
líquor stòre 술집.
li·ra [líːrə] (*pl.* ***li·re*** [lí(ː)rei], **~s**) *n.* C 리라《이탈리아의 화폐 단위 ; 그 은화》.
Li·sa [líːsə, -zə, láizə] *n.* 리자, 라이저《여자 이름 ; Elizabeth 의 애칭》.
Lis·bon [lízbən] *n.* 리스본《Portugal 의 수도》.
lisle [lail] *n.* C 라일 실(=∠ **thrèad**)《외올의 무명실》; 그 직물. — *a.* 라일 실의.
LISP [lisp] *n.* 〖컴〗 리스프《리스트 처리 루틴》. [◂ *list processor* 〔*processing*〕]
lisp [lisp] *vi., vt.* (…을) 불완전하게 발음하다《어린애가 [s, z]를 [θ, ð]로 발음하는 따위》; 혀짤배기소리로 말하다《*out*》. — *n.* C 혀짤배기 소리. ㊎ **∠·er** *n.* **∠·ing** *n., a.* **∠·ing·ly** *ad.*
lis·som(e) [lísəm] *a.* ① (몸이) 유연한. ② (사람이) 민첩한. ㊎ **~·ly** *ad.* **~·ness** *n.*
‡list¹ [list] *n.* C ① 목록, 명부, 표, 명세서, 리스트. ② 가격표 ; =LIST PRICE. ③ 〖컴〗 목록, 죽보(이)기. ***close the ~*** 모집 마감하다. ***first on the ~*** 제일 첫째의〔로〕; 수석의〔으로〕. ***lead*** 〔***head***〕 ***the ~*** 수위를 차지하다. ***make a ~ of*** …을 표로 작성하다. ***on the active*** 〔***reserved, retired***〕 ***~*** 현역〔예비역, 퇴역〕으로. ***on the danger ~*** ⇨ DANGER LIST. ***on*** 〔***in***〕 ***the ~*** 표에 올라, 명부에 기입되어. ***on the sick ~*** 병으로 앓고〔휴양 중〕.
— *vt.* ① …의 목록을 만들다 : There was a label on each case *~ing* its contents. 각 상자에 내용물의 목록을 적은 라벨이 붙어있었다. ② 목록〔표〕에 싣다 ; 명부에 올리다. — *vi.* 《+전+명》 카탈로그에 실리다 : This radio *~s at* $ 25. 이 라디오는 카탈로그에 25 달러로 나와 있다.
list² *n.* ① C (천의) 가장자리, 변폭(邊幅), 식서(飾緖). ② (*pl.*) =LISTS. ③ C 두둑, 이랑.
list³ *n.* (a ~) (선박·건물 따위의) 기울기.
— *vi.* (짐이 무너지거나 침수로 배 따위가) 기울다. — *vt.* …을 기울게 하다.
list⁴ (3 인칭 단수 현재 ~, **∠·*eth*** ; 과거 ~, **∠·*ed***) 《古》 *vt.* ① …의 마음에 들다. ② …을 바라다, …하고 싶어하다. — *vi.* 바라다, 하고 싶어하다, 탐내다 : The wind bloweth where it *~eth.* 〖聖〗 바람은 임의로 분다《요한복음 3 : 8》/ It ~ me not to speak. 말하고 싶지 않다.

list⁵ *vt., vi.* 《古》 (…을) 듣다, 경청하다《*to*》.
líst bròker 우편 광고용 리스트 임대업자.
list·ed [lístid] *a.* (증권 따위가) 상장된.
lísted buílding 《英》 문화재 지정 건조물.
lísted stóck 상장 주식.
†**lis·ten** [lísən] *vi.* ① 《~ / +전+명》 귀를 기울이다, 경청하다《*to*》: *Listen to* me. 내 말을 들으시오. ★ 부정사 또는 현재분사를 뒤에 붙일 수 있음: I ~*ed to* her sing [singing]. 그 여자가 노래하는 것을 들었다. ② 《~ / +전+명》 귀여겨 듣다, 따르다《*to*》: ~ *to* reason 사리에 따르다 / Don't ~ *to* the man. 저 남자 말을 믿어서는 안된다. ③ 《+보》 《美口》 (…처럼[정당하게, 확실하게]) 들리다 : Your story ~*s* reasonable. 당신 말이 이치에 맞는 것 같소. ~ ***for*** …을 들으려고 귀를 기울이다. ~ ***in*** (1) (라디오 따위)를 청취하다 《★ 이 뜻으로는 좀 예스러움》. (2) (전화 따위)를 엿듣다. ~ ***out*** 《口》 [흔히, 命令法] …을 주의해 듣다 : *Listen out* for your number to be called. 네 번호를 부르는지 잘 들어라. ~ ***up*** 《美口》 = ~ out. — *n.* (a ~) 《口》 들음 : Have *a* ~. 들으시오.
㊔ ~·**a·ble** *a.* 듣기 쉬운, 듣기 좋은.
‡**lis·ten·er** [lísnər] *n.* Ⓒ ① 듣는 사람, 경청자. ② (라디오의) 청취자 ; (대학의) 청강생(auditor) : Good evening, ~*s!* 청취자 여러분 안녕하십니까 / I'm a regular ~ to the program. 나는 그 프로의 고정 청취자이다.
lis·ten·er-in [lísnərín] (*pl.* ***lis·ten·ers-in*** [-nərz-]) *n.* Ⓒ 라디오 청취자 ; 도청자.
lis·ten-in [lísnìn] *n.* Ⓤ (라디오 등의) 청취 ; 도청.
*__lis·ten·ing__ [lísniŋ] *n.* Ⓤ 청취.
lístening devìce 도청 장치.
lis·ten·ing-in [lísniŋín] *n.* Ⓤ 라디오 청취.
lístening pòst 『軍』 적의 동향을 소리로 정찰하기 위하여 방어선보다 앞에 설치한 차폐소(遮蔽所) ; [一般的] 정보 수집소.
list·er¹ [lístər] *n.* Ⓒ ① 리스트[카탈로그] 작성자. ② 세액(稅額) 사정자(査定者).
list·er² *n.* Ⓒ 『農』 동력 경운기, 배토(培土)[이랑 파는] 농구(=∠ **plòw**) ; 자동 파종장치가 달린 동력 경운기(=∠ **plànter**, ∠ **drill**).
lis·te·ria [listíːriə] *n.* Ⓤ 『菌』 리스테리아《세균의 일종으로 고열·마비 등을 일으킴》.
list·ing [lístiŋ] *n.* Ⓤ 표의 작성 ; 표의 기재사항[항목] ; 목록 ; 『컴』 목록 작성, 죽보(이)기.
list·less [lístlis] *a.* …할 마음이 없는, 무관심한, 냉담한 ; 께느른한. ㊔ ~·**ly** *ad.* ~·**ness** *n.*
líst príce (카탈로그 따위에 기재된) 표시 가격 《실제 가격에 대하여》, 정가(定價).
lists [lists] *n.* (the ~) [單·複數취급] (중세의) 마상 시합장 ; 거기에 에두른 울짱. ***enter the*** ~ 논쟁에 나서다, 도전에 응하다《*against*》.
Liszt [list] *n.* **Franz von** ~ 리스트《헝가리의 작곡가 ; 1811-86》.
‡**lit**¹ [lit] LIGHT¹˒³의 과거·과거분사.
lit² 《口》 *n.* Ⓤ 문학(literature). — *a.* 문학의.
lit. literal(ly) ; literary ; literature ; liter(s).
lit·a·ny [lítəni] *n.* ① **a)** Ⓒ 『가톨릭』 (가톨릭의) 호칭(呼稱) 기도. **b)** (the L-) (성공회의) 탄원. ② Ⓒ 장황한 이야기[설명].
Lit. B. =LITT. B.
lít càndles 《美俗》 경찰차 지붕에서 점멸하는 붉은 등.
li·tchi [líːtʃiː] *n.* Ⓒ 『植』 (중국산) 여주 ; 그 열매.
lit-crit [lítkrít] *n.* Ⓤ,Ⓒ 《口》 문학 비평, 문예평론(가).

-lite, -lyte *suf.* '돌'을 뜻하는 명사를 만듦 : chryso*lite*, meteoro*lite*.
*__li·ter,__ 《英》 **-tre** [líːtər] *n.* Ⓒ 리터《1,000 cc ; 略 : l., lit.》.
*__lit·er·a·cy__ [lítərəsi] *n.* Ⓤ 읽고 쓰는 능력 ; (받은) 교육, 교양. opp. *illiteracy.*
*__lit·er·al__ [lítərəl] *a.* ① 문자(상)의 ; 문자로 표현된 : a ~ error 오자(誤字), 오식(誤植) / a ~ coefficient 『數』 문자 계수. ② 글자 그대로의, 어구에 충실한 : a ~ translation 축어역, 직역. ③ (사람·성질 따위가) 자구[글뜻]에 구애되는, 상상력[융통성]이 없는, 멋없는 : He is a very ~ person. 그는 참으로 융통성이 없는 사람이다. ④ (문자·말 그대로) 사실에 충실한, 과장[꾸밈]이 없는 ; 엄밀한, 정확한 : He was saying no more than the ~ truth. 틀림없는 진실을 말했을 뿐이다. ***in the ~ sense*** [***meaning***] ***of the word*** 글자 그대로의 의미로 : His story is incredible *in the ~ sense of the word.* 그의 이야기는 글자 그대로 믿을 수는 없다.
— *n.* Ⓒ ① 오자, 오식. ② 『컴』 리터럴, 상수.
㊔ ~·**ism** [-ìzəm] *n.* Ⓤ ① 자구에 구애됨 ; 직역(주의), 직역조(調). ② 『美術』 (극단적) 사실주의. ~·**ist** *n.* Ⓒ 자구에 얽매이는 사람 ; 직역주의자 ; 『美術』 극단적 사실주의자. ~·**ness** *n.*
lit·er·al·is·tic [lìtərəlístik] *a.* 문자에 구애되는, 직역주의의 ; 『美術』 사실주의의.
lit·er·al·i·ty [lìtərǽləti] *n.* Ⓤ 글자 뜻대로임 ; 자구 대로의 해석[의미].
lit·er·al·ize [lítərəlàiz] *vt.* …을 글자 뜻대로 해석하다, 직역하다.
‡**lit·er·al·ly** [lítərəli] *ad.* ① 글자 뜻 그대로 ; 축어적으로 ; 글자에 구애되어 : translate ~ 직역하다 / Don't take his remarks too ~. 그의 말을 곧이곧대로 들어서는 안 된다. ② 아주, 정말로 ; 과장없이, 글자 그대로 : I was ~ helpless. 난 글자 그대로 고립무원이었다.
‡**lit·er·ary** [lítərèri / -rəri] *a.* ① 문학의, 문필의 ; 학문의 : ~ property 판권, 저작권. ② 문학에 통달한[훤한] ; 문학 취미의. ③ 문학에 종사하는, 문필을 업으로 하는. ④ (구어에 대해) 문어적인. cf. colloquial. ㊔ **lít·er·àr·i·ly** *ad.* 문학상(으로). **-i·ness** *n.*
líterary ágency 저작권 대리업.
lit·er·ate [lítərit] *a.* ① 읽고 쓸 수 있는. opp. *illiterate.* ¶ Though nearly twenty he was barely ~. 거의 스무 살인데도 그는 읽고 쓸 줄을 몰랐다. ② 학식[교양]이 있는 ; 문학적 소양이 있는 : Scientists should be ~ as well as able to handle figures. 과학자는 숫자를 다룰 수 있을 뿐 아니라 교양이 있어야 한다. — *n.* Ⓒ ① 읽고 쓸 줄 아는 사람. ② 학식[교양] 있는 사람, 학자.
㊔ ~·**ly** *ad.* ~·**ness** *n.*
lit·e·ra·ti [lìtəráːti, -réitai] *n. pl.* 《L.》 문학자들 ; 학자들 ; 지식 계급.
lit·e·ra·tim [lìtəréitim, -ráː-] *ad.* 《L.》 한 자 한 자, 글자 그대로 ; 본문 그대로.
lit·er·a·tion [lìtəréiʃən] *n.* Ⓤ (음성·말의) 문자 표기, 문자화.
lit·er·a·tor [lítərèitər] *n.* Ⓒ 문학자, 저술가.
‡**lit·er·a·ture** [lítərətʃər, -tʃùər] *n.* Ⓤ ① 문학, 문예 : light[popular] ~ 경[대중] 문학 / polite ~ 순문학. ② 문학 연구 ; 작가 생활, 저술. ③ 문헌 ; 조사[연구] 보고서, 논문 : I've read all the available ~ on poultry-farming. 가금(家禽) 사육에 관한 입수 가능한 모든 문헌을 읽었다. ④ 《口》 [集合的] (광고·선전 등의) 인쇄물 : campaign ~ 선거운동용 전단.

lith-, litho- *pref.* '돌'을 뜻하는 명사를 만듦《모음 앞에서는 lith-》: *litho*graphy.

-lith *n.* '돌로 만든 것, 결석, 돌'의 뜻의 명사를 만듦: acro*lith*.

lithe [laið] *a.* 나긋나긋(낭창낭창)한, 유연(柔軟)한: Her walk was ~ and graceful. 그녀는 유연하고 우아하게 걸었다. ㊞ **∠·ly** *ad.* **∠·ness** *n.* **∠·some** [-səm] *a.*

lith·ia [líθiə] *n.* Ⓤ 〖化〗 산화 리튬.

lith·i·um [líθiəm] *n.* Ⓤ 〖化〗 리튬《가장 가벼운 금속 원소; 기호 Li; 번호 3》.

litho(g). lithograph; lithographic; lithography.

lith·o·graph [líθəgræ̀f, -grɑ̀:f] *n.* Ⓒ 석판 인쇄, 석판화. ── *vt.* …을 석판으로 인쇄하다.
㊞ **li·thog·ra·pher** [liθágrəfər / -θɔ́g-] *n.* Ⓒ 석판공(工).

li·thog·ra·phy [liθágrəfi / -θɔ́g-] *n.* Ⓤ 리소그래피, 석판 인쇄(술).
㊞ **lith·o·graph·ic, -i·cal** [liθəgrǽfik], [-əl] *a.* **-i·cal·ly** [-əli] *ad.*

lith·o·trip·sy [líθətrìpsi] (*pl.* **-sies**) *n.* Ⓒ (신장 결석 파쇄기로) 결석 파쇄 제거.

lith·o·trip·ter [líθətrìptər] *n.* Ⓒ (충격파에 의한) 신장 결석 파쇄기.

Lith·u·a·nia [lìθjuéiniə] *n.* 리투아니아《유럽 동북부, 발트해 연안의 공화국의 하나》.

Lith·u·a·ni·an [lìθjuéiniən] *a., n.* 리투아니아의; 리투아니아 사람〔말〕(의).

lit·i·gant [lítigənt] *a.* 소송중의; 소송에 관계 있는: the ~ parties 소송 당사자. ── *n.* Ⓒ 소송 당사자, 소송 관계자.

lit·i·gate [lítigèit] *vt., vi.* 제소〔소송〕하다: If we have to ~, we will. 소송해야 한다면 해야지.
㊞ **lit·i·ga·tion** [lìtigéiʃən] *n.* Ⓤ 소송, 기소.

li·ti·gious [litídʒəs] *a.* 《종종 蔑》 소송하기 좋아하는. ㊞ **~·ly** *ad.* **~·ness** *n.*

lit·mus [lítməs] *n.* Ⓤ 리트머스《자줏빛 색소》.

lítmus pàper 〖化〗 리트머스 종이.

lítmus tèst ① 〖化〗 리트머스 시험. ② (본질을 밝히는) 시금석(試金石).

li·to·tes [láitətì:z, -tou-, lít-, laitóu-] (*pl.* ~) *n.* Ⓤ 〖修〗 곡언법(曲言法)《보기: very good 대신에 not bad라고 하는 따위》.

***litre** ⇨LITER.

Litt. B. *Litterarum Baccalaureus* 《L.》 (=Bachelor of Letters 〔Literature〕) (문학사).

Litt. D. *Litterarum Doctor* 《L.》 (=Doctor of Letters 〔Literature〕) (문학 박사).

lit·ter** [lítər] *n.* ① Ⓒ 들것, 가마. ② Ⓤ (개집 등에 까는) 짚. ③ **a)** Ⓤ 〔集合的〕 쓰레기, 잡동사니. **b)** (a ~) 난잡, 혼란: His room was *a* ~ of books, clothes and dirty coffee cups. 그의 방은 책이랑, 옷, 더러운 커피잔들로 어지러웠다. ④ Ⓒ 〔集合的; 單·複數 취급〕 (동물의) 한배: The cat had five kittens at a ~. 그 고양이는 한배에 다섯 마리를 낳았다. ***in ~ (개·돼지 따위가) 새끼를 밴〔배어〕. ***No Litter.*** 《게시》 쓰레기를 버리지 말 것.
── *vt.* ① 《+目+副》 (짐승)에게 짚을 깔아주다. ② 《~+目/+目+前+名/+目+副》 …을 흩뜨리다, 어지르다, 어수선하게 하다《*up*; *with*》: Bits of paper ~*ed* the floor. 종이쪽들이 마루에 흩어져 있었다 / Glass from broken bottles ~*s* the pavement. 깨진 병의 유리 조각들이 보도에 흩어져 있다. ③ (돼지 따위가 새끼)를 낳다. ── *vi.* (짐승이) 새끼를 낳다.

lit·té·ra·teur [lìtərətə́:r] *n.* Ⓤ 《F.》 문학자, 문인, 학자.

lit·ter·bag [lítərbæ̀g] *n.* Ⓒ 《美》 (자동차 안의) 쓰레기 주머니.

lit·ter·bin, lit·ter·bas·ket [lítərbìn], [-bæ̀skit, -bɑ̀:s-] *n.* Ⓒ 《英》 (공원 등지의) 쓰레기통.

lit·ter·bug [-bʌ̀g] *n.* Ⓒ 《美》 아무데나 함부로 쓰레기를 버리는 사람: Don't be a ~. 함부로 쓰레기를 버리지 마시오.

lit·ter·lout [-làut] *n.* 《英》 =LITTERBUG.

lit·ter·mate [-mèit] *n.* Ⓒ (개·돼지 따위의) 같은 배의 새끼.

†lit·tle [lítl] (***less*** [les], ***less·er*** [lésər]; ***least*** [li:st]. 다만, ①, ② 에서는 보통 smaller, smallest 로 대용) *a.* **A)** 《可算名詞와 더불어》 ① 〔보통 限定的〕 (모양·규모가) 작은, (집단 따위가) 소인원의. opp. *big, large.* ¶ a ~ box 작은 상자 / a ~ village 작은 마을 / a ~ farm 작은 농장 / The boy is much *littler* 〔smaller〕 than his friends. 그 소년은 자기 친구들보다 훨씬 작다《서술적 용법에서는 보통 small을 씀》 / Mine is a ~ family. 내 가족은 식구가 적다.
② 어린, 연소한(young): the ~ Joneses 존스 집안의 아이들 / our ~ ones 우리 아이들 / one's ~ brother 〔sister〕 아우〔누이동생〕 / When I was ~, I used to play with Nancy. 어렸을 때엔 낸시와 잘 놀았다 / She is too ~ to go out alone. 그녀는 혼자 외출하기에는 너무 어리다.
③ **a)** 〔限定的〕 시시한, 사소한, 하찮은; 인색한, 비열한; 세력이 없는, 지위가 낮은. opp. *great.* ¶ a dirty ~ trick 더러운 잔 꾀 / a ~ man with a ~ mind 소견이 좁은 하찮은 남자 / I know his ~ ways. 그의 유치한 수법을 알고 있다 / So that's your ~ game. 그런 수엔 안 넘어간다 / *Little* things please ~ minds. 《俗談》 소인은 하찮은 일에 즐거워한다. **b)** (the ~) 〔集合的; 複數 취급〕 하찮은〔권력 없는〕 사람들.
④ 〔限定的〕 (작고) 귀여운, 사랑스러운《앞에 있는 형용사 또는 뒤에 오는 명사에 좋은 느낌을 줌》: a pretty ~ house 아담한 집 / my dear ~ mother 사랑하는 어머니 / the 〔my〕 ~ woman 집사람, 아내 / Bless your ~ heart! 《口》 어머, 이거 참《감사·위로 등의 표시》.
⑤ 〔限定的〕 (시간·거리 따위가) 짧은, 잠시의: our ~ life 우리들의 짧은 목숨 / go 〔take〕 a ~ walk 조금 산책하다 / He will be back in a ~ while. 그는 곧 돌아올 것이다.
B) 《不可算名詞와 더불어》 ① 조금의, 약간의. opp. *much.* ¶ We have very ~ water left. 물이 아주 조금밖에 안 남았다 / That's too ~. 그건 너무 조금이다〔적다〕.
② 〔限定的〕 **a)** 〔a 가 붙지 않고 否定的으로〕 조금밖에 … 없는, 거의 없는. cf. few. ¶ I have but ~ money. 돈이 조금밖에 없다 / There is ~ hope of his recovery. 그가 회복할 가망은 거의 없다. **b)** 〔a 가 붙어 肯定的으로〕 조금 있는; 소량의, 조금의, 얼마쯤의. cf. a few. ¶ *a* ~ sugar 약간의 설탕 / There is *a* ~ oil in the bottle. 병 속에는 얼마쯤 기름이 들어 있다 / I had *a* ~ difficulty (in) getting a taxi. 택시를 잡는 데 좀 애먹었다 / I can speak *a* ~ French. 프랑스말을 조금은 한다.

> 語法 (1) a little 과 little 에서 전자는 '있음', 후자는 '없음'의 관념을 강조하나 그 차이는 다분히 주관적임.
> (2) 때로는 의례적인 말로 some 대신에 a little 을 씀: May I have *a* ~ coffee? 커피 좀 주실 수 없을까요 / Let me give you a ~ mutton. 양고기 좀 드리지요.

③ 〔the ~ (that) 또는 what ~로〕 있을까말까 한, 적지만 전부의: I gave him *the* ~ money (*that*) I had. =I gave him *what* ~ money I had. 얼마 안 되지만 있는 돈을 전부 그에게 주었다.

a ~ bit ⇨BIT¹. ***but*** ~ 거의 없는. ***~ . . . , if any*** = ***~ or no*** …있다손치더라도 극히 조금, 거의 없는: I have ~ hope, *if any*.=I have ~ *or no* hope. 가망은 거의 없다. ***not a*** ~=《稀》 ***no*** ~ 적지 않은, 많은: You've been *no* ~ help (to me). 덕분에 적지 않은 도움을 받았습니다. ***only a*** ~ 조금뿐〔밖〕의: I have *only a* ~ money. 돈이 조금밖에 없다. ***quite a*** ~《美口》 많은, 상당한: He saved *quite a* ~ pile (of money). 그는 (돈을) 상당히 모았다. ***some*** ~ 상당한 양의, 다소의: There was *some* ~ money left. 돈은 상당히 남아 있었다. ***what ~ . . .*** = ***the ~ . . . (that)*** ⇨B)③.

— (***less***; ***least***) *ad.* ① 〔a 없이 否定的으로〕 **a**) 거의 … 않다; 좀처럼 … 않다《흔히 very가 따름》. [opp] *much*. ¶ I slept *very* ~ last night. 간밤엔 거의 잠을 못 잤다 / He is ~ known around here. 그는 이 근방에서 거의 알려져 있지 않다. **b**) 〔know, think, care, suspect 따위의 의식·생각에 관한 動詞 앞에서〕 전혀 …아니(하)다; 조금도 … 않다(not at all): He ~ *knows* what awaits him. 무엇이 자신을 기다리고 있는지 전혀 모른다 / *Little* did I *dream* of ever seeing you here. 여기에서 만나볼 줄은 꿈에도 생각 못했네.

② 〔a 가 붙어 肯定的으로〕《종종 비교급의 형용사·부사와 함께》 조금(은), 다소는, 좀(《口》 a ~ bit): I am *a* ~ tired. 나는 좀 피곤하다 / He is *a* ~ better today. 그가 오늘은 좀 차도가 있다 / He is *a* ~ over forty. 그는 40세를 조금 넘었다 / This is *a* ~ too expensive for me. 이건 내게 좀 너무 비싸다 / *A* ~ less noise, please! 좀더 조용히 해 주세요 / *A* ~ more 〔less〕 sugar, please. 설탕을 좀더 많이〔적게〕 넣어 주시오.

~ better than . . . …나 마찬가지의, …나 별다름 없는: It is ~ *better than* robbery. 그건 도둑질이나 마찬가지다 / He was ~ *better than* a beggar. 그는 거지나 마찬가지였다. ***~ less than*** …와 거의 같은 정도(로 많이): She saved ~ *less than* 1,000 dollars. 그녀는 거의 천 달러나 돈을 모았다. ***~ more than*** …와 거의 같은 정도(로 적게), 그저 … 정도: It will take ~ *more than* an hour to finish. 그것을 마치는 데는 1시간 정도 걸릴 것이다. ***~ short of*** ⇨SHORT. ***not a*** ~ 적지않게; 매우: She was *not a* ~ disappointed at the news. 그녀는 그 소식을 듣고 적지않이 실망했다.

— *n., pron.* (***less***; ***least***) ① 〔a가 붙지 않고 否定的으로〕 조금(밖에…않다), 소량. [opp] *much*. ¶ *Little* remains to be said. 더 할 말은 거의 없다 / He experienced but ~ of life. 그는 인생 경험이 부족하다 / Knowledge has ~ to do with wisdom. 지식은 슬기와는 그다지 관계가 없다 / I understood ~ of what he said. 그의 말을 조금밖에 이해 못했다.

> [語法] 본래 形容詞이기 때문에 (代)名詞 용법에서도 very, rather, so, as, too, how 따위 부사의 수식을 받을 때가 있음《few에 관해서도 똑같음》: *Very* ~ is known about him. 그에 관해서는 거의 알려져 있지(가) 않다 / I got *but* 〔*very, rather*〕 ~ out of him. 그에게서 거의 얻는 바가 없었다.

② 〔a가 붙어 肯定的으로〕 **a**) 조금(은), 얼마쯤〔간〕: He knows *a* ~ of everything. 그는 조금씩은 알고 있다 / Every ~ helps. 《俗談》 조금씩이 도움이 된다, 티끌모아 태산 / He drank *a* ~ of the water. 그는 그 물을 조금 마셨다. **b**) (시간·거리의) 조금; 짧은 동안, 잠시《副詞的으로도 쓰임》: for *a* ~ 잠시 동안 / Wait *a* ~. 잠시 기다려라 / Can't you move *a* ~ to the right? 조금 오른쪽으로 옮겨 주시겠습니까.

③ 〔the ~ (that) 또는 what ~로〕 얼마 안 되는 것; 하찮은 사람들: He did *the* ~ *that* 〔*what* ~〕 he could. 그는 미력이나마 전력을 다했다.

in ~ 소규모로(의); 정밀화(畫)로 그린〔그리어〕; 축사(縮寫)〔축소〕한〔하여〕: an imitatioin *in* ~ of the original picture 원화를 축소한 모조품. [cf] in (the) LARGE(成句). ***~ by*** ~=《英》 ***by ~ and*** ~ 조금씩; 점차로; 서서히(gradually): *Little by* ~, a figure emerged from the mist. 안개 속에서 사람 그림자 하나가 서서히 나왔다. ***~ if anything*** =***~ or nothing*** (있다 하더라도) 거의 아무 것도…않다. ***make ~ of . . .*** (1) …을 얕〔깔〕보다, 경시(輕視)하다: Don't *make* ~ *of* that man. 저 사람을 만만히 봐서는 안된다. (2) …을 거의 이해 못하다: I could *make* ~ *of* what he said. 그가 한 말은 거의 이해할 수 없었다. ***not a*** ~ 적잖은 양〔물건, 일〕, 상당한 양(의 것): He lost *not a* ~ on the race. 그는 경마에서 적잖은 돈을 날렸다 / *Not a* ~ has been said about this. 이에 관해선 여러가지로 말이 많았다. ***only a*** ~ 단지 조금, 조금뿐(인 물건·일). ***quite a*** ~《美口》 다량, 많이, 풍부: He knew *quite a* ~ about it. 그는 그것에 관해서 꽤 많이 알고 있었다. ***what*** ~ ⇨③.

Líttle América 리틀 아메리카《남극에 있는 미국의 탐험 기지》.

Líttle Béar (the ~) 〖天〗 작은곰자리(Ursa Minor). [cf] Great Bear.

Líttle Dípper (the ~)《美》〖天〗 소(小)북두성《작은곰자리의 일곱 별》. [cf] Dipper.

Líttle Dóg (the ~) 〖天〗 작은개자리.

líttle fínger 새끼손가락.

líttle green mén 《口》 우주인들.

Líttle Lèague (8-12세의) 소년 야구 리그. [cf] Boy's Baseball.

líttle magazíne 동인 잡지.

líttle mán 하찮은 녀석; 《英》 근근이 해나가는 상인〔장색 따위〕; 평범한〔보통〕 사내.

líttle pèople ① (the ~) 요정(妖精)들. ② 아이들; 일반 서민.

líttle théater 소극장.

líttle tóe 새끼발가락.

líttle wóman (the ~) 《口; 종종 蔑》 집사람, 마누라.

lit·to·ral [lítərəl] *a.* 연안의; 〖生〗 해안에 사는. — *n.* [C] ① 연안: the ~ countries of the Persian Gulf 페르시아만 연안국. ② 〖生態〗 연안대(帶). [파] **~·ly** *ad.*

li·tur·gic, -gi·cal [litə́ːrdʒik], [-əl] *a.* 전례(典禮)의; 성찬식의. [파] **-gi·cal·ly** [-əli] *ad.*

li·tur·gics [litə́ːrdʒiks] *n.* [U] 전례학(典禮學), 전례론.

lit·ur·gist [lítərdʒist] *n.* [C] 전례학자; 전례식문(式文) 편집자〔작자〕; 전례형식 엄수자; 예배식 사제〔사회 목사〕. [파] **lit·ur·gís·tic** *a.*

lit·ur·gy [lítərdʒi] *n.* ① [C] 전례; 전례식문(典禮式文). ② **a**) (the ~) 기도서. **b**) (the ~, 종종 the L-) 성찬식.

liv·a·ble, live- [lívəbəl] *a.* ① 살기 좋은: The

area is ~ (*in*). 그 고장은 살기에 좋다. ② 함께 살 수 있는. ③ 사는 보람이 있는. ~ ***with*** 함께 생활할 수 있는; (불쾌한 행위 등) 참을 수 있는: He is not (a man) ~ *with*. 그는 함께 지낼 사람이 못 된다. [파] **~·ness** *n.* **liv·a·bíl·i·ty** *n.*

†live¹ [liv] *vi.* ①《~/+[전]+[명]/+*to* do》 살다: Plants cannot ~ without moisture. 식물은 수분 없이 살 수 없다 / He ~*d* to see his grandchildren. 그는 오래 살아서 손자를 봤다 / *Live* and let ~. 《俗談》 나도 살고 남도 살게 하자, 공존공영. ②《~/+[전]+[명]》 살다, 거주하다《*at*; *in*; *by*》: ~ *with* the Smiths 스미스 가족과 함께 살다 / This room does not seem to be ~*d in*. 이 방은 평소에 사람이 쓰지 않았던 것 같다. ★ *live* in Seoul 은 '서울에 살고 있다'는 뜻이며, live는 계속적인 상태를 나타냄. I *am living* in Seoul. 이라고 진행형을 쓰면 '목하 서울에 거주하고 있다'는 뜻이 내포되어 일시적인 상태를 나타냄. ③《+[전]+[명]》 생활하다, 생계를 세우다, 지내다《*on, upon*; *by*》: ~ *on* a modest income 약간의 수입으로 살아가다. ④ 인생을 즐기다, 재미있게 지내다: Let us ~ while we may. 살아 있는 동안은 즐겁게 지내자. ⑤《~/+[보]》 (무생물이 원래대로) 남다, 존속하다, (사람의 기억〔기록〕에) 남아 있다: Jesus ~*s* on in the minds and hearts of mankind. 예수는 인류의 마음 속에 거하신다. ⑥《+[전]+[명]》 …을 상식(常食)으로 하다《*on, upon*》: ~ *on* meat 고기를 상식으로 하다 / ~ *on* one's salary 자기 급료로 살다. ⑦《+[부]/+[보]/+[전]+[명]》 …하게 살다, …로서 살다: ~ at ease〔in misery〕 편하게〔비참하게〕 살다.

— *vt.* ①〔同族目的語를 수반하여〕 …한 생활을 하다: She ~*d* the life of an aristocrat. 그녀는 귀족생활을 하였다. ② (…의 역)에 몰입되어 연기하다. ***As I ~ and breathe!*** 《口》 이거 오래간만이군; 〔強調〕 절대로, 결단코. (***as sure***) ***as I ~*** 틀림없이, 확실히. ***~ and learn*** 〔흔히 you, we, one을 主語로〕 오래 살고 볼일이지《놀라운 새 사실을 듣거나 보았을 때 하는 말》. ***~ by*** (원칙·규정에 따라) 살다: ~ *by* the Bible 성경 말씀을 따라 살다 / ~ *by* the pen 〔*by* one's fingers' ends〕 문필로〔손끝으로〕 살아가다. ***~ by one's wits*** 잔꾀로 살아가다. ***~ down*** (과거의 불명예·죄과 등을) 씻다; (슬픔 따위를) 시간이 지남에 따라 잊다: If you were beaten by him, you'd never ~ it *down*. 만약 네가 그에게 진다면 넌 그 일을 결코 잊지 못할 것이다. ***~ for*** …을 주요 목적으로 하여 살다, 사는 보람으로 삼다: He ~*d for* his art. 예술을 위해 살았다. ***~ from hand to mouth*** 그날 벌어 그날 먹다, 간신히 지내다〔살다〕. ***~ in the past*** 과거 속에 살다. ***~ it up*** 《口》 즐거이〔사치스럽게〕 놀며 지내다: There is no reason why you couldn't ~ *it up* once in a while. 이따금 (남들처럼) 잘 살지 못하란 법은 없지 않느냐. ***~ off*** …에 기식하다; …에게 폐를 끼치다; …에 의존하여 생활하다: ~ *off* one's wife 아내가 버는 돈으로 살다. ***~ on*** (1) …(만)을 먹고 살다, …을 의지하여 살다: We ~ *on* rice. 우리는 쌀을 주식으로 한다 / ~ *on* the cross 《俗》 (나쁜 짓을 하여) 세상을 부정하게 살다 / I don't have enough to ~ *on*. 살기가 빠듯하다. (2)〔on은 副詞〕 계속해 살다, (명성 따위가) 남다: Mozart is dead but his music ~*s on*. 모짜르트는 죽었으나 그의 음악은 남아 있다. ***~ on air*** 《比》 '공기'를 먹고 살다, 아무것도 안 먹고 있다: I cannot ~ *on air*. 먹지 않고는 살 수 없다. ***~ out*** (1) 집에서 다니며 근무하다, (학생이) 학교 밖에 살다([opp] *live in*). (2)《美方》 고용살이하러 나가다. (3) (정한 시기를) 지나다, 살아남다. ***~ out of a suitcase*** 〔***trunk, box,*** etc.〕 거처를 정하지 않고 살아가다, 떠돌이로 지내다. ***~ out of cans*** 〔***tins***〕《口》 통조림만 먹고 지내다. ***~ over again*** (인생을) 다시 살다, (과거지사를 상기하여) 다시 한번 경험하다. ***~ through*** …을 헤쳐 나가다, 버티어 내다: He's not likely to ~ *through* the winter. 목숨이 겨울을 못넘길 것 같다. ***~ together*** 동거생활을 하다: The couple had heen ~*ing together* for 16 years. 그 남녀는 16년 동안 동거하였다. ***~ up to*** …에 부합하다, (이상·표준)에 따라 생활〔행동〕하다; (주의·주장)을 실천하다; (선언·약속 등)을 지키다; (수입)을 전부 쓰다: Sales have not ~*d up to* expectations this year. 판매고는 금년 목표치에 못 미쳤다. ***~ well*** (1) 사치스럽게 살다. (2) 올바른 생활을 하다. ***~ with*** … (1) = ~ together. (2) …의 집에 기숙〔기식〕하다: ~ *with* one's uncle's 삼촌집에 기식하다. (3) (현상 따위)를 받아들이다, …에 견디다: They have to ~ *with* the consequences they had committed. 그들은 자기들이 저지른 결과를 감수해야 한다. ***~ within oneself*** 자기 일에만 몰두하다. ***where*** a person ***~s*** 《美俗》 아무의 급소에: The word goes right *where I ~*. 나의 급소를 찌르는 말이다.

‡live² [laiv] *a.* ① 살아 있는([opp] *dead*); 《戱》 진짜인, 산 (채로의): a ~ animal weight (동물의) 생체 중량 / a protest against the experiments on ~ animal 동물의 생체 실험에 대한 항의. ★ live는 한정적으로만 쓰여 명사 앞에 놓이고, alive는 주로 서술적으로 쓰임: a *live* fish 생어(生魚). The fish is still *alive*. 물고기는 아직 살아 있다. ② **a)** 생생한, 팔팔한, 발랄한, 활기 있는. **b)** 탄력 있는《테니스 공 따위》. ③ (불·숯 따위가) 불타고 있는; 불이 일고 있는, 현재 활동 중인《화산》(active): a ~ cigarette 생담배. ④ 신선한《공기》; (색이) 선명한; 막 뽑은《깃 따위》: Red is a ~ color. 빨강은 선명한 색이다. ⑤ 유효한; 미사용의《폭탄·성냥》; 핵분열 물질이 든; 미채굴의; 땅에 솟은《바위 따위》. ⑥ (물이) 흐르고 있는. ⑦ (기계가) 작업 중인, 동력〔운동〕을 전하는, 운전하는: a ~ machine 작업하고 있는 기계. ⑧ (전기줄 등이) 전류가 흐르는; (전기 기구가) 작동하는. [opp] *dead*. ¶ ~ power cables 전류가 통하고 있는 동력선. ⑨〖野·競〗 플레이 속행 중인; (공이) 살아 있는, 유효한. ⑩〖放送〗 생방송의, 현장 중계의; 실연(實演)의; 실제의, 목전의《관중·청중》: a ~ program 생방송 프로 / a~ album 라이브 앨범. ⑪ 활발하게 논의 중인; 당면한: ~ ideas 새로운 사상 / a ~ question 〔problem〕 당면한 문제 / Pollution is still very much a ~ issue. 공해가 아직도 매우 중요한 현안이다. ⑫《美俗》 대단한, 예쁜. — *ad.* 생중계로, 실황으로: The concert will be broadcast ~ on radio and TV. 콘서트는 라디오와 TV로 생방송될 것이다.

liveable ⇨ LIVABLE.

líve áxle [láiv-] 〖機〗 활축(活軸).

líve bàll [láiv-] 〖美蹴〗 플레이 중인 공.

-lived '명이 …한'이라는 뜻의 형용사를 만드는 결합사: long-~ 명이 긴; 영속〔지속〕하는.

live-in [lívìn] *a.* (주인집에서) 숙식하며 일하는 ([cf.] live-out); 동거하는《애인》: Only the very rich have ~ servant. 썩 잘사는 사람만이 숙식을 같이하는 하인을 두고 있다.

‡live·li·hood [láivlihùd] *n.* [C] (흔히 *sing.*) 생계, 살림: As a result of this trouble he lost both his home and his means of ~. 이 분쟁의 결과로 그는 가정과 생계 수단을 잃었다. ***earn***

〔**gain, get, make**〕 **a ~ by** (writing) (문필)로 생계를 세우다. **pick up** 〔**eke out**〕 **a scanty** ~ 가난〔구차〕하게 살다.
líve lóad [láiv-]〖土·建〗활하중(活荷重), 적재하중(荷重).
live·long [lívlɔ̀ːŋ / -lɔ̀ŋ] *a.* 《詩》〔때를 나타내는 말에 붙여서〕온〔꼬박〕…, …내내 : the ~ day 하루 종일, 꼬박 하루.
‡**live·ly** [láivli] (**-li·er ; -li·est**) *a.* ① 생기〔활기〕가 넘치는, 팔팔한, (곡 따위) 밝고 명랑한, 활기찬 : street ~ *with* shopper 장꾼들로 북적거리는 거리 / She has a sweet, ~ personality. 그녀는 개성이 상냥하고 활달하다. ② (감정 등이) 약동적인, 격렬한. ③ (묘사가) 생생한, 박력 있는 ; (색채가) 선명한, 밝은 : ~ colors 선명한 색채 / He gave us a ~ account of his adventures in the wrecked ship. 그는 우리에게 난파선에서 겪은 모험담을 생생하게 이야기했다. ④ (기회·때가) 다사다난한, 다망한 ; 《戱》아슬아슬한, 손에 땀을 쥐게 하는, 위태로운. ⑤ (바람·공기가) 상쾌한, 신선한. ⑥ (공이) 빠른 : a ~ ball〖野〗치면 잘 나가는 공. **be ~ with** (the crowd) (군중)으로 활기를 띠다. **have a ~ time** (**of it**) 조마조마하다, 당황해하다 ; 대활약을 하다. **Look ~!** 빨리 해라, 서둘러라. **make it** 〔**things**〕 **~ for** a person 아무를 조마조마케 하다. ── *ad.* 기운차게, 활발하게. [파] **-li·ly** *ad.* **-li·ness** *n.*
liv·en [láivən] *vt., vi.* 명랑〔쾌활〕하게 하다, 활기를 띠게 하다《*up*》; 활기띠다, 들뜨다《*up*》: The presence of the movie stars ~*d up* the party. 영화 스타들의 참석으로 파티가 활기를 띠었다 / How could we decorate the room to ~ *up ?* 어떻게 장식하면 방이 밝아질까. [파] **~·er** *n.*
live-out [lívàut] *a.* 통근하는《하인》. [cf.] live-in.
‡**liv·er**[1] [lívər] *n.* ① **a)** [C]〖解〗간장(肝臟) : a ~ complaint = ~ trouble 간 질환. **b)** [U,C] (짐승의) 간(肝) : The government has warned pregnant women not to eat ~. 정부는 임신부가 간을 먹지 않도록 경고했다. ② [U] 적〔다〕갈색(=∠ **bròwn** 〔**còlor, maròon**〕). **a hot** 〔**cold**〕 **~** 열정〔냉담〕. **white** 〔**lily**〕 **~** 겁 많음. ★ 예전에 간장을 감정의 근원으로 생각했음. [파] **~·less** *a.*
***liv·er**[2] *n.* [C] 〔흔히 修飾語와 함께〕(…하게) 사는 사람, 생활자 : a ~ in a town 도시 생활자 / a fast 〔loose〕 ~ 방탕자 / a good ~ 덕 있는 사람 ; 미식가 / a hearty ~ 대식가 / a plain ~ 검소하게 사는 사람.
líve ráil [láiv-] 송전 레일.
liv·er-col·ored [lívərkʌ̀lərd] *a.* 다갈색의.
líve recórding [láiv-] 생녹음.
(-)**liv·ered** [lívərd] *a.* 간장이 …한 : white-~ 겁 많은.
liv·er·ied [lívərid] *a.* 제복을 입은《사환 등》.
liv·er·ish [lívəriʃ] *a.* 《口》① 간장질환의, 간장이 나쁜. ② 까다로운, 화를 잘 내는. [파] **~·ness** *n.*
líver òil 간유.
Liv·er·pool [lívərpùːl] *n.* 리버풀《잉글랜드 중서부 Merseyside 주의 주도(州都) ; 항구 도시》.
Liv·er·pud·li·an [lìvərpʌ́dliən] *a., n.* Liverpool의 (시민).
líver sàusage = LIVERWURST.
líver spòts (얼굴의) 기미《간질환에 의한》.
liv·er·wurst [lívərwə̀ːrst] *n.* [U] 《美》간 소시지.
***liv·ery** [lívəri] *n.* ① [U,C] **a)** 일정한 옷《하인·고용인 등에게 해 입힌》; (동업 조합원 등의) 제복. **b)** 《詩》[U] (특수한) 옷차림. ② [C] 《美》= LIVERY STABLE ; 보트〔자전거·자동차〕대여업자. **at ~** 사육료를 받고 맡아 기르는 《말》. **change ~** 《스포츠俗》소속 팀을 바꾸다, 이적하다. **in ~** 제복을 입은. **out of ~** 평복의.
lívery còmpany (옛날 London 의) 동업 조합.
liv·er·y·man [-mən] (*pl.* **-men**) *n.* [C] ① (London의) 동업 조합원. ② 말〔마차〕대여업자.
lívery stàble 〔**bàrn**〕 말〔마차〕대여소 ; 말 보관소.
‡**lives** [laivz] LIFE의 복수.
***live·stock** [láivstɑ̀k / -stɔ̀k] *n.* [U] 〔集合的〕가축 : The heavy rains and flooding killed scores of ~. 폭우와 홍수로 많은 가축이 죽었다.
líve tàg [láiv-]〖廣告·TV〗녹음〔녹화〕된 CM 끝에 아나운서가 생으로 덧붙이는 짧은 끝맺음말.
live·ware [láivwɛ̀ər] *n.* [C] 컴퓨터 종사자〔요원〕. [cf.] hardware, software.
live·weight [láivwèit] *n.* [U] 생(生)체중《도살 전의 가축의 체중》.
líve wíre [láiv-] ① 전선, 송전선. ② 《口》활동가, 정력가.
liv·id [lívid] *a.* ① 납빛〔흙빛〕의. ② (타박상·추위 등으로 얼굴이) 검푸른《*with*》: His face was ~ *with* anger〔cold〕. 그의 얼굴은 화가 나서〔추워서〕검푸르렀다. ③ 《美·英口》격노한 : He'd be ~ if he knew you were here. 네가 여기 있는 것을 그가 안다면 노발대발할 건데.
[파] **~·ly** *ad.* **~·ness** *n.* **li·vid·i·ty** [-əti] *n.* 납빛, 흙빛.
‡**liv·ing** [líviŋ] *a.* ① 살아 있는. [opp.] *dead.* ¶ ~ creatures 살아 있는 것《★ 식물은 제외 ; ~ things 는 식물도 포함》/ All ~ things take up carbon from the environment. 모든 생물은 주위에서 탄소를 섭취한다. ② (the ~) 〔名詞的·集合的〕산 사람, 현존자. ③ 현대의 ; (제도·언어 등) 현행의. ④ 팔팔한, 강렬한 ; 생명을〔활기를〕주는. ⑤ (물이) 내처 흐르는 ; (석탄 등이) 불타고 있는 ; (암석 등이) 자연 그대로의 ; (광물 등) 미채굴의 (live). ⑥ (초상화 등이) 빼쏜, 생생한 : The girl is the ~ image of her mother. 소녀는 어머니를 빼쏘았다. ⑦ 생활에 관한, 생활의, 생계의. **be ~ proof of . . .** …의 산 증인이다. **in the land of the ~** 살아 있는. **the ~ doll** 《美俗》아주 좋은〔유쾌한, 도움이 되는〕사람. **the ~ end** 《俗》최고의 것〔사람〕. **within**〔**in**〕 **~ memory** 현재 살아 있는 사람들의 기억에 남아 있는.
── *n.* ① [U] 생존, 생활 : *Living* is expensive here. 여긴 생활비가 많이 든다. ② (a ~, one's ~) 생계, 생활비 : What do you do for *a ~ ?* 무엇으로 살아가고 있나. ③ 〔單數形뿐〕성직자의 녹(祿) ; 《古》재산. **be fond of good ~** 미식(美食)을 좋아하다. **earn**〔**get, make**〕 **a** 〔**one's**〕 **~** 생계를 세우다 : She *made* her ~ as a nurse〔by nursing〕. 그녀는 간호사로 생계를 꾸려나갔다. **scrape**〔**scratches**〕 **a ~** 가까스로 살아가다 : He *scrapes a ~* from part-time tutoring. 파트타임 가정교사를 하며 근근히 살아가고 있다. **style** 〔**rate**〕 **of ~** 살아가는 방식. **the ~ and the dead** 산 자와 죽은 자.
[파] **~·ly** *ad.* **~·ness** *n.* 생기(vigor).
líving cóst 생계비.
líving déath ① 생매장. ② 산송장(같은 비참한 생활).
líving fóssil ① 산화석, 화석 동물《실러캔스 등》. ② 《口》시대에 뒤진 사람.
liv·ing-in [-ìn] *a.* (고용인 등이) 주인집에서 숙식하는.
líving lègend 살아 있는 전설 속의 사람《생존

시에 전설만큼 유명해진 사람》.
líving líkeness 꼭 닮음, 빼쏨.
líving nécessaries 생활 필수품.
liv·ing-out [-àut] *a.* 통근하는 (live-out).
***líving ròom** 거실.
líving spàce ① 생활권(圈). ② 생활 공간.
líving stándard 생활 수준.
Liv·ing·stone [líviŋstən] *n.* **David** ~ 리빙스턴《영국의 아프리카 탐험가; 1813-73》.
líving théater (the ~) (TV·영화에 대해) 연극.
líving wáge 최저 생활 임금.
líving wíll 사망 선택 유언 등 생전(生前)에 하는 유서 《의사(意思) 결정 능력이 있을 동안에 문서로 표시한》. cf. right-to-die.
Livy [lívi] *n.* 리비우스《로마의 역사가 Titus Livius의 영어명; 59 B.C.-A.D. 17》.
Liz, Li·za [liz], [láizə] *n.* 리즈《Elizabeth의 애칭》.
liz·ard [lízərd] *n.* ① Ⓒ 〖動〗 도마뱀. ② Ⓤ 도마뱀 가죽.
Liz·zy [lízi] *n.* 리즈《Elizabeth의 애칭》. cf. Liza.
'll [l] will(때로 shall)의 간약형(形)《보기 : I'*ll*》.
lla·ma, la·ma [lɑ́:mə] (*pl.* **~s,** 〔集合的〕 ~) *n.* Ⓒ 〖動〗 야마, 남아메리카 낙타; Ⓤ 야마의 털.
lla·ne·ro [lɑ:nérou, jɑ:-] (*pl.* **~s**) *n.* Ⓒ llano 의 주민.
lla·no [lɑ́:nou] (*pl.* **~s**) *n.* Ⓒ (남아메리카 북부의) 대초원.
LL. B. *Legum Baccalaureus* 《L.》 (=Bachelor of Laws). **LL. D.** *Legum Doctor* 《L.》 (=Doctor of Laws). **LL. M.** *Legum Magister* 《L.》(=Master of Laws).
Lloyd [lɔid] *n.* 로이드《남자 이름》.
Llòyd Géorge *n.* **David** ~ 로이드 조지《영국의 정치가; 1863-1945》.
Lloyd's [lɔidz] *n.* ① (런던의) 로이드 해상 보험 협회. ② = LLOYD'S REGISTER.
Llóyd's Líst 로이드 해보(海報).
Llóyd's Régister 로이드 선급(船級) 협회; 로이드 선박 통계〔등록부〕.
Llóyd's S. G. Pólicy 로이드 S. G. 보험증권, 로이드 협회 발행의 해상보험 증권.
LM [lem] *n.* Ⓒ 달 착륙선(lunar module).
LNG liquefied natural gas.
lo [lou] *int.* 《古》 보라, 자. ***Lo and behold!*** 《戲》 이건 또 어찌된 일인가 : As soon as we went out, ~ *and behold*, it began to rain. 이 또 어찌된 일인고. 우리가 나가자마자 비가 오기 시작했으니.
loach [loutʃ] *n.* Ⓒ 〖魚〗 미꾸라지.
‡load [loud] *n.* ① Ⓒ (크고 무거운) 짐. ② Ⓒ 《比》 (정신적인) 부담; 근심 : a ~ of responsibility 책임의 부담 / a heavy ~ of guilt 무거운 죄책감 / a ~ of care 심로(心勞). ③ Ⓒ (차 따위의) 적재량, 한 차, 한 짐, 한 바리; 《美俗》 취하기에 충분한 술의 양. ④ Ⓒ 일의 양, 분담량 : a teaching ~ 책임 수업 시간수. ⑤ Ⓒ 〖物·機·電〗 부하(負荷), 하중(荷重) : a working ~ 사용 하중 / a peak ~ (발전소의) 피크〔절정〕 부하 / the ~ on a bridge 교량에 주는 하중. ⑥ Ⓒ (화약·필름 등의) 장전; 장탄. ⑦ 〖컴〗 올림《(1) 입력장치에 데이터 매체를 걺. (2) 데이터나 프로그램 명령을 메모리에 넣음》. ⑧ (~s of ... 또는 a ~ of ...로) 《口》 많은 양, 잔뜩, 흠씬 : He has ~*s of* money. 그는 많은 돈을 가지고 있다 / "Do you have any trouble ?" "*Loads !*" '무슨 걱정이라도 있나' —'잔뜩 있지.' ***get a ~ of*** 〔종종 命令法으로〕 (1) …을 듣다 : *Get a ~ of* this! 자 들어 봐라. (2) …을 보다 : *Get a ~ of* that! 이봐, 저걸 잘 보아라. ***(What) a ~ of (old) cobblers*** 〔***cock***〕***!*** 《美俗》 허튼 소리 그만해.

— *vt.* ①《~+목/+목+전+명》 (짐)을 싣다, (사람)을 태우다 : The tanker is ~*ing* oil. 탱커에 기름을 싣고 있다 / The uranium was ~*ed* onto a ship bound for Sudan. 수단행 선박에 우라늄이 실렸다. ②《~+목/+목+전+명》 (차·배 등)에 짐을 싣다; (버스 따위)에 손님을 태우다 : The truck was ~*ed with* cabbages and headed for Seoul. 그 트럭은 양배추를 가득 싣고 서울로 향했다. ③《+목+전+명》 (테이블 따위)에 많이 올려놓다; …에 마구 채워 넣다《*with*》; 〖野〗 만루가 되게 하다 : a table ~*ed with* food 음식을 잔뜩 차려 놓은 식탁 / His hit ~*ed* the bases. 그의 안타로 만루가 되었다. ④《+목+부/+목+전+명》 …에게 마구 주다《*with*》; …에게 무거운 짐을 지우다, …를 괴롭히다《*with* something; *on* a person》 : ~ a person *with* compliments 아무에게 찬사를 늘어놓다 / a person ~*ed* (*down*) *with* cares 근심이 가득한 사람. ⑤ (총포)에 탄환을 재다; 《口》〔受動으로〕 (아무)의 총에 탄환을 장전하다; (카메라)에 필름을 넣다, (필름)을 카메라에 넣다; …에 장하(裝荷) 코일을 삽입하다 / Be careful, that gun's ~*ed*. 조심해라. 저 총은 총알이 장전돼 있다 / A photographer from the newspaper *was* ~*ing* his camera with film. 신문사 사진기자가 카메라에 필름을 넣고 있었다. ⑥ 〖컴〗 (프로그램·데이터)를 보조〔외부〕 기억장치에서 주기억 장치로 넣다, 올리다. ⑦ 〖機·電〗 …에 부하(負荷)를 걸다; 〖電子〗 (회로)의 출력을 증가시키다.

— *vi.* ① 짐을 (가득) 싣다, 짐을 지다; 사람을 태우다《*up*》 : The bus ~*s* at the left door. 버스는 왼쪽 문으로 사람을 태운다 / The workmen finished ~*ing up*. 일꾼들은 짐싣기를 마쳤다. ② 타다《*into*》 : They ~*ed into* the bus. 그들은 버스에 탔다. ③ (짐 따위로) 가득 차다《*with*》 : The ship ~*ed with* people only in 15 minutes. 배는 단 15분 만에 만원이 됐다. ④ 총에 장전하다, (총이) 장전되다.
load·ed [lóudid] *a.* ① load 된; 짐을 실은; 잔뜩 올려놓은《*with*》; 탄약을 잰, 장전한《총·카메라·필름 등》 : a ~ bus 만원 버스 / a table ~ *with* food 음식을 그득히 올린 식탁 / return home ~ *with* honors 금의 환향하다. ② 《俗》 돈이 듬뿍 있는; 취한; 마약에 중독된 : get 〔be〕 ~ 취하다 〔취해 있다〕. ③ (납 따위를) 박아넣은 : a ~ cane 꼭대기에 납을 박은 지팡이《무기》.
load·er [lóudər] *n.* Ⓒ 〖컴〗 올리개《외부 매체에서 프로그램 등을 주기억에 올리기 위한 (상주(常駐)) 루틴》.
lóad fàctor 〖電〗 부하(負荷)율; 〖航〗 탑재량.
***load·ing** [lóudiŋ] *n.* Ⓤ ① 짐싣기, 선적(船積), 하역; 짐, 뱃짐; 장전(裝塡), 장약(裝藥). ② 〖電〗 장하(裝荷); 로딩《비디오테이프를 VTR에 세트하여 녹화·재생할 수 있는 상태로 함》; 〖컴〗 올리기. ③ 《특히》 (생명 보험의) 부가 보험료.
lóad lìne 〔**wàterline**〕 〖海〗 만재 흘수선.
load-shed·ding [-ʃèdiŋ] *n.* Ⓤ 부분적 송전 정지《발전소에의 과중 부담을 피하기 위한》.
load·star [lóudstɑ̀:r] *n.* = LODESTAR.
load·stone, lode·stone [-stòun] *n.* ① Ⓤ,Ⓒ 자철광 천연 자석. ② Ⓒ 흡인력이 있는 것; 사람을 끄는 것.
‡loaf[1] [louf] (*pl.* ***loaves*** [louvz]) *n.* ① Ⓒ (일정한 모양으로 구워 낸 빵의) 덩어리, 빵 한 덩어리. cf. slice, roll. ¶ a brown ~ 흑빵 한 덩어리 / two *loaves* of bread 두 덩어리의 빵 / Half a ~ is better than no bread 〔none〕. 《俗談》 반이라도 없

는 것보다 낫다. ② U.C (빵 모양의) 섭산적, 로프: (a) meat ~ 미트 로프. ③ C《英》(양배추·상추의) 둥근 통;《俗》머리, 두뇌: Use your ~. 머리를 써라.

loaf² *vi.* 《~/+副/+前+名》 놀고 지내다, 빈둥거리다《*about; around*》: ~ *through* life 빈둥거리며 일생을 지내다 / Stop ~*ing around* and set to work. 빈둥거리지 말고 일이나 해라. ── *vt.* 《+名+副》(시간)을 빈둥거리며 보내다, 빈둥거리며 지내다《*away*》: ~ one's life *away* 일생을 놀고 지내다. ── *n.* (a 〔the〕 ~) 놀고 지냄, 빈둥〔펀둥〕거림: have *a* ~ 빈둥거리다 / on *the* ~ 빈들거리고.

loaf·er [lóufər] *n.* C 빈들〔펀들〕거리는 사람, 「놈팽이.

lóaf súgar 막대〔각〕설탕.

loam [loum] *n.* U.C 옥토(沃土); 롬《모래·점토·짚 따위의 혼합물로서 거푸집·회반죽 따위를 만듦》.

lóamy [lóumi] (**loam·i·er; -i·est**) *a.* 롬(질(質))의.

‡**loan** [loun] *n.* ① U.C 대부, 대여(貸與)《돈·물건의》: take out a ~ 돈을 빌리다 / They found it impossible to get a bank ~. 그들은 은행에서 돈 빌리기가 불가능하다는 것을 알았다. ② C 대부금, 융자; 공채, 차관: a domestic 〔foreign〕 ~ 내국〔외국〕채 / raise a ~ 공채를 모집하다 / a low interest housing ~ 저금리의 주택론. ③ C 대차물. ④ C 외래의 풍습《따위》; 〖言〗 (말의) 차용(借用); =LOANWORD. ***on*** ~ 대부하여; 차입하여, 빌려: It's not my book — I've got it *on* ~ from the library. 그건 내 책이 아니고 도서관에서 빌린 것이다. ── *vt.* 《美》(…에게 돈)을 빌려주다, 대부하다《*out*》(★ '절차를 밟아 장기간 대출하다' 등의 뜻 이외에서는 《英》에서는 lend를 씀이 보통): The bank didn't ~ the money to the farmer. 은행은 그 농부에게 돈을 대부하지 않았다. ── *vi.* 돈을 대부하다.

lóan collèction 대여 컬렉션《전시를 위해 소유주가 미술관 등에 빌려 줌》.

lóan shàrk 《口》 고리 대금업자(usurer).

lóan translàtion 〖言〗 차용(借用) 번역 어구《이를테면 「회의를 가지다」는 영어의 hold a meeting을 차용 번역한 것 처럼》.

loan·word [lóunwə̀ːrd] *n.* C 외래어, 차용어.

*__loath__ [louθ] *a.* 〔敍述的〕 싫어하는《*to* do; *that*...; *for* a person *to* do》: My wife is ~ *for* our daughter *to* marry him. 아내는 딸이 그와 결혼하는 것을 싫어한다. ***nothing*** ~ 싫어하기는커녕, 기꺼이.

*__loathe__ [louð] *vt.* …을 몹시 싫어하다, 진저리내다; …이 (지겨워) 구역질이 나다; 질색하다: I ~ having to meet these people. 난 이런 사람들을 만나야 한다는 데는 질색이다(★ dislike, hate, abhor 보다도 뜻이 강한 말).

loath·ing [lóuðiŋ] *n.* U 몹시 싫어함, 혐오, 지겨움: She looked at him with ~. 그녀는 그에게 혐오의 눈길을 보냈다.

*__loath·some__ [lóuðsəm] *a.* 싫은, 지긋지긋한; 불쾌한(disgusting); 역겨운(sickening): What a ~ creature he is! 정말 정떨어지는 작자다.
㊞ **~·ly** *ad.* **~·ness** *n.*

*__loaves__ [louvz] LOAF¹의 복수.

lob [lab / lɔb] *n.* C 로브《(1) (테니스 따위) 높고 완만한 공. (2) (크리켓의) 언더핸드의 슬로 볼》. ── (**-bb-**) *vt.* (공)을 로브로 보내다〔치다〕, 높이 원을 그리듯 던지다. ── *vi.* (테니스 따위에서) 공을 로브로 보내다, 높이 반원을 그리다.

lo·bar [lóubər] *a.* ① 폐의; 〖解〗 (폐장의) 엽(葉)의; 〖醫〗 (대)엽의. ② 〖植〗 (잎의) 열편(裂片)의.

‡**lob·by** [lábi / lɔ́bi] *n.* C ① (호텔·극장의) 로비, (입구의) 넓은 방, 넓은 복도《대기실·휴게실·응접실 등에 사용》: a hotel ~ 호텔의 로비. ② **a**) 원내(院內)의 대기실, 로비《의원의 원외자와의 회견용》; 〖英議會〗 투표자 대기 복도. **b**) 로비에서의 청원〔진정〕 운동을 하는 사람들, 원외단(團), 압력 단체. ── *vt.* 《+名+前+名》 (의회 로비에서 의원)에게 압력을 가하다, (의안)을 억지로 통과시키다〔시키려 하다〕: ~ a bill *through* Congress 압력을 가하여 의회에서 법안을 통과시키다. ── *vi.* 《+前+名》의회에 작용하다; 진정(陳情)하다, (의안의) 통과를 운동하다: ~ *for* 〔*against*〕 a bill 의안의 통과〔반대〕를 로비하다.

lob·by·ism [lábiìzəm / lɔ́bi-] *n.* U (원외로부터의) 의안 통과〔부결〕 운동, 원외활동, 진정운동.

lob·by·ist [lábiist / lɔ́bi-] *n.* C 원외 활동원, (직업적인) 의안 통과 운동자, 로비스트.

lobe [loub] *n.* C ① 귓불. ② 〖植〗 (떡갈나무 잎처럼 째어져 갈라진) 둥근 돌출부. ③ 〖解〗 엽(葉)《폐엽(肺葉)·간엽(肝葉) 따위》: the ~*s* of the lungs 폐엽.

lobed [loubd] *a.* ① 〖解〗 엽(葉)이 있는. ② 〖植〗 열편(裂片)이 있는, 잎가가 옅게 째진.

lo·bot·o·my [loubátəmi, lə- / -bɔ́t-] *n.* U.C 뇌전두엽(腦前頭葉) 절제술, 로보토미(leucotomy).

*__lob·ster__ [lábstər / lɔ́b-] (*pl.* ~, ~**s**) *n.* ① C 〖動〗 바닷가재《길이 30-60cm의 큰 식용 새우의 일종》, 대하(大蝦). ② U 바닷가재의 살《식용》.

lóbster pòt 〔**tràp**〕 새우잡이 통발.

lob·ule [lábjuːl / lɔ́b-] *n.* C ① 〖植〗 소열편(小裂片). ② 〖解〗 소엽(小葉); 귓불.

‡**lo·cal** [lóukəl] (**more** ~; **most** ~) *a.* ① 장소의, 지역의: (a) ~ situation 위치 / a ~ adverb 〖文法〗 장소의 부사. ② (특정한) 지방의, 고장의, 지구의; 한 지방 특유의: a ~ paper 지방 신문 / a ~ custom 지방의 풍습. ③ **a**) 국지적인: a ~ war 국지전. **b**) 〖醫〗 국소의, 국부의: a ~ pain 국부적인 아픔 / ~ anesthesia 국소 마취 / a ~ anesthetic 국소 마취약. **c**) (전화가) 근거리의, 시내의; 동일 구내의, '시내 배달'《겉봉에 쓰는 주의서》. ④ 〖컴〗 울안의《통신회선을 통하지 않고 직접 채널을 통하여 컴퓨터와 접속된 상태》. ⑤ (버스·열차 따위가) 역마다 정거하는, 보통〔완행〕의, 각층마다 서는: a ~ train 〔bus, etc.〕 (역 마다 서는) 보통 열차〔버스 따위〕/ a ~ express 《美》 준(準)급행 (열차). ★ local은 '전역·전국'에 대한 '특정 지역의, 지방적'의 뜻이고, 수도에 대한 '지방의, 시골의'의 뜻인 provincial과 다름.
── *n.* C ① (역마다 서는) 보통〔완행〕 열차〔버스〕. ② (종종 ~s) 지방 사람, 그 고장 사람. ③ (신문의) 시내 잡보, 지방 기사; 〖라디오·TV〗 지방 프로그램. ④ 《美》 (노동조합 등의) 지부; (흔히 *pl.*) 그 고장 구단〔팀〕; (the ~) 《英口》 근처의 술집〔영화관〕. ⑤ 〖醫〗 국부 마취약.

lócal authórity 《英》 지방 자치체.

lócal cólor 지방색, 향토색.

lo·cale [loukǽl, -kɑ́ːl] *n.* C 《F.》 ① (사건 등의) 현장, 장소. ② (문학작품 등의) 무대, 배경.

lócal góvernment ① 지방 행정; 지방 자치. ② 지방 자치제(의 행정관들).

lo·cal·ism [lóukəlìzəm] *n.* ① U 지방적임, 지방색. ② C 지방 사투리, 방언. ③ U 지방 제일주의; 지방 근성, 편협.

*__lo·cal·i·ty__ [loukǽləti] *n.* ① C 어떤 사건의 현장 (주변): the ~ of a murder 살인사건 현장. ② U 위치 관계, 방향감각, 지리 감각: have a good sense of ~ 방향 감각이 좋다.

lo·ca·li·za·tion [lòukəlizéiʃən / -laiz-] *n.* Ⓤ 국한; 국지화(局地化); 지방화.

lo·cal·ize [lóukəlàiz] *vt.* ① …을 한 지방에 그치게 하다, 국지화하다: ~ a disturbance 소요를 한 지방에 그치게 하다. ② …을 지방화하다, 지방에 분산시키다; …에 지방색을 띠게 하다.

lo·cal·ly [lóukəli] *ad.* ① 장소상, 위치적으로; 근처에(nearby). ② 지방적〔국부적〕으로; 지방주의로.

lócal óption 지방 선택권《주류 판매 등에 관해 지방주민이 투표로 결정하는 권리》.

lócal tíme 〖天〗 지방시(時), 현지 시간.

‡lo·cate [lóukeit, -́-] *vt.* ①《~+목/+목+전+명》…의 위치를 (…에) 정하다, (점포·사무소 등)을 (…에) 두다(establish); 〔受動으로·再歸的〕 …에 위치하다: The house *was ~d in* the heart of the city. 그 집은 시내 중심에 있었다 / Where *is* Cincinnati *~d?* 신시내티는 어디에 있느냐 / ~ one*self behind* the curtain 커튼 그늘에 몸을 숨기다. ② …의 위치〔장소〕를 알아내다, 찾아내다: ~ a leak in a pipe 파이프의 새는 곳을 발견하다 / The police finally *~d* the missing boy. 경찰이 마침내 실종 소년의 소재를 알아냈다. ── *vi.* 《美》 거주하다《*in*》; 가게를 차리다. ◇ location *n.*

‡lo·ca·tion [loukéiʃən] *n.* ① Ⓒ 장소, 위치, 부지, 소재, 입지: a good ~ for a new school 학교 신설에 알맞은 장소. ② Ⓒ (건물 등의) 부지, 용지: The first thing he did was to look for his office's ~. 그가 한 첫번째 일은 사무실 용지를 찾는 것이었다. ③ Ⓤ 있는 곳 찾아내기; 위치 선정: the ~ of a missing plane by radar 레이더에 의한 실종 비행기의 소재 파악. ④ Ⓤ 〖映〗 로케이션, 야외 촬영; Ⓒ 야외 촬영지: The film was made entirely on ~. 그 영화는 순전히 야외 촬영으로 제작되었다. ⑤ Ⓒ 〖컴〗 (데이터의) 기억 장소〔위치〕, 로케이션. ***be on*** ~ 야외 촬영 중이다.

loc. cit. [lák-sít / lɔ́k-] 《L.》 = LOCO CITATO.

loch [lak, lax / lɔk, lɔx] *n.* Ⓒ 《Sc.》 호수; 후미, 내포(內浦): *Loch* Lomond (스코틀랜드의) 로몬드 호수.

lo·ci [lóusai] LOCUS의 복수.

‡lock¹ [lak / lɔk] *n.* ① Ⓒ 자물쇠. cf. key. ¶ open 〔fasten〕 a ~ with a key 열쇠로 자물쇠를 열다〔잠그다〕 / pick a ~ 자물쇠를 비집어 열다. ② Ⓒ (차의) 제륜(制輪) 장치; (총의) 발사 장치; 〖機〗 기갑(氣閘) (air ~). ③ Ⓒ (운하 따위의) 수문, 갑문(閘門). ④ Ⓒ 뒤얽힘; (교통 혼잡으로) 꼼짝 못할 상태, 정체. ⑤ Ⓒ 〖레슬링〗 로크, 굳히기. ⑥ Ⓤ,Ⓒ (자동차 핸들을 끝에서 끝까지 돌렸을 때의) 최대 회전: at full ~ 핸들을 최대한으로 꺾고. ***~, stock, and barrel*** 완전히, 모조리, 전부 (completely, entirely).

── *vt.* ① …에 자물쇠를 채우다, 잠그다; 닫다 (shut): ~ the door 문에 자물쇠를 채우다 / Are you sure you *~ed* the front door? 현관문은 확실히 잠갔느냐 / The boy *~ed* the shop and went home. 소년은 가게문을 잠그고 집에 돌아갔다. ② 《+목+부/+목+전+명》 **a)** …을 챙겨넣다, 간수하다《*away; up; in*》: ~ the jewels *in* a safe 보석들을 금고에 간수하다 / Her maid *~ed* the jars *in* the cellar. 그녀의 하녀는 항아리를 지하실에다 챙겨넣었다. **b)** 가두다《*up; in; into*》; 《比》 (비밀 따위를 마음)에 깊이 간직하다《*up; in*》: ~ *up* a prisoner *in* a cell 죄수를 독방에 가두다 / The ship *was ~ed in* ice. 배는 얼음에 갇혔다 / I keep the secret *~ed in* my heart. 그 비밀을 가슴속 깊이 간직하고 있다. ③ 《~+목/+목+전+명》 …을 짜맞추다, 짜맞추어 못 움직이게 하다; …에 맞붙다; …을 잡다, 붙들다; 끌어안다: ~ arms 팔을 꽉 끼다 / ~ a child *in* one's arms 어린애를 꼭 껴안다. ④ …을 고착시키다, 고정하다; (차바퀴 따위)를 제동하다; (자본)을 고정시키다: *~ed-up* capital 고정 자본 / He had all his capital *~ed up* in the business. 그는 전 자본을 그 사업에다 투자하고 있었다. ⑤ …에 수문을 설치하다; (배)를 수문으로 통과시키다《*up; down*》.

── *vi.* ① (문 따위에) 자물쇠가 걸리다, 잠기다: This suitcase won't ~. 이 가방은 아무리해도 잠기지 않는다. ② (차바퀴가) 회전을 멈추다, 로크하다. ③ (배가) 수문을 통과하다. ***~ horns*** ⇨ HORN. ***~ on to...*** 〖空〗 (레이더 등이) …을 발견하고 자동적으로 추적하다〔시키다〕. ***~ out*** (1) …을 내쫓아 못들어오게 하다: I was *~ed out* last night. 나는 어젯밤 쫓겨났다. (2) (공장을) 폐쇄하다: The workers were *~ed out* of the factory. 그 노동자들은 공장을 폐쇄당했다. (3) 〔再歸的〕 (열쇠를 잊어버리거나 해서) 안에 못 들어가게 되다: I *~ed myself out*. 열쇠가 없어서 못 들어갔다. ***~ up*** (1) (문·창에) 자물쇠를 잠그다, 문단속하다: ~ *up* a house 집의 문단속을 하다. (2) 감금하다, 가두다; (돈·비밀 따위를) 거두어넣다.

lock² *n.* ① Ⓒ (머리의) 타래, 타래진 머리털. ② Ⓒ (양털 등의) 타래. ③ (*pl.*) 〖詩〗 두발.

Locke [lak / lɔk] *n.* **John ~** 로크《영국의 철학자; 1632-1704》.

lock·er** [lákər / lɔ́k-] *n.* Ⓒ ① 로커, (자물쇠가 달린) 장. ② 〖海〗 (선원 각자의 옷·무기 따위를 넣는) 장, 함; 격납간. ③ 자물쇠를 채우는 사람〔것〕, 세관의 창고지기. ***go to Davy Jones's ~ 바다에서 익사하다.

lócker ròom (특히 체육관·클럽의) 로커룸《옷 따위를 넣음》.

lock·er-room [-rù:m] *a.* (경의실(更衣室)에서 주고받는) 추잡한《말·농담》.

lock·et [lákit / lɔ́k-] *n.* Ⓒ 로켓《사진·머리털·기념품 등을 넣어 목걸이 등에 다는 작은 금합(金盒)》.

lóck gáte 수문, 갑문(閘門).

lock·jaw [lákdʒɔ̀: / lɔ́k-] *n.* Ⓤ 〖醫〗 (파상풍 초기의) 개구(開口) 장애; 《널리》 파상풍.

lock·keep·er [-kì:pər] *n.* Ⓒ 갑문지기.

lóck nùt 〖機〗 로크 너트《(1) 다른 너트에 겹치는 보조 너트. (2) 세게 죄면 스스로 고정하는 너트》.

lock·out [-́àut] *n.* Ⓒ ① 공장 폐쇄, 로크아웃. ② 내어쫓음. ③ 〖컴〗 잠금(deadlock).

lock·smith [-́smìθ] *n.* Ⓒ 자물쇠 제조공〔장수〕.

lóck stìtch 재봉틀 박음질, 겹박음질.

lock·up [-́ʌp] *n.* Ⓒ ① (작은 마을의) 유치장; 《口》 교도소. ② (임대하는) 차고. ── *a.* 〔限定的〕 자물쇠가 걸린.

lo·co [lóukou] (*pl.* **~s, ~es**) *n.* Ⓒ 〖植〗 = LOCOWEED. ── *a.* (가축이) 로코병에 걸린; 《俗》 미친(crazy).

lo·co ci·ta·to [lóukou-sitéitou, -sai-] 《L.》 위의 인용문 중《略: loc. cit. 또는 l.c.》.

lóco disèase 〖獸醫〗 로코병(locoism).

lo·co·mo·tion [lòukəmóuʃən] *n.* Ⓤ 운동(력), 이동(력): efficient means of ~ 효율적인 교통기관.

‡lo·co·mo·tive [lòukəmóutiv] *n.* Ⓒ ① 기관차: a steam ~ 증기 기관차. ② 《美》 (천천히 약하게 시작하여 점차 빠르고 세어지는) 기관차식 응원법. ── *a.* 이동〔운동〕하는; 자동 추진식의; 운전의; 운동〔이동〕성의: a ~ engineer 《美》 기관사 / ~ organs 이동 기관(器官)《다리·날개 등》.

lo·co·weed [lóukouwì:d] *n.* Ⓒ 〖植〗 로코초(草) (crazyweed)《미국 남서부 평원에 많은 콩과의 식물; 가축에 유독(有毒)함》.

lo·cum [lóukəm] *n.* 《口》 =LOCUM TENENS.

lócum té·nens [-tíːnenz, -téninz] (*pl.* ***lócum te·nén·tes*** [-tənéntiːz]) 《주로 英》 (목사·의사의) 임시 대리인, 대진(代診).

lo·cus [lóukəs] (*pl.* ***lo·ci*** [lóusai]) *n.* Ⓒ 《L.》 ① 장소, 위치. ②〖數〗 궤적(軌跡). ③〖遺〗(염색체 속의 유전자가 차지하는) 자리.

locus clas·si·cus [-klǽsikəs] (*pl.* ***lo·ci clas·si·ci*** [lóusai-klǽsəsài]) 《L.》 (어떤 용어나 문제의 해명을 위해 인용되는) 표준구.

***lo·cust** [lóukəst] *n.* Ⓒ ①〖蟲〗 메뚜기; 《美》 매미. ②〖植〗 **a)** =LOCUST BEAN. **b)** 쥐엄나무 비슷한 상록 교목(=⁓ **trèe**)《콩과》.

lócust bèan〖植〗 carob 의 꼬투리.

lo·cu·tion [loukjúːʃən] *n.* ① Ⓤ 말투, 말씨; 어법, 표현. ② Ⓒ (어떤 지역·집단 특유의) 어법.

lode [loud] *n.* Ⓒ ① 광맥. ② 보고(寶庫), 원천.

lode·star [lóudstàːr] *n.* ① Ⓒ (항해의) 길잡이가 되는 별. ② (the ~) 북극성. ③ Ⓒ 지도 원리, 지침.

lodestone ⇨LOADSTONE.

‡**lodge** [lɑdʒ / lɔdʒ] *n.* Ⓒ ① (일시적인 숙박을 위한) 오두막집, 사냥막, 로지, 산막. ② (저택·학교·공장 따위의) 수위실. ③ (북아메리카 원주민의) 천막집. ④ 지부(支部) 또는 집회소《비밀결사 따위의》; 〔集合的〕 지부 회원들. ⑤《英》 Cambridge 대학 등의 학부장 저택〔관사〕. ⑥ 해리(海狸)〔수달〕의 굴. ⑦《美》(관광·행락지의) 여관; (캠프 등의) 중심 시설.

— *vi.* ①《+전+명》 숙박〔투숙〕하다, 묵다; 하숙하다《*at* ; *with*》: ~ *at* a hotel 호텔에 유숙하다 / He's lodging *at* Mrs. Ann's house〔*with* Mrs. Ann〕. 그는 앤 부인의 집에 하숙하고 있다. ②《+전+명》 (화살·창 등이) 꽂히다; 박히다, (탄알 따위가) 들어가다: A fish bone has ~*d in* my throat. 목에 생선 가시가 박혔다 / The fact ~*d in* his mind. 그 사실이 마음에 박혀 있다.

— *vt.* ① …을 숙박〔투숙〕시키다, 묵게 하다; 하숙시키다. ② 〔well, ill 따위의 부사를 수반하여, *pp.*로〕 (숙박·하숙 따위) 설비가 좋다〔나쁘다 (따위)〕: The hotel is *well* ~*d*. 그 호텔은 설비가 좋다. ③ …을 수용하다: The rescued sailors were ~*d* in a nearby school. 구조된 선원들은 인근의 학교에 수용됐다. ④《~+목 / +목+전+명》 (탄알 등)을 쏘아 박다; (화살 등)을 꽂다; 타격하다: ~ a bullet *in* a person's heart 아무의 가슴에 탄알을 쏘아 박다. ⑤《~+목 / +목+전+명》 (돈 따위)를 맡기다; (보관·안전을 위하여) 의탁(依託)하다, (권능 따위)를 맡기다《*in* ; *with*》: ~ money *in* a bank 〔*with* a person〕 돈을 은행에〔아무에게〕 맡기다. ⑥《~+목 / +목+전+명》 (정보·반론·고충 따위)를 …에 제기〔제출〕하다, 신고하다《*before* ; *with* ; *against*》: ~ a complaint *against* a person *with* 〔*before*〕 the police 아무의 일로 경찰에 신고하다. ⑦ (비바람 따위가 농작물을) 쓰러뜨리다.

lodgement ⇨LODGMENT.

lodg·er [lɑ́dʒər / lɔ́dʒər] *n.* Ⓒ 숙박인, 하숙인, 동거인, 세들어 있는 사람. ***take in ~s*** 하숙인을 두다〔치다〕.

‡**lodg·ing** [lɑ́dʒiŋ / lɔ́dʒ-] *n.* ① Ⓤ 하숙, 셋방 듦; 숙박, 투숙. ② (*pl.*) 셋방, 하숙방: live in ~*s* 하숙하고 있다; 셋방에 들어 살고 있다《'하숙방·셋방'인 경우에는 방 하나라도 보통 복수형이 쓰임》 / They had to find ~*s* in the village nearby. 그들은 인근 마을에서 묵을 곳을 찾아야했다. ③ (*pl.*) (옥스포드 대학) 학부장 저택.

lódging hòuse 하숙집(《美》 rooming house): a common ~ (식사없는) 숙박만의 하숙집.

lodg·ment, 《英》 **lodge-** [lɑ́dʒmənt / lɔ́dʒ-] *n.* ① **a)** Ⓤ 숙박. **b)** Ⓒ 숙소. ② Ⓒ〖軍〗 점령, 점거; 거점: make 〔effect〕 a ~ 거점을 확보하다. ③ Ⓒ (토사 따위의) 퇴적물, 침전물. ④ Ⓤ (항의 따위의) 제기, 호소: the ~ of a complaint 고충의 호소, 불평의 제기.

lo·ess [lóues, les, lʌs] *n.* Ⓤ〖地質〗 뢰스, 황토《북미, 라인강 유역, 중국 북부 등지의 loam질의 퇴적토》.

***loft** [lɔːft / lɔft] *n.* Ⓒ ① 다락방; = ATTIC; (헛간·마구간의) 다락《건초 따위를 저장하는》; (교회·강당 따위의) 위층, 위층의 관람석(gallery). ② 비둘기장. ③〖골프〗 골프채 두부의 경사; (공을) 올려치기.

— *vt.* ①〖골프·야구〗 (공)을 높이 쳐올리다. ② (위성 등)을 높이 쏘아올리다.

— *vi.* ①〖골프〗 공을 높이 쳐올리다. ② 하늘 높이 날다〔쏘아올리다〕.

loft·er [lɔ́ːftər / lɔ́ft-] *n.* Ⓒ〖골프〗 로프터(= **lófting ìron**)《쳐올리는 데 쓰는 머리가 쇠로 된 골프채》.

‡**lofty** [lɔ́ːfti / lɔ́fti] (***loft·i·er*** ; ***-i·est***) *a.* ① 높은, 치솟은: a ~ peak 고봉(高峰). ② 지위가 높은, 고위의. ③ 고상한, 고결한. ④ 거만한, 거드름부리는: ~ contempt 〔disdain〕 거만한 경멸 / in a ~ manner 오만한 태도로.

㊎ **lóft·i·ly** *ad.* **-i·ness** [-inis] *n.*

‡**log**[1] [lɔ(ː)g, lɑg] *n.* Ⓒ ① 통나무: truck ~*s* to a lumbermill 트럭으로 통나무를 제재소에 나르다. ②〖海〗 측정기(測程器)《항해의 속도·거리를 재는》. ③ 항해〔항공〕 일지; (트럭의) 운행〔업무〕일지; 여행 일기. ④〖컴〗 기록(記錄)《오퍼레이션 또는 입출력 데이터의 기록》. ***sleep like a*** ~ 세상 모르고 자다.

— (***-gg-***) *vt.* ① (나무)를 통나무로 자르다; 벌채하다. ② (어떤 거리)를 항행〔비행〕하다: ~ (*up*) 300 kilometers in a day 하루에 300킬로를 항행하다. ③ …을 항행〔항공〕 일지에 기재하다. — *vi.* 나무를 베어 통나무를 만들다; 목재를 벌채하다. ~ ***in*** 〔***on***〕〖컴〗 로그 인〔온〕하다《소정의 절차를 거쳐 컴퓨터 사용을 개시하다》. ~ ***off*** 〔***out***〕〖컴〗 로그 오프〔아웃〕하다《소정의 절차를 거쳐 컴퓨터의 사용을 끝내다》.

log[2] *n.* =LOGARITHM.

-log ⇨-LOGUE.

log. logic; logistic.

lo·gan·ber·ry [lóugənbèri / -bəri] *n.* Ⓒ 로건베리《raspberry와 blackberry와의 잡종》.

log·a·rithm [lɔ́ːgəriðəm, lɑ́g-, -θəm / lɔ́g-] *n.* Ⓒ〖數〗 로가리듬, 로그, 대수(對數). ***the table of ~s*** 로그표, 대수표.

log·a·rith·mic, -mi·cal [lɔ̀ːgəríðmik, lɑ̀g-, -ríθ- / lɔ̀g-], [-əl] *a.* 대수(對數)의.

㊎ **-mi·cal·ly** [-mikəli] *ad.*

log·book [lɔ́ːgbùk, lɑ́g- / lɔ́g-] *n.* Ⓒ 항해〔항공〕 일지; (비행기의) 항정표; 업무 일지(log).

loge [louʒ] *n.* Ⓒ 《F.》 (극장의) 특별 관람석.

log·ger [lɔ́ːgər, lɑ́g- / lɔ́g-] *n.* Ⓒ ① 벌목꾼; 통나무 운반 트랙터. ②〖컴〗 log 하는 장치.

log·ger·head [-hèd] *n.* Ⓒ〖動〗 붉은거북(=⁓ **tùrtle**)《대서양산》. ***at ~s*** (…의 일로) 논쟁하여, 다투어, 싸워《*with* ; *over* ; *on*》.

log·gia [lɑ́dʒə, lóudʒiə / lɔ́dʒ-] (*pl.* ***~s, -gie*** [-dʒe]) *n.* Ⓒ 《It.》〖建〗 로지아《한쪽에 벽이 없는 복도 모양의 방》.

log·ging [lɔ́ːgiŋ, lɑ́g- / lɔ́g-] *n.* Ⓤ ① 벌목(량); 벌채 반출(업). ②〖컴〗 log 하기.

‡**log·ic** [lɑ́dʒik / lɔ́dʒ-] *n.* Ⓤ ① 논리, 논법: I don't

follow the ~ of your argument. 네 의론의 논법에는 수긍이 안간다. ② 조리, 올바른 논리, 도리 : That's not ~. 조리에 닿지 않는다. ③ 논리학 : deductive (inductive) ~ 연역(귀납) 논리학. ④ 이치로 따지기, 설득력 ; 딴소리 못하게 하는 힘, 강제 ; 당연한 결과 : the irresistible ~ of facts 사실이 지니는 불가항력. ⑤ 【컴】 논리《계산용 회로 접속 따위의 기본원칙, 회로 소자의 배열》; =LOGIC CIRCUIT.

***log·i·cal** [ládʒikəl / lɔ́dʒ-] *a.* 논리적인 ; (논리상) 필연의 ; 논리(학)상의 ; 분석적인 : the ~ result 논리적 결과 / The man has a ~ mind. 저사람의 사고방식은 논리적이다.
㊀ *~·**ly** *ad.* 논리상, 논리적으로. ~·**ness** *n.*

lógical operátion 【컴】 논리 연산.

lógic círcuit 【컴】 논리 회로.

lo·gi·cian [loudʒíʃən] *n.* Ⓒ 논리학자, 논법가.

-logist *suf.* -logy(…학(學))에서 '…학자, …연구자'의 뜻의 명사를 만듦 : geo*logist*, philo*logist*.

lo·gis·tic[1] [loudʒístik] *a.* 병참학〔술〕의.

lo·gis·tic[2] *n.* Ⓤ 기호 논리학(symbolic logic).

lo·gis·tics [loudʒístiks] *n.* Ⓤ 【軍】 병참술〔학〕 《수송·숙영(宿營)·식량 등에 관한 군사학의 한 부문》.

log·jam [lɔ́:gdʒæ̀m, lág- / lɔ́g-] *n.* Ⓒ ① 강으로 떠내려가서 한 곳에 몰린 통나무. ② 《美》 정체(停滯), 막힘.

LOGO, Lo·go [lɔ́:gou, lág- / lɔ́g-] *n.* Ⓤ 【컴】 로고《주로 교육상의 프로그래밍 언어》.

lo·go [lɔ́:gou, lág- / lɔ́g-] *n.* Ⓒ (상품명·회사명의) 의장(意匠) 문자, 로고(타이프) (logotype).

log·off [lágɔ̀:f, lɔ́:g- / lɔ́g-] *n.* Ⓤ 【컴】 접속끝《단말(端末)의 사용을 끝내는 기계 조작의 순서》.

log·on [lágɔ̀:n / lɔ́g-] *n.* Ⓤ 【컴】 접속시작《단말(端末) 사용에 있어 메인 컴퓨터에 접속하기 위한 여러 조작의 순서》.

lo·gos [lóugas / lɔ́gɔs] (*pl.* ***lo·goi*** [-gɔi]) *n.* Ⓤ ① (종종 L-) 【哲】 로고스, (우주의 지배 원리로서의) 이성(理性). ② (L-) 【神】 **a**) (삼위 일체의 제2위인) 예수. **b**) 하느님의 말씀(the Word).

log·o·type [lɔ́:gətàip, lág- / lɔ́g-] *n.* Ⓒ ① 【印】 합성 활자《fi 따위 두 자를 하나로 한 활자》. ② = LOGO.

log·roll [lɔ́:gròul, lág- / lɔ́g-] *vt.* 《美》 (의안)을 협력하여 통과시키다. ── *vi.* 서로 칭찬하다.

log·roll·ing [-iŋ] *n.* Ⓤ ① (협력해서 하는) 통나무 굴리기. ② (정치적인) 결탁 ; 서로 칭찬하기 ; 〔一般的〕 협력.

-logue, -log '담화'의 뜻의 결합사 : mono*logue*.

log·wood [lɔ́:gwùd, lág- / lɔ́g-] *n.* Ⓤ,Ⓒ 【植】 로그우드《서인도 제도산(產) 콩과의 작은 교목》; 그 심재(心材)《염료의 원료》.

lo·gy [lóugi] *a.* 《美》 굼뜬, 동작이 느린.

-logy *suf.* ① '…학, …론(論)' 따위의 뜻의 명사를 만듦 : ethno*logy*. ② '말, 담화'의 뜻의 명사를 만듦 : eu*logy*.

loin** [lɔin] *n.* ① (*pl.*) 허리, 요부(腰部). ② Ⓤ (소 따위의) 허리고기. ***gird (up) one'***s ~s*** 【聖】 (크게) 분발하다.

loin·cloth [lɔ́inklɔ̀:θ / -klɔ̀θ] *n.* Ⓒ (미개인·열대 지방인 등의) 허리 싸개, 들보.

‡loi·ter [lɔ́itər] *vi.* ① 《~ / +전+명》 (어떤 곳에서) 빈둥거리다, 지체하다 ; 어슬렁어슬렁 걷다, 느릿느릿 움직이다《*about* ; *along* ; *around*》 : They were ~*ing around* the park. 그들은 공원 주변에서 어슬렁거리고 있었다. ② 《+전+명》 빈둥거리며 보내다, 빈들빈들 지내다(loaf) ; 늑장부리며 일하다 : Don't ~ *on* the job. 일을 늑장부리며 하지 마라. ── *vt.* 《+목+부》 (시간)을 빈둥거리며 보내다《*away*》 : ~ *away* the afternoon.
㊀ ~·**er** [-rər] *n.*

loll [lal / lɔl] *vi.* ① 《+전+명》 축 늘어져 기대다 : She was ~*ing in* a chair, with her arms hanging over the sides. 그녀는 두 팔을 옆으로 드리운 채 의자에 축 늘어져 있었다. ② 《+부》 (혀가) 축 늘어지다《*out*》; 빈둥거리다《*about*》: The dog let its tongue ~ *out*. 개는 혀를 축 늘어뜨렸다.
── *vt.* 《+목+부》 (혀 따위)를 축 늘어뜨리다 《*out*》; (시간)을 빈둥거리며 보내다.

lol·li·pop, -ly- [lálipàp / lɔ́lipɔ̀p] *n.* Ⓒ ① 롤리폽《막대기 끝에 붙인 사탕(sweet, candy)》. ② 《英》 아동(兒童) 교통 정리원이 갖는 교통 지시판.

lóllipop màn 〔wòmen〕 《英口》 횡단보도 아동 보호원《막대기 끝의 원반에 'Stop ! Children (Crossing)' 이라 쓴 표지를 들고 있는 데서》.

lol·lop [láləp / lɔ́l-] *vi.* 《口》 터벅터벅〔비실비실〕 걷다(slouch)《*along*》.

lol·ly [láli / lɔ́li] *n.* ① 《英口》 =LOLLIPOP. ② 《英俗》 Ⓤ 돈.

lollypop ⇨LOLLIPOP.

Lom·bard [lámbərd, lʌ́m-, -ba:rd / lɔ́m-] *n.* Ⓒ ① 롬바르드족(族)《6 세기에 이탈리아를 정복한 게르만 민족》. ② (이탈리아의) Lombardy 사람. ③ 금융업자, 은행가, 돈놀이하는 사람(cf. Lombard Street).

Lómbard Strèet 롬바르드가《은행이 많기로 유명한 런던의 거리》; 영국의 금융계 ; 〔一般的〕 금융계 〔시장〕. cf. Wall Street.

lon. longitude. **Lond.** London.

†Lon·don [lʌ́ndən] *n.* 런던《영국의 수도(首都)》.
㊀ ~·**er** *n.* Ⓒ 런던 사람.

Lóndon Brídge Thames 강 북쪽의 the City of London 과 남쪽의 Southwark 를 잇는 다리.

Lon·don·der·ry [lʌ́ndəndèri] *n.* 북아일랜드의 주 ; 그 주의 수도.

‡lone [loun] *a.* 〔限定的〕 ① 혼자의, 외톨의, 짝이 없는, 외로운 : a ~ traveler 외로운 나그네 / a ~ flight 단독 비행 / a ~ parent 편친. ② 고립돼 있는, 사람이 살지 않는, 외딴 : a ~ pine 외소나무 / a ~ house on the moor 광야의 외딴집. ③ 호젓한, 쓸쓸한(lonely 보다도 한층 시적인 말).

lóne hánd 【카드놀이】 자기편의 도움 없이 이길 수 있는 유리한 패(를 가진 사람) ; 단독 행동(을 하는 사람) : play a ~.

†lone·ly [lóunli] (***-li·er*** ; ***-li·est***) *a.* ① 외로운, 고독한, 외톨의, 짝이 없는 : make a ~ trip 혼자 여행하다 / lead a ~ life 외롭게 살다. ② 인가에서 멀리 떨어진, 외진, 호젓한, 사람 왕래가 적은 : a ~ road 인적이 드문 길 / a ~ mountain village 인가에서 떨어진 산간 마을. ③ (사람 또는 상황이) 쓸쓸한 : She felt ~. 그녀는 쓸쓸했다.
㊀ *-**li·ness** *n.* Ⓤ 쓸쓸함, 적막 ; 외로움, 고립.

lónely héarts 친구〔배우자〕를 구하는 고독한 사람들(의) : a '*Lonely Hearts*' Column (신문 등의) 교제〔결혼〕상대 상담란.

lon·er [lóunər] *n.* Ⓒ 《口》 혼자 있는〔있고 싶어 하는〕 사람〔동물〕.

lone·some** [lóunsəm] (more*** ~ ; ***most*** ~) *a.* 《文語》 ① 쓸쓸한, 인적이 드문 ; 외로운, 고독한 : I felt very ~. 난 몹시 외로웠다. ② 쓸쓸한 기분을 주는 : The street gets ~ after dark. 그 거리는 해가 지면 쓸쓸해진다. ── *n.* 〔다음 成句로〕 ***on*** 〔***by***〕 one'***s*** ~ 《口》 혼자서. ㊀ ~·**ly** *ad.* ~·**ness** *n.*

lóne wólf 독불 장군 ; 고립주의자.

†long[1] [lɔ:ŋ / lɔŋ] (~·***er*** [lɔ́:ŋgər / lɔ́ŋg-] ; ~·***est*** [-ŋgist]) *a.* ① (공간적으로) 긴, 길이가 긴. opp.

short. ¶ a ~ distance 장거리 / a ~ hit 〖野〗 장타 / draw a ~ line on the paper 종이 위에 긴 줄을 긋다. ◇ length *n.* ② 길이가 …인, …길이의 : be five feet ~ 길이 5 피트다 / How ~ is it? 길이가 얼마나 되나. ③ (너비·가로 따위에 대하여) 길이〔세로〕의 ; (길이가) 긴 쪽의 ; (모양이) 길쭉한, 가늘고 긴 ; 《口》〔이름 앞에 붙여서〕 키 큰, 키다리인 : *Long* Smith 키다리 스미스. ④ (시간·행위·과정 등이) 긴, 오랜, 오래 계속되는 ; 장시간 걸리는, 기다란 : The days are getting ~*er.* 해가 길어져 간다 / a ~ story 긴〔복잡한〕 얘기 / It won't be ~ before we can start. 곧 출발할 수 있게 될 것이다. ⑤ (시간적으로) 좋이 …한〔나 되는〕, 능준한 ; 〔一般的〕 다량의, 다수의, 큰 : two ~ hours 장장〔좋이〕 두 시간 / a ~ figure 〔price〕 《俗》 다액(多額), 고가(高價) / a ~ family (아이가 많은) 대가족. ⑥ 《口》〔敍述的〕 충분히 갖고 있는《*on*》: be ~ *on* brains 머리가 좋다. ⑦ (시간적·공간적으로) 멀리까지 미치는 : take ~ views 〔a ~ view〕 (of life) 먼 장래 일을 생각하다. ⑧ 〖音聲〗 (모음·음절이) 장음의 ; 〔一般的〕 강음의 : ~ vowels 장모음. ⑨ 〖商〗 강세인 (bullish) : The market is ~. 시장은 강세이다. ***as broad as it is*** ~ ⇨ BROAD. ***by a ~ chalk*** ⇨CHALK. ***in the ~ run*** 결국, 마침내. ~ ***in the tooth*** ⇨TOOTH.

— *ad.* ① 오랫동안 : He has been ~ dead. 그가 죽은 지 오래다 / Have you known her parents ~? 그녀의 부모를 안 지가 오래냐. ② 온 …동안, 쭉, 내내 : all day ~ 온종일 / all one's life ~ 한평생. ③ …부터 훨씬(전 또는 후에) : ~ since 훨씬 전에 / Not ~ after that my mother died. 그 후 얼마 안되어 어머니는 돌아가셨다. ***as*** 〔***so***〕 ~ ***as*** …하는 한(에서는), …동안은. ~ ***before*** (1) 훨씬 이전에 ; …하기 훨씬 전에. (2) …하기까지에는 오래〔오랜〕: It was ~ *before* he came. 시간이 꽤 지나서야 그가 왔다. ***no . . . ~er*** = ***not . . . any ~er*** 이젠 …아니다 : I could*n't* stand it *any* ~*er.* 나는 더 이상 견딜 수 없었다. ***so*** ~ 《口》 안녕(good-bye).

— *n.* ① Ⓤ 오랫동안, 장시간 : It will not take ~. 오래 걸리지는 않을 것이다. ② Ⓒ 〖音聲〗 장모음, 장음절. opp. *shorts.* ***before*** ~ 머지〔오래지〕 않아 곧, 이내 : *Before* ~ she came into my room. 이내 그녀는 내방에 들어왔다. ***for*** ~ 〔疑問·否定·條件節에서〕 오랫동안 : Did you stay in Seoul *for* ~? 서울에 오래 머물렀니. ***The ~ and*** (***the***) ***short of it is that . . .*** 요컨대〔결국〕 …이다.

‡long² *vi.* 《+전+명 / +전+명+*to* do / +*to* do》 간절히 바라다, 열망하다《*for* ; *to* do》; 동경하다, 그리워하다, 사모하다 : I ~*ed for* him *to* say something. 그가 무언가 말해주기를 간절히 바랬었다 / I ~*ed for* the winter *to* be over. 겨울이 다 지나가기를 몹시 바랬다 / I ~ *to* go home. 집에 몹시 가고 싶다.

long. longitude.

long-ago [lɔ́:ŋəgóu / lɔ́ŋ-] *a.* 옛날의.

Lóng Bèach 롱비치《California 주 로스앤젤레스시 근처의 도시·해수욕장》.

long·boat [ˊ-bòut] *n.* Ⓒ (범선 적재의) 대형 보트.

long·bow [ˊ-bòu] *n.* Ⓒ 큰〔긴〕 활.

long-dat·ed [ˊ-dèitid] *a.* 〖商〗 장기의《어음·채권 따위》.

lóng dístance 장거리 전화.

long-dis·tance [ˊ-dístəns] *a.* 〔限定的〕 ① 《美》 먼 곳의, 장거리(전화)의 : a ~ (telephone) call 장거리 전화(《英》 a trunk call) / a ~ flight 〔runner〕 장거리 비행〔주자〕. ② 《英》(일기 예보가) 장기의. — *ad.* 장거리 전화로 : I telephoned him ~ last night. 어젯밤 그에게 장거리 전화를 했다.

lóng dózen 13 개.

long-drawn, -drawn-out [ˊ-drɔ́:n], [ˊ-drɔ́:náut] *a.* 오래 계속되는〔끄는〕 : ~ negotiations 오래 끄는 협상.

long-eared [ˊ-íərd] *a.* ① 긴 귀를 가진. ② 나귀 같은 ; 우둔한(stupid).

***lon·gev·i·ty** [landʒévəti / lɔn-] *n.* Ⓤ 장수 ; 수명, 생애.

lóng fáce ① 긴 얼굴. ② 우울한〔침울한〕 얼굴 : pull 〔make〕 a ~ 우울한 얼굴을 하다 / wear a ~ 우울한 얼굴을 하고 있다.

long-faced [ˊ-féist] *a.* ① 얼굴이 긴. ② 슬픈 듯한, 우울한 ; 엄숙한.

Long·fel·low [lɔ́:ŋfèlou / lɔ́ŋ-] *n.* **Henry Wadsworth** ~ 롱펠로《미국의 시인 ; 1807-82》.

lóng fírm 《英》 유령회사.

long·hair [ˊ-hɛ̀ər] *n.* Ⓒ 《口》 ① 장발인 사람 ; 장발인 지식인〔예술가〕. ② 장발족, 히피. — *a.* ① 장발의. ② 지식계급의 ; 고전 음악을 사랑하는. ③ 젊고 반(反)사회적인 ; 히피적인. 파 **~ed** *a.* = longhair.

long·hand [ˊ-hæ̀nd] *n.* Ⓤ (속기(速記)나 타자가 아닌) 보통의 쓰기. cf. shorthand.

lóng hául (a ~) 비교적 긴 시간 또는 긴 거리.

long-haul [ˊ-hɔ̀:l] *a.* 장거리의《비행기 편(便) 따위》, 장거리 수송의 : a ~ flight 장거리 항공편 / a ~ truck 장거리 수송 트럭.

long·head·ed [ˊ-hédid] *a.* ① 장두(長頭)의. ② 머리가 좋은, 선견지명이 있는. 파 **~·ness** *n.*

long·horn [ˊ-hɔ̀:rn] *n.* Ⓒ 롱혼《미국 남서부에 많았던 뿔이 긴 소 ; 지금은 거의 절멸》.

lóng húndredweight 《英》 112 파운드.

‡long·ing [lɔ́(:)ŋiŋ, láŋ-] *n.* Ⓤ,Ⓒ 동경, 갈망, 열망《*for*》: She has a great ~ *for* home. 그녀는 고향을 몹시 그리워하고 있다. — *a.* 〔限定的〕 간절히 바라는, 동경하는 : The beggar looked at my sandwich with ~ eyes. 그 거지는 내 샌드위치를 몹시 먹고 싶어하는 눈으로 바라보았다. 파 **~·ly** *ad.*

long·ish [lɔ́(:)ŋiʃ, láŋ-] *a.* 좀 긴, 기름한.

Lòng Ísland 롱아일랜드《New York 주 동남부의 섬》.

***lon·gi·tude** [lándʒətjù:d / lɔ́n-] *n.* Ⓤ ① 경도(經度), 경선《略 : lon(g).》. cf. latitude. ¶ ten degrees fifteen minutes of east ~ 동경 10 도 15 분. ② 〖天〗 황경(黃經).

lon·gi·tu·di·nal [lɑ̀ndʒətjú:dinəl / lɔ̀n-] *a.* ① 경도(經度)의, 경선(經線)의. ② 세로의 : ~ stripes (깃발 따위의) 세로줄 무늬. 파 **~·ly** [-nəli] *ad.*

longitúdinal redúndancy chèck cháracter 〖컴〗 수평 중복 검사 문자.

lóng jòhns (발목까지 덮는 남성용) 긴 속옷.

lóng jùmp (the ~) 《英》 멀리뛰기.

long·last·ing [ˊ-lǽstiŋ] *a.* 오래 계속되는, 오래가는.

long-legged [ˊ-légd] *a.* 다리가 긴 ; 《比》 빠른.

long·life [ˊ-láif] *a.* (우유·전지 등이) 롱라이프의, 보통 것보다 오래가는.

long-lived [ˊ-láivd, ˊ-lívd] *a.* ① 장수의. ② 영속하는 : a ~ friendship 오래 지속되는 우정.

lóng mèasure 척도(尺度), 길이의 단위.

lóng pláy 엘피판《略 : LP》.

long-play·ing [ˊ-pléiiŋ] *a.* 엘피판의 : a ~ record 엘피판.

long-range [ˊ-réindʒ] *a.* 〔限定的〕 ① 장거리에 달하는 : a ~ gun 〔missile, flight〕 장거리 포〔미사일, 비행〕. ② 장기에 걸친, 원대한 : a ~ plan 장기 계획.

long-run [ˊ-rʌ́n] *a.* 장기간의, 장기간에 걸친

(long-term); (연극 등) 장기 흥행의, 롱런의.

long·shore [-ʃɔ̀ːr] *a.* 연안의, 연안에서 일하는; 해항〔항만〕의: ~ fishery 연해(沿海) 어업.

long·shore·man [-ʃɔ̀ːrmən] (*pl.* ***-men*** [-mən]) *n.* Ⓒ 《美》 항만 노동자(docker).

lóng shòt ①〖映〗 원경(遠景) 촬영. ② (a ~) 《口》 대담한〔가망 없는, 어려운〕 기도: take *a* ~ 이판사판 해보다. ③〖競馬〗 승산 없는 말. ***not ... by a*** ~ 전혀 …않다.

long-sight·ed [-sáitid] *a.* ① 원시의; 먼 데를 볼 수 있는(《주로 美》 farsighted). ② 선견지명이 있는.

long·sleeved [-slíːvt] *a.* 긴 소매의.

long·stand·ing [-stǽndiŋ] *a.* 오래 계속되는〔된〕, 오랜, 여러 해의: a ~ feud 오랫동안의 원한(怨恨), 숙원(宿怨).

long-suf·fer·ing [-sʌ́fəriŋ] *a.* 인내성이 강한: his noble, ~ wife 그의 고상하고 인내심이 강한 부인. ― *n.* Ⓤ 인고(忍苦), 참을성 많음. ㊞ **~·ly** *ad.* 참을성 있게.

lóng súit ①〖카드놀이〗 그림이 같은 짝을 4 장 이상 맞춰 쥐고 있을 때의 그 가진 패. ⓒⓕ short suit. ② (one's ~) 《口》 장점, 장기.

long-term [-tə̀ːrm] *a.* 장기의: a ~ contract 장기 계약 / a ~ loan 장기 대부.

long·time [-tàim] *a.* 〔限定的〕 오랜, 오랫동안의: a ~ friend 〔customer〕 오랜 친구〔단골〕/ He married his ~ girlfriend. 그는 오래 사귀던 여자 친구와 결혼했다.

lóng tón 롱톤, 영국톤(《=2,240 파운드; 略: L/T, l.t.》).

lóng únderwear 〔集合的〕 《美》 바지밑에 입는 내복.

lóng vác 《英口》 =LONG VACATION.

lóng vacátion 《英》 (대학·법정 따위의) 여름휴가(《보통 8, 9, 10월의 석달》).

lóng wáve 〖通信〗 장파. ⓞⓟⓟ *short wave.*

long·ways [lɔ́ːŋwèiz / lɔ̃ŋ-] *ad.* =LENGTHWISE.

long·wear·ing [-wέəriŋ] *a.* 《美》 = HARD-WEARING.

long·wind·ed [-wíndid] *a.* ① 숨이 긴〔오래 가는〕. ② 장광설의, 장황한. ㊞ **~·ly** *ad.* **~·ness** *n.*

long·wise [-wàiz] *ad.* =LENGTHWISE; =LONGWAYS.

loo [luː] (*pl.* ***~s*** [-z]) *n.* Ⓒ 《英口》 화장실: Is somebody in the ~? 화장실에 누가 있습니까.

†look [luk] *vi.* ① 《~ / +副 / +前+名》 보다, 바라보다, 주시하다, 눈을 돌리다; 《口》 (놀라서) 눈을 크게 뜨다(*at*): *Look at* the man〔me〕! 저 사람을〔나를〕 봐라 / *Look* this way, please. 이쪽을 보세요 / ~ *through* the papers 서류를 훑어보다; 서류 속을 뒤지다 / I ~*ed* but saw 〔could see〕 nothing. 눈여겨 봤지만 아무것도 보이지 않았다. ★ look at은 현재분사(때로는 원형 부정사)를 수반할 수 있음: They *looked at* him *swimming* 〔*swim*〕. 그들은 그가 수영하는 것을 보았다.

② 《~ / +前+名 / +*that* 節》 생각해 보다, 고찰〔검토〕하다, 조사하다; 조심〔주의〕하다. ⓒⓕ see. ¶ a way of ~*ing at* things 사물(事物)을 보는 방법 / *Look* (*to* it) *that* everything is ready. 만반의 준비를 갖추도록 하라 / When you ~ deeper, you'll find something new. 더 깊이 관찰하면 뭔가 새로운 것을 발견할 것이다.

③ 《+(*to be*) 補 / +前+名》 …하게 보이다, …인〔한〕 것처럼 보이다〔생각되다〕, …한 모습〔표정〕을 하고 있다; …할 것 같다(*like*): You ~ very pale〔tired〕. 얼굴이 몹시 창백하구나〔지쳐 보이누나〕/ He ~*ed* as if he hadn't slept last night. 그는 간밤에 잠을 못잔 것처럼 보였다 / They ~ (*to be*) happy. 그들은 행복해 보인다(to be를 쓰는 것은 주로 《美》) / He ~*s* (*like*) a good man. 그는 호인일 것 같다(like를 넣는 것은 주로 《美》). ⓒⓕ appear.

④ 《~ / +前+名》 (집 등이) …향(向)이다, …에 면하다(*upon; onto; into; over; down; toward*); (상황·사태가) …쪽으로 기울다: Which way does the house ~? 그 집은 어느 쪽으로 향해 있습니까 / It ~*s to* the east. 동향(東向)입니다 / Conditions ~ *toward* war. 정세는 전쟁 쪽으로 기울고 있다.

⑤ 《+*to* do / +前+名》 예기하다, 기대하다(*for*): I ~ *to* hear from you again. 또 편지를 기다리겠습니다 / We are ~*ing for* a good harvest. 풍성한 수확을 기대하고 있다.

― *vt.* ① (감정·의지 따위)를 눈으로 나타내다〔알리다〕: He ~*ed* his thanks. 그는 눈으로 감사의 뜻을 나타냈다 / He ~*ed* a query at me. 그는 묻고 싶은 듯한 눈으로 나를 보았다. ② 《+目+前+名 / +目+副》 …을 응시하다, 주시하다; 살피다, 관찰하다, 조사하다: He ~*ed* me full *in* the face. 그는 정면(正面)으로 내 얼굴을 응시했다 / ~ a person *through and through* 아무를 철저히 조사하다. ③ 《+目+前+名》 …을 응시〔주시〕함으로써〔쏘아봄으로써〕 …하게 하다(*into; out of; to*): He ~*ed* her *into* silence. 그는 그녀를 노려보아 침묵시켰다. ④ …에 어울리게 보이다: The actor ~*s* the part〔role〕. 그 배우는 그 역에 잘 어울린다. ⑤ 《+*wh.* 節》 …을 확인하다, …을 조사해보다: *Look* who it is. 누구인지 알아봐라 / I'll ~ what time the train arrives. 기차의 도착시각을 내가 알아보겠다.

~ ***about*** (1) (…의) 주변을 둘러보다; 정세를〔입장을〕 생각하다. (2) 경계하다; 둘러보아 찾다(*for*). ~ ***after*** (1) …을 보살피다〔돌보다〕; …을 감독하다: ~ *after* young people 젊은이의 뒤를 돌보다 / I can ~ *after* myself. 내 일은 내가 알아서 한다 / *Look after* yourself. 《口》 잘 있어요(《헤어질 때 등에》). (2) …을 눈으로 좇다. ~ ***ahead*** 앞〔진행 방향〕을 보다; 앞일을 생각하다. ~ ***alive*** 활발히 움직이다, 빨리하다, 서둘다. ~ ***around*** 둘러보다; 뒤돌아보다; (…을) 보고〔조사하고〕 다니다; 여러모로 생각해보다. ~ ***at*** (1) …을 보다: He ~*ed* up *at* the blue sky. 그는 푸른 하늘을 쳐다봤다. (2) …을 고찰하다; 〔will 〔would〕 not과 함께〕 …을 보려고도 않다, …을 문제로 삼지 않다: He *will not* ~ *at* such a foolish proposal. 그런 어리석은 제안을 거들떠보려고도 않을걸. ~ ***back*** (1) 뒤돌아〔돌아다〕 보다; 회고하다(*on; to*). (2) 주춤거리다, 주저하다, 후퇴하다. ~ ***daggers at*** ⇨ DAGGER. ~ ***down*** (1) 내려다 보다, 눈을 내리깔다: She ~*ed down* in embarrassment. 그녀는 난처해서 눈을 내리깔았다. (2) …을 내려다 보다: ~ *down* a well 우물을 내려다 보다. ~ ***down on*** 〔***upon***〕 (1) …을 내려다 보다: a tower ~*ing down on* the town 마을을 내려다 보는 탑. (2) …을 깔보다, 경멸하다. ~ ***for*** …을 찾다; …을 기다리다〔기대하다〕: ~ *for* a job 일자리를 구하다. ~ ***forward to*** a thing 〔do***ing***〕 …을 기대하다, …을 즐거움으로 기다리다: He is ~*ing forward to* work*ing* with the new Prime Minister. 그는 새 수상과 같이 일하게 될 것을 고대하고 있다. ***Look here!*** 이봐, 어이: *Look* (*here*), Mr. Smith, you've got it wrong. 이봐요 스미스씨, 오해하고 계십니다. ~ ***in*** (1) 들여다보다, 엿보다. (2) 잠깐 들르다(*on*): Please ~ *in on* us, if you come this way. 이쪽에 오는 일이 있으면 잠깐 들러 주시오. (3) 텔레비전을 보다. ~ ***into***

…을 들여다보다 ; …을 조사〔연구〕하다. ~ ***like*** …와 (모양이) 비슷하다 ; …인 것같이 보이다〔여겨지다〕, …할 것 같다 : "What does he ~ *like ?*" — "Pale, thin, dark haired." '그 사람 어떻게 생겼냐' —'창백한 얼굴에 마르고 머리는 검다' / *Looks like* you are wrong.《口》아무래도 네가 잘못한 것 같다《it 이 생략된 구문》. ~ ***on*** 〔***upon***〕 (1) 구경〔방관〕하다. cf. onlooker. (2) …에〔로〕 향해 있다 : The room ~*s on* 〔*onto*〕 the garden. 방은 뜰에 면해 있다. ~ ***out*** (1) 밖을 보다《*of*》: ~ *out* (*of*) the window 창(窓) 밖을 내다보다《★《美》에서는 가끔 of 가 생략됨》. (2) 주의하다, 경계하다 ;〔命令形으로〕 주의해라, 정신차려라 : *Look out !* There's a rock falling. 조심해라. 낙석이다. (3) …을 찾다《*for*》. (4) …을 바라다보다 ; …에 면(面)하다《*on ; over*》. (5) …을 찾다, …을 골라내다, 고르다《*for*》. (6) 돌보다《*for*》. ~ ***over*** (1) (…을) 죽 훑어보다. (2) (건물・공장)을 둘러보다, 시찰하다. (3) …너머로 보다. ~ ***round*** =~ around. ~ ***sharp*** 〔***smart***〕 조심하다 ;〔命令形으로〕 정신차려, 빨리해. ~ ***small*** 풀이 죽다. ~ ***through*** (1) (…을) 통하여 보다, (…을) 꿰뚫어보다〔간파하다〕. (2) (…을) 살펴보다 ; (…을) 철저히 조사하다. (3) (…을) 통해 보이다 : His greed ~*s through* his eyes. 그의 탐욕이 눈에 나타나 있다. (4) 보고도 못 본체하다. ~ ***to*** (1) …쪽을 보다, …쪽에 면하다. (2) …에 주의하다 ; …의 뒤를 보살피다, 돌보다. (3) …에게 의지하다, 기대하다, 대망하다 : We are ~*ing to* your help. 당신의 도움을 기대합니다. ~ ***toward***(***s***) (1) …쪽을 보다. (2) …쪽으로 향해 있다. (3) …로 기울다. ~ ***up*** (1) 올려다〔쳐다〕보다《*at*》. (2) (경기 등이) 좋아지다, 호전하다. (3) (말・해답 따위를) 찾다 : ~ *up* a word in a dictionary 사전에서 낱말을 찾다. (4) 조사하다, 알아보다 : ~ *up* a timetable 시간표를 보다. (5)《口》…을 방문하다, 들르다. (6) 기분을 내다 ; 대망을 품다 : *Look up !* The future is bright. 기운내라. 전도가 밝다. ~ ***up and down*** (1) 샅샅이 찾다. (2) (사람을) 위아래로 훑어보다, 자세히〔찬찬히〕 보다. ~ ***up to*** …을 올려다보다 ; …을 우러러보다〔존경하다〕. opp. *look down on.*

— *n.* ① Ⓒ (흔히 *sing.*) 봄, 얼핏 봄《*at*》: give a person a quick ~ 아무를 슬쩍 보다 / Let me have a ~. 나에게도 좀 보여줘. ② Ⓒ (흔히 *sing.*) 눈 (표정), 얼굴 표정 ; 안색 : a vacant ~ 멍한 눈. ③ (*pl.*) 용모, 생김새 : have good ~*s* 미모이다, 잘 생기다 / lose one's ~*s* 용색(容色)이 가시다. ④ Ⓒ (흔히 *sing.*) 외관, 모양 : the ~ of the sky 날씨 / Things are taking on an ugly ~. 사태는 험악해지고 있다. ⑤ Ⓒ (유행 등의) 형 : a new ~ in woman's fashions 여성 패션의 최신형. ***by*** 〔***from***〕 ***the ~ of . . .*** …의 모양으로 보건대 : It's going to rain today, *by the* ~ *of* it. 보아하니 오늘은 비가 올 것 같다.

look-a·head [lúkəhèd] *n.* Ⓤ〖컴〗예견〔예지〕 능력《미리 다른 가능성・단계 등을 예지・계산할 수 있는 능력》.

look-a·like, look·a·like [lúkəlàik] *n.* Ⓒ《美》꼭 닮은 (사람〔것〕)《★ 종종 인명 뒤에 씀》: my ~ 나를 닮은 사람 / a Armstrong ~ 암스트롱과 흡사한 사람.

look·er [lúkər] *n.* Ⓒ ① 용모가 …한 사람 : a good ~ 미인. ② 아름다운 여자, 미인.

look·er-on [lúkərán / -rɔ́n] (*pl.* ***look·ers-*** [lúkərz-]) *n.* Ⓒ 구경꾼, 방관자(onlooker, spectator) : *Lookers-on* see most of the game.《俗談》구경꾼이 더 잘 본다.

look-in [lúkìn] *n.* (*a* ~) ① 잠깐 들여다봄 : have *a* ~ 잠깐 들여다 보다. ② 짧은 방문, 잠깐 들름 : make *a* ~ *on* a person 〔*at* a person's home〕. ③《口》참가할 기회, 승리할 가망성, 승산 : I don't have *a* ~ with all those rivals. 이렇게 경쟁 상대가 많아서는 내가 이길 승산은 없다.

(-)**look·ing** [lúkiŋ] *a.* 〔複合語〕 …으로 보이는 : angry-~ 화난 듯한 얼굴의 / good-~ 잘생긴.

lóoking glàss ① 거울, 체경. ② 거울 유리.

***look·out** [lúkàut] *n.* ① (*sing.*) 감시, 망보기, 경계, 조심 : on the ~ for …에 눈을 번득이고, …을 찾느라고 / Keep a good ~ for that man. 저 사람에게는 아주 조심하세요. ② Ⓒ 망보는 사람, 간수 ; 망보는 곳, 망루. ③ (a ~) 조망, 전망. ④ (a ~)《英》가망, 전도 : It's *a* bad ~ for him. 그의 앞날이 걱정이다. ⑤ Ⓒ《口》임무, 자기의 일〔관심사〕: That's not my (own) ~. 내가 알 바 아니다 / It's your (own) ~. 그건 네 책임〔네가 알아서 할 일〕이다.

look-o·ver [lúkòuvər] *n.* (a ~) 대충 조사함〔훑어봄〕, 점검 : give papers *a* ~ 서류를 훑어보다.

look-see [lúksìː] *n.* (a ~)《口》간단한 검사 ; 점검(點檢) ; 시찰 : have 〔take〕 *a* ~ (at) (…을) 점검하다.

look·up [lúkʌ̀p] *n.* Ⓤ〖컴〗순람(順覽)《키로써 항목이 구별되어 있는 배열이나 표에서 데이터 항목을 골라내는 프로그래밍 기법》.

***loom**[1] [luːm] *n.* Ⓒ 베틀, 직기(織機).

loom[2] *vi.*《+副》① 어렴풋이 보이다, 아련히 나타나다〔떠오르다〕: *Through* the fog a ship ~*ed* on our port bow. 안개 속에서 배 한 척이 좌현 전방에 아련히 나타났다. ② 불쑥 거대한 모습을 드러내다 : A ferry ~*ed up* in the fog. 나룻배가 안개 속에서 불쑥 나타났다. ③ (위험・위협 등이) 기분 나쁘게 다가오다 : War is ~*ing ahead*. 전쟁 위협이 다가오고 있다. — *n.* (a ~) 아련히 나타남 ; (안개 속 등에 나타난) 거대한 모습.

loon[1] [luːn] *n.* Ⓒ 바보, 얼간이.

***loon**[2] *n.* Ⓒ〖鳥〗아비(阿比)《아비속의 물새의 총칭》.

loony, loo·ney, lu·ny [lúːni] *a.*《口》미친, 바보 같은. — *n.* Ⓒ 미친 사람 ; 바보.

lóony bìn《口》정신 병원, 정신병 병동.

‡**loop** [luːp] *n.* Ⓒ ① **a**) (끈・실・철사 등의) 고리 ; 고리 장식 ; (피륙의) 변폭 ; 고리 모양의 손잡이〔멈춤쇠〕; (the ~) 피임링(IUD). **b**)〖鐵・電信〗환상선(環狀線), 루프선 ;〖電子〗폐〔환상〕회로 ;〖通信〗루프 안테나 ; 루프《양끝을 이어 환상으로 만든 반복 영사용 필름〔재생용 테이프〕》. ② **a**) (도로・강 따위의) 만곡(부). **b**)〖스케이트〗루프《한쪽 스케이트로 그린 곡선》;〖空〗공중제비 (비행) ;〖테니스〗루프《top spin 이 걸린 타구》. ③ (the L-) Chicago 시의 중심 상업 지구. ④〖컴〗맴돌이《프로그램 중의 반복 사용되는 일련의 명령 ; 그 명령의 반복 사용》. ⑤ (the ~)《美》(권력의 핵심에 있는) 측근 그룹 : be in *the* ~ on a decision 어떤 결정을 하는 측근 그룹의 한 사람이다. ***knock*** 〔***throw***〕 a person ***for a*** ~《美俗》(아무를) 때려서 멍하게 만들다, 놀라게 하다.

— *vt.* ① (철사 등)을 고리로 만들다. ②《+目+副》…을 (고리로) 죄다, 동이다《*up ; back*》; 고리로 매다《*together*》: ~ *up* draperies 피륙을 둥글게 감다 / ~ *up* one's hair 머리를 (리본으로) 묶다 / ~ *up* a curtain 커튼을 고리로 동여매다 / ~ a post *with* a rope 기둥에 밧줄을 (감아) 매다. — *vi.* ① 고리를 이루다. ②〖空〗공중제비하다. ~ ***the*** ~〖空〗공중제비하다 ; (오토바이 따위로) 공중 곡예를 부리다.

loop·er [lúːpər] *n.* Ⓒ ① 고리를 짓는 사람〔기계〕. ②【蟲】자벌레(inchworm).

***loop·hole** [-hòul] *n.* Ⓒ ① (성벽 등의) 총구멍, 총안(銃眼)《통풍·채광·감시용 등》. ② (법률 따위의) 빠져나갈 구멍, 맹점, 허점 : a ~ in the tax law 세법의 맹점.

lóop lìne【鐵·通信】환상선, 루프선.

loopy [lúːpi] *a.* ① 고리가 많은. ②《口》머리가 돈 ; 비정상인 ; 바보같은.

‡**loose** [luːs] *a.* ① 매지 않은, 풀린, 흐트러진, 떨어진, 벗어진. opp. *fast*[1]. ¶ a ~ dog 묶어놓지 않은 개 / set〔turn〕 ~ a prisoner 죄수를 풀어주다. ② 포장하지 않은, 병〔통〕조림이 아닌 : ~ coffee (병에 담지 않고) 달아서 파는 커피 / sell cigarettes ~ 담배를 낱개로 팔다 / I bought these sweets ~. 이 사탕을 낱개로 샀다 / ~ coins〔cash〕 푼돈, 잔돈. ③ 고정돼 있지 않은, 붙박이가 아닌, 흔들리는 ; (염료·염색물 따위) 물이 잘 들지 않는 : A tile came ~ and fell from the roof. 기와 한장이 빠져 지붕에서 떨어졌다 / ~ teeth 흔들리는 이. ④ (의복 따위가) 헐거운, 거북하지 않은, 낙낙한. opp. *tight.* ¶ This dress is a bit ~ on me. 이 옷은 내게 좀 헐렁하다. ⑤ (직물 따위가) 올이 성긴 ; (흙 따위가) 푸석푸석한 ; (대형 따위가) 산개된 : cloth with a ~ weave 올이 성긴 천 / ~ soil 푸석한 흙 / in ~ order【軍】산개 대형으로. ⑥ (표현·말·생각 따위가) 치밀하지 못한, 엉성한, 산만〔조잡〕한, 허술한, 부정확한, (번역이) 자의(字義)대로가 아닌 : a ~ thinker 생각이 치밀하지 못한 사람 / a ~ translation〔interpretation〕 엉성한 번역〔해석〕. ⑦ (사람·성격이) 느슨한, 야무지지 못한, 흐리터분한 ; 신뢰할 수 없는. ⑧ 몸가짐〔행실〕이 나쁜 : lead a ~ life 홀게 늦은〔방탕한〕 생활을 하다 / a woman of ~ morals 몸가짐이 나쁜 여자. ⑨ 설사의, 설사기가 있는 : (have) ~ bowels 설사(를 하다). ⑩ (근육이) 물렁한 ; (골격이) 단단하지 못한 : a ~ frame 단단하지 못한 체격. ⑪ 절도가 없는, 억제력이 없는 : have a ~ tongue 수다스럽다. ⑫【化】유리(遊離)된. ⑬ (자금 등) 유휴의 ; 용도 미정의 : ~ funds 유휴 자금. ★ 발음을 lose [luːz]와 혼동 말 것. ***at a ~ end*** = ***at ~ ends*** ⇨LOOSE END. ***break ~*** 탈출하다, 속박에서 벗어나다 : The dog *broke ~*. 매어둔 개가 도망쳤다. ***cast ~*** ⇨CAST. ***cut ~*** ⇨CUT. ***let ~*** 놓아〔풀어〕 주다, 해방하다 ; 마음대로 하게 하다 : *let ~* one's anger 분노를 터뜨리다 / *let* oneself ~ 《口》 거리낌없이 말하다, 마음대로 하다. ***turn ~*** 놓아주다, 해방하다 ; 발포하다 ; 공격하다 ; 거침 없이 말하다.

— *ad.* 느슨하게 : work ~ (나사 따위가) 풀리다. ***play fast and ~*** ⇨PLAY.

— *n.* 〔다음 成句로〕. ***be on the ~*** (1) 자유롭다, 붙잡히지 않고 있다《죄수 따위가》. (2) 흥겨워 떠들어 대다 ; 행실이 나쁘다. ***give*** (***a***) ***~ to*** 《英》 (감정 따위를) 쏠리는 대로 내맡기다, (상상 따위를) 자유로 구사하다.

— *vt.* ① …을 풀다, 끄르다 ; 늦추다. ② 《+目+前+名》 …을 놓아〔풀어〕 주다, 자유롭게 하다 : ~ a boat *from* its moorings 배를 계류(繫留)에서 풀어놓다. ③ 《+目+前+名 / +目+副》 (총·활)을 쏘다, 놓다《*off*》 : ~ an arrow *at* an enemy 적에게 화살을 쏘다. ④ (돛을 풀어서) 펼치다. 派 ∠·**ness** *n.*

loose-box [-bὰks / -bɔ̀ks] *n.* Ⓒ 《英》 =BOX STALL.

lóose cóver 《英》 (의자 따위의) 씌우개, 커버 (《美》 slipcover).

lóose énd (흔히 *pl.*) ① (끈 따위의) 풀어진 끄트머리. ② (일 따위에서) 미결 부분 : tie〔clear〕 up (the) ~*s* 남은〔미해결의〕 일〔문제〕들을 마무리하다. ***at a ~*** = 《美》 ***at ~s*** (1) (직업 없이) 빈들빈들하여. (2) (하는 일이 없어) 자신을 주체 못하여, 따분해.

loose-fit·ting [-fítiŋ] *a.* (옷 따위가) 낙낙한, 헐거운. opp. *close-fitting.*

loose-joint·ed [-dʒɔ́intid] *a.* ① 관절〔이은 곳〕이 느슨한. ② 자유로이 움직이는. ③ 근육〔몸〕이 단단하지 못한.

loose-leaf [-lìːf] *a.* (서적 등이) 가제식(加除式)의, 루스리프식의 : a ~ notebook 루스리프식 노트.

loose-limbed [-límd] *a.* (운동 선수 등이) 사지(四肢)가 유연한, 운동을 잘하는.

***loose·ly** [lúːsli] *ad.* ① 느슨하게, 헐겁게 ; 밀접하지 않아 : two ropes ~ tied together 느슨하게 매어진 두 끈 / What you've said is only ~ related to the subject in hand. 네가 한 말은 당면 문제와 별로 관계가 없다. ② 막연히 ; 엉성하게, 부정확하게 : speak ~ 막연하게 말하다. ③ 단정치 못하게, 방탕하게 : live ~ 방종한 생활을 하다.

‡**loos·en** [lúːsən] *vt.* ① …을 풀다, 끄르다, 떼어놓다, 놓아주다 : ~ a knot 매듭을 풀다 / The wind had ~*ed* some leaves. 바람에 잎이 좀 떨어졌다. ② …을 늦추다, 느즈러뜨리다, 느슨하게 하다 : He took off his jacket and ~*ed* his tie. 그는 상의를 벗고 넥타이를 느슨하게 했다. ③ **a**) …을 자유롭게 움직이게 하다, (근육)을 풀다, (경기 전에) 워밍업하다 : ~ up (one's muscles) before the race 경주전에 근육을 풀다. **b**) (규제 따위)를 완화하다, 관대하게 하다 : ~ a person's tongue 아무로 하여금 마음대로 입을 놀리게〔지껄이게〕 하다. ④ **a**) (장(腸))에 변(便)이 통하게 하다 : I took a laxative to ~ my bowels. 변통(便通)을 위해 하제를 먹었다. **b**) (기침)을 누그러뜨리다 : This medicine will ~ a cough. 이 약은 기침을 누그러뜨릴 것이다.

— *vi.* ① 풀리다 : This knot won't ~. 이 매듭은 잘 풀리지 않는다. ② 느슨해지다, 느즈러지다. opp. *tighten.* ***~ up*** 《口》 (1) 인색하지 않게 돈을 내다. (2) 마음을 편히 갖다 ; 흉금을 터놓고 이야기하다. (3) (경제 상태를) 완화하다 ; 여유를 가져오다 《*into*》.

loose-tongued [-tʌ́ŋd] *a.* 입이 가벼운, 수다스러운.

loot [luːt] *n.* Ⓤ ① **a**) 〔集合的〕 약탈물, 전리품 ; 장물. **b**) 약탈(행위). ② (공무원 등의) 부정 이득. ③ 《俗》 돈. — *vt., vi.* (…을) 약탈하다 ; 횡령하다. 派 ∠·**er** *n.*

lop[1] [lɑp / lɔp] (**-pp-**) *vt.* 《+目+副》 ① (가지 따위)를 치다 ; (나무)를 잘라내다《*off* ; *away*》 : I'll need to ~ *off* the lower branches of the tree. 그 나무의 아랫가지들을 쳐야겠다. ② …을 삭제하다 ; (목·손발 등)을 베다, 자르다《*off* ; *away*》. ③ (불필요한 것)을 제거하다《*off* ; *away*》 : ~ *off* a page 한 페이지를 삭제하다. — ***n.*** Ⓒ ① 잘라낸 부분. ② 잘라낸 가지《재목으로 쓸 수 없는》.

lop[2] (**-pp-**) *vi.* ① 축 늘어지다, 매달리다《*down*》 : His hair ~*ped* over his ears. 그의 머리카락이 귀에까지 늘어져 있었다. ② 빈둥거리다《*about* ; *around*》.

lope [loup] *vi.* (말 따위가) 천천히 뛰다 ; 성큼성큼 달리다. — *n.* (a ~) 성큼성큼 달리기.

lop-eared [lάpìərd / lɔ́p-] *a.* (토끼 따위의) 귀가 늘어진 : a ~ rabbit.

lop·sid·ed [lάpsáidid / lɔ́p-] *a.* 한쪽으로 기운 ; (견해 등이) 균형이 안 잡힌, 치우친 : a ~ house

한쪽으로 기운 집. ㊉ ~·ly *ad.* ~·ness *n.*

lo·qua·cious [loukwéiʃəs] *a.* ① 말 많은, 수다스러운. ② (새·물소리 등이) 시끄러운, 요란한. ㊉ ~·ly *ad.* ~·ness *n.*

lo·quac·i·ty [loukwǽsəti] *n.* Ⓤ 다변(多辯), 수다; 떠들썩함, 훤소(喧騷).

lor [lɔːr] *int.* 《英俗》 아이구, 이런: O *Lor!*

lo·ran [lɔ́ːræn] *n.* Ⓤ 로랜《장거리 항법에 사용하는 자기 위치 측정 장치; 두 개의 무선국에서 오는 전파의 도착 시차를 이용함》. cf. shoran. [◂ *long-range navigation*]

‡**lord** [lɔːrd] *n.* Ⓒ ① 지배자, 군주; 〖史〗 영주; 주인. ② 《英》 귀족; 상원 의원《미국에서는 senator》; (L-) 경(卿)《영국의 후·백·자·남작과 공·후작의 아들, 백작의 장자 및 archbishop, bishop 등의 존칭》. ③ (흔히 the L-) 하느님; (흔히 our L-) 주, 그리스도: *Lord* knows who.... 누구인가는 하느님만이 안다. ④ 《詩·戲》 남편. ⑤ 대가, 왕자. cf. king. ¶ a cotton 〔steel〕 ~ 면업〔강철〕왕. cf. landlord.

drunk as a ~ 억병으로 취하여. ***live like a*** ~ 왕후처럼〔사치스럽게〕 지내다. ***the Lord of Lords*** 그리스도. ***the Lord President of the Council*** 《英》 추밀원(樞密院) 의장.

— *vt.* 〔주로 다음 成句로〕 ~ ***it over*** 원님 행세하다, 군림하다: He ~*s it over* his household. 그가 집에서는 원님처럼 군다. ***be ~ed over*** 원님행세함을 당하다: I will not *be ~ed over.* 당신이 원님 행세하게 내버려두지는 않을 것이오.

Lòrd Chámberlain (the ~) 《英》 궁내성 장관.

Lórd Chìef Jústice (the ~) 《英》 수석 재판관.

Lòrd (Hígh) Cháncellor (the ~) 《英》 대법관《略: L.H.C., L.C.》.

lord·ling [lɔ́ːrdliŋ] *n.* Ⓒ 소군주, 소귀족.

***lord·ly** [lɔ́ːrdli] (*-li·er; -li·est*) *a.* ① 군주〔귀족〕다운; 당당한, 위엄이 있는. ② 오만한: His ~ manners were quite repulsive. 그의 오만한 태도는 정말 기분 나빴다. ㊉ **-li·ness** *n.*

Lòrd Máyor (the ~) 《英》 (런던 등 대도시의) 시장; (특히) 런던 시장: *the ~'s* Show 런던 시장 취임 축하 행렬.

Lòrd Prívy Séal (the ~) 《英》 옥새 상서.

Lórd Protéctor (the ~) 〖英史〗 호민관(官) 《공화정 시대의 Oliver Cromwell과 그의 아들 Richard의 칭호》.

Lórd's dày (the ~) 주(主)의 날, 주일《일요일》.

***lord·ship** [lɔ́ːrdʃìp] *n.* ① Ⓤ 귀족〔군주〕임. ② a) Ⓤ 주권; 영주의 권력; 지배《*over*》. b) Ⓒ (봉건 시대의) 영지. ③ Ⓒ (종종 L-) 《英》 《호칭》 각하: your〔his〕 *L-* 각하《★ lord에 대하여 또는 보통 사람에 대해 놓으로도 쓰임》.

Lórd's Práyer [lɔ́ːrdzprέər] (the ~) 〖聖〗 주기도문《마태복음 Ⅵ: 9-13》.

Lórd's Súpper (the ~) 성찬식; 영성체.

***lore** [lɔːr] *n.* Ⓤ ① (특정 사항에 관한 전승적·일화적) 지식, 구비(口碑), 민간 전승. cf. folklore. ¶ the ~ of herbs 약초에 관한 지식. ② 학문, 지식, 박학.

Lo·re·lei [lɔ́ːrəlài] *n.* 《G.》 로렐라이《라인 강에 다니는 뱃사람을 노래로 유혹하여 파선시켰다고 하는 요정》.

lor·gnette [lɔːrnjét] *n.* Ⓒ 《F.》 ① 손잡이 달린 안경. ② (손잡이 달린) 오페라 글라스.

lorn [lɔːrn] *a.* 《詩》 버려진(abandoned), 고독한, 의지할 데 없는(forlorn). ㊉ ∠·ness *n.*

lor·ry** [lɔ́(ː)ri, lári] *n.* Ⓒ ① 《英》 화물 자동차, 트럭(《美》 truck[1]). ② (광산·철도의) 광차: a coal-~ 석탄 광차. ③ 4륜 짐마차. ***fall off the back of a ~ 《口·戲》 도둑 맞다.

Los An·ge·les [lɔ(ː)sǽndʒələs, -lìːz, lɑ- / -lìːz] 로스앤젤레스《미국 California 주 남서부의 대도시; 略: L.A.》.

†**lose** [luːz] (*p., pp.* ***lost***) *vt.* ① (물건)을 잃다, 분실하다; (사람 모습 따위)를 놓쳐버리다, 두고 잊어버리다: Don't ~ the money. 그 돈 잃어버리지 마라 / He has *lost* his keys. 그는 열쇠를 잊어버렸다 / The papers seem to be *lost* 서류가 없어진 것 같다. ② …을 (유지하지 못하고) 잃다, 상실하다; (여자가 애)를 사산(死産)〔유산〕하다; (시간·노력 따위)를 낭비하다(waste), 손해 보다; 빼앗기다: ~ life 목숨을 잃다 / ~ one's job 실직하다 / He *lost* all sense of reason. 그는 완전히 이성을 잃었다. ③ (시계가 …이나) 늦다, 느리다. opp. *gain.* ¶ My watch ~*s* two minutes a day. 내 시계는 하루에 2분 덜 간다. ④ …을 못 잡다; (열차·기회 따위)를 놓치다; (말 따위)를 못 듣다(miss), 못 보고 놓치다; (상품 따위)를 못 타다; (싸움·경기)에 지다(opp. *win*); (동의)를 부결당하다: ~ a game〔battle〕 경기〔전투〕에 지다 / He will ~ his chances of promotion because of his foolish act. 그는 어리석은 짓을 해서 승진의 기회를 놓칠 것이다 / His words were *lost* in the applause. 박수갈채 소리에 묻혀 그의 말은 들리지 않았다. ⑤ …의 기억을 잃다, 잊어버리다: I've just *lost* his name. 그의 이름을 깜박 잊었다. ⑥ (공포 따위)에서 벗어나다: ~ one's fear 무섭지 않게 되다. ⑦ 《+목+전+명》〔再歸的 또는 受動으로〕 a) 몰두하다, 열중하다: ~ *oneself* in a book 책에 몰두하다 / *be lost* in conjectures 억측〔상상〕에 빠지다. b) 길을 잃다: ~ *oneself* in the woods 숲속에서 길을 잃다. ⑧ 《~+목/+목+목》 (아무에게) …을 잃게 하다: The delay *lost* the battle for them. 그 늦은 것 때문에 그들은 전투에 졌다 / That mistake *lost* him his job. 그 실수로 그는 직장을 잃었다. ⑨ 〔흔히 受動으로〕 죽이다, 멸망시키다, 파괴하다: Ship and crew *were lost.* 배도 승무원도 다 가라앉았다.

— *vi.* ① 《~/+전+명》 줄다, 감소하다, 가치가 떨어지다, 쇠하다, 감퇴하다: The invalid is *losing.* 환자는 쇠약해지고 있다 / ~ *in* value 〔speed〕 가치〔속도〕가 떨어지다. ② 《~/+전+명》 손해 보다《*by*》: ~ heavily 크게 손해 보다 / I have not *lost by* it. 그것으로 별로 손해 본 것은 없다. ③ 지다, 뒤지다; 실패하다: I *lost* (*to* him). 나는 (그에게) 졌다 / Korea *lost* to France in the finals. 한국은 결승전에서 프랑스에 패배했다. ④ 《+전+명》 (시계가) 늦다: This watch ~*s by* twenty seconds a day. 이 시계는 하루 20초 늦는다. ◇ loss *n.* ~ ***it*** 평정을 잃다, 발끈하다. ~ ***out*** 《口》 (1) (애석하게도) 지다 〔실패하다〕. (2) (큰) 손해를 보다. ~ ***touch with***... ⇨TOUCH(成句).

***los·er** [lúːzər] *n.* Ⓒ ① 실패한 사람, 손실자(損失者): You shall not be the ~ by it. 그 일로 자네에게 손해를 끼치지는 않겠다. ② 경기에 진 쪽, 패자; (경마의) 진 말: It was a victory for all, and there were no winners or ~*s.* 그것은 모두의 승리였고, 승자도 패자도 없었다 / a good〔bad〕 ~ 지고도 태연한〔투덜거리는〕 사람.

los·ing [lúːziŋ] *a.* 〔限定的〕 손해 보는, 승산이 없는: a ~ game 이길 가망이 없는 승부〔경기〕 / They were fighting a ~ battle. 그들은 승산 없는 싸움을 하고 있었다.

†**loss** [lɔ(ː)s, lɑs] *n.* ① Ⓤ,Ⓒ 잃음, 분실, 상실: the ~ of health〔opportunities〕 건강〔기회〕의 상실 / the ~ of sight 실명(失明) / Did you report

the ~ of your jewelry to the police? 보석의 분실을 경찰에 신고했습니까. ② Ⓒ 손실, 손해; 손실물〔액, 량〕. opp. *gain.* ¶ suffer great 〔heavy〕 *~es* 큰 손해를 보다 / That is my ~. 손해 보는 것은 나다 / His resignation was a great ~ to the company. 그의 사임은 회사에 큰 손실이었다. ③ Ⓤ (또는 a ~) 감소, 감손(減損), 줆: ~ in weight 감량(減量). ④ Ⓤ (또는 a ~) (전력 등의) 소모; (시간 등의) 낭비(waste): start without (any) ~ of time 지체 없이 출발〔시작〕하다. ⑤ U.C 실패, 패배: the ~ of a battle〔an election〕 패전〔낙선〕. ⑥ 〔複數꼴로〕〖軍〗 사상(자 수), 손해〔실〕: surrender to the enemy after heavy *~es* 많은 병력을 잃고 나서 적에게 항복하다. ⑦ Ⓒ〖保險〗 사망, 상해, 손해; (그에 의해서 지급하는) 손실액. ◇ lose *v.* ***at a*** ~ ⑴ 난처해서, 어쩔 줄 몰라서《*about*; *to* do》: I was *at a* ~ (*to* know) what to do. 나는 어쩔 줄 몰랐다. ⑵ 밑지고, 손해를 보고: sell *at a* ~ 밑지고 팔다. ***cut*** one***'s ~es*** 더 손해 보기 전에 (사업 등에서) 손을 떼다.

lóss lèader 〖商〗 손님을 끌기 위한 특매품, (손해를 보며 싸게 파는) 특가품.

†lost [lɔ(ː)st, lɑst] LOSE 의 과거 · 과거분사.
── *a.* ① 잃은〔어버린〕, 분실한; 이미 보이지〔들리지〕 않는, 행방 불명의: ~ territory 실지(失地) / a ~ fortune 잃어버린 재산 / She was ~ to sight. 그녀는 시야에서 사라졌다. ② 진《싸움 따위》; 빼앗긴, 놓쳐 버린《상품 따위》. ③ 낭비된, 허비된《시간 따위》: ~ labor 헛수고 / His advice was not ~ upon her. 그의 충고는 그녀에게 헛된 것은 아니었다. ④ 길을 잃은; 당혹한: a ~ child 길 잃은 아이, 미아 / ~ sheep 길 잃은 양《죄인》/ get ~ 길을 잃다, 미아가 되다; 어찌할 바를 모르다 / a ~ look 어찌할 바를 모르는〔정신을 차리지 못하는〕 듯한 표정. ⑤ 몰두한, 열중한, …에 마음이 팔린(absorbed)《*in*》; …을 느끼지 않는《*to*》: She was completely ~ *in* her book. 그녀는 책에 완전히 몰두해 있었다. ⑥ 죽은, 파멸〔사멸〕된: ~ souls 지옥에 떨어진 영혼. ***be*** 〔***get***〕 ~ ⑴ 분실하다, 없어지다. ⑵ 길을 잃다; (어찌) 할 바를 모르다. ⑶ 열중하다, 몰두하다《*in*》. ***Get ~!*** 《俗》 냉큼 꺼져〔나가〕. ***the ~ and found*** 유실물 취급소.

lóst cáuse 실패한〔실패할 것이 뻔한〕 주의〔주장, 운동〕.

Lóst Generátion (the ~) 잃어버린 세대《제 1 차 세계 대전 후의 불안정한 사회에서 살 의욕을 잃은 세대》.

lóst próperty 유실물(遺失物): a ~ office 유실물 취급소.

†lot [lɑt / lɔt] *n.* ① Ⓒ 제비; Ⓤ 제비뽑기, 추첨; (the ~) 당첨: decide by ~ 추첨으로 정하다 / draw *~s* for a prize 하나의 경품을 놓고 제비를 뽑다 / The ~ fell on〔to〕 me. 내가 당첨됐다. ② Ⓒ 몫(share): one's ~ of an inheritance 유산 중의 아무의 몫. ③《美》 Ⓒ 한 구획의 토지, 지구; 땅, 부지;《美》 촬영소, 스튜디오;《美俗》 (야구의) 다이아몬드: one's house and ~ 《美》 가옥과 대지 / a building ~ 건축 부지 / a parking ~ 《美》 주차장 / They are planning to build a house on a vacant ~ by the river. 그들은 강가의 한 빈터에 집을 지으려고 한다. ④ Ⓒ **a**) (상품 · 경매품 따위의) 한 무더기, 한 짝〔벌〕; 품목 번호: sell by〔in〕 *~s* 몇 무더기로 나눠 팔다 / 50 cents a ~ 한 무더기 50센트 / *Lot* 15 fetched $500. 품목 번호 15번 상품은 500달러에 낙찰되었다. **b**) (사람 등의) 한 떼, 사람들: The first ~ of visitors has〔have〕 arrived. 방문객의 제일진이 도착했다. ⑤ U.C 운, 운명(destiny): a hard ~ 사나운 팔자 / It fell to his ~ to lose. 그가 지게 돼있었다 / Young people are usually less contented with their ~. 젊은이들은 보통 그들의 운명에 그다지 만족 않는다. ⑥ (a ~; 종종 *pl.*)《口》 많음, 듬뿍: I play tennis quite *a* ~ in the summer. 여름이면 테니스를 아주 많이 친다 / What *a* ~! 참 많기도 해라. ⑦ (the ~)《口》 전부, (무엇이나) 다: That's *the* ~. 그것이 다다 / Take *the* (whole) ~. 무엇이든 다 가지고 가라 / Get out of my house, *the* (whole) ~ of you! 이놈들 다 우리집에서 썩 꺼져. ⑧ Ⓒ《口》 놈, 자식: a bad ~ 나쁜 녀석. ***A*** (***fat***) ~ 〔***you,*** etc〕 ***care!***《口》 몹시 걱정하기는 커녕, 조금도 걱정 안한다. ***a ~ of*** = ***~s of*** = ***~s and ~s of***《口》 많은. ***cast*** 〔***throw***〕 ***in*** one***'s ~ with*** …와 운명을 같이하다.
── (**-tt-**) *vt.* ① (+目+副) (상품 등)을 나누다, 분류하다《*out*》: ~ *out* apples by the basketful 사과를 한 바구니씩 나누다. ② (토지 따위)를 구분하다, 가르다.
── *ad.* (a ~, ~s)《口》 대단히, 크게: *a* ~ more 〔better〕 아주 많은〔좋은〕 / I care *~s* about my family. 가족들의 일이 매우 염려된다 / Thanks *a* ~. 대단히 감사합니다.

loth [louθ] *a.* = LOATH.

***lo·tion** [lóuʃən] *n.* U.C 바르는 물약; 세제; 화장수, 로션: (a) skin ~ 스킨로션 / eye ~ 안약.

***lot·tery** [lɑ́təri / lɔ́t-] *n.* ① Ⓒ 복권 뽑기; 추첨: a ~ ticket 복권 / hold a ~ 추첨을 하다. ② (a ~) 운, 재수: Marriage is *a* ~.《俗談》 결혼도 운수 나름이다.

***lo·tus, lo·tos** [lóutəs] *n.* ① 〖그神〗 로터스, 망우수(忘憂樹)《그 열매를 먹으면 황홀경에 들어가 속세의 시름을 잊는다고 함》. ② Ⓒ 〖植〗 연《별노랑이속(屬)의 식물》: a ~ bloom 연꽃.

lo·tus-eat·er [-ìːtər] *n.* Ⓒ 안일을 일삼는 사람, 쾌락주의자.

lótus lànd 열락의 나라, 도원경(桃源境).

lótus posìtion 〔**pósture**〕 〖요가〗 연화좌(蓮花座); 〖禪〗 결가부좌(結跏趺坐).

‡loud [laud] (*∠·er*; *∠·est*) *a.* ① (소리 · 목소리가) 시끄러운, 큰(clamorous); (사람이) 큰 목소리의, 목소리가 큰: in a ~ voice 큰 목소리로 / give a ~ laugh 소리높이 웃다 / That music is too ~ — please turn it down. 음악 소리가 너무 크다. 좀 낮춰 주세요. ② (요구 따위가) 성가신, 야단스러운: be ~ in a person's praises 아무를 요란하게 칭찬하다 / be ~ in demands 귀찮게 요구하다 / ~ cheers 열렬한 갈채. ③ 뻔뻔스러운; 야비한: a ~ lie 새빨간 거짓말. ④《口》 (빛깔 · 의복이) 야한(showy), 화려한: That dress in a bit ~, isn't it? 저 옷은 좀 요란하군. 안 그래. ⑤ 《美》 (냄새가) 지독한, 강한.
── (*∠·er*; *∠·est*) *ad.* 큰소리로: Please speak a little *~er.* 좀더 큰목소리로 말해 주시오. ***~ and clear*** 분명하게, 명료하게. ***Louder!*** 《美》 (청중이 연사에게) 좀더 큰소리로 하시오, 안 들려요.

loud-hail·er [láudhéilər] *n.* Ⓒ 고성능 확성기 (《美》 bullhorn).

‡loud·ly [láudli] (*more* ~; *most* ~) *ad.* ① 큰소리로; 소리 높게, 떠들썩하게: talk ~ 큰소리로 말하다. ② 야단스레, 화려하게: She was ~ dressed. 그녀는 옷차림이 야단스러웠다.

loud-mouth [-màuθ] (*pl.* ***~s*** [-màuðz]) *n.* Ⓒ 큰소리로 지껄이는 사람, 수다스러운 사람.

loud-mouthed [-máuðd, -máuθt] *a.* 큰 목소리의〔로 말하는〕, 시끄러운.

***loud·ness** [láudnis] *n.* Ⓤ 큰소리, 시끄러움; 좀 지나치게 화려함.

***loud·speak·er** [⌐spìːkər] *n.* Ⓒ 확성기.

Lou·i·si·ana [lùːəziǽnə, luːìːzi-] *n.* 루이지애나 《미국 남부의 주; 略: La.; 『郵』 LA; 속칭 the Pelican State》.

***lounge** [laundʒ] *vi.* ① 빈둥거리다, 어슬렁어슬렁 걷다《*about*; *along*》: Some men and women were *lounging around*〔*about*〕 the street. 몇 사람의 남녀가 거리를 어슬렁거리고 있었다. ② 《+전+명》 (척) 드러눕다〔기대다〕: Families ~*d* on the grass in the sunshine. 식구들은 양지바른 풀밭에 누워 있었다. — *vt.* 《+목+부》 (시간)을 하는 일 없이 보내다《*away*; *out*》: ~ an afternoon *away* 오후를 건들건들 지내다.
— *n.* ① (a ~) 어슬렁어슬렁 거닒; 건들건들 지냄: have *a* ~ 어슬렁거리다, 건들건들 지내다. ② Ⓒ (호텔 따위의) 로비, 사교실, 휴게실, 라운지; 《주로 英》 (개인 집의) 거실: All the family were sitting in the ~ watching television. 온 가족이 TV 를 보면서 거실에 앉아 있었다 / Instead of taking me to the departure ~ they took me right to my seat on the plane. 그들은 나를 출발 라운지에 데려가지 않고 곧장 비행기의 좌석으로 데려갔다. ③ =COCKTAIL LOUNGE.

lóunge bàr 《英》 (퍼브(pub) 내의) 고급 바.

lóunge lìzard 《美俗》 (바·나이트클럽 등의) 건달(lizard), 제비족.

loung·er [láundʒər] *n.* Ⓒ ① 《蔑》 게으름뱅이(idler). ② **a**) 안락 의자. **b**) 일광욕실.

lóunge sùit 《英》 신사복(《美》 business suit).

lour [lauər] *vi., n.* =LOWER².

lour·ing [láuriŋ, láuər-] *a.* =LOWERING².

louse [laus] *n.* Ⓒ ① (*pl.* ***lice*** [lais]) **a**) 『蟲』 이. **b**) (새·물고기·식물 등의) 기생충. ② (*pl.* ***lóus·es***) 《口》 비열한 놈, 인간 쓰레기.
— *vt.* ① …에서 이를 없애다. ② 《俗》 …을 망쳐 놓다, 못 쓰게 만들다(spoil).

lousy [láuzi] (***lous·i·er***; ***-i·est***) *a.* ① 이투성이의. ② 《俗》 불결한, 더러운: The food at that restaurant is really ~. 저 식당 음식은 정말 불결하다. ③ 비열한: a ~ thief 비열한 도둑놈 / a ~ way to do things 비열한 수법. ④ 지독한: a ~ weather 지독한 날씨. ⑤ 〔敍述的〕 《俗》 많이 있는, 듬뿍 있는《*with*》: He is ~ *with* money. 그에게 돈이 많이 있다.

lout [laut] *n.* Ⓒ 버릇 없는 자, 무지렁이, 촌놈.

lout·ish [láutiʃ] *a.* 버릇 없는, 무지막지한.

lou·ver, -vre [lúːvər] *n.* Ⓒ (통풍용의) 미늘창; (*pl.*) 미늘살, 루버.
㊕ **lou·vered** [⌐vərd] *a.*

Lou·vre [lúːvrə, ⌐vər] *n.* (the ~) 루브르 박물관《파리의》.

***lov·a·ble** [lʌ́vəbəl] *a.* 사랑스러운, 애교 있는, 매력적인: a mischievous but ~ boy 장난이 심하나 귀여운 아이. ㊕ **-bly** *ad.* **~·ness** *n.*

†**love** [lʌv] *n.* ① Ⓤ **a**) 사랑, 애정, 호의(好意) 《*for*; *of*; *to*; *toward(s)*》: ~ and hate 애증 / ~ *of* (one's) country 애국심 / ~ *for* mankind 인류애 / Our ~ will last forever. 우리의 사랑은 영원할 것이다. **b**) (흔히 one's ~) 안부의 인사: Give 〔Send〕 my ~ to your mother. 어머니에게 안부 전해 주시오. ② **a**) Ⓤ 연애, 사랑; 사모하는 정: free ~ 자유연애 / (one's) first ~ 첫사랑 / ~ at first sight 첫눈에 반하기. **b**) Ⓤ 성욕, 색정. **c**) Ⓒ 정사. ③ Ⓤ (신의) 자애; (신에 대한) 경모(敬慕). ④ **a**) Ⓒ 애인, 연인《흔히 여성》. cf. sweetheart, lover. **b**) 〔my ~로 부부 사이의 호칭에 써서〕 여보, 당신: Take care, *my* ~. 조심해요, 여보. **c**) 〔여자끼리 또는 여자·어린이에의 호칭에 써서〕 당신, 너, 얘야. ⑤ (L-) 연애〔사랑〕의 신, 큐피드(Cupid). cf. Eros. ⑥ Ⓤ (또는 a ~) 좋아함, 애호, 취미, 기호(fondness): have *a* great ~ for sports 스포츠를 몹시 좋아하다. ⑦ Ⓒ 《口》 유쾌한 사람, 예쁜〔귀여운〕 것〔사람〕: What ~*s* of tea cups! 찻잔들 참 예쁘기도 해라. ⑧ Ⓤ 『테니스』 러브, 영점, 무득점: ~ all 러브 올 《0대 0》. ***at ~*** 『테니스』 상대방에게 득점을 주지 않고: won three games *at* ~. ***fall*** 〔***be***〕 ***in ~ with*** …을 사랑하(고 있)다, …에게 반하다. ***for ~*** (1) 좋아서, 호의로. (2) 거저, 무료로; (내기로) 돈 (등)을 걸지 않고. ***for ~ or*** 〔***nor***〕 ***money*** 〔否定을 수반〕 아무리 해도 (…않다): You ca*n't* get hold of the ticket *for ~ or money* these days. 아무리 해도 요즘엔 그 표를 구하지 못할 것이다. ***for the ~ of*** …때문에, …까닭에. ***for the ~ of Heaven*** 〔***God***〕 제발. ***make ~*** (1) …와 자다, 성교하다《*to*; *with*》. (2) …에게 구애하다《*to*》. ***out of ~*** 사랑하는 마음에서; 좋아하는 까닭에.
— *vt.* ① …을 사랑하다; 사모하다; (신 등)을 경애하다: *Love* me, ~ my dog. 《俗談》 아내가 귀여우면 처갓집 말뚝 보고도 절한다 / They still ~ each other. 그들은 아직도 서로 사랑하고 있다. ② 《~+목/+-*ing*/+*to* do》 …을 애호하다, (매우) 좋아하다: ~ music 음악을 좋아하다 / ~ playing bridge 브리지놀이를 좋아하다 / She ~*s* to go dancing. 그녀는 춤추러 가기를 좋아한다 / There's nothing I ~ more than good wine. 좋은 와인보다 더 좋은 것은 없다. ★ 구어문에서는 love 는 like very much 의 뜻으로 쓰임. 또 I'd *love* to go. 따위 형식은 흔히 여성이 씀. ③ …을 애무하다; …와 성교하다. ④ (동식물이) …을 좋아하다, 필요로 하다: Some plants ~ shade. 어떤 식물은 그늘에서 잘 자란다.
— *vi.* 사랑하(고 있)다: *Love* little and ~ long. 《俗談》 애정은 가늘고 길게 / It is better to have ~*d* and lost than never to have ~*d* at all. 사랑하다가 실연을 한 것이 전혀 사랑을 모르는 것보다는 낫다. ***Lord ~ you!*** 맙소사《남의 잘못 따위에 대해서》. ㊕ **⌐·a·ble** *a.* =LOVABLE.

lóve affàir ① 연애 (관계); 정사(情事). ② 열중《*with*》: have a ~ *with* tennis 테니스에 열중해 있다.

love·bird [⌐bəːrd] *n.* ① Ⓒ 『鳥』 모란잉꼬. ② (*pl.*) 《口》 몹시 정다운 부부〔연인들〕.

lóve chìld 사생아.

lóve gàme 『테니스』 러브게임《한 쪽이 1점도 득점이 없는 게임》.

love-hate [⌐héit] *a.* 애증(愛憎)의: ~ relationship 애증 관계.

lóve knòt 사랑 매듭《사랑의 표시로서의 리본 매는 법》.

love·less [⌐lis] *a.* ① 사랑이 없는: a ~ marriage 사랑이 없는 결혼. ② 사랑을 받지 못하는, 귀염성이 없는. ㊕ **~·ly** *ad.*

lóve lètter 연애 편지, 러브레터.

love·li·ness [-linəs] *n.* Ⓤ ① 아름다움; 매력. ② 《口》 훌륭함, 멋짐.

love·lock [⌐lɑ̀k / ⌐lɔ̀k] *n.* Ⓒ ① (여성의, 이마에 늘어뜨린) 애교머리. ② (17-18세기 상류 사회의 남성이) 귀밑에 늘어뜨린 머리.

love·lorn [⌐lɔ̀ːrn] *a.* 실연(失戀)한; 사랑에 번민하는.

†**love·ly** [lʌ́vli] (***-li·er***; ***-li·est***) *a.* ① 사랑스러운, 귀여운, 아름다운, 매력적인: a ~ girl 귀여운 소녀 / You have ~ hands. 당신은 손이 예쁘군요. ② 《口》 멋진, 즐거운, 유쾌한(delightful):

We had a ~ time together. 함께 즐거운 시간을 보냈다. ── *n.* Ⓒ 《口》 미인 ; 아름다운 것.

love·mak·ing [-mèikiŋ] *n.* Ⓤ ① (여자에게) 구애함 ; 구혼(courtship). ② 성행위, 성교.

lóve màtch 연애 결혼.

‡**lov·er** [lʌ́vər] *n.* Ⓒ ① 연인, 애인 ; (*pl.*) 애인들〔사이〕: They are ~*s.* 그들은 서로 사랑하는 사이다 / She went to Pusan with her ~. 그녀는 애인과 부산에 갔다. ★단수일 때에는 보통 남성 ; 현재는 ②의 뜻으로 쓰이는 일이 많음. ② (여성의, 깊은 관계인, 남편 이외의) 애인《남자》, 정부(情夫) ; (때로) 정부(情婦) ; (*pl.*) (깊은 관계인) 연인 사이. ③ (예술 등의) 애호가, 찬미자 : a ~ of music 음악 애호가.

lóve sèat 2인용 의자〔소파〕, 러브시트.

lóve sèt 〖테니스〗 러브 세트《한 게임도 따지 못한 세트》.

love·sick [-sìk] *a.* 상사병(相思病)의, 사랑에 번민하는. ⓜ ~·**ness** *n.* Ⓤ 상사병.

lov·ey [lʌ́vi] *n.* Ⓒ 《英口》 사랑하는 사람 ; 《호칭》 여보, 당신 : Come here, ~! 여보 이리 와요.

lov·ey-dov·ey [-dʌ́vi] *a.* 《口》 홀딱 반한 ; 감상적인, 달콤한.

‡**lov·ing** [lʌ́viŋ] (***more*** ~; ***most*** ~) *a.* ① 애정이(담겨) 있는, 애정을 나타내는 : ~ glances 애정어린 눈빛. ② 〔複合語를 이루어〕 (…을) 사랑하는 : a peace-~ people 평화를 사랑하는 사람들. ⓜ ~·**ness** *n.*

lóving cùp ① 친목의 잔《연회 따위에서 돌려가며 마시는 큰 술잔》. ② 우승배(杯).

lov·ing-kind·ness [-káindnis] *n.* Ⓤ 친애, 정, 《특히 신의》 자애, 인자.

lov·ing·ly [lʌ́vigli] *ad.* 애정을 가지고, 사랑해서, 부드럽게 : Yours ~. 당신을 사랑하는 사람이 《편지 끝맺음 말 ; 자식이 부모 등에게》.

†**low**¹ [lou] (*∠·er* ; *∠·est*) *a.* ① 낮은《키·고도·온도·위도·평가 따위》. ⓞⓟⓟ *high.* ¶ ~ temperature 저온 / fly at a ~ altitude 저공으로 비행하다 / ~ marks 낮은 점수〔성적〕 / ~ atmospheric pressure 저기압 / the ~ income bracket 저소득층. ② (신분·태생이) 낮은(humble), 비천한, 하층의 : of ~ class 신분이 낮은 / a man of ~ birth 태생이 비천한 사람. ③ 저급의, 상스러운 ; 추잡〔외설〕한 : a ~ talk 야비한 이야기 / His taste was very ~. 그의 취미는 아주 저속했다. ④ (생물 따위가) 하등인, 미개한, 미발달의 : ~ forms of life 하등 생물. ⑤ (가격이) 싼 ; (수량·힘·함유량 등이) 적은, 근소한 ; 《口》 (돈지갑이) 빈(*in* ; *on*) : buy at a ~ price 싼 값으로 사다 / I am ~ *in* my pocket. 호주머니가 비었다〔돈이 없다〕. ⑥ (기분이) 침울한(depressed), 기운이 없는 ; 몸이 약한, 의기 소침한 : be in ~ spirits 풀이 죽다 / I feel so ~ today. 오늘은 몹시 기분이 가라앉는다. ⑦ (머리를 깊이 숙이는) 공손한《인사》, 부복(俯伏)한 : make a ~ bow 머리를 깊이 숙여 인사하다. ⑧ (물 등이) 얕은 ; 조수가 빈, 썰물의 : ⇨LOW TIDE. ⑨ (조각 새김이) 얕은. ⑩ (드레스의) 깃이 깊이 팬. ⑪ (음식이) 나쁜, 영양가가 낮은 : a ~ diet 조식(粗食) / a meal that is ~ in calories 칼로리가 낮은 식사. ⑫ **a)** 저음의. ⓞⓟⓟ *loud.* **b)** (속도가) 느린 ; (차 따위) (최)저속의, 로《기어》 : ⇨LOW GEAR. ⑬ 〖音聲〗 혀의 위치가 낮은(broad). ⑭ (L-) 〖教會〗 저(低)교회파의. ⓒⓕ Low Church. ⑮ 〔주로 比較級〕 근년의, 최근의, 후기의 : of a ~*er* date 더 근년의. ⑯ 〖拳〗 (타격이) 벨트 아래인.

── (*∠·er* ; *∠·est*) *ad.* ① 낮게 : The plane was flying ~. 비행기는 낮게 날고 있었다. ② 저음으로 ; 낮은 소리로 : talk ~ 목소리를 죽여 이야기하다. ③ 기운 없이, 의기소침하여. ④ 천하게, 야비〔비열〕하게. ⑤ 싸게 ; 싼값으로 : buy ~ and sell high 싸게 사서 비싸게 팔다. ⑥ 조식(粗食)을 하여 : live ~ 검소하게 살다. ***bring*** ~ (부(富)·건강·위치 등을) 감퇴시키다, 쇠하게 하다 ; 영락케 하다. ***fall*** ~ 타락하다. ***lay*** ~ ⑴ 쓰러뜨리다. ⑵ 죽이다, 멸망시키다. ⑶ 욕되게 하다. ***lie*** ~ ⑴ 엎드리다, 웅크리다. ⑵ 《口》 몸을 숨기다, 숨다. ⑶ 《口》 (의도를 숨기고) 시기를 기다리다. ⑷ 죽어 있다 ; (건물이) 무너져 있다. ~ ***down*** 훨씬 아래에 ; 냉대하여.

── *n.* ① Ⓤ (자동차의) 저속〔로〕 기어 : go〔put it〕 into ~ 저속 기어로 바꾸다. ② Ⓒ 〖氣〗 저기압, 저압부 ; 최저 기온. ③ Ⓒ 《美》 최저 기록〔수준, 숫자, 가격〕 : at a new 〔an all-time〕 ~ 최저 기록의〔으로〕. ⓜ *∠*·**ness** *n.*

low² *vi.*, *vt.* (소가) 음매 울다(moo) ; 웅웅거리는 소리로 말하다《*forth*》. ── *n.* Ⓤ 소 우는 소리.

lów béam (자동차 헤드라이트의) 하향 근거리용 광선, 로빔. ⓒⓕ high beam.

low·born [lóubɔ́:rn] *a.* 태생〔출신〕이 미천한.

low·boy [-bɔ̀i] *n.* Ⓒ 다리가 달린 키가 낮은 옷장. ⓒⓕ highboy.

low·bred [-bréd] *a.* 본데〔버릇〕 없이 자란, 뱀뱀이가〔버릇이〕 없는. ⓞⓟⓟ *highbred.*

low·brow [-bràu] *a.* 〔限定的〕, *n.* Ⓒ 《口》 교양〔지성〕이 낮은 (사람). ⓞⓟⓟ *highbrow.*

low-cal [-kǽl] *a.* 《美口》 저칼로리의《식사》.

lów cámp (예술적으로) 진부한 소재를 무의식적으로 그냥 사용하는 일.

Lów Chúrch (the ~) 저(低)교회파《영국 국교 중 의식을 비교적 경시하고 복음을 강조함》. ⓞⓟⓟ *High Church.*

Lów Chúrchman 저교회파의 사람.

low-class [-klǽs, -klɑ́:s] *a.* =LOWER-CLASS.

lów cómedy 저속한 코미디〔희극〕.

Lów Còuntries (the ~) 저지(低地)의 여러 나라)《지금의 베네룩스(Benelux)의 총칭》.

low-down [-dáun] *a.* 〔限定的〕 《口》 용렬〔비열〕한 ; 천한.

low·down *n.* (the ~) 《口》 실정, 진상, 내막 : get〔give a person〕 the ~ on …의 내막을 알다〔남에게 알리다〕.

‡**low·er**¹ [lóuər] *vt.* ① **a)** …을 낮추다, 내리다, 낮게 하다(ⓞⓟⓟ *heighten*) ; (보트 따위)를 내리다 ; (눈)을 떨구다, (음성·소리)를 낮추다 : ~ one's voice 목소리를 낮추다 / ~ prices 값을 내리다 / She ~*ed* her eyes and remained silent. 그녀는 눈을 떨구고 아무 말 않고 있었다. **b)** (음식)을 삼키다(swallow). ② **a)** …의 힘〔체력〕을 약화시키다. **b)** 〖樂〗 …의 가락을 낮추다. ③ (품위 따위)를 떨어뜨리다(degrade) ; 억누르다, 꺾다. ④ 〖再歸的〗 고집을 꺾다, 몸을 굽히다 : He wouldn't ~ *himself* to apologize. 그는 고집을 꺾고 사과하려 들지 않았다.

── *vi.* ① 내려가다, 낮아지다. ② 줄다. ③ (물가 등이) 싸지다, 하락하다 : The prices ~*ed.* 값이 내렸다.

── 〔low¹의 比較級〕 *a.* 〔限定的〕 ① **a)** 낮은〔아래〕 쪽의 ; 하부의 : the ~ part of one's body 하반신. **b)** 남부의 ; (L-) 〖地〗 낮은 층〔오래된 쪽〕의, 전기(前期)의. **c)** 하류의, 하구(河口)에 가까운. ② **a)** 하급의, 하등의 : a ~ boy 《英》 (public school의) 하급생 / ~ animals 하등 동물. **b)** (양원제 의회의) 하원의 : ⇨ LOWER HOUSE.

low·er² [láuər] *vi.* ① 《+전+명》 얼굴을 찌푸리다, 못마땅한 얼굴을 하다《*at* ; *on, upon*》 : He ~*s* *at* people when he is annoyed. 그는 짜증이 날 때에 사람에게 못마땅한 얼굴을 해 보인다. ② (날씨가) 나빠지다, 험해지다. — *n.* ① Ⓒ 찡그린〔험악한〕 얼굴(scowl). ② Ⓤ 찌푸린 날씨.

lówer cáse 〖印〗 로어케이스《소문자·숫자 등을 넣는 하단의 활자 케이스》 opp *upper case*.

low·er·case [lóuərkèis] *vt.* 〖印〗 ① …을 소문자로 인쇄하다. ② (대문자)를 소문자로 바꾸다 《略 : l. c.》. — *a.* 소문자의, 소문자로 인쇄한 : ~ letters 소문자. — *n.* Ⓤ 소문자 (활자).

lówer chámber ＝LOWER HOUSE.

lówer cláss (the ~(es))〔集合的 ; 單·複數취급〕 하층 계급(의 사람들).

low·er-class [-klǽs, -klɑ́ːs] *a.* 하층 계급의.

low·er·class·man [-klǽsmən, -klɑ́ːs-] (*pl.* **-men** [-mən]) *n.* Ⓒ 《美》 4 년제 학교의 1·2학년생 (underclassman).

lówer déck 〖海〗 하갑판 ; (the ~) 《英》〔集合的 ; 單·複數취급〕 하사관·수병들.

Lówer Hóuse (the ~) 양원제 의회의 하원. opp *upper house.*

low·er·ing[1] [lóuəriŋ] *a.* 저하〔타락〕시키는 ; 체력을 약화시키는. — *n.* Ⓒ 저하, 저감(低減).

low·er·ing[2] [láuəriŋ] *a.* ① 기분이 좋지 않은, 음울한 : ~ looks 불쾌한 표정. ② 날씨가 찌푸린, 금방이라도 비가 올 것 같은. 파 **~·ly** *ad.*

low·er·most [lóuərmòust, -məst] *a.* (높이·가격 등) 최하의, 최저의, 맨 밑바닥의.

lówer wórld (the ~) ① 하계(下界) ; 현세, 이승. ② 지옥, 저승.

low·est [lóuist] 〔low¹의 最上級〕 *a.* ① 최하의, 최저의. ② 가장 싼. ***at*** (***the***) ~ 적어도.

lów-fát [lóufǽt] *a.* 저지방의 : ~ milk 저지방유 《전유(全乳)와 탈지유의 중간》.

lów fréquency 〖通信〗 장파(長波), 저주파(低周波)《30-300 kHz. ; 略 : L.F.》.

lów géar 저속 기어 : He put the car in ~. 그는 차(의 클러치)를 저속 기어로 했다.

Lów Gérman 저지 독일어《북부 독일어의 방언》. cf High German.

low-key(ed) [lóukíː(d)] *a.* ① (연설 등이) 어조를 좀 낮춘, 삼가는 투의. ② 〖寫〗 화면이 어두워 콘트라스트가 낮은.

***low·land** [lóulænd, -lənd] *n.* ① Ⓒ (주로 *pl.*) 저지. opp highland. ② (the L-s) 스코틀랜드 남동부의 저지 지방. — *a.* 저지의 ; (L-) 스코틀랜드 저지 (지방)의. 파 **~·er** [-ər] *n.* Ⓒ 저지인 ; (L-er) 스코틀랜드 저지 지방인.

low-lev·el [lóulévəl] *a.*〔限定的〕 ① 하급의, 하위〔하층〕의 : a ~ officer 하급 관리. ② 저공의 : ~ bombing 저공 폭격.

lów-lével lánguage 〖컴〗 저급 언어《인간의 언어보다 기계 언어에 가까운 프로그램 언어》.

low·life [lóulàif] (*pl.* **-lifes**) *n.* Ⓒ 《美俗》 저속〔타락〕한 인간 ; 사회의 하층민.

***low·ly** [lóuli] (**-li·er** ; **-li·est**) *a.* ① 낮은《신분·지위 따위》 ; 비천한(humble). ② 겸손한(modest), 자기를 낮추는. — *ad.* ① 천하게. ② 겸손하게. ③ 낮은 소리로. 파 **lów·li·ness** *n.*

low-ly·ing [lóuláiiŋ] *a.* ① 저지의. ② 낮은 곳에 있는, 낮게 깔려 있는 : ~ clouds 낮게 깔린〔길게 뻗쳐 있는〕 구름.

Lów Máss 〖가톨릭〗 (합창·음악을 수반하지 않는) 평(平)미사. cf High Mass.

low-mind·ed [-máindid] *a.* 비열한, 야비한.

low-necked [-nékt] *a.* (여성복이) 목 부분이 깊이 패인.

low-pitched [-pítʃt] *a.* ① 저음역(低音域)의 ; 소리가 낮은. ② 물매〔경사〕가 뜬.

low-pres·sure [-préʃər] *a.* 〔限定的〕 ① 저압의 ; 저기압의. ② 태평한, 한가로운.

lów prófile (흔히 a ~) 저자세 ; 드러나지〔드러내지〕 않는 태도 : keep〔maintain〕 *a* ~ 저자세를 취하다 ; 눈에 띄지 않게 하다.

lów relíef 얕은 돋을새김.

low·rid·er [-ràidər] *n.* Ⓒ 로 라이더《높이를 낮게 한 차》 ; 또 이것을 타는 사람.

low-rise [-ráiz] *a.* 〔限定的〕 (건물이) 저층의 : ~ apartment house 저층 아파트.

lów séason (흔히 the ~) (장사·행락 따위의) 한산기, 시즌오프.

low-spir·it·ed [-spíritid] *a.* 의기 소침한, 기운없는, 우울한. 파 **~·ly** *ad.* **~·ness** *n.*

Lów Súnday 부활절(Easter) 다음의 최초의 일요일.

low-tech [-ték] *a.* (산업 등이) 저(低)과학 기술의〔을 이용한〕. opp *high-tech.*

lów tíde 썰물 (때) : The rocks are exposed at ~. 썰물 때는 바위들이 드러난다.

lów wáter ① 썰물〔간조〕(때) ; (하천·호수의) 저수위 : at ~. ② 궁핍 상태 : be in ~ 돈이 없어 곤란을 겪고 있다.

lów-wá·ter màrk [lóuwɔ́ːtər-, -wɑ́t-] ① 간조표(干潮標), 저수위표. ② 최저의 상태, 밑바닥.

lox [lɑks / lɔks] *n.* Ⓤ 〖化〗 액체〔액화〕 산소. [◂ *l*iquid *ox*ygen]

‡loy·al [lɔ́iəl] (***more*** ~ ; ***most*** ~) *a.* ① (국가·군주 등에) 충성스러운《*to*》. cf filial. ¶ a ~ subject 충신. ② 성실한, 충실한 : a ~ friend 충실한 친구 / a man ~ to his cause 주의에 충실한 사람. 파 **~·ly** *ad.*

loy·al·ist [lɔ́iəlist] *n.* Ⓒ ① 충신. ② (동란 때 등의) 정부〔체제〕 옹호자.

‡loy·al·ty [lɔ́iəlti] *n.* ① Ⓤ 충의, 충절 : pledge 〔swear〕 to one's own country 나라에 충성을 맹세하다. ② Ⓒ (특정인이나 단체에의 상충되는) 충성심 : We all have a ~ to the company. 우리 모두는 회사에 충성심을 갖고 있다 / torn between conflicting *loyalties* 상반되는 충성심에 번민하여 《충(忠)과 효(孝)의 갈등 같은 것》.

loz·enge [lɑ́zindʒ / lɔ́z-] *n.* Ⓒ ① 마름모(꼴). ② 마름모꼴의 무늬 ; 마름모꼴 창유리 ; 보석의 마름모꼴 면(面) ; (마름모꼴의) 정제(錠劑) ; 마름모꼴 과자.

LP [élpíː] (*pl.* ***Lps, Lp's***) *n.* Ⓒ (레코드의) 엘피판《商標名》. [◂ *L*ong *P*laying]

LPG liquefied petroleum gas.

LP-gas [élpíːgæ̀s] *n.* Ⓤ 액화 석유 가스, LP가스, LPG.

L-plate [élplèit] *n.* Ⓒ 《英》 운전 실습 중의 표지판《learner driver 의 차에 붙이는 L 자(字)의 표지판》. [◂ *L*earner *plate*]

LPN. licensed practical nurse. **Lr.** 〖化〗 lawrencium.

LSD, LSD-25 [èlèsdíː(twéntifáiv)] *n.* Ⓤ 〖藥〗 엘 에스 디《환각제의 일종》. [◂ *ly*sergic acid *d*iethylamide]

L.S.D., l.s.d. ＝£.s.d.

£.s.d [élèsdíː] *n.* Ⓤ ① 파운드·실링·펜스《보통 구두점은 £5 6s. 5d.》. ② 《口》 금전, 돈, 부(富) : a matter of ~ 금전 문제, 돈만 있으면 되는 일 / a worshiper of ~ 금전의 노예.

LSI large-scale integration(고밀도 집적회로).

LT letter telegram(서신 정보). **Lt.** Lieutenant.

Ltd., ltd. [límitid] limited. **Lu** 〖化〗 lutetium.

Lu·an·da [luǽndə] *n.* 루안다《앙골라의 수도》.

lu·au [luːáu] *n.* ⒸⓊ 하와이식 연회(宴會).
lub·ber [lʌ́bər] *n.* Ⓒ ① (덩치 큰) 뒤틈바리, 투미한 사람. ②〖海〗풋내기 선원.
㊕ **~·ly** [-li] *a., ad.* 투미한〔하게〕, 메떨어진〔지게〕, 볼품 없는〔없게〕.
lube [luːb] *n.* Ⓤ 《口》 윤활유. [◂ *lub*ricant]
lu·bri·cant [lúːbrikənt] *a.* 미끄럽게 하는.
— *n.* ① ⓊⒸ 윤활유, 윤활제. ② Ⓒ (일을) 원활하게 하는 것: Alcohol often works as a social ~. 술이 종종 사회적 윤활유의 작용을 한다.
lu·bri·cate [lúːbrikèit] *vt.* ① …에 기름을 바르다〔치다〕. ② **a**) (피부 따위)를 부드럽게 하다. **b**) (일)을 원활하게 하다. **c**) 《俗》 (사람)을 매수하다. — *vi.* 윤활유로 쓰이다.
lu·bri·ca·tion [lùːbrəkéiʃən] *n.* Ⓤ 미끄럽게 함, 윤활; 주유(注油), 급유; 마찰을 감소시킴.
lu·bri·ca·tive [lúːbrikèitiv] *a.* 윤활성의.
lu·bri·ca·tor [lúːbrikèitər] *n.* Ⓒ ① 미끄럽게 하는 것〔사람〕; 기름치는 사람. ② 윤활 장치; 주유기.
lu·bri·cious [luːbríʃəs] *a.* 음탕한, 외설한, 호색하는. ㊕ **~·ly** *ad.*
lu·bric·i·ty [luːbrísəti] *n.* Ⓤ 음탕, 외설, 호색.
lu·cent [lúːsənt] *a.* ① 빛나는(luminous), 번쩍이는. ② 반투명의.
lu·cid [lúːsid] *a.* ① 맑은, 투명한. ② 명료한, 알기 쉬운; 명쾌한; 두뇌가 명석한: a ~ explanation 명쾌한 설명. ③〖醫〗(정신병 환자가 한때) 제정신이 든, 정신이 똑똑한: a ~ interval 제정신이 든 동안, 평정기(平靜期). ④《詩》빛나는, 밝은.
㊕ **~·ly** *ad.* **~·ness** *n.*
lu·cid·i·ty [luːsídəti] *n.* Ⓤ ① 맑음, 투명. ② 명료, 명백; 명석함. ③ (정신병자의) 평정(平靜), 제정신.
Lu·ci·fer [lúːsəfər] *n.* ① 샛별, 금성(Venus). ② 마왕, 사탄(Satan).
‡**luck** [lʌk] *n.* Ⓤ ① 운(chance), 운수(★ fortune 보다는 口語的이고 추첨·내기 등 일시적인 것을 좌우하는 운): good〔bad, ill, hard〕 ~ 행운〔불운〕/ by good ~ 다행히 / have no ~ 운이 나쁘다 / *Luck* was with him, and he found a job at once. 그는 운이 좋아서 곧 직장을 구했다. ② 행운, 요행: I wish you good ~. 행운을〔일이 잘 되시기를〕 빕니다 / I had the (good) ~ to meet her there. 요행히도 거기서 그녀를 만날 수 있었다 / His ~ ran out, and he was captured. 운이 다해서 그는 잡히고 말았다. ***as ~ would have it*** (1) 운 좋게, 요행〔다행〕히도: We ran out of petrol on the way home, but *as ~ would have it*, we weren't far from a garage. 집으로 오다가 기름이 떨어졌으나 다행히 주유소는 멀지 않았다. (2) 공교롭게, 운수 나쁘게(뜻에 따라 good, ill 을 luck 의 앞에 붙여 구별할 수도 있음). ***down on** one's* ~ 운이 기울어, 불행하여. ***for*** ~ 재수 있기를 빌며, 운이 좋도록. ***Good ~ (to you)!*** 행운을 빕니다; 부디 안녕하시기를. ***in*** 〔***out of, off***〕 ~ 운이 좋아서〔나빠서〕. ***Just*** 〔***It is just***〕 ***my ~!*** 제기랄 또 글렀네, 재수〔운이〕 없네. ***No such ~!*** 운 나쁘게도〔유감스럽게도〕 그렇게는 안 된다〔안 되었다〕. ***push*** 〔***press, crowd***〕 *one's* ~ 《口》운을 과신하다, 계속 순조로우리라 믿다. ***try** one's* ~ 운을 시험해 보다, 되든 안 되든 해보다(*at*). ***with*** ~ 운이 좋으면. ***worse*** ~ 〔副詞的으로; 또는 挿入句로서〕 공교롭게, 재수 없게도: I lost my watch, ~! 시계를 잃었다. 재수 없게.
— *vi.* 《美口》 운좋게 잘되다〔성공하다〕(*out*); 운좋게 우연히 만나다〔맞닥뜨리다〕(*out; on; onto; into*): He ~*ed out* and found a seat. 운좋게 자리가 하나 있었다.
‡**luck·i·ly** [lʌ́kili] *ad.* 운 좋게; 〔文章修飾〕 요행히(도): *Luckily* I was at home when he came. 마침 그가 찾아왔을 때 나는 집에 있었다.
luck·i·ness [lʌ́kinis] *n.* Ⓤ 요행, 행운.
*__luck·less__ [lʌ́klis] *a.* 불운의, 불행한: a ~ man 〔guy〕 불행한 사람〔놈〕.
†**lucky** [lʌ́ki] (***luck·i·er; -i·est***) *a.* ① 행운의, 운 좋은, 요행의: He is ~ at cards. 카드놀이에 운이 좋다 / a ~ dog 〔beggar〕 《口》 운 좋은 녀석, 행운아 / You're very ~ to be alive after that accident. 그 사고에서 살아남은 너는 참 운이 좋다 / It was ~ (that) you met him there. 자네가 거기서 그 사람을 만난 것은 행운이었다. ② 행운을 가져오는; 재수 좋은, 상서로운: a ~ day 길일(吉日) / a ~ charm 부적, 호부(護符).
lúcky díp 《英》 (손을 넣어 물건을 집어내는) 복주머니(《英》 grab bag).
lu·cra·tive [lúːkrətiv] *a.* 유리한, 수지 맞는, 돈이 벌리는〔되는〕(profitable): a ~ job 벌이가 좋은 일 / a ~ business 수지맞는 장사.
㊕ **~·ly** *ad.* **~·ness** *n.*
lu·cre [lúːkər] *n.* Ⓤ 이익, 이득(profit); 《蔑》 금전: filthy ~ 부정 이득.
Lu·cy [lúːsi] *n.* 루시《여자 이름》.
*__lu·di·crous__ [lúːdəkrəs] *a.* 바보 같은, 가소로운, 웃기는(★ ridiculous 보다 강의적): a ~ remark 바보 같은 소리. ㊕ **~·ly** *ad.* **~·ness** *n.*
luff [lʌf] *n.* Ⓒ〖海〗① 세로돛의 앞깃. ②《英》이물의 만곡부(彎曲部). — *vi.* 이물을 바람 불어오는 쪽으로 돌리다. — *vt.* 〖요트競走〗 (상대편의) 바람 불어오는 쪽으로 나아가다.
lug[1] [lʌg] *n.* ① Ⓒ 힘껏 끌기〔당기기〕. ② (*pl.*) 《美俗》 젠체함, 뽐냄. ③ Ⓒ 《美俗》 정치 헌금의 강요.
put on ~s 《美》 젠체하다, 거들먹거리다.
— (**-*gg*-**) *vt.* ① …을 힘껏 끌다〔당기다〕, 억지로 끌고 가다(*along; into*): ~ a heavy suitcase up the stairs 무거운 슈트케이스를 계단으로 끌고 올라가다 / I ~*ged* the box *into* the room. 나는 그 상자를 질질 끌 듯이 방으로 들여놨다. ② 《口》 (관계 없는 이야기 등)을 느닷없이 들고 나오다, 꺼내다(*in, into*): He ~*ged* the subject *into* his speech. 강연 중 그는 느닷없이 그 문제를 꺼냈다. — *vi.* 힘껏 잡아당기다.
lug[2] *n.* Ⓒ ① 《英口》 귀, 귓불. ② 자루, 손잡이: a ~ bolt 귀달린 볼트. ③ 돌기, 돌출부. ④ 《美俗》 (덩치 큰) 얼간이, 촌놈.
lug[3] *n.* ＝LUGWORM.
luge [luːʒ] *n.* Ⓒ 《F.》 루지《스위스식의 1인용 또는 2인용의 경주용 썰매》.
‡**lug·gage** [lʌ́gidʒ] *n.* Ⓤ 〔集合的〕 여행 가방, 수화물(baggage): three pieces of ~ 수하물 셋 / I'll carry my ~ myself. 내 수화물은 내가 들겠다.
lúggage ràck (열차 등의) 선반, 그물선반.
lúggage vàn 《英》 ＝BAGGAGE CAR.
lug·ger [lʌ́gər] *n.* Ⓒ〖海〗 러거《lugsail 을 단 작은 범선》.
lug·hole [lʌ́ghòul] *n.* Ⓒ 《英俗》 귓구멍.
lug·sail [lʌ́gsèil, 《海》 -sl] *n.* Ⓒ〖海〗 러그세일《상단보다 하단이 긴 네모꼴의 세로돛》.
lu·gu·bri·ous [luːgjúːbriəs] *a.* 애처로운, 가엾은; 슬퍼하는; 우울한. ㊕ **~·ly** *ad.* **~·ness** *n.*
lug·worm [lʌ́gwə̀ːrm] *n.* Ⓒ 갯지렁이《낚싯밥》.
Luke [luːk] *n.* ① 루크《남자 이름》. ②〖聖〗 성누가(St. ~)《사도 Paul 의 친구였던 의사》. ③〖聖〗 누가 복음《신약성서 중의 한 편》.
luke·warm [lúːkwɔ̀ːrm] *a.* ① (물이) 미적지근한, 미온의: Wash your face with ~ water. 미

지근한 물로 세수해라. ② (태도 등) 미온적인, 열의가 없는: a ~ support 열의 없는 지지 / a ~ response 마음 내키지 않는 대답.
㊕ ~·ly *ad.* ~·ness *n.*

‡**lull** [lʌl] *n.* (a ~) ① (비·바람·폭풍우 등의) 진정, 잠시 멎음《*in*》: *a* ~ *in* wind 바람이 잠. ② (활동 등의) 일시적 휴지 ; (병 등의) 소강(小康)《*in*》: There was *a* ~ *in* their conversation. 그들의 대화가 잠시 끊겼다.
— *vt.* ① (어린아이)를 달래다, 어르다, 재우다 : ~ a baby to sleep 어린아이를 (얼러서) 재우다. ② 〔흔히 受動으로〕 (파도·폭풍우 따위)를 가라앉히다, 자게 하다 : The wind〔sea〕 was ~*ed.* 바람이 잤다〔바다가 잔잔해졌다〕. ③《+목+전+명》(노여움·의심 등)을 가라앉히다 ; 속여서 …하게 하다《*into*》: ~ a person's fear 아무의 불안을 없애 주다 / ~ a person *into* contentment 아무를 속여 만족시키다. — *vi.* (폭풍·바람 등이) 가라앉다, 자다.

*__lull·a·by__ [lʌ́ləbài] *n.* Ⓒ 자장가(cradlesong). — *vt.* 자장가를 불러 (아이)를 재우다.

lu·lu [lú:lu] *n.* Ⓒ《美俗》훌륭한〔멋진〕 사람〔것〕.

lum·ba·go [lʌmbéigou] *n.* Ⓤ 〖醫〗 요통(腰痛).

lum·bar [lʌ́mbər] *a.* 〔限定的〕 〖解〗 허리(부분)의 : the ~ vertebra 요추(腰椎) / ~ pains 요통.

‡**lum·ber**[1] [lʌ́mbər] *n.* Ⓤ ①《美·Can.》재목, 제재목(《英》timber)《통나무·들보·판자 등》: We bought some ~ to build a shed. 헛간을 지으려고 재목을 좀 샀다. ②《英》(헛간에 치워 둔) 쓰지 않는 물건《가구 등》, 잡동사니. — *vt.* ①《美》…의 재목을 베어내다, 벌목하다. ② **a**) …에 쓸데없는 가구 등을 처넣다《*up* ; *with*》: The room was ~*ed* (*up*) with old furniture. 방에는 헌 가구가 꽉 들어찼다. **b**) (물건)을 난잡하게 쌓아올리다. ③《英口》…에게 귀찮은 일을 떠맡기다《*with*》.
— *vi.*《美》재목을 베어내다, 제재하다.
㊕ ~·er [-rər] *n.* Ⓤ 벌목꾼.

lum·ber[2] *vi.* 쿵쿵〔무겁게〕 걷다 ; 무겁게 움직이다《*along* ; *past* ; *by*》: A huge lorry ~*ed by* 〔*past*〕. 대형 트럭이 우르릉거리며 움직였다.

lum·ber·ing[1] [lʌ́mbəriŋ] *n.* Ⓤ 벌목, 제재(업).

lum·ber·ing[2] *a.* 〔限定的〕 쿵쿵거리며 (무거운 듯이) 나아가는 : a ~ gait 무거운 발걸음.
㊕ ~·ly *ad.* 쿵쿵거리며, 묵직하게.

lum·ber·jack [lʌ́mbərdʒæ̀k] *n.* ＝LUMBERMAN.

lum·ber·man [-mən] (*pl.* **-men** [-mən]) *n.* Ⓒ 벌목꾼〔감독〕; 제재업자.

lum·ber·mill [-mìl] *n.* Ⓒ 제재소(sawmill).

lúmber ròom《英》광, 헛간.

lum·ber·yard [-jɑ̀:rd] *n.* Ⓒ《美·캐나다》재목 쌓아 두는 곳, 저목장(《英》timberyard).

lu·men [lú:mən] (*pl.* **-mi·na** [-mənə], ~**s**) *n.* Ⓒ 〖物〗 루멘《광속(光束)의 단위 ; 略 : lm》.

lu·mi·na·ry [lú:mənèri / -nəri] *n.* Ⓒ ① 발광체《특히 태양·달 따위》. ② 선각자, 지도자, 유명인, 기라성(綺羅星).

lu·mi·nes·cence [lù:mənésns] *n.* Ⓤ 〖物〗 루미네슨스, 냉광(冷光)《열이 없는 빛, 발광》.

lu·mi·nes·cent [lù:mənésnt] *a.* 냉광을 내는, 발광성의 : ~ creatures 발광 생물.

lu·mi·nif·er·ous [lù:mənífərəs] *a.* 빛을 내는〔전하는〕; 발광(성)의, 빛나는.

lu·mi·nos·i·ty [lù:mənɑ́səti / -nɔ́s-] *n.* ① Ⓤ 광명, 광휘 ; 광도(光度). ② Ⓒ 발광체〔물〕.

‡**lu·mi·nous** [lú:mənəs] *a.* ① 빛을 내는, 빛나는 ; (방 따위가) 밝은 : a clock with a ~ face 야광 시계 / a ~ body 발광체 / ~ paint 야광 도료 / ~ intensity 광도(光度). ② (작품·설명 등이) 알기〔이해하기〕 쉬운, 명쾌한.
㊕ ~·ly *ad.* ~·ness *n.*

lum·me [lʌ́mi] *int.*《주로 英》야아, 아아, 오오《놀람·관심을 나타냄》. 「이.

lum·mox [lʌ́məks] *n.* Ⓒ《口》뒤틈바리, 얼간

‡**lump**[1] [lʌmp] *n.* ① Ⓒ 덩어리, 한 조각 ; 각사탕 1개 : a ~ of sugar 각사탕 (1개) / a ~ of clay 찰흙덩이 / The articles were piled in a great ~. 물건은 산더미처럼 쌓여 있었다. ② Ⓒ 혹, 종기, 부스럼 : I got a ~ on my forehead. 이마에 혹이 났다. ③ (a ~)《俗》대다수, 여럿, 무더기, 많음 : *a* ~ of money 많은 돈 / *a* great ~ of applicants 수많은 응모자. ④ Ⓒ《口》땅딸보 ; 멍청이, 바보, 얼간이. ⑤ (*pl.*)《美口》때림, 벌, 비판 : get 〔take〕 one's ~*s* 심하게 비판받다 ; 호된 벌을 받다. ⑥ (the ~)《英》〔集合的〕 (건설업 등의) 임시(고용) 노동자 집단. ***all of a*** **~** (1) 한 덩어리가 되어, 통틀어. (2) 온통 부어 올라. ***a ~ in*** **one's** 〔***the***〕 ***throat*** (감동하여) 목이 멤〔메기〕: He had *a* ~ *in his throat* as he said goodbye to his family at the airport. 공항에서 가족들에게 작별 인사를 할 때 그는 목이 메었다.
— *a.* 〔限定的〕 ① 한 덩어리의 : ~ sugar 각사탕. ② 일괄적〔총괄적〕인 : ~ work 일괄적인 도급일.
— *vt.* ① …을 한 묶음으로 하다, 총괄〔일괄〕하다 : We ~*ed* our money together to buy her a present. 우리는 돈을 모아〔추렴하여〕 그녀에게 선물을 사주었다. ②《~+목 / +목+전+명》(차이를 무시하고) …을 같이 취급〔생각〕하다《*together* ; *with* ; *in with* ; *under*》: They ~*ed* the old thing *with* the new. 헌것과 새것을 함께〔같이〕 취급했다. ③ 한 덩어리로 만들다 : ~ dough 반죽을 덩어리로 만들다.
— *vi.* ① 한 덩어리〔한 떼〕가 되다. ② 무거운 걸음으로 가다《*along*》; 털썩 주저앉다《*down*》.

lump[2] *vt.* 〔~ it 꼴로〕《口》참다, 인내하다 : If you don't like it, you may〔can〕 ~ *it.* 설사 싫더라도 참으시오. ***like it or ~ it***《口》좋아하든 않든 : You must go, *like it or* ~ *it.* 싫든 좋든 넌 가야 한다.

lump·ish [lʌ́mpiʃ] *a.* ① 덩어리 같은, 작달막하고 무거운. ② 멍청한 ; 아둔한, 바보 같은.
㊕ ~·ly *ad.* ~·ness *n.*

lúmp súm 일시불(금액) : pay in a ~ 일시불로 (지급)하다.

lump-sum [lʌ́mpsʌ́m] *a.* 일시불(一時拂)의.

lumpy [lʌ́mpi] (**lump·i·er** ; **-i·est**) *a.* ① 덩어리〔혹〕투성이의. ② 바람으로 파도가 이는. ③ 땅딸막하고 굼뜬. ㊕ **lúmp·i·ly** *ad.* **-i·ness** *n.*

Lu·na [lú:nə] *n.* 〖로神〗 루나《달의 여인 ; 그리스 신화의 Selene》.

lu·na·cy [lú:nəsi] *n.* ① Ⓤ 정신 이상, 광기(狂氣). ② Ⓤ,Ⓒ 미친 지랄, 바보짓 : It's sheer ~ driving in this weather. 이런 날씨에 드라이브라니 정말 미친 짓이다.

*__lu·nar__ [lú:nər] *a.* ① 달의, 태음(太陰)의 (cf. solar) ; 달 비슷한 ; 달의 작용에 의해서 일어나는《조수의 간만 따위》: a ~ rocket 달 로켓 / ~ craters 월면 크레이터 / a ~ (excursion) module 달 착륙선《略 : LEM》. ② **a**) 달 모양의. **b**) 초승달 모양의.

lúnar cálendar (the ~) (태)음력.

lúnar dáy 태음일(日)《약 24 시간 50 분》.

lúnar eclípse 〖天〗 월식.

lúnar mónth 태음월(太陰月), 음력 한 달《29 일 12 시간 44 분 ; 통속적으로는 4 주간》.

lúnar yéar 태음년《lunar month에 의한 12개월 ;

약 354 일 8 시간).

lu·nate [lú:neit] *a.* 초승달 모양의.

lu·na·tic** [lú:nətik] (more*** ~ ; ***most*** ~) *a.* ① 미친, 발광한, 정신 이상의(insane). ② (행동 따위가) 미치광이 같은, 정신없는(frantic, mad). — *n.* [C] ① 미치광이, 정신병자. ② 이상한〔미친 사람 같은〕 사람 ; 큰 바보.

lúnatic asỳlum 정신 병원(★ 지금은 보통 mental hospital〔home, institution〕).

lúnatic frínge (흔히 the ~) 〔集合的 ; 單·複數 취급〕 (정치·사회 운동 등의) 소수 과격파.

†**lunch** [lʌntʃ] *n.* ① [U.C] 점심(★ 저녁을 dinner 라고 할 경우) : a light ~ 간단한 점심 / be at ~ 점심 먹고 있다 / have〔eat〕 ~ 점심 먹다 / What did you have for ~? 점심에 뭘 먹었나. ② [C] 《美》 (시간에 관계 없이) 가벼운 식사, 스낵. ③ [C] 도시락 : Take your ~ with you. 도시락을 가지고 가거라 / a picnic ~ 피크닉(에 가져 갈) 도시락. ***out to*** ~ 《美俗》 머리가 돌아〔돈〕.
— *vi.* 점심을 먹다 : ~ *in*〔*at* home〕 집에서 점심을 먹다 / We ~*ed* on beer and sandwiches. 맥주와 샌드위치로 점심을 먹었다. — *vt.* …에게 점심을 내다. [파] ~·**er** *n.*

lúnch bòx 〔**pàil**〕 도시락(통).

lúnch còunter 《美》 ① 가벼운〔간이〕 식사용 카운터. ② (카운터식의) 간이 식당.

‡**lunch·eon** [lʌ́ntʃən] *n.* [U.C] 점심(lunch 보다 격식차린 말). — *vi.* 점심을 먹다.

lúncheon bàr 《英》 =SNACK BAR.

lunch·eon·ette [lʌ̀ntʃənét] *n.* [C] 간이 식당.

lúncheon mèat 고기와 곡류 따위를 갈아 섞어 조리한 (통조림) 식품.

lúncheon vòucher 《英》 식권(고용주가 지급하는 ; 略 : LV).

lunch·room [lʌ́ntʃrù:m] *n.* [C] ① 간이 식당, 스낵 바. ② (학교·공장 등의) 구내 식당.

lunch·time [lʌ́ntʃtàim] *n.* [U] 점심 시간 : Could we meet at ~? 점심 시간에 만날 수 있을까.

‡**lung** [lʌŋ] *n.* [C] ① 〖解〗 폐, 허파 : ~ cancer 폐암 / a ~ attack〔disease, trouble〕 폐병. ② 《美》 인공 심폐(장치). ***at the top of*** one'***s*** ~***s*** 목청껏. ***have good*** ~***s*** 목소리가 크다.

lunge [lʌndʒ] *n.* [C] ① (특히 펜싱 따위의) 찌르기(thrust). ② 돌입, 돌진. — *vi.* (칼 따위로) 찌르다(*at*) ; 돌진하다 : He ~*d* (*out*) *at* his adversary. 그는 적에게 돌진했다. — *vt.* (무기 따위)를 쑥 내밀다.

lung·fish [lʌ́ŋfìʃ] (*pl.* ~, ~***es***) *n.* [C] 〖魚〗 폐어「(肺魚).

lung·pow·er [lʌ́ŋpàuər] *n.* [U] 발성력, 성량(聲量) ; (발성력으로 본) 폐의 힘.

lung·wort [lʌ́ŋwə̀:rt] *n.* [C] 〖植〗 지칫과의 식물.

lunk·head [lʌ́ŋkhèd] *n.* [C] 《美口》 멍텅구리 (blockhead), 바보.

lu·pin, lu·pine[1] [lú:pin] *n.* [C] 〖植〗 루핀(콩과「식물).

lu·pine[2] [lú:pain] *a.* ① 이리의. ② 이리처럼 잔인한(wolfish) ; 탐식(貪食)하는.

lurch[1] [lə:rtʃ] *n.* 〔다음 성구(成句)로〕. ***leave*** a person ***in the*** ~ 궁지에 빠진〔죽게 된〕 사람을 그냥 내버려두다.

lurch[2] *n.* [C] ① (배·차 등의) 갑작스런 기울어짐 : The truck gave a sudden ~ 트럭은 갑자기 기우뚱했다. ② 비틀거림(stagger), 갈짓자 걸음.
— *vi.* 급히 한 쪽으로 기울다, 기울어지다 ; 비틀거리다, 비틀거리며 걷다 : A drunken man was ~*ing* along the street. 한 취객이 비틀거리며 거리를 걷고 있었다 / The ship is ~*ing* so much that it's making me feel sick. 배가 어찌나 흔들리는지 속이 메스껍다.

‡**lure** [luər] *n.* [C] ① (the ~) 유혹하는 것 ; 매혹, 매력 : *the* ~ of adventure 모험의 매력 / I could not resist *the* ~ of great profits. 큰 이익의 유혹을 이길 수 없었다. ② 후림새(decoy)(매잡이가 훈련중의 매를 불러들이는 데 쓰는). ③ (낚시에 쓰이는) 가짜 미끼.
— *vt.* ① (~+[목] / +[목]+[전]+[명]) …을 유혹하다, 유인해〔꾀어〕내다, 불러 내다(*away* ; *into* ; *on*) : Don't ~ him *away from* his studies. 공부하는 그를 꾀어내지 마라 / be ~*d into* doing wrong 꾀임을 받아 나쁜 짓을 하다 / They ~*d* the suspect *out of* hiding. 그들은 용의자를 은신처에서 유인해 냈다. ② (후림새로 매)를 꾀어들이다. [cf.] bait, decoy.

lu·rid [lú:rid] *a.* ① (하늘·풍경·전광·구름 등) 타는 듯이 붉은 ; (눈빛이) 번득이는 : a ~ sunset 타는듯이 붉은 석양. ② (색깔 따위) 야하게 짙은, 너무 현란한 : a book with ~ cover 표지 색조가 요란한 책. ③ 전율적인, 무시무시한, 무서운(이야기·범죄 따위) : a ~ story 섬뜩한 이야기 / The papers gave the ~ details of the murder. 신문들은 그 전율할 살인 사건의 상세한 보도를 했다. [파] ~·**ly** *ad.* ~·**ness** *n.*

‡**lurk** [lə:rk] *vi.* (~ / +[전]+[명]) ① 숨다, 잠복하다 ; 숨어 기다리다(*about* ; *in* ; *under*) : a ~*ing* place 잠복처 / ~ *in* the mountains 산 속에 잠복하다. ② (가슴 속에) 잠재하다 : a ~*ing* sympathy 가슴 속 깊이 품은 연민의 정 / Some uneasiness still ~*ed* in my mind. 어떤 불안이 아직도 내 마음 속에 잠재해 있었다. ③ 몰래〔살금살금〕 걸어다니다, 잠행(潛行)하다. [파] ∠·**er** *n.*

lus·cious [lʌ́ʃəs] *a.* ① (달고) 맛있는, 향기가 좋은 ; 잘 익은 : ~ tropical fruits 맛있는 열대 과일. ② (여자가) 매력적인, 관능적인. ③ 아주 기분좋은, 쾌적한. [파] ~·**ly** *ad.* ~·**ness** *n.*

lush[1] [lʌʃ] *a.* ① (풀 따위가) 푸르게 우거진 ; 푸른 풀이 많은, 무성한. ② 풍부한(abundant), 호화로운 : ~ decor 호화로운 장식.

lush[2] *n.* 《俗》 ① [U] 술. ② [C] 술꾼, 술주정뱅이
— *vi., vt.* (술을) 마시다.

‡**lust** [lʌst] *n.* [U.C] ① (강한) 욕망, 갈망(*of* ; *after* ; *for*) : His ~ *for* power made him ruthless. 강한 권세욕이 그를 무자비하게 만들었다. ② 육욕, 색욕(色慾), 관능적인 욕구 : the ~*s of* the flesh 육욕. — *vi.* ① (명성·부 따위를) 갈망〔열망〕하다(*after* ; *for*). ② 색정을 일으키다〔품다〕.

‡**lus·ter,** 《英》 **-tre** [lʌ́stər] *n.* [U] ① (또는 a ~) 광택, 윤 ; 광채 : the deep ~ of pearls 진주의 은은한 광택. ② 영광, 영예, 명예 : brave deeds adding ~ to the name 그 이름에 영광을 더하는 용감한 행위. ③ (도자기의) 유약, 잿물.

lust·ful [lʌ́stfəl] *a.* 호색의, 음탕한(lewd).
[파] ~·**ly** *ad.* ~·**ness** *n.*

lus·trous [lʌ́strəs] *a.* 광택 있는, 번쩍이는, 빛나는. [파] ~·**ly** *ad.*

lusty** [lʌ́sti] (lúst·i·er*** ; ***-i·est***) *a.* ① 튼튼한 ; 원기 왕성한, 활발한 : The playground is full of ~ children running around. 운동장은 이리저리 뛰어돌아다니는 원기왕성한 아이들로 꽉 차 있다. ② (음성 등이) 기운 찬, 큰. ③ 호색의, 성욕이 왕성한. [파] **lúst·i·ly** *ad.* **lúst·i·ness** *n.*

lu·ta·nist [lú:tənist] *n.* [C] 류트(lute) 주자.

lute [lu:t] *n.* [C] 류트(14-17세기의 기타 비슷한 현악기).

lu·te·ti·um [lu:tí:ʃiəm] *n.* [U] 〖化〗 루테튬(희토류(稀土類) 원소 ; 기호 Lu ; 번호 71).

Lu·ther [lú:θər] *n.* **Martin** ~ 루터(독일의 신학자·종교 개혁자 ; 1483-1546).

Lu·ther·an [lú:θərən] *a.*, *n.* Martin Luther 의 ; 루터 교회의 (신자).

Lu·ther·an·ism [-rənìzəm] *n.* Ⓤ 루터(교회)의 신조, 루터주의.

luv [lʌv] *n.* 《口》 =LOVE.

lux [lʌks] (*pl.* **~·es**, ~) *n.* Ⓒ 『光』 럭스(조명도의 국제 단위 ; 略 : lx).

luxe [luks, lʌks] *n.* Ⓤ 《F.》 화려 ; 호화, 사치. cf. deluxe.

Lux·em·b(o)urg [lʌ́ksəmbə̀:rg] *n.* 룩셈부르크《독일·프랑스·벨기에에 둘러싸인 대공국 ; 그 수도》.

lux·u·ri·ance [lʌgʒúəriəns, lʌkʃúər-] *n.* Ⓤ ① 번성, 무성 ; 풍부. ② (문체의) 화려.

***lux·u·ri·ant** [lʌgʒúəriənt, lʌkʃúər-] *a.* ① **a)** (수목이) 무성한, 성장이 왕성한 : ~ foliage 무성한 나뭇잎. **b)** (수염 따위가) 더부룩한. ② (재능 등이) 풍부한 : a ~ imagination 풍부한 상상력. ③ 화려한《문체 따위》: ~ prose 미문(美文).
㊕ ~·**ly** *ad.*

lux·u·ri·ate [lʌgʒúərièit, lʌkʃúər-] *vi.* ① 느긋하게 즐기다 ; (…에) 탐닉하다《*in* ; *on*》: ~ *in* a warm bath 느긋하게 목욕을 즐기다. ② 호화롭게 살다. ③ (식물 등이) 우거지다.

‡lux·u·ri·ous [lʌgʒúəriəs, lʌkʃúər-] (***more*** ~ ; ***most*** ~) *a.* ① 사치스러운, 호사스러운, 호화로운(luxuriant) : a ~ fur coat 호화로운 모피 코트. ② 사치를〔화려한 것을〕 좋아하는 : a person ~ in food 미식(美食)만 좋아하는 사람, 식도락가. ③ (관능적인) 쾌락을 추구하는. ◇ luxury *n.*
㊕ ~·**ly** *ad.* ~·**ness** *n.*

‡lux·u·ry [lʌ́kʃəri] *n.* ① Ⓤ 사치, 호사 : live in ~ 호사스럽게 지내다. ② Ⓒ 사치품, 고급품 ; 사치스러운 일 : Taking a taxi is a ~ for me. 택시 타는 것은 나에게는 사치스러운 일이다. ◇ luxurious, luxuriant *a.* ── *a.* 〔限定的〕 사치〔호화〕스러운 ; 고급의 : ~ tax 사치세 / a ~ line 〔car〕 호화 여객선〔고급 승용차〕/ ~ goods 사치품.

Lu·zon [lu:zán / -zɔ́n] *n.* 루손섬《필리핀 군도의 주도(主島)》.

lx 『光』 lux.

-ly[1] *suf.* 형용사·분사에 붙여서 부사를 만듦 : bold*ly*, month*ly*, smiling*ly*, quick*ly*, great*ly*.

-ly[2] *suf.* ① 명사에 붙여서 '…와 같은, …다운'의 뜻의 형용사를 만듦 : friend*ly*, man*ly*, king*ly*. ② 기간의 뜻의 명사에 붙여 '…마다의' 뜻의 형용사를 만듦 : hour*ly*, month*ly*.

ly·cée [li:séi / ∸-] *n.* Ⓒ 《F.》 리세《프랑스의 국립 고등 학교 또는 대학 예비교》.

ly·ce·um [laisí:əm] *n.* 《L.》 ① Ⓒ 학원, 학회, 강당. ② Ⓒ 《美》 문화회관. ③ =LYCÉE. ④ (the L-) (아리스토텔레스가 철학을 가르쳤던) 아테네의 학원 ; 아리스토텔레스 학파.

ly·chee [láitʃi:] *n.* =LITCHI.

lých gàte =LICH GATE.

lye [lai] *n.* Ⓤ 잿물 ; (세탁용) 알칼리액.

‡ly·ing[1] [láiiŋ] LIE[1] 의 현재분사. ── *a.* 드러누워 있는 : low-~land 저지(低地). ── *n.* Ⓤ 드러누움.

***ly·ing**[2] LIE[2] 의 현재분사. ── *a.* 거짓말을 하는 ; 거짓의, 허위의 : a ~ rumor 근거 없는 소문 / a ~ story 거짓 이야기.
── *n.* Ⓤ 거짓말하기 ; 거짓말, 허위.

ly·ing-in [láiiŋín] (*pl.* ***ly·ings-***, **~s**) *n.* Ⓒ 〔흔히 單數꼴로〕 해산 자리에 눕기 ; 분만, 해산.
── *a.* 산부인과의 : a ~ chamber 〔hospital〕 산부인과 의원《★ 지금은 maternity hospital 이 더 일반적》.

Lýme disèase 라임병《관절염의 일종 ; 미국 Connecticut 주의 도시 Lyme 에서 최초로 발병》.

lymph [limf] *n.* Ⓤ ① 『生理』 림프(액). ② 『醫』 두묘(痘苗)(vaccine ~).

lym·phat·ic [limfǽtik] *a.* ① 『生理』 림프(액)의 ; 림프를 통〔분비〕하는 : a ~ gland 〔vessel〕 림프샘〔관〕. ② **a)** (사람이) 림프성(체질)의《선병질(腺病質)로 피부가 창백하고, 무기력한 경우》: a ~ temperament 점액질, 림프질. **b)** 둔중(鈍重)한, 지둔(遲鈍)한. ── *n.* Ⓒ 『解』 림프관(管).
㊕ -**i·cal·ly** *ad.*

lymph gland 『解』 림프샘.

lýmph nòde 『解』 림프절.

lym·pho·cyte [límfəsàit] *n.* Ⓒ 『解』 림프구(球).

lymph·oid [límfɔid] *a.* 림프(구(球))의.

***lynch** [lintʃ] *vt.* …에게 린치를 가하다, …을 사적 제재로 죽이다.

lýnch làw 사형(私刑), 린치《미국 Virginia 주의 치안판사 Captain William Lynch 가 형벌을 함부로 가한 데서》.

lynx [liŋks] (*pl.* **~·es**, 〔集合的〕 ~) *n.* ① **a)** Ⓒ 『動』 스라소니. **b)** Ⓤ 스라소니의 모피(毛皮). ② (the L-) 『天』 살쾡이자리.

lynx-eyed [línksàid] *a.* (살쾡이처럼) 눈이 날카로운.

Ly·ra [láiərə] *n.* 『天』 거문고자리(the Lyre).

lyre [láiər] *n.* ① Ⓒ (고대 그리스의) 수금(竪琴), 리라. ② (the L-) 『天』 =LYRA.

lyre·bird [-bə̀:rd] *n.* Ⓒ 『鳥』 금조(琴鳥)《오스트레일리아산 ; 수컷이 꼬리를 세우면 lyre 모양임》.

***lyr·ic** [lírik] *n.* ① 서정시(=∠ **pòem**). cf. epic. ② (*pl.*) (유행가·가극 등의) 가사(歌詞).
── *a.* ① 서정시의, 서정적인 : a ~ poem 서정시 / a ~ poet 서정 시인. ② 음악적인, 오페라풍의 : the ~ drama 가극. ③ =LYRICAL.

***lyr·i·cal** [lírikəl] *a.* ① 서정시조(調)의, 서정미가 있는(lyric) ; 감상적인 : a ~ description of a autumn's day 가을날에 대한 서정시풍의 묘사. ② 《口》 열띤, (감정 표현이) 과장된 : become quite ~ in praising a person 야단스럽게 아무를 칭찬하다. ㊕ ~·**ly** *ad.*

lyr·i·cism [lírəsìzəm] *n.* ① Ⓤ 서정시체(體)〔조, 풍〕 ; 리리시즘. ② Ⓒ 과장된 감정 표현.

lyr·i·cist [lírəsist] *n.* Ⓒ ① 서정 시인. ② (노래·가극 따위의) 작사가.

lyr·ist [láirist, lír-] *n.* Ⓤ ① lyre 탄주자(彈奏者). ② [lírist] =LYRICIST.

ly·sin [láisn] *n.* Ⓒ 『生化』 리신, 세포 용해소(溶解素)《적혈구나 세균을 용해하는 항체》.

-lysis '분해·해체·파괴·마비' 따위의 뜻의 결합사 : ana*lysis*, para*lysis*.

L.Z., LZ landing zone.

M

M, m [em] (*pl.* **M's, *M*s, *m's*, *ms*** [-z]) ① [U,C] 엠《영어 알파벳의 열 셋째 글자》. ② [U] (연속된 것의) 13번째(의 것). ③ [U] (로마숫자의) 1,000 : *MCM*LXXXIX＝1989. ④ [C] M자 모양의 것.

M, M., m, m. 〖通貨〗 mark(s) ; *meridies* 《L.》 (＝noon) ; Master ; Medium ; mega- ; Member ; Meridian ; 〖樂〗 mezzo ; Monday ; Monsieur ; 《英》 motorway. **m.** male ; married ; masculine ; meridian ; meter(s) ; mile(s) ; million(s) ; minute(s) ; month(s).

M'- ＝MAC- 《보기 : *M'*Donald》.

'm ① [m] ＝AM. ② [əm] ＝MA'AM : Yes'*m*. 예 부인〔선생님〕/ No'*m*. 아니오 마님.

***ma, Ma** [mɑː, mɔː] *n.* [C] 《口》 ① 엄마《mamma의 단축형》. [cf.] Pa. ¶ *Ma*, can I go out and play? 엄마, 밖에 나가 놀아도 돼. ② 아줌마 : *Ma* Parker 파커 아줌마.

M.A. *Magister Artium* 《L.》(＝Master of Arts) ; 〖心〗 Mental Age ; Military Academy.

‡**ma'am** *n.* ① [məm, m] 《口》 부인, 아주머니, 아가씨《하녀가 여주인에게, 점원이 여자 손님에게 대한 호칭》; 선생님《여성 교사에 대한 호칭》: Is Jack present? — Yes, ~ [jésm]. 잭 있습니까. — 예 있습니다, 선생님. ② [mæ(ː)m, mɑːm] 《英》 (여왕, 귀족 부인 또는 여성 상관에 대한 호칭으로서) 여왕님, 마님, 상관님. [◂ *madam*]

Máastricht Tréaty (the ~) 마스트리히트 조약《1991년 Maastricht에서 개최되어 EC에서 이듬해 조인된 통화·정치·경제적 통합을 내용으로 한 조약》.

Ma·bel [méibəl] *n.* 메이블《여자 이름 ; 애칭은 Mab》.

Má Béll [mɑ́ː-] 《美俗》 벨 아주머니《AT&T 또는 일반적으로 전화 회사의 속칭》.

Mac [mæk] *n.* 《美口》 야, 이봐, 자네《이름을 모르는 남자를 부르는 말》: Hey, ~. 어이 자네.

mac [mæk] *n.* 《口》 ＝MACKINTOSH.

Mac- *pref.* '…의 아들'이란 뜻. ★ 스코틀랜드·아일랜드계의 성에 붙음 ; Mc-, M^c-, M'- 이라고도 씀 : *Mac*Arthur, *Mac*Donald, *Mc*Kinley. [cf.] Fitz-, O'.

ma·ca·bre [məkɑ́ːbrə, -bər] *a.* (죽음을 연상시키는) 섬뜩한, 기분 나쁜, 오싹하는.

mac·ad·am [məkǽdəm] *n.* [U] ① 〖土〗 (롤러로 굳히는 도로용의) 쇄석(碎石), 밤자갈. ② 머캐덤 도로(＝∠ **ròad**)《쇄석을 깔고 아스팔트 또는 피치로 굳힘》.

mac·ad·am·ize [məkǽdəmàiz] *vt.* (도로)를 머캐덤 공법으로 포장(鋪裝)하다.

Ma·cao [məkáu] *n.* 마카오《중국 남동 해안의 도시 ; 포르투갈 영토》.

***mac·a·ro·ni** [mæ̀kəróuni] *n.* [U] 마카로니, 이탈리아 국수. [cf.] spaghetti.

macaróni chéese 〖料〗 마카로니 치즈《치즈 소스로 조미한 마카로니 요리》.

mac·a·roon [mæ̀kərúːn] *n.* [C] 마카롱《달걀 흰자·아몬드·설탕으로 만든 작은 과자》.

Mac·Ar·thur [məkɑ́ːrθər] *n.* **Douglas** ~ 맥아더《미국 육군 원수 ; 1880-1964》.

Ma·cau·lay [məkɔ́ːli] *n.* **Thomas Babington** ~ 매콜리《영국의 역사·평론·정치가 ; 1800-59》.

ma·caw [məkɔ́ː] *n.* [C] 〖鳥〗 마코앵무새《중앙 아메리카산》.

Mac·beth [məkbéθ] *n.* 맥베스《Shakespeare 작 4대 비극의 하나 ; 그 주인공》.

Mac·Don·ald [məkdɑ́nəld / -dɔ́n-] *n.* **James Ramsay** ~ 맥도널드《영국 정치가 ; 1866-1937》.

Mace [meis] *n.* [U] 메이스《폭도 진압·치한 퇴치용 최루 신경가스 ; 商標名》.

mace[1] [meis] *n.* ① [C] 갈고리 달린 철퇴《중세의 갑옷을 부수는 무기》. ② **a)** [C] 권표(權標), 직장(職杖)《영국의 시장·대학 총장 등의 직권의 상징》. **b)** (the M-) 영국 하원 의장의 직장(職杖).

mace[2] *n.* [U] 메이스《육두구 껍질을 말린 향료》.

mace-bear·er [méisbɛ̀ərər] *n.* [C] 권표를 들고 다니는 사람.

Mac·e·do·nia [mæ̀sədóuniə, -njə] *n.* ① 마케도니아《옛 그리스의 북부지방》. ② 마케도니아 공화국《구 유고슬라비아에서 독립 ; 수도 Skopie》.

Mac·e·do·ni·an [mæ̀sədóuniən, -njən] *a.* 마케도니아(인, 어)의. — *n.* ① [C] 마케도니아인. ② [U] 마케도니아어.

mac·er·ate [mǽsərèit] *vt.* …을 액체에 담가서 부드럽게 하다. — *vi.* ① (단식·근심 등으로) 야위다. ② (물에 담겨) 부드러워지다.

Mach [mɑːk, mæk] *n.* [U] 마하 ; 〖物〗 ＝MACH NUMBER.

ma·chete [məʃéti, -tʃé-] *n.* [C] (라틴 아메리카 원주민의) 날이 넓은 큰 칼.

Mach·i·a·vel·li [mæ̀kiəvéli] *n.* **Niccolò** ~ 마키아벨리《이탈리아의 정치가 ; 1469-1527》.

Mach·i·a·vel·li·an [mæ̀kiəvéliən] *a.* 마키아벨리(류)의 ; 권모술수의 ; 음험한, 교활한.
— *n.* [C] 권모술수가, 책모가.

Mach·i·a·vel·lism [mæ̀kiəvélizəm] *n.* [U] 마키아벨리즘〔주의〕.
㊕ **-list** *n.* [C] 마키아벨리주의자, 책모가.

ma·chic·o·la·tion [mətʃìkouléiʃən] *n.* [C] 〖築城〗 (성문(城門)이나 성벽 등에) 돌출된 총안《이 구멍을 통해 돌·뜨거운 물을 성벽 아래로 퍼붓거나 활을 쏨》.

mach·i·nate [mǽkənèit, mǽʃnèit] *vi.* 모의하다. — *vt.* (음모)를 꾀하다(plot).
㊕ **-nà·tor** [-ər] *n.* [C] 모사, 음모가(plotter).

mach·i·na·tion [mæ̀kənéiʃən] *n.* [C] (흔히 *pl.*) 간계, 음모.

†**ma·chine** [məʃíːn] *n.* [C] ① **a)** 기계 ; 기계장치 : the age of the ~ 기계 (문명) 시대 / by ~ 기계로 / run〔operate〕 a ~ 기계를 조작하다. **b)** 자동판매기 : a drinks ~ 음료 자동 판매기. ② 《口》 자동차, 자전거 ; 비행기 ; 오토바이. ③ (복잡한) 기구, 기관 : the ~ of government 정부〔정치〕 기구 / the social ~ 사회 기구 / the bureaucratic ~ 관료기구. ④ (정당 등의) 조직 ; 그 지배 집단, 파벌. ⑤ 《蔑》 기계적으로 일하는 사람 : He's a mere ~. 그는 그저 기계적으로 움직이는 사람이다《자주성이 없다》. — *a.* 〔限定的〕 기계(용)의 ; 기계에 의한 : ~ parts 기계부품. — *vt.* ① …을 기계에 걸다〔로 가공하다〕; 재봉틀에 박다. ② (공

구를 써서 물건)을 정해진 치수대로 만들어내다.

machíne còde 〖컴〗 =MACHINE LANGUAGE.

machíne gùn 기관총〔포〕, 머신건.

ma·chine-gun [məʃíːngʌ̀n] (**-gun·ned ; gun·ning**) *vt.* …에 기총 소사(掃射)를 퍼붓다.

machíne lànguage 〖컴〗 기계어.

ma·chine·like [-làik] *a.* 기계 같은 ; 정확한.

ma·chine-made [-mèid] *a.* ① 기계로 만든 [opp] *handmade*. ② 판에 박은, 틀에 박힌.

ma·chine-read·a·ble [-ríːdəbəl] *a.* 〖컴〗 (데이터 등) 컴퓨터로 처리〔해독〕할 수 있는.

‡ma·chin·ery [məʃíːnəri] *n.* Ⓤ ① 〔集合的〕 기계류(machines) : a great deal of ~ 많은 기계류 / install ~ in a factory 공장에 기계를 설치하다. ② (시계 따위의) 기계장치 ; (기계의) 가동 부분 : the ~ of a watch 시계의 구조 / the ~ of a car 자동차의 작동 계통. ③ (정치 등의) 기관, 기구, 조직 : the ~ of the law 사법 기관 / the administrative ~ 행정 기구.

machíne tìme (컴퓨터 등의) 총작동 시간, 연(延)작동 시간.

machíne tòol 공작기계, 전동(電動) 공구.

ma·chine-tooled [-tùːld] *a.* ① 공작기계로 만들어진(듯한). ② 정확한, 대단히 정교한.

machíne translàtion (컴퓨터 등에 의한) 기계 번역.

machíne wòrd 〖컴〗 기계어.

ma·chin·ist [məʃíːnist] *n.* Ⓒ ① 기계 제작자〔수리공〕 ; 기계공 ; 기계 운전자. ② 《英》 재봉사.

ma·chis·mo [maːtʃíːzmou] *n.* Ⓤ 《Sp.》《흔히 蔑》 사내다움, 남성으로서의 의기〔자신〕.

Mach·me·ter [máːkmìːtər, mǽk-] *n.* Ⓒ 마하계기(計器)《항공기의 마하수를 표시하는 계기》.

Mách nùmber 〖物〗 마하(수)《물체 속도의 음속에 대한 비》.

ma·cho [máːtʃou] (*pl.* **~s**) *n.* 《Sp.》 ① Ⓒ 씩씩한 남자. ② Ⓤ 남성다움.

Mac·in·tosh [mǽkintàʃ / -tɔ̀ʃ] *n.* Ⓤ,Ⓒ 〖컴〗 매킨토시《미국 Apple Computer사가 제작한 컴퓨터 ; 商標名》.

mack [mæk] *n.* 《英口》 =MACKINTOSH.

mack·er·el [mǽkərəl] (*pl.* **~(s)**) *n.* ① Ⓒ 고등어《북대서양산》. ② Ⓤ ①의 살.

máckerel ský 〖氣〗 조개구름(이 덮인 하늘).

mack·i·naw [mǽkənɔ̀ː] *n.* Ⓒ 《美》 바둑판무늬의 모직물 ; 그것으로 만든 짧은 상의.

mack·in·tosh [mǽkintàʃ / -tɔ̀ʃ] *n.* ① Ⓤ 고무입힌 방수포. ② Ⓒ 방수 외투《略 : mac(k)》.

Mac·mil·lan [məkmílən, mæk-] *n.* **Harold** ~ 맥밀런《영국의 정치가 ; 1894-1986》.

macr-, macro- '긴, 큰'의 뜻의 결합사. [opp] *micr-, micro-*.

mac·ra·mé [mǽkrəmèi / məkráːmi] *n.* Ⓤ 《F.》 매듭실 장식, 마크라메 레이스.

mac·ro [mǽkrou] *n.* 〖컴〗 =MACROINSTRUCTION.

mac·ro·bi·ot·ic [mæ̀kroubaiátik / -ɔ́t-] *a.* 장수식(長壽食)의 : ~ food 장수〔건강〕 식품.

mac·ro·bi·ot·ics [mæ̀kroubaiátiks / -ɔ́t-] *n.* Ⓤ 장수식(長壽食) 연구〔이론〕《동양의 음양설에 의한 식품의 배합》.

mac·ro·code [mǽkroukòud] *n.* Ⓤ 〖컴〗 모듬(명령) 부호, 모듬 명령(macroinstruction).

mac·ro·cosm [mǽkroukàzəm / -kɔ̀z-] *n.* ① (the ~) 대우주, 대세계. [opp] *microcosm*. ② Ⓒ 전체, 총체, 복합체.

mac·ro·ec·o·nom·ics [mæ̀kroui:kənámiks / -nɔ́m-] *n.* Ⓤ 〖經〗 거시 경제학, 매크로 경제학. [opp] *microeconomics*.

mac·ro·in·struc·tion [mæ̀krouinstrʌ́kʃən] *n.* Ⓤ 〖컴〗 모듬 명령(macro)《어셈블리 언어의 명령의 하나》.

mac·ron [méikrɑn, -rən, mǽk- / mǽkrɔn] *n.* Ⓒ 〖音聲〗 (모음 위쪽에 붙는) 장음 부호(¯)《보기 : cāme, bē》.

mac·ro·scop·ic [mæ̀krəskápik / -skɔ́p-] *a.* 육안으로 보이는 ; 거시적인([opp] *microscopic*). ㊕ **mac·ro·scop·i·cal·ly** [-kəli] *ad.*

‡mad [mæd] (**-dd-**) *a.* ① 미친, 실성한 : a ~ man 미친 사람 / became〔go〕 ~ 미치다 / make a person ~ 아무를 미치게 하다 / He must be ~ *to* do that. 저런 짓을 하다니 그 사람 틀림없이 돈 모양이군 / He was nearly driven ~ by grief. 그는 슬퍼서 미칠 지경이었다. ② (개가) 광견병에 걸린 : a ~ dog. ③ 열광적인, 열중인, 열을 올리고 있는《*for ; after ; about ; on*》; 몹시 탐내고 있는《*for ; after*》: My son is ~ *about* rock music. 아들은 록음악에 열중해 있다 / He is ~ *about* her. 그는 그녀에게 홀딱 반해 열을 올리고 있다 / He was ~ *for* a new car. 그는 새 차가 몹시 갖고 싶었다. ④ 앞뒤를 헤아리지 않는, 무모한, 바보 같은 : make a ~ dash for …을 향하여 정신없이 돌진하다 / It is ~ of him to try it. 그가 그것을 하려들다니 무모한 일이다 / ~ efforts 무모한 노력. ⑤ 〔敍述的〕 《口》 성난, 화난《*with ; about ; at*》: Don't be ~ *at* me. 나한테 화내지 마라 / She was ~ *at* her husband for forgetting her birthday. 그녀는 남편이 자기의 생일을 잊어버렸다고 몹시 화를 냈다. ⑥ 미친 듯한, 몹시 흥분한 ; (비 · 바람 따위가) 맹렬한 : He was ~ with rage. 그는 화가 나서 미칠 듯이 흥분했다 / He was ~ with joy. 그는 미칠 듯이 기뻐했다 / There was a ~ rush toward the exit. 사람들은 미친 듯이 출구로 몰려갔다. ⑦ 떠들어대는, 들뜬 : a ~ party 떠들썩한〔흥청거리는〕 파티 / have a ~ time 들떠서 흥청거리다. **(as) ~ as a (March) hare** ⇨HARE. **drive〔send〕** a person ~ 아무를 미치게 하다 ; 골나게 하다 : This itching is *driving* me ~. 가려워 미칠 지경이다. **go ~** (1) 미치다. (2) (군중 등이) 열광하다. **hopping ~** 격노하여. **like ~** 《口》 미친 듯이 ; 맹렬히 : run〔drive〕 *like* ~ 미친듯이 뛰다〔차를 몰다〕. **~ as ~** 《口》 대단히 화가 나서. ── (**-dd-**) *vt.* 《美》 …을 성나게 하다. ── *n.* (a ~) 《美口》 분개, 노염. **have a ~ on** …에 성〔화〕내고 있다. **get** one**'s ~ up〔out〕** 화를〔성을〕 내다.

Mad·a·gas·car [mæ̀dəgǽskər] *n.* 마다가스카르《아프리카 남동의 섬나라 ; 공화국 ; 수도 Antananarivo ; 구칭 the Malagasy Republic》.

‡mad·am [mǽdəm] *n.* Ⓒ ① (*pl.* **mes·dames** [meidáːm, -dǽm / méidæm]) (종종 M-) 아씨, 마님, …부인, 여성… : Thank you very much, *Madam*. 대단히 감사합니다, 부인 / May I carry your cases for you, *Madam* ? 사모님, 제가 상자들을 운반해 드릴까요 ? / *Madam* Chairman (여성) 의장〔단장〕님. ★ (1) 본디 부인에 대한 정중한 호칭이었으나 지금은 미혼여성에게도 씀. ¶ May I help you, ~ ? ⇨ HELP. (2) Madam 또는 Dear Madam 으로 (미지의) 여성 앞으로의 편지허두에 '근계(謹啓)' 따위의 뜻으로도 씀. ② (*pl.* **~s**) 《口》 (종종 the ~) 주부, 안주인 ; 《婉》 여자포주. ③ 《英口》 중뿔나게 나서는 여자, 건방진 여자 : a proper (little) ~ 되바라진 여자.

***mad·ame** [mǽdəm, mədǽm mədáːm, mæ-] (*pl.* **mes·dames** [meidáːm, -dǽm]) *n.* Ⓒ 《F.》 (흔히 M-) 아씨, 마님, …부인《프랑스에서는 기혼부인에 대한 호칭 ; 영어의 Mrs.에 해당 ; 略 :

Mme., (*pl.*) Mmes.》: *Madame* Curie〔Bovary〕 퀴리〔보바리〕 부인.

Mádame Tussáud's ⇨TUSSAUD'S.

mad·cap [mǽdkæ̀p] *n.* [C] 무모한 사람, 《특히》 무모한 아가씨. ── *a.* 〔限定的〕 무분별〔무모〕한, 충동적인 : the ~ idea of going out in such a snowstorm 이런 눈보라 속에 외출하려는 무모한 생각.

M

***mad·den** [mǽdn] *vt.* ① …을 미치게 만들다. ② …을 몹시 화나게 하다. ── *vi.* ① 발광하다. ② 성내다.

mad·den·ing [mǽdniŋ] *a.* ① 미치게 하는, 미칠 듯한, 미친 듯이 날뛰는 ; 맹렬한 : a ~ pain 맹렬한〔미칠 것 같은〕 아픔. ② 화나게 하는, 신경질나게 하는 : ~ delays on the highway 고속도로상에서의 짜증스러운 정체. ㊞ **~·ly** *ad.*

mad·der [mǽdər] *n.* [U] ①〖植〗 꼭두서니. ②〖染〗 인조 꼭두서니 물감. ③ 꼭두서니색, 진홍색.

mad·ding [mǽdiŋ] *a.* 《稀》 미칠〔미치게 할〕 것 같은, 광기의, 광란의 : far from the ~ crowd 광란의 속세를 멀리 떠나서.

†**made** [meid] MAKE의 과거·과거분사. ★ 흔히 be ~ of (wood, *etc.*)는 재료의 형태를 보존하고 있는 경우, be ~ from (grapes, *etc.*)은 재료의 형태를 분간할 수 없을 때 씀. ── *a.* ① 〔限定的〕 만들어진 ; 조작한 ; 꾸며낸 : a ~ word 조어(造語) / a ~ story 〔excuse〕 꾸며낸 이야기〔변명〕. ② 〔限定的〕 인공적인, 인공의 ; 매립한《땅 따위》 ; 여러 가지 섞은《요리 따위》 : ~ fur 모조 모피 / ~ land〔ground〕 매립지 / a ~ road 포장 도로. ③ 성공이 확실한 : a ~ man 성공한〔이 확실한〕 사람 / Now he's got his PhD, he is a ~ man. 그는 박사학위를 땄으니 이젠 성공은 틀림없다. ④ 〔複合語〕 …로 만든, …제의 ; 몸집이 …한 : a Swiss-~ watch 스위스제 시계 / hand-~ 손으로 만든 / slightly-~ 날씬한 몸매의 / a well-~ chair 잘 만들어진 의자 / home-~ goods 국산품 / ready-~ clothes 기성복. ***have*** (***got***) 〔***get***〕 ***it*** ~ 《口》 성공은 틀림없다. ~ ***for*** …에 꼭 어울리는 ; 꼭 알맞은 : They are ~ *for* each other. 그들은 부부로 아주 어울린다 / a night ~ *for* escape 도망가기에 딱 좋은 밤.

máde dísh (고기·야채 그 밖의 여러 가지를) 섞어 조리한 요리, 모둠 요리.

made-for-TV [´-fərtíːvíː] *a.* TV용으로 만든.

Ma·dei·ra [mədíərə] *n.* [U] 마데이라《대서양의 포르투갈령인 마데이라섬 산출의 백포도주》.

Madéira càke 《英》 =POUND CAKE.

Madéira tópaz 〖鑛〗 =CITRINE.

mad·e·leine [mǽdəlin, mæ̀dəléin] *n.* [U,C] 마들렌《작은 컵케이크의 하나》.

ma·de·moi·selle [mæ̀dəmwəzél, mæmzél] (*pl.* **~s** [-z], ***mes·de·moi·selles*** [mèidə-]) *n.* [C] 《F.》 ① (M-) …양, 마드무아젤《영어의 Miss에 해당 ; 略 : Mlle., (*pl.*) Mlles.》 : *Mademoiselle* Laffite 라피트 양. ② (프랑스어권(圈)의 여성에 대한 호칭으로) 아가씨 : This way, ~. 아가씨, 이쪽으로.

made-to-meas·ure [méidtəméʒər] *a.* 〔限定的〕 몸에 맞게 만든, 맞춘《옷·구두 따위》.

made-to-or·der [méidtəɔ́ːrdər] *a.* 〔限定的〕 주문해 만든, 맞춘([opp] *ready-made, ready-to-wear*) ; 꼭 맞는 : a ~ suit 주문복.

made-up [méidʌ́p] *a.* ① 만든, 만들어낸 ; 조작한 : a ~ story 꾸며낸 이야기 / a ~ name 가명. ② 화장한, 메이크업한 : a well ~ girl 잘 화장을 한 아가씨. ③ 포장(鋪裝)한.

Madge [mæ(ː)dʒ] *n.* 매지《여자 이름 ; Margaret 의 애칭》.

mad·house [mǽdhàus] *n.* [C] ①《古》 정신 병원. ② (흔히 *sing.*) 《口》 (사람이 북작거려) 시끄러운 장소 : The office is a ~. 그 사무실은 정말 시끄러운 곳이다.

Mád·i·son Ávenue [mǽdəsən-] ① 매디슨 애비뉴《미국 뉴욕시의 광고업 중심가》. ② (미국의) 광고업(계).

Mádison Squáre Gárden 메디슨스퀘어가든《뉴욕에 있는 옥내 스포츠센터》.

***mad·ly** [mǽdli] *ad.* ① 미친 듯이 : work ~ 미친 듯이 일하다. ② 맹렬히 : They are ~ in love. 그들은 서로를 뜨겁게 사랑하고 있다.

mad·man** [mǽdmən, -mæ̀n] (*pl.* ***-men [-mən, -mèn]) *n.* [C] 미친 사람《남자》, 광인.

‡**mad·ness** [mǽdnis] *n.* [U] ① 광기(狂氣), 정신 착란. ② 열광, 열중 : love a person to ~ 아무를 열애하다. ③ 격노. ④ 미친 짓, 바보 짓 : It is sheer ~ to drive so fast. 그렇게 빨리 차를 몰다니 정말 미친 짓이다.

***Ma·don·na** [mədɑ́nə / -dɔ́nə] *n.* ① (흔히 the ~) 성모 마리아. ② [C] (또는 m-) 성모 마리아상(像) : *modonna* and Child 어린 그리스도를 안은 성모 마리아상.

Madónna lìly 〖植〗 흰 백합.

Ma·dras [mədrǽs, -drɑ́ːs] *n.* ① 마드라스《인도 남동부의 주》. ② (m-) [U] 마드라스 무명.

Ma·drid [mədríd] *n.* 마드리드《스페인의 수도》.

mad·ri·gal [mǽdrigəl] *n.* [C] ① 짧은 연가(戀歌) ; 소곡(小曲). ②〖樂〗 마드리갈《무반주 합창곡의 일종》.

mad·wom·an [mǽdwùmən] (*pl.* ***-wom·en*** [´-wimin]) *n.* [C] 미친 여자.

mael·strom [méilstrəm] *n.* ① [C] 큰 소용돌이 《whirlpool 의 큰 것을 말함》. ② (the M-) 노르웨이 근해의 큰 화방수. ③ [C] (흔히 *sing.*) 큰 동요, 대혼란.

mae·nad [míːnæd] *n.* ① (종종 M-) 〖그神〗 마이나스《Bacchus 의 시녀(bacchante)》. ② [C] 광란하는 여자.

ma·es·to·so [maistóusou] *a., ad.* 《It.》 〖樂〗 장엄한(majestic) ; 장엄하게, 마에스토소.

mae·stro [máistrou] (*pl.* **~s**) *n.* [C] 《It.》 ① 대음악가, 대작곡가, 명지휘자. ② (예술의) 대가, 거장(巨匠).

Mae·ter·linck [méitərliŋk] *n.* **Comte Maurice** ~ 마테를링크《벨기에의 문호 ; 1862-1949》.

Máe Wést [méi-] 《俗》 해상 구명조끼《★ 유방이 컸던 미국 여배우 이름에서》.

Ma(f)·fia [mɑ́ːfiːə, mǽfiːə] *n.* 《It.》 [C] ① (the ~) 〔集合的〕 마피아단(團)《19세기에 이탈리아의 시칠리아 섬에 생긴 비밀 범죄집단 ; 또 이에 유래한 이탈리아·미국 등지의 범죄 조직》 : *The* ~ is by no means ignored by Italian television. 마피아는 이탈리아 텔레비전에서도 무시하지 못한다. ② (흔히 m-) 비밀 조직 ; (표면에 나타나지 않는) 유력자 집단.

ma·fi·o·so [mɑ̀ːfiːóusou] (*pl.* ***-o·si*** [-óusiː]) *n.* [C] 《It.》 마피아의 일원.

mag¹ [mæg] *n.* [C] 《口》 =MAGAZINE.

mag² *a.* 〖컴〗 자기(磁氣)의, 자성(磁性)을 띤 : ~ tape 자기 테이프.

mag. magazine ; magnesium ; magnitude.

†**mag·a·zine** [mæ̀gəzíːn, ´-`] *n.* [C] ① 잡지 : a woman's ~ 여성 잡지. ② 창고(안의 저장물), 《특히》 탄약〔화약〕고(안의 탄약 〔화약〕) ; 무기〔군수물자〕 저장고. ③ (연발총의) 탄창 ④〖映·寫〗 필름 감는 틀.

Mag·da·lene [mǽgdəlin] *n.* ① (the ~) [mǽgdəlìːn, mæ̀gdəlíːni] 〖聖〗 막달라 마리아(Mary ~)《누가복음 Ⅶ-Ⅷ》. ② (m-) Ⓒ 갱생한 창녀.

Ma·gel·lan [mədʒélən] *n.* **Ferdinando** ~ 마젤란《포르투갈의 항해가; 1480?-1521》. ***the Strait of*** ~ 마젤란 해협.

ma·gen·ta [mədʒéntə] *n.* Ⓤ ① 마젠타《붉은 자색의 아닐린 물감》. ② 적자색. ── *a.* 적자색의.

Mag·gie [mǽgi] *n.* 매기《여자 이름; Margaret의 애칭》.

mag·got [mǽgət] *n.* Ⓒ ① 구더기. ② 변덕; 공상.

Ma·ghreb [mʌ́grəb] *n.* (the ~) 머그레브《북아프리카 북서부 곧, 모로코·알제리·튀니지, 때론 리비아를 포함하는 지역》.

Ma·gi [méidʒai] (*sing.* ***-gus*** [-gəs]) *n. pl.* ① (the three ~) 〖聖〗 동방의 세 박사들《마태복음 Ⅱ: 1》. ② (m-) 마술사들.

‡**mag·ic** [mǽdʒik] *a.* ① 마법의, 마법에 쓰는; 기술(奇術)의: ~ arts 마술 / do ~ tricks 요술을 부리다. ② 마법과 같은, 이상한 매력적인: ~ beauty 기막힌 아름다움 / under the ~ influence of the night 밤의 신비스러운 영향으로. ③ 〔敍述的〕《英口》 굉장한, 근사한, 멋있는: She's ~. 그녀는 아주 멋지다.
── (*-ick-*) *vt.* …에 마법을 걸다; …을 마법으로 바꾸다〔만들다, 지우다, 없애다〕. ── *n.* Ⓤ ① 마법, 마술, 주술(呪術). ② 기술(奇術), 요술: I can do some ~. 나는 요술을 좀 부릴 줄 안다. ③ 매력, 불가사의한 힘《*of*》: her natural ~ 그녀의 타고난 매력 / the ~ *of* music 음악의 매력. ***as*** (***if***) ***by*** ~ =***like*** ~ 즉석에서, 신기하게《듣다 등》: The headache went away *like* ~. 두통이 거짓말같이 나았다. ***play*** ~ 요술을 부리다.

***mag·i·cal** [mǽdʒikəl] *a.* ① 마법과 같은, 신기한: The effect was ~. 효과는 즉각적이었다. ② 매력적인, 신비스러운: a ~ smile 매력적인 미소 / The whole experience was ~. 모든 경험이 신비스러웠다. ㊞ **~·ly** [-əli] *ad.*

Mágic Éye ① 매직아이《라디오·TV 등의 동조(同調) 지시관; 商標名》. ② (m- e-) 광전지(photoelectric cell).

‡**ma·gi·cian** [mədʒíʃən] *n.* Ⓒ ① 마법사, 마술사. ② 기술사, 요술쟁이.

mágic lántern (구식의) 환등(幻燈)기《지금의 projector》.

Mágic Márker 매직 마커, 매직펜《商標名》.

mágic númber 〖野〗 매직 넘버《프로야구에서 우승하려면 앞으로 몇 번을 이겨야 되는 가를 나타내는 숫자》.

mágic squáre 마방진(魔方陣)《수의 합이 가로·세로·대각선이 같은 숫자 배열표》.

Má·gi·not lìne [mǽdʒənòu-] (the ~) ① 마지노선《프랑스 동쪽 국경에 있던 요새》. ②《比》 절대적이라 맹신되고 있는 방어선.

mag·is·te·ri·al [mæ̀dʒəstíəriəl] *a.* ① magistrate의. ② 권위자의, 권위자다운, (의견·문장 따위가) 권위 있는; 엄연한: a ~ pronouncement 권위 있는 견해. ③ 거만한, 고압적인《의견 등》: command in a ~ tone 고압적인 말투로 명령하다. ㊞ **~·ly** *ad.*

mag·is·tra·cy [mǽdʒəstrəsi] (*pl.* ***-cie***) *n.* ① Ⓤ magistrate의 직〔임기, 관구〕. ② (the ~) 〔集合的〕 행정 장관, 치안 판사.

‡**mag·is·trate** [mǽdʒəstrèit, -trit] *n.* Ⓒ ① (사법권을 가진) 행정 장관, 지사, 시장. ② 치안 판사《justice of the peace 나 police court 의 판사 등》: In this century, many more women were appointed to the ~*s'* bench. 금세기에 들어 더욱 많은 여성들이 치안 판사에 임명되었다. ***a civil*** ~ 문관. ***the chief*** 〔***first***〕 ~ 최고 행정관《대통령, 지사, 시장 등》

mágistrates' cóurt 《英》 치안판사 재판소《최하급의 재판소》.

mag·lev [mǽglev] *n.* Ⓤ (종종 M-) 매글레브《자기 부상식(磁氣浮上式) 고속철도》. [◂ *magnetic levitation*]

mag·ma [mǽgmə] (*pl.* ***~s, ~·ta*** [-tə]) *n.* Ⓤ 〖地質〗 암장(岩漿), 마그마.

Mag·na C(h)ar·ta [mǽgnə-káːrtə] 《L.》 ① Ⓤ 〖英史〗 마그나카르타, 대헌장(1215년 John 왕이 국민의 권리와 자유를 인정한 것). ② Ⓒ 권리·특권·자유를 보장하는 헌장(憲章).

mag·na cum lau·de [mǽgnə-kʌm-lɔ́ːdi] 《L.》 (대학졸업 성적이) 우등으로〔인〕, 제 2 위로〔인〕. Ⓒⓕ cum laude.

mag·na·nim·i·ty [mæ̀gnənímәti] *n.* ① Ⓤ 도량이 넓음, 너그러움; 배짱이 큼. ② Ⓒ 아량이 있는 언행.

mag·nan·i·mous [mægnǽnəməs] *a.* 도량이 넓은, 관대한, 아량 있는: It is ~ of you to make such an offer. 그러한 제안을 하는 당신은 관대한 사람이다. ㊞ **~·ly** *ad.* **~·ness** *n.*

mag·nate [mǽgneit, -nit] *n.* Ⓒ (업계 등의) 실력자; 거물, …왕: an oil ~ 석유왕.

mag·ne·sia [mægníːʃə, -ʒə] *n.* Ⓤ 〖化〗 마그네시아, 고토(苦土); 산화 마그네슘. ***carbonate of*** ~ 탄산 마그네시아.

mag·ne·si·um [mægníːziəm, -ʒəm] *n.* Ⓤ 〖化〗 마그네슘《금속원소; 기호 Mg; 번호 12》.

magnésium lìght 〔**flàre**〕 마그네슘광(光)《야간촬영·불꽃·신호용 따위에 쓰임》.

‡**mag·net** [mǽgnit] *n.* Ⓒ ① 자석, 자철, 마그넷: a bar ~ 막대 자석 / a horseshoe 〔U〕 ~ 말굽〔U형〕 자석 / a natural 〔permanent〕 ~ 천연〔영구〕 자석. ② 사람 마음을 끄는 사람〔물건〕《*for*》: a ~ *for* journalists 저널리스트를 끌어당기는 곳 / The new theme park will be a great ~ *for* holidaymakers. 새로운 테마 공원은 주말의 행락객을 많이 끌어모으게 될 것이다.

mag·net·ic** [mægnétik] (more*** **~;** ***most*** **~**) *a.* ① 자석의, 자기의; 자기를〔자성(磁性)을〕 띤: a ~ body 자성체. ② 마음을 끄는, 매력 있는: She is the most ~ female dancer in the National Ballet. 그녀는 국립 발레단의 가장 매력있는 무용수다. ㊞ **-i·cal·ly** [-kəli] *ad.* 자기에 의해, 자기에 끌리듯이.

magnétic cómpass 〖海〗 자기(磁氣) 컴퍼스〔나침의〕.

magnétic córe ① 〖컴〗 자기(磁氣) 알맹이, 자심(磁心)《기억 소자의 일종》. ② 〖電〗 자심(磁心); 자극철심(磁極鐵心).

magnétic dísk 〖컴〗 자기(저장)판.

magnétic drúm 〖컴〗 자기 드럼.

magnétic fíeld 〖物〗 자기장(磁氣場), 자계(磁界).

magnétic fórce 〖物〗 자기력.

magnétic héad (테이프 리코더 따위의) 자기 헤드.

magnétic levitátion ① (물체의) 자기에 의한 부상(浮上). ② 자기 부상(식 고속 철도). Ⓒⓕ maglev.

magnétic míne 〖海軍〗 자기기뢰《해저에 부설함》.

magnétic néedle 자침(磁針).

magnétic nórth 자북(磁北).

magnétic póle 〖物〗 자극(磁極); 자기극(磁氣極).

magnétic stórm 자기(磁氣) 폭풍.

magnétic tápe 〖電子〗 자기 테이프.

magnétic tápe ùnit 〔**drìve**〕 〖컴〗 자기 테이프 장치.

***mag·net·ism** [mǽgnətìzəm] *n.* Ⓤ ① **a)** 자기(磁氣); 자기성(磁氣性); 자력. **b)** 자기학(磁氣學). ② 사람의 마음을 끄는 힘, (지적·도덕적) 매력: He has great personal ~. 그에게는 (사람을 끄는) 강한 인간적 매력이 있다.

mag·net·ite [mǽgnətàit] *n.* Ⓤ 〖鑛〗 자철광, 마그네타이트.

mag·ne·ti·za·tion [mæ̀gnətizéiʃən] *n.* Ⓤ 자화(磁化), 자성을 띰.

mag·net·ize [mǽgnətàiz] *vt.* ① …이 자력을 띠게 하다, 자기화(磁氣化)하다: become ~*d* 자기를 띠다. ② (마음)을 끌다; 매혹하다.

mag·ne·to [mægníːtou] (*pl.* **~*s***) *n.* Ⓒ 〖電〗 (내연 기관의) 고압 자석발전기, 마그네토.

mag·ne·to·e·lec·tric [mægnìːtouiléktrik] *a.* 자기전기(磁氣電氣)의.

mag·ne·tom·e·ter [mæ̀gniːtámitər / -tɔ́-] *n.* Ⓒ 자기력계(磁氣力計), 자기계(磁氣計).

mag·ne·to·mó·tive fórce [mægnèːtəmóutiv-] 〖物〗 기자력(起磁力), 동(動)자력.

mag·ne·to·sphere [mægníːtəsfìər] *n.* (the ~) (지구 따위의) 자기권《지구의 자기력이 미치는 범위》.

mag·ne·tron [mǽgnətrɑ̀n / -trɔ̀n] *n.* Ⓒ 마그네트론, 자전관(磁電管)《단파용 진공관》.

mágnet schóol 《美》 마그넷 스쿨《특정 학과목에 중점을 두는 전문학교》.

Mag·nif·i·cat [mægnífikæ̀t, mɑːgnífikɑ̀ːt] *n.* ① (the ~) 〖聖〗 마니피캇, 성모 마리아의 찬가《누가복음 I : 46-55; 만과(晩課) 때에 부름》. ② Ⓒ (m-) 찬가(讚歌).

mag·ni·fi·ca·tion [mæ̀gnəfikéiʃən] *n.* ① **a)** Ⓤ 확대, 확장. **b)** Ⓒ 확대도〔사진〕. ② Ⓤ,Ⓒ 〖光〗 배율(倍率): high ~ 높은 배율 / step up the ~ of a microscope 현미경의 배율을 서서히 높이다.

***mag·nif·i·cence** [mægnífəsns] *n.* Ⓤ ① 장대, 장엄(한 아름다움), 장려; 호화: live in ~ 호화롭게 살다. ② 《口》 훌륭함, 굉장함: the ~ of the performance 성과의 훌륭함.

‡mag·nif·i·cent [mægnífəsənt] (***more*** **~**; ***most*** **~**) *a.* ① 장대한(grand), 장엄한, 장려한, 웅대한: a ~ spectacle 장관(壯觀) / The Alps looked ~ from the airplane. 비행기에서 본 알프스의 산은 장대했다. ② 당당한, 훌륭한, (생각 따위가) 고상한, 격조 높은: a ~ manner 의젓한 태도 / a ~ character 훌륭한 인격. ③ 엄청난, 막대한: a ~ inheritance 막대한 유산. ④ 《口》 굉장한, 멋진, 근사한: a ~ opportunity 굉장히 좋은 기회 / have a ~ time at a party 파티에서 아주 즐거운 시간을 보내다. ㊞ **~·ly** *ad.*

mag·ni·fi·er [mǽgnəfàiər] *n.* Ⓒ 확대하는 물건〔사람〕; (특히) 확대경〔렌즈〕, 돋보기.

‡mag·ni·fy [mǽgnəfài] *vt.* ① (렌즈 따위로) …을 확대하다; 크게 보이게 하다: ~ the map by ten times 지도를 10배로 확대하다 / A loudspeaker *magnifies* the human voice. 확성기는 사람의 목소리를 확대한다. ② 과장하다: Don't ~ the danger. 그 위험성을 과장하지 마라 / She *magnified* her sufferings. 그녀는 자기의 고통을 과장해서 말했다. ~ one***self against*** …에 대하여 거드름부리다〔뽐내다〕.

mágnifying glàss 확대경, 돋보기.

mágnifying pòwer 〖光〗 배율(倍率).

mag·nil·o·quence [mægníləkwəns] *n.* Ⓤ 과장된 말투〔문체〕; 호언장담, 흰소리.

mag·nil·o·quent [mægníləkwənt] *a.* 호언장담하는, 흰소리치는, 허풍떠는; 과장한. ㊞ **~·ly** *ad.*

mag·ni·tude** [mǽgnətjùːd] *n.* Ⓤ ① (길이·규모·수량의) 거대함, 큼, 크기, 양: the ~ of the universe 우주의 거대함 / We were amazed at the ~ of his fortune. 그의 막대한 재산의 많음에 우리는 깜짝 놀랐다. ② 중대(성), 중요함; 위대함, 고결: the ~ of a problem 문제의 중대함. ③ 〖天〗 등급, 광도(光度). ④ (지진의) 마그니튜드, 진도(震度): an earthquake of ~ 3.5, 진도 3.5의 지진. ***of the first **~** (1) 가장 중요한; 일류의. (2) 〖天〗 일등성의.

mag·no·lia [mægnóuliə, -ljə] *n.* Ⓒ 〖植〗 (목련·자목련·백목련 등) 목련속(屬)의 꽃나무; 그 꽃.

Magnólia Stàte (the ~) Mississippi 주의 속칭.

mag·num [mǽgnəm] *n.* Ⓒ 《L.》 ① 매그넘 병《약 1.5 리터들이》; 그 양. ② 매그넘 탄(彈)〔권총〕《보통 권총보다 크고 강력함》.

mágnum ópus [-óupəs] 《L.》 ① (문학·예술 따위의) 대작, 걸작; (개인의) 대표작: Now she has completed what looks to me like her ~. 나에게 그녀의 대표작으로 여겨지는 작품이 이제 완성됐다. ② 큰 사업.

mag·pie [mǽgpài] *n.* Ⓒ ① 까치《총칭》; 까치를 닮은 새. ② 수다쟁이(idle chatterer). ③ (허드레 물건이라도) 아무 것이나 모으고 싶어하는 사람, 잡동사니 수집가.

Mag·say·say [mɑːgsáisai] *n.* **Ramon** ~ 막사이사이《필리핀의 정치가; 1907-57》.

mag-stripe [mǽgstràip] *a.* 자기 판독식의《현금카드나 신용카드에 붙은 갈색의 자기대(磁氣帶)》: a ~ ID card 자기 판독식 신분증. [◂ *magnetic stripe*]

mág tápe 《口》 =MAGNETIC TAPE.

mag·uey [mǽgwei] *n.* Ⓒ 〖植〗 용설란.

Ma·gus [méigəs] (*pl.* ***-gi*** [-dʒai]) *n.* Ⓒ ① Magi 의 한 사람. ② (m-) 조로아스터교(敎)의 사제. ③ (m-) (고대의) 점성술사, 마술사.

Mag·yar [mǽgjɑːr, mɑ́ːg-] (*pl.* **~*s***) *n.* ① Ⓒ 마자르인《헝가리의 주요 민족》. ② Ⓤ 마자르어(語), 헝가리어. ── *a.* 마자르 사람〔어〕의.

ma·ha·ra·ja(h) [mɑ̀ːhərɑ́ːdʒə] *n.* Ⓒ (옛날 인도의) 대왕, 《특히》 인도 토후국의 왕.

ma·ha·ra·nee, -ni [mɑ̀ːhərɑ́ːniː] *n.* Ⓒ maharaja(h)의 부인; ranee보다 고위의 왕녀, 《특히》 인도 토후국의 여왕.

ma·hat·ma [məhǽtmə, -hɑ́ːt-] *n.* 《Sans.》 ① Ⓒ (불교의) 성자(聖者), 현자(賢者). ② (M-) 인도에서 고귀한 사람의 이름에 붙여 쓰는 경칭; 마하트마, 성(聖): *Mahatma* Gandhi 마하트마 간디.

Ma·ha·ya·na [mɑ̀ːhəjɑ́ːnə] *n.* Ⓤ 《Sans.》 〖佛敎〗 대승(大乘): ~ Budhism 대승불교. ⓒⓕ Hinayana.

Mah·di [mɑ́ːdi] *n.* 〖回敎〗 구세주. ㊞ **Máh·dism** *n.* Ⓤ Mahdi 강림의 신앙.

Ma·hi·can [məhíːkən] *n.* =MOHICAN.

mah-jong(g) [mɑ́ːdʒɔ́ːŋ, -dʒɑ́ŋ / -dʒɔ́ŋ] *n.* Ⓤ 《Chin.》 마작(麻雀).

mahl·stick [mɔ́ːlstìk, mɑ́ːl-] *n.* Ⓒ 팔받침(maulstick)《화가가 화필 쥘 때 괴는》.

ma·hog·a·ny** [məhɑ́gəni / -hɔ́g-] *n.* ① Ⓒ 〖植〗 마호가니. ② Ⓤ 마호가니재(材)《고급 가구재》. ③ Ⓤ 마호가니색(色), 적갈색. ***with one's knees under the **~** 식탁에 앉아서.

Ma·hom·et [məhɑ́mət / -hɔ́m-] *n.* =MUHAMMAD.

Ma·hom·e·tan [məhámətən / -hɔ́m-] *a., n.* = MUHAMMADAN.

ma·hout [məháut] *n.* Ⓒ (인도의) 코끼리 부리는 사람.

ˣmaid [meid] *n.* Ⓒ ① 하녀, 가정부; 시녀(lady's ~); 여급(★ 종종 複合語에 쓰임): bar ~ 술집 여자[여급] / nurse ~ 아이 보는 여자 / An English-speaking ~ is wanted by an American family. 미국인 가정에서 영어를 아는 가정부를 구하고 있다. ② (古·文語) 소녀, 아가씨, 처녀, 미혼 여성. ***a ~ of all work*** 잡역부(婦); (比) 여러 가지 일을 하는 사람. ***a ~ of honor*** (1) 공주[여왕]의 시녀. (2) (美) 신부의 들러리(미혼의 여성). cf. best man. ***the Maid of Orléans*** 오를레앙의 소녀 (Joan of Arc).

ˣmaid·en [méidn] *n.* Ⓒ ① (古·詩) 소녀; 처녀; 미혼 여자. ② 〖競馬〗 이겨본 적이 없는 경주마(끼리의 경마). — *a.* 〔限定的〕 ① 소녀의; 미혼 여성용의; 처녀의, 처녀다운: his ~ aunt 그의 미혼인 아주머니 / a ~ lady (중년의) 미혼 여성/ ~ innocence 처녀다운 순진함. ② 처음의, 처녀…: a ~ flight 처녀 비행 / a ~ work 처녀작 / a ~ speech (초선 국회의원 등의) 처녀 연설 / a ~ battle 첫출진(出陣). ③ 아직 시험해 보지 않은, 신참의: a ~ soldier 전투경험이 없는 병사 / a ~ sword 새 칼. ④ 이겨본 적이 없는 (경주마의): ~ stakes 첫출전의 말에 거는 돈 / a ~ horse 이겨본 적이 없는 경주마.

maid·en·hair [méidnhɛ̀ər] *n.* Ⓤ 〖植〗 애디앤텀 (adiantum) (섬공작고사리·공작고사리 따위의 고사리류).

máidenhair trèe 〖植〗 은행나무(gingko).

maid·en·head [méidnhèd] *n.* ① Ⓒ 처녀막 (hymen). ② Ⓤ 처녀성(virginity).

maid·en·hood [méidnhùd] *n.* Ⓤ 처녀성(virginity); 처녀 시절; 청신(freshness), 순결.

maid·en·ly [méidnli] *a.* ① 처녀(시절)의: ~ years. ② 처녀다운; 조심스러운: ~ grace 처녀다운 얌전함.

máiden náme 여성의 결혼 전의 성(姓).

maid-in-wait·ing[méidinwéitiŋ] (*pl.* ***maids-***) *n.* Ⓒ (여왕·왕녀의 미혼) 궁녀, 시녀.

maid·serv·ant [méidsə̀ːrvənt] *n.* Ⓒ 하녀. cf. manservant.

†mail¹ [meil] *n.* ① Ⓤ **a)** 〔集合的〕 우편물, 우편: domestic 〔foreign〕 ~ 국내[국제]우편 / send by ~ 우편으로 보내다 / deliver the ~ 우편물을 배달하다 / I had a lot of ~ this morning. 오늘 아침에는 우편물이 많다 / Is there any ~ for me this morning? 오늘 아침 내게 온 우편(물)이 있나. **b)** (1회의) 우편물 집배: When does the next ~ leave〔come〕? 다음 우편물 집배는 언제 떠납니까〔옵니까〕. ★ 영국에서는 외국으로 가는 우편에만 쓰며, 국내우편은 post. ② Ⓒ 우편물 수송 열차〔선, 비행기〕, 우편 배달인. ③ (M-) 〔신문의 이름에 사용하여〕 …신문: The Daily *Mail.* ***by return of ~*** ⇨RETURN. ***first*〔*second*〕*-class*** ~ 제 1〔제 2〕종 우편. — *vt.* (美) …을 우송하다 ((英) post): ~ a person a parcel 아무에게 소포를 우송하다.

mail² *n.* Ⓤ 쇠미늘갑옷(coat of ~). — *vt.* …에게 쇠미늘갑옷을 입히다, 무장시키다.

mail·a·ble [méiləbəl] *a.* (美) 우송할 수 있는.

mail·bag [-bæ̀g] *n.* Ⓒ ① (수송용의) 우편 행낭. ② (美) 우편 집배용 가방((英) postman's bag).

***mail·box** [-bɑ̀ks / -bɔ̀ks] *n.* Ⓒ (美) ① 우체통 ((英) postbox): put a letter in a ~ 편지를 우체통에 넣다. ② (개인집의) 우편함((英) letter box). ③ 〖컴〗 편지 상자(전자 우편을 일시 기억해 두는 컴퓨터 내의 기억 영역).

máil càr (美) (철도의) 우편차.

máil càrrier (美) 우편물 집배원((英) postman). ★ 성차별이라고 해서, mailman 대신 쓰이게 되었으나, 현실적으로는 mailman이 보통.

máil chùte 메일 슈트(빌딩 위층에서 우편물을 아래층의 우체통으로 떨어뜨리는 장치).

máil còach (英) ① (옛날의) 우편 마차. ② (철도의) 우편차.

máil dròp (美) 우편함.

máiled físt (the ~) 완력, 무력 (행사).

mail·er [méilər] *n.* Ⓒ ① 우편물 발송계. ② = MAILING MACHINE. ③ (손상되기 쉬운 것을 운송할 때 사용하는) 봉투〔용기〕.

mail·ing [méiliŋ] *n.* Ⓤ 우송; 투함(投函).

máiling lìst 우편물 수취인 명부.

máiling machìne 우편물 처리기(무게달기, 소인찍기, 수취인 주소·성명 인쇄 등).

mail·lot [maijóu, mæ-] *n.* Ⓒ (F.) ① (무용·체조용의) 타이츠. ② (원피스로 어깨끈 없는) 여자 수영복.

ˣmail·man [méilmæ̀n] (*pl.* ***-men*** [-mèn]) *n.* Ⓒ =MAIL CARRIER.

máil òrder 통신 판매(의 주문).

mail-or·der [méilɔ̀ːrdər] *a.* 〔限定的〕 통신 판매의.

máil-order hòuse 〔firm〕 통신 판매점〔회사〕.

***maim** [meim] *vt.* ① (평생 불구자가 되리만큼) …에게 상해를 입히다, …을 병신을 만들다: He was badly *~ed* in the accident. 그는 그 사고로 심한 불구가 되었다 / Many children have been *~ed* for life by these bombs. 이 폭탄으로 많은 아이들이 평생의 불구자가 됐다. ② **a)** …을 망쳐놓다; 쓸모없게 만들다. **b)** (남의 감정)을 해치다.

ˣmain [mein] *a.* 〔限定的〕 주요한, 주된(principal); (제일) 중요한; 주요 부분을 이루는: the ~ part 주요 부분 / the ~ body (서류·연설 등의) 본문; 선체(船體) /the ~ force 〖軍〗 주력 / the ~ building 본관 / the ~ office 본사, 본점 / the ~ plot (연극 따위의) 본 줄거리 / the ~ point (토론 따위의) 요점 / the ~ road 주요〔간선〕 도로; 본선(本線) / This was the ~ point of his argument. 이것이 그의 논의의 요지였다 / He was my ~ reason for leaving. 그가 있었던 것이 내가 돌아간 주요 이유였다.

— *n.* ① **a)** Ⓒ (수도·가스 등의) 본관(本管), 간선: a gas 〔water〕 ~ 가스〔수도〕 본관 / The water *~s* burst due to the earthquake. 지진으로 수도 본관이 터졌다. **b)** (the ~) (건물 안으로 끌어들이는 수도·가스·전기 등의) 본선, 본관: *~s* voltage 본선의 전압 / turn the gas〔water〕 off at *the ~s* 가스〔수도〕를 본선에서 막다. ② (the ~) (詩) 대양(大洋). ***in* 〔*for*〕 *the*** ~ 주로, 대체로: *In the ~*, you're right. 대체로 네 말이 맞다. ***turn on the*** ~ (戱) 울음을 터뜨리다. ***with* 〔*by*〕 *might and*** ~ 전력을 다하여.

máin chánce (the ~) (돈 벌이의) 절호의 기회; 사리(私利), 이익. ***have* 〔*keep*〕 *an eye to the*** ~ 자기 이익에 빈틈없다, 사리를 도모하다.

máin cláuse 〖文法〗 주절(主節). opp. *subordinate clause.*

máin cóurse ① 주요 요리, 메인코스. ② 〖海〗 주범(主帆).

máin déck 〖海〗 주(主)갑판.

máin drág (口) 중심가, 번화가.

Maine** [mein] *n.* 메인(미국 북동부의 주; 略: Me., 〖美郵〗 ME; 주도는 Augusta; 속칭 the Pine Tree State). ***from ~ to California 미국 전토(全土)에 걸쳐서.

main·frame [méinfrèim] *n.* Ⓒ 〖컴〗 메인프레

M

임《대형 고속 전산기 ; 중앙 처리장치》.

*__main·land__ [ˊlæ̀nd, ˊlənd] *n.* (the ~) 대륙, 본토《부근의 섬·반도와 구별하여》: *the* Chinese ~ 중국 본토. [파] ~·**er** *n.* [C] 본토 주민.

máin líne ① (철도의) 간선, 본선. [opp] *branch line.* ②《美》간선 도로, 주요 버스 노선〔정기 항공로〕. ③《俗》**a)** (마약을 놓는) 굵은 정맥. **b)** 마약의 정맥 주사.

main·line [ˊlàin] *vi.*《俗》정맥에 마약을 주사하다. ── *vt.* (마약)을 정맥에 놓다. ── *a.* ① 본선의, 간선(연도)의: a ~ station 본선의 역. ② 주류파의, 체제(體制)측의.

‡__main·ly__ [méinli] *ad.* ① 주로(chiefly): The audience consisted ~ of students. 청중은 주로 학생들이었다. ② 대개, 대체로(mostly), 대부분.

main·mast [ˊmæ̀st,《海》ˊməst] *n.* [C]〖海〗큰 돛대.

máin mémory〖컴〗주기억 장치(main storage).

main·sail [ˊsèil,《海》ˊsəl] *n.* [C] 큰돛대의 돛, 주범(主帆).

main·spring [ˊspriŋ] *n.* [C] ① (시계 따위의) 큰 태엽. ② (흔히 *sing.*) 주요 동기, 주인(主因); 원동력《*of*》.

main·stay [ˊstèi] *n.* [C] (흔히 *sing.*) ①〖海〗큰 돛대의 버팀줄. ② 의지물(物), 대들보; (한 집안·조직의) 기둥《*of*》: the ~ *of* a family 일가의 대들보 / Joe was the ~ *of* the team. 조는 그 팀의 기둥이었다.

máin stém《美口》큰 거리, 중심가(main drag).

máin stóre〔**stórage**〕〖컴〗주기억 장치.

main·stream [ˊstrìːm] *n.* ① [C] (강의) 본류. ② (the ~) (활동·영향·사상 등의) 주류; (사회의) 대세《*of*》: join *the* ~ 주류를 타다, 대세에 따르다 / The new law should allow more disabled people to enter *the* ~ *of* American life. 새 법은 더욱 많은 장애인들로 하여금 미국 생활의 주류에 동참할 수 있도록 해야한다. ── *a.*〔限定的〕주류의: ~ American political thought during the Cold War era 냉전기 중의 주류였던 미국 정치 사상. ── *vt.*《美》(장애 아동)을 보통 학급에 넣다.

Máin Strèet《美》(지방 도시의) 중심가, 큰 거리.

‡__main·tain__ [meintéin, mən-] *vt.* ① …을 지속〔계속〕하다, 유지하다(keep up): I wanted to ~ my friendship with her. 그녀와의 우정을 계속 유지하고 싶었다 / The driver ~*ed* his a speed of 50 miles an hour. 운전자는 1 시간에 50 마일의 속도를 유지했다. ② (권리·주장 따위)를 옹호하다, 지키다: The troops ~*ed* their ground. 부대는 그들의 진지를 계속 지켰다 / ~ one's rights 자기의 권리를 지키다. ③ …을 간수하다, 건사하다, 보존하다: ~ the house〔roads〕집 간수〔도로 보수〕를 게을리하지 않다 / Elevators should be carefully ~*ed.* 엘리베이터는 잘 정비해 둬야 한다. ④ …을 부양하다, 보육하다: ~ one's family 가족을 부양하다 / ~ a son at the university 대학 다니는 아들의 바라지를 하다. ⑤ (~+[목] / +*that* [절]) …을 주장하다; 단언하다, 언명하다: ~ one's innocence = ~ *that* one is innocent 자기의 무죄를〔결백을〕주장하다 / He ~*ed* the theory to be wrong. 그는 그 이론이 틀린다고 주장했다 / I ~ *that* this is true. 나는 이것이 진실임을 단언한다. ~ one**self** 자활하다.

main·táined schóol [meintéind-]《英》공립학교《공적 기관의 원조를 받는 학교; State school 이라고도 함》. [cf] independent school.

*__main·te·nance__ [méintənəns] *n.* [U] ① 유지, 지속: the ~ of peace 평화의 유지 / The police are responsible for the ~ of law and order. 경찰은 법과 질서를 유지할 책임이 있다. ② 간수, 보수 관리, 보존, 정비: the ~ of a building 빌딩의 관리 / The window had been replaced last week during routine ~. 창문은 지난주 정기 정비기간에 교체되었다. ③ 부양(비); 생계, 생활비; 생활 필수품: His small income provides only a ~. 그의 적은 수입으로는 겨우 생계나 꾸려나갈 뿐이다. ④ 주장; 옹호. ~ ***of way***〖鐵〗보선(保線). ── *a.*〔限定的〕보수관리의.

máintenance màn (도로·공공건물 등의) 보수원.

máintenance òrder 부양 명령《법원이 내는 처자에 대한 생활비 지급 명령》.

máin vérb〖文法〗본동사, 주동사《보통의 동사를 조동사와 구별하는 명칭》.

máin yàrd 큰 돛대의 아래 활대.

mai·so(n)n·ette [mèizounét] *n.* [C]《F.》《英》메조네트《한 가구가 상하층을 쓰게 된 복식〔복층〕아파트;《美》duplex apartment》.

maî·tre d' [mèitrədíː] (*pl.* **~s**)《口》= MAÎTRE D'HÔTEL.

maî·tre d'hô·tel [mèitrədoutél, -tər-] (*pl.* ***maî·tres d'-*** [-trəz-])《F.》① 호텔 지배인. ② (레스토랑의) 급사장(headwaiter).

maize [meiz] *n.* [U] ①《英》옥수수; 그 열매(《美》Indian corn)《★ 미국·캐나다 등지에서는 흔히 corn 이라고 함》. ② 옥수숫빛《황색》.

Maj. Major. **maj.** major; majority.

‡__ma·jes·tic__ [mədʒéstik] (***more*** ~; ***most*** ~) *a.* 장엄한, 위엄 있는(dignified), 웅대한, 당당한: a ~ monument 장엄한 기념비. [파] **-ti·cal·ly** [-kəli] *ad.*

‡__maj·es·ty__ [mǽdʒəsti] *n.* ① [U] 위엄(dignity); 장엄: the ~ of the Alps 알프스 산맥의 장관 / ~ of bearing 당당한 태도. ② [U] 권위: the ~ of the law 법의 권위. ③ [U] 주권(sovereignty). ④ [C] (M-) 폐하. ***His*** 〔***Her***〕(***Imperial***) ***Majesty*** 황제〔황후〕폐하《略: H.I.M., H.M.》. ***His Majesty's Ship*** 영국 군함《略: H.M.S.》. ***Their*** (***Imperial***) ***Majesties*** 양(兩) 폐하《略: T.I.M., T.M.》. ***Your Majesty*** 폐하《호칭》.

Maj. Gen. Major General.

ma·jol·i·ca [mədʒɑ́likə, -jɑ́l- / -jɔ́l-, -dʒɔ́l-] *n.* [U,C] 마욜리카 도자기《이탈리아산 장식적 칠보 도자기》.

‡__ma·jor__ [méidʒər] *a.* ① (둘 중에서) 큰 쪽의, 보다 많은, 과반의, 대부분의; 보다 중요한. [opp] *minor.* ¶ the ~ part of one's vacation〔one's income〕휴가〔수입〕의 대부분 / the ~ opinion 다수 의견 / a ~ improvement 전면적인 개량. ② 주요한, 중요한, 일류의: a ~ poet〔artist〕일류 시인〔예술가〕/ the ~ industry 주요 산업 / a ~ company 대(大)회사. ③ 성년의, 성년이 된. ④《英》(학교 같은 데서 성이 같은 사람 중) 연장(年長)의: Smith ~ 형〔나이 많은〕쪽의 스미스. ⑤〖樂〗장조의: the ~ scale 장음계 / ~ third 장(長) 3 도. ⑥〖美大學〗전공의《과목 따위》: a ~ subject 전공 과목. ⑦ 중한《병》, 생명의 위험을 수반하는《수술》: a ~ operation 대수술.

── *n.* ① [C] 소령《해군 제외; 略: Maj.》. ② [C] 성년자, 성인《미국 21 세 이상, 영국 18 세 이상》. ③ [C]〖美大學〗전공 과목〔학생〕: She was a public administration ~ at an Ivy League college. 그녀는 아이비리그 대학에서 행정학 전공 학생이었다 / take history as one's ~ 역사학을 전공하다 / a politics ~ 정치학 전공학생. ④ [C]〖樂〗장조: in A ~ 가 장조로〔의〕. ⑤ (the ~s)《美》= MAJOR

LEAGUES. ── *vi.* 《＋전＋명》《美》 (대학에서 …을) 전공하다《*in*》(《英》 read) : Frank ~*ed in* sociology at the university. 프랭크는 대학에서 사회학을 전공했다.

ma·jor·ette [mèidʒərét] *n.* Ⓒ 《美》 밴드걸 (drum ~)《행진이나 응원단 따위의》.

májor géneral 소장(少將).

‡**ma·jor·i·ty** [mədʒɔ́(:)rəti, -dʒár-] *n.* ① Ⓤ 〔集合的; 單·複數취급〕 (흔히 the ~, 때로 a ~) 대부분, 대다수 : *the* great ~ 대다수 / *a* ~ decision 다수결 / *The* ~ in council are against it. 회의에서 대다수가 반대다 / *The* ~ of people marry sooner or later. 대부분의 사람들은 이르건 늦건 간에 결혼한다 / Joe spends *the* ~ of his time in sports. 조는 대부분의 시간을 스포츠로 보내고 있다. ② Ⓒ 〔集合的〕 다수당, 다수파. opp. *minority.* ¶ The ~ was〔were〕 determined to press its〔their〕 proposal. 다수파는 그 제안을 강요하려고 결심했었다. ③ Ⓒ (흔히 *sing.*) **a)** (전투표수의) 과반수, 절대 다수(absolute ~). cf. plurarity. ¶ gain〔win〕 a ~ 과반수를 획득하다 / an overall ~ 절대 다수. **b)** (이긴) 득표의 차, 득표차 : by a large ~ 많은 차로 / He was elected by a ~ of 2,000. 2천표 차로 당선되었다. ④ Ⓤ (흔히 *sing.*) 성년《흔히 미국 21 세, 영국 18 세》: reach 〔attain〕 one's ~ 성년에 달하다. ⑤ Ⓒ (흔히 *sing.*) 육군〔《美》 해병대, 《美》 공군〕의 지위〔직〕. ◇ major *a.* ***be in the ~ (by . . .)*** (몇 사람〔표〕만큼) 다수다. ***in the ~ of case*** 대개의 경우에. ***join 〔go over to, pass over to〕 the (great 〔silent〕) ~*** ⑴《婉》 죽은이의 수에 들다 《죽다》. ⑵ 다수파에 속하다.

majórity lèader 《美》 (상·하원의) 다수당 원내 총무.

majórity rùle 다수결 원칙.

májor kéy 〔móde〕 〖樂〗 장조.

májor léague ①《美》 메이저리그《프로 야구의 National League 와 American League》. cf. minor league. ② (프로 스포츠의) 대(大)리그.

ma·jor-lea·guer [méidʒərlí:gər] *n.* Ⓒ 《美》 메이저리그의 선수.

májor prémise 〖論〗 (삼단논법의) 대전제.

Májor Próphets (the ~) 〖聖〗 ① 구약 중의 4 대 예언자《Isaiah, Jeremiah, Ezekiel, Daniel》. ② (때로 m- p-) 대예언서의 작자, 대예언자(者).

†**make** [meik] (*p., pp.* ***made*** [meid]) *vt.* ① 《~＋목 / ＋목＋목 / ＋목＋전＋명》 …을 만들다, 제작〔제조〕하다 ; 짓다 ; 건설〔건조, 조립〕하다 ; 창조하다 : ~ a film 영화를 만들다 / God *made* man. 하느님이 인류를 창조(創造)하셨다 / I am not *made* that way. 나는 그런 인간이 아니다 / I *made* him a new suit. ＝ I *made* a new suit *for* him. 그에게 양복을 새로 맞춰 주었다 / Wine is *made from* grapes. 포도주는 포도를 원료로 만든다 / Glass is *made into* bottles. 유리는 가공이 되어 병이 된다 / We're *making* our kitchen *into* a dining room. 우리는 부엌을 식당으로 개조하는 중이다.

② **a)** …을 만들어내다, 쌓아올리다, 발달시키다 ; 성공시키다, 더할 나위 없게 하다 ; 《美俗》 졸부가 되게 하다 : ~ one's own life 생활 방침〔일생의 운〕을 정하다 / Her presence *made* my day. 그녀가 있어서 즐거운 날이 되었다 / ~ hay 건초를 만들다. **b)** 마련〔준비〕하다 ; 정돈하다, 정비하다 ; (카드)를 치다(shuffle) : ~ a bed 침대를 정돈하다, 잠자리를 펴다 / ~ dinner 정찬의 준비를 하다 / ~ tea 차를 끓이다 / ~ the cards 카드를 치다.

③ …을 창작하다, 저술하다 ; (유언장)을 작성하다 ; (법률)을 제정하다, (가격 등)을 설정하다 ; (세)를 부과하다 : ~ one's will 유언장을 작성하다 / ~ a law 법률을 제정하다 / ~ verses 시작(詩作)하다.

④ **a)** 《발달하여》 (…에게 있어) …이 되다 ; 《美口》 (관위(官位) 등)에 이르다 : He will ~ an excellent scholar. 훌륭한 학자가 될 것이다 / Iced Coke ~*s* an excellent refresher in summer. 냉콜라는 여름철의 좋은 청량 음료다 / ~ lieutenant general 중장이 되다 / Good health and faith ~*s* a happy life. 건강과 신앙이 있으면 행복해진다 / She will ~ (him) a good wife. 그녀는 (그에게) 좋은 아내가 될 것이다. ★ She will *make* (herself) a good wife. 의 목적어 herself 가 표면에 나타나지 않고, make 가 자동사화하여 become 의 뜻에 가까워져, a good wife 는 보어가 되는 셈. **b)** (총계가) …이 되다 ; 구성하다 ; 모아서 …을 형성하다〔…이 되다〕: Ten members ~ a quorum. 10 인이 정족수(定足數)다 / Two and two ~(*s*) four. 2＋2＝4 / One hundred pence ~ a pound. 100펜스로 1파운드가 된다 / One more shot ~*s* a score. 한 방만 더 쏘아 맞히면 20(점)이 된다. **c)** 《순서에서》 (…번째)가 되다 ; (…의 일부〔요소〕) 이다 ; …에 충분하다, …에 소용되다 : That ~*s* the third time he has failed. 그의 실패는 이것으로 세번째다 / This length of cloth will ~ you a suit. 이 길이의 천이 있으면 너의 옷이 한 벌 될 거다. **d)** 《口》 (팀)의 일원이 되다, (리스트·신문 등)에 이름〔사진〕이 실리다 : ~ the headlines 표제에 (이름이) 나다 / ~ the baseball team 야구팀의 일원이 되다.

⑤ …을 일으키다, 생기게 하다, …의 원인이 되다 ; (손해)를 입다 ; (소리 따위)를 내다 : ~ a fire 불을 피우다 / ~ trouble 소동을〔문제를〕 일으키다 / ~ peace 화해하다 / It ~*s* no difference (which side may win). (어느 쪽이 이기든) 마찬가지야 / It doesn't ~ (good) sense. 그런 일은 해도 (별로) 의미가 없다 / The punner ~*s* a big noise. (땅 다지는) 달구가 큰 소리를 낸다.

⑥ …을 손에 넣다, 획득하다, 얻다 ; 〖競〗 (…점) 올리다 ; (친구·적 등)을 만들다 : He ~*s* $ 10,000 a year. 그의 연수입은 1만 달러다 / ~ much money on the deal 그 거래로 큰 돈을 벌다 / ~ a fortune 재산을 모으다 / ~ friends 〔enemies〕 친구를〔적을〕 만들다 / ~ good marks at school 학교에서 좋은 성적을 올리다 / ~ one's 〔a〕 living 생계를 세우다 / ~ a name for oneself ⇨NAME.

⑦ 《＋목＋보 / ＋목＋전＋명》 **a)** …을 ─로 산정〔측정〕하다, 어림하다 ; …을 ─라고 생각하다, 간주하다 : I ~ him an American. 그가 미국 사람이라 생각한다 / What time do you ~ it? 몇 시(時)입니까(What time is it?) / I *made* his profit one million dollars to say the least. 줄잡아도 그의 수익이 100만 달러는 되리라 추정하였다 / How far do you ~ it from here to the mountain? 여기서 산까지는 얼마나 되리라 생각하십니까. **b)** …을 ─로 보다〔추단하다〕, 판단하다《*of*》; (의문·주저함)을 느끼다《*of ; about*》: I could ~ nothing *of* his words. 그가 무슨 말을 하는지 알 수 없었다 / What do you ~ *of* this? 자네는 이것을 어떻게 생각하나 / I don't know what to ~ *of* it. 그것을 어떻게 생각해야 할지 모르겠다.

⑧ 《＋목＋보 / ＋목＋*done* / ＋목＋전＋명》 …을 ─으로 하다 ; …을 (─로) 보이게 하다 ; …을 (─하게) 하다, …을 (─) 시키다. **a)** 〔名詞(相當句)補語〕 He *made* her his wife. 그는 그녀를 아내로 삼았다 / He thinks to ~ one of his son a banker. 그는 아들 중 하나를 은행가로 만들려고 생

M

각하고 있다. **b**) 〔形容詞(相當句) 補語〕 Flowers ~ our rooms cheerful. 꽃을 두면 방이 밝아진다 / This portrait ~*s* him too old. 이 초상화속에서 그는 너무 늙어보인다 / I took pains to ~ myself understood. 내 말을 이해시키는데 애를 먹었다.
⑨《+目+*do*》…하게 하다 : I'll ~ him go there whether he wants to or not. 원하든 원치 않든 그를 거기에 보내겠다 / The spring shower ~*s* the grass grow. 봄비는 풀을 자라게 한다 / His jokes *made* us all laugh. 그의 농담은 우리를 모두 웃겼다. ★¹ 이 때의 make에는 강제의 뜻이 있을 때도 없을 때도 있음. ★² 수동형에는 to가 붙음 : I *was made to* do my duty. 의무를 강요 당했다.
⑩ **a**) (길·거리 등)을 가다, 나아가다, 답파(踏破)하다 : ~ the round of …을 순회하다 / Some airplanes can ~ 500 miles an hour. 어떤 비행기는 1시간에 500마일 난다 / He *made* his way home. 그는 귀가 길에 올랐다. **b**) …에 도착하다, 들르다 ; (열차 따위)의 시간에 대다, …에 따라붙다 : We'll ~ Boston on the way to New York. 뉴욕에 가는 도중 보스턴에 들를 것이다 / ~ port 입항하다 / ~ a train 기차(시간)에 대다.
⑪ **a**) (동작 등)을 하다, 행하다 ; (전쟁 따위)를 일으키다 ; 말하다 ; 체결하다 ; 먹다(eat) ; (몸의 각 부)를 움직이다 : ~ an effort 노력하다 / ~ a speech〔an address〕 연설하다 / ~ a person an offer 아무에게 제안하다 / ~ a good dinner 푸짐한 식사를 하다. **b**) 해내다, 수행하다 : Now, he challenges the bar for the third time. Oh, he *made* it! 자 그가 세 번째로 바에 도전합니다. 앗 뛰어 넘었습니다. **c**) 〔目的語로서 動詞에서 파생한 名詞 수반〕 행하다, 하다 : ~ an attempt 시도하다 (attempt) / ~ amends 보상하다 / ~ an appointment (시간·장소를 정해) 만날 약속을 하다 / ~ a contract 계약하다 / ~ a bow 머리를 숙이다, 절하다 / ~ a change 변경하다 / ~ a curtsy 인사〔절〕하다《한쪽 발을 뒤로 빼고 무릎을 약간 굽히는 여자의 인사》/ ~ a bad start 출발을 그르치다 (start badly) / ~ a choice 선택하다 / ~ a decision 결정하다 / ~ a demand 요구하다 / ~ a discovery 발견을 하다 / ~ an excuse 변명하다 / ~ a gesture 몸짓을 하다 / ~ a guess 추측하다 / ~ haste 급히 서둘다(hasten) / ~ a journey 여행하다 / ~ a living 생계를 이어가다 / ~ a mistake 잘못을 저지르다 / ~ a move 행동하다 ; 수단을 취하다 ; 나서다 / ~ a pause 멈추다 / ~ a present 선물하다 / ~ progress 진보〔전진〕하다 / ~ a request 요구〔부탁〕하다 / ~ a response 응답하다 / ~ a search 수색하다.
★¹ ⑪의 관용구는 한 동사로써 바꿔 말할 수 있음. ¶ to *make* an answer ≒to answer, to *make* efforts〔*make* an effort〕≒to endeavor, to *make* haste≒to hurry. 단, *make* a(n)…처럼 목적어의 명사가 가산(可算) 명사로 취급될 때에는, 구체성이 강해짐. 예컨대 to journey는 그저 일반적인 '여행하다'이지만, to *make* a journey〔two journeys〕는 '1회〔2회〕 여행하다'와 같이 구체적인 사례가 되며, 사례의 단복(單複)도 구분됨.
★² 위에 보인 '하다'에 해당하는 동사는 make가 가장 으뜸가며, 비슷한 기능을 가진 동사로 give, have가 있음. ¶ *give* an answer, *have* a talk. 물론 do도 있으나, 관용구 형성상 make만큼 광범위하게 쓰이지 않음 : *do* work, *do* one's duty.
⑫〖電〗(전류)를 통하다, (…의 회로)를 닫다.
⑬〖카드놀이〗(트릭)을 이기다 ; (패)를 내고 이기다 ; (으뜸패)의 이름을 대다, 결판내다 ;〖브리지〗필요한 트릭 수를 취하여 (콘트랙트)를 성립시키다 : ~ four hearts.
⑭〖海〗…을 발견하다, …이 보이는 곳에 오다 ; (사람)을 낌새채다, 보다 : ~ a ship coming on.
⑮《俗》…을 훔치다, 후무리다, 제것으로 하다 ; (여자)를 구슬리다, 유혹하다 ; 〔흔히 受動으로〕《美俗》…을 속이다, 이용하다.
⑯ (마약 등)을 사다 : I just *made* some downs. 방금 진정제를 좀 구했다.
— *vi.* ①《~ / +副》 만들다 ; 만들어지다, 제조되다 ; (건초가) 되다, 익다 : Nails are *making* in this factory. 이 공장에서 못이 제조된다 / Hay ~*s* better in small heaps. 건초는 너무 쌓아올리지 않는 편이 잘 된다. ② **a**) 《+전+명》 (어느 방향으로) 나아가다, 향해 가다, 뻗다, 향하다 《*toward*(*s*) ; *for,* etc.》 ; 가리키다 : He *made toward*(*s*) the door. 그는 문 쪽으로 나아갔다 / We *made for* the nearest port. 우리는 가장 가까운 항구를 향하여 나아갔다. **b**) 《+*to* do》 …하기 시작할 것같이 하다〔되다〕, …하려고 하다 : As I *made* to leave the tent, I heard a sound again. 천막(天幕)을 나오려는 순간 또 소리가 들렸다. ③ 행동하다 : He *made* as though to strike me. 마치 나를 때릴 듯이 굴었다. ④《+副》 (조수가) 밀려들기 시작하다 ; (썰물이) 빠지기 시작하다 ; 깊이를〔뿌리 등을〕 더하다 : The tide is *making* fast. 조수가 빠르게 밀려들고 있다. ⑤ 듣다, 효력이 있다《*for* ; *against* ; *with*》. ⑥ 계속하다, (…에) 달하다 : The forest ~*s* up to the snow line. 숲은 설선(雪線)까지 뻗어〔덮여〕 있다. ⑦《+보》 …로 보이게 하다, …하게 행동하다 ; 어떤 상태로 하다 : ~ free 스스럼〔무람〕없이 굴다 / ~ merry 명랑하게 행동하다 / ~ ready to depart 떠날 준비를 하다 / ~ sure of the fact 사실을 확인하다. ★¹ 이것들은 재귀목적어가 생략된 것으로서 많은 동사구를 만듦. ★² 명사〔형용사〕를 쓴 관용구로, 이 곳에 없는 것은 해당 명사〔형용사〕를 참조할 것. ⑧《+전+명》 (유리·불리하게) 영향을 미치다, 작용하다《*for* ; *against*》 : It ~*s for*〔*against*〕 his advantage. 그것은 그의 이익이 된다〔에 반한다〕. ⑨《+전+명》《口》 (돈을) 벌다 : He *made* pretty handsomely *on* that bargain. 그는 그 거래로 꽤 벌었다. ⑩《俗》 응가〔쉬〕하다. ***as... as they ~ 'em***〔***them***〕《口》 아주 …하여 : He's *as* clever *as they* ~ *'em.* 아주 영리한 사람이다. ***have***〔***get***〕 ***it made*** 《口》 대성공이다. ~ ***a dent in*** …을 우그러뜨리다, 납짝하게 하다 ; …에게 인상〔감명〕을 주다 ; …을 약화시키다. ~ ***a fool of*** …을 바보 취급하다, …을 속이다. ~ ***after...*** 《古》 …을 추적하다. ~ ***against*** …에 거역하다, …을 방해하다, …에 불리하다. ~ ***a plaything of*** …을 장난감 취급하다. ~ ***as if***〔***as though***〕 …처럼 굴다. ~ ***at*** …을 향해 나아가다, 덤벼들다 : Our dog *made at* the thief. 우리 개는 도둑에게 달려 들었다. ~ ***away*** 급히 가버리다, 도망치다(make off). ~ ***away with*** (1) …을 날치기하다〔들고 달아나다〕. (2) …을 죽이다 : *make away with* oneself 자살하다. (3) …을 다 먹어치우다 ; (돈)을 탕진하다. ~ ***believe*** …하는 체하다, 가장하다《*that* ; *to be*》 : Let's ~ *believe that* we're Red Indians. 자아 인디언 놀이를 하자. cf. make-believe. ~ ***bold with . . .*** ⇨ BOLD. ~ ***do*** 그런대로 때우다 : ~ *do* with… (대용품 따위)로 변통(變通)하다 / ~ *do* without… … 없이 때우다 / ~ *do* and mend 헌것을 수선하여 해결하다. ~ ***for*** (1) …을 향하여 나아가다 : ~ *for* home 집으로 향하다. (2) …에 소용되다, …을 촉진하다 : ~ nothing *for* …에 소용이 닿지 않다 / The Olympic Games ~ *for* good relations between nations. 올림픽은 국가간의 우호에 이바지한다. ~

free ⇨*vi.* ⑦. ~ a thing ***from*** …로 물건을 만들다《재료·원료가 변형할 경우》. ⇨*vt.* ①. ~ ***fun of*** …을 놀려대다. ~ ***in*** …에 들어가다. ~ . . . ***into*** . . . …을 —로 만들다, …을 —로 하다 : ~ a story *into* a play 소설을 연극으로 각색하다. ~ ***it*** 《口》 (1) (순조로이) 도착하다, 시간에 대다 : You will ~ *it* if you hurry. 서두르면 시간에 댈 수 있다. (2) 성공하다 : ~ *it* through college 대학을 졸업하다 / She *made it* as a pianist〔an actress〕. 그녀는 피아니스트〔여배우〕로서 성공했다. (3) 이리저리 변통하다 : Can you ~ *it?* 어떻게 잘 되겠나. (4)《俗》성교하다《*with*》. ~ ***it good upon*** a person 아무에게 우격다짐으로 제 말을 밀어붙이다. ~ ***it out***《口》도망치다. ~ ***it up***《口》(1) …와 화해하다《*with*》. (2) (…의 일로 아무)에게 보상〔벌충〕을 하다《*to* a person *for* something》: How can we ~ (*it*) *up to* you *for* all that you have suffered? 네가 겪는 고초를 어떻게 보상하면 좋겠나. ~ ***light*** 〔***little***〕 ***of*** …을 경시〔무시(無視)〕하다. ~ ***like*** . . . 《美口》…을 흉내내다 ; …역을 하다 : He *made like* (he was) Chaplin. 그는 채플린의 흉내를 냈다. ~ ***merry*** ⇨ *vi.* ⑦. ~ ***much of*** …을 중(요)시하다. ~ ***nothing of*** (1) …을 아무렇게도 생각지 않다 : He ~*s nothing of* being laughed at. 그는 남이 비웃어도 대단하게 여기지 않는다. (2) …을 전혀 알 수 없다 : I can ~ *nothing of* his words. 그가 말하는 것을 전혀 알 수 없다. ~ __ ***of*** . . . (1) …로 —을 만들다《재료가 변질하지 않을 경우》: We ~ bottles (out) *of* glass. 병은 유리로 만든다. (2) (사람)을 …으로 만들다 : Most fathers have once thought of *making* great men *of* their sons. 아버지는 대개 자기 아들을 훌륭한 인간으로 만들려고 한 번은 생각한다. (3) …을 —이라고 생각하다 : What do you ~ *of* this? 이것을 어떻게 생각하나《★ 成句에 많음. ⇨ make a fool of, etc》. ~ ***off*** (급히) 떠나다, 도망치다. ~ ***off with*** (1) …을 갖고 도망하다〔가 버리다〕: He *made off with* all the money in the safe. 그가 금고의 돈을 전부 갖고 도망쳤다. (2) 헛되이 하다〔쓰다〕, 엉망으로 만들다 : He *made off with* a rich inheritance. 많은 유산을 탕진했다. ~ ***or break*** 〔***mar***〕 성공하느냐 실패하느냐 ; …의 운명을 좌우하다. ~ ***out*** (1)〔흔히 can, could를 수반하여〕(어떻게든) 이해하다, 알다, 판독하다, 보아〔들어〕 판별하다 : I *can't* ~ *out* what it's all about! 무엇이 무엇인지 전혀 모르겠다 / I *can't* ~ *out* this inscription. 이 묘비명은 판독할 수 없다. (2) …을 기초하다, 작성하다, …에 기입하다, (…에) 수표를 발행하다《*to*》; 상세히 그리다 : ~ *out* a check for $100, 100달러 수표를 떼다 / ~ *out* a list of names 명부를 작성하다. (3) …을 믿게 하다, 증명하다, …라고 주장하다〔내세우다〕;《口》시늉을 하다, …인 체하다 : He *made* me *out* (to be) a thief. 그는 나를 도둑 취급했다 / How do you ~ that *out?* 어찌 그렇게 되느냐 / He *made out* that I was a liar. = He *made* me *out* to be a liar. 그는 내가 거짓말쟁이라고 말했다. (4)《口》(잘) 해 나가다, 성공하다《*with*》; (아무와 잘) 해 나가다《*with*》; 변통하다 : ~ *out* in business 사업이 잘 돼가다 / I hope your affairs are *making out* well. 일이 잘 되기를 바랍니다. (5) (돈을) 장만하다 : 해결해 내다. (6)《美俗》(여자를) 교묘히 손에 넣다, 유혹하다 ;《俗》…을 애무하다, …와 농탕치다, 성교하다《*with*》. ~ … ***out of*** __ —을 사용해 …을 만들다《재료》: ~ cushion covers *out of* a blanket 모포로 쿠션 카바를 만들다. ~ ***over*** (1) …을 양도하다, 이관하다 ; …을 기증하다《*to*》. (2) 변경하다, 고쳐 만들다 : ~ *over* an old dress 낡은 드레스를 고쳐 만들다. ~ ***ready*** ⇨*vi.* ⑦. ~ ***sense of*** ⇨ SENSE. ~ ***through with*** …을 성취하다. ~ ***toward*** (***s***) ⇨ *vi.* ② *a*). ~ ***up*** (1) (재료로〔제품으로〕) …을 만들다《*from* 〔*into*〕》; (꾸러미·도시락 등)을 꾸리다 ; 뭉뚱그리다, 싸다 ; (사람·돈)을 모으다, (열차 등)을 연결하다 ; (옷)을 짓다, 꿰매 맞추다 ; 조합(調合)하다 ;〖印〗(난(欄) 또는 페이지를) 짜다 : Enumerate the qualities that ~ *up* Hamlet's character. 햄릿의 성격을 이루고 있는 성질을 열거하여라 / ~ *up* hay into bundles 건초를 다발짓다 / Customers' own materials *made up*. 손님이 갖고 오신 감으로 지어 드립니다. (2) (*vi.*) (감·천이) 마름질되어 지어지다 : This material is too narrow to ~ *up* well. 이 천〔감〕은 폭이 너무 좁아 마름질할 수 없다. (3) (잠자리)를 준비하다, 정돈하다 ; (도로)를 포장하다 ; 석탄 (등)을 때어 (불·난로)를 괄게 하다 : ~ a bed *up* for the guest 손님 잠자리를 마련하다. (4)〔종종 受動으로〕(갖가지 요소로) …을 구성〔조성〕하다 : The Morse code *is made up* of dots and dashes. 모스식 부호는 점과 선으로 이루어져 있다. (5)(새로 운 것)을 생각해〔만들어〕내다, 말하기 시작하다 ; 작성〔편집, 기초〕하다, (말을) 날조하다 : The whole story is *made up*. 이야기는 전혀 거짓이다 / ~ *up* a timetable 시간표를 작성하다. (6) (*vt., vi.*) (…을) 화장하다 ;〖劇〗분장하다 : ~ (oneself) *up* for the part of Hamlet 햄릿 역으로 분장하다. (7) (부족)을 메우다, (벌충하여 수량 등)을 채우다, (팀 등)을 만들어 내다 ; (…의) 벌충을 하다《*for*》: ~ *up for* lost time 지연된〔늦은〕 시간을 벌충〔만회〕하다. (8) (결혼 따위를) 결정하다, (분쟁·싸움 따위를) 원만히 수습하다, (아무와 …의) 화해를 하다《*with*》. (9) (셈을) 정산하다. (10)《美學生》(재〔추가〕시험으로서 시험을) 다시 받다, (코스를) 다시 잡다. (11)《英俗》승진하다〔시키다〕. ~ ***up the fire*** 불을 지피고 꺼뜨리지 않다. ~ ***up to*** (1) …에 접근하다. (2) …의 환심을 사다. (3) …에게 변상하다《*for*》. ~ ***up with*** …와 화해하다 : Why don't you ~ *up with* her? 그녀와 화해하면 어때. ~ ***with*** (***the***) . . . 《美俗》(손발 등을) 쓰다 ; (음식·생각 등)을 내놓다, 만들어 내다, (식사 등)을 짓다, (일·행위 등)을 하다.

— *n.* Ⓤ,Ⓒ ① …제(製), 형식, 종류 : goods of foreign〔home〕 ~ 외국〔국산〕 제품 / of Korean〔American〕 ~ 한국〔미국〕제의 / our own ~〖商〗자가제 / What ~ of computer do you use? 어느 회사 제품의 컴퓨터를 사용하고 있습니까. ② 만듦새 ; 체격(build) ; 모양, 꼴, 종류, 형(型), 식(式) : a man of sturdy 〔slender〕 ~ 튼튼한〔날씬한〕 체격의 사람 / cars of all ~*s* 여러 종류의 차 / a camera of a new ~ 신형 카메라 / He has bought the some ~ of car as yours. 그는 네 것과 같은 형의 차를 샀다. ③ 성격, 기질 : What ~ of man is he? 그는 어떤 성격의 사람입니까 / one's mental ~ 기질. ④〖電〗회로의 접속(개소). cf. break. ***on the*** ~《口》(1) 이욕〔승진〕에 열을 올려. (2) 이성(異性)을 찾아서. ***put the*** ~ ***on*** …을 설득하다, 성적(性的)으로 유혹하다.

make-be·lieve [ˊ-bilìːv] *n.* ① Ⓤ 치레, 가장, 거짓 ; (아이들 놀이 따위에서의) 흉내, 놀이 ; 공상(空想). ② Ⓒ …인 체하는 사람(pretender).
— *a.* …인 체하는, 거짓의 ; 가공의, 상상의 : ~ sleep 꾀잠 / ~ war 가상전 / You live in a ~ world. 너는 허구의 세상에 살고 있는거다.

make-do [ˊ-dùː] (*pl.* ~***s***) *a.* 〔限定的〕 임시변통의, 대용의. — *n.* Ⓒ 임시 변통〔대용〕의 물건.

M

make-or-break [∸ərbréik] *a.* 〔限定的〕 성패를 가름하는, 운명을 좌우하는 : a ~ issue 성패를 판가름하는 문제.

make·o·ver [∸òuvər] *n.* Ⓒ ① 변조, 개조. ② (미용·헤어스타일 등의) 공들인 화장.

‡mak·er [méikər] *n.* ① Ⓒ 〔종종 複合語를 이루어〕 (…을) 만드는 사람, 제작자 : dress*maker* 드레스메이커, 여성복 재봉사 / shoe*maker* 제화공 / a trouble*maker* 말썽꾸러기. ② (종종 *pl.*) 제조원, 제조업자, 메이커. ③ (the 〔one's〕 M-) 조물주, 신. ***go to* 〔*meet*〕 *one's Maker*** 죽다.

make·shift [méikʃìft] *n.* Ⓒ 임시 변통의 수단〔방책〕, 미봉책 ; 대용품 : use a sofa as a ~ for a bed 침대 대신에 소파를 이용하다.
— *a.* 임시 변통의, 일시적인.

***make-up** [∸ʌ̀p] *n.* ① Ⓒ 조립, 마무리 ; 구성, 구조, 조직 : the ~ of a sentence 문장의 구조 / the ~ of committee 위원회의 구성. ② Ⓒ 체격 ; 체질, 성질, 기질 : a nervous ~ 소심한 기질 / a national ~ 국민성. ③ Ⓤ (또는 a ~) (여자·배우 등의) 메이크업, 화장, 분장 (용구) : *a* ~ box 화장품 통 / apply〔put on〕 ~ 메이크업하다 / She wears no ~. 그녀는 전연 화장을 안하고 있다 / What nice〔(*a*) clever〕 ~! / I don't like heavy ~ on a young girl. 나는 젊은 여자의 짙은 화장이 싫다. ④ Ⓒ 〖印〗 (페이지 따위의) 정판, 조판(물) ; (신문의) 모아짜기 : a ~ department (신문사의) 정판부. ⑤ 《美學生口》 추가〔재〕시험.

make·weight [∸wèit] *n.* Ⓒ ① 부족한 중량을 채우는 물건 ; 첨가물, 메우는 것. ② 부족을 보충하기 위한 사람 〔물건〕.

make-work [∸wə̀ːrk] *n.* Ⓤ (노동자를 놀리지 않기 위해 또는 실업대책으로 시키는) 불요 불급한 작업.

mak·ing** [méikiŋ] *n.* ① Ⓤ 〔종종 複合語로〕 제조, 제조 과정, 제조법, 만들기 : dress*making* 여성복 제조 / film-~ 영화 제작 / paper ~ 제지 / the ~ of wine 와인 제조(법). ② Ⓒ 제작물 ; 1 회의 제조량. ③ Ⓤ 발달〔발전〕 과정. ④ (the ~) 성공의 원인〔수단〕. ⑤ (the ~s) 요소, 소질, 소인(素因) : He has *the* ~*s* of a great musician (in him). 그에게는 대음악가의 소질이 있다. ⑥ (*pl.*) 이익, 벌이. ⑦ (흔히 *pl.*) 원료, 재료, 필요한 것. ***be the ~ of …의 성공의 원인이 되다 : Hard work *was the ~ of* her. 근면이 그녀가 성공한 원인이었다. ***in the ~*** 제조 중의 ; 발달 중의, 수업 중의 : a doctor *in the* ~ 수련 중의 의사. ***of one's own ~*** 자업자득의 : These troubles are all *of his own* ~. 이 문제들은 죄다 그가 자초한 것이다.

mal- *pref.* '악(惡), 비(非)' 등의 뜻. opp. *bene-*.

Mal. 〖聖〗 Malachi ; Malay ; Malayan.

Ma·lac·ca [məlǽkə] *n.* 말라카《Malaysia 연방의 한 주 ; 그 주도》. ***the Strait of ~*** 말라카 해협.

Mal·a·chi [mǽləkài] *n.* 〖聖〗 ① 말라기《헤브라이의 예언자》. ② 말라기서《구약성서의 한 편 ; 略 : Mal.》.

mal·a·dapt·ed [mæ̀lədǽptid] *a.* 순응〔적응〕하지 않는, 부적합한《*to*》.

mal·ad·just·ed [mæ̀lədʒʌ́stid] *a.* 〖心〗 환경에 적응이 안 되는, 적응 장애의 : a ~ person 〔child〕.

mal·ad·just·ment [mæ̀lədʒʌ́stmənt] *n.* Ⓤ 〖心〗 적응 장애, 환경 부적응.

mal·ad·min·is·ter [mæ̀lədmínistər] *vt.* ① (공무 등)을 그르치다, 부정(不正)하게 행사하다. ② (정치·경영)을 잘못하다.

mal·ad·min·is·tra·tion [mæ̀lədmìnəstréiʃən] *n.* Ⓤ 실정(失政) ; 부패 ; (공무 등의) 서투름.

mal·a·droit [mæ̀lədrɔ́it] *a.* 솜씨없는, 서투른, 어줍은, 졸렬한. 㖈 ~·**ly** *ad.* ~·**ness** *n.*

***mal·a·dy** [mǽlədi] *n.* Ⓒ ① 병, 질병. cf. ailment, disease. ¶ a fatal ~ 불치병. ② (사회의) 병폐, 폐해 : a social ~ 사회적 병폐.

Mal·a·ga [mǽləgə] *n.* Ⓤ 말라가《스페인산 포도주》.

Mal·a·gasy [mæ̀ləgǽsi] *a.* Madagascar 의.
— (*pl.* ~, **-gas·ies**) *n.* ① Ⓒ 마다가스카르〔말라가시〕 사람. ② Ⓤ 마다가스카르어(語).

mal·aise [mæléiz, mə-] *n.* Ⓤ (또는 a ~) ① (특정한 병은 아니고) 어쩐지 기분이 쾌치 않음, 불쾌(감), 부조(不調) : I feel (*a* certain) ~. 어쩐지 마음이 개운치 않다. ② 활기 없는 상태, 침체 : *a* general economic ~ 경제의 전반적인 침체.

mal·a·prop·ism [mǽləprɑ̀pizəm / -prɔ̀p-] *n.* ① Ⓤ,Ⓒ 말의 익살스러운 오용(誤用)《보기 : allusin(암시)을 illusion(착각)으로 하는 따위》. ② Ⓒ 그와 같은 말.

mal·ap·ro·pos [mæ̀læprəpóu] 《F.》 *a.* 시기가 적절하지 않은, 부적당한.
— *ad.* 좋지 않은 시기에, 부적당하게.

***ma·lar·ia** [məlɛ́əriə, -lǽər-] *n.* Ⓤ 〖醫〗 말라리아 : contract ~ 말라리아에 걸리다.

ma·lar·i·al [məlɛ́əriəl], **-i·an** [-iən], **-i·ous** [-iəs] *a.* 말라리아〔학질〕의, 말라리아가 많이 발생하는《장소》.

ma·lar·k(e)y [məlɑ́ːrki] *n.* Ⓤ 《口》 허황된 이야기 ; 터무니없는〔허튼〕 소리 (nonsense).

Ma·la·wi [məlɑ́ːwi] *n.* 말라위《동남 아프리카의 영연방 공화국 ; 1964년 독립 ; 수도 Lilongwe》.
㖈 ~·**an** *a.*, *n.*

Ma·lay [məléi, méilei] *n.* ① Ⓒ 말레이 사람. ② Ⓤ 말레이말. — *a.* ① 말레이 반도의. ② 말레이 사람〔말〕의.

Ma·laya [məléiə] *n.* ① 말레이 반도. ② 말라야《말레이 반도의 남부의 한 지방》.

Ma·lay·an [məléiən] *n.*, *a.* =MALAY.

Maláy Archipélago (the ~) 말레이 제도.

Maláy Península (the ~) 말레이 반도.

Ma·lay·sia [məléiʒə, -ʃə] *n.* ① 말레이 제도. ② 말레이시아 연방(the Federation of ~)《수도 Kuala Lumpur》.

Ma·lay·sian [məléiʒən, -ʃən] *n.* Ⓒ 말레이시아인〔주민〕. — *a.* 말레이시아〔말레이 제도〕(의 주민)의.

Malcolm X [mǽlkəm éks] 말콤엑스《미국의 흑인 민권 운동 지도자 ; 1925-65》.

mal·con·tent [mæ̀lkəntént] *a.* (현상·체제 등에) 불평을 품은, 반항적인 (rebellious). — *n.* Ⓒ 불평 분자 ; 반체제 활동가.

Mal·dives [mɔ́ːldiːvz, mǽldaivz] *n. pl.* 몰디브《인도양 상에 있는 공화국 ; 수도 Malé》.

Mal·div·i·an [mɔːldíviən] *a.* 몰디브(인)의.
— *n.* Ⓒ 몰디브인.

‡male [meil] *a.* ① 남성의, 남자의 ; 수컷의. opp. *female.* ¶ the ~ sex 남성 / a ~ dog 수캐. ② 남성적인 ; 남자로만 이루어진 : a ~ voice choir 남성 합창단. ③ 〖植〗 수술만 있는. ④ 〖機〗 수… : a ~ screw 수나사. ***a ~ tank*** 중(重)전차.
— *n.* Ⓒ ① 남자, 남성 ; 수컷. ② 웅성(雄性) 식물.

male- *pref.* =MAL-.

mále cháuvinism 남성 우월〔중심〕주의.

mále cháuvinist 남성 우월〔중심〕주의자.

mále cháuvinist píg 《蔑·戱》 남성 우월주의자《略 : MCP》.

mal·e·dic·tion [mælədíkʃən] *n.* [C] 저주(詛呪) (curse), 악담, 중상, 비방. [opp] *benediction.*

mal·e·fac·tor [mæləfæktər] (*fem.* **-tress** [-tris]) *n.* [C] 죄인, 범인, 악인. [opp] *benefactor.*

ma·lef·i·cence [məléfəsns] *n.* [U] 악행, 나쁜 짓; 유해, 유독(有毒).

ma·lef·i·cent [məléfəsnt] *a.* 유해한, 나쁜《*to*》; 나쁜 짓을 하는, 범죄의. [opp] *beneficent.*

male·ness [méilnis] *n.* [U] 남성(다움).

ma·lev·o·lence [məlévələns] *n.* [U] 악의(惡意), 적의(敵意), 해칠 마음. [opp] *benevolence.*

ma·lev·o·lent [məlévələnt] *a.* 악의 있는, 심술궂은. [opp] *benevolent.* [파] **~·ly** *ad.*

mal·fea·sance [mælfí:zəns] *n.* [U,C] 〖法〗(특히 공무원의) 부정〔배임〕 행위; 나쁜 짓.

mal·for·ma·tion [mælfɔ:rméiʃən] *n.* [U,C] 볼꼴 사나움, 불구, 기형.

mal·formed [mælfɔ́:rmd] *a.* 흉하게 생긴, 기형의: ~ character 이상 성격.

mal·func·tion [mælfʌ́ŋkʃən] *n.* [U] (기계·장기(臟器) 등의) 기능 부전(不全), 고장; 〖컴〗 기능 불량: Shortly before the crash the pilot had reported a ~ of the aircraft's navigation system. 추락 직전 조종사는 비행기의 항행 기관의 고장을 보고했었다. ── *vi.* (기계·장기 등이) 제대로 움직이지 않다, 고장이 나다.

Ma·li [mɑ́:li:] *n.* 말리《아프리카 서부의 공화국; 수도 Bamako》. [파] **~·an** [-ən] *n., a.*

málic ácid 〖生化〗 말산(酸), 사과산.

‡mal·ice [mǽlis] *n.* [U] (남을 해치려는 의도적인) 악의, 적의(敵意); 원한; 〖法〗 범의(犯意): I bear you no ~. =I bear no ~ against〔to, toward〕 you. 너에게 적의를〔원한을〕 품고 있지 않다 / out of ~ 악의에서.

***ma·li·cious** [məlíʃəs] *a.* 악의 있는, 심술궂은《사람·행위》; 〖法〗 범의 있는; 부당한《체포 따위》: spread ~ gossip 악의 있는 소문을 퍼뜨리다. [파] **~·ly** *ad.* 악의를 가지고, 심술궂게. **~·ness** *n.* [U] 악의가 있음, 심술궂음.

ma·lign [məláin] *a.* 〔限定的〕 ① 유해한; 〖醫〗 악성의《병 따위》: a ~ influence 악영향. ② 악의 있는. [opp] *benign.*
── *vt.* …을 중상〔비방〕하다, 헐뜯다(speak ill of); …에게 해를 끼치다. [파] **~·er** *n.* [C] 비방자, 중상자. **~·ly** *ad.* 악의로, 유해하게.

ma·lig·nan·cy, -nance [məlígnənsi], [-s] *n.* ① [U] 강한 악의, 적의, 심한 미움. ② [U] 〖病理〗 (질병의) 악성(도). ③ [C] 〖醫〗 악성 종양.

***ma·lig·nant** [məlígnənt] *a.* ① 악의〔적의〕있는: tell ~ lies 악의에 찬 거짓말을 하다 / cast a ~ glance 악의에 찬 눈으로 흘끗 보다. ② 〖醫〗 악성의; 유해한. [opp] *benignant.* ¶ a ~ tumor 악성 종양 / ~ cholera 악성 콜레라. [파] **~·ly** *ad.*

ma·lig·ni·ty [məlígnəti] *n.* ① [U] 악의; 원한; (병의) 악성, 불치. ② [C] 악의에 찬 행위.

ma·lin·ger [məlíŋgər] *vi.* (특히 군인 등이) 꾀병을 부리다. [파] **~·er** [-rər] *n.*

mall [mɔ:l / mæl] *n.* ① [C] 나무 그늘이 있는 산책길. ② [C] 보행자 전용 상점가. ③ [C] 쇼핑 센터. ④ [mæl] (the M-) 몰《런던 St. James 공원에 있는 나무 그늘이 많은 산책길》.

mal·lard [mǽlərd] (*pl.* **~s,** 〔集合的〕 ~) *n.* 〖鳥〗 ① [C] 청둥오리(wild duck). ② [U] 그 고기.

mal·le·a·bil·i·ty [mæliəbíləti] *n.* [U] ① (금속의) 가단성(可鍛性), 전성(展性). ② (사람·성질 등의) 순응(성), 유순(성), 유연성.

mal·le·a·ble [mǽliəbəl] *a.* ① (금속 등이) 펴늘일 수 있는, 전성(展性)이 있는: ~ iron. ② (사람·성질 등이) 순응성이 있는, 유순한.

mal·le·o·lus [mælíouləs] (*pl.* **-li** [-lài]) *n.* [C] 〖解〗 복사뼈.

mal·let [mǽlit] *n.* [C] ① 나무메. ② (croquet나 polo 의) 타구봉; 타악기용 작은 망치.

mal·le·us [mǽliəs] (*pl.* **-lei** [-liài]) *n.* [C] 〖解〗 (중이(中耳)의) 망치뼈, 추골(槌骨).

mal·low [mǽlou] *n.* [C] 당아욱속(屬)의 식물.

malm·sey [mɑ́:mzi] *n.* [U] 맘지《Madeira 원산의 독하고 단 백포도주》.

mal·nour·ished [mælnə́:riʃt, -nʌ́r-] *a.* 〖醫〗 영양 부족〔실조〕의.

mal·nu·tri·tion [mælnju:tríʃən] *n.* [U] 영양 실조〔장애〕, 영양 부족: Many thousands of refugees have already died from ~. 수천명의 피난민들이 이미 영양 실조로 사망했다.

mal·o·dor·ous [mælóudərəs] *a.* 악취가 나는.

mal·prac·tice [mælprǽktis] *n.* [U,C] ① 〖法〗 배임〔위법〕 행위. ② (의사의) 부정 치료; 의료 과오.

***malt** [mɔ:lt] *n.* ① [U] 맥아, 엿기름, 몰트: extract of ~ 맥아 엑스. ② [U,C] 《口》 맥주; 몰트위스키: He has several fine ~*s* in his cellar. 그는 포도주 저장실에 몇 종류의 훌륭한 몰트위스키를 저장해 놓고 있다. ③ = MALTED MILK. ── *a.* 엿기름의〔이 든, 으로 만든〕. [cf] maltose. ¶ ~ sugar 맥아당. ── *vt.* (보리 등)을 엿기름으로 만들다. ── *vi.* (보리 등이) 엿기름이 되다.

Mal·ta [mɔ́:ltə] *n.* ① 몰타 섬. ② 몰타 공화국《1964년 독립; 수도 Valletta》.

mált·ed mílk [mɔ́:ltid-] 맥아유(麥芽乳)《분유·맥아·향료를 섞어 만든 음료》.

Mal·tese [mɔ:ltí:z, -tí:s] *a.* 몰타(사람〔어〕)의. ── (*pl.* ~) *n.* ① [C] 몰타 사람. ② [U] 몰타어(語).

máltese dóg 몰타섬 토종의 애완용 개.

malt·house [mɔ́:lthàus] *n.* [C] 맥아 제조소.

Mal·thus [mǽlθəs] *n.* **Thomas Robert** ~ 맬서스《영국의 정치 경제학자; 1766-1834》.

mált lìquor 맥아(양조)주, 엿기름으로 만든 술《ale, beer, stout 등》.

malt·ose [mɔ́:ltous] *n.* [U] 〖化〗 맥아당, 말토오스.

mal·treat [mæltrí:t] *vt.* …을 학대〔혹사〕하다: ~ a child 아이를 학대하다. [파] **~·ment** *n.*

malt·ster [mɔ́:ltstər] *n.* [C] 엿기름 제조〔판매〕인.

malty [mɔ́:lti] (**malt·i·er; -i·est**) *a.* 엿기름의; 엿기름을 함유한; 엿기름 같은.

mal·ver·sa·tion [mælvə:rséiʃən] *n.* [U] 《稀》 독직, 배임; 수뢰.

mam [mæm] *n.* 《英兒·方》 =MAMMA[1].

***ma·ma** [mɑ́:mə, məmɑ́:] *n.* 《兒·口》 = MAMMA[1].

máma's bòy 《美口》 계집애 같은 아이, 응석꾸러기, 과보호의 남자 아이.

mam·ba [mɑ́:mbɑ:] *n.* [C] 〖動〗 맘바《남아프리카산의 코브라과의 큰 독사》.

mam·bo [mɑ́:mbou] (*pl.* **~s**) *n.* [C] 맘보(춤); 그 음악. ── *vi.* 맘보를 추다.

‡mam·ma[1] [mɑ́:mə, məmɑ́:] *n.* [C] 《美口·兒》 엄마. [opp] *papa.*

mam·ma[2] [mǽmə] (*pl.* **-mae** [-mi:]) *n.* [C] (포유 동물의) 유방.

***mam·mal** [mǽməl] *n.* [C] 포유 동물.

mam·ma·li·an [məméiliən, -ljən] *n.* [C], *a.* 포유동물(의).

mam·ma·ry [mǽməri] *a.* 〔限定的〕 유방의: ~ cancer 유방암 / the ~ gland 유선(乳腺), 젖샘.

mam·mon [mǽmən] *n.* [U] ① (악덕으로서의) 부(富). ② (M-) 〖聖〗 부(富)·탐욕의 신(神)《마태복음 VI : 24》: worshipers of *Mammon* 배금주

의자들 / You cannot serve God and *Mammon.* 〖聖〗 너희가 하느님과 재물을 겸하여 섬기지는 못한다.

mam·mon·ism [mǽmənìzəm] *n.* Ⓤ 배금주의.

***mam·moth** [mǽməθ] *n.* Ⓒ ①〖古生〗 매머드 《신생대 제 4 기 홍적세의 거상(巨象)》. ②(같은 종류 중에서) 거대한 것. ── *a.* 〔限定的〕 거대한: a ~ enterprise 거대 기업.

M

***mam·my, mam·mie** [mǽmi] *n.* Ⓒ ①《兒》 엄마. ②《美·蔑》(옛날, 백인 가정에 고용된) 흑인 유모〔할멈〕.

†man [mæn] (*pl.* ***men*** [men]) *n.* ① Ⓤ 〔無冠詞〕 (여성에 대한) 남자; 남성. ⓒⓕ woman. ¶ *Man* is stronger than woman. 남성은 여성보다 강하다 / *men* and women 남자와 여자. ② Ⓒ 성인(成人) 남자. ⓒⓕ boy. ③ ⒸⓊ 제구실을 하는 남자; 사내다운 남자, 대장부; (the ~) 사내다움; 뛰어난〔어엿한〕 인물: He is every inch a ~. 그는 어느 모로 보아도 사나이다운 사나이다 / be a ~ = play *the* ~ 사나이답게 행동하다 / like a ~ 사나이답게. ④ Ⓤ 〔無冠詞〕 인간, 사람, 인류 (mankind): the history of ~ 인간의 역사 / primitive ~ 원시인(류) / *Man* is mortal. =All *men* must die. 인간은 죽게 마련이다 / *Man* cannot live by bread alone. 사람은 빵만으로 살지 못한다 / *Man* is immortal, but not men. 인류는 영원하지만 개개의 인간은 그렇지 않다. ⑤ **a**) 〔a, any, every, no 등과 함께〕 (남녀 불문하고 일반적 개념의) 사람(one): *No* ~ knows. 아무도 모른다 / *A* ~ can only die once. 《俗談》 사람은 오직 한 번 죽을 뿐이다 / What can *a* ~ do in such a case? 이런 경우 어떻게 하면 좋을까. ★ 부정(不定)대명사적 용법. **b**) …하는 사람, …가(家): a ~ of action 활동가 / a ~ of science 과학자 / a medical ~ 의학자 / a ~ of honor 명예〔신의〕를 존중하는 사람, 신사. ⑥ (흔히 *pl.*) 병사, 하사관; 수병, 선원: officers and *men* 장교과 사병. ⑦ Ⓒ 하인, 머슴(manservant); (종종 *pl.*) 부하, 노동자, 종업원: masters and *men* 주인과 하인 / The *men* are on a strike. 종업원은 파업 중이다. ⑧ Ⓒ 남편; 애인《남자》; 그이: They're ~ and wife. 그들은 부부다. ⑨ (one's ~ 또는 the ~) 적임자, 바라는 상대자: He is *the* ~ for the job. 그는 그 일에 적임자다 / If you're looking for somebody strong, I'm *your* ~. 힘 센 사람을 찾고 있다면 나야말로 그 사람이다. ⑩《口》〔호칭으로〕 어이, 이봐, 자네: Cheer up ~! 이봐 기운을 내게 / Quick, ~! 어이 빨리 해. ★ 속어에서는 연령·남녀 불문》. ⑪ Ⓒ (대학의) 재학생, 출신자: an Oxford 〔a Harvard, etc.〕 ~. ⑫ Ⓒ (체스 등의) 말(piece); 산가지(counter). ⑬ (the ~, the M-)《美俗》 경관; 〔集合的〕 (흑인 쪽에서 본) 백인(사회).

a ~ and a brother 동료, 동포. ***a ~ of all work*** 만능가, 팔방미인. ***a ~ of*** (***his***) ***hands*** 손재주가 있는 사람. ***a ~ of his word*** 약속을 잘 지키는 사람. ***a ~ of mark*** 유명인; 중요 인물. ***a ~ of parts*** 《文語的》 재주가 많은 사람. ***a ~ of the house*** 가장(家長), 세대주. ***a ~ of the world*** (1) 세상 물정에 밝은 사람; 속물(俗物). (2) 상류사회인. ***a ~ on his way*** 한창 인기 있는 인물, 유망한 사람. ***as a ~*** 한 남자로서의, 한 인간으로서. ***as one*** 〔***a***〕 ***~*** 만장일치로; 일제히: Those present rose *as one* ~ and walked out. 참석자는 일제히 일어서 밖으로 나갔다. ***be ~ enough*** 충분한 역량〔배짱〕이 있다: *Are* you ~ *enough for* 〔*to* do〕 the job? 너 그 일을 할만한 배짱이 있느냐. ***be one's own ~*** 남의 지배를 받지 않다; 주체성이 있다, 꿋꿋하다. ***between ~ and ~*** 남자끼리의. ***make . . . a ~*** = ***make a ~*** (***out***) ***of*** …을 어엿한 남자로 만들다, 성공시키다: The army *made a* ~ *out of* little Brown. 입대한 덕으로 햇병아리 브라운은 어엿한 남자가 됐다. ***~ and boy*** 〔副詞的〕 어릴적부터: I've live here, ~ *and boy,* for nearly 50 years. 아이적부터 거의 50년 여기에 살아왔다. ***~ for ~*** 한 사람 한 사람 비교하면: *Man for* ~ our team is better than theirs. 한 사람 한 사람 비교하면 우리 팀이 그들 팀보다 우수하다. ***~ of God*** (1) 성직자, 목사. (2) 성인. ***~ to ~*** 개인 대 개인으로서; 솔직하게(ⓒⓕ man-to-man): as ~ *to* ~ 솔직하게 말하면. ***no ~'s ~*** 독립한 사람. ***separate*** 〔***tell, sort out***〕 ***the men from the boys*** 《口》 진짜 용기있는 사람을 분간하다. ***the inner ~*** 영혼; 《戱》 밥통. ***the ~ in the moon*** ⇨ MOON. ***the ~ in*** 〔《美》 ***on***〕 ***the street*** 일반, 보통 사람. ***to a ~*** (1) 한 사람도 예외없이, 만장일치로: They opposed the proposal *to a* ~. 전원 그 제안에 반대했다. (2) 최후의 일인까지. ***to the last ~*** 최후의 한 사람까지, 모두 다: The soldiers were killed *to the last* ~ defending the fort. 그 요새 방어전에서 병사들은 모두 전사했다

── (***-nn-***) *vt.* ① …에 사람〔인원〕을 배치하다, (지위·관직 등)에 …을 취임시키다, 배속하다: ~ a ship *with* sailors 배에 선원들을 배치하다 / a ~*ned* spaceship 유인 우주선 / The machine is ~*ned* by a trained operator. 그 기계에는 숙련된 작업원이 배치되어 있다. ② 〔주로 再歸用法〕 용기를 내다, 분발하다, 마음의 준비〔각오〕를 하다 《*for*》: ~ *oneself for* the task 일에 임할 각오를 단단히 하다 / He ~*ned* him*self* for the ordeal. 그는 그 시련을 이겨내려고 분발했다. ***~ it out*** 사내답게 행동하다, 훌륭히 해내다. ***~ up*** 인력을 공급하다. ── *int.* 《口》 어렵쇼, 이런, 저런《놀람·열의·짜증·경멸 등의 소리》: *Man,* what a place! 어허, 뭐 이런 곳이 있어.

-man (*pl.* ***-men***) *suf.* ① '…국인(人), …의 주민'의 뜻: English*man* [-mən] 영국인, country*man* [-mən] 시골 사람. ② '직업이 …인 사람'의 뜻: business*man* [-mæ̀n] 실업가, post*man* [-mən] 우편 집배원, clergy*man* [-mən] 목사; 성직자. ③ '…배〔선〕'의 뜻: merchant*man* [-mən] 상선, India*man* 인도 무역선. ★ 단수에서 [-mən] 으로 발음될 경우 복수에서도 [-mən], 단수에서 [-mæ̀n] 으로 발음될 경우 복수에서는 [-mèn] 이 되는 것이 일반적.

man-a·bout-town [mǽnəbàuttáun] (*pl.* ***men-*** [mén-]) *n.* Ⓒ (고급 나이트클럽 등에 출입하는) 사교가, 오입쟁이, 플레이보이.

man·a·cle [mǽnəkl] *n.* Ⓒ (흔히 *pl.*) 수갑; 속박(하는 것). ── *vt.* …에 수갑을 채우다; …을 속박하다.

‡man·age [mǽnidʒ] *vt.* ① (손으로) …을 다루다 (handle), 움직이다; (탈것 따위)를 조종〔운전〕하다: ~ a tool 도구를 사용하다 / ~ a boat efficiently 보트를 잘 조종하다 / ~ the machine easily 기계를 쉽게 조종하다. ② (사람)을 조종하다, 복종시키다: He is ~*d* by his wife. 그는 아내에게 쥐어 지낸다 / The woman ~*d* the drunk as if he were a child. 그녀는 취한 사람을 마치 어린애 다루듯 했다. ③ (말 따위)를 조련하다, 잘 다루다: a difficult horse to ~ 다루기 어려운 말. ④ (사무)를 처리하다, 관리하다; (사업 따위)를 경영하다(conduct): ~ a household 살림을 꾸려 나가다 / ~ a business〔a hotel〕 사업〔호텔〕을 경영하다 / a well-*managed* company 경영 상태가

좋은 회사 / ~ the finances 재정을 관리하다 / He will ~ daily affairs while the boss is away. 사장이 부재중일 때에는 그가 업무를 처리한다. ⑤ 《~+명 / +*to* do》 어떻게든 해서 …하다; 용케〔이럭저럭〕 …을 해내다; 〔反語的〕 멍청하게〔불행히〕도 …하다; (웃음 따위)를 가까스로〔겨우〕 짓다〔보이다〕: I'll ~ it somehow. 어떻게든 해보지요 / How does he ~ it on such a small income? 그는 어떻게 그리 적은 수입으로 살아나가고 있는가 / I ~*d to* find the house. 용케 그 집을 찾을 수 있었다 / I ~*d to* get there in time. 그럭저럭 시간에 맞게 그곳에 닿았다 / He ~*d to* make a mess of it. 녀석 멍청스레 큰 실수를 저질렀어 / She ~*d* a smile. =She ~*d to* smile. 그녀는 가까스로 미소를 지었다. ⑥《口》〔can, be able to 와 함께〕 …을 먹어치우다; 처리하다, 해치우다: *Can* you ~ another apple? 사과 하나 더 먹겠느냐.

— *vi.* ① 일을 처리하다, 관리〔경영〕하다. ② (이럭저럭) 잘 해나가다《*with*》: It's difficult to ~ on a small pension. 적은 연금으로 살아가기는 어렵다 / I think I can ~ by myself. 혼자서 이럭저럭 해나갈 수 있을 것 같다. ~ ***without*** …없이 그럭저럭 때우다: She won't be able to ~ *without* help. 그녀는 도움 없이 해 나가지 못할 걸.

man·age·a·bil·i·ty [mæ̀nidʒəbíləti] *n.* Ⓤ 다루기〔처리하기〕 쉬움.

man·age·a·ble [mǽnidʒəbəl] *a.* ① 다루기〔제어하기〕 쉬운. ② 유순한. ③ 관리〔처리〕하기 쉬운. ㊔ **-bly** *ad.* ~·**ness** *n.*

‡**man·age·ment** [mǽnidʒmənt] *n.* ① Ⓤ 취급, 처리, 조종; 통어: the ~ of children 아이들의 취급. ② Ⓤ 관리, 경영(력); 지배(력), 단속, 경영 수완《*of*》: the ~ *of* a theater 극장의 경영 / He is in ~. 그는 관리직이다 / The company's success was the result of good ~. 그 회사의 성공은 훌륭한 경영 관리의 결과였다. ③ Ⓤ 주변; 술수, 술책: It took great ~ to persuade him. 그를 설득하는 데는 대단한 솜씨가 필요했다. ④ Ⓤ 운용, 이용, 사용. ⑤ Ⓤ,Ⓒ 〔集合的〕 경영자(측), 경영진. OPP *labor.* ¶ conflicts between labor and ~ 노사간의 쟁의.

mánagement consùltant 경영 컨설턴트.

mánagement informàtion sỳstem (컴퓨터를 사용한) 경영 정보 체계《略: MIS》.

‡**man·ag·er** [mǽnidʒər] *n.* Ⓒ ① 지배인, 경영〔관리〕자(director); 부장; 감독; 간사; 이사; (예능인 등의) 매니저: a general ~ 총지배인 / a personal ~ 인사 부장 / a sales ~ 판매 부장 / a stage ~ 무대 감독. ② 〔흔히 形容詞를 수반하여〕 (살림 따위를) 꾸려 나가는 사람: My wife is a bad 〔poor〕 ~. 아내는 살림이 서투르다. ③ (*pl.*) 〖英議會〗 양원 협의회 위원.

㊔ ~·**shìp** *n.* Ⓤ ~의 지위〔직·임기〕.

man·ag·er·ess [mǽnidʒəris / mæ̀nidʒərés] *n.* Ⓒ 여성 지배인〔관리인, 경영자〕.

man·a·ge·ri·al [mæ̀nədʒíəriəl] *a.* 〔限定的〕 manager 의; 취급〔조종, 경영〕의; 관리〔지배〕의; 단속〔감독〕의; 처리의: a ~ position 〔society〕 관리직〔사회〕. ㊔ ~·**ly** *ad.*

man·ag·ing [mǽnidʒiŋ] *a.* ① 처리〔지배, 관리, 경영〕하는; 경영을 잘하는, 잘 꾸려 나가는. ② 〔限定的〕 오지랖 넓은: a ~ woman.

mánaging diréctor 전무이사, 상무이사.

mánaging éditor 편집장, 편집 주간.

Ma·na·gua [mənáːgwə] *n.* 마나과《니카라과의 수도》.

ma·ña·na [mənjáːnə] 《Sp.》 *ad.* 내일, 언젠가.

— *n.* Ⓤ 내일.

man-at-arms [mǽnətáːrmz] (*pl.* ***men-*** [mén-]) *n.* Ⓒ (중세의) 병사, 중기병(重騎兵).

man·a·tee [mǽnətìː, mæ̀nətíː] *n.* Ⓒ 〖動〗 해우(海牛).

Man·ches·ter [mǽntʃèstər, -tʃəs-] *n.* 맨체스터《영국 북서부 Greater Manchester 주의 주도; 방적업의 중심지》.

Man·chu [mæntʃúː] *a.* 만주(사람, 말)의.

— (*pl.* ~, ~**s**) *n.* ① Ⓒ 만주 사람. ② Ⓤ 만주 말.

Man·chu·ria [mæntʃúəriə] *n.* 만주《중국 동북부의 구(舊)지방명》. ㊔ **Man·chu·ri·an** *a., n.*

-mancy '…점(占)'의 뜻의 결합사: necro*mancy.*

M & A mergers and acquisition.

man·da·la [mʌ́ndələ] *n.* Ⓤ 《Sans.》〖美術〗 만다라(曼荼羅).

man·da·rin [mǽndərin] *n.* ① Ⓒ (중국 청나라의) 상급 관리. ② (M-) Ⓤ (중국의) 북경 관화(官話)《표준 중국어》. ③ Ⓒ 〖植〗 만다린 귤(의 나무) (=∠ **órange**).

— *a.* 〔限定的〕 ① (옷깃이) 중국풍의. ② (문체가) 지나치게 기교를 부린.

mándarin cóllar 〖服〗 만다린칼라《목 앞이 꼭 맞지 않고 폭이 좁고 바로 선 옷깃》.

mándarin dúck 원앙새《동아시아산》.

***man·date** [mǽndeit] *n.* Ⓒ (흔히 *sing.*) ① 명령, 지령(command). ② (선거 구민이 의원에게 내는) 요구; (선거 구민이 의회에 부여하는) 권한(위탁). ③ 〖史〗 위임 통치; 위임 통치령. ④ (상급 법원에서 하급 법원에 내리는) 직무 집행 영장(令狀). — [mǽndeit, -∠] *vt.* ① (영토)를 위임 통치령으로 하다: a ~*d* territory 위임 통치령. ② …에게 권한을 위양(委讓)하다.

man·da·to·ry [mǽndətɔ̀ːri / -təri] *a.* ① 명령의, 지령의. ② 위탁의, 위임의: a ~ power (국제연맹 시대의) 위임 통치국 / ~ rule〔administration〕 위임 통치. ③ 의무적인, 강제적인(obligatory); 〖法〗 필수(必須)의: a ~ payment 강제적 지급 / It's not ~ to appear in person. 반드시 본인이 출두해야 할 필요는 없다. ㊔ **màn·da·tó·ri·ly** *ad.*

man-day [mǽndèi] *n.* Ⓒ 한 사람의 하루 노동량. cf man-hour.

Man·del·a [mændélə] *n.* **Nelson Rolihlahla** ~ 만델라《남아프리카 공화국의 흑인 운동 지도자; 최초의 흑인 대통령(1994-); 1918-》.

man·di·ble [mǽndəbəl] *n.* Ⓒ ① (포유동물·물고기의) 턱, 《특히》 아래턱(jaw). ② (새의) 윗〔아랫〕부리; (곤충류의) 위턱, 큰 턱.

man·do·lin, -line [mǽndəlin, ∸∸∠], [mæ̀ndəlíːn, ∸∸∠] *n.* Ⓒ 〖樂〗 만돌린. ㊔ **man·do·lin·ist** [mæ̀ndəlínist] *n.* 만돌린 연주자.

man·drake [mǽndreik] *n.* Ⓒ 〖植〗 흰독말풀.

man·drel, -dril [mǽndrəl, -dril] *n.* Ⓒ ① 〖機〗 (선반의) 굴대, 축(軸), 맨드릴. ② 《英》 (광부의) 곡괭이(pick).

man·drill [mǽndril] *n.* Ⓒ 〖動〗 맨드릴《서아프리카산의 큰 비비(狒狒)》.

***mane** [mein] *n.* Ⓒ ① (말·사자 따위의) 갈기. ② 《戱》 장발; 긴 머리털. ㊔ ∠·**less** *a.*

man-eat·er [mǽnìːtər] *n.* Ⓒ ① 식인종(cannibal); 사람을 잡아 먹는 동물《상어·호랑이·사자 따위》. ② 《蔑·戱》 남자마다 거덜내는 여자.

man-eat·ing [mǽnìːtiŋ] *a.* 〔限定的〕 인육을 먹는: a ~ tiger / a ~ shark 식인 상어.

ma·nège, ma·nege [mænéʒ, -néiʒ] *n.* 《F.》 ① Ⓤ 마술(馬術). ② Ⓒ 마술(馬術) 연습소, 승마 학교. ③ Ⓤ 조련된 말의 보조(步調).

M

Ma·net [mənéi] *n.* **Édouard** ~ 마네《프랑스의 인상파 화가 ; 1832-83》.

***ma·neu·ver,** 《英》 **-noeu·vre** [mənú:vər] *n.* Ⓒ ① **a**) 〖軍〗 (군대·함대의) 기동(機動) 작전, 작전적 행동. **b**) (*pl.*) 대연습, (기동) 연습 : Our ship will soon be out on ~*s.* 우리 배는 곧 기동 연습에 출동한다. ② 계략, 책략, 책동 ; 묘책 ; 교묘한 조치 : a clever〔clumsy〕 ~ 교묘한〔서투른〕 책략 / political ~*s* 정치 공작 / a business ~ 경영 전략. ③ (비행기·로켓·자동차 따위) 교묘한 조종〔조작〕. ── *vi.* ① (기동) 연습(演習)하다, 작전 행동을 취하다, (전술적으로) 이동하다 : The soldiers ~*ed* along to the hilltop. 부대는 언덕 꼭대기로 이동했다. ② 책략을 쓰다《*for*》; (정당 등이) 전략적으로 정책〔입장〕 등을 전환하다 : Politicians are ~*ing for* position. 정치가들은 유리한 지위를 차지하기 위해 책략을 쓰고 있다. ── *vt.* ① (군대·함대)를 (기동)연습시키다. ② 《~+목/+목+전+명》(사람·물건)을 교묘하게 유도하다〔움직이다〕《*away* ; *into* ; *out of*》; (사람)을 계략적으로 이끌다 ; 교묘한 방법으로 (결과)를 이끌어내다 : ~ a person *into* a room 책략을 써서 아무를 방 안으로 꾀어들이다 / ~ a person *out of* office 책략을 써서 아무를 직책에서 쫓아내다.

ma·neu·ver·a·ble [mənú:vərəbəl] *a.* 조종하기 쉬운 ; 기동성이 있는 : a highly ~ airplane 아주 조종하기가 쉬운 항공기. ⓟ **ma·nèu·ver·a·bíl·i·ty** [-bíləti] *n.* Ⓤ 기동〔조작, 조종〕성.

ma·neu·ver·er [mənú:vərər] *n.* Ⓒ 책략가.

mán-for-mán defénse [mǽnfərmǽn-] = MAN-TO-MAN DEFENSE.

mán Fríday (*pl.* ***men Friday*** **(*s*)**) 충실한 종, 심복. [◂ *Robinson Crusoe*의 종의 이름 *Friday*]

man·ful [mǽnfəl] *a.* 남자다운, 씩씩한, 용감한, 단호한(resolute). ⓟ **~·ly** *ad.* **~·ness** *n.*

man·ga·nese [mǽŋgəni:z, -nì:s] *n.* Ⓤ 〖化〗 망간《금속 원소 ; 기호 Mn ; 번호 25》: black ~ 산화 망간.

mánganese nódule 〖地質〗 망간단괴(團塊).

mange [meindʒ] *n.* Ⓤ (개·소 따위의) 옴.

man·gel-wur·zel [mǽŋgəl-wə́:rzəl] *n.* Ⓒ 〖植〗 근대의 일종《사료용》.

***man·ger** [méindʒər] *n.* Ⓒ 여물통, 구유.

***man·gle**[1] [mǽŋgəl] *vt.* ① …을 토막내다, 난도질하다 : The body was found horribly ~*d.* 시체는 무참하게 난도질된 채 발견되었다. ② (잘못된 편집·연출 등으로 작품)을 망쳐버리다 : The symphony was ~*d* by the conductor. 교향곡은 지휘자 잘못으로 엉망이 됐다.

man·gle[2] *n.* Ⓒ 압착 롤러, 맹글《세탁물의 주름을 펴는》; 《英》 (종전의) 세탁물 탈수기. ── *vt.* (세탁물 등)을 압착 롤러〔탈수기〕에 걸다.

man·go [mǽŋgou] (*pl.* **~(*e*)*s***) *n.* Ⓒ 〖植〗 망고《열대산 과수 ; 그 열매》.

man·go·steen [mǽŋgəstì:n] *n.* Ⓒ 〖植〗 망고스틴《말레이 원산의 과수 ; 그 열매》.

man·grove [mǽŋgrouv] *n.* 〖植〗 홍수림(紅樹林), 맹그로브《열대의 강변·해변·소택지에 자라는 삼림성(森林性)의 관목·교목》.

man·gy [méindʒi] (***-gi·er*** ; ***-gi·est***) *a.* ① 옴이 걸린 ; (옴이 걸려) 털이 빠진. ② (카페트 따위가) 닳아 빠진. ③ 누추한, 더러운.

man·han·dle [mǽnhæ̀ndl] *vt.* ① (물건)을 인력으로 움직이다 : We ~*d* the piano *up* the stairs. 우리는 피아노를 들고 계단을 올랐다. ② (사람)을 거칠게 다루다 : He complained that the guard ~*d* him unnecessarily. 그는 수위가 지나치게 자기를 거칠게 다루었다고 투덜거렸다.

***Man·hat·tan** [mænhǽtn] *n.* ① 맨해튼《뉴욕시(市)의 주요한 상업 중심 지구》. ② (때로 m-) Ⓤ 칵테일의 일종.

***man·hole** [mǽnhòul] *n.* Ⓒ (도로의) 맨홀.

‡**man·hood** [mǽnhùd] *n.* Ⓤ ① 인간임, 인격. ② **a**) 남자임 ; 사나이다움(manliness) : be in the prime of ~ 남자로서 한창때다. **b**) 《婉》 (남성의) 성적 능력, 정력. ③ 〔集合的〕 (한 나라의) 성년 남자 전체. ④ (남자의) 성년, 성인, 장년 : arrive at 〔come to〕 ~ 성인이 되다.

man-hour [mǽnàuər] *n.* Ⓒ 〖經營〗 인시(人時) 《1 인당 1시간의 노동량》. cf. man-day.

man·hunt [mǽnhʌ̀nt] *n.* Ⓒ (조직적인) 범인 추적〔수색〕《*for*》: Police have launched a ~ *for* the bullion robbers. 경찰이 금괴 강탈범의 수색에 나섰다.

***ma·nia** [méiniə, -njə] *n.* ① Ⓤ 〖醫〗 조울병. ② Ⓒ 열중, 열광, …열, …광, 매니어《*for*》: a ~ *for* 〔the ~ *of*〕 speculation 〔dancing〕 투 기〔댄스〕 열 / a baseball ~ 야구광 / have a ~ *for* collecting stamps 우표 수집광이다.

-mania '…광(狂), …열(熱), 심취(心醉)'의 뜻의 결합사 : biblio*mania* ; klepto*mania.*

ma·ni·ac [méiniæ̀k] *a.* 미친, 발광한, 광기의 (insane) ; 광란의. ── *n.* Ⓒ ① 미치광이. ② (편집광적인) 애호가, …광(狂) : a fishing 〔car〕 ~ 낚시〔자동차〕광(狂) / a homicidal ~ 살인마.

ma·ni·a·cal [mənáiəkəl] *a.* = MANIAC. ⓟ **~·ly** *ad.*

man·ic [mǽnik, méi-] *a.* 〖醫〗 조울병의〔에 걸린〕. ── *n.* Ⓒ 조울병 환자. ⓟ **mán·i·cal·ly** *ad.*

man·ic-de·pres·sive [-diprésiv] *a.* 〖醫〗 조울병의 : ~ psychosis 조울병. ── *n.* Ⓒ 조울병 환자.

***man·i·cure** [mǽnəkjùər] *n.* Ⓤ,Ⓒ 미조술(美爪術), 매니큐어 : a ~ parlor 미조원(院) / have a ~ (미조원에 가거나 하여) 매니큐어를 하다. ── *vt.* ① (손·손톱)에 매니큐어를 하다. ② 《美》 (잔디·생울타리 따위)를 짧게 가지런히 깎다 : neatly ~*d* lawns 말끔히 깎인 잔디밭.

man·i·cur·ist [-kjùərist] *n.* Ⓒ 미조사.

‡**man·i·fest** [mǽnəfèst] *a.* 명백한, 분명한, 일목요연한 : a ~ error 명백한 잘못 / a ~ lie 뻔한 거짓말 / It's a ~ crime. 그것은 명백한 범죄다 / It's ~ to everyone. 그것은 누가 봐도 명백하다. ── *vt.* ① …을 명백히 하다 ; (자질 따위)를 잘 보여주다, (감정·관심 따위)를 나타내다 : Mozart early ~*ed* great talent for musical composition. 모짜르트는 일찍부터 작곡의 탁월한 재능을 보여줬다 / ~ displeasure 불쾌한 기색을 나타내다 / ~ interest in …에 관심을 나타내다. ② …을 증명하다, …의 증거가 되다 : This fact ~*s* the boy's innocence. 이 사실은 그 소년의 결백함을 증명한다. ③ 〖商〗 (적하(積荷))를 적하 목록에 기재하다. **~ *itself*** (징후, 병, 유령 등이) 나타나다 ; (죄 따위가) 드러나다 : The guilt ~*ed itself* on his face. 그의 얼굴에 죄의식이 드러나 보였다. ── *n.* Ⓒ 〖商〗 (선박·항공기의) 적하 목록〔송장(送狀)〕; 승객 명단. ⓟ **~·ly** *ad.* 분명히, 명백히.

***man·i·fes·ta·tion** [mæ̀nəfestéiʃən] *n.* ① Ⓤ 명시, 표명 : ~ of regret 유감의 표명. ② Ⓒ 표현, 표시, 징후《*of*》: He made no ~ of his disappointment. 그는 조금도 실망의 빛을 나타내 보이지 않았다 / Art is a ~ of emotion. 예술은 감정의 표현이다. ③ Ⓒ (정치적 효과를 노린) 시위 행위. ④ Ⓒ 〖心靈〗 (영혼의) 현현(顯現).

man·i·fes·to [mæ̀nəféstou] (*pl.* **~(*e*)*s***) *n.* Ⓒ (국가·정당 따위의) 선언(서), 성명(서) : issue a

~ 선언서를 발표하다 / the Communist *Manifesto* 공산당 선언《1848년 발표》.

***man·i·fold** [mǽnəfòuld] *a.* ① (다종) 다양한, 여러 가지의, 잡다한 : do ~ tasks 잡다한 일을 하다. ② 다방면에 걸친 ; 복잡한 ; 용도가 넓은 : a ~ writer 복사기 / The novel gives a ~ picture of human life. 그 소설은 인생을 다방면으로 묘사하고 있다. ── *n.* Ⓒ 〖機〗 다기관(多岐管), 매니폴드.
── *vt.* (복사기로) …의 복사를 하다. ㊕ ~·ly *ad.* ~·ness *n.*

man·i·kin [mǽnikin] *n.* Ⓒ ① 난쟁이. ② 인체 해부 모형. ③ = MANNEQUIN.

Ma·nila [mənílə] *n.* ① 마닐라《필리핀의 수도 ; 1975년 Quezon City 등과 합병(合倂)해 Metropolitan Manila 로 됨》. ② Ⓤ (때로 m-) = MANILA HEMP ; MANILA PAPER ; MANILA ROPE.

Maníla hémp 마닐라삼.

Maníla páper 마닐라지(紙)《마닐라삼으로 만든 질긴 종이 ; 포장용》.

Maníla rópe 마닐라로프.

***ma·nip·u·late** [mənípjəlèit] *vt.* ① (부정하게 사람·여론 등)을 조종하다 ; (시장·시가 등)을 조작하다 : ~ public opinion in one's favor 자기에게 유리하도록 여론을 교묘히 조종하다 / ~ stocks 주가를 조작하다. ② (기계 등)을 능숙하게 다루다, 조종하다 : ~ the levers of a machine 기계의 레버를 조종하다. ③ (장부·숫자·자료 등)을 속이다, 조작하다 ; (부정하게) 입수하다 : ~ accounts 계산을 속이다. ④ 〖醫〗 (골절·탈구(脫臼)된 뼈 따위)를 손으로 정골(整骨)하다.

***ma·nip·u·la·tion** [mənìpjəléiʃən] *n.* Ⓤ,Ⓒ ① 교묘히 다루기. ② 〖商〗 시장〔시세〕 조작. ③ (장부·계정·보고 등의) 속임(수). ④ 〖醫〗 촉진(觸診) ; (손을 써서 하는) 정골(整骨). ⑤ 〖컴〗 조작《문제 해결을 위해 자료를 변화시키는 과정》.

ma·nip·u·la·tive, -la·to·ry [mənípjəlèitiv / -lət-], [-lətɔ̀:ri / -təri] *a.* ① 교묘히 다루는 : He is very ~. 그는 사람 다루는 데 아주 능하다. ② 속임수의.

ma·nip·u·la·tor [mənípjəlèitər] *n.* Ⓒ ① 손으로 교묘히 다루는 사람 ; 조종자. ② 개찬자(改竄者), 속이는 사람. ③ 〖商〗 시세를 조작하는 사람. ④ 매니퓰레이터《핵물질 등을 처리하는 원격 기계 장치》.

Man·i·to·ba [mæ̀nətóubə] *n.* 매니토바《캐나다 중남부의 주 ; 주도(州都) Winnipeg》.

‡man·kind [mæ̀nkáind] *n.* Ⓤ ① 〔集合的 ; 흔히 單數 취급, 앞에 形容詞가 없으면 冠詞를 안 붙임〕 인류, 인간, 사람 : all ~ 전인류 / love for ~ 인류애 / War is an enemy of ~. 전쟁은 인류의 적이다 / promote the welfare of ~ 인류의 복지를 증진하다. ② [⌐⌐] 〔集合的〕 남성, 남자. opp. *womankind.*

man·like [mǽnlàik] *a.* ① 사람 비슷한, 사람 같은 : ~ apes 유인원. ② 남자다운, 남성적인.

‡man·ly [mǽnli] (*-li·er* ; *-li·est*) *a.* ① 남자다운, 대담한, 씩씩한 : ~ behavior 남자다운 행동. ② 남성적인, 남자를 위한 : ~ sports 남성 스포츠. ③ (여자가) 남자 같은.
㊕ **-li·ness** *n.* Ⓤ 남성적임, 용감, 과단.

man-made [mǽnméid] *a.* 인조의, 인공의 ; 합성의 : a ~ satellite 〔moon〕 인공 위성 / a ~ lake 인공호 / ~ fibers 합성 섬유 / ~ calamities 인재(人災).

Mann [mɑ:n, mæn] *n.* **Thomas** ~ 만《독일의 소설가 ; 1875-1955》.

man·na [mǽnə] *n.* Ⓤ ① 〖聖〗 만나《옛날 이스라엘 사람이 광야를 헤맬 때 신(神)이 내려준 음식 ; 출애굽기 XVI : 14-36》. ② 마음의 양식 ; 하늘의 은총 : When he gave me the money, it was (like) ~ from heaven. 그가 내게 돈을 주었을 때 그건 하늘의 은총 같았다.

manned [mænd] *a.* (우주선 따위가) 승무원이 탄, 유인의 : ~ lunar landing 유인 우주선의 달 착륙 / a ~ spacecraft 〔spaceship〕 유인 우주선 / ~ space flight 유인 우주 비행 / a ~ flight to the moon 달을 향한 유인 비행.

mánned expedítion 〖宇宙〗 유인 탐사.

man·ne·quin [mǽnikin] *n.* Ⓒ ① 마네킹(걸), 패션 모델《★ 지금은 흔히 model 이라 함》. ② (양장점 따위의) 마네킹 인형.

†man·ner [mǽnər] *n.* ① Ⓒ (흔히 *sing.*) 방법, 방식, 투 : his ~ of speaking 그의 말투 / in a graceful ~ 우아하게 / in a singular ~ 묘한 방법으로. ② (a ~, one's ~) 태도, 거동, 모양 : in *a* clumsy ~ 어색한 태도로 / He was businesslike in *his* ~. 그의 태도는 사무적이었다. ③ (*pl.*) 예절, 예의, 예법 : He has no ~*s*. 그는 예의 범절을 모른다 / Mind your ~*s*. 예의 바르게 해라 / It is bad ~*s* to make a noise while you eat. 식사 중에 소리를 내는 것은 예의 없는 짓이다 / table ~*s* 식사 예절, 테이블 매너. ④ (*pl.*) 풍습, 관습, 관례 : a comedy of ~*s* 풍속 희극 / Victorian ~*s* 빅토리아조의 풍습 / Other times, other ~*s*. 《속담》시대가 변하면 풍속도 변한다. ⑤ Ⓒ (예술 따위의) 양식, 수법 ; 작풍(作風) : a picture in the ~ of Picasso 피카소풍(風)의 그림. ⑥ 《英古》 종류 : What ~ of man is he? 그는 어떤 사람이냐. ***after the ~ of*** …류(流)의 ; …에 따라서. ***after this ~*** 이런 식으로. ***all ~ of*** 모든 종류의 (all kinds of) : collect *all ~ of* wild plants 모든 종류의 야생 식물을 채집하다. ***by all ~ of means*** 반드시, 꼭. ***by no ~ of means*** 결코 … 아니다(by no means). ***do*〔*make*〕 one's ~*s*** 절하다, 인사하다. ***have no ~ of*** 전연 …가 없다. ***in a ~*** 어떤 의미로는 ; 얼마간. ***in a ~ of speaking*** 말하자면, 이를테면 : "Is he your husband?" — "Yes, *in a ~ of speaking*." '네 남편이냐'—'응, 어떤 의미에선'. ***to the ~ born*** 타고난 ; 나면서부터 …에 알맞은 : He is a soldier *to the ~ born*. 그는 타고난 군인이다.

man·nered [mǽnərd] *a.* ① 점잔빼는, 젠체하는 : a ~ way of speaking 점잔빼는 말투. ② (문체 따위가) 틀에 박힌 : a ~ literary style 틀에 박힌 문체. ③ 〔形容詞를 수반해〕 버릇〔몸가짐〕이 …한 : well-〔ill-〕~*ed* 뱀뱀이가 좋은〔나쁜〕 ; 예절 바른〔버릇 없는〕.

man·ner·ism [mǽnərìzəm] *n.* ① Ⓤ 매너리즘《특히 문학·예술의 표현 수단이 틀에 박혀 신선미가 없는 것》. ② Ⓒ 독특한 버릇《태도·언행 따위의》 : She has this strange ~ of pinching her ear when she talks. 그녀는 말할 때 귀를 만지는 그런 이상한 버릇이 있다.

man·ner·less [mǽnərlis] *a.* 버릇 없는.

man·ner·ly [mǽnərli] *a.* 예모 있는, 정중한. ── *ad.* 예의 바르게, 정중하게. ㊕ **-li·ness** *n.*

man·ni·kin [mǽnikin] *n.* = MANIKIN.

man·nish [mǽniʃ] *a.* ① (여자가) 남자 같은, 여자 답지 않은 : She has a ~ walk. 그녀는 남자같은 걸음걸이를 한다. ② (복장 따위가) 남성풍의, 남성에게 적합한 : a ~ jacket 남성복 같은 재킷.

***manoeuvre** ⇨ MANEUVER.

man-of-war [mǽnəvwɔ́:r] (*pl.* ***men-***) *n.* Ⓒ 군함《★ 지금은 warship이 일반적》.

ma·nom·e·ter [mənɑ́mətər / -nɔ́m-] *n.* Ⓒ ①

(기체·액체의) 압력계. ② 혈압계.

*__man·or__ [mǽnər] *n.* Ⓒ ①〖英史〗장원(莊園), 영지: the lord of the ~ 영주 / the lady of the ~ 영주 부인. ② = MANOR HOUSE. ③《英俗》경찰의 관할 구역.

mánor hòuse 〔**sèat**〕 (장원내의) 영주 저택.

ma·no·ri·al [mənɔ́:riəl] *a.* 장원의, 영지의; 장원 부속의: a ~ court 장원〔영주〕 재판소. ㊞ ~**·ìsm** *n.* 장원제(도).

man·pow·er [-pàuər], **mán pòwer** *n.* Ⓤ ① (기계에 대한) 인력《공률(工率)의 단위; 약 1/10 마력》. ② (노동이나 병역에 이용·동원할 수 있는) 유효 총인원; 인적 자원; 동원 가능 총인원; (유효) 노동력: the ~ of a country 일국의 (유효) 노동력 / a ~ shortage 인적 자원의 부족 / How much ~ do we need? 어느 정도의 인원〔노동력〕이 필요한가.

man·qué [mɑ̃:ŋkéi] (*fem.* ***-quée*** [―]) *a.* 《F.》 〔名詞 뒤에서〕 되다 만, 반거들충이의: a poet ~ 시인 지망자 / a writer ~ 되다 만 작가.

man·sard [mǽnsɑ:rd] *n.* Ⓒ〖建〗망사르드 지붕 (=∠ **ròof**)《물매가 상·하부의 2 단으로 경사진 지붕》; 그런 지붕 밑의 고미다락(attic).

manse [mæns] *n.* Ⓒ 목사관(館)《스코틀랜드 교구의》. ***sons of the*** ~ 가난하나 교양 있는 사람들.

man·ser·vant [mǽnsə̀:rvənt] (*pl.* ***mén·sèr·vants***) *n.* Ⓒ 하인, 머슴. ⓒⓕ maidservant.

-manship *suf.* '…재주, …기량(技量), …수완'의 뜻: pen*manship*.

‡**man·sion** [mǽnʃən] *n.* Ⓒ ① 맨션, 대저택. ② (흔히 M-; *pl.*) 《英》(아파트 건물의 명칭에 쓰여) …맨션: Kew *Mansions* 큐맨션.

mánsion hòuse 《英》 ① (영주·지주(地主)의) 저택(mansion). ② (the M- H-) 런던 시장 관저.

man·size(d) [mǽnsàiz(d)] *a.* 〔限定的〕《口》어른형〔용〕의; 큰, 특대의.

man·slaugh·ter [mǽnslɔ̀:tər] *n.* Ⓤ 살인;〖法〗《특히》살의(殺意) 없는 살인, 고살(故殺)《일시적 격정에 의하는 따위》(★ murder 보다 가벼운 죄).

man·ta [mǽntə] *n.* Ⓒ ① 맨터《스페인·라틴 아메리카 등지에서 사용하는 외투나 어깨걸이》. ②〖魚〗쥐가오리(devilfish) (=∠ **rày**).

man·teau [mǽntou, -∠] (*pl.* ***~s,*** ***~x*** [-z]) *n.* 《F.》 망토, 외투.

man·tel [mǽntl] *n.* = MANTELPIECE.

*__man·tel·piece__ [mǽntlpì:s] *n.* Ⓒ ① 벽로의 앞면 장식(chimneypiece). ② 벽로 선반.

man·tel·shelf [-ʃèlf] (*pl.* ***-shelves*** [-ʃèlvz]) *n.* Ⓒ 벽로 선반.

man·til·la [mæntílə, -tí:ə] *n.* Ⓒ 만티야《스페인·멕시코 여성의 머리·어깨를 덮는 베일》.

man·tis [mǽntis] (*pl.* ***~·es,*** ***-tes*** [-ti:z]) *n.* Ⓒ〖蟲〗버마재비(mantid).

‡**man·tle** [mǽntl] *n.* Ⓒ ① (소매 없는) 망토, 외투. ② (옷 처럼) 뒤덮는〔가리우는, 싸는〕 것, 막, 뚜껑: a ~ of darkness 밤의 장막 / hill covered by a ~ of fresh green 신록(新綠)으로 뒤덮인 구릉. ③ (가스 등의) 맨틀. ④ (연체 동물의) 외투막(膜). ⑤〖地質〗맨틀《지각(地殼)과 중심핵 사이의 층》. ***a widow's*** ~ 미망인복《일생을 미망인으로 지낼 맹세로서 입는》. ── *vt.* ① …에게 망토를 입히다, 망토로 싸다. ② …를 (뒤)덮다, 싸다; 가리다: The roofs were ~*d* in〔with〕 snow. 지붕은 온통 눈으로 덮여 있었다. ── *vi.* ① (얼굴이) 새빨개지다(flush). ② (액체에) 더껑이가 생기다.

man-to-man [mǽntəmǽn] *a.* 〔限定的〕 남자끼리의; 흉금을 터 놓은; 솔직한: a ~ talk 흉금을 터 놓은 대화. ── *ad.* 솔직히, 탁 털어놓고.

mán-to-mán defénse 맨투맨 방어《농구 따위에서의 대인 방어법》. ⓒⓕ zone defense.

man·tra [mǽntrə, mɑ́:n-] *n.* Ⓒ〖힌두敎〗만트라, 진언(眞言)《가지(加持) 기도에 외는 주문(呪文)》.

man·trap [mǽntræ̀p] *n.* Ⓒ ① 덫《옛날 침입자·밀렵꾼을 잡는》, 함정. ②《口》요부.

*__man·u·al__ [mǽnjuəl] *a.* ① 손의; 손으로 하는〔움직이는〕; 손으로 만드는, 수세공의: ~ crafts 수공예 / a ~ control 수동 제어 / a sign ~ 서명 / a ~ fire engine 수동식 소화 펌프. ② 육체의: ~ labor 근육〔육체〕 노동 / a ~ worker 육체 노동자. ── *n.* Ⓒ ① 소책자; 편람, 입문서;〖軍〗(교련 등의) 교범: a teacher's ~ (교과서의) 교사용 참고서. ②〖컴〗**a)** 설명서. **b)** 수동《기계장치에 의하지 않고 사람이 직접 행함》. ㊞ ~**·ly** *ad.* 손(끝)으로; 수세공으로; 근육 노동으로.

mánual álphabet (농아자가 쓰는) 수화(手話) 문자(deaf-and-dumb alphabet).

mánual éxercise〖軍〗집총 교련.

mánual tráining 공예·수예의 훈련; (초등·중학교의) 공작, 수공(과(科)), 실과(實科).

‡**man·u·fac·ture** [mæ̀njəfǽktʃər] *vt.* ① …을 제조하다《특히 대규모로》: ~*d* goods 제품 / ~ goods in large quantities 상품을 대량으로 제조하다 / The cars ~*d* in this factory are mostly exported overseas. 이 공장에서 생산되는 자동차는 대부분이 해외로 수출되고 있다. ②《+圓+전+圓》 (재료)를 제품화하다《*into*》: ~ pulp *into* paper 펄프를 가공하여 종이로 만들다 / ~ iron *into* wares 철로 기물을 만들다. ③ (이야기 따위)를 꾸며내다, 날조하다: ~ an excuse 구실을 만들다 / The story was ~*d* by an unscrupulous journalist. 그 이야기는 한 파렴치한 저널리스트가 꾸며낸 것이다.

── *n.* ① Ⓤ (대규모의) 제조; 제조(공)업: of home 〔foreign〕 ~ 국산〔외국제〕의 / iron ~ 제철(업). ② Ⓒ (*pl.*) 제품: silk ~*s* 견제품(絹製品) / woolen ~*s* 양모 제품.

‡**man·u·fac·tur·er** [mæ̀njəfǽktʃərər] *n.* Ⓒ 제조(업)자, 제조 회사: a car〔computer〕 ~ 자동차〔컴퓨터〕 제조업자〔회사〕.

man·u·fac·tur·ing [mæ̀njəfǽktʃəriŋ] *a.* 제조(업)의; 제조업에 종사하는: a ~ industry 제조 공업 / a ~ town 공업 도시.

── *n.* Ⓤ 제조〔가공〕(공업)《略: mfg.》.

man·u·mis·sion [mæ̀njəmíʃən] *n.* Ⓤ,Ⓒ (농노·노예의) 해방.

man·u·mit [mæ̀njəmít] (***-tt-***) *vt.* (농노·노예)를 해방하다.

*__ma·nure__ [mənjúər] *n.* Ⓤ 거름, 비료; 똥거름: artificial ~ 인조 비료 / barnyard 〔farmyard〕 ~ 퇴비 / chemical ~ 화학 비료 / liquid ~ 수비(水肥) / nitrogenous ~ 질소 비료. ── *vt.* …에 비료를 주다.

‡**man·u·script** [mǽnjəskrìpt] *n.* Ⓒ ① 원고《略: MS., *pl.* MSS.》: an unpublished ~ 미간(未刊)〔미발표〕의 원고 / edit a ~ 원고를 편집하다. ② (인쇄술 발명 이전의) 사본, 필사본. ⓒⓕ print. ***in*** ~ 원고(인 채)로, 아직 인쇄되지 않은: a novel *in* ~ 아직 인쇄〔발표〕되지 않은 소설. ── *a.* ① 원고의. ② 손으로 쓴, (정식 인쇄에 대하여) 타자한: a ~ document 손으로 쓴 문서. ③ 사본의.

Manx [mæŋks] *a.* 맨 섬(the Isle of Man)의; 맨 섬 사람〔말〕의. ── *n.* ① (the ~) 〔集合的, 複數 취급〕 맨 섬 사람《★ 한 사람 한 사람은 Manxman 이라 함》. ② Ⓤ 맨 섬 어(語).

Mánx cát 맨 섬 고양이《꼬리의 퇴화가 현저함》.
Manx·man [mǽŋksmən, -mæ̀n] (*pl.* ***-men*** [-mən, -mèn]) *n.* Ⓒ 맨 섬 사람〔남자〕.
†many [méni] (***more*** [mɔːr]; ***most*** [moust]) *a.* ①〔複數名詞 앞에 쓰이어〕 많은, 다수의, 여러《肯定의 平敍文에서는 아래 語法 을 참고》. opp. *few*. cf. much. ¶ *Many* people die of cancer. 암으로 죽는 사람이 많다 / Too ~ cooks spoil the broth. 《俗談》 요리사가 많으면 수프가 맛이 없다; 사공이 많으면 배가 산으로 오른다 / So ~ men, so ~ minds. 《俗談》 각인 각색 / There are ~ flowers in the garden. 뜰에는 꽃이 많이 있다 / How ~ eggs are there in the kitchen? 주방에는 달걀이 몇 개 있습니까.

> 語法 (1) many는 흔히 부정문·의문문 따위에 쓰고, 긍정의 평서문에는 many 대신에 a large number of, numerous, 특히 《口》에서는 a lot of, lots of, plenty of를 쓰는 경향이 있음. 다만, 긍정의 평서문에서도 주어를 수식하는 경우, 또는 so, as, too, how 따위 뒤에서는 many를 씀.
> (2) 한 마디로 하는 응답의 말에는 many를 써서는 안 됨: How ~ books do you have?—A lot 〔Lots〕. 否定일 때에는 역으로 many만 사용함: Not ~ [×a lot, ×lots]. 별로 없습니다.

②《文語》〔many a 〔an〕로 單數名詞 앞에 쓰여; 單數 취급〕 다수의, 여러: ~ *a* time 여러 번, 자주 / ~ and ~ *a* time 몇 번이고 / ~ a day 며칠이고 / for ~ *a* long day 실로 오랫동안 / *Many a* man has failed. 실패한 사람은 많다.
— *n., pron.* 〔複數 취급〕 ① (막연히) 많은 사람〔것〕: There are ~ who dislike ginger. 생강을 싫어하는 사람은 많다《主語의 위치로 올 때엔 *Many* people dislike ginger. 와 같이 흔히 people을 붙임》/ Did ~ come? 사람들이 많이 왔나 / How ~ have you got? 얼마나 갖고 계십니까 / Do you have ~ to finish? 끝내야 할 일이 많이 있습니까 / *Many* of them 〔his friends〕 thought that he was insane. 그들〔그의 친구들〕 중에는 그가 미쳤다고 생각하는 사람이 많았다《many of 다음의 명사에는 the, one's 따위의 限定詞가 필요함에 주의》. ② (the ~) 대중, 서민. opp. *the few*. ¶ try to please *the* ~ 일반 대중을 기쁘게 하려고 하다.
a good ~ 꽤 많은(수). ***a great*** ~ 대단히 많은(수), 다수(의)《a good many 보다 뜻이 강함》. ***as*** ~ 〔선행하는 數詞와 대응하여〕 (그것과) 같은 수(의): make ten mistakes in *as* ~ pages 열 페이지에 10개의 미스를 범하다 / I have five copies, but I shall need twice *as* ~. 나는 다섯 부가 있으나 두 배는 더 필요할 것이다. ***as ~ again*** 또 같은 수만큼, 두 배의 수: We have ten tickets, but we shall need *as* ~ *again*. 표는 열 장 있으나 그 배나 필요할 것이다. ***as ~ as...*** (1)〔數詞와 함께〕 …이나 되는(no less than): He reads *as* ~ *as* twenty books every week. 그는 매주 책을 스무 권이나 읽는다. (2) …와 동수의 것: I have *as* ~ *as* you. 너와 같은 수만큼 갖고 있다. ***as ~ ... as*** …와 같은 수의 …: I've *as* ~ friends *as* you have. 나도 너만큼 많은 친구가 있다 / He has only half *as* ~ books *as* you. 그는 너의 반 밖에 책을 갖고 있지 않다. ***be one too*** ~ 하나가 더 많다; 군더더기다, 방해가 되다: The remark *was* just *one too* ~. 그 한 마디는 정말로 군더더기였다. ***be (one) too ~ for...*** …의 힘에 겹다: They *are* (*one*) *too* ~ *for* me. 그들은 내 힘에 벅차다. ***have one too*** ~ 《口》 조금 많이 마시다. ***Many's*** 〔***Many is***〕 ***the ...*** (***that***) 〔***who***〕 .... …한 일이 여러 번 있다; 자주 …하곤 했지: *Many's the* time I have seen them together. 그들이 함께 있는 것을 여러 번 보았다. ***so*** ~ (1) 같은 수의, 동수의, 그만큼의: The twelve men gathered like *so* ~ ghosts. 12명이 흡사 12유령처럼 모였다 / Three hours went by like *so* ~ minutes. 세 시간이 3분처럼 빨리 지나갔다. (2) 매우〔그처럼〕 많은(것): There are *so* ~ stars in the sky. 하늘에는 아주 많은 별이 있다 / Were there *so* ~? 그리 많은 사람이 있었단 말인가. (3) 얼마얼마(의), 몇(의): work *so* ~ hours for so much money 몇 시간에 돈 얼마씩 받기로 하고 일하다 / sell oranges at *so* ~ for a dollar 오렌지를 1달러에 몇 개로 팔다.
man·y-sid·ed [-sáidid] *a.* ① **a)** 다방면의〔에 걸친〕; 다면적(多面的)인: a ~ issue 다면적인 문제. **b)** 다재다능한. ②〖數〗 다변(多邊)의. 파 **~·ness** *n.*
man·za·nil·la [mæ̀nzəníːljə, -níːə] *n.* Ⓤ 《Sp.》 만사니야《에스파냐산의 쌉쌀한 셰리술》.
MAO〖生化〗 monoamine oxidase(모노아민 옥시다아제).
Mao·ism [máuizəm] *n.* Ⓤ 마오 쩌둥주의〔사상〕.
Mao·ri [máuri, máːɔːri, máːou-] *n.* (*pl.* ~, ~**s**) ① Ⓒ 마오리 사람《New Zealand 원주민》. ② Ⓤ 마오리 말. — *a.* 마오리 사람〔말〕의.
Mao Tse-tung, Mao Ze·dong [máuzədúŋ, -tsə-/-tséitúŋ], [-zʌ́dɔ́ːŋ] 마오 쩌둥(毛澤東)《중국의 정치가, 전 주석; 1893-1976》.
†map [mæp] *n.* Ⓒ ① 지도: a ~ of the world 세계 지도 / hang up a ~ on the wall 벽에 지도를 걸다 / study the road ~ of the country around Seoul 서울 주변 지방의 도로지도를 조사하다 / a one-to-ten thousand ~, 1만분의 1지도. cf. atlas, chart. ② 천체도, 성좌도. ③ 도해(圖解), 도표, 분포도; 〖컴〗 도표《기억장치의 각 부분이 어떻게 사용되는지를 보여주는》. ***off the*** ~ 《口》 (1) (도시·간선 도로에서) 멀리 떨어진, 가기 힘든. (2) 잊혀진, 중요치 않은. ***on the*** ~ 《口》 중요〔유명〕한: put ... *on the* ~ (도시·지역)을 유명하게 하다. ***wipe ... off the*** ~ (도시·지역·경쟁 상대)를 파괴〔말살〕하다, 지워 없애다.
— (***-pp-***) *vt.* …의 지도〔천체도〕를 만들다; …을 지도로 나타내다: The area has not been ~*ped*. 그 지역은 아직 지도에 나타나 있지 않다. **~ *out*** (지도에) 상세히 나타내다; 배치하다; (상세히) 계획하다.
‡ma·ple [méipəl] *n.* ① Ⓒ〖植〗 단풍(丹楓)나무(속(屬)의 식물). ② Ⓤ 단풍나무 재목. ③ Ⓤ 단풍당(糖)(~ sugar).
máple lèaf 단풍잎《캐나다의 표장(標章)》.
máple súgar 단풍당.
máple sýrup 단풍 당밀.
map·per, -pist [mǽpər], [-pist] *n.* Ⓒ 지도 작성자.
map·ping [mǽpiŋ] *n.* Ⓒ ① 지도 작성. ②〖數〗 함수. ③〖컴〗 도표화, 사상.
map-read·er [-rìdər] *n.* Ⓒ 독도법(讀圖法)을 아는 사람: a good 〔poor〕 ~.
Ma·pu·to [məpúːtou] *n.* 마푸토《모잠비크(Mozambique)의 수도》.
‡mar [maːr] (***-rr-***) *vt.* ① …을 몹시 손상시키다, 훼손하다: a painting ~*red* by cracks 금이 가서 훼손된 유화. ② …을 망쳐놓다, 못쓰게 만들다; 보기 싫게 하다: The new power station ~*s* the beauty of the countryside. 새 발전소가 들어서서

시골 풍경을 망치고 있다. ***make or*** ~ ⇨MAKE.
Mar. March; Maria. **mar.** marine; maritime, married. **M.A.R.** Master of Arts in Religion.
mar·a·bou, -bout [mǽrəbùː] *n.* ① Ⓒ 〖鳥〗 무수리(=∠ **stòrk**) 《황샛과; 열대 아시아·아프리카산》. ② **a)** Ⓤ 무수리 깃털. **b)** Ⓒ 무수리 깃털로 만든 장식품.

M

ma·ra·ca [mərɑ́ːkə, -rǽkə] *n.* Ⓒ (흔히 *pl.*) 〖樂〗 마라카스《흔들어 소리내는 리듬 악기》.
mar·a·schi·no [mæ̀rəskíːnou] (*pl.* ~***s***) *n.* ① Ⓤ 《It.》 마라스키노《야생 버찌로 만든 리큐르 술》. ② =MARASCHINO CHERRY.
maraschíno chérry maraschino로 가미한 앵두《디저트·케이크 등의 장식으로 곁들임》.
***mar·a·thon** [mǽrəθɑ̀n, -θən] *n.* Ⓒ ① (종종 M-) 마라톤 (경주) (=∠ **ràce**) 《표준 거리 42.195 km》. ② 〔一般的〕 장거리 경주, 내구(耐久) 경쟁, 지구전(持久戰): a swimming ~ 원영(遠泳)《경기》/ a dance ~ 마라톤 댄스《지속시간을 겨룸》.
── *a.* 〔限定的〕 ① 마라톤의: a ~ runner 마라톤 선수〔주자〕. ② 《口》 장시간에 걸친 인내를 필요로 하는: a ~ speech 끝없이 계속되는 말, 장광설 / My job interview was a real ~. 내 인터뷰 일은 정말로 지루한 고역이었다.
mar·a·thon·er [-ər] *n.* Ⓒ 마라톤 선수.
ma·raud [mərɔ́ːd] *vt., vi.* (…을) 약탈하다; 습격하다 《*on, upon*》: ~*ing* hordes〔bands〕 비적(匪賊).
ma·raud·er [-ər] *n.* Ⓒ 약탈자, 습격자.
ma·raud·ing [-iŋ] *a.* 〔限定的〕 (사람·동물이) 약탈〔습격〕하는: ~ soldiers 멋대로 약탈을 하는 병사들.
‡**mar·ble** [mɑ́ːrbəl] *n.* ① Ⓤ 대리석(같은 차가움); 단단함; 희고 매끄러움: a statue in ~ 대리석 상 (= a ~ statue) / a heart of ~ 냉혹〔무정〕한 마음 / skin of ~ 매끄럽고 흰 살결 (=~ skin). ② (*pl.*) 〔集合的〕 (개인·박물관 소장의) 대리석 조각품. ③ **a)** Ⓒ 공깃돌《아이들 장난감》. **b)** (*pl.*) 〔單數 취급〕 공기놀이: play ~*s* 공기 놀이하다. ④ (*pl.*) 《俗》 정상적 판단력; 분별; 이성(理性): lose one's ~*s* 정신이 돌다. ***as cold*** 〔***hard***〕 ***as*** ~ 대리석같이 차가운 〔단단한〕; 냉혹한. ***have all*** one***'s*** ~***s*** 《俗》 지각이 있다, 빈틈이 없다, 제정신이다: He would not go to town barefooted if he *had all his* ~*s*. 그가 제정신이라면 맨발로 읍에 가지 않을 텐데 / I'm old but I still *have all my* ~*s*. 늙었지만 아직 판단은 할 줄 안다.
── *a.* ① 대리석(제)의; 대리석 같은: a ~ statue 대리석상(像). ② 단단한; (희고) 매끄러운: a ~ brow 흰 이마. ③ 냉혹한, 무정한: a ~ heart〔breast〕 냉혹〔무정〕한 마음. ── *vt.* …에 대리석 무늬를 넣다《비누·책 가장자리 등에》.
mar·bled [mɑ́ːrbld] *a.* ① 대리석 무늬의: a book with ~ edges 가장자리를 대리석 무늬로 한 책. ② (고기가) 차돌박이인: ~ meat 차돌박이 고기.
mar·bling [mɑ́ːrbliŋ] *n.* ① Ⓤ 대리석 무늬의 착색 (기술). ② Ⓒ (책 가장자리·종이·비누 따위의) 대리석 무늬.
marc [mɑːrk] *n.* Ⓤ (과일 특히 포도의) 짜고 남은 찌끼; 그 찌끼로 만든 브랜디.
mar·ca·site [mɑ́ːrkəsàit] *n.* Ⓤ 〖鑛〗 백철광.
†**March** [mɑːrtʃ] *n.* 3월《略: Mar.》.
†**march**[1] [mɑːrtʃ] *n.* ① Ⓤ,Ⓒ 행진, 행군; 행진 거리: a forced ~ 강행군 / a peace ~ 평화 행진 / an antiwar ~ 반전 행진 / one day's ~ 하루의 행정(行程) / a line of ~ 행진로 / a ~ of ten miles 10마일의 행군. ② Ⓤ 〖軍〗 (행군의) 보조: ~ at ease 보통 속도의 보조 / at a quick〔double〕 ~ 속보〔구보〕로. ③ Ⓒ 〖樂〗 행진곡: a funeral 〔military, wedding〕 ~ 장송〔군대, 결혼〕행진곡. ④ Ⓤ (the ~) (사물의) 진전, 진행, 발달《*of*》: *the* ~ *of* civilization 문명의 진보 / *the* ~ *of* the events 〔time〕 정세의 진전〔시간의 경과〕. ⑤ Ⓤ (모금 따위의) 사회〔국민〕 운동: the *March* of Dimes 《美》 소아마비 환자 구호 모금 운동. ***be on the*** ~ 행진〔진행〕 중이다. ***in*** ~ 〖軍〗 행군 중에. ***send*** (an army) ***on the*** ~ (군대를) 출격(出擊)〔출병(出兵)〕시키다. ***steal a*** ~ ***on*** 〔***upon***〕 …을 (몰래) 앞지르다, 기선을 잡다.
── *vi.* ① 《~ / +副 / +前+名》 〖軍〗 (대열을 지어) 행진하다; (당당하게) 걷다, 빨리 전진하다: ~ *along* the street 가로를 따라 행진하다 / ~ 30 miles a day 하루에 30마일을 행군하다 / The speaker ~*ed up to* the platform. 연설자는 유유히 연단을 향해 걸어갔다 / The ice was not thick enough to bear the weight of ~*ing* soldiers. 그 얼음은 행진하는 군인들의 무게를 견딜만큼 두껍지 않았다. ② 《~ / +副》 (사건 따위가) 진전하다, 착착 진행되다: The work is ~*ing on.* 일이 착착 진행되고 있다 / Time ~*ed on.* 시간은 점점 지나갔다.
── *vt.* ① …을 행진시키다, 행군시키다: They ~*ed* the soldiers through the town. 병사들에게 시내를 행진시켰다. ② 《+目+副 / +目+前+名》 …을 (억지로) 걷게 하다, 연행하다, 구인(拘引)하다《*off*; *on*》: ~ the thief *off* 〔*away*〕 *to* the jail 도둑을 구치소로 잡아가다. ~ ***past*** (열병자 앞을) 분열 행진하다. cf. MARCH-PAST.
march[2] *n.* ① (흔히 *pl.*) (특히 분쟁 중인) 국경, 경계 지방, 변경. ② (the Marches) 〖英史〗 잉글랜드와 스코틀랜드 또는 웨일스와의 경계 지방.
march·er[1] [mɑ́ːrtʃər] *n.* Ⓒ (도보) 행진자; 데모 행진자: a peace ~ 평화 행진자.
march·er[2] *n.* Ⓒ 국경지대 거주자, 변경의 주민.
márch·ing òrders [mɑ́ːrtʃiŋ-] ① 출발〔진격〕 명령. ② 《英口》 해고 명령〔통지〕 (《美口》 walking papers).
mar·chio·ness [mɑ́ːrʃənis, mɑ̀ːrʃənés] *n.* Ⓒ ① 후작 부인〔미망인〕. ② 여후작. cf. marquis.
march-past [mɑ́ːrtʃpæ̀st, -pɑ̀ːst] *n.* Ⓒ (특히 군대의) 분열 행진.
Mar·co·ni [mɑːrkóuni] *n.* **Guglielmo** ~ 마르코니《이탈리아의 전기 학자; 무선전신 발명; 노벨 물리학상 수상(1909); 1874-1937》.
Mar·di Gras [mɑ́ːrdigrɑ́ː] 《F.》 마르디그라《참회 화요일(Shrove Tuesday); 사육제(謝肉祭) 마지막 날, 사순절이 시작되는 전날》.
***mare**[1] [mɛər] *n.* Ⓒ 암말; (당나귀·노새 따위의) 암컷: Money makes the ~ (to) go. 《俗談》 돈만 있으면 귀신도 부릴 수 있다 / The gray ~ is the better horse. 《俗談》 내주장하다.
ma·re[2] [mɑ́ːrei, mɛ́əri] (*pl.* ***ma·ria*** [-riə]) *n.* Ⓒ 《L.》 〖天〗 (달·화성의) 바다《표면에 검게 보이는 부분》.
mare's-nest [mɛ́ərznèst] *n.* Ⓒ ① (대발견인 줄로 알았으나) 실은 보잘것 없는 것. ② 지극히 난잡〔혼란〕한 장소〔상태〕.
Mar·ga·ret [mɑ́ːrgərit] *n.* 마거리트《여자 이름; 애칭 Madge, Mag, Maggie 따위》.
mar·ga·rine, mar·ga·rin [mɑ́ːrdʒərin, -rìːn, ∸-∸], [mɑ́ːrdʒərin] *n.* Ⓤ 인조 버터, 마가린.
mar·ga·ri·ta [mɑ̀ːrgəríːtə] *n.* Ⓤ 마르가리타《테킬라(tequila)와 레몬즙 등의 칵테일》.
marge [mɑːrdʒ] *n.* 《英口》 =MARGARINE.

‡mar·gin [má:rdʒin] *n.* Ⓒ ① 가장자리, 가, 변두리 ; (호수 등의) 물가 : at the ~ of a river 강가에서 / Several girls were sitting on the ~ of the swimming pool. 몇 사람의 소녀들이 수영장 가장자리에 앉아 있었다. ② (페이지의) 여백, 난외 : leave a ~ 여백을 남기다 / write in the ~ 여백에 써넣다 / notes written in the ~ 여백에 쓴 주석. ③ (능력·상태 등의) 한계 ; 〖心〗 의식의 주변 : be past the ~ of endurance 인내의 한계를 넘다 / live on the ~ of subsistence 근근이 살아가다. ④ (시간·따위의) 여유, (활동 따위의) 여지 : a ~ of 10 minutes, 10분의 여유 / leave a good safety ~ 안전하도록 충분한 여유를 남겨두다 / a ~ of error 잘못이 발생할 여지. ⑤ 〖商〗 판매 수익, 이문 : a fair ~ of profit 상당한 이익 / a low〔narrow〕(profit) ~ 적은 마진 / Our profit ~ has become smaller. 판매 수익은 감소했다. ⑥ **a**) (기간의) 차 : by a ~ of 0.5 of a second, 0.5초의 차로. **b**) (경쟁자와의 표(票) 따위의) 격차 : by a small ~ of three votes 세 표의 근소한 차로 / win by a 15-to-10〔5 point〕 ~, 15대 10〔5점〕의 차로 이기다. ⑦ 〖컴〗 한계《신호가 일그러져도 바른 정보로 인식할 수 있는 신호의 변형 한계》. ***go near the*** ~ (도덕적으로) 아슬아슬한 짓〔불장난〕을 하다.
— *vt.* ① (페이지)에 여백을〔난외를〕 두다〔마련하다〕 : a generously ~*ed* page 충분히 여백을 남겨둔 페이지. ② …의 난외(欄外)에 써넣다 ; …에 방주(旁註)를 달다.

***mar·gin·al** [má:rdʒənəl] *a.* ① 가장자리의, 가의 : a ~ space 가의 여백. ② 난외의〔에 쓴〕 : a ~ note 난외의 주, 방주(旁註). ③ 변경의, …에 인접한《*to*》 : a ~ territory 변경 지역. ④ 한계의, 《특히》 최저한의 : ~ ability 최저한의 능력 / ~ land 한계 토지《수지가 안 맞을 정도의 메마른 땅》/ ~ profits 한계 수익《생산비가 겨우 나올 정도의 이윤》/ ~ subsistence 최저 생활. ⑤ 〖英政〗 (의석 따위를) 근소한 차로 얻은 : a ~ seat〔constituency〕 불안정한 〔근소한 표차로 얻은〕 의석〔선거구〕. ⑥ **a**) (문제 등이) 별로 중요하지 않은 : a matter of ~ importance to us 우리에게는 그다지 중요하지 않은 일. **b**) (차이 등이) 근소한 : There is only a ~ difference between the two. 그 둘 사이에는 약간의 차이 밖에는 없다.

mar·gi·na·lia [mà:rdʒənéiliə, -ljə] *n. pl.* 방주(旁註), 난외에 써넣기.

mar·gin·al·ize [má:rdʒənəlàiz] *vt.* …을 무시하다, 짐짓 과소평가하다.

mar·gin·al·ly [má:rdʒənəli] *ad.* (아주) 조금, 약간 ; 간신히 : It's much more expensive but only ~ better. 그것은 값은 훨씬 더 비싼데, 그저 약간 좋을 뿐이다 / The food there was ~ edible. 그 곳의 음식은 그저 그럭저럭 먹을 수 있는 정도의 것이었다 / These goods have increased only ~ in value over the past decade. 이 상품들은 지난 10년 이상 가격이 약간만 인상됐다.

Mar·got [má:rgou, -gət] *n.* 마고《여자 이름》.

Ma·ria [məráiə, -rí:ə] *n.* 마리아《여자 이름》.

ma·ria [má:riə] MARE² 의 복수.

ma·ri·a·chi [mà:riá:tʃi] *n.* 마리아치. ① Ⓒ (멕시코의) 거리의 악대(의 일원). ② Ⓤ 그 음악.

Mar·i·an [méəriən] *a.* 성모(聖母) 마리아의.
— *n.* 마리안《여자 이름》.

Mar·i·á·na Íslands [mèəriǽnə-, mæ̀r-] (the ~) 마리아나 제도《서태평양 Micronesia 북서부의 화산 열도》.

Ma·rie [mərí:, má:ri] *n.* 마리《여자 이름》.

Marie An·toi·nette [-æ̀ntwənét] 마리 앙투아네트《프랑스 루이 16세의 왕비 ; 혁명 재판에서 처형됨 ; 1755-93》.

mar·i·gold [mǽrəgòuld] *n.* Ⓒ 〖植〗 금잔화(金盞花), 금송화(金松花).

ma·ri·jua·na, -hua·na [mæ̀rəhwá:nə, mà:r-] *n.* Ⓤ ① 대마《인도산》. ② 마리화나《대마 잎과 꽃을 말려서 만드는 마약》 : smoke ~ 마리화나를 피우다.

Mar·i·lyn [mǽrəlin] *n.* 마릴린《여자 이름》.

ma·rim·ba [mərímbə] *n.* Ⓒ 마림바《목금(木琴)의 일종》. cf. xylophone.

ma·ri·na [mərí:nə] *n.* Ⓒ 마리나《요트·모터보트 등 유람용 소형 선박용의 작은 항구》.

mar·i·nade [mæ̀rənéid] *n.* ① Ⓤ.Ⓒ 마리네이드《식초 및 포도주에 향료를 넣은 양념 ; 여기에 고기나 생선을 담금》. ② Ⓒ 마리네이드에 절인 고기〔생선〕.

mar·i·nate [mǽrənèit] *vt.* (고기·생선)을 마리네이드에 담그다.

‡ma·rine [mərí:n] *a.* ① 〔限定的〕 바다의, 해양의 ; 바다에서 사는〔나는〕 : ~ ecology 해양 생태학 / ~ geology 해양 지질학 / ~ products 해산물 / a ~ cable 해저 전선 / ~ animals 해양 동물 / ~ plants 해초 / ~ vegetation 해초류. ② 해상의 ; 해사(海事)의, 해운업의 ; 항해(용)의 ; 선박의 ; 해상 무역의 : ~ affairs 해사 / ~ law 해상법 / ~ transportation 해운 / ~ supplies 항해〔선박〕용품 / the ~ court 해난(海難) 심판소 / a ~ policy 해상 보험증권. ③ 해상 근무의, 해군의 : ~ power 해군력 / ⇨ MARINE CORPS. — *n.* ① Ⓒ (때로 M-) 해병대원《미국의 the Marine Corps 또는 영국의 the Royal Marines의 일원》. ② Ⓒ 〔集合的〕 (한 나라의) 선박, 해상 세력. ③ Ⓒ 바다〔배〕의 그림 : a ~ painter 해양 화가. ***Tell that*** 〔***it***〕 ***to the*** (***horse***) **~*s* !** = ***That will do for the* ~*s* !** 《口》 그따위 소리를 누가 믿는담, 거짓말 마라.

Maríne Còrps (the ~) 〔集合的〕 《美》 해병대 (《英》 Royal Marines).

maríne insùrance 해상 보험.

***mar·i·ner** [mǽrənər] *n.* ① Ⓒ 선원 (sailor). ② (M-) 매리너《미국의 화성·금성 탐사 우주선》.

máriner's còmpass 나침반(羅針盤).

maríne snów 〖海洋〗 바다눈《죽은 플랑크톤이 분해되거나 작은 덩어리가 되어 눈오듯이 바다 밑으로 가라앉는 현상》.

maríne stòre ① 선구점(船具店). ② (*pl.*) 선박용 물자《선구(船具)·양식(糧食) 따위》; 선구류(船具類).

mar·i·o·nette [mæ̀riənét] *n.* Ⓒ 《F.》 마리오네트, 망석중이, 꼭두각시.

mar·i·tal [mǽrətl] *a.* 〔限定的〕 혼인의(matrimonial), 부부의 : ~ bliss 결혼의 행복 / ~ problems 부부간의 문제 / a ~ portion 결혼 지참금 / take ~ vows 부부의 맹세를 하다.

márital stàtus 결혼력(歷)《기혼·미혼·이혼 등의 구별》.

***mar·i·time** [mǽrətàim] *a.* 〔限定的〕 ① 바다의, 해상의 ; 해사(海事)의, 해운의 : ~ affairs 해사 / ~ power 제해권 / ~ insurance 해상 보험 / ~ law 해상법. cf. marine. ② 해변의, 해안의 ; 해안에 사는〔서식하는〕 : the ~ provinces 해안 지방 / a ~ people 해양 민족.

Máritime Próvinces (the ~) (캐나다의) 연해주(沿海州)《Nova Scotia, New Brunswick 및 Prince Edward Island 의 3주(州)》.

mar·jo·ram [má:rdʒərəm] *n.* Ⓤ 〖植〗 마요라나

《박하 종류; 관상용·약용·요리용》.

Mar·jo·rie [mɑ́ːrdʒəri] *n.* 마저리《여자 이름》.

Mark [mɑːrk] *n.* ① 마크《남자 이름》. ②【聖】**a**) 마가《사도(使徒) Paul의 친구》. **b**) 마가복음《신약성서 중의 한 편》.

†mark[1] [mɑːrk] *n.* ① Ⓒ **a**) 표, 기호, 부호(sign); 마크; 각인(刻印), 검인: a question ~ 의문부 / punctuation ~*s* 구두점 / put a ~ on paper 종이에 표를 하다 / What do those ~*s* in the corner of the road mean? 도로 모퉁이에 있는 저 표지들은 무엇을 뜻하나. **b**) (글 못 쓰는 이의 서명 대신 쓰는) X표, 《戱》 서명: make one's ~ on a document 서류에 X의 서명을 하다. ② Ⓒ **a**) 흔적(trace), 자국; 상처 자국(the ~ of a wound); 얼룩(spot): the ~ of a tyre 타이어 자국 / erase chalk ~ 분필 자국을 지우다 / put 〔rub off〕 pencil ~*s* 연필 자국을 내다〔지워 없애다〕/ Who made these dirty ~*s* on my new suit? 누가 내 새 양복을 이렇게 얼룩지게 만들었나. **b**) 《比》 영향(의 흔적), 감화: leave one's ~ on one's students 학생들에게 영향을 주다 / The architect left his ~ in history. 그 건축가는 역사에 그의 족적을 남겼다. **c**) (성질·감정 등을 나타내는) 표시(token), 특징(peculiarity), 표정, 특색《*of*》: bow as a ~ *of* respect 존경의 표시로서 머리를 숙이다 / ~*s of* old age on a face 얼굴에 나타난 늙은 티 / a ~ *of* Roman influence 로마의 영향을 보여주는 특색. ③ Ⓤ 중요성; 명성, 저명: a man of ~ 중요 인물, 명사 / a man of no ~ 이름 없는 사람 / begin to make a ~ 주목받기 시작하다. ④ Ⓒ **a**) 레테르(label), 상표, 기장(badge), 표장: a ~ of rank 계급장 / a price ~ 정찰 / a manufacturer's ~*s* 제조회사 마크 / a trade ~ 상표. **b**) (M-) 〔숫자를 수반하여〕 (무기·전차·비행기 따위의) 형(型); 그 형을 나타내는 기호《약어는 M》: a *Mark*-4 tank, M4형 탱크《an *M*-4 Tank로도 씀》. ⑤ Ⓒ (성적의) 평점, 점수(grade): full ~*s* 만점 / get〔receive〕 good ~*s* at school 학업 성적이 좋다 / gain〔get〕 70 ~*s* in geometry 기하학에서 70점을 받다. ⑥ Ⓒ **a**) 안표; 표지(標識): a boundary ~ 경계표 / put a ~ on a map 지도에 표시를 하다. **b**) (종종 the ~) 【競】 출발점, 스타트 라인. ⑦ Ⓒ **a**) 목표, 표적(target), 겨냥(aim): hit the ~ ⇨ (成句) / The arrow hit〔missed〕 its ~. 화살은 표적에 명중했다〔을 빗나갔다〕. **b**) (조소의) 대상; 《口》 우려 먹을 상대, 봉: an easy 〔a soft〕 ~ 얼간이, 잘 속는 사람. ⑧ (the ~) (중요한) 단계, 수준, 한계: Unemployment was well over *the* one million ~. 실업자는 백만명 수준을〔대를〕 훨씬 넘고 있었다. ⑨ Ⓒ 【컴】 표(지). ***above*** 〔***below***〕 ***the*** ~ 표준 이상으로〔이하로〕. ***beside*** 〔***wide of***〕 ***the*** ~ 과녁을 벗어나서, 빗맞아서. ***fall short of the*** ~ 표준〔목표〕에 못 미치다. ***get off the*** ~ 스타트하다; (일을) 시작하다. (***God*** 〔***Heaven***〕) ***bless*** 〔***save***〕 ***the*** ~! 원 기가 막혀, 원 저런, 대단한데, 놀랐는데《놀람·조소·빈정댐을 나타냄》. ***have a*** ~ ***on...*** …을 좋아하다. ***hit the*** ~ 적중〔성공〕하다. ***make*** one***'s*** ~ 유명해지다, 이름을 남기다. ***off the*** ~ 과녁을 벗어나서; 스타트를 끊어: be quick 〔slow〕 *off the* ~ 스타트가 빠르다〔느리다〕; 민첩하다〔하지 못하다〕. ***on the*** ~ 출발 준비를 하여, 준비를 끝내. ***On*** (***your***) ~(***s***)! 【競】 제자리(에 섯): *On your* ~! Get set! Go! 제자리, 준비, 땅! ★《英》에서는 Ready, steady, go! 라고도 함. ***over the*** ~ 허용 범위를 넘어서. ***quick off the mark*** 이해가 빠른, 두뇌 회전 속도가 빠른. ***short of the*** ~ 과녁에 미치지 못하고. ***slow off the*** ~ 이해가 더딘, 두뇌 회전이 느린. ***take*** one***'s*** ~ ***amiss*** 겨냥이 빗나가다, 실패하다. ***up to the*** ~ 〔흔히 否定文으로〕 (1) 표준에 달하여; 나무랄 데 없는. (2) (몸의 컨디션이) 매우 좋아서: I don't feel *up to the* ~. 몸의 컨디션이 좋지 않다. ***wide of the*** ~ 예상을 크게 빗나간, 헛짚은: Their estimate of the cost was *wide of the* ~. 그들의 비용 견적은 크게 빗나갔다.

— *vt.* ① 《~+목/+목+전+명/+목+보》 …에 표를 하다《*with*》, 부호〔기호〕를 붙이다《*on*》; …에 흔적〔오점〕을 남기다; …에 인장〔스탬프, 각인 등〕을 찍다; …에 이름〔번호 등〕을 적다: ~ the sheep 양에 소유인을 찍다 / ~ a tree *with* chalk 나무에 분필로 표를 하다 / ~ her name *on* her coat 그녀 코트에 명찰을 붙이다 / ~ accents *on* words 낱말에 악센트 기호를 붙이다 / the door ~*ed* E.P. Smith, E. P. Smith란 표찰이 걸려 있는 문. ② (득점 따위)를 기록하다: ~ the score in a game 경기의 점수를 기록하다. ③ (답안)을 채점하다: ~ a paper 답안을 채점하다. ④ …을 보여주다, 나타내다, 표시하다: ~ one's approval by nodding 고개를 끄덕여 동의를 나타내다 / The girl's flushed cheeks ~ her joy. 홍조를 띤 볼은 그녀의 기쁨을 나타내고 있다. ⑤ **a**) …을 특징짓다, 특색을 이루다: the qualities that ~ a great leader 위대한 지도자의 특색을 이루는 자질. **b**) 〔흔히 受動으로〕 …을 (…로) 특징지우다, 두드러지게 하다《*by*; *with*》: A leopard is ~*ed with* black spots. 표범에는 뚜렷한 검은 반점이 있다 / The tendency *is* strongly ~*ed*. 그 경향은 분명하게 인정된다. ⑥ …에 주목하다, 주의를 기울이다, (변화 따위)를 느끼다: *Mark* my words. 내 말 잘 들으시오 / *Mark* how carefully it is to be done. 어떻게 주의해서 해야하는지를 잘 보아 둬요. ⑦ 《+부+목+전+명》 …을 선정하다; 운명지우다《*out*》: be ~*ed out for* promotion 승진 후보자로 선정되다. ⑧【商】(정찰)을 붙이다: ~ prices *on* goods = ~ goods *with* prices 상품에 가격표를 붙이다. ⑨ (축구 등에서) (상대)를 마크하다. — *vi.* ① (연필 따위로) 표를 하다. ② (비판적으로) 주의〔주목〕하다. ③ 채점하다; 경기의 점수〔스코어〕를 기록하다. ④ 상처가〔흠이〕 나다: This material ~*s* easily. 이 재질은 얼룩지기〔흠이 나기〕 쉽다. ~ ***down*** (1) …을 기록하다; 적어두다. (2) …의 값을 내리다, …에 값을 내린 표를 붙이다: ~ *down* books by 10%, 책을 10% 싸게 하다. (3) (학생) 등의 점수를 내리다. (4) (사람을, …이라고) 인정하다, 간주하다: I ~*ed* her *down as* a Russian. 나는 그녀를 러시아사람인 줄 알았다. ~ ***off*** (1) (경계선 따위로) 구분〔구별, 구획〕하다: They ~*ed off* the land for their house with rows of stones. 그들은 돌을 나란히 늘어놓아 집의 대지의 경계를 삼았다. (2) …에 선을 그어〔표를 하여〕 지우다: ~ *off* certain items on a list 일람표의 어떤 항목을 선을 그어 지우다. (3) (사람·물건을) …에서 구분하다《*from*》: What ~*s* her *off from* her brother is her concentration. 그녀를 오빠와 구별하는 것은 그녀의 집중력이다. ~ ***out*** (1) (경기장 따위의) 선을 긋다: ~ *out* a racecourse 경주로의 라인을 긋다. (2) (사람을) 특징짓다. (3) …에 발탁하다《*for*》: The company ~*ed* him *out for* promotion. 회사는 그를 뽑아 승진시키기로 했다. ~ ***time*** (1)【軍】 제자리걸음을 하다; (일이) 진척되지 않다, 정돈(停頓)상태에 있다. (2) 때를 기다리다, 보류하다. (3) 일하는 척 하다. ~ ***up*** (1) 값을 올리다. (2) 추가해서 써넣다, 가필하다. (3) (학생·답안 등)의 점수를 올리다. ~

you 〔插入句에 써서〕 알겠나 (내 말) 잘 들어 둬라《상대에 다짐을 둘 때》.

mark² *n.* Ⓒ 마르크《독일의 화폐 단위》. cf. Deutsche mark, reichsmark.

márk càrd 〖컴〗 마크 카드《광학 판독기를 써서 데이터를 입력하기 위한 카드》: a ~ reader 마크 카드 판독기.

mark·down [mɑ́ːrkdàun] *n.* Ⓒ ① 가격 인하 : a substantial ~ 대폭적인 가격 인하. ② 인하된 액수. opp. *markup.*

***marked** [mɑːrkt] *a.* ① 기호〔표〕가 있는 ; 표를 한. ② 눈에 띄는(conspicuous) ; 두드러진 : show a ~ difference 〔increase〕 현저한 차이〔증가〕를 나타내다 / The party was a ~ success. 파티는 명백히 성공이었다. ③ 〔限定的〕 주목을 받고 있는, 주의를 끄는 : a ~ man 요주의(要注意) 인물 ; 유명〔유망〕한 인물. ④ 〔敍述的〕 (기미·반점 따위의) 자국이〔무늬가〕 있는《*with*》: a face ~ *with* smallpox 마맛자국이 있는 얼굴. ⑤ 〖言〗 유표(有標)의. opp. *unmarked.*
㊞ **mark·ed·ly** [mɑ́ːrkidli] *ad.* 현저하게, 눈에 띄게, 뚜렷하게. **márk·ed·ness** *n.* 현저함 ; 특수성.

mark·er [mɑ́ːrkər] *n.* Ⓒ ① **a)** 표하는 사람〔도구〕. **b)** 마커, 매직펜 : a felt-tipped ~ 사인펜. **c)** 득점 기록계《사람》. ② (시험·경기 등의) 채점자. ③ 표시가 되는 것《서표(bookmark)·묘비·이정표 등》. ④《美》 약속 어음, 약식 차용증(서)(IOU). ⑤ 〖言〗 표지(標識). ⑥ 〖遺傳〗 =GENETIC MARKER.

†mar·ket [mɑ́ːrkit] *n.* ① Ⓒ 장 ; 장날(~ day) : a cattle ~ 가축 시장 / There's no ~ next week. 다음주에는 장이 서지 않는다 / The next ~ is on the 10th. 다음 장(날)은 10일이다. ② (흔히 the ~) (특정 물품의) 매매 시장 : *the* wheat ~ 소맥 시장 / *the* labor ~ 노동 시장 / *the* money 〔stock〕 ~ 금융〔주식〕 시장. ③ Ⓒ (특히) 식료품점, …가게 : a fish ~ 어물전, 생선가게. ④ Ⓤ (또는 a ~) 수요(demand), 판로《*for*》: find *a* new ~ *for* …의 새 판로를 개척하다 / There is not much of *a* ~ *for* that kind of car. 그런 종류의 차는 별로 수요가 없다. ⑤ Ⓒ (특정 상품의) 거래 ; 상기(商機) : the ~ in silk 실크의 거래 / lose one's ~ 상기를 놓치다. ⑥ Ⓒ 시세, 시가(market price) ; 시황(市況) : a rising〔falling〕 ~ 오름〔내림〕 시세 / The ~ remains quite active. 시황은 변함없이 활발하다. ***be in the ~ for*** (집 따위)를 사려고 하다. ***bring*** one***'s eggs*** 〔***hogs, goods***〕 ***to the wrong*** 〔***a bad***〕 ~ 예상 착오를 하다, 오산하다. ***bring . . . to*** ~ …을 팔려고 내놓다. ***come into*** 〔***onto***〕 ***the*** ~ 매물로 나오다. ***feed . . . to the*** ~ (가축)을 팔기 위해 키우다. ***go to a good*** 〔***bad***〕 ~ 잘 돼가다〔되지않다〕. ***in*** 〔***on***〕 ***the*** ~ 매물로 나와 있는, 시판되고 있는 : The new model will be *on the* ~ in March. 새 모델은 3월에 시판될 것이다. ***hold the*** ~ 시장을 좌우하다. ***make a*** 〔one***'s***〕 ~ ***of*** …으로 이익을 얻다 ; …을 이용하다. ***play the*** ~ 주식 투기를 하다, 증권에 투자하다. ***put*** 〔***place***〕 ***on the*** ~ =bring to ~. ***rig the*** ~ 《俗》 (인위적으로) 시세를 조종〔조작〕하다. ── *vi.* 《美》 시장을 보다, 쇼핑하다 : go ~*ing* 물건 사러가다, 쇼핑하러 가다. ── *vt.* (물건)을 시장에 (팔려고) 내놓다, 팔다 : ~ small cars 소형차를 시장에 내놓다 / We are trying to ~ American beef in Korea. 우리는 미국 쇠고기를 한국에서 팔려고 한다.

mar·ket·a·bil·i·ty [mɑ̀ːrkitəbíləti] *n.* Ⓤ 시장성(性).

mar·ket·a·ble [mɑ́ːrkitəbəl] *a.* 시장성이 있는, 잘 팔리는 : a highly ~ new model 잘 팔릴 것 같은 새 모델.

márket cróss (중세의) 시장에 세운 십자가(형의 집)《여기서 공시·포고 등이 행해졌음》.

márket dày (정기적인) 장날.

mar·ket·eer [mɑ̀ːrkitíər] *n.* Ⓒ 시장 상인.

mar·ket·er [mɑ́ːrkitər] *n.* Ⓒ 시장에서 매매하는 사람 ; 장보러 가는 사람.

márket gàrden 《英》 (시장에 내기 위해 재배하는) 채원(菜園) (《美》 truck farm).

márket gàrdener 시장에 내기위한 채원 경영자.

márket gàrdening 시장에 낼 야채 재배(업).

***mar·ket·ing** [mɑ́ːrkitiŋ] *n.* Ⓤ ① **a)** 〖經〗 마케팅《시장 조사·광고 등을 포함하는, 제조 계획에서 최종 판매까지의 전과정》. **b)** 회사의 마케팅 부문. ② 시장에서의 매매, 장보기, 쇼핑 : do one's ~ 장보다.

***mar·ket·place** [mɑ́ːrkitplèis] *n.* Ⓒ ① 장, 장터. ② (the ~)시장 ; 상업〔경제〕계 : *the* international ~ 국제 시장.

márket prìce 시장 가격, 시가, 시세 : issue at the ~(주식의) 시가 발행.

márket resèarch 시장 조사, 마켓리서치.

márket shàre 〖經〗 시장 점유율.

márket tòwn 장이 서는 거리.

márket vàlue ① 시장 가치(opp. *book value*). ② =MARKET PRICE.

mark·ing [mɑ́ːrkiŋ] *n.* ① Ⓤ **a)** 표하기. **b)** 채점. ② Ⓒ (흔히 *pl.*) **a)** (새의 깃이나 짐승 가죽의) 반문(斑紋), 무늬. **b)** (항공기 등의) 심벌 마크.

márking ìnk 씻어도 지워지지 않는 잉크.

Márks & Spéncer 막스언스펜서《영국의 대표적 체인스토어 ; 식료품외 의류품도 취급》.

marks·man [mɑ́ːrksmən] (*pl.* ***-men*** [-mən]) *n.* 사수(射手) ; 저격병 ; 사격의 명수.

marks·man·ship [-ʃip] *n.* Ⓤ 사격술〔솜씨〕, 궁술.

Mark Twain [mɑ́ːrktwéin] 마크 트웨인《미국의 작가 ; 본명 Samuel L. Clemens ; 1835-1910》.

mark·up [mɑ́ːrkʌ̀p] *n.* Ⓒ ① 〖商〗 가격 인상 (opp. *markdown*) : a ~ of 20% on cigarettes in the hotel shop 호텔 매점에서의 20퍼센트의 담뱃값 인상. ② 가격 인상폭〔액〕. ③ 《美》 법안의 최종 절충(단계).

marl [mɑːrl] *n.* Ⓤ 이회(泥灰), 이회토(土)《비료용》. ***the burning*** ~ 초열(焦熱) 지옥의 고통.

mar·lin [mɑ́ːrlin] (*pl.* ~(***s***)) *n.* Ⓒ 〖魚〗 청새치류(類).

***mar·ma·lade** [mɑ́ːrməlèid, ⌐-⌐] *n.* Ⓤ 마멀레이드《오렌지·레몬 등의 껍질로 만든 잼》: toast and ~ 마멀레이드를 바른 토스트. ── *a.* 오렌지색의(줄무늬가 있는) : a ~ cat.

mar·mo·re·al, -re·an [mɑːrmɔ́ːriəl], [-riən] 《詩》 *a.* 대리석의 ; 대리석같이 흰〔차가운, 매끄러운〕. ㊞ ~**·ly** *ad.*

mar·mo·set [mɑ́ːrməzèt] *n.* Ⓒ 〖動〗 명주원숭이《라틴 아메리카산》.

mar·mot [mɑ́ːrmət] *n.* Ⓒ 〖動〗 마멋《설치류(齧齒類) ; woodchuck, groundhog 따위》. ★ 모르모트(guinea pig)와는 다름.

ma·roon¹ [mərúːn] *n.* Ⓒ (종종 M-) 머룬《탈주한 흑인 노예의 자손 ; 서인도 제도 산중에 삶》. ── *vt.* ① …을 귀양보내다. ② …을 고립시키다 : They'd taken his car and he was ~*ed* at home for days. 그들이 차를 가져가 버려 그는 며칠 동안 집에서 나갈 수가 없었다.

ma·roon² *a.* 밤색〔고동색, 적갈색〕의. ── *n.* ① Ⓤ 밤색, 적갈색 : *Maroon* is a popular colour for clothing and furnishings. 밤색은 의류와 가구에서 흔한 색깔이다. ② Ⓒ (선박·철도 등의 경보용) 폭죽, 꽃불.

mar·quee [mɑːrkíː] *n.* Ⓒ ①《英》(서커스 따위의) 큰 천막. ②《美》(극장·호텔 등의) 현관 입구의 큰 차양.

mar·quess [máːrkwis] *n.* =MARQUIS.

mar·que·try, -te·rie [máːrkətri] *n.* Ⓤ 상감(象嵌) 세공, (가구 장식의) 쪽매붙임 세공.

mar·quis** [máːrkwis] (*fem.* ***mar·chio·ness [máːrʃənis]) *n.* Ⓒ (영국 이외의) 후작, …후(侯).

‡**mar·riage** [mǽridʒ] *n.* ① Ⓤ,Ⓒ 결혼(wedlock)《*to*; *with*》; 결혼 생활, 부부 관계: propose ~ to …에게 청혼하다 / (an) early ~ 조혼 / (a) late ~ 만혼 / (an) arranged ~ 중매 결혼 / His second ~ lasted only a year. 그의 두번째 결혼생활은 1년 밖에 계속되지 않았다. ② Ⓒ 결혼식, 혼례(wedding): perform〔celebrate〕 a ~ 결혼식을 거행하다/Their ~ took place in a church. 그들의 결혼식은 교회에서 거행되었다. ③ Ⓤ,Ⓒ 밀접한 결합(union): the ~ of intellect with good sense 지성과 양식의 결합 / the ~ of form and content 형식과 내용의 융합. ◇ marry *v.* ***common-law*** ~ 합의〔내연적〕 결혼. ***give*** a person ***in*** ~ 아무를 시집〔장가〕 보내다. ~ ***of convenience*** 정략 결혼. ***take*** a person ***in*** ~ 아무를 아내로〔남편으로〕 삼다〔맞다〕.

mar·riage·a·ble [mǽridʒəbəl] *a.* 결혼할 수 있는, 결혼에 적당한《연령 따위》, 혼기의, 묘령의: a ~ girl= a girl of ~ age 혼기가 된 아가씨. ㊀ *n.* **mar·riage·a·bil·i·ty** [mæ̀ridʒəbíləti] *n.* Ⓤ 결혼 적령.

márriage bùreau 결혼 상담소.

márriage certìficate 결혼 증명서.

márriage lìcense (교회 등의) 결혼 허가증.

márriage lìnes 《英口》 =MARRIAGE CERTIFICATE.

márriage pòrtion 결혼 지참금(dowry).

‡**mar·ried** [mǽrid] *a.* ① 결혼한, 기혼의, 배우자가 있는. opp. *single.* ¶ a ~ woman 기혼 여성 / Are you ~ or single? 당신은 결혼했습니까, 아니면 독신입니까 / He's ~ with three children. 그는 결혼하여 애가 셋 있다. ②〔限定的〕 결혼의, 부부(간)의(connubial): ~ life 결혼 생활 / ~ love 부부애 / ~ bliss 결혼의 기쁨 / one's ~ name 결혼하고 난 뒤의 성(性) (cf. maiden name). ***get*** ~ (…와) 결혼하다《*to*》: I'm〔We're〕 *getting* ~ next month. 나〔우리〕는 다음달에 결혼합니다. ── *n.* Ⓒ (흔히 *pl.*) 《口》 기혼자: young ~*s* 젊은 부부.

mar·rons gla·cés [mɑrɔ́ːŋglɑséi] 《F.》 마롱글라세《설탕에 절인 밤》.

mar·row** [mǽrou] *n.* ① Ⓤ 〖解〗 뼈골, 골수(medulla). cf. pith. ¶ (a) bone ~ transplant 골수 이식. ② (the ~) **a)** 정수(精髓), 핵심, 정화(精華): *the* pith and ~ of a speech 연설의 골자. **b)** 힘, 활력(vitality): *the* ~ of the land 국력(國力). ③ Ⓤ,Ⓒ 《英》 서양 호박의 일종(vegetable ~). ***spinal ~ 척수(脊髓). ***to the*** ~ (***of*** one***'s bones***) 뼛속〔골수〕까지; 철저히: be chilled *to the* ~ 뼛속까지 차가워지다 / My uncle is a soldier *to the* ~ *of his bones.* 아저씨는 철저한 군인이다.

mar·row·bone [-bòun] *n.* Ⓒ 골이 든 뼈; 소의 정강이 뼈《골을 먹음》. ***get*** 〔***go***〕 ***down on*** one***'s*** ~***s*** 무릎을 꿇다.

†**mar·ry** [mǽri] *vt.* ① …와 결혼하다: Will you ~ me? 나와 결혼하지 않겠습니까 / He asked me to ~ him. 그는 나에게 결혼해 줄 것을 청했다 / Susan *married* Edd. 수잔은 에드와 결혼했다/get *married* 결혼하다. ②《~+目 / +目+副 / 目+前+명》 …을 결혼시키다《*to*》; 시집〔장가〕 보내다《*off*》: Her father *married* Susan *off to* Edd. 수잔 아버지는 그녀를 에드에게 시집보냈다 / She has *married* all her daughters. 그녀는 딸들을 다 시집보냈다. ③ (목사가) …의 결혼식을 올리다〔주례하다〕: The minister *married* Susan and Edd. ④ …을 (…와) 결합〔합체〕시키다: Common interests ~ the two countries. 공동 이해 관계가 두 나라를 결합시킨다 / The book *marries* reason with passion. 이 책에서는 이성과 정열이 융합되어 있다. ── *vi.* 《~ / +補 / +前+명》 결혼하다, 시집가다, 장가들다, 며느리〔사위〕를 보다: ~ young 젊어서 결혼하다 / *Marry* in haste, and repent at leisure. 《俗談》 서둘러 결혼해서 천천히 후회 / We *married* early〔late〕 (in life). 우리는 일찍〔늦게〕 결혼했다 / She *married out of* her class. 지체가 안 맞는 결혼을 했다. ◇ marriage *n.* ~ ***above*** one***self*** 자기보다 신분이 높은 사람과 결혼하다. ~ ***beneath*** 〔***below***〕 one***self*** 자기보다 신분이 낮은 사람과 결혼하다. ~ ***for love*** 연애 결혼하다. ~ ***into the purple*** 지체 높은 집안과 사돈을 맺다. ~ ***off*** …을 시집〔장가〕보내다. ~ ***up*** 결혼〔약혼〕시키다; 화해시키다.

mar·ry·ing [mǽriiŋ] *a.* 결혼할 것 같은, 결혼하고 싶어하는: She's not the ~ kind. 그녀는 결혼할 타입의 여자가 아니다.

***Mars** [mɑːrz] *n.* ①〖天〗 화성: the size of ~ 화성의 크기 / *Mars* is sometimes called the Red planet because of its distinctive color. 화성은 그 특유의 색깔 때문에 때로는 붉은 행성이라고 일컬어졌다. ②〖로神〗 마르스《군신(軍神); 그리스의 Ares에 해당; cf. Bellona》.

Mar·seil·laise [mɑ̀ːrsəléiz] *n.* 《F.》 (*La* ~) 마르세예즈《프랑스의 국가(國歌)》.

Mar·seilles [mɑːrséilz] *n.* 마르세유《프랑스 지중해 연안의 항구 도시》.

‡**marsh** [mɑːrʃ] *n.* Ⓤ,Ⓒ 습지, 소택지. cf. bog, swamp.

‡**mar·shal** [máːrʃəl] *n.* Ⓒ ① **a)**〖軍〗 (프랑스 등지의) 육군 원수(《美》 General of the Army, 《英》 Field Marshal). **b)** 《英》 공군 원수(Marshal of the Royal Air Force): an Air Chief〔Vice〕 *Marshal* 공군 대장〔소장〕 / an Air *Marshal* 공군 중장. ② 《美》 **a)** (연방 재판소의) 집행관, 연방 보안관. **b)** 경찰〔소방〕서장. ③ 《英》 (법원의) 서기. ── (*-l-*, 《英》 *-ll-*) *vt.* ① …을 정렬시키다, 집합시키다: Our forces were ~*ed* and ready to go. 우리 군은 정렬을 마치고 출발 준비가 갖추어졌다. ② (사실·증거 따위)를 정연(整然)하게 늘어놓다, 정돈〔정리〕하다: ~ one's arguments before debating 토론 전에 논점(論點)을 정리하다. ③ …을 (예의바르게) 안내하다, 인도하다(usher): They were ~*ed* before〔into the presence of〕 the Queen. 그들은 여왕의 어전(御前)으로 안내를 받았다.

már·shal·ing yàrd [máːrʃəliŋ-] 《英》 (특히, 철도 화차의) 조차장(操車場) (《美》 switchyard).

Már·shall Íslands [máːrʃəl-] (the ~) 마셜 제도《태평양 서부 Micronesia 동부의 산호초의 섬들; 또 이 섬들로 이루어진 공화국(the Republic of the Marshall Islands); 미국과 자유연합(1986); 수도 Majuro》.

Márshall Plàn (the ~) 마셜프랜(European Recovery Program)《미국 국무장관 G. C. Marshall의 제안에 의한 유럽 부흥 계획; 1948-52》.

mársh fèver 말라리아(malaria).
mársh gàs 메탄, 소기(沼氣).
marsh·land [-læ̀nd] *n.* Ⓒ 습지대, 소택지.
marsh·mal·low [máːrʃmèlou, -mæ̀l-] *n.* ⓊⒸ 마시맬로《녹말·젤라틴·설탕 따위로 만드는 연한 과자》.
marshy** [máːrʃi] (marsh·i·er*** ; ***-i·est***) *a.* ① 습지〔소택〕의; 늪이 많은; 늪 같은. ② 늪에 나는: ~ vegetation 습원(濕原) 식물.
mar·su·pi·al [mɑːrsúːpiəl/-sjúː-] *n.* Ⓒ, *a.* 〖動〗 유대류(有袋類)(의).
***mart** [mɑːrt] *n.* Ⓒ 시장, 장터(market).
Mar·tél·lo (tòwer) [mɑːrtélou(-)] *n.* Ⓒ 원형 포탑(砲塔)《19세기 초 영국이 Napoleon군의 침공에 대비한 것》.
mar·ten [máːrtən] (*pl.* ~(*s*)) *n.* ① Ⓒ 〖動〗 담비(=∠ **càt**). ② Ⓤ 담비의 모피.
Mar·tha [máːrθə] *n.* ① 마서《여자 이름; 애칭 Marty, Mat, Matty, Pat, Pattie, Patty》. ② 〖聖〗 (베다니의) 마르다.
mar·tial [máːrʃəl] *a.* 〔限定的〕 ① 전쟁의, 군사(軍事)의: ~ music 군악(軍樂) / a ~ song 군가. ② 용감한, 호전적인: ~ behavior 호전적인 행동 / a ~ people 호전적인 국민. ㊞ **~·ly** [-ʃəli] *ad.* 용감하게.
mártial árt (종종 the ~s) (동양의) 무술《태권도·쿵후》. ㊞ **mártial ártist** *n.*
mártial láw 계엄령.
Mar·tian [máːrʃən] *a.* 화성(인)의. ── *n.* Ⓒ 화성인.
Mar·tin [máːrtən] *n.* ① 마틴《남자 이름》. ② (St. ~) 성(聖)마르탱《프랑스 Tours 의 주교; 315?-399?》.
mar·tin *n.* Ⓒ 〖鳥〗 흰털발제비.
mar·ti·net [mɑ̀ːrtənét, ∠-∠] *n.* Ⓒ 《흔히 蔑》 규율에 까다로운 사람; (특히 육해군에서) 훈련에 몹시 까다로운 교관.
mar·tin·gale, -gal [máːrtəngèil], [-gæ̀l] *n.* Ⓒ ① (말의) 가슴걸이. ② 〖海〗 제 2 사장(斜檣)(jib boom)을 고정시키는 버팀줄.
mar·ti·ni [mɑːrtíːni] *n.* ⓊⒸ 마티니(=∠ **cóck·tail**)《진·베르무트를 섞은 칵테일》.
Mar·tin·mas [máːrtənməs] *n.* 성(聖)마르티노 축일(St. Martin's Day)《11월 11일》.
Mar·ty [máːrti] *n.* MARTHA 의 애칭.
mar·tyr** [máːrtər] *n.* Ⓒ ① **a**) (특히, 그리스도교의) 순교자. **b**) (주의·운동 따위의) 순난자(殉難者), 희생자(victim)《*to*》: die a ~ *to* one's duty 순직하다 / die (the death of) a ~ in the cause of peace 평화 운동에 목숨을 바치다. ② (병 따위에) 끊임없이 시달리는 사람《*to*》: He was a lifelong ~ *to* rheumatism. 그는 평생 류머티즘으로 고생했다. ***make a ~ of oneself 《蔑》(동정·칭찬 등을 얻기 위해) 순교자처럼 굴다.
── *vt.* (신앙·주의 때문에) …을 죽이다, 박해하다, 괴롭히다.
mar·tyr·dom [máːrtərdəm] *n.* ⓊⒸ ① 순교, 순사(殉死). ② 수난, 고난.
‡**mar·vel** [máːrvəl] *n.* ① Ⓒ 놀라운 일, 경이, 이상함: ~*s* of nature 자연의 경이 / You've done ~*s*. 놀라운 일을 했구나 / The ~ is[It's a ~] that he escaped death. 그가 죽음을 모면했다는 것은 경이로운 일이다. ② (흔히 a ~) 놀라운 것〔사람〕, 비범한 사람: *a* ~ of beauty 절세의 미인 / *a* baseball ~ 야구계의 천재 / The new bridge is *an* engineering ~. 이 새 다리는 공학 기술의 경이다. ── (*-l-*, 《英》 *-ll-*) *vi.* 《+前+名》 놀라다《*at*》: ~ *at* his eloquence 그의 웅변에 놀라다〔혀를 내두르다〕/ I ~ *at* your courage. 너의 용기에는 놀랐다. ── *vt.* ① 《+*that* 節 / +*wh.* 節》 …을 기이〔이상〕하게 느끼다, …에 호기심을 품다: I ~ *that* he could do so. 그가 그런 일을 할 수 있었다니 놀랍다 / I ~ *how* you could agree to the proposal. 네가 어떻게 그 제안에 찬성을 하였는지 이상하구나. ② 《+*that* 節》 …에 감탄하다; 놀라다, 경탄하다: I often ~ *that* humans can treat each other so badly. 인간이 서로 그처럼 사악하게 대할 수 있다는 것에 나는 가끔 놀라고 있다 / He ~*ed that* they had escaped. 그들이 용케 도망쳤다고 감탄했다.
‡**mar·vel·ous,** 《英》 **-vel·lous** [máːrvələs] (***more*** ~ ; ***most*** ~) *a.* ① 불가사의한, 이상한, 놀라운: a ~ occurrence 경이로운〔믿기 어려운〕 일〔사건〕/ It's ~ how quickly the medicine relieved my pain. 그 약으로 통증이 금방 가신 데에는 정말 놀랐다. ② 《口》 훌륭한, 최고의, 굉장한, 멋진: a ~ dinner〔suggestion〕 훌륭한 만찬〔제안〕/ have a ~ time at a party 파티에서 멋진 시간을 보내다 / The concert was simply ~. 그 연주회는 정말 훌륭했다.
㊞ ***~·ly** [-li] *ad.* ① 불가사의하게, 이상하게, 놀라울 정도로. ② 멋지게, 훌륭하게. **~·ness** *n.*
Marx [mɑːrks] *n.* **Karl** ~ 마르크스《독일의 사회주의자; 1818-83》.
Marx·ian [máːrksiən] *a.*, *n.* Ⓒ 마르크스(주의)의; 마르크스주의자(의).
Marx·ism [máːrksizəm] *n.* Ⓤ 마르크스주의, 마르크시즘. ㊞ **-ist** *a.*, *n.*
Marx·ism-Len·in·ism [-léninìzəm] *n.* Ⓤ 마르크스레닌주의. ㊞ **Márx·ist-Lén·in·ist** *n.*, *a.*
‡**Mary** [méəri] *n.* ① 메리《여자 이름》. ② 〖聖〗 성모 마리아.
***Mary·land** [mérələnd] *n.* 메릴랜드《미국 동부 대서양 연안의 주(州); 주도(州都) Annapolis; 略: Md.; 〖郵〗 MD; 속칭 the Old Line State》.
㊞ **~·er** *n.* Ⓒ 메릴랜드 주 사람.
Máry Mágdalene 〖聖〗 막달라 마리아.
mar·zi·pan [máːrzəpæ̀n, -tsəpàːn] *n.* ⓊⒸ 설탕·달걀·호두와 으깬 아몬드를 섞어 만든 과자.
-mas '…축일, …제(祭)'의 뜻의 명사를 만드는 결합사: Christ*mas* / Michael*mas*.
mas., masc. masculine.
Ma·sai [mɑːsái] (*pl.* ~(*s*)) *n.* ① **a**) (the ~(s)) 마사이족《남아프리카 Kenya 등지에 사는 유목 민족》. **b**) Ⓒ 마사이족 사람. ② Ⓤ 마사이어(語).
mas·cara [mæskǽrə/-káːrə] *n.* Ⓤ (속)눈썹에 칠하는 물감, 마스카라.
mas·cot [mǽskət, -kɑt] *n.* Ⓒ 마스코트, 행운의 신〔부적〕, 행운을 가져오는 물건〔사람, 동물〕: the team's ~ 팀의 마스코트 / Our ~ was a cat. 우리의 마스코트는 고양이었다 / Rome's ~ is a wolf, and Berlin's is a bear. 로마의 마스코트는 늑대이고 베를린의 마스코트는 곰이다.
‡**mas·cu·line** [mǽskjəlin] (***more*** ~ ; ***most*** ~) *a.* ① 남성의, 남자의. ② **a**) 남자다운, 힘센, 용감한: ~ looks 남자다운 용모 / The great heavy chairs looked very ~. 그 크고 육중한 의자는 아주 남성적으로 보였다. **b**) (여자가) 남자 같은: a ~ woman 남성적인 여자. ③ 〖文法〗 남성의. opp. *feminine.* ¶ a ~ noun 남성 명사.
── *n.* 〖文法〗 ① (the ~) 남성. ② Ⓒ 남성형.
másculine génder 〖文法〗 (the ~) 남성.
másculine rhýme 〖韻〗 남성운(韻)《강세가 있는 1음절만의 압운》.
mas·cu·lin·i·ty [mæ̀skjəlínəti] *n.* Ⓤ 남자다움, 남성미.

Mase·field [méisfi:ld, méiz-] *n.* **John** ~ 메이스필드《영국의 계관(桂冠)시인·소설가·비평가; 1878-1967》.

ma·ser [méizər] *n.* Ⓒ 〖物〗 메이저《마이크로파 에너지의 증폭기》. [◂ *m*icrowave *a*mplification by *s*timulated *e*mission of *r*adiation]

***mash** [mæʃ] *n.* Ⓤ ① (또는 a ~) 짓이겨서 질척한 것: *a* ~ of bananas and milk 바나나를 짓이겨서 우유와 혼합한 것. ② (밀기울·탄 보리 따위를 더운 물에 갠) 가축의 사료. ③ 매시, 엿기름물《맥주·위스키의 원료》. ④《英口》 매시트포테이토: sausages and ~ 소시지와 매시트포테이토. ― *vt.* ① (삶은 감자 따위)를 짓이기다《*up*》: Please ~ (*up*) the potatoes. 이 삶은 감자를 좀 이겨 주세요. ② …을 짓찧다.

MASH 《美》 mobile army surgical hospital(육군 이동 외과 병원).

†mask [mæsk, mɑ:sk] *n.* Ⓒ ① 탈; 복면, 가면: The robber wore a black ~. 도둑은 검은 복면을 쓰고 있었다. ② (보호용) 마스크: gas ~ 가스 마스크, 방독면 / oxygen ~ 산소 마스크 / Doctors wear white ~*s* over their mouths and noses. 의사들은 입과 코를 덮는 하얀 마스크를 한다. ③ (석고 등으로) 사람의 얼굴 모양을 본뜬 것; (장식물로서 여우 등의) 얼굴, 안부(顔部): a death ~ 사면(死面), 데스마스크. ④ (흔히 *sing.*) 위장, 가장, 구실: under a ~ of kindness 친절의 가면을 쓰고 / Her tear were only a ~. 그녀의 눈물은 거짓 눈물에 지나지 않았다. ***put on*** 〔***wear, assume***〕 ***a*** ~ 가면을 쓰다; 정체를 숨기다. ***throw off*** 〔***pull off, drop***〕 one***'s*** ~ 가면을 벗다, 정체를 드러내다. ***under the*** ~ ***of*** …의 가면을 쓰고, …을 가장하여.
― *vt.* ① …에 가면을 씌우다, 가면으로 가리다. ②《~+목 / +목+전+명》 …을 가리다, 감추다: ~ one's intentions 의도를 숨기다 / He ~*ed* his anger *with* 〔*behind*〕 a smile. 그는 웃음으로 화나는 것을 얼버무렸다.

másk báll 가면 무도회(=**másked báll**).

masked [mæskt, mɑ:skt] *a.* ① 가면을 쓴, 변장한: All the robbers were ~. 강도 등은 모두 복면을 하고 있었다. ② (진상을〔진의를〕) 숨긴, 숨은: Keep your intentions ~. 당신의 본심은 숨겨 두시오 / The ~ man escaped. 가면의 남자는 달아났다. ③〖軍〗 차폐된;〖醫〗 잠복성의(latent).

mask·er [mǽskər, mɑ́:sk-] *n.* Ⓒ ① 복면을 한 사람. ② 가면극 배우. ③ 가면 무도회 참가자.

másking tàpe 매스킹 테이프《도료를 분사할 때 불필요한 부분을 보호하는 접착 테이프》.

másk RÒM 〖컴〗 본 늘기억 장치, 마스크 롬.

mas·och·ism [mǽsəkìzəm, mǽz-] *n.* Ⓤ ①〖精神醫〗 마조히즘, 피학대 음란증. OPP *sadism*. ② 자기 학대(경향). ㊕ **-ist** *n.* Ⓒ 피학대 음란증 환자. **màs·och·ís·tic** [-tik] *a.* **-ti·cal·ly** *ad.*

‡ma·son [méisən] *n.* Ⓒ ① **a)** 석수. **b)** 벽돌공. ② (M-) 프리메이슨단(團)의 조합원.

Má·son-Díx·on lìne [méisəndíksən-] (the ~) 〖美史〗 Pennsylvania 주와 Maryland 주의 경계(=**Mason and Dixon's line**)《옛날 미국의 북부와 남부의 분계선으로 간주했음》.

Ma·son·ic [məsɑ́nik / -sɔ́n-] *a.* ① 프리메이슨(Freemason)의. ② (m-) 석공〔돌 세공〕의.

Máson jàr 메이슨자《식품 저장용의 아가리가 넓은 유리병; 가정용》.

***ma·son·ry** [méisənri] *n.* Ⓤ ① 석공술(術); 석수〔벽돌공〕의 직(職); 돌〔벽돌〕로 만든 건축, 석조(石造) 건축(stonework); 돌 쌓기〔공사〕, 벽돌공사. ② (M-) 프리메이슨 조합(Freemasonry), 그 제도〔주의〕.

masque [mæsk, mɑ:sk] *n.* Ⓒ ① (16-17세기에 행해졌던) 가면극; 그 각본. ② 가장 무도회.

***mas·quer·ade** [mæ̀skəréid] *n.* Ⓒ ① 가장〔가면〕 무도회; 가장(용 의상). ② 구실, 허구; 은폐: Their apparent friendliness was a ~. 그들은 얼른 보아선 친해 보이지만 그것은 허구였다. ― *vi.* ①《~/ +*as* 보》 …으로 가장하다, 변장하다; …인 척하다: ~ *as* a beggar 거지인 척하다 / I was *masquerading as* a teacher. 나는 교사인 척하고 있었다. ② 가장〔가면〕 무도회에 참가하다.
㊕ **-ád·er** *n.* Ⓒ 가장〔가면〕 무도회 참가자.

‡mass [mæs] *n.* ① Ⓒ 덩어리: a ~ of iron 쇳덩이 / a ~ of rock 바윗 덩어리 / great ~*es* of clouds 커다란 구름 덩어리. ② Ⓤ 모임, 집단, 일단: a ~ of troop 일단의 병사 / There are ~*es* of daisies here and there. 여기저기에 데이지가 군생(群生)하고 있다. ③ (a ~;《口》 ~es) 다량, 다수, 많음: *a* ~ of letters 산더미 같은 편지. ④ (the ~) 대부분, 태반《*of*》: *The* (great) ~ *of* people are against the plan. 대부분의 사람들은 그 계획에 반대한다. ⑤ (the ~es) (엘리트에 대하여) 일반 대중, 서민(populace), 근로자 계급: be popular among *the* ~*es* 대중들 사이에 인기가 있다. ⑥ **a)** Ⓒ 부피(bulk); 크기(size): Among mammals whales have the greatest ~. 포유 동물 중에서는 고래가 제일 크다. **b)** Ⓤ 〖物〗 질량. ***be a*** ~ ***of*** …투성이다: He *is a* ~ *of* bruises. 온몸에 멍투성이다. ***in a*** ~ 하나로 합쳐서, 한 덩어리가 되어. ***in the*** ~ 통틀어, 대체로, 전체로.
― *a.* 대량의, 대규모의; 집단의; 대중의: ~ murder 대량 학살 / ~ data 〖컴〗 대량 자료.
― *vt., vi.* (…을) 한덩어리로 만들다〔가 되다〕; 한 무리로 모으다〔모이다〕; 집중하다; 집합시키다〔하다〕.

Mass** [mæs] *n.* (때로 m-) ① U.C (가톨릭의) 미사: attend 〔go to〕 mass 미사에 참례하다. ② Ⓒ 미사곡: Mozart's *Mass* in C Minor 모차르트의 C단조 미사곡. ***High 〔***Solemn***〕 ~ 장엄 미사. ***Low*** 〔***Private***〕 ~ 평(平)미사. ***read*** 〔***say***〕 ~ 미사를 올리다.

Mass. Massachusetts.

***Mas·sa·chu·setts** [mæ̀sətʃú:sits] *n.* 매사추세츠《미국 동북부의 주; 주도(州都) Boston; 略: Mass; 〖郵〗 MA; 속칭 the Bay State》.

***mas·sa·cre** [mǽsəkər] *n.* Ⓒ ① 대량 학살. ②《口》 (경기 등의) 완패(完敗).
― *vt.* ① …을 대량 학살하다, 몰살시키다. ②《口》 (시합 등에서) …에 압승하다: Our team was ~*d* 10 to 2. 우리 팀은 10대 2로 완패했다.

***mas·sage** [məsɑ́:ʒ / mǽsɑ:ʒ] *n.* U.C 안마, 마사지: give〔have〕 (a) ~ 마사지 해주다〔받다〕 / a facial ~ 얼굴 마사지. ― *vt.* ① …을 마사지〔안마〕하다. ② (숫자·증거 등)을 부정하게 고치다: Somebody has evidently ~*d* the figures. 분명히 누군가가 숫자를 고쳐놓았다.

masságe párlor ① 안마 시술소. ②《戲》 안마를 칭하면서 매춘을 행하는 곳.

máss communicátion 매스커뮤니케이션, 매스컴《신문·라디오·텔레비전 따위》.

mass·cult [mǽskʌ̀lt] *n.* Ⓤ《口》 (주로 매스컴에 의해 전달되는) 대중 문화(= **máss cúlture**).

massed [mæst] *a.* 밀집한; 집중한, 하나로 뭉친.

mas·seur [mæsə́:r] (*fem.* **-seuse** [-sə́:z]) *n.* Ⓒ《F.》 안마사.

‡mas·sive [mǽsiv] (***more*** ~; ***most*** ~) *a.* ① 부피가 큰(bulky), 큰; 육중한(ponderous): a ~ pillar 굵고 육중한 기둥 / *Massive* beams support the roof. 육중한 대들보가 지붕을 받치고 있다. ② 단단한, 힘찬; (용모·체격·정신이) 올찬, 굳센 (solid); 당당한, 훌륭한(imposing): a ~ man 올찬〔단단한〕 체격의 남자. ③ 대량의; 대규모의: ~ damage 막대한 손해 / The bad harvest caused ~ food shortage. 흉작으로 막심한 식량부족 사태가 일어났다. ④ 널리 퍼진, 넓은 범위에 걸친: There was ~ resentment. 많은 사람들이 분개하고 있다. ㊂ ~·ly *ad.* ~·ness *n.*

máss média (the ~) 매스미디어, 대량 전달의 매체.

máss méeting (정치적인) 대중 집회.

máss nòun 〖文法〗 질량 명사《불가산의 물질·추상 명사》.

máss númber 〖物〗 질량수(質量數)《원자핵을 구성하는 핵자의 수》.

máss observátion 《英》 여론(輿論) 조사.

mass-pro·duce [mǽsprədjúːs] *vt., vi.* (…을) 대량 생산하다, 양산(量産)하다.

mass-pro·duced [mǽsprədjúːst] *a.* 양산된: cheap ~ goods 대량 생산된 값싼 물건.

máss prodúction 대량 생산, 양산(量產).

máss psychólogy 군중 심리(학).

máss stórage devìce 〖컴〗 대량 저장 장치.

máss tránsit 대량 수송 수단.

‡**mast**[1] [mæst, mɑːst] *n.* Ⓒ ① 돛대, 마스트. ② (마스트 모양의) 높은 기둥, 장대; 깃대, (방송용 안테나의) 철탑. ***before the*** ~ 하급 선원으로서《선원실이 전장(前檣)의 앞에 있는 데서》.

mast[2] *n.* Ⓤ 〔集合的〕 너도밤나무의 열매·도토리 따위《돼지 먹이》.

mas·tec·to·my [mæstéktəmi] *n.* ⓊⒸ 〖外科〗 유방 절제(술).

mast·ed [mǽstid, mɑ́ːst-] *a.* 〔흔히 複合語로〕 (돛대) …대박이의: a three-~ ship 돛대 세 대박이 범선.

†**mas·ter** [mǽstər, mɑ́ːstər] *n.* ① Ⓒ 주인; 고용주(employer); (노예·가축 등의) 소유주, 임자(owner): ~ and man ⇨(成句) / No man can serve two ~*s.* 아무도 두 주인을 섬길 수 없다. ② Ⓒ 장(長); 가장(家長); 선장(master mariner): a station ~ 역장 / Is the ~ of house at home? 주인 어른 집에 계십니까. ③ Ⓒ 《英》 선생, 교사 (school master): the head ~ of a school 교장선생 / a Latin ~ 라틴어 교사. ④ (the M-) 주 예수 그리스도. ⑤ Ⓒ 대가, 명장(名匠), 거장 (expert), 달인(達人), 숙련자; 대가의 작품: a ~ of music 음악의 거장 / a ~ of the piano 피아노의 대가 / He was a ~ with a bow. 활의 명수였다. ⑥ Ⓒ (M-) …님; 도련님《하인 등이 미성년 남자를 부를 때의 경칭》; 《Sc.》 작은 나리, 서방님, 도련님《자작·남작의 장자(長子) 경칭》: young *Master* George 조지 도련님. ⑦ Ⓒ 승리자, 정복자(victor): I'll see which of you is ~. 누가 이기는지 보자. ⑧ Ⓒ (M-) 석사(의 학위): a *Master* of Arts 문학 석사《略: M. A., 《美》 A. M.》 / a *Master* of Science 이학 석사《略: M.S., M.Sc.》. ⑨ Ⓒ 모형(matrix), 원판, (레코드의) 원반, (테이프의) 마스터테이프. ***be*** ~ ***in*** one***'s own house*** 한집의 가장이다, 남의 간섭을 받지 않다. ***be*** ~ ***of*** (1) …을 소유하다; …을 지배하다, …을 마음대로 할 수 있다. (2) …에 정통하다: *be* ~ *of* the subject 그 문제에 정통(精通)하다. ***be*** ~ ***of*** one***self*** 자제하다; 침착을 잃지 않다. ***be*** one***'s own*** ~ 마음대로 할 수 있다, 남의 제재를 〔속박을〕 받지 않다. ***make*** one***self*** ~ ***of*** …에 정통하다, …에 숙달하다. ~ ***and man*** 주인과 고용인, 주종(主從). ~ ***of ceremonies*** ⇨ CEREMONY. ── *a.* 〔限定的〕 ① 우두머리의; 명인(名人)의, 달인의; 뛰어난(excellent): a ~ thief 큰 도둑 / a ~ carpenter 도목수 / a ~ speech 명연설 / a ~ touch 명인의 일필(一筆)〔솜씨〕. ② 지배적인, 주된: a 〔one's〕 ~ passion 지배적 감정 / a ~ disk 〖컴〗 으뜸 저장판.

── *vt.* ① …을 지배〔정복〕하다, 극복하다; (격정 따위)를 억누르다, 참다(subdue): ~ one's anger 분을 참다 / Man hopes to ~ nature with science and technology. 인류는 과학과 기술로 자연을 정복하기를 바라고 있다. ② …에 숙달하다, …에 정통하다, 충분히 습득하다, 마스터하다: ~ a foreign language〔driving a car〕 외국어를〔차 운전을〕 습득하다 / ~ English 영어에 정통하다. ③ (동물)을 길들이다.

mas·ter-at-arms [mǽstərətɑ́ːrmz, mɑ́ːs-] (*pl.* ***mas·ters-at-arms***) *n.* Ⓒ 〖英海軍〗 선임 위병 하사관.

máster bédroom 주(主)침실《집에서 가장 큰 침실; 부부용》.

máster buílder ① 건축 청부업자; 목수의 우두머리, 도편수. ② 뛰어난 건축가.

máster cárd ①〖카드놀이〗 (브리지에서) 으뜸패. ②〖컴〗 으뜸 카드.

máster cláss (일류 음악가가 우수한 학생을 지도하는) 상급 음악 교실.

máster còpy (모든 사본의 근본이 되는) 원본 「(原本).

máster file 〖컴〗 으뜸(기록)철.

mas·ter·ful [mǽstərfəl, mɑ́ːs-] *a.* ① 건방진, 오만한(domineering), 주인티를 내는: That man is too ~ for my liking. 저 사람은 너무 건방져서 호감이 가지 않는다. ② =MASTERLY.

㊂ ~·ly *ad.* ~·ness *n.*

máster hànd 명수, 명인: be a ~ at carpentry 목수 일의 명인이다.

máster kéy 맞쇠, 곁쇠. 「는.

mas·ter·less [mǽstərlis, mɑ́ːs-] *a.* 주인이 없

mas·ter·ly [mǽstərli, mɑ́ːs-] *a.* 명인다운, 훌륭한: a ~ performance of Beethoven's 9th Symphony 베토벤의 제9 교향곡의 훌륭한 연주.

máster máriner (상선의) 선장.

mas·ter·mind [mǽstərmàind, mɑ́ːs-] *n.* Ⓒ ① (계획 등의) 입안자, 지도자, 주도자. ② (나쁜 일의) 주모자, 조종자: The ~ behind the escape has never been identified. 탈주의 배후 조종자는 아직 확인되지 않고 있다. ── *vt.* (계획 등)을 교묘히 입안하다; (나쁜 일)을 (배후에서) 지휘〔조종〕하다.

‡**mas·ter·piece** [mǽstərpìːs, mɑ́ːs-] *n.* Ⓒ 걸작, 명작, 대표작.

máster plán (종합적인) 기본 계획.

máster's (degrèe) 석사 학위.

máster sérgeant 《美》 상사.

mas·ter·ship [mǽstərʃip, mɑ́ːs-] *n.* ① Ⓤ master 임. ② Ⓒ master 의 직〔지위〕. ③ Ⓤ 숙달, 정통. ④ Ⓤ 지배(력), 통어.

Más·ters Tòurnament [mǽstərz-, mɑ́ːstərz-] (the ~) 〖골프〗 매스터즈 토너먼트《매년 4월에 미국에서 열리는 세계 4대 토너먼트의 하나》.

mas·ter·stroke [mǽstərstròuk, mɑ́ːs-] *n.* Ⓒ (정치·외교 등의) 훌륭한 솜씨〔수완〕: That idea was a ~. 그것은 절묘한 아이디어였다.

mas·ter·work [ˊ-wəːrk] *n.* Ⓒ =MASTERPIECE.

mas·tery** [mǽstəri, mɑ́ːs-] *n.* Ⓤ ① 지배(력) (sway), 통어(력); 정복《*of*; *over*》: (the) ~ *of* the air〔seas〕 제공〔제해〕권. ② 수위(首位), 우세(superiority), 승리, 우승. ③ (또는 a ~) 숙달, 정통(精通)《*of*; *over*》: *A* thorough ~ *of* mathematics is required of all physicists. 수학에의 정통이 모든 물리학자들에게 요구된다. ***gain 〔***get, obtain***〕 ***the ~ of*** …을 지배하다; …에 숙달〔정통〕하다.

mast·head [mǽsthèd, mɑ́ːst-] *n.* Ⓒ ①〖海〗 돛대머리, 장두(檣頭)《망대가 있음》: fly a flag at the ~ 장두에 기를 게양하다. ② 발행인란《신문·잡지의 발행인·편집인·주소 등을 적은 난》.

mas·tic [mǽstik] *n.* ① Ⓒ〖植〗 유향수(乳香樹). ② Ⓤ 유향(乳香)《유향수에서 채취한 수지》. ③ Ⓤ 회반죽의 일종. ④ Ⓤ 유향주《포도주의 일종》.

mas·ti·cate [mǽstəkèit] *vt.* ① (음식물)을 씹다, 저작(咀嚼)하다. ② (고무 따위를 기계에 넣어서) 곤죽으로 만들다.

mas·ti·ca·tion [mæ̀stəkéiʃən] *n.* Ⓤ 저작(咀嚼).

mas·tiff [mǽstif] *n.* Ⓒ 매스티프《큰 맹견(猛犬)의 일종》.

mas·ti·tis [mæstáitis] (*pl.* ***-tit·i·des*** [-títədìːz]) *n.* Ⓤ〖醫〗 유선염(乳腺炎).

mas·to·don [mǽstədɑ̀n / -dɔ̀n] *n.* Ⓒ〖古生〗 매스토돈《신생대 제3기의 거상(巨象)》.

mas·toid [mǽstɔid] *n.* Ⓒ〖解〗 유양 돌기.

mas·toid·i·tis [mæ̀stɔidáitis] *n.* Ⓤ〖醫〗 유양 돌기염(乳樣突起炎).

mas·tur·bate [mǽstərbèit] *vi., vt.* (…에) 수음(手淫)을 하다.

mas·tur·ba·tion [mæ̀stərbéiʃən] *n.* Ⓤ 수음(手淫).

Mat [mæt] *n.* ① 매트《남자 이름; Mathew 의 애칭》. ② 매트《여자 이름; Martha 의 애칭》.

‡mat[1] [mæt] *n.* ① Ⓒ **a)** 매트, 멍석, 돗자리, (현관의) 신발 흙털개(doormat): a bath ~ 욕실의 매트 / Wipe your shoes on the ~. 매트에 신발 털어라. **b)** (레슬링·체조용의) 매트. **c)** (접시·꽃병 따위의) 장식용 받침, =TABLE MAT. ② Ⓒ (설탕 따위를 넣는) 마대; 그 양. ③ (a ~) (머리카락·잡초 따위의) 뭉치, 엉킨 것: *a* ~ of hair 〔weeds〕.

be (***put***) ***on the*** ~ 《口》 (상사에게) 견책당하다, 꾸중듣다. ***leave*** a person ***on the*** ~ 아무를 문간에서 쫓아버리다.

── (***-tt-***) *vt.* ① …에 매트를 깔다; …을 매트로 덮다. ②《~+目/+目+副》 …을 엉키게 하다《*together*》: The swimmer's wet hair was ~*ted together.* 수영인의 머리는 젖어서 엉클어져 있었다. ── *vi.* 엉키다.

mat[2] *n.* Ⓒ (그림·사진과 액자 사이의) 대지, 장식 가두리, 장식 테. ── (***-tt-***) *vt.* …에 대지를 붙이다.

mat[3], **matt(e)** [mæt] *a.* 광택이 없는, 윤을 없앤.

mat·a·dor [mǽtədɔ̀ːr] *n.* Ⓒ《Sp.》투우사.

‡match[1] [mætʃ] *n.* Ⓒ 성냥(개비): a box of ~*es* 성냥 한 갑 / a safety ~ 안전 성냥 / light 〔strike〕 a ~ 성냥을 긋다 / put a ~ to …에 불을 댕기다 / This damp ~ won't light. 이 젖은 성냥은 불이 켜지지 않는다.

‡match[2] *n.* ① Ⓒ 시합, 경기(game): play a ~ 시합을 하다 / win 〔lose〕 a championship ~ 선수권 시합에 이기다〔지다〕. ② (a ~, one ~) **a)** 대전 상대, 호적수《*for*》; (성질 따위가) 필적하는〔동등한〕 사람〔것〕: He is more than *a* ~ *for* me. 그는 나보다는 상수다. **b)** 쌍의 한쪽, 꼭 닮은 것, 빼쏜 것《*to*》; 어울리는〔조화된〕 것〔사람〕《*for*》; 걸맞는 쌍〔짝〕의 사람〔것〕《2 인〔둘〕 이상》: *a* ~ *to* this glove 이 장갑의 한 짝 / The new tie is *a* good ~ *for* the shirt. =The new tie and the shirt are *a* good ~. 새 넥타이와 셔츠가 잘 어울린다. ③ Ⓒ (흔히 *sing.*)〔修飾語와 함께〕 혼인, 결혼, 결혼의 상대〔후보자〕《*for*》: She will make a good ~ *for* you 그녀는 자네 부인으로서 어울리는 좋은 상대이다 / She has made a good ~. 그녀는 좋은 배필을 얻었다. ***make a*** ~ 결혼 중매를 서다. ***make a ~ of it*** 결혼하다. ***meet more than*** one***'s*** ~ 강적을 만나다. ***meet*** 〔***find***〕 one***'s*** ~ 호적수를 만나다; 난국〔난문제〕에 부닥치다.

── *vt.* ① **a)** …에 필적하다, …의 호적수가 되다 《*for*; *in*; *at*》: *For* wine, no country can ~ France. 포도주에 관한한 프랑스와 겨룰 나라는 없다 / No one can ~ him *in* strength. 힘으론 아무도 그를 당할 수 없다. **b)**《~+目/+目+前+名》 맞붙게 하다, 경쟁〔대항〕시키다《*against*; *with*》: We will ~ Tom *with* Joe. 톰과 조를 겨루게 해보자 / I was ~*ed against* a formidable opponent. 나는 대단한 상대와 대전하게 돼있었다. ② **a)** …에 어울리다, 걸맞다: His tie doesn't ~ his shirt. 넥타이가 셔츠와 안 어울린다 / I'm looking for a hat to ~ a brown dress. 갈색 드레스에 어울리는 모자를 찾고 있습니다 / a well-~*ed* couple 잘 어울리는 부부. **b)**《~+目/+目+前+名》 …와 조화시키다, 맞추다《*to*; *with*》; 갖추다; …에 맞는 것을 찾아내다; …에 (적합한 사람〔것〕)을 찾아내다《*with*》: ~ one's actions *to* one's words 말한 대로 실행하다 / Can you ~ (me) this jacket? 이 재킷에 어울리는 것을 찾아 주겠소 / ~ the room *with* some new furniture 방에 맞는 새 가구를 찾아내다.

── *vi.* ① (둘이) 대등하다, 어울리다: The brother's school records nearly ~*ed.* 그 형제의 학업 성적은 거의 대등했다. ② (물건이 크기·모양·색 등에서) (…와) 조화되다, 어울리다《*with*》: The napkins do not ~ *with* the tablecloth. 냅킨이 식탁보와 어울리지 않는다 / She was wearing a gray dress *with* hat and gloves to ~. 그녀는 회색 옷을 입고 거기에 어울리는 모자와 장갑을 끼고 있었다. ③《古》(…와) 혼인하다《*with*》. ~ ***coins*** 동전을 던져 결정하다. ~ ***up*** 잘 조화되다〔시키다〕. ~ ***up to*** …에 필적하다, 미치다; (기대에) 부응하다: His new novel didn't ~ *up to* my expectations. 당신의 새 소설이 내 기대와는 달랐습니다.

match·book [´-bùk] *n.* Ⓒ 종이 성냥《한 개비씩 뜯어 쓰게 된》.

match·box [´-bɑ̀ks / ´-bɔ̀ks] *n.* Ⓒ 성냥통〔갑〕.

match·ing [mǽtʃiŋ] *a.* 〔限定的〕 (색·외관이) 어울리는, 조화된: I want a ~ tie, not a contrasting one. (옷과) 조화되는 넥타이를 원한다, 대조적인 것이 아니고. ── *n.* Ⓤ〖컴〗 맞대기, 정합(整合).

***match·less** [mǽtʃlis] *a.* 무적의, 무쌍의, 비길 데 없는: a girl of ~ beauty 절세의 미인. ㊞ **~·ly** *ad.* **~·ness** *n.*

match·lock [´-lɑ̀k / ´-lɔ̀k] *n.* Ⓒ 화승총.

match·mak·er [´-mèikər] *n.* Ⓒ ① 결혼 중매인. ② (특히, 복싱·레슬링 등) 시합의 중개자(대전표를 짜는 사람).

mátch plày〖골프〗 득점 경기《쌍방이 이긴 홀의 수대로 득점을 계산》. ⓒⓕ stroke play.

mátch póint〖競〗 (테니스·배구 등에서) 승패를 결정하는 최후의 1 점.

match·stick [´-stìk] *n.* Ⓒ 성냥개비.

match·wood [´-wùd] *n.* Ⓤ ① 성냥개비 재료. ② 지저깨비, 산산조각.

‡mate[1] [meit] *n.* Ⓒ ① 상대; 배우자(의 한쪽) (spouse)《남편이나 아내》: a faithful ~ to him 그의 성실한 아내. ② **a)** (동물의) 한 쌍의 한쪽: The ducks' ~*s* were sure to be found somewhere near. 오리들의 상대 짝은 반드시 근처의 어딘가에

있었다. **b)** (장갑 등의) 한 짝: Where is the ~ to this glove? 이 장갑의 한 짝은 어디 있나. ③ **a)** (노동자 등의) 동료, 친구: have a drink with one's ~*s* 동료들과 한잔하다. **b)** (노동자·선원 들간의 다정한 호칭으로서) 형, 동생, 여보게: Hand me the glass, ~. 여보게, 잔 좀 이리 보내주게 / OK, ~. 알았어요, 형〔알았네, 동생〕. cf. playmate, classmate, roommate. ④ **a)** (상선의) 항해사: the chief〔first〕 ~ 1등 항해사. **b)** 《美》 하사관. ⑤ (장색 등의) 조수: a plumber's ~ 배관견습공 / the cook's ~ 요리사 조수.

go ~s with …의 동료〔친구〕가 되다.

── *vt.* (새·짐승)을 짝지어주다, 교미시키다: We've again failed in *mating* the pandas. 판다를 교미시키는 데 또 실패했다. ── *vi.* (새·짐승이) 교미하다《*with*》: Birds ~ in (the) spring. 새들은 봄철에 교미한다 / the *mating* season 교미기.

mate² 〖체스〗 *n.* U.C 외통장군(checkmate). ── *vt.* …을 외통으로 몰다, 지게 하다.

ma·ter [méitər] *n.* C (때로 M-) 《英俗》 어머니 (mother). cf. pater.

†**ma·te·ri·al** [mətíəriəl] (***more*** ~; ***most*** ~) *a.* ① 물질의, 물질에 관한(physical); 구체적인, 유형의: a ~ being 유형물 / ~ civilization 물질문명 / the ~ universe〔world〕 물질계 / a ~ noun 물질명사 / ~ evidence 물적 증거. ② 육체상의〔적인〕(corporeal); 감각적인, 관능적인. opp. *spiritual.* ¶ ~ comforts 육체적 안락을 초래하는 것《음식·의복 따위》/ ~ needs 생리적 요구(물) / ~ pleasure 관능적 쾌락. ③〖論·哲〗 질료(質料)적인, 실체상의. opp. *formal.* ④ 중요한, 필수적인, 불가결한, 실질적인: at the ~ time 중대한 시기에 / facts ~ *to* the interpretation 그 해석에 있어서 중요한 사실 / a ~ factor 중요한 요인. ── *n.* ① U.C 원료, 재료; (양복의) 감: building ~*s* 건축 자재 / Iron is a widely used ~. 철은 널리 사용되는 원료다 / a box made from solid ~ 튼튼한 재료로 만들어진 상자 / There was enough ~ for her to make two dresses. 그녀에게 옷 두 벌을 만들기에 족한 옷감이 있었다. ② U 요소, 제재(題材), 자료(data): collect ~ for a dictionary 사전 만들 자료를 수집하다. ③ (*pl.*) 용구(用具): writing ~*s* 필기 용구 / drawing ~*s* 제도용구. ④ U 인재.

ma·te·ri·al·ism [-ìzəm] *n.* U ① 물질주의, 실리주의. ②〖哲〗 유물론. opp. *spiritualism.*

ma·te·ri·al·ist [-ist] *n.* C 유물주의자, 유물론자. ── *a.* 물질주의적인, 유물론(자)의.

ma·te·ri·al·is·tic [mətìəriəlístik] *a.* 유물론의; 유물주의적인. ㊕ **-ti·cal·ly** *ad.*

ma·te·ri·al·i·ty [mətìəriǽləti] *n.* ① U 실질성, 구체성, 유형; 중요(성). ② C 실재물, 유형물.

ma·te·ri·al·i·za·tion [mətìəriəlizéiʃən] *n.* U.C 형체를 부여하기, 실체화, 구체화; 물질화; (영혼의) 체현; 실현, 현실(화).

ma·te·ri·al·ize [mətíəriəlàiz] *vt.* ① …을 구체화하다, 실현하다: ~ one's ambitions 자기의 야망을 실현하다. ② (영 등)을 체현(體現)시키다, 물질〔실질〕적이 되게 하다. ── *vi.* ① 가시화(可視化)하다; 나타나다, 사실화하다, 실현되다: His dream of wealth never ~*d.* 그의 부자에의 꿈은 종내 실현되지 않았다. ② (영 등이) 체현(體現)하다; 유형화하다. ③ (갑자기) 나타나다.

***ma·te·ri·al·ly** [mətíəriəli] *ad.* ① 크게, 현저하게. ②〖哲〗 질료(質料)적으로, 실질적으로. ③ 물질〔유형〕적으로; 실리적으로: *Materially* speaking, the family is well off. 물질적으로는 그 가족은 유복하다.

matérial nóun 〖言〗 물질 명사.

ma·te·ria med·i·ca [mətíəriə-médikə] 《L.》 ①〔集合的, 複數취급〕 의약품, 약물(藥物). ②〔單數취급〕 약물학.

ma·té·ri·el, -te- [mətìəriél] *n.* U 《F.》 (군의) 장비(equipment), 군수품. opp. *personnel.*

***ma·ter·nal** [mətə́:rnl] *a.* ① 어머니의; 모성의, 어머니다운: a ~ association 어머니회(會) / ~ love 모성애 / She's a warm, ~ person. 그녀는 마음이 따뜻한 어머니 같은 사람이다. ②〔限定的〕 어머니쪽의, 모계(母系)의: one's ~ grandmother 어머니쪽 할머니, 외조모. cf. paternal. ㊕ **~·ly** [-nəli] *ad.* 어머니답게; 어머니 쪽으로〔에〕.

ma·ter·ni·ty [mətə́:rnəti] *n.* ① U 어머니임, 모성(motherhood); 어머니다움; 모성애. ② C 산부인과 병원. ── *a.* 〔限定的〕 임산부의, 임산부를 위한: a ~ apparatus 출산 기구 / a ~ benefit 출산 수당 / a ~ center 임산부 상담소 / ~ leave 출산 휴가 / a ~ ward 분만실 / a ~ home 산원(産院) / a ~ dress〔wear〕 임산부복.

matey [méiti] (***mat·i·er*** ; ***-i·est***) *a.* 《英口》 허물 없는, 다정한, 친한《*with*》: He was very ~ *with* us. 그는 우리와 아주 친했다. ── *n.* C 〔흔히, 호칭으로〕 동료, 동무.

math [mæθ] *n.* U 《美口》 =MATHEMATICS.

math. mathematical; mathematician; mathematics.

‡**math·e·mat·i·cal** [mæ̀θəmǽtikəl] (***more*** ~; ***most*** ~) *a.* ① 수학(상)의, 수리적인: a ~ formula 수학 공식 / a ~ problem 수학 문제 / have a ~ mind 수리에 밝다 / ~ instruments 제도(製圖) 기구《컴퍼스·자 등》. ② 매우 정확한.

math·e·mat·i·cal·ly [-ikəli] *ad.* 수학적으로: solve a problem ~ 문제를 수학적으로 해결하다.

***math·e·ma·ti·cian** [mæ̀θəmətíʃən] *n.* C 수학자.

†**math·e·mat·ics** [mæ̀θəmǽtiks] *n.* U ①〔單數취급〕 수학: applied〔mixed〕 ~ 응용 수학 / pure ~ 순수 수학. ②〔單·複數 취급〕 수학적 계산〔처리〕: My ~ are〔is〕 weak. 나는 수학에 약하다.

maths [mæθs] *n.* 《英口》 =MATHEMATICS.

Ma·til·da, -thil- [mətíldə] *n.* ① 마틸다《여자 이름; 애칭 Matty, Pat, Patty》.

***mat·i·nee, -née** [mæ̀tənéi / ∠-∠] *n.* C 《F.》 (연극·음악회 등의) 낮 흥행, 마티네.

matinée coat〔**jacket**〕 [∠-∠] 마티네 코트 《유아용의 모직물 상의》.

matinée idol [∠-∠] (여자에게 인기 있는) 미남 배우.

mat·ins [mǽtnz, -tinz] *n.* U 〔單·複數취급〕 (종종 M-) ①〖가톨릭〗 조과(朝課), 아침 기도《일곱번의 성무일도(聖務日禱) 중의 한밤중 또는 새벽의 기도》. ②〖英國敎〗 아침 기도.

Ma·tisse [mætí:s] *n.* **Henri** ~ 마티스《프랑스의 야수파 화가·조각가; 1869–1954》.

ma·tri·arch [méitriɑ̀:rk] *n.* C 여가장(女家長); 여족장(女族長). cf. patriarch.

ma·tri·ar·chal [mèitriɑ́:rkəl] *a.* 여가장의, 모권제(母權制)의.

ma·tri·archy [méitriɑ̀:rki] *n.* ① U.C 여가장제, 모권제. ② C 모권 사회.

ma·tric [mətrík] *n.* 《英口》 =MATRICULATION.

ma·tri·ces [méitrəsì:z, mǽt-] MATRIX의 복수.

ma·tri·cide [méitrəsàid, mǽt-] *n.* ① U.C 모친 살해《죄·행위》. ② C 모친 살해범.

㊕ **mà·tri·cí·dal** [-sáidl] *a.* 어머니를 죽인.

ma·tric·u·late [mətríkjəlèit] *vi.* 대학에 입학하

다《*at; in*》. — *vt.* …에게 대학 입학을 허가하다.

mat·ric·u·la·tion [mətrìkjəléiʃən] *n.* UC 대학 입학 허가.

mat·ri·lin·e·al [mætrəlíniəl] *a.* 모계(母系)의; 모계제(制)의: a ~ society 모계 사회.

mat·ri·mo·ni·al [mætrəmóuniəl] *a.* 결혼의; 부부의: a ~ agency 결혼 상담소.

***mat·ri·mo·ny** [mǽtrəmòuni] *n.* U ① 결혼(식), 혼인: holy ~ (교회에서의) 거룩한 결혼식 / enter into ~ 결혼하다 / unite two persons in holy ~ 두 사람을 정식으로 결혼시키다. ② 부부 관계, 결혼 생활.

ma·trix [méitriks, mǽt-] (*pl.* ~·***es***, ***-tri·ces*** [-trəsìːz]) *n.* C ① (발생·성장의) 모체, 기반: Mutual understanding is the ~ of peace. 상호 이해는 평화의 기반이다. ②〖鑛〗모암(母岩), 맥석(脈石). ③〖印〗자모형(母型); 주형(鑄型). ④ (레코드의) 원반. ⑤〖數〗행렬. ⑥〖컴〗매트릭스《입력 도선과 출력 도선의 회로망》.

ma·tron** [méitrən] *n.* C ① **a**) (나이 지긋한 점잖은) 부인, 여사. **b**) 보모; 요모(寮母). ② (옛날의) 수간호사《최근에는 보통 senior nursing officer 라 함》. ③ (교도소의) 여자 간수. ***a ~ of honor 신부를 돌보는 기혼 부인. ***jury of ~s***〖史〗 수태 심사 배심《피고의 임신 여부를 판정함》.

ma·tron·ly [méitrənli] *a.* matron다운; (부인이) 관록〔품위〕있는(dignified).

Matt [mæt] *n.* 매트《남자의 이름; Matthew 의 애칭》.

Matt. 〖聖〗Matthew.

matte ⇨MAT³.

mat·ted¹ [mǽtid] *a.* ① 매트를 깐, 돗자리를 깐. ② (머리 따위가) 헝클어진, 납작하게 엉긴: ~ hair 헝클어진 머리 / The dog's fur was wet and ~. 개의 털은 젖어서 납작하게 엉겨 있었다.

mat·ted² *a.* 윤〔광택〕을 없앤, 흐린.

†**mat·ter** [mǽtər] *n.* ① U 물질, 물체: The common state of ~ is solid, liquid or gaseous. 물질의 보통 상태는 고체나 액체 또는 기체다. cf. mind, spirit. ② U (수식어를 동반하여) …질(質), …소(素), …체(體), …물(物): vegetable ~ 식물질 / coloring ~ 색소, 염색제 / a foreign ~ 이물(異物) / organic ~ 유기물 / solid ~ 고체. ③ U (논의·저술 따위의) 내용(substance); 제재(題材), 주제: His speech contained very little ~. 그의 연설에는 내용이 거의 없었다. ④ C (관심·고찰의) 문제(subject), 일: money ~*s* 금전 문제 / a ~ of life and death 사활의 문제 / a ~ in dispute 〔question〕 계쟁(係爭)중인 문제 / a ~ in hand 당면 문제 / It's quite another ~. 그것은 전혀 별개의 문제다. ⑤ (*pl.*) (막연하게) 일, 사태(circumstances), 사정: a serious ~ 중대사 / That is how ~*s* stand. 사태는 이와 같다 / take ~*s* easy 〔seriously〕 매사를 쉽게〔진지하게〕 생각하다 / That simplifies ~*s*. 그렇게 하면 일은 간단해진다. ⑥ (the ~) 지장, 장애, 사고: What's *the* ~ with you? 어찌 된 일인가 / Is there anything *the* ~ with the car? 차가 어떻게 됐나 / He stopped to see what *the* ~ was. 그는 무슨 일인가 하고 서서 보았다. ⑦ U …물(物)《인쇄·출판·우편 등의》: printed ~ 인쇄물 / postal ~ 우편물 / first-class ~ 제 1 종 우편물. ⑧ U 〖醫〗고름.

a ~ of (1) …의 문제(⇨ ④). (2) …의 범위; 몇…: He will arrive in *a ~ of* minutes. 몇 분 있으면 도착할 것이다. (3) 약, 대충: *a ~ of* five miles 〔dollars〕 약 5 마일〔달러〕. ***a ~ of course*** 당연한 일. ***as a ~ of fact*** 실제에 있어서, 사실상. ***as ~s stand*** = ***as the ~ stands*** 목하의 상태로는. ***for that ~*** 그 일이면, 그 문제〔점〕에 관해서는. ***in the ~ of*** …에 관해서는. ***It is*** 〔***makes***〕 ***no ~*** (whether... or...) (…이든 아니든) 대수로운 문제는 아니다, 아무래도 좋다. ***no ~*** 전혀 문제될 것이 없다, 아무 것도 아니다, 걱정 없다. ***no ~ what*** 〔***when, where, which, who, how***〕 비록 무엇이〔언제, 어디서, 어느 것이, 누가, 어떻게〕 …한다 하더라도: *No ~ how* hard he may try, ... 그가 아무리 열심히 한다 해도…《★ 구어에서는 may try 대신 tries 를 쓰기도 함》. ***There is something the ~*** (***with***) (…에는) 무언가 탈이 생겼다; (…은) 어딘가 이상하다. ***What ~?*** 그러니 어떻단 말인가; 상관없지 않은가.

— *vi.* ① 《~ / +副 / +前+名》〔흔히 否定·疑問〕 중요하다, 문제가 되다, 관계가 있다: Your age *doesn't* ~. 나이는 상관 없다 / It ~*s little* to me. 내게는 별 관계가 없다 / What does it ~ (to you)? 그것이 어떻다는 말인가, 상관없지 않은가 / It does *not* ~ how long we live, but how. 중요한 것은 얼마나 오래 사느냐가 아니라 어떻게 사느냐 하는 것이다. ② (상처가) 곪다.

Mat·ter·horn [mǽtərhɔ̀ːrn] *n.* (the ~) 마터호른《알프스의 고산; 해발 4,478 m》.

mat·ter-of-course [mǽtərəvkɔ́ːrs] *a.* ① 당연한, 말할 것도 없는. ② 태연한, 침착한.

mat·ter-of-fact [mǽtərəvfǽkt] *a.* 실제적인; 사무적인, 인정미 없는; 담담한, 무미 건조한: a ~ attitude to death 죽음에 대한 담담한 태도. ㊞ ~·***ly*** *ad.* 담담하게, 사무적으로.

***Mat·thew** [mǽθjuː] *n.* ① 남자 이름《애칭 Matt》. ② (Saint ~) 〖聖〗마태《예수의 12 제자의 한 사람》. ③〖聖〗마태 복음《신약 성서의》.

mat·ting [mǽtiŋ] *n.* ①〔集合的〕매트, 멍석, 돗자리, 깔개. ② U 그 재료.

mat·tock [mǽtək] *n.* C 곡괭이의 일종.

***mat·tress** [mǽtris] *n.* C (솜·짚·털 따위를 넣은) 침대요, 매트리스.

Mat·ty [mǽti] *n.* 매티《여자 이름; Martha, Matilda 의 애칭》.

mat·u·rate [mǽtʃərèit] *vi.*〖醫〗곪다, 화농하다.

mat·u·ra·tion [mæ̀tʃəréiʃən] *n.* U ① 성숙(기), 원숙(기). ②〖醫〗화농(化膿).

‡**ma·ture** [mətjúər, -tʃúər] (***ma·tur·er, -est***; ***more ~, most ~***) *a.* ① 익은(ripe), 숙성한: ~ fruit 익은 과일 / The wine is ~ and ready to be drunk. 와인은 숙성하여 마실 수 있게 되었다. ② (사람·동물이) 잘 발육〔발달〕한, 원숙한, 분별 있는: a ~ woman 성숙한 여인 / ~ age 〔years〕 분별 있는 나이 / a ~ writer 원숙한 작가 / Judy is ~ beyond her years. 주디는 나이보다는 어른스럽다〔숙성하다〕. ③ 심사 숙고한, 신중한: Let's be ~ about the decision. 결정은 신중히 합시다 / We did it after ~ consideration. 우리는 충분히 생각한 뒤에 그것을 했다. ④ (어음 따위가) 만기가 된(due). — *vt.* …을 익히다; …을 성숙〔발달〕시키다: His hard experiences ~*d* him. 쓰라린 경험들을 통해서 그는 원숙한 사람이 되었다.

— *vi.* ① 성숙하다, 숙성하다: She has ~*d* into an exquisite woman. 그녀는 멋있는 여성으로 성숙했다 / Wine takes several years to ~. 와인은 숙성하는 데 수년이 걸린다. ② (어음 따위가) 만기가 되다. ㊞ ~·***ly*** *ad.* ~·***ness*** *n.*

***ma·tu·ri·ty** [mətjúərəti, -tʃúː- / -tjúərə-] *n.* U ① 성숙(기), 숙성(기); 완전한 발달〔발육〕: reach 〔come to〕 ~ 성숙해지다 / John shows great ~ for his age. 존은 나이에 비해서는 아주 숙성하다. ② (어음 등의) 만기(일). ◇ mature *v.*

ma·tu·ti·nal [mətjú:tənəl] *a.* (이른) 아침의; (아침) 이른(early).

maud·lin [mɔ́:dlin] *a.* 눈물 잘 흘리는, 감상적인; 취하면〔술을 마시면〕 우는.

Maugham [mɔ:m] *n.* (**William**) **Somerset** ~ 몸《영국의 작가; 1874-1965》.

maul [mɔ:l] *n.* Ⓒ 큰 나무망치, 메. ── *vt.* ① (짐승 따위가) …을 물거나 할퀴거나 해서 상처를 입히다. ② …을 뭇매를 때리다, 혼내 주다, 난폭하게 다루다; 혹평하다: He got badly ~*ed* in the riot. 폭동이 일어나 그는 아주 혼났다.

maul·stick [mɔ́:lstìk] *n.* =MAHLSTICK.

Mau Mau [máumàu] (the ~) 마우마우단(團)(원)《동아프리카의 Kenya 원주민의 민족주의적 비밀 결사(의 일원); 1950년대에 활약》.

maun·der [mɔ́:ndər] *vi.* ① 종작〔두서〕 없이 이야기하다《*on*》, 중얼중얼하다. ② (멍하니) 돌아다니다《*along*; *about*》.

maun·dy [mɔ́:ndi] *n.* Ⓤ〖敎會〗 세족식(洗足式).

máundy mòney 〔**còins**〕《英》 세족식날 왕실로부터 하사되는 빈민 구제금.

Máundy Thúrsday〖敎會〗 세족 목요일《부활절 직전의 목요일》.

Mau·pas·sant [móupəsɑ̀:nt] *n.* **Guy de** ~ 모파상《프랑스의 작가; 1850-93》.

Mau·riac [*F.* mɔrjak] *n.* **François** ~ 모리아크《프랑스 작가; 노벨 문학상(1952); 1885-1970》.

Mau·rice [mɔ́(:)ris, mɑ́-] *n.* 모리스《남자 이름》.

Mau·ri·ta·nia [mɔ̀(:)ritéiniə, -njə, mɑ̀ri-] *n.* 모리타니《서북 아프리카의 공화국; 수도 Nouakchott》.

Mau·ri·tius [mɔːríʃəs, -ʃiəs] *n.* ① 모리셔스 섬《Madagascar 동쪽 인도양상의 화산섬》. ② 모리셔스《이 섬과 부속 도서로 이루어진 영연방내의 독립국; 수도 Port Louis》.

mau·so·le·um [mɔ̀:səlí:əm] (*pl.* ~**s**, **-lea** [-lí:ə]) *n.* Ⓒ 장려한 무덤, 영묘(靈廟), 능(陵).

mauve [mouv] *n.* Ⓤ, *a.* 연보라빛(의).

ma·ven, ma·vin [méivən] *n.* Ⓒ《美俗》 전문가, 그 방면에 정통한 사람, 통(通): Hollywood's marketing *mavens* 할리우드(영화)의 마케팅 전문가들.

mav·er·ick [mǽvərik] *n.* Ⓒ ①《美》 임자의 낙인이 없는 송아지. ② (정치가·예술인 등) 소속이 없는 사람, 이단자.

maw [mɔ:] *n.* Ⓒ ① 반추 동물의 넷째 위(胃). ②《口》 사람의 밥통.

mawk·ish [mɔ́:kiʃ] *a.* ① (맛이) 느글거리는, 역겨운(sickening). ② (사람·행동이) 몹시 감상적인. ㊞ ~·**ly** *ad.* ~·**ness** *n.*

Max [mæks] *n.* 맥스《남자 이름; Maximilian, Maxwell 의 애칭》.

max [mæks] *n.*《美俗》〔다음 成句로만〕 ***to the*** ~ 최대한으로, 최고로; 완전히, 아주.

max. maximum.

maxi [mǽksi] (*pl.* **max·is**) *n.* Ⓒ《口》 긴 치마, 맥시(maxiskirt), 맥시 코트.

maxi- '최대(最大)의, 최장(最長)의'란 뜻의 결합사: *maxi*coat.

max·il·la [mæksílə] (*pl.* **-lae** [-li:], ~**s**) *n.* Ⓒ〖解〗 악골(顎骨), 턱뼈, 위턱.

***max·im** [mǽksim] *n.* Ⓒ 격언, 금언.

max·i·mal [mǽksəməl] *a.*〔限定的〕 최대한의, 극대(極大)의. opp *minimal*. ㊞ ~·**ly** *ad.*

max·i·mize [mǽksəmàiz] *vt.* …을 최대한으로 하다, 극대화하다. opp *minimize*.
㊞ **màx·i·mi·zá·tion** [-mizéiʃən] *n.*

‡**max·i·mum** [mǽksəməm] (*pl.* **-ma** [-mə], ~**s**) *n.* Ⓒ 최대, 최대한(도), 최대량: at the ~ 최대한으로 / to the ~ 최대한까지, 최고로 / the rainfall ~ 최대 강우량. ── *a.*〔限定的〕 최대의, 최고의; 극대의: the ~ value〖數〗 극대값 / a ~ dose〖醫〗 극량(極量) / the ~ load 최대 적재량. ── *ad.* 최대한, 최고: twice a week ~ 최대한 주 2회. opp *minimum*.

max·i·skirt [mǽksiskə̀:rt] *n.* Ⓒ 맥시스커트.

†**May**[1] [mei] *n.* ① 5월: in ~ 5월에 / on ~ 1 = on 1 ~ = on the 1st of ~ 5월 1일에. ② (m-)《英》 **a**) Ⓒ〖植〗 산사나무. **b**)〖集合的〗 산사나무의 꽃. cf. mayflower. ***the Queen of*** (***the***) ~ =MAY QUEEN.

May[2] [mei] *n.* 메이《여자 이름; Mary, Margaret 의 애칭》.

†**may** [mei] (***might*** [mait]; may not 의 간약형 ***mayn't*** [meint], might not 의 간약형 ***mightn't*** [máitnt])《否定의 간약형 mayn't는 그다지 안 쓰임》. *aux. v.* ①〔불확실한 추측〕 **a**) …할〔일〕지도 모른다《(1) 확률이 약 50%일 것임을 나타냄. 말하는 사람의 확신도는 might, may, could, can, should, ought to, would, will, must 순(順)으로 강해짐. (2) 否定形은 may not》: It ~ rain tomorrow. 내일 비가 올지도 모른다 (=It is possible that it will rain tomorrow.) / He ~ come, or he ~ not. 그는 올지도 모르고 안 올지도 모른다 / It ~ be that our team will win this time. 이 번엔 우리 팀이 이길는지도 모른다 / Mother is afraid that I ~ 〔*might*〕 catch a cold. 내가 감기에 걸릴까봐 어머니는 걱정하고 계시다. **b**) 〔may have+過去分詞로, 과거의 불확실한 추측을 나타내어〕 …이었〔하였〕는지도 모른다: Bill ~ *have left* yesterday. 빌은 어제 떠났을 테죠(=It is possible that 〔*Maybe*〕 Bill *left* yesterday.)《의미상 과거를 나타내는 완료형 용법이므로 과거를 나타내는 부사와 함께 쓰임》/ It ~ *have been* true. 사실이었을는지도 모른다.

> 語法 (1) may 는 疑問文에 쓸 수가 없음: ×*May* you be late coming home? 대신에 Are you *likely* to be late coming home? / Do *you think* you'll be late coming home? (귀가(歸家)가 늦어질 것 같은가)처럼 말함. can, could, might 는 疑問文에도 쓸 수 있음.
> (2) 추측의 may의 반대는 cannot, may not의 반대는 must: It ~ be true. (그것은 사실일지도 모른다.) ↔ It *cannot* be true. (그것은 사실일 리가 없다.) It ~ not be true. (그것은 사실이 아닐지도 모른다.) ↔ It *must* be true. (그것은 사실임에 틀림없다.)
> (3) I think, possibly 따위를 사용해서 불확실성, 자신없음을 강조할 경우가 많음: (*I think*) Bill ~ (*possibly*) be at the office by now. 빌은 지금쯤 회사에 도착해 있을 거다 / It is *possible* he ~ not come. 그는 안 올는지도 모른다.

② **a**) 〔許可·許容〕 …해도 좋다, …해도 괜찮다《(1) 否定에는 '불허가'의 뜻으로 may not 이나, '금지'의 뜻의 must not 가 쓰임. (2)《口》에서는 may 대신 can 이 사용될 때가 많음. (3) 간접 화법은 별도로 치고 '허가'의 뜻인 과거형에 might 는 쓸 수 없으므로 was allowed to가 사용됨》: You ~ go now. 이제 가도 좋다(=I permit you to go now.) / You ~ go wherever you like. 어디로든 너 좋아하는 곳으로 가도 좋다 / I'll have another cake, if I ~. 괜찮다면 케이크를 하나 더 먹겠습니다 / *May* I help you?《점원이 손님에게》 어서 오십쇼; 무엇을 (도와) 드릴까요 / "*May* I

smoke here?" "Yes, you ~." '여기서 담배 피워도 됩니까?' '예, 괜찮습니다.' 《Yes, you may.는 무뚝뚝하게 들리므로 보통은 Yes, certainly 〔of course〕. / Sure. / Why not? 을 씀》/ "*May* I use your car?" "No, you ~ not." '차 좀 빌릴까요?' '아니, 안됩니다.' 《may not는 무뚝뚝하게 들리므로 보통은 No, I'm sorry. / I'm afraid you cannot.을 씀》/ *May* I please see your passport. 여권을 보여 주시기 바랍니다(=Please show me your passport.) 《형태는 疑問文이나 이처럼 명령문에 가까운 경우엔 종종 마침표를 붙임. 이에 대한 대답은 Here you are. '네 여기 있습니다'이지 ×Yes, you may.라고는 할 수 없음》. **b)** 〔흔히 ~ well로, 容認을 나타내어〕 …라고 해도 관계없다, …라고 하는 것은 당연하다《이런 뜻의 否定은 cannot》: You ~ *well* think so. 네가 그렇게 생각하는 것도 당연하다.
③ 〔疑問詞와 더불어〕 **a)** 〔불확실성을 강조하여〕 도대체 (무엇, 누구, 어떻게) …일까: I wonder what ~ be the cause. 그 원인은 대체 무엇일까 / Who ~ you be? 누구신지요《매우 실례가 되는 말》. **b)** 〔표현을 부드럽게 하여〕 What ~ I do for you? 무슨 일로 오셨습니까.
④ 〔타당성·가능〕 …할 수 있다《특정 표현 외에는 보통은 can 을 씀》: Gather roses while you ~. (장미꽃은 딸 수 있을 때 따라 →) 젊음은 두 번 다시 오지 않는다.
⑤ 〔목적을 나타내는 that절에 쓰이어〕 …하기 위해, …할 수 있도록: He is working hard (*so*) *that* 〔*in order that*〕 he ~ pass the examination. 시험에 합격하고자 열심히 공부하고 있다《★ so 없는 형식은 문어적. 미국에서는 may 대신에 흔히 will, shall, can 이 쓰임》.
⑥ 〔양보〕 **a)** 〔뒤에 等位接續詞 but 따위가 와서〕 (비록) …일지도〔할지도〕 모르지만, …라고 해도 좋다〔좋으나〕: Times ~ change *but* human nature stays the same. 세월은 변할지언정 사람의 본성은 변하지 않는다. **b)** 〔양보를 나타내는 副詞節에서〕 비록 …일지라도, 설사 …라 할지라도: Don't believe it, whoever 〔no matter who〕 ~ say it. 누가 그렇게 말해도 믿지 마라《★ 《口》에서는 보통 may를 쓰지 않음》.
⑦ 〔바람·祈願·저주〕 《文語》 바라건대 …하기를 〔있으라〕, …ㄹ지어다《may 가 항상 주어 앞에 옴. I wish 따위를 씀》: Long ~ he live! 그의 장수를 빈다 / *May* you succeed! 성공을 빕니다 / *May* he rest in peace! 영혼이여 고이 잠드소서《★ 3인칭 주어의 경우에는 흔히 may 를 생략함. 이때에는 원형동사를 씀에 주의: God *forgive* me! 신이여 용서하옵소서》.
as best one ~ 〔***can***〕 될 수 있는 대로; 이럭저럭. ***be that as it*** ~ 어쨌든, 그것은 어떻든 (anyway). ***come what*** ~ 무슨 일이 있건 (whatever happens). ~ 〔***might***〕 (***just***) ***as well*** do (***as*** ..) ⇨ WELL². ***That's as*** ~ ***be*** (***but*** ...) 그건 그런지 모르지(만…): "I'm too tired." "*That's as* ~ *be, but* your fans are still waiting." '난 너무 피곤해요.' '그건 그렇지만 당신의 팬들이 아직 기다리고 있어요.' ~ ***well*** ⇨ ② b).

Ma·ya [máːjə] (*pl.* ~(*s*)) *n.* ① **a)** (the ~(s)) 마야족(族). **b)** Ⓒ 마야인. ② Ⓤ 마야어(語).

Ma·yan [máːjən] *n.* ① Ⓒ 마야인. ② Ⓤ 마야어. —*a.* 마야족〔인, 어〕의.

†may·be [méibiː] *ad.* 어쩌면, 아마(perhaps): *Maybe* it will rain. 어쩌면 비가 올는지 모른다 / *Maybe* I will go too. 아마 나도 가게 될 것이다 / Will he come?—*Maybe*(, or ~ not). 그가 올까—올지도 모르지(만, 안 올지도 모른다) / Let's ask somebody else, ~ Tom. 누구 다른 사람한테 물어보자, 톰에게라도 / *Maybe* you'll have better luck next time. 다음 번엔 행운이 있을 테지《이번엔 안 됐다》/ *Maybe* you could open the window. 창문을 좀 열어주시겠습니까《완곡한 부탁의 말》.

***Máy Dày** ① 5월제(祭)《5월 1일에 행하는 봄의 축제》. ② 노동절, 메이 데이.

May·day [méidèi] *n.* Ⓒ 메이데이《비행기·선박에서 발하는 무선 전화에 의한 조난 신호》: send (out) a ~ (signal) 메이데이(의 신호)를 발하다.

May·fair [méifɛ̀ər] *n.* 런던의 Hyde Park 동쪽의 고급 주택지.

may·flow·er [méiflàuər] *n.* ① Ⓒ 5월에 피는 꽃《★ 영국에서는 산사나무꽃, 미국선 암당자(岩棠子)》. ② (the M-) 메이플라워호《1620년 Pilgrim Fathers 가 영국에서 신대륙으로 타고 간 배 이름》.

may·fly [méiflài] *n.* Ⓒ ① 〖蟲〗 하루살이의 일종. ② 하루살이 비슷한 제물낚시(=**máy flỳ**).

may·hem [méihem, méiəm] *n.* Ⓤ ① 〖法〗 신체 상해(죄). ② 난동, 대혼란: Drunken hooligans were creating ~ on the streets. 술취한 불량배들이 거리에서 난동을 부리고 있었다.

mayn't [méiənt, meint] 《口》 may not 의 간약형.

may·on·naise [mèiənéiz, ⌐-⌐] *n.* 《F.》 ① Ⓤ 마요네즈(소스). ② Ⓤ,Ⓒ 마요네즈를 친 요리, 마요네즈 요리.

‡may·or [méiər, mɛər] *n.* Ⓒ 시장, 읍장.

may·or·al [méiərəl, mɛ́ərəl] *a.* 시〔읍〕장의: a ~ election 시장 선거.

may·or·al·ty [méiərəlti, mɛ́ər-] *n.* Ⓤ 시〔읍〕장의 직〔임기〕.

may·or·ess [méiəris, mɛ́ər-] *n.* Ⓒ 여시〔읍〕장.

may·pole [méipòul] *n.* Ⓒ (종종 M-) 5월의 기둥, 메이폴《꽃·리본 등으로 장식한 5월제의 기둥》.

Máy quèen 〔**Quèen**〕 (the ~) 메이퀸, 5월의 여왕.

***maze** [meiz] *n.* ① Ⓒ 미로(迷路), 미궁(迷宮) (labyrinth): find one's way out of a ~ 미로에서 빠져 나오다. ② (a ~) 곤혹, 당혹: be in *a* ~ 어찌할 바를 모르다 / be lost in *a* ~ of thoughts 생각하면 생각할수록 알 수 없게 되다.

ma·zur·ka, -zour- [məzə́ːrkə, -zúər-] *n.* Ⓒ 마주르카《폴란드의 경쾌한 춤》; 그 춤곡.

ma·zy [méizi] (***-zi·er; -zi·est***) *a.* 미로(迷路)와 같은, (길 따위가) 꾸불꾸불한; 복잡한.

Mb 〖電子〗 mega bit. **mb** millibar(s); millibarn(s). **M.B.** Bachelor of Medicine. **MBA** Master of Business Administration(경영 관리학 석사). **MBS** 《美》 Mutual Broadcasting System.

Mc- *pref.* =MAC-.

mc megacycle(s). **MC** Master of Ceremonies; Member of Congress.

Mc·Car·thy·ism [məkáːrθiìzəm] *n.* Ⓤ 매카시즘《극단적 반공주의; 미국 상원의원 J. R. McCarthy(1908-57)의 이름에서》.

Mc·Coy [məkɔ́i] *n.* (the (real) ~) (모조가 아닌) 진짜; (진정한) 사람, 인간.

Mc·Don·ald's [məkdánəldz / -dɔ́n-] *n.* 맥도날드《미국 최대의 햄버거 체인점(店); 또 그 햄버거; 商標名》.

Mc·Kin·ley [məkínli] *n.* (Mount ~) 매킨리《Alaska 에 있는 북아메리카 대륙 최고의 봉우리; 6,194 m》.

MCP 《口》 male chauvinist pig. **MD** 〖美郵〗

Maryland; Doctor of Medicine. **Md** 〖化〗 men delevium. **Md.** Maryland.

†me [miː, 弱 mi] *pron.* ① 〔I의 目的格〕 나를, 나에게; 내가 하는 말을〔에〕: They know *me* very well. 그들은 나를 아주 잘 알고 있다 / He drove *me* home. 그는 차로 나를 집까지 데려다 주었다 / Give it to *me*. 그것을 내게 주세요 / Listen to *me*. 내가 하는 말을 들으세요. ② 《古·詩》 〔再歸的〕 나 자신을(myself): I laid *me* down. 나는 누웠다. ③ **a)** 〔be의 補語로 쓰여〕 《口》 나(다)(I): It *is me*. 접니다《It's *I*.보다 보통》. **b)** 〔as, than, but의 뒤에 쓰여〕 《口》 나: You're as tall as〔taller *than*〕 *me*. 너는 키가 나와 같다〔나보다 크다〕 / Nobody went *but me*. 나 이외에는 아무도 가지 않았다. **c)** 〔慣用的으로〕: "I want to see the movie." — "*Me*, too." '난 그 영화가 보고싶어' — '나도' / "Say, who are you?" — "*Me*?" '어이, 자네 누군가.' — '저 말입니까.' ④ 《口》 〔動名詞의 의미상의 主語로〕 나의(my): Did you hear about *me* getting promoted? 내 승진 이야기를 들었나. ⑤ 〔感歎詞的으로〕: Ah〔Dear〕 *me*! 아, 아이구, 어머나, 이런.

ME Middle East; Middle English; Maine.

Me. Maine.

mead[1] [miːd] *n.* 《古·詩》 =MEADOW.

mead[2] *n.* [U] (이전의 영국의) 벌꿀술.

‡mead·ow [médou] *n.* [C,U] ① 목초지, 초지: The cattle are grazing in the ~*s*. 소가 목초지에서 풀을 뜯어먹고 있다. ② 강변의 풀이 난 저지(低地): a floating ~ 침수가 잘 되는 강변의 저지.

mead·ow·land [médoulæ̀nd] *n.* [C] 목초지.

mead·ow·lark [médoulɑ̀ːrk] *n.* [C] 〖鳥〗 들종다리《찌르레깃과; 북아메리카산》.

mead·ow·sweet [médouswìːt] *n.* [C] 〖植〗 조팝나무속의 관목; 터리풀속의 풀.

***mea·ger, 《英》 -gre** [míːgər] (~·*er*, ~·*est*; *more* ~, *most* ~) *a.* ① 빈약한(poor), 적은, 불충분한(scanty), (작품 등이) 무미건조한: a ~ meal〔salary〕 불충분한 식사〔급료〕 / a ~ argument 내용이 없는 의론. ② 야윈(thin): the ~ little bodies of undernourished children 영양 불량인 아이들의 바싹 마른 몸.

[파] **~·ly** *ad.* **~·ness** *n.*

†meal[1] [miːl] *n.* [C] 식사; 식사 시간; 한 끼(분): cook〔make, prepare, 《美》 fix〕 a ~ 식사 준비를 하다 / eat a ~ out 외식을 하다 / All the family meet at evening ~*s*. 저녁 식사에는 온 가족이 다 모인다 / three ~*s* a day 하루 세 끼 / a square〔light〕 ~ 충분한〔가벼운〕 식사 / have〔take〕 a light〔big〕 ~ 간단〔흡족〕한 식사를 하다. [cf.] breakfast, lunch, dinner, supper. ***at ~s*** 식사 때에. ***make a ~ of*** (1) …을 먹다. (2) 《口·蔑》 (일 따위)를 야단스럽게 하다, 필요 이상의 시간을 들이다.

‡meal[2] *n.* [U] ① (옥수수·호밀 따위의) 거칠게 간〔탄〕 곡식([cf.] flour); 거친 가루. ② 《美》 = CORNMEAL; 《Sc.》 =OATMEAL.

méals on whéels 노인 환자에 대한 가정 배달 급식 봉사.

méal tìcket ① 식권. ② 《口》 생계의 근거, 수입원(源); 생계 수단: A radio announcer's voice is his ~. 아나운서에게는 목소리가 그의 밥줄이다.

meal·time [míːltàim] *n.* [U,C] 식사 시간: at ~(*s*) 식사 시간〔때〕에.

mealy [míːli] (*meal·i·er*; *-i·est*) *a.* ① 탄 곡식 모양의, 가루(모양)의. ② (물기가 없이) 포슬포슬한, 가루를 뿌린 것 같은, 가루투성이의: ~ potatoes 가루가 보얗게 인 찐 감자.

mealy·bug [míːlibʌ̀g] *n.* [C] 〖蟲〗 쥐똥나무벌레《포도의 해충》.

mealy-mouthed [míːlimáuðd, -máuθt] *a.* (말하기 거북한 것을) 완곡하게〔듣기 좋게〕 말하는: Don't be so ~, say what you mean! 그렇게 에두르지 말고 알아듣게 말해.

†mean[1] [miːn] (*p.*, *pp.* ***meant*** [ment]) *vt.* ① 《~+[목] / +[목]+[전]+[명] / +*that* [절]》 (글·말 따위가) …을 의미하다; (아무가) …의 뜻으로 말하다: What does this word ~? 이 말은 무슨 뜻이냐 / The French word 'chat' ~*s* 'cat'. 프랑스어의 'chat'는 'cat'의 뜻이다 / Success does not ~ merely passing examinations. 성공이란 시험에 합격하는 것만을 의미하는 것은 아니다 / What do you ~ *by* that? 그건 무슨 뜻이냐 / This sign ~*s that* cars must stop. 이 표지는 정거하라는 표시다. ② 《~+[목] / +[목]+[전]+[명] / +*that* [절]》 …의 의중으로 말하다; 빗대어서 말하다: What do you ~ *by* that suggestion? 어떤 생각으로 그런 제안을 하는 거냐 / Do you really ~ it? 진정으로 하는 말이오 / I *meant* it *for*〔*as*〕 a joke. 농담으로 한 말이다 / I ~ *that* you are a liar. 넌 거짓말쟁이라는 말이다 / (Well,) I ~ … 즉, 그. ③ 《~+[목] / +[목]+[목] / +*to* do / +[목]+*to* do / +[목]+*to be* [보]》 **a)** …을 뜻하다, 의도하다; 꾀하다, …할 작정이다, …할 뜻을 품다: He ~*s* no harm. 그는 전혀 악의를 품고 있지 않다 / He didn't ~ *to* do it. 그런 일을 할 생각은 아니었다 / I ~ them *to* obey me. 그들이 내말에 복종해 주었으면 한다 / I ~ him *to be* a doctor. 그를 의사가 되게 할 작정이다《★ I didn't *mean* to hurt you. '당신을 해칠 생각은 없었다'의 경우, mean은 intend와 거의 같은 뜻이지만 약간 가벼운 기분임》. **b)** 〔受動으로〕 …을 나타낼 작정이다, (사람·물건)을 어떤 용무〔용도〕로 정하다, …로 하려고 생각하다 《*for*》: a gift *meant for* you 너에게 주려고 한 선물 / This book *is* not *meant to* be read by children. 이 책은 어린이를 위한 것은 아니다 / He *was meant for*〔*to* be〕 a physician. 그는 의사로 태어났다, 의사가 되도록 키워졌다 / *Is* this figure *meant* to be a 9 or a 7? 이 숫자는 9자(字) 인가 7자 인가. ④ 《+[목]+[전]+[명] / +*that* [절]》 …을 의미하다; …의 가치를 지니다, …와 동등하다: It ~*s* nothing〔everything〕 *to* me. 그것은 나에게는 아무것도 아니다〔대단히 중요하다〕 / Money ~*s* everything *to* him. 그에게는 돈이 전부다 / His mother ~*s* the world *to* him. 그에게 어머니가 세상과도 바꿀 수 없는 귀중한 존재다 / This bonus ~*s that* we can at last take a long trip. 이 보너스 덕분에 마침내 먼 여행을 할 수 있게 되었다. ⑤ 《~+[목] / +do*ing*》 (결과적으로) …을 일으키다, …라는 결과를 낳다, …하게 되다; …의 전조(前兆)이다: A breakdown in (the) negotiations will ~ war. 그 교섭의 결렬은 전쟁을 일으키게 될 것이다 / Missing the train will ~ hav*ing* to spend a night in a hotel. 그 열차를 놓치면 하룻밤 호텔에 묵지 않으면 안 되게 될 것이다 / Those clouds ~ rain. 저 구름은 비의 전조다.

— *vi.* 《+[부] / +[전]+[명]》 〔well, ill을 수반하여〕 호의〔악의〕를 품다: ~ *ill* 악의를 품다. ***be meant to*** do … 《英》 …하지 않으면 안 된다, …하기로 되어 있다: We *are meant to* be back by 9:00. 우린 9시까지 돌아가야한다. ***I ~ it*** 진담이다, 농담이 아니다. ***~ business*** 진심이다. ***~ well*** (결과야 어떻든) …에게 선의로 행동하다: ~ *well* by〔to, toward〕 a person 아무에게 성의껏 하려 하다. ***You don't ~ to say so!*** 설마,

농담이겠지. ***you*** ~! …라는 뜻이냐《문미에 두어 자세한 설명을 요구》: "Could you help me?" — "Financially, *you* ~?" '나를 도와 주겠나' '재정적으로라는 뜻이냐' ⊞ ∠·**er** *n.*

‡**mean²** (∠·*er* ; ∠·*est*) *a.* ① (재능 따위가) 뒤떨어지는, 평범한, 보통의, 하잘것 없는: a ~ scholar 하잘것 없는 학자 / of ~ understanding 머리가 나쁜 / It's obvious to a person of the ~*est* intelligence. 그것은 가장 머리가 나쁜 사람에게도 명백하다. ② (신분이) 천한, 비천한; (건물 등이) 초라한: of ~ birth 태생이 비천한 / live in a ~ hut 초라한 오두막집에 살다. ③ **a)** 비열한, 품위없는, 치사한: a ~ trick 비겁한 속임수 / It was ~ of him to tell you a lie. = He was ~ to tell you a lie. 너에게 거짓말하다니, 그 녀석도 비열하다. **b)** 《口》 기질이 나쁜, 심술궂은: Don't be so ~! 그렇게 짓궂게 굴지 마라 / He sometimes gets ~ when he drinks. 술을 마시면 그는 성질이 나빠질 때가 있다. **c)** 《美口》 싫은, 언짢은; 성가신: ~ business 지긋지긋한 일. ④ 인색한, 다라운: a ~ person 인색한 사람 / It was ~ of him not to give her a tip. 그녀에게 팁도 안 주다니 그는 다라운 사람이다. ⑤ 《口》 부끄러운; 떳떳하지 못한: I feel ~ coming to you for money so often. 이렇게 자주 돈을 빌리러 와서 부끄럽다. ⑥ **a)** 《美口》 (말 따위가) 버릇이 나쁜, 어거할 수 없는; 《美俗》 골치 아픈, 싫은, 귀찮은: a ~ horse 버릇이 나쁜 말 / a ~ street to cross 건너기에 힘든 도로. **b)** 《美口》 훌륭한, 대단한: He pitches a ~ curve. 대단한 커브를 던진다. ***feel*** ~ 부끄럽게 여기다: *feel* ~ *for* being stingy 인색하게 굴어 떳떳지 못한 기분이 들다. ***have a ~ opinion of*** …을 업신여기다. ***no*** ~ 여간 아닌, 대단한: He is *no* ~ scholar. 대단한〔넘보지 못할〕 학자다.

mean³** *a.* 〔限定的〕 ① (시간·거리·수량·정도 따위가) 중간인; 중용의; 보통의(average): take a ~ course 중용의 길을 택하다; 중도(中道)를 취하다. ② 〖數〗 평균의: the ~ temperature 평균 온도. ***in the ~ time 〔***while***〕 =in the MEANTIME.

— *n.* Ⓒ (흔히 *sing.*) ① 중간; 중용: the happy ~ 중용의 덕 / seek a ~ between too extremes 양극의 중도를 추구하다. ② 〖數〗 평균(치).

me·an·der [miǽndər] *n.* =MEANDERING.

— *vi.* 《~/+전+명》 ① (강·길이) 굽이쳐 흐르다〔이어지다〕: The brook ~*s through* fields. 개천이 벌판을 굽이쳐 흐르고 있다. ② 정처 없이 거닐다《*along*》.

me·an·der·ing [miǽndəriŋ] *n.* Ⓒ (흔히 *pl.*) ① 꼬부랑 길; 정처 없이 거닒. ② 두서 없는 이야기.

— *a.* ① 굽이쳐 흐르는. ② 정처없(이 거니)는. ③ 두서 없는《이야기》: a ~ account〔speech〕 두서 없는 설명〔말〕. ⊞ ~·**ly** *ad.* 굽이쳐서; 정처없이.

mean·ie [mí:ni] *n.* Ⓒ 《英口》 비열한 놈; 구두쇠.

‡**mean·ing** [mí:niŋ] *n.* Ⓤ,Ⓒ ① (말 따위의) 의미, 뜻(sense): a word with several ~*s* 여러 가지 뜻이 있는 말 / He looked at me with ~. 그는 무엇인가 의미있는 눈초리로 나를 보았다 / There isn't much ~ in this passage. 이 절에는 별반 뜻이 없다. ② 의의, 중요성; 의도, 목적(purport): the ~ of life 인생의 의의 / a life full of ~ 의의 있는 인생 / This law has no ~ for us. 이 법률은 우리와는 아무런 관계가 없다 / What is the ~ of his visit? 그는 무슨 의도로 찾아왔을까 / What's the ~ of this? 이것은 무슨 의도냐《화가 나서 상대방의 설명을 요구하는 말투》.

— *a.* ① 〔限定的〕 의미심장한, 의미있는 듯한: with a ~ smile 의미있는 듯한 미소를 띠고. ② 〔흔히 複合語로〕 …할 생각인〔작정인〕: well-〔ill-〕~ 선의〔악의〕의.

⊞ ~·**ly** *ad.* 의미있는 듯이, 일부러. ~·**ness** *n.*

***mean·ing·ful** [mí:niŋfəl] *a.* ① 의미 심장한 (significant), 의미있는: a ~ glance 의미있는 듯한 시선. ② 의의〔의미〕있는, 뜻있는: a ~ outcome 의미 있는 결과.

⊞ ~·**ly** *ad.* ~·**ness** *n.*

***mean·ing·less** [mí:niŋlis] *a.* 의미 없는, 무의미한, 무익한: a ~ argument 무익한 의론 / The new taxes made the pay raise ~. 그 새 세금으로 승급도 아무 소용없게 됐다.

⊞ ~·**ly** *ad.* ~·**ness** *n.*

mean·ly [mí:nli] *ad.* ① 비열하게. ② 인색하게. ③ 빈약하게, 초라하게: a ~ dressed child 초라한 옷차림의 아이. ***think ~ of*** …을 경멸하다.

mean·ness [mí:nnis] *n.* Ⓤ ① 천함; 인색함, 다라움. ② 빈약함, 초라함, 비열함.

‡**means** [mi:nz] *n. pl.* ① 수단, 방법《*of* ; *to*》: the ~ *of* communication 통신 수단 / The quickest ~ *of* travel is by plane. 가장 빠른 여행 수단은 비행기를 이용하는 것이다 / There is〔are〕 no ~ *to* learn the truth. 그 진상을 알 방법이 없다 / The end justifies the ~. 《俗談》 목적은 수단을 정당화한다. ② (*pl.*) 자력(資力), 재산, 수입: as far as one's ~ allow 자력이 허용하는 한 / a man of ~ 자산가 / He lives on his own ~. 그는 자신의 수입으로 생활한다 / I don't have the ~ to buy a house. 집을 구입할 만한 자력은 없다. ***by all*** (***manner of***) ~ (1) 반드시. (2) 좋고 말고요, 그러시죠(certainly)《승낙의 대답》: "May I come?" —"*By all* ~." '가도 괜찮나' '괜찮다마다'. ***by any*** ~ 아무리 해도, 도무지. ***by fair ~ or foul*** 무슨 일이 있어도, 꼭. ***by ~ of*** …에 의하여, …으로, …을 써서. ***by no*** (***manner of***) ~ =***not by any*** (***manner of***) ~ 결코 …하지 않다〔이 아니다〕. ***by some ~ or other*** 이럭저럭 해서. ***live within*** 〔***beyond, above***〕 one'***s*** ~ 분수에 맞게〔지나치게〕 살다.

méans tèst 《英》 (실업 구제를 받을 사람의) 수입〔가계〕 조사.

méan strèets (도시의 치안이 나쁜) 위험 지구.

‡**meant** [ment] MEAN¹의 과거·과거분사.

mean·time** [mí:ntàim] *n.* (the ~) 사이, 동안. ***for the ~ 당분간은, 당장은. ***in the*** ~ 그 동안에, 그러는 동안에: He'll be back in two hours, *in the* ~, let's go for a walk. 그는 두 시간 있으면 돌아온다. 그 동안에 산책이나 하자. — *ad.* =MEANWHILE.

‡**mean·while** [mí:n*h*wàil] *ad.* ① 그 사이에; 이럭저럭하는 동안에: They will be here soon. *Meanwhile* we can have lunch. 그들은 곧 올 거다. 그 동안에 점심을 먹자 / It had grown dark ~. 이럭저럭하는 동안에 어두워졌다. ② 이야기는 바뀌어 (한편), 한편(으로는): *Meanwhile* in London, a Cabinet meeting was held to discuss the matter. 한편 런던에서는 그 문제를 토의하기 위해 각의가 열렸다. — *n.* =MEANTIME.

***mea·sles** [mí:zəlz] *n.* Ⓤ 〖醫〗 〔흔히 單數 취급〕 홍역, 마진(痲疹); 풍진(風疹) (German ~): catch (the) ~ 홍역에 걸리다.

mea·sly [mí:zli] (*-sli·er* ; *-sli·est*) *a.* ① 홍역의, 홍역에 걸린. ② 《口》 빈약한, 잘단, 하찮은.

***meas·ur·a·ble** [méʒərəbəl] *a.* ① 잴 수 있는: at a ~ distance from the earth 지구에서 측정할

수 있는 거리를 두고. ② 상당한, 어느 정도의 : a ~ figure 상당한 인물 / make a ~ difference 〔progress〕 상당한 차이〔진보〕를 가져오다.
㉶ **-bly** [-əbli] *ad.* ① 눈에 띄게, 뚜렷이. ② 다소, 어느 정도까지.

†meas·ure [méʒər] *vt.* ①《~+목 / +목+전+명》…을 재다, 계량〔측정, 측량〕하다, …의 치수를 재다 : ~ a room 방넓이를 재다 / ~ boundaries 경계를 측량하다 / She ~*d* her client *for* her new clothes. 그녀는 손님이 맞추려는 새 옷의 치수를 쟀다. ②《~+목 / +목+전+명》(비교하여) …을 판단〔평가〕하다 ; …을 비교하다, 겨루게 하다 : ~ intelligence 지력을 판단하다 / You can ~ a person's character *by* their reaction to loneliness. 고독함에 어떻게 반응하느냐에 따라 사람의 성격을 판단할 수 있다 / ~ one's strength *with* another's 남과 힘을 겨루다. ③ …을 유심히〔빤히〕보다 : ~ a person from top to toe with one's eyes 아무를 위아래로 뚫어지게 보다.
— *vi.* ① 재다, 측정하다. ②《+보》재서 …이 되다, 길이〔폭, 무게 따위〕가 …이다 : This book ~*s* six inches by four. 이 책은 세로 6 인치 가로 4 인치이다.
~ *off* 재서 베어내다 ; 구획〔구분〕하다 : ~ *off* a yard of cloth 천을 1야드 베어내다. **~ *out*** 재서 나누다〔분배하다〕, 할당(割當)하다 : ~ *out* ten pounds of flour to each person 각자에게 밀가루 10파운드를 달아서 나눠주다. **~ *one's length* (*on the ground*)** 벌렁 나자빠지다. **~ *up*** (1) (…의) 치수를 재다《*for*》. (2) (…에) 필요한 만큼의 자격〔재능, 능력〕이 있다《*to*》. **~ *up to*** (1) 길이〔폭, 높이〕가 …에 달하다. (2)《美》(표준·이상·기대 등)에 들어맞다〔달하다〕: The job didn't ~ *up to* my expectations. 그 일자리는 내 기대만 못했다 / He ~*s up to* his new position. 그는 새 지위에 잘 어울린다.
— *n.* ① Ⓤ 치수, 분량 ; 크기, 무게, 길이 : ~ of capacity 용량(容量) / His waist ~ is 26 inches. 그의 허리치수는 26인치다. ② Ⓒ 도량 단위《미터·인치·그램·쿼터 따위》; 도량법 : metric ~ 미터법 / weights and ~*s* 도량형 / A meter is a ~ of length. 미터는 길이의 단위이다. ③ Ⓒ 되, (줄)자, 계량기, 도량형기 : a yard ~ 야드자 / a tape ~ 줄자. ④ Ⓒ (기구(器具)에 의한) 분량 : a ~ of sugar 설탕 한 그릇〔한 눈금〕/ heaped ~ 고봉. ⑤ Ⓤ,Ⓒ 한도, 정도 ; 표준, 적도(適度) : a civilized sense of ~ 세련된 절도(節度) 감각 / have no ~ 한계를 모르다, 한〔끝〕이 없다 / There's a ~ of truth in what he said. 그가 한 말은 어느 정도는 사실이다 / enjoy a full ~ of happiness 행복을 만끽하다. ⑥ Ⓒ 법안(bill), 법령 : reject a ~ 법안을 부결하다. ⑦ (흔히 *pl.*) 수단, 방책 ; 조처 : take the necessary ~*s* 필요한 조처를 취하다 / take ~*s* to preserve order 질서 유지책을 강구하다. ⑧ Ⓤ,Ⓒ《詩》운율(韻律) (meter) ; 선율, 곡조. ⑨〖樂〗**a)** Ⓒ 소절(小節). **b)** Ⓤ 박자 : triple ~, 3 박자.
above* 〔*beyond*〕 ~** 지나치게, 대단히 : His anger was *beyond* ~. 그의 노염은 대단했다. ***adopt* 〔*take*〕 ~*s 조처를 강구하다. ***by* ~** 치수를 재어. ***for good* ~** 덤으로, 여분으로. ***give full* 〔*good*〕 ~** 넉넉히 재어〔달아, 되어〕 주다 : That butcher gives *full* ~. 저 고깃간은 근수를 후하게 준다. ***give short* ~** 부족하게 재어〔달아, 되어〕 주다. ***have* a person'*s* ~ (*to an inch*)** 아무의 됨됨이를 속속들이 알고 있다. ***in a* 〔*some*〕 ~** 다소, 얼마간. ***keep* ~(*s*)** (1) 박자를 맞추다. (2) 중용을 지키다. ***know no* ~** 한도를 모르다, 끝이 없다. ***made to* ~** 치수에 맞추어 지은, 맞춤의《양복 따위》: The dress was *made to* ~. 그 드레스는 마춤으로 했다. ⓒⓕ readymade. **~ *for* ~** 앙갚음, 보복(tit for tat). ***take* a person'*s* ~** 아무의 치수를 재다 ; 아무의 인물〔사람됨〕을 보다. ***without* 〔*within, in*〕 ~** 과도〔적당〕하게.

meas·ured [méʒərd] *a.* ① 정확히 잰, 정확한. ② 신중한, 잘 생각한《말 따위》: speak in ~ terms 신중하게 말하다. ③ 표준에 맞는. ④ 박자가 맞는, 정연한《보조 따위》. ㉶ **~·ly** *ad.*

meas·ure·less [méʒərlis] *a.* 무한한, 헤아릴 수 없는. ㉶ **~·ly** *ad.*

‡meas·ure·ment [méʒərmənt] *n.* ① Ⓤ 측량, 측정 : Britain is gradually adopting the metric system of ~. 영국은 차차 미터법을 채용해 가고 있다. ② Ⓒ **a)** (측정해서 얻은) 치수, 크기, 넓이, 길이, 깊이, 두께《*of*》: the ~ *of* the room 방의 가로세로의 치수 / What are the ~*s of* the shelf? 그 선반의 치수는 얼마가 되느냐. **b)** (흔히 *pl.*)《口》(가슴·허리 둘레 따위의) 치수 : take a person's ~*s* 아무의 몸의 사이즈를 재다 / What's your waist ~? 당신의 허리 사이즈는 얼마요.

méasurement tòn 용적톤《40 cu. ft.》.

meas·ur·er [méʒərər] *n.* Ⓒ ① 재는 사람, 측정자. ② 계량기(器).

meas·ur·ing [méʒəriŋ] *n.* Ⓤ, *a.* 측정(의), 측량(용(用)의) : a ~ jug〔spoon〕 계량 주전자〔스푼〕/ a ~ tape 줄자, 권척.

méasuring cùp 계량 컵, 눈금을 새긴 컵.

méasuring wòrm 〖蟲〗 자벌레(looper).

†meat [mi:t] *n.* Ⓤ ① (식용 짐승의) 고기 : chilled ~ 냉장육 / ground ~ 저민 고기 / grill 〔《美》 broil〕 ~ 고기를 굽다 / eat a variety of ~(*s*) 여러 가지 고기를 먹다 / Chicken and pork are my favorite ~*s*. 닭고기와 돼지고기는 내가 좋아하는 고기다. ⓒⓕ flesh. ②《美》(게·조개·달걀·과일 등의) 먹을 수 있는 부분, 속, 알맹이, 살 : crab ~ 게살 / inside ~ (고기) 내장 / the ~ of a walnut 호도 속《알맹이》. ③ (책·이야기 등의) 내용 : This book is full of ~. 이 책은 내용이 충실하다. ④《古》음식물(food) : ~ and drink 음식물 / One man's ~ is another man's poison.《俗談》갑의 약은 을의 독(毒). ***be* ~ *and drink to*** a person 아무에게 더할 나위 없는 즐거움이다.

méat and potátoes 〔單·複數취급〕《美口》 중심부, 주요 부분, 핵심, 기본, 근본.

meat-and-po·ta·toes [mí:tən*d*pətéitouz] *a.* 《美口》〔限定的〕 기본적인, 중요한.

meat·ball [-bɔ̀:l] *n.* Ⓒ ① 미트볼, 고기 완자. ②《美俗》바보, 얼간이.

méat lòaf 미트 로프《간〔저민〕 고기에 야채 등을 섞어 식빵 정도의 크기로 빚어서 구운 것》.

meat·man [mí:tmæ̀n] (*pl.* ***-men*** [-mèn]) *n.* Ⓒ 푸주한(butcher).

meat-pie [-pái] *n.* Ⓤ,Ⓒ 고기 파이, 미트 파이.

méat sàfe (고기 넣어 두는) 찬장《파리나 쥐가 못 들어가게 된》.

me·a·tus [miéitəs] (*pl.* **~·es, ~**) *n.* Ⓒ〖解〗 관(管), 도관(導管) : the urethral ~ 요도.

meaty [mí:ti] (***meat·i·er ; -i·est***) *a.* ① 고기의〔와 같은〕. ② 살이 많은 고기가 많이 든 : ~ jaws 두둑한 턱. ③ 살집이 좋은, 뚱뚱한. ④ 내용이 충실한. ㉶ **-i·ness** *n.*

***Mec·ca** [mékə] *n.* ① 메카《사우디아라비아의 도시 ; Muhammad의 탄생지》. ② Ⓒ (종종 m-) 동경의 땅, 사람이 잘 가는 곳 : Venice is a *mecca* for foreign tourists. 베니스는 외국인 여행자의 메카다.

mech. mechanic(al); mechanics; mechanism.

*__me·chan·ic__ [məkǽnik] *n.* Ⓒ 기계공; (기계) 수리공, 정비사: a car ~ 자동차 정비공.

*__me·chan·i·cal__ [məkǽnikəl] (*more* ~; *most* ~) *a.* ① 기계(상)의; 공구의; 기계로 조작하는〔만드는, 움직이는〕: a ~ engineer 기계 기사〔공학자〕/ ~ power 기계력 / a new ~ invention 새로운 기계의 발명. ② 기계적인, 자동적인, 무의식의, 무감정한: be tired of ~ work 기계적인 일에 질력이 나다 / a ~ style of writing 틀에 박힌 문체 / Her reading is very ~. 그녀의 글 읽는 방법은 감정이 없다. ③ 기계학의, 역학적인. ◇ machine *n.*

mechánical dráwing 기계 제도(製圖), 용기화(用器畫).

mechánical engineéring 기계 공학.

mechánical héart 인공 심장.

me·chan·i·cal·ly [məkǽnikəli] *ad.* ① 기계적으로, 자동적으로; 기계(장치)로: The door opened ~. 문은 자동으로 열렸다 / ~ minded 기계에 정통한. ② 무의식적으로, 건성으로: The doctor ~ took out his watch. 의사는 무의식적으로 시계를 꺼냈다.

mech·a·ni·cian [mèkəníʃən] *n.* Ⓒ 기계 기사; 기계(수리)공(mechanic).

*__me·chan·ics__ [məkǽniks] *n.* Ⓤ ① 기계학; 역학: applied ~ 응용 역학. ② (흔히 the ~)〔複數 취급〕(정해진) 수순, 기법, 기교: *The* ~ of that ballet are quite complex. 그 발레의 기교는 아주 복잡하다.

‡**mech·a·nism** [mékənìzəm] *n.* Ⓒ ① 기계(장치), 기계 부분, (기계) 작용: the ~ of a clock 시계의 기계 장치. ② 기구, 구조: the ~ of human body 인체의 구조 / the ~ of government 행정 기구. ③ (조작의) 수순, 과정, 방법: the ~ of cell reproduction 세포의 증식 과정 / There is no ~ for changing the policy. 그 방침을 바꿀 방법은 없다. ④〖心·生理〗(사고·행동 등을 결정하는) 심리 과정, 기제(機制): the defence〔escape〕~ 방위〔도피〕기제 / the ~ of invention 발명에 이르는 심리 과정.

mech·a·nist [mékənist] *n.* Ⓒ〖哲〗기계론자, 유물론자.

mech·a·nis·tic [mèkənístik] *a.*〖哲〗기계론적인.

mech·a·ni·za·tion [mèkənizéiʃən] *n.* Ⓤ《특히》(군대의) 기계화.

mech·a·nize [mékənàiz] *vt.* ① …을 기계화하다: ~ the cash payment process 현금 지급 방법을 기계화하다. ②〖軍〗(부대 등)을 기갑화하다: ~*d* forces〔集合的〕기갑 부대.

mech·a·tron·ics [mèkətrániks / -trɔ́n-] *n.* Ⓤ 메커트로닉스《기계 공학과 전자 공학을 결합한 학문 또는 연구 성과》.

Med [med] *n.* (the ~)《英口》지중해 (지방) (Mediterranean).

med. medical; medicine; medieval; medium.

‡**med·al** [médl] *n.* Ⓒ 메달, 상패, 기념패, 기장, 훈장: award a ~ to a person / a prize ~ 상패 / win a Olympic gold ~ 올림픽에서 금메달을 획득하다 / wear a row of ~*s* (가슴에) 죽 훈장을 달다. ***the Medal for Merit***《美》공로 훈장《일반 시민에게 수여; 1942년 제정》. ***the Medal of Honor***《美》명예 훈장《전투원의 희생적 수훈에 대해 대통령이 친히 주는 최고 훈장》. ***the reverse of the*** ~ 문제〔사물〕의 다른 (일)면, 이면(裏面).

med·al·ist,《英》**-al·list** [médəlist] *n.* Ⓒ ① 메달 수령자: a gold〔silver〕~ 금〔은〕메달 획득자. ② 메달 제작〔의장(意匠), 조각〕가.

me·dal·lion [mədǽljən] *n.* Ⓒ ① 큰 메달〔상패〕. ② (초상화 따위의) 원형 돋을새김.

médal plày〖골프〗= STROKE PLAY.

‡**med·dle** [médl] *vi.* ①《~ / +前+名》쓸데없이 참견하다, 간섭하다《*with*; *in*》: Don't ~ *in* my business〔other people's affairs〕. 내〔남의〕일에 참견 말게 / My grandma is always *meddling* (*with* us, *in* our affairs). 할머니는 늘(우리에게, 우리 일에) 참견하신다. ②《+前+名》(남의 것을) 만지작거리다《*with*》: I don't want you to ~ *with* my camera. 내 카메라에 손대지 말았으면 좋겠다. ***neither make nor*** ~《俗》일체 간섭〔관계〕하지 않다.

med·dler [médlər] *n.* Ⓒ 오지랖 넓은 사람, 간섭자.

med·dle·some [médlsəm] *a.* 간섭〔참견〕하기 좋아하는, 오지랖 넓은. ㊥ **~·ly** *ad.* **~·ness** *n.*

med·dling [médliŋ] *n.* Ⓤ (쓸데 없는) 간섭, 참견: No more of your ~, please. 제발 이젠〔더이상〕참견하지 말아 주게. ― *a.*〔限定的〕참견하는, 간섭하는.

Me·dea [midíːə] *n.*〖그神〗메데아《Jason을 도와 Golden Fleece를 손에 넣게 한 여자 마술사》.

*__me·dia__ [míːdiə] *n.* ① MEDIUM의 복수. ② (the ~)〔單·複數 취급〕매스컴, 매스미디어: I think *the* ~ are〔is〕biased. 매스컴에 편견이 있다고 생각한다. ③〖컴〗매체.

média còverage (특정 사건에 대한) 매스컴의 보도(량).

‡**me·di·ae·val** [mìːdiíːvəl, mèd-] *a.* = MEDIEVAL.

média evènt (매스컴에 의해) 조작된 사건.

me·di·a·gen·ic [mìːdiədʒénik] *a.*《美》매스컴을 잘 타는: a ~ star.

me·di·al [míːdiəl] *a.*〔限定的〕① 중간의, 중앙의: a ~ consonant〖音聲〗중간 자음(자(字)). ② 평균의, 보통의. ㊥ **~·ly** *ad.*

me·di·an [míːdiən] *a.*〔限定的〕중앙의〔에 있는, 을 지나는〕
― *n.* Ⓒ ①〖統〗중앙값. ②〖數〗중점(中點), 중선(中線). ③《美》= MEDIAN STRIP.

médian stríp《美》(도로의) 중앙 분리대(《英》central reserve).

me·di·ate [míːdièit] *vt.* ① **a**) (분쟁 등)을 조정〔중재〕하다: ~ peace between the two countries 양국간의 평화를 중재하다. **b**) (협정 등)을 (조정하여) 성립시키다: ~ a treaty 조정하여 조약을 맺다. ② (선물·정보 등)을 중간에서 전하다, 전달하다. ― *vi.* 조정하다, 중재하다, 화해시키다《*between*》: ~ *between* contending parties 쟁의 당사자 사이에 서서 조정하다 / ~ *between* A *and* B, A와 B를 조정하다.

me·di·a·tion [mìːdiéiʃən] *n.* Ⓤ 조정, 중재. ⓒⓕ arbitration, conciliation.

me·di·a·tor [míːdièitər] *n.* Ⓒ 조정자(調停者), 중재인.

me·di·a·to·ry [míːdiətɔ̀ːri / -təri] *a.* 중재〔조정〕의.

med·ic [médik] *n.* Ⓒ《口》① **a**) 의사(doctor). **b**) 인턴, 의과 대학 학생. ②《美》군의관, 위생병.

med·i·ca·ble [médikəbəl] *a.* 치료할 수 있는.

Med·ic·aid [médikèid] *n.* Ⓤ (때로 m-)《美》메디케이드《65세 미만의 저소득자·신체 장애자 의료 보조 제도》. ⓒⓕ Medicare. [◂ *medical* + *aid*]

‡**med·i·cal** [médikəl] *a.*〔限定的〕① 의학의, 의술〔의료〕의: the ~ department 의학부(部) / ~ care 치료, 의료 / ~ fertilization 인공 수정 / a ~ corps 의무단 / the ~ art 의술 / a ~ college 의과 대학 / a ~ man 의사 / ~ science 의학 / a

~ stuffs 약제 / a ~ record 진료 기록 / a ~ practitioner 개업의(醫), 의사 / ~ knowledge 의학 지식 / be under ~ treatment 치료중이다. ② 내과의. [cf] surgical. ¶ a ~ case 〔ward〕 내과 환자〔병동〕/ ~ treatment 내과 치료. ◇ medicine *n.* —— *n.* [C] 《口》 건강 진단, 신체 검사 : have〔take〕 a ~ 건강 진단을 받다.
㊕ ~·ly *ad.* 의학상 ; 의학〔의술, 의약〕으로.

médical examinátion 건강 진단, 신체 검사.

médical exáminer ①〖美法〗 검시관(檢屍官)〔의(醫)〕. [cf] coroner. ② (생명보험 가입시의) 건강 검사〔진단〕의(醫).

me·dic·a·ment [mədíkəmənt] *n.* [U,C] 약, 약물, 약제.

Med·i·care [médikὲər] *n.* [U] (때로 m-) 《美·Can.》 ① 메디케어《65세 이상의 고령자(高齡者)를 대상으로한 의료 보장(제도)》. ② [C] 메디케어 카드. [cf] Medicaid.

med·i·cate [médəkèit] *vt.* …을 약으로 치료하다 ; …에 약을 넣다〔섞다〕: a ~*d* bath 약탕(藥湯) / ~*d* soap 약용 비누.

med·i·ca·tion [mèdəkéiʃən] *n.* ① [U] 약물 치료〔처리〕: be on ~ for cancer 암으로 약물치료를 받고 있다. ② [U,C] 약(품) ; 약물 : prescribe〔administer〕 (a) ~ 약을 처방하다〔투여하다〕.

Med·i·ci [médətʃi:] *n.* (the ~) 메디치가(家)《15-18세기 이탈리아 Florence의 명문으로 르네상스 문예·미술의 보호에 공헌》.

me·dic·i·nal [mədísənəl] *a.* 의약의, 약용의, 약효 있는, 병을 고치는(curative) : ~ herbs 약초 / ~ virtues 약효 / ~ properties 약효 성분 / ~ substances 약물.
㊕ ~·ly [-nəli] *ad.* 약으로서 ; 의약으로.

‡med·i·cine [médəsən] *n.* ① [U,C] 약, 약물, 《특히》 내복약《*for*》. [cf] drug. ★ 가루약은 powder, 정제는 tablet, 환약은 pill, 물약은 (liquid) medicine, 교갑〔캡슐〕은 capsule, 외용약은 application, 연고는 ointment, 습포약은 poultice, 좌약은 suppository 라고 함. ¶ patent ~ 매약(賣藥), 특효약 / prescribe (a) ~ 약을 처방하다 / take (a) ~ for a cold 감기약을 먹다 / put some ~ on a cut 베인 상처에 약을 바르다. ② [U] 의학, 의술 ; (특히) 내과(의학) [cf] surgery. ¶ clinical 〔preventive〕 ~ 임상〔예방〕의학 / study ~ and surgery 내·외과를 연구하다 / domestic ~ 가정 치료 ; 가정약 / practice ~ (의사가) 개업하고 있다. ③ [U] (아메리카 인디언의) 주술(呪術), 마술. ◇ medicinal, medical *a.* ***give*** a person ***a dose*** 〔***taste***〕 ***of his own*** ~ 상대와 같은 수로 보복하다. ***take*** ~(***s***) 약을 먹다. ***take*** one***'s*** ~ (***like a man***) 《口》 벌을 감수하다, 제 탓이라고 싫은 일을 참다. ***the virtue of*** ~ 약의 효능.

médicine bàll 메디신볼《신체 단련용의 가죽으로 만든 무거운 공》.

médicine càbinet 세면장의 (상비약) 선반.

médicine chèst (특히, 가정용의) 약상자, 구급 상자.

médicine màn (북아메리카 인디언 등의) 주술사.

med·i·co [médikòu] (*pl.* ~*s*) *n.* [C] 《口》 ① 의사. ② 의학생.

‡me·di·e·val [mì:dií:vəl, mèd-] (***more*** ~ ; ***most*** ~) *a.* ① 중세(풍)의. [cf] ancient, modern. ~ history 중세사. ② 《口》 아주 오래된〔낡은〕; 고풍(古風)스러운, 구식의.

mediéval hístory 중세사《서 로마 제국의 멸망(476년)에서 르네상스까지》.

me·di·e·val·ism [mì:dií:vəlìzəm, mèd-] *n.* [U] ① 중세 정신〔사조〕; 중세적 관습. ② 중세 취미.

me·di·e·val·ist [-vəlist] *n.* [C] ① 중세 연구가, 중세 사학자. ② (예술·종교 등의) 중세 찬미자.

Me·di·na [mədí:nə] *n.* 메디나《사우디아라비아 북서부의 도시 ; 이슬람교 제 2 의 성지(聖地)로, Muhammad 의 무덤이 있음》.

me·di·o·cre [mì:dióukər, ˊ-ˋ-] *a.* 좋지도 나쁘지도 않은, 보통의, 평범한.

***me·di·oc·ri·ty** [mì:diákrəti / -ɔ́k-] *n.* ① [U] 평범, 범용(凡庸), 보통(의 재능, 자질). ② [C] 평범한 사람, 범인(凡人).

Medit. Mediterranean.

‡med·i·tate [médətèit] *vi.* 《~ / +[전]+[명]》 명상하다, 묵상하다, 깊이〔곰곰이〕 생각하다《*on, upon*》: ~ *on* one's misfortune 자신의 불운을 곰곰이 생각하다 / The writer ~*d on*〔*upon*〕 the theme of his next work. 작가는 다음 작품의 주제를 곰곰이 생각했다 / He ~*d on*〔*upon*〕 death for many days. 그는 여러날 동안 죽음에 대하여 깊이 생각했다.
—— *vt.* ① …을 꾀하다, 기도(企圖)하다 : ~ revenge 복수를 꾀하다. ② 《+doing》(…할 것)을 계획하다 : He is *meditating* emigrating to Australia. 그는 오스트레일리아에의 이민을 생각하고 있다. ◇ meditation *n.*

‡med·i·ta·tion [mèdətéiʃən] *n.* ① [U] 묵상, (종교적) 명상 ; 숙고, 고찰 : deep in ~ 명상에 잠겨. ② [C] (흔히 *pl.*) 명상록《*on, upon*》. ◇ meditate *v.*

***med·i·ta·tive** [médətèitiv] *a.* 묵상의, 명상에 잠기는 ; 심사숙고하는. ㊕ ~·ly *ad.*

med·i·ta·tor [médətèitər] *n.* [U] 묵상하는 사람.

‡Med·i·ter·ra·ne·an [mèdətəréiniən] *a.* 〔限定的〕 ① 지중해의 ; 지중해 연안의, 지중해성(性) 기후의. ② 지중해 연안 주민(특유)의. —— *n.* = MEDITERRANEAN SEA.

Mediterránean Séa (the ~) 지중해.

‡me·di·um [mí:diəm] (*pl.* ~***s***, ***-dia*** [-diə]) *n.* [C] ① 중간, 중위(中位), 중용(中庸) : strike a happy ~ 중용을 지키다. ② 매개(물), 매체, 매질(媒質) ; (정보 전달 등의) 매체, 수단(means) : news ~ 보도기관 / Air is the ~ of sound. 공기는 소리의 매체다 / mass *media* 매스 미디어 / Television is a prime ~ of〔for〕 advertising. 텔레비전은 주요한 광고매체다. ③ (생물 등의) 생활환경〔조건〕, 서식 장소 : a ~ in which bacteria thrive 박테리아가 번식할 수 있는 조건. ④ 무당, 영매(靈媒). ⑤ (그림 물감의) 용제(溶劑)《물·기름 따위》. ⑥〖生〗 배지(培地), 배양기(基) (culture ~). ***by*** 〔***through***〕 ***the*** ~ ***of*** …의 매개로, …을 통하여.
—— *a.* ①〔限定的〕 중위〔중등, 중간〕의, 보통의 (average) : ~ size 중간 사이즈, 중형, 중판(中判) / a man of ~ height 중키의 사람 / ~ quality 보통의 품질 / cook over ~ heat 중간〔뭉근한〕 불로 요리하다. ② (고기 따위가) 중간 정도로 구워진, 미디엄의([cf] rare², well-done) : I like my steak ~. 내 스테이크는 미디엄으로 해주시오.

médium drý (셰리·와인이) 중간 정도로 쌉쌀한.

médium fréquency〖通信〗 중파(中波), 헥토미터파《300-3,000 kilohertz ; 略 : MF》.

me·di·um-sized [mí:diəmsáizd] *a.* 중형(中型)의, 중판(中判)의, 보통형의.

médium wáve 〖通信〗 중파(中波)《파장 100-1,000 m》. [cf] long wave, short wave.

***med·ley** [médli] *n.* [C] ① 잡동사니, 뒤범벅 ; 잡다한 집단 : the ~ of races in New York 뉴욕에서의 잡다한 인종의 집합 / a ~ of furniture,

Korean and Western 한식·양식이 뒤섞인 잡다한 가구류. ②〖樂〗 접속곡, 혼성곡, 혼합곡. ③ = MEDLEY RELAY. 「泳)」.

médley ràce〔rèlay〕 메들리 경주〔경영(競泳)〕.

Mé·doc [méidɑk / méidɔk] *n.* Ⓤ 《F.》 메독《붉은 포도주의 일종; 프랑스 남서부 Médoc 산(產)》.

me·dul·la [mədʌ́lə] (*pl.* **~s, -lae** [-li:]) *n.* Ⓒ 《L.》 ①〖解〗 골수(marrow), 수질(髓質); 연수(延髓), 숨골. ②〖植〗 고갱이.

Me·du·sa [mədjú:sə, -zə] *n.* ①〖그神〗 메두사《세 자매 괴물(Gorgons) 중의 하나》. ② (m-) Ⓒ (*pl.* **~s, -sae** [-si:])〖動〗 해파리(jellyfish).

meed [mi:d] *n.* (*sing.*) 《古·詩》 보수(reward); 포상, 당연히 받을 보상〔보답〕.

‡meek [mi:k] *a.* ① (온)순한(mild): (as) ~ as a lamb 양처럼 순한 / He is ~ in front of his boss. 그는 상사 앞에서는 온순하다. ② 기백〔용기〕 없는(spiritless). ⓒⓕ humble, modest. ~ ***and mild*** 온순한; 기백이 없는.

㊕ ∠·**ly** *ad.* ∠·**ness** *n.*

meer·kat, mier- [míərkæ̀t] *n.* Ⓒ〖動〗 몽구스류《작은 육식 동물; 남아프리카산》.

meer·schaum [míərʃəm, -ʃɔ:m] *n.* 《G.》 ① Ⓤ〖鑛〗 해포석(海泡石). ② Ⓒ 해포석 담배 파이프.

†meet[1] [mi:t] (*p.*, *pp.* **met** [met]) *vt.* ① …을 만나다, …와 마주치다(encounter); …와 스쳐 지나가다, …와 얼굴을 대하다(confront): I *met* her on〔in〕 the street. 그녀를 길에서 만났다 / My eyes *met* hers. 눈이 그녀 눈과 마주쳤다. ② (소개받아) …을 처음으로 만나다, …와 아는 사이가 되다: *Meet* my wife. 아내를 소개하겠네 / I'm glad to ~ you. = It's nice to ~ you. 처음 뵙겠습니다〔만나서 반갑습니다〕《★ 《英》에서는 How do you do?가 보통》 / I have already *met* Dr. Eaton. 이튼 선생과는 이미 인사를 나눈 사이다. ③ …에서(약속하고) 만나다, …와 면회〔회견〕하다: *Meet* me in Seoul. 서울에서 만납시다 / The president *met* the press. 대통령은 기자단과 회견했다. ④ …을 마중하다, …의 도착을 기다리다: I'll ~ your train. 역까지 마중나가겠다 / Susan came to the airport to ~ me. 수잔이 나를 마중하러 공항까지 나왔다. ⑤ (운명·죽음 따위)에 직면하다, 겪다: ~ hostility 적대시(視)당하다 / ~ one's fate calmly 태연히 운명에 따르다〔죽다〕. ⑥ (적·곤란 따위)에 맞서다, …에 대처하다, …에 대항하다: ~ the situation 사태에 대처하다 / ~ a danger calmly 태연히 위험에 맞서다 / When does Yonsei ~ Korea (in football)? (축구의) 연고전(延高戰)은 언제냐 / He *met* the crisis with confidence. 그는 자신을 가지고 그 위기에 대처했다. ⑦ (주문·요구·필요 따위)에 응하다, (의무·조건 따위)를 충족시키다(satisfy): ~ obligations 의무를 다하다 / ~ objections 이의에 응하다 / I'll try to ~ your wishes. 당신의 요청에 부응하도록 해보겠소. ⑧ …을 지급하다(pay), (어음 등)을 결제하다: ~ a bill 셈을 치르다 / ~ debts 빚을 갚다 / The traveling expenses will be *met* by the company. 여비는 회사에서 지급해 준다. ⑨ **a)** (길·강 따위가) …에서 만나다, …에서 교차하다, …와 합치다, …에 합류하다: Where does this path ~ the road? 이 길은 어디서 간선도로와 만납니까 / This stream ~*s* the Thames. 이 개울은 템스강에 합류한다. **b)** (물리적으로) …와 접촉하다, …에 부딪치다, …와 충돌하다: The two cars *met* each other head-on. 두 차가 정면 충돌했다 / Jill's hand *met* my face in a hard blow. 질의 손이 내 얼굴을 강타했다. **c)** (탈 것이) …와 연결되다, …에 접속되다: The train ~*s* the ship at Dover. 열차는 도버에서 배와 연결된다.

— *vi.* ① 만나다, 마주치다: We seldom ~ now. 요사이는 좀처럼 만나지 않는다 / Farewell until we ~ again! 다시 만날 때까지 안녕. ② 《~/+副》 회합하다《*together*》; (회의 따위가) 열리다: They ~ *together* once a year. 그들은 1년에 한 번 회합을 한다 / Congress will ~ next month. 국회는 다음 달 열린다 / The class will not ~ today. 금일 휴강. ③ (소개 받아) 서로 아는 사이가 되다: We first *met* at a party. 우리들은 파티에서 처음 알게 되었다. ④ (복수의 것이) 접촉하다, 충돌하다: The two cars *met* head-on. 두 대의 차가 정면 충돌했다. ⑤ 대전하다, 교전하다. ⑥ 《~/+前+名》 (몇 개의 길·선 등이) 하나로 합쳐지다, 교차하다; (못·혁대 따위의 양끝이) 상접하다: The two roads ~ there. 두 길은 거기서 합친다. ***make both ends*** ~ 수지를 맞추다. ~ ***halfway*** ⇨HALFWAY. ~ ***the case*** 충분하다, 안성맞춤이다. ~ ***trouble halfway*** 쓸데없이 걱정하다. ~ ***up with*** …와 우연히 마주치다. ~ ***with*** (1) (변고 따위)를 당하다, 경험하다, …을 겪다: ~ *with* an accident 사고를 당하다《일상어에서는 have an accident가 보통》. (2) …을 받다: The plan *met with* approval. 그 계획은 찬성을 얻었다. (3) (사람)과 우연히 만나다. ~ ***the eye*** 〔***ear***〕 보이다〔들리다〕. ***well met*** 《古》 잘 오셨소, 어서 오시오(welcome).

— *n.* Ⓒ ① 《美》 경기회(會), 대회(大會) (《英》 meeting): an athletic ~ 운동회 / a swimming 〔track〕 ~ 수영〔육상〕 경기회. ② 《英》 (여우 사냥 출발 전의) 총집합. ③〖幾〗 교점, 교선.

meet[2] *a.* 《古》 적당한, 어울리는《*for*; *to* do》.

†meet·ing [mí:tiŋ] *n.* ① Ⓒ (흔히 *sing.*) 만남, 마주침, 조우: a chance ~ on the street 길거리에서의 우연한 만남. ② **a)** Ⓒ 모임, 회합, 집회: a farewell 〔welcome〕 ~ 송별〔환영〕회 / a political ~ 정치 집회 / call a ~ ⇨(成句) / hold a ~ 회합을 열다〔가지다〕. **b)** Ⓤ (the ~) 〔單·複數 취급〕 회의 참가자, 회중: address *the* ~ 회중에게 인사말을 하다. ③ Ⓒ 《英》 경기회(《美》 meet): an athletic ~ 운동회. ④ Ⓒ (흔히 *sing.*) 조우 《*between*》; 회전(會戰); 결투. ⑤ Ⓒ (길의) 교차점, (강의) 합류점: the ~ of two roads, rivers, etc. ⑥ (M-) (특히 Quaker 교도의) 예배회. ***call a*** ~ 회의를 소집하다. ***open a*** ~ 개회사를 하다.

méeting hòuse ① (Quaker 교도의) 예배당. ② 비국교도의 예배당.

méeting plàce 회장, 집회소; 합류점.

Meg [meg] *n.* 메그《여자 이름; Margaret의 애칭》.

mega- '대(大), 백만(배)'의 뜻의 결합사: *mega*phone / *mega*watt《★ 모음 앞에서는 meg-》.

meg·a·buck [mégəbʌ̀k] *n.* 《美口》 ① Ⓒ 백만 달러. ② (*pl.*) 거금.

meg·a·byte [mégəbàit] *n.* Ⓒ 메가바이트《컴퓨터의 기억용량 단위; 10^6 bytes, 또는 10^{20} bytes; 略: MB》.

mega·cy·cle [mégəsàikl] *n.* Ⓒ〖電〗 메가사이클《지금은 메가헤르츠(megahertz)라 함》.

meg·a·death [mégədèθ] *n.* Ⓒ 백만 명의 사자(死者), 메가데스《핵전쟁에서의 사망자 단위》.

meg·a·hertz [mégəhə̀:rts] (*pl.* ~) *n.* Ⓒ 메가헤르츠, 백만 헤르츠《기호 MHz》.

meg·a·hit [mégəhìt] *n.* Ⓒ 대(大)히트 작품.

meg·a·lith [mégəlìθ] *n.* Ⓒ〖考古〗 (유사 이전의 종교 대상 등으로 세워진) 거석(巨石).

meg·a·lith·ic [mègəlíθik] *a.* ① 거석의〔으로

만든〕: a ~ monument 거석 기념비. ② 거석 문화의.

meg·a·lo·ma·nia [mègəloumέiniə] *n.* Ⓤ 〖精神醫〗 과대 망상증〔광〕.

meg·a·lo·ma·ni·ac [-niæ̀k] *n.* Ⓒ 과대 망상 환자. ── *a.* 과대 망상(환자)의: They soon realized she was a ~. 그들은 곧 그녀가 과대망상증 환자라는 것을 알았다.

meg·a·lop·o·lis [mègəlάpəlis / -lɔ́p-] *n.* Ⓒ 거대 도시, 메갈로폴리스.

meg·a·lo·pol·i·tan [mègəloupάlitən / -pɔ́l-] *a., n.* 거대 도시의 (주민).

*__meg·a·phone__ [mégəfòun] *n.* Ⓒ 메가폰, 확성기. ── *vt., vi.* (…을) 메가폰으로 전하다, 큰 소리로 알리다.

meg·a·star [mégəstὰ:r] *n.* Ⓒ 《口》 대(大)스타.

meg·a·store [mégəstɔ̀:r] *n.* Ⓒ 초대형점(店).

meg·a·ton [mégətʌ̀n] *n.* Ⓒ ① 백만 톤. ② 메가톤《핵무기의 폭발력을 재는 단위; 1 메가톤은 TNT 백만 톤의 폭발력에 상당; 기호 MT》.

meg·a·watt [mégəwὰt] *n.* Ⓒ 〖電〗 메가와트, 백만와트《기호 Mw》.

mé generàtion (the ~) 〔單·複數 취급〕 (종종 M-) 미 제너레이션《자기 중심적인 생활방식이 두드러진 세대》.

meg·ohm [mégòum] *n.* Ⓒ 〖電〗 메그옴, 백만옴《전기 저항 단위; 기호 meg, MΩ》.

mei·o·sis [maióusis] (*pl.* ***-ses*** [-si:z]) *n.* ① Ⓤ 〖修〗 =LITOTES. ② Ⓤ,Ⓒ 〖生〗 (세포핵의) 감수 분열.

Me·kong [méikάŋ / -kɔ́ŋ] *n.* (the ~) 메콩 강.

mel·a·mine [méləmì:n] *n.* Ⓤ 멜라민 수지(樹脂).

mel·an·cho·lia [mèlənkóuliə] *n.* Ⓤ 우울증《★ 지금은 depression이라 함》.

mel·an·cho·li·ac [-liæ̀k] *n.* Ⓒ 우울증 환자. ── *a.* 우울증에 걸린.

mel·an·chol·ic [mèlənkάlik / -kɔ́l-] *a.* 우울한; 우울증의. ── *n.* Ⓒ 우울증 환자.

‡**mel·an·choly** [mélənkὰli / -kɔ̀li] *n.* Ⓤ (습관적·체질적인) 우울, 울적함; 우울증: She is an actress who is famous for roles full of sentimental ~. 그녀는 감상적인 우수에 찬 역할로 유명한 배우다. ── *a.* ① 우울한, 생각에 잠긴: ~ mood 울적한 기분 / a ~ smile 우수에 잠긴 미소 / feel ~ 우울하다〔해지다〕. ② 슬픈, 우울하게 만드는: ~ music 슬픈 음악 / a ~ piece of news 마음을 어둡게 하는 소식.

Mel·a·ne·sia [mèləní:ʒə, -ʃə] *n.* 멜라네시아《대양주 중부의 군도》.

Mel·a·ne·sian [mèləní:ʒən, -ʃən] *a.* 멜라네시아(인, 어)의. ── *n.* ① Ⓒ 멜라네시아인. ② Ⓤ 멜라네시아어.

mé·lange [meilά:ŋʒ, -lά:ndʒ] *n.* Ⓒ (흔히 *sing.*) 《F.》 혼합물, 뒤범벅, 잡다한 것을 모은 것.

mel·a·nin [mélənin] *n.* Ⓤ 멜라닌, 검은 색소.

Mél·ba tóast [mélbə-] (종종 m-) 얇고 바삭바삭한 토스트.

Mel·bourne [mélbərn] *n.* 멜버른《오스트레일리아 남동부의 항구 도시》.

meld [meld] *vt.* …을 섞다; 결합〔융합〕시키다. ── *vi.* 섞이다; 결합〔융합〕하다〔되다〕.

mel·ee, mê·lée [méilei, -ˊ / méilei] *n.* Ⓒ (흔히 *sing.*) 《F.》 ① 치고받기, 난투, 혼전: a fist-swinging ~ 치고 받는 난투. ② 붐비는 군중; 혼잡: the rush hour ~ 러시아워 때의 대혼잡 / I joined the ~ around the bargain counter. 나는 혼잡한 특가품 매장으로 들어갔다.

me·lio·rate [mí:ljərèit, -liə-] *vt.* …을 개선〔개량〕하다. ── *vi.* =AMELIORATE.

me·lio·ra·tion [mì:ljəréiʃən, -liə-] *n.* Ⓤ = AMELIORATION.

me·lio·rism [mí:ljərìzəm, -liə-] *n.* Ⓤ 〖哲〗 세계 개선론《인간의 노력으로 세계가 개선될 수 있다는 설》.

mel·lif·lu·ous [məlífluəs] *a.* (목소리·음악 따위가) 감미로운.

㊕ **~·ly** *ad.* **-ness** *n.* Ⓤ 감미로움; 유창함.

Mel·lo·tron [méləträn / -trɔ̀n] *n.* Ⓤ 멜로트론《컴퓨터로 프로그래밍이 된 전자식 건반 악기; 商標名》. [◂ *mellow*+elec*tronic*]

‡**mel·low** [mélou] (*~·er; ~·est*) *a.* ① (과일이) 익어 달콤한, (말랑말랑하게) 잘 익은, 달고 즙이 많은: a ~ peach 달고 즙이 많은 복숭아. ② (포도주가) 향기로운, 잘 빚어진: a ~ wine 향기 높은 와인. ③ (가락·소리·빛깔·문체 따위가) 부드럽고 아름다운: a violin with a ~ tone 부드러운 음조의 바이올린 / the ~ light of the late afternoon sun 늦은 오후의 부드러운 햇빛. ④ (토질이) 부드럽고 기름진. ⑤ (인격이) 원숙한, 원만한, 온건한: You get *~er* as you get older. 사람은 나이가 들어감에 따라 인품이 원숙해진다. ⑥ 《口》 (거나하게 취해) 명랑한.

── *vt.* ① …을 익게 하다. ② …을 원숙하게 하다: Age has *~ed* him. 그는 나이가 들어 원숙해졌다. ③ (사람)을 기분좋게 하다. ── *vi.* ① 익다. ② 원숙해지다. ③ 기분이 좋아지다. ~ ***out*** 《美俗》 느긋해지다. ㊕ **~·ly** *ad.* **~·ness** *n.*

me·lod·ic [melάdik / -lɔ́d-] *a.* ① 선율의. ② 가락이 아름다운, 음악적인. ㊕ **-i·cal·ly** [-əli] *ad.*

*__me·lo·di·ous__ [məlóudiəs] *a.* ① 가락이 아름다운, 음악적인 (musical). ② 선율적(旋律的)인. ㊕ **~·ly** *ad.* **~·ness** *n.*

mel·o·dist [mélədist] *n.* Ⓒ 선율이 아름다운 성악가(singer)〔작곡가(composer)〕.

*__melo·dra·ma__ [mélədrὰ:mə, -dræ̀mə] *n.* Ⓒ ① 음악극; 멜로드라마《행복한 결말로 끝나는 달콤하고 감상적인 통속극》: These films were copies of steamy Hollywood *~s.* 이들 영화는 에로틱한 할리우드 멜로드라마를 흉내낸 것이었다. ② 연극 같은 사건〔행동〕.

melo·dra·mat·ic [mèloudrəmǽtik] *a.* 멜로드라마식의, (신파) 연극 같은, 신파조(調)의, 몹시 감상적인. ㊕ **-i·cal·ly** [-əli] *ad.*

‡**mel·o·dy** [mélədi] *n.* ① Ⓒ 멜로디, 선율(tune), 주(主)선율: a haunting ~ 언제나 마음에 떠오르는 멜로디. ② Ⓤ,Ⓒ 아름다운 음악(성), 기분 좋은 가락: a song of the sweetest ~ 아주 가락이 아름다운 노래. ③ Ⓒ (가)곡, 노래, 곡조.

*__mel·on__ [mélən] *n.* ① Ⓒ 〖植〗 멜론(muskmelon); 수박(watermelon). ② Ⓤ 그 과육(果肉).

Mel·pom·e·ne [melpάmənì: / -pɔ́m-] *n.* 〖그神〗 멜포메네《비극의 여신; Nine Muses 의 하나》.

‡**melt** [melt] (*~·ed* [méltid]; *~·ed,* 《古》 ***mol·ten*** [móultən]) 《molten 은 지금은 形用詞의 限定的 用法으로만 쓰임》. *vi.* ① 《~/+전+명》 녹다, 용해하다: Lead *~s in* the fire. 납은 불에 녹는다 / The plastic dish will ~ *on* the stove. 플라스틱 접시는 난로에 얹으면 녹는다 / The cake mother makes really *~s in* the mouth. 어머니가 만드시는 케이크는 정말 입 안에서 살살 녹는다. ② 《+부/+전+명》 서서히 사라지다〔보이지 않게 되다〕《*away*》; 점차 (…로) 변하다, 녹아들다 《*into*》: The elephant *~ed into* the jungle. 코끼리가 정글 속으로 모습을 감추었다 / The clouds *~ed into* rain. 구름이 점차 비로 변했다 / The sea seemed to ~ *into* the sky at the horizon. 수평선에서 바다가 하늘 속으로 녹아 들어가는 것

처럼 보였다. ③《~ / +전+명》 측은한 생각이 들다; (감정·마음 따위가) 누그러지다; 《古》 (용기·결심 따위가) 약해지다: Her heart〔anger〕 ~*ed* at this sight. 이 광경에 그녀 마음〔노여움〕도 누그러졌다 / She ~*ed* at his kindly words. 그의 친절한 말로 그녀는 마음이 누그러졌다 / My heart ~*ed to* see the girl crying over her dead mother. 소녀가 돌아가신 어머니를 생각하여 우는 것을 보고 나는 측은한 생각이 들었다. ④ 찌는 듯이 덥다: I'm simply ~*ing*. 더워서 몸이 녹을 지경이다.

— *vt.* ①《 ~ +목/ +목+전+명》 …을 녹이다, 용해하다《*down*》; 융합시키다《*into*》: Fire ~*s* ice. 불은 얼음을 녹인다 / The mist ~*ed* the hills *into* a grey mass. 안개가 끼어 산들이 회색 일색으로 보였다. ②《~+목/ +목+부》 …을 소산(消散)시키다, 흩뜨리다. ③ (마음·감정)을 누그러지게 하다: Her grief ~*ed* our hearts. 그녀의 비탄이 우리들의 마음을 움직였다 / A child's pleading always ~ my heart. 아이가 졸라대면 나는 언제나 그 말을 들어주게 된다. ~ ***away*** 녹아 없어지다; 서서히 사라져 버리다〔없어지다〕: The snow ~*ed away*. 눈은 녹아 없어졌다 / The fog ~*ed away* before noon. 한낮이 되기전에 안개는 사라졌다 / All my money had ~*ed away*. 내 돈은 다 없어졌다. ~ ***down*** (*vi*.) 녹다. (*vt*.) (훔친 금·은 등)을 쇳물로 녹이다.

melt·down [méltdàun] *n*. ① U.C (원자로의) 노심(爐心) 용융. ② U 《口》 (주식·시세의) 급락, 폭락.

melt·ed [méltid] *a*. 녹은, 용해한: ~ butter 〔chocolate〕 녹은 버터〔초콜릿〕.

melt·ing [méltiŋ] *a*. ① 상냥한, 인정 많은, 감동적인: in a ~ voice 상냥한 목소리로. ② (마음·얼굴 표정 등이) 애수(哀愁)를〔눈물을〕 자아내는, 감상적인: the ~ mood 울고 싶은 심정, 감상적인 기분. ㊕ ~·**ly** *ad*.

mélting pòint 녹는점, 융(해)점《略: m.p.》.

mélting pòt ① 도가니(crucible). ②《比》 잡다한 인종·문화가 뒤섞여 융합·동화된 곳〔나라·상태 등〕: a ~ of many races 많은 인종의 도가니《특히 미국을 가리킴》. ***go into the*** ~ (1) 완전히 개조〔개혁〕되다. (2) (마음이) 누그러지다. ***in the*** ~ 고정되어 있지 않고, 유동적으로, 고려〔검토〕 중에. ***put*** 〔***cast***〕 ***into the*** ~ (1) …을 다시 만들다. (2) 근본적으로 변혁하다. ***throw into the*** ~ 대혼란에 빠뜨리다, 범벅으로 만들다.

melt·wa·ter [méltwɔ̀(:)tər, -wɑ̀t-] *n*. U 눈·얼음이〔특히 빙하가〕 녹은 물, 눈석임물.

Mel·ville [mélvil] *n*. **Herman** ~ 멜빌《미국의 소설가; 1819-91》.

†**mem·ber** [mémbər] *n*. C ① (단체·사회 따위의) 일원(一員); 회원, 단원, 의원: a ~ of a committee〔family〕 위원회〔가족〕의 일원 / Every ~ of the family came to her wedding. 가족 모두가 그녀의 결혼식에 참석했다 / I am a ~ of the tennis club. 나는 테니스 클럽의 회원이다. ② 신체〔동식물〕의 일부, 일부 기관(器官)《특히 손발》: a ~ of Christ 그리스도의 지체《한사람 한사람의 그리스도교도》. ③〖數〗 항(項), 변(邊); (집합의) 요소. ④〖建〗 구재(構材), 재료. ⑤《婉》 남근(penis): the male 〔virile〕 ~ 남근. ***a Member of Congress*** 《美》 하원 의원《略: M.C.》. ***a Member of Parliament*** ~ 《英》 하원의원《略: M.P.》.

‡**mem·ber·ship** [mémbərʃìp] *n*. ① U 회원 자격〔지위〕, 회원〔구성원〕임: a ~ card 회원증 / obtain the ~ of the club 그 클럽의 회원이 되다 / lose one's ~ 회원의 자격을 잃다. ② C 〔單·複數 취급〕 회원(전체); 회원수: How large is the club's ~? 그 클럽의 회원은 몇 명이냐 / have a large ~ 회원수가 많다 / The ~ approve(s) the plan. 회원은 그 계획에 찬성한다 / The club has a ~ of 18. 클럽 회원은 18 명이다.

***mem·brane** [mémbrein] *n*. U.C 〖解〗 얇은 막(膜), 막피(膜皮), 막: the mucous ~ 점막.

mem·bra·nous [mémbrənəs] *a*. 막의, 막질(膜質)의; 막을 형성하는.

me·men·to [miméntou] (*pl*. ~(***e***)***s***) *n*. C 기념물〔품〕, 기념으로 남긴 물건; 추억거리.

meménto mó·ri [-mɔ́:rai, -ri:] 《L.》 죽음의 상징《해골 따위》.

memo [mémou] (*pl*. ***mém·os***) *n*. 《口》 비망록, 메모. [◂ *memo*randum]

***mem·oir** [mémwɑ:r, -wɔ:r] *n*. ① C (본인의 친지 등에 의한) 전기, 약전(略傳). ② (흔히 *pl*.) (필자 자신의) 회상〔회고〕록, 자서전: If you read my earlier ~*s* you'll know all about it. 네가 나의 초기의 회고록을 읽는다면 그것에 관해 모두 알게 될 것이다. ③ C 연구 보고〔논문〕(monograph). ④ (*pl*.) 학회지, 논문집.

mem·oir·ist [mémwɑ:rist] *n*. C 회고록 집필자.

mem·o·ra·bil·ia [mèmərəbíliə, -ljə] *n*. *pl*. 《L.》 기억〔기록〕할 만한 사건; 중요 기사.

mem·o·ra·ble** [mémərəbəl] (more*** ~; ***most*** ~) *a*. ① 기억할 만한; 잊기 어려운: a ~ event 잊을 수 없는 사건 / a ~ speech 오래 기억에 남는 연설. ② 외기〔기억하기〕 쉬운: a ~ melody 기억하기 쉬운 멜로디〔선율〕. ◇ memory *n*. ㊕ -**bly** [-bli] *ad*. ~·**ness** *n*.

mem·o·ran·dum** [mèmərǽndəm] (*pl*. ~s***, -***da*** [-də]) *n*. C ① 비망록, 메모: I make a ~ of what I spend. 나는 내가 지출한 것을 메모해 둔다. ② (외교상의) 각서. ③〖法·商〗 (계약용의) 각서; 송장(送狀): ~ trade 각서 무역. ④ (조합의) 규약, (회사의) 정관(=~ **of associátion**).

‡**me·mo·ri·al** [mimɔ́:riəl] *a*. 〔限定的〕 기념의; 추도의: a ~ service 추도식〔회〕 / a ~ tablet (고인 추도의) 기념패(牌); 위패. ◇ memory *n*.

— *n*. C ① 기념물, 기념비〔관〕; 기념 행사〔식전〕: a ~ to the dead 위령비. ② (흔히 *pl*.) 각서, 기록, 연대기. ㊕ ~·**ly** *ad*.

Memórial Dày 《美》 전몰 장병 기념일《5 월의 마지막 월요일; 전에는 30 일》. cf Remembrance Day.

‡**me·mo·ri·al·ize** [mimɔ́:riəlàiz] *vt*. …을 기념하다; …의 기념식을 하다.

memórial párk 《美》 공동묘지(cemetery).

‡**mem·o·rize** [méməràiz] *vt*. …을 기억하다, 암기하다; 명심하다: ~ a poem 시를 암기하다. ㊕ **mem·o·ri·za·tion** [mèmərizéiʃən / -raiz-] *n*.

†**mem·o·ry** [méməri] *n*. ① U 기억, 기억력; C (개인이 가지는) 기억력: the art of ~ 기억술 / I've no ~ of my mother. 어머니에 대한 기억이 없다 / The exact date escapes my ~. 정확한 날짜는 기억이 안난다 / have a bad ~ 기억력이 나쁘다 / I have a poor〔a good〕 ~ for names. 나는 이름에 대한 기억력이 나쁘다〔좋다〕. ② C (낱낱의) 추억; 기억에 남는 것〔사람〕: one's earliest *memories* 아주 어릴 때의 기억들 / *memories* of my college days 학생 시절의 추억들 / He has become a ~. 그는 이미 추억의 사람〔고인〕이 되고 말았다. ③ (*sing*.; 종종 the ~) 기억에 남는 기간, 기억의 범위: beyond〔within〕 *the* ~ of men〔man〕 ⇨(成句) / within my ~ 내 기억으로는 / That's not within my ~. 그것은 내 기억에는 없는 일이다. ④ U 사후의 명성; 사자(死者)에 대

한 추모 : His ~ lives on. 그의 명성은 아직도 계속 살아 있다 / those who cherish his ~ 그를 추모하는 사람들. ⑤Ⓒ 기념(물), 유물 : as a ~ 기념으로(서). ⑥Ⓒ〖컴〗기억 장치, 메모리 : a main ~ 주(主)기억장치 / ~ capacity 기억(장치) 용량/ ~ density 기억장치 밀도 / ~ management 기억장치 관리 / a built-in ~ 내장된 기억 장치. ◇ memorable, memorial *a.* ***bear* 〔*have, keep*〕 *in* ~** 기억하고 있다. ***beyond* 〔*within*〕 *the* ~ *of men* 〔*man*〕** 유사 이전〔이후〕의. ***call to*** ~ ⇨CALL. ***come to* one's ~** 머리에 떠오르다, 생각나다. ***commit . . . to*** ~ …을 암기하다, 기억하다. ***down ~ lane*** 기억의 오솔길을 더듬어 : tread 〔journey〕 *down ~ lane* 회고의 정에 젖다. ***if my ~ serves me* 〔*doesn't fail me*〕** 내 기억에 틀림이 없다면, 틀림없이. ***in ~ of*** …의 기념으로 : a monument *in ~ of* Columbus 콜럼버스 기념비. ***Keep your ~ alive.*** 잊지 않도록 해라. ***to the best of my*** ~ 내가 기억하고 있는 한. ***to the ~ of*** …의 영전에 바쳐. ***within* 〔*in*〕 *living*** ~ 지금도 사람들의 기억에 남아.

mémory bànk〖컴〗기억 장치, 데이터 뱅크.

mémory càrd〖컴〗메모리 카드《자기(磁氣) 테이프 대신 반도체 메모리 칩(chip)을 내장한》.

mémory cèll ①〖免疫〗기억 세포. ②〖컴〗기억 장치 낱칸.

mémory drùm〖컴〗기억 드럼《학습할 사항이 주기적으로 제시되는 회전식 장치》; =MAGNETIC DRUM.

mémory màp〖컴〗기억장치 본.

mem·sa·hib [mémsɑ̀ːhib] *n.* Ⓒ《Ind.》아씨, 마님《특히, 식민지 시대에 인도인이 서양 부인에게 쓴 호칭》.

†men [men] MAN 의 복수.

‡men·ace [ménəs] *vt.* …을 위협하다, 으르다 : The woods are ~*ed* by acid rain. 그 삼림은 산성비의 위협을 받고 있다. ── *n.* ①Ⓤ,Ⓒ 협박, 위협, 공갈 : a ~ *to* world peace 세계 평화에 대한 위협 / This kind of bomb is a serious ~ *to* the whole human race. 이런 종류의 폭탄은 전인류에게 중대한 위협이다.

men·ac·ing [ménəsiŋ] *a.* 위협하는 것 같은, 위협〔협박〕적인 : a ~ attitude 위협적인 태도.

men·ac·ing·ly [-li] *ad.* 위협하듯이, 위협〔협박〕적으로.

mé·nage [meinɑ́ːʒ] *n.* 《F.》①Ⓒ 가정(家庭), 세대(household). ②Ⓤ 가정(家政), 가사(家事).

me·nag·er·ie [minǽdʒəri] *n.* Ⓒ《F.》①(지방 순회흥행 서커스 등의) 동물원. ②〔集合的〕(동물원 등의) 동물들.

men·ar·che [minɑ́ːrkiː] *n.* Ⓤ〖生理〗초경(初經), 초조(初潮).

Men·ci·us [ménʃiəs] *n.* 맹자(372 ? -289 ? B.C.).

‡mend [mend] *vt.* ① …을 수선하다, 고치다 (repair) : ~ shoes 〔a tear〕 구두〔터진 데〕를 고치다〔깁다〕/ I had my coat ~*ed.* (옷 (수선) 가게에 의뢰하여) 코트를 수선했다 / The country's president is seeking to ~ relations with the United States. 그 나라의 대통령은 미국과의 관계 개선을 추구하고 있다. ② …을 개선하다 (improve) ; (소행 등)을 고치다(reform) : ~ one's way〔manners〕 행실을 고치다 / Least said, soonest ~*ed*. 《俗談》말이 적으면 화도 적다, '입이 화근'. ③ (나무를 지펴 불길)을 세게 하다 : ~ the fire. ── *vi.* ① (사태 · 날씨 · 잘못 등이) 호전하다, 고쳐지다, 나아지다 : The patient is ~*ing* nicely. 환자는 회복돼가고 있다. ② 개심하다 : It's never too late to ~. 《格言》허물 고치기를 꺼리지 마라. ***~ or end*** 개선하느냐 폐지하느냐 ; 죽이느냐 치료하느냐. ~one's ***fences*** (국회의원 등이 지역구)를 굳히다.

── *n.* Ⓒ 수선〔수리〕한 부분 : a ~ in the elbow of the coat 상의의 팔꿈치의 수선한 부분. ***be on the*** ~ (병 · 사태 따위가) 나아져 가고 있다. ***make do and*** ~《口》고쳐가면서 오래 쓰다. ㊕ ∠·a·ble *a.* …할 수 있는.

men·da·cious [mendéiʃəs] *a.* ① (말이) 허위의 : a ~ report 허위 보도. ② (사람이) 거짓말 잘하는.

men·dac·i·ty [mendǽsəti] *n.* ①Ⓒ 허위, 거짓말. ②Ⓤ 거짓말하는 버릇.

Men·del [méndl] *n.* **Gregor Johann** ~ 멘델《오스트리아의 사제(司祭) · 생물학자 · 유전학자 ; 1822-84》.

men·de·le·vi·um [mèndəlíːviəm] *n.* Ⓤ〖化〗멘델레븀《방사성 원소 ; 기호 Md ; 원자번호 101》.

Men·de·li·an [mendíːliən, -ljən] *a.* 멘델의 ; 멘델 법칙의 : ~ factor 〔unit〕 유전자(gene).

Men·del·ism [méndəlìzəm] *n.* Ⓤ〖生〗멘델의 유전학설 ; 멘델 법칙.

Méndel's láws〖遺〗멘델의 (유전)법칙.

Men·dels·sohn [méndlsən, -sòun] *n.* **Felix** ~ 멘델스존《독일의 작곡가 ; 1809-47》.

mend·er [méndər] *n.* Ⓒ 수선자, 수리자 ; 정정(訂正)자.

men·di·can·cy [méndikənsi] *n.* Ⓤ 거지 생활 ; 구걸, 동냥 ; 탁발.

men·di·cant [méndikənt] *a.* 구걸하는(begging), 빌어먹는, 탁발하는 : a ~ friar (가톨릭의) 탁발 수사(修士).

── *n.* Ⓒ 거지, 동냥아치 ; (종종 M-) 탁발 수사.

mend·ing [méndiŋ] *n.* ①Ⓤ 수선, 수선 일. ②〔集合的〕수선할 것, 파손품.

Men·e·la·us [mènəléiəs] *n.*〖그神〗메넬라오스《스파르타의 왕 ; Helen 의 남편, Agamemnon 의 동생》.

men·folk(s) [ménfòuk(s)] *n. pl.* (흔히 the ~) 남자들(men)《특히 한 가족의》.

men·hir [ménhiər] *n.* Ⓒ〖考古〗멘히르, 선돌.

me·ni·al [míːniəl, -njəl] *a.* 천한, 비천한 ; 머슴 노릇하는 : a ~ servant 하인 / a ~ task〔job〕 천한 직업. ── *n.* Ⓒ 머슴, 하인 ; 비천한 사람. ㊕ **~·ly** *ad.* 하인〔종〕으로서 ; 천하게.

men·in·gi·tis [mènindʒáitis] *n.* Ⓤ〖醫〗수막염(髓膜炎), 뇌막염.

me·nis·cus [minískəs] (*pl.* **~·es, -ci** [-nískai]) *n.* Ⓒ ① 요철(凹凸) 렌즈. ②〖物〗메니스커스《원통 속의 액체가 표면 장력으로 凹凸이 되는 현상》.

Men·non·ite [ménənàit] *n.* Ⓒ 메노(Menno)파 교도《16 세기 Friesland 에서 일어난 신교의 일파》.

men·o·pause [ménəpɔ̀ːz] *n.* (흔히 the ~) 폐경(閉經)(기), 갱년기(change of life, climacteric). ㊕ **mèn·o·páu·sal** *a.*

me·nor·ah [minɔ́ːrə] *n.* Ⓒ (유대교의 제식(祭式) 때 쓰는) 가지가 일곱인 촛대.

men·ses [ménsiːz] *n. pl.* (종종 the ~) 〔單 · 複數취급〕〖生理〗월경, 월경 기간(menstruation).

Men·she·vik [ménʃəvìk] (*pl.* **~s, -vi·ki** [-vìː(ː)kiː]) *n.* ① (the Mensheviki) 멘셰비키《러시아 사회 민주당의 소수파》. ②Ⓒ 멘셰비키의 일원. cf. Bolshevik.

mén's ròom 《美》남자 변소(《英口》Gents). cf. ladies room.

men·stru·al [ménstruəl] *a.* 월경의 : ~ periods 월경 기간 / the ~ cycle 월경 주기 / ~ cramps 월경에 의한 복통.

men·stru·ate [ménstruèit] *vi.* 월경하다 ; 달거리하다. 「월경 기간.

men·stru·a·tion [mènstruéiʃən] *n.* Ⓤ,Ⓒ 월경 ;

men·su·ra·ble [ménʃərəbəl] *a.* 측정할 수 있는.

men·su·ra·tion [mènʃəréiʃən / -sjuər-] *n.* Ⓤ 〖數〗 ① 측정, 계량. ② 측정법, 구적(求積)(법).

mens·wear, mén's wèar [ménzwὲər] *n.* Ⓤ 남성 의류, 신사복.

-ment *suf.* 동사(드물게 형용사)에 붙여서 동작·상태·결과·수단 등을 나타내는 명사를 만듦: pave*ment*, punish*ment*.

‡men·tal [méntl] *a.* ① 마음의, 정신의. opp. *bodily, physical.* ¶ ~ effort(s) 정신적 노력 / ~ culture 정신적 교양, 지적 수양 / ~ health 정신적 건강 / ~ hygiene 정신 위생(학). ② 이지의, 지력의, 지능의 : a ~ weakness 정신 박약 / ~ faculties 지능, 지력 / a ~ test 지능 테스트. ③ 〔限定的〕 머리〔암기〕로 하는 : ~ arithmetic 암산 / form a ~ picture of the scene 그 광경을 머리속에 그리다. ④ **a)** 〔限定的〕 정신병의〔에 관한〕 : a ~ specialist 정신병 전문의(醫) / a ~ case 정신병 환자 / a ~ home 〔hospital, institution〕 정신병원. **b)** 〔敍述的〕 《口》 정신이 돈, 머리가 이상한 : He must be ~ to do that. 그런 짓을 하다니 그는 틀림없이 정신이 돌았을 거다. ***make a ~ note of*** …을 기억해 두다. ── *n.* Ⓒ 《口》 정신병 환자.

méntal áge 〖心〗 정신 연령《略 : M. A.》.

méntal defèctive 정신 박약자.

méntal defíciency 저능, 정신 박약《지금은 mental retardation이라 함》.

men·tal·ism [méntəlìzəm] *n.* Ⓤ ① 〖哲〗 유심론. ② 〖心〗 멘탈리즘, 심리주의. cf. behaviorism.

***men·tal·i·ty** [mentǽləti] *n.* ① Ⓤ 정신성, 지성 ; 심성(心性) : people of weak〔average〕 ~ 지성〔지력〕이 약한〔보통인〕 사람들. ② Ⓒ 심적〔정신적〕 상태〔경향〕, 심리, 정신 구조 : Films reflect a nation's ~ directly. 영화는 국민 정신을 직접적으로 반영한다.

***men·tal·ly** [méntəli] *ad.* ① 정신적으로 ; 지적으로 : ~ deficient 〔defective, handicapped〕 정신 박약의 / be ~ weak 지적(知的)으로 약하다. ② 마음 속으로, 마음으로는. 「ciency).

méntal retardátion 정신 박약(mental defi-

méntal tést 지능 검사, 멘탈 테스트.

men·thol [ménθɔ(:)l, -θɑl] *n.* Ⓤ 〖化〗 멘톨, 박하뇌(薄荷腦). 「한 ; 멘톨로 처리한.

men·tho·lat·ed [ménθəlèitid] *a.* 멘톨을 함유

‡men·tion [ménʃən] *vt.* ① 《~+목 / +목+전+명 / +*that* 절》 …을 말하다, …에 언급하다, 얘기로 꺼내다 : as ~*ed* above 앞에서 말한 바와 같이 / the book I ~*ed* the other day 일전 내가 이야기한 책 / I shall ~ it *to* him. 그에게 이야기해 두겠다 / He ~*ed to* me *that* he had seen you. 그가 너를 만났다고 말하더라 / He didn't ~ *where* he would go. 그는 어디에 가는지는 언급하지 않았다 / Did she ~ *why* he quit school? 그녀는 그가 학교를 그만둔 이유를 말하던가요. ② 〔흔히 受動으로〕 (…의 이름을) 열거하다 : ~ useful book 유익한 책 이름을 열거하다 / His name *is* sometimes ~*d* in the newspapers. 그의 이름이 때때로 신문에 난다. ***Don't ~ it.*** 천만에요, 별말씀을 《美》 You're welcome.). ***not to ~ . . .*** = ***without ~ing*** …은 말할 것도 없고, …은 물론 : He knows French, *not to* ~ English. 그는 영어는 물론이고, 프랑스어도 안다. ── *n.* ① Ⓤ,Ⓒ 기재(記載), 언급, 진술, 이름을 듦 : He made no ~ of your request. 네 부탁건에 대해서는 아무 말도 없었다 / There was no ~ of it in the report. 보고서에는 그것에 대한 아무 언급이 없었다. ② Ⓒ (흔히 *sing.*) (이름을 들어서 하는) 표창 : receive an honorable ~ 등외 가작에 들다. ***at the ~ of*** …의 이야기가 나오자.

men·tor [méntər, -tɔːr] *n.* ① Ⓒ 현명하고 성실한 조언자 ; 스승, 은사, 좋은 지도자 : The older writer was her ~ and friend. 그 연상의 작가는 그녀의 은사이며 친구였다. ② (M-) 〖그神〗 멘토르《Odysseus가 그의 아들을 맡긴 훌륭한 스승》. 파 **~·shìp** *n.*

***menu** [ménjuː, méi-] *n.* Ⓒ ① 식단, 메뉴, 차림표 : What is on the ~ today? 오늘 메뉴에 무엇이 있습니까. ② 식품, 요리 : a light ~ 가벼운 요리〔식사〕 / The inn's ~ was plain but good. 여관〔여인숙〕의 식사는 간단한 것이었지만 맛이 있었다. ③ 〖컴〗 차림표, 메뉴《프로그램의 기능 등이 일람표로 표시된 것》.

me·ow [miáu, mjau] *n.* Ⓒ 야옹《고양이 울음 소리》. ── *vi.* 야옹 하고 울다.

MEP Member of the European Parliament (유럽 의회 의원(議員)).

Meph·is·to·phe·le·an [mèfistoufíːliən, -ljən] *a.* 악마 같은, 교활한, 음험한.

Meph·is·toph·e·les [-tɑ́fəlìːz / -tɔ́f-] *n.* 메피스토펠레스《Faust 전설, 특히 Goethe의 *Faust*에 나오는 악마》.

mer·can·tile [mə́ːrkəntìːl, -tàil, -til] *a.* ① 상인의, 장사〔상업〕의 : the ~ law 상법, 상관습법 / a ~ agency 상업 흥신소. ② 〖經〗 중상주의(重商主義)의. 「MARINE.

mércantile maríne (the ~) = MERCHANT

mer·can·til·ism [mə́ːrkəntilìzəm, -tail-] *n.* Ⓤ ① 중상주의. ② 상업주의, 영리주의 ; 상인 근성. 파 **-ist** [-ist] *n.* 중상주의자.

Mer·ca·tor [məːrkéitər] *n.* **Gerhardus ~** 메르카토르《네덜란드의 지리학자 ; 1512-94》.

Mercátor('s) projéction 메르카토르식 투영도법(投影圖法)《지도 제작법(製作法)의 하나》.

Mer·ce·des-Benz [-bénts] *n.* 메르세데스 벤츠《독일 Daimler-Benz사의 승용차 ; 商標名》.

***mer·ce·nary** [mə́ːrsənèri] *a.* 돈〔이득〕을 목적으로 일하는, 돈을 위한 ; 고용된 : ~ motives 금전상의 동기 / a ~ soldier 용병(傭兵). ── *n.* Ⓒ (외국인) 용병 ; 고용된 사람.

mer·cer [mə́ːrsər] *n.* Ⓒ 《英》 = DRAPER.

mer·cer·ize [mə́ːrsəràiz] *vt.* 〖纖維〗 (목면(木棉))을 머서법으로 처리하다, 광택 가공을 하다 : ~*d* cotton 광택 가공 무명.

‡mer·chan·dise [mə́ːrtʃəndàiz] *n.* Ⓤ 〔集合的〕 상품, 《특히》 제품 ; 재고품. ***general*** ~ 잡화. ── *vt.* ① (상품)을 취급〔거래〕하다. ② …의 판매를 촉진하다《광고 선전으로》.

mer·chan·dis·ing [-dàiziŋ] *n.* Ⓤ 상품화 계획《판매 촉진·선전 등을 포함한 상품 마케팅》.

†mer·chant [mə́ːrtʃənt] *n.* Ⓒ ① 상인, 《특히》 해외 무역 상인 ; 《英》 도매 상인 ; 《美》 소매 상인 (storekeeper) : a timber〔a wool〕 ~ 목재〔양모〕상 / a metal ~ 철물상(인). ② 〔修飾語를 동반하여〕 《口》 …광(狂) : a speed ~ (자동차의) 스피드광. ***a ~ of death*** 전쟁 상인, 군수 산업 자본가. ***The Merchant of Venice*** '베니스의 상인' 《Shakespeare 작의 희극》. ── *a.* 〔限定的〕 상인의, 상업의, 상선의 : a ~ ship 상선 / a ~ seaman 상선 선원.

mer·chant·a·ble [mə́ːrtʃəntəbəl] *a.* 매매할 수 있는, 장사에 적합한, 수요가 있는.

mérchant bànk 《英》 머천트뱅크《환어음 인

수, 사채 발행을 주업무로 하는 금융 기관》.

mer·chant·man [mə́:rtʃəntmən] (*pl.* **-men** [-mən]) *n.* Ⓒ 상선(商船).

mérchant maríne (the ~) 〔集合的〕《美》 ① (일국의) 전(全) (보유) 상선. ② 상선에서 일하는 선원.

‡**mer·ci·ful** [mə́:rsifəl] *a.* ① 자비로운, 인정 많은《*to*》: a ~ king 자비로운 왕 / Be ~ *to* others. 남에게 관대하라 / She is ~ *to* the weak. 그녀는 약한 사람에게 인정이 많다. ② (고통·불행에 종지부를 찍어 주어서) 행복한, 다행한: a ~ death 안락사. ㊞ **~·ness** *n.*

mer·ci·ful·ly [-fəli] *ad.* ① 자비롭게, 관대히, 인정있게. ② 〔文章修飾〕 고맙게도, 다행스럽게도, 다행히(도): *Mercifully*, the children escaped from the burning house. 다행히도 아이들은 불타는 집에서 탈출했다.

***mer·ci·less** [mə́:rsilis] *a.* 무자비한, 무정한, 냉혹한《*to, toward*》: The conquerors were ~ *toward* their captives. 정복자들은 포로들에게 무자비했다. ㊞ **~·ly** *ad.* **~·ness** *n.*

mer·cu·ri·al [mə:rkjúəriəl] *a.* ① (M-) Mercury 신의. ② (M-) 〖天〗 수성(水星)의. ③ 잽싼; 쾌활한; 재치 있는: a ~ wit 기지(機知)가 뛰어난 사람. ④ 변하기 쉬운, 변덕스러운: a ~ character 변덕스러운 성격 / She is absolutely ~ in her moods. 그녀는 정말로 변덕쟁이다. ⑤ 수은(제)의, 수은이 든: ~ poisoning 수은 중독.
— *n.* Ⓒ 〖藥〗 수은제(劑). ㊞ **~·ly** *ad.*

mer·cu·ric [mə:rkjúərik] *a.* 〔限定的〕 수은의, 수은이 든; 〖化〗 제 2 수은의: ~ chloride 염화 제2 수은, 승홍(昇汞).

‡**mer·cu·ry** [mə́:rkjəri] *n.* ① Ⓤ 〖化〗 수은 (quicksilver) 《기호 Hg; 번호 80》. ② (the ~) (기압·온도계의) 수은주: *The* ~ stands at 60° 〔sixty degrees〕. 수은주〔온도계〕는 60도를 가리키고 있다. ***The ~ is rising.*** (1) 온도가 올라가고 있다. (2) 경기가 좋아지고 있다. (3) 기분이 좋아지고 있다. (4) 흥분이 점점 더해 간다.

mércury póisoning 수은 중독.

mér·cu·ry-vá·por làmp [mə́:rkjərivéipər-] 수은등, 수은 램프.

‡**mer·cy** [mə́:rsi] *n.* ① Ⓤ 자비, 연민, 인정: He is a stranger to ~. 그는 눈물도 인정도 없는 녀석이다 / He pleaded for ~. 그는 자비를 호소했다 / They showed no ~ to their captives. 그들은 포로들에게 무자비했다 / God's *mercies* know no limits. 신의 자비심은 무한하다. ② Ⓒ (흔히 *sing.*) (불행중) 다행한 일, 고마운 일: That's a ~! 거 고마운 일이다 / It was a ~ that he wasn't killed in the accident. 그가 사고에서 죽지 않았다는 것은 불행중 다행이었다. ③ 〔놀람·공포를 나타내는 감탄사로〕 아이구, 저런: *Mercy !*, *Mercy* on〔upon〕 me〔us〕! 아이쿠, 저런, 어쩌나. ***at the ~ of ...*** =***at*** a person***'s ~*** …의 마음대로 되어, …에 좌우되어. ***be left to the*** (***tender***) ***mercies of*** 〔反語的〕 …이 하는 대로 맡겨지다, …에 의해 단단히 혼난다. ***be thankful*** 〔***grateful***〕 ***for small mercies*** (더 나빠지지 않는 것만으로도) 다행으로 여기다, 불행중 다행으로 알다. ***for ~*** =***for ~'s sake*** 제발, 불쌍히 여겨서. ***have ~ on*** 〔***upon***〕 …을 가엾이 여기다, …에게 자비를 베풀다. ***in ~*** (***to***) (…을) 가긍히 여겨. ***throw*** one***self on*** a person***'s ~*** 아무의 자비〔동정〕에 기대다. ***without ~*** 용서〔가차〕없이, 무자비하게: punish a guilty man *without* ~ 죄인을 가차없이 벌하다.

mércy flìght 구급비행《원격지의 중환자나 부상자를 병원까지 항공기로 운반하는》.

mércy kìlling 안락사(술(術)) (euthanasia).

‡**mere**[1] [miər] (비교급 없음; ***mér·est***) *a.* 〔限定的〕 단순한, …에 불과한, 단지 〔다만, 그저〕 …에 지나지 않는: She's a ~ child. 그녀는 아직 어린 아이이다 / a ~ halfpenny 겨우 반 페니 / The cut was the *merest* scratch. 상처는 그저 긁혔을 뿐이었다 / The ~ sight of land reassured the sailors. 그저 육지를 본 것만으로 선원들은 안심했다 / It's ~ chance. 전혀 우연이다 / That is the *merest* folly. 그야말로 어리석기 짝이 없는 짓이다. ~ ***nothing*** 아무것도 아닌 것. ***of ~ motion*** 〖法〗 자발적으로.

mere[2] *n.* Ⓒ 《古·詩》 호수, 연못, 못; 소택지.

‡**mere·ly** [míərli] *ad.* 단지, 그저, 다만; 전혀: He's ~ a beginner. 그는 아직〔그저〕 풋내기다. ~ ***because*** 단지 …이기 때문에, 다만 …때문에. ***not ~ . . . but*** (***also***) 단순히 …뿐만 아니라 또한: The girl is *not* ~ pretty *but* (*also*) clever. 그 소녀는 단순히 귀여울 뿐만이 아니고 영리하다.

mer·e·tri·cious [mèrətríʃəs] *a.* ① (장식·문체 따위가) 야한, 저속한. ② (입발림말 따위) 그럴듯한, 속보이는, 겉치레의. ㊞ **~·ly** *ad.* **~·ness** *n.*

***merge** [mə:rdʒ] *vt.* ① 《~+목/+목+전+명》 …을 합병시키다《*in, into; with*》: ~ a subsidiary *with* its parent company 자회사를 모회사와 합병하다 / The two conservative parties were ~*d in* the new government. 이들 두 보수 정당은 합동하여 새 정부를 만들었다. ② 점차 …으로 바뀌다, 녹아들게 하다, 몰입시키다: Fear was gradually ~*d into* curiosity. 두려움은 차차 호기심으로 바뀌었다. — *vi.* 《+전+명》 융합되다, 몰입(沒入)하다; 합병〔합동〕하다《*in, into; with*》: It seems as if the blue sky has ~*d into* the sea. 마치 푸른 하늘이 바다에 녹아들어간 듯하다 / Twilight ~*d into* darkness. 땅거미가 짙어지면서 어두워졌다 / The immigrants soon ~*d with* the other citizens. 이주자들은 곧 다른 시민들과 융합되었다 / The bank ~*d with* our bank two years ago. 그 은행은 2년 전에 우리 은행과 합병했다.

merg·ee [mə:rdʒí:] *n.* Ⓒ (흡수) 합병의 상대방 「(회사).

merg·er [mə́:rdʒər] *n.* Ⓤ,Ⓒ 〖法〗 (회사 등의) 합병, 합동; (기업의) 흡수 합병. Ⓒf. consolidation. ¶ form a ~ with …와 합병하다 / giant ~ 대형합병 / horizontal 〔vertical〕 ~ 수평적〔수직적〕 합병 / ~*s* and acquisitions (기업의) 합병과 매수 《略: M & A》 / the ~ of three companies 3사(社)의 합병.

***me·rid·i·an** [mərídiən] *n.* Ⓒ ① 자오선, 경선(經線): the first 〔prime〕 ~ 본초 자오선. ② (번영·인생 등의) 절정; 전성기: the ~ of life 한창 때, 장년(기). — *a.* 〔限定的〕 ① 자오선의: the ~ altitude 자오선 고도. ② 정오의, 한낮의: the ~ sun 정오의 태양. ③ 절정의, 전성기의: ~ fame 명성의 절정.

me·rid·i·o·nal [mərídiənəl] *a.* 〔限定的〕 ① 남부(인)의, 남 유럽《특히 남부 프랑스》의. ② 자오선의. — *n.* Ⓒ 남 유럽 사람; 특히 남프랑스인.

me·ringue [məræ̃ŋ] *n.* 《F.》 ① Ⓤ 머랭《설탕과 달걀 흰자위로 만든 과자 재료》. ② Ⓒ 그것으로 만든 과자.

me·ri·no [mərí:nou] (*pl.* **~s**) *n.* 《Sp.》 ① Ⓒ 메리노양(羊) (=∠ **shèep**). ② Ⓤ 메리노 나사; 메리노(털)실.

‡**mer·it** [mérit] *n.* ① Ⓤ 우수함, 가치: a painting of no ~ 아무 가치도 없는 그림 / a novel of great

~ 대단히 우수한 소설. ② Ⓒ 장점, 취할 점. opp. *demerit.* ¶ Frankness is one of his ~*s*. 솔직한 것이 그의 장점의 하나다 / the ~*s* or demerits of a thing 사물의 장단점. ③ Ⓒ (흔히 *pl.*) 공적, 공로, 훈공 : a man of ~ 공적이 있는 사람 / His ~*s* earned him rapid promotion. 그는 공적 때문에 빨리 승진했다. ④ Ⓒ (흔히 *pl.*) 공과, 공죄 (desert), 시비 (곡직) : consider 〔judge〕 the case on its ~*s* 사건을 시비 곡직에 따라 생각〔판단〕하다. ***make a ~ of ...*** =***take ~ to oneself for ...*** …을 제 공로인 양하다, 자랑하다. ***on one's (own) ~s*** 진가에 의해서, 실력으로.

— *vt.* …할 만하다(deserve) : He ~*s* praise 〔punishment〕. 그는 칭찬받을 만하다〔마땅히 처벌을 받아야 한다〕.

mer·i·toc·ra·cy [mèritɑ́krəsi / -tɔ́k-] *n.* ① Ⓒ 엘리트 교육 제도《월반제 등》; 능력〔실력〕주의 사회. ② Ⓤ (흔히 the ~) 〔集合的〕 엘리트 계층.

mer·i·to·ri·ous [mèritɔ́:riəs] *a.* 공적 있는 ; 가치 있는 ; 칭찬할 만한, 기특한, 갸륵한.
㊞ **~·ly** *ad.* **~·ness** *n.*

mérit sỳstem 《美》 (임용·승진의) 실적〔실력〕 본위제, 능력본위 임명제. cf. spoils system.

Mer·lin [mə́:rlin] *n.* 멀린《아서(Arthur)왕 이야기에 나오는 예언자·마술사》.

***mer·maid** [mə́:rmèid] *n.* Ⓒ 인어(人魚)《여자》.

mer·man [mə́:rmæ̀n] (*pl.* ***-men*** [-mèn]) *n.* Ⓒ 인어(人魚)《남자》(cf. mermaid).

‡**mer·ri·ly** [mérəli] *ad.* 즐겁게, 명랑하게, 유쾌하게, 흥겹게 : laugh ~ 유쾌하게 웃다.

***mer·ri·ment** [mérimənt] *n.* Ⓤ ① 흥겹게 떠들기, 환락. ② 재미있음, 즐거움.

†**mer·ry** [méri] (***-ri·er*** ; ***-ri·est***) *a.* ① 명랑한, 유쾌한, 재미있는 : a ~ person 유쾌한 사람 / a ~ laugh 명랑한 웃음 / the *Merry* Monarch 명랑한 국왕《영국왕 Charles 2 세의 속칭》. ② 떠들썩한, 웃으며 떠드는, 축제 기분의, 들뜬 : I wish you a ~ Christmas. ⇨(成句). ③ 〔敍述的〕 《英口》 거나한 : get〔feel〕 ~ 거나해지다, 거나한 기분이 되다. ◇ merriment *n.* ***(as) ~ as a cricket*** 〔***a grig, a lark***〕 매우 명랑한. ***I wish you a ~ Christmas.*** =***A ~ Christmas (to you)!*** 성탄을 축하합니다. ***make ~*** 먹고 마시며 흥겨워하다, 명랑하게 놀다. ***make ~ over*** 〔***of***〕 …을 놀리다, 조롱하다. ***The more the merrier.*** (사람이) 많을수록 더욱 즐겁다.

mer·ry-an·drew [mèriǽndru:] *n.* Ⓒ (종종 M-A-) 어릿광대, 익살꾼 ; 거리의 약장수 앞잡이.

Mérry Éngland (즐거운) 영국《★ 예로부터 영국인의 자기 나라에 대한 호칭. 이 때 merry에 깊은 뜻은 없음》.

***mer·ry-go-round** [mérigouràund] *n.* Ⓒ ① 회전 목마, 메리고라운드(carrousel) : go on〔have a ride on〕 a ~ 회전 목마를 타다. ② 급선회 ; (일 따위가) 어지럽게 부산함 : a ~ of election speeches 바쁘게 교대로 연속되는 선거 연설.

mer·ry·mak·er [-mèikər] *n.* Ⓒ 들떠서〔흥겹게〕 떠드는 사람.

mer·ry·mak·ing [-mèikiŋ] *n.* Ⓤ,Ⓒ 흥겹게 떠들기, 환락, 축제 때의 법석 ; 유쾌한 주연(酒宴).

Mer·sey·side [mə́:rzisàid] *n.* 머지사이드 주(州)《잉글랜드 북서부의 주 ; 주도 Liverpool》.

me·sa [méisə] *n.* Ⓒ 《美》 메사《주위가 절벽을 이루는 대지상(臺地狀)의 지형 ; butte보다 넓음》.

mé·sal·li·ance [meizǽliəns, mèizəlái-] *n.* Ⓒ 《F.》 지체 낮은 사람과의 결혼, 강혼(降婚). cf. misalliance.

mes·cal [meskǽl] *n.* ① Ⓤ 메스칼 술《용설란의 액을 발효시켜 만든 멕시코의 증류주》. ② Ⓒ 〖植〗 용설란(maguey). ③ Ⓒ 메스칼《선인장의 일종》.

mes·ca·line [méskəli:n] *n.* Ⓤ 메스칼린《mescal에서 뽑은 환각 작용이 있는 분말》.

mes·dames [meidɑ́:m, -dǽm] MADAME 또는 MRS.의 복수.

mes·de·moi·selles [mèidəmwəzél] MADEMOISELLE의 복수.

mesh** [meʃ] *n.* ① Ⓒ 그물눈 : a net of one inch ~ 그물눈 1인치의 그물 / a net of〔with〕 fine ~*es* (그물)눈이 고운〔밴〕 그물. ② Ⓤ,Ⓒ 망직(網織), 메시 ; 망세공, 망, 망사(網絲) : a coarse ~ 그물코가〔눈이〕 성긴 망직 / a pair of ~ shoes 메시〔망사〕 구두 한 켤레. ③ Ⓒ (흔히 *pl.*) (법률 등의) 망 ; 올가미 : be caught in the ~*es* of a spider's web 〔of the law〕 거미줄〔법망〕에 걸리다〔걸려들다〕 / be caught in the ~*es* of a woman 여자의 유혹의 손길에 걸려들다 / a ~ of lies 거짓말의 올가미 / a complex ~ of railways 복잡하게 얽히고 설킨 철도망. ***in 〔***out of***〕 ~ 톱니바퀴가 맞물려〔벗어져〕.

— *vi.* ① 톱니바퀴가 맞물다. ② (생각·성격 따위가) …와 잘 맞다〔조화되다〕《*with*》: My plan doesn't ~ *with* yours. 내 계획은 자네 계획과 잘 맞지 않는다. — *vt.* (물고기 등)을 그물로 잡다.

mes·mer·ic [mezmérik, mes-] *a.* 최면술의.

mes·mer·ism [mézmərizəm, més-] *n.* Ⓤ 최면술(hypnotism) ; 최면 상태.
㊞ **-ist** *n.* Ⓒ 최면술사.

mes·mer·ize [mézməràiz, més-] *vt.* ① …에게 최면술을 걸다. ② 〔종종 受動으로〕 …을 홀리게 하다, 매혹시키다 : I *was* ~*d* by her smile. 나는 그녀의 미소에 매료되었다.

mes(o)- '중앙, 중간'의 뜻의 결합사《모음 앞에서는 mes-》.

mes·o·carp [mézəkɑ̀:rp, més-] *n.* Ⓒ 〖植〗 중과피(中果皮).

mes·o·derm [mézədə̀:rm, més-] *n.* Ⓒ 〖生〗 중배엽(中胚葉).

Mes·o·lith·ic [mèzəlíθik, mès-] *a.* 〖考古〗 중(中)석기 시대의 : the ~ era 중석기 시대.

me·son [mí:zɑn / mí:zɔn] *n.* Ⓤ 〖物〗 중간자.

Mes·o·po·ta·mia [mèsəpətéimiə] *n.* 메소포타미아《Tigris 및 Euphrates 강 사이에 끼인 지역(지금의 이라크) ; 인류 최고(最古) 문명 발상지》.

Mes·o·po·ta·mi·an [-miən] *a.* 메소포타미아의. — *n.* Ⓒ 메소포타미아의 주민.

mes·o·sphere [mézəsfìər] *n.* (the ~) 〖氣〗 중간층《성층권과 열권(熱圈)의 중간 ; 지상 30-80 km 층》.

Mes·o·zo·ic [mèzəzóuik, mès-] *a.* 〖地質〗 중생대의(cf. Cenozoic) ; 중생계(中生界)의.
— *n.* (the ~) 중생대 ; 중생계《중생대의 지층》.

‡**mess** [mes] *n.* ① Ⓤ (또는 a ~) 혼란 (상태), 엉망, 어수선함 : Your room is *a* ~. Tidy it up. 네 방은 너무 어질러져 있다. 정돈해라 / The spilt soup made *an* awful ~ on the carpet. 수프가 엎질러져 카펫을 엉망으로 만들었다. ② (a ~) 곤란한 상태, 곤혹, 궁지, 곤경 : Our business is in *a* (fine, pretty) ~. 우리 사업은 (아주) 곤란한 지경에 있다. ③ Ⓤ (또는 a ~) (흘리거나 한) 더러운 것, 흩뜨러진 것 ; (특히, 개·고양이의) 똥, (사람이) 토한 것 : Mop up the ~. 엎지른 것을 훔치시오 / make *a* ~ on the street (개가) 거리에 똥을 누다 ; (사람이) 길에서 토하다《따위》 / The workmen cleaned up the ~ before they left. 직공들은 가기 전에 쓰레기들을 말끔히 치웠다. ***get into a ~*** 실수를 저지르다 ; 곤란 〔궁지〕에 빠지다. ***in a ~*** ⑴ 더럽혀져서 ; 어질러 놓은〔놓아〕 : The room was *in a* ~. 방이 어질러져 있었다. ⑵ 분규 〔혼란〕에 빠져 ; 쩔쩔매어, 궁지에 빠져.

make a ~ of 《口》 (1) 어지럽히다 : *make a ~ of* one's room. (2) …을 망쳐놓다 : *make a ~ of* everything 죄다 엉망으로 해놓다. ***make a ~ of it*** 실수를 저지르다. ***sell*** one***'s birthright for a ~ of pottage*** ⇨ BIRTHRIGHT.
── *vt.* ①《~+목/+목+부》 …을 어지럽히다 ; 엉망으로 만들다《*up*》: Don't ~ *up* the bed. 침대를 더럽히지 마라 / ~ *up* a room 방을 어질러 놓다 / ~ *up* matters 사태를 엉망으로 만들다. ② 《口》 …을 후려갈기다, 혼내주다《*up*》. ── *vi.* ① …에 손을 대다, 쓸데없이 참견하다《*in ; with*》: ~ *with* drugs 마약에 손을 대다 / Do*n't ~ with* me now. 이제 쓸데없는 간섭은 그만둬라. ② 함께 식사[회식]하다《*together ; with*》: The soldiers *~ed together.* 병사들은 함께 식사를 했다. ***~ around*** [***about***] 《口》 (1) 쓸데없이 해보다 ; (…에) 손을 대다《*with*》: ~ *about with* politics 정치에 손을 대다. (2) 느릿느릿 일하다, 빈둥거리다. (3) 《美》 …와 농탕치다, 성적 관계를 가지다《*with*》. (4) 《口》 (아무)를 거칠게[아무렇게나] 다루다. (5) …을 만지작거리다, 잘못 만지다《*with*》.

†mes·sage [mésidʒ] *n.* Ⓒ ① 전갈, 전하는 말, 전언 : a verbal [an oral] ~ 구두(口頭) 전언 / send a ~ by mail [wire] 우편으로 [전보로] 메시지를 보내다 / Here's a ~ to you. 당신에게 온 전갈[연락]입니다 / I got the ~ that the meeting for that night had been cancelled. 그날 밤의 모임은 취소되었다는 전갈을 받았다. ② 통신(문), 서신, 전보 : a congratulatory ~ 축전, 축사 / I got a telephone ~ to return at once. 나는 곧 돌아오라고 하는 전화를 받았다 / Wireless *~s* told us that the ship was sinking. 배가 침몰 중이라는 무전이었다. ③ 《美》 (대통령의) 교서《*to*》: the President's ~ *to* Congress 의회에 보내는 대통령의 교서. ④ (the ~) (신·예언자의) 신탁, 계시. ⑤ (문학 작품·음악·연극 등의) 주지(主旨), 요지(要旨), 의도, 교훈 : The ~ of the book is that life has no meaning. 그 책의 주지는 인생은 무의미하다는 것이다 / a movie with the ~ that crime doesn't pay 범죄는 득될 것 없다는 취지의 영화. ⑥ 〖컴〗 알림(말), 메시지《정보 처리상의 단위》. ⑦ 〖遺〗 메시지《유전 암호의 단위》. ***get the ~*** 《口》 (암시 따위의) 의미를 파악하다, 이해[납득]하다. ***send*** a person ***on a ~*** 아무를 심부름 보내다.

méssage remóte cóncentrator 〖컴〗 원격 메시지 집중기.

méssage swìtching 〖컴〗 (데이터 통신에서) 메시지 스위칭《어떤 단말(端末) 장치에서 보낸 메시지를 지정된 다른 단말 장치로 보내는 방식》: an ~ unit 메시지 스위칭 장치.

‡mes·sen·ger [mésəndʒər] *n.* Ⓒ ① 사자(使者) ; 심부름꾼 : a diplomatic ~ 외교 사절 / an Imperial ~ 칙사. ② (문서·전보 등의) 배달인 : the King's [Queen's] ~ 《英》 공문서 송달리.

méssenger RNA [-ɑ̀:rènéi] 〖生〗 전령(傳令) RNA, 메신저 리보 핵산(核酸)《略 : mRNA》.

méss hàll 《美》 (군대·공장 따위의) 식당.

Mes·si·ah [məsáiə] *n.* ① 메시아《유대 사람이 기다리는 구세주 ; 기독교에서는 예수를 이름》. ⓒⓕ Mahdi. ② (m-) Ⓒ (국가·민족 따위의) 구세주(救世主), 해방자.
㊕ **Mes·si·an·ic** [mèsiǽnik] *a.* ~의[에 관한] ; 구세주[메시아]적인.

mes·sieurs [məsjə́:rz] *n. pl.* 《F.》 제군, 여러분, …귀중《직함에 쓰일 때는 생략하여 Messrs.》.

méss kìt (군대용·캠프용의) 휴대용 식기 세트.

mess·mate [mésmèit] *n.* Ⓒ 식사를 함께 하는 사람 ; (배 또는 육해군에서의) 회식 동료, 전우.

***Messrs.** [mésərz] *n.* messieurs 의 간약형《★ Mr. 의 복수형으로 인명이 있는 회사명 앞에 씀》: ~ J. P. George & Co., J. P. 조지사(社) 귀중.

mess-up [mésʌ̀p] *n.* Ⓒ 《口》 혼란, 분규 ; 실패, 실책 : a bit of a ~ 약간의 실수[착오].

messy [mési] (***mess·i·er ; -i·est***) *a.* ① **a**) 어질러진. **b**) 더러운, 더러워진. **c**) (사람이) 꾀죄죄한. ② (일 따위가) 귀찮은, 성가신, 번잡한. ㊕ **méss·i·ly** *ad.* **-i·ness** *n.*

mes·ti·zo [mestí:zou] (*pl.* ~(***e***)***s*** ; *fem.* ***mes·ti·za*** [mestí:zə]) *n.* Ⓒ (특히 스페인 사람과 인디오의) 혼혈인, 메스티소.

Met [met] *n.* (the ~) 《口》 ① (뉴욕시의) 메트로폴리탄 미술관. ② (뉴욕시의) 메트로폴리탄 오페라 극장. ③ 런던 경찰청.

†met [met] MEET[1] 의 과거·과거분사.

meta- *pref.* after, with, change 등의 뜻《★ 모음 앞에서는 met-, 기식음(氣息音) 앞에서는 meth-》.

met·a·bol·ic, -i·cal [mètəbɑ́lik / -bɔ́l-], [-ikəl] *a.* 〖生〗 물질 교대의, 신진 대사의.

me·tab·o·lism [mətǽbəlizəm] *n.* Ⓤ 〖生〗 물질 대사, 신진 대사. ⓒⓕ catabolism.

me·tab·o·lize [mətǽbəlàiz] *vt.* …을 물질 대사로 변화시키다, 신진 대사시키다.

met·a·car·pal [mètəkɑ́:rpəl] *a.* 〖解〗 중수(中手)의. ── *n.* Ⓒ 중수골(中手骨).

met·a·car·pus [mètəkɑ́:rpəs] (*pl.* ***-pi*** [-pai]) *n.* Ⓒ 〖解〗 중수, 《특히》 손바닥뼈.

‡met·al [métl] *n.* ① Ⓤ,Ⓒ 금속 : a toy made of ~ 금속제 장난감 / a light [heavy] ~ 경[중]금속 / a precious [noble] ~ 귀금속 / a base ~ 비금속(卑金屬) / a worker in *~s* 금속 세공인(細工人). ② Ⓤ (용해 중의) 주철 ; 용해 유리《식어서 굳어지기 전의 액상 유리》. ③ Ⓤ 《英》 (도로 포장용) 쇄석(碎石) (road ~). ④ (*pl.*) 《英》 레일, 궤조(軌條) : leave [run off, jump] the *~s* (열차가) 탈선하다. ── *a.* 금속(제)의 : a ~ door.

met·a·lan·guage [métəlæ̀ŋgwidʒ] *n.* Ⓤ,Ⓒ 〖言〗 메타 언어, 언어 분석용 언어《고차(高次)의 언어[기호] 체계》.

métal detéctor 금속 탐지기.

métal fatìgue 금속 피로.

me·tal·lic [mətǽlik] (***more ~ ; most ~***) *a.* 금속(제)의 ; (소리가) 금속성의 ; (빛깔·광택이) 금속 같은 ; 쇳내 나는 : a ~ element 금속 원소 / ~ currency 경화(硬貨) / ~ luster 금속 광택 / ~ sounds 금속성의 소리. ㊕ **-li·cal·ly** *ad.*

met·al·lif·er·ous [mètəlífərəs] *a.* 금속을 산출하는[함유한] : ~ mines 광산.

met·al·lur·gic, -gi·cal [mètələ́:rdʒik], [-əl] *a.* 야금(술)의. ㊕ **-gi·cal·ly** *ad.*

met·al·lur·gist [métələ̀:rdʒist / metǽlərdʒist] *n.* Ⓒ 야금가[학자].

met·al·work [métlwə̀:rk] *n.* Ⓤ ① 〖集合的〗 금속 세공품. ② 《특히》 학과의 금속가공, 금공(金工). ㊕ **~·er** *n.* Ⓒ 금속 세공인, 금속공.

met·a·mor·phic [mètəmɔ́:rfik] *a.* 변형(變形)의 ; 변태의.

met·a·mor·phose [mètəmɔ́:rfouz, -fous] *vt.* …을 변형[변질, 변태]시키다(transform)《*to ; into*》: The country girl has been *~d into* a stunning star of the screen. 그 시골 아가씨는 은막의 화려한 스타로 변했다. ── *vi.* 변태[변형]하다《*into*》: A caterpillar *~s into* a butterfly. 모충은 나비로 변태한다.

met·a·mor·pho·sis [mètəmɔ́:rfəsis] (*pl.*

-ses [-sì:z]) *n.* U,C (초자연력에 의한) 변형〔변신〕(작용) 《*into*》: the ~ tadpoles *into* frogs 올챙이의 개구리에로의 변태.

met·a·nal·y·sis [mètənǽləsis] (*pl.* ***-ses*** [-sì:z]) *n.* U,C 〖言〗 이분석(異分析)《보기: ME *an ekename*>Mod. E *a nickname*》.

***met·a·phor** [métəfɔ̀:r, -fər] *n.* U,C 〖修〗 은유(隱喩), 메타포: a mixed ~ 혼유(混喩). ★ simile (직유)같이 like, as 따위를 쓰지 않고, '비교'의 뜻이 암시만 되어 있는 비유: a heart of stone《a heart *as hard as stone* 은 simile》; Life is a journey. 따위.

met·a·phor·i·cal [mètəfɔ́(:)rikəl, -fár-] *a.* 은유적〔비유적〕인. ㊎ **-i·cal·ly** *ad.* 은유적으로.

***met·a·phys·i·cal** [mètəfízikəl] *a.* ① 형이상학의, 순수 철학의. ② (종종 M-) (시인이) 형이상파(派)의: the ~ poets 형이상파 시인. ③《蔑》극히 추상적인, 매우 난해한. ── *n.* (the Metaphysicals) 형이상학파 시인들. ㊎ **~·ly** *ad.*

met·a·phy·si·cian [mètəfizíʃən] *n.* C 형이상학자, 순정(純正)철학자.

***met·a·phys·ics** [mètəfíziks] *n.* U ① 형이상학. ② (난해한) 추상론, 탁상 공론.

met·a·se·quoia [mètəsikwɔ́iə] *n.* C 〖植〗 메타세쿼이아《살아 있는 화석이라고 일컬어짐》.

me·tas·ta·sis [mətǽstəsis] (*pl.* ***-ses*** [-sì:z]) *n.* U,C 〖醫〗 (암세포 등의) 전이(轉移).

met·a·tar·sal [mètətá:rsəl] *n.* C, *a.* 〖解〗 척골(의): ~ bone 척골. ㊎ **~·ly** *ad.*

met·a·tar·sus [mètətá:rsəs] (*pl.* ***-si*** [-sai]) *n.* C 〖解·動〗 척골(蹠骨).

me·tath·e·sis [mətǽθəsis] (*pl.* ***-ses*** [-sì:z]) *n.* U,C 〖文法〗 소리〔글자〕 자리의 전환《보기: OE b*ri*d> Mod. E b*ir*d》.

Met·a·zoa [mètəzóuə] *n. pl.* 후생(後生) 동물. ㊎ **mèt·a·zó·an** *n., a.* 후생동물(의).

mete [mi:t] *vt.* ①《文語》(벌·보수 따위)를 할당하다, 주다(allot)《*out*》: ~ *out* penalties to the offenders 위반자들에게 벌을 주다.

me·tem·psy·cho·sis [mətèm*p*səkóusis, mètəmsai-] (*pl.* ***-ses*** [-sì:z]) *n.* U,C (영혼의) 재생, 윤회(輪廻). ㊎ **-sist** *n.*

***me·te·or** [mí:tiər, -tiɔ̀:r] *n.* C ① 유성(流星), 별똥별(shooting star); 운석. ②〖氣〗 대기 현상《무지개·번개·눈 따위》.

me·te·or·ic [mì:tiɔ́(:)rik, -ár-] *a.* ① 유성의, 별똥별의: ~ iron 운철 / a ~ stone 운석. ② 유성과 같은, 잠시 반짝하는〔화려한〕: a ~ rise to power〔stardom〕 순식간에 권력〔스타〕의 자리에 오르는 일. ③ 대기의, 기상상의: ~ water 강수(降水). ㊎ **-i·cal·ly** *ad.*

***me·te·or·ite** [mí:tiəràit] *n.* C 운석(meteor).

me·te·or·oid [mí:tiərɔ̀id] *n.* C 〖天〗 운성체; 유성체(流星體).

***me·te·or·o·log·i·cal** [mì:tiərəládʒikəl / -lɔ́dʒ-] *a.* 기상(氣象)의, 기상학상(上)의: a ~ balloon 기상 관측 기구 / a ~ satellite 기상 위성 / a ~ station 측후소 / a ~ report 일기 예보 / ~ optics 기상 광학. ㊎ **~·ly** [-əli] *ad.*

Meteorológical Óffice (the ~)《英》기상청(《美》 Weather Bureau;《英口》 the Met Office).

me·te·or·ol·o·gy [mì:tiərálədʒi / -rɔ́l-] *n.* U 기상학: *Meteorology* is used to forecast the weather. 기상학은 일기를 예보하는데 이용된다. ㊎ **-gist** [-dʒist] *n.* 기상학자.

‡me·ter[1], 《英》 **-tre** [mí:tər] *n.* C 미터《미터법에서 길이의 단위; 100 cm; 기호 m》.

me·ter[2], 《英》 **-tre** [mí:tər] *n.* ①〖韻〗 **a)** C 보격(步格)《운율의 단위》. **b)** U 운율. ② U 〖樂〗 박자.

***me·ter**[3] *n.* C (자동) 계(량)기, 미터《가스·수도 따위의》: an electric〔a gas〕 ~ 전기〔가스〕 계량기 / a water ~ 수도 계량기.

-meter *suf.* '계기', 미터법의 '미터' 또는 운율학의 '각수(脚數)'의 뜻: baro*meter*; kilo*meter*; penta*meter*.

méter màid 주차 위반을 단속하는 여성 경관.

meth·ane [méθein] *n.* U 〖化〗 메탄, 소기(沼氣).

meth·a·nol [méθənɔ̀:l, -nòul, -nàl] *n.* U 〖化〗 「메탄올.

me·thinks [miθíŋks] (*p.* ***me·thought*** [miθɔ́:t]) *vi.* 《古·詩·戲》 나에게는 생각된다, 생각건대 …이다(it seems to me).

‡meth·od [méθəd] *n.* ① C 방법, 《특히》 조직적 방법, 방식: after the American ~ 미국식으로 / ~*s* of payment 지급〔지불〕 방법 / a ~ of learning English 영어 학습법 / He has introduced a new ~ of teaching foreign languages. 그는 새로운 외국어 교수법을 소개했다 / Travelling by train is still one of the safest ~*s* of transport. 기차여행이 아직도 가장 안전한 운송수단의 하나다. ② U (일을 하는) 순서, 질서; 체계: read with〔without〕 ~ 체계적으로 독서하다〔닥치는대로 읽다〕/ He works with〔without〕 ~. 그는 순서있게〔되는대로〕 일을 한다 / a man of ~ 찬찬한 사람. ***There is ~ in his madness.*** 미친 것 치고는 조리가 있다, 보기처럼 무모하지는 않다《Shakespeare 작 *Hamlet* 에서》.

me·thod·i·cal [məθádikəl / miθɔ́d-] *a.* ① 질서 있는, 질서 정연한(orderly), 조직적인(systematic): ~ arrangement 질서 있는 배열. ② (사람·행동 등이) 규칙〔규율〕 바른, 꼼꼼한. ㊎ **-i·cal·ly** [-kəli] *ad.*

Meth·od·ism [méθədìzəm] *n.* U 감리교파, 메서디스트파; 메서디스트파의 교의(敎義).

***Meth·od·ist** [méθədist] *n.* C 메서디스트, 감리교도〔신자〕. ── *a.* 감리교도〔파〕의.

meth·od·ize [méθədàiz] *vt.* …을 방식〔조직〕화하다, 순서〔질서〕를 세우다.

meth·od·ol·o·gy [mèθədálədʒi / -dɔ́l-] *n.* U,C 방법론. ㊎ **meth·od·o·log·i·cal** [mèθədəládʒikəl / -lɔ́dʒ-] *a.* 방법론의〔적인〕. **-i·cal·ly** *ad.*

Me·thu·se·lah [miθjú:zələ] *n.* ①〖聖〗 므두셀라《969 세까지 살았다는 전설상의 사람; 창세기 V: 27》. ② (m-) 장수하는 사람. ③ C 므두셀라병《보통 병의 8병들이 포도주병》. 「(木精).

meth·yl [méθəl] *n.* U 〖化〗 메틸(기(基)), 목정

méthyl álcohol 〖化〗 메틸알코올(methanol).

méth·yl·at·ed spírit(s) [méθəlèitid-] 변성알코올《마실 수 없음; 램프·히터용》.

me·tic·u·lous [mətíkjələs] *a.* 《口》 (주의 따위가) 지나치게 세심한, 매우 신중한; 소심한; 꼼꼼한: a ~ account 너무 상세한 설명 / He's ~ in his work. 그는 일에 매우 신중하다. ㊎ **~·ly** *ad.* 너무 세심하게, 지나치게 소심하여. **~·ness** *n.*

mé·tier [méitjei, -ˊ] *n.* C 《F.》 직업, 일; 전문(분야), 장기; 자신 있는 분야, 전문 기술: She tried painting but found her ~ in music. 그녀는 회화를 해보려고 했으나 음악에 장기가 있는 것을 알았다. 「LOGICAL OFFICE.

Mét òffice (the ~) 《英口》 = METEORO-

me·ton·y·my [mitánəmi / -tɔ́n-] *n.* U,C 〖修〗 환유(換喩)(법) 《king 을 crown, writer 를 pen 으로 나타내는 따위》. cf synecdoche.

me-too [mí:tú:] *a.* 〔限定的〕《美口》 흉내내는, 모

방하는 : a ~ price hike 편승 가격 인상.
[파] ~·ism [-izəm] n. [U] 모방(주의).
‡metre ⇨METER¹.
***met·ric** [métrik] a. 미터(법)의.
go ~ 미터법을 채용하다.
met·ri·cal [métrikəl] a. 운율의, 운문의.
[파] ~·ly [-kəli] *ad.*
met·ri·cate [métrikèit] *vt.* …을 미터법으로 하다. — *vi.* 미터법을 채용하다.
met·ri·ca·tion [mètrəkéiʃən] n. [U] (도량형의) 미터법 환산.
met·ri·cize [métrəsàiz] *vt.* (도량형)을 미터법으로 고치다〔나타내다〕.
met·rics [métriks] n. [U] 운율학, 작시법.
métric sỳstem (the ~) 미터법.
métric tón 미터톤《1,000 kg》.
met·ro, Mét- [métrou] n. (the ~) (Paris, Montreal, Washington, D.C. 등지의) 지하철 : by ~ 지하철로.
Met·ro-Gold·wyn-May·er [-gòuldwinméiər] n. 메트로 골드윈 메이어《미국 Hollywood에 있는 영화 회사 ; 略 : MGM》.
Met·ro·lin·er [métroulàinər] n. 《美》 Amtrak의 고속철도《New York과 Washington, D.C. 사이의》.
me·trol·o·gy [mitrálədʒi / -trɔ́l-] n. [U] 도량형학.
met·ro·nome [métrənòum] n. [C] 〖樂〗 메트로놈, 박절기(拍節器).
met·ro·nom·ic [mètrənámik / -nɔ́m-] a. 메트로놈의 ; (템포가) 기계적으로 규칙 바른.
‡me·trop·o·lis [mitrápəlis / -trɔ́p-] (*pl.* ~·*es*) n. ① [C] 수도(capital). ② [C] 주요도시, 대도시, (활동의) 중심지 : a ~ of religion 종교의 중심지. ③ (the M-) 《英》 런던.
‡met·ro·pol·i·tan [mètrəpálitən / -pɔ́l-] a. ① 수도의 ; 대도시의 ; 도시(인)의, 도시 같은 : the ~ area 수도권 / ~ newspapers (지방지에 대하여) 중앙지. ② (M-) 런던의 : the *Metropolitan* Police 런던 경찰청《★ 줄여서 the Met라 함》.
— n. [C] ① 수도〔대도시〕 주민 ; 도시 사람. ② = METROPOLITAN BISHOP.
metropólitan bíshop 〖敎會〗 수도 대주교〔대감독〕.
-metry '…측정법〔술, 학〕'의 뜻의 결합사 : geo*metry*, psycho*metry*.
met·tle [métl] n. [U] 용기 ; 기개, 혈기, 근성 : a man of ~ 기개 있는 사람 / try 〔test〕 a person's ~ 아무의 근성을 알아보다. ***put*** 〔***set***〕 a person ***to*** 〔***on, upon***〕 ***his*** ~ 아무를 분발시키다.
met·tle·some [-səm] a. 기운찬, 위세〔용기〕 있는, 혈기 왕성한(high-mettled).
meu·nière [mənjέər] a. 《F.》 〖料〗 뫼니에르로 한《밀가루를 발라 버터로 구운》 : sole ~ 넙치 뫼니에르.
MeV, Mev, mev [mev] n. [C] 메가 전자(電子) 볼트. [◂ *m*illion *e*lectron *v*olts]
mew¹ [mju:] n. [C] 야옹(meow)《고양이의 울음소리》 ; 갈매기 울음 소리. — *vi.* 야옹하고 울다.
mew² n. [C] 갈매기(흔히 sea ~).
mewl [mju:l] *vi.* (갓난애 등이) 가날프게 울다.
mews [mju:z] n. *pl.* 〔單數 취급〕 《英》 ① (옛날 주택가의 골목길 양쪽이나 빈터 주위에 늘어선) 마구간. ② (이것을 개조한) 아파트 ; 또, 이런 아파트가 있는 지역.
Mex. Mexican ; Mexico.
‡Mex·i·can [méksikən] a. 멕시코의 ; 멕시코인〔어〕의. — n. ① [C] 멕시코인. ② [U] 멕시코어.
‡Mex·i·co [méksikòu] n. 멕시코《북아메리카 남부의 공화국 ; 수도 Mexico City》.
México Cíty 멕시코시티《멕시코의 수도》.
mez·za·nine [mézəni:n] n. [C] ① 〖建〗 (층 높이가 낮은 발코니풍의) 중이층(中二層)(entresol). ② **a)** 〖美劇〗 2층 정면 좌석. **b)** 《英》 무대 밑.
mez·zo [métsou, médzou] *ad.* 《It.》 〖樂〗 알맞게. — n. 《口》 =MEZZO-SOPRANO.
mézzo fórte 〖樂〗 조금 세게《略 : mf》.
mézzo piáno 〖樂〗 조금 여리게《略 : mp》.
mez·zo-ri·lie·vo [métsourilí:vou, médzou-] (*pl.* ~*s*) n. [U,C] 《It.》 반(半)돋을새김, 중부조(中浮彫). [cf.] relievo.
mez·zo-so·pra·no [métsousəprǽnou, -prá:nou, médzou-] (*pl.* ~*s*, *-pra·ni* [-prǽni:, -prá:ni:]) n. 《It.》 〖樂〗 ① [U] 메조소프라노, 차고음(次高音). ② [C] 메조소프라노 가수.
mez·zo·tint [métsoutìnt, médz-] n. ① [U] 메조틴트〔그물눈〕 동판술《선보다도 명암을 주조(主調)로 하는 부드러운 느낌의 동판술의 하나》. ② [C] 그 판화, 메조틴트 판화.
MF, M.F. Middle French. **MF, mf, m.f.** medium frequency(중파). **mf** 〖樂〗 mezzo forte. **mfd.** manufactured. **mfg.** manufacturing. **Mg** 〖化〗 magnesium. **mg** milligram(s). **Mgr.** (*pl.* ***Mgrs.***) Manager ; Monseigneur ; Monsignor. **mgr(.)** manager. **M.H.R.** Member of the House of Representatives《하원 의원》. **MHz, Mhz** megahertz.
***mi** [mi:] n. [U,C] 《It.》 〖樂〗 미《장음계의 제 3 음》, 마음(音).
MI 〖美郵〗 Michigan. **M.I.** 《英》 Military Intelligence (군사 정보부). **mi.** mile(s) ; mill(s). **M.I.A., MIA** 〖軍〗 missing in action(전투 중 행방불명된 병사〔미국인〕).
Mi·ami [maiǽmi] n. 마이애미《미국 Florida 주 남동부의 행락지》.
mi·aow [miáu, mjau] n. [C] =MEOW.
mi·as·ma [maiǽzmə, mi-] (*pl.* ~*s*, ~·*ta* [-mətə]) n. [C] ① (늪에서 나오는) 독기, 소기(沼氣), 장기(瘴氣). ② 불쾌한 냄새. ③ 악영향(을 주는 분위기). [파] **mi·as·mat·ic** [màiəzmǽtik, mi-] a. 독기의, 유독한 : *miasmatic* fever 말라리아열.
Mic. 〖聖〗 Micah.
mi·ca [máikə] n. [U] 〖鑛〗 운모, 돌비늘.
Mi·cah [máikə] n. 〖聖〗 ① 미가《헤브라이의 예언자》. ② 미가서《구약성서 중의 한 편 ; 略 : Mic.》.
‡mice [mais] MOUSE의 복수.
Mich. Michaelmas ; Michigan.
Mi·chael [máikəl] n. ① 마이클《남자 이름 ; 애칭 Mickey, Mike》. ② 〖聖〗 미가엘《대천사의 하나》.
Mich·ael·mas [míkəlməs] n. 미가엘 축일《9월 29일 ; 영국에선 사계(四季)〔4분기〕 지불일(quarter days)의 하나》 : ~ goose 미가엘 축일에 먹는 거위.
Míchaelmas dàisy 〖植〗 =ASTER.
Míchaelmas tèrm 〖英大學〗 (흔히 the ~) 제 1 학기, 가을학기《10월초에서 크리스마스까지의》.
***Mi·chel·an·ge·lo** [màikəlǽndʒəlòu, mìk-] n. **Buonarroti** ~ 미켈란젤로《이탈리아의 조각가 · 화가 · 건축가 · 시인 ; 1475-1564》.
***Mich·i·gan** [míʃigən] n. ① 미시간《미국 중북부의 주 ; 略 : Mich., 〖郵〗 MI》. ② (Lake ~) 미시간호《5대호의 하나》.
Mick [mik] n. [C] (*or* m-) ① 《英俗 · 蔑》 아일랜드 사람. ② 로마 가톨릭 교도.
mick·ey [míki] n. 〔흔히 다음 成句로〕 ***take the*** ~ ***(out of . . .)*** 《英口》 …을 놀리다 ; 바보 취급

하다.
Míckey Fínn 《俗》 마취제〔완하제〕가 든 술.
Míckey Mòuse ①〔名詞的〕 미키 마우스《W. Disney 의 만화 주인공》. ②〔形容詞的 ; 限定的〕 (때로 m- m-) **a)** 《美俗》 (음악 등이) 감상적인, 단조로운. **b)** 싸구려의 ; 시시한 ; 흔해 빠진.
mick·le, muck·le [míkəl], [mʌ́kəl] 《古·Sc.》 *a.* 많은, 다량의 ; 큰. — *n.* (a ~) 대량, 다액(多額) : Many a little 〔pickle〕 makes *a* ~. 《俗談》 티끌 모아 태산.
mi·cra [máikrə] MICRON 의 복수.
micro- '소(小), 미(微), 〖電〗 100만분의 1…'의 뜻의 결합사 : *micro*chip. opp. *macro-*.
mi·cro [máikrou] (*pl.* ~*s*) *n.* Ⓒ 《口》 마이크로 컴퓨터, 소형 전산기.
mi·cro·a·nal·y·sis [màikrouənǽləsis] *n.* Ⓤ,Ⓒ ①〖化〗 미량 분석. ②〖經〗 미시(적) 분석.
***mi·crobe** [máikroub] *n.* Ⓒ 세균 ; 미생물 : ~ bombs 〔warfare〕 세균탄〔전〕.
mi·cro·bi·ol·o·gy [màikroubaiɑ́lədʒi / -ɔ́l-] *n.* Ⓤ 미생물학(bacteriology). ㊕ **-bio·lóg·i·cal** *a.*
mi·cro·bus [máikroubʌ̀s] *n.* Ⓒ 마이크로버스.
mi·cro·chip [máikroutʃìp] *n.* Ⓒ 〖電子〗 마이크로칩《직접 회로를 프린트한 반도체 박편(薄片)》.
mi·cro·cir·cuit [màikrousə́:rkit] *n.* Ⓒ 〖電子〗 초소형 회로, 집적(集積) 회로(integrated circuit).
mi·cro·com·put·er [màikroukəmpjú:tər] *n.* Ⓒ 〖컴〗 소형 전산기.
mi·cro·copy [máikroukɑ̀pi / -kɔ̀pi] *n.* Ⓒ 축소 복사(물)《서적·인쇄물을 microfilm 으로 축사(縮寫)한 것》.
mi·cro·cosm [máikroukɑ̀zəm / -kɔ̀z-] *n.* Ⓒ ① 소우주, 소세계. opp. *macrocosm.* ② **a)** (우주 축도로서의) 인간 (사회). **b)** 축도(*of*).
mi·cro·cos·mic [màikrəkɑ́zmik / -kɔ́z-] *a.* 소우주의, 소세계의. ㊕ **-i·cal·ly** *ad.*
mi·cro·ec·o·nom·ics [màikroui:kənɑ́miks / -nɔ́m-] *n.* Ⓤ 미시(적) (微視(的)) 경제학. opp. *macroeconomics.* ㊕ **-nom·ic** *a.*
mi·cro·e·lec·tron·ics [màikrouilèktrɑ́niks / -trɔ́n-] *n.* Ⓤ 마이크로 일렉트로닉스, 극소 전자 공학, 초소형 전자 기술.
mi·cro·far·ad [màikrəfǽrəd] *n.* Ⓒ 〖電〗 마이크로 패럿《100 만분의 1 패럿 ; 기호는 μF》.
mi·cro·fiche [máikrəfi:ʃ] *n.* Ⓤ,Ⓒ 마이크로피시《여러 페이지분을 수록하는 마이크로필름 카드》.
mi·cro·film [máikrəfilm] *n.* Ⓤ,Ⓒ 축사(縮寫) 필름, 마이크로필름 : Let's put it on ~. 그것을 마이크로필름에 촬영해 두자. — *vt.* …을 축사 필름에 찍다.
mi·cro·form [máikrəfɔ̀:rm] *n.* Ⓤ 인쇄물의 극소 축쇄법 ; 그 인쇄물(microcopy).
mi·cro·gram [máikrəgræ̀m] *n.* Ⓒ 마이크로 그램《100만분의 1그램》.
mi·cro·graph [máikrəgræ̀f, -grɑ̀:f] *n.* 현미경 사진〔그림〕. opp. *macrograph.*
mi·cro·groove [máikrəgrù:v] *n.* Ⓒ (LP 판의) 좁은 홈.
mi·cro·mesh [máikroumèʃ] *n.* Ⓤ 그물코가 아주 미세한 스타킹용의 재료《나일론 따위》.
mi·crom·e·ter [maikrɑ́mətər / -krɔ́-] *n.* Ⓒ 마이크로미터, 측미계(測微計) ; 측미 캘리퍼스.
mi·cro·mini [màikroumíni] *a.* = MICROMINIATURE. — *n.* Ⓒ ① 초소형의 것. ② 초미니 스커트. ③ = MICROMINICOMPUTER.
mi·cro·min·i·a·ture [màikroumíniətʃər] *a.* (전자 부품이) 초소형의.
mi·cro·mi·ni·com·put·er [màikroumínikəmpjù:tər] *n.* Ⓒ 마이크로 미니컴퓨터《16 비트 이상의 마이크로 프로세서를 쓴 것》.
mi·cron [máikrɑn / -krɔn] (*pl.* ~*s*, *-cra* [-krə]) *n.* Ⓒ 미크론《1 m 의 100 만분의 1 ; 기호 μ》.
Mi·cro·ne·sia [màikrəní:ʒə, -ʃə] *n.* 미크로네시아《태평양 서부 Melanesia 의 북쪽에 퍼져 있는 작은 군도 ; Mariana, Caroline, Marshall, Gilbert 따위의 제도를 포함》.
Mi·cro·ne·sian [màikrəní:ʒən, -ʃən] *a.* 미크로네시아(사람, 어군(語群))의. — *n.* ① Ⓒ 미크로네시아 사람. ② Ⓤ 미크로네시아 어군.
mi·cro·or·gan·ism [màikrouɔ́:rgənìzəm] *n.* Ⓒ 미생물《박테리아 따위》.
‡**mi·cro·phone** [máikrəfòun] *n.* Ⓒ 마이크(로폰)(mike) : speak into a ~ 마이크로 말하다 / a concealed 〔hidden〕 ~ 비밀 마이크.
mi·cro·pho·to·graph [màikrəfóutəgræ̀f, -grɑ̀:f] *n.* Ⓒ 마이크로〔축소〕 사진(photomicrograph).
mi·cro·proc·ess [màikrouprɑ́ses / -próu-] *vt.* (데이터)를 마이크로프로세서로 처리하다.
mi·cro·próc·ess·ing ùnit [màikrouprɑ́sesiŋ- / -próu-] 〖컴〗 소형 처리 장치.
mi·cro·proc·es·sor [màikrouprɑ́sesər / -próu-] *n.* Ⓒ 마이크로프로세서《소형 전산기의 중앙 처리 장치》.
mi·cro·read·er [máikrouri:dər] *n.* Ⓒ 마이크로리더《마이크로필름 확대 투사 장치》.
‡**mi·cro·scope** [máikrəskòup] *n.* Ⓒ 현미경 : a binocular ~ 쌍안 현미경 / an electron ~ 전자 현미경 / focus a ~ 현미경의 초점을 맞추다 / Bacteria can be seen through a ~. 박테리아는 현미경으로 보인다 / He examined a drop of blood under the ~. 그는 혈액 한 방울을 현미경으로 검사했다. ***put . . . under the*** ~ …을 세밀히 살피다.
***mi·cro·scop·ic, -i·cal** [màikrəskɑ́pik / -skɔ́p-], [-əl] *a.* ①〔限定的〕 현미경의〔에 의한〕 : a ~ examination 현미경 검사 / a ~ photograph 현미경 사진. ②《口》 극히 작은, 최소형의 : a ~ organism 미생물. ③ (연구 등이) 지극히 세세한 데까지 미치는, 미시적(微視的)인. opp. *macroscopic.* ㊕ **-i·cal·ly** [-kəli] *ad.* 현미경(적)으로.
mi·cros·co·py [maikrɑ́skəpi / -krɔ́s-] *n.* Ⓤ ① 현미경 사용(법). ② 현미경에 의한 검사 : by ~ 현미경 검사로.
mi·cro·sec·ond [máikrəsèkənd] *n.* Ⓒ 마이크로세컨드《100 만분의 1 초》.
mi·cro·state [máikroustèit] *n.* Ⓒ 극소(極少) (독립) 국가《Monaco, Nauru 등》.
mi·cro·sur·gery [màikrousə́:rdʒəri] *n.* Ⓤ 현미(顯微)수술《현미경을 이용한 미세한 수술》.
mi·cro·wave [máikrouwèiv] *n.* Ⓒ ① 마이크로파(波), 극초단파《파장이 1 mm-30 cm의》. ② = MICROWAVE OVEN. — *vt.* (음식)을 전자 레인지로 요리하다.
mícrowave òven 전자 레인지.
mid**[1] [mid] (míd·most***) *a.* 〔限定的〕 중앙의, 가운데(복판)의, 중간의 : the ~ finger 중지(中指) / ~-October 10 월 중순경 / in ~ air ⇨ MIDAIR / in ~ career 〔course〕 중도에 / in ~ summer 한여름에.
mid[2], **'mid** *prep.* 《詩》 = AMID.
mid. middle ; midshipman.
mid·af·ter·noon [mídæftərnú:n, -ɑ̀:ft-] *n.* Ⓤ 오후의 중간쯤《대략 3-4 p.m. 전후》.
mid·air [midέər] *n.* Ⓤ 공중 : a ~ collision 공중 충돌 / ~ refueling 공중 급유. ***in*** ~ 공중에

(서), 공중에 매달린 상태로.

Mi·das [máidəs] *n.* 〖그神〗 미다스《손에 닿는 모든 것을 황금으로 변하게 했다는 Phrygia의 왕》.

Mídas tòuch (the ~) 돈 버는 재주, 투기적 사업을 유리하게 하는 능력.

Mid-At·lan·tic [mídətlǽntik] *a.* (말·태도·행동 따위가) 영미 절충적인 : ~ English 영미 공통 영어.

mid·course [mídkɔ̀ːrs] *n.* Ⓒ ① 코스의 중간점. ② (로켓의) 중간 궤도. ── *a.* 중간 궤도의 : a ~ correction (guidance) 중간 궤도 수정(유도).

***mid·day** [míddèi, ∸∸] *n.* Ⓤ 정오, 한낮 : at ~ 정오에. ── *a.* (限定的) 정오의, 한낮의 : a ~ meal (nap) 점심 식사(낮잠).

mid·den [mídn] *n.* Ⓒ ①〖考古〗 패총, 조개무지 (kitchen ~). ② 퇴비(dunghill). ③ 쓰레기 더미.

†mid·dle [mídl] *a.* (限定的) ① 한가운데의, 중간의(medial), 중앙의 : stand in the ~ row 가운뎃줄에 서다 / She is in her ~ thirties. 그녀는 30대 중반이다 / He is the ~ child of the five. 그는 5형제의 가운데 자식이다. ② 중위(中位)의, 중류의, 중등의, 보통의 : a man of ~ stature (height) 중키의 남자 / a ~-sized dog 중형 개 / follow(take) a (the) ~ course 중용을(중도를) 취하다. ③ (M-) 〖言〗 (언어사(史)에서) 중기의 : ⇨ MIDDLE ENGLISH.
── *n.* ① (the ~) 중앙, 한가운데 ; 중간(부분) ; 중도 : *the* ~ of the room 방 한 가운데 / in *the* ~ of the summer 한여름에 / Don't stand in *the* ~ of the road. 길 한가운데 서지 마라 / She is in *the* ~ of work. 그녀는 한창 일하는 중이다 / about *the* ~ of the 19th century, 19세기 중엽. ② (the ~, one's ~) 《口》 (인체의) 몸통, 허리 : fifty inches (a)round *the* ~ 허리 둘레 50인치 / become fat around *the* ~ 허리 부위가 뚱뚱해지다, 배가 나오다 / The punch caught him in *the* ~. 펀치는 그의 배에 맞았다. ***at the ~ of*** …의 중간(도중)에. ***in the ~ of*** …의 한가운데에 ; …을 한창 하는 중에, …에 몰두하여 : be *in the ~ of* dinner 한창 식사중이다. ***in the ~ of nowhere*** 《口》 마을에서 먼 곳에, 인적이 드문 곳에. ***of ~ size*** 중 정도(보통) 크기의.

míddle áge 중년, 장년, 초로《대개 40-60세》.

‡mid·dle-aged [mídléidʒd] *a.* 중년의 : a ~ woman 중년의 여성.

míddle-age(d) spréad 중년에 배가 나옴.

Míddle Áges (the ~) 〖史〗 중세(기).

Míddle América 중부 아메리카《멕시코 및 중앙 아메리카와 때로는 서인도 제도를 포함》.

míddle árticle 《英》 (신문·잡지 등의) 문학적 수필《사설과 평론의 중간에 싣는》.

Míddle (Atlántic) Státes (the ~) New York, New Jersey, Pennsylvania의 3주(州).

mid·dle·brow [-bràu] *n.* Ⓒ 교양(지식)이 중 정도인 사람. ── *a.* (限定的) 교양(지식)이 중 정도의.

míddle cláss (the ~(es)) (集合的) 중류 (중산) 계급(의 사람들) : *the* upper (lower) ~(*es*) 중류 상층(하층) 계급.

***mid·dle-class** [-klǽs, -klɑ́ːs] *a.* 중류(중산) (계급)의.

míddle cóurse 중도(中道), 중용 : follow (take, steer) a (the) ~ 중용을(중도를) 취하다 (따르다).

míddle dístance (the ~) ①〖畫〗 (특히 풍경화의) 중경(中景). Ⓒf. background, foreground. ②〖競〗 중거리《보통 400-800 m 경주》.

míddle éar 〖解〗 (종종 the ~) 중이(中耳).

Míddle Éast (the ~) 중동《흔히 리비아에서 아프가니스탄까지의 지역을 이름》.

Míddle Éastern 중동의.

Míddle Énglish 중세 영어《약 1150-1500년 ; 略 : ME》.

mid·dle·man [-mæ̀n] (*pl.* ***-men*** [-mèn]) *n.* Ⓒ ① 중간 상인, 브로커 : the profiteering of the ~ 중간 상인의 폭리 취득. ② 중개인, 중매인, 매개자 : act as a ~ in negotiations 교섭에서 중개인으로서 수고하다. ③ 중도를 가는 사람.

míddle mánagement ① (기업의) 중간 관리직. ② (the ~) (集合的) 중간 관리자들《부·국장급》. Ⓒf. executive.

míddle mánager 중간 관리자.

mid·dle·most [-mòust] *a.* 한가운데의(midmost).

***míddle nàme** ① 미들네임《first name과 family name 사이의 이름 ; George Bernard Shaw의 Bernard》. ② (one's ~) 《口》 두드러진 특징, 눈에 띄는 성격 : Modesty is *her* ~. 겸손함이 그녀의 특징이다.

mid·dle-of-the-road [-əvðəróud] *a.* 중용(中庸)의, 온건파의《정책 따위》《略 : MOR》.

mid·dle-of-the-road·ism [-izəm] *n.* Ⓤ 중용주의.

Mid·dle·sex [mídlsèks] *n.* 미들섹스《이전의 잉글랜드 남부의 주 ; 1965년 Greater London에 편입》.

mid·dle-sized [-sáizd] *a.* 중형의, 보통 크기의, 중키에 알맞게 살찐.

mid·dle·weight [mídlwèit] *n.* Ⓒ ① 평균 체중인 사람(짐승). ②〖拳·레슬링·力道〗 미들급 선수.

Míddle Wést (the ~) 《美》 중서부 지방 : The two great rivers of the ~ rise in the mountains of Wyoming. 중서부 지방의 거대한 두 강은 와이오밍 주의 산악에서 시작된다.

Míddle Wéstern 《美》 중서부의.

mid·dling [mídliŋ] *a.* 중등의, 보통의, 2류의, 평범한 ; 《口·方》 (건강 상태가) 그저 그런(그만인) : of ~ size 보통 크기의 / The business is going fair to ~. 장사는 그저 웬만큼 돼 갑니다 / I feel only ~. 기분은 그저 그렇습니다.
── *ad.* 《口·方》 중간으로, 보통으로, 웬만큼.
── *n.* (흔히 *pl.*) (상품의) 중등품, 2급품 ; (밀기울 섞인) 거친 밀가루.

Middx. Middlesex.

mid·dy [mídi] *n.* Ⓒ ① 《口》 = MIDSHIPMAN. ② = MIDDY BLOUSE.

míddy blòuse (여성·어린이용) 세일러복.

Mid·east [mídíːst] *n.* (the ~) 《美》 = MIDDLE EAST. ㊕ **~·ern** [-ərn] *a.*

mid·field [mídfìːld] *n.* Ⓤ 〖美蹴〗 미드필드, 경기장의 중앙부. ㊕ **~·er** *n.* Ⓒ 미드필더《주로 그라운드의 중앙에서 플레이함》.

midge [midʒ] *n.* Ⓒ ① (모기·각다귀 등) 작은 곤충. ② (몸집이) 작은 사람, 꼬마(둥이).

midg·et [mídʒit] *n.* Ⓒ ① (서커스의) 난쟁이. ② 초소형(超小型)의 것《자동차·보트·잠수정》.
── *a.* (限定的) 극소형의 : a ~ car (plane) 소형차(비행기) / a ~ lamp 꼬마 전등.

MIDI [mídi] *n.* Ⓒ 미디《신시사이저(synthesizer) 따위의 전자 악기를 컴퓨터로 제어하기 위한 인터페이스》. ── *a.* 미디(시스템)의, 미디 대응의 : a ~ synthesizer 미디 신시사이저. [◂ *m*usical *i*nstrument *d*igital *i*nterface]

midi [mídi] *n.* Ⓒ 미디스커트(드레스, 코트 (따위))《길이가 장만지까지 오는》.

mid·i·skirt [∸skə̀ːrt] *n.* Ⓒ 미디스커트.

mid·land [mídlənd] *n.* ① (the ~) (나라의) 중부 지방, 내륙 지방. ② (the M-s) 잉글랜드 중부의 제주(諸州). ── *a.* 〔限定的〕 ① (나라의) 중부(지방)의. ② (M-) 잉글랜드 중부(지방)의.

Mídland díalect (the ~) 영국 중부 지방의 방언《런던을 포함하여 동부지방(East Midland) 방언이 근대영어의 표준이 되었음》.

mid-life [mídlàif] *n.* Ⓤ 중년(middle age) : Men tend to put on weight in ~. 남자는 중년에 체중이 느는 경향이 있다. 「실》.

míd-life crìsis 중년의 위기《중년기의 자신 상

mid·most [mídmòust] *a., ad.* 한가운데의〔에〕, 제일 가운데의〔에〕.

‡**mid·night** [mídnàit] *n.* Ⓤ 한밤중, 밤 12시 : at ~ 한밤중에. ── *a.* 〔限定的〕 한밤중의 : the ~ hour 밤 12시 / a ~ snack 야식. ***burn the ~ oil*** 밤 늦게까지 공부하다〔일하다〕.

mìdnight blúe (흑색에 가까운) 짙은 감색(紺色).

mìdnight sún (the ~) (극지의 여름의) 심야(深夜)의 태양.

mid·point [mídpɔ̀int] *n.* Ⓒ (흔히 *sing.*) 중심점, 중앙, 중간(점) : at the ~ 중심〔중간 정도〕에.

mid·riff [mídrìf] *n.* Ⓒ ①〖解〗 횡격막(diaphragm). ② 몸통〔동체〕의 중앙부, 명치 : Ali's punch caught him in the ~. 알리의 펀치가 그의 명치에 맞았다.

mid·sec·tion [mídsèkʃən] *n.* Ⓒ ① (물건·동체 등의) 중앙부(midriff). ②《俗》명치.

mid·ship [mídʃìp] *n.* (the ~) 선체의 중앙부.

mid·ship·man [mídʃìpmən] (*pl.* ***-men*** [-mən]) *n.* Ⓒ ①《英》(해군 사관 학교 졸업 후의) 수습 사관. ②《美》해군 사관 학교 생도.

mid·ships [mídʃìps] *ad.* =AMIDSHIPS.

*__midst__ [midst] *n.* (흔히 the ~, one's ~) ① 중앙, (한)가운데. ② 한창 (…한〔인〕 가운데) : in *the* ~ of perfect silence 아주 고요해진 가운데. ***from*** 〔***out of***〕 ***the ~ of*** …의 한 가운데에서. ***in the ~ of us*** 〔***you, them***〕= ***in our*** 〔***your, their***〕 ~ 우리들〔너희들, 그(사람)들〕 가운데 : To think there was a spy *in our ~ !* 우리들 중에 스파이가 있었다니.
── *ad.* 중간에, 한가운데에. ***first, ~ and last*** 시종 일관해서, 철두 철미.
── *prep.* 《詩》 =AMID(ST).

mid·stream [mídstríːm] *n.* Ⓤ ① 강〔흐름〕의 한가운데 ; 중류 : keep a boat in ~ 배가 기슭에 닿지 않도록 강 한가운데를 가다. ② (일의) 도중, 중도 : change one's course in ~ 중도에 방침을 바꾸다. ③ (기간의) 중간쯤 : the ~ of life 인생의 중반. ***change horses in ~*** (1) 변절하다, 중도에서 반대 쪽에 붙다. (2) (계획 등)을 중도에서 바꾸다.

*__mid·sum·mer__ [mídsʌ́mər] *n.* Ⓤ 한여름, 하지.

mídsummer mádness 《文語》 극도의 광란《만월과 한여름의 열기 때문으로 상상했음》.

Mídsummer Níght's Dréam (A ~) '한여름밤의 꿈'《Shakespeare 작의 희극》.

Mídsummer('s) Dáy 세례 요한 축일(=**Sàint Jóhn's Dày**)《6월 24일 ; 영국에서는 quarter days 의 하나》.

mid·term [mídtə̀ːrm] *n.* ① Ⓤ (학기·임기·임신 기간 등의) 중간 (시점), 중간기. ② Ⓒ 중간 고사. ── *a.* 〔限定的〕 (임기·학기 등의) 중간의 : a ~ election 《美》 중간선거《대통령 임기의 중간에 치르는 상·하 양원의원의 선거》/ a ~ examination 중간 시험.

mid·town [mídtáun] *n.* Ⓒ, *a.* 《美》 uptown 과 downtown 의 중간 지구(의).

mid-Vic·to·ri·an [mídviktɔ́ːriən] *a.* 빅토리아조 중기의. ── *n.* Ⓒ ① 빅토리아조 중기의 사람. ② 빅토리아 중기의 사상을〔취미를〕 가진 사람 ; 구식인〔근엄한〕 사람.

*__mid·way__ [mídwéi] *a., ad.* 중도의〔에〕, 중간쯤의〔에〕(halfway) : the ~ point in a trip 여행의 중간 지점 / The swamp is located ~ between the two towns. 그 소택지는 두 소도시의 중간쯤에 있다. ──[⌐⌐] *n.* (종종 M-) Ⓒ 《美》 (박람회 따위의) 중앙로《여흥장·오락장 따위가 늘어서 있음》.

Míd·way Íslands [mídwèi-] (the ~) 미드웨이 군도(群島)《하와이 근처에 있는 미국령》.

mid·week [mídwìːk] *n.* Ⓤ 주 중간쯤《화·수·목요일을 말하나 특히 수요일을 이름》.
── *a.* 〔限定的〕 주 중간쯤의.

Mid·west [mídwést] *n.* (the ~) 《美》 =MIDDLE WEST.

Mid·west·ern [mídwéstərn] *a.* 《美》 =MIDDLE WESTERN.

mid·wife [mídwàif] (*pl.* ***-wives*** [-wàivz]) *n.* Ⓒ ① 조산사, 산파. ② (어떤 일의) 산파역.

mid·wife·ry [mídwàifəri, -wìf-] *n.* Ⓤ 조산술, 산과학(學)(obstetrics).

*__mid·win·ter__ [mídwíntər] *n.* Ⓤ ① 한겨울. ② 동지 (무렵).

mid·year [mídjìər, -jìːr] *n.* Ⓤ ① 한 해의 중간쯤 ; 학년의 중간. ② =MIDTERM ②.

mien [miːn] *n.* Ⓤ 《文語》 풍채, 태도, 몸가짐, 모습, (얼굴) 표정 : with a gentle ~ 상냥한 태도로 / an old woman of gentle ~ 점잖은 모습〔몸가짐〕의 노부인.

miff [mif] *n.* 《口》 (a ~) 불끈함. ***in a ~*** 불끈불끈해서.

miffed [míft] *a.* 〔敍述的〕 《口》 …에 불끈하여〔한〕(*at*) : She was ~ *at* her husband's coolness. 그녀는 남편의 냉담함에 심통이 나있었다.

MI 5 《英》 Military Intelligence, section five 《영국의 첩보 제5부》.

Mig, MIG [mig] *n.* Ⓒ 미그《옛 소련제 제트 전투기》.

†**might**[1] [mait] (might not 의 간약형 ***mightn't*** [máitnt] ; 2인칭 단수 《古》 (thou) ***might·est*** [máitist]) *aux. v.* MAY 의 과거.

A) <直說法> 〔보통 時制의 일치에 의한 過去꼴로서 종속절에 쓰이어 may의 여러 뜻을 나타냄〕 ① **a)** 〔추측〕 …일지도 모른다 : I said that it ~ rain. 비가 올 지도 모른다고 말했다(<I said, "It *may* rain.") / I was afraid he ~ have lost his way. 그가 길을 잃지 않았는지 걱정하였다. **b)** 〔허가·용인〕 …해도 좋다 : I asked if I ~ come in. 들어가도 괜찮은지 어떤지를 물었다(<I asked, "*May* I come in?"). **c)** 〔가능〕 …할 수 있다 : I thought one ~ see that at a glance. 한 번 보아 알 수 있다고 생각했다, 일목요연하다고 생각했다. **d)** 〔疑問文에서 불확실성을 강조해〕 (도대체) …일까 : I wondered what it ~ be. 그것이 대체 무엇일까 궁금히 여겼다 / She asked what the price ~ be. 그 여자는 그 가격이 대체 얼마나 되느냐고 물었다.

> 參考 실제 과거에 있어서의 추측이나 허가를 뜻할 때, '…했는지도 모른다'는 may 〔might〕 have+과거분사이며 '…해도 좋았다'는 was 〔were〕 allowed to 로 나타냄.

② 〔목적·결과의 副詞節에서〕 …하기 위해, …할

수 있도록: We worked hard *so that* we ~ succeed. 우리는 성공하기 위해 열심히 일했다 / He was determined to go, come what ~. 무슨 일이 있든 그는 가기로 결심하고 있었다.
③ 〔양보〕 **a**) 〔뒤에 等位接續詞 but 이 와서〕 …이었는지도 모르지만: He ~ be rich *but* he was 〔is〕 not refined. 그가 부자였는지는 모르지만 세련미가 없었다〔없다〕. **b**) 〔양보를 나타내는 副詞節에서〕 비록〔설사〕 …였다 하더라도: However hard he ~ try, he never succeeded. 그가 아무리 노력해 보아도 잘되지 않았다.
B) 《假定法》 ① 〔might+動詞원형; 현재의 사실과 반대의 가정을 나타내어〕 **a**) 〔허가〕 …해도 좋다(면); …해도 좋으련만: I would go if I ~. 가도 된다면 가는 건데 / You ~ go out if it were not raining so hard. 이처럼 비가 몹시 내리지 않으면 너는 외출해도 좋으련만. **b**) 〔현재의 추측〕 …할는지도 모르겠는데: You ~ fail if you were lazy. 게으름을 피우면 실패할는지도 모른다 / It ~ be better if we told him the whole story. 그에게 모든 이야기를 해주는 게 좋을지도 모르겠는데.
② 〔might have+過去分詞로; 歸結節에서 과거 사실과 반대되는 가정을 나타내어〕 …했을지도 모를 텐데: I ~ *have come* if I had wanted to. 올 마음이 있었으면 왔을지도 몰랐는데.
③ 〔條件節의 내용을 언외(言外)에 포함한 主節만의 문장으로; 완곡히〕 **a**) 〔의뢰·제안을 나타내어〕 …해주지 않겠습니까, …하면 어떨까: You ~ pass me the newspaper, please. 미안하지만 신문 좀 건네주시지 않겠습니까 / You ~ ask him. 그에게 물어보는 게 어때 / We ~ meet again soon. 곧 다시 만나는 게 어때. **b**) 〔비난·유감의 뜻을 나타내어〕 …해도 괜찮으련만〔좋을 텐데〕: I wish I ~ tell you. 자네에게 말해 줄 수 있으면 좋겠네만 (유감이지만 말을 못 하겠다) / You ~ (at least) help us. (적어도) 우리를 도와주어도 괜찮으련만 / I ~ have been a rich man. (마음만 먹었다면) 부자가 될 수 있었을 것을 (이젠 늦었다). **c**) 〔may 보다 약한 가능성을 나타내어〕 (어쩌면) …할〔일〕지도 모른다: It ~ be true. 어쩌면 사실일지도 모른다 / He ~ have got a train already. 그 사람은 이미 열차에 탔을지도 모른다 / You were lucky. You ~ have been killed. 운이 좋았군요, 어쩌면 죽었을는지도 몰랐는데. **d**) 〔疑問文에서, may 보다 정중한 허가를 나타내어〕 …해도 좋겠습니까: *Might* I ask your name? 성함을 여쭈어 보아도 괜찮겠습니까《실례지만 존함은》/ *Might* I come in?—Yes, certainly. 들어가도 괜찮겠습니까—네, 들어오십쇼《응답에는 might를 안씀》. **e**) 〔疑問文에서 불확실한 기분을 나타내어〕 (대체) …일까: How old ~ she be? 그녀는 대체 몇 살이나 될까.
as ~ be* 〔*have been*〕 *expected (1) 예기했던 대로: He is as well *as ~ be expected*. 그는 예상대로 건강하다. (2) 〔문장 전체를 수식하여〕 아니나 다를까: *As ~ be expected*, the results are poor. 아니나 다를까 결과는 좋지 않다. ***~ as well*** do ⇨ WELL². ~ ***(just) as well ___ as . . .*** ⇨ WELL².

‡might² [mait] *n.* Ⓤ ① 힘, 세력; 권력, 실력; 완력; 우세: military ~ 군사력 / by ~ 완력으로 / He swung with all his ~. 그는 힘껏 스윙했다 / He pushed it with all his ~. 그는 전력을 다해 그것을 밀었다 / *Might* is right. 《格言》 힘이 정의다. ② 우세. ***(with* 〔*by*〕 (all one's)) ~ *and main* =*with all* one's ~** 전력을 다하여, 힘껏 《★ with all one's ~ 가 구어적임》.

might-have-been [máitəvbìn] *n.* Ⓒ (흔히 the ~s) 과거에 그랬으면 좋았을 일, 지나가 버린 가능성; 출세에 실패한 사람.

might·i·ly [máitili] *ad.* ① 세게, 힘차게: cry ~ 한껏 울다. ② 대단히: be ~ surprised 깜짝 놀라다.

might·i·ness [máitinis] *n.* ① Ⓤ 위대, 강대, 강력(함). ② (M-) 《칭호로서》 각하, 전하(Highness): His *Mightiness* 각하, 전하 / his high ~ (오만한 자를 빈정대어) 각하.

mightn't [máitnt] MIGHT NOT 의 간약형.

‡mighty [máiti] (***might·i·er*; *-i·est***) *a.* ① 강력한, 강대한; 광대〔거대〕한: a ~ ruler 강력한 지배자 / a ~ blow 강력한 일격 / a ~ nation 강대국 / cross the ~ ocean in a small boat 조각배로 광대한 대양을 횡단하다. ② 《口》 대단〔굉장〕한(great): a ~ hit 대히트, 대성공 / ~ achievement 굉장한 업적 / make ~ efforts 대단한 노력을 하다 / make a ~ bother 대단히 성가신 일을 저지르다.
— *ad.* 《口》 대단히, 몹시(very): be ~ pleased 몹시 기뻐하다 / I'm ~ tired. 아주 피곤하다 / He was ~ hungry. 그는 몹시 배가 고팠다.

mi·gnon·ette [mìnjənét] *n.* 《F.》 ① Ⓤ,Ⓒ 〖植〗 목서초(木犀草)(reseda). ② 회록색(灰綠色).

mi·graine [máigrein, míː-] *n.* Ⓒ,Ⓤ 《F.》 〖醫〗 편두통: suffer from ~ 편두통을 앓다.

mi·grant [máigrənt] *a.* =MIGRATORY.
— *n.* Ⓒ ① 이동하는 동물; 철새(migratory bird); 회유어(回游魚). ② 이주자; 이주 계절 노동자.

‡mi·grate [máigreit, -ˊ] *vi.* ① 이주하다, (일자리를 찾아서 또는 피서 따위를 위해 일시적으로) 이주하다: ~ *from* Chicago *to* Boston. ② 이동하다 《새·물고기 따위가 정기적으로》: Some birds ~ to warmer countries in (the) winter. 어떤 새들은 겨울에 따뜻한 지방으로 이동한다 / Most birds have to fly long distances to ~. 대부분의 새들은 이주하기 위해 장거리를 날지 않으면 안 된다.

‡mi·gra·tion [maigréiʃən] *n.* ① Ⓤ,Ⓒ 이주, 이전; (새 따위의) 이동; (물고기의) 회유(回游). ② Ⓒ 〔集合的〕 이주자군(群), 이동하는 동물군(群).

mi·gra·tor [máigreitər] *n.* Ⓒ ① 이주자. ② 철새.

***mi·gra·to·ry** [máigrətɔ̀ːri / -təri] *a.* ① 이주〔이동〕하는. opp. *resident.* ¶ a ~ bird 철새 / a ~ fish 회유어. ② 방랑성의.

Mike [maik] *n.* 마이크(남자 이름; Michael 의 애칭).

mike¹ [maik] 《英俗》 *vi.* 게으름 피우다, 빈둥거리다. — *n.* Ⓤ 게으름 피움, 빈둥거림: on the ~ 게으름 피우며〔피우고 있는〕.

***mike²** *n.* Ⓒ 《口》 마이크(microphone): a ~-side account 실황 방송 / Pass round the ~, please. 마이크를 넘겨 주십시오.

míke fright 《美》 마이크 공포증.

mil [mil] *n.* Ⓒ ① 〖電〗 밀《1 / 1000 인치; 전선의 직경을 재는 단위》. ② =MILLILITER.

mi·la·dy, -di [miléidi] *n.* ① (종종 M-) 마님, 아씨, 부인《옛날 유럽인들이 영국의 귀족 부인에 대하여 쓴 호칭; 'my lady'의 와전》. cf. milord. ② Ⓒ 《美》 상류 부인.

mil·age [máilidʒ] *n.* =MILEAGE.

Mi·lan [milǽn, -lάːn] *n.* 밀라노《이탈리아 북부 Lombardy의 한 주; 그 중심 도시》.

Mil·an·ese [mìləníːz, -s] (*pl.* ~) *n.* Ⓒ 밀라노(Milan) 사람. — *a.* 밀라노(사람)의.

milch [miltʃ] *a.* 〔限定的〕 (가축이) 젖을 내는, 젖을 짜는.

mílchców 젖소; 《比》 돈줄, 계속적인 수입원(源), 달러박스.

‡mild [maild] (∠·**er** ; ∠·**est**) *a.* ① (사람·성질·태도 따위가) 온순한, 부드러운, 온후(溫厚)한《*of* ; *in*》: a ~ person 온순[온후]한 사람 / a ~ voice 온화한 목소리 / ~ *of* manner 태도가 온순한 / Kate is ~ *in* disposition. 케이트는 성질이 온후하다. ② (기후 따위가) 온화한, 따뜻한 : ~ weather 온화한 날씨 / a ~ spring day 따스한 봄날 / Great Britain has a ~ climate for its high latitude. 영국은 위도가 높은 데 비해서는 기후가 온난하다. ③ (맛이) 부드러운 ; (술·담배 따위가) 순한, 독하지 않은. opp *strong, bitter.* ¶ a ~ tobacco 순한 담배 / ~ beer 쌉쌀한 맛이 덜한 맥주. ④ (벌·규칙 따위가) 관대한, 가벼운 : (a) ~ punishment 가벼운 벌 / The discipline is rather ~ at this school. 이 학교 규칙은 엄하지 않은 편이다. ⑤ **a**) (병·걱정·놀람 따위가) 가벼운, 대단찮은 : a ~ case (of flu) 경증(輕症)(의 독감) / ~ regret 일말의 후회 / a ~ fever 미열 / in ~ astonishment 좀 놀라서. **b**) (약(효)·운동 등이) 격렬하지 않은, 부드러운, 가벼운 : a ~ medicine 자극이 적은 약 / take ~ exercise 가벼운 운동을 하다. ── *n.* Ⓤ 《英》 쌉쌀한 맛이 적은 맥주, 마일드 : A pint of ~, please. (술집에서) 마일드 1 파인트 주세요.

mil·dew [míldjùː] *n.* Ⓤ ①【植】 흰가루병 병균, 노균병균(露菌病菌). ② (가죽·옷·식품 등에 생기는) (흰) 곰팡이(mo(u)ld).

mil·dewed [míldjùːd] *a.* ① (흰) 곰팡이 난. ② (식물이) 노균병에 걸린.

mild·ly** [máildli] *ad.* ① 온순하게, 온화하게, 부드럽게 : The teacher smiled ~ at the pupils. 선생님은 학생들을 향해 부드럽게 미소지었다. ② 약간, 조금, 좀 : He was ~ surprised. 그는 좀 놀랐다. ***to put it ~ 삼가서 말하면[말하더라도] : My opponent didn't play fair, *to put it* ~. 좋게 말하더라도, 내 상대는 공정한 시합 태도가 아니었다.

mild-man·nered [∠mǽnərd] *a.* (태도가) 온순한, 온화한, 상냥한.

mild·ness [∠nis] *n.* Ⓤ 온후(溫厚)함, 온화함.

†mile [mail] *n.* ① Ⓒ **a**) (법정) 마일(statute ~) 《약 1.609 km》: walk about ten ~*s*, 10마일쯤 걷다 / eighty ~*s* per hour 시속 80 마일 / The town is two ~*s* away. 그 읍은 2마일 떨어져 있다. **b**) =NAUTICAL MILE. ② **a**) (종종 *pl.*) 상당한 거리 : I live ~*s* away from the nearest station. 나는 제일 가까운 역에서 (몇 마일이나) 멀리 떨어진 곳에 살고 있다. **b**) (*pl.*) 〔副詞的〕 훨씬, 많이 : I feel ~*s* better today. 오늘은 훨씬 기분이 좋다. ③ (the ~) 1 마일 경주(=∠ **ràce**).
be ~s better 〔***easier***〕 훨씬 좋다〔쉽다〕: Calculation *is* ~*s easier* if you have an adding machine. 가산기가 있으면 계산은 훨씬 편하다. ***miss by a*** ~ 《口》 전혀 예상이 빗나가다, 크게 실패하다. ***run a*** ~ 《口》 잽싸게 도망치다. ***see . . . a ~ off*** 〔***away***〕 《口》 곧 …임을 알다. ***talk a ~ a minute*** 《口》 계속 지껄여대다.

***mile·age** [máilidʒ] *n.* Ⓤ ① (또는 a ~) 마일수(數) ; (특히 차가 주행한) 총마일수 : an old car but with *a* very small ~ 오래 되었으나 얼마 달리지 않은 차. ② (연료의 갤런당) 주행 거리 ; 연비(燃比) : ~ per gallon (가솔린) 1 갤런당 주행 거리〔마일 수〕/ I get a very good ~ out of my car. 내 차는 연비가 아주 좋다. ③ (또는 a ~) (렌터카·철도 등의) 마일당 비용. ④《口》 이익, 유용성, 은혜 : get full ~ out of …을 충분히 활용하다 / He didn't get much ~ out of his friendship with the president. 그는 사장과 친구인데도 별로 덕보지 못했다.

míleage allòwance =MILEAGE ③.

mile·om·e·ter [mailάmətər / -ɔ́m-] *n.* Ⓒ (자동차의) 마일 주행 거리계(odometer).

mile·post [máilpòust] *n.* Ⓒ (마일수로 표시하는) 이정표.

mil·er [máilər] *n.* Ⓒ《口》1 마일 경주 선수〔말〕.

***mile·stone** [máilstòun] *n.* Ⓒ ① 마일 표석(標石), 이정표. ② (인생·역사상의) 획기적〔중대〕 사건.

mi·lieu [miljə́ː, -ljúː / míːljəː] (*pl.* **~s, mi·lieux** [-z]) *n.* Ⓒ (흔히 *sing.*) 《F.》 주위의 상황, 환경.

mil·i·tan·cy [mílitənsi] *n.* Ⓤ 투지, 호전성.

***mil·i·tant** [mílitənt] *a.* (주의·운동의 목표를 향해) 투쟁적인 : a ~ demonstration 투쟁적인 시위운동 / ~ elements in the trade union 노동조합의 투쟁 분자. ── *n.* Ⓒ (특히 정치 활동의) 투사. ㊞ **~·ly** *ad.* **~·ness** *n.*

mil·i·ta·rism [mílətərìzəm] *n.* Ⓤ ① 군국주의 (opp *pacifism*). ② 군국적 정신.

mil·i·ta·rist [mílitərist] *n.* Ⓒ 군국주의자.

mil·i·ta·ris·tic [mìlitərístik] *a.* 군국주의(자)의, 군국주의적인, 군사 우선주의의. ㊞ **-ti·cal·ly** *ad.*

mil·i·ta·rize [mílitəràiz] *vt.* ① …을 군국화하다 ; …에게 군국주의를 고취하다. ② …을 군대화하다, 군대식으로 하다. ③ …을 군용으로 하다. ㊞ **mìl·i·ta·ri·zá·tion** [-tərizéiʃən / -raiz-] *n.* Ⓤ 군국화 ; 군국주의화.

‡mil·i·tary [mílitèri / -təri] *a.* ①〔限定的〕 군의, 군대의, 군사의, 군용의 ; 군인의 ; 군사(상)의. cf civil. ¶ ~ training 군사 훈련 / ~ alliance 군사 동맹 / ~ arts 무예 / ~ authorities 군당국 / a ~ base 군사 기지 / ~ aid 군사 원조 / a ~ man 군인 / ~ powers 병력 / a ~ regime 군사 정권 / a man in ~ uniform 군복을 입은 남자 / be in ~ service 병역에 복무하고 있다 / He has a ~ bearing. 그의 거동은 군인답다. ②〔限定的〕 육군의. cf naval. ¶ a ~ hospital 육군 병원 / a ~ officer 육군 장교 / a ~ policeman 헌병 / combined naval and ~ operations 육해군 합동 작전. ***Military Armistice Commission*** 군사 정전 위원회《略 : MAC》.
── *n.* (the ~) 〔集合的 ; 흔히 複數 취급〕 군, 군대, 군부 : *The* ~ were called out to put down the riot. 폭동을 진압하기 위해 군대의 출동이 요구되었다 / He was in *the* ~. 그는 군에 있었다.

mílitary acàdemy ① (the M- A-) 육군 사관학교 : *the* U.S. *Military Academy* 미국 육군 사관학교 / *the* Royal *Military Academy* 영국 육군 사관학교. ② 《美》 군대식 훈련을 중시하는 high school 정도의 사립고등학교.

Mílitary Cróss (종종 the ~) 《英》 무공(武功) 십자훈장《略 : M.C.》.

mílitary hónors 군장(軍葬)의 예(禮).

míl·i·tary-in·dús·tri·al cómplex [-indʌ́striəl-] (군부와 군수 산업의) 군산(軍產) 복합체 《略 : MIC》.

mílitary intélligence 《英》 군사 정보부.

mílitary políce (the ~ ; 종종 M- P-) 〔集合的 ; 複數 취급〕 헌병대《略 : M.P., MP》.

mílitary políceman (종종 M- P-) 헌병《略 : M.P.》.

mílitary schóol =MILITARY ACADEMY.

mílitary scíence 군사(과)학.

mílitary sérvice 병역 : do ~ 병역에 복무하다.

mil·i·tate [mílitèit] *vi.* 《+전+명》 (…에게 불리하게) 작용하다, 영향을 미치다《*against*》: This evidence ~*s against* you. 이 증거는 네게 불리하

다 / Many factors ~*d against* the launching of our project. 여러 요인이 우리의 사업 개시를 방해했다.

***mi·li·tia** [milíʃə] *n.* Ⓒ (흔히 the ~) 〔集合的〕 의용군, 시민군, 민병.

mi·li·tia·man [-mən] (*pl.* **-men** [-mən]) *n.* Ⓒ 국민병, 민병.

†**milk** [milk] *n.* Ⓤ ① 젖; 모유, 우유: a glass of ~ 우유 한 잔 / (as) white as ~ 새하얀 / a ~ cart 우유 배달차 / a ~ diet 우유식 / cow's ~ 우유 / human ~ 사람 젖 / A baby craves for its mother's ~. 애기는 어머니 젖을 먹고 싶어한다. ② (식물의) 유액(乳液): coconut ~ 코코야자의 유액. ③ 유제(乳劑): ~ of magnesia 마그네슘 유제《완하제·제산제》/ *Milk* products are an excellent source of calcium and protein. 유제품은 칼슘과 단백질의 우수한 원천이다.

a land of ~ and honey 〖聖〗 젖과 꿀이 흐르는 (풍요의) 땅《민수기 XVI : 13》. ***cry over spilt ~*** 돌이킬 수 없는 일을 한탄하다: It is no use 〔good〕 (in) *crying over spilt*〔*spilled*〕 ~. 《俗談》 엎지른 물은 다시 담을 수 없다. ***in ~*** (소가) 젖이 나오는 (상태의). ***in the ~*** (곡물이) 다 익지 않은. ***~ and water*** (물 탄 우유처럼) 내용이 빈약한 강의 (따위). ***the ~ in the coconut*** 《口》 요점, 핵심: That accounts for *the ~ in the coconut.* 과연, 이제 알겠구나. ***the ~ of human kindness*** 따뜻한 인정.

── *vt.* ① …의 젖을 짜다: ~ a cow 쇠젖을 짜다. ② …을 착취하다, 짜내다, 밥으로 하다《*of*》: ~ a person *of* all his savings 아무의 저축한 돈을 모두 우려내다 / The bad man ~*ed* her dry and left her. 그 못된 사내는 그녀에게서 우려낼 대로 다 우려내고 그녀 곁을 떠났다. ③ (식물 따위)의 즙을 짜내다; (뱀 따위)의 독액을 짜내다. ④ (아무에게서) 정보를 알아내다《*from ; out of*》: ~ information *from*〔*out of*〕 a person = ~ a person *of* information 아무에게서 정보를 빼내다.

── *vi.* ① 젖이 나오다: This cow is ~*ing* well. 이 소는 젖이 잘 나온다. ② 착유하다, 젖을 짜다: do the ~*ing* 젖짜는 일을 하다. ***~ . . . dry*** (사람·상황 등으로부터) 이익을〔정보를〕 짜내다〔빼내다〕, …을 철저하게 착취하다.

milk-and-wa·ter [mílkəndwɔ́:tər, -wɑ́t-] *a.* 〔限定的〕 내용이 없는, 시시한, 하잘것 없는.

mílk bàr 밀크바《우유·샌드위치·아이스크림 따위를 파는 가게》.

mílk chócolate 밀크 초콜릿.

milk·er [mílkər] *n.* Ⓒ ① 젖 짜는 사람. ② 착유기. ③ 젖을 내는 소·양 따위: a good ~ 젖을 잘 내는 소 / This cow is my best ~. 이 소가 우리 소 중에서 젖을 제일 잘 낸다.

mílk fèver 〖醫〗 (산부의) 젖몸살.

mílk flòat 《英》 우유 배달차.

mílk glàss 젖빛 유리.

mílking machìne 착유기.

mílk lòaf (*pl.* ***milk loaves***) 밀크빵.

***milk·maid** [-mèid] *n.* Ⓒ 젖짜는 여자(dairymaid); 낙농장에서 일하는 여자.

milk·man [-mæ̀n, -mən] (*pl.* **-men** [-mèn, -mən]) *n.* Ⓒ 우유 장수; 우유 배달원.

mílk pòwder 분유(dried milk).

mílk púdding 《英》 밀크가 든 푸딩.

mílk ròund 《英》 ① 우유 배달인의 배달길. ② 늘 정해진 코스〔여로〕.

mílk rùn 늘 다니는〔던〕 길.

mílk shàke 밀크셰이크.

milk·sop [-sɑ̀p / -sɔ̀p] *n.* Ⓒ 소심한 남자, 겁쟁이.

mílk sùgar 〖生化〗 젖당, 락토오스(lactose).

mílk tòast 밀크토스트《뜨거운 우유에 적신 토스트》.

milk-toast [-tòust] 《美》 *a.* 나약한, 무기력한. ── *n.* = MILQUETOAST.

mílk tòoth 젖니, 유치(乳齒).

milk·weed [-wì:d] *n.* Ⓤ,Ⓒ 〖植〗 유액(乳液)을 분비하는 식물.

milk-white [-*h*wáit] *a.* 유백색의.

milk·wort [-wə̀:rt] *n.* Ⓤ 〖植〗 애기풀속(屬)의 목초《쇠젖을 많이 나게 한다고 믿었음》.

milky** [mílki] (milk·i·er ; -i·est***) *a.* ① 젖 같은; 유백색의: a ~ white substance 젖 같이 흰 물질. ② 젖을 내는; (식물이) 유액(乳液)을 분비하는. ③ 우유를 (많이) 섞은, 우유가 (많이) 들어간: The coffee is too ~. 그 커피는 우유를 너무 많이 넣었다.

Mílky Wáy 〖天〗 (the ~) 은하(수).

Mill [mil] *n.* **John Stuart** ~ 밀《영국의 경제학자·철학자; 1806-73》.

‡**mill**[1] [mil] *n.* Ⓒ ① 제분소, 물방앗간(water ~); 풍차(windmill): We took wheat to a ~ to have it ground. 밀을 빻으려고 제분소에 가져갔다 / The ~*s* of God grind slowly. 《俗談》 하늘의 응보도 때로는 늦다《늦어도 언젠가는 반드시 온다는 뜻》. ② **a**) 분쇄기: ⇨ COFFEE MILL / PEPPER MILL. **b**) 제분기. ③ 공장, 제작〔제조〕소(factory); 제재소. cf. sawmill. ¶ a cotton〔paper〕 ~ 방적〔제지〕 공장 / a steel ~ 제강소〔공장〕. ④ (물건 따위를) 기계적으로 만들어내는 곳〔시설〕: a diploma ~ 졸업 증서 공장《학위 남발 대학 등》. ***through the ~*** 고생하여, 쓰라린 체험을 쌓아; 단련받아: go *through the* ~ 시련을 겪다 / put … *through the* ~ 시련을 겪게 하다; 시험〔테스트〕하다.

── *vt.* ① …을 맷돌로 갈다, 빻다, 가루로 만들다: ~ grain 곡물을 제분하다 / ~ flour 제분하다. ② **a**) …을 기계에 걸다; 기계로 만들다: ~ paper 제지하다. **b**) (강철)을 압연하다: ~ steel into bars 강철을 압연하여 봉강(棒鋼)으로 만들다. ③ (주화의 가장자리)를 깔쭉깔쭉하게 하다: A dime is ~*ed.* 10 센트 동전은 가장자리가 깔쭉깔쭉하다.

── *vi.* (사람·가축 따위가) 떼를 지어 돌아다니다 《*about ; around*》: The Cathedral was crowded with ~*ing* tourists. 대성당은 어슬렁어슬렁 걸어다니고 있는 관광객들로 붐볐다 / Quite a few people were ~*ing about,* but nothing was happening. 꽤 많은 사람들이 돌아다니고 있었지만 아무 일도 없었다.

mill[2] *n.* Ⓒ 《美》 밀《1센트의 1 / 10; 여기에 상당하는 화폐는 없음》.

mill·board [mílbɔ̀:rd] *n.* Ⓤ (책표지용의) 판지.

mill·dam [míldæ̀m] *n.* Ⓒ 물방아용의 둑.

mille·feuille [milfə́:ij] *n.* Ⓤ,Ⓒ 《F.》 밀푀유《크림을 넣은 여러 층의 파이》. cf. napoleon.

mil·le·nar·i·an [mìlənέəriən] *n.* Ⓒ 〖基〗 천년왕국설 신봉자.

mil·le·nary [mílənèri, məlénəri] *a.* 천 개의, 천년의, 지복(至福) 천년의. ── *n.* Ⓒ ① 천년간. ② 천년제(祭). cf. centenary.

mil·len·ni·al [miléniəl] *a.* = MILLENARY.

mil·len·ni·um [miléniəm] (*pl.* **~s, -nia** [-niə]) *n.* ① Ⓒ 천년간. ② (the ~) 〖聖〗 천년 왕국(기)《예수가 재림하여 지상을 통치한다는 천년간; 계시록 XX : 1-7》. cf. chiliasm. ③ Ⓒ (이상으로서의 미래의) 정의와 행복과 번영의 황금〔이상〕시대.

millepede ⇨ MILLIPEDE.

‡mill·er [mílər] *n.* Ⓒ 물방앗간 주인 ; 제분업자 : Every ~ draws water to his own mill. 《俗談》 아전인수(我田引水).

Mil·let [miléi] *n.* **Jean François** ~ 밀레《프랑스의 화가 ; 1814-75》.

mil·let [mílit] *n.* Ⓤ 〖植〗 기장.

milli- '1,000분의 1'의 뜻의 결합사《기호 m》.

mil·liard [míljɑːrd, -liɑ̀ːrd] *n.* Ⓒ 《英》 10억 (《美》 billion).

mil·li·bar [míləbɑ̀ːr] *n.* Ⓒ 〖氣〗 밀리바《1 바의 1/1000, 기압〔압력〕의 단위 ; 기호 mb》.

mil·li·gram, 《英》 **-gramme** [míləgræ̀m] *n.* Ⓒ 밀리그램《1그램의 1/1000 ; 기호 mg》.

mil·li·li·ter, 《英》 **-tre** [míləlìːtər] *n.* Ⓒ 밀리리터《1리터의 1/1000 ; 기호 ml》.

***mil·li·me·ter,** 《英》 **-tre** [míləmìːtər] *n.* Ⓒ 밀리미터《1미터의 1/1000 ; 기호 mm》.

mil·li·ner [mílənər] *n.* Ⓒ 여성모(帽) 제조〔판매〕인《흔히 여성》: a ~'s shop 여성 모자점.

mil·li·nery [mílənèri / -nəri] *n.* Ⓤ ① 〔集合的〕 여성 모자류. ② 여성모 제조 판매업.

mill·ing [míliŋ] *n.* Ⓤ ① 제분. ② (화폐의) 가장자리를 깔쭉깔쭉하게 하기 ; (화폐의) 깔쭉이. ③ (금속면을) 프레이즈반으로 깎기.

†mil·lion [míljən] *n.* ① Ⓒ 백만 : a ~ and a half = one and a half ~(*s*), 150만 / two ~(*s*) and a quarter, 225만 / two hundred ~(*s*), 2억. ② 백만 달러〔파운드, 원 따위〕: He made a ~ 〔two ~〕. 그는 100만〔200만〕 달러〔파운드〕나 벌었다. ③ (*pl.*) 다수, 무수, 수백만 : ~*s* of people (몇 백만이라 할 만큼의) 무수한 사람들 / ~*s* of olive trees 수백만의 올리브나무. ④ (the ~(s)) 민중, 대중(the masses) : music for *the* ~ 대중 취향의 음악. ***a*〔*one*〕 *chance in a*** ~ 천재 일우의 기회. ***in a*** ~ 최고의 : a man *in a* ~ 최고의 남자. ── *a.* 〔限定的〕 ① 백만의 : a ~ years 백만년 / several ~ people 수백만의 사람. ② (흔히 a ~) 다수의, 무수한 : *a* ~ questions 무수한〔많은〕 문제들. ***a ~ and one*** 대단히 많은. ***a ~ to one*** 전혀 불가능한 것 같은. ***like a ~ dollars*** 《美口》 아주 기분 좋은 : I feel *like a ~ dollars.* 지금 기분이 최고다.

mil·lion·fold [míljənfòuld] *a., ad.* 백만배의〔로〕.

‡mil·lion·(n)aire [mìljənέər] (*fem.* ***-(n)air·ess*** [-nέəris]) *n.* Ⓒ 백만 장자, 대부호. ⓒⓕ billionaire.

mil·lionth [míljənθ] *n.* Ⓤ, *a.* ① (흔히 the ~) 백만번째(의). ② 100 만분의 1(의)(ⓒⓕ micro-).

mil·li·pede, -le·pede [míləpìːd] *n.* Ⓒ 〖動〗 노래기.

mill·pond, -pool [mílpɑ̀nd / -pɔ̀nd], [-pùːl] *n.* Ⓒ (물방아용의) 저수지. ***(as) calm*** 〔***smooth***〕 ***as a*** ~ =***like a*** ~ (바다 따위가 거울같이) 잔잔한.

mill·race [ˊrèis] *n.* Ⓒ 물방아용 물줄기〔수로〕.

mill·stone** [ˊstòun] *n.* Ⓒ 맷돌. ***a ~ round a person's neck (목에 걸어맨 맷돌 같이) 무거운 짐 : That job will proved to be *a ~ around your neck.* 그 일이 너를 얽어매는 굴레가 될 것이다.

míll whèel 물방아 바퀴.

mill·work [ˊwɔ̀ːrk] *n.* Ⓤ ① 물방앗간〔제조소〕의 일〔기계 작업〕. ② 목공소 제품《문·창틀 따위》.

mill·wright [ˊràit] *n.* Ⓒ 물방아 만드는 목수.

Mil·ly [míli] *n.* 밀리《여자 이름》.

mil·om·e·ter [mailɑ́mətər / -lɔ́m-] *n.* = MILEOMETER.

mi·lord [milɔ́ːrd] *n.* Ⓒ (종종 M-) 각하, 나리《옛날 유럽인들이 쓰던 영국 귀족에 대한 호칭》.

milque·toast [mílktòust] *n.* Ⓒ (종종 M-) 《美》 마음이 약한 사람, 겁쟁이. 「白).

milt [milt] *n.* Ⓤ (물고기 수컷의) 이리, 어백(魚

Mil·ton [míltən] *n.* **John** ~ 밀턴《영국의 시인 ; *Paradise Lost*의 작자 ; 1608-74》.

Mil·ton·ic, Mil·to·ni·an [miltɑ́nik / -tɔ́n-], [miltóuniən] *a.* 밀턴(시풍)의 ; 장중한《문체》.

Mil·wau·kee [milwɔ́ːki] *n.* 밀워키《위스콘신 주 남동부 미시간 호반의 공업 도시》.

mime [maim, miːm] *n.* ① Ⓤ,Ⓒ 몸짓 익살극, 무언극, (팬터) 마임. ② Ⓒ 무언극 배우. ③ Ⓤ,Ⓒ 몸짓, 손짓, 흉내 : We managed to communicate in〔by〕 ~. 우리는 몸짓 손짓으로 그럭저럭 의사 전달을 했다. ── *vi.* 무언극을 하다. ── *vt.* …을 흉내내다, 무언의 몸짓으로 나타내다.

mim·e·o·graph [mímiəgræ̀f, -grɑ̀ːf] *n.* Ⓒ ① 등사판. ② 등사 인쇄물. ── *vt.* …을 등사판으로 인쇄하다.

mi·me·sis [mimíːsis, mai-] *n.* Ⓤ ① 〖修〗 모사(模寫), 모방. ② 〖生〗 의태(擬態)(mimicry).

mi·met·ic [mimétik, mai-] *a.* ① 모방의, 흉내내는 : a ~ word 의성어《hiss, splash 등》. ② 〖生〗 의태의.

mim·ic** [mímik] *a.* 〔限定的〕 ① 흉내내는, 모방의 ; 거짓의(imitated) : ~ coloring (동물의) 보호색 / the ~ stage 흉내극, 익살극 / a ~ battle 모의전 / ~ tears 거짓 눈물. ② 〖生〗 의태(擬態)의. ── *n.* Ⓒ 모방자, 흉내를 잘 내는 사람〔동물〕: She's a good ~. 그녀는 흉내를 잘 낸다. ── (-ick-***) *vt.* ① …을 흉내내다 ; 흉내내며 조롱하다〔웃기다〕: ~ a person's walk 아무의 걸음걸이를 흉내내다 / a string of beads that ~ real pearls 진짜 진주와 흡사한 구슬 한 줄. ② 〖動〗 의태하다.

***mim·ic·ry** [mímikri] *n.* ① Ⓤ 흉내, 모방. ② Ⓒ 모조품. ③ Ⓤ 〖生〗 의태.

mi·mo·sa [mimóusə, -zə] *n.* Ⓤ,Ⓒ 〖植〗 함수초(含羞草), 감응초(sensitive plant).

Min. Minister ; Ministry. **min.** minim(s) ; mineralogy ; minimum ; mining ; minor ; minute(s).

Min·a·má·ta diséase [miːnəmɑ́ːtə-] 《Jap.》 〖醫〗 미나마타병《유기 수은 중독증》.

min·a·ret [mìnərét, ˊ-ˋ] *n.* Ⓒ 미너렛《회교 성원(聖院)(mosque)의 뾰족탑》.

min·a·to·ry [mínətɔ̀ːri / -təri] *a.* 으르는, 협박적인 : ~ words.

mince** [mins] *vt.* (고기 따위)를 다지다, 잘게 썰다 : ~*d* meat 다진 고기. ── *vi.* 점잔빼며 이야기하다. ***not ~ matters 〔(***one's***) ***words***〕 까놓고 말하다, 솔직히 말하다.
── *n.* Ⓤ ① 《英》 저민〔다진〕 고기. ② 《美》 = MINCEMEAT.

mince·meat [mínsmìːt] *n.* Ⓤ 민스미트《다진 고기에 잘게 썬 사과·건포도·기름·향료 등을 섞은 것 ; 파이 속에 넣음》. ***make ~ of*** (1) (토의 등에서 신앙·의견 따위)를 깔아뭉개다. (2) (아무)를 찍소리하지 못하게 하다.

mínce píe 민스미트를 넣은 파이.

minc·ing [mínsiŋ] *a.* (말·태도 따위가) 점잔빼는 ; 점잔빼며 걷는 : walk with ~ steps 점잔빼며 걷다. ⓜ **~·ly** *ad.*

†mind [maind] *n.* ① Ⓤ,Ⓒ 마음, 정신《물질·육체에 대하여》: ~ and body 심신 / peace of ~ 마음의 평화 / a frame of ~ 기분 / a turn of ~ 기질 / one's ~'s eye 심안(心眼), 상상 / He lacks strength of ~. 그는 정신력이 결여되어 있다 / A sound ~ in a sound body. 《格言》 건전한 정신은 건전한 신체에 깃든다 / My ~ was on other things. 내 마음은 다른 생각을 하고 있었다. ② Ⓤ (또는 a ~) 지성, 지력(知力), 이지《감정·의지에 대해》: a person of sound ~ 건전한 지성을 가진 사람 ; 제정신〔건전한 정신〕을 가진 사람 / He has *a* very good 〔sharp〕 ~. 그는 머리가 아주 좋다〔예리하다〕. ③ ⓊⒸ 사고방식, 견해 ; 심적 경향〔특질〕, 기질 : a scientific ~ 과학적인 사고 방식 / the English ~ 영국인 기질 / So many men, so many ~*s*. 《俗談》 각인 각색. ④ Ⓒ **a**) (흔히 a ~, one's ~) (…한) 생각, 의견《*about*》; 의도, 목적, 의지 : She changed *her* ~ and consented. 그녀는 생각을 바꾸어 동의했다 / the public ~ 여론 / I am still in 〔of〕 two ~*s about* the problem. 그 문제에 대해 아직 무어라고 결정을 내리지 못하고 있다. **b**) (…하고픈) 마음, 의향, 바람《*for* ; *to* do》: He has a 〔no〕 ~ *to* enter politics. 그는 정계에 들어가려는 생각이 있다〔없다〕 / listen with a half ~ 〔half a ~〕 건성으로 듣다. ⑤ Ⓤ (…에 대한) 주의, 집중 ; 사고, 고려《*on*》: apply one's ~ *to* 〔fix one's ~ *on*〕 earning money 돈벌이에 전념하다 / I had a good 〔great〕 ~ *to* strike him. 놈을 흠씬 패줄까 생각했다. ⑥ Ⓤ 기억(력), 회상 : keep in ~ 잊지 않다 / His name slipped my ~. 그의 이름이 생각나지 않았다 / Out of sight, out of ~. 《俗談》 헤어지면 마음도 멀어진다.

absence of **~** 방심(상태). ***after*** one***'s*** **~** 바라던 대로(의). ***be in two*** 〔***twenty***〕 **~*s*** 마음이 흔들리다, 망설이다《*about*》: He *was in two* ~*s about* it. 그 일을 어찌할까에 결단을 못 내리고 있었다. ***be of*** 〔***in***〕 ***a*** 〔***one***〕 **~** …와 의견이 같다《*with*》. ***be of the same*** **~** =be of 〔in〕 a ~ ; (어느 사람이) 의견을 바꾸지 않다. ***blow*** a person***'s*** **~** (1) 《口》 …을 몹시 흥분시키다. (2) 《口》 (마약이 …을) 도취하게 하다, 환각을 일으키게 하다. ***bring*** 〔***call***〕 ***to*** **~** 상기하다, 생각해 내다. ***carry . . . in*** **~** …을 기억하고 있다. ***come into*** one***'s*** **~** (어떤 생각이) 마음에 떠오르다. ***flash across*** one***'s*** **~** …이 갑자기 마음에 떠오르다. ***give*** a person ***a bit*** 〔***piece***〕 ***of*** one***'s*** **~** 《口》 아무에게 기탄 없이 말해주다, 직언하다, 나무라다, 타이르다. ***go out of*** one***'s*** **~** 발광하다, 미치다. ***have a*** **~** ***of*** one***'s own*** (어엿한) 자기 의견을 갖고 있다, 정견이 있다. ***have half a*** **~** ***to*** do …할까 말까 생각하고 있다 : I *had half a* ~ *to* throw up the work. 그 일을 그만둘까 했다. ***have it in*** **~** ***to*** do …할 생각이다〔작정이다〕. ***keep an open*** **~** 결정하지 않고 있다. ***keep*** a person ***in*** **~** ***of . . .*** = put a person in ~ of …. ***keep*** a person***'s*** **~** ***off . . .*** = take a person's ~ off …. ***keep*** 〔***have***〕 one***'s*** **~** ***on*** …에 유의하다, …에 전념하다. ***know*** one***'s own*** **~** 〔종종 否定文〕 뚜렷한 자기 의견을 갖다, 줏대가 있다. ***lose*** one***'s*** **~** 발광하다. ***make no never*** **~** 《俗》 아무래도 좋다, 상관 없다. ***make up*** one***'s*** **~** (1) 결심하다 : Have you *made up your* ~ yet? 이제 결심이 섰나. (2) 각오하다, 체념하다 : She *made up her* ~ that She was not going to get well. 그녀는 자기 병이 더는 나아지지 않을 것이라고 체념했다. **~ *over matter*** 물체〔육체〕보다 나은 정신력, 의지 : It's just (a case of) ~ *over matter*. 그건 바로 정신력 문제다. ***off*** one***'s*** **~** 마음을 떠나, 잊혀져. ***on*** one***'s*** **~** 마음에 걸려서 : The girl must have something *on her* ~. 소녀는 분명 뭔가 고민이 있는 모양이다. ***out of*** one***'s*** **~** 미쳐서, 제정신을 잃고 : She went *out of her* ~. 그녀는 돌아 버렸다 / He's *out of his* ~ with pain. 그는 고통으로 머리가 돌았다. ***presence of*** **~** ⇨ PRESENCE. ***put*** a person ***in*** **~** ***of . . .*** 아무에게 …을 상기시키다. ***put*** a person ***in the*** **~** ***for*** do***ing*** 아무에게 …할 생각이 나게 하다. ***take*** a person***'s*** **~** ***off*** …에서 아무의 주의를 딴 데로 돌리게 하다. ***with . . . in*** **~** …을 마음〔염두〕에 두고 : Politicians must act *with* their constituents *in* ~. 정치인은 자기 지역구 사람을 염두에 두고 행동해야 한다.

— *vt.* ① 〔흔히 命令法으로〕 …에 주의를 기울이다, …에 조심하다 ; 유의하다 : *Mind* the door. (차장이) (닫히는) 문에 조심하세요 / *Mind* your head. 머리 (위)를 조심하세요 / *Mind* your language. 말조심해라 / *Mind* my words. 내 말을 잘 명심해라. ② …의 말에 주의를 기울이다, …의 말에 따르다 : You should ~ your parents. 부모님 말씀에 따라야 한다 / Never ~ him. 그 사람 말 따위에 신경 쓸 것 없다. ③ …을 돌보다, 보살피다 : ~ a baby 아기를 돌보다 / Would you ~ my bags for a few minutes? 내 가방 좀 잠깐 봐 주지 않겠습니까. ④ …에 신경을 쓰다, 배려하다 : *Mind* you are not late. 늦지 않도록 (유의)해라 / *Mind* you don't spoil it. 그것을 망쳐 놓지 않도록 조심해라. ⑤ …을 걱정하다, 신경 쓰다 : Never ~ the expence. 비용 따윈 걱정 마라 / I don't ~ what people say. 남이야 뭐라 하든 상관 없다. ⑥ 《~+目 / +-*ing* / +目+-*ing* / +*wh.*節》 〔주로 否定·疑問·條件文에 있어서〕 …을 싫어하다, 귀찮게 여기다, …에 반대하다(object to) : If you don't ~, … 괜찮으시다면 … / I don't ~ hard work, but I do [dúː] ~ insufficient pay. 일이야 힘들어도 괜찮으나 보수가 적으면 곤란하다 / I shouldn't ~ a cup of tea. 차 한 잔 하는 것도 괜찮겠다.

— *vi.* ① 정신차리다, 주의하다, 조심하다 : *Mind* now, don't be late. (말해두지만) 늦지 않도록 해라 / *Mind* out for the cars when you cross the street. 도로를 횡단할 때는 차를 조심하여라. ② 《~ / +전+명》 〔흔히 否定·疑問文에 써서〕 신경 쓰다, 싫어하다 : Never ~ *about* that. 그것은 걱정하지 마시오 / "Do you ~ if I open the window?"—"No, I don't." '창문을 열어도 괜찮겠습니까'—'괜찮습니다' / "Do you ~ if I smoke?" —"Yes, I do (~)." '담배 피워도 괜찮겠습니까. —'아니, 곤란합니다.' ***Don't*** **~** ***me.*** 내 걱정 할 것 없다, 마음대로 해라《★ 反語的으로도 쓰임》. ***Do you*** **~*!*** 〔反語的〕 그만뒀으면 좋겠다〔한다〕: *Do you ~!* We're studying. 조용히 했으면 좋겠다. 우린 공부 중이니까. ***I don't*** **~*.*** (어느 것이든) 좋습니다 : "Tea or beer?"—"*I don't ~.*" '차를 들겠소, 맥주로 하겠소'—'어느 쪽이든 좋소' / "Cigarette?"—"Alright, *I don't ~.*" '담배 피우겠나'—'좋지'. ***I don't*** **~** ***if I do.*** 《口》 (음식 등을 권유 받고) 네 주십시오. ***Mind and*** do …《口》 꼭 〔잊지 말고〕 …해라. ***Mind how you go!*** 《英口》 그럼 조심해《★ 헤어질 때 인사》. ***Mind out*** 〔***away***〕***!*** 《口》 정신차려 ; 비켜. **~ *that. . .*** 반드시 …하도록 유의하다. ***Mind you!*** 〔挿入句〕 알겠나, 잘 들어둬. ***Mind your backs!*** 《口》 (남의 뒤를 지나갈 때) 잠깐 실례합니다. ***Mind your eye*** 〔***helm***〕***!*** 《英口》 정신차려. ***Mind your own business.*** 참견 마라, 네 일이나 잘해라. ***never*** **~** 《口》 (1) 〔命令文〕 상관 없다, 걱정마라. (2) …은 말할 것도 없고 : These rules are confusing enough to members, *never* ~ to outsiders. 이들 규칙은 국외자는 물론 회원들에

게도 혼란스럽다. ***never you*** ~ 〔흔히 命令法으로〕《口》…은 네 알 바 아니다《*wh.*》: *Never you* ~ *what* we are talking about. 우리가 무슨 말을 하든 너에겐 상관 없는 일이다.

mind-bend·ing [máindbèndiŋ] *a.* 《俗》 = MIND-BLOWING.

mind-blow·ing [∸blòuiŋ] *a.* 《俗》 ① (약이) 환각을 일으키는. ② 놀라운, 충격적인.

mind-bog·gling [∸bὰgəliŋ / ∸bɔ̀g-] *a.* 《口》 아주 놀라운, 기절초풍할.

mind·ed [máindid] *a.* ① 〔敍述的〕 **a**) …할 마음이 있는, …하고 싶어(하는)《*to* do》: I'm ~ *to* agree to this proposal. 나는 이 제안에 동의할 생각이다 / If you are so ~, you may do it. 그럴 마음이거든 해도 좋다. **b**) 〔副詞와 함께〕 …에 흥미있는, (…와 같이) 생각하는〔하기 쉬운〕: I'm not mathematically ~. 나는 수학에는 흥미가 없다 / Bill is scientifically ~. 빌은 과학에 관심이 있다. ② 〔複合語〕 **a**) …한 마음의, …기질의: high-~ 고결한 마음의 / narrow-~ 소견이 좁은 / strong-~ 의지가 강한 / absent-~ 멍청한, 정신 나간. **b**) …에 열심인〔관심이 있는〕: sports-~ 스포츠를 좋아하는 / ⇨ AIR-MINDED.

mind·er [máindər] *n.* Ⓒ ① 〔흔히 複合語〕 돌보는〔지키는〕 사람(tender): a baby-~ 어린아이 보는 사람. ② 《英》 보디가드.

mind-ex·pand·ing [∸ikspæ̀ndiŋ] *a.* (약이) 의식을 확대시키는, 환각을 일으키는.

*__mind·ful__ [máindfəl] *a.* 〔敍述的〕 주의 깊은, 정신차리는《*of*》; 마음에 두는, 잊지 않는《*of*》: You should be more ~ *of* your health. 너는 건강에 좀더 유의해야 한다. ㊕ ~·**ness** *n.*

mind·less [máindlis] *a.* ① 〔敍述的〕 …에 무관심한, 부주의한, 조심성 없는《*of*》: He's ~ *of* his appearance. 그는 외모에는 신경을 쓰지 않는다. ② 생각(이) 없는, 분별 없는, 어리석은: ~ behavior 어리석은 행동 / ~ vandalism 지각 없는 만행. ㊕ ~·**ly** *ad.* ~·**ness** *n.*

mínd rèader 독심술사(讀心術師).

mínd rèading 독심술〔능력〕.

mind-set [máindsèt] *n.* Ⓒ (습관화된) 사고 방식, 사고의 경향〔태도〕.

mínd's èye (one's ~) 마음의 눈, 심안(心眼), 상상; 기억: in one's ~ 마음 속에〔으로〕, 상상으로(는).

†**mine**[1] [main] *pron.* 〔1인칭 單數의 所有代名詞〕 ① 나의 것: The game was ~. 승리는 나의 것이었다, 이겼다 / This signature is not ~. 이 서명은 내 것이 아니다 / This umbrella is yours, not ~. 이 우산은 네 것이지 내 것이 아니다 / Your eyes are blue and ~ (are) black. 네 눈은 파랗고 내 눈은 검다 / your country and ~ 당신의 나라와 우리 나라 / What is ~ is yours. 내 것은 당신 것《마음대로 사용하십시오》/ *Mine* is broken English. 내가 하는 영어는 엉터리다. ② 나의 가족들〔편지, 책임 (등)〕; 《英口》 내 마실 것〔술〕: He is kind to me and ~. 내게도 내 가족들에게도 친절히 해 준다 / Have you received ~ of the fifth? 5일자 내 편지 받았나 / It is ~ to protect him. 그를 보호하는 것은 내 책임이다 / *Mine*'s a gin. 나는 진으로 하겠다. ③ (of ~ 으로) 나의《★ my 는 a, an, this, that, no 따위와 같은 名詞 앞에 두지 못하므로 my 를 of mine 으로 해서 名詞 뒤에 둠》: *a* friend *of* ~ 내 친구 / *this* book *of* ~ 나의 이 책.

── *a.* 《古·文語》〔모음 또는 h 로 시작되는 낱말 앞; 호칭하는 낱말 뒤에서〕 나의(my): ~ eyes 나의 눈 / ~ heart 내 마음 / Lady ~! 여보세요 부인〔아가씨〕.

*__mine__[2] *n.* ① Ⓒ 〔종종 修飾語와 함께〕 광산, 광갱(鑛坑), 광상(鑛床); 《英》(특히) 탄광; (the ~s) 광(산)업: a copper〔diamond〕~ 구리〔다이아몬드〕 광산. ② (a ~) 풍부한 자원, 보고《*of*》: This book is *a* ~ *of* information. 이 책은 지식의 보고다 / She's *a* ~ *of* information about the jazz. 그녀는 재즈에 관한 자료의 보고다. ③ Ⓒ 〖軍〗 **a**) (적지(敵地)의 지하까지 파들어가 지뢰를 장치하는) 갱도(坑道). **b**) 지뢰; 기뢰, 수뢰: a floating〔drifting, surface〕~ 부유(浮遊) 기뢰(機雷) / a moored ~ 계류 기뢰 / a submarine ~ 부설 기뢰 / lay a ~ 지뢰〔기뢰〕를 부설하다. ***spring a ~ on*** …에 지뢰를 폭발시키다. ***strike a*** ~ 지뢰〔기뢰〕에 닿다. ***work a*** ~ 광산을 채굴하다.

── *vi.* 채광하다; 채굴하다. ── *vt.* ① (석탄·광석)을 채굴〔채광〕하다; (…을 채굴하기 위해, …에 갱도)를 파다: ~ iron ore from under the sea 해저에서 철광석을 채굴하다 / ~ the valley for gold 계곡을 파서 금을 채굴하다. ② …의 밑에 갱도를 파다. ③ …에 지뢰〔기뢰〕를 부설하다; …을 지뢰〔기뢰〕로 폭파하다: The road is ~*d*. 도로에는 지뢰가 매설되어 있다. ~ ***out*** (광산 등)을 다 파다.

míne detèctor 지뢰 탐지기.

mine·field [máinfi:ld] *n.* Ⓒ ① 〖軍〗 지뢰밭, 기뢰원(機雷原). ② 《比》 숨겨진 위험이 많은 곳: a political ~ 어떤 대사건이 터질지 모르는 정계의 위기.

mine·lay·er [∸lèiər] *n.* Ⓒ 〖軍〗 기뢰 부설함〔기(機)〕.

‡**min·er** [máinər] *n.* Ⓒ ① 광부, 갱부: coal ~*s* 탄갱부. ② 〖軍〗 지뢰 공병.

‡**min·er·al** [mínərəl] *n.* ① Ⓒ 광물, 무기물: Hot springs often contain many ~*s*. 온천에는 종종 많은 무기물이 함유되어 있다. ② ⓊⒸ (영양소로서의) 광물질, 미네랄. ③ Ⓒ 광석(ore). ④ (흔히 *pl.*) 《英》 광천수, 탄산수, 청량 음료.

── *a.* 광물의, 광물을 함유하는; 무기물의: a ~ vein 광맥 / ~ ores 광석 / ~ resources 광물 자원 / a ~ spring 광천.

míneral kìngdom (the ~) 광물계.

min·er·al·og·i·cal [mìnərəlάdʒikəl / -lɔ́dʒ-] *a.* 광물학(상)의, 광물학적인. ㊕ ~·**ly** [-kəli] *ad.*

min·er·al·o·gist [mìnərǽlədʒist / -lɔ́dʒ-] *n.* Ⓒ 광물학자.

min·er·al·o·gy [mìnərάlədʒi, -rǽlə-] *n.* Ⓤ 광「물학.

míneral òil ① 광물유(鑛物油). ② 〖化〗 유동 파라핀.

míneral wàter ① (흔히 *pl.*) 광수, 광천. ② 《英》 탄산수.

míneral wòol 광물면(綿)(mineral cotton)《건물용 충전재; 절연·방음·내화재용》.

Mi·ner·va [minə́:rvə] *n.* 〖로神〗 미네르바《지혜·기예·전쟁의 여신》. ⓒⓕ Athena.

min·e·stro·ne [mìnəstróuni] *n.* Ⓤ 《It.》 미네스트로네《마카로니 및 야채 등을 넣은 진한 스프》.

mine·sweep·er [máinswì:pər] *n.* Ⓒ 소해정(掃海艇).

mine·sweep·ing [máinswì:piŋ] *n.* Ⓤ 소해(작업); 지뢰 제거.

míne wòrker 광부(miner).

Ming [miŋ] *n.* (중국의) 명(明)나라, 명조(明朝) (Ming Dynasty)《1368-1644》.

‡**min·gle** [míŋgəl] *vt.* ① (둘 이상의 것)을 섞다; 혼합하다: The two rivers ~*d* their waters here. 두 강은 여기서 합류한다. ② 《+목+전+명》〔종종 受動으로〕 …에 뒤섞다: joy ~*d with* pain 고통이 뒤섞

인 기쁨 / Several lemons were ~*d* *with* oranges in the box. 상자 속에는 몇 개의 레몬이 오렌지에 섞여 있었다. ― *vi.* 《~ / +전+명》 ① 섞이다, 혼합되다《*with*》: The robber ~*d* *with* the crowd and escaped. 도둑은 군중 속으로 섞여 들어가 달아나 버렸다. ② 사귀다, 어울리다《*with*》: He's too shy to ~ *with* others. 그는 너무 수줍어서 다른 사람과 사귀지 않는다. ③ (파티 등에서 모두에게 섞여) 이야기를 나누다 : A good hostess ~*s* *with* her guests. 훌륭한 호스테스는 손님들과 친하게 어울리는 법이다.

min·gy [míndʒi] (***-gi·er*** ; ***-gi·est***) *a.* 《口》 천한 ; 인색한, 다라운.

mini [míni] (*pl.* ***min·is***) *n.* Ⓒ ① 미니 스커트〔드레스, 코트 (따위)〕(cf. maxi). ② (종종 M-) 소형 자동차, 미니카. ③ 소형 컴퓨터. ④ 소형의 것.

mini- '작은, 소형의'의 뜻의 결합사 : *mini*bus ; *mini*skirt.

‡min·i·a·ture [míniətʃər, -tʃùər] *n.* ① Ⓒ 미니어처, 소형〔축소〕 모형《*of*》: a ~ of the British Museum 대영 박물관의 (소형) 모형. ② **a)** Ⓒ (흔히 양피지 등에 그려진 인물화 등의) 세밀화(畫) ; 세밀 초상화. **b)** Ⓤ 세밀화법. ③ Ⓒ (중세의 사본(寫本)의) 채식(彩飾)(화(畫), 문자). ***in*** ~ (1) 소형〔소규모〕의. (2) 세밀화로. ― *a.* 〔限定的〕 ① 소형의, 작은(tiny) ; 소규모의 : a ~ railway 〔train〕 (유원지 따위의) 꼬마 철도〔기차〕 / a ~ plane 모형 비행기 / a ~ camera 소형 카메라. ② 세밀화의.

míniature pínsher 미니어처 핀셔, 미니핀 《작은 애완견 ; 체고 10-12.5 인치》.

min·i·a·tur·ist [míniətʃərist, -tʃuər-] *n.* Ⓒ 세밀화가.

min·i·a·tur·ize [míniətʃəràiz, -tʃuər-] *vt.* …을 소형화하다 : ~ a computer 컴퓨터를 소형화하다. ⊕ **mìn·i·a·tur·i·zá·tion** [-rizéiʃən / -raiz-] *n.* 소형화.

min·i·bike [mínəbàik] *n.* Ⓒ 《美》 소형 오토바이.

min·i·bus [mínəbʌ̀s] *n.* Ⓒ 마이크로버스.

min·i·cab [mínəkæ̀b] *n.* Ⓒ 《英》 소형 콜택시.

min·i·car [mínəkɑ̀ːr] *n.* Ⓒ ① 소형 자동차, 미니카. ② (장난감의) 미니카.

min·i·com·put·er [mìnəkəmpjúːtər] *n.* Ⓒ 〖컴〗 소형 전산기. cf. microcomputer.

min·i·dress [mínidrès] *n.* Ⓒ 미니드레스《길이가 무릎에 못 미치는》.

min·im [mínəm] *n.* Ⓒ ① 미님《액량(液量)의 최소단위 ; 1 드램(dram)의 1/60 ; 略 : min.》. ② 미소한 것. ③ 《英》 〖樂〗 2분 음표(《美》 half note).

min·i·ma [mínəmə] MINIMUM 의 복수.

min·i·mal [mínəməl] *a.* 최소의, 극미한 ; 최소 한도의. opp. maximal. ¶ lead a ~ existence 최저 생활을 하고 지내다. ⊕ ~·**ly** *ad.*

mínimal árt 미니멀 아트《최소한의 조형 수단으로 제작된 그림 · 조각》.

min·i·mal·ism [mínəməlìzəm] *n.* Ⓤ ① 미니멀리즘《예술에서 되도록 소수의 단순한 요소로 최대 효과를 이루려는 사고 방식》. ② = MINIMAL ART.

min·i·mize [mínəmàiz] *vt.* ① …을 최소(한도)로 하다, 극소화하다 : use a computer to ~ errors 컴퓨터를 사용하여 잘못〔틀림〕을 최소화하다. opp. *maximize.* ② …을 최소(한도)로 어림잡다〔평가하다〕, 경시하다 : The authorities tried to ~ the accident. 당국은 그 사고를 축소하려고 했다.

‡min·i·mum [mínəməm] (*pl.* ***-ma*** [-mə], ~***s***) *n.* Ⓒ ① 최소, 최소〔최저〕 한도 : keep one's expenditure to a 〔the〕 ~ 경비를 최저한으로 억제하다 / This job will take a ~ of ten days. 이 일은 최소 10일은 걸릴 것이다. ② 〖數〗 극소(점). ― *a.* 최소〔최저〕 한도의, 극소의. opp. *maximum.* ¶ a ~ thermometer 최저 온도계 / today's ~ temperature 오늘의 최저 기온 / make only a ~ effort 최소한의 노력 밖에 하지 않다. ― *ad.* 《口》 최소한 : twice a month ~ 최소한 월 2 회.

mínimum wáge (법정) 최저 임금.

***min·ing** [máiniŋ] *n.* Ⓤ ① 광업, 채광, 채탄 : coal ~ 탄광업, 채탄. ② 탐광. ③ 지뢰〔기뢰〕 부설. ― *a.* 채광의, 광산의 : a ~ academy 광산 전문 학교 / ~ industry 광업 / ~ rights 채굴권 / a ~ engineer 광산 기사 / ~ engineering 광산(공)학 / a ~ town 광산 도시.

min·ion [mínjən] *n.* Ⓒ 앞잡이, 부하 : ~*s* of the police 경찰의 앞잡이 / the ~*s* of the law 법률의 앞잡이《교도관 · 경관 등》.

min·i·se·ries [mínəsiəriːz] *n.* Ⓒ 〖TV〗 미니시리즈, 단기 프로《보통, 4-14회》.

min·i·ski [mínəskìː] *n.* Ⓒ (초보자용) 짧은 스키.

min·i·skirt [mínəskɔ̀ːrt] *n.* Ⓒ 미니스커트.

min·i·state [mínəstèit] *n.* Ⓒ = MICROSTATE.

‡min·is·ter [mínistər] (*fem.* ***-tress*** [-tris]) *n.* Ⓒ ① 성직자, 목사《잉글랜드에서는 비국교파와 장로파 성직자》. ② (종종 M-) 장관, 각료. cf. secretary, Prime Minister. ¶ the *Minister* of Education 교육부 장관 / the *Minister* without Portfolio 무임소 장관. ③ (외국에 대하여 국가를 대표하는) 공사《대사의 아래》: the Korean *Minister* in Egypt 이집트 주재 한국 공사.
― *vi.* ① 《+전+명》 섬기다, 봉사하다 ; 보살펴주다《*to*》: ~ *to* the sick 환자를 돌보다. ② 성직자 노릇을 하다, 예배를 인도하다. ③ 목사로 일하다.

min·is·te·ri·al [mìnəstíəriəl] *a.* ① 장관의. ② 내각의 ; 정부측의, 여당의 : a ~ crisis 내각의 위기 / the ~ party 여당 / the ~ benches 《英》 하원의 여당석. ③ 성직자의, 목사의. ⊕ ~·**ly** *ad.* 목사로서 ; 장관으로서.

mínistering ángel 구원의 천사《비유적으로, 간호사 등》.

min·is·trant [mínistrənt] *a.* 섬기는, 봉사하는, 보좌하는. ― *n.* Ⓒ 봉사자, 보좌역.

min·is·tra·tion [mìnəstréiʃən] *n.* ① Ⓒ (흔히 *pl.*) 봉사, 원조, 돌보아줌 ; 간호. ② Ⓤ 성직자로서의 일, 목사의 직무(의 수행).

‡min·is·try [mínistri] *n.* ① Ⓒ (종종 the M-) (영국 · 유럽의) 내각. cf. cabinet ; 〔集合的〕 각료 : *The Ministry* has resigned. 내각은 총사직했다. ② Ⓒ (흔히 M-) (영국 정부 등의) 부, 성(department) ; 부〔성〕 청사 : the *Ministry* of Defense 국방부〔성〕 / the *Ministry* of Education 교육부. ③ Ⓒ (흔히 *sing.*) 장관의 직무〔임기〕. ④ (the ~) **a)** 목사의 직(職) : enter *the* ~ 목사가 되다. **b)** 〔集合的〕 목사, 성직자.

min·i·ver [mínəvər] *n.* Ⓤ (귀족 예복의) 흰 모피. cf. ermine.

mink** [miŋk] (*pl.* ~s,*** ~) *n.* ① Ⓒ 〖動〗 밍크《족제비류》. ② Ⓤ 그 모피 : a ~ coat 밍크코트.

min·ke (whále) [míŋki-] *n.* Ⓒ 〖動〗 밍크고래《길이 10m 의 소형 고래》.

Minn. Minnesota.

Min·ne·ap·o·lis [mìniǽpəlis] *n.* 미니애폴리스《미국 미네소타 주 최대의 도시》.

Min·ne·so·ta [mìnəsóutə] *n.* 미국 북부의 주《略 : Minn. ; 〖美郵〗 MN》. ⊕ ~**n** [-tən] *a.* 미네소타의. *n.* Ⓒ 미네소타주 주민.

min·now [mínou] *n.* (*pl.* ~***s,*** ~) Ⓒ ① 황어(黃魚) · 피라미류 ; 잉어과의 작은 물고기. ② 잔 물고

기 : There seem to be some ~*s* and some duckweed. 거기엔 잔챙이 고기 몇 마리와 좀개구리밥이 좀 있을 것 같다. ***Triton among* 〔*of*〕 *the* ~*s*** ⇨TRITON.

Mi·no·an [minóuən] *a.* 크레타〔미노스〕 문명 《3000-1100 A.C. 경의》의 : the ~ civilization.

:mi·nor [máinər] *a.* ① 〔限定的〕 (크기·수량·정도 등의) 보다 작은, 작은 쪽의(smaller, lesser) : a ~ share 작은 쪽의 몫 / a ~ party 소수당. ② 〔限定的〕 (지위·중요성 등 비교적) 중요치 않은, 대단찮은 ; 2 류의 ; 심각하지 않은 : a ~ question 사소한 문제 / a ~ poet 이류 시인 / a ~ operation (위험이 없는) 간단한 수술. ③《英》 (public school 에서 이름이 같은 두 사람 중) 연하(年下)의 : Jackson ~ 나이 아래인 잭슨. ④ 미성년의. ⑤ 〔限定的〕 『樂』 단음계의, 단조의 : a ~ scale 단음계 / a ~ mode 단선법(短旋法) / A ~ 가 단조. ⑥《美》 (대학의) 부전공 과목의 : a ~ subject 부전공 과목. OPP *major.* ── *n.* Ⓒ ① 미성년자 : No ~. 미성년자 사절《게시》. ② 『樂』 단조, 단음계. ③ 《美》 (대학의) 부전공 과목〔학생〕 : a history ~ 역사 부전공 학생.

── *vi.* 《+전+명》 부(副)전공으로 (연구)하다 《*in*》: She ~*ed in* French. 그녀는 프랑스어를 부전공으로 (공부)했다.

:mi·nor·i·ty [minɔ́:rəti, -nár-, mai-] *n.* ① Ⓒ (흔히 *sing.*) 〔集合的 ; 單·複數 취급〕 소수, 소수파, 소수자의 무리, 소수당 : a small ~ of population 주민의 극소수 / hear the ~*'s* views 소수파의 의견을 듣다 / political *minorities* 소수 정당. ② Ⓒ 〔單·複數 취급〕 소수 민족 : ethnic *minorities* 소수(파) 민족. ③ Ⓤ 『法』 미성년(기). cf. majority. ── *a.* 〔限定的〕 ① 소수의 ; 소수파〔당〕의 : a ~ government 소수당 정부 / a ~ opinion 소수의 의견 / a ~ party 소수당 / a ~ group 소수 집단 ; 소수 민족. ② 소수 민족의 : ~ languages〔rights〕 소수 민족의 언어〔권리〕.

mínor kéy ① 『樂』 단조(短調). ② 음울한 기분, 애조. ***in a*** ~ (1) 단조로. (2) 우울한 기분으로.

mínor léague (the ~) 《美》 마이너 리그《2류 직업 야구〔선수〕단 연맹》. cf. major league.

mínor párty 소수당.

mínor prémise 『論』 (3 단논법의) 소전제.

Mínor Próphets (the ~) 『聖』 ① 소예언자 《Hosea 에서 Malachi 까지의 12 예언자》. ② (구약의) 소예언서.

Min·o·taur [mínətɔ̀:r, máinə-] *n.* (the ~) 『그神』 미노타우로스《인신 우두(人身牛頭)의 괴물》.

min·ster [mínstər] *n.* Ⓒ 《주로 英》 (종종 M-) 수도원 부속 성당 ; 대교회당, 대성당(cathedral) : York Minster 요크 대성당.

***min·strel** [mínstrəl] *n.* Ⓒ ① (중세의) 음유(吟遊) 시인〔가인〕, 민스트럴. ② (흔히 *pl.*) 민스트럴 쇼《백인이 흑인으로 분장하고 흑인 노래나 춤을 춤》.

mínstrel shòw ⇨ MINSTREL ②.

min·strel·sy [mínstrəlsi] *n.* Ⓤ 음유 시인〔가인〕의 연예 ; 또, 그 시가(詩歌).

***mint**[1] [mint] *n.* ① Ⓤ 『植』 박하(薄荷) ; 민트. ② Ⓒ (후식용의) 박하가 든 사탕.

mint[2] *n.* ① Ⓒ 화폐 주조소, 조폐국. ② (a ~) 《口》 다액, 거액 : *a* ~ of money 막대한 돈 / *a* ~ of trouble 허다한 고생. ***in*** ~ ***state*** 〔***condition***〕 아주 새것인, 신품과 같은《서적·화폐·우표 따위》: My father's car is still *in* ~ *condition.* 아버지 차는 아직도 새차나 마찬가지다. ── *vt.* ① (화폐)를 주조하다(coin). ② (신어(新語))를 만들어 내다 : a freshly ~*ed* term 신(新)조어.

mint·age [míntidʒ] *n.* ① Ⓤ **a)** 화폐의 주조, 조폐(coinage). **b)** 주화료(鑄貨料), 조폐비(費). **c)** 〔集合的〕 주조 화폐. ② Ⓒ 조폐 각인(刻印) (mintmark).

mínt júlep 《美》 민트줄렙《위스키나 브랜디에 설탕·박하를 넣은 칵테일》.

min·u·et [mìnjuét] *n.* Ⓒ ① 미뉴에트《3박자의 우아한 춤》. ② 미뉴에트의 곡.

:mi·nus [máinəs] *prep.* ① 『數』 마이너스의, …을 뺀, …만큼 적은. OPP *plus.* ¶ 7 ~ 3 leaves 4, 7 빼기 3 은 4《7−3=4》. ② 《口》 …을 잃고 ; …이 없이〔없는〕(lacking, without) : a book ~ its cover 표지가 떨어져 나간 책. ── *a.* ① 〔限定的〕 마이너스의 ; 음(陰)의(negative) : a ~ quantity 음의 양(量), 음수(陰數) / ~ electricity 음전기 / ~ charge 음전하(陰電荷). ② 《口》 없는, 모자라는 : The profits were ~. 수익은 제로였다. ③ (성적 평가〔평점〕 뒤에 놓아) …의 아래, …보다 좀 못한 : A ~, A의 아래, A 마이너스《A⁻라고 씀》/ I never got a grade higher than B ~. 나는 B 마이너스(B⁻)보다 좋은 성적을 받은 적이 없다.

── (*pl.* ~·***es***) *n.* Ⓒ ① = MINUS SIGN. ② 음수(陰數) : Two ~*es* make a plus. 마이너스 둘이 곱치면 플러스가 된다. ③ 《口》 부족, 손해, 결손 ; 불리한점 : consider the pluses and ~*es* of …의 유리한점〔면〕과 불리한 점〔면〕을 생각하다.

mi·nus·cule [mínʌskjù:l, -ˊ-ˋ] *a.* 아주 작은 ; 하찮은 것 없는 : a ~ quantity 극소량.

mínus sìgn 마이너스 부호(−).

†min·ute[1] [mínit] *n.* ① Ⓒ (시간의) 분 : It's 5 ~*s* to〔before, 《美》 of〕 seven. 7시 5분 전이다 / 10 ~*s* past〔《美》 after〕 six, 6시 10분 / It's five ~*s'*〔a five-~ 〕 walk from here to the station. 여기서 역까지는 걸어서 5 분 거리이다. ② 《口》 (*sing.*) 잠깐 동안, 잠시 ; 순간(moment) : At this very ~ there're many people who have nothing to eat. 지금 이 순간에도 먹을 것이 없는 사람이 많이 있다 / Come here this ~. 지금 곧 오너라 / I'll be there in a ~. 곧 가겠습니다 / Just 〔Wait〕 a ~. 잠깐만 (기다려 주시오). ③ **a)** Ⓒ 각서(note), 메모 ; (간단한) 초고(草稿) : make a ~ of ⇨ (成句). **b)** (*pl.*) 의사록(~ book) : take the ~*s* of a meeting 의사록에 기록하다. ④ Ⓒ (각도의) 분(~ of arc) : latitude fifty degrees and thirty ~*s* north 북위 50도 30분. ***any*** ~ 지금 당장에라도, 언제라도 : He'll turn up *any* ~. 언제라도 달려올 것이다. ***at the last*** ~ 막판에 가서. ***by the*** ~ 1분마다, 시시각각. ***in a few*** ~***s*** 2, 3분 내에, 곧 : I'll be ready *in a few* ~*s.* 곧 준비가 됩니다. ***in a*** ~ 금세, 곧 : I'll be back *in a* ~. 곧 돌아오겠습니다. ***make*** 〔***take***〕 ***a*** ~ ***of*** …의 각서를 만들다, 기록해두다. ***not for a*** 〔***one***〕 ~ 조금도 …않는(never) : I do*n't* believe it *for a* 〔*one*〕 ~. 나는 그걸 추호도 안 믿는다. ***the*** ~ (***that***)... …와 동시에, …하자마자(as soon as) : He ran off *the* ~ (*that*) he saw me. 그는 나를 보자마자 도망쳤다. ***this*** ~ 지금 당장(에). ***to the*** ~ 1분도 틀리지 않고, 정각에. ***up to the*** ~ 최신(유행)의(up-to-date) : The technology is *up to the* ~. 그 과학 기술은 최신의 것이다.

── *vt.* …을 의사록에 적다.

:mi·nute[2] [mainjú:t, mi-] (-***nut·er*** ; ***-est***) *a.* ① 자디잔, 미소한 ; 사소한, 하찮은 : a ~ particle of dust 먼지의 미립자 / ~ difference 근소한 차이. ② 상세한 ; 정밀한, 엄밀한 ; 세심한 : ~ researches 면밀한 연구 / a ~ observer 세심한 관찰자.

mínute bòok [mínit-] 의사록.

mínute gùn [mínit-] 분시포(分時砲)《국왕·장

군 등의 장례 때, 또는 조난 신호로서 1분마다 쏘는 호포(號砲)》.

mínute hànd [mínit-] 시계의 장침, 분침.

min·ute·ly[1] [mínitli] *ad.* 1분마다, 매분마다. ── *a.* 1분 마다 일어나는, 끊임없는.

mi·nute·ly[2] [mainjú:tli, mi-] *ad.* ① 아주 조금. ② 상세하게, 정밀하게. ③ 자잘하게, 잘게, 작게.

min·ute·man [mínitmæ̀n] (*pl.* ***-men*** [-mèn]) *n.* Ⓒ 《美》 (때로 M-) (독립 전쟁 당시 즉각 출동할 수 있게 준비하고 있던) 민병, 미니트맨.

mínute stèak [mínit-] 미니트스테이크《즉석 요리용의 얇은 고깃점》.

mi·nu·tia [minjú:ʃiə, mai-] (*pl.* ***-ti·ae*** [-ʃiì:]) *n.* Ⓒ 사소한 점; 세목《*of*》.

minx [miŋks] *n.* Ⓒ 왈가닥, 말괄량이.

Mi·o·cene [máiəsì:n] *n.* (the ~) 〖地質〗 마이오세(世), 중신세(中新世). ── *a.* 마이오세의.

MIPS [mips] *n.* 〖컴〗 100만 명령/초; 밉스《컴퓨터 연산 속도의 단위》. [◂ *m*illion *i*nstructions *p*er *s*econd]

:mir·a·cle [mírəkəl] *n.* Ⓒ ① 기적, 이적(異蹟): work〔perform, do, accomplish〕 a ~ 기적을 행하다 / Christ is believed to have worked many ~*s.* 그리스도는 많은 이적을 행한 것으로 믿어지고 있다. ② 경이; 불가사의한 것《*of*》: a ~ *of* skill 경이적인 기술〔솜씨〕/ His recovery is a ~. 그의 회복은 기적이다 / Helen Keller's life was a ~ *of* courage and determination. 헬렌켈러의 생애는 용기와 결의의 경이적인 사례다. ***by a*** ~ 기적적으로.

míracle drùg 영약, 특효약.

míracle plày 기적극《그리스도나 성인(聖人)이 행한 기적을 제재(題材)로 한 중세의 극》.

***mi·rac·u·lous** [mirǽkjələs] *a.* ① 기적적인, 신기한, 놀랄 만한: the gymnast's ~ feats 그 체조선수의 묘기. ② 기적을 행할 능력이 있는; 경이적인 효력이 있는: a ~ cure for diabetes 당뇨병에 특효가 있는 치료법. ㊞ ~·**ly** *ad.* ~·**ness** *n.*

mir·age [mirá:ʒ/–́–] *n.* Ⓒ 《F.》 ① 신기루; 아지랑이. ② 환상, 망상; 덧없는 희망.

Mi·ran·da [mirǽndə] *n.* 미랜더《여자 이름》.

Miránda cárd 《美》 미랜더 카드《경찰관이 체포한 용의자에게 헌법상 묵비권과 변호사 입회 등을 요구할 수 있는 권리가 있음을 알려주기 위하여 휴대하는 카드》.

mire** [maiər] *n.* Ⓤ 늪, 진창; 수렁. ***drag a person's name through the ~ 아무의 이름을 더럽히다. ***stick*** 〔***find*** one***self***〕 ***in the*** ~ 궁지에 빠지다. ── *vt.* …을 진구렁에 빠뜨리다; 곤경에 몰아넣다. ── *vi.* 진구렁에 빠지다.

Mir·i·am [míriəm] *n.* 미리엄《여자 이름》.

mirk [mə:rk] *n.* =MURK.

:mir·ror [mírər] *n.* Ⓒ ① 거울, 반사경: a rearview ~ (자동차의) 백미러 / look (at oneself) in the ~ 거울로 (자기의 모습을) 보다 / The sea was as smooth as a ~. 해면(海面)은 거울처럼 반드러웠다. ② 충실히〔있는 그대로〕 반영해〔비추어〕 주는 것《*of*》: a ~ *of* times 시대를 반영하는 것 / Television is a ~ *of* current life. 텔레비전은 현대 생활의 거울이다. ── *vt.* …을 비추다, 반사하다; 반영하다: Popular songs ~ the age. 유행가는 그 시대를 반영한다.

mírror ímage 경상(鏡像)《거울에 비쳤을 때의 좌우가 반대로 된 상》.

mírror sỳmmetry 경면 대칭(鏡面對稱).

:mirth [mə:rθ] *n.* Ⓤ 유쾌(하게 떠듦), 환희, 유쾌한 웃음: His remark caused an outburst of ~. 그의 말로 모두 한 바탕 웃었다 / It is not a matter of ~. 웃을 일이 아니다.

***mirth·ful** [mə́:rθfəl] *a.* 유쾌한, 신이 나서 떠드는, 유쾌하게 웃어대는.
㊞ ~·**ly** [-fəli] *ad.* ~·**ness** *n.*

mirth·less [mə́:rθlis] *a.* 즐겁지 않은, 서글픈.
㊞ ~·**ly** *ad.* ~·**ness** *n.*

MIRV [mə:rv] *n.* Ⓒ 다탄두 각개 목표 재돌입 미사일. [◂ *m*ultiple *i*ndependently targeted *r*eentry *v*ehicle]

miry [máiəri] (***mir·i·er*** ; ***-i·est***) *a.* ① 질퍽거리는, 수렁같은. ② 진흙투성이의; 더러운.

MIS management information system(경영정보 시스템); marketing information system(마케팅 정보 시스템). **Mis.** Missouri.

mis- *pref.* 동사나 그 파생어에 붙여서 '잘못(하여), 그릇된, 나쁘게, 불리하게' 따위의 뜻을 나타냄: *mis*take, *mis*represent.

mis·ad·ven·ture [mìsədvéntʃər] *n.* ① Ⓤ 불운: by ~ 운수 나쁘게, 잘못하여. ② Ⓒ 불운한 일, 불행, 재난: I had a little ~ on the way home. 귀가 길에 좀 일을 당했다. ***death by*** ~ 〖法〗 우발사고에 의한 죽음, 사고사. ***do*** a person ~ 아무에게 손해를 입히다.

mis·al·li·ance [mìsəláiəns] *n.* Ⓒ 부적당한 결합; (특히) 어울리지 않는 결혼.

mis·an·thrope, mis·an·thro·pist [mísənθròup, míz-], [misǽnθrəpist, miz-] *n.* Ⓒ 사람을 싫어하는 사람, 교제하기를 싫어하는 사람.

mis·an·throp·ic, -i·cal [mìsənθrápik, mìz-/-θrɔ́p-], [-əl] *a.* 사람을 싫어하는, 염세적인.
㊞ **-i·cal·ly** [-ikəli] *ad.*

mis·an·thro·py [misǽnθrəpi, miz-] *n.* Ⓤ 사람을 싫어함《성질》, 인간 불신, 염세.

mis·ap·pli·ca·tion [mìsæplikéiʃən] *n.* Ⓤ,Ⓒ 오용, 남용, 악용; 부정 사용.

mis·ap·plied [mìsəpláid] *a.* 오용〔악용〕된.

mis·ap·ply [mìsəplái] *vt.* …의 적용을 잘못하다; 악용〔오용〕하다; (공금 따위)를 부정하게 쓰다.

mis·ap·pre·hend [mìsæprihénd] *vt.* (말·사람 등)을 오해하다, 잘못 생각하다(misunderstand).

mis·ap·pre·hen·sion [-hénʃən] *n.* Ⓤ,Ⓒ 오해, 잘못 생각하기. ***under*** ~ 오해하여.

mis·ap·pro·pri·ate [mìsəpróuprièit] *vt.* (남의 돈)을 착복〔횡령〕하다; …을 악용〔오용〕하다.

mis·ap·pro·pri·a·tion [-ʃən] *n.* Ⓤ,Ⓒ 착복, 횡령; 악용, 남용.

mis·ar·range [mìsəréindʒ] *vt.* …의 배열을〔배치를〕 잘못하다. ㊞ ~·**ment** *n.*

mis·be·come [mìsbikʌ́m] (***-be·came*** [-bikéim]; ***-be·come***) *vt.* …에 맞지 않다, 적당하지 않다, 어울리지 않다.

mis·be·got·ten, -got [mìsbigátn/-gɔ́tn], [-gát/-gɔ́t] *a.* ① (계획·생각 등이) 시원찮은, 잘못된. ② (사람이) 경멸할, 쓸모없는. ③ 사생아의, 서출(庶出)의 (illegitimate).

mis·be·have [mìsbihéiv] *vi.* 부정한〔나쁜〕 짓을 하다. ── *vt.* 〔再歸的〕 버릇없이 굴다, 나쁜 짓을 하다.

mis·brand [mìsbrǽnd] *vt.* …에 가짜 상표를 붙이다.

misc. miscellaneous; miscellany.

mis·cal·cu·late [miskǽlkjəlèit] *vt., vi.* (…의) 계산을 잘못하다, 오산하다; 잘못〔헛〕 짚다.

mis·cal·cu·la·tion [-ʃən] *n.* Ⓤ,Ⓒ 계산 착오; 오산, 잘못 짚음.

mis·call [miskɔ́:l] *vt.* …의 이름을 잘못 부르다: Helen is often ~*ed* Ellen. 헬렌은 흔히 잘못해서 엘렌이라고 불린다.

mis·car·riage [mìskǽridʒ] *n.* [U,C] ① 실패 ; 잘못(error). ② (우편물 따위의) 불착(不着), 잘못 배달됨. ③ 유산(流産), 조산(abortion). ***a ~ of justice*** 〖法〗 오심(誤審).

mis·car·ry [mìskǽri] *vi.* ① (계획 따위가) 실패하다(fail). ② (화물(貨物)·우편물 따위가) 도착하지 않다, 잘못 배달되다. ③ 유산〔조산〕하다.

mis·cast [mìskǽst, -kɑ́:st] (*p., pp.* ~) *vt.* 〔흔히 受動으로〕 (배우)에게 부적당한 역을 맡기다 : She *was* somewhat ~ (as Lady Macbeth). 그녀에겐 (맥베스 부인이라는) 좀 부적당한 역이 맡겨졌다 / The play is ~. 이 극은 배역이 잘못됐다.

mis·ce·ge·na·tion [mìsidʒənéiʃən] *n.* [U] (이종족간의) 잡혼(雜婚) 《특히 흑·백인의》.

mis·cel·la·nea [mìsəléiniə] *n. pl.* 〔종종 單數취급〕 (특히, 문학작품의) 잡록(雜錄), 잡집(雜集).

***mis·cel·la·ne·ous** [mìsəléiniəs] *a.* ① 가지가지 잡다한, 잡동사니의 : ~ business 〔goods〕 잡무 〔잡화〕 / ~ household tasks 여러가지 잡다한 가사〔집안 일〕. ② 다방면에 걸친(many-sided) : ~ talent 다방면의 재능, 다예 다재(多藝多才).
[파] ~·**ly** *ad.* ~·**ness** *n.*

mis·cel·la·ny [mísəlèini / miséləni] *n.* [C] ① (이것저것 긁어모은) 잡다한 것, 잡동사니(medley) 《*of*》: a ~ *of* art objects 여러가지 잡다한 미술품. ② (흔히 *pl.*) 문집, 잡록.

mis·chance [mistʃǽns, -tʃɑ́:ns] *n.* [U,C] 불운, 불행, 재난. ***by*** ~ 운 나쁘게.

‡mis·chief [místʃif] (*pl.* ~***s***) *n.* ① [U] 해악(害惡), 손해, 피해, 악영향 : One ~ comes on the neck of another. 《俗談》 엎친 데 덮친다, 설상 가상 / inflict great ~ on the community 사회에 큰 해독을 끼치다 / The storm did a lot of ~ to the crops. 그 폭풍우는 작물에 많은 피해를 주었다. ② [C] 해를 주는 것, 난처하게 하는 것, 곤란한 점 : The ~ of it is that.... 곤란한 점은 …이다. ③ [U] 장난, 짓궂음 : keep children out of ~ 아이들에게 장난치지 못하게 하다. ④ [C] 장난끼 있는 사람 ; 장난꾸러기 : That boy is a real ~. 저 애는 정말 장난이 심하다. ◇ mischievous *a.* ***come to*** ~ 재난을 만나다, 폐가 되다. ***do*** a person ***(a)*** ~ 아무에게 위해를 가(加)하다 ; 죽이다. ***go*** 〔***get***〕 ***into*** ~ 장난을 시작하다. ***make ~ between*** …의 사이를 이간시키다, …에 찬물을 끼얹다. ***mean*** ~ 흉계를 품다, 앙심을 갖다. ***out of (pure)*** ~ (그저) 장난삼아 : He took the money *out of pure* ~. 그는 그저 장난으로 그 돈을 가진 것이다. ***raise (the)*** ~ 《口》 소동을 벌이다. ***The ~ is that . . .*** 난처하게도 …이다. ***up to*** ~ 장난을 꾀하여 : He is *up to* ~ again. 다시 뭔가 못된 일을 꾸미고 있다.

mis·chief-mak·er [-mèikər] *n.* [C] (소문 등으로) 이간질하는 사람.

***mis·chie·vous** [místʃivəs] *a.* ① 장난을 좋아하는, 장난기가 있는 : a ~ trick 지나친 장난 / He had a ~ smile on his lips. 그는 입가에 장난기 어린 미소를 짓고 있었다. ② 어딘가 행티가 있어 보이는 : a ~ trouble maker 나쁜 의도로 문제를 일으키는 사람. ◇ mischief *n.*
[파] ~·**ly** *ad.* ~·**ness** *n.*

mis·con·ceive [mìskənsí:v] *vt.* 〔흔히 受動으로〕 ① (사람·말 따위)를 오해하다, 오인하다. ② (계획 따위)를 잘못 안출(案出)하다, 잘못 생각하다 : The whole project *is ~d.* 그 계획 전체는 처음부터 잘못된 것이다.

mis·con·cep·tion [mìskənsépʃən] *n.* [U,C] 오해, 잘못된 생각 : It is a common ~ that men are not suited to the nursing profession. 남자는 간호직에는 맞지 않는다고 보통 생각되고 있으나, 그것은 잘못된 것이다.

mis·con·duct [miskɑ́ndʌkt / -kɔ́n-] *n.* [U] ① 몸가짐〔행실〕이 좋지 않음, 품행이 나쁨 ; (특히) 불의, 간통. ② 〖法〗 (공무원의) 부정 행위, 직권 남용. ③ (회사 등의) 방만한 관리〔경영〕. ── [mìskəndʌ́kt] *vt.* (업무 등)의 처리를 잘 못하다. ~ one***self*** 품행이 나쁘다 ; 간통하다《*with*》.

mis·con·struc·tion [mìskənstrʌ́kʃən] *n.* [U,C] 잘못 해석함, 오해, 곡해 : Your actions are open to ~. 너의 행동은 오해를 받을 우려가 있다.

mis·con·strue [mìskənstrú: / miskɔ̀nstrú:] *vt.* (말·행위·남의 의도 따위)를 잘못 해석하다, 오해하다 ; 곡해하다(misunderstand)《*as*》.

mis·count [mìskáunt] *vt., vi.* (…을) 잘못 세다, 오산하다. ── *n.* [U] 잘못 셈, 계산 착오, 오산.

mis·cre·ant [mískriənt] *n.* [C] 악당, 악한(惡漢), 악인. ── *a.* 극악한, 사악한.

mis·cre·at·ed [mìskriéitid] *a.* 잘못된, 모양이 기괴한, 불구의(ill-formed).

mis·cue [mìskjú:] *vi.* ① 〖撞球〗 (공을) 잘못치다. ② 《口》 실수하다 ; 〖劇〗 대사의 큐를 잘못 받다〔알다〕. ── *n.* [C] ① 잘못 침. ② 《口》 실책, 실수.

mis·date [mìsdéit] *vt.* ① (편지·서류 등)의 날짜를 잘못 쓰다. ② (역사적 사건 등)의 일시〔연대(年代)〕를 틀리다.

mis·deal [misdí:l] *n.* [C] 〖카드놀이〗 패를 잘못 도르기. ── (*p., pp.* ***-dealt*** [-délt]) *vi., vt.* (패를) 잘못 도르다.

mis·deed [mìsdí:d] *n.* [C] 악행, 비행, 범죄.

mis·de·mean·or, 《英》 **-our** [mìsdimí:nər] *n.* [U,C] ① 〖法〗 경범죄. [cf] felony. ② 비행, 행실〔품행〕이 나쁨.

mis·di·rect [mìsdirékt] *vt.* ① (남)에게 잘못 지시하다 ; (길·장소 등)을 잘못 가르쳐주다. ② (편지)에 수취인의 주소·성명을 잘못 쓰다. ③ (정력·재능 등)을 그릇된 방향으로 돌리다. ④ 〖法〗 (판사가 배심원)에게 사건 내용을 잘못 설명해주다. [파] **mìs·di·réc·tion** [-ʃən] *n.*

mis·do [mìsdú:] (***-did*** [-díd] ; ***-done*** [-dʌ́n]) *vt.* …을 잘못하다, 실수하다.

mis·do·ing [mìsdú(:)iŋ] *n.* [C] (흔히 ~s) 못된 짓, 비행, 범죄(misdeed).

mise-en-scène [*F.* mìzɑ̃sɛn] (*pl.* ~***s*** [─]) *n.* [C] 《F.》 ① 〖劇〗 (배우·도구 등의) 배치 ; 무대 장치(stage setting). ② (사건 등의) 주위 상황.

mis·em·ploy [mìsimplɔ́i] *vt.* …을 잘못 사용하다, 악용하다.

‡mi·ser [máizər] *n.* [C] 구두쇠, 노랭이, 수전노.

‡mis·er·a·ble [mízərəbəl] (***more*** ~ ; ***most*** ~) *a.* ① 비참한, 불쌍한, 가련한(pitiable) ; 슬픈 : feel ~ 비참한 생각이 들다 / a ~ life 비참한 일생 / ~ news 슬픈 소식. ② 〔限定的〕 불충분한, 형편없는〔변변치 않은〕, 빈약한 : a ~ meal 형편없는 식사. ③ (생활 따위가) 쓰라린, 괴로운《*with*》; (날씨 따위가) 지독한, 지긋지긋한 : be ~ *with* hunger and cold 굶주림과 추위로 고생하고 있다 / The weather was ~ yesterday. 어제는 정말 날씨가 고약했다. ④ 〔限定的〕 (사람이) 부끄럼도 모르는, 비열한, 한심한 : You ~ liar ! 이 비열한 거짓말쟁이. ◇ misery *n.* [파] ~·**ness** *n.*

mis·er·a·bly [-bəli] *ad.* ① 비참하게, 불쌍하게, 한심하게 : die ~ 비참하게 죽다. ② 비참할 정도로 ; 지독하게 ; 빈약하게 : They were ~ poor. 그들은 비참할 정도로 가난했다.

mi·ser·ly [máizərli] *a.* 인색한, 욕심 많은.
[파] **-li·ness** [-nis] *n.* [U] 인색, 탐욕.

‡mis·ery [mízəri] *n.* ① [U] (정신적·육체적) 고

통, 고뇌 : live in ~ and want 비참하게 궁핍한 생활을 하다 / *Misery* loves company. 《俗談》 동병상련. ② Ⓒ (종종 *pl.*) 갖은 고난 : *miseries* of mankind 인류의 불행 / She makes my life a ~. 이 고생도 그녀 때문이다. ③ Ⓒ 《口》 징징거리는 사람, 불평이 많은 사람. ◇ miserable *a.* ***put*** ... ***out of his*** 〔***its***〕 ~ (1) (고통 받는 사람·짐승)을 죽여서 편하게 해주다, 안락사시키다. (2) (사실을 말해 주어) 마음을 편안하게 해 주다, 안심시키다 : Let's *put* him *out of his* ~ by telling him the result of the interview. 그에게 면접 결과를 말해 주어 안심시켜 주자.

mis·fea·sance [misfíːzəns] *n.* U,C 〖法〗 부당〔불법〕 행위, 《특히》 직권 남용 ; 〔一般的〕 과실.

mis·file [misfáil] *vt.* (서류 등)을 잘못 철하다.

mis·fire [misfáiər, ´-] *vi.* ① (총 따위가) 불발하다. ② (내연 기관이) 점화되지 않다. ③ (신소리·익살·계획 등이) 효과를 못 내다, 먹히지 않다 : The joke ~*d* completely. 그 농담은 전혀 먹혀들지 않았다. ── *n.* Ⓒ ① 불발 ; 점화되지 않음. ② 빗나감, 실패.

mis·fit [mísfit, -´] *n.* Ⓒ ① 맞지 않는 옷·신발 (따위). ② (지위·환경 등에) 적응하지 못하는 사람 : a social ~ 사회에 적응 못하는 사람.

‡mis·for·tune [misfɔ́ːrtʃən] *n.* ① Ⓤ 불운, 불행 : 《+ *to* do》 (the ~) When I was young, I had *the* ~ *to* lose my father. 내가 어렸을 때 불행히도 아버지를 잃었다. ② Ⓒ 불행한 일, 재난: The fire was quite an unexpected ~. 그 화재는 전혀 뜻밖의 재난이었다 / *Misfortunes* never come single. = One ~ rides upon another's back. 《俗談》 화불단행(禍不單行), 엎친 데 덮친다.

mis·giv·ing [misgíviŋ] *n.* U,C (흔히 *pl.*) (미래의 일에 대한) 걱정, 불안《*about*》: have some ~*s about* the outcome 결과에 대하여 다소의 불안을 품다〔느끼다〕 / have〔feel〕 ~s *about* one's health 건강에 불안을 느끼다.

mis·gov·ern [misgʌ́vərn] *vt.* …에 악정을 베풀다, 통치〔지배〕를 잘못하다. ── *vi.* 악정을 베풀다.

mis·gov·ern·ment [-mənt] *n.* Ⓤ 악정, 실정 「(失政).

mis·guide [misgáid] *vt.* 〔흔히 受動으로〕 …을 잘못 지도하다(mislead).

mis·guid·ed [misgáidid] *a.* (사람·행위 등) 지도가 잘못된, 잘못 알고 있는 : ~ young people 생각이 잘못된 젊은이들 / It was ~ of you to trust him. 그를 믿은 네가 잘못이었어 / ~ efforts 잘못된 노력. ㊎ ~·**ly** *ad.*

mis·han·dle [mishǽndl] *vt.* ① …을 거칠게 다루다, 학대하다. ② …을 서투르게 다루다, 잘못 처리하다.

***mis·hap** [míshæp, -´] *n.* U,C 불행한 일, 재난, 사고 : without ~ 무사히 / have a slight ~ on an icy road 빙판길에서 가벼운 사고를 당하다.

mis·hear [mishíər] (*p., pp.* ***-heard*** [-hɔ́ːrd]) *vt.* …을 잘못 듣다《*for*》.

mis·hit [mishít] (~ ; ***-tt-***) *vt.* (공)을 잘못 치다. ── [´-] *n.* Ⓒ 잘못 치기, 범타.

mish·mash [míʃmæʃ] *n.* (a ~) 《口》 뒤범벅 (hodgepodge, jumble) ; 그러모은 잡다한 것《*of*》: *a* strange ~ *of* objects 기묘한 물건들의 잡동사니.

mis·in·form [mìsinfɔ́ːrm] *vt.* 〔흔히 受動으로〕 …을 잘못 전하다 ; 오해하게 하다《*about*》: I *was* ~*ed about* the date. 나는 날짜를 잘못 듣고〔알고〕 있었다.

mis·in·for·ma·tion [mìsinfɔːrméiʃən] *n.* Ⓤ (의도적인) 오보(誤報), 오전(誤傳).

mis·in·ter·pret [mìsintə́ːrprit] *vt.* …을 그릇 해석하다, 오해하다(misunderstand) : ~ her smile as amiability 그녀의 미소를 호의라고 잘못알다.

mis·in·ter·pre·ta·tion [mìsintəːrpritéiʃən] *n.* U,C 오해 ; 오역(誤譯), 잘못된 해석.

mis·judge [misdʒʌ́dʒ] *vt.* …을 그릇 판단〔심판〕 하다 : I totally ~*d* his motives. 나는 그의 진의를 전혀 잘못 알고 있었다.

mis·judg(e)·ment [-mənt] *n.* U,C 그릇된 판단 ; 오심(誤審).

mis·lay [misléi] (*p., pp.* ***-laid*** [-léid]) *vt.* …의 둔 자리를 잊다, 두고 잊다 : ~ one's umbrella 우산 둔 데를 잊다.

mis·lead** [mislíːd] (*p., pp.* ***-led [-léd]) *vt.* ① …을 그릇 인도하다 ; 나쁜 일에 끌어 들이다 : The old map *misled* us. 그 낡은 지도 때문에 우리는 길을 잘못들었다 / Bad companions *misled* him. 나쁜 친구가 그를 꾀어 냈다. ② …의 판단을 그르치게 하다, …을 현혹시키다 ; 현혹하여 …하게 하다 : The man's friendly words *misled* me *into* trusting him. 그 남자의 친절한 말에 속아 그를 믿어 버렸다.

***mis·lead·ing** [mislíːdiŋ] *a.* 그르치기 쉬운, 오해하기 쉬운, 오해하게 하는, 현혹시키는 : a ~ advertisement 사람을 현혹시키는 광고 / Your words were rather ~. 네 말은 좀 오해할 수도 있었다. ㊎ ~·**ly** *ad.*

mis·man·age [mismǽnidʒ] *vt.* …을 잘못 취급〔관리〕하다, …의 처리를 잘못하다. ㊎ ~·**ment** *n.* 실수.

mis·match [mismǽtʃ] *vt.* 짝을 잘못 짓다 ; 어울리지 않는 결혼을 시키다 : a ~*ed* couple(성격적으로) 어울리지 않는 부부 / The couple were badly ~*ed*. 그들 부부는 전혀 어울리지 않았다. ── *n.* Ⓒ 잘못 짝짓기 ; 어울리지 않는 결혼.

mis·name [misnéim] *vt.* = MISCALL.

mis·no·mer [misnóumər] *n.* Ⓒ 잘못된 명칭, 부적당한 이름〔명칭〕 ; 잘못 부름.

mi·sog·a·my [miságəmi, mai- / -sɔ́g-] *n.* Ⓤ 결혼을 싫어함. ㊎ **-mist** *n.* Ⓒ 결혼을 싫어하는 사람.

mi·sog·y·ny [misádʒəni, mai- / -sɔ́dʒ-] *n.* Ⓤ 여자를 싫어함. OPP *philogyny.*

mis·place [mispléis] *vt.* 〔종종 受動으로〕 ① …을 잘못〔부적절한 데에〕 두다《*in*》: I'*m* ~*d in* a job like this. 나는 이런 일자리에는 적격이 아니다. ② …의 둔 곳을 잊다(mislay) : ~ one's glasses 안경 둔 데를 잊다. ③ (신용·애정 등)을 잘못된 대상에 주다《*to*》: My concern *was* entirely ~*d*. 내 걱정은 전혀 기우였다. ㊎ ~·**ment** *n.*

mis·play [mispléi] *n.* Ⓒ (경기·연주 등의) 실수, 에러, 미스.
── *vt.* …을 실수하다 ; (구기(球技)에서 공 처리)를 잘못하다, 에러〔미스〕를 범하다.

mis·print [mísprint, -´] *n.* Ⓒ 〖印〗 오식(誤植), 미스프린트 : The book is full of ~*s*. 이 책은 오자 투성이다. ── [misprínt] *vt.* …을 오식하다.

mis·pri·sion [mispríʒən] *n.* Ⓤ 〖法〗 ① (공무원의) 비행, 직무 태만. ② 범죄 은닉.

mis·pro·nounce [mìsprənáuns] *vt.* …의 발음을 잘못하다. ── *vi.* 잘못〔틀리게〕 발음하다.

mis·pro·nun·ci·a·tion [mìsprənʌ̀nsiéiʃən] *n.* U,C 잘못된 발음.

mis·quo·ta·tion [mìskwoutéiʃən] *n.* U,C 틀린〔잘못된〕 인용(구). 「하다.

mis·quote [miskwóut] *vt., vi.* (…을) 잘못 인용

mis·read [misríːd] (*p., pp.* ~ [-réd]) *vt.* ① …을 틀리게 읽다. ② 오해하다, 그릇 해석하다

(misinterpret) : Don't ~ me〔my intentions〕. 나를〔내 뜻을〕 오해하지 마시오.

mis·re·port [mìsripɔ́:rt] *vt.* …을 잘못 보고하다 ; 그릇 전하다. ── *n.* U.C 오보(誤報), 허위 보고.

mis·rep·re·sent [mìsreprizént] *vt.* ① …을 그릇 설명하다. ② …을 잘못 알리다, 속여 전하다.

mis·rep·re·sen·ta·tion [mìsreprizentéiʃən] *n.* U.C ① 오전(誤傳), 허설(虛說) ; 그릇된 설명 : That is a ~ of my views. 그것은 나의 견해를 잘못 전하고 있다. ②〖法〗 허위〔거짓〕 진술.

mis·rule [misrú:l] *n.* U 실정(失政) ; 무질서, 혼란, 무정부 상태.
── *vt.* …의 통치를 그르치다, 악정을 베풀다.

†**miss**[1] [mis] (*pl.* ~·**es** [mísiz]) *n.* ① (M-) …양《Lady 또는 Dame 이외의 미혼 여성의 성 또는 성명 앞에 붙여 씀》: *Miss* Smith 스미스 양. ★[1] 자매를 함께 부를 때《文語》로는 the Misses Brown, 《口》에서는 the Miss Browns. ★[2] misses [mísiz] 와 Mrs.는 동음 이의어이나 이를 구별하기 위해서 misses를 [mísi:z]로도 발음함. 다만, Mrs. 에는 the가 붙는 일이 없음. ② C 처녀, 미혼 여성《영국에서는 경멸적》: school ~*es* (놀기 좋아하는) 여학생. ③ 아가씨《손님이 젊은 여점원에의 호칭》: *Miss*, two coffees, please. 아가씨 커피 두 잔 주세요 / *Miss*, where is the nearest post office? 아가씨 제일 가까운 우체국은 어디 있습니까. ④ (M-) (지명·국명 등에 붙여) 그 대표적 아가씨, 미스… : *Miss* Korea〔Universe〕. ⑤《英》 (종종 M-) (학생이 여선생을 부르는 호칭으로) 선생님 : Good morning, ~ ! 선생님 안녕하십니까.

‡**miss**[2] *vt.* ① (목표)를 못 맞히다, 빗맞히다 : ~ the target 과녁을 맞히지 못하다 / His punch ~*ed* the mark. 그의 펀치는 겨냥한 곳을 맞히지 못했다 / ~ the nail (망치로) 못을 헛치다 / The stone ~*ed* him. 돌은 그에게 맞지 않았다. ② (겨눈 것)을 놓치다, 잡지 못하다 : ~ a catch 공을 놓치다. ③ **a**) (기회 따위)를 놓치다 ; (탈것)을 놓치다, 타지 못하다 ; (사람)을 만나지 못하다 ; (흥행 따위)를 구경하지 못하다 : ~ the bus 버스를 놓치다 / I ~*ed* the train by three minutes. 3분 늦어서 열차를 놓쳤다 / I ~*ed* her in the busy station. 역이 붐벼서 그녀를 만나지 못했다 / That's a play not to be ~*ed*. 그것은 안보고 지나칠 수 없는 연극이다. **b**) (회합 따위)에 출석하지 못하다 ; (수업)에 나가지 못하다, 결석하다 : Don't ~ your classes. 꼬박꼬박 수업에 출석해라 / I have ~*ed* so much school these days. 나는 요즘 결석을 많이 했다. ④ (빠뜨리고) …을 보지〔듣지〕 못하다, 이해하지 못하다 ; …을 깨닫지 못하다 : I must have ~*ed* the notice. 공고를 못 봤음에 틀림없다 / Be careful not to ~ a single word. 한 마디도 놓치지 말고 들어라 / I ~*ed* the point of his speech. 나는 그의 연설 요지를 알 수 없었다. ⑤《~+目 / +目+전+명》 …을 빼먹다, 빠뜨리고 쓰다〔말하다〕, …을 생략하다《*out* ; *out of*》: He ~*ed* my name *out of* his list. 내 이름을 명단에서 뺐다 / She ~*ed out* the second verse in her song. 그녀는 노래를 하면서 제 2절은 빼먹었다. ⑥《~+目 / +-*ing*》 까딱 …할 뻔하다, 면하다 : He just ~*ed* be*ing* killed. 까딱하면 죽을 뻔했다 / We barely ~*ed having* a crash. 우리는 간신히 충돌을 면했다. ⑦ (약속·의무 따위)를 지키지〔이행하지〕 못하다 : The bus was late and I ~*ed* the appointment. 버스가 늦어서 약속을 지키지 못했다. ⑧ …이 없음을 깨닫다 : ~ the entry in a dictionary 사전에 그 표제어가 빠져 있는 것을 깨닫다 / When did you ~ your umbrella? 우산 없어진 것을 언제 알았나. ⑨ …이 없어서 불편하게〔아쉽게〕 여기다 ; …이 없어서 적적〔서운, 허전〕하게 생각하다 ; …하던 일을 그리워하다《do*ing*》: I ~ my son terribly now that he is abroad. 아들이 외국에 가 버려서 몹시 적적하다 / She ~*es living* in the country. 그녀는 시골에 살지 못하는 것을 유감스러워한다 / I ~ drink*ing* tea brewed by her of an evening. 어느 날 밤에 그녀가 끓여 준 차를 마시던 일이 그립다.
── *vi.* ① 과녁을 빗나가다, 빗맞다, 맞지 않다 : I fired twice, but ~*ed* both times. 두 방 쏘았는데 두 번 다 빗맞았다. ② (내연 기관이) 점화되지 않다. ~ ***by a mile*** 《口》 …에 크게 실패〔패배〕하다. ~ ***out*** (1)《口》 좋은 기회를 놓치다《*on*》: ~ *out on* the picnic 피크닉을 못가다. (2) …을 생략하다, 빼다 : Don't ~ my name *out*. 내 이름은 빼지 마. ~ ***the boat*** ⇨BOAT. ***never*** 〔***not***〕 ~ ***a trick*** 《口》 언제건 호기를 놓치지 않다. ***not*** ~ ***much*** 방심 않다, 빈틈이 없다.
── *n.* C 못맞힘 : 빗맞기 : He shoots without a single ~. 그의 사격은 한 방도 빗맞지 않는다 / A ~ is as good as a mile. 《俗談》 조금이라도 빗나간 것은 빗나간 것이다, 오십보 백보 / It's hit or ~. 망하기 아니면 흥하기다. ***give*** . . . ***a*** ~ (아무를) 일부러 피하다 : I'll *give* the meeting *a* ~ tomorrow. 내일 모임엔 나가지 않겠다.

Miss. Mississippi.

mis·sal [mísəl] *n.* C (때로 M-) 〖가톨릭〗 미사 「전서(典書).

mis·send [misénd] (***-sent*** [-sént]) *vt.* …을 잘못 보내다.

mis·shap·en [misʃéipən] *a.* 기형의, 일그러진, 「보기 흉한.

‡**mis·sile** [mísəl / -sail] *n.* C ① 미사일, 탄도 병기 (彈道兵器) (ballistic ~) ; 《특히》 유도탄(guided ~). ② 날아가는 무기《화살·탄환·돌 등》.
── *a.* 〔限定的〕 미사일의〔용의, …에 의한, …에 관한〕 : a ~ base 〔site〕 미사일 기지 / a ~ killer 미사일 요격용 미사일 / a ~ payload 미사일 탄두 / ~ technology 미사일 공학 / a ~ vehicle 미사일 운반 기구 / ~ deployment 미사일 배치.

mis·sile·man [mísəlmən / -sail-] (*pl.* ***-men*** [-mən]) *n.* C 미사일 설계〔제조, 조작〕자.

‡**miss·ing** [mísiŋ] *a.* ① (있어야 할 곳에) 없는, 보이지 않는 ; 분실한 : a book with two pages ~, 2 페이지가 없는 책 / the ~ papers 분실된 서류 / He's always ~ when I need. 내가 필요로 할 때 그는 늘 없다. ② 행방 불명의 (lost) ; 결석한《*from* class》: a ~ person 찾는 사람 / go ~ 행방 불명이 되다 / ~ in action 전투 중에 실종된 / Their yacht has been reported (as) ~. 그들의 요트는 행방 불명인 것으로 보도되고 있다. ③ (the ~) 〔名詞的 ; 複數취급〕 행방 불명자들.

míssing línk ① 계열(系列)을 완성시키는 데 빠져 있는 것《*in*》. ② (the ~) 〖生〗 멸실환(環), 미싱 링크《인류와 유인원(類人猿)의 중간에 있었다고 가상(假想)되는 동물》.

‡**mis·sion** [míʃən] *n.* C ① (사절의) 임무, 직무 ; 〔一般的〕 사명, 천직 : a sense of ~ 사명감 / be sent *on* a ~ 사명을 띠고 파견되다 / It's my ~ to teach children. 아이들을 가르치는 것이 나의 천직이다. ② 〔集合的 ; 單·複數 취급〕 사절단, 파견단《*to*》: an economic 〔a trade〕 ~ *to* Japan 대일(對日)경제〔무역〕 사절단. ③ 재외 대사〔공사〕관. ④ (특히, 외국에 대한) 전도, 포교 ; (*pl.*) 전도 사업 : foreign 〔home〕 ~ 외방〔국내〕 전도 (활동). ⑤ 선교회(會), 포교단 ; 전도구(區). ⑥ **a**) 〖軍〗 특명, 특명 비행 : fly a ~ 특명 비행을 하다. **b**) (우주선에 의한) …에의 특무 비행《*to*》: a ~ *to* the moon 달에의 특무 비행. ***Mission accomplished.*** 《口》 임무 무사 완료.

— *a.* 〔限定的〕 전도(단)의, 선교 단체의〔가 운영하는〕: a ~ hospital 선교 단체가 운영하는 병원 / a ~ school 미션 스쿨.

‡**mis·sion·a·ry** [míʃənèri / -nəri] *a.* 전도(자)의 : a ~ meeting 전도〔포교〕집회. — *n.* Ⓒ ① (해외 파견) 선교사, 전도사. ② (주의·사상의) 주창자, 선전자(propagandist).

míssionary posítion (the ~) 《口》 (성교(性交) 체위의) 정상위(正常位). 「(비행) 관제소.

míssion contròl (cènter) (지상의) 우주

mis·sis [mísiz, -is] *n.* 《口》 ① (the ~) 마님, 아씨(mistress)《하녀 등의 용어》: *The* ~ has gone out. 마님은 밖에 나가셨습니다. ② (the ~) 《口》 (자기 또는 남의) 마누라, 아내 : How's *the* ~ ? 마누라는 안녕한가.

Mis·sis·sip·pi [mìsəsípi] *n.* ① 미시시피주《미국 남부의 주(州); 주도(州都) Jacson; 略: Miss.; 〖郵〗 MS; 속칭 the Magnolia State》. ② (the ~) 미시시피강(江).

Mis·sis·sip·pi·an [-ən] *a.* ① 미시시피주(사람)의. ② 미시시피강의. — *n.* Ⓒ 미시시피주 사람.

mis·sive [mísiv] *n.* Ⓒ 《文語》신서(信書), 서장(書狀), (특히 장황한) 공문서.

***Mis·sou·ri** [mizúəri] *n.* ① 미주리주《미국 중부의 주; 주도(州都) Jefferson city; 略: Mo.; 〖美郵〗 MO; 속칭 the Show Me State》. ② (the ~) 미주리 강《미시시피 강의 지류》.

Mis·sou·ri·an [-ən] *a.* 미주리 주(사람)의.
— *n.* Ⓒ 미주리주 사람.

mis·spell [misspél] (*p., pp.* ***-spelled*** [-spélt, -spéld], ***-spelt*** [-spélt]) *vt.* …의 철자를 잘못 쓰다. 「린 철자.

mis·spell·ing [-spéliŋ] *n.* Ⓤ,Ⓒ 철자의 잘못, 틀

mis·spend [misspénd] (*p., pp.* ***-spent*** [-spént]) *vt.* (시간·돈 따위)를 잘못 쓰다 ; 낭비하다.

mis·state [misstéit] *vt.* …을 잘못 말하다 ; 허위 진술하다. ㊞ ~·**ment** *n.* Ⓤ,Ⓒ 잘못된〔허위〕 진술.

mis·step [misstép] *n.* Ⓒ 실족(失足) ; 과실.

mis·sus [mísəz, -səs] *n.* =MISSIS.

mis·sy [mísi] *n.* Ⓒ 《口》 아가씨《보통, 친밀하게 부르는 호칭으로서》.

***mist** [mist] *n.* ① Ⓒ,Ⓤ (엷은) 안개, 놀《fog보다는 엷고, haze보다는 짙은 것》: a thick 〔heavy〕 ~ 짙은 안개 / valleys hidden in ~ 안개에 가려진 계곡 / *Mist* rose over the lake. 호수위에 안개가 자욱하다. ② Ⓤ (또는 a ~) (눈물 따위로 인한) 흐릿함, (수증기 따위로 인한 거울 등의) 흐림: She smiled in *a* ~ of tears. 눈물로 흐려진 눈으로 미소지었다. ③ Ⓒ (흔히 *pl.*) (판단 따위를) 흐리게 하는 것 : a ~ of doubt 의혹의 안개 / a secret hidden in the ~*s* of time (시간의 안개에 가리워진) 먼 옛날의 비밀 / A ~ of prejudice spoiled his judgment. 편견이 그의 판단을 그르쳐 놓았다.
— *vi.* ① 안개가 끼다 ; (눈이) 흐려지다《*over* ; *up*》: The scene ~*ed over.* 그 경치는 안개로 흐릿하였다. ② 〔흔히 it을 主語로〕 안개〔이슬비〕가 내리다 : It is ~*ing.* — *vt.* 《~+目/+目+전+명》 …을 안개로 덮다 ; (눈)을 흐리게 하다: ~*ed* glasses 흐린 안경 / The glass was ~*ed with* steam. 유리가 증기로 흐려져 있었다 / Her eyes were ~*ed with* tears. 눈이 눈물로 흐려졌다.

mis·tak·a·ble [mistéikəbəl] *a.* 틀리기 쉬운, 잘못하기 쉬운, 오해받기 쉬운.

†**mis·take** [mistéik] *n.* Ⓤ,Ⓒ ① 잘못, 틀림 ; 오해, 잘못(된) 생각 : There is no ~ about it. 그것은 틀림없다〔확실하다〕/ It was a ~ to trust him. 그를 믿은 것은 잘못이었다 / There must be some ~. 무언가 오해가 있는 것이 틀림없다 / It's a great ~ to suppose that money is everything. 돈이(면) 다라고 생각하는 것은 큰 잘못이다. ② 〖法〗 착오(錯誤). ***and no*** ~ 《口》 〔앞의 말을 강조하여〕 확실히, 틀림없이 : She is innocent, *and no* ~ ! 그녀는 죄가 없다, 절대로. ***beyond*** ~ 틀림없이(undoubtedly). ***by*** ~ 잘못하여, 실수로 ; 무심코. ***in*** ~ ***for*** …을 잘못 알아, …와 혼동하여. ***make a*** ~ 실수하다, 잘못 생각하다. ***Make no*** ~***,*** (you'll have to come here again). 알았지, (꼭 또 와야 해).
— (***-took*** [-túk]; ***-tak·en*** [-téikən]) *vt.* ① …을 틀리다, 잘못 알다 ; 오해하다 : ~ the road 길을 잘못 들다 / There is no *mistaking* the fact. 그 사실은 틀릴 리 없다 / She has *mistaken* me〔my meaning〕. 그녀는 내 말〔말의 뜻〕을 오해하고 있다. ② 《+目+전+명》 …로 잘못 보다, 혼동하다《*for*》: He *mistook* the cloud *for* an island. 구름을 섬으로 잘못 봤다 / That teacher is often *mistaken for* a student. 저 선생님은 종종 학생으로 오인된다 / I *mistook* the snake *as* a stick. 나는 그 뱀을 막대기로 알았다. — *vi.* 잘못 알다, 오해 하다.

‡**mis·tak·en** [mistéikən] MISTAKE의 과거분사.
— *a.* ① (생각·지식 따위가) 잘못된, (생각이) 틀린 : a ~ idea〔opinion〕 잘못된 생각〔의견〕/ ~ kindness 귀찮은〔잘못된〕 친절 / ~ identity 사람을 잘못 봄. ② 〔敍述的〕 (사람 등이) 잘못 생각하고 있는, 오해하고 있는《*about*》: Father was ~ *about* the time of the train. 아버지는 열차시각을 잘못 알고 계셨다 / You are ~ *about* that. 그 일에 대해서는 네가 잘못 생각하고 있다. ㊞ ~·**ly** *ad.* 잘못하여 ; 오해하여. ~·**ness** *n.*

***mis·ter** [místər] *n.* ① (M-) 군, 씨, 선생, 님, 귀하《남자의 성·성명 또는 관직명 앞에 붙임; 흔히 Mr. 로 생략》: *Mr.* (John) Smith (존) 스미스 씨 / Don't call me ~ ; it's very distant. '님'자를 빼고 불러주게. 아주 서먹서먹하단 말이야. ② 《美口》 나리, 선생님, 여보세요《★ 《英》에서는 비표준적 용법》: Good morning, ~. 나리, 안녕하십니까.

Míster Chárlie 《美俗》 백인.

mis·time [mistáim] *vt.* …의 시기를 그르치다, 시기를 놓치다 ; 좋지 않은 때에 하다〔말하다〕: a ~*d* proposal 시의(時宜)에 맞지 않는 제안.

***mis·tle·toe** [mísltòu, mízl-] *n.* Ⓤ 〖植〗 겨우살이《크리스마스 장식에 씀》; Ⓒ 그 잔가지.

‡**mis·took** [mistúk] MISTAKE의 과거.

mis·tral [místrəl, mistrá:l] *n.* (the ~) 미스트럴《프랑스의 지중해 연안 지방에 부는 찬 북서풍》.

mis·trans·late [mìstrænsléit, -trænz-] *vt.* …을 잘못 번역하다. ㊞ **-lá·tion** [-ʃən] *n.* Ⓤ,Ⓒ 오역.

mis·treat [mistrí:t] *vt.* …을 학대〔혹사〕하다.
㊞ ~·**ment** *n.*

‡**mis·tress** [místris] *n.* Ⓒ ① 여주인, 주부 : May I speak to the ~ of the house? 안주인을 좀 뵙고 싶습니다마는. ⓒⓕ master. ② (때로 M-) 《比》 여지배자 ; (…의) 여왕, 지배자 : the ~ of the night 밤의 여왕《달》/ the ~ of the Adriatic 아드리아해의 여왕《베니스의 속칭》. ③ 여류 명인〔대가〕《*of*》: ~ *of* cooking 요리의 대가 / a ~ *of* dressmaking 일류 여성복 디자이너. ④ 《英》 여선생. ⑤ 《詩》 사랑하는 여인, 연인. ⑥ 정부, 첩. ***be one's own*** ~ (여성이) 자유의 몸이다. ***be the*** ~ ***of*** …을 지배하다, …에 군림하다.

mis·tri·al [mistráiəl] *n.* Ⓒ 〖法〗 ① 오심 ; 무효 재

판〔심리〕《절차상의 과오에 의한》. ②《美》미결정 심리《배심원의 의견 불일치에 의한》.

***mis·trust** [mistrʌ́st] *n.* Ⓤ (또는 a ~) 불신, 의혹《*of*》. ─ *vt.* …을 믿지 않다, 의심하다 : I ~ his motives. 나는 그의 동기를 의심하고 있다.

mis·trust·ful [-fəl] *a.* 믿지 않는, 의심(이) 많은《*of*》: He's ~ *of* my motives. 그는 나의 동기를 믿지 않는다〔의심하고 있다〕. ㊎ **~·ly** *ad.*

***misty** [místi] (**mist·i·er ; -i·est**) *a.* ① 안개 낀, 안개가 자욱한. ② (눈이 눈물이나 노쇠로 인하여)희미한, 또렷하지 않은, 몽롱한 ; (생각·기억 등이) 애매한, 어렴풋한, 흐릿한, 막연한 : a ~ idea 애매한 개념 / ~ memories of one's childhood 어린 시절의 어렴풋한 기억. ③ (빛깔이)희미한, 흐릿한.

‡mis·un·der·stand [mìsʌndərstǽnd] (*p., pp.* **-stood** [-stúd]) *vt.* …을 오해하다, 잘못 생각하다 : I am *misunderstood.* 오해받고 있다 / I'm afraid you ~ me. 당신은 나를 오해하고 있는 것 같애.

***mis·un·der·stand·ing** [mìsʌndərstǽndiŋ] *n.* ⓊⒸ ① 오해, 잘못 생각함《*about ; of*》: through a ~ 잘못 생각하여 / clear up a ~ 오해를 풀다. ② 의견 차이(差異), 불화(不和)《*between ; with*》: A ~ arose *between* the two nations. 두 나라간에 불화가 생겼다.

mis·us·age [misjúːsidʒ, -júːz-] *n.* ⓊⒸ ① (어구 따위의) 오용(誤用). ② 학대, 혹사.

***mis·use** [misjúːz] *vt.* ① …을 오용하다 ; 악용하다. ② …을 학대〔혹사〕하다. ◇ misusage *n.* ─ [-júːs] *n.* ⓊⒸ 오용 ; 남용.

M.I.T. Massachusetts Institute of Technology (매사추세츠 공과 대학).

Mitch·ell [mítʃəl] *n.* ① 미첼《남자 이름》. ② **Margaret** ~ 미첼《미국의 여류 소설가 ; *Gone with the Wind* (1936)의 작자 ; 1900-49》.

mite[1] [mait] *n.* ① Ⓒ (흔히 *sing.*) 적으나마 갸륵한 기부 : contribute one's ~ to …에 소액이나마 헌금하다. ② (a ~) 《口》약간, 조금 : He is *a* ~ taller than I am. 그는 나보다 키가 조금 더 크다. ③ Ⓒ 작은 것 ; 작은 아이, 꼬마. ***a ~ of a*** (child) 조그만 (아이). ***not a ~*** 《口》조금도 … 아니다.

mite[2] *n.* Ⓒ 진드기 (무리).

mi·ter, 《英》**-tre** [máitər] *n.* Ⓒ ① (가톨릭교의) 주교관(主教冠). ② 『建』 =MITER JOINT.

míter jòint 『建』 연귀이음《액자틀의 모서리와 같이 비스듬히 잇는 방법》.

***mit·i·gate** [mítəgèit] *vt.* ① …을 누그러뜨리다, 가라앉히다 : ~ anger 노여움을 누그러뜨리다. ② (형벌 따위)를 가볍게 하다, 경감하다.

mít·i·gat·ing círcumstances [mítəgèitiŋ-] 『法』 (손해 배상액·형기 등의) 경감 사유 : plead ~ 정상 참작을 청하다.

mit·i·ga·tion [mìtəgéiʃən] *n.* ① Ⓤ 완화, 진정. ② Ⓤ (형벌 등의) 경감. ③ Ⓒ 완화시키는 것 ; 진정제. ***in*** ~ 『法』 형(刑)의 경감 사유로서.

mi·to·sis [maitóusis, mi-] (*pl.* **-ses** [-siːz]) *n.* ⓊⒸ 『生』 (세포의) 유사 분열(有絲分裂).

mitre ⇨ MITER.

†mitt [mit] *n.* Ⓒ ① (야구용) 미트. ② (손가락 부분이 없는) 여성용 긴 장갑. ③ =MITTEN ①. ④ (종종 *pl.*) 《俗》 손 : Keep your ~*s* off it ! 거기 손대지 마.

***mit·ten** [mítn] *n.* Ⓒ ① 벙어리장갑. ② 《俗》 권투 글러브.

Mit·ter·rand [*F.* miterɑ̃] *n.* **François** ~ 미테랑 《프랑스의 정치가·대통령 ; 1916-96》.

†mix [miks] (*p., pp.* **~ed** [-t], **~t**) *vt.* ① 《~+목 / +목+목+전+명》 (둘 이상의 것)을 섞다, 혼합〔혼화〕하다 ; 첨가하다 : ~ colors 그림물감을 섞다 / ~ water *in* 〔*with*〕 whisky 위스키에 물을 타다 / Many different races are ~*ed* together in the U.S. 미국에는 많은 다른 인종들이 섞여 있다. ② 《~+목 / +목+목 / +목+전+명》 …을 섞어 만들다 : ~ mortar 모르타르를 만들다 / ~ a salad 샐러드를 만들다 / Mix me a lemonade. 레모네이드 한 잔 만들어 주세요 / The nurse ~*ed* him a bottle of medicine. 간호사는 그에게 물약을 한 병 만들어 주었다. ③ 《~+목 / +목+전+명》 (사람들)을 사귀게 하다, 교제시키다 : ~ people of different classes 서로 다른 계급의 사람들을 사귀게 하다 / They ~*ed* the boys *with* the girls in the school. 그 학교에서는 남녀 학생들을 교제시켰다 / ~ boys and girls in all classes 모든 반을 남녀 혼합으로 하다. ④ 『레코드·TV·영화』 (복수의 음성·영상)을 효과적으로 조정하다.
─ *vi.* ① 《~ / +전+명》 섞이다, 혼합되다《*in ; with*》: Oil will not ~ *with* water. =Oil and water won't ~. 기름은 물과 섞이지 않는다. ② 《+부 / +전+명》 교제하다, 사귀다, 사이좋게 지내다《*with*》: She ~*es* well in any company. 그녀는 어떤 친구와도 잘 사귄다 / He did not ~ *with* the locals there. 그는 그곳에서 그 고장 사람들과 사귀지 않았다 / The couple do not ~ well. 그 부부는 금실이 나쁘다 / ~ *in* society 사교계에 드나들다. ***be*** 〔***get***〕 ***~ed*** =~ one***self up*** (1) 머리가 혼란해지다. (2) (못된 일·무리 따위에) 관계하다, 말려들다《*in ; with*》: I don't want to get ~*ed up in* the affair. 나는 그 일에 말려들고 싶지 않다. **~ *in*** (1) 잘 섞다 : *Mix* the eggs *in* slowly. 계란을 천천히 섞어라. (2) (남과) 사귀다. **~ *it up*** 《俗》 …와 뒤섞여 싸우다, 치고 받고 싸우다. **~ *like oil and water*** (사람·일이) 물과 기름처럼 조화가 잘 안 되다. ~ one***'s drink*** 술을 짬뽕으로 마시다. **~ *up*** (1) …을 잘 섞다, 뒤섞다《*with*》: Don't ~ *up* these papers. 이 서류를 뒤섞지 마시오. (2) …을 혼란시키다, 뭐가 뭔지 모르게 하다 : I get ~*ed up* when you speak too fast. 너무 빨리 말하면 헷갈린다. (3) 혼동하다《*with*》: I often ~ her *up with* her sister. 나는 자주 그녀를 그녀의 여동생과 혼동한다.
─ *n.* ① Ⓒ 혼합(물)《*of*》: a strange ~ *of* people 묘한 사람들의 모임. ② ⓊⒸ (케이크·아이스 크림 등을 즉석에서 만들 수 있도록 조합한) 조합 원료 : (a) cake ~ 케이크의 조합소(素) / (an) ice cream ~ 아이스크림의 조합소〔원료〕.

‡mixed [mikst] *a.* ① 여러가지가 섞인, 혼합된, 잡다한 : a ~ drink 혼합주《칵테일 따위》 / a ~ brigade 혼성 여단 / ~ motives 여러 잡다한 동기 / I have ~ feelings about my daughter's marriage. 딸의 결혼에는 (희비가 엇갈리는) 착잡한 생각이 든다. ② 여러 잡다한 인간으로 이루어진 ; 이종족간의 : a ~ marriage 이종족간의 결혼 / a person of ~ blood 양친이 이(異)인종인 사람. ③ **a**) 남녀 혼합의, 남녀 공학의 : a ~ school 남녀 공학 학교 / ~ doubles 『테니스』 혼합 더블스. **b**) 『樂』 혼성(混成)의 : a ~ chorus 혼성 합창.

míxed abílity (가르치는 방식·학급 편성 등에서 우열의 학생이 함께 섞인) 능력 혼성 방식의.

míxed bág 《口》 (a ~) (사람·물건의) 잡동사니, 그러모은 것.

míxed bléssing 《口》 (a ~) 고마운 것 같기도 하고 그렇지 않은 것 같기도 한 일〔것〕.

míxed ecónomy 혼합 경제《자본주의와 사회주의의 두 요소를 채택한》.

míxed fárming 혼합 농업《농작물·축산 등을 혼합 경영하는 농업》.

míxed gríll 여러 종류의 구운 고기에 흔히 야채를 넣은 섞음 요리.

míxed média 혼합 매체《영상·그림·음악 등의 종합 예술 표현》.

mixed-up [-ʌ́p] *a.* 정신적〔정서적〕으로 혼란된, 사회 적응이 안되는: a crazy ~ kid 정신 장애가 있는 아이.

mix·er [míksər] *n.* ① Ⓒ **a**) 혼합기(機): a concrete〔cement〕 ~ 콘크리트 믹서. **b**) (요리용의) 믹서(《美》 blender, 《英》 liquidizer). ② Ⓒ (라디오·TV의) 음량 조정 기술자〔장치〕. ③ Ⓒ 《口》 (흔히 good, bad 등의 수식어와 함께) 사귀기를 …하는 사람: a good〔bad〕 ~ 교제 잘하는〔서투른〕 사람. ④ Ⓤ (위스키 등을) 묽게 하는 음료《ginger ale 따위》. ⑤ Ⓒ 《美口》 친목회, 간친회.

míxing bòwl 조리용 대접《샐러드·케이크 따위를 만들 때 사용함》.

‡mix·ture [míkstʃər] *n.* ① Ⓤ 혼합, 섞기: by ~ 혼합하여 / a gradual ~ of languages 여러 언어들의 점진적인 혼합. ② Ⓒ 혼합물, 합제(合劑), 조제약(調製藥): a cough ~ 진해 조제약 / a ~ *of* sand *and*〔*with*〕 cement 모래와 시멘트의 혼합물 / Air is a ~ of gases. 공기는 몇 가지 기체의 혼합물이다. ③ (a ~) 교착(交錯)《*of*》: with *a* ~ *of* sorrow and anger 슬픔과 분노가 엇갈려 / *a* strange ~ *of* beauty and ugliness 아름다움과 추함의 기묘한 교착.

mix-up [míksʌ̀p] *n.* Ⓒ 《口》 ① (착질로 인한) 혼란(상태): a ~ in the schedule 스케줄〔예정표〕의 혼란. ② 싸움, 혼전, 난투.

miz·zen, miz·en [mízən] *n.* Ⓒ 【海】 ① 뒷돛대의 세로돛(=∠ **sàil**). ② =MIZZENMAST.

miz·zen·mast [-mæ̀st, -mɑ̀:st; 《海》 -məst] *n.* Ⓒ 【海】 (돛대가 둘 또는 셋 있는 배의) 뒷돛대.

miz·zle *vi.* 《英俗》 도망치다. ***do a*** ~ 줄행랑 놓다.

mk., Mk. mark《(1) 차종(車種) 등을 표시하는 것: Mk Ⅱ. (2) (통화의) 마르크》. **M.K.S., m.k.s, mks** meter-kilogram-second (MKS 단위; cf. C.G.S). **mkt.** market. **ml.** mile(s). **Mlle.** Mademoiselle. **Mlles.** Mesdemoiselles. **MLR** minimum lending rate (Bank of England의 최저 대출 금리). **mm.** millimeter(s). **Mme(.)** (*pl.* ***Mmes*(.)**) madame. **MN** 【美郵】 Minnesota. **Mn** 【化】 manganese.

mne·mon·ic [ni:mɑ́nik / -mɔ́n-] *a.* 기억을 돕는; 기억(술)의: a ~ code 【컴】 연상 기호 코드 / a ~ system 기억법. ── *n.* Ⓒ 기억을 돕는 공부《공식 따위》.

mne·mon·ics [ni:mɑ́niks / -mɔ́-] *n.* Ⓤ ① 기억술. ② 【컴】 연상 기호.

mo [mou] (*pl.* **~*s***) *n.* Ⓒ (흔히 *sing.*) 《口》 순간 (moment): Wait (Half) a ~. 잠깐 기다려.

Mo 【化】 molybdenum. **Mo.** Missouri. **mo.** month(s), monthly. **MO** 【美郵】 Missouri. **M.O.** Medical Officer. **MO, m.o.** *modus operandi*; money order. **M.O., m.o.** mail order.

-mo *suf.* 책의 크기를 나타내는 '…절(折)'의 뜻: 16*mo*, 16절(판).

moa [móuə] *n.* Ⓒ 공조(恐鳥)《멸종된 New Zealand 산의 타조 비슷한 날개 없는 거대한 새》.

‡moan [moun] *n.* Ⓒ ① **a**) 신음 소리: give a low ~ 낮은 신음 소리를 내다. **b**) (파도·바람 등의) 윙윙하는 소리: Nothing was heard but an occasional ~ of wind. 가끔 바람 소리 외에는 아무것도 들리지 않았다. ② 《口》 불평, 불만. ***put on the*** ~ 《美俗》 불평하다, 투덜거리다. ── *vi.* ① 신음하다, 끙끙대다: ~ with pain 아파서 신음하다. ② 불평하다《*about*》: What are you ~*ing about*? 뭘 불평하는 거냐. ③ (바람 등이) 윙윙거리다. ── *vt.* ① …을 끙끙대며 말하다; 불평스럽게 말하다: She keeps ~*ing* that she has no time. 그녀는 시간이 없다고 늘 불평이다. ② …을 한탄〔비탄〕하다, 슬퍼하다. ㊞ ∠·**ful** [-fəl] *a.* 신음소리를 내는, 구슬픈.

***moat** [mout] *n.* Ⓒ (도시나 성곽 둘레의) 해자.

moat·ed [móutid] *a.* 〔限定的〕 해자가 있는〔둘린〕.

‡mob [mɑb / mɔb] *n.* 〔集合的; 單·複數 취급〕 ① Ⓒ 폭도: stir up〔subdue〕 a ~ 폭도를 선동하다〔진압하다〕 / ~ law〔rule〕 폭도에 의한 지배; 린치. ② (the ~) 《蔑》 대중, 민중, 하층민; 잡다한 것의 모임; 〔形容詞的〕 대중 취향의: The ~ is easily influenced by wild speeches. 대중은 과격한 연설에 좌우되기 쉽다 / a ~ orator 대중 선동가. ③ Ⓒ 《俗》 악인의 무리, 도둑의 한패, 갱단(團), 폭력단.
── (***-bb-***) *vt.* ① …을 떼를 지어 습격〔야유〕하다. ② …의 주위에 떼거리로 모여들다, 쇄도하다: The children ~*bed* the baseball star. 아이들은 그 야구 스타 선수 주위에 떼지어 몰려들었다 / Shoppers ~*bed* the bargain counter. 쇼핑객들이 특매장에 쇄도하였다.

***mo·bile** [móubəl, -bi:l / -bail, -bi(:)l] *a.* ① 움직이기 쉬운, 이동성〔기동성〕이 있는; 유동하는; (여기저기) 이동하는: the ~ police 경찰 기동대 / a ~ library 이동 도서관 / a ~ phone 휴대용 전화 / Most of the furniture in this room is ~. 이 방의 대부분의 가구는 이동식이다. ② (얼굴 표정이) 풍부한. ③ (사람·직업이) 유동적인, 이동성이 있는.
── *n.* Ⓒ 【美術】 움직이는 조각, 모빌 작품《움직이는 부분이 있는 조각》.

móbile hóme〔hóuse〕 트레일러 주택, 모빌 「홈.

***mo·bil·i·ty** [moubíləti] *n.* Ⓤ ① 가동성, 이동성, 기동성. ② 【社】 (주민의 주소·직업 따위의) 유동성, 이동: job ~ 직업의 유동성 / social ~ 계층(간) 이동.

mo·bi·li·za·tion [mòubilәzéiʃən] *n.* Ⓤ 동원: ~ orders 동원령 / the full ~ of the nation's industry 일국의 산업의 총동원. ── *a.* 〔限定的〕 동원의: a ~ scheme 동원 계획.

mo·bi·lize [móubəlàiz] *vt.* ① (사람·군대 등)을 동원하다: The entire police force was ~*d* for the emergency. 긴급사태에 전경찰력이 동원되었다. ② (산업·자원 따위)를 전시 체제로 전환하다. ③ (지지(支持)·힘 등)을 결합하다: The purpose of the meeting is to ~ public opinion on the controversial issue. 그 회의의 목적은 논쟁이 되는 문제에 대한 여론을 결집하기 위한 것이다. ── *vi.* (군대·함대가) 동원되다.

Mö·bi·us stríp〔bánd, lóop〕 [méibiəs- / mə́:-] 【數】 뫼비우스의 띠《기다란 직사각형의 종이를 한 번 비틀어 그 대변(對邊)을 붙여 만든 곡면; 면이 하나뿐임》.

mob·oc·ra·cy [mɑbɑ́krəsi / mɔbɔ́k-] *n.* ① Ⓤ 폭민〔우민(愚民)〕 정치. ② Ⓒ 〔集合的〕 (지배 계급으로서의) 폭민(暴民). 「(gangster).

mob·ster [mɑ́bstər / mɔ́b-] *n.* Ⓒ 폭력 단원

moc·ca·sin [mɑ́kəsin, -zən / mɔ́kəsin] *n.* Ⓒ ① (흔히 *pl.*) 모커신《북아메리카 원주민의 뒤축 없는 신; 또, 이와 비슷한 신》. ② 독사의 일종《미국 남

부산》.

mo·cha [móukə / mɔ́kə] *n.* Ⓤ ① (때로 M-) 모카(=∠ **còffee**) 《아라비아 원산인 양질의 커피》. ② 커피색, 초콜릿색. ③ 모카 가죽《아라비아 염소의 가죽 ; 장갑용》.

‡**mock** [mɑk, mɔ(:)k] *vt.* ① …을 조롱하다, 놀리다 : His *~ing* laughter made me angry. 그의 조소에 나는 화가 났다. ② …을 흉내내다, 흉내내어 조롱하다 : The children *~ed* Peter's walk. 아이들은 피터의 걸음걸이를 흉내내며 조롱했다. ③ (남의 노력·수완 따위)를 헛되게 하다, (계획 따위)를 좌절시키다 : The problem *~ed* all our efforts to solve it. 그 문제를 아무리 풀려고 애써도 허사였다 / The high wall *~ed* his hopes of escape. 그 높은 담 때문에 그의 도주의 꿈은 포기하지 않을 수 없었다. ── *vi.* 《+전+명》 조롱하다, 놀리다《*at*》: He *~ed at* my fears. 그는 내가 무서워한다고 놀렸다.

── *n.* ① Ⓒ 조롱거리, 웃음가마리 : He's the town's ~. 그는 마을의 조롱거리다. ② Ⓒ 가짜, 모조품. ③ (*pl.*) 《英》 모의 시험. ***make a ~ of*** 〔***at***〕 …을 비웃다, 놀리다.

── *a.* 〔限定的〕 가짜의, 거짓의, 흉내낸, 모의의 : ~ modesty 거짓 겸손 / ~ majesty 허세 / a ~ battle 모의전 / a ~ trial 모의 재판. ***with ~ seriousness*** 짐짓 진지한 체하며.

── *ad.* 〔흔히 複合語로〕 장난으로, 거짓으로, 의사(擬似) … : ~-heroic 영웅인 체하는 ; 의사 영웅시(詩)의 / in a ~-serious manner 진지한 척하는 태도로, 짐짓 진지한 체하여.

mock·er [mɑ́kər, mɔ́(:)k-] *n.* Ⓒ 조롱하는 사람 ; 흉내내는 사람〔것〕. ***put the ~(s) on*** 《英俗》 …을 잡치게 하다, 중지시키다.

mock·ery** [mɑ́kəri, mɔ́(:)k-] *n.* ① Ⓤ 비웃음, 냉소, 모멸 : No ~ was intended, believe me. 놀리려는 것은 아니었다, 정말(이야). ② Ⓒ 조소의 대상 ; 놀림감(laughingstock) : We've become a ~ to the whole village. 우리는 온 동네의 웃음거리가 됐다. ③ (a ~) 서투른 모방, (형식적인) 흉내 ; 가짜 : *a* ~ of an original 원작의 위작 / *a* ~ of democracy 민주주의의 흉내 / His trial was *a* mere ~. 그가 받은 재판은 순전히 형식에 불과했다. ④ (a ~) 헛수고, 도로(徒勞). ***hold a person ***up to*** ~ 아무를 놀림감으로 삼다. ***make a ~ of*** …을 우롱하다.

mock·ing·bird [mɑ́kiŋbə̀:rd, mɔ́(:)k-] *n.* Ⓒ 〖鳥〗 입내새《미국 남부·멕시코산》.

móck móon 〖氣·天〗 환월(幻月) (paraselene).

móck órange 〖植〗 고광나무속(屬)의 식물.

móck sún 〖氣·天〗 환일(幻日) (parhelion).

móck tùrtle sóup 모크 터틀 수프《가짜 자라 수프 ; 송아지 머리로 만듦》.

mock-up [mɑ́kʌ̀p / mɔ́k-] *n.* Ⓒ (비행기·기계 등의) 실물 크기의 모형, 모크업《실험·교수 연구·실습용》.

mod[1] [mɑd / mɔd] *n.* Ⓒ (때로 M-) 《英》 모드《1960 년대의, 보헤미안적인 옷차림을 즐기던 틴에이저》. cf. Teddy boy. ── *a.* (종종 M-) 《口》 최신(유행)의《복장·스타일·화장·음악 따위》.

mod[2] *n.* 〖物·數〗 =MODULUS.

mod·al [móudl] *a.* 〔限定的〕 ① 모양의, 양식의, 형태상의. ② 〖文法〗 법의, 서법(敍法)의 : ⇨ MODAL AUXILIARY. ③ 〖樂〗 선법(旋法)의.

módal auxíliary 〖文法〗 법(法)조동사《may, can, must, would, should 따위》.

mo·dal·i·ty [moudǽləti] *n.* Ⓤ,Ⓒ 〖文法〗 (서)법성((敍)法性).

mod cons, mod. cons. [mɑ́d kɑ́nz / mɔ́d kɔ́nz] 《英口》 (중앙 난방 등의) 최신 설비 《팔려고 내놓은 집의 광고문》: a house with ~ 최신 설비가 갖추어진 집. [◂ *mod*ern *con*veniences]

‡**mode** [moud] *n.* Ⓒ ① **a**) 양식, 형식 ; 나타내는 방식 ; 하는 식, 방법, 방식 : the ~ of life 〔living〕 생활 양식 ; 풍속 / his ~ of speaking 그의 말투 〔말하는 방식〕 / His ~ of doing business is not satisfactory. 그의 일하는 방식은 탐탁지 않다. **b**) (흔히 the ~) (시대의) 유행(형), 모드 : It's all *the* ~. 그것은 대유행이다 / follow *the* latest ~ 최신 유행을 좇다 / go out of ~ 유행이 지나다. **c**) 〖論〗 양식, 논식(論式). **d**) 〖文法〗 =MOOD². ② 〖樂〗 선법(旋法), 음계 : the major 〔minor〕 ~ 장〔단〕음계. ③ 〖컴〗 방식.

ModE, Mod.E. Modern English.

†**mod·el** [mɑ́dl / mɔ́dl] *n.* Ⓒ ① 모형, 본 : a ~ of a ship 배의 모형 / a working ~ of a car 자동차의 실동(實動) 모형. ② (밀랍·찰흙 등으로 만든) 원형 : a wax〔clay〕 ~ for a statue 밀납〔찰흙〕으로 만든 조상(彫像) 원형. ③ 모범, 본보기 : a ~ of what a man ought to be 모범이 될 인물 / make a ~ of …을 본보기로 하다 / He's a ~ of industry. 그는 근면의 본보기다. ④ **a**) (그림·조각·광고 사진 따위의) 모델. **b**) (문학 작품 따위의) 모델 : He used his father as a ~ in this novel. 그는 이 소설에서 아버지를 모델로 삼았다. **c**) (양장점 따위의) 마네킨(mannequin) ; 패션 모델. ⑤ 〔修飾語와 함께〕 (복식품·자동차 등의) 형, 스타일 : the latest ~ 최신형 / an automobile of 1995 ~, 1995 년형 자동차. ⑥ 〖컴〗 모형, 모델. ***after*** 〔***on***〕 ***the ~ of*** …을 모범으로 〔본보기로〕 하여, …을 본떠서. ***stand*** ~ 모델로 서다.

── (*-l-*, 《英》 *-ll-*) *vt.* ① 《~+목 / +목+전+명》 …의 모형을 만들다 ; (찰흙 따위로) …의 형(型)을 만들다 : I *~ed* a bust *in* plaster. 나는 석고로 흉상의 원형을 만들었다 / ~ a dog *in*〔*out of*〕 wax = ~ wax *into* a dog 밀랍으로 개를 만들다. ② 《+목+전+명》 …을 모방하다 ; 본떠서〔따라〕 만들다, 본뜨다《*after* ; *on, upon*》: The garden was *~ed after* the manner of Versailles. 그 정원은 베르사유를 본떠서 만들어졌다 / This country *~ed* its constitution *on* that of France. 이 나라는 프랑스의 헌법을 모방하여 헌법을 제정했다 / The heroine of this novel is *~ed after* a real person. 이 소설의 여주인공은 실재 인물을 모델로 한 것이다 / She *~ed* herself *on* her mother. 그녀는 어머니를 본으로 삼았다. ③ 《~+목》 (드레스 따위)를 입어 보이다, …의 모델을 하다 : He *~s* ski wear. 그는 스키복의 모델을 하고 있다.

── *vi.* 《+전+명》 (찰흙 따위로) 형을 만들다 ; 모델이 되다 ; 마네킨 노릇을 하다 : ~ *for* a painter 화가의 모델이 되다. ~ one***self on*** 〔***upon, after***〕 …을 본받다.

── *a.* 〔限定的〕 ① 모형의, 본의 : a ~ plane 모형 비행기. ② 모범의, 모범적인, 본이 되는 : a ~ school 시범 학교 / a ~ wife 아내의 귀감.

mod·el·er, 《英》 **-el·ler** [mɑ́dlər / mɔ́d-] *n.* Ⓒ 모형〔소상(塑像)〕 제작자.

mod·el·ing, 《英》 **-el·ling** [mɑ́dliŋ / mɔ́d-] *n.* Ⓤ 모델링. ① 모형 제작(술). ② 원형(原型) 거푸집 제작. ③ 조형(造形), 소상술(塑像術). ④ 〖컴〗 (어떤 현상의) 모형화. ⑤ 모델업, 모델의 일.

mo·dem [móudèm] *n.* Ⓒ 〖컴〗 전산 통신기, 변복조(變復調) 장치, 모뎀.

‡**mod·er·ate** [mɑ́dərət / mɔ́d-] *a.* ① (사람·행동·요구 따위가 극단에 흐르지 않고) 온건한, 온당한 ; (기후 따위가) 온화한 : a ~ request 온당한 요구 / ~ political opinions 온건한 정견 / be ~

in drinking 술을 적당히 마시다 / a ~ climate 온화한 기후. ② 알맞은, 적당한; (값이) 싼: ~ prices 알맞은 (싼) 값 / ~ speed 적당한 속도. ③ 웬만한, 보통의: a family of ~ means 중류 가정 / a house of ~ size 보통 크기의 집 / a hotel where the rates are ~ 요금이 별로 비싸지 않은 호텔. ── *n.* [C] 온건한 사람; 온건주의자; 중간파. ── [mádərèit / mɔ́d-] *vt.* ① …을 절제하다, 온건하게 하다, 누그러뜨리다: ~ one's drinking 술을 절제하다 / ~ one's temper 마음〔성질〕을 누그러뜨리다 / ~ the sharpness of one's words 말을 부드럽게 하다. ② (토론회·집회 따위)를 사회하다, …의 의장직을 맡다. ── *vi.* ① **a**) 누그러지다, 가라앉다. **b**) 바람이 조용해지다. ② 조정역을 맡다, 사회하다《*on* ; *over*》. ◇ moderation *n.* [파] **~·ness** *n.* 온건, 적당함.

móderate bréeze 〖氣〗 건들바람.

móderate gále 〖氣〗 센바람.

***mod·er·ate·ly** [mádəritli / mɔ́d-] *ad.* 적당하게, 알맞게; 중간 정도로: a ~ hot day 알맞게 더운 날 / a ~ priced camera 적당한 가격의 카메라 / express oneself ~ 조심스럽게 자기 의견을 말하다.

***mod·er·a·tion** [màdəréiʃən / mɔ̀d-] *n.* [U] 적당; 온건, 온화; 절제: Alcohol can be good for you if taken in ~. 술도 적당히 하면 몸에 좋을 수도 있다. ◇ moderate *v.*

mod·e·ra·to [màdərá:tou / mɔ̀d-] *ad.* 《It.》〖樂〗 모데라토, 중간 속도로: allegro ~ 적당히 빠르게.

mod·er·a·tor [mádərèitər / mɔ́d-] *n.* [C] ① 《美》 의장(chairman). ② (장로교회의) 대회 의장, (토론회 등의) 사회자. ③ 조정자, 중재자; 조절기. ④〖物〗 (원자로 안의 중성자의) 감속제(劑).

†**mod·ern** [mádərn / mɔ́d-] *a.* ① 현대의(contemporary): ~ city life 현대의 도시 생활 / ~ literature 현대 문학 / ~ jazz 모던 재즈 / ~ times 현대. ② 근대의, 중세 이후의: ⇨ MODERN HISTORY / MODERN ENGLISH. ③ 현대식의, 신식의, 모던한(up-to-date): ~ viewpoints 현대적인 견지. ── *n.* [C] (흔히 *pl.*) 현대인; 현대적인 사람: young ~*s* 현대 청년.

Módern Énglish 근대 영어《1500 년 이후의 영어; 略: ModE, Mod. E.》.

Módern Gréek 현대〔근대〕 그리스어《1500년 〔이후〕》.

módern hístory 근대사《르네상스 이후》.

mod·ern·ism [mádərnìzəm / mɔ́d-] *n.* (종종 M-) [U] ①〖基〗 근대주의《근대 사상의 입장에서 교의(敎義)를 재검토하고 조화를 꾀하는》. [cf] fundamentalism. ②〖藝〗 (문학·미술 등의) 현대주의, 모더니즘《전통주의에 대립, 새로운 표현 형식을 추구하는》.

mod·ern·ist [-ist] *n.* [C] ① 현대 주의자. ② (예술상의) 현대주의자, 모더니스트. ── *a.* 현대주의(자)의, 모더니스트의.

mod·ern·ist·ic [màdərnístik / mɔ̀d-] *a.* 현대의; 현대적〔근대적〕인; 현대주의(자)의.

mo·der·ni·ty [madə́:rnəti, mou- / mɔd-] *n.* ① [U] 현대성〔식〕. ② [C] 현대적인 것.

***mod·ern·ize** [mádərnàiz / mɔ́d-] *vt., vi.* (…을) 현대화하다, 현대적으로 하다〔되다〕.

[파] **mod·ern·i·za·tion** [màdərnizéiʃən / mɔ̀dərnaiz-] *n.* [U] 현대화, 근대화.

módern lánguages (교과(敎科)로서의 고전어에 대하여) 현대〔근대〕어. [cf] classical languages.

módern pentáthlon (the ~) 근대 5 종경기.

‡**mod·est** [mádist / mɔ́d-] (*~·er* ; *~·est*) *a.* ① 겸손한, 조심성있는, 삼가는: a ~ person 겸손한 사람 / be ~ in one's speech 말에 조심하다 / The girl's ~ behavior gave a good impression. 그 소녀의 겸손한 태도가 좋은 인상을 주었다. ② 정숙한, 품위 있는, 점잖은: a ~ young lady 품위있는 젊은 여성. ③ 화려하지 않은, 수수한: They live in a ~ little house. 그들은 수수한 작은 집에 살고 있다. ④ (수량·정도 따위가) 별로 크지〔많지〕않은: a ~ gift 조그마한 선물 / a ~ income 많지도 적지도 않은 수입. ◇ modesty *n.* [파] ***~·ly** *ad.* 겸손〔겸허〕하게, 조심성 있게; 삼가서; 정숙하게.

‡**mod·es·ty** [mádisti / mɔ́d-] *n.* [U] ① 겸손, 조심성; 겸양; 정숙: *Modesty* is a virtue. 겸손은 하나의 미덕이다 / She was silent from ~. 그녀는 정숙해서 잠자코 있었다 / false ~ 얌전한〔겸손한〕체 하기. ② 수수함, 검소함. ***in all*** ~ 자랑은 아니고〔지만〕. ◇ modest *a.*

mod·i·cum [mádikəm / mɔ́d-] *n.* (a ~) 소량, 근소, 약간; 다소, 어느 정도《*of*》: *A* ~ *of* patience is necessary. 어느 정도의 인내는 필요하다 / He hasn't even *a* ~ *of* common sense. 그는 상식이라곤 없는 사람이다.

***mod·i·fi·ca·tion** [màdəfikéiʃən / mɔ̀d-] *n.* [U,C] ① (부분적) 수정, 변경, 개조; 가감, 조절, 완화: The plan needs slight ~. 그 계획은 조금 수정할 필요가 있다. ②〖文法〗 수식, 한정.

‡**mod·i·fi·er** [mádəfàiər / mɔ́d-] *n.* [C]〖文法〗 수식어《형용사(구), 부사(구) 따위》.

‡**mod·i·fy** [mádəfài / mɔ́d-] *vt.* ① (계획·의견 등)을 수정〔변경〕하다: ~ one's opinions 의견을 수정하다. ② …을 완화하다, 가감하다: ~ one's tone 어조를 조절하다 / The workers modified their demands for higher pay. 근로자들은 임금 인상 요구를 조절했다. ③ (기계·장치 등)을 부분적으로 개조하다. ④〖文法〗 (낱말·구 등)을 수식〔한정〕하다: Adjectives ~ nouns. 형용사는 명사를 수식한다. ◇ modification *n.*

Mo·di·glia·ni [mɔ̀:diljá:ni, -dəl-] *n.* **Amedeo** ~ 모딜리아니《이탈리아의 화가; 1884-1920》.

mod·ish [móudiʃ] *a.* 유행의, 유행을 따르는〔좇는〕, 당세풍(當世風)의. [파] **~·ly** *ad.* **~·ness** *n.*

mod·u·lar [mádʒələr / mɔ́dʒə-] *a.* ① 모듈(module)식의, 기준 치수(module)의〔에 의한〕: ~ construction 모듈(방)식의 건조〔건설〕. ② 조립 유닛의〔에 의한〕: ~ furniture 모듈식 가구.

mod·u·late [mádʒəlèit / mɔ́-] *vt.* ① (목소리·가락 등)을 바꾸다. ② …을 조절〔조정〕하다. ③〖電子〗 (주파수)를 바꾸다, 변조하다. ── *vi.*〖樂〗 (…에서 …으로) 전조하다《*from*》: ~ *from* one key *to* another 한 조(調)에서 다른 조로 전조하다〔옮기다〕.

mod·u·la·tion [màdʒəléiʃən / mɔ̀-] *n.* [C,U] ① 조음(調音); (음성·리듬의) 변화, 억양(법);〖樂〗 전조(轉調). ② 조절, 조정(調整). ③〖電子〗 변조(變調): amplitude ~ 진폭 변조《略: AM》/ frequency ~ 주파수 변조《略: FM》.

mod·u·la·tor [mádʒəlèitər / mɔ́-] *n.* [C]〖電子〗 변조기(變調器).

mod·ule [mádʒu:l / mɔ́-] *n.* [C] ① (건축재·가구 제작 등의) 기준 치수, 모듈. ②〖宇宙〗 (따로 떨어져서 독립 비행할 수 있는) 우주선의 구성 부분, 모듈, …선(船): a lunar ~ 달 착륙선 / a command ~ 사령선. ③〖컴〗 뜸, 모듈.

mod·u·lus [mádʒələs / mɔ́-] (*pl.* ***-li*** [-lài]) *n.* [C]〖物〗 율, 계수.

modus ope·ran·di [-àpərǽndi:, -dai, -ɔ̀pə-] 《L.》 (일의) 절차, 작업 방식; 운용법.

modus vi·ven·di [-vivéndi:, -dai] 《L.》 ① 생활 양식, 생활 태도. ② 잠정 협정, 일시적 타협.

mog [mág / mɔ́g] *n.* = MOGGY.

mog·gy, mog·gie [mági / mɔ́gi] *n.* [C] 《英俗》 집고양이.

Mo·gul [móugʌl, -ˊ] *n.* [C] ① 무굴 사람《특히 16 세기의 인도에 침입했던 몽골족 및 그 자손》: the Great ~ 무굴 황제. ② (m-) 《口》 중요 인물, 거물(magnate) : a movie *mogul* 영화계의 거물.

Mógul Émpire (the ~) 무굴 제국《인도 사상 최대의 이슬람 왕조; 1526-1858》.

M.O.H. 《英》 Medical Officer of Health (특정 지역의) 공공 위생 담당 의사.

mo·hair [móuhɛər] *n.* [U] ① 모헤어《앙골라 염소의 털》. ② 모헤어직(織).

Mo·ham·med [mouhǽmid, -med] *n.* = MUHAMMAD.

Mo·ham·med·an [mouhǽmidən, -med-] *n., a.* = MUHAMMADAN.

[파] **~·ism** [-izəm] *n.* [U] 이슬람교.

Mo·hawk [móuhɔ:k] (*pl.* ~(**s**)) *n.* ① (the ~(s)) 모호크족《New York 주에 살던 북아메리카 원주민》. ② [C] 모호크족 사람. ③ [U] 모호크 말.

Mo·hi·can [mouhí:kən] (*pl.* ~(**s**)) *n.* ① (the ~(s)) 모히칸족 《Hudson 강 상류에 살던 북아메리카 원주민》. ② [C] 모히칸족 사람. ③ [U] 모히칸어(語).

Móhs' scàle [móuz-] 【鑛】 모스 경도계《광물의 경도(硬度) 측정용》.

moi·e·ty [mɔ́iəti, mɔ́ii-] *n.* [C] (흔히 *sing.*) 【法】 (재산 따위의) 절반.

moil [mɔil] *vi.* 부지런히 일하다. ***toil and*** ~ 억척스럽게 일하다. ── *n.* [U] 힘드는 일, 고역.

moi·ré [mwɑ:réi, mɔ́:rei] *a.* 《F.》 물결〔구름〕무늬가 있는. ── *n.* [U] (비단·금속면 따위의) 물결무늬, 구름무늬.

‡**moist** [mɔist] (*ˊ·er* ; *ˊ·est*) *a.* ① (공기·바람 따위) 습기 있는, 축축한 : a ~ wind from the sea 축축한 바닷바람 / grass ~ with dew 이슬에 젖은 풀 / ~ colors 수채 그림 물감. ② 비가 많은 : a ~ season 우기 / The soil is reasonably ~ after the rain. 비가 온 뒤 토양이 적당하게 축축하다. ③ 눈물어린 ; 감상적인 : Her eyes were a little ~. 그녀의 눈에는 눈물이 좀 어려 있었다. ◇ moisture *n.*

[파] *ˊ*·**ly** *ad.* *ˊ*·**ness** *n.*

***mois·ten** [mɔ́isən] *vt.* …을 축축하게 하다, 축이다 ; 적시다 : ~ one's lips〔throat〕 (술로) 입술〔목〕을 축이다, 한잔하다 / roads ~*ed* by rain 비로 젖은 길. ── *vi.* ① 축축해지다, 질퍽해지다. ② (눈물이) 글썽이다, 어리다《*with*》. [파] **~·er** *n.*

‡**mois·ture** [mɔ́istʃər] *n.* [U] 습기, 수분 ; (공기 중의) 수증기, 엉긴 물방울 : Keep books free from ~. 책이 습기 차지 않도록 하십시오.

mois·tur·ize [mɔ́istʃəràiz] *vt.* …을 축축하게 하다, (화장품으로 피부)에 수분을 주다.

mois·tur·iz·er [-zər] *n.* ① [C] 가습기. ② [U] 피부를 촉촉하게 하는 크림〔로션〕, 모이스처 크림.

moke [mouk] *n.* [C] 《英俗》 당나귀.

mol [moul] *n.* [C] 【化】 몰, 그램분자.

mo·lar [móulər] *a.* 어금니의.

── *n.* [C] 어금니(=*ˊ* **tòoth**) : a false ~ 소구치.

mo·las·ses [məlǽsiz] *n.* [U] ①《美》 당밀(《英》 treacle). ② (사탕수수의) 당액(糖液).

‡**mold**[1], 《英》 **mould**[1] [mould] *n.* [C] ① 형(型), 금형, 주형(鑄型) (matrix), 거푸집 ; (과자 만드는) 틀 ; (구두의) 골 ; (석공 등의) 형판(型板). ② 틀에 넣어 만든 것《주물·젤리·푸딩 따위》: a ~ of jelly 젤리 한 개 / have a fruit ~ for dessert 후식으로 프루츠 젤리를 먹다. ③ (흔히 *sing.*) 성질, 성격(character) : a man of a gentle ~ 상냥한 사람 / They are all cast in the same ~. 그들은 모두 성질이 같다. ④【建】 쇠시리(molding).

── *vt.* ① 《~+[목] / +[목]+[전]+[명]》 …을 틀에 넣어 만들다, 주조〔성형〕하다 : ~ car bodies 틀에 넣어서 차체를 만들다 / ~ wax *into* candles 밀랍을 형에 넣어 양초를 만들다. ② 《+[목]+[전]+[명]》 (찰흙 등)을 빚어서 모양을 만들다, …을 (…으로) 만들다 : ~ a face *in* 〔*out of*〕 clay 점토를 이겨 얼굴 모습을 뜨다 / The statue was ~*ed out of* clay or bronze. 그 상(像)은 찰흙 또는 청동으로 만들어졌다. ③ (인격)을 도야하다, (성격·여론)을 형성하다 : ~ one's character 인격을 도야하다 / Education helps to ~ character. 교육은 인격 형성을 돕는다 / The media ~*s* public opinion. 매스컴은 여론에 큰 영향을 미친다〔여론을 형성한다〕. ④ (옷 따위가 몸)에 꼭 맞다 : Her wet clothes were ~*ed round*〔*to*〕 her body. 젖은 옷은 그녀의 몸에 찰싹 달라붙었다.

mold[2], 《英》 **mould**[2] *n.* [U] 곰팡이, 사상균 : blue〔green〕 ~ 푸른 곰팡이. ── *vi.* 곰팡나다.

mold[3], 《英》 **mould**[3] *n.* [U] (유기물이 많은) 옥토, 경토(耕土), 부식토 : leaf ~ 부엽토(腐葉土).

Mol·da·via [mɑldéiviə, -vjə / mɔl-] *n.* = MOLDOVA.

mold·er[1], 《英》 **mould·er**[1] [móuldər] *n.* [C] 형〔틀, 거푸집〕을 만드는 사람, 주형공(鑄型工).

mold·er[2], 《英》 **mould·er**[2] *vi.* 썩어 흙이 되다, 썩어 버리다, 붕괴하다《*away*》.

mold·ing, 《英》 **mould-** [móuldiŋ] *n.* ① [U] 조형(造形), 소조(塑造), 주조(법). ② [C] 소조물, 주조물. ③ [C] (건축의) 장식 쇠시리.

Mol·do·va [mouldóuvə] *n.* 몰도바《Volga 강 중류에 있는 공화국의 하나 ; 수도는 Kishinev》.

moldy, 《英》 **mouldy** [móuldi] (***mold·i·er*** ; ***-i·est***) *a.* ① 곰팡난, 곰팡내 나는 : ~ cheese 곰팡이 난 치즈. ② 《口》 케케묵은, 진부한 : a ~ tradition 진부한 전통. ③ 《英口》 (사람이) 다라운 ; 비열한 ; 심술궂은.

mole[1] [moul] *n.* [C] 사마귀, 점, 모반(母斑).

mole**[2] *n.* [C] ①【動】 두더지. ② 《口》 간첩, 이중간첩. (as***) ***blind as a*** ~ 눈이 아주 먼.

mole[3] *n.* [C] (돌로 된) 방파제.

mole[4] *n.* = MOL.

***mo·lec·u·lar** [moulékjulər] *a.* 〔限定的〕 분자의 ; 분자로 된, 분자에 의한 : a ~ formula 분자식 / ~ structure 분자 구조.

molécular biólogy 【生】 분자 생물학.

molécular genétics 【生】 분자 유전학.

molécular wéight 【化】 분자량.

***mol·e·cule** [mɑ́ləkjù:l / mɔ́l-] *n.* [C] 【化·物】 분자 ; 그램 분자.

mole·hill [móulhìl] *n.* [C] 두더지가 파 놓은 흙두둑. ***make a mountain*** (***out***) ***of a*** ~ 침소봉대하여 말하다, 허풍떨다.

mole·skin [móulskìn] *n.* ① [U] 두더지 가죽. ② [U] 능직(綾織) 무명의 일종. ③ (*pl.*) 능직 무명으로 만든 바지.

***mo·lest** [məlést] *vt.* ① (사람·짐승)을 괴롭히다 ; 성가시게 굴다. ② (여성·아이)를 성적으로 괴롭히다. [파] **mo·les·ta·tion** [mòulestéiʃən] *n.* [U]

mo·lest·er [məléstər] *n.* [C] 치한(癡漢).

Mo·lière [mòuljɛ́ər / mɔ́liɛər] *n.* 몰리에르《프랑스의 극작가 ; 1622-73》.

Moll [mal, mɔ(:)l] *n.* 몰《여자 이름 ; Mary의 애칭》.

moll [mal, mɔ(:)l] *n.* Ⓒ《俗》① (폭력 단원의) 정부(情婦). ② 매춘부.

mol·li·fy [máləfài / mɔ́-] *vt.* (사람·감정)을 누그러지게 하다, 진정시키다 ; 달래다.
㊕ **mol·li·fi·ca·tion** [màləfikéiʃən / mɔ̀-] *n.*

mol·lusk, -lusc [máləsk / mɔ́l-] *n.* Ⓒ 〖動〗 연체 동물《문어·오징어·달팽이 등》. 「의 애칭》.

Mol·ly [máli / mɔ́li] *n.* 몰리《여자 이름 ; Mary

mol·ly·cod·dle [-kàdl / -kɔ̀dl] *n.* Ⓒ 과보호로 자라는 (남자)아이, 나약한 사내. ── *vt.* (아이)를 지나치게 떠받들다, 어하다.

Mo·loch [móulak, mál- / móulɔk] *n.* ①〖聖〗몰록, 몰렉(Molech)《아이를 산제물로 바쳐서 모신 셈족의 신(神)》. ② Ⓒ 큰 희생이 따르는 일《전쟁 따위》.

Mólotov cócktail 화염병《탱크 공격용》.

molt, 《英》 **moult** [moult] *vt.* (새·뱀 따위가 털·허물)을 벗다, 갈다. ── *vi.* 털갈이하다, 허물을 벗다. ── *n.* ⓊⒸ 털갈이, 탈피 ; 그 시기 ; 빠진 털, 벗은 허물 : Our cat's in ~ now. 우리 고양이는 지금 털갈이를 하고 있다.

***mol·ten** [móultn] MELT 의 과거분사.
── *a.* 〔限定的〕 (금속 따위) 녹은, 용해된 : ~ ore 용해된 광석 / ~ lava (분출한 뜨거운) 용암 ; (동상 따위가) 주조된 : a ~ image 주상(鑄像).

mol·to [móultou, mɔ́l-] *ad.* 《It.》〖樂〗 몰토, 아주(very) : ~ allegro 아주 빠르게 / ~ adagio 아주 느리게.

mo·lyb·de·num [məlíbdənəm] *n.* Ⓤ 〖化〗 몰리브덴《금속 원소 ; 기호 Mo ; 번호 42》.

mom [mam / mɔm] *n.* Ⓒ 《美口》 엄마(《英》 mum) : my ~ and dad 우리 엄마와 아빠.

mom-and-pop [mámənpáp / mɔ́mənpɔ́p] *a.* 〔限定的〕《美口》 (가게 따위가) 부부〔가족〕 끼리 하는, 영세한 : a ~ store 구멍 가게《주로 식료품을 취급》.

†mo·ment [móumənt] *n.* ① Ⓒ 순간, 잠깐, 단시간 : Just 〔Wait〕 a ~, please. 잠깐만 기다려 주세요 / He thought for a ~. 그는 잠시 생각했다 / A ~'s thought will show you this. 잠깐 생각하면 이 정도는 알 수 있을 것이다 / I'll be back in a ~. 곧 돌아오겠다 / devote every spare ~ to reading 틈만 있으면 독서를 하다. ② **a**) Ⓒ (흔히 *sing.*) (어느 특정한) 때, 기회, 시기(時機) : at that ~ 그 때에(는) / in a ~ of danger 위험에 처해서는 / They arrived at the same ~. 그들은 동시에 도착했다 / Please drop in at my house when you have a ~. 기회가 있으면 저희 집에 들러 주십시오. **b**) (the ~) 현재, 지금 : the fashions of *the* ~ 지금의 유행 / up to *the* ~ 현재까지는 / Are you free at *the*〔*this*〕 ~? 지금 시간이 있습니까. ③ Ⓤ (of ~) 중요성 : affairs *of* great ~ 중대 사건 / a man *of* no ~ 하찮은 인물 / It is *of* little〔no great〕 ~ whether he comes or not. 그가 오든 안오든 별로 중요하지 않다. ④ Ⓒ (흔히 *sing.*) (the ~) 〖物〗 모멘트, 역률(力率), 능률《*of*》 : *the* magnetic ~ 자기 모멘트 / *the* ~ of inertia 관성 모멘트.
(*at*) *any* ~ 언제라도, 당장에라도 : She will turn up *any* ~. 그녀는 당장에라도 나타날 것이다. ***at ~s*** 때때로. ***at the* (*very*) *last* ~** 마지막 순간에. ***at the* (*very*) ~** 마침 그때, 바로 지금. ***for the* ~** 우선, 당장은 ; 지금은. ***have* one*'s ~s*** 한창 좋은 때다, 더없이 행복하다. ***just this* ~** 바로 지금 : I received it *just this* ~. 바로 지금 그것을 받았다. ***not for a* 〔*one*〕 ~** 조금도 …아니다 (never). ***of the* ~** 목하의, 현재의 : the man *of the* ~ 당대의 인물. ***One* ~.** = ***Half a* ~.** 잠깐 (기다려 주십시오) (Just 〔Wait〕 a ~.). ***the* (*very*) ~** 〔接續詞的〕 …하자마자 ; 바로 그때 : She went away *the* ~ he came home. 그가 집에 돌아오자마자 그녀는 나가 버렸다. ***the ~ of truth*** (1) 투우사가 최후의 일격을 가하려는 순간. (2) 결정적 순간. ***this* (*very*) ~** 지금 곧 : Go *this* (*very*) ~ 지금 당장 가거라. ***to the* (*very*) ~** 제 시각에, 정각에.
㊕ **mo·men·tal** [mouméntəl] *a.* 〖機〗 모멘트의, 운동량의.

mo·men·ta [mouméntə] MOMENTUM의 복수.

mo·men·tar·i·ly [móuməntèrəli / -tər-] *ad.* ① 순간, 순간적으로 : hesitate ~ 순간 망설이다. ②《美》 곧, 즉시 : We will arrive ~ in Chicago. 곧 시카고에 도착합니다《기내 방송 등에서》. ③ 이제나저제나 하고 : The news was expected ~. 이제나저제나 하고 소식을 고대하고 있었다.

‡mo·men·tary [móuməntèri / -təri] *a.* 순간의, 찰나의 ; 일시적인 ; 덧없는(transitory) : a ~ joy 찰나의 기쁨 / a ~ impulse 일시적인 충동 / ~ pause 잠시 동안의 휴식 / give a ~ glance 흘끗 보다.

mo·ment·ly [móuməntli] *ad.* ① 각일각, 시시각각. ② 끊임없이. ③ 일순간, 잠깐, 잠시.

***mo·men·tous** [mouméntəs] *a.* 〔限定的〕 중대한, 중요한, 쉽지 않은 : a ~ decision 중대한 결정〔결심〕. ㊕ **~·ly** *ad.* **~·ness** *n.*

mo·men·tum** [mouméntəm] (*pl.* ***~s, -ta [-tə]) *n.* ① ⒸⓊ 〖機〗 운동량. ② Ⓤ 기운, 기세, 힘, 추진력 : gain〔gather〕 ~ 기운〔힘〕이 나다 / lose ~ 힘을 잃다.

mom·ma [mámə / mɔ́-] *n.* 《美口·兒》 = MAMMA.

mom·my [mámi / mɔ́-] *n.* 《兒》 = MAMMY.

mon-, mono- '단일 ; 〖化〗 한 원자를 가진'의 뜻의 결합사《모음 앞에서는 mon-》.

***Mon.** Monastery ; Monday.

Mon·a·co [mánəkòu / mɔ́n-] *n.* 모나코 공국(公國)《프랑스 남동부의 소국》; 또, 그 수도.

Mo·na Li·sa [móunəlí:sə, -zə] 모나리자 (*La Gioconda*)《Leonardo da Vinci 가 그린 여인상》.

‡mon·arch [mánərk / mɔ́n-] *n.* Ⓒ (세습)군주, 주권자, 제왕 : an absolute ~ 전제 군주 / The country is ruled by a hereditary ~. 그 나라는 세습 군주에 의해 통치되고 있다.

mo·nar·chal, -chi·al [məná:rkəl], [-kiəl] *a.* 군주의 ; 제왕다운 ; 군주에 어울리는.

mo·nar·chic, -chi·cal [məná:rkik], [-əl] *a.* 군주(국)의, 군주 정치의 ; 군주제를 지지하는.

mon·arch·ism [mánərkìzəm / mɔ́n-] *n.* Ⓤ 군주주의, 군주제.

mon·arch·ist [-kist] *n.* Ⓒ 군주(제)주의자.

***mon·ar·chy** [mánərki / mɔ́n-] *n.* ① Ⓤ (흔히 the ~) 군주제, 군주 정치〔정체〕. ② Ⓒ 군주국. opp. *republic.* ***an absolute* 〔*a despotic*〕 ~** 전제 군주국. ***a constitutional* ~** 입헌 군주국.

mon·as·te·ri·al [mànəstíəriəl / mɔ̀n-] *a.* 수도원의.

***mon·as·tery** [mánəstèri / mɔ́nəstəri] *n.* Ⓒ (특히 남자) 수도원《여자 수도원은 nunnery 또는 convent》.

mo·nas·tic [mənǽstik] *a.* ① 수도원의 ; 수도사의 : ~ vows 수도 서원. ② 수도 생활의, 은둔적인, 금욕적인. ── *n.* Ⓒ 수도사(monk).
㊕ **-ti·cal** [-əl] *a.* **-ti·cal·ly** [-əli] *ad.*

mo·nas·ti·cism [mənǽstəsìzəm] *n.* Ⓤ ① 수도

원〔금욕〕 생활. ②수도원 제도.

mon·au·ral [mɑnɔ́ːrəl / mɔn-] *a.* (전축·라디오 등이) 모노럴의, 단청(單聽)의(monophonic). ⓒⓕ binaural, stereophonic.

†**Mon·day** [mʌ́ndi, -dei] *n.* ⓊⒸ 월요일《略 : Mon.》: on ~ (morning) 월요일(아침)에 / last 〔next〕 ~ = 《英》 on ~ last 〔next〕 지난 〔오는〕 월요일에 / on ~*s* 월요일마다 / We started on a ~. 우리들이 출발한 것은 월요일이었다 / It's my birthday next ~. 다음 월요일은 내 생일이다. — *ad.* 《口》 월요일에 : See you again ~. 그럼 월요일에 또 만납시다.

Mónday (mórning) quárterback 《美口》 결과를 가지고 이러쿵저러쿵 비평하는 사람.

Mon·days [mʌ́ndiz, -deiz] *ad.* 《口》 월요일마다 〔에는 언제나〕(on Mondays).

Mo·net [mounéi] *n.* **Claude** ~ 모네《프랑스 인상파의 풍경 화가 ; 1840-1926》.

mon·e·tar·ism [mɑ́nətərìzəm, mʌ́n-] *n.* Ⓤ 통화(通貨)주의, 마니터리즘. ㊞ **-ist** *n.*

***mon·e·tary** [mɑ́nətèri, mʌ́n- / mʌ́nitəri] *a.* ① 화폐의, 통화의 : a ~ unit 화폐 단위 / ~ crisis 통화 위기 / the ~ system 화폐 제도 / ~ reform 화폐 개혁. ②금전(상)의 ; 금융의, 재정(상)의 : a ~ reward 금전적 보수 / in ~ difficulties 재정 곤란으로. ㊞ **-tar·i·ly** *ad.*

mon·e·tize [mɑ́nətàiz, mʌ́n-] *vt.* …을 화폐〔통화〕로 정하다.

†**mon·ey** [mʌ́ni] (*pl.* **~s, món·ies** [-z]) *n.* ① Ⓤ 돈, 금전, 통화, 화폐 : hard ~ 경화(硬貨) / paper ~ 지폐 / small ~ 잔돈 / change ~ 환전(換錢)하다 / *Money* begets ~. 《俗談》 돈이 돈을 번다 / Bad ~ drives out good (money). 악화는 양화를 구축한다 / *Money* talks. 돈이 말한다〔힘을 쓴다〕 / Time is ~. 《格言》 시간은 돈이다. ②Ⓤ 재산, 부(wealth), 자산 : He has some ~ of his own. 그는 재산이 좀 있다 / marry her for her ~ 그녀의 자산을 보고 결혼하다 / You can't take your ~ with you when you die. 죽을 때 재산을 가지고 가지는 못한다. ③ (*pl.*) 〖法〗 금액 : collect all ~*s* due 지불 기일이 된 금액을 전부 수금하다. ④Ⓒ〖經〗 교환의 매개물, 물품〔자연〕 화폐《남양 원주민의 조가비 따위》. ***at*** 〔***for***〕 ***the*** ~ (치른) 그 값으로는 : The camera is cheap *at the* ~. 카메라가 그 값으로는 싸다. ***be in the*** ~ (1) 부자와 친해지다〔한잔하다〕. (2) 《口》 돈이 많이 있다, 부유하다. ***be made of*** ~ 《口》 돈을 엄청나게 많이 갖고 있다. ***be out of*** ~ 《俗》 돈이 궁하다, 자금이 없다. ***for love or*** ~ ⇨ LOVE. ***for*** ~ 돈 때문에, 돈에 팔려서 ; 〖英商〗 직접 거래로. ***for my*** ~ 내 생각으로는. ***get*** one***'s*** ~***'s worth*** 노력한 만큼 얻다, 본전을 찾다. ***have*** 〔***get***〕 ***a run for*** one***'s*** ~ ⇨ RUN[1] *n.* (成句). ***have*** ~ ***to burn*** 《口》 돈이 지천으로 많다. ***like pinching*** ~ ***from a blind man*** 아주 간단히. ***lose*** ~ 손해를 보다 《*over*》. ***lucky*** ~ 부적처럼 몸에 지니는 돈. ***make*** 〔***earn***〕 ~ 돈을 벌다. ***make*** ~ ***fly*** 돈을 금방 써버리다. ***make*** ~ (***out***) ***of*** . . . …을 팔아 돈을 장만하다, …로 돈을 벌다, 부자가 되다. ***marry*** ~ 부자와 결혼하다. ~ ***down*** = ~ ***out of hand*** = ***ready*** ~ 현금 : pay ~ *down* 맞돈을 치르다. ~ ***for jam*** 〔***old rope***〕 《英口》 손쉬운 벌이 ; 식은죽 먹기. ~ ***of account*** 계산(計算) 화폐《통화(通貨)로 발행하지 않는 돈 ; 영국의 guinea, 미국의 mill[2] 따위》. ***put*** ~ ***into*** …에 투자하다. ***put*** one***'s*** ~ ***on a scratched horse*** 《口》 절대로 이길 수 없는 것에 걸다. ***put*** one***'s*** ~ ***where*** one***'s mouth is*** ⇨ MOUTH. ***raise*** ~ ***on*** 을 저당잡히어 돈을 장만하다. ***see the color of*** a person***'s*** ~ 아무에게 돈을 치르게 하다. ***There is*** ~ ***in it.*** 좋은 벌잇감이다 ; 돈벌이가 된다. ***throw*** 〔***pour***〕 ***good*** ~ ***after bad*** 손해를 만회하려다 더 손해를 보다. ***What's the*** ~***?*** 얼맙니까.

mon·ey-back [-bæ̀k] *a.* (물건에 만족 못하면) 돈을 되돌려 주는 : ~ guarantee if not fully satisfy 물건이 마음에 안드시면 돌려드립니다 《광고문》.

mon·ey·bag [-bæ̀g] *n.* ①Ⓒ 지갑 ; (현금 수송용) 현금 행낭. ② (*pl.*) 〔單數 취급〕 《口》 부자.

móney bòx 《英》 저금통 ; 헌금함(函), 돈궤.

móney chànger ①환전상. ②《美》 환전기(機).

mon·eyed [mʌ́nid] *a.* 〔限定的〕 부자의, 부유한 : the ~ interest 자본가들.

mon·ey·grub·ber [-grʌ̀bər] *n.* Ⓒ 수전노, 금전에 탐욕스러운 사람.

mon·ey·grub·bing [-grʌ̀biŋ] *a.* 악착같이〔탐욕으로〕 돈을 모으는, 탐욕스러운.

mon·ey·lend·er [-lèndər] *n.* Ⓒ ①금융업자. ②고리대금업자.

mon·ey·less [-lis] *a.* 돈 없는, 무일푼의.

móney machìne 현금 자동 지급기.

mon·ey·mak·er [-mèikər] *n.* Ⓒ ①돈벌이가 되는 일. ②돈벌이 재주가 있는 사람.

mon·ey·mak·ing [-mèikiŋ] *n.* Ⓤ 돈벌이, 축재(蓄財). — *a.* 〔限定的〕 ①돈 벌이를 잘하는. ②돈 벌이가 되는.

móney màrket 금융 시장.

móney òrder 우편환 : a telegraphic ~ 전신환 / cash a ~ 환을 현금화하다 / send $ 20,000 by bank ~ 은행환으로 2만 달러를 보내다.

móney spìnner 《英》 돈벌이 잘되는 것〔일〕.

mon·ey-wash·ing [-wɔ̀ːʃiŋ, -wɑ̀ʃ-] *n.* Ⓤ 부정 자금 정화, 돈세탁.

mon·ger [mʌ́ŋgər] *n.* Ⓒ 〔주로 結合詞를 이루어〕 ①상인, …상(商), …장수 : a FISHMONGER / an IRONMONGER. ② (소문 따위를) 퍼뜨리는 사람 : a SCANDALMONGER.

Mon·gol [mɑ́ŋgəl, -goul / mɔ́ŋgɔl] *n.* ①Ⓒ 몽골 사람. ②Ⓤ 몽골어(語). — *a.* 몽골인〔어〕의.

Mon·go·lia [mɑŋgóuliə, -ljə / mɔŋ-] *n.* 몽골.

Mon·go·li·an [mɑŋgóuliən, -ljən / mɔŋ-] *n.* ①Ⓒ 몽골 사람. ②Ⓤ 몽골말. — *a.* 몽골 사람의 ; 몽골말의. ***the*** ~ ***Republic*** 몽골 공화국.

Mon·gol·ism [mɑ́ŋgəlìzəm / mɔ́ŋ-] *n.* Ⓤ (종종 m-) 〖醫〗 몽골증, 다운 증후군(Down's syndrome) 《인상이 몽골인 비슷한 선천적인 백치》.

Mon·gol·oid [mɑ́ŋgəlɔ̀id / mɔ́ŋ-] *a.* 몽골 사람 같은 ; 몽골 인종적인. — *n.* Ⓒ 몽골로이드, 몽골 인종에 속하는 사람.

mon·goose [mɑ́ŋguːs, mʌ́n- / mɔ́ŋ-] (*pl.* **-goos·es**) *n.* Ⓒ〖動〗 몽구스《인도산의 족제비 비슷한 육식 짐승으로, 독사의 천적(天敵)》.

mon·grel [mʌ́ŋgrəl, mɑ́ŋ-] *n.* Ⓒ ① (동식물의) 잡종 ; 《특히》 잡종의 개. ②《蔑》 혼혈아. — *a.* 〔限定的〕 ①잡종의. ②《蔑》 혼혈아의.

monied ⇨MONEYED.

mon·ies [mʌ́niz] MONEY의 복수.

mon·i·ker [mɑ́nikər / mɔ́n-] *n.* Ⓒ 《口》 이름, 서명 ; 별명(別名).

mon·ism [mɑ́nizəm / mɔ́n-] *n.* Ⓤ 〖哲〗 일원론(一元論). ⓒⓕ dualism, pluralism. ㊞ **mo·nis·tic, -ti·cal** [mounístik, mə-], [-əl] *a.*

mo·ni·tion [mouníʃən] *n.* ⓊⒸ ①충고, 훈계 ; 경고 (warning). ② (법원의) 소환.

‡**mon·i·tor** [mɑ́nitər / mɔ́n-] *n.* Ⓒ ①모니터. **a)**

〖放送〗 라디오·TV의 방송 상태를 감시하는 장치〔조정 기술자〕; 방송국의 의뢰로 방송의 인상·비평을 보고하는 사람. **b**) 방사선 감시장치. **c**) 〖컴〗 시스템의 작동을 감시하는 소프트웨어〔하드웨어〕. **d**) 유독 가스 감시기. **e**) (기계·항공기 등의) 감시(제어) 장치. ② 외국 방송 청취원, 외전 방수자(傍受者). ③ (학교의) 학급위원, 풍기계. ④ 큰 도마뱀의 일종《아프리카·오스트레일리아산》.
— *vt.* ① (기계 등)을 감시〔조정〕하다, 모니터하다. ② (레이더로 비행기 따위)를 추적하다. ③ **a**) 〖放送〗 …을 모니터로 감시〔조정〕하다. **b**) (환자의 용태)를 모니터로 체크하다. ④ (외국 방송)을 청취〔방수(傍受)〕하다.

mon·i·to·ry [mánitɔ̀ːri / mɔ́nitəri] *a.* 《文語》 권고의, 훈계의, 경고하는.

‡**monk** [mʌŋk] *n.* Ⓒ 수사(修士). ⓒⓕ friar.

†**mon·key** [mʌ́ŋki] (*pl.* **~s**) *n.* Ⓒ ① 원숭이《흔히 ape와 구별하여 꼬리 있는 작은 원숭이》. ② 장난꾸러기 : Be quiet, you little ~! 시끄럽다, 요 장난꾸러기야. ③ **a**) 《英俗》 500 파운드. **b**) 《美俗》 500달러. ***get*** a person***'s ~ up*** 《英口》 남을 성나게 하다. ***get*** one***'s ~ up*** 화내다. ***have a ~ on*** one***'s back*** 《美俗》 마약 중독에 걸려 있다. ***make a ~*** (***out***) ***of*** . . . 《口》 …을 웃음가마리로 만들다, 조롱하다.
— *vi.* 《口》 장난하다, 가지고 놀다, 만지작거리다 ; 희롱거리다, 놀리다《*about* ; *around* ; *with*》: Don't ~ *with* a knife. 나이프를 만지작거리지 마라 / Don't ~ *around with* my papers. 내 서류를 만지지 말아라 / Stop ~*ing about with* those tools! 그 연장을 만지작거리지 마라.

mónkey bùsiness 《口》 ① 기만, 사기, 수상한 행위. ② 장난, 짓궂은 짓.

mon·key·ish [mʌ́ŋkiiʃ] *a.* 원숭이 같은 ; 장난 좋아하는(mischievous). ㊕ **~·ly** *ad.*

mon·key-nut [-nʌ̀t] *n.* Ⓒ 《口》 =PEANUT.

mónkey pùzzle 〖植〗 칠레삼목(杉木).

mon·key·shine [-ʃàin] *n.* Ⓒ (흔히 *pl.*) 《美口》 못된 장난 ; 속임수.

mónkey trìck(s) 《英》 = MONKEY BUSINESS.

mónkey wrènch 멍키 렌치, 자재(自在) 스패너. ***throw*** 〔***toss***〕 ***a ~ into*** (계획 따위)를 방해하다.

mono [mánou / mɔ́n-] *a.* ① =MONAURAL. ② = MONOPHONIC. — (*pl.* ***món·os***) *n.* Ⓤ 모노럴 음(音), 모노럴 재생. 「ⓞⓟⓟ *poly-*.

mono-, mon- '일(一), 단(單)'의 뜻의 결합사.

mon·o·chord [mánəkɔ̀ːrd / mɔ́n-] *n.* Ⓒ 〖樂〗 (중세의) 일현금(一絃琴).

mon·o·chro·mat·ic [mànəkroumǽtik / mɔ̀n-] *a.* 단색의, 단채(單彩)의 ; (사진이) 흑백의.

mon·o·chrome [mánəkròum / mɔ́n-] *n.* ① Ⓒ 단색 ; 단색화, 단색〔흑백〕 사진, 모노크롬. ② Ⓤ 단색화〔사진〕법. ***in ~*** 단색으로.
— *a.* 단색의 ; (사진·TV가) 흑백의.

mon·o·cle [mánəkəl / mɔ́n-] *n.* Ⓒ 단안경, 외알 안경. ㊕ **~d** *a.* 외알 안경을 낀.

mon·o·cot·y·le·don [mànəkàtəlíːdən / mɔ̀nəkɔ̀t-] *n.* Ⓒ 〖植〗 단자엽 식물.

mo·noc·ra·cy [mounákrəsi, mə- / mounɔ́k-] *n.* ① Ⓤ 독재정치(autocracy). ② Ⓒ 독재국.

mo·noc·u·lar [mənákjələr / mɔnɔ́k-] *a.* 단안의, 외눈의. ㊕ **~·ly** *ad.*

mon·o·cul·ture [mánəkʌ̀ltʃər / mɔ́n -] *n.* Ⓤ 〖農〗 단일 경작, 단작(單作), 일모작.

mon·o·cy·cle [mánəsàikəl / mɔ́n-] *n.* Ⓒ 1륜차, 외바퀴 차.

mon·o·dy [mánədi / mɔ́n-] *n.* Ⓒ ① (그리스 비극의) 서정적 독창부(部). ② (벗의 죽음을 애도하는) 추도시, 애가(哀歌).

mo·nog·a·mist [mənágəmist / mənɔ́g-] *n.* Ⓒ 일부일처주의자.

mo·nog·a·mous [mənágəməs / mənɔ́g-] *a.* ① 일부 일처의. ② 〖動〗 암수 한 쌍의.

mo·nog·a·my [mənágəmi / mənɔ́g-] *n.* Ⓤ 일부일처제, 일부일처주의. ⓞⓟⓟ *polygamy.*

mon·o·glot [mánəglàt / mɔ́nəglɔ̀t] *a.*, *n.* Ⓒ 한 언어〔국어〕만을 말하는 (사람). ⓒⓕ polyglot.

mon·o·gram [mánəgræ̀m / mɔ́n-] *n.* Ⓒ 모노그램《성명 첫 글자 등을 도안화(化)하여 짜맞춘 글자》: a ~ on a shirt 셔츠에 붙인 모노그램.

mono·grammed [-d] *a.* 모노그램을 붙인〔자수한〕.

mon·o·graph [mánəgræ̀f, -gràːf / mɔ́n-] *n.* Ⓒ (특정의 단일 분야를 테마로 하는) 연구 논문, 모노그래프.

mon·o·ki·ni [mànəkíːni / mɔ̀n-] *n.* Ⓒ 모노키니《여성의 토플리스 비키니》.

mon·o·lin·gual [mànəlíŋgwəl / mɔ̀n-] *a.* 1개 국어만 사용한《책 따위》; 1개국어만 사용하는.
— *n.* Ⓒ 1개 국어만 말하는 사람.

mon·o·lith [mánəliθ / mɔ́n-] *n.* Ⓒ ① 한통으로 된 돌〔바위〕. ② 돌 하나로 된 비석〔기둥〕《obelisk 따위》. ③ (커다란 하나의 바위처럼) 견고한〔완전한〕 통일체.

mon·o·lith·ic [mànəlíθik / mɔ̀n-] *a.* ① 돌 하나로 된 ; 하나의 큰 바위와 같은. ② 《종종 蔑》 완전히 통제된, 이질 분자가 없는《조직》, 획일적이고 자유가 없는.

mon·o·log·ist, -logu·ist [mənálədʒist / mənɔ́l-], [mánəlɔ̀ːgist, -làg- / mɔ́nəlɔ̀g-] *n.* Ⓒ (연극의) 독백자 ; 이야기를 독점하는 사람.

mon·o·logue, 《美》 **-log** [mánəlɔ̀ːg, -làg / mɔ́nəlɔ̀g] *n.* ① Ⓤ,Ⓒ 〖劇〗 모놀로그, 독백, 혼자 하는 대사 ; 독백〔독연〕극. ② Ⓒ 독백 형식의 시(등). ③ Ⓒ 《口》 혼자서 늘어 놓는 장광설.

mon·o·ma·nia [mànəméiniə, -njə / mɔ̀n-] *n.* Ⓤ,Ⓒ 〖醫〗 편집광(偏執狂), 모노매니어.

mono·ma·ni·ac [-niæ̀k] *n.* Ⓒ 한 가지 일에만 열중하는 사람 ; 편집광자.

mon·o·mer [mánəmər / mɔ́n-] *n.* Ⓒ 〖化〗 단량체(單量體), 단위체, 모너머. ⓒⓕ polymer.

mon·o·me·tal·lic [mànoumətǽlik / mɔ̀n-] *a.* 〖經〗 단본위제(單本位制)의. ⓒⓕ bimetallic.

mon·o·met·al·lism [mànəmétəlìzəm / mɔ̀n-] *n.* Ⓤ (화폐의) 단본위제. ⓒⓕ bimetallism.

mo·no·mi·al [mounóumiəl, mən-] *a.* 〖數〗 단항의. — *n.* Ⓒ 단항식.

mon·o·phon·ic [mànəfánik / mɔ̀nəfɔ́n-] *a.* ① 〖樂〗 단(單)선율의(monodic). ② (녹음 따위가) 모노포닉〔모노럴〕의. ⓒⓕ monaural, stereophonic. 「선율(곡).

mo·noph·o·ny [mənáfəni / -nɔ́f-] *n.* Ⓤ,Ⓒ 단

mon·oph·thong [mánəfθɔ̀ːŋ, -θàŋ / mɔ́nəfθɔ̀ŋ] *n.* Ⓒ 〖音聲〗 단모음《bit의 'i', mother의 'ʌ' 따위》. ⓒⓕ diphthong.

mon·o·plane [mánəplèin / mɔ́n-] *n.* Ⓒ 〖空〗 단엽 (비행)기. ⓒⓕ biplane.

mo·nop·o·lism [mənápəlìzəm / -nɔ́p-] *n.* Ⓤ 전매(專賣) 제도 ; 독점주의〔조직〕.

mo·nop·o·list [mənápəlist / -nɔ́p-] *n.* Ⓒ 독점자, 전매자 ; 독점〔전매〕론자. ㊕ **mo·nòp·o·lís·tic** [-lístik] *a.* 독점적인, 전매의 ; 독점주의(자)의.

mo·nop·o·li·za·tion [mənàpəlizéiʃən / -nɔ̀pəlai-] *n.* Ⓤ,Ⓒ 독점(화), 전매.

***mo·nop·o·lize** [mənápəlàiz / -nɔ́p-] *vt.* ① (상

품·사업 등)의 전매〔독점〕권을 얻다. ② …을 독점하다, 독차지하다 : ~ the personal computer market, PC시장을 독점하다 / He ~*d* the conversation. 그는 대화를 독차지했다. ㊇ **-lì·zer** *n.*

‡**mo·nop·o·ly** [mənápəli / -nɔ́p-] *n.* ① [C] 독점, 전매 ; 독점〔전매〕권 ; 독점 판매, 시장 독점 : the ~ of 〔on〕 the trade 장사의 독점 / make a ~ of sugar 설탕을 독점 판매하다 / Playing golf is almost the ~ of the well-to-do in this country. 골프는 이 나라에서는 유복한 사람들에게 거의 독점되고 있다 / hold a ~ of salt 〔tobacco〕 소금〔담배〕의 전매권을 갖다 / the ~ of conversation 대화의 독차지. ② [C] 독점 사업 ; 전매품 : The postal services are a government ~. 우편 사업은 정부의 독점 사업이다. ③ [C] 전매〔독점〕 회사, 독점 판매 회사. ④ (M-) 모노폴리《주사위를 사용하는 탁상 게임의 하나 ; 商標名》. ***make a ~ of*** …을 독점(판매)하다.

mon·o·rail [mánərèil / mɔ́n-] *n.* [C] 단궤(單軌) 철도, 모노레일.

mon·o·so·di·um glu·ta·mate [mànəsóudiəmglú:təmèit / mɔ̀n-] 글루타민산나트륨《화학 조미료 ; 略 : MSG》.

mon·o·syl·lab·ic [mànəsilǽbik / mɔ̀n-] *a.* 단음절(어)의 ; (대답 따위가)간결한, 푸접없는 : a ~ reply 퉁명스러운 대답. ㊇ **-i·cal·ly** [-əli] *ad.*

mon·o·syl·la·ble [mánəsìləbəl / mɔ́n-] *n.* [C] 단음절어《get, hot, tree 따위》. ***in ~s*** (yes나 no 등의) 짧은 말로, 퉁명스럽게 : answer *in ~s.*

mon·o·the·ism [mánəθi:ìzəm / mɔ́n-] *n.* [U] 일신론(一神論) ; 일신교. [cf] polytheism. ㊇ **-ist** [-θì:ist] *n.* [C] 일신교 신자, 일신론자. **mòn·o·the·ís·tic** [-ístik] *a.*

mon·o·tone [mánətòun / mɔ́n-] *n.* [U] (또는 a ~) ① (색채·문체 등의) 단조(單調) ; 단조로움 : read in a ~ (억양 없이) 단조롭게 읽다 / an illustration in ~ 단색(單色)의 삽화. ②〖樂〗 단조(음). ── *a.* ＝MONOTONOUS.

‡**mo·not·o·nous** [mənátənəs / -nɔ́t-] (***more ~; most ~***) *a.* 단조로운, 한결같은, 변화 없는, 지루한 : a ~ song 단조로운 노래 / in a ~ voice 억양 없는 목소리로 / ~ occupations 〔scenery〕 단조로운 일〔경치〕 / ~ work 지루한 일. ㊇ ~·**ly** *ad.* ~·**ness** *n.*

*__mo·not·o·ny__ [mənátəni / -nɔ́t-] *n.* [U] 단조로움, 천편 일률, 무미 건조, 지루함 : relieve the ~ of everyday life 일상생활의 단조로움을 덜다.

mon·o·type [mánətàip / mɔ́n-] *n.* ① [C] (M-) 모노타이프《자동 주조 식자기 ; 商標名》. [cf] Linotype. ② [U] 모노타이프 인쇄(법).

mono·va·lent [mànəvéilənt / mɔ́nouvèi-] *a.* 〖化〗 일가(一價)의.

mon·ox·ide [manáksaid, mən- / mɔnɔ́k-] *n.* [C,U] 〖化〗 일산화물.

Mon·roe [mənróu] *n.* 먼로. ① **James ~** 《미국 5대 대통령 ; 1758-1831》. ② **Marilyn ~** 《미국의 여배우 ; 1926-62》. ㊇ ~·**ism** [-izəm] *n.* ＝MONROE DOCTRINE.

Monróe Dóctrine (the ~) 먼로주의《1823 년 미국의 먼로 대통령이 주창한 외교 방침 ; 구미 양 대륙의 상호 정치적 불간섭주의》.

*__Mon·sieur__ [məsjə́:r] (*pl.* ***Mes·sieurs*** [mesjə́:r]) *n.* 《F.》 …씨, …님, …귀하《영어의 Mr., Sir에 해당하는 경칭 ; 略 : M., (*pl.*) MM.》. [cf] Messrs., messieurs.

Mon·si·gnor [mansí:njər / mɔn-] (*pl.* ***~s, -gno·ri*** [mànsi:njɔ́:ri / mɔ̀n-]) *n.* [C] 《It.》〖가톨릭〗 몬시뇨르《고위 성직자에 대한 경칭 ; 또 그 칭호를 가지는 사람 ; 略 : Mgr., Msgr.》.

mon·soon [mansú:n / mɔn-] *n.* ① (the ~) 몬순《특히 인도양에서 여름은 남서, 겨울은 북동에서 부는 계절풍》; 〔一般的〕 계절풍 ; (계절풍이 부는) 계절, 우기 : *the* dry 〔wet〕 ~ 겨울〔여름〕 계절풍. ② [C] 《口》 호우.

*__mon·ster__ [mánstər / mɔ́n-] *n.* [C] ① 괴물 ; 요괴《상상의 또는 실재하는》. ② (괴물 같은) 거대한 사람〔동물, 식물〕 : a ~ of a dog 엄청나게 큰 개. ③ 극악 무도한 사람 : a ~ of cruelty 잔인 무도한 인간. ◇ monstrous *a.*

── *a.* 〔限定的〕 거대한(gigantic), 괴물 같은 : a ~ tree 거목(巨木) / a ~ liner 거대한 정기선 / a ~ pumpkin 괴물 같은 거대한 호박.

mon·strance [mánstrəns / mɔ́n-] *n.* [C] 〖가톨릭〗 성체 현시대(顯示臺).

mon·stros·i·ty [manstrásəti / mɔnstrɔ́s-] *n.* ① [U] 기형(奇形), 기괴함. ② [C] 거대〔기괴〕한 것, 아주 흉한〔보기 싫은〕것 : an architectural ~ 흉측한 건물.

*__mon·strous__ [mánstrəs / mɔ́n-] *a.* ① 괴물 같은, 기괴한, 기형의. ② 거대한, 엄청나게 큰 : a ~ sum of money 거액의 돈 / a ~ elephant 거대한 코끼리. ③ 가공할, 소름끼치는 ; 어처구니없는 : ~ crimes 극악 무도한 범죄. ④ 《口》 터무니없는, 지독한 : tell a ~ lie 터무니없는 거짓말을 하다 / a man of ~ greed 지독한 욕심쟁이. ◇ monster *n.* ㊇ ~·**ly** *ad.* 엄청나게, 대단히, 몹시. ~·**ness** *n.*

Mont. Montana.

mont·age [mantá:ʒ / mɔn-] *n.* 《F.》 ①〖畫·寫〗 **a**) [U] 합성 화법〔사진 기술〕. **b**) [C] 합성화, 몽타주 사진. ② [U] 〖映〗 몽타주《다른 여러 화면을 연속시켜서 하나의 화면〔작품〕을 만드는 기법》.

Mon·taigne [mantéin / mɔn- ; *F.* mɔ̃tɛɲ] *n.* **Michel Eyquem de ~** 몽테뉴《프랑스의 철학자·수필가 ; 1533-92》.

Mon·tana [mantǽnə / mɔn-] *n.* 몬태나《미국 북서부의 주 ; 주도(州都) Helena ; 略 : Mont. ; 〖郵〗 MT》. ㊇ **-tán·an** [-n] *a., n.* ~ 주의 (사람).

Mont Blanc [mɔŋblá:ŋ] 몽블랑《알프스 산맥 중의 최고봉 ; 4,807 m》.

Mon·te Car·lo [màntiká:rlou / mɔ̀n-] 몬테카를로《모나코의 도시 ; 도박으로 유명함》.

Mon·te·ne·gro [màntəní:grou / mɔ̀n-] *n.* 몬테네그로《구 Yugoslavia 연방을 구성한 공화국의 하나. 유고 연방 분열 후 1992년 Serbia와 함께 신유고 연방을 선언》.

Mon·tes·quieu [mànteskjú: / mɔ̀n- ; *F.* mɔ̃tɛskjø] *n.* **Charles ~** 몽테스키외《프랑스의 정치사상가 ; 1689-1755》.

Mon·tes·só·ri mèthod 〔**sỳstem**〕 [màntəsɔ́:ri- / mɔ̀n-] 〖教〗 몬테소리 교육법《이탈리아 교육가 Maria Montessori 가 제창한 유아 교육법 ; 자주성 신장을 중시함》.

Mon·te·vi·deo [màntəvidéiou, -vídiòu / mɔ̀nti-] *n.* 몬테비데오《Uruguay 공화국의 수도》.

Mont·gom·ery [mantgʌ́məri / mənt-] *n.* 몽고메리. ① 남자 이름. ② 미국 Alabama 주의 주도.

†**month** [mʌnθ] *n.* [C] ① (한)달, 월(月) : this ~ 이달 / next ~ 내달 / I saw him last ~. 지난 달 그를 보았다〔만났다〕 / He left six ~*s* ago. 그는 6개월 전에 출발했다 / pay sixty dollars a ~ 한 달에 60달러 지급하다 / What ~ was he born in? 그는 어느 달에 태어났나. ② (임신) …개월 : She is in her eighth ~. 임신 8개월이다. ***a ~ ago today*** 전달의 오늘. ***a ~*** (***from***) ***today*** 내달의 오늘. ***a ~ of Sundays*** (1) 《口》 오랫동안 ; 《俗》

좀처럼 없는 기회 : Don't be *a* ~ *of Sundays* about it. 꾸물거리지 마라. (2) 〔never 와 함께〕 결코 …(하지) 않다. ~ ***after*** ~ 매달. ~ ***by*** ~=~ ***in***, ~ ***out*** 매달, 다달이. ***this day*** ~=《美》 ***this day next*** 〔***last***〕 ~ 내달〔전달〕의 오늘.

‡**month·ly** [mʌ́nθli] *a.* ① 매달의, 월 1회의, 월정(月定)의 : a ~ salary 월급 / a ~ magazine 월간 잡지 / a ~ payment 월부. ② 한 달 동안의 ; 한 달 동안 유효한 : the ~ distribution of rainfall in Seoul 서울의 월간 강우량의 분포 / a ~ 〔six-~〕 season ticket 유효 기간 1개월〔6개월〕의 정기권. ── *n.* Ⓒ ① 월간 간행물. ② 1개월 정기권. ── *ad.* 한 달에 한 번, 다달이.

Mont·re·al [màntriɔ́:l, mʌ́n- / mɔ̀n-] *n.* 몬트리올《캐나다 Quebec 주 남부의 도시》.

‡**mon·u·ment** [mánjəmənt / mɔ́n-] *n.* Ⓒ ① 기념비, 기념 건조물, 기념탑 : set up〔erect〕 a ~ to (the memory of) a great man 위인을 기리어 기념비를 세우다 / a World War Ⅱ ~, 제 2차 세계 대전 기념비. ② (역사적) 기념물, 유적 ; = NATIONAL MONUMENT : an ancient ~ 사적(史的) 기념물 / a natural ~ 천연 기념물. ③ (기념비처럼) 영구적 가치가 있는 업적, 금자탑 ; (개인의) 기념비적 사업〔저작〕《*of*》 : a ~ *of* linguistic study〔learning〕 언어 연구〔학문〕의 금자탑. ④ 현저한 예(例), 유례가 없는 것《*of*》 : My father was a ~ of industry. 아버지는 보기 드문 노력가였다.

†**mon·u·men·tal** [mànjəméntl / mɔ̀n-] *a.* ① 기념 건조물의, 기념비의 : a ~ inscription 기념비의 비문 / a ~ mason 석비공(石碑工). ② (문학·음악 작품 따위가) 불후의, 불멸의 : a ~ work 불후의 작품, 대걸작. ③《口》 대단한, 어처구니없는 《어리석음 따위》. ④ 거대한, 당당한 : a ship of ~ size 거대한 배.

mon·u·men·tal·ly [-li] *ad.* ① 기념비로서 ; 기념으로. ② 터무니없이, 지독하게 : ~ dull 지독하게 둔한〔지루한〕.

moo [mu:] *vi.* (소가) 음매하고 울다(low). ── (*pl.* ~***s***) *n.* Ⓒ ① 음매《소 울음 소리》. ②《英俗》 바보 같은 여자. [imit.]

mooch [mu:tʃ] 《俗》 *vi.* 일없이 돌아다니다 《*about* ; *along* ; *around*》 : She was ~*ing around* the house with nothing to do. 그녀는 아무 할일도 없이 집 주위를 돌아다니고 있었다. ── *vt.* ① …을 훔치다. ② …을 우려내다《*off, from*》.

moo-cow [mú:kàu] *n.* Ⓒ 《兒》 음매, 소.

‡**mood**[1] [mu:d] *n.* ① Ⓒ (일시적인) 기분, 마음《★ mood 는 일시적인 마음의 상태나 언행을 좌우하는 등의 감정, humor 는 변덕이 있는 마음의 상태, temper 는 강한 감정에 지배된 기분이나 감정》 : be in a good〔bad〕 ~ 기분이 좋다〔나쁘다〕 / change one's ~ 기분을 바꾸다〔전환하다〕 / I'm not in the ~ to read just now. 지금은 책을 읽고 싶지 않다 / Are you in the ~ for a walk? 산책하실 생각이 있습니까. ② Ⓒ (흔히 *sing.*) (장소·작품 따위의) 분위기, (세상 일반의) 풍조 : The ~ of the meeting was hopeful. 그 회합의 분위기는 희망에 차 있었다. ③ (*pl.*) 씨무룩함, 불쾌함, 기분나쁨, 변덕스러움 : a person of ~*s* 변덕스러운 사람 / Are you in one of your ~*s*? 또 기분이 상했구나. ***in a merry*** 〔***melancholy***〕 ~ 즐거운〔우울한〕 기분으로. ***in a*** ~ 《口》 기분이 좋지 않은. ***in no*** ~ …할 마음이 없어《*for* ; *to* do》.

***mood**[2] *n.* Ⓤ,Ⓒ 〖文法〗 법(法), 서법(敍法).

moody** [mú:di] (mood·i·er*** ; ***-i·est***) *a.* ① (사람이) 변덕스러운, 기분파의〔인〕 : Why are you so ~? 왜 그렇게 변덕스러우냐. ② (표정 등이) 기분 나쁜, 뚱한(sullen) ; 우울한 : She's sometimes ~. 그녀는 가끔 우울해 있다. ㊕ **móodi·ly** *ad.* **-i·ness** *n.*

mook [muk] *n.* Ⓒ 잡지적인 서적, 무크지(誌). [◂ *m*agazine b*ook*]

†**moon** [mu:n] *n.* ① (흔히 the ~) 달《어떤 시기·상태의 '달'은 종종 부정 관사도 씀》 : a new ~ 초승달 / a half ~ 반달 / a full ~ 만월, 보름달 / an old〔a waning〕 ~ 하현달 / the age of *the* ~ 월령(月齡) / land on *the* ~ 달에 착륙하다 / A bright ~ was coming up over the hills. 밝은 달이 언덕 위로 떠오르고 있었다 / Was *the* ~ out that night? 그날 밤에는 달이 있었더냐 / There was no ~ that night. 그날 밤에는 달이 없었습니다 / *The* ~ was three days old. 달은 초승달이었다. ② (흔히 the ~) 달빛(moonlight) : *The* ~ fell brightly on the water. 달빛은 수면을 밝게 비쳤다. ③ Ⓒ (행성의) 위성(satellite) : an artificial ~ 인공 위성 / Jupiter has twelve ~*s*. 목성에는 위성이 12개 있다. ④ Ⓒ (흔히 *pl.*) 《詩》 한 달 : many ~*s* ago 여러 달 전에. ***aim at the*** ~ 큰 야망을 품다, 헛소동을 벌이다. ***bay*** (***at***) ***the*** ~ ⇨ BAY[3] *vt.* ***below the*** ~ 달빛 아래 ; 이 세상의. ***cry*** 〔***ask, wish***〕 ***for the*** ~ 불가능한 것을 바라다 ; 무리한 부탁을 하다. ***once in a blue*** ~ 《口》 극히 드물게, 좀처럼 …않다. ***over the*** ~ 《口》 크게 기뻐하여. ***promise*** a person ***the*** ~ 아무에게 되지도 않을 것을 약속하다. ***shoot the*** ~ 《英俗》 야반도주하다. ***the man in the*** ~ 달 속의 사람, 달의 반점(斑點)《한국에서의 '계수나무와 토끼'》. ── *vi.* ① 멍하니 보다 ; 목적 없이 돌아다니다 《*about* ; *around*》. ② 멍하니 생각하다《*about*》. ③《美俗》 (장난 또는 모욕하려고) 엉덩이를 까보이다. ── *vt.* 《+目+副》 ① (멍하니 시간)을 보내다《*away*》 : ~ the evening *away* 저녁 때를 멍하니 보내다. ② …에 엉덩이를 까보이다.

moon·beam [⌐bì:m] *n.* Ⓒ (한 줄기의) 달빛.

moon·calf [⌐kæ̀f, ⌐kɑ̀:f] (*pl.* ***-calves***) *n.* Ⓒ ① (선천적인) 백치 ; 얼간이, 바보. ② 하는 일 없이 멍하니 지내는 젊은이.

moon-faced [⌐fèist] *a.* 둥근 얼굴의.

moon·flower [⌐flàuər] *n.* Ⓒ 〖植〗 ①《美》 메꽃과의 덩굴풀《열대 아메리카 원산 ; 밤에 향기로운 흰꽃이 핌》. ②《英》 프랑스 국화.

Moon·ie [mú:ni] *n.* ① (한국의) 통일 교회(the Unification Church). ② Ⓒ 세계 기독교 통일 신령 협회의 신자, 통일 원리 운동 지지자.

Moon·ism [mú:nizm] *n.* Ⓤ 세계 기독교 통일 신령 협회주의, 통일 원리 운동《통일 교회의 창시자인 한국인 문선명(文鮮明) (Rev. Sun Myung Moon ; 1920-)의 이름에서》.

moon·less [mú:nlis] *a.* 달 없는 : a ~ night 달 없는(깜깜한) 밤.

‡**moon·light** [mú:nlàit] *n.* Ⓤ 달빛 : The couple walked holding hands in the ~. 두 사람은 달빛 아래서 손을 잡고 걸었다. ***by*** ~ 달빛에, 달빛을 받으며.
── *a.* ① 달빛의 : a ~ night 달밤. ② 달밤에 일어나는 : a ~ drive 달밤의 드라이브. ***the Moonlight Sonata*** 월광곡(曲)《Beethoven 작》. ── *vi.* 《口》 부업〔아르바이트, 내직〕을 하다《특히 야간에》 : ~ as a waiter 웨이터 아르바이트를 하다. ㊕ ~**·er** *n.* 《口》 본업 외에 부업을 가진 사람 《특히 야간의》.

móonlight flìt(ting) 《英口》 야반 도주 : do a ~ 야반 도주를 하다.

moon·light·ing [mú:nlàitiŋ] *n.* 《口》 Ⓤ (낮 근

무와는 별도로) 밤의 아르바이트 ; 이중 겸업.
***moon·lit** [múːnlìt] *a.* 〔限定的〕 달빛에 비친, 달빛어린 : on a ~ night 달빛이 비치는 밤에.
moon·quake [-kwèik] *n.* Ⓒ 월진(月震).
moon·rise [-ràiz] *n.* Ⓤ,Ⓒ 월출 ; 그 시각.
moon·scape [-skèip] *n.* Ⓒ ① (망원경으로 보는) 월면풍경. ② (월면과 같은) 황량한 풍경.
moon·set [-sèt] *n.* Ⓤ,Ⓒ 월입(月入) ; 그 시각.
***moon·shine** [múːnʃàin] *n.* Ⓤ ① 달빛 (moonlight). ② 헛소리, 쓸데없는 공상〔이야기〕. ③《美口》 밀조주〔위스키〕, 밀수입주.
moon·shin·er [múːnʃàinər] *n.* Ⓒ《美口》 주류 밀조〔밀매〕자.
móon shòt 〔**shòot**〕 달 로켓 발사.
moon·stone [-stòun] *n.* Ⓤ,Ⓒ 〖鑛〗 월장석(月長石), 문스톤《유백색의 보석》.
moon·struck [-strʌ̀k] *a.* 미친, 발광한《옛날, 미치는 것은 달의 영향 때문이라고 생각한 데서》.
moony [múːni] (***moon·i·er ; -i·est***) *a.* 멍청한, 꿈결 같은.
Moor [muər] *n.* Ⓒ ① 무어 인《아프리카 북서부에 삶》. ② 8 세기에 스페인을 점거한 무어인 : the Conquest of Spain by the ~*s* 무어인의 스페인 정복.
ː moor[1] [muər] *n.* Ⓤ,Ⓒ (종종 *pl.*)《英》 (heather 가 무성한) 황무지, 광야《특히, 뇌조(grouse) 등의 사냥터가 됨》.
***moor**[2] *vt.* (배·비행선 등)을 …에 잡아매다, 정박시키다《*at ; to*》: ~ a ship *at* the pier 배를 잔교에 잡아매다. ── *vi.* 배를 잡아매다 ; (배가) 정박하다.
moor·age [mú(ː)ridʒ / múər-] *n.* ① Ⓤ,Ⓒ (배 따위의) 계류, 정박 ; 계류료(料). ② Ⓒ 계류장.
moor·cock [-kɑ̀k / -kɔ̀k] *n.* Ⓒ 〖鳥〗 붉은뇌조의 수컷. 「《영국산》.
moor·fowl [-fàul] (*pl.* ~) *n.* Ⓒ 〖鳥〗 붉은뇌조
moor·hen [-hèn] *n.* Ⓒ 〖鳥〗 ① 붉은뇌조의 암컷. ② 쇠물닭, 흰눈썹뜸부기.
moor·ing [múəriŋ] *n.* ① Ⓤ 계류, 정박. ② Ⓒ (흔히 *pl.*) 계류 장치〔설비〕 ; 계류〔정박〕장. ③ (*pl.*) 정신적 지주.
Moor·ish [múəriʃ] *a.* 무어인(Moor)의.
moor·land [múərlæ̀nd, -lənd] *n.* Ⓤ (종종 *pl.*)《英》= MOOR[1].
***moose** [muːs] (*pl.* ~) *n.* Ⓒ 〖動〗 큰사슴《북아메리카산 : 수컷은 장상(掌狀)의 큰 뿔이 있음》.
moot [muːt] *vt.* 〔흔히 受動으로〕 (문제)를 의제에 올리다, 토론하다 : The issue *was* ~*ed* on the Senate floor. 그 문제는 상원에서 의제에 올랐다.
mop** [mɑp / mɔp] *n.* ① Ⓒ 자루걸레, 몹. ② (a ~) 자루걸레 비슷한 물건《*of*》: *a* ~ *of* hair 더벅머리. ***give . . . a ~ …을 자루걸레로 닦다 : *Give* this floor *a* ~, will you? 이 마루를 자루걸레로 닦아주겠나.
── (***-pp-***) *vt.* ① (마루 따위)를 자루걸레로 훔치다〔닦다〕: He ~*ped* the floor dry. 그는 마루를 몹으로 훔쳐서 물기를 닦아냈다. ② (얼굴·이마의 땀)을 닦다〔씻다〕: ~ one's brow 이마의 땀을 닦다. ~ ***the floor with*** ⇨FLOOR. ~ ***up*** 씻어〔닦아〕 내다 ; (거래 따위)를 완료하다, 끝내다 ; (이익 따위)를 빨아 먹다 ;《口》 (일 등)을 해치우다 ; 완전하게 이기다 ; 〖軍〗 …을 소탕하다. ~ ***up on*** a person 《口》 아무를 때려눕히다.
mope [moup] *vi.* ① 울적해 하다, 침울해지다 : He ~*d* by himself all day. 그는 하루 종일 혼자 우울해 있었다. ② (의기 소침하여) 지향없이 어슬렁거리다, 돌아다니다《*about ; around*》.
── *n.* ① Ⓒ 침울〔음침〕한 사람 ; 전혀 할 마음〔기력〕이 없는 사람. ② (the ~s) 우울 : have (a fit of) *the* ~*s* 의기 소침하다.
mo·ped [móupèd] *n.* Ⓒ 모페드, 모터 달린 자전거.
mop·ish [móupiʃ] *a.* 풀이 죽은, 침울한. ㊉ ~·***ly*** *ad.*
mop·pet [mɑ́pit / mɔ́p-] *n.* Ⓒ《口》 꼬마, 아기 ; (특히) 귀여운 계집애.
mop-up [mɑ́pʌ̀p / mɔ́p-] *n.* Ⓤ,Ⓒ 뒷처리, 마무리 ; 〖軍〗 (잔적(殘敵) 등의) 소탕.
mo·raine [mouréin, mɔː- / mɔ-] *n.* Ⓒ 〖地質〗 빙퇴석(氷堆石), 모레인《빙하에 의하여 운반되어 쌓인 퇴적물》.
ː mor·al [mɔ́(ː)rəl, mɑ́r-] (***more*** ~ ; ***most*** ~) *a.* ① 〔限定的〕 도덕(상)의 : ~ culture 덕육(德育) / ~ standards 도덕적 기준 / ~ character 인격, 품격 / a ~ code 도덕률 / ~ principles 도의 / ~ judgment 윤리적 판단 / ~ turpitude 타락, 부도덕한 행위 / ~ virtue 덕 ; (종교에 의하지 않고 달할 수 있는) 자연 도덕. ② 〔限定的〕 덕육적인, 교훈적인 : a ~ lesson 교훈 / a ~ play 교훈극. ③ 〔限定的〕 윤리감을 가진, 선악의 판단을 할 수 있는 : ~ faculty 선악 식별의 능력 / A baby is not a ~ being. 어린애는 잘잘못의 판단을 못한다 / At what age do we become ~ beings. 우리는 몇 살이 되면 선악의 판단을 할 수 있을까. ④ 도덕을 지키는, 품행이 단정한, 양심적인. opp *immoral.* ¶ a ~ man 품행 단정한 사람 / a ~ tone 기품 / lead a ~ life 품행 방정한 생활을 하다. ⑤ 〔限定的〕 (물질·육체적인 데 대하여) 정신적인, 마음의, 무형의 ; 실질적인 : ~ support 정신적 지원 / (a) ~ defeat〔victory〕 정신적 패배〔승리〕 / Show ~ courage. 정신적 용기를 보이다.
── *n.* ① Ⓒ (우화·사건 따위에 내포된) 교훈, 타이르는 말, 우의(寓意) : There's a ~ to this story. 이 이야기에는 배울 만한 것이 있다. ② (*pl.*) 〔單數 취급〕 윤리학(ethics). ③ (*pl.*) (사회적인) 도덕, 윤리, 모럴 ; (특히 남녀간의) 품행 : public ~*s* 공중도덕, 풍기 / social ~*s* 공덕 / a man 〔woman〕 of loose ~*s* 몸가짐이 나쁜 사람〔여자〕 / a person with no ~*s* 도덕관념이 없는 사람.
móral cértainty (a ~) 일단은 틀림없다고 생각되는 것, 강한 확신.
móral deféat (이긴 것 같이 보이나) 사실상의 〔정신적인〕 패배.
***mo·rale** [mouræ̋l / mɔrɑ́ːl] *n.* Ⓤ (군대·국민의) 사기, 의욕, 의기(意氣) : *Morale* is high〔low, falling〕. 사기가 높다〔낮다, 떨어지고 있다〕/ raise ~ 사기를 높이다 / *Morale* among the troops was low. 군의 사기는 떨어져 있었다.
mor·al·ism [mɔ́(ː)rəlizəm, mɑ́r-] *n.* Ⓤ 도덕주의, 도의 ; 교훈, 설교 ; 훈언(訓言).
***mor·al·ist** [mɔ́(ː)rəlist, mɑ́r-] *n.* Ⓒ 도덕가, 도학자 ; 윤리학자 ; 윤리 사상가, 모랄리스트.
mor·al·is·tic [-tik] *a.* 교훈적인 ; 도덕주의의 ; 도덕가의. ㊉ **-ti·cal·ly** *ad.*
***mo·ral·i·ty** [mɔ(ː)ræ̀ləti, mɑr-] *n.* ① Ⓤ 도덕(성), 도의(성) ; (개인 또는 특정 사회의) 덕성, 윤리성 : public〔sex〕 ~ 공중〔성〕 도덕 / commercial ~ 상도덕 / the ~ of abortion 임신 중절의 도의성. ② Ⓤ 품행, 행실 ; (남녀간의) 풍기 : doubtful ~ 의심스러운 행실. ③ (*pl.*) (특정한) 도덕률, 윤리 체계. ◇ moral *a.*
morálity plày 도덕 우화극, 교훈극《미덕·악덕이 의인화되어 등장함》.
mor·al·i·za·tion [mɔ̀ːrəlizéiʃən, mɑ̀r- / mɔ̀rə-lai-] *n.* Ⓤ 교화, 덕화 ; 도덕적 해석〔설명〕 ; 설교.

mor·al·ize [mɔ́(:)rəlàiz, mάr-] *vt.* ① (사람)을 교화하다. ② …을 도덕적으로 해석하다.
— *vi.* 도를 가르치다, 설교하다《*on*》; 교훈이 되다. ㊕ **-ìz·er** [-ər] *n.* Ⓒ 도학자; 교훈 작가.

***mor·al·ly** [mɔ́(:)rəli, mάr-] *ad.* ① **a)** 도덕상으로; 도덕적으로(virtuously): live〔behave〕 ~ 도덕적으로〔바르게〕 살다〔행동하다〕. **b)** 〔文章修飾〕 도덕상, 도덕적으로 보아: That may be legally right, but it's ~ wrong. 그것은 법적으로는 옳을는지 모르나 도덕적으로는 잘못되어 있다. ② 사실상, 실제로(virtually), 틀림없이: ~ impossible 사실상 불가능한 / It's ~ certain that.... …은 거의 확실하다.

Móral Majórity 도덕적 다수파《미국의 보수적 기독교도의 정치 활동 단체; 1979년 6월 침례교 목사 Jerry Falwell이 설립》.

móral majórity (the ~) 〔集合的〕 보수적인 대중《엄격한 도덕관념을 가지고 있다고 생각되는 대다수의 민중》.

Móral Reármament 도덕 재무장 운동《略: MRA》. ⓒⓕ Oxford Group Movement; Buchmanism.

mo·rass [məræ̃s] *n.* ① Ⓒ 소택지, 늪. ② (a ~) (헤어날 길 없는) 곤경《*of*》: *a* ~ *of* poverty 가난의 깊은 수렁.

mor·a·to·ri·um [mɔ̀(:)rətɔ́:riəm, mὰr-] (*pl.* **-ria** [-riə], **~s**) *n.* Ⓒ ① 〖法〗 모라토리엄, 지급 정지〔연기〕, 지급 유예(기간). ② 정지, (일시적) 금지(령)《*on*》: call a ~ *on* nuclear testing 핵실험의 일시적 중지를 명하다.

Mo·ra·via [mouréiviə] *n.* 모라비아《구 체코슬로바키아 중부의 한 지방》.

Mo·ra·vi·an [-n] *a.* ① 모라비아의. ② 모라비아 교도의. — *n.* ① Ⓒ 모라비아인; 모라비아 교도. ② Ⓤ 모라비아 말.

mo·ray [mɔ:réi, mou-] *n.* Ⓒ 〖魚〗 곰치류(類)《열대산》.

***mor·bid** [mɔ́:rbid] *a.* ① 병적인, 불건전한, 음침한: a ~ imagination 병적인 상상 / a ~ interest in death 죽음에 대한 병적인 흥미 / have a ~ fondness for murder mysteries 살인 추리 소설을 이상하리만큼 좋아하다. ② 병의, 병으로 인한: a ~ growth of cells 세포의 병적 증식《암·종양 등》. ③ 섬뜩한, 소름끼치는: ~ events 소름끼치는 무서운 사건. ㊕ **~·ly** *ad.* **~·ness** *n.*

mórbid anátomy 〖醫〗 병리 해부(학).

mor·bid·i·ty [mɔ:rbídəti] *n.* ① Ⓤ 병적임, 불건전. ② Ⓤ (또는 a ~) (한 지방의) 이환율(=∠ **ràte**).

mor·dant [mɔ́:rdənt] *a.* (말 따위가) 찌르는 듯한, 신랄한: ~ criticism 신랄한 비평 / a ~ speaker 독설가. ㊕ **~·ly** *ad.*

More [mɔ:r] *n.* Sir **Thomas** ~ 모어《영국의 인문주의자·저작가; *Utopia*의 저자; 1478-1535》.

†**more** [mɔ:r] *a.* 〔many 또는 much의 比較級〕 ① (수·양 등이) 더 많은, 더 큰《*than*》. ⓄⓅⓅ *less*. ¶ He has ~ ability 〔books〕 *than* his brother. 그는 형보다 재능이〔책이〕 많다 / Don't ask for ~ money *than* you deserve. 당연히 받아야 할 금액 이상의 돈을 청구하지 마라 / Ten is three ~ *than* seven. 10은 7보다 3이 더 많다 / There are ~ stars in the sky *than* I can count. 하늘에는 셀 수 없으리만큼 많은 별이 있다 / *More* people are drinking wine these days. 최근에는 와인을 마시는 사람이 늘고 있다 / ~ *than* ten men, 10 사람보다 많은 사람《'10 사람'은 제외됨; 즉, 11사람 또는 그 이상이라는 뜻》. ② 그 이상의, 여분의, 덧붙인: Give me a little ~ money. 돈을 좀더 주시오 / One ~ word. 한 마디만 더 (말 하겠습니다) / *More* discussion seems pointless. 이 이상 토론해 봤자 무의미할 것 같다 / We need some ~ butter 〔eggs〕. 버터가〔계란이〕 좀더 필요하다 / He has a great deal ~ money. 그는 훨씬 더 많은 돈을 가지고 있다. **(*and*) *what is*** ~ 게다가, 그 위에. ***many*** ~ 더욱 더 많은〔많이〕: There are *many* ~ sheep than people there. 거기는 사람 수보다 양이 더 많다 / There are *many* ~ problems to be solved. 해결해야 할 문제들이 아직 더 많이 있다. **~ *and*** ~ 더욱 더 (많은): *More and* ~ applicants began to gather. 점점 더 많은 지원자가 모이기 시작했다.

— *n., pron.* ① 〔單數 취급〕 보다 많은 양〔정도·중요성 따위〕: I'd like a little ~ of the whisky. 그 위스키를 조금 더 주십시오 / *More* is meant than meets the ear. 언외(言外)에 뜻이 있다 / I hope to see ~ of you. 좀더 자주 만나 뵙고 싶습니다 / He is ~ of a poet than a novelist. 소설가라기보다 오히려 시인이다. ② 〔複數 취급〕 더 많은 수의 것〔사람〕. ⓄⓅⓅ *fewer*. ¶ There're still a few ~. 아직 조금은 있다 / ~ than four people, 5인 이상의 사람《more than four는 '4'를 포함하지 않는 것이 원칙임》/ *More* (of them) were present than absent. 결석한 사람보다 출석한 사람 쪽이 많았다. ③ 그 이상의 것〔일〕: Give me a bit ~ of the chocolate, please. 그 초콜릿을 조금 더 주세요 / No ~ of your jokes. 농담은 이제 그만하자 / I don't want any ~. 그〔이〕 이상은 원치 않습니다. ***and no*** ~ 그것뿐이다: I was lucky *and no* ~. 나는 재수가 좋았을 뿐이다. **~ *and*** ~ 더욱 더 많은 것: We seem to be spending ~ *and* ~. 어쩐지 비용이 많아지는 것 같다. **~ *of a*** ... (…보다) 한층 더: He's ~ *of a* fool *than* I thought. 그는 내가 생각한 것보다 훨씬 머리가 나빴다. ***the*** ~ ... ***the*** ~ _ 하면 할수록 …이다: *The* ~ he has, *the* ~ he wants. 가지면 가질수록 더 갖고 싶어 한다.

— *ad.* 〔much의 比較級〕 (ⓄⓅⓅ *less*) ① 보다 많이, 더욱 크게《*than*》: I miss mother ~ *than* anybody else. 그 누구보다도 어머니가 더 그립다 / Jim works far ~ now (*than* he used to). 짐이 지금은 (이전보다는) 훨씬 일을 잘한다 / I couldn't agree ~. 전적으로 동감이다. ② 더욱, 그 위에: once ~ 다시 한번 / I can't walk any ~. 이제 더 이상은 걸을 수 없다. ③ 〔주로 2음절 이상의 形容詞·副詞의 比較級을 만듦〕 더욱 …, 한층 더 …《*than*》: ~ earnestly 더욱 열심히 / Be ~ careful. 좀더 주의하세요 / Let's walk ~ slowly. 좀더 천천히 걷자 / Nothing is ~ precious *than* time. 시간보다 더 귀중한 것은 없다 / I am ~ fond of cats *than* dogs. 개보다 고양이를 더 좋아한다. ④ 〔2개의 形容詞·副詞를 비교하여〕 오히려《*than*》: She is ~ kind *than* wise. 그녀는 현명하다기보다는 친절하다 / She's ~ lucky *than* clever. 그녀는 영리하다기보다는 운이 좋다 / The boy is ~ shy *than* timid. 그 소년은 겁이 많다기보다는 내성적이다 / They have ~ hindered *than* helped. 그들은 돕기보다는 방해를 했다. ***all the*** ~ 더욱 더, 한결 더: His helplessness makes me want to help him *all the* ~. 그가 무력하기 때문에 더욱 더 그를 도와주고 싶다. ***and*** ~ 그 외 여러 가지: He called me savage, brutal, *and* ~. 그는 나를 야만인이라느니 잔인하다느니 여러 말로 욕했다. **(*and*) *what is*** ~ 그 위에 또, 더군다나. ***any*** ~ 〔否定文·疑問文·條件節에서〕 그〔이〕 이상; 이제는; 금후는. ***be no*** ~ 이미 (죽고) 없다. ***little*** ~ ***than*** …에 지나지 않다. **~ *and*** ~ 더욱더, 점점: His story got ~ *and* ~ exciting. 그의 이야

기는 점점 흥미를 더했다. ~ ***or less*** (1) 다소간, 얼마간 : He was ~ *or less* drunk. 그는 다소 취했었다. (2) 대체로, 대략, 거의 : The repairs will cost $50, ~ *or less.* 그 수리에는 대략 50달러 들겁니다. (3) 약…, …정도 : He won 50 pounds, ~ *or less.* 그는 50파운드 정도 벌었다. ~ ***than*** (1) …보다 많은, …이상으로(의) (⇨*a.* ①, *ad.* ①). (2) 〔名詞·形容詞·副詞·動詞 앞에서〕《口》 …이상의 것, (…하고도) 남음이 있을 만큼, 매우(very) : His performance is ~ *than* satisfactory. 그의 활동은 더할 나위없다 / He has ~ *than* fulfilled his duty. 그는 의무를 충분히 이행했다. ~ ***than a little*** 적지 아니, 크게, 대단히 : He was ~ *than a little* disappointed at the news. 그는 그 소식에 크게 실망했다. ~ ***than ever*** 더욱 더, 점점 : I liked Keats ~ *than ever* after reading the poem. 그 시를 읽고 나서는 키츠가 더욱더 좋아졌다. ***neither ~ nor less than*** …이상도 그 이하도 아니다, 꼭, 정히 ; …에 지나지 않다. ***no*** ~ (1) 그 이상〔벌써〕 …(하지) 않다. (2) 죽어서, 사망하여. (3) 〔否定文〔節〕의 뒤에서〕 …도 또한 —안 하다 : If you will *not* go there, *no* ~ will I. 네가 안 간다면 나도 안 간다. ***no ~ than*** 〔數詞와 함께〕 단지, 겨우(only) : I have *no* ~ *than* two dollars. 고작 2 달러밖에 없다. ***no ~ . . . than*** …이 아닌 것은 …이 아닌 것과 같다 : I am *no* ~ mad *than* you (are). 너와 마찬가지로 나도 미치지 않았다. ***not any ~*** 다시는 …하지 않다 ; 이미 …아니다. ***not . . . any ~ than*** =no ~ ... than. ***nothing ~ than*** …에 지나지 않다. ***not ~ than*** …보다 많지 않다, …을 넘지 않다 ; 많아야 … ; 겨우… : *not* ~ *than* five 많아야 5, 5 또는 그 이하. ***none*** 〔***not***〕 ***the*** ~ 그래도 더욱. ***or*** ~ 어쩌면 그 이상, 적어도. ***That's ~ like it.*** 그쪽이 더 낫다. ***the*** ~ =all the ~. ***The ~, the better.*** 많으면 많을수록 좋다, 다다익선. ***The ~, the merrier.*** 사람이 많을수록 즐겁다〔좋다〕《사람을 초대할 때 등에 하는 말》. ***the ~ . . . the less*** …이면 일수록 …이 아니다 : *The* ~ she thought about it, *the less* she liked it. 생각하면 할수록 그녀는 그것이 싫어졌다. ***The ~ . . . the ~*** — …하면 할수록 —이다 : *The* ~ I hear, *the* ~ interested I become. 들으면 들을수록 흥미가 더해간다. ***what's*** ~ = (and) what is ~.

-more *suf.* 형용사·부사에 붙여 비교급을 만듦 : further*more*, inner*more*.

more·ish, mor- [mɔ́:riʃ] *a.* 《口》 더 먹고 싶어지는, 아주 맛있는. 「마종이.

mo·rel [mərél] *n.* Ⓒ 〖植〗 식용 버섯의 일종 ; 까

mo·rel·lo [mərélou] (*pl.* ~***s***) *n.* Ⓒ 모렐로《매우 신 버찌의 일종》.

‡more·o·ver [mɔ:róuvər] *ad.* 그 위에, 더욱이, 또한 : I did not like the car ; ~, the price was too high. 나는 그 차가 마음에 들지 않았다, 게다가 값도 너무 비쌌고 / The day was cold, and ~ it was raining. 그 날은 추웠고, 게다가 비가 오고 있었다.

mo·res [mɔ́:ri:z, -reiz] *n. pl.* 사회적 관행, 습속, 관습 ; 도덕적 자세, 도덕관. 「장식 등》.

Mor·esque [mərésk] *a.* 무어(Moor)식의《건축·

Mor·gan [mɔ́:rgən] *n.* 모건《남자 이름》.

mor·ga·nat·ic [mɔ̀:rgənǽtik] *a.* 귀천간의《결혼》; 귀천 상혼(貴賤相婚)의.

morganátic márriage 귀천 상혼《왕족과 상민 여자와의 결혼 ; 그 처자는 신분·재산을 요구·계승할 수 없음》.

morgue [mɔ:rg] *n.* Ⓒ ① (신원 불명의) 시체 보관〔공시(公示)〕소. ② (신문사 등의) 자료집, 자료실, 조사부. ***still as a*** ~ 무서우리만큼 조용한.

mor·i·bund [mɔ́(:)rəbʌ̀nd, mɑ́r-] *a.* 《文語》 빈사 상태의, 죽어가는 ; 소멸해가는. ㊞ ~·***ly*** *ad.*

morish ⇨ MOREISH.

Mor·mon [mɔ́:rmən] *n.* Ⓒ 모르몬 교도.

Mir·mon·ism [-ìzəm] *n.* Ⓤ 모르몬교《1830년 미국의 Joseph Smith가 개종함 ; 공식 명칭은 The Church of Jesus Christ of Latter-Day Saints (말일 성도 예수 그리스도 교회) ; 본부는 Utah주 Salt Lake City에 있음》.

***morn** [mɔ:rn] *n.* Ⓒ 《詩》 아침, 새벽, 여명 : at ~ and (at) even 아침 저녁으로.

†morn·ing [mɔ́:rniŋ] *n.* ① Ⓤ,Ⓒ 아침, 오전 : *in* the ~ 아침〔오전〕에 / early *in* the ~ 아침 일찍이 / take a walk every ~ 매일 아침 산책을 하다 / read all (the) ~ 오전 내내 독서하다 / *on* the ~ of April 1st, 4 월 1 일의 아침 / *on* Sunday ~ 일요일 아침에《★ 특정한 날의 아침에는 흔히 전치사 on 을 씀》/ ⇨ GOOD MORNING. ② 《詩》 여명 (dawn). ③ (the ~) 초기 ; 여명 : *the* ~ of life 인생의 아침, 청년 시대 / *the* ~ of Chinese culture 중국 문화의 초기. ***from ~ till*** 〔***to***〕 ***evening*** 〔***night***〕 아침부터 저녁〔밤〕까지, 하루 종일. ***~, noon, and night*** 낮이고 밤이고, 온종일. ***of a ~=of ~s*** 《文語》 아침 나절에 흔히 《찾아오다 따위》. ***this*** 〔***tomorrow, yesterday***〕 ~ 오늘〔내일, 어제〕 아침.

— *a.* 〔限定的〕 아침의, 아침에 하는〔쓰는, 나타나는〕 : ~ coffee 아침에 마시는 커피 / a ~ draught 조반 전에 마시는 술, 아침술 / a ~ walk 아침 산책 / a ~ assembly 조례 / a ~ paper 조간 (신문).

mórning áfter (*pl.* ***mornings after***) (the ~) 《口》 숙취(宿醉).

mórn·ing-áf·ter pìll [mɔ́:rniŋǽftər-, -ɑ́:ft-] (성교 후에 먹는) 경구 피임약.

mórning càll ① (호텔에서 손님을 깨우기 위한) 모닝 콜《오전 중에 한하지 않을 경우는 wake-up call 이라고 함》. ② 《古》 아침 방문《실제로는 오후에도 하는 사교 방문》.

mórning còat 모닝 코트.

mórning drèss ① 남자의 보통 예복. ② (여성의) 실내복.

morn·ing-glo·ry [-glɔ̀:ri] *n.* Ⓤ,Ⓒ 〖植〗 나팔꽃.

mórning páper 조간 신문. 「(matins).

Mórning Práyer (영국 국교회의) 아침 기도

mórning ròom (큰 집에서 오전 중에 사용하는) 거실《오전 중 해가 비치는 위치에 있음》.

morn·ings [-z] *ad.* 《美口》 아침에, 매일 아침 ; 오전 중에 : I usually take a walk ~. 날마다 아침에는 산책을 한다.

mórning sìckness 〖醫〗 아침에 나는 구역질, 《특히, 임신부의》 입덧.

mórning stár (the ~) 샛별《금성》.

Mor·roc·can [mərɑ́kən / -rɔ́k-] *a.* 모로코(인)의. — *n.* Ⓒ 모로코인.

Mo·roc·co [mərɑ́kou / -rɔ́k-] *n.* ① 모로코《아프리카 북서안의 회교국》. ② (m-) Ⓤ 모로코 가죽 《무두질한 염소 가죽 ; 제본·장갑 용》.

mo·ron [mɔ́:rɑn / -rɔn] *n.* Ⓒ ①〖心〗 노둔(魯鈍)한 사람《지능이 8-12 세 정도의 성인 ; imbecile, idiot 보다는 위》. ② 《口》 멍텅구리, 얼간이.

mo·ron·ic [mərɑ́nik / -rɔ́n-] *a.* 저능의.

mo·rose** [məróus] (mo·ros·er*** ; ***-est***) *a.* (성미가) 까다로운, 뚱한. ㊞ ~·***ly*** *ad.* ~·***ness*** *n.*

mor·pheme [mɔ́:rfi:m] *n.* Ⓒ 〖言〗 형태소(形態素)《뜻을 나타내는 최소의 언어 단위》.

mor·phe·mics [mɔ:rfímiks] *n.* Ⓤ 〖言〗 형태소

론(形態素論).

Mor·phe·us [mɔ́ːrfiəs, -fjuːs] *n.* 〖그神〗 모르페우스《잠의 신 Hypnos의 아들로 꿈의 신》. ***in the arms of*** ~ 잠들어서(asleep).

mor·phine [mɔ́ːrfiːn] *n.* Ⓤ 〖藥〗 모르핀.

mor·phin·ism [mɔ́ːrfənìzəm] *n.* Ⓤ 〖醫〗 모르핀 중독. ㊕ **-ist** *n.*

mor·phol·o·gy [mɔːrfɑ́lədʒi / -fɔ́l-] *n.* Ⓤ ① 〖生〗 형태학. ② 〖言〗 어형론. ㊕ **mor·pho·log·ic, -i·cal** [mɔ̀ːrfəlɑ́dʒik / -lɔ́dʒ-], [-əl] *a.* 형태학(상(上))의; 어형론(語形論)상의.

Mor·ris [mɔ́(ː)ris, mɑ́r-] *n.* 모리스《남자 이름》.

mórris dánce 《英》 모리스 춤《전설상의 남자 주인공을 가장한 무도의 일종》.

***mor·row** [mɔ́(ː)rou, mɑ́r-] *n.* (the ~) 《文語》. ① 이튿날, 내일: (on) *the* ~ 그 다음 날에. ② (사건의) 직후: on *the* ~ of … 의 직후에.

Morse [mɔːrs] *n.* ① **Samuel Finley Breese** ~ 모스《미국의 전신기 발명자; 1791-1872》. ② = MORSE CODE.

Mórse códe 〔álphabet〕 〖電信〗 모스 부호.

***mor·sel** [mɔ́ːrsəl] *n.* ① Ⓒ (음식의) 한 입; 한 조각《*of*》: eat another ~ 또 한 입 먹다. ② (a ~)〔否定 또는 疑問·條件文에서〕 소량, 조금, 작은 조각《*of*》: *a* ~ *of* time 짧은 시간 / if you have *a* ~ *of* sense 너에게 조금이라도 분별이 있다면.

‡**mor·tal** [mɔ́ːrtl] *a.* ① 죽음을 못 면할 운명의. opp. *immortal.* ¶ Man is ~. 인간은 죽기 마련이다. ② 〔限定的〕 인간의, 인생의; 이 세상의: ~ knowledge 인간의 지식 / this ~ life 이 인간 세상 / No ~ power can perform it. 그것은 인력으로는 할 수 없는 일이다. ③ (병 따위가) 치명적인, 생사에 관계된; 사투(死鬪)의; 〖神學〗 영원한 죽음을 초래하는, 죽음에 이르는, 용서받을 수 없는 (opp. *venial*): a ~ wound 치명상 / a ~ combat 사투 / a ~ disease 죽을 병 / a ~ place 급소(急所) / a ~ weapon 흉기 / a ~ blow 치명적인 타격 / His wound proved to be ~. 그의 부상은 치명적인 것임이 밝혀졌다 / a ~ enemy 불구 대천의 원수 / a ~ crime 용서받을 수 없는 범죄. ④ 죽음의; 임종의: the ~ hour 임종 / ~ agony〔fear〕 단말마의 고통〔죽음에 대한 공포〕 / ~ remains 시체, 유해. ⑤ 〔限定的〕 《口》 **a**) (공포·위험·고통 등이) (몹시) 무서운, 심한, 대단한: in a ~ fright〔funk〕 공포에 떨며 / a ~ shame (쥐구멍이라도 있으면 들어가고 싶을 정도의) 큰 창피. **b**) 따분하도록 긴, 아주 지루한, 지긋지긋한: wait for three ~ hours 장장 세 시간이나 기다리다 / The lecture lasted two ~ hours. 강의는 지루하게 2시간이나 계속됐다. ⑥ 〔限定的〕〔any, every, no를 강조하여〕 《俗》 대저 생각할 수 있는, 가능한 한(限)의, 무슨〔어떤〕 …라도: *every* ~ thing the heart could wish for 바랄 수 있는 모든 것 / do *every* ~ thing to succeed 성공하기 위해서는 무슨 일이든지 하다 / It's of *no* ~ use. 조금도 쓸모가 없다.

── *n.* Ⓒ ① (흔히 *pl.*) (보통의) 인간: *Mortals* can't create a perfect society. 인간은 완벽한 사회를 만들 수 없다. ② 《英口·戲》 놈(person): a jolly ~ 재미있는 녀석 / a mean ~ 비겁한 놈 / thirsty ~*s* 술꾼들.

***mor·tal·i·ty** [mɔːrtǽləti] *n.* ① Ⓤ 죽어야 할 운명〔성질〕, 죽음을 면할 수 없음(opp. *immortality*). ② Ⓤ (또는 a ~) **a**) (전쟁 등으로 인한) 대량 사망: If the bomb fell, there would be *a* large ~. 그 폭탄이 투하된다면 대량의 사망자가 날 것이다. **b**) 사망자수, 사망률(death rate): infant ~ 유아 사망률 / This cancer has (*a*) high ~. 이 암은 사망률이 높다. ③ Ⓤ 〔集合的〕 죽을 수밖에 없는 인간들, 인류.

mortálity tàble 〖保險〗 사망률 통계표.

mor·tal·ly [mɔ́ːrtəli] *ad.* ① 죽을 정도로, 치명적으로: be ~ wounded 치명상을 입다. ② 대단히, 몹시: He was ~ offended〔drunk〕. 그는 몹시 화가 났다〔취해 있었다〕.

***mor·tar**[1] [mɔ́ːrtər] *n.* Ⓤ 모르타르, 회반죽: a house built of bricks and ~ 벽돌과 모르타르로 지은 집. ── *vt.* …에 모르타르를 바르다, 모르타르로 접합하다〔굳히다〕.

***mor·tar**[2] *n.* Ⓒ ① 절구; 막자사발; 유발(乳鉢): a pestle and ~ 막자와 막자사발. ② 〖軍〗 구포(臼砲), 박격포.

mor·tar·board [-bɔ̀ːrd] *n.* Ⓒ ① (미장이가 모르타르를 담는데 쓰는) 흙받기. ② (대학의 예복용) 각모.

***mort·gage** [mɔ́ːrgidʒ] *n.* ① Ⓤ,Ⓒ **a**) 저당; 담보: lend money *on* ~ 저당을 잡고 돈을 빌려주다 / The bank holds a ~ *on* the land. 은행은 그 토지를 담보로 잡고 있다. **b**) 저당권: take out a ~ *on* …에 저당권을 설정하다. ② Ⓒ (저당 잡히고) 빌린〔빌리는〕 돈: It's difficult to get a ~ these days. 요즈음은 담보가 있어도〔저당을 잡혀도〕 돈 빌리기가 힘들다.

── *vt.* …을 저당잡히다〔하다〕: ~ one's house to a person for ten thousand dollars 아무에게 집을 저당잡히고 1만 달러를 빌리다 / This house is ~*d* for $50,000. 이 집은 5만 달러에 저당잡혀 있다.

mort·ga·gee [mɔ̀ːrgədʒíː] *n.* Ⓒ 저당권자.

mort·gag·er, mort·ga·gor [mɔ́ːrgədʒər], [mɔ̀ːrgədʒɔ́ːr, mɔ́ːrgidʒər] *n.* Ⓒ 저당권 설정자.

mortice ⇨MORTISE.

mor·ti·cian [mɔːrtíʃən] *n.* Ⓒ 《美》 장의사(葬儀社) (undertaker)《사람》.

***mor·ti·fi·ca·tion** [mɔ̀ːrtəfikéiʃən] *n.* Ⓤ ① 금욕, 난행 고행(難行苦行): (the) ~ of the flesh 고행, 금욕. ② 치욕, 굴욕: with ~ 억울하게 / To my ~, I failed in the examination. 애석하게도 나는 시험에 실패했다. ◇ mortify *v.*

***mor·ti·fy** [mɔ́ːrtəfài] *vt.* ① (정욕·감정 따위)를 억제하다: ~ the flesh 성욕을 억제하다, 금욕 생활을 하다. ② (남)을 분하게 생각하게 하다, …에게 굴욕감을 주다: He *was mortified* to learn that his proposal had been rejected. 그는 그의 제안이 각하된 것을 알고 분하게 생각했다. ◇ mortification *n.*

mor·ti·fy·ing [-iŋ] *a.* 약오르는, 원통한, 분한: It's ~ that nobody offered to help. 누구 하나 도와 주겠다는 사람이 없어 원통한 일이다.

mor·tise, -tice [mɔ́ːrtis] 〖建〗 *n.* Ⓒ 장붓구멍. ── *vt.* …을 장부촉이음으로 잇다《*together; in, into*》; …에 장붓구멍을 파다: Good furniture is ~*d together.* 고급 가구는(못을 쓰지 않고) 장부촉이 음으로 되어 있다.

mort·main [mɔ́ːrtmèin] *n.* Ⓤ 〖法〗 (부동산을 종교 단체에 기부할 때) 영구히 남에게 양도할 수 없게 한 양도 형식; 양도 불능의 소유권.

mor·tu·ary [mɔ́ːrtʃuèri / -tjuəri] *n.* Ⓒ (병원 등의) 영안실: ── *a.* 죽음의; 매장의: a ~ urn 유골 단지 / a ~ monument 묘비 / ~ rites 장례식.

mos. months.

Mo·sa·ic [mouzéiik] *a.* 모세(Moses)의.

***mo·sa·ic** [mouzéiik] *n.* ① Ⓤ 모자이크. ② Ⓒ 모자이크 그림〔무늬〕. ③ Ⓒ (흔히 *sing.*) 모자이크식의 것; 그러모아 만든 것〔글〕《*of*》: a ~ *of*

memories 여러가지 기억을 한데 모은 글 / The field is a ~ *of* green and yellow. 들판은 녹색과 황색의 모자이크 무늬를 이루고 있다.
— *a.* 〔限定的〕 모자이크(식)의, 쪽매붙임의 : ~ work 모자이크 세공 / a ~ pavement 모자이크 무늬의 보도.

Mosáic Láw (the ~) 모세의 율법.

Mos·cow [máskou, -kau / mɔ́skou] *n.* 모스크바《러시아 연방의 수도 ; 러시아어 명 Moskva》.

Mo·selle [mouzél] *n.* Ⓤ (때로 m-) 모젤 포도주《프랑스 Moselle 강 유역산의 백포도주》.

Mo·ses [móuziz, -zis] *n.* ① 모지즈《남자 이름 ; 애칭 Mo, Mose》. ② 〖聖〗 모세《헤브라이의 지도자·입법자》.

mo·sey [móuzi] *vi.* 《俗》 배회하다, 일없이 돌아다니다(saunter) 《*along* ; *about*》.

Mos·lem [mázləm, -lem / mɔ́z-] (*pl.* **~s,** ~) *n., a.* =MUSLIM.

•**mosque** [mɑsk / mɔsk] *n.* Ⓒ 모스크《이슬람교 성원(聖院), 회교 사원(回教寺院)》.

‡**mos·qui·to** [məskíːtou] (*pl.* ~(*e*)*s*) *n.* Ⓒ 〖蟲〗 모기 : *Mosquitoes* spread disease. 모기는 병을 옮긴다 / a swarm of ~*es* 모기떼 / Some types of the anopheles ~ transmit malaria to humans. 몇 종류의 학질모기는 인간에게 말라리아를 전염시킨다.

mosquíto nèt 모기장.

‡**moss** [mɔ(ː)s, mɑs] *n.* Ⓤ,Ⓒ 〖植〗 이끼 ; 이끼 비슷한 지의(地衣) : ~ covered rocks / A rolling stone gathers no ~. ⇨ ROLLING STONE.

moss·back [ˊbæ̀k] *n.* Ⓒ 《美口》 극단적인 보수주의자.

moss-grown [ˊgròun] *a.* ① 이끼가 낀. ② 고풍의, 시대에 뒤진.

*****mossy** [mɔ́(ː)si, mɑ́si] (***moss·i·er ; -i·est***) *a.* ① 이끼가 낀 ; 이끼 같은 : a ~ rock 이끼 낀 바위 / ~ green(이끼 같은) 누른빛이 도는 녹색. ② 시대에 뒤떨어진, 케케묵은, 아주 보수적인.
㊕ **móss·i·ness** *n.*

†**most** [moust] *a.* 〔many 또는 much 의 最上級〕 ① (흔히 the ~) (양·수·정도·액 따위가) 가장 큰〔많은〕, 최대〔최고〕의. ⓞⓟⓟ *least, fewest.* ¶ He won (*the*) ~ prizes. 가장 많은 상을 탔다 / Who in this class has read *the* ~ books? 이 반에서 누가 책을 제일 많이 읽었나 / We have *the* ~ fun on Sundays. 우리는 일요일이 가장 즐겁다. ② 〔冠詞 없이〕 대개의, 대부분의 : in ~ cases 대개는 / *Most* exercise is beneficial. 대개의 운동은 건강에 좋다 / *Most* people like apples. 대부분의 사람들은 사과를 좋아한다. ★ most≠almost. ***for the ~ part*** 대개(는), 대개의 경우.
— *n., pron.* ① (흔히 the ~) 〔單數 취급〕 최대량〔수〕, 최대 한도〔금액〕 : This is *the* ~ I can do. 이것이 내가 할 수 있는 한도다 / ask *the* ~ for it 최고액을 청구하다 / *The* ~ you can expect for your old car is $ 1,500. 너의 헌 차는 아무리 많이 받아도 1,500 달러 이상은 기대할 수 없다. ② 〔冠詞 없이〕 (…의) 대부분《*of*》 : *Most* Arabic speakers understand Egyptian. 아랍어를 말하는 사람들은 대부분 이집트어를 안다 / He spends ~ *of* his time travelling. 그는 대부분의 시간을 여행으로 보낸다. ③ 〔冠詞 없이 ; 複數취급〕 대개의 사람들 : a subject ~ find too difficult 대다수의 사람이 매우 어렵다고 생각하는 학과 / A few people were killed in the accident, but ~ were saved. 그 사고로 죽은 사람도 몇 사람 있지만, 대부분의 사람들은 구출되었다. ④ (the ~) 《俗》 최고의 것〔사람〕 : The movie was *the* ~. 그 영화는 최고였다 / She's *the* ~. 그녀가 최고다. ***at (the) ~*** 많아도〔야〕, 기껏해서 : She's thirty years old *at* (*the*) ~. 그 여자는 많아야 30세다. ***make the ~ of*** …을 최대한 이용〔활용〕하다 ; 될 수 있는 한 이용하다 : *Make the ~ of* your opportunities. 기회는 최대한 이용해라.
— *ad.* 〔much의 最上級〕 ① 가장, 가장 많이 : This troubles me (*the*) ~. 이것이 제일 곤란하다 / He worked (*the*) least and was paid (*the*) ~. 그는 일은 제일 적게 하고 보수는 제일 많이 받았다. ② 〔흔히 the와 함께 2음절 이상의 形容詞·副詞 앞에 붙여 最上級을 만듦〕 가장 …, 최대한으로 … : *the* ~ formidable enemy 가장 두려운 적 / It was *the* ~ exciting holiday I've ever had. 그것은 내가 경험한 가장 즐거운 휴일이었다. ③ 〔the 를 붙이지 않고〕 대단히 …, 매우, 극히…《단수형을 주요어(主要語)로 할 때에는 부정관사를 동반함. 이 말이 수식하는 형용사·부사는 말하는 이의 주관적 감정·판단을 나타내는 말임》 : a ~ beautiful woman 매우 아름다운 여자 / an argument ~ convincing 대단히 설득력 있는 의론 / He was ~ kind to me. 그는 나에게 대단히 친절히 해주었다 / You have been ~ helpful. 정말 크게 도움이 되었습니다. ~ ***of all*** 가장, 그 중에서도 : I like you ~ *of all*. 나는 네가 가장 좋다.

-most *suf.* '가장 …'의 뜻의 형용사를 만듦 : end*most*, top*most*.

most-fa·vored-na·tion [ˊféivərdnéiʃən] *a.* 〔限定的〕 최혜국(으로서)의 : a ~ clause (국제법상의) 최혜국 조항.

‡**most·ly** [móustli] *ad.* ① 대부분은 : These articles here are ~ made in Korea. 여기에 있는 물품의 대부분은 한국제다. ② 대개는, 주로 : He ~ goes fishing on Sundays. 그는 일요일에는 대개 낚시하러 간다. ⓒⓕ almost.

móst signíficant bít 〖컴〗 (자릿수가) 최상(위) 두값《略 : MSB》.

mot [mou] (*pl.* **~s** [-z]) *n.* Ⓒ 《F.》 경구, 명언.

MOT Ministry of Transport.

mote [mout] *n.* Ⓒ (한 점의) 티끌 ; 아주 작은 조각 : ~*s* of dust in the air 공중의 미세한 먼지. ~ ***and beam*** 티와 들보, 남의 작은 과실과 자기의 큰 과실. ***the ~ in another's eye*** 남의 눈 속에 있는 티, 남의 사소한 결점《마태복음 Ⅶ : 3》.

mo·tel [moutél] *n.* Ⓒ 모텔《자동차 여행자 숙박소》. — *vi.* 모텔에 들다.

mo·tet [moutét] *n.* Ⓒ 〖樂〗 모테트《성경 글귀를 부르는 성악곡》.

‡**moth** [mɔ(ː)θ, mɑθ] (*pl.* **~s** [-ðz, -θs], ~) *n.* Ⓒ 〖蟲〗 ① 나방. ② 옷좀나방(clothes ~) ; (the ~) 좀먹음 : get *the* ~ (옷이) 좀먹다.

moth·ball [mɔ́(ː)θbɔ̀ːl, mɑ́θ-] *n.* Ⓒ (흔히 *pl.*) 둥근 방충제《naphtalene 따위》. ***in ~s*** 넣어〔건사해〕 두어, 퇴장(退藏)하여 ; (계획·행동 등을) 뒤로 미루고 : keep tools *in ~s* 도구를 건사해 두다 / put a plan *in ~s* (실용가치가 없다고) 계획을 보류해 두다.

moth-eat·en [ˊìːtn] *a.* ① (의복이) 좀먹은. ② 해어진 ; 낡은. ③ 시대에 뒤떨어진 : a ~ theory 시대에 뒤떨어진 이론.

†**moth·er** [mʌ́ðər] *n.* ① Ⓒ **a)** 어머니, 모친 : become a ~ 어머니가 되다, 애를 낳다 / the ~ of two children 두 아이의 어머니 / She is now a ~. 그녀도 어머니가 되었다 / Tommy, tell ~ everything. 토미야, 어머니에게는 모든 것을 말하여라. **b)** (M-) 어머니《★ 가족 간에는 무관사로 고유명사처럼 쓰임》 : *Mother* is out. 어머니는 외출하셨다. ② Ⓒ **a)** 어머니 같은 사람 : She was a ~ to the poor. 그녀는 빈민들에게 어머니 같았다 / a

~ to all the students in the dorm 기숙사 내의 모든 학생에게 어머니 같은 사람. **b**) (종종 M-) 수녀원장(~ superior) : *Mother* Teresa 테레사 수녀원장. ③ (the ~) 모성애 : appeal to *the* ~ in her 그녀의 모성애에 호소하다. ④ (the ~) 출처(origin), 근원《*of*》: Necessity is *the* ~ *of* invention. 《格言》 필요는 발명의 어머니.
— *a.* ① 어머니(로서)의 ; 어머니 같은 : ~ love 모성애 / the ~ company 본사. ② 모국의, 본국의 ; 본원(本源)의 : one's ~ tongue 모국어. ***meet*** one***'s*** ~ 《俗》 태어나다 : He wished he had never *met his* ~. 태어나지 않았더라면 좋았을 것이라 생각했다. ***the ~ and father of*** (***all***) . . . 《口》 최고〔최악〕의, 굉장〔대단〕한 : They had *the ~ and father of all* argument. 그들은 격렬한 언쟁을 했다. ***Your ~ wears Army boots!*** 《美俗》 설마, 농담이겠지.
— *vt.* ① …의 어머니가 되다, …의 어머니라고 말하다〔승인하다〕. ② …을 어머니로서〔같이〕 돌보다〔기르다〕; 과보호하다 : Stop ~*ing* me ; I'm not a baby. 너무 귀찮게 말아 줘요, 갓난애가 아니니까. ③ (작품·사상 따위)를 낳다 ; …의 작자이다, …의 저자라고 말하다.

Móther Cár·ey's chícken [-kéəriz-] 〖鳥〗 작은바다제비.

móther chúrch 한 지방의 가장 오래 된 교회, 본산(本山) ; (the M- C-) 〔擬人的〕 (그리운) 교회.

móther cóuntry (the ~) ① 모국. ② (식민지에서 본) 본국.

moth·er·craft [mʌ́ðərkræ̀ft, -krɑ̀:ft] *n.* [U] 육아법.

móther éarth (the ~) 〔擬人的〕 (어머니인) 대지 : kiss one's ~ 《戲》 엎어지다.

moth·er·fuck·er [mʌ́ðərfʌ̀kər] *n.* [C] 《美俗》 너절한〔오라질, 어찔 수 없는〕 놈〔것〕, 망할 놈.

moth·er·fuck·ing [mʌ́ðərfʌ̀kiŋ] *a.* 《美俗》 구역질나는, 어처구니없는 ; 귀찮은.

Móther Góose 머더구스《영국 고래(古來)의 민간 동요집의 전설적 작가 ; 그 동요집》.

Móther Góose rhỳme 《美》 머더구스 동요.

***moth·er·hood** [mʌ́ðərhùd] *n.* [U] ① 어머니임, 모성(애), 어머니 구실 ; 모권. ② 〔集合的〕 어머니.

Móthering Súnday 《英》 =MOTHER'S DAY.

moth·er-in-law** [mʌ́ðərinlɔ̀:] (*pl.* ***mothers-in-law) *n.* [C] 장모, 시어머니 ; 의붓어머니.

moth·er·land [mʌ́ðərlæ̀nd] *n.* [C] 모국.

moth·er·less [mʌ́ðərlis] *a.* 어머니가 없는.

moth·er·like [mʌ́ðərlàik] *a.* 어머니의 ; 어머니 같은.

***moth·er·ly** [mʌ́ðərli] *a.* 어머니의〔다운〕; 자비로운. [파] **-li·ness** *n.*

moth·er-of-pearl [mʌ́ðərəvpə́:rl] *n.* [U] (진주조개 내면의) 진주층(層), 진주모(母), 자개.

móther's bòy 나약한 사내 아이, 어리광이.

Móther's Dày 《美》 어머니날《5월의 둘째 일요일》.

móther shíp 모함(母艦) ; (우주선의) 모선, 보급선(補給船).

móther supérior (*pl.* ~***s, mothers superior***) 수녀원장.

moth·er-to-be [mʌ́ðərtəbì:] (*pl.* ***mothers-to-be***) *n.* [C] 어머니가 될 사람, 임신부.

móther tóngue 모국어 : His ~ is Spanish. 그의 모국어는 스페인어다.

móther wít 타고난 지혜 ; 상식.

moth·proof [mɔ́(:)θprù:f, mɑ́θ-] *a.* 벌레〔좀〕 안 먹는 ; 방충 가공을 한, 방충제를 바른. — *vt.* …에 방충 가공을 하다.

mothy [mɔ́(:)θi, mɑ́θi] (***moth·i·er*** ; ***-i·est***) *a.* ① 나방이 많은 ; 반대좀이 많은. ② 벌레〔좀〕 먹은.

***mo·tif** [moutí:f] *n.* [C] 《F.》 모티프. ① (미술·문학·음악의) 주제, 테마 : The ~ that runs through the poem is the sense of lost youth. 그 시에 거듭 나타나는 모티프는 잃어버린 청춘의 감각이다. ② (디자인 등의) 주조(主調) 기조(基調), 의장(意匠)의 주된 요소. ③ 〔一般的〕 주지(主旨), 특색 ; (행동의) 자극, 동기.

:mo·tion [móuʃən] *n.* ① [U] 운동, 활동 ; (기계 따위의) 운전, 작동 ; (배 등의) 동요〔흔들림〕: the laws of ~ 운동의 법칙 / the pitching ~ of a ship 배의 뒷질 / It had no ~. 그것은 움직이지 않았다 / The ~ of the bus made me feel sleepy. 버스의 흔들림으로 졸음이 왔다. ② [U] 이동 ; (천체 따위의) 운행 : the ~ of the planets 행성의 운행. ③ [C] 동작, 거동, 몸짓 : a ~ of the hand 손짓 / her graceful ~*s* 그녀의 우아한 거동 / With a ~ of his head he signaled me to go out. 그는 머리를 좀 흔들어 내게 나가라는 몸짓을 했다. ④ [C] 동의, 발의(發議), 제의, 제안 : adopt 〔carry, reject〕 a ~ 동의를 채택〔가결, 부결〕하다 / an urgent ~ 긴급 동의 / The ~ that the meeting (should) be continued has been rejected. 회의를 계속하도록 하자는 동의는 부결되었다. ⑤ 〖法〗 [C] 명령〔재정(裁定)〕 신청. ⑥ 《英》 **a**) [C] 배변(排便) (《美》 movement) : have regular ~ 배변이 정상적이다. **b**) (*pl.*) 배설물. ***go through the ~s of*** …의 시늉〔몸짓〕을 하다, 마지못해 …을 해보이다. ***in*** ~ 움직여, 운동〔운전〕 중의. ***make a*** ~ 〔~***s***〕 몸짓으로 알리다. ***of*** one***'s own*** ~ 자진하여. ***put*** 〔***set***〕 . . . ***in*** ~ (기계 등)을 작동시키다, (일)을 시작하다, (행동)을 개시하다.
— *vt.* 《+[목]+*to* do / +[목]+[전]+[명] / +[목]+[부]》 …에게 몸짓으로 알리다〔지시하다〕: ~ a person *to* go ahead 아무에게 앞으로 가라고 몸짓으로 알리다 / He ~*ed* me *to* the seat. 자리에 앉으라는 몸짓을 했다. — *vi.* 《+[전]+[명]+*to* do》 몸짓으로 알리다《*to*》: ~ *to* a boy *to* come nearer 가까이 오라고 소년에게 손짓하다 / He ~*ed to* the audience *to* rise. 그는 청중에게 일어나라는 손짓〔몸짓〕을 했다. ~ a person ***away*** 물러나라고 아무에게 신호하다. ~ (***to***) a person ***to*** do …하도록 아무에게 몸짓으로 가리키다.

:mo·tion·less [móuʃənlis] *a.* 움직이지 않는, 정지한 : stand ~ 미동도 않고 서 있다.
[파] ~·**ly** *ad.* 움직이지 않고, 꼼짝 않고 가만이. ~**ness** *n.*

***mótion pícture** 《美》 영화.

mótion sìckness 멀미, 현기증.

***mo·ti·vate** [móutəvèit] *vt.* …에게 동기를 주다, 자극하다(incite) ; (흥미)를 유발〔유도〕하다 : ~ children to learn 아이들에게 배우려는 의욕을 유발하다 / What ~*d* you to do that? 무슨 동기로 그런 짓을 했느냐.

***mo·ti·va·tion** [mòutəvéiʃən] *n.* [U,C] (…하는) 동기, 자극, 열의, 욕구《*to* do》: They lack the ~ *to* study. 그들은 공부하려는 의욕이 없다.

mo·ti·vá·tion·al reséarch [mòutəvéiʃənəl-] (구매 등의) 동기 조사.

:mo·tive [móutiv] *n.* [C] ① 동기(incentive) ; 동인, 목적 : the ~ of a crime 범죄의 동기 / ~ for his disappearance 그가 모습을 감춘 의도 / What was his ~ for setting the house on fire? 그가 집에 불을 지른 동기는 무엇이었는가. ② (예술 작품의) 주제, 모티프(motif).
— *a.* 〔限定的〕 ① 움직이는, 원동력이 되는 : ~

power (특히 기계의) 기동력, 원동력, 동력 / Water provides the ~ power that operates the mill. 물은 방앗간을 움직이는 동력을 제공한다. ② 동기가 되는. ㊎ ~·**less** *a.* 동기 없는 ; 이유 없는 : a ~ murder 이유없는 살인.

mot juste [mouʒúːst] (*pl.* ***mots justes*** ; ~) 《F.》 적절한 말, 명언.

mot·ley [mátli / mɔ́t-] *a.* ① 잡다한, 뒤섞인, 혼성(混成)의 : a ~ crowd 잡다한 군중 / a ~ collection of paintings 이것저것 그러모은 회화 콜렉션. ②〔限定的〕(특히, 의복이) 잡색의, 얼룩덜룩한 : a ~ fool 잡색 옷을 입은 어릿광대. ── *n.* Ⓤ (옛날, 어릿광대가 입은) 얼룩덜룩한 옷 : wear 〔put on〕 (the) ~ 어릿광대 복장을 하다 : 어릿광대짓하다.

mo·to·cross [móutəkrɔ̀(ː)s, -kras] *n.* ⓊⒸ 모터크로스《오토바이의 크로스컨트리 레이스》. [◂*motor*+*cross*(-country)].

‡**mo·tor** [móutər] *n.* Ⓒ ① 모터, 발동기, 내연기관 ; 전동기 : a linear ~ 리니어 모터 / start〔turn off〕 a ~ 모터를 시동하다〔멈추다〕. ②《英》자동차. ③ 원동력, 움직이게 하는 것. ④〖解〗운동 근육〔신경〕.

── *a.* 〔限定的〕 ① 움직이게 하는, 원동의, 발동의 : ~ power 원동력 / the ~ force of economic growth 경제 성장의 원동력. ② 자동차(용)의 ; 자동차에 의한 : a ~ trip 〔highway〕 자동차 여행〔고속도로〕 / the ~ industry 자동차 산업 / ~ insurance 자동차 보험.

── *vi.* 자동차를 타다, 자동차로 가다 : go ~*ing* 드라이브하다 / We ~*ed* across Wales. 우리는 자동차로 웨일즈를 횡단했다. ── *vt.* 《英》 …을 자동차로 나르다.

mo·tor·bi·cy·cle [móutərbàisikl] *n.* =MOTORCYCLE.

mo·tor·bike [-bàik] *n.* Ⓒ ①《美口》모터바이크, 소형 오토바이. ②《英口》=MOTORCYCLE.

mo·tor·boat [-bòut] *n.* Ⓒ 모터보트, 발동기선.

mo·tor·cade [-kèid] *n.* Ⓒ《美》자동차 행렬〔퍼레이드〕(autocade).

‡**mo·tor·car** [-kàːr] *n.* Ⓒ《주로 英》자동차, 승용차. ★ car 보다 격식차린 말.

mo·tor·cy·cle [-sàikl] *n.* Ⓒ 오토바이.

㊎ **-cỳ·clist** *n.* Ⓒ 오토바이 타는 사람.

mo·tor-driv·en [-drìvən] *a.* 모터로 움직이는.

mo·tor·drome [-dròum] *n.* Ⓒ (원형의) 자동차〔오토바이〕 경주장.

(-)mo·tored [móutərd] *a.* …모터를 장비한 : a bi~ airplane 쌍발 비행기.

mótor gènerator 전동 발전기.

mótor hòme 모터 홈《차대에 설비한, 여행·캠프용의 이동 주택》.

mo·tor·ing [móutəriŋ] *n.* Ⓤ《英》① 자동차 운전(술). ② 드라이브, 자동차 여행.

***mo·tor·ist** [móutərist] *n.* Ⓒ (특히) 자가 운전자.

mo·tor·ize [móutəràiz] *vt.* ① (차 따위)에 모터를 달다, 동력화하다. ② …에 자동차를 배치하다.

mo·tor·i·za·tion [mòutərizéiʃən / -raiz-] *n.* Ⓤ 동력화, 전동화 ; 자동차화.

mótor lòdge 《美》=MOTEL.

mo·tor·man [móutərmən] (*pl.* ***-men*** [-mən]) *n.* Ⓒ ① (기관차·지하철 등의) 운전자. ② 모터 담당자.

mótor mòuth 《美俗》 수다쟁이.

mótor nèrve 〖解〗 운동 신경.

mótor scòoter 스쿠터.

mótor shìp 발동기선, (특히) 디젤선《略 : MS》. ⓒⓕ steamship.

mótor shòw (the) 모터쇼《영국 Birmingham에서 2년마다 열리는 신형차의 국제 전시회》.

mótor vèhicle 자동차《승용차·버스·트럭 등의 총칭》.

mo·tor·way [móutərwèi] *n.* Ⓒ《英》자동차 도로, 고속 도로(《美》expressway).

Mo·town [móutaun] *n.* 《美》 모타운《Detroit의 다른 이름 ; Motor Town의 단축형》.

M.O.T. tèst [émòutíː-] (the ~) 《英》 정기 차량 검사《3년 지난 차량에 연 1회 행함》.

mot·tled [mátld / mɔ́tld] *a.* 얼룩의, 얼룩덜룩한 : a ~ dog 얼룩개.

‡**mot·to** [mátou / mɔ́tou] (*pl.* ~(***e***)***s***) *n.* Ⓒ ① 모토, 표어, 좌우명 : 'Study hard' is our school ~. '면학'이 우리 학교의 교훈이다. ② 금언, 격언 (maxim). ③ (방패나 문장(紋章)에 쓴) 제명(題銘). ④ (책·논문 따위의 첫머리에 인용한) 제구(題句), 제사(題詞). ⑤〖樂〗(상징적 의미를 지닌) 반복 악구.

mould ⇨ MOLD[1,2,3].

moulder ⇨ MOLDER[1,2].

moulding ⇨ MOLDING.

mouldy ⇨ MOLDY.

moult ⇨ MOLT.

‡**mound** [maund] *n.* Ⓒ ① 토루(土壘) ; 둑, 제방. ② (고대의) 흙무덤 ; 고분 : shell ~*s* 패총. ③ 산더미처럼 쌓아 올린 것 : a ~ of hay 한 더미의 건초 / I have a ~ of washing to do. 세탁해야 할 것이 산더미처럼 쌓여 있다. ④〖野〗투수판, 마운드(pitcher's ~) : take the ~ 투수판을 밟다, 플레이트에 서다.

‡**mount**[1] [maunt] *vt.* ① (산·계단 따위)를 오르다(ascend), (대(臺)·무대 따위)에 올라가다 : ~ a platform 등단(登壇)하다 / ~ a hill 〔the stairs〕 산〔계단〕을 오르다 / He ~*ed* the ladder slowly. 그는 천천히 사다리를 타고 올라갔다. ② (말 따위)에 타다, 올라타다〔앉다〕, 걸터앉다 : ~ a horse〔bicycle〕 말을〔자전거를〕 타다. ③《~+목/+목+전+명》〔종종 受動으로〕 (사람)을 …에 태우다《말·높은 곳 따위에》 : *be ~ed on* stilts 죽마(竹馬)에 올라타다 / He was ~*ed* on a donkey. 그는 나귀를 타고 있었다 / The wounded *were ~ed on* the mules. 부상자들은 노새에 태워졌다. ④《~+목/+목+전+명》 …을 (적당한 곳에) 놓다, 붙박다 ; (보석 따위)를 끼우다, 박다, (대지에 사진 따위)를 붙이다 ; (슬라이드에 검경물(檢鏡物))을 올려놓다 ; (포대·군함 따위에 포)를 갖추다, (포가·군함·진지에 포)를 설치하다, 탑재하다《*on* ; *in*》 : ~ a statue *on* a pedestal 조상(彫像)을 대좌에 앉히다 / ~ pictures *on* paper 사진을 대지에 붙이다 / ~ a jewel *in* a ring 반지에 보석을 끼우다. ⑤ (전람회 따위)를 개최하다, (극 따위)를 상연하다 : ~ a rock concert in a sports stadium 운동 경기장에서 록 콘서트를 열다. ⑥ (공격 따위)를 개시〔시작〕하다 : ~ an attack on the government 정부에 대하여 공격을 개시하다. ⑦《~+목/+목+전+명》(보초)를 세우다《*over*》 : ~ guard *over* a gate.

── *vi.* ①《+전+명/+부》(양이나 강도가) 증가하다, 늘다《*up*》; (높은 자리·지위·수준에) 오르다, 승진하다《*to*》; 오르다, 올라가다 : The cost of all those small purchases ~*s up*. 자잘한 구입품 비용이 늘어난다 / He ~*ed to* the chief of a police station. 그는 경찰서장으로 승진했다 / ~ *to* the top of a tower 탑의 꼭대기까지 올라가다. ②《~/+전+명》(말 따위를) 타다《*on*》 : ~ *on* a horse 말을 타다. ~ ***guard*** ⇨ GUARD.

── *n.* Ⓒ ① 승(용)마, 탈것. ② 물건을 놓는 대 ; (사진 등의) 대지(臺紙) ; (반지 따위의) 거미발.

③〖軍〗 포가(砲架). ④ (현미경의) 검경판, 슬라이드.

‡mount² *n.* (M-; 산 이름에 붙여서) …산《略: Mt.》: *Mount* 〔*Mt.*〕 Everest 에베레스트 산. ***the Sermon on the Mount*** 〖聖〗 산상 수훈《마태복음 Ⅴ-Ⅶ》.

†moun·tain [máuntən] *n.* Ⓒ ① 산, 산악: climb a rocky ~ 바위산에 오르다 / We go to the ~*s* in summer. 우리는 여름에는 산에 간다 / *Mt.* Baekdu, in northern area, is Korea's highest ~. 북부 지역에 있는 백두산은 한국에서 가장 높은 산이다. ② (*pl.*) 산맥, 연산(連山): the Rocky *Mountains* 로키 산맥. ③ (종종 *pl.*) 산적(山積), 다수, 다량: I've got ~*s* of work to do. 할 일이 태산 같다 / a ~ of garbage 쓰레기 더미. ④〔形容詞的〕 산의, 산같이 큰; 산에 사는, 산에 나는; 〔副詞的〕 산처럼: the ~ top 산꼭대기 / ~ plants 고산 식물 / ~-high 산과 같이 높은〔높게〕. ***a ~ of*** 많은, 다량〔다수〕의: *a* ~ *of* rubbish 쓰레기 더미 / *a* ~ *of* flesh 거한(巨漢). ***a ~ of a . . .*** 산(더미) 같은 …: *a* ~ *of a* wave 산더미 같은 파도. ***make a ~*** (***out***) ***of a molehill*** 침소봉대하다, 허풍떨다. ***move*** 〔***remove***〕 ***~s*** 기적을 행하다. ***the ~ in labor*** 애만 쓰고 보람 없는 일.

móuntain àsh 〖植〗 마가목류.

móuntain càt =BOBCAT.

móuntain chàin 산맥, 연산(連山).

móuntain clìmbing 등산.

móuntain déw 《美口》 밀조 위스키(moonshine).

***moun·tain·eer** [màuntəníər] *n.* Ⓒ ① 등산가. ② 산지 사람, 산악인. ── *vi.* 등산하다.

***moun·tain·eer·ing** [màuntəníəriŋ] *n.* Ⓤ 등산.

móuntain gòat (로키 산맥에서 사는) 야생의 염소.

móuntain lìon 퓨마.

‡moun·tain·ous [máuntənəs] *a.* ① 산이 많은, 산지의: a ~ district 산악 지방 / a ~ country 산악국. ② 산더미 같은, 거대한(huge): a ~ whale 거대한 고래 / The ship sank in ~ waves. 배는 산더미 같은 파도에 침몰했다.

㊎ ~·**ly** *ad.* ~·**ness** *n.*

móuntain ràilway 등산 철도.

móuntain rànge 산맥, 연산; 산악 지방.

móuntain sìckness 고산병, 산악병.

‡moun·tain·side [máuntənsàid] *n.* (the ~) 산허리, 산중턱: on *the* ~ 산중턱에.

Móuntain (**Stándard**) **Tìme** 《美》 산지(山地) 표준시《한국 표준시보다 16시간 늦음; 略: M.(S.)T.》.

moun·tain·top [máuntəntɑ̀p / -tɔ̀p] *n.* Ⓒ 산꼭대기.

moun·te·bank [máuntəbæ̀ŋk] *n.* Ⓒ ① 돌팔이(약장수, 의사). ② 사기꾼, 협잡꾼(charlatan).

***mount·ed** [máuntid] *a.* ① 말 탄: the ~ police 기마 경찰대 / a ~ bandit 마적 / ~ infantry 기마 보병. ② 대지(臺紙)에 붙인: a ~ lithograph 대지에 붙인 석판화.

Moun·tie, Mounty [máunti] *n.* Ⓒ 《口》 (캐나다의) 기마 경관.

mount·ing [máuntiŋ] *n.* ① Ⓤ (대포 따위의) 설치, 장비. ② Ⓒ 〖軍〗 포가(砲架), 총가(銃架). ③ Ⓒ (사진 따위의) 대지(臺紙); (보석 따위의) 대(臺). ④ Ⓤ 타기; 승마.

Mòunt Vér·non [-vɔ́ːrnən] 마운트 버넌《Potomac 강변의 George Washington 의 주거지·매장지》.

‡mourn [mɔːrn] *vi.* 《+前+名》 ① (손실·불행 등을) 슬퍼하다, 한탄하다《*for* ; *over*》: ~ *for* 〔*over*〕 one's misfortune 불행을 한탄하다 / ~ *over* one's failure 실패를 한탄하다. ② 죽음을 애통해하다(grieve); 애도하다《*for* ; *over*》: ~ *for* the dead 죽은이를 애도하다 / We all ~*ed for* the people killed in the accident. 우리 모두는 사고로 죽은이들에게 애도의 뜻을 표했다.

── *vt.* (죽음)을 슬퍼하다, (사자)를 애도하다: The whole nation ~*ed* the hero's death. 전국민은 그 영웅의 죽음을 애도했다.

***mourn·er** [mɔ́ːrnər] *n.* Ⓒ ① 슬퍼하는 사람; 애도자. ② 회장자(會葬者): the chief ~ 상주(喪主).

‡mourn·ful [mɔ́ːrnfəl] (***more*** ~; ***most*** ~) *a.* 슬픔에 잠긴, 슬퍼보이는; (죽음을) 애도하는: a ~ occasion 슬픈 때 / a ~ widow 슬픔에 잠긴 미망인 / She looked ~. 그녀는 슬퍼 보였다.

㊎ ~·**ly** *ad.* ~·**ness** *n.*

‡mourn·ing [mɔ́ːrniŋ] *n.* Ⓤ ① 비탄(sorrowing), 슬픔; 애도(lamentation): hoist a flag at half-mast as a sign of ~ 애도의 뜻을 표하여 기를 반기로 올리다. ② 상(喪), 거상 (기간); 기중(忌中): go into 〔put on, take to〕 ~ 몽상하다 / leave off 〔go out of〕 ~ 탈상하다. ③〔集合的〕 상복, 상장(喪章), 조기(弔旗). ***be in*** ~ 몽상(蒙喪)중이다, 상복〔거상〕을 입고 있다.

móurning bàdge 〔**bànd**〕 상장(喪章).

†mouse [maus] (*pl.* ***mice*** [mais]) *n.* Ⓒ ① 생쥐: a house〔field〕 ~ 집〔들〕쥐 / We keep a cat for catching *mice*. 우리집에서는 쥐를 잡기 위해 고양이를 기르고 있다. ② 겁쟁이: Come on! Don't be such a ~. 자, 그렇게 겁내지 마라. ③ 귀여운 아이, 예쁜이《여자에 대한 애칭》. ④《俗》 (얻어맞은 눈언저리의) 시퍼런 멍. ⑤〖컴〗 마우스〔다람쥐〕《바닥에 볼(ball)을 붙인 장치로, 책상 위 따위에서 움직여 CRT 화면상의 커서(cursor)를 이동시킴》: ~ button 마우스〔다람쥐〕 단추《마우스 위에 있는 단추; 누르면 명령어가 선택·실행됨》/ ~ cursor 마우스 깜박이, 반디 / ~ driver 마우스 돌리개《마우스의 움직임을 입력 받고 처리하는 프로그램》/ ~ pad 마우스판《마우스를 올려놓고 움직이는 판》. (***as***) ***poor as a church*** ~ 매우 가난한. (***as***) ***quiet as a*** ~ 쥐죽은듯이 조용한. ***like a drowned*** ~ 물에 빠진 생쥐 모양의, 비참한 몰골로. ~ ***and man*** 모든 생물. ***play cat and ~ with*** ⇨CAT.

── [mauz] *vt.* …을 찾아 내다, 몰아내다《*out*》.
── *vi.* (고양이가) 쥐를 잡다〔찾아 돌아다니다〕《*about*》. ㊎ ∠·**like** *a.* ~와 같은.

mouse-col·ored [máuskʌ̀lərd] *a.* 쥐색의.

mous·er [máuzər] *n.* Ⓒ 쥐를 잡는 고양이: a good ~ 쥐를 잘 잡는 고양이.

mouse·trap [máustræ̀p] *n.* Ⓒ 쥐덫. ***build a better*** ~ 《美》 보다 좋은 제품을 만들다.

mous·sa·ka [mùːsəkáː, musáːkə] *n.* ⒸⓊ 무사카《양 또는 소의 저민 고기와 얇게 썬 가지를 포개 넣어 치즈·소스를 쳐서 구운 그리스·터키의 요리》.

mousse [muːs] *n.* ⓊⒸ 무스. ① 거품 이는 크림《얼리거나 젤라틴으로 굳힌 것》. ② 정발(整髮)·보디 미용에 사용하는 거품 모양의 화장품.

mousse·line [muːslíːn] *n.* 《F.》 =MUSLIN.

mous·tache [mʌ́stæʃ, məstǽʃ] *n.* 《英》 = MUSTACHE.

mousy, mous·ey [máusi, -zi] (***mous·i·er*** ; ***-i·est***) *a.* ① (사람·소녀가) 쥐같이 조용한〔겁 많은〕, 내성적인. ② 쥐가 많은. ③ 쥐냄새 나는.

†mouth [mauθ] (*pl.* ~***s*** [mauðz], 〔所有格〕 ~***'s*** [mauθs]) *n.* Ⓒ ① 입, 구강; 입언저리, 입술: a girl with a lovely ~ 입이 귀여운 소녀 / The dentist told him to open his ~ wide. 치과의사가

그에게 입을 크게 벌리라고 했다 / with a smile at the corner(s) of one's ~ 입가에 미소를 띠고. ② (흔히 *pl.*) (먹여 살려야 할) 식솔, 부양 가족 : I have five ~*s* to feed. 나는 부양 가족이 다섯이다 / a useless ~ 밥벌레, 식충. ③ (흔히 *sing.*) 입 같은 것[부분]《주머니·병 아가리·출입구·빨대 구멍·총구멍·강 어귀 따위》《*of*》: the ~ *of* a volcano 화구(火口), 분화구 / at the ~ *of* a river 강 어귀에 / inside[in, at] the ~ *of* a cave 동굴 입구 내부에서[속에서, 부분에서]. ④ **a**) (언어 기관으로서의) 입, 말, 발언 : Shut your ~! 입 닥쳐 / stop a person's ~ 남의 입을 막다, 말 못하게 하다 / He didn't open his ~. 그는 입을 열지 않았다 / It sounds strange in your ~. 네가 말하니 이상하게 들린다. **b**) 말씨, 말투 : have a dirty ~ 입정이 더럽다 / in[with] a French ~ 프랑스 말투로. **c**) 남의 입, 소문 : The scandal was in everyone's ~. 그 스캔들은 뭇사람의 입에 오르내렸다. ⑤《口》억지 말, 건방진 말 : None of your ~! 억지 쓰지 마.

be all ~ and trousers《英口》말뿐이지 행동이 없다. ***by word of ~*** 구두로, 말로. ***down in*** [***at***] ***the ~***《口》풀이 죽은, 의기 소침한. ***foam at the ~*** 입에 거품을 물다, 격노하다. ***from hand to ~*** ⇨HAND. ***from ~ to ~*** (소문 등이) 입에서 입으로. ***from the horse's ~*** ⇨HORSE. ***give ~*** (개 따위가) 짖다. ***give ~ to*** (1) …을 말하다[입밖에 내다]. (2) 개가 짖다. ***have a big ~*** 큰 소리로 이야기하다 ; 큰소리[허풍]치다. ***have a foul ~*** (1) 입버릇이 나쁘다, 입이 걸다. (2) (폭음한 뒤) 입안이 바싹 타다. ***in everyone's ~*** 소문이 자자하여. ***in the ~ of*** …의 이야기에 의하면. ***keep*** one***'s ~ shut***《俗》(…에 대하여) 입을 다물다. ***laugh on the wrong side of*** one***'s ~*** ⇨ LAUGH. ***make a ~*** [***~s***] ***at*** 입을 삐죽거리다, 얼굴을 찡그리다. ***make*** a person***'s ~ water*** 아무를 군침을 흘리게하다, 부러워하게 하다. ***Out of the ~ comes evil.***《俗談》입이 화근. ***put*** one***'s money where*** one***'s ~ is***《口》자신이 말한 것에 대하여 실제 행동으로 [돈을 내어] 증명하다. ***put*** (***the***) ***words into*** a person***'s ~*** 아무에게 말할 것을 가르치다 ; 아무의 입을 빌려 말하게 하다. ***run off at the ~*** 멋대로 지껄이다. ***shoot off*** one***'s ~*** = ***shoot*** one***'s ~ off*** ⇨SHOOT. ***take the words out of another's ~*** ⇨ WORD. ***with one ~*** 이구동성(異口同聲)으로.

— [mauð] *vt.* ① (말)을 (소리를 내지 않고) 입만 움직여 전하다 : ~ the words of a song 가사를 입만 놀려 전하다. ② (먹을 것)을 입에 넣다, …을 물다.

— *vi.* ① 입을 움직여 뜻을 전하다. ② 입을 삐죽거리다, 얼굴을 찌푸리다《*at*》.

(-)mouthed [mauðd, mauθt] *a.* ① 입이 …한, …입의 : small-~ 입이 작은 / wide-~ 입이 큰. ② 말이[말씨·말투가] …한 : loud-~ 목소리가 큰 / a foul-~ man 독설가, 말버릇이 고약한 사람.

***mouth·ful** [máuθfùl] *n.* Ⓒ ① 한 입(의 양), 한 입 가득(한 양) : in a[one] ~ 한 입에 / I managed to get down another ~ of the soup. 수프를 또 한 모금 간신히 먹었다. ② 얼마 안 되는 음식 ; 소량《*of*》: have just a ~ *of* lunch 점심을 아주 조금만 먹다. ③ (a ~)《口》발음하기 어려운 긴 말 : That's a bit of *a* ~. 그것은 길어서 좀 발음하기 어렵군. ④《美口》적절한 말, 명언(名言) : You said a ~! 적절한 말을 하는군 ; 말 잘 했네.

móuth òrgan《口》하모니카.

***mouth·piece** [máuθpìːs] *n.* Ⓒ ① (악기의) 부는 구멍 ; (대롱·파이프 따위의) 입에 무는 부분, (물)부리 ; (전화의) 송화구. ② 대변자《*of*》. ③《俗》(형사) 변호사. ④〖拳〗마우스피스.

mouth-to-mouth [máuθtəmáuθ] *a.* (인공 호흡이) 입으로 불어넣는 식의.

mouth·wash [ˊwɔ̀(ː)ʃ, ˊwɑ̀ʃ] *n.* Ⓤ,Ⓒ 양치질 약.

mouth-wa·ter·ing [ˊwɔ̀(ː)təriŋ, ˊwɑ̀t-] *a.* ① (음식이) 군침이 도는, 맛있어 보이는. ② 찌는 듯한.

mouthy [máuði, máuθi] (***mouth·i·er*** ; ***-i·est***) *a.* ① 흰[큰]소리치는 ; 고함을 치는. ② 수다스러운.

mou·ton [múːtɑn / -tɔn] *n.* Ⓤ (beaver 나 seal 가죽처럼 가공한) 양 가죽.

***mov·a·ble, move-** [múːvəbəl] *a.* ① 움직이는, 움직일 수 있는 ; 가동(성)의 : It's a small doll with ~ arms and legs. 그것은 팔다리가 움직이는 작은 인형이다. ② (해에 따라) 날짜가 바뀌는《부활절 따위》: ⇨MOVABLE FEAST. ③ (흔히 *pl.*)〖法〗동산(動産)의 (personal). ⓒⓕ real.

— *n.* Ⓒ (흔히 *pl.*) 동산《가구 등》.

móvable féast 이동 축제일《해에 따라 날짜가 변하는 Easter 따위》. ⓞⓟⓟ *immovable feast*.

†**move** [muːv] *vt.* ①《~+목 / +목+부》…을 움직이다, 이동시키다, 옮기다 : ~ troops 부대를 이동시키다 / ~ a piece 〖체스〗말을 쓰다[움직이다] / ~ a desk *away* 책상을 치우다 / He ~*d* his chair *nearer* (*to*) the fire. 그는 의자를 불 가까이로 다가붙였다 / Could you ~ your car? 차를 좀 옮겨주시겠어요. ②〔종종 受動〕…을 시동시키다, 진행[운전]시키다 : ~*d* by electricity 전기로 움직이는 / That button ~*s* the machine. 그 버튼을 누르면 기계가 움직인다. ③ …을 (뒤)흔들다 : ~ a flag up and down 기를 위아래로 흔들다 / A light breeze is *moving* the leaves. 산들바람에 나뭇잎이 흔들리고 있다. ④《~+목 / +목+전+명 / +목+*to* do》…을 감동[흥분]시키다, …의 마음을 움직이다, 자극하다 ; …의 결의를 동요시키다 ; …할 마음이 일게 하다(impel) : ~ a person *to* anger [laughter] 아무를 성나게 하다[웃기다] / be ~*d* *to* tears[action] 감동해 눈물을 흘리다 [행동에 옮기다] / The audience was deeply ~*d*. 청중은 깊이 감동을 받았다 / Nothing will ~ him. 어떤 일이 있어도 그의 결심은 변하지 않을 게다 / What ~*d* you *to* do this? 무슨 마음으로 이런 짓을 했나. ⑤ (상품)을 팔다, 처분하다. ⑥ …에 제소하다 : ~ a court 법원에 제소하다. ⑦《~+목 / +*that*절》…의 동의(動議)를 내다 ; …이라고 제의하다 : ~ *that* the case be adjourned for a week 심의의 1주간 연기를 제의하다 / Mr. Chairman, I ~ *that* we (should) adopt this plan. 의장, 이 안을 채택할 것을 제의합니다. ⑧〖醫〗(창자의) 배설을 잘 되게 하다 : ~ the bowels 변(便)을 순조롭게 하다.

— *vi.* ①《~ / +전+명》움직이다, 몸을 움직이다, (기계 등) 회전[운전]하다 : If you ~, I'll kill you. 움직이면 죽인다 / It was calm and not a leaf ~*d*. 바람이 없어 나뭇잎 하나 움직이지 않았다 / ~ *on* a hinge 경첩으로 움직이다 / The bus ~*d* off. 버스는 발차했다. ②《~ / +전+명》행동[활동]하다, 조치를 강구하다 ; 생활하다 ; 활약하다, 나들이하다, 돌아다니다 : ~ *against* the plan 그 계획에 반대 운동을 하다 / ~ *in* a matter 사건에 대해 손을 쓰다 / ~ *on* a grave issue 중대 문제의 대책을 강구하다 / ~ *in* musical society 음악계에서 활약하다. ③《~ / +부 / +전+명》이

동하다; 이사하다;《口》떠나다, 나가다《*away*; *off*; *on*》: "*Move along*, please!" said the bus conductress. '안으로 들어가 주세요'라고 버스 안내양이 말했다 / We'll ~ *to*〔*into*〕the country next month. 우리는 다음 달 시골로 이사한다 / The earth ~*s round* the sun. 지구는 태양 주위를 돈다. ④ (상품이) 잘 나가다, 팔리다: The article is *moving* well〔slowly〕. 그 상품은 잘 나간다〔나가지 않는다〕. ⑤ (사건이) 진전하다, 진행하다: The work is not *moving* as fast as we hoped. 일은 우리가 바라는 대로 빨리 진전되지는 않는다. ⑥《~/+전+명》(차·배 따위가) 나아가다, 전진하다: The ship ~*d before* the wind. 배는 순풍을 타고 나아갔다. ⑦《+전+명》(정식으로) 제안하다, 신청하다, 요구하다《*for*》: The defense ~*d for* a new trial. 피고측은 재심을 요구했다. ⑧ (변(便)이) 통하다: My bowels haven't ~*d* for days. 며칠이나 변이 나오지 않는다. ⑨〖체스〗말을 쓰다〔움직이다〕: It's your turn to ~. 이번엔 네가 둘 차례다.

be ~d by …에 감동하다. ***be*** 〔***feel***〕 ***~d to*** do …하고 싶은 생각이 들다. ~ ***about*** 〔***around, round***〕 돌아다니다, 여기저기 주소를〔직장을〕 바꾸다. ~ ***aside*** 옆으로 비키다. ~ ***away*** 떠나다, 물러나다; 이사하다. ~ ***down*** 〔***up***〕 끌어내리다〔올리다〕; 격하시키다〔격을 올리다〕. ~ ***for*** …의 동의를 내다, …을 신청하다. ~ ***forward*** 〔***backward***〕 전진〔후퇴〕하다. ~ ***heaven and earth to*** do 온갖 수단〔노력〕을 다하다. ~ ***in*** 들어오다, 개입하다; 이사해 오다. ~ ***in on***《美口》(1) …을 습격하다. (2) 작용〔공작〕하다. (3) 질책하다. (4) …에 간섭하다. ~ ***mountains*** ⇨ MOUNTAIN. ~ ***off*** 떠나다;《俗》죽다. ~ ***on*** 계속 전진〔진행〕하다〔나아가게 하다〕: *Move on!* 가시오, 서 있지 마시오《교통 순경의 지시》. ~ ***out*** 이사해 가다. ~ ***over*** (1) (자리 등)을 좁히다: *Move over* a little, please. 자리 좀 좁혀주세요. (2) (후진을 위해) 지위를 양보하다. ~ a person***'s blood*** 아무를 격분시키다. ~ ***up to*** (1) 승진하다. (2) 전진하다: *Move up to* the front! 앞으로 전진. (3) (자리 등)을 좁히다. (4) (가격, 주가 등이) 오르다.

— *n.* Ⓒ ① (흔히 *sing.*) 움직임, 동작, 운동: I don't want a single ~ out of any of you. 누구든 조금이라도 움직여서는 안 된다. ② 행동, 조처: a clever ~ 현명한 조처 / What's our next ~? 우리가 취할 다음 행동은 무엇입니까. ③ 이동; 이사: plan a ~ to a larger house 좀 더 큰 집으로 이사할 것을 계획하다. ④〖체스〗말의 움직임, 말 쓸 차례, 수; (the ~) 외통수: the first ~ 선수(先手) / It's your ~. 자네가 둘 차례다. ⑤〖컴〗옮김. ***get a ~ on***《口》출발하다; 급히 서둘다, 날쌔게 행동하다; 진척되다. ***know a ~ or two*** 수를 알고 있다, 빈틈이 없다. ***make a ~*** (1) 떠나다, 물러나다. (2) 행동하다, 수단을 쓰다: The government *made a* ~ to increase the import. 정부는 수입 증가 조치를 취했다. ***make one's ~*** 행동을 시작〔개시〕하다. ***on the ~*** (1) 항상 움직이고〔여행하고〕 있는. (2) 활동하고 있는; 이동중의; (일이) 진행중(인).

㊞ ∠·**less** *a.* 움직이지 않는; 정지한.

moveable ⇨ MOVABLE.

†**move·ment** [mú:vmənt] *n.* ① **a**) Ⓤ 움직임; 운동, 활동; 운전(상태): All ~ of the heart had stopped. 심장의 움직임은 아주 멎어 있었다. **b**) Ⓤ,Ⓒ 이동; 옮김, 이주, (인구의) 동태;〖軍〗기동, 작전 행동, 전개: Population ~ is〔~*s* are〕constant. 인구이동은 부단히 있는 것이다. **c**) Ⓤ,Ⓒ 마음의 움직임, 충동. ② Ⓒ **a**) (*pl.*)동작, 몸짓, 몸가짐: her graceful ~*s* 그녀의 우아한 몸놀림. **b**) (*pl.*) 말씨, 태도, 자세: Her ~*s* were very elegant. 그녀 태도는 아주 품위가 있었다. ③ Ⓒ (흔히 *pl.*) 행동, 동정(動靜): Nothing is known of his ~*s*. 그의 동정을 전혀 모른다. ④ Ⓒ **a**) (정치적·사회적) 운동; 여성 해방 운동: the antislavery ~ 노예 폐지 운동. **b**)〔集合的; 單·複數 취급〕운동 조직〔단체〕: He belongs to various ~*s*. 그는 여러 운동 단체에 속해 있다. ⑤ Ⓤ,Ⓒ (시대의) 동향, 경향, 추세: There's (a) ~ *toward* reduced dependency on fossil fuels. 화석 연료에 대한 의존도는 감소하는 추세에 있다. ⑥ Ⓤ (사건·이야기 따위의) 진전, 변화, 파란, 활기: a play〔novel〕lacking in ~ 변화가 적은 연극〔소설〕. ⑦ Ⓤ,Ⓒ〖商〗(시장의) 활황, 상품 가격〔주가〕의 변동, 동향: price ~*s*. ⑧ Ⓒ〖樂〗(교향곡 등의) 악장; 율동, 박자, 템포: the first ~ of a symphony 교향곡의 제 1 악장. ⑨ Ⓒ (시계 따위 기계의) 작동 기구〔장치, 부품〕. ⑩ Ⓒ 변통(便通); (변통 1 회분의) 배설물: have a ~ 변이 나오다.

mov·er [mú:vər] *n.* Ⓒ ① 움직이는 사람〔물건〕: a fast〔slow〕~ 동작이 빠른〔느린〕 사람〔동물〕. ② 발동기; 발동력. ③ 발기인; 발의자, 제안자. ④ (흔히 *pl.*)《美》이삿짐 운송업자(《英》remover). ⑤《口》잘 팔리는 물건. ***the first*** 〔***prime***〕~ 주동자, 발기인; 발동기, 원동력.

móver and sháker (*pl.* ***movers and shakers***)《美口》(정계·실업계 등의) 유력자, 실력자, 거물.

†**mov·ie** [mú:vi] *n.* Ⓒ ① 영화《주로《美》;《英》은 주로 film, picture》: make the book into a ~ 책을 영화화하다 / go to a ~ 영화 보러 가다 / see a ~ on TV, TV로 영화를 보다. ② (종종 the ~) 영화관《주로《美》;《英》은 주로 cinema》. ③ (the ~s) **a**) 영화 산업, 영화계; (오락·예술로서의) 영화; I've seen the place in *the* ~*s*. 그 장소를 영화에서 봤다. **b**) 영화 상영, 영화 흥행.

— *a.*〔限定的〕《美》영화의: a ~ fan 영화팬 / a ~ star 영화 스타 / a ~ ticket 영화 (관람)표 / a ~ theater 영화관.

móvie càmera《美》⇨ CINECAMERA.

mov·ie·dom [mú:vidəm] *n.* Ⓤ 영화계(filmdom).

mov·ie·go·er [-gòuər] *n.* Ⓒ《주로 美》자주 영화 구경 다니는 사람, 영화팬(《英》filmgoer).

‡**mov·ing** [mú:viŋ] *a.* ①〔限定的〕**a**) 움직이는; 이동하는: ~ parts (기계의) 가동(可動) 부분 / a ~ car 주행 중의 자동차. **b**) 움직이게 하는, 추진하는: the ~ force〔spirit〕behind a plan 계획을 추진하는 원동력〔주도자〕. **c**) 이사하는: ~ costs 이사 비용. ② 감동시키는, 심금을 울리는: a ~ story 감동적인 이야기.

㊞ ~·**ly** *ad.* 감동적으로.

móving àrm〖컴〗옮김팔《이동 머리저장판 장치에서 머리틀을 달고 움직이는 부품》.

móving pávement《英》= MOVING SIDEWALK.

móving pícture《美》(하나하나의) 영화.

móving sídewalk 〔**plátform, wálk**〕《美》자동으로 움직이는 보도(步道).

móving stáircase 〔**stáirway**〕 에스컬레이터(escalator).

móving vàn《美》가구 운반차, 이삿짐 트럭(《英》removal van).

mow** [mou] (~ed***; ~***ed*** or ~***n*** [moun]) *vt.* ① (풀·보리 따위)를 베다, 베어내다, (들·밭 따위의) 풀을〔보리를〕 베다: ~ the lawn 잔디를 깎

다 / ~ (down) the hay 건초를 베다. ②《+目+副》 (군중·군대 따위를 포화)로 쓰러뜨리다, 소탕하다《*down*; *off*》: Machine guns *~ed down* the enemy. 기관총으로 적을 소탕했다.
— *vi.* 풀 베기를 하다, 베어 거둬들이다.

***mow·er** [móuər] *n.* Ⓒ 풀 베는 사람, 제초기, (정원의) 잔디깎는 기계(lawn ~).

mown [moun] MOW의 과거분사. — *a.* 벤, 베어낸.

moxa [máksə / mɔ́k-] *n.* Ⓤ 뜸쑥 : ~ cautery 뜸.

Mo·zam·bi·can [mòuzəmbíːkən] *a.* 모잠비크(사람)의. — *n.* Ⓒ 모잠비크 사람.

Mo·zam·bique [mòuzəmbíːk] *n.* 모잠비크《아프리카 남동부의 공화국; 수도 Maputo》.

Mo·zart [móutsɑːrt] *n.* **Wolfgang Amadeus** ~ 모차르트《오스트리아의 작곡가; 1756-91》.

moz·za·rel·la [màtsərélə, mɔ̀ːtsə-] *n.* U,C (It.) 모차렐라《희고 연한 이탈리아 치즈》.

MP, M.P. [émpíː] (*pl.* ***M.P.s, M.P.'s*** [-z]) *n.* Ⓒ 《英》 국회의원. [◂ *M*ember of *P*arliament]

M.P. Metropolitan Police; Military Police.

mpg, m.p.g. miles per gallon. **mph, m.p.h.** miles per hour. **M.Ph.** 《美》 Master of Philosophy.

†Mr., Mr [místər] (*pl.* ***Messrs.*** [mésərz]) *n.* ①…씨, …선생, …님, …군, …귀하《남자의 성·성명·직명 등 앞에 붙이는 경칭》: *Mr.* (John) Smith (존) 스미스씨 / *Mr.* and Mrs. Miller 밀러씨 부부 / *Mr.* President 대통령 각하; 총장 [사장]님 / *Mr.* Chairman! 의장(님)! 《여성은 Madam Chairman》 / This is *Mr.* Green speaking. (전화에서) 저는 그린입니다《자기에게 Dr. 따위의 칭호·직함이 없는 것을 알리고자 할 때에 Mr.를 붙임》. ★[1] 기혼 여성이 '(우리 바깥) 주인'이라고 할 때, 예를 들어 그녀가 Mrs. Smith이면, Mr. Smith 라고 함 : *Mr.* Smith is now in France. 우리 주인 양반은 지금 프랑스에 가 계십니다. ★[2] Mr., Mrs., Dr., Mt. 따위에는 점이 없는 형이 병용됨. ② 미스터, 대표적인 남성, …의 전형(典型) : *Mr.* Korea 미스터 한국 / *Mr.* Baseball 야구의 명수. [◂ mister]

MRA, M.R.A. 《美》 Moral Rearmament. **MRBM** medium range ballistic missile(중거리 탄도 미사일). **MRI** magnetic resonance imaging.

†Mrs., Mrs [mísiz, -is] *n.* ① (*pl.* ***Mmes.*** [meidɑ́ːm]) …부인(夫人), 님, 씨, …여사《Mistress의 생략; 흔히 기혼 여성의 성 또는 그 남편의 성명 앞에 붙임》: *Mrs.* (John) Smith (존) 스미스 여사《법률 관계에서는 *Mrs.* Mary Smith 메리 스미스 여사》 / Dr. and *Mrs.* Smith 스미스 박사 부처. ★ 남편이 남에게 '안사람'이라는 뜻으로는 Mrs. ... 라고 함. 예를 들면 스미스씨는 '안사람'의 뜻으로 *Mrs.* Smith 라고 함. ② 전형적인 기혼 부인 : *Mrs.* Homemaker 이상적인 주부.

MS 〖美郵〗 Mississippi. **MS., ms.** Manuscript. **M.S.** Master of Science; Master in Surgery.

Ms. [miz] (*pl.* ***Mses., Ms's, Mss.*** [mízəz]) *n.* …씨《미혼·기혼의 구별이 없는 여성의 존칭》: *Ms.* (Alice) Brown (앨리스) 브라운 씨.

M.Sc. Master of Science.

MSDOS, MS-DOS [émèsdɑ́s / -dɔ́s] 〖컴〗 엠에스도스《미국의 Microsoft 사(社)가 개발한 개인용 컴퓨터 오퍼레이팅 시스템; 商標名》.

MSS., Mss., mss. manuscripts. **MST** Mountain Standard Time.

†Mt. [maunt] (*pl.* ***Mts.***) = MOUNT[2]; MOUNTAIN.

MT 〖美郵〗 Montana. **M.T.** Mountain Time. **mt.** mount; mountain. **Mts., mts.** mountains.

mu [mjuː / mjuː] *n.* U,C 그리스어 알파벳의 12번째 글자(M, μ; 로마자의 M, m에 해당).

†much [mʌtʃ] (***more*** [mɔːr]; ***most*** [moust]) *a.* 〔不可算名詞의 앞에 쓰이어〕 다량(多量)의, 많은 《긍정의 평서문에는 특정한 경우에 쓰임. ⇨ 語法》 opp *little*. cf. many. ¶ You spend too ~ money. 돈을 너무 쓴다 / Drink as ~ tea as you like. 원하시는 만큼 차를 드십시오 / I don't think there is ~ danger. 위험이 많다고는 생각지 않는다 / It wasn't ~ use. 그다지 도움이 되지 못했다 / Do you watch ~ television? 너는 텔레비전을 많이 보느냐 / Do you take ~ sugar in your coffee? 커피에 설탕을 많이 넣으십니까.

> 語法 much는 보통 부정문·의문문 따위에 쓰고, 긍정의 평서문에서는 much 대신에 a large quantity of, a great〔good〕 deal of, 특히 《口》에서는 a lot of, plenty of를 쓰는 경향이 있음. 다만, 긍정의 평서문에서도 주어를 수식하는 경우, 또는 as, so, too, how 따위 뒤에서는 much를 씀.

— *n., pron.* 〔單數취급〕 ① 많은 것, 다량(의 것) 《긍정의 평서문에서는 특정한 경우에 쓰임. ⇨ *a.* 語法》: *Much* has been gained from our research. 우리 연구에서 얻은 것이 많다 / I don't see ~ of you these days. 요즈음 그리 만나 뵐 수가 없군요 / How ~ do you want? 얼마나 원하십니까 / He spent as ~ as 50 dollars. 그는 50 달러나 썼다 / *Much* of what he says is true. 그의 말에는 진실이 많다 / He played tennis ~ of the day. 그는 거의 종일 테니스를 쳤다.
② 〔be 의 補語로서; 흔히 否定文에 쓰이어〕 대단한 것, 중요한 것〔일〕: The sight is *not* ~ to look at. 대단한 경치는 아니다 / This is *not* ~, but I hope you will like it. 대단한 것은 못 됩니다만 마음에 드시면 다행이겠습니다.
— (***more***; ***most***) *ad.* ① 〔動詞를 수식하여〕 매우, 대단히, 퍽; 종종, 자주 : She talks too ~. 그녀는 너무 재잘거린다 / Thank you very ~. 매우 감사합니다《肯定文에서 끝에 much 가 올 때엔 흔히 very, so, too 따위가 붙음》 / You don't work so 〔as〕 ~ as you used to (do). 자넨 전처럼 일을 않는군 / I don't ~ like jazz. =I don't like jazz ~. 재즈를 별로 좋아하지 않는다 / I ~ appreciate your help. 도와 주셔서 매우 감사합니다《prefer, admire, appreciate, regret, surpass 따위는 肯定文에서도 much를 사용할 수 있음. 단, 위치는 동사의 앞》 / Do you see him ~? 그를 자주 만납니까(=...see *much* of him?)
② 〔形容詞·副詞의 비교급·최상급을 수식하여〕 훨씬, 사뭇 : She was ~ old*er* than me. 그녀는 나보다 훨씬 연상이었다 / I feel ~ *better* today. 오늘은 사뭇 기분이 좋다.
③ 〔過去分詞를 수식하여〕 대단히, 매우, 몹시 : Democracy is ~ talked about these days. 요즈음 민주주의라는 말이 빈번히 세인의 입에 오른다 / I shall be (very) ~ obliged if you will help me. 조력해 주신다면 대단히 감사하겠습니다 / She was ~ surprised. 그녀는 무척 놀랐다《감정을 나타내는 과거분사(pleased, surprised 따위)에는 흔히 very를 씀》.
④ 〔形容詞를 수식하여〕 매우, 무척《비교 관념이 내포된 superior, preferable, different 따위나, a-로 시작되는 afraid, alike, ashamed, alert,

aware 따위의 일부 형용에 쓰임》: This is ~ different from 〔than〕 that. 이건 저것과는 매우 다르다 / I am ~ afraid of dogs. 개를 무척 무서워한다. ★《口》에서는 very, very much가 보통임.

⑤〔too나 前置詞句를 수식하여〕 매우, 몹시, 아주: He's ~ *too* young. 그는 너무나도 어리다 / This is ~ *to my taste*. 이건 내 취향에 아주 맞는다 / ~ *to one's annoyance* 〔*disgust, sorrow, horror*〕 무척〔매우〕 난처하게〔불쾌하게, 슬프게, 섬뜩하게〕도(=to one's *great* annoyance...) / We are ~ *in need of new ideas*. 새로운 아이디어를 크게 필요로 하고 있다(=We are very [×much] needful of new ideas.; We need new ideas *very much*.).

⑥〔유사함을 뜻하는 어구를 수식하여〕 거의, 대체로: ~ the same 거의 비슷한〔하여〕 / ~ of an age 거의 같은 나이 또래의 / His answer was ~ as before. 그의 대답은 거의 전과 같았다.

as ~ (1)〔선행하는 數詞에 호응하여〕 (…와) 같은 양〔액수〕만큼: Here is 50 dollars, and I have *as* ~ at home. 여기 50 달러 있고 집에도 그만큼 더 있다. (2)〔선행문(文)의 내용을 받아서〕 (바로) 그만큼〔정도〕: I've quarreled with my wife.—I thought 〔guessed〕 *as* ~. 아내하고 싸웠다네—그럴 것이라고 생각했지. ***as ~ again*** (***as...***) 그만큼 더, (…의) 2 배(의): Take *as* ~ *again*. 그 배만큼 가지시오. ***as ~*** (***...***) ***as...*** (1) …정도〔만큼〕; …만큼의; 〔強調的으로〕 …(만큼)이나: Take *as* ~ (of it) *as* you like. (그것을) 원하는 만큼 가지시오 / He earns *as* ~ *as* a million won a month. 그는 월 백만 원이나 벌어들인다. (2)〔主動詞 앞에 쓰이어〕 거의, 사실상: They have *as* ~ *as* agreed to it. 그들은 그 일에 사실상 동의했다. ***as ~ as to say*** (마치) …라고나 하려는 듯이. ***as ~ as you like*** 좋으실 만큼. ***be too*** 〔***a bit***〕 ***~ for...*** 《口》 (사람·일이) …에게 벅차다〔힘겹다〕, …을 이해〔처리〕 못하다. ***half as ~ again*** (***as...***) (양이) …의 1 배 반. ***half as ~*** (***as...***) (양이) …의 절반. ***how ~*** (양·값이) 얼마, 어느 정도. ***It's*** 〔***That's***〕 ***a bit ~***. 《口》 그건 말이 지나치다, 그건 좀 심하다. ***make ~ of...*** (1) …을 중시〔존중〕하다. (2) …에게 지나치게 친절히 하다〔마음을 쓰다〕; …을 몹시 치살리다, …의 응석을 받아주다. (3)〔否定文에서〕 …을 이해하다: I can*not make* ~ *of* his argument. 그의 논지를 알 수가 없다. ***~ as*** 몹시 …하긴 하지만, …하고 싶은 마음은 굴뚝 같지만: *Much as* I'd like to go, I cannot. 가고싶은 마음은 굴뚝같지만 갈 수가 없다. ***~ less*** (1)〔不可算名詞·形容詞·副詞와 함께〕 보다 훨씬 적은〔적게〕. (2)〔否定文에서〕 하물며 (…아니다); 더군다나 (…아니다): He has *no* daily necessities, ~ *less* luxuries. 그에게는 필수품조차 없거늘 하물며 사치품에 있어서랴. ***~ more*** (1)〔不可算名詞·形容詞·副詞와 함께〕 보다 훨씬 많은〔많게, 더〕: He drinks ~ *more* beer than I do. 그는 나보다 맥주를 훨씬 더 마신다. (2)〔肯定文에서〕 하물며 (…에 있어서랴): I would help an enemy if he were in distress, ~ *more* a friend. 적일지라도 곤경에 처해 있다면 돕겠는데, 하물며 자기편이면 당연하지요. ***~ of a...*** (1)〔否定·疑問文에서〕 몹시…, 지독한…: Was it ~ *of a* surprise? 몹시 놀랄 만한 일이었나요 / It's too ~ *of a* nuisance. 벅찰 정도로 귀찮은 일이다. (2)〔否定文에서〕 대단한…: That would*n't* be ~ *of a* problem. 대단한 문제는 아닐 테죠. ***Not ~!*** 《口》〔상대의 물음에 대하여; 反語的으로〕 당치도 않다, 말도 안 되다: He doesn't drink, does he? —*Not* ~! 그는 술을 안 마신다지—말도 말게. ***not so ~ as...*** ⇨ SO¹. ***not so ~*** (A) ***as*** (B) (1) A 라기보다는 오히려 B: His success is *not so* ~ by talent *as* by energy. 그의 성공은 재능에 의한 것이라기보다는 오히려 노력에 의한 것이다. (2) B 만큼 A 가 아니다: I do *not* have *so* ~ money *as* you. 나는 너만큼 돈을 갖고 있지 못하다. ***not up to ~*** 《口》 그다지 좋지 않다: The meal was*n't up to* ~. 식사는 그다지 좋지 않았다. ***so ~*** ⇨ SO¹. ***too ~*** ⇨ TOO. ***too ~ of a good thing*** 달갑지 않은 친절. ***without so ~ as...*** …조차 아니하고〔없이〕: He left *without so* ~ *as* saying good-bye. 그는 작별 인사도 없이 가 버렸다.

much·ness [mʌ́tʃnis] *n.* Ⓤ 많음. 〔다음 成句로 쓰임〕 ***much of a ~*** 엇비슷한, 대동 소이한.

mu·ci·lage [mjúːsəlidʒ] *n.* Ⓤ ① (동식물이 분비하는) 점액. ② 고무풀.

mu·ci·lag·i·nous [mjùːsəlǽdʒənəs] *a.* ① 점액질의, 끈적끈적한. ② 점액을 분비하는.

muck [mʌk] *n.* Ⓤ ① 마소의 똥, 거름, 퇴비. ② 쓰레기, 오물; 더러운 것〔일〕. ③《英口》 너절〔시시〕한 물건. ④ (a ~)《英口》 혼란〔어질러진〕 상태, 난잡. ***be in*** 〔***all of***〕 ***a ~*** 흙투성이가 되어 있다. ***make a ~ of*** (1) …을 더럽히다. (2) …을 엉망으로 만들다.

— *vt.* (밭)에 비료를〔거름을〕 주다. ***~ about*** 〔***around***〕 (1)《口》 (지향없이) 돌아가다. (2) 빈둥거리다. (3) …을 만지작거리다《*with*》. ***~ in with*** 《英口》 …와 일〔활동〕을 같이하다. ***~ out*** (마구간 등)의 오물을 청소하다; 청소하다.

muck·er [mʌ́kər] *n.* Ⓒ ①《美俗》 막돼먹은 사람. ②《英俗》 동료, 패거리.

muck·heap [mʌ́khìːp] *n.* Ⓒ 거름 더미.

muck·rake [mʌ́krèik] *vi.* (저명 인사·정계 등의) 추문을 캐고 다니다; 추문을 들추다. ㊎ **-ràk·er** [-ər] *n.* Ⓒ 추문 폭로자.

mucky [mʌ́ki] (***muck·i·er; -i·est***) *a.* ① 거름의, 거름 같은; 더러운. ②《英口》 (날씨가) 구질구질한. ㊎ **múck·i·ness** *n.*

mu·cous [mjúːkəs] *a.* 점액(성)의; 점액을 분비하는: a ~ cough 가래가 나오는 기침 / the ~ gland 점액선(腺) / the ~ membrane 점막(粘膜).

mu·cus [mjúːkəs] *n.* Ⓤ (동식물의) 점액, 진: nasal ~ 콧물.

‡mud [mʌd] *n.* Ⓤ 진흙, 진창: His shoes were covered with ~. 그의 신발은 진흙투성이였다 / Her foot was stuck in the ~. 그녀의 한쪽 발이 진창 속에 빠졌다. (***as***) ***clear as ~*** 《口》 (설명 따위) 전혀 알 수 없는, 종잡을 수 없는. ***fling*** 〔***sling, throw***〕 ***~ at*** 《口》 …의 얼굴에 똥칠하다; …을 헐뜯다. (***Here's***) ***~ in your eye!*** 《口》 건배(乾杯)! ***His name is ~.*** 그는 신용이 땅에 떨어졌다, 평이 말 아니다. ***stick in the ~*** 진창에 빠지다; 궁지에 몰리다.

múd bàth ① 흙탕 목욕《류머티즘 따위에 유효》. ② 진흙투성이, 흙탕.

mud·dle** [mʌ́dl] *vt.* ① **a**) …을 혼란시키다《*with*》: Please don't ~ me *with* so many questions. 그렇게 많은 질문으로 나를 혼란스럽게 하지 마시오. **b**) …을 뒤섞어 놓다《*up*; *with*》: I often ~ *up* their names. 나는 그들의 이름을 종종 혼동한다 / Don't ~ my books (*up*) *with* his. 내 책을 그의 책과 뒤섞어 놓지 않도록 해 주게. ② (술로) 머리를 흐리멍덩하게 하다. ***~ about 〔***around***〕 헤매다, 어정거리다; (맥없이) 비틀거리다. ***~ on*** 〔***along***〕 그럭저럭 해 나가다. ~

through (계획 따위도 없이) 이럭저럭 헤어나다, 얼렁뚱땅 넘어가다. ── *n.* Ⓒ (흔히 a ~) 혼란 (상태) ; 당혹, 낭패. ***in a*** ~ 어리둥절하여 : I was all *in a* ~. 나는 아주 어리둥절해 있었다. ***make a ~ of*** …을 엉망으로 만들다, 실패하다, 잘못하다 : *make a ~ of* a program 계획을 엉망으로 만들다.

mud·dle·headed [-hèdid] *a.* 머리가 혼란해진, 얼이 나간.

mud·dler [mʌ́dlər] *n.* Ⓒ ① 머들레《음료를 휘젓는 막대》. ② 일을 아무렇게나 하는 사람, 어물어물 적당히 넘기는 사람.

‡mud·dy [mʌ́di] (***-di·er*** ; ***-di·est***) *a.* ① 진흙의 ; 진흙투성이의 ; 진창의 : a ~ road 진창길 / ~ water 흙탕물 / This road gets very ~ when it rains. 이 도로는 비가 오면 진창길이 된다. ② (색깔·소리 따위가) 충충한, 흐린, 탁한. ③ (머리가) 멍한, 혼란한. ④ (사고·표현·문체·정세 따위가) 불명료한, 애매한 : ~ thinking 뚜렷하지 못한 생각. ── (***-died*** ; ***-dy·ing***) *vt.* ① …을 진흙투성이로 만들다 ; 흐리게 하다. ② (머리·생각)을 멍하게 하다, …의 머리를 혼란시키다.
㊞ **múd·di·ly** [-li] *ad.* **múd·di·ness** [-nis] *n.*

mud·flap [mʌ́dflæ̀p] *n.* Ⓒ (자동차 뒷바퀴의) 흙받기판.

mud·flat [-flæ̀t] *n.* Ⓒ (종종 *pl.*) (썰물 때 나타나는) 개펄.

mud·flow [mʌ́dflòu] *n.* Ⓒ 이류(泥流).

mud·guard [mʌ́dgɑ̀:rd] *n.* Ⓒ (자동차 따위의) 흙받기.

mud·pack [-pæ̀k] *n.* Ⓒ (미용의) 머드팩.

mud·sling·er [-slìŋər] *n.* Ⓒ (정치적) 중상모략자.

mud·sling·ing [-slìŋiŋ] *n.* Ⓤ (정치 운동에서의) 중상 모략전, 추잡한 싸움.

múd tùrtle 〖動〗 진흙거북, 담수거북.

mu·ez·zin [mju:ézin] *n.* Ⓒ (회교 성원의) 기도 시각을 알리는 사람.

muff[1] [mʌf] *n.* Ⓒ 머프《양손을 따뜻하게 하는 모피로 만든 외짝의 토시 같은 것》.

muff[2] *n.* Ⓒ ① 둔재 ; 얼뜨기, 바보. ② **a)** 서투름, 실수. **b)** 〖球技〗 공을 놓치기, 낙구(落球). ***make a ~ of it*** 실수하다, 일을 그르치다.
── *vt.* (공)을 놓치다 : ~ a catch 낙구하다.
── *vi.* 공을 떨어뜨리다, 낙구하다 ; 실수하다. ***~ it*** 실수하다 ; 기회를 놓치다.

***muf·fin** [mʌ́fin] *n.* Ⓒ 머핀. ①《美》 컵형(型) 또는 롤(roll)형(型)에 넣어 구운 아침 식사용 빵. ②《英》 둥글 납작한 빵(《美》 English ~).

***muf·fle** [mʌ́fəl] *vt.* ① (따뜻하게 또는 감추기 위해) …을 싸다, 감싸다(*up*) : ~ oneself *up* (외투·목도리 따위로) 몸을 감싸다 / ~*d* in silk 명주옷을 입고 / She went out ~*d* (*up*) in her scarf and overcoat. 그녀는 스카프와 오버코트로 몸을 싸고 외출했다. ② (소리·음성)을 죽이다, 작게 하다 : ~ a bell 벨 소리를 작게 하다 / ~ one's mouth 입을 막다〔덮다〕/ The closed door ~*d* the noises. 문을 닫아서 소리가 들리지 않게 되었다.

muf·fled [mʌ́fəld] *a.* 소리를 죽인〔둔하게 한〕, (뒤덮여) 잘 들리지 않는 : a ~ voice (입을 막은 것 같은) 잘 알아들을 수 없는 목소리 / speak in ~*d* tones 숨 죽인 목소리로 말하다.

***muf·fler** [mʌ́flər] *n.* Ⓒ ① 머플러, 목도리. ② (자동차·피아노 등의) 소음기(消音器), 머플러.

muf·ti [mʌ́fti] *n.* ① Ⓤ (군인 등의) 평상복, 사복. opp *uniform.* ¶ in ~ 평복으로. ② Ⓒ 회교 법률 고문 ; 회교 법전 설명자.

mug** [mʌg] *n.* Ⓒ ① 원통형 찻잔, 조끼, 손잡이 있는 컵 : a beer ~ 맥주 조끼 / a tea〔coffee〕~ 찻잔〔커피잔〕/ a shaving ~ 면도용 컵. ② 조끼 한 잔의 양 : drink a ~ of beer 맥주 한 조끼를 마시다 / a ~ of milk 한컵의 우유. ③《俗》 입 ; 얼굴 : ⇨ MUG SHOT. ④《英俗》 얼간이, 바보. ⑤《美俗》 깡패, 살인 청부업자, 악한. ── (-gg-***) *vi.* (카메라·관중 앞에서) 표정을 과장하여 연기하다. ── *vt.* ① (용의자)의 인상서(人相書)를 만들다. ②《俗》 (강도가 사람)을 습격하다 ; …에게서 물건을 빼앗다.

mug·ger [mʌ́gər] *n.* Ⓒ《口》 (한데서) 사람을 덮치는 강도, 노상 강도.

mug·ging [mʌ́giŋ] *n.* Ⓤ,Ⓒ《口》 노상 강도 (행위) : There is a lot of ~ in these cities. 이들 도시에서는 강도짓이 번번히 발생한다.

mug·gins [mʌ́ginz] (*pl.* ~ ; ~·***es***) *n.*《口》 Ⓒ 얼간이, 바보.

mug·gy [mʌ́gi] (***-gi·er*** ; ***-gi·est***) *a.* 무더운, 후텁지근한 : Just before the thunder storm, it got ~. 뇌우(雷雨)의 직전이어서 후텁지근해졌다.
㊞ **múg·gi·ness** *n.*

múg's gàme《口》 바보짓 ; 바보나 할〔득 될 것이 없는〕 짓〔일〕 : Gambling is a ~. 도박 같은 건 바보나 할 짓이다.

múg shòt《俗》 얼굴 사진《흔히 범죄 용의자의.

mug·wump [-wʌ̀mp] *n.* Ⓒ《美》 (정치상) 독자 노선을 취하는 사람, '독불 장군'.

Mu·ham·mad, -med [muhǽməd] *n.* 마호메트《이슬람교(敎)의 개조(570-632)》.

Mu·ham·mad·an, -med- [muhǽmədən] *a.* 마호메트의, 이슬람교의. ── *n.* Ⓒ 이슬람교도.

mu·lat·to [mju(:)lǽtou, mə-] (*pl.* ~(***e***)***s***) *n.* Ⓒ (보통 1 대째의) 백인과 흑인과의 혼혈아.

***mul·ber·ry** [mʌ́lbèri / -bəri] *n.* ① Ⓒ **a)** 뽕나무. **b)** 오디. ② Ⓤ 짙은 자주색.

mulch [mʌltʃ] *n.* Ⓤ (또는 a ~) 뿌리 덮개《이식한 나무 뿌리를 보호하는》. ── *vt.* (뿌리)에 짚을 깔다, 뿌리를 덮다.

mulct [mʌlkt] *n.* Ⓒ 벌금, 과료. ── *vt.* …에게 벌금을 과하다(*in* ; *of*) : ~ a person (*in*) ten dollars 아무에게 10 달러의 벌금을 과하다.

***mule**[1] [mju:l] *n.* Ⓒ ① 노새《수나귀와 암말과의 잡종》. cf hinny. ② 고집쟁이, 고집통이 : (as) obstinate〔stubborn〕as a ~ 아주 고집센. ── *a.* 잡종의《동식물》 : a ~ canary 잡종 카나리아.

mule[2] *n.* Ⓒ (흔히 *pl.*) 뮬《발끝에 걸어 신는 슬리퍼》.

múle dèer 꼬리가 검은 사슴《북아메리카산》.

mu·le·teer [mjù:lətíər] *n.* Ⓒ 노새몰이《사람》.

mul·ish [mjú:liʃ] *a.* 노새 같은 ; 고집센, 외고집의. ㊞ ~·**ly** *ad.* ~·**ness** *n.*

mull[1] [mʌl] *vt.* …을 곰곰이 생각하다(*over*).

mull[2] *vt.* (포도주·맥주 등)을 데워 향료·설탕·달걀 노른자 따위를 넣다.

mull[3] *n.* Ⓒ《Sc.》 곶(promontory), 반도.

mul·la(h) [mʌ́lə, mú:lə] *n.* Ⓒ 스승, 선생《회교도 사이에서 율법학자에 대한 경칭》.

mul·li·ga·taw·ny [mʌ̀ligətɔ́:ni] *n.* Ⓤ (인도의) 카레가 든 수프(=∠ **sòup**).

mul·lion [mʌ́ljən, -liən] 〖建〗 *n.* Ⓒ (유리창 따위의) 멀리온, 세로 중간틀, 중간 문설주.

mult-, multi- '많은, 여러 가지, 여러 배(倍)의'의 뜻의 결합사. cf poly-, mono-, uni-.

mul·ti·ac·cess [mʌ́ltiæ̀kses] *a.* 〖컴〗 동시 공동 이용의, 멀티액세스의.

mul·ti·cel·lu·lar [mʌ̀ltiséljələr] *a.* 다세포의.

mul·ti·chan·nel [mʌ̀ltitʃǽnəl] *a.* 다중(多重) 채

널의 : ~ broadcasting 음성 다중 방송.
mul·ti·col·ored [mʌ̀ltikʌ́lərd] *a.* 다색(多色)(인쇄)의.
mul·ti·cul·tur·al [mʌ̀ltikʌ́ltʃərəl] *a.* 다(多)문화의, 다문화적인.
mul·ti·dis·ci·pli·nary [mʌ̀ltidisíplinèri / -nəri] *a.* 각 전문 분야 협력의, 여러 학문 영역에 걸친.
mul·ti·eth·nic [mʌ̀ltiéθnik] *a.* 다민족적인, 다민족 공용의 : (a) ~ makeup 다민족 구성.
mul·ti·far·i·ous [mʌ̀ltəfέəriəs] *a.* 가지가지의, 잡다한, 다방면의 : a man of ~ hobbies 취미가 많은 사람. ㊞ ~·**ly** *ad.* ~·**ness** *n.*
mul·ti·form [mʌ́ltifɔ̀:rm] *a.* 여러 모양을 한, 다양한 ; 여러 종류의, 잡다한.
mul·ti·fúnc·tion·al róbot [mʌ̀ltifʌ́ŋkʃənəl-] 다기능 로봇.
mul·ti·head·ed [mʌ́ltihèdid] *a.* 두부(頭部)가 많은, 다탄두의.
mul·ti·lat·er·al [mʌ̀ltilǽtərəl] *a.* ① 다국간의 : ~ agreement 다국간 협정 / ~ trade (동시에 수개국을 상대로 하는) 다각적 무역 / ~ negotiations 다국간 교섭. ② 다변(多邊)의.
mul·ti·lin·gual [mʌ̀ltilíŋgwəl] *a.* ① 여러 나라 말을 하는 : a ~ interpreter 다국어 통역자. ② 여러 나라 말로 쓰인 : a ~ pamphlet 수개국어로 씌어진 팸플릿. ── *n.* Ⓒ 수개국어를 구사할 수 있는 사람.
mul·ti·me·dia [mʌ̀ltimí:diə] *n. pl.* 〔集合的 ; 單數취급〕 멀티미디어《여러 미디어를 사용한 커뮤니케이션》; 〖컴〗 다중 매체.
mul·ti·mil·lion·aire [mʌ̀ltimìljənέər] *n.* Ⓒ 대부호, 억만장자.
mul·ti·na·tion·al [mʌ̀ltinǽʃənəl] *a.* 다국적의〔으로 된〕; 다국간의 : a ~ company〔corporation〕 다국적 회사〔기업〕/ a ~ force 다국적군 / ~ negotiations 다국간 교섭 / The UN has sent a ~ peace-keeping force. 유엔은 다국적 평화유지군을 파견했다. ── *n.* Ⓒ 다국적 회사〔기업〕.
mul·tip·a·rous [mʌltípərəs] *a.* 한번에 많은 새끼를 낳는 ; (사람이) 다산의.
mul·ti·par·ty [mʌ̀ltipɑ́:rti] *a.* 다수당의, 다당(多黨)의 : ~ system 다(수)당 제도.
***mul·ti·ple** [mʌ́ltəpəl] *a.* 〔限定的〕 ① 복합의, 다수의, 다양한, 복잡한 : ~ operation 다각 경영 / a ~ personality 다중(多重) 인격 / a ~ crash 다중 충돌. ② 〖電〗 (회로가) 병렬식의 ; 복합의.
── *n.* Ⓒ ① 〖數〗 배수, 배량(倍量) : 12 is a ~ of 3. 12는 3의 배수 / the lowest 〔least〕 common ~ 최소 공배수《略 : L.C.M.》/ a common ~ 공배수. ② = MULTIPLE STORE. ◇ multiply *v.*
múltiple ágriculture 다각(식) 농업《농작 · 과수 재배 · 양계 · 양돈 따위를 겸한 농업》.
mul·ti·ple-choice [mʌ́ltəpltʃɔ́is] *a.* (시험 · 문제가) 다항〔다지(多肢)〕 선택의 : a ~ system 다지 선택법 / a ~ test 다지 선택식 테스트 / a ~ question 다지 선택식 문제.
múltiple shóp 〔stóre〕 《英》 연쇄점(《美》 chain store).
múltiple wárheads 다탄두(多彈頭).
mul·ti·plex [mʌ́ltəplèks] *a.* 〔限定的〕 ① 다양한, 복합적인, 다면적인. ② 〖通信〗 다중(多重) 송신의.
múltiplex bróadcasting 음성 다중 방송.
mul·ti·pli·cand [mʌ̀ltəplikǽnd] *n.* Ⓒ 〖數〗 피승수(被乘數) ; 〖컴〗 곱힘수. opp *multiplier.*
***mul·ti·pli·ca·tion** [mʌ̀ltəplikéiʃən] *n.* Ⓤ,Ⓒ ① 증가, 증식(增殖). ② 〖數〗 곱셈. opp *division.* ¶ do ~ 곱셈을 하다 / 4×5 is an easy ~. 4×5는 간단한 곱셈이다. ◇ multiply *v.*
multiplicátion sìgn 곱셈 기호《×》.
multiplicátion tàble 곱셈 구구표《보통 10×10=100 또는 12×12=144 까지 있음》. ★ 영어에서는 일반적으로 Three times five is〔are, make(s)〕 fifteen. (5×3=15) 등과 같이 그대로 문장식으로 배우든가, Once five is 5. Two 5s are〔is〕 10. Three 5s are〔is〕 15.과 같이 간략한 방식으로 배움.
mul·ti·pli·ca·tive [mʌ́ltəplikèitiv, mʌ̀ltiplíkət-] *a.* ① 증가하는 ; 곱셈의. ② 〖文法〗 배수사(倍數詞)의.
── *n.* Ⓒ 〖文法〗 배수사《double, triple 따위》.
mul·ti·plic·i·ty [mʌ̀ltəplísəti] *n.* Ⓤ (또는 a ~) 다수, 중복 ; 다양(성)《*of*》: *a* ~ *of* ideas 여러가지 생각〔아이디어〕/ *a* ~ *of* uses 수많은 용도 / *a* ~ *of* items 여러 종류의 항목.
mul·ti·pli·er [mʌ́ltəplàiər] *n.* Ⓒ 〖數〗 승수(乘數) ; 〖컴〗 곱함수. opp *multiplicand.*
:mul·ti·ply [mʌ́ltəplài] *vt.* ① …을 늘리다, 증가시키다 ; 번식시키다 : Darkness *multiplies* the danger of driving. 어두우면 운전 위험은 몇배나 증가한다. ② 《+목+전+명》 〖數〗 …을 곱하다 《*by*》: ~ five *by* four, 5에 4를 곱하다, 5를 4배하다. ── *vi.* ① 늘다, 증가하다 ; 배가하다 ; 증식하다 : Population continues to ~ in that country. 그 나라에서는 인구가 계속 늘고 있다 / Rats ~ rapidly. 쥐는 급속히 번식한다. ② 곱셈하다.
mul·ti·pur·pose [mʌ̀ltipə́:rpəs, -tai-] *a.* 용도가 많은, 다목적의 : ~ furniture 만능 가구 / a ~ robot 다기능 로봇 / a ~ dam 다목적 댐.
mul·ti·ra·cial [mʌ̀ltiréiʃəl] *a.* 여러 민족의, 다민족의 : a ~ society 다민족 사회 / South Africa's first ~ elections took place in 1994. 남아공화국의 첫번째 다민족 선거는 1994년에 실시되었다.
mul·ti·stage [mʌ́ltistèidʒ] *a.* (로켓 따위) 다단식(多段式)의 : a ~ rocket 다단식 로켓(step rocket).
mul·ti·sto·ry, 《英》 **mul·ti·sto·rey** [mʌ́ltistɔ̀:ri] *a.* 〔限定的〕 여러 층의, 고층의 : a ~ parking garage 다층식 주차장 / a ~ building 고층 건축물.
:mul·ti·tude [mʌ́ltitjù:d] *n.* ① Ⓒ,Ⓤ 다수 ; 수가 많음《*of*》: a ~ 〔~*s*〕 *of* problems 많은 문제 / True happiness does not consist in a ~ *of* friends. 참된 행복은 친구가 많은 데 있는 것은 아니다 / a noun *of* ~ 〖文法〗 집합(集合) 명사. ② **a**) (the ~(s)) 〔集合的, 單 · 複數 취급〕 대중, 서민 : appeal to *the* ~(s) 대중에게 호소하다. **b**) 군중, 붐빔. ③ Ⓒ 많은 사람 : The disease has killed ~*s.* 그 병으로 많은 사람이 죽었다. ***a*** **~** ***of***... 다수의〔수많은〕.
mul·ti·tu·di·nous [mʌ̀ltətjú:dənəs] *a.* 다수의 ; 가지가지의, 많은 : ~ debts 허다한 빚.
㊞ ~·**ly** *ad.* ~·**ness** *n.*
mul·ti·va·lent [mʌ̀ltivéilənt, mʌltívə-] *a.* ① 〖化〗 다원자가(多原子價)의. ② 〖遺〗 (유전자가) 다가(多價)의.
mul·ti·ver·si·ty [mʌ̀ltivə́:rsəti] *n.* Ⓒ 다원〔매머드〕 대학《교사(校舍)가 각처에 있는 종합 대학》. [◂ *multi*+uni*versity*]
mul·ti·vi·ta·min [mʌ̀ltiváitəmin] *a.* 종합 비타민의 : a ~ capsule 종합 비타민정.
── *n.* Ⓒ 종합 비타민제.
mum[1] [mʌm] *a.* 〔敍述的〕 무언의, 말하지 않는 : (as) ~ as a mouse 〔an oyster〕 침묵을 지키고.
── *n.* Ⓤ 침묵, 무언. ***Mum's the word!*** 남에게 말하지 마, 비밀이다. ***sit*** ~ 이야기 판에 끼지

않다.

— *int.* 말 마라!, 쉿!

— (*-mm-*) *vi.* 무언극을 하다; 가장하다.

***mum²** *n.* Ⓒ 《英口》 어머니, 엄마(《美》 mom).

***mum·ble** [mʌ́mbəl] *vt.* ① …을 중얼〔웅얼〕거리다: ~ a few words 몇마디 중얼거리다 / The old man ~*d* something which I couldn't catch. 노인은 무언가 알 수 없는 말을 중얼거렸다. ② (음식물)을 우물우물 씹다. — *vi.* 중얼거리다, 중얼중얼 말하다: ~ to oneself 중얼중얼 혼잣말하다 / Stop *mumbling!* Speak up! 중얼거리지 마라! 똑똑히 말해!

— *n.* Ⓒ 작고 똑똑지 않은 말, 중얼거림: a ~ of conversation 알아들을 수 없는 말소리〔대화〕. ㊀ **múm·bling·ly** [-iŋli] *ad.* 우물우물. **-bler** *n.*

múm·bo júm·bo [mʌ́mboudʒʌ́mbou] ① 서아프리카 흑인이 숭배하는 귀신. ② 미신적 숭배물, 우상, 공포의 대상. ③ 알아들을 수 없는 말: It is ~ to me. 무슨 말인지 통 모르겠다.

mum·mer [mʌ́mər] *n.* Ⓒ 〖史〗 무언극 배우.

mum·mery [mʌ́məri] *n.* Ⓒ (크리스마스 등의) 무언극.

mum·mied [mʌ́mid] *a.* 미라가 된(=**múm·mi·fied**).

mum·mi·fi·ca·tion [mʌ̀mifikéiʃən] *n.* Ⓤ 미라화(化).

mum·mi·fy [mʌ́mifài] *vt.* ① …을 미라로 하다. ② …을 말려서 보존하다; 바짝 말리다.

mum·my¹** [mʌ́mi] *n.* Ⓒ ① 미라. ② 말라빠진 사람. ***beat to a ~ 때려눕히다, 몰매질하다.

***mum·my²** *n.* Ⓒ 《英兒》 엄마(mamma)(《美》 mommy).

mumps [mʌmps] *n.* 〖醫〗 (종종 the ~) (유행성) 이하선염(耳下腺炎).

mu·mu, mu-mu [múːmùː] *n.* =MUUMUU.

***munch** [mʌntʃ] *vt.* (소리나게) …을 우적우적 먹다, 으드득으드득 깨물다: He ~*ed* it all up. 그는 그것을 우적우적 다 먹어버렸다.

— *vi.* 《~/+전+명》 우적우적 먹다《*at*》: ~ *at* an apple 사과를 우적우적 먹다.

mun·chies [mʌ́ntʃiz] *n.* (*pl.*) 《美俗》 ① 가벼운 식사, 스낵. ② (the ~) 공복감, 시장기: have *the* ~ 배가 고프다.

mun·dane [mʌ́ndein, -ˊ] *a.* ① 현세의, 세속적인 (earthly). ② 평범한, 보통의, 일상적인: a pretty ~ life 비교적 평범한 생활. ㊀ **~·ly** *ad.*

Mu·nich [mjúːnik] *n.* 뮌헨《독일 Bavaria 주의 수도; 독일명 München》.

‡mu·nic·i·pal [mjuːnísəpəl] *a.* (자치권을 가진) 시(市)의, 도시의, 자치 도시의, 시정(市政)〔시제(市制)〕의, 시영의; 지방 자치의: a ~ hospital 〔library〕 시립 병원〔도서관〕/ a ~ officer 시청 직원 / ~ bonds 지방채(債) / ~ debts〔loans〕 시채(市債) / ~ authorities 〔government〕 시당국 〔시정〕/ a ~ corporation 지방 자치체.

***mu·nic·i·pal·i·ty** [mjuːnìsəpǽləti] *n.* Ⓒ ① 자치체《시·읍 등》. ② 〔集合的; 單·複數 취급〕 시〔읍〕당국: The ~ has〔have〕 closed the hospital. 시당국은 그 병원을 폐쇄했다 / The ~ provides services such as electricity, water and rubbish collection. 시는 전기, 수도, 쓰레기 수집 같은 서비스를 제공한다.

mu·nic·i·pal·ize [mjuːnísəpəlàiz] *vt.* ① …을 시 자치제로 하다. ② …을 시영으로 하다.

mu·nif·i·cence [mjuːnífəsns] *n.* Ⓤ 아낌없이 줌, 활수함, 손이 큼.

mu·nif·i·cent [mjuːnífəsənt] *a.* ① (사람이) 인색하지 않은, 손이 큰. ② (선물이) 푸짐한: a ~ gift 푸짐한 선물. ㊀ **~·ly** *ad.*

mu·ni·ments [mjúːnəmənts] *n.* (*pl.*) 〖法〗 부동산 권리 증서.

***mu·ni·tion** [mjuːníʃən] *n.* (*pl.*) 군수품, 《특히》 탄약: ~*s* of war 군수품. — *a.* 〔限定的〕 군수품의: a ~ plant 〔factory〕 군수 공장. — *vt.* …에 군수품을 공급하다.

Mun·ster [mʌ́nstər] *n.* 먼스터《아일랜드 공화국 남서부 지방》.

mu·ral [mjúərəl] *a.* 〔限定的〕 벽의, 벽 위〔속〕의; 벽과 같은: a ~ painting 벽화 / a ~ painter 벽화 화가 / a ~ decoration 벽장식.

— *n.* Ⓒ (큰) 벽화. ㊀ **~·ist** *n.* Ⓒ 벽화가.

‡mur·der [mə́ːrdər] *n.* ① **a)** Ⓤ 살인; 〖法〗 고살(故殺), 모살(謀殺): commit ~ 살인죄를 범하다 / *Murder* will out. 《俗談》 살인〔비밀, 나쁜 일〕은 반드시 드러난다. **b)** Ⓒ 살인 사건: There were two ~*s* this month. 이 달에는 두 건의 살인 사건이 있었다 / solve a ~ 살인 사건을 해결하다. ② Ⓤ 《口》 매우 위험〔곤란, 불쾌〕한 일; 살인적인 경험〔난사(難事)〕: The exam was ~. 시험은 무척 어려웠다 / The rainy weather is ~ for this business. 우천(雨天)은 이 사업에 대해서는 사활문제다. ***cry*** 〔***scream, shout***〕 (***blue***) ~ 터무니 없이 큰 소리를 지르다《'큰일 났다!' '사람 살려!' 따위》. ***get away with*** ~ 《口》 나쁜 짓을 해도 벌받지 않고 지나다. ~ ***in the first*** 〔***second***〕 ***degree*** 제1〔2〕급 살인《보통 제1급은 사형, 제2급은 유기형》. ***The ~ is out.*** 비밀이 드러났다, 수수께끼가 풀렸다.

— *vt.* ① …을 살해하다, 학살하다; 〖法〗 모살하다: He ~*ed* her with a knife. 그는 칼로 그녀를 죽였다 / The President was ~*ed* by the terrorists. 대통령은 테러리스트들에 의해 살해되었다. ② (노래·역 등)을 못쓰게 하다, 잡쳐 놓다: ~ Mozart 모차르트 곡을 엉망으로 연주하다 / The actor ~*ed* the play. 배우는 그 연극을 잡쳐버렸다. — *vi.* 살인하다.

‡mur·der·er [mə́ːrdərər] (*fem.* ***mur·der·ess*** [-ris]) *n.* Ⓒ 살인자; 살인범: The ~ seems to have entered through a window. 살인범은 창문으로 들어온 것 같다 / a mass ~ 대량 살인자.

***mur·der·ous** [mə́ːrdərəs] *a.* ① 살인의, 살의(殺意)가 있는: a ~ scheme 살인 계획 / a ~ weapon 흉기. ② 흉악한, 잔학한: a ~ dictator 잔악한 독재자 / There was a ~ glint in his eyes. 그의 눈에는 잔악한 빛이 번득였다. ③ 《口》 살인적인, 무시무시한, 지독한《더위 따위》: She gave me a look of ~ hatred. 그녀는 나를 죽이고 싶도록 미워하는 눈으로 보았다 / Summers in Washington bring ~ heat and humidity. 여름만 되면 워싱턴에는 살인적인 무더위가 찾아온다. ㊀ **~·ly** *ad.* **~·ness** *n.*

mu·ri·at·ic [mjùəriǽtik] *a.* 〔주로 商業用〕 염화수소의: ~ acid 염산(hydrochloric acid).

murk [məːrk] *n.* Ⓤ 암흑, 칠흑 같은 어둠.

murky [mə́ːrki] (***murk·i·er; -i·est***) *a.* ① 어두운; 음울한. ② (안개·연기 따위가) 자욱한. ③ (물·개천이) 탁한, 흐린, 더러워진: ~ water. ④ 뒤가 켕기는, 꺼림칙한: He has a ~ past. 그에게 과거가 있다. ㊀ **múrk·i·ly** *ad.*

‡mur·mur [mə́ːrmər] *n.* Ⓒ ① 중얼거림, 속삭임: a ~ of conversation from the next room 옆방에서 들려오는 속삭이는 말소리. ② (중얼거리는) 불평: obey without a ~ 군말 없이 따르다. ③ (옷·나뭇잎 따위가) 스치는 소리; (바람·파도 따위의) 솨솨 소리; (시냇물 따위의) 졸졸 소리: the ~ of a brook 시냇물의 졸졸거리는 소리 /

the ~ of bees 벌들의 붕붕거리는 소리. ④ 〖醫〗 (청진기에 들리는) 잡음.
— *vi.* ① 졸졸 소리내다, 속삭이다 : a ~*ing* brook 졸졸 흐르는 시냇물. ② 《+전+명》 불평을 하다, 투덜대다《*at* ; *against*》 : ~ *at* 〔*against*〕 an unfair treatment 불공평한 대우에 불평을 하다 / The maid ~*ed at* the demanding work. 가정부는 일이 너무 힘들어 투덜투덜 불평을 했다.
— *vt.* …을 속삭이다, 나직하게 말하다 : She ~*ed* a prayer. 그녀는 작은 소리로 기도했다 / He ~*ed* that he was sleepy. 그는 낮은 소리로 졸립다고 했다 / "I'm hungry," she ~*ed*. '배고파' 하고 그녀는 낮은 소리로 말했다.

mur·mur·ous [mə́ːrmərəs] *a.* ① 살랑거리는, 솨솨 소리내는. ② 속삭이는 ; 투덜〔중얼〕거리는.

mur·phy [mə́ːrfi] *n.* Ⓒ 《英俗》 감자.

Múrphy bèd 《美》 머피 침대《접어서 반침에 넣어 둘 수 있는 침대 ; 미국의 발명가 W.L. Murphy (1876-1959)의 이름에서》.

Múrphy's Láw 머피 법칙《경험에서 얻은 몇 가지의 해학적인 지혜 ; '실패할 가능성이 있는 것은 실패한다' 따위》.

mur·rain [mə́ːrin] *n.* Ⓤ (소의) 전염병.

mus. museum ; music ; musical.

mus·cat [mʌ́skət, -kæt] *n.* Ⓒ 〖植〗 머스캣《포도의 한 종류 ; 포도주를 만듦》.

mus·ca·tel [mʌ̀skətél] *n.* Ⓤ,Ⓒ 머스커텔《머스캣(muscat)으로 빚은 포도주》.

‡**mus·cle** [mʌ́səl] *n.* ① Ⓒ,Ⓤ 근육, 힘줄 : voluntary〔involuntary〕 ~*s* 수의근〔불수의근〕 / Physical exercises develop ~. 체조는 근육을 발달시킨다. ② Ⓤ 근력(筋力), 완력 : a man of ~ 완력이 있는 사람 / It takes a great deal of ~ to lift this weight. 이 무게를 드는 데는 상당한 힘이 든다. ③ Ⓤ 《口》 압력, 강제 : military ~ 군사력 / a political leader with plenty of ~ 대단한 영향력을 가지고 있는 정계의 지도자〔보스〕 / put ~ into foreign policies 강경 외교 정책을 쓰다. ◇ muscular *a.* ***do not move a*** ~ 눈 하나 까딱 않다. ***flex*** one***'s*** ~***s*** (1) (큰일을 하기 위해) 근육을 풀다. (2) 《美口》 힘을 과시하다. ***on the*** ~ 《美俗》 툭하면 싸우려 드는〔손찌검을 하는〕.
— *vt.* ① 《+목+부》 …에 (억지로) 끼어들다, 힘으로 밀고 들어가다〔나아가다〕 : He ~*d* his way *in*. 그는 억지로 끼어들었다 / He was suddenly ~*d aside* as a swarm of his fellows rushed out. 친구들이 떼를 지어 쏟아져 나왔기 때문에 그는 갑자기 옆으로 밀려났다. ② …을 (…에) 억지로 밀어붙이다《*through*》 : ~ a bill *through* Congress 법안을 밀어붙여 의회를 통과시키다. ~ ***in*** 《口》 억지로 비집고 들어가다 : ~ *in* on a person's territory 남의 세력권에 억지로 비집고 들어가다 / A young man ~*d in* front of me. 한 젊은이가 내 앞에 끼어들었다.

mus·cle-bound [-bàund] *a.* ① (과도한 운동으로) 근육이 뻣뻣해진. ② (규칙 등) 탄력성이 없는, 경직된.

(-)mus·cled [mʌ́sld] *a.* 〔흔히 複合語를 이루어〕 근육이 …한 : strong-~ 근육이 강한.

mus·cle·man [mʌ́slmæ̀n] (*pl.* ***-men*** [-mèn]) *n.* Ⓒ ① 근육이 늠름한 남자. ② 《俗》 고용된 폭력단원.

Mus·co·vite [mʌ́skəvàit] *n.* Ⓒ 모스크바 주민.
— *a.* 모스크바(주민)의.

***mus·cu·lar** [mʌ́skjələr] *a.* ① 근육의 : the ~ system 근육조직 / ~ contraction 근육의 수축 / ~ strength 근력(筋力), 완력. ② 근골(筋骨)〔근육〕이 억센 : a ~ arm 억센 팔 / He's more ~ than his father. 그는 아버지보다 근골이 억세다. ③ (표현 등이) 힘찬. ◇ muscle *n.*
㊁ ~·ly *ad.*

múscular dýstrophy 〖醫〗 근(筋)위축증.

mus·cu·lar·i·ty [mʌ̀skjəlǽrəti] *n.* Ⓤ 근육이 늠름함 ; 억셈, 힘셈.

Muse [mjuːz] *n.* ① 〖그神〗 뮤즈《시 · 음악 · 학예를 주관하는 9 여신의 하나》. ② Ⓒ (흔히 one's m-, the m-) 시적 영감, 시상(詩想), 시재(詩才). ***the*** ~***s*** 뮤즈의 신들.

‡**muse** [mjuːz] *vi.* ① 《~ / +전+명》 명상하다, 묵상하다, 생각에 잠기다《*about* ; *on*, *upon* ; *over*》. ⓒⓕ meditate, ponder. ¶ ~ *over* memories of the past 옛 추억에 잠기다 / She ~*d about* it for some time. 그녀는 그 일에 관해서 잠시 묵상했다. ② (생각에 잠겨) 유심히 바라보다《*on*》.
— *vt.* …을 깊이 생각하다, (생각에 잠겨) …라고 마음 속으로 말하다〔생각하다〕 : "That's strange," he ~*d*. '그것 (참) 이상하다' 하고 그는 마음 속으로 생각했다 / I began to ~ about the possibility of starting my own business. 나는 내 사업 개시 가능성을 깊이 생각하기 시작했다.

mu·sette [mjuːzét] *n.* Ⓒ ① 뮤제트《프랑스의 작은 백파이프(bagpipe)》. ② 〖軍〗 (어깨에 걸치는) 작은 잡낭(= ~ **bàg**).

†**mu·se·um** [mjuːzíːəm / -zíəm] *n.* Ⓒ 박물관, 미술관 ; 기념관 : a science ~ 과학 박물관 / the British *Museum* 대영 박물관 / an art ~ 미술관 / a memorial〔historical〕 ~ 기념〔역사〕 박물관. [◂ Muse]

muséum attèndant 박물관〔미술관〕의 안내계〔관원〕.

muséum pìece ① 박물관에 진열하기에 합당한) 귀중품, 일품(逸品), 진품(珍品). ② 《蔑》 (박물관에나 보낼 만한) 케케묵은 물건〔사람〕.

mush[1] [mʌʃ] *n.* Ⓤ ① 《美》 옥수수 죽. ② (죽처럼) 걸쭉한 것〔음식〕. ③ 《口》 값싼 감상(感傷), 값싼 감상적인 말〔문장 따위〕 : This novel is just a load of ~ ! 이 소설은 되게 센티멘털하다.

mush[2] 《美 · Can.》 *int.* 가자《썰매 끄는 개를 추기는 소리》. — *n.* Ⓒ (눈 속의) 개썰매 여행.
— *vi.* (눈 속에서) 개썰매 여행을 하다, 개썰매로 가다.

‡**mush·room** [mʌ́ʃru(ː)m] *n.* ① Ⓤ,Ⓒ 버섯 ; 양송이. ⓒⓕ toadstool. ¶ ~ soup 버섯국. ② Ⓒ 버섯 모양의 구름 · 연기(등) : a nuclear ~ 원폭의 버섯 구름. ③ Ⓒ (버섯처럼) 급속히 성장한 것 ; 벼락 부자, 졸부. — *a.* ① 버섯 같은 : a ~ cloud 원폭의 버섯 구름. ② 우후죽순 같은 ; 급성장하는 : a ~ town 신흥 도시 / a ~ millionaire 벼락 부자, 졸부 / ~ growth 빠른 성장. — *vi.* ① 버섯을 따다 : go ~*ing* 버섯 따러 가다. ② 버섯 모양으로 되다 ; (불 · 연기 따위가) 확 번지다〔퍼지다〕《*up* ; *out*》 : Black smoke ~*ed up* over the warehouse. 시커먼 연기가 창고 위로 버섯 모양으로 퍼졌다 / The flames ~*ed out* against the ceiling. 불길은 순식간에 천장으로 번졌다. ③ **a**) 급속히 생겨나다 : Highrise buildings have ~*ed* along the riverside. 강변에 고층 빌딩이 속속 들어섰다. **b**) 《+전+명》 (…로) 발전하다《*into*》 : It ~*ed into* a mass movement. 그것은 대중 운동으로 발전했다.

mushy [mʌ́ʃi] (***mush·i·er*** ; ***-i·est***) *a.* ① 죽 같은, 흐늘흐늘한. ② 《口》 (영화 등이) 감상적인.

†**mu·sic** [mjúːzik] *n.* Ⓤ ① 음악, 악곡 : vocal ~ 성악 / instrumental ~ 기악 / a ~ band 악단 / have a talent for ~ 음악에 재능이 있다 / He has no ear for ~. 그는 음악을 모른다 / compose ~ 작곡하다. ② (음악) 작품 ; 악곡 ; 악보 : play without ~ 악보 없이 연주하다 / a sheet of ~ 한

장의 악보 / I can't read ~. 나는 악보를 읽을 줄 모른다. ③ 듣기 좋은 소리, 음악적인 음향: the ~ of birds 듣기 좋은 새 소리 / News of the unification of the two Germanys was ~ to our ears. 동·서독의 통일 소식은 우리에게 낭보(朗報)였다. ④ 음감, 음악 감상력: He has no ~ in him. 그는 음악에는 문외한이다. ***face the ~*** (자기 행위의 결과에) 스스로 책임을 지다; 당당히 비판을 받다. ***~ to one's ears*** (귀에[들어]) 기분 좋은 것. ***rough ~*** (심술부려 떠드는) 법석. ***the ~ of the spheres*** 천상(天上)의 음악《천체의 운행에 따라 일어난다고 Pythagoras 가 상상했던 영묘한》.

‡**mu·si·cal** [mjúːzikəl] (***more ~; most ~***) *a.* ① 음악의: a ~ composer 작곡가 / a ~ director 악장, 지휘자 / a ~ instrument 악기 / ~ intervals 음정 / a ~ performance 연주 / ~ scales 음계 / a ~ genius 음악의 천재. ② 음악적인, 가락이 좋은, 듣기 좋은: a ~ voice of little child 어린아이의 음악적인 목소리. ③ 음악에 능한; 음악을 좋아하는, 음악을 이해하는: Are you ~? 너는 음악을 좋아하나 / I'm not ~. 나는 음악은 모른다. ── *n.* Ⓒ 음악(회)극, 뮤지컬: stage a ~ 뮤지컬을 상연하다.

músical bòx 《英》 =MUSIC BOX.

músical cháirs 의자빼앗기 놀이《인원수보다 (하나) 적은 의자 주위를 빙빙 돌다가 음악이 끝남과 동시에 일제히 다투어 앉는 놀이》. ***play ~*** (1) 의자 빼앗기 놀이를 하다. (2) 서로 상대를 앞지르려 하다.

músical cómedy 뮤지컬, 희가극.

mu·si·cale [mjùːzikǽl] *n.* Ⓒ 《美》 (사교적) 음악회.

músical film 음악 영화.

músic bòx 《美》 주크 박스(jukebox) (《英》 musical box), 오르골, 음악 상자.

músic dràma 〖樂〗 악극.

músic hàll ① 음악당. ② 《英》 뮤직홀, 연예관 (《美》 vaudeville theater).

‡**mu·si·cian** [mjuːzíʃən] *n.* Ⓒ ① 음악가. ② 음악을 아는 사람, 음악을 공부하는 사람.

mu·si·col·o·gy [mjùːzikálədʒi / -kɔ́l-] *n.* Ⓤ 음악학, 음악 이론.

músic pàper 악보 용지, 5선지.

músic stànd 보면대(譜面臺), 악보대.

músic stòol (높이를 조정할 수 있는) 연주용 의자, 피아노·오르간용 의자.

mus·ing [mjúːziŋ] *a.* 생각에 잠긴. ── *n.* Ⓤ,Ⓒ 묵상, 숙고. ㊞ **~·ly** *ad.* 생각에 잠겨.

musk [mʌsk] *n.* Ⓤ 사향(의 냄새) 《사향노루 수컷에서 얻는 분비물》.

músk dèer 사향노루《중앙 아시아산(產); 수컷은 복부(腹部)에서 사향(musk)을 분비함》.

mus·ket [mʌ́skət] *n.* Ⓒ (총강(銃腔)에 선조(旋條)가 없는) 구식 소총.

mus·ket·eer [mʌ̀skətíər] *n.* Ⓒ 〖史〗 머스킷총병(銃兵), 보병.

mus·ket·ry [mʌ́skətri] *n.* Ⓤ 〖軍〗 소총 사격(술).

musk·mel·on [mʌ́skmèlən] *n.* Ⓒ 〖植〗 머스크멜론.

músk òx (*pl.* ***musk ox·en***) 〖動〗 사향소.

musk·rat [⌐-ræ̀t] (*pl.* ***~, ~s***) *n.* ① Ⓒ 사향뒤쥐 (=⌐ **bèaver**). ② Ⓤ 그 모피.

músk ròse 사향장미《지중해 지방산(產)》.

musky [mʌ́ski] (***musk·i·er; -i·est***) *a.* 사향의; 사향 냄새 나는: a ~ scent 사향 냄새.

Mus·lim, -lem [mʌ́zləm, mús-, múz-] (*pl.* ***~, ~s***) *n.* Ⓒ 이슬람교도, 회교도. ── *a.* 이슬람교(도)의.

***mus·lin** [mʌ́zlin] *n.* Ⓤ 머슬린, 메린스; 《美》 옥양목. [◀면직물 공업이 성했던 이라크 북부의 도시 Mosul]

mus·quash [mʌ́skwɑʃ / -kwɔʃ] *n.* 《英》 = MUSKRAT.

muss [mʌs] 《美口》 *vt.* (머리카락·옷 따위)를 엉망[뒤죽박죽]으로 만들다; 짓구겨 놓다(*up*). ── *n.* Ⓤ 엉망, 뒤죽박죽; 법석, 싸움.

mus·sel [mʌ́səl] *n.* Ⓒ 〖貝〗 홍합; 마합류.

Mus·sorg·sky, Mous- [musɔ́ːrgski, -zɔ́ːrg-] *n.* **Mo·dest Petrovich** ~ 무소르그스키《러시아의 작곡가; 1835-81》.

mussy [mʌ́si] (***muss·i·er; -i·est***) *a.* 《美口》 엉망[뒤죽박죽]의, 난잡한: ~ hair 봉두난발.

†**must**[1] [mʌst, 약 məst] (must not 의 간약형 ***mustn't*** [mʌ́snt]) *aux. v.* ① 〔필요〕 …해야 한다, …할 필요가 있다: Animals ~ eat to live. 동물은 생존하기 위해서는 먹어야 한다 / We ~ hurry if we're to arrive on time. 시간 안에 도착하려면 서둘러야 한다 / I ~ be leaving[《口》 off] now. 슬슬 작별해야 하겠습니다 / *Must* she type it out again? —Obviously, she ~. 그녀에게 타이프를 다시 치게 해야 합니까—물론이지요.

> 語法 이뜻의 부정에는 need not, do not have to, haven't got to 등을 씀: *Must* I stay here? —No. You *don't have to.* 여기에 있어야 합니까—그럴 필요는 없다. ★ must not은 '금지'를 나타냄. ⇨ ② b).

② **a)** 〔의무·명령〕 …해야 한다: You ~ do as you are told. 말한 대로 해라 / It ~ be found. 그것은 찾아내야 한다. **b)** 〔must not으로, 금지〕 …해서는 안된다: You really ~*n't* say anything about it. 그것을 절대로 입밖에 내어서는 안된다 / May I take this book? — No, you ~*n't*. 이 책을 가져가도 좋겠습니까 — 아냐, 안돼.

③ 〔主語의 주장〕 꼭 …하고 싶다 〔해야 한다〕, …않고는 못 배긴다《must 가 강하게 발음됨》: I ~ ask your name, sir. 꼭 존함 좀 알았으면 싶은데요 / He ~ always have his own way. 그는 늘 제 뜻대로 하지 않고는 직성이 안 풀린다 / If you ~, you ~. 꼭 해야(만) 한다면 하는 수 없다.

④ 〔추정〕 **a)** …임〔함〕에 틀림없다, 틀림없이 …이다 〔하다〕: It ~ be true. 정말임에 틀림없다 / You ~ know where he is. He is a friend of yours. 자넨 그가 있는 곳을 알고 있을 것이다, 친구이니까. **b)** 〔must have+과거분사; 過去에 대한 추정〕 …이었음〔했음〕에 틀림없다: If he did that, he ~ *have been* mad. 만약 그가 그것을 했다면, 제정신이 아니었을 것이 틀림없습니다 / What a sight it ~ *have been!* 틀림없이 장관(壯觀)이었을 테지 / I thought you ~ *have lost* your way. 자넨 길을 잃었음에 틀림없다고 여겼다 / That woman ~ *have stolen* it! 저 여자가 그것을 훔쳤음에 틀림없다《비교: That woman *cannot* have stolen it! 저 여자는 그것을 훔쳤을 리가 없다》.

> 語法 (1) 이뜻의 부정에는 cannot을 씀: It *connot* be true. 그것은 사실일 리가 없다.
> (2) 또, 의문문에는 보통 must를 쓰지 않으나 상대방의 말에 대한 응답과 부가의문문에는 종종 씀: You ~ know this! —*Must* I? 너는 틀림없이 이것을 알고 있을 테지 —제가 말입니까 / You ~ know this, *mustn't* you? 자넨 틀림없이 이걸 알고 있을 테지, 그렇지.

⑤ 〔필연〕 반드시 …하다, …은 피할 수 없다: Everyone ~ die. 누구나 반드시 죽는 법이다 / Bad seed ~ produce bad corn. 나쁜 씨에서는 나쁜 열매가 생긴다.
⑥ 《口》 〔공교롭게 일어난 일〕 곤란하게도 …이 일어났다〔일어나다〕, 공교롭게 …하였다〔하다〕: Just when I was to sleep the phone ~ ring. 막 잠이 들려는데, 심술궂게도 전화가 울렸다《과거를 나타냄》/ Why ~ it always rain on Sundays? 일요일만 되면 왜 언제나 비가 오는 것일까.

> 語法 **must**와 **have (got) to**: (1) 다른 조동사와 함께 사용될 때에는 have to로 대용함: He will *have to* meet her tomorrow. 그는 내일 그녀를 만나야만 할 것이다.
> (2) must 에는 過去形이 없으므로 (3)에서 언급될 종속절 속 이외에서는 had to 로 대용함: She *had to* [×must] repeat the message twice before he understood it. 그가 알아들을 수 있을 때까지 그녀는 전언(傳言)을 두 번 되풀이해야 했다.
> (3) 시제의 일치에 따라 must를 과거형으로 할 필요가 있을 경우에는 must 를 must 그대로 쓰던가 have to를 씀: I said to him, "You *must* go." → I told him that he *must* go. / I said to him, "You *have to* go." → I told him that he *had to* go.
> (4) 구어에서는 '…하지 않으면 안 된다' 의 뜻으로는 must보다도 일반적으로 have (got) to를 많이 씀.

~ ***needs*** do ⇨NEEDS. ***needs*** ~ do ⇨NEEDS.
— *a.* 〔限定的〕 《口》 절대 필요한, 필수의, 필독의: a ~ book for teen-agers 10대의 사람들의 필독서 / ~ subjects 필수 과목.
— *n.* (a ~) 《口》 절대 필요한 것, 필수품, 꼭 보아야〔들어야〕 할 것: *a* tourist ~ 관광객이 꼭 보아야 할 것 / A raincoat is *a* ~ in the rainy season. 장마철에는 레인코트가 꼭 필요하다 / English is *a* ~. 영어는 필수 과목이다 / The new edition is *a* ~ for those who study it. 이 신판은 이 문제를 연구하는 사람들에게는 필독서이다.

must² [mʌst] *n.* Ⓤ (발효(醱酵)전, 발효주의) 포도액〔즙〕.

must³ *n.* Ⓤ 곰팡내; 곰팡이.

***mus·tache, mous-** [mʌ́stæʃ, məstǽʃ] *n.* Ⓒ (종종 *pl.*) 콧수염: grow〔wear〕 a ~ 콧수염을 기르다〔기르고 있다〕.

mus·ta·chio [məstɑ́:ʃou] (*pl.* **~s**) *n.* Ⓒ (흔히 *pl.*) 커다란 콧수염.

mus·tang [mʌ́stæŋ] *n.* Ⓒ 머스탱《멕시코·텍사스 산(産)의 소형 반야생마》. **(*as*) *wild as a* ~** 《美口》 몹시 난폭한, 어찌할 도리가 없는.

mus·tard** [mʌ́stərd] *n.* Ⓤ ① 겨자, 머스터드: English 〔French〕 ~ 이긴 〔초를 탄〕 겨자. ② 〖植〗 평지, 갓. ③ 겨잣빛, 짙은 황색. **(*as*) *keen as ~ (1) 아주 열심인. (2) 이해가 빠른.

mústard gàs 겨자탄, 이피리트《미란성(糜爛性) 독가스》.

mústard plàster 겨자씨 연고《찜질 약》.

mústard pòt 겨자 단지《식탁용》.

mústard sèed 겨자씨《분말은 조미료·약용》. ***a grain of*** ~ 〖聖〗 겨자씨 한알, 작지만 발전의 바탕이 되는 것《마태복음 XIII : 31》.

mus·ter** [mʌ́stər] *n.* Ⓒ ① 소집, 검열, 점호. ② 집합 인원; 점호 명부(~ roll). ***pass ~ 검열을 통과하다. — *vt.* ① (점호·검열 등을 위해, 군인·선원 등)을 소집하다, 집합시키다. ② (힘·용기 따위)를 모으다, 분발하다: ~ *up* all one's courage 한껏 용기를 내다. — *vi.* (점호·검열에 군대 등이) 모이다, 응소(應召)하다. ~ ***in*** 《美》 …을 입대시키다. ~ ***out*** 《美》 …을 제대시키다.

múster ròll 병원(兵員)〔선원〕 명부, 점호부.

†**mustn't** [mʌ́snt] must not 의 간약형.

musty [mʌ́sti] (***must·i·er*** ; ***-i·est***) *a.* ① 곰팡핀, 곰팡내 나는: This attic smells ~. 이 다락방은 곰팡내가 난다. ② 케케묵은, 진부한(stale): ~ ideas 진부한 생각. ㊕ **múst·i·ness** *n.*

mu·ta·bil·i·ty [mjù:təbíləti] *n.* Ⓤ 변하기 쉬움, 무상(無常): the ~ of life 인생의 무상.

mu·ta·ble [mjú:təbəl] *a.* 변하기 쉬운, 무상한.

mu·ta·gen [mjú:tədʒən] *n.* Ⓒ 〖生〗 돌연변이원(原), 돌연변이 유발 요인.

mu·tant [mjú:tənt] *a.* 〖生〗 돌연변이의〔에 의한〕. — *n.* Ⓒ 〖生〗 돌연변이체, 변종.

mu·tate [mjú:teit] *vi.* ① 변화하다. ② 〖生〗 돌연변이를 하다. ③ 〖言〗 모음 변화를 하다. — *vt.* ① 〖生〗 돌연변이를 일으키게 하다. ② 〖言〗 (모음)을 변화시키다.

mu·ta·tion [mju:téiʃən] *n.* ① Ⓒ,Ⓤ 변화, 변전(變轉), (세상의) 변천. ② Ⓤ,Ⓒ 〖言〗 모음 변화, 움라우트(umlaut): the ~ plural 변(모)음 복수《보기: man>men, goose>geese》. ③ 〖生〗 **a)** Ⓤ 돌연변이. **b)** Ⓒ 변종. ***the ~ of life*** 속세의 유위전변(有爲轉變).

mu·ta·tis mu·tan·dis [mu:tɑ́:tis mu:tǽndis] 《L.》 필요한 변경을 가하여, 준용(準用)해서.

‡**mute** [mju:t] (***mút·er*** ; ***ˊ-est***) *a.* ① 무언의, 말이 없는: ~ resistance〔appeal〕 무언의 저항〔호소〕. ② 벙어리의, 말을 못하는(dumb): ~ with wonder 너무 놀라워 말이 나오지 않는. ③ 〖音〗 묵자〔묵음(默音)〕의《knot 의 k, climb 의 b 등》: a ~ letter 묵자. ④ 〖法〗 (피고가) 대답을 않는, 묵비권을 행사하는: The accused man stood ~ on the charges against him. 피고는 용의사항에 답변하지 않았다. — *n.* Ⓒ ① 벙어리: be a ~ since birth 날 때부터 말을 못하다〔벙어리다〕/ a deaf ~ 농아자. ② 〖音〗 묵자, 묵음. ③ (악기의) 약음기(弱音器). — *vt.* ① …의 소리를 죽이다〔약하게 하다〕. ② …의 색조(色調)를 부드럽게 하다. ㊕ **ˊ·ly** *ad.* 무언으로, 벙어리같이; 소리를 내지 않고. **ˊ·ness** *n.*

mut·ed [mjú:tid] *a.* ① 침묵한; (소리·어조 등이) 억제(抑制)한: ~ criticism 조심스러운 비판. ② 색조(色調)를 약하게 한, 칙칙한: ~ red 칙칙한 적색. ③ 〖樂〗 약음기를 단〔쓴〕, 약음기를 달고 연주한.

***mu·ti·late** [mjú:təlèit] *vt.* ① (수족)을 절단하다: The doll was ~*d* by the child. 아이는 인형의 손발을 떼어냈다. ② (물건)을 결단내다; (문서 등)의 골자를 빼버리다.

mu·ti·la·tion [mjù:təléiʃən] *n.* Ⓤ,Ⓒ ① (수족 등을) 절단하기. ② (문서 등의) 골자를 빼버리기. ③ 불완전하게 만들기.

mu·ti·neer [mjù:təníər] *n.* Ⓒ ① (군대 등의) 폭도, 항명자. ② (권위에 대한) 반항자.

mu·ti·nous [mjú:tənəs] *a.* ① 폭동〔반란〕에 가담한〔을 일으킨〕: ~ soldiers 반란병. ② 반항적인, 불온한. ㊕ **~·ly** *ad.* 반항적으로.

***mu·ti·ny** [mjú:təni] *n.* Ⓤ,Ⓒ ① (특히 군인·수병 등의) 폭동, 반란; 〖軍〗 하극상: be charged with ~ 반란죄로 문초받다. ② (권위에 대한) 반항. — *vi.* 폭동을 일으키다, 반항하다《*against*》.

mutt [mʌt] *n.* Ⓒ 《俗》 ① 바보, 얼간이. ② 《蔑》 (특히) 잡종개; 똥개.

‡**mut·ter** [mʌ́tər] *n.* (a ~) 중얼거림; 투덜거림,

불평 : in *a* ~ 낮은 소리로, 중얼중얼.
—*vi.* 《~ / +전+명》 중얼거리다 ; 투덜거리다 《*at* ; *against*》: ~ to oneself 혼자서 중얼중얼하다 / ~ *against* a person 아무에 대하여 불평을 하다. — *vt.* 《~+목 / +목+전+명》 …을 낮은 소리로 중얼중얼하다 ; 투덜거리다 : He ~*ed* a curse. 그는 중얼중얼 저주의 말을 했다 / She ~*ed* that it was too expensive. 그녀는 그것이 너무 비싸다고 불평했다 / ~ threats *at* a person 아무에게 낮은 소리로 협박하다.

‡**mut·ton** [mʌ́tn] *n.* Ⓤ 양고기 : roast ~ 양고기 불고기 / a leg of ~ 양의 다리 고기. ***(as) dead as*** ~ 아주 죽어서, 전혀 움직이지 않는. ***(as) thick as*** ~ 《俗》 머리가 나쁜, 둔한. ~ ***dressed (up) as lamb*** 《口》 젊게 보이도록 화장한 중년 여성. ***to return*** 〔***get***〕 ***to our ~s*** 각설하고 본론으로 돌아가서.

mútton chòp 살이 붙은 양의 갈비.

mut·ton·chops [mʌ́tntʃɑ̀ps / -tʃɔ̀ps] *n. pl.* 위는 좁고 밑은 퍼지게 기른 구레나룻(=~ **whískers**).

mut·ton·head [-hèd] *n.* Ⓒ 《口》 바보, 얼간이.

mut·ton·head·ed [-hèdid] *a.* 《口》 바보같은, 어리석은(stupid).

‡**mu·tu·al** [mjúːtʃuəl] *a.* ① 서로의, 상호관계가 있는 : ~ aid 상호 부조 / ~ respect 상호 존경 / a ~(-aid) society 공제 조합 / ~ insurance 〔assurance〕 상호 보험 / ~ understanding 상호 이해 / ~ induction (전기·자기의) 상호 유도 / They are ~ enemies. 그들은 적대 관계다. ② 공동의, 공통의 : ~ efforts 협력 / That will be to our ~ advantage. 그것은 우리들의 공통의 이익이 될 것이다 / our ~ friend 쌍방〔공통〕의 친구《옳게는 our common friend이나 ~ friend가 흔히 쓰임》. ***by ~ consent*** 쌍방의 합의에 의거하여.

mútual fùnd 《美》 (개방형) 투자신탁 회사.

mútual insúrance còmpany 상호 보험 회사.

mu·tu·al·i·ty [mjùːtʃuǽləti] *n.* Ⓤ 상호〔상관〕 관계 ; 상호 의존.

mu·tu·al·ly [mjúːtʃuəli] *ad.* 서로, 상호 : a ~ beneficial project 상호 이익이 되는 기획 / The two ideas are ~ contradictory. 그 두 견해는 서로 모순된다.

muu·muu [múːmùː] *n.* Ⓒ 《Haw.》 무무《화려한 무늬의 헐거운 드레스》.

MUX [mʌks] *n., a.* 〖컴〗 다중(多重)(의). [◂*multiplex*]

Mu·zak [mjúːzæk] *n.* Ⓤ 영업용 배경 음악《라디오·전화선을 통해 계약점에 송신 ; 商標名》.

***muz·zle** [mʌ́zəl] *n.* Ⓒ ① (동물의) 입·코 부분, 부리, 주둥이. ② 입마개, 부리망 : put a ~ on a dog 개에 입마개를 씌우다. ③ 총구, 포구.
— *vt.* ① (동물의 입)에 부리망을 씌우다. ② …에 입막음하다, 말 못하게 하다 ; 언론의 자유를 방해하다 : ~ the press 보도를 못하게 하다.

muz·zle-load·er [-lòudər] *n.* Ⓒ (옛날의) 전장(前裝)총〔포〕.

múzzle velócity (탄환이) 총구를 떠난 순간의 속도, 초속(初速).

muz·zy [mʌ́zi] (***-zi·er*** ; ***-zi·est***) *a.* 《口》 (병·음주 따위로) 머리가 개운찮은, 몽롱한.
㊋ **múz·zi·ly** *ad.* **-zi·ness** *n.*

MV motor vessel. **MVP** 〖野〗 most valuable player. **MWS** 〖컴〗 management work station (관리자용 단말 장치).

†**my** [mai, 弱 mi] *pron.* ① 〔I 의 所有格〕 나의 : This cake is all ~ own work. 나는 다른 사람의 도움없이 그것을 해냈다 / It was ~ own decision. 그것은 내 자신이 결정한 것이었다. ② 〔動名詞나 動作을 나타내는 名詞의 意味上의 主語로서〕 나는, 내가 : Heavy rain prevented *my going* out. 호우로 외출할 수 없었다.
— *int.* 《口》 아이고, 저런《놀라움을 나타냄》: *My!* It's beautiful! 야, 아름답구나. / *My*, (but) how amusing! 야, 얼마나 재미있는 일인가!, 야, 참 재미있군. ***My ! = Oh My ! = My eye ! = My goodness !*** 아이고, 저런, 이것 참.

My·an·mar [mijʌ́nmɑːr] *n.* 미얀마《1989년부터 바뀐 Burma의 새 국명 ; 정식 명칭은 the Union of ~ ; 수도 Yangon》.

My·ce·nae [maisíːniː] *n.* 미케네《그리스의 옛 도시》.

My·ce·nae·an [màisəníːən] *a.* 미케네의 ; 미케네 문명의 : ~ civilization 미케네 문명.

-mycin '균류에서 채취한 항생 물질' 의 뜻의 결합사.

my·col·o·gy [maikɑ́lədʒi / -kɔ́l-] *n.* Ⓤ 균학(菌學), 균류학. ㊋ **-gist** *n.* Ⓒ 균(菌)학자.

my·e·li·tis [màiəláitis] *n.* Ⓤ 〖醫〗 척수염.

my·na, -nah [máinə] *n.* Ⓒ 구관조(九官鳥).

my·o·pia, my·o·py [maióupiə], [máiəpi] *n.* Ⓤ ① 〖醫〗 근시안, 근시. ⓒⓕ presbyopia. ② 근시안적임, 단견(短見).

my·op·ic [maiɑ́pik / -ɔ́p-] *a.* ① 근시(안)의 : The child is a little ~, I'm afraid. 아무래도 그 아이는 좀 근시인 것 같다. ② 근시안적인 : the ~ pursuit of self-interest 자기 이익의 근시안적인 추구 / a ~ view 근시안적인 견해.
㊋ **my·op·i·cal·ly** *ad.*

***myr·i·ad** [míriəd] *n.* Ⓒ 무수《*of*》: There are ~*s* 〔a ~〕 *of* stars in the universe. 우주에는 무수한 별들이 있다.
— *a.* 무수한 : our ~-minded Shakespeare 만인의 마음을 가진〔온갖 일이 통달한〕 셰익스피어 《S.T. Coleridge가 쓴 말》 / a ~ activity 다채로운 활동. ㊋ **~·ly** *ad.*

Myr·mi·don [mə́ːrmədɑ̀n, -dən / -dɔ̀n] (*pl.* ***~s, Myr·mid·o·nes*** [-nìːz]) *n.* Ⓒ ① 〖그神〗 뮈르미돈 사람《Achilles를 따라 트로이 전쟁에 참가한 용맹한 Thessaly 부족(部族)의 사람》. ② (m-) (명령을 충실히 수행하는) 부하, 수하, 앞잡이.

myrrh [məːr] *n.* Ⓤ 미르라, 몰약(沒藥)《열대산 관목에서 내는 향기로운 수지(樹脂) ; 향료·약용》.

***myr·tle** [mə́ːrtl] *n.* Ⓤ,Ⓒ 〖植〗 도금양(桃金孃) 《상록 관목》; 《美》 = PERIWINKLE[1].

†**my·self** [maisélf, mə-] (*pl.* ***our·selves*** [auərsélvz]) *pron.* ① 〔I, me의 強調形·再歸形〕 나 자신. ⓒⓕ oneself. ¶ I hurt ~. 나는 다쳤다 / I kept the secret to ~. 나는 그 비밀을 내 가슴 속에 묻어 두었다 / I did the work ~. 그 일은 내가 했다《강조형》《★ myself가 없어도 뜻은 달라지지 않음 ; myself의 위치는 고정적이 아니고, I ~ did the work.라고 할 수 있음》 / I ~ saw it. = I saw it ~. 내 이 눈으로 봤다《강조형 ; 전자(前者) 쪽이 더 강조적》. ② 〔前置詞의 目的語〕 내 자신 : I live by ~. 혼자 살고 있다 / I must take care of ~. 내가 내 자신을 돌보아야 한다 / I was beside ~. 내 정신이 아니었다. ③ 정상인〔평상시의〕 나 : I'm not ~ today. 오늘은 좀 (몸이) 이상하다 / I wasn't ~ yesterday. 어제는 몸이〔머리가〕 정상이 아니었다 / I'm feeling a little more ~ now. 지금은 좀 좋아졌다. ***by*** ~ 단독으로, 혼자서. ***for*** ~ 손수 ; 나 자신을 위하여.

‡**mys·te·ri·ous** [mistíəriəs] *a.* ① 신비한, 불가사의한 : the ~ universe 신비로운 우주 / Mona

Lisa's ~ smile 모나리자의 신비로운 미소 / a ~ murder 기괴한 살인 사건 / It's ~ that she didn't mention it. 그녀가 그것을 말하지 않은 것은 불가해한 일이다. ② 뭔가 사연이[이유가] 있는 듯한: Don't be so ~. 그렇게 뭔가 사연이라도 있는 듯이 굴지 말게. ◇ mystery *n.*
㊞ ~·**ness** *n.*

mys·te·ri·ous·ly [mistíəriəsli] *ad.* ① 수수께끼처럼, 신비하게. ② 〔文章修飾〕 이상하게도.

‡**mys·tery** [místəri] *n.* ① Ⓤ 신비, 불가사의: His disappearance is wrapped in ~. 그의 실종은 수수께끼에 싸여 있다 / an air of ~ 신비스러운 분위기. ② Ⓒ 신비스러운 일, 수수께끼: The origins of life remain a ~. 생명의 기원은 여전히 하나의 수수께끼로 남아 있다 / It's a ~ to me why Sam resigned his office. 샘이 왜 사직을 했는지 알 수 없는 일이다. ③ Ⓒ **a**) (흔히 *pl.*) (종교상의) 오의(奧義), 비법. **b**) 〖가톨릭〗 성찬식; (흔히 *pl.*) 성체(聖體). ④ Ⓒ 괴기 〔탐정, 추리〕 소설, 미스터리; 영험기(靈驗記). ◇ mysterious *a.*
make a ~ of …을 비밀로 하다, …을 신비화하다.

mýstery plày (중세의) 기적극《miracle play 중에서, 특히 그리스도의 생애를〔생(生)·사(死)·부활을〕 다룬 것》.

mýstery tòur 미스테리투어《행선지를 정하지 않은 행락 여행》.

***mys·tic** [místik] *a.* ① (종교적인) 비법의, 비의(秘儀)의: a ~ art 비술(秘術) / ~ words 주문(呪文). ② 신비적인, 불가사의한: a ~ number 신비한 숫자《7 따위》.
—*n.* Ⓒ 신비가(神秘家), 신비주의자.

***mys·ti·cal** [místikəl] *a.* ① 신비적인; 불가사의한, 신비주의적인. ② 상징적인: (a) ~ significance 상징적 의의. ㊞ ~·**ly** *ad.*

mys·ti·cism [místəsìzəm] *n.* Ⓤ 〖哲〗 신비주의, 신비론〔설〕《신(神)의 존재, 궁극적인 진리는 신비적 직관·체험에 의해서 알 수밖에 없다는 설》.

mys·ti·fi·ca·tion [mìstəfikéiʃən] *n.* Ⓤ,Ⓒ ① 신비화. ② 당혹시킴. ③ 헷갈리게 함, (의도적으로) 속이기.

mys·ti·fy [místəfài] *vt.* ① …을 신비화하다; 불가해하게 하다. ② …을 당혹하게〔어리둥절하게, 얼떨떨하게〕 만들다: I'm completely *mystified* at your behavior lately. 근래의 네 행동에는 정말 갈피를 못 잡겠다.

mys·tique [mistí:k] *n.* Ⓒ (흔히 *sing.*) ① (어떤 교의(教義)·기술·지도자 등이 지닌) 신비한 매력〔분위기〕. ② (비전문가에게는 불가사의라고 생각되는 전문가의) 신기(神技), 비법.

‡**myth** [miθ] *n.* ① **a**) Ⓒ 신화: the Greek ~*s* 그리스 신화. **b**) Ⓤ 〔集合的〕 신화《전체》: a hero famous in ~ 신화에서 유명한 영웅. ② Ⓒ 꾸며낸 이야기. ③ Ⓒ 가공의 인물〔사물〕: The dragon is a ~. 용은 가공의 동물이다. ④ Ⓤ,Ⓒ '신화'《사회 일반의 습성적인, 그러나 근거가 박약한 생각·사고(思考)》, (일반적으로 퍼진) 잘못된 신념〔통념〕: White supremacy is a pure ~. 백인의 우수성은 전혀 근거 없는 얘기다.

myth. mythological; mythology.

myth·ic, -i·cal [míθik], [-əl] *a.* ① 신화의, 신화적인. ② 가공의, 공상의: a *mythical* creature 가공의 동물. ㊞ **-i·cal·ly** [-kəli] *ad.*

mytho- '신화(myth)'의 뜻의 결합사.

my·thog·ra·pher [miθágrəfər / -θɔ́g-] *n.* Ⓒ 신화 작가〔기록자, 수집가〕.

my·thog·ra·phy [miθágrəfi / -θɔ́g-] *n.* ① Ⓤ 신화집. ② Ⓤ,Ⓒ 신화 예술《회화·조각 따위》.

myth·o·log·ic, -i·cal [mìθəládʒik / -lɔ́-], [-əl] *a.* ① 신화학(상)의: *mythologic* literature 신화 문학. ② = MYTHICAL.

my·thol·o·gist [miθálədʒist] *n.* Ⓒ 신화학자; 신화작가〔편집자〕.

***my·thol·o·gy** [miθálədʒi / -θɔ́l-] *n.* ① **a**) Ⓤ 〔集合的〕 신화: Scandinavian ~ 북유럽 신화. **b**) Ⓒ 신화집. ② Ⓤ 신화학.

myx·o·ma·to·sis [mìksəmətóusis] *n.* Ⓤ 〖醫〗 (다발성) 점액종증(粘液腫症); 점액 변성(變性).

N

N, n [en] (*pl.* **N's, Ns, n's, ns** [-z]) ① U,C 엔(영어 알파벳의 열넷째 글자); 14번째(의 것) (J를 넣지 않으면 13번째). ② U 〖數〗 (n)부정 정수(不定整數). ③ C N자 모양의 것. ④〖物〗 (n) 중성자; 〖生〗 *n* 《염색체수의 반수(半數) 또는 단상(單相)》.

N- nuclear(핵의): *N*-powers 핵무기 보유국 / *N*-test 핵실험.

n- negative.

'n [n] *conj.* 《美俗》 and 또는 than의 간약형.
— *prep.* in의 간약형.

'n' [ən, n] *conj.* 《美口》 and의 간약형: rock '*n*' roll 로큰롤.

N 〖物〗 newton(s); 〖化〗 nitrogen; 〖電〗 neutral.

n. neuter; nominative; noon; north; northern; note; noun; number. **Na** 〖化〗 *natrium* (L.) (=sodium). **NA** North America(n); not applicable. **n/a** 〖銀行〗 no account(거래 없음).

NAACP, N.A.A.C.P. 《美》 National Association for the Advancement of Colored People (전미 흑인 지위 향상 협회; 1909년 창설).

N.A.A.F.I., Naa·fi [nǽfi] *n.* (the ~) 《英》 군후생 기관; 군인 매점; 군 매점 경영 단체. [◂ *N*avy, *A*rmy and *A*ir *F*orces *I*nstitute(s)]

nab [næb] (**-bb-**) *vt.* 《口》 ① (범인 등)을 붙잡다, 체포하다(arrest)《*for*》: ~ a thief 도둑을 체포하다 / He was ~*bed* (by the police) *for* robbery. 그는 강도죄로 (경찰에 의해) 체포되었다. ② …을 잡아채다, 거머잡다[쥐다]: Could you ~ me a seat if you get to the theater before me? 나보다 먼저 극장에 도착하거든 내 자리도 잡아주겠는가.

Na·bo·kov [nəbɔ́:kəf] *n.* **Vladimir** ~ 나보코프 《러시아 태생의 미국의 소설가·시인; 곤충학자(나비의 권위자)로서도 유명; 1899-1977》.

na·celle [nəsél] *n.* C 〖空〗 ① 나셀《항공기의 엔진실(室)》. ② (기구에 매단) 곤돌라, 조롱(car).

na·cre [néikər] *n.* U 진주층.

na·cre·ous [néikriəs] *a.* 진주층의[과 같은]; 진주 광택의.

Na·der [néidər] *n.* **Ralph** ~ 네이더《미국의 변호사; 정치 개혁을 주창하고, 소비자 보호운동을 지도; 1934- 》.

Na·der·ism [néidərìzəm] *n.* U (미국의 Ralph Nader 의) 소비자 (보호) 운동.

na·dir [néidər, -diər] *n.* C (the ~) ①〖天〗 천저(天底) (opp. *zenith*). ② 밑바닥; 최하점, 최저점: The government was at the ~ of its unpopularity. 그 정부는 인기가 최저로 떨어졌다.

naevus ⇨ NEVUS.

naff [næf] *a.* 《俗》 ① 산뜻하지 않은, 촌스러운, 유행에 뒤진: That's a bit ~, isn't it? 좀 촌스럽지 않은가. ② 하찮은.

NAFTA North American Free Trade Agreement(북아메리카 자유무역 협정).

nag[1] [næg] *n.* C 《口》 말; 늙은 말; (별로 신통치 못한) 경주마.

nag[2] *n.* C 잔소리(꾼); 《口》 잔소리가 심한 여자.
— (**-gg-**) *vt.* ① …을 잔소리하여 괴롭히다, …에게 바가지긁다; 귀찮게 졸라대어 …시키다《*into*》: She ~*ged* him all day long. 그녀는 그에게 하루종일 잔소리를 퍼부어 괴롭혔다 / She ~*ged* him *to* buy her a new coat. 그녀는 그에게 새 코트를 사달라고 귀찮게 졸라댔다. ② (걱정·일 등이 사람)을 괴롭히다: An idea ~*ged* him. 어떤 생각이 그의 뇌리에서 떠나지 않았다 / Worries ~*ged* (*at*) her. 이런저런 걱정이 그녀를 괴롭혔다.
— *vi.* ① [受動으로도 가능] (…에게) 잔소리를 하다《*at*》: She was always ~*ging at* her son. 그녀는 아들에게 언제나 잔소리를 하고 있었다. ② (걱정·아픔 등이) 끊임없이 괴롭히다《*at*》: Doubt ~*ged at* me. 의념(疑念)이 계속 나를 괴롭혔다 / This headache has been ~*ging at* me all day. 이 두통 때문에 하루종일 괴로웠다.

nag·ger [nǽgər] *n.* =NAG[2].

nag·ging [nǽgiŋ] *a.* [限定的] 성가시게 잔소리하는; (아픔·기침 등이) 계속 불쾌감을 주는; 늘 염두에서 떠나지 않는: a ~ question 늘 머리에서 지워지지 않는 문제.

Nah. 〖聖〗 Nahum.

Na·hum [néihəm] *n.* ①〖聖〗 나훔《헤브라이의 예언자》. ② (구약 성서의) 나훔서(略: Nah.).

nai·ad [néiəd, nái-, -æd] (*pl.* **~s, nai·a·des** [néiədì:z]) *n.* C 〖그神〗(종종 N-) 나이아스《물의 요정》.

na·ïf, na·if [nɑ:í:f] *a.* 《F.》 =NAÏVE.

‡nail [neil] *n.* C ① 손톱, 발톱; (새·짐승의) 발톱. cf. claw, talon. ¶ cut [pare] one's ~*s* 손톱[발톱]을 깎다. ② 못; 대갈못, 징: drive a ~ 못을 박다 / One ~ drives out another. 《俗談》 이열치열하다. ③ 궐련(coffin ~); 네일《길이의 단위; 2.25 인치, 5.715 cm》. ***a ~ in*** [***into***] ***one's coffin*** 수명을 단축시키는 (원인이 되는) 것《담배·술 따위》: drive[hammer] *a* ~ *into*[*in*] a person*'s coffin* 《口》 (사태 등이) 아무의 수명을 단축시키다[파멸을 앞당기다] / The report drove the final ~ *into* the company's *coffin*. 그 보고는 그 회사에 결정적 타격을 주었다. (***as***) ***hard as ~s*** 건강한; 완고하고 냉혹한. ***bite*** one***'s ~s*** 분해서 [신경질적으로] 손톱을 깨물다. ***hit the*** (***right***) ***~ on the head*** [***nose***] =***hit the ~ dead center*** (문제의) 핵심을 찌르다: Your analysis really *hits the ~ on the head*. 자네 분석은 정말로 핵심을 찌르고 있다. ***on the ~*** 즉석에서 (지불되는): pay (cash) *on the* ~ 즉석에서 현금을 지급하다. ***tooth and ~*** ⇨ TOOTH. ***to the*** [***a***] ***~*** 철저하게; 완전히, 끝까지.
— *vt.* ①《~+목 / +목+전+명》 …에 못[징]을 박다, …을 못[핀]으로 고정하다《*on; to*》: ~ a lid *on* [*to*] the box 상자 뚜껑을 못질하여 고정시키다. ②《+목+부》…에 못질하여 포장하다《*up*》: ~ goods *up* in a box 상품을 상자에 넣어 못질하다. ③《+목+전+명》《口》 (아무)를 꼼짝 못하게 하다; (눈길·주의 따위)를 끌다《*on*》; 〖野〗 (주자(走者))를 터치아웃시키다: Surprise ~*ed* him *to* the spot. 그는 깜짝 놀라 그 자리에서 꼼짝달싹 못했다. ④《口》…을 붙들다, 체포하다; (나쁜 짓 하는 것)을 붙잡다: The police ~*ed* him. 경찰은 그를 체포했다. ⑤ (거짓 등)을 들춰내다, 폭로하다: Newspapers do their best to ~ politicians involved in illegal deals. 신문들은 부정거래에 연

관된 정치가들을 폭로하는 데 최선을 다하고 있다. **~ down** (1) 못으로 붙박다; (아무를 약속·의무 등으로) 꼼짝 못 하게 하다: ~ *down* a person *to* a promise 아무를 약속으로 꼼짝 못 하게 하다 / I ~*ed* him *down on* the deadline. 그에게서 최종 기한의 언질을 받아냈다. (2) 결정적인〔부동의〕 것으로 하다: ~ *down* a new agreement 새로운 협정을 부동의 것으로 확정하다. (3) (아무)를 실토케 하다; 확정하다, 끝까지 보고 확인하다. **~ one's colors to the mast** ⇨ COLOR. **~ up** (문·창 등)을 못질하다; (게시(揭示) 등을 벽 등)에 못〔핀〕으로 붙이다: A notice had been ~*ed up* on the wall. 게시문이 벽에 붙어 있었다.

nail·bit·ing [⌐bàitiŋ] *a.* 《口》 초조〔조마조마〕하게 하는.

nail·brush [⌐brʌ̀ʃ] *n.* Ⓒ 손톱솔.

náil enàmel = NAIL POLISH.

nail·er [néilər] *n.* Ⓒ ① 못을 만드는 사람. ② 못 치는 사람; 못 박는 자동식 기계.

náil file 손톱 다듬는 줄.

nail·head [⌐hèd] *n.* Ⓒ 못대가리; 〚建〛 (Norman 건축 따위의) 못대가리 모양의 장식.

náil pòlish 〔**vàrnish**〕 매니큐어 에나멜.

náil scìssors 손톱 깎는 가위.

Nai·ro·bi [nairóubi] *n.* 나이로비《동아프리카의 Kenya 의 수도》.

na·ive, na·ïve [nɑːíːv] *a.* 《F.》 천진난만한, 순진한, 때묻지 않은, 소박한, 고지식한; 우직한, 잘 속는; 미경험의: We were moved by his ~ sincerity. 우리는 그의 순진한 성실성에 감동했다 / I'm not so ~ as to believe it. 그것을 믿을 만큼 나는 순진하지 않다. ㊕ **~·ly** *ad.*

na·ive·té, -ïve- [nɑ̀ːiːvtéi, nɑːíːvətèi] *n.* 《F.》 ① Ⓤ 천진난만, 순진; 소박함, 단순함: I think her ~ is charming. 순진함이 그녀의 매력이라 생각한다. ② Ⓒ (흔히 *pl.*) 소박〔단순〕한 행위〔말〕.

na·ive·ty, -ïve- [nɑːíːvəti] *n.* = NAIVETÉ.

‡na·ked [néikid] (***more ~; most ~***) *a.* ① 벌거벗은, 나체의: go ~ 나체로 지내다 / strip a person ~ 아무를 발가벗기다 / The children swam ~ in the lake. 아이들은 호수에서 알몸으로 헤엄을 쳤다. ② 있어야 할 것이 없는, 잎〔나무, 털, 껍질, 날개, 비늘, 장식, 가구, 덮개, 카펫 등〕이 없는, 드러난, 노출된: a ~ electric wire 〔bulb〕 나선(裸線)〔알전구(電球)〕 / a ~ sword (칼 집에서) 뽑은 칼 / a ~ hill 초목이 없는 언덕 / a ~ wall 아무 것도 바르지 않은 벽 / a ~ tree = a tree ~ *of* leaves 낙엽진 나무 / a ~ room = a room ~ *of* furniture 가구 없는 방 / a life ~ *of* comfort 낙이 없는 생활. ③ 무방비의: ~ *to* invaders 침입자 앞에 노출되어 있는. ④ 〔限定的〕 적나라한, 꾸밈 없는: the ~ truth 있는 그대로의 사실 / the ~ heart 진심. ⑤ 〚法〛 보강 증거가〔보증이〕 없는: a ~ promise 허튼 약속 / a ~ contract 무상(無償) 계약. ***with the ~ eye*** 맨눈으로: Bacteria can't be seen *with the ~ eye*. 세균은 맨눈으로 볼 수 없다. ㊕ **~·ly** *ad.* 벌거숭이로; 적나라하게: His vulnerability was ~*ly* on display. 그의 약점은 적나라하게 드러났다.

nam·a·ble [néiməbəl] *a.* ① 이름 붙일 수 있는; 지명할 수 있는. ② 이름을 말해도 되는. ★ nameable 로도 씀.

nam·by-pam·by [nǽmbipǽmbi] *a.* 지나치게 감상적인; 연약한: He regarded vegetarians as ~ animal-lovers. 그는 채식주의자들을 지나치게 감상적인 동물애호가들이라고 생각했다. ── *n.* Ⓒ ① 연약한 사람. ② 감상적인 이야기〔문장〕.

†name [neim] *n.* ① **a**) Ⓒ 이름, 성명; (물건의) 명칭: a common ~ 통칭 / a pet ~ 애칭 / May I have your ~, please? 존함은 어떻게 되시나요 《★ 상대의 이름을 묻는 What is your ~?은 때로는 실례되는 표현이 되는 경우도 있음》 / Tolerance is another ~ for indifference. 관용은 무관심의 다른 이름이다. ★ John Fitzgerald Kennedy 에서, 미국식으로는 공식 문서 등에서 John 을 first name, Fitzgerald를 middle name, Kennedy를 last name이라고 부름. 영국식으로는 (또 미국식에서도) John과 Fitzgerald가 given 〔personal, Christian〕 name 또는 forename이며, Kennedy가 family name 또는 surname 임. **b**) (흔히 the N-) 〚聖〛 하느님〔신〕의 이름《여호와》: praise *the Name* of the Lord. ② Ⓤ (또는 a ~) 명성, 명망(名望); 평판: seek ~ and fortune 명성과 부를 추구하다 / *a* good〔bad〕 ~ 명성〔악명〕 / leave one's ~ behind in history 역사에 이름을 남기다 / The restaurant has *a* ~ for being cheap and good. 그 레스토랑은 싸고 음식맛이 좋다는 평판이다. ③ 〔흔히 big, great, famous 등의 수식어를 수반〕 《口》 유명인, 명사: She is a ~ in show business. 연예계에서는 이름이 알려져 있다 / one of the *great* ~*s* of the age 당대의 저명 인사 중의 한 사람 / the *great* ~*s* of history 역사상의 위인들. ④ Ⓤ,Ⓒ **a**) 명의; 명목, 허명《실질에 대한》: in reality and in ~ 명실 공히. **b**) 〚論·哲〛 명사(名辭); 〚文法〛 명사. ⑤ Ⓒ 가명(家名), 문중(門中); 가계(家系), 씨족: the proudest ~*s* in England 영국에서 가장 상류의 명문 / disgrace one's ~ 가명을 더럽히다. ⑥ (흔히 *pl.*) 악명, 욕: call a person (bad) ~*s* 아무를 거짓말쟁이·도둑놈이라고 욕설하다; 아무의 욕을 하다. ⑦ Ⓒ 〚컴〛 이름《(기록)철 이름, 프로그램 이름, 장치 이름 등》. ***by ~*** (1) …라고 하는 이름의: a man, John Smith *by* ~ 존 스미스라는 (이름의) 사람. (2) 이름은: Tom *by* ~ = *by* ~ Tom 이름은 톰 / I know the man *by* ~. 그 사람의 이름만은 (들어서) 알고 있습니다 / The teacher knows all the pupils *by* (their) ~(*s*). 선생은 학생 전부의 이름을 알고 있다. (3) 지명(指名)하여, 이름을 들어: He was called upon *by* ~ to answer. 그는 지명되어 답변할 것을 요구(要求)당했다. ***by*** 〔***of, under***〕 ***the ~ of*** …라는 이름으로〔의〕, 통칭은 …: a young man *by the ~ of* John Smith 존 스미스라는 이름의 젊은 남자 / go 〔pass〕 *by* 〔*under*〕 *the ~ of* …이름으로 통하다, 통칭(通稱)은 …이다. ***call*** a person (***bad***) ***~s*** ⇨⑥. ***in all but ~*** 사실상, 실질적으론(virtually): He's the boss *in all but* ~. 그가 사실상의 실력자다. ***in God's*** 〔***heaven's, Christ's, hell's***〕 **~** 제발; 〔강조적〕 도대체: Where *in heaven's* ~ have you been? 도대체 어디에 갔었느냐. ***in ~*** (***only***) 명목상: a king *in ~ only* 이름뿐인 왕. ***in one's*** (***own***) **~** 자기 명의로; (직책 따위를 떠나서) 개인으로서; 자기 혼자서, 독립하여: It stands *in my* ~. 그건 내 명의로 되어 있다 / do it *in one's own* ~ 자기 이름으로 하다《★ in one's own name은 동작동사를 수반하며 상태동사는 수반하지 않음》. ***in the ~ of*** = ***in*** a person***'s ~*** (1) 아무의 이름을 걸어, …에 맹세하여: reserve a room *in the ~ of* John Smith 존 스미스라는 이름으로 방을 예약하다 / *in the ~ of* God 하늘에 맹세하여, 맹세코; 제발 / This, *in the ~ of* Heaven, I promise. 이것은 하늘에 맹세코 약속한다. (2) …의 이름으로, …의 권위(權威)에 의하여: Stop, *in the ~ of* the state 〔the law〕! = Stop *in* the Queen's 〔King's〕 ~! 꼼짝 마라, 게 섰거라 / commit wrongs *in the ~ of* justice 정의의 이름으로 나쁜 짓을 하다. (3) …의 대신으로〔대리

로〕; …의 명목으로; …의 명의로: I am speaking *in the* ~ *of* Mr. Smith. 스미스씨의 대리로서 말하고 있는 것입니다. (4) 〔强調的〕 도대체: *In the* ~ *of* mercy, stop screaming! 제발 좀 큰소리 지르지 마라 / What *in the* ~ *of* goodness 〔fortune〕 are you doing? 대체 무얼 하고 있느냐. ***make*** 〔***win***〕 ***a*** ~ (***for*** one***self***) (좋은 일로) 이름을 떨치다, 유명해지다: He wants to *make a* ~ *for himself* as a pianist. 그는 피아니스트로서 유명해지기를 바라고 있다. ***put a*** ~ ***to*** …의 이름을 정확히 상기하다《★ 흔히 cannot, could not 가 붙음》. ***put*** one***'s*** ~ ***down for*** …의 후보자〔응모자〕로서 기명(記名)하다; …입학〔입회〕자로서 이름을 올리다: I *put his* ~ *down for* membership. 새 회원의 후보자로 그의 이름을 기입했다. ***take*** a person***'s*** 〔***God's***〕 ~ ***in vain*** 함부로 아무〔신〕의 이름을 입에 올리다; 《戱》 경솔하게 말하다. ***the*** ~ ***of the game*** 《口》 중요한〔불가결한〕 것, 주목적, 요점, 본질: People say that in politics *the* ~ *of the game* is making the right friends. 정치에서 가장 중요한 일은 올바른 친구를 만드는 것이라고 한다. ***under the*** ~ (***of***) (1) …라는 이름으로: She writes *under the* ~ (*of*) Ann Landers. 그녀는 앤 랜더스라는 이름으로 집필하고 있다. (2) …의 이름으로.

── *a.* 〔限定的〕 ① 유명한, 일류의: a ~ writer 〔hotel〕 일류 작가〔호텔〕. ② 《美口》 이름〔네임〕이 들어〔붙어〕 있는; 명칭 표시용의.

── *vt.* ① 《~+[목] / +[목]+[보]》 …에 이름을 붙이다, …의 이름을 짓다, …을 명명하다: ~ a newborn baby 갓난아이의 이름을 짓다 / He was ~*d* Jack. 그는 잭이라고 명명되었다 / They ~*d* their baby Ronald. 그들은 아기에게 로널드라는 이름을 붙였다. ② 《~+[목] / +[목]+[보] / +[목]+[전]+[명] / +[목]+*as* [보]》 지명하다, 임명하다: ~ a person *for* 〔*to*〕 an office 아무를 관직에 임명하다 / ~ a person mayor 아무를 시장으로 임명하다 / He was ~*d as* chairman. 그는 의장으로 지명되었다. ③ …의 (올바른) 이름을 말하다, …의 이름을 생각해 내다; 이름을 밝히다: I know his face, but I cannot ~ him. 그의 얼굴은 알고 있지만 이름은 모른다 / Police have ~*d* the suspect. 경찰은 용의자의 이름을 밝혔다. ④ 《+[목]+*as* [보]》 고발하다: ~ a person *as* the thief 아무를 절도범으로 고발하다. ⑤ 《~+[목] / +[목]+[전]+[명]》 (사람·일시(日時)·가격 따위)를 지정하다; (보기 따위)를 지적하다, 가리키다, 초들다(mention), 들다: ~ several reasons 몇 가지 이유를 말하다 / ~ one's price (가격을) 얼마라고 말하다 / ~ the day *for* the general election 총선거 날짜를 정하다. ~ ***for*** =《英》 ~ ***after*** …의 이름을 따서 이름을 짓다: He was ~*d for* 〔*after*〕 his uncle. 그는 삼촌의 이름을 따서 이름지어졌다. ***Name it*** 〔***yours***〕. 마시고 싶은 것을 말하시오《술 따위를 낼 때》.

name·a·ble [néiməbəl] *a.* =NAMABLE.

náme chìld (어떤 사람의) 이름을 따서 명명된 아이.

náme dày ① 명명일(命名日). ② 같은 이름의 성인(聖人)의 축일.

name-drop [ˊ-dràp / ˊ-drɔ̀p] *vi.* 유명한 사람의 이름을 함부로 자기 친구인 양 말하고 돌아다니다. [파] **~·er** *n.* [C] ~하는 사람.

name-drop·ping [ˊ-dràpiŋ / ˊ-drɔ̀p-] *n.* [U] name-drop 하기.

***name·less** [néimlis] *a.* ① 이름 없는: a ~ island. ② 세상에 알려지지 않은, 무명의: die ~ 무명으로 죽다. ③ (사람이) 이름을 밝히지 않는, 익명의: a well-known person who shall be ~ 이름은 말하지 않겠으나 어떤 유명한 사람 / a ~ benefactor 익명의 독지가. ④ 형언할 수 없는: ~ fears 말할 수 없는 불안. ⑤ 언어도단의 (abominable): a ~ crime 언어도단의 죄악.

‡**name·ly** [néimli] *ad.* 〔名詞句·文章 등의 뒤에 둠〕 즉, 다시 말하자면 (that is to say). [cf.] viz. ¶ Two girls were absent, ~, Nancy and Susie. 두 소녀, 즉 낸시와 수지가 결석했다.

name·plate [ˊ-plèit] *n.* [C] 명찰; 표찰.

name·sake [néimsèik] *n.* [C] 이름이 같은 사람〔것〕; 《특히》 딴 사람의 이름을 받은 사람: Those two boys are ~*s*. 그 두 소년은 같은 이름이다 / He was especially fond of his first grandson, his ~. 그는 자기의 이름을 따서 이름붙인 첫손자를 특히 귀여워했다.

Na·mib·i·a [nəmíbiə] *n.* 나미비아《아프리카 남서부의 공화국; 수도 Windhoek》.
[파] **Na·míb·i·an** *a., n.*

Nan [næn] *n.* 낸《여자 이름; Anna, Ann(e)의 애칭》.

nan [næn] *n.* [C] 《兒》 할머니.

na·na [nɑ́ːnə] *n.* [C] 《英俗》 머리; 바보, 멍텅구리.

nance [næns] *n.* =NANCY.

Nan·cy [nǽnsi] *n.* 낸시《여자 이름; Anna, Ann(e)의 애칭》.

nan·cy [nǽnsi] *n.* [C] ① 여자 같은 남자. ② 동성연애자의 여자역 남자. ── *a.* 《俗》 유약한, 여자 같은.

NAND [nænd] *n.* 〖컴〗 아니또, 낸드《양쪽이 참인 경우에만 거짓이 되며 다른 조합은 모두 참이 되는 논리 연산(演算)》: ~ gate 아니또문, 낸드문《NAND 연산을 수행하는 문》/ ~ operation 아니또셈, 낸드셈. [◂ *not AND*]

Nan·jing [nɑ́ːndʒíŋ] *n.* 난징(南京)《중국 장쑤(江蘇)성의 성도》.

nan·keen [nænkíːn, næŋ-], **-kin** [-kín], **-king** [-kíŋ] *n.* ① **a)** [U] 남경(南京) 목면. **b)** (*pl.*) 남경목면으로 만든 바지. ② (종종 N-) (담)황색.

nan·na [nǽnə] *n.* =NAN.

Nan·ny [nǽni] *n.* 내니《여자 이름; Anna, Ann(e)의 애칭》.

nan·ny [nǽni] *n.* [C] ① 《英口》 유모, 아이 보는 여자, 나이 많은 하녀; 《兒》 할머니. ② 《口》 = NANNY GOAT.

nánny gòat 《口》 암염소. [cf.] billy goat.

nánny státe (the ~) 《蔑》 복지 국가《국가가 유모처럼 개인 생활을 보호 간섭하는 데서》.

nano- *pref.* ① '10억분의 1'의 뜻《略: *n*》. ② '미소(微小)'의 뜻.

na·no·me·ter [nǽnəmìːtər, néi-] *n.* [C] 나노미터(10^{-9} 미터; 기호: nm).

na·no·sec·ond [-sèkənd] *n.* [C] 나노초《10억분의 1초; 기호: ns, nsec》.

Na·o·mi [neióumi, -mai] *n.* ① 나오미《여자 이름》. ② 〖聖〗 나오미《룻(Ruth)의 시어머니》.

‡**nap**[1] [næp] *n.* [C] 걸잠, 미수(微睡), 졸기, 낮잠: take 〔have〕 a ~ 선잠〔낮잠〕을 자다.
── (**-pp-**) *vi.* ① 졸다, 낮잠 자다. ② 방심하다. ***catch*** 〔***take***〕 a person ***~ping*** 아무의 방심을 틈타다, 불시에 습격하다: The question *caught* him ~*ping*. 그 질문에 그는 허를 찔렸다.

nap[2] *n.* [U] (나사(羅紗) 등의) 보풀; (식물 등의) 솜털 같은 표면.

Napa [nǽpə] *n.* 내파《미국 캘리포니아주의 중서부에 있는 도시; 와인의 산지로 유명》.

na·palm [néipɑːm] *n.* [U] 〖化〗 네이팜《가솔린의 젤리화제(化劑)》: a ~ bomb 네이팜탄《강렬한 유

지(油脂) 소이탄》.
—— *vt.* …을 네이팜탄으로 공격하다.

nape [neip] *n.* Ⓒ (흔히 *sing.*) 목덜미.

naph·tha [nǽfθə, nǽp-] *n.* Ⓤ 〖化〗 나프타《석유 화학 제품의 원료》. ㊕ **náph·thous** *a.*

naph·tha·lene, -line [nǽfθəli:n, nǽp-] *n.* Ⓤ 〖化〗 나프탈렌.

‡**nap·kin** [nǽpkin] *n.* Ⓒ ① (식탁용) 냅킨(table ~)《★ 《英》 serviette 라 종종 씀》. ②《英》 기저귀(《美》 diaper). ③ =SANITARY NAPKIN.

nápkin rìng 냅킨 링《각자의 냅킨을 감아 두는 고리》.

Na·ples** [néiplz] *n.* 나폴리《이탈리아 남부 항구 도시》. ◇ Neapolitan *a.* ***See ~ and then die. 나폴리를 보고 죽어라《그 경치를 극찬하는 말》.

‡**Na·po·le·on** [nəpóuliən, -ljən] *n.* ① 나폴레옹 1 세《~ **Bonaparte** ; 1769-1821》. ② 나폴레옹 3 세《**Louis** ~ ; 1808-73》. ③ 나폴레옹《프랑스 코냑 지방에서 나는 최상급 브랜디》.

Na·po·le·on·ic [nəpòuliánik / -ɔ́n-] *a.* 나폴레옹 1세(시대)의 ; 나폴레옹 1세 같은〔풍의〕.

nap·py [nǽpi] *n.* Ⓒ 《英口》 기저귀(napkin) : change *nappies* 기저귀를 갈다.

narc, nark [nɑːrk] *n.* Ⓒ《美俗》 마약 단속관〔수사관〕(narco).

nar·cism [nɑ́ːrsizəm] *n.* =NARCISSISM.

nar·cis·sism [nɑ́ːrsisìzəm] *n.* Ⓤ 〖精神分析〗 나르시시즘, 자기 도취증 : Actors must need a certain amount of ~ to get up on a stage and perform in front of an audience. 무대에 서서 관중 앞에서 연기하기 위해선 배우들에게는 어느 정도의 자기도취증이 반드시 필요하다.
㊕ **nár·cis·sist** *n.* Ⓒ 자기 도취자. **nàr·cis·sís·tic** [-sístik] *a.*

***Nar·cis·sus** [nɑːrsísəs] *n.* ①〖그神〗 나르시스《물에 비친 자기 모습을 연모하다가 빠져 죽어서 수선화가 되었다는 미모의 소년》. ② Ⓒ (n-) (*pl.* ~(**·es**), **-cis·si** [-sísai, -si]) 〖植〗 수선화 ; 수선화속(屬)의 식물.

nar·co·lep·sy [nɑ́ːrkəlèpsi] *n.* Ⓤ 〖醫〗 수면(睡眠) 발작증《간질의 약한 발작》.

nar·co·sis [nɑːrkóusis] (*pl.* **-ses** [-siːz]) *n.* Ⓤ (마취제 따위에 의한) 혼수 (상태).

***nar·cot·ic** [nɑːrkátik / -kɔ́t-] *a.* ① 마취성의, 최면성의 : a ~ drug 마취약. ②〔限定的〕 마약의 ; 마약 중독〔상용자〕의 : a ~ addict 마약 상용자.
—— *n.* (흔히 *pl.*) 마취제〔약〕, 마약 ; 최면약, 진정제 : on ~*s* peddling charges 마약 판매의 혐의로 / smuggle ~*s* 마약을 밀매하다.

nar·co·tism [nɑ́ːrkətìzəm] *n.* Ⓤ ① 마취(상태). ② 마약 중독.

nar·co·tize [nɑ́ːrkətàiz] *vt.* …을 마취시키다 ; 마비〔진정〕시키다.

nark[1] [nɑːrk] *n.* Ⓒ 《俗》 경찰의 앞잡이, 밀정.
—— *vt.* 〔흔히 受動으로〕 …을 화나게 하다 : She *was* ~*ed* at〔by〕 my comment. 그녀는 내가 한 말에 화를 냈다. ***Nark it !*** 《英俗》 그만둬, 조용히 해.

nark[2] ⇨ NARC.

narky [nɑ́ːrki] *a.* 《英俗》 화 잘내는 ; 기분이 언짢은.

nar·rate [nǽreit, ⌐⌐] *vt.* ① …을 말하다, 이야기하다, 서술하다(tell) : The captain ~*d* his adventures to us. 선장은 우리들에게 모험담을 이야기했다. ② (영화·TV 등)의 내레이터가 되다.

‡**nar·ra·tion** [næréiʃən, nə-] *n.* ① Ⓤ 서술, 이야기하기. ② Ⓒ 이야기(story) : a gripping ~ 손에 땀을 쥐게 하는 이야기. ③ Ⓤ 〖文法〗 화법.

‡**nar·ra·tive** [nǽrətiv] *a.* 〔限定的〕 ① 이야기의 : a ~ poem 설화시. ② 이야기체의, 설화식의 : in ~ form 이야기 형식으로. ③ 화술의 : ~ skill 화술. —— *n.* ① Ⓒ 이야기. ② Ⓤ 이야기체 ; 설화 문학. ③ Ⓤ 설화(법), 화술. ㊕ ~**·ly** *ad.*

***nar·ra·tor** [næréitər] (*fem.* **-tress** [-tris]) *n.* Ⓒ 이야기하는 사람, (연극·영화·TV 등의) 해설자, 내레이터.

†**nar·row** [nǽrou, -rə] (~**·er** ; ~**·est**) *a.* ① 폭이 좁은. opp *wide, broad.* ¶ a ~ bridge〔street, path〕 좁은 다리〔가로, 길〕. ② (공간·장소가) 좁아서 답답한, 옹색한 : ~ quarters 좁아서 답답한 집. ★ 흔히 '좁은'이 단순히 '작은'이란 뜻인 때에는 small 을 씀 : a *small* room 좁은 방. ③ (지역·범위가) 한정된 : have only a ~ circle of a few friends 몇몇 한정된 범위내의 친구와 사귀다. ④ 마음이 좁은, 도량이 좁은 ; (견해 등이) 편협한《*in*》 : a ~ mind 좁은 마음 / a ~ man 생각이 좁은 사람 / That's a very ~ view. 그것은 몹시 편협한 견해이다 / He's ~ *in* his opinion. 그는 견해가 편협하다. ⑤ 부족한, 빠듯한 ; 궁핍한, 돈에 쪼들리는 : in ~ means〔circumstances〕 궁핍하여 / a ~ market 〖商〗 한산한 시장. ⑥〔限定的〕 가까스로의, 아슬아슬한 : a ~ victory 신승(辛勝) / win by a ~ majority 가까스로 과반수를 얻어〔근소한 차로〕 이기다. ⑦ (검사 따위) 정밀한, 엄밀한(minute) : a ~ inspection 정사(精査) / a ~ notation〔transcription〕〖音聲〗 정밀 표기(법). ⑧ 협의(狹義)의 : a ~ sense of the term 그 말의 좁은 뜻. ⑨〖音聲〗 협착음(狹窄音)의 ; 긴장된 소리의(tense) : ~ vowels 협(狹)모음《[iː], [uː] 따위》.
—— *n.* ① (*pl.*) 〔單·複數취급〕 해협. ② Ⓒ 골짜기 ; 길의 좁은 곳, 애로(隘路).
—— *vt.* ① …을 좁게 하다, 좁히다 : ~ one's eyes 눈을 가늘게 뜨다, 실눈을 뜨다 / We must ~ the gap between young and old. 우리는 젊은 층과 노인층 사이의 단절을 좁혀야 한다. ② …을 제한하다 ; (범위)를 좁히다《*down*》 : ~ *down* a contest to three competitors 콘테스트 참가자를 세 사람으로 제한하다. —— *vi.* 《~ / +前+名》 좁아지다 : The road ~*s into* a footpath. 길이 좁아져서 소로(小路)로 된다.
㊕ ~**·ness** *n.* Ⓤ 좁음, 협소 ; 궁핍 ; 도량이 좁음.

nárrow bóat 《英》 (폭 7 피트 이하의 운하 항행용) 거룻배.

nárrow gáuge〔**gáge**〕〖鐵〗 협궤《영·미 모두 1.435 미터 이하》. cf. broad gauge.

nar·row-gauged [-géidʒd] *a.* 〖鐵〗 협궤의.

***nar·row·ly** [nǽrouli] *ad.* ① 좁게 ; 협의로 ; 엄격히 : The law is being interpreted too ~. 그 법은 지나치게 협의로 해석되고 있다. ② 주의 깊게, 정밀하게 : The officer looked at him ~ through half-closed eyes. 그 경찰은 실눈을 뜨고 그를 주의깊게 바라보았다. ③ 겨우, 간신히(barely) : We ~ escaped death. 우리는 간신히 죽음을 면했다.

***nar·row-mind·ed** [-máindid] *a.* 마음〔도량〕이 좁은, 편협한. ㊕ ~**·ly** *ad.* ~**·ness** *n.*

nárrow wáy (the ~) 〖聖〗 좁고 험한 길《정의 ; 마태복음 Ⅶ : 14》.

nar·w(h)al, nar·whale [nɑ́ːrhwəl], [-hwèil] *n.* Ⓒ 〖動〗 일각과(科)의 고래.

nary [néəri] *a.* 《美方》 조금도 …없는(not one, never a) : There was ~ a sound. 아무 소리도 없었다. [◂ne'er a]

NASA [nǽsə, néisə] *n.* 나사, 미국 항공 우주국. [◂*N*ational *A*eronautics and *S*pace *A*dministration]

***na·sal** [néizəl] *a.* ①〔限定的〕코의, 코에 관한: the ~ cavity 비강(鼻腔). ② 콧소리의;〖音聲〗비음의: ~ vowels 비모음(鼻母音)《프랑스어의 [ɑ̃, ɛ̃, ɔ̃, œ̃] 따위》. ── *n.* Ⓒ 콧소리, 비음(鼻音). ㊕ **~·ly** *ad.* 콧소리로.

na·sal·ize [néizəlàiz] *vi., vt.* 콧소리로 말하다; 비음화하다. ㊕ **na·sal·i·za·tion** [nèizəlizéiʃən] *n.* Ⓤ 비음화.

nas·cent [nǽsənt, néi-] *a.* 발생하려고 하는, 발생하고 있는; 초기의, 미성숙한: a ~ industry 발생기에 있는 산업. ㊕ **nás·cence, nás·cen·cy** *n.* Ⓤ 발생, 기원.

N

Nash·ville [nǽʃvil] *n.* 내슈빌《미국 Tennessee 주의 주도로, 남북전쟁의 격전지》.

nas·tur·tium [nəstə́ːrʃəm, næs-] *n.* Ⓒ〖植〗한련(旱蓮).

‡**nas·ty** [nǽsti, nɑ́ːs-] (*-ti·er; -ti·est*) *a.* ① 불쾌한, 싫은; (주거 따위가) 몹시 불결한, 더러운: live in ~ conditions 몹시 불결한 생활 환경에서 살다. Ⓒⓕ lousy. ★ disagreeable, unpleasant 의 구어적 강의(強意) 표현. ② (맛·냄새 따위가) 견딜 수 없을 만큼 싫은, 역한: ~ medicine 먹기 힘든〔쓴〕약 / a ~ smell 악취. ③ (날씨 따위가) 험악한, 거친: a ~ storm 몹시 사나운 폭풍우. ④ 어거하기 힘든, 성질〔버릇〕이 나쁜: a ~ dog 성질이 사나운 개 / ~ children 난폭한 애 / a ~ temper 뺏성, 짜증. ⑤ (문제 따위가) 애먹이는, 성가신, 다루기 어려운: ~ situation 골치 아픈 입장. ⑥ (병 따위가) 심한, 중한; 위험한: a ~ cut 심하게 베인 상처. ⑦ 심술궂은, 비열한: Don't be ~! 짓궂게 굴지 마라 / turn ~ 화내다 / play a person a ~ trick 아무에게 비열한 수를 쓰다 / It's ~ of you to say so. 그런 말을 하다니 자네도 심술궂군. ⑧〔限定的〕(말·책 등이) 음란한, 추잡한: a ~ story 음담. ***a ~ bit*〔*piece*〕*of work*** 《口》불쾌〔비열〕한 사람. ***a ~ one*** (1) 거절. (2) 맹렬한 타격. (3) 곤란한 질문. ***cheap and ~*** 값이 싸고 질이 나쁜.
── *n.* Ⓒ 싫은 것〔사람〕.
㊕ **nás·ti·ly** *ad.* **-ti·ness** *n.*

Nat [næt] *n.* 냇《남자 이름; Nathan, Nathaniel의 애칭》.

nat. national; native; natural(ist).

na·tal [néitl] *a.*〔限定的〕출생〔탄생〕의; 출생시의: one's ~ day 생일.

Nat·a·lie [nǽtəli] *n.* 나탈리《여자 이름》.

na·tal·i·ty [neitǽləti, nə-] *n.* Ⓤ 출생(률).

na·tant [néitənt] *a.*〖生態〗물에 뜨는, 떠도는; 헤엄치는. ㊕ **~·ly** *ad.* 물에 떠서.

na·ta·to·ri·al [nèitətɔ́ːriəl] *a.*〔限定的〕유영(游泳)하는, 유영의; 유영하는 습성이 있는: ~ birds 물새.

na·ta·to·ri·um [nèitətɔ́ːriəm] (*pl.* **~s, -ria** [-riə]) *n.* Ⓒ 수영장, 《특히》실내 풀.

na·tes [néitiːz] *n. pl.*〖解〗엉덩이, 궁둥이.

Na·than [néiθən] *n.* 네이선《남자 이름; 애칭: Nat, Nate》.

Na·than·iel [nəθǽnjəl] *n.* 너새니얼《남자 이름; 애칭: Nat, Nate》.

†**na·tion** [néiʃən] *n.* ① Ⓒ〔集合的〕국민《정부 아래에 통일된 people》: the British ~ 영국 국민 / the voice of the ~ 국민의 소리, 여론. ② Ⓒ 국가(state): Western ~*s* 서방 국가들 / the host ~ 주최국 / the most favored ~ 최혜국 / the law of ~*s* 국제법. ③ (the ~s) 전세계 국민, 전인류. ④ Ⓒ 민족, 종족(race): the Jewish ~ 유대 민족 / a ~ without a country 나라 없는 민족《예전의 유대인 따위》. ⑤ Ⓒ《美》(북아메리카 인디언의) 종족; (그들이 정치적으로 결성한) 부족 연합.

‡**na·tion·al** [nǽʃənəl] *a.*〔흔히 限定的〕① 국민의, 온국민의; 국민 특유의: the ~ character 국민성 / ~ customs 민족적 풍습 / ~ education 국민 교육. ② 국가의, 국가적인; 한 나라의〔에 한정된〕. ⓄⓅⓅ *international.* ¶ ~ interests 나라의 이익 / ~ affairs 국사(國事), 국무, 국내 문제 / a ~ news 국내 뉴스 / ~ power〔prestige〕국력〔국위(國威)〕/ a ~ holiday 국경일. ③ 국유의, 국영의, 국립의: a ~ enterprise 국영 기업 / a ~ hospital 국립 병원 / ~ railroads 국유 철도. ④ 전국적인, 나라 전체에 걸친. ⓄⓅⓅ *local.* ¶ a ~ hookup 전국(중계) 방송 / a ~ newspaper 전국지(紙) / a ~ organization 전국적인 조직. ⑤ 한 나라를 상징〔대표〕하는: the ~ flower〔game〕국화〔국기(國技)〕/ the ~ poet 일국의 대표적 시인. ⑥ 애국적인(patriotic); 국수적(國粹的)인.
── *n.* ① Ⓒ 국민; 동국인: Korean ~*s* living abroad 해외에 거주하는 한국인. ② Ⓒ 전국적 조직; 전국지(紙). ③ (*pl.*) (스포츠의) 전국 대회.

nátional ánthem 국가(國歌).

nátional bánk ① 국립 은행. ②《美》내셔널 은행《연방 정부 인가의 상업은행》.

nátional cémetery《美》국립 묘지.

nátional convéntion《美》(정당의 대통령 후보 따위를 결정하는) 전국 대회.

nátional débt (the ~) 국채(國債).

nátional flág〔**énsign**〕국기(ensign).

Nátional Gállery (the ~) (런던의) 국립 미술관《1838년 개설》.

Nátional Guárd (the ~)〔集合的; 單·複數 취급〕《美》주 방위군《전시에는 정규군에 편입함》.

Nátional Héalth Sèrvice (the ~)《英》국민 건강 보험(제도)《略: N.H.S.》.

nátional hóliday 국경일.

nátional íncome (연간) 국민 소득.

Nátional Insúrance《英》국민 보험 제도.

***na·tion·al·ism** [nǽʃənəlìzəm] *n.* Ⓤ ① 국가주의; 민족주의; 국수주의; 애국심. ② 민족자결주의.

***na·tion·al·ist** [nǽʃənəlist] *n.* Ⓒ ① 국가〔민족〕주의자. ② 민족자결주의자. ── *a.* ① 국가〔민족〕주의의. ② 민족자결주의자의.

na·tion·al·is·tic [næ̀ʃənəlístik] *a.* 민족〔국가, 국수〕주의(자)의〔적인〕; 국가의, 국가적인(national). ㊕ **-ti·cal·ly** [-əli] *ad.*

‡**na·tion·al·i·ty** [næ̀ʃənǽləti] *n.* ① Ⓤ,Ⓒ 국적: What's his ~? 그는 어느 나라 사람이오 / He was a Russian in blood, but British in ~. 혈통은 러시아인이었으나 국적은 영국인이었다 / a ship of an unidentified ~ 국적 불명의 배. ② Ⓒ 국민, 민족; 국가: various *nationalities* of the Americas 아메리카 대륙의 여러 국민. ③ Ⓤ 국민성, 민족성; 국민적 감정, 민족의식(nationalism): *Nationalities* tend to submerge and disappear in a metropolis. 대도시에서는 각각의 국민성은 매몰되어 소실되어버리는 경향이 있다.

na·tion·al·ize [nǽʃənəlàiz] *vt.* …을 국유로〔국영으로〕하다: The British government ~*d* the railways in 1948. 영국 정부는 1948년에 철도를 국유화했다. ㊕ **nà·tion·a·li·zá·tion** [-lizéiʃən / -lai-] *n.* Ⓤ 국유(화), 국영.

Nátional Léague (the ~) 내셔널 리그《미국 2대 프로 야구 연맹의 하나》. Ⓒⓕ American League.

na·tion·al·ly [nǽʃənəli] *ad.* ① 국민으로서, 국가로서; 국가적〔전국민적〕으로. ② 전국적으로: The program will be broadcast ~. 그 프로그램

은 전국적으로 방송될 것이다. ③ 거국 일치하여. ④ 공공의 입장에서.

nátional mónument 《美》 (국가가 지정한) 천연 기념물《명승지·역사적 유적 등》.

nátional móurning 국장(國葬).

nátional párk 국립 공원.

Nátional Péople's Cóngress (중국의) 전국 인민 대표 대회.

nátional próduct 〖經〗 국민 생산. ⓒⓕ GNP.

Nátional Secúrity Còuncil (the ~) 《美》 국가 안전 보장 회의.

nátional sérvice 《英》 국민 병역.

Nátional Sócialist Pàrty (the ~) (특히 Hitler 가 이끈) 국가 사회당. ⓒⓕ Nazi.

nátional tréatment 〖外交〗 내국민 대우.

Nátional Trúst (the ~) 《英》 내셔널 트러스트 《명승(名勝) 사적(史蹟) 보존 단체》.

na·tion-state [néiʃənstéit] *n.* Ⓒ 민족국가.

na·tion·wide [néiʃənwàid] *a.* 전국적인 : a ~ network 전국 방송(망) / arouse ~ interest 전국민의 관심을 불러일으키다. ── *ad.* 전국적으로.

ᵻ**na·tive** [néitiv] *a.* ① 〔限定的〕 출생의, 출생지의, 본국의, 제 나라의 : one's ~ place 출생지, 고향 / one's ~ country 〔land〕 모국, 본국 / a ~ speaker of English 영어를 모국어로 하여 자란 사람 / He returned to his ~ Kansas. 출신지인 캔자스로 돌아왔다. ② 토산의, 그 토지에서 태어난〔산출되는〕; …원산의 : Tobacco is ~ *to* America. 담배는 미국이 원산지이다 / plants, ~ and foreign 국내산 및 외국산 식물. ③ 토착의 ; 그 지방 고유의 : a ~ word (외래어에 대해) 본래의 말 / ~ art 향토 예술 / in (one's) ~ dress 민족의상을 입고. ④ (흔히 백인·백인 이민의 입장에서 보아) 원주민의 ; 토착민의 : ~ inhabitants 원주〔토착〕민 / ~ customs 토착민의 풍습 / the ~ quarter 토민 부락. ⑤ 나면서부터의, 타고난, 선천적인 ; 본래의 : ~ talent 천부(天賦)의 재능 / ~ rights 나면서부터의 권리 / ~ beauty 태어날 때부터〔본래〕의 아름다움 / That cheerfulness is ~ *to* her. 저 쾌활함은 그녀의 타고난 천성이다. ⑥ 자연 산출의, 천연(天然)의, 자연 그대로의 : ~ copper 자연동(銅) / ~ diamond 천연산 다이아몬드.

go ~ (특히 백인이) 원주민과 같은 생활을 하다 : After living on the island for a year, we *went* ~ and began to wear the local costume. 그 섬에 1년 동안 산 후에는 섬 사람과 같은 생활을 하여 옷도 그들의 옷을 입게 되었다.

── *n.* Ⓒ ① 원주민, 토착민 ; 토인. ② …태생의 사람, 토박이 : a ~ of Ohio 오하이오 태생의 사람. ③ 원산의 동물〔식물〕, 자생종(自生種). ⓟ ~·**ly** *ad.* 나면서부터, 천연(적)으로. ~·**ness** *n.*

Nátive Américan 《美》 아메리카 인디언(의).

na·tive-born [néitivbɔ́ːrn] *a.* 그 지방〔나라〕 태생의, 본토박이의.

nátive són 《美》 그 주(州) 출신의 사람.

nátive spéaker 모국어를 말하는 사람 : a ~ of English 영어를 모국어로 하는 사람.

na·tiv·ism [néitivìzəm] *n.* Ⓤ ① 〖哲〗 선천론, 생득설(生得說). ② 원주민 보호 정책.

na·tiv·i·ty [nətívəti, nei-] *n.* ① Ⓤ,Ⓒ 출생, 탄생 : of Irish ~ 아일랜드 태생의 / the place of one's ~ 태어난 고향. ② (the N-) 예수 성탄(聖誕), 크리스마스. ③ Ⓒ (N-) 예수 성탄의 그림. ④ Ⓒ 〖占星〗 출생시의 성위(星位) (horoscope). ◇ native *a.*

natívity plày (때때로 N- P-) 예수 성탄극.

natl. national.

NATO, Na·to [néitou] *n.* 나토, 북대서양 조약기구. [◂ *N*orth *A*tlantic *T*reaty *O*rganization]

nat·ter [nǽtər] 《英口》 *vi.* 나불나불 지껄이다 《*away* ; *on*》: Nancy and her friends ~ *away* on the phone all evening. 낸시와 그 친구들은 저녁내내 전화로 노닥거린다. ── *n.* (a ~) 지껄임 ; 세상 이야기 : We had *a* long ~ over coffee. 우리는 커피를 마시며 오랫동안 잡담을 나누었다.

nat·ty [nǽti] (*-ti·er* ; *-ti·est*) *a.* 《口》 ① (복장·풍채가) 산뜻한, 말쑥한 ; 세련된. ② 재주가 있는. ⓟ **-ti·ly** *ad.* **-ti·ness** *n.*

ᵻ**nat·u·ral** [nǽtʃərəl] (***more*** ~ ; ***most*** ~) *a.* ① 자연의, 자연계의 : a ~ phenomenon 자연 현상 / the ~ world 자연계 / a ~ enemy 천적(天敵) / ~ beauty 자연미. ② 천연의, 자연 그대로의, 인공(人工)을 가하지 않은. ⓞⓟⓟ *artificial, factitious.* ¶ ~ food 자연 식품 / ~ rubber 천연 고무 / ~ blonde (염색하지 않은) 본래의 블론드. ③ 〔限定的〕 타고난, 천부의. ⓞⓟⓟ *acquired.* ¶ ~ gifts 〔abilities〕 타고난 재능(才能) / one's ~ life 천수(天壽) / a ~ gift〔talent〕 for music 타고난 음악의 재능 / a ~ poet 천부의 시인. ④ 자연 발생적인 : a ~ death 자연사 / a ~ increase of population 인구의 자연 증가. ⑤ 본래의, 꾸밈 없는 ; 평상의, 통상의, 보통의 : a ~ pose 〔attitude〕 자연스러운 자세〔태도〕 / speak in a ~ voice 꾸밈 없는 보통 목소리로 말하다 / as is ~ to him 과연 그 사람답게, 평상시의 그답게. ⑥ (논리상) 자연스러운, 당연한, 지당한 : a common and ~ mistake 누구나 범하는 어쩔 수 없는 과오 / It is ~ that he should be indignant. 그가 분개하는 것도 당연하다 / It's ~ for him to disagree with you. 그가 자네에게 동의하지 않는 것도 무리는 아니다. ⑦ (그림 따위가) 자연〔진짜〕 그대로의, 진실에 가까운, 꼭 닮은 : a ~ likeness 꼭 닮음 / This portrait looks very ~. 이 초상화는 실물 그대로이다. ⑧ 〔限定的〕 **a**) 친생의 : ~ parents 친부모. **b**) (자식이) 서출(庶出)의, 사생의 : a ~ child 사생아, 서자. ⑨ 〖樂〗 제자리의. ⓞⓟⓟ *sharp, flat.* ¶ a ~ sign 제자리표(♮). ***come ~ to*** …에게는 쉽다〔용이하다〕: Dancing seemed to *come* ~ *to* her. 춤은 그녀에게는 아주 쉬운 것 같다.

── *n.* Ⓒ ① (흔히 *sing.*) 《口》 타고난 명수 ; 적격인 사람〔것〕《*for* ; *at*》: a ~ *at* chess 타고난 체스의 명인 / He is a ~ *for* the job. 그는 그 일에 꼭 맞는 사람이다. ② 〖樂〗 **a**) 제자리표(♮). **b**) 제자리음. **c**) (피아노·풍금의) 흰 건반(white key). ⓟ ~·**ness** *n.* 자연 ; 당연.

nat·u·ral-born [nǽtʃərəlbɔ́ːrn] *a.* 타고난, 천부의. ⓒⓕ native-born. ¶ a ~ citizen 출생에 의해 시민권을 갖는 시민.

nátural chíldbirth (무통의) 자연 분만(법).

nátural déath 자연사.

nátural gás 천연 가스.

nátural históriān 박물학자, 박물지(誌)의 저자.

nátural hístory ① 박물학. ② 박물지(誌).

*__nat·u·ral·ism__ [nǽtʃərəlìzəm] *n.* Ⓤ ① 〖藝·文〗 자연주의, 사실(寫實)주의. ② 〖哲〗 자연〔실증, 유물〕주의. ③ 〖神〗 자연론.

*__nat·u·ral·ist__ [nǽtʃərəlist] *n.* Ⓒ ① 박물학자. ② (문학의) 자연주의자.

nat·u·ral·is·tic [næ̀tʃərəlístik] *a.* ① 자연주의의〔적인〕. ② 박물학의.

*__nat·u·ral·ize,__ 《英》 **-ise** [nǽtʃərəlàiz] *vt.* ① 《~+목 / +목+전+명》〔때로 受動으로〕 …을 귀화시키다, (외국인)에게 시민권을 주다 : No one expects the Baltic states to ~ young Russian soldiers. 어느 누구도 발트 제국(諸國)이 젊은 러

시아 군인들을 귀화시키리라 기대하지 않는다 / He became〔*was*〕 ~*d* in Canada. 캐나다에 귀화했다. ② (~+목 / +목+전+명) (외국어·외국의 습관 따위)를 들여오다, 받아들이다(*in, into*): "Chauffeur" is a French word that has been ~*d in* English. '쇼퍼'는 프랑스말이 영어화한 것이다. ③ (식물 따위)를 …에 이식하다. ④ 자연을 좇게〔따르게〕 하다; (신비적이 아니고) 자연율(自然律)에 의하여 설명하다. ― *vi.* ① 귀화하다. ② 풍토에 적응하다. ③ 박물학을 연구하다.
㊙ **nàt·u·ral·i·zá·tion** [-lizéiʃən / -laiz-] *n.*

N

nátural lánguage 〖컴〗 (인공·기계 언어에 대하여) 자연 언어.

nátural láw ① 자연 법칙; 천리(天理). ② (실정법에 대한) 자연법.

‡**nat·u·ral·ly** [nǽtʃərəli] *ad.* ① 자연히, 자연의 힘으로: thrive ~ 저절로 무성하다 / grow ~ (식물이) 자생하다. ② 태어나면서부터: Her hair is ~ curly. 그녀는 태어날 때부터 고수머리다 / He's ~ clever. 그는 천성으로 영리하다. ③ 있는 그대로, 꾸밈 없이; 무리없이: Speak more ~. 더 자연스럽게 말하시오 / behave ~ 자연스럽게 행동하다. ④ 〔文章修飾〕 당연히, 물론: Will you answer his letter? ―*Naturally !* 답장을 낼거냐―물론 / *Naturally*, we will be at the meeting. 물론 그 회합에 출석할 것입니다. ***come ~ to*** =come NATURAL to.

nátural mónument 천연 기념물.

nátural númber 〖數〗 자연수.

nátural pérson 〖法〗 자연인. ⓒⓕ artificial person.

nátural relígion 자연 종교(기적이나 하늘의 계시를 인정치 않음).

nátural resóurces 천연〔자연〕 자원.

nátural scíence 자연 과학.

nátural seléction 〖生〗 자연 선택〔도태〕.

nátural sýstem 〔**classificátion**〕 〖植〗 자연 분류(비슷한 형태에 의한).

nátural theólogy 자연 신학(신의 계시에 의하지 않은 인간 이성에 의거한 신학 이론).

‡**na·ture** [néitʃər] *n.* ① Ⓤ (종종 N-) (대)자연, 천지만물, 자연(현상); 자연계; 자연의 힘〔법칙〕: the laws of ~ 자연의 법칙 / preserve 〔destroy〕 ~ 자연을 보호〔파괴〕하다 / *Nature* is the best physician. 자연은 가장 좋은 의사다 / make use of the forces of ~ 자연의 힘을 이용하다 / It was so quiet that all ~ seemed asleep. 만물이 잠들고 있는 듯 조용했다. ★ 종종 의인화하여 여성 취급함: Mother *Nature* 어머니이신 자연. ② Ⓤ (문명의 영향을 받지 않은) 인간의 자연의 모습; 미개 상태: Return to ~! 자연으로 돌아가라. ③ Ⓤ.Ⓒ 천성, 인간성, (사람·동물 따위의) 본성; 성질, 자질; 〔修飾語를 수반하여〕 …기질의 사람: a man of good ~ 성질이 좋은〔친절한〕 사람 / a self-willed ~ 억지센 사람 / It is the ~ of dog to bark. 짖는 것이 개의 본성이다 / It is (in) his ~ to be kind to the poor. 가난한 사람에게 친절한 것은 그의 천성이다 / Habit is second ~. 습관은 제2의 천성. ④ Ⓤ.Ⓒ (the ~) (사물의) 본질, 특질; 특징: *the* ~ of love 사랑의 본질 / *the* ~ of atomic energy 원자력의 특징. ⑤ Ⓤ.Ⓒ 본래의 모습; 현실, 진짜: draw〔paint〕 a thing from ~ 실물을 사생하다 / a picture true to ~ 실물 그대로의 그림. ⑥ Ⓤ.Ⓒ (a ~, the ~) 종류; 성질: two books of *the* same ~ 같은 종류의 책 두 권 / support a plan with cash or something of that ~ 계획을 현금 또는 그와 비슷한 것으로 원조하다. ⑦ Ⓤ 체력, 활력: food enough to sustain ~ 체력 유지에 충분한 음식 / *Nature* is exhausted. 체력이 다했다. ⑧ Ⓤ 충동, 육체적〔생리적〕 요구: the call of ~ 생리적 요구(대소변 따위) / ease 〔relieve〕 ~ 대변〔소변〕을 보다. ◇ natural *a.* ***against*** ~ (1) 부자연스러운〔하게〕, 도리에 반하여: a crime *against* ~ 자연에 반하는 죄(부자연스러운 성행위 따위) / It is *against* ~ for a mother to hurt her child. 어머니가 자기의 자식을 해친다는 것은 인간성에 어긋난다. (2) 기적적으로. ***all*** ~ 만인, 만물: beat *all* ~ 누구에게도 지지 않는다. ***a touch of*** ~ 자연의 감정(感情); 인정(미). ***by*** ~ 날 때부터, 본래: honest *by* ~ 천성이 정직한. ***by*** one***'s*** (***very***) ~ 본질적으로: Medical research is *by its very* ~ worthwhile. 의학의 연구는 본질적으로 보람있는 일이다. ***contrary to*** ~ 기적적인〔으로〕, 불가사의한〔하게〕. ***in a state of*** ~ (1) 자연〔미개, 야생〕대로의 상태로. (2) 벌거숭이로. ***in*** ~ (1) 현존하고 (있는), 사실상; 본래: There is, *in* ~, such a thing as hell. 지옥이라는 것은 사실상 있는 것이다 / The book is technical *in* ~. 그 책은 본래 전문적인 것이다. (2) 〔最上級의 强調〕 온 세상에서, 더없이, 참으로: *the most* beautiful scene *in* ~ 더없이 아름다운 경치 / Love is *the most* wonderful thing *in* ~. 사랑이야말로 세상에서 가장 훌륭한 것이다. (3) 〔疑問의 强調〕 도대체: *What in* ~ do you mean? 도대체 무슨 일이냐. (4) 〔否定의 强調〕 어디에도: There are *no* such things *in* ~. 그런 것은 어디에도 없다. ***in the course of*** ~ = ***in*** 〔***by, from***〕 ***the*** ~ ***of things*** 〔***the case***〕 자연의 순리대로; 당연한〔히〕; 사실상; 당연한 결과〔추세〕로서. ***in*** 〔***of***〕 ***the*** ~ ***of*** …의 성질을 가진, 본질적으로; …와 비슷하여: His words were *in the* ~ *of* a threat. 그의 말은 마치 협박과 같았다. ***let*** ~ ***take its course*** 《口》 자연히 되어가는 대로 맡겨 두다(특히 남녀가 자연히 사랑에 빠지는 경우 등에 이름). ***like all*** ~ 《美口》 완전히. ***or something of that*** ~ 또는 그와 비슷한 것: He's a TV personality *or something of that* ~. 그는 TV 탤런트가 아니면 그와 비슷한 존재이다. ***pay*** one***'s debt to*** ~ = ***pay the debt of*** ~ 죽다. ***true to*** ~ 실물 그대로, 그림 따위가 살아 있는 듯한, 진짜와 똑같게.

náture cùre =NATUROPATHY.

(-)na·tured [néitʃərd] *a.* 성질(性質)이 …한: good-~ 호인인 / ill-~ 심술궂은.

náture resèrve (England 등의) 조수(鳥獸) 보호구(區), 자연 보호구.

náture stùdy 자연 공부(초등 학교의 생물·물리·지리 따위).

náture tràil (숲속 등의) 자연 산책길.

náture wòrship 자연 숭배.

na·tur·ism [néitʃərizəm] *n.* Ⓤ ① 나체주의 (nudism). ② 자연(신) 숭배(설). ㊙ **-ist** *n.*

na·tur·o·path [néitʃərəpæ̀θ, nǽtʃər-] *n.* Ⓒ 자연 요법사.

na·tur·op·a·thy [nèitʃərάpəθi / -ɔ́p-] *n.* Ⓤ 자연 요법. ㊙ **na·tur·o·path·ic** [nèitʃərəpǽθik, næ̀-] *a.*

‡**naught, nought** [nɔːt, nɑːt] *n.* ① Ⓤ.Ⓒ 제로, 영(零)(cipher): get a ~ 영점을 받다. ★ 이 뜻으로 《英》은 nought 가 일반적임. ② Ⓤ 《文語》 무(無), 존재치 않음, 무가치(nothing): a man 〔thing〕 of ~ 쓸모 없는 사람〔것〕 / She made ~ of his devotion. 그의 헌신 따위를 아무렇지도 않게 생각하였다. ***all for*** ~ 헛되이, 쓸데 없이: *All* our efforts were *for* ~. 우리의 노력은 헛되었다. ***bring . . . to*** ~ (계획 따위를) 망쳐놓다, 무효로 만들다, (친절 따위를) 헛되이 하다. ***care*** ~ ***for*** …을 조금도 개의치 않다: He *cared* ~ *for* public

opinion. 그는 여론에 조금도 개의치 않았다. **come to ~ = go〔count〕for ~** 헛되다, 실패〔수포〕로 돌아가다〔끝나다〕: All their plans *came to ~*. 그들의 모든 계획은 실패로 끝났다. **set... at ~** …을 무시하다; 깔보다.

‡naugh·ty [nɔ́:ti, nɑ́:ti] (**-ti·er ; -ti·est**) *a.* ① 장난의, 장난꾸러기의, 말을 듣지 않는; 버릇없는: a ~ boy 개구쟁이 소년 / Don't be ~ *to* her. 그녀에게 장난치지 마라 / It's ~ of you〔You are ~〕 to throw your toys at people. 사람에게 장난감을 던지다니, 너는 못된 아이이다. ② 법도〔도리〕에 어긋난, 되지못한; 음탕한, 외설의, 품행이 나쁜. [파] **-ti·ly** *ad.* **-ti·ness** *n.*

Na·u·ru [nɑ:ú:ru:] *n.* 나우루 공화국《오스트레일리아 동북방 적도 부근의 섬나라; 수도 Nauru》.

nau·sea [nɔ́:ziə, -ʒə, -siə, -ʃə] *n.* [U] ① 메스꺼움, 욕지기; 〖醫〗 오심(惡心): feel ~ 메스껍다, 욕지기나다. ② 혐오.

nau·se·ate [nɔ́:zièit, -ʒi-, -si-, -ʃi-] *vi., vt.* 〔때때로 受動으로〕 욕지기나(게 하)다, 메스껍게 하다; 염증을 느끼(게 하)다; 싫어하다, 꺼리다《*at*》: The idea of study ~*s* me. 공부라는 것을 생각만 해도 속이 메스껍다 / He *is* ~*d* by the smell of meat cooking. 그는 고기를 요리하는 냄새로 속이 메스꺼웠다.

nau·se·at·ing [nɔ́:zièitiŋ, -ʒi-, -si-, -ʃi-] *a.* 욕지기나(게 하)는; 싫은: a ~ smell 지독한 냄새 / a ~ sight 아주 불유쾌한 광경. [파] **~·ly** *ad.*

nau·se·ous [nɔ́:ʃəs, -ziəs] *a.* 메스꺼운; 싫은; 《口》 욕지기가 난: feel ~ 욕지기가 나다, 구역질 나다: After only half an hour on the boat she began to feel slightly ~. 배를 탄 지 불과 30분 밖에 지나지 않았는데 그녀는 가벼운 욕지기를 느꼈다. [파] **~·ly** *ad.* **~·ness** *n.*

nau·ti·cal [nɔ́:tikəl, nɑ́ti-] *a.* 해상의, 항해〔항공〕의; 선박의; 선원의, 뱃사람의: a ~ almanac 항해력(曆) / ~ terms 해양〔선원〕 용어. [파] **~·ly** *ad.* 항해상으로.

náutical míle 해리(海里)《《英》 1853.2 m, 《美》 국제 단위인 1852 m 를 사용》.

nau·ti·lus [nɔ́:tələs] (*pl.* **~·es, -li** [-lài]) *n.* ① [C] 〖貝〗 앵무조개. ② [C] 〖動〗 =PAPER NAUTILUS. ③ (the N-) 노틸러스호(號)《미국에서 건조한 세계 최초의 원자력 잠수함》.

nav. naval; navigable; navigation; navy.

Nav·a·ho, -jo [nǽvəhòu, nɑ́:-] (*pl.* **~(e)s**) *n.* ① **a)** (the ~(e)s) 나바호족(族)《북아메리카 남서부에 사는 원주민의 한 종족》. **b)** [C] 나바호족 사람. ② [U] 나바호어(語).

‡na·val [néivəl] *a.* 〔限定的〕 ① 해군의; 군함의; 해군력이 있는: a ~ base 해군 기지 / a ~ battle 해전 / a ~ bombardment 함포 사격 / ~ power 해군력, 제해권 / a ~ blockade 해상 봉쇄 / ~ forces 해군력 / ~ review 해군 연습〔관함식(觀艦式)〕. ② 《美古》 배의. ◇ navy *n.*

nával acàdemy 해군 사관 학교.

nával árchitect 조선(造船) 기사.

nával árchitecture 조선학.

***nave**[1] [neiv] *n.* [C] 〖建〗 (교회당의) 회중석(會衆席), 네이브.

nave[2] *n.* [C] 바퀴통(hub)《차바퀴의 중심부》.

na·vel [néivəl] *n.* ① [C] 배꼽. ② (the ~) 중앙, 중심(middle). ③ =NAVEL ORANGE.

nável òrange 네이블《과일》.

nav·i·ga·bil·i·ty [næ̀vigəbíləti] *n.* [U] ① (강·바다 따위가) 항행할 수 있음. ② (배·비행기 따위의) 내항성(耐航性).

***nav·i·ga·ble** [nǽvigəbəl] *a.* ① 항행할 수 있는, 배가 통행할 수 있는《강·바다 따위》: This river is ~ for large ships. 이 강은 대형 선박도 항행할 수 있다 / ~ waters 〖法〗 가항수역(可航水域). ② 항행에 알맞은, 항해에 견디는《선박 따위》. ③ 조종할 수 있는《기구(氣球) 따위》.

***nav·i·gate** [nǽvəgèit] *vt.* ① (바다·하늘)을 항행하다: ~ the Pacific 태평양을 항행하다 / Some birds can ~ distances of 1,000 miles or more and return to the place they had started from the next year. 조류(鳥類) 중에는 1,000 마일 또는 그 이상의 거리를 날아갔다가 다음해에 자신들이 출발한 그 장소로 되돌아오는 새들도 있다. ② (배·비행기)를 조종〔운전〕하다: ~ a spacecraft 우주선을 조종하다. ③《+[목]+[전]+[명]》 (교섭 따위)를 진행시키다, (법안 따위)를 통과시키다: ~ a bill *through* Parliament 의회에서 법안을 통과시키다. ④《口》 (혼잡한 장소)를 빠져 나가다, 통과하다; (시기)를 지나쳐 가다: ~ one's way *through* the crowd 군중속을 빠져 나가다. ── *vi.* ① 항행하다(sail): We ~*d* by the stars. 별을 의지하여 방향을 정하고 항행했다. ② 조종하다. ③ (자동차의 동승자가) 길을 안내하다: He drove the car while I ~*d*. 그가 운전을 하고, 한편 나는 길을 안내했다. ◇ navigation *n.*

‡nav·i·ga·tion [næ̀vəgéiʃən] *n.* [U] ① 운항, 항해: inland ~ 내국 항행. ② 항해〔항공〕술〔학〕, 항법(航法): aerial ~ 항공(술). ③ (선박·항공기 등의) 교통. ◇ navigate *v.*

***nav·i·ga·tor** [nǽvəgèitər] *n.* [C] ① 항해자, 항행자; 〖空〗 항공사, 항법사; 항해장(長); 해양 탐험가. ② (항공기 등의) 자동 조종 장치.

nav·vy [nǽvi] *n.* [C] 《英》 토공(土工), (운하·철도·도로 건설 등의) 인부.

‡na·vy [néivi] *n.* ① [C] (종종(the) N-) 〔集合的; 單·複 취급〕 해군. [cf] army. ¶ join the ~ 해군에 입대하다. ② [C] 《詩》 함대, (상)선대. ③ = NAVY BLUE. ◇ naval *a.* ***the Navy Department*** = ***the Department of the Navy*** 《美》 해군부(部). [cf] Admiralty. ***the Royal Navy*** 영국 해군《略: R.N.》. ***the Secretary of the Navy*** 《美》 해군 장관《《英》 First Lord of the Admiralty》.

návy bèan 강낭콩의 일종《흰색으로 영양이 풍부하여 미해군에서 식량으로 씀》.

návy blúe 짙은 감색(의).

návy yàrd 《美》 해군 공창(工廠).

‡nay [nei] *ad.* ①《古》 아니, 부(否)(no). [opp] *yea.* ②《文語》 〔接續詞的〕 (…라고 하기보다) 오히려, 뿐만 아니라: It is difficult, ~, impossible. 어렵다, 아니 불가능하다.
── *n.* ① [U] '아니'라는 말. ② [U] 부정; 거절, 반대. ③ [C] 반대 투표(자). ***say*** a person ~ (아무(의 요구)를) 거절하다; (아무(의 행위)를) 금지하다. ***The ~s have it!*** (의회에서) 반대자 다수《의안 부결의 선언》.

Naz·a·rene [næ̀zərí:n] *n.* ① **a)** [C] 나사렛 사람. **b)** (the ~) 예수. ② [C] 기독교도《유대인·이슬람 교도들이 쓰는 경멸어》.

Naz·a·reth [nǽzərəθ] *n.* 나사렛《Palestine 북부의 도시; 예수의 성장지》.

Na·zi [nɑ́:tsi, nǽ-] (*pl.* **~s**) *n., a.* 《G.》 나치《전(前)독일의 국가 사회당원》(의); (*pl.*) 나치당(의); (흔히 n-) 나치주의 신봉자(의). 〔《G.》 *N*ationalso*zi*alist (=National Socialist)〕

Na·zism, Na·zi·ism [nɑ́:tsizəm, nǽtsi-], [-ìzəm] *n.* [U] 독일 국가 사회주의, 나치즘.

Nb 〖化〗 niobium. **N.B.** New Brunswick; North Britain〔British〕. **N.B., n.b.** *nota* *bene* 《L.》 (=mark 〔note〕 well). **NBA, N.B.A.** 《美》 National Basketball Association ; National Boxing Association. **NBC** National Broadcasting Company. **NbE** north by east. **NbW** north by west. **NC** 〖컴〗 numerical control (수치 제어). **N.C.** North Carolina. **NCNA** New China News Agency(신화사(新華社)). **NCO, N.C.O.** [ènsi:óu] noncommissioned officer.

NC-17 [ènsì:sevəntí:n] 《美》〖映〗 No children under 17(admitted) (17세 미만 입장사절의 준(準) 성인 영화).

N

ND, N.D., N.Dak. North Dakota. **Nd** 〖化〗 neodymium. **n.d., N.D.** no date ; not dated. **NE.** Nebraska ; New England ; northeast(ern). **Ne** 〖化〗 neon.

Ne·án·der·thal màn [niǽndərtɑ̀:l- / -θɔ̀:l-] 네안데르탈인《독일의 네안데르탈에서 유골이 발견된 구석기 시대의 원시 인류》.

neap [ni:p] *a.* 소조(小潮)의, 조금의. — *n.* 소조(~ tide), 최저조.

Ne·a·pol·i·tan [nì:əpɑ́lətən / nì:əpɔ́li-] *a.* ① 나폴리의. ② (종종 n-) (아이스크림이) 나폴리식의. — *n.* Ⓒ 나폴리 사람.

Neapólitan íce crèam 3색 아이스크림류(類).

néap tìde 소조(小潮).

†near [niər] (∠·*er* ; ∠·*est*) *ad.* ① (공간·시간적으로) 가까이, 접근하여, 인접하여. OPP *far.* ¶ The station is quite ~. 역은 바로 근방에 있다 / New Year's Day is ~. 새해도 다가왔다 / Keep ~ *to* me. 내곁을 떠나지 마시오 / He drew ~*er.* 그는 더 가까이 다가왔다. ② 〔종종 複合語〕 (관계가) 가깝게, 밀접하게 ; 흡사하여 : ~-related terms 밀접하게 관련이 있는 말 / He has ~-native command of English. 그는 영어를 거의 모국어처럼 말한다 / You've ~ enough got it right. 너는 거의 옳게 이해하였다 / Accepting his money is ~ kin to stealing. 그의 돈을 받다니, 그것은 훔친 거나 거의 다름없다. ③ 《美口·英古》 거의(nearly) : a period of ~ 50 years, 50년 가까운 기간 / I was very ~ dead. 거의 죽은 것과 다름없었다. ④ 〔부정어를 수반하여〕 도저히 …이 아니다 : He's *not* ~ so rich. 그는 결코 그런 부자는 아니다. ***(as)* ~ *as* one *can*** do …할 수 있는 한에서는 : *As* ~ *as* I *can* guess, he's about 30 years old. 추측할 수 있는 한에서는 그는 30세 정도이다. ***as* ~ *as dammit* 〔*makes no difference*〕** 《口》 거의 같은, 과히 틀리지 않는 : I spent $10,000, *as* ~ *as makes no difference.* 10,000 달러는 썼지만, 틀려도 큰 차이는 없다. ***(from)* far and ~** 여기저기〔도처〕에서. ***go* ~ *to*** do=***come* 〔*go*〕 ~ *to*** do*ing* =come 〔go〕 ~ do*ing* ⇨ *prep.* **~ *at hand*** 곁에, 바로 가까이에 ; 머지 않아서 : She sat ~ *at hand.* 그녀는 가까이 앉았다 / The exam is ~ *at hand.* 시험이 머지않다. **~ *by*** 가까이에 : Christmas is ~ *by.* 크리스마스가 가깝다 / A fire broke out ~ *by.* 근처에서 불이 났다. ★ 주로 《美》. **~ *to*** … 가까이에《★ 이 to 가 탈락하면 전치사 near 가 된다. 그러나 비교급, 최상급에서는 보통 to 를 생략하지 않는다》: He drew ~*er to* the fire. 그는 불 곁으로 더 가까이 다가섰다 / Mary was sitting ~*est to* me. 메리가 나의 가장 가까운 곳에 앉아 있었다. **~ 〔*close*〕 *together*** (서로) 접근하여 ; 친밀하며. ***nowhere* 〔*not anywhere*〕 ~** 《口》 결코 …하지 않다 : The bus was *nowhere* 〔*wasn't anywhere*〕 ~ full. 버스는 전연 만원이 아니었다. ***so* ~ *and yet so far*** 잘될 것 같으면서도 잘 안되는 ; 가까우면서도 먼.

— *prep.* ① …의 가까이에, …의 곁에 : ~ here 이 근방에 / We want to find a house ~*er* (to) the station. 우리는 역에 더 가까운 집을 찾기 원했다 《to 가 붙으면 부사적》. ② (시간적으로) …의 가까이에, …할〔의〕 무렵 : ~ the end of the performance 극이 끝날 무렵 / ~ the end of year 연말경에. ③ (상황 등에 대해) 거의 …인 상태 : ~ completion 완성 직전에. ***come* 〔*go*〕 ~ do*ing*** 거의 …할 뻔하다 : He *came* ~ be*ing* drowned. 하마터면 익사할 뻔했다. ***sail* ~ *the wind*** ⇨ SAIL.

— *a.* ① 가까운, 가까이의 ; 가까운 쪽의. OPP *far.* ¶ the ~ houses 이웃집 / the ~*est* planet to the sun 태양에 가장 가까운 행성 / What is the ~*est* station to your house? 댁에서 가장 가까운 역은 어디입니까. ② (시간적으로) 가까운 : on a ~ day 근일〔근간〕에 / in the ~ future 가까운 장래에. ③ 근친의 ; 친한 : one's ~ relation 근친 / a ~ friend 친한 벗 / He's one of the people ~*est* to the president. 그는 대통령 측근 중의 한 사람이다. ④ (이해 관계가) 깊은, 밀접한 : a matter of ~ consequence *to* me 나에게는 중요한 영향을 끼치는 문제. ⑤ 〔限定的〕 실물〔원형〕에 가까운 ; 실물과 꼭 같은, 흡사한, 대용(代用)의 : ~ coffee 대용 커피 / a ~ resemblance 아주 닮았음 ; 흡사 / a ~ war 전쟁과 흡사한 위협 수단 / a ~ guess 그리 빗나가지 않은 추측. ⑥ 〔限定的〕 (말·차·《英》 도로 따위의) 좌측의. OPP *off.* ¶ a ~ wheel 운전자쪽〔좌측〕 바퀴. ⑦ 〔限定的〕 거의 일어날 뻔한, 아슬아슬한, 위험한 : a ~ race 접전, 우열을 가리기 힘든 경주 / a ~ victory 신승(辛勝) / have a ~ escape〔touch〕 구사 일생하다. ⑧ 인색한 : He's ~ with his money. 돈에 인색한 사나이다. **a person's ~*est and dearest*** 근친《아내·남편·자식·부모·형제 자매》.

— *vt.* …에 접근하다, 다가가다 : ~ one's end 임종이 임박하다 / He's ~*ing* fifty. 그는 곧 쉰살이 된다. — *vi.* 접근〔절박〕하다 : as the day ~*s* 그 날이 가까워짐에 따라 / The time for action ~*s.* 행동을 취할 때가 가까워지다.

㊞ **∠·ness** *n.* Ⓤ ① 가까움, 접근 : One of the reasons I bought my house was its ~*ness to* the office where I work. 내가 집을 산 이유 중의 하나는 직장에서 아주 가깝다는 것이었다. ② 닮음, 유사.

néar béer 《美》 니어비어《알코올분이 0.5% 이하의 약한 맥주》.

‡near·by, near-by [níərbái] *a.* 〔限定的〕 가까운, 가까이의 : a ~ village 바로 이웃 마을 / We stopped at some ~ shops to pick up some food. 우리는 몇가지 식품을 사기 위해 몇몇 가까운 상점 앞에서 걸음을 멈추었다. — *ad.* 〖《英》에서는 near by 라고도 씀〗 가까이에(서) : *Nearby* flows a river. 바로 옆에 강이 흐르고 있다 / *Nearby* I heard somebody singing. 가까이서 누군가 노래하고 있는 것이 들렸다.

néar dístance (the ~) 〖畫〗 근경(近景).

Néar Éast (the ~) 근동(近東)《아라비아·북동 아프리카·발칸을 포함하는 지방》.

†near·ly [níərli] *ad.* ① 거의, 대략 : ~ everyday 거의 매일 / It's ~ half past six. 대략 6시 반이다 / He was ~ dead with cold. 추위로 거의 죽어가고 있었다 / I ~ caught them. 거의 잡을 뻔하였다. ② 긴밀하게, 밀접하게 ; 친밀하게 : be ~ associated in business 사업으로 밀접하게 관련되어 있다 / two women ~ related 근친의 두 여성.

③ 겨우, 간신히, 하마터면: ~ escape death 간신히 죽음을 면하다 / She ~ missed the train. 그녀는 하마터면 열차를 놓칠 뻔 했다. **not ~** 도저히(결코) …아니다: Ten dollars is *not* ~ enough. 10달러로는 턱없이 모자란다.

néar míss ①〖軍〗(목표의) 근방에 맞음, 지근탄(至近彈). ② (항공기 등의) 이상(異常) 접근, 니어미스; 위기 일발. ③ 일보 직전.

néar móney 준화폐《정기 예금과 정부 채권 따위 쉽게 현금화할 수 있는 자산》.

near·side [ˊsàid] *n.* (the ~) 《英》(말·차 따위의) 왼쪽, 자동차의 길가쪽. ── *a.* 왼쪽의.

near·sight·ed [ˊsáitid] *a.* 근시의; 근시안적인: I'm a little ~. 나는 약간 근시이다. opp *far-sighted.* ㊞ **~·ly** *ad.* **~·ness** *n.*

néar thíng 《口》(흔히 a ~) 아슬아슬한 일(행동); 접전: The recent election was ~. 지난번 선거는 접전이었다 / It was *a* ~, but we got there safely in the end. 아슬아슬하였으나 결국 우리는 안전하게 그곳에 도착했다.

‡**neat** [ni:t] (ˊ**·er**; ˊ**·est**) *a.* ① 산뜻한, 아담하고 깨끗한, 정연(말쑥, 깔끔, 단정)한: a ~ dress 말쑥한 옷 / a ~ little house 조그마하고 아담한 집. ② (용모·모습 따위가) 균형 잡힌. ③ (표현 따위가) 적절한; 교묘한, 솜씨가 좋은: a ~ worker 솜씨 좋은 일꾼 / make a ~ job of it 솜씨있게 해내다. ④ (술 따위가) 순수한, 물타지 않은: drink brandy ~ 브랜디를 스트레이트로 마시다. ★ 이 뜻인 경우에는 비교급이 없으며, 《美》에서는 흔히 straight를 사용함. ⑤《俗》훌륭한, 멋진, 굉장한: a ~ bundle (package) 멋진(근사한) 여자 / "How did the party go?"—"Oh, it was real ~." '파티는 어떠했나'—'응, 정말 멋진 파티였어.' **(as) ~ as a (new) pin** ⇨ PIN. ㊞ ˊ**·ness** *n.*

neat·en [ní:tn] *vt.* …을 깨끗이 정돈하다, 말쑥하게 하다.

(ˊ)neath [ni:θ] *prep.* 《詩·方》 = BENEATH.

***neat·ly** [ní:tli] *ad.* ① 산뜻하게, 깨끗이; 말쑥하게: At the door was a ~ dressed, dignified man. 문 앞에 말쑥한 복장의, 위엄있는 남자가 있었다. ② 교묘하게, 적절히.

NEB, N.E.B. 《英》 New English Bible.

Neb., Nebr Nebraska.

neb·bish [nébiʃ] *n.* Ⓒ《俗》무기력한 사람, 쓸모없는 사람, 등신.

NEbE northeast by east (북동미동(微東)).

NEbN northeast by north.

Ne·bras·ka [nibrǽskə] *n.* 네브래스카《미국 중서부의 주; 略: Neb(r)》.

Neb·u·chad·nez·zar [nèbjukədnézər] *n.* 〖聖〗 네브카드네자르《옛 바빌론의 왕; 605-562 B.C.》.

***neb·u·la** [nébjələ] (*pl.* **-lae** [-lì:], **~s**) *n.* Ⓒ〖天〗 성운.

neb·u·lar [nébjulər] *a.* 성운의, 성운 모양의.

nébular hypóthesis (théory) 〖天〗(태양계의) 성운설(星雲說).

neb·u·los·i·ty [nèbjəlásəti / -lɔ́s-] *n.* ① **a)** Ⓤ 성운 상태. **b)** Ⓒ 성운 모양의 것, 안개. ② Ⓤ (사상·표현 등의) 애매, 모호함.

neb·u·lous [nébjələs] *a.* ① 성운의; 성운 모양의. ② **a)** 흐린, 불투명한. **b)** 애매한, 모호한: a ~ idea 막연한 생각. ㊞ **~·ly** *ad.* **~·ness** *n.*

‡**nec·es·sar·i·ly** [nèsəsérəli, nésisərili] *ad.* ① 필연적으로, 필연적 결과로서, 반드시; 부득이. ② (not 과 함께 부분 부정으로서) 반드시 (…은 아니다): Learned men are *not* ~ *wise.* 학자가 반드시 현명한 것은 아니다 / You do*n't* ~ have to attend. 꼭 출석해야만 할 필요는 없다.

†**nec·es·sa·ry** [nésəsèri, -sisəri] (**more ~; most ~**) *a.* ① 필요한, 없어서는 안 될《*for; to*》: He spoke no more than was absolutely ~. 그는 절대로 필요한 것 이외의 말은 하지 않았다 / Exercise is ~ *to* health. 운동은 건강에 필요하다 / It's ~ to prepare for the worst. 최악의 사태에 대비할 필요가 있다 / Medicine is ~ *for* treating disease. 병의 치료에는 약이 필요하다 / Is it ~ *for* me *to* attend the meeting? 내가 그 회합에 출석할 필요가 있느냐. ② (限定的) 필연적인, 피할 수 없는(inevitable): a ~ conclusion 필연적인 결론 / a ~ evil 필요악《피할 수 없는 사회악》/ Wastage was no doubt a ~ consequence of war. 낭비는 확실히 전쟁의 필연적인 결과였다. **if ~** 만일 필요하다면: I'll go, *if* ~. 필요하다면 가겠다.

── (*pl.* **-ries**) *n.* Ⓒ ① (*pl.*) 필요한 것, 필수품: daily *necessaries* 일용품 / the *necessaries* of life 생활 필수품. ② (the ~) 《口》필요한 것(행동, 돈): do *the* ~ 필요한 손을 쓰다 / provide (find) *the* ~ 돈 마련을 위해 동분서주하다.

***ne·ces·si·tate** [nisésətèit] *vt.* ①《~+目/+-*ing*》…을 필요로 하다, 요하다; (결과)를 수반하다: The rise in prices ~*s* greater thrift. 물가의 상승으로 더욱 절약을 하지 않을 수 없다 / This plan ~*s* borrow*ing* some money. 이 계획에 따르면 약간의 돈을 꾸지 않을 수 없게 된다. ② (흔히 受動으로) 《+目+*to* do》…에게 억지로 …시키다, 꼼짝없이 …하게 하다: I *am* ~*d to* go there alone. 나는 그곳에 혼자 가지 않으면 안된다.

ne·ces·si·tous [nisésətəs] *a.* ① 가난한, 궁핍한 《★ poor를 강조하거나 기피하기 위해서 씀》. ② 필연적인, 피할 수 없는. ㊞ **~·ly** *ad.*

‡**ne·ces·si·ty** [nisésəti] *n.* ① Ⓤ 필요, 필요성: urge (on a person) the ~ for …의 필요성을 (아무에게) 설득하다 / Most students know the ~ of working hard. 대부분의 학생들은 열심히 공부할 필요성을 알고 있다 / *Necessity* is the mother of invention. 《格言》필요는 발명의 어머니 / *Necessity* knows no law. 《俗談》필요 앞에선 법도 무력, '사흘 굶어 도둑질 안 할 놈 없다'. ② Ⓒ (종종 *pl.*) 필요 불가결한 것, 필수품, 필요한 것. cf. necessary. ¶ Water is a ~. 물은 필요불가결한 것이다 / daily *necessities* 일용 필수품 / Food and clothing are the bare *necessities* of life. 음식과 의복은 없어서는 안될 생활 필수품이다. ③ Ⓤ,Ⓒ 필연성; 불가피성, 인과 관계, 숙명: physical (logical) ~ 물리적(논리적) 필연 / the doctrine of ~ 숙명론 / bow to ~ 숙명이라고 체념하다. ④ Ⓤ 궁핍: be in great (dire) ~ 몹시 궁핍해 있다 / It was ~ that made him steal. 그가 도둑질을 한 것은 가난 때문이었다. ◇ necessary *a.* **as a ~** 필연적으로: Misery follows war *as a* ~. 전쟁 뒤에는 필연적으로 재난이 따른다. **be driven by ~ of** do**ing** = **be under the ~ of** do**ing** …하지 않을 수 없다. **by (of) ~** 필요하여; 필연적으로, 부득이: The dead line must *of* (*by*) ~ be postponed for a while. 마감날은 부득이 잠시 연기되어야 한다. **make a virtue of ~** ⇨ VIRTUE.

‡**neck** [nek] *n.* ① Ⓒ 목. ② Ⓒ (의복의) 옷깃. ③ Ⓤ,Ⓒ (양 따위의) 목덜미살: ~ of mutton. ④ Ⓒ 목 모양의 부분; 《특히》(그릇·악기 따위의) 잘록한 부분; 해협, 지협; 〖建〗 기둥 목도리《주두(柱頭)(capital)와 기둥 몸과의 접합부》: the ~ of a bottle 병의 목 / a narrow ~ of land 지협. ⑤ (a ~) 《俗》뻔뻔스러움, 강심장: have *a* ~ 뻔뻔스

럽다. ***a pain in the*** ~ ⇨ PAIN. ***be up to the*** (one's) ~ 《口》 (1) (어떤 일에) 완전히 말려들다 《*in*》. (2) (일 따위에) 몰두하다《*in*》. (3) (빚 따위로) 옴짝달싹 못 하다《*in*》: She*'s up to her* ~ *in* debt (work). 그녀는 빚(일)에 쪼들려 옴짝달싹 못 하고 있다. ***bow the*** ~ ***to*** …에게 경의를 표하다, …을 숭배하다; …에게 굴복하다. ***break one's*** ~ 《口》 (1) 목뼈가 부러져 죽다. (2) 열심히 노력하다: I'm *breaking my* ~ to finish the work on time. 시간에 맞추어 일을 끝내려고 열심히 노력하고 있다. ***break the*** ~ ***of*** (일 따위의) 애로를 타개하다, 고비를 넘기다. ***breathe down*** (***on***) a person***'s*** ~ (1) (레이스 등에서) 아무의 뒤를 바싹 다가가다. (2) 《比》 (붙어다니면서) 감시하다: They will *breathe down my* ~ until I die. 그들은 내가 죽을 때까지 붙어다니며 괴롭힐 것이다. ***by a*** ~ 목 길이의 차로: win(lose) *by a* ~ 목길이만큼의 차로 이기다(지다), 신승(석패)하다. ***get*** (***catch, take***) ***it in the*** ~ 《口》 몹시 공격을 받다, 큰 질책(벌)을 받다: Poor old Bob *got it in the* ~ for being late this morning. 불쌍한 늙은 보브는 오늘 아침 늦었다고 호된 질책을 받았다. ***have the*** ~ ***to*** do 뻔뻔스럽게도 …하다. ~ ***and crop*** (***heels***) 온통; 깡그리, 전연. ~ ***and*** ~ (1) (경마에서) 나란히, 비슷비슷하게. (2) (경기에서) 호각(互角)으로, 막상막하로: They were coming toward the finish line ~ *and* ~. 그들은 엇비슷하게 결승점을 향해 달려오고 있었다. ~ ***of the woods*** 《美口》 지방, 근처. ~ ***or nothing*** (***nought***) 필사적으로, 목숨을 걸고: It is ~ *or nothing.* 죽느냐 사느냐다, 성공이냐 실패냐다 / It was a case of plunging in ~ *or nothing* or letting the opportunity vanish forever. 목숨을 걸고 착수하느냐, 아니면 기회를 영원히 놓치느냐 하는 막다른 상황이었다. ***risk*** one***'s*** ~ 목숨을 걸고 하다, 위험을 무릅쓰다: I won't have him *risking his* ~ on that motorcycle. 나는 그가 저 모터사이클 때문에 모험하기를 바라지 않는다. ***save*** one***'s*** ~ 목숨을 건지다. ***speak*** (***talk***) ***through*** (***out of***) (***the back of***) one***'s*** ~ 《英口》 터무니 없는 소리를 하다, 허풍떨다. ***stick*** (***put***) one***'s*** ~ ***out*** 《口》 위험을 돌보지 않다(각오하고 해 보다).
― *vt.* ① …의 직경을 좁게 하다. ② …의 목을 껴안고 애무(키스)하다.
― *vi.* ① 좁아(좁혀)지다. ② 《口》 (남녀가) 서로 목을 껴안고 애무(키스)하다, 네킹하다.

neck·band [⌐bæ̀nd] *n.* Ⓒ ① 셔츠의 깃《칼라를 붙이는 부분》. ② (여성의) 목걸이 끈, 넥밴드.

necked [nekt] *a.* 〔複合語를 이루어〕 목이 …인, …인 목의: short-~ 목이 짧은 / a V-~ sweater, V 네크의 스웨터.

neck·er·chief [nékərtʃif, -tʃìːf] (*pl.* **~s,** 《美》 **-chieves** [-vz]) *n.* Ⓒ 목도리, 네커치프.

neck·ing [nékiŋ] *n.* Ⓤ 《口》 네킹《목을 껴안고 애무(키스)하는 일》.

‡**neck·lace** [néklis] *n.* Ⓒ 목걸이: a diamond ~ 다이아몬드 목걸이.

neck·let [⌐lit] *n.* Ⓒ (목에 꼭 맞는) 목걸이.

neck·line [⌐làin] *n.* Ⓒ 네크라인《드레스의 목둘레 선》.

***neck·tie** [⌐tài] *n.* Ⓒ 넥타이.

neck·wear [⌐wɛ̀ər] *n.* Ⓤ 〔集合的〕 넥타이·칼라·목도리류 등 목 장식품의 총칭.

ne·crol·o·gy [nekrάlədʒi / -rɔ́l-] *n.* Ⓒ ① 사망자 명부. ② 사망 기사(광고).

nec·ro·man·cy [nékrəmæ̀nsi] *n.* Ⓤ ① 사령(死靈)과의 영교(靈交)에 의한 점(占), 강신술(降神術). ② 마술, 마법.
㉥ **-màn·cer** *n.* **nèc·ro·mán·tic** *a.*

nec·ro·phil·ia [nèkrəfíliə] *n.* Ⓒ 〖精神醫〗 시체 성애(性愛), 시간(屍姦), 사간(死姦).

ne·crop·o·lis [nekrάpəlis, nə- / -krɔ́p-] (*pl.* **-lises** [-lisiːz], **-les** [-lìːz], **-leis** [-lèis]) *n.* Ⓒ (특히 옛 도시의) 공동 묘지.

nec·tar [néktər] *n.* Ⓤ ① 〖그神〗 신주(神酒). ⓒⓕ ambrosia. ② 감미로운 음료, 감로(甘露); 과즙, 넥타. ③ 〖植〗 화밀(花蜜).

nec·tar·ine [nèktəríːn / néktərin] *n.* Ⓒ 승도(僧桃) 복숭아.

nec·ta·ry [néktəri] *n.* Ⓒ 〖植〗 밀조(蜜槽), 밀선(蜜腺), 꿀샘.

Ned [ned] *n.* 네드《남자 이름; Edmund, Edward 의 애칭》.

Ned·dy [nédi] *n.* ① 네디《Edward 의 통칭. ⓒⓕ Ned》. ② (n-) 《英口》 당나귀(donkey); 바보(fool).

nee, née [nei] *a.* 《F.》 구성(舊姓)은, 친정의 성은 …《기혼 여성의 구성을 나타내기 위해》: Mrs. Jones, ~ Adams 존스 부인, 구성 애덤스.

†**need** [niːd] *n.* ① Ⓤ (또는 a ~) 필요, 소용《*for*; *of*; *to* do》: There is *a* ~ today *for* this sort of dictionary. 오늘날에는 이런 종류의 사전을 필요로 하고 있다 / He felt the ~ *of* a better education. 더 나은 교육의 필요를 느꼈다 / There is no ~ (*for* you) *to* apologize. (네가) 사과할 필요는 없다 / Is there any ~ *to* hurry? (=Is there any ~ *for* (*of*) hurrying?) 서두를 필요가 있습니까 / He spoke about the ~ *for* preserving historical sites. 그는 사적(史蹟)을 보존할 필요성에 대해서 강연했다. ② Ⓒ (흔히 *pl.*) 필요한 물건 (the thing needed): our daily ~*s* 일용 필수품 / She earns enough to satisfy her ~*s.* 그녀는 자신이 필요한 물건을 살 만한 돈을 벌고 있다 / My ~ at present is a good sleep. 내게 지금 필요한 것은 충분한 수면이다. ③ Ⓤ 결핍, 부족(want, lack): Your composition shows a ~ of grammar. 네 글짓기를 보니 문법 공부가 부족하구나. ④ Ⓤ 위급할 때, 만일의 경우(a situation or time of difficulty): A friend in ~ is a friend indeed. 《俗談》 어려울 때의 친구야말로 참 친구 / Good books comfort us at(in) moments of ~. 좋은 책은 어려울 때에 우리를 위로해 준다. ⑤ Ⓤ 빈곤, 궁핍(poverty): The family's ~ is acute. 그 가족의 궁핍은 극심하다 / He is in (great) ~. 그는 (매우) 곤궁하다 / Their ~ is greater than ours. 그들은 우리보다 더 곤란에 처해 있다.
at ~ 만약의 경우에, 요긴한 때에. ***be*** (***stand***) ***in*** ~ ***of*** …을 필요로 하다, …이 필요하다(be in want of): He *is* much *in* ~ *of* help. 그는 매우 도움을 필요로 하고 있다. ***have*** ~ ***of*** (***for***) …을 필요로 하다(require): The refugees *have* ~ *of* a regular supply of food. 난민들은 정기적인 식량 공급을 필요로 한다. ***have*** ~ ***to*** do …하지 않으면 안 되다(must do), 할 필요가 있다: You *have* no ~ *to* be ashamed. 네가 부끄러워할 필요는 없다. ***if*** ~ ***be*** (***were***) 《文語》 = ***when*** (***as, if***) ***the*** ~ ***arises*** 필요하다면, 일에 따라서는, 어쩔 수 없다면(if necessary): *If* ~ *be,* I'll come with you. 필요하다면 동행하겠네.
― *vt.* ① 《~+目 / +目+*to* do / +-*ing*》 …을 필요로 하다, …이 필요하다(want, require): I ~ money. 돈이 필요하다 / Do you ~ any help? 무언가 도움이 필요합니까 / I ~ you *to* push my car. 자네가 내 차를 밀어 주었으면 좋겠다 / This chapter ~*s* rewrit*ing* (to be rewritten). 이 장(章)은 다시 써야겠다 / It ~*s* no account*ing* for.

설명할 필요가 없다. ② 〔to 不定詞를 수반〕 …할 필요가 있다, …하지 않으면 안 되다(be obliged, must) : We all ~ *to* work. 우리는 모두 일해야 한다 / She did not ~ *to* be told twice. 그녀에게는 되풀이해 말할 필요가 없었다 / I don't ~ *to* keep awake, do I? 계속 해서 깨어 있을 필요는 없잖아요.

> 語法 (1) 특히 구어에서는 이 표현법이 다음의 助動詞 용법의 need 보다 보통임 : I ~*n't* keep awake, ~ I? 단, 다음과 같은 뜻의 차가 인정됨 : He *doesn't* ~ *to* be told. 그는 (벌써 알고 있으므로) 알려 줄 것까지도 없다《현상(現狀)을 강조함》/ He ~*n't* be told. 그에게는 알려 주지 않아도 된다《금후의 행위를 강조함》.
> (2) 긍정문에서는 must 나 have to 를 쓰는 일이 많음 : I ~ *to* wax the floor. 마루에 왁스를 칠해야 한다 / Do you ~ *to* work so late? 그렇게 늦게까지 일해야 하느냐 / I didn't ~ *to* hurry. 나는 서두를 필요가 없었다.

── *aux. v.* 〔疑問文·否定文에 있어서 *to* 없는 原形不定詞를 뒤에 붙임. 의문문·부정문을 만드는 데 do 를 취하지 않음〕 …하지 않으면 안 되다, …할 필요가 있다 : *Need* he go? 그는 가야 합니까 / No, he ~ not (go). 아니, 가지 않아도 좋다 / All that we ~ do was to hide until the danger was past. 우리들이 할 일이라고는 위험이 지날 때까지 숨어 있는 일뿐이었다《★ 주절의 동사가 과거형이라도 종속절의 need는 그대로 씀》/ You ~ only recall his advice. 그의 충고를 생각해 내기만 하면 된다.

> 語法 (1) 3 인칭 현재 단수형에도 -s 를 붙이지 않음. 조동사 need 는 언제나 현재형이므로 과거·미래를 나타내려면 본동사 need 를 쓰든지, have to, be necessary 등의 과거형, 미래형을 대신 씀.
> (2) 'need not have+과거분사'는, 그 동작이 실제로 행하여졌으나 그럴 필요가 없었던 것을 나타냄 : Harry *need not have come.* 해리는 오지 않아도 되었었는데(만일 본동사를 쓰면 Harry didn't ~ to come. 해리는 올 필요가 없었다. 곧 그가 왔는지 오지 않았는지는 언급하고 있지 않음).
> (3) 조동사 용법은 격식 차린 표현으로, 일상적인 표현에서는 본동사 용법이 일반적임. 특히 《美》에서는 조동사 용법은 감소 추세임.

***need·ful** [ní:dfəl] *a.* 필요한, 없어서는 안 될. ── *n.* (the ~) 《口》 ① 필요한 것 : do *the* ~ 필요한 일을 하다. ② (곧 쓸 수 있는) 돈, 현금 : I haven't *the* ~ right now. 지금은 돈을 가지고 있지 않다. ㊞ **~·ly** *ad.*

‡nee·dle [ní:dl] *n.* ① Ⓒ 바늘, 바느질 바늘, 뜨개바늘 : a ~ and thread 실이 꿰어져 있는 바늘 / thread a ~ 바늘에 실을 꿰다 / She is clever with her〔a〕 ~. 재봉 솜씨가 뛰어나다. ② Ⓒ (주사·외과·조각·축음기 따위의) 바늘, 수술용 전기침(針) ; 자침(磁針), 나침(羅針) ; (계기류의) 지침 ; (소총의) 공이 : a phonograph ~ 축음기 바늘. ★ 시계의 바늘은 hand. ③ Ⓒ (침엽수의) 잎 : a pine ~ 솔잎. ④ Ⓒ 〖鑛〗 침정(針晶), 침상 결정체 ; 뾰족한 바위 ; 방첨탑(方尖塔)(obelisk) ; 〖動〗 침골(針骨). ⑤ (the ~) 《英俗》 신경의 초조, 짜증, 걱정, 당황 : get〔give〕 *the* ~ 안달나다〔안달나게 하다〕. ⑥ (the ~) 《口》 가시 돋친 말〔농담, 평(評)〕, 꼬집음. **(as) sharp as a ~** ⇨ SHARP. ***look for a ~ in a bottle*** 〔***bundle***〕 ***of hay*** = ***look*** 〔***search***〕 ***for a ~ in a haystack*** 덤불 속에서 바늘을 찾다, 헛수고를 하다. ***on the ~*** 《俗》 마약 중독에 걸린 ; 《美俗》 마약에 취해 있는, 마약 상습인. ── *vt.* ① …을 바늘로 꿰매다. ② …을 누비듯이 나아가다《*between* ; *through*》 : He ~*d* his way *through* the crowd. 그는 군중 속을 누비듯이 빠져나갔다. ③ …을 바늘로 찌르다 ; 바늘에 꿰다 ; 《口》 …에게 주사하다. ④ 《~+목/+목+전+명》 《口》 …을 (가시 돋친 말로) 놀리다, 속상하게 하다, 괴롭히다 ; 부추기다 ; 자극하여 …시키다《*about* ; *into*》 : We ~*d* him *about* his big ears. 귀가 크다고 그를 놀려댔다 / We ~*d* her *into* going with us. 그녀를 부추기어 우리들과 동행하게 했다. ── *vi.* 바느질을 하다.

néedle càse 바늘쌈.

néedle cràft = NEEDLEWORK.

nee·dle·fish [ní:dlfìʃ] *n.* Ⓒ 〖魚〗 가늘고 긴 물고기《동갈치 따위》.

néedle gàme 〔**màtch**〕 《英》 접전(接戰).

nee·dle·point [ní:dlpɔ̀int] *n.* ① Ⓒ 바늘 끝. ② Ⓤ 바늘로 뜬 레이스(needle lace).

‡need·less [ní:dlis] *a.* 필요 없는, 군 : a ~ remark 쓸데 없는 말 / a ~ waste of food 식량의 낭비 / Carelessness can cause ~ loss of life. 부주의는 불필요한 인명의 손실을 초래할 수도 있다. ***~ to say*** 〔***add***〕 《★ 흔히 글머리에 둠》 말할 필요도 없이, 물론 : *Needless to say,* because of the accident he had, he'll be off work for a while. 말할 필요도 없이, 그는 당한 사고 때문에 당분간 휴직할 것이다. ㊞ **~·ly** *ad.* 쓸데 없이 : Mother worries ~*ly.* 어머니는 쓸데 없이 걱정하고 있다. **~·ness** *n.*

néedle thèrapy 침 요법(acupuncture).

nee·dle·wom·an [ní:dlwùmən] (*pl.* ***-wom·en*** [-wìmin]) *n.* Ⓒ 바느질하는 여자, 침모.

***nee·dle·work** [-wə̀:rk] *n.* Ⓤ 바느〔뜨개〕질 (기술·작품) ; 자수.

need·n't [ní:dnt] 《口》 need not 의 간약형.

needs [ni:dz] *ad.* 《文語》 반드시, 꼭, 어떻게든지《★ 긍정문에서 must 와 함께 쓰임》. ***must ~*** do (1) = needs must do : This work *must* ~ be done within the week. 이 일은 금주 안에 끝내야 한다. (2) 꼭 한다고 우겨대다 : He *must* ~ come. 꼭 오겠다고 우긴다 / He had a temperature, but he *must* ~ go to school. 그는 열이 있었는데, 학교에 가겠다고 우겨댔다. ***~ must*** do 꼭 해야 한다, …하지 않을 수 없다 : *Needs must* when the devil drives. 다급하면 안할 수가 없다 ; 무엇보다 발등에 떨어진 불이 급하다.

needy** [ní:di] (need·i·er*** ; ***-i·est***) *a.* ① 가난한. ② (the (poor and) ~) 〔名詞的 ; 複數 취급〕 빈궁한 자. ㊞ **néed·i·ness** *n.*

ne'er [nɛər] *ad.* 《詩》 = NEVER.

ne'er-do-well [nɛ́ərdu:wèl] *n.* Ⓒ 변변치 못한 사람, 밥벌레. ── *a.* 〔限定的〕 쓸모없는, 변변치 못한.

ne·far·i·ous [nifɛ́əriəs] *a.* 못된, 사악한, 악질인, 극악한 : their ~ cruelty 그들의 극악한 잔학성. ㊞ **~·ly** *ad.* **~·ness** *n.*

neg. negative.

ne·gate [nigéit] *vt.* ① …을 부정〔부인〕하다 (deny) ; 취소하다. ② 무효로 하다. ③ 〖컴〗 부정하다《부정의 작동〔연산〕을 하다》.

ne·ga·tion [nigéiʃən] *n.* ① Ⓤ.Ⓒ 부정, 부인, 취소. opp. *affirmation.* ¶ Dictatorship is a ~ of freedom. 독재는 자유의 부정이다 / He shook his head in ~ of charge. 고개를 흔들어 그 죄상을 부

N

인했다. ② [U] 없음, 무, 비존재, 비실재(非實在): Darkness is the ~ of light. 암흑이란 빛이 존재하지 않는 것이다. ③ [U] 〖文法〗 부정(否定). ④ [U] 〖컴〗 부정(inversion).

‡neg·a·tive [négətiv] (*more* ~; *most* ~) *a.* ① 부정의, 부인〔취소〕의. [opp] *affirmative*. ¶ a ~ sentence 부정문. ② 거부의, 거절의; 금지의, 반대의: the ~ side 〔team〕 (토론의) 반대측 / a ~ order 〔command〕 금지령 / a ~ vote 반대 투표 / We received a ~ answer to our request. 우리 요구에 대한 거절의 대답을 받았다 / give a ~ answer 반대라고 대답하다. ③ 소극적인. [opp] *positive*. ¶ a ~ character 소극적인 성격 / a ~ attitude 소극적인 태도. ④ 효과가 없는; 기대에 반하는; (노력 따위의) 결과가 없는: The computer check was ~. 컴퓨터 검색은 아무 효과도 없었다. ⑤ 〖電〗 음전기의, 음극의; 〖數〗 마이너스의; 〖醫〗 음성의; 〖寫〗 음화의, 음(陰)의: a ~ quantity 음수, 음의 양(量).

── *n.* [C] ① 부정〔거부, 반대〕의 말〔견해, 회답, 동작, 행위〕; 부정 명제: Two ~*s* make a positive. 부정이 둘이면 긍정이 된다. ② 거부, 거절, 부정(의 대답); 거부권(veto). ③ 〖文法〗 부정을 나타내는 말《*no, not, never, by no means* 등》. ④ 〖數〗 음수, 음의 양(量), 마이너스 부호; 〖電〗 음전기, 음극판; 〖寫〗 원판, 음화. ***in the*** ~ 부정〔반대〕하여〔하는〕: answer *in the* ~ 아니라고 대답하다(return a ~); 부정〔거절〕하다.

── *vt.* ① …을 부정하다: 거절〔거부〕하다; …에 반대하다. ② …을 논박하다, 반증하다; 무효로 하다.

négative féedback 〖컴〗 음(陰)되먹임, 음(陰)피드백(inverse feedback).

négative lógic 〖컴〗 음 논리《더 많은 음의 전압이 1을, 보다 적은 음의 전압이 0을 나타내는 논리》.

neg·a·tive·ly [négətivli] *ad.* 부정〔소극, 거부〕적으로, 부인하여: answer ~ 아니라고 대답하다 / Stein shook his head slowly, ~. 스타인은 부정의 뜻으로 머리를 천천히 가로저었다.

négative póle ① 〖電〗 음극(陰極). ② (자석의) 남극.

négative sígn 마이너스 부호《−》.

neg·a·tiv·ism [négətivìzəm] *n.* [U] ① 부정〔회의〕적 사고 경향; 부정주의《불가지론·회의론 등》. ② 〖心〗 반항〔반대〕벽(癖), 거절(증). [파] **-ist**[-ist] *n.*

ne·ga·tor, -gat·er [nigéitər] *n.* 〖컴〗 부정 소자.

‡ne·glect [niglékt] *vt.* ① 《~+[목] / +-*ing* / +*to* do》 (의무·일 따위)를 게을리하다, …해야 할 것을 안하다, …하지 않고 그대로 두다: ~ one's business 일을 게을리하다 / ~ one's family 가족을 돌보지 않다 / If you are not careful, children tend to ~ their homework. 여러분들이 주의하지 않으면 자식들은 숙제를 소홀히 할 경향이 있습니다 / He ~*ed* writ*ing* a letter. = He ~*ed to* write a letter. 그는 편지 쓰는 것을 잊었다. ② …을 무시하다, 경시하다; 간과하다: ~ a person's advice 아무의 충고를 무시하다 / a ~*ed* poet 세상의 인정을 받지 못한 시인.

── *n.* [U] 태만; 무시, 경시; 방치 (상태): ~ of one's duty 직무〔의무〕 태만 / ~ of traffic signals 교통 신호의 무시 / Over the years the church has fallen into a state of ~. 여러 해 동안 그 교회는 잊혀진 상태에 있었다.

ne·glect·ful [-fəl] *a.* ① 게으른, 태만한. ② 〔敍述的〕 …에 부주의한, 소홀히 하는; 무(관)심한《*of*》: He is ~ *of* his own safety. 몸의 안전을 돌보지 않는다.

[파] ~·**ly** [-fəli] *ad.* ~·**ness** *n.*

neg·li·gee, nég·li·gé [négliʒèi, ⌐-⌐] *n.* ① [C] 실내복, 네글리제, 화장복. ② [U] 약식 복장, 평상복: in ~ 평상복으로, 평소의 차림으로.

***neg·li·gence** [négliḍʒəns] *n.* [U] ① 태만, 등한; 부주의; 되는 대로임; 무관심: ~ of one's duty 직무 태만 / an accident due to ~ 과실〔부주의〕로 인한 사고 / As a result of your ~, three people were injured. 네 부주의로 3명이 부상을 입었다 / one's ~ in dress 복장에 대한 무관심. ② 〖法〗 (부주의로 인한) 과실: gross ~ 중과실.

neg·li·gent [néglidʒənt] *a.* ① 소홀한, 태만한; 부주의한《*of; in*》; 되는 대로의; 무관심한: be ~ *of* one's duties 자기 직무에 태만하다 / She was ~ *in* carry*ing* out her duties. 그녀는 직무 수행에 태만하였다 / a ~ way of speaking 아무렇게나 하는 말투. ② 〔敍述的〕 (…에) 무관심한《*about*》: She's ~ *about* her dress. 그녀는 자기 옷차림에 무관심하다 / One should not be ~ *about* traffic regulations. 사람은 교통 규칙에 무관심해서는 안 된다. ◇ neglect *v.* [파] ~·**ly** *ad.*

***neg·li·gi·ble** [néglidʒəbəl] *a.* 무시해도 좋은, 하찮은, 무가치한, 사소한: a ~ amount 하찮은 양 / be not ~ 무시할 수 없다 / I have a ~ knowledge of German. 독일어에 대해서 아는 바가 시원치 않다 / His force was far from ~. 그의 힘은 실로 깔볼 수 없는 것이었다. [파] **-bly** *ad.*

ne·go·ti·a·ble [nigóuʃiəbəl] *a.* ① 협상〔협정〕할 수 있는: Everything is ~ at this stage. 이 단계에서는 모든 것을 협상할 수 있다. ② (증권·수표 따위가) 양도〔유통〕할 수 있는: a ~ bill 유통어음 / ~ instruments 유통 증권. ③ (산·길 따위가) 다닐〔넘을〕 수 있는; 극복〔처리〕할 수 있는: Parts of the road had been washed away by streams, but it was ~. 길의 일부가 강물로 유실되었으나 여전히 다닐 수 있다.

[파] **ne·gò·ti·a·bíl·i·ty** [-bíləti] *n.*

***ne·go·ti·ate** [nigóuʃièit] *vt.* ① …을 협상〔협의〕하다, 교섭하여 결정하다, 협정하다: A truce was finally ~*d* after months of talks. 몇 개월 간의 회담 끝에 드디어 휴전 협정이 체결되었다. ② …을 매도〔양도〕하다; 돈으로 바꾸다, 유통시키다《어음·증권 따위를》: ~ a bill of exchange 환어음을 돈으로 바꾸다. ③ (도로의 위험 개소)를 통과하다; (장애 등)을 뚫고 나아가다; (어려운 일)을 잘 처리하다: The car ~*d* the corner with ease. 그 차는 쉽게 그 코너를 지나갔다 / The company's had some tricky problems to ~ in its first year in business. 그 회사는 영업 첫해에 잘 처리해야 할 몇 가지 까다로운 문제를 가지고 있었다. ── *vi.* 《+[전]+[명]》 협상〔협의〕하다《*with*》: ~ *with* a foreign ambassador on a peace treaty 외국 대사와 평화 조약을 협상하다. ◇ negotiation *n.*

‡ne·go·ti·a·tion [nigòuʃiéiʃən] *n.* ① [U,C] (종종 *pl.*) 협상, 교섭, 절충: peace ~*s* 평화 협상 / ~*s* on trade 무역 협상 / be in ~ with …와 교섭 중이다 / break off 〔carry on〕 ~*s* 교섭을 중단〔속행〕하다 / enter into 〔open, start〕 ~*s* with …와 협상〔교섭〕을 개시하다. ② (증권 따위의) 양도, 유통. ③ (도로·곤란의) 극복, 뚫고 나감.

ne·go·ti·a·tor [nigóuʃièitər] (*fem.* ***-a·tress*** [-ʃiətris], ***-a·trix*** [-ʃiətriks]) *n.* [C] ① 협상〔교섭〕자; 거래인, 절충자. ② 어음 양도인, 배서인.

Ne·gress [ní:gris] *n.* [C] 《종종 蔑》 흑인 여인.

‡Ne·gro [ní:grou] (*pl.* ~***es***; *fem.* ***Ne·gress*** [-gris]) *n.* [C] 니그로, 흑인. [cf] nigger. ★ 흑인은 이 말을 좋아하지 않으며 미국에서는 Black이 일반적이며, 또 완곡하게 colored man 〔woman, people)이라는 명칭도 종종 쓰임. — *a.* 〔限定的〕 니그로의; 흑인(종)의: the ~ race 흑인종 / a ~ spiritual 흑인 영가.

Ne·groid [ní:grɔid] *a.*, *n.* Ⓒ 흑색 인종의(사람).

ne·gus [ní:gəs] *n.* Ⓤ 니거스《포도주에 끓는 물·설탕·레몬즙 등을 섞어 만든 음료》.

Neh. Nehemiah.

Ne·he·mi·ah [nì:əmáiə] *n.* ①〖聖〗 느헤미야《기원전 5세기의 헤브라이의 지도자》. ② 느헤미야서 (=**the Bóok of** ~)《구약 성서 중의 한 편; 略: Neh.》.

***neigh** [nei] *n.* Ⓒ (말의) 울음. — *vi.* (말이) 울다.

†neigh·bor, 《英》 **-bour** [néibər] *n.* Ⓒ ① 이웃(사람), 이웃집〔근처〕 사람, 옆의 사람: my next-door ~ 이웃집 사람 / a ~ at dinner 식탁에서 옆자리(에 앉은) 사람 / She is our ~ across the street. 그녀는 길 건너 맞은편 사람이다 / Love your ~, yet pull not down your fence. 《俗談》 이웃을 사랑하라, 그러나 담은 두고 지내라. ★ 아파트나 맨션에서는 윗층 또는 아랫층 사람을 가리킬 때도 있음. ② 이웃 나라 (사람): our ~*s* across the Channel (영국 사람이 본) 프랑스 사람 / Canada and the United States are ~*s*. 캐나다와 미국은 이웃 나라 사이이다. ③ (같은) 동료, 동포: Love thy ~*s* as thyself. 〖聖〗 이웃을 네 몸과 같이 사랑하라. ④ 이웃〔가까이〕에 있는 (같은 종류의) 것: The falling tree brought down its ~*s*. 넘어지는 나무가 그 옆의 나무들을 쓰러뜨렸다. — *a.* 〔限定的〕 이웃의, 근처의: a ~ country 이웃 나라 / a good ~ policy 선린 정책. — *vi.* 《+전+명》 …와 이웃하다, 가까이 살다〔있다〕《*on, upon*》: He ~*s on* 5th Street. 그는 5번가 가까이 서 살고 있다. — *vt.* …에 인접하다.

‡neigh·bor·hood, 《英》 **-bour-** [néibərhùd] *n.* ① (*sing.*) (종종 the ~, one's ~) 근처, 이웃, 인근: (in) this ~ 이 근처(에), 이 곳(에서는) / Were you born in this ~? 이 근처에서 출생하셨습니까. ② Ⓒ 〔修飾語를 수반하여〕 (어떤 특징을 갖는) 지구, 지역; 《英》 (도시 계획의) 주택 지구: a fashionable ~ 고급 지구 / The wealthy ~ is near the river. 강 근처는 부유 지구이다. ③ (*sing.*) 〔集合的; 單·複數취급〕 근처의 사람들: This ~ is very kindly. 이 근처의 사람들은 친절하다 / The whole ~ was there. 근처의 사람들이 모두 와 있었다. ***in the ~ of*** (1) …의 근처에: I wouldn't like to live *in the ~ of* an airport. 공항 근처에는 살고 싶지 않다. (2) 《口》 약, 대략…: *in the ~ of* $1,000, 약 천 달러 / Its speed is probably *in the ~ of* 380 mph or even more. 그 속도는 아마 약 시속 380 마일이나 또는 그 이상일 것이다.

néighborhood wátch 《美》 (범죄 방지를 위한) 지역 주민의 자체 경비.

‡neigh·bor·ing, 《英》 **-bour-** [néibəriŋ] *a.* 〔限定的〕 이웃의, 인접〔근접〕해 있는, 가까운: ~ countries 인접 국가.

neigh·bor·less, 《英》 **-bour-** [néibərlis] *a.* 이웃이 없는; 고독한.

neigh·bor·ly, 《英》 **-bour-** [néibərli] *a.* (친한) 이웃 사람 같은〔다운〕; 우호적인, 친절한, 사귐성이 있는: live on ~ terms with …와 사이좋게 지내다 / That's real ~ of you. 정말 친절하군요. ⓜ **-li·ness** *n.* Ⓤ 이웃사랑; 친절: The lack of good *neighborliness* has led to a break down in the traditional life of the community. 참다운 이웃 사랑의 부족으로 전통적 지역 생활은 와해될 수 밖에 없었다.

†nei·ther [ní:ðər, nái-] *a.* 〔單數名詞의 앞에서〕 (둘 중에서) 어느 쪽의 —도 …아니다〔않다〕《主語를 수식하는 경우를 제외하고 《口》에서는 not… either를 쓸 때가 많음》: *Neither* statement is true. 어느 쪽 주장도 진실은 아니다 / We support ~ candidate. (=We don't support either candidate.) 우리는 어느 쪽 후보도 지지하지 않는다 / There were any houses on ~ side of the road. 길 어느 쪽에도 집은 없었다.

— *pron.* (둘 중의) 어느 쪽도 …아니다〔않다〕: *Neither* (of the books) is 〔are〕 good. (그 책의) 어느 쪽 (것)도 다 좋지 않다《neither는 원칙적으로 단수로 취급하나 《口》에서는 복수로도 취급함》 / We ~ of us will go. 우리는 둘 다 가지 않는다《We와 ~ of us는 동격》 / Which did you buy? — *Neither*. 어느 것을 샀느냐 — 어느 것도 사지 않았다.

> 參考 neither는 둘(both)에 대응되는 否定語이므로, 셋 이상의 否定에는 none: *Neither* of us knows. 우리들은 둘 다 모른다. —*None* of us knows. 우리들 중 아무도 모른다《3인 이상》.

— *conj.* 〔nor와 결합하여 상관적으로〕 …도 —도 아니다〔않다〕: *Neither* you *nor* I am to blame. 너도 나도 잘못이 없다《동사는 가까운 주어에 일치》 / *Neither* he *nor* his wife has 〔have〕 arrived. 그도 그의 부인도 도착하지 않았다《《口》에서는 nor 뒤의 명사가 단수라도 흔히 복수동사를 씀》 / *Neither* mother *nor* daughter often knows much of the other. 어머니와 딸이 서로를 잘 모르는 일이 자주 있다《對句的으로 관사가 안 붙을 때가 있음》 / I have ~ time, (*nor*) patience, *nor* the inclinations, *nor* the right to do that. 그것을 할 만한 시간도, 인내도, 흥미도, 권리도 없다《셋 이상의 어구를 다 부정할 때도 있음》.

> 語法 (1) neither… nor __ 는 양면 부정, both… and __ 는 양면 긍정: *Both* you *and* I are to blame. 당신도 나도 다 나쁘다.
> (2) neither와 nor 뒤에는 원칙적으로 같은 품사·같은 문법 기능을 갖는 말이 옴.

— *ad.* 〔否定文 또는 否定의 節 뒤에서〕 …도 또한 —아니다〔않다〕《neither+(조)동사+주어의 語順이 됨》: I do*n't* smoke, (and) ~ do I drink. 나는 담배도 피우지 않으며 술도 먹을 줄 모릅니다(=I don't smoke, (and) I don't drink(,) either. =I ~ smoke nor drink.) / If you do *not* go, ~ shall I. 당신이 가지 않는다면 나도 안 가겠소 / I am *not* tired. —*Neither* am I. 나는 피곤하지 않다 — 나 역시 피곤하지 않다《비교: I am tired. —*So* am I. 난 피곤하다 — 나도 피곤하다》/ Just as I'm *not* tall, so ~ are my sons. 내가 키가 크지 않은 것과 같이 아들들도 키가 크지 않다. ~ ***here nor there*** ⇨ HERE. ~ ***more nor less than...*** ⇨ MORE.

Nell [nel] *n.* 넬《여자 이름; Eleanor, Helen의 애칭》.

Nel·lie, -ly [néli] *n.* ① 넬리《여자 이름; Eleanor, Helen의 애칭》. ② (n-) 《俗》 바보, 여자 같은 놈〔호모〕. ***Not on your ~!*** 《英俗》 절대 그렇지 않다, 당치도 않다: "Perhaps you could take Simon to the party". "*Not on your* ~!" '자네는 사이몬을 그 파티에 데려올 수 있을거야', '절대 그런 짓은 안하겠네'.

Nel·son [nélsn] *n.* 넬슨. ① 남자 이름. ② **Horatio** ~ 영국의 제독《Trafalgar 해전의 승리자; 1758-1805》.

nel·son [nélsn] *n.* 〖레슬링〗 넬슨《목조르기 ; full ~, half ~, quarter ~ 따위가 있음》.

nem con. [némkán / -kɔ́n] *ad.* 《L.》 만장 일치로.

Nem·e·sis [néməsis] *n.* ① 〖그神〗 네메시스, 인과 응보·복수의 여신. ② (n-) (*pl.* **-ses** [-sìːz], ~·**es**) **a)** Ⓒ 벌을 주는 사람. **b)** Ⓤ 천벌, 인과응보 : meet one's nemesis 천벌을 받다 / His self-destruction is the ~ of irrationality. 그의 자멸(自滅)은 무분별에 의한 당연한 결과이다. **c)** Ⓒ 강적, 대적 : He believes AIDS is our collective ~. 그는 에이즈를〔후천성 면역 결핍증을〕 우리의 공동의 대적이라 믿고 있다.

neo- '새로운, 근대'의 뜻의 결합사.

ne·o·clas·sic, -si·cal [nìouklǽsik], [-əl] *a.* 〖經·美術·文藝〗 신고전주의(파)의. ㊕ **-si·cism** [-klǽsəsìzəm] *n.* **-cist** *n.*

ne·o·co·lo·ni·al·ism [nìoukəlóuniəlìzəm] *n.* Ⓤ 신식민주의.

ne·o·con·serv·a·tism [nìoukənsə́ːrvətizəm] *n.* Ⓤ 《美》 신보수주의《거대한 정부에 반대하고 복지 정책·민주적 자본주의를 지지》.

ne·o·dym·i·um [nìːoudímiəm] *n.* Ⓤ 〖化〗 네오디뮴《희토류 원소 ; 기호 Nd ; 번호 60》.

ne·o·fas·cism [nìːoufǽʃizəm] *n.* Ⓤ 신파시즘. ㊕ **-fás·cist** *a., n.*

ne·o·im·pe·ri·al·ism [nìːouimpíəriəlìzəm] *n.* Ⓤ 신제국주의. ㊕ **-ist** *n.*

ne·o·im·pres·sion·ism [nìːouimpréʃənìzəm] *n.* Ⓤ (종종 N- I-) 신인상주의《19 세기말 프랑스 회화의 일파의 기법》.

Ne·o·lith·ic [nìːoulíθik] *a.* 신석기 시대의 : the ~ Age〔Era, Period〕 신석기 시대.

ne·ol·o·gism [niːálədʒìzəm / -ɔ́l-] *n.* ① Ⓒ (눈살이 찌푸려지는) 신조어(新造語), 신어구(新語句) ; (기성 어구의) 새 어의(語義). ② Ⓤ 신어구〔어의〕 채용〔고안〕.

ne·o·my·cin [nìːəmáisin] *n.* Ⓤ 〖生化〗 네오마이신《방선균(放線菌)에서 얻은 항생물질의 일종》.

***ne·on** [níːɑn / -ən, -ɔn] *n.* ① Ⓤ 〖化〗 네온《비활성 기체 원소의 하나 ; 기호 Ne ; 번호 10》. ② = NEON LAMP ; 네온사인(에 의한 조명).

ne·o·nate [níːənèit] *n.* Ⓒ (생후 1 개월 내의) 신생아.

Ne·o-Na·zism [nìːounáːtsizəm] *n.* Ⓤ 신나치주의.

néon lámp 〔**líght, túbe**〕 네온 램프.

néon sígn 네온 사인.

ne·o·phyte [níːəfàit] *n.* Ⓒ ① **a)** 신개종자. **b)** 〖가톨릭〗 신임 사제(司祭). **c)** 〖가톨릭〗 수련 수사. ② 신참자(新參者), 초심자(beginner).

ne·o·plasm [níːəplæ̀zəm] *n.* Ⓒ 〖醫〗 (체내에 생기는) 신생물(新生物), 《특히》 종양(腫瘍).

Ne·o·ri·can [nìːouríːkən] *n., a.* 푸에르토리코계 뉴욕 시민(의) ; 그 후손(의) ; 그 스페인어(의).

Ne·pal [nipɔ́ːl, -páːl, -pǽl] *n.* 네팔《인도·티베트 사이에 있는 왕국 ; 수도 Katmandu》.

Nep·a·lese [nèpəlíːz, -líːs] *n., a.* 네팔 사람 ; 네팔(사람〔말〕)의.

Ne·pali [nipɔ́ːli, -páːli, -pǽli] (*pl.* ~, **-pál·is**) *n.* Ⓒ 네팔 사람 ; Ⓤ 네팔어(語). ── *a.* 네팔(사람〔어〕)의.

‡**neph·ew** [néfjuː / névjuː] *n.* Ⓒ 조카, 생질. cf. niece.

ne·phri·tis [nifráitis] *n.* Ⓤ 〖醫〗 신(장)염 ; = BRIGHT'S DISEASE.

ne·phro·sis [nifróusis] *n.* Ⓤ 네프로오제, (상피성(上皮性)) 신장증(症).

ne plus ul·tra [níː-plʌs-ʌ́ltrə] 《L.》 (the ~) 극치(acme), 극점, 정점《*of*》.

nep·o·tism [népətìzəm] *n.* Ⓤ (관직 임용 따위의) 친척 편중, 동족 등용. ㊕ **nèp·o·tís·tic** *a.*

***Nep·tune** [néptjuːn] *n.* ① 〖로神〗 바다의 신, 넵튠《그리스 신화의 Poseidon》. ② 〖天〗 해왕성.

nep·tu·ni·um [neptjúːniəm] *n.* Ⓤ 〖化〗 넵투늄《방사선 원소의 하나 ; 기호 Np ; 번호 93》.

nerd [nəːrd] *n.* Ⓒ 《美俗》 ① 바보, 얼간이. ② 일에만 열중하고 사회 관계에 무능한 사람 : a computer ~ 컴퓨터 얼간이.

Ne·re·id [níəriid] (*pl.* **~s, ~·es** [-idìːz]) *n.* ① 〖그神〗 네레이스, 바다의 요정〔여신〕. cf. Nereus. ② 〖天〗 네레이드, 해왕성의 제 2 위성.

Ne·re·us [níəriəs, -riùːs] *n.* 〖그神〗 네레우스《해신 ; 50 명의 딸 Nereids 의 아버지》.

Ne·ro [níːrou] *n.* 네로《로마의 폭군 ; 37-68》.

nerv·al [nə́ːrvəl] *a.* 신경(계)의, 신경 조직의 ; 신경을 자극하는.

‡**nerve** [nəːrv] *n.* ① Ⓒ 신경 ; (치수(齒髓))의 신경조직, (흔히) 치아의 신경. ② Ⓤ 용기, 배짱, 담력 ; 기력, 정신력 : A test pilot needs plenty of ~. 테스트 파일럿은 대단한 용기가 필요하다 / He didn't have enough ~ to mention it to his teacher. 그는 그것을 선생님에게 말할 만한 용기가 없었다. ③ Ⓤ 《口》 뻔뻔스러움, '강심장' : What (*a*) ~ ! 정말 뻔뻔스럽군 / You've got *a* ~. 자네도 뻔뻔하군 / He had *the* ~ *to* tell me to leave. 그는 뻔뻔스럽게도 내게 떠나라고 말했다. ④ Ⓒ (*pl.*) 신경 과민(증), 신경질 ; 히스테리 : calm〔steady〕 one's ~*s* 신경을 진정시키다 / suffer from ~*s* 노이로제이다 / I always get ~*s* before an exam. 시험 전이면 언제나 신경과민이 된다. ⑤ Ⓒ 〖植〗 엽맥 ; 〖動〗 시맥(翅脈), 날개맥. ***be all ~s*** 몹시 신경과민이다 : She seems to *be all ~s*. 그녀는 몹시 신경과민 상태인 것 같다. ***get*** 〔***jar***〕 ***on*** a person***'s ~s*** = ***give*** a person ***the ~s*** 아무의 신경을 건드리다, 아무를 짜증나게 하다. ***get up the ~*** 용기를 내다 : I finally *got up enough*〔*the*〕 ~ to ask the boss for a raise. 나는 용기를 내어 사장에게 승진을 부탁했다. ***have iron ~s*** = ***have ~s of steel*** 담력이 있다, 대담하다. ***hit*** 〔***touch***〕 ***a*** (***raw***) ~ …의 아픈 곳을 찌르다 : He *hit*〔*touched*〕 *a* (*raw*) ~ when he mentioned her dead son. 그는 그녀의 죽은 아들의 얘기를 하여 그녀의 가슴을 아프게 했다. ***live on*** one's ***~s*** 항상 마음 조리며 살다. ***lose*** one***'s*** ~ 기가 죽다 : The bomber had *lost his* ~ and fled. 폭파범은 기가 죽어 도망쳤다. ***strain every*** ~ 모든 노력을 다하다《*to* do》.

── *vt.* ①《~+目 / +目+*to* do / +目+前+名》 …에게 용기를〔기운을〕 북돋우다 : Her advice ~*d* him *to* go his own way. 그는 그녀의 충고로 용기를 얻어 자기가 뜻한 대로 일을 실행했다 / Encouragement had ~*d* him *for* the struggle. 격려를 받고 투쟁에 대한 용기가 났다. ② 〔再歸的〕 용기를 내어 …하다, 분발하여 …하다 : He ~*d* him*self to* propose to her. 그는 용기를 내어 그녀에게 구혼했다 / I ~*d* my*self* for some bad news. 나쁜 소식을 듣기 위해 마음을 가다듬었다.

nérve cèll 신경 세포.

nérve cènter ① 〖醫〗 신경 중추. ② (the ~) (조직·운동 따위의) 중추, 중심.

nerved [nəːrvd] *a.* 〔複合語를 만듦〕 신경이 …한 : strong-~ 신경이 강한, 용기가 있는.

nérve fìber 〖解〗 신경 섬유.

nérve gàs 〖軍〗 신경 가스《독가스》.

nérve ìmpulse 〖生理〗 신경 충격《신경 섬유를 따라 전도되는 화학적·전기적 변화》.

nerve·less [nə́ːrvlis] *a.* ① 활기〔용기〕가 없는, 소심한, 힘 빠진, 무기력한. ② 냉정한, 침착한.

㊣ ~·ly *ad.* ~·ness *n.*

nerve-rack·ing, -wrack- [ˊ-ræ̀kiŋ] *a.* 신경을 건드리는〔괴롭히는, 피로케 하는〕; 가슴 설레게 하는: My wedding was the most ~ thing I've ever experienced. 내가 경험한 것 중에서 내 결혼식만큼 가슴 설레게 한 것은 없었다.

nérve wàr 신경전(war of nerves).

‡nerv·ous [nə́ːrvəs] (***more*** ~; ***most*** ~) *a.* ① 〔限定的〕 신경(성)의, 신경에 작용하는: ~ tension 신경의 긴장 / a ~ disease 〔disorder〕 신경병 / a ~ headache 신경성 두통. ② 신경질적인, 신경 과민한, 흥분하기 쉬운: become ~ 신경질적으로 되다 / Don't be ~. 신경과민이 되지 마라, 겁내지 마라 / get ~ on the stage 무대 위에서 흥분하다〔얼다〕 / make a person ~ 아무를 조마조마하게 만들다, 마음 졸이게 하다; 〔敍述的〕 (…을) 두려워 하는, (…에) 가슴 졸이는; …라는 것에 가슴 졸이는《*of*; *about*; *that*》: She's ~ *of* going out at night. 그녀는 밤에 외출하는 것을 두려워하고 있다 / I felt ~ *about* the result. 그 결과에 불안을 느꼈다 / He was ~ *that* the reviewers might attack him again. 그는 서평가들이 다시 자신을 공격할지 모른다고 가슴 졸였다. ◇ nerve *n.* ㊣ *~·ly [-li] *ad.* 신경질적으로; 안달이 나서. ~·ness *n.*

nérvous bréakdown 신경 쇠약.

nérvous sỳstem (the ~) 〖解·動〗 신경계.

nérvous wréck 《英口》 신경과민으로 불안해 하는 사람.

nervy [nə́ːrvi] (***nerv·i·er***; ***-i·est***) *a.* ① 《美口》 뻔뻔스러운. ② 《英》 신경질적인, 과민한, 흥분 잘하는: I'm always ~ before an exam. 시험 전에는 언제나 가슴이 두근거린다 / Sometimes dad was nice to us, but sometimes he was bad-tempered and ~. 때로 아빠는 우리에게 상냥하기도 했으나 때로는 시무룩하고 신경질적이기도 했다. ㊣ **nerv·i·ly** *ad.* **nerv·i·ness** *n.*

nes·cience [néʃiəns] *n.* Ⓤ ① 무지(ignorance). ② 〖哲〗 불가지론(agnosticism).

nes·cient [néʃiənt] *a.* ① 무학의, 무지한. ② 〖哲〗 불가지론(자)의.

Ness [nes] *n.* (Loch ~) 네스 호《스코틀랜드 북서쪽의 호수; 정체 불명의 괴수가 있다고 전함》.

-ness *suf.* (복합) 형용사·분사 따위에 붙여서 '성질·상태'를 나타내는 추상 명사를 만듦: kind*ness*, tired*ness*.

†nest [nest] *n.* Ⓒ ① 보금자리, 둥지《주로 새·벌레·물고기·거북 따위의》: build a ~ 보금자리를 짓다. ② **a**) 안식처, 휴식소. **b**) (도둑 따위의) 소굴(haunt); (악의) 온상《*of*》: a ~ *of* crime 범죄의 온상. ③ 〔集合的〕 **a**) 둥지 속의 알·새끼. **b**) (못된 장소 따위에) 같이 드나드는 한 패, 동류. **c**) (새·벌레 등의) 떼. ④ (찬합식으로 차례로 큰 것에 끼워 넣게 된 기물의) 한 벌〔세트〕: a ~ of tables 〔trays, measuring spoons〕 겹끼운 탁자〔쟁반, 계량용(計量用) 스푼〕. ***feather*** 〔***line***〕 ***one's*** ~ 사복(私腹)을 채우다. ***foul*** 〔***befoul***〕 ***one's own*** ~ 자기 집안〔당〕의 일을 나쁘게 말하다. ― *vi.* ① 보금자리를 짓다, 보금자리에 깃들이다. ② 새집을 찾다: go ~*ing* 새집을 찾으러 가다. ③ (상자 따위가) 차례로 끼워 넣게 되어 있다: bowls that ~ for storage 포개어 보관할 수 있는 사발.

nest·ed [néstid] *a.* 차례로 포개어 넣게 된.

nésted súbroutine 〖컴〗 안긴 아랫경로《서로 다른 아랫경로 중에서 호출되는 아랫경로》.

nést ègg ① 밑알. ② (저금 따위의) 밑천, 밑돈; 비상금.

***nes·tle** [nésəl] *vi.* ① 《+副》 **a**) 편히 몸을 누이다, 기분좋게 눕다〔앉다, 쪼그리다〕《*down*; *in*, *into*; *among*》: ~ *down* in bed 침대에 편안히〔기분 좋게〕 드러눕다. **b**) 바싹 다가서다, 옆에 가까이 가다《*up to*; *against*》: ~ *up* 〔*close*〕 *to* one's mother 어머니에게 바싹 달라붙다〔기대다〕. ② 《+前+名》 외진 곳에 자리잡고 있다: The town ~*s among* the hills. 그 읍은 산으로 둘러싸인 곳에 자리잡고 있다. ― *vt.* ① 《+目+前+名》 …에 기분 좋게 누이다《*in*》: ~ oneself *in* bed 잠자리에 편안히 드러눕다. ② 〔종종 受動으로〕 (젖먹이)를 껴안다《*in*》; (머리·얼굴·어깨 따위)를 갖다 대다《*on*; *against*》: The mother ~*d* the baby *in* her arms. 어머니는 아기를 껴안았다 / The baby was ~*d in* its mother's arms. 아기는 어머니의 팔에 안겨 있었다 / She ~*d* her head *on*〔*against*〕 his shoulder. 그녀는 그의 어깨에 머리를 기대었다.

nest·ling [néstliŋ] *n.* Ⓒ 갓깬 새끼새.

Nes·tor [néstər, -tɔːr] *n.* ① 〖그神〗 네스토르《Troy 전쟁 때의 그리스군의 현명한 노장(老將)》. ② Ⓒ (종종 n-) 현명한 노인; 원로.

‡net[1] [net] *n.* ① Ⓒ (동물을 잡는) 그물: a fishing ~ 어망 / cast〔throw〕 a ~ 그물을 치다 / draw in a ~ 그물을 당기다. ② Ⓤ 그물 모양의 것; 망상(網狀) 조직; 그물 세공; 망사(網紗), 그물 레이스; 헤어네트(hair net). ③ Ⓒ 올가미, 함정, 계략; 수사망, 포위망: walk 〔fall〕 into the ~ 올가미에 걸리다 / be caught in a ~ of deception 속임수에 걸리다 / escape a police ~ 수사망을 벗어나다. ④ Ⓒ (축구·하키 등의) 골; 〖테니스〗 네트《네트에 맞히는 일》, =NET BALL. ⑤ Ⓒ 연락망, 통신망, 방송망(net work). ***cast one's*** ~ ***wide*** 그물을 넓게 치다. ― (-***tt***-) *vt.* ① …을 그물로 잡다: ~ fish 투망으로 고기를 잡다. ② 《俗》 …을 올가미〔계략〕에 걸리게 하다: That girl finally ~*ted* herself a husband(= a husband for herself). 그 소녀는 드디어 (결혼) 상대를 낚았다. ③ …에 그물을 치다〔던지다〕: ~ a river 강에 그물을 치다, 강에서 투망질하다. ④ (과수 등)을 그물로 덮다〔가리다〕; 연락망을 구성하다: ~ the bed 침대 위에 모기장을 치다 / ~ the grapes 포도를 그물로 싸다. ⑤ 〖테니스〗 (공)을 네트에 치다; 〖蹴·하키〗 (공)을 슛하다: He secured a dramatic victory for England by ~*ting* the ball half a minute before the end of the game. 그는 게임종료 30초 전에 공을 네트에 꽂아 영국에게 극적 승리를 가져다 주었다. ⑥ …을 뜨다, 짜다. ★ 흔히 과거분사로 형용사적으로 쓰임. ― *vi.* 그물코를 뜨다; 그물을 뜨다.

net**[2] *a.* 〔限定的〕 ① 정미(正味)의, 알속의, 순수한; 에누리 없는. cf. gross. ¶ a ~ gain 〔profit〕 순이익 / a ~ price 정가 / ~ at 10 dollars 정가 10 달러로 / It weighs 500 g ~. 그것은 정미 500 g 이다. ② 궁극의, 최종적인: ~ conclusion 최종적 결론. ― *n.* Ⓒ 정량(正量), 순중량, 순이익, 정가. ― (-tt***-) *vt.* 《~+目 / +目+目 / +目+前+名》 …의 순이익을 올리다《*from*》, …의 순이익을 얻다: …에 이익을 가져오다《*for*》: We ~*ted* a good profit *from* the deal(= The deal ~*ted* us a good profit). 우리는 그 거래로 상당한 순익을 올렸다.

nét báll 〖테니스〗 서브할 때 네트를 스친 공.

net·ball [nétbɔ̀ːl] *n.* Ⓤ 《英》 네트볼《한 팀 7 명이 행하는 농구 비슷한 여성의 경기》.

neth·er [néðər] *a.* 〔限定的〕 《文語·戲》 아래(쪽)의; 지하의, 지옥의: ~ garments 바지 / the ~ world〔regions〕 명계(冥界), 지옥.

Neth·er·land·er [néðərlæ̀ndər, -lənd-] *n.* Ⓒ

네덜란드 사람.

***Neth·er·lands** [néðərləndz] *n.* (the ~) 〔單·複數취급〕 네덜란드(Holland)《공식명 the Kingdom of the ~ ; 수도 Amsterdam, 정부 소재지는 The Hague》.

neth·er·most [néðərmòust, -məst] *a.* 〔限定的〕 《文語》 맨밑〔아래쪽〕의, 가장 깊은 : the ~ hell 지옥의 밑바닥.

nét nátional próduct 〖經〗 국민 순생산《略 : NNP, N.N.P.》. cf gross national product.

nett [net] 《英》 *a., n., v.* = NET².

net·ting [nétiŋ] *n.* U 〔集合的〕 그물 세공〔제품〕 : wire ~ 철망 / fish ~ 어망.

net·tle [nétl] *n.* C ①〖植〗 쐐기풀. ② 초조하게〔화나게〕 하는 것. ***grasp the*** ~ 단호하게 곤란과 싸우다. — *vt.* 〔흔히 受動으로〕 초조하게〔화나게〕 하다 : He *was* ~*d by* her manner. 그녀의 태도에 그는 화가 났다.

néttle ràsh 〖醫〗 두드러기(urticaria).

net·tle·some [nétlsəm] *a.* 애태우게 하는, 짜증나게 하는 ; 화〔부아〕가 나는.

nét tón = SHORT TON ; 순(純)톤.

‡**net·work** [nétwə̀ːrk] *n.* ① U.C 그물 세공, 망상(網狀) 직물. ② C 망상 조직 ; 〖電〗 회로망 ; (상점 따위의) 체인 ; 연락망 ; 개인의 정보〔연락〕망 : a ~ of railroads 철도망. ③ C 방송망, 네트워크 : TV ~s. ④〖通信·컴〗 통신망, 네트워크. — *vt.* (철도 따위)를 망상 조직으로 부설하다 ; 방송망을 형성하다, 방송망으로 방송하다 ; 〖컴〗 통신망에 접속하다. — *vi.* 망상조직을 형성하다 ; 개인적인 접촉·교섭을 이용하다.

net·work·ing [nétwə̀ːrkiŋ] *n.* U ①〖컴〗 네트워킹《여러 대의 컴퓨터나 자료 은행(data bank)이 연락하는 시스템》. ② (타인과의 교제 등을 통한) 개인적 정보망의 형성.

neur-, neuro- '신경(조직)·신경계'의 뜻의 결합사.

neu·ral [njúərəl] *a.* ①〖解〗 신경(계)의 : the ~ system 신경 조직. cf *hemal.* ②〖컴〗 신경의《신경 세포의 결합을 모델화한 것을 말함》 : ~ net 신경망《인간의 신경세포 반응과 유사하게 설계된 회로》.

neu·ral·gia [njuərǽldʒə] *n.* U 〖醫〗 신경통《보통, 머리·얼굴의》. ⓜ **neu·rál·gic** [-dʒik] *a.*

néural nétwork 〖컴〗 ① 인간의 뇌, 신경 세포가 반응하는 것과 유사하게 설계된 회로. ② 신경(통신)망(neural net).

neur·as·the·nia [njùərəsθíːniə] *n.* U 〖醫〗 신경쇠약(증).
ⓜ **-thén·ic** [-θénik] *a.* 신경 쇠약(증)의.

neu·ri·tis [njuəráitis] *n.* U 〖醫〗 신경염.
ⓜ **neu·rit·ic** [-rítik] *a.*

neuro- ⇨NEUR-.

neu·ro·bi·ol·o·gy [njùəroubaiálədʒi / -ɔ́l-] *n.* U 신경 생물학.

neu·rol·o·gist [njuərálədʒist / -rɔ́l-] *n.* C 신경(병)학자, 신경과 전문 의사.

neu·rol·o·gy [njuərálədʒi / -rɔ́l-] *n.* U 신경(병)학. ⓜ **neu·ro·log·i·cal** [njùərəládʒikəl / -rəlɔ́dʒ-] *a.* 신경학상의.

neu·ron, neu·rone [njúəran / -rɔn], [-roun] *n.* C 〖解〗 신경 단위, 뉴런.

neu·ro·pa·thol·o·gy [njùəroupəθálədʒi / -θɔ́l-] *n.* U 〖醫〗 신경 병리학.

neu·ro·phys·i·ol·o·gy [njùərəfiziálədʒi / -ɔ́l-] *n.* U 신경 생리학.

neu·ro·sci·ence [njùərousáiəns] *n.* U 신경과학《주로 행동·학습에 관한 신경조직 연구 분야의 총칭》. ⓜ **-scí·en·tist** *n.*

neu·ro·sis** [njuəróusis] (*pl.* ***-ses [-siːz]) *n.* U.C 〖醫〗 신경증, 노이로제 : a severe case of ~ 중증의 노이로제 / have a ~ 노이로제에 걸려 있다.

neu·ro·sur·gery [njùərousə́ːrdʒəri] *n.* U 신경외과(학).

***neu·rot·ic** [njuərátik / -rɔ́t-] *a.* 신경의, 신경계의 ; 신경증의 ; 《口》 신경 과민의 : She's ~ *about* her weight. — She weighs herself three times a day. 그녀는 자신의 체중에 신경과민이 되어 있다 — 하루 세 번이나 몸무게를 체크하니 말이다. — *n.* C 신경증 환자 ; 극도로 신경질적인 사람.

neu·ro·trans·mit·ter [njùəroutrænsmítər] *n.* 〖生〗 신경 전달물질.

neut. neuter ; neutral.

neu·ter [njúːtər] *a.* ①〖文法〗 중성의 : the ~ gender 중성. ②〖生〗 무성(無性)의 : ~ flowers 중성화. — *n.* C ①〖文法〗 중성 ; 중성 명사〔형용사·대명사〕 ; 자동사. ② 중성 생물, 무성 동물〔식물〕 ; 중성형(中性型) 곤충《일벌·일개미 따위》 ; 거세 동물. ③ 중립자. — *vt.* 〔흔히 受動으로〕 (동물)을 거세하다 : a ~*ed* cat 거세된 고양이 / My dog is ~*ed.* 우리 개는 거세되었다.

‡**neu·tral** [njúːtrəl] (***more*** ~ ; ***most*** ~) *a.* ① 중립의 ; 중립국의 : a ~ nation 〔state〕 중립국 / That country remained ~ in the war. 그 나라는 전쟁에서 중립적 입장을 유지했다. ② 불편 부당의, 공평한 : take a ~ stand 중립적 입장을 취하다 / The arbitrator was absolutely ~. 조정자는 완전히 공평했다. ③ 명확지 않은, 애매한 ; (색이) 우중충한, 뚜렷하지 않은 : a ~ tint 중간색, 회색, 쥐색 / a ~ smile 애매한 미소. ④〖物·化〗 중성의 ; 〖動·植〗 무성〔중성〕의, 암수 구별이 없는 ; 〖電〗 중성의《전하(電荷)가 없는》. ⑤〖音聲〗 (모음이) 중간음의 : a ~ vowel 중간음, 중성 모음 《[ə]》. — *n.* ① C 국외 중립자 ; 중립국(민). ② U 〖機〗 뉴트럴 기어《톱니바퀴의 공전(空轉) 위치》 : The car is in ~ 자동차의 기어가 뉴트럴에 들어 있다. ⓜ **~·ly** *ad.*

néutral córner 〖拳〗 뉴트럴 코너.

neu·tral·ism [njúːtrəlìzəm] *n.* U 중립주의〔태도, 정책, 표명〕. ⓜ **-ist** *n.* C 중립주의자.

neu·tral·i·ty [njuːtrǽləti] *n.* U ① 중립 (상태) ; 국외(局外) 중립 ; 불편 부당 : armed 〔strict〕 ~ 무장〔엄정〕 중립 / The Queen has maintained political ~ throughout her reign. 여왕은 전 통치기간 중 정치적 중립을 견지했다. ②〖化〗 중성.

neu·tral·i·za·tion [njùːtrəlizéiʃən] *n.* U ① 중립화, 중립 (상태). ②〖化〗 중화(中和).

***neu·tral·ize** [njúːtrəlàiz] *vt.* ① (나라·지대 따위)를 중립화하다 ; 중립 지대로 하다. ②〖化·電〗 …을 중화하다 ; …에 보색(補色)을 섞다 : a *neutralizing* agent 중화제. ③ …을 무효로〔무력하게〕 하다 : The increase in indirect taxation is intended to ~ the reduction in income tax. 간접세의 증가는 소득세의 감소(효과)를 제로화(化)하는 경향이 있다. ⓜ **-iz·er** *n.* C 중화물〔제〕.

neu·tri·no [njuːtríːnou] (*pl.* ~***s***) *n.* C 〖物〗 중성 미자(微子), 뉴트리노.

neu·tron [njúːtran / njúːtrɔn] *n.* C 〖物〗 중성자, 뉴트론.

néutron bòmb 중성자탄.

néutron stàr 〖天〗 중성자 별.

Nev. Nevada.

Ne·va·da [nivǽdə, -váːdə] *n.* 네바다《미국 서부의 주 ; 略 : Nev., NV ; 주도는 Carson City》.
ⓜ **Ne·vád·an** [-n] *a., n.* Nevada 주의 (사람).

†**nev·er** [névər] *ad.* ① 일찍이 …(한 적이) 없다, 언제나〔한번도〕 …(한 적이) 없다 : He ~ gets up

early. 그는 한 번도 일찍 일어난 일이 없다 / I have ~ seen a panda. 나는 아직 판다를 본 적이 없다 / It was ~ mentioned. 이제까지 화제에 오른 적이 없다 / *Never*〔It is ~〕 too late to mend. 《俗談》 ⇨LATE / now or ~ 지금이 마지막 기회이다 / Better late than ~. 《俗談》 늦더라도 안한 것보다는 낫다 / *Never* is a long time 〔word〕. 《俗談》 '결코'라는 말은 섣불리 하는 것이 아니다. ② 〔not 보다 강한 否定을 나타내어〕 《口》 **a)** 결코 …하지 않다(not at all) : I ~ drink anything but water. 나는 물 이외는 절대로 아무것도 마시지 않는다 / I ~ had a cent. 단 1 센트도 없었다 / *Never* mind! 괜찮아, 염려 마라. **b)** 〔~ a …로〕 하나〔한 사람〕도 …않다 : ~ *a* one 하나도 없다 / She spoke ~ *a* word. 그녀는 한 마디도 하지 않았다. ③ 《口》 〔의심·감탄·놀라움을 나타내어〕 설마 …은 아니겠지 : You're ~ twenty. 자네 설마 스무 살은 아니겠지 / Could such things be tolerated? — *Never!* 이런 일이 용서받을 수 있을까. — 말도 안 돼는 소리.

> 語法 (1) 동사의 앞, 조동사 뒤에 옴 : I *never* said so. 그렇게 말한 일이 없다. I have *never* seen it. 이제껏 본 일도 없다. (2) 다만, 조동사를 강조할 때에는 그 앞에 둠 : You *never* can tell. 알 수 없는 일이군. (3) 글머리에 오면 주어와 동사가 도치됨 : Never did I tell you. 네게 말한 적이 없다. (4) 종종 after, before, since, yet 등을 수반함 : I have *never yet* been there. 아직 거기에 간 일이 없다. (5) 복합어로 쓰임 : *never-to-be-forgotten* 언제까지나 잊혀지지 않는 / NEVER-SAY-DIE.

Never! 그런 일이 절대로 있을 리가 없다. **~ *ever*** 《口》 결단코 …아니다(never 의 강의형) : She ~ *ever* wears Jewelry. 그녀는 결코 보석류를 달고 다니지 않는다. ***Never say die!*** ⇨DIE[1]. ***Never tell me!*** 농담이실 테죠. **~ *the* . . . (*for* —)** 〔比較級을 수반하여〕 (—하여도) 조금도 …않다 : He was ~ *the wiser for* his experience. 그만한 경험을 하고서도 그는 조금도 현명해지지 못하였다 / The patient's condition was ~ *the better*. 환자의 용태는 조금도 좋아지지 않았다. ***Well, I ~! = I ~ did!*** 어유 깜짝이야, 어머나, 설마.

***nev·er-end·ing** [névəréndiŋ] *a.* 끝없는, 항구적인, 영원한.

nev·er·more [nèvərmɔ́:r] *ad.* 앞으로는 결코 …않다, 두 번 다시 …않다.

nev·er-nev·er [névərnévər] *n.* (the ~) 《英口》 분할불, 할부 : on *the* ~ 《英口》 분할불로, 할부로. **—** *a.* 비현실적인, 공상의, 가공의.

néver-néver lànd 〔còuntry〕 공상적〔이상적〕인 곳, 꿈의 나라.

nev·er-say-die [névərsèidái] *a.* 지기 싫어하는, 불굴의 : a ~ spirit 불굴의 정신.

‡nev·er·the·less [nèvərðəlés] *ad.* 그럼에도 불구하고, 그렇지만(yet) : That is ~ a fact. 그렇더라도 그것은 사실이다 / He's very naughty, but I like him ~. 그는 대단한 장난꾸러기이지만 나는 그를 좋아한다 / There was no news; ~, she went on hoping. 아무 소식도 없었지만 그녀는 여전히 희망을 갖고 있었다.

ne·vus, 《주로 英》 **nae-** [ní:vəs] (*pl.* **-vi** [-vai]) *n.* 【醫】 모반(母斑)(birthmark).

†new [nju:] (*∠·er* ; *∠·est*) *a.* ① 새로운 ; 새로 나타난〔만들어진〕, 신(新)발견의, 신발명의. opp. *old.* ¶ a ~ book 신간(新刊) 서적 / a ~ suit of clothes 새로 맞춘 옷. ② 신식의 ; 처음 보는〔듣는〕 : That is ~ *to* me. 그것은 처음 듣는다, 금시 초문이다. ③ **a)** 아직 안 쓴, 신품의, 중고가 아닌 : as good as ~ 신품과 마찬가지 / It's like ~. 그것은 신품과 마찬가지다(★ 여기의 new 는 명사적 용법). **b)** 새로 구입한(★ 신품 아닌 중고품에도 사용) : This is our ~ house. 이것이 새로 산 우리 집이다. ④ 〔限定的〕 (음식 따위가) 신선한, 싱싱한, 갓 나온 : ~ rice 햅쌀 / ~ potatoes 햇감자 / ~ bread 갓 구운 빵. ⑤ 〔限定的〕 신임의, 새로 온, 풋내기의 : the ~ minister 새로 온 목사님 / our ~ teacher 이번에 오신 선생님 / a ~ member 신입 회원 / a teacher ~ from college 대학을 갓 나온 신참 선생님. ⑥ 익숙지 않은, 경험이 없는 ; 낯선 : ideas ~ to us / He is ~ *to* the work. 일에 아직 익숙지 않다. ⑦ 〔限定的〕 새로 추가된, 또 다른 ; 그 이상의 : search ~ information on a subject 어느 문제에 대한 새로운 정보를 찾다. ⑧ 〔限定的〕 (면목을) 일신한, 새로워진, 한결 더 좋은, 갱생한, 다음의(another) : a ~ chapter 다음 장 / The vacation made a ~ man of him. 휴가 덕택에 그는 못 알아볼 정도로 건강해졌다 / feel (like) a ~ man〔woman〕 새로 태어난 듯한 기분이 든다 / lead a ~ life 새로운 생활을 보내다. ⑨ (the ~) 현대적〔근대적〕인 ; 새 것을 좋아하는 ; 혁신적인 : *the* ~ theater 신극(新劇) / *the* ~ rich 신흥 벼락부자 / *the* ~ woman 《蔑》 (인습을 타파하려는) 새로운 형의 여성 / the ~ idea 신사상. ⑩ (N-) 【言】 근세의, 근대의 : ⇨NEW ENGLISH, NEW HIGH GERMAN. ***What's ~?*** (요즘) 어떠하십니까(인사말) ; 뭔가 별 다른 일이라도 있습니까.
— *ad.* 〔주로 過去分詞와 함께 複合語를 이루어〕 새로이, 새롭게, 싱싱한 : ~*-baked* 갓 구운 / ~*-laid* eggs 갓 낳은 달걀.
㊞ **∠·ness** *n.*

Nèw Áge 뉴 에이지(1980 년대부터 90 년대초에 걸쳐, 유럽적인 가치관·문화를 거부하고, 신비적·전체적 관점에서 환경문제·의학·인간관계를 새롭게 파악하려는 관심이 나타났던 시기).

néw blóod (새 활력〔사상〕의 원천으로서의) 젊은 사람들, 신인들.

***new·born** [njú:bɔ́:rn] *a.* 〔限定的〕 ① 갓 난, 신생의 : Breast-feeding is extremely beneficial to the health of ~ babies. 모유(母乳)에 의한 육아는 신생아의 건강에 아주 유익하다. ② 재생의, 갱생한 : a ~ man 갱생한 사람. **—** (*pl.* ~(**s**)) *n.* Ⓒ 신생아.

néw bróom 개혁에 열중하는 신임자 : A ~ sweeps clean. 《俗談》 새 비는 잘 쓸린다 ; 신관은 구악을 일소한다.

Nèw Brúns·wick [nju:brʌ́nzwik] 뉴브런즈윅 (캐나다 남동 연안의 주(州) ; 주도는 Fredericton. 略 : N.B.).

new-built [-bílt] *a.* 새로 지은, 신축한.

New·cas·tle [-kæ̀səl, -kɑ̀:səl] *n.* 뉴캐슬(석탄 수출로 유명한 잉글랜드 북부의 항구도시 ; 정식 명칭은 Newcastle-upon-Tyne). ***carry coals to ~*** ⇨COAL.

new-collar [-kálər / -kɔ́lər] *a.* 뉴컬러의(부모보다 교육을 많이 받고, 풍족한 중류 계급에 속하는 사람들을 지칭하는 말). cf. blue〔white〕-collar.

***new·com·er** [-kʌ̀mər] *n.* Ⓒ 새로 온 사람(*to* ; *in*) ; 초심자, 신인(*to*) : He's a ~ *to* London. 그는 런던에 갓 온 사람이다 / a ~ *to* politics 정치 신인 / The firm is a ~ *in* the field of advertising. 그 회사는 광고업계의 신참 회사이다.

Néw Cómmonwealth (the ~) 신영연방《1954 년 이후 독립하여 영연방에 가입한 나라들》.
Néw Críticism (the ~) 신비평《작자보다 작품 자체를 검토하려고 하는 비평》.
Néw Déal (the ~) 뉴딜 정책《미국의 F.D. Roosevelt 대통령이 1933-39 년에 실시한 사회보장·경제 부흥 정책》.
new·el [njú:əl] *n.* Ⓒ 〖建〗 (나선 계단의) 중심 기둥 ; 엄지기둥(=∠·**pòst**)《계단의 최상 또는 최하부에 있는 난간의 지주》: ~ stairs 급히 꺾인 층계.
Nèw Éngland 뉴잉글랜드《미국 북동부에 있는 Connecticut, Massachusetts, Rhode Island, Vermont, New Hampshire, Maine 의 6 주의 총칭》. ㊕ ~·**er** [-ər] *n.* Ⓒ ~ 사람.
Néw Énglish 신영어《1500 년경의 영어, 또는 1750 년 이후의 영어》.
Nèw Énglish Bíble (the ~) 신영역 성서《신약은 1961 년, 신구약 합본은 1970 년 간행 ; 略 : N.E.B.》.
néw fáce (정계·영화계 따위의) 신인.
new·fan·gled [njú:fǽŋgəld] *a.* 신기한 ; 최신식의, 신유행의, 유행의 첨단을 걷는 : I really don't understand these ~ computer games that my children are always playing. 자식들이 언제나 즐기고 있는 이들 최첨단의 컴퓨터 게임을 나는 사실 이해하지 못한다.
new·fash·ioned [-fǽʃənd] *a.* 신식의, 새 유행의, 최신의(up-to-date). opp. *old-fashioned.*
new·found [-fáund] *a.* 새로 발견된.
New·found·land [njú:fənd lənd, -lænd / nju:fáundlənd] *n.* 뉴펀들랜드. ① **a)** 뉴펀들랜드섬《캐나다 동쪽에 있는 최대의 섬》. **b)** 뉴펀들랜드섬과 Labrador 지방을 포함하는 주(州)《略 : N.F., NFD, Nfd, Newf.》. ② 그 섬 원산의 큰 개의 일종(= ∠ **dóg**).
Néw Frontíer (the ~) 뉴 프런티어《신개척자 정신 ; 1960 년 7 월 대통령 후보 수락 연설에서 Kennedy 가 내세움》; Kennedy 정권(1961-63).
Nèw Guínea 뉴기니 섬《略 : N.G.》.
Nèw Hámpshire 뉴 햄프셔《미국 북동부의 주 ; 주도는 Concord : 略 : N.H., NH》.
Nèw Há·ven [-héivən] 뉴 헤이븐《미국 Connecticut 주의 도시 ; Yale 대학 소재지》.
Néw Hígh Gérman 신〔근대〕고지 독어.
new·ish [njú:iʃ] *a.* 다소 새로운.
Nèw Jér·sey [-dʒə́:rzi] 뉴저지《미국 동부의 주 ; 주도는 Trenton ; 略 : N.J., 〖美郵〗 NJ》.
new-laid [-léid] *a.* 갓 낳은《달걀》.
Néw Léft (the ~) 〔集合的〕《美》신좌익《1960 년대에서 70 년대에 걸쳐 대두한 급진적 좌익 정치운동〔단체〕》. ㊕ ~·**ist** *n.*
néw líne 〖컴〗 새줄《단말기 등에서 다음 줄로 넘어가게 하는 기능》.
néw lóok (종종 the ~) 뉴 룩, 새로운 양식〔형, 체제 따위〕.
‡**new·ly** [njú:li] (***more*** ~ ; ***most*** ~) *ad.* 〔흔히 過去分詞와 함께 써서〕 ① 최근, 요즈음. ② 새로이 ; 다시 : a ~ appointed ambassador 신임 대사 / a ~ married couple 신혼 부부 / a ~ painted door (새로) 다시 칠한 문. ③ 새로운 형식〔방법〕으로 : ~-decorated 신장〔개장(改裝)〕한.
new·ly·wed [-wèd] *n.* ① (*pl.*) 신혼 부부. ② 갓 결혼한 사람.
néw mán (때로 N- M-) 신남성《육아·가사 등을 자진해서 하는 새로운 형의 남자》.
néw máth 신수학(=**néw mathemátics**)《특히 미국에서 집합 개념에 입각한 초등 교육법》.
néw média (신소재·전자 기기 등에 의한) 새로운 정보 전달 수단, 뉴미디어.
Nèw Méxican 미국 뉴멕시코주 사람.
Nèw México 미국 남서부의 주《주도는 Santa Fe ; 略 : New M., N. Mex., N. M., 〖美郵〗 NM》.
néw móon 초승달.
new-mown [njú:móun] *a.* (목초 따위를) 갓 벤.
néw òne 《口》 (a ~) 첫 체험 ; 처음 겪는 일 : That story's〔That's〕 *a* ~ *on* me. 그 얘기는 금시초문이다〔그것은 첫 경험이다〕.
Nèw Órleans 뉴올리언스《미국 Louisiana 주 남동부의 항구 도시》.
néw pénny 《英》 신(新) 페니《1971 년에 실시된 새 화폐 ; 1 파운드의 100 분의 1》.
new-poor [njú:púər] *n.* (the ~) 〔集合的〕 최근에 영락한 사람들, 사양족(斜陽族).
new-rich [-rítʃ] *n.* (the ~) 〔集合的〕 벼락 부자. ── *a.* 벼락 부자(특유)의.
Néw Ríght (the ~) 〔集合的〕 신우익《1980 년대에 일어난 신보수주의 운동》. ㊕ ~·**ist** *n.*
†**news** [nju:z] *n.* Ⓤ ① (신문·라디오의) 뉴스, 보도 ; 정보(情報) : foreign 〔home〕 ~ 해외〔국내〕 뉴스 / ten big items of ~ 10 대(大) 뉴스 / an important piece of ~ 중대 뉴스 / You won't find much ~ in today's paper. 오늘날의 신문에는 (읽을 만한) 두드러진 기사가 없습니다 / "All the ~ that's fit to print." 인쇄할 만한 정도의 모든 뉴스《New York Times 의 모토》/ the latest ~ 최신 뉴스. ★ 뉴스 하나하나를 나타낼 때에는 an item of ~, a ~ item〔piece, bit〕의 형태를 취함. ② 새로운 사실, 흥미로운 사건〔인물〕, 진문(珍聞) : That is quite 〔no〕 ~ to me. 《口》 그건 금시 초문이다〔벌써 알고 있다〕 / Madonna is ~ whatever she does. 마돈나는 무엇을 하든 뉴스감이 된다. ③ 소식, 기별 : good 〔bad〕 ~ 길〔흉〕보 / His family has had no ~ of his whereabouts for months. 그의 가족은 몇 달째 그의 행방에 관해 소식을 못 듣고 있다 / No ~ is good ~. 《俗談》 무소식이 희소식. ④ (N-) …신문《신문 이름》: The Daily *News* 데일리 뉴스. ***break the ~ to*** …에게 (나쁜) 소식을 알리다 : I was absolutely devastated when the doctor *broke the* ~ *to* me about my illness. 의사가 내 질병에 대해 내게 털어놓았을 때 나는 정말로 망연자실했다.
néws àgency 통신사.
news·a·gent [njú:zèidʒənt] *n.* 《英》 신문〔잡지〕 판매업자〔업소〕(《美》 newsdealer).
néws ànalyst 시사 해설가(commentator).
néws blàckout 보도 관제, 발표 금지.
news·boy [njú:zbɔ̀i] *n.* Ⓒ 남자 신문 배달원, 남자 신문팔이.
news·break [-brèik] *n.* Ⓒ 보도 가치가 있는 일〔사건〕.
news·cast [-kæ̀st, -kɑ̀:st] *n.* Ⓒ 뉴스 방송. ㊕ ~·**er** [-ər] *n.* Ⓒ 뉴스 방송〔해설〕자.
néws còmmentator 시사 해설자.
néws cònference 기자 회견(press conference).
news·copy [njú:zkɑ́pi / -kɔ̀pi] *n.* Ⓤ (신문·라디오 따위의) 뉴스 원고.
news·deal·er [-dì:lər] *n.* Ⓒ 《美》 신문〔잡지〕 판매업자(《英》 newsagent).
néws èditor (일간 신문의) 기사 편집자.
néws·flàsh 〖라디오·TV〗 뉴스 속보(速報)(flash).
news·girl [njú:zgə̀:rl] *n.* Ⓒ 여자 신문 배달원, 여자 신문 팔이.
news·hawk [-hɔ̀:k] *n.* 《美口》 =NEWSHOUND.
news·hen [-hèn] *n.* Ⓒ 《美口》 여기자.
news·hound [-hàund] *n.* 《美口》 적극적으로 사건을 쫓아다니는 기자(newshawk).

news·let·ter [-lètər] *n.* Ⓒ ① (회사·단체 등의) 사보, 회보. ② (특별 구독자를 위한) 시사 통신〔해설〕.
news·mag·a·zine [-mǽgəzì:n] *n.* Ⓒ 시사(주간) 잡지《*Time, Newsweek* 따위》.
news·mak·er [-mèikər] *n.* Ⓒ 《美》 기삿거리가 되는 사람〔사건, 물건〕.
news·man [-mæ̀n, -mən] (*pl.* ***-men*** [-mèn, -mən]) *n.* Ⓒ 취재 기자(《英》 pressman) ; = NEWSDEALER.
news·me·dia [-mì:diə] *n. pl.* 뉴스미디어《신문·라디오·텔레비전 등》.
news·mon·ger [-mʌ̀ŋgər] *n.* Ⓒ 소문을 퍼뜨리기 좋아하는 사람 ; 수다쟁이, 떠버리.
†**news·pa·per** [njú:zpèipər, njú:s-] *n.* ① Ⓒ 신문 : a morning〔an evening〕 ~ 조간〔석간〕/ a daily〔weekly〕 ~ 일간〔주간〕지 / What ~ do you take? 어느 신문을 보고 있습니까 / make the ~*s* 《口》 신문에 실리다. ★ 《口》에서는 단순히 paper 라고도 함. ② Ⓒ 신문사 : He works for a ~. 그는 신문사에 다닌다. ③ Ⓤ 신문지, 신문 인쇄용지 : a sheet of ~ 신문지 한 장 / She wrapped it in ~. 그녀는 그것을 신문지로 쌌다.
news·pa·per·man [-mæ̀n] (*pl.* ***-men*** [-mən]) *n.* Ⓒ 신문인, 《특히》 신문 기자〔편집자〕; 신문 경영자.
news·pa·per·wom·an [-wùmən] (*pl.* ***-women*** [-wìmin]) *n.* Ⓒ 여기자 ; 여성 신문 경영자.
new·speak [njú:spì:k] *n.* Ⓤ (종종 N-) (정부 관리 등이 여론 조작을 위해 쓰는) 일부러 애매하게 말하여 사람을 기만하는 표현법.
news·per·son [njú:zpə̀:rsən] *n.* Ⓒ (신문) 기자, 특파원, 리포터, 뉴스캐스터.
news·print [-prìnt] *n.* Ⓤ 신문 (인쇄) 용지.
news·read·er [-rì:dər] *n.* Ⓒ 《英》 = NEWSCASTER.
news·reel [-rì:l] *n.* Ⓒ (단편의) 뉴스 영화.
néws relèase = PRESS RELEASE.
news·room [njú:zrù:m] *n.* Ⓒ ① (신문사·방송사의) 뉴스 편집실. ② (방송사의) 방송실, 스튜디오.
néws sèrvice 통신사(news agency).
news·sheet [njù:zʃì:t] *n.* 한 장짜리 신문《접지 않은》; 회보, 사보(社報), 공보(newsletter).
néws sòurce 〖新聞〗 뉴스 소스《뉴스의 출처》.
news·stand [njú:zstæ̀nd] *n.* Ⓒ (길거리나 역의) 신문〔잡지〕 판매점.
néws stòry 뉴스 기사. ⓒⓕ editorial, feature 「story.
Néw Stýle (the ~) 신력(新曆), 그레고리오력(曆)《略 : N.S.》.
néws válue 보도 가치.
news·ven·dor [njú:zvèndər] *n.* Ⓒ 신문 판매원, 신문팔이.
news·week·ly [-wì:kli] *n.* Ⓒ 주간 시사 잡지, 「주간 신문.
news·wom·an [-wùmən] (*pl.* ***-wom·en*** [-wìmin]) *n.* Ⓒ 여기자 ; 신문 잡지의 여판매원.
news·wor·thy [-wə̀:rði] *a.* 보도 가치(news value)가 있는 ; 기삿거리가 되는.
newsy [njú:zi] (***news·i·er ; -i·est***) *a.* 《口》 뉴스감이 많은 ; 화제가 풍부한. ⓜ **néws·i·ness** *n.*
newt [nju:t] *n.* Ⓒ 〖動〗 영원(蠑螈)(eft, triton).
***Néw Téstament** (the ~) 신약 성서.
***New·ton** [njú:tn] *n.* ① **Isaac** ~ 뉴턴《영국의 물리학자·수학자 ; 1642-1727》. ② (n-) 〖物〗 힘의 mks 단위《기호 N》.
New·to·ni·an [nju:tóuniən] *a.* 뉴턴의 ; 뉴턴 학설〔발견〕의. — *n.* Ⓒ 뉴턴 학설을 믿는 사람.

néw tówn 교외〔변두리〕 주택 단지.
néw wáve (종종 N- W-) ① (예술 사조(思潮)·정치 운동 등의) 새 경향, 누벨바그. ② 〖樂〗 뉴 웨이브《1970년대 말기의 단순한 리듬·하모니, 강한 비트 등을 특징으로 하는 록 음악》.
‡**Néw Wórld** (the ~) 신세계, 서반구, 《특히》 남북 아메리카 대륙.
‡**néw yéar** (흔히 the ~) 새해 ; (보통 N- Y-) 설날 : a *New Year's* gifts 새해 선물 / *the New Year's* greetings 〔wishes〕 세배, 새해 인사. (***I wish you***) ***a happy New Year !*** 새해 복 많이 받으십시오, 근하 신년.
Néw Yèar's (**Dáy**) 정월 초하루, 설날《공휴일 ; 미국·캐나다에서는 종종 Day 를 생략함》.
Néw Yèar's Éve 섣달 그믐날.
†**Nèw Yórk** ① **a**) 뉴욕시(= **Néw Yòrk Cíty**) 《略 : N.Y.C.》. **b**) = GREATER NEW YORK. ② 뉴욕주(= **Nèw Yórk Státe**)《미국 북동부의 주 ; 주도는 Albany ; 略 : N.Y., 〖美郵〗 NY》.
Nèw Yórk·er [-jɔ́:rkər] ① 뉴욕주 사람 ; 뉴욕시 시민. ② (the ~) 미국의 주간지의 하나.
Nèw Yórk Stóck Exchànge (the ~) 뉴욕 증권 거래소《Wall Street 에 있는 세계 최대의 증권 거래소 ; 略 : NYSE》.
***Nèw Zéa·land** [-zí:lənd] 뉴질랜드《남태평양에 있는 영연방 자치국 ; 수도 Wellington》. ⓜ **~·er** *n.* Ⓒ 뉴질랜드 사람.
†**next** [nekst] *a.* ① 〔時間的으로〕 **a**) 〔無冠詞〕 다음의, 이번의, 내(來)〔오는〕… : ~ month 내월. **b**) (흔히 the ~) (일정한 때를 기준으로) 그 다음의, 다음〔이듬, 이틀〕… : *the* ~ week 그 다음 주 / (*the*) ~ day 〔morning, evening〕 그 이튿날(아침, 저녁).

> 語法 (1) next 는 '현재에 가장 가까운 장래의'라는 뜻이 있으므로 next Wednesday 를 월요일에 말했다면 '금주의 수요일', 금요일에 말했다면 '내주의 수요일'이란 뜻이 됨. 그러나 보다 뜻을 확실히 하기 위해 this Wednesday (이번 주 수요일)라고 함.
> (2) 현재를 기점(起點)으로 하여 '다음의'란 뜻인 경우에는 the 를 쓰지 않고, 현재 이외의 시점을 기점으로 할 때는 the 를 붙이는 것이 보통임. 다음 예문 비교 : I'm going to be busy ~ week. 내주는 바빠질 것 같다 / I'm going to be busy for *the* ~ week. 내일 이후의 1 주간은 바빠질 것 같다 / He'll come home ~ month. 내달 귀국할 예정이다 / He came home *the* ~ month. 그 다음 달 귀국했다 / She visited Hawaii and then went to New York *the* ~ week. 그녀는 하와이를 방문하고, 그 다음 주 뉴욕으로 갔다.
> (3) 전치사가 앞에 올 때에는 명사 뒤에 붙음 : on Friday *next.*

② 〔空間的으로〕 (흔히 the ~) 가장 가까운 ; 이웃의 ; 다음의 : *the* ~ house 이웃집 / the building ~ *to* the corner 모퉁이에서 두 번째 건물 / Turn to the right at *the* ~ corner. 다음 길 모퉁이에서 오른쪽으로 돌아가시오 / a vacant lot ~ *to* the house 그 집에 이어져 있는 빈 터. ③ 〔順序·價值 등〕 그 다음〔버금〕 가는, 차위(次位)의 《*to*》 : the person ~ (*to*) him in rank 계급이 그의 다음인 사람 / What's *the* ~ article? 다음에는 무엇을 드릴까요《점원의 말》. ***as . . . as the ~ fellow*** 〔***man, woman, person***〕 《口》 어느 누구에게도 뒤지지 않는〔못지 않게〕 : I am *as* brave *as the* ~ *fellow.* 용기에 있어서는 아무에게도 지지 않는다. ***get ~ to . . .*** 《美俗》 …의 환

심을 사다, …와 가까워지다: She concentrates on *getting* ~ *to* the people who can help her career. 자기의 출세에 도움이 될 수 있는 사람들의 환심을 사려고 그녀는 필사적이다. ***in the ~ place*** 다음에; 둘째로. ~ ***door to***. . . (1) (…의) 이웃에〔의〕: They lived ~ *door to* us. 그들은 우리 이웃에 살았다. (2)《比》…에 가까운(near to); 거의: They are ~ *door to* poverty. 가난뱅이나 마찬가지다. (3)〔否定語 앞에서〕= ~ to(成句)(2). ~ ***time*** (1) 이번에는, 다음에는: I'll beat him at chess (*the*) ~ *time.* 이 다음에는 체스로 그를 누르겠다. (2)〔接續詞的〕다음〔이번〕에 …할 때에: Come to see me ~ *time* you are in town. 이번에 상경하거든 놀러 오너라. ~ ***to***. . . (1) …와 나란히, …의 이웃〔곁〕에; …에 이어서: He sat ~ *to* his sister. 그는 누이 옆에 앉았다 / the man ~ *to* him in rank 그의 다음 서열인 사람. (2)〔否定語의 앞에서〕거의 …: We have achieved ~ *to nothing.* 우리는 거의 아무것도 이루지 못했다 / I bought the article for ~ *to nothing.* 나는 그 물건을 거의 공짜로 샀다 / It was ~ *to impossible.* 거의 불가능했다. ***put*** a person ~ ***to***. . .《美俗》아무에게 …을 알리다; (아무를) …에 접근시키다, 친하게 교제하게 하다. ***the*** ~ . . . ***but*** one〔two〕하나〔둘〕걸러 다음의, 두〔세〕번째의: Take *the* ~ turning *but* two on your right. 오른쪽으로 세 번째 모퉁이를 돌아가시오. (***the***) ~ ***thing*** 다음에, 두 번째로. (***the***) ~ ***thing*** one ***knows***《口》정신을 차리고 보니, 어느 틈엔가: *The* ~ *thing* he *knew* he was safe in his bed. 정신이 들고 보니 그는 침대에 안전하게 누워 있었다.

── *pron.* 다음 사람〔것〕, 옆의 것, 가장 가까운 사람〔것〕《形容詞 용법의 next 다음에 오는 名詞가 생략된 것》: *Next* (, please)! 그 다음을; 다음 분〔것〕; 다음 질문을《순서에 따라 불러들이거나 질문 등을 재촉할 때》/ He was the ~ (person) to appear. 그가 다음에 나타났다. ~ ***of kin***〖法〗가장 가까운 친족, 최근친자《특히 유언 없이 사망한 자의 유산 상속권이 있는》.

── *ad.* ① 다음에, 이번에: When shall I meet you ~ ? 다음에는 언제 만날 수 있겠소 / When I ~ saw him .... 다음에 그를 만났을 때에는 … / We are getting off ~. 다음에 내립니다《역·정류장 따위》. ② (순서로 따져서) 다음으로, 바로 뒤에《*to*》; …의 옆에, …에 인접하여《*to*》: the largest state ~ *to* Alaska 알래스카 다음으로 큰 주 / He loved his horses ~ *to* his own sons. 아들들 다음으로 말을 사랑했다 / He placed his chair ~ *to* mine. 의자를 내 의자 옆에 놓았다. ***What*** ~ ! 〔?〕⇨WHAT.

── *prep.* …의 다음〔옆〕에, …에 가장 가까운: a seat ~ the fire 난로 옆의 자리 / come〔sit〕~ him 그 사람 다음에 오다〔앉다〕/ She loves him ~ her own child. 그녀는 자식 다음으로 그를 사랑한다 / remain ~ one's heart 몹시 그립다, 마음에서 떠나지 않다.

next-best [ˊ-bést] *a.*〔限定的〕두 번째로 좋은, 차선(次善)의: A good book is the ~ thing to a true friend. 좋은 책은 참된 친구 다음으로 가장 좋은 것이다.

***next-door** [nékstdɔ̀ːr] *a.*〔限定的〕이웃(집)의: a ~ neighbor 바로 이웃 사람.

néxt fríend (the ~)〖法〗(미성년자·유부녀 등 법적 무능력자의) 대리인, 후견인.

néxt world (the ~) 내세, 저승.

nex·us [néksəs] (*pl.* ~***·es***, ~[-səs, -suːs]) *n.* Ⓒ ① 연계(連繫), 관련, 유대; 관계: the cash ~ 현금 거래 관계 / the ~ of man to man 사람과 사람의 유대 / the causal ~ 인과 관계. ② (사물·관념 등의) 연쇄, 연합. ③〖文法〗서술적 관계〔표현〕《Jespersen의 용어로서, *Dogs bark.* / I think *him honest.* 따위의 이탤릭체 말 사이의 관계를 말함》.

N.F. Newfoundland; Norman-French. **NFC** National Football Conference. **NFL**《美》National Football League. **Nfld** Newfoundland. **N.G., n.g.** no good. **N.G.** National Guard; New Guinea. **NGO** nongovernmental organization (비정부 조직). **NH**〖美郵〗New Hampshire. **N.H.** New Hampshire. **NHS**《英》National Health Service(국민 건강 보건). **Ni**〖化〗nickel. **NI**《英》National Insurance; Northern Ireland.

ni·a·cin [náiəsin] *n.* Ⓤ〖生化〗니아신(nicotinic acid).

Ni·ag·a·ra [naiǽgərə] *n.* ① (the ~) 나이아가라《미국과 캐나다 국경의 강》. ② = NIAGARA FALLS. ③ (n-) 대홍수; 쇄도: a ~ of protests 항의의 쇄도.

***Niágara Fálls** (the ~) 나이아가라 폭포.

nib [nib] *n.* Ⓒ ① (새의) 부리. ② 펜촉. ③ (도구 등의) 뾰족한 끝.

***nib·ble** [níbəl] *vt.* ① (짐승·물고기 등이 먹이)를 조금씩 물어뜯다〔갉아 먹다〕《*away; off*》; 갉아서 구멍 따위를 내다《*through*》: Caterpillars are *nibbling away* the leaves. 풀쐐기들이 잎을 갉아먹고 있다 / The rabbit ~*d* a hole *through* the fence. 토끼가 울타리에 구멍을 뚫어 놨다. ② (재산 등)을 조금씩 잠식하다《*away; off*》: Inflation ~*d away* his fortune. 인플레이션이 그 재산을 조금씩 잠식해갔다. ── *vi.* ① 조금씩 갉다〔쪼다〕《*at*》: A fish tried to ~ *at* the bait. 물고기가 입질하려 했다. ② (유혹·거래 등에) 마음이 움직이는 기색을 보이다《*at*》. ── *n.* Ⓒ ① 조금씩 물어뜯기, 한 번 물어뜯기《*at*》: have a ~ *at* …을 조금씩 갉아먹다. ② 한번 물어뜯는 양, 한 입; 소량. ③〖컴〗니블(1/2 바이트; 보통 4비트).

Ni·be·lung·en·lied [níːbəlùŋənlìːt] *n.* 《G.》(the ~) 니벨룽겐의 노래《13세기초에 이루어진 남부 독일의 대서사시(詩)》.

nib·lick [níblik] *n.* Ⓒ〖골프〗니블릭《골프채의 하나; 아이언 9번》.

nibs [nibz] *n.* (흔히 his〔her〕~)《口》잘 난 체하는 사람: *His* ~ always travels first class. 그 사람은 뽐내듯 언제나 일등차로 여행한다.

N.I.C., NIC newly industrialized country (신흥공업국).

Nic·a·ra·gua [nikərɑ́ːgwə] *n.* 니카라과《중앙 아메리카의 공화국; 수도 Managua》. ㊕ ~**n** *n., a.* ~ 사람(의).

Nice [niːs] *n.* 니스《프랑스 남부의 항구 도시; 피한지(避寒地)》.

†**nice** [nais] (***níc·er; níc·est***) *a.* ① 좋은, 훌륭한; 쾌적한, 유쾌한; 기쁜, 흐뭇한, 흡족한: a ~ day 기분 좋은〔맑게 갠〕날씨 / a ~ evening 기분 좋은 저녁; 즐거운 하룻저녁 / have a ~ time 즐거운 시간을 보내다 / It's ~ to meet you. 만나뵈어 반갑습니다 / This cottage is ~ to live in. 이 오두막집은 살기에 쾌적한 곳이다. ② 아름다운, 말쑥한, 매력 있는: a ~ face 아름다운 얼굴 / a ~ piece of work 잘 이루어진 일 / The garden looks ~. 뜰이 깨끗하다. ③ 맛있는: ~ dishes 맛있는 요리. OPP. *nasty.* ④ 인정 많은, 다정한, 친절한: He is very ~ *to* us. 매우 친절하게 해준다 / My neighbors are all ~ people. 우리 이웃 사람들은 모두가 친절한 사람들이다. ⑤ 점잖은,

교양 있는, 고상한 ; (예의 범절·말씨 등이) 적절한, 걸맞은 : She has very ~ manners. 그녀는 예의 범절이 아주 고상하다 / *Nice* people wouldn't do such things. 교양있는 사람은 그런 짓을 하지 않을 것이다. ⑥ 민감한, 정묘한, 교묘[능숙]한, 정밀한 ; 식별력을 요하는, 민감한 : a ~ ear for music 음악에 대한 섬세한 귀[청각] / a ~ sense of color 날카로운 색채 감각 / ~ workmanship 훌륭한 솜씨 / a ~ shot 정확한 일격 / a ~ handling of a crisis 정묘한 위기의 처리. ⑦ 엄격한, 꼼꼼한 ; 몹시 가리는, 까다로운《*about ; in*》: ~ *about* the choice of words 말의 선택에 까다로운 / She is ~ *in* her hat. 모자에 대해서 까다롭다. ⑧ 미묘한, 미세한 : a ~ distinction 미세한 차이 / a ~ point of law 법의 미묘한 점. ⑨ 신중을 요하는, 어려운 ; 수완이 필요한 : a ~ issue / a ~ problem 어려운 문제. ⑩ 〔反語的〕 불쾌한, 큰일난, 바람직하지 않은 : Here is a ~ mess. 곤란하게 되었다. ◇ nicety *n.* ~ ***and. . .*** [náisən, náisn(d)] 〔다음의 形容詞·副詞의 뜻 강조〕 매우, 썩 : It's ~ *and* warm in here. 이곳은 아주 기분좋게 따뜻하다 / He's ~ *and* drunk. 그는 몹시 취해 있다《★ and 를 생략하기도 함 : This is a ~ long one. 길어서 아주 좋다》.
㊎ ∠·ness *n.*

‡nice·ly [náisli] *ad.* ① 좋게, 잘, 능숙하게 ; 훌륭히, 아름답게 ; 쾌적하게 : She's doing ~. 그녀는 건강을 되찾고 있다 ; 잘 해가고 있다 / You've done it ~. 자네는 그것을 훌륭히 끝냈네. ② 상냥하게, 친절하게 ; 호의적으로 : I don't know why you dislike her so much — she's always treated me very ~. 자네가 그녀를 그토록 싫어하는 까닭을 나는 모르겠네 — 내게는 언제나 퍽 친절히 대해주었는데 / speak ~ to a person 아무에게 다정하게 말하다. ③ 세심하게, 면밀히 ; 세밀[신중]하게, 꼼꼼히 : a ~ prepared meal 정성들인 요리. ④ 정밀하게, 꼭 : Those trousers fit you ~. 그 바지들은 자네에게 꼭 맞는다. ***Nicely.*** 잘 있습니다, 잘 해가고 있습니다. ***Nicely !*** (스포츠 따위에서) 잘한다.

Ní·cene Créed [náisi:n-] (the ~) 니케아 신조(信條), 니케아 신경(信經).

níce nélly 〔**Nélly**〕《美俗》 점잔빼는 사람.

nice-nel·ly, -Nel·ly [-néli] *a.* 《美俗》 점잔빼는 ; 완곡한. ㊎ **níce-nél·ly·ism** [-ìzəm] *n.* Ⓤ 점잔빼기 ; 완곡한 표현〔말〕.

ni·ce·ty [náisəti] *n.* ① Ⓤ 정확 ; 정밀. ② Ⓤ (감정·취미의) 섬세, 까다로움 ; 고상 : She has an air of ~. 그녀에게는 어딘가 까다로운 면이 있다. ③ **a)** Ⓤ 기미(機微) ; 미묘함. **b)** Ⓒ (흔히 *pl.*) 미묘한 점, 세세한 차이 : a point of great ~ 매우 미묘한 점 / He is aware of all the *niceties* of social behavior. 사교 예절의 세세한 점을 모두 알고 있다. ◇ nice *a.* ***to a*** ~ 정확히, 정밀히, 완벽하게(exactly) ; 알맞게 : The schedule was arranged *to a* ~. 일정(日程)은 정밀하게 짜여져 있었다.

niche [nitʃ] *n.* Ⓒ ① 벽감(壁龕)《조각품 등을 놓는》. ② 적소(適所) : She found a ~ for herself in this new industry. 그녀는 이 새로운 산업에서 자기에게 알맞은 일을 찾았다. ③ 〖生態〗 생태적 지위. — *vt.* ① …을 벽감에 안치하다〔놓다〕. ② 〔再歸的〕 (알맞은 곳)에 자리잡다 : She ~*d herself* down in a quiet corner. 조용한 한쪽 구석에 앉아 있었다.

Nich·o·las [níkələs] *n.* ① 니콜라스《남자 이름 ; 애칭 : Nick》. ② (**Saint** ~) 성(聖)니콜라스《러시아·그리스·어린이·선원·여행자 등의 수호 성인 ; ?-342》. ㉢ Santa Claus.

ni·chrome [náikroum] *n.* Ⓤ 니크롬 ; (N-) 그 상표명.

Nick [nik] *n.* ① 닉《남자 이름 ; Nicholas 의 애칭》. ② (Old ~) 악마.

nick**[1] [nik] *n.* ① Ⓒ 벤 자리, 새긴 금. ② Ⓒ (접시 등의) 흠, 깨진 곳. ③ (the ~) 《英俗》 감방, 교도소. ***in the (***very***) ~ (***of time***) 마침 제때에, 아슬아슬한 때에, 때마침 : She lashed out at the boy who ducked back just *in the ~ of time.* 그녀는 소년이 막 뒤로 내빼려는 그 순간에 달려들었다. — *vt.* ① …에 칼자국을 내다 ; …에 흠을 내다 : He dropped a bottle in the kitchen and ~*ed* himself on broken glass. 그는 부엌에서 병을 떨어뜨려 깨진 유리로 상처를 입었다. ② 《俗》 …을 속이다 : How much did they ~ you for that suit ? 그들은 그 양복값으로 얼마나 자네에게서 돈을 사취했느냐. ③ **a)** 《英俗》 빼앗다, 훔치다 : We don't know exactly how many bikes are ~*ed* in the city. 우리는 이 도시에서 얼마나 많은 자전거를 도둑맞는지 정확히 모른다. **b)** …을 체포하다 : The sooner we ~ these thugs the better. 이들 흉악범들은 빨리 잡을수록 좋다.

nick[2] *n.* Ⓤ 〔in ... ~로〕 《英俗》 (건강) 상태 : My car is secondhand, but *in* good ~. 내 차는 중고인데도 상태가 좋다.

‡nick·el [níkəl] *n.* ① Ⓤ 〖化〗 니켈《금속 원소 ; 기호 Ni ; 번호 28》 ; 백통(白銅). ② Ⓒ 백통돈 ; 《美·Can.》 5센트짜리 백통돈 ; 5센트, 잔돈. — *a.* 〔限定的〕 니켈의, 니켈을 함유한 : ~ plate 니켈 도금. — (*-l-*, 《英》 *-ll-*) *vt.* …에 니켈 도금을 하다.

nick·el-and-dime [níkələndáim] *a.* 《美口》 소액의 ; 하찮은.

níckel pláte 니켈 도금.

nick·el-plat·ed [níkəlpléitid] *a.* …에 니켈 도금을 한.

níckel sílver 양은(洋銀) (German silver).

níckel stéel 니켈강(鋼).

nick·er [níkər] (*pl.* ~, ~***s***) *n.* Ⓒ 《英俗》 1 파운드 영국 화폐.

nicknack ⇨ KNICKKNACK.

‡nick·name [níknèim] *n.* Ⓒ ① 별명, 닉네임《Shorty '꼬마', Fatty '뚱뚱이' 따위》. ② 애칭, 약칭《Robert를 Bob 이라고 부르는 따위》. — *vt.* 《~+目 / +目+補》…에게 별명을 붙이다 ; 별명〔애칭〕으로 부르다 : They ~*d* him Shorty. 그들은 그에게 꼬마라는 별명을 붙였다 / He was ~*d* Ed. 그는 에드라는 애칭으로 불렸다.

Nic·o·sia [nìkəsí:ə] *n.* 니코시아《Cyprus 공화국의 수도》.

nic·o·tine [níkəti:n, -tin] *n.* Ⓤ 〖化〗 니코틴.

nic·o·tín·ic ácid [nìkətínik-] 〖化〗 니코틴산.

nic·o·tin·ism [níkəti:nìzəm] *n.* Ⓤ 〖醫〗 니코틴〔담배〕 중독.

‡niece [ni:s] *n.* Ⓒ 조카딸, 질녀. ㉢ nephew.

NIEs [ni:s] *n.* 니스, 신흥 공업 경제 지역《한국·타이완·싱가포르·홍콩을 비롯하여 멕시코·브라질·아르헨티나 및 포르투갈·그리스 등》. [◂ *N*ewly *I*ndustrializing *E*conomies]

Nie·tzsche [ní:tʃə] *n.* **Friedrich Wilhelm** ~ 니체《독일의 철학자 ; 1844-1900》.

niff [nif] *n.* Ⓒ (흔히 a ~) 악취. — *vi.* 《英俗》 악취가 나다. ㊎ **níffy** *a.*

nif·ty [nífti] (***-ti·er*** ; ***-ti·est***) *a.* 《口》 굉장한, 근사한, 멋들어진.

Ni·ger [náidʒər] *n.* 니제르《아프리카 서부의 공화국 ; 수도 Niamey》.

Ni·ge·ria [naidʒíəriə] *n.* 나이지리아《아프리카 서부의 공화국 ; 略 : Nig. ; 수도 Abuja》.
㊞ **Ni·gé·ri·an** [-n] *a., n.* 나이지리아(사람)의 ; 나이지리아 사람.

nig·gard [nígərd] *n.* Ⓒ 구두쇠. ★《美》nigger 가 연상된다고 하여 사용을 기피함.

nig·gard·ly [nígərdli] *a.* ① 인색한《with》; (…을) 아까워하는《of》: a ~ person 구두쇠 / They're ~ *with* their money. 돈에 인색하다 / He's not ~ *of* praise. 그는 아낌없이 사람을 칭찬한다. ② 근소한 : give ~ aid 쥐꼬리만한 원조를 하다 / a ~ salary 겨우 입에 풀칠할 정도의 적은 월급. ── *ad.* 인색〔쩨쩨〕하게. ㊞ **-li·ness** *n.*

nig·ger [nígər] *n.* Ⓒ《蔑》흑인, 검둥이《★ 사용을 기피하는 말임》. ***a ~ in the woodpile***《口》(계획을 망치거나 곤란을 야기하는) 뜻밖의 요인《★ 사용을 기피하는 말임》.

nig·gle [nígəl] *vi.* 하찮은 일에 구애되다〔신경을 쓰다〕《*about ; over*》; (사소한 일로) 괴로워하다《*at*》: ~ *about* the fine points of interpretation 해석상의 하찮은 점에 대해 신경쓰다 / ~ *over* every detail 사소한 점에 일일이 구애되다.
── *vt.*《口》…을 끊임없이 괴롭히다, 초조하게 하다. ── *n.* Ⓒ 하찮은 불평, 걱정되는 일.

nig·gling [níɡliŋ] *a.* 〔限定的〕 하찮은 일에 신경 쓰는, 옹졸한 ; 좀스러운 : Repairing watches can be a ~ job. 시계를 수리하는 일은 (잔손이 많이 가는) 좀스러운 직업이라 할 수 있다.

nigh [nai] (***nigh·er*** [náiər],《古》***near ; nigh·est*** [náiist],《古》***next***) *a., ad., prep.*《古·詩·方》= NEAR.

†**night** [nait] *n.* ① Ⓤ,Ⓒ 밤, 야간(opp. *day*) : on Saturday ~ 토요일 밤에 / on the ~ of the 14th of December, 12 월 14일 밤에《★ 특정한 날짜가 붙는 경우에는 the가 붙음》/ last ~ 간밤 / the other ~ 며칠 전 밤에 / the ~ before last 지지난 밤《★《美》에서는 the를 생략하는 경우도 있음》/ He stayed three ~*s* with us. 그는 우리 집에서 사흘 밤 묵었다 / go home of a ~ 밤중에 귀가하다 / The ~ is still young. 아직 초저녁이다《★ night 는 해질녘부터 해돋이까지, evening 은 일몰 또는 저녁 식사 후부터 잘 시간까지》. ② Ⓤ 야음 ; 어둠 : *Night* falls. 해가 저문다 / go forth into the ~ 밤의 어둠속으로 들어가다. ③ Ⓤ 어둠 ; 무지, 몽매, 맹목 ; 암흑〔실의, 불행〕의 시기, 암흑상태 : The long, dark ~ of tyranny was finally over. 어둡고 긴 폭정의 시대는 드디어 지나갔다. ④ (특정 행사가 있는) …의 밤 : a ticket for the first ~ (공연) 첫날밤의 표 / a Wagner ~ 바그너의 밤. ***all ~*** (***long***) = ***all the ~ through*** 밤새도록 : I dreamed *all* ~. 밤새도록 꿈을 꾸었다. (***as***) ***dark*** 〔***black***〕 ***as ~*** 새까만, 캄캄한. ***at dead of ~*** = ***in the dead of*** (***the***) ***~*** 한밤중에. ***at ~*** (1) 해질 무렵에. (2) 밤중(에)《특히 6 시부터 12 시까지》. ***at ~s*** 밤마다. ***by ~*** (1) 밤에는 ; 밤중에 : She's a singer in a bar *by* ~ and a secretary by day. 그녀는 밤에는 가수로서 일하고 낮에는 비서일을 하고 있다. (2) 야음을 틈타. ***call it a ~***《口》그 날 밤의 일을 마치다 : Let's *call it a* ~. 오늘밤은 이쯤으로 끝냅시다. ***far into the ~*** 밤늦도록 : study *far into the* ~ 밤늦도록 공부하다. ***for the ~*** 밤(동안)에는 : I stayed there *for the* ~. 그 밤은 그 곳에서 묵었다. ***Good ~!*** 편히 주무십시오 ; 안녕《밤에 헤어질 때의 인사》. ***have*** 〔***pass***〕 ***a good*** 〔***bad***〕 ***~*** 잠을 잘〔잘못〕 자다. ***have*** 〔***make***〕 (***tonight***) ***an early ~*** 일찍 자다. ***have*** 〔***get, take***〕 ***a ~ off*** (야근하는 사람이) 하룻밤 (일을) 쉬다. ***have a ~ out*** (1) 하룻밤을 밖에서 놀며 지새우다. (2) (휴가를 얻어) 하룻밤 외출하다. ***in the ~*** 야간에, 밤중에 : The baby woke up twice *in the* ~. 아기가 밤중에 두 번 깼다. ***make a ~ of it*** 밤새도록 마시며〔놀며〕 지내다. ***~ after*** 〔***by***〕 ***~*** 매일밤, 밤마다. ***~ and day*** = ***day and ~*** 밤낮(없이). ***of*** 〔***o'***〕 ***~s***《口》밤에, 밤에 때때로 : I can't sleep *o' ~s* for thinking of it. 그것이 걱정돼 밤에 잘 수 없다. ***on the ~ that . . .*** …한 날 밤(에) : *on the ~ that* I came here 내가 여기 온 날 밤. ***turn ~ into day*** 낮에 할 일을 밤에 하다, 밤새워 일하다〔놀다〕, (불을 밝혀) 낮처럼 밝게 하다.
── *a.* 〔限定的〕 밤의, 야간(용)의 ; 밤에 활동하는 : a ~ baseball 야구의 야간 경기 / ~ duty 야근, 숙직 / a ~ air 밤공기, 밤바람 / a ~ train 야간 열차, 밤차 / the ~ entrance 야간전용 출입문.

night·bird [náitbə̀ːrd] *n.* Ⓒ 밤에 나다니는 사람 ; 밤도둑. 「의.

night-blind [-blàind] *a.* 밤눈이 어두운, 야맹증

níght blìndness 〖醫〗 야맹증(nyctalopia).

night·cap [-kæ̀p] *n.* Ⓒ ① 잠잘 때 쓰는 모자, 나이트캡. ②《口》자기 전에 마시는 술. ③《美口》당일 최종 시합〔레이스〕,《특히》야구의 더블헤더 나중 경기.

night·clothes [-klòuðz] *n. pl.* 잠옷(nightdress, nightwear).

night·club [-klʌ̀b] *n.* Ⓒ 나이트클럽(nightspot).

night·dress [-drès] *n.* = NIGHTGOWN ; NIGHTCLOTHES.

***night·fall** [-fɔ̀ːl] *n.* Ⓤ 해질녘, 황혼, 땅거미(dusk) : at ~ 해질녘에.

níght fighter 야간 전투기.

night·gown [-gàun] *n.* Ⓒ (여성·어린이용) 잠옷, 네글리제.

night·hawk [-hɔ̀ːk] *n.* Ⓒ ① 쏙독새의 일종. ②《口》밤놀이〔밤샘〕하는 사람.

night·ie [náiti] *n.*《口》= NIGHTGOWN.

Night·in·gale [náitəngèil, -tiŋ-] *n.* **Florence** ~ 나이팅게일《영국의 간호사 ; 근대 간호학 확립의 공로자 ; 1820-1910》.

***night·in·gale** *n.* Ⓒ 나이팅게일《유럽산 지빠귓과의 작은 새 ; 밤에 아름다운 소리로 욺》.

night·jar [náitdʒɑ̀ːr] *n.* Ⓒ 쏙독새《유럽산》.

níght làtch (문 따위의) 빗장의 일종《안에서는 손잡이로, 밖에서는 열쇠로 여닫음》.

níght lètter (야간) 간송(間送) 전보《다음날 아침에 배달되며, 요금이 쌈》. cf. day letter.

night·life [-làif] *n.* Ⓒ (환락가 등에서의) 밤의 유흥. 「등.

night-light [-làit] *n.* Ⓒ (침실·복도용의) 철야

night·long [-lɔ̀ːŋ / -lɔ̀ŋ] *a., ad.* 철야의〔로〕, 밤새우는〔새워〕.

***night·ly** [náitli] *a.* 〔限定的〕 ① 밤의, 밤에 일어나는 : ~ dew 밤이슬. ② 밤마다의, 매일 밤의 : ~ performance 매일 밤의 공연. ── *ad.* 밤에 ; 밤마다 : The news is broadcast ~ at 8:00. 뉴스는 매일 밤 8시에 방송된다.

‡**night·mare** [náitmɛ̀ər] *n.* Ⓒ ① 악몽, 가위눌림 : have (a) ~ 가위 눌리다. ② 악몽 같은 경험〔사태, 상황〕; 공포〔불안〕감 : The train crush was a ~ I shall never forget. 그 열차 사고는 결코 잊을 수 없는 악몽 같은 경험이었다. ③ 몽마(夢魔)《잠자는 이를 질식시킨다는 마녀》.

night·mar·ish [-mɛ̀əriʃ] *a.* 악몽〔몽마〕 같은 ; 불유쾌한. ㊞ **~·ly** *ad.*

níght nùrse 야근 간호사.

níght òwl《口》밤샘하는 사람.

níght pòrter《英》(호텔 프런트의) 야근 보이

〔도어맨〕.

nights [naits] *ad.* 매일 밤, 밤마다 : He works ~. 그는 밤에 일한다.

níght sàfe 야간 금고《은행 등의 폐점 후의》.

níght schòol 야간 학교.

night·shade [náit-ʃèid] *n.* Ⓤ,Ⓒ 가지속(屬)의 식물.

níght shìft ① (공장 등의) 야간 근무 (시간). ⓒⓕ day shift. ② (종종 the ~) 〔集合的 ; 單·複數 취급〕 야간 근무자. ⓒⓕ graveyard shift.

night·shirt [-ʃə̀:rt] *n.* Ⓒ (남자용의 긴 셔츠 모양) 잠옷.

níght sòil 똥거름, 분뇨《야간에 쳐내는》.

night·spot [-spɑ̀t / -spɔ̀t] *n.* 《口》 =NIGHTCLUB.

night·stand [-stæ̀nd] *n.* =NIGHT TABLE.

níght stìck (경찰이 차고 다니는) 경찰봉.

níght tàble 침대 곁 책상(=**béd·stànd**).

***night·time** [-tàim] *n.* Ⓤ 야간, 밤중 : in the 〔at〕 ~ 밤중에. ⓞⓟⓟ *daytime.*

night·walk·er [-wɔ̀:kər] *n.* Ⓒ 밤에 배회하는 사람《밤도둑·매춘부 따위》.

níght wàtch ① 야경(夜警), 야번(夜番). ② (종종 the ~) 〔集合的 ; 單·複數 취급〕 야경꾼. ③ (흔히 the ~es) 교대 야경시간《하룻밤을 셋이나 넷으로 나눈 그 하나》.

níght wàtchman 야경원.

night·wear [-wɛ̀ər] *n.* 잠옷(nightclothes).

níght wòrk 밤일, 야근.

nighty [náiti] *n.* Ⓒ 《口》 잠옷(nightgown).

NIH National Institutes of Health (미국 국립 위생 연구소).

ni·hil·ism [náiəlìzəm, ní:ə-] *n.* Ⓤ ①〖哲·倫〗허무주의, 니힐리즘. ②〖政〗허무주의, 폭력혁명〔무정부〕주의. ㊕ **ní·hil·ist** [-ist] *n.* Ⓒ 허무〔무정부〕주의자. **nì·hil·ís·tic** [-ístik] *a.* 허무주의(자)의 ; 무정부주의(자)의.

-nik *suf.* 《口·蔑》 '…와 관계 있는 사람, …한 특징이 있는 사람, …애호자'의 뜻 : beat*nik*, peace*nik*.

Ni·ke [náiki:] *n.* 〖그神〗 니케《승리의 여신》.

nil [nil] *n.* Ⓤ ① 무(無), 영 : The effect was ~. 효과는 전무했다. ② 《英》〖競〗 영점 : three (goals to) ~, 3 대 0. ③〖컴〗 없음 : ~ pointer 없음알리개.

Nile [nail] *n.* (the ~) 나일 강《아프리카 동부에서 발원, 지중해로 흘러드는 세계 최장의 강》. ⓒⓕ Blue 〔White〕 Nile.

Ni·lot·ic [nailɑ́tik / -lɔ́t-] *a.* 나일 강의 ; 나일 강 유역 (주민)의.

nim·bi [nímbai] NIMBUS의 복수.

***nim·ble** [nímbəl] (*-bler* ; *-blest*) *a.* ① 재빠른, 민첩한 : with ~ fingers 민첩한 손놀림으로. ② 영리한, 이해가 빠른, 빈틈 없는 ; 재치 있는, 꾀바른 ; 다재한 : His ~ mind calculated the answer before I could key the numbers into my computer. 그의 영리한 머리는 내가 컴퓨터에 그 숫자를 입력하기도 전에 그 대답을 계산해냈다. ㊕ **~·ness** *n.* Ⓤ **-bly** *ad.*

nim·bo·stra·tus [nìmboustréitəs] (*pl.* ~) *n.* Ⓒ 〖氣〗 난층운, 비층구름, 비구름《略 : Ns》.

nim·bus [nímbəs] (*pl.* **-bi** [-bai], **~·es**) *n.* Ⓒ ① (신·성자 등의) 후광(halo) ; 원광(圓光) ; (사람 또는 물건이 내는) 기운, 숭고한 분위기, 매력. ②〖氣〗 난운(亂雲), 비구름.

NIMBY [nímbi(:)] (*pl.* **-s**) *n.* 님비《not in my backyard ; 다른 곳은 몰라도 자기 집 주변에는 꺼림칙한 시설물의 설치를 반대하는 주민〔운동〕》.

nim·i·ny-pim·i·ny [nímənipímәni] *a.* 짐짓 빼는, 새침한, 얌전빼는 ; 연약한.

Nim·rod [nímrɑd / -rɔd] *n.* ①〖聖〗 니므롯《구약 성서에 나오는 힘센 사냥꾼》. ② (n-) Ⓒ 사냥꾼.

nin·com·poop [nínkəmpù:p, níŋ-] *n.* Ⓒ 《口》 바보, 멍청이.

†**nine** [nain] *a.* ①〔限定的〕 9 의, 9 명〔개〕의 : It is ~ (o'clock). 9 시이다 / Only ~ (persons) appeared. 9 사람만 왔다. ②〔敍述的〕 아홉 살의 : He's ~. 그는 아홉 살이다. **~ *tenths*** 10 분의9, 거의 전부. **~ *times out of ten* = *in ~ cases out of ten*** 십중 팔구, 대개 : I beat him at chess ~ *times out of ten*. 체스에서는 대개 내가 그를 이긴다.

── *n.* ① **a)** Ⓤ,Ⓒ 〔흔히 無冠詞〕 9. **b)** Ⓒ 9 의 숫자〔기호〕《9, ix, IX》. ② Ⓤ 9 세 ; 9 시 ; 9 명 : a child of ~ 아홉 살짜리 아이 / at ~ 아홉 시에. ③ Ⓒ 9 인〔개〕 1 조 ; 《美》 야구 팀. ④ Ⓒ 〖카드놀이〗 9 끗짜리 패 : the ~ of hearts 하트의 9. ⑤ (the N-) 뮤즈의 아홉 여신. ⓒⓕ Muse. ***dressed* (*up*) *to the ~s*** 성장(盛裝)하여 : She had washed her hair and *dressed* herself *up to the ~s* by the time we arrived. 그녀는 우리가 도착했을 때에는 이미 머리를 손질하고 성장하고 있었다. **~ *to five*** 9 시부터 5 시까지의 보통 근무 시간.

── *pron.* (*pl.*) 아홉(개, 명).

nine·fold [-fòuld] *a., ad.* 9 배의〔로〕, 아홉겹의〔으로〕.

999 [náinnàinnáin] *n.* 《英》 비상〔구급〕 전화번호 《경찰·구급차·소방서를 부르는 번호》.

nine-one-one [-wʌ́nwʌ́n] *n.* 《美》 (경찰·구급차·소방서 등에의) 긴급 전화 번호, 911 : dial ~, 911번을 돌리다.

nine·pin [-pìn] *n.* ① (*pl.*) 〔單數취급〕 나인핀스, 구주희(九柱戲)《아홉 개의 핀을 세우고 큰 공으로 이를 쓰러뜨리는 놀이》. ⓒⓕ tenpin. ② Ⓒ 나인핀스용의 핀. ***fall* 〔*be knocked*〕 *over like ~s*** 골패짝 무너지듯 하다, 우르르 겹쳐 쓰러지다.

†**nine·teen** [náintí:n] *a.* ①〔限定的〕 19 의 ; 19 명〔세, 개〕의 : the ~-eighties, 1980 년대 / the ~-hundreds, 1900 년대 / He's ~ years old〔of age〕. 그는 19세이다. ②〔敍述的〕 19세의 : He's ~. 그는 19세이다. ── *n.* ① **a)** Ⓤ,Ⓒ 〔흔히 無冠詞〕 19. **b)** Ⓒ 19 의 기호《XIX》. ② Ⓤ 19 세, 19 달러〔파운드·센트 등〕. ***talk* 〔*go, run, wag*〕 ~ *to the dozen*** ⇨ DOZEN.

‡**nine·teenth** [náintí:nθ] *a.* ① (흔히 the ~) 제 19 의, 열아홉째의. ② 19 분의 1의. ── *n.* ① Ⓤ(흔히 the ~) **a)** 제 19. **b)** (월일의) 19 일. ② Ⓒ 19 분의 1. ── *pron.* (the ~) 열아홉번째의 사람〔것〕.

níneteenth hóle (the ~) 《口·戲》 골프장내의 클럽 ; 특히 바《18 번 홀의 플레이를 마치고 가는 곳이라는 뜻》.

nine·ti·eth [náintiiθ] *n., a.* 제 90(의) ; 90분의 1(의).

nine-to-five [náintəfáiv] *a.* 〔限定的〕 (평일의 9 시부터 5 시까지) 일상적인 일을〔근무를〕 하는 사람〔월급쟁이〕의.

nine-to-fiv·er [náintəfáivər] *n.* Ⓒ 《俗》 월급쟁이.

†**nine·ty** [náinti] *a.* ①〔限定的〕 90 의, 90 개〔명〕의 : He's ~ years old〔of age〕. 그는 90 세이다. ②〔敍述的〕 90 세의 : He's ~. 그는 90 세다.

── (*pl.* **-ties**) *n.* ① **a)** Ⓤ,Ⓒ 〔흔히 無冠詞〕 90, 90 개. **b)** 90 의 기호《xc, XC》. ② **a)** Ⓤ 90 세 ; 90 달러〔파운드·센트·펜스 등〕. **b)** (the nineties) (세기의) 90 년대, 90 세대(歲代), 90 도〔점〕대. ── *pron.* 90 개〔명〕.

nine·ty-nine [-náin] *a.* ①〔限定的〕 99, 99 개〔명, 세〕의. ②〔敍述的〕 99세의.

nin·ny [níni] *n.* Ⓒ 바보, 얼간이.

†ninth [nainθ] *a.* ① (흔히 the ~) 제 9의, 아홉째의. ② 9분의 1 의. ***the ~ part of a man*** 《戲》 재봉사, 양복장이《TAILOR *n.* 의 속담(俗談) Nine tailors make a man. 참조》. ── *ad.* 아홉(번)째로. ── *n.* (흔히 the ~) ① Ⓤ 제 9, 9번; (월일의) 9일. ② Ⓒ 〖樂〗 9도 음정. ③ Ⓒ 9분의 1(a ~ part). ★ nin*e*th 는 잘못. ㊉ **~·ly** *ad.*

Ni·o·be [náioubì:] *n.* 〖그神〗 니오베《자랑하던 14명의 아이들이 전부 살해당하여, 비탄하던 나머지 돌로 변했다는 여인》.

ni·o·bi·um [naióubiəm] *n.* Ⓤ 〖化〗 니오브《금속 원소; 기호 Nb; 번호 41》.

nip**[1] [nip] (-pp-***) *vt.* ①《~+목/+목+전+명》 (집게발 등이) …을 물다, 집다, 꼬집다; 끼(우)다; (개 등이) 물다: The monkey *~ped* the child's hand. 원숭이가 어린애의 손을 물었다 / ~ a pen *between* one's lips 펜을 입술에 물다. ②《+목+부》 따다, 잘라내다《*off*》: ~ *off* young leaves 어린 잎을 따다. ③ (바람·서리·추위 따위가) 해치다, 얼게 하다, 이울게 하다; 저지하다, 좌절시키다: The fruit trees have been *~ped* by the frost. 과수나무가 서리로 피해를 입었다. ④《俗》 잡아채다; 훔치다. ── *vi.* ① (집게발 따위가) 물다, 꼬집다, 집다; (개 따위가) 물다: The dog was *~ping at* me. 그 개는 나를 물려고 덤벼들었다. ②《+부》《英口》 급히 가다; 재빨리 움직이다《*along; in; out; over; up; down*》: Wayne is always *~ping down* to the corner shop for her. 웨인이 언제나 그녀를 위해 모퉁이에 있는 상점에 날세게 달려가곤 한다. **~ *in* 〔*out*〕**《俗》 훌쩍 뛰어들다〔나오다〕: ~ *in* and *out* of buses 바쁘게 버스를 오르내리다. **~ *. . . in the bud*** (1) 싹이 트기 전에 잘라 버리다. (2) 미연에 방지하다: It is important to recognize jealousy and to ~ it *in the bud* before it gets out of hand. 질투라는 것을 깨닫고, 그것이 걷잡을 수 없게 되기 전에 미리 진정시킨다는 것은 중요하다.

── *n.* (a ~) ① 한 번 꼬집기〔자르기, 물기〕: have〔take〕 *a* ~ at …을 집다〔물다, 꼬집다〕. ② 손끝으로 집는 약간의 양, 근소(僅少)《*of*》: *a* ~ *of* salt 소금 약간. ③ 서리 피해; 모진 추위: *a* ~ in the air 살을 에는 듯한 추위. ④ (음식물의) 강한 맛, 풍미. ⑤ 날센 움직임: have *a* quick ~ out to buy a newspaper 신문을 사려고 잽싸게 달려가다. **~ *and tuck*** 《美口》 호각으로, 막상막하로: It was ~ *and tuck* but we won. 백중세였으나 우리가 이겼다.

nip[2] *n.* Ⓒ (*sing.*) (술 따위의) 한 모금〔잔〕, 소량: relish *an* occasional ~ of whiskey 때때로 약간의 위스키를 즐기다. ── (***-pp-***) *vi.* (술을) 홀짝거리다.

ni·pa [ní:pə] *n.* ① Ⓒ 〖植〗 니파야자(=~ **pàlm**) 《동인도산》. ② 니파주(酒).

nip·per [nípər] *n.* ① Ⓒ 집는〔무는, 꼬집는〕 사람〔것〕; 따는 사람〔것〕. ② Ⓒ 《英口》 소년. ③ (*pl.*) **a**) 펜치, 못뽑이, 이뽑는 집게, 족집게, 겸자. **b**) (게 따위의) 집게발.

nip·ping [nípiŋ] *a.* ① 〔限定的〕 (찬 바람이) 살을 에는 듯한. ② (말씨가) 비꼬는, 신랄한.

nip·ple [nípəl] *n.* Ⓒ ① 유두, 젖꼭지; (젖병의) 고무 젖꼭지, (젖 먹일 때의) 젖꼭지 씌우개 (=~ **shìeld**). ② 젖꼭지 모양의 돌기. ③ 〖機〗 (파이프의) 접속용 파이프, 니플; 〖機〗 그리스 니플.

nip·py [nípi] (***-pi·er; -pi·est***) *a.* ① 살을 에는 듯한, 차가운; 날카로운, 통렬한: ~ weather 살을 에는 듯한 날씨 / This cheese has a good, ~ taste. 이 치즈는 쏘는 듯한 맛이 있어 맛있다. ② 《英口》 날쌘, 기민한; (차가) 첫출발이 좋은, 가속이 붙는. ㊉ **níp·pi·ly** *ad.* **-pi·ness** *n.*

nir·va·na [nəːrvɑ́ːnə, niər-, -vǽnə] *n.* 《Sans.》 ① (흔히 N-) Ⓤ 〖佛敎〗 열반. ② Ⓤ,Ⓒ 해탈(의 경지), 안식.

nit[1] [nit] *n.* Ⓒ (이 기타 기생충의) 알, 서캐.

nit[2] *n.* 《英俗》 =NITWIT.

nit·pick [nítpìk] *vi.* 《口》 (이 잡듯이) 수색하다 《*for*》; (시시한 일을 가지고) 끙끙 앓다: Must you ~ all the time? 언제나 시시한 일을 가지고 끙끙거려야 하느냐. ㊉ **~·er** *n.* **~·ing** *a., n.* Ⓤ 《美口》 시시한 일을 문제 삼는〔삼음〕, (남의) 흠을 들추는〔들춤〕.

ni·trate [náitreit, -trit] *n.* Ⓤ,Ⓒ ① 〖化〗 질산염〔에스테르〕. ② 〖農〗 질산칼륨〔질산 나트륨〕을 주성분으로 하는 화학 비료. **~ *of silver*** = ***silver*** ~ 질산은.

ni·tric [náitrik] *a.* 〔限定的〕 〖化〗 질소의, 질소를 함유하는: ~ acid 질산.

ni·tride [náitraid, -trid] *n.* Ⓤ 〖化〗 질소화물.

ni·tri·fy [náitrəfài] *vt.* 〖化〗 …와 질소와 화합시키다, 질소 (화합물)로 포화시키다; 〖工·生〗 질화하다.

ni·trite [náitrait] *n.* Ⓤ 〖化〗 아질산염.

nitr(o)- '질산·질소'의 뜻의 결합사.

ni·tro·ben·zene [nàitroubénzi:n, -benzí:n] *n.* Ⓤ 〖化〗 니트로벤젠《황색의 결정·액체》.

ni·tro·cel·lu·lose [nàitrəséljəlòus] *n.* Ⓤ 〖化〗 니트로셀룰로오스.

‡ni·tro·gen [náitrədʒən] *n.* Ⓤ 〖化〗 질소《기호 N; 번호 7》.

nítrogen cỳcle 〖生〗 질소 순환.

nítrogen dióxide 〖化〗 이산화 질소.

nítrogen fixàtion 〖化〗 질소 고정(법).

ni·trog·e·nous [naitrɑ́dʒənəs / -trɔ́-] *a.* 질소의; 질소를 함유하는: ~ fertilizer 질소 비료.

nítrogen óxide 〖化〗 산화 질소, 질소 산화물.

ni·tro·glyc·er·in, -ine [nàitrouglísərin], [-glísərin, -rì:n] *n.* Ⓤ 〖化〗 니트로글리세린.

ni·trous [náitrəs] *a.* 질소의; 질소를 함유하는; 초석의; 초석을 함유하는.

nit·ty-grit·ty [nítigríti] *n.* (the ~) 《俗》 사물의 핵심〔본질〕; 엄연한 진실〔현실〕. ***get down to the*** ~ 핵심에 대해 언급하다: Let's *get down to the* ~ and work out the costs, shall we? 자, 핵심으로 들어가서, 가격을 산정토록 합시다.

nit·wit [nítwìt] *n.* Ⓒ 《口》 바보, 멍청이.

nix [niks] *n.* Ⓤ 《俗》 ① 무(無), 전무(全無): get something for ~ 어떤 물건을 공짜로 손에 넣다. ② 거부, 거절.

── *ad.* 〔否定의 답〕 아니(오)(no).

── *vt.* …을 거절하다: The film studio *~ed* her plans to make a sequel. 영화 촬영사는 속편을 만들려는 그녀의 계획을 거절했다.

Nix·on [níksən] *n.* **Richard Milhous** ~ 닉슨《미국의 제 37 대 대통령; Watergate 사건으로 중도사임; 1913-94》.

Níxon Dóctrine (the ~) 닉슨 독트린《우방 각국의 자립을 기대하는 기본 정책》.

NJ 〖美郵〗, **N.J.** New Jersey. **NL** National League. **NM** 〖美郵〗, **N. Mex.** New Mexico. **NNE, N.N.E.** north-northeast. **NNP, N.N.P.** net national product (국민순생산). **NNW, N.N.W.** north-northwest.

†no [nou] *a.* 〔限定的〕 (비교 없음) ① 〔主語·目的語인 名詞 앞에 쓰이어〕 **a**) 〔單數 普通名詞 앞에서〕 하나 〔한 사람〕도 …없는〔않는〕: Harold has *no* car. 해롤드는 차가 없다(=Harold does *not* have any car.) / There is *no* book on the table. 테이

블 위에 책이 없다 / *No* man is without his faults. (어느) 누구도 결점 없는 사람은 없다. **b)** 〔複數名詞, 不可算名詞 앞에 쓰이어〕 어떤〔약간의〕 …도 없는〔않는〕: There is *no* bread. 빵이 전혀 없다 / I have *no* sisters. 나에겐 자매가 없다《I have no sister. 처럼 단수로도 쓰임》/ He paid *no* attention to other people. 남에게는 전혀 주의를 기울이지 않았다(=《口》 He didn't pay any attention ….) / There was *no* end to their talk. 그들의 이야기는 끝날 줄을 몰랐다 / My grandmother has *no* teeth. 할머니는 치아가 하나도 없으시다《복수로 존재한다고 생각되는 것은 보통 복수형을 씀》. **c)** 〔there is no …ing 형태로〕 …할 수는〔수가〕 없다: *There is no* say*ing* what may happen. 무슨 일이 있을지 도무지 알 수(가) 없다 / *There was no* hid*ing* the truth. 진상은 숨길 수 있는 것이 아니었다.
② 〔be 動詞의 補語인 名詞 앞에 쓰여〕 결코 … 아닌〔않는〕; …은 커녕 그 반대의: He *is no* fool. 그는 결코 바보가 아니다(=He is not a fool at all.=He is far from a fool. =He is anything but a fool.) / I *am no* match for him. 그에게는 도무지 당할 수 없다 / It'*s no* matter. 그건 아무래도 좋다 / It *is no* distance from here. 얼마 안 되는 거리다 / This *is no* place for a boy at night. 여긴 밤중에 어린애 따위가 나와 있을〔올〕 곳이 못 된다 / It *is no* wonder that he has succeeded. 그가 성공한 것은 하등 이상할 것이 없다.
③ 〔no+名詞로, 名詞만을 부정하여〕 …이 없는: *No* news is good news. 《俗談》 무소식이 희소식 《비교: *No* news has come today. 오늘은 아무 소식도 오지 않았다》/ *No* customers will kill us. 손님이 없으면 장사는 끝장이다 / In *no* clothes, Mary looks attractive. 알몸의 메리는 매력적이다.
④ 〔생략문〕 (게시 등에서) …금지, 사절, …반대; …없음: *No* compromise. 타협 반대 / *No* entry. 출입 금지 / *No* parking. 주차 금지 / *No* smoking. 금연 / *No* credit. 외상 사절 / *No* objection. 이의 없음.
by no means ⇨ MEANS. ***in no time*** ⇨ TIME. **(*It's*) *no go.*** 실패다, 허사다, 잘 안 된다. ***no one*** ⇨ NO ONE. …아니다〔않다〕(nobody): *No one* knows the fact. 그 사실을 알고 있는 사람은 없다. ***no other than*** 〔***but***〕 ***...*** = NONE other than〔but〕… (成句). ***No side!*** ⇨ SIDE. ***no sweat*** ⇨ SWEAT. ***no way*** ⇨ WAY.
— *ad.* ① 〔肯定의 질문이나 진술에 답하여〕 아뇨, 아니; 〔否定의 질문이나 진술에 답하여〕 네, 그렇습니다《물음이나 진술이 肯定이든 否定이든 관계없이 답의 내용이 否定이면 No, 肯定이면 Yes》: Is it dry? — *No,* it isn't. 말랐소 — 아뇨, 마르지 않았습니다 / Isn't it dry? — *No,* it isn't. 마르지 않았습니까 — 네, 마르지 않았습니다 / You didn't call him up, did you? — *No,* I didn't. 그에게 전화를 안 하셨죠 — 네, 안했습니다 / I'm tired. — *No,* you aren't. 난 피곤해 — 아니, 넌 그렇지 않아 / Help him. — *No,* why should I? 그를 도와줘라 — 아니, 왜 내가 그래야 해.
② **a)** 〔比較級 앞에 쓰이어〕 조금도 …아니다〔않다〕(not at all): We can go *no further.* 이 이상 더는 앞으로 나아갈 수 없다 / She is a little girl *no bigger* than yourself. 그 애는 너와 거의 같은 키의 소녀다. **b)** 〔形容詞 앞에서, 그 形容詞를 否定하여〕 결코 …아니다〔않다〕: He showed *no* small skill. 그는 대단한 솜씨를 보였다 / The job is *no* easy one. 그 일은 결코 쉬운 것이 아니다. **c)** 〔good과 different 앞에서〕 …이 아니다, …하지 않다(not): He is *no good* at it. 그는 그것은 잘 못한다 / Their way of life is *no* 〔not〕 *different* from ours. 그들의 생활 양식은 우리의 그것과 다를 것이 없다.
③ **a)** 〔nor, not 앞에서, 강한 否定을 나타내어〕 아니, 그래: Not a single person came to the party, *no, not* a one. 한 사람도 파티에 오지 않았다, 그렇지 단 한 사람도 말이지. **b)** 〔앞의 말을 정정하여〕 아니 …이다: He sees a doctor once a month, *no,* twice a month. 그는 한 달에 한 번, 아니 한 달에 두 번 의사한테 진찰을 받는다.
④ 《稀》 〔…or no의 형태로〕 …인지 어떤지; …이든 아니든: Whether you like it *or no,* you must finish the work today. 마음에 들든 아니 들든 오늘은 그 일을 끝마쳐야 해요《오늘날엔 not이 보통》/ Unpleasant *or no,* it is true. 싫든 좋든 그건 사실이야.
⑤ 〔놀라움·의문·낙담·슬픔 등을 나타내어〕 설마, (아니) 뭐라고: David married Ann. — *No,* I don't believe it! 데이비드가 앤과 결혼했다네 — 설마하니, 믿을 수 없군 / He's dead. — Oh, *no*! 그는 죽었어 — 아니, 뭐라고.
no better than ... ⇨ BETTER. ***No can do.*** 《口》 그런 일〔짓〕은 못 한다. ***no less than ...*** ⇨ LESS. ***no longer*** 이제는 …아니다〔않다〕. ***no more than*** ⇨ MORE. ***no sooner _ than ...*** ⇨ SOON.
— (*pl.* ***noes*** [nouz]) *n.* Ⓒ Ⓤ ① '아니(no)'라고 하는 말; 부정; 거절, 부인(否認): say *no* '아니'라고 하다, 부인하다 / answer with a definite *no* 딱 잘라 거절하다 / I will not take *no* for an answer. 안 된다고는 하지 마세요《초대·권유를 받고 망설이는 사람에게 하는 말》/ Two *noes* make a yes. 이중 부정은 긍정이 된다. ② 반대 투표; (흔히 *pl.*) 반대 투표자: The *noes* have it. 반대 투표자 다수 / They are going to vote *no.* 그들은 반대표를 던질 거다.

No., Nº, no.** [nʌ́mbər] (*pl.* ***Nos., Nºs, nos. [-z]) *n.* 〔숫자 앞에 붙여서〕 제(…)번, 제(…)호, (…)번지《따위》: *No.* 3, 제 3 번〔호, 번지〕/ *Nos.* 5, 6 and 7. 제 5, 제 6, 제 7번《★ 주로 상용 또는 학술용으로 숫자 앞에 쓰임. 단, 미국에서는 번지 앞에는 쓰지 않음》. ***No. 1*** = NUMBER ONE. ***No. 10*** (***Downing Street***) 영국 수상 관저《소재지의 번지》.

No 〖化〗 nobelium. **No.** north; northern.

no-ac·count [nóuəkàunt] *a.*〔限定的〕, *n.* Ⓒ 《美口》 무가치한; 하찮것 없는 (사람), 무능〔무책임〕한 (사람).

***No·ah** [nóuə] *n.* ① 노아《남자 이름》. ② 〖聖〗 노아《헤브라이 사람의 족장(族長)》.

Nóah's Árk 〖聖〗 노아의 방주(方舟).

nob[1] [nɑb / nɔb] *n.* Ⓒ 《俗》 머리.

nob[2] *n.* Ⓒ 《英俗》 높은 양반, 고관, 부자.

nob·ble [nɑ́bəl / nɔ́bəl] *vt.* 《英俗》 ① 〖競馬〗 (경주마)를 이기지 못하게 하다《말에 독약을 먹이거나 불구로 만들어》. ② (사람 따위)를 매수하다, 부정 수단으로 자기 편에 끌어넣다; (돈 따위)를 사취하다; (사람)을 속이다; 훔치다, 후무리다. ③ (범인)을 체포하다; 유괴하다.

No·bel [noubél] *n.* ① 남자 이름. ② **Alfred Bernhard** ~ 노벨《스웨덴의 화학자·다이너마이트의 발명자; 1833-96》.

No·bel·ist [noubélist] *n.* Ⓒ 노벨상 수상자.

no·be·li·um [noubíːliəm] *n.* Ⓤ 〖化〗 노벨륨《인공 방사성 원소; 기호 No; 번호 102》.

***Nó·bel príze** [nóubel-] 노벨상《Nobel의 유언에 의해, 세계의 평화·문예·학술에 공헌한 사람들

에게 수여함; 각기 Nobel Peace Prize, Nobel Prize in Physics 〔Chemistry, Physiology & Medicine, Literature〕, Nobel Memorial Prize in Economic Science 라고 함》.

‡no·bil·i·ty [noubíləti] *n.* ① Ⓤ 고귀(성), 숭고, 고결함, 기품; 고귀한 태생〔신분〕: a man of true ~ 정말 고결한 사람. ② (the ~) 〔集合的; 單·複數 취급〕 귀족〔계급〕, 《특히》 영국 귀족: Despite its lack of formal power *the* ~ was not powerless. 공식적인 권력이 없음에도 불구하고 귀족들은 권력이 없지는 않았다《★ 귀족에는 다음의 5 계급이 있음: duke (공작), marquis (후작), earl (백작, 대륙에서는 count), viscount (자작), baron (남작)》.

‡no·ble [nóubəl] (***-bler*** ; ***-blest***) *a.* ① **a**) (계급·지위·출생 따위가) 귀족의, 고귀한: a ~ family 귀족(의 가문). **b**) 칭찬할 만한, 훌륭한: It was ~ of her to save the baby from the fire. 그녀가 불속에서 어린애를 구출했다니 정말 훌륭했다. ② (사상·성격 따위가) 고상한, 숭고한, 고결한. ⓞⓟⓟ *ignoble*. ¶ a man of ~ character 고매한 인물 / a ~ aim 숭고한 목적. ③ 당당한, 웅대〔장대〕한: The new building has a ~ facade which is not overbearing. 그 새 빌딩은 위압적이 아닌 당당한 모양을 하고 있다. ④ (금속·보석 등이) 귀중한; 부식하지 않는: ~ metals 귀금속.
── *n.* Ⓒ 귀족《★ 특히 봉건 시대의 귀족을 일컬음》. ⓜ **~·ness** *n.* Ⓤ 고귀, 고상; 장대, 장엄.

nóble árt 〔scíence〕 (the ~) 권투.

no·ble·man** [nóubəlmən] (*pl.* ***-men [-mən]) *n.* Ⓒ 귀족.

no·ble-mind·ed [nóubəlmáindid] *a.* 마음이 고결한〔넓은〕. ⓜ **~·ly** *ad.* **~·ness** *n.*

no·blesse ob·lige [noublésoublí:ʒ] 《F.》 높은 신분에 따르는 도덕상의 의무.

no·ble·wom·an [nóubəlwùmən] (*pl.* ***-wom·en*** [-wìmin]) *n.* Ⓒ 귀족의 부인.

***no·bly** [nóubli] *ad.* ① 훌륭하게, 고결하게, 씩씩하게. ② 고귀하게; 귀족으로서〔답게〕: be ~ born 귀족으로 태어나다.

†no·body [nóubàdi, -bədi / -bɔ̀di] *pron.* 아무도 … 않다(no one): There was ~ there. 아무도 거기에 없었다 / *Nobody* knows it. 아무도 그것을 모른다 / *Nobody* in his 〔their〕 senses would do such a thing. 아무도 제정신으로 그런 일은 하지 않을 것이다. ★ nobody 는 단수형으로, 받는 대명사 등도 단수형이나, 구어에서는 위의 예와 같이 복수형이 되는 일도 있으며, 특히 부가의문에서는 보통 they 로 받음: *Nobody* got hurt, did they? 아무도 다치지는 않았지. ~ ***else*** 그 밖에 아무도 …않다: *Nobody else* knows it. 그것을 알고 있는 사람은 그 밖에 아무도 없다. ── *n.* Ⓒ 보잘것 없는〔하찮은〕 사람. ⓒⓕ somebody. ¶ He is just 〔mere〕 a ~. 그는 정말 하찮은 사람이다. ***somebodies and nobodies*** 유명 무명의 사람들.

nock [nɑk / nɔk] *n.* Ⓒ 활고자; 오늬. ── *vt.* (화살)을 시위에 메우다.

no-cláim(s) bónus [nòukléim(z)-] (자동차의 상해 보험에서) 일정 기간 무사고로 지낸 피보험자에게 적용되는 보험료의 할인.

no-con·fi·dence [nòukánfədəns / -kɔ́n-] *n.* Ⓤ 불신임: a vote of ~ 불신임 투표.

noc·tam·bu·lism [nɑktǽmbjəlìzəm / nɔk-] *n.* Ⓤ 몽유병.

noc·tam·bu·list [nɑktǽmbjəlist / nɔk-] *n.* Ⓒ 몽유병자.

***noc·tur·nal** [nɑktə́:rnl / nɔk-] *a.* ① 밤의, 야간의. ⓞⓟⓟ *diurnal*. ② 〖動〗 밤에 나오는〔활동하는〕, 야행성의. ③ 〖植〗 밤에 피는. ⓜ **~·ly** *ad.*

noctúrnal emíssion 〖生理〗 몽정(夢精).

noc·turne [nɑ́ktə:rn / nɔ́k-] *n.* Ⓒ ① 〖樂〗 야상곡. ② 야경(화(畫))(night scene).

‡nod [nɑd / nɔd] (***-dd-***) *vi.* ① 《~ / +전+명 / +*to* do》 끄덕이다; 끄덕여 승낙〔명령〕하다《*to*; *at*》: She showed her consent by ~*ding to* me. 그녀는 끄덕여 동의를 표시했다 / He ~*ded to* show that he understood. 그는 고개를 끄덕여 납득했다는 것을 나타냈다. ② …에게 가볍게 인사하다: The boy smiled and ~*ded* to her. 소년은 빙긋 웃고 그녀에게 인사했다. ③ **a**) 졸다, 꾸벅꾸벅 졸다: sit ~*ding* 앉은 채로 졸다 / Tom was caught ~*ding* by the teacher. 톰은 졸고 있는 것을 선생에게 들켰다. **b**) 방심하다, 무심코 실수하다: (Even) Homer sometimes ~*s*. 《俗談》 원숭이도 나무에서 떨어질 때가 있다. ④ 《~ / +전+명》 (식물 따위가) 흔들리다, 너울거리다, 기울다: reeds ~*ding* in the breeze 바람에 나부끼는 갈대 / The building ~*s to* its fall. 그 건물은 금세 쓰러질 듯이 기울어져 있다.
── *vt.* ① (머리)를 끄덕이다. ② 《~+목 / +목+전+명 / +목+목 / +목+*that* 절》 (승낙·인사 등)을 끄덕여 나타내다: ~ assent 끄덕여 승낙의 뜻을 나타내다 / ~ a person *into* the room 끄덕여 아무에게 방에 들어오도록 신호하다 / He ~*ded* her a greeting. 그는 그녀에게 머리를 끄덕여 인사했다 / He ~*ded* that he understood. 그는 이해했다는 것을 고개를 끄덕여 표시했다. ~ ***off*** 졸다, 자다: I missed the movie because I'd ~*ded off*. 깜박 졸다가 그 영화를 보지 못했다. ~ ***through*** …을 고개를 끄덕여 승인하다.
── *n.* Ⓒ (흔히 *sing.*) ① 끄덕임《동의·인사·신호·명령 따위》, 묵례: He gave us a ~ as he passed. 그는 지나가면서 우리들에게 묵례를 했다 / A ~ is as good as a wink. 끄덕임은 눈짓과 같다 《말하지 않아도 알고 있다; 하나를 들으면 열을 안다》. ② 졺, (졸 때의) 꾸벅임. ***be at*** a person's ~ 아무의 지배 아래 있다, 아무의 부림을 받고 있다. ***get the*** ~ 《口》 동의를 얻다. ***give the*** ~ 《口》 …에 동의하다《*to*》. ***on the*** ~ (1) 외상〔신용〕으로《물건을 사는 것 따위》. (2) 형식적 찬성으로. ***the land of Nod*** (1) 〖聖〗 놋 땅 《창세기 Ⅳ: 16》. (2) 《戯》 꿈나라, 수면.

nod·al [nóudl] *a.* 마디 (모양)의, 결절(結節)의.

nód·ding acquáintance [nɑ́diŋ- / nɔ́d-] (a ~) ① 만나면 목례할 정도의 사이《*with*》: I know him as *a* ~ but nothing more. 나는 그를 목례할 정도로 알고 있을 뿐이다. ② 피상적인 지식 《*with*》: He had only *a* ~ *with* Italian. 그는 이탈리아 말은 겨우 몇 마디 할 정도밖에 몰랐다.

nod·dle [nɑ́dl / nɔ́dl] *n.* Ⓒ 《戯·口》 머리.

nod·dy [nɑ́di / nɔ́di] *n.* Ⓒ 바보, 얼간이.

node [noud] *n.* Ⓒ ① 마디, 결절; 혹. ② 〖植〗 마디《잎이 나는 곳》; 〖醫〗 결절; 〖天〗 교점. ③ 〖數〗 맺힘점, 결절점《곡선·면이 만나는 점》; 〖物〗 마디, 파절(波節)《진동체의 정지점》. ④ (조직의) 중심점. ⑤ 〖컴〗 마디, 교점《네트워크의 분기점이나 단말 장치의 접속점》.

nod·u·lar [nɑ́dʒulər / nɔ́-] *a.* ① 마디의, 마디가 〔혹이〕 있는. ② 결절 모양의. ③ 〖地質〗 단괴상(團塊狀)의.

nod·ule [nɑ́dʒu:l / nɔ́-] *n.* Ⓒ ① 작은 마디; 작은 혹; 〖植〗 뿌리혹. ② 〖地質〗 단괴(團塊).

No·el[1] [nóuəl] *n.* 노엘《남자 이름; 여자 이름》.

No·el[2], **No·ël** [nouél] *n.* Ⓤ 노엘, 크리스마스.

no-fault [nóufɔ́:lt] *n.* Ⓤ 《美》 (자동차 보험에서) 무과실 보험《사고가 나면 보험 계약자가 보험금 결정 전에 보상금의 일부를 신속히 받을 수 있는 형식》; 무과실 손해 배상 제도. ― *a.* 〔限定的〕 ① 무과실 보험(제도)의. ②〖法〗(당사자 쌍방이) 결혼 해소에 책임이 없는. ③〖法〗과실이 불리한 인정의 근거가 되지 않는.

no-frill(s) [nóufríl(z)] *a.* 〔限定的〕 여분의 서비스가 없는, 실질 본위의: ~ air fare 불필요한 서비스를 뺀 항공 운임.

nog[1] [nɑg / nɔg] *n.* [C] 나무못〔마개〕.

nog[2] [nɑg / nɔg] *n.* [U] ① (원래 영국 Norfolk 에서 제조된) 독한 맥주. ②《美俗》달걀술(eggnog).

nog·gin [nágin / nɔ́g-] *n.* [C] ① 작은 잔, 소형 조끼《맥주 컵》. ② (술 등의) 조금. ③《口》머리: Use your ~—think before you decide what to do. 머리 좀 써라—무엇을 할 것인가를 결정하기 전에 생각하라.

no-go [nóugóu] *a.* 《俗》 ① 진행 준비가 안 된; 중단된; 잘 되지 않는: The Tuesday space launch is ~. 화요일의 우주선 발사는 중단되었다. ②〔限定的〕 출입 금지의: a ~ area 출입 금지 지역.

no-good [nóugùd] *a., n.* [C] 쓸모 없는 (것·녀석), 무가치한 (것).

no-hit [nóuhít] *a.* 〖野〗 무안타의, 노히트노런의: a ~ game 무안타 경기.

no-hit·ter [nóuhítər] *n.* [C]〖野〗무안타 경기(no-hit game).

no·how [nóuhàu] *ad.* 《口·方》〔흔히 cannot을 수반함〕 결코〔조금도〕…않다: I *can't* learn this ~. 도저히 이것을 익힐 수가 없다.

†**noise** [nɔiz] *n.* ① [U,C] (불쾌한) 소리, 소음, 시끄러운 소리: A ~ awoke me. 어떤 소리로 잠을 깼다 / deafening ~*s* 귀청이 터질 듯한 소음 / *Noise* spoils our environment. 소음이 우리 환경을 해친다. ② [U] (라디오·텔레비전의) 잡음, 노이즈. [cf.] snow[1]. ③ [U]〖컴〗잡음《회선의 난조로 생기는 자료의 착오》. ***make a*** **~** (1) 소리를 내다. (2) 불평하다《*about*》. ***make a ~ in the world*** 세평에 오르다. ***make ~s*** 〔흔히 修飾語를 수반〕 의견이나 감상을 말하다: *make* soothing ~*s* 위로하는 말을 해주다 / *make* (all) the right ~*s* 그럴 듯한 말을 하다.

― *vt.* 《+[목]+[부]》〔종종 受動으로〕…을 널리 퍼뜨리다; 소문내다《*about*; *abroad*》: It's *being* ~*d about* that the company is going bankrupt. 그 회사는 파산이라는 소문이 나돌고 있다.

***noise·less** [nɔ́izlis] *a.* 〔限定的〕 소리 없는, 조용한; 소음이 적은《녹음》: a ~ air-conditioner 소음이 적은 에어컨. ㊖ **~·ly** *ad.* **~·ness** *n.*

noise·mak·er [nɔ́izmèikər] *n.* [C] 소리를 내는 사람〔것〕.

nóise pollùtion 소음 공해.

noise·proof [nɔ́izprù:f] *a.* 방음(防音)의(soundproof).

nois·i·ly [nɔ́izəli] *ad.* 큰 소리를 내며, 시끄럽게.

noi·some [nɔ́isəm] *a.* ① 해로운, 유독한: beasts ~ to men 인간에게 해로운 동물. ② 악취가 나는, 구린: have ~ breath 입에서 냄새가 나다. ③ 불쾌한. ㊖ **~·ness** *n.*

†**noisy** [nɔ́izi] (***nois·i·er***; ***-i·est***) *a.* ① 떠들썩한, 시끄러운. [opp.] *quiet*. ¶ Don't be ~ *!* 조용히 해 / ~ streets 시끄러운 거리 / The room is ~ with their conversation. 방안은 그들의 대화소리로 떠들썩하다. ② 야한, 화려한《복장·색채 따위》: a ~ shirt 화려한 셔츠. ◇ noise *n.* ㊖ **-i·ness** *n.*

no-knock [nóunák / -nɔ́k] *a.* 《美》 경찰관의 무단 가택 수색을 인정하는.

nom. nominative.

***no·mad, no·made** [nóumæd] *n.* [C] ① 유목민. ② 방랑자. ― *a.* = NOMADIC.

no·mad·ic [no*u*mǽdik] *a.* ① 유목(생활)의; 유목민의: ~ tribes 유목 민족. ② 방랑(생활)의. ㊖ **-i·cal·ly** [-kəli] *ad.*

no·mad·ism [nóumædìzəm] *n.* [U] 유목(생활); 방랑 생활.

no-man's-land, nó màn's lànd [nóumænzlænd] *n.* ① (a ~) (사람이 살지 않는) 황무지; 소유자 불명의 토지《계쟁지》. ② [U] (양군의) 최전선 사이의 무인 지대. ③ [U] 어느 쪽에도 들지 않는〔애매한〕 상태, 성격이 분명치 않은 분야.

nom de plume [nɑ̀mdəplú:m / nɔ̀m-] (*pl.* ***noms de plume*** [-z-], ***nom de plumes*** [-z]) 《F.》 아호, 필명.

no·men·cla·ture [nóumənklèitʃər, nouménklə-] *n.* ① [U,C] (분류상의) 학명 명명법. ② [U] 〔集合的〕 전문어, 술어; (분류학적) 학명.

‡**nom·i·nal** [námənl / nɔ́m-] *a.* ① **a)** 이름의, 명의상의, 공칭의: a ~ list of officers 직원 명부 / ~ horsepower 공칭 마력. **b)** (주식 따위) 기명의: ~ shares 기명 배당주. ② 이름뿐인, 유명 무실한; 보잘것 없는: a ~ ruler (실권 없는) 이름뿐인 지배자 / a ~ sum 아주 적은 액수 / ~ peace 이름뿐인 평화. ③ (가격 따위) 액면(상)의, 명목의. ④〖文法〗〔限定的〕 명사의. ― *n.* [C]〖文法〗명사 어구. ㊖ **~·ly** [-nəli] *ad.* ① 이름뿐으로, 명목상: The nation is ~*ly* independent. 그 나라는 명목상으로만 독립국이다. ② 명사적으로.

nóminal GNP [-dʒí:ènpí:]〖經〗명목 국민 총생산, 명목 GNP《그 기간의 화폐액으로 표시한 국민 총생산》.

nom·i·nal·ism [námənlìzəm / nɔ́m-] *n.* [U] 〖哲〗유명론(唯名論), 명목론. [cf.] realism. ㊖ **-ist** *n.* [C] 유명론자, 명목론자.

nóminal wáges 명목 임금. [opp.] *real wages.*

‡**nom·i·nate** [námənèit / nɔ́m-] *vt.* ① 《~+[목] / +[목]+[전]+[명]》 (선거·임명의 후보자로서) …을 지명하다; 추천하다《*for*》: The Democratic Party ~*d* him *for* Mayor. 민주당은 그를 시장 후보로 지명했다 / He was ~*d for* President. 그는 대통령 후보로 지명되었다. ② 《~+[목] / +[목]+[전]+[명] / +[목]+*as*[보] / +[목]+[보]》 …을 임명하다: The President ~*d* him *as* Secretary of State. = He was ~*d* by the President Secretary of State. 대통령은 그를 국무 장관으로 임명했다. ③ (회합의 일시 등)을 지정하다: ~ September 17 as the day of the election, 9월 17일을 선거일로 정하다. ◇ nomination *n.*

nom·i·na·tion [nɑ̀mənéiʃən / nɔ̀m-] *n.* ① [U,C] 지명〔임명〕, 추천: ~ of candidates *for* the presidency 대통령 후보자의 지명 / candidates for the Republican ~ to the Senate 공화당 지명 상원 의원 후보자 / They say he's certain to get a ~ for best supporting actor. 그가 틀림 없이 최우수 남우 조연으로 추천받을 것이라고 한다. ② [U] 임명〔추천〕권: have a ~ 임명권이 있다.

***nom·i·na·tive** [námənətiv / nɔ́m-] *a.* ①〖文法〗주격의: the ~ case 주격. ② [+-nei-] 지명〔임명〕의: The position is ~ rather than elective. 그 지위는 선거보다 오히려 지명으로 결정된다. ― *n.* [C]〖文法〗① (흔히 *sing.*) 주격. ② 주어. ㊖ **~·ly** *ad.*

nom·i·na·tor [námənèitər / nɔ́m-] *n.* [C] 지명자, 임명자, 추천자.

nom·i·nee [nɑ̀məní: / nɔ̀m-] *n.* [C] ① 지명〔임명·추천〕된 사람: Nelson Mandela is among ~*s* for the 1992 Nobel Peace Prise. 넬슨 만델라가 1992년 노벨 평화상 수상 지명자 명단에 끼어 있

다. ② (연금 따위의) 수취 명의인 ; (주권의) 명의인.

nom·o·gram, -graph [nάməgræ̀m, nóum-], [-græ̀f, -grὰ:f] *n.* Ⓒ 계산 도표, 노모그램.

-nomy '…학(學), …법(法)'의 뜻의 결합사 : astro*nomy*, eco*nomy*, taxo*nomy*.

non- *pref.* '무·비(非)·불(不)'의 뜻《★ 보통 in-, un- 은 '반대'의 뜻을, non-은 '부정·결여'의 뜻을 나타냄. 특히《口》에서는 '그 이름에 걸맞지 않은'의 뜻 : *non*-poet 시라고 할 수 없는 시》.

non·a·bil·i·ty [nὰnəbíləti / nɔ̀n-] *n.* Ⓤ 불능, 무능(inability).

non·age [nάnidʒ, nóun-] *n.* Ⓤ ① (법률상의) 미성년(기). ② 미성숙(기), 발달의 초기.

non·a·ge·nar·i·an [nὰnədʒənέəriən, nòun-] *a., n.* Ⓒ 90 대의 (사람).

non·ag·gres·sion [nὰnəgréʃən / nɔ̀n-] *n.* Ⓤ, *a.* 〔限定的〕 불침략(의) : a ~ pact 불가침 조약.

non·a·gon [nάnəgὰn / nɔ́nəgɔ̀n] *n.* Ⓒ 9 각형.

non·al·co·hol·ic [nὰnælkəhɔ́:lik, -hάl- / nɔ̀nælkəhɔ́l-] *a.* 알코올을 함유하지 않은 : ~ beverages 비(非)알코올성 음료.

non·a·ligned [nὰnəláind / nɔ̀n-] *a.* 중립을 지키는, 비동맹의 : ~ nations 비동맹국들.

non·a·lign·ment [-mənt] *n.* Ⓤ 비동맹 : ~ policy 비동맹 정책.

non·ap·pear·ance [nὰnəpí(:)rəns / nɔ̀nəpíər-] *n.* Ⓤ 불참, (특히 법정에의) 불출두.

non·as·ser·tive [nὰnəsə́:rtiv / nɔ̀n-] *a.* 【文法】 (문·절이) 비단정적인.

non·at·tend·ance [nὰnəténdəns / nɔ̀n-] *n.* Ⓤ ① 결석, 불참. ② (의무 교육에의) 불취학.

non·bank [nάnbǽŋk / nɔ́n-] *a.* 은행 이외의 금융기관의(에 의한).

non·bel·lig·er·ent [nὰnbilídʒərənt / nɔ̀n-] *n.* Ⓒ, *a.* 비(非)교전국(의).

non·book [nάnbúk / nɔ́n-] *n.* Ⓒ 《美》 논북《문학적·예술적 가치가 없는 자료를 모은 책》.

non·can·di·date [nankǽndidèit, -dit / nɔn-] *n.* Ⓒ 비(非)후보(자), 《특히》 불출마 표명자.

nonce [nans / nɔns] *n.* 지금, 목하, 당분간, 당면의 목적. ★ 보통 다음 꼴로 쓰임. ***for the*** ~ 당분간, 임시로. ── *a.* 〔限定的〕 임시의, 1 회〔그때〕뿐인 : ~ word 임시어.

non·cha·lance [nὰnʃəlά:ns, nάnʃələns / nɔ́n-] *n.* Ⓤ 무관심, 냉담, 태연 : have a ~ about the world 세상사에 무관심하다 / Affecting ~, I handed her two hundred dollar. 나는 짐짓 태연한 체 하며 그녀에게 200 달러를 건네주었다.

non·cha·lant [nὰnʃəlά:nt, nάnʃələnt / nɔ́n-] *a.* 무관심〔냉담〕한 ; 태연한, 냉정한 : His ~ manner infuriated me. 그의 무관심한 태도가 나를 화나게 했다. ◇ nonchalance *n.* ㊞ **~·ly** *ad.*

noncom. noncommissioned officer.

non·com·bat·ant [nankάmbətənt, nὰnkəmbǽt- / nɔ́nkɔ́mbətənt] *n.* Ⓒ, *a.* 【軍】 비(非)전투원(의).

non·com·bus·ti·ble [nὰnkəmbʌ́stəbəl / nɔ̀n-] *a.* 불연성(不燃性)의.

non·com·mer·cial [nὰnkəmə́:rʃəl / nɔ̀n-] *a.* 비영리적인. ㊞ **~·ly** *ad.*

non·com·mís·sioned ófficer [nὰnkəmíʃənd-] 【軍】 하사관《略 : N.C.O.》. ★ 해군에서는 petty officer.

non·com·mit·tal [nὰnkəmítl / nɔ̀n-] *a.* 확실한 의견을 말하지 않는, 언질을 주지 않는 ; 어물쩍거리는, 애매한 : His answer was completely ~. 그의 대답은 아주 애매했다 / She was ~ with regards to his proposal of marriage. 그녀는 그의 청혼(請婚)에 대해 확실한 대답을 하지 않았다. ㊞ **~·ly** *ad.*

non com·pos men·tis [nan-kάmpəs-mèntis / nɔn-kɔ́mpɔs-] 《L.》 (=not having control of one's mind) 【法】 심신 상실의, 정신 이상의, 《특히》 재산관리 능력이 없는.

non·con·cur·rence [nὰnkənkə́:rəns, -kʌ́rəns / nɔ̀n-] *n.* Ⓤ 불찬성(不贊成).

non·con·duc·tor [nὰnkəndʌ́ktər / nɔ̀n-] *n.* Ⓒ 부도체《열·전기·소리 따위의》, 절연체.

non·con·fi·dence [nankάnfidəns / nɔnkɔ́n-] *n.* Ⓤ 불신임 : a vote of ~ 불신임 투표.

non·con·form·ism [nὰnkənfɔ́:rmizəm / nɔ̀n-] *n.* =NONCONFORMITY.

non·con·form·ist [nὰnkənfɔ́:rmist / nɔ̀n-] *n.* Ⓒ ① 일반적 사회 규범에 따르지 않는 사람 ; 비협조주의자. ② (종종 N-) 《英》 비국교도.
── *a.* ① 일반 사회 규범에 따르지 않는 ; 비협조(주의)의. ② (종종 N-) 비국교도의.

non·con·form·i·ty [nὰnkənfɔ́:rməti / nɔ̀n-] *n.* Ⓤ ① 비협조, 불일치 ; (체제 등에 대한) 불복종 《*to*》. ② (종종 N-) 《英》 **a**) 국교를 따르지 않음, 비국교주의. **b**) 〔集合的〕 비국교도.

non·con·trib·u·to·ry [nάnkəntríbjətɔ̀:ri / nɔ́nkəntríbjətəri] *a.* 〔限定的〕 (연금·보험제도 등이) 무갹출의, (고용자 측의) 전액 부담인.

non·con·vert·i·ble [nὰnkənvə́:rtəbəl / nɔ̀n-] *a.* 금화로 바꿀 수 없는, 불환(不換)의 : a ~ note 〔bill〕 불환 지폐.

non·co·op·er·a·tion [nὰnkouὰpəréiʃən / nɔ̀nkouɔ̀p-] *n.* Ⓤ 비협력《*with*》.
㊞ **nòn·co·óp·er·a·tive** *a.* 비협력적인.

non·dairy [nάndέəri / nɔ́n-] *a.* 우유를 함유하지 않은.

non·de·liv·ery [nὰndilívəri / nɔ̀n-] *n.* Ⓤ 인도(引渡) 불능 ; 배달 불능.

non·de·nom·i·na·tion·al [ˊdinὰmənéiʃənəl / -nɔ̀m-] *a.* 특정 종교에 관계가 없는〔속하지 않은〕.

non·de·script [nὰndiskrípt / nɔ̀ndiskrípt] *a., n.* Ⓒ 이렇다 할 특징이 없는(사람〔것〕), 별로 인상에 남지 않는 ; 막연한 : Europa House is one of those hundreds of ~ buildings along the Bath Road. 유로파 하우스는 배스로(路)에 따라 서 있는 수많은 평범한 빌딩 중의 하나이다.

non·de·struc·tive [nὰndistrʌ́ktiv / nɔ̀n-] *a.* 비파괴적인, (검사 등에서 그 대상 물질을) 파괴하지 않는 : ~ testing 비파괴 검사《엑스선·초음파 등을 사용함》. ㊞ **~·ly** *ad.* **~·ness** *n.*

non·dis·crim·i·na·tion [nὰndiskriminéiʃən / nɔ̀n-] *n.* Ⓤ 차별 (대우)를 하지 않음.

non·dis·tinc·tive [nὰndistíŋktiv / nɔ̀n-] *a.* 【音聲】 불명료한, 비변별적(非辨別的)인, 이음(異音)의. ㊞ **~·ly** *ad.*

non·du·ra·ble [nὰndjúərəbəl / nɔ̀n-] *a.* 비(非)내구성의 : ~ goods 비내구재. ── *n.* (*pl.*) 비내구재.

†none [nʌn] *pron.* ① 〔흔히 複數動詞를 수반하여〕 아무도 …않다〔없다〕, 아무 것도 …않다〔없다〕 : There were ~ present. 아무도 출석하지 않았다 / *None* appear to realize it. 아무도 눈치 채지 않은 것 같다 / *None* have left yet. 아직 아무도 출발하지 않았다 / *None* are so blind as those who won't see. 《格言》 보려고 하지 않는 사람만큼 눈 먼 사람은 없다 / *None* but fools believe it. 바보 외에는 아무도 그것을 믿지 않는다 / No news today ?— *None.* 오늘은 뉴스가 없느냐 — 하나도 없다.

> 語法 (1) 주어로만 사용됨, 이 용법으로는 no one 이나 no body가 일반적이지만 이들보다는 격식차린 말임. (2) 분명한 단수인 경우 이외에는 보통 복수 취급함.

② 〔~ of+複數(代)名詞꼴로 單・複數動詞를 수반〕 어느 것도 …않다〔없다〕: *None of* their promises have been kept. 그들의 약속은 하나도 지켜진 것이 없었다 / *None of* the money was recovered. 그 돈은 한푼도 되찾지 못했다 / *None of* them is 〔are〕 lost. 누구 하나 죽지 않았다.

> 語法 (1) of 다음의 명사구는 the, my, those, them 따위 한정사를 수반하는 것에 한함. (2) 불가산 명사인 경우는 항상 단수 취급. (3)《口》에서는 복수 취급이 일반적임.

③ 〔~ of+單數(代)名詞〕 조금도 …않다〔없다〕: She has ~ *of* her mother's beauty. 모친의 미(美)를 전혀 물려받지 않았다 / It is ~ *of* your business. 네가 상관할 바 아니다 / *None of* this concerns me. 나는 이런 일에 전혀 관계 없다. ④ 〔'no+名詞'의 名詞 생략꼴; 單・複數 취급〕 전혀 …없다〔않다〕, (그러한 것을) …하지 않다: He's ~ of my friends. 그는 내 친구도 아무 것도 아니다 / You still have money but I have ~ (=no money) left. 자네에겐 아직 돈이 있으나 나는 한푼도 안 남았네. **~ but** …외는 아무도 —않다; —하는 것은 …의 정도다: I have ~ *but* fond memories of her. 그녀에 대해서는 달콤한 추억밖에 없다 / There are ~ *but* good books in his library. 그의 장서는 양서뿐이다. **~ other than** 다름 아닌〔바로〕 그것〔그 사람〕: The visitor was ~ *other than* the king. 방문자는 다름 아닌 국왕 그분이었다 / "Was it the Stephen Hawkins you met?" —"*None other* (*than* he)." '자네가 만난 사람이 스티븐 호킨스씨인가'—'응, 바로 그 사람이야'. ***will*** 〔***would***〕 ***have ~ of*** ... …을 거부하다, 인정하지 않다: *I'll have ~ of* your backtalk! 말대꾸를 용납하지 않겠다 / She tried to persuade him to retire, but he *would have ~ of* it. 그녀는 그를 은퇴하도록 설득했으나 그는 그것을 받아들이지 않았다.

— *ad.* ① 〔the+比較級 또는 so, too 를 수반하여〕 조금도〔결코〕 …않다, (…하다고 해서) 그만큼 …한 것은 아니다: He is ~ *the better* for his experience. 경험을 쌓았다고 해서 특히 더 나아진 것도 없다 / She is ~ *so* pretty. 조금도 예쁘지 않다 / I arrived there ~ *too* soon. 꼭 알맞은 때에 도착했다《오히려 조금 늦을 정도로》/ The room was ~ *too* clean. 그 방은 조금도 깨끗하지 않았다. ② 〔단독으로 쓰이어〕 조금도〔결코〕 …않다: I slept ~ last night. 어젯밤 한잠도 못 잤다. ***~ the less*** 그럼에도 불구하고, 그래도, 역시.

non·ef·fec·tive [nɑ̀niféktiv / nɔ̀n-] *a.* 효력이 없는.

non·en·ti·ty [nɑnéntəti / nɔn-] *n.* Ⓤ,Ⓒ ① 존재〔실재〕하지 않음, 허무. ② 실재하지 않는 것, 날조하기, 허구. ③ 하찮것 없는 사람〔것〕: She was written off then as a political ~. 그녀는 당시 정치적으로 하잘것 없는 사람으로 치부되고 있었다.

non·es·sen·tial [nɑ̀nisénʃəl / nɔ̀n-] *a.* ① 비본질적인. ② 중요하지 않은.

none·such [nʌ́nsʌ̀tʃ] *n.* Ⓒ (흔히 *sing.*) 비길 데 없는 사람〔것〕.

no·net [no*u*nét] *n.* Ⓒ 〖樂〗 9 중주〔창〕(곡); 9 중주〔창〕단.

none·the·less [nʌ̀nðəlés] *ad.* =NEVERTHELESS.

non-Eu·clid·e·an [nɑ́nju:klídiən / nɔ́n-] *a.* 비(非)유클리드의: ~ geometry 비유클리드 기하학.

non·e·vent [nɑ̀nivént / nɔ̀n-] *n.* Ⓒ 기대에 어긋난 일; (미리 떠들어만 놓고) 실제로는 일어나지 않은 일; 공식적으로는 무시된 일: The party turned out to be a bit of a ~. 그 파티는 좀 기대에 어긋났다는 것이 밝혀졌다.

non·ex·ist·ence [nɑ̀negzístəns / nɔ̀n-] *n.* Ⓤ 존재〔실재〕치 않음, 무(無): Many species of bee are almost ~ in this area. 여러 종류의 벌이 이 지역에는 거의 없다.

㊞ **-ent** *a.* 존재〔실재〕하지 않는.

non·fea·sance [nɑnfí:zəns / nɔn-] *n.* Ⓤ 〖法〗 의무 불이행, 부작위(不作爲), 해태(懈怠).

non·fer·rous [nɑnférəs / nɔn-] *a.* 비철(非鐵)의; 철을 함유하지 않은: ~ metals 비철 금속.

***non·fic·tion** [nɑnfíkʃən / nɔn-] *n.* Ⓤ 논픽션, 소설이 아닌 산문 문학《전기・역사・탐험 기록 등》. ㊞ **~·al** *a.*

non·flam·ma·ble [nɑnflǽməbəl / nɔn-] *a.* 불연성(不燃性)의.

non·freez·ing [nɑnfrí:ziŋ / nɔn-] *a.* 얼지 않는, 부동(不凍)(성)의.

non·ful·fill·ment [nɑ̀nfulfílmənt / nɔ̀n-] *n.* Ⓤ (의무・약속의) 불이행.

non·gov·ern·men·tal [nɑngʌ̀vərnméntl] *a.* 비(非)정부의, 정부와 무관한; 민간의: a ~ organization 비정부 조직, 민간 공익 단체.

non·green [nɑngrí:n / nɔn-] *a.* 녹색이 아닌, 푸르지 않은; 《특히》 엽록소를 함유하지 않은.

non·hu·man [nɑnhjú:mən / nɔn-] *a.* 인간이 아닌, 인간 이외의; 인간성에 위배되는: Hostility toward outsiders is characteristic of both human and ~ animals. 국외자(局外者)에 대한 적의(敵意)는 인간이나 동물이나 다 함께 가지고 있는 특징이다.

non·im·páct prìnter [nɑ̀nimpǽkt- / nɔ̀n-] 〖컴〗 안때림〔비충격〕 인쇄기《무소음을 목적으로 무타격으로 인자(印字)하는 프린터》. ⓒⓕ impact printer.

non·in·flam·ma·ble [nɑ̀ninflǽməbəl / nɔ̀n-] *a.* 불연성(不燃性)의.

non·in·ter·fer·ence [nɑ̀nintərfíərəns / nɔ̀n-] *n.* Ⓤ (특히 정치상의) 불간섭.

non·in·ter·ven·tion [nɑ̀nintərvénʃən / nɔ̀n-] *n.* Ⓤ ① 불간섭. ② 〖外交〗 내정 불간섭, 불개입.

non-iron [nɑ̀náiərn / nɔ̀n-] *a.* 《英》 다리미질이 필요 없는(drip-dry).

non·le·gal [nɑ̀nlí:gəl / nɔ̀n-] *a.* 비법률적인, 법률과는 관계 없는. ⓒⓕ illegal.

non·lin·e·ar [nɑnlíniər / nɔn-] *a.* 직선이 아닌, 비선형(非線形)의.

non·log·i·cal [nɑnlɑ́dʒikəl / nɔnlɔ́dʒ-] *a.* 논리 이외의 방법에 의한, 비논리적인, 직관적인, 무의식의. ⓒⓕ illogical.

non·ma·te·ri·al [nɑ̀nmətíəriəl / nɔ̀n-] *a.* 비물질적인, 영적인, 정신적인; 문화적인.

non·mem·ber [nɑnmémbər / nɔnmém-] *n.* Ⓒ 비(非)회원.

non·met·al [nɑ́nmètl / nɔ́n-] *n.* Ⓤ 〖化〗 비금속.

non·me·tal·lic [nɑ̀nmitǽlik] *a.* 비금속의: ~ elements 비금속 원소.

non·mor·al [nɑnmɔ́:rəl, -mɑ́r- / nɔnmɔ́r-] *a.* 도덕과 관계 없는; 초(超)도덕적인. ⓒⓕ amoral, immoral.

non·na·tive [nɑnnéitiv / nɔn-] *n.* Ⓒ, *a.* 본국

〔본토〕 태생이 아닌 (사람), 외국인(의).

non·ne·go·ti·a·ble [nὰnnigóuʃiəbəl/ nɔ̀n-] *a.* 교섭〔협정〕할 수 없는 ; 유통 불가능한.

non·nu·cle·ar [nὰnnjú:kliər / nɔ̀n-] *a.* 핵폭발을 일으키지 않는, 비핵(非核)의, 핵무기를 안 가진 : a ~ nation 비핵(무장)국.

non·nu·mer·i·cal [nὰnnju:mérikəl / nɔ̀n-] *a.* 〖컴〗 비수치(非數値)의.

no-no [nóunòu] (*pl.* **~'s, ~s**) *n.* Ⓒ《美俗》 해서는〔말해서는, 써서는〕 안 되는 일〔것〕: We all know that cheating on our taxes is a ~. 세금을 속이는 일은 금지 사항이라는 것을 우리는 모두 알고 있다.

non·ob·jec·tive [nὰnəbdʒéktiv / nɔ̀n-] *a.* 〖美術〗 비객관적인, 비구상적인, 추상적인.

non·ob·serv·ance [nὰnəbzə́:rvəns / nɔ̀n-] *n.* Ⓤ (의무·관례·규칙 따위를) 지키지 않는 일 ; 위반.

non·of·fi·cial [nὰnəfíʃəl / nɔ̀n-] *a.* 비공식의.

no-non·sense [nóunánsəns / -nɔ́n-] *a.* 〔限定的〕 근엄한, 실제〔현실, 사무〕적인, 허식을 좋아하지 않는: The decor is straightforward and ~. 이 실내 장식은 단순하면서도 실용적이다.

non·pa·reil [nὰnpərél / nɔ́npərəl] *a.* 비할〔비길〕 데 없는, 무류(無類)의, 천하 일품의.
— *n.* Ⓒ 비할 바 없는 사람〔것〕; 극상품.

non·par·ti·san [nanpá:rtəzən / nɔn-] *a., n.* Ⓒ 당파에 속하지 않은(사람), 무소속의(사람) : ~ diplomacy 초당파 외교 / He was as ~ as litmus paper. 그는 완전히 공평 중립이었다.

non·par·ty [nanpá:rti / nɔn-] *a.* 무소속의 ; 정당과 관계가 없는.

non·pay·ment [nanpéimənt / nɔn-] *n.* Ⓤ 지급하지 않음, 지급 불능 ; 미납《*of*》.

non·per·form·ance [nὰnpərfɔ́:rməns / nɔ̀n-] *n.* Ⓤ (계약 등의) 불이행, 불실행, 불실시.

non·plus [nanplʌ́s, ⌐-/ nɔn⌐, ⌐-] (**-s-**, 《특히 英》 **-ss-**) 〔흔히 受動으로〕 *vt.* 어찌 할 바를 모르게 하다 : I *was* completely *~ed by* his remarks. 나는 그의 말에 아주 어리둥절했다.
— *n.* (a ~) 망연 자실 : at *a* ~ 망연 자실하여, 당혹하여.

non·poi·son·ous [nὰnpɔ́izənəs / nɔ̀n-] *a.* 독이 없는, 무해(無害)한.

non·po·lit·i·cal [nὰnpəlítikəl / nɔ̀n-] *a.* 정치에 관계하지 않는, 비정치적인.

non·pol·lut·ing [nὰnpəlú:tiŋ / nɔ̀n-] *a.* 오염시키지 않는, 무공해성의.

non·po·rous [nὰnpɔ́:rəs / nɔ̀n-] *a.* 작은 구멍이 없는, 통기성(通氣性)이 없는.

non·pre·scrip·tion [nὰnpriskrípʃən / nɔ̀n-] *a.* (약을) 처방전 없이 살 수 있는.

non·pro·duc·tive [nὰnprədʌ́ktiv / nɔ̀n-] *a.* ① 비생산적인, 생산성이 낮은. ② (사원 등이) 생산에 직접 관계 없는.

non·pro·fes·sion·al [nὰnprəféʃənəl / nɔ̀n-] *a.* 직업(적)이 아닌 ; 전문이 아닌, 전문적인 훈련을 받지 않은, 논프로의. — *n.* Ⓒ 비전문가, 직업적〔전문적〕 훈련이 없는 사람, 논프로 ; 생무지, 생(生)꾼.

non·prof·it [nὰnpráfit / nɔ̀nprɔ́f-] *a.* 〔限定的〕 비영리적인 : a ~ organization 비(非)영리 단체.

non-prof·it-mak·ing [-mèikiŋ] *a.* ＝NONPROFIT.

non·pro·lif·er·a·tion [nὰnproulìfəréiʃən / nɔ̀n-] *n.* Ⓤ (핵무기 등의) 확산 방지, 비확산.
— *a.* 〔限定的〕 확산 방지의 : a ~ treaty 핵확산 방지조약《略 : NPT》.

non·read·er [nὰnrí:dər / nɔ̀n-] *n.* Ⓒ ① 독서를 하지 않는〔할 수 없는〕 사람. ② 읽기를 깨우치는 것이 더딘 어린이.

non·re·néw·a·ble resóurces [nὰnrinjú:əbəl- / nɔ̀n-] 재생 불가능 자원《석유·석탄 따위》.

non·rep·re·sen·ta·tion·al [nὰnrèprizentéiʃənəl / nɔ̀n-] *a.* 〖美術〗 비구상적인, 추상적인.

non·res·i·dent [nanrézədənt / nɔn-] *a., n.* Ⓒ 임지 (등)에 거주하지 않는 (사람, 성직자) : *Nonresident* holidaymakers increase the town's population in the summer to almost twice its usual size. 여름에는 휴일을 즐기는 비거주자들이 그 도시의 인구를 평상시의 거의 2배 가까이 늘린다.

non·re·sist·ance [nὰnrizístəns / nɔ̀n-] *n.* Ⓤ (권력 등에 대한) 무저항(주의).

non·re·sist·ant [nὰnrizístənt / nɔ̀n-] *a.* 무저항(주의)의. — *n.* Ⓒ 무저항주의자.

non·re·stric·tive [nὰnristríktiv / nɔ̀n-] *a.* 〖文法〗 비(非)제한적인 : a ~ relative clause 비제한적 관계절《Ex. She has two sons, *who are both teachers.*》.

non·re·turn·a·ble [nὰnritə́:rnəbəl / nɔ̀n-] *a.* (빈 병 등) 회수할 수 없는, 반환할 필요 없는.

non·sched·uled [nanskédʒuld / nɔnʃédju:ld] *a.* 부정기 운항의《항공로 따위》: a ~ airline 부정기 항공로〔항공 회사〕.

non·sec·tar·i·an [nὰnsektéəriən / nɔ̀n-] *a.* 무종파(無宗派)의, 파벌성이 없는.

non·self [nánself / nɔ́n-] *n.* Ⓒ 비자신(非自身)《몸안에 침입하여 면역계(免疫系)에 의한 공격성을 유발하는 외래성 항원 물질》.

:non·sense [nánsens / nɔ́nsəns, -sens] *n.* Ⓤ ① (《英》 a ~) 무의미한 말, 허튼 소리, 난센스 : speak〔talk〕 sheer ~ 아주 터무니없는 말을 하다. ② 허튼짓 ; 시시한 일, 하찮은 것 : None of your ~! 바보짓 작작 해라 / It's ~ to trust him. 그를 신용하다니 난센스다. ③ 난센스 시(詩). ***make*** (***a***) **~ *of*** 《英》 (계획 등)을 망쳐 놓다 : The fighting *made a ~ of* peace pledges made in London last week. 그 전쟁으로 지난 주 런던에서 이루어진 평화공약은 무의미해졌다. — *a.* 〔限定的〕 무의미한, 엉터리없는. — *int.* 바보같이.

non·sen·si·cal [nanséensikəl / nɔn-] *a.* 무의미한, 부조리한 ; 엉터리없는, 시시한 : It's ~ to blame all the world's troubles on one man. 세상의 모든 트러블을 한 사람의 책임으로 돌린다는 것은 부조리한 일이다. ㊞ **~·ly** [-kəli] *ad.*

non se·qui·tur [nan-sékwitər / nɔn-] *n.* Ⓒ 《L.》 ① (전제와 연결이 안 되는) 불합리한 추론〔결론〕《略 : non seq.》. ② (지금까지의 화제와는) 관계가 없는 이야기.

non·sex·ist [nanséksist / nɔn-] *a.* 성에 의한 차별을〔《특히》 여성 멸시를〕 하지 않는.

non·sex·u·al [nansékʃuəl / nɔnséksju-] *a.* 성과 관계가 없는.

non·sked [nánskéd / nɔ́n-] *n.* Ⓒ 《美口》 부정기 항공 노선〔기, 편〕.

non·skid [nánskíd / nɔ́n-] *a.* 미끄러지지 않는《타이어 등》.

non·slip [nanslíp / nɔn-] *a.* (길 따위가) 미끄럽지 않은, 미끄러지지 않는.

non·smok·er [nansmóukər / nɔn-] *n.* Ⓒ ① 비(非)흡연자 ; 금연가. ② (열차의) 금연실.

non·smok·ing [nansmóukiŋ / nɔn-] *a.* (차량 따위) 금연의 : a ~ section of an airplane 항공기의 금연석.

non·so·cial [nὰnsóuʃəl / nɔ̀n-] *a.* 비사교적인 ;

사회적 관련이 없는. cf. unsocial.
non·stand·ard [nànstǽndərd / nɔ̀n-] *a.* ① (제품 등) 표준에 맞지 않는. ② (언어·발음 따위) 표준어가 아닌: ~ English 비표준 영어.
non·start·er [nanstáːrtər / nɔn-] *n.* Ⓒ《英口》(흔히 *sing.*) 가망이 없는 사람〔것〕;《口》고려할 가치가 없는 생각: The proposal was a ~ from the beginning because there was no possibility of funding. 자금 조달의 가능성이 전혀 없었기 때문에 그 제안은 시초부터 가망이 없는 것이었다.
non·stick [nánstík / nɔ́n-] *a.* (냄비·프라이팬이 특수가공으로) 음식물이 눌어붙지 않게 되어 있는.
non·stop [nánstáp / nɔ́nstɔ́p] *a.* ① 도중에서 멎지 않는, 직행의: a ~ flight 무착륙 비행. ② 안 쉬는. ── *ad.* ① 직행으로, 계속: fly ~ from Seoul to London 서울에서 런던까지 직행으로 날다. ② 쉬지 않고, 계속.
non·such [nʌ́nsʌ̀tʃ] *n.* = NONESUCH.
non·suit [nànsúːt / nɔ̀n-]【法】*n.* Ⓒ 소송취하〔기각〕. ── *vt.* (소송)을 취하하다, 기각하다.
non·sup·port [nànsəpɔ́ːrt / nɔ̀n-] *n.* Ⓤ ① 지지하지 않음. ②【美法】부양 의무 불이행.
non-tár·iff bárrier [nantǽrif- / nɔn-] 비관세 장벽《略: NTB》.
non·tech·ni·cal [nantéknikəl / nɔn-] *a.* ① 전문이 아닌, 비(非)전문의. ② 비(非)기술적인.
non·ten·ured [nanténjərd / nɔn-] *a.* (대학 교수가) 종신 재직권이 없는.
non·ti·tle [nàntáitl / nɔ̀n-] *a.* 논타이틀의, 타이틀이 걸리지 않은.
non·tox·ic [nantáksik / nɔntɔ́k-] *a.* 독이 없는, 중독성이 아닌.
non·trans·fer·a·ble [nàntrænsfə́ːrəbəl / nɔ̀n-] *a.* 양도할 수 없는.
non trop·po [nàntrápou / nɔ̀ntrɔ́pou]《It.》【樂】과도하지 않게.
non-U [nanjúː / nɔn-] *a.*《英口》(언사·품행이) 상류 계급답지 않은.
non·un·ion [nanjúːnjən / nɔn-] *a.*〔限定的〕① 노동 조합에 속하지 않은; 노동조합을 인정치 않는. ② 조합원이 만든 것이 아닌.
㊫ ~·**ism** [-ìzəm] *n.* Ⓤ 노동조합 무시, 반(反)노조주의(적 이론〔행동〕). ~·**ist** *n.* Ⓒ 노동조합 반대자; 비노동조합원.
nonúnion shóp ① 노조를 승인 않는 회사. ② 비(非)유니언숍.
non·use [nanjúːs / nɔn-] *n.* Ⓤ 사용치 않음.
non·ver·bal [nanvə́ːrbəl / nɔn-] *a.* 말을 쓰지 않는, 비언어적인: Body language is a potent form of ~ communication. 보디 랭귀지는 비언어적 커뮤니케이션의 한 효율적 형식이다.
㊫ ~·**ly** *ad.*
***non·vi·o·lence** [nanváiələns / nɔn-] *n.* Ⓤ 비폭력(주의): The Dalai Lama has always counselled ~. 달라이 라마는 언제나 비폭력주의를 권고해 왔다. ㊫ **-lent** *a.*
non·vol·a·tile [nanválətl / nɔnvɔ́lətail] *a.*【컴】(전원이 끊겨도 정보가 지워지지 않는) 비휘발성인.
non·vot·er [nanvóutər / nɔn-] *n.* Ⓒ ① 투표하지 않는 사람, 투표 기권자. ② 투표권 없는 사람.
non·white [nan*h*wáit / nɔn-] *a.* 백인(종)이 아닌. ── *n.* Ⓒ 비백인(非白人).
noo·dle[1] [núːdl] *n.* Ⓒ ① 바보, 멍청이. ②《俗》머리.
noo·dle[2] *n.* Ⓒ (흔히 *pl.*) 달걀을 넣은 국수의 일종, 누들: soup with ~*s* 누들이 든 수프.
nook** [nuk] *n.* Ⓒ ① (방 따위의) 구석. ② 외진 곳, 벽지(僻地). ③ 눈에 띄지 않는 곳. ***every ~ and cranny 도처, 구석구석: search *every ~ and cranny* 집안 구석구석을 찾다.
†**noon** [nuːn] *n.* Ⓤ ① 정오, 한낮(midday): at ~ 정오에. ② (the ~) 한창, 전성기, 절정《*of*》: at *the ~ of* one's career (생애의) 전성기에 / *the ~ of* life 장년기. ***at the height of ~*** 한낮에. ***the ~ of night*** 한밤중.
── *a.*〔限定的〕정오의, 한낮의: a ~ meal 점심식사 / the heat of ~ 한낮의 더위.
***noon·day** [⌐dèi] *n.* Ⓤ, *a.* 정오(의), 대낮(의): the ~ sun 한낮의 태양.
***nó òne, no-one** [nóuwʌ̀n, -wən] *pron.* 아무도 …않다(nobody): *No one* can do it. 아무도 하지 못한다《비교: *No one* [nóu-wʌ́n] man can do it. 아무도 혼자서는 못 한다》/ *No one* has failed. 아무도 실패하지 않았다. ★ of 구(句)가 계속할 때에는 none을 사용함: *None* of the students have 〔has〕 failed.

> 語法 최근《美口》에서는 no one을 they로 받는 경우가 일반화되고 있는데, 이는 영어에는 남녀공통의 단수 인칭 대명사가 없기 때문임: *No one* was hurt, were they? 아무도 다치지 않았지.

noon·tide [núːntàid] *n.* = NOON.
noon·time [núːntàim] *n., a.* = NOONDAY.
noose [nuːs] *n.* Ⓒ ① **a**) 올가미(snare). **b**) (the ~) 교수형에 쓰는 올가미; 교수형. ② (부부 등의) 유대. ***put one's neck* 〔*head*〕 *into* 〔*in*〕 *the ~*** 자승 자박하다. ── *vt.* ① …을 올가미로 잡다. ② (새끼줄로) 고리를 짓다; 올가미를 씌우다.
NOP [nap / nɔp] *n.*【컴】무작동, 무연산.
nope [noup] *ad.*《口》아니, 아니오(no). opp. *yep.*
no·place [nóuplèis] *ad.* = NOWHERE.
NOR [nɔːr] *n.*【컴】아니또는, 노어《부정 논리합(論理合)》: ~ circuit, NOR 회로.
†**nor** [nɔːr, 弱 nər] *conj.* ①〔neither 또는 not 과 상관적으로〕…도 또한 …않다. cf. either…or, both…and. ¶ I have *neither* money ~ job. 돈도 직업도 없다 / *Not* a man, a woman ~ a child could be seen. 남자도 여자도 아이도 한 사람도 안 보였다 / *Neither* she ~ I am happy. 그녀나 나나 행복하지 않다. ★ 동사는 가장 가까운 주어와 일치함. ②〔앞의 否定文을 받아서 다시 否定이 계속됨〕…도 —하지 않다: You do*n't* like it, ~ do I. 너도 그것을 안 좋아하지만 나도 그렇다 / I said I had *not* seen it, ~ had I. 그것을 못 보았다고 했는데, 실제로 보지 못했다 / He does *not* borrow, ~ does not lend. 그는 빌리지도 않고 빌려주지도 않는다. ③《古·詩》〔앞에 neither 없이〕…도 아니다〔하지 않다〕: Thou ~ I have made the world. 이 세상을 만든 것은 너도 아니고 나도 아니다. ④《詩》〔nor를 반복하여〕…도 —도 …않다: *Nor* flood ~ fire shall frighten our moving onward. 물불을 가리지 않고 나아가리라 / *Nor* gold ~ silver can buy it. 금은으로도 그것은 살 수 없다. ⑤〔肯定文 뒤에 또는 文頭에서 繼續詞로〕그리고 …않다(and not): The tale is long, ~ have I heard it out. 그 이야기는 길어서 끝까지 들은 적이 없다 / His new project is too expensive. *Nor* is this the only fault. 그의 새 계획은 너무 많이 비용이 든다. 그리고 결점은 그것만이 아니다 / *Nor* is this all. 그리고 또〔그러나〕그것뿐만이 아니다《논설 등의 중간에 삽입하여》. ★ ②, ⑤는 'nor+(조)동사+주어'의 어순이 됨.
Nor. Norman; North; Norway; Norwegian.

No·ra [nɔ́:rə] *n.* 노라《여자 이름 ; Eleanor, Honora, Leonora 등의 애칭》.

Nor·dic [nɔ́:rdik] *n.* Ⓒ, *a.* ① 북유럽 사람(의). ②〖스키〗노르딕(의).

Nórfolk jácket〔**cóat**〕허리에 띠가 달리고 앞뒤에 주름이 있는 남자의 헐렁한 재킷.

***norm** [nɔ:rm] *n.* Ⓒ ① (*pl.*) (행동 양식의) 기준 ; 규범 : the ~*s* of civilized society 문명 사회의 규범 / conform to the ~*s* of behavior in society 사회의 행동 기준에 따르다. ② (the ~) 일반 표준, 수준, 평균 : One child per family is becoming *the* ~ in some countries. 몇몇 국가에서는 한 가구 한 자녀가 (사회의) 일반 표준으로 되어가고 있다 / Computerization will be *the* ~ in dictionary making before long. 머지 않아 컴퓨터화(化)가 사전 제작의 표준적 방식이 될 것이다. ③ 노르마, 기준 노동량〔생산고〕. ④〖컴〗기준.

‡nor·mal [nɔ́:rməl] (***more*** ~ ; ***most*** ~) *a.* ① 정상의, 보통의, 통상의. opp *abnormal.* ¶ a ~ temperature (인체의) 평온(平溫) / The two countries resumed ~ diplomatic relations. 두 나라는 정상적인 외교 관계를 회복했다 / Lively behavior is ~ for a four-year old child. 발랄한 행동은 네살짜리 어린이에게는 정상적이다 / Until she won the prize she'd led a ~ life. 그녀는 그 상을 탈 때까지는 정상적인 생활을 해왔다. ② 표준적인, 전형적인, 정규의 : ~ working hours 표준 노동 시간 / a ~ distribution (통계의) 정규 분포. ③〖化〗(용액이) 규정(規定)의 ;〖數〗법선(法線)의 ; 수직의, 직각의. ◇ normalcy, normality *n.* —— *n.* Ⓤ ① 상태(常態) : Things are back 〔return〕 to ~ now that we've paid off all our debts. 빚을 청산한 현재 모든 것이 정상으로 되돌아왔다. ② 표준 ; 평균 ; 평온(平溫) : The river rose six feet above ~. 강물은 평상시보다 6피트나 불었다. ③〖數〗법선, 수직선 : an equation of ~ 법선 방정식. ④〖컴〗정규.

nor·mal·cy [nɔ́:rməlsi] *n.* = NORMALITY.

nor·mal·i·ty [nɔ:rmǽləti] *n.* Ⓤ 정상 ; 상태(常態).

nor·mal·ize [nɔ́:rməlàiz] *vt., vi.* 상태(常態)로 하다〔되돌아오다〕, 정상화하다, 표준에 맞추다〔대로 되다〕; 통일하다 : There is a lot of evidence that the new drug ~*s* blood pressure. 새로운 약이 혈압을 정상화시킨다는 많은 증거가 있다. ⓟ **nòr·mal·i·zá·tion** [-lizéiʃən] *n.*

nor·mal·ly** [nɔ́:rməli] (more*** ~ ; ***most*** ~) *ad.* ① 정상적으로, 평소〔관례〕대로 : The engine is working ~. 엔진은 정상적으로 움직이고 있다. ②〔文章修飾〕보통은, 평소는 : I don't ~ drink at lunch. 평소에는 점심식사 때 술을 마시지 않는다.

nórmal schòol《美》사범 학교《전에는 2년제 대학이었으나 지금은 4년제로 승격되고 teacher's college(교육 대학)로 개칭》.

‡Nor·man [nɔ́:rmən] (*pl.* ~***s***) *n.* ① Ⓒ 노르만 사람《10 세기경 북프랑스 등에 침입해 거기에 정주한 스칸디나비아 출신의 북유럽 종족》. ② Ⓒ = NORMAN-FRENCH ①. ③ Ⓤ = NORMAN-FRENCH ②. —— *a.* ① 노르만족〔사람〕의. ② (건축이) 노르만 양식의.

Nórman Cónquest (the ~) 노르만 정복《1066 년의 William the Conqueror 에게 인솔된 노르만인의 영국 정복》.

Nor·man·dy [nɔ́:rməndi] *n.* 노르망디《영국 해협에 면한 프랑스 북서부의 지방》.

Nórman Énglish 노르만 영어《노르만 정복 후, Norman-French 에 영향받은 영어》.

Nor·man-French [nɔ́:rmənfréntʃ] *n.* ① Ⓒ 노르만 프렌치족《프랑스 노르망디 지방에 정착하여 민족 혼합을 이룬 스칸디나비아 등 북유럽 사람》. ② Ⓤ **a**) 노르망디 지방의 프랑스 방언. **b**) 노르만 정복 후 영국의 공용어가 되었던 노르만인이 쓰던 프랑스어(語).

nor·ma·tive [nɔ́:rmətiv] *a.* ① 기준을 세운, 표준의. ② 규범적인 : ~ grammar 규범 문법.

Norn [nɔ:rn] *n.* (흔히 the ~s)〖북유럽神〗노른《운명을 맡아 보는 세 여신》.

Norse [nɔ:rs] *a.* 옛 스칸디나비아(사람〔말〕)의 ; 노르웨이(사람〔어〕)의 : ~ mythology 북유럽 신화. —— *n.* ① (the ~)〔集合的〕옛 스칸디나비아 사람, 옛 북유럽 사람. ② Ⓤ 노르웨이어.

Norse·man [nɔ́:rsmən] (*pl.* ***-men*** [-mən]) *n.* Ⓒ ① 옛 스칸디나비아 사람(Northman). ② 현대 스칸디나비아 사람,《특히》노르웨이 사람.

†north [nɔ:rθ] *n.* ① (흔히 the ~) 북, 북방《略 : N, N., n.》: in *the* ~ of …의 북부에 / on *the* ~ of …의 북쪽에《북에 잇닿아서》/ North Carolina lies between Virginia on *the* ~ and South Carolina on the south. 노스 캐롤라이나는 북은 버지니아, 남은 사우스 카롤라이나에 접경하고 있다. ★ '동서남북'은 보통 north, south, east and west 라고 함. ② **a**) (흔히 the N-) (어느 지역의) 북부 지방〔지역〕, 북부 ; (the N-) = NORTH COUNTRY. **b**) (the N-)《美》북부 여러 주《Mason-Dixson line, Ohio 강 및 Missouri 주 이북 ; 남북 전쟁시의 자유주》. **c**) (the N-) 북측 (선진) 나라들. ③ (the ~) (자석의) 북극 ; (지구의) 북극 지방.

—— *a.*〔限定的〕① 북쪽의, 북방에 있는 ; 북향의. ② 북쪽에서의《바람 따위》: a cold ~ wind 쌀쌀한 북풍. ③ (N-) 북부의 : *North* Korea 북한.

—— *ad.* 북으로, 북방으로, 북쪽에 : travel ~ 북쪽으로 여행하다 / He moved *up* ~ to be near his parents. 그는 부모 가까운 곳에서 살려고 북쪽으로 이사했다.

‡Nórth América 북아메리카《미국 · 멕시코 · 캐나다》. ⓟ ~**n** *a., n.* ~ (사람)의 ; ~ 사람.

Nórth Atlántic Tréaty Organizàtion (the ~) 북대서양 조약 기구《略 : NATO》.

north·bound [nɔ́:rθbàund] *a.* 북쪽으로 가는 : ~ trains 북쪽으로 가는 열차 / *Northbound* traffic is heavy this evening. 오늘 저녁은 북쪽으로 가는 교통량이 폭주하고 있다.

Nórth Británn 북영(北英), 스코틀랜드《略 : N.B.》.

Nórth Cápe ① 노르곶《노르웨이 북단》. ② 노스곶《뉴질랜드의 북단》.

***Nórth Carolína** 노스캐롤라이나《미국 남동부의 주 ; 略 : N.C.》. ⓟ **-lín·i·an** *n., a.* ~ 주〔사람〕(의).

Nórth Còuntry (the ~) ① 알래스카 주와 캐나다의 Yukon 지방을 포함하는 지역. ② 잉글랜드 북부 지방.

north·coun·try·man [nɔ́rθkə́ntrimæn] (*pl.* ***-men*** [-men]) *n.*《英》잉글랜드 북부의 사람, 북잉글랜드 사람.

***Nórth Dakóta** 노스다코타《미국 중서부의 주 ; 略 : N. Dak., N.D.》. ⓟ ~**n** *n., a.* ~주〔사람〕(의).

‡north·east [nɔ̀:rθí:st,《海》nɔ̀:rí:st] *n.* ① (the ~) 북동《略 : NE》. ② **a**) (the ~) 북동부(지방). **b**) (the N-)《美》미국 북동부〔지방〕;《특히》뉴잉글랜드 지방 ;《詩》북동풍. ~ ***by east*** 〔***north***〕 북동미(微)동〔북〕《略 : NEbE〔N〕》. —— *a.*〔限定的〕북동(에서)의, 북동에 있는〔에 면한〕. —— *ad.* 북동으로〔에서〕.

north·east·er [nɔ̀ːrθíːstər, 《海》 nɔ̀ːríːst-] *n.* Ⓒ 북동풍 ; 북동의 폭풍〔강풍〕. ㊞ **~·ly** *ad., a.* 북동의〔에〕, 북동에서(의) : a *~ly* route 북동방면으로 달리는 하이웨이 / fly *~ly* 북동쪽으로 비행하다.

***north·east·ern** [nɔ̀ːrθíːstərn, 《海》 nɔ̀ːríːst-] *a.* ① 북동(부)〔에 있는〕. ② (종종 N-) 북동부 지방의. ③ (바람이) 북동으로부터 (부는).

north·east·ward [nɔ̀ːrθíːstwərd, 《海》 nɔ̀ːríːst-] *a., ad.* 북동(쪽)에 있는 ; 북동쪽의〔에〕. ── *n.* (the ~) 북동쪽〔부〕.
㊞ **~·ly** *ad., a.* = northeastward. **~s** [-z] *ad.* 북동쪽에〔으로〕.

north·er [nɔ́ːrðər] *n.* Ⓒ 《美》 센 북풍《특히 가을·겨울에 Texas · Florida 주(州) 및 멕시코 만에서 부는 차가운 북풍》.

north·er·ly [nɔ́ːrðərli] *a.* 북쪽의〔에 있는〕; 북쪽에서 오는. ── *ad.* 북으로(부터). ── *n.* Ⓒ 북풍.

‡**north·ern** [nɔ́ːrðərn] *a.* ① 북쪽에 있는, 북부에 사는 ; 북으로부터 오는〔부는〕; 북으로 향하는, 북향의 : the ~ waters 북양(北洋) / *Northern* Europe 북유럽 / a ~ wind 북풍 / the ~ face of the mountain 그 산의 북벽. ②《美》 북부 방언의《독특한》. ③ (N-) 북부 지방의, 《美》 북부 제주(諸州)의.
── *n.* (N-) = NORTHERNER ; Ⓤ 《美》 북부 방언 ; Ⓒ 북풍.

North·ern·er [nɔ́ːrðərnər] *n.* Ⓒ ① 북국〔북부〕 사람. ② 《美》 북부 제주(諸州)의 사람.

Nórthern Hémisphere (the ~) 북반구.

Nórthern Íreland 북아일랜드《영국의 일부로 아일랜드 북부에 위치함》.

nórthern líghts (the ~) = AURORA BOREALIS.

north·ern·most [nɔ́ːrðərnmòust, -məst] *a.* 〔northern 의 최상급〕 가장 북쪽의, 최북단의, 극북의 : Cape Columbia is the ~ point of Canada. 케이프 콜럼비아가 캐나다의 최북단이다.

Nórthern Térritory (the ~) 노던 주(州)《오스트레일리아 중북부 연방 직할지 ; 주도 Darwin》.

north·land [nɔ́ːrθlənd] *n.* ① (the ~) 북부 지방. ② (종종 N-) Ⓒ (지구상의) 북부 지대. ③ (N-) 스칸디나비아 반도. ㊞ **~·er** [-ər] *n.*

North·man [nɔ́ːrθmən] (*pl.* ***-men*** [-mən]) *n.* Ⓒ ① = NORSEMAN ; 북방 사람. ② (현재의) 북유럽인, 《특히》 노르웨이 사람.

north-north·east [nɔ́ːrθnɔ̀ːrθíːst, 《海》 nɔ́ːrnɔ̀ːríːst] *n.* (the ~) 북북동《略 : NNE》.
── *a., ad.* 북북동의〔에〕.

north-north·west [nɔ́ːrθnɔ̀ːrθwést, 《海》 nɔ́ːrnɔ̀ːrwést] *n.* (the ~) 북북서《略 : NNW》.
── *a., ad.* 북북서의〔에〕.

Nórth Póle (the ~) ① (지구의) 북극. ② (n-p-) (하늘의) 북극. ③ (자석의) 북극, N 극.

Nórth Séa (the ~) 북해《영국 · 덴마크 · 노르웨이에 에워싸인 해역》.

Nórth Stár (the ~) 북극성(Polaris).

North·um·ber·land [nɔːrθʌ́mbərlənd] *n.* 노섬벌랜드《잉글랜드 북동부의 주 ; 略 : North-um(b)., Northld.》.

North·um·bria [nɔːrθʌ́mbriə] *n.* 노섬브리아《중세기 영국의 북부에 있었던 왕국》.
㊞ **-bri·an** [-n] *a., n.* Ⓤ,Ⓒ 노섬브리아의(사람 · 방언) ; Northumberland 주의 (사람 · 방언).

north·ward [nɔ́ːrθwərd, 《海》 nɔ́ːrðərd] *ad.* 북쪽에〔으로〕 : The dust from the volcano spread ~. 화산에서 나온 화산재는 북쪽으로 퍼져갔다 / The plane turned ~. 비행기는 북쪽으로 방향을 돌렸다. ── *a.* 북쪽에의, 북향한 : She cycled off in a ~ direction. 그녀는 자전거를 타고 북쪽으로 떠났다.
── *n.* (the ~) 북부 (지역), 북방.
㊞ **~·ly** *ad., a.* **~s** [-z] *ad.* = northward.

north·west** [nɔ̀ːrθwést, 《海》 nɔ̀ːrwést] *n.* ① (the ~) 북서《略 : NW》. ② (the N-) 북서(北西) 지방, 《美》 북서부《Washington, Oregon, Idaho의 3주》. **~ *by north 북서미(微)북《略 : NWbN》. **~ *by west*** 북서미(微)서《略 : NWbW》. ── *a.* 북서(에서)의.
── *ad.* 북서로〔에서〕.

north·west·er [nɔ̀ːrθwéstər, 《海》 nɔ̀ːrwést-] *n.* Ⓒ 북서풍 ; 북서 강풍.

north·west·er·ly [ˊ-wéstərli] *a., ad.* 북서의 ; 북서로〔에서〕.

‡**north·west·ern** [nɔ̀ːrθwéstərn, 《海》 nɔ̀ːr-wést-] *a.* ① 북서의 ; 북서쪽에 있는 ; 북서로부터의. ② (종종 N-) 북서부 지방의.

Nórthwest Térritories (the ~) 노스웨스트주, 캐나다 북서부의 연방 직할지《略 : N.W.T.》.

north·west·ward [nɔ̀ːrθwéstwərd, 《海》 nɔ̀ːrwést-] *a., ad.* 북서에 있는 ; 북서쪽의〔에〕.
── *n.* (the ~) 북서쪽.
㊞ **~·ly** *a., ad.* = northwestward. **~s** [-z] *ad.* 북서쪽에〔으로〕.

Nórth Yórkshire 노스요크셔《잉글랜드 북부의 주(州)》.

Norw. Norway, Norwegian.

‡**Nor·way** [nɔ́ːrwei] *n.* 노르웨이《북유럽의 왕국 ; 수도 Oslo ; 略 : Nor(w).》.

‡**Nor·we·gian** [nɔːrwíːdʒən] *a.* 노르웨이의 ; 노르웨이 사람〔말〕의. ── *n.* Ⓒ 노르웨이 사람 ; Ⓤ 노르웨이 말《略 : Nor(w).》.

nor'-west·er [nɔːrwéstər] *n.* ① = NORTHWESTER. ② Ⓒ (선원용의) 유포모(油布帽).

†**nose** [nouz] *n.* ① Ⓒ 코 : an aquiline ~ = a Roman ~ 매부리코 / the bridge of the ~ 콧대, 콧마루 / a cold in the ~ 코감기 / have a running ~ 콧물이 나온다 / give him a punch on〔in〕 the ~ 그의 코에 일격을 가하다 / blow one's ~ 코를 풀다 / show one's ~ 얼굴을 내밀다. ② (a ~) 후각 ; 낌새 채는 힘, 직감력, 육감 : a dog with *a* good ~ 냄새 잘 맡는 개 / *a* ~ for news 뉴스를 탐지해 내는 힘 / *a* good ~ for discovering …을 발견하는 예민한 제 6 감. ③ Ⓒ 돌출부 ; 관의 끝, 총구 ; 뱃머리, 이물 ; (비행기의) 기수 ; 탄두(彈頭) ; 〖골프〗 헤드의 선단(先端). ④ (one's ~) 주제넘게 나섬, 간섭, 쓸데없는 참견 : have *one's* ~ in …에 주제넘게 나서다 / Keep *your* ~ out of my affairs. 내 일에 간섭 마라. ⑤ 《俗》(경찰의) 앞잡이, 밀고자. ***(as) plain as the ~ in*** 〔***on***〕 ***one's face*** 명명백백하여. ***by a ~*** (선거나 경마 따위에서) 근소한 차이로《이기다》. ***cannot see beyond*** (***the end*** 〔***length***〕 ***of***) ***one's ~*** = ***see no further than*** (***the end of***) ***one's ~*** 바로 코 앞일을 내다보지 못하다《상상력〔통찰력〕이 없다》. ***count*** 〔***tell***〕 ***~s*** (출석자 · 찬성자 따위의) 인원수를 세다, …을 수로 결정하다, 인원의 수로 결정하다. ***follow one's ~*** (1) 곧바로 앞으로 나아가다 : Just *follow your* ~ as far as the corner and turn right. 모퉁이까지 곧바로 가서 오른쪽으로 돌아라. (2) 본능〔직감〕에 따라 행동하다 : I found the house by *~ing my* ~. 나는 직감으로 그 집을 찾았다. ***get up*** a person***'s ~*** 《口》 아무를 짜증나게 만들다, 부아가 나게 하다 : He's been *getting up my* ~ lately, asking a lot of silly questions. 그는 최근에 와서 내게 많은 얼토당토않은 질문을 던져 나를 짜증나게 만들어 오고 있다. ***have*** 〔***hold, stick***〕 ***one's ~ in***

the air 잘난 체하다, 거만하게 굴다. ***have* 〔*hold, keep, put*〕** a person***'s* ~ *to the grindstone*** ⇨ GRINDSTONE. ***keep*** one***'s* ~ *clean*** 분규에 말려들지 않도록 하다 : The best advice I can give is tell you to *keep your ~ clean.* 내가 줄 수 있는 최선의 충고는 자네가 분쟁에 말려들지 않도록 하라는 것이다. ***lead*** a person ***by the* ~** 아무를 마음대로 다루다. ***look down*** one***'s* ~ *at*** 멸시하다. ***make a long* ~ *at*** a person 아무를 경멸하다, …을 조롱하다. ***make*** a person***'s* ~ *swell*** 아무를 부러워하게 하다. **~ *to tail*** (차 따위가) 줄줄이 이어져 : The cars were parked *~ to tail* down the street. 자동차가 가로(街路)를 따라 줄줄이 잇따라 주차되어 있었다. ***on the* ~** 《俗》 조금도 어김없이, 정확하게 : I was there at 4 o'clock *on the ~*. 나는 네시 정각에 그곳에 (와) 있었다. ***pay through the* ~** 터무니없는 돈을 치르다, 바가지 쓰다 : We don't like *paying through the ~* for our wine when eating out. 외식(外食)을 할 경우 술값으로 터무니없는 대금을 지출하고 싶지 않다. ***powder*** one***'s* ~** 《婉》 (여성이) 화장실에 가다. ***put*** a person***'s* ~ *out of joint*** 아무를 밀쳐 내고 대신 차지하다 ; 《口》 아무의 콧대를 꺾다. ***rub*** a person***'s* ~ *in*** (과거의 실수·잘못 등) 사람이 싫어하는 것을 들춰내어 지껄이다 : His enemies will attempt to *rub his ~ in* past policy statements. 그의 적들은 그의 과거의 정책적 발언을 들춰내어 물고 늘어지려고 기도할 것이다. ***turn up*** one***'s* ~ *at*** …을 경멸하다, …을 멸시하다 ; …을 상대조차 않다 : He *turned his ~ up at* our suggestions. 그는 우리의 제안에 콧방귀를 뀠다. ***under*** a person***'s* (*very*) ~** (1) 아무의 코앞〔면전〕에서 : I thrust the paper *under his ~*. 나는 그 서류를 그의 코앞에 들이댔다. (2) 아무의 불쾌함을 아랑곳 않고. ***with*** one***'s* ~ *in the air*** 거만하게 : She walked past me *with her ~ in the air*. 그녀는 어깨를 으쓱거리며 내 앞을 지나갔다.

── *vt.* ① 《~+[목] / +[목]+[부]》 …을 냄새 맡다, 낌새 채다, 냄새를 맡아 내다 ; 찾아 내다, 간파하다 《*out*》 ; (기자 따위가) 냄새를 맡아 내다 : The cat *~d out* a mouse. 고양이는 쥐의 냄새를 맡았다 / He has *~d out* some interesting information. 그는 그 어떤 재미있는 정보를 알아냈다. ② 《~+[목] / +[목]+[부] / +[목]+[보]》 …을 코로 밀다〔움직이게 하다〕 ; …에 코를 비벼대다 : The horse *~d* my hand. 말은 내 손에 코를 비벼댔다 / The dog *~d* the box *aside* 〔open〕. 개는 코로 상자를 밀어냈다〔열었다〕. ③ 《+[목]+[전]+[명]》 …을 조심스럽게 전진시키다 : He *~d* the car *into* the parking space. 그는 조심스레 차를 주차 장소에 들여놓았다.

── *vi.* ① 《+[부] / +[전]+[명]》 냄새 맡다, 냄새 맡고 다니다 《*at* ; *about*》 : *~ around* 킁킁 냄새맡으며 다니다 / The dog kept *nosing about* the room. 개는 방 안을 킁킁거리며 돌아다녔다. ② 《+[전]+[명]》 파고들다, 탐색하다 《*after* ; *for*》 ; 참견〔간섭〕하다 《*about* ; *into* ; *with*》 : Don't *~ into* another's affair. 남의 일에 참견하지 마라. ③ 《+[전]+[명]》 (배 따위가) 조심스럽게 전진하다 : I had been *nosing along* the shores in pinnace. 피니스 배로 해안을 따라 전진하고 있었다. **~ *down* 〔*up*〕** (비행기가) 기수를 아래로 하고 내려가다〔위로 하고 올라가다〕. **~ *out*** (1) 찾아 내다, 알아 내다 : He soon *~d out* the details of the accident by chatting to people. 그는 사람들과의 잡담을 통하여 사건의 전말을 곧 알아냈다. (2) 《美》 근소한 차로 이기다.

nóse bàg (말목에 거는) 꼴 자루.

nose·band [⌐bæ̀nd] *n.* [C] (말의) 코굴레 가죽.

nose·bleed, -bleed·ing [⌐blìːd], [⌐blìːdiŋ] *n.* [C] 코피, 비(鼻)출혈 : have a ~ 코피를 흘리다.

nóse càndy 《美俗》 코카인. 「(頭部).

nóse còne (미사일·로켓 따위의) 원뿔꼴 두부

nose·dive [⌐dàiv] *n.* [C] ①〖空〗 급강하 : The plane roared overhead and went into a ~. 비행기가 머리 위에서 굉음을 내다가 급강하했다. ② (시세 등의) 폭락 : There was alarm in the markets when the dollar took a ~. 달러 시세가 급락했을 때는 각 시장에는 불안감이 일었다.

nose·gay [⌐gèi] *n.* [C] (흔히 상의에 꽂는) 꽃송이.

nose·piece [⌐pìːs] *n.* [C] ① (말 따위의) 코굴레 가죽. ② **a**) (투구의) 코싸개. **b**) (현미경의) 대물렌즈 장치 부분. ③ 안경의 브리지.

nóse ràg 《俗》 손수건.

nóse rìng ① (소의) 코뚜레. ② (장식용) 코고리.

nose·wheel [⌐*h*wìːl] *n.* [C] (비행기의) 앞바퀴 (nose gear).

nos·ey [nóuzi] *a.* ＝NOSY.

nosh [nɑʃ / nɔʃ] 《口》 *n.* [C] ① 가벼운 식사, 간식. ② (a ~) 《英》 음식. ── *vi., vt.* (…을) 먹다, 마시다, 가벼운 식사를 하다, 간식하다 : Let's find somewhere to ~ ─I'm starving. 요기할 곳을 찾도록 하자. 배고파 죽겠다 / We *~ed* on a burger before the match. 시합하기 전에 햄버거로 간단히 끼니를 치렀다.

no-show [nóuʃòu] *n.* [C] (여객기 등의 좌석 예약을 하고) 나타나지 않는 사람, 입장권 등을 사고 안 쓰는 사람〔일〕 ; 불참자.

nosh-up [nɑ́ʃʌ̀p / nɔ́ʃ-] *n.* (a ~) 《英俗》 식사, 진수성찬.

***nos·tal·gia** [nɑstǽldʒiə / nɔs-] *n.* [U] 향수, 노스탤지어, 향수병(homesickness) ; 과거에의 동경, 회고의 정 《*for*》 : Some people feel ~ *for* their school days. 사람들 중에는 학창시절의 향수에 젖는 사람이 여럿 있다.

[파] **-gic** [-dʒik] *a.* **-gi·cal·ly** *ad.*

Nos·tra·da·mus [nɑ̀strədéiməs / nɔ̀s-] *n.* ① 노스트라다무스 《프랑스의 점성가 ; 1503-66》. ② [C] 점성가, 예언자, 점쟁이.

***nos·tril** [nɑ́stril / nɔ́s-] *n.* [C] 콧구멍, 콧방울.

nos·trum [nɑ́strəm / nɔ́s-] *n.* [C] ① 특효약, 묘약(妙藥), 만능약. ② (정치·사회 문제 해결의) 묘책, 묘안.

nosy [nóuzi] (***nos·i·er*** ; ***-i·est***) *a.* ① 《口》 꼬치꼬치 캐기 좋아하는 : a ~ person 캐기 좋아하는 사람. ② 〔敍述的〕 (…을) 알고 싶어하는 《*about*》 : Don't be so ~ *about* my affairs. 내 일을 그렇게 캐러 들지 말게.

[파] **nós·i·ly** *ad.* **-i·ness** *n.*

NOT [nɑt / nɔt] *n.* 〖컴〗 아니, 낫 《진위(眞僞)를 역으로 한 논리 연산》 : ~ operation 아니셈, 낫셈.

†**not** [強 nɑt, 弱 nt, n / 強 nɔt, 弱 nt, n] *ad.* ① 〔平敍文에서 助動詞 do, will, can 따위 및 動詞 be, have 의 뒤에 와서〕 …않다, …(은) 아니다 : I do*n't* know. 나는 모른다 / I'm *not* hungry. 나는 배가 고프지 않다 / Tom does*n't* want to go. 톰은 가고 싶어하지 않는다 / We have*n't* 〔《美》 do*n't* have〕 any friends here. 우리는 여기에 친구가 없다 / They wo*n't* 〔will *not*〕 succeed. 그들은 성공 못할 것이다 / You do*n't* have to hurry. 서두를 필요는 없다. ★ 구어에서는 don't, isn't, can't 따위의 단축형을 많이 씀.

② **a**) 〔述語動詞·文 이외의 어구를 否定하여〕 …

이 아니고〔아니라〕; …아닌〔않은〕: He went to America ~ long ago. 그는 얼마 전 미국에 갔다 / He is my nephew, (and) ~ my son. 그는 내 조카이지 아들이 아니다(= He is ~ my son but my nephew) / The jury decided the man ~ guilty. 배심은 그 남자는 무죄라고 평결했다 / He stood ~ ten yards away. 그는 10야드도 채 안 떨어진 곳에 서 있었다. **b**) 〔不定詞·分詞·動名詞 앞에 와서 그것을 부정하여〕: I asked 〔told〕 her ~ *to* go. 나는 그 여자에게 가지 말라고 요청했다 〔명했다〕《≠ I did ~ ask 〔tell〕 her *to go.* 그 여자에게 가 달라는 요청〔명령〕은 안 했다》/ I got up early so as 〔in order〕 ~ *to* miss the 6:00 a.m. train. 여섯시발(發) 열차를 놓치지 않도록 일찍 일어났다 / *Not* know*ing* where to sit, he kept standing for a while. 어디 앉아야 될지 몰라서 그는 잠시 서 있었다 / He reproached me for (my) ~ hav*ing* let him know about it. 그것을 알려주지 않은 것이 나쁘다고 그는 나를 비난했다 / He regretted ~ hav*ing* done it. 그는 그것을 하지 않은 것을 후회했다. **c**) 〔부정적 뜻의 어구 앞에서〕 …아닌 것이 아닌〔아니게〕: ~ a few (수가) 적지 않은 / ~ a little (양·정도가) 적지 않은 / ~ unknown 안 알려진 게 아닌 / ~ seldom 왕왕, 자주 / ~ reluctantly (싫기는 커녕) 아주 기꺼이 / ~ once or twice 한 두번이 아니고, 몇 번이고 / ~ without some doubt 다소의 의구심을 가지고. **d**) 〔命令文에서 do not 또는 don't 의 형태로 動詞 앞에 와서〕 …하지 마라; …해서는 못 쓴다: Do*n't* (you) hesitate. 망설이지 마시오 / Do*n't* be afraid of making mistakes. 틀릴까봐 두려워해서는 안 된다. ★ do 를 쓰지 않은 옛 용법이 있음: Be ~ afraid. =Do*n't* be afraid. **e**) 〔疑問文에서 主語 뒤에 와서〕 …은 아닌가, …하지 않는가《주어와 부가의문문에서는 보통 don't, isn't, can't 따위의 단축형을 쓰며 주어 앞에 옴》: Is Jane ~ here? 제인은 여기에 없느냐 / Do you ~ know Madonna? 마돈나를 모르느냐 / Is*n't* it beautiful? 아름답지 않습니까 / Wo*n't* you go with us? 우리와 함께 가시지 않으렵니까 / It's a fine day, is*n't* it? 좋은 날씨지요 / You like summer, do*n't* you? 넌 여름을 좋아하지.

③ 〔否定의 文章·動詞·節 따위의 생략 代用語로서〕: Right or ~, it is a fact. 옳든 그르든 그건 사실이다《Whether it is right or not, …의 생략》/ Is he coming?— Perhaps ~. 그는 오는가 —아마 안 올 테지《Perhaps he is ~ coming. 의 생략임; perhaps 외에 probably, certainly, absolutely, of course 따위도 같은 구문에 쓰임》/ Will he come?—I am afraid ~. 그는 올까 — (유감스럽게도) 그는 안 올 것 같다《I am afraid he will ~ come. 의 생략》/ Is she ill?—I think ~. 그녀는 아픈가—그렇지 않다고 생각한다《I think she is ~ ill. 의 생략; I do*n't* think so.가 더 일반적임》/ He won't phone, will he? — No, I suppose ~. 그는 전화를 하지 않을 테지 — 그래, 하지 않으리라고 본다《No, I do*n't* suppose so.가 보통; that 절의 반복을 피하기 위하여 expect, think, hope, believe, imagine, suppose, be afraid 뒤에 이러한 구문을 취함》.

④ 〔any, either 따위를 수반, 전면 否定을 나타내어〕 조금도 …아니다〔않다〕, 어느 것〔누구〕도 …아니다〔않다〕: He did ~ drink *any* coffee. 커피를 조금도 마시지 않았다(=He drank no coffee.) / He lent me two books, but I have*n't* read *either* of them. 그는 나에게 책을 두 권 빌려 주었으나 어느 것도 읽지 않았다.

⑤ 〔all, both, every, always 따위를 수반, 部分否定을 나타내어〕 모두가〔언제나, 아주〕 …하다는 것은 아니다, (…라고 해서) 반드시 —하다고는 할 수(가) 없다: I do*n't* want *all* 〔*both*〕 of them. 그것들 전부가〔양쪽 다〕 필요한 것은 아니다 / *All* is ~ gold that glitters. 빛나는 것이 반드시 금은 아니다 / *Not everybody* likes him. 모두가 (다) 그를 좋아하는 것은 아니다 / The rich are ~ *always* happy. 부자라고 해서 반드시 행복하다고는 할 수 없다 / I do*n't quite* understand. 나는 완전히는 모른다 / It is ~ *altogether* good. 모두가 다 좋다는 건 아니다. ★ 이 밖의 부분부정 표현에는 *not* entire, *not* whole, *not* wholly, *not* absolutely, *not* completely, *not* entirely, *not* necessarily 따위가 있음.

⑥ 〔not 이 전이(轉移)하는 경우〕: I do*n't* think he will come. 그는 오지 않으리라 생각한다《I think he will ~ come. 의 종속절의 not 이 주절로 감; believe, expect, imagine, suppose 따위가 이런 구문을 취함》/ It does ~ seem to be true. 사실이 아닌 것 같다《It seems ~ to be true. 의 부정사 to be 를 부정한 not 이 술어동사를 부정; appear, happen, intend, plan, want 따위가 이런 구문을 취함》/ I did*n't* leave him because he was poor. 그가 가난하다고 해서 그의 곁을 떠난 것은 아니다《논리적으로는 I left him ~ because he was poor.로 되어야 할 것이나 실제적으로는 이렇게 안 씀》. ~ ***a*** (***single***) ... 하나 〔한 사람〕의 …도 없다《no 의 강조형; not a single 은 더욱 힘준 형》: There was ~ *a* soul 〔*Not a* soul was〕 to be seen. 사람 하나 보이지 않았다 / *Not a* man answered. 누구 한 사람 대답하지 않았다. ~ ***a few,*** ~ ***a little,*** ~ ***once or twice*** ⇨ ②c). ~ ***at all*** ⇨ at ALL. ~ . . . ***but*** __ ⇨ BUT *conj*: A) ② b). ~ ***but that*** 〔***what***〕 ⇨ BUT. ~ ***half*** ⇨ HALF. ~ ***in the least*** ⇨ LEAST. ~ ***least*** ⇨ LEAST. ~ ***much!*** ⇨ MUCH. ~ ***only*** 〔***just, merely, simply***〕 . . . ***but*** (***also***) __… 뿐 아니라 —도(또한): It is ~ *only* beautiful, *but also* useful. 그것은 아름다울 뿐 아니라 유익하기도 하다 / *Not only* did he hear it, *but* he saw it as well. 그는 그 소리를 들었을 뿐 아니라 그것을 보았던 것이다《강조하기 위해 not only 가 글머리에 오면 도치 구문을 취함》/ *Not only* you *but* (*also*) I *am* guilty. 자네뿐 아니라 내게도 죄가 있다《동사는 뒤의 주어에 일치함》/ *Not only* are you happy, *but* we are *also* satisfied. 너희만 기쁜 게 아니라 우리도 만족한다《두 개의 절의 주어가 다를 경우에는 처음 절은 도치구문을 취함》. ~ ***seldom*** ⇨ ②c). ~ ***so much as*** …조차 않다 〔못 하다〕: He can*not so much as* write his own name. 그는 자기 이름조차 못 쓴다. ~ ***so much. . . as*** __ …라기보다는 오히려—: He is ~ *so much* a scholar *as* a poet. 그는 학자라기보다는 오히려 시인이다. ~ ***that . . .*** 그러나 〔그렇다고〕 …하다는 건 아니다: If he said so — ~ *that* he ever did — he lied. 만일 그가 그렇게 말했다면—그렇게 말했다는 건 아니지만—거짓말을 한 것이다 / What is he doing now? *Not that* I care. 그는 지금 무엇을 하고 있는가, 그렇다고 별로 내가 관심을 가지고 있는 건 아니지만. ***Not that I know of.*** 내가 알고 있는 한 그런 일은 없다. ~ ***the least*** ⇨ LEAST. ~ ***to say*** ⇨ SAY. ~ ***to speak of . . .*** ⇨ SPEAK.

no·ta be·ne [nóutə-bí:ni] 《L.》 단단히 주의하라, 주의《略: N.B., n.b.》(=Note well).

no·ta·bil·i·ty [nòutəbíləti] *n.* ① Ⓤ 현저, 저명. ② Ⓒ (흔히 *pl.*) 저명 인사, 명사: *notabilities* in political and economic circles 정치·정치계의 명

사들.

‡**no·ta·ble** [nóutəbəl] (***more*** ~ ; ***most*** ~) *a.* ① 주목할 만한; 두드러진, 현저한: a ~ increase in profit 이익의 현저한 증가. ② [敍述的] (…으로[로서]) 유명한《*for*; *as*》: This house is ~ *as* the site of a famous murder. 이 집은 유명한 살인 사건이 있던 장소로서 유명하다. ③ [종종 nάtəbəl / nɔ́t-] 《古》 (주부가) 살림 잘하는.
── *n.* Ⓒ (흔히 *pl.*) 저명한 사람, 명사: All the local ~*s* were there. 모든 지방 유지들이 그곳에 있었다. ㊕ ˙**-bly** *ad.* ① 현저하게; 명료하게: His health declined *notably*. 그의 건강은 현저하게 쇠약해 졌다. ② 특히: The divorce would be granted when more important problems, *notably* the fate of the children, had been decided. 이혼은 보다 중요한 문제들, 특히 어린이들의 운명이 결정되었을 때 인정될 것이다.

no·tar·i·al [noutɛ́əriəl] *a.* 공증인의; 공증의: a ~ deed 공정(公正) 증서.

no·ta·rize [nóutəràiz] *vt.* (공증인이) 증명[인증]하다; (문서)를 공증해 받다: a ~*d* document 공정 증서 / have a document ~*d* 문서를 공증해 받다.

no·ta·ry [nóutəri] *n.* =NOTARY PUBLIC.

nótary públic (*pl.* ***nótaries públic, ~s***) 공증인《略: N.P.》.

no·ta·tion [noutéiʃən] *n.* ① Ⓤ 기호법, 표시법《수·양을 부호로 나타냄》: chemical ~ 화학 기호법 / decimal ~ 십진 기수법. ② Ⓒ 《美》 주석, 주해; 각서, 기록: make a ~ 기입하다.

˙**notch** [nɑtʃ / nɔtʃ] *n.* Ⓒ ① (V자 모양으로) 새긴 자국, 벤 자리. ② 《美》 산골짜기(길). ③ 《口》 단(段), 단계, 급(級): He is a ~ above the others. 그는 다른 사람들보다 한 급수 위다.
── *vt.* ① …에 금을 내다; 칼자국을 새기다. ② 《口》 (득점·득표)를 올리다, 거두다; (승리·지위)를 획득하다, 거두다《*up*》: ~ *up* a title 타이틀을 획득하다 / We ~*ed up* many more votes in the next election. 우리는 그 다음 선거에서 더 많은 표를 획득했다 / She has recently ~*ed up* her third win at a major tennis tournament. 그녀는 최근 주요 테니스 토너먼트에서 세번째 승리를 거두었다.

notch·back [ˊbæ̀k] *n.* Ⓒ 뒤쪽이 층이 진 자동차 형; 그런 차. ⓒⓕ fastback.

notched [nɑtʃt / nɔtʃt] *a.* ① 새긴[벤] 자국이 있는. ② 〖植·動〗 톱니 모양을 한.

†**note** [nout] *n.* ① Ⓒ **a**) 각서, 비망록, 메모《*of*; *for*》. **b**) (*pl.*) (여행 등의) 수기, 기록; (강연 등의) 초고, 문안: from [without] ~*s* [a ~] 원고를 보고[원고 없이]. ② Ⓒ (외교상의) 문서, 통첩: a diplomatic ~ 외교 문서. ③ Ⓒ 짧은 편지: a ~ of invitation 초대장. ④ Ⓒ 주(註), 주석, 주해《*on*》; 지식, 정보: a margin(al) ~ 방주(旁註) / a new edition of King Lear with abundant ~*s* 풍부한 주석이 달린 '리어 왕'의 신판. ⑤ Ⓤ 주목, 주의: a thing worthy of ~ 주목할 만한 일. ⑥ Ⓤ (of ~로) 저명, 특색, 특징; 분위기, 모양: a man *of* ~ 저명 인사. ⑦ Ⓤ (of ~로) 알려져 있음; 중요함: a matter *of* (some) ~ (퍽) 알려진 [중요한] 일. ⑧ Ⓒ 《英》 지폐(bank ~; 《美》 bill); 〖商〗 어음, 증권: a ~ of hand 약속 어음 / ~*s* in circulation 은행권 발행고. ⑨ Ⓒ 기호, 부호: a ~ of exclamation 감탄 부호(!). ⑩ Ⓒ 〖樂〗 음표; (피아노 등의) 건, 키; 음색. ***compare ~s*** 의견을[정보를] 교환하다《*with*》: We *compared* ~*s* (*with* each other) on our English teachers. 우리 영어 교사들에 대해 (서로) 의견을 교환했다. ***make a ~ of*** =***take ~s of*** …을 적어 두다, …을 필기[노트]하다《미국에서는 of 대신 on도 씀》: I'll just *make a* ~ *of* your name and address. 자네 이름과 주소를 적어 두겠네. ***strike the right ~*** 적절한 견해를 말하다[태도를 취하다]: His speech *struck* just *the right* ~ of encouragement and praise. 그의 연설은 정말 격려와 찬사를 받았다. ── *vt.* ①《~+目/+目+副》 …을 적어두다, 써놓다《*down*》: He ~*d down* the main points of the lecture. 그는 강연의 요점을 적어두었다 / If you find the name on the list, ~ it *down*. 명부상에서 그 이름을 찾으면 적어두게. ② …에 주석을 달다. ③《~+目/+*that* 節/+*wh.* 節/+*wh. to* do/+目+*-ing*》 …에 주목하다, …에 주의하다, …을 알아차리다: Please ~ my words. 내 말을 잘 들어라 / *Note how* words should be used. 말을 어떻게 써야 할지 주의하여라 / I ~*d* her eyes fill*ing* with tears. 그녀의 눈에 눈물이 넘쳐 흐르는 것을 알아차렸다 / *Note how to* do it. 어떻게 하는지 주의해라 / You must ~ *that* tak*ing* photos is prohibited. 사진 촬영 금지임을 잊지 말도록. ④ …을 가리키다, 지시[의미]하다; 언급하다: Black ashes ~*d* where the house had stood. 검은 재는 본래 집이 있었던 장소를 나타내고 있었다.

†**note·book** [nóutbùk] *n.* Ⓒ ① 노트, 공책, 필기장, 수첩. ② =NOTEBOOK COMPUTER.

nótebook compùter 〖컴〗 노트북형 컴퓨터.

note·case [ˊkèis] *n.* Ⓒ 《英》 지갑(wallet).

‡**not·ed** [nóutid] (***more*** ~ ; ***most*** ~) *a.* ① 저명한, 유명한, 이름난: a ~ pianist 유명한 피아니스트. ② [敍述的] (…로[로서]) 유명한, 저명한《*for*; *as*》: The professor is ~ *for* his originality. 그 교수는 독창성으로 유명하다 / He is ~ *as* a baseball player. 그는 야구선수로서 유명하다. ㊕ **~·ly** [-li] *ad.* 두드러지게. **~·ness** *n.*

note·less [nóutlis] *a.* ① 무명의; 평범한. ② 음악적이 아닌, 음조가 나쁜.

nóte pàd (떼어 쓰게 된) 메모 용지철.

note·pa·per [nóutpèipər] *n.* Ⓤ 편지지, 메모 용지.

˙**note·wor·thy** [nóutwə̀ːrði] *a.* 주목할 만한, 현저한: The performance was excellent even though no ~ actors were in the cast. 비록 주목할 만한 배우들이 출연하지는 않았으나 그 연극은 훌륭했다. ㊕ **-thi·ness** *n.*

not-for-prof·it [nάtfərprάfit / nɔ́tfərprɔ́-] *a.* 《美》 비영리적인(nonprofit).

†**noth·ing** [nʌ́θiŋ] *pron.* ① 아무 것[아무 일]도 …아님[하지 않음]; 전혀 …않음[아님]: He said ~. 그는 아무 말도 하지 않았다 / *Nothing* is easier than to cheat him. 그를 속이는 것보다 쉬운 일은 없다 / *Nothing* worth doing is easy. 할만한 일에 쉬운 것은 없다 / *Nothing* is sweeter than the smell of a rose. 장미 향기보다 좋은 향기는 없다 / You will get ~ by breaking the rules. 규칙을 위반해서 얻는 것은 하나도 없다. ★[1] nothing을 수식하는 형용사는 뒤에 옴: I have *nothing* particular to do. 별로 할 일도 없다. ★[2] 주어로서의 nothing이나, have nothing, there is nothing은 구어에서도 쓰이나 보통 목적어, 특히 동사의 목적어로서는 구어에서 not anything을 즐겨 씀: He did*n't* say *anything*. 그는 아무 말도 안 했다 / I am *not* looking for *anything*. 아무것도 안 찾고 있다. ② (~ of 로) …이 조금도 없음[하지 않음]: He's ~ *of* a poet. 그에게는 조금도 시인다운 면이 없다 / We expect ~ *of* her. 그녀에게 아무것도 기대하지 않는다 / He has ~ *of* the

gentleman about 〔in〕 him. 그에게는 신사다운 맛이 전혀 없다.
— *n.* ① Ⓤ 무(無), 공, 〖數〗 영(零) : Man returns to ~. 사람은 무로 돌아간다 / *Nothing* comes from〔of〕 ~. 《격언》 무(無)에서는 아무 것도 생기지 않는다 / The sound faded to ~. 소리는 차츰 사라져버렸다 / stare at〔into〕 ~ 허공을 응시하다. ② Ⓒ 영(零)의 기호 ; 하찮은 사람〔일, 물건〕 : mere ~*s* 아주 하찮은 일들 / the little ~*s* life 이 세상의 세세한 일들 / She is ~, if not pretty. 미인이라는 것이 단 하나의 장점이다 / You'll end up as a ~. (유야무야 하는 중에) 무가치한 인간으로 끝날 것이다. ③ (흔히 *pl.*) 쓸데없는 말, 하찮은 말 : The two exchanged a few ~*s* when being introduced. 두 사람은 소개받고 있을 때 가벼운 이야기를 몇마디 서로 주고 받았다. ***be ~ to*** (1) …에겐 아무 것도 아니다, 무관계하다 : A hundred dollars will *be ~ to* him. 100 달러는 그에게는 아무 것도 아니다 / She*'s ~ to* me. 그녀는 나와는 무관계하다. (2) …와는 비교가 안 되다 : Your trouble *is ~ to* hers. 자네의 수고는 그녀의 그것에 비하면 아무것도 아니다. ***do ~ but*** ⇨ BUT. ***for ~*** (1) 거저, 무료로 : I got this *for ~*. 이것을 거저 손에 넣었다. (2) 무익하게, 헛되이 : All my hard work has gone *for ~*. 빠빠지게 일한 작업이 모두 헛되이 되었다. (3) 이유〔까닭〕 없이《싸우다 따위》. ***good for ~*** 아무 짝에도 못 쓰는. ***have ~ on*** ⇨ HAVE *vt.* ***have ~ to do with*** ⇨ DO. ***in ~ flat*** 깜짝하는 사이에, 즉시. ***like ~ on earth***〔***in the world***〕 《口》 (흔히 feel, look, be 와 함께) 더없이 묘한〔기분이 나쁜, 추한, 처참한, 어리석은〕 : I *feel like ~ on earth.* 몹시 기분이 이상하다 / With the outrageous make-up and strange clothes he *looked like ~ on earth.* 터무니없는 화장과 이상한 옷으로 분장하여 그는 몹시 묘하게 보였다. ***make ~ of*** (1) …을 아무렇지 않게 여기다 : He *makes ~ of* his sickness. 그는 자기의 질병을 우습게 여기고 있다. (2) 〔can, could 와 함께〕 …을 전혀 이해할 수 없다 : I *can make ~ of* her attitude to me. 나에 대한 그녀의 태도를 전혀 알 수 없다. (3) 예사로 …하다 《do*ing*》 : She *makes ~ of* walk*ing* 10 miles a day. 그녀는 하루에 10마일 걷는 것을 아무렇지도 않게 여긴다. (4) 〔can, could 와 함께〕 …을 이용하지 못하다 : She *can make ~ of* her talents. 그녀는 자신의 재능을 이용하지 못한다. ***no ~*** 《口》 전혀 아무 것도 없는 : There is no bread, no butter, *no ~*. 빵도 버터도 아무 것도 없다. ***~ but*** 〔***except***〕 =***~ else than*** 〔***but***〕 …밖에 없는〔아닌〕 ; 다만 …뿐, …에 불과한(only) : We could see ~ *but* fog. 안개 외에는 아무 것도 볼 수 없었다 / He is ~ *but* a yes man. 그는 예스맨에 불과하다. ***~ doing*** (1) 《口》 (요구를 거절하여) 안된다, 할 수 없다. (2) (there is ~ 으로) (실망을 나타내어) 아무것도 없다, 시시하다 : We drove through the town but there seemed to be ~ *doing.* 읍을 차로 통과하였으나 별로 새로운〔재미있는〕 것은 없는 듯했다. (3) 허가〔허용〕되지 않다. ***(There is) ~ (else) for it but to*** …할 수 밖에 없는 : *There was ~ for it but to* go over the fence. 울타리를 넘을 수밖에 (달리) 없었다. ***~ if not*** (1) 〔形容詞의 앞에서〕 더없이 …, 몹시 : He's ~ *if not* critical. 그는 매우 비판적이다. (2) 〔名詞 앞에서〕 전혀, 전형적인 : Susie is ~ *if not* a career woman. 수지는 전형적인 직업 여성이다. ***Nothing great is easy.*** 《俗談》 위대한 일에 쉬운 것은 없다. ***~ less than*** ⇨ LESS. ***~ more than*** ⇨ MORE. ***~ much*** 대단치 않다, 별것 아니다. ***Nothing of the kind!*** (상대에의 응답으로) 조금도 그런 일은 없다, 천만에. ***~ to speak of*** 사소한. ***There is ~ in*** 〔***to***〕 ***it.*** (1) 그건 새빨간 거짓말이다. (2) 그건 대단한 일이 아니다〔간단한 일이다〕. ***There is ~ to*** the story. 그 이야기에는 알맹이가 없다. ***think ~ of*** …을 아무렇지 않게 생각하다 ; 예사로 …하다 : *Think ~ of* it. 감사〔사과〕할 것까지는 없습니다, 별말씀. ***think ~ of*** do***ing*** ⇨ THINK. ***to say ~ of*** …은 말할 것도 없이, …은 물론.
— *ad.* ① 조금도〔결코〕 …이 아니다 : *Nothing* dismayed, he repeated the questions. 조금도 당황하지 않고 그는 질문을 계속했다 / It helps ~. 아무 소용도 없다. ② 《美口》 …도 아무 것도 아니다 《앞의 말을 부정하여》 : Is it gold? — Gold ~. 그거 금이냐 — 천만에. ***~ like*** 전혀 …와 닮지 않다, …와는 거리가 멀다 : It was ~ *like* what we expected. 예상한 바와는 거리가 멀었다.

noth·ing·ness [nʌ́θiŋnis] *n.* Ⓤ,Ⓒ 존재하지 않음 ; 무, 공(空) ; 무가치(한 것) ; 인사 불성, 죽음 : As she got older it was the fear of ~ in her life that disturbed her most. 그녀가 늙어감에 따라 그녀를 가장 불안하게 한 것은 그녀의 일생이 전혀 무가치했다는 두려움이었다 / She remembered a dizzy feeling, then ~. 그녀는 현기증을 느끼고 곧 졸도했다는 것을 상기했다.

:no·tice [nóutis] *n.* ① Ⓤ 주의, 주목 ; 인지 ; 후대 : attract one's ~ 사람의 눈을 끌다 / The girl paid him no ~. 그 소녀는 그에게 전혀 관심을 쏟지 않았다 / be grateful for a person's ~ 아무의 호의(好意)를 고맙게 받아들이다 / I commend her to your ~. 그녀를 눈여겨 봐 주십시오. ② Ⓤ 통지, 통고. ③ Ⓤ (해직·퇴직·이전 등의) 예고 ; 경고(warning) : give a servant ~ 하인에게 해고를 통고하다 / give 〔hand〕 in one's ~ 사표를 제출하다. ④ Ⓒ 공고 ; 게시, 벽보 : put a ~ 공고하다. ⑤ Ⓒ (신간·극·영화 따위의) 지상 소개, 비평 : a theatrical ~ 연극평. ***at a moment's ~*** 그 자리에서, 즉각, 당장에 : The emergency services are ready to spring into action *at a moment's ~*. 긴급부대가 즉각 출동 준비를 갖추고 있다. ***at***〔***on***〕 ***a month's***〔***week's***〕 ***~*** 1개월〔1주〕간의 예고로. ***at*** 〔***on***〕 ***short ~*** 곧, 당장 ; 급히 : I can't give you an answer *at short ~*. 당장은 회답할 수 없습니다. ***beneath*** one***'s ~*** 보잘것 없는, 고려할 가치도 없는 : Their offer was considered *beneath my ~*. 그들의 제안은 고려할 가치도 없는 것이라 생각되었다. ***come into*** 〔***to, under***〕 ***~*** 주의를 끌다, 눈에 띄다 : As I write, a very interesting case has *come to* my ~. 집필하고 있을 때 아주 재미있는 사례가 내 주의를 끌었다. ***serve a ~ to*** …에 통고하다 ; 경고하다 《*on*》. ***sit up and take ~*** (1) 《戱》 (환자가) 나아져 가다. (2) 사태를 주목하다. ***take ~ of*** …을 주의〔주목〕하다《★ 종종 受動으로》 : Don't *take* any ~ *of* what he says. 그가 말한 것 따위 괘념하지 마라 / I want to *be taken ~ of* occasionally. 나는 때때로 주목받고 싶다. ***until*** 〔***till***〕 ***further*** 〔***farther***〕 ***~*** 추후 통지가 있을 때까지 : The meeting will be postponed *till*〔*until*〕 *further ~*. 회의는 추후 통지가 있을 때까지 연기합니다.
— *vt.* ① 《~+目 / +*that* 節 / +目+-*ing* / +目+*do*》 …을 알아채다(perceive), …을 인지하다 ; …에 주의하다, …을 유의하다 : She immediately ~*d* a big difference. 그녀는 곧 커다란 차이가 있다는 것을 깨달았다 / I ~*d that* he had a peculiar habit. 그에게 이상한 버릇이 있는 것을 알

게 되었다 / ~ a person go(*ing*) out 아무가 밖으로 나가는것을 알아채다 / They ~*d* me *come* in. 그들은 내가 들어간 것을 알아차렸다. ②《~+目 / +目+*to* do / +*that*節》《美》…에게 통지〔예고〕하다 ; 통고하다 : The police ~*d* him *to* appear. 경찰은 그에게 출두하라고 통고했다 / ~ a person *that* his taxes are overdue 아무에게 납세 기일이 지났음을 통보하다. ③…에 언급하다, …을 지적하다, (신간 따위)를 논평하다 : He began his lecture by *noticing* the present situation. 그는 현상에 대해 언급하면서 강연을 시작했다 / The publisher asked me to ~ the book. 출판사는 내게 그 책의 서평을 써달라고 부탁했다.
— *vi.* 주의하고 있다, 알아채다 : I didn't ~ when you left. 네가 나갈 때 나는 알지 못했다.

***no·tice·a·ble** [nóutisəbəl] *a.* ①눈에 띄는 ; 두드러진 : There has been a ~ improvement in Tim's cooking. 팀의 요리솜씨에는 두드러진 발전이 있었다. ②주목할 만한 : a book that is ~ for its vivid description of the historical background. 생생한 역사적 배경의 묘사로 주목할 만한 책. ㊞ **-bly** *ad.*

nótice bòard《英》게시판, 고지판, 팻말.

no·ti·fi·a·ble [nóutəfàiəbəl] *a.* 통지해야 할 ; 신고해야 할 (전염병 등).

no·ti·fi·ca·tion [nòutəfikéiʃən] *n.* ①Ⓤ 통지, 통고, 고시. ②Ⓒ 신고서, 통지서 ; 공고문.

‡no·ti·fy [nóutəfài] *vt.* ①《~+目 / +目+前+名 / +目+*to* do / +目+*that* 節》…에게 통지하다, …에 공시(公示)하다 ; …에 신고하다《*of*》: We have been *notified* *that*… 우리는 …라는 통지를 받았다 / ~ the citizens *to* assemble in front of the station 시민에게 역전에 모이도록 통지하다 / ~ the authorities *of* a fact 당국에 사실을 알리다. ②《+目+前+名》《주로 英》…에게 통고하다 ; 공고〔발표〕하다 : I will ~ you *of* the arrival of the goods. 물품이 도착하면 통고해 드리겠습니다 / The sale was *notified in* the papers. 신문지상에 매각 공고가 났다.

‡no·tion [nóuʃən] *n.* Ⓒ ①관념, 개념 : He has no ~ of time. 그는 시간 관념이 전혀 없다. ②생각, 의견 ; 의향 : That's your ~, not mine. 그것은 자네 생각이지 내 생각은 아니다. ③이해 : He has no ~ (of) what I mean. 그는 내가 말하려는 것을 전혀 모른다. ④(*pl.*)《美》방물, 자질구레한 실용품《바늘·실·리본·단추 따위》: a ~*s* store 잡화점 / a ~*s* counter 잡화 판매장.

no·tion·al [nóuʃənəl] *a.* 관념적인, 개념상의, 추상적인, 순이론적인(speculative) ; 공상적인. ㊞ **~·ly** [-əli] *ad.*

no·to·ri·e·ty [nòutəráiəti] *n.* ①Ⓤ 악명, (나쁜 의미의) 평판 : He achieved〔acquired, gained〕 ~ for murdering eleven women in the north of England. 그는 영국 북부에서 11명의 여자를 죽인 것으로 악명높다. ②《英》Ⓒ 악명 높은 사람.

no·to·ri·ous** [noutɔ́:riəs] (more*** ~ ; ***most*** ~) *a.* (보통 나쁜 의미로) 소문난, 유명한, 이름난 : This prison holds some of Britain's most ~ criminals. 이 교도소는 영국에서 가장 악명 높은 범죄자를 몇사람 수감하고 있다 / Nero *is* ~ as a tyrant. 네로는 폭군으로서 악명이 높다. ★ 좋은 의미에서의 '유명한'에는 보통 famous를 씀. ㊞ **~·ly** *ad.* 악명이 널리 알려질 만큼. **~·ness** *n.*

No·tre Dame [nòutrədá:m, -déim] *n.*《F.》①성모 마리아(Our Lady). ②《특히 파리의》노트르담 대성당.

no-trump [nóutrʌ́mp] *a., n.* Ⓒ〖카드놀이〗으뜸패가 없는 (승부·수).

Not·ting·ham [nátiŋəm / nɔ́t-] *n.* 노팅엄. ①=NOTTINGHAMSHIRE. ②그 주도(州都).

Not·ting·ham·shire [nátiŋəmʃiər, -ʃər / nɔ́t-] *n.* 노팅엄셔《잉글랜드 중북부의 주 ; 略 : Notts.》.

Notts. Nottinghamshire.

‡not·with·stand·ing [nàtwiðstǽndiŋ, -wiθ- / nɔ̀t-] *prep.* …에도 불구하고(in spite of) : *Notwithstanding* some members' objections, I think we must go ahead with the plan. 일부 회원의 반대에도 불구하고 우리는 그 계획을 계속 밀고 나가야 한다고 생각한다《★ 때로는 (대)명사 다음에 오는 수가 있음》. — *ad.* 그럼에도 불구하고(nevertheless) ; 여하튼 ; 역시 : We were invited ~. 여하튼 우리는 초대되었다. — *conj.* 〔that 절을 수반하여〕 …이라 해도(although) : He bought the car ~ (*that*) the price was very expensive. 값이 비쌌음에도 불구하고 그는 그 차를 샀다.

***nou·gat** [nú:gət, -gɑ:] *n.* Ⓤ,Ⓒ 누가《호도 따위가 든 캔디의 일종》.

nought ⇨ NAUGHT.

noughts-and-crosses [nɔ́:tsənkrɔ́:siz, -krásiz] *n.*《英》=TICK-TACK-TOE.

‡noun [naun] *n.* Ⓒ, *a.*〖文法〗명사(의) : a ~ of action 행위명사《arrival, confession 따위》/ a ~ clause 〔phrase〕 명사절〔구〕/ usage of ~*s* 명사의 용법.

‡nour·ish [nɔ́:riʃ, nʌ́r-] *vt.* ①《~+目 / +目+前+名》…에 자양분을 주다, 기르다, 살지게 하다 : ~ an infant *with* milk 어린애에게 우유를 주다〔우유로 키우다〕/ Milk ~*es* a body. 우유는 젖먹이에게 영양이 된다 / Strict vegetarians ~ themselves only on vegetablefoods. 엄격한 채식주의자들은 식물성 식품에서만 영양을 섭취한다. ②…을 육성하다, 조성하다(promote) : Good books ~ people's minds. 양서는 사람의 마음의 양식이 된다 / ~ discontent among the workers 노동자들 사이에 불만을 조성하다. ③(희망·원한·노염 등)을 품다(cherish) : He had long ~*ed* the dream of living abroad. 그는 외국에서 생활하는 꿈을 오랫동안 품어왔다 / He ~*es* a hatred for me. 그는 내게 증오심을 품고 있다.
㊞ ***~·ing** *a.* 자양분이 있는.

***nour·ish·ment** [nɔ́:riʃmənt, nʌ́r-] *n.* Ⓤ ①자양물 ; 음식물 ; (정신적) 양식 ; 영양 상태 : supply ~ 영양물을 주다 / a bit of ~ 간단한 식사. cf. nutrition. ②조성, 육성.

nous [naus, nu:s] *n.* Ⓤ《口》상식, 지혜 : Anyone with a bit of ~ would have known what to do. 약간의 상식이 있는 사람이라면 어느 누구나 무엇을 해야 하는지를 알 것이다.

nou·veau riche [nú:vourí:ʃ] (*pl.* ***nou·veaux riches*** [—])《F.》벼락부자, 졸부.

nou·velle cui·sine [nu:vélkwizí:n]《F.》누벨 퀴진《밀가루와 지방을 억제하고 담백한 소스를 쓰는 새로운 프랑스 요리》.

nou·velle vague [nu:vélvá:g] (*pl.* ***nouvelles vagues*** [—])《F.》새물결, 누벨바그《1960년대 초, 프랑스·이탈리아 영화의 전위운동》.

Nov. November.

no·va [nóuvə] (*pl.* ***-vae*** [-vi:], ~***s***) *n.* Ⓒ〖天〗신성(新星)《갑자기 크게 밝아졌다가 점차 밝기가 줄어들면서 원상태로 돌아가는 변광성》.

‡nov·el[1] [nával / nɔ́v-] *a.* 신기한(strange), 새로운(new) ; 기발한 : a ~ idea 기발한 생각, 참신한 아이디어 : We need to find a ~ approach to our advertising. 우리 광고 방식에 대한 기발한 방법을 찾을 필요가 있다.

‡**nov·el²** *n.* Ⓒ (장편) 소설 : a popular ~ 대중 소설.

nov·el·ette [nɑ̀vəlét / nɔ̀v-] *n.* Ⓒ 중편 소설.

‡**nov·el·ist** [nɑ́vəlist / nɔ́v-] *n.* Ⓒ 소설가, 작가.

nov·el·is·tic [nɑ̀vəlístik / nɔ̀v-] *a.* 소설적인.

nov·el·ize [nɑ́vəlàiz / nɔ́v-] *vt.* …을 소설화하다.

no·vel·la [nouvélə] (*pl.* ***-le*** [-lei]) *n.* Ⓒ《It.》① 중편 소설. ② 소품(小品).

‡**nov·el·ty** [nɑ́vəlti / nɔ́v-] *n.* ① Ⓤ 신기함, 진기함 ; 새로움 : I was intrigued by the ~ of her ideas. 그녀 착상의 새롭고 기발함이 내 흥미를 돋우었다. ② Ⓒ 새로운 것 ; 색다른 것〔일〕, 새로운 경험 : It's no ~ to our town. 우리 마을에 흔히 있는 일이다. ③ Ⓒ (*pl.*) 새 고안물《색다른 취향의 장식품·장신구 따위》: Christmas *novelties* 크리스마스용의 소형 신상품.

†**No·vem·ber** [nouvémbər] *n.* 11월《略 : Nov.》: in ~ 11월에 / on ~ 5 =on 5 ~ =on the 5th of ~ 11월 5일에.

no·ve·na [nouví:nə] (*pl.* ***~s, -nae*** [-ni:]) *n.* Ⓒ 〖가톨릭〗 9일 기도.

*__nov·ice__ [nɑ́vis / nɔ́v-] *n.* Ⓒ ① 신참자, 초심자, 풋내기 : a political ~ 풋내기 정치가 / a ~ at skating 스케이트의 초심자 / a ~ driver 초보 운전자. ② 수련 수사(修士)〔수녀〕; 새 신자.

no·vi·ti·ate, -ci·ate [nouvíʃiit, -èit] *n.* Ⓤ 수습 기간.

No·vo·cain(e) [nóuvəkèin] *n.* Ⓤ 노보카인《국부 마취약 ; 商標名》.

†**now** [nau] *ad.* ①〔現在 時制의 동사와 함께〕**a**) 지금, 현재 ; 목하 : He isn't here right ~. 그는 지금 여기에 없다. **b**) 지금 곧, 바로 ; 이제부터 : Do it ~ ! 지금 곧 해라 / Travel ~, pay later. 지금 곧 여행을 떠나십시오, 여비는 후불로《항공 회사의 광고》/ He won't be long ~. 이제 곧 올 것이다. ②〔사건·이야기 등의 안에서〕바야흐로, 그때, 이젠, 그리고 나서 : The case was ~ ready for the jury. 그 사건은 바야흐로 배심에 회부되게 되어 있었다. ③〔just·only 에 수반하고, 動詞의 過去形과 더불어〕바로 금방, 이제 막, 방금 : I saw him *just* ~ on the street. 방금 길에서 그를 보았다. ④〔現在完了 동사와 함께〕지금쯤은, 지금까지, 이제까지 : He should be finished with that assignment ~. 지금쯤은 숙제를 끝마치고 있을 것이다 / I have lived here for ten years ~. 이곳에 거주한 지 이제까지 10년이 된다. ⑤ 현재로는, 오늘날에는 ; 지금에 이르러 : *Now* you rarely see horse-drawn carriages. 이즘엔 거의 마차를 볼 수 없다 / I see ~ what you meant. 지금에야 네가 말하고자 한 것을 알겠다. ⑥〔接續詞的〕한데, 그래서《화제를 바꾸기 위해》; 그런데, 실은《설명을 더하기 위해》: *Now* for the next question. 자, 그럼 다음 문제로 넘어갑니다. ⑦〔感歎詞的〕자, 얘, 우선《명령에 수반》; 설마…, 우선, 대저《언명·의문에 수반》: *Now* let's go. 자 가자 / *Now* listen to me. 우선 내 말을 들어요 / *Now,* ~, gently, gently. 자 자, 조용히 조용히《달래는 말》/ *Now,* don't slam the door when you leave! 나갈 때 문을 쾅 닫지 말아다오 / You don't mean it, ~. 설마, 농담이겠지 / There ~, don't worry. 자, 이젠 걱정하지 말게나. ⑧《口》〔對照的으로〕그래도, 그렇지만 : I'm very busy today. *Now,* if you asked Tom, he'd help you. 나는 오늘 몹시 바쁘네. 그렇지만, 톰에게 부탁하면 자네를 도울 것이네. ***Come*** ~ (1) 자 자《재촉·권유》: *Come* ~, we must start. 자, 출발해야겠다. (2) 저런, 어이 이봐《놀람·항의》: Oh, come ~ ! 저런. ***(every)*** ~ ***and then*** =***(every)*** ~ ***and again*** 때때로, 가끔 : I still see her for lunch ~ *and then,* but not as often as I used to. 나는 여전히 점심시간에 그녀를 보지만, 전과 같이 잦지는 않다 / *Now and then* we could see the lake through the trees. 때때로 나무사이로 호수가 보였다. ***here and*** ~ ⇨HERE. ***just*** ~ ★ now 의 뜻에 대응하여 과거, 현재, 미래의 세 용법이 있음 : (1) 방금, 이제 막《과거를 가리키므로 현재완료와 함께 사용하지 않음이 원칙이나《美口》에서는 때때로 함께 사용하고 있음》: Maggie left for the post office *just* ~. 매기는 방금 우체국으로 떠났습니다. (2) 바로 지금, 지금은 : I can't see anyone *just* ~. 바로 지금은 누구도 만날 수 없다. (3) 곧 : I'll be coming *just* ~. 곧 돌아오겠습니다. ~ ***for*** 그럼 다음은 …이다 : *Now for* today's topics. 그럼 다음은 오늘의 화제를 말하겠다. ***Now*** ~ =***there*** ~ = 얘얘, 이봐, 뭘《부드럽게 항의·주의하는 말》: *Now* ~, don't be so hasty. 뭘 그렇게 서두느냐. ***Now then*** (1) 그렇다면 : *Now then,* who's next? 그럼 다음은 누구냐. (2) =*Now* ~.

— *conj.* …이니(까), …인〔한〕이상은 : *Now* you're here, why not stay for dinner? 모처럼 왔으니 식사를 하고 가시지요. ★ 때로는 뒤에 that 를 수반함 : *Now* (that) you are older, you must do it by yourself. 이제 나이를 좀 먹었으니 혼자 해야 한다.

— *n.* Ⓤ〔주로 前置詞 뒤에 써서〕지금, 목하, 현재 : as of ~ 현재로서는 / *Now* is the time for action! 지금이야 말로 행동할 때다. ***by*** ~ 지금쯤은 이미 : He's safely home *by* ~, I hope. 지금쯤, 그는 무사히 집에 도착했겠지. ***for*** ~ 당분간 ; 지금은, 지금으로는(for the present).

— *a.*〔限定的〕① 현재의, 지금의 : the ~ king 현 국왕. ②《口》최첨단의, 최신 감각의, 유행의 : ~ music〔look〕최신 음악〔복장〕.

NOW《美》National Organization for Women.

‡**now·a·days** [náuədèiz] *ad.*〔現在形의 동사와 함께〕요즘에는, 오늘날에는 : *Nowadays* a great many people can drive a car. 오늘날에는 대단히 많은 사람들이 자동차 운전을 할 수 있다. — *n.* Ⓤ 현재, 현대, 오늘날 : the houses of ~ 오늘날의 집들 / the youth of ~ 오늘날의 청년.

no·way(s) [nóuwèi(z)] *ad.* 조금도 …아니다, 결코 …않다 : He was ~ responsible for the accident. 그 사고에 대해 그는 조금도 책임이 없다.

‡**no·where** [nóuhwὲər] *ad.* 아무 데도 …없다 : He was ~ to be found. 아무 데서도 그를 찾아내지 못했다 / I have been ~ for yours. 최근 몇년 동안 나는 아무 데도 가지 않았다. ***get*** ~ ⇨GET. ***be*** 〔***come*** (***in***)〕~ (경기에서) 입상하지 못하다. ~ ***near*** (…와는) 거리가 먼 ; 여간 …이 아닌 : This is ~ *near* enough food to go around. 모두에게 돌아가기에 충분한 식량이라고는 도저히 말할 수 없다.

— *n.* Ⓤ ① …할 곳이 없음 : He has ~ to go. 그는 갈 데가 없다. ② 어딘지 모르는 곳 : A man appeared from ~. 어디선지 한 사나이가 나타났다. ③ 무명(의 상태) : He came from ~ to win the championship. 이름도 없던 그가 선수권을 획득했다. ***in the middle of*** ~ =***miles from*** ~《口》마을에서 멀리 떨어져 : At dusk we pitched camp *in the middle of* ~. 황혼녘에 이르러 우리는 인적이 드문 외진 곳에 캠프를 쳤다.

no-win [nóuwín] *a.*〔限定的〕승산이 없는 : be in

a ~ situation 승산이 없는 상황에 있다.
nox·ious [nákʃəs / nɔ́k-] *a.* 유해한, 유독한 : ~ chemicals〔fumes〕 유해한 화학물질〔가스〕 / a ~ movie 불건전한 영화.
[파] ~·**ly** *ad.* ~·**ness** *n.*
noz·zle [názəl / nɔ́zəl] *n.* [C] ① (끝이 가늘게 된) 대통〔파이프 · 호스〕 주둥이, 노즐. ②《俗》 코.
NP noun phrase. **Np** 〖化〗 neptunium. **NPT** nonproliferation treaty. **nr, nr.** near, number.
ns nanosecond. **N.S.** New Style ; Nova Scotia. **NSC** 《美》 National Security Council.
nsec nanosecond. **N.S.P.C.C.** National Society for the Prevention of Cruelty to Children.
N.S.W. New South Wales. **NT, N.T.** 《英》 National Trust ; New Testament.
-n't [nt] *ad.* NOT 의 간약형.
NTB non-tariff barrier(비관세 장벽).
nth [enθ] *a.* 〔限定的〕 ① 제 n 번째의 ; n 배(倍)의. ②《口》 몇 번째인지 모를 정도의(umpteenth) : This is the ~ time I've told you to be quiet. 조용히 하라고 몇번 말해야 하겠는가. ***to the ~ degree*** 〔***power***〕 ⑴ n 차(次)〔n 제곱〕까지. ⑵ 최대한으로, 어디까지나, 극도로 : The new hotel was luxurious *to the ~ degree.* 그 새 호텔은 극도로 호화스러웠다.
NTP 〖物〗 normal temperature and pressure(상온(常溫) 정상 기압(正常氣壓)). **nt. wt.** net weight.
nu [nju:] *n.* [U,C] 그리스어 알파벳의 열세번째 글자《*N*, *ν* ; 로마자의 N, n 에 해당》.
nu·ance [njú:ɑ:ns, -́] *n.* [C] 빛깔의 엷고 짙은 정도, 색조(色調) ; 뉘앙스, 미묘한 차이《말의 뜻 · 감정 · 빛깔 · 소리 등의》: The painter has managed to capture every ~ of the woman's expression. 그 화가는 여자의 표정의 미묘한 온갖 차이를 잘 포착하여 처리했다 / Example sentences in this dictionary help convey the ~*s* of meaning of a word. 이 사전의 예문들은 단어의 뜻의 미묘한 차이를 전달하는 데 도움을 주고 있다.
nub [nʌb] *n.* ① [C] 작은 덩이(lump). ② (the ~) 요점, 골자 : What do you think is *the* ~ of the problem? 이 문제의 골자는 무엇이라 생각하느냐.
nub·bin [nʌ́bin] *n.* [C] 《美》 ① (과일 · 옥수수 등의) 작고 덜 여문 것. ② 몽당연필 · 담배 꽁초 (따위).
Nú·bi·an Désert [njú:biən-] (the ~) 누비아 「사막.
nu·bile [njú:bil, -bail] *a.* ① (여자의) 결혼 적령기의, 나이 찬. ② (여성의 체격이) 성적 매력이 있는 : Rich old men often like to be surrounded by ~ young women. 돈많고 늙은 남자들은 때때로 젊고 매력있는 여자들로 둘러 싸여 있기를 좋아한다.
[파] **nu·bil·i·ty** [nju:bíləti] *n.* [U] 혼기, 묘령.
‡**nu·cle·ar** [njú:kliər] *a.* 〖物〗 원자핵의 ; 핵무기의 ; 핵을 보유하는, 핵무장의 : ~ nonproliferation 핵확산 방지 / ~ propulsion 핵추진(력) / a ~ scientist 원자 과학자 / a ~ ship 원자력선 / ~ war 핵전쟁 / ~ arms 〔weapon〕 핵무기 / ~ waste(s) 핵 폐기물. ***go*** ~ ⑴ 핵보유국이 되다. ⑵ 원자력 발전을 채용하다.
── *n.* [C] ① 핵무기. ② 핵보유국.
núclear fámily (부모와 미혼 자녀만으로 구성된) 핵가족. [cf] extended family.
nuclear-free [njú:kliərfrí:] *a.* 〔限定的〕 핵무기와 원자력 사용이 금지된 ; 핵위협이 없는 : a ~ zone 비핵 지대.
núclear phýsicist 핵물리학자.
núclear phýsics (원자)핵물리학.
núclear plànt 원자력 발전소.
núclear reáctor 원자로(reactor).
núclear wínter (the ~) 핵 겨울《핵전쟁 후에 일어나는 전 지구의 한랭화 현상》.
nu·cle·ate [njú:klièit] *vt., vi.* (…의) 핵을 이루다 ; 핵이 되다. ── [-kliit, -èit] *a.* 핵이 있는 ; 핵에 기인하는.
nu·clei [njú:kliài] NUCLEUS의 복수.
nu·clé·ic ácid [nju:klí:ik-, -kléi-] 〖生化〗 핵산(核酸). [cf] DNA, RNA.
nu·cle·on [njú:kliàn / -kliɔ̀n] *n.* [C] 〖物〗 핵자(核子)《양성자와 중성자의 총칭》.
nu·cle·on·ics [njù:kliániks / -kliɔ́niks] *n.* [U] (원자) 핵공학.
nu·cle·us** [njú:kliəs] (*pl.* ***-clei [-kliài], ~·***es***) *n.* [C] ① 핵, 심 ; 중심, 핵심 ; 중추, 기점 : The three players will form the ~ of a revised and stronger team. 그 세 선수가 보강된 팀의 핵심을 이룰 것이다. [cf] core, kernel. ② 〖物 · 化〗 (원자)핵 ; 〖生〗 세포핵.
nu·clide [njú:klaid] *n.* [C] 〖物 · 化〗 핵종(核種).
nude** [nju:d] (núd·er*** ; ***núd·est***) *a.* ① **a)** 발가벗은, 나체의 : a ~ picture 나체화. **b)** 〔限定的〕 누드〔나체〕로 하는 : a ~ party 누드 파티 / a ~ model 누드 모델 / a ~ show 누드 쇼. ② 수목이 없는《야산 등》; 장식이 없는《방 등》.
── *n.* ① [C] **a)** 벌거벗은 사람. **b)** 나체화〔상〕. ② (the ~) 나체《상태》: swim in *the* ~ 나체로 수영하다. [파] ∠·**ly** *ad.* ∠·**ness** *n.*
nudge [nʌdʒ] *n.* [C] (주의를 끌기 위해) 팔꿈치로 슬쩍 찌르기 : give a person a ~ 아무를 팔꿈치로 살짝 찌르다. ── *vt.* ① 팔꿈치로 슬쩍 찌르다《★ 신체 부위를 나타내는 명사 앞에 the 를 쓴다》: ~ a person in *the* ribs 아무의 옆구리를 슬쩍 찌르다 / My mother ~*d* me *to* keep silent. 어머니는 나를 살짝 찌르고 조용히 하라고 눈짓했다 / He ~*d* me *into* going ahead. 그는 나를 쿡쿡 찌르며 전진하라고 눈짓했다. ② (팔꿈치로) 슬쩍 밀어서 움직이다 : He ~*d* me aside. 그는 나를 팔꿈치를 쿡쿡 찔러 옆으로 비키게 했다 / We ~*d* our way *through* the crowd. 우리는 군중 속을 팔꿈치로 헤치면서 앞으로 나갔다. ── *vi.* 살짝 찌르다〔밀다〕.
nud·ism [njú:dizəm] *n.* [U] 나체주의.
nud·ist [njú:dist] *n.* [C] 나체주의자, 누디스트. ── *a.* 나체주의(자)의, 누디스트의 : a ~ colony 〔camp〕 나체촌(村).
nu·di·ty [njú:dəti] *n.* [U] 벌거숭이, 나체(상태) : The film was criticized for its excessive violence and ~. 그 영화는 지나치게 많은 폭력과 나체 장면 때문에 비난받았다.
nu·ga·to·ry [njú:gətɔ̀:ri / -təri] *a.* ① 무가치〔무의미〕한, 쓸모 없는. ② 무효의.
nug·get [nʌ́git] *n.* [C] ① (천연의) 귀금속 덩어리 : a gold ~ 금덩어리. ② 귀중한〔흥미로운〕 정보 : It took ages to extract that ~ of information from him. 그로부터 그 귀중한 정보를 빼내는 데 오래 걸렸다.
‡**nui·sance** [njú:səns] *n.* [C] ① 폐, 성가심, 귀찮음, 불쾌 : the index number of ~ 불쾌 지수 / the ~ of city traffic 골치 아픈 시내 교통 사정 / We're not going to be a ~. 우리는 폐를 끼치고 싶지는 않다. ② 난처한〔성가신, 골치 아픈〕 것, 귀찮은 행위〔사람〕: Mosquitoes are a ~. 모기란 귀찮은 존재다 / It's a ~ having〔to have〕 to go out in the rain. 비가 오는데 나가야 하다니 골치 아프군. ③ 〖法〗 불법 방해 : a public 〔a private〕 ~ 공적〔사적〕인 불법 방해《소음 · 악취처럼 사회 전반에 해를 끼치는 위법 행위》. (***Commit***) ***No***

Nuisance! 《英》 (1) 소변 금지. (2) 쓰레기 버리지 말 것《게시》.

núisance tàx 소액 소비세《보통 소비자가 부담》.

núisance válue 성가시게 한 만큼의 효과〔가치〕; 방해 효과.

nuke [nju:k] 《美俗》 *n.* ① Ⓒ 핵무기(nuclear weapon); 원자력 잠수함. ② Ⓒ 원자력 발전소. ③ Ⓤ 원자력.
── *vt.* ① …을 핵무기로 공격하다. ② 《美俗》 (음식)을 전자 레인지로 조리하다〔데우다〕.

null [nʌl] *a.* ① 효력이 없는, 무효의. ② 무가치한. ③ 〖數〗 영의; 〖컴〗 빈《정보의 부재》: ~ character 빈문자《모든 비트가 0인 문자; 자료처리에 있어서의 충전용 제어 문자》. ~ ***and void*** 〖法〗 무효의: The change in the law makes the previous agreement ~ *and void*. 법의 개정은 앞서 한 계약을 무효로 만든다.

nul·li·fi·ca·tion [nʌ̀ləfikéiʃən] *n.* Ⓤ 무효로 함〔됨〕, 폐기, 취소.

***nul·li·fy** [nʌ́ləfài] *vt.* ① …을 무효로 하다《특히 법률상》, 폐기〔취소〕하다: He used his broad executive powers to ~ decisions by local governments. 그는 지방정부의 결정들을 무효화하기 위해 광범한 행정권을 썼다. ② 무가치하게 만들다, 수포로 돌리다: All my hard work was *nullified* when I lost my notes. 기록들을 분실했을 때 내 고된 모든 작업이 수포로 돌아갔다.

nul·li·ty [nʌ́ləti] *n.* Ⓤ ① 무효: a ~ suit 혼인 무효 소송. ② 무, 무가치.

Num. 〔聖〕 Numbers.

***numb** [nʌm] (*∠·er*; *∠·est*) *a.* ① (추위로) 곱은(benumbed), 언: ~ fingers 곱은 손가락 / My fingers were so ~ I could hardly write. 손가락이 몹시 곱아 거의 글을 쓸 수 없었다. ② (피로·슬픔 등으로) 마비된, 무감각해진. ── *vt.* 〔종종 受動으로〕 감각을 없애다, 마비시키다, 곱게 하다: My fingers *were* ~ *with* cold. 손가락이 추위로 곱았다 / She *was* ~ *with* grief. 그녀는 슬픔으로 넋을 잃었다 / The extreme cold ~*ed* her face and hands. 심한 추위가 그녀의 뺨과 두 손을 마비시켰다.

†num·ber [nʌ́mbər] *n.* ① **a)** Ⓒ (추상 개념의) 수: a high 〔low〕 ~ 큰〔작은〕 수 / an even〔odd, imaginary〕 ~ 짝〔홀, 허〕수. **b)** Ⓤ (종종 the ~) (사람·물건의) (총)수; 개수, 인원수: *The* ~ of students has been increasing. 학생수는 증가해오고 있다 / *The* ~ of the wound was estimated at 100. 부상자의 수는 100명으로 추산되었다. **c)** Ⓤ 계수, 수리(數理): a sense of ~ 수관념. ② Ⓒ 숫자, 수사(數詞) (numeral); 〖컴〗 숫자. ③ Ⓒ 번호, 호수, 번지; (제) …번《★ 보통 숫자 앞에서는 No., no. 로 생략하고, # 의 기호로 표시함. 주소를 쓸 때 번지수 앞에서는 보통 No.를 쓰지 않음》: The ~ of this card 〔room〕 is 18. 이 카드〔방〕의 번호는 18이다 / a phone ~ 전화 번호 / # 12, (제) 12호 / a license ~ 등록 번호. ④ Ⓒ (잡지의) 호(issue); 프로그램(중의 하나); (연주회의) 곡목: the May ~ 〔a back ~, ten ~*s*〕 of this magazine 이 잡지의 5월호〔묵은 호, 10호치〕. ⑤ Ⓒ 패, 동아리, 동료: He isn't of our ~. 그는 우리 패가 아니다. ⑥ (때로 *pl.*) 다수, 약간: ~*s* of... 다수의… / A (large) ~ 〔*Numbers*〕 of people were present. 많은 사람이 와 있었다《★ a (large) ~ of ...나 *Numbers* of...은 모두 복수동사로 받음》. ⑦ (*pl.*) 산수(arithmetic): She is good〔bad〕 at ~*s*. 그녀는 산수를 잘〔못〕한다. ⑧ (*pl.*) 〖樂〗 음률; 운율; 운문, 시, 노래. ⑨ 〖文法〗 Ⓤ,Ⓒ 수: singular〔plural〕 ~ 단〔복〕수. ⑩ 《美俗》 〔흔히 單數形으로, 修飾語를 수반〕 **a)** (다수 중에서 골라 낸) 사람, 물건. **b)** 《口》 처녀, 젊은 여자: a cute ~ 예쁜 계집애. **c)** 《口》 상품; 의류품: The dress was a smart ~. ***a ~ of*** 다수의, 얼마간의: *a* small ~ *of* 소수의 / *a* great 〔large〕 ~ *of* 다수의 / There are *a* ~ *of* books in his study. 그의 서재에는 많은 책이 있다. ***any ~*** 꽤 많이(quite a few)《*of*》: He has shown me *any* ~ *of* kindness. 내게 여러가지로 친절하게 해 주었다 / We can do it *any* ~ *of* times. 몇번이라도 할 수 있다. ***beyond ~*** = ***without*** 〔***out of***〕 ~ 〔흔히 名詞 뒤에 놓여〕 셀 수 없는〔없이〕, 무수한〔히〕: times *without* ~ 수없이 여러번 / spectators *beyond* ~ 셀 수 없이 많은 관객. ***by ~s*** (1) 수의 힘으로. (2) 〖英軍〗 = by the ~s. ***by the ~s*** (1) 〖美軍〗 구령에 맞추어. (2) 규칙대로, 교과서대로: We're going to run things here *by the* ~*s*. 이곳에서는 일들을 규칙대로 진행시킬 작정입니다. ***do a ~ on*** …을 헐뜯다, 상처를 주다. ***get*** 〔***have***〕 a person***'s*** ~ 《口》 아무의 의중〔성격〕을 간파하다: Don't worry, I'*ve got his* ~, he doesn't fool me. 걱정말게. 그의 의중을 간파했으니 나를 속이지는 않을걸세. ***in ~s*** (1) (잡지 등을) 분책(分冊)하여; 몇 번에 나누어서. (2) 여럿이서; 〔흔히 修飾語를 수반하여〕 …의 수로: migrate *in* ~*s* (동물이) 대거 이동하다 / *in* great ~*s* 여럿이서. ***one's ~ is*** 〔***goes***〕 ***up*** 《口》 수명〔운〕이 다하다; 진퇴양난이다; 《口》 죽음이 다가오다: When the plane started to shake, Colin thought *his* ~ *was up*. 비행기가 흔들거리기 시작하자, 콜린은 최후가 임박했다고 생각했다. ***to the ~ of*** …의 수에 이르도록, …만치(as many as): live *to the* ~ *of* eighty 여든이 되도록(까지) 살다.
── *vt.* ① …을 세다; 열거하다: ~ stars 별을 세다 / They ~*ed* the highlight of their trip. 여행 중의 가장 흥미진진하던 부분을 열거했다. ② 《+목+전+명》 …를 셈에 넣다, …의 속에 넣다, 구성원으로〔요소로〕 간주하다《*among*; *in*; *with*》: ~ a person *among* one's friends 아무를 친구의 한 사람으로 치다 / I ~ myself *among* his friends. 나는 그의 친구의 한 사람으로 생각한다. ③ (총계) …이 되다; …의 수에 달하다: We ~ 10 in all. 우리는 모두 10명이다 / The library ~*s* about 500,000 books. 그 도서관의 장서는 약 500,000부에 이른다. ④ 〔受動으로〕 …의 수를 제한하다; 국한하다: His days *are* ~*ed*. 그의 여생은 얼마 안 남았다. ⑤ …에 번호〔숫자〕를 매기다: ~ the page in a book 책에 페이지 수를 매기다 / The platforms are ~*ed* 1, 2, 3 and 4. 플랫폼에는 1, 2, 3, 4의 번호가 매겨져 있다.
── *vi.* ① 총계 …이 되다《*in*》: ~ *in* the thousands 천대에 달하다. ② 포함되다《*among*; *with*》: His song ~*s among* the top ten. 그의 노래는 톱텐에 들어 있다.
~ ***off*** (점호 때) 번호를 부르다.

númber crùncher 《口》 (복잡한 계산을 하는) 대형 컴퓨터.

núm·ber·ing machìne [nʌ́mbəriŋ-] 번호 인자기(印字機), 넘버링(머신).

***num·ber·less** [nʌ́mbərlis] *a.* ① 셀 수 없는(innumerable), 무수한: the ~ stars in the night sky 밤하늘의 무수한 별들. ② 번호 없는.

númber óne ① 《口》 (이기적인 면에서) 자기(oneself); 자기 이해(利害): take care of〔look after〕 ~. 자신의 이익만을 꾀하다. ② **a)** 제 1 번. **b)** 《美口》 제 1 인자, 제 1 급〔1 류〕의 것: The company is ~ in plastics. 그 회사는 합성 수지에

서는 제1급이다. ③《兒·婉》쉬: do ~s 쉬하다. ── a. 〔限定的〕《口》① 제1의. ② 일류의; 특출한: the 〔a〕 ~ rock group 제1류급의 록 그룹.

númber plàte ①《英》(자동차 따위의) 번호판 (《美》 license plate). ② 번지 표시판.

Num·bers [nʌ́mbərz] n. pl. 〔單數 취급〕〖聖〗(구약의) 민수기(民數記)《略: Num(b).》.

númber tén 《美俗》 최악의.

Númber Tén (Dówning Stréet) 영국 수상관저.

númber twó ① 제 2 의 실력자. ②《兒·婉》응가, 대변.

numb·ing [nʌ́miŋ] a. 〔限定的〕 아연〔망연〕케 하는; 무감각하게 만드는; 마비시키는.

numbskull ⇨ NUMSKULL.

nu·mer·a·ble [njúːmərəbəl] a. 셀 수 있는, 계산할 수 있는(countable).

nu·mer·a·cy [njúːmərəsi / njúː-] n. Ⓤ 수학적 기초 지식이 있음, 기본적 계산력.

***nu·mer·al** [njúːmərəl] a. 수의; 수를 나타내는. ── n. ① Ⓒ 숫자; 〖文法〗 수사(數詞). ② (pl.) 《美》(학교) 졸업 연도의 숫자《운동 선수 등에게 사용이 허용됨》.

nu·mer·ate [njúːmərèit] vt. ① …을 세다, 계산하다. ② (수식)을 읽다. ── [-mərit] a. 《英》 수학의 기초 지식이 있는.

nu·mer·a·tion [njùːməréiʃən] n. ① Ⓤ 계수(計數), 계산(법); 〖數〗 명수법(命數法): decimal ~ 십진법 / the ~ table 숫자표. ② Ⓤ.Ⓒ (인구 등의) 계산, 통계《of》.

nu·mer·a·tor [njúːmərèitər] n. Ⓒ ①〖數〗(분수의) 분자. cf. denominator. ② 계산자(者); 계산기.

nu·mer·ic [njuːmérik] a. = NUMERICAL; 〖컴〗 숫자(적).

***nu·mer·i·cal** [njuːmérikəl] a. 수의, 숫자상의; 숫자로 나타낸: ~ data 숫자로 나타낸 자료 / a ~ statement 통계 / in ~ order 번호순으로 / We have ~ strength over the enemy. 우리는 병력수에서 적보다 우세하다. ㊊ ~·ly [-kəli] ad.

numérical contról 〖컴〗 수치 제어(數値制御) 《자동화의 방법; 略: NC》.

numérical kéypad 〖컴〗 숫자판.

nu·mer·ol·o·gy [njùːmərɑ́lədʒi / -mərɔ́l-] n. Ⓤ 수비학(數祕學), 수점(數占)《생년월일, 이름의 획수로 점을 침》.

‡**nu·mer·ous** [njúːmərəs] a. ①〔複數名詞를 수반하여〕 다수의; 많은: his ~ friends 그의 수많은 친구 / Despite ~ attempts to diet, her weight soared. 수많은 식이요법에도 불구하고 그녀의 체중은 늘었다. ②〔單數形 집합명사를 수반하여〕 다수로 이루어진, 많은: a ~ army〔family〕 대군〔대가족〕/ His collection of books is ~. 그의 장서는 많다. ㊊ ~·ly ad.

nu·mi·nous [njúːmənəs] a. 초자연적인, 신령적인, 신비적인.

nu·mis·mat·ic [njùːməzmǽtik, -məs-] a. 화폐의; 고전학(古錢學)의.

nu·mis·mat·ics [njùːməzmǽtiks, -məs-] n. Ⓤ 화폐학; 고전(古錢)학.

nu·mis·ma·tist [njuːmízmətist, -mís-] n. Ⓒ 화폐〔고전(古錢)〕학자.

Núm Lóck kèy 〖컴〗 숫자 걸쇠.

num·skull, numb- [nʌ́mskʌ̀l] n. Ⓒ《口》 바보, 멍텅구리.

‡**nun** [nʌn] n. Ⓒ 수녀. cf. monk.

nun·cio [nʌ́nʃiòu] (pl. ~s) n. Ⓒ (외국 주재의) 로마 교황 대사.

nun·nery [nʌ́nəri] (pl. -ner·ies) n. Ⓒ 수녀원.

***nup·tial** [nʌ́pʃəl, -tʃəl] a. 결혼(식)의: ~ vows 결혼 서약. ── n. (흔히 pl.) 결혼식, 혼례.

†**nurse** [nəːrs] n. Ⓒ ① 유모(wet ~); 보모(dry ~); = NURSEMAID. ② 간호사, 간호인: The ~ is coming to give you an injection. 네게 주사를 놓으려고 간호사가 오고 있다. ③〖蟲〗 보모충《유충을 보호하는 곤충; 일벌·일개미 따위》.

── vt. ①《~+목 / +목+전+명》 아이 보다, 돌보다; …에게 젖을 먹이다, 키우다, 양육하다: ~ a baby *at* the breast 아기를 모유로 키우다 / He has been ~*d in* luxury. 그는 사치스럽게 양육(養育)되었다〔자랐다〕/ These young trees were carefully ~*d by* the head gardner. 이들 어린 나무들은 수석 정원사에 의해 정성스레 키워졌다. ② …를 어르다, 애무하다, 끌어안다: He ~*d* the crying baby on his lap. 그는 자기 무릎위에서 울고 있는 아기를 얼렀다. ③ (원한·희망 따위)를 품다: ~ a grudge 〔ambitions〕 원한〔야망〕을 품다. ④《~+목 / +목+전+명》(환자)를 간호하다, 병구완하다: ~ a patient back *to* life 환자를 간호하여 소생시키다. ⑤ (병을 보양하여) 고치다, 치료에 힘쓰다: I went to bed to ~ my cold. 감기를 고치기 위해 잠자리에 들었다. ⑥ …을 주의하여 다루다, 소중히 하다: ~ a memento 기념품을 소중히 하다. ⑦《英》(선거구민의) 비위를 맞추다: ~ a constituency 선거구민을 회유하다. ⑧ …을 단단히 지니다: ~ a trunk between legs 트렁크를 양다리 사이에 꽉 끼다.

── vi. ① 젖을 먹이다. ② (어린애가) 젖을 먹다: a baby *nursing* at its mother's breast 어머니의 젖을 먹고 있는 어린이. ③ 간호하다, 간호원으로 일하다: She has been *nursing* for thirty years. 그녀는 30년 동안 간호사로 일하고 있다.

nurse·ling [nə́ːrsliŋ] n. = NURSLING.

nurse·maid [nə́ːrsmèid] n. Ⓒ ① 아이 보는 여자. ② 돌보아 주길 좋아하는 사람.

‡**nurs·ery** [nə́ːrsəri] n. Ⓒ ① 아이 방, 육아실; 탁아소(day ~); 보육원; (병원의) 신생아실. ② (종종 pl.) 못자리, 종묘원; 양어장, 양식장. ③ 양성소; (범죄의) 온상.

núrsery gàrden 묘목밭.

nurs·ery·maid [´-mèid] n. = NURSEMAID.

nurs·ery·man [´-mən] (pl. -men [-mən]) n. Ⓒ 종묘원 주인〔정원사〕.

núrsery nùrse 《英》 보모.

núrsery rhỳme 동요.

núrsery schòol 보육원(nursery), 유치원.

núrsery slòpes 〖스키〗 초보자용 (활강) 코스.

núrsery tàle 동화.

núrse's áide 간호 보조원.

***nurs·ing** [nə́ːrsiŋ] a. 수유(授乳)〔포유〕하는, 양육〔보육〕하는; 간호하는: one's ~ father 수양부 / ~ mother 수양모; 수요모(授乳母). ── n. Ⓤ ① (직업으로서의) 간호(업무), 간병. ② 육아〔보육〕 기간; 수유 기간.

núrsing bòttle 포유〔젖〕병(甁).

núrsing hòme 개인 병원 〔산원(産院)〕; (노인·병자의) 요양소.

núrsing schòol 간호학교; 간호사 양성소.

nurs·ling [nə́ːrsliŋ] n. Ⓒ ① (유모가 기르는) 젖먹이, 유아. ② 귀하게 자란 사람, 귀염둥이.

***nur·ture** [nə́ːrtʃər] n. Ⓤ ① 양육; 양성, 훈육, 교육: nature and ~ 가문과 성장(과정). ② 영양(물), 음식. ── vt. …을 양육하다; …에게 영양물을 주다; 가르쳐 길들이다, 교육하다: a delicately ~*d* girl 허약하게 자란 소녀 / As a record company director, his job is to ~ young talent.

레코드 회사의 감독으로서 그의 임무는 젊은 탤런트를 교육하는 것이다.

‡nut [nʌt] *n.* ① Ⓒ 견과《호두·개암·밤 따위》. ⓒⓕ berry. ② Ⓒ 〖機〗 너트, 고정나사. ③ Ⓒ 〖樂〗 (현악기의 활의) 조리개 ; 현악기 지판(指板) 상부의 줄을 조절하는 부분. ④ Ⓒ **a)** 《俗》 대가리 : use one's ~ 머리를 쓰다 / You get this in your ~. 이것을 머리속에 잘 간직하게. **b)** 괴짜, 바보, 미치광이. **c)** 열광적 애호가〔신봉자〕 (ⓒⓕ nuts) : a golf ~ 골프광(狂). ⑤ (*pl.*) 《英》 (석탄·버터 등의) 작은 덩이. ⑥ 《卑》 (*pl.*) 불알. ***a hard*** 〔***tough***〕 ***~ to crack*** 어려운 것〔문제〕; 다루기 힘든 사람 : Getting out there is in many ways the *hardest ~ to crack.* 그곳을 나간다는 것은 여러가지 점에서 가장 어려운 문제이다. ***do* one's *~(s)*** 《英俗》 불같이 노하다 : My Mum'll *do her ~* when she finds out I failed all my exams. 어머니는 내가 시험을 잘못 본 것을 알면 노발대발할 것이다. ***~s and bolts*** (the ~) (1) 사물의 기본〔근본〕. (2) 실제 운영〔경영〕. ***not care a*** (***rotten***) ***~*** 조금도 상관〔개의치〕 않다. ***off* one's *~*** 《俗》 미쳐서. ── (**-tt-**) *vi.* 나무 열매를 줍다 : go *~ting* 나무 열매를 주우러 가다.

nút càse 《俗》 미치광이. 「까는 기구.

nut·crack·er [ˊ-krӕkər] *n.* Ⓒ (흔히 *pl.*) 호두

nut·hatch [ˊ-hӕtʃ] *n.* Ⓒ 〖鳥〗 동고비.

nút hòuse 《俗》 정신 병원.

nut·meg [ˊ-meg] *n.* ① Ⓒ 〖植〗 육두구 ; 그 열매의 씨《약용·향료로 씀》. ② Ⓤ (육두구 열매를 빻아서 만든) 향신료.

nu·tria [njúːtriə] *n.* ① Ⓒ 〖動〗 뉴트리아《남아메리카산의 설치(齧齒) 동물》. ② Ⓤ 그 모피.

nu·tri·ent [njúːtriənt] *a.* 영양〔자양〕이 되는. ── *n.* Ⓒ 영양소 ; 영양제, 자양물.

nu·tri·ment [njúːtrəmənt] *n.* Ⓤ,Ⓒ 영양물, 음식물 ; 영양소.

***nu·tri·tion** [njuːtríʃən] *n.* Ⓤ ① 영양 ; 영양 공급〔섭취〕. ② 자양물, 음식물. ③ 영양학. ⓟ **~·al** [-ʃənəl] *a.* 영양의, 자양의. **~·al·ly** [-ʃənəli] *ad.* **~·ist** *n.* Ⓒ 영양사〔학자〕.

nu·tri·tious [njuːtríʃəs] *a.* 영양분이 있는, 영양이 되는 : Wholemeal bread is more ~ than white bread. 통밀가루 빵이 흰빵보다 영양가가 있다. ⓟ **~·ly** *ad.* **~·ness** *n.*

nu·tri·tive [njúːtrətiv] *a.* 영양이 되는, 영양분이 있는 ; 영양의, 영양에 관한.

nuts [nʌts] *int.* 《俗》 〔경멸·혐오·거부·실망 등을 나타내어〕 쯧쯧, 시시하군, 제기랄, 바보같이, 어이없군(nonsense, nerts) 《*to*》 : *Nuts* (to you)! 말도 안돼. ── *a.* 〔敍述的〕 《俗》 ① 열광적인, 열중하는《*about* ; *on* ; *over*》 : She's ~ *about* the boy next door. 그녀는 옆집 청년에게 홀딱 반해 있다. ② 미친, 미치광이의 : He's ~. 그는 머리가 돌았다.

nut·shell [nʌ́t-ʃèl] *n.* Ⓒ 견과(堅果)의 껍질. ***in a ~*** 아주 간결하게〔요약해서〕, 말하자면, 요컨대 : (To put it) *in a* ~, I don't like his way of doing things. 단적으로 말하면, 나는 그의 하는 법이 마음에 들지 않는다 / This, *in a* ~, is the situation. 요컨대 사정은 이렇다.

nut·ter [nʌ́tər] *n.* Ⓒ 《英俗》 괴짜 ; 미치광이.

nut·ting [nʌ́tiŋ] *n.* Ⓤ 나무 열매줍기.

nut·ty [nʌ́ti] (***-ti·er*** ; ***-ti·est***) *a.* ① 견과(堅果)가 많은 ; 견과 맛이 나는. ② 《俗》 머리가 돈, 미치광이의 ; 《俗》 반한 ; 열중하는《*about* ; *on* ; *over*》. ⓟ **-ti·ly** *ad.* **-ti·ness** [-nis] *n.* Ⓤ 견과의 맛이 있음 ; 《俗》 홀딱 반함.

nuz·zle [nʌ́zəl] *vt.* ① **a)** …에 코를 가져다 대다 ; …을 코로 비비다 : The lamb ~*d* its mother's teats. 아기양이 어미양의 젖꼭지를 코로 비볐다. **b)** (머리·얼굴·코 등)을 디밀다, 밀어넣다. ② **a)** …에 머리 따위를 비벼대다《*against*》. **b)** 〔再歸的〕 …에 다가붙다.
── *vi.* ① 코를 바싹 가져다 대다 ; 코로 비벼〔밀어〕 대다《*up* ; *into* ; *against*》 : The dog came and ~*d up* against me in the most friendly manner. 개가 다가와서 아주 친한 몸짓으로 몇번이고 내게 코를 비벼댔다. ② 다가붙다 : When six o'clock came, she ~*d* closer and said "Don't go just yet." 여섯시가 되자 그녀가 바싹 다가와서는 '아직 가지 마라'고 말했다.

NV 〖美郵〗 Nevada. **n.w., NW, N.W.** northwest(ern) **NWbN**〔**W**〕 northwest by north〔west〕. **NY** 〖美郵〗 New York. **N.Y.** New York (State).

N.Y.C. New York City.

‡ny·lon [náilɑn / -lɔn] *n.* ① Ⓤ 나일론. ② (*pl.*) 여자용 나일론 양말(=ˊ∠ **stóckings**).

‡nymph [nimf] *n.* Ⓒ ① 〖그神·로神〗 님프, 여정(女精). ② 《詩》 아름다운 처녀. ③ 〖蟲〗 애벌레 ; 《稀》 번데기(pupa).

nymph·et [nímfit, nimfét] *n.* Ⓒ 조숙한〔성적으로 눈뜬〕 소녀.

nym·pho [nímfou] *n.* Ⓒ 《口》 음란한〔색정증의〕 여자(nymphomaniac).

nym·pho·ma·nia [nìmfəméiniə] *n.* Ⓤ 〖醫〗 여자 음란증, (여자의) 색정광(色情狂).
ⓟ **-ni·ac** [-niӕk] *a.*, *n.* Ⓒ 색정증의 (여자).

NYSE New York Stock Exchange.

N.Z., N. Zeal. New Zealand.

O

O[1], **o** [ou] (*pl.* **O's, *Os*, o's, *o*(e)s** [-z]) ① 오 《영어 알파벳의 열다섯째 글자》. ② O자형(의 것) ; 원형 ; (전화 번호 등의) 영. ③ 15번째(의 것)《J를 빼면 14 번째》. ***O for Oliver,*** Oliver 의 O《국제 전화 통화 용어》.

‡**O**[2] *int.* 〔언제나 대문자며 바로 뒤엔 콤마·감탄부 등을 붙이지 않음〕 ① 오!, 앗!, 저런!, 아! 《놀람·공포·찬탄·비탄·애소·간망(懇望) 등을 나타냄》. cf. oh¹. ¶ *O* indeed! 정말 ; 참으로 / *O* for wings! 아, 날개가 있었으면 / *O* to be in England! 아, 영국에 있다면《국외에서 고국을 그리는 표현》/ *O* that I were rich! 아, 부자라면 (좋으련만). ② 〔특히 부를 때 어세를 높이는 시적 표현으로〕 오… : Praise the Lord, *O* Jerusalem. 주를 찬미하라, 오 예루살렘이여.

O' [ə] *pref.* 아일랜드 사람의 성 앞에 붙임《son of 의 뜻》: *O'*Connor. cf. Fitz-, Mac-.

o' [ə, ou] *prep.* OF의 생략 ; 《方》 ON의 생략 : *o'*clock ; man-*o'*-war ; *o'*nights.

o- *pref.* =OB-《m 앞에서의 꼴》: *o*mit.

-o- ① 복합어 제1요소 끝에 붙여 동격(同格) 관계를 나타내는 연결 문자 : Franc*o*-Italian, Russ*o*-Chinese. ② -cracy, -logy 따위 그리스계 어미에 붙어 복합어를 이루는 연결 문자 : techn*o*cracy, techn*o*logy.

O 〖文法〗 object ; 〖化〗 oxygen. **O.** Observer ; Ocean; October ; Ohio; Old ; Ontario ; Order. **o** 〖電〗 ohm. **OA** 〖컴〗 office automation(사무 자동화).

oaf [ouf] (*pl.* **~s, *oaves*** [ouvz]) *n.* Ⓒ 바보 ; 멍청이 : a big ~ 덩치만 크고 쓸모없는 사람.

oaf·ish [óufiʃ] *a.* 바보 같은 ; 바보의.

‡**oak** [ouk] (*pl.* **~s,** ~) *n.* ① Ⓒ 〖植〗 오크《떡갈나무·참나무·가시나무 무리의 총칭》. ② Ⓤ 오크 재목(=∠ **tìmber**) ; 오크 제품《가구 따위》. ③ Ⓤ 오크 잎《장식》. ④《英》(대학의 견고한) 바깥문짝.
—*a.* 오크(제)의 : ~ furniture 오크제 가구.

óak àpple 오크의 몰식자(沒食子), 오배자(五倍子)《예전의 잉크 원료》.

***oak·en** [óukən] *a.* 오크(제)의.

Oaks [ouks] *n.* (the ~) 《英》 오크스 경마《잉글랜드의 Surrey 주 Epsom 에서 매년 열리는 4 살짜리 암말의 경마》.

oak tree =OAK ①.

oa·kum [óukəm] *n.* Ⓤ 〖海〗 뱃밥《낡은 밧줄을 푼 것 ; 누수방지용으로 틈새를 메움》.

OAP old-age pensioner(노령 연금 수혜자).

OAPEC [ouéipek] Organization of Arab Petroleum Exporting Countries (아랍 석유 수출국 기구).

‡**oar** [ɔːr] *n.* ① Ⓒ 노. cf. paddle, scull. ¶ back the ~*s* 반대로 젓다 / pull a good ~ 잘 젓다. ② 노 젓는 사람(oarsman) : a good 〔practiced〕 ~ 노질 잘 하는〔노질에 익숙한〕 사람. ***put* 〔*shove, stick*〕 *in* one*'s* ~=*put* 〔*shove, stick, thrust*〕 one*'s* ~ *in*** 쓸데없는 참견을 하다. ***rest* 〔*lie, lay*〕 *on* one*'s* ~*s*** (1) 노를 수평으로 하고 잠시 쉬다. (2) 잠깐 쉬다. ***toss* ~*s*** (경례로) 노를 곧추세우다.
—*vi.* 노를 젓다. —*vt.* ① (노로 배)를 젓다 (row). ② (~ one's way로) 저어 나아가다.

oar·lock [ɔ́ːrlɑ̀k / -lɔ̀k] *n.* Ⓒ 《美》 놋좆, 노받이 (《英》 rowlock, thole).

oars·man [ɔ́ːrzmən] (*pl.* ***-men*** [-mən]) *n.* Ⓒ 노 젓는 사람(rower).

OAS, O.A.S. Organization of American States (미주 기구).

‡**oa·sis** [ouéisis] (*pl.* ***-ses*** [siːz]) *n.* ① 오아시스. ② 휴식처, 안식처 : the one ~ of calm in the war-torn city 전쟁으로 폐허가 된 도시 속의 조용한 안식처.

oast [oust] *n.* Ⓒ (홉(hop)·담배 등의) 건조로 「(爐).

oast·house [∠hàus] (*pl.* ***-hous·es*** [∠hàuziz]) *n.* Ⓒ (양조(釀酒)용 식물인) 홉(hops) 건조소.

‡**oat** [out] *n.* ① Ⓒ 〖植〗 귀리, 메귀리 ; 메귀리속(屬) 식물의 총칭. cf. barley. ② (*pl.*) =OATS.

oat·cake [∠kèik] *n.* Ⓒ 귀리로 만들어 딱딱하게 구운 비스킷류(類).

oat·en [óutn] *a.* 귀리의, 귀리로 만든.

oat·er [óutər] *n.* Ⓒ 《美俗》 서부극(horse opera).

‡**oath** [ouθ] (*pl.* **~s** [ouðz, ouθs] ; 〔所有格〕 **~'s** [-θs]) *n.* Ⓒ ① 맹세, 서약 ; 〖法〗 (법정의) 선서 : a false ~ 거짓 맹세(perjury) / on〔upon〕 one's ~ 맹세코, 틀림없이 / The knights swore an ~ of loyalty to their king. 기사들은 그들의 임금에게 충성을 서약했다 / I took an ~ that I would obey the regulations. 나는 규칙에 따르겠다고 맹세했다. ② (분노, 욕설 등에서) 신성 모독《보기 : God damn you! 따위》. ③ 저주, 욕설 : He shut the door with an ~. 그는 욕설을 하며 문을 닫았다. ***be under* 〔*on*〕 ~** (법정에서 진실을 말하겠다고) 선서하다. ***put* a person *under* 〔*on*〕 ~** 아무에게 맹세시키다.

***oat·meal** [óutmìːl] *n.* Ⓤ ① 곱게 탄〔빻은〕 귀리. ② 오트밀 (~ porridge)《우유와 설탕을 넣어 조반으로 먹음》.

oatmeal porridge =OATMEAL ②.

oats [outs] *n. pl.* ① 귀리, 메저리《알맹이》. ② 〔單·複數 취급〕 =OATMEAL. ***be off* one*'s* ~** 《口》 식욕이 없다. ***feel* one*'s* ~** 《口》 (1) 아주 건강하다. (2) 《美》 자만하다. ***sow* one*'s* (*wild*) ~** 젊은 혈기로 난봉을 피우다.

OAU Organization for African Unity (아프리카 통일 기구).

ob- *pref.* '노출, 대면, 충돌, 방향, 저항, 반대, 적의(敵意), 완료, 억압, 은폐' 따위의 뜻 《★ c, f, m, p, t 앞에서는 각기 *oc-*, *of-*, *o-*, *op-*, *os-*가 됨 : *oc*cur, *of*fer, *o*mit, *op*press, *os*tensible》.

ob. 《L.》 *obiit* (=he *or* she died).

O·ba·di·ah [òubədáiə] *n.* ① 〖聖〗 오바다《헤브라이 예언자》. ② 오바다서(書)《구약성서 중 하나》.

ob·bli·ga·to [ɑ̀bligɑ́ːtou / ɔ̀b-] (*pl.* **~s, *-ti*** [-tiː]) *n.* Ⓒ 〖樂〗 오블리가토, 조주(助奏) : a song with (a) flute ~ 플루트 조주가 따르는 가곡.

ob·du·ra·cy [ɑ́bdjurəsi / ɔ́b-] *n.* Ⓤ ① 억지, 완고, 외고집(stubbornness). ② 냉혹.

ob·du·rate [ɑ́bdjurit / ɔ́b-] *a.* 억지센, 완고한, 고집센 : an ~ refusal 완강한 거절 / He is ~ in his convictions. 그는 일단 마음 먹으면 생각을 바꾸지 않는다. ㊘ **~·ly** *ad.*

‡o·be·di·ence [oubíːdiəns] *n.* Ⓤ 복종; 공순; 순종. Ⓞⓟⓟ *disobedience.* ¶ active 〔passive〕 ~ 자발〔수동〕적으로 하는 복종 / in ~ *to* this advice 이 충고에 좇아서 / *Obedience to* the law is expected of every citizen. 준법은 모든 시민에게 요구되고 있다. ◇ obey *v.*

‡o·be·di·ent [oubíːdiənt] (***more*** ~; ***most*** ~) *a.* 순종하는, 유순한, 고분고분한, 말 잘 듣는《*to*》. Ⓞⓟⓟ *disobedient.* ¶ She is an ~ child. 그녀는 유순한 아이이다 / John used to be ~ *to* his parents. 존이 전에는 부모의 말을 잘 들었다. ◇ obey *v.* ***Your*** (***most***) ~ ***servant*** ⇨SERVANT. ㉺ **~·ly** *ad.* 고분고분하게; 정중하게: *Obediently* yours.=Yours ~*ly.* 여불비례《공식 서신을 끝맺는 말》.

o·bei·sance [oubéisəns, -bíː-] *n.* ① Ⓒ 경례, 절, 인사; Ⓤ 경의(敬意), 존경, 복종: do 〔make, pay〕 ~ to …에게 경의를 표하다.

o·bei·sant [oubéisənt, -bíː-] *a.* 경의를 표하는, 공손한.

***ob·e·lisk** [ábəlisk / ɔ́b-] *n.* Ⓒ ① 오벨리스크, 방첨탑(方尖塔). ②〖印〗단검표(dagger) 《†》.

O·ber·on [óubəràn, -rən] *n.* ①〖中世傳說〗오베론《요정의 왕으로 Titania 의 남편》. ②〖天〗오베론《천왕성의 넷째 위성》.

o·bese [oubíːs] (***o·bes·er***; ***-est***) *a.* 살찐, 아주 뚱뚱한.

o·be·si·ty [oubíːsəti] *n.* Ⓤ 비만, 비대.

‡o·bey [oubéi] *vt.* ① …에 복종하다, …에 따르다: ~ the teacher 선생님 말씀에 따르다 / The orders must be strictly ~*ed.* 명령은 엄격히 지켜져야 한다. ② (법률 따위)에 좇다; (이성 따위)에 따라 행동하다, (힘·충동)대로 움직이다: ~ the laws of nature 자연 법칙에 따르다 / *Obey* your common sense. 너의 상식에 따라 행동하라.
── *vi.* 복종하다, 말을 잘 듣다《*to*》. ◇ obedience *n.*

ob·fus·cate [abfʌ́skeit, ábfəskèit / ɔ́bfʌskèit] *vt.* ① **a)** (판단 등)을 흐리게 하다. **b)** (문제 따위)를 애매하게 하다. ② …을 당혹게〔혼란케〕하다. ㉺ **ob·fus·ca·tion** [àbfəskéiʃən / ɔ̀b-] *n.*

o·bit [óubit, áb- / ɔ́b-] *n.* Ⓒ 《口》 사망 기사.

ó·bi·ter díc·tum [-díktəm] (*pl.* ***-dic·ta*** [-díktə]) 《L.》 ①〖法〗(판결 중 판사의) 부수적 의견. ② 그때 그때의 의견.

o·bit·u·ar·y [oubítʃuèri] *a.* 〔限定的〕 사망(기록)의, 사망자의: an ~ notice 사망 고시. ── *n.* Ⓒ (신문 지상의) 사망 기사, 사망자 약력.

obj. object; objection; objective.

‡ob·ject [ábdʒikt / ɔ́b-] *n.* Ⓒ ① 물건, 물체, 사물: inanimate ~*s* 무생물 / We saw an ~ in the distance. 우리는 저 멀리 어떤 물체를 보았다. ② (동작·감정 등의) 대상: an ~ *of* pity 〔love〕 동정〔사랑〕의 대상 / He is now an ~ *of* curiosity. 그는 바야흐로 호기심의 대상이 되어 있다. ③ 목적, 목표(goal): the ~ of the exercise 행동의 진정한 목적 / attain 〔succeed in〕 one's ~ 목적을 달성하다. ④〖哲〗대상, 객체; 객관. Ⓞⓟⓟ *subject.* ⑤〖文法〗목적어: an ~ clause 목적절. ⑥《口》 우스운 것, 불쌍한 놈; 싫은 사람〔것〕: What an ~ you look in that old hat! 그런 낡은 모자를 쓰고 무슨 꼴이냐. ⑦〖美術〗오브제. ⑧〖컴〗목적, 객체《정보의 세트와 그 사용설명》. ***no*** ~ …은 아무래도 좋다, …을 묻지 않음《3 행 광고 따위의 용어》: Distance *no* ~. 거리 불문 / Money 〔Expense〕 *no* ~. 보수〔비용〕에 대해서 특별한 요구 없음. ── [əbdʒékt] *vi.* 《~ / +㊂+㊔》 ① …에 반대하다, 이의를 말하다, 항의하다《*to*; *against*》: If you don't ~, … 만약 이의가 없다면… / If you ask him, he won't ~. 그에게 부탁하면, 반대는 하지 않을 것입니다 / What are they ~*ing against*〔*to*〕? 그들은 무엇에 반대하고 있습니까. ② …에 불평을 품다, 반감을 가지다, 싫어하다, 불만이다《*to*》: ~ *about* 〔*to*〕 the food (손님이) 음식물에 대해 불만을 말하다 / He ~*ed to* the proposal. 그는 그 제안에 반대했다 / I ~*ed to* her treating me like a child. 나는 그녀가 나를 어린이 취급하는 것이 싫었다. ── *vt.* ①《+*that* 㘳》 반대하여 …라고 말하다, 반대이유로서 …라고 주장하다: I ~*ed* (*against* him) *that* his proposal was impracticable. 그의 제안은 실행이 불가능하다고 (그에게) 반대하였다 / They ~*ed that* a new airport would pollute the environment. 그들은 신공항이 환경을 오염할 것이라고 하여 반대하였다. ②《+㊃+㊂+㊔》 반대의 이유로 들다, 난점으로서 지적하다, 비난하다: What have you got to ~ *against* him? 그의 어디가 나쁘다는 것인가. ◇ objection *n.*

óbject còde〖컴〗목적 부호《컴파일러〔옮김틀〕·어셈블러〔짜맞추개〕의 출력으로 실행 가능한 기계어의 꼴이 된 것》.

óbject file〖컴〗목적철《목적 부호만을 보관하고 있는 파일》.

óbject glàss 〔**lèns**〕〖光〗대물 렌즈.

ob·jec·ti·fy [əbdʒéktəfài] *vt.* …을 객관화하다; 구체화하다, 구상화(具象化)하다.

‡ob·jec·tion [əbdʒékʃən] *n.* ① Ⓤ,Ⓒ 반대; 이의, 이론; 불복: *Objection!* (의회 따위에서) 이의 있어요 / If no one has any ~, I'll declare the meeting closed. 아무도 이의가 없으시면, 폐회를 선포하겠습니다. ② Ⓒ 반대 이유; 난점, 결점; 장애, 지장《*to*》: Her only ~ *to*〔*against*〕 the plan is that it costs too much. 그녀의 그 계획에 대한 유일한 반대 이유는 비용이 너무 많이 든다는 것이다. ◇ object *v.*

***ob·jec·tion·a·ble** [əbdʒékʃənəbəl] *a.* 반대할 만한; 싫은, 못마땅한, 불쾌한: an ~ manner 불쾌한 태도 / I hope nobody found my behavior ~. 내 행동을 아무도 불쾌하게 생각지 않으셨겠지요. ㉺ **-bly** *ad.*

ob·jec·tive** [əbdʒéktiv] (more*** ~; ***most*** ~) *a.* ① 객관적인(Ⓞⓟⓟ *subjective*); 편견〔선입관〕이 없는: ~ evidence 객관적 증거 / You must be more ~. 당신은 더욱 객관적으로 사물을 보아야겠다. ② 외계의, 실재의: the ~ world 외계, 자연계 / ~ reality 현실. ③ 목적〔목표〕의. ④〖文法〗목적(격)의: the ~ case 목적격. ── *n.* Ⓒ ① 목적, 목표: long-range ~*s* 장기 목표 / The main ~ of this policy is to reduce unemployment. 이 정책의 주요 목표는 실업을 줄이는 것이다 / We have achieved the ~*s* of the five-year plan. 5년 계획의 목표를 달성했다. ②〖軍〗목표 지점: The valley was our primary ~. 그 계곡이 우리의 첫째 공격 목표이었다. ③〖光〗대물 렌즈. ④〖文法〗목적격, 목적어. ㉺ ***~·ly** *ad.* 객관적으로.

objéctive lèns =OBJECTIVE *n.* ③.

ob·jec·tiv·ism [əbdʒéktəvìzəm] *n.* Ⓤ〖哲〗객관주의, 객관론(Ⓞⓟⓟ *subjectivism*) ㉺ **-ist** *n.*

ob·jec·tiv·i·ty [àbdʒiktívəti, -dʒek- / ɔ̀b-] *n.* Ⓤ ① 객관(적 타당)성. Ⓞⓟⓟ *subjectivity.* ② 객관주의적 경향〔지향〕; 객관적 실재.

óbject lèns =OBJECTIVE *n.*③.

óbject lèsson ① 실물 교육〔교수〕. ② (교훈이 되는) 실례, 본보기《*in*》: The Swiss are an ~ *in* how to make democracy work. 스위스 사람은 민주주의 운영법의 좋은 실례이다.

óbject mòdule〖컴〗목적 모듈〔뜸〕.

ob·jec·tor [əbdʒéktər] *n.* Ⓒ 반대자, 항의자 : a conscientious ~ 양심적 병역 거부자.

óbject prògram 〖컴〗 목적 프로그램《프로그래머가 쓴 프로그램을 compiler 나 assembler 에 의해 기계어로 번역한 것》. cf. source program.

ob·jet d'art [F. ɔbʒɛdaːr] (*pl.* ***ob·jets d'art*** [—]) *n.* Ⓒ 《F.》 (작은) 미술품 ; 골동품.

ob·jur·gate [ábdʒərgèit / ɔ́b-] *vt.* …을 심하게 꾸짖다, 비난하다(reprove). ㊕ **òb·jur·gá·tion** [-ʃən] *n.* Ⓤ 질책, 비난.

ob·jur·ga·to·ry [əbdʒə́ːrgətɔ̀ːri / -təri] *a.* 질책하는, 비난하는.

ob·la·tion [abléiʃən / ɔb-] *n.* 〖敎會〗 ① Ⓤ,Ⓒ (성체의) 봉헌 ; 제물(offering)《★ 그리스도교에서는 포도주와 빵》. ② Ⓤ (자선적인) 기부.

ob·li·gate [ábləgèit / ɔ́b-] *vt.* 〔흔히 受動으로〕 …에게 의무를 지우다《법률상·도덕상의》: I was ~*d to* pay the expenses. 나는 경비를 지불하지 않을 수 없었다 / A witness in court *is* ~*d to* tell the truth. 법정의 증인은 진실을 말할 의무가 있다.

ob·li·gat·ed [-tid] *a.* 〔敍述的〕 ① …할 의무가 있는 : Parents are not ~ *to* support their adult children. 부모는 성인이 된 자식을 도울 의무는 없다. ② 고맙게 여기는 : I feel ~ *to* him for his help. 그의 원조에 대해 감사하고 있다.

‡**ob·li·ga·tion** [àbləgéiʃən / ɔ̀b-] *n.* ① Ⓤ,Ⓒ 의무, 책임 : sense of ~ 책임의식 / a moral ~ 도덕상의 의무 / We have to try to fulfill the ~*s* of good citizens. 우리는 훌륭한 시민으로서의 의무를 다하도록 노력해야 한다 / Civil servants have an ~ *to* serve the people. 공무원은 국민에게 봉사할 의무가 있다. ② Ⓒ 〖法〗 채무, 채권〔채무〕 관계 ; 채권 ; (금전) 채무증서 ; 계약(서) : meet one's ~*s* 채무를 다하다. ③ 은의(恩誼), 의리 : He felt an ~ to her for help. 그를 도와준 그녀에게 감사의 마음을 느꼈다. ◇ oblige *v.*

obligato ⇨OBBLIGATO.

ob·lig·a·to·ry [əblígətɔ̀ːri, áblig- / əblígətəri, ɔ́blig-] *a.* 의무로서 해야만 할, 의무적인 : an ~ promise 이행 의무가 따르는 약속 / It's ~ *for* us to protect the world from nuclear war. 핵전쟁으로부터 세계를 지키는 것이 우리의 의무이다. ② 필수(必須)의, 필수(必修)의《과목 따위》: an ~ subject 필수과목. ㊕ **-ri·ly** *ad.*

‡**oblige** [əbláidʒ] *vt.* ①《+목+*to* do / +목+전+명》 …을 별〔어쩔〕수없이 …하게 하다, …에게 …하도록 강요하다, …에게 의무를 지우다 : The law ~*s* us *to* pay taxes. 법률에 따라 세금을 내지 않으면 안 된다 / Necessity ~*d* him *to* that action. 그는 불가피한 사정 때문에 그런 행동을 하였던 것이다 / Parents are ~*d to* pay for damage caused by their minor children. 미성년의 어린이가 원인인 손해는 부모에게 변상의 의무가 있다. ②《~+목 / +목+전+명》 …에게 은혜를 베풀다《*with*》; …의 소원을 이루어 주다《*by*》: Will any gentleman ~ a lady? 어느 분이 부인께 자리를 양보해 주실 수 없겠습니까 / *Oblige* us *with* your presence. 참석해 주시면 감사하겠습니다 / Will you ~ me *by* opening the window? 창문을 열어 주시겠어요. ── *vi.* ① 은혜를 베풀다 : An answer will ~. 답장을 주신다면 감사하겠습니다. ②《+전+명》《口》 호의를 보이다, 소원을 들어주다《*with*》: She ~*d with* a song. 그녀는 노래를 들려 주었다. ◇ obligation *n.*

o·bliged [-d] *a.* 〔敍述的〕 ① 하지 않을 수 없는 : We were 〔felt〕 ~ *to obey* him. 그에게 따르지 않을 수 없다(고 생각했다). ② …에 감사하는 : I'm much〔deeply〕 ~ *to* you *for* your kindness. 친절에 깊이 감사드립니다. 「obligor.

ob·li·gee [àblədʒíː / ɔ̀b-] *n.* Ⓒ 〖法〗 채권자. opp.

oblig·ing [əbláidʒiŋ] *a.* 잘 돌봐 주는, 친절한 (accommodating) : The clerk was most ~ *to* me. 그 점원은 내게 매우 친절했다 / What an ~ child. 참 기특한 아이로군. ㊕ ~**·ly** *ad.* 친절하게(도), 선선히 : Of course I'll do it, she said ~*ly*. 물론 제가 하겠습니다 하고 그녀는 선선히 말했다.

ob·li·gor [àbləgɔ́ːr, ⌐-⌐ / ɔ̀b-] *n.* Ⓒ 〖法〗 채무자. opp. *obligee.*

*__ob·lique__ [əblíːk, ou-, 《美軍》 əbláik] *a.* ① 비스듬한, 기울어진(slanting) : an ~ glance 곁눈 / The ship took an ~ course. 배는 비스듬히 진로를 잡아나갔다. ② 부정(不正)한 ; 빗나간, 벗어난. ③〔限定的〕 간접의, 에두른, 완곡한 : ~ narration 〔speech〕 간접화법 / certain ~ hints 에둘러서 넌지시 비추는 말. ④〖數〗 사선(斜線)의, 빗각의, 빗면의 : an ~ angle 빗각《예각 또는 둔각》/ an ~ prism 빗각기둥 / an ~ pyramid 빗각뿔. ⑤〖植〗 (잎 따위가) 부등변의.
── *n.* Ⓒ 비스듬한 금, 사선. ㊕ ~**·ly** *ad.* 비스듬히(기울어) ; 부정하게 ; 완곡하게, 간접으로, 에둘러서. ~**·ness** *n.*

ob·liq·ui·ty [əblíkwəti] *n.* ① Ⓤ 경사, 기울기 ; 경도(傾度). ② Ⓤ 부정 ; Ⓒ 바르지 못한 행위〔생각〕. ③ Ⓒ 에두른 말.

*__ob·lit·er·ate__ [əblítərèit] *vt.* ① (흔적을 남기지 않도록) …을 지워버리다 : The tide has ~*d* the footprints on the sand. 조수가 모래 위의 발자국을 지워버렸다 / The entire village was ~*d* by incendiary bomb. 마을 전체가 소이탄으로 흔적도 없이 타 없어졌다. ② …을 기억에서 지우다 ; 망각하다 : Nothing could ~ the memory of those tragic events. 그 무엇도 그 비극적 사건을 기억에서 지워버릴 수 없을 것이다. ③ 말살하다, 말소하다 : He ~*d* his name *from* the blackboard. 그는 칠판에서 그의 이름을 지워버렸다. ◇ obliteration *n.*

ob·lit·er·a·tion [əblìtəréiʃən] *n.* Ⓤ ① 말살, 삭제. ② 망각. ③ 소멸. ◇ obliterate *v.*

*__ob·liv·i·on__ [əblíviən] *n.* Ⓤ ① 망각 ; 잊혀짐 ; 잊기 쉬움(forgetfulness) : a former movie star now in ~ 지금은 잊혀진 왕년의 영화 스타 / be buried in ~ 잊혀지다 / fall 〔sink〕 into ~ 세상에서 잊혀지다. ② 무의식 상태, 인사불성. ③〖法〗 사면. cf. amnesty.

*__ob·liv·i·ous__ [əblíviəs] *a.* 〔敍述的〕 ① 잊기 쉬운; …을 잊은《*of*》: He was ~ *of* his promise. 그는 약속을 잊어버렸다. ② (몰두하여) 알아차리지 못한《*of* ; *to*》: be ~ *of* one's surroundings 주위의 일을 마음에 두지 않다 / I was ~ *to* the noise. 그 소리를 알아차리지 못했다.
㊕ ~**·ly** *ad.* ~**·ness** *n.*

*__ob·long__ [áblɔːŋ, -laŋ / ɔ́blɔŋ] *a.* ① 직사각형의. cf. square. ② 타원형의 : an ~ leaf 타원형의 잎.
── *n.* Ⓒ ① 직사각형. ② 타원형.

ob·lo·quy [ábləkwi / ɔ́b-] *n.* Ⓤ ① 욕지거리, 악담, 비방. ② 악평, 오명, (널리 알려진) 불명예 (disgrace).

ob·nox·ious [əbnákʃəs / -nɔ́k-] *a.* 밉살스러운, 불쾌한, 싫은 ; 미움받고 있는《*to*》: an ~ smell 역겨운 냄새 / a boy ~ *to* all 모두에게 미움받고 있는 아이 / Such behavior is ~ *to* everyone. 그러한 행위는 누구에게나 불쾌하다.
㊕ ~**·ly** *ad.* ~**·ness** *n.*

oboe [óubou] *n.* Ⓒ 〖樂〗 오보에《목관악기》.
㊕ **obo·ist** [óubouist] *n.* Ⓒ 오보에 주자.

obs observation ; observatory ; obsolete.

ob·scene [əbsíːn] *a.* ① 외설〔음란〕한 ; 추잡한 : ~ language 음탕한 말 / an ~ picture 춘화(春畫) / ~ literature 외설 문학 / Don't be ~. 천박한 이야기는 그만하세요. ②《口》 역겨운, 지긋지긋한 : It's ~ that politicians should accumulate such wealth. 정치가가 저렇게 재산을 모으다니 정말 역겹다. ㊞ **~·ly** *ad.*

ob·scen·i·ty [əbsénəti, -síːn-] *n.* ① Ⓤ 외설, 음란. ② Ⓒ (*pl.*) 음탕한 말〔행위〕: He ran off, shouting *obscenities* at them. 그는 그들에게 쌍소리를 퍼부으며 도망쳤다. ③《口》 역겨운 일〔것〕.

ob·scu·rant·ism [əbskjúərəntìzəm] *n.* Ⓤ ① 반계몽주의, 개화 반대. ② 고의로 모호하게 함 ; (문학·미술 따위의) 난해주의. ㊞ **-ist** *n.*, *a.*

ob·scu·ra·tion [àbskjuəréiʃən / ɔ̀b-] *n.* Ⓤ ① 어둡게 함〔됨〕, 암흑화. ② 모호함 ; 희미하게 함, 불명료화. ◇ obscure *v.*

‡**ob·scure** [əbskjúər] (*-scur·er* ; *-est*) *a.* ① 어두운, 어두컴컴한(dim) ; (빛깔 따위가) 거무스름한, 어스레한 ; 잔뜩 흐린 : an ~ corner 어두컴컴한 한쪽 구석. ② (말·의미 따위가) 분명치 않은, 불명료한, 모호한 : an ~ reference 〔meaning〕 분명치 않은 언급〔뜻〕/ These examples are rather ~. 이들 예는 전혀 모르겠다 / Some parts of the letter are rather ~. 그 편지의 어떤 부분은 분명치 않은 곳이 있다 / Modern poetry is often most ~. 현대시는 종종 매우 난해하다. ③ 확실치 않은 ; 알려지지 않은 : an ~ country doctor 무명의 시골 의사 / a person of ~ origin 내력을 알 수 없는 사람. ④ 분명히 감지〔감득〕할 수 없는 : an ~ pulse 극히 약한 맥박 / an ~ voice 희미한 목소리. ⑤ 눈에 띄지 않는, 인가에서 멀리 떨어진, 호젓한 : His house is in rather an ~ area. 그의 집은 좀 외진 곳에 있다. ⑥〖音聲〗 모음이 모호한, 모호한 모음의 : an ~ vowel 모호한 모음《about 의 [ə] 따위》.

── *vt.* ① …을 덮어 감추다, 가리다 ; 어둡게 하다, 흐리게 하다 : Clouds ~ the sun. 구름이 태양을 가린다 / The make up ~*d* the lines of her face. 화장으로 그녀 얼굴의 주름이 가려졌다 / Dark shadows ~*d* the path. 어둠으로 길이 잘 보이지 않았다. ② (명성 따위)를 가리다, (남의) 영광 따위를 무색하게 하다 : His son's achievements ~*d* his own. 아들의 업적 때문에 그의 업적은 빛을 잃었다. ③ (사물)을 알기 어렵게 하다 ; (뜻)을 불명료하게 하다, 모호하게 하다 : reasoning ~*d* by emotion 감정에 의해 모호해진 논리 / The accused tried to ~ his real motives. 피고는 그의 진정한 동기를 밝히려 하지 않았다. ④ 모호하게 발음하다. ◇ obscuration *n.* ㊞ **~·ly** *ad.*

***ob·scu·ri·ty** [əbskjúərəti] *n.* ① Ⓤ 어두컴컴함. ② Ⓤ,Ⓒ 불명료 ; 모호한 점, 난해한 곳 : a poem full of *obscurities* 난해한 곳이 많은 시. ③ Ⓤ **a)** 세상에 알려지지 않음 ; 무명 : live in ~ 세상에 드러나지 않고 살다 / The artist has been lost in ~ for years. 그 화가는 수년 동안 세상에 알려지지 않은 채 묻혀 있었다. **b)** 낮은 신분 : rise from ~ to fame 낮은 신분에서 출세하다.

ob·se·quies [ábsəkwiz / ɔ́b-] (*sing.* **-quy** [-kwi]) *n. pl.* 장례식.

ob·se·qui·ous [əbsíːkwiəs] *a.* 아첨〔아부〕하는 : an ~ smile 아첨하는 웃음 / He is ~ *to* men in power. 그는 권력자에게 아첨한다. ㊞ **~·ly** *ad.* 아부〔아첨〕하여. **~·ness** *n.*

ob·serv·a·ble [əbzə́ːrvəbəl] *a.* ① 관찰할 수 있는, 눈에 띄는 : There was no ~ change. 눈에 띄는 변화가 없었다. ② 주목할 만한 ; 현저한. ③ 지켜야 할《규칙·관습 등》. ㊞ **-bly** *ad.* **~·ness** *n.*

‡**ob·serv·ance** [əbzə́ːrvəns] *n.* ① Ⓤ (법률·규칙·관습 따위의) 준수, 지킴, 준봉《*of*》: the ~ *of* the Sabbath 안식일 엄수 / strict ~ *of* the rule 규칙의 엄수. ② Ⓒ (종종 *pl.*) 의식(거행) ; (종교상의) 식전(式典), 제전 : ritual ~*s* 성찬(의 전례). ◇ observe *v.*

***ob·serv·ant** [əbzə́ːrvənt] *a.* ① 관찰력이 예리한, 주의 깊은《*of* ; *to*》: An ~ passerby spotted the broken cable. 주의깊은 통행인이 전선이 끊어진 것을 발견했다. ②〔敍述的〕 준수하는《*of*》: She is ~ *of* the rules of etiquette. 그녀는 예의범절을 잘 지킨다. ㊞ **~·ly** *ad.*

‡**ob·ser·va·tion** [àbzərvéiʃən / ɔ̀b-] *n.* ① Ⓤ,Ⓒ 관찰, 주목 ; 감시 : escape ~ 남의 눈에 띄지 않다 / He made ~*s* of the customs of Indians. 그는 인디언의 관습을 관찰했다. ② **a)** Ⓤ,Ⓒ (과학상의) 관측 ;〖海〗 천측(天測) : an ~ balloon 관측 기구 / make ~*s* of the sun 태양을 관측하다. **b)** Ⓒ (종종 *pl.*) 관찰〔관측〕 결과 ; 관측 보고《*of*》: John published his ~*s* on the life *of* the savages. 존은 야만인의 생태에 관한 관찰기록을 출판했다. ③ Ⓤ 관찰력 : a man of no ~ 관찰력이 없는 사람. ④ Ⓒ (관찰에 의거한) 의견, 소견 ; 발언, 말《*on*》: make an ~ *on*〔*about*〕 …에 관해 소견을 말하다 / She was correct in her ~ *that* the man was an impostor. 그 사나이가 사기꾼이었다는 그녀의 말이 맞았다. ◇ observe *v.* ***take an*** ~ 천체를 관측하다. ***under*** ~ 감시〔관찰〕하는〔하여〕: Detectives are keeping the place *under* ~. 형사들은 그곳을 감시하고 있다. ㊞ **~·al** [-ʃənəl] *a.* 관측〔감시〕의 ; 관찰에 의한, 실측적인.

observátion càr〖美鐵〗 전망차.

observátion pòst〖軍〗 감시 초소, (포격을 지휘하는) 관측소《略 : O.P.》.

***ob·serv·a·to·ry** [əbzə́ːrvətɔ̀ːri / -təri] *n.* Ⓒ ① 천문〔기상, 관상〕대, 측후소 ; 관측소 : the Greenwich *Observatory* 그리니치 천문대. ② 전망대 ; 망대, 감시소.

‡**ob·serve** [əbzə́ːrv] *vt.* ① (법률·풍습·규정·시간 따위)를 지키다, 준수하다 : ~ laws 법률을 준수하다 / ~ a rule 규칙에 따르다. ② …의 관습을 지키다 ; (명절·축일 따위)를 축하하다, 쇠다《관습·규정에 의해》; (의식·제식)을 거행하다, 올리다 : ~ Christmas 크리스마스를 축하하다. ③ (행위 등)을 유지하다, 계속하다 : ~ care 주의하다 / ~ silence 침묵을 지키다. ④《~+目/+目+*do*/+目+*-ing*/+*wh.* 節》 관찰하다, 관측하다, 잘 보다 ; 주시〔주목〕하다 ; 감시하다 : ~ an eclipse 일식〔월식〕을 관측하다 / *Observe how* the machine works. 기계가 어떻게 움직이는지 잘 보고 있어라 / The police have been *observing* his movements. 경찰이 그의 동향을 감시하고 있었다. ⑤《~+目/+目+*do*/+目+*-ing*/+*that* 節》 …을 보다, 인지(認知)하다 ; …을 알게 되다 : I ~*d* nothing queer in his behavior. 그의 행동에 이상한 데는 없었다 / He ~*d* the thief *open*(*ing*) the lock of the door. 그는 도둑이 문의 자물쇠를 여는 것을 봤다 / I ~*d that* he became very pale. 그가 새파랗게 질렸음을 알게 되었다. ⑥《~+目/+*that* 節》 (소견)을 진술하다, 말하다 : "Bad weather." the captain ~*d*. '나쁜 날씨다' 하고 선장이 말했다 / He ~*d that* the plan would work well. 그 계획은 잘 되어 갈 것이라고 그가 말했다.

── *vi.* ① 관찰〔관측〕하다 ; 주시하다 : ~ carefully 잘보다 / ~ closely 엄밀히 관측하다. ②《+前+名》 소견을 말하다, 논평하다《*on, upon*》: No one ~*d* (*up*)*on* that. 그 일에 의견을 말하는 사

람이 없었다. ◇ observance, observation *n.*

‡ob·serv·er [əbzə́:rvər] *n.* Ⓒ ① 관찰자 ; 관측자 ; 감시자 : I was only an ~ of the fight. 나는 그저 싸움을 보고 있었을 뿐이다. ② 입회인 ; 옵서버 ; 참관자 : The UN sent a team of ~*s* to the peace talks. 유엔이 그 평화 회담에 옵서버단을 파견했다. ③ 준수자 : an ~ *of* the Sabbath 안식일을 지키는 사람.

ob·serv·ing [əbzə́:rviŋ] *a.* 주의 깊은, 방심하지 않는 ; 관찰력이 예민한. ㊞ **~·ly** *ad.*

ob·sess [əbsés] *vt.* (귀신·망상 따위가) 들리다, 붙다, 괴롭히다 : She *was ~ed by* [*with*] fear of death. 그녀는 죽음의 공포에 사로잡혀 있다.

ob·ses·sion [əbséʃən] *n.* ① Ⓤ (귀신·망상·공포 관념 따위가) …을 사로잡음. ② Ⓒ 붙어서 떨어지지 않는 관념, 강박관념, 망상 : Cleanliness is an ~ with her. 그녀는 결벽증이 있다.

ob·ses·sion·al [əbséʃənəl] *a.* 강박 관념[망상]에 사로잡힌, 떨어지지 않는《관념 따위》: an ~ neurosis 강박 신경증 / He is ~ about tidiness. 그는 이상하리만치 깨끗한 것을 좋아한다.
㊞ **~·ly** *ad.* 이상하리만큼 ; 집요하게.

ob·ses·sive [əbsésiv] *a.* 붙어 떨어지지 않는《관념 따위》, 강박 관념의 ; 비정상일 정도의 : one's ~ worries 머리에서 떠나지 않는 걱정거리 / He is ~ *about* winning. 그는 이기는 것에 집착하고 있다. ── *n.* Ⓒ 망상(강박 관념)에 사로잡힌 사람.
㊞ **~·ly** *ad.* 이상하리만큼 ; 집요하게.

ob·sid·i·an [əbsídiən] *n.* Ⓤ,Ⓒ 〖鑛〗 흑요석(黑曜石) : ~ dating 〖地質〗 흑요석 연대 측정법.

ob·so·les·cence [àbsəlésəns / ɔ̀b-] *n.* Ⓤ ① 노폐(화), 노후(화), 쇠미. ② 〖生〗 (기관의) 폐퇴, 위축, 퇴화.

ob·so·les·cent [àbsəlésənt / ɔ̀b-] *a.* ① 쇠퇴해 가고 있는 : This technology is ~. 이 기술은 한물 지났다. ② 〖生〗 퇴행성의, 퇴화한.

***ob·so·lete** [àbsəlí:t, ⌐-⌐ / ɔ́bsəlì:t] *a.* ① 쓸모없이[못쓰게] 된, 폐물이 된 : an ~ word 폐어. ② 시대에 뒤진, 진부한, 구식의 : ~ equipment 노후 설비 / ~ weapons 구식 무기. ③ 〖生〗 퇴화한. ㊞ **~·ly** *ad.*

‡ob·sta·cle [ɑ́bstəkəl / ɔ́b-] *n.* Ⓒ 장애(물), 방해(물) 《*to*》: ~ *to* progress 진보를 막는 것 / overcome a lot of ~*s* 많은 장애를 뛰어 넘다.

óbstacle còurse ① 〖軍〗 장애물 통과 훈련장[과정]. ② 빠져나가야 할 일련의 장애.

óbstacle ràce 장애물 경주.

ob·stet·ric, -ri·cal [əbstétrik], [-kəl] *a.* 산과(産科)의 ; 산과학(學)의 : an *obstetric* nurse 산과 간호사.

ob·ste·tri·cian [àbstətríʃən / ɔ̀b-] *n.* Ⓒ 산과의(醫).

ob·stet·rics [əbstétriks] *n.* Ⓤ 산과학(産科學).

ob·sti·na·cy** [ɑ́bstənəsi / ɔ́b-] *n.* ① Ⓤ 완고, 강퍅《*in*》; 고집, 끈질김 : The garrison fought on with incredible ~. 수비대는 믿을 수 없을 만큼 완강하게 싸웠다. ② Ⓒ 완고한 언행《*against*》. ③ Ⓤ (해악·병 따위의) 뿌리 깊음, 고치기 힘듦 : the ~ of the habit of smoking 흡연 습관의 끊기 어려움. ◇ obstinate *a.* ***with ~ 완강히, 끈질기게.

‡ob·sti·nate [ɑ́bstənit / ɔ́b-] (***more*** ~ ; ***most*** ~) *a.* ① 완고한, 억지 센, 강퍅한, 끈질긴 ; 완강한《저항 따위》: an ~, rebellious child 고집 세고 반항적인 아이 / as ~ as a mule 몹시 고집불통인 / He is ~ *in* disposition. 그는 완고한 성격이다. ② 고치기 힘든《병·해악 따위》: an ~ cough 잘 낫지 않는 기침. ◇ obstinacy *n.* ㊞ **‡~·ly** *ad.* 완고[완강]하게 ; 집요하게. **~·ness** *n.*

ob·strep·er·ous [əbstrépərəs] *a.* 시끄럽게 떠들어 감당할 수 없는. ㊞ **~·ly** *ad.* **~·ness** *n.*

***ob·struct** [əbstrʌ́kt] *vt.* ① (길 따위)를 막다 ; 차단하다 : Fallen trees ~ the road 쓰러진 나무가 길을 가로막고 있다. ②《~+목 / +목+전+명》(일의 진행·행동 따위)를 방해하다(hinder) : ~ a bill 법안 통과를 방해하다 / The crowd ~*ed* the police *in* the discharge of their duties. 군중이 경찰관의 직무집행을 방해했다. ③ (시계(視界))를 가리다 : Our view was ~*ed* by a high wall. 시야가 높은 벽으로 가로막혀 있었다.
── *vi.* 방해하다. ◇ obstruction *n.* ㊞ **~·tor** *n.* Ⓒ 방해자[물].

***ob·struc·tion** [əbstrʌ́kʃən] *n.* ① Ⓤ 방해 ; 장애, 지장 ; (특히 의회의) 의사 방해 : ~ of the public highway 고속도로의 소통 방해. ② Ⓒ 장애물, 방해물 : remove an ~ in the drain 배수관의 막힌 것을 제거하다. ③ Ⓤ,Ⓒ 〖스포츠〗 오브스트럭션(반칙인 방해 행위) : commit an ~ 오브스트럭션을 범하다. ◇ obstruct *v.* ㊞ **~·ìsm** *n.* Ⓤ 의사 진행 방해. **~·ist** *n.* 의사 진행 방해자.

ob·struc·tive [əbstrʌ́ktiv] *a.* 방해하는, 방해되는《*of* ; *to*》; 의사 방해의 : factors ~ *to* the plan 계획의 저해 요인. ── *n.* Ⓒ 방해[장애]물.
㊞ **~·ly** *ad.* **~·ness** *n.*

†ob·tain [əbtéin] *vt.* 《~+목 / +목+전+명》 …을 손에 넣다, 획득하다 : ~ a position 지위를 얻다 / ~ a prize 상을 타다 / The book ~*ed* a great reputation. 그 책은 큰 인기를 얻었다 / I ~*ed* my Ph. D. degree in 1990. 나는 1990년에 박사 학위를 획득했다. ── *vi.* (널리) 행해지다, 유행하다, 통용되다 : The custom still ~*s* in some districts. 그 풍습은 곳에 따라 아직도 행하여지고 있다 / This view *has* ~*ed* for many years. 이 견해는 오랫동안 통용되고 있다.

ob·tain·a·ble [-əbəl] *a.* 얻을 수 있는, 손에 넣을 수 있는 : This book is no longer ~. 이 책은 이제 구입할 수 없다.

ob·trude [əbtrú:d] *vt.* ① **a)** (생각·의견 따위)를 강요[강제]하다, 억지쓰다《*on, upon*》: Teachers must not ~ their beliefs *on* [*upon*] their students. 교사는 자기가 믿고 있는 것을 학생들에게 강요해서는 안된다. **b)** 〔再歸的〕 주제넘게 참견하다《*on, upon*》: He is always *obtruding himself on* us. 그는 늘 우리에게 참견한다. ② (머리 따위)를 불쑥 내밀다 : ~ one's head out of the window 창에서 얼굴을 내밀다. ── *vi.* ① 주제넘게 나서다, 중뿔나다. ② 불쑥 나오다. ㊞ **-trúd·er** *n.*

ob·tru·sion [əbtrú:ʒən] *n.* ① Ⓤ (의견 따위의) 강요, 강제《*on*》; 주제넘은 참견, 중뿔남. ② Ⓒ 강제하는 행위 ; 나서는 행위.

ob·tru·sive [əbtrú:siv] *a.* ① 강요하는, 주제넘게 참견하는, 중뿔나게 구는 : make ~ remarks 말 참견하다. ② 눈에 띄는, 눈[귀]에 거슬리는 : an ~ color. ㊞ **~·ly** *ad.* **~·ness** *n.*

ob·tuse [əbtjú:s] *a.* ① 무딘 ; 〖數〗 둔각의(opp *acute*) : an ~ pain 둔통(鈍痛) / an ~ angle 〖數〗 둔각. ② 우둔한, 둔감한 : be ~ *in* understanding 이해가 더디다 / You're being very ~. 자네도 꽤 둔감하군. ㊞ **~·ly** *ad.* **~·ness** *n.*

ob·verse [ɑ́bvə:rs / ɔ́b-] *n.* (the ~) ① 거죽, 겉, (화폐·메달 등의) 표면 ; 앞면(opp *back*). ② 반대인 것 ; (표리와 같이) 상대되는 것(counterpart) : Defeat is the ~ of victory. 패배는 승리의 반대이다.

ob·vi·ate [ɑ́bvièit / ɔ́b-] *vt.* (위험·곤란 따위)를 없애다, 제거하다 ; 필요없게 하다, 미연에 방지하다 : ~ danger 위험을 피하다 / The use of a credit card ~*s* the need to carry a lot of money. 크레디트 카드의 이용으로 많은 돈을 가지고 다닐 필요가 없어졌다.

‡ob·vi·ous [ábviəs / ɔ́b-] (***more*** ~ ; ***most*** ~) *a.* ① 명백한, 명확한 ; 빤한 : an ~ drawback 명백한 약점 / It was ~ to everyone that he was lying. 그가 거짓말을 하고 있다는 것은 누가 보아도 분명했다. ② 알기〔이해하기〕 쉬운 ; 눈에 잘 띄는 : When you have lost something, you often find it in an ~ place. 무언가 물건을 잃어버렸을 때, 바로 눈에 보이는 곳에서 발견할 때가 흔히 있다. ㊐ **‡~·ly** *ad.* 〔文章修飾〕 분명히 : *Obviously*, you don't understand me. 분명, 자네는 내 말을 이해하지 못하고 있다. **~·ness** *n.*

oc- *pref.* =OB- 《c 앞에서 : *oc*casion》.

Oc., oc. ocean.

oc·a·ri·na [àkərí:nə / ɔ̀k-] *n.* Ⓒ 오카리나《도기(陶器)로 된 고구마형 피리》.

‡oc·ca·sion [əkéiʒən] *n.* ① Ⓒ (흔히 on... ~의 꼴로) (특정한) 경우, 때, 시(時) : *on* this happy 〔sad〕 ~ 이토록 기쁜〔슬픈〕 때에 / I've seen John with them *on* several ~*s*. 그들과 함께 여러 번 존을 만난 적이 있다. ② (*sing.*) …할 기회, 호기(好機), 알맞은 때 : improve the ~ 기회를 이용하다 / Let me take this ~ *to* thank you. 이 기회에 감사의 말을 할 수 있도록 해 주세요. ③ Ⓤ 이유, 근거 ; 유인(誘因) ; 계기 : the ~ of an accident 사고의 계기 / There is no ~ *for* her *to* get excited. 그녀가 흥분할 이유는 없다 / His remark was the ~ of a bitter quarrel. 그의 말이 대판 싸움의 원인이 되었다.

(***have***) ***a sense of*** ~ 때와 장소를 가리는 양식(이 있다). ***if the*** ~ ***arises*** 필요하(게 되)면. ***on*** 〔***upon***〕 ~(***s***) 이따금 ; 때에 따라서(occasionally). ***on the*** ~ ***of*** …에 즈음하여 : *on the* ~ *of* his 60th birthday 그의 60회 생일에 즈음하여. ***rise to the*** ~ ⇨ RISE. ***take*** 〔***seize***〕 ***the*** ~ ***to*** do 기회를 틈타〔이용하여〕 …하다.

— *vt.* 《~+목 / +목+목 / +목+*to* do》 ① …을 야기시키다(cause), …의 원인이 되다 : ~ a riot 소동을 일으키다 / It was this remark that ~*ed* the quarrel. 싸움이 일어난 것은 이 말이 원인이었다. ② (걱정 등)을 끼치다 ; (아무)에게 …시키다 : ~ a person great anxiety 아무에게 큰 걱정을 끼치다 / The news ~*ed* him some anxiety. 그 뉴스를 듣고 그는 약간 불안해졌다.

‡oc·ca·sion·al [əkéiʒənəl] *a.* 〔限定的〕 ① 이따금씩의, 때때로의 : an ~ visitor 가끔 오는 손님 / Seoul will be cloudy, with ~ rain. 서울 지방은 흐리고, 가끔 비가 오겠습니다《일기 예보》 / He takes an ~ trip to Europe. 그는 때때로 유럽에 여행한다. ② 임시의, 예비의 : an ~ hand 임시 사무원, 임시공 / an ~ table 〔chair〕 (필요할 때만 쓰는) 예비 책상〔의자〕. ③ 특별한 경우를 위한 《시 · 음악 따위》 : ~ verses (축하 · 애도 등) 특별한 경우를 위한 시. ㊐ **‡~·ly** *ad.* 이따금, 가끔 : I go there ~*ly*. 나는 때때로 그곳에 갑니다.

***Oc·ci·dent** [áksədənt / ɔ́k-] *n.* (the ~) 서양 ; 서양 문명 ; 서유럽 제국 ; 서반구. opp. *Orient.*

***Oc·ci·den·tal** [àksədéntl / ɔ̀k-] *a.* ① 서양 (제국)의, opp. *Oriental.* ¶ *Occidental* civilization 서양 문명. ② 서양인의. — *n.* Ⓒ 서양 사람.

oc·clude [əklú:d / ɔk-] *vt.* ① (통로 · 구멍 따위)를 막다. ② 〖物 · 化〗 (기체)를 흡장(吸藏)하다. — *vi.* 〖齒〗 (아래 윗니가) 잘 맞물다.

oc·clúd·ed frónt [əklú:did- / ɔk-] 〖氣〗 폐색 전선.

oc·clu·sive [əklú:siv / ɔk-] *a.* 폐색시키는, 폐색「하는.

oc·cult [əkʌ́lt, ákʌlt / ɔkʌ́lt] *a.* 신비로운, 불가사의한 ; 초자연적인, 마술적인 : ~ arts 비술(秘術) 《연금술 · 점성술 따위》. — *n.* (the ~) 오컬트 ; 신비, 신비로운 것.

oc·cult·ism [əkʌ́ltizəm / ɔk-] *n.* Ⓤ 신비주의, 신비 신앙, 오컬트 신앙. ㊐ **-ist** *n.* Ⓒ 오컬트 신앙자.

oc·cu·pan·cy [ákjəpənsi / ɔ́k-] *n.* Ⓤ ① 점유, 점령. ② Ⓒ 점유 기간〔건물〕.

***oc·cu·pant** [ákjəpənt / ɔ́k-] *n.* Ⓒ ① 점유자 ; 거주자 ; 점거자. ② (때마침) 방〔차〕 안에 있는 사람 : Three of the ~*s* of the hotel were injured. 그 호텔에 있던 사람 중 세 사람이 부상했다.

‡oc·cu·pa·tion [àkjəpéiʃən / ɔ̀k-] *n.* ① Ⓒ 직업 (vocation), 업무 ; 일 : men out of ~ 실업자 / He is a farmer by ~. 그의 직업은 농업이다 / Farming is a good ~. 농업은 훌륭한 직업이다 / "What is your ~ ?" — "I'm a writer." '직업이 무엇입니까' — '작가입니다'. ② Ⓤ 점유, 거주 ; (지위 등의) 보유 : No one is yet in ~ of the house. 그 집에는 아직 아무도 살고 있지 않다 / His ~ of the room lasted only two months. 그가 그 방에 거주한 것은 불과 두 달이다. ③ Ⓒ (여가에 취미로 하는) 일, 심심풀이 : Painting is his major ~ during the weekend. 그가 주말에 주로 하는 일은 그림그리기이다 / Gardening is his favorite ~. 정원 손질은 그가 좋아하는 심심풀이이다. ④ Ⓤ 점령, 점거 ; Ⓒ 점령 기간 : an army of ~ = ~ troops 점령군 / during the German ~ 독일군의 점령중에. ◇ occupy *v.* ㊐ **~·less** *a.*

***oc·cu·pa·tion·al** [àkjəpéiʃənəl / ɔ̀k-] *a.* 〔限定的〕 직업(상)의, 직업 때문에 일어나는 : an ~ disease 직업병 / an ~ hazard 직업상 위험 / ~ guidance 직업 보도. ㊐ **~·ly** *ad.*

occupátional thérapy 작업 요법《적당한 가벼운 일을 주어서 장애의 회복을 꾀하는 요법》.

‡oc·cu·py [ákjəpài / ɔ́k-] *vt.* ① (시간 · 장소 등)을 차지하다 ; (시간)을 요하다 : The ceremony *occupied* three hours. 식은 세 시간 걸렸다 / The building *occupies* an entire block. 건물은 한 블록 전체를 차지하고 있다. ② 점령〔점거〕하다, 영유하다 : The army *occupied* the fortress. 군대가 그 요새를 점령했다. ③ …에 거주하다, 점유하다 ; 사용하다 ; 차용하다 : The building is *occupied*. 그 건물에는 사람이 살고 있다 / "*Occupied*" '사용 중' 《욕실 · 변소 따위의 게시》 / All the hotel rooms were *occupied*. 호텔 방은 전부 차 있었다. ④ (지위 · 일자리)를 차지하다 : He *occupies* a high position in the company. 그는 회사에서 높은 자리에 있다. ⑤ (마음)을 사로잡다 : Golf has *occupied* his mind. 그는 골프에 미쳤다 / His mind was *occupied with*〔*by*〕 worries. 그의 마음은 걱정거리로 가득했다. ⑥ 《+목+전+명 / +목+-*ing*》 〔흔히 受動으로 또는 再歸用法〕 (아무)를 종사시키다, 일시키다《*in* ; *with*》. ◇ occupation *n.*

‡oc·cur [əkə́:r] (*-rr-*) *vi.* ① (사건 따위가) 일어나다, 발생하다. cf. befall. ¶ if anything should ~ 만약 어떤 일이 생긴다면 ; 만일의 경우에는 / Many accidents ~ in the home. 많은 사고가 그 집에서 일어나고 있다. ② 나타나다, 나오다 ; 눈에 띄게 되다 ; 존재하다《*in*》 : This word ~*s* twice *in* the first chapter. 이 말은 제 1 장에 두 번 나온다 / The plant ~*s* only *in* Korea. 그 식물은 한국에만 있다 / Gold only ~*s in* certain kinds of rock. 금은 어떤 특정한 암석에서만 발견된다. ③ (머리에) 떠오르다, 생각이 나다《*to*》. cf. strike. ¶ A happy 〔bright〕 idea ~*red to* me. 명안〔묘안〕이 떠올랐다 / It ~*red to* me that .... …라고

O

하는 것이 머리에 떠올랐다.

***oc·cur·rence** [əkə́ːrəns, əkʌ́r-] *n.* ① Ⓒ 사건, 생긴 일 : an everyday ~ 일상 다반사 / a happy ~ 경사 / Laughter was a rare ~ in his classroom. 그의 교실에서 웃음소리가 나는 것은 아주 드문 일이다. ② Ⓤ (사건의) 발생, 일어남 : an accident of rare ~ 드물게 일어난 사고 / The ~ of thunder in winter is rare. 겨울에 번개가 발생하는 일은 드물다.

†**ocean** [óuʃən] *n.* ① Ⓤ (흔히 the ~) 대양, 해양 ; (the…O-) …양(5 대양의 하나) ; (the ~) 《美》 바다(sea) : the Pacific *Ocean* 태평양 / an ~ flight 대양 횡단 비행 / go swimming in *the* ~ 해수욕 가다 / She stood on the beach, gazing at *the* ~. 그녀는 바다를 바라보며 해변에 서 있었다. ② **a**) (an ~) 끝없이 넓음 ; (…의) 바다《*of*》: an ~ *of* grass 초원의 바다. **b**) (*pl.*) 막대한 양 : ~*s* of money 〔time〕 막대한 돈〔시간〕 / They drank ~*s of* beer. 그들은 맥주를 실컷 마셨다.

ocea·nar·i·um [òuʃənɛ́əriəm] (*pl.* **~s, -nar·ia** [-riə]) *n.* Ⓒ (대규모) 해양 수족관.

ócean engineéring 해양 공학.

ocean·go·ing [-gòuiŋ] *a.* 외양〔원양〕 항해의 : an ~ tanker 원양 유조선.

Oce·an·ia [òuʃiǽniə, -ɑ́ːniə] *n.* 오세아니아주, 대양주. ㊕ **-i·an** *a.*, *n.* Ⓒ 오세아니아의(사람〔주민〕).

oce·an·ic [òuʃiǽnik] *a.* ① 대양의, 대해의 : an ~ island 양도(洋島). ② (기후가) 대양성의 : an ~ climate 해양성 기후. ③ 대양산(産)의, 원해(遠海)에 사는.

Oce·a·nid [ousíːənid] (*pl.* **~s, Oce·an·i·des** [òusiǽnədiːz]) *n.* 〖그神〗 오케아니스《대양의 여정(女精)으로 Oceanus 의 딸》.

ocea·nog·ra·pher [òuʃiənɑ́grəfər / -nɔ́g-] *n.* Ⓒ 해양학자.

ocea·nog·ra·phy [òuʃiənɑ́grəfi / -nɔ́g-] *n.* Ⓤ 해양학. ㊕ **-no·graph·ic** [òuʃənəgrǽfik] *a.*

Oce·a·nus [ousíːənəs] *n.* 〖그神〗 오케아노스《대양의 신 ; 천신 Uranus와 지신 Gaea의 아들》.

ocel·lus [ouséləs] (*pl.* **-li** [-lai]) *n.* Ⓒ 〖動〗 ① (곤충의) 홑눈. ② 눈알처럼 생긴 무늬《나비·공작의 깃 따위》.

oce·lot [óusəlɑ̀t, ɑ́s- / óusəlɔ̀t] *n.* Ⓒ 〖動〗 표범 비슷한 스라소니《라틴 아메리카산》.

ocher, ochre [óukər] *n.* Ⓤ ① 황토(黃土), 석간주(石間硃)《그림 물감의 원료》. ② 오커, 황토색 (yellow ~). ㊕ **ocher·ous** [óukərəs] *a.* 황토의 ; 황토색의.

-ock *suf.* '작은 …'의 뜻 : hill*ock*.

†**o'clock** [əklɑ́k / əklɔ́k] *ad.* ① …시(時) : at two ~, 2 시에 / It's two ~. 지금 두 시다. ★ '몇 시 몇 분'의 경우에는 보통 생략함 : at half past six 〔6 : 30 p.m.〕, 6 시 반 〔오후 6 시 30 분〕에 / It's four minutes before 〔to, of〕 five. 5 시 4 분 전이다. ② (목표의 위치·방향을 시계 문자반 위에 있다고 간주하여) …시 방향 : a plane flying at nine ~, 9 시 방향을 나는 비행기.

OCR 〖컴〗 글빛 읽개〔인식〕, 광학 문자 판독기〔판독〕 : ~ card 글빛 카드, 광학 문자 판독 카드. [◂ *o*ptical *c*haracter *r*eader〔*r*ecognition〕]

***Oct.** October. **oct.** octavo.

oct(a)- '8'의 뜻의 결합사.

oc·ta·gon [ɑ́ktəgɑ̀n, -gən / ɔ́ktəgən] *n.* Ⓒ ① 8 변형 ; 8 각형. ② 팔각정〔탑〕.

oc·tag·o·nal [ɑktǽgənl / ɔk-] *a.* 8 변〔각〕형의.

oc·ta·he·dron [ɑ̀ktəhíːdrən / ɔ̀k-] (*pl.* **~s, -dra** [-drə]) *n.* Ⓒ 8 면체 : a regular ~ 정 8 면체.

oc·tam·e·ter [ɑktǽmitər / ɔk-] *n.* Ⓒ 〖韻〗 팔보격(八步格) (의 시). ── *a.* 팔보격의.

oc·tane [ɑ́ktein / ɔ́k-] *n.* Ⓤ 〖化〗 옥탄《석유 중의 무색 액체 탄화수소》.

óctane nùmber 〔**ràting**〕 옥탄가(價).

oc·tant [ɑ́ktənt / ɔ́k-] *n.* Ⓒ ① 팔분원(八分圓) 《중심각 45 도의 호》. ② 〖海〗 팔분의(八分儀).

***oc·tave** [ɑ́ktiv, -teiv / ɔ́k-] *n.* Ⓒ ① 〖樂〗 옥타브, 8 도 음정 ; 옥타브의 8 개의 음 ; (어떤 음으로부터 세어) 제 8 음. ② 〖韻〗 8 행시.

Oc·ta·vi·an [ɑktéiviən / ɔk-] *n.* ⇨Augustus ②.

oc·ta·vo [ɑktéivou / ɔk-] (*pl.* **~s**) *n.* ① Ⓤ 8 절판(折版), 옥타보판(版). ② Ⓒ 8절판의 책〔종이〕 《略 : O., o., oct., 8 vo ; 기호 : 8°》. ⓒⓕ folio. ── *a.* 8 절판의.

oc·tet(te) [ɑktét / ɔk-] *n.* Ⓒ ① 〖樂〗 8 중창(重唱), 8중주(奏) ; 8 중창단, 8 중주단. ② 〖韻〗 8 행 연구(聯句) (octave)《sonnet 의 처음의 8 행》, 8 행의 시 ; 8 개 한 벌의 물건. ③ 8 인〔8 개〕 한 조(組). ④ 〖컴〗 8 중수.

octo- =OCT(A)-.

†**Oc·to·ber** [ɑktóubər / ɔk-] *n.* 10월《略 : Oct.》: in ~, 10월에 / on ~ 6=on 6 ~ =on the 6th of ~, 10월 6일에.

oc·to·ge·nar·i·an [ɑ̀ktədʒənɛ́əriən / ɔ̀ktə-] *n.* Ⓒ 80 세〔대〕의 사람. ── *a.* 80 세〔대〕의.

oc·to·pus** [ɑ́ktəpəs / ɔ́k-] (*pl.* **~·es, -pi** [-pài], ***oc·top·o·des [ɑktɑ́pədìːz / ɔktɔ́-]) *n.* Ⓒ ① 〖動〗 낙지. ② 여러 큰 조직을 가지고 유해한 세력을 떨치는 단체.

oc·to·roon [ɑ̀ktərúːn / ɔ̀k-] *n.* (흑인의 피를 1/8 받은) 흑백 혼혈아. ⓒⓕ mulatto, quadroon.

oc·to·syl·la·ble [ɑ́ktəsiləbəl / ɔ́k-] *n.* Ⓒ 8 음절어(語)〔시구〕. ㊕ **-lab·ic** *a.* 8음절의.

oc·u·lar [ɑ́kjələr / ɔ́k-] *a.* 눈의 ; 눈에 의한, 시각의 : an ~ witness 목격자 / the ~ proof 〔demonstration〕 눈에 보이는 증거. ── *n.* Ⓒ 접안 렌즈. ㊕ **~·ly** *ad.*

oc·u·list [ɑ́kjəlist / ɔ́k-] *n.* Ⓒ 안과 의사 ; 검안사 「(檢眼士).

OD [òudíː] (*pl.* **~s, ~'s**) *n.* Ⓒ 《俗》 (마약 따위의) 과용(자). ── (*p.*, *pp.* ***OD'd, ODed ; OD'ing***) *vi.* (마약 등을) 과용하다.

O.D., OD. Officer of the Day ; 〖商〗 overdrawn ; 〖商〗 overdraft. **ODA** Official Development Assistance(정부 개발 원조).

oda·lisque [óudəlìsk] *n.* Ⓒ (옛 이슬람교국의) 여자 노예.

‡**odd** [ɑd / ɔd] *a.* ① 기묘한, 이상한 ; 묘한(queer) ; 이상야릇한 : an ~ odor 이상한 냄새 / an ~ girl who likes snakes 뱀을 좋아하는 이상한 소녀 / Isn't that ~ ? She's never done that before. 그게 이상하지 않아. 그녀는 전에 그런 짓 한 적이 없거든 / It's ~ (that) the door is not locked. 문이 잠겨 있지 않다니 이상하다. ② 기수〔홀수〕의. ⓞⓟⓟ *even*. ¶ an ~ number 홀수 / *Odd* numbers cannot be devided by two. 홀수는 2로 나눌 수 없다. ③ (어림수를 들어) …여(餘)의, …남짓의, …와 얼마의, 여분의 : thirty(-) ~ years, 30여 년 / a hundred-~dollars, 100여 달러 / 15 dollars ~, 15 달러 남짓. ④ 우수리의, 나머지의 : You may keep the ~ change 〔money〕. 우수리는 그냥 넣어 두시오 / If there's any ~ money, put it in this box. 돈이 남으면 이 상자에 넣어 주세요. ⑤ 외짝〔한 짝〕의 ; 짝이 안 맞는 : an ~ glove 〔stocking〕 한 짝만의 장갑〔양말〕 / He's the ~ man ; so we'll have him referee. 그가 한 사람 남으니 심판으로 삼자. ⑥ 그때 그때의, 임시의 ; 잡다한 : ~ pieces of information 잡보(雜報) / ~

jobs 틈틈이 하는 일, 임시 일, 잡무 / John does ~ jobs during the summer vacation. 존은 여름 휴가중에 아르바이트를 한다. ⑦ 외진, 멀리 떨어진 : in some ~ corner 어느 한 구석에.
— *n.* ① (*pl.*) ⇨ODDS. ② Ⓒ 〖골프〗 한 홀에서 상대보다 많이 친 한 타 ; 《英》 핸디캡으로서, 각 홀에서 한 타씩을 스코어로부터 빼는 일.
㊕ ∠·**ness** *n.* 기묘, 기이(한 일) ; 불완전한 것.

odd·ball [∠bɔ̀:l] *n.* Ⓒ 《口》 별난 사람, 기인(奇人).

odd·i·ty [ádəti / ɔ́d-] *n.* ① Ⓤ 기이함, 괴상함, 진묘함 : the ~ of his behavior 그의 별난 행동. ② Ⓒ 이상〔기이〕한 사람, 괴짜 ; 진묘한 것〔점〕.

ódd jóbber =ODD-JOBMAN.

odd-job·man [áddʒàbmən / ɔ́ddʒɔ̀bmən] (*pl.* **-men** [-mən]) *n.* Ⓒ 잡역부.

***odd·ly** [ádli / ɔ́d-] *ad.* ① 기묘〔기이〕하게, 이상하게 : an ~ shaped statue 묘한 형상을 한 조상 / The child looked at me ~. 그 어린이는 묘한 눈으로 나를 바라보았다. ② 〔文章修飾〕 기묘하게도 : *Oddly* (enough), he rejected our proposal. 이상하게도 그는 우리의 제안을 거절하였다.

ódd màn óut ① 동전을 던져서 3명 중에서 1명을 뽑는 방법〔게임〕, 그 방법으로 뽑힌 사람. ② 한 패에서 고립된 사람, 빙퉁그러진 사람.

odd·ment [ádmənt / ɔ́d-] *n.* Ⓒ (때때로 *pl.*) 남은 물건, 짝이 맞지 않는 물건 ; 잡동사니 : ~ of food 〔information〕 잡다한 음식〔정보〕.

ódd párity 〖컴〗 홀수 맞춤《홀짝 맞춤(parity) 검사에서 세트된(1의) 두값(bit)의 개수가 홀수임이 요구되는 방식(mode)》.

odds** [adz / ɔdz] *n. pl.* ① 가망, 가능성, 확률 : The ~ against success are high. 성공하지 못할 확률이 높다 / It is ~ 〔The ~ are〕 that he will come soon. 그는 아마 곧 올 것이다 / What are the ~ that he'll win? 그가 이길 가능성은 얼마나 될까. ② 승세, 승산 : fight against heavy ~ 승산이 적은 싸움을 하다 / The ~ were in our favor. 우리에게 승산이 있었다. ③ (경기 등에서 약자에게 주는) 유리한 조건, 접어주기, 핸디캡 : give the ~ 핸디캡을 주다. ④ (내기에서) 상대의 돈보다 더 많이 걺, (건 돈의) 비율 : at ~ of 7 to 3, 7 대 3의 비율로. ⑤ 차이 : It〔That〕 makes no 〔little〕 ~. 그것은 (어떻게 하든) 큰 차가 없다. ***be at ~ with …와 싸우고 있다, …와 사이가 좋지 않다 : He's always *at ~ with* his father over politics. 그는 늘 정치 문제로 아버지와 사이가 좋지 않다. ***by all ~*** 아마도, 십중팔구. **~ *and ends*** 나머지, 잡동사니. ***over the ~*** 《英口》 예상〔필요〕 이상으로 높게〔많이〕 : The firm pays *over the ~* in order to keep its staff. 회사는 직원을 확보하기 위해 예상 이상으로 많은 돈을 지불한다. ***What's the ~?*** 《英口》 그게 어떻다는 건가《상관없다》.

odds-on [ádzán, -ɔ́:n / ɔ́dzɔ́n] *a.* 승리가〔당선이〕 확실한, 승산〔가능성〕이 있는 : an ~ favorite 유력한 우승 후보말 ; 당선이 확실한 후보자 / It's ~ that he will pass the exam. 십중 팔구 그는 시험에 합격할 것이다.

***ode** [oud] *n.* Ⓒ 송시(頌詩), 오드, 부(賦)《특정 인물이나 사물을 읊은 고상한 서정시》.

Odin [óudin] *n.* 〖北유럽神〗 오딘《예술·문화·전쟁·사자(死者) 등의 신》.

***odi·ous** [óudiəs] *a.* 싫은, (얄)미운, 밉살스러운, 가증한 ; 불쾌한, 타기할 만한 : an ~ smell 악취 / His behavior is ~ to me. 그의 행동은 나로서는 참을 수가 없다. ㊕ **~·ly** *ad.* **~·ness** *n.*

odi·um [óudiəm] *n.* Ⓤ ① 미움, 증오. ② 비난, 악평 : be held in great ~ 비난의 대상이 되다.

odom·e·ter [oudámitər / oudɔ́-] *n.* Ⓒ 오도미터, 주행(走行) 거리계.

odon·tol·o·gy [òudantálədʒi, àd- / ɔ̀dɔntɔ́l-] *n.* Ⓤ 치과학 ; 치과 의술.

‡**odor,** 《英》 **odour** [óudər] *n.* ① Ⓒ 냄새, 향기 ; 방향(芳香) : the pleasant ~*s* of roses 장미의 방향 / breathe the spring ~ 봄의 향기를 들이마시다. ② Ⓒ 좋지 못한 냄새, 악취 : body ~ 체취, 액취(腋臭), 암내 / a characteristic fish ~ 생선 비린내. ③ (an ~) …의 기색〔낌새〕 : *an ~ of* antiquity 고풍스런 느낌 / *An ~ of* suspicion surrounded his testimony. 그의 증언에는 어딘가 미심스러운 데가 있었다. ④ Ⓤ 평판, 인기, 명성 : be in good 〔bad, ill〕 ~ with …에게 평판이 좋다 〔나쁘다, 좋지 않다〕.
㊕ **~·less** *a.* 냄새가 없는.

odor·if·er·ous [òudərífərəs] *a.* 향기로운.
㊕ **~·ly** *ad.* 향기롭게. **~·ness** *n.*

odor·ous [óudərəs] *a.* ① 향기로운. ② 냄새가 나는.

Odys·se·us [oudísiəs, -sju:s] *n.* 〖그神〗 오디세우스《라틴명은 Ulysses》.

Od·ys·sey [ádəsi / ɔ́d-] *n.* ① (the ~) 오디세이《Troy 전쟁 후 Odysseus의 방랑을 노래한 Homer의 서사시》. ② (종종 o-) Ⓒ 긴 〔파란 만장한〕 방랑〔모험〕 여행.

OE, O.E. Old English. **OECD, O.E.C.D.** Organization for Economic Cooperation and Development (경제 협력 개발 기구).

oec·u·men·i·cal [èkjuménikəl / ì:k-] *a.* = ECUMENICAL.

Oed·i·pus [édəpəs, í:d-] *n.* 〖그神〗 오이디푸스《부모와의 관계를 모르고 아버지를 죽이고 어머니를 아내로 삼은 Thebes의 왕》.

Óedipus cὸmplex 〖精神醫〗 에디퍼스 콤플렉스《아들이 어머니에 대하여 무의식적으로 품는 성적인 사모》. ⓒⓕ Electra complex.

OEM original equipment manufacturing 〔manufacturer〕 (주문자 상표에 의한 생산〔생산자〕).

oe·no·phile [í:nəfàil] *n.* Ⓒ (특히 감정가로서의) 와인 애호가.

o'er [ɔ:r, óuər] *ad., prep.* 《詩》 =OVER.

oe·soph·a·gus [isáfəgəs / -sɔ́f-] (*pl.* **-gi** [-dʒài, -gài]) *n.* =ESOPHAGUS.

oestrogen *n.* =ESTROGEN.

oestrum, oestrus ⇨ ESTRUM.

†**of** [av, ʌv / ɔv ; 《약음·보통》 əv] *prep.* ① **a)** 〔기원·출처〕 …로부터, …출신〔태생〕의, …의《특정 연어(連語)를 제외하고 현재는 from이 보통》: a man *of* 〔from〕 Oregon 오리건 출신의 사람 / the wines *of* 〔from〕 France 프랑스산(産)의 포도주 / come *of* 〔from〕 a good family 지체 있는 집안〔명문〕의 출신이다 / I asked a question *of* 〔×to〕 her. 그녀에게 질문을 했다(=I asked her a question.) / You expect too much *of* 〔from〕 her. 자넨 그녀에게 지나치게 기대를 한다 / I borrowed some money *of* him. 나는 그에게서 얼마간 돈을 꾸었다. **b)** 〔원인·이유·동기〕 …로 인해, …때문에, …(으)로 : be sick *of*… …에 넌더리가〔신물이〕 나다, …이 싫어지다 / die *of* cancer 암으로 죽다 / be afraid *of* dogs 개를 무서워하다 / I study French *of* necessity. 나는 필요해서 프랑스어를 배운다 / She did so *of* her own free will. 그녀는 자유 의사로 그렇게 하였다. ★ 외부적·원인(遠因)적·간접적 사인(死因)을 나타낼 때는 from을 씀 : He died *from* a wound. 상처로 인해 죽었다.
② **a)** 〔거리·위치·시간〕 …에서, …로부터, …의 : within ten miles 〔hours〕 *of* the city 시에서

10 마일〔시간〕 이내에 / twenty miles (to the) south *of* Seoul 서울의 남쪽(으로) 20 마일 / The arrow fell short *of* the mark. 화살은 과녁에 미치지 못하였다. **b)** 〔시각〕《주로 美북부》 (…분) 전 (before) : at five (minutes) of〔before, to〕 ten, 10시 5분전.

③ 〔분리·박탈·제거〕 **a)** 〔動詞와 함께 쓰이어〕 (…에게서) ―을 (―하다) : cure a person *of* his disease 아무의 병을 고치다 / deprive a person *of* his money 아무에게서 돈을 빼앗다 / get rid *of* a troublesome burden 귀찮은 부담을 없애 버리다. **b)** 〔形容詞와 함께 쓰이어〕 …로부터 : free *of* charge 무료로 / a room bare *of* furniture 가구(家具) 없는 방 / independent *of* … …로부터〔에서〕 독립하여.

④ 〔of+名詞로 副詞句를 이루어〕 《口》 (때를 나타내어) …에, …(같은) 때에, …의 : He died *of* 〔on〕 a Saturday. 그는 토요일에 죽었다 / He can't sleep *of* a night. 그는 밤이면 잠을 못 잔다 / I go to the pub *of* an evening. 나는 저녁 때에는 술집에 간다(=I usually go to the pub *in* the evening 〔《美口》 evenings〕).

⑤ 〔소유·소속〕 …의, …이 소유하는, …에 속하는 : the leg *of* a table 테이블의 다리 / industrial areas *of* Glasgow 글래스고의 공업 지대 / a disease *of* plants 식물의 병 / the Tower *of* London 런던 탑 / the role *of* a chairman 의장의 역할 / At the foot *of* the candle it is dark. 《俗談》 등잔 밑이 어둡다.

> 參考 '소유'를 나타낼 때, 사람이나 생물에는 소유격 어미 's를 쓰고, 무생물에는 of를 쓰는 것이 보통이나 다음과 같은 경우에는 무생물이라도 종종 's가 쓰이는데 특히 신문 영어에서 흔히 쓰임. (1) 때·시간 : today*'s* menu 〔paper〕 오늘의 메뉴〔신문〕. a ten hours*'* delay, 10 시간의 지체(=a ten-hour delay). (2) 인간의 집단 : the government*'s* policy 정부의 정책. the committee*'s* report 위원회의 보고. (3) 장소나 제도 : Korea*'s* history (=the history of Korea). Korea*'s* climate 한국의 기후. (4) 인간의 활동 : the plan*'s* importance 그 계획의 중요성. the report*'s* conclusions 그 보고의 결론. (5) 탈것 : the yacht*'s* mast 요트의 마스트.

⑥ 〔of+名詞로 形容詞句를 이루어〕 **a)** 〔성질·상태〕 …의, …한《(1) 나이·형상·색채·직업·크기·가격 따위를 나타낼 때는 흔히 of는 생략됨. (2) 한정적으로도 서술적으로도 쓰임》 : a man *of* courage 용기있는 사람(=a courageous man) / a matter *of* importance 중대한 문제(=an important matter) / a girl *of* ten (years) 열살의 소녀 / a man (*of*) his age 그와 같은 또래의 남자 / I'd like to sleep in a bed (*of*) that size. 저 크기의 침대에서 자고 싶다 / We are (*of*) the same age. =We are *of* an age. 우리는 동갑내기이다 / I am glad I have been *of* some use to you. 다소라도 도움이 돼 드려 다행입니다. **b)** 〔비유〕 〔名詞+of a …로〕 …(와) 같은《앞부분의 名詞+of가 形容詞 구실을 함》 : an angel *of* a boy 천사와 같은 소년(=an angelic boy) / a mountain *of* a wave 산더미 같은 파도(=a mountainous wave).

⑦ 〔관계·관련〕 **a)** 〔名詞에 수반하여〕 …에 관해서, …에 대해서, …의 점에서 : a long story *of* adventures 긴 모험 이야기 / He is thirty years *of* age. 그는 30 세이다 / There is talk *of* peace. 평화회담이 열린다. **b)** 〔形容詞에 수반하여〕 …한〔하다는〕 점에서(in respect of) : swift 〔nimble〕 *of* foot 발이 빠른 / be slow *of* speech 말이 느리다 / be guilty *of* murder 살인을 범하다 / It is true *of* every case. 그것은 어떤 경우에도 진실이다. **c)** 〔allow, approve, accuse, complain, convince, inform, remind, suspect 등의 動詞에 수반하여〕 : *approve of* his choice 그의 선택이 옳다고 생각하다 / *suspect* her *of* lying 거짓말을 한다고 그녀를 의심하다 / She *complains of* a headache. 그녀는 두통을 호소하고 있다.

⑧ 〔재료·구성 요소〕 …로 만든, …로 된, …제(製)의 : a table *of* wood 목제(木製) 테이블(=a wooden table) / a dress *of* silk 비단 옷《silk dress 가 보통》 / made *of* gold 〔wood〕 금제(金製)〔목제〕의《make … from과의 차이는 from ⑭ 語法 I 참조》 / built *of* brick(s) 벽돌로 지은 / a house *of* five rooms 방 다섯개로 된 집 / He made a doctor *of* his son. 그는 아들을 의사로 만들었다(=He made his son a doctor.).

⑨ **a)** 〔부분〕 …의 (일부분), …중의, …중에서 : many *of* the students 그 학생들 중의 다수《many of students 라고는 못 함》 / the King *of* Kings 왕 중(의) 왕《그리스도》 / the most dangerous *of* enemies 적 중에서도 가장 위험한 적 / five *of* us 우리 중 5명《비교 : the five *of* us 우리 5명》 / either *of* the two 둘 중의 어느 하나 / She is the prettiest *of* them all. 그녀는 그들 모두 가운데서 가장 예쁘다. **b)** 〔날짜를 나타냄〕 : the 30th *of* May, 5월 30일.

⑩ 〔분량·내용〕 …의 : a basket *of* strawberries 딸기 한 바구니 ; 딸기가 든 바구니 / a piece *of* furniture 가구(家具) 1점 / a pint 〔glass〕 *of* wine, 1 파인트〔한 잔〕의 포도주 / a pair *of* trousers 바지 한 벌 / three acres *of* land, 3 에이커의 땅.

⑪ 〔분류·종별〕 …(종류)의 : people *of* all sorts =all sorts *of* people 모든 종류의 사람들 / a delicious kind *of* bread 맛있는 종류의 빵.

⑫ 〔同格 관계〕 …라(고 하)는, …하다는, …인, …의 : the city *of* Seoul 서울(이라는) 시 / the name *of* Jones 존스라는 이름 / the fact *of* my having seen him 내가 그를 만났다는 사실 / the virtue *of* charity 자선의 미덕 / the crime *of* murder 살인(이라는) 죄 / the five *of* us 우리 5명《비교 : five *of* us 우리 중 5명》 / a friend of mine 내 친구 / Look at that red nose *of* Tom's. 톰의 저 빨간 코를 봐라.

⑬ 〔主格 관계〕 **a)** 〔동작의 행위자·작품의 작자〕 …가, …이 ; …의 : the works *of* Shakespeare 셰익스피어의 작품 / the love *of* God 하느님의 사랑《God's love 로 바꿔 쓸 수 있음》 / the love *of* a mother for her child 자식에 대한 어머니의 애정. **b)** 〔it is+形容詞+of+(代)名詞(+*to* do)로〕 (아무)가 …하는 것은 ―이다〔하다〕《(1) 이 때의 形容詞는 careless, foolish, clever, good, kind, nice, polite, rude, wise 따위 성질을 나타내는 것. (2) (代)名詞는 의미상의 주어 구실을 함》 : It's very kind *of* you to come. 와 주셔서 매우 감사합니다 / It was very kind *of* you indeed! 정말이지 친절하시게도《문맥으로 보아 자명한 때에는 to 이하는 생략》.

⑭ 〔目的格 관계〕 **a)** 〔흔히 동작 名詞 또는 動名詞에 수반되어서〕 …을, …의 : a statement *of* the facts 사실의 진술 / the levying *of* taxes 세(금)의 부과 / the love *of* nature 자연(을)사랑하기 / the discovery *of* oil by the farmers = the farmers' discovery *of* oil 농부들에 의한 석유의 발견. **b)** 〔afraid, ashamed, aware, capable, conscious, envious, fond, greedy, jealous, proud 등의 形容詞에 수반되어〕 …을, …에 대하여 : He is *proud of* his daughter. 그는 딸을 자랑으로 여기고 있다 / He is *desirous of* going abroad. 그는 외국에 가기를 바라고 있다 / I am *doubtful of* its truth. 나는 그 진위를 의심하고 있다.

> 參考 the love of God 은 '하느님의 사랑'이란 뜻도 되고 '하느님에 대한 사랑'이란 뜻도 됨. 이와 같이 같은 구조인데도 뜻이 달라질 수 있으므로, 이 구별을 뚜렷이 하기 위해 종종 목적격 관계를 of로, 주격적 관계를 by, 또 특히 목적격 관계를 for로 나타낼 때도 있음: the government *of* the people *by* a wise ruler 현명한 통치자에 의한 국민의 통치. the mother's love *for* 〔*of*〕 children 자식에 대한 어머니의 사랑.

as of ⇨AS. ***of all men*** 〔***people***〕 (1) 누구보다 먼저〔우선〕: He *of all men* should set an example. 누구보다도 먼저 그가 모범을 보여야 할 것이다. (2) 하필이면: They came to me, *of all people*, for advice. 하필이면 그들이 내게 상의하러 왔다. ***of all others*** ⇨OTHER. ***of all things*** (1) 무엇보다 먼저《more than anything 따위가 일반적임》. (2) 하필이면. ***of course*** ⇨COURSE. ***of late*** ⇨LATE. ***of old*** ⇨OLD.

of- *pref.* =OB-《f 앞에 올 때의 꼴: *of*fer》.

OF, O.F. Old French.

†off [ɔːf, ɑf / ɔf] *ad.* ① **a**) 〔공간적으로〕 떨어져, 저쪽으로, 멀리: far 〔a long way〕 ~ 훨씬 멀리 / a town (which is) five miles ~, 5 마일 떨어진 데에 있는 읍내 / Stand ~! 떨어져 있어, 접근하지 마라. **b**) 〔시간적으로〕 앞으로, 이후에: The holidays are a week ~. 앞으로 1 주일이면 휴가다.
② 〔이동·방향·출발〕 (어떤 곳에서) 저쪽으로, 떠나(버려), 가 버려: run ~ 달려가 버리다 / start ~ on a trip 여행길을 떠나다 / look ~ toward the west 눈을 돌려 서쪽을 보다 / see a friend ~ 친구를 배웅〔전송〕하다 / Where are you ~ to? 어디(로) 가십니까 / He went ~. 그는 가버렸다《강조는 *Off* he went.로 됨》/ We must be ~ now. 이제 작별을 드려야겠습니다(=We must be going now.) / They're ~! 출발하였습니다《경마 등의 실황 방송》.
③ **a**) 〔분리·이탈〕 분리하여, 떨어져, 벗어〔벗겨〕져, 빠져, 벗어나: come ~ 떨어지다; (손잡이 따위가) 빠지다 / take one's clothes ~ 옷을 벗다 / brush ~ the dust 솔질하여 먼지를 떨어 버리다 / lay ~ workers 노동자를 일시 해고하다. **b**) 〔절단·단절을 나타내는 動詞와 함께〕 잘라〔떼어〕 내어, 끊어 내어; 끊겨져: bite ~ the meat 고기를 물어 떼다 / cut ~ 잘라 떼다〔없애다〕/ break ~ a branch 나뭇가지를 꺾어 내다 / tear ~ the cover 표지를 잡아떼다 / turn ~ the gas 〔water〕 가스〔수도〕를 잠그다 / turn ~ the radio 라디오를 끄다.
④ 〔분할〕 (하나이던 것을) 나누어, 갈라, 분리하여: mark ~ into two parts 경계선을 그어 둘로 가르다 / marry ~ two daughters 두 딸을 시집보내다 / block ~ all side streets 옆길〔샛길〕을 모조리 (철책으로) 봉쇄하다 / Mark it ~ into equal parts. 그것을 등분하여라.
⑤ 〔감소·저하〕 줄(이)어; 빼어; 덜하여: cool ~ (열이) 식어 가다, 냉각하다 / take ten percent ~, 1 할 할인하다 / Sales dropped ~ badly. 매상(賣上)이 몹시 줄었다 / The population is dying ~. 인구는 감소하고 있다; 주민들이 차례차례 죽어간다.
⑥ 〔해방〕 (일·근무 등을) 쉬어, 휴가를 얻어: have 〔take〕 a day ~ 하루 일을〔근무를〕 쉬다; 하루 휴가를 얻다 / on one's day ~ 비번인 날에 / give the staff a week ~ 직원들에게 1 주일 휴가를 주다.
⑦ 〔중단·정지〕 **a**) (…와의) 관계가 끊어져《*with*》 He is ~ *with* the old love. 그는 옛애인과 관계가 끊어졌다. **b**) 중지하여, 끝나, 종료하여: call ~ the strike 파업을 중지하다 / leave ~ work (하던) 일을 중단하다 / The game was called ~. 경기는 중지되었다 / The meeting is ~. 회의는 연기〔중지〕되었다 / The agreement is ~. 그 계약은 기간이 끝났다.
⑧ 〔강조〕 끝까지 (…하다), 깨끗이, 완전히 (entirely); 단숨에, 즉각: dash ~ a letter 편지를 후딱 써 버리다 / pay ~ the debts 빚을 전부 갚다 / clear ~ the table 식탁을 깨끗이 치우다 / write ~ a report 보고서를 단숨에 쓰다.
⑨ 〔well, ill 따위 양태(樣態)의 副詞와 함께〕 **a**) 살림살이가〔생활 형편이〕 …하여: be well 〔badly〕 ~ 살림이 풍족하다〔어렵다〕/ The woman is better 〔worse〕 ~. 그 여자는 전보다 생활형편이 낫다〔못하다〕. **b**) (사물·돈 따위가) …상태인《*for*》: We are well ~ *for* butter. 버터는 충분히 있다 / She is badly ~ *for* money. 그녀는 돈이 몹시 궁하다.
⑩ 〖劇〗 무대 뒤에서(offstage): voices ~ 무대 뒤(에서)의 사람들 소리 / Knocking is heard ~. 무대 뒤에서 노크 소리가 들린다.

~ and on=***on and ~*** 단속적으로, 때때로: It rained *on and* ~ all day. 하루 종일 비가 내리다 그치다 했다. ***~ of*** ... 《美口》 …에서 (떨어져): Take your feet ~ *of* the table! 테이블에서 발을 내려놓아라. ***Off with...!*** …을 벗어라; …을 없애라; …을 쫓아 버려라: *Off with* your hat! 모자를 벗어라 / *Off with* his head! 그의 목을 베어라 / *Off with* the old, on with the new. 낡은 것은 버리고 새것을 맞이하라. ***Off with you!*** 꺼져. ***right*** 〔***straight***〕 ~ 《口》 즉각, 곧. ***take a day*** ~ 《美》 하루 휴가를 얻다. ***take*** one***self*** ~ 떠나다, 달아나다.

— *prep.* ① 〔떨어진 위치·상태를 나타내어〕 **a**) (장소)로부터〔에서〕 (떨어져, 벗어나), …을 떠나 (away from): three miles ~ the main road 간선도로에서 3 마일 떨어져 / streets ~ Myŏng-dong 명동의 뒷거리들 / Keep ~ the grass. 잔디에 들어가지 마시오《게시》. **b**) (기준·주제 등)에서 벗어나: ~ the right course 바른 코스〔항로〕에서 벗어나 / be ~ the mark 과녁에서 벗어나 있다, 과녁을 빗맞히다 / go 〔get〕 ~ the subject (고의·실수로) 본제(本題)에서 벗어나 있다 / Your remarks are ~ the point. 자네의 발언은 주제〔요점〕에서 벗어나 있네. **c**) (일·활동 따위)로부터 떠나, …을 안 하고〔쉬고〕: He is ~ duty. 그는 비번이다 / He is ~ work. 그는 일을 하고 있지 않다《out of work 면 '실직 상태의'의 뜻》/ ~ guard 방심하고. **d**) (시선 따위를) …에서 떼어〔돌려〕: Their eyes weren't ~ the king for a moment. 그들은 한순간도 임금에게서 눈을 떼지 않았다. **e**) …의 앞〔난〕바다에: ~ the coast *of* Inch'ŏn 인천 앞바다에 / The ship sank two miles ~ Cape Horn. 그 배는 케이프 혼 2 마일 앞바다에서 침몰했다. **f**) …에 실려〔올려〕있지 않은: ~ the record 기록에 올리지 않게, 비공식으로.
② 〔고정된 것으로부터의 분리를 나타내어〕 **a**) (고정된〔붙어 있는〕 것)으로부터 (떨어져): take a ring ~ one's finger 손가락에서 반지를 빼다〔뽑다〕/ There's a button ~ your coat. 자네 상의의 단추 하나가 떨어져 있네. **b**) (탈것 따위)에서 내리어, …에서 떨어져: get 〔step〕 ~ a bus 〔train〕

O

버스〔열차〕에서 내리다 / fall ~ a ladder 사다리에서 떨어지다 / fall ~ one's horse 말에서 떨어지다. **c)** 《口》 (본래의 상태에서) 벗어나; (심신의) 상태가 좋지 않아: ~ balance 균형을 잃고 / He is ~ his head. 그는 머리가 돌았다.
③ 〔감소〕 …에서 빼어〔덜하여, 할인하여〕, …이하로 (less than) : at 20 % ~ the price 정가의 20 퍼센트를 할인하여 / take five percent ~ the list price 정가에서 5 퍼센트를 할인하다.
④ 〔근원〕 《口》 …로부터, …에서 (from) : borrow five dollars ~ a friend 친구에게서 5 달러를 빌리다 / She bought the book ~ me. 그녀는 나에게서 그 책을 샀다 / eat ~ silver plate 은접시의 음식을 먹다; 호화판 생활을 하다.
⑤ 〔중단·휴지〕 **a)** (아무가) …을 싫어하여, …이 싫어져 : I am ~ fish. 생선이 싫어졌다, 생선을 안 먹고 있다. **b)** (아무가) …을 안 하고〔삼가고〕, …을 끊고 : go ~ narcotics 마약에서 손을 떼다 / I am ~ gambling now. 이제 노름은 안 하고 있다.
⑥ 〔의존〕 …에〔을〕 의지〔의존〕하여, …에 얹혀 살아; …을 먹고(on) : make a *living* ~ the tourists 관광객을 상대로 생활하다 / He *lives* ~ his pension. 그는 연금으로 생활한다.
— *a.* ① 〔限定的〕 떨어진, 먼 쪽의, 저쪽의; (말·차의) 오른쪽의《말은 왼쪽에서 타니까 거기서 먼쪽》. opp. *near.* ¶ the ~ side of the wall 〔building〕 벽〔건물〕의 저쪽 / the ~ front wheel 오른쪽 앞바퀴.
② (본길에서) 갈라진; (중심에서) 벗어난, 지엽적인; 잘못된, 틀린: an ~ road 옆길 / an ~ issue 지엽적인 문제 / My guess was ~. 내 추측은 틀렸다 / You are ~ on that point. 자넨 그 점이 틀렸네.
③ **a)** (아무가) 의식을 잃고, 정상적이 아닌, 몸상태가 좋지 않아 : I feel a bit ~. 몸의 상태가 좀 이상하다 / He is rather ~ (in his head). 그는 (머리가) 좀 이상하다. **b)** 《口》 (식품 등이) 묵어서; 상해 : This milk is rather ~. 이 우유는 좀 상했다.
④ 철이 지난, 제철이 아닌, 한산한; 흉작의, 불황의 : the ~ season 제철이 아닌 시기, 한산기 / an ~ year 흉작〔불경기〕의 해, 흉년.
⑤ (수도·가스·전기 따위가) 끊어진, 중단된 : The switch is in the ~ position. 스위치는 꺼져 있다.
⑥ **a)** 쉬는, 비번(非番)〔난번〕의 : one's ~ day 비번〔쉬는〕 날. **b)** 순조롭지〔만족스럽지〕 못한, 상태가 나쁜 : an ~ day 상태가 좋지 않은 날, 재수없는〔불운의〕 날.
⑦ 《口》 (기회 따위가 좀처럼) 있을 법하지〔것 같지〕 않은 : an ~ chance 거의 가능성이 없음 / There is an ~ chance that... …이라는〔하다는〕 것은 있을 법하지 않다.
— *n.* (the ~) ① (경마의) 출주(出走). ② 〚크리켓〛 타자의 오른쪽 전방. opp. *on.* ③ 〚컴〛 끄기.
— *vt.* 《俗》 …을 죽이다, 없애다.

off. office; officer; official.

off- *pref.* ① '…에서 떨어져서'의 뜻 : *off*-street. ② '(색이) 불충분한'의 뜻 : *off*-white.

of·fal [ɔ́(:)fəl, ɑ́fəl] *n.* Ⓤ ① 부스러기, 찌꺼기. ② 고깃부스러기, (새·짐승의) 내장. ③ 썩은 고기.

off·beat [⌐bíːt] *a.* ① 상식을 벗어난, 보통이 아닌, 색다른, 엉뚱한 : an ~ TV comedy 엉뚱한 TV 코미디 / Her style of dress is distinctly ~. 그녀의 의상 스타일은 분명히 색다르다. ② 〚樂〛 오프비트의. — 〔⌐⌐〕 *n.* Ⓒ 〚樂〛 오프비트.

off-Broad·way [⌐brɔ́ːdwèi] *a., ad.* 오프브로드웨이의〔로〕. — *n.* Ⓤ 〔集合的으로〕 오프브로드웨이《미국 뉴욕의 브로드웨이 이외 지구에 있는 비영리적 극장 또는 여기서 상연되는 (연)극》.

off-cen·ter [⌐séntər] *a.* ① 중심에서 벗어난 : Here, the photo is slightly ~. 저어, 사진의 위치가 약간 중심에서 벗어났어요. ② 균형을 잃은.

óff chànce (*sing.*) 만에 하나의 가능성, 도저히 있을 것 같지 않은 기회 : There's only an ~ of getting the money back. 그 돈을 되찾을 가능성은 아주 희박하다. ***on the*** ~ 혹시 …할지 모른다고 생각하고《*that* ; *of doing*》: I'll go *on the* ~ *of* see*ing* her. 어쩌면 그녀를 만날 수 있을 것 같아서 가야겠다.

off-col·or [⌐kʌ́lər] *a.* ① 빛깔〔안색, 건강〕이 좋지 않은 : She's been feeling a bit ~ lately. 그녀는 요즘 약간 기분이 언짢다. ② (보석 따위) 빛이 산뜻하지 않은. ③ 《口》 점잖지 못한; 음탕한 : an ~ joke 점잖지 못한 농담.

off·cut [⌐kʌ̀t] *n.* Ⓒ 잘라낸 것, 지스러기《종이·나무·천 따위 조각》.

óff dày ① 비번 날, 쉬는 날. ② 《口》 (one's ~) 액일(厄日), 수사나운 날.

off-du·ty [⌐djúːti] *a.* 비번의, 휴식의 : an ~ policeman 비번인 경관 / He is ~. 그는 비번이다 / Sorry, I'm ~ now. 미안합니다. 저는 지금 비번이라서요. opp. *on-duty.*

‡of·fence [əféns] *n.* 《英》 =OFFENSE.

‡of·fend [əfénd] *vt.* ① 《~+목 / +목+전+명》 〔종종 受動으로〕 성나게 하다; 기분을 상하게 하다; …의 감정을 해치다《*with*》: Has he done anything to ~ you? 그가 당신에게 무슨 기분상할 일이라도 했습니까 / I *am* ~*ed by*〔*at*〕 his blunt speech. 그의 무례한 말에 화가 난다 / I'm sorry if I've ~*ed* you. 기분이 상했다면 용서하십시오. ② (감각·정의감 등)을 해치다, …에 거슬리다 : The noise ~*s* the ear. 그 소리가 귀에 거슬린다 / Cruelty to animals ~*s* many people. 동물 학대는 많은 사람들의 마음을 해친다. ③ (법 따위)를 위반하다, 범하다 : ~ a statute 규칙을 위반하다.
— *vi.* ① 불쾌감을 주다, 감정을 상하다. ② 《+전+명》 죄〔과오〕를 저지르다; 법〔규칙·예절·습관〕에 어긋나다, 범하다《*against*》: Many criminals ~ again within a year of their release from prison. 많은 범죄자들은 교도소를 나와 1년 안에 다시 죄를 저지른다 / behavior that ~*s against* common decency 통상적 예절을 거스르는 행위.
㊞ ~·**ing** *a.* 불쾌한, 화가 나는; 눈〔귀〕에 거슬리는.

***of·fend·er** [əféndər] *n.* Ⓒ ① (법률상의) 범칙자; 범죄자 : the first ~ 초범자 / an old 〔a repeated〕 ~ 상습범. ② 무례한 자; 남의 감정을 해치는 것.

‡of·fense, 《英》 **-fence** [əféns] *n.* ① Ⓒ (규칙·법령 따위의) 위반, 반칙《*against*》: a traffic ~ 교통위반 / a previous ~ 전과 / a minor ~ 경범죄. ② Ⓒ (풍습·예의범절 따위의) 위법 (행위) : ~ *against* good manners 예의에 어긋나는 행위, 무례. ③ **a)** Ⓤ 화냄(resentment), 기분상함; 모욕 : take ~ (at …) (…에 대해) 화내다 / I'm sorry; I intended no ~. 미안합니다. 악의가 있어서 한 것이 아닙니다. **b)** Ⓒ 기분을 상하게 하는 것, 불쾌한 것 : without ~ 상대방의 기분을 상하게 하지 않고 / an ~ to the ear 귀에 거슬리는 것. ④ [+ɑ́fens, ɔ́(:)-] **a)** Ⓤ 공격. opp. *defense.* ¶ The most effective defense is ~. 공격은 최상의 방어 / play ~ 공격에 나서다《스포츠에서》. **b)** Ⓒ (the ~) 〔集合的; 單·複數 취급〕 (스포츠의) 공격측〔팀〕. ◇ offend *v.*

of·fense·less [əfénslis] *a.* ① 위반되지 않은, 무

죄한. ② 남의 감정을 건드리지 않는 ; 악의가 없는. ③ 공격력이 없는. ㊞ ~·ly *ad.*

‡of·fen·sive [əfénsiv] *a.* ① 불쾌한, 싫은 : an ~ odor 악취(惡臭) / an ~ sight 불쾌한 광경 / ~ to the ear 귀에 거슬리는. ② 무례한, 화가 나는 ; 모욕적인 : ~ behavior 무례한 행동 / ~ language 모욕적인 말 / That is ~ *to* women. 그것은 여성에게 모욕이다. ③ [+ɑ́fensiv, ɔ́(ː)-] 공격적인, 공격〔공세〕의. opp *defensive.* ¶ ~ tactics 공격전술 / ~ weapon 공격용 무기 / The troops took up ~ positions. 그 군대는 공격 태세를 취했다.

— *n.* ① (the ~) 공격 ; 공격 태세 : On March 6th they launched a full-scale ~. 3월 6일, 그들은 대규모 공격을 개시했다. ② Ⓒ (비군사적인) 공세 ; 적극적인 활동 ; 사회 운동 : make 〔carry out〕 an ~ *against* organized crime 조직 범죄 일소에 나서다. ㊞ ~·ly *ad.* 무례하게, 공세로. ~·ness *n.*

†of·fer [ɔ́(ː)fər, ɑ́f-] *vt.* ①《~+目 / +目+目 / +目+前+名》…을 권하다, 제공하다 : ~ a person a book = ~ a book *to* a person 아무에게 책을 권하다 / ~ a bribe 뇌물을 제공하다 / He ~*ed* me a chocolate. 그는 내게 초콜릿을 권했다 / I was ~*ed* a job. 나는 취직을 하지 않겠느냐는 권유를 받았다. ②《~+目 / +目+副》(신 등)에 바치다 ; (기도)를 드리다《*up*》: ~ *up* a sacrifice 희생〔제물〕을 바치다 / ~ prayers 기도를 드리다. ③ (안(案)·회답 등)을 제출하다, 제의하다 ; 신청하다 : ~ a response 회답하다 / ~ a suggestion 제안하다 / ~ one's help 원조를 제의하다 / The senator ~*ed* a bill *to* the Senate. 그 상원 의원은 상원에 법안을 제출했다. ④《+*to* do》(…하겠다고) 말하다 ; (…하려고) 시도하다 : I ~*ed to* accompany her. 그녀와 함께 가겠다고 말했다 / He ~*ed to* strike me. 그는 나를 때리려고 했다. ⑤ (싸움·저항 따위)를 하다 : ~ battle 도전하다 / They ~*ed* stubborn resistance. 그들은 완강하게 저항했다. ⑥ 야기하다, 생기게 하다 ; 나타나게 하다 : The plan ~*s* difficulties. 이 안은 어려운 점이 있다. ⑦《+目+前+名》〖商〗(어떤 값으로) 팔려고 내어놓다 ; (값·금액)을 부르다 : ~ $10,000 *for* a car 자동차 값으로 1만 달러를 부르다《사겠다고》/ ~ a car *for* $10,000, 자동차를 1만 달러에 내놓다 / The police are *offering* a reward *for* any information. 경찰이 정보 제공에 포상금을 내걸었다. — *vi.* ① 제언〔제안〕하다. ②《+前+名》구혼〔청혼〕하다 : ~ *to* a lady 숙녀에게 청혼하다. ③ 생기다, 나타나다 : Take the first opportunity that ~*s.* 어떤 기회라도 놓치지 마라. ◇ offering *n.*

— *n.* Ⓒ ① 제언, 신청 ; 제의, 제안 ; 제공 : an ~ *to* help 조력하겠다는 제의 / a job ~ 구인(求人) / an ~ *of* food 음식 제공 / He rejected her ~ *to* help. 그는 원조하겠다는 그녀의 제의를 거절했다. ② 바침 ; 기부 : an ~ *of* $1,000, 1,000 달러의 기부. ③〖商〗오퍼, 매매 제의 ; (매물(賣物)의) 제공 ; 매긴 값 : He made an ~ of $5,000 for the car. 그는 그 차를 5천 달러에 사겠다고 제의했다. ④ 결혼 신청. ***on*** ~ 매물(賣物)로 나와, 깎인 값으로 : cars *on* ~ 매물 자동차. cf. on SALE. ***under*** ~《英》(팔 집이) 값이 매겨져.

of·fer·er, -or [ɔ́(ː)fərər, ɑ́f-] *n.* Ⓒ 신청인, 제공자 ; 제의자.

***of·fer·ing** [ɔ́(ː)fəriŋ, ɑ́f-] *n.* U,C ① (신에의) 제물, 봉헌(물). ② (교회에의) 헌금, 헌납 ; 선물. ③ 신청, 제공 ; 팔 물건, 매물(賣物). ④ (개설된) 강의 과목.

of·fer·to·ry [ɔ́ːfərtɔ̀ːri, ɑ́f- / ɔ́fətəri] *n.* Ⓒ ① (종종 O-)〖가톨릭〗(빵과 포도주의) 봉헌, 봉헌 기도. ② (교회에서의) 헌금. — *a.*〔限定的〕헌금의 : an ~ box 헌금함.

off·hand [ɔ́(ː)fhǽnd, ɑ́f-] *a.* 즉석(卽席)의(impromptu) ; 준비 없이 하는 ; 아무렇게나 하는, 되는 대로의 : an ~ joke 즉흥적인 농담 / in an ~ manner 대수롭지 않게, 냉담한 태도로 / I don't like his ~ manner. 그의 쌀쌀한 태도가 마음에 들지 않는다 / She was rather ~ with us. 그녀는 우리에게 조금 퉁명스러웠다.

— *ad.* ① 그 자리에서, 즉석에서(extempore) : decide ~ 즉석에서 결정하다 / "Will you come?" — "*Offhand*, I can't say yes or no." '오시겠어요' '당장에는 간다 못간다의 대답을 못하겠는데요'. ② 무뚝뚝하게, 아무렇게나, 되는 대로.

off·hand·ed [-hǽndid] *a.* = OFFHAND. ㊞ ~·ly *ad.* ~·ness *n.*

†of·fice [ɔ́(ː)fis, ɑ́f-] *n.* ① U,C 임무, 직무, 직책 : act in the ~ of adviser 조언자 역할을 다하다 / the ~ of chairman 의장의 임무 / a purely honorary ~ 순수한 명예직 / the ~ of President 대통령의 직무. ② Ⓒ 관직, 공직 ; (공직의) 지위 : be 〔stay〕 in ~ 재직하다 / take (public) ~ (공직에) 취임하다 / retire from ~ (공직에서) 은퇴하다 / He left ~ last month. 그는 지난 달 사직했다. ③ Ⓒ (O-)〔흔히 複合語로〕관공서, 관청 ; 국 ; (O-)《美》(관청 기구의) 청, 국 ;《英》성(省) : the Foreign *Office* 《英》외무성 / the Patent *Office* 《美》특허국. ④ Ⓒ 사무소〔실〕, 오피스 ; 회사 ; 영업소 ; …소 : a fire 〔life〕 insurance ~ 화재〔생명〕보험회사(의 영업소) / the head 〔main〕 ~ 본사, 본점 / a branch ~ 지점 / an inquiry 〔information〕 ~ 안내소 / He works in an ~. 그는 사무소〔회사〕에서 일한다. ⑤ Ⓤ (the ~) (사무실의) 전(全)직원, 전종업원 : Mr. Smith invited *the* whole ~ to his wedding. 스미스 씨는 그의 결혼식에 전직원을 초대했다. ⑥ Ⓒ《美》진료실, (개업 의사의) 의원 ; (대학 교수의) 연구실 : a dentist's ~ 치과 의원 / a doctor's ~ 진료실. ⑦ (*pl.*)《英》가사실(家事室)《부엌·헛간·세탁장·식료품실 따위》. ⑧ (the ~, one's ~) 종교 의식 ;〖가톨릭〗성무일도(聖務日禱) ;〖英國國敎〗아침·저녁 기도. ⑨ Ⓒ (흔히 *pl.*) 진력, 알선, 주선 : count on a person's good ~*s* 아무의 호의를 기대하다. ⑩ (the ~)《口》(남에게) 꾀를 일러줌, 암시, (비밀) 신호.

óffice automátion 오피스 오토메이션, 사무(처리의) 자동화《略 : OA》.

of·fice-bear·er [-bὲərər] *n.*《英》= OFFICE-HOLDER.

óffice blòck《英》= OFFICE BUILDING.

óffice bòy (사무실의) 사환.

óffice bùilding《美》사무실용 큰 빌딩(《英》office block).

óffice gìrl 여자 사무원〔사환〕. 「관공리.

of·fice·hold·er [-hòuldər] *n.* Ⓒ《美》공무원,

óffice hòurs ① 집무〔근무〕 시간, 영업시간 : after ~ 집무 시간 후에 / You can contact us during ~*s.* 근무 시간 중에 우리와 연락이 가능합니다. ②《美》진료 시간.

†of·fi·cer [ɔ́(ː)fisər, ɑ́f-] *n.* Ⓒ ① 장교, 사관. cf. soldier, private. ¶ a military 〔naval〕 ~ 육군〔해군〕 장교 / an ~ of the day 〔week〕 일직〔주번〕 사관 / Report to your commanding ~. 너의 지휘관에게 보고하라. ② (상선의) 고급 선원 : the chief ~, 1등 항해사. ③ 공무원, 관리 ; 경관, 순경 ; 집달관 : a public ~ 공무원 / a customs ~ 세관원 / a press ~ 공보관 / Would you help me,

~ ? 경관 아저씨, 좀 도와주시겠어요(★ 경관 등에 대한 가장 보편적인 호칭으로 씀). ④ (회사·단체·클럽의) 임원 : a company ~ 회사 임원.

óffice wòrker 회사(사무)원.

‡**of·fi·cial** [əfíʃəl] (*more* ~; *most* ~) *a.* ① 공무상의, 관(官)의, 공식의 (opp. *officious*) ; 직무상의 ; 공인의 : an ~ announcement 공식 발표 / an ~ report [return] 공보(公報) / ~ duties 공무 / ~ funds 공금(公金) / ~ affairs [business] 공무(公務) / ~ secrets 공무상의 비밀 / one's ~ life 공직 생활 / The news is not ~. 그 뉴스는 공식 보도가 아니다 / The ~ languages of Canada are English and French. 캐나다의 공용어는 영어와 불어이다 / You have to get ~ permission to build a new house. 새 집을 지으려면 관의 허가를 받아야 한다. ② 관직에 있는 ; 관선(官選)의 : an ~ receiver 관선 파산 관리인. ③ 관청식의 : ~ circumlocution 번문욕례(繁文縟禮). ④ 〖藥〗 약전에 의한.

— *n.* Ⓒ ① **a**) 공무원, 관공리 : government [public] ~*s* 관(공)리. **b**) (노동 조합 등의) 임원. ② (운동 경기의) 경기 임원.

of·fi·cial·dom [əfíʃəldəm] *n.* Ⓤ ① 관공리 사회 ; 관계(官界). ② 〔集合的〕 공무원, 관리.

of·fi·cial·ese [əfìʃəlíːz, -s] *n.* Ⓤ (우회적이며 난해한) 관청 용어(법). cf. journalese.

of·fi·cial·ism [əfíʃəlìzəm] *n.* Ⓤ ① 관료 〔형식〕 주의, 관리 기질. ② 관청 제도.

***of·fi·cial·ly** [əfíʃəli] *ad.* ① 공무상, 직책상. ② 공식으로, 정식으로 : The hotel was ~ opened last month. 그 호텔은 지난달 정식으로 영업을 개시했다. ③ 〔文章修飾〕 표면상으로는 ; 공식적으로는 : *Officially* the president retired, but actually he was dismissed. 표면적으로 사장은 은퇴한 것으로 되어 있지만, 실제로는 해임되었다.

offícial recéiver (때때로 O~ R~ ; the ~) 〖英法〗 (파산) 관재인, 수익 관리인.

of·fi·ci·ant [əfíʃiənt] *n.* Ⓒ 집전자, 사제(司祭).

of·fi·ci·ate [əfíʃièit] *vi.* ① 《+*as* 보》 직무를 집행하다 ; 사회하다 : The Mayer ~*d as* chairman at the meeting. 시장이 의장으로 그 모임의 진행을 맡아 보았다. ② 《+전+명》 (성직자가) 예배·미사를 집전하다 ; 식(式)을 집행하다《*at*》 : ~ *at* a wedding [marriage] 결혼식을 거행하다. ③ (경기에서) 심판을 보다.

of·fic·i·nal [əfísənəl] *a.* ① 약전에 의한《지금은 보통 official》. ② 약용의《식물 따위》 : ~ herbs 약초. ㊞ ~·**ly** *ad.*

of·fi·cious [əfíʃəs] *a.* ① (쓸데없이) 참견[간섭]하는 : She is very ~. 그녀는 참견이 심하다. ② 〖外交〗 비공식의. opp. *official.* ¶ an ~ talk 비공식 회담 / in an ~ capacity 비공식 자격으로. ㊞ ~·**ly** *ad.* ~·**ness** *n.*

off·ing [ɔ́(ː)fiŋ, áf-] *n.* (the ~) 앞바다, 먼바다. *in the* ~ 가까운 장래에, 머지않아 일어날 것 같은 : A new war is *in the* ~. 새로운 전쟁이 일어날 것 같다.

off·ish [ɔ́(ː)fiʃ, áf-] *a.* 《口》 쁘접없는, 새침한, 쌀쌀한, 친하기 힘든(distant). ㊞ ~·**ly** *ad.* ~·**ness** *n.*

off-key [-kíː] *a.* ① 음정이[가락이, 곡조가] 고르지 못한 : The band sounds slightly ~. 밴드가 약간 음정이 맞지 않는 소리를 낸다. ② 정상이 아닌, 변칙적인.

off-li·cense [-làisəns] *n.* Ⓒ 《英》 주류판매 허가(를 받은 상점)《점포 내에서의 음주는 불가》.

off-lim·its [-límits] *a.* 《美》 출입 금지의. cf. on-limits. ¶ a bar ~ to soldiers 군인 출입 금지의 바 / The zone is ~ *to* us. 그 지역은 우리들에게는 출입 금지 구역으로 되어 있다.

off-line [-láin] *a.* 〖컴〗 따로잇기의, 오프라인의 《컴퓨터의 중앙 처리 장치에서 독립, 또는 그것에 직결하지 않고 작동하는》. cf. on-line. — *ad.* 〖컴〗 따로잇기로, 오프라인으로.

off-load [-lòud] *vt., vi.* = UNLOAD.

off-off-Broad·way [--brɔ́ːdwei] *a., ad.* 오프오프브로드웨이의[에서]. — *n.* Ⓤ 〔集合的〕 오프오프브로드웨이《오프브로드웨이보다 더 전위적인 연극 ; 略 : OOB》.

off-peak [-píːk] *a.* 〔限定的〕 피크 때가 아닌 ; 한산할 때의 : Telephone charges are lower during ~ periods. 통화가 한산한 시간대에 전화 요금이 싸다.

off-price [-práis] *a.* 〔限定的〕 《美》 할인의.

off·print [-prìnt] *n.* Ⓒ (잡지·논문의) 발췌 인쇄물.

off-put·ting [-pùtiŋ] *a.* 불쾌한 ; 당혹하게 하는.

off-road [-róud] *a.* 〔限定的〕 일반[포장] 도로 밖에서 사용되는[사용하게 만든]《설상(雪上)차, 무한 궤도가 달린 트럭 등》.

off-roading [-róudiŋ] *n.* = OFF-ROAD RACING.

off-road racing 오프로드 경주.

off·screen [-skríːn] *a.* 영화[텔레비전]에 나타나지 않는 (곳에서의) ; 사[실]생활의. — *ad.* 영화[텔레비전]에 나오지 않는 곳에서는 ; 사[실]생활에서는.

***off-sea·son** [-síːzən] *a., ad.* 오프시즌의[에], 철이 지난 (때에) ; (운동 따위가) 제철이 아닌 (때에) : an ~ job for a baseball player 야구선수의 계절 외 부업. — *n.* Ⓒ (the ~) 오프시즌, (활동이 뜸한) 한산한 철 : travel in *the* ~ 관광철이 아닌 때에 여행하다 / Hotels are cheap in *the* ~. 제철이 아닌 때는 호텔이 싸다.

***off·set** [ɔ̀(ː)fsét, àf-] (*p., pp.* ~ ; ~·**ting**) *vt.* ① 《~+목 / +목+전+명》 차감 계산을 하다, …와 상쇄[상계]하다 ; 벌충하다 : ~ losses *by* gains 손실과 이익을 상쇄하다 / Domestic losses were ~ *by* developing foreign markets. 국내에서의 손실은 해외시장 개발로 상쇄되었다 / He was able to ~ his travel expenses *against* tax. 그는 세금을 여행경비로 벌충할 수 있었다. ② 〖印〗 오프셋 인쇄로 하다.

— [--] *n.* Ⓒ ① 차감 계산, 상계하는 것, 맞비김, 벌충하기. ② **a**) (산(山)의) 지맥(支脈). **b**) 〖植〗 곁가지. ③ 〖印〗 오프셋 인쇄.

off·shoot [-ʃùːt] *n.* Ⓒ ① 〖植〗 곁가지. ② **a**) (씨족의) 분파, 방계 자손, 분가. **b**) 파생적인 결과.

off·shore [-ʃɔ́ːr] *a.* ① 앞바다의 ; 앞바다로 향하는《바람 따위》 : ~ fisheries 근해 어업 / an ~ wind 앞바다로 부는 바람. ② 국외에서의, 역외(域外)의 : ~ purchases 역외 구매 / an ~ fund 해외 투자 신탁. — [--] *ad.* 앞바다에 ; 앞바다로 (향하여) : a boat anchored ~ 앞바다에 닻을 내린 배. opp. *inshore.*

off·side [-sáid] *a., ad.* ① 〖蹴·하키〗 오프사이드의[에], 반칙이 되는 위치에. opp. *onside.* ② 반대쪽의[에]. — *n.* ① Ⓤ 〖스포츠〗 오프사이드. ② (the ~) 《英》 (말·마차의) 우측 ; (자동차에서) 도로의 중앙 쪽.

‡**off·spring** [-sprìŋ] (*pl.* ~(*s*)) *n.* Ⓒ ① 〔集合的〕 자식, 자녀 ; 자손 ; 동물의 새끼 : His ~ all left him in his old age. 그가 나이 들어 자식들은 모두 그의 곁을 떠났다 / A mule is the ~ of an ass and a horse. 노새는 당나귀와 말 사이에서 태어난 새끼다. ② 생겨난 것, 소산(fruit), 결과(result) 《*of*》 : His success was the ~ *of* his diligence.

그의 성공은 근면한 결과였다.
off·stage [-stéidʒ] *a.* ① 무대 뒤의. ② 사생활의 ; 비공식의. — *ad.* ① 무대 뒤에서 : There was a loud crash ~. 무대 뒤에서 쾅하는 큰 소리가 났다. ② 사생활에서는 ; 비공식적으로.
off-street [-stríːt] *a.* 〔限定的〕 큰길에서 들어간, 뒷〔옆〕골목의 ; 길 밖의. OPP *on-street*.
off-the-books [-ðəbúks] *a.* 장부에 기재되지 않는 ; 과세 수입이 되지 않는.
off-the-cuff [-ðəkʌ́f] *a.* 《美口》 (연설 등이) 즉석의, 준비 없는 : an ~ speech 즉석 연설.
off-the-peg [-ðəpég] *a.* 《英》 =OFF-THE-RACK.
off-the-rack [-ðərǽk] *a.* (의복이) 기성품인 (ready-made) : ~ clothes 기성복.
off-the-rec·ord [-ðərékərd] *a., ad.* 비공개의〔로〕 ; 기록에 남기지 않는〔않고〕 ; 비공식의〔으로〕 : an ~ report 〔briefing〕 비공개 보고〔브리핑〕 / The Prime Minister's remarks were strictly ~. 수상의 발언은 엄격히 보도 금지되었다.
off-the-shelf [-ðəʃélf] *a.* ① (특별 주문이 아닌) 재고품인. ② 기성품인.
off-the-wall [-ðəwɔ́ːl] *a.* 《美口》 흔하지 않은, 엉뚱한 : an ~ idea 약간은 색다른 착상.
off·track [-trǽk] *a., ad.* (경마 내기에서) 경마장 밖에서 하는, 장외의〔에서〕 : Few states allow ~ betting. 장외 도박을 허락하는 주는 거의 없다.
off-white [-hwáit] *n.* Ⓤ *a.* 회색〔황색〕을 띤 흰빛(의).
óff yèar 《美》 ① (대통령 선거 같은) 큰 선거가 없는 해. ② (농작·경기(景氣) 등이) 부진한 해.
off-year [-jìər] *a.* 대통령 선거가 없는 해의 : an ~ election 중간 선거.
***oft** [ɑft, ɔ(ː)ft] *ad.* 〔종종 複合語로〕 =OFTEN : an ~-quoted remark 자주 인용되는 말.
†**of·ten** [ɔ́(ː)ftən, ɑ́ftən] (*~·er, more ~ ; ~·est, most ~*) *ad.* ① 자주, 종종 ; 왕왕. ★ 문중의 위치는 흔히 동사의 앞, be 및 조동사의 뒤지만, 강조나 대조를 위해 문두·문미에도 둠. ¶ He ~ comes here. 그는 자주 여기 온다 / He is ~ late. 그는 종종 늦는다 / He has ~ visited me. 그는 자주 나를 찾아왔다 / I have visited him quite ~. 여러 번 그를 방문했었다 / How ~ does the bus leave? 버스는 몇 분 간격으로 떠납니까 / This kind of wound ~ heals up in a week or two. 이런 종류의 상처는 한두 주 지나면 낫는다 / Don't bother him too ~. 너무 자주 그에게 폐를 끼치지 마라 / *Often* did it snow there. 거기서는 눈오는 일이 많았다.
② 〔複數 꼴의 名詞·代名詞와 함께〕 대개의 경우 : Children ~ dislike carrots. 아이들은 대개 당근을 싫어한다.
as ~ as (1) …할 때마다(whenever). (2) 〔強意的〕 …할 만큼 자주 : He brushes his teeth *as ~ as* five times a day. 그는 하루 다섯 번이나 이를 닦는다. ***as ~ as not*** 종종, (거의) 두 번에 한 번은. ***every so ~*** ⇨ EVERY. ***more ~ than not*** 종종, (거의) 두 번에 한 번 이상은, 대개 ; 오히려.
of·ten·times, oft·times [ɔ́(ː)ftəntàimz, ɑ́f-], [ɑ́ft-, ɔ́(ː)ft-] *ad.* 《古·詩》 =OFTEN.
ogle [óugəl] *n.* Ⓒ (흔히 *sing.*) 추파. — *vt., vi.* (여성에게) 추파를 보내다《*at*》.
ogre [óugər] (*fem.* ***ogress*** [-gris]) *n.* Ⓒ ① (민화·동화의) 사람 잡아먹는 귀신《거인·괴물》. ② 악마 같은 사람, 모질고 포악한 사람 : My boss is a real ~. 우리 사장은 정말 악마 같은 사람이다. ③ 무서운 것〔일〕. ㊥ **ógre·ish** [óugəriʃ] *a.* 악마 같은. **ógre·ish·ly** *ad.*
†**oh** [ou] *int.* ① 오오, 아, 어허, 앗, 아아, 여봐《놀람·공포·찬탄(讚嘆)·비탄·고통·간망(懇望)·부를 때 따위의 감정을 나타냄》 : *Oh*, boy! 《俗》 아차, 아뿔싸 / *Oh* dear (me)! 아이구〔어머〕 저런 / *Oh* for a real leader! 아 참 지도자여 나오라 / *Oh* that I were young again! 아아 다시 한번 젊어졌으면 / *Oh* God! 오 하느님 / *Oh!* How do you know that? 어머, 어떻게 그것을 아시지요 / *Oh?* Are you sure? 네, 정말이세요. ② 어이《직접적인 부름》 : *Oh* John, get it for me. 이봐 존, 그것 좀 집어줄래. ③ 음《주저하거나 말이 막혔을 때에》 : I went with George and Clinton, *oh*, and Jim. 조지하고 클린턴, 음, 그리고 짐하고도 같이 갔다. ***Óh for …!*** …이 있으면 좋을 텐데 : *Oh for* a cup of coffee. 아, 커피 한 잔 생각나는군. ***Oh, yés*** 〔***yéah***〕***?*** (어이) 그래, 허 그런가, 설마(Really?) 《불신·회의·말대답 따위》. ★ O는 언제나 대문자로 쓰고 휴지부(,)나 감탄부(!)를 붙이지 않으나, oh, Oh의 뒤에는 붙임. cf. O².
OH 《美》 〖郵便〗 Ohio.
Ohio [ouháiou] *n.* 오하이오《미국 동북부의 주 ; 略 : 〖郵〗 OH》. ㊥ **~·an** [ouháiouən] *a.* 오하이오주〔사람〕의. — *n.* Ⓒ 오하이오주 사람.
ohm [oum] *n.* Ⓒ 옴《전기 저항의 MKS 단위 ; 기호Ω》. cf. mho.
ohm·ic [óumik] *a.* 〖電〗 옴의 ; 옴으로 잰.
ohm·me·ter [óummìːtər] *n.* Ⓒ 〖電〗 옴계(計), 전기 저항계.
O.H.M.S. 《英》 On His 〔Her〕 Majesty's Service(공용)《공문서 등의 무료 배달 표시》.
oho [ouhóu] *int.* 오호, 야아, 저런《놀람·기쁨·놀림 따위를 나타냄》.
OHP overhead projector(두상(頭上) 투영기).
-oid *suf.* '…같은 (것), …모양의 (것), …질(質)의 (것)'의 뜻 : alkal*oid*, cycl*oid*.
†**oil** [ɔil] *n.* ① Ⓤ,Ⓒ 기름 ; 석유 : animal〔vegetable, mineral〕 ~ 동물성〔식물성, 광물성〕 기름 / cooking ~ 식용유 / lamp ~ 등유 / heavy 〔light〕 ~ 중〔경〕유 / machine ~ 기계유 / feed ~ to … 에 기름을 붓다. ② **a)** (*pl.*) 유화 그림 물감(~ colors). **b)** Ⓒ 《口》 유화(~ painting) : paint in ~*s* 유화를 그리다. ③ (*pl.*) 《口》 유포(油布) ; 비옷, 방수복. ***burn*** 〔***consume***〕 ***the midnight ~*** ⇨ MIDNIGHT. ***~ and vinegar*** 〔***water***〕 기름과 초, '물과 기름'《서로 맞지 않는 것》. ***pour ~ on the flame***(***s***) (1) 불에 기름을 붓다. (2) 싸움을〔화를〕 선동〔부채질〕하다. ***pour*** 〔***throw***〕 ***~ on the troubled waters*** 풍파를〔싸움을〕 가라앉히다. ***strike ~*** (1) 유맥(油脈)을 찾아내다. (2) (투기에서) 노다지를 잡다, (새 기업 따위가) 크게 성공하다. — *a.* 〔限定的〕 기름을 연료로 사용하는 : an ~ heater〔lamp, stove〕 석유 히터〔램프, 스토브〕.
— *vt.* …에 기름을 바르다〔치다〕 : ~ a bicycle 자전거에 기름을 치다. ***~ a person's hand*** 〔***palm***〕 아무에게 뇌물을 쓰다(bribe). ***~ one's*** 〔***the***〕 ***tongue*** 아첨하다. ***~ the wheels*** 〔***works***〕 (1) 차바퀴에 기름을 치다. (2) (뇌물을 주거나 아첨을 하여) 일을 원활하게 해 나가다.
oil-bear·ing [-bὲəriŋ] *a.* 석유를 함유한《지층 따위》. 「료·비료》.
óil càke 기름 (짜고 난) 찌꺼기, 깻묵《가축 사
oil·can [-kæ̀n] *n.* Ⓒ 기름 치는 기구 ; 기름통.
oil·cloth [-klɔ̀(ː)θ, -klɑ̀θ] *n.* ① Ⓤ 유포(油布), 방수포. ② Ⓒ 오일클로스《식탁보 따위》.
óil còlor (흔히 *pl.*) 유화 그림 물감 ; 유화.
óil crìsis 〔**crùnch**〕 석유 파동, 석유 위기.
óil dòllars 오일 달러《중동 산유국이 석유 수출로 벌어들인 달러》.

óil drùm 석유(운반)용 드럼통.
óil èngine 석유 엔진.
oil·er [ɔ́ilər] *n.* Ⓒ ① 기름통(oilcan). ② 유조선, 탱커(tanker). ③ (*pl.*) 《美》 방수복(oilskins). ④ 유정(油井).
óil fènce 수면에 유출된 기름을 막는 방책.
óil fìeld 유전(油田).
oil-fired [ɔ́ilfàiərd] *a.* 기름을 땔감으로 하는: ~ central heating 기름을 사용하는 중앙 난방 장치.
oil·man [-mæ̀n, -mən] (*pl.* **-men** [-mèn, -mən]) *n.* Ⓒ ① 《美》 석유 기업가. ② 기름 장수〔배달원〕.
óil mèal 깻묵가루《사료·비료》.
óil pàint 유화 그림 물감; (유성) 페인트.
óil pàinting 유화; 유화 그리는 법: She's 〔It's〕 no ~. 《口·종종 戱》 아무래도 그림으로는 되지 않는다, 예쁘지 않다, 추하다.
óil pàlm 〖植〗 기름야자나무《열매에서 팜유 (palm oil)를 채취》.
oil·pa·per [-pèipər] *n.* Ⓤ 유지, 동유지(桐油紙).
óil prèss 착유기(搾油機).
oil-pro·duc·ing [-prədjúːsiŋ] *a.* 석유를 산출하는: ~ countries 산유국.
oil·rig [-rìg] *n.* Ⓒ (특히 해저) 석유 굴착 장치를 갖춘 대형 건조물.
óil sànd 〖地質〗 오일샌드, 유사(油砂)《중질(重質) 석유를 함유하는 다공성 사암(多孔性砂岩)》.
óil sèed (기름을 짤 수 있는) 유지 작물의 씨.
óil shàle 〖鑛〗 혈암(頁岩), 오일 셰일.
óil shòck =OIL CRISIS.
oil·skin [-skìn] *n.* ① Ⓤ 유포(油布), 방수포. ② (*pl.*) 방수복.
óil slìck (해상·호수 따위에 떠 있는 석유의) 유막(油膜); 기름 바다.
óil stàtion 《美》 (자동차) 급유소, 주유소(filling station).
oil tanker ① 유조선, 탱커. ② 유조차, 탱크로리.
óil wèll 유정(油井).
***oily** [ɔ́ili] (**oil·i·er; -i·est**) *a.* ① **a**) 기름〔유질(油質)·유성(油性)·유상(油狀)〕의: ~ wastewater 유성〔함유(含油)〕 폐수. **b**) 기름칠한〔투성이의〕, 기름에 담근: ~ rags 기름걸레. **c**) 기름진: ~ food 기름진 식품. **d**) (피부가) 지성(脂性)의: ~ skin 지성(脂性)피부. ② 구변〔언변〕이 좋은.
oink [ɔiŋk] *n.* Ⓒ 꿀꿀《돼지의 울음소리》. ── *vi.* 꿀꿀거리다.
***oint·ment** [ɔ́intmənt] *n.* Ⓤ,Ⓒ 〖藥〗 연고(軟膏).
OJ 《美口》 orange juice. **OJT** on-the-job training(직장 내 훈련).
‡**OK, O.K.** [òukéi, ⌐⌐] *a., ad.* 《口》 〔종종 感歎詞的〕 좋아(all right); 알았어(agreed); 이제 됐어(yes)《납득·승낙·찬성 따위를 나타냄》; 호조를 띤〔띠고〕; 틀림없는(correct): That's ~. (그건) 됐어, 이제 걱정 마《사과에 대해서》/ That's 〔The plan's〕 ~ with 〔by〕 me. 그것은〔그 계획은〕 괜찮아, 허락하지 / (Is it) ~ ? 됐니, 알겠니 / Are you ~ ? 괜찮니, 괜찮겠니 / You're ~ 당신은 좋은 사람이야 / Everything will be ~ 모든 게 잘 될 거야 / The machine is working ~ 기계는 잘 돌고 있다 / We're doing ~ 우리는 잘 하고 있다 / *O.K.*, I'll go. 좋아, 가자.
── [⌐⌐] (*pl.* **OK's** [-z]) *n.* Ⓒ 승인, 동의, 허가 《*on; to*》: They couldn't get 〔receive〕 his ~ *on* it. 그것에 대하여 그의 승인을 얻지 못하였다 / They gave their ~ *to* her leave of absence. 그녀의 휴가를 허락하였다.
── [⌐⌐] (*p., pp.* **OK'd, O.K.'d; OK'ing, O.K.'ing**) *vt.* …을 승인하다; …에 O.K. 라고 쓰다《교료의 표시 따위로》: Has the bank *OK'd* your request for loan? 당신의 대부 신청에 은행에서 O. K. 했습니까.
oka·pi [oukáːpi] *n.* Ⓒ 〖動〗 오카피《기린과(科); 중앙 아프리카산》.
okay [òukéi] *a., ad., n., vt.* 《口》 =OK.
okey-doke(y) [óukidóuk(i)] *a., ad.* 《美口》 = OK.
Okhotsk [oukátsk / -kɔ́-] *n.* the ***Sea of*** ~ 오호츠크 해.
Okla. Oklahoma.
***Okla·ho·ma** [òukləhóumə] *n.* 오클라호마《미국 중남부의 주; 주도 Oklahoma City; 略: Okla.》. ㊞ **-man** [-n] *a., n.* 오클라호마 주의 (사람).
Oklahoma City 오클라호마 시티《미국 오클라호마 주의 주도》.
okra [óukrə] *n.* 〖植〗 오크라《아프리카 원산으로, 그 꼬투리는 수프 따위에 쓰임》.
†**old** [ould] (**óld·er; óld·est;** 〔장유(長幼)의 순서를 말할 때, 특히《英》〕 **éld·er; éld·est**) *a.* ① 나이 먹은, 늙은. opp *young.* ¶ grow ~ 나이를 먹다, 늙다 / He looks ~ for his age. 그는 나이에 비해 늙어 보인다. ② 노년의, 노후의〔한〕: ~ age 노년, 노후. ③ (만) …세〔월, 주〕의〔인〕(of age); (사물이) …년된〔지난〕, 연장의: a boy (of) ten years ~ =a ten-year-~ boy, 10살 된 소년 / How ~ is the baby?—He is three months 〔weeks〕 ~. 아기는 몇 살입니까—3개월〔주〕 되었습니다 / a house a century ~, 1 세기〔백 년〕된 집 / He is two years ~*er* than I (am). 그는 나보다 두 살 연상이다 / She is ~ enough to be your mother. 그녀는 당신 어머니만큼 나이가 들었다. ④ 낡은, 오래된; 헌, 닳은, 중고의. opp *new.* ¶ ~ shoes 헌 신발 / ~ wine 오래된 포도주 / an ~ joke 케케묵은 농담 / an ~ winter coat 낡은 겨울 코트 / My car's ~*er* than yours. 내 차가 네 것보다 낡았다. ⑤ 예로부터의, 오랜 세월 동안의: an ~ account 묵은 셈 / ~ traditions 오랜 전통 / an ~ ailment 오래된 병 / He is ~ in crime. 그는 오래 전부터 나쁜 짓을 하고 있다. ⑥ 이전부터 친한, 그리운; 《口》 친한: ~ boy 〔chap, fellow〕 =《俗》 ~ bean 〔egg, fruit, thing, stick, top〕 (친밀한 마음으로) 여보게 / an ~ friend (of mine) (나의) 오래된 친구 / the good ~ times〔days〕 그립던 그 시절. ⑦ 노련한, 사려 깊은, 침착한; 숙련된; 노회(老獪)한, 만만치 않은: an ~ sailor 노련한 뱃사람 / an ~ hand … 에 노련한 사람. ⑧ (색이) 칙칙한, 희미한, 퇴색한: ~ rose 회색을 띤 장밋빛의. ⑨ 《口》 〔다른 形容詞 뒤에 붙여 힘줌말로서〕 굉장한: We had a fine 〔high, good〕 ~ time. 굉장히 즐거운 시간을 보냈다. ***any*** ~ 《口》 어떤 …라도: Any ~ thing will do. 어떤 것이든 상관 없다. (***as***) ~ ***as the hills*** 〔***world***〕 매우 오래된. ~ ***head on young shoulders*** 젊은이답지 않은 꾀보. ***young and*** ~ = ~ ***and young*** 남녀노소를 가리지 않고.
── *n.* Ⓒ 〔…-year-old의 꼴로〕 …살〔세〕된 사람〔동물〕: a 3-*year*-~ 세 살난 어린애. ***of*** ~ 옛날의〔은〕; 예로부터.
óld áge 노년(기)《대체로 65 세 이상》, 노령.
óld àge pénsion (the ~) 노령 연금.
óld Bíll 《英》 경관.
óld bóy 《英》 ① [⌐⌐] 동창생, 교우, 졸업생 (alumnus): an ~s' association 동창회. ② [⌐⌐] 〔친밀히 부르는 말〕 여보게. ③ 노인, 나이 지긋한 남성.
óld-bóy nètwork 《英》 (the ~) 교우간의 유대〔연대, 결속〕; 학벌; 동창 그룹.
óld cóuntry (the ~) (이민의) 본국, 조국, 고

국《특히 영국 식민지인이 본 영국 본토》; (미국에서 본) 유럽.

*__old·en__ [óuldən] *a.* 〔限定的〕《古·文語》 옛날의: in (the) ~ days = in ~ times 옛날(에는).

__Óld Énglish__ 고대 영어《약 700-1100 년 사이; 略: OE》.

__óld English shéepdog__ 올드잉글리시 십도그《털이 긴 영국 원산의 대형 목양견》.

__ol·de-worl·de__ [óuldiwə́:rldi] *a.* 《英口》 (매우) 예스러운: an ~ country pub 고풍스런 장식을 한 시골 술집.

‡__old-fash·ioned__ [óuldfǽʃənd] *a.* ① 구식〔고풍〕의, 시대〔유행〕에 뒤진. opp. *newfangled.* ¶ ~ clothes 유행에 뒤진 옷 / "Wireless" is an ~ word for "radio". '무선'은 '라디오'에 대한 구식 말이다. ② 〔限定的〕《英口》 (눈짓·표정 등이) 책망하는 듯한: give a person an ~ look 아무를 책망하는 듯한 눈으로 보다.

__óld fó·g(e)y__ [-fóugi] 시대에 뒤진 사람, 완고한 사람.

__Óld Frénch__ 고대 프랑스어《900-1300 년 사이; 略: OF》.

__óld gírl__ 《英》 ① (여학교의) 졸업생, 교우(校友). ② 나이 지긋한 부인.

__Óld Glóry__ 《口》 성조기(Stars and Stripes).

__óld guárd__ (the ~) 〔集合的; 單·複數 취급〕 보수파.

__óld hánd__ 숙련자, 노련가(veteran)《*at*》: an ~ *at* bricklaying 능숙한 벽돌공.

__Óld Hárry__ (the ~) 악마(Old Nick).

__óld hát__ 《口》 구식의; 시대에 뒤진; 진부한.

__old·ie, oldy__ [óuldi] *n.* 《口》 ① 흘러간 옛 노래〔영화〕. ② 나이 지긋한 사람.

__old·ish__ [óuldiʃ] *a.* 좀 늙은; 예스러운.

__òld lády__ 《口》 (the ~ *or* one's ~) ① 아내, (늙은) 마누라; (특히 함께 사는) 여자 친구. ② 어머니. ***the Old Lady of Threadneedle Street*** 《英》 잉글랜드 은행《속칭》.

__óld lág__ 《英口》 전과자.

__old-line__ [óuldláin] *a.* ① 보수적인; 전통파의. ② 전통적인, 체제적인.

__óld máid__ ① 노처녀. ② 《口》 고지식하고 잔소리가 심한 사람. 「식하고 말 많은.

__old-maid·ish__ [óuldméidiʃ] *a.* 노처녀 같은; 고지

__òld mán__ 《口》 ① (the ~ *or* one's ~) 《俗》 **a)** 아버지. **b)** 남편: I heard her ~ beats her. 남편이 그녀를 매질한다고 한다. **c)** 두목, 보스(boss). **d)** 선장. ② 여보게, 자네《친근한 호칭으로 쓰임》.

__óld máster__ 거장(巨匠)《특히 16-18 세기 유럽의 대화가 Michelangelo, Raphael, Rubens, Rembrandt 등》; 거장의 작품.

__Óld Níck__ 악마(Satan).

__óld òne__ (an ~) 진부한 익살〔농담〕.

__óld péople's hòme__ 양로원.

__óld schòol__ (one's ~) ① 모교. ② (the ~) 〔集合的〕 보수파, 낡은 생각을 가진 사람들: people of *the* ~ 보수파 사람들.

__óld schòol tíe__ ① (영국의 public school 출신자가 매는) 모교의 빛깔을 표시하는 넥타이. ② public school 출신자 간의 연대〔유대〕; 학벌.

__óld sóldier__ ① 노병, 고참병: *Old soliders* never die; they only fade away. 노병은 죽지 않고 사라질 뿐이다. ② 숙련자.

__óld stág·er__ [-stéidʒər] 《英》 노련한 사람〔동물〕; 경험자; 《古》 배우.

__old·ster__ [óuldstər] *n.* Ⓒ 《口》 노인.

__Óld Stýle__ (the ~) 구력(舊曆)《율리우스력(曆)》.

__Óld Téstament__ (the ~) 구약 (성서)《略: O.T., OT》. cf. New Testament.

*__old-time__ [-táim] *a.* ① 이전의, 예로부터의. ② 오랜.

__old-tim·er__ [-táimər] *n.* Ⓒ ① 《口》 고참, 선배. ② 《美》 노인.

__Óld Víc__ (the ~) 올드 빅《런던의 레퍼토리 극장; 셰익스피어 극의 상연으로 유명함》.

__óld wíves' tàle__ 〔__stòry__〕 허튼 구전(口傳)〔미신〕.

__óld wóman__ ① (one's ~) **a)** 마누라. **b)** 어머니. ② 소심하고 곰상스러운 사나이.

__old-wom·an·ish__ [-wúməniʃ] *a.* (사나이가) 노파처럼 잔소리가 많은(old-maidish).

__Óld Wórld__ (the ~) ① 구세계《유럽, 아시아, 아프리카》. cf. New World. ② (the ~) 동반구, 《특히》 유럽.

__old-world__ [-wə́:rld] *a.* 〔限定的〕 ① 예스러운; 고풍스러운: the ~ charm of the village 그 마을의 고풍스러운 매력. ② 구세계의, 《특히》 유럽(대륙)의.

__ole·ag·i·nous__ [òuliǽdʒənəs] *a.* ① 유질(油質)의, 유성(油性)의, 기름기가 있는. ② 말주변이 좋은, 간살부리는.

__ole·an·der__ [òuliǽndər, ⌐-⌐-] *n.* Ⓒ 〖植〗 서양협죽도(夾竹桃) (rosebay).

__oleo·graph__ [óuliəgræ̀f, -grɑ̀:f] *n.* Ⓒ 유화식(油畫式) 석판화.

__oleo·mar·ga·rine__ [òulioumɑ́:rdʒəri:n] *n.* Ⓤ 올레오 마가린《인조 버터》.

__ol·fac·tion__ [ɑlfǽkʃən / ɔl-] *n.* Ⓤ 후각(嗅覺).

__ol·fac·to·ry__ [ɑlfǽktəri / ɔl-] *a.* 후각의; 냄새의.

__ol·i·garch__ [ɑ́ləgɑ̀:rk / ɔ́l-] *n.* Ⓒ 과두제 지배자.

__ol·i·gar·chic__ [ɑ̀ləgɑ́:rkik / ɔ̀l-], __-chi·cal__ [-əl], __ol·i·gar·chal__ [ɑ́ləgɑ̀:rkəl / ɔ́l-] *a.* 과두〔소수〕 정치의, 소수 독재정치의.

__ol·i·gar·chy__ [ɑ́ləgɑ̀:rki / ɔ́l-] *n.* ① Ⓤ 과두정치, 소수 독재정치. opp. *polyarchy.* ② Ⓒ 과두제 국가. ③ Ⓒ 〔集合的; 單·複數 취급〕 소수 독재자 그룹.

__Ol·i·go·cene__ [ɑ́ligousi:n / ɔ́l-] *a.* 〖地質〗 올리고세(世)의. ── *n.* (the ~) 올리고세.

__ol·i·gop·o·ly__ [ɑ̀ligɑ́pəli / ɔ̀ligɔ́p-] *n.* Ⓤ,Ⓒ 〖經〗 (시장의) 과점(寡占). ㊥ __òl·i·gòp·o·lís·tic__ *a.*

__ol·i·gop·so·ny__ [ɑ̀ligɑ́psəni / ɔ̀ligɔ́p-] *n.* Ⓤ,Ⓒ 〖經〗 (시장의) 소수 구매 독점, 수요 독점. ㊥ __òl·i·gòp·so·nís·tic__ *a.*

__olio__ [óuliòu] (*pl.* ***oli·os***) *n.* 《Sp.》 ① Ⓤ 고기와 채소의 스튜. ② 뒤섞은 것; 잡록(雜錄).

‡__ol·ive__ [ɑ́liv / ɔ́l-] *n.* ① Ⓒ 〖植〗 올리브(나무)《남유럽 원산의 상록수》; 올리브 열매: an ~ grove 올리브나무의 작은 숲. ② Ⓤ 올리브색. ── *a.* 올리브(색)의: an ~ sweat shirt 올리브색 스웨터.

__ólive brànch__ (*sing.*) 올리브 가지《평화·화해의 상징》. ***hold out the*** 〔***an***〕 ~ 화의〔화해〕를 제의하다.

__ólive cròwn__ 올리브잎의 관《승리의 상징》.

__ólive dráb__ ① 짙은 황록색. ② (*pl.*) 〖美陸軍〗 녹갈색의 겨울철 군복《略: O.D.》.

__ól·ive gréen__ (덜 익은) 올리브색, 연록색.

__ólive-gréen__ *a.* 올리브색의, 연록색의.

__ólive òil__ 올리브유.

__Ol·ives__ [ɑ́livz / ɔ́l-] *n.* ***the Mount of*** ~ 〖聖〗 올리브〔감람〕산《예루살렘 동쪽의 작은 산; 예수가 승천한 곳; 마태 XXVI : 30》.

__ólive trèe__ 〖植〗 올리브나무(olive).

__ol·i·vine__ [ɑ́ləvi:n / ɔ́l-] *n.* Ⓤ,Ⓒ 〖鑛〗 감람석(橄欖石).

__-ology__ *suf.* '…학(學), …론(論)'의 뜻: bi*ology.*

__Olym·pia__ [əlímpiə, ou-] *n.* 올림피아. ① 여자 이

름. ② 그리스 Peloponnesus 반도 서부의 평원《옛날 Olympic Games가 열렸던 곳》.

Olym·pi·ad [əlímpiæ̀d, ou-] *n.* Ⓒ ① 국제 올림픽 대회(the Olympic Games). ② (옛 그리스의) 4년기(紀)《한 올림피아 대제(大祭)에서 다음까지의 4년간》.

Olym·pi·an [əlímpiən, ou-] *a.* ① 올림포스 산(상)의. ② (위풍이) 당당한; 위엄이 있는: ~ manners 당당한 행동. ── *n.* Ⓒ ①〖그神〗올림포스의 12신의 하나. ② 올림픽 경기 선수.

‡**Olym·pic** [əlímpik, ou-] *a.* 〔限定的〕 ① 올림피아 경기의; 국제 올림픽 경기의: the ~ fire 올림픽 성화. ② 올림피아(평원)의; 올림포스 산의. ── *n.* (the ~s) =OLYMPIC GAMES.

Olýmpic Gámes (the ~) ① (근대의) 국제 올림픽 경기대회(Olympiad)《1896년부터 4년마다 개최》. ② (고대 그리스의) 올림피아 경기대회.

O

*__Olym·pus__ [əlímpəs, ou-] *n.* 올림포스 산《그리스의 신들이 살고 있었다는 산》.

OM, O.M. 《英》 Order of Merit.

Oma·ha [óuməhɔ̀ː, -hàː] *n.* 오마하《미국 네브래스카주 동부 미주리 강변의 도시》.

Oman [oumáːn] *n.* 오만《아라비아 동남단의 왕국; 수도는 무스카트(Muscat)》.

om·buds·man [ámbʌ̀dzmən / ɔ́m-] (*pl.* ***-men*** [-mən]) *n.* Ⓒ 옴부즈맨《시민에 대한 관청·관리들의 위법 행위를 조사·처리하는 행정 감독원》.

*__ome·ga__ [oumíːgə, -méi-, -mé-] *n.* ① Ⓤ.Ⓒ 오메가《그리스 알파벳 스물 넷째〔마지막〕 글자, Ω, ω》. cf. alpha. ② 끝, 마지막, 최후(end): alpha and ~ 처음과 끝, 전체.

*__om·e·let(te)__ [ámәlit / ɔ́m-] *n.* Ⓒ 오믈렛: a plain ~ 달걀만의 오믈렛 / You cannot make an ~ without breaking eggs. 《俗談》 계란을 깨지 않고는 오믈렛을 만들 수 없다; 희생 없이는 목적을 달성할 수 없다.

‡**omen** [óumən] *n.* Ⓤ.Ⓒ 전조, 징조, 조짐; 예언; 예감: an ~ *of* death 죽음의 전조 / an event *of* good〔bad〕 ~ 재수 좋은〔나쁜〕 일 / be *of* good ~ 징조가 좋다. ── *vt.* …의 전조가 되다.

om·i·cron [ámikràn, óum- / ɔ́mikrɔ̀n] *n.* Ⓒ 오미크론《그리스 알파벳의 열 다섯째 글자, *O, o*》.

*__om·i·nous__ [ámənəs / ɔ́m-] *a.* 불길한, 나쁜 징조의: an ~ sign 흉조 / ~ silence 기분 나쁜 침묵 / The car is making an ~ rattling sound. 자동차가 덜컹덜컹 기분 나쁜 소리를 내고 있다. 㖈 ~·**ly** *ad.* 불길하게도.

omis·si·ble [oumísəbəl] *a.* 생략〔삭제, 할애〕할 수 있는.

*__omis·sion__ [oumíʃən] *n.* ① Ⓤ 생략; 유루(遺漏), 탈락: The ~ of her name was not a deliberate act. 그녀의 이름을 빠뜨린 것은 고의적인 행동이 아니었다. ② Ⓒ 생략된 것; 탈락된 부분. ③ Ⓤ 소홀, 태만; 〖法〗 부작위(不作爲). opp. *commission.* ¶ sins of ~ 태만의 죄. ◇ omit *v.*

‡**omit** [oumít] (***-tt-***) *vt.* ①《~+목 / +목+전+명》 …을 빼다, 빠뜨리다, 생략하다: ~ a letter in a word 단어 철자에서 글자 하나를 빠뜨리다 / This chapter may be ~*ted.* 이 장은 생략해도 좋다 / Don't ~ his name from the list. 명부에서 그의 이름을 빠뜨리지 마세요. ②《+*to* do / +*-ing*》 …을 게을리하다; …하기를 잊다, …할 것을 빼먹다: ~ *to* write one's name 이름쓰는 것을 잊다 / He ~*ted* lock*ing* the door. 그는 문 잠그는 것을 잊었다 / Oliver ~*ted* to mention that he was married. 올리버는 결혼했다는 사실을 말해 두는 것을 빼먹다. ◇ omission *n.*

omni- '전(全)·총(總)·범(汎)'의 뜻의 결합사: *omni*potent.

*__om·ni·bus__ [ámnəbʌ̀s, -bəs / ɔ́m-] (*pl.* **~·*es***) *n.* Ⓒ ① 승합마차; 승합 자동차, 버스. ② 선집: an Agatha Christie ~. ── *a.* 〔限定的〕 여러 가지 물건〔항목〕을 포함하는; 총괄적인; 다목적인: an ~ bill 일괄 법안 / an ~ book〔volume〕 (한 작가 또는 동일 주제의 작품을 한 책으로 한) (염가판) 작품집〔선집〕.

om·ni·far·i·ous [àmnəféəriəs / ɔ̀m-] *a.* 다방면에 걸친, 가지각색의: one's ~ hobbies 다방면의 취미.

om·nip·o·tence [amnípətəns / ɔm-] *n.* Ⓤ 전능, 무한한 힘; (the O-) 전능의 신(God).

om·nip·o·tent [amnípətənt / ɔm-] *a.* 전능한(almighty), 무엇이든 할 수 있는, 절대력을 가진: ~ as God 막대한 권한을 가진 / the *Omnipotent* Deity 전능의 신. 㖈 ~·**ly** *ad.*

om·ni·pres·ence [àmnəprézəns / ɔ̀m-] *n.* Ⓤ 편재(遍在)(ubiquity).

om·ni·pres·ent [àmnəprézənt / ɔ̀m-] *a.* 편재하는, 동시에 어디든지 있는: Divine law is ~. 신의 계율은 미치지 않는 곳이 없다. 㖈 ~·**ly** *ad.*

om·nis·cience [amníʃəns / ɔm-], [-si] *n.* Ⓤ 전지(全知); 박식(博識).

om·nis·cient [amníʃənt / ɔm-] *a.* 전지의, 무엇이든지 알고 있는. 㖈 ~·**ly** *ad.*

om·niv·o·rous [amnívərəs / ɔm-] *a.* ① 무엇이나 먹는, 잡식성의: an ~ diet 고기와 야채가 포함된 식사. ② 닥치는 대로 읽는《*of*》: an ~ reader 남독가(濫讀家). 㖈 ~·**ly** *ad.*.

OMR 〖컴〗 optical mark reader (표빛읽개, 광학 표시 판독기); 〖컴〗 optical mark recognition(표빛 인식, 광학 표시 판독).

OMR card 〖컴〗 표빛 카드, 광학 표시 판독 카드.

†**on** [an, ɔːn / ɔn] *prep.* ①〔표면에의 접촉〕 …의 표면에, …위에, …에; …을 타고: a book *on* the desk 책상 위의 책 / a fly *on* the ceiling 천장에 붙은 파리 / sit *on* a chair 의자에 앉다 / get *on* a horse〔bus〕 말을〔버스를〕 타다 / See notes *on* page 10. 10 페이지의 주참조 / live *on* a farm 농장에서 살다.

②〔부착·소지·착용〕 …에 붙여, …에 달리어; …(의 몸)에 지니고 / have a ring *on* one's finger 반지를 끼고 있다 / put a bell *on* the cat 고양이에(게) 방울을 달다 / I have no money *on* me. 돈을 갖고 있지 않다 / The dog is *on* the chain. 그 개는 사슬에 매여 있다 / That suit looks awfully nice *on* you. 그 옷은 너에게 아주 잘 어울린다.

③〔버팀·지점(支點)〕 **a)** …로 (버티어), …을 축(軸)으로 하여: stand *on* tiptoe〔one foot〕 발끝으로〔한쪽 발로〕 서다 / crawl *on* hands and knees〔*on* all fours〕 네 손발로 기다, 포복하다 / The earth turns *on* its axis. 지구는 지축을 중심으로 자전한다. **b)** (말·명예 따위)에 걸고: *on* one's honor 명예를 걸고 / I swear *on* the Bible. 성서를 두고 맹세합니다.

④〔근접〕 …에 접〔면〕하여, …을 따라, …을 끼고, …의 가에, …쪽〔편〕에: an inn *on* the lake 호반의 여관 / the countries *on* the Pacific 태평양 연안의 여러 나라 / sit *on* my left 나의 왼쪽 곁에 앉다 / *on* both sides of the river 강의 양쪽 기슭에 / *on* the north of… …의 북쪽에 (접하여).

⑤ **a)** 〔날·때·기회〕 …에, …때에《날짜·요일에 붙는 on은 구어나 신문 따위에서는 흔히 생략됨》: *on* Sunday 일요일에 / *on* the 1st of May=*on* May 1, 5월 1일에 / *on* and〔or〕 after the 15th (그달) 15일 이후 / *on* my birthday 내 생일에 /

on various occasions 여러 기회〔때〕에 / *on* this occasion 이러한 때에, 이 기회에 / He made it *on* the third try. 그는 세번 만에 성공했다. **b**) (특정한 날의 아침·오후·밤 따위)에 : *on* that evening 그날 저녁에 / *on* the morning of April 5, 4월 5일 아침에 / *on* Christmas Eve 크리스마스 이브에.

⑥〔動名詞 또는 동작을 나타내는 名詞와 함께〕…와 동시에, …하는 즉시(로), …하자 곧, …의〔한〕바로 뒤에 : *on* arrival 도착하자(마자) 곧 / *on* receipt of the money 돈을 받자 곧 / *On* arriving in Seoul, I called him up on the phone. 서울에 도착하자 곧 그에게 전화를 걸었다.

⑦〔근거·원인·이유·조건 따위〕**a**) …에 의(거)하여, …에 근거하여 ; …한 이유로〔조건으로〕, …하면 : *on* equal term 평등한 조건으로 / a story based *on* fact 사실에 의거〔입각〕한 이야기 / *on* condition that ... …라는 조건으로 / act *on* her advice 그녀의 충고에 따라 행동하다 / *On* what ground do you think it is a lie? 무슨 근거로 그것을 거짓말이라고 생각하나 / The news comes *on* good authority. 그 뉴스는 확실한 소식통에서 나온 것이다. **b**) …을 먹고, …로 : Cattle live 〔feed〕 *on* grass. 소는 풀로〔풀을 먹고〕 산다 / live *on* one's salary 월급으로 생활하다.

⑧ **a**)〔도중임을 나타내어〕…하는 도중〔길〕에 : *on* one's 〔the〕 way home 〔to school〕 귀가하는〔학교로 가는〕 도중에. **b**)〔운동의 방향을 나타내어〕…을〔로〕 향해, …쪽으로 ; …을 목표로 하여, …을(노리어) : go 〔start, set out〕 *on* a journey 여행을 떠나다 / The storm is *on* us. 폭풍이 닥쳐오고 있다 / The army advanced *on* 〔*to*〕 the town. 군대는 그 시를 향해 진군했다 / Once again Christmas is *on* us. 또다시 성탄절이 다가온다. **c**)〔목적·용건을 나타내어〕…을 위해 : go *on* an errand 심부름을 가다 / *on* business 사업차, 상용(商用)으로. **d**)〔동작의 대상〕…에 대하여 : call *on* her 그녀를 방문하다 / hit a person *on the* head 아무의 머리를 때리다《몸·옷의 일부를 나타내는 名詞 앞에 the를 붙임》/ turn one's back *on*... …에게 등을 돌리다 ; …을 (저)버리다 / put a tax *on* tobacco 담배에 세금을 (부)과하다 / spend much money *on* books 책에 많은 돈을 쓰다 / I am keen *on* swimming. 나는 수영에 열중하고 있다. **e**)〔불이익〕…에 대하여, …에 손해〔폐〕를 끼쳐, …가 곤란하게도 ; …을 버리어 : walk out *on* one's family 가족을 버리다 / The joke was *on* me. 그 농담은 나를 빗댄 것이었다 / She hung up *on* me. 그녀 쪽에서 전화를 끊어 버렸다 / The light went out *on* us. (곤란하게도) 전깃불이 나갔다. **f**)〔영향〕…에 : act on... …에 작용하다 / have (a) great effect *on* ... …에 큰 영향을 미치다 / The heat told *on* him. 그는 더위에 지쳤다.

⑨ **a**)〔관계를 나타내어〕…에 관〔대〕해서, …에 관한《about 보다는 전문적인 내용의 것에 사용됨》: a book *on* international relations 국제관계에 관한 책 / an authority *on* pathology 병리학의 권위 / take notes *on* a lecture 《美》 강의내용을 받아쓰다. **b**)〔종사·소속〕…에 관계하고 (있는), …에 종사하고, …에서 일하고 ; …의 일원으로 : We are *on* a joint research project. 우리들은 공동 연구를 하고 있다 / We're *on* a murder case. 살인사건을 담당하고 있다 / He is *on* the football team. 그는 풋볼 팀의 일원이다.

⑩〔상태〕…상태로〔에〕, …하고, …중에 : *on* sale 판매 중 / *on* strike 파업 중 / They were married *on* the quiet. 그들은 은밀히 결혼하였다 / He is *on* the run from the police. 그는 경찰로부터 도피 중이다.

⑪ **a**) (투약·식이 요법 따위)를 받고 : go *on* a diet 식이요법을 시작하다 / He's *on* medication. 그는 약물치료 중이다. **b**) (마약 따위)를 상용(常用)하고, …에 중독되어 : He's *on* drugs 〔heroin〕. 그는 마약 중독이다.

⑫〔방법·수단·기구〕…로 : travel *on* the cheap 싸게 여행하다 / talk *on* the phone 전화로 이야기하다 / watch a game *on* television 텔레비전으로 경기를 보다 / play a tune *on* the violin 바이올린으로 한 곡 켜다 / A car runs *on* gasoline. 차는 휘발유로 달린다 / He wiped his finger *on* a towel. 수건으로 손가락을 닦았다.

⑬《口》…의 부담〔비용〕으로, …가 내는〔지급하는〕: It's *on* me. 이건 내가 낸다 / Have a drink *on* me! 내가 내기로 하고 한잔하세 / ⇨ on the HOUSE(成句).

⑭〔같은 名詞를 되풀이하여〕…에 더하여 : heaps *on* heaps 쌓이고 쌓여서 / loss *on* loss 손해에 손해를 거듭하여 / bear disaster *on* disaster 잇따른 재난을 참다.

have*〔*get*〕 *something on 《俗》 (아무)에게 불리한 것을 〔정보를〕 갖고 있다〔얻다〕: The police *have nothing on* him. 경찰은 그에게 불리한 정보를 아무 것도 갖고 있지 않다.

── *ad.* 《be 動詞와 결합될 경우에는 形容詞로 볼 수도 있음》. ① **a**)〔접촉〕위에, (탈것을) 타고. OPP *off*. ¶ put the tablecloth *on* 테이블보를 덮다 / get *on* (올라)타다, 승차(乘車)하다 / He jumped *on* to 〔《美》 onto〕 the stage. 그는 무대로 뛰어올라갔다 (= ... jumped *on* the stage). **b**)〔부착〕떨어지지 않게, 단단히, 꽉 : cling〔hang〕 *on* 매달리다 / Hold *on*! 꽉 잡아라.

②〔착용·소지·화장〕몸에 지니고〔걸치고〕, 입고, 쓰고, 신고, 바르고. OPP *off*. ¶ with one's glasses *on* 안경을 쓰고 / put 〔have〕 one's coat *on* 코트를 입다〔입고 있다〕/ put one's shoes *on* 신을 신다 / *On* with your hat! 모자를 써라 / She helped me *on* with my coat. 그녀는 내가 상의를 입도록 도와주었다 / She had *on* too much eye make-up. 그녀는 눈화장이 너무 진했다.

③〔동작의 방향〕**a**) 앞(쪽)〔전방〕으로, 이쪽으로, …을 앞으로 향하여 : later *on* 나중에 / farther *on* 더 앞(쪽)으로 / bring *on* 가져오다 / come *on* 오다, 다가오다 / from that day *on* 그날 부터〔이후〕/ The two bicycles met head *on*. 두 대의 자전거가 정면으로 충돌했다. **b**) (시간이) 진행되어 ; (시계를) 더 가게〔빠르게〕 하여 : put the clock *on* 시계를 더 가게 하다 / He is getting *on* for thirty 〔is well *on* years〕. 그는 나이가 30이 다 된다〔웬만큼 나이가 들었다〕/ It was well *on* in the night. 밤이 어지간히 깊었다.

④〔동작의 계속〕계속해서, 쉴 사이 없이, 끊이지 않고 : go *on* talking 계속해서 이야기하다 / keep *on* working 계속 일하다 / sleep *on* 계속(해서) 자다 / Go *on* with your story. 이야기를 계속하시오.

⑤ **a**)〔진행·예정〕진행되고, 행해지고 ; 상연(上演)되고 ; 예정되어 : I have nothing *on* this evening. 오늘 저녁은 아무 예정도 없다 / The new play is *on*. 새 연극이 상연되고 있다 / What's *on*? 무슨 일이 일어났느냐 ; 무슨 프로냐 / Is the game *on* at 5 p.m. or 6 p.m.? 경기는 오후 5시부터 하느냐 6시부터 하느냐. **b**) (배우가) 무대에 나와 ; 근무하고 : What time is Madonna *on*? 몇 시에 마돈나는 출연하느냐 / My father is *on* today. 아버지께서는 오늘 근무하신다.

⑥〔작동 중임을 나타내어〕(기계·브레이크가) 작동되고; (전기·수도·가스가) 틀어져, 사용 상태에; (TV·라디오 따위가) 켜져, 틀어져: turn *on* the light 전등을 켜다 / Is the water *on* or off? 수돗물이 틀어져 있는가 잠겨 있는가 / The radio is *on*. 라디오가 켜져 있다.

⑦《口》 찬성하여, 기꺼이 참가하고: I'm *on!* 좋아, 찬성이다 / You're *on!* (거래·내기에서) 좋아, 그럽시다. ***and so on*** ⇨ AND. ***be*** 〔***go, keep***〕 ***on about*** ... 《口》 …에 대해 투덜거리다: What *are* you *on about?* 무엇이 불만인가. ***be on at*** ... 《口》 (…에 관하여, …하도록) (아무)에게 불평을〔잔소리를〕 하다, (아무)에게 끈질기게 말하다《*about*; *to* do》. ***be on for*** ... 《口》 …에 참가하다(take part in). ***be on to*** ... 《口》 (진상·계획 따위)를 알고 있다, 알아채고 있다; (남의 기분)을 잘 알고 있다. ***be on with*** ... (아무)에게 열중해 있다. ***It*** 〔***That***〕 ***is*** (***just***) ***not on!*** 《英口》 그것은 (정말) 불가능하다〔있을 수 없다〕. ***on and off*** =***off and on*** 이따금; 단속적으로: visit there *on and off* 이따금 그 곳을 찾다 / It rained *on and off* all day. 온종일 비가 오락가락했다. ***on and on*** 잇따라, 쉬지 않고: We walked *on and on*. 계속해서 걸었다. ***on to*** ... =ONTO.

— *n.* (the ~) 〖크리켓〗 (타자의) 좌전방, 왼쪽 전방. [opp] *off*.

on-a·gain, off-a·gain [ánəgèn, ɔ́:n- / ɔ́n-], [ɔ́:fəgèn, ɔ́:f- / ɔ́f-] *a.* 〔限定的〕 단속적인; 시작되는가 하면 중단되는: *on-again, off-again* fads 정신 못 차리게 돌아가는 유행.

onan·ism [óunənìzəm] *n.* ① 성교 중절(coitus interruptus). ② 자위. [파] **ònan·ís·tic** *a.*

on-board [ánbɔ́:rd, ɔ́(:)n-] *a.* ① 선내(船內)〔기내, 차내〕에 탑재한, 내장(內藏)한: an ~ computer 선내〔기내, 차내〕에 장착한 컴퓨터. ② 선내〔기내, 차내〕에서 제공하는: ~ service 선내〔기내, 차내〕 서비스. ③〖컴〗 (메모리 등) 기판(基板)에 들어있는.

†**once** [wʌns] *ad.* ① 한번, 일회, 한곱: *Once* two is two. 2 곱하기 1은 2 / ~ or twice 한두 번, 몇 차례 / I'm only going to tell you ~. 단 한번밖에 말하지 않을 거에요《잘 들어 두세요》 / We go to a movie ~ a week. 일주일에 한번 영화관에 간다 / A man can die but ~. 《俗談》 사람은 한번 밖에 안 죽는다. ②〔否定文〕 한번도 …(안하는): I haven't seen him ~. 그와는 한번도 만난 적이 없다. ③〔條件文〕 일단 …(하면), 적어도〔한번〕 …(하면): If she ~ starts talking, she is hard to stop. 한번 말하기 시작하면 여간해서 그만두려 하지 않는다(⇨★²). ④ 이전에, 일찍이, 한때 (formerly): a *once*-famous doctor 한때는 유명했던 의사 / I could speak French ~. 전에는 불어를 말할 수 있었다《지금은 못한다》 / She ~ lived in London. 그녀는 전에 런던에 살고 있었다 / There ~ lived a beautiful princess. (어느) 옛날 한 예쁜 공주님이 있었습니다. ★¹ '한 번, 두 번' 할 때는 one time 을 쓰지 않고 once 를, two times 는 twice 를 쓰고, '세 번'의 경우는 thrice 보다 three times 가 보통. ★² '일단…'의 뜻으로는 동사의 앞 또는 文頭에, '한 번'의 뜻으로는 동사·조동사의 뒤에 오는 것이 원칙임: If we *once* 〔If *once* we〕 lose sight of him, ... 일단 그를 놓치는 날에는 … / I have not been there *once*. 한번도 거기 가 본 일이 없다.

(***every***) ***~ in a while*** 〔《英》 ***way***〕 《美口》 때때로. ***more than*** ~ 한 번뿐만 아니라, 여러 번에 걸쳐. ***~ again*** 한번 더: Say it ~ *again*. 다시 한번 말해 주세요. ***~ and again*** 몇 번이고. ***~*** (***and***) ***for all*** 딱 잘라서, 단호히, 최종적으로: He give up smoking ~ *and for all*. 그는 담배를 딱 끊었다. ***~ in a blue moon*** 극히 드물게. ***~ more*** 다시 한번, 또 한번. ***~ upon a time*** 옛날 (옛적)에《옛날 이야기의 첫머리말》.

— *conj.* 일단 …하면, …해버리면: *Once* you start, you must finish it. 일단 시작했으면 끝장을 내야 한다 / *Once* you begin, you'll enjoy it. 한번 시작만 하면, 즐거워질 것이다 / *Once* you learn the basic rule, this game is easy. 한번 기본 룰을 배워버리면, 이 게임은 간단하다.

— *n.* [U] 한번: *Once* is enough for me. 나로서는 한번으로 충분하다.

all at ~ (1) 갑자기(suddenly): *All at* ~, a shark appeared. 갑자기 상어가 나타났다. (2) 모두 동시에: Don't speak *all at* ~. 모두가 동시에 말해서는 안 된다. ***at*** ~ (1) 즉시, 곧: Do it *at* ~. 즉시 하라 / He came *at* ~. 그는 금방 왔다. (2) 동시에: Don't do two things *at* ~. 동시에 두 가지 일을 하려고 하지를 마라. ***at ~ ... and*** ＿ …하기도 하고 ―하기도 한: It is *at* ~ interesting *and* profitable 그것은 재미있고 유익하기도 하다 / She is *at* ~ witty *and* beautiful. 재색 겸비하고 있다. (***just***) ***for*** ~= ***for ~ in a way*** (1) 한번만은 (특히). (2) 이번만은 (특히). ***just*** (***for***) ***this*** 〔***that***〕 ~ 이 번〔그 때〕만은: I wish you would come home early *just for this* ~. 이번만은 빨리 돌아와 주었으면 좋겠다.

— *a.* 예전의, 이전의(former): Lord Bradley, my ~ master 나의 이전 주인인 브래들리경.

once-o·ver [wʌ́nsòuvər] *n.* (*sing.*) 《口》 대충 훑어봄, 간단히 조사함: A guard gave us the ~ before letting us in the door. 보초가 문에서 우리를 통과시키기 전에 간단히 조사를 했다.

on·co·gene [áŋkədʒì:n / ɔ́ŋ-] *n.* [C] 발암 유전자.

on·co·gen·e·sis [àŋkədʒénəsis / ɔ̀ŋ-] *n.* [U] 〖醫〗 종양(腫瘍) 형성, 발암.

on·col·o·gy [aŋkálədʒi / ɔŋkɔ́l-] *n.* [U] 〖醫〗 종양학(腫瘍學).

on·com·ing [ánkʌ̀miŋ, ɔ́(:)n-] *a.* 〔限定的〕 ① 접근하는, 다가오는: the ~ car 마주오는 자동차. ② 새로 나타나는, 장래의: the ~ generation 신세대. — *n.* [U] 가까이 옴, 접근《*of*》: the ~ *of* a storm 폭풍의 접근.

on·cost [ánkɔ̀:st, -kàst / ɔ́nkɔ̀st] *n.* [U] 《英》 간접비(overhead).

on-disk [-dísk] *a.* 〖컴〗 디스크에 기록되어 있는.

†**one** [wʌn] *a.* ① 〔흔히 限定的〕 **a**) 한 사람의, 하나의, 한 개의(single)《특히 강조할 때 이외에는 보통 不定冠詞를 씀》: ~ child 한 명의 아이 / ~ apple 한 개의 사과 / ~ dollar and a half, 1 달러 50센트《~ and a half dollars보다 일반적》/ ~ man ~ vote, 1인 1표(제) / ~ man in twenty, 20 인에 한 사람 / No ~ man can do it. 누구든 한 사람으로는 할 수 없다 / One man is no man. 《俗談》 세상은 혼자 살 수 없다. **b**) 〔敍述的〕 한 살인: He is ~. 그 아이는 한 살이다. **c**) 〔數詞 등을 수식하여〕 1… 《특히 정확히 말하려고 할 때 이외에는 a 가 보통》: ~ half, 2 분의 1 / ~ third, 3 분의 1 / ~ thousand (and) ~ hundred, 1100.

② **a**) 〔때를 나타내는 名詞 앞에서〕 (미래, 과거의) 어느, 어떤: ~ day 어느 날; 일찍이; 언젠가《예전에는 미래에 대해서도 썼으나 지금은 보통 some day를 씀》/ ~ fine Sunday 어느 (맑게 갠) 일요일 / ~ summer evening 어느 여름날 저녁에. **b**) 〔인명 앞에서〕 …라고 하는 이름의 사람(a, a certain): ~ Johnson 존슨이라고 하는 사람《형식을 차린 표

현이므로, 지금은 경칭을 붙인 a Mr. 〔Dr. *etc.*〕 Johnson 으로 하는 것이 일반적》.
③ **a)** 같은, 동일한 : in ~ direction 같은 방향에 / We are of ~ age. 우리는 동갑이다. **b)** 〔all ~ 형태로 ; 敍述的〕 아주 같은 일인, 아무래도 좋은 일인 : It is *all* ~ to me. 나에게는 전적으로 마찬가지이다〔아무래도 상관 없다〕.
④ 일체(一體)의, 합일의 ; (…와) 일치한, 한마음인《*with*》: *with* ~ voice 이구동성으로 / My wife is ~ 〔of ~ mind〕 *with* me. 아내는 나와 일심동체이다 / We are all ~ on that point. 그 점에서는 모두 의견이 일치한다.
⑤ 〔the ~, one's 로〕 단 하나〔한 사람〕의, 유일한 《one 에 강세를 둠》: *the* ~ way to do it 그것을 하는 유일한 방법 / *The* ~ thing I can do is to tell the truth. 내가 할 수 있는 유일한 일은 진실을 말하는 것뿐이다.
⑥ 〔another, the other와 상관되어〕 한쪽의, 한편의 : from ~ side to *the other* 한 쪽에서 다른 쪽으로 / choose ~ way or *the other* 어느 쪽이든 한쪽 길〔방법〕을 택하다 / Some say ~ thing, some *another.* 이렇게 말하는 사람도 있고 저렇게 말하는 사람도 있다 / Knowing is ~ thing, and doing is quite *another.* 아는 것과 행하는 것과는 전혀 별개의 문제이다.
⑦ 〔副詞的으로, 다음의 形容詞를 강조하여〕《美口》특히, 대단히, 굉장히 : She is really ~ nice girl. 그녀는 실로 대단한 미인이다.
become 〔***be made***〕 ~ (…와) 한 몸이〔부부가〕 되다《*with*》; 결혼하다. ***for ~ thing*** ⇨ THING. ~ ***and the same*** . . . 전혀 같은… : ~ *and the same* person 동일 인물. ~ ***or two*** 하나 또는 둘의 ; 《口》 2, 3 〔두서넛〕의(a few) : It will take ~ *or two* days. 하루나 이틀〔며칠〕 걸릴 것이다. ~ ***thing or*** 〔***and***〕 ***another*** 《口》 이(런) 일 저(런) 일로. ***the***〔***one's***〕 ***one and only*** ⇨ ONLY.
— *n.* ① U,C 〔흔히 冠詞 없이〕 (기수의) 1, 하나, 한 사람, 한 개 ; 제 1 : ~ at a time 한 번에 한 사람〔개〕 / ~ and twenty=twenty-~, 21 / ~ fourth, 4분의 1 / Chapter〔Book〕*One* 제1장〔권〕. ② C 1 의 숫자〔기호〕: Your 1's look 7's. 자네가 쓴 1은 7 같이 보이네. ③ **a)** U 한 시 ; 한 살 : at ~ 한 시에 / at ~ and forty 마흔 한살(때)에. **b)** C 1 달러〔파운드〕 지폐. ④ U 《口》 일격, 한 방 ; 한 잔 : He gave me ~ (blow) in the eye. 그는 내 눈에 일격을 가했다. ⑤ (O-) 신, 하느님, 초인간적인 존재 : the Holy *One* 신, 그리스도 / the Evil *One* 악마. ⑥ (a ~로) **a)** 《口》 열렬한 사람, 열망자, 열애자 : He is *a* ~ for baseball. 그는 야구라면 사족을 못 쓴다. **b)** 〔놀라움을 나타내어〕 《俗》 이상한 사람, 괴짜 : Did you try to hit a policeman? You are *a* ~. 경찰을 때리려 했다고. 정말 어처구니 없군 / You are *a* ~ to do such a thing! 그런 짓을 하다니 자네도 괴짜군.
all in ~ (1) 일치〔동의〕하여. (2) 하나로〔한 사람이〕 전부를 겸하여. ***as*** ~ 전원 일치로, 일제히. ***at*** ~ (…와) 일치〔동의〕하여《*with*》: I'm *at* ~ *with* you on that point. 그 점에서는 자네와 같은 의견이다. ***by ~s*** 하나씩. ***by ~s and twos*** 한 사람 두 사람씩. ***for*** ~ 한 예로서 ; 개인〔자신〕으로서는 : The smog, *for* ~, makes it hard to live in town. (우선) 한 예로 스모그 때문에 읍내에 살기 어렵다 / I, *for* ~, shall never do so. 나로서는 결코 그런 일은 안 한다. ***get it in*** ~ 《口》 이해가 빠르다. ***get ~ over*** . . . 《口》 …보다 한발 앞서다, …보다 우위에 서다. ***in*** ~ (1) =all in ~ (成句). (2) 《口》 단 한 번의 시도로. ***in ~s and twos***=by ~s and twos(成句). (***in***) ***the year*** ~ 아주 옛날, 훨씬 이전에. ~ ***after*** ~=~ by ~. ~ ***and all*** ⇨ ALL. ~ ***by*** ~ 하나〔한 사람〕씩 (차례로). one***'s*** ~ ***and only*** 《口》 가장 사랑하는 사람, 진정한 애인. ***ten to*** ~ ⇨ TEN.
— *pron.* ① 〔총칭적 인칭으로서〕 (일반적인) 사람, 세상 사람, 누구든(지) : *One* should always be careful in talking about ~*'s*〔《美》 his〕 finances. 자신의 경제사정을 이야기할 때에는 항상 조심하여야 한다 / *One* must not neglect ~*'s* duty. 사람은 자기 의무를 소홀히 해서는 안 된다.

> 語法 (1) one을 받는 대명사는 one 및 그 변화꼴(one's, oneself)을 쓰는 것이 원칙이나《美》에서는 they 또는 he(내용에 따라서는 she) 및 그 변화꼴을 쓸 때가 많음.
> (2) 《口》에서는 one보다는 you, we, they, people 따위를 즐겨 씀.
> (3) 사전 따위에서 人稱代名詞의 대표형으로 : run as fast as ~ can 힘껏 빨리 뛰다 / make up ~'s mind 결심하다.

② 〔單數形으로〕 **a)** 〔one of+한정複數名詞〕 (특정한 사람·것 중의) 하나, 한 개, 한 사람 : *One of* the girls was late in coming. 여자아이 하나가 늦게 왔다《one 과 호응하여 단수동사로 받는 것이 옳지만 복수명사에 이끌려 복수동사로 받을 때도 많음》/ I'd like to have ~ *of* those apples. 저 사과를 한 개 먹고 싶다. **b)** 〔another, the other(s)와 대응하여〕 한쪽(의 것), 하나, 한 사람 : *One* says one thing, and *another* says another. 한 사람이 이렇게 말하면 다른 한 사람은 저렇게 말한다 / The twin girls are so much alike that I can't tell (the) ~ from *the other.* 그 쌍둥이 소녀는 너무도 똑같아서 (누가 누군지) 분간을 할 수가 없다.
③ 〔any, some ; no, every ; such a ; many a 또는 다른 수식어 뒤에서〕 사람, 것 : *any* ~ 누구든 / my dear 〔little, loved〕 ~*s* 내 귀여운 아이들 / the young ~*s* 어린아이들 / *many a* ~ 많은 사람들 / *such a* ~ 이와 같은 사람〔것〕 / the absent ~ 가족 중 없는 사람.
④ 〔뒤에 수식어구가 와서 ; 複數形 없음〕 (비특정의) 사람《보통은 a man, a person을 씀》: She lay on the bed like ~ dead. 그녀는 죽은 사람처럼 침상에 누워 있었다 / He is not ~ to complain. 그는 불평을 할 사람이 아니다 / *One* who overeats will not live long. 과식하는 사람은 오래 살지 못한다.
⑤ 〔수식어 없이 앞에 나온 a+普通名詞 대용으로〕 그와 같은 사람〔물건〕, 그것 : I want a fountain pen, but I have no money to buy ~. 만년필이 필요한데 살 돈이 없다 / His principle is ~ of absolute self-reliance. 그의 주의는 절대 자기의존주의다 / Do you have any books on gardening? I'd like to borrow ~. 원예책을 가지고 계십니까. 한 권 빌리고 싶습니다.

> 語法 (1) one 은 비특정의 것을 가리키는데 쓰이며 특정한 것을 지칭할 때는 it 을 사용함. 단, 다음에 형용구〔절〕이 올 때의 특정어에는 that 을 씀 : Do you have a watch?—No, but my brother has *one* (=a watch). He bought *it* (=the watch) yesterday. 너 시계 갖고 있니—아니, 나는 없지만 형은 가지고 있어. 어제 샀어. The capital of your country is larger than *that* (=the capital) of mine. 귀국의 수도가 우리 나라의 수도보다 커요.
> (2) 이 용법에서는 복수형이 없으며, 복수형에

맞먹는 것은 some임 : If you like roses, I'll give you *some*. 장미를 좋아하시면 몇 송이 드리죠.

⑥〔보통 수식어를 수반하여 앞에 나온 可算名詞의 대용으로〕 한 것〔사람〕: His collection of stamps is a most valuable ~. 그가 소장하고 있는 우표는 아주 값있는 것이다 / He has three rooms : one *large* ~ and two *small* ~*s*. 그에게는 방이 셋 있다, 큰 방 하나와 작은 방 둘이다. 《★ 이 용법에서는 不定冠詞나 複數形을 쓸 수 있음》.

參考 one 사용상의 주의 : (1) 명사·대명사의 소유격 뒤에서는 one을 쓰지 못함 : Your house is larger than *mine* 〔*Ted's*〕. 너의 집은 나〔테드〕의 집보다 크다. 단, 성질형용사를 수반할 때는 소유격 뒤에서도 사용함 : If you need a dictionary, I will lend you my old *one*. 사전이 필요하면 내 헌 것을 빌려 주지.
(2) 물질명사 대신으로는 쓰이지 않으며 따라서 다음의 some이나 형용사 뒤에 one을 붙이지 않음 : If you need money, I will lend you *some*. 돈이 필요하면 빌려 드리지요. I like red wine better than *white*. 나는 백포도주보다 적포도주가 좋다.
(3) 序數 뒤에서 one이 단수일 때에는 써도 좋고 생략해도 좋지만 복수일 때에는 생략하지 않음 : The first volume is more interesting than the second (*one*). 제 1 권(卷)이 제 2 권보다 재미있다. Of the speakers the first *ones* were interesting. 강연자들 중에서 처음 번 사람들이 재미있었다.
(4) of 앞의 형용사의 비교급·최상급에는 one이 오지 않음 : He is the *taller of* the two 〔the *tallest of* them all〕. 그는 둘 중에서 키가 크다 〔그들 중에서 가장 키가 크다〕. 《★ 다음에 of가 없으면 다름 : Give me a *longer* 〔the *longest*〕 *one*. 더〔가장〕긴 것을 주시오》.

⑦〔the, this, that, which 따위의 한정어를 수반하여〕 (특정 또는 비특정의) 사람, 것 : Here are three umbrellas. *Which* ~ is yours, *this* ~, (or) *that* ~, or *the* ~ on the peg? 여기 우산이 셋 있는데 어느 것이 자네 것인가, 이건가, 저건가, 아니면 못에 걸려 있는 것인가 / Are these *the* ~*s* you were looking for? 이것들이 네가 찾고 있던 것이냐 / Nixon is *the* ~. 닉슨이야말로 그 사람이다《the one=the right one '적임자'의 뜻》.
⑧〔짐짓 점잔빼거나 겸손한 뜻으로〕 나, 저(I, me) : *One* is rather busy now. 제가 좀 바빠서요 / I like to dress nicely. It gives ~ confidence. 나는 말쑥한 옷차림이 좋아. 단정해 보이니까.
a good ~ ⇨ GOOD. (***just***) ~ ***of those things*** ⇨ THING. ~ ***. . . after another*** 하나 또 하나의 ··· : *One* star *after another* was covered by the cloud. 별이 하나씩 하나씩 구름에 가리어졌다. ~ ***after another*** 속속 ; 차례로, 하나〔한 사람〕씩, 잇따라《셋 이상의 것에 사용됨》: I saw cars go past 〔by〕 ~ *after another*. 차들이 잇따라 지나가는 것이 보였다. ~ ***after the other*** (1) (두 사람·두 개의 것이) 번갈아 : He raised his hands ~ *after the other*. 그는 좌우의 손을 번갈아 들었다. (2) (셋 이상의 것이) 차례로 : He swallowed three cups of the water, ~ *after the other*. 그는 그 세 컵의 물을 차례로 마셨다. ~ ***another*** 서로《(1) 동사·전치사의 목적어 또는 소유격 one another's로 쓰임. (2) each other와 구별 없이 사용》: All three hated ~ *another* 〔each other〕. 세 사람은 서로(를) 미워했다. ***one of these*** (***fine***) ***days*** ⇨ DAY. ~ ***. . . the other*** (둘 중) 한쪽은 ··· 다른 한쪽은. ~ ***with another*** 평균하여, 대체로. ***the*** ~ ***that got away*** 아깝게도 놓쳐버린 물건〔사람, 기회〕. ***the*** ~ ***. . . the other*** 전자〔후자〕는 ··· 후자〔전자〕는.

óne-armed bándit [wʌ́nɑ̀ːrmd-] 《口》 (도박용) 슬롯 머신(slot machine).

one-bag·ger [wʌ́nbǽgər] *n.* Ⓒ 《野球俗》 = ONE-BASE HIT.

óne-base hít [wʌ́nbèis-] 〖野〗 단타(單打).

one-celled [⌐séld] *a.* 〖生〗 단세포의.

one-di·men·sion·al [wʌ́ndiménʃənəl] *a.* ① 1차원의. ② 깊이가 없는, 피상적인 : a novel with ~ characters 등장 인물에 깊이가 없는 소설.

one-horse [⌐hɔ́ːrs] *a.* 〔限定的〕 ① (말) 한 필이 끄는 : a ~ plow〔plough〕 한 필이 끄는 쟁기. ② 《口》 작은 ; 하찮은, 빈약한 : I can't wait to get out of this ~ town. 한시 바삐 이 작은 마을에서 벗어나고 싶다.

O'Neill [ouníːl] *n.* **Eugene** ~ 오닐《미국의 극작가, 1936년 노벨상 수상 ; 1888-1953》.

one-lin·er [wʌ́nláinər] *n.* Ⓒ 《美》 재치 있는 경구(警句), 기지 있는 익살.

one-man [⌐mǽn] *a.* 〔限定的〕 ① 혼자서 다하는 : a ~ business 개인 사업 / He does a ~ show in Las Vagas. 그는 라스베이거스에서 원맨쇼를 하고 있다. ② (여자가) 한 남자만을 사랑하는 : a ~ woman (평생) 한 남자만을 사랑하는 유형의 여자.

óne-man bánd ① 여러 악기를 혼자 다루는 거리의 악사. ② 무엇이든 혼자서 하는 사람.

one·ness [wʌ́nnis] *n.* Ⓤ ① 단일성, 동일성. ② 일치, 조화.

óne-night stánd [⌐nàit-] 《口》 ① 한번〔하룻밤〕만의 흥행 : The band had a series of ~*s* around the country. 그 악단은 한 곳에서 한 번 공연하는 전국 순회를 했다. ② 하룻밤〔한번〕만의 정사(情事)(에 적합한 상대).

one-off [wʌ́nɔ́(ː)f, -ɑ́f] *a.* 〔限定的〕 《英》 1회 한의, 한번만의.

one-on-one [⌐ɑnwʌ́n, ⌐ɔ(ː)n⌐] *a., ad.* (농구 등에서) 맨투맨(man-to-man)의〔으로〕, 1대 1의〔로〕. —— *n.* Ⓤ 1대 1 대응, 맨 투 맨.

one-piece [wʌ́npìːs] *n.* 〔限定的〕 (옷이) 원피스인, (아래위) 내리닫이의 : a ~ swimsuit 원피스로 된 수영복. —— *n.* Ⓒ 원피스. ㊞ **-píec·er** *n.* = ONE-PIECE.

on·er·ous [ɑ́nərəs, óu- / ɔ́n-] *a.* ① 번거로운, 귀찮은, 성가신(burdensome) : an ~ task 힘들고 귀찮은 일. ② 〖法〗 의무부담이 붙은《재산 따위》: an ~ contract 유상(有償) 계약.

‡**one's** [wʌnz] *pron.* ① one의 소유격. ② one is의 간약형.

†**one·self** [wʌnsélf] *pron.* ① [-⌐] 〔再歸用法〕 자기 자신을〔에게〕: talk 〔speak〕 to ~ 혼자말을 하다 / amuse ~ 재미있어 하다 / kill ~ 자살하다 / One is apt to forget ~. 사람은 흔히 제 분수를 잊기가 쉽다. ② [⌐⌐] 〔強意的〕 자신이, 스스로 : One should do such things ~. 그런 것은 자기가 해야한다 / To do right ~ is the great thing. 스스로 올바르게 처신하는 것이 중요하다.
★[1] one*self*는 각 인칭의 복합 대명사를 대표하며 실제로는 my*self*, your*self*, them*selves* 따위의 꼴을 취하는 일이 많으나, 문장의 주어가 one일 때는 one*self*가 쓰임. ★[2] 미국에서는 one's self의 꼴도 쓰임.
(***all***) ***by*** ~ (1) (완전히) 혼자서 : He was (*all*) *by himself*. 그는 (완전히) 외돌토리였다 / I saw

her lunching *by herself* in a restaurant. 그녀가 레스토랑에서 혼자 점심을 먹는 것을 보았다. (2) (완전히) 혼자 힘으로 : I did it *by myself.* 나 혼자서 했다. ***for*** ~ (1) 스스로, 자신이 : Go and see *for yourself.* 자신이〔직접〕 가서 보세요. (2) 자기를 위하여〔위한〕: He built a new house *for himself.* 그는 자기를 위하여 새 집을 지었다. ***of*** ~ 저절로, 자기 스스로 : The car started to move *of itself* down the hill. 차는 저절로 언덕 아래로 움직이기 시작했다. ***to*** ~ (1) 자신에게 : I kept the secret *to myself.* 나는 그 비밀을 가슴 속에 묻어두었다. (2) 독점하여 : I have a room *to myself*. 나만의 방을 하나 가지고 있다.

one-shot [wʌ́nʃɑ̀t / ˊ-ʃɔ̀t] *a.* 《口》 한 번으로 완전〔유효〕한, 1회 한의, 단발(로)의 : a ~ cure 1회 요법 / It's a ~ deal. You don't get any second chances. 한 번만의 거래다. 두 번 기회는 없다. ── *n.* 《口》 한 회로 끝나는 특집물〔기사·프로〕; 《口》 1회만의 출연〔상연〕; 단발물.

one-sid·ed [ˊ-sáidid] *a.* ① 한쪽으로 치우친, 불공평한 : a ~ view 편견 / The newspapers give a very ~ account of war. 그 신문들은 매우 편파적인 전쟁 기사를 보도하고 있다. ② 한쪽만의 ; 일방적인 ; 한쪽만 발달한 : a ~ decision 일방적인 결정 / ~ love 짝사랑 / The game is ~. 경기는 일방적이다. ㊞ **~·ly** *ad.* **~·ness** *n.*

one-step [ˊ-stèp] *n.* Ⓒ (종종 the ~) 원스텝《2/4 박자의 사교 댄스》, 또 그 음악. ── *vi.* 원스텝을 추다.

Óne Thóusand Guíneas *n. pl.* (the ~; *sing.* 취급) 1천 기니 경마《영국 5대 경마 중의 하나》.

one-time [ˊ-tàim] *a.* 〔限定的〕 이전의, 옛날의 (former) : his ~ partner 이전의 동료 / a ~ premier 전수상 / Neil McMurtry, a ~ busdriver, is the singer. 버스 운전기사였던 닐 맥머트리는 지금 톱가수이다.

one-to-one [ˊ-tə-ˊ] *a.* (대응 등이) 1대 1의 : a ~ correspondence, 1 대 1의 대응.

one-track [ˊ-træ̀k] *a.* 〔限定的〕 ① 한 번에 한 가지 밖에 생각하지 못하는. ②〖鐵〗 단선인.

one-two [ˊ-túː] *n.* Ⓒ ①〖拳〗 원투(펀치)(=ˊ **pùnch**〔**blòw**〕). ②〖蹴〗 1대 1 패스.

one-up [wʌ́nʌ́p] *a.* 〔敍述的〕《口》 한 발 앞선, 한 수 위의(*on*). ── (***-pp-***) *vt.* …을 앞지르다, 한 발 앞서다.

one-up·man·ship [wʌ̀nʌ́pmənʃìp] *n.* Ⓤ 《口》 남보다 돋보이게 하는 재능, 남보다 한 걸음 앞서는 일.

one-way [ˊ-wéi] *a.* 〔限定的〕 ① 일방통행의, (차표가) 편도(片道)의 ;〖通信〗 한쪽 방향만의 : ~ traffic 일방 통행 / a ~ ticket 편도 승차권(《英》 single ticket). cf. roundtrip ticket. ② 일방적인 : a ~ contract 일방적〔편무〕 계약.

one-woman [ˊwúmən] *a.* 〔限定的〕 ① 여자 혼자만의, 여자 혼자서 하는 : a ~ show (여가수 등의) 원맨 쇼. ② (남자가) 한 여자만을 사랑하는 : a ~ man 한 여자만을 사랑하는 유형의 남자.

on·flow [ánflòu, ɔ́(ː)n-] *n.* Ⓒ (흔히 *sing.*) (세찬) 흐름, 분류.

on·go·ing [ángòuiŋ, ɔ́(ː)n-] *a.* 〔限定的〕 전진하는, 진행하는 : ~ negotiations 진행 중인 교섭.

‡on·ion [ʌ́njən] *n.* Ⓒ ①〖植〗 양파 : There's too much ~ in this soup. 이 수프에는 양파가 너무 많이 들어있다. ②《俗》 머리, 사람. ***know*** one***'s*** ***~s*** 《口》 자기 일에 정통하다, 유능하다.

ónion dóme (동방 정교회의) 양파 모양의 둥근 지붕.

on·ion·skin [-skìn] *n.* ① Ⓒ 양파껍질. ② Ⓤ (복사용의) 얇은 반투명지.

on-li·cense [ánlàisəns, ɔ́(ː)n-] *n.* Ⓒ 《英》 (점내(店內)에서 마실 수 있는) 주류판매 허가(를 받은 가게). cf. off-license.

on-line, on·line [ánláin, ɔ́(ː)n-] *a.* 〖컴〗 온라인〔바로잇기, 이음〕(식)의. opp. *off-line*. ¶ ~ processing system 온라인 처리 체계 / ~ real-time processing 온라인 즉시 처리. ── *ad.*〖컴〗 온라인으로.

ón-line deláyed tíme sỳstem〖컴〗 축적처리 시스템《정보를 즉시 처리하지 않는》.

ón-line réal tíme sỳstem〖컴〗 온라인 실시간 처리 시스템《원격지의 정보를 즉시 처리하여 단말기로 보내는 시스템》.

ón-line sỳstem〖컴〗 온라인 시스템.

on·look·er [ánlùkər, ɔ́(ː)n-] *n.* Ⓒ 구경꾼, 방관자 : A crowd of ~*s* had gathered at the scene of the accident. 많은 구경꾼들이 사고 현장에 모여들었다.

on·look·ing [ánlùkiŋ, ɔ́(ː)n-] *a.* 방관하는, 방관적인, 구경하는.

†on·ly [óunli] *a.* 〔限定的〕 ① (the ~, one's ~) 유일한, …만〔뿐〕의 : He was *the* ~ child in the room. 그 방안에서 아이는 그뿐이었다 / Mr. Kim is *the* ~ guy in this office who smokes. 이 사무실에서 담배를 피우는 유일한 사람은 김군뿐이다 / *The* ~ reason I came here was to see you. 내가 여기 온 것은 단 한 가지 당신을 만나기 위해서다. ② 비할 바 없는, 최상의(best) : the ~ master 최고의 대가 / He is the ~ person for this job. 그는 이 일의 최적임자이다. ③ (an ~) 단 한 사람의 : *an* ~ son 외아들. 《★ He is *an only* son. 그는 외아들이다(그 외에는 딸도 없다). He is *the only* son. 그는 (딸은 있지만) 단 하나의 아들이다. He is *an only* child. 그는 단 하나의 어린애이다《形容詞》. He is *only* a child. 그는 어린애에 지나지 않는다《副詞》》.

the 〔one***'s***〕 ***one and*** ~ 유일한, 하나밖에 없는 : She's *my one and* ~ friend. 그녀는 나의 둘도 없는 친구이다.

── *ad.* 오직, 겨우, 단지 ; …만〔뿐〕. cf. even¹. ¶ I have ~ two dictionaries. 사전은 두 권밖에 없다 / I will tell it ~ to you. 이것은 당신에게만 말합니다 / We can ~ guess 〔guess ~〕. 추측할 수 있을 뿐이다 / *Only* I 〔I ~〕 can guess. 나만이 추측할 수 있다 / The servant came ~ yesterday. 하인은 겨우 어제 왔을 뿐이다 / ~ a few days ago 한 2·3일 전에. 《★ only는 글 중의 여러 가지 요소를 수식하며 흔히 피수식어구의 (바로) 앞에 놓임. 피수식어구는 흔히 강세(強勢)를 받음 : I *only* ásked him. 나는 그에게 청했을 뿐이다. I *only* asked hím. 나는 그에게만 청했다》. ***have*** ~ ***to*** do =《口》 ~ ***have to*** do …(하기)만 하면 된다 : You *have* ~ *to* wait. 기다리고 있기만 하면 된다. ***if*** ~ (1) 단지〔다만〕 …라고 가정하여 ; …하기만 하면 : I could do it *if* ~ I were younger. 좀더 젊기만 하다면 할 수 있을 텐데. (2) …하면 좋을 텐데 : *If* ~ we knew! 알고 있기만 하면 좋을 텐데. ***not*** ~ . . . ***but*** (***also***) ＿ …뿐만 아니라 (또한) ―도. ~ ***just*** (1) 간신히, 겨우 : He ~ *just* caught the train. 그는 간신히 열차를 잡아 탈 수 있었다. (2) 지금 막 …한 : I have ~ *just* come. 지금 막 왔습니다. ~ ***too*** ⇨ TOO.

── *conj.* 《口》 ① …이기는〔하기는〕 하나, 그렇지만 : They look very nice, ~ we don't need them. 매우 훌륭하게는 보이나 별로 필요하지는 않다. ② (만약) …이 아니라면《★ 종속절에 상당하는 only

절은 직설법, 주절은 가정법이 보통임》: I would help you with pleasure, ~ I am too busy. 바쁘지만 않다면 기꺼이 도와드리고 싶은데…;《앞에서부터 번역하여》기꺼이 도와드리고는 싶지만 제가 몹시 바빠서…

o.n.o. 《英》《광고에서》 or near(est) offer (또는 그에 가까운 값으로) : Bicycle for sale, ₩ 30,000 ~, 자전거 3만 원 내외로 팖.

ón/óff contròl 〖컴〗 켜고 끄기, 점멸 제어.

on·o·mat·o·poe·ia [ànəmæ̀təpíːə / ɔ̀n-] *n.* 〖言〗 ① Ⓤ 의성(擬聲). ② Ⓒ 의성어《bow-wow, cuckoo 따위》.

on·o·mat·o·poe·ic [ànəmæ̀təpíːik / ɔ̀n-] *a.* 의성의; 의성어(語)의. ⊕ **-i·cal·ly** *ad.*

on·rush [ánrʌ̀ʃ, ɔ́(ː)n-] *n.* Ⓒ (흔히 *sing.*) ① 돌진, 돌격 : the second ~ of demonstrators 시위 군중의 두 번째 돌진. ② (강 따위의) 분류(奔流). ⊕ **~·ing** *a.* 〔限定的〕 돌진하는; 무턱대고 달리는.

on-screen [-skríːn] *ad., a.* 영화로〔의〕, 텔레비전으로〔의〕; 컴퓨터 화면에〔의〕: I prefer to edit ~ rather than on paper. 지면으로 보다는 컴퓨터 화면으로 편집하는 것을 좋아한다.

***on·set** [ánsèt, ɔ́(ː)n-] *n.* (the ~) ① **a**) 개시, 시작; 착수 : The enemy had to withdraw before *the* ~ of winter. 적은 겨울이 오기 전에 철수해야만 했다. **b**) (병의) 징후, 발병 : *the* ~ of a laryngitis 후두염의 발병. ② 공격(attack), 습격 : an ~ of the enemy 적의 내습.

on·shore [ánʃɔ́ːr, ɔ́(ː)n-] *ad., a.* 육지〔물가〕 쪽으로〔의〕: strong ~ winds 세찬 바닷바람.

on·side [ánsáid, ɔ́(ː)n-] *a., ad.* 〖蹴·하키〗 바른 위치의〔에〕. OPP *offside.*

on·slaught [ánslɔ̀ːt, ɔ́(ː)n-] *n.* Ⓒ 돌격, 맹공격, 습격《*on*》: make an ~ *on* …을 맹공격하다 / He was confident his armies could withstand the Allied ~. 그는 그의 군대가 연합군측의 맹공에 저항할 수 있을 것으로 확신하고 있었다.

on·stage [ánstéidʒ, ɔ́(ː)n-] *a., ad.* 무대의〔에서〕: She walked slowly ~. 그녀는 천천히 무대에 등장했다.

on-stream [ánstríːm, ɔ́(ː)n-] *ad.* 조업〔가동〕하여 : A new plant went ~. 새 공장은 조업을 개시했다. ── [⏑⏑] *a.* 〔敍述的〕 조업 중의, 가동(稼動)하는.

on-street [ánstrìːt, ɔ́(ː)n-] *a.* 노상의《주차》: *On-street* parking is not allowed. 노상주차는 금지한다. OPP *off-street.*

Ont. Ontario.

On·tar·i·an [antέəriən / ɔn-] *a.* 온타리오 주(州) 주민의. ── *n.* Ⓒ 온타리오 주의 주민.

***On·tar·io** [antέəriòu / ɔn-] *n.* ① 온타리오《캐나다 남부의 주》. ② (Lake ~) 온타리오 호《북아메리카 5대호의 하나》.

on-the-job [ánðədʒɑ̀b, ɔ́ːn- / ɔ́nðədʒɔ̀b] *a.* 〔限定的〕 현직에 있으면서 익히는〔배우는〕. OPP *off-the-job.* ¶ ~ training 직장내 훈련.

on-the-scene [ánðəsìːn, ɔ́ːn- / ɔ́n-] *a.* 〔限定的〕 (사건) 현장의 : an ~ newscast 현장에서의 뉴스 보도.

on-the-spot [ánðəspɑ̀t, ɔ́ːn- / ɔ́nðəspɔ̀t] *a.* 〔限定的〕《口》 현장의, 현지에서의 : ~ inspections 현장 검증 / an ~ survey 현지 조사.

***on·to** [強 ántuː, ɔ́(ː)n-, 弱 -tə] *prep.* ① …의 위에 : get ~ a horse 말을 타다 / step ~ the platform 연단에 오르다 / The cat jumped ~ the table. 고양이는 테이블 위로 뛰어올랐다 / The men managed to jump ~ the train while it was moving. 그 사람들은 움직이고 있는 열차에 용케도 뛰어 올라탔다《★ 영국에서는 보통 on to 로 나누어 씀. 또 on 에 부사적 뜻이 강할 때도 on to로 갈라 씀 : He looked out *on to* the park. 공원을 내다보았다》. ② …에 붙어서 : hold ~ a rope 밧줄에 매달리다 / She couldn't swim, so she clung ~ the boat. 그녀는 수영을 할 수 없어서 보트에 매달렸다. ③《口》 **a**) (흉계 따위를) 알아차리고, 알고 : I'm ~ your tricks. 너의 속임수는 알고 있다 / I think the police are ~ us. 경찰이 우리 계획을 눈치채고 있다고 생각한다. **b**) (좋은 결과·발견 따위에) 이를 것 같은 : You may be ~ something. 좋은 결과가 나올지도 모른다.

on·tog·e·ny [antádʒəni / ɔntɔ́dʒ-] *n.* U,C 〖生〗 개체 발생(론). cf. phylogeny.

on·to·log·i·cal [àntəládʒikəl / ɔ̀ntəlɔ́dʒ-] *a.* 〖哲〗 존재론(상)의, 존재론적인. ⊕ **-i·cal·ly** *ad.*

on·tol·o·gy [antálədʒi / ɔntɔ́l-] *n.* Ⓤ 〖哲〗 존재론〔학〕, 본체론.

onus [óunəs] *n.* (the ~) 《L.》 부담, 무거운 짐; 책임 : lay 〔put〕 *the* ~ on …에 책임을 지우다.

†on·ward [ánwərd, ɔ́(ː)n-] *ad.* 앞으로, 전방에〔으로〕, 나아가서 : move ~ 전진하다 / from this day ~금일 이후 / Onward!《口令》 앞으로 (가). ── *a.* 〔限定的〕 전방으로의; 전진적〔향상적〕인, 전진하는 : an ~ movement 전진 / an ~ course 진보적 과정.

†on·wards [ánwərdz, ɔ́(ː)n-] *ad.* =ONWARD.

on·yx [ániks, óun- / ɔ́n-] *n.* U,C 〖鑛〗 얼룩마노(瑪瑙).

oo·dles [úːdlz] *n. pl.* (종종 *sing.*) 《口》 풍부, 듬뿍(lot)《*of*》: have ~ *of* money 많은 돈을 가지고 있다.

oof [uːf] *int.* 음《배를 맞거나 불쾌·초조감을 나타냄》. ── *n.* Ⓤ 《俗》 돈, 현찰.

oofy [úːfi] *a.* 《俗》 부자의.

ooh [uː] *int.* 앗, 어, 아《놀람·기쁨·공포 등의 강한 감정》.

oomph [umf] *n.* Ⓤ 《俗》 ① 성적 매력. ② 원기, 정력, 활력(vigor) : It's not a bad song, but it needs more ~. 노래는 나쁘지 않은데 활력이 더 있어야겠다.

oops [u(ː)ps] *int.* 《口》 아이쿠, 저런, 아뿔싸, 실례《놀람·낭패·사죄 따위를 나타냄》.

***ooze** [uːz] *vi.* ①《~/+전+명》 (물이) 스며나오다; 질금질금 새나오다 : Water ~*d through* the paper bag. 종이 봉지에서 물이 스며나왔다 / Blood ~*d* between his fingers. 피가 그의 손가락 사이에서 조금씩 새나왔다. ②《+전+명》 질척거리다《*with*》: My back ~*d with* sweat. 등이 땀투성이가 되었다 / My shoes were *oozing with* water. 구두가 물로 질척거렸다. ③ (용기·흥미 따위가) 점점〔점차〕 없어지다, 사라지다《*away*; *out*》: His courage ~*d away* 〔*out*〕. 그의 용기가 점점 꺾여 갔다. ── *vt.* ① …을 스며나오게 하다 : He〔His body〕 was *oozing* sweat. 그는〔그의 몸은〕 땀을 흘리고 있었다. ② (매력 등)을 발산하다 : She ~*s* charm. 그녀는 매력적이다.
── *n.* Ⓤ ① 스며나옴, 분비; 분비물. ② 떡갈나무 따위의 수액《무두질 용》. ③ (강바닥 따위의) 개흙.

oo·zy [úːzi] (***-zi·er***; ***-zi·est***) *a.* 질척질척한; 줄줄 흐르는, 새는, 스며나오는.

op [ɑp / ɔp] *n.* 《口》 ① 수술《*for*; *on*》: have an ~ (환자가) 수술을 받다. ② 〖軍〗 작전 : military ~*s* 군사 작전.

op- *pref.* =OB-《p 앞에 올 때의 꼴》.

Op., op. opera; operation; opposite; 〖樂〗 opus. **O.P., o.p.** out of print.

opac·i·ty [oupǽsəti] *n.* Ⓤ ① 불투명(opaqueness); 〚寫〛 불투명도. ② **a**) (의미의) 불명료; 애매. **b**) 우둔, 어리석음.

opah [óupə] *n.* Ⓒ 〚魚〛 붉은개복치《대서양산(產)의 대형 식용어》.

***opal** [óupəl] *n.* Ⓤ,Ⓒ 〚鑛〛 단백석(蛋白石), 오팔.

opal·es·cence [òupəlésəns] *n.* Ⓤ 유백광(乳白光), 단백(蛋白)광.

opal·es·cent [òupəlésənt] *a.* 오팔과 같은; 단백석 빛을 내는: ~ glass 젖빛 유리.

opal·ine [óupəlin, -lìːn, -làin] *a.* 오팔과 같은; 단백석 비슷한 빛을 발하는.

***opaque** [oupéik] *a.* ① 불투명한. Ⓞⓟⓟ *lucid.* ¶ an ~ body 불투명체 / There was a shower with an ~ glass door. 거기에 불투명한 유리문이 달린 샤워실이 있었다. ② 광택이 없는; (색 등이) 칙칙한. ③ 분명치 않은; 애매한: very ~ style of writing 매우 이해하기 어려운 문체 / His intentions remain ~. 그의 의도는 여전히 분명치 않다. ㊞ **~·ly** *ad.* **~·ness** *n.*

óp árt *n.* Ⓤ 《美》 옵아트《착각적 효과를 노리는 추상 미술의 한 양식》.

op. cit. [ɑ́p-sít / ɔ́p-] *opere citato* 《L.》(=in the work cited) 앞서 말한〔인용한〕 책 중에.

OP còde [ɑ́p- / ɔ́p-] 〚컴〛 연산〔작동〕 부호《실시될 특정 연산(演算)을 지정하는 부호》.

OPEC [óupek] Organization of Petroleum Exporting Countries(석유 수출국 기구).

Op-Ed, op-ed [ɑ́péd / ɔ́p-] *n.* Ⓒ (흔히 the ~) 《美》〚新聞〛 (사설란 반대쪽의) 기명 기사란.

†open [óupən] (***more*** **~,** **~·*er*** **;** ***most*** **~,** **~·*est***) *a.* ① (문 따위가) 열린, 열려 있는, 열어 놓은. Ⓞⓟⓟ *shut, closed.* ¶ throw a door ~=throw ~ a door 문을 활짝 열어 젖히다 / Keep the window ~. 창을 열어 두어라 / He left the door ~. 그는 문을 열어 두었다.

② (상자 등이) 뚜껑〔덮개〕 없는, 뚜껑을 덮지 않은; (상처 등이) 노출된: an ~ boat 갑판이 없는 작은 배 / an ~ car 오픈카.

③ 펼친: an ~ newspaper 펼친 신문 / with ~ wings 날개를 펴고.

④ (바다·평야 따위가) 훤히 트인, 광활한; 막히지 않은, 방해물이 없는: an ~ view 훤히 트인 전망 / a vast ~ ocean 양양한 대해 / The battered boat slowly drifted out toward the ~ sea. 그 부서진 보트는 망망한 바다로 천천히 흘러갔다.

⑤ (지위 따위가) 비어 있는, 공석의; (시간이) 한가한: ~ time 한가한 때 / Is the job still ~? 그 일자리는 아직 비어 있나 / I have an ~ evening next Monday. 다음 월요일 밤은 한가합니다.

⑥ 공개된, 공공의, 출입〔통행, 사용〕이 자유로운, 일반 사람이 참가할 수 있는: an ~ session 공개 회의 / an ~ scholarship 공모(公募) 장학금 / ~ competition (참가 자유의) 공개 경기 / The road is ~ to traffic. 이 길은 통행이 자유다 / This swimming pool is ~ to the public. 이 풀장은 일반에 공개되어 있다.

⑦ 이용〔입수〕 가능한: the only course still ~ 아직 남아 있는 유일한 방도(方途).

⑧ 공공연한, 버젓이 하는: ~ disregard of law 공공연한 법률 무시 / an ~ secret 공공연한 비밀.

⑨ (성격·태도 등이) 터놓고 대하는, 솔직한; 대범한, 활달한, 관대한, 활수한; 편견이 없는: an ~ manner 솔직한 태도 / He is as ~ as a child. 그는 어린애같이 천진난만하다 / Let me be ~ with you. 털어 놓고 이야기합시다 / He is quite ~ about having been in prison. 그는 교도소에 있었다는 것을 숨기려 하지 않는다.

⑩ (영향·공격 따위에) 노출되어 있는, …을 받아들이는; 받기 쉬운, 좌우되기 쉬운, 면할 수 없는; (의심 따위의) 여지가 있는: ~ *to* doubt 의심스러운 / His conduct is ~ *to* criticism. 그의 행위는 비평의 여지가 있다.

⑪ 〚軍〛 (도시 따위의) 무방비인; 국제법상 보호를 받는.

⑫ (문제가) 미해결의: an ~ question 미해결의 문제, 현안 / The murder case is still ~. 그 살인 사건은 아직 해결되지 않았다.

⑬ (상점·극장·의회 따위가) 열려 있는, 개점〔공연, 개회〕 중인: The shop is not ~ yet. 가게는 아직 열리지 않았다 / We are ~ from 9 to 7. 우리 가게는 9시 부터 7시 까지 영업하고 있습니다.

⑭ (사냥 등이) 해금(解禁) 중인; 《美》 도박〔술집〕을 허가〔개방〕하고 있는; 공허(公許)의: the ~ season 해금 기간 / ~ town 무방비 도시.

⑮ 틈이 나 있는; (직물의) 올이 성긴, 촘촘치 않은; (대형이) 산개(散開)한: cloth of ~ texture 올이 성긴〔거친〕 천.

⑯ 〚音聲〛 (모음이) 개구(開口)(음)의; (음이) 개구적인; 개음절의; (자음이) 마찰의: an ~ consonant 개구 자음《[s, z, θ, ð] 따위》.

⑰ 〚樂〛 (오르간의) 음전(音栓)이 열린; (현악기에서 현이) 손가락으로 눌려 있지 않은; 개방음의, 개방현의.

⑱ 〚印〛 문자의 배열이 조잡한. ⓒⓕ solid.

⑲ (항만·수로가) 얼어 붙지 않은, 얼지 않는; 〚海〛 안개가 끼어 있지 않은; (기후가) 따뜻한, 온화한: an ~ winter 얼지 않는〔따뜻한〕 겨울 / an ~ harbor 부동항 / The lake is ~ in May. 그 호수는 5월에 얼음이 녹는다.

⑳ 변비가 아닌, 변이 굳지 않은〔순한〕: keep the bowels ~ 변을 충분히 보아 두다.

㉑ 〚컴〛 열린: ~ architecture 열린 얼개.

lay one***self*** (***wide***) **~ *to*** …에 몸을 드러내다, …을 맞받다: *lay oneself* (*wide*) ~ *to* attack 공격의 표적이 되다. ***with ~ arms*** 양 손을 벌리고; 진심으로 (환영하여).

— *n.* ① (the ~) 공터, 광장, 수림(樹林)이 없는 한데; 광활한 곳, 아주 너른 지대; 너른 바다. ② (경기 따위의) 오픈전, (the O-) (골프의) 오픈 선수권 경기: the US *Open.* 유에스 오픈 골프 선수권 대회. ***bring*** **. . .** (***out***) ***into the ~*** …을 들추어내다, 공표하다. ***come*** (***out***) ***into the ~*** 드러나다, 공표되다. ***in the ~*** ⑴ 야외에서; 여러 사람 앞에서: It must be wonderful to be able to take your meals *in the* ~ every day. 당신이 식사를 매일 옥외에서 할 수 있다는 것은 굉장히 멋있는 일이다. ⑵ 공공연하게.

— *vt.* ① 《~ + 목 / + 목 + 전 + 명 / + 목 + 부》 (문·창 따위)를 열다, 열어젖히다; (보자기)를 풀다, (편지 봉투)를 뜯다; (책·신문 따위)를 펴다《*out*; *up*》; (병의) 마개를 따다〔열다〕: ~ a letter 편지를 개봉하다 / *Open* your book *to* 〔*at*〕 page 5. 책의 5페이지를 펴라 / ~ *out* a newspaper 신문을 펴다 / ~ another bottle (맥주 따위를) 한 병 더 따다 / *Open* all the windows and let some fresh air in. 모든 창문을 열고 신선한 공기가 들어오도록 하라 / The bus doors ~ and close automatically. 버스의 문은 자동으로 열리고 닫친다. ② 《~+목 / +목+전+명 / +목+부》 (토지 등)을 개간하다, 개척하다, 장애물을 제거하다; (길·통로 등)을 개설하다, 통하게 하다《*out*; *up*》: ~ ground 개간하다 / ~ a path *through* a forest 산림을 뚫고 길을 내다 / ~ *up* a mine 광산을 개발하다 / They were clearing away snow to ~ the tunnel. 그들은 터널을 트기 위해 눈을 치우

고 있었다. ③《~+목/+목+전+명》…을 개방하다, 공개하다; (가게 따위)를 열다, 개업하다《up》: ~ a park 공원을 개방하다/~(up) a country to trade 타국과 통상을 트다/For the first time, Buckingham palace has been made ~ to the public. 처음으로 버킹엄 궁전이 공개되었다. ④《~+목/+목+부/+목+전+명》…을 시작하다, 개시하다《up》; 〖法〗…의 모두(冒頭) 진술을 하다: ~ (up) a campaign 캠페인을 시작하다/~ fire on 〔at〕 the enemy 적을 향해 사격을 개시하다/Police have an ~ed investigation into the girl's disappearance. 경찰은 그 소녀의 실종에 관해 조사에 착수했다. ⑤《~+목/+목+부/+목+전+명》…을 털어놓다, (비밀 따위)를 폭로하다《out》: ~ one's plan 계획을 누설하다/~(out 〔up〕) one's heart to a person 아무에게 속마음을 털어놓다. ⑥《~+목/+목+전+명》…을 계발하다, …의 편견을 없애다, 눈을 뜨게 하다: ~ one's understanding 이해력을 넓히다/~ a person's eyes to the fact 아무에게 사실을 깨닫게 하다. ⑦〖海〗…이 잘 보이는 곳으로 나오다. ⑧〖醫〗절개하다; 변을 통하게 하다. ⑨(대형 따위를) 산개(散開)하다: ~ ranks 산개하다. ⑩〖컴〗(파일을) 열다.

—*vi.* ①(문·창문 따위가) 열리다; 넓어지다: The door won't ~. 그 문은 아무리 해도 열리지 않는다. ②(꽃이) 피다: The buds were beginning to ~. 봉오리가 피기 시작했다. ③(물건이) 벌어지다, 터지다; 금이 가다: The wound ~*ed.* 상처가 터졌다. ④《+전+명》(방·문이 열려서) 통하다, 면(面)하다, 향하다《*into*; *onto*; *to*; *upon*》: ~ *upon* a little garden 작은 뜰을 향(向)해 있다/The door ~*s to* 〔*into*〕 the street. 그 문은 거리로 통한다/The room ~*s on* the garden. 방은 뜰에 면하고 있다. ⑤《~/+보/+전+명》(상점 따위가) 열리다, 개점〔개업〕하다; (어떤 상태에서) 시작하다; 이야기하기 시작하다; 행동을 일으키다: School ~*s* today. 오늘부터 학교가 열린다/The market ~*ed* strong. 시황은 강세로 시작되었다/The play ~*s with* a brawl. 극은 말다툼으로 시작된다. ⑥《~/+부/+전+명》전개하다《*out*; *up*》: The view ~*ed* (*out*) *before* our eyes. 경치가 눈앞에 전개됐다. ⑦《+전+명》책을 펴다: *Open to* 〔《英》*at*〕 page 8. 8페이지를 펴라. ~ *a person's eyes* 아무의 눈을 뜨게 하다, 계발하다, 깨우치다. ~ ***fire*** 발포하다; 공격을 개시하다: Troops ~*ed fire* on the rioters. 군대는 폭도들에게 발포를 개시했다. ~ ***out*** (1) 펼치다; 발달시키다; 깨우치다. (2) 열다; 꽃피다; 전개하다, 개통하다; 펴지다; 발달하다; 속도를 가하다; 마음을 터놓다. ~ ***the*** 〔***a***〕 ***door to*** …에게 기회〔편의〕를 주다, 문호를 열다. ~ ***up*** (1) (*vt.*) (상자 따위)를 열다; (길 등)을 개설하다; (토지 등)을 개발하다; (사업 따위)를 시작하다; (상처 따위)를 절개하다; 폭로하다. (2) (*vi.*) 보이게〔통하게, 쓰게〕 되다; 《俗》입을 열다, 털어놓다.

***ópen áir** (the ~) 옥외, 야외.

‡**open-air** [óupənέər] *a.* 〔限定的〕 옥외의; 야외의, 노천의; 옥외를 좋아하는: the ~ market 노천 시장/an ~ concert 옥외 콘서트.

open-and-shut [-ənʃʌ́t] *a.* 《口》 명백한, 금방 알 수 있는; 아주 간단한: an ~ case of arson 명백한 방화사건.

open-armed [-ɑ́ːrmd] *a.* (환영 따위) 진심에서의: an ~ welcome 마음으로부터의 환영.

ópen bár (결혼 피로연 따위에서) 무료로 음료를 제공하는 바. cf. cash bar.

ópen bóok 알기 쉬운〔다 알려진〕 것〔일〕; 아무런 비밀이 없는 사람.

open·cast [-kæ̀st, -kɑ̀ːst] *a.* 《英》 노천굴의: ~ mining 노천 채굴.

ópen chéck 《英》〖商〗 보통 수표.

ópen dày (학교 등의) 수업 참관일.

ópen dóor ① (the ~) (무역·이민 따위의) 문호 개방(주의); 기회 균등. ② 입장 자유.

open-door [óupəndɔ́ːr] *a.* (문호) 개방의; 기회 균등의: an ~ policy 문호 개방 정책.

open-end·ed [-éndid] *a.* ① 자유 해답식의《질문·인터뷰 등》: These interviews are fairly ~ in format. 이 인터뷰는 형식에서 정해진 해답이 없는 꽤 자유로운 것이다. ② (시간·인원수 등의) 제한 없는: an ~ discussion 자유 토론. ③ (상황에 따라) 변경〔수정〕할 수 있는.

open·er [óupənər] *n.* Ⓒ ① **a**) 여는 사람, 개시자. **b**) 따는 도구, 병〔깡통〕따개. ② 첫번 경기, 개막경기; (프로그램의) 첫번째 공연물. ***for*** 〔***as***〕 ***~s*** 우선, 먼저: Well, for ~*s*, it would be nice to know your name. 그럼, 먼저 당신의 성함을 말씀해 주세요.

open-eyed [-áid] *a., ad.* 놀란, 놀라서, 눈을 동그랗게 뜬〔뜨고〕; 빈틈없는〔없이〕; 눈뜨고〔알고서〕(한): ~ astonishment 몹시 놀람/~ attention 세심한 주의.

open-faced [-féist] *a.* 순진〔정직〕한 얼굴 생김새의(=**ópen-fàce**).

open-hand·ed [-hǽndid] *a.* 손이 큰, 아끼지 않는, 인색하지 않은, 헙헙한: ~ hospitality 융숭한 대접. ㊞ **~·ly** *ad.* **~·ness** *n.*

open-heart [-hɑ́ːrt] *a.* 〖醫〗 심장 절개의.

open-heart·ed [-hɑ́ːrtid] *a.* ① 숨기지 않는, 솔직한. ② 친절한, 너그러운: an ~ gift to a charity 자선 단체에 대한 진심어린 선물.
㊞ **~·ly** *ad.* **~·ness** *n.*

ópen hóuse ① 공개 파티; 친척·친구들을 대접하는 모임: It's always ~ there on Sundays. 거기서는 일요일이면 언제든지 아무나 친절히 대접해준다. ②《美口》 아파트 등을 구매〔임차〕 희망자에게 공개하는 일. ③《美口》(공장·학교·기숙사 따위의) 일반 공개일. ***keep*** 〔***have***〕 ~ (집을 개방해서) 내객은 누구든지 환대하다《*for*》.

‡**open·ing** [óupəniŋ] *n.* ① Ⓤ 열기; 개방. ② Ⓒ **a**) 열린 구멍, (들)창(窓), 구멍, 틈; 통로《*in*》: an ~ *in* a fence 울타리의 개구멍/an ~ *in* the wall 벽에 낸 구멍/There was another ~ to the cave. 동굴에는 또 다른 통로가 있었다. **b**) 빈 터, 광장. ③ Ⓒ 개시, 시작; 개장, 개원, 개통; 모두(冒頭) (진술): the ~ of a speech 연설의 시작/the ~ of a day 새벽/The ~ of the new railroad was a great event for the village. 새로운 철도의 개통은 그 마을로서는 큰 사건이었다. ④ Ⓒ **a**) 취직 자리, 공석《*at*; *for*; *in*》: an ~ *at* a bank 은행 취직 자리/look *for* an ~ 취직 자리를 찾다/There is an ~ in this school *for* a history teacher. 이 학교에는 역사 선생님의 자리가 비어 있다. **b**) 돈벌이 구멍; 좋은 기회《*for*》: an ~ *for* trade 교역의 호기. —*a.* 〔限定的〕 시작의, 개시의, 개회의: an ~ address〔speech〕 개회사/an ~ ceremony 개회〔개원·개교·개통〕식.

ópening hòurs (은행·상점 등의) 영업 시간; (영화관 등의) 개관 시간.

ópening níght (연극·영화 등의) 초연(初演); (흥행) 첫날(밤).

ópening tíme (상점·도서관 등의) 개점 시각; (도서관 등의) 개관 시각.

ópen létter 공개장.

ópen lóop 〖컴〗 개회로(開回路), 개방 루프. ⓞⓟⓟ *closed loop.*

‡open·ly [óupənli] *ad.* ① 공공연히 ; 내놓고 : He was ~ contemptuous of his colleagues. 그는 공개적으로 동료들을 경멸했다. ② 숨김없이, 솔직하게 : Let's talk about the matter ~. 그 문제를 솔직하게 이야기합시다.

ópen márket 〖經〗 공개〔일반〕 시장.

open-mind·ed [-máindid] *a.* ① 편견이 없는, 공평한 : I'm quite ~ about this subject. 나는 이 문제에 관해서는 정말 편견이 없다. ② 새로운 사상을 수용하는. ㊞ ~·**ly** *ad.* ~·**ness** *n.*

open-mouthed [-máuðd, -máuθt] *a.* (놀라서) 입을 딱 벌린 : They stared ~ at the extraordinary spectacle. 그들은 입을 딱 벌리고 그 엄청난 광경을 바라보았다.

open·ness [óupənnis] *n.* Ⓤ 개방상태 ; 개방성, 「솔직, 관대.

open-plan [-plǽn] *a.* 〔限定的〕〖建〗 오픈플랜의 《다양한 용도를 위해 방에 칸막이를 하지 않는 방식》.

ópen pórt ① 개항장. ② 부동(不凍)항.

ópen príson 개방 교도소《수감자에게 대폭적인 자유가 주어짐》.

ópen sándwich 오픈 샌드위치《식빵 한 쪽에 소를 얹고 위쪽이 없는 것》.

ópen séa (the ~) ① 공해(公海). ⓞⓟⓟ *closed sea.* ② 외양(外洋), 외해.

ópen séason 수렵〔어렵〕 허가 기간《*for* ; *on*》: ~ *for* deer 사슴 사냥의 허가 시기.

ópen sécret 공공연한 비밀.

ópen shóp 오픈숍《비조합원도 고용하는 사업장》. ⓞⓟⓟ *closed-shop.*

ópen univérsity 방송 대학 ; (the O- U-) (영국의) 방송〔개방〕 대학.

open·work [-wə̀ːrk] *n.* Ⓤ 도림질 세공.

‡op·era¹ [ápərə / ɔ́p-] *n.* ① ⒸⓊ 오페라, 가극 : a new ~ 신작 오페라 / Italian ~ 이탈리아 오페라. ② Ⓒ 가극장 ; 가극단 : go to the ~ 오페라를 보러 가다. ── *a.* 〔限定的〕 오페라의, 가극의 : an ~ singer 오페라 가수.

ope·ra² [óupərə, áp- / ɔ́p-] OPUS 의 복수형.

op·er·a·ble [ápərəbəl / ɔ́p-] *a.* ① 수술에 적합한, 수술할 수 있는 : an ~ cancer 수술 가능한 암. ② 실시〔사용〕 가능한 ; 조종하기 쉬운. ㊞ **-bly** *ad.*

ope·ra buf·fa [ápərəbúːfə / ɔ́p-] 《It.》 오페라 부파《18 세기의 이탈리아 희가극》.

opé·ra co·mique [ápərə kɑmíːk / ɔ́pərə kɔ-] 《F.》 (대화가 포함된, 특히 19 세기의) 희가극 (comic opera).

ópera glàsses 오페라 글라스《관극용의 작은 쌍안경》.

ópera hàt 오페라 해트《접게 된 실크 해트》.

ópera hòuse 가극장 ; 《美》 극장.

op·er·and [ápərænd / ɔ́p-] *n.* ① 〖컴〗 셈숫자, 피연산자《연산〔컴퓨터 조작〕의 대상이 되는 값》. ② 〖數〗 연산수《수학적인 연산을 받는 양》.

‡op·er·ate [ápərèit / ɔ́p-] *vi.* ① (기계·기관 따위가) 작동하다, 움직이다, 일하다 : This computer ~*s* much faster than human brain. 이 컴퓨터는 사람의 두뇌보다 빨리 움직인다 / This car ~*s* on electricity. 이 자동차는 전기로 움직인다. ② 《+전+명 / +*to* do》 작용하다, 영향을 주다《*on, upon*》: Books ~ powerfully *upon* the soul both for good and evil. 책은 좋건 나쁘건 정신에 큰 영향을 미친다 / Several causes ~*d to* begin the war. 몇 가지 원인으로 전쟁이 일어났다 / The regulations will not ~ till June. 그 조례는 6월까지 시행되지 않는다. ③ 《~ / +전+명》〖醫〗 수술을 하다《*on, upon*》: The surgeon ~*d on* 〔*upon*〕 a patient for a tumor. 그 외과의사는 환자의 종기를 수술했다 / He had his nose ~*d on.* 그는 코수술을 받았다 / Doctors had to ~ *on* his spine. 의사들은 그의 척추를 수술해야만 했다. ④ **a)** 〖軍〗 군사행동을 취하다《*against*》, 작전하다. **b)** 행동〔활동〕하다, 일하다 : ~ *at* pirate 해적질을 하다. ── *vt.* ① …을 조작하다, 운전하다, 조종하다 : I can't ~ this car. 나는 이 차를 운전하지 못한다 / How do you ~ this copier? 이 복사기는 어떻게 사용합니까 / Elevators are ~*d* by complicated machinery. 엘리베이터는 복잡한 기계로 움직인다. ② 《주로 美》 (공장 등)을 운영〔경영〕하다, 관리하다(run) : She ~*s* a restaurant and a grocery store. 그녀는 레스토랑과 식품점을 경영하고 있다. ◇ operation *n.*

op·er·at·ic [àpərǽtik / ɔ̀p-] *a.* 가극의 ; 오페라의 : ~ music 가극 음악. ㊞ **-i·cal·ly** [-kəli] *ad.*

***op·er·at·ing** [ápərèitiŋ / ɔ́p-] *a.* ① 수술의〔에 쓰는〕: an ~ room 〔《英》 theater〕 수술실 / an ~ table 수술대. ② 경영〔운영〕상의〔에 요하는〕: ~ expenses 〔costs〕 운영비.

óperating sỳstem 〖컴〗 운영 체계《기본적인 작동에 관계하는 무른모 ; 略 : OS》.

‡op·er·a·tion [àpəréiʃən / ɔ̀p-] *n.* ① Ⓤ 가동(稼動), 작용, 작업 : the ~ of breathing 호흡 작용. ② Ⓤ (기계 따위의) 조작, 운전 : careful ~ of a motor car 자동차의 조심스런 운전 / We understand the ~ of a word processor. 우리는 워드프로세서의 작동법을 알고 있다. ③ Ⓤ (사업 따위의) 운영, 경영, 운용, 조업 : Many small businesses fail in the first year of ~. 많은 소기업이 운영 첫해에 실패한다. ④ Ⓤ **a)** (법률 따위의) 실시, 시행 : put a law into ~ 법을 시행하다 / The new rules will come into ~ next year. 새 규칙은 내년부터 시행된다. **b)** (약 따위의) 효력, 효과《*of*》: the ~ *of* a drug 약의 효과 / the ~ *of* narcotics *on* the mind 정신에 미치는 마약의 영향. ⑤ Ⓒ 수술《*on*》: an ~ *on* abdomen 복부수술 / perform an ~ *on* a patient 환자에게 수술을 하다 / He had an ~ *for* cancer. 그는 암수술을 받았다. ⑥ Ⓒ (흔히 *pl.*) 군사 행동, 작전 : military ~*s* 군사작전 / a base of ~*s* 작전 기지, 책원지(策源地) / a field of ~*s* 작전 지역 / a plan of ~*s* 작전계획. ⑦ Ⓒ **a)** 〖數〗 운산, 연산 : a direct 〔reverse〕 ~ 정산(正算)〔역산(逆算)〕. **b)** 〖컴〗 작동, 연산. ◇ operate *v.* ***come*** 〔***go***〕 ***into*** ~ 움직이기 시작하다 ; 실시〔개시〕되다. ***in*** ~ (1) 운전 중, 작업 중. (2) 시행 중, 실시되어 : Is this law *in* ~? 이 법은 시행되고 있습니까.

***op·er·a·tion·al** [àpəréiʃənəl / ɔ̀p-] *a.* ① 조작상의 ; 경영〔운영〕상의 : ~ difficulties 운영상의 어려운 점. ② 사용할 수 있는, 운전 가능한 ; 조업 중인 : All these machines are ~. 이들 기계는 모두 가동할 수 있다 / The language laboratory is not ~ yet. 어학 실습실은 아직 사용할 수 없다. ③ 〖軍〗 작전상의 ; 작전 태세에 있는 : an ~ missile 현용(現用) 미사일 / All units of the command are ~. 그 사령부의 전부대는 작전 태세에 들어가 있다. ㊞ ~·**ly** *ad.*

operátional reséarch = OPERATIONS RESEARCH.

operátion còde 〖컴〗 연산 부호.

operátions resèarch ① 과학적 연구에 의한 다각적인 경영 분석. ② 작전 연구《군사 작전의 과학적 연구》.

***op·er·a·tive** [ápərətiv, -rèi- / ɔ́p-] *a.* ① 작용하는, 활동하는 ; 운전하는 : We had only one radar

station ~. 우리가 가진 가동 중인 레이더 기지는 하나뿐이었다. ② (법률이) 효력이 있는 ; 실시되고 있는 : The law becomes ~ on January 1. 그 법률은 1월 1일부터 발효한다. ③ 〔限定的〕 (구나 문 중의 어휘가) 가장 중요한, 가장 적절한 : The ~ word in that sentence is "sometimes". 그 문장에서 가장 중요한 어휘는 'sometimes= 때로는' 이다. ④ 〖醫〗 수술의 : ~ surgery 수술.
— *n.* [C] ① 공원(工員). ② 《美》 형사, 탐정, 스파이 : John was no ordinary consultant, but a political ~. 존은 보통 사립 탐정이 아니라 정치 활동을 하는 스파이였다.

‡op·er·a·tor [ápərèitər / ɔ́p-] *n.* [C] ① (기계의) 조작자, 기사, (기계의) 운전자, 오퍼레이터 : a computer ~ / a telegraph ~ 통신사 / a wireless ~ 무선 통신사. ② 전화 교환사(telephone ~) ; 통신 기술자 : a ham ~ 아마추어 무선사 / dial 〔call〕 the ~ 교환원에게 전화하다. ③ 업자 ; 경영자, 관리자 : a tour ~ 여행업자. ④ 〔흔히 修飾語와 함께〕 《口》 수완가, 민완가 : a clever ~ 책략가.

op·er·et·ta [àpərétə / ɔ̀p-] (*pl.* **~s, -ti** [-ti:]) *n.* [C] (단편) 희가극, 경가극, 오페레타 : Strauss's ~ Die Fledermaus 슈트라우스의 오페레타 플레더마우스.

Ophel·ia [oufí:ljə] *n.* ① 여자 이름. ② 오필리아 《Shakespeare 작 *Hamlet* 에 나오는 여자》.

oph·thal·mic [afθǽlmik, ap- / ɔf-] *a.* 눈의 ; 안과의 : an ~ hospital 안과병원.

oph·thal·mol·o·gy [àfθælmálədʒi, àp- / ɔ̀fθæl-mɔ́l-] *n.* [U] 안과학. [파] **-gist** *n.* [C] 안과 의사.

oph·thal·mo·scope [afθǽlməskòup, ap- / ɔf-] *n.* [C] 〖醫〗 검안경(檢眼鏡) 《안구내 관찰용》.

opi·ate [óupiit, -pièit] *n.* [C] ① 아편제(劑) ; 《널리》 마취약 ; 진정제. ② 정신을 마비시키는 것, 마약 : Video games are an ~. 비디오 게임은 마약과도 같다. — *a.* 아편이 섞인 ; 마취시키는, 졸리게 하는 ; 진정하는.

opine [oupáin] *vt.* 《口·戲》 …라고 생각하다(hold), 의견을 말하다 : He ~*d that* the situation would improve. 그는 상황이 개선될 것이라고 의견을 말했다.

‡opin·ion [əpínjən] *n.* ① [C] **a**) 의견, 견해 : We have a slight difference of ~ *about* this point. 우리는 이 점에 관해 약간 의견을 달리하고 있다 / What is your ~ (of that) ? (그것에 대해) 당신의 생각은 어떠합니까 / It is my considered ~ that.... …라고 하는 것이 신중히 생각한 끝의 내 의견이다. **b**) (흔히 *pl.*) 지론, 소신 : John's parents have strong ~*s about* divorce. 존의 부모는 이혼에 관해 완고한 소신을 가지고 있다 / Act according to your ~*s.* 소신에 따라 행동하라. ② [U] (어떤 일에 대한) 세상 일반의 생각, 여론 : public ~ 여론 / *Opinion* is against him. 여론은 그에게 반대한다 / *Opinion* is swinging in his favor. 여론은 그에게 유리하게 기울고 있다. ③ (an ~) 〔선악의 형용사 또는 no와 함께〕 (선악의) 판단, 평가, (세상의) 평판 : form *a* bad ~ *of* a person 아무를 나쁘게 생각하다 / have〔form〕 *a* good ~ of …을 좋게 생각하다, 신용하다 / I have *no* great ~ of his work. 나는 그의 작품을 그다지 높이 평가하지 않는다. ④ [U] 전문적인 의견, 감정 : a medical ~ 의사의 의견 / My doctor says I need an operation, but I've asked for a second ~. 의사는 내게 수술이 필요하다 말하지만, 나는 다른 의사의 의견을 구했다. ***a matter of* ~** 견해상의 문제, 의견이 갈리는 문제. ***be of the* ~ (*that*) . . .** …라고 믿다〔생각하다〕, …라는 의견〔견해〕이다. 《★ 《英》에서는 주로 the를 생략함 : Aristotle *was of* (*the*) ~ *that* there would always be rich and poor in society. 세상에는 언제나 부자와 가난한 자가 있기 마련이라고 아리스토텔레스는 생각했다》. ***in my* ~** 나의 생각으로는 : *In my* ~, drinking is a bad habit. 내 생각으로는, 음주는 악습이다. ***in the* ~ *of*** …의 의견으로는.

opin·ion·at·ed [əpínjənèitid] *a.* 자기 주장을 고집하는 ; 고집이 센 ; 완고한.

opin·ion·a·tive [əpínjənèitiv] *a.* ① 의견상의 : an ~ report 의견서. ② =OPINIONATED.

opínion pòll 여론조사 : The latest ~*s* show the Social Democrats leading by 10%. 최근의 여론 조사에서 사민당이 10% 앞서 있는 것으로 나타나고 있다.

opi·um [óupiəm] *n.* [U] ① 아편 : smoke ~ 아편을 피우다. ② 아편과 같은 것, 정신을 마비시키는 것 : Religion is the ~ of the people. 종교는 인민에게 있어서 아편과 같은 것이다《K. Marx의 말》.

ópium dèn 아편굴.

ópium pòppy 〖植〗 양귀비.

opos·sum [əpásəm / əpɔ́s-] (*pl.* **~s,** ~) *n.* [C] 〖動〗 주머니쥐《미국산 ; 별명 possum》.

‡op·po·nent [əpóunənt] *n.* [C] ① (경기·논쟁 따위의) 적대자, 상대 ; 대항자 : Tyson knocked his ~ out in the first round. 타이슨은 1라운드에 그의 상대를 넉아웃시켰다 / He defeated his ~ in the last election. 그는 지난 선거에서 상대를 물리쳤다 / I beat my ~ by 3-0. 나는 상대를 3대 0으로 깨뜨렸다. ② 반대자(opposer) 《*of*》 : an ~ *of* the government 정부의 반대자.

***op·por·tune** [àpərtjú:n / ɔ́pər-] *a.* ① 형편이 좋은 ; 시의(時宜)에 알맞은 : at the ~ moment 아주 적당한 때에 / John was waiting for an ~ moment to ask for a raise. 존은 승급을 요청할 적절한 시기를 기다리고 있었다 / The time was ~ for changing the law. 그 법률을 개정할 적당한 시기에 이르렀다. ② (언어·동작 등이) 적절한 : an ~ remark 아주 적절한 말. ◇ opportunity *n.* [파] **~·ly** *ad.* 때마침, 적절히.

op·por·tun·ism [àpərtjú:nizəm / ɔ́pərtjù:n-] *n.* [U] 기회〔편의〕주의. [파] **-ist** *n.* [C] 기회〔편의〕주의자.

‡op·por·tu·ni·ty [àpərtjú:nəti / ɔ̀pər-] *n.* [U,C] 기회, 호기 ; 행운 ; 가망《*of* ; *to* ; *for*》 : miss a great ~ 호기를 놓치다 / find 〔make〕 an ~ 기회를 찾다〔만들다〕 / provide *opportunities* for education 교육의 기회를 부여하다 / take 〔seize〕 an ~ 기회를 잡다 / *Opportunity* seldom knocks twice. 《俗談》 좋은 기회는 두 번 다시 오지 않는다 / The ~ has not yet arrived. 아직 기회가 오지 않았다 / You must take an ~ of exhibiting your talent. 좋은 기회를 잡아 당신의 재능을 드러내도록 하라. ◇ opportune *a.*

‡op·pose [əpóuz] *vt.* ① 《~+[목] / +[목]+[전]+[명]》 …에 반대하다, …에 이의를 제기하다 ; …에 대항하다 ; 대립시키다, 맞서게 하다 : ~ the enemy 적에 대항하다 / Never ~ violence *to* violence. 폭력에 폭력으로 대항하지 마라 / They ~*d* the plan by mounting a public demonstration. 그들은 시위를 하여 그 안에 반대했다 / Congress is continuing to ~ the President's healthcare budget. 국회는 대통령의 보건 예산에 계속 반대하고 있다 / They ~*d* building a nuclear power station. 그들은 원자력 발전소의 건설에 반대했다 / He is ~*d* by two other candidates. 그는 다른 두 후보와 겨루고 있다 / He ~*d* himself to this view. 그는 이 견해에 반대했다. ② 《+[목]+[전]+[명]》

…에 대비〔대조〕시키다 : ~ white *to* black 백을 흑과 대비하다.

op·posed** [əpóuzd] *a.* 반대의, 적대하는, 대항하는 ; 대립된 ; 마주 바라보는, 맞선 : two ~ characters 두 가지 대립되는 성격 / Our opinions are diametrically ~. 우리들의 의견은 180도 반대이다. ***as ~ to …에 대립하는 것으로서(의) ; …과는 대조적으로〔전혀 다르게〕 : violence *as ~ to* debate 대화에 대립하는 것으로서의 폭력.

op·pos·ing [əpóuziŋ] *a.* 대립하는, 반대의 : They have ~ points of view. 그들은 대립적인 견해를 가지고 있다 / The Socialist Party has split into two ~ camps. 사회당은 대립하는 두 진영으로 깨졌다.

‡op·po·site [ápəzit, -sit / ɔ́p-] *a.* 〔限定的〕 ① 마주 보고있는, 맞은 편의, …에 면하고 있는《*to*》: an ~ angle 대각(對角) / She lives in the house ~ (*to* 〔*from*〕 mine). 그녀는 (우리 집) 맞은 편 집에 살고 있다. ② 역(逆)의, 정반대의, 서로 용납하지 않는《*to* ; *from*》: ~ meanings 정반대의 의미 / in the ~ direction 〔way〕 반대 방향에 / I thought the medicine would make him sleep, but it had the ~ effect. 그 약이 그를 잠들게 할 것으로 생각했는데 정반대의 결과가 나왔다.
— *n.* Ⓒ (the ~는 Ⓤ) 정반대의 사람〔사물〕; 반대말(antonym) : Black and white are ~*s.* 흑과 백은 반대색이다 / He thought quite *the* ~. 그는 정반대로 생각했다 / She is tall and slim, and he is *the* complete ~. 그녀는 키가 크고 훌쭉한 사람이고, 그는 정반대다.
— *ad., prep.* (…의) 반대 위치에 ; (…의) 맞은〔건너〕 편에 ; 〖劇〗 (…의) 상대역을 하여 : His room is ~ mine. 그의 방은 내 방과 마주하고 있다 / I went to the drugstore ~ my house. 집 맞은편의 약국에 갔다 / The Browns live just ~. 브라운씨 댁이 바로 맞은 편에 살고 있다.
㊞ **~·ly** *ad.* 반대 위치에, 마주 향하여 ; 등을 맞대고, 거꾸로. **~·ness** *n.* Ⓤ 반대임.

ópposite númber (one's ~) (다른 나라 · 직장 · 부서 등에서) 대등한〔동격의〕 지위에 있는 사람〔물건〕, 대등자.

‡op·po·si·tion [àpəzíʃən / ɔ̀p-] *n.* ① Ⓤ 반대, 반항 ; 방해 ; 대립 ; 대항, 적대 : The forces met with strong ~. 그 군대는 강력한 저항에 부딪쳤다 / He had determinded ~ to my marrying her. 그는 내가 그녀와 결혼하는 것에 단호히 반대했다 / Our attack met with ~. 우리 공격은 반격을 받았다. ② Ⓒ (종종 the O-) 반대당, 야당 ; 반대 세력〔그룹〕. ◇ oppose *v.* ***in ~*** 야당의, 재야의. ***in ~ to*** …에 반대〔반항〕하여 : The party was founded *in ~ to* the more moderate policies of the government. 그 정당은 정부의 온건정책에 반대하여 창당되었다. ㊞ **~·ist** [-ist] *n.* Ⓒ 반대자.

‡op·press [əprés] *vt.* ① …을 압박하다, 억압하다, 학대하다 : ~ the poor 가난한 자를 학대하다 / The country was ~*ed* by a tyrant. 그 나라는 폭군에게 억압되고 있었다. ②《~+목 / +목+전+명》 …에 중압감을 주다, 괴롭히다, 답답하게 하다 : A sense of failure ~*ed* him. 좌절감이 그를 괴롭혔다 / be 〔feel〕 ~*ed with* anxiety 근심으로 마음이 무겁다. ◇ oppression *n.*
㊞ ***op·prés·sor** [-ər] *n.* Ⓒ 압제자, 박해자.

op·pressed [əprést] *a.* ① 압박〔억압〕된, 학대받는 : They see themselves as an ~ people. 그들은 자신들을 피압박 민족으로 보고 있다. ② 〔敍述的〕 우울한, 침울한《*with*》: I felt ~ *with* the intense heat. 지독한 더위로 심란했다.

‡op·pres·sion [əpréʃən] *n.* ① Ⓤ,Ⓒ 압박, 억압, 압제, 탄압, 학대 : struggle against ~ 압제와 싸우다 / groan under ~ 압제 아래 허덕이다 / The ~ of the people by the nobles caused the war. 인민에 대한 귀족의 압제가 전쟁의 원인이 되었다. ② Ⓤ 중압감, 무기력 : a feeling of ~ 압박감 / He could not get rid of the ~ of his heart. 그는 울적한 마음을 지울 수가 없었다. ◇ oppress *v.*

***op·pres·sive** [əprésiv] *a.* ① 압제적인, 압박하는, 포악한, 엄한 : an ~ ruler 포악한 지배자 / an ~ military regine 압제적인 군사 정권. ② 답답한 ; 숨이 막힐 듯한 ; 침울한 : ~ heat 숨막히는 듯한 더위 / ~ weather 후텁지근한 날씨 / ~ sorrows 침통한 슬픔. ㊞ **~·ly** *ad.* **~·ness** *n.*

op·pro·bri·ous [əpróubriəs] *a.* 무례한 ; 면목이 없는, 부끄러운. ㊞ **~·ly** *ad.* **~·ness** *n.*

op·pro·bri·um [əpróubriəm] *n.* Ⓤ ① 불명예, 오명, 치욕. ② 악담, 욕지거리, 비난.

op·pugn [əpjúːn] *vt.* ① …를 비난〔논박〕하다. ② (…에 대하여) 이의를 제기하다.

opt [ɑpt / ɔpt] *vi.* ① 선택하다《*for* ; *between*》: Tom ~*ed for* Miss Snow's class. 톰은 스노 선생의 클래스를 선택했다. ② (양자중) (…하는) 쪽을 고르다, (골라서) …하기로 정하다《*to* do》: He ~*ed to* go to Stanford rather than Yale. 그는 예일보다는 스탠퍼드에 가기로 정했다. ***~ out*** (***of*** . . .) (활동 · 단체)에서 탈퇴하다〔손을 떼다〕: I think I'll ~ *out of* this game. 나는 이 게임에서 빠지려고 한다.

op·ta·tive [áptətiv / ɔ́p-] *a.* 〖文法〗 기원(祈願)을 나타내는 : the ~ mood 기원법《God save the Queen! (하느님 여왕을 도우소서) 따위》.

***op·tic** [áptik / ɔ́p-] *a.* 〔限定的〕〖解〗 눈의, 시력〔시각〕의 : the ~ angle 시각 / the ~ nerve 시신경. — *n.* Ⓒ ① (광학기계로서의) 렌즈. ② (O-)《英》(병목에 다는) 계량기《商標名》.

***op·ti·cal** [áptikəl / ɔ́p-] *a.* 〔限定的〕 ① 눈의, 시각의, 시력의 ; 시력을 돕는 : an ~ defect 시력의 결함 / an ~ illusion 환시, 눈의 착각 / ~ effect 시각 효과. ② 광학(상)의 : an ~ instrument 광학기기 / an ~ microscope 광학 현미경.
㊞ **~·ly** *ad.* 시각적〔광학적〕으로.

óptical árt =OP ART.

óptical bár-code rèader 〖컴〗 광막대부호 읽개, 판독기《막대 부호(bar code)를 광학적으로 읽어내는 장치》.

óptical cháracter rèader 〖컴〗 광학식 문자 판독기(器)《略 : OCR》.

óptical cháracter recognìtion 〖컴〗 광학식 문자 인식《略 : OCR》.

óptical communicátion 광(光)통신.

óptical compúter 〖컴〗 광(光)컴퓨터.

óptical compúting 〖컴〗 (종래의 전자 대신에) 빛을 이용한 계산.

óptical dísk 〖컴 · TV〗 광(저장)판(laser disk)《videodisk, compact disk, CD-ROM 따위》.

óptical fíber 〖電子〗 광(光)섬유.

óptical gláss 광학 유리《렌즈용》.

óptical láser dìsk 〖컴〗 광레이저(저장)판.

óptical máser =LASER.

óptical mémory 〖컴〗 광(光)메모리.

óptical móuse 〖컴〗 광다람쥐《광원과 수광(受光) 장치를 내장한 다람쥐》.

óptical scánner 〖컴〗 광훑개《빛을 주사하여 문자 · 기호 · 숫자를 판독하는 기기(機器)》.

óptical scánning 〖컴〗 광학주사(走査).

op·ti·cian [ɑptíʃən / ɔp-] *n.* Ⓒ 안경상(商), 안경사(士).

***op·tics** [áptiks / ɔ́p-] *n.* Ⓤ 광학(光學).

op·ti·ma [áptəmə / ɔ́pt-] OPTIMUM의 복수형.

op·ti·mal [áptəməl / ɔ́pt-] *a.* 최상〔최적〕의.

***op·ti·mism** [áptəmìzəm / ɔ́pt-] *n.* Ⓤ 낙천주의 ; 낙관론. opp *pessimism.* ㊐ ***-mist** [-mist] *n.* Ⓒ 낙천가 ; 낙천주의자. opp *pessimist.*

***op·ti·mis·tic** [àptəmístik / ɔ̀pt-] *a.* 낙관적인, 낙천적인 ; 낙천〔낙관〕주의의《*about* ; *of*》: take an ~ view of life 인생을 낙관하다 / He is ~ *about* the future. 그는 장래를 낙관하고 있다. ㊐ **-ti·cal·ly** [-kəli] *ad.* 낙관하여.

op·ti·mize [áptəmàiz / ɔ́pt-] *vt.* …을 완벽하게〔가장 효과적으로〕 활용하다 ; 〖컴〗 (프로그램)을 최대한으로 활용하다 : We must ~ the opportunities for better understanding. 기회를 최대한으로 살려서 더욱 이해를 깊이 해야 한다.

op·ti·mum [áptəməm / ɔ́pt-] (*pl.* ***-ma*** [-mə], *~s*) *n.* Ⓒ 〖生〗 최적 조건. ── *a.* 〔限定的〕 가장 알맞은, 최적의(optimal) : ~ levels 적정 수준 / ~ conditions 최적 조건 / ~ population 최적 인구 / ~ money supply 적정 통화량 / the ~ temperature for keeping wine 포도주를 보관하는 데 가장 알맞은 온도.

op·tion** [ápʃən / ɔ́p-] *n.* ① Ⓤ 선택권, 선택의 자유 ; 선택, 취사(取捨)《*of* do*ing* ; *to* do》: I had no ~ but *to* go back home. 돌아가는 수밖에 없었다 / You have no other ~. 당신은 따로 선택의 자유가 없다. ② Ⓒ 선택할 수 있는 것, 옵션 ; 《英》 선택 과목 : You have only two *~s* : to go or not to go. 네게는 두 가지 선택밖에 없다. 곧 가느냐 안 가느냐다 / I did an ~ in Korean Studies. 나는 선택 과목으로 한국학을 했다. ③ Ⓒ 〖商〗 선택 매매권, 옵션《부동산 · 증권 · 상품 등을 계약서의 가격으로 일정기간 중 언제든지 매매할 수 있는 권리》: MGM has an ~ *on* his next script. MGM사는 그의 다음 대본의 옵션을 갖고 있다 / He had a 10-day ~ on the land. 그는 그 땅을 10일 간의 옵션으로 계약했다 / ⇨ LOCAL OPTION. ④ Ⓒ (자동차 등의) 옵션《표준 장비품 이외의 것》: A 4-speed automatic transmission is available as an ~. 옵션으로 4단 자동 변속기도 선택할 수 있다. ⑤ Ⓒ 〖컴〗 별도, 추가 선택 : Press 'P' to select the print ~. 프린트 옵션을 선택할 때는 'P'키를 누르세요. ***keep* 〔*leave*〕 one's *~s open 태도 결정을 보류하다. ***make* one's ~** 선택하다.

***op·tion·al** [ápʃənəl / ɔ́p-] *a.* ① 임의〔수의〕의 ; (자동차 등의 장비가) 옵션의 : A tie is ~. 넥타이는 (매든 안 매든) 어느 쪽이든 상관없습니다 / An air conditioner is an ~ extra. 에어컨디셔너는 옵션의 부속품이다. ② (학과목이) 선택인 : Woodwork was an ~ subject at our school. 목세공(木細工)은 우리 학교에서 선택 과목이었다. ── *n.* Ⓒ 《英》 선택 과목(《美》 elective). ㊐ ~·**ly** [-nəli] *ad.* 마음대로.

op·to·e·lec·tron·ics [àptouilektrániks / ɔ̀ptouilektrɔ́n-] *n.* Ⓤ 광전자(光電子) 공학. ㊐ **òp·to·e·lec·trón·ic** *a.*

op·tom·e·ter [aptámitər / ɔptɔ́m-] *n.* Ⓒ 시력 측정 장치, 시력계(計).

op·tom·e·trist [aptámətrist / ɔptɔ́mi-] *n.* Ⓒ 시력 측정자 ; 《美》 검안사(檢眼士).

op·tom·e·try [aptámətri / ɔptɔ́mi-] *n.* Ⓤ 시력 측정 ; 검안(법).

op·u·lence [ápjələns / ɔ́p-] *n.* Ⓤ ① 풍부 ; 부유(wealth) : the ~ of ancient Rome 고대 로마의 부(富). ② (음악 · 문장 등의) 현란(絢爛).

op·u·lent [ápjələnt / ɔ́p-] *a.* ① 부유한 ; 풍부한, 풍족한. ② 화려한, 현란한 : the ~ splendor of the Sultan's palace 술탄 궁전의 장려함. ㊐ ~·**ly** *ad.* 풍요〔풍족〕하게.

opus [óupəs] (*pl.* ***op·era*** [óupərə, ápərə / ɔ́p-], *~·es*) *n.* Ⓒ 《L.》 (문학 · 예술상의) 작품, 저작 ; 〖樂〗 작품《특히 작품 번호를 표시할 때 씀 ; 略 : op.》: Beethoven ~ 68 is the *Pastoral Symphony.* 베토벤 작품 제 68번은 전원 교향곡이다.

OR [ɔːr] *n.* 〖컴〗 또는《논리합(論理合) ; 둘 중 그 어느쪽이 참이면 참으로 하고, 양쪽 다 거짓이면 거짓으로 하는 논리 연산》.

†**or** [ɔːr, 弱 ər] *conj.* ① 〔선택〕 **a)** 〔肯定 · 疑問文에 쓰이어〕 혹은, 또는, …이나 ─ : three *or* four miles, 3 마일이나 4 마일 / Answer yes *or* no. 예스냐 노냐 대답하여라 / John *or* I am to blame. 존인지 난지 어느 쪽인지가 나쁘다《술어동사는 가까운 주어의 인칭 · 수와 일치함》/ Are you coming *or* not? 자네는 올 건가 안 올 건가 / Which do you like better, tea *or* coffee? 홍차와 커피 중 어느 것을 더 좋아하십니까 / We need to know whether you were there *or* not. 자네가 그곳에 있었는지 없었는지를 알 필요가 있다. **b)** 〔either와 상관적으로〕 …나 또는 ─나 : *Either* he *or* I am wrong. 그나 나나 어느 쪽인가가 잘못이다(⇨ EITHER *ad.*). **c)** 〔셋 이상의 선택〕 …나 ─나 ─나, …든 ─든 ─든《마지막 or 외에는 보통 생략함》: translations from English, German *or* French 영어, 독일어 또는 프랑스어에서의 번역. **d)** 〔否定文에서 전면부정을 나타내어〕 …도 ─도(아니다) : I *don't* want any tea *or* coffee. 나는 홍차도 커피도 마시고 싶지 않다 / She is *not* witty *or* brilliant. 그녀는 재치가 있지도 머리가 좋지도 않다(= She is *neither* witty *nor* brilliant.) / I have *no* brothers *or* sisters. 나에겐 남자 동기도 여자 동기도 없다《否定語 no 를 되풀이할 경우에는 or가 아니라 and : I have *no* brothers *and no* sisters》.

> 參考 **or** 가 있는 의문문의 억양 A *or* B?에서 A냐 B냐 어느 쪽인가의 대답을 요구하는 선택의 문일 때에는, Did you order tea *or* coffee? '홍차와 커피 중 어느 것을 시켰는가'에서처럼 A 에서 올리고 B에서 내리는 억양이 됨. Which is older, Smith *or* I?도 마찬가지. 그러나 yes 또는 no 의 대답을 요구하는 일반의문은 Do you like any such drink as tea *or* coffee? '홍차나 커피 같은 음료를 좋아하십니까'처럼 끝을 올리는 것이 보통임.

② 〔불확실 · 부정확〕 …이나 ─(쯤), …정도, 또는 : four *or* five miles off, 4, 5 마일 떨어져서 / two miles *or* so, 2 마일쯤, 약 2 마일 / there *or* thereabout(s) 그 주변 어디에, 어딘가 그 주변 / for some reason *or* other 몇몇 가지 이유로.
③ 〔명령문의 뒤, 또는 must 를 포함하는 서술문 중에서〕 그렇지 않으면《종종 or 뒤에 else 가 와서 뜻을 강조함》: Make haste, *or* (*else*) you will be late. 서두르시오, 그렇지 않다간 늦습니다 / Put your coat on, *or* (*else*) you'll catch cold. 웃옷을 입어라, 그렇지 않았다간 감기에 걸린다(=Unless you 〔If you don't〕 put your coat on, you'll ….) / We *must* (either) work *or* (*else*) starve. 일하지 않으면 굶어 죽을 도리밖에는 없다.
④ **a)** 〔환언 · 설명〕 즉, 바꿔 말하면《흔히 or 앞에 콤마를 찍음》: botany, *or* the study of plants 식물학, 곧 식물의 연구. **b)** 〔정정 · 보완〕 아니…, 혹은(오히려) : He is cautious, *or* rather timid. 그는 신중하다기보단 오히려 겁쟁이다 / I've met him somewhere. *Or* have I? 어디선가 그를 만난 일이 있다, 아냐, 그랬던가.

⑤ 〔양보구를 이루어〕 …(이)든 ─(이)든, …하든 ─하든《or 앞뒤에는 문법적으로 대등한 名詞·形容詞·動詞·句 따위가 옴》: Rain *or* shine, I'll go. 비가 오든 해가 나든 나는 간다.
A and / or B, A 및 B 또는 그 어느 한 쪽(편). ***either ... or*** ⇨ EITHER. ***or else*** (1) ⇨ ③. (2) 《口》〔경고·으름장 등을 나타내어〕 그러지 않았다간 혼난다. ***or rather ...*** 〔앞엣말을 정정하여〕 좀 더 정확히 말하면; …라고 하기보다는 차라리 (⇨④ b)). ***... or somebody*** 〔***something, somewhere***〕 …인가 누군가〔무언가, 어딘가〕, …인지 누군지〔무언지, 어딘지〕《or 앞에는 名詞·形容詞·副詞·句 따위가 옴》: He went to Kimp'o *or somewhere.* 그는 김포인지 어딘지에 갔다 / He is ill *or something.* 그는 아프거나 어떻게 된 거야. ***whether ... or no*** 〔***not***〕 어느 쪽이든, 하여간; …인지 어떤지.

-or[1] *suf.* 동사에 붙여 '행위자, 기구'의 뜻의 명사를 만듦: act*or*, elevat*or*.

-or[2], 《英》 -our *suf.* 동작·상태·성질 등을 나타내는 라틴어계 명사를 만듦: col*or* (《英》 col*our*), fav*or* (《英》 fav*our*), hon*or* (《英》 hon*our*). ★ 미식 철자는 -or 이지만 Saviour 가 '그리스도'의 뜻일 때는 그대로 -our 임.

OR, O.R. operations research; 〖郵〗 Oregon.

ora [ɔ́ːrə] OS[2]의 복수.

***or·a·cle** [ɔ́(ː)rəkəl, ár-] *n.* Ⓒ ① (고대 그리스의) 신탁(神託), 탁선(託宣); 탁선소(所). ②〖聖〗 신의 계시; (유대 신전의) 지성소(至聖所). ③ 신탁을 전하는 사람.

orac·u·lar [ɔːrǽkjələr / ɔr-] *a.* ① 신탁(神託)의, 신탁 같은; 수수께끼 같은: an ~ statement 수수께끼 같은 애매한 말. ② 엄숙한; 위엄있는: ~ pronouncements 엄숙한 선언. ㊞ **~·ly** *ad.*

***oral** [ɔ́ːrəl] *a.* ① 구두(口頭)의, 구술의. opp. *written.* ¶ an ~ examination 〔test〕 구두〔구술〕 시험 / ~ instruction 구두지시 / the ~ method (외국어의) 구두 교수법 / ~ practice 구두〔회화〕 연습 / ~ traditions 구비(口碑). ② 입의, 구강(口腔)의; (약 등이) 경구(용)의: the ~ cavity 구강 / ~ polio vaccine 소아마비 내복 백신 / an ~ contraceptive 경구 피임약. ── *n.* Ⓒ 《口》 구술시험. ㊞ **~·ly** *ad.* 구두로, 말로; 〖醫〗 입을 통하여, 경구적(經口的)으로.

óral hístory (역사적 중요인물과의 면담에 의한) 녹음사료(錄音史料), 구술 역사(문헌).

óral séx 구강 성교《fellatio, cunnilingus 따위》.

†or·ange [ɔ́(ː)rindʒ, ár-] *n.* ① Ⓤ.Ⓒ 오렌지, 등자(橙子), 감귤류《과실·나무》: peel an ~ 오렌지 껍질을 벗기다. ② Ⓤ 오렌지색, 주황색(=∠ **còlor**): The sky turned a brilliant ~. 하늘이 빛나는 오렌지 빛깔로 바뀌었다.
── *a.* 오렌지의; 오렌지색의, 주황색의: Carrots are ~. 당근은 오렌지색이다.

or·ange·ade [ɔ̀(ː)rindʒéid, àr-] *n.* ① Ⓤ 오렌지에이드, 오렌지 즙. ② Ⓒ 오렌지에이드 한 잔.

órange blòssom 오렌지 꽃《신부가 다는 순결의 표시》.

Órange Bòwl (the ~) 오렌지볼《미국 마이애미에서 오프 시즌에 열리는 대학 미식 축구 경기》.

órange jùice ① 오렌지 주스. ② 오렌지 주스 한 잔.
「료, 또는 약용》.

órange pèel 오렌지 껍질《설탕에 절인 과자재

órange pékoe 인도·스리랑카산의 고급 홍차.

or·ange·ry [ɔ́(ː)rindʒəri, ár-] *n.* Ⓒ 오렌지 재배 온실.

orang-utan, -ou·tang [ɔːrǽŋutæ̀n, ərǽŋ- / ɔ́ːrəŋúːtæn], [-tæ̀ŋ] *n.* Ⓒ 〖動〗 오랑우탄, 성성이.

orate [ɔːréit, ∠-] *vi.* 《戱》 일장 연설을 하다, 연설하다; 연설조로 말하다.

***ora·tion** [ɔːréiʃən] *n.* Ⓒ (특별한 경우의 정식) 연설; 식사(式辭)《★ 일반적인 연설은 speech》: deliver a funeral ~ 조사를 하다. ◇ orate *v.*

or·a·tor** [ɔ́(ː)rətər, ár-] (*fem.* ***-tress [-tris]) *n.* Ⓒ 연설자, 강연자; 웅변가.

or·a·tor·i·cal [ɔ̀ːrətɔ́ːrikəl, àr- / ɔ̀rətɔ́r-] *a.* 연설의, 웅변의: an ~ contest 웅변대회 / an ~ manner 웅변조(調). ㊞ **~·ly** [-kəli] *ad.* 연설투로.

or·a·to·rio [ɔ̀(ː)rətɔ́ːriòu, àr-] (*pl.* ***~s***) *n.* Ⓒ〖樂〗 오라토리오, 성담곡(聖譚曲).

***or·a·to·ry[1]** [ɔ́ːrətɔ̀ːri, ár- / ɔ́rətəri] *n.* Ⓤ 웅변(술); 수사(修辭), 과장한 언사〔문체〕.

or·a·to·ry[2] *n.* Ⓒ〖宗〗 작은 예배당, 기도실《큰 교회나 사저(私邸)의》.

***orb** [ɔːrb] *n.* Ⓒ ① 구(체)(球)(體)). ② (위에) 십자가가 달린 보주(寶珠)(mound)《왕권을 상징》. ③ 《詩》 천체: the ~ of day 태양. ④ (흔히 *pl.*) 《詩》 안구, 눈.

‡or·bit [ɔ́ːrbit] *n.* Ⓒ ①〖天〗 궤도; 〖物〗 전자 궤도: the Moon's ~ around the Earth 달의 지구 공전 궤도. ② 활동〔세력〕 범위; (인생) 행로, 생활과정: within the ~ of …의 세력권 안에. ***in*** 〔***into***〕 ~ 궤도위에, 궤도에 올라: put a satellite *in*〔*into*〕 ~ 인공위성을 궤도에 올려놓다. ***out of*** ~ 궤도 밖으로〔를 벗어나서〕. ── *vt.* ① (천체·인공위성 따위가) 궤도에 따라 돌다: The spacecraft ~*ed* Mars three times. 우주선은 화성의 주위를 (궤도에 따라) 세 번 돌았다. ② (인공 위성 따위)를 궤도에 진입시키다: ~ a satellite 인공위성을 궤도에 진입시키다. ── *vi.* 궤도에 진입하다; 궤도를 그리며 돌다.

or·bit·al [ɔ́ːrbitl] *a.* ① 궤도의: an ~ flight 궤도비행. ② (도로가) 환상인: an ~ expressway 〔(《英》 motorway〕 환상 고속도로.

or·bit·er [ɔ́ːrbitər] *n.* Ⓒ (궤도에 오른) 인공위성, 궤도 비행체.

or·ca [ɔ́ːrkə] *n.* Ⓒ 범고래(grampus).

‡or·chard [ɔ́ːrtʃərd] *n.* Ⓒ 과수원.

‡or·ches·tra [ɔ́ːrkəstrə] *n.* Ⓒ ① 오케스트라, 관현악단: an amateur ~ 아마추어 관현악단 / a symphony ~ 교향악단 / The ~ is preparing for a concert. 오케스트라는 콘서트 준비를 하고 있다. ② **a)** (극장의) 관현악단석. **b)** 《美》 (극장의) 무대 앞 일등석(《英》 stalls).

or·ches·tral [ɔːrkéstrəl] *a.* 〔限定的〕 오케스트라(용)의, 관현악단이 연주하는: an ~ player 오케스트라 주자(奏者) / ~ music 관현악.

órchestra pìt 오케스트라석, 관현악단석.

órchestra stàlls 《英》 극장의 일층, 《특히》 무대 앞의 일등석.

or·ches·trate [ɔ́ːrkəstrèit] *vt.* ① …을 관현악용으로 편곡〔작곡〕하다. ② 《美》 …을 조직화하다, 획책하다; …을 결집하다: The coup was ~*d* by the CIA. 그 쿠데타는 CIA 가 꾸몄다.

or·ches·tra·tion [ɔ̀ːrkəstréiʃən] *n.* ① **a)** Ⓤ 관현악 편곡〔작곡〕; 관현악 편성(법). **b)** Ⓒ 관현악 모음곡. ② Ⓤ.Ⓒ 결집; 편성; 조직화.

or·chid [ɔ́ːrkid] *n.* Ⓒ 〖植〗 난초(의 꽃): a wild ~ 야생란.

or·chis [ɔ́ːrkis] *n.* Ⓒ 난초《특히 야생의》.

‡or·dain [ɔːrdéin] *vt.* ① (신·운명 등이) …을 정하다: His death was ~*ed* by fate. 그의 죽음은 운명에 의해 정해져 있었다 / God has ~*ed* that we (should) die. 신은 우리를 죽어야 하는 것으로 정했다. ② (법률 등이) …을 규정하다, 제정하다, 명하다: ~ a new type government 새로운 정치

기구를 제정하다. ③《+목+전+명 / +목+보》 〖敎會〗 …에게 성직을 주다, (사제)로 서품하다, (목사)로 임명하다 : be ~*ed to* priesthood 성직에 앉다 / ~ a person priest 아무를 성직에 임명하다 / Desmond Tutu was ~*ed* in 1960. D. 투투는 1960년에 목사로 임명되었다.

·or·deal [ɔːrdíːəl, ɔ́ːrdiːl] *n.* ① Ⓒ 가혹한 시련〔체험〕: stand an ~ 시련에 맞서다〔견디다〕/ go 〔pass〕 through a formidable ~ 무서운 시련을 헤쳐 나가다. ② Ⓤ 옛날 튜턴 민족이 쓰던 죄인 판별법《열탕(熱湯)에 손을 넣게 하여 화상을 입지 않으면 무죄로 하는 따위》.

†or·der [ɔ́ːrdər] *n.* ① Ⓒ (종종 *pl.*) 명령, 지휘; 훈령; 지시; 명령서 : a written ~ 명령서, 의뢰서 / He gave ~*s* that it (*should*) be done at once. 그는 즉시 그걸 하도록 명령했다《should를 생략함은 주로 《美》》/ obey the doctor's ~*s* 의사의 지시에 따르다 / I did it on his ~*s*. 그의 명령에 따라 그것을 했다 / We're under the ~*s* of the boss. 우리는 상사의 명령을 받고 있다 / give ~*s* to march on 행군을 계속하라는 명령을 내리다 / The police gave ~*s* for his office to be searched. 경찰은 그의 사무실 수색을 명했다 / He received a court ~ to give the money to his partner. 그는 그 돈을 동업자에게 주라고 하는 법원의 명령서를 받았다. ② Ⓤ (집회 등의) 규칙; 준법; (정치·사회적) 질서, 치안; 체제; (의회의 관습상의) 의사 진행 절차 : peace and ~ 안녕 질서 / public ~ 사회질서 / a breach of ~ 질서문란 / an old 〔a new〕 ~ 구〔신〕체제 / keep〔maintain〕 ~ 질서를 유지하다. ③ Ⓤ 순서, 순; Ⓒ 서열, 석차; 〖文法〗 어순(語順) (word ~) : Then come(s) B, C, and D in that ~. 그 다음에 B, C, D가 차례로 나와 있다 / in alphabetical 〔chronological〕 ~ 알파벳〔연대〕순(順)으로 / in ~ of age 〔merit〕 연령〔성적〕순으로 / ④ Ⓤ 정리, 정돈, 정렬; 태세; 질서(opp. *confusion*) : put one's ideas into ~ 생각을 정리하다 / maintain 〔restore〕 ~ 질서를 유지〔회복〕하다 / leave a room in ~ 방을 정돈해 두다. ⑤ Ⓤ 상태, (기계의) 정상 상태(opp. *out of order*); 건강상태 : Affairs are in good 〔bad〕 ~. 사태는 좋다〔나쁘다〕. ⑥ Ⓤ 도리, 이치; 인도 : the ~ of nature 자연의 이치. ⑦ Ⓒ 주문, 주문서, 주문품; 《美》 주문한 요리 1인분 : give a grocer an ~ for sugar and butter 식품점에 설탕과 버터를 주문하다 / The waitress came to take their ~*s*. 웨이트레스가 주문을 받으러 왔다. ⑧ **a**) (종종 *pl.*) (사회적) 지위, 신분, 계급 : the higher 〔lower〕 ~*s* 상류〔하층〕 사회 / all ~*s* of society 사회의 모든 계층의 사람들. **b**) (the ~s) (직업·목적 등이 같은 사람의) 집단, 사회 : *the* military ~ 군인 사회 / *the* clerical ~ 성직자 사회. ⑨ Ⓒ 결사; (종종 O-) (중세의) 기사단; (종종 O-) 수도회 : a monastic *Order* 수도회 / the Dominican *Order* 도미니크회. ⑩ (*pl.*) 성직; 〖新敎〗 성직 안수식(按手式), 〖가톨릭〗 서품식(ordination): be in ~*s* 성직에 (종사하고) 있다 / take holy ~*s* 성직자〔목사〕가 되다. ⑪ Ⓒ 종류(kind), 종; 〖生〗 (동식물 분류상의) 목(目)《class와 family의 중간급》. ⑫ Ⓒ 〖建〗 양식, 주식(柱式) : the Corinthian ~ 코린트식. ⑬ Ⓒ 훈위(勳位); 훈장 : the *Order* of the Garter 가터 훈장. ⑭ Ⓤ 〖軍〗 대형(隊形) : a close 〔an open〕 ~ 밀집〔산개〕 대형 / battle ~ = the ~ of battle 전투대형 / in fighting ~ 전투대형으로, 전투용 군장(軍裝)으로. ⑮ Ⓒ 〖數〗 차수(次數), 도(度). ⑯ Ⓒ 〖商〗 주문(서); 수주(受注)〔구입〕 상품; 환, 환어음; (어음 따위의) 지정인. ⑰ Ⓒ 《英》 (박물관·극장 등의) 무료〔할인〕 입장권; (특별) 허가증. ⑱ Ⓒ 〖宗〗 의식, 제전 : the *Order* of Holy Baptism 세례식 / the ~ for the burial of the dead 장례식. ⑲ 〖컴〗 차례, 주문.
by ~ of …의 명에 의해. ***call . . . to ~*** (의장이) 정숙히 할 것을 명하다; …의 개회를 선언하다. ***come to ~*** 조용해지다. ***in ~*** (1) 순서를 따라, 차례대로. (2) 정연히, 정돈되어 : keep ... *in ~* …을 정리해 두다; …의 질서를 바로잡다; …에 규율을 지키게 하다. (3) 규칙에 맞아, 합당〔당연〕한 : Is your passport *in ~*? 댁의 패스포트는 정당합니까. (4) 바람직한. (5) 건강하여. ***in ~s*** 성직에 종사하여. ***in ~ to*** do = ***in ~ that*** one ***may*** do …하기 위하여 : She has gone to England *in ~ to* improve her English. 그녀는 영어를 더욱 숙달하기 위해 영국에 갔다. ***in short ~*** 곧, 조속히 : The crisis was resolved *in* relatively *short ~*. 위기는 비교적 빨리 해소되었다. ***of* 〔*in*〕 *the ~ of*** 《英》 대개 …(한) 정도의. ***on the ~ of*** 《美》 …와 거의 비슷하여. ***out of ~*** 차례가 어긋나; 고장이 나; 규칙을 벗어나 : Some of the pages in this book are *out of ~*. 이 책은 여러 페이지가 뒤죽박죽 난장(亂帳)이다 / This car is *out of ~*. 이 자동차는 고장이다. ***to ~*** 주문에 맞추어〔따라〕 : The shop will tailor a suit *to ~*. 그 가게는 주문에 따라 양복을 지어준다.

— *vt.* ① 《~+목 / +목+*to* do / +목+부 / +목+전+명 / +*that* 절》 …에게 명령하다, …에게 지시하다; (특정 장소)에 가〔오〕도록 …에게 명하다 : I ~*ed* them *to* wait. 그들에게 기다리라고 지시했다 / The policeman ~*ed* me *back*. 경관은 내게 물러가라고 했다 / He was ~*ed to* Africa. 그는 아프리카행을 명령받았다 / He ~*ed* the luggage (*to* be) loaded into the taxi. 그는 짐을 택시에 실으라고 말했다 / He ~*ed that* no expense (*should*) be spared in the making. 그 제작에 있어서는 비용을 아끼지 말라고 지시하였다《should의 생략은 《美》》. ② 《~+목 / +목+목 / +목+전+명 / +목+*to* do》 (의사가 환자에게) (약·요법 등)을 지시하다《*for*》 : The doctor ~*ed* rest *for* the patient 〔the patient (*to* get some) rest〕. 의사는 환자에게 안정을 명하였다. ③ 《~+목 / +목+전+명 / +목+목》 …을 주문하다, 주문해 가져오게 하다《*for*》 : I've ~*ed* lunch *for* eleven o'clock. 점심을 11시에 먹을 수 있도록 시켜 놓았다 / I will ~ some new books from England. 영국에 신간 서적을 주문하겠다 / She ~*ed* her daughter a new dress. = She ~*ed* a new dress *for* her daughter. 그녀는 딸에게 새 드레스를 주문해 주었다. ④ (신(神)·운명 등)을 정하다, 명하다. ⑤ …을 성직에 서임〔임명〕하다. ⑥ …을 정돈하다, 정리하다; 처리하다 : ~ one's life for greater leisure 여가를 늘리도록 생활을 조정하다 / The diamonds are ~*ed* according to size. 다이아몬드는 크기에 따라 정리되었다. — *vi.* 명령〔주문〕하다 : Have you ~*ed* yet, madam? 벌써 주문하셨습니까, 마담. ***~ about* 〔*around*〕** 사방에 심부름 보내다; 혹사하다 : He likes to ~ people *around*. 그는 사람을 혹사하기를 좋아한다. ***Order arms!*** 〖軍〗 세워총《구령》.

órder bòok 주문 기록 장부.

or·dered [ɔ́ːrdərd] *a.* ① 정연한; 규칙적인 : an ~ office 깨끗이 잘 정리되어 있는 사무실. ② 〔흔히 well, badly와 함께 複合語를 이루어〕 정돈된 : *well-*~ 잘 정돈된.

órdered líst 〖컴〗 차례 목록, 죽보(이)기.

órder fòrm 주문 용지.

·or·der·ly [ɔ́ːrdərli] (***more ~; most ~***) *a.* ① 잘 정돈된, 정연한 : an ~ room 잘 정돈된 방. ②

규율 있는, 질서를 지키는 : an ~ assembly of citizens 질서 있는 시민의 모임 / ~ transition of government 질서 정연한 정부 교체. — n. Ⓒ 〖軍〗 ① 당번병. ② 병원의 잡역부(夫). 「표.

órder pàper (종종 O- P-) 〖英議會〗 의사 일정

or·di·nal [ɔ́:rdənəl] n. Ⓒ 서수(~ number). — a. ① 순서를 나타내는. ② 서수의.

órdinal númber 서수(first, second, third 따위).

***or·di·nance** [ɔ́:rdənəns] n. Ⓒ ① 법령, 포고 ; (시·읍·면의) 조례 : City *Ordinance* 126 forbids car parking in this area. 시조례 126 조는 이 지역에서의 주차를 금한다. ②〖教會〗 의식, 《특히》 성찬식.

***or·di·nar·i·ly** [ɔ̀:rdənérəli, ⌐--- / ɔ́:dənrili] ad. ①〔文章修飾〕 통상, 대개 : *Ordinarily*, he doesn't get up early. 대개 그는 일찍 일어나지 않는다. ② 보통(은〔으로〕), 예사롭게 : behave ~ 늘 하듯이 행동하다.

‡or·di·nary [ɔ́:rdənèri / ɔ́:dənri] (*more* ~ ; *most* ~) a. ① 보통〔일상〕의, 통상의, 정규의 : ~ language 일상 언어 / an ~ meeting 정례회 / *Ordinary* people don't think so. 보통 사람들은 그렇게 생각지 않는다 / The new taxes came as a shock to ~ Americans. 새로운 세금은 일반 미국인들에게 정신적 충격을 주었다. ② 범상한, 평범한(commonplace) : the ~ man 보통의〔평범한〕 사람 / She is pretty, but very ~. 그녀는 미인이지만 매우 평범하다. ***in an*** 〔***the***〕 ***~ way*** 여느 때같이〔같으면〕 : John was not *in the ~ way* a romantic, but he decided to bring Ann some roses. 존은 평상시 로맨틱한 사람이 아니었는데, 앤에게 장미꽃을 가져다 주기로 결심하였다.
— n. (the ~) 평상 상태. ***in ~*** 상임의, 상무(常務)의 : a physician 〔surgeon〕 *in ~* to the King 시의(侍醫). ***out of the ~*** 예외적인, 이상한, 보통이 아닌 : He disliked anything that was *out of the ~*. 그는 엉뚱한 것을 싫어했다.
㊞ **ór·di·nàr·i·ness** n. 보통 ; 평상 상태.

órdinary séaman 〖英海〗 2급 선원.

or·di·nate [ɔ́:rdənèit, -nit] n. Ⓒ 〖數〗 세로좌표.

or·di·na·tion [ɔ̀:rdənéiʃən] n. Ⓤ,Ⓒ 〖教會〗 성직 수임(授任)(식), 서품(식), 안수(식).

ord·nance [ɔ́:rdnəns] n. Ⓤ 〔集合的〕 화기, 대포 ; 병기(weapons), 군수품 ; 군수품부 : an ~ officer 병기장교 ; 〖美海軍〗 포술장(砲術長) / the Army *Ordnance* Corps 육군 병기부대.

Or·do·vi·cian [ɔ̀:rdəvíʃən] a. 〖地質〗 오르도비스기(紀)〔계〕의《고생대의 제 2 기》. — n. (the ~) 오르도비스기〔계〕.

or·dure [ɔ́:rdʒər, -djuər] n. Ⓤ ① 오물 ; 배설물. ② 음탕한 일 ; 상스러운 말.

‡ore [ɔ:r] n. Ⓤ,Ⓒ 광석 : raw ~ 원광(原鑛) / iron ~ 철광석 / ~ deposits 광상(鑛床).

öre [ǿ:rə] (*pl.* ~) n. Ⓒ ① 외레《스웨덴의 통화 단위 ; =1/100 krona》. ② 1 외레 동전.

øre [ǿ:rə] (*pl.* ~) n. Ⓒ 외레《덴마크·노르웨이의 통화 단위 ; =1 / 100 krone》.

Ore(g). Oregon.

***Or·e·gon** [ɔ́:rigàn, -gən, ár- / ɔ́rigən, -gɔ̀n] n. 오리건《미국의 태평양 연안 북부의 주 ; 略 : Ore(g) ; 〖美郵〗 OR》. ㊞ **Or·e·go·ni·an** [ɔ̀:rigóuniən, àr- / ɔ̀r-] a., n. 오리건주(州)의 (사람).

Óregon Tráil (the ~) 〖美史〗 오리건 산길《Missouri 주에서 Oregon 주에 이르는 3,200km의 도로 ; 1840-60년에 개척자들이 많이 이용》.

Ores·tes [ɔ:résti:z] n. 〖그神〗 오레스테스《Agamemnon과 Clytemnestra의 아들로, 아버지를 살해한 어머니를 죽임》.

†or·gan [ɔ́:rgən] n. Ⓒ ① 기관(器官), 장기(臟器) ; 《婉》 자지, 양물 : internal ~*s* 내장(內臟) / ~*s* of digestion 〔motion〕 소화〔운동〕 기관 / an ~ bank〔doner〕 장기 은행〔제공자〕 / the male ~ 남성 성기 / an ~ transplant 장기 이식. ② 오르간, 《특히》 파이프 오르간. ③ (활동) 기관, 조직 : an intelligence ~ 정보 기관 / Giving too much power to any ~ of government should be avoided. 정부 기관에 지나치게 많은 권력을 부여하는 것은 피해야 한다. ④ (보도) 기관 ; 기관지(紙·誌) : This publication is the ~ of the Conservative Party. 이 간행물은 보수당의 기관지다.

or·gan-blow·er [-blòuər] n. Ⓒ 파이프 오르간의 풀무 개폐인(開閉人)〔장치〕.

or·gan·dy, -die [ɔ́:rgəndi] n. Ⓤ 오건디《얇은 모슬린 천》.

órgan grìnder 배럴 오르간 연주자, 거리의 풍각쟁이.

***or·gan·ic** [ɔ:rgǽnik] (*more* ~ ; *most* ~) a. ① 유기체〔물〕의 ; 〖化〗 유기의 ; 탄소를 함유한. opp. *inorganic*. ¶ ~ farming 유기 농업 / an ~ body 유기체 / ~ fertilizer 유기 비료 / ~ evolution 생물 진화 / Peat is decomposed ~ matter. 토탄은 유기물로 분해된다. ② 유기적, 조직적, 계통적(systematic) : an ~ whole 유기적 통일체. ③ 고유의, 근본적인 ; 구조상의 ; 타고난 : the ~ law (국가 등의) 구성법, 기본법, 헌법. ④ 〖醫〗 기관(器官)〔장기〕의 ; 〖病理〗 기질성(器質性)의 : an ~ disease 기질성 질환(opp. *functional disease*).

or·gan·i·cal·ly [ɔ:rgǽnikəli] ad. ① 유기적으로 ; 유기 비료를 사용하여 : These tomatoes were ~ grown. 이들 토마토는 유기 비료로 재배된 것이다. ② 조직적으로. ③ 근본적으로.

or·gan·ise [ɔ́rgənàiz] vt., vi. 《英》 =ORGANIZE.

***or·gan·ism** [ɔ́:rgənìzəm] n. Ⓒ ① 유기체〔물〕 ; 생물(체) : a microscopic ~ living in the cow's stomach 소의 위에 기생하는 미생물. ② 유기적 조직체《사회 따위》 : A society is essentially an ~. 사회는 본질적으로 하나의 유기적 조직체다.

***or·gan·ist** [ɔ́:rgənist] n. Ⓒ 오르간 연주자.

‡or·gan·i·za·tion [ɔ̀:rgənəzéiʃən / -naiz-] n. ① Ⓤ 조직(화), 구성, 편제, 편성 : the ~ of a club 클럽의 조직 / There is a complete lack of ~. 전연 조직화되어 있지 않다. ② Ⓒ 기구, 체제 ; 〖生〗 생물체, 유기체 : The ~ of the human body is very complicated. 인체의 구조는 매우 복잡하다. ③ Ⓒ 조직체, 단체, 조합 : a charitable ~ 자선단체 / a religious ~ 종교 단체. ◇ organize v.
㊞ **~·al** [-ʃənəl] a. 조직(상)의, 기관의.

organizátion màn 조직에 능한 사람.

‡or·gan·ize [ɔ́:rgənàiz] vt. ① 《~+目 / +目+전+명》 (단체 따위)를 조직하다, 편제〔편성〕하다 ; …을 구성하다 : ~ an army 군대를 편제하다 / ~ a company 회사를 설립하다 / The classes have been ~*d* according to ability. 학급들은 능력별로 편성되어 있다. ② …의 계통을 세우다, 체계화하다 : ~ one's knowledge in a coherent system of thought 자기의 지식을 사상 체계화하다 / *Organize* your thoughts before you begin to speak. 말을 시작하기 전에 당신 생각을 정리하라. ③ (계획·모임 따위)를 준비하다 ; 개최하다 : ~ a traveling theater 연극의 지방순회를 계획하다 / They ~*d* a charity show〔protest meeting〕. 그들은 자선 쇼〔항의 집회〕를 열었다. ④ (아무)를 노동조합에 가입시키다, …에 노동조합을 만들다, …을 조직화하다 : ~ workers 노동자를 조직하여 조합을 만들다. — vi. 《美》 (노동) 조합을 결성하

다〔에 가입하다〕. ◇ organization *n.*

or·gan·ized [ɔ́ːrgənàizd] *a.* ① **a)** 〔종종 複合語로〕 조직〔편제〕된, 조직적인 : a well-〔badly-〕~ party 조직이 단단한〔취약한〕 정당 / ~ crime 조직적 범죄. **b)** 머리속이 정리된 : Try to be more ~. 머리속을 더 잘 정리해 두도록 하여라. ② 노동조합에 가입한〔조직된〕 : ~ labor 조직 노동자.

*__or·gan·iz·er__ [ɔ́ːrgənàizər] *n.* Ⓒ ① 조직자 ; 창시자 ; (노동조합 따위의) 조직책, (흥행 따위의) 주최자. ② 분류 서류철, 서류정리 케이스.

órgan lòft (교회의) 오르간을 비치한 2층.

or·gasm [ɔ́ːrgæzəm] *n.* Ⓤ,Ⓒ ① 오르가슴, 성쾌감의 절정. ② 극도의 흥분, 격노(激怒). ㊞ **or·gas·mic** [ɔːrgǽzmik] **or·gas·tic** [ɔːrgǽstik] *a.* 술마시고 떠드는, 야단법석을 떠는.

ÓR gàte 〖컴〗 또는문.

*__or·gy__ [ɔ́ːrdʒi] *n.* ① Ⓒ **a)** 진탕 마시고 떠들기, 법석대기 ; 난교, 섹스 파티. **b)** (지나치게) 열중함, 탐닉 : an ~ of work (정신없이) 기를 쓰고 일하기. ② (*pl.*) (고대 그리스·로마에서 비밀히 행하던) 주신제(酒神祭).

ori·el [ɔ́ːriəl] *n.* Ⓒ 〖建〗 퇴창, 벽에서 불쑥 튀어나온 창(=∠ **wíndow**)《세로 길게, 보통 2 층의》.

‡**ori·ent** [ɔ́ːriənt, -ènt] *n.* ① (the O-) **a)** 동양, 아시아(opp. *Occident*) ; 동양 여러 나라, 특히 극동. **b)** 《詩》 동방, 동쪽 하늘. ② Ⓒ (동양산의) 진주. ── [ɔ́ːrièntl] *vt.* ① 《~+目/+目+전+명》 **a)** (새로운 환경 따위에) …을 적응시키다《*to* ; *toward*》: ~ one's ideas *to* new conditions 관념을 새 상황에 적응시키다. **b)** 〔再歸的〕 적응〔순응〕하다《*to* ; *toward*》: help freshmen to ~ *themselves to* college and *to* life 신입생을 대학과 그 생활에 적응할 수 있도록 도와 주다. ② 동쪽으로 향하게 하다 ; (교회)를 동향(東向)으로 짓다《제단이 동쪽, 입구가 서쪽이 되도록》. ③ 《+目+副/+目+전+명》 **a)** …을 특정한 방향에 맞추다 : The building is ~*ed* north and south 〔*toward* the north〕. 그 건물은 남북〔북〕으로 맞추어 세워졌다. **b)** 〔再歸的〕 …을 바른 위치에 맞추다 : They ~*ed themselves* (on the map) before moving on. 그들은 전진하기에 앞서 (지도를 보고) 자기들의 위치를 확인했다.

‡**ori·en·tal** [ɔ̀ːriéntl] *a.* (흔히 O-) 동양의 ; 동양식의. opp. *Occidental.* ── *n.* Ⓒ (O-) 동양인. ㊞ **Ori·én·tal·ist** *n.* Ⓒ 동양학자, 동양(어)통.

Ori·en·tal·ism [ɔ̀ːriéntəlizm] *n.* Ⓤ (종종 o-) ① 동양식 ; 동양 문화〔취미〕. ② 동양학, 동양의 지식.

ori·en·tal·ize [ɔ̀ːriéntəlàiz] *vt., vi.* (종종 O-) (…을) 동양식으로 하다〔되다〕, 동양화하다.

ori·en·tate [ɔ́ːrientèit, ⌐-⌐] *vt.* =ORIENT.

ori·en·tat·ed [ɔ́ːriəntèitid] *a.* =ORIENTED.

*__ori·en·ta·tion__ [ɔ̀ːrientéiʃən] *n.* Ⓤ,Ⓒ ① (새로운 환경 등에 대한) 적응, 순응 ; (신입생·신입사원 등에 대한) 오리엔테이션, (적응) 지도 : receive a week's ~ 일주일간의 오리엔테이션을 받다 / This is ~ week for all the new students. 지금은 신입생 전원을 위한 오리엔테이션 주간이다. ② 정세〔상황〕 판단 ; 태도, 관심, 대응 : an ~ to world affairs 세계 문제에 대한 관심. ③ 동쪽으로 향하게 함 ; (교회)를 제단이 동쪽이 되도록 세움 ; (시체의) 발을 동쪽으로 향하게 하여 묻음 ; (기도 등을 할 때) 동쪽을 향함. ④ 〖動〗 정위(定位), 귀소(歸巢) 본능《새 따위의》; 〖心〗 정위(력)《현재의 환경·시간의 흐름 속에서 자연을 바르게 인식하는 능력》.

orientátion còurse 《美》 (대학 신입생에 대한) 오리엔테이션 과정.

o·ri·ent·ed [ɔ́ːrièntid] *a.* 〔종종 複合語〕 방향〔관련〕 지워진, 지향성의 : profit-~ 이익 추구형의 / diploma-~ 학력 편중의 / a male-~ society 남성 지향의 사회 / It is politically ~. 그것은 정치적으로 방향이 정해져 있다.

ori·en·teer·ing [ɔ̀ːrientíəriŋ] *n.* Ⓤ 오리엔티어링《지도와 나침반으로 목적지를 찾아가는 크로스컨트리 경기》.

*__or·i·fice__ [ɔ́ːrəfis, ɑ́rə-/ɔ́ri-] *n.* Ⓒ 구멍, 빼끔한 구멍《관(管)·동굴·상처 따위의》.

orig. origin ; original(ly).

‡**or·i·gin** [ɔ́ːrədʒin, ɑ́rə-/ɔ́ri-] *n.* ① Ⓤ,Ⓒ 기원, 발단, 원천 ; 유래 ; 원인 : a word of Greek ~ 그리스 어원의 말 / the ~(*s*) of civilization 문명의 기원 / a fever of unknown ~ 원인불명의 열 / (On) *the Origin of Species* '종(種)의 기원(에 관해서)'《Darwin의 진화론서》/ the ~ of the war 전쟁의 원인. ② Ⓤ (종종 *pl.*) 태생, 가문, 혈통 : of noble 〔humble〕 ~(*s*) 귀한〔천한〕 태생의 / He is an American of Korean ~. 그는 한국계 미국인이다 / They are proud of their aristocratic ~*s*. 그들은 귀족 출신임을 자랑한다. ③ 〖컴〗 근원. ◇ original *a.*

‡**orig·i·nal** [ərídʒənəl] (***more*** ~ ; ***most*** ~) *a.* ① 〔限定的〕 최초의 ; 본래의, 고유의 : the ~ state 원상 / the ~ plan 원안 / the ~ inhabitants 원주민 / an ~ house 본가 / The land was returned to its ~ owner. 그 땅은 원소유주에게 돌아갔다. ② 〔限定的〕 원물(原物)의, 원본의, 원형의, 원작의, 원도(原圖)의 : the ~ document (증서 등의) 원본 / the ~ edition 원판 / the ~ picture 〔text〕 원화〔원문〕《복제·번역이 아닌》. ③ 독창적인, 창의성이 풍부한 ; 신기한, 기발한 : an ~ idea 신안 / an ~ writer 독창적 작가 / He has an ~ mind. 그는 독창적 정신의 소지자다. ◇ origin *n.* ── *n.* ① Ⓒ 원물, 원형, 오리지널 : This is a copy, not the ~. 이것은 카피지 오리지널이 아니다 / I'll keep a copy, and give you the ~. 나는 카피를 갖고, 네게 원본을 주겠다. ② (the ~) 원문, 원도(原圖), 원서 ; (사진 등의) 본인, 실물 : I read it in *the* ~. 나는 원서로 그것을 읽었다. ③ Ⓒ 독창적인 사람.

oríginal dáta 〖컴〗 근원 자료.

oríginal ínstrument 오리지널 악기.

*__orig·i·nal·i·ty__ [ərìdʒənǽləti] *n.* Ⓤ ① 독창성〔력〕, 창작력 : a man of great ~ 독창력이 풍부한 사람 / lack ~ 독창성을 결하다. ② 신기〔진기〕성, 기발.

*__orig·i·nal·ly__ [ərídʒənəli] (***more*** ~ ; ***most*** ~) *ad.* ① 원래 ; 최초에 ; 최초부터 : The book was ~ conceived as an autobiography, but it became a novel. 그 책은 당초 자서전으로 계획되었는데, 소설이 되었다. ② 독창적으로, 참신하게 : *Originally* planned houses are much in demand. 참신하게 설계된 집은 수요가 많다.

oríginal sín 〖神學〗 원죄(原罪).

‡**orig·i·nate** [ərídʒənèit] *vt.* …을 시작하다, 일으키다 ; 창설하다 ; 발명〔고안〕하다 : ~ a political movement 정치 운동을 일으키다 / Freud ~*d* psychoanalysis. 프로이트는 정신 분석을 창안했다 / The Chinese ~*d* the magnet. 중국인이 자석을 발명했다. ── *vi.* 《+전+명》 ① 비롯하다, 일어나다, 시작하다《*from* ; *in* ; *with*》: How did the idea ~? 어떻게 그런 생각이 떠올랐을까 / "Where did chopsticks ~?" — "They ~*ed in* China." '젓가락은 어디에서 (쓰기) 시작했습니까' '중국에서 기원했습니다' / The quarrel ~*d in* 〔*from*〕 a misunderstanding. 싸움은 오해에서 비

롯되었다. ②《美》(버스·열차 등이) …에서 시발하다《*in*; *at*》: The flight ~*s in* New York. 그 항공편은 뉴욕발이다 / This train ~*s at* Philadelphia. 이 열차는 필라델피아에서 시발한다.

orig·i·na·tion [ərìdʒənéiʃən] *n.* Ⓤ,Ⓒ 시작; 일어남; 기인; 기점; 창작, 발명; 작성.

orig·i·na·tive [ərídʒənèitiv] *a.* 독창적인, 창작력 있는; 발명의 재능이 있는; 참신한, 기발한.

orig·i·na·tor [ərídʒənèitər] *n.* Ⓒ 창작〔창시〕자, 창설자, 발기인, 원조: the ~ of a whole genre of detective fiction, Edgar Allan Poe 탐정 소설류의 창시자 E.A. 포.

ori·ole [ɔ́:riòul] *n.* Ⓒ 〖鳥〗 ① 꾀꼬리. ②《美》찌르레깃과(科)의 작은 새.

***Ori·on** [əráiən] *n.* ①〖그神·로神〗오리온《거대한 사냥꾼》. ②〖天〗 오리온자리(the Hunter).

Oríon's Bélt 〖天〗 오리온자리의 세 별.

Órk·ney Íslands [ɔ́:rkni-] (the ~) 오크니 제도《스코틀랜드 북동쪽에 있는 여러 섬》.

Or·lon [ɔ́:rlɑn / -lɔn] *n.* Ⓤ 올론《나일론 비슷한 합성 섬유; 商標名》.

or·mo·lu [ɔ́:rməlù:] *n.* Ⓤ ① 도금용 금박《구리·아연·주석의 합금》: an ~ clock 금도금 시계. ②〔集合的〕금도금한 것. ── *a.* 〔限定的〕 금도금한.

‡or·na·ment [ɔ́:rnəmənt] *n.* ① Ⓤ 꾸밈, 장식: by way of ~ 장식으로서. ② Ⓒ 장식품, 장신구(personal ~*s*), 장식용 가구: china ~*s* 장식 도자기. ③ Ⓒ 광채를 더해 주는 사람〔물건〕《*to*》: He is an ~ of the University. 그는 그 대학이 자랑하는 학자다 / She is an ~ *to* her profession. 그녀는 자기 직업을 자랑으로 여긴다. ④ Ⓒ 〖樂〗 꾸밈음. ── [-mènt] *vt.* 《~+목 / +목+전+명》 …을 꾸미다; …의 장식이 되다《*with*》: She ~*ed* the table *with* a bunch of flowers. 그녀는 테이블을 한 다발의 꽃으로 장식하였다 / The box is ~*ed with* jewels. 그 상자는 보석으로 꾸며져 있다.

***or·na·men·tal** [ɔ̀:rnəméntl] *a.* 장식의, 장식적인, 장식용의: an ~ plant 관상식물 / ~ writing 장식문자 / These buttons are only ~. 이 단추들은 그저 장식일 뿐이다. 㔥 ~·ly [-təli] *ad.*

or·na·men·ta·tion [ɔ̀:rnəmentéiʃən] *n.* Ⓤ ① 장식. ②〔集合的〕장식품(류).

or·nate [ɔ:rnéit, ╌] *a.* ① 잘 꾸민〔장식한〕: ~ carvings in a church 화려한 장식의 교회 조각품. ② (문체가) 화려한. 㔥 ~·ly *ad.* ~·ness *n.*

or·nery [ɔ́:rnəri] *a.* 《美口》 ① 하등의; 비열한; 상스러운; 짓궂은. ② 고집센. ③ 화를 잘 내는: No one can get along with my ~ cousin. 심통 사나운 내 사촌과 잘 지낼 사람은 없다.

or·ni·thol·o·gy [ɔ̀:rnəθɑ́lədʒi / -θɔ́l-] *n.* Ⓤ 조류학. 㔥 **or·ni·tho·log·i·cal** [ɔ̀:rnəθəlɑ́dʒikəl / -lɔ́dʒ-] *a.* 조류학(상)의. **or·ni·thol·o·gist** [ɔ̀:rnəθɑ́lədʒist / -θɔ́l-] *n.* Ⓒ 조류학자.

oro·tund [ɔ́:rətʌ̀nd] *a.* ① (목소리가) 낭랑한. ② (말 따위가) 과장된, 태깔스런: ~ paeans 과장된 찬사. 㔥 **oro·tun·di·ty** [ɔ̀:rətʌ́ndəti] *n.*

‡or·phan [ɔ́:rfən] *n.* Ⓒ 고아: the plight of thousands of war ~*s* 수많은 전쟁 고아의 어려운 처지 / The little girl was left an ~. 그 소녀는 고아가 되었다. ── *a.* 〔限定的〕 어버이 없는, 고아를 위한: an ~ asylum 〔home〕 고아원. ── *vt.* 〔흔히 受動으로〕 …을 고아로 만들다: children ~*ed* by the war 전쟁고아 / She *was* ~*ed* when her parents died in a plane crash. 그녀는 그의 양친이 비행기 사고로 죽어서 고아가 되었다.

or·phan·age [ɔ́:rfənidʒ] *n.* Ⓒ 보육원(保育院): He was raised in a Catholic ~. 그는 가톨릭계 보육원에서 자랐다.

Or·phe·an [ɔ:rfí:ən] *a.* ①《詩》Orpheus 의〔같은〕. ② 절묘한 곡조의; 황홀케 하는.

Or·phe·us [ɔ́:rfiəs, -fju:s] *n.* 〖그神〗 오르페우스《하프의 명수; 무생물도 감동시켰다고 함》.

or·rery [ɔ́(:)rəri, ɑ́r-] *n.* Ⓒ 태양계의(儀).

or·ris [ɔ́(:)ris, ɑ́r-] *n.* Ⓒ 〖植〗 흰붓꽃《붓꽃과(科)》; 그 뿌리(orrisroot).

or·ris·root [-rù:t] *n.* Ⓒ 흰붓꽃의 뿌리《말려서 향료로 씀》.

orth(o)- '정(正), 직(直)'의 뜻의 결합사《모음 앞에서는 orth-》: *ortho*dox, *orth*icon.

or·tho·don·tics [ɔ̀:rθədɑ́ntiks / -dɔ́n-] *n.* Ⓤ 치과 교정학(矯正學)(dental ~); 치열 교정(술).

or·tho·don·tist [ɔ̀:rθədɑ́ntist / -dɔ́n-] *n.* Ⓒ 치열 교정의(醫).

***or·tho·dox** [ɔ́:rθədɑ̀ks / -dɔ̀ks] (*more* ~; *most* ~) *a.* ① 옳다고 인정된, 정통의; 승인〔공인〕된; 전통적인; 통상의: ~ clothes 통상의 복장 / in the ~ manner 정식으로 / ignore the ~ theories 종래의 정설을 무시하다. ② (특히 종교상의) 정설(正說)의, 정교(正敎)를 받드는, 정통파의. OPP *heterodox*. ¶ an ~ Jew 정통 유대교도. ③ (O-) 그리스 정교회의; (O-) 유대교 정통파의.

Órthodox (Éastern) Chúrch (the ~) 동방 정교회《그리스 및 러시아 정교회 등》.

or·tho·doxy [ɔ́:rθədɑ̀ksi / -dɔ̀ksi] *n.* Ⓤ ① 정통파적 신앙〔학설〕. ② 정통파적 관행; 일반적인 설에 따름: The early feminists challenged the social and political ~ of their time. 초기의 남녀동등권자들은 그 당시의 사회적 정치적 정통 관행에 도전했다.

or·tho·ep·ist [ɔ:rθóuəpist, ɔ́:rθouèp-] *n.* Ⓒ 정음(正音)학자.

or·tho·e·py [ɔ:rθóuəpi, ɔ́:rθouèp-] *n.* Ⓤ 올바른 발음(법); 정음법(正音法), 정음학.

or·tho·graph·ic, -i·cal [ɔ̀:rθəgrǽfik], [-əl] *a.* 정자법의; 철자가 바른. 㔥 **-i·cal·ly** *ad.*

or·thog·ra·phy [ɔ:rθɑ́grəfi / -θɔ́g-] *n.* Ⓤ 바른 철자, 정자법(OPP *cacography*): reformed ~ 개정 철자법.

or·tho·pe·dic, -pae·dic [ɔ̀:rθoupí:dik] *a.* 〖醫〗 정형외과의; 정형술의: ~ treatment 정형(외과) 수술. 㔥 **-di·cal·ly** *ad.*

or·tho·pe·dics, -pae- [ɔ̀:rθoupí:diks] *n.* Ⓤ 〖醫〗 정형외과(학). 㔥 **-dist** [ɔ̀:rθəpí:dist] *n.* Ⓒ 〖醫〗 정형외과 의사.

or·to·lan [ɔ́:rtələn] *n.* 〖鳥〗 ① Ⓒ 촉새·멧새류(類). ② Ⓤ 멧새류의 고기.

Or·well [ɔ́:rwel, -wəl] *n.* **George** ~ 오웰《영국의 소설가·수필가; 1903-50》.

-ory *suf.* ①〔名詞·動詞에 붙어〕'…의, …의 성질을 가진'의 뜻의 형용사를 만듦: renunciat*ory*, provis*ory*. ②〔名詞語尾〕'…의 장소'의 뜻의 명사를 만듦: dormit*ory*, laborat*ory*.

or·yx [ɔ́:riks] (*pl.* ~·*es*, ~) *n.* Ⓒ 〖動〗 오릭스《아프리카산 영양의 일종》.

os[1] [ɑs / ɔs] (*pl.* ***os·sa*** [ɑ́sə / ɔ́sə]) *n.* Ⓒ 《L.》 〖醫·解〗 뼈.

os[2] (*pl.* ***ora*** [ɔ́:rə]) *n.* Ⓒ 《L.》〖解·動〗 입, 구멍.

OS 〖컴〗 operating system. **OS, O.S.** Old Saxon 고기(古期) 색슨어. **Os** 〖化〗 osmium (오스뮴); 〖服〗 outsize (특대형).

Os·car [ɑ́skər / ɔ́s-] *n.* ① 오스카《남자 이름》. ② Ⓒ 〖映〗 오스카《매년 아카데미상 수상자에게 수여되는 작은 황금상(像)》: an ~ actor 〔actress〕 아카데미상을 받은 배우〔여우〕 / *Oscar* for best actress 최우수 여우 오스카상.

os·cil·late [ásəlèit / ɔ́s-] *vi.* ① (진자(振子)와 같이) 흔들리다, 진동하다; (선풍기 따위가) 좌우로 움직이며 돌다; (사람이 두 점 사이를) 왕복하다 《*between*》: He ~ *between* his home and his office every day. 그는 매일 집과 사무실 사이를 왕복한다. ② (마음이나 의견 따위가 왔다갔다) 동요하다, 흔들리다, 갈피를 못 잡다《*between*》: ~ *between* two opinions 두 가지 의견으로 갈팡질팡하다 / His mood ~*s between* euphoria and depression. 그의 기분은 행복감과 침울의 양 극단을 왔다갔다 한다. ③〖物〗진동하다;〖通信〗발진(發振)하다. ── *vt.* …을 진동[동요]시키다.

os·cil·la·tion [àsəléiʃən / ɔ̀s-] *n.* Ⓤ,Ⓒ ① 진동; 동요, 변동; 주저, 갈피를 못 잡음: ~*s* from the propeller 프로펠러에서 전해오는 진동 / violent ~*s* of heat and cold 더위와 추위의 격심한 변동. ②〖物〗(전파의) 진동, 발진(發振); 진폭(振幅).

os·cil·la·tor [ásəlèitər / ɔ́s-] *n.* Ⓒ ①〖電〗발진기(器);〖物〗진동자(子). ② 진동하는 것; 동요하는 사람. ⊞ **-la·to·ry** [-lətɔ̀:ri / -lətəri] *a.* 진동하는; 흔들리는; 동요하는.

os·cil·lo·graph [əsíləgræ̀f, -grɑ̀:f] *n.* Ⓒ〖電〗오실로그래프《전류의 진동 기록 장치》.

os·cil·lo·scope [əsíləskòup] *n.* Ⓒ〖電〗오실로스코프, 역전류 검출관.

os·cu·late [áskjəlèit / ɔ́s-] *vt.* 《戲》…에게 입맞추다.

⊞ **òs·cu·lá·tion** [-ʃən] *n.* Ⓤ 《戲》입맞춤.

-ose *suf.* ①'…이 많은, …을 가진, …성(性)의'의 뜻의 형용사를 만듦: verb*ose*, joc*ose*. ②〖化〗'탄수화물, 당(糖)'의 뜻의 명사를 만듦: fruct*ose*, cellul*ose*.

osier [óuʒər] *n.* Ⓒ〖植〗① 버드나무. ② 말채나무.

Osi·ris [ousáiəris] *n.*〖이집트 神〗오시리스《명부(冥府)의 왕》.

-osis *suf.* '…의 과정, (병적) 상태'의 뜻의 명사를 만듦: neur*osis*, tubercul*osis*.

-osity *suf.* -ose, -ous 의 어미로 끝나는 형용사에서 명사를 만듦: joc*osity*.

Os·lo [ázlou, ás- / ɔ́z-, ɔ́s-] *n.* 오슬로《노르웨이의 수도·해항》.

os·mi·um [ázmiəm / ɔ́z-] *n.* Ⓤ〖化〗오스뮴《금속 원소; 기호 Os; 번호 76》.

os·mo·sis [azmóusis, as- / ɔz-] *n.* Ⓤ ①〖化〗삼투; 배어듦, 침투. ② 서서히 침투함[영향을 끼침]: He never studies but seems to learn by ~. 그는 전혀 공부하지 않았는데 절로 배운 것 같다.

os·mot·ic [azmátik, as- / ɔzmɔ́t-] *a.*〖化〗삼투(성)의: ~ pressure 삼투압.

os·prey [áspri / ɔ́s-] *n.* Ⓒ〖鳥〗물수리.

os·se·ous [ásiəs / ɔ́s-] *a.* 뼈의, 골질(骨質)의.

os·si·fi·ca·tion [àsəfəkéiʃən / ɔ̀s-] *n.* Ⓤ ① 뼈로 됨[변함], 골화; 골화한 부분. ② (감정·감각의) 경화, 정형화; (사상 따위의) 경직화.

os·si·fy [ásəfài / ɔ́s-] *vt.* ① …을 뼈로 변하게 하다, 골화(骨化)하다. ② …을 경직시키다, 고정하다. ── *vi.* ① 골화되다. ② 경화되다.

os·su·ary [áʃuèri, ásju- / ɔ́sjuəri] *n.* Ⓒ ① 납골당. ② 뼈단지.

os·ten·si·ble [asténsəbəl / ɔs-] *a.* 〔限定的〕외면(상)의; 표면의, 거죽만의, 겉치레의. opp. *real, actual.* ¶ an ~ reason 표면상의 이유 / The ~ purpose of the war was to liberate a small nation from tyranny. 전쟁의 표면상 목적은 압정에서 소수민족을 해방한다는 것이었다.

os·ten·si·bly [asténsəbli / ɔs-] *ad.* 표면상: *Ostensibly* a consular employee, he is actually a spy. 그는 표면상 영사관원이지만 실제는 스파이다.

os·ten·sive [asténsiv / ɔs-] *a.* ① 구체적으로 나타내는, 명시하는. ② =OSTENSIBLE.

os·ten·ta·tion [àstentéiʃən / ɔ̀s-] *n.* Ⓤ 허식; 겉보기; 겉치장, 과시: the ~ of wealth 부(富)의 과시 / with ~ 과시하여, 보란듯이 / The statue had beauty without ~. 그 동상에는 과식이 없는 아름다움이 있었다.

os·ten·ta·tious [àstentéiʃəs / ɔ̀s-] *a.* 여봐란 듯한, 과시하는, 겉보기를 꾸미는, 화려한: an ~ display 과시, 허식 / I was vaguely annoyed by his generosity which seemed almost ~. 거의 여봐란 듯이 보이는 그의 활수함에 나는 어딘지 모르게 화가 났다. ⊞ **~·ly** *ad.*

os·te·o·ar·thri·tis [àstiouɑ:rθráitis / ɔ̀s-] *n.* Ⓤ〖醫〗골관절염.

os·te·ol·o·gy [àstiálədʒi / ɔ̀stiɔ́l-] *n.* Ⓤ 골학(骨學).

os·te·o·path [ástiəpæ̀θ / ɔ́s-] *n.* Ⓒ 정골(整骨)요법사.

os·te·op·a·thy [àstiápəθi / ɔ̀stiɔ́p-] *n.* Ⓤ 오스테오파티[정골] 요법.

os·te·o·po·ro·sis [àstioupəróusis / ɔ̀s-] (*pl.* **-ro·ses** [-si:z]) *n.* Ⓤ〖醫〗골다공증(骨多孔症).

ost·ler [áslər / ɔ́s-] *n.* Ⓒ 《英》(여관의) 말구종.

os·tra·cism [ástrəsìzəm / ɔ́s-] *n.* Ⓤ ① 추방, 배척: suffer social ~ 사회에서 매장되다. ②〖古그〗오스트라시즘, 도편(陶片)추방.

os·tra·cize [ástrəsàiz / ɔ́s-] *vt.* ① …을 추방[배척]하다. ② …을 도편추방하다.

***os·trich** [ɔ́(:)stritʃ, ás-] *n.* Ⓒ ①〖鳥〗타조: an ~ farm 타조 사육장. ②《口》현실 도피자, 무사안일주의자, 방관자.

OT, O.T. Old Testament(구약 성서). cf. N.T.

OTB offtrack betting (장외 마권팔기).

Othel·lo [ouθélou] *n.* 오셀로《Shakespeare의 4대 비극 중의 하나, 그 주인공》.

†**oth·er** [ʌ́ðər] *a.* ①〔複數名詞의 앞, 또는 no, any, some, one, the 따위와 함께〕다른, 그 밖[이외]의《單數名詞를 직접 수식하는 경우에는 another 를 사용함》: in *some* ~ place 어딘가 다른 곳에서 / he and *one* ~ person 그와 또 한 사람 / There was *no* ~ way than to surrender. 항복할 수밖에 다른 방도가 없었다 / There is *no* ~ use for it. 그건 이 밖에 (다른) 용도가 없다 / I have *no* ~ son(s). 나는 다른 아들은 없다 / Jane is taller than *any* ~ girl(s) in the class. 제인은 반의 누구보다도 키가 크다《any other 뒤의 명사는 單數를 원칙으로 함》.

② **a**) (the ~ 또는 one's ~) (둘 중) 다른 하나의; (셋 이상 중) 나머지(전부)의: *The* ~ three passengers were men. 나머지 세 승객은 남자였다 / Show me *your* ~ hand. 또 다른 손을 보여다오 / There are three rooms. One is mine, one [another] is my sister's and *the* ~ (one) is my parents'. 방이 3개 있다. 하나는 내 방이고 또 하나는 누이의 것이며 나머지 방은 부모님의 방이다《문맥으로 보아 쉽게 파악될 수 있을 때에는 the other 다음의 명사는 생략될 때가 있음》. **b**) (the ~) 저편[쪽]의; 건너편의, 반대의(opposite): *the* ~ end of the table 테이블의 맞은편 끝 / *the* ~ side of the moon 달의 반대편[뒷면] / A voice at *the* ~ end of the telephone was low. 전화의 상대편 목소리는 낮았다.

參考 (1) ***the other* books** 와 ***other* books** 일정한 무리 중에서 문제가 되고 있는 것을 제외

한 '나머지(전부)의…'가 *the other* ... 이고, 임의의 '다른…'이 *other* ...임 : *the other* people 나머지 사람들《限定》≠*other* people 다른 사람들, 타인《不定》.
(2) ***the other* book** 과 ***another* book** 전기한 특수한 경우로서 무리 중의 나머지가 한 개뿐임을 알고 있을 때 그 나머지 하나를 가리킴이 *the other* ..., 임의의 다른 하나를 가리키는 것이 *another* ...으로 됨. *the other* side of the street '길 건너편'은 *another* ...로는 안 됨. 길거리에는 양측밖에 없으므로. *another* aspect of the problem '문제의 다른 일면'은 가능함. 몇 개고 나머지 면이 있을 수 있으므로.

③〔~ than의 형태로; 흔히 (代)名詞의 뒤 또는 敍述的으로 쓰이어〕 (…와는) 다른; …이외의: This is quite ~ *than* what I think. 내가 생각하고 있는 것과는 전혀 다르다 / She did it for no ~ reason *than* sheer jealousy. 그녀는 순전한 질투에서 그랬다.
④ **a**) 이전의, 옛날의; 장래의, 미래의: men of ~ days 옛 시대의 사람들 / customs of ~ days 예전의 습관 / in ~ times 이전에, 옛날에; 장래에. **b**) (the ~)〔날·밤·주(週) 따위를 나타내는 名詞를 수식하여 副詞的으로〕 요전의, 얼마 전의: *the* ~ day 일전에《길어야 1주일 정도 전》/ *the* ~ evening〔night〕 요 전번〔며칠 전〕 저녁〔밤〕. ***among ~ things*** ⇨ AMONG(成句). ***every ~ . . .*** ⇨ EVERY. ***in ~ words*** ⇨ WORD. ***none ~ than*** ⇨ NONE. ***on the ~ hand*** ⇨ HAND. ***~ things being equal*** 다른 조건이 같으면: *Other things being equal,* I would choose him. 딴 조건들이 같다고 하면 그 사람을 택하겠다. ***the ~ way about***〔***around***〕 ⇨ WAY.
── (*pl.* **~s**) *pron.* ①〔흔히 複數形으로; one, some, any를 수반할 때에는 單數形도 씀〕 다른〔딴〕 사람, 다른〔딴〕 것; 그 밖〔이외〕의 것《단독으로 單數를 가리킬 때엔 another를 씀》: These pencils are not very good. Give me *some* ~*s.* 이 연필은 그리 좋지(가) 않군요. 딴 것을 주세요 / Please show me *one* ~. 딴 것을 하나 보여 주세요《one other 대신 another를 써도 무방함》/ This hat doesn't suit me. Do you have *any* ~(*s*)? 이 모자는 내게 어울리지 않는군요. 딴 것은 없나요 / Think of ~*s.* 남〔딴 사람들〕 생각 좀 해라 / How many ~*s* came after me? 내 뒤에 다른 사람은 몇 명이나 왔는가 / There are various flowers in my garden: tulips, roses, irises and ~*s.* 우리집 뜰에는 여러 가지 꽃이 있다. 튤립이라든가 장미라든가 창포 따위의.
② **a**) (the ~) (둘 중의) 다른 한쪽(의 사람·것); (셋 이상 중의) 나머지 한 개〔사람〕: from one side to *the* ~ 한 쪽에서 다른 쪽으로 / Each praises *the* ~. (두 사람은) 서로 칭찬한다 / This book is mine and *the* ~ is my brother's. 이 책은 내 것이고 다른 하나는 아우의 것이다 / One of my dogs is black, another is white and *the* ~ is brown. 내 개 중 한 마리는 까맣고 또 한 마리는 희며 나머지 한 마리는 갈색이다 / Virtue and vice are before you; the one leads to misery, *the* ~ to happiness. 제군의 앞에는 선과 악이 있다. 하나〔후자〕는 불행의 길로 다른 하나〔전자〕는 행복의 길로 제군을 이끈다《the one이 '전자', the other가 '후자'를 가리킬 때도 있음》. **b**) (the ~s) (셋 이상 중의) 나머지 전부(의 사람·것): I waited until *the* ~*s* came back. 나는 나머지 사람들이 돌아올 때까지 기다렸다 / Two of the boys were late, but (all) *the* ~*s* were in time for the meeting. 그 소년들 중 둘은 지각했으나 그 밖의 소년들은 (모두) 모임 시간에 대어 왔다. ***among ~s*** ⇨ AMONG. ***and ~s*** …따위, …등. ***each ~*** ⇨ EACH. ***of all ~s*** (1) 그 중에서도, 특히: You are the one *of all* ~*s* I have wanted to see. 너야말로 내가 만나고 싶다고 여겨왔던 사람이다. (2) 하필이면: on that day *of all* ~*s* 하필이면 그 날에. ***one after the ~*** (둘이) 차례로 번갈아. ***one from the ~*** 갑과 을을 분간〔구분〕하여: I can't tell the twins *one from the* ~. 나는 그 쌍둥이를 분간할 수 없다. ***some . . . or ~(s)*** 무언가, 누군가, 어딘가《some 뒤의 名詞는 흔히 단수형》: *some* time *or* ~ 언젠가, 후일 / *Some* man *or* ~ spoke to me on the street. 누군가(모르는 이)가 거리에서 내게 말을 걸어왔다. ***this, that, and the ~.*** ⇨ THIS (*pron.*).
── *ad.* 〔否定·疑問文에서〕 그렇지 않고, (…와는) 다른 방법으로, 달리《*than*》: He could *not* do ~ *than* speak out. 그는 실토할 수밖에 없었다 / How can you think ~ *than* logically? 어찌 논리적이 아닌 생각 따위를 할 수 있을까 / I could do *no* ~. 달리 도리가 없었다.

oth·er-di·rect·ed [ʌ́ðərdiréktid] *a.* 남의 기준에 따르는, 타인 지향의, 주체성이 없는. [opp] *inner-directed.* ¶ an ~ person 타율적인 사람.

óther hálf (one's ~) 《口》 남편; 아내.

‡**oth·er·wise** [ʌ́ðərwàiz] *ad.* ① 딴 방법으로, 그렇지는 않고: I cannot do ~. 달리 할 수가 없다 / He thinks ~. 그의 생각은 다르다 / She didn't come with us because she was ~ engaged. 그녀는 따로 일이 있어서 함께 오지 않았다 / Nobody would have done ~ than you did. 누구든 당신이 한 것처럼 밖에 달리 할 수가 없었을 것이다. ②〔종종 命令法·假定法過去 따위를 수반하여〕 만약 그렇지 않으면: He worked hard; ~ he would have failed. 그는 열심히 공부했다. 그렇지 않았으면 실패했을 것이다 / Don't be naughty, ~ you'll get a spanking. 장난 그만 해라, 그렇지 않으면 볼기 맞는다《★ 명령문 뒤에서는 or (else)의 뜻으로 접속사적임》. ③ 그 밖의 다른 점에서는: He skinned his shins, but ~ he was uninjured. 그는 정강이가 깨졌을 뿐 그 밖에는 부상이 없다.
── *a.* ①〔敍述的〕 딴 것의, 다른: How can it be ~ than fatal? 치명적이 아니고 무엇이겠는가 / Some are wise, some are ~. 영리한 사람도 있지만 그렇지 않은 사람도 있다. ②〔限定的〕 만약 그렇지 않다면 …인〔일지도 모르는〕: my ~ friends 사정이 달랐더라면 친구였을지도 모르는 사람들. ***and ~*** …과 그렇지 않은 것, 기타: books political *and* ~ 정치 및 그 밖의 책 / experiences pleasant *and* ~ 즐거운 경험과 그렇지 않은 경험. ***or ~*** …인지 아닌지, 또는 그 반대로: We don't know if his disappearance was voluntary *or* ~. 그의 실종이 자발적인 것이었는지 그렇지 않은 것인지 모르겠다.

óther wóman (the ~) 정부(情婦). 「계.

óther wórld (the ~) 저승, 내세; 공상의 세

oth·er·world·ly [-wə́:rldli] *a.* ① 저승의, 내세의. ② 공상적인; 초세속적인.

oti·ose [óuʃiòus, óuti-] *a.* ① 불필요한; 연분의. ② 쓸모없는. ㊞ **~·ly** *ad.*

oto·lar·yn·gol·o·gy [òutoulæ̀riŋgálədʒi / -gɔ́l-] *n.* Ⓤ 〖醫〗 이비인후학(耳鼻咽喉學).

otol·o·gy [outálədʒi / -tɔ́l-] *n.* Ⓤ 〖醫〗 이과(耳科)(학).

Ot·ta·wa [átəwə, -wɑ̀: / ɔ́təwə] *n.* 오타와《캐나다의 수도》. 「피.

*__ot·ter__ [átər / ɔ́t-] *n.* ① Ⓒ 〖動〗 수달. ② Ⓤ 수달

Ot·to·man [átəmən / ɔ́t-] *a.* 오스만 제국의 ; 터키 사람〔민족〕의. ── (*pl.* ~*s*) *n.* ① Ⓒ 터키 사람. ② Ⓒ **a**) (o-) 오토만, (등받이 없는) 긴의자. **b**) 발판. ③ Ⓤ 일종의 견직물.

OU Oxford University ; Open University (개방「대학).

ou·bli·ette [ù:bliét] *n.* Ⓒ 〖史〗 (옛날 성 안의) 비밀 지하 감옥.

***ouch** [autʃ] *int.* 아야, 아얏, 아이쿠 : *Ouch!* Stop that! 아야 ! 그만 해 / *Ouch!* It hurts when you pull my ear. 아야 ! 귀를 잡아당기면 아프잖니. cf. ow.

†ought [ɔ:t] *aux. v.* 〔항상 to 가 붙은 不定詞를 수반하며, 과거를 나타내려면 흔히 完了形不定詞를 함께 씀〕 ① …해야만 하다, …하는 것이 당연하다 : You ~ *to* start at once. 즉시 출발해야 한다 / Such things ~ not *to* be allowed. 그런 일이 허용되어서는 안 된다 / You ~ *to* have consulted with me. 나와 의논했어야 했는데《하지 않은 것이 나쁘다》 / There ~ *to* be more parking lots. 주차장이 더 있어야 하겠다 / *Oughtn't* we *to* phone for the police? 경찰에 전화를 해야 하는 것 아닌가 / I ~ not *to* have come here. 나는 여기에 오지 않았어야 했다. ② …하기로 되어 있다, (틀림없이) …할 것이다, …임에 틀림없다 : It ~ *to* be rainy tomorrow. 내일은 비가 올 것임에 틀림이 없다 / She ~ *to* be there by now. 그녀는 지금쯤 도착해 있을 것이다. ★ 속어적인 용법에 had *ought* to, hadn't *ought* to 가 있음.

ought·n't [ɔ́:tnt] ought not 의 간약형.

Oui·ja [wí:dʒə] *n.* Ⓒ (심령(心靈) 전달에 쓰이는) 점판(占板), 부적판《商標名》.

Óuija bòard =OUIJA.

‡ounce [auns] *n.* ① Ⓒ (중량 단위의) 온스《略 : oz》. ② Ⓒ (액량 단위의) 온스(fluid ~). ③ (an ~) 극소량(a bit)《*of*》: He hasn't got *an* ~ *of* humanity. 인정이라고는 털끝만큼도 없다.

†our [auər, ɑ:r] *pron.* 〔we 의 所有格〕 ① **a**) 우리의, 우리들의 : ~ country 우리 나라 / in ~ time 현대에 있어서 / We should love ~ neighbors. 우리는 우리의 이웃을 사랑해야 한다. **b**) (O-) 〔神에 대한 呼稱에〕 우리(들)의 : *Our* Father 하느님, 우리 아버지 / *Our* Savior 우리 구세주, 예수. ② 짐(朕)의, 과인(寡人)의《군주가 my 대신 써서》. ③ (신문의 논설 등에서) 우리의, 우리 사(社)의 : in ~ opinion 우리가 보는 바로는. ④《英口》 우리네의, 우리 친구의 : *Our* John works here. 그 친구 존은 여기서 근무한다.

-our *suf.* =-OR².

†ours [auərz, ɑ:rz] *pron.* 〔we 의 所有代名詞〕 ① 우리의 것《★ 내용에 따라 單數 또는 複數 취급함》 : This is ~. 이것은 우리 것이다 / Which house is ~? 어느 집이 우리 집입니까 / *Ours* is an age of uncertainty. 현대는 불확실성의 시대이다 / *Ours* are the large ones. 우리 것은 큰 쪽(의 것)이다. cf. mine¹, yours, etc. ② (… of ~) 우리들의《★ our 는 a, an, this, that, no 등과 함께 명사 앞에 둘 수 없기 때문에 our 를 of ours 로 하여 명사 다음에 둠》: an employee *of* ~ 우리 회사의 종업원 / He is an old friend *of* ~. 그는 우리들의 오랜 친구이다.

our·self [àuərsélf, ɑ:r-] *pron.* 짐(朕)이 친히 ; 나 스스로, 본관(本官)《군주·작가·재판관 등이 단수의 we 와 함께 씀》.

†our·selves [àuərsélvz, ɑ:r-] *pron. pl.* ① 〔強意用法〕 우리 자신 : We have done it ~. =We ~ have done it. 우리들 자신이 했다 / We do everything (for) ~. 우리는 우리 스스로 모든 일을 처리한다. cf. myself. ② 〔再歸用法〕 우리 자신을〔에게〕, 우리 스스로가 : We hurt ~. 우리는 우리 스스로에게 상처를 입혔다 / We must not spoil ~. 우리는 스스로 자신을 망쳐서는 안 된다 / We absented ~ from the meeting. 우리들은 모임에 결석했다 / We enjoyed ~ a good deal. 우리는 매우 즐겁게 지냈다. ③ 보통 때와 같은 (정상적인) 우리들 : We were not ~ for some time. 우리는 잠시 동안 멍하니 있었다. ***by*** ~ 우리들만으로, 독립으로 ; 우리들 이외에 아무도 없이. ***for*** ~ 독력으로 ; 우리들을 위하여.

-ous *suf.* ① '…이 많은, …성(性)의, …의 특징을 지닌, …와 비슷한 ; 자주 …하는, …의 버릇이 있는'의 뜻의 형용사를 만듦 : danger*ous*, pomp*ous*. ② 〖化〗 (-ic 의 어미의 산(酸)에 대하여) '아(亞)'의 뜻 : nitr*ous*, sulfur*ous*.

ousel ⇨ OUZEL.

***oust** [aust] *vt.* ①《~+目 / +目+前+名》 …을 내쫓다《*from*》: He was ~*ed from* his post. 그는 그 지위에서 쫓겨났다 / Baby cuckoos ~ other baby birds *from* the nest. 뻐꾸기 새끼는 다른 새끼를 둥지에서 몰아낸다. ② …을 뺏다, 탈취하다. 派 **∠·er** *n.* Ⓤ,Ⓒ ① 추방. ② 〖法〗 (재산 따위의) 몰수, 박탈.

†out [aut] *ad.* 《be 動詞와 결합된 때에는 形容詞로 볼 수도 있음》.

A) 《안에서 밖으로의 방향·위치》

① 밖에〔으로〕, 외부에〔로〕 : bring ~ 내오다 / come ~ 나오다, 나타나다 / go ~ 밖으로 나가다 / help him ~ 그녀를 구출해 내다 / let ~ (공기 따위를) 빠지게 하다 ; (비밀 따위를) 누설하다 / pull ~ 빼내다, 꺼내다 / send ~ (연기 따위를) 내(뿜)다 / take ~ 꺼내다 / whistle the dog ~ 휘파람을 불어(서) 개를 (밖으로) 불러내다.

② 집 밖에〔으로〕 ; 외출하고, 집에 없어 ; 도회〔고국〕을 떠나 : dine ~ 외식하다 / She is ~ in the garden. 그녀는 뜰에 나가 있다 / Father is ~ on business. 아버지는 사업차〔일로〕 외출 중이시다 / The family live ~ in the country. 그 가족은 시골로 나가 살고 있다 / His father is ~ in America. 그의 아버지는 미국에 가 계시다 / *Out* to lunch 식사 중, 식사하러 나갔음《회사 따위에서의 게시》.

③ (배 따위가) 육지를 떠나서, 해상에, 공중에 : be ~ at sea 항해 중이다 / The plane was five hours ~ from Kimp'o. 비행기는 김포를 떠나 5 시간 비행중이었다.

④ (밖으로) 내밀어, 나와 ; 뻗(치)어 ; 펼치어 : hold ~ one's hand 손을 내밀다 / stretch ~ one's arm 팔을 뻗(치)다 / spread ~ the cloth 피륙을 펴다 / His chin jutted ~. 그의 턱은 쑥 나와 있었다.

⑤ **a**) 골라〔뽑아〕 내어 ; 꺼내어, 집어내어 ; 쏟아〔만들어〕 내어 : find ~ a mistake 잘못을 찾아내다 / pick ~ the most promising students 가장 유망한 학생들을 뽑아내다 / pour ~ the water (그릇의) 물을 쏟아내다. **b**) 제거하여, 제외하여 : leave a word ~ 말을 생략하다.

⑥ 빌려〔내〕주어, 대출(貸出)하여 ; 임대(賃貸)하여 ; (여러 사람들에게) 분배하여 : hand things ~ 물건을 분배하다 / rent ~ rooms 방을 세주다 / give ~ the books 책을 배포하다 / The book I wanted was ~. 내가 원했던 책은 대출되어 있었다.

⑦ 내쫓아 ; 정권을 떠나, 재야(在野)에 ; 공직〔현직〕에서 물러나(not in office) : The Democrats were voted ~. 민주당은 투표 결과 퇴진하였다 / The Socialists are ~ now. 사회당은 현재 야당이다.

⑧《口》 일을〔학교를〕 쉬고 ; 파업〔동맹휴학〕을 하고 : He is ~ because of sickness. 그는 병으로 쉬고 있다 / The workmen are ~ (on (a) strike). 근로자들은 파업 중이다.
⑨ (테니스 등에서) (볼이) 아웃되어(OPP *in*).
B) 《출현 · 발생》
① **a)** (무엇이) 나타나, 나와, 출현하여 ; (어떤 일이) 일어나 : Stars are ~. 별이 떠 있다 / The floods are ~. 홍수가 났다 / Riots broke ~. 폭동이 일어났다 / The rash is ~ all over him. 그의 온몸에 뾰루지가 돋아 있다. **b)** (비밀 따위가) 드러나, 탄로가 나 : The secret is 〔has got〕 ~. 비밀이 드러났다〔새었다〕 / The murder is ~. 살인이 탄로났다. **c)** 공표되어, 발표되어서 ; (책이) 출판되어 : His new book will be ~. 그의 새 저서가 나올 것이다. **d)** 〔最上級의 形容詞+名詞 뒤에 와서〕《口》 세상에 나와 있는 것 중에서 : This is the *best* game ~. 이것은 세상에서 제일가는 게임이다.
② **a)** (꽃 따위가) 피어 ; (잎이) 나와 : Flowers came ~. 꽃이 피었다 / The leaves are ~. 잎이 나왔다. **b)** (병아리가) 깨어, 부화되어 : The chicks are ~. 알에서 병아리가 깨었다.
③ **a)** 큰 소리로 ; 들릴〔들을〕 수 있도록 : cry 〔shout〕 ~ 큰 소리로 울다〔소리치다〕 / He bowled me ~. 나에게 호통을 쳤다. **b)** 분명히, 똑똑히, 숨김없이(openly) : tell him right 〔straight〕 ~ 생각하고 있는 바를 그에게 분명히 말하다 / Speak ~! 망설이지 말고 털어놓아라.
C) 《상태(常態)로부터의 이탈》
① **a)** (본래의 상태에서) 벗어나 ; 부조(不調)를 보이고 ; (몸의) 상태가 좋지 않아 ; (…점에서) 틀려 《*in*》 ; 손해를 보고 : My hand is ~. 손이 (잘) 듣지 않는다《평상시의 솜씨가 안 난다》 / I am ~ ten dollars 〔ten dollars ~〕. 나는 10 달러 손해를 보았다 / I was ~ *in* my calculations. 내 계산이 틀려 있었다 / The clock is five minutes ~. 그 시계는 5분 틀린다. **b)** (…일로) 불화(不和)하여《*over* ; *about*》 ; (…와) 사이가 틀어져《*with*》 : fall ~ *about* trifles 사소한 일로 불화하다 / He is ~ *with* Jack. 그는 잭과 사이가 틀어져 있다.
② (정상 상태를) 잃고, 혼란에 빠져 ; 의식〔정신〕을 잃고 ; (권투에서) 녹아웃되어 : feel put ~ 갈팡질팡하다 / She passed ~ at the sight of blood. 그녀는 피를 보고 실신했다〔까무러쳤다〕.
③《口》 (생각 · 안(案) 등이) 문제 밖에, 실행 불가능하여 ; 금지되어 : The suggestion is ~. 그 제안은 받아들일 수 없다 / Smoking on duty is ~. 근무 중의 흡연은 금지되어 있다.
D) 《기능의 정지》
① 제 기능을 못 하게 되어 : Her backhand is ~. (연습부족으로) 그녀의 백핸드는 제 기능을 발휘하지 못하고 있다 / The road is ~ because of flood. 홍수로 도로가 끊겨 있다.
② **a)** 없어져, 다하여 ; 품절되어 : The wine is ~. 포도주는 이제 없다 / The supplies have run ~. 물자가 바닥이 났다 / They washed all the stains ~. 얼룩을 빨아 없앴다. **b)** (불 · 촛불 따위가) 꺼져 : put ~ a fire 불을 끄다 / The light went ~. 불이 나갔다. **c)** (기한 따위가) 다 되어, 끝나, 만기가 되어 : before the week 〔year〕 is ~ 금주 중에〔연내에〕 / He'll be back before the month is ~. 그는 월말까지는 돌아올 것이다. **d)** 《口》 유행하지 않게 되어, 유행이 지나〔스러져〕 (OPP *in*): That style has gone ~. 그 스타일은 유행이 지났다〔한물갔다〕.
③ **a)** 〖野 · 크리켓〗 아웃이 되어. **b)** 〖크리켓〗 퇴장이 되어.
E) 《완료》
① 끝〔최후〕까지 ; 완전히, 철저하게 : write ~ 다 쓰다 ; 정서하다 / clear ~ the room 방을 말끔히 청소하다 / fight it ~ 끝까지 싸우다 / I'm tired 〔《美口》 tuckered〕 ~. 기진맥진이다, 녹초가 되어 있다 / Please hear me ~. 제발 내 말 좀 끝까지 들어요.
② (서류 따위의) 처리를 끝내어, 기결(旣決)의 (OPP *in*).
③〖골프〗 (18홀의 코스에서) 전반(9홀)을 마치어, 아웃이 되어 : He went ~ in 39. 그는 39 스트로크로 아웃을 끝냈다.
all ~ ⇨ ALL. ***be ~ and about*** (사람이 병후에) 외출〔활동, 일〕할 수 있게 되다(be up and about). ***be ~ for*** 〔***to*** do〕 . . . 《口》 …을 얻으려고〔…하려고〕 힘을 쓰다 : He *is* ~ *for* promotion. 그는 승진을 노리고 있다 / She *is* ~ *to* win the support. 그녀는 지지를 얻으려고 애를 쓰고 있다. ***~ and away*** 훨씬(by far), 단연(코), 빼어〔뛰어〕 나게(far and away). ***~ and home*** 〔***back***〕 갈 때나 올 때나. ***~ and ~*** 철저한〔하게〕, 완전한〔히〕《흔히 바람직하지 않은 뜻으로 쓰임》: an ~ *and* ~ fool=a fool ~ *and* ~ 지독한 바보. ***~ of*** (1) …의 안에서 밖으로, …의 밖으로(OPP *into*) : a few miles ~ *of* / come ~ *of* the room 방에서 나오다 / He took a wallet ~ *of* his pocket. 그는 호주머니에서 돈지갑을 꺼냈다 / Two bears came ~ *of* the forest. 두 마리의 곰이 숲속에서 나왔다. (2) (어떤 수) 중에서 : one ~ *of* many 많은 것 가운데서 하나 / (in) nine (cases) ~ *of* ten 십중 팔구 / two ~ *of* every five days 닷새에 이틀 꼴〔비율〕로 / pay twenty dollars and fifty cents ~ *of* thirty dollars, 30 달러 중 20 달러 50 센트를 지불하다. (3) …의 범위 밖에, …이 미치지 않는 곳에. OPP *within*. ¶ ~ *of* reach 손이 미치지 않는 곳에 / The plane was ~ *of* sight. 비행기는 보이지 않게 되었다 / Jane was already ~ *of* hearing. 제인은 이미 들리지 않는 곳에 있었다. (4) **a)** …(상태)에서 떠나, …을〔에서〕 벗어나 ; …이 없어 ; …을 잃고 : ~ *of* breath 숨이 차, 헐떡이고 / ~ *of* danger 위험을 벗어나 / ~ *of* date 시대에 뒤져 / ~ *of* doubt 의심의 여지 없이, 확실히 / ~ *of* order 고장나 / ~ *of* work 〔a job〕 실직하여. **b)** (일시적으로) …이 없어져〔떨어져〕, …이 부족하여〔달리어〕 : ~ *of* stock 재고가 없어 / We're ~ *of* tea. 홍차가 떨어졌다 / We have run ~ *of* sugar. 설탕이 떨어졌다. (5) 〔동기 · 원인〕 …에서, …때문에 : ~ *of* curiosity 호기심에서 / act ~ *of* necessity 필요에 따라 행동하다 / People often threaten you ~ *of* fear. 사람은 흔히 공포심에서 위협을 한다. (6) 〔재료를 나타내어〕 …으로 : wine made ~ *of* grapes 포도주 / the house made ~ *of* stone 석조(石造)의 집 / What did he make it ~ *of ?* 그는 그것을 무엇으로 만들었는가. (7) 〔기원 · 출처 · 출신〕 …에서, …로부터(의) : copy it ~ *of* a book 그것을 책에서 복사하다 / a passage ~ *of* Shakespeare 셰익스피어 작품에서 인용한 일절 / He comes ~ *of* the Fords. 그는 포드 가문 출신이다. (8) 〔결과〕 …을 잃게 ; …하지 않게(OPP *into*) : cheat a person ~ *of* money 아무를 속여 돈을 빼앗다 / The teacher talked the boy ~ *of* leaving school. 선생님은 학생에게 학교를 그만두지 않도록 설득했다. ***~ of doors*** ⇨ OUT-OF-DOORS. *ad.* ***~ of it*** 〔***things***〕 (1) (계획 · 사건 등에) 관여〔관계〕하지 않고, 그것에서 제외되어 : It's a dishonest scheme and I'm glad to be ~ *of it.* 그것은 부정한 계획이므로 그것에서 빠져 나와〔제외되어〕 기쁘다. (2)

《口》따돌림을 받아, 고립하여, 외로운 : She felt ~ *of it* as she watched the others set out on the picnic. 모두 소풍을 떠나는 것을 보고 그녀는 소외된 것 같은 감정을 느꼈다. (3)《美》 틀리어, (진상을) 잘못 알고, 추측을 잘못하고 : You're absolutely ~ *of it!* 자넨 전혀 진상을 모르는군. (4) 할 바를 몰라 ; 기운을 잃어. (5) 시대〔유행〕에 뒤져. ~ ***there*** 저쪽에 ; 《俗》 싸움터에. ~ ***to lunch*** ⇨LUNCH. ***Out with it!*** 《口》 털어놔, 말해. ***Out you go!*** 《口》 나가라, 꺼져.

── *prep.* ①《美·英口》 (문·창 따위)를 통하여 밖으로, …로 부터(밖으로) : come ~ the door 문으로 나오다 / look ~ the window at the river 창에서 밖의 강을 바라다보다.
②《美》 …의 밖에, …의 외측에(outside) : hang it ~ the window 창 밖에 그것을 매달다 / The garage is ~ this door. 차고는 이 문 바깥에 있다 / He lives ~ Elm Street. 엘름가(街) 변두리에 산다. ~ ***front*** ⇨ FRONT.

── *a.* ①〔限定的〕 밖의 ; 멀리 떨어진 : the ~ edge 바깥 가장자리 / an ~ match 원정 경기 / an ~ island 외딴섬. ②『골프』 (18홀의 코스에서) 전반(9홀)의, 아웃의.

── *n.* ① (the ~) 바깥쪽, 외부, 옥외(屋外). ② [C] 공직〔현직〕을 떠난 사람 ; 실직한 사람 ; (the ~s) 《英》 야당([opp] *ins*). ③ (*pl.*) (경기의) 수비측. ④ [C] 『野』 아웃. ⑤ (an ~) (일·비난 따위를 모면하기 위한) 변명, 구실. ***be at*** 〔***on the***〕 ***~s*** (***with***) (…와) 사이가 나쁘다〔틀어지다〕. ***from ~ to ~*** 끝에서 끝까지, 전장(全長). ***the ins and ~s*** ⇨ IN.

── *vi.* 〔흔히 will ~의 형식으로〕 나타나다(come out) ; (못된 일 따위가) 드러나다 : Murder *will* ~. 《俗談》 나쁜 짓은 반드시 드러나는 법 / The truth *will* ~. 진상은 반드시 드러난다.

── *vt.* ①《口》 …을 쫓아내다 : *Out* that man! 저 사람을 쫓아내라. ②『拳』 …을 때려눕히다 ; 『競』 아웃이 되게 하다 ; (테니스에서 공)을 선 밖으로 치다. ③ (불 따위)를 끄다.

out- *pref.* 〔動詞·名詞 등의 앞에 붙어〕 ① 바깥(쪽)에, 앞으로, 떨어져 : *out*cast, *out*come, *out*side. ② …보다 훌륭하여, …을 넘어서, 능가하여 : *out*bid, *out*do, *out*general, *out*last, *out*rate. ③〔인명에 붙여서 동사가 되며, 보통 그 인명을 목적으로 하여〕 이를 능가하는 뜻을 지님 : *out*-Zola (사실적인 면에서) 졸라를 능가하다. [cf] out-Herod. ★ 명사·형용사에서는 *óut*bȍard로 강세가 앞에 위치하고, 동사에서는 *ȍut*rún으로 양쪽 또는 뒤에 강세가 오는 것이 일반적.

out·age [áutidʒ] *n.* ① [U] (가스·수도 등의) 공급정지, 특히, 정전(停電). ② [C] 정전〔단수〕 시간.

out-and-out [áutndáut] *a.* 〔限定的〕 순전한, 철저한 : That is an ~ lie. 그것은 새빨간 거짓말이다.

out-and-out·er [-ər] *n.* [C] 《俗》 ① 철저히 하는 사람, 완전주의자. ② 극단적인 사람.

out·back [ˊbæk] *n.* (the ~) 《Austral.》 (미개척의) 오지(奧地), 벽지.

out·bal·ance [ˊbǽləns] *vt.* …보다 더 무겁다 ; …을 능가하다, …보다 중요하다.

out·bid [ˊbíd] (***-bid, -bade ; -bid, -bidden ; -bid·ding***) *vt.* (경매에서) …보다 비싼 값을 매기다.

out·board [ˊbɔ̀ːrd] *a., ad.* 『海』 배 밖의〔으로〕 ; 뱃전의〔으로〕 ; 기관을 외부에 장치한 : an ~ motor 선외 모터〔발동기〕. ── *n.* [C] 선외 발동기를 장치한 배.

out·bound [ˊbàund] *a.* ① 외국으로 가는. [opp] *inbound.* ¶ an ~ ship 외항선. ② 시외로 가는.

out·brave [ˊbréiv] *vt.* 용감히 …에 맞서다 ; …을 조금도 두려워하지 않다 ; …을 압도〔능가〕하다 : ~ charges of misconduct 품행이 나쁘다는 비난을 개의치 않다.

‡out·break [áutbrèik] *n.* [C] (소동·전쟁·유행병 따위의) 발발, 돌발 : an ~ of flu〔food poisoning〕 유행성 감기〔식중독〕의 발생 / at the ~ of World War Ⅱ, 제2차 세계 대전이 발발한 때에.

out·build·ing [ˊbìldiŋ] *n.* [C] 딴채 ; 헛간 : the farm and its ~*s* 농장과 헛간들.

***out·burst** [ˊbə̀ːrst] *n.* [C] ① (화산 따위의) 폭발, 파열. ② (감정 따위의) 격발, (눈물 따위가) 쏟아져 나옴 : an ~ of laughter 폭소 / with a sudden ~ of fury 갑자기 격앙하여.

out·cast [ˊkæ̀st, ˊkɑ̀ːst] *a.* (집·사회에서) 내쫓긴, 버림받은 ; 집없는. ── *n.* [C] 추방당한 사람, 부랑자 : In these health-conscious times smokers are often treated as social ~*s*. 요즘처럼 건강에 민감한 시대에 흡연자는 때론 사회로부터 내쫓긴 사람 같은 취급을 받는다.

out·caste [ˊkæ̀st, ˊkɑ̀ːst] *n.* [C] 《Ind.》 자기 소속 계급에서 추방당한 사람. [cf] caste.

out·class [ˊklǽs, ˊklɑ́ːs] *vt.* …보다 고급이다 ; …보다 훨씬 낫다, …을 능가하다 : He far ~*es* the other runners in the race. 그는 경주에서 다른 주자를 훨씬 앞질렀다.

‡out·come [ˊkʌ̀m] *n.* [C] (흔히 *sing.*) 결과, 성과 : the ~ of the election 선거의 결과 / We are anxiously awaiting the ~ of their discussion. 우리는 그 토의 결과를 마음 졸이며 기다리고 있다.

out·crop [ˊkràp / ˊkrɔ̀p] *n.* [C] ① 『地質』 노두(露頭) : weathered ~*s* in the rock 바위의 풍화된 노출부. ② 돌발, (갑작스러운) 출현 : an ~ of student demonstrations 학생 데모의 돌발.

***out·cry** [ˊkrài] *n.* [C] 강렬한 항의 ; 반대 : an ~ against this waste of public money 공금 남용에 대한 항의.

out·dat·ed [ˊdéitid] *a.* 구식의, 시대에 뒤(떨어)진 : ~ teaching methods 진부한 교수법 / We reject ~ notions of national sovereignty. 국가 주권의 시대에 뒤진 개념을 거부한다.

out·dis·tance [ˊdístəns] *vt.* (경쟁 상대)를 훨씬 앞서다 : The winning horse ~*d* the second-place horse by three lengths. 우승말은 2등말을 3마신(馬身)이나 앞섰다.

out·do [ˊdúː] (***-did ; -done***) *vt.* 《~+[목] / +[목]+[전]+[명]》 ① …을 능가하다 : ~ a person *in* patience 인내력에서 아무를 능가하다 / He has *outdone* all his rivals *in* skill. 기술에서 모든 상대를 능가했다. ② 〔再歸的〕 이제까지보다〔의외로〕 잘 하다 : You really *outdid yourself*. 정말 잘 했다.

‡out·door [ˊdɔ̀ːr] *a.* 〔限定的〕 집 밖의, 야외의. [opp] *indoor.* ¶ ~ exercise 옥외 운동 / ~ advertising 옥외 광고.

‡out·doors [ˊdɔ́ːrz] *ad.* 문 밖에서〔으로〕, 야외에서〔로〕. [opp] *indoors.* ¶ He stayed ~ until it began to rain. 그는 비가 내리기 시작할 때까지 밖에 있었다. ── *n.* [C] (흔히 the ~) 옥외, 문밖. [파] **~y** [-zi] *a.* 옥외운동을 좋아하는 ; 야외에 알맞은.

out·doors·man [-mən] (*pl.* ***-men***) *n.* [C] 야외 활동〔생활, 스포츠〕 애호가.

out·draw [ˊdrɔ́ː] *vt.* ① (권총 등)을 더 빨리 뽑다 : He could ~ any man in Texas. 그는 텍사스에서 누구보다 권총을 빨리 뽑을 수 있었다. ② (인기·청중 등)을 더 많이 끌다, 인기가 있다.

:out·er [áutər] (최상급 ~·***most*** [-mòust, -məst], ***out·most*** [áutmòust]) *a.* 〔限定的〕 밖의, 외부〔외면〕의. opp *inner.* ¶ ~ garments 겉옷, 외투 / the ~ world 외계 ; (바깥)세상 / in the ~ suburbs (도심에서) 멀리 교외에.

óuter éar 〖解〗 외이(外耳).

óuter mán (the ~) (남자의) 옷차림, 복장.

out·er·most [áutərmòust, -məst] *a.* 〔限定的〕 가장 바깥(쪽)의, 가장 먼 : the ~ limits 최대 범위.

óuter spáce 대기권외, 우주《특히 행성간의 공간》: a journey to ~ 대기권 밖으로의 여행.

out·er·wear [áutərwὲər] *n.* U 〔集合的〕 옷 위에 덧입는 겉옷 · 외투 · 비옷 따위 「장.

óuter wóman (the ~) (여자의) 옷차림, 복

out·face [-féis] *vt.* ① …을 노려보아 질리게 하다. ② …에게 대담하게 대항하다 ; 도전하다.

out·fall [-fɔ̀:l] *n.* C ① 강어귀. ② 유출〔배출〕구, (물이) 흘러 떨어지는 곳(outlet).

***out·field** [-fì:ld] *n.* (the ~) ①〖野 · 크리켓〗 외야(外野). ②〔集合的 ; 單 · 複數 취급〕 외야진. opp *infield.* 파 ***~·er** *n.* C 외야수.

out·fight [-fáit] (*p., pp.* ***-fought***) *vt.* …와 싸워 이기다.

:out·fit [-fìt] *n.* C ① (여행 따위의) 채비, 장비 ; (배의) 의장(艤裝). ② (특정한 활동 · 장사 등의) 도구 한 벌 ; 용품류 ; (특정한 경우의) 의상 일습 ; (여행 · 탐험 등의) 장비 일습 : a carpenter's ~ 목수의 연장 한 벌 / an ~ for a bride 신부 의상 일습. ③《口》〔集合的 ; 單 · 複數 취급〕 (협동활동의) 단체, 집단, 일단 ; 회사 ; 부대 : a publishing ~ 출판사.

── (***-tt-***) *vt.* 《~+목 / +목+전+명》 …에게 채비를 차려 주다, …을 공급하다《*with*》: ~ a person *with* money for his trip 아무에게 여비를 마련해 주다 / They were *~ted with* new clothes. 그들에게는 새 복장이 지급되어 있었다. 파 **~·ter** *n.* C 장신구상, 운동〔여행〕용품상 : a gentlemen's *~ter* 신사용품점.

out·flank [-flǽŋk] *vt.* 〖軍〗 ① (적의) 측면을 포위하다. ② …의 선수치다, 적의 허를 찌르다 : If the senator appeals to his constituents, he may be able to ~ the opposition. 그 상원의원이 선거구민에게 호소하면, 반대파를 이길 수 있을 것이다.

out·flow [-flòu] *n.* ① U 유출 : We need flood control to stem the river's ~. 강의 범람을 막기 위해 치수(治水)를 할 필요가 있다. ② C 유출물, 유출량 : measure the ~ in liters par minute 유출량이 일분에 몇 리터 되는지 재다.

out·fox [-fáks / -fɔ́ks] *vt.* …을 앞지르다, 의표를 찌르다(outsmart) : He easily ~ reporters waiting outside his house. 그는 집밖에서 기다리는 기자들을 쉽게 따돌린다.

out·front [-frʌ́nt] *a.* 솔직한, 숨김 없는.

out·gen·er·al [-dʒénərəl] (***-l-***, 《英》 ***-ll-***) *vt.* …을 작전으로〔전술로〕 이기다.

out·go [àutgóu, --] (*pl.* ***~es***) *n.* C 출비(出費), 지출. opp *income.* ¶ a record of income and ~ 수입과 지출 기록.

***out·go·ing** [-gòuiŋ] *a.* ①〔限定的〕 나가는, 출발하는 ; 떠나가는 ; 은퇴하는 : the ~ tide 썰물 / an ~ train 출발 열차 / an ~ minister 퇴임하는 장관. ② 사교적〔개방적〕인 : She's got a warm, ~ personality. 그녀는 성격이 정답고 개방〔사교〕적이다. ── *n.* ① U 나감 ; 길을 떠남, 출발 ; 퇴직. ② (흔히 *pl.*) 출비(出費), 지출 : My monthly *~s* come to about $700. 내 한 달 지출이 약 700 달러에 달한다.

out·grow [-gróu] (***-grew*** [-grú:] ; ***-grown*** [-gróun]) *vt.* ① …에 들어가지 못할 정도로 커지다, 몸이 커져서 입지 못하게 되다 : My family has *outgrown* our house. 식구가 늘어서 집이 옹색해졌다 / He has *outgrown* his clothes. 그는 크게 자라서 옷을 입을 수 없게 되었다. ② …보다도 커지다〔빨리 자라다〕 : He has *outgrown* his brother. 그는 형보다 더 커졌다.

out·growth [-gròuθ] *n.* C ① 자연적인 발전〔산물〕, 결과 ; 부산물 : Crime is often an ~ of poverty. 범죄는 종종 가난의 소산이다. ② 생성물 ; 새싹 ; 싹틈.

out·guess [-gés] *vt.* (상대방의 의도 따위)를 미리 짐작하다, 꿰뚫어보다 ; 간파하다.

out-Her·od [-hérəd] *vt.* …보다 포학하다《흔히 다음 成句로》. ~ ***Herod*** 포학함이 헤롯 왕을 뺨치다《Shakespeare작 *Hamlet*에서》.

out·house [-hàus] *n.* C ① 딴채 ; 헛간. ②《美》 옥외 변소.

***out·ing** [áutiŋ] *n.* C 들놀이, 야유회, 소풍(excursion) : go on an ~ 야유회에 가다 / The school ~ to the mountains was fun. 학교에서 간 산행 소풍은 즐거웠다.

out·land [áutlæ̀nd] *n.* C ① (흔히 *pl.*) 변두리 ; 변경, 멀리 떨어진 땅. ② 외국.

out·land·er [áutlæ̀ndər] *n.* C 외국인 ; 외래자 ;《口》 외부 사람, 국외자, 문외한.

out·land·ish [autlǽndiʃ] *a.* 기이〔기묘〕한, 이상스러운 : He used to play guitar and wear ~ costumes in a punk band. 그는 펑크 밴드에서 늘 이상한 복장을 하고 기타를 치곤 했다.
파 **~·ly** *ad.* **~·ness** *n.*

out·last [àutlǽst, -lɑ́:st] *vt.* ① …보다 오래 견디다〔가다, 계속하다〕. ② …보다 오래 살다 : He *~ed* his friends. 그는 친구들보다도 오래 살았다.

***out·law** [áutlɔ̀:] *n.* C 법익 피박탈자(法益被剝奪者)《법률상의 보호를 박탈당한 사람》; 무법자 ; 사회에서 버림받은 자.

── *vt.* ① …로부터 법의 보호를 빼앗다, 사회에서 매장하다. ② 불법이라고 (선언)하다, 금지하다 : ~ drunken driving 음주 운전을 금하다 / Certain countries have *~ed* the sale of alcohol. 어떤 나라에서는 술의 판매를 금지하고 있다.
파 **~·ry** [-ri] *n.* U 법익박탈 ; 사회적 추방 (처분) ; 금지, 비합법화 ; 무법자의 상태 ; 법률 무시.

óutlaw stríke 불법 파업.

out·lay** [-lèi] *n.* C (흔히 *sing.*) 비용, 경비 : an ~ on 〔for〕 clothing 의복비. ── [--] (*p., pp.* ***-laid [-léid]) *vt.* …을 소비하다, 지출하다.

:out·let [áutlet, -lit] *n.* C ① 배출구, 출구 ; 배수구. cf. intake. ¶ the ~ of a pond 연못의 방수구. ② (감정 등의) 토출구 : an ~ *for* one's anger 화풀이할 곳 / I play racquet ball as an ~ for stress. 스트레스를 발산하기 위해 라켓볼을 한다. ③ 팔 곳, 판로, 대리점 : Benetton has retail *~s* in every major European city. 베네통사(社)는 유럽의 여러 주요 도시에 판매 대리점을 두고 있다. ④〖電〗 콘센트.

:out·line [-làin] *n.* C ① 윤곽, 외형, 약도 : the ~ of skyscrapers 고층 건물들의 윤곽. ② 대요, 개요, 개설, 요강 : an ~ of world history 세계사 개요. ③〖컴〗 테두리, 아우트라인. ***give an ~ of*** …의 대요를 설명하다 : He *gave* me *a* brief ~ *of* what had occurred. 그는 사건의 개요를 간단히 설명해 주었다. ***in ~*** 윤곽으로 나타낸 ; 개략의 : a map *in* ~ 약도.

── *vt.* ① …의 윤곽을〔약도를〕 그리다〔표시하다〕 : The cliff was sharply *~d* against the sky.

그 절벽은 하늘을 향해 뚜렷이 윤곽을 드러내 놓고 있었다. ② 개설하다, …의 대요를 말하다 : The president ~*d* his peace plan for the Middle East. 대통령은 그의 중동 평화안을 간략히 설명했다.

***out·live** [àutlív] *vt.* ① …보다도 오래 살다 ; …보다 오래 계속하다〔가다〕: He ~*d* all his children. 그는 자식들보다 오래 살았다. ② 오래 살아서〔되어서〕 …을 잃다 : ~ one's fame 만년에 명성을 잃다 / This method has ~*d* its usefulness. 이 방법은 이제 쓸모가 없어졌다.

‡**out·look** [áutlùk] *n.* Ⓒ (흔히 *sing.*) ① 조망, 전망, 경치《*on* ; *over*》: have a pleasant ~ 전망이 좋다. ② 예측, 전망, 전도《*for*》: The economic ~ is bright. 경제적인 전망은 밝다. ③ 사고방식, 견해 : He's got a bright ~ *on* life. 그는 밝은 인생관을 가지고 있다 / The farmers were narrowly provincial in their ~. 농부들은 사고 방식이 아주 편협했다.

out·ly·ing [ˊlàiiŋ] *a.* 〔限定的〕 중심을 떠난 ; 동떨어진 ; 외진, 변경의 : an ~ village 벽촌.

out·ma·neu·ver, 《英》 **-noeu·vre** [ˊmənúːvər] *vt.* 책략으로 …에게 이기다, …의 허를 찌르다.

out·match [ˊmǽtʃ] *vt.* …보다 상수이다, …보다 낫다, …을 능가하다 : The home team seems to have been completely ~*ed* by the visitors. 홈팀이 원정팀에게 완전히 눌린 것 같다.

out·mod·ed [ˊmóudid] *a.* 구식의, 유행에 뒤진 ; 통용되지 않는 : an ~ set of values 구시대적 가치관.

out·most [áutmòust / -məst] *a.* 제일 밖의 ; 가장 먼 (outermost).

out·num·ber [àutnʌ́mbər] *vt.* …보다 수가 많다 ; 수적(數的)으로 우세하다 : The girls in the class ~ the boys two to one. 학급에서 여자가 남자보다 2대 1로 많다.

out-of-bounds [ˊəvbàundz] *a., ad.* 경계선〔제한구역〕 밖의〔밖으로〕.

out-of-court [ˊəvkɔ́ːrt] *a.* 법정 밖의 ; 합의에 의한 : an ~ settlement 합의에 의한 화해.

out-of-date** [ˊəvdéit] (more*** ~ ; ***most*** ~) *a.* 구식인, 시대에 뒤떨어진, 낡은. ⓒⓕ up-to-date. ★ 보어로 쓰일 때는 out of date로 하는 것이 보통임.

out-of-door [ˊəvdɔ́ːr] *a.* =OUTDOOR.

out-of-doors [ˊəvdɔ́ːrz] *ad., n.* =OUTDOORS.

out-of-pock·et [ˊəvpákit / -pɔ́k-] *a.* 현금지급의, 맞돈의 : ~ expenses 현금 지급 경비.

óut of ránge 〖컴〗 범위 넘음《지정된 범위를 벗어난 값》.

out-of-the-way [ˊəvðəwéi] *a.* ① 외딴, 벽촌의 : an ~ inn up in the hills 산속 외딴 곳에 있는 여관 / Don't you find it inconvenient living in such an ~ place? 이렇게 외딴 곳에서 사는 것을 불편하다고 생각하지 않으십니까. ② 보통이 아닌, 괴상한, 진기한 (eccentric) : His taste in music is a bit ~. 그의 음악 취미는 약간 괴상하다.

out-of-town [ˊəvtáun] *a.* ① 다른 고장의. ② 다른 고장에서 열리는.

out·pace [àutpéis] *vt.* ① …보다 빨리 걷다. ② …을 앞지르다 ; 능가하다 : a company that has consistently ~*d* the competition in sales 매상에서 경쟁사를 계속 능가하고 있는 회사.

out·pa·tient [ˊpèiʃənt] *n.* Ⓒ (병원의) 외래환자. ⓒⓕ inpatient.

out·per·form [àutpərfɔ́ːrm] *vt.* (기계 따위가) …보다 성능이 우수하다 ; (사람이) …보다 기량이 위다 : The new Pentium computers ~ our 486s. 새로운 펜티엄 컴퓨터는 우리 486 컴퓨터보다 성능이 우수하다.

out·place·ment [ˊpléismənt] *n.* Ⓤ.Ⓒ (고용주의 고용인에 대한) 재취직 주선, 전직(轉職)알선.

out·play [ˊpléi] *vt.* 〖競〗 (상대)에게 이기다.

out·point [ˊpɔ́int] *vt.* (경기에서) …보다 점수를 많이 따다 ; 〖拳〗 …에게 판정승하다.

out·post [ˊpòust] *n.* Ⓒ ① 변경의 식민〔거류〕지. ② 〖軍〗 전초(前哨), 전초 부대〔지점〕, 전진기지 : We keep only a small garrison of men at our desert ~*s*. 우리는 사막의 전초 진지에 작은 수비대밖에 두고 있지 않다.

out·pour [àutpɔ́ːr] *vt.* …을 흘려 내보내다, 유출하다. ── [ˊˋ] *n.* Ⓒ 흘러나옴, 유출 ; 유출물.

㊞ **óut·pòur·ing** [-riŋ] *n.* Ⓒ ① 흘러나옴, 유출(물) : the ~*ing* of carbon dioxide from factories 공장에서의 탄산 가스 배출. ② (*pl.*) (감정 등의) 발로, 토로 ; (감정적인) 말 : ~*ings* of grief 우러나오는 슬픔.

‡**out·put** [áutpùt] *n.* Ⓤ ① 산출, 생산 ; 산출〔생산〕고 ; 생산물 ; (문학 등의) 작품수〔량〕: *Output* is up 30% on last year. 작년에는 생산고가 30% 증가했다. ② 〖電〗 출력, 발전력. ③ 〖컴〗 출력《컴퓨터 내에서 처리된 정보를 외부장치로 끌어냄 ; 또 그 정보》. ⓞⓟⓟ *input.*
── *vt.* 〖컴〗 (정보)를 출력하다.

óutput dàta 〖컴〗 출력 자료.

óutput devìce 〖컴〗 (인쇄기, VDU 등의) 출력 장치.

‡**out·rage** [áutrèidʒ] *n.* ① Ⓤ.Ⓒ 침범, 위반 ; 불법행위 : ~ *against* the law 위법 / commit〔do〕 *an* ~ *against* humanity 인도에 어긋나는 행위를 하다. ② Ⓒ 난폭, 폭행, 능욕 : commit an ~ *on* …에게 폭행을 가하다. ③ Ⓤ 분개, 격분 : *Outrage* seized the entire nation at the news of the attempted assassination. 암살 미수의 뉴스에 전국민이 격분했다. ── *vt.* ① (법률·도의 등)을 어기다, 범하다. ② 격분시키다 : I was ~*d* by the whole proceeding. 그 조치 전반에 대해서 분개했다.

***out·ra·geous** [autréidʒəs] *a.* ① 난폭한, 포학〔잔인무도〕한 : an ~ crime 극악한 범죄. ② 무법한, 언어도단의, 터무니없는 : ~ prices 터무니없는 값 / It's ~ that the poor should have to pay such high taxes. 가난한 사람이 그렇게 높은 세금을 내야 한다니 언어도단이다. ③ 《美俗》 엉뚱한, 색다른. ㊞ ~**·ly** *ad.* ~**·ness** *n.*

out·range [ˊréindʒ] *vt.* ① …보다 착탄〔항속〕 거리가 멀다. ② …보다 낫다.

out·rank [ˊrǽŋk] *vt.* (신분·계급 따위가) …의 윗자리이다.

ou·tré [uːtréi] *a.* 《F.》 상궤를 벗어난, 지나친, 과격한 ; 기괴한, 색다른 : the genius of artists as ~ as Beardsley or Toulouse-Lautrec 비어즐리나 툴루즈로트레크처럼 엉뚱한 화가들의 천재적 재능.

out·reach [àutríːtʃ] *vt.* …을 능가하다, 웃돌다, 보다 낫다 : The demand has ~*ed* our supply. 수요가 우리의 공급을 웃돌고 있다.

out·ride [àutráid] (***-rode*** [-róud] ; ***-rid·den*** [-rídn]) *vt.* ① …보다 잘〔빨리, 멀리〕 타다, 앞지르다 : I can ~ you on motorcycle any day! 모터사이클로는 언제든지 네게 이길 수 있다. ② (배가 폭풍우)를 헤치고 나아가다.

out·rid·er [áutràidər] *n.* Ⓒ ① (차의 앞·옆에 오토바이를 탄) 선도자〔호위〕. ② 기마 시종(侍從) 《마차의 옆·앞의》.

out·rig·ger [ˊrìgər] *n.* Ⓒ ① 〖海〗 현외(舷外) 부재(浮材), 아우트리거. ② 현외 부재가 달린 마상이.

***out·right** [áutráit] *ad.* ① 철저하게, 완전히, 충

분히 : The town was destroyed ~. 그 도시는 철저하게 파괴되었다. ② 터놓고, 공공연히 ; 솔직히 : laugh ~ 터놓고 웃다 / Tell him ~ exactly what you think. 네가 생각하는 것을 숨김없이 정확하게 그에게 말하라. ③ 곧, 당장, 즉시(at once) : buy ~ 맞돈을 주고 사다 / be killed ~ 즉사하다. ── [́ ̀] a. 〔限定的〕 ① 솔직한, 명백한 : make an ~ denial 딱 잘라 거절하다. ② 철저한 ; 완전한 : an ~ rogue 철저한 악당 / an ~ lie 새빨간 거짓말 / He was the ~ victor. 그는 완벽한 승리를 거두었다.

out·ri·val [-ráivəl] (-*l*-, 《英》 -*ll*-) *vt.* 경쟁에서 …에게 이기다.

out·run** [-rʌ́n] (-ran*** [-rǽn] ; -***run*** ; -***run·ning***) *vt.* ① …보다 빨리 달리다, 달리어 앞지르다 ; 달아나다《추격자로부터》 : The rabbit couldn't ~ the fox. 토끼는 여우보다 빨리 달릴 수가 없었다. ② …의 한도를 넘다 ; 능가하다 : His imagination ~*s* the facts. 그는 실제 없는 일까지도 상상한다.

out·sell [-sél] (*p., pp.* -***sold*** [-sóuld]) *vt.* ① (상품이) 보다 많이〔잘〕 팔리다 : a detergent that ~*s* every other brand 다른 품종보다 많이 팔리는 중성 세제 / Are Japanese cars still ~*ing* American ones? 일본차가 지금도 미국차보다 더 잘 팔리고 있습니까. ② (사람이) …보다 많이 팔다 : He ~*s* all (of) our other salespeople. 그는 우리 회사의 다른 판매 사원보다 판매 성적이 좋다.

***out·set** [-sèt] *n.* (the ~) 시작, 최초 ; 발단 : at〔from〕 *the* ~ 최초에〔부터〕.

out·shine [àutʃáin] (*p., pp.* -***shone*** [-ʃóun / -ʃɔ́n]) *vt.* ① …보다 빛나다. ② …보다 우수하다 (surpass) : Maria's flowers *outshone* all the others in the competition. 마리아의 꽃이 경쟁에서 다른 것보다 우수했다.

†**out·side** [-sáid, ́ ̀] *n.* (*sing.* ; 흔히 the ~) ① 바깥쪽, 외면. opp. *inside.* ¶ from *the* ~ 밖에서(부터) / We've decided to paint *the* ~ of the house brown. 우리는 집의 바깥쪽에 갈색으로 페인트를 칠하기로 결정했다. ② (사물의) 외관, 표면, 겉모양 ; (사람의) 겉보기, 생김새 : On *the* ~ she appeared gentle and kind but really she was the meanest person I ever met. 그녀는 겉으로는 얌전하고 친절하게 보이지만, 사실 그녀는 내가 만난 사람 중에서 가장 심술궂은 사람이었다. ***at the* (*very*) ~** 기껏해서, 고작 : ten people *at the* ~ 많아야 10 명.

── [́ ̀, ̀ ́] *a.* 〔限定的〕 ① 바깥쪽의, 외면의 ; 외부의, 밖의 ; 밖으로부터의 : ~ measurement 바깥 치수 / an ~ antenna 옥외 안테나 / an ~ address 겉봉의 주소·성명 / Most apartments have ~ staircases in case of emergency. 대다수의 아파트에는 긴급시에 대비해 외부 계단이 있다 / The house will need a lot of ~ repairs before we can sell it. 그 집은 팔기 전에 대대적인 외부 수리가 필요할 것 같다. ② 국외(자)의, (사건·문제 따위와) 관계 없는 ; 단체〔조합·협회〕에 속하지 않은 ; 원외의 : ~ help 외부 원조 / stand ~ 국외(자)의 입장)에 서다 / get an ~ opinion 외부의 의견을 듣다 / My family solved its problems without any ~ interference. 우리 가족은 외부의 간섭을 받지 않고 그 문제를 해결했다. ③ 본업〔학업〕 이외의, 여가로 하는 : ~ interests 여가로 하는 취미. ④ (견적·가격 따위가) 최고〔최대〕의 : an ~ estimate 최고로 봐 준 견적 / an ~ price 최고값. ⑤ (가망·기회 등이) 생길 것 같지 않은, 극히 적은 : There's an ~ chance of saving the patient. 그 환자를 살릴 가망은 거의 없다.

── [̀ ́] *ad.* 밖에〔으로〕, 바깥쪽〔외부〕에 ; 집 밖으로〔에서〕 ; 해상으로〔에서〕 : take the dog ~ 개를 밖으로 데리고 나가다 / What do you want to go out for? It's still dark ~. 무엇하러 나가려고 해요. 밖은 아직 어두운데. ***be* 〔*get*〕 ~ *of*** 《俗》 …을 먹다〔마시다〕. **~ *of* . . .** 《口》 (1) …을 제외하고(는). (2) …의 바깥쪽에.

── [́ ̀, ̀ ́] *prep.* ① …의 밖에〔으로, 의〕 : ~ the house 집 밖으로 / a small town just ~ Seoul 서울에 인접하는 작은 도시 / go ~ the house 집 밖으로 나가다 / Your shirt is ~ your trousers. 셔츠가 바지 밖으로 나와 있어요. ② …의 범위를 넘어, 이상으로 : It's quite ~ my sphere. 그것은 순전히 내 영역 밖이다 / I don't care who you see ~ working hours. 근무 시간 이외에 당신이 누구를 만나든 상관없습니다. ③《口》 …을 제외하고, 이외에 : No one knows it ~ two or three persons. 2, 3명을 제외하고는 아무도 그것을 모른다.

óutside bróadcast 스튜디오 밖의 방송.

***out·sid·er** [àutsáidər] *n.* Ⓒ ① 부외〔국외〕자, 한패가 아닌 사람 ; 당〔조합〕 외의 사람 ; 문외한, 아웃사이더. opp. *insider.* ¶ a political ~ 정치 문외한 / Society often regards the artist as an ~. 세상은 때로 예술가를 아웃사이더로 여긴다. ② 승산이 없는 말〔경쟁자〕 : The champion was knocked out by an ~. 챔피언은 무명의 도전자에게 넉아웃당했다.

out·size [-sàiz] *a.* 〔限定的〕 특대(特大)의 : ~ clothes 특대 의복. ── *n.* Ⓒ 특대(품).

***out·skirts** [-skə̀ːrts] *n. pl.* (도시 따위의) 변두리, 교외 : They lives on the ~ of Paris. 그들은 파리 교외에서 산다.

out·smart [-smáːrt] *vt.* 《口》 …보다 약다〔수가 높다〕, …을 압도하다 ; 속이다, 의표를 찌르다 : The lizard can ~ any predators by leaving its tail behind to confuse them. 도마뱀은 다른 포식(捕食) 동물을 헷갈리게 하기 위해 자신의 꼬리를 남겨둠으로써 이들을 속일 수 있다.

out·source [àutsɔ́ːrs] *vt.* 외국 회사에서 …을 사다, 해외에서 조달하다.

out·sourc·ing [àutsɔ́ːrsiŋ, -sóur-] *n.* 부품을 외국 등에서 싸게 구입하여 조립함.

out·spo·ken [-spóukən] *a.* 거리낌없는 ; 솔직한 : ~ criticism 거리낌없는 비평 / He is ~ in his remarks. 그는 거리낌없이 말을 한다. ㊕ **~·ly** *ad.* **~·ness** *n.*

out·spread [-spréd] (*p., pp.* -***spread***) *vt.* …을 펼치다, 벌리다. ── *a.* 펼쳐진, 뻗친 ; 벌린 : He was lying on the beach with arms ~. 그는 두 팔을 펼치고 해변에 누워 있었다.

‡**out·stand·ing** [-stǽndiŋ] (***more*** ~ ; ***most*** ~) *a.* ① 걸출한, 아주 훌륭한 : an ~ figure 탁월한 인물 / His war record was ~. 그의 전력(戰歷)은 아주 훌륭했다. ② 〔限定的〕 돌출한 : an ~ ledge 쑥 내민 바위 턱. ③ 미결제의 ; 미해결의 : ~ debts 미불(未拂)부채 / There're problems still ~. 문제는 아직 해결되지 않고 있다. ㊕ **~·ly** *ad.*

out·stare [-stέər] *vt.* 노려보아 (상대방)을 당황하게 하다.

out·sta·tion [áutstèiʃən] *n.* Ⓒ ① (변경에 있는) 출장소, 지소 ; 주둔지. ②《Austral.》 큰 목장에서 멀리 떨어진 목장.

out·stay [-stéi] *vt.* (다른 손님보다) 오래 앉아〔남아〕 있다 : As usual she ~*ed* all the other guests at the party. 여느 때처럼 그녀는 파티에서 다른 손님들보다 오래 남아 있었다. **~ one's *welcome*** 오래 머물러 있어 미움을 사다.

***out·stretched** [-strétʃt] *a.* 펼친, 편, 뻗친 : with ~ arms 양팔을 쭉 뻗쳐 / lie ~ on the ground 땅

바닥에 큰대자로 눕다.

out·strip [-stríp] (*-pp-*) *vt.* ① 앞지르다 : The tortoise ~*ped* the hare. 거북이는 토끼를 앞질렀다. ② …보다 낫다, 능가〔초월〕하다, 웃돌다 : We ~*ped* all our competitors in sales last year. 우리는 작년에 판매에서 다른 경쟁자들을 모두 앞질렀다 / Demand for energy is ~*ping* the supply. 에너지의 수요가 공급을 웃돌고 있다.

out·take [-tèik] *n.* [C] (영화·텔레비전의) 촬영 후 상영 필름에서 컷한 장면.

out·talk [-tɔ́:k] *vt.* …보다 많이〔큰 소리로, 잘〕 지껄이다, 말로 이기다 : outwork and ~ them all 그들 누구보다도 많이 일하고 많이 지껄이다.

out·tray [-trèi] *n.* [C] 기결 서류함. [opp] *in-tray.*

out·turn [-tə̀:rn] *n.* [U] (또는 an ~) 생산고, 산출(産出) (액) (output) : Extensive new irrigation works multiplied the ~. 광범위한 새로운 관개 사업이 생산고를 증대했다.

out·vote [-vóut] *vt.* (투표)수로 이기다 : The rural districts ~*d* the urban districts. 시골 지역이 도시 지역보다 표수가 많았다.

out·walk [-wɔ́:k] *vt.* ① …보다 빨리〔멀리, 오래〕 걷다 ; 앞지르다. ② 지나쳐 가다 : ~ the lights of the city 거리의 불빛이 없는 곳까지 걸어가다.

‡**out·ward** [áutwərd] *a.* 〔限定的〕 ① 밖을 향한, 외부로의 ; 밖으로 가는 : an ~ voyage 외국행의 항해 / an ~ flow of gold 금의 해외 유출. ② 외부의, 바깥쪽의. [opp] *inward.* ¶ an ~ room 바깥쪽 방 / an ~ court 바깥 마당. ③ 외관의 ; 표면에 나타난, 눈에 보이는 : an ~ form 외형 / An ~ reformation took place. 눈에 보이는 개혁이 일어났다 / He gives no ~ sign of anxiety. 그는 표면상 걱정하는 모습을 보이지 않는다 / She managed to maintain her ~ composure. 그녀는 애써 표면상 평정을 유지했다. ***to all ~ appearances*** (실제야 어떻든) 겉으로는 : *To all ~ appearances,* Jayne seems to be dealing with the tragedy well. 겉으로 보아, 제인은 그 참사에 잘 적응하고 있는 것처럼 보인다. ── *n.* [C] 외면, 외부 ; 외견, 외관. ── *ad.* ① 바깥쪽에〔으로, 에서〕 : The window opens ~. 그 창은 밖으로 열린다 / The board is bent ~. 그 널빤지는 밖으로 휘었다. ② 국외〔해외〕로 : This ship is bound ~. 이 배는 외국으로 나갑니다.
[파] ~·**ly** *ad.* ① 밖에, 밖으로 향하여 ; 외면에. ② 외견〔표면〕상(은). ③ 바깥쪽은.

out·ward-bound [-báund] *a.* ① 외국행의, 해외로 향하는. ② 시외로 향하는.

‡**out·wards** [áutwərdz] *ad.* =OUTWARD.

out·wear [-wέər] (*-wore* [-wɔ́:r] ; *-worn* [-wɔ́:rn]) *vt.* ① …보다 오래가다 : Nylon ~*s* cotton. 나일론은 무명보다 오래 간다. ② 입어 해어뜨리다, 써서 낡게 하다 : A child ~*s* clothes quickly. 어린 아이는 옷을 금방 해뜨린다. ③ (체력 따위)를 소모시키다 : The daily toil had soon *outworn* him. 매일의 힘든 일로 그는 이윽고 녹초가 되었다.

out·weigh [-wéi] *vt.* ① …보다 낫다〔중요하다〕 ; …보다 가치가 있다 : The advantages of this plan far ~ the disadvantages. 이 안의 이점이 단점보다 훨씬 많다. ② …보다 무겁다 : The champion will probably ~ his opponent. 챔피언이 아마 상대보다 무거울 것이다.

out·wit [-wít] (*-tt-*) *vt.* 선수치다, …의 의표〔허〕를 찌르다, 속이다 : The burglar ~*ed* the police and got away. 강도는 경찰을 속이고 도망쳤다.

out·work [áutwə̀:rk] *n.* ① [C] (흔히 *pl.*) 〖築城〗 외보(外堡), 외루(外壘). ② [U] 옥외〔직장외〕 작업〔일〕. ── [-́-] (*p., pp.* ***-worked, -wrought*** [-rɔ́:t]) *vt.* …보다 잘〔열심히, 빨리〕 일을 하다 : Industrial robots can ~ skilled labor. 산업 로봇은 숙련 노동자보다 빨리 일할 수 있다.
[파] ~·**er** [-wə̀:rkər] *n.* [C] 직장 밖에서 일하는 사람 ; 사외(社外)〔옥외〕 근무자〔노동자〕.

out·worn [àutwɔ́:rn] OUTWEAR 의 과거분사. ── [-́-] *a.* 〔限定的〕 ① 써서 낡은 ; 입어서 해뜨린. ② 케케묵은, 진부한 : A lot of schools have abolished these ~ traditions. 많은 학교가 이들 케케묵은 관습을 폐지했다.

ou·zel, -sel [ú:zəl] *n.* [C] 〖鳥〗 지빠귀류의 작은 새, 《특히》 검은지빠귀 (blackbird).

ou·zo [ú:zou] (*pl.* ~***s***) *n.* [U,C] anise 의 열매로 맛을 들인 그리스산 리큐르.

ova [óuvə] OVUM 의 복수.

***oval** [óuvəl] *a.* 달걀 모양의, 타원형의 : an ~ face 달걀꼴의 얼굴. ── *n.* [C] 달걀 모양 ; 달걀 모양의 물건, 타원체.

Óval Óffice (the ~) 《美》 (백악관의) 대통령 집무실《방이 달걀꼴임》.

ovar·i·an [ouvέəriən] *a.* 〔限定的〕 ① 〖植〗 씨방의. ② 〖解〗 알집의, 난소의 : an ~ hormone 난소 호르몬 / ~ cancer 〖醫〗 난소암(癌).

ova·ry [óuvəri] *n.* [C] ① 〖植〗 씨방. ② 〖解·動〗 알집, 난소.

ovate [óuveit] *a.* 〖生〗 달걀 모양의 : an ~ leaf 「달걀꼴의 잎.

ova·tion [ouvéiʃən] *n.* [C] 열렬한 환영, 대단한 갈채, 대인기 : 60,000 fans gave the rock group a thunderous ~. 6만 팬들이 그 록그룹에게 우레와 같은 박수 갈채를 보냈다.

‡**ov·en** [ʌ́vən] *n.* [C] 솥, 가마, 화덕, 오븐 : an electric ~ 전기 오븐 / a microwave ~ 전자 레인지 / hot 〔fresh〕 from the ~ 갓 구워낸, 따끈따끈한. ***have a bun in the*** ~ 《口》 (여성이) 임신하고 있다《★ 남성이 쓰는 표현》. ***like an*** ~ 지독하게 더운, 무더운 : It's *like an* ~ in here! Open the window. 여기는 지독하게 덥구나. 창문을 열어라.

ov·en-proof [-prú:f] *a.* (식기 등) 오븐〔전자 레인지〕용의.

ov·en-ready [-rèdi] *a.* 오븐에 넣기만 하면 되는 《즉석 식품》. 「〔식기〕.

ov·en·ware [-wὲər] *n.* [U] 〔集合的〕 오븐용 접시

†**over** [óuvər], 《詩》 **o'er** [ɔ́:r / óuər] *prep.* ① 〔위치〕 **a)** 〔떨어진 바로 위의 위치를 보여〕 …의 위에〔의〕, …의 위쪽에〔의〕, …의 머리〔바로〕 위에〔의〕 ([opp] *under*) : the bridge ~ the river 강에 걸려 있는 다리 / A lamp was hanging ~ the table. 램프가 테이블 위에 걸려〔매달려〕 있었다 / The moon is ~ the roof of our house. 달이 우리집 지붕 바로 위에 떠 있다. **b)** 〔접촉한 위치를 보여〕 …의 위를〔에〕 덮어〔가리어, 걸치어〕 : a rug (lying) ~ the floor 마루를 덮은 깔개 / with one's hat ~ one's eyes 모자를 깊숙이 눌러쓰고 / She put her hands ~ her face. 그녀는 두 손으로 얼굴을 가렸다 / She wore a coat ~ her sweater. 그녀는 스웨터 위에 코트를 입고 있었다. **c)** (무엇이 덮치듯) …의 위에, …위에 쑥 나와〔돌출해〕 : She leaned ~ the fence. 그녀는 울타리 밖으로 몸을 내밀었다 / The balcony juts out ~ the street. 그 발코니는 길 위로 튀어나와 있다.
② 〔흔히 all ~로〕 …의 전면(全面)에, 온 …에, …에 걸치어 ; …의 여기저기를, …의 구석구석까지 : *all* ~ the country 전국 도처에 / travel *all* ~ Europe 유럽을 두루 여행하다 / He is famous (*all*) ~ the world. 그의 이름은 (온)세계에 널리 알려져 있다 / look *all* ~ a house 집안 구석구석

을 보다〔찾다〕.
③ **a)** 〔동작을 나타내는 動詞와 함께〕 …을 넘어, …을 건너 : climb ~ the wall 벽을 기어올라 타고 넘다 / jump ~ a brook 〔fence〕 시내〔울타리〕를 뛰어넘다 / look ~ a person's shoulder 아무의 어깨너머로 보다. **b)** (바다·강·거리 따위)의 건너편에〔의〕: the house ~ the street 길 건너편 집 / They live just ~ 〔across〕 the road. 그들은 바로 길 저쪽에 살고 있다.
④ 〔수량·정도·범위〕 …을 넘어, …이상《more than 이 일반적임》(opp *under*) : ~ a mile, 1 마일 이상《1 마일은 포함 안됨. 포함될 때엔 a mile and 〔or〕 ~로 함》/ stay in Paris (for) ~ a month 한 달 이상 파리에 체류하다 / He was ~ 40. 그는 40은 넘었다 / He gave the man a dollar ~ his fare. 그는 요금에 1 달러를 얹어서 운전사에게 주었다.
⑤ **a)** 〔지배·우위·우선〕 …을 지배하고 ; …의 위〔상위(上位)〕에 ; …을 능가하여 ; …에 우선하여 : reign ~ a country 일국을 지배하다 / He has no control〔command〕 ~ 〔of〕 himself. 그에게는 자제력이 없다 / They want a strong man ~ them. 그들은 강력한 지배자를 원하고 있다 / He will preside ~ the meeting. 그는 그 회의를 주재할 것이다 / He was chosen ~ all other candidates. 그는 다른 모든 후보자에 우선하여 선출되었다. **b)** …을 극복하여, …에서 회복하여 : I am ~ the worst difficulties. 나는 가장 큰 난관을 극복했다 / He is ~ his illness. 그는 병이 나았다.
⑥ 〔기간〕 …동안 (죽), …에 걸쳐 : We stayed there ~ the holidays. 우리는 휴가 중 내내 거기 머물렀다 / The dictionary was in production ~ a period of several years. 그 사전은 몇 해 걸려 이룩되었다 / He did it ~ the vacation. 그는 휴가 동안에 그것을 했다.
⑦ 〔종사〕 …하면서, …에 종사하고 : talk ~ a cup of tea 홍차를 마시며 이야기하다 / go to sleep ~ one's work〔book〕 일을 하면서〔책을 읽으며〕 졸다 / We'll discuss it ~ our supper. 저녁 식사를 들면서 논의합시다.
⑧ 〔관련〕 **a)** …에 관〔대〕해서 : problems ~ his income tax 그의 소득세에 관한 문제 / talk ~ the matter with … …와 그 일에 관해(서) 서로 이야기하다. **b)** …의 일로 : quarrel ~ money 돈 문제로 말다툼하다 / She is crying ~ the loss of her son. 그녀는 아들을 잃고 울고 있다.
⑨ **a)** 〔거리 따위〕 …에 걸쳐 : The message was sent ~ a great distance. 그 메시지는 아주 멀리까지 전해졌다. **b)** …의 끝에서 끝까지 : a pass ~ the company's line 《美》 사선(社線)의 전구간 통용 패스.
⑩ 〔수단〕 …에 의해서, …로《전화·라디오 등에 관해서 씀. 현재는 on 을 쓰는 것이 보통》: speak ~ 〔on〕 the telephone 전화로 이야기하다 / I heard the news ~ 〔on〕 the radio. 라디오로 그 뉴스를 들었다.
⑪ (나눗셈에서) …로 나누어〔제하여〕: 12 ~ 4, 12 나누기 4 《12÷4》.
all ~ ⇨ ②. ~ ***all*** 끝에서 끝까지, 전체에 걸쳐. cf. overall. ~ ***and above*** … …에 더하여, …외에 (besides) : The waiters get good tips ~ *and above* their wages. 웨이터들은 자기 급료 외에 상당한 팁을 받는다.
— *ad.* (비교 없음)《be 動詞와 결합할 때는 形容詞로 볼 수도 있음》. ① **a)** 위(쪽)에, 바로 위에 ; 높은 곳에, 높이 : A plane flew ~. 비행기가 머리 위로 날아갔다. **b)** 위에서 아래로 ; 튀어〔쑥〕 나와, 돌출하여, 내밀어 : a window that projects ~ 쑥 나와 있는 창(문) / She leaned ~ and picked up a coin. 그녀는 몸을 내밀어 동전을 주웠다.
② **a)** 멀리 떨어진 곳에, 저기에 ; (바다·강·도로 따위의) 건너편으로, 저편으로 : jump ~ 뛰어 넘다 / He is ~ in France. 그는 (바다 저쪽) 프랑스에 있다 / I'll be ~ in a minute. =I'll be right ~. 곧 (그쪽으로) 가겠다 / Take the child ~ to the kindergarten. 이 아이를 유치원까지 데려다 주게. **b)** 이쪽으로, (말하는 이의) 집으로 : call a person ~ 아무를 불러들이다 / Come ~ and have a drink. 우리집에 와서 한잔하게 / I asked them ~ for dinner. 그들을 저녁 식사에 초청했다. ★ to my place 〔house〕가 생략되었음.
③ 남에게 넘겨 주어, 건네주어 ; 물려 주어 : go ~ to the enemy 적측(敵側)으로 넘어가다 / He made his business ~ to his son. 그는 자신의 사업을 아들에게 물려주었다 / He was turned ~ to the police. 그는 경찰에 인도되었다.
④ 뒤집어, 거꾸로, 넘어져 ; 접(히)어 : fold it ~ 그것을 접다 / turn ~ the page 페이지를 넘기다 / knock a pot ~ 항아리를 뒤엎다 / He fell ~ in the doorway. 그는 문간에서 넘어졌다 / *Over.* 《美》 =Please turn ~. 뒷면에 계속《P.T.O. 로 생략》.
⑤ 전면에, 온통, 뒤덮여 ; 도처에, 여기저기《흔히 all 이 앞에 와서 뜻을 강조》: *all* the world ~ 세계 도처에 / paint a wall ~ 벽에 온통 페인트를 칠하다 / travel *all* ~ 여기저기 여행하다 / He was dirty *all* ~. 그는 온몸에 흙탕(물)을 뒤집어 썼다 / The pond was frozen ~. 못은 온통 얼어붙어 있었다.
⑥ 처음부터 끝까지, 완전히, 자세히 : read a paper ~ 신문을 죽 훑어보다 / Think it ~ before you decide. 결정하기 전에 잘 생각해 보라.
⑦ **a)** (물이) 넘치어 : flow ~ 넘쳐 흐르다 / boil ~ 끓어 넘치다. **b)** 초과하여 : children of twelve and ~, 12 살 이상의 어린이《12 살도 포함》/ The meeting ran thirty minutes ~. 회의는 30분 초과했다. **c)** 여분으로, 남아 : I paid the bill and have 20 dollars (left) ~. 셈을 치르고 나니 20 달러 남았다 / 3 into 20 goes 6 and (with) 2 ~. 20 나누기 3은 몫 6 나머지 2.
⑧ 되풀이하여 ; 《주로 美》 다시〔또〕 한 번 (again) : Count them ~. 또 한 번 세어 봐라 / Go back and do it ~. 처음부터 다시 해라 / He read the book four times ~. 그는 네 번이나 그 책을 읽었다.
⑨ 끝나, 지나 : His sufferings will soon be ~. 그의 괴로움은 곧 끝날 것이다 / Winter is ~. 겨울이 갔다 / Is the game ~ yet? 경기가 벌써 끝났습니까.
⑩ 《美》 (어떤 기간) 내내, 죽 : stay a week ~, 1 주일 죽 머무르다 / stay ~ till Sunday 일요일까지 죽 있다.
⑪ 〔흔히 not ~로〕 《英》 그다지, 그리 : grieve ~ much 몹시 슬퍼하다 / He is *not* ~ anxious. 그는 그다지 걱정하고 있지 않다 / This essay is *not* exactly ~ accurate. 이 논문은 그다지 정밀하다곤 할 수 없다.
all ~ ⇨ ALL. (***all***) ~ ***again*** 다시〔또〕 한 번, 되풀이해서. ***It's all ~ with*** (him). (그 사람)은 완전히 글렀어, (그)는 곧 죽어. ~ ***against*** . . . (1) …와 마주보고, …에 대〔면〕하여 ; …의 앞〔근처〕에 : ~ *against* the church 교회의 바로 맞은편에. (2) …와 대조〔비교〕하여 : quality ~ *against* quantity 양에 대한 질 / set A ~ *against* B, A 를 B 와 대조시키다. ~ ***and above*** 그 위에. ~ ***and done with*** 완전히 끝나 : And first, let's get our business ~ *and done with.* 그러면 우선 우

리 일부터 끝내버리자. ***Over and out !*** (무선교신에서) 통신 끝. ~ ***and*** ~ (***again***) 몇 번이고 되풀이하여. ~ ***here*** 이쪽으로. ~ ***there*** 저기(저쪽)에(서는); 《美》 유럽에서는; 〖軍〗 전지에서는. ***Over*** (***to you***)***!*** (무선 교신에서) 응답하라.

over- *pref.* ① '과도한, 지나친'의 뜻: *over*crowded, *over*cunning, *over*work. ② '위의(로), 외부의(로), 밖의(으로), 여분의(으로)' 따위의 뜻: *over*coat, *over*board, *over*flow, *over*come, *over*time. ③ '넘어서, 지나서, 더하여' 따위의 뜻: *over*shoot, *over*balance. ④ '아주, 완전히'의 뜻: *over*master, *over*persuade.

over·a·bun·dance [òuvərəbʌ́ndəns] *n.* Ⓤ 과잉, 남아돎: an ~ of money 남아돌만큼 많은 돈.

over·a·bun·dant [òuvərəbʌ́ndənt] *a.* 과잉의, 남아도는.

over·a·chieve [òuvərətʃíːv] *vt., vi.* (…의) 기대 이상으로 좋은 성적을 올리다. ㊕ **-chíev·er** *n.*

over·act [òuvərǽkt] *vt., vi.* (…을) 지나치게 연기하다; 과장하여 연기하다. ㊕ **òver·ác·tion** *n.*

over·ac·tive [òuvərǽktiv] *a.* 지나치게 활약(활동)하는. ㊕ **~·ly** *ad.*

over·age [óuvəréidʒ] *a.* 적령기를 넘은, 기준 연령을 지난《*for*》: be ~ *for* the draft 징병 적령기를 넘고 있다.

***over·all** [óuvərɔ̀ːl] *n.* ① (*pl.*) (가슴받이가 달린) 작업 바지. ② Ⓒ 《英》 작업복, 덧옷《여자·어린이·의사·실험실용의》: in an ~ 작업복을 입고. ── *ad.* ① 끝에서 끝까지: The bridge measures nearly two kilometers. 그 다리는 길이가 거의 2킬로미터 된다. ② 전체적(종합적, 일반적)으로: consider a plan ~ 종합적으로 계획을 짜다 / *Overall*, it's a good hotel. 전체적으로는 좋은 호텔입니다 / How much did it come to ~? 전부해서 얼마 하던가요. ── *a.* 〔限定的〕 전부의; 종합(일반, 전면)적인: ~ production 전반적인 생산고 / ~ length 전장(全長) / Our ~ impression is favorable. 우리의 전반적인 인상은 좋다.

over·am·bi·tious [òuvəræmbíʃəs] *a.* 지나치게 야심찬, 과도한 야망을 가진. ㊕ **~·ly** *a.*

over·anx·ious [óuvərǽŋkʃəs] *a.* 지나치게 걱정하는. ㊕ **~·ly** *ad.*

over·arch [òuvərɑ́ːrtʃ] *vt.* …의 위에 아치를 만들다; 아치형으로 덮다: The street is ~*ed* by plane trees. 가로 위로 플라타너스가 아치를 이루고 있다.

over·arm [óuvərɑ̀ːrm] *a.* ① 〖球技〗 어깨 위로 손을 들어 공을 내리던지는. ② 〖泳〗 손을 물 위로 내어 앞으로 쭉 뻗치는.

over·awe [òuvərɔ́ː] *vt.* …을 위압하다, 위협하다: be ~*d* by the great man's booming voice 몸집 큰 사람의 왕왕대는 목소리에 위압되다.

over·bal·ance [òuvərbǽləns] *vt.* 중심(균형)을 잃게 하다: Sit down, or you'll ~ the boat. 앉으세요, 그렇지 않으면 배가 기울어요.
── *vi.* 균형을 잃다(잃고 쓰러지다): The horse reared, ~*d*, and fell. 말이 뒷발로 섰다가 균형을 잃고 쓰러졌다 / He ~*d* and fell down. 그는 균형을 잃고 쓰러졌다.

over·bear [òuvərbέər] (***-bore*** [-bɔ́ːr]; ***-borne*** [-bɔ́ːrn]) *vt.* ① …을 (무게·압력으로) 누르다. ② …을 위압하다, 압박하다, 억압하다.
── *vi.* 열매가 너무 많이 열리다.

over·bear·ing [òuvərbέəriŋ] *a.* 거만(오만)한, 건방진, 뽐내는(haughty): self-important ~ attitude of these high-up doctors 이 높으신 의사 선생님들의 오만불손한 태도. ㊕ **~·ly** *ad.*

over·bid [òuvərbíd] (***-bid***; ***-bid***, ***-bid·den*** [-n]; ***-bid·ding***) *vt.* (경매에서) …보다 높은 값을 매기다. ── *vi.* 비싼 값을 매기다. ── [⌐-⌐] *n.* Ⓒ 비싼 값(을 매기는 일).

over·blouse [óuvərblàus, -blàuz] *n.* Ⓒ 오버블라우스.

over·blown [òuvərblóun] *a.* ① **a**) 부풀린: an ~ reputation (선전 등에서) 지나치게 부풀린 명성. **b**) 너무 뚱뚱한. ② 과장된: ~ news stories 과장된 신문 기사. ③ **a**) (꽃이) 철이 지난. **b**) (여성이) 한창때를 지난.

over·board** [óuvərbɔ̀ːrd] *ad.* 배 밖으로, (배에서) 물 속으로: One of the crew fell ~ and drowned. 선원 하나가 배에서 물에 빠져 죽었다 / Man ~! 사람이 떨어졌다(빠졌다). ***go (***fall***) ~ 《口》 (1) 극단으로 나가다, 지나치다: Dean knew he had *gone* ~ by sending six dozen roses. 딘은 6다스의 장미를 보낸 것이 지나쳤다는 것을 알고 있었다. (2) …에 열중하다, 열을 올리다《*about*; *for*》.

over·bold [òuvərbóuld] *a.* 지나치게 대담한, 무모한, 경솔한.

over·book [òuvərbúk] *vt.* (비행기·호텔 등)에서) 정원 이상으로 예약을 받다: My flight was ~*ed*. 내가 탈 (항공)편은 정원 이상으로 예약되어 있었다. ── *vi.* 예약을 너무 많이 받다.

over·brim [óuvərbrím] (*-mm-*) *vt.* (용기)에서 넘쳐 흐르다. ── *vi.* 넘치다.

over·build [òuvərbíld] (*p., pp.* ***-built*** [-bílt]) *vt.* (일정 지역)에 집을 너무 많이 짓다: ~ a village 마을에 건물을 너무 많이 짓다.

over·bur·den [òuvərbə́ːrdn] *vt.* …에게 과중한 부담을 지우다; 과중한 노동을 시키다; 과적(過積)하다.

over·bur·den·ed [òuvərbə́ːrdnd] *a.* ① 짐(책임)이 너무 무거운, 과중한: an ~ truck 많은 짐을 실은 트럭 / ~ teachers 일이 과중한 교사. ② …로 몹시 시달린《*with*》: He was ~ *with* anxiety. 그는 불안으로 몹시 침울했다.

over·busy [òuvərbízi] *a.* 너무 바쁜.

over·buy [òuvərbái] (*p., pp.* ***-bought*** [-bɔ́ːt]) *vt.* (물품)을 너무 많이 사다.

over·came [òuvərkéim] OVERCOME의 과거.

over·cap·i·tal·ize [òuvərkǽpətəlàiz] *vt.* ① (회사 따위)의 자본을 과대하게 평가하다. ② (기업 따위)에 자본을 너무 많이 들이다. ㊕ **óver·càp·i·tal·i·zá·tion** [-kæ̀pətəlizéiʃən] *n.*

over·care·ful [óuvərkέərfəl] *a.* 지나치게 조심하는, 지나치게 신중한. ㊕ **~·ly** *ad.*

over·cast** [òuvərkǽst, -kɑ́ːst, ⌐-⌐] (*p., pp.* ***-cast) *vt.* …을 구름으로 덮다, 흐리게 하다; 어둡게 하다: Clouds began to ~ the sky. 구름은 하늘을 덮기 시작했다. ── [⌐-⌐, ⌐-⌐] *a.* ① 흐린: It was ~. 날씨가 흐려 있었다. ② 음침한, 침울한: a face ~ *with* sorrow 슬픔으로 어두워진 얼굴. ── [⌐-⌐] *n.* Ⓤ 〖氣〗 흐림.

over·cau·tious [òuvərkɔ́ːʃəs] *a.* 지나치게 조심하는, 소심한. ㊕ **~·ly** *ad.*

over·charge [òuvərtʃɑ́ːrdʒ] *vt.* ① 《~+목/+목+전+명》 …에게 부당한 값을 요구하다《*for*》: He ~*d* me *for* repairing the television set. 그는 텔레비전 수리비로 내게 바가지를 씌웠다. ② (전기 기구 등)에 과전류를 보내다; (전지 등)에 너무 많이 충전하다. ── *vi.* 에누리하다.
── [óuvərtʃɑ̀ːrdʒ] *n.* Ⓒ ① 지나친 값의 청구(요구), 에누리. ② 과전류, 과충전(過充電).

over·cloud [òuvərkláud] *vt., vi.* ① (…을) 흐리게 하다; 흐려지다: The sky was ~*ed*. 하늘은 전면 구름에 뒤덮혀 있었다. ② (…을) 침울하게 하다.

‡**over·coat** [óuvərkòut] *n.* Ⓒ 오버코트, 외투.

‡over·come [òuvərkʌ́m] (**-came** [-kéim]; **-come**) *vt.* ① …을 이겨내다, 극복하다 ; 정복하다 : He *overcame* difficulties. 그는 곤란을 이겨냈다 / Sleep *overcame* me. 나는 잠을 이기지 못했다. ②《~+목 / +목+전+명》〔受動으로〕 압도하다, (정신적·육체적으로) 쇠약하게 하다 : *be overcome by* laughter 포복절도하다 / She *was* ~ *with* grief at her father's death. 그녀는 아버지의 죽음으로 비탄에 젖어 있었다. ── *vi.* 이기다.

over·com·pen·sate [òuvərkɑ́mpənsèit / -kɔ́m-] *vi.* 과잉 보상하다 : He seems arrogant because he ~*s* for his feelings of inferiority. 그는 열등감을 무리하게 보완하려 하기 때문에 교만하게 보인다. ── *vt.* …에 과대한 보상을 하다.

over·com·pen·sa·tion [óuvərkɑ̀mpənséiʃən / -kɔ̀m-] *n.* Ⓤ 과잉 보상.

over·con·fi·dence [òuvərkɑ́nfədəns / -kɔ́n-] *n.* Ⓤ 과신(過信), 자만.

over·con·fi·dent [òuvərkɑ́nfədənt / -kɔ́n-] *a.* 지나치게 자신하는, 자부심이 강한. 파 ~·**ly** *ad.*

over·cook [òuvərkúk] *vt.* …을 지나치게 익히다〔삶다, 굽다〕.

over·crit·i·cal [òuvərkrítikəl] *a.* 너무 비판적인, 혹평하는.

over·crop [òuvərkrɑ́p / -krɔ́p] (**-pp-**) *vt.* (연작(連作))하여 토질을 저하시키다.

***over·crowd·ed** [òuvərkráudid] *a.* 초만원의, 과밀한, 혼잡한 : an ~ city 인구과잉 도시 / an ~ train 초만원 열차 / The place was ~ with furniture. 그곳은 가구로 가득 차 있었다.

over·crowd·ing [òuvərkráudiŋ] *n.* Ⓤ 과밀, 초만원.

over·cu·ri·ous [òuvərkjúəriəs] *a.* 미주알고주알 캐묻는, 호기심이 지나치게 강한. 파 ~·**ly** *ad.*

over·del·i·ca·cy [òuvərdélikəsi] *n.* Ⓤ 신경과민.

over·del·i·cate [òuvərdélikit] *a.* 지나친 신경질의.

over·de·vel·op [òuvərdivéləp] *vt.* ① …을 과도하게 개발하다 : ~ a waterfront area 연안 지역을 과잉 개발하다. ②〖寫〗 현상을 지나치게 하다. 파 ~·**ment** *n.* 개발 과잉 ;〖寫〗 과다현상.

over·do [òuvərdúː] (**-does** [-dʌ́z]; **-did** [-díd]; **-done** [-dʌ́n]) *vt.* ① …을 지나치게 하다, …의 도를 지나치다 ; 지나치게 많이 쓰다 : The joke is *overdone.* 농담이 지나치다 / I think I *overdid* the salt. 내가 소금을 너무 많이 친 것 같습니다. ② 과장하다 : The comic scenes were *overdone.* 그 익살스런 장면은 너무 과장되었다 / Don't ~ your gratitude. 감사를 그만저만 하세요. ③ 너무 굽다〔삶다〕. ~ **it**〔**things**〕 지나치게 하다, 무리를 하다 : He's been ~*ing it* lately. 요즈음 그는 지나치게 무리를 하고 있다.

over·done [òuvərdʌ́n] OVERDO의 과거분사. ── *a.* 지나치게 구운〔삶은〕 : This fish is ~. 이 생선은 너무 구웠다.

over·dose [óuvərdòus] *n.* Ⓒ (약의) 지나친 투여(投與), 과복용 : She took an ~ of sleeping pills. 그녀는 수면제를 과용했다《자살을 꾀했다》. ── [òuvərdóus] *vt.* …에게 약을 지나치게 먹이다. ── *vi.* (약을) 과용하다《*on*》 : He ~*d on* heroin. 그는 헤로인을 과용했다.

over·draft [óuvərdræ̀ft, -drɑ̀ːft] *n.* Ⓒ〖商〗 (은행계정 등의) 초과 인출 ; 당좌대월(액) ; 수표〔어음〕의 과다 발행《略 : OD, O.D.》.

over·draw [òuvərdrɔ́ː] (**-drew** [-drúː]; **-drawn** [-drɔ́ːn]) *vt.* ①〖商〗 (예금 따위)를 너무 많이 찾다, 차월(借越)하다 ; (어음)을 지나치게 발행하다 : ~ one's account 당좌 예금의 차월을 하다. ② …을 과장하다 : His account is somewhat *overdrawn.* 그의 말은 다소 과장되어 있다. ── *vi.* 당좌 차월을 하다.

over·dress [òuvərdrés] *vi.* 지나치게 옷치장을 하다 : She tends to ~. 그녀는 지나치게 옷치장을 하는 경향이 있다. ── *vt.* ① **a)** …을 지나치게 옷치장시키다《★ 흔히 과거분사를 형용사적으로 씀》 : I felt distinctly ~*ed* beside all those young people in jeans. 진을 입은 젊은이들에 비하면 나는 분명히 지나치게 옷치장을 했다고 생각했다. **b)**〔再歸的〕 지나치게 옷치장하다. ② 지나치게 옷을 많이 껴 입히다.

over·drink [òuvərdríŋk] (**-drank** [-dræ̃ŋk]; **-drunk** [-drʌ́ŋk]) *vi.* 과음하다.

over·drive [óuvərdràiv] *n.* Ⓤ 오버드라이브 장치《주행 속도를 떨어뜨리지 않고 엔진의 회전수를 줄이는 기어 장치 ; 연료 소비 절약형》. ***go into*** ~ (1) 기어를 오버드라이브에 넣다. (2) 맹렬하게 활동하다.

over·due [òuvərdjúː] *a.* ① (지급) 기한이 지난, 미지급의《어음 등》 : an ~ gas bill 지급 기한이 지난 가스 대금 청구서. ② 늦은, 연착한 : The train is long ~. 열차의 도착이 꽤 늦어지고 있다. ③〔敍述的〕 이미 무르익은〔준비가 되어 있는〕《*for*》 : The electoral system is ~ *for* change. 선거 제도는 개정할 때가 무르익었다.

over·ea·ger [óuvəríːgər] *a.* 지나치게 열심인, 너무 열중하는. 파 ~·**ly** *ad.*

òver éasy〔敍述的〕《美》 (달걀을) 양면을 반숙으로 익힌. cf. sunny-side up.

***over·eat** [òuvəríːt] (**-ate** [-éit / -ét]; **-eat·en** [-íːtn]) *vi.* 과식하다.

over·e·mo·tion·al [òuvərimóuʃənəl] *a.* 지나치게 정서적인.

over·em·pha·sis [òuvərémfəsis] *n.* Ⓤ,Ⓒ 지나친 강조.

over·em·pha·size [òuvərémfəsàiz] *vt.* …을 지나치게 강조하다.

over·en·thu·si·as·tic [òuvərenθuːziǽstik] *a.* 지나치게 열광적인. 파 **-ti·cal·ly** *ad.*

over·es·ti·mate [òuvəréstəmèit] *vt.* ① (가치·능력)을 과대 평가하다, 높이 사다. ② 지나치게 어림하다 : We ~*d* the number of people who would come. 오게 될 사람의 수를 지나치게 많이 어림잡았다. ── *vi.* 과대 평가하다. 파 **-ma·tion** [⌐-méiʃən] *n.* Ⓤ 과대 평가.

over·ex·cit·ed [òuvəreksáitid] *a.* 지나치게 흥분한, 극도로 흥분한.

over·ex·ert [òuvəregzə́ːrt] *vt.*〔再歸的〕 무리한 노력을 하다. 파 **-ex·ér·tion** [-ʃən] *n.* Ⓤ 무리한 노력.

over·ex·pose [òuvərekspóuz] *vt.*〖寫〗 (필름 따위)를 과다하게 노출하다. 파 **-pó·sure** [-póuʒər] *n.* Ⓤ,Ⓒ 노출 과다.

over·fall [óuvərfɔ̀ːl] *n.* Ⓒ ① (운하나 댐 등의) 낙수하는 곳. ② 단조(湍潮)《바닷물이 역류에 부딪쳐서 생기는 해면의 물보라 파도》.

over·fa·mil·iar [òuvərfəmíljər] *a.* 지나치게 친밀한. 파 ~·**ly** *ad.*

over·fa·tigue [òuvərfətíːg] *n.* Ⓤ 과로.

over·feed [òuvərfíːd] (*p., pp.* **-fed** [-féd]) *vt.* …에 너무 많이 먹이다.

over·fill [òuvərfíl] *vi.* 가득차다. ── *vt.* …을 너무 가득 채우다.

over·flight [óuvərflàit] *n.* Ⓒ 영공 비행〔침범〕.

‡over·flow [òuvərflóu] (**-flowed ; -flown**) *vt.* ① (물 따위가) …에서 넘쳐 흐르다, …에 넘치다 ; 범람하다 : The river sometimes ~*s* its banks. 그 강은 가끔 범람한다. ② (사람이나 물건이) 다 들어가지 못하고 …에서 넘쳐 나오다 : The goods ~*ed* the warehouse. 상품이 넘쳐서 창고에

다 못 들어갔다. — *vi.* ① 넘치다, 넘쳐 흐르다, 범람하다 : The ponds often ~ in the spring. 봄에는 종종 연못이 넘쳐 흐른다 / The crowd ~*ed* into the hall. 군중은 복도에까지 넘쳐 있었다. ② 《~ / +전+명》…이 남아돌다, 가득 차다; 충만하다 : The market is ~*ing* with goods. 시장에는 상품이 남아돈다 / Her heart is ~*ing with* gratitude. 그녀의 가슴은 감사한 마음으로 차 있다. — [óuvərflòu] *n.* ① **a)** Ⓤ 범람, 유출《*of*》: the ~ *of* water from the lake 호수 물의 범람. **b)** Ⓒ 넘쳐 흐른 것. ② Ⓒ 과다, 과잉 : an ~ of goods 〔population〕 상품〔인구〕의 과잉 / The ~ will be accommodated in another hotel. 나머지 사람들은 다른 호텔에 수용될 것이다. ③ Ⓒ (여분의 물의) 배수로〔구, 관〕: The tank equipped with an ~. 탱크에는 배수구가 붙어 있었다. ④ 〖컴〗 넘침 《연산 결과 등이 계산기의 기억·연산 단위 용량보다 커짐》.

óverflow pìpe (욕조 등의 넘치는 물을 빼는) 배수관.

over·fly [òuvərflái] *vt.* …의 상공을 날다 ; …의 상공을 침범하다 : The plane lost its way and *overflew* foreign territory. 그 비행기는 항로를 잃고 외국의 영공을 침범했다.

over·fond [òuvərfánd / -fɔ́nd] *a.* 〔敍述的〕…을 지나치게 좋아하는《*of*》.

over·full [óuvərfúl] *a.* 너무 가득 찬 ; 지나치게 많은 : The auditorium was ~. 강당은 초만원이었다.

over·gen·er·ous [òuvərdʒénərəs] *a.* 지나치게 관대한. ㊞ ~·**ly** *ad.*

over·graze [òuvərgréiz] *vt.* (목초지 등)에 지나치게 방목하다. — *vi.* 너무 방목하다.

over·grown [òuvərgróun] OVERGROW의 과거분사. — *a.* ① (풀 따위가) 지나치게 자란, 온통 무성한《*with*》: an ~ garden 풀이 가득 자란 정원 / The wall was ~ *with* ivy. 벽에는 온통 담쟁이덩굴이 자라 있었다. ② 〔限定的〕 너무 커진《사람·식물 따위》; (너무 커서) 볼꼴 사나운 : He is just an ~ baby. 그는 덩치만 컸지 꼭 애기 같다.

over·growth [óuvərgròuθ] *n.* ① Ⓤ 무성, 만연. ② Ⓤ 너무 자람〔살찜〕. ③ (an ~) 땅·건물을 뒤덮듯이 자란 것.

over·hand [óuvərhæ̀nd] *a.* ① **a)** 〖野〗 어깨 위로 손을 들어 던지는, 오버핸드의 : ~ pitching 오버핸드 피칭. **b)** 〖泳〗 손을 물 위로 쭉 뻗는 : an ~ stroke 오버핸드 스트로크. **c)** 〖테니스〗 위에서 내려치는. ② 〖裁縫〗 휘감치는, 사뜨는. — *ad.* ① **a)** 〖野〗 오버핸드로. **b)** 〖泳〗 양손을 번갈아 물 위에 빼어. **c)** 〖테니스〗 위에서 내려 쳐서. ② 〖裁縫〗 휘감쳐서. — *n.* Ⓒ 오버핸드 피칭〔스트로크〕.

over·hang** [òuvərhǽŋ] (*p., pp.* ***-hung [-hʌ́ŋ], ***-hanged*** [-d]) *vt.* ① …의 위에 걸치다 ; …의 위로 내밀다 : The cliff ~*s* the stream. 절벽이 강 위로 쑥 내밀고 있다 / The trees *overhung* the brook, forming an arch of branches. 나무들은 시내 위로 가지를 내밀어 아치를 이루고 있었다. ② (위험·재해 따위가) 절박하다, …을 위협하다 : The threat of war *overhung* Europe. 전운이 유럽을 뒤덮고 있었다. — *vi.* 위에 덮이듯 돌출하다 〔쑥 내밀다, 드리우다〕: The balcony ~*s* a few feet. 발코니가 몇 피트 앞으로 내밀고 있다. — [óuvərhæ̀ŋ] *n.* Ⓒ 쑥 내밂, 돌출 ; 〖建〗 현수(懸垂) ; 〖登山〗 오버행《경사 90° 이상의 암벽》.

***over·haul** [òuvərhɔ́:l] *vt.* ① …을 철저히 조사〔검토〕하다, (기계)를 분해 검사〔수리〕하다 : Our school is ~*ing* the old curriculum. 우리 학교는 낡은 교과 과정을 철저히 검토하고 있다 / Last year I was ~*ed* by a doctor. 작년에 의사의 정밀검사를 받았다. ② 뒤쫓아 앞지르다(overtake). — [óuvərhɔ̀:l] *n.* Ⓒ 철저한 조사, 분해 검사〔수리〕, 오버홀 ; 정밀검사 : give a car an ~ 자동차를 오버홀하다 / go to a doctor for an ~ 의사에게 가서 정밀 검사를 받다.

‡**over·head** [óuvərhéd] *ad.* (머리) 위에, 높이, 상공에 : *Overhead* the moon was shining. 머리 위로〔하늘에는〕 달이 빛나고 있었다 / A plane flew ~. 비행기가 머리 위로 날아갔다 / Bullets whizzed ~. 총알이 윙윙 머리 위로 날아 갔다. — [óuvərhèd] *a.* ① 〔限定的〕 머리 위의〔를 지나는〕; 고가(高架)(식)의 ; 위로부터의 : an ~ railway 《英》 고가철도(《美》 elevated railroad) / ~ wires 가공선(架空線) / an ~ walkway 보도교(步道橋) / an ~ stroke 오버헤드 스트로크《테니스》. ② 〖商〗 경상(經常)의 ; 간접비로서의 : ~ expenses 경상비. — [óuvərhèd] *n.* Ⓒ ① (《英》 흔히 *pl.*) 〖商〗 경상비. ② 〖테니스〗 머리 위에서 내리치기, 스매시(smash). ③ 〖컴〗 부담.

óverhead projéctor 오버헤드 프로젝터《그래프 따위를 투영하는 교육 기기 ; 略 : OHP》.

óverhead tìme 〖컴〗 부담 시간《operating system 의 제어 프로그램이 컴퓨터를 사용하는 시간》.

over·hear** [òuvərhíər] (*p., pp.* ***-heard [-hə́:rd]) *vt.* 귓결에〔어쩌다〕 듣다《★ overhear 는 말하는 사람도 모르게 우연히 들음. eavesdrop은 의도적으로 엿들음》: I accidentally ~*d* their conversation. 우연히 그들의 대화를 들었다 / I ~*d* my wife make an appointment with him. 아내가 그와 만날 약속을 하는 것을 얼핏 들었다.

over·heat [òuvərhí:t] *vt.* ① …을 과열하다. ② …을 지나치게 흥분시키다〔선동하다〕. — *vi.* 과열하다 : I think the engine's ~*ing* again. 엔진이 다시 과열되고 있는 것 같다.

over·in·dulge [òuvərindʌ́ldʒ] *vt.* …을 지나치게 어하다 : Penny was ~*d* by her parents. 페니는 응석받이로 자랐다. — *vi.* 너무 열중하다, 지나치게 탐닉하다《*in*》: He ~*s in* whiskey 〔television〕. 그는 위스키에 푹 빠졌다〔텔레비전을 너무 본다〕.

over·in·dul·gence [òuvərindʌ́ldʒəns] *n.* Ⓤ ① 지나치게 어함, 방종. ② 탐닉.

over·in·dul·gent [òuvərindʌ́ldʒənt] *a.* 지나치게 어하는, 너무 멋대로 (하게) 하는.

over·in·sure [òuvərinʃúər] *vt.* 지나친 가액으로 보험에 들다.

over·is·sue [óuvəriʃu:] *n.* Ⓒ (지폐·주권의) 남발, 한외(限外) 발행(물〔고〕)《*of*》.

over·joyed [òuvərdʒɔ́id] *a.* 〔敍述的〕 크게 기뻐하는《*at* ; *with*》: He was ~ *at* the news. 그는 그 소식에 매우 기뻐했다.

over·kill [óuvərkil] *n.* Ⓤ ① (핵무기에 의한) 과잉 살상력 ; 과잉살육. ② (행동 등의) 과잉, 지나침 : I thought 24 hours of television coverage of the election verged on ~. 텔레비전의 24시간 선거 방송은 지나치지 않았나 하고 생각했다.

over·lad·en [òuvərléidn] *a.* 짐을 지나치게 실은, (부담 따위가) 너무 큰, 과대한.

***over·land** [óuvərlæ̀nd, -lənd] *a.* 육로〔육상〕의. — *ad.* 육로로, 육상으로 : travelling ~ to China 중국까지 육로로 가는 여행 / Shall we drive ~ to California, or fly? 캘리포니아까지 육로로 차를 타고 갈까요, 그렇지 않으면 비행기로 갈까요.

over·lap** [òuvərlǽp] (-pp-***) *vt.* ① 부분적으로 덮다 ; …위에 겹치다, 마주 겹치다 ; …에서 내밀

다: One of John's front teeth ~*s* the other. 존의 앞니 하나가 다른 이 위로 삐드러져 있다 / The roofing slates were laid to ~ each other. 지붕의 슬레이트는 서로 겹치도록 놓여 있었다. ② 일부분이 일치하다; (시간 등이) 중복하다, 맞부딪치다. — *vi.* 《~ / +전+명》 부분적으로 겹쳐지다, 일부분이 일치되다; (시간 따위가) 중복되다《*with*》: The war ~*ped* in time *with* the Far Eastern war. 그 전쟁은 극동 전쟁과 때를 같이하고 있었다 / My vacation ~*s with* yours, so we won't see each other for a month or so. 내 휴가와 네 휴가가 일부 겹치니 약 한 달 동안은 서로 만나지 못할 것이다. — [óuvərlæ̀p] *n.* Ⓤ,Ⓒ ① 부분적 중복〔일치〕. ②《映》 오버랩《한 장면과 다음 장면의 겹침》. ③《컴》 겹침.

over·lay [òuvərléi] (*p., pp.* ***-laid*** [-léid]) *vt.* ① …에 들씌우다, …에 포개다; …의 위에 깔다. ② 〔흔히 受動으로〕 …에 바르다; 덧칠하다《*with*》: wood *overlaid* silver 은박을 붙인 나무 / The outside *is overlaid with* a mahogany veneer. 표면은 미장 합판이 붙여져 있다.
— [óuvərlèi] *n.* Ⓒ ① 덮어 대는 것, 덧씌우는 것. ② 외면, 표면: an ~ of good temper 기분 좋은 모습. ③《컴》 갈마들이.

over·leaf [óuvərlì:f] *ad.* (종이의) 뒷면에; 다음 페이지에: The explanation is continued ~. 설명은 다음 쪽에 계속된다 / Please see ~. 뒷면을 보세요.

over·leap [òuvərlí:p] (*p., pp.* ***~ed*** [-lí:pt, -lépt], ***-leapt*** [-lépt]) *vt.* ① …을 뛰어넘다: ~ fence 울타리를 뛰어넘다. ② …을 빠뜨리다; 생략하다, 간과하다: ~ important steps and reach erroneous conclusions 중요한 단계를 빼먹고 잘못된 결론에 도달하다.

over·lie [òuvərlái] (***-lay*** [-léi]; ***-lain*** [-léin]; ***-ly·ing*** [-láiiŋ]) *vt.* ① …의 위에 눕다, …의 위에서 자다: A thick layer of soil ~*s* the rocks. 두터운 지층이 바위 층 위에 가로 놓여 있다. ② (어린애)를 깔고 누워 질식시키다.

*__over·load__ [òuvərlóud] *vt.* ① …에 짐을 너무 많이 싣다; 너무 부담을 주다(overburden)《*with*》: The boat was ~*ed with* refugees. 그 보트는 피난민으로 가득 차 있었다 / All the staff are ~*ed with* work. 전 직원이 너무 많은 일을 떠맡았다. ②《電》 …에 지나치게 부하(負荷)를 걸다, 과충전하다. — [óuvərlòud] *n.* Ⓒ ① 과적재; 과중한 부담. ②《電》 과부하(過負荷).

over·long [óuvərlɔ́:ŋ] *a.* 지나치게 긴: an ~ performance 너무나 긴 공연. — *ad.* 너무나 오랫동안: stay ~ 너무 오래 머물다.

‡**over·look** [òuvərlúk] *vt.* ① …을 바라보다, 내려다보다; (건물·언덕 따위가) …을 내려다보는 위치에 있다: We can ~ the sea from here. 우리는 여기서 바다를 내려다볼 수 있다 / My garden is ~*ed* by the neighbors. 우리 정원은 이웃집에서 볼 수 있다. ② …을 감독〔감시〕하다: He ~*s* a large number of workers. 그는 다수의 종업원을 감독하고 있다. ③ 빠뜨리고 보다; (결점 따위)를 눈감아 주다, 너그럽게 보아 주다: I'll ~ your mistake this time. 이번만은 네 잘못을 눈감아 주겠다 / He ~*ed* the enormous risk involved in doing it. 그는 그것을 하는 데 관련된 아주 큰 위험을 간과하고 있었다.
— [óuvərlùk] *n.* Ⓒ《美》 ① 전망, 조망. ② 전망이 좋은 곳.

over·lord [óuvərlɔ̀:rd] *n.* Ⓒ 대군주(大君主).

over·ly [óuvərli] *ad.*《美》 과도하게; 매우, 대단히: I wasn't ~ impressed with her performance. 그녀의 연주에 별로 감명을 받지 않았다.

over·manned [òuvərmǽnd] *a.* (직장 따위에) 필요 이상의 인원이 배치된: The company is heavily ~. 그 회사는 사원이 정말 너무 많다.

over·man·ning [òuvərmǽniŋ] *n.* Ⓤ 인원 과잉, 과잉 인원.

over·man·tel [óuvərmæ̀ntl] *n.* Ⓒ 벽로(壁爐) 위의 장식 선반.

over·mas·ter·ing [òuvərmǽstəriŋ, -má:s-] *a.* 지배적인, 압도하는: an ~ passion 억제하기 어려운 격렬한 열정.

over·match [òuvərmǽtʃ] *vt.* …보다 더 우수하다〔낫다〕, …에 이기다, …을 압도하다.

over·much [óuvərmʌ́tʃ] *a.* 과다한, 과도한.
— *ad.* ① 과도하게: It is unwise to indulge ~ in strong drink. 과음에 대해 지나치게 관대한 것은 현명한 처사가 아니다. ② 〔否定文으로〕 그다지: I do*n't* like fish ~. 생선은 별로 좋아하지 않는다.

*__over·night__ [óuvərnàit] *a.* 〔限定的〕 ① 밤을 새는; 하룻밤 묵는: an ~ debate 밤을 새며 벌이는 토론 / an ~ guest 하룻밤 (묵는) 손님 / He made an ~ stop at London. 그는 런던에서 일박했다. ② 하룻밤 사이의〔에 출현한〕, 돌연한, 갑작스러운: an ~ millionaire 벼락 부자. — [óuvərnáit] *ad.* ① 밤새껏, 밤새도록; 하룻밤: stay ~ 일박하다 / The fish will keep ~. 생선이 하룻밤은 갈 것이다. ② 하룻밤 사이에, 돌연히: Logan became famous ~. 로간은 하룻밤 사이에 유명해졌다.

over·pass [óuvərpæ̀s, -pà:s] *n.* Ⓒ《美》 구름다리, 육교; 고가도로; 오버패스. ⓒⓕ underpass.

over·pay [òuvərpéi] (*p., pp.* ***-paid*** [-péid]) *vt.* …에 더 많이 지급하다, …에게 과분하게 보수를 주다: I think lawyers are *overpaid* for what they do. 변호사는 그들이 하는 일에 대해 과분한 보수를 받는 것 같다. ㊕ **~·ment** *n.* Ⓤ,Ⓒ 과다 지급(금), 과분한 보수.

over·play [òuvərpléi] *vt.* 과장되게 연기하다; 과장하다: The poet's importance is ~*ed* by his biographer. 그 시인의 위대함은 전기 작가에 의해 과장되어 있다.

over·plus [óuvərplʌ̀s] *n.* Ⓤ 나머지, 과잉, 과다.

over·pop·u·lat·ed [òuvərpápjulèitid / -pɔ́p-] *a.* 인구 과잉의: a program of resettlement from the most ~ area 가장 인구가 조밀한 지역의 인구 재정주 계획. ㊕ **òver·pop·u·lá·tion** [-léiʃən] *n.* Ⓤ 인구 과잉.

*__over·pow·er__ [òuvərpáuər] *vt.* ① …을 (힘으로) 눌러 버리다, 제압하다: The police ~*ed* the mob. 경찰은 폭도를 진압했다. ② (육체·정신적 기능 등) …을 무력하게 하다; 견딜 수 없게 하다: She was ~*ed* by grief〔the heat〕. 그녀는 비탄에 젖어 있었다〔더위에 지쳐 버렸다〕.

over·pow·er·ing [òuvərpáuəriŋ] *a.* ① 저항할 수 없는, 강렬한, 압도적인: ~ grief 견디기 어려운 슬픔 / an ~ smell 역한 냄새 / an ~ desire to slap her 그녀를 갈겨주고 싶은 강한 욕구. ② (사람이) 강한 성격의. ㊕ **~·ly** *ad.* 압도적으로.

over·price [òuvərpráis] *vt.* …에 너무 비싼 값을 매기다.

over·print [òuvərprínt] *vt.* 《印》 …을 겹쳐 인쇄하다. — *vi.* 덧인쇄를 하다. — [óuvərprìnt] *n.* Ⓒ 중복 인쇄.

over·pro·duce [òuvərprədjú:s] *vt., vi* 과잉생산하다. ㊕ ***-dúc·tion** [-dʌ́kʃən] *n.* Ⓤ 생산과잉.

over·proof [óuvərprú:f] *a.* (주류가) 표준 이상의 알코올을 함유한.

over·pro·tect [òuvərprətékt] *vt.* …을 과(過)보호하다. ㊕ **-pro·téc·tion** [-tékʃən] *n.* Ⓤ 과보

호. **-pro·téc·tive** *a.* 과보호한 : I suppose I've been *overprotective,* but Mike's my only son. 과보호한 것 같으나, 마이크는 내 외아들인걸.

over·rate [òuvəréit] *vt.* …을 과대평가하다 : I think you ~ their political influence. 당신은 그들의 정치적 영향력을 과대 평가하는 것 같다.

over·reach [òuvərí:tʃ] *vt.* ① (수를 써서) 앞지르다. ② 〔再歸的〕 지나쳐서 그르치다 : The company *~ed itself* financially. 그 회사는 재정적으로 무리를 해서 일을 그르쳤다.

over·re·act [òuvəriǽkt] *vi.* (…에) 과잉 반응하다《*to*》: You always ~ *to* criticism. 당신은 비판에 지나치게 반응한다. ㊞ **-re·ác·tion** [-ǽkʃən] *n.* Ⓤ 과잉 반응.

over·ride [òuvəráid] (*-rode* [-róud]; *-rid·den* [-rídn], *-rid* [-ríd]) *vt.* ① …을 무시하다 ; 거절하다 ; (결정 따위)를 뒤엎다 : We *overrode* their objections. 우리들은 그들의 반대를 뿌리쳤다. ② …에 우월〔우선〕하다 : The needs of the mother should not ~ the needs of the child. 엄마의 바람이 아이의 바람에 우선해서는 안 된다.

over·rid·ing [òuvəráidiŋ] *a.* 〔限定的〕 최우선의 ; 가장 중요한 : an ~ concern 우선적인 관심사 / be of ~ importance 가장 중요하다 / Our ~ obligation is to prepare our graduates for their future. 우리에게 가장 우선하는 책무는 졸업생들에게 장래를 준비시키는 것이다.

over·ripe [óuvəráip] *a.* 너무 익은.

over·rule [òuvərú:l] *vt.* (결정 등을 권세로) 눌러 뒤집다, 번복시키다 ; 파기〔각하〕하다 ; 무효로 하다 : A higher court *~d* the judgment. 상급 법원이 그 판결을 파기했다 / Parliament *~d* the local authorities. 국회는 지방 정부의 결정을 뒤집었다.

***over·run** [òuvərʌ́n] (*-ran* [-rǽn]; *-run ; -run·ning*) *vt.* ① …의 전반에 걸쳐 퍼지다 ; (해충이) 들끓다 ; (잡초가) 우거지다 ; (병·사상 따위가) …에 갑자기 퍼지다《★ 때때로 受動으로, 前置詞는 *by, with*》: a tiny island ~ *with* tourist 관광객으로 북적대는 작은 섬 / The ship *was* ~ *by*〔*with*〕 rats. 배에는 쥐가 우글거렸다 / Weeds have ~ the garden. 잡초가 정원을 온통 뒤덮고 있다. ② 침략하다, (침략으로) 황폐시키다. ③ **a**) 지나쳐 달리다, 오버런하다 : The airplane *overran* the runway. 그 비행기는 활주로를 오버런했다. **b**) (범위·제한)을 넘어서다, 초과하다 : The final speaker *overran* by at least half hour. 마지막 연사는 적어도 반시간은 제한 시간을 넘겼다.
── *vi.* ① **a**) 제한을 초과하다. **b**) 달려서 지나치다. ② 넘치다. ──[óuvərʌ̀n] *n.* Ⓒ ① (시간·비용 등의) 초과. ② 오버런.

over·scru·pu·lous [òuvərskrú:pjələs] *a.* 지나치게 세심〔면밀〕한.

***over·sea(s)** [óuvərsí:(z)] *a.* 〔限定的〕 해외(로부터)의 ; 해외로 가는〔향한〕 : an ~ broadcast 대외 방송 / ~ trade 해외 무역 / make an ~ call 국제 전화를 걸다. ── [òuvərsí:z] *ad.* 해외로〔에, 에서〕(abroad) : Most applications came from ~. 대부분의 원서가 해외에서 왔다 / John is going to work ~. 존은 해외로 일하러 갈 예정이다.

over·see [òuvərsí:] (*-saw* [-sɔ́:]; *-seen* [-sí:n]) *vt.* …을 감독하다 : A team leader was appointed to ~ the project. 팀장이 그 계획을 감독하도록 지명되었다.

over·se·er [óuvərsì:ər] *n.* Ⓒ 감독《사람》; 직공장, 단속하는 사람, 관리자.

over·sell [òuvərsél] (*p., pp.* *-sold* [-sóuld]) *vt.* ① (거래 가능한 양 이상으로) 지나치게 팔다. ② 실제보다 높이 평가하다, 지나치게 칭찬하다.

over·sen·si·tive [òuvərsénsətiv] *a.* 지나치게 민감한, 신경과민인 : I didn't mean that. George is just being ~. 나는 그런 뜻으로 말한 것은 아니다. 조지는 정말 신경과민이다.

over·set [òuvərsét] (*p., pp.* *-set ; -set·ting*) *vt.* ① …을 뒤엎다, 전복하다 : ~ a chair 의자를 뒤엎다 / ~ the government 정부를 전복하다. ② …을 혼란시키다 : ~ one's plan 계획을 뒤틀다 / ~ a person 사람의 마음을 교란하다.

***over·shad·ow** [òuvərʃǽdou] *vt.* ① …을 그늘지게 하다, 가리다, 어둡게 하다 : a dark valley *~ed* by towering peaks 높은 봉우리에 가리어진 어두운 계곡. ② …의 빛을 잃게 하다, 볼품없이 보이게 하다, …보다 중요하다〔낫다〕 : The failure of the project *~ed* his fame. 그 사업 계획의 실패로 그의 명성이 퇴색했다.

***over·shoe** [óuvərʃù:] *n.* (흔히 *pl.*) 오버슈즈, 방수용〔방한용〕 덧신.

over·shoot [òuvərʃú:t] (*p., pp.* *-shot* [-ʃát / -ʃɔ́t]) *vt.* (목표)를 넘어가다 ; (정지선·착륙지점 따위)를 지나쳐 가다 : The plane *overshot* the runway. 비행기는 활주로를 오버런했다 / I didn't see the sign and *overshot* the turning. 표지를 보지 못하고 모퉁이를 지나쳐 버렸다.

over·shot [òuvərʃát / -ʃɔ́t] OVERSHOOT의 과거·과거 분사. ── *a.* ① 위로부터 물을 받는, 상사식(上射式)의《물레바퀴》. ② (개 등) 위턱이 쑥 내민.

over·side [óuvərsàid] *a.* 뱃전으로부터의.

over·sight [óuvərsàit] *n.* ① Ⓤ,Ⓒ 빠뜨림, 못봄, 실수 : by〔through〕 an ~ 잘못하여, 무심코 / I assure you that this was purely an ~ on my part. 이것은 단언컨대 순전히 내 실수였습니다. ② Ⓤ (또는 an ~) 감독, 감시, 단속, 관리.

over·sim·pli·fy [òuvərsímpləfài] *vt.* …을 지나치게 단순화하다. ── *vi.* 너무 간단하게 다루다. ㊞ **òver·sim·pli·fi·cá·tion** [-fikéiʃən] *n.*

over·size [óuvərsáiz] *a.* 너무 큰 ; 특대의 : His features were dwarfed by a pair of ~ spectacles. 지나치게 큰 안경 때문에 그의 얼굴은 상대적으로 왜소해졌다. ㊞ **~d** [-d] *a.* =OVERSIZE.

over·skirt [óuvərskə̀:rt] *n.* Ⓒ 오버스커트《드레스 따위에 다시 겹쳐 입는 스커트》.

***over·sleep** [òuvərslí:p] (*p., pp.* *-slept* [-slépt]) *vi.* 너무 오래 자다 : I had *overslept* that morning, and was late for work. 그날 아침 너무 오래 자서 지각했다.

over·spend [òuvərspénd] (*p., pp.* *-spent* [-spént]) *vt., vi.* (…을) 너무 쓰다 ; 돈을 지나치게 쓰다 : ~ one's salary 월급을 과용하다 / Credit cards have encouraged people to ~. 신용 카드는 사람들에게 낭비를 조장했다.

over·spill [óuvərspìl] *n.* Ⓒ (흔히 *sing.*) ① 넘쳐 흐름, 과잉. ② 《英》 (도시의) 과잉 인구.
── *a.* 〔限定的〕《英》 과잉 인구용의 : an ~ housing 과잉 인구용 주택 단지.

***over·spread**[1] [òuvərspréd] (*p., pp.* *-spread*) *vt.* 《~+目 / +目+前+名》…의 위에 퍼지다, 온통 뒤덮다 : The sky was ~ *with* clouds. 하늘은 구름에 뒤덮여 있었다.

over·spread[2] *a.* (…로) 온통 뒤덮힌《*with*》: a garden path ~ *with* branches 나뭇가지로 뒤덮힌 정원의 오솔길. 「원이 많은.

over·staffed [òuvərstǽft] *a.* 필요 이상으로 인

over·state [òuvərstéit] *vt.* 허풍을 떨다, 과장하다 : ~ one's case 자기의 주장을 과장해서 말하다 / We must not frighten people by *overstating* the dangers. 위험을 과장하여 사람들을 놀라게 해

서는 안 된다. ⊞ **~·ment** *n.* ① Ⓤ 허풍, 과장해서 말하기. opp *understatement.* ② Ⓒ 과장된 말〔표현〕.

over·stay [òuvərstéi] *vt.* …의 시간〔기간, 기한〕 뒤까지 오래 머무르다. ~ one's ***welcome*** 너무 오래 있어서 눈총을 맞다.

over·steer [óuvərstìər] *n.* Ⓤ 오버스티어《핸들을 돌린 각도에 비하여 차체가 커브에서 더 안쪽으로 회전하는 조종 특성》. opp *understeer.* —[--ˊ] *vi.* (차가) 오버스티어하다〔되다〕.

over·step [òuvərstép] (**-pp-**) *vt.* …을 지나쳐가다, 밟고 넘다; …의 한도를 넘다: ~ the mark 도를 지나치다 / He ~*ped* his authority. 그는 월권행위를 했다.

over·stock [òuvərsták / -stɔ́k] *vt.* 《~+目/+目+前+名》 …을 너무 많이 공급하다; 지나치게 사들이다《*with*》: ~ a shop 상품을 너무 많이 사들이다 / ~ a show window *with* various merchandise 쇼윈도에 갖가지 상품을 너무 많이 진열하다. — *vi.* 지나치게 사들이다《*with*》. —[ˊ--] *n.* Ⓤ 공급 과잉; 재고 과잉.

over·strain [òuvərstréin] *vt.* (신경 따위)를 지나치게 긴장시키다; 무리하게 쓰다.

over·strung [óuvərstrʌ́ŋ] *a.* 지나치게 긴장한, (신경) 과민의: Their nerves were badly ~. 그들의 신경이 몹시 긴장하고 있었다.

over·stuffed [òuvərstʌ́ft] *a.* …에 지나치게 채워 넣은; (소파 따위가) 지나치게 푹신푹신한.

over·sub·scribed [òuvərsəbskráibd] *a.* ① (공채(公債) 등) 모집액 이상으로 신청한. ② (극장 등) 정원 이상으로 예약된.

over·sup·ply [òuvərsəplái] *vt.* …을 지나치게 공급하다. —[ˊ--] *n.* Ⓤ 공급 과잉.

overt [óuvəːrt, -ˊ] *a.* 〔限定的〕 명백한; 공공연한, 역연(歷然)한. opp *covert.* ¶ ~ discrimination 공공연한 차별 대우. ⊞ **~·ly** *ad.* **~·ness** *n.*

‡**over·take** [òuvərtéik] (**-took** [-túk]; **-tak·en** [-téikən]) *vt.* ① …을 따라잡다〔붙다〕; 추월하다: We were *overtaken* by several cars. 여러 대의 차가 우리를 앞질러 갔다 / By 1970 the Americans had *overtaken* the Russians in space technology. 1970년까지 미국인은 우주과학 기술에서 러시아인을 따라잡았다. ② (폭풍 따위가) …에게 덮치다; 허를 찌르다: A sudden storm *overtook* us. 우리는 갑자기 폭풍을 만났다 / He was *overtaken by* fear. 그는 갑자기 공포에 사로잡혔다. — *vi.* 차가 추월하다(pass) : No *overtaking.* 추월 금지《표지》. 「분사.

over·tak·en [òuvərtéikən] OVERTAKE의 과거

over·task [òuvərtǽsk, -tάːsk] *vt.* …에 무리한 일을 시키다; …을 혹사하다.

***over·tax** [òuvərtǽks] *vt.* ① …에 지나치게 과세하다: This country is ~*ed.* 이 나라는 중세에 시달리고 있다. ② **a**) …에 무리를 강요하다, 지나치게 일을 시키다: ~ one's strength 힘에 부치는 일을 하다 / His dull sermon ~*ed* my patience. 그의 지루한 설교는 견딜 수 없었다. **b**) 〔再歸的〕 무리를 하다: Don't ~ *yourself !* 무리하지 마라.

over-the-coun·ter [óuvərðəkáuntər] *a.* 〔限定的〕 ①〖證〗 장외(場外) 거래의《略: OTC, O.T.C.》: ~ market 〔stocks〕 장외 시장〔거래 주식〕. ② (약이) 의사의 처방이 필요없는.

over-the-top [òuvərðətάp] *a.* 《口》 지나친; 엉뚱한: It's a bit ~ to call him a fascist. 그를 파시스트라고 부르는 것은 조금 지나치다.

over·threw [òuvərθrúː] OVERTHROW 의 과거.

‡**over·throw** [òuvərθróu] (**-threw** [-θrúː]; **-thrown** [-θróun]) *vt.* ① …을 뒤집어 엎다, 타파하다; (정부 따위)를 전복시키다, (제도 등)을 폐지하다: a social revolution that has *overthrown* basic standards of morality 도덕 규범을 뒤엎어 버린 사회 혁명 / ~ slavery 노예제를 폐지하다 / Rebels were already plotting to ~ the government. 모반자들은 정부를 전복하기로 이미 음모를 꾸미고 있었다. ②〖野〗 (베이스의) 위를 높이 벗어나게 폭투(暴投)하다: The shortstop *overthrew* first base, allowing a run to be scored. 유격수가 1루에 폭투해서 1점을 허용했다. —[óuvərθròu] *n.* Ⓒ ① (흔히 *sing.*) 타도, 전복(upset). ②〖野〗 폭투, 높이던지기.

over·time [óuvərtàim] *n.* Ⓤ ① 규정외 노동시간; 《특히》 시간외 노동, 초과근무: six hours' ~, 6시간 초과 근무 / do 〔be on〕 ~ 잔업을 하다 / They're working ~ to get the job finished. 그들은 일을 마치기 위해 잔업을 하고 있다. ② 초과근무〔잔업〕 수당: A miner could earn $500 a week, including ~. 광원은 초과근무 수당을 포함해서 1주일에 500 달러를 벌 수 있었다. ③《美》〖競〗 연장 경기시간, 연장전. — *a.* 〔限定的〕 시간외의, 초과 근무의; 규정 시간을 초과한: ~ pay 초과 근무 수당. — *ad.* 시간외로; 규정 시간을 초과해서: work ~ 시간외 근무를 하다 / park ~ 시간을 넘어 주차하다.

over·tire [òuvərtáiər] *vt.* (병자)를 지치게 하다; 〔再歸的〕 (병자가) 지치다.

over·tone [óuvərtòun] *n.* Ⓒ ①〖樂〗 상음(上音), 배음(倍音) (opp *undertone*). ② (주로 *pl.*) (말 따위의) 함축, 뉘앙스: a reply full of ~ 의미심장한 대답 / 'Sea' carries stronger emotional ~*s* than 'ocean'. 'sea'라는 말은 'ocean'보다 감정적 뉘앙스가 강하다.

***over·took** [òuvərtúk] OVERTAKE 의 과거.

over·top [òuvərtάp / -tɔ́p] (**-pp-**) *vt.* ① …의 위에 우뚝 솟다; …보다 높다: Pine trees ~*ped* the bushes. 소나무가 관목 위로 우뚝 솟아 있었다. ② …보다 낫다: His duty ~*ped* mine. 그의 임무가 내 임무보다 중했다.

over·train [òuvərtréin] *vt., vi.* (…을) 지나치게 훈련〔연습〕시키다〔하다〕.

over·trump [òuvərtrʌ́mp] *vt., vi.* 〖카드놀이〗 상대보다 끗수 높은 카드를 내다.

***over·ture** [óuvərtʃər, -tʃùər] *n.* Ⓒ ① (종종 *pl.*) 신청, 제안, 예비교섭: an ~ of marriage 결혼 신청 / ~*s* of peace 평화의 제안 / make ~*s* of friendship to... …에게 다정히 지내자고 제의하다. ②〖樂〗 서곡, 전주곡(曲).

‡**over·turn** [òuvərtə́ːrn] *vt.* ① …을 뒤집어 엎다, 뒤집다, 전복시키다: An enormous wave ~*ed* their boat. 큰 파도가 그들의 보트를 전복시켰다 / The decision was finally ~*ed* by the Suprem Court last year. 그 결정은 작년에 대법원에서 끝내 뒤집히고 말았다. ② …을 타도하다: The government was ~*ed* by the rebels. 정부가 반란군에 의해 쓰러졌다. — *vi.* 전복하다, 뒤집히다: The car skidded and ~*ed.* 자동차가 미끌어져 뒤집혔다. —[óuvərtə̀ːrn] *n.* Ⓒ ① 전복. ② 타도, 붕괴(collapse).

over·use [òuvərjúːz] *vt.* …을 지나치게 쓰다, 남용하다: ~ an expression 같은 표현을 너무 자주 쓰다. —[óuvərjùːs] *n.* Ⓤ 과도한 사용, 남용.

over·val·ue [òuvərvǽljuː] *vt.* …을 실질 이상으로 평가하다, 과대 평가하다. opp *undervalue.*

over·view [óuvərvjùː] *n.* Ⓒ 개관, 개략; 대요(大要): Professors often give an ~ of the subject at the start of the lecture. 교수들은 가끔 강

의 첫머리에 주제의 개요를 설명한다.

over·watch [òuvərwátʃ/-wɔ́tʃ] *vt.* …을 망보다, 감시하다.

over·ween·ing [òuvərwíːniŋ] *a.* 〔限定的〕 뽐내는, 자신 만만한; 거들먹거리는: ~ pride 지나친 자존심.

***over·weight** [óuvərwèit] *n.* [U] ① 초과중량, 더 나가는 무게. ② 체중 초과, 지나치게 뚱뚱함. ── [òuvərwéit] *a.* ① 중량이 초과된; 너무 무거운: The baggage is two kilos ~ 〔~ by two kilos〕. 그 짐은 2킬로 중량이 넘는다. ② 지나치게 뚱뚱한: an ~ patient 너무 뚱뚱한 환자 / He's ~. 그는 너무 뚱뚱하다. [파] **òver·wéight·ed** [-id] *a.* ① 중량초과의, 짐을 너무 실은: The truck is ~*ed* at the back. 그 트럭은 뒤쪽이 너무 무겁다. ② 한쪽에 치우친: The arguments are ~*ed* in his favor. 그 논쟁은 일방적으로 그에게 유리하게 되어 있다.

‡**over·whelm** [òuvərhwélm] *vt.* ① …을 압도하다《★ 종종 受動으로, 前置詞는 *by, with*》: I *was* ~*ed by* feelings of despair. 나는 절망감에 어찌할 바를 몰랐다 / The enemy ~*ed* us during the battle. 적은 그 전투에서 우리를 압도했다 / Grief ~*ed* me. 슬픔이 와락 내게 밀려왔다. ② (물결 등이) 위에서 덮치다, 물 속에 가라앉히다, 땅에 파묻다: The caravan was ~*ed* by sandstorm. 대상은 모래 폭풍에 묻혀버렸다 / The rising water suddenly ~*ed* the village. 불어나는 홍수가 갑자기 마을을 삼켜버렸다.

***over·whelm·ing** [òuvərhwélmiŋ] *a.* 〔限定的〕 압도적인, 불가항력의: an ~ disaster 불가항력의 재해 / an ~ victory 압도적인 승리 / An ~ majority of the members were against the idea. 절대 다수의 회원이 그 생각에 반대했다. [파] ~·**ly** *ad.* 압도적으로.

over·work** [òuvərwə́ːrk] (*p., pp.* ~ed*** [-t], ***-wrought*** [-rɔ́ːt]) *vt.* ① …을 지나치게 부리다. [opp] *underwork.* ¶ Tom ~*ed* his staff mercilessly. 톰은 무자비하게 그의 부하를 혹사했다. ② (특정한 어구·표현 등)을 너무 많이 쓰다: Don't ~ that excuse. 그런 변명은 작작 해라. ── *vi.* 너무 일을 하다: He has ~*ed* for weeks. 그는 수주일 동안 너무 일했다. ── [⌐-⌐] *n.* [U] 과로, 과도한 노동: He became ill through ~. 그는 과로로 병이 났다.

over·write [òuvərráit] (***-wrote*** [-róut]; ***-writ·ten*** [-rítn]) *vt.* …에 대해 너무 쓰다; (다른 문자 위에) 겹쳐서 쓰다; 지나치게 공들인 문체로 쓰다: Most of his stories are *overwritten.* 그의 소설은 대부분이 너무 겉만 번드레하다. ── *vi.* 지나치게 자세히 쓰다.

over·wrought [òuvərrɔ́ːt] *a.* ① 지나치게 긴장〔흥분〕한: ~ nerves 날카로워진 신경 / We were both a little ~. 우리는 둘다 약간 흥분하고 있었다. ② 지나치게 겉만 번드레한. 「인.

over·zeal·ous [òuvərzéləs] *a.* 지나치게 열심

ovi·duct [óuvədʌ̀kt] *n.* [C] 〖解〗 난관(卵管), 나팔관; 〖動〗 수란관.

ovi·form [óuvəfɔ̀ːrm] *a.* 난형(卵形)의. 「의.

ovip·a·rous [ouvípərəs] *a.* 〖動〗 난생(卵生)

ovu·late [óuvjulèit, ɑ́-] *vi.* 〖生理〗 배란하다. [파] **òvu·lá·tion** [-ʃən] *n.* [U] 〖生〗 배란. 「난자.

ovum [óuvəm] (*pl.* ***ova*** [óuvə]) *n.* [C] 〖生〗 알,

ow [au, uː] *int.* 앗 아파, 아야, 어《아픔·놀라움 따위의 표현》. [cf.] ouch.

‡**owe** [ou] *vt.* ①《~+[목]/+[목]+[전]+[명]/+[목]+[목]》…을 빚지고 있다, 지불할 의무를 지고 있다: I ~ John 10 dollars. =I ~ 10 dollars *to* John. 존에게 10 달러 빚이 있다. ★[1] 직접목적어를 생략할 때도 있음: He *owes* not any man. 그는 아무에게도 빚을 지고 있지 않다. ★[2] 다음과 같은 구문도 있음: I still *owe* you *for* the gas. 당신에게 아직 휘발유 대금을 빚지고 있습니다 / He still ~*d* $200 *on* that car. 그 자동차 대금으로 아직 200 달러를 지불해야 한다. ②《+[목]+[목]/+[목]+[전]+[명]》…의 은혜를 입고 있다: I ~ him a great deal. =I ~ a great deal *to* him. 그에게는 대단한 신세를 지고 있다. ③《+[목]+[전]+[명]》…의 은혜를 갚아야 하다, …의 덕이다, …의 신세를 지다: I ~ my present position *to* an accident. 이 지위에 오른 것은 우연에 의한 것이다 / I ~ it *to* you that I am still alive. 내가 오늘날 아직도 살아 있는 것은 당신 덕이오. ④《+[목]+[목]》(어떤 감정)을 …에게 품고 있다: I ~ him a grudge. 그에게 원한이 있다.

── *vi.* 《~/+[전]+[명]》 빚지고 있다: He ~*s for* three months' rent. 집세를 석 달치 안 내고 있다.

~ ***it to*** one***self to*** do …하는 것이 자신에 대한 의무이다, …하는 것은 자신을 위해 당연하다: We ~ *it to ourselves to* make the best of our lives. 우리는 최선을 다해 살아야 할 의무가 있다.

(***think***) ***the world*** ~***s*** one ***a living*** 세상에서 돌보아 주는 것이 당연하다(고 생각하다).

‡**ow·ing** [óuiŋ] *a.* 〔敍述的〕 ① 빚지고 있는, 미불로 되어 있는《*to*》: I paid what was ~. 빚은 전부 갚았다 / Is there still any money ~? 아직도 빌린 돈이 있습니까. ② …에 돌려야 할, …에 기인한《*to*》: All this is ~ *to* your carelessness. 이것은 모두 당신의 부주의 탓이오 / It was ~ *to* his careless driving that the accident occurred. 사고가 일어난 것은 그의 부주의한 운전 때문이었다.

~ ***to*** 〔前置詞句로서〕 …때문에, …로 인하여, …이 원인으로(because of): *Owing to* the snow we could not leave. 눈 때문에 출발하지 못했다.

‡**owl** [aul] *n.* [C] ① 올빼미; 부엉이. ② 밤을 새우는 사람(night owl). ③ 점잔빼는 사람, 진지한 체하는 사람. (***as***) ***wise as an*** ~ 매우 영리한.

owl·et [áulət] *n.* [C] 새끼 올빼미, 작은 올빼미.

owl·ish [áuliʃ] *a.* ① 올빼미 같은《둥근 얼굴에 안경을 끼고 눈이 큰 사람을 일컫는 말》. ② 근엄한 얼굴을 한《똑똑한 것 같으면서 어리석은》. [파] ~·**ly** *ad.*

owl·light [áullàit] *n.* [U] 황혼, 땅거미(twilight).

†**own** [oun] *a.* 〔주로 所有形容詞 다음에 쓰임〕 ① 〔所有를 강조하여〕 (남의 것이 아니라) 자기 자신의: This is my ~ house. 이것은 내 소유의 집입니다 / I saw it with my ~ eyes. 바로 내 이 두 눈으로 보았습니다 / Most Americans go to work in their ~ cars. 대개의 미국 사람들은 자가용으로 직장에 다닌다. ② 〔獨自性을 강조하여〕 (자기 자신에게) 고유한, 특유한, 독특한: The orange has a scent all its ~. 오렌지에는 독특한 향기가 있다 / He has a style all his ~. 그에게는 독특한 스타일이 있다. ③ 〔행위자의 主體性을 강조해서〕 남의 도움을 빌리지 않는, 자력으로〔자신이〕 하는: He cooks his ~ meals. 그는 자취를 한다 / reap the harvest of one's ~ sowing 자신이 뿌린 씨를 거두다, 자업자득이다.

of one′***s*** ~ ***making*** 스스로 만든, 손수 만든: She's wearing a sweater *of her* ~ *making.* 그녀는 손수 만든 스웨터를 입고 있다.

── *vt.* ① …을 소유하다; 가지고 있다: Who ~*s* the house? 이 집은 누구의 것인가 / He ~*s* a house. 그는 집을 가지고 있다. ②《~+[목]/+[목]+[전]+[명]/+*that* [절]/+[목]+(*to be*) [보]/+[목]+*as* [보]/+[목]+*done*》 (죄나 사실 등)을 인정하다; 자

인(自認)하다, 고백하다 : ~ one's faults 자신의 과실을 인정하다 / He ~*s that* he has done wrong. 그는 자기가 잘못한 것을 인정하고 있다 / He ~*ed* (*to* me) *that* he had stolen her money. 그는 그녀의 돈을 훔쳤다고 (나에게) 털어놓았다 / He ~*ed* himself (*to be*) in the wrong. 그는 자신이 잘못했음을 인정하였다 / ~ a boy *as* one's child 소년을 자기 자식으로서 인지하다. ── *vi.* 《+전+명》 인정하다, 자백하다《*to*》: ~ *to* a mistake 잘못을 자인하다 / She ~*ed to* be*ing* thirty 〔*to* hav*ing* told a lie〕. 그녀는 서른 살이라고〔거짓말한 것을〕 자백했다.

~ **up** 《口》 …을 숨김없이〔깨끗이〕 자백하다《*to*》: ~ *up to* a crime 죄를 자백하다.

own-brand [óunbrǽnd] *n.* Ⓤ 자사(自社) 브랜드 상품. ── *a.* 〔限定的〕 자사 브랜드의 : ~ goods 자사 브랜드 상품.

‡own·er [óunər] *n.* Ⓒ ① 임자, 소유주, 오너 : the ~ of a house 집 주인 / I met the ~ of the local hotel. 시골 호텔의 소유주를 만났다. ② 《英俗》 선장(captain).

own·er-driv·er [-dràivər] *n.* Ⓒ 《英》 오너드라이버 ; 개인 택시 운전사.

own·er·less [óunərlis] *a.* 임자가 없는.

own·er-oc·cu·pi·er [óunərάkjəpàiər / -rɔ́kjə-] *n.* Ⓒ 《英》 자가(自家) 거주자.

***own·er·ship** [óunərʃìp] *n.* Ⓤ 소유자임 ; 소유권 : state ~ 국유(國有) / a dispute over the ~ of the land 토지 소유에 관한 분쟁.

ówn góal ① 〖蹴〗 자살골. ② 자기에게 불리한 언동.

‡ox [ɑks / ɔks] (*pl.* ***ox·en*** [άksən / ɔ́ks-]) *n.* Ⓒ (거세한) 수소. ⓒⓕ bull[1], bullock, calf, cow[1]. (***as***) ***strong as an*** ~ 완고하고 튼실한.

ox·ál·ic ácid [aksǽlik-] 〖化〗 옥살산(酸).

ox·a·lis [άksələs / ɔ́ks-] *n.* Ⓒ 〖植〗 괭이밥.

ox·bow [άksbòu / ɔ́ks-] *n.* Ⓒ ① 소의 U자형 멍에. ② (하천의) U자형 만곡부(灣曲部).

Ox·bridge [άksbridʒ / ɔ́ks-] *n.* Ⓤ 《英》 (오랜 전통의) 옥스브리지《Oxford 대학과 Cambridge 대학》. ── *a.* 옥스브리지의〔같은〕.

***ox·en** [άksən / ɔ́ks-] ox 의 복수.

ox·eye [άksài / ɔ́ks-] *n.* Ⓒ 〖植〗 주변화(周邊花)가 있는 국화과 식물의 총칭, 《특히》 프랑스국화.

***Ox·ford** [άksfərd / ɔ́ks-] *n.* ① 옥스퍼드《잉글랜드 OXFORDSHIRE의 주도 ; 옥스퍼드 대학의 소재지》. ⓒⓕ Cambridge. ② =OXFORD UNIVERSITY. ③ (흔히 o-) (*pl.*) 《美》 옥스퍼드《발등 쪽에 끈을 매는 신사화》.

Óxford blúe 짙은 감색《Cambridge blue에 대하여》.

Ox·ford·shire [άksfərdʃiər, -ʃər / ɔ́ks-] *n.* 옥스퍼드주(州)《잉글랜드 남부 ; 주도 Oxford》.

Óxford Univèrsity 옥스퍼드 대학《잉글랜드 동부의 Cambridge 대학과 더불어 영국 최고의 대학으로 12세기에 창립 ; 略 : OU》.

ox·i·dant [άksədənt / ɔ́ks-] *n.* Ⓒ 〖化〗 옥시던트, 산화체, 강산화성(強酸化性) 물질.

ox·i·da·tion [àksədéiʃən / ɔ̀ks-] *n.* Ⓤ 〖化〗 산화(작용).

***ox·ide** [άksaid, -sid / ɔ́ksaid] *n.* ⒸⓊ 〖化〗 산화물 : iron ~ 산화철.

ox·i·di·za·tion [àksədizéiʃən / ɔ̀ksədaiz-] *n.* Ⓤ 산화.

***ox·i·dize** [άksədàiz / ɔ́ks-] *vt., vi.* (…을) 산화시키다〔하다〕 ; 녹슬(게 하)다 ; (은 따위를) 그슬려 산화시키다 : ~*d* silver 그슬린 은.

ox·lip [άkslìp / ɔ́ks-] *n.* Ⓒ 〖植〗 앵초(櫻草)의 일종.

Oxon. [άksɑn / ɔ́ksɔn] *n.* = OXFORDSHIRE ; Oxonian.

Ox·on. *a.* (학위 등의 뒤에 붙여) 옥스퍼드 대학의 : John Smith, M.A., ~ 옥스포드 대학 석사 존 스미스.

Ox·o·ni·an [ɑksóuniən / ɔks-] *a.* Oxford (대학)의. ── *n.* Ⓒ Oxford 대학 학생〔출신자〕 ; 옥스퍼드의 주민. ⓒⓕ Cantabrigian.

ox·tail [άkstèil / ɔ́ks-] *n.* ⒸⓊ 쇠꼬리《수프의 재료로 씀》.

ox·tongue [άkstʌ̀ŋ / ɔ́ks-] *n.* ⒸⓊ 쇠서《요리용》.

oxy·a·cet·y·lene [àksiəsétiliːn / ɔ̀ks-] *n.* Ⓤ 산소 아세틸렌가스. ── *a.* 산소 아세틸렌의 : an ~ torch 산소 아세틸렌 토치《금속의 절단·용접용》/ ~ welding 산소 아세틸렌 용접.

‡ox·y·gen [άksidʒən / ɔ́ks-] *n.* Ⓤ 〖化〗 산소《기호 O ; 번호 8》: an ~ breathing apparatus 산소 흡입기. ── *a.* 〔限定的〕 산소의 : an ~ mask 산소 마스크 / an ~ tank 산소 탱크.

ox·y·gen·ate [άksidʒənèit / ɔ́ks-] *vt.* 〖化〗 …을 산소로 처리하다, 산소와 화합시키다, 산화하다 : ~*d* water 과산화 수소수.

ox·y·mo·ron [àksimɔ́ːrɑn / ɔ̀ksimɔ́ːrɔn] (*pl.* ***-ra*** [-rə], ***~s***) *n.* Ⓒ 〖修〗 모순 어법《보기 : crowded solitude, cruel kindness 따위》.

ox·y·tet·ra·cy·cline [àksitetrəsáikliːn] *n.* 〖醫〗 옥시테트라사이클린《항생 물질》.

oyes, oyez [óujes, -jez] *int.* 들어라, 조용히《광고인 또는 법정의 정리(廷吏) 등이 사람들의 주의를 환기시키기 위해 보통 세 번 반복하여 외치는 소리》.

‡oys·ter [ɔ́istər] *n.* ⒸⓊ ① 〖貝〗 굴 : *Oysters* are only in season in the 'r' months. 굴을 먹기 좋은 계절은 r자가 들어가는 달 뿐이다. ② 진주조개. ③ 《口》 입이 무거운 사람. ***The world is*** one's ~. 세계는 아무의 마음먹은 대로다《Shakespeare 의 '윈저의 즐거운 아낙네들'에서》.

óyster bèd 굴 양식상(床).

óyster fàrm 〔**fàrming**〕 굴 양식장〔양식〕.

***oz.** ounce(s).

ozone [óuzoun, -⌐] *n.* Ⓤ ① 〖化〗 오존 : an ~ apparatus 오존 발생장치. ② 《口》 (해변 등지의) 신선(新鮮)한 공기.

ozone·friend·ly [óuzounfrèndli] *a.* 오존층 친화적인, 오존층을 파괴하지 않는.

ózone hòle 오존홀《오존층에 생기는 오존농도가 희박한 곳으로 자외선을 통과시켜 인체에 악영향을 끼침》.

ózone làyer (the ~) 오존층(ozonosphere).

ozon·ize [óuzounàiz, -zə-] *vt.* 〖化〗 ① (산소)를 오존화하다. ② …을 오존으로 처리하다.

㊞ **òzon·i·zá·tion** [-ʃən] *n.*

ozon·o·sphere [ouzóunəsfiər] *n.* (the ~) 오존층(層)(=**ózone shìeld**).

ozs. ounces.

P

P, p [piː] (*pl.* **P's, Ps, p's, ps** [-z]) ① Ⓤ,Ⓒ 피《영어 알파벳의 열여섯째 글자》: *P* for Peter, Peter의 P《국제 전화 통화 용어》. ② Ⓒ P 자 모양(의 것). ③ Ⓤ (연속한 것의) 열여섯 번째(의 것)(J를 제외할 경우에는 열다섯 번째). ④ Ⓒ (P)《美俗》=PEE². ***mind* 〔*watch*〕 *one's P's and Q's* 〔*p's and q's*〕** 언동을 조심하다(p 와 q 가 혼동되기 쉬운데서).

P (car) park; parking; passing; peso(s); 〖化〗phosphorus; 〖物〗pressure. **p** new penny 〔pence〕. **p.** page; park; part; penny 〔pence〕; peso(s); (It.) 〖樂〗 *piano* (=softly); (L.) *post* (=after).

p- 〖化〗 para-.

pa [pɑː] *n.* 《口·兒》 아빠(papa 의 간약형).

PA 〖美郵〗 Pennsylvania. **Pa** 〖物〗 pascal; 〖化〗 protactinium. **Pa.** Pennsylvania. **p.a.** participial adjective; per annum.

pab·u·lum [pǽbjələm] *n.* Ⓤ ① 음식, 영양물. ② 정신적 양식: mental ~ 마음의 양식(책 따위).

Pac. Pacific. **P-A-C** 〖心〗 Parent, Adult, Childhood.

‡pace¹ [peis] *n.* Ⓒ ① (한) 걸음; 1 보폭(2 1/2 ft.): take four ~*s* forward, 4보 앞으로 나아가다. ② (a ~) 걸음걸이, 걷는 속도, 보조: go at *a* ~ of 3 miles an hour 시간당 3 마일의 속도로 나아가다 / *a* fast ~ in walking 빠른 걸음 / *a* double-time ~ 구보 / *an* ordinary ~ 정상〔보통〕 걸음 / *a* quick ~ 속보. ③ **a)** (a ~) 〔一般的〕 페이스, 속도: at *a* snail's ~ 느리고 느린 걸음으로 / walk at *an* easy〔*a* good〕 ~ 천천히〔꽤 빠르게〕 걷다. **b)** (*sing.*) (일·생활 등의) 속도, 템포: at one's own ~ 자기 페이스로 / The repair work is progressing at a fast ~. 복구작업은 빠른 속도로 진행되고 있다. ④ (말의) 걸음걸이; 측대보(側對步) 《한쪽 앞뒷다리를 동시에 드는 걸음걸이》, 《특히》 측대속보. ***at a foot's* ~** 보통 걸음으로. ***at a good* ~** 잰 걸음으로, 상당한 속도로; 활발하게. ***force the* ~** 무리하게 속도를 내다. ***go* 〔*hit*〕 *the* ~** 전속력으로 나아가다; 호화롭게 지내다, 방탕한 생활을 하다. ***go through* one*'s* ~*s*** 솜씨를 (드러내) 보이다. ***hold* 〔*keep*〕 ~ *with*** …와 보조를 맞추다, …에 뒤지지 않도록 하다: I can't *keep* ~ *with* you. 너와 보조를 맞출 수 없다 / *keep* ~ scientifically and technologically *with* the U.S. 과학과 공업 기술에서 미국과 어깨를 나란히 하다. ***make* 〔*set*〕 *the* ~** (1) (선두에 서서) 보조를 정하다, 정조(整調)하다《*for*》; 모범을 보이다, 솔선수범하다; 최첨단을 가다: Michael always *sets the* ~ when we go out for a walk. 우리가 소풍나갈 때는 언제나 마이클이 보조를 정한다. ***put*** a horse 〔a person〕 ***through*** its〔his〕 ~***s*** 말의 보조를〔아무의 역량을〕 시험 하다: All the candidates were *put through* their ~*s* during the television debate. 모든 후보자들은 TV 토론 중 자신들의 능력을 시험받았다. ***show*** one***'s* ~*s*** (말이) 보태(步態)를 보이다; (사람이) 역량을 보이다. ***stand* 〔*stay*〕 *the* ~** 뒤지지 않고 따라가다: They moved out of city because they couldn't *stand the* ~ of life there. 그들은 그곳의 생활을 감당 못해 교외로 옮겨갔다.

— *vi.* ① (고른 보조로) 천천히 걷다; 왔다갔다하다《*up and down; about*》: ~ along a road 길을 따라 천천히 걷다 / ~ *up and down* the room 방안을 서성거리다. ② (말이) 측대속보로 걷다. — *vt.* ① (고른 보조로) …을 천천히 걷다, …을 왔다갔다하다: ~ the floor 〔room〕 (걱정이 있거나 해서) 마루 위를 〔방안을〕 왔다갔다하다. ② (거리)를 보측(步側)하다《*out; off*》. ③ …에게 보조를 보여주다, …의 속도를 조정하다; 정조(整調)하다.

pa·ce² [péisiː] *prep.* (L.) (반대 의견을 공손하게 말할 때) …에게는 실례지만: ~ Mr. Smith 스미스 씨에게는 실례지만.

paced [peist] *a.* 〔複合語로〕 걸음이 …인, …한 걸음의: slow-~ 걸음이 느린.

pace·mak·er [⌐mèikər] *n.* Ⓒ ① (레이스 등의) 보조〔속도〕 조정자, 페이스메이커. ② 모범이 되는 사람, 선도자, 주도자. ③〖醫〗 페이스메이커, 심장 박동 조절장치.

pac·er [péisər] *n.* Ⓒ =PACEMAKER ①.

pace·set·ter [⌐sètər] *n.* =PACEMAKER ①, ②.

pach·y·derm [pǽkidəːrm] *n.* Ⓒ 〖動〗 후피(厚皮) 동물《코끼리·하마 등》.

pach·y·der·ma·tous [pæ̀kidə́ːrmətəs] *a.* ① 후피 동물의. ② 낯가죽이 두꺼운; 둔감한.

‡pa·cif·ic [pəsífik] *a.* ① 평화로운, 평온한. ② 평화를 사랑하는, 화해적인, (성질·말 따위가) 온화한. ③ (P-) 태평양의; 미국 태평양 연안(지방)의.

Pacific Àge〔**Era**〕 (the ~) 태평양 시대.

pac·i·fi·ca·tion [pæ̀səfikéiʃən] *n.* Ⓤ 강화, 화해; 진정.

Pacific Básin (the ~) =PACIFIC RIM.

pa·cif·i·cism [pəsífəsìzəm] *n.* =PACIFISM.

Pacífic Ócean (the ~) 태평양.

Pacífic Rìm (the ~) 환태평양《특히 태평양 연안의 산업국가를 말함》.

Pacífic (Stándard) Tìme (미국의) 태평양 표준시《그리니치 표준시보다 8시간이 늦음》.

pac·i·fi·er [pǽsəfàiər] *n.* Ⓒ ① 달래는 사람, 조정자. ②《美》 고무 젖꼭지.

pac·i·fism [pǽsəfìzəm] *n.* Ⓤ 평화주의.

***pac·i·fist** [-fist] *n.* Ⓒ 평화주의자.

***pac·i·fy** [pǽsəfài] *vt.* ① …을 달래다: ~ a crying child 우는 아이를 달래다. ② …에 평화를 회복시키다, (반란)을 진압하다.

‡pack [pæk] *n.* ① Ⓒ **a)** 꾸러미, 보따리, 포장한 짐〔묶음〕, 짐짝; 팩; 룩색, 배낭: a peddler's ~ 행상인의 보따리. **b)** (낙하산을 접어 넣은) 팩. ② Ⓒ (과일·생선 등의 연간·한 철의) 출하량. ③ Ⓒ **a)** (사냥개·이리·비행기·군함 등의) 한 떼〔무리〕. **b)** (a ~) (악당 등의) 일당, 한 패《*of*》: *a* ~ *of* thieve 한 떼의 도적. ④《英》Ⓒ (카드의) 한 벌; 《美》 (담배 등의) 한 갑: a (new) ~ of cards (새) 카드 한 벌 / a ~ of cigarettes 담배 한 갑. ⑤ Ⓒ 〔集合的〕〖럭비〗 전위. ⑥ Ⓒ Cub Scouts 〔Brownie Guides〕의 편성 단위. ⑦ Ⓒ〖醫〗 찜질(에 쓰는 천), 습포; (미용술의) 팩(용 화장품): a cold 〔hot〕 ~ 냉〔온〕습포. ⑧〖컴〗 압축《자료를 압축 기억시키는 일》.

— *vt.* ①《~+목/+목+부/+목+전+명》 **a)**

싸다, 꾸리다, 묶다, 포장하다 ; …에〔을〕 채우다, 넣다 : He ~*ed* the trunk *with* the clothes. =He ~*ed* the clothes *into* the trunk. 그는 트렁크에 옷을 챙겨 넣었다. ②《~+목/+목+전+명》(사람이) …을 꽉 채우다〔메우다〕; 채워〔틀어〕 넣다, 무리하게 넣다《*into*》: We were ~*ed into* a small room. 우리는 좁은 방에 짐짝처럼 밀려들어 갔다 / The audience ~*ed* the hall. 청중이 홀에 꽉 찼다. ③《~+목/+목+전+명》 통조림으로 하다 : Meat, fish, and vegetables are often ~*ed in* cans. 고기·생선·야채 등은 종종 통조림으로 만들어진다. ④ (동물에) 짐을 지우다 ; …에 지우다《*with*》. ⑤ 메워 틀어막다, …에 패킹을 대다 : ~ a leaking joint 물이 새는 이음매를 막다. ⑥ …에 찜질하다 ; (상처)에 거즈를 대다 ; (얼굴)에 미용팩을 하다. ⑦ …을 (포장하여) 나르다 ; 《俗》(총·권총 등)을 휴대하다(carry) : ~ a piece 총을 갖고 있다. ⑧《口》(강타·충격 등)을 가할 수 있다 : ~ a hard punch (복서가) 강펀치를 날리다. ⑨〖컴〗…을 압축하다《현행 자료를 보다 적은 두값 수(bit 數)로 압축하여 기억시키다》. ── *vi.* ①《~/+부》 짐을 꾸리다《*up*》; (물건이) 꾸려지다, 포장되다〔할 수 있다〕: Have you finished ~*ing*? 짐을 다 꾸렸오 / Do these articles ~ easily? 이 물건들 쉽게 꾸릴 수 있나. ②《+전+명》(사람이 좁은 장소)에 몰려들다《*into*》: Crowds of people ~*ed into* the train. 많은 사람들이 열차에 올라 탔다. ③ (짐승이) 떼를 이루다. ④〖럭비〗 스크럼을 짜다《*down*》.

~ ***away*** = ~ off. ~ ***in*** (1) 많은 사람을 끌어들이다 : That film is really ~*ing* them *in*. 그 영화는 정말 인기다. (2)《英口》…을 그만두다. ~ ***it in***《英口》(1) (일·활동)을 그만두다. (2)〔命令形〕(시끄럽다) 그만 둬, 닥쳐. ~ ***off***《口》(사람)을 내쫓다, 돌려보내다《*to*》. ~ ***up*** (1) (짐)을 꾸리다 : ~ *up* one's belongings 소지품을 꾸리다 / They ~*ed up* and went home. 그들은 짐을 꾸려 집으로 갔다. (2) …을 그만두다 : ~ *up* drinking 술을 끊다. (3)《口》죽다. (4)《口》(엔진이) 멎다, 고장나다. ***send*** a person ~***ing***《口》아무를 가차없이 해고하다, 쫓아내다.

†pack·age [pǽkidʒ] *n.* ① Ⓒ **a**) 꾸러미, 소포, 고리 ; 패키지 : open a ~ 소포를 풀다 / She carried a ~ of books under her arm. 한 꾸러미의 책을 안고 있었다 / a ~ of goods 한 꾸러미의 상품. **b**) =PACKET ①. ② 일괄해서 팔리는〔제공되는〕것 : a contract〔《英》an aid〕~ 일괄 계약〔원조〕. ③ =PACKAGE DEAL. ④《口》=PACKAGE HOLIDAY〔TOUR〕.

── *vt.* ① (짐)을 꾸리다, 포장하다, 짜임새있게〔예쁘게〕담다 ; …의 장점이 두드러져 보이게 하다. ② …을 일괄하다 ; 일괄 프로로서 제작하다 ; (제품)의 포장을 고안 제작하다.

── *a.*〔限定的〕 일괄의, 패키지의.

páckage dèal (취사 선택의 여지가 없는) 일괄 거래〔계약, 제안〕.

páck·aged tóur [pǽkidʒd-] =PACKAGE TOUR.

páckage plàn 일괄안(案)《외교 교섭에서 많은 문제를 동시에 토의·해결하는 안》.

páckage stòre《美》 주류 소매점(《英》off-license)《가게에서는 마실 수 없음》.

páckage tòur〔hòliday〕 패키지 투어《운임·숙박비 등을 일괄 지급하는 여행사 주관의 단체 여행》.

pack·ag·ing [pǽkidʒiŋ] *n.* Ⓤ ① 짐꾸리기 ; 꾸린 짐. ② (상품의) 꾸러미〔용기〕류.

páck ànimal 짐 싣는 동물《짐을 운반하는 소·말·낙타 따위》.

packed [pækt] *a.* ① 만원인 ; 꽉 찬 : a ~ train 만원 열차. ②〔複合語〕…로 꽉찬 : a romance-~ movie 로맨스 일색의 영화. ③ (식품이) 팩〔상자〕에 든. 「시락.

pácked lúnch (학교·직장 등에 갖고 가는) 도

packed-out [pǽktáut] *a.* (방·건물 따위가) 혼잡한, 만원의.

***pack·er** [pǽkər] *n.* Ⓒ ① 짐 꾸리는 사람 ; 포장업자. ②《美》 식료품 포장 출하업자《정육·과일 등을 포장하여 시장에 출하하는 도매업자》. ③ 포장기〔장치〕.

pack·et** [pǽkit] *n.* Ⓒ ① 소포 ; (편지 따위의) 한 묶음, 한 다발. ② (사람수가 적은) 일단. ③ 우편선, 정기선(~ boat)《우편·여객·화물용》. ④〖컴〗다발《컴퓨터 정보〔데이터〕 통신에서 한 번에 전송하는 정보 조작 단위(량)》. ⑤《英口》(도박·투기 따위에서 번〔잃은〕) 큰돈 ; 큰 손해 ; 대량, 다수. ***cost a ~《英口》큰 돈이 들다. ***make a*** ~ 큰 돈을 벌다 : Someone's *making a* ~ out of this business. 누군가가 이 장사로 큰 돈을 벌고 있다.

pácket bòat〔shìp〕 (예전에, 연안·하천에서 여객·우편물·화물을 나르던 흘수(吃水)가 얕은) 정기선.

pack·horse [pǽkhɔ̀ːrs] *n.* Ⓒ 짐말.

páck ìce 군빙(群氷), 총빙(叢氷)《바다의 부빙(浮氷)이 모여 얼어붙은 것》.

***pack·ing** [pǽkiŋ] *n.* Ⓤ ① 짐꾸리기, 포장 ; 《美》통조림(제조)업 ; 식료품 포장 출하업. ② 포장용품〔재료〕, (포장용) 충전물, 패킹《삼 부스러기·솜 등》.

pácking bòx〔càse〕 수송용 포장 상자.

pack·man [pǽkmən] (*pl.* ***-men*** [-mən]) *n.* Ⓒ 행상인(peddler).

páck ràt 큰 쥐의 일종《북아메리카산 ; 둥지 속에 물건들을 저장하는 습성이 있음》.

pack·sack [ˊsæ̀k] *n.* Ⓒ《美》(여행용) 배낭.

pack·sad·dle [ˊsæ̀dl] *n.* Ⓒ 길마.

pack·thread [ˊθrèd] *n.* Ⓤ 짐 꾸리는 (노)끈.

pact [pækt] *n.* Ⓒ ① 협정, 조약 : a nonaggression ~ 불가침 조약. ② 계약, 약속.

‡pad¹ [pæd] *n.* Ⓒ ① (충격·마찰·손상을 막는) 덧대는〔메워 넣는〕 것, 받침, 패드 ; (상처에 대는) 거즈, 탈지면《따위》; 패드《생리용구》. ② 안장 대신 쓰는 방석, 안장 받침 ;〖球技〗 가슴받이, 정강이받이《따위》; (웃옷의) 어깨심, 패드《padding 이 정식》. ③ **a**) 스탬프 패드, 인주. **b**) 대(臺) ; 발착대, 발사대, 헬리콥터 이착륙장 ; (노면에 박힌) 교통 신호등 제어장치《차가 그 위를 통과하면 신호가 바뀜》: a launching ~ (로켓·미사일) 발사대. ④ (한 장씩 떼어 쓰게 된) 종이철(綴) : a writing ~ 편지지철. ⑤ (동물의) 육지(肉趾)《발바닥의 굳은살》. ⑥《美》(수련 따위의) 부엽(浮葉). ⑦《俗》침상(寢床), 방, 주거 : knock〔hit〕the ~ 잠자리에 들다. ⑧《美俗》(경찰이 불법을 봐주고 공동으로 받는) 뇌물 : on the ~《美俗》경찰관이 뇌물을 받고.

── *vt.* (***-dd-***) …에 덧대다〔메우다〕; …에 패드를 넣다〔대다〕, (옷 따위에) 솜을 두다, 심을 넣다 : ~ the shoulders of a coat 상의 어깨에 패드를 대다 / The seats were ~*ded* with foam rubber. 그 의자의 앉는 부분은 기포 고무로 돼 있었다 / ~*ded* field uniform〖軍〗(솜 넣고 누빈) 방한복. ~ ***out*** (글 따위에 불필요한 것)을 끼워 넣다, (문장·이야기)를 공연히 잡아늘리다《*with*》: a speech ~*ded out with* amusing anecdotes 재미있는 일화들로 길게 늘인 연설.

pad² (***-dd-***) *vi.* 발소리를 죽이고 걷다《*along*》: The dog ~*ded along* beside me. 개가 내 곁에서

P

조용히 따라왔다.

pad·ded [pǽdid] *a.* 패드를 댄〔넣은〕: a ~ bra 패드를 넣어 부풀린 (여성용) 브래지어.

pádded céll 다치지 않도록 벽에 완충물(緩衝物)을 댄 정신병자나 죄수의 방.

pad·ding [pǽdiŋ] *n.* Ⓤ ① 패드를 댐〔넣음〕, 심을 넣음. ② 충전물《헌솜·털·짚 등》. ③ (신문·잡지의) 여백 메우는 불필요한 삽입 어구.

‡**pad·dle**[1] [pǽdl] *n.* Ⓒ ① (카누 따위의) 짧고 폭 넓은 노; 노〔주걱〕 모양의 물건; (세탁용) 방망이; 《美》 (탁구의) 라켓, (패들 테니스의) 패들《따위》: a double ~ 양쪽 끝이 편평한 한 자루 노. ② (물레방아·외륜선의) 물갈퀴; 〖動〗 (거북 등의) 지느러미 모양의 발(flipper). ③ (a ~) 노로 젓기, 한 번 저음. ④《美口》 철썩 때리기. ── *vi.* ① 노를 젓다; 조용히 젓다. ② (배가) 외륜으로 움직이다. 개헤엄치다. ── *vt.* ① …을 노로〔외륜으로〕 움직이게 하다. ② …을 노로 저어 운반하다. ③《美口》 (체벌로서) …을 철썩 때리다(spank). ~ one*'s own canoe* ⇨ CANOE.

pad·dle[2] *vi.* 얕은 물속에서 철벅거리(며 놀)다: children *paddling* the slush 눈 녹은 진창길을 철벅거리는 아이들.

pad·dle·boat [pǽdlbòut] *n.* ＝PADDLE STEAMER.

pad·dle·fish [pǽdlfiʃ] *n.* Ⓒ 〖魚〗 주둥이가 주걱같이 생긴 철갑상어《특히 Mississippi 강에 서식하는 것과 중국 양쯔강(揚子江)에 서식하는 것》.

pad·dler[1] [pǽdlər] *n.* Ⓒ ① 물을 젓는 사람〔물건, 장치〕; 카누를〔카약을〕 젓는 사람. ② 탁구 선수. ③ ＝PADDLE STEAMER.

pad·dler[2] *n.* Ⓒ 물장난하는 사람; 물장난할 때 입는 옷《어린이용》.

páddle stèamer 외륜 기선(外輪汽船), 외륜선.

páddle whèel (외륜선의) 외륜.

páddling pòol (공원 등의) 어린이 물놀이터 (wading pool)《얕은 풀》.

pad·dock [pǽdək] *n.* Ⓒ ① (마구간에 딸린) 작은 방목장. ② 경마장 부속의 울친 잔디밭.

Pad·dy [pǽdi] *n.* ① 패디《(1) 남자 이름; Patrick의 애칭. (2) 여자 이름; Patricia 의 애칭》. ② Ⓒ 《俗》 아일랜드(계) 사람《별명》. ③ (p-) (a ~) 《美口》 성냄, 격노.

pad·dy [pǽdi] *n.* Ⓤ 쌀, 벼; Ⓒ 논(=≺ **field**).

páddy wàgon 범인 호송차.

pad·lock [pǽdlɑ̀k / ∸lɔ̀k] *n.* Ⓒ 맹꽁이자물쇠. ── *vt.* …에 맹꽁이자물쇠를 채우다〔잠그다〕.

pa·dre [pɑ́:drei, -dri] *n.* Ⓒ (스페인·이탈리아 등지의) 신부, 목사; 《美口》 군목(軍牧), 군종 신부.

pae·an [pí:ən] *n.* Ⓒ 기쁨의 노래, 찬가.

paed·er·ast [pédəræ̀st, pí:d-] *n.* ＝PEDERAST.

pae·di·at·ric [pi:diǽtrik, pèd-] *a.* ＝PEDIATRIC.

pae·di·a·tri·cian [pì:diətríʃən, pèd-] *n.* ＝PEDIATRICIAN.

pae·di·at·rics [pi:diǽtriks, pèd-] *n.* ＝PEDIATRICS.

pa·el·la [pɑ:éilə, -élə, -éiljə] *n.* ⒸⓊ 파에야 《쌀·고기·어패류·야채 등에 사프란향(香)을 가미한 스페인 요리; 그것을 끓이는 큰 냄비》.

***pa·gan** [péigən] *n.* Ⓒ ① 이교도(異教徒); 《특히》 비기독교도. ② (고대 그리스·로마의) 다신교도. ⓒⓕ heathen. ③ 쾌락주의자, 무종교자. ── *a.* ① 이교(도)의. ② 무종교의.

pa·gan·ism [péigənìzəm] *n.* Ⓤ ① 이교 (신앙); 이교 사상〔정신〕. ② 무종교; 관능 예찬.

†**page**[1] [peidʒ] *n.* Ⓒ ① 페이지《略: p., *pl.* pp.》, 쪽; (인쇄물의) 한 장: on ~ 5, 5 페이지에 / open the book to 〔at〕 ~ 30, 책의 30페이지를 펼치다 / turn the ~*s* 책장을 넘기다. ② (종종 *pl.*) **a**) (신문 등의) 난, 면; (책의) 한 절, 부분: the sports ~*s* 스포츠 난〔면〕 / the last ~ of the book 그 책의 마지막 절(부분). **b**) 책, 기록: in the ~*s* of history 역사책 안에 / in the ~*s* of Scott 스콧의 작품 안에. ③ (인생·일생의) 에피소드, (역사상의) 사건, 시기: a brilliant ~ in his life 그의 생애에서 빛나는 시기. ④ 〖컴〗 쪽, 면 《기억 영역의 한 구획; 그것을 채우는 한 뭉뚱그려진 정보》. ── *vt.* …에 페이지를 매기다. ── *vi.* ① 책 따위를 훽 훑어보다《*through*》. ② 〖컴〗 쪽매기기(paging)를 하다.

***page**[2] *n.* Ⓒ ① (제복 입은) 보이(~ boy), 급사; 신부 들러리 서는 소년; 《美》 (국회의원의 시중을 드는) 사환. ② 〖史〗 수습 기사(騎士).
── *vt.* (호텔·공항 등에서) 이름을 불러 (아무)를 찾다: *Paging* Mrs. Sylvia Jones. Will Mrs. Sylvia Jones please come to information? 실비아 존스 부인에게 알려드립니다. 부인께서는 안내계로 와 주십시오.

***pag·eant** [pǽdʒənt] *n.* ① Ⓒ (역사적 장면을 표현하는) 야외극. ② Ⓒ (축제 따위의) 화려한 행렬, 가장 행렬, 꽃수레. ③ Ⓤ 성관(盛觀), 장관; 허식, 겉치레.

pag·eant·ry [pǽdʒəntri] *n.* Ⓤ ① 화려한 구경거리; 장관, 성관. ② 허식, 겉치레.

páge bòy 보이, 급사; 시동(侍童).

page·boy [péidʒbɔ̀i] *n.* Ⓒ ① 안말이《어깨 근처에서 머리끝을 안쪽으로 말아넣은 여자 머리 모양》. ② ＝PAGE BOY.

páge dòwn kèy 〖컴〗 뒤쪽〔뒷면〕(글)쇠《일반적으로 깜박이(cursor)를 정해진 행수만큼 아래로 이동하는 글쇠(key)》.

páge hèading 〖컴〗 쪽머리《페이지의 앞머리에 나타나는 페이지에 대한 서술》.

pag·er [péidʒər] *n.* Ⓒ 무선 호출 수신기.

páge thrée girl 《英》 (타블로이드 판 신문의 3면에 게재되는) 가슴이 풍만한 젊고 매력적인 여자.

páge tùrner 기막히게 재미있는 책.

páge ùp kèy 〖컴〗 앞쪽〔앞면〕(글)쇠《일반적으로 깜박이(cursor)를 정해진 행수만큼 위로 이동하는 글쇠(key)》.

pag·i·nal [pǽdʒənl] *a.* ① 페이지의. ② 한 페이지씩의, 페이지마다의: ~ translation 대역.

pag·i·nate [pǽdʒənèit] *vt.* …에 페이지를 매기다.

pag·i·na·tion [pæ̀dʒənéiʃən] *n.* Ⓤ ① 페이지〔쪽〕 매김. ② 〔集合的〕 페이지를 나타내는 숫자; 페이지 수. ③ 〖컴〗 쪽매김.

pag·ing [péidʒiŋ] *n.* 〖컴〗 쪽매기기《필요시 보조기억장치에서 주기억 장치로 페이지를 전송하고 불필요해지면 페이지를 되돌리는 기억관리 방법》.

pa·go·da [pəgóudə] *n.* Ⓒ 탑, 파고다《불교나 힌두교의 여러 층으로 된 탑》.

pah [pɑ:] *int.* 흥, 체《경멸·불쾌 등을 나타냄》.

†**paid** [peid] PAY[1]의 과거·과거분사. ── *a.* ① 유급의: a ~ vacation 유급휴가. ② 지급〔정산〕을 끝낸《*up*》. ***put ~ to*** …의 끝장을 내다; (계획 등을) 틀어지게 하다, 좌절시키다《…에 '지급필(paid)의 도장을 찍다'의 뜻에서》.

paid-up [péidʌ́p] *a.* 회비〔입회금〕의 납입을 끝낸: a ~ member 회비 납입필 회원.

‡**pail** [peil] *n.* Ⓒ ① 들통, 버킷. ② ＝PAILFUL.

pail·ful [∸fùl] *n.* Ⓒ 들통 하나 가득(한 양)《*of*》: a ~ *of* water 들통 하나의 물.

‡**pain** [pein] *n.* ① **a**) Ⓤ (육체적) 고통, 아픔: Do you feel any 〔much〕 ~? 좀〔많이〕 아픕니까 / I was in great ~. 몹시 아팠다. **b**) Ⓒ (국부적인) 통증, 아픔: stomach ~*s* 복통 / have a ~ in one's leg 다리가 아프다. ② Ⓤ (정신적인) 고통, 고뇌: the ~ of parting 이별의 쓰라림. ③

(*pl.*) 노력, 노고, 고심; 수고: No ~*s* no gains. 《俗談》 수고가 없으면 이득〔낙〕도 없다. ④《口》 (a ~) 싫은 것〔일, 사람〕, 골칫거리. ***a ~ in the neck*** 《口》 =***a ~ in the ass***〔***arse***〕《俗》 싫은〔지겨운〕 녀석〔것〕, 눈엣가시, 두통거리: give a person *a ~ in the neck* 아무를 지겹게〔짜증나게〕 하다. ***be at ~s to*** do=***be at the ~s of*** do***ing*** …하려고 고심하다, 애써서 …하다: I *was at* great *~s to do* the work well. 그 일을 잘 하려고 몹시 고심했다. ***for*** one'***s ~s*** (1) 수고값으로: He was well rewarded *for his ~s.* 그는 수고값으로 상당한 보수를 받았다. (2) 애쓴 보람 없이: be a fool *for* one's *~s* ⇨ FOOL[1]. ***on***〔***upon, under***〕 ***~ of . . .*** 위반하면 …의 벌을 받는다는 조건으로: It was forbidden *on ~ of* death. 그 금법(禁法)을 어긴 자는 사형에 처해졌다. ***spare no ~s to*** do 수고를 아끼지 않고 …하다: *No ~s* have been *spared to* ensure accuracy. 정확성을 기하기 위해 온갖 노력을 다하였다. ***take*** (***much***) ***~s*** 수고하다, 애쓰다: He *took much ~s* with the preparations〔in preparing, to prepare〕 for the exam. 그는 시험 준비를 하느라고 크게 애썼다.
— *vt.* (사람)을 괴롭히다, …에 고통을 주다. — *vi.* 아프다, 괴로워하다.

pained [peind] *a.* 마음 아픈; 감정이 상한, 화난: a ~ expression 화난 표정 / She was ~ at his remarks. 그녀는 그의 말에 마음이 상했다.

‡**pain·ful** [péinfəl] (***more ~; most ~***) *a.* ① 아픈, 괴로운: a ~ wound 아픈 상처. ② (추억·경험 등이) 불쾌한, 싫은; 가슴 아픈, 괴로운: The news was ~ to him. 그 소식은 그에게 가슴아픈 것이었다 / It's sometimes ~ to know the truth. 사실을 안다는 것이 때로는 괴로운 경우도 있다. ③ (생활·일 등이) 힘이 드는, 어려운: a ~ task 힘이 드는 일. ㊞ **~·ly** *ad.* 고통스럽게; 고생해서; 애써; 질력나서, 지겹게; 아픈〔괴로운〕 듯이. **~·ness** *n.*

pain·kill·er [péinkìlər] *n.* Ⓒ 《口》 진통제.

pain·less [péinlis] *a.* ① 아프지 않은, 고통이 없는: ~ childbirth 무통 분만. ② 힘 안 드는, 쉬운.

pains·tak·ing [péinztèikiŋ, péins-] *a.* ① 수고를 아끼지 않는, 근면한: a ~ student (고생을 마다하지 않는) 근면한 학생. ② 힘드는; 공들인, 고심한《작품》: ~ work 힘이 드는 일 / It took months of ~ research to write the book. 그 책을 집필하기 위해 몇개월이라는 피나는 연구 조사 기간이 소요되었다.

†**paint** [peint] *n.* ⓊⒸ ① 그림물감, 채료. ② 페인트, 도료: give the doors two coats of ~ 문에 페인트를 두 번 바르다. ③ 화장품《루주·연지·분 따위》; 도란(grease ~).
— *vt.* ① …에 페인트를 칠하다; …을 (…빛으로) 칠하다. ②《~+목/+목+전+명》 …을 (그림물감으로) 그리다: ~ a landscape *in* oils 〔water-colors〕 풍경을 유화〔수채화〕로 그리다 / He ~*ed* me a picture. 그는 내게 그림을 그려 주었다. ③ …에 물감을 칠하다, 착색〔채색〕하다; 장식하다: Her eyebrows were ~*ed* on. 그녀의 눈썹은 그린 눈썹이었다. ④ (얼굴 따위)에 (연지·분 따위로) 화장하다. ⑤ …을 (생생하게) 묘사〔서술〕하다; 표현하다. — *vi.* ① 페인트로 칠하다. ②《~ / +전+명》 (…로) 그림을 그리다. ③ 화장하다. ***not as***〔***so***〕 ***black as*** one ***is ~ed*** 남이 말하는것처럼(그렇게) 나쁜 것〔사람〕은 아닌: The economic situation is *not as black as* it *is ~ed* by some people. 경제 상태는 몇몇 사람들의 말처럼 나쁘지는 않다. ***~ out*** 페인트로 칠하여 지우다. ***~ the town***〔***city***〕 (***red***) 《口》 (바 등을 돌며) 법석을 떨면서 다니다.

páint bòx 그림 물감 상자.

paint·brush [péintbrʌ̀ʃ] *n.* Ⓒ 화필(畫筆), 그림붓; 페인트 솔.

‡**paint·er**[1] [péintər] *n.* Ⓒ ① 화가(artist): a lady ~ 여류 화가. ② 페인트공, 칠장이, 도장공.

paint·er[2] *n.* Ⓒ〘海〙 배를 매는 밧줄.

‡**paint·ing** [péintiŋ] *n.* ① Ⓒ 그림, 회화; 유화, 수채화. ② Ⓤ 그림그리기; 화법. ③ Ⓤ 채색, 착색. ④ Ⓤ 도장(塗裝), 페인트칠. ⑤ Ⓤ (도자기의) 그림 그려 넣기.

paint·work [péintwə̀ːrk] *n.* Ⓤ (자동차 등의) 「도장면〔부분〕.

†**pair** [pɛər] (*pl.* ***~s,*** 《口》 ~) *n.* Ⓒ ① 한 쌍, (두 개로 된) 한 벌: a ~ of shoes〔glasses, scissors, trousers〕 구두 한 켤레〔안경 하나, 가위 한 자루, 바지 한 벌〕 / this ~ (of shoes) 이 한 켤레(의 신) / three ~(*s*) of shoes 구두 세 켤레. ★ 요즈음은 흔히 s 를 붙임. ② (짝진 것의) 한 짝: the ~ *to* this glove 이 장갑의 한 짝. ③ 한 쌍의 남녀, 《특히》 부부, 약혼 중의 남녀; (동물의) 한 쌍; 2 인조(組)(*of*): the happy ~ 신랑 신부 / A ~ *of* thieves was〔were〕 planning to rob the bank. 2 인조 도둑이 은행을 털 계획을 하고 있었다. ④〘카드놀이〙 동점의 카드 두 장 갖춤; (한 곳에 맨) 두 필의 말: a carriage and ~ 쌍두 마차. ⑤〘議會〙 투표를 기권하기로 담합한 반대되는 정당의 두 의원; 그 담합. ***I have only*** (***got***) ***one ~ of hands.*** 나는 손이 둘밖에 없다(“너무 많은 일을 내게 맡기지 말게”의 뜻). ***in ~s*** 두 개〔사람〕 한 쌍이 되어.
— *vt., vi.* ① 한 쌍이 되다〔으로 하다〕; 짝지어 나누다: ~*ed* fins 한 쌍의 지느러미 / I was ~*ed with* Jones. 나는 존스와 한 조가 되었다. ② 결혼하다〔시키다〕, (동물이) 짝짓다, 짝지어주다《*with*》: Those two will ~ well. 저 두 사람은 좋은 부부가 될 것이다. ***~ off*** 두 사람〔개〕씩 떼어 놓다; 두 사람씩 짜다; 두 사람이 한 쌍이 되다: The dancers were ~*ed off*. 무희들은 두 사람씩 짝지어졌다. ***~ up*** (일·스포츠에서) 두 사람씩 조가 되다〔로 하다〕.

pais·ley [péizli] *n.* Ⓤ ① 페이즐리 천《부드러운 모직물》; 그 제품《숄 따위》. ② 페이즐리 무늬《다채롭고 섬세한 곡선 무늬》. — *a.* 페이즐리 천으로 만든; 페이즐리 무늬의.

pa·ja·ma [pədʒɑ́mə, -dʒǽmə / -dʒɑ́ːmə] *n.* (*pl.*) 《美》 파자마: a pair of ~*s* 파자마 한 벌 / in ~*s* 파자마를 입고. — *a.* 〔限定的〕 파자마의, 파자마 차림의.

Paki [pǽki] *n.* Ⓒ 《英俗·蔑》 (영국에 이주한) 파키스탄 사람(Pakistani).

Pa·ki·stan [pɑ̀ːkistɑ́ːn, pǽkistæ̀n] *n.* 파키스탄 《영연방내의 공화국; 공식 명칭은 the Islamic Republic of ~ 파키스탄 이슬람 공화국; 수도는 Islamabad》.

‡**pal** [pæl] *n.* Ⓒ 《口》 동아리, 단짝, 친구; 동료; 《호칭》 여보게, 자네; 공범. — (*-ll-*) *vi.* 《口》 친구로서 사귀다; 친해지다, 한패가 되다(*up*; *with*): I ~*led up with* another hiker. 나는 다른 하이커와 친해졌다.

PAL 〘컴〙 peripheral availability list(이용 가능한 주변 장치의 리스트). **Pal.** Palestine.

†**pal·ace** [pǽlis, -əs] *n.* ① Ⓒ 궁전, 왕궁, 궁궐; (고관·bishop 등의) 관저, 공관; 대저택. ② Ⓒ (오락장·요정·식당 따위의) 호화판 건물. ③ (the ~) 〔集合的〕《英》 궁정의 유력자들, 측근.
— *a.* 〔限定的〕 ① 궁전의. ② 측근의.

palae-, palaeo- ⇨ PALEO-.

pal·an·keen, -quin [pæ̀lənkíːn] *n.* Ⓒ (중국·

P

인도·한국 등의) 일인승의 가마; 탈것.

pal·at·a·ble [pǽlətəbəl] *a.* ① 맛있는, 맛좋은, 입에 맞는. ② 취미〔마음〕에 맞는, 유쾌한.

pal·a·tal [pǽlətl] *a.* 구개(음)의. ── *n.* Ⓒ 〖音聲〗 구개음(〔j, ç〕 따위).

pal·a·tal·ize [pǽlətəlàiz] *vt.* 〖音聲〗 …을 구개음으로 발음하다, 구개(음)화하다(〔k〕를 〔ç〕, 〔t〕로 발음하는 따위).

***pal·ate** [pǽlit] *n.* ① Ⓒ 〖解〗 구개, 입천장. ② Ⓒ (흔히 *sing.*) 미각(味覺)(*for*); 취미, 기호(liking); 심미〔감식〕안: suit one's ~ 입〔기호〕에 맞다 / have a delicate ~ 취미가 까다롭다 / have a good ~ *for* coffee 커피 맛을 알다.

pa·la·tial [pəléiʃəl] *a.* 궁전의, 대궐 같은; 호화로운; 광대한(magnificent), 웅장한.

pal·a·tine [pǽlətàin, -tin] *n.* ① (P-) Ⓒ 팔라틴 백작. ② (the P-) =PALATINE HILL.

Pálatine Híll (the ~) 팔라틴 언덕(the Seven Hills of Rome의 중심으로서 로마 황제가 최초로 궁전을 세운 곳).

Pa·lav·er [pəlǽvər, -lɑ́:vər] *n.* ① Ⓒ 교섭, 상담(특히 옛 아프리카 원주민과 외국 무역 상인과의). ② Ⓤ 수다; 아첨; 《俗》 일, 용무. ③ Ⓤ 《口》 귀찮음, 성가심. ── *vi.* 재잘거리다; 아첨하다; 감언으로 속이다.

P

‡**pale**[1] [peil] (***pál·er*** ; ***pál·est***) *a.* ① (얼굴이) 핼쑥한, 창백한: She turned〔went〕 ~ at the news. 그 소식을 듣고 그녀는 새파래졌다. ② (빛깔 따위가) 엷은. ③ (빛이) 어슴푸레한, 희미한. ④ 가냘픈, 약한, 힘 없는. ◇ pallor *n.* ── *vi.*, *vt.* 파래지(게 하)다, 창백해지(게 하)다, (색·빛 등이) 엷어지(게 하)다. ~ ***before*** 〔***beside, in comparison with***〕 …앞에 무색해지다, …보다 못해 보이다. ㊎ **∠·ly** *ad.* **∠·ness** *n.*

pale[2] *n.* Ⓒ ①(끝이 뾰족한) 말뚝(우리를 만듦); 울짱, 울타리. ② (the ~) 경계(boundary), 범위; 구내, 경내. ③ 〖紋章〗 방패 복판의 세로줄: in ~ (2개 이상의 도형이) 세로로 연달아서(★ 무관사에 주의). ***beyond*** 〔***outside***〕 ***the*** ~ (언동·사람이) 타당성을 넘은, 상궤(常軌)를 벗어난: Jim's behavior at the party was *beyond the* ~. 파티에서의 짐의 행동은 상궤를 벗어난 것이었다.

pale·face [∠fèis] *n.* Ⓒ 《俗》 백인(본래 북아메리카 원주민이 백인을 이른 말).

paleo- '고(古), 구(舊), 원시'의 뜻의 결합사.

Pa·le·o·cene [péiliəsì:n, pǽl-] 〖地質〗 *a.* 팔레오세(世)의. ── *n.* (the ~) 팔레오세.

pa·le·og·ra·phy [pèiliɑ́grəfi, pæ̀l- / -ɔ́g-] *n.* Ⓤ 고(古)문서학.

pa·le·o·lith·ic [pèiliəlíθik, pæ̀l-] *a.* 구석기 시대의: the ~ era 구석기 시대.

pa·le·on·tol·o·gy [pèiliəntɑ́lədʒi, pæ̀l- / -tɔ́l-] *n.* Ⓤ 고생물학, 화석학. ㊎ **-gist** *n.*

Pa·le·o·zo·ic [pèiliəzóuik, pæ̀l-] *a.* 고생대(古生代)의. ── *n.* (the ~) 고생대.

Pa·ler·mo [pələ́:rmou] *n.* 팔레르모(이탈리아 남부 Sicily 섬의 중심 도시·항구).

***Pal·es·tine** [pǽləstàin] *n.* 팔레스타인(지중해 동쪽의 옛 국가; 1948년 이후 Israel과 아랍 지구로 나뉨). ㊎ **Pal·es·tin·i·an** [pæ̀ləstíniən, -njən] *a.*, *n.* Ⓒ 팔레스타인의 (사람).

***pal·ette** [pǽlit] *n.* Ⓒ ① 팔레트, 조색판(調色板); 팔레트의 채료, (한 벌의) 그림 물감. ② (어느 화가의) 독특한 색채〔물감의 배합〕.

pálette knífe 팔레트 나이프.

Pa·li [pɑ́:li] *n.* Ⓤ 팔리어(Sanskrit와 같은 계통의 언어로서 불교 원전에 쓰임).

pal·i·mo·ny [pǽləmòuni] *n.* Ⓒ 《美》 (같이 살다가 헤어진 여성에게 주는) 위자료. 〔◂ *pal* + *alimony*〕

pal·imp·sest [pǽləmpsèst] *n.* Ⓒ 팰림프세스트, 거듭 쓴 양피지의 사본(써어 있던 글자를 지우고 그 위에 다시 쓴 것).

pal·in·drome [pǽlindròum] *n.* Ⓒ 회문(回文)(역순으로 읽어도 같은 말이 되는 말: eye, madam, noon, radar 따위).

pal·ing [péiliŋ] *n.* ① Ⓤ 말뚝(을 둘러) 박기. ② Ⓒ 〔集合的〕 말뚝. ③ (*pl.*) 울짱, 울타리.

pal·i·sade [pæ̀ləséid] *n.* ① Ⓒ 말뚝; (방어를 위한) 울타리, 울짱. ② (*pl.*) (강가의) 벼랑. ── *vt.* …에 울타리를 치다〔두르다〕.

pal·ish [péiliʃ] *a.* 좀 창백한, 파리한.

***pall**[1] [pɔ:l] *n.* ① Ⓒ 관〔영구차, 무덤(등)〕을 덮는 보(흔히 검정·자주 또는 흰색의 벨벳); 〖가톨릭〗 성작(聖爵) 보〔덮개〕. ② (a ~) (덮어 어둡게 하는) 휘장, 막, 덮어가리는 것; 의기소침케 하는 것: *A* ~ of pessimism fell upon us. 비관적인 생각이 우리를 의기 소침케 했다. ── *vt.* …에 관덮개를 덮다; …을 덮다.

pall[2] *vi.* 《+전+명》 시시해지다, 물리다, 흥미를 잃다(*on, upon*): Everything passes, everything perishes, everything ~*s*. 《格言》 만물은 유전하고 생명있는 것은 멸망하고, 모든 것에는 물리게 마련이다.

Pal·la·di·an [pəléidiən, -lɑ́:-] *a.* 〖建〗 팔라디오 양식의. 〔◂ 이탈리아의 건축가 A. Palladio(1508-80)〕

Pal·la·di·um [pəléidiəm] (*pl.* ***-dia*** [-diə], ***~s***) *n.* ① Ⓒ Pallas 여신상(특히 Troy의). ② Ⓤ,Ⓒ (p-) 수호신〔물〕; 보장.

pal·la·di·um [pəléidiəm] *n.* Ⓤ 〖化〗 팔라듐(금속 원소; 기호 Pd; 번호 46).

Pal·las [pǽləs] *n.* 〖그神〗 팔라스(Athena 여신의 이름; 지혜·공예의 여신).

pall·bear·er [pɔ́:lbɛ̀ərər] *n.* Ⓒ ① 관 곁에 따르는 사람. ② 운구(運柩)하는 사람.

pal·let[1] [pǽlit] *n.* Ⓒ ① 짚으로 만든 깔개. ② 초라한 침상.

pal·let[2] *n.* Ⓒ ① (도공(陶工)의) 주걱. ② 〖機〗 (톱니바퀴의) 미늘, 바퀴 멈추개(pawl). ③ (창고 등의 지게차용의) 화물의 깔판. ④ =PALETTE.

pal·liasse [pæljǽs, ∠∠] *n.* Ⓒ 짚(을 넣은) 방석.

pal·li·ate [pǽlièit] *vt.* ① (병세 따위)를 잠시 누그러지게 하다, 편하게 하다, 완화하다. ② (과실·죄 따위)를 가볍게 하다, 참작하다.

pal·li·a·tive [pǽlièitiv, -liə-] *a.* 고통을 완화하는, 경감하는. ── *n.* Ⓒ ① 완화물〔제(劑)〕. ② 고식책(姑息策).

pal·lid [pǽlid] (*~·er* ; *~·est*) *a.* 윤기〔핏기〕없는(얼굴 따위), 핼쑥한, 창백한; 활기없는.

Pall Mall [pǽlmǽl, pélmél] 펠멜가(街)(런던의 클럽 중심지).

pal·lor [pǽlər] *n.* Ⓤ (또는 a ~) (얼굴의) 창백: *a* deathly ~ 사자(死者)와 같은 창백함.

pal·ly [pǽli] (***-li·er*** ; ***-li·est***) *a.* 〔敍述的〕 《口》 친한, 사이좋은(*with*): I'm ~ *with* him. 그와는 친한 사이이다.

‡**palm**[1] [pɑ:m] *n.* Ⓒ ① 손바닥. ② 손목에서 손가락 끝까지의 길이, 집게뼘. ③ 손바닥 모양의 물건〔부분〕; 장갑의 손바닥; 노의 편평한 부분. ***grease*** 〔***cross, gild, tickle***〕 a person***'s*** 〔***the***〕 ~ 아무에게 뇌물을 쥐어주다: The gate keeper won't let you in unless you *grease his* ~. 수위에게 뇌물을 쥐야 들여 보낼거요. ***have an itching*** ~ 《口》 뇌물을 탐내다, 욕심이 많다. ***hold*** 〔***have***〕 a person ***in the*** ~ ***of*** one***'s hand***

아무를 완전히 손안에 넣고 주무르다. ── *vt.* ①…을 손바닥으로 쓰다듬다, 손에 쥐다, 손으로 다루다. ②…을 손 안에 감추다《요술 따위에서》. ③…을 슬쩍 훔치다. ~ ***off*** (가짜 따위를) 속여서 안기다〔팔아먹다〕《*on, upon*》; …을 거짓으로 속이다 : He ~*ed off* the painting as a real Picasso *on* the shopkeeper. 그는 가게 주인에게 그 그림이 피카소의 진품이라고 속여 팔았다.

palm²** *n.* Ⓒ ①〖植〗야자, 종려, 야자과의 식물. ②종려의 잎〔가지〕《승리의 상징》. ③ (the ~) 승리(triumph), 영예 ; 상. ***bear 〔***carry off***〕 ***the*** ~ 우승하다. ***give*** 〔***yield***〕 ***the*** ~ ***to*** …에게 지다, …의 승리를 인정하다.

pal·mar [pǽlmər, pɑ́ːl-] *a.* 〖解〗손바닥의.

pal·mate, -mat·ed [pǽlmeit, -mit, pɑ́ːl-], [-meitid] *a.* ①손바닥 모양의 ;〖生〗장상(掌狀)의. ②〖動〗물갈퀴가 있는. ㊎ **-mate·ly** *ad.*

Pálm Béach 팜비치《미국 Florida의 관광지》.

pal·met·to [pælmétou] (*pl.* ~(***e***)***s***) *n.* Ⓒ〖植〗야자과의 일종《북아메리카 남부산》.

palm·ist [pɑ́ːmist] *n.* Ⓒ 수상가(手相家).

palm·is·try [pɑ́ːmistri] *n.* Ⓤ 수상술.

pálm lèaf 종려의 잎《모자·부채 등의 재료》.

pálm òil 야자 기름.

Pálm Súnday 〖基〗종려 주일.

pálm·top compúter [pɑ́ːmtɑ̀p- / -tɔ̀p-] 〖컴〗손바닥 전산기.

palmy [pɑ́ːmi] (***palm·i·er*** ; ***-i·est***) *a.* ①야자의〔같은〕; 야자가 무성한. ②번영하는 ; 의기양양한.

Pal·o·mar [pǽləmɑ̀ːr] *n.* (Mt. ~) 팔로마산.

pal·pa·ble [pǽlpəbəl] *a.* ①손으로 만져서 알 수 있는. ②명백한, 명료한 : a ~ lie 빤한 거짓말.

pal·pate [pǽlpeit] *vt.* 〖醫〗…을 촉진(觸診)하다.

pal·pa·tion [pælpéiʃən] *n.* Ⓤ.Ⓒ〖醫〗촉진.

pal·pi·tate [pǽlpətèit] *vi.* ①심장이 뛰다, 고동하다 ; (가슴이) 두근거리다, 맥박이 빨리 뛰다. ②(몸이) 떨리다《*with*》: She was *palpitating with* excitement. 그녀는 흥분으로 몸이 떨리고 있었다.

pal·pi·ta·tion [pælpətéiʃən] *n.* ①Ⓤ (심장의) 고동. ②Ⓒ (*pl.*) 가슴이 두근거림 ; 떨림 : get ~*s* 가슴이 두근거리다.

pal·sied [pɔ́ːlzid] *a.* 마비된, 중풍에 걸린.

pal·sy [pɔ́ːlzi] *n.* Ⓤ =PARALYSIS : cerebral ~ 뇌성 마비.

pal·sy-wal·sy [pǽlziwǽlzi] *a.* 《俗》 자못 친밀한 듯한《태도 등》, 사이좋은 듯한《*with*》.

pal·ter [pɔ́ːltər] *vi.* ①《+전+명》속이다, 말끝을 흐리다〔얼버무리다〕(equivocate) ; 어름어름 넘기다《*with*》: Don't ~ *with* serious matters. 중요한 문제를 어름어름 넘기지 마라. ②《+전+명》(값을) 깎다, 흥정하다《*with* ; *about*》: ~ *with* a person *about* a price 아무와 흥정하여 값을 깎다.

pal·try [pɔ́ːltri] (***-tri·er*** ; ***-tri·est***) *a.* 하찮은, 시시한, 무가치한(petty) ; 얼마 안 되는《금액 따위》. 「고원.

Pa·mirs [pəmíərz, pɑː-] *n. pl.* (the ~) 파미르

pam·pas [pǽmpəz, -pəs] *n. pl.* (the ~) 팜파스《남아메리카, 특히 아르헨티나의 대초원》.

pámpas gràss 〖植〗팜파스그래스《남아메리카 원산의 참억새 비슷한 볏과 식물》.

pam·per [pǽmpər] *vt.* …을 하고 싶은 대로 하게 하다, 어하다 ; …에게 실컷 먹이다 ; (욕망 등)을 채우다, 만족시키다 : ~ a child 어린애를 응석받이로 키우다.

‡pam·phlet [pǽmflit] *n.* Ⓒ ①(가철한) 팸플릿, 작은 책자. ②시사 논문〔논평〕, 소논문.

pam·phlet·eer [pæ̀mflitíər] *n.* Ⓒ 팸플릿 저자 ; 격문의 필자.

Pan [pæn] *n.* 〖그神〗판신(神), 목양신(牧羊神).

pan¹ [pæn] *n.* Ⓒ ①〔複合語를 만듦〕(자루 달린) 납작한 냄비 : a frying ~ 프라이 팬. ②(저울 따위의) 접시 ; (구식총의) 약실 ; (선광용의) 냄비. ③접시 모양으로 움푹 팬 땅, 소지(沼地) ; 염전(塩田). ④《俗》얼굴, 상판. ⑤《口》혹평(酷評). (***go***) ***down the*** ~ 《英俗》쓸모없이 되다, 망가지다, 망하다. ***flash in the*** ~ ⇨ FLASH. ── (***-nn-***) *vt.* ①〖鑛山〗(흙·모래)를 냄비로 일다. ②《美》…을 냄비로 요리하다 ; 졸여서 …의 엑스를 뽑다. ③《口》(예술 작품 등)을 혹평하다, 호되게 공격하다. ── *vi.* (사금을 채취하기 위해) 자갈을 선광 냄비로 일다《*for*》. ~ ***out*** (1) (자갈 등을) 선광냄비로 일다. (2) (사금을) 냄비로 채취하다. (3) 금을 산출하다. (4) 〔흔히 부정문·의문문에서〕《口》(일이) 잘 되어가다, 전개되다 : ~ *out* well〔badly〕 잘 되어 가다〔나쁘게 되다〕/ We'll have to see how things ~ *out.* 사태가 어떻게 되어가는지를 우리는 알아야 할 것이다.

pan² *n.* Ⓒ 팬(촬영)《화면에 파노라마적인 효과를 내기 위해 카메라를 상하좌우로 움직이며 하는 촬영》. ── (***-nn-***) *vt., vi.* (카메라를) 팬하다.

pan- '전(全), 범(汎), 총(總)'의 뜻의 결합사.

pan·a·cea [pæ̀nəsíːə] *n.* Ⓒ 만병 통치약.

pa·nache [pənǽʃ, -nɑ́ːʃ] *n.* ①Ⓒ (투구의) 깃털 장식. ②Ⓤ 당당한 태도, 겉치레, 허세.

***Pan·a·ma** [pǽnəmɑ̀ː, pæ̀nəmɑ́ː] *n.* ①파나마 공화국《중앙 아메리카에 있음》; 그 수도(=∠ **Cíty**). ②(때로 p-) Ⓒ 파나마 모자(~ hat).

Pánama Canál (**Zòne**) (the ~) 파나마 운하(지대).

Pánama hát 파나마 모자.

Pan·a·ma·ni·an [pæ̀nəméiniən, -mɑ́ː-] *a.* 파나마(사람)의. ── *n.* Ⓒ 파나마 사람.

Pan-A·mer·i·can [pæ̀nəmérikən] *a.* 범미〔전미〕(주의)의. ㊎ **~·ism** *n.* Ⓤ 범미주의.

pan·a·tela, -tel·la [pæ̀nətélə] *n.* Ⓒ 가늘게 만 여송연.

pan·cake** [pǽnkèik] *n.* ①Ⓒ.Ⓤ 팬케이크《밀가루에 달걀을 섞어 프라이팬에 얇게 구운 것》. ②Ⓤ.Ⓒ 팬케이크《둥글납작한 고형(固形)의 분》. ③〖空〗= PANCAKE LANDING. (as***) ***flat as a*** ~ 납작한. ── *vi., vt.* (비행기가〔를〕) 수평착륙하다〔시키다〕. 「DAY.

Páncake Dày 〔**Tùesday**〕= SHROVE TUES-

páncake lànding 〖空〗수평 착륙《지면 가까이서 기체를 미리 수평으로 하여 실속(失速)시켜 착륙하는》.

páncake róll 춘권(春卷) (spring roll)《표고·고기·부추 따위로 만든 소를 넣고 빚어 튀긴 중국 만두》.

pan·chro·mat·ic [pæ̀nkroumǽtik] *a.* 〖寫〗전정색성(全整色性)〔팬크로매틱〕의 : a ~ film 〔plate〕 팬크로매틱 필름〔건판(乾板)〕.

pan·cre·as [pǽŋkriəs, pǽn-] *n.* Ⓒ〖解〗췌장.

pan·cre·at·ic [pæ̀ŋkriǽtik] *a.* 췌장의 : ~ juice 췌액(膵液).

pan·da [pǽndə] *n.* Ⓒ〖動〗판다《히말라야 등지에 서식하는 너구리 비슷한 짐승》; 흑백곰의 일종 (giant ~)《티베트·중국 남부산》.

pánda càr 《英口》(경찰의) 패트롤카.

pan·dect [pǽndekt] *n.* ①**a**) Ⓒ (종종 *pl.*) 법령전서, 법전(法典). **b**) (the P-s) 유스티니아누스 법전《6세기의 로마 민법 법전》. ②Ⓒ 요람, 총람.

pan·dem·ic [pændémik] *a., n.* Ⓒ 전국적〔대륙적, 세계적〕으로 유행하는 (병).

pan·de·mo·ni·um [pæ̀ndəmóuniəm] *n.* ①

P

(P-) 악마전(殿), 복마전 ; 지옥. ②a) Ⓤ 대혼란. b) Ⓒ 대혼란의 장소.

pan·der [pǽndər] n. Ⓒ ① 뚜쟁이, 포주. ② (못된 짓의) 중개자. ── vi. ① 뚜쟁이 노릇을 하다. ② (…의 못된 짓 따위를) 방조하다. ③ (취미·욕망에) 영합하다《to》.

***Pan·do·ra** [pændɔ́:rə] n. 【그神】 판도라《Zeus 가 지상에 보낸 최초의 여자》.

Pandóra's bóx ① 판도라 상자. ② 여러 가지 악의 근원.

pan·dow·dy [pændáudi] n. ⒸⓊ 《美》 당밀이 든 사과 파이. 「및 포장료).

P. & P. 《英》 postage and packing(우편 요금

‡pane [pein] n. Ⓒ ① (한 장의) 창유리 (windowpane). ② 판벽널(panel). ③ (네모꼴의) 한 구획, (미닫이의) 틀.

pan·e·gyr·ic [pæ̀nədʒírik, -dʒái-] n. ① Ⓒ 찬사 ; 칭찬의 연설. ② Ⓤ 격찬.

pan·e·gyr·ist [pæ̀nədʒírist, -dʒái-, ----] n. Ⓒ 찬사의 글을 쓰는 사람 ; 상찬자(賞讚者), 찬양자.

‡pan·el [pǽnl] n. Ⓒ ① a) 판벽널, 머름 ; (창)틀. b) 【服】 패널(스커트 등의 색동 장식). c) 【空】 패널(낙하산 주산(主傘)의 gore 를 이루는 작은 조각). ② 네모꼴의 물건 ; (특히) (캔버스 대용의) 화판 ; 패널화(판자에 그린 그림) ; 【寫】 패널판(보통보다 길이가 깊 ; 약 10×20cm). ③ 【法】 배심원 명부, 배심 총원(總員). ④ a) 토론자단, 강사단 ; 심사원단, 조사원단, (전문) 위원단(따위) ; (퀴즈 프로의) 해답자단. b) =PANEL DISCUSSION ; 패널 조사 ; 패널 조사의 대상이 되는 한 무리의 사람. ⑤ 【電】 배전〔제어〕반 ; 계기판. ***on the*** ~ 토론자단〔심사원단〕에 참가하여.

── (*-l-*, (주로 英) *-ll-*) vt. 《~+목/+목+전+명》 …에 머름을 끼우다, …을 벽널로 장식하다 : ~ the saloon *with* rosewood 객실에 자단(紫檀)의 장식 판자를 붙이다.

pánel bèater (자동차)의 판금(板金) 기술자.

pánel discùssion 공개 토론회, 패널 디스커션(예정된 의제로 몇 사람의 연사가 청중 앞에서 하는).

Pánel gàme〔show〕 (TV, 라디오의) 퀴즈 프로그램.

pánel hèating (마루·벽으로부터의) 복사식〔방사〕 난방(radiant heating).

pan·el·ing, (주로 英) **-el·ling** [pǽnliŋ] n. Ⓤ 〔集合的〕 판벽널.

pan·el·ist [pǽnlist] n. Ⓒ 패널리스트((1) 패널디스커션〔공개 토론회〕의 토론자. (2) 퀴즈프로그램의 해답자).

pánel trùck 《美》 라이트밴, 패널 트럭(소형의 운송용 트럭).

pan-fry [pǽnfrài] vt. (음식)을 프라이팬으로 튀기다〔볶다〕.

***pang** [pæŋ] n. Ⓒ ① (육체상의) 격통, 고통. ② 고민, 번민, 상심 : the ~*s* of conscience 양심의 가책 / Thinking about her spending the day with another man gave him a sharp ~ of jealousy. 그녀가 그날 다른 남자와 함께 지냈다는 것을 생각하면 그는 누를 수 없는 심한 질투심을 느꼈다.

pan·go·lin [pæŋgóulin, pǽŋgəlin] n. Ⓒ 【動】 천산갑(穿山甲).

pan·han·dle [pǽnhæ̀ndl] n. Ⓒ ① 프라이팬의 손잡이. ② (종종 P-) 《美》 좁고 길게 타주(他州)에 감입(嵌入)된 지역(West Virginia 주의 북부 따위). ── vt., vi. 《美口》 (길에서) 구걸하다(beg). ㊞ **pán·hàn·dler** n. Ⓒ 《美口》 거지.

Pánhandle Státe (the ~) 미국 West Virginia 주의 별칭.

‡pan·ic [pǽnik] n. ① Ⓤ (또는 a ~) (원인이 분명치 않은) 돌연한 공포 ; 겁먹음 ; 당황, 낭패 : There was *a* ~ when the theater caught fire. 극장에 불이 나자 큰 혼란이 일어났다. ② Ⓒ 【經】 공황, 패닉. ③ (a ~) 《俗》 아주 우스꽝스러운〔익살맞은〕 것〔사람〕. ***get into a*** ~ 공포(상태)에 빠지다. ***in (a)*** ~ 허겁지겁, 당황하여.

── a. 〔限定的〕 ① (공포 따위가) 당황케 하는, 제정신을 잃게 하는. ② 당황한, 미친 듯한. ③ 공황적인. ④ 까닭없는, 도가 지나친 : a ~ reaction 이상한 반응. ⑤ (P-) Pan 신(神)의.

── (*-ck-*) vi., vt. ① 당황하(게 하)다. ② 공황을 일으키다 ; (…에) 공황이 나게 하다 ; (…에 공황을 일으켜서) …시키다《*into*》: The school was *panicked into* expelling her. 학교는 서둘러 그녀를 퇴학시켰다. ③ 《美俗》 (관중 따위를) 열광케 하다. ㊞ **pán·icky** a. 당황하기 쉬운, 전전긍긍하는 ; 공황의.

pánic bùtton 《口》 (긴급한 때 누르는) 비상 벨. ***push 〔press, hit〕 the*** ~ 《口》 몹시 당황하다 ; 비상 수단을 취하다.

pánic státions 《英口》 공황 〔혼란〕 상태, 위기. ***be at*** ~ (…로) 당황하다.

pan·ic-strick·en, -struck [pǽnikstrìkən], [-strʌ̀k] a. 공황에 휩쓸린 ; 당황한.

panier ⇨ PANNIER.

Pan·ja·bi [pʌndʒɑ́:bi] n. ① Ⓒ 펀잡 사람. ② Ⓤ 펀잡어(語)(Punjabi).

pan·jan·drum [pændʒǽndrəm] n. Ⓒ 《蔑》 높은 양반, 나리, 어르신네.

Pan·mun·jom [pɑ́:nmúndʒʌ́m] n. 판문점.

pan·nier, pan·ier [pǽnjər, -niər] n. Ⓒ ① 옹구(말·당나귀 등의 등 좌우에 걸치는) ; 등광주리 ; 짐 바구니(오토바이 뒷바퀴 옆에 매다는). ② 옛 여자 스커트를 펼치기 위해 사용한 고래 수염 따위로 만든 테 ; 펼쳐진 스커트. 「컵.

pan·ni·kin [pǽnikin] n. Ⓒ 《英》 작은 금속제의

pan·o·ply [pǽnəpli] n. Ⓤ ① 갑옷 투구 한 벌. ② 멋진 장식〔꾸밈새〕.

pan·op·tic, -ti·cal [pænɑ́ptik / -nɔ́p-], [-əl] a. 모든 것이 한눈에 보이는, 파노라마적인.

‡pan·o·rama [pæ̀nərǽmə, -rɑ́:mə] n. Ⓒ ① 파노라마, 회전 그림 ; 연달아 바뀌는 광경 ; 전경. ② (문제 등의) 광범위한 조사, 개관 : This book gives a ~ of the country's economic development. 이 책은 그 나라의 경제 발전을 개관하고 있다.

pan·o·ram·ic [pæ̀nərǽmik] a. 파노라마의〔같은〕, 파노라마식의 : a ~ view 전경.

panorámic cámera 파노라마식 사진기.

‡pan·sy [pǽnzi] n. Ⓒ ① 【植】 팬지. ② 《口》 여자 같은 사내, 동성애하는 남자.

‡pant[1] [pænt] vi. ① 헐떡거리다, 숨차다 : He climbed ~*ing* heavily. 그는 가쁜 숨을 몰아쉬면서 올라갔다. ② 몹시 두근거리다. ③ 《~+전+명/+*to* do》 갈망〔열망〕하다, 그리워하다《*for* ; *after*》: ~ *for* liberty 자유를 갈망하다 / ~ *to* go abroad 외국에 가는 것을 열망하다. ④ (증기 따위를) 확 뿜다. ── vt. …을 헐떡거리며 말하다《*out* ; *forth*》. ── n. Ⓒ ① 헐떡거림(gasp), 숨참. ② 심한 동계(動悸). ③ (엔진의) 배기음.

pant[2] a. 〔限定的〕 바지(pants)의.

pant- '전(全), 총(總)' 따위의 뜻의 결합사.

pan·ta·graph [pǽntəgræ̀f, -grɑ̀:f] n. =PANTOGRAPH.

***pan·ta·loon** [pæ̀ntəlú:n] n. ① Ⓒ (P-) (옛 이탈리아 희극의) 늙은이 역 ; 늙은 어릿광대(무언극에서 clown 의 상대역). ② (*pl.*) 19 세기 홀태 바지.

pan·tech·ni·con [pæntéknikàn / -kən] *n.* Ⓒ 《英》 가구 운반차.
pan·the·ism [pǽnθiìzəm] *n.* Ⓤ ① 범신론. ② 다신교. ㊞ **~·ist** *n.*
pan·the·is·tic [pæ̀nθiístik] *a.* ① 범신론의. ② 다신교의.
pan·the·on [pǽnθiàn, -ən / pænθíːən] *n.* ① **a)** 판테온《신들을 모신 신전》, 만신전(萬神殿). **b)** (the P-) 로마의 판테온. ② Ⓒ 〔集合的〕 판테온《한 나라의 위인들의 무덤·기념비가 있는 전당》; 유명한 사람들〔영웅들〕의 화려한 무리〔집합〕 《*of*》. ③ Ⓒ 〔集合的〕 (한 국민이 믿는) 모든 신들.
***pan·ther** [pǽnθər] (*pl.* **~s,** 〔集合的〕 **~;** *fem.* **~·ess** [-ris]) *n.* Ⓒ ① 〖動〗 **a)** 《美》 퓨마. **b)** 표범. **c)** 아메리카 표범. ② 《口》 흉포한 남자. ③ 《美俗》 싸구려 술, 《특히》 진.
pán·tie gìrdle 〔**bèlt**〕 [pǽnti-] 팬티거들《팬티 모양의 코르셋》.
pant·ies [pǽntiz] *n. pl.* 《口》 (여성·소아용) 팬티; 드로어즈(drawers).
pant·i·hose [pǽntihòuz] *n.* 《英》 =PANTY HOSE.
pan·tile [pǽntàil] *n.* Ⓒ 〖建〗 왜(倭)기와.
pant·ing·ly [pǽntiŋli] *ad.* 숨을 헐떡이면서, 숨을 몰아쉬면서.
pan·to [pǽntou] *n.* 《英》 =PANTOMIME.
pan·to·graph [pǽntəgræ̀f, -gràːf] *n.* Ⓒ ① 사도기(寫圖器)《도형을 일정 비율로 확대·축소하는 기구》. ② (전동차 따위의) 팬터그래프, 집전기(集電器).
***pan·to·mime** [pǽntəmàim] *n.* ① Ⓤ,Ⓒ 무언극, 팬터마임. ② Ⓤ,Ⓒ 《英》 크리스마스 때의 동화극 (Christmas ~). ③ Ⓤ 몸짓, 손짓. ④ Ⓒ (고대의) 무언극 배우. ㊞ **pan·to·mim·ic** *a.*
***pan·try** [pǽntri] *n.* Ⓒ ① 식료품(저장)실. ② (호텔·여객기 등의) 식기실, 식품 저장실.
pants** [pænts] *n. pl.* 《口》 바지; 《英》 속바지, (남자의) 팬츠; (여성·아이의) 팬티, 드로어즈. ***beat the ~ off 《俗》 완패시키다, 때려눕히다. ***bore the ~ off*** a person 아무를 질력나게 하다. ***catch*** a person ***with*** his ~ ***down*** 허를 찌르다. ***in long ~*** 《美》 어른이 되어. ***in short ~*** 《美》 (사람이) 아직 어려서. ***scare*** 〔***frighten***〕 ***the ~ off*** a person 《口》 (아무를) 두렵게〔무섭게〕 만들다: The way you drive *scares the ~ off* me! 자네 운전법은 나를 몹시 두렵게 만든다. ***wear the ~*** 내주장하다. ***with*** one**'*s*** ***~ down*** 허를 찔려, 당혹〔난처〕하여.
pant·suit [pǽnt-sùːt] *n.* Ⓒ 여성용 재킷과 슬랙스의 슈트(=**pánts sùit**). ㊞ **~·ed** [-id] *a.*
panty·hose [pǽntihòuz] *n.* 〔複數 취급〕 팬티 스타킹.
panty·waist [pǽntiwèist] *n.* Ⓒ 《美》 짧은 바지가 달린 아동복; 《口》 어린애〔계집애〕 같은 사내. ── *a.* 《口》 어린애 같은; 여자같이 생긴.
pan·zer [pǽnzər; *G.* pántsər] *a.* 《G.》 〖軍〗 기갑〔장갑(裝甲)〕의; 기갑 부대〔사단〕의: a ~ division 기갑 사단. ── *n.* Ⓒ (기갑 부대를 구성하는) 장갑차, 전차; (*pl.*) 기갑 부대.
pap[1] [pæp] *n.* Ⓤ ① 빵죽《유아·환자용》. ② 저속한 읽을 거리; 어린애 속이기〔속이는 이야기〕. (***as***) ***soft*** 〔***easy***〕 ***as ~*** 어린애 같은. ***His mouth is full of ~.*** 그는 아직 젖비린내 난다.
pap[2] *n.* 《兒·方》 papa 의 간약형.
‡**pa·pa** [páːpə, pəpáː] *n.* Ⓒ 《兒·美口·英古》 아빠. ⓒⓕ dad. ⓞⓟⓟ *mamma.*
pa·pa·cy [péipəsi] *n.* ① (the ~) 로마 교황의 직위, 교황권. ② Ⓒ 교황의 임기. ③ Ⓤ 교황제.
***pa·pal** [péipəl] *a.* 〔限定的〕 로마 교황의; 가톨릭의.
pápal cróss 교황 십자《가로대가 3개 있는 십자》.
pa·paw [pɔ́ːpɔː, pəpɔ́ː] *n.* Ⓒ,Ⓤ ① 포포나무《북아메리카산의 과수》; 그 열매. ② =PAPAYA.
pa·pa·ya [pəpáːjə, -páiə] *n.* ① Ⓒ 〖植〗 파파야 나무《열대 아메리카산》. ② Ⓒ,Ⓤ 그 열매.
†**pa·per** [péipər] *n.* ① Ⓤ 종이. ② Ⓤ 벽지, 도배지; (핀·바늘 등을 꽂아두는) 대지(臺紙); 문구. ③ Ⓒ 신문(지). ④ (*pl.*) 서류, 문서, 기록; 《美俗》 주차 위반에 대한 호출장. ⑤ (*pl.*) 신분 증명서; 신임장(信任狀); ⇨ SHIP'S PAPERS. ⑥ Ⓒ (연구) 논문, 논설: read 〔publish〕 a ~ on …에 대한 논문을 구두로〔책으로〕 발표하다. ⑦ Ⓒ 시험 문제〔답안〕(지); 숙제: The ~ was a very easy one. 시험 문제는 매우 쉬웠다. ⑧ Ⓤ 증서, 증권, 어음; 지폐; 《美俗》 위조 지폐. ⑨ Ⓒ 종이 꾸러미, 한 꾸러미. ⑩ Ⓤ 종이 모양의 것. ⑪ Ⓤ 〔集合的〕 무료 입장권〔자〕. ⑫ (*pl.*) 컬페이퍼《머리 지지는 데 쓰는 종이》. ⑬ 《美俗》 마약 봉지. ***be not worth the ~ it is*** 〔***they are***〕 ***printed*** 〔***written***〕 ***on*** (계약서 등이) 전혀 가치가 없다, 휴지나 마찬가지다. ***commit . . . to ~*** …을 기록하다. ***get into*** 〔***be in the***〕 ***~s*** 신문에 실리다; 기삿거리가 되다. ***lay ~*** 《美俗》 공수표를 떼다, 가짜돈을 쓰다. ***on ~*** 종이에 쓰인〔인쇄된〕; 서류상으로; 명목상으로; 자격면에서는; 이론〔통계〕상으로는; 계획〔입안〕 중인; 명목상: a good scheme *on ~* 이론상으론 좋은 계획 / The university expansion program is still *on ~*. 대학 확장 계획은 아직도 계획 중〔준비단계〕에 있다 / Several candidates looked good *on ~* but failed the interview. 몇몇 지원자는 서류상으로는 훌륭했으나 면접에 실패했다. ***put pen to ~*** 붓〔펜〕을 들다. ***put*** one**'*s*** ***~s in*** 《美俗》 입학을〔입대를〕 지원하다; 사임하다. ***send*** 〔***hand***〕 ***in*** one**'*s*** ***~s*** 《英》 (군인이) 사표를 내다. ***set a ~*** (in grammar) (문법) 문제를 내다.
── *a.* 〔限定的〕 ① 종이의, 종이로 만든〔쓰는〕: a ~ bag 종이 봉지 / a ~ napkin 종이 냅킨 / a ~ screen 장지. ② 종이 같은, 얇은, 취약한. ③ 지상의; 종이에 쓰인〔인쇄된〕; 장부상으로만의, 공론의, 가공의. ④ 무료로 입장한. ── *vt.* ① …을 종이로 싸다. ② (방)에 종이〔벽지 따위〕를 바르다, 도배하다. ③ (포스터·전단 등)을 공급하다. ④ 《俗》 (극장 따위)를 무료 입장권을 발행하여 꽉 채우다. **~ *over*** (1) (얼룩·더러움 등)을 벽지를 발라 감추다. (2) (불화·결점 등)을 숨기다, 호도(糊塗)하다, 얼버무리다: He tried to ~ *over* the country's deep-seated problems. 그는 나라의 고질적인 문제들을 숨기려 했다. **~ *up*** (창·문 따위에) 종이를 바르다, …을 종이로 싸다.

pa·per·back [-bæ̀k] *n.* Ⓒ 종이 표지의 (염가〔보급〕판) 책. ⓒⓕ hardcover. ── *a.* 〔限定的〕 종이 표지〔염가본, 보급판〕의.
páper bìrch 〖植〗 자작나무《북아메리카산》.
pa·per·board [-bɔ̀ːrd] *n.* Ⓒ 두꺼운 종이, 판지.
pa·per·bound [-bàund] *n., a.* =PAPERBACK.
pa·per·boy [-bɔ̀i] *n.* Ⓒ 신문팔이 소년, 신문 배달원.
páper chàse =HARE and hounds.
páper clíp 종이 물리개, 클립.
páper cùtter 재단기, 재지기(裁紙機).
páper fèed 〖컴〗 (프린터의) 종이 먹임.
páper file 종이 물리개; (신문)철; 서류꽂이.
pa·per·girl [-gə̀ːrl] *n.* Ⓒ 신문팔이〔배달〕 소녀.
pa·per·hang·er [-hæ̀ŋər] *n.* Ⓒ ① 표구사; 도배장이. ② 《美俗》 부도 수표〔어음〕 사용자.
pa·per·hang·ing [-hæ̀ŋiŋ] *n.* Ⓤ 도배.
páper knìfe 종이 베는 칼.

páperless óffice 페이퍼리스 오피스《컴퓨터 따위의 정보 처리 시스템과 전자 우편 따위의 비즈니스 통신망을 이용하여 종이를 일체 쓰지 않는 사무 합리화 시스템》.
páper móney 지폐《경화에 대한》.
páper náutilus 〖動〗 오징어·문어 따위 두족류(頭足類).
páper prófit 가공 이익(unrealized profit)《주식·상품 등의 장부상의 매각 이익》.
pa·per-push·er, -shuf·fler [péipərpùʃər], [-ʃʌ̀flər] *n.* [C] 《美口》 사무원; 공무원.
páper róund (매일 매일의) 신문 배달.
pa·per-thin [-θín] *a.* ① 종이처럼 얇은; (승리 따위가) 아슬아슬한. ② (구실·이유가) 근거 박약한, 설득력 없는.
páper tíger 종이 호랑이; 허장성세.
paper·ware [péipərwὲər] *n.* [U] 〖集合的〗《쓰고 버린》 종이 용기류.
pa·per·weight [-wèit] *n.* [C] 서진(書鎭), 문진.
pa·per·work [-wə̀ːrk] *n.* [U] 문서(文書) 업무, 탁상 사무.
P
pa·pery [péipəri] *a.* ① 종이의〔같은〕, 얇은. ② (이유·구실 등이) 박약한.
pa·pier-mâ·ché [pèipərməʃéi, -mæ-] *n.* [U] 《F.》 혼응지(混凝紙)《송진과 기름을 먹인 딱딱한 종이; 종이 세공용》. ── *a.* 〔限定的〕 ① 틀에 종이를 발라 만든 모형의. ② 금방 벗겨지는, 망가지는; 겉치레의: a ~ facade of friendship 사람을 속이는 겉치레의 우정.
pa·pil·la [pəpílə] (*pl.* ***-lae*** [-liː]) *n.* [C] 〖解〗 젖꼭지 모양의 작은 돌기; 〖植〗 유두 돌기; 〖病理〗 구진(丘疹), 여드름.
pap·il·lon [pɑ̀ːpijɔ́ːŋ / pǽpilɔ̀n] *n.* [C] 《F.》 스파니엘종의 개《애완용》.
pa·pist [péipist] *n.* [C] 《蔑》 가톨릭 교도.
pa·poose [pæpúːs, pə-] *n.* [C] (북아메리카 원주민의) 어린애, 젖먹이.
pap·py [pǽpi] (***-pi·er*** ; ***-pi·est***) *a.* 빵죽 같은, 흐물흐물한, 질컥질컥한; 연한, 부드러운.
pap·ri·ka [pæpríːkə, pə-, pǽprikə] *n.* ① [C] 단맛이 나는 고추의 일종. ② [U] 이것으로 만든 향료.
Páp tèst 〔smèar〕 [pǽp-] 팹시험《자궁암 조기(早期) 검사법의 하나》.
Pap·ua [pǽpjuə] *n.* 파푸아.
Pap·u·an [pǽpjuən] *a.* 파푸아(섬)의; 파푸아 사람의. ── *n.* [C] 파푸아 사람.
Pápua Nèw Guínea 파푸아뉴기니《New Guinea 동반부를 차지한 독립국; 1975년 독립; 수도 Port Moresby》.
pap·ule [pǽpjuːl] *n.* [C] 〖醫〗 구진(丘疹).
pa·py·rus** [pəpáiərəs] (*pl.* ***~·es, -ri [-rai, -riː]) *n.* ① [U] 〖植〗 파피루스. ② [U] 파피루스 종이. ③ [C] 파피루스에 쓴 사본〔고(古)문서〕.
par** [pɑːr] *n.* ① (a ~) 동위(同位), 동등, 동수준, 동가. ② [U] 〖商〗 액면 동가, 평가; 환(換)평가. ③ [U] 평균, 표준(도(度)), 기준량〔액〕; (건강·정신의) 상태(常態). ④ [U] (또는 a ~) 〖골프〗 기준 타수. ***above ~ 액면 (가격) 이상으로; 표준 이상으로; 건강하여. ***at*** ~ 액면 가격으로; 평가로. ***below 〔under〕*** ~ 액면 이하로; 표준 이하로; 건강이 좋지 않아. ***on a*** ~ 똑같은, 동등한《***with***》: His work is *on a* ~ *with* Einstein's. 그의 업적은 아인슈타인의 업적과 맞먹는다. ~ ***for the course*** 《口》 보통〔예사로운, 당연한〕 일. ***up to*** ~ ⑴ 표준에 달하여. ⑵ (몸의 컨디션·건강이) 좋은, 보통 상태인. ── (***-rr-***) *vt.* 〖골프〗 (홀)을 파로 끝내다.
par- ⇨PARA-.
par. paragraph; parallel; parenthesis; parish.
para[1] [pǽrə] *n.* [C] 《口》 낙하산 부대원.
para[2] *n.* [C] 《口》 =PARAGRAPH.
par·a-[1], **par-** *pref.* ① '측면, 근접; 초월, 이반' 따위의 뜻. ② 〖化〗 **a**) 중합형(重合形)을 나타냄. **b**) 벤젠고리를〔벤젠핵을〕 지닌 화합물에서 1, 4-위(位) 치환체를 나타냄《略: P-》. ③ 〖醫〗 '병적 이상(異狀), 의사(擬似), 부(副)'의 뜻《★ 모음 앞에서는 par-》.
par·a-[2] ① '방호(防護), 피난'의 뜻의 결합사: *para*sol. ② 파라슈트의〔에 의한〕: *para*trooper.
par·a·ble [pǽrəbəl] *n.* [C] 우화(寓話), 비유(담); 《古》 수수께끼: Jesus told many ~*s* to his followers, such as the ~ of the Good Samaritan. 예수는 그를 따르는 사람들에게 착한 사마리아 인의 비유 같은, 수많은 비유담을 들려주었다.
pa·rab·o·la [pərǽbələ] *n.* [C] 〖數〗 포물선.
par·a·bol·ic [pæ̀rəbɑ́lik / -bɔ́l-] *a.* ① 비유(담)의, 우화같은. ② 〖數〗 포물선의.
[파] **par·a·bol·i·cal·ly** *ad.*
parabólic anténna 〔áerial〕 포물면 안테나, 패러볼라 안테나.
***par·a·chute** [pǽrəʃùːt] *n.* [C] 낙하산: a ~ descent 낙하산 강하 / make a ~ jump 낙하산 강하를 하다. ── *vt.* …을 낙하산으로 떨어뜨리다. ── *vi.* 낙하산으로 강하하다.
par·a·chut·ist, -chut·er [pǽrəʃùːtist], [-ʃùːtər] *n.* [C] 낙하산병〔강하자〕.
par·a·clete [pǽrəklìːt] *n.* ① [C] 변호자, 중재자; 위안자. ② (the P-) 성령.
‡pa·rade [pəréid] *n.* [C] ① 관병식, 열병; =PARADE GROUND: hold a ~ 관병식을 거행하다. ② (사람의 눈을 끌기 위한) 행렬, 퍼레이드, 시위 행진: have a ~ 퍼레이드를 하다. ③ 과시, 자랑하기. ④ 《英》 광장, 운동장, (해안 등의) 산책길, 유보장(遊步場); 산책하는 사람들. ⑤ (성(城)의) 안뜰. ⑥ [U] (사건 등의) 연속적 경과; (노래·기술(記述) 등의) 연속; 잇따라 나타나는 사람〔것〕. ⑦ (P-) …가(街): North *Parade*. ***make a ~ of*** …을 자랑해보이다: She is always *making a ~ of* her wealth. 그녀는 언제나 자신의 재산을 자랑하고 있다. ***on*** ~ (군대가) 열병을 받아; (배우 등이) 총출연하여: Did you see the soldiers *on* ~ on TV last night? 너는 어젯밤 TV에서 군인들의 열병식(광경)을 시청했냐. ── *vt.* ① (군대)를 열병하다; 정렬시키다, 줄지어 행진시키다. ② (거리 등)을 줄지어 돌아다니다: The military band ~*d* the streets. 군악대가 줄지어 시가(市街)를 누볐다. ③ …을 자랑해 보이다, 과시하다: ~ one's abilities 자기의 능력을 자랑하다. ── *vi.* ① (열병을 위하여) 정렬하다; (줄을 지어) 행진하다. ② 줄지어 돌아다니다, 활보하다; 통용되다, 통하다: ~ up and down the road 길을 뽐내며 돌아다니다.
paráde gròund 연병〔열병〕장.
pa·rad·er [pəréidər] *n.* [C] 행진자.
par·a·digm [pǽrədàim] *n.* [C] ① 보기, 범례, 모범《*of*》. ② 패러다임《시대의 지배적인 과학적 대상 파악의 방법》. ③ 〖文法〗 어형 변화표, 활용례, 변화 계열; 〖言〗 (선택적) 계열 범례.
par·a·dig·mat·ic [pæ̀rədigmǽtik] *a.* ① 모범이 되는, 전형적인. ② 〖文法〗 어형 변화(표)의.
par·a·di·sa·ic [pæ̀rədiséiik] *a.* =PARADISIACAL.
‡par·a·dise [pǽrədàis, -dàiz] *n.* ① (P-) 천국; 에덴 동산. ② (a ~) 낙원, 극락: *a* children's ~ 아이들의 낙원〔천국〕. ③ [U] 안락, 지복(至福).
páradise fish 〖魚〗 극락어《열대어》.
par·a·di·si·a·cal, -dis·i·ac [pæ̀rədisáiəkəl, -zái-], [-dísiæ̀k] *a.* 천국의, 낙원의〔같은〕.

‡par·a·dox [pǽrədàks / -dɔ̀ks] *n.* ① [U,C] 역설, 패러독스《틀린 것 같으면서도 옳은 의론》: Her stories are full of mystery and ~. 그녀의 얘기는 미스테리와 역설로 가득차 있다. ② [C] 기론(奇論), 불합리한 연설 ; 자기 모순된 말. ③ [C] 앞뒤가 맞지 않는 일 ; 모순된 인물.

par·a·dox·i·cal [pæ̀rədáksikəl / -dɔ́ks-] *a.* 역설적인, 모순된, 불합리한(absurd), 역설을 농하는 〔좋아하는〕.

par·af·fin, -fine [pǽrəfin], [-fìːn, -fin] *n.* [U] ① 파라핀, 석랍(石蠟) ; 파라핀유(油) ; 《英》 등유. ② 파라핀족(族) 탄화수소.

páraffin òil 파라핀유《윤활유》; 《英》 등유(《美》 kerosine).

páraffin wàx 파라핀납(paraffin).

par·a·glid·er [pǽrəglàidər] *n.* [C] 패러글라이더.

par·a·gon [pǽrəgàn, -gən] *n.* [C] ① 모범, 본보기, 전형(典型), 귀감 ; 걸물(傑物), 일물(逸物) : The author seems to view the British system as a ~ of democracy. 저자는 영국의 정치 제도를 민주주의의 본보기로 간주하고 있는 것 같다. ② 100 캐럿 이상의 완전한 금강석 ; 둥글고 알이 굵은 양질의 진주. ③ 〖印〗 패러건 활자《20 포인트》.

‡par·a·graph [pǽrəgræ̀f, -grɑ̀ːf] *n.* [C] ① (문장의) 절(節), 항(項), 단락. ② (교정 따위의) 패러그래프〔참조, 단락〕 부호《¶》. ③ (신문의) 단편 기사 ; 단평 : an editorial ~ 짧은 사설(社說).
— *vt.* ① (문장)을 절로〔단락으로〕 나누다. ② …의 기사를〔단평을〕 쓰다, 신문 기삿거리로 삼다.

Par·a·guay [pǽrəgwài, -gwèi] *n.* 파라과이.

par·a·keet [pǽrəkìːt] *n.* [C] 〖鳥〗 잉꼬.

‡par·al·lel [pǽrəlèl] *a.* ① 평행의, 평행하는, 나란한《*to; with*》. ② 같은 방향〔경향〕의 ; 《比》 같은 종류의, 유사한, 대응하는《*to ; with*》: Your experience is ~ *to* an experience I had last year. 자네 경험은 작년에 내가 경험한 것과 아주 유사하다. ③ 〖電〗 병렬(並列)의. ④ 〖컴〗 병렬의《동시에 복수 처리를 하는 ; 동시에 복수 두값(bit)을 처리하는》. — *ad.* 평행하여《*with ; to*》: a road running ~ *to* 〔*with*〕 the railway 선로와 나란히 뻗은 도로.
— *n.* [C] ① 평행선〔면〕, 평행물. ② 유사(물) ; 필적하는 것〔사람〕, 대등한 사람《*to*》. ③ 비교, 대비(對比). ④ 위도권(圈), 위도선(線) (=∠ **of látitude**) : the 38 th ~ (of latitude) 38도선(線), 38선. ⑤ 〖印〗 평행 부호(‖) ; 〖電〗 병렬《회로 따위》. ***draw a*** **~ *between*** …을 대비〔비교〕하다 : Friends of the dead lawyer were quick to *draw a ~ between* the two murders. 죽은 변호사의 친구들은 재빨리 두 살인 사건 사이의 유사점을 비교했다. ***have no a known*** ~ 선례(先例)가 없다. ***in*** ~ …과 병행(並行)하여, 동시에《*with*》, 〖電〗 병렬식으로. ***on a*** **~ *with*** … (1) …와 평행하여. (2) …와 필적하여, 호각(互角)으로. ***without* (*a*)** ~ 유례없이 : a triumph *without* (*a*) ~ 유례없는 대승리 / It's an ecological disaster *with no* ~ anywhere else in the world. 그것은 세계의 다른 어떤 곳에서도 유례를 찾아볼 수 없는 생태학적인 재화(災禍)이다.
— (***-l-***, 《英》 ***-ll-***) *vt.* ① 《~+[목] / +[목]+[전]+[명]》 …을 같은〔비슷한〕 것으로서 예시하다 ; …에 필적하다 ; …에 유사〔상응〕하다 : Nobody ~*s* him *in* swimming. 수영에 있어서 그에 필적할 만한 사람은 없다 / His experiences ~ mine in many points. 그의 경험은 여러 점에서 내 경험과 비슷하다. ③ …에 병행하다. ④ 《+[목]+[전]+[명]》 …을 비교하다《*with*》: *Parallel* this *with* that. 이것을 그것과 비교하라.

párallel bárs (체조의) 평행봉.

par·al·lel·ism [pǽrəlelìzəm] *n.* [U] ① 평행 ; 병행. ② 유사《*between*》. ③ 〖修〗 대구법(對句法)《예 : Marriage has many pains, but celibacy has no pleasures. 결혼에는 많은 고통이 따르지만 독신에는 즐거움이 없다》. ④ 〖哲〗 병행론. ⑤ 〖生〗 병행 진화.

par·al·lel·o·gram [pæ̀rəléləgræ̀m] *n.* [C] 〖數〗 평행사변형.

párallel rúler 평행자.

Par·a·lym·pics [pæ̀rəlímpiks] *n.* 파랄림픽, 신체 장애자 올림픽.

‡par·a·lyse [pǽrəlàiz] *vt.* 《英》 =PARALYZE.

pa·ral·y·sis** [pərǽləsis] (*pl.* ***-ses [-sìːz]) *n.* [U,C] ① 〖醫〗 (완전) 마비, 불수(不隨) ; 중풍 : infantile ~ 소아 마비 / general ~ 전신(全身)마비. ② 활동불능(의 상태), 무(기)력 ; (교통·거래 등의) 마비 상태, 정체 : moral ~ 도덕심의 마비 / a ~ of trade 거래의 마비 상태 / a total ~ of the traffic facilities 교통기관의 완전한 마비상태. ***cerebral*** ~ 〖醫〗 뇌성 마비.

par·a·lyt·ic [pæ̀rəlítik] *a.* paralysis 의 ; 《英口》 곤드레로 취한. — *n.* [C] 마비〔중풍〕 환자.

par·a·ly·za·tion [pæ̀rəlizéiʃən] *n.* [U] 마비시킴 ; 무력화.

‡par·a·lyze [pǽrəlàiz] *vt.* ① 《~+[목] / +[목]+[전]+[명]》 〔흔히 受動으로〕 …을 마비시키다, 불구가 되게 하다 : be ~*d in* both legs 두 다리가 마비되다 / My father is half ~*d.* 내 아버지는 반신불수이다. ② …을 활동 불능이 되게 하다, 무력케 하다 : The whole town was ~*d* by the transport strike. 온 시(市)가 교통기관의 스트라이크로 마비되었다.
[파] **~d** *a.* 마비된 ; 무력한 ; 무효의 : The government seems ~*d by*〔*with*〕 indecision. 정부는 우유부단으로 무력한 것 같다.

par·a·mag·net [pæ̀rəmǽgnit] *n.* [C] 〖物〗 상자성체(常磁性體), 정자기체(正磁氣體).

par·a·me·ci·um [pæ̀rəmíːʃiəm, -siəm] (*pl.* ***-cia*** [-ʃiə, -siə], **~*s***) *n.* [C] 〖動〗 짚신벌레.

par·a·med·ic [pæ̀rəmédik] *n.* [C] 준(準)의료 활동 종사자, 진료 보조원《조산사·검사 기사 따위》.

par·a·med·i·cal [pæ̀rəmédikəl] *a.* 전문의를 보좌하는.

pa·ram·e·ter [pərǽmitər] *n.* [C] ① 〖數〗 매개(媒介) 변수 ; 〖統〗 모수(母數). ② (종종 *pl.*) 특질 ; 조건, 규정요인《*of*》: Temperature, pressure and humidity are ~*s of* the atmosphere. 온도·기압·습도는 대기(大氣)의 규정요인이다 / Money is the dominant ~ in our politics. 우리 나라 정치에서는 돈이 지배적 조건이다. ③ (흔히 *pl.*) 《口》 한정 요소, 한계, 제한 (범위).

par·a·mil·i·tary [pæ̀rəmílətèri / -təri] *a.* 준(準)군사적인, 준군사 조직의 : ~ forces 준군사 부대 / ~ operation 준군사 작전〔행동〕/ In some countries, police and fire officers have ~ training. 일부 국가에서는 경찰과 소방 요원들은 준군사적인 훈련을 받고 있다.

par·a·mount** [pǽrəmàunt] *a.* 최고의, 지상의 ; 주요한 ; 최고권〔주권〕이 있는 ; 탁월한 ; 보다 뛰어난 ; (… 에) 우선하는《*to*》: This task is ~ *to* 〔*over*〕 all others. 이 과업이 다른 어떤 과업보다 우선한다. ***the lord ~ 최고권자, 국왕.

par·a·mour [pǽrəmùər] *n.* [C] 《文語》 정부(情夫), 정부(情婦), 애인.

par·a·noi·a, par·a·noea [pæ̀rənɔ́iə], [-níːə] *n.* [U] 〖精神醫〗 편집병(偏執病), 망상증, 과대 망상광(狂) ; 《口》 (근거 없는) 심한 공포〔의심〕.

P

par·a·noid [pǽrənɔ̀id] *a.* 편집〔망상〕성의 ; 편집증 환자의 ; 편협한, 과대 망상적인 : Don't be so ~. I wasn't talking about you. 그렇게 과대망상적이 되지 말게. 자네 이야기를 하고 있는 것이 아닐세.
── *n.* Ⓒ 편집증 환자. (파) **pàr·a·nói·dal** *a.*

par·a·nor·mal [pæ̀rənɔ́:rməl] *a.* 과학적으로 설명할 수 없는.

***par·a·pet** [pǽrəpit, -pèt] *n.* Ⓒ ① (지붕·다리 등의) 난간. ②〖築城〗흉벽(胸壁), 흉장(胸牆).

par·a·pher·na·lia [pæ̀rəfərnéiljə] *n.* ① Ⓤ (개인의) 자잘한 소지품〔세간〕; 여러 가지 용구, 장구(裝具) : Get rid of all cigarettes and ashtrays and other ~ associated smoking. 담배와 재떨이, 그밖의 흡연과 관련된 용구를 모두 없애라 / camping ~ 캠핑 용품. ② (*sing.*) (무엇을 하는데) 성가신〔귀찮은〕 것《*of*》.

‡**par·a·phrase** [pǽrəfrèiz] *n.* Ⓒ (상세히) 바꿔쓰기, 부연(敷衍), 의역, 석의(釋義). ── *vt., vi.* (쉽게) 바꿔 쓰다〔말하다〕, 말을 바꿔서 설명하다, 패러프레이즈하다 : *Paraphrase* the following passage in simple English. 다음 구절을 간단한 영어로 바꿔 쓰시오 / Baxter ~*d* the contents of the press release. 박스터는 보도 자료의 내용을 쉽게 설명해 주었다.

par·a·phras·tic [pæ̀rəfrǽstik] *a.* 알기 쉽게 바꾸어 말한〔쓴〕, 설명적인. (파) **-ti·cal·ly** *ad.*

par·a·ple·gia [pæ̀rəplí:dʒiə] *n.* Ⓤ〖醫〗(하반신의) 대(對)마비.

Par·a·ple·gic [pæ̀rəplí:dʒik] *a.*〖醫〗(하반신의) 대(對)마비의. ── *n.* Ⓒ 대(對)마비 환자.

par·a·pro·fes·sion·al [pæ̀rəprəféʃənəl] *n., a.* 전문직 보조원(의) ; 교사〔의사〕의 조수(의).

par·a·psy·chol·o·gy [pæ̀rəsaikɑ́lədʒi / -kɔ́l-] *n.* Ⓤ 초(超)심리학《정신 감응·천리안 따위의 초자연적 심리 현상을 다룸》.

par·a·quat [pǽrəkwɑ̀:t] *n.* Ⓤ〖化〗패러콰트《제초제》.

par·a·sail·ing [pǽrəseiliŋ] *n.* Ⓤ 파라세일링《모터 보트로 파라슈트를 끌어서 공중을 활주하는 스포츠》.

par·a·sci·ence [pæ̀rəsáiəns] *n.* Ⓤ 초과학《염력(念力)·심령 현상 등을 연구하는 분야》.

***par·a·site** [pǽrəsàit] *n.* Ⓒ ①〖生〗기생 동〔식〕물, 기생충〔균〕(opp. *host*) ;〖植〗겨우살이 ;〖鳥〗탁란성(托卵性)의 새《두견이 따위》. ② 기식자, 식객 : Financial speculators are ~*s* upon the national economy. 금융투기꾼들은 국가 경제를 좀먹는 기생자들이다. ③〖言〗기생음(音), 기생자(字)《drown*d*ed 의 d 따위》.

par·a·sit·ic, -i·cal [pæ̀rəsítik], [-əl] *a.* ① 기생하는, 기생적인 ; 기생 동물〔식물〕의, 기생충의 ;〖生〗기생체〔질〕의(cf. symbiotic) ; (병이) 기생충에 의한. ② 기식하는, 식객 노릇 하는 ; 아첨하는. ③〖電〗와류(渦流)의 ;〖라디오〗기생(진동)의. ④〖言〗기생(음〔자(字)〕)의. (파) **-i·cal·ly** *ad.*

par·a·sit·i·cide [pæ̀rəsítəsàid] *n.* Ⓤ 구충제. ── *a.* 기생충을 구제하는.

par·a·sit·ism [pǽrəsàitizəm, -sitìzəm] *n.* Ⓤ〖生態〗기생 (생활)(cf. symbiosis) ; 식객 노릇.

par·a·si·tol·o·gy [pæ̀rəsaitɑ́lədʒi, -si- / -tɔ́l-] *n.* Ⓤ 기생충〔생물〕학.

‡**par·a·sol** [pǽrəsɔ̀:l, -sɑ̀l / -sɔ̀l] *n.* Ⓒ (여성용) 양산, 파라솔.

par·a·sym·pa·thet·ic [pæ̀rəsìmpəθétik] *n., a.* 부교감 신경(계)(의).

parasympathétic (nérvous) sýstem 부교감 신경계(系).

par·a·tac·tic, -ti·cal [pæ̀rətǽktik], [-kəl] *a.*〖文法〗병렬(並列)적인.

par·a·tax·is [pæ̀rətǽksis] *n.* Ⓤ〖文法〗병렬《접속사 없이 문(文)·절·구를 나란히 늘어놓기 ; I came, I saw, I conquered. 따위》. opp. *hypotaxis.*

par·a·thi·on [pæ̀rəθáiɑn / -ɔn] *n.* Ⓤ 파라티온《살충제》.

par·a·thy·roid [pæ̀rəθáirɔid] *n.* Ⓒ 부갑상선.

parathýroid glánd〖解〗부갑상선.

par·a·troops [pǽrətrù:ps] *n. pl.*〖軍〗낙하산 부대.

par·a·ty·phoid [pæ̀rətáifɔid] *n.* Ⓤ, *a.*〖醫〗파라티푸스(의).

par avi·on [pɑ̀:rævjɔ̃ŋ] *ad.* 항공편으로.

par·boil [pɑ́:rbɔ̀il] *vt.* (식품)을 반숙하다, 살짝 데치다, 따끈한 물에 담그다.

‡**par·cel** [pɑ́:rsəl] *n.* ① Ⓒ 꾸러미, 소포, 소화물 : ~ paper 포장지 / wrap 〔do〕 up a ~ 소포를 꾸리다. ② (a ~)《蔑》한 무리, 한 떼, 한 조(組), 한 벌, 한 덩어리 : *a* ~ of fools 바보들. ③ Ⓒ〖法〗(토지의) 1 구획, 1 필(筆) : a ~ of land, 1 구획〔필지〕의 토지. ④《古》일부분. ***by ~s*** 조금씩. ***part and*** ~ ⇨ PART. ── (*-l-*, 《英》*-ll-*) *vt.* ①《+(목)+(부)》…을 꾸러미〔소포〕로 하다, 뭉뚱그리다《*up*》. ②《+(목)+(부)》…을 나누다, 구분하다, 분배하다《*out*》: The bigger farms were ~*ed out* after the revolution in 1973. 대농장들은 1973년의 혁명 후 분할·분배되었다.

párcel bòmb 소포 폭탄 ; 우편 폭탄.

párcel póst 소포 우편《略 : p.p., P.P.》; 우편 소포. ── *ad.* 소포 우편으로 : send it ~ 소포 우편으로 보내다.

***parch** [pɑ:rtʃ] *vt.* ① (콩 따위)를 볶다, 굽다 ; 태우다(scorch), 그을리다. ② (태양·열 따위가 지면)을 바싹 말리다. ③ …를 (목)마르게 하다 ; (곡물 등)을 말려서 보존하다.
── *vi.* 바싹 마르다 ; 타다《*up*》.

parched [pɑ́:rtʃt] *a.* (지면등이) 바싹 마른 ;《口》(목·입술 따위가) 바싹 탄 : I'm ~. 목이 몹시 탄다.

parch·ing [pɑ́:rtʃiŋ] *a.* 찌는 듯한, 타는 듯한.

***parch·ment** [pɑ́:rtʃmənt] *n.* ① Ⓤ 양피지(羊皮紙) ; 모조 양피지. ② Ⓒ 양피지의 문서〔증서, 사본〕《면허장·수료증 등》.

pard [pɑ:rd] *n.* Ⓒ《古》표범(leopard).

pard·ner [pɑ́:rdnər] *n.* Ⓒ《口》짝패.

‡**par·don** [pɑ́:rdn] *n.* ① Ⓤ,Ⓒ 용서, 허용, 관대. ② Ⓒ〖法〗특사(特赦), 은사(恩赦);〖가톨릭〗교황의 대사(大赦); 면죄부 ; 대사제(大赦祭). ***I beg your*** ~. ⑴ 죄송합니다《과실·실례를 사과할 때 ; 끝을 내려 발음함》. ⑵ 실례지만…《모르는 사람에게 말을 걸거나, 상대방의 의견에 반대할 때 ; 끝을 내려 발음함》: *I beg your* ~, but which way is the Myŏng-dong? 실례입니다만 명동은 어느 쪽으로 가면 됩니까《★ ⑴, ⑵ 는 끝을 내려 발음하여 Pardon. 이라고도 함》. ⑶ (무슨 말씀인지) 다시 한 번 말씀해 주십시오《끝을 올려 발음함. "Pardon?" "Beg your ~?"이라고도 함》.
── *vt.* ① …을 용서하다. ②《~+(목)+(목) / +(목)+(전)+(명)》…을 관대히 봐주다 : *Pardon* me my offence. 제 실수를 용서해 주십시요 / *Pardon* me *for* interrupting. 방해해서 죄송합니다 ; 잠깐 실례하겠습니다. ③〖法〗…을 사면〔특사〕하다 : The governor will not ~ your crime. 주지사는 너의 죄를 용서하지 않을 것이다 / The prisoner has been ~*ed* three years of his sentence. 수감자는 그의 형기(刑期)의 3년을 감면받았다. ***Pardon me.*** =I beg your ~. ***There is nothing to ~.*** 천만의 말씀(입니다).

㊈ ~·a·ble [-əbəl] *a.* 용서할 수 있는(excusable). ~·a·bly *ad.* ~·a·ble·ness *n.* ~·er *n.* Ⓒ 용서하는 사람 ; 〖宗史〗 면죄부 파는 사람.

***pare** [pɛər] *vt.* ① (과일 따위)의 껍질을 벗기다. ②《+目/+目+副/+目+前+名》(손톱)을 깎다 ; (불필요한 곳)을 잘라[떼어] 내다《*off* ; *away*》. ③《+目+副》(비용 등)을 절감하다, 조금씩 줄이다《*away* ; *down*》. ~ one*'s nails to the quick* 손톱을 바싹 깎다.

paren. parenthesis.

†**par·ent** [pέərənt] *n.* Ⓒ ① 어버이 ; (*pl.*) 양친. ② 선조, 조상. ③ 근원, 원인, 근본, 기원. ④ (흔히 *pl.*) 《稀》 조상 ; (동식물의) 모체(母體). ***our first ~s*** 아담과 이브.
— *a.* 〔限定的〕 기원을〔모체를〕 이루는, 부모의, 어미의 : ~ company 모회사.

***par·ent·age** [pέərəntidʒ] *n.* Ⓤ ① 어버이임, 부모와 자식의 관계. ② 태생, 출신, 가문, 혈통.

***pa·ren·tal** [pəréntl] *a.* 〔限定的〕 어버이(로서)의, 어버이다운 : ~ love 어버이의 사랑.

párent èlement 〖物〗 어미 원소(元素)《방사성 원소의 붕괴나 원자핵 충격에 의해 동위 원소를 낳는 원소》.

pa·ren·the·sis** [pərénθəsis] (*pl.* **-ses** [-sìːz]) *n.* Ⓒ ①〖文法〗 삽입구. ② (흔히 *pl.*) 괄호《( )》. ***by way of ~ 덧붙여, 그와 관련하여. ***in parentheses*** 괄호 안에 넣어서 ; 덧붙여 말하면.

pa·ren·the·size [pərénθəsàiz] *vt.* ① …을 (소)괄호 속에 넣다. ② …에 삽입구를 (많이) 넣다, …을 삽입구로 하다.

par·en·thet·ic, -i·cal [pæ̀rənθétik], [-əl] *a.* 삽입구의〔를 쓴〕; 삽입구적인. ㊈ ~·**ly** *ad.*

par·ent·hood [pέərənthùd] *n.* Ⓤ 어버이임, 어버이의 입장.

par·ent·ing [pέərəntiŋ] *n.* Ⓤ (양친에 의한) 가정 교육 ; 육아, 양육.

párent lànguage 조어(祖語).

Pár·ent-Téach·er Associàtion [-tíːtʃər-] 사친회《略 : PTA, P.T.A.》.

par·er [pέərər] *n.* Ⓒ 껍질 벗기는 사람〔기구, 칼〕.

par ex·cel·lence [pɑːréksəlɑ̀ːns] 특히 뛰어난, 빼어난, 최우수의《명사 뒤에서》.

par·fait [pɑːrféi] *n.* Ⓤ,Ⓒ 《F.》 파르페《빙과의 일종인 디저트》.

par·he·li·on [pɑːrhíːliən, -ljən] (*pl.* **-lia** [-ljə]) *n.* Ⓒ 〖氣〗 무리해, 환일(幻日).

pari- '같은'(equal)의 뜻의 결합사.

pa·ri·ah [pəráiə, pǽriə] *n.* Ⓒ (*or* P-) 파리아《남부 인도·미얀마의 최하층민》; 천민 ; 〔一般的〕 (사회에서) 추방당한 사람, 부랑자.

pa·ri·e·tal [pəráiətl] *a.* ①〖解〗 정수리(부분)의. ②〖植〗 측막(側膜)의. ③《美》 대학 구내 거주에 관한.

paríetal bòne 〖解·動〗 정수리뼈.

par·i·mu·tu·el [pæ̀rimjúːtʃuəl] *n.* Ⓤ 《F.》〖競馬〗 이긴 말에 건 사람들에게 수수료를 제하고 건 돈 전부를 벼르는〔분배하는〕 방법.

par·ing [pέəriŋ] *n.* ① Ⓤ 껍질 벗기기 ; (손톱 등의) 깎기. ② Ⓒ (흔히 *pl.*) 벗긴〔깎은〕 껍질 ; 자른〔깎은〕 부스러기 ; 밀가루를 체질한 찌끼.

†**Par·is**[1] [pǽris] *n.* 파리《프랑스의 수도》.

Par·is[2] *n.* 〖그神〗 파리스《Troy 왕 Priam 의 아들 ; Sparta 왕 Menelaus 의 아내인 Helen 을 빼앗아 Troy 전쟁이 일어났음》.

par·ish** [pǽriʃ] *n.* Ⓒ ①《주로 英》 본당(本堂) ; 교구(敎區)《각기 그 교회와 성직자가 있음》. ② 지역의 교회. ③〔集合的〕《美》 한 교회의 신도 ; 《英》 교구민(parishioners). ④《英》 행정 교구(civil ~)《원래 빈민 구조법 때문에 설치했으나 지금은 행정상의 최소 구획》. ⑤《美》 루이지애나주의 군(county). ***all over the ~ 《英口》 어디에나, 도처에(everywhere). ***go on the*** ~ 《英古》 교구의 부조를 받다 ; 《英口》 가난하게 살다.

párish chùrch 《英》 교구 교회.

párish clèrk 교구 교회의 서무계원.

párish còuncil 《英》 교구회《지방 행정구(區)의 자치 기관》.

pa·rish·ion·er [pəríʃənər] *n.* Ⓒ 교구민.

párish prìest 《英》 교구 목사〔사제〕, 주임 사제〔목사〕.

párish pùmp 시골 공동 우물《쑥덕공론장 ; 지방 근성의 상징》.

par·ish-pump [pǽriʃpʌ̀mp] *a.* 〔限定的〕《英》 지방적 흥미〔관점〕에서의, 시야가 좁은, 지방적인.

párish régister 교구 기록《출생·세례·결혼·매장 따위의》.

***Pa·ri·sian** [pərí(ː)ʒiən, pərízian] *a.* 파리(식)의, 파리 사람의 ; 표준 프랑스말의.
— *n.* Ⓒ 파리 사람 ; Ⓤ 파리 방언.

Pa·ri·si·enne [pəriːzién] *n.* Ⓒ 《F.》 파리 여자, 파리 아가씨.

par·i·ty [pǽrəti] *n.* Ⓤ ① 동등, 동격, 동위 ; 동률, 동량 ; 대응, 유사(類似) ; 등가(等價)《*with*》: Women workers are demanding ~ *with* their male colleagues. 여자 종업원들은 남자 동료직원과 같은 대우〔급료〕를 요구하고 있다. ②〖經〗 평가(平價) ; 《美》 평형 (가격), 패리티《농산물 가격과 생활 필수품 가격과의 비율》: ~ of exchange 환(換) 시세의 평가. ***on a*** ~ ***with*** …와 동등〔균등〕한. ***stand at*** ~ 동위〔동격〕이다.

†**park** [pɑːrk] *n.* Ⓒ ① 공원 ; 《美》 유원지 ; 자연공원, (공유의) 자연 보존구역 ; (the P-) 《英》 = HYDE PARK : a national ~ 국립 공원《★ 고유명사의 일부로 쓰일 때에는 무관사임》. ②《英》 (귀족·호족의) 사원(私園), 대정원. ③ 주차장. ④《美》 운동장, 경기장 ; 《英口》 축구장 : a baseball ~ 야구장.
— *vt.* ① …을 주차하다 ; (사람)을 숙박시키다 ; (비행기)를 주기(駐機)하다 : You are〔Your car is〕 illegally ~*ed.* 당신(의 차)은 주차위반입니다. ②《口》 (…에) …을 두다, 두고 가다(leave) ; (아이 등)을 남에게 맡기다 : *Park* your hat on the table. 모자를 탁자 위에 두어라. ③〔再歸的〕(어떤 장소)에 앉다. — *vi.* ① 주차하다. ②《口》 앉다. ~ ***out*** (children) ***from*** (the ground) (운동장)에서(아이들을) 쫓아내다.

par·ka [pɑ́ːrkə] *n.* Ⓒ (에스키모 사람의) 두건 달린 모피 옷 ; 두건 달린 긴 웃옷, 파카.

park·ing** [pɑ́ːrkiŋ] *n.* Ⓤ 주차. ***No ~ 주차 금지《게시》.

párking lìght (자동차) 주차등.

párking lòt 《美》 주차장(《英》 car park).

párking mèter 주차 요금 표시기.

párking òrbit 〖宇宙〗 중계 궤도《최종 목표의 궤도에 오르기 전의 일시적 궤도》.

párking spàce 주차 공간.

párking tìcket ① 주차 위반 스티커. ② 주차장 이용권.

Pár·kin·son's disèase [pɑ́ːrkinsənz-] 〖醫〗 파킨슨병.

Párkinson's láw 파킨슨 법칙《공무원의 수는 사무량에 관계없이 일정 비율로 증가한다는》.

park·land [pɑ́ːrklæ̀nd] *n.* Ⓤ ① 공원 용지. ②《英》 지방의 대저택 주위의 녹지.

párk rànger (국립) 공원 관리인.

park·way [pɑ́ːrkwèi] *n.* Ⓒ ①《美》 공원 도로

《중앙에 가로수나 조경 공사를 한 큰 길; 트럭이 나 대형 차량은 통행이 금지됨》. ②《英》주차장 설비가 있는 역(驛).

parky [pá:rki] (**park·i·er ; -i·est**) *a.* 《英俗》싸늘한, 차가운〔공기·날씨 등〕.

par·lance [pá:rləns] *n.* Ⓤ ①말투, 어법, 어조 《★ 흔히 수식어를 수반함》. ②《古》이야기, 토론. ***in common*** 〔***ordinary***〕 ~ 일반적인 말로는. ***in legal*** ~ 법률 용어로.

par·lay [pá:rlei, -li] *vt.* ① (원금과 상금)을 다시 (다른 말에) 걸다. ② (재산·재능 등을 활용하여 재산)을 증식하다. 크게 활용하다《*into*》: They ~*ed* a small inheritance *into* a vast fortune. 그들은 얼마 안되는 유산을 운용하여 막대한 재산을 모았다.

***par·ley** [pá:rli] *n.* Ⓒ 회담, 교섭; (전쟁터에서의) 적과의 회견〔담판〕. ── *vi.* 《~/+전+명》교섭〔담판〕하다《*with*》.

‡par·lia·ment [pá:rləmənt] *n.* ①Ⓒ 의회, 국회: the French ~ 프랑스 의회. cf. congress, diet². ② (P-) (영국) 의회《the House of Lords와 the House of Commons의 양원으로 구성됨》. ***a Member of Parliament*** 《英》하원(下院)의원, (여러 나라의) 국회 의원《略: M.P.》. ***enter*** 〔***go into***〕 ***Parliament*** 하원 의원이 되다. ***open Parliament*** 의회의 개원식을 행하다. ***sit*** 〔***be***〕 ***in Parliament*** 하원 의원이다.

par·lia·men·tar·i·an [pà:rləmentέəriən] *n.* Ⓒ 의회법 학자; 의회 법규에 정통한 사람; (종종 P-) 《英》하원 의원; (P-) 〖英史〗 =ROUNDHEAD. ── *a.* 의회(정치)의, 의회파의.

***par·lia·men·ta·ry** [pà:rləméntəri] *a.* ①의회의. ②의회에서 제정된; 의회의 법규·관례에 의거한; 〖英史〗 의회당(원)의. ③의회(제도)를 가지는, 의회제의. ④ (말 따위가) 의회에 적당한; 《口》정중한.

‡par·lor, 《英》 **-lour** [pá:rlər] *n.* Ⓒ ①《美》객실(drawing room), 거실(living room). ② (관저·은행 따위의) 응접실; (호텔·클럽 따위의) 특별 휴게〔담화〕실《개방적이 아닌》; (수도원 등의) 면회실. ③《美》…점(店); (원래는 객실처럼 설비한) 영업〔촬영, 진찰, 시술〕실.

párlor càr 〖美鐵〗 특별 객차.

párlor gàme 실내 게임《퀴즈 등》.

par·lor·maid [pá:rlərmèid] *n.* Ⓒ 잔심부름하는 계집아이, (방에 딸린) 하녀.

par·lous [pá:rləs] *a.* 〔限定的〕 《古·戱》 위험한 (perilous); (국제 관계 등이) 불안한, 일촉즉발의; 다루기 힘든, 까다로운.

Par·me·san [pá:rmizà:n, ╧╌╯] *a.* 파르마 (Parma)《이탈리아 북부의 도시》의. ── *n.* Ⓤ 파르마 치즈(=∠ **chéese**)《Parma 산의 냄새가 강한 경질(硬質) 치즈》.

Par·nas·si·an [pa:rnǽsiən] *a.* ①파르나소스 산(山)의. ②시(詩)의, 시적(詩的)인, 고답적(高踏的)인, 고답파(시인)의. ── *n.* Ⓒ (the ~) 프랑스 고답파 시인.

Par·nas·sus [pa:rnǽsəs] *n.* ①파르나소스《그리스 중부의 산; Apollo와 Muses의 영지(靈地)》. ②Ⓤ 시단(詩壇); 문단. (***try to***) ***climb*** ~ 시작(詩作)에 힘쓰다.

pa·ro·chi·al [pəróukiəl] *a.* ①교구(parish)의; 《美》교구가 설립한〔운영하는〕《학교, 병원》. ② (감정·흥미 등이) 편협한.

pa·ro·chi·al·ism [pəróukiəlìzəm] *n.* Ⓤ ①교구 제도. ②지방 근성; 편협.

paróchial schòol 《美》교구 설립 학교.

par·o·dist [pǽrədist] *n.* Ⓒ parody 작자.

par·o·dy [pǽrədi] *n.* ①Ⓤ,Ⓒ (풍자적·해학적인) 모방 시문, 패러디, 희문(戱文), 야유적으로 가사를 고쳐 부르는 노래. ②Ⓒ 서투른 모방, 흉내. ── *vt.* …을 서투르게 흉내내다; 풍자〔해학〕적으로 시문을 개작(改作)하다.

pa·role [pəróul] *n.* Ⓤ ①가석방(기간·허가증), 가출소; 집행 유예: He's been released *on* ~. 그는 가석방되었다. ②맹세, 서언(誓言); 〖美軍〗 포로 선서(=∠ **of hónor**). ③〖言〗 구체적 언어 행위, 발화(發話). cf. langue. ***break*** one's ~ 선서를 어기다, 가석방 기간이 지나도 교도소에 돌아가지 않다. ***on*** ~ 선서〔가(假)〕석방되어; 《口》감찰을 받아. ── *vt.* …을 선서〔가(假)〕석방하다; 《美》(외국인)에게 임시 입국을 허락하다.

pa·rol·ee [pəroulí:] *n.* Ⓒ 가석방자, 가출소자.

pa·ro·tic [pərátik, -róu- / -rɔ́-] *a.* 귓가의, 귀부근의.

pa·rot·id [pərátid / -rɔ́t-] *n.* Ⓒ 〖解〗 귀밑샘, 이하선(耳下腺)(=∠ **glànd**).

par·o·ti·tis [pæ̀rətáitis] *n.* Ⓤ 〖醫〗 이하선염, 항아리손님(mumps).

par·ox·ysm [pǽrəksìzəm] *n.* Ⓒ 〖醫〗 (주기적인) 발작; 경련; (감정 등의) 격발《*of*》; 발작적 활동; 격동: In a sudden ~ *of* jealousy he threw her clothes out of the window 돌연한 질투심이 일어나 그는 그녀의 옷을 창 밖으로 내던졌다.

par·quet [pa:rkéi] *n.* ①Ⓒ 나무쪽으로 모자이크한 마루; Ⓤ 나무쪽 세공. ②Ⓒ《美》(극장의) 아래층 앞자리.

parquét círcle 《美》(극장의) 아래층 뒤쪽《2층 관람석 밑》.

par·quet·ry [pá:rkitri] *n.* Ⓤ 나무쪽 세공, (마루의) 쪽나무 깔기.

parr, par [pa:r] (*pl.* **~s,** 〔集合的〕 ~) *n.* Ⓒ 〖魚〗 어린 연어, 어린 대구.

par·ri·cide [pǽrəsàid] *n.* ①Ⓒ 존속〔웃어른, 주인〕 살해범; 반역(자). ②Ⓤ 그 범죄.

‡par·rot [pǽrət] *n.* Ⓒ ①〖鳥〗 앵무새. ②앵무새처럼〔기계적으로〕 입내 내는 사람. ── *vt.* (남의 말)을 앵무새처럼 되뇌다.

par·rot-fash·ion [-fæ̀ʃən] *ad.* 《英口》뜻도 모르고 되받아, 흉내내어.

párrot fèver 〖醫〗 =PSITTACOSIS(앵무새 병).

par·ry [pǽri] *vt.* (공격·질문)을 받아넘기다, (펜싱 등에서) (슬쩍) 피하다; 회피하다, 얼버무리다: ~ a blow with one's arm 팔로 타격을 빗나가게 하다 / ~ an awkward question 곤란한 질문을 얼버무려 대답하다. ── *n.* Ⓒ 받아넘김, (펜싱 따위에서) 슬쩍 피함; 둘러댐, 얼버무림, 핑계.

parse [pa:rs] *vt.* ①〖文法〗 (문장·어구)의 품사 및 문법적 관계를 설명하다. ② (문장)을 해부〔분석〕하다.

par·sec [pá:rsèk] *n.* Ⓒ 〖天〗 파섹《천체간의 거리를 나타내는 단위; 3.26 광년; 略: pc》.

Par·si, -see [pá:rsi:, ╌╯] *n.* Ⓒ 〖史〗 파시교도.

par·si·mo·ni·ous [pà:rsəmóuniəs] *a.* 인색한, 쩨쩨한; 지나치게 알뜰한.

par·si·mo·ny [pá:rsəmòuni / -məni] *n.* Ⓤ 인색; 극도의 절약.

pars·ley [pá:rsli] *n.* Ⓤ 〖植〗 파슬리.

pars·nip [pá:rsnip] *n.* Ⓒ 〖植〗 네덜란드〔미국〕 방풍나물《뿌리는 식용》: Fine 〔Kind, Soft〕 words butter no ~*s.* 《俗談》입에 발린 말만으로는 아무 소용이 없다, 말 단 집에 장 단 법 없다 (甘言家醬不甘).

***par·son** [pá:rsən] *n.* Ⓒ (영국 국교회의) 교구 목사《rector, vicar 등》; 《口》성직자, (개신교) 목사.

par·son·age [pá:rsənidʒ] *n.* Ⓒ 목사관.

pár·son's nóse 《英口》 닭〔칠면조 등〕의 꽁무니 살(《美》 pope's nose).

†part [pɑːrt] *n.* ① Ⓒ (전체 속의) 일부, 부분; (전체에서 분리된) 조각, 단편. ② ((a) ~ of …) 주요 부분, 요소. ③ Ⓒ (책·희곡·시 따위의) 부, 편, 권. ④ (*pl.*) 몸의 부분, 기관; (기계의) 부분〔부속〕품, (예비) 부품. ⑤ Ⓒ **a)** 〔序數에 붙여〕 …분의 1《지금은 보통 생략함》. **b)** 〔基數에 붙여〕 전체를 하나 더 많은 수로 나눈 값. **c)** 약수(約數), 인수. **d)** (조합(調合) 등의) 비율: My feeling was eight ~*s* fear and two ~*s* excitement. 내 감정은 공포심 8, 흥분 2의 비율이었다. ⑥ Ⓒ (일 따위의) 분담, 몫: take ~ of〔in〕 a person's joy 〔sorrow〕 아무의 기쁨〔슬픔〕을 함께 하다. ⑦ Ⓤ (또는 a ~) 직분, 본분; 관여, 관계: It's not my ~ to interfere. 내가 간섭할 일이 아니다. ⑧ Ⓒ (배우의) 역(role); 대사(臺詞); 대본: He spoke 〔acted〕 his ~ very well. 그는 맡은 대사를〔역을〕 잘 했다. ⑨ Ⓤ (논쟁 따위의) 편, 쪽(side), 당사자의 한 쪽: an agreement between Jones on the one ~ and Brown on the other (~) 존스 측과 브라운 측 사이의 협정 / Neither ~ agreed to the mediation. 어느 편도 그 조정(調停)에 동의하지 않았다. ⑩ (*pl.*) 지역(quarter), 곳, 지구, 지방(district): in these ~*s* 이 곳에서(는) / travel in foreign ~*s* 외지(外地)를 여행하다 / What ~ of the States are you from? 미국 어느 지방 출신입니까? ⑪ (*pl.*) 자질, 재능: Being both a diplomat and a successful businesswoman, she is widely regarded as a woman of ~*s*. 외교관이면서 실업가로서도 성공하여, 그녀는 퍽 유능한 여성으로서 널리 인정받고 있다. ⑫ Ⓒ 〖樂〗 음부, 성부. ⑬ Ⓒ 《美》 (머리의) 가리마(《英》 parting). ◇ partial *a.*

a great 〔***the greater***〕 ~ ***of*** …의 대부분〔다수〕: I spent *the greater* ~ *of* my vacation in Canada. 휴가의 대부분을 캐나다에서 보냈다. ***for one's*** ~ 자기(로서)는, 자신만은: *For my* ~, I am quite satisfied with the contract. 나로서는 그 계약에 지극히 만족한다. ***for the most*** ~ 대개, 대체로, 대부분은(mostly): The firm is run, *for the most* ~, by competent men. 그 회사는 대체로 유능한 사람들에 의해 운영된다. ***in good*** ~ (1) 기분 좋게, 호의적으로: She was able to take teasing (all) *in good* ~. 그녀는 (아주) 기분좋게 조롱을 받아들일 수 있었다. (2) 대부분은, 주로. ***in large*** ~ 크게(largely), 대부분. ***in*** ~ 부분적으로, 일부분, 얼마간(partly): You are *in* ~ responsible for it. 그에 대해 네게도 얼마간 책임이 있다. ***in ~s*** (1) 나누어, 일부분씩; 분책으로: be issued *in* monthly ~*s* 매월 분책으로 발행된다 / This bicycle came *in* ~*s*. 이 자전거는 부품 상태로 도착했다. (2) 여기저기. ***look the*** ~ ⇨ LOOK *v.* ***on*** a person***'s*** ~ = ***on the*** ~ ***of*** a person (1) 아무의 편에서는〔의〕; 아무를 대신하여: There is no objection *on my* ~. 나로서는 이의 없다. (2) …에 의한; …에 책임이 있는. ~ ***and parcel*** 본질적인〔중요〕 부분, 요점《*of*》: These words are now ~ *and parcel of* the English language. 이들 낱말들은 지금은 영어의 중요한 부분으로 되어 있다. ***play*** 〔***act***〕 ***a*** ~ (1) 역(할)을 하다《*in*》: Salt *plays an* important ~ *in* the functions of the body. 소금은 신체의 기능에 중요한 역할을 하고 있다. (2) 《比》 …처럼 행동하다, 시치미떼다. ***play*** 〔***do***〕 ***one's*** ~ 맡은 바를 다하다, 본분을 다하다. ***play the*** ~ ***of*** …의 역을 하다: *play the* ~ *of* Hamlet. ***take*** ~ ***in*** (a thing, do*ing*) …에 관계〔참가, 공헌〕하다: *take* ~ *in* the Olympics 올림픽에 참가하다. ***take*** a person***'s*** words 〔action〕 ***in good*** 〔***ill, evil, bad***〕 ~ 아무의 말을〔행위를〕 선의〔악의〕로 해석하다, …에 대해 노하지 않다〔노하다〕. ***take the*** ~ ***of*** a person. = ***take*** a person***'s*** ~ 아무를 편들다: For once my brother *took my* ~ in the argument. 단 한번 형은 토론에서 내 편을 들었다. ***three ~s*** 4분의 3; 거의: The bottle was *three* ~*s* empty. 병은 거의 비어 있었다. ***want no*** ~ ***of*** 〔***in***〕 (계획·제안 등)에 관여하고 싶지 않다: I *want no* ~ *of*〔*in*〕 the project. 그 계획에 관여하고 싶지 않다.

— *ad.* 일부분은, 얼마간, 어느 정도: The statement is ~ truth. 그 연설은 어느 정도 진실성이 있다.

— *vt.* ① 《~+목 / +목+전+명》 …을 나누다, 분할하다; 가르다, 찢다: ~ a loaf *in* pieces 빵을 몇 조각으로 자르다〔가르다〕. ② (머리)를 가리마 타다. ③ 《~+목 / +목+전+명》 …을 갈라놓다, 떼어놓다: The war ~*ed* many people *from* their families. 전쟁으로 많은 사람들이 가족들과 헤어졌다 / Nothing shall ~ us. 우리는 절대로 헤어지지 않는다. ④ 《+목+전+명》 …을 구별하다: ~ error *from* crime 착오와 범죄를 구별하다.

— *vi.* ① 《~/ +전+명》 깨지다, 쪼개지다, 끊어지다, 부서지다; 갈라지다, 분리하다, 떨어지다. ② 《~ / +전+명 / + (*as*) 보》 갈라지다, (아무와) 헤어지다; 손을 끊다, (…에서) 손을 떼다《*from*; *with*》: Let us ~ (*as*) friends. 사이좋게 헤어지자 / ~ *from* one's friends 친구들과 헤어지다 / The best of friends must ~. 아무리 좋은 친구라도 언젠가는 헤어지게 마련이다. ③ (가진 것을) 내어놓다, 내주다《*with*》: He wouldn't ~ *with* the money. 그는 돈을 내놓으려고 하지 않았다. ④ 《+전+명》 떠나다《*from*》: ~ *from* one's native shore 고국을 떠나다. ~ ***company*** 갈라지다, 절교하다; 의견을 달리하다《*with*》. ~ ***with*** (1) (…을) 포기하다, 내놓다. (2) (사람을) 해고하다. (3) (물질이 열·원소 따위를) 발산하다. (4) (아무와) 헤어지다《★ 이 뜻으로는 part from 이 보다 더 일반적임》.

— *a.* 〔限定的〕 일부분(만)의, 부분적인; 불완전한: ~ payment 분할 지급 / a ~ owner 공동소유자.

part. participial; participle; particular.

‡par·take [pɑːrtéik] (**-took** [-túk], **-tak·en** [-téikən]) *vi.* ① 《+전+명》 참가〔참여〕하다, 함께 하다(participate)《*in*; *of*》: ~ *in* an enterprise with a person 아무와 함께 사업을 하다 / ~ *in* each other's joys = ~ *in* joys *with* each other 기쁨을 함께 나누다. ② 《+전+명》 (식사 따위를) 같이 하다《*of*》: We *partook of* lunch with them. 우리는 그들과 점심을 함께 했다《★ 흔히 음식물의 일부를 먹는 경우에 쓰이나 《口》에서는 전부 먹는 경우에도 쓰임》. ③ 《+전+명》 얼마간 (…한) 성질이 있다, (…한) 기색이 있다《*of*》: His words ~ *of* regret. 그의 말에서 후회의 빛을 엿볼 수 있다 / The novel ~*s* somewhat *of* a fairy tale. 그 소설은 다소 동화 같은 데가 있다.

par·terre [pɑːrtέər] *n.* Ⓒ ① 여러가지 화단을 배치한 정원. ② = PARQUET CIRCLE.

part-ex·change [pάːrtikstʃèindʒ] *n.* Ⓤ 신품(新品)의 대금 일부로 중고품을 인수하기.

parthen-, partheno- '처녀'의 뜻의 결합사.

par·the·no·gen·e·sis [pὰːrθənoudʒénəsis] *n.* Ⓤ 〖生〗 단성〔처녀〕 생식.

Par·the·non [pάːrθənὰn, -nən] *n.* (the ~) 파르테논《Athens의 Acropolis 언덕 위에 있는 Athene 여신의 신전》.

P

Pár·thi·an shót 〔**sháft**〕 (퇴각할 때 쏘는) 마지막 화살; (헤어질 때) 내뱉는 신랄한 말.

‡**par·tial** [pɑ́:rʃəl] (***more*** ~; ***most*** ~) *a.* ① 부분적인, 일부분의, 국부적인; 불완전한. ② 불공평한, 편파적인, 한쪽에 치우친(prejudiced)《*to*》: The umpire is ~ *to* the hometeam. 심판은 홈팀에 편파적이다. opp. *impartial.* ③ 특히〔몹시〕 좋아하는《*to*》: He is (rather) ~ *to* a glass of brandy after dinner. 그는 점심 후의 브랜디 한잔을 퍽 좋아한다.

pártial eclípse 〖天〗 부분식.

pártial fráction 〖數〗 부분 분수.

par·ti·al·i·ty [pɑ̀:rʃiǽləti] *n.* ① Ⓤ 편파, 불공평, 치우침: She is criticized by some others for her one-sideness and ~. 그녀는 그녀의 일방성과 편파성 때문에 몇몇 다른 사람에 의해 비난받고 있다. ② (a ~) 특별히 좋아함(fondness), 편애《*for*; *to*》; Ⓤ 부분성, 국부성.

·**par·tial·ly** [pɑ́:rʃəli] *ad.* ① 부분적으로, 일부분은: Last year's drop in export sales was ~ offset by a growth in the domestic market. 작년의 수출 저하는 국내 시장의 (수요)증가로 어느 정도 벌충되었다. ② 불공평하게, 편파적으로: judge ~ 불공평하게 재판하다.

P

Pártial Tést Bàn Tréaty 부분적 핵실험 금지 조약.

·**par·tic·i·pant** [pɑ:rtísəpənt] *n.* Ⓒ 관계자, 참여자, 참가자.

‡**par·tic·i·pate** [pɑ:rtísəpèit] *vi.* ①《+전+명》 (…에) 참가하다, 관여하다, 관계하다《*in*; *with*》: ~ *in* a game 〔discussion〕 경기〔토론〕에 참가하다 / ~ *in* a play 공연(共演)하다 / She ~*d with* her friend *in* her sufferings. 그녀는 자기의 고통을 친구와 함께 나누었다. ② (…의) 성질을 띠다, (…한) 기미가 있다《*of*》: His speech ~*d of* humor. 그의 연설에는 유머러스한 맛이 풍겼다.

·**par·tic·i·pa·tion** [pɑ:rtìsəpéiʃən] *n.* Ⓤ 관여, 참여, 관계, 참가《*in*》.

par·ti·cip·i·al [pɑ̀:rtəsípiəl] *a.* 〖文法〗 분사의. 파 **par·ti·cíp·i·al·ly** [-piəli] *ad.* 분사적으로, 분사로서.

participíal ádjective 〖文法〗 분사 형용사.

participíal constrúction 분사 구문.

‡**par·ti·ci·ple** [pɑ́:rtəsìpəl] *n.* Ⓒ 〖文法〗 분사.

‡**par·ti·cle** [pɑ́:rtikl] *n.* Ⓒ ① 미립자, 분자, 극히 작은 조각: Dust ~*s* must have got into the motor, which is why it isn't working properly. 모터 안에 틀림없이 먼지 입자들이 끼어 있는 것 같다. 모터가 제대로 작동하지 않으니 말이다. ② 극소(량(量)), 극히 작음. ③ 〖物〗 입자. ④ 〖文法〗 불변화사(不變化詞)《관사·전치사·접속사 따위 어형 변화가 없는 것》.

par·ti-col·or(ed), **par·ty-** [pɑ́:rtikʌ̀lər(d)] *a.* 잡색의, 여러 색으로 물들인, 얼룩덜룩한; 《比》 다채로운, 파란이 많은.

‡**par·tic·u·lar** [pərtíkjələr] (***more*** ~; ***most*** ~) *a.* ① 특별한, 특유의, 특수한. ② 〔흔히 this, that 등의 지시형용사 뒤에 와서〕 특정한, 특히 그〔이〕, 바로 그, 문제의: Why did you choose *this* ~ chair? 왜 특별히 이 의자를 택하였느냐 / She came home late on *that* ~ day. 문제의 그날 〔그날 따라〕 그녀는 늦게 귀가했다. ③ 각별한, 특별한: be of ~ interest 특(별)히 흥미있다 / give ~ thanks 각별한 사의를 표하다 / a ~ friend of mine 특별한 친구, 각별히 친한 벗 / I have nothing ~ to do this evening. 오늘 저녁은 특별히 할 일이 없다 / He took ~ trouble to make us comfortable. 그는 우리를 편안하게 해주기 위해 각별한 수고를 아끼지 않았다. ④ 상세한(detailed), 정밀한: He was very ~ in his description of the incident. 그는 그 사고에 대해 세밀하게 말하였다. ⑤ 개개의, 개별적인; 각자의, 개인으로서의. ⑥ 꼼꼼한, 깔끔한; 까다로운《*about*; *in*; *over*》. ⑦ 〖論〗 특칭의.

be ~ about 〔***over, as to, in***〕 …에 까다롭게 굴다: He *is* ~ *in* his choice of friends. 그는 친구를 고르는 데 있어 심히 까다롭다 / Ted *was* very ~ *about* the color he used. 테드는 사용하는 빛깔에 대해 몹시 까다로웠다. ***for no ~ reason*** 이렇다 할 이유없이. ***give a full and ~ account of*** …에 대해 아주 상세히 설명하다.

── *n.* ① (*pl.*) 상세, 전말, 명세: Everybody wanted to know the ~*s.* 모두가 상세한 내용을 알고자 했다 / take〔write〕 down a person's ~*s* 아무의 성명·주소·연령 등 상세한 사항을 적다. ② Ⓒ (하나하나의) 항목, 부분: His latest book is a best-seller, and yet in every ~ it is exactly the same as his last. 그의 최근 저서는 베스트 셀러이지만 모든 점에서 그의 먼저 작품과 정확하게 똑같다. ③ Ⓒ 특색; 명물. ④ 〖論〗 (the ~) 특칭, 특수; 구체적 사상(事象).

from the general to the ~ 총론에서 각론에 이르기까지. ***give*** (***further***) ***~s*** (더욱) 상세히 설명하다. ***go*** 〔***enter***〕 ***into ~s*** 상세한 데에 미치다. ***in every ~*** 모든 점에서. ***in ~*** 특히, 각별히: He is fond of vegetable, and cabbages *in* ~. 그는 야채, 특히 캐비지를 좋아한다《★ 주로 초점이 되는 말의 뒤에 오며 in general 에 대비됨》. ***Mr. Particular*** 까다로운 사람, 잔소리꾼.

par·tic·u·lar·ism [pərtíkjələrìzəm] *n.* Ⓤ ① 지방주의, 자기 중심주의, 배타주의, 자국〔자당〕 일변도주의; 《美》 (연방의) 각주 독립주의. ② 〖神學〗 특정인 은총〔구속〕론.

par·tic·u·lar·i·ty [pərtìkjəlǽrəti] *n.* ① Ⓤ 특이〔독자〕성, 특수성; 독특. ② Ⓒ 특성, 특징. ③ Ⓤ 까다로움, 꼼꼼함. ④ **a)** Ⓤ 상세, 정밀; 꼼꼼. **b)** Ⓒ 상세한 사항, 세목: It was the ~ of his criticisms that struck her. 그것이 그녀에게 충격을 준 그의 비평의 상세한 내용이었다. ⑤ Ⓒ 개인적인 일, 집안 일.

par·tic·u·la·ri·za·tion [pərtìkjələrizéiʃən] *n.* Ⓤ,Ⓒ 특수〔개별〕화, 특기, 상술, 열거.

par·tic·u·lar·ize [pərtíkjələràiz] *vt., vi.* (…을) 상술하다; 열거하다; 특필하다; 특수화하다: We had no time to ~ it. 상술할 시간이 없었다.

‡**par·tic·u·lar·ly** [pərtíkjələrli] (***more*** ~; ***most*** ~) *ad.* ① 특히, 각별히; 현저히. ② 낱낱이, 상세히, 세목에 걸쳐.

par·tic·u·late [pərtíkjəlit, -lèit] *n.* Ⓒ, *a.* 미립자(의).

·**part·ing** [pɑ́:rtiŋ] *n.* ① Ⓤ,Ⓒ 헤어짐, 이별; 사별, 고별: The pain of ~ had gradually lessened over the years. 이별의 고통은 해가 가면서 서서히 누그러졌다. ② Ⓒ (도로의) 분기점; 《英》 (머리의) 가리마; 분할선. opp. *on meeting.* ***on*** 〔***at***〕 ***~*** 이별에 즈음하여: I still remember his words *at* our ~. 우리가 이별할 때 그가 한 말을 나는 지금도 기억하고 있다. ***the ~ of the ways*** 도로의 갈림길: For the king of Babylon stood at *the ~ of the way,* at the head of the two ways, to use divination. 바벨론왕이 갈랫길 곧 두 길머리에 서서 점을 쳤다《《聖》 에스겔》; 《比》 (선택 등의) 기로.

── *a.* 〔限定的〕 ① 떠나〔저물어〕가는: a ~ guest 돌아가는 손님 / a ~ day 황혼, 해질녘. ② 이별의; 임종〔최후〕의: ~ words 고별사; 임종 때의

말 / drink a ~ cup 작별의 잔을 들다. ③ 나누는, 분할(분리)하는 : a ~ line 분할선. ④ 갈라지는, 분산하는 : a ~ wave 부서지는 파도.

párting shòt =PARTHIAN SHOT.

***par·ti·san** [pá:rtəzən / pà:rtizǽn] *n.* Ⓒ ① 한동아리, 도당, 일당 ; 당파심이 강한 사람 ; 열성적인 지지자《*of*》. ②〖軍〗유격병, 빨치산. ── *a.* 당파심이 강한 ;〖軍〗유격대의, 게릴라의 : ~ spirit 당파심(근성) / ~ politics 파벌 정치. ㊕ **~·ism, ~·shìp** *n.* Ⓤ 당파심, 당파 근성 ; 가담.

par·ti·ta [pɑ:rtí:tə] (*pl.* **~s, -te** [-tei]) *n.* Ⓒ 《It.》〖樂〗파르티타《변주곡·모음곡의 일종》.

***par·ti·tion** [pɑ:rtíʃən, pər-] *n.* ① Ⓤ 분할, 구분 : The ~ of India occurred in 1948. 인도의 분할은 1948년에 있었다. ② Ⓒ (구획한) 구획(선), 칸막이 ;〖生〗격벽(隔壁), 격막(隔膜). ── *vt.* ① …을 분할(구획)하다. ② (토지 등)을 구분하다《*into*》, 칸막이하다《*off*》.

par·ti·tive [pá:rtətiv] *a.* ① 구분하는. ②〖文法〗부분을 나타내는. ── *n.* Ⓒ〖文法〗부분사(部分詞)《*some* of the cake의 some 따위》.

‡part·ly [pá:rtli] *ad.* ① 부분적으로, 일부(는) : He let out a long sigh, mainly of relief, ~ of sadness. 그는 긴 한숨을 내쉬었는데, 주로 안도의 한숨이었으나 슬픔의 한숨도 일부 곁들어 있었다. ② 얼마간, 어느 정도까지 ; 조금은. ~ ***all*** 《美俗》 거의 전부.

‡part·ner [pá:rtnər] *n.* Ⓒ ① 협동자, 한동아리, 패거리. ② 배우자《남편·아내》. ③ (댄스 따위의) 상대 ; (게임 따위에서) 자기편, 한패 ; 《美口》(남자끼리의) 친구(들), 동무. ④〖法〗조합원, (합자·합명 회사의) 사원. ⑤ 동맹·협약의 상대국 : Spain has been one of Cuba's major trading ~*s.* 에스파냐는 쿠바의 주요 무역 상대국의 하나로 되어 있다. ***be ~ with*** a person 아무와 협동하다 ; 한 조(組)가 되다. ── *vt.* ①〔종종 受動으로〕…을 한동아리로(짝이 되게) 하다《*up*(*off*) *with*》: Ellen was ~*ed* (*up*) *with* Henry. 엘렌은 헨리와 짝이 되었다. ② …와 짜다, …의 상대가 되다《댄스·게임 따위에서》: Will you ~ me in the tennis doubles on Saturdays? 토요일의 복식 테니스 경기에서 나와 짝이 되겠는가.

part·ner·ship** [pá:rtnərʃìp] *n.* ① Ⓤ 공동, 협력, 제휴 ; 조합 영업. ② ⓊⒸ 조합, 상회, 합명(합자) 회사. ***go (***enter***) ***into*** ~ 협력(제휴)하다. ***in ~ with*** …와 협력해서(공동으로) ; …와 합명으로(합자로) : The project was undertaken *in ~ with* the Ford Foundation. 그 계획은 포드 재단과 공동으로 착수되었다.

par·took [pɑ:rtúk] PARTAKE 의 과거.

párt òwner〖法〗공동 소유자.

párt òwnership 공동 소유.

***par·tridge** [pá:rtridʒ] (*pl.* **~s,**〔集合的〕~) *n.* Ⓒ〖鳥〗반시(半翅), 자고(鷓鴣)(류).

part-song [pá:rt-sɔ̀:ŋ] *n.* Ⓒ 합창곡.

párt tíme 전시간(full time)의 일부, 파트타임.

***part-time** [pá:rttàim] *a.* 파트타임의, 비상근의. ⓞⓟⓟ *full-time.* ── *ad.* 파트타임(비상근)으로 : I want to work ~. 파트타임으로 일하고 싶다.

part-tim·er [pá:rttáimər] *n.* Ⓒ 비상근을 하는 사람, 아르바이트생.

par·tu·ri·ent [pɑ:rtjúəriənt] *a.* ① 출산하는. ② (사상·문학 작품 등을) 배태(胚胎)하고 있는, 발표하려고 하는.

par·tu·ri·tion [pà:rtjuəríʃən] *n.* Ⓤ 분만, 출산.

part·way [pá:rtwéi] *ad.* 중도(어느 정도)까지.

part·work [pá:rtwə̀:rk] *n.* Ⓒ 분책(分册) 형식으로 간행되는 출판물.

†par·ty [pá:rti] *n.* ① Ⓒ (사교상의) 모임, 파티. ② Ⓒ 당, 당파 ; 정당 ; (the P-) 《특히》 공산당 : put ~ before country 국가보다 당리·당략을 우선하다《★ 대구(對句)이기 때문에 관사 생략》. ③ Ⓒ〔集合的〕일행, 패거리 ; 대(隊), 단(團) ;〖軍〗분견대, 부대. ④ Ⓒ〖法〗(계약·소송 따위의) 당사자, 한 쪽 편 ; 한패, 공범자《*to*》; 자기 편 ;〔一般的〕관계자, 당사자《*to*》; 전화의 상대. ⑤ Ⓒ 《口·戲》(문제의) 사람.

be (***become***) ***a ~ to*** (나쁜 일 등)에 관계하다. ***give*** (***hold, have, throw***) ***a ~*** 파티를 개최하다 : Peter always *has*(*gives, throw*) really wild parties. 피터는 언제나 정말 자유 분방한 파티를 연다. ***make*** one***'s ~ good*** 자기 주장을 관철하다 (입장을 좋게 하다). ***the parties concerned*** 당사자들.

── *a.* ① 정당의, 당파의 : ~ spirit 당파심 / ~ government 정당 정치. ② …에 관계(관여)하는 《*to*》: be ~ *to* a conspiracy 음모에 가담하고 있다. ③ 공유(공용)의 : a ~ fence 공용의 울타리. ④ 파티에 어울리는 ; 사교를 좋아하는 : a ~ dress. ── *vi.* 《美口》 파티에 나가다, 파티를 열다 ; 《美俗》 파티에서 즐겁게 놀다, 법석을 떨다. ~ ***out*** 《美口》 파티에서 지치도록 놀다.

party-colored ⇨PARTI-COLORED.

Pàrty Cónference(**Cónvention**) 당(黨) 대회.

párty lìne ① (전화의) 공동(가입)선. ② (토지 등의) 경계선. ③ (흔히 the ~) (정당의) 정책 방침, 당의 정치 노선.

párty píece (one's ~) (파티 등에서 하는) 장기(長技), 십팔번《익살, 농담 등》.

párty pólitics 당리 당략의 정치《공공의 이익보다 정당의 이익만을 생각하는》.

párty pòop(**er**) 《口》(연회의) 흥을 깨는 사람.

párty wáll〖法〗(옆집과의) 경계벽, 공유벽.

pár válue (증권 등의) 액면 가액.

par·ve·nu [pá:rvənjù:] *n.* Ⓒ, *a.*〔限定的〕《F.》 벼락 출세자 (부자) (upstart) (의).

pas [pɑ:] (*pl.* ~ [-z]) *n.* Ⓒ 《F.》 (댄스·발레의) 「스텝.

Pas·cal [pǽskəl] *n.* **Blaise ~** 파스칼《프랑스의 철학자·수학자 ; 1623-62》.

pas·cal [pæskǽl] *n.* Ⓒ〖物〗파스칼《압력의 SI 단위 ; 1 pascal=1 newton / m^2, =10 μ bar ; 기호 Pa., Pas., pas.》. ⓒⓕ SI unit.

pas·chal [pǽskəl, pá:s-] *a.* (때로 P-) (유대인의) 유월절(逾越節) (Passover) 의 ; 부활절 (Easter) 의.

pas de deux [pɑ̀:dədə́:] 《F.》 《발레》 대무(對舞), 짝춤 ; 《比》 (쌍방간의) 갈등, 알력.

pash [pæʃ] *n.* Ⓒ 《俗》 ① (이성에의) 열중, 열광. ② 열중의 상대(대상).

pa·sha [pá:ʃə, pǽʃə, pəʃá:] *n.* Ⓒ (종종 P-) 파샤《터키의 문무 고관의 존칭》.

pas·quin·ade [pæ̀skwənéid] *n.* Ⓒ 풍자문 (lampoon) ; 풍자, 빈정거림 (satire).

†pass [pæs, pɑ:s] (*p., pp.* **~ed** [-t], 《稀》 ***past*** [-t]) *vi.* ① 《~ / +圖 / +前+名》 지나다, 움직이다, 나아가다《*along* ; *by* ; *on* ; *out* ; *away*, etc.》; 가다《*to*》; 통과하다《*by* ; *over*》; (저쪽으로) 건너다《*over*》; 옮기다, 빠져 나가다《*through*》; (자동차로) 추월하다 : A startled look ~*ed over* his face. 놀란 표정이 그의 얼굴에 스쳐갔다 / A sports car ~*ed on* the left. 스포츠카가 왼편으로 추월했다 / No ~*ing* permitted. 추월 금지《도로 표지》. ② (때가) 지나다, 경과하다 : Time seems to ~ (by) so slowly when you are in school. 학교 있을 때는(학생 시절에는) 시간은 정말 너무 느리게

지나는 것 같다. ③《+전+명》(말 따위가) (… 사이에서) 교환되다《between》: Sharp words ~ed between them. 격한 말이 그들 사이에서 오갔다. ④ 변화〔변형〕하다, (…이) 되다《to ; into》. ⑤ 《+전+명》(재산 따위가) …의 손에 넘어가다, 양도되다《to ; into》; (순서·권리 따위에 의해 당연히) 귀속하다《to》: The company ~ed into the hands of stockholders. 회사는 주주의 손에 넘어갔다 / The crown ~ed to the king's nephew. 왕위는 왕의 조카에게 양위되었다. ⑥ (화폐·별명 따위가) 통용되다; 인정되어 있다; (…으로) 통하고 있다《for ; as》; 《美》(혼혈아가) 백인으로 통하다: He ~es under the name of Gilbert. 그는 길버트란 이름으로 통하고 있다 / Cheap porcelains often ~ for true china in U.S.A. 미국에서는 종종 싸구려 도자기가 진짜 도자기로 통한다 / He went to Cincinnati and ~ed as a white man. 그는 신시내티로 가서 백인으로 통했다. ⑦ 관대히 봐주다, 불문에 부치다. ⑧ 합격〔급제〕하다; (의안 따위가) 통과하다, 가결되다, 승인〔비준〕되다; (법령이) 제정〔실시〕되다; 비난받지 않다, 너그럽게 다루어지다: When a bill ~es, it become law. 법안이 통과하면 법률이 된다. ⑨《+전+명》(판결·감정(鑑定) 등이) 내려지다《for ; against》, (의견 따위가) 말해지다《on, upon》: A British judge is supposed to reflect society's values when ~ing sentence. 영국 판사는 판결을 선고할 때에는 사회의 가치를 반영하도록 기대되고 있다. ⑩《+전+명》〖法〗(배심원의) 일원이 되다《on》; (배심원이) 평결하다: The jury ~ed upon the case. 배심원은 그 사건에 평결을 내렸다. ⑪《~/+전+명/+부》사라져 없어지다, 떠나다, 소실〔소멸〕하다; 끝나다, 그치다; 조용해지다; 죽다; 《口》 기절하다《out》: The pain has ~ed away〔off〕. 아픔이 가셨다. ⑫ (사건이) 일어나다, 생기다: Did you hear〔see〕what was ~ing? 일의 자초지종을 들었는가〔보았는가〕/ Nothing ~ed between us. 우리 사이에는 아무 일도 없었다. ⑬〖球技〗자기편에 송구하다;〖카드놀이〗패스하다《손 대지 않고 다음 사람에게 넘김》;〖펜싱〗찌르다《on, upon》. ⑭〖醫〗대변을 보다; 오줌 누다; 배설하다.

P

— *vt.* ① …을 통과하다, 지나가다, 넘어가다〔서다〕; (자동차가) 추월하다: No ~ing. 《美》 추월 금지《표지》/ A Rolls Royce ~ed us on the outside lane doing 110 mph. 롤스로이스 한 대가 추월 차선으로 시속 110 마일을 내면서 우리를 추월해갔다. ② 빠져 나가다, 건너다, 가로지르다, 넘다; …에서 나오다: ~ the Alps 알프스를 넘다 / The ship ~ed the channel. 배는 해협을 통과했다 / No angry words ~ed his lips. 그의 입에서 성난 말 한 마디 나오지 않았다. ③《+목+전+명》…을 통하게 하다, 통과시키다《through》: ~ a rope through a hole 밧줄을 구멍에 꿰다. ④《+목+전+명》(아무)를 통과시키다, 방에 들이다; (눈으로) 훑어보다, 눈길을 보내다; 열병하다; (손 따위)를 움직이다; (칼·바늘 따위로) 찌르다; (밧줄 따위로) 두르다《round ; around》: ~ one's eyes over the account 계산서를 대충 훑어보다 / ~ one's hand across one's face〔over the surface〕 손으로 얼굴〔표면〕을 어루만지다. ⑤ (시간·세월)을 보내다(spend), 지내다《in ; by》; …을 경험하다: They ~ed the worst night of their lives. 그들의 생애 중 최악의 밤을 경험했다 / ~ the winter at Miami 마이애미에서 겨울을 보내다. ⑥《~+목/+목+목/+목+전+명》넘겨주다, 건네주다, 돌리다《on ; around ; along ; to》; (말)을 주고 받다: Please ~ (me) the salt. 소금 좀 집어 주십시오《식탁에서》/ Read this and ~ it to him. 이것을 읽고서 그에게 넘겨주십시오. ⑦《+목+전+명》〖法〗(재산 따위)를 양도하다《to》: Father ~ed the house to his son. 아들에게 집을 양도했다. ⑧《~+목/+목+전+명》〖法〗(판결)을 내리다, 선고하다《on》; (판단)을 내리다; (의견)을 말하다《on, upon》; (말·비밀 등)을 입에서 흘리다: Your confidence will not ~ my lips. 네 비밀은 지켜주마. ⑨ (의안 따위)를 가결〔승인〕하다, 비준하다; (의안이 의회)를 통과하다: The bill ~ed the House. 법안이 의회를 통과했다. ⑩《~+목/+목+as보》통용시키다; (가짜 돈)을 받게 하다, 쓰다; (소문 따위)를 유포시키다: ~ rumors 소문을 퍼뜨리다 / He ~ed him*self* as an American. 그는 미국인으로 통하였다. ⑪ (시험·검사)에 합격하다; (수험자)를 합격시키다; 눈감아 주다, 묵인하다: The teacher ~ed most of us. 선생은 우리 거의를 합격시켜 주었다 / ~ muster 검열을 통과하다. ⑫ (일정한 범위 따위)를 넘다, 초과하다; …보다 낫다(excel). ⑬ (말·명령 등)을 전하다, 알리다; 전달하다《on ; down》: Genes are the instructions by which parents' characteristics are ~ed on to their children. 유전자란 부모의 특성을 자식들에게 전해 주라는 명령이다. ⑭《美》빼놓다, 생략하다; (배당 등)을 1회 거르다; 지불하지 않다; 거절하다: ~ a dividend 배당금을 지급하지 않다. ⑮〖球技〗(공)을 보내다, 패스하다;〖野〗(4 구로 타자)를 걸리다; (요술·화투에서) 바꿔치다. ⑯ …을 배설하다.

let ~ ⇨LET[1]. ~ ***around*** …을 차례차례 돌리다. ~ ***away*** (*vi.*) 때가 지나다, 경과하다; 가다, 가버리다; 끝나다; 소멸하다; 《婉》 죽다; 쇠퇴하다. (*vt.*) (때)를 보내다, 낭비하다; (재산 따위)를 양도하다: He ~ed away peacefully. 그는 조용히 숨을 거두었다 / The storm ~ed away at last. 폭풍우가 드디어 끝났다. ~ ***by*** (*vi.*) 옆을 지나다; (때가) 지나가다. (*vt.*) (들르지 않고) 지나치다, 모른 체하다(ignore); 못 보고 지나치다(overlook); 너그럽게 봐주다; …의 이름으로 통하다; (어려운 질문 등을) 빼 버리다(omit), 피하다: I ~ed by her on the street. 거리에서 나와 그녀는 서로 스쳐 지나쳤다《★ I passed her 라면 그녀를 지나쳐갔다가 됨》/ Good fortune ~ed me by. 행운이 나를 피해갔다 / We cannot simply ~ such behavior by. 그런 행동은 그저 너그럽게 봐 줄 수 없다. ~ ***by on the other side of*** …을 (도와주지 않고) 내버려두다. ~ ***by*** 〔***under***〕 ***the name of*** …이라는 이름으로 통하다(⇨ *vi.* ⑥). ~ ***degree*** 《英》(보통 성적으로) 대학을 졸업하다. ~ ***down*** 대대로 전하다(hand down). ~ ***for*** 〔***as***〕 …으로 통(용)하다; …으로 간주되다. ~ ***forward***〖럭비〗앞으로 패스하다《반칙》. ~ ***from among*** (us) (우리에게서) 빠지다, 이탈하다; (우리들을 두고) 떠나다, 죽다. ~ ***in*** (어음 등을) 넘겨주다; 답안지 등을 제출하다. ~ ***in*** 〔***in*** one's ***checks***〕 《美口》 죽다. ~ ***in review*** ⇨ REVIEW. ~ ***into*** (1) …으로 변하다, …이 되다. (2) (아무의 손)에 넘어가다. (3) …의 시험에 합격하다. ~ ***off*** (*vi.*) (1) (감각·감정 따위가) 차츰 사라지다, 약해지다: The smell of the paint will ~ off in a few days. 페인트 냄새는 수일내로 없어질 것이다. (2) (의식·절차 등이) 사고 없이 행해지다: The conference ~ed off very well. 회의는 잘 진행되었다 / The event ~ed off without any major incidents. 그 행사는 커다란 사고 없이 치러졌다 / The Demonstration ~ed off peacefully. 데모는 평화스럽게 끝났다. (*vt.*) (1) (가짜 따위)를 쥐어주

다, 속여 넘기다《*on* ; *as*》; 〔再歸的〕 …로 행세하다. (2) (난처한 입장)을 그럭저럭 모면하다, (말 따위)를 슬쩍 받아넘기다: She *~ed* it *off* as a mere coincidence. 그녀는 그것을 단순한 우연의 일치라고 슬쩍 받아넘겼다. **~ *on*** 〔***upon***〕 (1) 나아가다; (때가) 지나가다. (2) 반복하다. (3) 죽다. (4) 다음으로 돌리다, 넘겨주다; 전하다. (5) …에 판결〔평결〕을 내리다. (6) …의 허점을 이용하다, …을 속이다. (7) …을 감정하다. (8) 〖펜싱〗 찌르다. **~ *out*** (1) 나가다, 떠나다: *Pass out* this door and turn left. 이 문을 나가서 왼쪽으로 가십시오. (2) 《口》 기절하다; 《比》 죽다; 《口》 (취해서) 의식을 잃다. (3) (명함 따위를) 내놓다; (…을 무료로) 배포하다: ~ *out* discount coupons on a street corner 길 모퉁이에서 할인권을 배포하다. (4) 《英》 육군 사관학교를 졸업하다〔시키다〕. (5) (시간을) 보내다: ~ *out* the rest of his days in the country 시골에서 여생을 끝마치다. **~ *over*** (1) 경과하다, 끝나다. (2) 넘겨주다, 양도하다. (3) 가로지르다, 넘다. (4) …을 빼놓다, …을 생략하다, …을 무시하다; (승진 등에서) 제외하다《*for*》: She alleges that her employers *~ed* her *over for* promotion because she was pregnant. 그녀는 고용주들이 그녀가 임신했기 때문에 승진에서 제외했다고 주장한다. (5) …을 너그럽게 봐주다, …을 용서하다; 《美口》 (혼혈인이) 백인으로 통하다: ~ *over* his insulting remark 모욕적인 언사를 너그럽게 봐주다. (6) (시일을) 보내다. (7) (손을) 대다; (하프 따위를) 연주하다. **~ one*'s hand over*** …을 어루만지다, 무마하다. **~ one*'s lips*** 무심코 지껄이다; (음식 등이) 입에 들어가다. **~ one*'s word*** 맹세하다, 약속하다《*to* do ; *that* ; *for*》. **~ *the buck to*** ⇨ BUCK³. **~ *the chair*** (의장·시장 등의) 임기를 완료하다, 퇴직하다. **~ *the hat*** ⇨ HAT. **~ *the time of day*** 《口》 (지나는 길에) 인사를 나누다, 가벼운 이야기를 나누다《*with*》: I just wanted to ~ *the time of day with* her, but she completely ignored me. 나는 꼭 그녀와 가벼운 대화라도 나누고 싶었으나 그녀는 전적으로 나를 거들떠 보지도 않았다. **~ *the word*** 명령을 전하다《*to* do》. **~ *through*** (*vi.*) 통과〔횡단〕하다; (학교)의 과정을 수료하다; 경험하다. (*vt.*) …을 꿰찌르다, 꿰뚫다. **~*up*** 《口》 (1) 올라가다; (연기 등이) 피어오르다. (2) (물건을) 위로 올려주다. (3) (기회 등을) 놓치다, 잃다, (요구·초대 등을) 거절하다: If you ~*up* this chance, you'll never get another. 이번 기회를 놓치면 두번 다시 얻지 못할 것이다. **~ *water*** 오줌 누다: ~ *water* on the road 한데서 소변 보다.

── *n.* Ⓒ ① 통행, 통과(passage); 〖空〗 상공 비행, 급강하 비행. ② 통행〔입장〕 허가; (흔히 free ~) 패스, 통행권(券), 무료 승차권《*on* ; *over* a railroad, *etc.*》, 여권(passport), 통행〔입장〕 허가《*to*》; 〖軍〗 임시 외출증: No admittance without a ~. 패스 없는 자 입장 금지. ③ 급제, 합격; 〖英大學〗 (우등 급제에 대하여) 보통 급제(학위): a ~ degree. ④ 〔흔히 형용사를 수반하여〕 상태, 형세; 위기, 난경(crisis): That is a pretty ~. 그거 야단났구나. ⑤ (최면사의) 손의 움직임, 안수(按手); 기술(奇術), 요술, 속임수. ⑥ 〖펜싱〗 찌르기; 〖球技〗 송구; 패스(하는 사람); 〖野〗 4구(base on balls); 〖카드놀이〗 패스. ⑦ 통로, 좁은 길, 샛길. ⑧ 산길, 고갯길; …재; 〖軍〗 요충지. ⑨ 수로《특히 강 어귀의》; 나루, 도섭장(徒涉場); (어살 위의) 고기의 통로; 시도, 노력; 《口》 구애(求愛). ⑩ 〖컴〗 과정《일련의 자료처리의 한 주기》. ***bring . . . to ~*** (1) 《文語》 …을 야기시키다: His wife's death *brought* a change *to* ~ in his view of life. 아내의 죽음은 그의 인생관에 변화를 가져왔다. (2) 실현하다, 이룩하다. ***come to a pretty*** 〔***nice, fine***〕 ~ 난처하게 되다. ***come to*** ~ 《文語》 (일이) 일어나다; 실현되다: The economic situation *came to* 〔reached〕 a dreadful ~. 경제 상황은 심한 위기상황에 직면했다. ***get a*** ~ 급제하다. ***hold the*** ~ 주의를〔이익을〕 옹호하다. ***make a*** ~ 〔*~es*〕 ***at*** (a woman) (1) (여자)에게 지분거리다, 구애하다: Steve got a little carried away and *made a* ~ *at* me, even though his wife was there. 스티브는 다소 상기(上氣)되어 자기의 아내가 그곳에 있는데도 내게 지분거렸다. (2) …을 찌르다; 찌르는 시늉을 하다. ***make ~es*** (손을 움직여) 최면술을 걸다. ***sell the*** ~ 지위를 물려주다; 주의(主義)를 배반하다.

pass. passage; passenger; passive.

***pass·a·ble** [pǽsəbəl, pɑ́:s-] *a.* ① 통행〔합격〕할 수 있는, 건널 수 있는《강 따위》. ② 상당한, 보통의, 괜찮은. ③ 유통될 수 있는, (화폐 따위가) 통용되는; (의안 따위가) 통과될 수 있는.

‡**pas·sage** [pǽsidʒ] *n.* ① Ⓤ 통행, 통과: No ~ this way. 이 길은 통행을 금함. ② Ⓤ 이주(移住), (새의) 이동(移動): At the approach of winter the ~ of the birds began. 겨울이 가까워지자 새들의 이동이 시작되었다. ③ Ⓤ 경과, 추이, 변천: with the ~ of time 시간이 지남에 따라. ④ **a)** Ⓒ (바다·하늘의) 수송, 운반, 여행, 도항, 항해. **b)** Ⓤ 통행권, 항행권; 통행료, 뱃삯, 차비: book 〔engage〕 ~ by air 항공권을 예약하다. ⑤ Ⓤ (의안(議案)의) 통과, 가결(可決) (passing): the ~ of a bill. ⑥ Ⓒ 통로(way), 샛길; 수로, 항로; 출입구; 《英》 복도; (체내의) 관(管): Don't park your motorbike in the ~. 오토바이를 통로에 세우지 마라. ⑦ Ⓒ (인용·발췌된 시문의) 일절, 한 줄: some *~s* from Shakespeare 셰익스피어에서 인용한 몇 마디. ⑧ Ⓒ 논쟁, 토론: have 〔exchange〕 angry *~s* with a person in a debate 게거품을 뿜으며 아무와 논쟁하다. ⑨ Ⓤ 〖醫〗 통변(通便) (evacuation); 《廢》 사망. ⑩ Ⓒ 〖樂〗 악절. ⑪ 〖畫〗 (그림 따위의) 부분, 일부. ***a bird of*** ~ 철새. ***a ~ at*** 〔***of***〕 ***arms*** 치고 받기, 싸움; 논쟁. ***force a ~ through*** (a crowd) (군중)을 헤치며 나아가다. ***have a rough*** ~ 난항하다. ***make a*** ~ 항해하다. ***on*** ~ 〖海〗 짐을 싣고 목적지로 항행 중인. ***point of*** ~ 〖軍〗 도하(渡河)〔통과〕점. ***take ~ in*** 〔***on, on board***〕 …을 타고 도항하다. ***work*** one***'s*** ~ 뱃삯 대신 배에서 일하다: He *worked his* ~ to San Francisco.

── *vi.* ① 나아가다, 통과〔횡단〕하다; 항해하다. ② 칼싸움하다; 언쟁하다.

***pas·sage·way** [pǽsidʒwèi] *n.* Ⓒ 통로; 낭하, 「복도.

pas·sant [pǽsənt] *a.* 〖紋章〗 오른쪽 앞발을 들고 있는 자세의《사자 따위》.

pass·book [pǽsbùk, pɑ́:s-] *n.* Ⓒ 은행 통장(bankbook); (가게의) 외상 장부.

páss degrèe 〖英大學〗 (우등이 아닌) 보통 졸업 학위. ⓒⓕ honors degree.

pas·sé [pæséi, ╌, pɑ́:sei] (*fem.* ***-sée*** [─]) *a.* 《F.》 구티가 나는, 한창때가 지난; (여자가) 한물간; 시대에 뒤진.

passed [pæst, pɑ:st] PASS의 과거·과거분사.
── *a.* 지나간; 통과한; (시험에) 합격한; 〖財政〗 (배당 따위가) 미불의.

pássed bàll 〖野〗 (포수의) 패스볼.

pas·sel [pǽsəl] *n.* Ⓒ 《美口》 다수, 대집단: a ~ of persons 많은 사람들.

†**pas·sen·ger** [pǽsəndʒər] *n.* Ⓒ 승객, 여객, 선객; 《英口》 (팀·그룹의) 짐스러운 존재, 무능자.

P

pássenger sèat (특히 자동차의) 조수석.

passe-par·tout [pæ̀spɑːrtúː] *n.* Ⓒ 《F.》 ① 결쇠. ② 사진(을 끼는) 틀; 대지(臺紙).

‡**pass·er-by, pass·er·by** [pǽsərbái, pɑ́ːs-] (*pl.* *pass·ers-*) *n.* Ⓒ 지나가는 사람, 통행인.

pas·sim [pǽsim] *ad.* 《L.》 (인용한 책의) 도처에, 곳곳에.

pas·sim·e·ter [pæsímitər] *n.* =PASSOMETER.

†**pass·ing** [pǽsiŋ, pɑ́ːs-] *a.* 〔限定的〕 ① 통행〔통과〕하는; 지나가는: A ~ motorist stopped and gave her a lift to the nearby town. 지나가던 차 운전수가 차를 세우고 그녀를 이웃 시(市)까지 태워주었다 / He was feeling better with each ~ day. 날이 갈수록 그는 건강해졌다. ② 눈앞의, 현재의. ③ 한때의, 잠깐 사이의. ④ 대충의, 조잡한; 우연한. ⑤ 합격〔급제〕의; 뛰어난. ── *n.* Ⓤ 통과, 경과; 소실; 《詩》 죽음; (의안의) 가결, 통과; 간과, 눈감아 줌; (시험의) 합격; (사건의) 발생. ***in*** **~** …하는 김에, 내친걸음에: The speaker mentioned his latest book *in* ~. 강사는 내친김에 자기의 최신 저서에 대해 언급했다. ── *ad.* 《古》 극히, 대단히, 뛰어나게.

pássing bèll 조종(弔鐘), 죽음을 알리는 종; 《比》 종언(終焉)의 징조.

pássing làne (도로의) 추월 차선.

pássing shòt 〔**stròke**〕 『테니스』 패싱 샷.

‡**pas·sion** [pǽʃən] *n.* ① **a)** Ⓤ,Ⓒ 열정(熱情); 격정(激情); (어떤 일에 대한) 열, 열심, 열중《*for*》: a man of ~ 열정가 / She played the Beethoven *with* ~. 그녀는 온 정열을 기울여 베토벤을 연주했다. **b)** (때로 *pl.*) (이성과 대비한) 감정, 정감: *Passions* run very high at election time. 선거 때에는 사람들은 열을 올린다. ② Ⓒ 격노, 울화; 흥분. ③ Ⓤ 열애, 정열; 연정; 정욕(의 대상). ④ Ⓒ 열망〔열애〕하는 것, 매우 좋아하는 것〔사람〕. ⑤ Ⓤ (the P-) (십자가 위의) 예수의 수난(기)《마가복음 XIV-XV 등》; 예수 수난화〔곡〕. ⑥ Ⓤ 《古》 (순교자의) 수난, 순교; 병, 병고. ***be filled with ~ for*** …을 열렬히 사랑하다. ***be in a*** **~** 성나 있다: She *was in a* ~ when I entered the room. 내가 방에 들어갔을 때 그녀는 성나 있었다. ***fly*** 〔***fall, break, get***〕 ***into a*** **~** 벌컥 성내다: He *flew into a* ~. 그는 벌컥 화를 냈다. ***have a ~ for*** …을 매우 좋아하다, …을 열애하다: The man *had a* burning ~ *for* Kate. 그 사나이는 케이트에 타는 듯한 연정을 품고 있었다 / She *had a* ~ *for* gardening. 그녀는 정원 가꾸기를 매우 좋아했다. ***put*** 〔***bring, throw***〕 a person ***into a*** **~** 아무를 격노케 하다, 남의 부아를 돋우다. ── *vi.* 《詩》 정열을 느끼다〔나타내다〕.

‡**pas·sion·ate** [pǽʃənit] (***more ~ ; most ~***) *a.* ① 열렬한, 정열을 품은, 열의에 찬: ~ love 정열적인 사랑 / make a ~ speech 열렬한 연설을 하다 / They are ~ about conservation. 그들은 자연 보호에 퍽 열성적이다. ② (슬픔·애정 등이) 격렬한, 강렬한. ③ 성미가 급한, 성 잘 내는. ④ 정열의, 다정한, 애욕에 빠지기 쉬운: We were both very tender and ~ toward one another. 우리 두 사람은 서로에게 부드럽고 다정했다.

pas·sion·flow·er [-flàuər] *n.* Ⓒ 『植』 시계풀.

pássion frùit 『植』 시계풀의 열매. └(時計)풀.

pas·sion·less [pǽʃənlis] *a.* 열(정)이 없는; 냉정한: They had a ~ marriage. 그들은 애정 없는 결혼을 했다. ㊞ **~·ly** *ad.* **~·ness** *n.*

pássion plày (또는 P-P-) 예수 수난극.

Pássion Súnday 수난 주일《사순절(四旬節)의 제 5 일요일로, 부활절의 전전 일요일》.

Pássion Wèek 수난 주간《부활절의 전주》.

‡**pas·sive** [pǽsiv] (***more ~ ; most ~***) *a.* ① 수동의, 수동적인, 수세의; 『文法』 수동의. opp *active.* ② 무저항의, 거역하지 않는, 순종하는: a ~ disposition 소극적인 성질 / He's ~ in everything. 그는 매사에 소극적이다 / The Mahatma instigated several campaigns of ~ resistance against the British government in India. 마하트마 간디는 인도에 대한 영국 통치에 반대하는 여러 비폭력적인 저항 운동을 주도했다. ③ 활동적이 아닌, 활기가 없는; 반응이 없는: In spite of every encouragement the boy remained ~. 아무리 고무해 줘도 소년은 도무지 해볼 마음이 생기지 않았다. ④ 비활성(非活性)의. ── *n.* (the ~) 『文法』 수동태(=∠ **vóice**), 수동 (구문).

pássive obédience 절대 복종, 묵종.

pássive smóking 간접 흡연.

pas·siv·i·ty [pæsívəti] *n.* Ⓤ ① 수동(성), 비활동. ② 무저항; 인내.

pass·key [pǽskìː, pɑ́ːs-] *n.* Ⓒ ① 결쇠; 여벌쇠; 빗장 열쇠. ② 사용(私用)의 열쇠.

pas·som·e·ter [pæsɑ́mitər / -sɔ́m-] *n.* Ⓒ 보수계(步數計). cf. pedmeter.

Pass·o·ver [pǽsòuvər, pɑ́ːs-] *n.* (the ~) 『聖』 유월절(逾越節)《출애굽기 XII : 27》; (p-) 유월절에 제물로 바치는 어린 양; 《Sc.》 빠뜨린 것.

‡**pass·port** [pǽspɔ̀ːrt, pɑ́ːs-] *n.* Ⓒ ① 여권, 패스포트. ② 〔一般的〕 허가증. ③ 《比》 (어떤 목적을 위한) 수단, 보증《*to*》. ④ (선박의) 항해권.

pass·word [pǽswɔ̀ːrd, pɑ́ːs-] *n.* Ⓒ 암호(말).

†**past** [pæst, pɑːst] *a.* ① 지나간, 과거의, 이미 없어진. ② 방금 지난, (지금부터) …전(前). ③ 임기가 끝난, (이)전의. ④ 노련한. ⑤ 『文法』 과거(형)의. ***for some time*** **~** 일전부터. ***in ~ years*** = ***in years*** **~** 연전(年前), 지난 몇 해 동안. ***the ~ month*** 지난 달; 요 한 달. ── *n.* ① Ⓤ (흔히 the ~) 과거, 기왕. ② Ⓒ (흔히 *sing.*) 과거의 사건; 경력, (특히 어두운) 이력, 과거의 생활. ③ Ⓤ 『文法』 과거시제〔형〕. ***in the*** **~** 과거에〔의〕, 종래《현재 완료형과 함께 쓸 수 있음》. ── *prep.* ① (시간적으로) …을 지나(서). cf. to. ② (공간적으로) …의 저쪽, …을 지나서, (아무)와 스쳐 지나. ③ …의 범위를 넘어, …이 미치지 않는(beyond). ④ (…하는데) 관심이 없는, 염두에 두지 않은. ***fling the ~ in*** a person***'s face*** 지난 허물을 두고 아무를 비난하다. **~ *all belief*** 전혀 신용할 수 없는. **~ *it*** 《口》 너무 나이들어, 옛날처럼은 일을 못해: One morning he suddenly realized he was ~ *it.* 어느날 아침, 그는 갑자기 자기는 이제 한물 갔다는 것을 깨달았다. **~ *praying for*** ⇨ PRAY. ***wouldn't put it*** **~** a person ***to*** do 아무가 능히 …하고도 남으리라고 생각하다. ── *ad.* 옆을 지나(서).

pas·ta [pɑ́ːstə] *n.* Ⓤ 파스타《달걀을 섞은 가루 반죽을 재료로 한 이탈리아 요리》.

‡**paste** [peist] *n.* Ⓤ,Ⓒ ① (접착용) 풀. ② (밀가루) 반죽, 가루반죽. ③ 반죽해서 만든 식품, 페이스트. ④ 반죽해서 만든 것; 튜브 치약; 연고; (낚시의) 반죽한 미끼, 떡밥; (도자기 제조용의) 점토; 이긴 흙. ⑤ (모조 보석용의) 납유리; 모조 보석. ⑥ =PASTA. ⑦ 『컴』 붙임, 붙이기《사이칸(buffer) 내의 자료를 파일에 복사함》. ── *vt.* ① 《~+目 / +目+副》 (…을) 풀로 바르다〔붙이다〕《*on* ; *up* ; *down* ; *together* ; *etc.*》. ② 《+目+前+名》 …에 풀로 붙이다《*with*》; …에 종이를 바르다: ~ the wall *with* paper 벽에 종이를 바르다 / I cut out the article and ~*d* over it *into* my scrapbook. 그 기사를 오려서 스크랩북에 붙였다. **~ *over the cracks*** ⇨ CRACK. **~ *up*** (벽 따위에)

풀로 붙이다 ; 풀칠하여 봉하다 ; (사진 제판·인쇄 등을 위해) 대지에 붙이다.

paste·board [péistbɔ̀ːrd] *n.* ① Ⓤ 두꺼운 종이, 판지. ② Ⓒ 《俗》 명함, 카드(playing card) ; 《俗》 차표, 입장권. ③ 《美》 빵 반죽판 ; 표구사의 풀칠판. ── *a.* 〔限定的〕 판지로 만든 ; 실질이 없는, 얄팍한 ; 가짜의.

pas·tel [pæstél / pǽstl] *n.* ① Ⓤ 파스텔, 색분필. ② Ⓒ Ⓤ 파스텔화(법) ; 파스텔풍의 색조(色調). ③ Ⓒ (문예의) 산문, 만필. ── *a.* 파스텔화(법)의 ; (색조가) 파스텔조(調)의 ; 섬세한.

pas·tern [pǽstəːrn] *n.* Ⓒ 발회목뼈《말 따위의 발굽과 뒷발톱과의 사이》.

paste-up [péistʌ̀p] *n.* Ⓒ 〖印〗 교료지를 오려붙인 대지《제판용으로 촬영할 수 있게 된》.

Pas·teur [pæstə́ːr] *n.* **Louis** ~ 파스퇴르《프랑스의 화학자·세균학자 ; 1822-95》.

pas·teur·i·za·tion [pæ̀stərizéiʃən, -tʃə-] *n.* Ⓤ 저온 살균법 ; 가열살균.

pas·teur·ize [pǽstəràiz, -tʃə-] *vt.* (우유 등)에 저온 살균을 행하다. **~d milk** 저온 살균 우유.

pas·tiche [pæstíːʃ] *n.* Ⓒ 혼성곡(曲) ; 모조화(畫) ; 모방 작품《문학·미술·음악 따위의》; 긁어모은 것, 뒤섞인 것.

pas·til, pas·tille [pǽstil, -təl], [pæstí(ː)l / pǽstəl] *n.* Ⓤ 정제, 알약(troche) ; 향정(香錠) ; 선향(線香) ; 윤전(輪轉) 꽃불을 회전시키기 위한 화약이 든 종이통 ; 파스텔(로 만든 크레용).

***pas·time** [pǽstàim, pάːs-] *n.* Ⓒ 기분 전환〔풀이〕, 오락, 유희, 소일거리.

past·ing [péistiŋ] *n.* Ⓒ 《口》 ① 강타, 펀치, 맹공격. ② (스포츠 등에서) 완패.

pást máster 명인, 대가《*in* ; *at* ; *of*》.

***pas·tor** [pǽstər, pάːs-] *n.* Ⓒ 목사 ; 정신적 지도자《★ 영국에서는 국교파의 목사(clergyman)에 대하여 비국교파의 목사를 이름》. cf. minister.

***pas·to·ral** [pǽstərəl, pάːs-] *n.* Ⓒ ① 목가, 전원시 ; 전원곡〔극, 화〕. ② =PASTORAL LETTER. ③ =PASTORAL STAFF. ── *a.* 목자(牧者)의 ; 목축에 적합한 ; 목축용의 ; 전원(생활)의, 목가적인 ; 목사의 : ~ life 〔scenery, poetry〕 전원 생활〔풍경, 시〕. 㺚 **~·ly** *ad.* 목가적으로.

pástoral cáre (종교 지도자·선생 등의) 충고, 조언 : Many schools have established for their pupils excellent systems of ~. 많은 학교에서는 학생들을 위해 우수한 가정생활상의 권고 체계를 확립하였다.

pas·to·ra·le [pæ̀stərάːl] (*pl.* **-li** [-liː], **~s**) *n.* Ⓒ (It.) 〖樂〗 전원곡 ; 목가적 가극《16-17세기의》.

Pástoral Epístles 〖聖〗 목회 서신(牧會書信)《디모데 전·후서 및 디도서》.

pástoral létter 사목신서《bishop 이 관구의 성직자 또는 성직자가 그 교구민에게 보내는》.

pástoral stáff 목장(牧杖)《주교·수도원장이 지니는 지팡이》.

pas·tor·ate [pǽstərit, pάːs-] *n.* ① Ⓤ 목사의 직〔임기, 관구〕; 〖가톨릭〗 주임 신부의 직. ② (the ~) 〔集合的〕 목사단 ; 목사관(parsonage).

‡pást párticiple 〖文法〗 과거 분사.

‡pást pérfect 〖文法〗 과거 완료.

pas·tra·mi [pəstrάːmi] *n.* Ⓤ 훈제(燻製) 쇠고기의 일종《등심살을 재료로 한 향기 짙은》.

***past·ry** [péistri] *n.* Ⓤ,Ⓒ 가루반죽(paste) ; 가루반죽으로 만든 과자.

past·ry·cook [péistrikùk] *n.* Ⓒ 빵〔과자〕 장수〔직공〕.

pas·tur·age [pǽstʃuridʒ, pάːstju-] *n.* Ⓤ ① 목축(업). ② 목장, 목초(지). ③ 《Sc.》 방목권.

‡pas·ture [pǽstʃər, pάːs-] *n.* ① Ⓤ,Ⓒ 목장, 방목장 ; 목초지. ② Ⓤ 목초 ; 《俗》 야구장(의 외야). ***put* 〔*send, turn*〕 *out to* ~** ⇨ put out to GRASS. ── *vt.* (가축)에 풀을 뜯기다, (가축)을 방목하다. ── *vi.* 풀을 먹다.

pas·ture·land [-lənd, -læ̀nd] *n.* Ⓤ 목장, 목초지.

pas·tur·er [pǽstʃərər, pάːs-] *n.* Ⓒ 목장주.

pas·ty[1] [pǽsti, pάːsti] *n.* Ⓒ 고기 만두〔파이〕.

pasty[2] [péisti] (***past·i·er*** ; ***-i·est***) *a.* 풀〔가루반죽〕 같은 ; 창백한(안색) ; 활기가 없는.

pasty-faced [péistiféist] *a.* 창백한 얼굴의.

P.A. sỳstem [pìːéi-] =PUBLIC-ADDRESS SYSTEM.

Pat [pæt] *n.* 패트《남자 이름 ; Patrick 의 애칭》; 여자 이름《Patricia, Martha, Matilda 의 애칭》.

‡pat[1] [pæt] *n.* Ⓒ ① 가볍게 두드리기. ② (편평한 물건·손가락 따위로) 가볍게 치는 소리 ; 가벼운 발소리. ③ (버터 따위의) 작은 덩어리. ***a* ~ *on the back*** 격려〔칭찬〕(의 말) : Mark got *a ~ on the back* from the boss for his excellent work. 마크는 뛰어난 그의 업적 때문에 상사로부터 칭찬을 들었다. ***give* one*self a* ~ *on the back*** 혼자서 만족하다 : If you do something well, *give yourself a ~ on the back.* 만일 무슨 일이 잘 되어가면 당신은 혼자서도 만족하리라. ── (**-tt-**) *vt.* ① 똑똑 두드리다, 가볍게 치다《손바닥·손가락 따위로》, 쳐서 모양을 만들다《*down*》. ② (애정·찬의 따위를 나타내어) …을 가볍게 치다. ── *vi.* ① 가볍게 치다《*upon* ; *against*》. ② 가볍게 소리내어 걷다〔뛰다〕. ~ a person ***on the back*** 아무의 등을 툭툭 치다《칭찬·격려의 뜻》; 아무를 칭찬〔격려〕하다, 아무에게 축하 인사를 하다. ~ one***self on the back*** 자화자찬하다, 자만하다.

pat[2] *a.* 적절한, 안성맞춤인, 마침 좋은《*to*》; 너무 능숙한, 지나치게 잘하는. ── *ad.* 꼭 맞게, 적절하게, 잘 ; 즉시, 즉석에서 ; 완전히. ***have* . . . (*down* 〔*off*〕) ~** 《口》 =***know* . . . ~** …을 완전히 알고 있다, 터득하고 있다 : I *have* the story *down* ~. 그 얘기를 나는 완전히 알고 있다. ***stand* ~** 〖카드놀이〗 처음 패로 버티고 나가다 ; 《美口》 (계획·결의 등을) 끝까지 지키다, (의견을) 굽히지 않다, 끝까지 버티다 : The government must *stand* ~ in its policy. 정부는 정책을 굽혀서는 안된다.

pat. patent(ed) ; patrol ; pattern.

Pat·a·go·ni·an [pæ̀təgóuniən, -njən] *a.* (남아메리카 남단의) 파타고니아 지방의 ; 파타고니아 사람의. ── *n.* Ⓒ 파타고니아 사람〔원주민〕.

‡patch [pætʃ] *n.* Ⓒ ① (옷 따위를 깁는) 헝겊조각, 깁는 헝겊 ; 천 조각. ② (수리용의) 쇳조각 ; 판자 조각. ③ 고약 ; 상처에 붙이는 헝겊 ; 안대. ④ 애교점(beauty spot). ⑤ 부스러기, 작은 조각, 파편 : ~*es* of cloud (띄엄띄엄 떠 있는) 조각 구름. ⑥ 큰 또는 불규칙한 반점 ; 〖軍〗 수장(袖章) (shoulder ~) : a ~ of brown on the skin 피부에 있는 갈색 반점 / There're wet ~*es* on the ceiling. 천장에는 여기저기 물이 스며든 자국이 있다. ⑦ 작은 구획, 밭 ; 한 밭의 농작물 ; 《英》 (경찰관의) 담당 구역 : a cabbage ~ 배추밭. ⑧ (글의) 한 절. ⑨ 《英》 시기, 기간. ⑩ 〖컴〗 깁기《프로그램이나 데이터의 장애 부분에 대한 임시 교체 수정》; (전화 중계 등의) 임시 접속. ⑪ 《美俗》 (서커스 개최를 위한) 중개〔주선〕인(fixer), 변호사. ***be not a* ~ *on*** 《口》 …와는 비교도 안 되다, …보다 훨씬 못한 : He *is not a ~ on* her at swimming. 그는 수영에서는 그녀의 발뒤꿈치도 못 따라간다. ***in* ~*es*** 부분적으로, 군데군데. ***strike* 〔*hit, be going through*〕 *a bad* 〔*sticky*〕 ~** 《英》 불행을 당하다, 고초를 겪다.

── *vt.* ① …에 헝겊을 대(고 깁)다 ; …에 조각〔쇳

조각)을 대어 수선하다《up》. ② 주워〔이어〕 맞추다, 미봉하다; 《比》 날조하다《up; together》: ~ a quilt 조각들을 기워 맞추어 이불을 만들다 / a ~ed-up story 꾸민 이야기. ③ (사건·분규를) 수습하다, 가라앉히다《up》; (의견 차이 등을) 조정하다《up; together》: ~ up a quarrel 싸움을 말리다. ④ (얼굴에) 애교점을 붙이다. ⑤〖컴〗 깁다《프로그램에 임시 교정을 하다》; (전화 회선 등을) 임시로 접속하다: I couldn't ~ my computer *into* the network. 아직 내 컴퓨터를 회로망화(化)할 수 없었다 / The call was ~*ed through* to my phone. 걸려온 전화가 내 전화에 연결되었다.

patch·board [ˊ-bɔ̀:rd] *n.* 〖컴〗 (patch cord 로 회로 접속을 하는) 플러그반(盤), 배선반, 패치반(盤) (=**pátch pànel**).

pátch còrd 〖電〗 패치코드《양끝에 플러그가 있는 오디오 장치 등의 임시 접속 코드》.

patch·ou·li, -ou·ly [pǽtʃuli, pətʃú:li] *n.* Ⓤ 꿀풀속(屬)의 식물《인도산》; 그것에서 얻은 향유, 패출리유(油).

pátch pòcket (솔기가 보이는) 바깥 포켓.

patch-up [pǽtʃʌ̀p] *n.* Ⓒ 보수(補修), 수리.
— *a.* 〔限定的〕 보수의, 수리의.

patch·work [pǽtʃwə̀:rk] *n.* Ⓒ,Ⓤ 쪽모이 세공; 주워 모은 것, 잡동사니; 날림일; 미봉.

patchy [pǽtʃi] (***patch·i·er; -i·est***) *a.* 누덕누덕 기운; 주워 모은; 어울리지 않는: a ~ knowledge of German 독일어에 대한 불확실한 지식.

pát-down (séarch) [pǽtdàun(-)] 《美》 (무기·위험물 소지를 조사하기 위해) 옷 위로 몸을 더듬어 하는 신체 검사(frisking).

pate [peit] *n.* Ⓒ 《古·戱》 머리; 정수리; 두뇌.

pâ·té [pɑ:téi, pæ-] *n.* Ⓤ,Ⓒ 파이《고기·물고기·닭고기 따위가 든》; 고기 반죽.

pâ·té de foie gras [pɑ:téidəfwɑ̀:grɑ́:] 《F.》 파테 드 푸아그라《지방이 많은 거위 간으로 만든 요리로서 진미(珍味)로 침》.

pa·tel·la [pətélə] (*pl.* ***-lae*** [-li:]) *n.* Ⓒ 〖解〗 슬개골(膝蓋骨), 종지뼈; 〖動〗 배상부(杯狀部).

pat·en [pǽtn] *n.* Ⓒ 〖가톨릭〗 성반(聖盤), 파테나《제병(祭餠)을 담는 얇은 접시》; 금속제(製)의 납작한 접시.

pa·ten·cy [péitənsi, pǽ-] *n.* Ⓤ 명백.

‡pat·ent [pǽtənt, péit-] *n.* Ⓒ ① (전매) 특허, 특허권《for; on》: take out 〔get〕 a ~ *for* 〔*on*〕 a new invention 신안 특허를 얻다 / apply〔ask〕 for a ~ 특허를 출원하다 / ~ pending 특허 출원중. ② (전매) 특허증. ③ (전매) 특허품, 특허 물건. ④ 독특한 것〔방식〕; 표식, 특징《of》.
— (***more*** ~; ***most*** ~) *a.* ① 〔限定的〕 (전매) 특허의; 특허권을 가진〔에 관한〕. ② 명백한, 뚜렷한, 빤한: It was ~ to everyone that.... …은 누가 봐도 빤했다. ③ 〔限定的〕 《口》 신기한, 신안의, 독특한: her ~ way of cooking chicken 그녀 특유의 닭고기 요리법.
— *vt.* …의 (전매) 특허를 얻다〔주다〕; …에게 특허권을 주다; 《比》 전매 특허로 하다.

pátent attòrney 《美》 변리사(辨理士).

pat·en·tee [pæ̀təntí:, pèit-] *n.* Ⓒ 특허권자.

pátent léather 에나멜 가죽; (*pl.*) 에나멜〔칠피〕 구두.

pátent médicine 특허 의약품; 《美》 매약.

Pátent Òffice 특허청《略: Pat. Off.》.

Pa·ter [péitər] *n.* **Walter Horatio** ~ 페이터《영국의 비평가·소설가; 1839-94》.

pa·ter [péitər] *n.* Ⓒ 《英俗》 아버지.

pa·ter·fa·mil·i·as [pèitərfəmíliəs, -æs] (*pl.* ***pa·tres-*** [pèitriz-]) *n.* Ⓒ 가장, 호주; 가부장.

pa·ter·nal** [pətə́:rnl] *a.* 아버지(로서)의, 아버지다운, 아버지 편〔쪽〕의; 세습의; 온정주의의. ***be related on the ~ side 아버지 쪽의 친척이다. ***bid adieu to*** one***'s ~ roof*** 아버지의 슬하를 떠나다《독립하다》. ~ ***government*** 〔***legislation***〕 온정주의의 정치〔입법〕.

pa·ter·nal·ism [pətə́:rnəlizəm] *n.* Ⓤ (정치·고용 관계에서의) 온정주의, 가부장주의.

pa·ter·nal·is·tic [pətə̀:rnəlístik] *a.* 온정〔가부장〕주의의.

pa·ter·ni·ty [pətə́:rnəti] *n.* Ⓤ ① 아버지임; 부권, 부자의 관계; 아버지로서의 의무; 부계(父系). ② 《比》 (일반적으로 생각 등의) 기원, 근원.

patérnity lèave (맞벌이 부부의) 남편의 출산·육아 휴가. 「인지 소송).

patérnity sùit 〖法〗 부자 관계 결정 절차《법적

patérnity tèst (혈액형 등에 의한) 친부(親父) 확정 검사.

pat·er·nos·ter [pǽtərnɑ̀:stər / -nɔ̀s-] *n.* Ⓒ (특히 라틴어의) 주기도문, 주의 기도.

†path [pæθ, pɑ:θ] (*pl.* ***~s*** [pæðz, pæθs / pɑ:ðz]) *n.* Ⓒ ① 길, 작은 길, 보도(步道); 경주로; 통로: a bicycle ~ / a concrete ~ 콘크리트 포장길. ② (인생의) 행로; 방침; 방향; (의론 따위의) 조리: The ~ to succeed is fraught with difficulties. 성공에의 길은 곤란으로 가득차 있다 / the ~ of a hurricane 허리케인의 진로. ③〖컴〗 길, 경로《파일을 자리에 두거나 판독할 때 컴퓨터가 거치는 일련의 경로》. ***beat a ~*** 길을 새로 내다; 쇄도하다《to》. ***cross*** one***'s ~*** 우연히 만나다; 방해하다: Tragedy *crossed our* ~ again. 또 다시 비극이 갑자기 닥쳤다 / I hope *our ~s cross* again in the future. 훗날 다시 우리가 만날 수 있기를 바라네. ***the beaten ~*** ⇨ BEATEN. ***the ~ of least resistance***=the line of least RESISTANCE.

‡pa·thet·ic, -i·cal [pəθétik], [-əl] *a.* ① **a)** 애처로운, 애수에 찬. **b)** 감동적인. ② (노력·이자 등이) 극히 적은, 무가치한, 아주 불충분한; 《美俗》 우스꽝스러운.

pathétic fállacy (the ~) 감상(感傷)의 허위《angry wind, the cruel sea 등과 같이 무생물에도 감정이 있다고 하는 생각·표현법》.

path·find·er [pǽθfàindər, pɑ́:θ-] *n.* Ⓒ ① (미개지·새로운 학문 등의) 개척자, 탐험자, 파이어니어. ② 조명탄 투하 비행기.

path·less [pǽθlis, pɑ́:θ-] *a.* 길 없는.

path·name [ˊ-néim] *n.* 〖컴〗 길이름, 경로명.

path(o)- '고통, 병' 따위의 뜻의 결합사.

path·o·gen, -gene [pǽθədʒən], [-dʒi:n] *n.* Ⓒ 병원균, 병원체.

path·o·gen·e·sis [pæ̀θədʒénəsis] *n.* Ⓤ 질병 발생론, 병인(病因)(론).

pa·thog·e·ny [pəθɑ́dʒəni / -θɔ́dʒ-] *n.* Ⓤ 발병; 병원(病原), 병인; 병원론, 발병학.

path·o·log·ic, -i·cal [pæ̀θəlɑ́dʒik / -lɔ́dʒ-], [-əl] *a.* 병리학의, 병리상의; 병적인. 「(학).

pa·thol·o·gy [pəθɑ́lədʒi / -θɔ́l-] *n.* Ⓤ 병리

***pa·thos** [péiθɑs / -θɔs] *n.* Ⓤ ① 애수, 비애, 페이소스. ② 정념(情念), 파토스.

***path·way** [pǽθwèi, pɑ́:θ-] *n.* Ⓒ 통로, 작은 길.

-pathy '감정, 고통, 요법' 등의 뜻의 결합사.

‡pa·tience [péiʃəns] *n.* Ⓤ ① 인내(력), 참을성; 끈기: *Patience* is a virtue. 《俗談》 참는 것은 미덕이다. ② 《英》 페이션스《혼자 하는 카드놀이(《美》 solitaire)》, (혼자 하는) 카드 점. ***have no ~ with*** 〔***towards***〕 …은 참을 수 없다: I *have no ~ with* those bores. 저 따분한 사람들에게겐 참을 수가 없다. ***lose*** one***'s ~ with*** …을 더는 참을 수

없게 되다 : In the end I *lost my* ~ and shouted at her. 끝내는 더 참을 수 없어 그녀에게 버럭 소리를 질렀다 / He only once *lost his* ~ *with* me. 단 한번 그는 내게 화를 냈다. ***My ~!*** 《俗》 어렵쇼, 요것 봐라, 원 저런. ***out of ~ with*** …에 정떨어져. ***the ~ of Job*** (욥과 같은) 대단한 인내심《구약성서 욥기(記)》. ***try** a person's* ~ 아무를 괴롭히다, 신경질 나게 하다.

‡**pa·tient** [péiʃənt] (***more*** ~; ***most*** ~) *a.* ① 인내심이 강한, 끈기 좋은〔있는〕《*with*》: Be ~ *with* children. 아이들에게는 성미 급하게 굴지 마시오 / He's ~ *with* others. 그는 다른 사람에 대해 관대하다. ② 잘 견디는, 근면한, 부지런한 : a ~ worker. ③ (…에) 견딜 수 있는《*of*》: He is ~ *of* insults. 그는 모욕을 잘 참는다. ④ 《英古》 (…의) 여지가 있는《*of*》: This statement is ~ *of* criticism. 이 성명에는 비판의 여지가 있다. ⑤ 《稀》 수동적인. — *n.* Ⓒ ① (의사측에서 말하는) 병자, 환자 : The Smiths are ~*s* of mine. 나는 스미스씨 댁의 주치의다 / in-〔out-〕~ 입원〔외래〕환자. ② (미장원 따위의) 손님 ; 수동자(受動者). opp. *agent*. ⊕ *~·**ly** *ad.* 참을성 있게.

pat·i·na [pǽtənə] *n.* Ⓤ (또는 a ~) ① (청동기 따위의) 푸른 녹, 동록(銅綠), 녹청(綠青). ② (오래된 가구 등의) 고색(古色).

pat·io [pǽtiòu, pá:-] (*pl.* ~***s***) *n.* Ⓒ 《Sp.》 파티오《스페인식 집의 안뜰〔테라스〕》.

pa·tis·se·rie [pətísəri] *n.* Ⓤ,Ⓒ 《F.》 프랑스풍의 파이〔과자〕 (가게).

pat·ois [pǽtwɑ:] (*pl.* ~ [-z]) *n.* Ⓤ,Ⓒ 《F.》 (특히 프랑스어의) 방언, 사투리.

Patr. Patrick ; Patriotic ; Patron.

patri- '부(父)'의 뜻의 결합사.

pa·tri·arch [péitriɑ̀:rk] *n.* Ⓒ ① 가장 ; 족장. ② 〖가톨릭〗 로마 교황 ; 초기교회의 주교 ; (가톨릭 교회 · 그리스 정교의) 총대주교 ; 〖모르몬敎〗 교장(教長). ③ 개조(開祖), (교파 · 학파 따위의) 창설자. ④ 원로, 장로. ⑤ (*pl.*) Jacob의 12 아들 ; 이스라엘 민족의 조상《Abraham, Isaac, Jacob 과 그 선조》.

pa·tri·ár·chal cróss [pèitriɑ́:rkəl-] 총대주교가 사용하는 십자가(‡꼴).

pa·tri·ar·chy [péitriɑ̀:rki] *n.* Ⓤ,Ⓒ ① 가장〔족장〕 정치 ; 남자 가장제(家長制) ; 부권 제도. opp. *matriarchy*. ② 부권사회.

Pa·tri·cia [pətríʃiə] *n.* 퍼트리샤《여자 이름 ; 애칭 : Pat, Patty》.

pa·tri·cian [pətríʃən] *n.* Ⓒ (고대 로마의) 귀족 ; 로마 제국의 지방 집정관 ; 중세 이탈리아 여러 공화국의 귀족 ; 〔一般的〕 귀족, 문벌가. — *a.* 귀족의《특히 고대 로마의》 ; 귀족적인, 귀족다운.

pat·ri·cide [pǽtrəsàid] *n.* ① Ⓤ 부친 살해 범죄. ② Ⓒ 부친 살해 범인.

Pat·rick [pǽtrik] *n.* 패트릭. ① 남자 이름. ② **St.** ~ 아일랜드의 수호(守護) 성인(389?-461?).

pat·ri·mo·ni·al [pæ̀trəmóuniəl, -njəl / -mɔ́-] *a.* 세습의 ; 조상 전래의.

pat·ri·mo·ny [pǽtrəmòuni / -mə-] *n.* Ⓤ (또는 a ~) ① 세습 재산, 가독(家督). ② 가전(家傳), 유전, 전통. ③ 교회의 기본 재산.

‡**pa·tri·ot** [péitriət, -ɑ̀t / pǽtriət] *n.* Ⓒ 애국자, 우국지사.

***pa·tri·ot·ic** [pèitriɑ́tik / pæ̀triɔ́tik] *a.* 애국적인, 애국의, 우국의.

***pa·tri·ot·ism** [péitriətìzəm / pǽt-] *n.* Ⓤ 애국심.

pa·tris·tic [pətrístik] *a.* (초기 기독교의) 교부(教父)의 ; 교부의 저작의.

pa·trol** [pətróul] *n.* ① Ⓤ 순찰, 패트롤, 순시, 순회 ; 정찰, 초계(哨戒). ② Ⓒ 순찰대 ; (척후병 · 비행기 따위의) 정찰대 ; 순시인 ; 초계함(艦). ③ 소년〔소녀〕단의 분대. ***on ~ (***duty***) 순찰중 ; 초계중. — (***-ll-***) *vt.* ① (지역)을 순찰〔순회〕하다. ② (길거리 등)을 무리지어 행진하다. — *vi.* 순찰〔순시, 경비〕하다, 패트롤하다.

patról càr 순찰차.

pa·trol·man [-mən] (*pl.* ***-men*** [-mən]) *n.* Ⓒ 순찰자 ; 《美》 순찰 경관, (주경찰의) 순경.

patról wàgon 《美》 범인 호송차(Black Maria, paddy wagon).

‡**pa·tron** [péitrən] (*fem.* ~**·*ess***) *n.* Ⓒ ① (개인 · 사업 · 주의 · 예술 따위의) 보호자, 후원〔지지〕자. ② (상점 · 여관 따위의) 고객, 단골 손님. ③ = PATRON SAINT. ④ 〖英國敎〗 성직 수여권자. ⑤ 〖古로〗 (법정의) 변호인 ; 해방된 노예의 옛 주인 ; 평민을 보호한 귀족.

pa·tron·age** [péitrənidʒ, pǽt-] *n.* ① Ⓤ 보호, 후원, 찬조, 장려. ② **a)** Ⓤ 애고(愛顧), 애호, 단골《상점에 대한 손님의》. **b)** (a ~) 〔集合的〕 단골손님. ③ Ⓤ 윗사람 · 보호자인 체하는 태도〔친절〕. ④ Ⓤ 《때로 蔑》 (특히 관직의) 임명〔서임〕권 ; 〖英國敎〗 성직 수여권, 목사 추천권. ***under the ~ of …의 비호〔후원〕 아래.

***pa·tron·ize** [péitrənàiz, pǽt-] *vt.* ① (…을) 보호하다 (protect), 후원하다(support), 장려하다. ② …의 단골 손님〔고객〕이 되다. ③ …에게 선심 쓰는 체하다, 잘난 체하다.

pa·tron·iz·ing [péitrənàiziŋ, pǽt-] *a.* 은인인 체하는, 생색을 내는, 어딘지 모르게 건방진.

pátron sáint (개인 · 직업 · 토지 따위의) 수호 성인, 수호신 ; (정당 등의) 창시자.

pat·ro·nym·ic [pæ̀trənímik] *a.*, *n.* Ⓒ 아버지〔조상〕의 이름을 딴 (이름), 부칭(父稱).

pat·sy [pǽtsi] *n.* Ⓒ 《美俗》 죄를〔책임을〕 뒤집어 쓰는 사람(scapegoat) ; 웃음거리가〔놀림감이〕 되는 사람, 어수룩한 사람, '봉'(dupe).

pat·ten [pǽtn] *n.* Ⓒ (흔히 *pl.*) 덧나막신《쇠굽 달린 나막신 ; 진창에서 신 위에 덧신음》 ; 〔一般的〕 나막신 ; 〖建〗 기둥뿌리, 벽의 굽도리.

***pat·ter**[1] [pǽtər] *vi.* ① 《~ / +전+명》 또닥또닥 소리가 나다, (비가) 후두두 내리다. ② 《~ / +전+명》 가볍게〔재게〕 움직이다, 또닥또닥 잔걸음으로 달리다〔걷다〕《*across*》: He ~*ed across* the garden. 그는 정원을 종종걸음으로 건너갔다. — *vt.* 또닥또닥〔후두두〕 소리를 내다, (물 따위)를 철벅철벅 튀기다.
— *n.* (*sing.*) 후두두《빗소리》, 또닥또닥《발소리》. ***the ~ of tiny feet*** 《戲》 앞으로 태어날 갓난 아기(의 발소리) : Two years after they were married their house was blessed by *the ~ of tiny feet*. 결혼한 지 2년 만에 그들은 아기를 갖는 축복을 받았다.

***pat·ter**[2] *n.* ① Ⓤ 재게 재잘거림 ; 쓸데없는 이야기. ② Ⓤ (도둑 · 거지 따위의) 은어. ③ = PATTER SONG ; (흔히 conjurer's ~) (마술사의) 주문. — *vi.* 재잘대다 ; 《俗》 은어를 지껄이다. — *vt.* (주문 등)을 빠른 말로 외다.

‡**pat·tern** [pǽtərn] *n.* Ⓒ ① (흔히 *sing.*) 모범, 본보기, 귀감. ② 형(型), 양식 ; (양복 · 주물 등의) 본, 원형(原型), 모형(model), 목형(木型), 거푸집 : ⇨ SENTENCE PATTERN / There's a ~ in his way of thinking. 그의 사고 방식에는 일정한 양식이 있다. ③ (행위 · 사고 등의) 형, 방식, 경향. ④ 도안, 무늬, 줄무늬 ; 자연의 무늬. ⑤ (옷감 · 무늬 등의) 견본. ⑥ 《美》 한 벌 분의 옷감. ⑦ (비행장의) 착륙 진입로 ; 그 도형. ⑧ 〖컴〗 도형(圖形), 패턴. ***after the ~ of*** …식으로, …을 본떠. ***a paper ~*** (양재의) 종이본, 형지(型紙). ***a***

verb ~ 동사가 취하는 문형. ***run to*** ~ 틀에 박혀 있다.
— *vt.* ①《+목+전+명》…을 모조하다, (…을 따라) 모방하다, (본에 따라) …을 만들다《*after; on, upon*》: a dress ~*ed upon* 〔*after*〕 a Paris model 파리의 신형을 모방해 만든 드레스. ② …에 무늬를 넣다. — *vi.* 모방하다《*after; on*》. ~ ***oneself after*** 〔***on, upon***〕 …을 모방하다: Kate ~*ed herself on*〔*after*〕 her teacher. 케이트는 선생을 본으로 삼았다. ~ ***out*** 깨끗이 정돈하다, 정렬하다: the garden ~*ed out* in even rows and squares of green 정원수와 화초를 균형 있게 잘 배치한 정원.

páttern bòmbing 일제〔융단〕 폭격(carpet bombing).

páttern glàss 패턴 글라스《장식 무늬가 있는 「유리 제품」》.

pat·tern·mak·er [-mèikər] *n.* Ⓒ 모형〔거푸집)〕 제작자; (직물·자수의) 도안가.

páttern recognìtion 〖컴〗 패턴 인식(認識)《문자·도형·음성 등의 유형을 식별·판단하는 일》.

pátter sòng 가극 속에 익살미를 내기 위한 빠른 가사, 그 곡.

***pat·ty, pat·tie** [pǽti] *n.* ⒸⓊ 작은 파이(pâté).

pau·ci·ty [pɔ́:səti] *n.* Ⓤ (a ~) ① 소수; 소량. ② 결핍《*of*》: a country with *a* ~ *of* resources 자원이 부족한 나라.

***Paul** [pɔ:l] *n.* ① 폴《남자 이름》. ② **Saint** ~ 바울《예수의 제자로 신약성서의 여러 서간의 저자》.

Pául Bún·yan [-bʌ́njən] 《美》 폴 버니언《미국 전설상의 거인이며 초인적인 나무꾼》.

Paul·ine[1] [pɔ́:lain] *a.* 사도 바울의; (런던의) St. Paul's School 의: the ~ Epistles 바울 서간.

Pau·line[2] [pɔ:lí:n] *n.* 폴린《여자 이름》.

paunch [pɔ:ntʃ, pɑ:ntʃ] *n.* Ⓒ ① 배, 위(胃); 《戲》 올챙이배; 〖動〗 혹위(rumen). ② 〖海〗 (두껍고 튼튼한) 마찰 보호용(用) 거적(=∠ **màt**).

pau·per [pɔ́:pər] *n.* Ⓒ 〖史〗 (구빈법(救貧法)의 적용을 받는) 극빈자, 피구호민; 빈민; 거지; 〖法〗 (소송 비용을 면제받는) 빈민.
— *a.* 빈민의, 빈곤한.

pau·per·ize [pɔ́:pəràiz] *vt.* …을 가난〔빈곤〕하게 만들다, 빈민〔피구제민〕으로 만들다.

‡pause [pɔ:z] *n.* Ⓒ ① 휴지(休止), 중지, 끊긴 동안. ② (이야기의) 중단; 한숨 돌림; 주저. ③ 구절 끊기, 구두(句讀), 단락. ④ 《詩》 섬; 〖樂〗 연장, 연장기호, 늘임표. ⑤ 〖컴〗 (프로그램 실행의) 쉼《★ pose [pouz]와의 차이에 주의》. ***come to a*** ~ 끊어지다. ***give*** a person ~ (놀람·의아심 따위 때문에) 아무를 주저케 하다; 망설이게 하다. ***give*** 〔***put***〕 ~ ***to*** …을 잠시 중지시키다: *give* ~ *to* one's action 자기의 행동을 (일시적으로) 중지하다. ***in*** 〔***at***〕 ~ 중지〔중단〕하여; 주저하여. ***make a*** ~ 잠깐 쉬다; 한숨 돌리다. ***put*** a person ***to a*** ~ 아무를 망설이게 하다. ***without*** a ~ 끊임없이, 쉬지 않고; 주저없는〔없이〕. — *vi.* ① 휴지〔중단〕하다, 끊기다. ②《~/+전+명/+*to* do》 잠시 멈추다, 한숨 돌리다: We ~*d* upon the summit *to* look upon the scene. 산꼭대기에서 잠시 발을 멈추고 경치를 보았다 / He talked for two hours without *pausing for* breath. 그는 2시간 동안을 숨돌릴 틈도 없이 지껄였다. ③《+전+명》 잠시 생각하다, 천천히 논하다《*on, upon*》; 머뭇거리다《*on, upon*》: She ~*d on* the last word. 그녀는 마지막 말에서 머뭇거렸다 / ~ *upon* a particular point 어느 특정한 문제를 생각하다. ④ 〖樂〗 음을 길게 끌다.

Pa·va·rot·ti [pæ̀vərɑ́ti / -rɔ́ti] *n.* **Luciano** ~ 파바로티《이탈리아의 테너가수; 1935- 》.

‡pave [peiv] *vt.* 《~+목/+목+전+명》 (도로)를 포장하다《*with*》: ~ a road *with* asphalt 아스팔트로 도로를 포장하다 / They believed the streets of America were ~*d with* gold. 그들은 미국의 거리는 금(金)으로 포장되었다고 믿었다. ~ ***the way for*** 〔***to***〕 …에의 길을 열다; …을 가능〔수월〕케 하다: The use of Arabic numerals ~*d the way for* modern mathematics. 아라비아 숫자의 사용으로 근대 수학에의 길이 열렸다.

‡pave·ment [péivmənt] *n.* ① Ⓒ 포장 도로(opp dirt road); 포상(鋪床), 포장한 바닥. ② Ⓤ 포장재료, 포석(鋪石). ③ Ⓒ 《英》(특히 포장한) 인도, 보도(《美》 sidewalk); 《美》 차도(roadway).

pávement àrtist 거리의 화가.

‡pa·vil·ion [pəvíljən] *n.* Ⓒ ① 큰 천막. ② 간편한 임시 건물; 《英》 (야외 경기장 등의) 관람석, 선수석. ③ (공원·정원의) 누각, 정자; (본관에서 내단) 별관, 병동(病棟); (박람회 등의) 전시관. ④ 《文語》 하늘, 창궁(蒼穹).

pav·ing [péiviŋ] *n.* ① Ⓤ 포장(공사); 포도; 포장재료. ② Ⓒ (흔히 *pl.*) (포장용) 블록.

páving brìck 포장용 벽돌.

páving stòne 포석(鋪石)《포장용》.

Pav·lov [pǽvlɔ:f, pɑ́:v-] *n.* **Ivan Petrovich** ~ 파블로프《러시아의 생리학자; 1849-1936》.

‡paw[1] [pɔ:] *n.* Ⓒ ① (발톱 있는 동물의) 발. ② 《戲·蔑》 (거칠거나 무딘) 사람의 손. — *vt.* ① (짐승이) 앞발로 할퀴다〔치다〕, (말이) 앞발로 차다〔긁다〕. ② 《口》 거칠게〔함부로〕 다루다; 만지작거리다《*over*》; 난폭하게 달려들다〔치고 덤비다〕《*at*》. — *vi.* (말이) 앞발로 땅을 차다. ~ ***about*** 〔***around***〕 마구 주물러대다.

paw[2] *n.* Ⓒ 《方·口》 아버지(papa).

pawky [pɔ́:ki] (***pawk·i·er; -i·est***) *a.* 《北英·Sc.》 교활한, 내숭스런; (능청스레) 익살을 떠는; 《美方》 건방진, 주제넘은.

pawl [pɔ:l] *n.* Ⓒ 〖機〗 (톱니바퀴의 역회전을 막는) 톱니멈춤쇠.

pawn**[1] [pɔ:n] *n.* Ⓤ 전당; Ⓒ 전당물, 저당물; 볼모, 인질; 《比》 맹세, 약속. ***at 〔***in***〕 ~ 전당〔저당〕 잡혀: Her wedding ring is *in* ~. 그녀의 결혼 반지는 저당잡혀 있다. ***get*** something ***out of*** ~ (저당 잡힌) 물건을 되찾다. ***give*** 〔***put***〕 something ***in*** ~ …을 전당잡히다. ***set at*** ~ 걸다; 신조로 하다. — *vt.* …을 전당잡히다; (목숨·명예)를 걸고 맹세하다, …을 걸고 보증하다. ~ one's ***word*** 언질을 주다.

pawn[2] *n.* Ⓒ ① (체스의) 졸(卒)《略: P》. ②《比》 (남의) 앞잡이(tool)《*in*》.

pawn·bro·ker [-bròukər] *n.* Ⓒ 전당포 (주인).

pawn·bro·king [-bròukiŋ] *n.* Ⓤ 전당포업.

Paw·nee [pɔ:ní:] (*pl.* ~, ~*s*) *n.* 포니족(族)《미국 Nebraska 주에 살았던 인디언》.

pawn·shop [pɔ́:nʃɑ̀p / -ʃɔ̀p] *n.* Ⓒ 전당포.

páwn tìcket 전당표.

paw·paw [pɔ́:pɔ̀:, pəpɔ́:] *n.* Ⓒ ① 〖植〗 = PAPAW. ② 《英·中美》 = PAPAYA.

pax [pæks] *n.* Ⓤ ① 〖가톨릭〗 성패(聖牌)《예수·성모 등의 상을 그린 작은 패; 미사 때 여기에 입을 맞춤》; 친목의 키스. ② (P-) **a**) 〖로神〗 평화의 여신. **b**) (흔히 P-) (특정국의 지배에 의한 국제적) 평화: (a 〔the〕) *Pax* Americana 미국의 지배에 의한 평화. **c**) 〔흔히 감탄사〕 《英口》 (어린이들의 놀이에서 일시 중단을 요구(선언)하여) 타임, 잠깐; (어린이들의) 화해.

†pay [pei] (*p., pp.* ***paid*** [peid]) *vt.* ① (빚 따위)를 갚다, 상환하다, 청산하다. ② 《~+목/+목+전+명/+목+목》 (아무에게 대금·임금 따위)를

치르다, 지불[지급]하다(*for*); 벌충하다, 보상하다: I *paid* him money. =I *paid* money *to* him. 그에게 돈을 치렀다 / He *paid* the bill *for* the meal. 그는 식사대를 치렀다. ③ (~+目 / +目+目) (일 따위가) …의 수입을 가져오다; …에게 이익을 주다: This job doesn't ~ me. 이 일은 수지가 안 맞는다(종종 me는 생략됨). ④ (~+目 / +目+前+名 / +目+目) (관심)을 보이다, (경의)를 표하다; (주의)를 하다; (방문 등)을 하다: *Pay* more attention *to* your driving. 자동차 운전에 보다 더 주의를 기울여라. ⑤ …에 앙갚음하다, 보복하다; 혼내주다, 벌하다; (친절·은혜에) 보답하다(*back*). ⑥ (고통 등을 당연한 것으로서) 참다, 받다: The one who does wrong must ~ the penalty. 악을 행하는 자는 당연히 그 벌을 감수해야 한다. ⑦ (아무에게) 돈을 주고 …시키다: ~ a hitman to kill a person 청부살인자에게 돈을 주고 아무를 죽이게 하다.

— *vi.* ① (~ / +前+名) 지불을 하다, 대금을 치르다(*for*); 빚을 갚다; 변상[변제]하다(*for*): My car has been *paid for.* 내 차 값은 완불되었다. ② (일 따위가) 수지맞다, 이익이 되다; 일한 보람이 있다: The business hasn't been ~*ing* for the last six months. 그 회사는 최근 6개월간 채산이 맞지 않고 있다. ③ (+前+名) 벌을 받다, 보답이 있다(*for*): You'll ~ *for* your foolish behavior. 너는 그 어리석은 짓으로 벌받게 될 것이다.

~ a call 방문하다. ***~ as you go*** 《美》 현금 지급하다; 지출을 수입 이내로 억제하다. ***~ away*** 돈을 쓰다. ***~ back*** 돈을 갚다; …에 보복하다(*for*). ***~ (dear) for one's whistle*** 하찮은 것을 비싸게 사다; 되게 혼나다. ***~ down*** 맞돈으로 지급하다; 계약금을 치르다: You can ~ $ 20 *down* and the rest later. 계약금은 20달러이며 잔금은 후에 갚아도 됩니다. ***~ for*** (1) …의 대금을 치르다; …을 변상하다: ~ *for* music lessons 음악 선생에게 수강료를 내다. (2) …에 대한 보복[벌]을 받다: We all ~ *for* our mistake in some way at some time. 우리는 언젠가는 어떤 방법으로든 우리 잘못에 대한 벌을 받는다. ***~ in*** (돈을) 은행 (계좌)에 입금하다: Are you ~*ing in* or with drawing? 예금하시렵니까, 인출하시렵니까. ***~ . . . into a bank account*** …을 은행계좌에 입금하다: He *paid* a million dollars *into* her *account.* 그는 100만 달러를 그녀의 계좌로 입금했다. ***~ off*** (*vt.*) (1) (빚을) 전부 갚다: ~ *off* one's creditors 채권자에게 빚을 모두 갚다. (2) 봉급을 주고 해고하다; 요금을 치르고 (택시 등)을 돌려보내다: Things are looking bad, we might have to ~ *off* more workers. 사태가 좋지 않으니 더 많은 노동자를 봉급을 주고 해고해야 할지 모른다. (3) 《口》 …에게 뇌물을 쓰다. (4) 《口》 …에 대한 보복을 하다. (5) 수지맞다: My investment *paid off* handsomely. 투자는 크게 수지 맞았다. (6) …한 결과[성과]가 나다: Years of hard work seemed finally to ~ *off.* 드디어 오랜 노력이 좋은 결과를 가져오는 것 같았다. (*vi.*) (1) 〖海〗 (이물을) 바람 불어 가는 쪽으로 돌리다. (2) 이익을 가져오다; 성과를 올리다, 잘 되다. ***~ out*** (1) (돈·임금·빚을) 지급하다. (2) 《英》 …에 보복하다, 혼쭐내다(*for*): I've *paid* him *out for* the trick he played on me. 내게 속임수를 썼으므로 그 놈을 혼내 주었다. ***~ over*** (돈을) 치르다. ***~ one's college*** 고학하여 대학을 졸업하다. ***~ one's (own) way*** 빚 안 지고 살다, 응분의 부담을 지다; 투자에 걸맞은 이익을 내다, 수지를 맞추다: I went to college anyway, as a part-time student, *paying* my *own way.* 어쨌든 나는 청강생으로라도 빚을 안 지고 혼자 힘으로 대학에 갔다. ***~ the debt of nature*** 천명을 다하다. ***~ through the nose*** ⇨ NOSE. ***~ up*** (마지못해) 전부[깨끗이] 청산해버리다; 전액 납입하다: I have to ~*up* my membership dues within a month. 1개월안에 회비를 납입해야 한다. ~ a person ***well in the future*** 아무의 장래를 위해서 도움이 되다(고생 따위가). ***the devil to ~*** ⇨ DEVIL.

— *n.* Ⓤ ① 지불, 지급. ② 급료, 봉급, 임금: a ~ job 보수가 나오는 일 / Any ~ raise[(《英》 rise] must be in line with inflation. 어느 급료도 인플레이션에 맞추어 인상되어야 한다. ③ 보복, (정신적인) 보수; 보상; 벌. ④ (지불 상태에서 본) 지급인: The bank regards him as good ~. 은행에선 그의 지급상태를 양호하다고 보고 있다. ⑤ 고용: *in* the ~ *of* the enemy 적에게 고용되어(종종 불명예의 뜻). ⑥ 피고용인: a good [bad, poor] ~ 써서 득이[손해가] 되는 사람. ***be good [bad, poor] ~*** 돈을 잘 주다[잘 안 주다]. ***without ~*** 무보수로.

— *a.* ① 유료의; 《美》 동전을 넣어 사용하는: a ~ toilet 유료 변소 / a ~ telephone 요금 투입식 자동 전화. ② 자비(自費)의. ③ 채광(採鑛)상 유리한, 채산이 맞는: ~ streak 유망한 광맥.

***pay·a·ble** [péiəbəl] *a.* 〔敍述的〕 ① 지급할 수 있는; 지급해야 할(돈 따위): The price of the car is ~ in 12 monthly installments. 이 자동차의 대금은 12개월 할부로 지급해야 합니다. ② 이익이 되는, 유리한, 수지 맞는(사업 등). ③ 〖法〗 (어음·수표 등이) 지급 만기의: a bill ~ on demand 일람 출급 어음. ㊞ **-bly** [-bli] *ad.* 유리하게.

pay-as-you-earn [péiəzjuə́ːrn] *n.* Ⓤ 《英》 원천 과세(제도)(略: P.A.Y.E.).

pay-as-you-en·ter [ˊəzjuéntər] *n.* Ⓤ 입장·승차 때 요금을 내는 방식(略: P.A.Y.E.).

páy-as-you-gó plàn [ˊəzjugóu-] 현금 지급주의; (세금의) 원천 징수 (방식).

pay-as-you-see [ˊəzjusíː] *a.* (TV 가) 유료인.

pay·back [péibæ̀k] *n., a.* 환급(의); 원금 회수(의); 보복(의): ~ period (투자액의) 회수 기간.

pay-bed [ˊbèd] *n.* Ⓒ (병원의) 유료 침대.

pay·check [ˊtʃèk] *n.* Ⓒ 봉급 지급 수표, 급료.

páy clàim (조합의) 임금 인상 요구.

pay·day [ˊdèi] *n.* Ⓤ 〔종종 無冠詞로〕 지급일; 봉급날: It's ~ today. 오늘은 봉급날이다.

páy dìrt 《美》 ① 유망한 광맥. ② 《口》 횡재. ***hit ~*** 진귀한 것을[노다지를] 찾아 내다; 돈줄을 잡다.

pay·ee [peiíː] *n.* Ⓒ (어음·수표 따위의) 수취인.

páy ènvelope 《美》 봉급 봉투(《英》 pay packet); 봉급.

pay·er [péiər] *n.* Ⓒ 지급인.

pay·ing [péiiŋ] *a.* 지급하는, 유료의; 유리한, 수지 맞는: a ~ investment 채산이 맞는 투자.

páying guèst 《英》 (특히 단기간의) 하숙인.

pay·load [ˊlòud] *n.* ① 〖海·空〗 유효 하중(荷重)(수화물·승객·화물 따위의 총중량으로 직접 수익을 가져오는 하중). ② 〖宇宙·軍〗 유효 탑재량, 페이로드(로켓·우주선에 탑재된 승무원·계기류 따위; 그 하중); 미사일 탄두의 폭발력: ~ bay (우주선의) 페이로드를 실은 격실.

pay·mas·ter [ˊmæ̀stər, ˊmɑ̀ːs-] *n.* Ⓒ 회계 부[과]장, (급료) 지급 담당자; 〖軍〗 재무관; (종종 *pl.*) (나쁜 짓을 하는 일당의) 두목, 보스.

Páymaster Géneral (*pl.* ***Páymasters Gén-***) 《美》 (육해군의) 경리감; 《英》 재무성 지출 총감(略: Paym. Gen.).

‡pay·ment [péimənt] *n.* ① Ⓤ 지급, 납부, 납입. ② Ⓒ 지급 금액. ③ Ⓤ 변상(辨償), 변제, 상환.

④ Ⓤ 보수, 보상; 보복, 벌. ***in ~ for*** …의 지급〔대상(代償)〕에〔으로〕: enclose a check *in ~ for* 〔*of*〕 the bill 그 청구서의 지급 대금으로서 수표를 동봉하다. ***make*** ~ 지급하다, 납부하다. ~ ***arrangement*** 지급 협정. ~ ***by installment*** 분할불. ~ ***by result*** 능률급. ~ ***in advance*** 선급금. ~ ***in*** 〔***at***〕 ***full*** 전액 지급〔청산〕. ~ ***in kind*** 현물 지급. ~ ***in part*** 〔***on account***〕 내입(內入), 일부 지급. ***stop*** ~ 지급 불능〔파산〕 선언을 하다. ***suspend ~s*** 파산하다.

páyment bìll 〖商〗 지급 어음.

pay·off [péiɔ̀(:)f, -ɑ̀f] *n.* Ⓒ ① 급료 지급(일), 결제, 이익 분배(의 때); 《口》 이익, 이득; 《口》 증회, 뇌물: political ~*s* 정치 헌금 / make a ~ to a politician 정치가에게 뇌물을 바치다. ② 《口》 **a**) (일체의) 청산, 보복. **b**) (행위의) 결과; (사건 등의) 결말. ③ 《美口》 헌금, 뇌물.

pay·o·la [peióulə] *n.* Ⓤ (또는 a ~) 《口》 뇌물 《노래 따위를 선전해 주도록 disc jockey 등에게 쥐어 주는 돈》; 증회, 매수, 리베이트.

pay·out [-àut] *n.* Ⓤ 지급(금), 지출(금).

páy pàcket 《英》 =PAY ENVELOPE.

páy phòne 공중전화.

pay·roll [-ròul] *n.* Ⓒ 임금 대장; 종업원 명부. ***off the*** ~ 실직하여, 해고되어. ***on the*** ~ 고용되어.

páy slìp 급료 명세표.

páy stàtion 《美》 공중 전화 박스.

páy tèlephone 《美》 공중 전화.

Pb 〖化〗 plumbum 《L.》 (=lead). **P.B.** *Pharmacopoeia Britannica* 《L.》 (=British Pharmacopoeia); Plymouth Brothers 〔Brethren〕; Prayer Book; Primitive Baptist(s). **PBX, P.B.X.** private branch exchange(구내 전화). **PC** personal computer(개인용 컴퓨터). **P.C.** Peace Corps; 《英》 Police Constable; 《英》 Prince Consort; 《英》 Privy Council(-lor). **p.c.** percent; postcard. **PCB** polychlorinated biphenyl(폴리 염화 비페닐).

PC bòard [pí:sí:-] 인쇄 회로 프린트 배선 기판(基板). [◂*P*rinted *C*ircuit board]

PCM 〖電子〗 pulse code modulation(펄스 부호 변조).

PCM àudio [pì:sì:ém-] PCM 방식에 의해 음성 신호를 처리하는 일. [◂*p*ulse *c*ode *m*odulation audio]

P-code [pí:kòud] *n.* 〖컴〗 피 코드《원시 프로그램 코드를 실행 가능한 목적 코드로 만들기 위해 P코드 번역기를 써서 번역한 코드》.

PCS punch(ed) card system. **pcs.** pieces. **pct.** percent. **P.C.V.** 《美》 Peace Corps Volunteers(평화 봉사단). **Pd** 〖化〗 palladium. **pd.** paid; pond. **P.D.** 《美》 Police Department. **P.D., p.d.** *per diem* 《L.》 (=by the day).

PDQ, p.d.q. [pì:dì:kjú:] 《俗》 *ad.* 곧, 즉시: You'd better get started *PDQ.* 곧 출발하는 것이 좋겠다. [◂*p*retty *d*amn *q*uick]

PE 〖化〗 polyethylene. **P.E.** physical education.

‡**pea** [pi:] (*pl.* **~s,** 《古·英方》 **~se** [pi:z]) 〖植〗 *n.* Ⓤ.Ⓒ 완두(콩), 완두 비슷한 콩과 식물: shell ~*s* 완두콩의 꼬투리를 까다. ***(as) like*** 〔***alike***〕 ***as two ~s*** (***in a pod***) 흡사한, 꼭 닮은. ***split ~s*** (까서) 말린 완두콩《수프용》.

péa bràin 《美俗》 바보, 얼간이.

†**peace** [pi:s] *n.* ① Ⓤ (또는 a ~) 평화, 태평: *a* ~ advocate 평화론자 / (*a*) lasting ~ 항구적인 평화 / If you want ~, prepare for war. 《格言》 평화를 원한다면 전쟁에 대비하라. ② Ⓤ (흔히 the ~) 치안, 안녕: maintain public ~ 공안을 유지하다. ③ Ⓤ (또는 a ~) (종종 P-) 강화(조약); 화해, 화친: the *Peace* of Paris 파리 강화 조약 / ~ with honor (쌍방에 상처를 주지 않는) 명예로운 화해 / *a* ~ conference 평화 회의. ④ Ⓤ 평정, 평온, 안심: ~ of mind 〔soul, conscience〕 마음〔영혼, 양심〕의 평정〔편안함〕/ She's very good at keeping (the) ~ within the family. 그녀는 가족들 간에 평온을 유지하는데 능숙하다. ⑤ 정적, 침묵: the ~ of woods 숲의 고요함. ***at*** ~ (1) 평화롭게; 마음 편히: Her mind is *at* ~. 그녀의 마음은 편안하다. (2) 사이 좋게 《*with*》: We're *at* ~ *with* all the world. 우리 나라는 세계의 모든 나라와 사이 좋게 지내고 있다. (3) 《婉》 죽어서. ***a breach of the*** ~ 치안 방해. ***be sworn of the*** ~ 보안관으로 임명되다. ***hold*** 〔***keep***〕 ***one's*** ~ 잠자코 있다, 항의하지 않다. ***in*** ~ 편안히; 안심하여: Leave me *in* ~. 방해하지 말아다오. ***keep*** 〔***break, disturb***〕 ***the*** ~ 치안을 유지하다〔문란케 하다〕: The demonstrators were bound over to *keep the* ~. 시위 군중들은 안녕〔공안〕을 유지할 것을 다짐했다. ***let*** a person ***go in*** ~ 아무를 방면(放免)하다. ***make*** ~ 화해하다; 강화하다《*with*》: *make* a seperate ~ *with* …와 단독 강화 조약을 맺다. ***make one's*** ~ ***with*** …와 화해〔사화〕하다: He *made* his ~ *with* his father. 그는 아버지와 화해했다. ***Man of Peace*** 그리스도. ~ ***at any price*** (특히 영국 의회에서의) 절대 평화주의. ***smoke the pipe of*** ~ ⇨PIPE. ***the*** (***king's*** 〔***queen's***〕) ~ 《英》 치안.

— *a.* 〔限定的〕 평화의〔를 위한〕: ~ negotiation 평화 교섭 / a ~ treaty 강화 조약 / The *Peace* Movement 평화〔반전〕 운동.

***peace·a·ble** [pí:səbəl] *a.* 평화로운, 태평한, 평온한; 평화를 좋아하는, 얌전한, 온순한.

peace·break·er [pí:sbrèikər] *n.* Ⓒ 평화 파괴자; 치안 방해자.

Péace Còrps (the ~) 평화 봉사단.

‡**peace·ful** [pí:sfəl] (***more*** ~; ***most*** ~) *a.* ① 평화로운, 태평한; 평화적인; 평화를 애호하는《국민 따위》. opp. *warlike.* ¶ solution a ~ to the conflict 쟁의에 대한 평화적 해결. ② 평온한, 온화한; 조용한; 편안한; 온건한: a ~ demonstration 평온한 시위 / ~ landscape 고요한 풍경.

peace·keep·ing [-kì:piŋ] *n.* Ⓤ 평화 유지.
— *a.* 〔限定的〕 평화 유지의: ~ operations 평화 유지 활동《略: PKO》.

peace-lov·ing [-lʌ́viŋ] *a.* 〔限定的〕 평화를 사랑하는.

peace·mak·er [-mèikər] *n.* Ⓒ ① 조정자〔단〕, 중재인. ② 평화 조약 조인자.

peace·mak·ing [-mèikiŋ] *n.* Ⓤ 조정, 중재, 화해. — *a.* 〔限定的〕 조정〔중재〕하는, 화해하는.

peace·nik [pí:snik] *n.* Ⓒ 《俗》 반전 운동가.

péace òffering 화해〔화평〕의 선물.

péace òfficer 보안관; 경찰관.

péace pìpe =CALUMET.

peace·time [pí:stàim] *n.* Ⓤ 평시. — *a.* 〔限定的〕 평시의.

‡**peach**[1] [pi:tʃ] *n.* ① Ⓤ.Ⓒ 〖植〗 복숭아, 복숭아나무(~ tree). ② Ⓤ 복숭앗빛, 노란빛이 도는 핑크색. ③ (a ~) 《口》 훌륭한〔멋진〕 사람〔것〕, 예쁜 소녀: His wife is *an* absolute ~. 그의 아내는 정말 멋진 사람이다. — *a.* 복숭앗빛의.

peach[2] *vi.* 《俗》 밀고〔고발〕하다《*against*; *on*》.

peach·es-and-cream [pí:tʃizəndkrí:m] *a.* (얼굴이) 혈색이 좋고 매끄러운; 《俗》 근사한.

pea·chick [pí:tʃik] *n.* Ⓒ 새끼공작.

péach Mélba 피치멜바《시럽·복숭아를 얹은 아이스크림》.

péach trèe 복숭아나무.

peachy [pí:tʃi] (***peach·i·er***; ***-i·est***) *a.* 복숭아

같은 ; 복숭앗빛의《볼 따위》;《口》〔反語的〕 훌륭한, 멋진 ; 멋쟁이의.

‡**pea·cock** [píːkὰk / ⌐kɔ̀k] (*pl.* **~s,** 〔集合的〕 ~) *n.* Ⓒ ①〖鳥〗 공작《특히 수컷 ; 암컷은 peahen》, =PEAFOWL. ② (the P-)〖天〗 공작자리 (Pavo). ③ 겉치레꾼. (*as*) ***proud as a*** ~ 우쭐하여, 몹시 뽐내어. ***play the*** ~ 뽐내다, 으스대다. ── *vt.* 뽐내다, 허세〔허영〕부리다《*oneself*》; 성장(盛裝)하다. ── *vi.* 의기양양하게 걷다, 거만하게 굴다, 허세를 부리다.

㊞ **~·ery** *n.* Ⓤ 허세, 허영, 멋부림. **~·ish, ~-like** *a.* 공작새 같은, 허세부리는.

péacock blúe 광택 있는 청색(의).

pea·fowl [píːfàul] *n.* Ⓒ 공작《암수 모두》.

péa gréen 연둣빛, 연녹색.

pea·hen [píːhèn] *n.* Ⓒ 공작의 암컷.

péa jàcket (선원 등이 입는) 두꺼운 더블의 모직 상의.

‡**peak**[1] [piːk] *n.* Ⓒ ① (뾰족한) 끝, 첨단 : the ~ of a beard 수염의 끝 / the ~ of a roof 지붕의 꼭대기. ② (뾰족한) 산꼭대기, 봉우리 ; 고봉(孤峰) : a ~ of a mountain〔= a mountain ~〕 산 꼭대기 / It is one of the most difficult ~*s* to climb in the whole range. 전(全) 산맥 중에서 가장 등반하기 힘든 봉우리 중의 하나이다. ③ 절정, 최고점 : He was at the ~ of his popularity. 그는 인기의 절정에 있었다. ④ 돌출부 ; (군모 등의) 앞챙. ⑤〖海〗 종범(縱帆)의 상외단(上外端) ; 비낀 활대의 상외단 ; 이물〔고물〕의 좁고 뾰족한 부분. ⑥〖電·機〗 피크《급격한 부분적 증량의 최(最)상승점》: a voltage ~ 피크 전압. ⑦ 갑(岬), 곶. ⑧〖電〗 최대 부하(負荷). ── *a.* 〔限定的〕 최고의, 절정의, 피크의 : at a ~ period 피크 시에 / in ~ season 계절 중 가장 바쁜 때에. ── *vi.* 뾰족해지다, 우뚝 솟다 ; 최고점〔한도〕에 달하다, 절정이 되다.

peak[2] *vi.* 여위다, 살이 빠지다. ~ ***and pine*** (상사병 따위로) 수척해지다.

peaked[1] [piːkt, píːkid] *a.* 앞챙이 있는 ; 뾰족한, 봉우리를 이루는 : a ~ cap 헌팅 캡.

peak·ed[2] [píːkid] *a.* (병 따위로) 야윈, 수척한.

péak hòur (교통량·전력 소비 따위의) 피크시(時), (TV의) 골든아워.

péak lòad (발전소 따위의) 피크 부하(負荷), 절정(絶頂) 부하 ;〔一般的〕 일정 기간 내의 최대(수송·교통)량.

peaky[1] [píːki] (***peak·i·er*** ; ***-i·est***) *a.* 봉우리가 있는〔많은〕; 봉우리를 이룬 ; 봉우리 같은, 뾰족한.

peaky[2] (***peak·i·er*** ; ***-i·est***) *a.* 《口》 수척한 ; 병약한.

peal** [piːl] *n.* Ⓒ ① (종의) 울림 ; (천둥·포성 따위의) 울리는 소리 : a ~ of thunder 천둥 소리 / Her idea was met with ~*s* of laughter. 그녀의 착상은 폭소를 받았다. ② (음악적으로 음률을 맞춘) 한 벌의 종, 그 종의 주명악(奏鳴樂). ***in ~ (종소리가) 음률을 맞추어. ── *vt.* (종 따위)를 울리다《*out* ; *forth*》; (명성 따위)를 떨치다 ; (소문 따위)를 퍼뜨리다《*out*》: Wind ~*ed* the leaves. 바람에 나뭇잎이 살랑거렸다. ── *vi.* (종소리가) 울리다, 울려 퍼지다《*out*》: After their wedding the bells ~*ed out* from the tower. 그들의 결혼식이 끝난 후 종소리가 첨탑에서 울려퍼졌다.

***pea·nut** [píːnʌ̀t] *n.* ⒸⓊ ①〖植〗 땅콩, 낙화생. ②《俗》 하찮은 사람 ; (*pl.*) 하찮은 것 ; (*pl.*)《俗》 푼돈. ── *a.* 《俗》 하찮은.

péanut bùtter 땅콩 버터.

péanut gàllery 《美口》 (극장의) 제일 싼 자리.

péanut òil 땅콩 기름.

‡**pear** [pɛər] *n.* ⓊⒸ〖植〗 서양배 ; 서양배나무.

péar dròp 서양배 모양(으로 서양배 향내가 나는) 캔디.

†**pearl** [pəːrl] *n.* ① Ⓒ 진주 ; (*pl.*) 진주 목걸이 : a rope〔a double strand〕 of ~*s* 한〔두〕 줄로 꿴 이은 진주 목걸이. ② Ⓤ 진주층(層), 진주모(母) (mother-of-~), 자개 ; 진줏(조개)빛 (~ blue). ③ Ⓒ 귀중한 물건, 일품 ; 정화(精華), 전형(典型) : ~*s* of wisdom 현명한 충고, 금언(金言) / a ~ of beauty 미(美)의 전형 / The eye is the ~ of the face. 눈은 얼굴의 진주이다 / Patience is a ~ of great price. 인내는 최고의 보배이다. ④ Ⓒ 진주 비슷한 것《이슬·눈물·흰 이 따위》; (철·석탄 따위의) 작은 알맹이 ;〖印〗 펄형 활자《5포인트》: There were ~*s* of dew on the shiny leaves. 반짝이는 잎에는 진주 같은 이슬이 맺혀 있었다. ⑤〖醫〗 백내장. ***a cultured*** ~ 양식 진주. ***an artificial*** 〔***a false, an imitation***〕 ~ 모조(模造) 진주. ***cast*** 〔***throw***〕 **~*s before swine***〖聖〗 돼지에게 진주를 던지다《마태복음 Ⅶ: 6》.

── *a.* 〔限定的〕 ① 진주의〔로 만든〕; 진주를 박은. ② 진주색〔모양〕의. ③ 작은 알갱이의.

── *vt.* ① …을 진주로 장식하다, 진주를 박아넣다. ② (진주 모양의 작은 구슬을) …에 뿌리다《*with*》: the trees ~*ed with* evening dew 밤 이슬로 반짝이는 나무들. ③ 진주 모양〔빛깔〕이 되게 하다. ④ (보리 따위)를 대끼다, 정백(精白)하다.

── *vi.* ① 진주 모양〔빛〕같이 되다 ; 구슬이 되다 : The sweats ~*ed* on the face. 땀이 얼굴에 방울졌다. ② 진주를 캐다.

péarl bàrley 정맥(精麥).

péarl dìver 진주조개 캐는 잠수부.

péarl gráy 진주색.

péarl ònion 아주 작은 양파.

péarl òyster 진주조개.

péarl wédding 진주혼식《결혼 30 주년 기념》.

pearly [pə́ːrli] (***pearl·i·er*** ; ***-i·est***) *a.* 진주 같은〔모양의〕; 진주색의 ; 진주로 꾸민.

péarly gátes (종종 the P- G-) 《口》 진주의 문《천국의 12의 문 ; 요한 계시록 XXI : 21》.

péarly náutilus〖貝〗 앵무조개.

pear·main [pɛ́ərmein] *n.* Ⓒ 사과의 일종.

pear-shaped [pɛ́ərʃèipt] *a.* ① 서양배 모양의. ② (목소리가) 부드럽고 풍부한, 낭랑한.

Pear·son [píərsn] *n.* **Lester Bowles** ~ 피어슨《캐나다의 정치가 ; 1957년 노벨 평화상 수상 (1897-1972)》.

péar trèe 서양배나무.

‡**peas·ant** [pézənt] *n.* Ⓒ ① 농부, 소작농. ② 촌사람.

peas·ant·ry [pézəntri] *n.* Ⓤ ① (흔히 the ~) 〔集合的 ; 單·複數 취급〕 농민 ; 소작농(小作農), 소작인 계급 ; 농민〔소작인〕의 지위〔신분〕. ② 시골티, 무무함.

pease [piːz] (*pl.* ***péas·es***) *n.* Ⓒ《古·英方》 완두콩.

péase pùdding 《英》 콩가루 푸딩.

pea·shoot·er [píːʃùːtər] *n.* Ⓒ 콩알총《장난감》.

péa sòup (특히 말린) 완두 수프 ;《口》 =PEA-SOUPER.

pea-soup·er [píːsùːpər] *n.* Ⓒ 《英口》 황색의 짙은 안개.

peat [piːt] *n.* ① Ⓤ 토탄(土炭). ② Ⓒ 토탄 덩어리.

péat bóg 토탄 늪, 토탄지(土炭地).

peaty [píːti] (***peat·i·er*** ; ***-i·est***) *a.* 토탄질의 ; 토탄이 많은.

‡**peb·ble** [pébəl] *n.* ① Ⓒ (물의 작용으로 둥글게 된) 조약돌, 자갈. ② Ⓤ 수정 ; Ⓒ 수정으로 만든 렌즈 ; 두꺼운 안경렌즈. ③ 마노(瑪瑙). ④ Ⓤ (가죽 등의) 돌결 무늬, 돌결 무늬의 가죽(=⌐ **lèather**). ⑤ (영국의 대표적) 도자기의 일종. ***be not the only*** ~ ***on the beach*** 수많은 것 중의 하나에 불과하다, 달리 사람이 없는 것은 아니다《과시

할 것 없다). — *vt.* ① (가죽·종이)의 겉을 도톨도톨하게 하다. ②…에 조약돌을 던지다, 작은 돌로 치다; 자갈로 덮다, 자갈로 포장하다.

pébble dàsh 〖建〗 (외벽의 모르타르가 마르기 전에 하는) 잔돌붙임 마무리.

peb·bly [pébli] (*-bli·er* ; *-bli·est*) *a.* 자갈이 많은, 자갈투성이의.

PEC, p.e.c. photoelectric cell.

pe·can [pikǽn, -kɑ́:n, pí:kæn] *n.* Ⓒ 〖植〗 피칸《북아메리카산 호두나무의 일종》; 그 열매《식용》.

pec·ca·ble [pékəbəl] *a.* 죄를 범하기 쉬운; 잘못을 저지르기 쉬운.

pec·ca·dil·lo [pèkədílou] (*pl.* ~(*e*)*s*) *n.* Ⓒ 가벼운 죄, 조그마한 과오; 작은 결점.

pec·ca·ry [pékəri] (*pl.* *-ries,* 〔集合的〕 ~) *n.* Ⓒ 〖動〗 멧돼지류《열대 아메리카산》.

‡**peck**[1] [pek] *vt.* ①《~+목/+목+부》(부리로) …을 쪼다, 쪼아먹다, 주워먹다《*out* ; *off*》: ~ corn (*out*) 낟알을 쪼아먹다 / These birds ~ *off* all the red flowers. 이들 새들이 붉은 꽃을 모두 쪼아 먹는다. ② (구멍 따위)를 쪼아 파다《*in*》; (땅·벽 등)을 쪼아 부서뜨리다. ③《口》조금씩〔맛없다는 듯이〕 …을 먹다. ④《口》급히〔형식적으로〕 입을 맞추다: Elizabeth walked up to him and ~*ed* him on the cheek. 엘리자베스는 그에게로 다가가서 그의 뺨에 가볍게 키스를 했다. ⑤《+목+부》(피아노·타자기의 키 따위)를 두드리다《*out*》: She ~*ed out* the orders on the typewriter. 그녀는 타자기로 주문서를 쳤다. — *vi.* ① 쪼다《*at*》: The hens were ~*ing* (*away*) *at* the grain. 수탉들이 곡식 낟알을 쪼아먹고 있었다. ② (쪼아먹듯이) 조금씩 먹다《*at*》: The child was merely ~*ing at* his food. 어린이는 음식을 조금씩 먹고 있을 뿐이었다. ③ 흠을 잡다, 귀찮게 잔소리하다《*at*》; 달달 들볶다《*at*》: Stop ~*ing at* me, I'm doing the best I can. 제발 잔소리 좀 하지 말게. 나도 나름대로 최선을 다하고 있으니.
— *n.* Ⓒ ① 쪼기, 쪼아먹음: give a ~ 쪼아먹다. ② 쪼아서 생긴 구멍〔흠〕. ③《口》(내키지 않는) 가벼운 키스: He gave me a little ~ on the cheek. 그는 내 뺨에 달갑지 않은 키스를 했다. ④《俗》음식물, 먹이, 모이.

peck[2] *n.* ① Ⓒ 펙《영국에서는 9.092리터; 미국에서는 8.81리터》. ② Ⓒ 1펙 짜리 되. ③ (a ~) 많음《*of*》: *a* ~ *of* troubles 많은 귀찮은 일.

peck·er [pékər] *n.* ① Ⓒ 쪼는 새; 딱따구리 (woodpecker). ② Ⓒ 곡괭이류. ③ Ⓒ 코, 부리. ④ Ⓤ《英口》활기(活氣). ⑤ Ⓒ《俗》자지. ***Keep your ~ up.***《英口》기운을 잃지 마라.

péck·ing òrder [pékiŋ-] ① (새의) 쪼는 순위. ② (인간 사회의) 서열, 순서.

peck·ish [pékiʃ] *a.* ①《英》배가 좀 고픈. ②《美》성마른.

pec·tin [péktin] *n.* Ⓤ 〖生化〗 펙틴.

pec·to·ral [péktərəl] *a.* 〔限定的〕 ① 가슴의, 흉근(胸筋)의. ② 가슴에 다는. ③ 폐병의〔에 듣는〕.
— *n.* Ⓒ 가슴 장식《특히 유대 고위 성직자의》; 가슴받이; 폐병약〔요법〕; =PECTORAL CROSS; 〖動〗 가슴지느러미; 흉근(胸筋).

péctoral cróss (감독·주교 등의) 패용(佩用) 십자가.

péctoral fín 〖魚〗 가슴지느러미.

péctoral múscle 〖解〗 흉근(胸筋).

pec·u·late [pékjəlèit] *vt.* (공금·수탁금)을 써버리다; (수탁품)을 횡령하다.

pec·u·la·tion [pèkjəléiʃən] *n.* Ⓤ,Ⓒ 공금〔위탁금〕 횡령〔소비〕.

‡**pe·cu·liar** [pikjú:ljər] (*more* ~; *most* ~) *a.* ① 독특한, 고유의, 독자의, 특유한《*to*》: an expression ~ *to* Canadians 캐나다인 특유의 표현. ② 특별한; 두드러진: She has a ~ talent for lying. 그녀는 거짓말 하는 데 특별한 재능이 있다. ③ 기묘한, 괴상한, 색다른, 별난. ④《口》기분이 좋지 않은.

*__pe·cu·li·ar·i·ty__ [pikjù:liǽrəti] *n.* ① Ⓤ 특색, 특수성; 특권: national *peculiarities* 국민적 특색. ② Ⓒ 기묘〔이상〕한 점. ③ Ⓒ 버릇, 기습(奇習).

*__pe·cu·liar·ly__ [pikjú:ljərli] *ad.* ① 특(별)히. ② 개인적으로. ③ 기묘하게.

pe·cu·ni·ary [pikjú:nièri / -njəri] *a.* ① 금전(상)의, 재정상의: ~ embarrassment 재정 곤란 / for ~ advantage 금전상의 이익을 위해. ② 벌금을 물려야 할.

pecúniary advántage 〖法〗 (부정한) 금전상의 이익: She denies obtaining a ~ by deception. 그녀는 속임수를 써서 금전상의 이익을 얻는 것을 거절한다.

ped·a·gog·ic, -i·cal [pèdəgɑ́dʒik, -góudʒ-], [-əl] *a.* 교육학적인, 교육학상의; 교수법의.

ped·a·gogue, 《美》 **-gog** [pédəgɑ̀g, -gɔ̀:g] *n.* Ⓒ 교사, 교육자; 《蔑》 아는 체하는 사람, 현학자(衒學者). ㊊ **péd·a·gòg(u)·ism** [-izəm] *n.* Ⓤ 교사 기질, 선생인 체함; 현학(衒學).

ped·a·go·gy [pédəgòudʒi, -gɑ̀dʒi] *n.* Ⓤ 교육학, 교수법(pedagogics); 교육; 교직.

*__ped·al__ [pédl] *n.* Ⓒ ① 페달, 발판《자전거·재봉틀 따위의》. ② 〖樂〗 페달《피아노·오르간 따위의》; (파이프오르간의) 발로 밟는 건반. ③ 〖數〗 수족선〔면〕(垂足線〔面〕). — *a.* ① 페달의; 〖數〗 수족선의: a ~ curve 〔surface〕 수족〔페달〕 곡선〔면〕. ② 〖動·解〗 발의.
— (*-l-,* 《英》 *-ll-*) *vi.* 《~/+부/+전+명》 (자전거의) 페달을 밟다; 페달을 밟아서 가다: In the cities many people now ~ around on bicycles instead of polluting the environment by using cars. 오늘날, 도시의 많은 사람들이 차를 사용하여 환경을 오염시키는 대신 자전거를 타고 돌아다니고 있다. — *vt.* 《~+목/+목+부/+목+전+명》 …의 페달을 밟다; 페달을 밟아서 나아가게〔움직이게〕 하다: I ~*ed* my bicycle *up* (the hill). 자전거 페달을 밟아 (언덕을) 올라갔다.

pédal bòat =PEDA(L)LO.

ped·a(l)·lo [pédəlòu] (*pl.* ~(*e*)*s*) *n.* Ⓒ 수상 자전거《오락용의 페달 추진식 보트》.

pédal stéel (guitàr) 페달 스틸 기타《페달로 조현(調絃)을 바꾸는 방식의 전기식 스틸 기타》.

ped·ant [pédənt] *n.* Ⓒ ① 학자연하는 사람, 현학자. ② 공론가.

pe·dan·tic, -ti·cal [pidǽntik], [-əl] *a.* 아는 체하는, 학자연하는, 현학적인: His lecture was so *pedantic* and uninteresting. 그의 강의는 너무나 현학적이어서 지루하였다.

ped·ant·ry [pédəntri] *n.* ① Ⓤ 학자연함, 현학; 규칙·학설·선례 따위에 얽매임. ② Ⓒ 학자연하는 말〔행동〕.

ped·ate [pédeit] *a.* ① 〖動〗 발이 있는; 발 모양의. ② 〖植〗 새발 모양의《잎》.

ped·dle [pédl] *vt.* …을 행상하다; …을 소매하다; (생각·계획 등)을 강요하려 들다; …을 (지껄여) 퍼뜨리다《소문 등을》: The organization has ~*d* the myth that they are supporting the local population. 그 조직체는 자신들은 지방 주민들을 돕고 있다는 이야기를 퍼뜨렸다. — *vi.* 행상하다; 하찮은 일에 안달하다. ~ one'***s ass***《俗》매춘(賣春)하다. ~ one'***s papers***《美俗》자기의 일을 하다《★ 종종 명령형으로 "참견하지 말고 꺼져라"의 뜻으로 쓰임》.

***ped·dler** [pédlər] *n.* Ⓒ ① 행상인. ② 마약 밀매인.

ped·er·ast [pédəræ̀st, píːd-] *n.* Ⓒ 남색꾼, 계간자.

ped·es·tal** [pédəstl] *n.* Ⓒ ① (조상(彫像) 따위의) 주춧대, 대좌(臺座) ; 주각(柱脚), (플로어 램프·테이블 따위의) 다리. ② 근저, 기초(foundation). ③ (책상의) 보조 탁자. ***knock a person ***off*** his ~ 아무의 가면을 벗기다 ; 거만한 콧대를 꺾다, 존경받는 자리에서 끌어 내리다. ***set*** 〔***put, place***〕 a person ***upon*** 〔***on***〕 ***a*** ~ 아무를 받들어 모시다〔존경하다〕. ── (-*l*-, 《英》 -*ll*-) *vt.* …을 대(臺)에 올려놓다, …에 대를 붙이다 ; …을 받치다, 괴다.

pe·des·tri·an** [pədéstriən] (more*** ~ ; ***most*** ~) *a.* ① 도보의, 보행하는 ; 보행자(용)의. ② (문체 따위가) 저속한, 범속한, 산문적인, 단조로운 : I drove home contemplating my own more ~ lifestyle. 나는 자신의 비교적 단조로운 생활 양식을 생각하면서 집으로 차를 몰았다.

── *n.* Ⓒ ① 보행자 ; 도보 여행〔경주〕자 : The death rate for ~*s* hit by cars is unacceptably high. 차에 치인 보행자들의 사망률이 믿을 수 없을 정도로 높다. ② 잘 걷는 사람 ; 도보주의자.

pedéstrian cróssing 《英》 횡단 보도(《美》 crosswalk).

pedéstrian ìsland (보행자용) 안전 지대.

pedéstrian précinct 보행자 천국, 보행자 전용 도로 구역.

pe·di·at·ric [pìːdiǽtrik, pèd-] *a.* 소아과(의사)의.

pe·di·a·tri·cian, -at·rist [pìːdiətríʃən, pèd-], [-ǽtrist] *n.* Ⓒ 소아과 의사.

pe·di·at·rics [pìːdiǽtriks, pèd-] *n.* Ⓤ 소아과(학).

ped·i·cab [pédikæ̀b] *n.* Ⓒ (동남 아시아 등지의) 승객용 3륜 자전거〔택시〕.

ped·i·cel, -cle [pédəsèl, -səl], [pédikəl] *n.* Ⓒ ① 〖植〗 작은 꽃자루, 소화경(小花梗). ② 〖動〗 육경(肉莖).

ped·i·cure [pédikjùər] *n.* ① Ⓤ 발 치료《티눈·물집·까치눈 따위의》 ; Ⓒ 발 치료 의사(chiropodist). ② Ⓤ 페디큐어《발톱 가꾸기》.

ped·i·gree [pédəgrìː] *n.* ① Ⓒ 계도(系圖) ; (순종 가축의) 혈통표 : (가축의) 종(種), 순종. ② Ⓤ 가계(家系), 계통, 혈통 ; 가문, 문벌 ; 명문, 족보. ③ Ⓤ (언어의) 유래, 어원. ④ Ⓒ 《美》 (사람의)경력 ; (일의) 유래, 배경 ; 전과 경력. ── *a.* 〔限定的〕 혈통이 분명한 : ~ cattle 순종의 소.

ped·i·ment [pédəmənt] *n.* Ⓒ ① 〖建〗 박공(벽). ② 〖地質〗 산기슭의 완사면(緩斜面).

***ped·lar, -ler** [pédlər] *n.* = PEDDLER.

pe·dom·e·ter [pidámitər / -dɔ́m-] *n.* Ⓒ 보수계(步數計), 보도계(步度計).

pe·dun·cle [pidʌ́ŋkəl] *n.* Ⓒ ① 〖植〗 꽃자루, 화경(花梗). ② 〖動〗 육경(肉莖).

pee[1] [piː] *vi.* 《口》 쉬하다, 오줌누다. ── *vt.* …을 오줌으로 적시다 ; 〔再歸用法〕 오줌을 지리다. ***Don't*** ~ 〔***piss, shit***〕 ***in your pants.*** 《口》 침착해라, 걱정하지 마라. ~ ***in the same pot*** 《俗》 같은 생활 기반을 가지고 있다 ; 같은 사업에 참여하고 있다. ~ one***'s pants*** 《俗》 바지에 오줌을 지릴 정도로 웃다.

── *n.* Ⓤ,Ⓒ 오줌(piss) : go for 〔have ; take〕 a ~ 오줌을 누(러 가)다 / The driver was probably having a ~. 운전자는 필시 오줌을 누고 있었다.

pee[2] *n.* Ⓒ 《英口》 (통화 단위의) 페니, 피.

peek [piːk] *vi.* 살짝 들여다보다, 엿보다(peep) 《*at* ; *in* ; *out*》 ; 《競馬俗》 3위로 들어오다 : She had ~*ed at* him through a crack in the wall. 그녀는 벽틈으로 그를 엿보았다.

── *n.* (a ~) ① 엿봄 ; 흘끗 봄 ; 《競馬俗》 3위 : steal *a* ~ (틈으로) 살짝 엿보다. ② 〖컴〗 집어내기《번지의 자료를 읽어 냄》.

peek·a·boo [píːkəbùː] *n.* = BO-PEEP. ── *a.* 드레스의 가슴이나 겨드랑이에 구멍을 뚫은 ; 얇고 투명한 천으로 만든.

‡peel [piːl] *n.* Ⓤ (과일의) 껍질, (어린 가지의) 나무껍질. ***candied*** ~ (오렌지 따위의) 설탕 절임한 과일 껍질. ── *vt.* ① 《~+目/+目+目/+目+前+名》 (과일 등)의 껍질을 벗기다 ; (…의 껍질·깍지·칠 등)을 벗기다, 벗겨내다《*off* ; *from*》 : ~ a banana 바나나 껍질을 벗기다 / ~ *away*〔*off*〕 the outer layers of an onion 양파의 껍질을 벗기다 / ~ the veneer of pretence *off* of a person 아무의 가식(假飾)을 벗기다. ② 《口》 (옷)을 벗다, 벗기다《*off*》. ── *vi.* ① 《~/+副》 (껍질·피부 따위가) 벗어지다 ; (과일 따위가) 껍질이 벗겨지다 ; (페인트·벽지 따위가) 벗겨지다《*off*》 : He got sunburned and his skin ~*ed*. 그는 햇빛에 타서 피부가 벗겨졌다. ② (뱀 따위가) 허물을 벗다 ; 《口》 옷을 벗다(undress)《*off*》. ③ 《口》 그룹을 떠나다. ***keep*** one***'s eyes*** ~***ed*** 방심 않고 경계하다 ; 정신 차리다, 유념하다《*for*》 : When you're shopping, *keep your eyes* ~*ed*〔*open, skinned*〕 *for* something we can give John as a birthday present. 쇼핑할 때 존에게 생일 선물로 줄 수 있는 물건에 대해서도 유념하게. ~ ***it*** 《美俗》 전속력으로 달리다. ~ ***off*** (1) (표면 등이) 벗겨지다 ; (껍질을) 벗기다, 깎다. (2) 《口》 옷을 벗다. (3) 〖空〗 (급강하 폭격 또는 착륙을 위해) 편대를 벗어나다 ; 〔一般的〕 집단에서 떠나다. ~ ***out*** 《美俗》 타이어 자국이 날 정도의 속력으로 달려나가다 ; (인사도 없이) 갑자기 가버리다〔떨어지다〕. ~ ***rubber*** 〔***tires***〕 《美俗》 = ~ out.

peel·er[1] [píːlər] *n.* Ⓒ ① 껍질 벗기는 사람〔기구〕. ② 《美》 허물 벗을 무렵의 게〔새우〕. ③ 《口》 활동가(hustler), 수완가.

peel·er[2] *n.* Ⓒ ① 《英古俗》 경찰관, 순경. ② 〖英史〗 아일랜드의 경찰관.

peel·ing [píːliŋ] *n.* ① Ⓤ 껍질벗기기. ② (*pl.*) 벗긴 껍질《특히 감자 따위의》.

‡peep[1] [piːp] *vi.* ① 《~/+前+名》 엿보다, 슬쩍 들여다보다《*at* ; *through* ; *into* ; *out of* ; *over*》 : Children came to ~ *at* him round the doorway. 아이들이 그를 엿보기 위해 문간 주위로 몰려왔다 / ~ *through* a keyhole 〔hedge〕 열쇠 구멍으로〔담에서〕 엿보다 / ~ *into* the room 방안을 엿보다. ② 《~/+副》 (성질 따위가) 모르는 사이에 나타나다, (본바탕 따위가) 뜻밖에 드러나다《*out*》 ; (화초·해 따위가) 피기〔나기〕 시작하다 : His insincerity ~*s out* so often. 그의 불성실함이 아주 자주 나타난다. ── *n.* ① (a ~) 엿보기, 슬쩍 들여다보기 ; 흘끗 보기(glimpse). ② Ⓤ (아침해 따위가) 보이기 시작함, 출현. ③ Ⓒ 엿보는 구멍. ④ Ⓒ 《美軍俗》 지프차(jeep). (***at***) ***the*** ~ ***of day*** 〔***dawn, the morning***〕 날샐녘(에), 새벽(에). ***have*** 〔***get, take***〕 ***a*** ~ ***at*** …을 슬쩍 들여다보다 : *get a* ~ *of* the sea through the trees 나무 사이로 바다가 보이다 / *Take*〔*Have*〕 *a* ~ *at* what it says in this letter. 편지에 무엇이라 했는지 빨리 보라.

peep[2] *n.* ① Ⓒ 삐악삐악, 찍찍《병아리·쥐 따위의 울음 소리》. ② (a ~) 〔흔히 否定文에서〕 작은 소리 ; 잔소리 ; 우는 소리, 불평 : *No* one has raised *a* ~ about this dreadful behavior. 이 끔찍한 행동에 어느 누구도 소리 하나 지르지 않았다. ③ (a ~) 소식. ④ Ⓒ 《口·兒》 뛰뛰, 빵빵《자동차가 울리는 소리》. ── *vi.* 삐악삐악 울다 ; 작은

소리로 말하다.
pee-pee [pí:pì:] *n.* ＝PEE[1].
peep·er[1] [pí:pər] *n.* Ⓒ ① 들여다보는 사람, 《특히》 몰래 들여다보는 치한; 캐기 좋아하는 사람; 《美俗》 사립 탐정. ② (흔히 *pl.*) 《俗》 눈; 안경, 《美俗》 선글라스; 《口》 거울; 소형 망원경.
peep·er[2] *n.* Ⓒ ① 삐악삐악[찍찍] 우는 새[동물]. ② 《美》 청개구리.
peep·hole [pí:phòul] *n.* Ⓒ 들여다보는 구멍.
Péep·ing Tóm [pí:piŋ-] (종종 p- T-) 엿보기 좋아하는 호색가; 캐기 좋아하는 사람.
péep shòw ① 들여다보는 구경거리, 요지경. ② 《俗》 스트립 쇼.
peer**[1] [piər] *n.* Ⓒ ① 동료, 동등[대등]한 사람《사회적·법적으로》, 지위가 같은 사람; 《古》 한패: a jury of one's *~s* 자기와 동등한 지위의 배심원. ② (*fem.* ***~·ess [píəris]) 《英》 귀족《duke, marquis, earl, viscount, baron》; 상원 의원. ***a ~ of the Realm*** [***the United Kingdom***] 성년이 되면 영국 상원에 의석을 갖는 세습 귀족. ***without a ~*** 비길 데 없는.
***peer**[2] *vi.* ① 《~/+전+명》 자세히 보다, 응시하다《*into*; *at*》. ② 《~/+부》 보이기 시작하다, 힐끗 보이다《*out*》: A waterfall *~ed out* from among the trees. 나무들 사이로 폭포가 보이기 시작했다 / The moon *~ed* over the hill. 달이 산 위로 나타나기 시작했다.
peer·age [píəridʒ] *n.* ① (the ~) [集合的] 귀족; 귀족 계급[사회]. ② Ⓤ 귀족의 작위. ③ Ⓒ 귀족 명감(名鑑).
peer·ess [píəris] *n.* Ⓒ 귀족 부인(夫人), 여귀족, 부인(婦人) 귀족.
péer gròup 〖社〗 동류(同類)[또래] 집단.
***peer·less** [píərlis] *a.* 비할 데 없는, 무쌍한.
peeve [pi:v] *vt.* 《口》 …을 애태우다, 안타깝게 하다, 성나게 하다. ── *n.* Ⓒ 애태움, 애탐; 노염; 초조(하게 하는 것); 울화(가 치밀게 하는 일); 불평, 불만.
pee·vish [pí:viʃ] *a.* 성마른, 안달하는, 역정내는; 투정부리는, 까다로운, 언짢은《몸짓·말 따위》.
pee·wee [pí:wì:] *n.* Ⓒ 《美口》 유난히 작은 사람[것].
pee·wit [pí:wit] *n.* ＝PEWIT.
Peg [peg] *n.* 페그《여자 이름; Margaret의 애칭》.
‡**peg** *n.* ① Ⓒ 나무[대]못, 쐐기; 말뚝; 걸이못; (나무) 마개; (현악기의 현을 조절하는) 줄감개; 천막용 말뚝; 《英》 빨래 집게; 하켄《등산용》. ② Ⓒ 《比》 이유, 변명, 구실. ③ Ⓒ 《口》 발; (목제의) 의족(義足)(을 단 사람). ④ (*pl.*) 《美俗》 바지. ⑤ Ⓒ 《口》 〖副詞的으로 쓰여〗 (평가의) 등급, 등(等): Our opinion of him went up *a ~ or two* after he passed the exam. 그가 시험에 합격한 후에는 그에 대한 우리의 견해가 다소 높아졌다. ⑥ Ⓒ 《英》 음료, 《특히》 독한 알코올 음료. ⑦ Ⓒ 〖野〗 송구. ***a ~ to hang*** (a discourse [sermon, claim]) ***on*** (논의[설교, 요구])를 할 계기[구실]. ***a round ~ in a square hole***＝***a square ~ in a round hole*** ⇨ HOLE. ***buy*** (clothes) ***off the ~*** 《英》 기성복을 사다. ***come down a ~*** (***or two***) 《口》 (다소) 코가 납작해지다, 면목을 잃다, 겸손해지다. ***take*** [***bring, let***] a person ***down a ~*** (***or two***) 《口》 아무의 콧대를 꺾다, 체면을 잃게 하다.
── (***-gg-***) *vt.* ① …에 나무못[말뚝]을 박다. ② 나무못[말뚝]으로 죄다[고정시키다]; 《英》 (세탁물)을 빨래집게로 빨랫줄에 고정시키다《*down*; *in*; *out*; *up*》: I'll ~ *out* the clothes before I go to work. 출근하기 전에 세탁물을 건조대에 고정시켜야겠다. ③ 〖證〗 (시세 변동)을 억제하다; 〖財政〗 (통화·물가)를 안정시키다《*down*; *at*》. ④ (경계)를 못[말뚝]으로 표를 하다. ⑤ (개)에게 사냥감의 위치를 지시하다; 《口》 (돌 따위)를 던지다; 〖野〗 (공)을 던지다《*to*; *at*》. ⑥ (신문 기사)를 쓰다, 게재하다《*on*》. ⑦ 《俗》 …을 어림잡다, 판단하다《*as*》: They *~ged* him *as* a red pest. 그들은 그를 정말 골칫거리로 생각하였다.
── *vi.* ① 《+전+명》 치며 덤비다; 《口》 겨누다《*at*》: She *~ged at* John with her umbrella. 그녀는 양산끝을 존에게 들이댔다. ② 《+부/+전+명》 열심히 일하다《*away*; *along*; *at*》; 활동하다《*at*; *on*; *away*》; 활발히 움직이다《*down*; *along*》: He has been *~ging away at* the task for months. 그는 몇 개월 동안 그 일에 몰두하고 있다. ③ 《口》 〖野〗 공을 던지다. ④ 《俗》 죽다, 파멸하다《*out*》.
~ down (1) (텐트를) 고정시키다: *~ down* a tent. (2) (규칙·약속 등에) 묶어놓다《*to*》: They are trying to ~ us *down to* the new trade restriction. 우리를 새로운 무역규정에 묶어 놓으려 하고 있다. (3) (물가 등을) 낮게 억제하다. ***~ out*** (1) 《口》 (물건·사람의 힘이) 다하다; 《英口》 쓰러지다, 죽다: Did you know that the old man next door finally *~ged out*? 옆집 노인이 끝내 죽은 사실을 자네는 아는가. (2) (말뚝으로) 경계를 명백히 하다. (3) (세탁물 따위를) 빨래집게로 고정시키다.
Peg·a·sus [pégəsəs] *n.* ① 〖그神〗 날개 달린 말《시신(詩神) 뮤즈의 말》; 〖天〗 페가수스자리. ② Ⓤ 시흥(詩興), 시재(詩才). ③ Ⓤ 《美》 〖宇宙〗 유성진(流星塵) 관측용 과학 위성.
peg·board [pégbɔ̀:rd] *n.* Ⓒ 나무못 말판《일종의 놀이도구; 못을 꽂을 수 있게 구멍이 뚫림》.
Peg·gy [pégi] *n.* 페기《여자 이름; Margaret의 애칭》.
pég lèg 《口》 나무 의족(을 한 사람).
pég tòp ① 서양배(pear) 모양의 나무 팽이. ② (*pl.*) (위는 넓고 밑은 좁은) 팽이 모양의 바지[스커트](＝**pég-tòp tróusers** [**skírt**]).
peg-top, peg-topped [pégtàp/-tɔ̀p], [-t] *a.* 위가 넓고 아래가 좁은 팽이 모양의.
P.E.I. Prince Edward Island.
pe·jo·ra·tive [pidʒɔ́rətiv, -dʒɔ́:r-, pédʒə-, pí:dʒə-] *a.* 가치를 떨어뜨리는; 퇴화적인; 경멸[멸시]적인. ── *n.* Ⓒ 경멸어(의 접미사).
peke [pi:k] *n.* Ⓒ 《口》 (종종 P-) 발바리 (Pekingese).
Pe·kin·ese [pì:kiní:z, -s] *a., n.* (*pl.* ~) ＝PEKINGESE.
***Pe·king, Bei·jing** [pí:kíŋ], [béidʒíŋ] *n.* 베이징(北京)《중국의 수도》.
Pe·king·ese [pì:kiŋí:z, -s] *a.* 베이징(인)의. ── (*pl.* ~) *n.* ① Ⓒ 베이징인; Ⓤ 베이징어. ② Ⓒ 발바리(peke).
Péking mán 〖人類〗 베이징 원인(北京原人) (Sinanthropus).
pe·koe [pí:kou] *n.* Ⓤ 고급 홍차.
pe·lag·ic [pəlǽdʒik] *a.* 대양의, 외양[원양]의; 외양[원양]에서 사는.
pel·ar·go·ni·um [pèlɑ:rgóuniəm, -lərg-] *n.* Ⓒ 〖植〗 양아욱속(屬)의 식물《속칭: 제라늄》.
pelf [pelf] *n.* Ⓤ 《蔑·戲》 금전, (부정한) 재산.
***pel·i·can** [pélikən] *n.* Ⓒ ① 〖鳥〗 펠리컨, 사다새. ② 《英》 ＝PELICAN CROSSING. ③ (종종 P-) 《美俗》 루이지애나 주(州) 사람; 잘 빈정거리는 여자; 대식가(大食家).
pélican cròssing 《英》 누름 단추 신호식의 횡단 보도. [◂*pe*destrian *li*ght *con*trolled *crossing*]
pe·lisse [pəlí:s] *n.* Ⓒ 《F.》 ① 여성용의 긴 외투

《특히 모피가 달린》. ② 어린아이의 실외복. ③ 털로 안을 댄 (용기병(龍騎兵)의) 외투.

pel·la·gra [pəléigrə, -lǽg-] *n.* Ⓤ 〖醫〗 펠라그라 《니코틴산(酸) 결핍에 의한 피부, 소화기·신경 따위의 질환》.

pel·let [pélit] *n.* Ⓒ ① (종이·빵·초 등의) 둥글게 뭉친 것; 돌멩이《투석용(投石用)》. ② 작은 총알, (공기총 따위의) 탄알, 산탄; 작은 알약. ③ (야구·골프 따위의) 공.

pell-mell [pélmél] *ad., a.* 난잡하게〔한〕, 엉망진창으로〔인〕, 무턱대고 (하는); 황급히 (하는); 저돌적으로 (하는). ── *n.* (a ~) 엉망진창, 뒤범벅; 혼잡, 난잡; 난투(melee).

pel·lu·cid [pəlú:sid] *a.* 투명한, 맑은; 명료한, 명백한《설명·표현 따위》; (두뇌가) 명석한.

pel·met [pélmit] *n.* Ⓒ (커튼의) 금속부품 덮개.

Pel·o·pon·ne·sus, -sos [pèləpəní:səs], **-nese** [-ní:z, -s] *n.* (the ~) 펠로폰네소스 반도《그리스 남쪽의 반도》.

pe·lo·ta [pəlóutə] *n.* =JAI ALAI.

pelt**[1] [pelt] *vt.* 《~+목/+목+전+명》 …을 내던지다《*with*》; 연타(連打)하다, 세차게 때리다; 공격하다《*with*》; 《比》 (질문·악담 등)을 퍼붓다 《*with*》: The children ~*ed* their teacher *with* questions. 어린 학생들은 선생에게 질문을 퍼부었다. ── *vi.* (1) 《~/+부/+전+명》 돌 등을 내던지다《*at*》; (비 따위가) 억수같이 퍼붓다《*down*》; 《稀》 욕을 퍼붓다: The rain came ~*ing down.* 비가 세차게 퍼부었다. (2) 질주하다, 돌진하다 《*down*》: Without thinking, she ~*ed down* the stairs in her nightgown. 그녀는 잠옷 바람으로 생각없이 계단을 달려내려갔다. ── *n.* ① Ⓤ 투척; Ⓒ 강타, 연타; 난사; 억수같이 쏟아짐; 질주, 급속도, 속력(speed). ② Ⓤ 격노. (at***) ***full*** ~ 전속력으로.

pelt[2] *n.* Ⓤ,Ⓒ ① (양·염소 따위의) 생가죽, 모피. ② 가죽옷. ③ 《戱》 (털 많은 사람의) 피부(skin).

pelt·er [péltər] *n.* ① Ⓒ 내던지는 사람〔물건〕. ② Ⓒ 《戱》 총, 권총. ③ Ⓤ 《口》 호우; 격노. ④ Ⓒ 《美》 걸음이 빠른 말; 짐말. ***in a*** ~ 격(앙)하여; 급하게.

pelt·ry [péltri] *n.* ① Ⓤ 〔集合的〕 생가죽, 모피류. ② Ⓒ (한 장의) 모피.

pel·vic [pélvik] *a.* 〔限定的〕 〖解〗 골반(pelvis)의. ── *n.* Ⓒ 골반; 배지느러미.

pel·vis [pélvis] (*pl.* ~**·es, -ves** [-vi:z]) *n.* Ⓒ 〖解〗 골반; 골반 구조.

pem·(m)i·can [pémikən] *n.* Ⓤ 페미컨《말린 쇠고기에 지방·과일을 섞어 굳힌 인디언의 휴대식품》; 비상용·휴대용 보존 식품.

†**pen**[1] [pen] *n.* ① Ⓒ 펜촉(nib); 펜《펜촉과 펜대》; 만년필; 깃촉 펜(quill); 볼펜: write with ~ and ink 펜으로〔잉크로〕 쓰다《대구(對句)로 無冠詞》. ② Ⓤ (저작 용구로서의) 펜; 필력. ③ Ⓒ (흔히 *sing.*) 문체: a fluent ~ 유려한 문체. ④ Ⓒ 작가, 문사; (the ~) 문필업: *the* best ~*s* of the day 당대 일류의 문인들. ⑤ Ⓒ 《古》 깃대; (*pl.*) 날개. ***a knight of the*** ~ 《戱》 문사(文士). ***dip one's*** ~ ***in gall*** 독필(毒筆)을 휘두르다. ***wield one's*** ~ 달필을 휘두르다. ── (**-nn-**) *vt.* (편지 따위)를 쓰다; (시·문장)을 쓰다; 짓다.

‡**pen**[2] *n.* Ⓒ ① 우리, 어리, 축사; 〔集合的〕 우리 안의 동물; 작은 우리; =PLAYPEN. ② (식료품 따위의) 저장실. ③ (서인도 제도의) 농장, 농원. ④ 잠수함 수리독〔대피소〕; 〖野〗 불펜(bull pen). ── (*p., pp.* ***penned, pent*** ; ***pen·ning***) *vt.* …을 우리〔어리〕에 넣다; 가두다, 감금하다.

pen[3] *n.* Ⓒ 《美俗》 교도소(penitentiary).

pen[4] *n.* Ⓤ 백조의 암컷. OPP *cob*[1].

Pen., pen. peninsula; penitent; penitentiary. **P.E.N.** (International Association of) Poets, Playwrights, Editors, Essayists and Novelists (국제 펜클럽).

pe·nal [pí:nəl] *a.* 〔限定的〕 ① 형(刑)의, 형벌의; 형법상의, 형사상의. ② 형벌의 대상으로 되는. ③ 가혹한: ~ taxation (형벌처럼) 가혹한 세금.

pe·nal·ize [pí:nəlàiz, pén-] *vt.* ① 〖法〗 …을 벌하다; 형을 과하다, …에게 유죄를 선고하다: The judge ~*d* the speeder. 판사는 그 속도 위반자를 처벌했다. ② 불리하게 하다, 궁지에 몰아넣다: It's unfair to ~ women. 여성을 불리한 입장에 두는 것은 불공평하다. ③ 〖競〗 (반칙자)에게 벌칙을 적용하다: The referee ~*d* Dave for a bad tackle. 주심은 심한 태클에 반칙을 적용하여 데이브에게 페널티를 과했다.

‡**pen·al·ty** [pénəlti] *n.* Ⓤ,Ⓒ ① 형, 형벌, 처벌 《*for*》: The ~ *for* disobeying the law was death. 그 법률 위반에 대한 형벌은 사형이었다. ② 벌금, 과료(科料), 위약금. ③ 벌, 인과 응보, 천벌, 재앙: pay the ~ of one's foolishness 우행(愚行)의 응보를 받다. ④ 〖競〗 반칙의 벌, 페널티; 〖카드놀이〗 벌점. ⑤ 불리한 조건, (전번 승자에게 주는) 핸디캡: the *penalties* of fame 명성에 따르는 불편. ***on*** 〔***under***〕 ~ ***of*** (위반하면) …의 벌을 받는 조건으로. ***pay the*** ~ ***of*** 벌금을 물다, …의 벌〔보복〕을 받다: Currently, ticket holders *pay a* 〔*the*〕 ~ equal to 25% *of* the ticket price when they change their flight plans. 최근에는 탑승권 소지자가 자기의 비행여행계획을 바꿀 경우 탑승권 가격의 25%에 상당하는 벌금을 물게 된다.

pénalty àrea 〖蹴〗 페널티에어리어.

pénalty bòx 〖아이스하키〗 페널티박스.

pénalty clàuse 〖商〗 (계약상의) 위약 조항.

pénalty kìck 〖蹴·럭비〗 페널티킥.

pénalty shòt 〖아이스하키〗 페널티 샷〔숏〕.

pen·ance** [pénəns] *n.* ① Ⓤ 참회, 회개; 회오의 행위, 속죄; 고행: The Koran recommends fasting as a ~ before pilgrimages. 코란은 순례의 길에 오르기 전에 고행(苦行)으로서 단식할 것을 권고하고 있다. ② Ⓤ 〖가톨릭〗 고해 성사. ③ Ⓒ 힘드는 일; 고통스러운 일. ***do ~ ***for*** 속죄하다: They are *doing* ~ *for* their sins. 그들은 자신들의 죄를 속죄하고 있는 중이다. ***in*** ~ ***of*** ***one's sins*** 자기의 죄를 회개하여.

pen-and-ink [pénəndíŋk] *a.* 〔限定的〕 펜으로 쓴, 필사(筆寫)한: a ~ drawing 펜화(畫).

‡**pence** [pens] PENNY 의 복수.

pen·chant [péntʃənt] *n.* Ⓒ 《F.》 (흔히 a ~) 경향(inclination); 취미, 기호(liking)《*for*》.

†**pen·cil** [pénsəl] *n.* Ⓒ ① 연필《석필도 포함》, 샤프펜슬(mechanical ~). ② 연필 모양의 것; (막대기 꼴의) 눈썹먹, 입술 연지; (의료용의) 질산은 막대. ③ 《古》 화필. ④ 〖光〗 광선속(光線束), 광속(光束); 〖數〗 속(束), 묶음.
── (**-l-,** 《英》 **-ll-**) *vt.* ① …을 연필로 쓰다〔그리다, 표를 하다〕. ② …을 눈썹먹으로 그리다. ③ 《比》 …에 새기다. ~ ***in*** 일단 예정에 넣어두다: She ~*ed in* April 23 for the meeting. 그녀는 4월 23일을 회합의 날로 예정하고 적어 두었다.

péncil càse (연)필통.

péncil pùsher 《蔑》 필기를 업으로 하는 사람.

péncil shàrpener 연필깎개.

péncil shòver 《俗》 =PENCIL PUSHER.

péncil skètch 연필화.

P.E.N. Clùb [pén-] =P.E.N.

***pend·ant** [péndənt] *n.* Ⓒ ① 늘어져 있는 물건,

펜던트, 늘어뜨린 장식《목걸이·귀고리 따위》; 〖建〗 달대공(臺工), 천장에 매단 모양의 장식; 회중 시계의 용두 고리. ② 부록, 부속물; (그림 따위의) 한쌍의 한쪽《*to*》; 매다는 램프, 샹들리에; 〖海〗 짧은 밧줄; 〖英海軍〗 삼각기(三角旗).

pend·ent [péndənt] *a.* ① 매달린, 늘어진; (절벽 따위의) 쑥 내민. ② 미결의, 미정의. ③ 〖文法〗 불완전 구문의; (분사가) 현수적(懸垂的)인.

*__pend·ing__ [péndiŋ] *a.* ① 미정(미결)의, 심리 중의; 계쟁 중의: Patent ~ 특허 출원중 / ~ questions 현안의 제문제. ② 절박한: ~ dangers 절박한 위험.
— *prep.* …중, …의 사이; (…할) 때까지는: ~ the negotiations 교섭중 / Flights were suspended ~ (a) investigation of the crash. 비행은 추락사고의 조사 중에는 중지되었다.

pénding tRày 미결 서류함.

pen·du·lous [péndʒələs] *a.* 매달린; 흔들리는, 흔들흔들하는; 《稀》 (마음이) 갈팡질팡하는.

*__pen·du·lum__ [péndʒələm, -də-] *n.* Ⓒ ① (시계 따위의) 진자, 흔들리는 추. ② 매다는 램프, 샹들리에. ③ 마음을 잡지 못하는 사람, 몹시 흔들리는 물건. ***the swing of the*** ~ 진자의 흔들림; 《比》 (인심·여론 따위의) 격변, (정당 따위의) 세력의 성쇠.

Pe·nel·o·pe [pənéləpi] *n.* ① 페넬로피《여자 이름; 애칭 Pen, Penny》. ② 〖그神〗 페넬로페《Odysseus 의 아내》; 정숙한 아내(여자).

pen·e·tra·ble [pénətrəbəl] *a.* 침입(침투, 관입, 관통)할 수 있는《*to*》; 간파(통찰)할 수 있는.

‡**pen·e·trate** [pénətrèit] *vt.* ① …을 꿰뚫다, 관통하다, 침입하다: The arrow ~*d* the warrior's chest. 화살은 전사의 가슴을 꿰뚫었다. ② (빛·목소리 따위가) …을 통과하다, 지나가다. ③ …에 스며들다; …에 침투하다: The rain ~*d* his thick coat. 빗물이 그의 두꺼운 코트에 스며들었다. ④ 《+목+전+명》 (흔히 受動으로) (—로) …을 깊이 감동시키다, …에게 깊은 감명을 주다; 《文語》 …을 (—로) 꽉 채우다《*with*》: *be* ~*d with* respect 존경하는 마음으로 꽉 차다. ⑤ (어둠)을 꿰뚫어 보다; (남의 마음·진의·진상·위장 따위)를 간파하다, 통찰하다: It's hard to ~ her mind. 그녀의 마음을 간파하기란 어렵다. ⑥ 〖컴〗 (컴퓨터)에 부당한 정보를 넣다. — *vi.* ① 《~/+전+명》 통과하다, 꿰뚫다, 침투하다, (…에) 스며들다, (…에) 퍼지다(permeate); 간파하다, 이해하다, 통찰하다《*into; through*》: He could not ~ *into* its secret. 그 비밀을 알아낼 수 없었다. ② 목소리가 잘 들리다. ③ 아무의 마음을 깊이 감동시키다, 아무를 감명시키다: His words of encouragement have ~*d* deeply enough to make me work still harder. 그의 격려의 말에 깊이 감동되어 더 한층 열심히 공부하게 되었다.

*__pen·e·trat·ing__ [pénətrèitiŋ] *a.* ① 꿰뚫는, 관통하는. ② 통찰력이 있는, 예리한, 예민한. ③ (목소리 따위가) 잘 들리는, 새된, 날카로운.

*__pen·e·tra·tion__ [pènətréiʃən] *n.* Ⓤ ① 꿰뚫고 들어감; 침투(력); (성기의) 삽입; 〖軍〗 (적진으로의) 침입, 돌입. ② (탄알 따위의) 관통; 통찰(력); 간파(력) (insight), 안식(眼識). ③ 〖政〗 (세력 따위의) 침투, 신장; 〖컴〗 침해; (전기 제품 따위의 세대수에 대한) 보급률.

pen·e·tra·tive [pénətrèitiv] *a.* ① 꿰뚫고 들어가는, 투입력이 있는. ② 예민한, 통찰력이 있는.

pen-friend [pénfrènd] *n.* Ⓒ 《英》 =PEN PAL.

*__pen·guin__ [péŋgwin, pén-] *n.* Ⓒ 〖鳥〗 펭귄.

pen·hold·er [pénhòuldər] *n.* Ⓒ 펜대; 펜걸이.

*__pen·i·cil·lin__ [pènəsílin] *n.* Ⓤ 〖藥〗 페니실린.

pe·nile [pí:nail] *a.* 음경(陰莖)의, 남근(男根)의.

‡**pe·nin·su·la** [pinínsələ, -sjə-] *n.* Ⓒ 반도; (the P-) 이베리아 반도《스페인과 포르투갈》; (the P-) Gallipoli 반도《터키의》.

pe·nin·su·lar [pinínsələr, -sjə-] *a.* 반도(모양)의.

pe·nis [pí:nis] (*pl.* ***-nes*** [-ni:z], ~***·es***) *n.* Ⓒ 〖解〗 음경, 페니스.

pen·i·tence [pénətəns] *n.* Ⓤ 후회, 참회, 개전.

*__pen·i·tent__ [pénətənt] *a.* 죄를 뉘우치는, 회오하는. — *n.* Ⓒ ① 개전한 사람, 참회하는 사람. ② 〖가톨릭〗 고해자; (종종 P-) 통회자(痛悔者)《13-16세기에 성행한 신심회원(信心會員)》.

pen·i·ten·tial [pènəténʃəl] *a.* 회오의, 참회의; 속죄의; 고행의. — *n.* 〖가톨릭〗 고해 규정서, 회죄총칙(悔罪總則); =PENITENT.

pen·i·ten·tia·ry [pènəténʃəri] *n.* Ⓒ 《美》 교도소. — *a.* ① 개과(改過)의. ② 갱생을 위한. ③ (죄가) 교도소에 들어가야 할.

pen·knife [pénnàif] (*pl.* ***-knives***) *n.* Ⓒ 주머니칼.

pen·light, -lite [pénlàit] *n.* Ⓒ 만년필형(型) 회중전등.

pen·man [pénmən] (*pl.* ***-men*** [-mən]) *n.* Ⓒ 필자; 서가(書家), 능서가(能書家); 습자 교사; 문사, 묵객.

Penn. Pennsylvania.

pén nàme 필명, 아호.

*__pen·nant__ [pénənt] *n.* Ⓒ ① 페넌트, 길고 좁은 삼각기(旗). ② (취역함(就役艦)의) 길다란 기(旗), 《美》 응원기; 우승기. ***win the*** ~ 우승하다.

*__pen·ni·less__ [pénilis] *a.* 무일푼의, 몹시 가난한.

Pénnine Álps [pénain-] (the ~) 펜닌 알프스.

pen·non [pénən] *n.* Ⓒ ① 길쭉한 삼각기, 제비꼬리 같은 작은 기. ② 창에 다는 기; (一般的) 기(旗); 《詩》 날개, 깃.

pen·n'orth [pénərθ] *n.* 《英口》 =PENNYWORTH.

*__Penn·syl·va·nia__ [pènsilvéiniə, -njə] *n.* 펜실베이니아《미국 동부의 주; 略: Pa., Penn(a); 〖美郵〗 PA》.

Pennsylvánia Dútch ① (the ~) (集合的; 複數취급) 독일계 Pennsylvania 사람. ② 그들이 쓰는 방언(=**Pennsylvánia Gérman**).

Penn·syl·va·ni·an [pènsilvéiniən, -njən] *n., a.* Pennsylvania 사람(의).

‡**pen·ny** [péni] (*pl.* ***pen·nies*** [-z], ***pence*** [pens]) *n.* Ⓒ ① 페니, 1 페니의 청동화(青銅貨)《영국의 구화폐 단위로, 종래 1/12 shilling =1/240 pound 로 略: d; 1971년 2월부터 1/100 pound로 되어 shilling은 폐지됨; 略: p [pí:]》: A ~ saved is a ~ earned. 《格言》 1페니의 절약은 1페니의 이득 / In for a ~, in for a pound. 《格言》 일단 시작한 일은 끝까지 / Take care of the *pence*, and the pounds will take care of themselves. 《格言》 푼돈을 아끼면 큰돈은 저절로 모이는 법.

> 用法 (1) 금액을 말하는 복수는 pence; 동전(銅錢)의 개수를 말하는 복수는 pennies: Please give me six *pennies* for this six *pence*. 이 6펜스를 동전 6개로 바꾸어 주시오. (2) twopence [tʌ́pəns], threepence [θrépəns, θríp-]에서 twelvepence 까지와 twentypence 는 한 단어로 쓰고, -pence 는 약하게 [-pəns] 로 발음함. 그 외의 것은 두 단어로 떼어 쓰든지 하이픈을 넣어 [-péns] 로 발음함. (3) 숫자 뒤에서는 p.로 생략하지만, 구(舊) 단위에서는 d. 로 생략하였음: 5 p [pí:](=fivepence), 5 펜스. (4) halfpenny 는 [héipəni] 로 발음함.

②《美口·Can.口》 1 센트 동전《복수는 *pennies*》. ③〔否定文에서〕 푼돈 : It is*n't* worth a ~. 그것은 피천 한 닢의 가치도 없다. ④〔一般的〕 금전 : be cautious with one's *pennies* 돈에 대해서는 신중하다. ⑤〖聖〗 데나리(denarius)《고대 로마의 은화(銀貨)》. ⑥《美俗》 순경, 경관(policeman). ***a bad*** ~ 싫은 사람〔것〕 : like *a bad* ~ 싫어질 정도로, 부아가 날 정도로. ***A*** ~ ***for your thoughts.*** =《俗》 ***A*** ~ ***for 'em.*** 무엇을 멍하니 생각하는가. ***a*** ~ ***plain and twopence colored*** 빛깔 없는 것은 1 전, 빛깔 있는 것은 2전《싸고도 번지르르한 물건에 대한 경멸의 말》. ***a pretty*** ~《口》 큰돈. ***be not*** (***a***) ~ ***the worse*** 〔***the better***〕 조금도 나빠지지〔좋아지지〕 않다. ***be two*** 〔***ten***〕 ***a*** ~ 값이 안나간다, 싸구려이다《《美》에서는 be a dime a dozen》. ***cut*** a person ***off with a*** ~ 명색뿐인 아주 적은 유산을 주어 아무를 폐적(廢嫡)하다. ***have not a*** ~ (***to bless*** one***self with***) 매우 가난하다(= doesn't have a ~ to one's name = doesn't have two *pennies* to rub to gather). ***pennies from heaven*** 하늘이 준〔뜻밖의〕 행운, 횡재. ~ ***reading*** ⇨ READING. ***spend a*** ~《英口》(유료) 변소에 가다. ***The*** ~ (***has***) ***dropped***.《英口》 뜻이 가까스로 통했다《자동판매기에 동전이 들어갔다는 뜻에서》 : She looked confused for moment, then suddenly *the* ~ *dropped* and she burst out laughing. 그녀는 잠시 어리둥절한 것 같았으나 곧 졸지에 뜻을 깨닫고 웃음을 터뜨렸다. ***think*** one***'s*** ~ ***silver*** 자만하고 있다. ***turn*** 〔***earn, make***〕 ***an honest*** ~ 정직하게 일하(여 돈을 벌)다. — *a.* 1 페니의, 싸구려의 : a ~ book《口》 싸구려 모험 소설. ***in*** ~ ***numbers*** 조금씩, 찔끔찔끔, 토막토막으로.

-penny *suf.* '값이 …페니〔펜스〕의'의 뜻.

pénny arcáde《美》 게임 센터, 오락 아케이드.

pen·ny-far·thing [-fɑ́:rðiŋ] *n.* Ⓒ《英》 구식 자전거의 일종.

pen·ny-half·pen·ny [-héipəni] *n.* =THREE-HALFPENCE.

pen·ny-in-the-slot [-inðəslɑ̀t / -slɔ̀t] *a.* 동전으로 움직이는.

pénny pìncher《口》 지독한 구두쇠〔노랑이〕.

pen·ny-pinch·ing [-pìntʃiŋ] *n., a.*《口》 인색(한) ; 긴축 재정(의).

pénny whìstle (장난감) 호루라기(=**tín whìstle**).

pen·ny·wise [-wáiz] *a.* 푼돈 아끼는 : *Penny-wise* and poundfoolish.《俗談》 푼돈 아끼다 큰돈 잃기, 기와 한 장 아끼다 대들보 썩는 줄 모른다.

pen·ny·worth [péniwə̀:rθ] *n.* Ⓒ ① 1 페니어치(의 양) ; 1 페니짜리 물건. ② 소액 ; 조금, 근소 ; 거래액.

penol. penology.

pe·nol·o·gy [pi:nɑ́lədʒi / -nɔ́l-] *n.* Ⓤ 형벌학 ; 교도소 관리학.

‡**pén pàl** 펜팔, 편지를 통하여 사귀는 친구.

pén plòtter〖컴〗 컴퓨터 제어에 의해 펜으로 선을 긋기 위한 작도(作圖) 장치. 「(書記).

pen-push·er [pénpù̀ʃər] *n.* Ⓒ《口·蔑》 서기

‡**pen·sion**¹ [pénʃən] *n.* Ⓒ ① 연금, 양로 연금, 부조금. ② (학자·예술가 등에게 주는) 장려금. ***an old-age*** ~ 양로 연금. ***draw*** one***'s*** ~ 연금을 타다. ***retire*** 〔***live***〕 ***on*** (***a***) ~ 연금을 받고 퇴직하다〔연금으로 생활하다〕. — *vt.* …에게 연금을 주다. ~ ***off*** 연금을 주어 퇴직시키다.

pen·sion² [pɑ:nsjɔ́:ŋ / ⌐-] *n.* Ⓒ《F.》(프랑스·벨기에 등지의) 하숙집, 기숙사. 「이 있는.

pen·sion·a·ble [pénʃənəbəl] *a.* 연금을 받을 자격

pen·sion·ary [pénʃənèri / -əri] *a.* 연금을 받는, 연금으로 생활하는 ; 연금의. — *n.* Ⓒ ① 연금 수령자. ② 고용인, 부하 ; 용병. 「자」.

pen·sion·er [pénʃənər] *n.* Ⓒ 연금 수령자〔생활

***pen·sive** [pénsiv] *a.* 생각에 잠긴, 시름에 잠긴 듯한 ; 구슬픈.

pen·stock [pénstɑ̀k / -stɔ̀k] *n.* Ⓒ ① 수문 ; 수로, (물방아 등의) 홈통. ②《美》 소화전(栓). ③ (수력 발전소의) 수압관.

pent [pent] PEN²의 과거·과거분사. — *a.* 갇힌 (confined).

pent(a)- '다섯'의 뜻의 결합사.

***pen·ta·gon** [péntəgɑ̀n / -gɔ̀n] *n.* ① Ⓒ〖數〗 5 각형 ; 5 변형. ② Ⓒ〖築城〗 오릉보(五稜堡). ③ (the P-) 미국 국방부《건물이 오각형임》.

pen·tag·o·nal [pentǽgənəl] *a.* 5각〔변〕형의.

pen·ta·he·dron [pèntəhí:drən / -héd-] (*pl.* ~***s, -dra*** [-drə]) *n.* Ⓒ〖數〗 5 면체.

pen·tam·e·ter [pentǽmitər] *n.* Ⓒ〖韻〗 오운각(五韻脚)(의 시), 오보격(格). — *a.* 오보격의.

Pen·ta·teuch [péntətjù:k] *n.* (the ~)〖聖〗 모세 5 경(經)《구약성서의 첫 5 편》.

pen·tath·lon [pentǽθlən, -lɑn] *n.* (the ~) 5 종 경기(競技) ; =MODERN PENTATHLON. cf. decathlon.

Pen·te·cost [péntikɔ̀(:)st, -kɑ̀st] *n.* ①〖유대敎〗 유대의 수확절, 수장절(收藏節) (=**Shabúoth**)《Passover 의 둘째날로부터 50 일째의 날》. ②〖基〗 성령 강림절, 오순절(Whitsunday)《Easter 후의 제 7 일요일》(略 : Pent.).

Pen·te·cos·tal [pèntikɔ́(:)stəl, -kɑ́st-] *a.* Pentecost 의 ; 오순절 교회파《20세기초 미국에서 시작한 fundamentalist 에 가까운 한 파》의.

pent·house [pénthàus] *n.* Ⓒ ① 펜트 하우스《고층 맨션·호텔 등의 최상층에 있는 호화 주거·방》. ② 벽에 붙여 비스듬히 내단 지붕〔작은 집〕. ③ 차양, 처마 ; 차양 비슷한 것《눈썹 따위》. ④ (빌딩의) 옥상의 탑옥(塔屋).

pén tràу 펜 접시.

pent-up [péntʌ́p] *a.* 갇힌; 울적한《감정 따위》.

pe·nult, pe·nul·ti·ma [pí:nʌlt, pinʌ́lt], [pinʌ́ltəmə] *n.* Ⓒ ① 어미(語尾)에서 둘째의 음절. ② 끝에서 둘째의 것.

pe·nul·ti·mate [pinʌ́ltəmit] *a.* 어미에서 둘째 음절의 ; 끝에서 둘째의 것의. — *n.* =PENULT.

pe·num·bra [pinʌ́mbrə] (*pl.* ***-brae*** [-bri:], ~***s***) *n.* Ⓒ ①〖天〗 반음영(半陰影), 반영(半影)《(일식·월식의) 그늘진 부분 ; 태양 흑점 주위의 반영부》. ② (의혹 등의) 음영(*of*) : A ~ *of* doubt surrounds the incident. 그 사건은 의혹의 그늘에 싸여 있다. ㊫ ~**l** *a.*

pe·nu·ri·ous [pinjúəriəs] *a.* 다라운, 몹시 아끼는, 인색한 ; 빈곤한 ; 궁핍한(*of*).

pen·u·ry [pénjəri] *n.* Ⓤ 빈곤, 궁핍.

pe·o·ny, pae- [pí:əni] *n.* ① Ⓒ〖植〗 모란, 작약(芍藥). ② Ⓤ 어두운 적색. ***a tree*** ~ 모란. ***blush like a*** ~ 낯이 빨개지다, 얼굴을 붉히다.

peo·ple** [pí:pl] *n.* ①〔複數취급〕 **a)**〔一般的〕 사람들 : Several ~ were hurt. 몇 사람이 다쳤다 / They are good ~. 그들은 좋은 사람들이다. ★ 복수형이 없고 집합적으로 쓰이며 흔히 수식어를 동반하며, 數詞에 수반할 때는 person으로 대용될 경우도 많음. **b)**〔不定代名詞用法 ; 무관사〕 세인(世人), 세상 사람들 : She does*n't* care what ~ say. 그녀는 사람들이 무엇이라 하든 괘념하지 않았다. **c)** (다른 동물과 구별하여) 사람, 인간. ② (the ~) 국민, 민족 : government of *the* ~, by *the* ~, for *the* ~ 국민의, 국민에 의한, 국민을 위한 정치. ③ 〔흔히 the 또는 소유격 내지는 수식어를 붙여서 ; 複數취급〕 **a**) (한 지방의) 주민, (어느 계급·단체·직업 따위의) 사람들 : *the* ~ here 이 지방 사람들. **b**) (the ~ ; one's ~) 신민(臣民) ; 부하, 하층계급 : the nobles and *the* ~ 귀족과 서민. **c**) (one's ~) 《口》 가족 ; 친척, 일족. **d**) 교구민. ***as* ~ *go ⇨ GO. ***go to the* ~** (정치 지도자가) 국민의 신임을 묻다. ***of all* ~** (1) 하필이면 : He, *of all* ~, did it. (하고 많은 사람들 중에) 하필이면 그가 그 일을 했다니. (2) 다른 어떤 사람보다는, 누구보다도. ***People say that* . . . .** 세상에서는 …라고들 말한다(They say that…, It is said that ….). ***the best* ~** 《口》 상류사회 사람들.

— *vt.* 〔흔히 受動으로〕 ① …에 사람을 살게 하다〔식민하다〕 ; (동물)을 많이 살게 하다《*with*》 : The place *is* ~*d with* the sick. 그 장소에는 환자들이 살고 있다. ② …에 살다 ; (무생물이 장소 따위)를 차지하다 : These luxurious Yachts *are* ~*d by* the rich and glamorous. 이들 요트에는 돈 많고 매력있는 사람들이 살고 있다 / Her novels *are* ~*d by* many eccentric characters. 그녀의 소설은 많은 괴상한 등장 인물로 가득차 있다.

pep [pep] 《口》 *n.* Ⓤ 원기 ; 기력 : Eating the right foods and taking exercise will give you more ~. 알맞은 식사를 하고 운동을 하면 자네는 더욱 활기있게 될 것이다. — (*-pp-*) *vt.* …을 원기를 북돋우다, 격려하다《*up*》 : The prime minister aired some ideas about ~*ping up* trade in the region. 수상은 역내 무역을 활발하게 할 구상을 발표했다. [◂ *pep*per]

pep·lum [pépləm] (*pl.* **~s, -la** [-lə]) *n.* Ⓒ 페플럼《블라우스나 재킷의 허리 부분에 단 장식 천》.

‡pep·per [pépər] *n.* ① Ⓒ **a**) 후추 ; 〖植〗 후추나무. **b**) 고추. ② ⓊⒸ 자극성 (있는 것). ③ Ⓤ 신랄함 ; 혹평 ; 성급함. ***a green* 〔*sweet*〕 ~** 피망 (pimiento). ***black* 〔*white*〕 ~** 검은〔흰〕 후춧가루. ***Chinese* 〔*Japanese*〕 ~** 산초나무. ***red* ~** 고추. ***round* ~** 껍질째로의 후추. — *vt.* ① …에 후춧가루를 뿌리다, …에 후춧가루로 양념하다. ② 《+目+前+名》 …에 뿌려대다, …에 흩뜨리다《*with*》 : a face ~*ed with* freckles 주근깨 투성이인 얼굴 / Her writing was ~*ed with* quotations from the Koran. 그녀의 논문은 코란에서 따온 인용문으로 가득차 있었다. ③ 《+目+前+名》 (질문·총알 등)을 …에 퍼붓다《*with*》 : The enemy ~*ed* our lines *with* gunfire. 적은 우리 전선에 포탄을 퍼부었다.

pep·per-and-salt [pépərənsɔ́:lt] *a., n.* 희고 검은 점이 뒤섞인 (옷감) ; 희끗희끗한 (머리카락).

pep·per·box [pépərbɑ̀ks / -bɔ̀ks] *n.* Ⓒ ① (식탁용) 후춧가루통 ; 《戱》 (후춧가루통 비슷한) 작은 탑. ② 성급한 사람.

pep·per·corn [-kɔ̀:rn] *n.* Ⓒ ① (말린) 후추 열매. ② 《比》 신통찮은 물건 ; = PEPPERCORN RENT.

péppercorn rént 중세에 지대(地代) 대신에 바친 말린 후추 열매 ; 〔一般的〕 명색만의 지대〔집세〕.

pépper mìll (손으로 돌리는) 후추 빻는 기구.

pep·per·mint [-mìnt] *n.* ① Ⓤ 〖植〗 박하. ② Ⓤ 박하유 ; 페퍼민트《술》. ③ Ⓒ 박하 정제(錠劑) ; 박하 사탕.

pépper pòt = PEPPERBOX.

pep·pery [pépəri] *a.* ① 후추의, 후추 같은 ; 매운. ② 신랄한, 통렬한, 열렬한《연설 따위》. ③ 화잘 내는, 성급한.

pép pìll 《口》 각성제, 흥분제.

pep·py [pépi] (*-pi·er* ; *-pi·est*) *a.* ① 《口》 원기왕성한, 기운이 넘치는. Ⓒⓕ pep. ② 《美俗》 (엔진·차 따위가) 가속(加速)이 빠른, 고속 운전할 수 있는.

「질 분해 효소」 ; 펩신제.

pep·sin(e) [pépsin] *n.* Ⓤ 펩신《위액 속의 단백

pép tàlk 《口》 (흔히 짧은) 격려 연설.

pep·tic [péptik] *a.* 소화를 돕는 ; 펩신의.

péptic úlcer (위·십이지장의) 소화성 궤양.

pep·tone [péptoun] *n.* Ⓤ 펩톤.

‡per [pə:r, 弱 pər] *prep.* 《L.》 ① 〔수단·행위자〕 …에 의하여, …으로 : ~ bearer 심부름꾼에 들려. ② 〔배분〕 …에 대해, …마다 : The meal will cost $ 20 ~ person. 식사대는 1인당 20달러가 될 것이다. ③ …에 의하면 ; 《口》 …에 따라서 : ~ your advice 충고대로. ★ 라틴어 관용구 속에서는 보통 이탤릭체로 함. ***as* ~** (1) 〖商用文〗 …에 의하여 : *as* ~ enclosed account 동봉 계산서대로. (2) …와 같이 : *as* ~ usual 《口·戱》 평상시와 같이.

per- *pref.* ① '완전히, 끝까지(…하다)'의 뜻 : *per*fect, *per*vade. ② '매우, 몹시'의 뜻. ③ 〖化〗 '과(過)'의 뜻.

PER price earnings ratio(주가 수익률).

Per. Persia(n). **per.** period ; person.

per·ad·ven·ture [pə̀:rədvéntʃər / pər-] *ad.* 《古》 아마 ; 우연히, 뜻밖에도 : If ~ you meet him… : 만일 그를 만나면 ….

— *n.* Ⓤ 《古·文語》 의심, 의문 ; 우연 ; 불안, 걱정 ; 우연한〔불확실한〕 일. ***beyond* 〔*without*〕 (*a* 〔*all*〕) ~** 틀림없이, 확실히, 꼭.

per·am·bu·late [pərǽmbjəlèit] *vt., vi.* ① (…을) 소요〔배회〕하다 ; 순회하다 ; 답사하다. ② 《英》 (어린이를) 유모차에 태우고 밀고 가다.

㊔ **per·am·bu·la·to·ry** [-ˊ-lətɔ̀:ri / -təri] *a.* 순회〔순시, 답사〕의.

per·am·bu·la·tion [pəræ̀mbjəléiʃən] *n.* ① Ⓤ 배회, 순회. ② Ⓒ 순회〔답사, 측량〕구(區). ③ Ⓒ 답사 보고서.

***per·am·bu·la·tor** [pərǽmbjəlèitər] *n.* Ⓒ 《英》 유모차 ; 답사〔순찰〕자.

per an·num [pər-ǽnəm] 《L.》 1 년에 대해, 1 년마다(yearly)《略 : per an(n)., p.a.》.

「위》.

per·cale [pərkéil] *n.* Ⓤ 배게 짠 무명《시트 따

per cap·i·ta [pər-kǽpitə] 《L.》 1 인당의, 머릿수로 나눈 : They have the world's largest ~ income. 그들은 1인당 소득이 세계에서 가장 많다.

per·ceiv·a·ble [pərsí:vəbəl] *a.* 지각〔감지, 인지〕할 수 있는.

‡per·ceive [pərsí:v] *vt.* ① 《~+目 / +目+-*ing* / +目+*do*》 …을 지각(知覺)하다, 감지하다 ; …을 눈치채다, 인식하다 : ~ an object loom*ing* through the mist 안개 속에 뭔가 아련히 나타난 것이 보이다. ② 《~+目 / +*that* 節 / +目+(*to be*)補》 이해하다, 파악하다 : We ~*d* by his face *that* he had failed in the attempt. 그의 얼굴에서 그 시도가 실패했음을 알았다.

‡per·cent, per cent [pərsént] (*pl.* **~, ~s**) *n.* ① Ⓒ 퍼센트, 100 분《기호 % ; 略 : p.c., pct.》 : Twenty ~ of the products are exported. 제품의 2할은 수출된다. ② Ⓒ 《口》 백분율. ③ (*pl.*) 《英》 (일정 이율의) 공채. — *a.* 백분의 : a five ~ increase, 5 퍼센트의 증가 / make〔give〕 10 ~ discount for cash 현금에는 1할 할인하다. — *ad.* 백에 대하여 : We agreed with her suggestions a hundred ~. 그녀의 제안에 전적으로 동의했다.

***per·cent·age** [pərséntidʒ] *n.* ① ⓊⒸ 백분율, 백분비《★ 앞에 수사가 올 때에는 percent, 수사 이외의 말, 예컨대 small, large, great, high 등이 오면 percentage 를 쓰는 것이 원칙이나 《口》에서는 구별없이 씀. 또 주어가 되었을 경우의 동사의 수

는 percent에 준함): Only a small ~ of the workers are unskilled. 근로자 중 비숙련 근로자는 불과 몇 퍼센트에 불과하다. ② [U,C] 비율, 율. ③ [U] (백분율의) 수당 · 수수료 · 구문 · 할인액 · 이율 · 조세(따위). ④ [U] (주로 否定文에서) 《俗》 이익, 벌이; 《口》(이길) 가망; 이점: There's *no* ~ in working such long hours. 그런 장시간의 노동에는 이점이 없다. ***no*** ~ 이익 제로. ***play the ~s*** 앞을 내다보고 행동하다.

per·cen·tile [pərséntail, -til] *n., a.* 【統】 변수 구간의 100 분의 1(의), 백분위수(百分位數)(의).

***per·cep·ti·ble** [pərséptəbəl] *a.* ① 인지(지각)할 수 있는. ② 눈에 뜨이는, 상당한. [파] **-bly** *ad.* **per·cèp·ti·bíl·i·ty** [-bíləti] *n.* [U] 지각(감지, 인식)할 수 있는 것(성질, 상태).

***per·cep·tion** [pərsépʃən] *n.* ① [U,C] 지각(작용); 인식; 지각력: His ~ of the matter was wrong. 그 문제에 대한 그의 인식은 틀렸다. ② [C] 지각 대상; (지각한) 것. ③ [U] 【法】 (세 · 작물 · 이익금 등의) 점유 취득, 징수. ④ [C] 견해.

per·cep·tive [pərséptiv] *a.* ① 지각(감지)하는, 지각력 있는; 통찰력이 있는. ② 명민한, 지각이 예리한.

per·cep·tu·al [pərséptʃuəl] *a.* 지각의; 지각 있는.

‡**perch**[1] [pəːrtʃ] *n.* [C] ① (새의) 횃대. ② 높은(안전한) 장소; 높은 곳에 있는 휴게소; 《比》 높은 지위, 안전한 지위, 편안한 자리. ③ (마차 따위의) 채; 마부석. ④ (야구장의) 좌석. ⑤ 《英》 퍼치(길이의 단위, 약 5.03 m; 면적의 단위, 약 25.3 m²). ***Come off your*** ~. 《口》 거만하게 굴지 마라. ***knock*** a person ***off*** his ~ 해치우다, 아무의 콧대를 꺾다. —— *vi.* 《+[전]+[명]》 (새가) 횃대에 앉다; (사람이) 앉다, 자리를 차지하다(*on, upon*): She *~ed on* the side of the bed. 그녀는 침대 모서리에 앉았다.

—— *vt.* 《+[목]+[전]+[명]》 ① (새)를 횃대에 앉게 하다; (흔히 受動으로) (높은 곳에) …을 놓다, 앉히다(*on*): The house *is ~ed on* a hilltop. 그 집은 언덕 꼭대기에 서 있다. ② (再歸的) …에 앉다(*on*): He *~ed* him*self on* a high stool. 그는 높은 의자에 앉았다.

perch[2] (*pl.* **~·es,** (集合的) ~) *n.* [C] 【魚】 농어류의 식용 담수어.

per·chance [pərtʃǽns, -tʃáːns] *ad.* 《古 · 詩》 우연히, 어쩌다가; 아마.

per·cip·i·ent [pərsípiənt] *a.* 지각력(통찰력) 있는, 의식적인. —— *n.* [C] 지각자; 천리안을 가진 사람. [파] **-ence, -en·cy** [-sípiəns], [-i] *n.* [U] 지각(력).

per·co·late [pə́ːrkəlèit] *vt.* …을 거르다, 여과하다, 스며나오게 하다; (액체가) …에 침투(浸透)하다.

—— *vi.* 여과되다; 스며나오다, 침투(浸透)하다(*through*); (커피가) 퍼컬레이터에서 끓다; 《美口》 활발해지다; 《美俗》 원활하게 움직이다; (뉴스 따위가) 퍼지다; 침투하다(*through*).

per·co·la·tor [pə́ːrkəlèitər] *n.* [C] ① 여과기, 추출기(抽出器); 여과기 달린 커피 끓이개, 퍼컬레이터; 여과하는 사람(것). ② 《美俗》 주최자의 집세를 돕기 위해 손님이 돈을 내는 파티.

per·cus·sion [pərkʌ́ʃən] *n.* ① [U] 충격, 충돌. ② [U] (충돌에 의한) 진동, 격동; 음향. ③ 【樂】 **a)** [U] 타악기의 연주. **b)** (*pl.*) (악단의) 타악기부(部). ④ [C] (총의) 격발 (장치). ⑤ [U] 【醫】 타진(법).

percússion càp 뇌관.

percússion ìnstrument 【樂】 타악기.

per·cus·sion·ist [pərkʌ́ʃənist] *n.* [C] 타악기 연주자.

percússion sèction (악단의) 타악기부.

per·cus·sive [pərkʌ́siv] *a.* ① 충격의, 충격에 의한(울림 · 악기 등). ② 【醫】 타진(打診)(법)의.

Per·cy [pə́ːrsi] *n.* 퍼시(남자 이름).

per di·em [pər-díːəm, -dáiəm] 《L.》 하루에 대해 (per day), 날로 나누어; 일급(의, 으로); 일당 임차(임대)료, 일당.

per·di·tion [pərdíʃən] *n.* [U] 멸망, 파멸; 지옥에 떨어짐; 지옥.

per·dur·a·ble [pə(ː)rdjúː(ː)rəbəl / -djúər-] *a.* 영속의; 불변의, 불멸(불후)의.

per·dure [pə(ː)rdjúər] *vi.* 영속하다; (오래) 견디다.

per·e·gri·nate [pérəgrənèit] *vt., vi.* (도보로) 여행(편력)하다; 외국에 살다.

per·e·gri·na·tion [pèrəgrənéiʃən] *n.* [U,C] 여행, 편력.

per·e·grine [pérəgrin, -grìːn] *a.* 외국의, 유랑성의. —— *n.* [C] 해외거주자; 【鳥】 송골매.

per·emp·to·ry [pərémptəri, pérəmptɔ̀ːri] *a.* 단호한, 독단적인, 엄연한; 거만한, 강제적인; 【法】 확정된, 최종적인, 결정적인, 절대의.

***per·en·ni·al** [pəréniəl] *a.* ① 연중 끊이지 않는, 사철을 통한; 여러 해 계속하는, 영원한(젊음 따위): The film "the Sound of Music" is a ~ favorite. 영화 "사운드 오브 뮤직"은 계속 인기가 있다. ② 【植】 다년생의, 숙근성(宿根性)의((cf.) annual, biennial); 1년 이상 사는(곤충). —— *n.* [C] 【植】 다년생 식물; (여러 해) 계속되는 것, 재발하는 것: Roses and geraniums are *~s* flowering year after year. 장미와 제라늄은 해마다 꽃이 피는 다년생 식물이다.

pe·res·troi·ka [pèrestrɔ́ikə] *n.* [U] 《Russ.》 페레스트로이카(=**re·buíld·ing**)(사회주의 국가의 경제 · 정치 제도의 근본적 개혁).

perf. perfect; perforated.

†**per·fect** [pə́ːrfikt] *a.* ① 완전한, 더할 나위 없는, 결점이 없는, 이상적인: a ~ crime 완전 범죄 / She thought she had found the ~ man. 그녀는 이상적인 남성을 찾았다고 생각했다. ② 숙달한, 우수한(*in*): He's ~ *in* math. 그는 수학에 뛰어나다. ③ 정확한, 순수한, 조금도 틀림이 없는: a ~ circle 완전한 원 / a ~ copy 진짜와 똑같은 사본(寫本). ④ 《口》 지독한, 굉장한: I felt like a ~ fool when I forgot her name. 그녀의 이름을 잊어버렸을 때 자신이 지독한 바보처럼 생각되었다. ⑤ 【文法】 완료의. —— *n.* [C] 【文法】 완료 시제; 완료형. ***the ~ tenses*** 완료 시제. ***the present*** (***future, past***) ~ 현재(미래, 과거) 완료.

—— [pə(ː)rfékt] *vt.* ① …을 완성하다, 끝내다; 수행하다. ② …을 완전히 하다; 개선(개량)하다. ③ …을 숙달시키다. ◇ perfection *n.* ~ one***self in*** …에 숙달하다: *Perfect* your*self in* one thing. 한 가지 일에 숙달하라. [파] ‡**~·ly** *ad.* 완전히, 더할 나위 없이.

pérfect competítion 【經】 완전 경쟁.

pérfect gáme 【野 · 볼링】 퍼펙트 게임, 완전시합: pitch a ~ (투수가) 완전시합을 하다.

per·fect·i·ble [pəːrféktəbəl] *a.* 완전히 할(완성시킬) 수 있는. [파] **per·fèct·i·bíl·i·ty** [-bíləti] *n.* [U] 완전히 할 수 있음, 완전성(론).

‡**per·fec·tion** [pərfékʃən] *n.* ① [U] 완전, 완벽; 완비; 극치, 이상 (상태): Physical ~ in a human being is exceedingly rare. 인간에게 있어서 육체적 완전 상태란 극히 드물다. ② [U] 완성, 마무름; 성숙. ③ [U] 숙달, 탁월(*in*): attain (achieve) ~ *in* French 프랑스말에 숙달하다. ④ [U,C] 완전한 물건(사람); 전형, 모범, 화신(化身): As a player, he was ~. 선수로서 그는 완전

무결하였다. ⑤ (*pl.*) 재예(才藝) ; 미점. ◇ perfect *v.* ***attain*** ~ 완전한 경지에 달하다. ***be the*** ~ ***of*** …의 극치다 : She*'s the* ~ *of* beauty. 그녀는 미(美)의 극치이다. ***bring to*** ~ 완성시키다. ***come to*** ~ 완성〔원숙〕하다. ***to*** ~ 완전히, 더할 나위 없이.

per·fec·tion·ism [pərfékʃənìzəm] *n.* Ⓤ ①〖哲〗완전론《사람은 현세에서 도덕·종교·사회·정치상 완전한 영역에 도달할 수 있다는 학설》. ② 완전주의, 깊이 골몰하는 성격.

per·fec·tion·ist [pərfékʃənist] *n.* Ⓒ 완전론자 ; 완전을 기하는 사람.

pérfect númber〖數〗완전수.

pérfect párticiple〖文法〗완료 분사.

pérfect pítch〖樂〗절대 음감(absolute pitch).

per·fer·vid [pəːrfə́ːrvid] *a.* 매우 열심인.

per·fid·i·ous [pərfídiəs] *a.* 불신의, 불성실한.

per·fi·dy [pə́ːrfədi] *n.* Ⓤ,Ⓒ 불신〔불성실, 배반〕(행위).

per·fo·rate [pə́ːrfərèit] *vt.* …에 구멍을 내다, 꿰뚫다, (우표 따위)에 미싱 바늘 구멍을 내다, (종이)에 눈금 바늘 구멍을 내다 ; (숫자 뚫는 기계로) …에 구멍 글자를 내다. ── *vi.* 구멍내다, 꿰뚫다《*into* ; *through*》. ──[-rit, -rèit] *a.* 미싱 바늘 구멍이 뚫린, 관통된.

per·fo·rat·ed [pə́ːrfərèitid] *a.* 구멍이 뚫린, 관통한 ; 미싱 바늘 구멍이 있는.

per·fo·ra·tion [pə̀ːrfəréiʃən] *n.* ① Ⓤ 구멍을 냄, 관통. ② Ⓒ〔종종 複數形으로〕(찍어 낸) 구멍, 눈금, 미싱 바늘 구멍.

per·force [pərfɔ́ːrs] *ad.*《文語》억지로, 무리로, 강제적으로 ; 부득이, 필연적으로. ── *n.*《稀》〔다음 成句로〕***by*** ~ 억지로, 무리하게. ***of*** ~ 부득이, (그 때의) 추세로, 필연적으로.

‡**per·form** [pərfɔ́ːrm] *vt.* ① (임무 따위)를 실행하다, 이행하다, 수행하다, 다하다 : Local government ~*s* many valuable services. 지방자치단체는 여러 유익한 서비스를 수행한다. ② (기술이 필요한 일)을 행하다, 하다 : The experiment must be ~*ed* in a controlled environment. 실험은 통제된 환경에서 행해져야 한다. ③ (연극)을 공연하다, (연극의 역(役))을 연기하다(act) ; (음악)을 연주하다 ; (악기)를 켜다, 타다. ④ (의식 따위)를 집행하다, 거행하다.
── *vi.* ① 일을 하다, 명령〔약속〕을 실행하다, 일을〔임무를〕해 내다. ②《~ / +전+명》극을 공연하다 ; 연기하다《*on* ; *in*》; 연주하다, 노래부르다 : ~ *in* the role of Romeo 로미오의 역을 연기하다. ③ (동물 등이) 재주를 부리다. ④〔well 따위의 양태의 부사를 수반하여〕(기계가) 작동하다 : These tyres ~ *badly*〔*pooly*〕in hot weather. 이들 타이어는 날씨가 더우면 제대로 기능을 발휘하지 못한다. ⑤《俗》시끄럽게 떠들어대다.

‡**per·form·ance** [pərfɔ́ːrməns] *n.* ① Ⓤ 실행, 수행, 이행, 성취 ; 거행 : faithful in the ~ of one's duty〔promise〕직무〔약속〕의 수행〔이행〕에 충실한. ② Ⓤ (특정한) 행동, 행위 ; (힘드는) 일, 작업 : Cleaning the oven is such a ~. 오븐을 깨끗이 닦는다는 것은 힘드는 작업이다. ③ Ⓤ (항공기·기계 따위의) 성능 ; 운전 ; 목표달성 기능. ④ Ⓒ 성적, 성과. ⑤ Ⓤ (또는 a ~)《口》망측한 행동, 이상한 행동. ⑥ Ⓒ (극·음악 등의) 공연, 상연 ; 흥행(물) : No entrance during ~. 상연중 입장 금지. ⑦ Ⓤ,Ⓒ 연주〔연기〕(솜씨). ⑧ Ⓤ〖言〗언어 운용. ⑨〖컴〗성능《전산기 체계의 기능 수행의 능력 정도》. ***give a*** ~ ***of*** …을 상연하다.

perfórmance àrt 퍼포먼스 아트《육체적 연기와 음악·영상·사진 등을 융합하여 표현하려는 1970 년대에 시작된 새로운 연극 예술》.

***per·form·er** [pərfɔ́ːrmər] *n.* Ⓒ ① 행위자, 실행〔이행, 수행〕자. ② 연예인 ; 연주자, 가수. ③〔흔히 修飾語를 수반〕명인, 선수. 「따위》.

perfórming árts 무대 예술《연극·음악·무용

‡**per·fume** [pə́ːrfjuːm, pərfjúːm] *n.* Ⓤ,Ⓒ ① 향기, 방향(芳香) (fragrance). ② 향료, 향수(scent) : I don't wear ~ in the office. 나는 회사에서는 향수를 바르지 않는다. ──[ˊ-, -ˊ] *vt.* ① …을 향기로 채우다 : In the evening the flowers ~ the air. 저녁에는 꽃향기로 대기가 그윽하다. ② …에 향수를 바르다 : ~ one's handkerchief 손수건에 향수를 뿌리다. ── *vi.* 방향을 발하다.

per·fum·ery [pərfjúːməri] *n.* ① Ⓤ〔集合的〕향료류(香料類) ; 향수. ② Ⓤ 향수 제조〔판매〕업. ③ Ⓒ 향수 제조〔판매〕소.

per·func·to·ry [pəːrfʌ́ŋktəri] *a.* ① 형식적인, 마지못한, 겉치레인. ② 기계적인, 아무렇게나 하는, 열의 없는, 피상적인.

per·go·la [pə́ːrgələ] *n.* Ⓒ《It.》퍼골라《덩굴을 지붕처럼 올린 정자 또는 작은 길》; 덩굴시렁.

†**per·haps** [pərhǽps, pərǽps] *ad.*〔文章修飾〕① (낮은 가능성을 나타내어) 아마(도), 형편에 따라서는, 혹시, 어쩌면. ② (정도를 약화시켜) 아마 …정도 : You'd better keep pets — a dog or a cat ~. 개나 고양이 정도의 애완 동물을 키우면 좋을 것이다. ③ (표현을 부드럽게 하려고) 가능하다면, (…라고) 생각합니다만 : *Perhaps* you would be good enough to write to me. 가능하시면 제게 편지를 보내 주시면 좋겠습니다만.
── *n.* Ⓒ 우연한 일, 가정, 미지수 : fearful of ~*es* 불확실함을 두려워하여 / This is still a mere ~. 이것은 아직 단지 가정일 따름이다.

peri- *pref.* '주변, 근처'의 뜻.

per·i·carp [pérəkɑ̀ːrp] *n.* Ⓒ〖植〗과피(果皮).

Per·i·cles [pérəklìːz] *n.* 페리클레스《아테네의 장군·정치가 ; 문물을 장려하여 아테네의 황금시대를 초래했음 ; 495 ? -429 B.C.》.

per·i·dot [pérədɑ̀t / -dɔ̀t] *n.* Ⓤ〖鑛〗감람석(橄欖石)《8 월의 탄생석 ; olivine 의 일종》.

per·i·gee [pérədʒìː] *n.* Ⓒ (흔히 *sing.*)〖天〗근지점(近地點)《달·행성이 지구에 가장 가까워지는 지점》. opp. *apogee.*

per·i·he·li·on [pèrəhíːliən, -ljən] (*pl.* ***-lia*** [-liə, -ljə]) *n.* Ⓒ〖天〗근일점《행성 등이 태양에 가장 접근하는 점》. opp. *aphelion.*

‡**per·il** [pérəl] *n.* Ⓤ,Ⓒ 위험, 위난 ; 모험 : in the hour of ~ 위험한 때 / the ~*s* of the ocean 해상의 위험《폭풍, 해난 따위》. ***at*** one***'s*** ~ 위험을 무릅쓰고, 목숨을 걸고 : defy *at* one's ~ 위험을 각오하고 도전하다. ***at the*** ~ ***of*** …을 (내)걸고 : You do it *at the* ~ *of* your life. 그것을 하면 목숨이 위태롭다. ***in*** ~ ***of*** …의 위험에 빠져서 : He was *in* constant ~ *of* death. 그는 항상 죽음의 위험에 노출되어 있었다.

‡**per·il·ous** [pérələs] *a.* 위험한, 모험적인.
㊞ ~·**ly** *ad.* 위험을 무릅쓰고, 위험하게.

pe·rim·e·ter [pərímitər] *n.* Ⓒ ① (평면 도형의) 둘레(의 길이). ② (일정 지역의) 경계선 ; 주변(지역).

per·i·na·tal [pèrənéitəl] *a.* 분만 전후의, 주산기(周産期)의《임신 20주 이후 분만 28일 사이》.

per·i·ne·um [pèrəníːəm] (*pl.* ***-nea*** [-níːə]) *n.* Ⓒ〖解〗회음(會陰)(부).

†**pe·ri·od** [píəriəd] *n.* ① Ⓒ 기간, 기(期) : for a short ~ 잠시 동안 / a ~ of change〔rest〕변화〔휴지〕기 / a transition ~ 과도기. ② **a)** Ⓒ (역사적인) 시대 ; 시기 ; (발달 과정의) 단계 : the ~ of

the Renaissance 문예 부흥 시대 / Shakespeare's early ~ 셰익스피어의 초기 단계. **b**) (the ~) 현대 ; 당대, 당시 : the custom of *the* ~ 당시〔현대〕의 풍습 / Jessie is a girl of *the* ~. 제시는 현대 여성이다. ③ Ⓒ (학교의) 수업 시간, 교시(校時) ; 경기의 구분《전반 · 후반 따위》: the second ~ 제 2 교시 / We have four ~*s* on Saturday. 토요일은 4시간 수업이 있다. ④ (a ~) 마지막, 종결 : come to *a* ~ 끝나다 / bring a thing to *a* ~ 어떤 일을 끝내다. ⑤ Ⓒ 〖文法〗 마침표, 종지부, 피리어드(full stop). ⑥〖修〗 **a**) 도미문(掉尾文). cf. periodic. **b**) (*pl.*) 미문(美文). ⑦ Ⓒ 〖數〗 (순환 소수의) 순환절(節). ⑧ Ⓒ 〖天 · 物〗 주기(周期) : a natural ~ 자연 주기. ⑨ Ⓒ 〖地質〗 기(紀). ⑩ Ⓒ 〖醫〗 주기, 시기, 단계 : the incubation ~ 잠복기. ⑪ Ⓒ 월경(기), 생리 : a menstrual ~ 월경 / She's having a ~ 〔her ~〕. 그녀는 지금 생리중이다. ⑫ Ⓒ 〖樂〗 악절. ***put a ~ to*** …에 종지부를 찍다, …을 종결시키다. ── *a.* (특히 가구 · 의상 · 건축 따위가) 어느 (과거) 시대의, 역사물의 : ~ furniture 그 시대 (특유)의 가구 / a ~ novel 〔play〕 역사 소설〔극〕.

***pe·ri·od·ic** [pìəriádik / -5dik] *a.* ① 주기적인, 정기적인 : a ~ wind 계절풍. ② 간헐적인, 이따금의. ③〖修〗 종합문의, 도미문(掉尾文)의 : a ~ sentence 도미문《주절이 문장 끝에 있는 글》.

***pe·ri·od·i·cal** [pìəriádikəl / -5d-] *a.* ① 정기 간행의. ② = PERIODIC. ── *n.* Ⓒ 정기 간행물《일간지 제외》, 잡지. ⓟ **~·ly** [-kəli] *ad.* 주기〔정기〕적으로 : Police were ~*ly* patrolling the area. 경찰은 주기적으로 그 지역을 순찰하고 있었다.

pe·ri·o·dic·i·ty [pìəriədísəti] *n.* Ⓤ ① 주기〔정기〕성. ②〖電〗 주파.

periódic láw 〖化〗 (원소의) 주기율.

periódic táble 〖化〗 (원소의) 주기표.

per·i·o·don·tal [pèriədántəl / -dɔ́n-] *a.* 〖齒〗 치주(齒周)〔치근막〕의 : (a) ~ disease 치주병.

per·i·o·don·ti·tis [pèriədɑntáitis / -dɔn-] *n.* Ⓤ 〖齒〗 치주염(齒周炎), 치근막염(齒根膜炎).

périod pìece ① (그 시대의 특징을 나타내는) 역사물《가구 · 장식 · 예술 작품 따위》. ②《口 · 戲》 구식 사람〔물건〕.

per·i·pa·tet·ic [pèrəpətétik] *a.* ① 걸어 돌아다니는, 순회하는 : a ~ teacher 《英》 (두 학교 이상을) 순회하며 가르치는 선생. ② (P-) 소요(逍遙)학파의 : the *Peripatetic* school 소요학파. ── *n.* Ⓒ ①《戲》 걸어 돌아다니는 사람 ; 행상인 ; 순회교사. ② (P-) 소요학파의 학도.
ⓟ **-i·cal·ly** [-əli] *ad.*

pe·riph·er·al [pərífərəl] *a.* ① 주위의, 주변의. ② 그다지 중요하지 않은, 말초적인. ③〖解〗 말초(성)의 : ~ nerves 말초 신경. ④〖컴〗 주변 장치의 : a ~ equipment〔device〕 주변 장치. ── *n.* Ⓒ 〖컴〗 주변 장치《입출력 장치, 보조 기억 장치의 총칭》. ⓟ **~·ly** *ad.*

pe·riph·ery [pərífəri] *n.* Ⓒ ① (흔히 *sing.*) **a**) (원 · 곡선 등의) 주위 ; 외면, 바깥 둘레. **b**) (the ~) (정계 · 단체의) 주변부, 외곽, 비주류계《*of*》: Only people on *the* ~ *of* the movement have advocated violence. 그 운동의 주변부에 속하는 사람들만이 폭력을 옹호했다. ②〔集合的〕 (신경 · 혈관의) 말초.

pe·riph·ra·sis [pərífrəsis] (*pl.* ***-ses*** [-sìːz]) *n.* ① Ⓤ 〖修〗 완곡법(婉曲法). ② Ⓒ 에두르는 표현.

per·i·phras·tic [pèrəfrǽstik] *a.* ① 에둘러 말하는, 용장(冗長)한. ②〖文法 · 修〗 완곡한 : a ~ genitive 전치사에 의한 소유격《Caesar's 대신의 of Caesar 따위》. ⓟ **-ti·cal·ly** *ad.*

per·i·scope [pérəskòup] *n.* Ⓒ (잠수함의) 잠망경 ; (참호 따위의) 전망경(展望鏡).
ⓟ **per·i·scop·ic** [pèrəskápik / -skɔ́p-] *a.*

†per·ish [périʃ] *vi.* ① 멸망하다, (비명(非命)에) 죽다 ; 썩어 없어지다, 사라지다, 소멸하다 : Many colonists ~*ed from* hunger and disease. 많은 식민자들이 배고픔과 병으로 죽었다. ② (고무제품 등의) 질이 떨어지다〔나빠지다〕. ── *vt.* ①《+목+전+명》〔흔히 受動으로〕《英口》(사람)을 몹시 괴롭히다 : *be* ~*ed with* thirst 목이 말라 죽을 지경이다. ② (고무 제품 따위)를 못 쓰게 하다. ***Perish the thought !*** 집어치워, 그만둬 : Me, get married? *Perish the thought !* 나보고 결혼하라구. 천만의 말씀.

per·ish·a·ble [périʃəbəl] *a.* (음식이) 부패하기 쉬운. ── *n.* (*pl.*) 부패하기 쉬운 식품(것).

per·ish·er [périʃər] *n.* Ⓒ《英俗》 성가신〔싫은〕 놈〔아이〕: You little ~ ! 골치아픈 애로구나.

per·ish·ing [périʃiŋ] *a.* 《英口》 ① 몹시 추운 : Don't go out without your coat, it's ~ out there. 외투를 입지 않고는 나가지 마라. 밖은 굉장히 춥다. ②〔限定的〕〔좋지 않은 일의 강조어로〕 지독한, 지긋지긋한 : a ~ bore 정말 따분한 사람〔것〕. ── *ad.* 《英口》 지독히, 몹시 : It's ~ cold. 지독히 춥다. ⓟ **~·ly** *ad.*

per·i·stal·sis [pèrəstǽlsis, -stɔ́ːl-] (*pl.* ***-ses*** [-siːz]) *n.* Ⓤ,Ⓒ 〖生理〗 (소화관 등의) 연동(蠕動).
ⓟ **-stal·tic** [-tik] *a.*

per·i·style [pérəstàil] *n.* Ⓒ ①〖建〗 주주식(周柱式) ; 열주랑(列柱廊). ② 열주가 있는 안마당.

per·i·to·ne·um [pèrətəníːəm] (*pl.* ***~s, -nea*** [-níːə]) *n.* Ⓒ 〖解〗 복막(腹膜).

per·i·to·ni·tis [pèrətənáitis] *n.* Ⓤ 〖醫〗 복막염.

per·i·wig [périwìg] *n.* Ⓒ 가발.

per·i·win·kle[1] [périwìŋkl] *n.* Ⓒ 〖植〗 협죽도과(科)의 식물.

per·i·win·kle[2] *n.* Ⓒ 〖貝〗 경단고둥 종류.

per·jure [pə́ːrdʒər] *vt.* 〔다음 成句로〕 ~ one***self*** 거짓 맹세하다, 위증하다 : The judge warned the witness not to ~ *herself.* 판사는 증인에게 위증을 하지 말도록 경고했다. ⓟ **-jur·er** [-dʒərər] *n.* Ⓒ 위증자.

per·ju·ry [pə́ːrdʒəri] *n.* ① Ⓤ 〖法〗 거짓 맹세, 위증(죄) : commit ~ 위증죄를 범하다. ② Ⓒ 거짓(말).

perk[1] [pəːrk] *vi.* 《+부》 (낙담 · 병(病) 뒤에) 생기가 나다, 건강해지다 ; 활기 띠다《*up*》: The patients all ~*ed up* when we played the piano for them. 환자들은 모두 우리가 피아노를 쳐주자 생기가 났다. ── *vt.* 《+목+부》 ① (옷)을 멋지게 입다 ; 차려입다 ; 돋보이게 하다《*up* ; *out*》: ~ *up* a dark dress with a large shiny brooch 반짝이는 커다란 브로치로 검정색 드레스를 돋보이게 하다. ② (머리 · 귀 등)을 곧추 쳐들다〔세우다〕《*up* ; *out*》: ~ one's head *up* 머리를 척 쳐들다, 새치름하다, 거드름 부리다. ③ (사람)을 기운나게 하다, …의 원기를 회복시키다 : I need a drink to ~ me *up.* 기운이 나게 한 잔 해야겠다.

perk[2] *n.* Ⓒ (흔히 *pl.*) ①《美》 임직원의 특전《주로 상급 관리직 임직원에게 주어지는 혜택》: A company car and a mobile phone are some of the ~*s* that come with the job. 회사차와 이동전화는 직책에 부수하는 특전들 중의 일부이다. ② (급료 이외의) 임시 수입 ; 팁, 촌지. ★ perquisite 의 간약형.

perk[3] *vt., vi.* 《口》 (커피를) percolator 로 끓이다.

perky [pə́ːrki] (***perk·i·er*** ; ***-i·est***) *a.* 의기 양양한 ; 쾌활한 ; 젠체하는, 건방진 : You look very

~ this morning. 오늘 아침 자네는 퍽 쾌활해 보이는군. ㊥ **pérk·i·ly** *ad.* **-i·ness** *n.* Ⓤ

perm[1] [pə:rm] *n.* Ⓒ 《口》 파마(permanent wave). ── *vt.* (머리)를 파마하다 : have one's hair ~*ed* (미장원에 가서) 파마를 하다.

perm[2] *n.* Ⓒ《英口》(축구 도박에서) 선택한 승리 팀 이름의 조합. ── *vt.* (…에서 팀 이름)을 골라 짝맞추다《★ permutation의 간약형》.

per·ma·frost [pə́:rməfrɔ̀:st / -frɔ̀st] *n.* Ⓤ (한대·아(亞)한대의) 영구 동토층(凍土層).

per·ma·nence [pə́:rmənəns] *n.* Ⓤ 영구, 영속(성) ; 불변, 내구(성).

per·ma·nen·cy [pə́:rmənənsi] *n.* ① Ⓤ = PERMANENCE. ② Ⓒ 불변하는 것〔사람〕; 영속적(永續的)인 지위〔직업〕, 종신관(終身官).

‡**per·ma·nent** [pə́:rmənənt] (*more* ~ ; *most* ~) *a.* ① 영구한, 영속하는 ; 불변의, 내구성의 : ~ peace 항구적 평화 / one's ~ address 본적 / a ~ neutral country 영세 중립국 / ~ residence 영주(永住) / ~ use 상용(常用) / No human institutions are ~. 인간이 만든 제도는 어느 것이나 영속하지 않는다. ② 상설(常設)의. opp. *temporary.* ¶ a ~ committee 상임 위원회. ── *n.* 《美口》 = PERMANENT WAVE. ㊥ *~·ly *ad.*

pérmanent mágnet 〖物〗 영구 자석.

pérmanent wáve 파마.

pérmanent wáy 〖英鐵〗 (철도의) 궤도.

per·man·ga·nate [pə:rmǽŋgənèit] *n.* Ⓤ 〖化〗 과망간산염(塩) : potassium ~ 과망간산칼륨.

per·me·a·bil·i·ty [pə̀:rmiəbíləti] *n.* Ⓤ ① 침투성 ; 투과성. ② 〖物〗 투자율(透磁率).

per·me·a·ble [pə́:rmiəbəl] *a.* 침투〔투과〕성의.

per·me·ate [pə́:rmièit] *vt.* ① (액체 등이) …에 스며들다, 침투하다, 투과하다 : These chemicals ~ the soil. 이들 약품은 땅속에 스며든다. ② (냄새·연기 따위가) 충만하다 ; (사상 따위가) …에 퍼지다, 보급하다 : The smoke ~*d* the factory. 연기가 공장 안에 충만했다. ── *vi.* ① 침투하다, 스며들다《*through*》: Rain ~*d through* the cracks in the roof. 빗물이 지붕의 갈라진 틈을 통해 스며들었다. ② 퍼지다, 보급되다《*among* ; *through*》: A gloomy mood ~*d among* the mouners. 문상객 사이에 침통한 분위기가 감돌았다.
㊥ **pèr·me·á·tion** [-ʃən] *n.* Ⓤ 침투 ; 보급.

Per·mi·an [pə́:rmiən] *a.* 〖地質〗 페름기〔계〕의 : the ~ period 페름기. ── *n.* (the ~) 페름기〔계〕.

per·mis·si·ble [pə:rmísəbəl] *a.* 허용할 수 있는 ; 지장 없을〔무방한〕 정도의《잘못 따위》: a maximum ~ level of radiation 방사능의 최대 허용 범위. ㊥ **per·mís·si·bly** *ad.* 허가를 얻어, 허용되어.

‡**per·mis·sion** [pə:rmíʃən] *n.* Ⓤ 허가, 허락, 허용, 인가 : ask for ~ 허가를 청하다 / He gave ~ for them to go out. 그는 그들에게 외출 허가를 해 주었다 / We have got ~ to climb Mount Everest. 우리는 에베레스트 산의 등반 허가를 얻었다.
without ~ 허가를 받지 않고, 무단히 : They cannot leave the country *without* ~. 그들은 허가 없이는 그 나라를 떠날 수 없다.

per·mis·sive [pə:rmísiv] *a.* ① 관대한, 응석을 받아주는, 관용하는 : Many parents are too ~ with their children. 많은 부모들이 자식에게 너무 관대하다〔무르다〕. ② (규칙 등) 허용하는, 묵인하는 ; 임의의. ㊥ ~·ly *ad.* ~·ness *n.* Ⓤ

‡**per·mit** [pə:rmít] (*-tt-*) *vt.* ① 《~+目 / +目+*to* do / +目+目》 …을 허락하다, 허가하다, 인가하다 : Smoking is not ~*ted* in the room. 이 방에서는 금연이다 / *Permit* me *to* ask you a question. 한가지 질문해도 괜찮을까요 / He wouldn't ~ me any excuse. 그는 나에게 변명을 허락하려 들지 않았다. ② 《~+目 / +目+前+名》 (상관하지 않고) …하도록 내버려두다, 방임〔묵인〕하다 : I do not ~ noise *in* my room. 내 방에서는 소음을 내지 못하게 하고 있다 / Don't ~ yourself *in* dissipation. 방탕해서는 안 된다. ③ (사정이) …을 가능케 하다, 용납하다 : Circumstances do not ~ my leaving to a summer resort. 여러 가지 사정으로 나는 피서를 갈 수 없다. ── *vi.* 《~ / +前+名》 허락하다, 여지가 있다《*of*》: It ~*s of* no delay. 일각도 지체할 수 없다 / It ~*s of* no excuse. 변명할 여지가 없다. ◇ permission *n.*
weather ~ting 날씨가 좋으면.
── [pə́:rmit, pərmít] *n.* Ⓒ 면허〔허가〕장 ; 증명서 : a residence ~ 거주 허가증 / a work ~ 취업 허가증 / a parking ~ 주차 허가증.

per·mu·ta·tion [pə̀:rmjutéiʃən] *n.* Ⓤ,Ⓒ ① 바꾸어 넣음, 교환 ; 변경 ; (특히 축구 도박 팀의) 대전 편성. ② 〖數〗 순열 : ~(*s*) and combination(s) 순열과 조합.

per·mute [pə(:)rmjú:t] *vt.* ① …을 변경〔교환〕하다. ② 〖數〗 순열로 배치하다, 치환하다.

***per·ni·cious** [pə:rníʃəs] *a.* 유해한, 유독한, 치명적인, 악성의 : thoughts ~ to society 사회에 해로운 사상 / a ~ disease 불치의 병.
㊥ ~·ly *ad.* ~·ness *n.*

pernícious anémia 〖醫〗 악성 빈혈.

per·nick·e·ty [pərníkəti] *a.* 《口》 ① 자잘한 일에 너무 신경을 쓰는, 옹졸한 ; 까다로운 : As a writer, he is extremely ~ about using words correctly. 작가로서 그는 말을 올바로 사용하는 것에 대해 몹시 까다롭다. ② 다루기 힘든, 세심한 주의를 요하는 : a ~ question 다루기 힘든 문제.

Per·nod [pɛərnóu] *n.* Ⓤ,Ⓒ 페르노《프랑스 원산의 리큐어 ; 商標名》.

per·o·rate [pérərèit] *vi.* ① (연설에서) 결론을 맺다. ② 장광설을 늘어놓다, 열변을 토하다.
㊥ **pèr·o·rá·tion** [-ʃən] *n.* Ⓤ,Ⓒ

per·ox·ide [pəráksaid / -rɔ́k-] *n.* Ⓤ 〖化〗 ① 과산화물. ② 과산화수소. ── *vt.* (머리털 등)을 과산화수소로 표백하다.

peróxide blònde 《口蔑》 과산화수소로 머리를 금발로 탈색한 여자.

***per·pen·dic·u·lar** [pə̀:rpəndíkjələr] *a.* ① 직각을 이루는《*to*》; 수직의, 직립한 : a ~ line 수직선 / The wall must be ~ *to* the floor. 벽은 바닥에 대하여 직각이 되어야 한다. ② 깎아지른, 몹시 가파른 : a ~ cliff 깎아지른 절벽. ③ (종종 P-) 〖建〗 수직식의 : ~ style 수직식《영국 고딕 말기의 양식》. ── *n.* ① Ⓒ 수선(垂線) ; 수직면. ② Ⓤ (흔히 the ~) 수직, 수직의 위치〔자세〕: be out of (*the*) ~ 수직으로 돼 있지 않다〔경사져 있다〕. ③ (the ~) 〖建〗 수직식 건축(양식). ㊥ ~·ly *ad.*
pèr·pen·dìc·u·lár·i·ty [-lǽrəti] *n.* Ⓤ 수직, 직립.

per·pe·trate [pə́:rpətrèit] *vt.* ① (나쁜 짓·죄)를 범하다, 저지르다 : ~ a crime 죄를 범하다. ② 〖戲〗 (엉뚱한〔바보 같은〕 짓)을 해대다 : ~ a joke (장소도 가리지 않고) 농지거리하다.
㊥ **pèr·pe·trá·tion** *n.* **pér·pe·trà·tor** *n.*

‡**per·pet·u·al** [pərpétʃuəl] *a.* 〔흔히 限定的〕 ① 영구의, 영속하는, 종신의 : ~ snows 만년설 / a country of ~ spring 상춘(常春)의 나라 / ~ annuity 종신 연금 / ~ punishment 종신형. ② 부단한, 끊임없는 : a ~ stream of visitors 계속 들이닥치는 손님들 / her ~ chatter 그녀의 쉴새 없는 수다. ③ 〖園藝〗 사철 피는 : a ~ rose 사철 피는 장미. ㊥ *~·ly *ad.* ① 영구히 ; 종신토록. ②

끊임없이, 시종.
perpétual cálendar 만세력.
perpétual mótion (기계의) 영구 운동.
per·pet·u·ate [pə(:)rpétʃuèit] *vt.* ① …을 영속시키다. ② (명성 따위)를 불멸[불후(不朽)]케 하다. ㊞ **per·pèt·u·á·tion** [-ʃən] *n.* Ⓤ 영속시킴, 불후케 함, 영구화[보존].
per·pe·tu·i·ty [pə̀:rpətjú:əti] *n.* ① Ⓤ 영속, 영존(永存); 불멸; 영원. opp *temporality.* ¶ in [to, for] ~ 영구히, 영원히. ② Ⓤ (재산의) 영구 구속, 영대 소유권: a lease in ~ 영대 차지권. ③ Ⓒ 종신 연금.
‡**per·plex** [pərpléks] *vt.* ① 《~+목/+목+전+명》 (사람)을 당혹하게 하다, 난감[난처]하게 하다: His strange silence ~*es* me. 그의 기묘한 침묵이 나를 당혹하게 한다 / be ~*ed with* the question 그 문제로 난처하게 되다. ② (사태·문제 따위)를 복잡하게 하다, 혼란스럽게 하다.
per·plexed [pərplékst] *a.* 당혹한, 어찌할 바를 모르는: feel ~ about …에 곤혹스러워하다 / She looked ~. 그녀는 당혹해하는 듯이 보였다. ㊞ **per·pléx·ed·ly** [-idli] *ad.*
per·plex·ing [pərpléksiŋ] *a.* (문제 따위가) 난처하게[당혹하게] 하는; 복잡한, 까다로운. ㊞ ~·**ly** *ad.*
*__per·plex·i·ty__ [pərpléksəti] *n.* ① Ⓤ 당혹; 혼란; 복잡: in ~ 당혹한[하여]. ② Ⓒ 난처한 일, 난국: the *perplexities* of life 인생의 어려운 일들. ***to one's ~*** 〔獨立句〕 난처하게도.
per·qui·site [pə́:rkwəzit] *n.* Ⓒ ① (봉급 이외의) 임시 수당; 부수입; 임직원의 특전. ② (고용인에게 주는) 행하(行下), 정표; 팁.
per·ry [péri] *n.* Ⓤ 《英》 배즙으로 빚은 술.
Pers. Persia(n). **pers.** person; personal.
per se [pə:r-séi, -sí:] (L.) 그 자체로서(는), 본질적으로, 본래.
*__per·se·cute__ [pə́:rsikjù:t] *vt.* ① (특히 이단 따위를 이유로 사람)을 박해하다, 학대하다: He was being ~*d for* his beliefs. 그는 신앙상의 이유로 박해를 받고 있었다. ② 《~+목/+목+전+명》 …을 성가시게 하다, 괴롭히다 《*with*; *by*》: ~ a person *with* questions 질문 공세로 아무를 괴롭히다. ◇ persecution *n.* ㊞ **-cu·tor** [-tər] *n.* Ⓒ 박해자, 학대자.
*__per·se·cu·tion__ [pə̀:rsikjú:ʃən] *n.* U,C (특히 종교상의) 박해: suffer ~ 박해를 받다 / the ~*s* of Christians by the Romans 로마인의 기독교도 박해. ◇ persecute *v.*
persecútion còmplex 〔mània〕 피해[박해] 망상.
Per·seph·o·ne [pə:rséfəni] *n.* 〖그神〗 페르세포네《Hades의 아내로 명부(冥府)의 여왕》.
Per·seus [pə́:rsju:s, -siəs] *n.* ①〖그神〗 페르세우스《Zeus의 아들로 여괴(女怪) Medusa를 퇴치한 영웅》. ②〖天〗 페르세우스자리.
‡**per·se·ver·ance** [pə̀:rsəvíərəns] *n.* Ⓤ 인내(력), 참을성, 버팀: with ~ 참을성 있게.
*__per·se·vere__ [pə̀:rsəvíər] *vi.* 참다, 견디다, 버티다《*in*; *with*》: He ~*d in* his studies. 그는 꾸준히 연구를 계속했다 / The teacher ~*d with* the lazy student. 선생은 그 게으른 학생을 참을성 있게 가르쳤다. ◇ perseverance *n.*
per·se·ver·ing [pə̀:rsəvíəriŋ] *a.* 참을성 있는, 끈기 있는. ㊞ ~·**ly** *ad.*
*__Per·sia__ [pə́:rʒə, -ʃə] *n.* 페르시아《1935 년에 Iran 으로 개칭》.
‡**Per·sian** [pə́:rʒən, -ʃən] *a.* 페르시아의; 페르시아어(語)[사람]의. ── *n.* ① Ⓒ 페르시아 사람. ② Ⓤ 페르시아어.
Pérsian blínds 〖建〗 널빤지식 차양 발[문].
Pérsian cárpet 페르시아 융단.
Pérsian cát 페르시아 고양이.
per·si·flage [pə́:rsəflɑ̀:ʒ, pɛ̀ərsiflɑ́:ʒ] *n.* Ⓤ 《F.》 야유, 희롱; 농담.
*__per·sim·mon__ [pə:rsímən] *n.* U,C 감(나무).
‡**per·sist** [pə:rsíst, -zíst] *vi.* ① 《+전+명》 고집하다, 주장하다, 집착하다《*in*; *with*》: ~ *in* one's belief 자기의 신념을 고집하다 / The government ~*ed with* the economic reform. 정부는 그 경제 개혁을 밀고 나가려 했다. ② 《~/+전+명》 지속하다, 존속하다, 살아남다: If the pain ~*s*, consult a doctor. 통증이 계속되면 의사의 진찰을 받아라 / The legend has ~*ed for* two thousand years. 그 전설은 2000년 동안 이어져 오고 있다.
*__per·sist·ence, -en·cy__ [pə:rsístəns, -zíst-], [-ənsi] *n.* Ⓤ ① 끈덕짐, 고집, 완고, 집요함: Great ~ is necessary for success. 성공하는 데는 상당한 끈기가 필요하다. ② 존속, 지속성.
‡**per·sist·ent** [pə:rsístənt, -zíst-] *a.* ① 고집하는, 완고한, 끈질긴: ~ efforts 끈질긴 노력. ② 〔限定的〕 영속하는, 지속성의, 끊임없는: a ~ headache [noise] 그치지 않는 두통[소음]. ㊞ ~·**ly** *ad.*
per·snick·ety [pərsníkəti] *a.* 《口》 =PERNICKETY.
†**per·son** [pə́:rsən] *n.* ① Ⓒ 사람《개인으로서의》, 인간; 인물; 자(者); 《蔑》 놈, 녀석: No ~ saw it. 그것을 본 사람은 아무도 없다 / a private ~ 사인(私人) / a very important ~ 요인, 거물《略: VIP》 / Who is this ~? 이 사람은 누구냐 / Five ~*s* were killed in the accident. 그 사고로 5사람이 죽었다. ★ 복수형에 persons를 사용하는 것은 퍽 격식차린 표현이며 보통은 people을 사용함. ② Ⓒ (흔히 *sing.*) 몸, 신체; 용자(容姿), 풍채: an offense against the ~ 폭행 / a lady of a fine ~ 미모의 여성 / The police searched his ~. 경찰이 그의 몸수색을 했다. ③ U,C 〖文法〗 인칭: the first [second, third] ~, 1 [2, 3] 인칭. ④ Ⓒ 〖宗〗 (3 위 일체의) 위(位), 위격(位格): the three ~*s* of the Godhead 하느님의 3위《성부·성자·성령》.
in ~ (1) 본인 자신이, 몸소: You had better go *in* ~. 네가 직접 가는 것이 좋다. (2) 그 사람 자신은; (사진이 아닌) 실물로: She looks better *in* ~ than on the screen. 그녀는 영화에서보다 실물이 더 곱다. ***in*** one***'s own*** ~ = in ~ (1). ***in the ~ of ...*** …라는 (사람에): He found a good assistant *in the* ~ *of* Mr. James. 그는 제임스씨라는 유능한 조수를 얻었다.
-person '사람'의 뜻의 결합사《★ 주로 성(性) 차별을 피하기 위해 -man, -woman 대신, 특히 여성에 대해 씀》: sales*person.*
per·so·na [pərsóunə] (*pl.* ***-nae*** [-ni:]) *n.* Ⓒ 《L.》 ① (종종 *pl.*) (극·소설 따위의) 등장 인물. ② 〖心〗 페르소나, 외적 인격《가면을 쓴 인격》.
per·son·a·ble [pə́:rsənəbəl] *a.* 풍채가 좋은, 품위 있는, 잘생긴. ㊞ **-bly** *ad.* ~·**ness** *n.*
*__per·son·age__ [pə́:rsənidʒ] *n.* Ⓒ ① 명사, 훌륭한 사람. ② (극·소설 중의) (등장) 인물.
‡**per·son·al** [pə́:rsənəl] (***more*** ~; ***most*** ~) *a.* ① 〔限定的〕 개인의, 자기만의, 일신상의, (특정) 개인을 위한: a ~ history 이력 / a ~ matter [affair] 사사(私事) / one's ~ stuff 사물(私物) / a ~ letter 친전(親展) 편지, 사신(私信) / I have no ~ acquaintance with him. 그를 개인적으로 (직접) 알고 있지는 않다. ② 〔限定的〕 본인 스스로의, 직접의: a ~ call [interview] 직접 방문[면회] / a ~ example 직접 보여주는 본보기. ③ (특

정) 개인을 겨냥한, 남의 사사에 참섭하는 ; 인신 공격의 : ~ abuse〔remarks〕 인신 공격 / It's not polite to ask ~ questions. 사삿일에 관한 질문을 하는 것은 예의가 아니다. ④〔限定的〕 신체의 ; 용모〔풍채〕의 : ~ ornaments 장신구 / ~ injury 인신 상해(人身傷害) / ~ appearance 용모, 풍채. ⑤〔限定的〕『文法』 인칭(人稱)의 : ⇨ PERSONAL PRONOUN. ⑥〔限定的〕『法』 인적인, 대인(對人)의 ; 동산(動産)의 : ⇨ PERSONAL EFFECTS / ~ principle 속인(屬人)주의.
—— *n.* Ⓒ《美》① (신문 따위의) 인사〔개인 소식〕. ② (연락용의) 개인 광고. ③ (*pl.*) = PERSONAL COLUMN.

pérsonal assístant 개인 비서.

pérsonal cáll《英》지명 통화(person-to-person call).

pérsonal cólumn (신문 등의) 개인 소식〔광고〕란.

pérsonal compúter『컴』개인용 컴퓨터, 퍼스널 컴퓨터《略 : PC》.

pérsonal efféćts *pl.*『法』 개인 소지품, 사물(私物).

pérsonal equátion『天』 (관측상의) 개인(오)차 ; 〔一般的〕 개인적 경향〔개인차〕에 의한 판단〔방법〕의 차이.

pérsonal estáte = PERSONAL PROPERTY.

pérsonal identificátion nùmber『金融』 ⇨PIN.

‡**per·son·al·i·ty** [pə̀:rsənǽləti] *n.* ① Ⓤ.Ⓒ 개성, 성격, 인격, 인물 ; 《특히》 매력 있는 성격 : dual〔double〕 ~ 이중 인격 / an actress with a strong ~ 개성이 강한 여배우 / He has a lot of ~. 저 사람은 아주 매력 있는 인물이다. ② Ⓤ 사람으로서의 존재 ; 인간(성). ③ Ⓤ (사람의) 실재(성) : doubt the ~ of Shakespeare 셰익스피어의 실재를 의심하다. ④ Ⓒ (어떤 개성을 가진) 인물, 유명인, 명사 : a TV ~ 텔레비전의 인기 배우. ⑤ (흔히 *pl.*) 인물 비평, 《특히》 인신 공격 : indulge in *personalities* 인신공격만 하다, 함부로 인신공격을 하다. ⑥ Ⓤ (장소·사물 따위의) 분위기 : The curtains gave her room ~. 그 커튼은 그녀의 방에 독특한 분위기를 자아내고 있었다.

personálity cùlt 개인 숭배.

personálity tést『心』 성격 검사.

per·son·al·ize [pə́:rsənəlàiz] *vt.* ① …을 개인의 전유물로 만들다 ; …에 이름을〔머리글자를〕 넣다〔붙이다〕 : handkerchiefs ~*d* with one's initials 이니시얼이 있는 개인 전용의 손수건. ② (논의 등)을 개인적인 문제로 다루다 : Let's not ~ this argument. 이 논의를 개인적인 문제로 삼지 않도록 합시다. ③ …을 의인화하다.
㊕ **pèr·son·al·i·zá·tion** *n.*

‡**per·son·al·ly** [pə́:rsənəli] *ad.* ① 몸소, 스스로 : I will thank him ~. 직접 그를 만나서 인사하겠다. ②〔종종 文章修飾〕 나 개인적으로(는), 자기로서는 : *Personally,* I don't care to go. 나로서는 가고 싶지 않다 / *Personally* speaking 개인적으로 말하면(=Speaking ~). ③ 자기의 일로서, 빗대어 : take his comments ~ 그의 말을 자기에게 빗댄 것으로 받아들이다. ④ 인품으로서(는), 개인으로서 : I don't hate him ~. 개인적으로는 그를 미워하지 않는다.

pérsonal prónoun『文法』 인칭 대명사.

pérsonal próperty『法』 동산(動産).

per·son·al·ty [pə́:rsənəlti] *n.* Ⓤ『法』 동산(personal property). opp realty.

per·so·na non gra·ta [pərsóunə-nɑn-grɑ́:tə / -nɔn-] (*pl.* ~, ***per·so·nae non gratae*** [-ti:, -tai]) 《L.》 ① 마음에 안 드는 사람. ②『外交』 주재국 정부가 기피하는 외교관.

per·son·ate [pə́:rsənèit] *vt.* ① …의 역을 맡아 연기하다, …으로 분장하다. ② …인 체하다, …의 이름을 사칭하다. ㊕ **pèr·son·á·tion** [-ʃən] *n.* Ⓤ

***per·son·i·fi·ca·tion** [pə:rsɑ̀nəfikéiʃən / -sɔ̀-] *n.* ① Ⓤ.Ⓒ 의인(擬人), 인격화 ;『修』 의인법. ② (the ~) 권화(權化), 화신 : He's *the* ~ of pride. 그는 거만의 전형이다.

per·son·i·fy [pə:rsɑ́nəfài / -sɔ́-] *vt.* ① …을 인격화〔의인화〕하다 : Animals are often *personified* in fairy tales. 동화에서는 동물들이 종종 의인화된다. ② …의 화신〔전형〕이 되다, …을 구현하다 : She *personifies* chastity. 그녀는 정절의 전형이다.

per·son·kind [pə̀:rsənkáind] *n.* Ⓤ〔集合的〕 인간, 인류《성차별을 피하여 mankind 대신 쓰이는 말》.

***per·son·nel** [pə̀:rsənél] *n.* Ⓤ ①〔集合的 ; 複數 취급〕 (관청·회사 따위의) 전직원, 인원 : All the ~ were given an extra week's vacation. 전직원이 1주간의 특별휴가를 받았다. ②〔集合的 ; 單·複數 취급〕 (회사·관청 따위의) 인사부〔과〕 : She works in ~. 그녀는 인사과에 근무하고 있다. ③〔複數 취급〕《美》 사람들 : Five ~ were transferred. 다섯 사람이 자리를 옮겼다. —— *a.*〔限定的〕 ① 인사의 : a ~ manager (회사의) 인사 담당 이사 / the ~ department 인사부. ② 군대용의 : a ~ carrier 병원(兵員) 수송차〔선, 기〕.

per·son-to-per·son [pə́:rsntəpə́:rsn] *a.* ① 직접의, 무릎을 맞대고 하는, 개인 대 개인의 : ~ diplomacy 개인 대 개인 외교. ② (장거리 전화가) 지명 통화의 : a ~ call 지명 통화. cf. station-to-station. —— *ad.* ① 지명 통화로. ② 개인 대 개인으로, 직접 마주 보고.

per·spec·tive** [pə:rspéktiv] *n.* ① Ⓤ 원근(화)법, 투시 화법 ; Ⓒ 투시화〔도〕 : angular〔linear〕 ~ 사선〔직선〕 원근 화법. ② Ⓒ 원경(遠景), 경치, 조망, 전망 : A fine ~ opened out before us. 멋진 전망이 눈앞에 펼쳐졌다. ③ Ⓒ (특정한) 시각, 관점 ; (장래의) 전망, 전도(前途) ; 통찰 : the dismal ~ of terminally ill patients 말기 환자에 대한 어두운 전망. ***in ~ (1) 원근 화법에 의하여. (2) 올바른 견해로〔균형으로〕 : see〔look at〕 things *in* ~ 사물을 옳게 보다. ***out of*** ~ (1) 원근법에서 벗어나. (2) 편견을 가지고.
—— *a.*〔限定的〕 투시〔원근〕 화법의 ; 원근법에 의한 : ~ representation 원근〔투시〕 화법.
㊕ **~·ly** *ad.* 원근법에 의해 ; 명료하게.

Per·spex [pə́:rspeks] *n.* Ⓤ 방풍 유리《항공기 따위의 투명부에 씀 ; 商標名》.

per·spi·ca·cious [pə̀:rspəkéiʃəs] *a.* 총명한, 통찰력〔선견지명〕이 있는. ㊕ **~·ly** *ad.*

per·spi·cac·i·ty [pə̀:rspəkǽsəti] *n.* Ⓤ 명민, 총명 ; 통찰력.

per·spi·cu·i·ty [pə̀:rspəkjú:əti] *n.* Ⓤ (언어·문장 따위의) 명료함, 명쾌함.

per·spic·u·ous [pə:rspíkjuəs] *a.* (언어·문체 등이) 명쾌한, 명료한. ㊕ **~·ly** *ad.*

***per·spi·ra·tion** [pə̀:rspəréiʃən] *n.* Ⓤ ① 발한(작용). ② 땀 : His hands were wet with ~. 그의 손은 땀에 젖어 있었다.

***per·spire** [pərspáiər] *vi.* 땀을 흘리다, 발한(發汗)하다 : The heat made us ~ terribly. 열기로 우리는 몹시 땀을 흘렸다. cf. sweat. ◇ perspiration *n.*

per·suad·a·ble [pə:rswéidəbəl] *a.* 설득할 수 있는.

‡**per·suade** [pə:rswéid] *vt.* ①《+목+*to* do / +목+전+명》 …을 설득하다, 권유〔재촉, 독촉〕하여 …시키다. opp *dissuade.* ¶ We could not ~ him *to* wait. 그에게 기다리도록 권하였으나 듣지

않았다 / He ~*d* her *into* going to the party. 그는 그녀가 파티에 가도록 설득하였다. ②《+목+전+명 / +목+that 절》…을 납득시키다, 믿게 하다, 확신시키다《*of*》: How can I ~ you *of* my sincerity 〔*that* I am sincere〕? 저의 성실함을 어떻게 하면 믿어 주실지. ◇ persuasion *n.*

~ a person ***out of*** 아무를 설득해서 …을 단념시키다. ~ one***self*** 확신하다. 파 **per·suád·er** [-ər] *n.* Ⓒ ① 설득자. ②《口》말을 듣게 하는 것《박차·채찍·권총 따위》.

***per·sua·sion** [pərswéiʒən] *n.* ① Ⓤ 설득; 설득력. ② Ⓒ 확신, 신념: It is his ~ that might is right. 힘이 정의라는 것이 그의 신념이다. ③ Ⓒ 신조(信條), 종지(宗旨); 종파(宗派): He is of the Roman Catholic ~. 그는 가톨릭 신자다. ④ Ⓒ《戱》종류, …형(型), …파(派): a man of the Jewish ~《戱》유대 사람 / a painter of the abstractionist ~ 추상파 화가. ◇ persuade *v.*

***per·sua·sive** [pərswéisiv] *a.* 설득력 있는, 구변이 좋은. 파 **~·ly** *ad.* **~·ness** *n.* Ⓤ 설득력.

pert [pəːrt] (**~·er; -est**) *a.* ① (아이 등) 건방진, 오지랖 넓은: ~ manners 건방진 태도. ② (옷 따위) 멋진, 세련미 있는: a ~ hat 멋있는 모자. 파 **∠·ly** *ad.* **∠·ness** *n.*

***per·tain** [pərtéin] *vi.* 《+전+명》① (…에) 속하다, 부속하다《*to*》: the lands ~*ing to* the mansion 그 저택에 속하는 토지. ② 적합하다, 어울리다《*to*》: The conduct does not ~ *to* the young. 그런 행동은 젊은 사람에게는 어울리지 않는다. ③ (…에) 관계되다《*to*》: Your remark does not ~ *to* the question. 네 발언은 이 문제와 관계가 없다.

per·ti·na·cious [pə̀ːrtənéiʃəs] *a.* 집요한, 완고한; 끈기있는, 불굴의. 파 **~·ly** *ad.* **~·ness** *n.*

per·ti·nac·i·ty [pə̀ːrtənǽsəti] *n.* Ⓤ 집요함, 완고, 외고집; 끈덕짐, 불요불굴.

***per·ti·nent** [pə́ːrtənənt] *a.* ① 타당한, 적절한《*to*》, 요령 있는. opp *impertinent.* ¶ make a ~ remark 적절한 말을 하다. ② …에 관련된《*to*》: ~ evidence 관련 증거 / some questions ~ *to* his remark 그의 비평에 관련된 몇가지 질문. 파 **~·ly** *ad.* 적절하게. **-nence, -nen·cy** *n.* Ⓤ 적절, 적당.

***per·turb** [pərtə́ːrb] *vt.* 〔종종 受動으로〕(사람의 마음)을 교란하다, 혼란하게 하다, 당황케 하다, 불안하게 하다: She was deeply ~*ed* to hear of his death. 그가 죽었다는 소식을 듣고 몹시 당황했다.

per·tur·ba·tion [pə̀ːrtərbéiʃən] *n.* ① Ⓤ (마음의) 동요, 혼란; 낭패, 불안: be in great ~ of mind 마음이 크게 동요하고 있다. ② Ⓒ 〖天〗 섭동(攝動).

***Pe·ru** [pərúː] *n.* 페루《남아메리카의 공화국; 수도 Lima》. ◇ Peruvian *a.*

pe·ruke [pərúːk] *n.* Ⓒ (17-18세기의) 남자 가발(wig). ★ 현재는 주로 판사가 사용함.

***pe·rus·al** [pərúːzəl] *n.* U,C 읽음, 숙독, 정독; 《稀》음미, 정사(精査). ◇ peruse *v.*

***pe·ruse** [pərúːz] *vt.* ① …을 숙독〔정독〕하다. ②《戱》…을 읽다(scan). ③ …을 정사(精査)하다, 자세히 조사하다.

Pe·ru·vi·an [pərúːviən, -vjən] *a.* 페루(Peru)의; 페루 사람의. ── *n.* Ⓒ 페루 사람.

***per·vade** [pərvéid] *vt.* …에 널리 퍼지다, 고루 미치다, 보급하다; …에 가득 차다; 스며들다: Spring ~*d* the air. 봄 기운이 대기에 넘쳐 있었다 / Revolutionary ideas ~*d* the land. 혁명적 사상이 전국에 퍼졌다. 「투.

per·va·sion [pərvéiʒən] *n.* Ⓤ 보급, 충만; 침

per·va·sive [pərvéisiv] *a.* 퍼지는, 보급되는; 스며드는: the ~ influence of computers 컴퓨터의 보급력. 파 **~·ly** *ad.* **~·ness** *n.* Ⓤ

***per·verse** [pərvə́ːrs] *a.* ① 외고집의, 심술궂은, 성미가 비꼬인, 빙퉁그러진; 고집이 센: a ~ disposition 완고한 기질. ② 사악한; 정도(正道)를 벗어난, 잘못된. ◇ perversity *n.* 파 **~·ly** *ad.* **~·ness** *n.*

per·ver·sion [pərvə́ːrʒən, -ʃən] *n.* U,C ① 곡해, 억지: a ~ of the facts 사실의 곡해. ② 남용, 악용; 악화. ③ (성)도착: sexual ~ 성욕 도착. ◇ pervert

per·ver·si·ty [pərvə́ːrsəti] *n.* ① Ⓤ 비뚤어짐, 외고집. ② Ⓒ 비뚤어진 행위.

per·ver·sive [pərvə́ːrsiv] *a.* ① 나쁜 길로 이끄는; 그르치게 하는. ② 곡해하는.

***per·vert** [pəːrvə́ːrt] *vt.* ① (상도(常道))에서 벗어나게 하다. ② (말 등)을 곡해하다: ~ a person's words 아무의 말을 곡해하다. ③ …을 악용하다, 잘못 사용하다: He ~*ed* his talents. 그는 그의 재능을 악용했다〔잘못 사용했다〕. ④ (사람)을 나쁜 길로 이끌다; (판단 등)을 그르치게 하다. ◇ perversion *n.* ── [pə́ːrvəːrt] *n.* Ⓒ 타락자; 배교자; 〖心〗 성욕 도착자.

per·vert·ed [-id] *a.* ①〖醫〗이상의, 변태의, 도착의. ② 사도(邪道)에 빠진, 비꾸러진: a ~ version of an occurrence 사건에 대한 비뚤어진 해석. 파 **~·ly** *ad.*

per·vi·ous [pə́ːrviəs] *a.* ① (빛·물 따위)를 통과시키는, 통하게 하는《*to*》: Glass is ~ *to* light. 유리는 빛을 통과시킨다. ② (도리 등이) 통하는, 아는, 감수력 있는《*to*》: ~ *to* reason 도리를 아는. opp *impervious.*

pe·se·ta [pəséitə] *n.* Ⓒ《Sp.》페세타《스페인의 통화 단위로, 100 centimos; 略: pta, P》.

pes·ky [péski] (**-ki·er; -ki·est**) *a.* 《美口》〔限定的〕성가신, 귀찮은: The kitchen is full of ~ flies. 부엌에는 성가신 파리들이 우글거린다.

pe·so [péisou] (*pl.* **~s**) *n.* Ⓒ《Sp.》① 페소《필리핀·멕시코 및 중남미 여러 나라의 화폐 단위》. ② 1페소 은화〔지폐〕.

pes·sa·ry [pésəri] *n.* Ⓒ ① 페서리《자궁 위치 교정용·피임용 기구》. ② 질좌약(膣坐藥).

***pes·si·mism** [pésəmìzəm] *n.* Ⓤ 비관주의; 비관설〔론〕, 염세 사상. opp *optimism.*

pes·si·mist [-mist] *n.* Ⓒ 비관론〔주의〕자.

***pes·si·mis·tic** [pèsəmístik] *a.* 비관적인, 염세적인《*about*》: take a ~ view of …을 비관하다 / He's ~ *about* the future. 그는 장래에 대해 비관적이다. 파 **-ti·cal·ly** [-tikəli] *ad.*

***pest** [pest] *n.* ① Ⓒ 유해물; 해충: a garden ~ 식물기생충. ② Ⓒ (흔히 *sing.*)《口》골칫거리. ③ U,C《稀》악역(惡疫); 페스트, 흑사병.

Pes·ta·loz·zi [pèstəlɑ́tsi / -lɔ́tsi] *n.* **Johann H.** ~ 페스탈로치《스위스의 교육 개혁자; 1746-1827》.

pes·ter [péstər] *vt.* 《~+목 / +목+전+명 / +목+to do》(사람)을 괴롭히다, 고통을 주다: He is always ~*ing* me *for* money. 그는 언제나 돈을 달라고 졸라댄다 / ~ a person *with* complaints 불평을 하여 아무를 괴롭히다 / He ~*ed* me *to* help. 그는 나에게 도와 달라고 귀찮게 졸라댔다.

pest·i·cide [péstəsàid] *n.* U,C 농약《살충제·살균제·제초제·살서제(殺鼠劑) 따위》.

pes·tif·er·ous [pestífərəs] *a.* ① 유독한, 유해한, 위험한. ② 성가신, 귀찮은. 「행병.

***pes·ti·lence** [péstələns] *n.* U,C 악역(惡疫); 유

pes·ti·lent [péstələnt] *a.* ① 전염성의, 전염병의.

②《口》 성가신, 귀찮은. ㊞ ~·**ly** *ad.*

pes·ti·len·tial [pèstəlénʃəl] *a.* =PESTILENT.

pes·tle [péstl] *n.* Ⓒ 막자; 공이.

†**pet**[1] [pet] *n.* Ⓒ ① 페트, 애완 동물《개·고양이·작은 새 따위》: a ~ shop 애완 동물 상점. ② **a)** 총아, 마음에 드는 사람: a teacher's ~ 선생님의 마음에 드는 사람. **b)** (흔히 *sing.*) 우리 아기, 착한 아이, 귀여운 사람: Thank you, ~. 고마워, 아가야. ③《口》 매우 멋진〔훌륭한〕 것《女性語》: What a ~ of a hat! 정말 멋진 모자구나. ***make a ~ of*** …을 귀여워하다. ── *a.* 〔限定的〕 ① 애완의: a ~ kitten 애완 고양이. ② 득의의, 가장 좋아하는: one's ~ theory 지론(持論). ③ 애정을 나타내는: ⇨ PET NAME. one**'s ~ *aversion*(*s*)** 〔***hate***〕《戲》 아주 싫은 것〔사람〕.
── (*-tt-*) *vt.* ① …을 귀여워하다, 총애하다, 애무하다; 응석부리게 하다: We cannot ~ anything much without doing it mischief. 무엇이든 너무 귀여워하면 해가 되는 법이다. ②《口》 (이성)을 껴안고 키스하다, 페팅하다. ── *vi.* 《口》 페팅하다.

pet[2] *n.* Ⓒ 보로통〔뾰로통〕함, 뚱함: She's in a ~ about something. 그녀는 어떤 일로 보로통해 있다.

Pet. 〖聖〗 Peter. **pet.** petroleum.

*__pet·al__ [pétl] *n.* Ⓒ 〖植〗 꽃잎.

pet·al(l)ed [pétld] *a.* 꽃잎이 있는; 〔合成語〕 …판(瓣)의: six-~, 6 판의.

pe·tard [pitá:rd] *n.* Ⓒ〖史〗 폭약의 일종《성문 따위의 파괴용》; 꽃불, 폭죽. ***hoist with*** 〔***by***〕 one**'s *own*** ~ ⇨ HOIST[2].

Pete [pi:t] *n.* 피트《남자 이름; Peter의 애칭》. ***for ~'s sake*** 제발.

*__Pe·ter__ [pí:tər] *n.* ① 피터《남자 이름》. ②〖聖〗 베드로《예수의 12 제자 중의 한 사람; Simon Peter라고도 부름》. ③ 베드로서(書)《신약성서 중의 한 편; 略: Pet.》. ④ 표트르(Pyotr) 대제 《러시아 황제; 1672-1725》. ***rob ~ to pay Paul*** 한 쪽에서 빼앗아 다른 쪽에 주다, 빚으로 빚을 갚다.

pe·ter[1] *n.* Ⓒ ①《俗》 (교도소의) 독방. ②《俗》 금고. ③《俗·卑》 음경(陰莖), 페니스.

pe·ter[2] *vi.* ① (광맥 등이) 가늘어지다, 다하다《*out*》. ② 점차 소멸하다《*out*》.

pe·ter·man [pí:tərmən] (*pl.* ***-men*** [-mən]) *n.* 《俗》 금고털이.

Péter Pán ① 피터팬《J. M. Barrie 작 동화의 주인공》. ② 언제까지나 아이 같은 어른.

Péter Pàn cóllar 〖服飾〗 피터팬 칼라《여성·아동복의 작고 둥근 깃》.

pet·i·ole [pétiòul] *n.* Ⓒ 〖植〗 잎꼭지, 엽병.

pet·it [péti] *a.* 《F.》 (주로 법률 용어로) 작은; 가치 없는; 시시한, 사소한(little).

pe·tit bour·geois [pəti:búərʒwa:] (*pl.* ***pe·tits bour·geois*** [-z]) 《F.》 프티 부르주아, 소시민.

pe·tite [pəti:t] *a.* 《F.》 〔petit의 여성형〕 작은, 몸집이 작은《여자에 대해 말함》.

pet·it four [pétifɔ:r] (*pl.* ***pet·its fours*** [-z]) 《F.》 소형의 케이크.

‡**pe·ti·tion** [pitíʃən] *n.* Ⓒ ① 청원, 탄원, 진정; (신에의) 기원: a ~ to the king 〔House〕 국왕〔의회〕에 보내는 탄원서 / grant 〔reject〕 a ~ 청원을 승락〔각하〕하다. ② 청원〔탄원, 진정〕서; (법정에의) 신청(서), 소장(訴狀): a ~ against 〔for〕 …에 반대〔찬성〕하는 청원서. ***the Petition of Right*** 〖英史〗 권리 청원《1628년 의회가 Charles I 에게 승인시킴》. ── *vt.* 《~+목 / +목+전+명 / +목+*to* do / +목+*that* 절》 …에 청원〔탄원, 진정, 신청〕하다; …에 기원하다《*for*》: ~ the mayor 시장에게 청원하다〔청원서를 보내다〕 / They ~*ed* the governor *for* help〔*to* help them〕. =They ~*ed* the governor *that* he (should) help them. 그들은 지사에게 도움을 청하였다. ── *vi.* 《+전+명 / +*to* do》 신청하다, 청원하다《*for*》: She is ~*ing for* a retrial. 그녀는 재심(再審)을 청구하고 있다 / ~ *to* be allowed to go 가게 해달라고 청원하다.
㊞ ~·**a·ry** [-èri / -əri] *a.* ~의. *~·**er** *n.*

pétit júry 〖法〗 소배심(小陪審)《12 명으로 된 보통의 배심》. ⓒⓕ grand jury.

pét náme 애칭《Bob, Bill 등》.

Pet·rarch [pí:tra:rk / pét-] *n.* **Francesco** ~ 페트라르카《이탈리아의 시인; 1304-74》.

Pe·trar·chan [pitrá:rkən] *a.* 페트라르카풍〔류〕의: a ~ sonnet 페트라르카풍의 소네트.

pet·rel [pétrəl] *n.* Ⓒ 〖鳥〗 바다제비류.

pet·ri·fac·tion, pet·ri·fi·ca·tion [pètrəfǽkʃən], [-fikéiʃən] *n.* ① Ⓤ 석화(石化) (작용). ② Ⓒ 화석, 석화물. ③ Ⓤ 망연 자실.

pet·ri·fied [pétrəfàid] *a.* ① 석화(石化)한. ② 〔敍述的〕 깜짝 놀라서, 망연자실하여: He was ~ *with* fear. 그는 공포로 오금을 못펴고 있었다.

pet·ri·fy [pétrəfài] *vt.* ① …을 돌이 되게 하다; 석화(石化)하다. ② 〔흔히 過去分詞로 形容詞的〕 (사람)을 깜짝 놀라게 하다; 망연자실하게 하다: The sight of his face *petrified* her. 그의 얼굴을 보고 그녀는 자지러지게 놀랐다. ③ (사회·조직 등)을 경직(硬直)시키다. ── *vi.* ① 석화하다. ② 깜짝 놀라다, 망연 자실하다; 경직화하다.

petro- '돌, 바위; 석유'의 뜻의 결합사.

pet·ro·chem·i·cal [pètroukémikəl] *n.* Ⓒ (흔히 *pl.*) 석유 화학 제품.

pe·tro·chem·is·try [pètroukémistri] *n.* Ⓤ 석유 화학; 암석 화학.

pet·ro·dol·lars [pétroudàlərz / -dɔ̀l-] *n. pl.* 오일 달러.

pe·trog·ra·phy [pitrágrəfi / -trɔ́g-] *n.* Ⓤ 암석 기술학(記述學); 암석 분류학.

‡**pet·rol** [pétrəl] *n.* Ⓤ 《英》 가솔린(《美》 gasoline): a ~ engine 가솔린 엔진 / a ~ tank (자동차 등의) 가솔린 탱크. 「광유(鑛油).

pet·ro·la·tum [pètrəléitəm] *n.* Ⓤ 〖化〗 바셀린;

pétrol bòmb 《英》 화염병(Molotov cocktail).

*__pe·tro·le·um__ [pitróuliəm] *n.* Ⓤ 석유: crude 〔raw〕 ~ 원유 / a ~ engine 석유 발동기.

petróleum jélly =PETROLATUM. 「자.

pe·trol·o·gist [pitrálədʒist / -trɔ́l-] *n.* Ⓒ 암석학

pe·trol·o·gy [pitrálədʒi / -trɔ́l-] *n.* Ⓤ 암석학.

pétrol stàtion 《英》 주유소(《美》 gas station).

*__pet·ti·coat__ [pétikòut] *n.* Ⓒ ① 페티코트《스커트 속에 입는》. ②《口》 **a)** 여자, 계집아이. **b)** (*pl.*) 여성. ***wear*** 〔***be in***〕 ***~s*** 여성〔어린아이〕이다, 여성답게 행동하다. ── *a.* 〔限定的〕 여자의, 여성적인; 페티코트를 입은: a ~ affair 정사(情事); 염담 / ~ government 여인 천하《가정·정계에서의》.

pet·ti·fog [pétifàg, -fɔ̀(:)g] (*-gg-*) *vi.* 궤변을 늘어놓다; 되잖은 이치를 늘어놓다. ㊞ ~·**ger** [-ər] *n.* Ⓒ 궤변꾼, 엉터리 변호사.

pet·ti·fog·ging [pétifàgiŋ, -fɔ̀(:)g-] *a.* ① 협잡적인, 속이는, 되잖은 이치를 말하는: a ~ lawyer 악덕 변호사. ② 시시한, 사소한.

pét·ting zòo [pétiŋ-] (동물을 쓰다듬을 수 있는) 어린이 동물원.

pet·tish [pétiʃ] *a.* 토라진; 골내기 잘하는.
㊞ ~·**ly** *ad.* ~·**ness** *n.*

‡**pet·ty** [péti] (*-ti·er ; -ti·est*) *a.* ① 사소한, 대단찮은: ~ troubles 시시한 걱정거리 / ~ expenses 잡비. ② 마음이 좁은(narrow-minded), 쩨쩨한: a ~ mind 좁은 마음 / Don't be so ~. 그렇게 째째하게 놀지 마라. ③ 하급의; 소규모의: a

～ official 하급〔말단〕 공무원 / a ～ farmer 소농. ㊞ **-ti·ly** *ad.* 인색〔비열〕하게. **-ti·ness** *n.*
pétty bourgéois ＝PETIT BOURGEOIS.
pétty cásh 잔돈, 용돈 ; 소액 자금.
pétty júry ＝PETIT JURY.
pétty lárceny 좀도둑질 ; 가벼운 절도죄.
pétty òfficer (해군의) 하사관《육군의 noncommissioned officer에 상당함》.
pet·u·lance, -lan·cy [pétʃələns], [-si] *n.* Ⓤ 성마름, 토라짐, 불쾌(한 언동).
pet·u·lant [pétʃələnt] *a.* 성마른, 화 잘내는, 까다로운, 앵돌아지는. ㊞ ～**·ly** *ad.*
pe·tu·nia [pitjúːniə, -njə] *n.* ① Ⓒ 〖植〗 피튜니아. ② Ⓤ 암자색(暗紫色).
***pew** [pjuː] *n.* Ⓒ ① (교회의) 신도석, 회중석. ② 《口》 의자, 자리 : take a ～ 의자〔자리〕에 앉다.
pe·wee [píːwiː] *n.* Ⓒ 딱새의 일종《미국산》.
pe·wit, pee·wit [píːwit] *n.* Ⓒ 〖鳥〗 ① 댕기물떼새(lapwing). ② 《美》 ＝PEWEE.
pew·ter [pjúːtər] *n.* Ⓤ ① 백랍(白鑞)《주석과 납·놋쇠·구리 따위의 합금》. ② 〔集合的〕 백랍제의 기물〔술잔〕.
pe·yo·te, -yotl [peióuti], [-tl] *n.* ① Ⓒ 〖植〗 (멕시코·미국 남서부산의) 선인장의 일종. ② Ⓤ 이 식물에서 채취하는 환각제.
pf. perfect ; pfennig ; 〖樂〗 pianoforte ; 〖證〗 preferred. **PFC, Pfc.** Private First Class (《美陸軍》 상등병).
pfen·nig [*p*fénig] (*pl.* ～*s*, ***-ni·ge*** [-nigə]) *n.* Ⓒ 페니히《독일의 동전 ; 1 마르크의 1/100》.
PG 《美》 Parental Guidance (부모의 지도를 요하는, 미성년자에 부적당한 영화). **Pg.** Portugal ; Portuguese. **pg.** page.
PG-13 [piːdʒíːθəːrtíːn] 《美》 〖映〗 13세 미만의 어린이에게는 부모의 특별한 지도가 요망되는 준(準)일반 영화. [◂ *P*arental *G*uidance]
pH [piːéitʃ] *n.* 〖化〗 피에이치, 페하《수소 이온 농도를 나타내는 기호》.
ph 〖化〗 phenyl. **PH** Purple Heart.
Pha·ë·thon [féiəθən] *n.* 〖그神〗 파에톤《Helios (태양신)의 아들 ; 아버지 마차를 잘못 몰아 Zeus의 번갯불에 맞아 죽음》.
pha·e·ton [féiətn / féitn] *n.* Ⓒ ① 쌍두 4 륜 마차. ② 페이튼형 자동차. 「혈구 따위》.
phag·o·cyte [fǽgəsàit] *n.* Ⓒ 〖生理〗 식세포《백
pha·lan·ger [fəlǽndʒər] *n.* Ⓒ 〖動〗 팔란저속(屬)의 유대(有袋) 동물《오스트레일리아산(產)》.
pha·lanx [féilæŋks, fǽl-] (*pl.* ～***·es***, ***pha·lan·ges*** [fəlǽndʒiːz / fə-]) *n.* Ⓒ ① (고대 그리스의) 방진(方陣)《창병(槍兵)을 네모꼴로 배치하는 진형》. ② 밀집 대형 ; 밀집대(密集隊). ③ (흔히 *pl.* ***pha·lan·ges***) 〖解·動〗 지골(指骨), 지골(趾骨). 「(類).
phal·a·rope [fǽlərὸup] *n.* Ⓒ 〖鳥〗 깝작도요류
phal·lic [fǽlik] *a.* 남근 (숭배)의 ; 남근 모양의 : ～ worship 남근 숭배.
phal·lus [fǽləs] (*pl.* ***-li*** [-lai], ～***·es***) *n.* Ⓒ ① 남근상(像). ② 〖解〗 음경.
phan·tasm [fǽntæzəm] *n.* Ⓒ ① 환영(幻影) ; 환상(幻想). ② 유령, 환상(幻像).
phan·tas·ma·go·ria [fæ̀ntæzməgɔ́ːriə] *n.* Ⓒ 주마등같이 변하는 광경〔환영·환상〕. ㊞ **-gór·ic** [-ik] *a.*
phan·tas·mal, -tas·mic [fæntǽzməl], [-mik] *a.* 환영의 ; 유령의 ; 공상의, 환상적인.
phantasy ⇨FANTASY.
***phan·tom** [fǽntəm] *n.* Ⓒ ① 환영(幻影), 유령. ② 환각, 착각, 망상. ── *a.* 〔限定的〕 ① 환상의, 망상의 ; 유령의 : a ～ ship 유령선 / ～ pregnancy 상상 임신. ② 실체가 없는, 겉뿐인 : a ～ company 유령 회사.
phántom límb 〖醫〗 환지(幻肢)《절단 후에도 아직 수족(手足)이 있는 것 같은 느낌》: ～ pain 환지통(痛).
Phar·aoh [fέərou] *n.* (고대 이집트의) 왕, 파라오.
Phar·i·sa·ic, Phar·i·sa·i·cal [fæ̀rəséiik], [-əl] *a.* ① 바리새인〔주의〕의. ② (p-) 허례를〔형식을〕 중시하는 ; 위선의. ㊞ **-i·cal·ly** [-ikəli] *ad.*
Phar·i·sa·ism [fǽrəseiìzəm] *n.* Ⓤ ① 〖聖〗 바리새주의, 바리새파(派). ② (p-) 형식주의 ; 위선.
Phar·i·see [fǽrəsìː] *n.* Ⓒ ① 바리새인(人). ② (p-) (종교상의) 형식주의자 ; 위선자.
phar·ma·ceu·tic, -ti·cal [fὰːrməsúːtik / -sjúːt-], [-əl] *a.* 제약(학)의, 약사(藥事)의 ; 약제(藥劑)의. ── *n.* Ⓒ (-tical) 조제약, 의약, 약. ㊞ **-ti·cal·ly** [-tikəli] *ad.*
phar·ma·ceu·tics [fὰːrməsúːtiks] *n.* Ⓤ 조제학(pharmacy) ; 제약학.
phar·ma·cist [fάːrməsist] *n.* Ⓒ ① 약사(藥師). ② 《英》 (약방에서) 약 파는 사람, 약방 주인 (《美》 druggist).
phar·ma·col·o·gy [fὰːrməkάlədʒi / -kɔ́l-] *n.* Ⓤ 약리학(藥理學), 약물학. ㊞ **phar·ma·co·log·i·cal** [ˌ--kəlάdʒikəl / -lɔ́dʒi-] *a.* **phar·ma·col·o·gist** [ˌ--kάlədʒist / -kɔ́l-] *n.* Ⓒ 약리학자.
phar·ma·co·poe·ia, -pe·ia [fὰːrməkəpíːə] *n.* ① Ⓒ 약전(藥典), 조제서(調劑書). ② Ⓤ 약종(藥種), 약물류(stock of drugs).
***phar·ma·cy** [fάːrməsi] *n.* ① Ⓤ 조제술, 약학 ; 제약업. ② Ⓒ 약국(cf. drugstore) ; 약종상.
pha·ros [fέərɑs / -rɔs] *n.* ① Ⓒ 《詩·文語》 등대 ; 항로 표지(beacon). ② (the P-) 파로스 등대《옛날 알렉산드리아 만의 Pharos 섬에 있었음. 세계 7 대 불가사의의 하나》.
pha·ryn·gal [fəríŋgəl] *a.* ＝PHARYNGEAL.
pha·ryn·ge·al [fərindʒíəl, fæ̀rindʒíːəl] *a.* 〖解〗 인두(咽頭)의 : the ～ artery 경(頸)동맥. 「염.
phar·yn·gi·tis [fæ̀rindʒáitis] *n.* Ⓤ 〖醫〗 인두
phar·ynx [fǽriŋks] (*pl.* ～***·es***, ***pha·ryn·ges*** [fəríndʒiːz]) *n.* Ⓒ 〖解〗 인두.
‡phase [feiz] *n.* Ⓒ ① (발달·변화의) 단계, 국면 : several ～*s* of physical development 신체 발달의 몇 가지 단계 / enter on〔upon〕 a new ～ 새로운 국면으로 들어서다. ② (물건·문제 따위의) 면(面), 상(相) : the best ～ of one's character 성격의 가장 좋은 면. ③ 〖天〗 (달 기타 천체의) 상(相), 위상(位相), 상(像) : the ～*s* of the moon 달의 위상(位相)《초승달·반달·만월 따위》. ④ 〖物〗 (음파·광파·교류 전류 따위의) 위상, 상. ⑤ 〖컴〗 위상, 단계. ***in*** ～ ⑴ 〖物〗 …와 위상이 같아 《*with*》. ⑵ 동조하여, 일치하여《*with*》. ***out of*** ～ ⑴ 〖物〗 위상을 달리하여. ⑵ 조화되지 않아, 동조적이 아니고, 불일치하여. ── *vt.* …을 단계적으로 실행하다. ～ ***down*** …을 단계적으로 축소〔삭감〕하다. ～ ***in*** 단계적으로 도입하다. ～ ***out*** 단계적으로 제거〔철거, 폐지〕하다. 「거〕.
phase·out [féizὰut] *n.* Ⓒ 단계적 폐지〔철퇴, 제
phat·ic [fǽtik] *a.* 〖言〗 (말이) 교감(交感)적인, 사교적인 : ～ communion 교감적〔사교적〕 언어 사용《인사 따위》.
Ph.D. [píːèitʃdíː] *Philosophiae Doctor* 《L.》 (＝Doctor of Philosophy) : She has a ～ in physics. 그녀는 물리학 박사학위를 가지고 있다.
pheas·ant** [fézənt] (*pl.* ～s***, 〔集合的〕 ～) *n.* ① Ⓒ 꿩. ② Ⓤ 꿩 고기.
phe·nac·e·tin(e) [finǽsətin] *n.* Ⓤ 〖藥〗 페나세

틴《해열 진통제》.

Phe·ni·cia(n) *n.* =PHOENICIA(N).

phe·nix *n.* =PHOENIX.

phe·no·bar·bi·tal [fì(:)noubɑ́:rbətæ̀l, -tɔ̀:l] *n.* Ⓤ 〖藥〗 페노바르비탈《수면제·진정제》.

phe·no·bar·bi·tone [-toun] *n.* Ⓤ 《英》〖藥〗 페노바르비톤(phenobarbital).

phe·nol [fí:noul, -nɑl, -nɔ(:)l] *n.* Ⓤ〖化〗 페놀, 석탄산(酸).

phe·nom [finɑ́m / -nɔ́m] *n.* Ⓒ 《美口》 천재, 굉장한 사람《스포츠계 따위에서》.

*__phe·nom·e·na__ [finɑ́mənə / -nɔ́m-] PHENOMENON 의 복수.

phe·nom·e·nal [finɑ́mənl / -nɔ́m-] *a.* ①《口》 놀라운, 경이적인, 굉장한 : ~ speed 굉장한 속도 / make a ~ recovery 놀랍도록 빨리 회복하다. ② 현상(現象)의[적인], 현상에 관한 : the ~ world 현상[자연]계. ③ 인지[지각]할 수 있는, 외관상의. ㊔ ~·**ly** *ad.*

phe·nom·e·nal·ism [finɑ́mənəlìzəm / -nɔ́m-] *n.* Ⓤ 〖哲〗 현상론(現象論). ⓒⓕ positivism.

phe·nom·e·nol·o·gy [finɑ̀mənɑ́lədʒi / -nɔ̀mənɔ́l-] *n.* Ⓤ 〖哲〗 현상학.

‡**phe·nom·e·non** [finɑ́mənɑ̀n / -nɔ́mənən] (*pl.* ***-e·na*** [-nə]) *n.* Ⓒ ① 현상 : a natural ~ 자연 현상. ② 사상(事象), 사건. ③〖哲〗 현상, 외상(外象). ⓒⓕ noumenon. ④ (*pl.* ***~s***) 놀라운 사물 ; 비범한 사람 : an infant ~ 신동.

phe·no·type [fí:nətàip] *n.* 〖生〗 표현형(型)《눈에 보이는 생물의 체질》.

phen·yl [fénəl, fí:n-] *n.* Ⓤ 〖化〗 페닐기(基).

pher·o·mone [férəmòun] *n.* Ⓒ 〖生化〗 페로몬, 유인(誘引) 물질.

phew [Φ:, pjʊ:, fju:] *int.* 체 ; 야아 ; 아아《불쾌·놀람·안도감·피로감 따위를 나타냄》.

phi [fai] *n.* Ⓤ,Ⓒ 파이《그리스 알파벳의 21 째 글자 Φ, ϕ ; 로마자의 ph 에 해당》.

phi·al [fáiəl] *n.* Ⓒ 작은 유리병 ; 《특히》 약병. ⓒⓕ vial.

Phí Béta Káppa (우수한 성적의) 미국 대학생 및 졸업생의 클럽《1776 년 창설》; 그 회원.

Phil [fil] *n.* 필《남자 이름 ; Phil(l)ip 의 애칭》.

phil- =PHILO-.

-phil *suf.* =-PHILE.

Phil. Philemon ; Philip ; Philippians ; Philippine(s).

*__Phil·a·del·phia__ [filədélfiə, -fjə] *n.* 필라델피아《미국 Pennsylvania 주의 도시 ; 略 : Phil., Phila.》.

Philadélphia chrómosome 〖醫〗 필라델피아 염색체《만성 골수성 백혈병 환자의 배양 백혈구에 보이는 미소한 염색체》.

Philadélphia láwyer 《美口》 민완 변호사, 수완 있는 법률가.

phi·lan·der [filǽndər] *vi.* (남자가) 여자를 쫓아다니다, 엽색하다, 여자와 새롱거리다《*with*》. ㊔ ~·**er** [-dərər] *n.* Ⓒ 연애 유희자《남자》.

phil·an·throp·ic, -i·cal [filənθrɑ́pik / -θrɔ́p-] [-əl] *a.* 박애(주의)의, 인정 많은, 인자한.

phi·lan·thro·pist [filǽnθrəpist] *n.* Ⓒ 박애가 [주의자], 자선가. ㊔ **-pism** [-pìzəm] *n.* Ⓤ

phi·lan·thro·py [filǽnθrəpi] *n.* ① Ⓤ 박애(주의), 자선. ② Ⓒ 자선 행위[사업, 단체].

phi·lat·e·ly [filǽtəli] *n.* Ⓤ 우표 수집[연구]. ㊔ **phil·a·tel·ic, -i·cal** [filətélik], [-əl] *a.* ~의. **phi·lát·e·list** *n.* Ⓒ 우표 수집[연구]가.

-phile *suf.* '…을 좋아하는 (사람)'의 뜻의 형용사·명사를 만듦 : Anglo*phil(e)*, biblio*phil(e)*.

Philem. 〖聖〗 Philemon.

Phi·le·mon [filí:mən, fai- / -mɔn] *n.* 〖聖〗 빌레몬서《신약 성서 중의 한 편》.

*__phil·har·mon·ic__ [filhɑ:rmɑ́nik, filər- / -mɔ́n-] *a.* 〔限定的〕 음악 애호의 ; 교향악단의《흔히 P-으로 명칭에 씀》: a ~ society 음악 협회 / the New York *Philharmonic* Orchestra 뉴욕 필하모니 교향악단. ── *n.* Ⓒ 교향악단.

phil·hel·lene [filhéli:n, ⌐-⌐] *n.* Ⓒ 그리스 애호가[심취자]. ㊔ **phil·hel·le·nic** [filhelénik, -lí:n-] *a.* 그리스 애호의, 친(親)그리스의.

-philia *suf.* '…의 경향 ; …의 병적 애호'의 뜻 : hemo*philia*.

-philiac '…의 경향이 있는 사람, …에 대하여 병적인 식욕·기호를 가진 사람'의 뜻의 결합사.

Phil·ip [fílip] *n.* ① 필립《남자 이름 ; 애칭은 Phil》. ②〖聖〗 빌립《예수의 12사도 중의 한 사람》.

Phi·lip·pi [filípai, fíləpài] *n.* Macedonia의 옛 도읍. ***meet at*** ~ 위험한 약속을 충실히 지키다.

Phi·lip·pi·ans [filípiənz] *n. pl.* 〔單數취급〕〖聖〗 빌립보서《신약 성서 중의 한 편》.

phi·lip·pic [filípik] *n.* Ⓒ 격렬한 공격[탄핵] 연설. [◂아테네의 웅변가 Demosthenes 가 마케도니아 왕 Philip Ⅱ를 탄핵한 연설]

Phil·ip·pine [fíləpì:n, filəpí:n] *a.* 필리핀(사람)의. ── *n.* (the ~s) ① 필리핀 군도(the ~ Islands). ② 필리핀 공화국《정식명은 the Republic of the ~s ; 수도는 Metropolitan Manila》.

*__Phi·lis·tine__ [fíləstì:n, filísti:n, filístàin] *n.* Ⓒ ① 필리스틴 사람《옛날 Palestine 의 남부에 살던 민족이며 유대인의 강적》. ② (*or* p-) 속물, 교양 없는 사람. ── *a.* 필리스틴(사람)의 ; (*or* p-) 속물적인, 교양 없는. ㊔ **-tin·ism** [fíləstinizəm] *n.* Ⓤ 필리스틴 사람의 기질 ; (*or* p-) 속물 근성, 실리주의.

phil(o)- '사랑하는, 사랑하는 사람'의 뜻의 결합사.

phi·log·y·ny [filɑ́dʒəni / -lɔ́dʒ-] *n.* Ⓤ 여자를 좋아함. ⓞⓟⓟ *misogyny.*

phil·o·log·i·cal [filəlɑ́dʒikəl / -lɔ́dʒ-] *a.* 언어학[문헌학](상)의. ㊔ ~·**ly** [-kəli] *ad.*

phi·lol·o·gist [filɑ́lədʒist / -lɔ́l-] *n.* Ⓒ ① 언어학자(linguist). ② 문헌학자.

phi·lol·o·gy [filɑ́lədʒi / -lɔ́l-] *n.* Ⓤ ① 문헌학. ② 언어학(linguistics) : the comparative ~ 비교 언어학 / English ~ 영어학.

phil·o·mel [fíləmèl] *n.* (*or* P-) 《詩》 =NIGHTINGALE.

Phil·o·me·la [filoumí:lə] *n.* ①〖그神〗 필로멜라《Pandion의 딸로, 나이팅게일이 되었다는》. ② Ⓒ 《詩》 (p-) =NIGHTINGALE.

‡**phi·los·o·pher** [filɑ́səfər / -lɔ́s-] *n.* Ⓒ ① 철학자 : a natural ~ 자연 철학자, 물리학자. ② 현인, 달관한 사람 : You're a ~. 넌 체념이 빨라《따위》. ***the ~s'*** 〔***~'s***〕 ***stone*** 현자의 돌《보통의 금속을 금으로 만드는 힘이 있다고 믿어 옛날 연금술사가 애써 찾던 것》.

‡**phil·o·soph·ic, -i·cal** [filəsɑ́fik / -sɔ́f-], [-əl] *a.* ① 철학(상)의. ② 철학에 통달한. ③ 이성적인 ; 냉정한. ④〔敍述的〕 (…을) 달관한, 체념한 《*about*》: He was *philosophical about* his losses. 그는 그 손실을 냉정하게 받아들였다. ◇ philosophy *n.*
㊔ **-i·cal·ly** [-kəli] *ad.* 철학적으로 ; 달관하여, 체관(諦觀)하여.

phi·los·o·phize [filɑ́səfàiz / -lɔ́s-] *vi.* 철학적으로 연구[사색]하다 ; 철학자인 체하다《*about* ; *on*》: ~ *about* life 인생에 대하여 사색하다.

‡**phi·los·o·phy** [filɑ́səfi / -lɔ́s-] *n.* ① Ⓤ 철학, 철학 체계: empirical ~ 경험 철학 / the Kantian ~ 칸트 철학 / the ~ of education 〔religion, science〕 교육〔종교, 과학〕 철학. ② Ⓒ 철리, 원리 :

the ~ of grammar 문법의 원리. ③ [C] 인생 철학, 인생관: develop a ~ of life 인생관을 갖게 되다. ④ (철학과 같은) 냉정함, 달관; 체념: meet misfortunes *with* ~ 불행을 냉정히 맞아들이다. ⑤ [C] 철학서. ***metaphysical*** ~ 형이상학.

phil·ter, 《英》 **-tre** [fíltər] *n.* [C] 미약(媚藥), 춘약(春藥).

phiz, phiz·og [fiz], [fizág / -zɔ́g] *n.* [C] (흔히 *sing.*) 《口》 얼굴; 표정. [◂ *phys*iognomy]

phle·bi·tis [flibáitis] *n.* [U] 〖醫〗 정맥염(炎).

phle·bot·o·my [flibátəmi / -bɔ́t-] *n.* [U] 〖醫〗 자락(刺絡)《팔꿈치 관절의 정맥을 찔러 나쁜 피를 빼는 옛 의료법》, 사혈(瀉血)(bloodletting).

phlegm [flem] *n.* [U] ① 담(痰)([cf] saliva); 《古》 점액(粘液); 점액질. ② 냉담, 무기력; 느릿함; 냉정, 침착.

phleg·mat·ic, -i·cal [flegmǽtik], [-əl] *a.* ① 담(痰)이 많은. ② 점액질의; 냉담한, 무기력한: a *phlegmatic* temperament 점액질.
[파] **-i·cal·ly** [-ikəli] *ad.*

phlox [flaks / flɔks] (*pl.* ~, ∠**·es**) *n.* [C] 〖植〗 플록스《꽃창포과(科)의 화초》.

Phnom Penh, Pnom Penh [pnámpén, pənɔ́:m- / pnɔ́m-] 프놈펜《Cambodia 의 수도》.

-phobe *suf.* '…을 두려워하는, …을 두려워하는 사람'의 뜻의 형용사·명사를 만듦: hydro*phobe*, Russo*phobe*.

pho·bia [fóubiə] *n.* [U,C] 공포병〔증〕: The man had a ~ *about*〔*for*〕 flying. 그 사람은 비행(기) 공포증이 있었다.

-phobia *suf.* '…공(恐), …병(病)'의 뜻의 명사를 만듦: Anglo*phobia*.

pho·bic [fóubik] *a.* 공포증의, 병적으로 무서워하는: In Victorian times people were ~ about getting on trains. 빅토리아 여왕 시대의 사람들은 기차 타는 것을 두려워했다. ── *n.* 공포증 환자.

Phoe·be [fí:bi] *n.* ① 피비《여자 이름》. ② 〖그神〗 포이베《달의 여신》. ③ 《詩》 달.

Phoe·bus [fí:bəs] *n.* ① 〖그神〗 포이보스《해의 신; Apollo 의 호칭의 하나》. ② 《詩》 태양.

Phoe·ni·cia [finíʃə, -ní:- / -ʃiə] *n.* 페니키아《지금의 시리아(Syria) 연안에 있던 도시국가》.

Phoe·ni·cian [finíʃən, -ní:ʃ- / -níʃiən] *a.* 페니키아(사람, 말)의. ── *n.* ① [C] 페니키아 사람. ② [U] 페니키아 말.

***phoe·nix** [fí:niks] *n.* 피닉스. ① [C] (종종 P-) (이집트 신화의) 불사조《500 년 또는 600 년에 한 번씩 스스로 타 죽고, 그 재 속에서 다시 태어난다는 영조(靈鳥); 불사의 상징》. ② (P-) 〖天〗 봉황새자리.

Phoe·nix [fí:niks] *n.* 피닉스《미국 애리조나 주의 주도》.

phon [fan / fɔn] *n.* [C] 〖物〗 폰《음 강도의 단위》.

‡phone[1] [foun] *n.* 《口》 ① [U] (종종 the ~) 전화: speak to a person over〔on〕 *the* ~ 전화로 아무와 이야기하다 / contact a person by ~ 전화로 아무와 연락을 취하다 / You are wanted 〔Someone wants you〕 on *the* ~. 자네에게 전화가 왔다. ② [C] 전화기, 수화기: a dial ~ 다이얼식 전화기 / a car ~ 자동차 전화 / pick up the ~ 수화기를 들다 / put down the ~ 수화기를 놓다. [◂ tele*phone*]
── *vt.* 《~+[목] / +[목]+[목]》 …에게 전화를 걸다; …을 전화로 불러내다《*up*》; 전화로 이야기하다: *Phone* him *up* and tell him to come. 그를 전화로 불러내서 오라고 말하게 / Please ~ me again. 다시 전화해 주십시오 / I ~*d* her the news. 전화로 그녀에게 그 뉴스를 이야기했다. ── *vi.* 《+[전]+[명]》 전화를 걸다《*to*》: You should ~ *to* your teacher soon. 곧 선생님에게 전화를 거는 것이 좋겠다. ~ ***in*** (직장 따위에) 전화를 걸다. ~ *. . .* ***in*** …을 전화로 알리다, (TV 시청자가 의견)을 전화로 알리다. ~ ***in sick*** 《口》 (직장 등에) 전화로 병으로 결근함을 알리다.

phone[2] *n.* [C] 음성, 단음(單音)《모음 또는 자음》.

-phone '음(音)'의 뜻의 결합사: gramo*phone*, micro*phone*.

phóne bòok 전화 번호부.

phóne bòoth 〔《英》 **bòx**〕 (공중) 전화 박스.

phóne càll 전화로 불러냄, 통화: get a ~ from …로부터 전화를 받다 / Wait there for a minute. I have to make a ~. 거기 잠깐 기다려. 전화 좀 걸어야겠다.

phone·card [fóunkɑ̀:rd] *n.* [C] cardphone 용 삽입 카드, 공중 전화 카드.

phone-in [fóunìn] *n.* [C] (TV·라디오의) 시청자 전화 참가 프로그램(《美》 call-in).

pho·neme [fóuni:m] *n.* [C] 〖音聲〗 음소(音素), 포님《한 언어 안에서의 음성상의 최소 단위》.

pho·ne·mic [founí:mik] *a.* 〖音聲〗 음소(phoneme)의; 음소론의.

pho·ne·mi·cist [founí:məsist] *n.* [C] 음소론자.

pho·ne·mics [founí:miks] *n.* [U] 〖言〗 ① 음소론(音素論). ② (한 언어의) 음소 조직.

phóne nùmber 전화 번호.

***pho·net·ic, -i·cal** [founétik], [-əl] *a.* ① 음성의, 음성상의; 음성학의: ~ notation 음성 표기(법) / international ~ signs 〔symbols〕 국제 음성 기호 / ~ value 음가(音價). ② 발음대로 철자한, 표음식의: ~ spelling 표음식 철자(법).
[파] **-i·cal·ly** *ad.* 발음대로; 음성학상.

pho·ne·ti·cian [fòunətíʃən] *n.* [C] 음성학자.

pho·net·ics [founétiks] *n.* [U] ① 음성학, 발음학. ② (한 언어·어족의) 발음 조직〔체계〕.

pho·ney [fóuni] *a., n.* 《口》 =PHONY.

phon·ic [fánik, fóun-] *a.* 음의; 음성(상)의; 발음상의.

phon·ics [fániks, fóun-] *n.* [U] 포닉스《영어의 철자와 발음과의 관계를 가르치는 교수법》.

phono- '음(音), 목소리'의 뜻의 결합사.

pho·no·gram [fóunəgræ̀m] *n.* [C] 표음〔음표〕 문자. [cf] ideogram.

***pho·no·graph** [fóunəgræ̀f, -grɑ̀:f] *n.* [C] 《美》 축음기, 레코드 플레이어(《英》 gramophone).

pho·nol·o·gist [founálədʒist / -nɔ́l-] *n.* [C] 음운학〔음성학〕자.

pho·nol·o·gy [founálədʒi / -nɔ́l-] *n.* [U] (한 언어의) 음운론; 음성학. [파] **pho·no·log·i·cal** [fòunəládʒikəl] *a.*

pho·ny [fóuni] (***-ni·er*** ; ***-ni·est***) *a.* 《口》 (물건 등이) 가짜의, 엉터리의: a ~ diamond 가짜 다이아몬드 / He gave the hotel a ~ address. 그는 호텔에 엉터리 주소를 적어 주었다. ── *n.* [C] 가짜, 엉터리; 사기꾼: I don't trust him — I think he's a ~. 나는 그를 믿지 않는다 — 그는 사기꾼 같다.

-phony '음, 목소리'의 뜻의 결합사: tele*phony*.

phoo·ey [fú:i] *int.* 《口》 피, 체, 흥《거절·경멸·혐오 등을 나타냄》: I should apologize? *Phooey* on that. 사과하라구. 흥, 천만의 말씀.

***phos·phate** [fásfeit / fɔ́s-] *n.* [U,C] ① 〖化〗 인산염(塩). ② (흔히 *pl.*) 인산 비료.

phos·phor [fásfər / fɔ́s-] *n.* ① [C] 인광(燐光) 물질. ② (P-) 《詩》 샛별(Hesperus, Vesper).

phos·pho·resce [fɑ̀sfərés / fɔ̀s-] *vi.* 인광을 내다.

phos·pho·res·cence [fɑ̀sfərésəns / fɔ̀s-] *n.* [U] 인광(을 냄), 발광성. [cf] fluorescence.

phos·pho·res·cent [fɑ̀sfərésənt / fɔ̀s-] *a.* 인광

을 내는, 인광성의 : a ~ lamp 형광등.
[파] ~·ly *ad.*

***phos·phor·ic** [fasfɔ́:rik, -fár- / fɔsfɔ́rik] *a.* 인(燐)의, 인을 함유한 : ~ acid 인산.

phos·pho·rus [fásfərəs / fɔ́s-] (*pl.* **-ri** [-rai]) *n.* [U] 〖化〗 인(燐)《비금속 원소 ; 기호 P》.

phot [fat, fout] *n.* [C] 포트《조명도 단위 ; 1 cm^2 당 1 lumen ; 기호는 ph》.

‡**pho·to** [fóutou] (*pl.* **~s**) *n.* [C] 《口》 사진 : take a ~ of …의 사진을 찍다 / have〔get〕 one's ~ taken (남에게 부탁하여) 사진을 찍다.
— *vt., vi.* =PHOTOGRAPH.

photo- '빛, 사진, 광전자'의 뜻의 결합사.

pho·to·cell [fóutousèl] *n.* [C] 광전지, 광전관.

pho·to·chem·i·cal [fòutoukémikəl] *a.* 광화학(光化學)의 : ~ smog 광화학 스모그.

pho·to·chem·is·try [fòutoukémistri] *n.* [U] 광화학.

pho·to·com·pose [fòutoukəmpóuz] *vt.* 〖印〗 …을 사진 식자하다. [파] **-pós·er** [-ər] *n.* [C] 사진 식자기. **pho·to·com·po·si·tion** [-kàmpəzíʃən / -kɔ̀m-] *n.* [C] 사진 식자.

pho·to·cop·i·er [fóutoukàpiər / -kɔ̀p-] *n.* [C] 사진 복사기.

pho·to·copy [fóutoukàpi / -kɔ̀p-] *n.* [C] (서류 등의) 사진 복사. — *vt.* …을 사진 복사하다.

pho·to·e·lec·tric [fòutouiléktrik] *a.* 〖物〗 광전자(光電子)의 ; 광전 효과의 : a ~ cell〔tube〕 광전지〔광전관〕 / ~ effect 광전 효과.

pho·to·e·lec·tron [fòutouiléktran / -rɔn] *n.* [C] 〖物·化〗 광전자(光電子).

pho·to·en·grave [fòutouengréiv] *vt.* …의 사진 제판을 만들다. [파] **-gráv·er** *n.*

pho·to·en·grav·ing [fòutouengréiviŋ] *n.* ① [U] 사진 제판(술). ② [C] 사진 볼록판(版)(화(畫)).

pho·to·es·say [fòutouései] *n.* [C] 사진 에세이《에세이를 곁들인 일련의 사진으로 엮어진 것〔작품〕》.

phóto fínish 〖競〗 (결승점에서의) 사진 판정.

pho·to·flash [fóutouflæ̀ʃ] *n.* [C] (사진용) 섬광 전구.

pho·to·flood [fóutouflʌ̀d] *n.* [C] 촬영용 일광등(溢光燈), 사진 촬영용 조명 전구.

pho·to·gen·ic [fòutədʒénik] *a.* (사람이) 사진 촬영에 적합한, 사진을 잘 받는《얼굴 등》.

†**pho·to·graph** [fóutəgræ̀f, -grà:f] *n.* [C] 사진 : have〔get〕 one's ~ taken 사진을 찍(어 달래)다 / take a ~ of …을 사진 찍다 / This is a good ~ of him. 이것은 그가 제대로 잘 찍힌 사진이다.
— *vt.* …의 사진을 찍다 ; …을 촬영하다 : I was ~*ed* reading the book. 책을 읽고 있는 장면을 찍혔다. — *vi.* ① 사진을 찍다. ② 《+[副]》 〔well, badly 등을 수반하여〕 사진발이 …하다 : I always ~ *badly*〔*well*〕. 늘 사진이 잘 찍히지 않는다〔찍힌다〕.

***pho·tog·ra·pher** [fətágrəfər / -tɔ́g-] *n.* [C] 사진사, 촬영자.

***pho·to·graph·ic** [fòutəgræ̀fik] *a.* ① 사진의, 사진 촬영(용)의 : a ~ studio 촬영소 / ~ paper 인화지, 감광지 / a ~ plate 사진 건판(乾板). ② 사진과 같은, 정밀한, 정확한 : a ~ memory 정확한 기억 / with ~ accuracy 사진과 같이 정밀하게.
◇ photography *n.* [파] **-i·cal·ly** *ad.* 사진으로 ; 사진과 같이.

***pho·tog·ra·phy** [fətágrəfi / -tɔ́g-] *n.* [U] 사진술 ; 사진 촬영.

pho·to·gra·vure [fòutəgrəvjúər] *n.* ① [U] 〖印〗 그라비어 인쇄. ② [C] 그라비어 사진.

pho·to·jour·nal·ism [fòutoudʒə́:rnəlìzəm] *n.* [U] 포토저널리즘《사진 보도를 주체로 하는 저널리즘》. [파] **-ist** *n.* [C] 사진 보도가.

pho·to·li·thog·ra·phy [fòutouliθágrəfi / -θɔ́g-] *n.* [U] 사진 석판술, 사진 평판(平版).

pho·to·me·chan·i·cal [fòutoumikǽnikəl] *a.* 〖印〗 사진 제판(법)의 : the ~ process 사진 제판(법).

pho·tom·e·ter [foutámitər / -tɔ́-] *n.* [C] ① 광도계(光度計). ② 〖寫〗 노출계(計).

pho·to·mi·cro·graph [fòutoumáikrəgræ̀f, -grà:f] *n.* [C] 현미경 사진 ; 미소(微小) 사진.

pho·to·mon·tage [fòutoumantá:ʒ / -mɔn-] *n.* ① [U] 몽타주 사진 제작법. ② [C] 몽타주 사진.

pho·ton [fóutan / -tɔn] *n.* [C] 〖物〗 광양자(光量子), 광자(光子)《빛의 에너지》.

phóto opportúnity 《美·Can.》 (정부 고관·유명인사 등의 사진 촬영을 위해 카메라맨에게 (기회가) 주어지는) 사진 촬영시간.

pho·to·sen·si·tive [fòutousénsətiv] *a.* 감광성(性)의 : ~ glass 감광 유리 / ~ paper 감광지.

pho·to·sen·si·tize [fòutousénsətaiz] *vt.* …에 감광성을 주다.

pho·to·sphere [fóutousfiər] *n.* [C] 〖天〗 광구(光球)《태양·항성 등의》.

pho·to·stat [fóutoustæ̀t] *n.* [C] ① 복사 사진기《건판을 사용치 않고 직접 감광지에 찍는》. ② 직접 복사 사진.

pho·to·syn·the·sis [fòutousínθəsis] *n.* [U] 〖生〗 광합성(光合成).

pho·to·syn·the·size [fòutousínθəsàiz] *vt., vi.* 〖生〗 (탄수화물 등을) 광합성하다.

pho·to·syn·thet·ic [fòutousinθétik] *a.* 〖生〗 광합성의 : ~ bacteria 광합성 세균.

pho·to·te·leg·ra·phy [fòutoutilégrəfi] *n.* [U] 사진 전송.

pho·tot·ro·pism [foutátrəpìzəm / -tɔ́t-] *n.* [U] 〖生〗 굴광성. [cf] heliotropism.

pho·to·vol·ta·ic [fòutouvaltéiik / -vɔl-] *a.* 〖物〗 광기전성(光起電性)의 ; 광전지의 : a ~ cell 광전지.

phr. phrase.

phras·al [fréizəl] *a.* 구(句)의, 구를 이루는 : a ~ verb 〖文法〗 구동사《get up, put off 따위》.

‡**phrase** [freiz] *n.* [C] ① 〖文法〗 구(句) : an adjective ~ 형용사구 / a noun ~ 명사구. ② 성구(成句), 관용구(idiom) : a set ~ 상투적인 문구, 성구. ③ 말씨, 표현(법) : felicity of ~ 말씨의 교묘함 / a happy〔an unhappy〕 turn of ~ 그럴 듯한〔서투른〕 표현 / in Carter's ~ 카터의 말을 빌린다면. ④ 경구, 명언 : turn a ~ 그럴 듯한 말을 하다. ⑤ 〖樂〗 작은 악절(樂節).
— *vt.* ① 〔樣態의 副詞(句)를 수반하여〕 …을 (…한 말로) 표현하다 : He ~*d* his criticisms *carefully.* 그는 조심스레 그의 평을 말하였다 / He ~*d a cutting* attack against them. 그들에 대해 통렬한 비난을 퍼부었다. ② 〖樂〗 (각 악절)을 (…한 표현으로) 연주하다.

phráse bòok (해외 여행자용 등의) 회화 표현집 : an English-Korean ~ 영한 회화 표현집.

phra·se·ol·o·gy [frèiziálədʒi / -ɔ́l-] *n.* [U] ① 말씨, 어법 ; 표현법. ② 〔集合的〕 용어, 술어, 전문어 : legal ~ 법률용어.

phras·ing [fréiziŋ] *n.* [U] ① 표현법, 어법 ; 말씨. ② 〖樂〗 프레이징, 악구 구획법.

phre·nol·o·gy [frinálədʒi / -nɔ́l-] *n.* [U] 골상학. [파] **-gist** *n.* [C] 골상학자.

Phryg·ia [frídʒiə] *n.* 프리지아《옛날 소아시아에 있었던 나라》.

Phryg·i·an [frídʒiən] *a.* 프리지아 (사람)의.

— *n.* ① [C] 프리지아인. ② [U] 프리지아어(語).

phut [fʌt] *n.* [C] 팡〔펑〕 (하는 소리). ***go*** ~《口》 (1) (계획·사업 등이) 실패하다. (2) 고장이 나 못 쓰게 되다, 고장나다 ; (타이어가) 펑크나다.

phy·lac·tery [filǽktəri] *n.* [C] (유대교의) 성구함(聖句函)《성서의 구절을 기록한 양피지를 넣은 작은 가죽 상자 ; 아침 기도 때 하나는 이마에, 하나는 왼팔에 달아 맴》.

phy·log·e·ny [failádʒəni / -lɔ́dʒ-] *n.* [U.C] 〖生〗 계통 발생(론), 계통학. [opp] *ontogeny.*

phy·lum [fáiləm] (*pl.* ***-la*** [-lə]) *n.* [C] ① 〖生〗 문(門)《동식물 분류학상의 최고 구분》. ② 〖言〗 어족(語族)(family).

*__phys·ic__ [fízik] *n.* [U.C] 약 ; 《특히》 하제(下劑).

‡**phys·i·cal** [fízikəl] *a.* ① 육체의, 신체의 : ~ beauty 육체미 / a ~ checkup 건강 진단 / ~ constitution 체격 / ~ exercise 체조, 운동 / ~ force 완력 / be in good ~ condition 몸의 컨디션이 좋다. ② 물질의, 물질적인 ; 물질계의 ; 자연(계)의. [opp] *spiritual, moral.* ¶ the ~ world 물질계 / ~ evidence 물적 증거. ③ 〔限定的〕 물리학(상)의, 물리적인 : a ~ change 물리적 변화. ④ (스포츠 등에서 사람·행동)이 과격한, 거친 : Football is a ~ sport. 축구는 과격한 운동이다 / get ~ 행동이 거칠어지다〔거칠게 나오다〕.
— *n.* [C] 신체 검사 : pass 〔fail〕 a ~ 신체 검사에 합격하다〔떨어지다〕.

phýsical anthropólogy 자연 인류학.

phýsical chémistry 물리 화학.

phýsical educátion 체육《略 : PE》.

phýsical examinátion 신체 검사.

phýsical geógraphy 자연 지리학.

phýsical jérks 《英口》 체조, 운동.

*__phys·i·cal·ly__ [fízikəli] *ad.* ① 물리적으로, 자연의 법칙에 따라 : It's ~ impossible. 그것은 물리적으로 불가능하다. ② 육체적으로.

phýsical scíence (생물학을 제외한) 자연 과학.

‡**phy·si·cian** [fizíʃən] *n.* [C] 의사, (특히) 내과 의사. [cf] surgeon. ¶ one's (family) ~ 단골 의사 / consult a ~ 의사의 치료를〔진찰을〕 받다.

*__phys·i·cist__ [fízisist] *n.* [C] 물리학자, 자연과학자.

phys·i·co·chem·i·cal [fizikoukémikəl] *a.* 물리 화학의〔에 관한〕.

‡**phys·ics** [fíziks] *n.* [U] 물리학 : nuclear ~ 핵물리학.

phys·io [fíziòu] (*pl.* ***-i·òs***) *n.* 《口》 = PHYSIOTHERAPIST.

phys·i·og·no·my [fiziágnəmi / -ɔ́n-] *n.* ① **a**) [U] 인상학, 골상학, 관상술. **b**) [C] 인상 ; 얼굴 (생김새). ② [U] (토지 따위의) 형상, 지형 ; 특징. [파] **-mist** *n.* [C] 인상학자, 관상가.

phys·i·og·ra·phy [fiziágrəfi / -ɔ́g-] *n.* = PHYSICAL GEOGRAPHY.

*__phys·i·o·log·i·cal__ [fìziəládʒikəl / -lɔ́dʒ-] *a.* 생리학(상)의, 생리적인. [파] **~·ly** *ad.*

phys·i·ol·o·gist [fìziálədʒist / -ɔ́l-] *n.* [C] 생리학자.

*__phys·i·ol·o·gy__ [fìziálədʒi / -ɔ́l-] *n.* [U] 생리학 ; 생리 기능〔현상〕.

phys·i·o·ther·a·py [fiziouθérəpi] *n.* [U] 〖醫〗 물리 요법. [파] **-pist** *n.* [C] 물리 요법가.

*__phy·sique__ [fizí:k] *n.* [U] 체격 : a man of strong ~ 체격이 튼튼한 사람 / develop〔build up〕 a magnificent ~ 훌륭한 체격을 만들다.

pi [pai] *n.* ① [U.C] 파이《그리스 알파벳의 16째 글자 Π, π ; 로마자의 p에 해당》. ② [U] 〖數〗 파이《원주율, 약 3.1416 ; 기호 π》.

PI, P.I. Philippine Islands.

pi·a·nis·si·mo [pì:ənísəmòu] *ad., a.* 《It.》 〖樂〗 피아니시모로, 매우 약하게〔약한〕《略 : *pp.*》. [opp] *fortissimo.* — (*pl.* ***~s***) *n.* [C] 최약음(부).

‡**pi·an·ist** [piǽnist, pí:ən-, pjǽn-] *n.* [C] 피아니스트, 피아노 연주자 : She is a good ~.

‡**pi·ano**[1] [piǽnou, pjǽnou] (*pl.* ***~s*** [-z]) *n.* ① [C] 피아노 : ⇨ GRAND PIANO / play (on) the ~ 피아노를 치다 / give〔take〕 ~ lessons 피아노 레슨을 주다〔받다〕. ② [U] (종종 the ~) 피아노 연주《이론·실기》 : a teacher of (*the*) ~ = a ~ teacher 피아노 교사 / teach〔learn〕 (*the*) ~ 피아노를 가르치다〔배우다〕.

pi·a·no[2] [piá:nou] *ad., a.* 《It.》 〖樂〗 피아노로 〔의〕, 약음으로〔의〕《略 : *p.*》. [opp] *forte.* — (*pl.* ***~s***) *n.* [C] 약음(부).

pi·an·o·for·te [piǽnəfɔ̀:rt, piæ̀nəfɔ́:rti] *n.* = PIANO[1]《피아노의 형식적인 용어》.

Pi·a·no·la [pì:ənóulə] *n.* [C] 자동 피아노, 피아놀라《商標名》.

piáno òrgan 핸들을 돌리며 치는 오르간(hand organ).

pi·as·ter, 《英》 **-tre** [piǽstər] *n.* [C] 피아스터《터키·이집트·베트남 등지의 화폐 (단위)》.

pi·az·za [piǽzə / -ǽtsə] *n.* [C] 광장(廣場)《특히 이탈리아 도시의》.

pic [pik] (*pl.* ***pix*** [piks], ***~s***) *n.* [C] 《口》 ① 사진. ② 영화. [◂ *pic*ture]

pi·ca [páikə] *n.* [U] 〖印〗 파이카《12 포인트 활자》.

pic·a·dor [píkədɔ̀:r] *n.* [C] 기마(騎馬) 투우사.

pic·a·resque [pìkərésk] *a.* 악한을 제재로 한 《소설 등》 : a ~ novel 악한 소설.

pic·a·roon [pìkərú:n] *n.* [C] 악한, 도둑 ; 해적(선).

Pi·cas·so [piká:sou, -kǽ-] *n.* **Pablo** ~ 피카소《스페인 태생의 화가·조각가 ; 1881-1973》.

pic·a·yune [pìkəjú:n] *n.* [C] ① 피카윤《옛날 미국 남부에서 유통했던 스페인 소화폐 ; 5센트 상당》. ② 보잘것 없는 물건 : not worth a ~ 전혀 쓸모없다. — *a.* 보잘것 없는, 무가치한.

Pic·ca·dil·ly [pìkədíli] *n.* 런던의 번화가의 하나.

Píccadilly Círcus 피커딜리 서커스《런던 번화가 중심의 광장》.

pic·ca·lil·li [píkəlìli] *n.* [U] 야채의 겨자 절임.

pic·ca·nin·ny [píkənìni] *n.* = PICKANINNY.

pic·co·lo [píkəlòu] (*pl.* ***~s***) *n.* [C] 〖樂〗 피콜로《높은 음이 나는 작은 피리》.

†**pick** [pik] *vt.* ① 《~+[목] / +[목]+[전]+[명]》 …을 따다, 뜯다(pluck), 채집하다 : ~ flowers 〔fruit〕 꽃〔과일〕을 따다 / She ~*ed* some strawberries for him. = She ~*ed* him some strawberries. 그에게 딸기를 좀 따 주었다. ② 《~+[목] / +[목]+[전]+[명]》 (뼈에서 고기)를 뜯어내다《*from* ; *off*》 : I ~*ed* the meat *from* the bone. 뼈에서 고기를 뜯어냈다. ③ (모이·벌레 따위)를 쪼(아 먹)다 : ~ worms 벌레를 쪼아먹다. ④ (음식)을 (가려가며) 조금씩 먹다. ⑤ (새)의 깃털을 잡아뽑다 : ~ a fowl 닭 털을 뽑다. ⑥ (지갑·포켓)에서 훔치다, 소매치기하다 : He had his pocket ~*ed* in the crowd. 그는 군중들 속에서 주머니를 털렸다. ⑦ …을 고르다, 골라잡다 : ~ one's words carefully 말을 신중히 하다 / ~ only the best 제일 좋은 것만 고르다 / He ~*ed* a nice ring *for* me. 내게 멋진 반지를 골라주었다 / Helen was ~*ed* to represent our company. 헬렌은 우리 회사의 대표로 선출되었다. ⑧ (기회)를 붙잡다. ⑨ 《~+[목] / +[목]+[전]+[명]》 (싸움)을 걸다(provoke)《*with*》 : ~ a fight. ⑩ (흠)을 들추어 내다 : ~ flaws *in* an argument 논거의 결점을 흠잡다. ⑪ 《~+[목] / +[목]+[전]+[명]》 …을 쑤시다, 후비다 ; 뽑아 내다 : ~

teeth *with* a toothpick 이쑤시개로 이를 쑤시다 / ~ one's nose 코를 후비다 / ~ a thorn *out of* one's finger 손가락의 가시를 뽑아내다. ⑫《~+목 / +목+전+명》 (뾰족한 것으로) …에 구멍을 파다 : ~ rock 바위에 구멍을 뚫다 / ~ the ground *with* a pickax 곡괭이로 땅을 파다. ⑬ (자물쇠)를 비틀어〔억지로〕 열다 : ~ a lock. ⑭ (손·끈 따위)를 풀다, 풀어 헤치다 : ~ fibers〔rags〕 섬유〔넝마〕를 풀어 헤치다. ⑮ (기타 따위)를 손가락으로 치다 : ~ a guitar 기타를 타다.

— *vi.* ①《+전+명》 찌르다, 쑤시다《*at*》. ②《~ / +전+명》 **a**) (새 따위가) 쪼아 먹다《*at* ; *about*》: The hens were busily ~*ing about* in their coop. 암탉들이 부지런히 닭장 안에서 모이를 쪼아먹고 있었다. **b**)《俗》(먹기 싫은 듯) 조금씩 먹다, 게적거리다《*at*》: She only ~*ed at* her food. 그녀는 조금밖에 먹지 않았다. **c**) (과일 등이 꼭지에서) 쉽게 떨어지다〔따지다〕, 채집되다 : These grapes ~ easily. 이들 포도는 따기가 쉽다. ***have a bone to ~ with*** ⇨BONE. ***~ and choose*** 신중히 고르다, 선발하다. ***~ and steal*** 좀도둑질하다. ***~ apart*** =***~ . . . to pieces***. ⑴ …을 갈기갈기 찢다. ⑵《口》…을 혹평하다. ***~ at*** ⑴ …을 조금씩 먹다, 깨지락거리다. ⑵ = ~ on. ***~ a person's brain*** 남의 지혜를 빌리다. ***~ off*** ⑴ 따다, 쥐어뜯다. ⑵ 하나씩 겨누어 쏘다. ⑶〖野〗 (주자)를 견제구로 터치아웃시키다. ***~ on*** ⑴ …을 고르다. ⑵ …의 흠을 들추어 내다 ;《口》…을 비난〔혹평〕하다, …을 괴롭히다(annoy) ; …에게 잔소리를 하다. ***~ out*** ⑴ 골라내다. ⑵ 분간하다, 식별하다 : ~ *out* a well-known face in a crowd 군중 속에서 잘 아는 얼굴을 분간하다. ⑶ (의미를) 알다 : ~ *out* the meaning of a passage 문장의 뜻을 이해하다. ⑷〔종종 受動으로〕 …을 (밝은 색 등으로) 돋보이게 하다《*in* ; *with*》: The handle *is ~ed out in* red. 손잡이는 빨간색이 칠해져서 얼른 알 수 있게 되어 있다. ⑸ (악곡)을 들어서 알고 있는 대로 연주하다. ***~ over*** (물건을) 꼼꼼히 점검하다《골라내기 위해》: ~ *over* the shirts on the bargain tables 싸구려 판매장의 셔츠를 열심히 고르다. ***~ . . . to pieces*** ⑴ …을 갈기갈기 찢다. ⑵ (사람·물건)을 혹평하다. ***~ up*** ⑴ …을 줍다, 집다, 집어 들다 : ~ *up* a handkerchief 손수건을 줍다. ⑵ (차·배 따위가 승객)을 태우다 ; (아무)를 차로 마중(을) 나가다 : There the bus stopped to ~ *up* passengers. 그 곳에서 버스는 정차하여 승객을 태웠다 / I'll ~ you *up* and get you to the station. (내 차로) 자네를 태워서 역까지 데려다 주겠네. ⑶ (차·배 등)을 잡다 ; (도망자)를 붙잡다 : ~ *up* a taxi 택시를 잡다 / ~ *up* an escaped prisoner 탈옥수를 붙잡다. ⑷ (우연히) 손에 넣다, …을 만나다 ; (탐조 등으로) …을 찾아내다 : I ~*ed up* some nice shoes on sale. 싼 값으로 좀 괜찮은 구두를 샀다. ⑸ (저절로) 조금씩 익히다, 알다, 몸에 붙게〔배게〕 하다 : ~ *up* a foreign language 외국어를 귀동냥으로 익히다. ⑹ (정보 따위)를 입수하다 ; (방송)을 청취하다 ; (지식)을 얻다 : Where did you ~ *up* that news? 어디서 그 뉴스를 들었느냐 / ~ *up* BBC on one's radio 라디오로 BBC 방송을 청취하다. ⑺ (속력)을 더하다, 내다 ; (건강)을 회복하다 ; (용기)를 되찾다 : The truck ~*ed up* speed slowly. 트럭은 서서히 속력을 내기 시작했다. ⑻ 깨끗이 하다, 정돈하다. ⑼ 우연히 알게 되다 ; (여자와) 친해지다《*with*》. ⑽ (병에) 걸리다, 감염되다 : I seem to have ~*ed up* a cold. 아무래도 감기에 걸린 것 같다. ⑾ (이야기·활동 등을) 다시 시작하다 : We ~*ed up* the discussion after a break. 잠시 휴식한 후 토론을 다시 시작했다. ***~ up and leave***《口》짐을 챙겨서 가 버리다〔떠나다〕. ***~ up on . . .*** ⑴《美口》…을 깨닫다, 눈치채다. ⑵ (경주 등에서) …을 따라붙다. ***~ up with*** …와 우연히 알게 되다.

— *n.* ① Ⓒ 쪼는 기구 ; 곡괭이 ; 자동 채굴기. ② Ⓤ 선택(권) : You can take〔get〕 your ~. 마음대로 (골라) 가져도 된다. ③ (the ~) 뽑아〔골라〕낸 것, 극상(極上)의 것 : *the* ~ of the flock 한 무리 가운데서 가장 좋은 것. ④ Ⓒ (악기의) 채, 픽.

pick·a·back [píkəbæ̀k] *ad., a., n.* =PIGGYBACK.

pick·a·nin·ny [píkənìni] *n.* Ⓒ《蔑》흑인 아이.

pick·ax, -axe [píkæ̀ks] *n.* Ⓒ 곡괭이.

picked [pikt] *a.*〔限定的〕① 정선한, 골라 뽑은. ② 잡아 뜯은, 딴.

pick·er [píkər] *n.* ① Ⓒ 쪼(아 먹)는 사람〔동물, 기계〕. ②〔흔히 複合語를 이루어〕 따는 사람〔기계〕: a hop〔cotton〕 ~ 홉〔목화〕 따는 사람.

***pick·et** [píkit] *n.* Ⓒ ① (종종 *pl.*) 끝이 뾰족한 말뚝, 긴 말뚝. ②〖軍〗 **a**) 소초(小哨). **b**)〔集合的〕 경계부대. ③ (노동 쟁의 등의) 피켓, 감시원《노동 쟁의 방해자를 감시하는 조합원》.

— *vt.* ① …에 말뚝으로 울타리를 치다. ② (경계병)을 배치하다. ③ (파업 중 파업 파괴자)를 감시하다, …에 피켓을 치다. — *vi.* 감시원으로 서다《노동쟁의 등에서》.

pícket fénce 말뚝 울타리, 울짱.

pícket lìne ①〖軍〗 전초선, 경계선. ② 피켓의 경계선, 피켓라인《노동 쟁의의》.

***pick·ing** [píkiŋ] *n.* ① Ⓤ (곡괭이 등으로) 팜 ; 억지로 비틀어 엶. ② Ⓤ 따는 일, 채집. ③ (*pl.*) 따고 남은 것 ; 이삭 ; (아직 쓸모 있는) 남은 것. ④ (*pl.*) (직위를 이용한) 부정 수입 ; 장물.

***pick·le** [píkəl] *n.* ① Ⓒ,Ⓤ (흔히 *pl.*) 절인 것《오이지 따위》, 피클 : mixed ~*s*. ② Ⓤ (야채·생선 따위를) 절이는 물《소금물·초 따위》. ③ (a ~)《口》 곤경, 난처한〔혼란스러운〕 상태 : be in *a* (sad) ~ 곤경에 처해 있다. ④ Ⓒ《口》 장난꾸러기 : Stop that, you little ~! 이 장난꾸러기야, 그만두지 못하겠니.

— *vt.* (야채 따위)를 소금물〔식초〕에 절이다.

pick·led [píkəld] *a.* ① 소금물〔초〕로 절인. ②〔敍述的〕《俗》만취한 : I got really ~ at the party. 그 파티에서 정말 취했다.

pick·lock [píklɑ̀k / -lɔ̀k] *n.* Ⓒ 자물쇠를 비틀어 여는 도둑〔도구〕.

pick-me-up [⌐mi:ʌ̀p] *n.* Ⓒ《口》① (피로) 회복약. ② 신나는 소식〔경험〕.

pick-off [⌐ɔ̀:f / ⌐ɔ̀f] *n.* Ⓒ〖野〗 견제구에 의한 아웃.

***pick·pock·et** [⌐pɑ̀kit / ⌐pɔ̀k-] *n.* Ⓒ 소매치기.

***pick·up** [píkʌ̀p] *n.* ① Ⓒ《口》 **a**) 우연히 알게 된 사람, 《특히》 오다가다 만난 여자. **b**) 자동차 편승 여행자 ; (택시 등의) 승객. ② Ⓒ《口》 (장사·건강 따위가) 잘 되어감, 회복, 호전. ③ Ⓤ《美口》 (자동차의) 가속 (성능). ④ Ⓤ,Ⓒ (상품 따위의) 집배. ⑤ Ⓒ 픽업《무개 소형 트럭》. ⑥ Ⓒ〖球技〗 픽업《공이 바운드한 직후에 잡음〔침〕》.

— *a.*〔限定的〕① 있는 재료만으로 만든《요리 따위》. ② (당장) 적당히 그러모은《팀 따위》: a ~ baseball team (급한 대로) 그러모아 만든 야구팀.

Pick·wick [píkwik] *n.* Dickens 작 *Pickwick Papers* 의 주인공《성실·소박하며 덤벙거리는 정정한 노인》.

Pick·wick·i·an [pikwíkiən] *a.* ① (선의와 익살에 넘친) Pickwick 식의. ② 그 경우만의 (특수한) 뜻으로 쓰인《말 따위》: in a ~ sense 그 경우만의 특별한〔우스운〕 의미로, 묘한 의미로.

picky [píki] (***pick·i·er*** ; ***-i·est***) *a.* 《美口》 가리는, 까다로운: The children are such ~ eaters. 그 아이들은 퍽 식성이 까다롭다.

pick-your-own [-juəróun] *a.* 〔限定的〕 (과일·야채 따위를) 구매자가 산지에서 직접 채취하는〔따는〕.

†**pic·nic** [píknik] *n.* [C] ① 피크닉, 소풍: go (out) on〔for〕 a ~ 피크닉 가다. ② 피크닉〔야외〕에서의 간단한 식사: eat〔have〕 a ~ 야외에서 간단한 식사를 하다. ③ (흔히 no ~ 으로) 《俗》 유쾌한〔즐거운〕 일; 쉬운 일: It's *no* ~ finishing the work in a day. 하루에 그 일을 끝내는 것은 쉽지 않다.
— (*p., pp.* ***pic·nicked*** [-t]; ***pic·nick·ing***) *vi.* 소풍가다.
[파] **píc·nick·er** [-ər] *n.* [C] 피크닉 가는 사람, 소풍객. **píc·nicky** [-i] *a.* 피크닉의, 피크닉 같은.

pico- '피코, 1조분의 1(10^{-12})'의 뜻의 결합사《略: p》: *pico*gram.

pi·cot [píːkou] *n.* [C] 《F.》 피코《편물·레이스 따위의 가장자리 장식의 작은 동그라미》.
— *vt.* …에 피코 장식을 하다.

Pict [pikt] *n.* ① (the ~s) 픽트족(族)《옛날 스코틀랜드 북동부에 살던 민족》. ② [C] 픽트 사람.

pic·to·graph [píktəgræ̀f, -grɑ̀ːf] *n.* [C] ① 그림 문자, 상형 문자. ② 통계 도표.
[파] **pic·to·graph·ic** [pìktəgrǽfik] *a.*

pic·tog·ra·phy [piktágrəfi / -tɔ́g-] *n.* [U] 그림〔상형〕 문자 기술법.

***pic·to·ri·al** [piktɔ́ːriəl] *a.* ① 그림의; 그림을 넣은; 그림으로 나타낸: ~ art 회화(술) / a ~ magazine 화보 / a ~ puzzle 그림 퀴즈. ② (묘사·서술이) 생생한. ◇ picture *n.* — *n.* [C] 화보, 그림이 많은 잡지〔신문〕. [파] ~·**ly** [-i] *ad.*

†**pic·ture** [píktʃər] *n.* ① [C] 그림, 회화; 초상화: a ~ postcard 그림 엽서 / draw〔paint〕 a ~ 그림을 그리다 / sit for one's ~ 초상화를 그려 달래다. ② [C] 사진: May I take your ~? 사진 찍어 줄까 / He had his ~ in the papers. 신문에 그의 사진이 나 있었다. ③ (a ~) 그림같이 아름다운 사람〔것, 풍경〕; 경치, 미관: She was *a* ~ in her new blue dress. 푸른색의 새 드레스의 그녀는 한 장의 그림 같았다. ④ (the ~) 꼭 닮은 것; 화신: She is *the* ~ of her dead mother. 그녀는 돌아가신 어머니를 꼭 닮았다 / He is *the* very ~ of health. 그는 바로 건강의 화신이다. ⑤ [C] (흔히 *sing.*) 심상(心像): a clear ~ of how he had looked that day 마음에 생생히 떠오르는 그 날 그의 모습. ⑥ [C] (TV·영화의) 화면, 화상, 영상(映像): the ~ in a mirror 거울에 비친 상 / The TV ~ was blurred. TV의 화면이 흐려 있었다. ⑦ [C] (생생한) 묘사: The story gives a vivid ~ of Moscow in the 1890's. 그 이야기는 1890 년대의 모스크바를 생생히 묘사하고 있다. ⑧ (the ~) 상황, 사태, 사정, 정세: Do you get *the* ~? 사정을 아시겠습니까 / *The* political ~ is far from good. 정치적 상황은 극히 나쁘다. ⑨ [C] 영화: Let's go to the ~*s* tonight. 오늘 저녁 영화보러 가자. [cf] movies. ◇ pictorial, picturesque *a.*
come into the ~ (1) 모습을 나타내다, 등장하다. (2) 중요한 의미〔관계〕를 갖게 되다. ***get the*** ~ 《口》 사정을 이해하다: It's all right, don't say any more — I *get the* ~. 됐네, 그 이상 말하지 말게. 사정을 알겠네. ***in the*** ~ (1) 두드러진; 중요한. (2) 충분히 알려진. ***out of the*** ~ (1) 관계 없는; 중요치 않은. (2) 충분히 알려지지 않은: He must be kept *out of the* ~. 그에게는 절대로 알려서는 안 된다.
— *vt.* ① …을 그림으로 그리다. ② 《~+[목] / +[목]+[전]+[명] / +[목]+*-ing*》 …을 마음에 그리다, 상상하다: I can't ~ life *without* her. 그녀 없는 인생이란 상상할 수 없다 / He ~*d* the scene *to* himself. 그 장면을 마음에 그려보았다. ③ …을 묘사하다; 표시하다: He ~*d* the blessed life of Heaven. 그는 천국의 축복된 생활을 그려 보였다 / agony ~*d* on his face 그의 얼굴에 나타난 고뇌.
~ ***to*** one***self*** 마음에 그리(어 보)다, 상상하다.

pícture bòok (특히 어린이들의) 그림책.

pícture càrd (카드의) 그림 패(牌).

pícture gàllery 미술관, 화랑.

pic·ture·go·er [píktʃərgòuər] *n.* [C] 영화팬.

pícture hàt 챙이 넓은 여성모.

pícture póstcard 그림 엽서.

‡**pic·tur·esque** [pìktʃərésk] (***more*** ~ ; ***most*** ~) *a.* ① 그림과 같은, 아름다운. ② (말·문체 등이) 생생한. ③ (사람·성격·풍채 등이) 남의 눈을 끄는, 좀 특이한(데가 있는). ◇ picture *n.*
[파] ~·**ly** *ad.* ~·**ness** *n.*

pícture tùbe 수상관(受像管).

pícture wíndow 전망창《붙박이한》.

pícture wrìting 그림 문자; 상형 문자; 그림 문자 기록(법).

pic·tur·ize [píktʃəràiz] *vt.* …을 그림으로 그리다〔나타내다〕; 그림으로 장식하다; 영화화하다.

pid·dle [pídl] *vi.* ① 쓸데 없이 시간을 낭비하다. ② 《口·兒》 오줌누다, 쉬하다.

pid·dling [pídliŋ] *a.* 보잘것 없는, 사소한.

pídg·in Ènglish [pídʒin-] 피진 영어《영어 단어를 상업상 편의로 중국어(또는 Melanesia 의 원주민어)의 어법에 따라 쓰는 엉터리 영어》.

‡**pie** [pai] *n.* ① [U] 파이: bake an apple ~ 애플파이를 굽다 / a meat ~ 미트파이. ② [C] 파이 모양의 것. ③ [U] (분배될 이익·경비 등의) 전체, 총액: He wants a bigger share of the ~. 그는 보다 많은 몫의 배당을 바라고 있다. (***as***) ***easy as*** ~ 《美口》 아주 간단한〔쉬운〕. ***eat humble*** ~ 굴욕을 감수하다. ***have a finger in the*** ~ ⇨FINGER. ~ ***in the sky*** 《口》 믿을 수 없는 장래의 (행)복〔보수〕, 그림의 떡.

pie·bald [páibɔ̀ːld] *a.* (백색과 흑색의) 얼룩의, 잡색의《말 따위》. — *n.* [C] 얼룩말.

†**piece** [piːs] *n.* ① [C] 조각, 단편. [cf] bit. ¶ a ~ of bread〔cloth〕 빵〔천〕 한 조각 / a ~ of paper 종잇조각, 종이 한 장 / break ... in〔to, into〕 ~*s* …을 박살을 내다 / fall to ~*s* 떨어져서 산산히 부서지다〔박살이 나다〕. ② [C] **a**) (세트를 이루는 기계나 물건의) 하나; 부분품: There's one ~ missing. (부분품이) 한 개 없어졌다. **b**) 〔數詞를 수반하여 複合語로〕 (물건·사람 등의) 1세트의, 한 조(組)의: a hundred-~ orchestra 100 명 편성의 오케스트라. ③ [C] (하나로 뭉뚱그려진 물건의) 일부(분), 한 구획: a bad ~ of road (길의) 나쁜 곳 / a ~ of water 작은 호수 / a ~ of land 토지의 한 구획. ④ [C] (흔히 a ~ of 로) 하나의 예: *a* ~ *of* information 하나의 정보 / *a* useful ~ *of* advice 유익한 충고 / *a* rare ~ *of* luck 좀처럼 잡을 수 없는 행운 / What *a* ~ *of* folly! 얼마나 어리석은 짓이냐. ⑤ [C] 경화, 동전: a ~ of gold 금화 / two fifty cent ~*s*, 50센트 경화 두 개. ⑥ [C] 총, 포(砲): a fowling ~ 엽총 / a field ~ 야포. ⑦ [C] (문학상·예술상의) 작품: a ~ of poetry 한 편의 시 / a fine ~ of sculpture 한 훌륭한 조각 / a sea ~ 바다그림. ⑧ [C] (장기·체스 따위의 졸 이외의) 말. ⑨ [C] (옷감·지물 따위의 거래 단위인) 한 필, 한 통: a ~ of wallpaper 벽지 한 통 / sell cloth by the ~ 천을 필(단위)로 팔다. ⑩ (one's ~) 의견, 견해: say

one's ~ 의견을 말하다. ⑪ Ⓒ (흔히 *sing.*) (성의 대상으로서의) 여자.
a ~ of goods 《戱》 사람, (특히) 여자. ***a ~ of work*** (1) 작품 ; 힘드는 일. (2) 《俗》 소동. (3) 《口》 …한 놈 : *a* nasty *~ of work* 불쾌한〔더러운, 심술 사나운〕 녀석. ***cut ... to ~s*** (1) …을 토막내다. (2) (적·주장 따위)를 분쇄하다. ***give*** a person ***a ~ of*** one***'s mind*** ⇨MIND. ***go to ~s*** (1) 산산조각이 나다 ; 엉망이 되다. (2) (정신적·육체적으로) 지치다, 자제심을 잃다. ***in one ~*** (1) 한 덩어리로 ; 손상 없이. (2) 무사히. ***pick up the ~s*** 사태를 수습하다. ***~ by ~*** 하나씩 하나씩, 조금씩.
— *vt.* ① 《~+목/+목+부》 (의복 등)에 바대를 대다. ② 《+목+부/+목+전+명》 …을 이어 붙이다, 접합하다 ; 연결하다《*together*》 : ~ fragments of cloth *together* 천 조각을 이어붙이다.

pièce de ré·sis·tance [pjéisdərezístɑ̃:ns] 《F.》 ① 주되는 요리《정찬의》, 주요 요리. ② 주요 사건 ; 주요한 작품.

píece gòods 피륙 ; (자풀이로 파는) 옷감.

piece·meal [pí:smì:l] *ad.* 하나씩 ; 차차, 조금씩 : work done ~ 조금씩 한 일. — *a.* 조각난, 조금씩〔하나씩〕의.

píece ràte 성과급 (임금).

piece·work [pí:swə̀:rk] *n.* Ⓤ 일한 분량대로 지급받는 일, 도급일. cf. timework.

píe chàrt〔**gràph**〕 〖統〗 원그래프.

pie·crust [páikrʌ̀st] *n.* Ⓤ,Ⓒ 파이의 껍질 : Promises are like ~, made to be broken. 《俗談》 약속은 파이 껍질과 같아서, 깨지기 쉬운 것.

pied [paid] *a.* 〔限定的〕 얼룩덜룩한, 잡색의.

pied-à-terre [pjéidɑ:tέər] *n.* Ⓒ 《F.》 일시적인 휴식처, 임시 숙소.

píe dìsh 파이접시《파이를 구울 때 사용하는》.

Píed Píper ① (the ~ (of Hamelin)) 〖독일傳說〗 하멜린의 피리 부는 사나이《마을 안의 쥐를 퇴치한 사례금을 받지 못한 앙갚음으로 마을 아이들을 피리로 꾀어 내어 산 속에 숨겨버렸다는 독일의 전설 중의 인물》. ② 사람을 교묘하게 유혹하는 사람.

pie-eyed [páiàid] *a.* 《俗》 술취한.

‡pier [piər] *n.* Ⓒ ① 부두, 잔교(棧橋) : a landing ~ 상륙용 잔교. ② (아케이드 따위의 아치를 떠받치는) 지주(支柱) ; 교각(橋脚).

†pierce [piərs] *vt.* ① …을 꿰찌르다, 꿰뚫다, 관통하다 : The mountain is *~d* by a tunnel. 그 산에는 터널이 뚫려 있다 / The spear *~d* his shoulder. 창이 그의 어깨를 꿰뚫었다. ② 《~+목/+목+전+명》 …에 구멍을 내다, (구멍)을 뚫다 : have one's ears *~d* to wear earings 귀고리를 달기 위해 귀에 구멍을 뚫다 / ~ a hole *in* the keg 통에 구멍을 뚫다. ③ …을 돌파하다 : ~ the enemy's lines 적의 전선을 돌파하다. ④ …을 간파하다, 통찰하다 : ~ a disguise 변장한 것을 알아내다 / She couldn't ~ his thoughts. 그녀는 그의 생각을 알아낼 수 없었다. ⑤ 《~+목/+목+전+명》 (마음)을 찌르다 : His heart was *~d with* grief. 그의 마음은 슬픔으로 찢어질 지경이었다. ⑥ (추위·고통 따위가) …에 스며들다, (소리가) …에 날카롭게 울리다 : A sharp cry *~d* his ear. 날카로운 외침 소리가 그의 귀를 울렸다 / be *~d* by the cold 추위가 스며들다. — *vi.* 《+전+명》 들어가다, 뚫다, 관통하다《*into* ; *through*》 : The dazzling light *~d into* his eyes. 현란한 빛이 그의 눈에 들어왔다 / The arrow *~d through* the skin *into* the heart. 화살은 살갗을 뚫고 들어가 심장에 박혔다.

***pierc·ing** [píərsiŋ] *a.* ① (추위·바람 등) 뼛속까지 스며드는 : We shivered in the ~ wind. 우리는 뼛속까지 스며드는 바람에 몸을 떨었다. ② (눈 따위) 날카로운, 통찰력이 있는 : He fixes you with a ~ stare. 그가 날카로운 눈초리로 너를 지켜보고 있다. ③ (목소리 따위) 날카로운, 귀를 찢는 듯한 : A ~ scream split the air. 날카로운 비명 소리가 공기를 갈랐다. 㽕 **~·ly** *ad.*

Pi·er·rot [pí:əròu] (*fem.* ***Pier·rette*** [piərét]) *n.* Ⓒ 《F.》 (종종 p-) 피에로, 어릿광대.

Pie·tà [pjeitá:, pì:ei-] *n.* Ⓒ 《It.》 피에타《예수의 시체를 안고 슬퍼하는 마리아상》.

***pi·e·ty** [páiəti] *n.* ① Ⓤ (종교적인) 경건, 신앙심. ② Ⓒ 경건한 행동 ; 기도. ③ Ⓤ 효심, 효행.

pi·e·zo·e·lec·tric·i·ty [paii:zouilèktrísəti, -i:lek-] *n.* Ⓤ 〖物〗 압(壓)전기, 피에조 전기.

pif·fle [pífəl] *n.* 《口》 허튼소리(nonsense).

pif·fling [pífliŋ] *a.* 《口》 하찮은 ; 무의미한.

†pig [pig] *n.* ① Ⓒ 돼지 ; 《美》 돼지새끼《《美》에서 성장한 돼지는 hog라 함》. ② Ⓤ 돼지고기 (pork) : roast ~ 돼지고기 불고기. ③ Ⓒ 《口》 돼지 같은 사람 ; 불결한 사람, 탐욕스러운 사람, 완고한 사람, 꿀꿀이 : You greedy ~ ! 이 욕심 많은 돼지 같은 놈아. ④ =PIG IRON. ⑤ Ⓒ 《俗》 순경. ⑥ Ⓒ 《英口》 곤란〔불쾌〕한 일. ***a ~*** 〔***piggy***〕 ***in the middle*** 새중간에 끼어 꼼짝 못 하는 사람. ***bleed like a*** (***stuck***) ***~*** 피를 많이 흘리다. ***buy a ~ in a poke*** 잘 보지도 않고 물건을 사다. ***in a ~'s eye*** 《俗》 결코 …않는 : *In a ~'s eye,* I will! 결코 하지 않겠다. ***in ~*** (암돼지가) 새끼를 밴. ***make a ~ of*** one***self*** 돼지처럼 많이 먹다. ***make a ~'s ear*** (***out***) ***of*** … 《口》 …을 망쳐놓다. ***Pigs may fly.*** =***Pigs might*** 〔***could***〕 ***fly.*** 그런 일은 있을 수 없다.
— (*-gg-*) *vt.* ① (돼지가 새끼)를 낳다. ② 〔再歸的〕 …을 걸신 들린 듯 먹다. ***~ it*** 돼지처럼 더러운 생활을 하다 ; 잡거 생활을 하다. ***~ out*** 《俗》 걸신 들린 듯이 먹다, 너무 많이 먹다.

pig·boat [pígbòut] *n.* Ⓒ 《美軍俗》 잠수함.

‡pi·geon [pídʒən] *n.* ① **a**) Ⓒ 비둘기《dove보다 크며, 들비둘기, 집비둘기를 다 포함해서 말함》 : ⇨CARRIER PIGEON ; HOMING PIGEON. **b**) Ⓤ 비둘기 고기. ② 〖射擊〗 =CLAY PIGEON. ③ Ⓒ 젊은 처녀〔여자〕. ④ Ⓒ 《口》 잘 속는 사람, '봉', 멍청이 (dupe). ⑤ 《英口》 (one's ~) 일, 책임, 관심사 : It's not *my* ~. 그것은 내 알 바 아니다. ***put*** 〔***set***〕 ***the cat among the ~s*** ⇨ CAT(成句).

pígeon brèast 〔**chèst**〕 〖醫〗 새가슴(chicken breast).

pi·geon-breast·ed [pídʒənbréstid] *a.* 새가슴의.

pi·geon-heart·ed [-hɑ́:rtid] *a.* 마음이 약한 ; 겁많은.

pi·geon·hole [-hòul] *n.* Ⓒ ① 비둘기장의 드나드는 구멍 ; 비둘기장의 칸. ② (책상·캐비닛 등의) 작은 칸, 분류〔정리〕 선반〔함〕의 구획.
— *vt.* ① (서류 등)을 정리함에 넣다 : ~ papers 서류를 정리함에 넣다. ② (계획 등)을 뒤로 미루다, 묵살하다 : The boss *~d* most of our plans. 우리 안의 대부분은 보스에 의해 묵살됐다.

pígeon pàir 《英》 ① 이성(異性) 쌍둥이. ② (한 집의) 두 남매《아들 하나와 딸 하나》.

pi·geon-toed [pídʒəntòud] *a.* 안짱다리의.

pig·gery [pígəri] *n.* ① Ⓒ 양돈장 ; 돼지우리. ② Ⓤ 돼지 같은 불결한 행위.

pig·gish [pígiʃ] *a.* 돼지 같은 ; 욕심 많은 ; 불결한. 㽕 **~·ly** *ad.* **~·ness** *n.* Ⓤ 탐욕 ; 불결.

pig·gy [pígi] *n.* Ⓒ 《口·兒》 돼지(새끼). ***a ~ in the middle*** ⇨PIG. *n.* — (***pig·gi·er*** ; ***-gi·est***) *a.* =PIGGISH.

pig·gy·back [-bæ̀k] *a.* 〔限定的〕 어깨〔등〕에 탄 :

a ~ ride 업음, 어부바. ── *ad.* 어깨〔등〕에 태워〔싣고〕, 업고 : My father carried me up the hill ~. 아버지는 나를 업고 산에 올랐다. ── *n.* Ⓒ 목말, 업음 : I'll give you a ~. 내가 업어 주마.

píggy bànk 돼지 저금통《어린이용》.

pig·head·ed [píghèdid] *a.* 고집이 센 ; 성질이 비뚤어진. ㊞ **~·ly** *ad.* **~·ness** *n.*

píg ìron 【冶】 선철(銑鐵), 무쇠.

pig·let [píglit] *n.* Ⓒ 돼지새끼.

píg mèat 《英》 돼지고기, 햄, 베이컨.

***pig·ment** [pígmənt] *n.* ① Ⓤ.Ⓒ 그림물감 ; 안료(顔料). ② Ⓤ 【生·化】 색소.

pig·men·ta·tion [pìgməntéiʃən] *n.* Ⓤ ① 염색, 착색. ②【生】 색소 형성.

Pigmy ⇨ PYGMY.

pig-out [pígàut] *n.* Ⓒ 《美俗》 과식.

pig·pen [∠pèn] *n.* Ⓒ 《美》 돼지 우리 ; 더러운 곳.

pig·skin [∠skìn] *n.* ① Ⓤ 돼지 가죽 ; 무두질한 돼지 가죽. ② Ⓒ 《美口》 축구공.

pig·stick·er [∠stìkər] *n.* Ⓒ 창 ; 큰 나이프.

pig·sty [∠stài] *n.* Ⓒ ① 돼지 우리 (pigpen). ② 누추한 집〔방〕.

pig·swill [∠swìl] *n.* Ⓤ ① 돼지 먹이로 주는 음식 찌꺼기. ② 《蔑》 맛없는〔형편 없는〕 음식.

pig·tail [∠tèil] *n.* Ⓒ ① 땋아 늘어뜨린 머리. ② 가늘게 꼰 담배. ㊞ **~ed** *a.* 땋아 늘어뜨린 머리의.

pig·wash [∠wɑ̀ʃ, ∠wɔ̀ːʃ / ∠wɔ̀ʃ] *n.* = PIGSWILL.

pig·weed [∠wìːd] *n.* Ⓤ.Ⓒ 【植】 명아주·비름 등의 잡초.

***pike**[1] [paik] *n.* Ⓒ 창《17 세기까지 쓰던》. ── *vt.* (사람)을 창으로 찌르다〔찔러 죽이다〕.

pike[2] *n.* Ⓒ (흔히 P-) 《北英》 (호수 지방의) 뾰족한 산봉우리, 첨봉(尖峰)《지명에 쓰임》.

pike[3] (*pl.* **~s,** 〔集合的〕 ~) *n.* Ⓒ 【魚】 창꼬치.

pike[4] *n.* Ⓒ ① (유료 도로의) 요금 징수소. ② (흔히 공영의) 유료 도로(turnpike).

pike·man [páikmən] (*pl.* **-men** [-mən]) *n.* Ⓒ (유료 도로의) 통행료 징수원. 「② 구두쇠.

pik·er [páikər] *n.* Ⓒ 《美口》 ① 쩨쩨한 노름꾼.

pike·staff [páikstæ̀f, -stɑ̀ːf] (*pl.* **-staves** [-stèivz], **~s**) *n.* Ⓒ 창자루. (**as**) **plain as a** ~ 극히 명백한.

pi·laf, -laff [pilɑ́ːf, píːlɑːf] *n.* Ⓒ.Ⓤ 필래프, 육반(肉飯)《쌀에 고기·야채를 섞어 기름에 볶은 요리》: chicken ~ 닭고기 필래프.

pi·las·ter [pilǽstər] *n.* Ⓒ 【建】 벽기둥《벽면에 드러나게 만든 (장식용) 기둥》.

Pi·late [páilət] *n.* **Pontius** ~ 【聖】 빌라도《예수를 처형시킨 Judea 의 로마 총독》.

pi·lau, pi·law [piláu, -lɔ́ː], [pilɔ́ː] *n.* = PILAF.

pil·chard [píltʃərd] *n.* ① Ⓒ 【魚】 정어리《서유럽산 또는 태평양산》. ② Ⓤ 정어리 고기〔살〕.

‡**pile**[1] [pail] *n.* Ⓒ ① 쌓아올린 것, 더미 : a ~ of books 책더미 / a ~ of hay 건초더미. ② 화장용(火葬用) 장작더미. ③ 《口》 (a ~ of ; ~s of) 다수(의), 대량(의) : *a* ~〔~*s*〕 *of* money〔work〕 많은 돈〔잔뜩 쌓인〔밀린〕 많은 일〕 / I've got ~*s of* things to do today. 오늘은 할 일이 많다. ④ (흔히 *sing.*) 큰돈, 떼돈, 한밑천 : make one's〔a〕 ~ 큰 돈을 벌다. ⑤ 대형 건축물〔군(群)〕 : a stately ~ 당당한 대건축물. ⑥【電】 전지(電池) : a dry ~ 건전지. ⑦ 원자로(atomic ~).
── *vt.* ① 《~+目 / +目+副》 …을 겹쳐 쌓다, 쌓아올리다《*up* ; *on*》: ~ logs 장작을 쌓다 / ~ lumber *up* 목재를 쌓아올리다 / *Pile* more bricks *on.* 벽돌을 더 쌓아올려라. ② 《+目+前+名》 (…을) …위에 산더미처럼 쌓다《*with* ; *onto*》: He ~*d* the desk high *with* books. 책상 위에 책을 산더미처럼 쌓아올렸다. ③ 《+目+副》 …을 축적하다, 모으다《*up*》: ~ *up* a fortune 한밑천 장만하다. ── *vi.* ① 《+副》 쌓이다《*up*》: Money continued to ~ *up.* 돈이 계속 모였다 / My work is really *piling up.* 할 일이 계속 쌓이고 있다. ② 《+前+名》 우르르 이동하다〔들어가다, 나오다〕 《*into* ; *out of*》: The children ~*d into*〔*out of*〕 the bus. 아이들은 우르르 버스에 올라탔다〔에서 내렸다〕. **~ *it on*** 《口》 과장해서 말하다. **~ *on*〔*up*〕 *the agony*** ⇨AGONY. **~ *up*** ⇨*vt., vi.* ; (배가) 좌초되다 ; 《口》 (차가) (연쇄) 충돌하다.

pile[2] *n.* Ⓒ ① 말뚝, 파일 : drive ~*s* 말뚝을 박다. ② 화살촉. ── *vt.* …에 말뚝을 박다.

pile[3] *n.* Ⓤ (또는 a ~) (우단·주단 등의) 보풀 ; 파일.

píle drìver 말뚝 박는 기계(의 조작자).

pile·up [páilʌ̀p] *n.* Ⓒ 《口》 ① (지겨운 일, 계산서 등의) 무더기. ② (차량의) 다중〔연쇄〕 충돌.

pil·fer [pílfər] *vt., vi.* (…을) 조금(씩) 훔치다, 좀도둑질하다. ㊞ **~·er** [-rər] *n.* Ⓒ 좀도둑.

pil·fer·age [pílfəridʒ] *n.* Ⓤ ① 좀도둑질, 훔치기. ② 좀도둑에 의한 손실.

‡**pil·grim** [pílgrim] *n.* ① Ⓒ 순례자, 성지 참배자 : ~*s* to Mecca. ② Ⓒ 나그네, 방랑자(wanderer). ③ **a**) (P-) 【美史】 the Pilgrim Fathers 의 한 사람. **b**) (the P-s) = PILGRIM FATHERS.

***pil·grim·age** [pílgrimidʒ] *n.* Ⓤ.Ⓒ 순례 여행, 성지 순례〔참배〕 : a place of ~ 순례지 / make〔go on〕 a ~ to …으로 순례 여행에 나서다.

Pílgrim Fáthers (the ~) 【美史】 1620 년 Mayflower 호로 미국에 건너가 Plymouth 식민지를 개척한 102 명의 영국 청교도단.

pil·ing [páiliŋ] *n.* Ⓤ ① 말뚝박기 (공사). ② 〔集合的〕 말뚝(piles).

‡**pill** [pil] *n.* ① Ⓒ 환약, 알약. cf. tablet. ¶ sleeping ~*s* 수면제. ② Ⓒ 《比》 싫은 것, 괴로운 일 ; 《俗》 싫은 사람. ③ Ⓒ **a**) 《口·戲》 (야구·골프 따위의) 공. **b**) (대포·소총의) 탄알, 총〔포〕탄. ④ (the ~ ; 종종 the P-) 《口》 경구(經口) 피임약 : go〔be〕 on *the* ~ 피임약을 먹기 시작하다〔상용하다〕. ***a bitter*** ~ (***to swallow***) 하지 않을 수 없는 싫은 일〔것〕. ***sugar*** 〔***sweeten***〕 ***the*** ~ 싫은 일을 받아들이기 쉽게 하다.

pil·lage [pílidʒ] *n.* ① Ⓤ 약탈. ② Ⓒ.Ⓤ 약탈물. ── *vt., vi.* (…을) 약탈하다.
㊞ **-lag·er** [-ər] *n.* Ⓒ 약탈자.

‡**pil·lar** [pílər] *n.* Ⓒ ① 기둥 ; 표주(標柱), 기념주(柱). ② 기둥 모양의 것 ; 불기둥 ; 물기둥 ; 【鑛山】 광주(鑛柱) : a ~ of smoke〔fire〕 연기〔불〕기둥. ③ 《比》 (국가·사회 등의) 중심 인물〔세력〕, 기둥 : a ~ of society 사회의 기둥이 되는 사람. ***from ~ to post*** = ***from post to*** ~ 여기저기 정처 없이. ***the Pillars of Hercules*** 헤르쿨레스의 기둥《Gibraltar 해협 동쪽 끝에 있는 2 개의 바위》.

píllar bòx 《英》 (기둥 모양의 빨간) 우체통.

pill·box [pílbɑ̀ks / -bɔ̀ks] *n.* Ⓒ ① (판지로 만든) 환약 상자. ② (위가 납작한) 테 없는 여자용 모자. ③ 【軍】 토치카.

pil·lock [pílək] *n.* Ⓒ 《俗》 바보, 멍청이.

pil·lo·ry [píləri] *n.* Ⓒ 칼《죄인의 목과 양손을 끼워 사람 앞에 보이게 한 판자의 옛 형구》. ── *vt.* ① (사람)을 칼을 씌워 여러 사람 앞에 보이다. ② (사람)을 (…한 일로) 웃음거리로 만들다.

‡**pil·low** [pílou] *n.* Ⓒ 베개 ; 베개가 되는 물건《쿠션 따위》; (특수 의자 등의) 머리 받침대.
── *vt.* ① (머리)를 올려놓다, 기대다《*on* ; *in*》: I ~*ed* my head *on* her breast. 그녀의 가슴에 머리를 기대었다. ② (…이) …의 베개가 되다.

pil·low·case [píloukèis] *n.* Ⓒ 베갯잇.
píllow fight (아이들의) 베개던지기 놀이.
píllow slìp =PILLOWCASE.
píllow tàlk (잠자리에서의 부부·연인 사이의) 다정한 이야기.
†pi·lot [páilət] *n.* Ⓒ ① 수로 안내인, 도선사(導船士). ②【空】(비행기·우주선 등의) 조종사 : ⇨ TEST PILOT. ③ 지도자, 안내인.
— *vt.* ①《~+目/+目+前+名》 **a)** …의 수로 안내를 하다; (항공기)를 조종하다 : ~ a tanker *into*〔*out to*〕 a harbor 탱커의 수로 안내를 하여 입항〔출항〕시키다. **b)** (사람)을 안내하다 : He ~*ed* me *through* the wood *to* the castle. 그는 숲을 지나 나를 성까지 안내했다. **c)** (일)을 잘 진행시키다; (법안 따위)를 통과시키다 : He has ~*ed* several bills *through* Parliament. 의회에서 몇 가지 법안을 통과시켰다. ② 실험적으로 시도하다.
— *a.* 〔限定的〕 지도〔안내〕의; 시험적인, 예비의; 표시〔지표〕의〔가 되는〕: a ~ farm 시험 농장 / ~ production 실험적 생산 / a ~ scheme (대계획을 위한) 예비 계획.
pi·lot·age [páilətidʒ] *n.* Ⓤ ① 수로 안내(료). ② 지도(指導). ③ 항공기 조종(술).
pílot ballòon【氣】 측풍 기구(測風氣球).
pílot bòat 수로 안내선.
pílot bùrner (가스 스토브 따위에서 항상 점화시켜 두는) 점화용 불씨.
pi·lot·fish [páilətfìʃ] *n.* Ⓒ 방어류의 물고기《흔히 상어가 있는 곳에서 볼 수 있음》.
pi·lot·house [páiləthàus] *n.* Ⓒ【海】 조타실.
pílot làmp (전기기구·기계 등에 전기가 통하고 있음을 표시하는) 표시등.
pílot lìght ① =PILOT BURNER. ② =PILOT LAMP.
pílot òfficer 《英》 공군 소위.
pi·men·to [piméntou] (*pl.* **~s,** ~) *n.* ① = ALLSPICE. ② =PIMIENTO.
pi·mien·to [pimjéntou] (*pl.* **~s**) *n.* Ⓒ 《Sp.》 피망《스페인산(産) 고추의 일종》.
pimp [pimp] *n.* Ⓒ 갈봇집 주인, 포주; 뚜쟁이.
— *vi.* 뚜쟁이짓을 하다, 매춘 알선을 하다.
pim·ple [pímpl] *n.* Ⓒ 뾰루지, 여드름. ㊞ **~d, pím·ply** [-i] *a.* 여드름이 난〔투성이의〕.
†pin [pin] *n.* Ⓒ ① 핀, 못 바늘 : a safety ~ 안전핀 / You might hear a ~ drop. 핀 하나 떨어지는 소리도 들릴만큼 조용하다. ② (핀이 달린)기장(記章); 브로치. ③ 마개(peg); 못; 빗장(bolt). ④【海】(밧줄 따위를 비끄러매는) 말뚝(belaying pin); (현악기의) 주감이; 빨래 무집게; 쐐기; (수류탄의) 안전핀(safety ~). ⑤ 볼링의 표적〔표주〕, 핀. ⑥ (흔히 *pl.*) 《口》 다리(legs) : be quick 〔slow〕 on one's ~*s* 발이 빠르다〔느리다〕. ⑦【골프】 hole을 표시하는 깃대. ***(as) bright*** 〔***clean, neat***〕 ***as a new*** ~ 매우 산뜻〔말쑥〕한. ***for two ~s*** 무슨 계기〔꼬투리〕라도 있으면 : He made fun of me. *For two* ~*s* I could have boxed him on the nose. 그가 나를 놀렸다. 무슨 꼬투리라도 있으면 그의 코를 쥐어 박았을 것이다. ***not care a*** ~ 〔***two ~s***〕 조금도 개의치 않다 : I do*n't care a* ~ what your think. 자네가 어떻게 생각하든 나는 조금도 개의치 않는다. ***~s and needles*** 손발이 저려 따끔따끔한 느낌 : My leg went to sleep and now it's all ~*s and needles.* 다리가 저리더니 이제는 따끔따끔 쑤신다.
— (**-nn-**) *vt.* ①《~+目/+目+副/+目+前+名》 …을 핀으로 고정시키다《*up*; *together*; *on*; *to*》: ~ *up* a picture 사진을 핀으로 고정시키다. ②《+目+副/+目+前+名》 …을 꽉 누르다; 못 움직이게 하다《*down*; *against*》; (아무)를 …으로 속박하다 : Enemy fire ~*ned down* a group of soldiers in a bunker. 적의 포화가 일단의 군인들을 벙커 속에 꼼짝 못하게 가두어 놓았다 / He ~*ned* me *against* the wall. 그는 나를 벽에 밀어붙였다. ③ **a)** (신뢰·희망 등)을 (…에) 걸다, 두다 : The widow ~*ned* her hopes *on* her only son. 그 미망인은 외아들에게 희망을 걸었다. **b)** (죄·책임 등)을 (아무에게) 뒤집어 씌우다. **~ (...) *down*** (1) ⇨ *vt.* ②. (2) (…에게 사태의 처리·결단 등을) 강요하다. (3) (일을) 분명하게 하다, …을 파악하다; (아무를) 분명히 식별〔구별〕하다. ***Pin your ears back!*** 정신차려서 들어라!
PIN [pin] *n.* (흔히 the ~) (은행 카드 등의) 비밀 번호, 개인별 식별 번호. [◂ *p*ersonal *i*dentification *n*umber]
pin·a·fore [pínəfɔ̀ːr] *n.* Ⓒ ① (가슴받이가 달린) 앞치마, 에이프런. ② 에이프런 드레스《에이프런 모양의 여성복》(=∠ **drèss**).
pínball machìne 〔**gàme**〕 《美》 핀볼놀이기, 코린트게임기(《英》 pin table).
pince-nez [pǽnsnèi] (*pl.* ~ [-z]) *n.* Ⓒ 《F.》 코안경.
pin·cers [pínsərz] *n. pl.* ① 펜치(nipper), 못뽑이, 족집게. ②【動】(새우·게 따위의) 집게발.
píncer(s) mòvement【軍】 협공 (작전).
‡pinch [pintʃ] *vt.* ①《~+目/+目+前+名》 …을 꼬집다, (두 손가락으로) 집다, (사이에) 끼다, 물다, 끼워 으깨다 : He ~*ed* himself to make sure he wasn't dreaming. 꿈을 꾸고 있는 것이 아닌 것을 확인하기 위해 그는 자기 몸을 꼬집어 보았다 / The door ~*ed* my finger. 문에 손가락이 끼었다. ②《+目+副》 (곁가지 등의 성장 촉진을 위해 어린 싹 등)을 잘라내다, 따내다《*back*; *down*; *off*; *out*》; 집어내다《*off, out of*》: ~ *out* young shoots 새싹을 잘라 내다 / She ~*ed* the aphids *off* the rose. 그녀는 장미(꽃)에서 진디를 집어냈다. ③ (구두 따위가) …을 빡빡하게 죄다, 꽉 끼게〔조이게〕하다 : These shoes are too tight, they ~ (my feet). 이 신발이 너무 옥죄어 발이 아프다. ④《~+目/+目+前+名》 (추위 등이) …을 괴롭히다; 움츠러들게 하다, 위축시키다; 곤궁하게 하다 : The builders were ~*ed* by the shortage of good lumber. 건축업자는 양질의 목재 부족으로 곤란을 겪고 있었다 / be ~*ed with* cold 추위로 오그라들다 / a face ~*ed with* hunger 굶어서 여윈 얼굴. ⑤《~+目/+目+前+名》 《俗》 …을 (슬쩍) 훔치다 《*from*; *out of*》: Who's ~*ed* my dictionary? 누가 내 사전을 훔쳐갔나. ⑥〔종종 受動으로〕 《俗》 …을 체포하다 : He got ~*ed* for parking violation. 그는 주차 위반으로 걸렸다.
— *vi.* ① 꼬집다, 집다. ② (구두 등이) 죄다, 빡빡해서 아프다 : New shoes often ~. 새 신발은 죄어서 아픈 경우가 많다. ③ 절약하다, 인색하게 굴다 : He even ~*es* on necessities. 그는 필수품에 대해서도 인색하다. ***know*** 〔***feel***〕 ***where the shoe ~es*** 곤란한 점을 알고 있다. **~ *pennies*** 극도로 절약하다《*on*》.
— *n.* ① Ⓒ **a)** 꼬집음, (두 손가락으로) 집음, 사이에 끼움 : He gave me a ~. 그는 나를 꼬집었다. **b)** 두 손끝으로 집을 만한 양, 자밤, 조금 : a ~ of salt 소금 한 자밤. ② (the ~) 고통, 곤란; 위기 : the ~ of hunger〔poverty〕 굶주림〔가난〕의 고통. ③ Ⓒ 《美俗》 포박, 체포. ④ Ⓤ 《俗》 도둑질. ***at*** 〔***in, on***〕 ***a*** ~ 만약의 경우에; 위급할 때에는. ***feel the*** ~ 경제적 곤경에 빠지다. ***take . . . with a ~ of salt*** ⇨ SALT.
pinch·beck [píntʃbèk] *n.* ① Ⓤ 금색동(金色銅) 《구리와 아연의 합금; 금의 모조용》. ② 가짜, 위

조품. ── *a.* ① 금색동의. ② 가짜의 ; 값싸고 번지르르한.

pinched [pintʃt] *a.* ① **a)** (공복·추위·질병 등으로) 여윈, 파리한, 까칠한 : a ~ look 까칠한 모습. **b)** 〔敍述的〕 (추위·고통 따위로) 고생하는, 움츠러든《*with*》: be ~ with cold 추위로 고생하고 있다. ② 〔敍述的〕 (금전 등에) 궁한, 옹색한《*for*》: I'm not ~ *for* money. 돈에 옹색하지는 않다.

pinch-hit [píntʃhít] (*p., pp.* ***-hit*** ; ***-hit·ting***) *vi.* ①〖野〗 핀치히터로 나가다. ②《美》(절박한 경우에) 대역(代役)을 하다《*for*》.

pínch hítter ①〖野〗 핀치히터, 대(代)타자. ②《美》 대역, 대리자《*for*》.

pínch rúnner〖野〗 핀치러너, 대주자(代走者).

pín cùrl 핀컬《핀 또는 클립을 꽂아 만드는 곱슬머리》.

pin·cush·ion [pínkùʃən] *n.* Ⓒ 바늘겨레.

‡pine[1] [pain] *n.* ① Ⓒ〖植〗 솔, 소나무. ② Ⓤ 소나무 재목. ── *a.* 〔限定的〕 소나무 재목의.

***pine**[2] *vi.* ①《~ / +副》(슬픔·사랑으로) 파리〔수척〕해지다, 한탄하며 지내다《*away* ; *out*》: Disappointed in love, she has ~*d away.* 그녀는 실연으로 몹시 수척해졌다. ②《+前+名 / +*to* do》 연모〔갈망〕하다《*for* ; *after*》: She secretly ~*d for* his affections. 그녀는 남모르게 그를 연모했다 / He ~*s to* return home. 그는 고향으로 돌아가기를 갈망하고 있다.

pin·e·al [píniəl, páiniəl] *a.* 〔限定的〕〖解〗 송과선〔체〕(松果腺〔體〕)의.

‡pine·ap·ple [páinæ̀pl] *n.* ① Ⓒ〖植〗 파인애플. ② ⒸⓊ 그 열매 : canned ~ 통조림 파인애플.

píne còne 솔방울.

píne màrten〖動〗 솔담비《유럽·북아메리카·아시아산(産)》.

píne nèedle (흔히 *pl.*) 솔잎.

píne nùt (북아메리카 서부산 소나무에서 채취되는) 소나무 열매《식용》.

pin·ery [páinəri] *n.* Ⓒ ① 파인애플 재배원(園). ② 솔밭.

píne trèe 소나무.

pine·wood [páinwùd] *n.* ① Ⓒ (종종 *pl.*) 솔밭. ② Ⓤ 소나무 재목.

piney *a.* =PINY.

ping [piŋ] *n.* Ⓒ ① 핑《소총알 따위가 공중을 지나는 소리》. ② 쨍강, 땡《스푼이 접시에 닿는 소리》. ③ (내연기관의) 노크 (소리) (knock). ── *vi.* ① 핑〔땡〕 소리가 나다. ② (엔진 등이) 노킹을 일으키다.

***ping-pong** [píŋpɑ̀ŋ, -pɔ̀(ː)ŋ] *n.* Ⓤ 탁구, 핑퐁 (table tennis) : ~ diplomacy 핑퐁 외교.

pin·head [pínhèd] *n.* Ⓒ ① 핀의 대가리. ② 아주 작은 것. ③《俗》 바보 ; 멍청이.

pin·hole [∠hòul] *n.* Ⓒ 작은 구멍 ; 바늘 구멍.

pínhole cámera 핀홀 카메라《렌즈 대신 바늘구멍 같은 작은 구멍을 낸 카메라》.

pin·ion[1] [pínjən] *n.* Ⓒ 새 날개의 끝 부분 ; 날개털 ; 칼깃 ;《詩》 날개. ── *vt.* ① (날지 못하도록) 날개의 한쪽 끝을 자르다 ; 두 날개를 동여매다. ② (사람의 양팔)을 묶다. ③《+目+前+名》(사람 등)의 손발을 붙들어 매어 못 움직이게 하다.

pin·ion[2] *n.* Ⓒ〖機〗 피니언 톱니바퀴《작은 톱니바퀴》; 톱니가 있는 축 : a lazy ~ (두 톱니바퀴 사이의) 유동 톱니바퀴.

‡pink[1] [piŋk] *n.* ① ⓊⒸ 연분홍색, 핑크색(옷). ② Ⓒ《口》 좌익에 기운 사람. ⓒⓕ red. ③ (the ~) 정화(精華), 전형(典型) ; 최고 상태, 최고도 : the ~ of perfection 완전의 극치 / the ~ of fashion 유행의 정수(精粹). ④ Ⓒ 패랭이꽃, 석죽. ***in the*** ~ (***of condition*** 〔***health***〕)《口》 아주 기력이 왕성〔건강〕하여. ── (∠·***er*** ; ∠·***est***) *a.* ① 연분홍색의 : She turned ~ with shame. 그녀는 부끄러워 얼굴을 붉혔다. ②《口》 좌경 사상의, 좌익으로 기운.

pink[2] *vt.* ①《+目+前+名》…을 찌르다, 꿰뚫다 : ~ a person neatly in the arm. 아무의 팔을 교묘하게 찌르다. ② (천의 가장자리)를 톱니 모양으로 자르다, 장식하다《*out* ; *up*》.

pink[3] *vi.* (엔진이) 노킹하다(《美》 ping).

pink-col·lar [píŋkkɑ́lər / -kɔ́l-] *a.* (전통적으로) 여성이 종사하는 : ~ jobs 여성의 적직(適職).

pínk élephant (종종 *pl.*) 술이나 마약에 의한 환각.

pink·eye [píŋkài] *n.* Ⓤ 삼눈《일종의 전염성 결막염》.

pínk gín 핑크 진《진에 칵테일용 쓴 술을 섞은 음료》.

pink·ie [píŋki] *n.* Ⓒ《美》 새끼손가락.

pink·ing [píŋkiŋ] *n.* Ⓤ 핑킹《천·가죽 따위의 가장자리를 톱니 모양으로 잘라 꾸민 장식》.

pínking shèars 〔**scìssors**〕〖洋裁〗 핑킹용(用) 가위.

pink·ish [píŋkiʃ] *a.* 핑크색〔연분홍색〕을 띤.

pinko [píŋkou] (*pl.* ***pink·o(e)s***) *n.* Ⓒ《美俗·蔑》 빨갱이, 좌경한 사람(pink).

pín mòney 용돈.

pin·nace [pínis] *n.* Ⓒ〖海〗 피니스《함선에 싣는 중형 보트》, 함재정.

***pin·na·cle** [pínəkəl] *n.* Ⓒ ①〖建〗 작은 뾰족탑. ② 뾰족한 산봉우리. ③ (흔히 *sing.*) 정점(頂點), 절정 : He has reached the ~ of success. 그는 성공의 절정에 이르렀다.

pin·nate [píneit, -nit] *a.*〖植〗 우상(羽狀)의, 우상엽(羽狀葉)이 달린.

pin·ny [píni] *n.*《口》 =PINAFORE.

pi·noc(h)·le [píːnəkl, -nʌkl] *n.* Ⓤ 피노클《2-4인이 48매의 패를 가지고 하는 bezique 비슷한 카드놀이》.

pin·point [pínpɔ̀int] *n.* Ⓒ ① 핀〔바늘〕 끝. ② 아주 작은 물건 ; 소량. ── *a.* 〔限定的〕 ① 아주 작은. ② 정확하게 목표를 정한 ; 정확한, 정밀한 : with ~ accuracy 아주 정확하게. ── *vt.* ① …의 위치를 정확히 나타내다. ② …의 원인·성질을 정확히 지적〔발견〕하다.

pin·prick [pínprìk] *n.* Ⓒ ① 바늘로 콕 찌름. ② 좀 성가신 일.

pin·set·ter [pínsètər] *n.* Ⓒ 핀 세터《볼링의 핀을 나란히 놓는 기계》.

pin·stripe [pínstràip] *n.* Ⓒ ① 가는 세로 줄무늬. ② 그 무늬의 옷(=∠ **sùit**).

***pint** [paint] *n.* Ⓒ ① 파인트《(1) 액량의 단위 ; = 1/2 quart, 4 gills ; 略 : pt. ;《美》 0.473 *l* ;《英》 0.568 *l*. (2) 건량(乾量)의 단위 ; = 1/2 quart ; 略 : pt. ;《美》 0.550*l* ;《英》 0.568*l*》. ② 1 파인트 들이 그릇. ③《英口》 1 파인트의 맥주.

pinta [páintə] *n.* Ⓒ《英口》 1 파인트의 음료〔우유·맥주 따위〕.

pín tàble《英》 =PINBALL MACHINE.

pin·to [píntou] *a.*《美》(흑백) 얼룩배기의. ── (*pl.* ***~s***) *n.* Ⓒ (흑백의) 얼룩말.

pint-size(d) [páintsàiz(d)] *a.*《口》 자그마한, 소형의.

pin·up [pínʌ̀p] *a.* 〔限定的〕《口》 벽에 핀으로 꽂아 장식할 만한. ── *n.* Ⓒ ① (벽에 장식하는) 인기 있는 미인 등의 사진. ② 미인〔미남〕.

pínup gírl 핀업에 알맞은 미녀(의 사진).

pin·wheel [pín*h*wìːl] *n.* Ⓒ ① 팔랑개비《장난감》. ② 회전 불꽃(Catherine wheel).

pin·worm [pínwə̀ːrm] *n.* Ⓒ〖動〗 요충.

piny [páini] (***pin·i·er*** ; ***-i·est***) *a.* 소나무의(같은) ; 소나무가 무성한.

Pin·yin [pínjín] *n.* Ⓤ《Chin.》병음(倂音)《중국어의 로마자 표기법의 한 방식》.

‡**pi·o·neer** [pàiəníər] *n.* Ⓒ ① (미개지·신분야 따위의) 개척자. ② 선구자, 파이오니어《*in* ; *of*》: a ~ *in* the development of the jet engine 제트 엔진 개발의 선구자. ── *a.* 〔限定的〕 개척자의 ; 선구적인. ── *vt.* (미개지)를 개척하다 ; (도로 등)을 개설하다. ── *vi.* 개척자가 되다 ; 솔선하다《*in*》.

‡**pi·ous** [páiəs] (***more*** ~ ; ***most*** ~) *a.* ① 신앙심이 깊은 ; 경건한. ⓞⓟⓟ *impious.* ② 경신(敬神)을〔종교를〕 빙자한 ; 위선적인 : a ~ fraud 종교를 빙자한 사기, (특히, 종교상의) 방편으로서의 거짓말. ③ 〔限定的〕 훌륭한, 칭찬할 만한, 갸륵한 : a ~ effort 칭찬할 만한 노력. ④ 〔限定的〕 실현성 없는〔특히 다음 成句로〕: a ~ hope 실현성 없는 희망. ◇ piety *n.* ㊕ ~**·ly** *ad.*

pip[1] [pip] *n.* Ⓒ (사과·배·귤 따위의) 씨.

pip[2] *n.* Ⓒ ① (카드·주사위 따위의) 점, 눈. ② 《英》 (견장의) 별.

pip[3] *n.* (the ~) 《俗》 기분이 언짢음 : give a person *the* ~ 아무를 기분 나쁘게 하다 / have *the* ~ 기분이 나쁘다, 성이 나 있다.

pip[4] *n.* Ⓒ (방송 시보(時報)나 통화 중 신호음 따위의) '삐' 소리.

pip[5] (**-pp-**) *vt.* 《英口》 ① …을 배척하다 ; …에 반대하다. ② …을 총으로 쏘다. ③ (상대)를 이기다. ~ ***at*** 〔***on***〕 ***the post*** 막판에서 완전히 이기다.

pip[6] (**-pp-**) *vt.* (껍질)을 깨고 나오다《병아리 따위가》. ── *vi.* 삐악삐악 울다.

‡**pipe** [paip] *n.* Ⓒ ① 파이프, 관(管), 도관(導管), 통(筒) : a water ~ 수도관 / a steam〔gas〕 ~ 스팀〔가스〕관 / a distributing ~ 배수관. ② (담배) 파이프(tobacco ~), 담뱃대 ; (한 대 피우는) 담배. ③ **a**) 피리, 관악기 ; 파이프오르간의 관(organ ~). **b**) =BAGPIPE. **c**) 〖海〗 호적(號笛) ; 호각(소리). ④ **a**) (인체의) 관상(管狀) 기관. **b**) (흔히 *pl.*) 《口》 기관(氣管), 목구멍, 호흡기. ⑤ (포도주 등의) 큰 통 ; 그 용량(《美》 126 gallons, 《英》 105 gallons). ***Put*** 〔***stick***〕 ***that in your*** ~ ***and smoke it.*** 천천히 잘 생각해 봐라《꾸짖은 후에 하는 말》. ***smoke the*** ~ ***of peace*** (북아메리카 원주민이) 화친의 표시로 담배를 돌려가며 피우다. ── *vi.* ① 피리를 불다. ② **a**) 짹짹 지저귀다 ; 빽빽 울다. **b**) 큰 소리〔새된 목소리〕로 말하다〔노래하다〕.

── *vt.* ①《~+목 / +목+전+명》 (물·가스 등)을 파이프를 통해 나르다 : ~ water from the lake 호수에서 물을 끌다 / Gas is ~*d* to all the houses. 가스는 모든 집에 파이프로 배송되고 있다. ② …에 파이프를 설치하다, 배관하다 : ~ a building 빌딩에 파이프를 설치하다. ③ (라디오·텔레비전 프로)를 유선 방송하다 : ~ music into stores 각 상점에 유선 방송으로 음악을 보내다. ④ (노래)를 피리로 불다. ⑤ 새된(목)소리로 노래〔말〕하다. ⑥《+목+전+명 / +목+부》〖海〗 (선원)을 호각을 불어 부르다〔집합시키다〕: ~ all hands on deck 호각을 불어 갑판에 전원 집합시키다. ⑦ (옷과 과자 따위)에 장식테를 두르다. ~ ***down*** 〔흔히 命令形〕 낮은 소리로 말하다 ; 입을 다물다, 조용해지다. ~ ***up*** 새된 목소리로 말〔노래〕하기 시작하다.

pípe clày 파이프 점토(粘土)《담배 파이프 제조용 ; 가죽 제품을 닦는 데도 쓰임》.

pípe clèaner 담배 파이프 청소용구.

píped músic (호텔·레스토랑 등에서) 계속적으로 조용히 흘려보내는 음악.

pípe drèam《口》(아편 흡연자가 그리는 것 같은) 공상적인〔비현실적인〕 생각〔계획, 희망〕.

pipe·ful [páipfùl] *n.* Ⓒ (파이프 담배) 한 대분.

pipe·line** [-làin] *n.* Ⓒ ① 도관(導管), 송유관로(路), 가스 수송관. ② (정보 따위의) 루트, 경로 : an information ~ 정보 루트. ***in the ~ 수송〔수배〕 중 ; 진행〔준비〕중.

pípe òrgan 파이프오르간. ⓒⓕ reed organ.

pip·er** [páipər] *n.* Ⓒ 피리 부는 사람 ; (특히) 백파이프를 부는 사람. (as***) ***drunk as a*** ~《口》 만취하여. ***pay the*** ~ 〔***fiddler***〕 비용〔책임〕을 부담하다 ; 응보를 받다 : He who *pays the* ~ calls the tune. 《俗談》 비용을 부담하는〔책임을 지는〕 자에게 결정권이 있다.

pípe ràck (담배) 파이프걸이.

pi·pette [pipét] *n.* Ⓒ 〖化〗 피펫《극소량의 액체를 재거나 옮기는 데 쓰는 눈금 있는 관》.

***pip·ing** [páipiŋ] *n.* Ⓤ ① 피리를 붊. ② (종종 the ~) (작은 새의) 울음 소리. ③ 〔集合的〕 관(管) ; 관계(管系), 배관(配管). ④ (의복·케이크 등의) 가장자리 장식. ── *a.* 〔限定的〕 ① 새된〔날카로운〕 소리를 내는. ② 〔副詞的으로 ; 흔히 ~ hot로〕 펄펄 끓을 정도로, 대단히 : The tea is ~ *hot*. 차가 몹시 뜨겁다.

pip·it [pípit] *n.* Ⓒ 〖鳥〗 논종다리(titlark).

pip·pin [pípin] *n.* Ⓒ ① 사과의 일종. ② 《俗》 굉장한 물건〔사람〕 ; 미인.

pip·squeak [pípskwì:k] *n.* Ⓒ 《俗》 보잘것 없는 사람〔물건〕.

「신랄 ; 통쾌.

pi·quan·cy [pí:kənsi] *n.* Ⓤ 얼얼한〔짜릿한〕 맛 ;

pi·quant [pí:kənt] *a.* ① 얼얼한《맛 따위》: a ~ sauce 얼얼한 소스. ② 자극적이면서 기분좋은. ㊕ ~**·ly** *ad.*

pique [pi:k] *n.* Ⓤ 화, 불쾌, 찌무룩함 : in a fit of ~ = out of ~ 홧김에 / take a ~ against a person 아무에게 악감을 품다〔화를 내다〕.

── *vt.* ① 〔종종 受動으로〕 …을 화나게 하다 : She was greatly ~*d* when they refused her invitation. 그들이 그녀의 초대를 거절하자, 그녀는 몹시 기분이 상했다. ② (사람)을 흥분시키다 ; (호기심·흥미)를 자극하다〔자아내다〕.

pi·quet [pikét, -kéi] *n.* Ⓤ 피켓《카드놀이의 일종 ; 두 사람이 32 장의 패로 함》.

pi·ra·cy [páiərəsi] *n.* Ⓤ,Ⓒ ① 해적 행위. ② 저작권 침해 : literary ~ (저작의) 표절.

pi·ra·nha [pirá:njə] *n.* Ⓒ 〖魚〗 피라니아《남아메리카산의 열대어로 날카로운 이를 가짐》.

pi·ra·ru·cu [pirá:rəku:] *n.* Ⓒ 〖魚〗 피라루쿠《남아메리카 아마존 강에 서식하는 세계 최대의 담수어 ; 식용함 ; 몸길이 5 m, 무게 400 kg》.

‡**pi·rate** [páiərət] *n.* Ⓒ ① 해적 ; 해적선. ② 표절자, 저작권 침해자 : a ~ publisher 해적판 출판자. ③ 해적 방송국. ── *vt.* ① …을 약탈하다. ② …의 저작권을 침해하다 ; …을 표절하다 ; …의 해적판을 만들다 : a ~*d* edition 해적판.

pírate ràdio 해적 방송, 무허가 방송《특히 공해상에서의》: a ~ station 해적 방송국.

pi·rat·ic, -i·cal [paiərǽtik], [-əl] *a.* ① 해적의 ; 해적질하는. ② 표절의, 저작권〔특허권〕 침해의. ㊕ **-i·cal·ly** [-kəli] *ad.*

pir·ou·ette [pìruét] *n.* Ⓒ 《F.》 피루엣, (발레의) 발끝으로 돌기. ── *vi.* 발끝으로 돌다.

Pi·sa [pí:zə] *n.* 피사《이탈리아 중부의 도시》. ***the Leaning Tower of*** ~ 피사의 사탑.

pis·ca·to·ry, pis·ca·to·ri·al [pískətɔ̀:ri / -təri], [pìskətɔ́:riəl] *a.* 물고기의 ; 어부〔어업〕의 ; 낚시질의〔을 좋아하는〕 ; 어업에 종사하는 : ~ rights 어업권. ㊕ **-ri·al·ly** *ad.*

Pis·ces [písi:z, pái-] *n. pl.* ①〖天〗 물고기자리. ② **a)** 쌍어궁(雙魚宮) (cf. zodiac). **b)** Ⓒ 물고기자리 태생의 사람.

pis·ci·cul·ture [písəkʌ̀ltʃər] *n.* Ⓤ 양어(법).

pish [piʃ] *int.* 피, 체《경멸·혐오를 나타냄》.

piss [pis] *vi.* 《卑》 ① 소변보다. ② 〔it를 主語로 하여〕 세차게 비가 오다《*down*》: *It's ~ing down.* 비가 세차게 쏟아지고 있다. ── *vt.* ① **a)** …을 소변으로 적시다. **b)** 〔再歸的〕 오줌을 지리다: ~ one*self* laughing 오줌을 지릴 정도로 웃다, 배꼽을 빼다. ② (피 등)을 오줌과 함께 배설하다. **~ *about* 〔*around*〕** (1) 어리석게 굴다. (2) 시간을 헛되이 보내다. **~ *off*** 《俗》 (1) 〔종종 受動으로〕 …을 진저리나게 하다, 따분하게 하다. (2) 《英》 〔흔히 命令形〕 나가다, 떠나다: *Piss off!* 썩 나가라. ── *n.* ① Ⓤ 소변(urine). ② (a ~) 소변을 봄: take 〔have, do〕 *a* ~ 소 변 보 다. ***take the* ~ (*out of . . .*)** …을 조롱하다, 놀려대다.

píss àrtist 《戱》 ① 주정뱅이. ② 수다쟁이, 말주변이 좋은 사람. ③ 말썽을 일으키는 사람.

pissed [pist] *a.* 《卑》 〔敍述的〕 ① 잔뜩 취한. ② 화를 낸. (***as***) **~ *as a newt*** = **~ *out of* one's *mind* 〔*head*〕** 곤드레만드레 취한.

piss·pot [píspɑ̀t / -pɔ̀t] *n.* Ⓒ 《俗》 변기.

pis·ta·chio [pistɑ́:ʃiòu, -tǽʃ-] (*pl.* **~s**) *n.* ① Ⓒ **a)** 〖植〗 피스타치오《남유럽, 소아시아 원산의 옻나무과의 관목》. **b)** Ⓤ,Ⓒ 그 열매《식용》(= ∠ **nùt**). ② Ⓤ 담황록색(= ∠ **grèen**). 「강 코스》.

piste [pi:st] *n.* Ⓒ 《F.》 〖스키〗 피스트《다져진 활

***pis·til** [pístəl] *n.* Ⓒ 〖植〗 암술(cf. stamen).

pis·til·late [pístəlit, -lèit] *a.* 암술이 있는, 암술만의. opp. *staminate.* ¶ ~ flowers 암꽃.

‡**pis·tol** [pístl] *n.* Ⓒ 피스톨, 권총: a revolving ~ 연발 권총. ***hold a* ~ 〔*gun*〕 *to* a person's *head*** (1) 아무의 머리에 권총을 들이대다. (2) 아무를 위협하여 강제 하다.

pis·tol-whip [-*h*wìp] *vt.* …을 권총으로 때리다.

***pis·ton** [pístən] *n.* Ⓒ ① 〖機〗 피스톤. ② 〖樂〗 (금관악기의) 판(瓣), 활전(活栓).

píston rìng *n.* Ⓒ 〖機〗 피스톤 링.

píston ròd *n.* Ⓒ 〖機〗 피스톤 로드〔봉〕.

‡**pit**[1] [pit] *n.* ① Ⓒ **a)** (땅의) 구덩이, 구멍: ⇨ SAWPIT. **b)** 함정: dig a ~ for a person 아무를 함정에 빠뜨리려고 하다. **c)** (광산의) 갱(坑); 곧은바닥; 채굴장, 채석장: ⇨ STONE PIT. ② Ⓒ (흔히 *sing.*) 《英戱》 침상, 침대: I'm going to my ~. 자야겠다. ③ Ⓒ (몸·물건 표면의) 우묵한 곳; (얼굴의) 마맛자국: the ~ of the stomach 명치 / ⇨ ARMPIT. ④ Ⓒ (종종 the ~s) (자동차 경주차의 급유·타이어 교환 따위를 하는) 피트. ⑤ Ⓒ 투견장, 투계장《따위》, (동물원 등의) 맹수 우리. ⑥ Ⓒ **a)** (the ~) 《英》 (극장의) 일층석(의 관객) 《지금은 특히 일층 후부. cf. stall》. **b)** (극장의) 오케스트라석, 피트《무대의 바로 앞》. ⑥ Ⓒ 《美》 (곡물 거래소의) 칸 막은 판매장: the wheat ~ 소맥 거래소. ⑦ **a)** (the ~) 지옥, 나락: *the* bottomless ~ 지옥, 나락. **b)** (the ~s) 《美俗》 최악〔최저〕의 장소〔상태, 사람 등〕《★ 보어로 쓰임》: That disco is *the* ~*s.* 저 디스코는 최하위다. ***dig a* ~ *for*** …를 함정에 빠뜨리려고 하다.

── (**-*tt*-**) *vt.* ① …을 움푹 패이게 하다; …에 구멍을 내다, 구덩이를 파다, 갱을 뚫다: iron ~*ted* by rust 녹으로 구멍이 난 쇠. ② 《+목+전+명》 …에 마맛자국을 만들다: a face ~*ted with* smallpox 얽은 얼굴. ③ 《+목+전+명》 (개·닭)을 싸움 붙이다, 맞붙게 하다《*against*》; …를 경쟁시키다《*against*》: ~ a dog *against* another 개를 다른 개와 싸움 붙이다.

pit[2] *n.* Ⓒ 《美》 (살구·복숭아 등의) 씨(stone). ── (**-*tt*-**) *vt.* …의 씨를 빼다.

pit-a-pat [pítəpæ̀t, ⌐⌐⌐] *ad.* 팔딱팔딱《뛰다 따위》; 두근두근《가슴이 뛰다 따위》: Her feet 〔heart〕 went ~. 그녀는 종종 걸음해 갔다〔가슴이 두근두근 했다〕. ── *n.* (*sing.*) 팔딱팔딱, 두근두근《소리》.

‡**pitch**[1] [pitʃ] *vt.* ① 《~+목 / +목+부 / +목+목 / +목+전+명》 …을 던지다; 내던지다《*out*》: ~ a ball 공을 던지다, 투구하다 / The bus overturned and we were ~*ed* out. 버스가 뒤집혀서 우리는 밖으로 내던져졌다. ② 〖野〗 (시합)에서 투수를 맡다: ~ a no-hit game (투수가) 안타를 허용하지 않고 게임을 끝내다. ③ (+목+부) …의 높이를 정하다《*at; in*》: The lecture was ~*ed at* the students level. 강의는 학생들의 수준에 맞추어져 있었다 / ~ an estimate too low 견적을 너무 낮게 하다. ④ 《+목+부 / +목+전+명》 〖樂〗 …의 음의 높이를 조정하다: ~ one's voice high 목청을 높이다 / ~ a tune in a low key 음조(音調)를 낮추다. ⑤ 《+목+전+명》 …의 위치를 정하다, …에 놓다, 세우다: ~ poles on the line 장대를 선상에 세우다. ⑥ …을 단단히 고정시키다, 처박다, 세우다: ~ a stake 말뚝을 처박다 / ~ wicket 〖크리켓〗 삼주문을 세우다. ⑦ (천막)을 치다; (주거)를 정하다: ~ a tent 텐트를 치다. ⑧ 〖골프〗 (공)을 피치샷하다. ⑨ (지붕)을 기울게 하다: The roof is ~*ed* too steep. 지붕의 물매가 너무 급하다.

── *vi.* ① 〖野〗 (투수가) 투구〔등판〕하다: ~ for a team 팀의 투수를 하다. ② 《+부 / +전+명》 거꾸로 떨어지다〔쓰러지다〕, 곤두박이치다: He ~*ed* down (the cliff). 그는 (절벽에서) 거꾸로 떨어졌다. ③ (지붕 따위가) 기울다. ④ (배·항공기가) 뒷질하다, 앞뒤로 흔들리다: The ship ~*ed* up and down in the rough sea. 거친 바다에서 배가 상하로 심하게 흔들렸다. cf. roll. ⑤ 천막〔진영〕을 치다. ⑥ 〖크리켓〗 (공이) 바운드하다. **~ *in*** (1) 《口》 …을 열심히〔힘차게〕 하기 시작하다. (2) 참가〔협력〕하다; 공헌하다. **~ *into*** 《口》 (1) …에 덤벼 들다. (2) (일에) 힘차게 착수하다; …을 허겁지겁 먹다: He ~*ed into* the work〔pie〕. 그는 힘차게 일에 착수했다〔파이를 허겁지겁 먹기 시작했다〕. **~ *. . . out*** 《口》 아무를 (밖으로) 내팽개치다.

── *n.* ① Ⓒ 던짐; 던진 것. ② Ⓒ **a)** 〖野〗 투구, 투구 솜씨. **b)** 〖골프〗 = PITCH SHOT. ③ Ⓤ (또는 a ~) 경사; 경사도; 물매: the ~ of a roof. ④ 〖樂〗 Ⓤ,Ⓒ 가락, 음의 고저: the ~ of a voice. ⑤ (*sing.*) (세기·높이 따위의) 정도: *a* high ~ of excitement 심한 흥분. ⑥ Ⓒ (흔히 the ~) (비행기·배의) 뒷질. cf. roll. ⑦ Ⓒ 《英》 (축구·하키 따위의) 경기장(《美》 field). ⑧ 노점상이 가게를 차리는 일정한 장소. ⑨ Ⓒ (세일즈맨의) 강매. ⑩ Ⓒ 일정 시간에 보트의 노를 젓는 횟수. ***queer the* ~ *for*** a person ⇨ QUEER.

‡**pitch**[2] *n.* Ⓤ ① 피치《원유·콜타르 따위를 증류시킨 뒤에 남는 검은 찌꺼기》: He who touches ~ shall be defiled therewith. 《俗談》 근묵자흑(近墨者黑). ② 송진; 수지(樹脂). ***as black* 〔*dark*〕 *as* ~** 새까만, 캄캄한. 「기 놀이.

pitch-and-toss [pítʃəntɔ́:s / -tɔ́s] *n.* Ⓤ 돈치

pitch-black, -dark [⌐blǽk], [⌐dɑ́:rk] *a.* 새까만, 캄캄한: It was ~ in the house. 집안은 캄캄했다. ⊕ **~·ness** *n.* 「광.

pitch·blende [⌐blènd] *n.* Ⓤ 〖鑛〗 역청 우라늄

pítched báttle [pitʃt-] ① (미리 준비된 작전·포진에 의한 옛날의) 회전(會戰); 격전, 결전. ② 《口》(논쟁 등의) 대(大)충돌, 격론(激論).

‡**pitch·er**[1] [pítʃər] *n.* Ⓒ (귀 모양의 손잡이와 주둥이가 있는) 물주전자; =PITCHERFUL: Little ~*s* have long ears. 《俗談》 애들은 귀가 밝다 / *Pitchers* have ears. 《俗談》 물주전자에 귀가 있다《낮말은 새가 듣고 밤말은 쥐가 듣는다》.

‡**pitch·er**[2] *n.* Ⓒ ①〖野〗 투수: a ~'*s* duel 투수전 / the ~'*s* mound 투수마운드 / the ~'*s* plate 투수판(板). ②《英》 포석(鋪石), 까는 돌. ③〖골프〗 아이언 7번.

pitch·er·ful [pítʃərfùl] (*pl.* **~s, pítch·ers·fùl**) *n.* Ⓒ 물주전자 하나 가득한 양(量).

pítcher plànt 〖植〗 낭상엽 식물《사라세니아속(屬) 등의 주머니 모양의 잎을 가진 식충 식물》.

pitch·fork [⌐fɔ̀:rk] *n.* Ⓒ 건초용 포크, 갈퀴. ── *vt.* ① (건초 따위)를 긁어 올리다. ② (아무를 어떤 지위)에 억지로 끌어앉히다《*into*》: He was ~*ed into* the post of manager without any training. 그는 아무 훈련도 받지 않고 억지로 지배인의 자리에 앉혀졌다.

***pitch·ing** [pítʃiŋ] *n.* Ⓤ ①〖野〗 **a)** 투구, 피칭. **b)** 〔形容詞〕 투구용의: a ~ machine 피칭머신. ②〖空〗 (배·비행기의) 뒷질. OPP *rolling.*

pitch·man [⌐mən] (*pl.* **-men** [⌐mən]) *n.* Ⓒ《美》 ① 노점 상인, 행상인. ②《口》 (텔레비전·라디오 등에서) 상품〔주의 주장〕을 선전하는 사람.

pítch shót 〖골프〗 피치샷.

pitchy [pítʃi] (**pitch·i·er ; -i·est**) *a.* ① 피치가 많은〔와 같은〕, 진득진득한; 역청을 칠한. ② 새까만, 캄캄한.

***pit·e·ous** [pítiəs] *a.* 불쌍한, 슬픈, 비참한, 가엾은. ㊕ **~·ly** *ad.* **~·ness** *n.* Ⓤ

pit·fall [pítfɔ̀:l] *n.* Ⓒ ① 허방다리, (동물 따위의) 함정. ② 뜻밖의〔감춰진〕 위험, 함정; 유혹.

***pith** [piθ] *n.* ① Ⓤ (초목의) 고갱이, 심; (오렌지 따위의) 껍질 안쪽의 부드러운 조직. ② (the ~) 심수(心髓), 급소, 요점; 핵심: *The* ~ of the matter was in those two phrases. 문제의 핵심은 이들 두 귀절 속에 있었다.

pit·head [píthèd] *n.* Ⓒ〖鑛山〗 곧은바닥의 굿문.

pith·e·can·thro·pus [pìθikǽnθrəpəs, -kənθróu-] (*pl.* **-pi** [-pai]) *n.* Ⓒ〖人類〗 피테칸트로푸스《원인속(猿人屬); 유인원(類人猿)과 사람의 중간; 자바 직립 원인(Java man)》.

pithy [píθi] (**pith·i·er ; -i·est**) *a.* ① 고갱이〔수(髓)〕가 있는. ② (표현 등이) 힘찬; 간결하면서도 함축성 있는. ㊕ **píth·i·ly** *ad.* **pith·i·ness** *n.*

piti·a·ble [pítiəbəl] *a.* ① 가련한, 불쌍한; 비참한: Her grandmother seemed to her a ~ figure. 그녀의 할머니는 그녀에게 불쌍한 모습으로 보였다. ② 딱한, 한심한: Her clothes were in a ~ condition. 그녀의 옷차림은 한심한 상태였다. ㊕ **-bly** *ad.*

***piti·ful** [pítifəl] *a.* ① 가엾은, 처량한, 불쌍한: It was the most ~ sight I had ever seen. 그것은 이제껏 처음보는 처참한 광경이었다. ② 딱한, 한심한. ㊕ **~·ly** [-fəli] *ad.* **~·ness** *n.*

***piti·less** [pítilis] *a.* 무자비한, 몰인정한, 냉혹한: the dictator's ~ rule 독재자의 무자비한 통치. ㊕ **~·ly** *ad.* **~·ness** *n.*

pit·man [pítmən] (*pl.* **-men** [-mən]) *n.* Ⓒ 갱부; 탄갱부(coal miner).

pi·ton [pí:tɑn / -tɔn] *n.* Ⓒ《F.》 피턴, 하켄《등산용의 바위에 박는 못》.

Pí·tot tùbe [pí:tou-] 피토관(管)《유속(流速) 측정에 사용》.

pit·tance [pítəns] *n.* Ⓒ (흔히 *sing.*) 약간의 수당〔수입〕: work for a (mere) ~ 얼마 안되는 (푼)돈을 위해 일하다.

pit·ted [pítid] *a.* ① 얽은 자국이 있는: a face ~ with smallpox 천연두로 얽은 자국이 있는 얼굴. ②《美》 (과일의) 씨를 제거한: ~ olives 씨를 제거한 올리브.

pit·ter-pat·ter [pítərpæ̀tər] *n., ad.* =PITAPAT.

pi·tu·i·ta·ry (gland) [pitjú:ətèri / -təri] *n.* Ⓒ〖解〗 뇌하수체.

‡**pity** [píti] *n.* ① Ⓤ 불쌍히 여김, 동정: Nobody wants ~ from others. 남의 동정을 받고 싶어할 사람은 없다 / *Pity* is akin to love. 《俗談》 연민은 애정으로 통한다. ② (*sing.*) 애석한 일, 유감스러운 일. ◇ pitiful, piteous *a.* ***more's the ~*** 유감스러운 일이지만, 공교롭게도.

── *vt.* 《~+목 / +목+전+명》 …를 불쌍히 여기다, 애석하게 여기다: I ~ her for her helplessness. 그녀가 무능해서 애석하다 / You can't even boil an egg. I ~ you! 계란도 삶을 수 없다니. 자네, 한심하군.

pit·y·ing [pítiiŋ] *a.* 〔限定的〕 불쌍히 여기는, 동정하는: a ~ look 동정하는 표정. ㊕ **~·ly** *ad.*

***piv·ot** [pívət] *n.* Ⓒ ①〖機〗 피벗, 선회축(旋回軸), 추축(樞軸). ② **a)** 중심점, 요점. **b)** 중심 인물. ③〖댄스〗 피벗《한 발을 축으로 도는 스텝》.

── *vt.* …을 추축(樞軸) 위에 놓다; …에 추축을 붙이다. ── *vi.* ① 추축으로 회전하다; 선회하다《*on, upon*》: The dancer ~*ed on* one toe. 무용수는 한쪽 발끝으로 회전했다. ② (…에 의해) 결정되다《*on, upon*》: The whole problem ~*s on* whether he'll come in time. 문제는 그가 시간 안에 오느냐의 여부에 달려 있다.

piv·ot·al [pívətl] *a.* ① 추축의. ② 중추의, 중요한: play a ~ role in a conference 회의에서 중요한 역할을 (수행)하다.

pix [piks] PIC의 복수.

pix·el [píksəl] *n.* Ⓒ〖컴〗 그림낱, 화소(畫素).

pix·ie, pixy [píksi:] *n.* Ⓒ 작은 요정.

pix·i·lat·ed [píksəlèitid] *a.* ① 머리가 좀 이상한. ② 좀 취한.

pizz. 〖樂〗 pizzicato.

piz·za [pí:tsə] *n.* ⒸⓊ《It.》 피자(=⌐ **pìe**).

pi(z)·zazz [pizǽz] *n.* Ⓤ《俗》 ① 정력, 활력. ② 야함, 화려함.

piz·ze·ria [pì:tsərí:ə] *n.* Ⓒ《It.》 pizza(를 파는) 가게.

piz·zi·ca·to [pìtsiká:tou] *a.* 《It.》〖樂〗 피치카토《현(弦)을 손끝으로 뜯는 연주법》의, 손톱으로 뜯는〔연주하는〕. ── (*pl.* **-ti** [-ti:], **~s**) *n.* Ⓒ 피치카토(곡). ── *ad.* 피치카토로《略: pizz.》.

P.J. Police Justice(즉결 심판 판사).

pj's, p.j.'s [pí:dʒéiz] *n. pl.* 《口》 =PAJAMAS.

pk. pack; park; peck(s). **PKF** UN peacekeeping forces(유엔 평화 유지군). **pkg.** package(s). **PKO** UN peacekeeping operations(유엔 평화 유지 활동). **pkt.** packet. **PL** product liability. **pl.** place; plate; plural. **P.L.** Poet Laureate.

plac·a·ble [plǽkəbəl, pléik-] *a.* 달래기 쉬운; 회유하기 쉬운; 온화한; 관대한. ㊕ **-bly** *ad.*

‡**plac·ard** [plǽkɑ:rd, -kərd] *n.* Ⓒ ① 플래카드. ② 간판, 벽보, 게시. ③ 포스터(poster); 전단; 꼬리표, 명찰. ── [plækɑ́:rd] *vt.* ① …에 간판을〔벽보를〕 붙이다. ② …을 간판으로〔벽보로〕 알리다〔공시하다〕, 게시하다.

pla·cate [pléikeit, plǽk-] *vt.* ① …을 달래다(soothe). ② 진정시키다, 《美》 회유하다. ㊕ **pla·ca·tion** [pleikéiʃən, plæk-] *n.* Ⓤ

pla·ca·to·ry [pléikətɔ̀:ri, plǽk- / -təri] *a.* 달래는, 회유적〔유화적〕인.

†**place** [pleis] *n.* ① Ⓒ 장소, 곳; (특정의 목적을 위한) 장소, …장(場): There's no ~ like home.

내 집과 같은 곳은 없다 / I have no ~ to go. 나는 갈 곳이 없다 / a market ~ 시장 / a ~ of amusement 오락장. ② Ⓒ (신체 따위의) 국소, 부분 ; (책 따위의) 한 구절 ; (어떤 물건의 표면의 특정한) 장소, 부분 ; (음악의) 한 절, 악구(樂句) : a sore ~ on my cheek 볼의 부은 부분 / a rough ~ in the street 가로(街路)의 울퉁불퉁한 장소.
③ Ⓒ 시, 읍, 면 ; 지역, 지방 : one's native ~ 출생지, 고향 / go to ~*s* and see things 여러 곳을 구경하고 다니다.
④ Ⓒ **a**) 건(축)물, 관(館) ; 실(室), 사무실. **b**) (흔히 *sing.* ; one's ~) 주거, 집 ; 방 ; 아파트 : Come round to my ~. 우리 집에 놀러 오게. **c**) (시골의) 집, 별장 : He has a ~ in the country. 그는 시골에 별장을 가지고 있다.
⑤ 〖固有名詞로서〗 (P-) 광장 ; 네거리 ; …가(街).
⑥ Ⓒ **a**) 있어야 할 장소 : Return that book to its ~. 그 책은 본래의 장소에 갔다 두어라. **b**) 〔흔히 否定文으로〕 적당한 장소〔기회〕 : A party is *not* the ~ for an argument. 파티는 의론에 적합한 장소가 아니다. **c**) 입장, 처지, 환경 : You must keep him in his ~. 너는 그에게 제 분수를 지키게 해야 한다 / If I were in your ~, I wouldn't put up with it. 내가 너의 처지에 있다면 참지 않을 것이다 / Don't overstep your ~. 네 분수를 지켜라.
⑦ Ⓒ 지위, 신분 ; 높은 지위 ; 관직, 공직 ; 직(職), 일자리, 직장(job) : lose one's ~ 지위〔일자리〕를 잃다 / look for a ~ 일자리를 찾다.
⑧ Ⓤ 공간, 여지 : The world has no ~ for an idler. 세상에는 게으름뱅이가 설 곳이 없다 / There's no ~ for doubt. 의심의 여지가 없다.
⑨ Ⓒ 좌석, 자리, 위치 : find a ~ 자리를 찾다 / Go back to your ~. 너의 자리로 돌아가거라 / ~ of honor 상석, 윗자리.
⑩ Ⓒ 〖數〗 위(位), 자리 : Answer to the third decimal ~. 소수점 이하 셋째 자리까지 답하시오.
⑪ Ⓒ **a**) 순서 : in the second ~ 둘째로 / in the last ~ 마지막으로. **b**) 〖競〗 상위(上位)《1-3 착》 ; 〖競馬〗 선착《미국에서는 1-2 착, 영국에서는 1-3 착》 : get a ~ (3 위내에) 입상하다.
all over the ~ (1) 사방에, 도처에. (2) 난잡하게, 어수선하게 ; 흐트러져. ***a ~ in the sun*** (1) 햇빛이 드는 양지. (2) 《口》 유리한 지위. ***fall into*** ~ (1) 제자리에 들어앉다. (2) (사실 · 이야기 · 일 따위가) 제대로 맞다, 앞뒤가 들어맞다 ; 잘 이해되다 : With the new evidence, everything is beginning to *fall into* ~. 새로운 증거로 모든 관계가 판명되기 시작하고 있다. ***from ~ to*** ~ (1) 이리저리로, 여기저기로. (2) 장소에 따라. ***give ~ to*** …에게 자리를 양보하다, …와 교대하다, …을 위해 길을 비키다. ***go ~s*** 《口》 (1) 여기저기 여행하다. (2) 〔進行形 또는 未來形으로〕 성공〔출세〕하다 : He will *go ~s*. 그는 성공할 것이다. ***in*** ~ (1) 제〔바른〕 자리에 : The chairs are all *in* ~. 의자는 모두 제자리에 있다. (2) 적당한, 적절한 : Your remark was not *in* ~. 자네말은 적절하지 못했다. ***in*** a person***'s*** ~ =***in ~ of*** …의 대신에 : use electric lights *in* ~ *of* lamps 램프 대신 전등을 사용하다. ***in the first*** 〔***second, last***〕 ~ 첫째〔둘째, 최후〕로. ***out of*** ~ (1) 제자리를 얻지 못한〔에 놓이지 않은〕, 부적절한(opp. *in* ~). (2) 실직하여. ***put*** 〔***keep***〕 a person ***in*** his (***proper***) ~ (아무에게) 분수를 알게 하다. ***put*** one***self in*** a person***'s*** ~ 아무의 입장에 서서 생각하다. ***take*** ~ (1) (행사 등이) 개최되다 : The concert *takes* ~ next Thursday. 연주회는 다음 목요일에 개최된다. (2) (사건 등이) 일어나다 : The Norman Conquest *took* ~ in 1066. 노르만인의 영국 정복은 1066년에 일어났다. ***take*** a person***'s*** ~ 아무에 대신하다 ; 아무의 지위를 차지하다. ***take*** one***'s*** ~ 언제나와 같은 그〔특정한〕 위치에 앉다 ; (어떤 특정한) 지위를 차지하다. ***take the ~ of*** … 에 대신하다 : Television can never *take the* ~ *of* books. 텔레비전은 결코 책을 대신할 수 없다.
— *vt.* ① 《~+목 / +목+전+명》 (…에)…을 두다, 놓다 ; 배치〔배열〕하다, 정돈하다 ; (광고)를 신문〔잡지〕에 싣다 ; (심의 따위를 하기 위해, 계획 따위)를 제출하다, 의제로서 내놓다 : He ~*d* his arm around her shoulders. 그는 그녀의 어깨를 한 팔로 감쌌다 / ~ a suspect *under* surveillance 용의자를 감시하다 / ~ a person *in* a dilemma 아무를 난처한 입장에 빠지게 하다 / *Place* the names in alphabetical order. 이름을 알파벳순으로 배열해라. ② 《+목+전+명》 (아무)를 (…에) 임명하다 ; (아무)에게 (일자리 따위)를 찾아주다 : He was ~*d in* the government service. 그는 공무원이 되었다 / ~ a person as a professor 아무를 교수로 임명하다. ③ 《+목 / +목+전+명》 …을 주문하다〔신청하다〕 ; (돈)을 맡기다, 투자하다 ; (주식 따위)를 팔아치우다 : ~ a telephone call 전화 통화를 신청하다 / She ~*d* the order *for* the pizza an hour ago. 피자를 한 시간 전에 주문했다 / ~ two million dollars in an enterprise, 200만 달러를 사업에 투자하다. ④ 《+목+전+명》 (신용 · 희망 · 중점 따위)를 두다, 걸다《*in, on, upon*》 : ~ confidence *in* 〔*on*〕 him 그를 믿다 / Our school ~*s* equal emphasis *on* academic studies and extracurricular activities. 우리 학교는 학업과 과외 활동을 동등하게 중시하고 있다 / He ~*d* importance *on a* comportable lifestyle. 그는 편안한 생활 양식에 중요성을 부여했다. ⑤ 《~+목 / +목+전+명》 (아무의 신분 · 성격 따위)를 판정하다, 평가하다 ; 생각해내다, 알아차리다 ; …의 등급을〔위치를〕 정하다 : He is a difficult man to ~. 그는 어떤 사람인지 판정하기 힘들다〔정체를 알 수 없다〕 / ~ the value of the picture too high 그 그림의 가치를 너무 높게 평가하다 / I know his face, but I can't ~ him. 그의 얼굴은 아는데 누군지 모르겠다 / ~ health *among* the greatest gifts of life 건강을 인생 최대의 선물의 하나로 여기다. ⑥ 〔흔히 受動으로〕 〖競馬〗 …의 순위를 정하다 : His horse was not ~*d*. 그의 말은 입상하지 못했다. ⑦ (교환원을 통하여, 전화)를 걸다 : ~ a long-distance call to London 런던에 장거리 전화를 걸다. ⑧ 〖美蹴 · 럭비〗 (골)을 placekick으로 득점하다. — *vi.* …등이 되다 ; (경마 등에서) 3 등 안에 들다 ; 《美》 (특히 경마 · 경견(競犬)에서) 2 등이 되다.

pláce bèt (경마 따위에서) 복승식으로 거는 방식《《美》 2등까지, 《英》 3등까지》.

pla·ce·bo [pləsí:bou] (*pl.* ***~s, ~es***) *n.* Ⓒ 《L.》 ① 〖醫 · 藥〗 위약(僞藥)《환자를 안심시키기 위해 주는 약》. ② 알랑거림, 알랑거리는 말, 아첨.

pláce càrd (공식 연회 따위의) 좌석표.

pláce kìck 〖美蹴 · 럭비〗 플레이스킥《공을 땅에 놓고 참》. cf. drop kick, punt[2].

place·kick [pléiskìk] *vi.* 플레이스킥하다.

pláce màt 식탁용 접시받침《일인분의 식기 밑에 깖》.

***place·ment** [pléismənt] *n.* ① Ⓤ 놓음, 배치 : the ~ of furniture 가구의 배치. ② Ⓤ,Ⓒ **a**) 직업 소개, 취직 알선. **b**) (진학 학교의) 선정. ③ Ⓤ,Ⓒ **a**) 〖럭비 · 蹴〗 플레이스먼트《플레이스킥을 위해, 공을 땅 위에 놓기》. **b**) 〖테니스〗 플레이스먼트《상대방이 잡기 어려운 장소에의 쇼트》. — *a.* 〔限

定的》 직업 소개의 : a ~ agency 직업 소개소.

plácement tèst (신입생의) 학급 배치〔분반〕를 위한 실력 테스트.

place-name [-nèim] *n.* Ⓒ 지명(地名).

pla·cen·ta [pləséntə] (*pl.* **~s, -tae** [-ti:]) *n.* Ⓒ 〖解〗 태반.

pláce sètting (식사 때) 각자 앞에 놓인 식기 일습(一襲) ; 그 배치 ; 식탁용의 1인분 식기 세트.

***plac·id** [plǽsid] *a.* ① 평온한, 조용한(calm) : a ~ lake 잔잔한 호수. ② 침착한.
㊞ **~·ly** *ad.* **pla·cid·i·ty** [pləsídəti] *n.*

plack·et [plǽkit] *n.* Ⓒ (스커트 따위의) 옆을 튼 데.

pla·gi·a·rism [pléidʒiərìzəm] *n.* ① Ⓤ 표절(剽竊), 도작(盜作). ② Ⓒ 표절물. ㊞ **-rist** *n.* Ⓒ 표절자.

pla·gi·a·rize [pléidʒiəràiz, -dʒjə-] *vt., vi.* (남의 문장·설 등을) 표절하다《*from*》: They recently discovered that a woman had ~*d* passages *from* the book they had written. 그들은 최근 어느 여인이 자신들의 책에서 몇 구절을 표절했다는 것을 발견했다.

‡**plague** [pleig] *n.* ① Ⓒ 역병(疫病), 전염병. ② Ⓤ (흔히 the ~) 페스트, 흑사병. ③ Ⓒ (유해동물의) 이상(異常) 대발생《*of*》: a ~ *of* locusts 메뚜기의 이상 대발생. ④ Ⓒ (흔히 *sing.*) 《口》 말썽꾸러기 ; 귀찮은 것〔일〕. ***(A)* ~ *on* 〔*upon*〕** (it 〔him〕) ***!*** = ***Plague take*** (it 〔him〕) ***!*** 염병할 것, 빌어먹을 (것, 놈), 제기랄. ***avoid . . . like the* ~** (마치 염병에라도 걸린 것처럼) …에 가까이 하지 않다, (…을) 기피하다.
— *vt.* ① …을 역병〔재앙 따위〕에 걸리게 하다. ② 《~+목 / +목+전+명 / +목+*to* do》 …을 애태우다, 괴롭히다 ; 성가시게〔귀찮게〕 하다 : The children ~*d* him *with* questions. 아이들이 질문 공세로 그를 괴롭혔다 / ~ a person *to* do something 아무에게 무엇을 해달라고 귀찮게 조르다.

plaice [pleis] (*pl.* **~, pláic·es**) *n.* Ⓒ 가자미·넙치류.

***plaid** [plæd] *n.* ① Ⓤ 격자 무늬의 스카치 나사. ② Ⓒ 격자 무늬의 나사로 만든 어깨걸이《스코틀랜드 고지 사람이 왼쪽 어깨에 걸침》. — *a.* 격자 무늬의 : a ~ skirt 격자무늬의 스커트.

†**plain** [plein] (**~·er ; ~·est**) *a.* ① 분명한, 명백한 ; 똑똑히 보이는〔들리는〕 ; 평이한, 간단한, 알기 쉬운 : in ~ speech 쉽게 말하면 / It is ~ that he will fail. 그가 실패할 것은 뻔하다 / I made my annoyance ~. 내가 곤혹스럽다는 것을 똑똑히 보여주었다. ② 솔직한, 꾸밈〔숨김, 거짓〕 없는 : You will forgive my ~ speaking. 솔직히 말씀드림을 용서하십시오 / To be ~ with you, Bill, I don't like the idea. 빌, 솔직히 말하면, 나는 그 생각이 마음에 안든다. ③ 순수한, 순전한, 철저한 : ~ folly. 더없이 어리석음 / It was just ~ kindness. 그것은 실로 친절의 극치였다. ④ 무지(無地)의, 장식〔무늬, 빛깔〕이 없는 ; 평직(平織)의 : ~ beige material 무지(無地)의 베이지색 원단 / She wore a ~ black dress. 그녀는 무지의 검정색 옷을 입고 있었다. ⑤ 보통의, 평범한 ; 젠체하지 않는 : ~ people 보통 사람, 일반 서민. ⑥ 검소한, 간소한, 소박한, 간단하게 조리한 : a ~ meal 검소한 식사 / ~ living 간소한 생활 / ~ cooking 간단한 요리(법). ⑦ (얼굴이) 예쁘지 않은, 못생긴 : a ~ face. ***(as)* ~ *as day* 〔*a pikestaff, the nose on* one*'s face*〕** 극히 명백한. ***in* ~ *English*** (영어로) 분명히 말하면. ***make* one*self* ~** 자기 생각을 분명히 말하다. ***to be* ~ *with you*** 솔직히 말해서. — *ad.* ① 분명히, 똑똑히 : speak〔write〕 ~. ② 아주, 완전히, 전적으로 : It's ~ wrong. 그것은 전적으로 잘못이다. — *n.* Ⓒ (종종 *pl.*) 평지, 평야, 평원.
㊞ ‡**∠·ly** *ad.* ① 명백히, 분명히. ② 솔직히, 꾸밈없이 : She said it quite ~*ly*. 그녀는 그것을 정말 솔직히 말해주었다. ③ 검소하게, 수수하게 : She always dresses ~*ly*. 그녀는 항상 검소하게 옷을 입는다. **∠·ness** *n.* Ⓤ ① 명백함 ; 솔직함. ② 검소, 간소. ③ (얼굴이) 예쁘지 않음.

plain·chant [-tʃæ̀nt, -tʃɑ̀:nt] *n.* = PLAINSONG.

pláin chócolate (우유도 넣지 않고 거의 무가당의) 초콜릿.

pláin clóthes (경찰관의) 평복, 사복.

plain·clothes·man [-klóuðzmən, -mæ̀n] (*pl.* **-men**) *n.* Ⓒ 사복 경찰관, 사복 형사.

pláin déaling (특히, 거래상의) 공정함, 솔직〔정직〕함.

pláin sáiling ① 순조로운 항해. ② (일의) 순조로운 진행 ; 용이함(plane sailing) : We've got over the difficult part, so it will be ~ from now on. 어려운 고비는 완전히 넘겼다. 따라서 이제부터는 순조롭게 진행될 것이다.

Pláins Índian 평원(平原) 인디언(Buffalo Indian).

plains·man [pléinzmən] (*pl.* **-men** [-mən]) *n.* Ⓒ 평원의 주민.

plain·song [-sɔ̀(:)ŋ, -sɑ̀ŋ] *n.* Ⓤ 단(單)선율 성가《무반주로 제창하는 초기 기독교 시대로부터의 교회 음악》.

plain·spo·ken [-spóukən] *a.* 솔직히 말하는 ; 노골적인.

plaint [pleint] *n.* Ⓒ ① 《詩·古》 비탄, 탄식. ② 〖英法〗 고소 ; 고소장.

plain·tiff [pléintif] *n.* Ⓒ 〖法〗 원고(原告), 고소인. opp. *defendant.*

***plain·tive** [pléintiv] *a.* 애처로운, 슬픈 듯한, 애조를 띤 : a ~ folk song 애조를 띤 민요. ㊞ **~·ly** *ad.* **~·ness** *n.* Ⓤ

***plait** [pleit, plæt] *n.* Ⓒ ① (천의) 주름(pleat). ② (종종 *pl.*) 땋은 머리 : She wears her hair in ~*s*. 그녀는 머리를 땋아 늘어뜨리고 있다. — *vt.* ① …을 땋다, 엮다. ② 땋아〔엮어〕 …을 만들다.

†**plan** [plæn] *n.* Ⓒ ① 계획, 플랜, 안(案) : a rough ~ 대략적인 계획 / a desk ~ 탁상 계획 / a five year ~ 5개년 계획 / hit upon a good ~ 좋은 안이 생각나다 / Everything went according to ~. 모든 것이 계획대로 되었다 / The president has a ~ to reduce taxes. 대통령은 감세안을 가지고 있다 / Do you have any ~*s* for this evening? 오늘 저녁 어떤 계획이 있습니까. ② 도면, 설계도, 평면도, 약도, 도표, (시가지 등의) 지도. cf. elevation. ¶ ~*s* for a new school 새 학교를 위한 설계도 / the ~ of a garden 정원의 설계도 / ⇨ GROUND 〔FLOOR〕 PLAN. ③ 시도, 목적, 기도(企圖), 예정 : Their ~ is to take over the firm. 그들의 목적은 그 회사를 접수하는 것이다. ④ 방법, 방식 : The best ~ would be to do it at once. 가장 좋은 방법은 그것을 즉시 실행하는 것일 것이다 / ⇨ INSTALLMENT PLAN.
— (**-nn-**) *vt.* ① 《~+목 / +목+부》 …을 계획하다, 입안하다 ; 꾀하다 : ~ a trip 여행을 계획하다 / ~ one's vacation 휴가 계획을 짜다 / ~ (*out*) a new book on chemistry 화학에 관한 새로운 책을 기획하다. ② …을 설계하다, …의 설계도를 그리다 : ~ a house. ③ 《+*to* do》 …하기로 마음먹다, …할 작정이다 : We are ~*ning to* visit Europe this summer. 이번 여름에는 유럽 여행을 할 계획이다. — *vi.* 《+전+명》 계획하다, 계획을 세우다 : ~ *for* a dinner party 만찬회 계획을 세우다 / We are ~*ning on* going to Italy.

우리는 이탈리아에 갈 계획을 세우고 있다. ~ ***out*** 생각해 내다, 면밀히 기획하다: We ~*ned* it all *out* before we began. 우리는 시작하기 전에 모든 것을 면밀히 계획했다.

plan·chette [plænʃét, -tʃét] *n.* Ⓒ 플랑셰트, 점치는 판《작은 바퀴 두 개와 연필이 하나 달린 심장 모양의 판; 여기에 한 손을 얹고, 움직인 궤적(軌跡)으로 점을 침》.

‡plane[1] [plein] *n.* Ⓒ ① 평면, 면, 수평면: an inclined ~ 사면 / a vertical ~ 수직면. ② (지식 따위의) 수준, 정도, 단계; 국면, 상태: a high ~ of civilization 고도의 문명 / keep one's work on a high ~ 일의 수준을 높게 유지하다. ③ 비행기 (airplane), 수상기 (hydroplane): a passenger ~ 여객기 / board [get on] a ~ 비행기를 타다 / get off a ~ 비행기에서 내리다. ④ 대패. ***by*** [***in, on***] ~ 비행기로, 공로로. ── *a.* 〖限定的〗 편평한, 평탄한; 평면 도형의. cf. flat. ¶ a ~ surface 평면 / a ~ figure 평면 도형.
── *vt.* ① …을 (대패로) 편평하게[매끄럽게] 하다: ~ board smooth 널빤지를 대패로 밀어 매끄럽게 하다. ② …을 대패로 깎다《*away*; *down*》: The piece was reduced in size by *planing down* the four corners. 그 나무토막은, 네 귀퉁이를 대패질하며 크기가 작아졌다. ── *vi.* ① (비행기가 엔진을 안 쓰고) 활공하다, (수상기가) 이수(離水)하다. ② 비행기로 가다[여행하다]. ③ 대패질하다.

plane[2] [plein] *n.* Ⓒ 플라타너스(~ tree).

pláne cràsh (비행기의) 추락 사고.

pláne sáiling 평면 항법.

‡plan·et [plǽnət] *n.* Ⓒ ①〖天〗 행성: major [minor] ~*s* 대[소]행성 / primary [secondary] ~*s* 행성[위성]. ②〖占星〗 운성(運星)《사람의 운명을 좌우한다는》.

plan·e·tar·i·um** [plæ̀nətέəriəm] (*pl.* ***~s, -ia [-iə]) *n.* Ⓒ〖天〗 플라네타륨, 행성의(儀); 별자리 투영기.

***plan·e·tary** [plǽnətèri / -təri] *a.* ① 행성의[같은]; 행성의 작용에 의한: a ~ orbit 행성 궤도 / the ~ system 태양계. ②〖占星〗 행성의 영향을 받은. ③ 이 세상의, 지구(상)의, 세계적인 (global).

plánetary nébula 〖天〗 행성상(狀) 성운(星雲).

plan·e·tol·o·gy [plæ̀nətɑ́lədʒi / -tɔ́l-] *n.* Ⓤ〖天〗「행성학.

pláne trèe 플라타너스.

plan·gent [plǽndʒənt] *a.* ① 울려 퍼지는. ② 구슬프게 울리는《종 따위》. ⊞ **~·ly** *ad.*

plan·i·sphere [plǽnəsfìər] *n.* Ⓒ ① 평면 구형도(球形圖). ②〖天〗 평면 천체도, 성좌 일람표.

‡plank [plæŋk] *n.* Ⓒ ① 널, 두꺼운 판자《보통 두께가 2-6 인치, 폭 9 인치 이상《board 보다 두꺼움》. ② 정당 강령(platform)의 항목[조항]. ***walk the*** ~ 뱃전에서 밖으로 내민 판자 위를 눈이 가리워진 채 걷다《17 세기경 해적이 포로를 죽이던 방법》; 《口》 강요에 의해 사직하다.
── *vt.* ① …을 판자로 깔다: ~ (the floor of) the study 서재를[의 바닥을] 판자로 깔다. ② 《美》 (생선이나 고기)를 판자 위에 얹어놓고 요리하(여 내놓)다. ③ 《+목+부》《美口》 (돈)을 즉석에서 지급하다《*down*; *out*; *up*》: She ~*ed down* her money. 그녀는 맞돈으로 치렀다.

plánk bèd (교도소 따위의) 판자 침상.

plank·ing [plǽŋkiŋ] *n.* ① Ⓤ 판자깔기. ② 〔集合的〕 붙이는 판자, 바닥에 까는 판자.

‡plank·ton [plǽŋktən] *n.* Ⓤ 〔集合的〕 플랑크톤, 부유 생물.

planned [plænd] *a.* 계획한: a ~ economy 계획경제 / a ~ crime 계획적 범죄.

plan·ner [plǽnər] *n.* Ⓒ 계획[입안]자; 설계자: a city ~ 도시 계획 입안자.

plan·ning [plǽniŋ] *n.* Ⓤ 계획, 입안; 설계: town ~ 도시 계획 / family ~ 가족 계획.

plánning permission 《英》 건축 허가.

pla·no-con·cave [plèinoukɑ́nkeiv / -kɔ́n-] *a.* (렌즈가) 평요(平凹)의《한 면만 오목한》.

pla·no-con·vex [plèinoukɑ́nveks / -kɔ́n-] *a.* (렌즈가) 평철(平凸)의《한 면만 볼록한》.

†plant [plænt, plɑːnt] *n.* ① Ⓒ (동물에 대한) 식물: tropical ~*s* 열대 식물 / ~*s* and animals 동식물. ② Ⓒ (수목에 대한 작은)초목; 묘목, 모종; 삽목(揷木)(용의 자른 가지): garden ~*s* 원예용의 초목[화초] / cabbage ~*s* 양배추의 모종. ③ 공장, 제조 공장, 플랜트; 공장 설비, 기계 장치, 기계 한 벌: a manufacturing ~ 제조 공장 / a waterpower ~ 수력 발전소 / an isolated ~ 사설 발전소 / ~ export 플랜트 수출. ④ Ⓒ (대학·연구소 따위의) 건물, 시설: a hospital ~ 병원 시설. ⑤ Ⓒ (흔히 *sing.*) 《俗》 (남을 모함하기 위한) 책략; 함정, 덫; (경찰의) 첩자.
── *vt.* ① 《~+목 / +목+전+명》 심다, (씨)를 뿌리다; (식물)을 이식(移植)하다: ~ seeds 씨를 뿌리다 / ~ rosebushes in the garden 뜰에 장미나무를 심다. ② 《+목+전+명》 (…을) …에 심다《*with*》: ~ a garden *with* rosebushes. ③ 《+목+전+명》 (사상·관념 따위)를 주입하다 (implant), 가르치다: ~ love for learning in growing children 자라는 아이들에게 공부하는 재미를 몸에 배게 하다 / The idea was firmly ~*ed* in his mind. 그 사상은 단단히 그의 마음속에 박혀 있었다. ④ 《+목+전+명》 (굴 따위)를 양식하다; (치어(稚魚))를 놓아 기르다, (강 따위)에 방류(放流)하다《*with*》: ~ a river *with* fish 강에 물고기를 방류하다 = ~ fish in a river. ⑤ (식민지·도시 따위)를 창설[건설]하다; …에 식민시키다 (settle): ~ a colony 식민지를 건설하다 / ~ settlers in a colony 이민들을 식민지에 식민시키다. ⑥ 《~+목 / +목+전+명》 놓다, 앉히다; 설비하다; (사람)을 배치하다; 《俗》 (꿍꿍이속이 있어서 정보)를 흘리다: ~ one's feet *on* solid ground 단단한 대지에 두 발을 힘있게 딛다 / ~ a detective *before* the house of the suspect 용의자 집 앞에 형사를 잠복시키다 / ~ questions *among* the audience 청중 가운데 '한통속'을 두어 질문을 하게 하다. ⑦ 《+목+전+명》 찌르다, 쳐서 박다《*in*; *on*》; (탄알)을 쏘아 대다; (타격 따위)를 주다: ~ a blow on a person's ear 아무의 귀에 한방 먹이다. ⑧ 《俗》 (장물 등)을 파묻다, 감추다, (남에게 혐의가 가도록) 몰래 두다: ~ stolen goods 장물을 은닉하다 / The pickpocket ~*ed* the wallet on a passerby. 소매치기는 그 지갑을 통행인의 주머니에 슬쩍 넣었다. ~ ***out*** (모종을) 간격을 두고 심다.

Plan·tag·e·net [plæntǽdʒənit] *n.* 〖英史〗 플랜태저넷 왕가(의 사람)(1154-1485).

plan·tain[1] [plǽntin] *n.* Ⓒ〖植〗 질경이.

plan·tain[2] *n.* Ⓒ 바나나의 일종《요리용》.

‡plan·ta·tion [plæntéiʃən] *n.* Ⓒ ① 재배지, 농원, 농장《특히 열대·아열대 지방의》: a coffee [rubber, sugar] ~ 커피[고무, 설탕] 농원. ② 《英》 식림지, 조림지, 인공림. ③ 식민.

***plant·er** [plǽntər, plɑ́ːntər] *n.* Ⓒ ① 씨 뿌리는 사람[기계], 심는 사람, 경작자, 재배[양식]자: a potato ~ 감자 파종기. ② 《美》 (미 남부의) 대농장 주인. ③ 장식용 화분.

plánt lòuse 〖蟲〗 진디(aphis); 진디 비슷한 습성을 가진 곤충《나무진디 따위》.

plaque [plæk / plɑːk] *n.* ① Ⓒ (금속·도자기 따위로 된) 장식판; (벽에 끼워넣는) 기념 명판(銘板). ② Ⓤ 〖齒科〗 치구(齒垢).

plash [plæʃ] *n.* (*sing.*) 절벅절벅, 철벙, 철썩철썩(splash)《물소리》. ── *vt.* (수면)을 요동시켜 절벅절벅〔찰싹찰싹〕 소리를 내다; …에 액체를 튀기다〔끼얹다〕. ── *vi.* 절벅절벅〔찰싹찰싹〕 소리가 나다; (물이) 튀다.

plasm [plǽzəm] *n.* ＝PLASMA.

***plas·ma** [plǽzmə] *n.* Ⓤ ①〖生理〗 혈장(血漿), 피장. ②〖物〗 플라스마, 전리 기체《원자핵과 전자가 분리된 가스 상태》.

plas·mid [plǽzməd] *n.* Ⓒ〖遺〗 플라스미드《염색체와는 따로 증식할 수 있는 유전 인자》.

‡**plas·ter** [plǽstər, plɑ́ːs-] *n.* ① Ⓤ 회반죽, 벽토. ② Ⓤ 석고; 깁스: a ~ figure 석고 모형. ③ Ⓤ,Ⓒ 〖醫〗 고약; 《英》 반창고(sticking ~).
── *vt.* ①…에 회반죽을〔모르타르를〕 바르다: ~ a wall 벽에 모르타르를 바르다 / a ~*ed* house 모르타르를 바른 집. ②《+目+前+名》 (…을) …에 처덕처덕 두껍게 바르다《*with*》: ~ one's face *with* powder 얼굴에 분을 짙게 뒤바르다. ③《+目+前+名》 (…을) …에 온통 발라 붙이다《*with*》: a trunk ~*ed with* hotel labels 호텔의 라벨이 더덕더덕 붙은 트렁크. ④…에 고약을〔반창고를〕 붙이다; (아픔)을 덜다. ⑤《+目+副》 뒤발라 반반하게 하다: ~ one's hair down 머리를 (기름 따위로) 뒤발라 붙이다. ⑥《俗》…에 큰 피해를 주다, 대패시키다; 맹폭(猛爆)하다.
㊥ **~ed** *a.* 〔敍述的〕《俗》 취한. **~·er** *n.* Ⓒ 석고 기술자; 미장이.

plas·ter·board [-bɔ̀ːrd] *n.* Ⓤ 석고판《석고를 심(心)으로 넣은 벽의 초벽용 판지》.

pláster cást ①〖彫〗 석고상〔모형〕. ②〖醫〗 깁스(붕대).

plas·ter·ing [plǽstəriŋ, plɑ́ːs-] *n.* ① Ⓤ 회반죽 바르기〔공사〕. ② Ⓒ《口》 대패(大敗).

pláster sáint 《蔑》(나무랄 데없는) 훌륭한 사람.

plas·tic** [plǽstik] (more*** ~; ***most*** ~) *a.* ① 형성력이 있는; 형체를 만드는; 빚어 만들 수 있는; 조형적인; 가소성(可塑性)이 있는: ~ substances 가소(可塑) 물질《점토·합성 수지 따위》/ ~ clay 소성(塑性) 점토. ② 플라스틱의〔으로 만든〕; 비닐제(製)의: a ~ toy 플라스틱 장난감 / a ~ house 비닐 하우스. ③ (찰흙 따위로 만든) 소상(塑像)의; 소상술(術)의: ~ figures 〔images〕 소상(塑像). ④ (성격 등) 유연한; 온순한, 감수성이 강한: a ~ character 감화되기 쉬운 성질. ⑤〖外科〗 성형의: a ~ operation 성형 수술 / ⇨ PLASTIC SURGERY. ⑥ 진짜가 아닌, 인공적인, 부자연스러운, 일부러 꾸민〔지은〕: a ~ smile 억지 웃음. ◇ plasticity *n.* ── *n.* ① Ⓤ,Ⓒ 플라스틱, 합성 수지; 비닐. ② Ⓒ (흔히 *pl.*) 플라스틱〔비닐〕 제품. ③ ＝PLASTIC MONEY.

plástic árt (흔히 *pl.*) 조형(造形) 미술.

plástic bómb 플라스틱 폭탄.

plástic búllet 플라스틱 탄《폭도 진압용》.

plástic explósive ① 가소성(可塑性) 폭약. ② ＝PLASTIC BOMB.

Plas·ti·cine [plǽstəsìːn] *n.* Ⓤ 소상(塑像)용 점토《商標名》.

plas·tic·i·ty [plæstísəti] *n.* Ⓤ ①〖物〗 가소성(可塑性), 성형력(成形力). ② 유연성; 적응성.

plástic móney 크레디트 카드.

plástic súrgery 성형 외과.

plas·tron [plǽstrən] *n.* Ⓒ ① (여성복의) 가슴 장식. ② (펜싱용의) 가죽으로 된 가슴받이. ③ 〖動〗 (거북의) 복갑(腹甲).

plat[1] [plæt] *n.* Ⓒ《美》① 울타리로 구획을 한 넓지 않은 토지; (화단 따위로 쓰는) 작은 땅. ② (토지의) 도면, 토지 측량도; 지도.

plat[2] *n.*, *vt.* (**-tt-**) ＝PLAIT.

plat du jour [plɑ̀ːdəʒúːər] (*pl.* ***plats du jour*** [plɑ̀ːz-]) 《F.》 (레스토랑의) 오늘의 특별 요리.

‡**plate** [pleit] *n.* ① Ⓒ 접시(dish)《보통 납작하고 둥근 것》; 접시 모양의 것: a dinner ~ 정찬용의 (큰)접시 / a soup ~ 수프 접시. ② Ⓤ〔集合的〕 금은제〔도금〕의 식기류: ⇨ SILVER PLATE. ③ Ⓒ (요리의) 한 접시, 일품; 1인분(의 요리): a ~ of beef and vegetables 쇠고기와 야채를 곁들인 요리 한 접시 / clean〔empty〕 one's ~ 한 접시를 다 먹어 치우다. ④ (the ~) (교회의) 헌금 접시(에 모여진 돈). ⑤ (the ~) 금은 상배(賞盃); 금은 상배가 나오는 경마〔경기〕. ⑥ Ⓒ〖印·寫〗 (금속 따위의) 판; 판금, 늘인 쇠. ⑦ Ⓒ 감광판; 금속판, 전기판, 스테로판(板); 목〔금속〕 판화; 도판: ⇨ FASHION PLATE. ⑧ Ⓒ (파충류·물고기 따위의) 갑(甲); 철갑 갑옷. ⑨ Ⓒ 판유리(~ glass). ⑩ Ⓒ 〖野〗 본루(home ~), 투수판(pitcher's ~). ⑪ Ⓒ (흔히 *sing.*)〖齒科〗 의치상(義齒床)(dental ~); 의치. ⑫ Ⓤ 쇠갈비 안쪽에 붙은 고기, 안심. ⑬ Ⓒ《美》〖電子〗 플레이트, (진공관의) 양극(anode). ⑭ Ⓒ〖地質〗 플레이트《지각과 맨틀 상층부의 판상 부분》. ***hand*** 〔***give***〕 a person something ***on a*** ~ 《英口》 아무에게 무엇을 선선히 내주다. ***have a lot*** 〔***enough***〕 ***on*** one***'s*** ~ 《英口》 할 일이 많이〔충분히〕 있다.
── *vt.* ① …에(…로) 도금하다《*with*》: ~*d* spoons / This ring is only ~*d with* gold. 이 반지는 금으로 도금했을 뿐이다. ② (군함 따위)를 장갑하다.

pláte àrmor 철갑 갑옷; (군함 등의) 장갑판.

***pla·teau** [plætóu / ⌐-] (*pl.* **~s, ~x** [-z]) *n.* Ⓒ ① 고원, 대지(臺地). ②〖教〗 학습 고원(高原)《학습 등의 안정기》. ③ 상하변동〔부침〕이 거의 없는 시기〔상태〕, 안정기〔상태〕.

plat·ed [pléitid] *a.* 〔흔히 複合語〕 도금(鍍金)한: gold-〔silver-〕~ spoons 금〔은〕 도금한 스푼.

plate·ful [pléitfùl] *n.* Ⓒ 한 접시 가득(한 양).

pláte gláss (고급의) 두꺼운 판유리.

plate-glass [pléitglæ̀s, -glɑ̀ːs] *a.* 〔限定的〕 ① 판유리의. ② (종종 P-) 《英》 (대학이) 신설의《1960년 이후 판유리를 많이 써서 지은 현대 건축의 대학을 가리킴》.

plate·lay·er [pléitlèiər] *n.* Ⓒ 《英》선로공(工), 보선공(《美》 tracklayer).

plate·let [pléitlit] *n.* Ⓒ 〖解〗 혈소판(血小板).

plate-rack [pléitræ̀k] *n.* Ⓒ 《英》 물기 빼는 접시걸이.

pláte ràil (장식용의) 접시 선반.

pláte tectónics 〖地質〗 판 구조론(板構造論)《지각(地殼)의 표층이 판상(板狀)을 이루어 움직이고 있다는 학설》.

‡**plat·form** [plǽtfɔ̀ːrm] *n.* Ⓒ ① 단(壇), 고대(高臺), 대지(臺地); 교단, 강단, 연단; 토론의 장(場)〔기회〕: provide a ~ *for* …에게 발표의 기회를 주다. ② (정거장의) 플랫폼: a departure〔an arrival〕 ~ 발차〔도착〕 플랫폼 / What ~ does the train leave from? 열차는 몇번 플랫폼에서 출발합니까. ③ (미국에서는 객차의, 영국에서는 주로 버스의) 승강단, 덱(vestibule). ④ **a)** (사람들이 일하거나 감시하거나 하는) 발판. **b)** 헬리콥터의 발착장. **c)** (해저 유전 탐사를 위한) 플랫폼. ⑤ (흔히 *sing.*) **a)** (정당의) 강령, 정강: the main planks of a party's ~ 정당 정강의 주요 항목. **b)** 《美》 정강 선언〔발표〕. ⑥ ＝PLATFORM SHOE.

plátform shòe (흔히 *pl.*) (코르크·가죽제의) 창이 두꺼운 여자 구두.

plátform tìcket 《英》 (역의) 입장권.

plat·ing [pléitiŋ] *n.* Ⓤ ① (금·은 따위의) 도금 (coating) : a ~ bath 도금 탱크, 도금액 통. ② (군함 따위의) 장갑.

***plat·i·num** [plǽtənəm] *n.* Ⓤ 〖化〗 백금, 플라티나《금속 원소; 기호 Pt; 번호 78》.

plátinum blónde 백금색 머리의 젊은 여자 《염색한 경우가 많음》.

plat·i·tude [plǽtətjù:d] *n.* ① Ⓤ 단조로움, 평범함, 진부함. ② Ⓒ 평범한 의견, 상투어.

plat·i·tu·di·nous [plæ̀tətjú:dənəs] *a.* 시시한 말을 하는, 평범한, 진부한. ㊕ **~·ly** *ad.*

***Pla·to**[1] [pléitou] *n.* 플라톤《그리스의 철학자; 427?-347? B.C.》.

PLATO, Pla·to[2] *n.* 컴퓨터를 사용한 개인교육 시스템. [◂ *P*rogrammed *L*ogic for *A*utomatic *T*eaching *O*peration]

Pla·ton·ic [plətánik, pleit- / -tɔ̀n-] *a.* ① 플라톤의; 플라톤학파〔철학〕의. ② (흔히 p-) 정신〔우애〕적인; 이상〔관념〕적인: *platonic* love 정신적 사랑, 플라토닉 러브. ㊕ **-i·cal·ly** [-əli] *ad.*

Pla·to·nism [pléitənìzəm] *n.* Ⓤ ① 플라톤 철학〔학파〕; 플라톤주의. ② (흔히 p-) 정신적 연애 (platonic love).

pla·toon [plətú:n] *n.* Ⓒ 〔集合的〕 (보병·공병·「경관의) 소대.

plat·ter [plǽtər] *n.* Ⓒ ① (타원형의 얕은) 큰접시《특히, 고기 요리용》. ② 《美俗》 음반, 레코드. ③ 〖컴〗 원판《경성판(hard disk)의 자료 기록 부분인 자성체(磁性體)를 코팅한 원반》.

platy·pus [plǽtipəs] (*pl.* **~·es, -pi** [-pài]) *n.* Ⓒ 〖動〗 오리너구리.

plau·dit [plɔ́:dət] *n.* Ⓒ (흔히 *pl.*) 박수, 갈채; 칭「찬.

plau·si·ble [plɔ́:zəbəl] *a.* ① (이유·구실 따위가) 그럴 듯한, 정말 같은: a ~ excuse 그럴듯한 구실 / His explanation seemed ~ enough. 그의 설명은 아주 그럴듯하게 보였다. ② (사람이) 구변이 좋은. ㊕ **-bly** *ad.* **plàu·si·bíl·i·ty** [-bíləti] *n.* Ⓤ

†**play** [plei] *vi.* ① 《~ / +전+명 / +부》 (…이) 놀다《*about*》; (… 와) 놀다《*with*》: His children are ~*ing about.* 그의 아이들이 뛰놀고 있다 / ~ *with* children 아이들과 놀다.
② 《+전+명》 장난치다; (…을) 가지고 놀다, 희롱하다(trifle)《*with*》: ~ *with* fire 불장난을 하다 / He isn't a man to be ~*ed with.* 그는 함부로 희롱당할 사람이 아니다.
③ 《~ / +전+명 / +부》 경쾌하게 날아다니다, 춤추다; 가볍게 흔들리다; 나부끼다; (빛 따위가) 비치다, 번쩍이다《*on; over; along*》; 조용히 지나가다: Her hair ~*ed on* her shoulders. 그녀의 머리카락이 어깨 위에서 치렁거렸다 / A butterfly was ~*ing about.* 나비 한 마리가 날아다니고 있었다.
④ (기계 따위가) 원활하게 움직이다, 작동하다 (work) : The radio began to ~. 라디오가 소리를 내기 시작했다.
⑤ 《~ / +전+명》 (분수·펌프 따위가) 물을 뿜다; (탄환 따위가) 연속 발사되다《*on; over*》: The fire engines were ready to ~. 소방차는 언제든 물 뿜을 준비가 되어 있었다 / The machine guns ~*ed on* the building. 그 건물을 향해 기관총이 발사되었다.
⑥ 《+전+명》 게임을 즐기다, 경기에 참가하다; (…와) 대전하다《*against*》: ~ *at* first base〔*as* first baseman〕, 1루를 지키다 / ~ *against* another team 다른 팀과 경기하다.
⑦ 《~ / +전+명》 도박을 하다, 내기를 하다 (gamble)《*for*》: He is ~*ing for* a large fortune. 그는 한 밑천 잡으려고 도박을 하고 있다.
⑧ 《+부 / +보》 (…한) 행동을 하다, …한 체하다; 말한 대로 하다: ~ fair〔dirty〕 공정〔비겁〕하게 행동하다 / ~ dead 죽은 체하다.
⑨ 《+전+명》 (악기를) 연주하다《*on*》: ~ *on* the piano 피아노를 치다.
⑩ 《~ / +부》 (악기가) 울리다, 곡을 연주하다, (녹음이) 재생되다: Music began to ~. 음악이 연주되기 시작했다 / The strings are ~*ing well* today. 오늘은 현악기 연주가 훌륭하다.
⑪ 《~ / +전+명 / +부》 (극·영화가) 상연되다《*in; at*》; (TV로) 방영되다《*on*》; (…에) 출연하다《*in*》: They ~*ed* (for) a month *in* New York. 뉴욕에서 한달 동안 공연되었다 / He has often ~*ed in* comedies. 그는 종종 희극에 출연하고 있다 / What's ~*ing on* television tonight? 오늘밤 TV에서 무엇이 방영됩니까 / ~ *poorly* 연기가 좋지 않다.
⑫ 《+부》 〔樣態의 副詞를 수반하여〕 (각본 따위가) 상연에 알맞다, 무대에 올릴만 하다: That script will ~ *well.* 저 각본은 무대에 올리면 좋은 연극이 될 것이다.
⑬ 《英》 놀고 있다, 일이 없다, 놀고〔게으름피우고〕 지내다; (파업으로) 일을 쉬고 있다.
⑭ 《+전+명》 〔樣態의 副詞를 수반하여〕 《口》 (제안·연설 등이) 받아들여지다, 효력을 발하다: His speech ~*ed poorly with* the voters. 그의 연설은 선거민에게 크게 효력을 내지 못했다.
⑮ 《口》 참가하다, 협력하다: ~ *with* big industrialists 대 실업가들과 손을 잡다.
── *vt.* ① (게임·경기)를 하다, …하며 즐기다; 겨루다: ~ tennis〔baseball〕 테니스〔야구〕를 하다 / ~ a match 한 판 겨루다 / ~ cards 카드놀이를 하다. ★ 무관사로 구기(球技)를 나타내는 낱말을 목적어로 하는데, skiing, boxing, wrestling, swimming 등은 play를 쓰지 않음.
② 〖크리켓〗 (볼)을 치다; 〖체스〗 (말)을 움직이다; 〖카드놀이〗 (패)를 내놓다; 《比》 (유리한 수)를 이용하다; (친 공)을 잡다: ~ the ball too high 공을 너무 높이 쳐올리다 / ~ a stroke 한 번 치다, 일격을 가하다.
③ 《~+목 / +목+전+명 / +목+*as* 보》 (아무)를 게임에 내보내다〔참가시키다〕, 기용하다《*at*》; (포지션)을 지키다, 맡다: ~ first base, 1루를 지키다 / The coach ~*ed* Tom *at* forward. 코치는 톰을 포워드로 기용했다 / The manager will ~ him as pitcher. 감독은 그를 투수로 기용할 것이다.
④ (돈)을 걸다《내기에》; (말 따위)에 걸다: ~ the horses 경마에 걸다.
⑤ 《~+목 / +*that* 절》 …놀이하다; …을 흉내내며 놀다: ~ cowboys 카우보이놀이를 하다 / ~ house 소꿉놀이하다 / Let's ~ (*that*) we are pirates. 해적놀이하자.
⑥ 《~+목 / +목+전+명》 (연극)을 상연하다 (perform); (배역)을 맡아 하다, …으로 분장하다; (본분·역할 따위)를 다하다《*in*》; 〔一般的〕 …인 체 거동하다: ~ *The Tempest* '템페스트'를 상연하다 / Water ~*s* an important part in the functioning of the body. 물은 몸의 기능면에서 중요한 구실을 한다 / ~ the man〔fool〕 사내답게〔바보스레〕 행동하다.
⑦ 《美》 극을 …에서 공연〔흥행〕하다: ~ New York 뉴욕에서 흥행하다.
⑧ 《~+목 / +목+목 / +목+전+명》 (악기·곡)을 연주하다: ~ the flute 플루트를 불다 / ~ a record 음반을 틀다 / *Play* me Chopin. = *Play* Chopin *for* 〔*to*〕 me. 쇼팽의 곡을 들려주시오 / ~ an overture *on* the piano 피아노로 서곡을 연주

하다.
⑨《+目+副》 음악을 연주하여 …시키다 : ~ the congregation *in* 〔*out*〕 주악으로 회중을 마중〔배웅〕하다 / The band ~*ed* the troops *past*. 취주악단의 반주로 군대가 분열 행진을 했다 / The new couple were ~*ed into* the room. 신랑 신부는 음악에 맞추어 방안으로 인도되었다.
⑩ …을 (마음대로) 움직이게 하다, 쓰다 ; 다루다 ; 휘두르다 : ~ a stick 막대기를 휘두르다.
⑪《+目+目 / +目+前+名》 …에게 (장난·농담·사기 따위)를 걸다, 치다, 하다, 행하다 (execute) : ~ a person a joke =~ a joke *on* a person 아무에게 장난치다, 아무를 놀리다 / You shouldn't ~ tricks. 장난을 쳐서는 안된다.
⑫ …에 근거를 두고 행동하다, …에 의존하다 : ~ a hunch 직감에 의존하다.
⑬《+目+前+名》 (빛 따위)를 내다, 발사하다, 향하게 하다 : ~ one's flashlight *along* one's way 회중전등으로 가는 길을 비추다 / ~ a hose *on* a fire 불에 호스로 물을 뿌리다 / ~ guns *on* the enemy's lines 적진을 향하여 발포하다.
⑭〖新聞〗 (기사·사진)을 특정하게 다루다 : ~ the news big on the front page 그 소식을 제 1 면에 크게 다루다.
~ about 〔***around***〕 돌아다니며 놀다 ; 가지고 놀다《*with*》: Stop ~*ing around* and take your studies seriously! 이제 그만 빈둥거리고, 진지하게 공부를 하라 ***~ along*** …와 동의〔협조〕하는 체하다《*with*》: I'll ~ *along with* them for the moment. 잠시 그들에게 협력하는 체 할 것이다. ***~ back*** (1)〖크리켓〗 한쪽 발을 뒤로 빼고 치다 ; (공을) 되돌려 보내다. (2) (녹음·녹화 테이프를) 재생하다. ***~ both ends against the middle*** 《美》 양다리를 걸치다 ; (대립자를 다투게 하여) 어부지리를 얻다 《*in*》. ***~ down*** (*vt.*) 가볍게 다루다, 경시하다 : He tried to ~ *down* his blunder. 그는 자기의 큰 실패를 별것아닌 것처럼 다루려 하였다. ***~ false*** 〔***foul, foully***〕 부정하게 승부를 겨루다 ; 부정한 짓을 하다, 속이다 ⇨ FALSE *ad.* ***~ fast and loose*** ⇨ FAST[1] *ad.* ***~ for time*** 질질 끌어 시간을 벌다. ***~ God*** ⇨ GOD. ***~ into the hands of*** =***~ into*** a person***'s hands*** …의 이익이 되도록 행동하다 ; …의 계략에 빠지다. ***~ it by ear*** ⇨ EAR[1]. ***~ it safe*** ⇨ SAFE. ***~ off*** (1) 속이다, (나쁜 일을) 하다. (2) (아무에게) 창피를 주다, …을 업신여기다. (3) (동점 경기에서) 결말을 짓다 : ~ *off* a match. (4) …을 발사(發射)하다. ***~*** a person ***off against*** another 아무를 누구와 대항시켜 어부지리를 얻다 : He ~*ed* his two rivals *off against* each other and got the chance to be a monitor. 그는 자기의 두 라이벌을 대항시켜 놓고 반장이 될 기회를 얻었다. ***~ on*** 〔***upon***〕 (1) (사람의 감정을) 자극하다 : ~ *on* her sympathies 그녀의 동정심을 자극하다. (2) …을 이용하다〔틈타다〕: Don't ~ *on* the weak points of others. 다른 사람의 약점을 이용하지 마라. (3) (악기)를 연주하다. ***~ out*** (*vt.*) (1) 끝까지 연주〔경기〕하다. (2) 다 써버리다 ; 녹초가 되게 하다 ; (밧줄 따위를) 끌어내다. (3) 연주를 하여 사람을 내보내다〔환송하다〕. (*vi.*) (1) 다하다, 떨어지다. (2) 녹초가 되다 ; (실패의 실 따위가) 꽤 풀리다. ***~ the devil*** 〔***the deuce***〕 ***with*** 《口》 ⇨ DEVIL. ***~ the field*** ⇨ FIELD. [cf] go steady. ***~ the game*** ⇨ GAME. ***~ up*** (*vt.*) (1) …을 중시하다, 강조하다([cf] ~ down). (2)《英》 …을 화나게 하다, 괴롭히다 ; …에게 귀찮게 하다. (*vi.*) (1) 연주를 시작하다. (2) 분투하다, 〔命令文〕 힘내라. (3) (기계·신체 따위가) 컨디션이 나빠지다. (4) (아이가) …에 장난치다 《*toward*》. (5)《口》 (환부 따위가) 아프다. ***~ up to*** 《口》 …에게 아첨 떨다. ***~ with*** …을 가지고 놀다 ; 《美俗》 …와 협력하다(~ ball with) : ~ *with* edged tools 위험한 짓을 하다.
── *n.* ① Ⓤ 놀이, 유희 : The children are *at* ~. 아이들은 놀고 있다 / All work and no ~ makes Jack a dull boy. 《俗談》 공부만 하고 놀지 않으면 아이는 바보가 된다, 잘 배우고 잘 놀아라. ② [U,C] 장난(fun), 농담(joking) : I said it *in* ~, not in earnest. 농담으로 한 말이지 진심은 아니었다. ③ **a)** Ⓤ 도박, 노름(gambling) : lose much money in one evening's ~ 하룻밤 노름으로 큰돈을 잃다. **b)** Ⓒ (*sing.*) (카드놀이 등에서) 차례, 순번 : It's your ~. 네 차례다. ④ Ⓤ (유희·승부의) 솜씨, 경기 태도 ; 경기 : There was a lot of rough ~*s* in the football match yesterday. 어제 축구 경기에서는 거친 플레이가 많았다. ⑤ Ⓤ (또는 a ~) (경기·승부에서의) 하나하나의 동작 : That was *a* good ~. 지금 것은 좋은 솜씨〔수〕였다. ⑥ Ⓤ 행동, 행위 : foul ~ 비열한 행위. ⑦ Ⓤ 활동, 활동의 자유〔여지〕; (기계의 부품 상호간 따위의) 틈 : allow full ~ to one's imagination 상상을 자유로이 활동케 하다. ⑧ Ⓤ (빛·빛깔 따위의) 움직임, 어른거림, 번쩍임 : the ~ of sunlight upon water 수면에서의 빛의 어른거림. ⑨ Ⓒ 연극 ; 각본, 희곡(drama) : a musical ~ 음악극. ***bring*** 〔***call***〕 ***. . . into ~*** …을 이용하다, 활동시키다. ***come into ~*** 움직이기〔활동하기〕 시작하다. ***give full*** 〔***free***〕 ***~ to*** …을 충분히〔마음껏〕 발휘하다. ***in ~*** 장난〔농담〕으로 ; 〖球技〗 경기 중에, (공이) 살아(라인 내에) ; 일하고, 영향을 끼치고 : He said it merely *in* ~. 단지 농담으로 말한 것뿐이다. ***make a*** 〔one***'s***〕 ***~ for*** …을 손에 넣으려고 고심하다〔책략을 쓰다〕; …에게 구애(求愛)하다. ***make ~*** (…을) 효과적으로 이용하다《*with*》. ***out of ~*** 〖球技〗 아웃이 되어(라인 밖에).

play·a·ble [pléiəbəl] *a.* play 할 수 있는.

play·act [∸ӕkt] *vi.* ① (연극에서) 연기하다. ② …인 체하다 ; 과장된 몸짓을 하다.
㊞ **~·ing** [-iŋ] *n.* Ⓤ 연극(을 함) ; 《比》 '연극', 가면(pretense).

play·back [∸bӕk] *n.* Ⓒ (레코드·테이프 등, 특히 녹음〔녹화〕 직후의) 재생.

play·bill [∸bìl] *n.* Ⓒ (연극의) 광고 전단 ; 《美》 (극의) 프로그램.

play·book [∸bùk] *n.* Ⓒ ① (연극) 각본. ②〖美蹴〗 팀의 공수(攻守) 포메이션을 수록한 책.

play·boy [∸bɔ̀i] *n.* Ⓒ (돈과 시간이 있는) 바람둥이, (젊은 부자인) 한량, 플레이보이.

play-by-play [∸baipléi] *a.* (경기 따위의) 실황의 : a ~ broadcast of a game 경기 실황 방송.
── *n.* [U,C] 실황 방송.

played-out [pléidáut] *a.* ① 지친, 기진한 ; 더는 해볼 수 없는. ② 진부한 낡은.

†**play·er** [pléiər] *n.* Ⓒ ① 경기자, 선수 : the most valuable ~ 최우수 선수《略 : MVP》. ② 배우(actor) ; 연주자 : a violin ~ 바이올린 주자. ③ (자동 피아노 따위의) 자동 연주 장치 ; 레코드플레이어. ④ 도박꾼(gambler). ⑤《美俗》 혼음(混淫)을 일삼는 자, 《특히》 펨프.

Pláyer of the Yéar 〖競〗 연간 최우수 선수.

pláyer piáno 자동 피아노.

play·fel·low [pléifèlou] *n.* =PLAYMATE.

***play·ful** [pléifəl] *a.* ① 쾌활한 ; 놀기 좋아하는, 농담 좋아하는. ② 장난의, 희롱하는, 농담의, 우스꽝스러운. ㊞ **~·ly** *ad.* **~·ness** *n.*

play·girl [∸gə̀ːrl] *n.* Ⓒ (쾌락을 찾아) 놀러다니는 여자, 플레이걸.

play·go·er [ˊ-gòuər] *n.* Ⓒ 연극팬, 연극 구경을 자주 가는 사람.

‡**play·ground** [ˊ-gràund] *n.* Ⓒ ① (학교 따위의) 운동장. ② (아이들의) 놀이터, 공원 ; 행락지.

play·group [ˊ-grùːp] *n.* Ⓒ 사설 탁아소〔유아원〕.

play·house [ˊ-hàus] *n.* Ⓒ ① 극장(theater). ② (아이들의) 놀이집, 어린이 오락관.

pláying càrd (카드 따위의) 패.

pláying fìeld 경기장, 운동장.

‡**play·mate** [ˊ-mèit] *n.* Ⓒ 놀이 친구.

play-off [ˊ-ɔ̀ːf / ˊ-ɔ̀f] *n.* Ⓒ ① (비기거나 동점인 경우의) 결승 경기. ② (시즌 종료 후의) 우승 결정전 시리즈, 플레이오프. 「동식》.

play·pen [ˊ-pèn] *n.* Ⓒ 유아 안전 놀이울《흔히 이

play·room [ˊ-rùːm] *n.* Ⓒ 오락실, 유희실.

play·school [ˊ-skùːl] *n.* =PLAYGROUP.

play·suit [ˊ-sùːt] *n.* Ⓒ (여성·어린이의) 운동복, 레저웨어.

***play·thing** [ˊ-θìŋ] *n.* Ⓒ 장난감〔노리개〕(취급받는 사람) : make a ~ of a person 아무를 놀림감으로 삼다.

play·time [ˊ-tàim] *n.* Ⓤ (학교의) 노는 시간.

***play·wright** [ˊ-ràit] *n.* Ⓒ 각본가 ; 극작가.

pla·za [plάːzə, plǽzə] *n.* Ⓒ 《Sp.》 ① (도시·읍의) 광장, (특히 스페인 도시의) 네거리. ②《美》 쇼핑 센터, 플라자. ③《美》(고속 도로변의) 서비스 에어리어(service plaza).

PLC 《英》 Public Limited Company.

-ple '배(倍), 중(重)'의 뜻의 결합사 : tri*ple*.

plea** [pliː] *n.* Ⓒ ① 탄원, 청원(entreaty) ; 기원. ② 변명(excuse) ; 구실, 핑계(pretext). ③〖法〗 항변, 답변(서), 소송의 신청(allegation) ; 소송. ◇ plead *v.* ***enter a ~ of guilty 〔***not guilty***〕 유죄〔무죄〕의 이의(異議) 신청을 하다. ***make a ~ for*** …을 탄원〔주장〕하다. ***on*** 〔***under***〕 ***the ~ of*** …을 구실삼아, …이라는 핑계로 : He declined to participate *on the ~ of* old age. 그는 노령(老齡)을 구실삼아 참가를 사퇴했다.

pléa bàrgaining 〖法〗 유죄 답변 거래〔흥정〕《가벼운 구형 등 검찰측이 양보하고 그 대신 피고측이 유죄를 인정하는 따위의 거래〔흥정〕》.

pleach [pliːtʃ] *vt.* (가지와 가지)를 얽다 ; 가지를 얽어 산울타리를 만들다.

‡**plead** [pliːd] (*p.*, *pp.* ***plead·ed,*** 《美口·方》 ***ple(a)d*** [pled]) *vt.* ① …을 변호하다, 변론하다 : ~ a person's case 아무의 사건을 변호하다 / ask a lawyer to ~ one's cause 변호사에게 자기의 소송변호를 의뢰하다. ②《~+목 / +*that* 절》…을 이유로 내세우다〔주장하다〕: The thief *~ed* poverty. 그 도둑은 가난을 범행 이유로 내세웠다 / She *~ed* ignorance of the rule. 그녀는 규칙을 몰랐다고 변명했다 / He *~ed that* I was to blame. 그는 나에게 책임이 있다고 주장했다.

— *vi.* ①《~ / +전+명 / +보》 변론하다, 항변하다 ; (어떠한 일이) 구실〔변명〕이 되다《*for*》: Who will ~ *for* us? 누가 우리를 위해 변호해줄 것인가 / ~ not guilty 무죄를 주장하다. ②《+전+명》 …을 탄원하다, 간청하다(implore)《*for*》: ~ *for* another chance to show one's ability 능력을 보여줄 기회를 다시 한 번 달라고 간청하다. ~ ***guilty*** 〔***not guilty***〕 (심문에 대해 피고가) 죄상을 인정하다〔인정치 않다〕.

plead·er [-ər] *n.* Ⓒ ① (법정의) 변호인 ; 항변자. ② 탄원자.

plead·ing [plíːdiŋ] *n.* ① Ⓤ.Ⓒ 변론, 변명. ② (*pl.*) (소송상의) 답변(서). — *a.* 소원(所願)의, 탄원적인. 파 **~·ly** *ad.* 탄원적으로.

†**pleas·ant** [plézənt] (***more ~, ~·er ; most ~, ~·est***) *a.* 《중심적인 뜻 : 유쾌한 기분이 되게 하는》 ① (사물이) 즐거운, 기분좋은, 유쾌한 : a ~ afternoon 유쾌한 오후 / ~ news 유쾌한 소식 / the ~ season 쾌적한 계절 / lead a ~ life 인생을 즐겁게 보내다 / It's ~ having〔to have〕 a drink after work. 일을 끝낸 후 한잔하는 것은 기분좋은 일이다. ② (날씨가) 좋은 : ~ weather 좋은 날씨. ③ 호감이 가는, 상냥한 ; 쾌활한 : a ~ companion 상냥한 벗 / She's always ~ to everyone. 그녀는 늘 누구에게나 상냥하다. ***make*** one***self ~ to*** (visitors) (방문객)에게 상냥하게 대하다. 파 **~·ness** *n.*

pleas·ant·ly** [pléznt li] (more ~ ; most ~***) *ad.* ① 즐겁게, 유쾌하게, 쾌적하게. ② 상냥하게, 쾌활하게.

pleas·ant·ry [plézntri] *n.* ① Ⓤ 기분 좋음 ; 익살. ② Ⓒ (흔히 *pl.*) 농담 ; 의례적인 정다운 말《인사 따위》: exchange *pleasantries* with one's friend 친구들과 농담을 주고 받다.

†**please** [pliːz] *vt.* ① (사람)을 기쁘게 하다, 만족시키다 (satisfy), …의 마음에 들다 : ~ the eye 눈을 즐겁게 하다 / We can't ~ everybody. 모든 사람을 다 만족시킬 수는 없다 / Nothing *~d* him. 아무것도 그의 마음에 들지 않았다. ②〔it를 主語로 하여〕…의 기쁨〔희망〕이다, …의 좋아하는 바다 : *It ~d* him to go with her. 그는 기꺼이 그녀와 동행하였다. ③ 제발, 부디, 미안하지만 : *Please* come here.=Come here, ~! 미안하지만 이리로 와 주십시오 / *Please* not to interrupt me. 제발 내 말을 방해하지 말아 주십시오. ④〔as, what, where 등의 關係詞節에서〕…하고 싶어하다 : Go *where* you ~. 가고 싶은 곳으로 가시오《★ "go where you *please* to go"가 생략된 것으로 보면 됨》/ Do *what* you ~. 하고 싶은 것은 무엇이나 하라 / Take as much〔many〕*as* you ~. 가지고 싶은 만큼 가져가라. ⑤《+목+전+명 / +목+*to* do / +*that* 절》〔受動으로〕기꺼이, 마음에 들어《*at* ; *by* ; *with* ; *about* ; *in*》: I *was ~d at* 〔*with*〕 your success. 네가 성공한 것을 듣고 기뻤다 / I'll *be ~d to* come. 기꺼이 가겠습니다〔오겠습니다〕/ I *am ~d that* you have consented. 승낙을 해주셔서 기쁘게 생각합니다.

— *vi.* ① 남을 기쁘게 하다, 호감을 주다 : She is anxious to ~. 그녀는 남의 호감을 사려고 애쓰고 있다 / manners that ~ 호감이 가는 몸가짐. ②〔as, when, if 등이 이끄는 從屬節 안에서〕…하고 싶다, 좋아하다 : Do *as* you ~. 하고 싶은 대로 하라 / You can come *when*〔*if*〕 you ~. 마음내킬 때〔내키면〕오시오. ◇ pleasing *a.* ***if you ~*** (1) 제발, 미안합니다만 ; 용서를 바라고, 실례를 무릅쓰고 : Pass me the salt, *if you ~*. 미안합니다만 소금통을 건네주시겠습니까. (2) (비꼬아서) 글쎄 말이다, 놀랍게도 : The missing letter was in his pocket, *if you ~*. 놀랍게도 그 분실된 편지가 그의 주머니에 있었다더군. ~ ***God*** 《文語》 하느님의 뜻이라면, 순조롭게 나간다면 : It'll be finished by Christmas, ~ *God.* 잘만 된다면 크리스마스까지는 그것은 끝날 것이다.

— *ad.* 〔感嘆詞的으로〕 ①〔흔히 命令文에 덧붙여〕 부디, 어서 : *Please!* 부탁입니다 ; (항의조로) 그만 / *Please* don't forget to post the letter. 편지 부치는 일을 부디 잊지 말아주시오 / You will ~ leave the room. 제발, 방에서 나가 주시오. ② **a**)〔疑問文에서〕 미안합니다만, 실례합니다만 : Would you mind opening the window ~? 미안합니다만, 창문 좀 열어주시겠습니까 / May I see your passports ~? 실례입니다만 패스포트를 보여주시겠습니까. **b**)〔권유에 대한 대답으로서〕(꼭) 부탁

합니다 : "Would you like some more tea?" "Yes, ~." '차를 더 드시겠습니까?' '네, 부탁합니다.' ③〔상대의 주의를 끌려고〕 제발 부탁합니다 : Tom, ~. I'm not used to that kind of language. 제발 부탁이야, 톰. 나는 그런 (천한) 말에는 익숙해 있질 않아.

pleased [pli:zd] *a.* 기뻐하는, 만족한, 마음에 든 : a ~ expression 만족한 표정.

‡pleas·ing [plí:ziŋ] *a.* 즐거운, 기분좋은, 유쾌한 (agreeable), 호감이 가는, 붙임성 있는 ; 만족스러운 : a ~ result 만족스러운 결과 / ~ *to* the taste 먹어서 맛 있는 / The view was ~ *to* us. 그 경치는 우리를 즐겁게 해주었다. ㊕ **~·ly** *ad.*

pleas·ur·a·ble [pléʒərəbəl] *a.* (사물이) 즐거운 ; 기분좋은: a ~ impression 기분 좋은 인상. ㊕ **-bly** *ad.* 즐거운〔만족한〕 듯이. **~·ness** *n.*

†pleas·ure [pléʒər] *n.* ①Ⓤ 기쁨, 즐거움 (enjoyment) ; 쾌감, 만족(satisfaction). ②Ⓒ 즐거운 일, 유쾌한 일 : It is a ~ to talk to her. 그녀와 이야기하는 것은 즐겁다 / the ~*s* and pains of daily life 일상 생활의 즐거움과 고통. ③Ⓤ 오락, 위안, 즐거움. ④ⓊⒸ (관능적) 쾌락, 방종 : a life given up to ~ 향락적 생활 / a man of ~ 난봉꾼. ⑤Ⓤ 〔흔히 one's〔a person's〕 ~〕 희망, 의향, 욕구(desire) : make known *one's* ~ 자기의 뜻을 전하다 / ask a *visitor's* ~ 손님의 의향을 묻다 / What's your ~? 무엇을 좋아 하십니까. ***at*** (one*'s*) ~ 하고 싶은 대로. ***for*** ~ 재미로《딴 이유 없이》: draw pictures *for* ~. 재미로 그림을 그리다. ***It's my*** 〔***a***〕 ~. =***The*** ~ ***is mine.*** 천만의 말씀을 ; 오히려 제가 즐거웠습니다 : "Thank you for your information." —"The ~ is mine." '가르쳐 주셔서 고맙습니다.' '천만에요.' ***with*** ~ (1) 기꺼이, 쾌히 : He did the work *with* ~. 그는 기꺼이 그 일을 했다. (2) (승낙의 대답으로서) 알겠습니다 ; 도와드리겠습니다 : "Will you help me to carry this?" —"(Yes,) *with* ~." '이 것을 운반하는 일을 도와주시겠습니까.' —'(네) 기꺼이 도와 드리지요.'

pléasure bòat 유람선 ; 레저용(用) 보트.

pléasure gròund 〔**gàrden**〕 유원지 ; 공원.

pléasure prìnciple 〖心〗 (불쾌를 피하고 쾌락을 구하려는) 쾌락 추구 원칙.

pleat [pli:t] *n.* Ⓒ (스커트 따위의) 주름, 플리트. ⓒⓕ plait. —— *vt.* 주름을〔플리트를〕 잡다.

pleb [pleb] *n.* 《俗》 ①Ⓒ 평민, 서민《plebeian의 간약형》. ② (the ~s) (일반) 대중.

plebe [pli:b] *n.* Ⓒ 《美》 육군〔해군〕 사관 학교의 최하급생, 신입생.

***ple·be·ian** [plibí:ən] *n.* Ⓒ 〖古로〗 평민, 서민 《patrician에 대하여》; 대중. —— *a.* ① 평민의 ; 서민의. ② 평범한 ; 비속한(vulgar).

pleb·i·scite [plébəsàit, -sit] *n.* Ⓒ 국민〔일반〕 투표 : by ~ 국민 투표로《無冠詞》.

plec·trum [pléktrəm] (*pl.* ***-tra*** [-trə], ~***s***) *n.* Ⓒ (현악기 연주용의) 채, 픽(pick).

pled [pled] 《美》 PLEAD의 과거·과거분사.

‡pledge [pledʒ] *n.* ①Ⓒ 서약(vow), 굳은 약속 ; (정당 등의) 공약 : take a ~ to stand by each other 서로 돕기로 맹세하다 / redeem a campaign ~ 선거 공약을 지키다. ②Ⓤ 저당, 담보, 전당 ; Ⓒ 저당〔담보〕물 : keep a watch as a ~ 시계를 담보물로 잡아 두다. ③Ⓒ 보증, (우정 따위의) 증거(token) : as a ~ of friendship 우정의 표시로서. ④Ⓒ 축배, 건배. ***sign*** 〔***take***〕 ***the*** ~ 금주의 맹세를 하다. ***under*** ~ ***of*** …라는 약속〔보증〕으로 : *under* ~ *of* secrecy 비밀을 지킨다는 약속으로.

—— *vt.* ①《~+목 / +목+전+명》 …을 서약〔약속〕하다 : ~ one's support 지지를 약속하다 / He ~*d* his support *to* me. 그는 나에게 지원을 약속했다. ②《+목+전+명 / +목+*to* do》 (아무에게) 서약시키다, …할 것을 약속〔서약〕하다 : I've been ~*d to* secrecy. 나는 비밀을 지킬 것을 약속했다 / ~ a person *to* temperance 아무에게 금주를 서약시키다 / ~ the signatory powers *to* meet the common danger 가맹국들에게 공동 위험에 대처토록 서약시키다. ③《~+목 / +목+목》 (언질을) 주다, (명예를) 걸다 : I ~ (you) my honor. 명예를 걸고 맹세합니다. ④《~+목 / +목+전+명》 …을 전당잡히다(pawn), 담보로 넣다 : ~ a watch *for* $10, 10 달러에 시계를 전당잡히다. ⑤ …을 위해 축배하다(toast) : ~ a person's health〔success〕 아무의 건강〔성공〕을 위해 건배하다 / They ~*d* the bride and bridegroom. 신랑·신부의 앞날을 축하하여 그들은 건배했다.

pledg·ee [pledʒí:] *n.* Ⓒ 〖法〗 (동산) 질권자 ; 저당권자 ; 저당잡은 사람.

pledg·er [plédʒər] *n.* Ⓒ ① 전당잡힌 사람. ② 〖法〗 저당권 설정자.

pledg·or [pledʒɔ́:r] *n.* = PLEDGER ②.

Ple·iad [plí:əd, pláiəd] (*pl.* ~***s***, ***-ia·des*** [-ədì:z]) *n.* ① (the Pleiades) 〖天〗 플레이아데스 성단(星團)《황소자리의 산개(散開) 성단》. ② (the Pleiades) 〖그神〗 Atlas의 일곱 딸《Zeus가 이 산개 성단으로 자태를 바꾸어놓았다 함》.

Pleis·to·cene [pláistəsì:n] *a.* 〖地質〗 플라이스토세(世)의, 홍적세(洪積世)의.

—— *n.* (the ~) 홍적세.

ple·na [plí:nə] PLENUM의 복수형.

***ple·na·ry** [plí:nəri, plén-] *a.* 충분〔완전〕한 ; 무조건의, 절대적인 ; 전원 출석의 ; 전권을 가진 ; 〖法〗 정식의, 본식의(ⓞⓟⓟ *summary*) : a ~ meeting 〔session〕 전체 회의, 총회, 본(本)회의 / ~ powers 전권.

plénary indúlgence 〖가톨릭〗 대사(大赦).

plen·i·po·ten·ti·ary [plènipəténʃəri, -ʃièri] *n.* Ⓒ 전권 대사 ; 전권 위원〔사절〕.

—— *a.* 전권을 가진 ; 전권 위원〔대사〕의. ***an ambassador extraordinary and*** ~ 특명 전권 대사. ***the minister*** ~ 전권 공사.

plen·i·tude [plénətjù:d] *n.* Ⓤ 충분, 완전 ; 충실 ; 풍부 : a ~ of food 풍족한 식량 / natural resources in ~ 풍부한 천연 자원.

***plen·te·ous** [pléntiəs, -tjəs] *a.* 《詩》 많은, 윤택한, 풍부한. ㊕ **~·ly** *ad.* **~·ness** *n.*

‡plen·ti·ful [pléntifəl] *a.* 많은, 윤택한, 충분한, 풍부한. ⓒⓕ abundant, copious. ⓞⓟⓟ *scanty.* ¶ a ~ harvest 풍작. ㊕ **~·ly** [-fəli] *ad.* **~·ness** *n.*

†plen·ty [plénti] *n.* Ⓤ 많음, 가득, 풍부, 다량, 충분(*of*) ; 번영 : There is ~ *of* time 〔meat〕. 시간이〔고기가〕 충분히 있다 / I've had ~, thank you. 많이 먹었습니다, 고맙습니다 / We wish you peace and ~ for the New Year. 새해에는 귀댁(貴宅)에 평화와 번영이 있기를 기원 합니다《연하장의 인사문》. ***a year of*** ~ 풍년. ***in*** ~ (1) 충분히, 많이, 풍부하게. (2) 유복하게 : live *in* ~ 유복하게 지내다. ~ ***of*** 많은, 충분한 : We had ~ *of* rain last year. 작년에는 비가 많이 내렸다 / a ~ *of* things to be done 해야할 많은 일. ★ 疑問·否定 구문에서는 흔히 enough로 대용함 : Is there *enough* food? 'plenty of'를 쓰는 것은 《美》.

—— *a.* 《口》 많은, 충분한 : That 〔Six potatoes〕 will be ~. 그것으로〔감자 여섯 개로〕 충분할 것이다 / have ~ helpers 거들어줄 사람들이 많이 있

다 / ~ time 충분한 시간.
— *ad.* 《口》 ① 〔흔히 ~ ... enough로〕 듬뿍, 충분히, 아주 : It is ~ large *enough.* 그거라면 크기는 충분하다. ② 《美》 몹시, 대단히 : I'm ~ thirsty. 몹시 목이 마르다.

ple·num [plíːnəm] (*pl.* *~s, -na* [-nə]) *n.* Ⓒ ① 물질이 충만한 공간. opp. *vacuum.* ② (의회 등의) 총회, 전체 회의.

ple·o·nasm [plíːənæ̀zəm] *n.* 〖修〗 ① Ⓤ 용어법(冗語法). ② Ⓒ 용어구(冗語句), 중복어(a false lie 따위). ⊕ **ple·o·nas·tic** [ˌ-nǽstik] *a.*

pleth·o·ra [pléθərə] *n.* Ⓤ ① (a ~) 과다(過多), 과잉(*of*) : *a* ~ *of* problems 〔rice〕 많은 문제〔대량의 쌀〕. ② Ⓤ 〖醫〗 다혈증〔질〕; 적혈구 과다증.

ple·thor·ic [pliθɔ́ːrik, -θár-, pléθər- / pleθɔ́r-] *a.* ① 과다한 ; 과잉의. ② 다혈증의, 적혈구 과다의.

pleu·ra [plúərə] (*pl.* *-rae* [-riː]) *n.* Ⓒ 〖解〗 늑막 ; 흉막 : a costal 〔pulmonary〕 ~ 늑골〔폐〕 흉막.

pleu·ral [plúərəl] *a.* 〖解〗 흉막〔늑막〕의.

pleu·ri·sy [plúərəsi] *n.* Ⓤ 〖醫〗 늑막〔흉막〕염 : dry 〔wet, moist〕 ~ 건성〔습성〕 늑막염.

Plex·i·glas [pléksiglæ̀s, -glɑ̀ːs] *n.* Ⓤ 플렉시 유리《비행기 창문 따위에 씀 ; 商標名》.

plex·us [pléksəs] (*pl.* *~·es, ~*) *n.* Ⓒ 〖解〗 (신경·혈관의) 총(叢), 망(網), 망상(網狀)조직 : the pulmonary ~ 폐신경총(肺神經叢).

pli·a·ble [pláiəbəl] *a.* ① 휘기 쉬운, 나긋나긋한. ② 유연한 ; 융통성 있는 ; 유순〔온순〕한, 고분고분한 ; 적응성 있는 : a ~ personality 유연한 성격. ⊕ **-bly** *ad.* **plì·a·bíl·i·ty** [-bíləti] *n.* Ⓤ 유연성 ; 적응성.

pli·an·cy [pláiənsi] *n.* =PLIABILITY.

pli·ant [pláiənt] *a.* =PLIABLE. ⊕ **~·ly** *ad.*

pli·ers [pláiərz] *n. pl.* 집게, 뻰찌 : a pair of ~ 뻰찌 하나.

‡**plight**[1] [plait] *n.* Ⓒ (흔히 *sing.*) 곤경, 궁지 ; 어려운 입장〔처지, 상태〕. ***in a sorry*** 〔***miserable, piteous, woeful***〕 ~ 비참한 처지에. ***What a ~ to be in !*** 이거 큰 곤경에 빠졌구나.

plight[2] *n.* Ⓒ 《文語》 서약, 맹세 ; 약혼.
— *vt.* 《古》 …을 서약〔맹세〕하다 ; 〔흔히 ~ oneself로〕 …와 약혼하다(*to*) ; …에게 결혼을 맹세하다 : She ~*ed herself to* him. 그녀는 그와 약혼했다. ***be ~ed to*** …와 약혼 중이다. ***~ed lovers*** 서로 사랑을 언약한 남녀. ~ one***'s faith*** 〔***promise, words, honor, troth***〕 굳게 약속하다.

plim·soll [plímsəl, -sɔːl] *n.* Ⓒ (흔히 *pl.*) 《英》 고무창의 즈크 신(《美》 sneakers)《운동용》.

Plímsoll màrk 〔**lìne**〕 〖海〗 플림솔 표(標), 재화(載貨)〔만재(滿載)〕 흘수선표.

plink [pliŋk] *vi., vt.* 찌르릉 소리를 내다, 찌르릉하고 울다〔울리다〕《악기 따위》. — *n.* Ⓒ 찌르릉 울리는 소리.

plinth [plinθ] *n.* Ⓒ 〖建〗 주초(柱礎), (원기둥의) 방형 대좌(方形臺座) ; (조상(彫像)의) 대좌 ; (건물의) 토대 언저리, 징두리돌 ; 굽도리.

Pli·o·cene [pláiəsìːn] *a.* 〖地質〗 플라이오세(世)의. — *n.* (the ~) 플라이오세 ; 플라이오통(統)《지층》.

P.L.O. Palestine Liberation Organization.

plod** [plɑd / plɔd] (*-dd-*) *vi* 《+副 / +前+名》 ① 터벅터벅 걷다(trudge)(*on; along*) : The old man ~*ded along* (the road). 노인은 (길을) 터벅터벅 걸어갔다. ② 끈기 있게 일〔공부〕하다(drudge)(*away ; at*) : ~ *away with* work 꾸준히 일하다 / He ~*ded away at* the day's work. 그는 그날의 일을 끈기있게 하였다. ③ (사냥개가) 애써 사냥감의 냄새를 맡다. — *vt.* (길)을 무거운 발걸음으로 걷다, 터벅터벅 걷다. ~ one's*** (***weary***) ***way*** 지친 다리를 끌고 가다, 애쓰며 나아가다.
— *n.* Ⓒ ① 무거운 발걸음 ; 무거운 발소리. ② 끈기 있게 일함〔공부함〕; 노고.
⊕ **∠·der** [-ər] *n.* Ⓒ 터벅터벅 걷는 사람 ; 끈기 있게 일하는 사람 ; 꾸준히 공부〔노력〕하는 사람.

plod·ding [plɑ́diŋ / plɔ́d-] *a.* 터벅터벅〔무거운 발걸음으로〕 걷는 ; 끈기 있게 일하는. ⊕ **~·ly** *ad.*

PL/1 [píːèlwʌ́n] *n.* Ⓤ 〖컴〗 Programming Language One《범용(汎用) 프로그래밍 언어의 하나》.

plonk[1] *v., n. ad.* ⇨ PLUNK.

plonk[2] [plaŋk / plɔŋk] *n.* Ⓤ,Ⓒ 《英口》 싸구려 포도주.

plop [plɑp / plɔp] (*-pp-*) *vi., vt.* ① 퐁덩 물에 떨어지다〔떨어뜨리다〕, 펑하고 소리내며 튀(기)다 ; 부글거리며 가라앉(히)다. ② 《+前+名》 쿵하고 떨어지다〔앉다, 넘어지다〕 : ~ *into* a sofa 소파에 털썩 앉다. — *n.* (a ~) 퐁덩, 쿵, 퐁당《소리》; 퐁덩(떨어짐). — *ad.* 퐁덩하고, 쿵하고 ; 느닷없이 : A stone fell ~ *into* the water. 돌이 물속에 퐁당 떨어졌다.

plo·sive [plóusiv] *n.* Ⓒ, *a.* 〖音聲〗 파열음(의).

‡**plot** [plɑt / plɔt] *n.* Ⓒ ① 음모 ; (비밀) 계획 ; 책략 : hatch a ~ (*against* the government) (반정부) 음모를 꾸미다. ② (극·소설 따위의) 줄거리, 각색, 구상 : The ~ thickens. 사건이〔얘기가〕 얽혀 재미있게 되어 간다. ③ 소구획, 작은 지면(地面), 소지구 : a garden ~ 정원지. ④ 《美》 부지도(敷地圖), 평면도.
— (*-tt-*) *vt.* ① 《~+目 / +*to* do》 (흔히 나쁜 일)을 도모하다, 꾀하다, 계획하다 : ~ treason 반역을 꾀하다 / ~ *to* kill a person 아무의 암살을 꾀하다. ② (시·소설 따위)의 줄거리를 만들다, 구성하다. ③ (토지)를 구분〔구획〕하다(*out*) : a ground ~*ted out* for sale 분양지. ④ …의 도면을 〔겨냥도·설계도를〕 만들다 ; (비행기·배 따위의 위치·진로)를 도면에 기입하다 ; (모눈종이 따위)에 좌표로 위치를 결정하다 ; 그래프로 계산을 하다 : ~ a diagram 도표로 적다〔나타내다〕. — *vi.* 《~ / +前+名》 꾀하다, 음모를 꾸미다, 작당하다 (*for ; against*) : ~ *for* a person's assassination 아무의 암살 음모를 꾸미다 / He ~*ted with* the radicals *against* the government. 그는 과격파와 결탁하여 반정부 음모를 꾸몄다.

plot·ter [plɑ́tər / plɔ́t-] *n.* Ⓒ ① 음모자, 밀모자. ② 〖컴〗 도형기《작도 장치》.

plough ⇨ PLOW.

‡**plow,** 《英》 **plough** [plau] *n.* Ⓒ ① 쟁기 ; 쟁기 모양의 기구, 제설기(機)(snow~) ; 배장기(排障器)(《美》 cowcatcher). ② Ⓤ 경작, 농업 ; 《英》 경작지, 논밭 : 100 acres of ~, 100 에이커의 경작지. ③ (the P-) 〖天〗 북두칠성, 큰곰자리. ***be at*** 〔***follow, hold***〕 ***the ~*** 농업에 종사하다. ***put*** 〔***lay, set***〕 one***'s hand to the ~*** 일을 시작하다, 일에 착수하다. ***under the ~*** 경작되어〔된〕.
— *vt.* ① 《~+目 / +目+前+名 / +目+副》 (토지)를 (쟁기·괭이로) 갈다(till) ; …에 두둑을 만들다 ; 갈아 일구다(*up*) : ~ (*up*) a field 밭을 갈다 / ~ roots *out* (땅을 갈아) 뿌리를 캐내다. ② 《~+目 / +目+前+名》 (얼굴에) 주름살을 짓다 ; (주름)을 새기다 : wrinkles ~*ed in* the face 얼굴에 새겨진 주름살. ③ 《~+目 / +目+前+名》 …의 물결〔길〕을 가르며〔헤치고〕 달리다〔나아가다〕 : ~ the ocean 물결을 가르며 대양(大洋)을 항행하다 / ~ one's way *through* (the crowd) (군중을) 헤치고 나아가다. ④ (돈 따위)를 …에 (재)투

자〔투입〕하다《*into*》. ⑤《英俗》…을 낙제시키다. ── *vi.* ①《~/+副》토지를 갈다; (토지가) 경작에 적합하다: This field ~*s well.* 이 밭은 경작에 적합하다. ②《+前+名》(진창·눈 속을) 힘들여〔헤치고〕 나아가다; 수면을 가르고 나아가다; 심하게 충돌하다《*into*》; (책 따위를) 힘들여 읽다《*through*》: His car ~*ed through* the crowd. 그의 차는 군중 사이를 누비고 나아갔다. ③《英俗》낙제하다. ~ ***a*** 〔one***'s***〕 ***lonely furrow*** =~ one***'s furrow alone*** 독자적인 길을 걷다; 고독한 생활을 보내다; 혼자서 일하다. ~ ***back*** (1) (파헤친 풀을) 쟁기로 도로 묻다《비료로서》. (2) (이익을) 재투자하다. ~ ***into*** (1) (일 등에) 정력적으로 착수하다. (2) (…에) 세게 부딪치다, (차 따위가) 돌입하다. ~ ***under*** (1) 갈아서 메우다, 파묻다. (2) 압도〔파괴〕하다.

plow·boy [ˊ-bɔ̀i] *n.* Ⓒ ① 쟁기 멘 소를〔말을〕 끄는 소년. ②농원 노동자, 농부; 시골 사람.

plow·land [ˊ-læ̀nd] *n.* Ⓤ 경작지, 논밭.

plow·man [ˊ-mən] (*pl.* ***-men*** [ˊ-mən]) *n.* Ⓒ 농부; 시골 사람.

plow·share [ˊ-ʃɛ̀ər] *n.* Ⓒ 보습.

ploy [plɔi] *n.* Ⓒ《口》(남의 동정을 이끌어 내기 위한, 남을 속이기 위한) 술수, 책략.

P.L.R., PLR《英》Public Lending Right.

‡**pluck** [plʌk] *vt.* ①《~+目/+目+副/+目+前+名》…을 잡아 뽑다《*out*; *up*》; …의 깃털〔털〕을 뜯다: ~ *out* 〔*up*〕 weeds 잡초를 뽑아내다/~ (feathers *from*) a chicken 닭털을 뜯다. ② (과일·꽃 따위)를 따다: I ~*ed* a lemon *from* the tree. 나무에서 레몬을 하나 땄다. ③《~+目/+目+前+名/+目+副》잡아당기다, 확 당기다: ~ a person's sleeve 아무의 소매를 확 잡아당기다/~ a person *by* the ear 아무의 귀를 잡아당기다. ④ (현악기)를 뜯다. ⑤《美俗》…에게서 물건·금전 등을 강탈하다, 등치다, 우려내다.
── *vi.* 《+前+名》 ①확 당기다《*at*》: ~ *at* her skirt 스커트 자락을 잡아당기다《주의를 끌기 위해》. ②잡으려고 하다, 붙들려고 하다《*at*》: A drowning man ~*s at* a straw.《俗談》물에 빠진 자는 지푸라기라도 붙든다. ③ (현악기의 현을) 튕겨 소리를 내다. ── *n.* ① (a ~) 확 당김: give *a* ~ at …을 확 잡아당기다. ②Ⓤ 용기, 담력, 원기. ③Ⓤ (동물의) 내장.

plucky [plʌ́ki] (***pluck·i·er***; ***-i·est***) *a.* 용기 있는, 원기 왕성한, 담력 있는, 단호한; 대담한.
㊞ **plúck·i·ly** *ad.* **-i·ness** *n.* Ⓤ

plug** [plʌg] *n.* Ⓒ ①마개; 틀어막는 것;〖齒〗충전물(充塡物). ②소화전(fire~); 뱃바닥 마개;《口》(수세식 변소의) 방수전(放水栓);〖機〗점화전(點火栓), 플러그(spark ~). ③〖電〗(콘센트에 끼우는) 플러그;《口》소켓. ④《口》(라디오·TV 프로 사이에 넣는) 짧은 광고 방송, 선전 (문구). ⑤씹는〔고형(固形)〕 담배. ⑥《美俗》늙어빠진 말. ***pull the ~ on ... 《口》…을 갑자기 중단하다; …의 생명 유지 장치를 떼어내다.
── (***-gg-***) *vt.* ①《~+目/+目+副/+目+前+名》…에〔으로〕 마개를 하다, 막다《*up*》; 채우다: ~ a gap 갈라진틈을 메우다/~ *up* a leak 누출구를 막다/~ a cavity in a tooth *with* cotton 솜을 충치 구멍에 메우다. ②《俗》(주먹으로) 한 대 치다; …에 총알을 쏘아 박다. ③꽂다, 질러넣다; 플러그를 꽂다, (다른 전기기구와)접속하다. ④《口》(방송 따위에서) 끈덕지게 광고하다〔(노래 등을) 들려 주다〕; (상품·정책)을 되풀이 선전하다.
── *vi.* ①《+副/+前+名》《口》부지런히 일하다〔노력하다〕《*along*; *away*; *at*》: ~ *away at* one's lessons 학과를 꾸준히 공부하다. ②《+前+名》《俗》치다, 쏘다: ~ *at* a person 아무를 치다. ~ ***in*** 플러그를 끼우다; …의 코드를 콘센트에 끼우다. ~ ***into*** (1) (플러그를) 끼우다; (전기 기구)의 플러그를 끼우다, 접속하다. (2) 플러그로 접속하다. (3)《美口》…을 이해하다, 동조하다, 좋아하다.

plúg hát《美口》실크 해트.

plug·hole [ˊ-hòul] *n.* Ⓒ《英》(욕조·싱크대 등의) 마개로 막는 구멍.

plug-ug·ly [plʌ́gʌ̀gli] *n.* Ⓒ《美口》깡패, 건달.

‡**plum** [plʌm] *n.* ①ⒸⓊ〖植〗플럼, 서양자두; 그 나무. ②Ⓒ (제과용) 건포도. ③ =SUGARPLUM. ④Ⓒ 좋은 것, 정수(精粹); 《특히》수지 맞는 일. ⑤Ⓤ (푸른 빛깔을 띤) 짙은 보라색, 감색. ── *a.* 최고의, 멋진, 굉장한: a ~ job 벌이가 좋은 직업.

***plum·age** [plú:midʒ] *n.* Ⓤ〔集合的〕깃털, 우모.

plumb [plʌm] *n.* Ⓒ 연추(鉛錘), 추. ***off*** 〔***out of***〕 ~ 수직이 아닌; 기울어진.
── *a.* ①똑바른, 곧은; 수직〔연직〕의. ②순전한, 완전한: ~ nonsense.
── *ad.* ①수직〔연직〕으로; 정연하게: fall ~ down 수직으로 낙하하다, 곤두박이치다. ②《美口》정말, 완전히: You are just ~ crazy! 너는 완전히 머리가 돌았군.
── *vt.* ① (연추로) …의 수직을 조사하다; 수직되게 하다《*up*》. ② (추로 물 깊이 따위)를 측량하다: ~ the depth of the wall 우물의 깊이를 측량하다. ③…을 알아차리다, 이해하다, 추량(推量)하다: ~ a person's thoughts 아무의 생각을 간파하다. ~ ***the depths*** (***of...***)《戱》(절망·고독·슬픔의) 나락에 떨어지다.

plumb·er [plʌ́mər] *n.* Ⓒ 배관공; 수도업자.

plúmber's hèlper 〔**frìend**〕《美口》= PLUNGER ② b).

plumb·ing [plʌ́miŋ] *n.* Ⓤ ① (수도·가스의) 배관 공사; 연관 공사; (급배수(給排水)) 위생 공사. ②납 공업; 연관류(鉛管類) 제조; 연관류.

plúmb lìne 추선(錘線), 다림줄; 연직선, 측연선(測鉛線).

plúm cáke 건포도를 넣은 케이크.

‡**plume** [plu:m] *n.* Ⓒ ①깃털: the ~ of a peacock 공작의 깃털. ②깃털 장식; (모자·투구 등의) 앞에 꽂은 깃털, 꼬꼬마; 깃펜〔화살〕의 깃. ③깃털 모양의 것: a ~ of smoke 〔water〕 (폭발에 의한) 버섯 구름〔물기둥〕. ④〖地質〗플룸《지구의 맨틀 심부(深部)에서 발생한다고 생각하는 마그마 상승류》.
── *vt.* ①《~+目/+目+前+名》…을 깃털로 장식하다; 빌린 옷으로 차려입다: ~ arrows *with* ~*s* 화살을 깃털로 장식하다. ②〔再歸的〕(새가) 깃털을 다듬다: A bird was *pluming* its feathers 〔= *pluming* it*self*〕. 새가 깃털을 다듬고 있었다. ③〔再歸的〕…을 자랑하다《*on, upon*》: She was *pluming* her*self upon* her beauty. 그녀는 자신의 미모를 뽐내고 있었다.

plumed [plu:md] *a.* 〔限定的〕(…의) 깃털이 있는〔로 꾸민〕: white-~ 깃털이 하얀.

plum·met [plʌ́mit] *n.* Ⓒ ①낚싯봉; 다림추. ②다림줄, 추규(錘規).
── *vi.* ①수직으로 떨어지다《*down*》. ② (물가 따위가) 갑자기 내리다, 급락하다.

plum·my [plʌ́mi] (***-mi·er***; ***-mi·est***) *a.* ①서양자두 같은〔가 많은〕; 건포도가 든. ②《口》괜찮은, 그럴싸한. ③ (음성이) 낭랑한.

plu·mose, plu·mous [plú:mous], [plú:məs] *a.* 깃털을 가진; 깃털 모양의.

‡**plump**[1] [plʌmp] (***ˊ·er***; ***ˊ·est***) *a.* ①부푼, 부

드럽고 풍만한, 살이 잘 찐(fleshy) : a baby with ~ cheeks 볼이 포동포동한 아기 / a ~ cushion 푹신푹신한 방석. ② (금액이) 대단한, 충분한 : a ~ reward 다액의 보수.
— *vi.* 《~ / +🄟》 불룩해지다, 포동포동 살찌다 《*out* ; *up*》: She ~*ed out* to be a real woman. 그녀는 포동포동 살이 쪄서 제법 여자다워졌다.
— *vt.* 《~+🄜 / +🄜+🄟》 …을 불룩하게 만들다, 살찌게 하다《*out* ; *up*》: ~ *out* 〔*up*〕 a pillow 베개를 불룩하게 만들다. ㊕ ∠·**ness** *n.* Ⓤ

***plump²** *vi.* ① 털썩 떨어지다〔주저앉다〕, 갑자기 뛰어들다《*down* ; *in* ; *on*》: She ~*ed down* next to me on the sofa. 그녀는 소파의 내 옆자리에 털썩 주저 앉았다. ② 《+🄙+🄜》 《英》 (연기(連記) 투표권으로) 단 한 사람에게 투표하다 ; 절대 찬성〔지지〕하다《*for*》: ~ *for* one's favorite candidate 자기가 좋아하는 후보자에게만 투표하다. — *vt.* ① 《+🄜+🄙+🄜 / +🄜+🄟》 …을 털썩 떨어뜨리다, 탁 던지다 ; 〔再歸的〕 털썩 주저 앉다, 몸을 던지다 : ~ a load *down* on a deck 짐을 갑판 위에 털썩 내려놓다 / He ~*ed* him*self* *down* and fell asleep. 털썩 쓰러지더니 잠에 빠졌다. ② 《口》 (진실 따위)를 퉁명스럽게〔느닷없이〕 말하다《*out*》; 지지〔칭찬〕하다.
— *n.* (a ~) 털썩 떨어짐 ; 털썩하는 소리.
— *a.* 노골적인 ; (말씨 등이) 퉁명스런 ; 순전한 : a ~ refusal 단호한 거절.
— *ad.* ① 털썩 ; 텀벙. ② 곧바로, 바로 아래로. ③ 노골적으로 : Say it out ~! 솔직하게 말해 버려라. ㊕ ∠·**ly** *ad.* 거침없이, 노골적으로.

plump·ish [plʌ́mpiʃ] *a.* (알맞게) 살찐, 포동포동한.

plúm púdding 건포도·설탕조림의 과일을 넣은 연한 과자《크리스마스용》.

plúm trèe 〖植〗 서양자두나무.

plumy [plú:mi] (***plum·i·er*** ; ***-i·est***) *a.* 깃털 있는 ; 깃털 같은 ; 깃털로 꾸민.

***plun·der** [plʌ́ndər] *vt.* ① 《~+🄜 / +🄜+🄙+🄜》 (사람·장소)로부터 약탈〔수탈〕하다《*of*》: They ~*ed* the village *of* everything they could lay hands on. 그들은 마을에서 닥치는 대로 약탈했다. ② (물건)을 훔치다 ; (공공의 금품)을 횡령하다. — *vi.* 노략질하다.
— *n.* Ⓤ ① 약탈(품). ② 《口》 벌이, 이득.
㊕ ~·**er** [-rər] *n.* Ⓒ 약탈자 ; 도둑.

‡**plunge** [plʌndʒ] *vt.* ① 《~+🄜 / +🄜+🄙+🄜》 …을 던져넣다, 던지다, 찌르다 : ~ one's hands *into* cold water 〔one's pockets〕 양손을 찬물에 〔주머니에〕 집어넣다 / He ~*d* all his money *into* the scheme. 그는 그 기획에 그의 전재산을 투입했다. ② 《+🄜+🄙+🄜》 (어떤 상태·행동)에 빠지게 하다, 몰아넣다 : ~ a country *into* war 나라를 전쟁으로 몰아넣다.
— *vi.* ① 《~ / +🄙+🄜》 뛰어들다, 잠수하다, 돌입하다《*into* ; *up* ; *down*》: ~ *into* water 〔danger〕 물〔위험〕에 뛰어들다 / ~ *up*〔*down*〕 the stairs 계단을 급히 오르다〔내려가다〕. ② 《~ / +🄙+🄜》 돌진하다, 맹진하다 : ~ *through* a crowd 군중을 헤치고 돌진하다 / ~ *at* a prey 먹이에 달려들다. ③ 《+🄙+🄜》 착수하다, 갑자기 시작하다 《*into*》; (어떤 상태에) 빠지다 ; ~ *into* war 전쟁에 돌입하다 / ~ *into* the whole story 갑자기 자초지종을 말하기 시작하다. ④ (주가·매출이) 급락하다. ⑤ 《口》 큰 도박을 하다 ; 빚을 지다 : ~ *into* debt 빚지다.
— *n.* (*sing.*) 뛰어듦, 돌입, 돌진 : take a ~ into a pool 풀속으로 뛰어들다 / make a ~ into politics 정계(政界)에 뛰어들다. ***take the*** ~ 과감히 하다, 모험을 하다.

plúnge bòard (수영의) 뛰판, 다이빙보드.

plung·er [plʌ́ndʒər] *n.* Ⓒ ① 뛰어드는 사람 ; 잠수자, 잠수 인부 ; 돌입〔돌진〕자 ; 돌입물. ② **a**) 〖機〗 (피스톤의) 플런저. **b**) (자루 끝에 흡착 컵이 달린) 배수관 청소기. ③ 《口》 무모한 도박꾼〔투기꾼〕.

plúng·ing 〔**plúnge**〕 **néckline** [plʌ́ndʒiŋ-] (여성복의) 가슴이 깊이 팬 네크라인.

plunk [plʌŋk] *vt.* ① …을 퉁 소리를 내다, (기타 등)을 튕기다 : ~ a guitar 기타를 치다. ② 《+🄜+🄟 / +🄜+🄙+🄜》 …을 홱 내던지다 ; 쿵하고 넘어뜨리다〔떨어뜨리다〕《*down*》; 〔再歸的〕 …에 털썩 앉다 : ~ *down* a cent, 1 센트를 탁 던지다 / ~ *down* one's bag onto the table 테이블 위에 가방을 쾅 놓다 / ~ one*self* *down* on a bench 벤치에 털썩 앉다.
— *vi.* ① 퉁 울리다. ② 쿵하고 떨어지다〔넘어지다〕; 털썩 주저앉다《*down*》.
— *n.* (a ~) 땡하고 울림〔울리는 소리〕; 쿵하고 던짐〔떨어짐〕, 그 소리.
— *ad.* ① 퉁(소리를 내고) ; 쿵(하고). ② 《口》 틀림없이, 바로, 꼭.

plu·per·fect [plu:pə́:rfikt] *n.* Ⓤ,Ⓒ, *a.* 〖文法〗 과거완료(의), 대(大)과거(의) : the ~ tense 대과거, 과거완료 시제.

plur. plural ; plurality.

‡**plu·ral** [plúərəl] *a.* 〖文法〗 복수의 ; 〔一般的〕 두 개 이상의, 복수의. Ⓞⓟⓟ *singular.* ¶ the ~ number 〖文法〗 복수 / ~ offices 겸직, 겸임 / a ~ society 다민족 사회. — *n.* 〖文法〗 ① Ⓤ 복수. ② Ⓒ 복수형(의 말).

plu·ral·ism [plúərəlìzəm] *n.* Ⓤ ① 〖教會〗 몇몇 교회의 성직 겸임 ; 겸직, 겸임. ② 〖哲〗 다원론(多元論). Ⓞⓟⓟ *monism.* ③ (국가·사회 등의) 다원성, 다원적 공존. ④ **a**) 복수성(性) ; 복식 투표. **b**) 복잡성, 다양성. ㊕ **-ist** *n.* Ⓒ 〖教會〗 몇 교회의 성직 겸임자 ; 겸직자 ; 〖哲〗 다원론자.

plu·ral·is·tic [plùərəlístik] *a.* ① 〖哲〗 다원론의. ② 복수 인종적인, 다원적인.

plu·ral·i·ty [pluərǽləti] *n.* ① Ⓤ 복수, 복수성〔상태〕. ② Ⓒ 다수, 대다수, 과반수《*of*》. ③ Ⓒ 《美》 초과 득표수《당선자와 차점자의 득표차》 (ⓒⓕ majority). ④ Ⓤ 〖教會〗 몇몇 교회의 성직 겸임 ; 겸직.

plu·ral·ly [plúərəli] *ad.* 복수(꼴)로 ; 복수로서 ; 복수의 뜻으로.

‡**plus** [plʌs] *prep.* ① 〖數〗 플러스, …을 더하여〔더한〕. Ⓞⓟⓟ *minus.* ¶ 3 ~ 2 equals 5, 3 에 2 를 더하면 5. ② 《美口》 …에 덧붙여서, …외에 (besides) : He had wealth ~ fame. 그는 재산과 명성을 아울러 가지고 있었다. ③ 《口》 …이 덧붙여져서, …을 덧붙여 : the debt ~ interest 이자가 붙은 부채. ④ …을 벌어 ; …을 입은 : I'm ~ a dollar. 난 1달러 벌었다 / He was ~ a coat. 웃옷을 입고 있었다.
— *a.* ① 〔限定的〕 〖數〗 더하기의, 양수〔플러스〕의 : ⇨PLUS SIGN. ② 〔限定的〕 〖電〗 양(극)의 : the ~ pole 양극. ③ 〔限定的〕 여분의(extra) : a ~ value 여분의 가치 / a ~ factor 플러스 요인. ④ 《口》 …의 약간 위의, 상위의 ; 보통 이상의 ; 《口》 플러스 알파의 : His mark was B ~. 그의 점수는 B 플러스〔B 상〕이었다 / All the boys are 10 ~. 그 아이들은 모두 10살 이상이다.
— (*pl.* ***plús·es, plús·ses***) *n.* Ⓒ ① 〖數〗 플러스 부호(~ sign)《+》. ② 양수, 양의 양(量). ③ 여분, 나머지 ; 이익 ; 플러스 알파 : Your knowledge of English is a ~ in your job. 영어 지식은 너의 일에 플러스가 된다. ④ 〖골프〗 (우세한 자에게 주는) 핸디캡. — *conj.* 《口》 그리고 또, 게다가, 그 위에 : The book is instructive, ~ it is

cheap. 그 책은 유익하고, 게다가 값도 싸다.

plús fóurs (골프용의) 짧은 바지.

plush [plʌʃ] *n.* Ⓤ 견면(絹綿) 벨벳, 플러시천. ── *a.* ① 플러시천으로 만든, 플러시천의〔과 같은〕. ②《口》사치스런, 호화로운 : a ~ hotel 호화로운 호텔.

plushy [plʌ́ʃi] (*plush·i·er* ; *-i·est*) *a.*《口》호화로운, 사치스러운 : a ~ office 호화로운 사무실. ⊕ **-i·ness** *n.*

plús sìgn〖數〗플러스 기호(+).

Plu·tarch [plúːtɑːrk] *n.* 플루타크《그리스의 전기 작가 ; 46 ? -120 ? ; '영웅전'으로 유명》.

Plu·to [plúːtou] *n.* 플루토. ①〖그神〗플루톤《명부(冥府)의 신》. ⓒⓕ Hades, Dis. ②〖天〗명왕성.

plu·toc·ra·cy [pluːtɑ́krəsi / -tɔ́k-] *n.* ① Ⓤ 금권 정치〔지배, 주의〕. ② Ⓒ 재벌, 부호 계급.

plu·to·crat [plúːtoukræ̀t] *n.* Ⓒ ① 부호 정치가, 금권주의자. ② 부자, 재산가.

plu·to·crat·ic, -i·cal [plùːtoukrǽtik], [-əl] *a.* ① 금권 정치(가)의. ② 재벌의.

Plu·to·ni·an [pluːtóuniən] *a.* ①〖그神〗플루톤의. ② 명계(冥界)〔하계(下界)〕의.

Plu·ton·ic [pluːtɑ́nik / -tɔ́n-] *a.* ① =PLUTONIAN. ② (p-)〖地質〗심성(深成)의 : ~ rocks 심성암 ; 화성암.

plu·to·ni·um [pluːtóuniəm] *n.* Ⓤ〖化〗플루토늄《방사성 원소 ; 기호 Pu ; 원자 번호 94》.

Plu·tus [plúːtəs] *n.*〖그神〗플루토스《부(富)의 신(神)》.

plu·vi·al [plúːviəl] *a.* ① 비의 ; 비가 많은, 다우(多雨)의. ②〖地質〗빗물의 작용에 의한.

plu·vi·om·e·ter [plùːviɑ́mitər / -ɔ́m-] *n.* Ⓒ 우량계(rain gauge).

‡**ply**[1] [plai] (*plied* ; *ply·ing*) *vt.* ① (무기·도구 따위)를 부지런히 쓰다, 바쁘게 움직이다 : ~ one's needle 부지런히 바느질을 하다 / ~ an oar 노를 힘껏 젓다. ② …에 열성을 내다, 열심히 일하다 : ~ a trade 장사를 열심히 하다 / ~ one's book 책을 정독(精讀)하다. ③《+목+전+명》(질문·간청 등을) …에게 자꾸 하다, 집요하게 하다 : I *plied* him *with* questions about his novel. 그의 소설에 관해 그에게 집요하게 질문을 던졌다. ④《+목+전+명》(…을 아무)에게 자꾸 권하다《*with*》: ~ a person *with* food 아무에게 음식을 자꾸만 권하다. ⑤ (배 등이) …을 정기적으로 왕복하다 : the boats ~*ing* the Mississippi 미시시피강을 오르내리는 배들.

── *vi.*《+전+명》(배·차 등이 일정한 코스를) 정기적으로 왕복하다《*between* ; *from* ... *to* _》: The bus *plies from* the station *to* the hotel. 그 버스는 정거장과 호텔 사이를 왕복한다 / Buses ~ *between* the two cities. 그 두 도시 사이를 버스들이 왕복하고 있다. ~ ***for hire*** (짐꾼·택시 따위가) 손님을 기다리다 : ~ *for hire* in front of a station 역전에서 손님을 기다리다.

ply[2] *n.* Ⓒ ① (밧줄의) 가닥 : a three-~ rope 세 가닥의 밧줄. ② (합판 등의) (몇) 겹 ; 두께 : four-~ wood 네 겹으로 붙인 판자.

***Plym·outh** [plíməθ] *n.* 플리머스. ① 잉글랜드 남서부의 군항. ② 미국 Massachusetts 주의 도시.

Plýmouth Róck ① Pilgrim Fathers 가 처음 상륙했다는 미국 Plymouth 에 있는 바위《사적(史跡)》. ② 플리머스록《닭의 품종》.

ply·wood [pláiwùd] *n.* Ⓤ 합판, 베니어판.

‡**P.M., p.m.** [píːém] 오후《*post meridiem* (《L.》 =afternoon)의 간약형》: at 11 : 00 *p.m.* 오후 11시에 / the 9 *p.m.* train 오후 9시 열차. ⓒⓕ A.M., a.m.

Pm〖化〗promethium. **P.M.** Past Master ; Paymaster ; Police Magistrate ; Postmaster ; postmortem ; Prime Minister ; Provost Marshal. **P.M.G.** Postmaster General. **P/N, p.n.** promissory note (약속 어음).

pneu·mat·ic [njumǽtik] *a.* ① 공기의 작용에 의한, 공기식의 : a ~ brake 공기 브레이크 / a ~ drill 공기 드릴〔착암기〕. ② 공기가 들어있는, 압축공기를 넣은 : a ~ tire 공기가 든 타이어, 고무타이어.

⊕ **-i·cal·ly** [-ikəli] *ad.*

pneu·mo·nia** [njumóunjə, -niə] *n.* Ⓤ〖醫〗폐렴. ***acute〔***chronic***〕~ 급성〔만성〕폐렴.

Pnom Penh ⇨ PHNOM PENH.

Po〖化〗polonium.

po [pou] (*pl.* ~*s*) *n.* Ⓒ《兒》실내 변기, 요강.

po. pole. **P.O., p.o.** petty officer ; postal order ;《英》post office.

poach[1] [poutʃ] *vt.* ① …에 침입하다《밀렵(密獵)〔밀어(密漁)〕하려고》; 밀렵〔밀어〕하다. ② (남의 아이디어)를 도용하다, (타회사 근로자)를 빼내다, 가로채다, 스카우트하다. ③ …을 짓밟다 ; 밟아 진창으로 만들다 ; (진흙 등)을 짓이기다 ; (점토 등)에 물을 넣어 농도를 고르게 하다. ④〖競走〗(유리한 위치)를 부정 수단으로 얻다 ;〖테니스〗(partner가 칠 공)을 옆에서 뛰어나와 치다.

── *vi.* ①《~ / +전+명》밀렵〔밀어(密漁)〕하다《*for*》; 침입하다《*on, upon*》. ② 진창에 빠지다 ; (길 따위가) 진창이 되다. ③ (경주 등에서) 부정 수단을 쓰다 ;〖테니스〗공을 가로 채어 치다. ~ ***on another's preserves*** 남의 사냥터에서 밀렵하다 ; 남의 세력권을 침범하다.

poach[2] *vt.* …을 데치다 ; (깬 달걀)을 흩뜨리지 않고 뜨거운 물에 삶다.

POB, P.O.B. post-office box.

PO Bóx [píːòu-] =POST-OFFICE BOX.

po·chette [pouʃét] *n.* Ⓒ《F.》포셰트. ① 조끼의 작은 호주머니. ② 손잡이가 없는 작은 핸드백.

pock [pɑk / pɔk] *n.* Ⓒ 두창(痘瘡), 얽은 자국.

†**pock·et** [pɑ́kit / pɔ́k-] *n.* Ⓒ ① **a**) 포켓, 호주머니 ; 쌈지, 지갑. **b**) 회중품, 소지금, =POCKET MONEY ; 자력(資力). **c**)〖動〗(캥거루 등의) 주머니 ;〖海〗포켓《돛에 돛주머니를 단 주머니 모양의 것》. ② **a**)〖撞球〗포켓《대의 귀퉁이 및 양쪽에 있는 공받이》;〖野〗(미트의) 포켓《공 받는 부분》. **b**) 광석 덩어리 ; 광혈(鑛穴) ; 광맥류(鑛脈瘤). ③ **a**) 오목한 곳, 에워싸인 곳, 막다른 골목 ;《美》골짜기, 산간 ;〖空〗=AIR POCKET. **b**)〖競馬·競走〗포켓《딴 말〔사람〕에게 둘러싸인 불리한 위치》;〖美蹴〗포켓(cup)《passer를 지키기 위해 만드는 blocker의 벽》; 주위에서 고립된 그룹〔지구〕;〖軍〗적 점령하의 고립 지대 ;〖볼링〗포켓《헤드핀과 그 옆 핀과의 사이》. ④ (홉·양털 등의) 한 부대《168-224lb》. ***a deep*** ~ 충분한 자력. ***an empty*** ~ 한푼 없음〔없는 사람〕. ***be***〔***live***〕***in each other's*** ~***s***《口》(두 사람이) 노상 함께 있다. ***be in*** ~ 돈이 수중에 있다 ; 이득을 보고 있다 : We *are* 10 dollars *in* ~ over the transaction. 우리는 그 거래에서 10 달러 흑자를 보았다. ***have*** a person ***in*** one***'s*** ~ …을 완전히 제것으로 하고 있다, 아무를 마음먹은 대로 하다. ***in*** a person***'s*** ~ 아무가 하라는 대로 되어. ***keep*** one***'s hands in*** one***'s*** ~***s*** 일하지 않고 있다, 게으름 피우다. ***line*** one***'s*** ~***s***〔***purse***〕(부정 수단으로) 큰돈을 벌다, 사복을 채우다. ***out of*** ~ (1)《俗》외출하고 있는, 자리를 비우고 있는 : I'll be *out of* ~ most of the day. 거의 하루 종일 외출할 예정이다. (2) (물품 구매·내기·장사 등에) 손해를 본 : I'm $500

out of ~ on that transaction. 그 거래로 500달러 손해를 보았다. ***pay out of*** one***'s own*** ~ 자기 개인 돈으로 치르다. ***pick a*** ~ (회중품을) 소매치기하다. ***put*** 〔***dip***〕 one***'s hand in*** one***'s*** ~ 돈을 쓰다. ***put*** one***'s pride in*** one***'s*** ~ 자존심을 억누르다. ***suffer in*** one***'s*** ~ (금전상의) 손해를 보다, 돈이 나가다. ***suit every*** ~ 누구라도 장만할 수 있다.

— *vt.* ① …을 포켓에 넣다; 감추다, 챙겨 넣다; 저장하다. ② (흔히, 부정한 방법으로) …을 자기 것으로 하다, 착복하다. ③ (감정 따위)를 숨기다, 억누르다. ④ (모욕 등)을 꾹 참다: ~ the insult with a grimace 얼굴을 찡그리고 모욕을 참다. ⑤ 〖撞球〗 (공)을 포켓에 넣다. ⑥《美》(의안 따위)를 묵살하다. ⑦ …에 포켓을 달다. ⑧ …을 가두다, 둘러싸다: Energy *~ed* in matter is let loose on certain occasions. 물질에 갇혀 있는 에너지는 때에 따라 방출된다.

— *a.* 〔限定的〕 ① 포켓용〔형〕의; 소형의, 작은. ② 소규모의, 국시적인.

pócket bìlliards 〔흔히 單數취급〕 =POOL² ④.

***pock·et·book** [-bùk] *n.* Ⓒ ① (돈)지갑; 《美》 핸드백. ② 포켓북, 문고판; 《英》 수첩.

pock·et·ful [pákitfùl / pɔ́k-] (*pl.* ***~s, póck·ets·fùl***) *n.* Ⓒ 한 주머니 가득《*of*》; 《口》 많음《*of*》: make *~s of* money 상당한 돈을 벌다.

pock·et-hand·ker·chief [-hæ̀ŋkərtʃif, -tʃìːf] *n.* Ⓒ 손수건. — *a.* 〔限定的〕《英口》 네모지고 작은, 좁은: a ~ garden 손바닥만한 정원.

pock·et·knife [-nàif] (*pl.* ***-knives***) *n.* Ⓒ 주머니칼.

pócket mòney 용돈; 《英》 (아이들에게 주는 1주일분의) 용돈. cf. pin money.

pócket pàrk (고층 건물들 사이에 있는) 미니 공원.

pócket pìece 운수 좋으라고 지니고 다니는 돈.

pock·et-size(d) [-sàiz(d)] *a.* 포켓형의, 소형의; (규모가) 작은《국가, 시장》. 「부권.

pócket vèto 《美》 (대통령·주지사의) 의안 거

pock·et-ve·to [-viːtou] *vt.* (의안)을 묵살하다.

pock·mark [pákmàːrk / pɔ́k-] *n.* Ⓒ 마맛자국. ㊞ **-màrked** [-t] *a.* ① 얽은. ② 〔敍述的〕 (…로) 구멍이 난《*with*》.

pocky [páki / pɔ́ki] (***pock·i·er*** ; ***-i·est***) *a.* 마맛자국의〔이 있는〕.

po·co [póukou] *ad., a.* 《It》 〖樂〗 조금(의).

pod** [pad / pɔd] *n.* Ⓒ ① (완두콩 등의) 꼬투리. ② 메뚜기의 알주머니; (목이 좁은 장어를 잡는) 자루그물; 《口》 배; (바다표범·고래·상어 등의) 작은 떼. ③ 〖空〗 날개〔동체〕 밑에 단 유선형의 용기. ④ 〖宇宙〗 우주선의 분리가 가능한 구획. ***in ~ 《俗》 임신하여.

— (***-dd-***) *vi.* 꼬투리가 되다, 꼬투리가 맺다, 꼬투리가 생기다《*up*》; 꼬투리처럼 부풀다. — *vt.* (콩)의 꼬투리를 까다(shell); 껍질을 벗기다.

POD, P.O.D. 〖商〗 pay on delivery (현물 상환불).

podgy [pádʒi / pɔ́dʒi] (***podg·i·er*** ; ***-i·est***) *a.* 《英口》 땅딸막한; (얼굴 따위가) 오동통한: He's a horrid little man with piggy eyes and a ~ face. 그는 돼지 눈에 오동통한 얼굴을 가진, 보기가 역겨운 땅딸보이다. ㊞ **pódg·i·ness** *n.*

po·di·a·try [poudáiətri] *n.* Ⓤ 《美》〖醫〗 발 치료, 족병학(足病學) (chiropody).

po·di·um [póudiəm] (*pl.* ***~s, -dia*** [-diə]) *n.* Ⓒ ① 〖建〗 맨 밑바닥의 토대석(土臺石), 기단(基壇); 요벽(腰壁); (원형 극장의 중앙 광장과 관객석과의) 칸막이 벽. ② 연단(演壇), (오케스트라의) 지휘대; 성서대(聖書臺).

Poe [pou] *n.* **Edgar Allan** ~ 포《미국의 시인·소설가; 1809-49》. 「poetry.

†po·em [póuim] *n.* Ⓒ (한 편의) 시. cf.

poe·nol·o·gy [piːnálədʒi / -nɔ́l-] *n.* =PENOLOGY.

po·e·sy [póuizi, -si] (*pl.* ***-sies***) *n.* Ⓤ 《古·詩》 ① 〔集合的〕 시, 운문. ② 작시(법) (作詩(法)).

‡po·et [póuit] (*fem.* ***~·ess*** [-is]) *n.* Ⓒ ① 시인; 가인(歌人). ② 시심(詩心)을 가진 사람.

poet. poetic; poetical(ly); poetics; poetry.

po·et·as·ter [póuitæ̀stər] *n.* Ⓒ 삼류 시인.

po·et·ess [póuitis] *n.* Ⓒ 여류 시인.

po·et·ic** [pouétik] (more*** ~ ; ***most*** ~) *a.* ① 시의, 시적인: ~ diction 시어, 시의 용법 / a ~ drama 시극. ② 시의 소재가 되는; (장소 등) 시로 읊은, 시로 유명한. ③ 시인(기질)의; 시를 좋아하는. ④ 운문으로 쓴; 낭만적인; 창조적인.

po·et·i·cal [pouétikəl] *a.* ① 〔限定的〕 시(詩)의, 운문으로 쓰여진. ② =POETIC《★ '시의'의 뜻으로는 보통 poetical, '시적인'의 뜻으로는 보통 poetic을 씀》.

poétic jústice 시적 정의《권선 징악·인과 응보의 사상》.

poétic lícence 시적 허용《시 따위에서 효과를 높이기 위해 운률·문법·논리 등을 일탈》.

po·et·ics [pouétiks] *n.* Ⓤ ① 시학(詩學), 시론. ② 운율학(韻律學).

póet láureate (*pl.* ***poets laureate***, ***~s***) (때때로 the ~; 또는 P- L-) 《英》 계관 시인.

‡po·et·ry [póuitri] *n.* Ⓤ ① 〔集合的〕 시, 시가, 운문. cf. poem, prose. ② 시집. ③ 작시(법). ④ 시적 재능〔요소〕; 시정(詩情), 시심(詩心): The young gymnast's moves were ~ in motion. 그 젊은 체조선수의 동작에는 시적 율동미가 있었다. ⑤ (P-) 시신(詩神) (the Muse).

Póets' Córner (the ~) ① 런던 Westminster Abbey의 1구역. ② 《戱》 (신문·잡지의) 시란(詩欄).

po-faced [póufèist] *a.* 《英口·蔑》 자못 진지〔심각〕한 얼굴의; 무표정한.

po·go [póugou] (*pl.* ***~s***) *n.* Ⓒ 용수철 달린 죽마(竹馬)를 타고 뛰어다니는 놀이; 그 놀이 도구(=∠ **stìck**).

po·grom [póugrəm / pɔ́grəm] *n.* Ⓒ 《Russ.》 학살 《조직적·계획적인》; 《특히》 유대인 학살.

— *vt.* (조직적으로) …을 대량 학살〔파괴〕하다.

poi [pɔi, póui] *n.* Ⓒ,Ⓤ (하와이의) 토란 요리.

poign·ant [pɔ́injənt] *a.* ① 매서운, 날카로운, 통렬한《아픔 따위》; 통절한《비애 따위》: a ~ love story 통절한 사랑의 이야기. ② 신랄한《풍자 따위》: ~ sarcasm 신랄한 풍자. ③ 통쾌한; 얼얼한《맛·냄새 따위》; 혀〔코〕를 자극하는.

poin·set·tia [pɔinsétiə] *n.* Ⓒ 〖植〗 포인세티아.

†point [pɔint] *n.* ① Ⓒ 뾰족한 끝, (무기·도구 등의) 끝; 〖彫刻〗 바늘; 뜨개바늘; 《美俗》 (마약의) 주사바늘; 《美》 펜촉(nib): The pencil had a sharp point. 그 연필끝은 예리했었다.

② Ⓒ 돌출한 것, 쑥 내민 것; 갑(岬), 곶(cape), 해각(海角) (=~ of land)《종종 지명》; (사슴뿔의) 갈래; (the ~) 〖拳〗 턱끝; (가축의) 발끝; 《특히》 샴고양이(Siamese cat)의 머리〔귀, 꼬리, 발〕: *Point* Barrow extends into the Arctic Sea. 배로 갑(岬)은 북극해로 뻗어나가 있다.

③ Ⓒ (작은) 점, 반점, 얼룩: a ~ of light 작은 점으로 보이는 불빛.

④ Ⓒ (기호로서의) 점; 《특히》 〖數〗 소수점 (decimal ~); 구두점, 종지부(period), 마침표;

〖樂〗 부호: an exclamation ~ 느낌표, 감탄부 《★ 4.6은 four point six 라고 읽음》.
⑤ Ⓒ (온도계 따위의) 눈금; (온도의) 도(度); (물가·주식 시세 등의) 지표(指標), 포인트: The dollar fell five ~*s* today. 오늘 달러 시세가 5포인트 하락했다.
⑥ Ⓒ 득점, 점수; 평점; 《美》 (학과의) 학점, 단위; 〖美軍〗 종군 점수; 배급 점수: The youngest skier won the most ~*s*. 가장 어린 스키 선수가 최고점으로 우승했다.
⑦ Ⓒ (지)점, 접촉점; 장소: Join the ~*s* A and B together on the diagram with a straight line. 도표상의 두 점 A와 B를 직선으로 연결하라.
⑧ Ⓒ 정도, 한계점: Morale has reached a low ~. 사기(士氣)는 크게 저하했다.
⑨ Ⓒ (생각해야 할) 점, 사항, 항목, 문제; 문제점, 논점: The ~ is that〔The ~ is,〕 we are short of funds. 문제는 자금의 부족이라는 것이다 / the ~ at issue (당장의) 문제점.
⑩ Ⓤ 요점, 요지, 포인트: His remarks lack ~. 그의 말에는 요점이 없다.
⑪ Ⓤ 목적, 취지, 의미: I don't see the ~ on 〔in〕 letting him go. 그를 가게 하는 의미〔취지〕를 나는 모르겠네.
⑫ Ⓒ **a**) 특징이 되는 점, 특질. **b**) (전체 중의) 세세한 점, 사항.
⑬ Ⓤ 어떤 특정한 때, 시점(時點); (the ~) 결정적 순간, 찰나: I said I'd tell her the bad news, but when it came to *the* ~, I couldn't. 그녀에게 그 나쁜 소식을 알려주겠다고 말했으나 결정적인 순간에 하지 못했다.
⑭ Ⓤ 〖印〗 활자 크기의 단위《1 인치의 약 1/72》.
⑮ Ⓒ 《口》 힌트, 암시, 시사.
⑯ Ⓒ 《口》 역(驛), 정거장.
⑰ =POINT LACE.
⑱ Ⓒ 〖軍〗 첨병(尖兵), 선봉; 《美俗》 (범죄 행위 시의) 망꾼.
⑲ 〖크리켓〗 **a**) 삼주문(三柱門)의 오른쪽 약간 앞에 서는 야수(野手)의 위치. **b**) Ⓒ 그 야수.
⑳ 〖발레〗 (복수형으로) 발끝으로 선 자세; 발끝.
㉑ Ⓒ 〖電〗 접점(接點), 포인트; 《英》 콘센트.
㉒ Ⓒ 〖海〗 나침반 주위의 방위를 가리키는 32점의 하나《두 점 사이의 각도는 11°15′》(the points of the compass).
㉓ 〖컴〗 점 《(1) 그림 정보의 가장 작은 단위. (2) 활자 크기의 단위로 약 1/72인치》.
at all ~s 모든 점에서, 철저하게; 철두 철미. ***at the ~ of*** …의 순간에, 막 …하려고 하여. ***at the ~ of the sword***〔***bayonet***〕 ⇨SWORD. ***at this ~*** 지금. ***beside***〔***off, away from***〕 ***the ~*** 요점을 벗어나, 예상이 어긋나, 부적절하여. ***carry***〔***gain***〕 ***one's ~*** 목적을 달성하다, 주장을 관철하다. ***come to a ~*** (사냥개가) 사냥감 있는 곳을 알리다; 끝이 뾰족하게 되다. ***come***〔***get***〕 ***to the ~*** 막상 …할 때가 되다; 요점에 언급하다: Let's stop discussing trivial details and *come* 〔*get*〕 *to the* ~. 자, 하찮은 자질구레한 것으로 왈가왈부 떠들지 말고, 요점으로 들어가자. ***from ~ to ~*** 축차적으로, 순서를 따라; 상세히. ***gain a ~*** 1점을 얻다, 우세하게 되다. ***get*** a person's ~ 아무의 이야기의 논지를 파악하다. ***give ~s to*** a person =***give*** a person ***~s*** (1) 아무에게 유리한 조건을 주다, 아무에게 핸디캡을 주다. (2) 《比》 …보다 낫다; 아무에게 조언하다. ***give*** (***a***) ***~ to . . .*** (1) …을 뾰족하게 하다. (2) …을 강조하다. ***have*** (***got***) ***a ~*** 일리 있다: You'*ve got a* ~ there. 그것은 일리가 있다. ***have one's ~s*** (나름대로) 장점이 있다: Tea *has its* ~*s*, but I prefer coffee. 차(茶)도 나름대로의 좋은 점이 있으나 나는 커피가 더 좋다. ***in ~*** 적절한. ***in ~ of*** …의 점에서는, …에 관하여(는). ***in ~ of fact*** ⇨FACT. ***keep***〔***stick***〕 ***to the ~*** 요점을 벗어나지 않다. ***labor the ~*** (뻔히 알고 있는 사실을) 지루하게〔끈덕지게〕 늘어놓다. ***make a ~ of*** do*ing* (1) …을 주장〔강조, 중요시〕하다. (2) 반드시 …하다: I *make a* ~ *of* tak*ing* a walk after breakfast. 아침 식사 후엔 반드시 산책하고 있다. ***make a ~ that . . .*** 〔***of . . .***〕 반드시 …하다, …을 주장〔강조, 중시〕하다. ***make it a ~ to*** do ... 정해 놓고〔반드시〕 …하다: I *make it a* ~ *to* do everything by myself. 나는 모든 일을 자기 힘으로 하도록 하고 있다. ***make***〔***score***〕 ***~s with*** 《俗》 윗사람에게 빌붙다, '점수를 따다'. ***not to put too fine a ~ on it*** 사실대로 말하면, 기탄 없이 말해서. ***on the ~ of*** do*ing* 바야흐로 …하려고 하여, …하는 순간에(at the ~ of): He was *on the* ~ *of* leav*ing*. 그는 마침 출발하려던 참이었다. ***~ by ~*** 한 항목씩, 하나하나. ***~ for ~*** 하나하나〔차례대로〕 비교하여. ***~ of time*** 시점. ***prove a ~*** (의론 등에서) 주장의 정당함을 밝히다, …를 설득시키다. ***reach a low ~*** (도덕·사기(士氣) 따위가) 저하하다. ***score a ~ off***〔***against, over***〕***. . .*** =***score ~s off . . .*** ⇨SCORE(*vi.*) ***stand upon ~s*** 사소한 일에 구애되다, 지나치게 꼼꼼하다. ***strain***〔***stretch***〕 ***a ~*** 양보하다; 파격적인 취급을 하다: Well, I'll *strain a* ~ and reduce the price by a pound. 좋습니다. 제가 양보하여 1파운드 감해 드리겠습니다. ***take*** a person***'s ~*** 사람의 한 말을 이해하다; 의견에 동의하다: I *take*〔*get, see*〕 *your* ~. 당신의 말뜻을 이해합니다〔당신의 의견에 동의합니다〕. ***to the ~*** 요령 있는, 적절한. ***up to a ~*** 어느 정도: I agree with you *up to a* (*certain*) ~. 어느 정도까지는 자네에게 동조하네. ***win***〔***lose, be beaten***〕 ***on ~s*** 〖拳〗 판정으로 이기다〔지다〕. ***You have a ~ there.*** 그 점에선 네 주장도 타당하다(=that's a point).

── *vt.* ① …을 뾰족하게 하다, 날카롭게 하다. ② 《+목+전+명》 …에 끝을 붙이다; …의 끝에 붙이다《*with*》: a pole ~*ed with* iron 끝에 철물을 붙인 막대기. ③ 〖樂〗 …에 점을 찍다〔부호를 달다〕; …에 구두점을 찍다(punctuate); 소수점을 찍어 끊다《*off*》. ④ 《~+목 / +목+부》 (충고·교훈 따위)를 강조하다《*up*》, …에 힘을〔기세를〕 더하다; (예 따위를 들어) 설명하다: This accident ~*s up* how important it is to follow safety procedure. 이 사고는 안전 절차를 따르는 것이 얼마나 중요한가를 말해주고 있다. ⑤ 《~+목 / +목+전+명》 (손가락 등)을 향하게 하다《*at*; *towards*》: Unhappy tourists have ~*ed* the finger *at* unhelpful travel agents. 불운한 관광객들은 쓸모없는 여행 주선업자들을 비난했다. ⑥ (사냥개가 사냥감의 위치)를 멈춰 서서 그 방향을 알리다. ⑦ 《~+목 / +목+목 / +목+부 / +목+전+명》 …을 지시하다; 지적하다《*out*》; 주의를 환기시키다, 가리키다: He ~*ed out* his friend *to* me. 그는 자기의 친구를 내게 가리켜 주었다. ⑧ 〖石工〗 (돌)을 깎다. ⑨ 〖建〗 (석회·시멘트)를 …의 이음매에 바르다. ⑩ 〖農〗 (땅)을 갈다《*over*》; (비료)를 삽으로 묻다《*in*》. ⑪ (댄서가) 발끝으로 서다.
── *vi.* ① 《+전+명》 가리키다《*at*; *to*》: The sniper ~*ed at* the driver. 저격병은 운전수를 노렸다. ② 《+전+명》 지시하다, 시사하다《*to*》; 경향을 나타내다, 경향이 있다《*to*》: Economic conditions ~ *to* further inflation. 경제 상태는 인플레이션 악화의 양상을 보이고 있다. ③ 《+전+

명》 (어떤 방향을) 향해 있다《*to* ; *toward*(*s*)》: The house ~*ed to* 〔*toward*〕 the north. 그 집은 북쪽을 향하고 있었다. ④ (사냥개가) 사냥감이 있는 곳을 가리키다. ~ ***off*** 콤마로〔소수점으로〕 구분하다 ; …에 점을 찍다. ~ ***out*** 가리키다, …을 지적하다. ~ ***to*** …의 경향을 나타내다 ; …의 증거가 되다. ~ ***up*** 강조하다, 눈에 띄게 하다.

point-blank [pɔ́intblǽŋk] *a.* ① 직사(直射)의, 수평 사격의 : The officer was shot at ~ range. 장교는 직사정 거리에서 저격되었다. ② 정면으로부터의, 노골적인, 솔직한, 단도직입적인. ── *ad.* ① 직사하여 ; 직선으로. ② 정면으로, 드러내어, 단도직입적으로 : He asked me to work on the weekend, but I refused ~. 그는 내게 주말에도 일할 것을 요청했으나 나는 일언지하에 거절했다.

póint dùty 《英》 (교통 순경의) 입초 근무, 교통정리(근무).

‡**point·ed** [pɔ́intid] *a.* ① 뾰족한 ; 뾰족한 끝이 있는, 예리한 ; 찌르는. ② 날카로운, 신랄한 ; 빗대는 ; (말 따위가) 시원시원한 ; 강조한 : give a ~ look at …을 빈정대는 눈초리로 보다. ③ 들이댄 : a ~ gun 겨누고(조준되어) 있는 총. ④ 눈에 띄는 ; 명백한 ; (주의력 따위가) 집중한.

***point·er** [pɔ́intər] *n.* ① Ⓒ 지시하는 사람〔물건〕 ; (교사 등이 지도 · 흑판 따위를 짚는) 지시봉 ; (시계 · 저울 따위의) 바늘, 지침 ; 《口》 조언, 암시, 힌트. ② Ⓒ 포인터《사냥개》. ③ (*pl.*) (P-) 〖天〗 지극성(指極星)《큰곰자리의 α, β의 두 별》. ④ Ⓒ 〖軍〗 조준수(照準手). ⑤ Ⓒ 〖컴〗 알리개, 지시자, 지시기《GUI 등에서 마우스 등의 위치 지시 장치와 연동하여 움직이는 입력위치를 가리키는 화살표 꼴 등의 상징》.

Póint Fóur 《美》 포인트 포《미국 대통령 Truman 이 세운 개발도상국 원조 계획 ; 연두교서 중의 네 번째 정책》.

poin·til·lism [pwǽntəlìzəm] *n.* Ⓤ 〖美術〗 (프랑스 인상파의) 점묘법(點描法), 점묘주의.

póinting devìce 〖컴〗 display 상의 점(부분)을 가리키는 장치.

póint in tíme 《美》 (특정한) 때.

póint làce 손으로 뜬 레이스.

point·less [pɔ́intlis] *a.* ① 뾰족한 끝이 없는, 무딘. ② 박력〔효과〕 없는, 헛된, 적절하지 못한, 무의미한 ; 요령 없는. ③ 〖競〗 쌍방 득점 없는. ④ 〖植〗 까끄라기가 없는.

póint of hónor 명예〔면목〕에 관계되는 문제.

póint of nó retúrn 〖空〗 귀환 불능 지점.

póint of órder 의사 진행상의 문제.

point-of-sale(s) [pɔ́intəvséil(z)] *a.* 〔限定的〕 〖經營〗 매장(賣場)〔점두〕의, 판매 촉진용의, POS 《컴퓨터를 써서 판매 시점에서 판매 활동을 관리하는 시스템을 이름》의 : a ~ system.

points·man [pɔ́intsmən] (*pl.* ***-men*** [-mən]) *n.* Ⓒ 《英》 ① 〖鐵〗 전철수(轉轍手)(switchman). ② 근무 중의 교통 순경.

póint swìtch 〖鐵〗 전철기(轉轍機).

póint sỳstem ① 〖敎〗 학점(진급)제. ② (맹인용의) 점자법. ③ 〖印〗 포인트식(式)《활자 분류법》. ④ 《美》 (운전자에 대한 벌칙의) 점수제 ; 〖經營〗 (작업 평가의) 점수제.

póint táken 《口》 알겠습니다 ; 당신이 말한대로입니다《자기의 잘못을 인정하고서》.

point-to-point [pɔ́inttəpɔ́int] *n.* Ⓒ 자유 코스의 크로스컨트리의 경마.

pointy [pɔ́inti] (***point·i·er*** ; ***-i·est***) *a.* 끝이 약간 뾰족한 ; 뾰족한 점이 있는, 여기 저기 뾰족한 데가 있는 : She was wearing a ~ hat. 그녀는 위가 뾰족한 모자를 쓰고 있었다.

***poise**[1] [pɔiz] *vt.* ① …을 균형잡히게 하다, 평형되게 하다 : ~ oneself on one's toes 발끝으로 서서 균형을 유지하다. ② (어떤 자세)를 취하다, (어떤 상태)로 유지하다. ③ 〔受動으로 · 再歸的〕 …의 준비를 하다, …할 각오를 하다《*for* ; *to* do》: I ~*d myself for* the chance. 기회가 오기를 기다렸다 / They *were* ~*d to* conquer the enemy. 그들은 적군을 정복할 태세를 갖추었다. ④ …을 (어떤 상태로) 유지하다, (어떤 상태)로 운반하다 : She walked, carefully *poising* a water jag on her head. 그녀는 머리 위에 물항아리를 조심스럽게 이고 걸었다. ── *vi.* 균형이 잡히다 ; (새 따위가) 공중에서 맴돌다.

── *n.* ① Ⓤ 평형, 균형. ② Ⓒ 자세, (몸 · 머리 따위의) 가짐새. ③ 《比》 Ⓤ 평정(平靜) ; 안정 : a man of ~ 침착 · 냉정한 사람 / He looked embarrassed for a moment, then quickly regained his ~. 그는 잠시 당황한 듯했으나 재빨리 평정을 되찾았다. ④ 《古》 Ⓒ 분동(分銅), 추.

㊎ **~d** *a.* 〔敍述的〕 침착한, 위엄 있는 ; 균형잡힌 ; 태세를 갖춘《*for*》 ; 흔들리는 ; 공중에 뜬 : a bird ~*d* in flight 하늘에서 맴돌고 있는 새 / She was ~*d* between two alternatives. 그녀는 둘 중 어느 것을 택할 것인가를 망설이고 있었다.

poise[2] [pwɑːz] *n.* Ⓒ 〖物〗 푸아즈《점도(粘度)의 cgs 단위 ; 기호 P》.

‡**poi·son** [pɔ́izən] *n.* Ⓤ,Ⓒ ① 독, 독물, 독약. ② 폐해, 해독 ; 해로운 주의〔설(說), 영향〕 : ~ of slander 중상(中傷)의 해독 / social ~ 사회적 해독. ③ 《口》 (특히) 술. ***aerial*** ~ 말라리아. ***hate . . . like*** ~ …를 지독하게 미워하다 : They *hate* each other *like* ~. 그들은 견원(犬猿) 지간이다. ***What's your ~?*** 《口》 너는 무슨 술을 마시겠느냐(=Name your ~).

── *vt.* ① 《~+목 / +목+전+명》 …를 독살〔독해(毒害)〕하다, 식중독에 걸리게 하다 : Hundreds of wild animals had been ~*ed* by the insecticide sprays. 수백마리의 야생동물들이 살충제 살포로 독살되었다. ② …에 독을 넣다〔바르다〕 : The Indians ~*ed* their arrow. 인디언들은 화살촉에 독을 발랐다. ③ …에 해독을 끼치다, 악화시키다 ; 악풍(惡風)에 물들게 하다 : Jealousy ~*ed* their friendship. 질투가 그들의 우정을 악화시켰다 / This ~*ed* her life. 이것이 그녀의 인생을 망쳤다. ④ (공기 · 물 등)을 오염시키다, 못 쓰게 만들다 : Factory wastes ~*ed* the stream. 공장 폐기물이 냇물을 오염시켰다 / The soil was ~*ed* and the whole area (was) devastated 토양이 오염되어, 그 지역 전체는 황폐해졌다. ⑤ 《+목+전+명》 편견을 갖게 하다《*against*》. ~ a person***'s mind against*** 아무에게 …에 대한 편견을 갖게 하다.

── *a.* 유독한, 유해한.

poi·soned [pɔ́izənd] *a.* 독이 든, 독을 바른.

póison gás 〖軍〗 독가스.

póison hémlock 〖植〗 독(毒)당근, 독미나리.

poi·son·ing [pɔ́izəniŋ] *n.* Ⓤ ① 중독. ② 독살.

póison ívy 〖植〗 옻나무 ; 덩굴옻나무《몸에 닿으면 옻을 탐》.

poi·son·ous** [pɔ́izənəs] (more*** ~ ; ***most*** ~) *a.* ① 유독한. ② 유해한, 파괴적인 ; 악의의 : She had a ~ personality. 그녀는 마음속에 악한 성질이 있었다. ③ 《口》 불쾌한 : He said some ~ things to me. 그는 내게 상당히 불쾌한 일들을 말했다.

poi·son-pen [pɔ́izənpén] *a.* 〔限定的〕 (악의에 찬) 익명 집필의, 중상적인.

***poke**[1] [pouk] *vt.* ① 《~+목 / +목+전+명》 (손 · 막대기 따위의 끝으로) …을 찌르다, 콕콕 찌르다

《*in* ; *up* ; *down*》: Don't ~ me. 콕콕 찌르지 말게 / I ~*d* the dog to see if it would move. 개가 움직이는가를 보려고 콕콕 찔러보았다. ②《~+[목] / +[목]+[전]+[명]》(막대기·손가락·코·머리 따위)를 바싹 갖다대다 ; 쑥 넣다 ; 쑥 내밀다 : Two kids were *poking* a stick *into* the sand. 두 소년이 막대기 하나를 모래 속에 쑤셔넣고 있었다. ③《~+[목] / +[목]+[전]+[명]》(구멍)을 찔러서 뚫다《*in* ; *through*》: ~ a hole *in* the drum 북을 찔러서 구멍을 내다. ④《~+[목] / +[목]+[부]》(묻힌 불 따위)를 쑤셔 일으키다 : ~ *up* the fire 불을 쑤셔 화력을 돋우다. ⑤ (귀·손가락·얼굴 따위)를 …로 향하다《*at*》, (남의 일)에 끼어들다《*into*》. ⑥《俗》(여자)와 성교하다 ; 《口》주먹으로 때리다 ; 《野球俗》히트를 치다. ⑦〔再歸的·受動으로〕갑갑한 곳에 가두다《*up*》. ⑧〖컴〗(자료)를 어느 번지에 집어넣다. ── *vi.* ① 찌르다《*at*》; 튀어나오다. ②《~ / +[전]+[명]》쓸데없는 참견을 하다《*into*》; …을 꼬치꼬치 캐다《*about* ; *around*》: ~ *into* another's affairs 남의 일에 주제넘게 간섭을 하다. ③ 주저주저하다, 빈둥거리다, 어슬렁거리다《*along*》. ④ 여기저기 뒤지다〔찾아 헤매다〕《*about* ; *around*》: She ~*d about* in her suitcase *for* the key. 그녀는 슈트케이스에 손을 넣어 열쇠를 찾았다. ⑤〖크리켓〗천천히 신중하게 경기하다. ~ ***and pry*** 꼬치꼬치 캐다. ~ ***fun at*** …을 놀리다. ~ ***out*** 쑥 내밀다 ; 삐죽이〔비어져〕나오다. ~ one***'s head*** 머리를 쑥 내밀다 ; 앞으로 약간 숙이다. ~ one***'s nose into*** …에 참견하다, …에 쓸데없는 간섭을 하다.

── *n.* [C] ① 찌름 ; 팔꿈치로 찌름 : She gave me *a* ~ in the stomach. 그녀는 내 배를 쿡 찔렀다. ②《口》주먹으로 때림 ; 《俗》성교 ; 《野球俗》히트. ③ 목고리《가축이 우리에서 못 나오게 하기 위한》. ④ 굼벵이 ; 게으름쟁이, 빈둥거리는 사람 : an old ~ 촌뜨기, 숙. ⑤ (보닛 따위의) 챙이 쑥 나온 여성모(帽)(=~ **bònnet**). ⑥〖컴〗집어넣기.

poke² *n.* [C]《方》부대, 작은 주머니 ; 《古》포켓 ; 《俗》지갑. ***buy a pig in a*** ~ ⇨PIG.

poke·ber·ry [-bèri / -bəri] *n.* [C]〖植〗서양자리공 ; 그 열매.

pok·er¹** [póukər] *n.* [C] ① 찌르는 사람〔물건〕; 부지깽이. ② 낙화(烙畫) 도구. ③《英學生俗》대학 부총장의 권표(mace). ***by the holy ~ 맹세코, 단연코.

pok·er² *n.* [U] 포커《카드놀이의 일종》.

póker fàce《口》무표정한 얼굴(의 사람).

pok·er-faced [póukərfèist] *a.* 무표정한, 무관심한.

póker wòrk 낙화(烙畫)《흰 나무에 그린》.

pokey¹ [póuki] *n.* [C]《美俗》교도소(jail).

pokey² (***pok·i·er*** ; ***-i·est***) *a.* ①《口》활기 없는, 굼뜬, 느린. ② (종종 ~ little) 비좁은, 갑갑한, 보잘것없는, 지저분한《장소 따위》. ③ 초라한《복장 따위》; 변변치 않은《일 따위》.

pol [pɑl / pɔl] *n.* [C]《美口·蔑》정치가.

POL〖컴퓨터〗problem oriented language《어느 문제 풀이에 맞는 프로그램 언어》. **Pol.** Poland ; Polish.

Po·lack [póulæk] *n.* [C]《美俗·蔑》폴란드계(系)의 사람.

***Po·land** [póulənd] *n.* 폴란드《수도 Warsaw》.

‡po·lar [póulər] *a.*〔限定的〕① 극지(極地)의, 남극〔북극〕의 ; 극지에 가까운. ②〖電〗음극〔양극〕을 가지는 ; 자극(磁極)의 ; 자기가 있는 ; 극성(極性)의. ③ 정반대의《성격·경향·행동 따위》.

pólar bèar〖動〗흰곰, 북극곰(white bear).

pólar cáp〖地〗극지의 빙관(氷冠) ; 〖天〗화성의 빙관《양극지 부근에 보이는 희게 빛나는 부분》.

pólar círcle (the ~) (남·북의) 극권(極圈).

pólar coórdinates〖數〗극좌표.

pólar frònt〖氣〗극전선(極前線)《한대 기단과 열대 기단의 경계면이 지표와 이루는 선》.

Po·lar·is [pouléəris, -lǽr-] *n.*〖天〗북극성.

po·lar·i·scope [poulǽrəskòup] *n.* [C]〖光學〗편광기(偏光器).

po·lar·i·ty [poulǽrəti] *n.* [U,C] ① 양극(兩極)을 가짐 ; 자성(磁性) 인력 ; 〖物〗극성 ; 양극성. ② (주의·성격 등의) 정반대, 대립《*of* ; *between*》.

po·lar·i·za·tion [pòulərizéiʃən] *n.* [U,C] ①〖物〗극성(極性)을 생기게 함〔갖게 됨〕, 분극(分極)(화(化)) ; 〖光〗편광 : a ~ microscope 편광 현미경. ② (주의·경향 등의) 대립, 양극화 : There is increasing ~ *between* the blacks and whites in the US. 미국에 있어서의 흑백간의 대립은 (그 강도를) 더해가고 있다.

po·lar·ize [póuləràiz] *vt.* ① …에 극성(極性)을 주다, 분극하다 ; 편광시키다. ② (어휘 등)에 특수한 뜻〔적용〕을 갖게 하다 ; (사상 등)을 편향시키다. ③ (당파 등)을 양극화하다 ; 분극화〔분열, 대립〕시키다《*into*》. ── *vi.* ① (빛이) 편광하다 ; 〖電·物〗(금속 등이) 성극(成極)하다 ; 분극하다. ② 분열〔편향, 대립〕하다 : Congress has ~*d* on the issue. 그 문제로 의회는 둘로 갈라졌다. ~***d light*** 편광. ***polarizing action***〖電〗성극〔분극〕작용. [파] **-iz·er** [-zər] *n.* [C] 편광자(偏光子), 편광 프리즘. **-iz·a·ble** *a.* **pò·lar·iz·a·bíl·i·ty** *n.* 분극성 ; 분극률.

pólar líghts (the ~) 극광(northernlights).

po·lar·ly [póulərli] *ad.* ① 극(지)처럼, 극 쪽으로. ② 자기(磁氣)로써 ; 음양의 전기로써 ; 대극선(對極線)으로써. ③ 정반대로.

Po·lar·oid [póulərɔ̀id] *n.*《商標名》① [U] 폴라로이드, 인조 편광판. ② [C] 폴라로이드카메라(=~ **Càmera**)《촬영과 현상·인화 제작이 카메라 안에서 이루어짐》. ③ (*pl.*) 폴라로이드 안경.

pólar órbit 극궤도.

Pólar Régions (the ~) 극지방(極地方).

pólar stár (the ~) 북극성.

Pole [poul] *n.* [C] 폴란드(Poland) 사람.

‡pole¹ [poul] *n.* [C] ① 막대기, 장대, 기둥, 지주 ; 《특히》깃대 ; 천막의 버팀목 ; 전주 ; (장대높이뛰기의) 장대 ; (스키의) 스톡 ; 돛대 ; (전동차의) 폴《집전용》; (이발소의) 간판 기둥 : a bean ~ 콩의 받침대 / a fishing ~ 낚싯대. ② 척도의 단위《5.03 m》; 면적의 단위《25.3m²》. ***climb up the greasy*** ~ 곤란한〔실패하기 쉬운〕일에 착수하다. ***under bare ~s***〖海〗(1) 돛을 달지 않고. (2) 벌거숭이로 : The thugs robbed him and left him *under bare ~s*. 흉악범이 그를 습격하여 벌거숭이로 해놓고 갔다〔몽땅 털어갔다〕. ***up the*** ~《英口》진퇴 양난에 빠져 ; 약간 미쳐서 ; 취하여.

── *vt.* ① …을 막대기로 받치다 : ~ a bean. ② …에 막대기를〔기둥을〕세워 (토지를) 구획하다 ; 막대기로 둘러메다. ③ (배)를 장대로 밀다《*off*》. ④《野球俗》(장타)를 날리다. ⑤ …을 장대로 뛰다.

── *vi.* 막대기〔장대〕를 쓰다 ; 삿대질하여 나아가다 : She ~*d* down the slope. 그녀는 스키 스톡을 교묘히 이용하여 비탈을 활강했다.

‡pole² *n.* [C] ①〖天·地〗극《남극, 북극》; 극지. ②〖物〗전극 ; 자극 ; (전지 따위의) 극판, 극선 ; 〖數〗극 : the magnetic ~ 자극(磁極). ③〖生〗(핵·세포 따위의) 극. ④ (주의·주장·성격 따위의) 극단, 정반대. ***be ~s asunder*** 〔***apart***〕(의견·이익 따위가) 완전히 정반대이다, 극단적으로

다르다: My sister and I *are ~s apart* in personalities. 여동생과 나는 성격이 정반대이다. ***from ~ to ~*** 온 세계에(서). ***the North* 〔*South*〕 *Pole*** 북극〔남극〕. ***the positive* 〔*negative*〕 ~** 양극〔음극〕.

pole·ax, -axe [ˊ-æ̀ks] (*pl.* ***-ax·es***) *n.* Ⓒ 자루가 긴 전부(戰斧); 도살용 도끼. ── *vt.* ① …을 전부〔도끼〕로 찍어 넘어뜨리다〔죽이다〕; 강타하여 쓰러뜨리다: He was *~ed* by a left hook to the jaw. 그는 턱에 레프트 훅을 한 방 맞고 그대로 나가 떨어졌다. ② 〔흔히 受動으로〕 (사람)을 깜짝 놀라게 하다: We *were* all *~ed by* the news. 그 뉴스에 우리는 모두 깜짝 놀랐다.

pole·cat [ˊ-kæ̀t] *n.* Ⓒ 〖動〗 ① 족제비의 일종《유럽산》. ② 《美》 =SKUNK.

póle jùmp 〔jùmping〕 장대높이뛰기.

pole-jump [póuldʒʌ̀mp] *vi.* 장대높이뛰기하다.

po·lem·ic [pəlémik, pou-] *n.* Ⓤ 논쟁; Ⓒ 격론. ── *a.* ① 논쟁의; 논쟁을 좋아하는. ② 논쟁술의; 논증법의.

pole·star [póulstɑ̀:r] *n.* ① 〖天〗 (the ~) 북극성. ② Ⓒ 지도 원리; 주목의 대상.

póle vàult 장대높이뛰기.

pole-vault [ˊ-vɔ̀:lt] *vi.* 장대높이뛰기하다.

pole·ward(s) [ˊ-wərd(z)] *ad.* 극(지)에〔로〕.

†**po·lice** [pəlí:s] *n.* ① (종종 the ~) 〔集合的; 複數취급〕 경찰; 경찰(대); 경찰관《개별적으로는 policeman, policewoman》; 경찰청. ② 치안〔보안〕(대). ***have the ~ after*** 경찰관에게 미행당하다. ── *vt.* ① …에 경찰을 두다; 경비하다, 단속하다, …의 치안을 유지하다. ② …을 감시하다, 관리하다.

políce càr (경찰) 순찰차(squad car).

políce cònstable 《英》 순경 《略: P.C.》.

políce còurt 즉결 재판소《경범죄의》.

políce dòg 경찰견.

políce fòrce 경찰력, 경찰대.

políce jústice 〔mágistrate, júdge〕 즉결 재판소 판사《경범죄 담당 판사》.

‡**po·lice·man** [-mən] (*pl.* ***-men*** [-mən]) *n.* Ⓒ 경찰관, 순경.

políce offènse 경범죄.

políce òffice 《英》 (시·읍의) 경찰서.

políce òfficer 경관(policeman), 《美》 순경.

políce récord 전과(前科).

políce repòrter 경찰 출입 기자.

políce stàte 경찰 국가. cf. garrison state.

***políce stàtion** (지방) 경찰서.

po·lice·wom·an [pəlí:swùmən] (*pl.* ***-wom·en*** [-wìmin]) *n.* Ⓒ 여자 경찰관, 여순경.

‡**pol·i·cy**[1] [pɑ́ləsi / pɔ́l-] *n.* ① U,C 정책, 방침; (회사의) 경영 방침: the Government's ~ on trade 정부의 무역 정책 / ~ switch 정책 전환 / The white House said that there will be no change in ~. 백악관은 정책에는 하등의 변화가 없을 것이라고 발표했다. ② U,C 방책, 수단: Honesty is the best ~. 《格言》 정직은 최선의 방책이다 / It's bad ~ to invest all your money in one venture. 한 기업에 전 재산을 투자하는 것은 어리석은 방책이다. ③ Ⓤ (실제적) 현명, 심려(深慮), 신중. ④ Ⓤ 정치적 머리, 지모(智謀). ***for reasons of ~*** 정략상(上).

pol·i·cy[2] *n.* ① Ⓒ 보험 증권(~ of assurance, insurance ~). ② Ⓤ 《美》 숫자 도박(numbers pool) 《그 도박장은 ~ shop》: play ~ 숫자 도박을 하다. ***an endowment ~*** 양로 보험 증권. ***~ value*** 보험가액. ***an open* 〔*a valued*〕 ~** 예정〔확정〕 보험 증권. ***a time* 〔*voyage*〕 ~** 정기 보험〔항해〕 증권. ***take out a ~ on one's life*** 생명 보험에 들다.

pol·i·cy·hold·er [-hòuldər] *n.* Ⓒ 보험 계약자.

***po·lio** [póuliòu] *n.* Ⓤ 〖醫〗 폴리오, 소아마비.

pol·i·o·my·e·li·tis [pòulioumàiəláitis] *n.* Ⓤ 〖醫〗 폴리오, (급성) 회백(灰白)척수염, 소아마비.

pólio váccine 《口》 소아마비 백신.

***Po·lish** [póuliʃ] *a.* 폴란드(Poland)의; 폴란드 사람〔말〕의. ── *n.* Ⓤ 폴란드어.

‡**pol·ish** [pɑ́liʃ / pɔ́l-] *vt.* ① …을 닦다, …의 윤을 내다: ~ silver candlesticks to a bright shine 은촛대를 윤이 나도록 닦다. ② …을 다듬다, 품위 있게 하다《*up*》. ③ …을 세련되게 하다; (문장의 글귀 따위)를 퇴고하다. ④ 《+目+前+名 / +目+副》 …을 갈아〔문질러〕 다른 상태로 하다; …을 문질러 떼다, 마멸시키다《*away ; off ; out*》: ~ *away* the soil of the shoes 구두의 흙먼지를 닦아내다. ── *vi.* 〔흔히 様態의 副詞를 수반하여〕 ① 윤이 나다: This floor *~es easily.* 이 마룻바닥은 쉽게 윤이 난다. ② 품위 있게 되다, 세련되다. ***~ off*** 《口》 (1) (일·식사 등)을 재빨리 마무르다 〔끝내다〕, 해내다: ~ *off* a large plateful of pie 커다란 파이 한 접시를 먹어치우다. (2) 《口》 (상대방등)을 해치우다; 낙승하다; 《俗》 없애다(kill). ***~ up*** 다듬어 내다, 마무르다; 윤을 내다〔이 나다〕; 꾸미다: I really must ~ *up* my English before we visit America next year. 우리가 내년에 미국을 방문하기 전에 내 영어를 정말로 능숙하게 만들어야 한다.

── *n.* ① Ⓤ (또는 a ~) 닦기: Your shoes need *a ~*. 자네의 구두는 닦아야 하네. ② U,C 광내는〔닦는〕 재료《마분(磨粉)·광택제·니스·옻 따위》; 매니큐어(nail ~): shoe 〔boot〕 ~ 구두약(藥). ③ Ⓤ (또는 a ~) 광택, 윤. ④ Ⓤ (태도·작법 따위의) 세련, 품위, 우미; 수양(修養): Many of his poems lack ~. 그의 많은 시는 세련미가 없다. 파 **~·a·ble** *a.* **~ed** [-t] *a.* ① 닦아진; 광택있는: *~ed* product 완성품. ② 품위 있는, 세련된: He is suave, ~ and charming. 그는 상냥하고 세련되고 또한 매력도 있다.

Pólish notátion 〖數·컴〗 폴란드 기법《모든 연산기호를 모든 변수보다 뒤에 위치하도록 기술하는 불 대수(Boolean algebra)의 기법》.

Pol·it·bu·ro [pɑ́litbjùrou, poulít-, pəlít- / pɔ́litbjù-] *n.* (the ~) 옛 소련의 정치국.

‡**po·lite** [pəláit] (***po·lit·er ; -est***) *a.* ① 공손한, 은근한, 예의 바른: He is ~ to〔with〕 his elders. 그는 손윗 사람에게는 예의바르다. ② (문장 따위가) 세련된, 품위 있는: ~ society 상류 사회 / ~ arts 미술 / ~ letters 〔literature〕 순문학. ③ 우아한, 교양 있는 (opp. *vulgar*): the ~ thing 고상한 태도 / I hate having to make ~ conversation. 교양있는 얘기를 나누어야 하는 것을 나는 싫어한다. ***do the ~*** 《口》 애써 품위 있게 행동하다. ***say something ~ about*** …을 인사 치레로 칭찬하다.

‡**po·lite·ly** [pəláitli] *ad.* ① 공손히, 은근히. ② 체모 있게. ③ 품위 있게, 우아하게.

***po·lite·ness** [pəláitnis] *n.* Ⓤ ① 공손; 예의바름. ② 고상; 우아.

***pol·i·tic** [pɑ́litik / pɔ́l-] *a.* ① 정치의, 정책의; 사려 깊은, 현명한; 책략적인, 교활한(artful): It wasn't very ~ of him to mention it. 그가 그 문제에 언급한 것은 그리 현명하지 않았다. ② 시기에 적합한, 교묘한; 정책적인. ③ 정치상의.

‡**po·lit·i·cal** [pəlítikəl] (***more ~; most ~***) *a.* ① 정치의, 정치상의. ② 정치에 관한〔를 다루는〕. ③ 정당의, 당략의, 정략적인. ④ 행정에 관한〔관

여하는〕: a ~ office〔officer〕 행정관청〔행정관〕. ⑤ 정치에 관심이 있는, 정치 활동을 하는, 정치적인. ⑥ 정부의, 국가의, 국사(國事)의. [파] *~·ly *ad.* ① 정치〔정략〕상 : Most of the killings were *~ly* motivated. 대부분의 살인은 정치적으로 유발되었다. ② 현명하게 ; 교묘히.

polítical asýlum 정치 망명자에 대한 보호.

polítical ecónomy 정치 경제학 ; (19 세기의) 경제학(economics).

polítical geógraphy 정치 지리(학).

polítically corréct ① (말·표현이) 정치가가 사용할 수 있는, 차별적이지 않은. ② 표면적으로 차별을 배제한 듯한, 말에 책잡히지 않는. ③ 환경·낙태·인권 등에 대해 바른 표현을 하는.

polítical scíence 정치학.

polítical scíentist 정치학자.

‡**pol·i·ti·cian** [pɑ̀lətíʃən / pɔ̀l-] *n.* [C] ① 정치가. ② 정당〔직업〕 정치가. ③ 《美》 정상배(輩), 책사(策士), 정치꾼.

po·lit·i·cize [pəlítəsàiz] *vt.* ① …을 정치(문제)화하다, 정치적으로 다루다〔논하다〕 : Education is too important to be *~d.* 교육은 너무나 중요하여 정치적으로 다루어져서는 안 된다. ② (아무)를 정치에 관심을 가지게 하다. ── *vi.* 정치에 종사하다, 정치를 논하다 ; 정치화하다.
[파] **po·lìt·i·ci·zá·tion** *n.*

pol·i·tick [pálitik / pɔ́l-] *vi.* 정치 활동을 하다. [파] **~·ing** *n.* [U] 정치 활동〔참가〕 ; 선거 운동 ; 정치적 흥정. **~·er** *n.*

po·lit·i·co [pəlítikòu] (*pl.* ***~s, ~es***) *n.* 《美》 = POLITICIAN ③.

politico- '정치'의 뜻의 결합사.

‡**pol·i·tics** [pálitiks / pɔ́l-] *n.* ① [U] 정치학. ② [U] 〔單·複數취급〕 정치 : talk ~ 정치를 논하다 / go into ~ 정계에 들어가다. ③ [U] 정략 ; (정당의) 흥정 ; 책략, 술책. ④ 〔複數취급〕 정강, 정견 : What are his ~ ? 그의 정견은 어떤가.

pol·i·ty [páləti / pɔ́l-] *n.* ① [U] 정치(조직) ; 정체(政體), 국체(國體). ② [C] 정치적 조직체, 국가, 정부(state). ***civil*** 〔***ecclesiastical***〕 ~ 국가〔교회〕 행정 조직.

pol·ka [póulkə / pɔ́l-] *n.* [C] 폴카《댄스의 일종》 ; 그 곡. ── *vi.* 폴카를 추다.

pólka dòt 물방울 무늬(의 직물).

‡**poll** [poul] *n.* ① [C] (흔히 *sing.*) 투표, 선거 : What were the results of the ~ ? 투표 결과는 어떠했는가. ② (*sing.*) 득표 집계 ; 투표 결과, 투표수 : *a* heavy 〔light〕 ~ 높은〔낮은〕 투표율 / declare the ~ 선거결과를 공표하다. ③ [C] 선거인 명부. ④ (the ~*s*) 투표소. ⑤ [C] 여론 조사(의 질문표) ; 〔一般的〕 셈, 열거 : ⇨GALLUP POLL / We took a ~ of the opinions of the laborers. 노동자의 여론 조사를 실시했다. ⑥ = POLL TAX. ***at the head of the*** ~ 최고 득표로. ***go to the ~s*** (1) 투표하러 가다, 투표하다. (2) (정책 등에 대해) 선거인의 판단을 청하다. ***take a*** ~ 표결하다.
── *vt.* ① (표)를 얻다 : The party *~ed* forty percent of the votes in the general election. 그 정당은 총선거에서 40%의 투표(율)을 얻었다. ② (표)를 던지다. ③ 선거인 명부에 등록하다. ④ …의 여론 조사를 하다 : ~ the village on the matter of constructing a new highway 새 고속도로를 건설하는 문제에 대해 마을 사람들의 여론을 조사하다. ⑤ (나무 등)의 가지 끝을 자르다 ; …의 머리털을 깎다, …의 털〔뿔〕을 짧게 자르다.
── *vi.* 투표하다《*for* ; *against*》.

Poll [pɑl / pɔl] *n.* ① (때로 p-) 《口》 앵무새의 속칭. ② 폴《여자 이름 ; Mary 의 애칭》.

pol·lard [páləɾd / pɔ́l-] *n.* [C] ① 뿔을 자른 사슴〔소·양 (따위)〕. ② 가지를 잘라낸 나무.
── *vt.* (나무)의 가지를 치다, 전정(剪定)하다.

***pol·len** [pálən / pɔ́l-] *n.* [U] 【植】 꽃가루.

póllen còunt (특정 시간·장소의 공기 속에 포함되어 있는) 화분수(花粉數).

pol·len·o·sis [pɑ̀lənóusis / pɔ̀l-] *n.* [U] 【醫】 = POLLINOSIS.

pol·li·nate [pálənèit / pɔ́l-] *vt.* 【植】 …에 가루받이하다, 수분(授粉)하다.

poll·ing [póuliŋ] *n.* [U] 투표(율).

póll·ing bòoth 《英》 (투표장의) 기표소.

pólling dày 투표일.

pólling plàce 투표소.

pólling stàtion 《英》 투표소(polling place).

pol·li·no·sis [pɑ̀lənóusis / pɔ̀l-] *n.* [U] 【醫】 꽃가루 알레르기, 꽃가룻병(病).

pol·li·wog [páliwɑ̀g / pɔ́liwɔ̀g] *n.* [C] 《美》 올챙이.

poll·ster [póulstəɾ] *n.* [C] 《口》 여론 조사원.

póll tàx [póul-] 인두세.

pol·lu·tant [pəlú:tənt] *n.* [C] 오염 물질.

***pol·lute** [pəlú:t] *vt.* ① 《~+[목] / +[목]+[전]+[명]》 더럽히다, 불결하게 하다, 오염시키다 : We won't invest in any company that ~*s* the environment. 환경을 오염시키는 회사에는 투자하지 않을 것이다. ② **a**) (정신적으로) 타락시키다. **b**) 모독하다, (신성한 곳)을 더럽히다 : ~ the minds of the young with foul propaganda 저급한 광고로 젊은이들의 마음을 타락시키다.

‡**pol·lu·tion** [pəlú:ʃən] *n.* [U] ① 불결, 오염, 환경 파괴, 공해, 오염 물질. ② 모독 ; 타락.

pol·lu·tion-free [-frì:] *a.* 무공해의.

Pol·ly [páli / pɔ́li] *n.* ① 폴리《여자 이름 ; Molly의 변형, Mary 의 애칭》. ② (때로 p-) 앵무새(에 붙이는 이름).

Pol·ly·an·na [pɑ̀liǽnə / pɔ̀l-] *n.* [C] 지나친 낙천가, 대낙천가《E. Porter 의 소설 여주인공의 이름에서》.

pol·ly·wog [páliwɑ̀g / pɔ́liwɔ̀g] *n.* = POLLIWOG.

Po·lo [póulou] *n.* **Marco** ~ 마르코폴로《이탈리아의 여행가·저술가 ; 1254 ? -1324 ?》.

***po·lo** [póulou] *n.* [U] ① 폴로《말 위에서 공치기하는 경기》. ② 수구(水球).

pol·o·naise [pɑ̀lənéiz, pòul- / pɔ̀l-] *n.* [C] ① 폴로네즈《3 박자 댄스》 ; 그 곡. ② (평상복 위에 입는) 여성복의 일종《스커트 앞이 갈라져 있음》.

po·lo·neck [póulounèk] 《英》 *a.* 자라목 깃의.
── *n.* = TURTLENECK.

po·lo·ni·um [pəlóuniəm] *n.* [U] 【化】 폴로늄《방사성 원소 ; 기호 Po ; 번호 84》.

po·lo·ny [pəlóuni] *n.* [C U] 《英》 폴로니《돼지고기의 훈제(燻製) 소시지(=∠ **sàusage**)》.

pólo shìrt 폴로 셔츠《운동 셔츠의 일종》.

pol·ter·geist [póultəɾgàist / pɔ́l-] *n.* [C] 《G.》 폴터가이스트《시끄러운 소리를 내는 장난꾸러기 요정》.

pol·troon [pɑltrú:n / pɔl-] *n.* [C] 비겁한 사람, 겁쟁이(coward).

poly [páli / pɔ́li] (*pl.* **~s**) *n.* 《英》 = POLYTECHNIC.

poly- '다(多), 복(複)'의 뜻의 결합사. [opp] *mono-*.

pol·y·an·drous [pɑ̀liǽndrəs / pɔ̀l-] *a.* ① 일처다부의. ② 【植】 수술이 많은.

pol·y·an·dry [páliæ̀ndri, ╴╴╴╴ / pɔ́liæ̀n-, ╴╴╴╴] *n.* [U] ① 일처 다부(一妻多夫). [cf] polygamy. ② 【植】 수술이 많음 ; 【動】 일자 다웅(一雌多雄).

pol·y·an·thus [pɑ̀liǽnθəs / pɔ̀l-] (*pl.* **~·es, -thi** [-θai, -θi:]) *n.* [U.C] 【植】 수선(水仙).

pol·y·chrome [pálikròum / pɔ́l-] *a.* 다색채(多色彩)의 ; 다색 인쇄의. ── *n.* [C] 다색화(畵) ; 색채

장식상(裝飾像).

pol·y·clin·ic [pɑ̀liklínik / pɔ̀l-] *n.* Ⓒ 종합 병원〔진료소〕.

pol·y·es·ter [pálièstər / pɔ́l-] *n.* Ⓤ 〖化〗 폴리에스테르《다가(多價) 알코올과 다(多)염기산을 축합(縮合)한 고분자 화합물》; 그 섬유(= ∠ **fíber**); 그 수지(= ∠ **résin** 〔**plástic**〕).

pol·y·eth·y·lene [pɑ̀liéθəlì:n / pɔ̀l-] *n.* Ⓤ 폴리에틸렌; 그 제품.

po·lyg·a·mist [pəlígəmist] *n.* Ⓒ 일부 다처론자; 다처인 사람.

po·lyg·a·mous [pəlígəməs] *a.* ① 일부 다처의. ②〖植〗 자웅 혼주(雌雄混株)의, 잡성화(雜性花)의. ③〖動〗 다혼성(多婚性)의.

po·lyg·a·my [pəlígəmi] *n.* Ⓤ ① 일부 다처(제). opp. *monogamy.* ②〖植〗 자웅 혼주(混株).

pol·y·glot [pálіglɑ̀t / pɔ́liglɔ̀t] *a.* 〔限定的〕 수개 국어에 통하는; 수개 국어로 쓴.
— *n.* Ⓒ 수개 국어에 통하는 사람; 수개 국어로 쓴 책; 수개 국어 대역(對譯)서.

pol·y·gon [páligɑ̀n / pɔ́ligɔ̀n] *n.* Ⓒ 〖數〗 다각형.

pol·y·graph [páligræ̀f / pɔ́ligrɑ̀:f] *n.* Ⓒ 폴리그래프, 거짓말 탐지기.

po·lyg·y·ny [pəlídʒəni] *n.* Ⓤ ① 일부 다처. ②〖植〗 암술이 많음. 파 **-nous** *a.*

pol·y·he·dral, -dric [pɑ̀lihí:drəl / pɔ̀lihí:d-], [-drik] *a.* 다면(체)의.

pol·y·he·dron [pɑ̀lihí:drən / pɔ̀lihí:d-] (*pl.* *~s, -ra* [-rə]) *n.* Ⓒ 〖數〗 다면체.

Pol·y·hym·nia [pɑ̀lihímniə / pɔ̀l-] *n.* 〖그神〗 폴리힘니아《성가(聖歌)의 여신; nine Muses 의 하나》.

pol·y·math [pálimæ̀θ / pɔ́l-] *n.* Ⓒ 박학자.

pol·y·mer [páləmər / pɔ́l-] *n.* Ⓒ 〖化〗 중합체.

pol·y·mor·phic [pɑ̀limɔ́:rfik / pɔ̀l-] *a.* = POLYMORPHOUS.

pol·y·mor·phous [pɑ̀limɔ́:rfəs / pɔ̀l-] *a.* 다형의; 다양한; 다형태의; 다양한 단계를 거치는.

Pol·y·ne·sia [pɑ̀ləní:ʒə, -ʃə / pɔ̀l-] *n.* 폴리네시아.

Pol·y·ne·sian [pɑ̀ləní:ʒən, -ʃən / pɔ̀l-] *a.* 폴리네시아(사람, 말)의. — *n.* Ⓒ 폴리네시아 사람; Ⓤ 폴리네시아 말.

pol·y·no·mi·al [pɑ̀lənóumiəl / pɔ̀l-] *a.* 〖數〗 다항식의: a ~ expression 다항식. — *n.* Ⓒ 다항식.

pol·yp [pálip / pɔ́l-] *n.* Ⓒ ①〖動〗 폴립; (군체를 이루는 산호 등의) 개체(個體). ②〖醫〗 폴립《외피·점막(粘膜) 등의 돌출한 종류(腫瘤)》.

Pol·y·phe·mus [pɑ̀ləfí:məs / pɔ̀l-] *n.* 〖그神〗 폴리페모스《외눈의 거인 Cyclops 의 우두머리》.

pol·y·phon·ic, po·lyph·o·nous [pɑ̀lifánik / pɔ̀lifɔ́n-], [pəlífənəs] *a.* 〖樂〗 다성(多聲)의, 대위법상의; 〖音聲〗 다음(多音)을 표시하는.

po·lyph·o·ny [pəlífəni] *n.* Ⓤ ①〖音聲〗 다음(多音). ②〖樂〗 다성(多聲) 음악.

pol·yp·ous [páləpəs / pɔ́l-] *a.* 폴립의〔과 같은〕.

pol·y·pro·pyl·ene [pɑ̀lipróupəlì:n / pɔ̀l-] *n.* Ⓤ 〖化〗 폴리프로필렌《수지〔섬유〕의 원료》.

pol·y·pus [pálipəs / pɔ́l-] (*pl.* *-pi* [-pài], *~·es*) *n.* 〖醫〗 = POLYP.

pol·y·sty·rene [pɑ̀listáiəri:n / pɔ̀l-] *n.* Ⓤ 〖化〗 폴리스티렌《무색 투명한 합성 수지의 일종》.

pol·y·syl·lab·ic [pɑ̀lisilǽbik / pɔ̀l-] *a.* 다음절의.

pol·y·syl·la·ble [pálisìləbəl / pɔ́l-] *n.* Ⓒ 다음절어《3음절 이상의》. cf. monosyllable.

pol·y·tech·nic [pɑ̀litéknik / pɔ̀l-] *a.* 여러 공예의, 종합〔과학〕 기술의.
— *n.* Ⓤ,Ⓒ 공예학교, 과학기술 전문학교.

pol·y·the·ism [páliθi:izəm / pɔ́l-] *n.* Ⓤ 다신교〔론〕, 다신 숭배. cf. monotheism.

pol·y·thene [páləθì:n / pɔ́l-] *n.* 《英》〖化〗 = POLYETHYLENE.

pol·y·u·re·thane [pɑ̀lijúərəθèin / pɔ̀l-] *n.* Ⓤ 〖化〗 폴리우레탄.

pol·yvínyl chlóride 〖化〗 폴리염화비닐《略: PVC》.

pom [pɑm / pɔm] *n.* Ⓒ ① 포메라니아종(種)의 작은 개. ②《Austral. 俗》 = POMMY.

pom·ace [pʌ́mis, pám- / pɔ́m-] *n.* Ⓤ 사과즙을 짜고 난 찌끼; 생선의 기름을 짜고 난 찌끼.

***po·made** [pəméid, poumá:d] *n.* Ⓤ 포마드, 향유, 머릿기름. — *vt.* (머리)에 포마드를 바르다.

po·man·der [póumændər, poumǽn-] *n.* Ⓒ 향료알〔갑〕《방충(防蟲)·방역(防疫)에 썼음》; (옷장에 넣는) 향료.

po·ma·to [pəméitou, -má:-] *n.* Ⓒ 〖植〗 포마토《감자(potato)와 토마토(tomato)를 세포 융합시켜 만든 신종 작물》.

pome [poum] *n.* Ⓒ 이과(梨果)《사과·배 따위》.

pome·gran·ate [páməgræ̀nit, pʌ́m- / pɔ́m-] *n.* Ⓒ 〖植〗 석류(의 열매·나무).

Pom·er·a·ni·an [pɑ̀məréiniən, -njən / pɔ̀m-] *n.* Ⓒ ① 포메라니아 사람. ② 포메라니아종의 작은 개.

pom·mel [pʌ́məl, pám- / pɔ́m-] *n.* Ⓒ ① (칼의) 자루끝(knob). ② 안장의 앞머리. ③〖體操〗 (안마의) 핸들. — (*-l-*, 《英》 *-ll-*) *vt.* (자루끝 따위로) 치다; 주먹으로 연달아 때리다.

pómmel hòrse 〖體操〗 안마(鞍馬).

pom·my, -mie [pámi / pɔ́mi] *n.* Ⓒ 《Austral. 俗·보통 蔑》 (새로 온) 영국 이민.

Po·mo·na [pəmóunə] *n.* 〖로神〗 포모나《과실의 여신》.

‡**pomp** [pɑmp / pɔmp] *n.* ① Ⓤ 화려, 장관(壯觀). ② (*pl.*) 허식, 과시; 허세.

pom·pa·dour [pámpədɔ̀:r, -dùər / pɔ́mpədùər] *n.* Ⓤ (머리카락을 매만져 위로 올리는) 여자 머리형의 일종; (남자의) 올백의 일종.

Pom·pe·ian, -pei- [pɑmpéiən, -pí:ən / pɔmpí:ən] *a.* Pompeii 의; 〖美術〗 Pompeii 벽화풍의. — *n.* Ⓒ Pompeii 사람.

Pom·peii [pɑmpéii / pɔm-] *n.* 폼페이《이탈리아 Naples 근처의 옛 도시; 서기 79 년 Vesuvius 화산의 분화(噴火)로 매몰되었음》.

pom-pom [pámpɑ̀m / pɔ́mpɔ̀m] *n.* Ⓒ ① 자동 고사포, 대공 속사포. ② = POMPON ①.

pom·pon [pámpɑn / pɔ́mpɔn] *n.* Ⓒ ① (깃털·비단실 등의) 방울술 (장식)《모자·구두에 닮》; (군모(軍帽)의) 꼬꼬마. ②〖植〗 퐁퐁달리아.

pom·pos·i·ty [pɑmpásəti / pɔmpɔ́s-] *n.* Ⓤ 거만, 건방짐, (말의) 과장됨; Ⓒ 건방진 사람.

***pomp·ous** [pámpəs / pɔ́m-] *a.* ① 거만한, 건방진, 젠체하는; 과장한《말 따위》. ② 호화로운, 장려한; 성대한. 파 **~·ly** *ad.* **~·ness** *n.*

ponce [pɑns / pɔns] 《英俗》 *n.* Ⓒ (매춘부의) 정부, 기둥서방(pimp); 간들거리는 남자.
— *vi.* 기둥서방이 되다, 건들거리며 나돌다《*about, around*》.

pon·cho [pántʃou / pɔ́n-] (*pl.* *~s*) *n.* Ⓒ 판초《(1) 남아메리카 원주민의 한 장의 천으로 된 외투. (2) 그 비슷한 우의》.

pon·cy [pánsi / pɔ́n-] *a.* 호모(homo) 같은; 간들거리는.

‡**pond** [pɑnd / pɔnd] *n.* ① Ⓒ 못; 늪; 샘물; 양어지. ② (the ~) 《英戱》 바다.

***pon·der** [pándər / pɔ́n-] *vi.* 《+전+명》 숙고하다, 깊이 생각하다《*on; over*》: He ~*d* long and

deeply *over* the question. 그는 그 문제를 오랫동안 깊이 생각했다.
—— *vt.* …을 신중히 고려하다 : I'm continually ~*ing* how to improve the team. 팀을 향상시킬 방법을 부단히 생각하고 있다.

pon·der·a·ble [pándərəbəl / pɔ́n-] *a.* ① (무게를) 달 수 있는, 무게 있는. ② 일고의 가치가 있는.

***pon·der·ous** [pándərəs / pɔ́n-] *a.* ① 대단히 무거운, 묵직한, 육중한. ② 다루기에 불편한. ③ 답답한, 지루한《담화·문체 따위》: The ~ reporting style makes the evening news dull viewing. 그 답답한 보도 스타일은 저녁 뉴스를 지루한 TV 프로로 만들고 있다. OPP *light.*
㊥ **~·ly** *ad.* **~·ness** *n.*

pónd lìfe 〔集合的〕 못에 사는 생물《작은 동물류》.

pónd lìly 〖植〗 서양 수련.

pone [poun] *n.* C.U 《美南部》 옥수수빵.

pong *n.* C 《口》 악취. —— *vi.* 악취를 발하다 (stink) : Take that thing away! It ~*s!* 저 물건을 치워라. 냄새가 고약하구나.

pon·gee [pandʒí: / pɔn-] *n.* U 산누에 실로 짠 명주《견직물의 일종》.

pongy [páŋi / pɔ́ŋi] (*pong·i·er ; -i·est*) *a.* 《英俗》 악취가 나는, 고약한 냄새가 나는.

pon·iard [pánjərd / pɔ́n-] *n.* C 단검, 비수.

pon·tiff [pántif / pɔ́n-] *n.* (the ~) 로마교황 (Pope) ; 주교(bishop) ; (유대의) 제사장 ; 〔一般的〕 고위 성직자. ***the Supreme*** 〔***Sovereign***〕 ***Pontiff*** 로마 교황.

pon·tif·i·cal [pantífikəl / pɔn-] *a.* ① 로마 교황의 ; 주교의. ② (유대의) 제사장의, 고위 성직자의. ③ 교만한, 독단적인. —— *n.* (*pl.*) 〖가톨릭〗 주교의 제의(祭衣) 및 휘장 ; 주교 전례서(典禮書). ***in full ~s*** 주교의 정장을 하고. ㊥ **~·ly** [-kəli] *ad.* 사제답게 ; 주교의 교권으로써, 주교로서.

pon·tif·i·cate [pantífikit / pɔn-] *n.* C pontiff 의 직위〔임기〕. —— [-kèit] *vi.* ① pontiff 로서 직무를 수행하다. ② 거드름피우다〔피우며 이야기하다〕 《*about ; on*》.

pon·toon [pantú:n / pɔn-] *n.* ① C (바닥이 평평한) 너벅선, 거룻배 ; (배다리용의) 납작한 배 ; 〖軍〗 (가교(架橋)〔주교〕용) 경주정(輕舟艇) 또는 고무 보트 ; 부교. ② C 〖空〗 (수상 비행기의) 플로트(float). ③ U 《英》 카드놀이의 일종. —— *vt.* …에 배다리를 놓다 ; (강)을 배다리로 건너다.

póntoon brídge 배다리, 부교.

‡**po·ny** [póuni] *n.* C ① 조랑말《키가 4.7 feet 이하의 작은 말》; 〔一般的〕 작은 말(small horse)《망아지는 colt 임》. ② 《美口》 (외국어 교과서·고전(古典) 따위의) 주해서(crib, trot). ③ 〔一般的〕 소형의 것, 몸집이 작은 여자 ; 소형 기관차. ④ 《口》 커닝페이퍼. ⑤ 《英俗》 (주로 내기에서) 25 파운드. ⑥ (*pl.*) 《俗》 경주마(racehorses). —— *vt., vi.* 《美俗》 ① (…을) 참고서로 예습하다. ② (돈을) 지불하다, (잔금을) 청산하다《*up*》: People can't even afford to ~ *up* for movie tickets. 사람들은 영화표 값을 지급할 여유조차 없다.

po·ny·tail [póunitèil] *n.* C ① 포니테일《뒤에서 묶어 아래로 드리운 머리》. ② 젊은 처녀.

póny trèkking 《英》 포니에 의한 여행.

pooch [pu:tʃ] *n.* C 《俗》 개, 《특히》 잡종개.

poo·dle [pú:dl] *n.* C 푸들《작고 영리한 복슬개》.

poof[1] [pu:f] *int.* ① 쏙《갑자기 나타나거나 사라지는 모양의 표현》. ② (세게 숨을 내뿜어) 훅. ③ = POOH.

poof[2] *n.* C 《英俗》 ① (남성의) 호모. ② 여자 같은 남자.

poof·ter [pú:ftə / -tə] *n.* 《英俗》 = POOF[2].

pooh [pu:] *int.* 흥, 피, 체《경멸·의문 따위를 나타냄》.

Pooh-Bah [pú:bá:] *n.* C (때로 p-b-) 한꺼번에 많은 역(役)을 겸하는 사람 ; 무능하고 거만한 사람《희가극 *The Mikado* 중의 인물 이름에서》.

pooh-pooh [pú:pú:] *vt.* 《俗》 …을 업신여기다, 멸시하다, 코방귀 뀌다.

‡**pool**[1] [pu:l] *n.* C ① 물웅덩이 ; 괸 곳 : a ~ of blood 피바다 / a ~ of sweat 빗물처럼 흐르는 땀. ② (인공의) 작은 못, 저수지. ③ (수영용) 풀 (swimming ~). ④ 깊은 늪.

***pool**[2] *n.* ① C 공동출자 ; 공동계산〔이용, 관리〕; 풀제(制) ; 기업연합. ② C 《美》 공동 이용 시설〔역무(役務) 등의〕 요원 : a car ~ 자가용차의 공동이용 ; 그 그룹 / motor ~ 모터풀. ③ C (내기의) 태운 돈 전부 : win a fortune from the ~*s* 여러 사람의 판돈을 몽땅 쓸어 한몫 보다. ④ U (돈을 걸고 하는) 당구의 일종. ⑤ 〖펜싱〗 각 팀의 리그전. ⑥ = COMMERCIAL POOL ; 〖新聞〗 합동 대표 취재. ⑦ (the ~s) 《英》 축구 도박 : ⇨ FOOTBALL POOLS.
—— *vt.* ① …을 공동 출자〔부담, 이용〕하다 : The two brothers ~*ed* their savings for three years to buy a car. 그 두 형제는 자동차를 사기 위해 3년간 함께 저금했다. ② 협력하다, 함께 하다 : Let's ~ our efforts. 함께 노력합시다. —— *vi.* 기업연합에 가입하다 ; 공동 출자하다.

póol hàll = POOL-ROOM.

pool·room [∠rù:m] *n.* C 《美》 내기 당구장.

póol tàble (pocket이 6개 있는) 당구대.

poop[1] [pu:p] *n.* C 〖海〗 선미루(船尾樓). OPP *forecastle.*

poop[2] *vt.* 《美俗》 숨을 헐떡이게 하다, 몹시 지치게 하다《흔히 과거분사적으로 형용사적으로 쓰임 ⇨pooped》. ~ ***out*** (겁이 나거나 지쳐서) 그만두다, 내팽개치다 ; 고장나다, 작동을 멈추다 : If I ~ *out* can you take over? 내가 지쳐 못하게 되면 자네가 대신 해 줄 수 있겠나? / The heater has ~*ed out* again. 히터가 또다시 고장났다.
—— *vi.* 몹시 지치다 ; 고장나다.

poop[3] *n.* U 《英俗》 바보, 멍청이. [◂ nincom*poop*]

poop[4] *n.* U 《俗》 (적절한) 정보, 실정, 내막.

pooped [pu:pt] *a.* 〖敍述的〗 《美口》 지쳐버린, 녹초가 된 : I'm really ~ (*out*). 정말 지쳤다.

póop(·er) scòoper [pú:p(ər)-] 《美》 푸퍼 스쿠퍼《개나 말 따위의 똥을 줍는 부삽》.

†**poor** [puər] (∠·*er* ; ∠·*est*) *a.* ① 가난〔빈곤〕한. OPP *rich, wealthy.* ¶ be born ~ 가난하게 태어나다. ② 빈약〔초라〕한. ③ 〔限定的〕 (비교 없음) (사람·동물이) 불쌍한, 가엾은, 불행한 : The ~ old man lost his only son. 불행하게도 그 노인은 외아들을 잃었다《수식되는 名詞의 성격을 나타내는 것이 아니라, 말하는 사람의 심정을 삽입적으로 나타내므로 副詞的으로 번역하는 것이 일반적》. ④ 〔限定的〕 (비교 없음) (고인에 대하여) 돌아가신, 고인이 된, 망(亡). ⑤ 부족한, 불충분한, (…이) 없는《*in*》: a country ~ *in* natural resources 천연 자원의 혜택을 받지 못한 나라. ⑥ (물건이) 빈약한, 내용이 빈약한, 조악(粗惡)한 ; (수확이) 흉작의 ; (땅이) 메마른 : a ~ crop 흉작 / ~ soil 메마른 땅 / The weather has been very ~ recently. 근래에는 일기가 몹시 불순하다. ⑦ (아무의 활동·작품 따위가) 서투른, 어설픈 ; 무능한 : a ~ speaker 말이 서투른 사람 / a ~ picture 서투른 그림 / a ~ student 공부를 잘 못하는 학생 / The girl is ~ at English. 그 소녀는 영어를 잘 못한다. ⑧ 열등한, 기력 없는, 건강치

못한 : ~ health 좋지 못한 건강, 약질 / a ~ memory 건망증이 심한 머리 / in ~ spirits 의기소침하여. ⑨〔限定的〕(비교 없음) (가치가) 보잘것 없는 ; 비열한 ; 겨우 …의 : in my ~ opinion 우견(愚見)으로는 / a ~ three day's holiday 겨우 3일간의 휴가 / What a ~ creature you are? 자넨, 정말 비열한 인간이군. ⑩ 약간의, 적은 : a ~ audience 약간의 청중. ⑪ (가축이) 야윈. ⑫ (the ~) 〔名詞的 用法〕 빈민(들) ; 생활 보호를 받는 사람. ◇ poverty *n.* ***as ~ as Job*** 〔***Job's turkey, a church mouse, Lazarus***〕 ⇨ CHRUCH.

póor bòx (교회의) 자선함, 헌금함.

poor·house [-hàus] *n.* 〖史〗 구빈원(救貧院).

póor làw 구빈법, 빈민 구호법.

‡**poor·ly** [púərli] *ad.* ① 가난하게. ② 빈약하게 ; 불충분하게 : a ~ paid job 급료가 낮은 일. ③ 서투르게 ; 졸렬하게. ④ 뜻대로 안 되어, 실패하여 ; 불완전하게. ~ ***off*** 생활이 어려운(ⓞⓟⓟ *well off*) ; 부족한《*for*》: In the 1970s the country was so ~ *off* it had to close many of its embassies around the world. 1970년대에 그 나라는 너무나 가난하여 세계 곳곳에 있던 많은 대사관을 폐쇄해야만 했다 / The expeditionary party was ~ *off for* provisions. 그 원정대는 식량이 충분하지 못했다. ***think ~ of*** …을 시시하게 여기다 ; …을 좋게 생각지 않다 : I *think* ~ *of* him. 나는 그를 좋게 생각지 않는다.

── *a.* 〔敍述的〕《口》 기분 나쁜(unwell), 몸이 찌뿌드드한 : feel ~. 기분이 좋지 않다.

póor màn's 〔限定的〕 대용이 되는, 값싸고 쓸모 있는, 소형판의 ; 가난한 사람의.

póor mòuth (구실·변명으로서) (자신의) 가난을 강조하는〔핑계대는〕 일〔사람〕; 가난을 과장해서 말하는 일.

poor-mouth [-màuð] *vi.* ① 가난을 푸념하다〔핑계삼다〕. ② 우는 소리를 하다, 넋두리하다 ; 궁상떨다. ── *vt.* …을 비방하다, 험담하다. ㊎ **~·er** *n.*

poor·ness [púərnis] *n.* Ⓤ ① 결핍, 부족. ② 불완전, 졸열, 조악, 열등. ③ 허약, 병약.

póor relátion (…에 비해서) 뒤떨어지는 사람〔물건〕《*of*》: It's a ~ *of* real champagne. 그것은 진짜 샴페인과는 비교가 안 된다(안 될 정도로 맛이 없다).

poor-spir·it·ed [-spíritid] *a.* 마음 약한.

póor whíte 《蔑》 (특히, 미국 남부의) 무지하고 가난한 백인.

pop**[1] [pɑp / pɔp] (-pp-***) *vi.* ① **a)** 《~ / +전+명》 펑 소리가 나다 ; 뻥 울리다 ; 펑 터지다 ; 《口》 탕 쏘다《*at*》: The cork ~*ed*. 코르크가 펑 소리를 냈다〔내며 빠졌다〕 / ~ *at* a mark 표적을 쏘다. **b)** 〖野〗 내야 플라이를 치다《*up*》, 내야 플라이를 치고 아웃이 되다《*out*》. ② 《+부 / +전+명》 불쑥 나타나다, 쑥 들어오다〔나가다〕, 갑자기 움직이다 《*in* ; *out* ; *up* ; *off*》: His head ~*ped out of* the window. 그의 머리가 창문 밖으로 불쑥 나타났다. ③ (놀라움으로 눈이) 튀어나오다《*out*》: When she saw the amount written on the check her eyes (nearly) ~*ped out* (of her head). 그녀는 수표에 적힌 금액을 보고 너무 놀라 눈알이 튀어 나올 지경이었다. ④ 펑하고 열리다 : The lid ~*ped* open. 마개가 펑하고 열렸다. ── *vt.* ① (폭죽 따위)를 펑펑 터뜨리다 ; (총)을 탕 쏘다, 발포하다 ; 《口》 때리다 : The kids were ~*ping* all the birthday balloons. 어린이들은 모든 생일축하 풍선을 펑펑 터뜨리고 있었다. ② (마개)를 펑하고 뽑다 : ~ the tab on a beer can 캔맥주의 탭을 확 열다. ③ 《美》 (옥수수 따위)를 튀기다. ④ 《+목+전+명 / +목+부》 확 움직이게 하다〔놓다, 내밀다, 찌르다〕《*in* ; *into* ; *out* ; *down*》: Please ~ the letter *into* the letter box. 그 편지를 우체통에 넣어 주십시오 / He ~*ped* his head *into* the room. 그는 방안으로 고개를 쑥 내밀었다 / *Pop* your shoes *on* and let's go. 빨리 신발을 신고 가자. ⑤ (갑자기) …에게 질문하다《*at*》: ~ a question *at* a person 아무에게 갑자기 질문을 하다. ⑥ 〖野〗 짧은 플라이를 쳐올리다. ⑦ 《英口》 전당잡히다. ⑧ 《俗》 (마약)을 먹다〔맞다〕; (스낵 등을) 연달아 먹다 : He was watching television, ~*ping* peanuts. 그는 연방 피넛을 먹으면서 텔레비전을 보고 있었다. ~ ***back*** 급히 돌아가다 ; 돌려주다 : I will ~ *back* in a jiffy. 곧 되돌아 오겠다. ~ ***in*** 돌연 방문하다 ; 갑자기 (안으로) 들어가다 : Why don't you ~ *in* and see us this afternoon? 어째서 오늘 오후 우리를 찾아오지 않았느냐. ~ ***off*** (1) 갑자기 나가다〔떠나가다〕. (2) 《俗》 갑자기 사라지다 ; 《口》 갑자기 죽다. (3) (불평 따위를) 노골적으로 말하다. (4) 말참견하다. ~ ***out*** 갑자기 튀어나오다〔꺼지다〕: 〖野〗 짧은 플라이로 아웃이 되다 ; 갑자기 죽다. ~ ***the question*** 《口》 (여자에게) 구혼하다《*to*》. ~ ***up*** (1) 별안간 나타나다 : She was startled when Lisa ~*ped up* at the door all smiles. 리자가 싱글거리며 문앞에 별안간 나타났을 때, 그녀는 놀랬다 / The subject just ~*ped up* in the conversation. 그 얘기가 대화 중에 갑자기 튀어나왔다. (2) 내야 플라이를 치다.

── *n.* ① Ⓒ 펑〔빵〕하는 소리 : the ~ of a cork 병마개가 뻥하고 빠지는 소리. ② Ⓒ 탕(총소리) ; 발포. ③ Ⓤ (마개를 뽑으면 뻥 소리를 내며) 거품이 이는 (청량) 음료《탄산수·샴페인 따위》. ④ Ⓒ 〖野〗 =POP FLY. ***a ~*** 낱낱에, 각각에. ***in ~*** 《英口》 전당잡혀. ***take*** 〔***have***〕 ***a ~ at*** 《美俗》 (1) …을 시험삼아 해보다. (2) (아무에게) 때리려고 달려들다.

── *ad.* ① 펑하고. ② 갑자기, 불시에.

pop[2] *a.* 〔限定的〕《口》 통속〔대중〕적인 팝 뮤직의 ; 팝 아트(조(調))의.

── *n.* ① Ⓤ 유행 음악, 팝 뮤직. ② Ⓒ 팝송. ③ Ⓤ =POP ART.

pop[3] *n.* Ⓒ 《口》 아버지 ; 아저씨《호칭》.

pop. popular(ly) ; population. **P.O.P.** point-of-purchase.

póp árt 팝 아트, 대중 미술(pop)《1962년경부터 뉴욕을 중심으로 한 전위미술 운동 ; 광고·만화·상업 미술 따위를 사용함》. 「연주회.

póp cóncert (교향악단의) 팝 콘서트, 팝 뮤직

***pop·corn** [pápkɔ̀ːrn / pɔ́p-] *n.* Ⓤ 팝콘.

póp cùlture 대중 문화.

Pope [poup] *n.* **Alexander** ~ 포프《영국의 시인 ; 1688-1744》.

***pope** [poup] *n.* Ⓒ ① (*or* P-) 로마 교황. ② 절대적인 권위를 가진 사람, 교황 같은 인물《오류를 범하지 않는다고 자타가 인정하는 사람》. ③ 〖그正敎〗 (Alexandria의) 총주교 ; 교구 성직자.

pop·ery [póupəri] *n.* (때로 P-) Ⓤ 《蔑》 천주교(의 제도, 관습). 「이.

pópe's nóse 《俗》 (요리한) 오리〔거위〕의 엉덩

Pop·eye [pápai / pɔ́p-] *n.* 포파이《미국 Elzie Segar의 만화(1929)의 주인공인 선원》.

pop-eyed [pápàid / pɔ́p-] *a.* 퉁방울눈의 ; (놀라서) 눈이 휘둥그래진.

póp féstival 팝 뮤직 따위의 음악제.

póp flý 〖野〗 짧은 플라이.

pop·gun [pápgʌ̀n / pɔ́p-] *n.* Ⓒ 장난감총《다치지 않도록 코르크나 종이 따위를 총알로 하는》; 《蔑》 쓸모없는 총.

pop·in·jay [pápindʒèi / pɔ́p-] *n.* Ⓒ ① 수다스럽

고 젠체하는 사람, 맵시꾼(fop). ②【鳥】 청딱따구리 ; 《古》 앵무새(parrot).

pop·ish [póupiʃ] *a.* (때로 P-) 《蔑》 로마교황의, 천주교의.

***pop·lar** [pάplər / pɔ́p-] *n.* ① Ⓒ 【植】 포플러. ② Ⓤ 그 목재.

pop·lin [pάplin / pɔ́p-] *n.* Ⓤ 포플린(옷감).

pop·o·ver [pάpòuvər / pɔ́p-] *n.* Ⓒ 《美》 팝오버 《살짝 구운 과자의 일종》.

pop·pa [pάpə / pɔ́p-] *n.* Ⓒ 《美口》 아빠 ; 아저씨, (여자에게 상냥한) 아저씨.

pop·per [pάpər / pɔ́p-] *n.* Ⓒ ① **a**) 펑 소리를 내는 사람〔것〕. **b**) (옥수수를) 볶는 그릇《프라이팬 따위》. **c**) 《英口》 똑딱단추. ② 훌쩍 찾아오는〔떠나는〕 사람.

pop·pet [pάpit / pɔ́p-] *n.* Ⓒ 《英口》 귀여운 아이 《애칭》: Come on, ~, it's time for bed. 아가야, 이리 온. 잘 시간이다.

pópping crèase 【크리켓】 타자선(打者線).

pop·py [pάpi / pɔ́pi] *n.* ① Ⓒ 【植】 양귀비《양귀비속 식물의 총칭》; 양귀비의 엑스(트랙트)《약용》, 《특히》 아편 ; (Poppy Day에 가슴에 다는) 조화의 양귀비 꽃. ② Ⓤ 황적색(~ red).

pop·py·cock [pάpikὰk / pɔ́pikɔ̀k] *n.* Ⓤ 《口》 무의미, 허튼〔당찮은〕 소리, 난센스.

Póppy Dày 《英》 휴전 기념일.

póppy réd 황적색.

pop-rock [pάprὰk / pɔ́prɔ̀k] *n.* Ⓒ 록풍의 팝 음악.

pops [pɑps / pɔps] *n.* 〔單數 또는 複數 취급〕 팝스 오케스트라. ── *a.* 〔限定的〕 팝스 오케스트라의 : a ~ concert 팝스 콘서트.

pop·shop [pάpʃὰp / pɔ́pʃɔ̀p] *n.* Ⓒ 《英俗》 전당포.

Pop·si·cle [pάpsikəl / pɔ́p-] *n.* Ⓤ 《美》 (가는 막대기에 얼린) 아이스캔디《ice lolly의 商標名》.

pop·ster [pάpstər / pɔ́p-] *n.* Ⓒ 《美俗》 팝 아트 작가(pop artist).

pop·sy, -sie [pάpsi / pɔ́p-] (*pl.* ***-sies***) *n.* Ⓒ 《口》 섹시한 젊은 여자, 여자 친구, 애인.

pop-top [pάptὰp / pɔ́ptɔ̀p] *a.* (깡통 맥주처럼) 잡아올려 따는 식의. ── *n.* Ⓒ 고리를 잡아올려 따는 깡통.

***pop·u·lace** [pάpjələs / pɔ́p-] *n.* (the ~) 〔集合的〕 ① 민중, 대중, 서민(common people) ; (어느 지역의) 전(全)주민(population). ② 하층 사회. ③ 《蔑》 오합지중(烏合之衆).

†pop·u·lar [pάpjələr / pɔ́p-] (***more ~ ; most ~***) *a.* ① 〔限定的〕 민중의, 서민의 : ~ discontent 민중의 불만 / the ~ opinion〔voice〕 여론, 민중의 소리 / ~ representation 국민 대표제 / ~ feelings 서민 감정 / ~ election 보통 선거. ② 대중적인, 통속적인 ; 쉬운 ; 값싼 : ~ music 대중음악 / ~ science 통속 과학 / ~ prices 대중(적) 가격, 염가 / a ~ edition 보급〔염가〕판 / ~ entertainment 대중 오락 / the ~ press 저속 신문 / Until quite recently in Britain, opera was not ~ entertainment. 극히 최근에 이르기까지 영국에서는 오페라는 대중적인 연예(演藝)가 아니었다. ③ 인기 있는, 평판이 좋은《*in ; among ; with*》: I'm not very ~ *with* the boss at the moment. 나는 현재로선 사장에게 그다지 인기가 없다. ④ 유행의, 널리 보급되어 있는《*among*》: ~ ballads 민요. ***in ~ language*** 쉬운 말로.

pópular educátion 보통 교육.

pópular etymólogy ⇨ FOLK ETYMOLOGY.

pópular frónt (종종 P- F-, the ~) 인민 전선.

‡pop·u·lar·i·ty [pὰpjəlǽrəti / pɔ̀p-] *n.* Ⓤ ① 인기, 인망 ; 유행 : win ~ 인기를 얻다, 유행하다 / ~ poll 인기 투표 / enjoy (great) ~ (굉장한) 인기를 누리고 있다 / his ~ with young people 젊은이들 사이의 그의 인기. ② 대중성, 통속성 ; 대중에 받아들여짐.

pop·u·lar·i·za·tion [pὰpjəraizéiʃən / pɔ̀p-] *n.* Ⓤ,Ⓒ 대중〔통속〕화.

pop·u·lar·ize [pάpjələràiz / pɔ́p-] *vt.* …을 대중〔통속〕화하다 ; 보급시키다.

***pop·u·lar·ly** [pάpjələrli / pɔ́p-] *ad.* ① 일반적으로, 널리 ; 대중 사이에 ; 일반 투표로. ② 쉽게, 평이하게, 통속적으로 : It's ~ believed〔supposed, thought〕 that …라고 널리 믿어지고〔생각되고〕 있다.

pópular náme 【生】 (학명(scientific name)에 대하여) 일반명, 속명(俗名).

pópular sóvereignty 국민 주권설, 주권 재민주의.

pópular vóte 《美》 일반 투표《대통령 후보 선출처럼 일정 자격이 있는 선거인이 행하는 투표》.

***pop·u·late** [pάpjəlèit / pɔ́p-] *vt.* ① …에 사람을 거주케 하다 ; …에 식민하다 : What peoples have ~*d* America? 지금까지 미국에 이주한 사람들은 어느 민족들인가. ② 〔종종 受動으로〕 …에 살다, …의 주민이다 : The cave is ~*d by* bats. 그 동굴에는 박쥐가 살고 있다 / Some 800 lions ~ the area. 약 800마리의 사자가 그 지역에 살고 있다.

‡pop·u·la·tion [pὰpjəléiʃən / pɔ̀p-] *n.* ① Ⓤ,Ⓒ 인구, 주민수 : have a ~ of over a hundred million 인구가 1억을 넘다 / What〔How large〕 is the ~ of Seoul? 서울의 인구는 얼마입니까. ② (the ~) 주민 ; (한 지역의) 전주민, 특정 계급의 사람들 : *The* whole ~ of the town came out to welcome him. 도시 주민 전체가 나와서 그를 환영했다. ③ (*sing.*) 【生】 (어떤 지역 안의) 개체군(個體群), 집단 ; 개체수. ④ Ⓤ 식민.

populátion dènsity 인구 밀도.

populátion explósion 인구 폭발.

pop·u·lism [pάpjəlìzəm / pɔ́p-] *n.* Ⓤ 인민주의.

***pop·u·lous** [pάpjələs / pɔ́p-] *a.* ① 인구가 조밀한 : The most ~ areas of the city are now in the suburbs. 이 도시에서 가장 인구가 조밀한 지역이 지금은 도시 근교지역이다. ② 사람이 붐빈 ; 사람이 혼잡한. ③ 사람수가 많은 : The tribes are not nearly so ~ as they once were. 그 부족의 인구는 과거와는 비교도 안될 만큼 줄었다.

㊞ **~·ness** *n.*

pop-up [pάpʌ̀p / pɔ́p-] *a.* 〔限定的〕 퐁〔탁〕하고 튀어나오게 되어 있는, 팝업식의 : a ~ toaster 팝업식〔알맞게 구어지면 빵이 자동적으로 튀어나오게 되어 있는〕 토스터.

***por·ce·lain** [pɔ́ːrsəlin] *n.* Ⓤ ① 자기(磁器). ② 〔集合的〕 자기 제품. cf. china. ── *a.* 〔限定的〕 자기로 만든.

pórcelain cláy 고령토(kaolin).

‡porch [pɔːrtʃ] *n.* Ⓒ ① 현관, 차 대는 곳, 입구. ② 《美》 =VERANDA(H).

por·cine [pɔ́ːrsain, -sin] *a.* 돼지의〔같은〕 ; 불결한 ; 욕심꾸러기의(swinish).

por·cu·pine [pɔ́ːrkjəpàin] *n.* Ⓒ 【動】 호저.

***pore**[1] [pɔːr] *vi.* 《+전+명》 ① 숙고하다, 곰곰이 생각하다《*over ; on, upon*》. ② 주시하다《*at ; on ; over ; in*》. ③ 열심히 독서〔연구〕하다 《*over*》: She spends her evenings *poring over* textbooks. 그녀는 교과서를 연구〔숙독〕하면서 저녁시간을 보낸다.

pore[2] *n.* Ⓒ 털구멍 ; 【植】 기공(氣孔), 세공(細孔) ; (암석 따위의) 흡수공. ***sweat from every ~*** 찌는 듯이 덥다 ; 식은땀을 흘리다.

por·gy [pɔ́ːrgi] (*pl.* ***-gies,*** 〔集合的〕 ~) *n.* Ⓒ 【魚】

도미 · 참돌의 무리.

‡**pork** [pɔːrk] *n.* [U] 돼지고기《식용》.

pórk bàrrel 《美俗》 특정 의원(議員)만을 이롭게 하는 국고 교부금, 지방 개발금.

pórk bùtcher 돼지고기 전문점(店).

pork·er [pɔ́ːrkər] *n.* [C] 식용 돼지 ; 살찐 새끼 돼지.

pórk pìe 《英》 ① 돼지고기 파이. ② =PORKPIE HAT.

pórk·pie hát [pɔ́ːrkpài-] 꼭대기가 납작한 소프트 모자.

porky [pɔ́ːrki] (***pork·i·er*** ; ***-i·est***) *a.* 돼지(고기) 같은 ; 《口》 살찐 : He's been looking *porkier* since he gave up smoking. 그는 금연한 후부터 더 살쪄 보인다.

por·no, porn [pɔ́ːrnou], [pɔːrn] (*pl.* ~***s***) 《口》 *n.* [C,U] 포르노(pornography) ; 도색〔포르노〕 영화 ; 포르노 작가. ── *a.* 포르노의.

por·nog·ra·pher [pɔːrnágrəfər / -nɔ́g-] *n.* [C] 포르노 작가.

por·nog·ra·phy [pɔːrnágrəfi / -nɔ́g-] *n.* [U] 춘화, 외설책, 에로책 ; 호색 문학.

po·ros·i·ty [pourásəti, pə- / pɔːrɔ́s-] *n.* [U] 다공(多孔)〔유공(有孔)〕성(性) ; [C] (작은) 구멍.

po·rous [pɔ́ːrəs] *a.* 작은 구멍이 많은, 기공(氣孔)이 있는 ; 다공성의 ; 침투성의. [파] ~·**ness** *n.*

por·phy·ry [pɔ́ːrfəri] *n.* [U] 〖地質〗 반암(斑岩).

por·poise [pɔ́ːrpəs] (*pl.* ~, ***-pois·es***) *n.* [C] ① 돌고래, 《특히》 참돌고래. ② 《英俗》 뚱뚱보.

‡**por·ridge** [pɔ́ːridʒ, pár- / pɔ́r-] *n.* [U] ① 포리지 《오트밀을 물이나 우유로 끓인 죽》; (말레이시아에서) 쌀죽. ② 《英俗》 수감(收監), 형기(刑期). ***do*** (one's) ~ 《英俗》 옥살이하다, 콩밥을 먹다. ***save*** 〔***keep***〕 one's ***breath to cool*** one's ~ 객쩍은 말참견을 삼가다.

por·rin·ger [pɔ́ːrindʒər, pár- / pɔ́r-] *n.* [C] (손잡이가 있는) 작은 죽그릇.

Por·sche [pɔːrʃ] *n.* [C] 포르셰《독일 Porsche 사(社)제의 스포츠카 ; 商品名》.

‡**port**[1] [pɔːrt] *n.* [C,U] ① 항구, 무역항. ② (특히 세관이 있는) 항구 도시 ; 개항장. ③ (배의) 피난소, 휴식소 : come safe to ~ 무사히 (항구에서) 난을 피하다. ***any*** ~ ***in a storm*** 궁여지책. ***in*** ~ 입항하여, 정박 중인. ***leave*** (***a***) 〔***clear a***〕 ~ 출항하다. ***make*** 〔***enter***〕 (***a***) ~ =***arrive in*** ~= ***come*** 〔***get***〕 ***into*** ~ 입항하다. ~ ***of call*** (1) 기항 항구 (2) 《口》 (여행 도중의) 체재지. (3) 자주 찾는 곳. ***touch a*** ~ 기항하다.
── *a.* 〔限定的〕 항만〔항구〕의, 항만에 관한.

port[2] *n.* [C] ① (군함의) 포문, 총안(銃眼) ; (상선의) 하역구(荷役口), 창구 ; 현문 ; 현창(舷窓). ② 《Sc.》 문 ; 성문. ③〖機〗 (가스 · 증기 따위의) 배출구, 실린더의 배출구.

port[3] *n.* [U] 〖海〗 (이물을 향하여) 좌현(左舷) ; 〖空〗 (기수를 향하여) 좌측. ── *a.* 〔限定的〕 좌현의.

port[4] *n.* [U,C] 포트와인(=∠ **wíne**)《포르투갈산(産)의 맛이 단 적포도주》.

port[5] *n.* ① [U] 태도, 태, 티, 거동, 모양, 풍채. ② (the ~) 〖軍〗 앞에총의 자세. ***at the*** ~ 앞에총을 하고. ── *vt.* 〖軍〗 (총)을 앞에총(을) 하다. ***Port arms !*** 앞에총《구령》.

Port. Portugal ; Portuguese. **port.** portrait.

‡**port·a·ble** [pɔ́ːrtəbəl] (***more*** ~ ; ***most*** ~) *a.* 들고 다닐 수 있는, 운반할 수 있는 ; 휴대용의.
── *n.* [C] 휴대용 기구, 포터블《타자기, 라디오, 텔레비전 따위》. [파] **port·abil·i·ty** [pɔ̀ːrtəbíləti] *n.* [U] 휴대할 수 있음. **pórt·a·bly** *ad.*

por·tage [pɔ́ːrtidʒ] *n.* ① [U] 연수 육운(連水陸運) 《두 수로를 잇는 육로》; 연수 육로 운반. ② [U] 운임 ; 운반(물). ③ [C] 연수육로.

***por·tal** [pɔ́ːrtl] *n.* [C] (흔히 *pl.*) ① (궁전 등 큰 건물의) 정문, 입구. ② 발단 : We stand at the ~*s* of a new age. 우리는 새 시대의 문턱에 서 있다.

pór·tal-to-pór·tal páy [pɔ́ːrtltəpɔ́ːrtl-] (출근에서 퇴근까지의) 근무 시간제 임금.

pórt chàrges 〔**dùties**〕 항만세, 입항세, 톤세.

port·cul·lis [pɔːrtkʌ́lis] *n.* [C] 내리닫이 쇠살문.

porte-co·chere [pɔ̀ːrtkouʃέər] *n.* [C] 《F.》 (지붕이 있는 현관의) 차 대는 곳.

por·tend [pɔːrténd] *vt.* …의 전조(前兆)가 되다, …을 미리 알리다 ; …의 경고를 주다 : strange events that ~ some great disaster 어떤 대재난(大災難)을 예시하는 이상한 사건들.

por·tent [pɔ́ːrtənt] *n.* ① [C] (궂은 일 · 대사건의) 징조, 전조(omen) ; 경이적인 사람 〔사건, 물건〕 《*of*》: The savage civil war there could be a ~ *of* what's to come in the rest of the region. 그곳의 그 참혹한 내전(內戰)은 그 지방의 여타 지역에서도 장차 일어날 일에 대한 전조일 수 있다. ② [U] (불길한) 의미 : an occurrence of dire ~ 불길한 의미를 갖는 사건.

por·ten·tous [pɔːrténtəs] *a.* ① 전조의 ; 불길한. ② 놀라운, 이상한 ; 무서운. ③ 《戱》 엄숙한 《침묵 따위》. [파] ~·**ly** *ad.*

‡**por·ter**[1] [pɔ́ːrtər] (*fem.* ***por·tress*** [-ris]) *n.* [C] 《英》 문지기, 수위(doorkeeper) ; (공동 주택의) 관리인 : a ~'s lodge 수위실.

‡**por·ter**[2] *n.* ① [C] 운반인 ; 짐꾼 ; (호텔의) 포터. ② [C] 《美》 (침대차 · 식당차의) 사환 ; 잡역부. ③ [U] 흑맥주(~s' ale). [cf] beer. ***swear like a*** ~ 마구 고함을 지르다. [파] ~·**age** [-təridʒ] *n.* [U] 운반 ; 운송업 ; 운임.

por·ter·house [pɔ́ːrtərhàus] *n.* [C,U] 큼직한 고급 비프스테이크(=∠ **stéak**).

port·fo·lio [pɔːrtfóuliòu] (*pl.* ***-li·os***) *n.* [C] ① **a**) 종이집게식 손가방 ; 관청의 서류 나르는 가방. **b**) (종이집게식) 화집, 화첩. ② 유가 증권 명세표, 포트폴리오 ; 자산 구성《각종 금융 자산의 집합》. ③ 장관의 지위〔직〕.

port·hole [pɔ́ːrthòul] *n.* [C] ① (배의) 현의 창문 ; 비행기의 창문. ② (요새 · 성벽의) 총안, 포문.

Portia [pɔ́ːrʃə / -ʃiə] *n.* 포샤. ① Merchant of Venice에 나오는 여주인공. ② 여자의 이름.

por·ti·co [pɔ́ːrtikòu] (*pl.* ~(***e***)***s***) *n.* [C] 〖建〗 주랑(柱廊) 현관.

por·tiere [pɔːrtjέər, -tiέər] *n.* [C] 《F.》 (문간 등에 치는) 휘장, 막.

‡**por·tion** [pɔ́ːrʃən] *n.* ① [C] 한 조각, 일부, 부분(part) 《*of*》: A ~ *of* each school day is devoted to mathematics. 매일 수업의 일부는 수학에 할당된다. ② [C] 몫(share) 《*of*》; (음식의) 1 인분 《*of*》: a ~ *of* pudding 한 사람분의 푸딩 / a ~ *of* the blame (for …) (…에 대한) 한가닥 책임 / eat two ~*s of* chicken 닭고기 2 인분을 먹다. ③ (one's ~) 운명, 운(lot) : accept *one's* ~ in life 운명을 감수하다. ④ [C] 〖法〗 분배 재산 ; 유산의 한 몫 ; 상속분 ; 지참금(dowry).
── *vt.* ① 《~+[목] / +[목]+[부]》 나누다, 분할하다, 분배하다《*out*》: ~ *out* food 식량을 분배하다 / We'll have to ~ the money *out* among〔between〕 the six of us. 그 돈은 우리 여섯 사람 사이에서 나누어야 할 것이다. ② 《+[목]+[전]+[명]》 몫으로 주다 《*to*》; …에게 상속분 〔지참금〕을 주다《*with*》. ③ …에게 운명을 지우다 : She is ~*ed with* misfortune. 그녀는 불행한 운명을 타고났다.

Pórt·land cemént [pɔ́:rtlənd-] 포틀랜드 시멘트.

Pórtland stóne 영국 Isle of Portland 산(産)의 건축용 석회석.

port·ly [pɔ́:rtli] (**-li·er ; -li·est**) a. (중년의 사람이) 살찐 ; 당당한, 풍채 좋은.

port·man·teau [pɔ:rtmǽntou] (pl. **~s, ~x** [-z]) n. [C] 《F.》(양쪽으로 열리게 된) 여행 가방.

portmánteau wòrd 〖言〗 혼성어(blend).

‡**por·trait** [pɔ́:rtrit, -treit] n. [C] ① 초상 ; 초상화 ; 초상〔인물〕 사진. ② (언어에 의한 인물의) 생생한 묘사. [派] **~·ist** n. [C] 초상화가.

por·trai·ture [pɔ́:rtrətʃər] n. [U] 초상화법.

***por·tray** [pɔ:rtréi] vt. ① (풍경 따위)를 그리다, …의 초상을 그리다 : The picture *~s* an incident. 그 그림은 어떤 사건을 묘사한 것이다. ② (문장에서 인물)을 묘사하다(depict) ; …을 극적으로 표현하다 : The writer *~s* life in an working-class community at the turn of the century. 그 작가는 그 세기(世紀)의 전환기의 노동자계급 사회의 삶을 묘사하고 있다. ③ (배우가 역)을 연기하다. [派] **~·al** [-tréiəl] n. [U] 그리기 ; 묘사, 기술(記述) ; [C] 초상(화).

Port Sa·id [pɔ́:rt-sɑ:í:d, -sáid] 포트사이드《수에즈 운하의 지중해쪽 항구 도시》.

Ports·mouth [pɔ́:rtsməθ] n. 포츠머스. ① 영국 남부의 항구. ② 미국 New Hampshire 주의 항구《러·일 강화 조약 체결지(1905)》.

***Por·tu·gal** [pɔ́:rtʃəgəl] n. 포르투갈《수도는 「Lisbon」》.

***Por·tu·guese** [pɔ̀:rtʃəgí:z, -gí:s, ˈ--ˈ] (pl. ~) n. ①[C] 포르투갈 사람. ②[U] 포르투갈 말.
── a. 포르투갈의 ; 포르투갈 사람〔말〕의.

Pórtuguese man-of-wár 〖動〗 고깔해파리, 《俗》 전기해파리.

por·tu·laca [pɔ̀:rtʃəlǽkə] n. [C] 〖植〗 쇠비름속(屬)의 일년〔다년〕초《특히 채송화》.

POS point-of-sale.

‡**pose**[1] [pouz] n. [C] ① (사진·초상화 등의) 포즈, 자세. ② (꾸민) 태도, 겉치레 : Everything he says is only a ~. 그의 말은 모두 겉치레일 뿐이다.
── vi. ①《~ / +[전]+[명]》 자세〔포즈〕를 취하다 ; (모델로서) 포즈를 잡다 : Before going into their meeting the six foreign ministers *~d for* photographs. 6명의 외무장관들은 회의에 들어가기에 앞서 사진촬영을 위해 포즈를 취했다. ②《~ / +*as* [보]》 (어떤) 태도를 취하다, 짐짓 …인 체하다 ; (…을) 가장하다 : ~ *as* a richman 부자인 체하다 / He *~d as* an authority on the subject. 그는 짐짓 그 문제의 권위자인 체했다.
── vt. ①《~+[목] / +[목]+[전]+[명]》 …에게 자세를 취하게 하다 ; …을 적절히 배치하다《*for*》: The group was well *~d for* the photograph. 그룹은 촬영을 위해 잘 배치되었다. ② (요구 따위)를 주장하다, (문제 등)을 제기하다 : The increased cost of living *~d* many problems. 생활비의 상승으로 많은 문제들이 생겼다.

pose[2] vt. (어려운 문제〔질문〕 따위로 아무)를 괴롭히다 ; 궁지에 빠지게 하다.

Po·sei·don [pousáidən, pə-] n. 〖그神〗 포세이돈《해신(海神) ; 로마 신화의 Neptune에 해당》.

pos·er[1] [póuzər] n. [C] 어려운 문제〔질문〕.

pos·er[2] n. [C] ① =POSEUR. ② (그림·사진 등의) 모델.

po·seur [pouzə́:r] n. [C] 《F.》 짐짓 점잔빼는 사람, 새침데기.

posh[1] [pɑʃ / pɔʃ] a. ①《口》 (호텔 등) 호화로운. ② (복장 등) 우아한, 스마트한, 멋진. ── ad. 스마트하게, 짐짓 점잔 빼며 : talk ~ 점잖빼며 이야기하다 / act ~ 짐짓 점잖게 행동하다.

posh[2] int. 체《경멸·혐오를 나타냄》.

pos·it [pázit / pɔ́z-] vt. 〖論〗 …을 가정〔단정〕하다 ; …라고 가정〔단정〕하다《*that*》. ── n. [C] 가정.

†**po·si·tion** [pəzíʃən] n. ① [C] **a)** 위치, 장소, 소재지 ; 적소. **b)** (흔히 sing.) 처지, 입장. ② [U,C] 지위, 신분 ; 높은 지위 : Whether or not you're given a car depends on your ~ in the company. 차가 주어지는지 아닌지는 회사에서의 자네의 지위에 달려 있다. ③ [C] 직책, 직(職), 근무처. ④ [U] 태도, 자세 ; 심적 태도 ; [C] (문제 등에 대한) 입장, 견해, 주장 : What is your ~ on this question? 이 문제에 대한 자네 생각은 어떤가. ⑤ [C] 상태, 형세, 국면. ⑥ [U] 〖競〗 수비(공격) 위치 ; (체스 등의 말의) 배치 : What ~ do you play? 경기에서의 네 위치는 무엇이냐. ***in a false ~*** 달갑잖은〔난처한〕 입장에. ***in*** (my) ~ (내) 처지로는. ***maneuver*** 〔***jockey***〕 ***for*** ~ 유리한 위치를 차지하려고 꾀하다. ***out of*** ~ 부적당한 자리에 놓여 ; 위치에서 벗어나 ; 탈이 나서.
── vt. …을 적당한 장소에 두다〔놓다〕 ; (상품)을 특정 구매자를 노리고 시장에 내다 ; 〖軍〗 (부대)를 배치하다 ; 《稀》 …의 위치를 정하다 : Alarms are *~ed* at strategic points around the prison. 경보장치가 교도소 주변의 요소요소에 설치되어 있다.

po·si·tion·al [pəzíʃənəl] a. ① 위치(상)의 ; 지위의. ② 〔限定的〕 〖스포츠〗 수비(상)의 : make ~ changes 수비위치를 바꾸다.

posítion pàper (정부·노조 등의) 정책 방침서, 해명서 ; (회의 등에서의) 토의 자료.

‡**pos·i·tive** [pázətiv / pɔ́z-] (**more ~ ; most ~**) a. ① 〔敍述的〕 확신하는, 자신 있는 : I'm ~ that this man stole the car. 이 사람이 차를 훔친 것은 틀림없다. ② 단정적인, 명확한, 의문의 여지 없는 ; 확실한, 확언한, 단호한 : make a ~ statement of one's position 자신의 입장을 명확히 진술하다. ③ 긍정적인 ; 적극적인, 건설적인. [opp] *negative.* ¶ a ~ attitude toward the life〔future〕 인생〔장래〕에 대한 긍정적인 태도. ④ (사람·태도가) 자신이 있는〔넘치는〕, 자신과잉의 : One must be ~, but not too ~. 누구나 자신을 가질 필요가 있으나 지나쳐서는 안된다. ⑤ 실재하는. ⑥ 실제적〔실증적〕인 : ~ virtue 실행으로 나타내는 덕. ⑦ 〖物·電〗 양(성)의 ; 〖醫〗 (반응이) 양성(陽性)의 ; 〖數〗 양(陽)의, 플러스의 ; 〖寫〗 양화(陽畫)의. [opp] *negative.* ¶ a ~ number 〖數〗 양수(陽數) / the ~ sign 〖數〗 플러스 기호《+》. ⑧ 〖文法〗 원급(原級)의. [cf] comparative. ⑨ 〔限定的〕《口》 완전한, 순전한 : a ~ nuisance 정말 귀찮은 것 / a ~ fool 진짜 바보.
── n. ① [C] 현실(물) ; 실재. ② [U] (성격 따위의) 적극성, 적극적 측면. ③ (the ~) 〖文法〗 원급(= ~ degree). ④ [C] 〖數〗 양수 ; 정량(正量) ; 〖電〗 양극판 ; 〖寫〗 양화.

pósitive láw 〖法〗 실정법(實定法).

***pos·i·tive·ly** [pázətivli / pɔ́z-] ad. ① 확실히, 절대적으로 : The body has been ~ identified. 그 시체는 확실히 신원이 판명되었다. ② 정말로 ; 단연 : It's ~ incredible. 전혀 믿을 수 없는 일이다. ③ 적극적으로, 건설적으로 ; 실제적으로 : think ~ 사물을 적극적으로 생각하다. ④ 〖電〗 양전기로.
── int. 단연, 물론.

pos·i·tiv·ism [pázətivìzəm / pɔ́z-] n. [U] 실증 철학, 실증론 ; 실증주의.

pos·i·tron [pázətrɑ̀n / pɔ́zətrɔ̀n] n. [C] 〖物〗 양전자. [◂ *posi*tive+elec*tron*]

poss. possession ; possessive ; possible ; possibly.

pos·se [pási / pɔ́si] *n.* Ⓒ 《L.》 ① 《美》 (치안 유지 따위를 위하여 법적(法的) 권한을 가진) 민병대, 경호단. ② 《俗》 일단, 집단《*of*》.

‡**pos·sess** [pəzés] *vt.* ① 《수동태·진행형 불가》 **a**) …을 소유하다, 가지고 있다 : They have been charged with ~*ing* guns and explosives. 그들은 총포와 폭약 소지(所持)의 혐의를 받고 있었다. **b**) (자격·능력)을 지니다, 갖추다(have) : ~ wisdom〔courage, a sturdy character〕 지혜가 있다〔용기, 굳은 성격〕을 가지고 있다 / In the past the root of this plant was thought to ~ magical powers which could cure impotence. 옛날에는 이 나무의 뿌리는 성(性) 불능을 고칠 수 있는 신묘한 능력을 가지고 있다고 여겨졌다. ② (마음·감정 등)을 억제하다 : ~ one's temper 노염을 참다. ③ 〔再歸的〕 …을 자제하다, 인내하다 : ~ one*self* in patience 꾹 참다. ④ 《+목+전+명》 (마음·자신)을 …의 상태로 유지하다 : ~ one's soul *in* peace 마음을 편안히 가지다. ⑤ …을 점유하다 ; 손에 넣다 ; (여자와) 육체 관계를 가지다. ⑥ 〔흔히 受動으로〕 (악마·귀신이) …에게 들리다〔씌다〕《*with* ; *by* ; *of*》. ⑦ 《~+목 / +목+*to* do》 (감정·관념 따위가) …을 지배하다, …의 마음을 사로잡다 : Rage ~*ed* him. 심한 분노가 그를 사로잡았다. ⑧ 〔what ~ed 의 형태로〕 …에게 (…하도록) 작용하다《*to* do》 : *What* on earth had ~*ed* her to agree to marry him? 도대체 무엇 때문에 그녀가 그에게 결혼할 것을 동의했지. ~ one***self of*** …을 자기 것으로 하다.

pos·sessed** [pəzést] *a.* ① 〔敍述的〕 (…에) 홀린, 씐, 미친, 열중한《*by* ; *of* ; *with*》 : He's ~ *by* a fear of failure. 그녀는 실패의 공포감에 사로잡혀 있다. ② 〔때때로 명사 뒤에 와서〕 홀린, 열중한. ③ 침착한, 냉정한 : She remained ~ despite the trying circumstance. 고된 환경에도 불구하고 평정을 잃지 않았다. ***like one 〔《美》 ***all***〕 ~ 악마에 홀린 듯이 ; 열심히, 맹렬히.

‡**pos·ses·sion** [pəzéʃən] *n.* ① Ⓤ 소유 ; 입수 ; 점령, 점거, 점유 : The cocaine was found in his ~. 그 코카인은 그의 소유임이 발각되었다 / He obtained ~ of a small factory. 그는 작은 공장을 입수하였다. ② (*pl.*) 소유물, 소지품 ; 재산 : lose all one's ~*s* 전 재산을 잃다. ③ Ⓒ 속령, 영지, 속국. ④ Ⓤ 홀림, (감정의) 사로잡힘 : They were convinced the girls' behavior was due to ~ by the devil. 그 소녀의 거동은 귀신에 씌었기 때문이라고 그들은 여겨졌다. ***get*** 〔***take***〕 ~ ***of*** …을 입수하다, …을 점유하다 : You cannot legally *take*〔*get*〕 ~ *of* the property until three weeks after the contract is signed. 계약서에 서명한 후 3주일이 지나기 전에는 그 자산은 법적으로 점유할 수 없다. ***in the ~ of*** …에 소유되어. ***rejoice in the ~ of*** 다행히도 …을 소유하다. ***with the full ~ of*** …을 독점하여.

‡**pos·ses·sive** [pəzésiv] *a.* ① **a**) 소유의, 소유욕이 강한 : He has a strong ~ instinct. 그는 소유욕이 강하다. **b**) 〔敍述的〕 독점하고 싶어하는 《*about* ; *with* ; *of*》 : He's very ~ toward(s) his wife. 그는 아내에 대한 독점욕이 대단히 강하다. ② 〖文法〗 소유를 나타내는. ── 〖文法〗 *n.* ① (the ~) 소유격. ② Ⓒ 소유형용사〔대명사〕.

***pos·ses·sor** [pəzésər] *n.* Ⓒ (흔히 *sing.* ; 종종 the ~) 소유자 ; 〖法〗 점유자《*of*》.

pos·set [pásit / pɔ́s-] *n.* Ⓤ,Ⓒ 포시트, 밀크주《뜨거운 우유에 포도주·향료 등을 넣은 음료 ; 전에 감기약으로 썼음》.

‡**pos·si·bil·i·ty** [pὰsəbíləti / pɔ̀s-] *n.* ① Ⓤ,Ⓒ 가능성, 실현성, 있을〔일어날〕 수 있음《*of*》 : There's quite a ~ that war may break out. 전쟁이 발발할 가능성이 충분히 있다. ② Ⓒ 실현〔실행〕 가능한 일〔수단〕 : Failure is a ~. 실패도 있을 수 있다. ③ (종종 *pl.*) 발전의 가능성, 장래성. ***be within the bounds***〔***range, realms***〕 ***of*** ~ 있을 수 있는 일이다 : It *is* quite *within the bounds of possibilities* that he will succeed in his enterprise. 그의 기업은 제법 성공할 가능성이 있는 것 같다. ***by any*** ~ (1) 〔條件節에서〕 만일에, 혹시 : if *by any* ~ I am absent, …혹시 내가 없거든 …. (2) 〔否定語와 함께〕 도저히 …, 아무래도 … : I can'*t by any* ~ be in time. 아무래도 시간에 댈 수 없다 / He knew what he wanted to say, but he could *never by any* ~ say it. 그는 하고 싶은 말이 무엇인지를 알고 있었으나 도저히 그것을 말할 수 없었다.

†**pos·si·ble** [pásəbəl / pɔ́s-] *a.* ① **a**) (일 따위가) 가능한, 할 수 있는《이런 의미로 사용할 경우 '사람'을 주어로 하지는 않는다. 따라서 He is ~ 의 형은 성립되지 않는다》 : a ~ but difficult job 가능하나 힘드는 일 / a ~ excuse〔answer〕 생각할 수 있는 구실〔대답〕 / It's ~ to prevent disease. 질병의 예방은 가능하다. **b**) 〔敍述的〕 (일 따위가) (사람에게) 가능한《*for* ; *to* ; *with*》 : All things are ~ *to* God. 하나님에게는 모든 것이 가능하다. **c**) (…하는 것이) 가능한 : Is it ~ *for* him *to* get there in time? 그가 시간에 대어 그곳에 도착할 수 있을까. ② 있음직한, 일어날 수 있는 : Frost is ~ even in May. 5월에도 서리가 내리는 수가 있다. ③ 진실〔정말〕일지도 모르는 : It is ~ *to* drown in a few inches of water. 수 인치의 깊이의 물에서도 빠져 죽을지도 모른다. ④ 《口》 그런대로 괜찮은. ⑤ 〔최상급, all, every 등에 딸려 그 의미를 강조함〕 할 수 있는 한의 : provide *all* ~ help 가능한 한의 모든 원조를 제공하다. ***as. . . as*** ~ 되도록 (=as … as one can) : Please make your decision *as* soon *as* ~. 가능한 한 빨리 결정해 주세요. ***if*** ~ 가능하다면.

── *n.* ① (*pl.*) 가능한 일, 있을 수 있는 일. ② (the ~) 가능성 : That's quite beyond the bounds of *the* ~! 그것은 전혀 불가능하다. ③ (one's ~) 전력. ④ Ⓒ 후보자, 선수 후보자《*for*》 : He had been on the Nobel Prize committee's list of ~*s*. 그는 노벨상 심사위원회의 후보자 명단에 올라 있었다.

‡**pos·si·bly** [pásəbəli / pɔ́s-] *ad.* ① 〔문장 전체를 수식〕 어쩌면, 혹은, 아마(perhaps, maybe) : He may ~ come. 어쩌면 올지도 모르겠다 / Can you come?—*Possibly*, but I'm not sure. 올 수 있겠나 —아마 그럴 것 같네, 그러나 장담은 못하네. ② 〔肯定文에서 can 과 같이〕 어떻게든지 해서, 될 수 있는 한. ③ 〔疑問文에서 can 과 같이〕 어떻게든지 해서, 제발《정중한 부탁을 나타냄》 : *Can* you ~ help me? 어떻게 좀 도와 주지 않겠습니까 / *Could* you ~ lend me your pen? 펜 좀 빌려 주시겠습니까《Could you lend …? 보다 정중한 표현》. ④ 〔否定文에서 can 과 같이〕 아무리 해도, 도저히 (…않다) : I *cannot* ~ do it. 도저히 할 수 없다.

pos·sum [pásəm / pɔ́s-] 《口》 *n.* 〖動〗 = OPOSSUM ; 《Austral., N. Zeal.》 = PHALANGER. ***play*** ~ 꾀병부리다 ; 죽은〔자는〕 체하다 ; 속이다 ; 시치미떼다.

‡**post**[1] [poust] *n.* ① Ⓒ 기둥, 말뚝, 문기둥, 지주(支柱) ; 푯말. ② (the ~) (경마 등의) 표주(標柱) : a starting 〔winning〕 ~ 출발점〔결승점〕 표주. ③ Ⓒ 〖鑛山〗 탄주(炭柱), 광주(鑛柱). ***be on the wrong*** 〔***right***〕 ***side of the*** ~ 행동을 그르

치다〔바로 하다〕: At length his horse ran *on the wrong side of the* ~, and was distanced. 끝내는 그의 말은 코스를 잘못 달려 크게 뒤졌다.
— *vt.* ① 《~+목 / +목+부 / +목+전+명》 (게시·전단 따위)를 붙이다《*up*》; …에 붙이다《*with*》: ~ the board (*over*) *with* bills 게시판 전면에 광고를 붙이다. ② 《~+목 / +목+전+명》 게시〔공시〕하다; 게시하여 알리다, 퍼뜨리다: ~ a person *for* a swindler 아무를 사기꾼이라고 소문내며 다니다. ③ 《~+목 / +목+*as* 보》 〔흔히 受動으로〕 (배)를 행방 불명이라고 발표하다. ④ 《英》 (대학에서 불합격자)를 게시하다. ⑤ 《美》 (토지)에 출입 금지〔금렵구(區)〕 게시를 하다. ⑥ 〖競〗 (스코어)를 기록하다.

‡post² *n.* Ⓒ ① **a)** 지위(position), 직(職), 직장: get a ~ as a teacher 교사의 직을 얻다 / resign one's ~ 사임하다 / hold a ~ at a hospital 병원에 근무하다. **b)** 〖軍〗 부서, 초소, 경계 구역: Remain at 〔Don't desert〕 your ~, until relieved. 교대시까지 자기 부서를 이탈하지 말 것. ② 〖軍〗 주둔지; 주둔 부대. ③ (미개지 원주민과의) 교역(交易)소. ④ 《美》 (재향 군인회의) 지부. ⑤ 〖英軍〗 취침 나팔; 군장(軍葬) 나팔.
— *vt.* ① 《~+목 / +목+전+명》 (보초병 등)을 배치하다《*to*》: They ~*ed* soldiers *at* the gates of the palace. 그들은 궁전 출입문에 군인을 배치했다. ② 《~+목+전+명》 〔흔히, 受動으로〕 《英》 …에 배속〔전출〕시키다《*to*》.

†post³ *n.* ① Ⓤ 《英》 우편(《美》 the mail), 우편 제도; 〔集合的〕 우편물. ② (the ~) 집배(集配), 편(便)《우편물의 차편·배편 따위》: A couple of letters came for you in *the* second ~. 두장의 편지가 두 번째 배달편에 자네에게 왔다. ③ 《英》 (the ~) (1회 배달분의) 우편물: Unless it's marked 'private' my secretary usually opens my ~. '친전(親展)'이라는 표시가 없는 한 언제나 비서가 내 편지를 개봉한다. ④ (the ~) 《英》 우체국; 우체통 (《美》 mailbox): Put this letter in *the* ~, please. 이 편지를 우체통에 넣어주십시오. ⑤ Ⓒ 《古》 역참(stage), 역참간의 거리. ⑥ (P-) 신문의 이름: the Washington *Post*. ***by return of*** ~ ⇨ RETURN. — *vt.* ① 《英》 …을 우송하다; 투함(投函)하다 (《美》 mail): ~ a letter 편지를 부치다 / I must ~ that parcel (off) or she won't get it in time for her birthday. 저 소포를 부쳐야 한다. 그렇지 않으면 그것을 그녀가 생일날에 맞추어 받지 못할 것이다. ② 《~+목 / +목+부》 〖簿記〗 전기(轉記)하다, 분개(分介)하다《*up*》: ~ sales 매출액을 원장에 기입하다 / ~ *up* a ledger (분개장에서) 원장에 전부 기입하다. ③ 《+목+부 / +목+전+명》 …에게 최근의 정보를 알리다; 〔흔히 受動으로〕 (…에) 통하고 있다《*in; on; about*》: He *is* well ~*ed* (*up*) *in* current politics. 작금의 정정(政情)에 밝다. — *vi.* 급히 여행하다; 서두르다; 〖史〗 파발마(馬)로 여행하다. ***be well ~ed (up) in*** ⇨ *vt.* ③.

post- '후, 다음'의 뜻의 결합사. opp *ante-, pre-*.

‡post·age [póustidʒ] *n.* Ⓤ 우편 요금: How much ~ should I pay for 〔on〕 this parcel? 이 소포의 송료로 얼마를 지급해야 합니까.

póstage mèter 《美》 (요금 별납 우편물의) 우편 요금 미터 스탬프.

‡póstage stàmp 우표; 《口》 비좁은 자리.

‡post·al [póustəl] *a.* 〔限定的〕 ① 우편의; 우체국의. ② 우송〔우편〕에 의한: Unions would elect their leadership by secret ~ ballot. 노동조합들은 자신들의 지도부를 비밀 우편 투표로 선출할 것이다. ***the Universal Postal Union*** 만국 우편 연합《略: UPU》.

***póstal càrd** 《美》 관제 엽서; =POSTCARD.

Póstal Còde Númber, Póstal Còde No. 우편 번호.

póstal òrder 《英》 우편환《略: P.O.》.

póstal sérvice 우편 업무; (the (US) P- S-) (미국) 우정(郵政) 공사《1971년 the Post Office 를 개편한 것》.

post·bag [póustbæ̀g] *n.* Ⓒ ① 《英》 우편낭, 행낭(《美》 mailbag). ② (*sing.*) 〔集合的〕 (한번에 받는) 우편물: get *a* big ~ 우편물이 많이 오다.

post·box [póustbɑ̀ks / -bɔ̀ks] *n.* Ⓒ 《英》 우체통 (《美》 mailbox); (각 가정의) 우편함.

‡post·card [póustkɑ̀ːrd] *n.* Ⓒ 우편 엽서; 《美》 사제 엽서, 《특히》 그림 엽서(picture ~).

post·code [póustkòud] *n.* Ⓒ 《英·Austral.》 우편 번호(《美》 zip code).

post·date [pòustdéit] *vt.* ① (편지·수표·사건 등의) 날짜를 실제보다 늦추어 달다, 날짜를 차례로 늦추다. ② (시간적으로) …의 뒤에 오다.
— *n.* Ⓒ (증서 등의) 사후 일부(日付).

post·doc·tor·al, -tor·ate [pòustdɑ́ktərəl / -dɔ́k-], [-tərit] *a.* 박사 학위 취득 후의.

***post·er** [póustər] *n.* Ⓒ 포스터, 광고 전단.

póster còlor 〔pàint〕 포스터 컬러.

poste res·tante [pòustrestɑ́ːnt / ˌ-ˌ-] 《F.》 〖郵〗 유치(留置)《우편물의 표기》 (《美》 general delivery); 《주로 英》 (우체국의) 유치과(課).

pos·te·ri·or** [pɑstíəriər / pɔs-] *a.* 〔敍述的〕 ① (시간·순서가) 뒤의, 다음의《*to*》. ② 〔限定的〕 (위치가) 뒤의, 배면(背面)의. opp *anterior*. ③ 〖動〗 미부(尾部)의; 〖解〗 후배부(後背部)의. ~ ***to …보다 뒤에. — *n.* Ⓒ (몸의) 후부(後部); 엉덩이.

‡pos·ter·i·ty [pɑstérəti / pɔs-] *n.* Ⓤ 〔集合的〕 ① 후세〔후대〕의 사람들. opp *ancestry*. ② 〔흔히 one's ~〕 자손. ***hand down . . . to*** ~ …을 후세에 전하다: Confucius's teachings were *handed down to* ~ by his disciples. 공자의 가르침은 그 제자들에 의해 후대의 사람들에게 전해졌다.

pos·tern [póustəːrn, pɑ́s-] *n.* Ⓒ 뒷문; 협문(夾門); 성채의 뒷문; 〖築城〗 지하도; 샛길, 도피로.

póster pàint =POSTER COLOR.

póst exchànge 〖美陸軍〗 매점《略: PX》.

post-free [póustfríː] *a., ad.* 우송료 무료의〔로〕; 《英》 우송료 선불의〔로〕(postpaid).

post·grad·u·ate [póustgrǽdʒuit, -èit] *a.* ① 대학 졸업 후의. ② 대학원의(《美》 graduate).
— *n.* Ⓒ 대학원 학생, 연구(과)생.

post·har·vest [pòusthɑ́ːrvist] *a.* 수확 후의.

post·haste [póusthéist] *ad.* 급행〔지급〕으로.

post·hu·mous [pɑ́stʃuməs / pɔ́s-] *a.* ① 사후의, 사후에 태어난: confer ~ honors 추서(追敍)하다《*on*》. ② 저자의 사후에 출판된: ~ works 유저(遺著). ③ 부(父)의 사후에 태어난.

pos·til·ion, 《英》 **-til·lion** [poustíljən, pɑs-] *n.* Ⓒ (마차의) 기수장(騎手長).

post-im·pres·sion·ism [pòustimpréʃənìzəm] *n.* Ⓤ 〖美術〗 후기 인상파.

post·ing [póustiŋ] *n.* Ⓒ 임명, 배속.

post·man** [póus*t*mən] (*pl.* ***-men [-mən]) *n.* Ⓒ 우편 집배원.

post·mark [póus*t*mɑ̀ːrk] *n.* Ⓒ 소인(消印).
— *vt.* 〔흔히 受動으로〕 …에 소인을 찍다: This letter *is* ~*ed* Seoul 9 April. 이 편지에는 서울 4월 9일자 소인이 찍혀 있다.

post·mas·ter** [póus*t*mæ̀stər, -mɑ̀ːs-] (*fem.* ***póst·mìs·tress) *n.* Ⓒ 우체국장《略: P.M.》.

póstmaster géneral (*pl.* ***postmasters g-***) 《美》 우정 공사 총재, 《英》 체신공사 총재.

post me·rid·i·em [pòust-mərídiəm] 《L.》 오후(略 : P.M., p.m.).

post·mis·tress [póus*t*mìstris] *n.* Ⓒ 여자 우체국장.

post·mod·ern·ism [pòustmádə:rnìzəm / -mɔ́d-] *n.* Ⓒ 〖文〗 포스트모더니즘《20 세기의 모더니즘을 부정하고 고전적 · 역사적인 양식이나 수법을 받아들이려는 1980년대의 예술 운동》.

post-mor·tem [poustmɔ́:rtəm] *a.* 〔限定的〕 《L.》 ① 사망 후의. ② 사후(事後)의. opp. *ante-mortem.* ── *n.* Ⓒ ① 시체 해부, 검시(檢屍). ② 《口》 승부 결정 뒤의 검토; 사후(事後) 검토〔분석, 평가〕.

post·na·tal [pòustnéitl] *a.* 출생 후의, 출산 후의.

post·nup·tial [pòustnʌ́pʃəl] *a.* 결혼〔혼인〕 후의.

†**póst òffice** ① 우체국. ② (the P- O-) 《英》 체신 공사; 《美》 우정성(郵政省)《1971년 우정 공사(the Postal Service)로 개편》. ③ 《美》 우체국놀이.

póst-of·fice bòx [-ɔ̀:fis-] 사서함《略 : P.O.B.》.

post·op·er·a·tive [pòustápərətiv / -ɔ́p-] *a.* 수술 후의.

post·paid [póustpéid] *a., ad.* 《美》 우편 요금 선불의〔로〕.

‡**post·pone** [pous*t*póun] *vt.* ① …을 연기하다(put off), 미루다; (…할 것)을 연기하다 : You must not ~ answering his letter any longer. 그의 편지에 대한 회답을 더이상 미루어서는 안된다. ② …을 차위(次位)에 두다《*to*》.

post·po·si·tion [pòus*t*pəzíʃən] *n.* 〖文法〗 ① Ⓤ 뒤에 두기. ② Ⓒ 후치사《cityward 의 -ward 따위》.

post·pran·di·al [pòus*t*prǽndiəl] *a.* 〔限定的〕 정찬후〔식후〕의.

***post·script** [póus*t*skrìpt] *n.* Ⓒ ① (편지의) 추신. ② 단서(但書); 후기(後記).

post-tax [póus*t*tǽks] *a.* 〔限定的〕 (수입이) 세금 공제 후의.

pos·tu·lant [pástʃələnt / pɔ́s-] *n.* Ⓒ 《특히》 성직(聖職) 지망자.

pos·tu·late [pástʃəlèit / pɔ́s-] *vt.* ① (자명한 일로서) …을 가정하다 : ~ the inherent goodness of man 인간은 선천적으로 선량하다고 가정하다 / It was the Greek astronomer, Ptolemy, who ~*d* that the Earth was at the centre of the universe. 지구가 우주의 중심이라고 가정한 사람은 그리스의 천문학자 톨레미였다. ② 〔보통 過去分詞꼴로〕 …을 요구하다(demand)《*that; to* do》 : the claims ~*d* 요구 사항.

── [-lit, -lèit] *n.* Ⓒ ① 가정; 자명한 원리, 전제〔선결〕 조건. ② 〖數〗 공리(公理).

㊞ **pòs·tu·lá·tion** [-ʃən] *n.* Ⓤ ① 가정. ② 요구.

***pos·ture** [pástʃər / pɔ́s-] *n.* ① **a**) Ⓤ 자세, 자태 : Good ~ is important for health. 올바른 자세는 건강에 중요하다. **b**) (a ~) (어느 특정한) 자세, 포즈. ② Ⓒ (흔히 *sing.*) (어떤 것에 대한) 태도, 마음 가짐《*on*》: the government's ~ *on* the issue 그 문제에 대한 정부의 태도. ③ Ⓒ 사태, 정세《*of*》.

── *vi.* ① 자세를 취하다. ② 포즈를 잡다; 젠체하다. ── *vt.* …에게 자세〔위치〕를 취하게 하다.

pos·turing [pástʃəriŋ / pɔ́s-] *n.* Ⓤ,Ⓒ (흔히 *pl.*) (겉만의) 자세; (변죽 울리는) 언동 : Despite his ~*s*, the premier still hasn't done anything. 겉으로는 이러쿵저러쿵 하면서도 수상은 아직 아무 것도 한 것이 없다.

***post·war** [póustwɔ́:r] *a.* 〔限定的〕 전후(戰後)의 : ~ days 전후. opp. *prewar.*

po·sy [póuzi] *n.* Ⓒ 꽃; 꽃다발.

‡**pot** [pat / pɔt] *n.* ① Ⓒ **a**) (도기 · 금속 · 유리 제품의) 원통형의 그릇, 단지, 항아리, 독, 병; (깊은) 냄비(cf. pan), 바리때; 요강(chamber ~); 화분; (맥주 등의) 머그(mug) : ~*s* and pans 취사도구 / A little ~ is soon hot. 《俗談》 작은 그릇은 쉬이 단다, 소인은 화를 잘 낸다 / A watched ~ never boils. 《俗談》 기다리는 시간은 긴 법이다《서두르지 마라》 / The ~ calls the kettle black. 똥 묻은 개가 겨 묻은 개 나무란다. **b**) 한 잔의 분량〔술〕; 단지 하나 가득한 분량. ② Ⓒ 도가니(melting pot); (물고기 잡는) 통발; 《美俗》 카뷰레터, (차의) 엔진. ③ Ⓒ (경기 등의) 상배(賞盃), 《俗》 상품. ④ (the ~) (poker 등에서) 한 번에 거는 돈; 공유의 자금. ⑤ Ⓒ (종종 *pl.*) 《口》 큰 돈. ⑥ Ⓒ 《口》 배불뚝이(potbelly). ⑦ Ⓒ 〖英撞球〗 포켓(에 넣은 쇼트). ***a ~*** 〔***~s***〕 ***of money*** 큰돈 : He made *a* ~ 〔~*s*〕 *of money* on the stock market. 그는 주식으로 크게 한 몫 잡았다. ***go*** (***all***) ***to ~*** 영락〔파멸〕하다, 결딴나다, 죽다. ***keep the ~ boiling*** 생계를 꾸려나가다; 활기 있게 잘 계속해 가다 : He is so poor that he is hardly able to *keep the* ~ *boiling.* 그는 생계를 거의 꾸려나갈 수 없을 정도로 몹시 가난하다. ***put a person's ~ on*** 〔***onto***〕 아무를 밀고하다 : Perhaps somebody *put* the police *onto* us〔our plan〕. 아마도 누군가가 경찰에 우리를〔우리 계획을〕 밀고했을 것이다. ***take a ~ at*** …을 겨냥하여 쏘다.

── (***-tt-***) *vt.* ① …을 (보존하기 위해서) 병 · 단지 따위에 넣다; 통〔병〕저림으로 하다《과거분사로 형용사적으로 씀 ⇨ POTTED ②》. ② … 을 화분에 심다《*up*》. ③ (물고기 · 동물)을 사냥하다; 닥치는 대로 쏘다. ④ …을 냄비로 요리하다. ⑤ 《口》 (유아)를 변기에 앉히다. ⑥ 〖撞球〗 (공)을 당구대 포켓 안에 넣다. ── *vi.* 《口》 마구〔닥치는 대로〕 쏘다《*at*》.

po·ta·ble [póutəbəl] *a.* 마시기에 알맞은 : The water is not ~. ── *n.* Ⓒ (흔히 *pl.*) 음료, 술.

po·tage [po*u*tá:ʒ / pɔ-] *n.* Ⓤ,Ⓒ 《F.》 포타주《진한 수프》. cf. consommé.

pot·ash [pátæʃ / pɔ́t-] *n.* Ⓤ 〖化〗 ① 탄산칼륨(caustic ~). ② = POTASSIUM.

***po·tas·si·um** [pətǽsiəm] *n.* Ⓤ 〖化〗 칼륨, 포타슘《금속 원소; 기호 K; 번호 19》.

po·ta·tion [poutéiʃən] *n.* ① Ⓤ 마시기, 한 모금. ② Ⓒ (흔히 *pl.*) 음주; 술.

†**po·ta·to** [pətéitou] (*pl.* ***~es***) *n.* ① Ⓒ,Ⓤ 감자(white 〔Irish〕 ~); 《美》 고구마(sweet ~)《음식물은 Ⓤ》. ② (양말의) 구멍. ***small ~es*** ⇨ SMALL POTATOES.

potáto bèetle 〔**bùg**〕 〖蟲〗 감자 벌레.

potáto chìp 《美》 (흔히 *pl.*) 얇게 썬 감자튀김.

potáto crìsp 《英》 (흔히 *pl.*) = POTATO CHIP.

po·ta·to-head [-hèd] *n.* Ⓒ 《美俗》 바보, 멍텅구리, 얼간이.

pot·bel·lied [pátbèlid / pɔ́t-] *a.* 올챙이배의, 똥배가 나온; (그릇이) 아래가 불룩한.

pot·bel·ly [-bèli] *n.* Ⓒ 올챙이배; 배불뚝이.

pot·boil·er [-bɔ̀ilər] *n.* Ⓒ 《口》 돈벌이 위주의 조잡한 문학〔미술〕 작품〔작가〕.

pot-bound [-bàund] *a.* 〔敍述的〕 화분 전체에 뿌리를 뻗은《식물》; 성장〔발전〕할 여지가 없는.

po·ten·cy [póutənsi] *n.* Ⓤ ① 권력, 권위, 권세 : They testify to the extraordinary ~ of his personality. 그것들은 그의 대단한 인격의 힘을〔권위

를) 증명하고 있다. ② (약 따위의) 효능, 유효성 : This new drug's ~ is not yet known. 이 새로운 약의 효능은 아직 알려져 있지 않다. ③ (남성의) 성적 능력 : Consuming large amounts of alcohol can significantly reduce a man's ~. 다량의 음주는 남성의 정력을 현저하게 감퇴시킨다. ④ (의론 등의) 설득력.

***po·tent** [póutənt] *a.* ① 세력 있는, 유력한, 힘센 : Their most ~ weapon was the Exocet missile. 그들의 가장 강력한 무기는 엑조세 미사일이었다. ② 효능 있는, (약 따위가) 잘 듣는 : The drug is extremely ~, but causes unpleasant side-effect. 이 약은 크게 효능이 있으나 불쾌한 부작용을 유발한다. ③ 성적(性的) 능력이 있는(opp *impotent*) ; 《文語》 (논점이) 사람을 신복시키는 : ~ reasoning 그럴싸한 논법 / In her speech she presented a ~ argument for increasing taxes. 그녀는 연설에서 증세(增稅)에 찬성하는 설득력 있는 논지(論旨)를 폈다. ㊞ ~·ly *ad.*

***po·ten·tate** [póutəntèit] *n.* Ⓒ 권력자, 유력자 ; 주권자, 군주.

‡**po·ten·tial** [pouténʃəl] *a.* ① 〔限定的〕 잠재적인 ; 잠세(潛勢)의, 가능한 ; 장래 …의 가능성이 있는. cf. latent. ¶ a ~ customer 단골이 될 가망이 있는 사람 / ~ ability 잠재 능력. ② 〚物〛 위치의, 변압의, 전위(電位)의 : ~ energy 〚物〛 위치 에너지 / ~ difference 〚物〛 전위차.
—*n.* ① Ⓤ (또는 a ~) 잠세(潛勢), 잠재력 ; 가능성 : Denmark recognized the ~ of wind energy early. 덴마크는 일찍이 풍력의 잠재력을 인식했다 / The region has enormous ~ for econmoic development but a lot of investment is needed to achieve this. 이 지역은 경제적 발전의 무한한 가능성이 있지만, 이것을 성취하기 위해서는 막대한 투자가 필요하다. ② Ⓤ 〚物〛 전위(電位). ㊞ ~·ly [-i] *ad.* 가능적으로 ; 잠재적으로 ; 혹시 (…일지도 모르겠다).

***po·ten·ti·al·i·ty** [poutènʃiǽləti] *n.* ① Ⓤ 가능력 ; 가능성 : human ~ 인간의 가능성 / Atmoic destruction is a grim ~. 원자 폭탄에 의한 파멸의 가능성은 여전히 엄존하고 있다. ② Ⓒ (흔히 *pl.*) (발전의) 가망, 잠재적 힘 ; 가능력〔잠재력〕을 가진 것 : The *potentialities* of the average person are not fully used. 보통 사람들의 잠재력은 충분히 사용되지 않고 있다.

pot·ful [pátfùl / pɔ́t-] *n.* Ⓒ 단지〔냄비〕에 가득한 분량.

pot·head [⌐hèd] *n.* Ⓒ 《俗》 마약 중독자《특히 marijuana 중독자》.

poth·er [páðər / pɔ́ð-] *n.* Ⓤ (또는 a ~) 야단법석, 소동, 혼란 : be in *a* ~ 왁자지껄 떠들고 있다 / the ~ of city traffic 도시 교통의 혼잡. ***make* 〔*raise*〕 *a*** ~ (about a small thing) (하찮은 일로) 떠들어대다.

pot·herb [páthə̀ːrb / pɔ́t-] *n.* Ⓒ ① 데쳐 먹는 야채《시금치 따위》. ② 향신료로서의 야채.

pot·hole [⌐hòul] *n.* Ⓒ ① 〚地質〛 돌개구멍《강바닥 암석에 생긴 단지 모양의 구멍》. ② 길에 팬 구멍. —*vi.* (스포츠·취미로) 동굴을 탐험하다. ㊞ **-hòl·ing** Ⓤ (스포츠로서의) 동굴 탐험.

pot·hook [⌐hùk] *n.* Ⓒ 불 위에 냄비 따위를 매다는 고리 ; (S 자형의) 고리 달린 막대기《냄비 등을 매다는》.

pot·hunt·er [⌐hʌ̀ntər] *n.* Ⓒ ① (규칙·운동 정신을 무시하고) 닥치는 대로 쏘는 사냥꾼. ② 상품을 노리는 경기 참가자. ③ 아마추어 고고학자.

po·tion [póuʃən] *n.* Ⓒ (독약·영약(靈藥) 따위의) 물약.

pot·luck [pátlʌ̀k / pɔ́t-] *n.* ① Ⓤ (손님에게 내는) 있는 것으로만 장만한 요리. ② =POTLUCK SUPPER. ***take*** ~ (1) (생각지 않은 내객이) 있는 대로의 것으로 식사하다 : Come and *take* ~ with us. 찬은 없지만 식사나 같이 하게 놀러 오십시오. (2) 우선 하고 보자는 식으로 하다, 운에 맡기고 하다 : We had no idea which hotel would be best, so we just *took* ~ with the first one on the list. 어느 호텔이 가장 좋은지를 전혀 몰라 운에 맡기고 명단의 첫번째 호텔을 잡았다.

pótluck sùpper 〔dìnner〕 《美》 각자가 갖고 와서 하는 저녁 파티 (covered-dish supper).

***Po·to·mac** [pətóumək] *n.* (the ~) 포토맥《미국의 수도 Washington 시를 흐르는 강》.

pot·pie [pátpài / pɔ́t-] *n.* Ⓤ,Ⓒ 포트파이《고기를 넣은 파이 ; 고기 만두 스튜》.

pót plànt 화분에 심는 감상용 식물, 분종(盆種).

pot·pour·ri [pòupuríː, poupúəri] *n.* Ⓒ 《F.》 ① 포푸리《방·양복장·화장실 등에 두는, 장미 꽃잎을 향료와 섞어 단지에 넣어 화향(花香)을 풍기게 한 것》. ② 〚樂〛 혼합곡. ③ 문집, 잡집(雜集).

pót ròast 찜구이한 쇠고기 덩이 ; 그 요리.

Pots·dam [pátsdæm / pɔ́ts-] *n.* 포츠담《독일 동북부의 도시》. ***the ~ Declaration*** 포츠담 선언.

pot·sherd [pát-ʃə̀ːrd / pɔ́t-] *n.* Ⓒ 질그릇 조각《고고학의 자료》.

pot·shot [pátʃàt / pɔ́tʃɔ̀t] *n.* Ⓒ ① (스포츠 정신을 무시하고 잡기만 하면 된다는 식의) 무분별한 총사냥 ; (잠복 위치 등에서의) 근거리 사격 ; 마구잡이 총질. ② 무책임한 비평.

pot·tage [pátidʒ / pɔ́t-] *n.* Ⓤ,Ⓒ 《美》 포타주《야채(와 고기)를 넣은 스튜, 진한 수프》.

pot·ted [pátid / pɔ́t-] *a.* 〔限定的〕 ① 화분에 심은. ② 단지〔항아리〕에 넣은, 병에 넣은, 병조림의. ③ (간이〔간단〕하게) 요약한.

***pot·ter**[1] [pátər / pɔ́t-] *n.* Ⓒ 도공(陶工), 옹기장이, 도예가 : ~*'s* work 〔ware〕 도기.

pot·ter[2] *vi., vt.* 《주로 英》 =PUTTER[3].

pótter's cláy 〔éarth〕 도토(陶土), 질흙.

pótter's fíeld 무연(無緣)〔공동〕 묘지.

pótter's whèel 도공의 녹로(轆轤), 물레.

***pot·tery** [pátəri / pɔ́t-] *n.* ① Ⓤ 〔集合的〕 도기류. ② Ⓤ 도기 제조(업). ③ Ⓒ 도기 제조소.

pót·ting shèd [pátiŋ- / pɔ́t-] 묘목(苗木) 육성 곳간《화분에 심은 식물을 보호·육성하거나 원예 도구를 보관하는 오두막집》.

pot·ty[1] [páti / pɔ́ti] (***-ti·er ; -ti·est***) *a.* 《英口》 ① (사람이) 머리가 이상한, 어리석은 ; (생각·행동 등이) 바보같은. ② 〔限定的 ; 흔히 ~ little 로〕 사소한, 시시한, 보잘것 없는. ③ 〔敍述的〕 (…에) 열중한《*about*》 : She's ~ *about* him, but I don't think they'll get married. 그녀는 그에게 홀딱 반해 있으나 나는 그들이 결혼할 것이라고는 생각지 않는다.

pot·ty[2] *n.* Ⓒ 《口》 어린이용 변기 ; 《兒》 변소.

pot·ty-trained [-trèind] *a.* 《英》 어린이가 대소변을 가리는, 변기를 사용하게 된.

pot·ty-train·ing [-tréiniŋ] *n.* Ⓤ 어린이가 대소변을 가리도록 훈련하는 것.

***pouch** [pautʃ] *n.* Ⓒ ① (가죽으로 만든) 작은 주머니, 주머니, 쌈지 ; 돈지갑. ② 〚軍〛 가죽 탄띠. ③ (자물쇠 있는) 우편 행낭(行囊) ; (외교문서 송달용) 파우치, 외교 행낭. ④ 주머니 모양의 것 ; 〚動〛 (캥거루 등의) 육아낭, (펠리컨의) 턱주머니 ; 〚植〛 낭상포(囊狀胞). ⑤ 눈밑의 처진 살 : ~*es* under the eyes of an old man 노인의 눈밑 주름.
— *vt.* ① …을 주머니에 넣다. ② …을 주머니처럼

늘어뜨리다. ㊞ ~**ed** [-t] *a.* 주머니 달린 ; 〖動〗 유대(有袋)의.

pouf, pouff(e) [pu:f] *n.* Ⓒ ① (의자 대용의) 두터운 쿠션. ② 《英俗》 동성애의 남자(poof).

poul·ter·er [póultərər] *n.* Ⓒ 가금상(家禽商), 새 장수 ; 새고기 장수 (poultryman).

poul·tice [póultis] *n.* Ⓤ 찜질약.
── *vt.* …에 찜질약을 붙이다, 찜질하다.

***poul·try** [póultri] *n.* ① 〔集合的 ; 複數취급〕 (식용의) 가금(家禽). ② Ⓤ 새〔닭〕고기.

poul·try·man [-mən] (*pl.* **-men** [-mən]) *n.* Ⓒ 양계가, 가금(家禽) 사육가 ; 새고기 장수.

***pounce** [pauns] *vi.* 《+전+명》 ① (…에) 달려들다, 갑자기 덤벼들다《*on* ; *at*》: The cat ~*d on* 〔*upon*〕 a mouse. 고양이가 생쥐에게 달려들었다. ② 갑자기 찾아오다〔뛰어들다〕; 머리에 떠오르다 : ~ *into* a room 방 안으로 뛰어들다. ③ 《比》 (잘못 등을) 홀닦아세우다《*on, upon*》: The Democrats were ready to ~ *on* any Republican failings or mistakes. 민주당은 공화당의 어떠한 실수나 과실도 홀닦아 세울 준비가 되어 있었다.
── *vt.* 달려들어 와락 움켜잡다.
── *n.* Ⓒ (흔히 a ~) (맹금 · 짐승의) 갈고리 발톱 ; 무기 ; 급습. ***make a ~ upon*** …에 와락 덤벼 움키려 들다. ***on the ~*** 덤벼들려고 하여.

†**pound**[1] [paund] (*pl.* **~s,** 〔集合的〕 ~) *n.* ① Ⓒ 파운드《무게 단위 ; 略 : lb. ; 상형(常衡) (avoirdupois)은 16 온스, 약 453.6 g ; 금형(金衡) (troy)은 12 온스, 약 373 g》. ② Ⓒ 파운드(~ sterling)《영국 화폐단위 ; 1971년 2월 15 일 이후 100 pence ; 종전에는 20 shillings에 해당 ; 略 : £》.

> 參考 구제도에서는 £ 4.5 s. 6 d. (〔£ 4-5-6〕= four pounds five shillings six pence)처럼 썼으나, 10 진법 이후는 £ 6·10(=six pounds ten (new) pence)처럼 쓰며, 2 p 혹은 £ 0·02, 15 p 혹은 £ 0·15 따위로 씀.

③ 〖史〗 스코틀랜드 파운드(= ~ Scots). ④ 〖聖〗 므나《셈족(族)의 화폐 단위》. ⑤ 이집트 · 페루 · 터키 등의 화폐 단위《★ 각기 £E, £P, £T라고 씀》. ***a ~ to a penny*** 《口》 있을 수 있는 일. ***by the ~*** (무게) 1 파운드에 얼마로《팔다 따위》: Butter is sold *by the* ~. 버터는 1파운드에 얼마로 팔리고 있다. ***~ for*** 〔***and***〕 ***~*** 등분(等分)으로. ***~ of flesh*** 가혹한 요구, 치명적인 대상(代償)《Shakespeare 작 *The Merchant of Venice* 에서》. ***~s, shillings, and pence*** 돈(£. s. d.).

pound[2] *n.* Ⓒ 동물 수용소《길잃은 고양이·개 따위를 가둬두는 공공 시설》; (불법주차 차량의) 일시 보관소 ; 짐승우리 ; 활어조(活魚槽) ; 유치장.

pound**[3] *vt.* ① …을 탕탕 치다, 사정없이 치다〔두드리다〕: She came at him, ~*ing* her fists against his chest. 그녀는 그에게로 와서 주먹으로 그의 가슴을 사정없이 쳤다. ② 《~+목 / +목+부 / +목+전+명》 …을 때려부수다, 가루로 만들다《*to* ; *into* ; *up*》: ~ a brick *to* pieces 벽돌을 산산이 부수다. ③ 《+목+부》 (피아노 따위)를 쾅쾅 쳐서 소리내다〔소리내서 연주하다〕《*out*》; (타자기 따위)를 두드려 대어 (소설 · 기사 따위)를 만들다《*out*》: ~ *out* a wonderful tune on the piano 피아노로 멋진 곡을 치다 / The reporter ~*ed out* his copy *on* the typewriter. 기자는 타이프를 쳐서 원고를 작성했다. ④ 심하게 훈련시키다 ; 주입시키다《*in, into*》. ⑤ 맹렬히 포격하다. ── *vi.* ① 《+전+명》 세게 두드리다, 연타하다, 마구 치다《*at* ; *on*》; 맹포격하다《*at* ; *on* ; *away*》: She was ~*ing away* on her typewriter until four in the morning. 그녀는 새벽 4시까지 타자를 치고 있었다. ② 둥둥 울리다 ; (심장이) 두근거리다 : I'm sweating, my heart is ~*ing*, I can't breathe. 땀이 비오듯 흐르고, 가슴은 두근거리고 숨조차 쉴 수 없다. ③ 쿵쾅쿵쾅 걷다, 힘차게 나가다 ; (배가) 파도에 쾅쾅 부딪다. ④ 열심히〔묵묵히〕 일을 계속하다《*away*》. ***~ one's ear 《俗》 잠자다. ***~ the pavement*** 《美俗》 (일자리를 찾아) 거리를 돌아다니다.

pound·age [páundidʒ] *n.* Ⓤ (금액 · 무게의) 1 파운드에 대한 수수료〔세금〕. ⓒⓕ tonnage.

pound·al [páundəl] *n.* Ⓒ 〖物〗 파운달《야드 · 파운드계의 힘의 단위 ; 질량 1 파운드의 질점(質點)에 작용하여 매초 1 피트의 가속도를 일으키는 힘》.

póund càke 파운드 케이크, 카스텔라 과자《본디, 달걀 · 버터 · 설탕 · 밀가루 1 파운드씩 써서 만들었음》; 《俗》 미녀, 탐나는 여자.

pound·er[1] [páundər] *n.* Ⓒ 치는 사람 ; 빻는 사람 ; 절굿공이 ; 《美俗》 경찰관.

pound·er[2] *n.* 〔複合語로서〕 (중량이) …파운드의 물건〔사람〕; …파운드 포(砲) ; (지급 · 자산 · 수입이) …파운드인 사람.

pound-fool·ish [páundfú:liʃ] *a.* 한 푼을 아끼고 천금을 잃는. ⓒⓕ penny-wise.

pound·ing [páundiŋ] *n.* ① Ⓤ,Ⓒ 강타〔연타〕(의 소리) : I felt only the ~ of my heart. 오직 가슴의 박동소리만을 느꼈다. ② Ⓒ 《口》 대패(大敗), 심한 타격. ***take*** 〔***get***〕 ***a ~ from*** …로부터 대패를 맛보다 ; 수많은 비평을 받다.

póund nóte 〔흔히 숫자에 붙어〕 …파운드 지폐 : a 5-~, 5파운드 지폐.

póund sìgn (the ~) 파운드 기호(£).

póund stérling =POUND[1] ②.

‡**pour** [pɔ:r] *vt.* ① 《~+목 / +목+부 / +목+목 / +목+전+명》 …을 따르다, 쏟다, 붓다, 흘리다《*away* ; *in* ; *out*》: The river ~*s* itself *into* a lake. 강은 호수로 흘러들어간다. ② 《~+목 / +목+부 / +목+전+명》 (탄환 · 조소 · 경멸 등)을 퍼붓다《*on* ; *into* ; *out*》; (빛 · 열 따위)를 쏟다, 방사하다 ; (건물 등이 군중)을 토해 내다 ; (자금 따위)를 쏟아 넣다《*into*》: The sun ~*ed down* its heat. 햇볕이 쨍쨍 내리쬐었다 / The hunter ~*ed* bullets *into* the moving object. 사냥꾼은 움직이고 있는 목적물에 탄환을 퍼부었다. ③ 《+목+부 / +목+전+명》 쉴새없이 입을 놀리다, 기염을 토하다, 노래하다《*out* ; *forth*》: ~ (*out*) one's fury *upon* another 딴 사람에게 격분을 터뜨리다.
── *vi.* ① 《+전+명 / +부》 (대량으로) 흐르다, 흘러나가다〔들다〕; 쇄도하다, 밀어닥치다《*down* ; *forth* ; *out* ; *into*》: Refugees have been ~*ing into* neighboring countries to escape the civil war. 피난민들이 내란을 피해 이웃나라로 몰려들고 있었다. ② 《~ / +부 / +전+명》 〔it 을 主語로〕 (비가) 억수같이 퍼붓다《*down* ; 《英》 *with*》; 《比》 흐르듯이 이동하다 ; (총알이) 빗발치다 : *It* never rains but *it* ~*s*. 《俗談》 왔다 하면 장대비다, 화불단행(禍不單行). ③ (말 따위가) 연발하다. ***~ cold water on*** ⇨ COLD. ***~ it on*** 《口》 마구 아첨(阿諂)을 부리다 ; 계속 노력하다, 맹렬히 하다 ; 급히 가다. ***~ off*** …에서 흘러나가다 : The sweat was ~*ing off* him. 그는 비오듯 땀을 흘리고 있었다. ***~ oil on the fire*** 불에 기름을 붓다, 분노를〔소동을〕 부추기다. ***~ oil upon troubled waters*** 풍파를 가라앉히다, 분쟁을 원만히 수습하다. ***~ out*** (1) (차 따위를) 따르다. (2) 말하다, 표출하다. ***~ scorn on*** 〔***over***〕 …을 경멸하다, 깔보다.

***pout** [paut] *vi.* 입을 삐죽거리다 ; 토라진 얼굴을

하다, 토라지다 ; (입 따위가) 삐죽 나오다.
— *vt.* (입)을 삐죽 내밀다, 뿌루퉁해서 말하다 : Caroline always ~*s* her lips when she's putting a lipstick. 캐롤라인은 입술 연지를 바를 때에는 언제나 입술을 삐죽 내민다.
— *n.* Ⓒ 입을 삐죽거림, 샐쭉거림. ***in the ~s*** 뿌루퉁〔샐쭉〕하여.

pout·er [páutər] *n.* Ⓒ ① 삐죽거리는〔뿌루퉁한, 샐쭉거리는〕 사람. ②〖鳥〗 비둘기의 일종.

pouty [páuti] (***pout·i·er*** ; ***-i·est***) *a.* 부루퉁한 (sulky) ; 잘 부루퉁하는.

‡**pov·er·ty** [pávərti / pɔ́v-] *n.* Ⓤ ① 가난, 빈곤 (Ⓞⓟⓟ *wealth*) : Helping to alleviate ~ in developing countries also helps to reduce environmental destruction. 개발 도상국의 빈곤을 경감하기 위해 돕는 것은 또한 환경 파괴를 감소시키기 위해 돕는 일도 된다. ② 결핍, 부족《*of* ; *in*》: ~ *of* blood 빈혈 / ~ *in* vitamins 비타민 결핍. ③ 열등, 빈약 : ~ of the soil 땅의 메마름.

póverty lìne 〔**lèvel**〕 빈곤선(《英》 =**póverty dàtum lìne**)《최저 생활 유지에 필요한 소득 수준》: In 1991 almost 36 million Americans were living below the ~. 1991년에는 약 3,600만 명의 미국인이 빈곤선 이하의 생활을 하고 있었다.

pov·er·ty-strick·en [-strìkən] *a.* 매우 가난한, 가난에 시달린 ; 초라한.

póverty tràp 《英》 빈곤의 올가미.

POW, P.O.W. prisoner(s) of war《★ PW로 쓰기도 함》.

‡**pow·der** [páudər] *n.* ① Ⓤ 가루, 분말. ② Ⓤ,Ⓒ 분말 제품 ; 분 ; 가루약. ③ Ⓤ 《古》 화약 : The smell of ~ was in the air. 공중에서 화약냄새가 풍겼다. ④ Ⓤ 흙먼지 ; 가랑눈(=∠ **snòw**). ⑤ =POWDER BLUE. ***keep*** one***'s ~ dry*** 《稀》 만일에 대비하다 : Put your trust in God, and *keep your ~ dry.* 하느님을 믿으며 만일에 대비하라. ***~ and shot*** 탄약, 군수품 ; 비용, 노력(勞力) : not worth (*the*) *~ and shot* 노력할 가치가 없다, 채산이 맞지 않다. ***smell*** ~ 실전을 경험하다. ***take a*** ~ (1) 가루약을 먹다. (2) 《俗》 도망치다, 모습을 감추다. ***the smell of*** ~ 실전 경험.
— *vt.* ① …에 분을 바르다, 파우더를 칠하다 : *Powder* the baby's bottom to stop it chafing. 쓸려서 벗겨지지 않도록 아기 궁둥이에 파우더를 발라라. ② 〔흔히 受動으로〕 …을 가루로 만들다. ③ …에 가루를 뿌리다《*with*》: Snow *~ed* the rooftops. 지붕 위에 눈이 쌓여 있었다.
— *vi.* ① 가루로 만들다. ② 화장하다.

pówder blúe 분말 화감청(華紺靑) ; 담청색.

pow·dered [páudərd] *a.* ① 가루의. ② 가루를 뿌린 ; 분을 바른 : Her face was heavily ~ and she was wearing bright red lipstick. 그녀의 얼굴은 분으로 짙게 화장되어 있었고 또한 밝고 붉은 입술 연지를 바르고 있었다.

pówder kèg 화약통 ; (언제 폭발할지 모르는) 위험물 ; 위험한 상황 : The build-up of armaments in this region is creating a ~. 이 지역에서의 군비 증강은 위험한 상황을 만들어내고 있다.

pówder magazìne 화약고(庫).

pówder pùff (파우더) 퍼프, 분첩 ; 《俗》 겁쟁이 ; 만만한 경기 상대.

pówder ròom (여성용) 화장실.

pow·dery [páudəri] *a.* 가루(모양)의 ; 가루투성이의 ; 가루가 되기 쉬운.

†**pow·er** [páuər] *n.* ① Ⓤ 힘, 능력 ; 생활력 : ~*s* equal to the tasks 직무에 걸맞는 능력 / Knowledge is ~. 아는 것이 힘 / He admired her ~ of carrying things through. 그녀의 일을 해내는 능력에 감탄했다. ② 효험(効驗), 효력 : the ~ of a medicine 〔a prayer〕 약〔기도〕의 효험. ③ Ⓤ 〖機〗 동력 ; 물리〔기계〕적 에너지원(源)《*of*》; 《특히》 전력 : The output ~ *of* motor depends on the input current. 모터의 출력은 입력 전류에 달려있다. ④ Ⓒ,Ⓤ (흔히 *pl.*) (특수한) 능력, 재능 ; Ⓤ 체력, 정력 : My mental ~*s* aren't as good as they used to be. 내 정신력도 이제는 옛날같지가 않다. ⑤ Ⓤ 권력, 권위, 권능, 지배력 ; 정권 (political ~) ; (국가·군대의) 힘, 국력, 군사력 : The Liberal Party is expected to be returned to ~ in the forthcoming election. 오는 선거에서는 자유당이 정권에 복귀될 것이 예상되고 있다. ⑥ Ⓒ 유력자, 권력자 : The press is a ~ in the land. 이 나라에서는 신문이 커다란 힘을 가지고 있다. ⑦ Ⓒ (종종 *pl.*) 강국. ⑧ Ⓒ 《古》 군대, 병력 (forces). ⑨ Ⓤ 위임된 권력, 위임(장). ⑩ Ⓒ 〖數〗 거듭제곱, 멱(冪) : The third ~ of 2 is 8. 2의 3제곱은 8. ⑪ Ⓤ (렌즈의) 배율, 확대력. ⑫ Ⓒ 《口》 다수, 다량《*of*》: a ~ *of* work 많은 일 / a ~ *of* help 큰 도움. ⑬ (종종 *pl.*) 신 ; (*pl.*) 능품(能品) 천사《천사의 제 6 계급》: the ~*s* of darkness 〔evil〕 악마. ⑭ Ⓤ 〖物〗 작업률, 일률(率), 공정(工程). ⑮ 〖컴〗 **a**) 전원. **b**) 제곱, 승. ***a*** 〔***the***〕 ***~ behind the throne*** 흑막, 막후의 실력자. ***be in the ~ of*** …의 수중에 있다. ***beyond*** 〔***out of***〕 one***'s ~***(***s***) 힘이 미치지 않는, 불가능한 ; 권한 밖의 : It was *beyond my ~s* to persuade him. 그를 설득한다는 것은 내게는 힘겨웠다. ***come to*** 〔***into***〕 ~ 정권을 장악하다 ; 세력을 얻다. ***do all in*** one***'s*** ~ 할 수 있는 한 힘쓰다 : I will *do* everything *in my* ~ to help you. 자네를 돕기 위해서는 내가 할 수 있는 것은 모두〔무엇이든〕 하겠다. ***have ~ over*** …을 지배하다, …을 마음대로하다. ***in*** 〔***out of***〕 ~ 정권을 잡고〔떠나서〕; 권한이 있는〔없는〕: the party *in* ~ 여당. ***in*** one***'s*** ~ (1) 힘이 미치는 범위내에서. (2) 지배 아래, 손안에 : Once nicotine has you *in its* ~, it's very difficult to stop smoking. 일단 니코틴에 인이 박이면 금연한다는 것은 몹시 어렵다. ***More*** 〔***All***〕 ***~ to you*** 〔***your elbow***〕 ***!*** 더욱 건강〔성공〕하시기를 : "I've decided to quit my job and set up my own business." "Well, good for you. *More ~ to your elbow !*" '직장을 그만두고 내 사업을 하기로 결정했네.' '그것, 잘되었네. 아무쪼록 성공하기를.' ***raise to the second*** 〔***third***〕 ~ 두〔세〕제곱하다. ***the ~s that be*** (종종 戲) 당국(자), (당시의) 권력자(those in ~) : The decision is in the hands of *the ~s that be*. 결정권은 당국의 손에 있다.
— *vt.* …에 동력을 공급하다 ; …을 촉진〔강화〕하다 ; 동력으로 나아가다 : In the future electricity will be used to ~ road vehicles. 미래에는 전기가 도로차량의 동력으로 사용될 것이다. — *vi.* 맹렬한 힘으로 달리다, 급히 가다. ~ ***down*** 〔***up***〕 (우주선)의 에너지 소비량을 내리다〔올리다〕.

pówer bàse 《美》 (정치활동 등의) 기반.

pow·er·boat [páuərbòut] *n.* Ⓒ 동력선.

pówer bráke 동력 브레이크.

pówer bréakfast (실력자 등의) 조찬회.

pówer bròker (정계의) 막후 인물, 흑막.

pówer cùt 정전, (일시적) 송전 정지.

pówer dìve 〖空〗 동력 급강하.

(-)pow·ered [páuərd] *a.* (…)마력의, 발동기를 장비한 ; (렌즈 등이) 배율(倍率) …의.

pówer elíte (the ~) 〔集合的〕 권력의 핵심들.

‡**pow·er·ful** [páuərfəl] (***more ~*** ; ***most ~***) *a.* ① 강한, 강력한 ; 유력한, 우세한 : the most ~

politician in the government 정부에서 가장 유력한 정치가. ② 사람을 감동시키는《연설 따위》; 효능 있는《약 따위》: This drug is very ~ and can have unpleasant side-effects. 이 약은 약효가 아주 강한데 불쾌한 부작용도 수반할 수 있다. ③《方》많은. ④ 동력〔출력·배율 (등)〕이 높은: a ~ engine 강력한 엔진.

pówer gàme 권력 획득 경쟁.

pow·er·house [páuərhàus] *n.* Ⓒ ① 발전소. ② 원동력이 되는 것〔사람, 그룹〕; 정력가, 세력가.

***pow·er·less** [páuərlis] *a.* ① 무력한, 무능한; 세력이 없는; 권력이 없는; 효능이 없는; 마비된: She is a largely ~ constitutional monarch. 그녀는 대체로 무력한 헌법상의 군주이다. ②〔敍述的〕…할 힘이 없는.

pówer plànt ① 동력〔발전〕 장치. ②《美》 발전소.

pówer plày ① (정치·기업 등에서의) 공세적 행동 작전. ②〖美蹴〗 파워 플레이《집단 집중공격》.

pówer pòint 《英》 콘센트(《美》outlet).

pówer pólitics 무력 외교.

pow·er-shar·ing [-ʃὲəriŋ] *n.* Ⓤ (정당간에 있어서) 권력 분담.

pówer shòvel 동력삽《동력으로 흙 등을 푸는 삽》.

pówer stàtion 발전소.

pówer stéering 〖自動車〗 파워 스티어링《유압으로 핸들의 조작을 용이하게 하는》.

pow·wow [páuwàu] *n.* Ⓒ ① (북아메리카 원주민의) 주술사(師)〔의식〕《병의 회복이나 전승을 빎》; (북아메리카 원주민과의〔끼리의〕) 교섭, 협의. ②《口》 (사교적인) 모임; 회합, 평의(評議).
— *vi.* ~의 의식을 행하다; 《口》 협의하다《*about*》; 지껄이다.

pox [paks / pɔks] *n.* Ⓤ ① 발진(發疹)하는 병. ② (the ~) 《口》 매독.

pp pianissimo. **pp.** pages; 〖樂〗 pianissimo. **P.P., p.p.** parcel post; past participle; postpaid. **PPB, ppb** part(s) per billion (10억분의 …). **PPB(S)** planning, programming, budgeting (system) (컴퓨터에 의한 기획·계획·예산 제도). **ppd.** 〖商〗 postpaid; prepaid. **P.P.M., p.p.m., ppm(.)** part(s) per million (100만분의 1; 미소 함유량의 단위). **ppm.** pulse per minute; 〖컴〗 pages per minute(쪽수 / 분)《쪽 인쇄기의 인자(印字) 속도 단위》. **PPP** 〖經〗 polluter pays principle(오염 원인자 비용 부담의 원칙). **ppr., p.pr.** present participle. **P.P.S.** 《英》 Parliamentary Private Secretary; *post postscriptum* 《L.》 (= additional postscript). **P.Q.** Province of Quebec. **PR** Public Relations; 〖美郵〗 Puerto Rico. **Pr** 〖化〗 praseodymium; Provençal. **pr.** pair(s); paper; power; preference; 〖商〗 preferred (stock); present; price; priest; prince; printer; printing; pronoun. **P.R.** Parliamentary Reports; *Populus Romanus* 《L.》 (=the Roman People); Proportional Representation (비례 대표). **Pr.** Priest; Prince.

***prac·ti·ca·ble** [prǽktikəbəl] *a.* ① (계획 등이) 실행할 수 있는: a ~ plan 실행 가능한 계획 / It is not ~ *to* complete the tunnel before the end of the year. 연말 전에 터널을 완성하기란 불가능하다. ② 사용할 수 있는, 통행할 수 있는《다리·도로 따위》. ③ (연극 도구가) 실물인《창(窓) 따위》.

prac·ti·ca·bil·i·ty [prӕktikəbíləti] *n.* Ⓤ,Ⓒ ① 실행 가능성. ② 실용성.

‡**prac·ti·cal** [prǽktikəl] *a.* ① **a)** (생각·목적 등이) 실제적인, 실제상의; 실천적인. **b)** (사람이) (일처리에) 현실적인, 실무형인; 솜씨 좋은: He lacked any of the ~ common sense essential in management. 그에게는 관리에 필수적인 실제적인 상식이 결여되어 있다. ② 실용적인, 실제〔실무〕 소용에 닿는, 쓸모 있는: The method is too expensive to be ~. 그 방법은 너무 비싸게 치어서 실용적이지 못하다. ③〔限定的〕 경험이 풍부한, 경험 있는. ④ (명목은 다르나) 사실상의, 실질적인: with ~ unanimity 거의 만장 일치로. ⑤《蔑》 실리〔실용〕밖에 모르는; 사무적인; 산문(散文)적인. ***be of ~ use*** 실용적이다. ***for (all) ~ purposes*** (이론은 여하튼 간에) 실제로는. ***It is not ~ politics.*** 논할 가치가 없다.
— *n.* Ⓒ 실기 시험; (*pl.*) 실제가(家).

práctical jóke 장난, (말이 아니라 행동에 의한) 못된 장난.

‡**prac·ti·cal·ly** [prǽktikəli] (***more ~; most ~***) *ad.* ① 실제적으로, 실용적으로, 실지로: It is ~ useless to protest. 항의해도 실제로는 효과가 없다. ② 사실상, 거의 …나 다름 없이: The town was ~ deserted. 그 도시는 거의 폐허화되었다. ***~ speaking*** 실제는, 사실상.

práctical núrse 《美》 준간호사《경험뿐으로 정규 훈련을 받지 않은》.

†**prac·tice** [prǽktis] *n.* ① Ⓤ **a)** 실행, 실시, 실제: It looks all right in theory, but will it work in ~. 이론상으로는 괜찮지만 실제로는 잘 될까. **b)** (실제적으로 얻은) 경험. ② **a)** Ⓤ,Ⓒ 실습(exercise), 연습; (연습에서 익힌) 기량: do ~ (*in* ...) (…의) 연습을 하다 / daily piano ~ 매일 하는 피아노 연습 / *Practice* makes perfect.《格言》 배우기보다 익혀라 / The coach ended the day's ~ early. 코치는 그날 연습을 일찍 끝냈다. **b)** 숙련(skill), 수완: He had enough ~ to pass the test. 테스트에 통과할 충분한 숙련을 갖추고 있었다. ③ Ⓤ,Ⓒ 버릇, 습관, (사회의) 관례, 풍습. ⒞ habit. ¶ It's the ~ in that country to marry young. 조혼이 그 나라에서는 관습으로 되어 있다. ④ Ⓤ,Ⓒ (의사·변호사 등의) 업무, 영업; 사무소, 진료소: He plans to set up ~ in his home town. 고향에서 개업할 계획을 세우고 있다. ⑤ Ⓒ〔集合的〕 환자, 사건 의뢰인. ⑥ (흔히 *pl.*)《古》 책략, 음모, 상투 수단: artful ~*s* 교활한 수단. ⑦〖法〗 소송 절차〔실무〕. ⑧ Ⓒ〖敎會〗 의식; 예배식. ⑨〖數〗 실산(實算). ***be in ~*** 연습〔숙련〕하고 있다; 개업하고 있다. ***be 〔get〕 out of ~*** (연습 부족으로) 서투르다〔게 되다〕. ***have a large ~*** (의사·변호사가) 번창하고 있다. ***in ~*** 실제로는; 연습을 쌓아; 개업하여: keep *in* ~ 끊임없이 연습하고 있다. ***make a ~ of** doing* 항상 …하다; …을 습관으로 하다. ***put 〔bring〕 . . . in 〔into〕 ~*** …을 실행하다, …을 실행에 옮기다.
— (《英》에서는 ***-tise***) *vt.* ① …을 실행하다, (항상) 행하다; (신앙·이념 등을) 실천하다, 신봉하다: *Practice* what you preach. 설교하는 바를 스스로 행하여라. ②《~+목 / +-*ing*》 …을 연습하다, 실습하다: ~ the piano 피아노를 연습하다 / I have to ~ park*ing* the car in the garage. 차를 차고에 넣는 연습을 해야겠다. ③《~+목 / +목+전+명》 …을 훈련하다, …에게 가르치다: ~ pupils *in* English 학생에게 영어를 가르치다. ④ (법률·의술 등)을 업으로 하다; …에 종사하다: He began to ~ medicine 〔law〕 in 1990. 그는 1990년에 의사〔변호사〕 개업을 했다.
— *vi.* ① 습관적으로 행하다. ②《~ / +전+명》 연습하다, 익히다《*at*; *on*; *with*》: ~ *at* 〔*on*〕 the piano 피아노 연습을 하다. ③《~ / +전+명》 (의사·변호사를) 개업하다〔하고 있다〕: a *practicing* physician 개업의(醫) / ~ *at* the bar 변호사를 개

업하다. ④《+[전]+[명]》 속이다;《古》 음모를 꾸미다. ~ **on** 〔**upon**〕 a person**'s weakness** 아무의 약점을 이용하다. ~ one**self** 독습(獨習)하다.

prac·tice-teach [-tìːtʃ] *vi.* 교육실습을 하다.

práctice tèacher 교육 실습생, 교생(敎生).

práctice tèaching 교육 실습.

prac·tic·ing [prǽktisiŋ] *a.* ① (현재) 활동〔개업〕하고 있는 : a ~ physician 개업의(醫). ② 종교의 가르침을 실천하고 있는 : a ~ Catholic 실천적인 가톨릭 교도.

‡**practise** (특히 英) ⇨ PRACTICE.

***prac·ti·tion·er** [præktíʃənər] *n.* [C] 개업자《특히 개업의(醫)·변호사 따위》: a general ~ 일반 개업의《전문의에 대하여 ; 略 : GP》.

prae·tor, pre- [príːtər] *n.* [C]〖古로〗 집정관(執政官); (나중에는 집정관 밑의) 치안관.

prag·mat·ic [prægmǽtik] *a.* ① 실제적인 : He took a ~ look at his situation. 그는 상황을 실제적인 눈으로 보았다. ②〖哲〗 실용주의의 : ~ philosophy 프래그머티즘〔실용주의〕 철학 / ~ lines of thought 실용주의적인 사고 방식. ③ 쓸데없는 참견을 하는, 오지랖 넓은.

prag·mat·i·cal [prægmǽtikəl] *a.* ① 실용주의의. ② 쓸데없이 참견하는 ; 독단적인.

prag·ma·tism [prǽgmətìzəm] *n.* [U] ①〖哲〗 프래그머티즘, 실용주의. ② 실리주의, 실제적인 사고 방식. [파] **-tist** *n.* [C]〖哲〗 실용주의자.

***Prague** [prɑːg] *n.* 프라하《Czech 공화국 수도》.

‡**prai·rie** [prέəri] *n.* [C] ① 대초원. ② (목)초지.

práirie dòg〖動〗 프레리도그《북아메리카 대초원에 사는 다람쥐과의 동물》.

práirie òyster ① 날달걀《숙취(宿醉)의 약으로 먹는》. ② (식용으로 하는) 송아지 고환.

práirie schòoner 〔**wàgon**〕《美》 (개척 시대의 이주민용) 대형 포장 마차.

práirie wòlf〖動〗 =COYOTE.

‡**praise** [preiz] *n.* ① [U] 칭찬, 찬양 : *Praise* makes good men better and bad men worse.《俗談》 칭찬하면 선한 사람은 더 선하게 되고 악인은 더 악하게 된다. ② [U,C] 숭배, 찬미; 신을 찬양하는 말〔노래〕: *Praise* be (to God)! 신을 찬미할지어다 ; 참 고맙기도 해라. ③ [C] 칭찬의 대상〔이유〕. ***be loud*** 〔***warm***〕 ***in*** a person**'s** ~(**s**) 아무를 절찬하다. ***beyond all*** ~ ⇨BEYOND. ***damn . . . with faint*** ~ 마음에 없는 칭찬을 하여 도리어 (…에게) 비난의 뜻을 나타내다. ***in*** ~ ***of*** …을 칭찬하여. ***sing*** a person**'s ~s** = ***sing the ~s of*** a person 아무를 극구 칭찬하다 : *sing* one's own ~*s* 자화 자찬하다.

── *vt.* ①《~+[목] / +[목]+[전]+[명]》 (사람·일)을 칭찬하다《*for* ; *as*》: The professor ~*d* his paper *as* highly original. 교수는 그의 논문을 독창성이 아주 풍부하다고 칭찬하였다. ② (신을) 찬미하다 : In church services hymns are sung to ~ God. 교회 예배에서 하느님을 찬양하여 찬송가를 부른다. ***God be ~d !*** (참) 고맙기도 해라.

praise·wor·thy [préizwə̀ːrðì] *a.* 칭찬할 만한, 기특한, 갸륵한(praisable). [opp] *blameworthy.*

pra·line [prάːliːn] *n.* ① [U,C] 프랄린《편도(扁桃)·호두 따위를 설탕에 조린 과자》. ② [C] 설탕을 바른 아몬드.

pram [præm] *n.* [C] 《英》 유모차(《美》 baby carriage) ; 우유 배달용 손수레(handcart).

***prance** [præns, prɑːns] *vi., vt.* ① (말이) 뒷발로 뛰어다니다, 날뛰며 나아가다《*along*》; 말을 껑충껑충 뛰게 하여 나아가다. ②《比》 의기 양양하게 가다. ── *n.* (a ~) (말의) 도약 ; 활보.

pran·di·al [prǽndiəl] *a.* 《戱》 식사의, 정찬(dinner)의.

prang [præŋ] 《英俗》 *vt.* (표적)을 정확히 폭격하다 ; (비행기·탈것)을 추락〔충돌〕시키다.

── *vi.* 비행기를〔탈것을〕 추락〔충돌〕시키다.

── *n.* [C] 충돌, 추락 ; 폭격.

prank**[1] [præŋk] *n.* [C] ① 농담, 못된 장난. ②《戱》 (기계 등의) 비정상적인 움직임. ***play ~s on … 에게 못된 장난을 하다, …을 놀리다.

prank[2] *vt., vi.* (…을) 장식하다(adorn), 모양내다, 성장하다《*out* ; *up*》.

prank·ish [prǽŋkiʃ] *a.* 장난치는, 희롱거리는.

prank·ster [prǽŋkstər] *n.* [C] 장난꾸러기.

pra·se·o·dym·i·um [prèizioudímiəm, prèisi-] *n.* [U]〖化〗 프라세오디뮴《희토류원소 ; 기호 Pr》.

prat [præt] *n.* [C] 《俗》 ① 궁둥이. ② 얼간이.

prate [preit] *vi., vt.* 재잘재잘 지껄이다《*about*》; 쓸데없는 소리 하다(chatter) ; (시시한 일 따위를) 수다떨다. ── *n.* [U] 수다, 지껄이기, 시시한 애기.

prat·fall [prǽtfɔ̀ːl] *n.* [C] 《美俗》 (저속한 코미디 등에서 웃음을 유발하기 위한) 엉덩방아 ; 실수.

prat·tle [prǽtl] *vi., vt.* 혀짤배기 소리를 하다 ; 쓸데없는 말을 하다. ── *n.* [U] 혀짤배기 소리 ; 실없는 소리.

Prav·da [prάːvdə] *n.* 《Russ.》 (=truth) 프라우다《러시아의 일간지 ; 본디 옛소련 공산당 중앙 위원회의 기관지》.

prawn [prɔːn] *n.* [C]〖動〗 참새우 무리《lobster보다 작고 shrimp 보다는 큰 것》. ── *vi.* 참새우를 잡다 ; 참새우를 미끼로 낚시질을 하다.

prax·is [prǽksis] (*pl.* ***prax·es*** [-siːz], ~***·es***) *n.* [U,C] ① 습관, 관습. ② 연습, 실습.

‡**pray** [prei] *vi.* ①《~ / +[전]+[명]》 간원(懇願)하다《*for*》; 빌다《*to*》: She ~*ed to* God *for* mercy. 그녀는 신의 자비를 빌었다. ②《+[전]+[명]》 희구하다《*for*》. ── *vt.* ①《~+[목] / +[목]+[전]+[명] / +[목]+*to* do / +[목]+*that* [절]》 (신에게) …을 기원하다, 기도하다 ; (사람에게) 간원하다, 탄원하다 : She ~*ed* me *to* help her. 그녀는 내게 도와 달라고 탄원하였다. ②《~+[목] / +*that* [절]》 …을 희구하다, 기구(祈求)하다. ③ (기도)를 올리다 : He ~*ed* a brief prayer. 짧은 기도를 올렸다. ④《+[목]+[전]+[명]》 간원〔기원〕하여 …하게 하다 : ~ a sinner *to* redemption 죄인을 위해 기원하여 구제하다. ⑤《古》〔I *pray* you의 간약형〕 제발, 바라건대(please). ***be past ~ing for*** 기도해도 소용없다 ; 개심(改心)〔회복〕의 가망이 없다. ***Pray don't mention it.*** 천만의 말씀(입니다). ~ ***down*** 기도로 (악마나 적을) 무찌르다. ~ ***in aid*** (***of. . .***) (…의) 조력을 부탁하다.

‡**prayer**[1] [prεər] *n.* ① [U] 빌기, 기도 : kneel down in ~ 무릎 꿇고 기도하다. ② [C] 기도의 문구 : I made a brief ~ for his recovery. 그의 회복을 위하여 나는 간단히 기도드렸다. ③ [C] 소원 : an unspoken ~ 비원(祕願). ④ (*pl.*) 기도식. ⑤《美俗》〔否定形〕 극히 적은 기회 : *not* have a ~ to succeed.

‡**pray·er**[2] [préiər] *n.* [C] 기도하는 사람.

práyer bòok [prέər-] ① 기도서. ② (the P-B-) =the Book of COMMON PRAYER.

prayer·ful [prέərfəl] *a.* 잘 기도하는, 신앙심 깊은.

práyer mèeting [prέər-] 기도회.

práyer rùg 〔**màt**〕 [prέər-] 무릎깔개《이슬람 교도가 기도할 때 사용함》.

práyer whèel [prέər-] (라마교의) 기도문통(筒)《기도문을 넣은 회전 원통》.

práy·ing mántis [préiiŋ-]〖蟲〗 사마귀, 버마재비(mantis).

P.R.B. Pre-Raphaelite Brotherhood.

pre- *pref.* '전, 앞, 미리' 등의 뜻. [opp] *post-*.

‡preach [priːtʃ] *vi.* ①《+전+명》 전도하다 : ~ *to* heathens 이교도에게 전도하다. ②《~ / +전+명》 설교하다 : ~ *on* 〔*from, to*〕 a text 성서 중의 한 구절을 제목으로 설교하다 / ~ *on* redemption to a congregation 그리스도에 의한 속죄에 대하여 설교하다. ③《+전+명》 타이르다, 설유(說諭)하다《*to*》: ~ *against* smoking 담배의 해독을 설유하다. ― *vt.* ① …을 전도〔설교〕하다 : ~ the Gospel 복음을 전도하다. ②《~+목 / +목+목 / +목+전+명》 설교를 하다(deliver) : ~ a poor sermon 시시한 설교를 하다 / He ~*ed* us a sermon. = He ~*ed* a sermon *to* us. 그는 우리들에게 설교를 했다. ③《~+목 / +목+전+명 / ~+*that* 절》 …을 고취하다, 설복〔설유〕하다 : They ~ peace while preparing for war. 그들은 전쟁을 준비하면서 평화를 주장한다. ~ ***against*** …에 반대하는 설교를 하다, 훈계하다 : ~ *against* using violence 폭력을 쓰지 말라고 훈계하다. ~ ***down*** 깎아내리다 ; 설복시키다. ~ ***to deaf ears*** 마이동풍. ~ ***up*** 칭찬하다, 추어올리다.

***preach·er** [príːtʃər] *n.* [C] ① 설교자, 전도사. ② 주창자, 훈계자.

preach·i·fy [príːtʃəfài] *vi.* 《口》 설교하다, 지루하게 이야기하다.

preach·ment [príːtʃmənt] *n.* [U,C] (지루한) 설교, 쓸데없이 긴 이야기.

preachy [príːtʃi] (***preach·i·er*** ; ***-i·est***) *a.* 《口》 설교하기 좋아하는 ; 설교조의, 넌더리나는.

Préak·ness Stákes [príːknəs-] *pl.* (the ~) 〔單數 취급〕 〖競馬〗 프리크니스 스테이크스《미국 3관(三冠) 경마의 하나》.

pre·am·ble [príːæ̀mbəl, priːǽm-] *n.* [C] (법률 · 조약 따위의) 전문(前文)《*to* ; *of*》.

pre·ar·range [prìːəréindʒ] *vt.* …을 미리 타합〔협정〕하다 ; 예정하다.

preb·end [prébənd] *n.* [C] 성직급(給)《성직자회 평의원(canon) 또는 성직자단(chapter) 단원의》.

preb·en·dary [prébəndèri / -dəri] *n.* [C] 수급(受給)(성직)자 ; 목사.

pre·bi·o·log·i·cal [prìːbaiəlάdʒikəl / -lɔ́dʒ-] *a.* 생물 출현 이전의.

Pre·cam·bri·an [prìːkǽmbriən] *a.* 〖地質〗 선(先)캄브리아시대의. 「상태의.

pre·can·cer·ous [prìːkǽnsərəs] *a.* 전암(前癌)

***pre·car·i·ous** [prikɛ́əriəs] *a.* ① 불확실한, 믿을 수 없는, 불안정한 ; 위험한, 불안한《생활 따위》: Our financial situation had become ~. 우리의 재정 상태는 위험해졌다. ② 지레짐작의, 근거 없는《가설 · 추측 따위》.

‡pre·cau·tion [prikɔ́ːʃən] *n.* ① [U,C] 조심, 경계 : I had taken the ~ of swallowing two seasickness tablets. 미리 대비하여 뱃멀미 알약 2개를 먹어두었다. ② 예방책(策). ***take ~s against*** …을 경계하다 ; …의 예방책을 강구하다. 파 **~·ary** [-èri / -əri] *a.* 예방〔경계〕의 : ~*ary* measures 예방책《*against*》.

‡pre·cede [prisíːd] *vt.* ① …에 선행하다, …에 앞서다, …보다 먼저 일어나다 ; 선도(先導)하다 : A rumbling of the sea ~*d* the tidal wave. 해일이 일기 전에 해명(海鳴)이 있었다. ② …에 우선하다 ; …의 우위〔상석〕에 있다 : A major ~*s* a captain. 소령은 대위보다 계급이 높다. ③《+목+전+명》 …을 전제하다《*with* ; *by*》: Tom ~*d* his lecture *with* an introduction. 톰은 서론부터 강의를 시작했다.

prec·e·dence [présədəns] *n.* [U] ① (위치 · 시간적으로) 앞서기, 선행, 선임, 상위 ; 우선(권). ② 〖컴〗 우선 순위《식이 계산될 때 각 연산자에 주어진 순위》. ***give*** a person ***the ~ to*** 아무에게 윗자리를 주다 ; 아무의 우월을 인정하다. ***personal ~*** 문벌에 의한 서열. ***take*** 〔***have***〕 (***the***) ***~ of*** 〔***over***〕 …에 우선하다, …보다 상석을 차지하다 ; …보다 낫다 : This task *takes* 〔*has*〕 ~ *over* 〔*of*〕 all others. 이 일은 모든 것에 우선한다. ***the order of ~*** 석차.

prec·e·dent**[1] [présədənt] *n.* ① **a)** [C] 선례, 전례 ; 관례《*for* ; *of*》: There is no ~ *for* it. 그것에 관한 전례는 없다. **b)** [U] 선례를 따름 : follow 〔break〕 a ~ 전례를 따르다〔깨다〕. ② [U,C] 〖法〗 판(결)례. ***make a ~ of a thing …을 선례로 삼다. ***set*** 〔***create***〕 ***a ~*** (***for***) (…에) 전례를 만들다. ***without ~*** 전례 없는, 미증유의.

pre·ced·ent[2] [prisíːdənt, présə-] *a.* 앞서는, 선행의, 이전의 : ⇨CONDITION PRECEDENT.

***pre·ced·ing** [prisíːdiŋ] *a.* 〔限定的〕 이전의 ; 바로 전의 ; 전술한. opp. *following*. ¶ the ~ years 이전의 수년.

pre·cen·tor [priséntər] (*fem.* ***-trix*** [-triks]) *n.* [C] (성가대의) 선창자(先唱者).

***pre·cept** [príːsept] *n.* [U,C] ① 가르침, 교훈, 훈계 ; 격언(maxim) : Practice 〔Example〕 is better than ~. 《格言》 실천〔모범〕은 교훈보다 낫다. ② (기술 등의) 형(型), 법칙 ; 〖法〗 명령서, 영장.

pre·cep·tor [priséptər, príːsep-] (*fem.* ***-tress*** [-tris]) *n.* [C] 교훈자 ; 교사.

pre·ces·sion [priséʃən] *n.* [U,C] ① 선행, 우선. ② 〖天〗 세차(歲差)(운동).

***pre·cinct** [príːsiŋkt] *n.* [C] ① 《주로 美》 (행정상의) 관구(管區) ; (지방) 선거구 ; (경찰서의) 관할구역 ; (보행자 천국 등의) 지정 지구. ② 《주로 英》 (도시 등의 특정) 지역, 구역 ; (교회 따위의) 경내(境內)《*of*》. ③ 구내, 역내. ④ 《美》 (흔히 *pl.*) 경계(boundary) ; 주위, 주변, 부근 ; 계(界).

pre·ci·os·i·ty [prèʃiάsəti / -ɔ́s-] *n.* ① [U] (특히 말씨 · 취미 따위의) 까다로움, 지나치게 세심함, 점잔빼기. ② [C] (흔히 *pl.*) 까다로운 표현.

‡pre·cious [préʃəs] (***more ~*** ; ***most ~***) *a.* ① 비싼, 귀중한, 가치가 있는. ② 사랑스러운, 둘도 없는, 소중한 : Her children are very ~ to her. 그녀에게는 아이들이 대단히 소중하다. ③ 《口》 〔反語的〕 순전한, 대단한 : a ~ fool 순 바보. ④ 점잔빼는, 까다로운. ***a ~ deal*** 대단히. ***a ~ sight more*** (***than***) (보다) 훨씬 많이. ***make a ~ mess of it*** 그것을 엉망으로 만들다, 대단한 실수를 하다. ― *ad.* 《口》 (흔히 ~ little 〔few〕로) 매우, 대단히, 지독히 : A lot of people will start, but ~ *few* will finish. 많은 사람들이 시작하지만 끝내는 사람은 몇 안 될 것이다. ― *n.* [C] 《口》 (나의) 귀여운 사람《호칭》.

précious métal 귀금속.

précious stóne 보석, 보석용(用) 원석(原石).

***prec·i·pice** [présəpis] *n.* [C] ① 절벽, 벼랑. ② 위기.

pre·cip·i·tan·cy, -tance [prisípətənsi], [-təns] *n.* [U] 화급, 황급 ; (*pl.*) 경솔.

pre·cip·i·tant [prisípətənt] *a.* 곤두박질의 ; 줄달음치는 ; 화급한, 갑작스러운 ; 덤벙이는, 경솔한. ― *n.* 〖化〗 [C] 침전제, 침전 시약(試藥).

***pre·cip·i·tate** [prisípətèit] *vt.* ①《~+목 / +목+전+명》 …을 거꾸로 떨어뜨리다 ; (어떤 상태)에 갑자기 빠뜨리다《*into*》: Racial conflicts ~*d* the country *into* a civil war. 민족분쟁이 그 나라를 내전으로 빠뜨렸다. ② …을 촉진시키다, 무턱대고 재촉하다 ; 몰아대다 : The outbreak of the war ~*d* an economic crisis. 그 전쟁의 발발은 경제위기의 도래를 촉진하였다. ③ 〖化〗 …을 침전시키다 ; 〖物 · 氣〗 (수증기)를 응결〔강수(降水)〕시키

다. ── *vi.* 갑자기 빠지다《붕괴 상태 따위로》; 〖化〗 침전하다 ; 〖物·氣〗 (공중의 수증기가) 응결하다. ~ one***self into*** …에 뛰어들다 ; …에 빠지다. ~ one***self upon*** 〔***against***〕 (the enemy) (적)을 맹렬히 공격하다. ── [prisípətit, -tèit] *a.* ① 거꾸로의 ; 줄달음질치는. ② 조급히 구는, 덤비는, 경솔한. ③ 급한, 돌연한.
── [-tit, -tèit] *n.* [U.C] 〖化〗 침전(물) ; 〖物·氣〗 수분이 응결한 것《비·이슬 등》.

***pre·cip·i·ta·tion** [prisìpətéiʃən] *n.* ① [U] 투하, 낙하, 추락 ; 돌진. ② [U] 화급, 조급; 경솔 ; 급격한 촉진. ③ 〖化〗 [U.C] 침전(물) ; 〖氣〗 강수량, 우량.

***pre·cip·i·tous** [prisípətəs] *a.* ① 험한, 가파른, 절벽의 ; 직하하는. ② 황급한, 경솔한, 무모한.

pré·cis [preisí:, ⌐-] (*pl.* ~[-z]) *n.* [C] 《F.》 대의(大意), 개략 ; 발췌, 요약(summary) : ~ writing 대의〔요점〕 필기. ── *vt.* 대의를 쓰다 ; …에서 발췌하다, 요약하다(summarize).

‡pre·cise [prisáis] (***-cis·er ; -est***) *a.* ① 정밀한, 정확한(exact), 엄밀한, 적확한. ② 〔限定的〕 딱 들어맞는, 조금도 틀림없는 ; 바로 그…(very) : at the ~ moment 바로 그때. ③ 꼼꼼한, 세세한 ; 딱딱한 : a ~ brain 정확하고 치밀한 두뇌. ***to be*** ~ 정확히 말하면.

‡pre·cise·ly [prisáisli] *ad.* ① 정밀하게, 엄밀히. ② 바로, 정확히(exactly) : That's ~ what I'm thinking about. 그건 바로 내가 생각하고 있는 것입니다. ③ 틀림없이, 전혀. ④ 〔동의를 나타내어〕 바로 그렇다.

pre·ci·sion** [prisíʒən] *n.* [U] (또는 a ~) 정확, 정밀《*in*》; 꼼꼼함 ; 〖修〗 정확 ; 〖컴〗 정밀도《수치를 나타내는》. ***arms of ~ 정밀 조준기가 달린 총포.
── *a.* 정밀한 ; 〖軍〗 정(正)조준의.

pre·clude [priklú:d] *vt.* ① …을 제외하다, 미리 배제하다《*from*》. ② …을 방해하다, 막다 ; 못〔불가능〕하게 하다《*from*》. ◇ preclusion *n.*

pre·clu·sive [priklú:siv] *a.* 제외하는 ; 방해하는, 방지하는 ; 예방의《*of*》. [파] ~·**ly** *ad.*

pre·co·cious [prikóuʃəs] *a.* ① 조숙한, 어른다운 《아이·거동 따위》. ② (사물이) 발달이 빠른. ③ 〖植〗 조생(早生)의, 일찍 꽃피는.

pre·coc·i·ty [prikɑ́səti / -kɔ́s-] *n.* [U] 조숙 ; 일찍 꽃핌 ; (야채·과일 따위의) 조생(早生).

pre·cog·ni·tion [prì:kɑgníʃən / -kɔg-] *n.* [U] 예지(豫知), 예견.

pre-Co·lum·bi·an [prì:kəlʌ́mbiən] *a.* 콜럼버스 (의 아메리카대륙 발견) 이전의.

pre·con·ceive [prì:kənsí:v] *vt.* …에 선입관을 갖다, …을 미리 생각하다, 예상하다 : ~*d* opinions 선입견. 「선입관, 편견.

pre·con·cep·tion [prì:kənsépʃən] *n.* [C] 예상,

pre·con·cert [prì:kənsə́:rt] *vt.* …을 미리 협정하다, 사전에 타협해 놓다. [파] ~·**ed** [-id] *a.*

pre·con·di·tion [prì:kəndíʃən] *n.* [C] 전제〔필수〕 조건.

pre·cook [pri:kúk] *vt.* (식품)을 미리 조리하다.

pre·cur·sor [prikə́:rsər, prí:kə:r-] *n.* [C] ① **a**) 선구자, 선각자, 선봉 ; 선임자. **b**) (기계·발명품 따위의) 전형, 전신 : German World War Ⅱ rocket weapons were the ~ of modern space rockets. 독일의 2차대전 때의 로켓 병기는 현대 우주로켓의 전신이었다. ② 전조(前兆), 예고, 조짐.

pred. predicate ; predicative(ly).

pre·da·ceous [pridéiʃəs] *a.* 〖動〗 포식성(捕食性)의, 육식의 ; 탐욕스런.

pred·a·tor [prédətər] *n.* [C] ① 약탈자 ; (금전·성적으로) 남을 희생물로 하는 자. ② 포식 동물.

pred·a·to·ry [prédətɔ̀:ri / -təri] *a.* ① **a**) 약탈하는 ; 약탈을 일삼는 ; 약탈〔착취〕로 살아가는. **b**) (자기 이익·성적 목적으로) 남을 희생시키는. ② 〖動〗 포식성의, 육식의.

pre·dawn [pri:dɔ́:n, ⌐⌐] *n.* [U], *a.* 동트기 전(의).

pre·de·cease [prì:disí:s] *vt.* (어느 사람보다) 먼저 죽다 : Her husband ~*d* her by six years. 그녀의 남편은 그녀보다 6년 전에 작고하였다.

***pred·e·ces·sor** [prédisèsər, ⌐⌐⌐ / prí:disèsər] *n.* [C] 전임자([opp] *successor*) ; 선배 ; 선행자 ; 전의 것, 앞서 있었던 것 ; 《古》 선조 : share the fate of its ~ 전철을 밟다. 「TINE.

pre·des·ti·nate [pridéstənèit] *vt.* ＝PREDES-

pre·des·ti·na·tion [pridèstənéiʃən] *n.* [U] 숙명, 운명 ; 〖神學〗 운명 예정설.

pre·des·tine [pridéstin] *vt.* (신이 사람)의 운명을 정하다 ; 예정하다 : He seemed ~*d* for the ministry. 그는 성직에 임하도록 운명지워진 것 같았다.

***pre·de·ter·mine** [prì:ditə́:rmin] *vt.* …을 미리 결정하다, 예정하다《흔히 受動으로 씀》: She had ~*d* her answer to the offer. 그녀는 그 제의에 대한 회답을 정해놓고 있었다.

pre·de·ter·min·er [prì:ditə́:rminər] *n.* [C] 〖文法〗 한정사 전치어, 전(前)결정사(詞)《'both our children'의 'both', 'all the time'의 'all' 따위처럼 한정사 앞에 오는 말》.

pred·i·ca·ble [prédikəbəl] *a.* 단정할 수 있는.
── *n.* [C] 단정되는 것 ; 속성(attribute).

***pre·dic·a·ment** [pridíkəmənt] *n.* [C] 궁지, 곤경 : in a ~ 곤경에 빠져.

‡pred·i·cate [prédikit] *n.* [C] 〖文法〗 술부, 술어 ([opp] *subject*). ── *a.* 〔限定的〕 〖文法〗 술부〔술어〕의 : a ~ adjective 서술형용사《보기 : Horses are *strong* ; I made him *happy*.》 ([cf] attributive adjective) / a ~ verb 〔noun〕 술어 동사〔명사〕.
── [-kèit] *vt.* ① 《~+[목] / +*that* [절] / +[목]+*to* be [보]》 …을 (…라고) 단언〔단정〕하다 : ~ of a motive *that* it is good ＝~ a motive *to be* good 어떤 동기를 좋다고 하다. ② 《+[목]+[전]+[명]》 (어떤 특질)을 …의 속성이라 단언하다〔보다〕《*about* ; *of*》: He ~*d* rationality *of* humankind. 그는 합리성은 인간의 속성이라고 단언했다. ③ 〖文法〗 …을 진술〔서술〕하다. ④ …을 내포하다, 함축하다. ⑤ 《+[목]+[전]+[명]》 (판단·행동 따위를 어떤 근거)에 입각시키다, 기초를 두다《*on, upon*》: *On* 〔*Upon*〕 what is the statement ~*d* ? 무엇을 근거로 그렇게 말하는가.
── *vi.* 단언〔단정〕하다.

***pred·i·ca·tive** [prédikèitiv, -kə- / pridíkətiv] *a.* 단정적인 ; 〖文法〗 술사(述詞)의, 서술적인《보기 : This dog is *old*.》 ([cf] attributive) : 〖文法〗 형용사의 보어로서 쓰는) 서술(적) 용법.
── *n.* [C] 술사, 서술어. [파] ~·**ly** *ad.*

‡pre·dict [pridíkt] *vt.* 《~+[목] / +*that* [절]》 …을 예언하다(prophesy) ; 예보하다 : You can't ~ what they are going to do. 그들이 무슨 짓을 할지 당신은 예상하지 못한다.
── *vi.* 《+[전]+[명]》 예언하다 ; 예보하다.

pre·dict·a·bly [pridíktəbli] *ad.* ① 예언〔예상〕되듯이. ② 〔文章修飾〕 예상대로.

***pre·dic·tion** [pridíkʃən] *n.* [U.C] 예언하기, 예언 ; 예보 : This morning's ~ was for more snow. 오늘 아침 예보는 더 많은 눈이 온다고 전하였다.

pre·dic·tive [pridíktiv] *a.* 예언〔예보〕하는, 예언적인 ; 전조(前兆)가 되는《*of*》.

pre·dic·tor [pridíktər] *n.* [C] 예언자, 예보자.

pre·di·gest [prì:didʒést, -dai-] *vt.* (음식)을 소화하기 쉽게 조리하다 ; (작품 따위)를 이해하기 쉽

게 간단히 하다.

pre·di·lec·tion [prìːdəlékʃən, prèd-] *n.* Ⓒ 선입(先入)적 애호, 편애(偏愛).

pre·dis·pose [prìːdispóuz] *vt.* ①《+목+*to* do / +목+전+명》 미리 (…의) 경향[소인]을 주다; …에 기울게 하다《*to*; *toward*》, …할 마음이 나게 하다: His early training ~*d* him *to* a life of adventure. 젊은 시절의 훈련으로 인해 그는 모험에 찬 생활을 즐기게 되었다 / What ~*d* you *to* become a novelist? 어떻게 되어 소설가가 되려고 하였는가. ②《+목+전+명》 (병에) 걸리기 쉽게 만들다《*to*》: Fatigue ~*s* you *to* disease. 피로는 병에 걸리기 쉽게 한다.

***pre·dis·po·si·tion** [prìːdispəzíʃən, ⌐-⌐-] *n.* Ⓒ ①경향, 성질《*to* do》: a ~ *to* think optimistically 낭만적으로 일을 생각하는 경향. ②〖醫〗 질병 소질, 소인(素因)《*to* malaria》.

pre·dom·i·nance [pridɑ́mənəns / -dɔ́m-] *n.* Ⓤ (또는 a ~) 우월, 우위, 탁월, 우세; 지배《*over*》.

***pre·dom·i·nant** [pridɑ́mənənt / -dɔ́m-] *a.* ① 뛰어난, 탁월한, 유력한; 우세한, 지배적인《*over*》: the place where immigrants are ~ *over* the natives 이주자 쪽이 현지인 보다 우세한 지역. ② 현저한, 눈에 띄는.

***pre·dom·i·nate** [pridɑ́mənèit / -dɔ́m-] *vi.* 《~ / +전+명》 ① 뛰어나다, 우세하다, 탁월하다; 주되다, 지배하다《*over*》: He soon began to ~ *over* the territory. 이윽고 그는 그 지방에 세력을 떨치기 시작했다. ② (…을) 지배하다, …보다 뛰어나다.

pre·e·lec·tion [prìːilékʃən] *n.* Ⓤ,Ⓒ 예선. ── *a.* 선거 전의.

pree·mie [príːmi] *n.* Ⓒ 《美口》 미숙아.

pre·em·i·nence [priémənəns] *n.* Ⓤ 걸출, 탁월, 발군.

pre·em·i·nent [priémənənt] *a.* 우수한, 발군의, 탁월한, 굉장한, 현저한. ㊕ **~·ly** *ad.*

pre·empt [priémpt] *vt.* ① …을 선매권(先買權)에 의해 얻다; 《美》 (공유지)를 선매권을 얻기 위해 점유하다. ② …을 선취(先取)하다; 사물화(私物化)하다. ③ (예상되는 사태를 미리 손을 써서) …을 회피하다: The army sent reinforcements into the area to try to ~ any trouble. 군은 그 지역의 분쟁을 막기 위하여 증원군을 그곳으로 보내었다. ④ …를 대신하다, …로 바꾸다.

pre·emp·tion [priémpʃən] *n.* Ⓤ ① 선매[취](권). ② 《美》 공유지 선매권 행사.

pre·emp·tive [priémptiv] *a.* ① 선매의, 선매권이 있는. ②〖軍〗 선제의: a ~ attack 선제 공격. ㊕ **~·ly** *ad.*

preen [priːn] *vt.* ① (새가 날개)를 부리로 다듬다. ② 〔再歸的〕 …을 몸치장 하다, 차려입다. ③ 〔再歸的〕 (업적·능력 등)을 자랑하다, 뽐내다. ── *vi.* (아무가) 멋을 부리다, 모양을 내다; 우쭐해지다.

pre·ex·ist [prìːigzíst] *vi.* 전에 존재하다, 선재(先在)하다. ── *vt.* …보다 전에 존재하다.

pre·ex·ist·ence [prìːigzístəns] *n.* Ⓤ (어떤 일의) 전부터의 존재; 미리 존재함. ㊕ **-ent** *a.*

pref. preface; prefatory; preference; preferred; prefix.

pre·fab [príːfæ̀b] *a. n.* Ⓒ 《口》 조립식 가옥.

pre·fab·ri·cate [priːfǽbrikèit] *vt.* (집 따위)를 조립식으로 만들다: a ~*d* house 조립식 간이 주택.

‡pref·ace [préfis] *n.* Ⓒ ① 서문, 서언, 머리말 (foreword): write a ~ to a book 책에 서문을 쓰다. ② 전제; 시작의 말. ── *vt.* ①《+목+전+명》 …에 허두를 놓다, …에 서문을 쓰다. ② …을 시작하다《*with*; *by*》: He ~*d* his speech *by* an apology. 그는 사과의 말로 연설을 시작했다. ③ …의 단서[실마리]를 열다, …의 발단이 되다.

pref·a·to·ry [préfətɔ̀ːri / -təri] *a.* 서문의.

pre·fect [príːfekt] *n.* Ⓒ ① (종종 P-) **a)** (고대 로마의) 장관. **b)** (프랑스·이탈리아의) 지사(知事). ② 《英》 (public school 의) 반장.

‡pre·fec·ture [príːfektʃər] *n.* ① Ⓒ (종종 P-) (프랑스 등지의) 현(縣). ② Ⓤ prefect의 직(職) [임기·관할권]. ③ Ⓒ 현청; 지사 관저.

‡pre·fer [prifə́ːr] (*-rr-*) *vt.* ①《~+목 / +목+전+명 / +*to* do / +목+*to* do / 목+*done* / +*-ing* / +*that* 절》 (오히려) …을 좋아하다, 차라리 …을 택하다: I ~ an early start. 일찍 떠나고 싶다 / I ~ beer to wine. 포도주보다 맥주를 좋아한다. ②《~+목 / +목+전+명》 (고소 등)을 제기하다. ③ …을 등용하다, 승진시키다, 발탁하다, 임명하다《*as*; *to*》: be ~*red* for advancement 승진하다. ④〖法〗 (채권자 등)에게 우선권을 주다.

***pref·er·a·ble** [préfərəbəl] *a.* 차라리 나은, 오히려 더 나은, 바람직한《*to*》: Gradual change is ~ *to* sudden, large-scale change. 갑작스런 대규모의 변화보다는 점진적인 변화가 바람직스럽다.

***pref·er·a·bly** [préfərəbli] *ad.* 차라리; 즐겨, 오히려, 되도록이면: Write a summary of the story, ~ with comment. 이야기의 개요를 될 수 있으면 감상을 곁들여 써라.

‡pref·er·ence [préfərəns] *n.* ① Ⓤ,Ⓒ 더 좋아함, 좋아함, Ⓤ 편애(偏愛)《*for*》: My ~ is *for* chemistry rather than physics. 물리보다 화학을 좋아한다. ② Ⓒ 좋아하는 물건, 더 좋아하는 것. ③ Ⓤ,Ⓒ〖法〗 우선(권), 〖經〗 (관세 따위의) 특혜, 차등: offer [afford] a ~ 우선권을[특혜를] 주다 / *Preference* was given to those who had overseas experience. 해외 경험이 있는 자들에게 우선권이 주어졌다. ***by*** [***for***] ~ 즐겨, 되도록이면. ***have a ~ for*** [***to***] …을 (오히려) 좋아하다. ***have the ~*** 선호되다. ***in ~ to*** …에 우선하여, …보다는 차라리: He chose that picture *in* ~ *to* any other. 그는 다른 어떤 것에 우선하여 그 그림을 택했다.

préference stòck [**shàre**] (종종 P- S-) 《英》 우선주(株) (《美》 preferred stock).

pref·er·en·tial [prèfərénʃəl] *a.* 〔限定的〕 ① 선취의, 우선(권)의; 선택적[차별적]인: ~ right 우선권 / ~ treatment 우대. ② (관세 등이) 특혜의: ~ tariffs[duties] 특혜 관세. ㊕ **~·ly** *ad.*

pre·fer·ment [prifə́ːrmənt] *n.* Ⓤ 승진, 승급; 발탁.

preférred stòck [**shàres**] 《美》 우선주(株).

pre·fig·u·ra·tion [priːfìgjəréiʃən, ⌐-⌐-] *n.* Ⓤ,Ⓒ 예시, 예표(豫表); 예상, 예측; 원형(原形).

pre·fig·ure [priːfígjər] *vt.* ① …의 모양을 미리 나타내다; 예시하다. ② …을 예상하다.

‡pre·fix [príːfiks] *n.* Ⓒ ①〖文法〗 접두사. cf. suffix. ② (인명 앞에 붙이는) 경칭(Mr., Sir). ── [priːfíks, ⌐-] *vt.* ①〖文法〗 …에 접두사를 붙이다. ②《+목+전+명》 …의 앞에 놓다, 앞에 덧붙이다《*to*》: ~ Dr. *to* a name 사람 이름 앞에 Dr.의 경칭을 붙이다.

pre·flight [priːfláit] *a.* 비행 전에 일어나는, 비행에 대비한.

preg·na·ble [prégnəbəl] *a.* 공격[점령]하기 쉬운; 약한, 취약한.

preg·nan·cy [prégnənsi] *n.* ① Ⓤ,Ⓒ 임신; 임신 기간: a ~ test 임신 테스트[검사]. ② Ⓤ 풍부, 풍만; 함축성이 있음, (내용) 충실, 의미 심장.

***preg·nant** [prégnənt] *a.* ① 임신한《*of*; *with*》.

②…이 가득 찬, (…로) 충만한《*with*》. ③ 의미 심장한, 함축성 있는《말 따위》: There was a ~ silence in the room. 방안에는 의미심장한 침묵이 흘렀다. ④ 풍부한《상상력·공상·기지 따위》. ⑤ 《古·詩》 다산의, 비옥한.

pre·heat [pri:hí:t] *vt.* (조작(操作)〔사용〕에 앞서) …을 가열하다, 예열하다.

pre·hen·sile [prihénsil, -sail] *a.* 【動】 (발·꼬리 등이) 쥘〔잡을〕수 있는; 파악력이 있는.

***pre·his·tor·ic** [prì:*h*istɔ́:rik, -tár- / -tɔ́r-] *a.* ① 유사 이전의, 선사 시대의. ②《口》 아주 옛날의, 구식의.

pre·his·to·ry [pri:hístəri] *n.* ① Ⓤ 선사학(先史學); 선사시대. ② (a ~) (…의) 전사(前史), 앞의 경위.

pre·hu·man [pri:*h*jú:mən] *a.* 인류 발생 이전의; 선행 인류의.

pre·judge [pri:dʒʌ́dʒ] *vt.* …을 미리 판단하다; 충분히 심리하지 않고 판결하다; …을 조급히 결정하다.

‡**prej·u·dice** [prédʒidis] *n.* ① Ⓤ,Ⓒ 편견, 선입관; 치우친 생각, 편애: have a ~ against …을 몹시 싫어하다 / have a ~ in favor of …을 역성들다. ② Ⓤ 【法】 침해, 불리, 손상: without ~ to …을 침해하지 않고; …을 해치지〔손상하지〕 않고; …에 불리하지 않게.

— *vt.* ① 《+目+전+명》 …에 (좋지 않은) 편견을 갖게 하다《*against*》; …을 편애케 하다《*in favor of*》: His good manner ~*d* the umpire *in his favor.* 그의 훌륭한 태도에 심판은 그를 좋게 보게 되었다. ② (권리·이익 따위)를 손상시키다, …에 손해를 주다, 불리케 하다.

prej·u·diced [prédʒədist] *a.* 편견을 가진, 편파적인; 반감을 품은《*to; toward; against*》: They're ~ *against*〔*toward*〕 foreigners. 그들은 외국인에게 편견을 갖고 있다.

prej·u·di·cial [prèdʒədíʃəl] *a.* ① 편견을 갖게 하는; 편파적인. ② 해가 되는, 불리한《*to*》.

prel·a·cy [préləsi] *n.* ① Ⓒ prelate 의 직〔지위〕. ② (the ~) 〔集合的〕 prelate 들.

***prel·ate** [prélit] *n.* Ⓒ 고위 성직자.

pre·launch [pri:lɔ́:ntʃ] *a.* 【宇宙】 (우주선 따위가) 발사 준비 단계의.

pre·lim [prí:lim, prilím] *n.* Ⓒ 《口》 (흔히 *pl.*) 예비 시험(preliminary examination); (권투 등의) 오픈 게임; = PRELIMINARY *n.* ③.

prelim. preliminary.

‡**pre·lim·i·na·ry** [prilímənèri / -nəri] *a.* ① 예비의, 준비의; 임시의; 시초의: a ~ examination 예비 시험《구어로 prelim》 / ~ expenses 【商】 창업비 / a ~ hearing 【法】 예심 / ~ negotiations 예비 교섭 / In ~ discussions, American officials rejected the requests. 예비 토의에서 미국 관리들은 그 요구를 거절하였다. ② 서문의. ~ ***to*** …에 앞서서.

— *n.* (흔히 *pl.*) ① 준비 (행동), 예비 행위〔단계〕: take one's *preliminaries* 준비 행동을〔행위를〕 하다. ② 예비 시험; (권투 등의) 오픈 게임, 예선. ③ 《英》 (책의) 본문 앞의 페이지(front matter).

pre·lit·er·ate [pri:lítərit] *a.* 문자 사용 이전의.

***prel·ude** [préljuːd, préi-, prí:-] *n.* Ⓒ ① 【樂】 전주곡, 서곡(overture) (opp. *postlude*); (교회 예배 전의) 오르간 독주. ② 서문, 서론《*to; of*》. ③ (흔히 *sing.*) 예고, 전조(前兆) 《*to*》. ④ 준비〔예비〕 행위.

— *vt.* ① …의 서곡이 되다. ② …을 예고하다; …의 선구가 되다. ③ …의 허두(虛頭)를 놓다: ~ one's remarks *with* a jest 이야기 허두에 농담을 꺼내다. — *vi.* ① 본론에 앞서 머리말을 하다. (연극 따위의) 개막사를 말하다; 서곡〔전주곡〕을 연주하다. ② …의 전조가 되다《*to*》.

pre·ma·ri·tal [pri:mǽritl] *a.* 결혼 전의, 혼전의.

***pre·ma·ture** [prì:mət*j*úər, ⏑-⏑] *a.* 조숙한; 너무 이른, 때 아닌; 시기 상조의, 너무 서두른: Their criticisms seem ~ considering that the results are not yet known. 아직 결과도 알기 전인데 그들의 비평은 너무 성급한것 같다. ◇ prematurity *n.* — *n.* Ⓒ 조산아(=∠ **báby**); (포탄·어뢰의) 조발(早發).

pre·med [prí:méd] *n.* 《口》 ① Ⓒ 의학부 예과(학생). ② = PREMEDICATION.

pre·med·i·cal [pri:médikəl] *a.* 의학부 진학 과정〔의과 대학 예과〕의.

pre·med·i·ca·tion [prì:medikéiʃən] *n.* Ⓒ 【醫】 (마취 전의) 전(前)투약.

pre·med·i·tate [pri:médətèit] *vt., vi.* 미리 생각〔의논, 연구, 계획〕하다. 派 **-tà·tor** *n.*

pre·med·i·tat·ed [pri:médətèitid] *a.* 미리 생각한, 계획적인.

pre·med·i·ta·tion [pri:mèdətéiʃən] *n.* Ⓤ ① 미리 생각〔계획〕하기. ② 【法】 고의, 예모(豫謀).

pre·men·stru·al [pri:ménstruəl] *a.* 월경(기) 전의: ~ tension〔syndrome〕 월경 전의 긴장〔증후군〕. 派 **~·ly** *ad.*

preménstrual sýndrome 【精神醫】 월경 전 증후군《월경 전에 일부 여성에게 나타나는 정신적 불안정 상태; 略: PMS》.

‡**pre·mier** [primíər, prí:mi-] *n.* Ⓒ (종종 P-) 수상; 국무 총리. — *a.* 〔限定的〕 첫째의, 수위의.

pre·miere [primíər, -mjɛ́ər] *n.* Ⓒ 【劇】 첫날, 초연(初演); (영화의) 특별 개봉; 주연 여우.

— *vt., vi.* (…의) 첫 공연〔상연〕을 하다; 처음으로 주역을 맡아 연기하다.

***prem·ise** [prémis] *n.* ① Ⓒ 【論】 전제(前提): We must act on the ~ *that* the worst may happen. 최악의 사태도 일어날 수 있다는 전제하에서 행동해야 한다. ② (*pl.*) (the ~) 【法】 전술한 사항《재산·토지·가옥 따위》; 증서의 두서(頭書)《당사자 성명·양도 물건·양도 이유 따위를 기술한 것》. ③ (*pl.*) 토지, 집과 대지, 구내: Keep off the ~*s.* 구내 출입 금지.

— [primáiz, prémis] *vt., vi.* 허두(虛頭)를 놓다, 전제로 말하다, 제언하다.

pre·mi·um** [prí:miəm] *n.* Ⓒ ① 할증금; 할증 가격; 프리미엄. ② 상(금); 포상금, 상여(bonus). ③ 보험료《1 회분의 지급 금액》, 보험 약조금. ④ (권유를 위한) 경품, 덤. ⑤ 수수료; 이자. ⑥ 사례금, 수업료(fee). ⑦ 【經】 초과 구매력; (증권의) 액면 초과액. ***at a ~ 프리미엄을 붙여, 액면 이상으로(opp. *at a discount*); 《比》 수요가 많은, 진귀한; 유행하여. ***put*** 〔***place, set***〕 ***a*** ~ ***on*** (1) …에 프리미엄을 붙이다, 더 어렵게〔비싸게 치게〕 하다. (2) …을 유발〔장려〕하다. — *a.* 〔限定的〕 ① 뛰어나게 우수한; 고가의, 특제의. ② 프리미엄의〔이 붙은〕.

Prémium (Sávings) Bònds 《英》 할증금 붙은 (저축) 채권.

pre·mo·lar [pri:móulər] *n.* Ⓒ 소구치.

pre·mo·ni·tion [prì:məníʃən] *n.* Ⓒ ① 사전 경고, 예고. ② 예감, 징후, 전조.

pre·mon·i·to·ry [primánitɔ̀:ri / -mɔ́nətə-] *a.* 예고의; 경고의; 【醫】 전구적(前驅的)인.

pre·na·tal [pri:néitl] *a.* 태어나기 전의, 태아기의. — *n.* Ⓒ 《口》 태아 검진.

***pre·oc·cu·pa·tion** [pri:àkjəpéiʃən / -ɔ̀k-] *n.* ①

Ⓤ 선취(先取); 선점(先占). ② Ⓤ 선입관, 편견. ③ Ⓤ (또는 a ~) 몰두, 전심, 열중. ④ Ⓒ 우선 해야 할 일, 첫째 임무; (중대) 관심사.

***pre·oc·cu·pied** [priːákjəpàid / -ɔ́k-] *a.* ① 선취(先取)된. ② 몰두한, 여념이 없는, 열중한.

***pre·oc·cu·py** [priːákjəpài / -ɔ́k-] *vt.* ①…을 먼저 점유하다, 선취(先取)하다. ②…의 마음을 빼앗다, 열중케 하다.

pre·or·dain [prìːɔːrdéin] *vt.* …을 예정하다(predetermine), …의 운명을 미리 정하다.

prep [prep] 《口》 *a.* 진학 준비의. ── *n.* Ⓒ 《美》 진학 준비생; 《美》 (대학에서) 권위 없는 상급생; Ⓤ 《美》학교 운동부의 연습; 《英》(boarding school 등에서의) 예습, 복습, 숙제.
── *vt.* ①…에게 준비를 시키다《*for*》. ② (환자에게) 수술준비를 시키다.

prep. preposition.

prè·páck = PREPACKAGE.

pre·pack·age [priːpǽkidʒ] *vt.* (식품 등)을 팔기 전에 포장하다: The supermarket sells both loose and ~*ed* apples. 수퍼마켓에서는 사과를 포장하지 않고 팔기도 하고 포장하여 팔기도 한다.

pre·paid [priːpéid] PREPAY의 과거·과거분사.
── *a.* 《美》 선불의, 지급필의: Admission tickets are $20 ~, $25 at the door. 입장료는 선금으로 20달러이고 입장시 구입은 25달러이다.

‡prep·a·ra·tion [prèpəréiʃən] *n.* ① **a)** Ⓤ (또는 a ~) 준비(하는 일) 《*of; for*》: The teacher didn't seem to have done much ~ *for* the class. 그 선생은 강의 준비를 충분히 한 것 같지 않았다. **b)** Ⓒ (때때로 *pl.*) 사전준비. ② Ⓤ 조리; (약의) 조제; Ⓒ 조합제. ③ Ⓒ 조직 표본, 프레파라트. ④ Ⓤ 《英》 숙제. ◇ prepare *v.*

pre·par·a·tive [pripǽrətiv] *a.* 준비〔예비〕의《*to*》. ── *n.* Ⓤ 준비; 예비 (행위); 〖軍〗 준비의 신호 (소리). ㊎ **~·ly** *ad.*

pre·par·a·to·ry** [pripǽrətɔ̀ːri / -təri] *a.* ① 준비의, 예비의《*to*》: ~ pleadings 〔proceedings〕 〖法〗 준비 서면〔절차〕. ② 《美》 대학 입학 준비의; 《英》 public school 입학 준비의. **~ *to …의 준비로서, …에 앞서, …의 앞에.

prepáratory schòol 《美》 대학 예비교《대학 진학을 목표로 하는 사립학교》; 《英》 예비교《public school 따위에 진학하기 위한》.

†pre·pare [pripέər] *vt.* ① 《~+目 / +目+前+名》 …을 준비하다, 채비하다《*for*》; …을 미리 마련하다; …을 미리 조사하다, 예습하다: ~ a lesson 학과 예습을 하다 / ~ the soil *for* sowing 땅을 씨 뿌릴 수 있게 하다. ② 《+目+前+名》 (아무)에게 준비시키다; 가르쳐서 준비시키다《*for*》: ~ a boy *for* an examination 아이에게 시험 준비를 시키다. ③ 《+目+前+名》 **a)** (…에게 …의) 각오를 갖게 하다《*for*》. **b)** 〔再歸的〕 …을 각오하다, 마음의 준비를 하다: *Prepare yourself* for a shock. 쇼크에 대비하라. ④ (계획·제도 등)을 작성하다, 입안하다; 조리하다; (약 따위)를 조제하다: ~ plans for a battle 작전 계획을 세우다.
── *vi.* 《+前+名》 ① 채비하다, 준비하다, 대비하다《*for; against*》. ② 각오하다《*for*》: Although the crisis seems to be over, we should ~ *for* a time of trouble 위기는 지난 것처럼 보일지라도 우리는 고난의 때에 대비해야 할 것이다.

pre·pared [pripέərd] *a.* ① **a)** 채비〔준비〕가 되어 있는; 각오하고 있는. **b)** 조제〔조합(調合)〕한. ② 〔敍述的〕 **a)** (…의) 준비가 된, 각오가된《*for*》: Police are ~ *for* large numbers of demonstrators. 경찰은 대규모 시위대에 대한 준비가 되어 있다. **b)** (…할)준비가 된, 각오가 된; 기꺼이〔자진하여〕하려고《*to*》: We are ~ *to* supply the goods. 상품을 공급할 준비가 되어 있다.

pre·par·ed·ness [pripέəridnis, -pέərd-] *n.* Ⓤ 준비〔각오〕(가 되어 있음), 《특히》 전시에 대한 대비, 군비《*for*》: Everything was in a state of ~. 모든 것이 준비 상태에 있었다.

pre·pay [priːpéi] (*p., pp.* ***-paid*** [-péid]; ***-paying***) *vt.* …을 선불하다, (운임 따위)를 미리 치르다; (우편 요금 따위)를 선납하다: ~ a reply to a telegram 전보의 반신료를 선불하다.

pre·pon·der·ance [pripándərəns / -pɔ́n-] *n.* (the ~, a ~) ① (무게·힘에 있어서의) 우위《*of*》. ② 우세, 우월; 다수(majority): *The ~ of* the scientific evidence suggests that a diet that is lower in fat and total calories is better for you. 다수의 과학적 증거는 지방과 전체 칼로리양이 비교적 낮은 절식은 너의 건강에 퍽 좋다는 것을 보여주고 있다.

pre·pon·der·ant [pripándərənt / -pɔ́n-] *a.* 무게〔수·양·힘〕에 있어 우세한, 압도적인《*over*》: Music does not play a very ~ role in the school's teaching. 음악은 학교 수업에 있어서 크게 비중있는 역할을 못하고 있다. ㊎ **~·ly** *ad.*

pre·pon·der·ate [pripándərèit / -pɔ́n-] *vi.* ① 무게〔수·양·힘 따위〕에 있어서 우세하다. ② 보다〔가장〕 중요하다, 영향력이 있다《*over*》: Pain ~*s over* pleasure in the world. 이 세상은 고통이 즐거움을 압도하고 있다.

‡prep·o·si·tion [prèpəzíʃən] *n.* Ⓒ 〖文法〗 전치사《略: prep.》.

pre·pos·i·tive [priːpázitiv / -pɔ́z-] *a.* 〖文法〗 앞에 둔, 접두사적인.

pre·pos·sess [prìːpəzés] *vt.* ① 《~+目 / +目+前+名》 (감정·생각 등)을 미리 일으키다《*with*》, 미리 생각케 하다: He is ~*ed with* some idea. 그는 처음부터 어떤 생각에 집착해 있다. ② 《+目+前+名》 〔흔히 受動으로〕 (인물·태도·얼굴 등이) 호의를 품게 하다, …에게 좋은 인상을 주다; (감정·생각이) 스며들다, 선입관이 되다: I *was* quite ~*ed* by his appearance. 나는 애초부터 그의 외모에 호감을 가졌었다.

pre·pos·ses·sion [prìːpəzéʃən] *n.* ① Ⓒ 선입적 호감, 편애; 선입관: I have tried to guard against my own ~. 선입관에 사로잡히지 않도록 힘썼다. ② Ⓤ 몰두, 집착; 먼저 가짐.

***pre·pos·ter·ous** [pripástərəs / -pɔ́s-] *a.* 앞뒤가 뒤바뀐; 상식을〔도리를〕 벗어난, 터무니없는; 어리석은: It's ~ to do a thing like that. 그와 같은 일을 하다니 상식 밖이다.

prep·pie, -py [prépi] (*fem.* ***prep·pette*** [prepét]) *n.* Ⓒ 《美俗》 preparatory school 의 학생〔출신자〕《부유층 자제에 많음》; 복장·태도가 ~풍(風)의 사람. ── *a.* ~풍의.

pre·proc·ess [prìːpráses / -próu-] *vt.* ① (자료 등)을 미리 조사·분석하다. ② 〖컴〗 (데이터)를 앞처리하다.

prép schòol 《口》 = PREPARATORY SCHOOL.

pre·puce [príːpjuːs] *n.* Ⓒ 〖醫〗 포피.

Pre-Raph·a·el·ite [priːrǽfiəlàit] *n.* (the ~) 라파엘 전파(前派)의 화가.

pre·re·cord [prìːrikɔ́ːrd] *vt.* (프로그램 따위)를 미리 녹음〔녹화〕해 두다.

pre·req·ui·site [priːrékwəzit] *a.* 미리 필요한, 필수의《*to; for*》: Good credentials are ~ *for* the issuance of a credit card. 크레디트 카드 발행에는 적절한 자격 증명서들이 우선 필요하다.
── *n.* Ⓒ 선행〔필요〕 조건(이 되는 것)《*for; of; to*》; 기초 필수 과목.

***pre·rog·a·tive** [prirágətiv / -rɔ́g-] *n.* Ⓒ (흔히 a ~) (관직·지위 따위에 따르는) 특권, 특전 ; (영국의) 국왕 대권(the royal ~) ; 우선 투표권 ; (남보다 뛰어난) 특질 : Defence and foreign policy will remain the ~ of the central authorities. 국방과 외교 정책은 중앙정부의 특권으로 계속 남을 것이다.

Pres. Presbyterian ; President. **pres.** present ; presidency ; presidential ; presumptive.

pres·age [présidʒ] *n.* Ⓒ 예감, 육감 ; 전조(omen), 조짐.
── [présidʒ, priséidʒ] *vt.* ① …의 전조가 되다, …을 예시하다 ; 예언하다 : The drive for equality often ~*s* chaos, disruption, and unhappiness. 평등을 위한 운동은 때로는 혼란, 분열, 불행의 전조가 되기도 한다. ② …을 예지〔예감〕하다《*that*》: I ~*d that* the whole thing would fail. 모든 것이 실패로 끝날 것 같은 예감이 들었다.

pres·by·ter [prézbitər] *n.* Ⓒ 〖敎會〗 (초대 교회의) 장로 ; (장로 교회의) 장로(elder).

***Pres·by·te·ri·an** [prèzbitíəriən] *a.* (종종 p-) 장로회제의 ; 장로 교회의. ── *n.* Ⓒ 장로교 회원 ; 장로제〔파〕주의자.

pres·by·tery [prézbitèri / -təri] *n.* Ⓒ 〖敎會〗 장로회 ; 장로회 관할구(區) ; (교회당의) 성전(聖殿) (sanctuary), 사제석 ; 〖가톨릭〗 사제관(館).

pre·school [príːskúːl] *a.* 〔限定的〕 학령 미달의, 취학 전의. ── [⌐⌐] *n.* Ⓒ 유아원 ; 유치원.

pre·sci·ence [préʃiəns, príː-] *n.* Ⓤ 예지, 선견.

‡pre·scribe [priskráib] *vt.* ①《~+목 / +목+전+명 / +*wh.* 절 / +*wh. to* do》…을 규정하다, 지시하다, 명하다(order) : Penalties for not paying your taxes are ~*d* by law. 세금을 내지 않은 데 대한 벌칙(罰則)은 법으로 규정되어 있다. ②《~+목 / +목+전+명》(약)을 처방하다 ; (요법)을 권하다 : Do not exceed the ~*d* dose. 처방된 분량 이상은 복용하지 마라. ③〖法〗…을 시효로 하다, …을 시효에 의해 취득〔소멸〕하다.
── *vi.*《~ / +전+명》① 규칙을 정하다, 지시를〔명령을〕 내리다 : The law ~*s for* all kinds of crimes. 법률은 모든 종류의 범죄에 대해 규정하고 있다. ②〖醫〗 처방을 내리다, 치료법을 지시하다 : ~ *to* 〔*for*〕 a patient. ③〖法〗 소멸 시효를〔에 의한 취득을〕 주장하다《*for; to*》; 시효가 되다.

pre·script [príːskript] *n.* Ⓒ 명령 ; 규칙, 규정 ; 법령, 법률.

***pre·scrip·tion** [priskrípʃən] *n.* ① Ⓤ 명령, 규정 ; Ⓒ 법규, 규범 : There are no ~*s* about what the members of the group can do. 회원이 무엇을 할 수 있는지에 대해 아무런 규범도 없다. ②〖醫〗 Ⓤ 처방 ; Ⓒ 처방전 ; 처방약 ; 〖法〗 시효, 취득 시효 ; 오랜 사용〔관습〕에 따른 권리〔권위〕: write out a ~ (의사가) 처방전을 쓰다. ◇ prescribe *v.*

prescríption chàrge (흔히 *pl.*)《英》(국민 건강 보험(N.H.S.)으로 약을 살 때의) 약값의 환자 부담분.

pre·scrip·tive [priskríptiv] *a.* 규정하는, 규범적인 ; 〖法〗 시효에 의하여 얻은 ; 관례의.

prescríptive grámmar 규범 문법.

‡pres·ence [prézəns] *n.* ① Ⓤ 존재, 현존, 실재 : The ~ of pollen in the atmosphere causes hay fever in some people. 대기중에 꽃가루가 있는 경우 일부 사람들에게 꽃가룻병을 일으킨다. ② Ⓤ 출석, 임석 ; 참석 ; (*sing.*) (군대 등의) 주둔 : Your ~ is requested. 참석해 주시기 바랍니다. ③ Ⓤ (사람이) 있는 자리, 면전 : I felt comfortable in her ~. 그녀 앞에서는 마음이 편안했다. ④ (the ~)《英》 어전 : withdraw from *the* ~ 어전에서 물러나다. ⑤〔形容詞를 수반〕 Ⓒ 위풍 있는 존재, 훌륭한 인물 : He was a real ~ at the party. 그는 연회석상에서 이채(異彩)를 떨쳤다. ⑥ Ⓤ,Ⓒ 풍채, 인품, 태도 : He had tremendous physical ~. 그는 멋진 풍채를 가지고 있었다. ⑦ Ⓤ 냉정, 침착 : stage ~ 무대에서의 침착성. ⑧ Ⓒ 신령, 영혼, 유령. ⑨ (음향의) 임장감(臨場感). ***make*** one***'s*** ~ ***felt*** ⇨ FEEL. ~ ***of mind*** (위급시의) 침착, 평정(opp *absence of mind*) : lose one's ~ *of mind* 당황하다 / She had the ~ *of mind* to call the fire station. 그녀는 침착하게 소방서에 전화를 걸었다.

présence chàmber 알현실.

†pres·ent¹ [prézənt] *a.* ①〔敍述的〕 있는, 출석하고 있는. opp *absent.* ¶ This special form of vitamin D is naturally ~ in breast milk. 이 비타민 D의 특수형은 천연적으로 모유에 존재한다. ②〔限定的〕 지금의, 오늘날의, 현재의, 현(現)… : one's ~ address 현주소 / Economic planning cannot succeed in ~ conditions. 경제 계획은 지금의 상태에서는 성공할 수 없다. ③〖文法〗 현재(시제)의 : the ~ tense 현재시제. ④ 당면한, 문제의, 여기 있는, 이. ⑤〔敍述的〕 (마음·기억 따위에) 있는, 잊지못하는《*to* ; *in*》: ~ *to* the imagination 상상속에 있어.
── *n.* ① Ⓤ (종종 the ~) 현재, 오늘날 : (There is) no time like *the* ~.《俗談》 이런 좋은 때는 또 없다《지금이 호기이다》/ At ~ she's working abroad. 그녀는 현재 외국에서 근무하고 있다. ②〖文法〗 현재시제. ③ (*pl.*) 〖法〗 본서류, 본증서. ***for the*** ~ 현재로서는, 당분간.

†pres·ent² *n.* Ⓒ 선물 : This book would make a great Christmas ~. 이 책은 훌륭한 크리스마스 선물이 될 것이다.

†pre·sent³ [prizént] *vt.* ①《~+목 / +목+전+명》…을 선물하다, 증정하다, 바치다 ; …에게 주다《*to* ; *with*》: ~ a message 메시지를 보내다 / ~ a medal *to* a winner 우승자에게 메달을 수여(授與)하다 / ~ a person *with* a book = ~ a book *to* a person 아무에게 책을 증정하다. ②《+목+목》(기회·가능성 따위)를 주다, 제공하다 : ~ a person an opportunity for ... 아무에게 …할 기회를 주다 / His sudden resignation ~*ed* us *with* a serious problem〔= a serious problem *to* us〕. 그의 갑작스러운 사임으로 중대한 문제가 생겼다 / This sort of work ~*s* no difficulty to me. 이런 일은 내게는 간단하다. ③《~+목 / +목+전+명》(서류·계산서·명함(名啣) 따위)를 제출하다, 내놓다, 건네주다 : ~ one's card *to* …에게 명함을 내놓다 / The builder ~*ed* his bill *to* me. 건축업자는 내게 청구서를 내 놓았다(= The builder ~*ed* me *with* his bill). ④《~+목 / +목+전+명》(계획·안(案))을 제출하다, 제안하다 ; (이유·인사 따위)를 진술하다, 말하다 : ~ facts 〔arguments〕 사실〔의론〕을 진술하다 / ~ a petition *to* (the authorities) (당국)에 청원서를 제출하다. ⑤《~+목 / +목+전+명》〔再歸的〕 모습을 보이다〔나타내다〕, 나타나다 ; …을 일으키다, 생기게 하다 : I have to ~ my*self* in court on May 20. 5월 20일에는 법원에 출석해야 한다. ⑥《~+목 / +목+전+명 / +목+*as* 보》(광경 등)을 나타내다(exhibit), 보이다 ; …라고 느끼게 하다, …한 인상을 주다 : She ~*ed* a smiling face *to* a crowded audience. 그녀는 만장의 청중에게 미소를 보였다 / He ~*ed* her *in* a favorable light. 그는 그녀를 좋게 묘사했다. ⑦《~+목 / +목+전+명》(…에게) …을 소개하다, 인사시키다 ; 배알케 하다《*to* ; *at*》: The chat show host ~*ed* his guests *to* the audience. 대담(對談) 쇼프로의 호스트는 출연자들을 청중에게 소개했다 / The ambassador was ~*ed to* the king. 대사는 국왕을 배알〔알현〕하였다. ⑧ (영화 회사가 영화 등)을 제공하다, 공개하다, (연극)을 상연하다; (배우)를 출연시키다: ~ a new play 〔an unknown actor〕 새 연극을 상연하다〔무명의 배우를 출연시키다〕 / This theater will ~ film on a larger screen. 본 극장에서는 대형 스크린으로 영화를 상영하겠습니다. ⑨ (역(役))을 맡아 하다. ⑩ (전갈·인사·경의 등)을 …에게 공손히 말하다, 전하다, 바치다: He ~*ed* the professor (*with*) his compliments. 교수에게 공손히 인사했다. ⑪ 《~+목 / +목+전+명》 …으로 향하게 하다, 돌리다 《*to*》, 겨누다《*at*》; 〖軍〗 받들어총을 하다.

pre·sent·a·ble [prizéntəbəl] *a.* ① 남 앞에 내놓을 만한, 외모가 좋은, 보기 흉하지 않은: Jeremy was looking quite ~ for once. 제레미도 한 때는 외모가 흉하지는 않았다 / Are you ~ now? 지금 몸단장을 하고 있느냐. ② 선사하기에 알맞은, 선사하여 부끄럽지 않은; 소개할 수 있는; 상연할 수 있는.

*__pres·en·ta·tion__ [prèzəntéiʃən] *n.* ① U,C 증여, 수여, 증정; C 수여식: The ~ of prizes and certificates will take place in the main hall. 상장과 수료증의 수여식은 메인 홀에서 거행될 것이다. ② C (공식적인) 선물(gift). ③ U 소개, 피로(披露); 배알, 알현《*at* court》. ④ U,C 제출; 표시; 진술; 표현, 발표. ⑤ U,C (극·영화 따위의) 상연, 상영, 공개: We went to the premiere of their new ~. 우리는 그들의 새 영화 상영 시사회에 갔다. ⑥ U,C 〖醫〗 태위(胎位). ⑦ U 〖商〗 (어음 따위의) 제시.

presentátion còpy 증정본, 기증본.

*__pres·ent-day__ [prézəntdéi] *a.* 〔限定的〕 현대의, 오늘날의: ~ English 현대 영어 / *Present-day* leisure facilities are very different from those of 40 years ago. 오늘날의 위락시설은 40년 전의 그것과는 크게 다르다.

pres·en·tee [prèzəntíː] *n.* C 수증자, 수령자.

pre·sent·er [prizéntər] *n.* C ① 증여자; 추천인; 제출자; 신고자, 고소인. ② 《英》 (TV·라디오의) 뉴스 캐스터 (《美》 anchorman).

pre·sen·ti·ment [prizéntəmənt] *n.* C (불길한) 예감, 예각(豫覺), 육감《*of*; *that*》: She had a ~ *of* what might lie ahead. 앞에 무엇인가가 가로 놓여 있을 것 같은 예감이 들었다.

‡**pres·ent·ly** [prézəntli] *ad.* ① 이내, 곧 (soon): He will be here ~. 그는 곧 이곳에 올 것이다. ② 《美·Sc.》 현재: Of 200 boats, only 20 are ~ operational. 200척의 보트 중 겨우 20척 만이 현재 가동할 수 있다.

pre·sent·ment [prizéntmənt] *n.* ① U 진술, 서술《*of*》. ② C (극의) 상연, 연출; 묘사; 초상; 그림. ③ U (서류 따위의) 제출, 신청; (어음 등의) 제시. ④ C 〖法〗 대배심의 고소〔고발〕; 〖敎會〗 진정(陳情), 추천. ⑤ U 〖哲·心〗 표상, 관념.

présent párticiple 〖文法〗 현재 분사.

présent pérfect 〖文法〗 현재 완료.

pre·serv·a·ble [prizə́ːrvəbəl] *a.* 보존〔보관, 저장, 보호〕할 수 있는.

*__pres·er·va·tion__ [prèzərvéiʃən] *n.* U ① 보존, 저장; 보호, 보관: The food industry has been moving away from canned packaging and toward ~ methods such as freezing. 식품공업은 통조림 포장 방법에서 냉동과 같은 보존 방법으로 이행해 왔다. ② 보존 상태: be in good 〔bad〕 ~ 보존 상태가 좋다〔나쁘다〕.

pre·serv·a·tive [prizə́ːrvətiv] *a.* 보존하는, 보존력 있는; 방부의: a ~ agent 방부제.
— *n.* U,C ① 방부(防腐)제, …막이〔방지〕: Salt and sugar are valuable ~*s*. 소금과 설탕은 훌륭한 방부제이다. ② 예방약.

‡**pre·serve** [prizə́ːrv] *vt.* ① …을 보전〔유지〕하다: Efforts to ~ the peace have failed. 평화를 유지하려는 노력은 실패했다. ② …을 보존하다: We want to ~ the character of the town while improving the facilities. 시설물들을 개량하는 한편 마을의 특징은 그대로 보존하고 싶다. ③ (과일 등)을 저장 식품으로 만들다; 설탕〔소금〕 절임으로 하다, 통〔병〕조림으로 하다: Bottling is no longer a common way of *preserving* fruit and vegetables. 병조림은 이미 과일이나 야채를 보존하는 일반적인 방법이 아니다. ④ 《~+목 / +목+전+명》 …을 보호하다, 지키다《*from*》: The agreement ~*d* our right to limit trade in endangered species. 멸종위기에 있는 동식물의 거래를 제한하려는 우리의 권리를 그 협정은 보호했다. ⑤ (새·짐승)을 보호하다《금렵 조치에 의해》: These wood are ~*d*. 이 숲은 금렵구역입니다. ⑥ 마음에 간직하다, 잊지 않다.
— *vi.* ① 보존 식품으로 하다: This vegetable doesn't ~ well. 이 야채는 보존이 잘 안된다. ② 금렵구로 지정하다; 사냥을 금하다.
— *n.* ① (흔히 *pl.*) 보존 식품, 설탕 절임, 잼(jam), 통〔병〕조림의 과일. ② C 금렵지; 양어장; 《美》 자연자원 보호 구역. ③ C 《比》 (개인의) 영역, 분야: The gardening is Jo's ~. 정원손질은 조의 책임이다. ④ (*pl.*) 차광〔먼지막이〕 안경.

pre·set [priːsét] *vt.* …을 미리 세트〔설치, 조절〕하다: The video was ~ to record the match. 그 시합을 녹화하기 위해 비디오가 이미 설치 되었다.

pre·shrunk [priːʃrʌ́ŋk] *a.* 방축(防縮) 가공한.

‡**pre·side** [prizáid] *vi.* 《+전+명》 ① 의장을 하다, 사회를 하다. ② 통할하다, 관장하다: ~ *over* the business of the store 상점의 경영을 관장하다 / Judge Wood is *presiding over* the criminal case. 우드 판사가 그 형사 사건을 관장하고 있다. ③ (식탁에서) 주인역을 맡아 보다《*at*》. ④ 연주를 맡아 보다: ~ *at* the piano 《口》 피아노 연주를 맡다. ⑤ (…의) 책임을 지다.

pres·i·den·cy [prézidənsi] *n.* ① U,C 대통령〔사장, 학장〕의 직〔지위, 임기〕; (종종 P-) 미국 대통령의 지위: Poverty had declined during his ~. 그의 대통령 재임중에 빈곤이 감소했다 / sit in ~ 사장〔학장·총장·대통령〕이 되다 / assume the American ~ 미국 대통령의 임무에 임하다. ② 통할, 주재(主宰).

†**pres·i·dent** [prézidənt] *n.* C ① (종종 P-) 대통령. ② 장(長), 회장, 총재; 의장; 사장; (대학의) 총장, 학장: the ~ of a society 협회의 회장. ③ 〖史〗 지사. ◇ presidential *a.*

pres·i·dent-elect [-ilékt] *n.* C 대통령 당선자 《당선된 때부터 취임시까지의》.

*__pres·i·den·tial__ [prèzidénʃəl] *a.* 〔限定的〕 ① president 의: a ~ plane 대통령 전용기 / a ~ timber 《美》 대통령감. ② 총장〔학장·회장·은행장〕의. ◇ president *n.*

†**press**[1] [pres] *vt.* ① 《+목+부 / +목+전+명》 …을 누르다, 밀어붙이다: She ~*ed* his arm to get his attention. 그의 주의를 끌기 위해 그의 팔을 쿡 눌렀다 / The crowd ~*ed* him *into* a corner. 군중은 그를 한 구석에 밀어붙였다. ② 《~+목 / +목+전+명》 …을 눌러 펴다, 프레스하다: ~ flowers 꽃을 종이 사이에 끼워 납작하게

하다 / ~ clothes 옷에 다리미질을 하다 / He ~*ed* the clay *into* a ball. 찰흙을 반죽해 공 모양을 만들었다. ③《~+목 / +목+전+명》…을 껴안다, 꽉 쥐다 : She ~*ed* him *in* her arms. 그녀는 그를 껴안았다. ④《~+목 / +목+전+명》(짓눌러) …에서 즙을 내다, (즙)을 짜내다 : When you have ~*ed* the oranges, strain the juice. 오렌지를 짓눌러 짰으면 즙액을 걸러내라. ⑤ …을 강조〔역설〕하다, 주장하다. ⑥《~+목 / +목+*to* do / +목+전+명》…에게 강요하다, …을 조르다《*for*》: He's ~*ing* me *for* an answer. 그는 나에게 대답을 강요하고 있다 / We ~*ed* him *to* stay another week. 그에게 1주일간 더 머물고 가라고 힘써 권했다. ⑦《+목+전+명 / +목+*to* do》〔흔히 受動으로〕 **a**) (질문·문제 등으로) …을 괴롭히다《*with*》. **b**) (경제적·시간적인 일로) 괴로운 입장에 서게 하다, 압박하다《*for* ; *to* do》; (일·문제 등으로) 괴롭히다《*with* ; *by*》: *be* ~*ed for* time 〔money〕 시간〔돈〕에 쪼들리다〔곤란을 받다〕/ They'*re* ~*ed for* space in their little house. 그들은 작은 집에서 비좁게 산다. ⑧ …을 인쇄하다. ⑨《~+목 / +목+부 / +목+전+명》(계획·행동 등)을 추진하다 ; (적 등)을 공격하다, 압박하다 ; (공격 등)을 강행하다 : ~ a charge *against* a person 아무를 고발하다 / The attack was ~*ed* home. 그 공격은 큰 성과를 거두었다. ⑩ (음반)을 원판에서 복제하다. ⑪《+목+전+명》…을 누르다, 눌러 붙이다 : ~ a stamp *on* a post card 엽서에 우표를 붙이다. ⑫〔~ one's way의 꼴로〕 …을 헤치고 나가다《*through*》. ⑬〖컴〗 누르다《키보드나 마우스의 버튼을 아래로 누르는》.

── *vi.* ①《+전+명》 내리누르다, 밀다, 압박하다 ; 몸을 기대다 : The cat ~*ed against* his master's leg. 고양이는 주인의 다리에 다가붙었다. ②《~+전+명》(마음에) 무겁게 걸리다《*upon, on*》: The matter ~*ed upon* his mind. 그 문제는 그의 마음을 무겁게 하였다. ③《+전+명》 밀어 제치며 나아가다, 밀어닥치다 ; 밀려 오다 ; 몰려들다《*up*》: A large crowd ~*ed around* him. 많은 군중이 그의 주위에 몰려 들었다. ④《+전+명 / +부》 서두르다, 급히 가다《*on* ; *forward*》: He ~*ed up to* the platform. 그는 급히 플랫폼으로 향했다. ⑤ 재촉하다, 서두르게 하다 : Time ~*es*. 시간이 절박하다. ⑥《+전+명》 조르다, 강요하다《*for*》: The unions are ~*ing for* a salary increase. 그 조합은 급여 인상을 강요하고 있다. ⑦ 영향을 주다, 효험이 있다. ⑧ 프레스하다, 다리미질하다《*on*》. ◇ pressure *n.*

be ~ed for ⇨ *vt.* ⑦ b). ~ ***back*** 되밀치다 ; 퇴각시키다. ~ ***hard upon*** …에 육박하다 ; …을 추궁하다. ~ ***home*** (1) 물건을 꽉 차도록 밀어 넣다. (2) (유리한 입장을) 최대한으로 이용하다. (3) (알아듣도록) 차근차근 타이르다. (4) (공격 따위를) 강행하다. ~ ***in*** 〔***into***〕 …에 밀어넣다, …에 침입하다. ~ ***on*** 〔***upon***〕 (1) 무겁게 짓누르다. (2) 매진하다, 추진하다, 계속하다. (3) (강제로) 주다, 억지로 쥐어주다. ~ ***on*** (one'***s way***) 길을 재촉하다. ~ ***the button*** ⇨BUTTON. ~ ***the flesh*** ⇨ FLESH.

── *n.* ① Ⓒ 누름 ; 압박, 압착 ; 《口》(의복의) 다리미질 ; 움켜쥠 : Give it *a* slight ~. 그것을 가볍게 누르게. ② Ⓒ 압착기, 짜는 기구 ; 누름단추 ; (라켓 따위의) 휘는 것을 막는 죔쇠, 프레스. ③ Ⓤ 밀어닥침, 돌진 ; 혼잡, 군집, 붐빔 : The ~ of the crowd drove him on. 군중에게 밀려 그는 앞으로 나아갔다. ④ Ⓤ 분망, 절박, 화급 : in the ~ of business 일이 분망하여 / The ~ of household chores keeps mother busy. 집안의 자질구레한 일로 어머니는 항상 바쁘다. ⑤ **a**) Ⓒ 인쇄기(《英》 machine) ; 인쇄술〔소〕; 발행소, 출판부. **b**) Ⓤ (the ~) 〔集合的〕 신문, 잡지, 정기 간행물. ⑥ **a**) (the ~) 보도 기관 ; 〔集合的〕 보도 기자 : freedom of the ~ 출판〔언론〕의 자유. **b**) (the ~) 〔종종 複數 취급〕 보도진, 기자단 : The charity invited *the* ~ to a presentation to its plan for the future. 그 자선 단체는 미래에 대한 자기들의 계획 발표회에 기자단을 초대했다. **c**) (보도 기관의) 논설, 비평, 논조. ⑦ Ⓒ 찬장 ; 책장 ; 양복장. ***be at*** 〔***in*** (***the***)〕 ~ 인쇄중이다. ***be off the*** ~ 인쇄가 끝나 발행 중이다. ***come*** 〔***go***〕 ***to*** (***the***) ~ 인쇄에 돌려지다. ***correct the*** ~ 교정하다. ***give . . . to the*** ~ …을 신문에 공표하다. ***have a good*** ~ 신문지상에서 호평을 얻다. ***out of*** ~ (1) 절판되어, 매진되어. (2) 구겨져. ~ ***of sail*** 〖海〗 바람이 허용하는 한도까지 올린 돛의 추력(推力). ***send . . . to*** (***the***) ~ …을 인쇄에 넘기다.

── *a.* 〔限定的〕 신문의, 보도에 관한 : ~ advertising 신문광고 / ~ comment 신문의 비평 / ~ photographer 보도 사진기자.

press² *n.* Ⓤ〖史〗(수병·병사의) 강제 징모 ; 징발 ; Ⓒ 강제 징모 영장(令狀). ── *vt.* ① …을 강제로 병역에 복무시키다 ; 징발하다. ② …을 임시 변통하다《속옷을 수건으로 쓰는 등》. ~ ***into service*** (부득불 임시로) 대신 쓰다, 이용하다 : The local bar has been ~*ed into service* as a school. 그 지방의 술집이 학교로 임시로 대신 쓰이게 되었다.

préss àgency 통신사(news agency).

préss àgent (극단 따위의) 선전원, 보도〔홍보〕 담당원, 대변인.

préss bàn 보도〔게재〕 금지.

préss bàron 〔**lòrd**〕《口·때로 蔑》 신문왕(新聞王).

préss bòx (경기장 따위의) 신문 기자석.

press-but·ton [-bʌ̀tn] *a.* =PUSH-BUTTON.

préss campàign 신문에 의한 여론 환기.

préss clìpping 《美》 신문〔잡지〕 오려낸 것.

préss cònference 기자 회견.

préss còrps 《美》 (the ~ ; 集合的) 신문 기자단.

préss cùtting 《英》 =PRESS CLIPPING.

pressed [prest] *a.* ①〔限定的〕 **a**) (식품 등이) 통조림용으로 압축된 ; 프레스 가공된. **b**) (꽃잎 등을) 납짝하게 압축한. ②〔흔히 合成語〕(의복 등이) 다리미질을 한, 프레스한 : well-〔badly-〕~ clothes 다리미질이 잘된〔잘 안된〕 옷. ③〔敍述的〕 (시간·돈 등이) 부족하여, (…없어) 어려워《*for*》.

press·er [présər] *n.* Ⓒ 압착기〔공(工)〕.

préss gàllery (영국 하원의) 신문 기자석 ; 의회 기자단.

préss gàng 〖史〗 강제 징모대(徵募隊).

press-gang [présgæ̀ŋ] *vi.* 《口》(사람을) 강제로 …시키다《*into*》.

pres·sie, prez·zie [prézi] *n.* Ⓒ 《Austral. 口》 선물, 선사.

‡**press·ing** [présiŋ] *a.* ① 절박한, 긴급한(urgent) : a ~ need 절박한 필요. ② 간청하는, 귀찮게 조르는, 절실한 : Don't be so ~ . 그렇게 귀찮게 굴지 말게. ── *n.* Ⓤ 누르기, 압축하기 ; 압착물 ; Ⓒ (원판에서 프레스하여 만든) 레코드 ; 동시에 프레스한 레코드《전체》.

press·man [présmən] (*pl.* **-men** [-mən]) *n.* Ⓒ ① 인쇄(직)공. ②《英》 신문 기자(《美》 newsman).

press·mark [-mɑ̀:rk] *n.* Ⓒ 《英》 (도서관 장서의) 서가(書架) 번호.

préss òfficer 《대규모 조직·기관 등의》 공보 담당자, 대변인.

préss relèase (보도 관계자에게 미리 나누어 주는) 보도 자료(news release), 신문 발표.

press·room [présrù:m] *n.* Ⓒ 《美》 ① (인쇄소 내의) 인쇄실(《英》 machineroom). ② 신문 기자실.

préss sècretary (미국 대통령의) 보도 담당 비서, 공보 담당관.

press-stud [présstʌ̀d] *n.* 《英》=SNAP FASTENER.

press-up [-ʌ̀p] *n.* 《英》 =PUSH-UP.

‡**pres·sure** [préʃər] *n.* ① UC 압력 ; 압축, 압착 : give ~ to …에 압력을 가하다 / You can stop bleeding by applying ~ close to the injured area. 상처부위 근처에 압력을 가함으로써 출혈을 막을 수 있다. ② U 압박, 강제(력) : I can't see you this week — I'm under ~ to get the report finished. 금주에는 자네를 만나지 못하겠네 — 이 보고서를 끝내야 할 처지이거든. ③ UC 〖物〗 압력 《略 : P》; 〖氣〗 기압 ; 〖醫〗 혈압. ④ UC 곤란 ; (*pl.*) 궁경(窮境). ⑤ U 긴급, 지급 ; 분망 : ~ of business 일의 분망. ◇ press *v.* ***at high*** 〔***low***〕 ~ 맹렬히〔한가하게〕《일하다 등》. ***~ for money*** 돈에 궁함. ***put ~ on*** 〔***upon***〕 …에 압력을 가하다. ***under*** (***the***) ***~ of*** …의 압력을 받고 ; (가난·기아 등에) 몰려〔시달려〕 : a news story written *under the ~ of* time 시간에 쪼들려 작성된 뉴스기사(記事). ***under ~*** (1) 압력을 받아서 : Gases *under ~* became liquids. 기체는 압력을 받으면 액체로 된다. (2) 압박받아, 재촉받아 : be 〔come〕 *under ~* to do …하도록 압력을 받고 있다. (3) 강제되어 : She only wrote the letter *under ~*. 그녀는 강요로 편지를 썼을 뿐이다.
— *vt.* 《美》 ① …에 압력을 가하다, 강제하다. ② =PRESSURIZE.

préssure càbin 〖空〗 기밀실(氣密室).

pres·sure-cook [préʃərkùk] *vt., vi.* 압력솥으로 요리하다, 가압 조리하다.

préssure còoker 압력솥.

préssure gàuge 압력계.

préssure gròup 〖政〗 압력 단체. cf. lobby.

préssure pòint ① (피부의) 압각점(壓覺點). ② 지혈점(止血點). ③ 정치 압력의 표적.

préssure sùit 여압복(與壓服)《우주 비행용》, 기밀복(氣密服).

pres·sur·ize [préʃəràiz] *vt.* ① (비행기·잠수함 따위)의 기압을 정상으로 유지하다. ② …을 압력솥으로 요리하다. ③ = PRESSURE.

préssurized wáter reàctor 가압수형(加壓水型) 원자로《略 : PWR》.

Pres·tel [prestél, ⌐-] *n.* 프레스텔《가입자를 전화로 컴퓨터에 접속하여 텔레비전 스크린에 정보를 표시 제공하는 영국 우편 서비스 ; 商標名》.

pres·ti·dig·i·ta·tion [prèstədidʒətéiʃən] *n.* U 요술, 속임수, 기술(奇術).

***pres·tige** [prestíːdʒ, préstidʒ] *n.* U 위신, 위광(威光), 명성, 신망, 세력 : loss of ~ 위신 손상 / national ~ 국위. — *a.* 명성이 있는, 신망이 두터운 : a ~ school 명문고 / a ~ car 고급차.

pres·ti·gious [prestídʒiəs] *a.* 명성 있는 ; 유명한, 칭송〔존경〕 받는. 파 **~·ly** *ad.* **~·ness** *n.*

pres·tis·si·mo [prestísimòu] *ad., a.* 《It.》 〖樂〗 아주 빠르게〔빠른〕.

pres·to[1] [préstou] *ad., int.* 급히, 빨리《요술쟁이의 기합 소리》. ***Hey ~*** (***, pass*** 〔***be gone***〕) ***!*** 자, 빨리 변해라〔없어져라〕 얍《요술사의 기합 소리》.
— *a.* 빠른, 신속한 ; 요술 같은.

pres·to[2] 〖樂〗 *ad., a.* 《It.》 급속히〔한〕.
— (*pl.* ~*s*) *n.* C 급속곡(急速曲), 프레스토 악절〔악장〕.

pré·stressed cóncrete [príːstrèst-] (보강철선을 넣은) 콘크리트.

pre·sum·a·ble [prizúːməbəl] *a.* 추측〔가정〕할 수 있는, 있음직한, 그럴 듯한.

pre·sum·a·bly [prizúːməbli] *ad.* ① (문장 전체를 수식하여) 아마, 다분히, 생각건대 : The report is ~ correct. 그 보도는 아마 정확할 것이다. ② 〔부가어적으로 가벼운 의문의 뜻을 내포하여〕 …이겠지요 : You'll be at the party, ~. 파티에 참석하시겠지요.

‡**pre·sume** [prizúːm] *vt.* ① 《~+목 / +(*that*) 절 / +목+(*to be*) 보》 …을 추정하다, 상상하다, …라고 생각하다 : I ~ (*that*) you are right. 당신 말이 옳다고 생각합니다. ② 《~+목 / +목+보》 〖法〗 (반대 증거가 없어) …로 추정하다, 가정하다 : ~ the death of a missing person = ~ a missing person dead 행방 불명자를 죽은 것으로 추정하다. ③ 《+*to* do》 감히 …하다, 대담하게 …하다 : I won't ~ *to* trouble you. 수고를 끼칠 생각은 없습니다. — *vi.* ① 추정하다, 상상하다 : She is innocent, I ~. 짐작건대 그녀는 결백하다 / You're a student, I ~? 학생이지. ② 〔흔히 부정문 또는 의문문에서〕 대담하게〔건방지게〕 굴다 ; 남의 일에 참견하다, 주제넘다. ③ 《~ / +전+명》 (남의 약점 따위를) 이용하다, 편승하다《*on, upon*》 : Don't ~ *on* her good nature. 그녀의 선량한 성품을 이용 마라. ***May I ~*** (to ask you a question)? 실례지만 (한 가지 여쭈어 보겠습니다).

pre·sum·ed·ly [prizjúːmidli] *ad.* 추측상, 생각건대, 아마 (presumably).

pre·sum·ing [prizúːmiŋ] *a.* 주제넘은, 뻔뻔스러운, 건방진. 파 **~·ly** *ad.*

***pre·sump·tion** [prizʌ́mpʃən] *n.* ① UC 추정, 가정, 추측, 억측 ; 추정의 이유〔근거〕 ; 있음직함, 가망 : The ~ of innocence is central to British law. 무죄의 추정이 영법의 핵심이다. ② U 주제넘음, 체면 없음, 철면피.

pre·sump·tive [prizʌ́mptiv] *a.* 〔限定的〕 추정의, 가정의 ; 추정의 근거가 되는. 파 **~·ly** *ad.*

presúmptive évidence 〔**próof**〕 〖法〗 추정(적) 증거.

***pre·sump·tu·ous** [prizʌ́mptʃuəs] *a.* 주제넘은, 뻔뻔한, 건방진 : It would be ~ of me to comment on the matter. 그 문제에 대해 내가 논평한다는 것은 주제 넘은 일이 될 것이다.

pre·sup·pose [prìːsəpóuz] *vt.* ① …을 미리 가정〔예상〕하다 : All this ~*s* that he'll get the job he wants. 이 모든 것은 그가 바라는 직업을 얻을 것이라는 것을 예상한 것이다. ② …을 필요 조건으로 예상하다, 전제로 하다 ; …의 뜻을 포함하다 : All arguments must ~ logic. 모든 논의는 논리적임을 전제로 해야한다.
파 **prè·sup·po·sí·tion** [-ʃən] *n.* ① U 예상, 가정. ② C …라는 전제 (조건).

pret. preterit(e).

prêt-à-por·ter [prètɑpɔrtéi] *n., a.* 《F.》 (고급) 「기성복(의).

pre·tax [príːtǽks] *a.* 세금을 포함한.

pre·teen·ag·er [príːtìːnèidʒər] *n.* C 사춘기 직전의 어린이《10-12세》.

***pretence** ⇨ PRETENSE.

‡**pre·tend** [priténd] *vt.* ① …인 체하다, …같이 꾸미다, 가장하다 : Sometimes the boy ~*ed* to be sleep. 때때로 그 소년은 자고 있는 척 했다. ② 《+*that* 절》 (…라고) 속이다, 거짓말하다, 핑계하다. ③ 《+*to* do》〔흔히 부정문 또는 의문문에서〕 (…하는) 체하다, (…하는) 시늉을 하다, 감히 …하다, 주제넘게 …하려고 하다 : She ~*ed* not *to* know me. 그녀는 나를 모르는 체했다 / She ~*ed to* be interested, but I could see she wasn't. 그녀는 관심있는 체 했으나 그렇지 않다는 것을 알 수 있었다.

— *vi.* ① 꾸미다, 속이다, (…인) 체하다 : He is never sincere, always ~*ing*. 그는 결코 진실하지 않고 언제나 겉을 꾸미고 있을 뿐이다. ②《+전+명》 자칭하다, 자부하다, 자처하다《*to*》: ~ *to* great knowledge 박식함을 자처〔자부〕하다. ③《+전+명》 주장〔요구〕하다, 탐내다《*to*》: She ~*ed to* the throne when her brother, the crown prince, died. 그녀는 오빠인 황태자가 죽었을 때 자기가 왕위에 오를 것을 주장했다. ④ (어린이들이) 흉내 놀이를 하다. ◇ pretense, pretension *n.* ***Let's* ~ *that*** …흉내내기(놀이)를 하자 : *Let's* ~ *that* we are Indians. 인디언 놀이를 하자.

— *a.* 〔限定的〕 상상의, 가공(架空)의.

㊕ ~**·ed** [-id] *a.* 외양만의, 거짓의.

pre·tend·er [priténdər] *n.* Ⓒ …인 체하는 사람 ; 요구자 ; 왕위 요구자.

pre·tense,** 《英》 **-tence** [priténs] *n.* Ⓤ ① 구실, 핑계. ② 겉치레, 가면, 거짓. ③ 허영(을 부리기), 자랑해 보임, 허식. ④ 〔흔히 부정문, 의문문에서〕 주장, 요구《*to*》: I have〔make〕 *no* ~ *to* genius. 내가 천재라고는 감히 말하지 않는다. ◇ pretend *v.* ***by 〔***under***〕 ***false*** ~***s*** 속여서, 거짓 구실로 : I could not go on living with a man who had married me *under false* ~*s*. 거짓 구실로 나와 결혼한 남자와는 나는 더 살아갈 수 없었다. ***make a*** ~ ***of*** …인 체하다, …을 가장하다. ***on*** 〔***under***〕 (***the***) ~ ***of*** …을 구실로, …을 빙자하여 ; …인 것처럼 보이게 하고.

pre·ten·sion** [priténʃən] *n.* ① Ⓒ **a)** 요구(claim), 주장, 권리 ; 진위가 모호한 주장. **b)** (종종 *pl.*) 암묵의 요구 ; 자임(自任), 자부 : I have 〔make〕 no ~*s to* being an authority on linguistics. 나는 언어학의 대가라고는 자만하지 않는다. ② Ⓤ 구실. ③ Ⓤ 가장, 허식. ◇ pretend *v.* ***have on ~***s to*** …을 주장할 권리가 없다 ; 자부하지 않다. ***without*** 〔***free from***〕 ~ 수수한〔하게〕; 우쭐대지 않고.

***pre·ten·tious** [priténʃəs] *a.* 자부〔자만〕하는, 우쭐하는 ; 뽐내는, 허세부리는, 과장된 ; 거짓의 : I don't like ~ rock group. 거만 떠는 록 그룹들을 좋아하지 않는다.

preter- '과(過), 초(超)' 등의 뜻의 결합사.

pret·er·it(e) [prétərit] *n.* (the ~) 〖文法〗 과거(시제), 과거형《略 : pret.》. — *a.* 〖文法〗 과거(형)의.

pre·ter·nat·u·ral [prìːtərnǽtʃərəl] *a.* 초자연적인 ; 이상한, 불가사의한.

pre·test [príːtèst] *n.* Ⓒ 예비 시험, 예비 검사.
— *vt.* [-ˊ] (…에게) 예비 시험을〔검사를〕 하다.
— *vi.* [-ˊ] 예비 테스트를 실시하다.

pre·text** [príːtekst] *n.* Ⓒ (사실과는 다른 허위의) 구실《*of* ; *for*》. ***find 〔***make***〕 ***a*** ~ ***for*** …의 구실을 만들다 ; …할 구실을 찾다. ***on some*** ~ ***or other*** 이 핑계 저 핑계하여. ***on*** 〔***under***〕 ***the*** ~ ***of*** …을 구실로, …을 빙자하여.

pretor, pretorian ⇨ PRAETOR, PRAETORIAN.

Pre·to·ria [pritɔ́ːriə] *n.* 프리토리아《남아프리카 공화국의 행정 수도》. ⓒⓕ Cape Town.

***pret·ti·fy** [prítifài] *vt.* 《종종 蔑》 …을 아름답게〔곱게〕 꾸미다 ; 《특히》 …을 싸구려로〔천박하게〕 꾸미다, 치레하다.

***pret·ti·ly** [prítili] *ad.* 곱게, 귀엽게 ; 얌전히.

†**pret·ty** [príti] (***-ti·er*** ; ***-ti·est***) *a.* ① 예쁜, 귀여운. ② 깔끔한, 훌륭한, 멋진 : a ~ tune 멋진 곡조 / a ~ stroke (골프 등의) 쾌타, 통타(痛打). ③ 〔限定的 ; 反語的〕 엉뚱한 ; 곤란한, 골치 아픈 : This is a ~ mess! 야, 이건 정말 큰일이군. ④ 〔限定的〕《口》 (수·양이) 꽤 많은, 상당한 : a ~ sum of money 꽤 많은 금액 / a ~ penny 큰〔많은〕 돈. ⑤ 〔限定的〕 (남자가) 멋부린, 멋진.

— *ad.* 〔형용사·다른 부사를 수식하여〕 꽤, 비교적, 상당히, 매우 : I am ~ well. 상당히 좋은 편입니다. ***be*** ~ ***sick about it*** 아주 싫어지다. ~ ***much*** 〔***well, nearly***〕 ⇨ WELL. ~ ***soon*** 얼마 안 있다가, 곧. ***sitting*** ~ 《口》 좋은 지위에 앉아서 ; 성공하여 ; 유복하여.

— *n.* Ⓒ ① (처자 등에 대해) 여보, 이쁜이, 아가《호칭》: My ~! ② (*pl.*) 《美》 예쁘장한 물건《의복·속옷·장신구 등》.

— *vt.* 《~+목 / +목+부》 …을 예쁘게 하다, 장식하다 : ~ oneself 멋부리다 / ~ *up* a room 방을 장식하다. ㊕ **-ti·ness** *n.*

pret·ty-pret·ty [prítipriti] *a.* 지나치게 꾸민 ; 야한, 유약한 ; 뽐낸, 꾸며낸 티가 나는.

pret·zel [prétsəl] *n.* Ⓒ 《G.》 일종의 비스킷《짭짤한 백주 안주》.

prev. previous(ly).

‡**pre·vail** [privéil] *vi.* ① 《~ / +전+명》 우세하다, 이기다, 극복하다《*over* ; *against*》: They ~*ed over* their enemies in the battle. 그 전투에서 적을 압도하였다 / Truth will ~. 《格言》 진리는 승리한다. ② 널리 보급되다, 유행하다 ; …보다 우세하다, 차지하다《*in* ; *among*》: This custom ~*s in* the south. 이 풍습은 남부에서 널리 행하여지고 있다 / Sadness ~*ed in* our minds. 우리의 마음은 슬픔으로 가득차 있었다. ③ 유력하다, 효과가 나타나다 : Did your prayer ~? 당신의 기도는 효험이 있었습니까. ④ 《+전+명 / +전+명+*to* do》 〔受動도 가능〕 설복하다, 설득하다《*on, upon* ; *with*》: I ~*ed on* her *to* accept the invitation. 초대에 응하도록 그녀를 설득했다.

***pre·vail·ing** [privéiliŋ] *a.* 〔限定的〕 ① 우세한, 주요한 ; 유력한, 효과 있는, 효과적인. ② 널리 보급되어〔행하여지고〕 있는, 유행하고 있는 ; 일반적인, 보통의.

***prev·a·lence, -cy** [prévələns], [-si] *n.* Ⓤ 널리 행해짐, 보급, 유행 ; 우세, 유력 ; 보급률 ; 이환율(罹患率). ◇ prevail *v.*

prev·a·lent** [prévələnt] (more*** ~ ; ***most*** ~) *a.* (널리) 보급된, 널리 행해지는 ; 유행하고 있는 ; 우세한, 유력한 : Trees are dying in areas where acid rain most ~. 산성(酸性)비가 아주 심한 곳의 나무들은 죽어가고 있다.

pre·var·i·cate [privǽrəkèit] *vi.* 얼버무려 넘기다, 발뺌하다, 속이다 ; 《婉》 거짓말하다(lie).

㊕ **pre·vàr·i·cá·tion** [-ʃən] *n.* ⓊⒸ 발뺌, 얼버무려 넘김, 거짓말함. **prevár·i·cà·tor** [-ər] *n.*

‡**pre·vent** [privént] *vt.* ① 《~+목 / +목+전+명 / +목+-*ing*》 (사람·일 따위가) …하는 것을 막다, 방해하다, 막아서 …못 하게 하다 : Business ~*ed* him *from going* 〔his go*ing*, him go*ing*〕. 일 때문에 그는 못 갔다 / I will come to you tomorrow if nothing ~*s* me. 제게 특별한 일이 없다면 내일 찾아 뵙겠습니다. ② 《+목+전+명》 (질병·재해 따위)를 예방하다, 회피하다 : ~ a plague *from* spreading 전염병 만연을 예방하다. ③ (…의 발생)을 막다, 방지하다, 예방하다 : ~ price increases. 물가의 상승을 막다 / ~ traffic accidents. 교통사고가 일어나지 않도록 예방하다.

pre·vent·a·tive [privéntətiv] *a.* =PREVENTIVE.

‡**pre·ven·tion** [privénʃən] *n.* Ⓤ ① 방지, 예방 ; Ⓒ 예방법《*against*》: a ~ *against* disease / *Prevention* is better than cure. 《俗談》 예방은 치료보다 낫다. ② 방해. ◇ prevent *v.* ***by way of*** ~ 예방법으로서 ; 방해하기 위해.

***pre·ven·tive** [privéntiv] *a.* 예방의, 예방하는 ; 막는, 방지하는《*of*》: be ~ *of* …을 방지하

다 / ~ measures 예방책. — *n.* Ⓒ 방지하는 것 ; 예방법〔책, 약〕《*for*》; 피임약. ㊎ ~·**ly** *ad.*

prevéntive deténtion 〔cústody〕 〖英法〗 예방 구금《상습범에 대한》.

prevéntive máintenance 〖컴〗 예방 정비.

pre·view [príːvjùː] *n.* Ⓒ ① 예비 검사 ; 내람(內覽). ② 시연(試演), (영화 등의) 시사(試寫)(회). ③《美》영화〔텔레비전〕의 예고편, (라디오의) 프로 예고. ④ 예고 기사. ⑤〖컴〗 미리보기《문서 처리나 전자 출판 풀그림에서 편집한 문서를 인쇄 전에 미리 화면에 출력시켜 보는 일》. — *vt., vi.* (…의) 시연을〔시사를〕 보다〔보이다〕.

‡**pre·vi·ous** [príːviəs] *a.* ①〔限定的〕 앞의, 이전의《*to*》: a ~ engagement 선약 / ~ conviction 전과(前科). ② 사전의, 앞서의 : without ~ notice 예고없이. ③〔叙述的〕 너무 일찍 서두른, 조급한 : You have been a little too ~. 자네는 좀 너무 서둘렀네. — *ad.* …보다 전에〔앞서〕. ★ 주로 다음 成句로 전치사적으로 쓰임. ~ ***to*** …보다 전에〔앞서〕: He died ~ *to* my arrival. 그는 내가 도착하기 전에 죽었다.

*__pre·vi·ous·ly__ [príːviəsli] *ad.* ① 전에(는), 본래는 : She was ~ employed as a tour guide. 그녀는 전에는 관광 안내로 일한 적이 있었다. ② 사전에, 먼저, 미리 ; 예비적으로.

prévious quéstion 〖議會〗 선결 문제.

pre·vi·sion [privíʒən] *n.* ⓊⒸ 선견, 예지.

pre·vue [príːvjùː] *n., vt.* =PREVIEW.

*__pre·war__ [príːwɔ́ːr] *a.* 〔限定的〕 전전(戰前)의.

prexy, prex·ie [préksi], **prex** [preks] *n.* Ⓒ 《美俗》(대학의) 학장.

‡**prey** [prei] *n.* ① Ⓤ 먹이, 피식자(被食者). ② ⓊⒸ 희생, (먹이로서의) 밥. ③ Ⓤ 포획 ; 포식성(捕食性). ***a beast*** 〔***bird***〕 ***of*** ~ 육식수(肉食獸)〔조(鳥)〕, 맹수〔맹금〕. ***become*** 〔***fall***〕 ***a*** ~ ***to*** …의 희생이 되다. ***in search of*** ~ 먹이를 찾아서.

— *vi.* 《+전+명》 ① 밥으로 하다, 잡아 먹다《*on, upon*》: ~ *on* 〔*upon*〕 living animals 산 짐승을 잡아 먹다. ② 먹이로 하다 : ~ *on* 〔*upon*〕 the poor 가난한 사람들을 먹이로 삼다〔수탈하다〕. ③ (해적 따위가) 약탈하다, 휩쓸다《*on, upon*》. ④ 괴롭히다 : Care ~*ed on* her mind. 그녀는 근심으로 마음이 아팠다.

prez [prez] *n.* Ⓒ《美俗》 대통령, 사장, 학장.

prezzie ⇨ PRESSIE.

†**price** [prais] *n.* ① Ⓒ 가격, 대가(代價) ; 값, 시세, 물가, 시가(市價). ②〔單數꼴로〕 (…을 획득하기 위한) 대가, 대상(代償) ; 희생 : He gained the victory, but at a heavy ~. 승리는 얻었지만 대가는 컸다. ③ Ⓒ (도박에서) 건 돈의 비율 ;《美》 도박에 건 돈. ④ Ⓒ **a**) 상금, 현상(금) : have a ~ on one's head 목에 현상금이 걸려 있다. **b**) 매수금(買收金), 증여물 : Every man has his ~. 돈으로 말 안 듣는 사람은 없다. ***above*** 〔***beyond, without***〕 ~ 매우 귀중한《가치를 헤아릴 수 없을 만큼》. ***at any*** ~ (1) 값이 얼마든 ; 어떠한 희생을 치르더라도. (2)〔부정문에서〕 결코 (…하지 않는다) : I won't eat octopus *at any* ~. 낙지는 전혀 먹지 않는다. ***at a*** ~ 비교적 비싸게 ; 상당한 희생을 치르고. ***at cost*** ~ 원가로. ***at the*** ~ ***of*** …을 걸고서, …을 희생으로 하여. ***fetch a high*** ~ 비싼 값으로 팔리다. ***make*** 〔***give quote***〕 ***a*** ~ 값을 말하다. ***put*** 〔***set***〕 ***a*** ~ ***on*** …에 값을 매기다 : You can't *put a* ~ *on* friendship. 우정에는 값을 매길 수 없다. ***set*** 〔***put***〕 ***a*** ~ ***on*** a person***'s head*** 아무의 목에 상금을 걸다. ***the*** ~ ***asked*** 부르는 값. ***the starting*** ~ 〖競馬〗 출발시의 마지막 걸기. ***What*** ~ . . . **?** 《俗》 (1) (경마 따위의) 승산은 어떤가 ; 《比》 가망이 있는가 : *What* ~ fine weather tomorrow? 내일 날씨는 맑을까. (2) (실패한 계획 등을 냉소하여) 꼴 참 좋다, …이 다 뭐냐 : *What* ~ armament reduction? 군비축소가 다 뭐냐. (3) (도대체) 무슨 소용이 있는가 : *What* ~ isolation now? 새삼스레 고립 정책이 무슨 소용 있어.

— *vt.* 〔종종 受動으로〕 ① …에 값을 매기다 ; 평가하다 : ~ it *at* $10 그것에 10 달러의 값을 매기다 / These goods won't sell ; they *are* ~*d* too high. 이 물건들은 팔리지 않는다 ; 매겨진 값이 너무 비싸다 / The watch *was* ~*d* at two thousand dollars. 그 시계는 2,000달러의 값이 매겨져 있었다. ②《口》 …의 값을 묻다〔조사하다〕《★ 受動으로는 불가》. ~ . . . ***out of the market*** (1) (물건 따위에) 터무니 없는 비싼 값을 매겨 시장에서 축출하는 결과가 되다. (2)〔종종 再歸的〕 터무니 없는 값을 매겨 시장에서 축출되다. (3)〔再歸的〕 자기를 비싸게 내세워 경원시되다.

príce contròl (정부에 의한) 물가〔가격〕 통제.

príce cùtting 할인, 에누리.

priced [praist] *a.* ① 정가가 붙은 : a ~ catalog(ue) 가격 표시 카탈로그, 정가표. ②〔複合語〕 …의 가격의 : high-〔low-〕~ 비싼〔싼〕.

príce-éarn·ings ràtio [práisə́ːrniŋz-] 〖證〗 주가(株價) 수익률《略 : PER》.

príce fìxing (정부나 업자의) 가격 조작〔결정〕.

príce ìndex 물가 지수.

*__price·less__ [práislis] *a.* ① 대단히 귀중한, 돈으로 살 수 없는. ②《口》 아주 걸작인 〔재미있는, 어이 없는〕, 아주 별난.

príce lìst 가격표, 시가표.

príce suppòrt 《美》 (정부의 수매(收買)등 경제 정책에 의한) 가격 유지.

príce tàg (상품에 붙이는) 정찰, 정가표.

príce wàr (업자간의) 가격 인하 경쟁.

pric·ey, pricy [práisi] (***pric·i·er*** ; ***-i·est***) *a.* 《英口》 돈〔비용〕이 드는, 비싼.

*__prick__ [prik] *vt.* ① (바늘 따위)로 찌르다《*on* ; *with*》, 쑤시다, (바늘 등)을 꽂다 : ~ one's finger 손가락을 찌르다 / I ~*ed* my finger *on* 〔*with*〕 a pin. 손가락을 핀으로 찔렀다 / He ~*ed* himself *on* a thorn. 그는 가시에 찔렸다. ② (양심 따위가) 찌르다, …에 아픔을 주다 : His conscience ~*ed* him. 그는 양심의 가책을 받았다. ③《+목+부》 …에 자극을 주다, 재촉하다 : My duty ~*s* me *on.* 나는 책임이 있기 때문에 어물어물하고 있을 수가 없다. ④ …에 작은 구멍을 내다. ⑤ …을 얼얼하게 만들다 : Pepper ~*s* the tongue. 후추는 혀를 얼얼하게 만든다. — *vi.* ① 따끔 따끔 아프다 ; 콕콕 쑤시(듯이 아프)다. ② **a**) 얼얼〔따끔따끔〕하다. **b**) (양심의) 가책을 받다. ~ ***a*** 〔***the***〕 ***bladder*** 〔***bubble***〕 ⇨ BUBBLE. ~ ***out*** 〔***off***〕 (묘목을) 구덩이에 심다. ~ ***up*** one***'s*** 〔***its***〕 ***ears*** (말·개 따위가) 귀를 쫑긋 세우다 ; (사람이) 주의해서 듣다, 귀를 기울이다.

— *n.* Ⓒ ① 찌름 ; (바늘로 찌르는 듯한) 아픔, 쑤심 ; (양심의) 가책. ② 찔린 상처. ③ 찌르는 물건 ; 바늘, 가시, 꼬치. ④《卑》 음경 ; 《俗》 지겨운〔비열한〕 놈. ***kick against the*** ~***s*** 《比》(지배자·규칙 등에) 무익한 반항을 하다. ***the*** ~***s of conscience*** 양심의 가책, 마음의 거리낌.

prick-eared [príkiərd] *a.* (개가) 귀가 선.

prick·le [príkəl] *n.* Ⓒ ① 가시《동식물의 표피(表皮)에 돋친》, 바늘. ② (a ~) 쑤시는 듯한 아픔. — *vt., vi.* 찌르다 ; 뜨끔뜨끔 들이쑤시게 하다〔쑤시다〕; (가시) 바늘처럼 서다.

prick·ly [príkli] (***-li·er*** ; ***-li·est***) *a.* ① 가시가

많은, 바늘투성이의. ② 따끔따끔 아픈, 욱신욱신 쑤시는. ③ 성가신. ④ 과민한, 성마른.

príckly héat 땀띠.

príckly péar 선인장의 일종 ; 그 열매《모양이 서양배와 비슷함 ; 식용》.

pricy ⇨ PRICEY.

‡**pride** [praid] *n.* ① [U] 자랑, 자존심, 긍지, 프라이드 ; 득의, 만족. ② [U] 자만심, 오만, 거만, 우쭐해함(false ~) : *Pride* goes before destruction. = *Pride* will have a fall. 《俗談》 교만은 패망의 선봉. ③ [U] (흔히 the ~, one's ~) 자랑거리 《*of*》. ④ [C] 한창때, 전성기 : May was in its ~. 5월이 한창 무르익고 있었다. ⑤ [C] (사자 따위의) 떼 ; (화사한〔요란스런〕 사람들의) 일단(一團). ***in the ~ of** one's **years*** 전성 시대에. ***~ of place*** 교만 ; 고위(高位). a person*'s* ***~ and joy*** 아무의 자랑거리. ***swallow*** one*'s* ~ 자존심을 억누르다. ***take (a) ~ in*** …을 자랑하다. ── *vt.* 〔再歸的〕 …을 자랑하다《*on, upon*》. ㊕ **∠·ful** [-fəl] *a.* **∠·ful·ly** *ad.*

prie-dieu [príːdjəː] *n.* [C] 《F.》 장궤틀, 기도대 「(祈禱臺).

‡**priest** [priːst] (*fem.* **~·ess** [-is]) *n.* [C] ① 성직자 ; (감독 교회의) 목사 ; 〖가톨릭〗 사제 : ⇨HIGH PRIEST. ② 봉사〔옹호〕자 : a ~ of art 예술 애호가 / a ~ of science 과학의 사도.

priest·hood [-hùd] *n.* ① [U] 성직. ② (the ~) 〔集合的〕 성직자, 사제.

priest·ly [príːstli] (***-li·er ; -li·est***) *a.* 성직자의 ; 성직자다운 : ~ vestments 성직복(服).

prig [prig] *n.* [C] 딱딱한〔깐깐한〕 사람, 잔소리꾼 ; 젠체하는 사람 ; 학자〔교육가〕연하는 사람.

prig·gish [prígiʃ] *a.* 지독히 꼼꼼〔깐깐〕한, 딱딱한, 까다로운 ; 건방진 ; 아는 체하는, 재는.

prim [prim] (***-mm-***) *a.* 꼼꼼한, 딱딱한 ; (특히 여자가) 새침떠는, 숙녀연하는.
── (***-mm-***) *vt., vi.* (복장 등을) 단정히 차려 입다 ; (얌전빼어 입을) 꼭 다물다《*out ; up*》.

prim. primary ; primitive.

prí·ma ballerína [príːmə-] 《It.》 프리마발레리나《발레단의 주역 무용수》.

pri·ma·cy [práiməsi] *n.* ① [U] 제일, 수위 ; 탁월 《*of ; over*》 : The government insists on the ~ of citizens' rights. 정부는 시민들의 권리를 강조하고 있다. ② [U,C] 대주교(primate) 의 직(職)〔지위〕 ; 〖가톨릭〗 교황의 지상권(至上權).

pri·ma don·na [prì(ː)mədɑ́nə, prímədɔ́nə] (*pl.* ***~s, pri·me don·ne*** [príːmeidɑ́ːnei / -dɔ́n-]) *n.* [C] 《It.》 프리마돈나《가극의 주역 여가수》; 《口》 간섭〔구속〕을 싫어하는 사람 ; 《口》 기분파《특히 여성의》.

primaeval ⇨PRIMEVAL.

pri·ma fa·cie [práimə-féiʃiː, -ʃiː] *a.* 〔限定的〕 《L.》 얼핏 보기에는, 첫 인상은 ; 명백한, 자명한.

príma fàcie cáse 〖法〗 일단 증명이 된 확실〔유리〕한 사건.

príma fàcie évidence 〖法〗 (반증이 없는 한 충분하다고 보는) 일단 채택된 증거.

pri·mal [práiməl] *a.* 〔限定的〕 ① 제일의, 최초의, 원시의. ② 주요한 ; 근본의.

***pri·ma·ri·ly** [praimérəli, ∠---- / práimərì-] *ad.* ① 첫째로, 최초로, 처음에는, 원래. ② 주로 ; 근본적으로(는) ; 본래는.

‡**pri·ma·ry** [práimèri, -məri] (***more ~ ; most ~***) *a.* 〔限定的〕 ① 첫째의, 제 1 의, 수위의, 주요한. ② 최초의, 처음의, 본래의. ③ 원시적인, 근원적인. ④ 제 1차적인, 근본적인. ⑤ 기초적인, 초보적인. ⑥ 〖敎〗 초등의, 초등 교육의. ⑦ 〖醫〗 (제) 1 기의 ; 〖文法〗 어근의, (시제가) 제 1 차의 ; 〖言〗 제 1 강세의.

prímary áccent 〖音聲〗 제 1〔주〕 악센트.

prímary cáre 〖醫〗 1 차 진료. [cf] after care.

prímary elèction 《美》 예비 선거.

***prímary schòol** 초등 학교《영국은 5-11 세까지 ; 미국은 elementary school의 하급 3〔4〕 학년으로 구성되며, 때로 유치원도 포함함》.

prímary stréss =PRIMARY ACCENT.

pri·mate [práimit, -meit] *n.* [C] ① (종종 P-) 〖英國敎〗 대주교 ; 〖가톨릭〗 수석(首席) 대주교. ② 영장류(靈長類) (Primates)의 동물.

‡**prime** [praim] *a.* 〔限定的〕 ① 첫째의, 수위의, 가장 중요한. ② 최초의, 원시적인. ③ 기초적인, 근본적인 : The ~ cause of the trouble was bad management. 말썽의 근본적인 원인은 서툰 운영이었다. ④ 일류의, 제 1 급의, 최량(最良)의 : of ~ quality 최양질의. ⑤ 《口》 훌륭한, 우수한 : in ~ conditions 가장 좋은 컨디션으로.
── *n.* ① [U] (흔히 the〔one's〕 ~) 전성기 ; 청춘 (시절) ; 장년기 : Middle age can be the ~ of life if you have the right attitude. 중년기라도 정상적인 태도를 가지고 있다면 생의 전성기가 될 수 있다. ② [U] 가장 좋은 부분, 정화(精華)《*of*》. ③ [U] (식육의) 최량급. ④ [U] 처음, 초기. ⑤ [U] 새벽, 해돋이 때 ; (종종 P-) 〖가톨릭〗 아침 기도. ⑥ [C] 〖數〗 소수. ⑦ [C] 〖印〗 프라임 부호(′) ; 〖펜싱〗 제1의 자세〔찌르기〕 ; 〖樂〗 1 도(度), 동음(同音) (unison). ***in the ~ of life*** 〔***manhood***〕 한창 나이 때에, 장년기에. ***the ~ of the moon*** 초승달. ***the ~ of youth*** 청년 (시절)《21-28 세》.
── *vt.* ① (특정한 목적·작업을 위해) 준비하다 (prepare). ② (총)에 화약을 재다 ; (폭발물)에 뇌관〔도화선〕을 달다. ③ (벽·판자 따위)에 초벌칠하다. ④ 《+[목]+[전]+[명]》 (펌프)에 마중물을 붓다 ; 《比》 …에 자극을 주다 ; (기화기 따위)에 가솔린을 주입하다《*with*》 : ~ the lamp *with* oil 램프에 기름을 가득 넣다. ⑤ 《~+[목] / +[목]+[전]+[명]》 …에게 미리 가르쳐 주다, …에게 꾀를 일러 주다 《*with*》 : be well ~*d* ***with*** information 정보를 충분히 제공받고 있다.
~ the pump ⇨PUMP[1].

príme cóst 기초 원가(原價) ; 주요 비용.

príme fáctor 〖數〗 소인수(素因數).

príme merídian (the ~) 본초 자오선.

‡**prìme mínister** 국무총리, 수상.

príme móver ① 〖機〗 원동력《풍력·수력·전력 등》. ② 원동력, 주도자 : They were ~*s* in the enterprise. 그들은 그 회사의 주도자들이었다.

príme númber 〖數〗 소수(素數).

***prim·er**[1] [prímər / práim-] *n.* [C] 첫걸음《책》, 초보 (독본), 입문서 : a Latin ~ 라틴어 입문서.

prim·er[2] [práimər] *n.* ① [C] 도화선, 뇌관. ② [U,C] (페인트 등의) 초벌칠 (원료).

príme ràte 프라임 레이트《은행이 신용도가 높은 기업에 무담보의 단기자금을 대부하는 데 적용하는 금리》.

príme tíme (라디오·TV의) 골든 아워.

pri·me·val, -mae- [praimíːvəl] *a.* 초기의, 원시(시대)의 (prehistoric, primitive), 태고의 : a ~ forest 원시림. ㊕ **~·ly** *ad.*

‡**prim·i·tive** [prímətiv] *a.* ① 〔限定的〕 원시의, 원시시대의, 태고의. ② 원시적인, 소박한, 미개의, 유치한 : live in ~ fashion 소박한 생활을 하다. ③ 야만의, 야성적인 ; 구식의. ④ 본원적인, 근본의. ⑤ 원색의 : ~ colors 원색. ⑥ 〖生〗 초생의. ⑦ 원어의 : a ~ word 본원어. ── *n.* [C] ① 원시인, 미개인 ; 소박한 사람. ② 문예 부흥기 이전의 화가 ; 그 작품 ; 독학한 화가 ; 소박한 화풍의 화가.

prim·i·tiv·ism [prímətivìzəm] *n.* [U] 원시주의.

pri·mo·gen·i·tor [pràimoudʒénətər] *n.* Ⓒ 시조; 선조(ancestor).

pri·mo·gen·i·ture [pràimoudʒénətʃər] *n.* Ⓤ 장자임〔신분〕; 〖法〗 장자 상속권〔법〕.

pri·mor·di·al [praimɔ́ːrdiəl] *a.* ① 원시(시대부터)의. ② 최초의, 원초적인, 근본적인; 〖生〗 초생의. ㊞ ~·**ly** *ad.*

primp [primp] *vi.* 멋을 부리다; 차려 입다. —— *vt.* (머리 등)을 매만지다; 〔再歸的〕 차려입다.

***prim·rose** [prímròuz] *n.* Ⓒ 〖植〗 앵초(櫻草); 그 꽃; 금달맞이꽃(evening primrose); Ⓤ 앵초색.

prímrose páth 〔**wáy**〕 (the ~) 환락의 길.

prímrose yéllow 앵초색, 연노랑.

prim·u·la [prímjulə] *n.* Ⓒ 〖植〗 프리뮬러.

Primus [práiməs] *n.* 프라이머스《휴대용 석유 난로; 商標名》.

prin. principal(ly); principle(s).

†prince [prins] *n.* Ⓒ ① (*fem.* ***prín·cess***) 왕자, 황태자. ② (제왕에 예속된 소국의) 군주, 제후. ③ (영국 이외의) 공작, …(공(公)). ④《比》 제 1 인자, 대가. ⑤《美口》 인품이 좋은 사람, 귀공자. ⑥ (the P-) '군주론' 《Machiavelli의 정치론》. ***a ~ of the blood*** 황족. ***(as) happy as a ~*** 매우 행복한. ***live like a ~*** 호화롭게 살다. ***the manners of a ~*** 기품 있는 왕자의 태도. ***the Prince of Denmark*** 덴마크의 왕자《Hamlet》. ***the Prince of Peace*** 예수. ***the Prince of the Air*** 〔***the World, Darkness***〕 마왕(魔王). ***the Prince of the Apostles*** 성베드로. ***the Prince of Wales*** 웨일스공(公)《영국 왕세자》.

Prìnce Álbert ① 일종의 프록코트(=**Prìnce Álbert cóat**); (남자용) 슬리퍼. ② 앨버트 공(公) ⇨ALBERT ②.

Prínce Chárming 이상적인 신랑〔남성〕《Cinderella 이야기의 왕자에서》.

prínce cónsort (*pl.* ***prínces cónsort***) 여왕〔여제〕의 부군(夫君); (P- C-) = PRINCE ALBERT ②.

prince·dom [prínsdəm] *n.* ① Ⓤ,Ⓒ prince 의 지위〔신분, 위엄, 권력〕. ② Ⓒ 공국(公國).

prince·let, -ling [prínslit], [-liŋ] *n.* Ⓒ 어린 군주; 소공자(princekin).

***prince·ly** [prínsli] (*-li·er; -li·est*) *a.* ① 〔限定的〕 군주다운, 왕후(王侯) 같은, 왕자다운; 기품 높은, 위엄 있는; 관대한; 장엄한, 훌륭한. ② 왕후의, 왕자의, 황자의; 왕후로서의. ③ 광대한《부지》. —— *ad.* 왕후〔왕자〕답게; 의젓〔대범〕하게. ㊞ **-li·ness** *n.*

prínce róyal 제1왕자, 황태자.

‡prin·cess [prínsis, -səs, prinsés] (*pl.* ***~·es*** [prínsəsiz, prinsésiz]) *n.* Ⓒ ① 공주, 왕녀, 황녀(皇女). ② 왕비, 왕자비. ③ (영국 이외의) 공작 부인; 《比》 뛰어난 여성《★ 인명 앞에 붙일 때《英》에서도 [prínses]》. ***a ~ of the blood*** 왕녀, 황녀, 공주. ***the Princess of Wales*** 영국 왕세자비. —— *a.* 〔限定的〕 〖服〗 프린세스 스타일의《몸에 꼭 맞도록 깃에서 플레어 스커트까지 모두 삼각포(gore)로 만들어진》.

Prince·ton [prínstən] *n.* ① 프린스턴《미국 New Jersey 주의 학원 도시》. ② 프린스턴 대학(=∠ **Univérsity**)《Ivy League 대학의 하나; 1746 년 창립》.

‡prin·ci·pal [prínsəpəl] *a.* 〔限定的〕 ① 주요한; 제 1 의; 중요한. ② 〖商〗 원금의. ③ 〖文法〗 주부의. —— *n.* Ⓒ ① 장(長), 장관; 사장; 교장; 회장. ② 주동자; 본인; 주역. ③ 〖法〗 정범, 주범(OPP *accessory*). ④ 주물(主物), 주건(主件). ⑤ 〖商〗 원금(cf interest); 기본 재산. ⑥ 〖建〗 주재(主材), 주된 구조. ***the ~ and accessory*** 〖法〗 주종(主從). ***the ~ in the first*** 〔***second***〕 ***degree*** 제 1 급〔제 2 급〕 정범(正犯).

príncipal bóy (the ~) 《英》 무언극에서 남역《흔히 여배우가 맡음》.

prin·ci·pal·i·ty [prìnsəpǽləti] *n.* ① Ⓒ 공국《prince 가 통치하는》; (the P-) 《英》 Wales 의 별명. ② Ⓤ 공국 군주의 지위·지배·권력. ③ Ⓤ 학장〔교장〕의 지위. ④ (*pl.*) 〖基〗 권품(權品)천사.

‡prin·ci·ple [prínsəpəl] *n.* ① Ⓒ 원리, 원칙, (물리·자연의) 법칙: The machine works according to the ~ of electromagnetic conduction. 이 기계는 전자기(電磁氣) 전도 원리에 따라서 작동한다. ② Ⓒ 근본 방침, 주의: The guiding ~ behind the new legislation is that the rights of the child come first. 새 법률의 숨은 지도 원리는 어린이의 권리를 우선한다는 것이다. ③ Ⓤ (선악의 기준으로서의) 행동규준, 정의; (*pl.*) 도의, 절조: He has ability but no ~*s.* 그는 수완은 있으나 절조가 없다. ④ Ⓒ 본질, 소인(素因): Growth is the ~ of life. 성장은 생명의 근원이다. ⑤ 〖化〗 원소, 정(精), 소(素): a coloring ~ 염색소. ⑥ (P-) 〖크리스천사이언스〗 신(God). ***a man of no ~*** 절조 없는 사람. ***as a matter of ~*** = on ~. ***in ~*** 원칙적으로. ***on ~*** 주의〔신조〕로서; 원칙에 따라, 도덕적 견지에서: He drank hot milk every night *on* ~. 습관으로서 매일 밤 뜨거운 우유를 마셨다《★ on ~ 에서 무관사에 주의》.

(-)prin·ci·pled [prínsəpld] *a.* ① 절조있는; 주의〔원칙〕에 의거한, 도의에 의거한: His rejection of the proposal is ~. 그 제안에 대한 그의 거절은 원칙에 의한 것이다. ② 〔複合語로서〕 주의가 …의; 절조있는: high-~ 신조가 고결한.

prink [priŋk] *vt.* 화려하게 꾸미다, 치장하다《*up*》; (새가 깃털)을 부리로 다듬다(preen). —— *vi.* 화장하다, 맵시내다《*up*》.

‡print [print] *vt.* ① …을 인쇄하다; 출판〔간행〕하다: ~ pictures 그림을 인쇄하다 / The publisher ~*ed* 4,000 copies of the book. 출판사는 그 책을 4,000부 인쇄했다. ② …을 판화 인쇄하다. ③ (무늬)를 날염하다. ④《~+목/+목+전+명》 …을 찍다, 눌러서 박다; 자국을 내다《*on; in*》: ~ a kiss *on* the face 얼굴에 키스하다. ⑤《+목+전+명》 인상을 주다(impress): The scene is ~*ed on* my memory. 그 광경은 내 기억에 뚜렷이 남아 있다. ⑥《~+목/+목+부》〖寫〗 …을 인화하다: ~ *off* 〔*out*〕 a negative 네거티브를 인화하다. ⑦ …을 활자체로 쓰다. ⑧《俗》 …의 지문을 채취하다. ⑨ 〖컴〗 (자료를 문자·숫자·도형으로 하여) 인쇄〔프린트〕하다. —— *vi.* ① 인쇄를 직업으로 하다; 출판하다. ②《+부》 인쇄되다; 〖寫〗 인화되다: This type ~*s well.* 이 활자는 인쇄가 잘된다. ③ 활자체로 쓰다. ***~ out*** ... (1) 〖컴〗 …의 printout 을 만들다. (2) 출판하다, 간행하다.

—— *n.* ① Ⓤ 인쇄. ② Ⓤ 인쇄된 글씨체; 활자의 크기. ③ Ⓤ 제 …쇄(刷). ④ Ⓒ 인쇄물; 《美》 출판물《신문·잡지》: weekly ~*s* 주간지. ⑤ Ⓒ 판화. ⑥ Ⓤ 신문 용지. ⑦ Ⓒ 자국, 흔적. ⑧ Ⓒ 지문(fingerprint). ⑨ Ⓒ 〖寫〗 양화(陽畫)(positive); 인화지. ⑩ 염색용 무늬틀; 염료; Ⓤ 프린트지(地), 날염포(捺染布), 사라사(천). ⑪ Ⓤ 틀로 눌러 만든 것《버터 따위》. ⑫ 모형(母型), 주형(鑄型). ⑬ 〖컴〗 인쇄, 프린트. ***in cold ~*** 인쇄되어; 변경할 수 없는 상태로 되어. ***in large*** 〔***small***〕 ***~*** 큰〔작은〕 활자로. ***in ~*** 활자화되어; 인쇄〔출판〕되어; (책이) 입수 가능하여, 절판이 아닌. ***out of ~*** (책이) 절판되어: The book has long been *out of* ~. 그 책은 절판된 지 오래되었다. ***put into ~*** 인쇄하다, 출판하다. ***rush into ~*** 황급히 출판하

다, 서둘러 신문에 발표하다.

print·a·ble [-əbəl] *a.* ① 인쇄할 수 있는; 출판할 가치 있는: They translated his notions into ~ editorials. 그들은 그의 생각을 출판할 수 있는 논설로 번역했다. ② 틀로 누를 수 있는, 날염할 수 있는. ③〖寫〗인화할 수 있는. 「린트의.

print·ed [príntid] *a.* ① 인쇄한[된]. ② 날염한 프

prínted círcuit 인쇄〔프린트〕배선 회로.

prínt·ed-cír·cuit bòard [-sə́ːrkit-]〖컴〗인쇄 회로 기판(PC board).

prínted mátter (특별요금으로 우송할 수 있는) 인쇄물.

prínted pápers *pl.* 《英》 =PRINTED MATTER.

prínted wórd (the ~) 인쇄〔활자화〕된 문자.

‡print·er [príntər] *n.* Ⓒ ① 인쇄업자; 인쇄공, 식자공; 출판자. ② 날염공. ③ 인쇄 기계;〖寫〗인화기. ④〖컴〗인쇄기(印刷機), 프린터.

prínter contróller〖컴〗인쇄기 제어기.

prínter hèad〖컴〗인쇄기 머리틀.

prínter ínterface〖컴〗인쇄기 사이틀.

prínt fòrmat〖컴〗(출력될) 인쇄 형식.

‡print·ing [príntiŋ] *n.* ① Ⓤ 인쇄, 인쇄술〔업〕. ② Ⓒ (제) …쇄(刷)《동일 판(版)에 의한》; 인쇄 부수; 인쇄물. ③ Ⓤ 활자체의 글자. ④ Ⓤ 날염;〖寫〗 ⌊인화.

prínting ìnk 인쇄용 잉크.

prínting machìne 《英》 인쇄기.

prínting òffice〔hòuse〕 인쇄소.

prínting prèss ① 인쇄기, 《특히》 동력인쇄기. ② 날염기.

print·out [-àut] *n.* Ⓒ〖컴〗인쇄 출력《인쇄기의 출력》; 출력된 본문. 「출판·신문계.

prínt prèss 《美》 (라디오·TV 업계에 대하여)

prínt scréen kèy〖컴〗화면 인쇄글쇠.

prínt shèet〖컴〗인쇄 용지.

print·shop [-ʃɑ̀p / -ʃɔ̀p] *n.* Ⓒ 판화 가게; 인쇄소.

‡pri·or[1] [práiər] *a.* ①〔限定的〕(시간·순서 따위가) 앞(서)의, 전의, 사전의. opp *posterior*. ¶ a ~ engagement 선약 / ~ consultation 사전 협의. ② **a)**〔限定的〕(…보다) 앞선, 윗자리의, 우선하는: a ~ claim 우선권. **b)**〔敍述的〕우선하는; 보다 중요한《*to*》: The constitution is ~ *to* all other laws. 헌법은 모든 다른 법에 우선한다.

— *ad.*〔다음 成句로〕~ **to**〔前置詞的으로〕…보다 전에〔먼저〕: ~ *to* coming here 여기 오기 전에.

pri·or[2] (*fem.* **~·ess** [-ris]) *n.* Ⓒ 수도원 부원장 《abbot 의 다음》; 소(小)수도원(priory)의 원장.

pri·or·i·tize [praiɔ́ːritàiz, -ɑ́r-] *vt.* …에 우선시키다. ㊕ **pri·òr·i·ti·zá·tion** [-tə-] *n.*

pri·or·i·ty** [praiɔ́(ː)rəti, -ɑ́r-] *n.* ① Ⓤ (시간·순서가) 앞〔먼저〕임. ② Ⓤ 보다 중요함, 우선; 상석《*to*》;〖法〗우선권, 선취권; (자동차 등의) 선행권; 《美》(부족 물자 배급 등의) 우선권. ③ Ⓒ 우선〔중요〕사항, 긴급사; 선천성: My first〔top〕~ is to find somewhere to live. 나의 가장 시급한 사항은 살 곳을 찾는 일이다. ④〖컴〗우선권. ◇ prior[1] *a.* ***according to ~ 순서를 따라. ***creditors by*** ~ 우선 채권자. ***give*** ~ ***to*** …에게 우선권을 주다. ***have*** ~ ***over*** a person 아무보다 우선권이 있다. 「금감).

pri·o·ry [práiəri] *n.* Ⓒ 소(小)수도원《abbey 에 버

prise *vt.* =PRIZE[3].

***prism** [prízəm] *n.* ① Ⓒ 프리즘; 분광기; (*pl.*) 7가지 빛깔: a ~ finder〖寫〗프리즘식 반사 파인더. ②〖數〗각기둥;〖結晶〗주(柱).

pris·mat·ic [prizmǽtik] *a.* 프리즘으로 분해한, 분광(分光)의; 무지개빛의; 다채로운;〖數〗각기둥의;〖結晶〗사방 정계(斜方晶系)의.

‡pris·on [prízn] *n.* ① Ⓒ 교도소, 감옥; 《美》 주(州)교도소. ② Ⓤ 금고, 감금, 유폐. ***a ~ without bars*** 창살 없는 감옥. ***be*** 〔***lie***〕 ***in*** ~ 수감 중이다. ***be released from*** ~ 출소하다. ***break*** (***out of***) 〔***escape from***〕 ~ 탈옥하다. ***cast into*** 〔***put in***〔***into***〕〕 ~ 투옥하다. ***go*** 〔***be sent***〕 ***to*** ~ 투옥되다, 수감되다. ***take*** 〔***send***〕 ***to*** ~ 투옥〔수감〕하다.

príson brèaker 탈옥자.

príson càmp 포로〔정치범〕수용소.

‡pris·on·er [príznər] *n.* Ⓒ ① 죄수; 피고인. ② 포로: a ~*'s* camp 포로 수용소. ③ 사로잡힌 자, 자유를 빼앗긴 자: You're a ~ of your past. 자네는 과거에 사로잡혀 있다. ***take*** 〔***make***〕 a person ~ 아무를 포로로 하다.

prísoner's báse 진(陣)빼앗기 놀이.

pris·sy [prísi] (***-si·er*** ; ***-si·est***) 《口》 *a.* 잔소리가 심한, 몹시 까다로운〔깐깐한〕; 신경질의.

pris·tine [prístiːn, -tain] *a.* 〔限定的〕① 원래의, 옛날의, 원시 시대의(primitive). ② 순박한. ③ 청결〔신선〕한.

pri·va·cy** [práivəsi / prív-] *n.* Ⓤ ① 사적〔개인적〕자유; 사생활, 프라이버시: disturb〔intrude on〕a person's ~ 아무의 사생활을 침해하다. ② 비밀, 남의 눈을 피함, 은둔. ***in ~ 몰래, 숨어서 《살다 등》. ***in the ~ of*** one***'s thoughts*** 마음 속으로.

prívacy protèction〖컴〗정보〔자료〕의 기밀성 방호(防護).

‡pri·vate [práivit] (***more*** ~ ; ***most*** ~) *a.* 〔限定的〕① 사적인, 일개인의, 개인에 속하는, 개인 전용의; (의료 따위) 자기 부담의. opp *public*. ② 공개하지 않는, 비공식의, 비밀의, 자기 혼자의. ③〔限定的〕사영(私營)의, 사유의, 사립의, 사설의, 민간의: a ~ house 민가. ④〔限定的〕공직〔관직〕에 있지 않은; 공직에서 물러난; 평민의. ⑤ 은둔한, 남의 눈을 피한. ⑥ 일개 병졸의. ***for*** one***'s*** ~ ***ear*** 내밀히, 비밀히. ***in my ~ opinion*** 사견으로는.

— *n.* ① Ⓒ 병사, 병졸《★ 영국 육군에서는 하사관의 아래; 미국 육군에서는 이등병으로 *private* first class 의 아래, recruit 의 윗 계급》. ② (*pl.*) 음부. ***in*** ~ 내밀히, 비공식으로, 사생활상: I knocked on the door and asked if I could talk to her *in* ~. 노크를 하고 그녀에게 내밀히 얘기할 수 있느냐고 물었다.

prívate bìll 특정 개인·법인에 관한 법안.

prívate bránd 상업자〔자가〕상표.

prívate detéctive 사립 탐정.

prívate énterprise 민간〔개인〕기업, 사기업.

pri·va·teer [pràivətíər] *n.* Ⓒ 사략선(私掠船).

prívate éye 《口》 =PRIVATE DETECTIVE.

prívate fírst cláss〖美陸軍〗일등병.

prívate hotél 《英》 (아는 사람이나 초대객 외에는 묵을 수 없는) 특정 호텔.

prívate invéstigator =PRIVATE DETECTIVE.

prívate láw 사법(私法).

prívate líne〖通信·컴〗전용 회선, 사설 회선: ~ service 전용 회선 서비스.

prívate méans〔íncome〕 불로소득《투자에 의한 수입 따위》.

prívate mémber (of Párliament) (종종 P- M-) (영국 하원의) 비(非)각료 의원.

prívate pátient 《英》 개인 부담 환자.

prívate práctice (의사의) 개인 개업.

prívate schóol 사립 학교.

prívate séctor (the ~) 민간 부문.

prívate sóldier 병졸.

pri·va·tion [praivéiʃən] *n.* U,C ① 결여, 결핍; 궁핍; (종종 *pl.*) 고난: suffer ~*s* 여러 가지 고난을 겪다. ② 상실; 박탈, 몰수.

pri·va·tism [práivətìzəm] *n.* U 개인주의, 사생활 중심주의.

priv·a·tive [prívətiv] *a.* 결여된; 소극적인; 빼앗는; 〖文法〗 결성(缺性)(사(辭))의. — *n.* C 결성어, 결성사(辭)《속성의 결여를 나타내는 dumb 등; 또 否定의 접두사·접미사 a-, un-, -less 등》.

pri·va·tize [práivətàiz] *vt.* ① 사영화하다. ② 배타〔독점〕하다; 한정〔전유〕하다.

priv·et [prívit] *n.* 〖植〗 쥐똥나무의 일종.

‡**priv·i·lege** [prívəlidʒ] *n.* U,C ① (*the* ~)특권; 특전; 대권: As a senior executive, you will enjoy certain ~*s*. 원로 간부사원으로서 당신은 몇 가지 특전을 누릴 것이다 / Our members have *the* ~ of using the parking lot. 우리 회원들은 주차장을 이용할 수 있는 특전이 있다. ② (흔히 a ~) (개인적인) 은전, (특별한) 은혜, 특별 취급; 명예: It was *a* ~ to work with such a great actress. 그런 훌륭한 여배우와 공연한다는 것은 하나의 명예였다. ③ (the ~) 기본적인 인권: *the* ~ of equality 평등권. ④〖法〗 면책, 면제. ***a breach of*** ~ (국회 의원의) 특권 침해. ***a writ of*** ~ 특사장(特赦狀). ***the*** ~ ***of Parliament*** 국회(의원)의 특권. ***water*** ~ 수리권, 용수 사용권. — *vt.* ①《~+목/+목+*to* do》…에게 특권〔특전〕을 주다《★흔히 과거분사로, 형용사적으로 쓰임》: He was ~*d to* come at any time. 그는 언제 와도 좋은 특권이 주어져 있었다. ②《+목+전+명》 …에게 특권〔특전〕으로서 면제하다《*from*》.

priv·i·leged [prívəlidʒd] *a.* ① 특권〔특전〕이 있는, 특별 허가〔면제〕된: the ~ classes 특권 계급. ②〖法〗 면책 특권의《발언·정보 등》;〖法〗 증언을 거부할 수 있는; 〔敍述的〕 (…하여) 영광스러운《*to* do》.

privy** [prívi] (priv·i·er*** ; ***-i·est***) *a.* ① 내밀히 관여〔관지〕하는《*to*》: be ~ *to* the plot 음모에 가담하고 있다. ②《古》 비밀의, 숨은; 남의 눈에 띄지 않는: the ~ parts 음부. ③ 일개인의, 사유의. — *n.* C ①〖法〗 이해 관계인, 당사자. ②《美》 옥외 변소(outhouse).

Prívy Cóuncil (the ~)《英》 추밀원《명예직》.

prívy cóuncilor 사적 문제에 관한 고문〔상담역〕; 고문(관); (P- C-) 《英》 추밀 고문관.

Prívy Pùrse (the ~) 《英》 (왕실의) 내탕금.

prívy séal (the ~) 〖英史〗 옥새(玉璽).

†**prize**[1] [praiz] *n.* C ① 상품, 상, 상금: At school, I received several ~*s* for chemistry and physics. 학창시절에 나는 화학과 물리학에서 여러번 상을 받았다. ② 현상금; 경품. ③ 당첨. ④ (경쟁·노력·소망의) 목표: the ~*s* of life 인생의 목표《명예·부 등》. ⑤《口》 훌륭한〔귀중한〕 것: Good health is an inestimable ~. 건강은 더 없이 귀중한 보화다. ⑥《古》 경쟁, 시합. ***no*** ~***s for guessing*** …을 짐작하기에는 쉬운 일이다, 명백하다: There are *no* ~*s for guessing* who will be the next Prime Minister. 다음 수상이 누가 될 것인가는 뻔한 일이다. ***play*** 〔***run***〕 ~***s***(상품을 타려고) 경쟁〔시합〕에 나가다. — *a.* 〔限定的〕 ① 현상의, 입상의, 상품으로 주는. ② 〔종종 反語的〕 상을 탈 만한, 훌륭한. — *vt.* ①《~+목/+목+*as* 보》…을 높이 평가하다, 존중하다; 소중히 여기다: ~ a ring *as* a keepsake 반지를 기념품으로서 소중히 하다. ② …을 평가하다: I ~ him for his good sense. 양식(良識)이 있어서 나는 그를 높이 평가한다.

prize[2] *n.* C ① 노획물〔재산〕, 전리품; 나포선. ② 의외의 소득, 횡재. ***make*** (***a***) ~ ***of*** …을 포획하다. — *vt.* …을 포획〔나포〕하다.

prize[3] *vt.* 《~+목/+목+부/+목+보》《주로 英》 …을 지레로 움직이다, 비집어 열다《*open* ; *out* ; *up* ; *off*》: A thief had ~*d* the window *open* with a jimmy. 도둑이 쇠지레로 창문을 비틀어 열었다. ~ ***out*** (돌·못 등을) 힘들여 제거하다, 뽑아내다; (비밀 등을) 탐지하다, 알아내다.

prize·fight [ˊfàit] *n.* C 프로권투 시합.

prize-giv·ing [ˊgìviŋ] *n.* C ① 상품〔상금〕 수여식, 표창식. ② 연간 학업성적 우수자 표창일(= **príze dày**). — *a.* 〔限定的〕 상품〔상금〕 수여의.

prize·man [ˊmən] (*pl.* ***-men*** [ˊmən]) *n.* C ① 수상자. ②《英》 (대학에서) 우등상 수상학생.

príze mòney 상금, 현상금.

príze rìng 프로 권투의 링. 「품.

prize·win·ner [ˊwìnər] *n.* C 수상자; 수상작

pro**[1] [prou] (*pl.* ~s***) 《口》 *n.* C 전문가, **직업 선수.** — *a.* 직업 선수의, 프로의.

pro[2] (*pl.* ~***s***) *n.* C 《L.》 찬성(론); 찬성 투표; 찬성자; 이로운 점. ~***s and cons*** 찬부 양론(贊否兩論); 이해 득실. — *ad.* 찬성하여. opp *con*[3], *contra*. ~ ***and con*** 〔***contra***〕 찬부 모두 함께; 찬반의; …에 찬부를 표명하여〔하는〕.

pro[3] *n.* C 《俗》 매춘부(prostitute).

PRO., P.R.O. public relations officer; Public Record Office.

pro·ac·tive [prouǽktiv] *a.* ① 사전 행동의〔에 호소한〕; 예방의. ②〖心〗 순행(順行)의.

pro-am [próuǽm] *n.* C 프로와 아마추어 합동참가 경기.

prob. probable; probably; problem.

‡**prob·a·bil·i·ty** [pràbəbíləti / prɔ̀b-] *n.* ① U 있음직함, 일어남직함, 사실 같음; C 가망; (일어남직한) 일. ② U 〖哲〗 개연성. ③ C 〖數〗 확률; 공산(公算): a ~ of one in three, 3분의 1의 확률. ④〖컴〗 확률. ⑤ (*pl.*) 일기 예보. ◇ probable *a.* ***in all*** ~ 아마, 십중 팔구는: *In all* ~, he's already left. 십중팔구 그는 떠났을 것이다. ***The*** ~ ***is that***. . . . 아마 …일 것이다. ***There is every*** 〔***no***〕 ~ ***of*** 〔***that***〕 . . . . …할〔일〕 가능성이 많다〔없다〕, 꼭 …할 것 같다〔전혀 …할 것 같지 않다〕.

‡**prob·a·ble** [prábəbəl / prɔ́b-] (***more*** ~ ; ***most*** ~) *a.* ① (확실하지도 않으나) 있음직한, 일어남직한, 우선은 확실한; 가망성이 있는, 유망한: An airline official said a bomb was the incident's most ~ cause. 한 항공사 임원은 폭탄이 그 사고의 가장 확실한 원인 같았다고 말했다. ② 〔敍述的〕 〔it is ~ that…로〕 아마 …일 것이다: *It's* ~ *that* he will succeed. 그는 아마 성공할 것이다. — *n.* C ① 있음직한 일. ② 무슨 일을 할 듯싶은 사람, 유력한 후보자. ③ (스포츠의) 보결; 신인. ④ 파괴할 것이 거의 확실한 공격 목표, 추정 격추기〔격침함〕.

†**prob·a·bly** [prábəbli / prɔ́b-] (***more*** ~ ; ***most*** ~) *ad.* 〔文章修飾〕 아마, 필시, 대개는: Van Gogh is ~ the best-known painter in the world. 반고흐는 아마도 세계에서 가장 유명한 화가인 것 같다.

pro·bate [próubeit] 〖法〗 *n.* ① U 유언의 검인(檢認): apply for ~ 유언 검인을 신청하다. ② C 유언검인증; 검인필의 유언장. — *vt.* 《美》 (유언서를) 검인하다; 검인을 받다; 보호 관찰에 돌리다.

***pro·ba·tion** [proubéiʃən] *n.* U ① 검정(檢定), 시험; 입증. ② 시험해 보기; 수습; 수습 기간. ③

〖神〗 시련 ; 〖法〗 판결〔집행〕 유예, 보호 관찰. ④ 《美》 (실격·처벌 학생의) 가(假) 급제 기간, 근신 기간. ***on*** ~ 수습으로서, 시험삼아; 보호 관찰 아래 ;《美》 가급제로 : He served a year in prison and was then let out *on* ~. 그는 1년을 복역하고는, 보호관찰을 조건으로 석방되었다.

pro·ba·tion·al, -tion·ary [proubéiʃənəl], [-ʃənèri / -nəri] *a.* 〔限定的〕 ① 시도의 ; 시련의, 수습 중인. ② 보호 관찰(중)의. ③《美》 가급제(假及第)〔근신〕 중인.

pro·ba·tion·er [proubéiʃənər] *n.* Ⓒ ① 시험 중인 사람, 수습생, 시보(試補) ; 가(假)급제자 ; 전도(傳道) 시험 중인 신학생 ; 목사보(補). ② 집행 유예 중인 죄인, 보호 관찰에 부쳐진 자. ㊞ **~·ship** *n.* Ⓤ 수습 (기간) ; 집행 유예(기간).

probátion òfficer 보호 관찰관.

***probe** [proub] *n.* Ⓒ ①〖醫〗 소식자(消息子), 탐침(探針)《상처 따위를 살피는 기구》. ② 조사《불법행위에 대한 위원회 따위의》. ③ 탐사침(探査針)《전자 공학·물리 실험용의》. ④ (대기권 밖 탐사용) 로켓〔인공 위성, 망원경〕, 탐사기(機)〔장치〕. ⑤〖컴〗 문안침, 탐색침.
— *vt.* ① …을 탐침으로 살피다, 조사하다 : Using a special instrument, the doctor ~*d* the wound for the bullet. 특수한 기구를 사용하여서 의사는 총탄으로 생긴 상처를 살펴보았다. ② …을 정사(精査)하다, 탐사하다 : ~ the space with rockets 로켓으로 우주를 탐사하다. — *vi.* 《+전+명》 면밀히 조사하다 ; (미지의 세계·넓은 사막 등에) 들어가다 ; 돌진하다《*into, to*》: ~ *into* the cause of a crime 범죄의 원인을 면밀히 조사하다.

prob·ing [próubiŋ] *n.* Ⓒ 엄밀한 조사. — *a.* 철저한, 엄밀한.

pro·bi·ty [próubəti, prάb-] *n.* Ⓤ 정직, 성실, 염직(廉直).

†**prob·lem** [prάbləm / prɔ́b-] *n.* Ⓒ ① (특히 해결이 어려운) 문제, 난문 : No one has solved the ~ of what to do with radioactive waste. 아직 어느 누구도 방사능 폐기물을 어떻게 다루어야 하느냐 하는 문제를 해결하지 못했다. ② (흔히 a ~) 귀찮은 일〔사정, 사람〕: That child is *a* ~. 저 애는 귀찮은 애다. ③ (시험 등의) 문제 ; 〖체스〗 묘수풀이 (문제) : solve〔discuss〕 a ~ 문제를 풀다〔검토하다〕. ④〖論〗 삼단논법에 포함된 문제. ***No problem.*** (1)《美口》 좋습니다, 알았습니다. (2)《口》 문제 없다. ***set***〔***put***〕 a person ***a*** ~ 아무에게 문제를 내다.
— *a.* 〔限定的〕 ① 문제의, 감당할 수 없는. ② 개인·사회적 문제로서 다룬.

prob·lem·at·ic, -i·cal [prὰbləmǽtik / prɔ̀b-], [-əl] *a.* 문제의 ; 문제가 되는, 미심쩍은, 불확실한.

pro·bos·cis [proubάsis / -bɔ́s-] (*pl.* **~·es** [-iz], ***-ci·des*** [-sidi:z]) *n.* Ⓒ ① (코끼리·맥(貘) 따위의 비죽 나온) 코. ② (곤충 따위의 긴) 주둥이. ③《口·戲》 (사람의) 큰 코.

probóscis mónkey 〖動〗 긴코원숭이.

‡**pro·ce·dure** [prəsí:dʒər] *n.* ① Ⓒ 순서, (진행·처리의) 절차 ; 조처 : follow the correct ~ 올바른 절차에 따라 행하다. ② Ⓤ,Ⓒ 〖法〗 소송 절차 ; 의회 의사(議事) 절차 : (a) parliamentary ~ 의사 운영 절차. ③〖컴〗 절차《컴퓨터에서 실행되는 일련의 처리》. ㊞ **-dur·al** [-dʒərəl] *a.* 절차상〔처리상〕의.

‡**pro·ceed** [prousí:d] *vi.* ①《~ / +전+명》 나아가다, 가다, 앞으로 나아가다, (…에) 이르다《*to*》: From the city center ~ along Maple Street until you reach the station. 시 중앙에서 메이플가(街)를 따라 역이 나올 때까지 앞으로 가시오. ② (일이) 진행되다, 속행되다, 계속되다 : The construction project was ~*ing* with surprising speed. 그 건설 공사는 놀라운 속도로 진행되고 있었다 / After a year of arguments, preparations for the festival are now ~*ing* smoothly. 일년의 논의 후에 축제 준비는 현재 순조롭게 진행되고 있다. ③《~ / +전+명 / +*to* do》 계속하여 행하다 ; 말을 계속하다《*with*》; 화제를 진행하다 : *Proceed with* your story. 이야기를 계속하시오. ④《~ / +전+명 / +*to* do》 착수하다《*to*》, 처리하다 ; …하기 시작하다 : A docter first diagnoses a patient's disorder, then he ~*s to* recommend a course of treatment. 의사는 처음에는 환자의 질병을 진단하고 나서 그 치료법을 권한다. ⑤《+전+명》 처분하다, 절차를 밟다《*with*》; 〖法〗 소송을 일으키다《*against*》: Lack of evidence meant that the council could not ~ *against* Mr. Naylor. 증거의 불충분은 시 의회가 네일러씨를 고소할 수 없다는 것을 의미했다. ⑥《+전+명》 생기다, 일어나다, 기인(起因)하다《*from ; out of*》: Superstition ~*s from* ignorance. 미신은 무지에서 생긴다. ⑦《+전+명》《英》 학위를 취득하다《*to*》.

‡**pro·ceed·ing** [prousí:diŋ] *n.* ① Ⓤ 진행, 속행. ② Ⓒ 행동 ; 조처 (종종 *pl.*) 일의 되어가는 형편 ; 일련의 일들 : an illegal ~ 불법적인 조치. ③ (*pl.*) 소송 절차 ; 변론. ④ (*pl.*) 의사(議事), 의사록, 회의록 ; (학회의) 회보. ***summary ~s*** 약식(재판) 절차. ***take***〔***institute***〕***~s against*** …에 대하여 소송을 제기하다 : His wife's lawyers have already *taken* divorce ~*s against* him. 그의 아내의 변호사들은 이미 그에 대한 이혼 소송을 제기하고 있었다.

pro·ceeds [próusi:dz] *n. pl.* ① 수익, 수입, 매상금《*from*》: After the costs were deducted, the ~ *from* the bazaar came to $ 900. 여러 비용을 공제한 후 바자회 수입은 900달러에 이르렀다. ② 결과.

‡**proc·ess**[1] [prάses / próu-] *n.* ① Ⓤ,Ⓒ (현상(現象)·사건 등의) 진행, 과정, 경과 : Political reform will be a difficult ~. 정치개혁은 어려운 과정을 거칠 것이다. ② Ⓤ 〖物〗 과정 ; Ⓒ 공정, 순서, 처리, 방법 : ~ of manufacture 제조 공정. ③ Ⓒ 〖컴〗 처리. ④ Ⓤ (일의) 진전, 발전. ⑤ Ⓤ 작용 : the ~ of digestion 소화작용. ⑥ Ⓤ (기술적인) …법 ; 〖寫〗 사진 제판법 ; 인쇄법 ; 〖映〗 스크린 프로세스 : the three-color ~ 삼색 인쇄법. ⑦ Ⓒ 〖法〗 소송 절차 ; 소환장, 집행 영장. ◇ proceed *v.* ***due ~ of law*** 〖法〗 법의 정당한 절차 : No person shall be deprived of life, liberty, or property, without *due ~ of law.* 어느 누구도 법의 정당한 절차를 거치지 않고는 생명·자유 또는 재산을 빼앗기지 않는다. ***in ~ of time*** 시간이 흐름에 따라. ***in the*** ~ 동시에 그 과정에서. ***in*** (***the***) ~ ***of*** …의 과정 중에서 ; …의 진행 중에 : *in ~ of* construction 건축〔공사〕 중. ***serve a ~ on*** …에게 영장을 발부하다.
— *a.* 〔限定的〕 ① 가공(처리)한 ; 제조 과정에서 생기는《열·증기 따위》. ② 사진 제판법에 의한 ; 〖映〗 특수 효과를 내는 데 쓰는. — *vt.* ① 처리하다 ; (자료 등)을 조사 분류하다. ② 기소하다 ; …에게 소환장을 내다. ③ (식품)을 가공 처리〔저장〕하다. ④ (컬러 필름)을 현상하다. ⑤ (서류 등)을 복사하다 ; 〖컴〗 (자료)를 처리하다.

pro·cess[2] [prəsés] *vi.* 《英口》 줄지어 걷다.

prócess contròl 프로세스 제어《자동 제어의 한 부문》; 〖컴〗 처리 통제 ; 〖工〗 공정관리.

prócess(ed) bútter〔**chéese**〕 가공 버터〔치즈〕.

proc·ess·ing [prásesiŋ / próu-] *n.* Ⓤ ①〖컴〗(자료의) 처리. ② 가공 : food ~ 식품가공.

prócessing ùnit〖컴〗처리 장치.

‡**pro·ces·sion** [prəséʃən] *n.* ① Ⓒ 행진, 행렬 : a wedding〔funeral〕~ 결혼〔장례〕행렬. ② Ⓤ (행렬의) 진행, 전진 ;〖神〗성령의 발현(發現).

pro·ces·sion·al [prəséʃənəl] *a.* 〔限定的〕행렬(용)의 : a ~ cross 행렬용(用) 십자가.
── *n.* Ⓒ〖敎會〗행렬 성가(집). ㊊ ~·**ly** *ad.*

proc·es·sor [prásesər / próu-] *n.* Ⓒ ① (농산물의) 가공업자. ②〖컴〗처리기《컴퓨터 내부의 명령 실행 기구》.

pro-choice [proùtʃɔ́is] *a.* 임신 중절 합법화 지지의. OPP *pro-life.*

‡**pro·claim** [proukléim, prə-] *vt.* ①《~+목 / +목+(*to be*) 보 / +*that* 절》…을 포고〔선언〕하다, 공포하다 ; 성명하다 : The Government ~*ed* a state of emergency. 정부는 비상사태를 선포하였다 / They ~*ed* him (*to be*) a national hero. 그들은 그를 국민적 영웅이라고 선전했다 / They ~*ed that* he was a traitor to his country. 그들은 그가 국사범이라고 선언했다. ②《~+목 / +목+(*to be*) 보 / +*that* 절》…을 증명하다, 분명히 나타내다 : His accent ~*ed* him a Scot. = His accent ~*ed that* he was a Scot. 말씨로 스코틀랜드 사람임을 알았다 / The conduct ~*ed* him (*to be*) a fool. 그 행위로 그가 바보라는 것이 증명되었다. ── *vi.* 선언〔포고, 성명〕하다.

***proc·la·ma·tion** [pràkləméiʃən / prɔ̀k-] *n.* ① Ⓤ 선언, 포고, 발포 : the ~ of war 선전 포고. ② Ⓒ 선언〔성명〕서 : issue〔make〕a ~ 성명서를 발표하다.

pro·cliv·i·ty [prouklívəti] *n.* Ⓒ (좋지 않은 일에의) 경향, 성벽, 기질《*for* do*ing* ; *to* ; *toward* ; *to* do》: He has a ~ *for*〔*to, toward*〕violence. 그는 선천적으로 난폭한 면이 있다 / a ~ *for* telling lies 거짓말을 하는 버릇.

pro·con·sul [proukánsəl / -kɔ́n-] *n.* Ⓒ〖古로〗지방 총독 ; (근세의) 식민지 총독 ; 부영사.

pro·cras·ti·nate [proukrǽstənèit] *vi., vt.* …을 지연하다〔시키다〕, 질질 끌다. ㊊ **pro·cràs·ti·ná·tion** [-ʃən] *n.* Ⓤ 지연, 지체 ; 미루는 버릇.

pro·cre·ate [próukrièit] *vt.,vi.* (자식)을 보다, 자손을 낳다 ; (신종(新種) 따위를) 내다.

Pro·crus·te·an [proukrʌ́stiən] *a.* Procrustes 의 ; (종종 p-) 견강부회의, 무리한 규준(規準)에 맞추려고 하는.

Pro·crus·tes [proukrʌ́sti:z] *n.*〖그神〗프로크루스테스《노상 강도 ; 여행자를 잡아 자기 침대에 눕혀, 저보다 키가 큰 사람은 다리를 자르고, 작은 사람은 잡아늘였다고 함》.

proc·tol·o·gy [praktálədʒi / prɔktɔ́l-] *n.* Ⓤ 직장병학, 항문병학 ; 항문과.

***proc·tor** [práktər / prɔ́k-] *n.* Ⓒ ① 대리인, 대소인(代訴人), 사무 변호사. ②《英》(Cambridge 및 Oxford 대학의) 학생감. ③《美》시험 감독관 ;〖英國國敎〗(성직자 회의의) 대의원. ── *vt., vi.* 《美》시험 감독하다.

pro·cur·a·ble [proukjúərəbəl, prə-] *a.* 손에 넣을 수 있는(obtainable).

proc·u·ra·tion [pràkjəréiʃən / prɔ̀-] *n.* ① Ⓤ 획득 ; 조달. ② Ⓤ〖法〗대리 ; 위임 ; Ⓒ 위임장. ③ Ⓒ 빚돈의 주선(료) ; Ⓤ 매춘부를 둠, 뚜쟁이질. ***by***〔***per***〕~ 대리(代理)로《略 : per pro(c).》.

‡**pro·cure** [proukjúər, prə-] *vt.* ①《~+목 / +목+목 / +목+전+명》(노력하여 …)을 획득하다〔하게 하다〕, (필수품)을 조달하다〔하게 하다〕: ~ weapons 무기를 손에 넣다 / He ~*ed* his brother employment. = He ~*ed* employment *for* his brother. 그는 동생에게 직업을 구해 주었다. ②《稀》(남의 손 빌려)…을 야기하다, 초래하다 : ~ a person's death (제 3 자의 손을 빌려) 아무를 죽게 하다. ③ (매춘부)를 주선하다. ── *vi.* 매춘부를 주선하다, 뚜쟁이짓을 하다. ㊊ *~·**ment** *n.* Ⓤ ① 획득, 조달. ② (매춘의) 주선. **-cúr·er** [-kjúərər] (*fem.* ***-cur·ess*** [-kjúəris]) *n.* Ⓒ 획득자(obtainer) ; 뚜쟁이(pimp).

prod [prad / prɔd] *n.* Ⓒ ① 찌르는 바늘, 침 ; (가축을 몰기 위해) 찌르는 막대기(goad) ; 꼬챙이(skewer). ② 찌르기, 찌름. ③ 자극, 조언, 암시. ── (***-dd-***) *vt.* ① …을 찌르다, 쑤시다 : He ~*ded* me in the side with his elbow. 그는 팔꿈치로 내 옆구리를 찔렀다. ②《~+목 / +목+전+명》…을 자극하다(incite) ; 불러일으키다 ; 촉구하다 ; 괴롭히다(irritate) : ~ a person's memory 아무의 기억을 환기시키다 / ~ a person *to* action 아무를 부추겨 행동하게 하다. ── *vi.* 찌르다, 쑤시다《*in* ; *at*》.

prod·i·gal** [prádigəl / prɔ́d-] *a.* ① 낭비하는 ; 방탕한 : the ~ son〖聖〗회개한 죄인, (돌아온) 탕아《누가복음 XV : 11-32》. ② 풍부한. ③〔敍述的〕아낌없이 주는, 마구 소비하는, 쓸데없이 쓰는《*of*》. ── *n.* Ⓒ 낭비자 ; 방탕아. ***play the ~ 방탕하다, 낭비하다.

***pro·di·gious** [prədídʒəs] *a.* ① 거대한, 막대한 (vast, enormous) : do a ~ amounts of work 엄청난 양의 일을 하다. ② 비범한, 이상한, 놀라운 : She was a ~ musician. 그녀는 비범한 음악가였다.

***prod·i·gy** [prádədʒi / prɔ́d-] *n.* Ⓒ ① 경이(驚異)(로운 것) ; 불가사의한 것 ; 위관(偉觀) : a ~ of nature 자연계의 경이. ② 비범한 사람 ; 천재(아). ③《古》불가사의한 조짐.

‡**pro·duce** [prədjú:s] *vt.* ① …을 산출하다, 생기게 하다, 낳다, (열매)를 맺다 ; (동물·사람이) 새끼〔아기〕를 낳다 : ~ oil〔wheat〕석유를〔소맥을〕산출하다 / The tree ~*s* big fruit. 그 나무는 커다란 열매를 맺는다. ② …을 생산〔제작〕하다 : She works for a company that ~*s* electrical goods. 그녀는 전기제품을 만드는 회사에 근무하고 있다. ③ …을 일으키다, 나게 하다 : ~ a sensation 대평판을 일으키다. ④ 꺼내다, 제시하다 ; (증거 따위)를 제출하다 : I ~*d* my ticket. 차표를 내보였다. ⑤ (연극 등)을 연출하다, 상연〔공연〕하다 : ~ a play. ⑥〖數〗(선)을 연장하다 : ~ a line.
── *vi.* 만들어 내다 ; 산출하다 ; 창작하다.
── [prádju:s, próu-] *n.* Ⓤ 〔集合的〕(농)산물 : garden ~ 원예 청과류《공업 생산물은 product》.

‡**pro·duc·er** [prədjú:sər] *n.* Ⓒ ① 생산자〔국〕, 제작자. OPP *consumer.* ¶ a ~'*s* price 생산자 가격. ②〖劇·映〗《英》감독, 연출가(《美》director) ;《美》프로듀서《연출·제작의 책임자》.

prodúcer gàs 발생로 가스《연료》.

prodúcer(s') gòods〖經〗생산재(生産財).

‡**prod·uct** [prádəkt, -dʌkt / prɔ́d-] *n.* Ⓒ ① (종종 *pl.*) 산물, 생산품 ; 제작물 ; 창작(품) : agricultural〔marine, forest〕~*s* 농〔해, 임〕산물 / literary ~*s* 문예작품. ② 결과 ; 소산, 성과 : His wealth was a ~ of ambition and work. 그의 부(富)는 야망과 근로의 성과였다. ③〖生〗생성물 ;〖化〗생성물질. OPP *educt.* ④〖數·컴〗곱. cf. quotient. ¶ 40 is the ~ of 8 by 5. 40 은 8 과 5 와의 곱. ◇ produce *v.*

‡**pro·duc·tion** [prədʌ́kʃən] *n.* ① Ⓤ 생산, 산출 ; 생산고, 생산량. OPP *consumption.* ¶ The company's new model will be going into ~ early next

year. 그 회사의 새 모델이 내년초에 생산에 들어갈 예정이다 / mass ~ 대량 생산. ② Ⓤ 제작; 저작. ③ Ⓒ 생산〔제작〕물; 저작물; 작품; 연구 성과: a domestic ~ 국산품 / an artistic ~ 예술작품. ④ Ⓤ 제공, 제출, 제시: The tax officer insisted on ~ of the document. 세무 공무원은 서류 제출을 강력히 요구하였다. ⑤ Ⓤ (영화 등의) 제작, 연출; Ⓒ 영화 제작소: film ~ 영화 제작. ⑥ Ⓤ (선 따위의) 연장; 〖數〗 연장(선). ⑦《口》 큰 소동. ◇ produce *v.* ㊞ **~·al** *a.*

prodúction lìne (일관작업의) 생산 공정〔라인〕.

‡pro·duc·tive [prədʌ́ktiv] *a.* ① 생산적인: a ~ worker 생산적인 노동자. ② 다산의, 풍요한, 비옥한: ~ land 기름진 땅. ③〖經〗 이익을 낳는; 영리성의: ~ enterprises 영리성 기업. ④ (회의·경험·우정 등이) 생산적인, 결실을 맺는: James Baker said he'd had ~ and useful talks with King Hussein. J. 베이커는 후세인 왕과 생산적이고 유익한 회담을 가졌다고 발표했다. ⑤〔敍述的〕 (결과로서) 생기는《of》: Vague words are ~ *of* misunderstanding. 애매한 말이 오해를 낳는다. ⑥〖言〗 신조력(新造力)이 있는《접사(接辭) 따위》. ◇ produce *v.* ㊞ **~·ly** *ad.* 생산적으로; 다산으로; 풍요하게.

***pro·duc·tiv·i·ty** [pròudʌktívəti, pràd- / prɔ̀d-] *n.* Ⓤ 생산성, 생산력; 다산, 풍요.

próduct liabílity《美》(제품에 의한 피해에 대한) 생산자 책임《略: PL》.

próduct lífe cỳcle 〖經營〗 제품 라이프 사이클.

pro·em [próuem] *n.* Ⓒ 서문, 머리말(preface); 「개시.

prof [prɑf / prɔf] *n.* Ⓒ《口》 교수. [◂ *prof*essor]

Prof. Professor《★ Prof. John 〔J.〕 Jones 처럼 쓰며, 성뿐일 때에는 Prof. 라고 생략하지 않고 Professor Jones 가 보통》.

pro-fam·i·ly [pròufǽməli] *a.*《美》 임신 중절 반대법에 찬성하는.

prof·a·na·tion [prɑ̀fənéiʃən / prɔ̀f-] *n.* Ⓤ,Ⓒ 독신(瀆神); 신성 모독; 남용, 악용(misuse).

***pro·fane** [prəféin, prou-] *a.* ① 독신(瀆神)의, 모독적인, 불경스런: ~ language 불경스런 언사. ②〔限定的〕 종교·성전(聖典)에 관계되지 않은, 세속의; 비속한, 더럽혀진: ~ history 세속사《성사(聖史)에 대해》. ③ 이교적인, 사교의. ── *vt.* …을 모독하다, (신성)을 더럽히다; 남용하다.

pro·fan·i·ty [prəfǽnəti, prou-] *n.* Ⓤ 신성을 더럽힘, 불경, 모독; Ⓒ (흔히 *pl.*) 신성을 더럽히는 언행.

***pro·fess** [prəfés] *vt.* ①《~+目 / +目+(*to be*) 補 / +*that* 節》 …을 공언하다, 명언하다, 고백하다: ~ a distaste for modern art 근대 예술은 싫다고 분명히 말하다. ②《~+目 / +*to* do / +目+(*to be*) 補》 …을 칭하다, 주장하다; 자칭하다, …한 체하다(feign): ~ ignorance 모르는 체하다. ③ (신도가) …을 믿는다고 고백하다, 신앙하다: What religion does he ~? 그는 어느 종교의 신자인가. ④ …을 직업으로 하다; …의 교수가 되다, 교수하다: She ~*es* comparative literature. 그녀는 비교문학 교수이다 / ~ medicine 의사를 업으로 하다. ── *vi.* ① 공언하다, 언명하다. ② 대학 교수로 근무하다. ③ 신앙을 고백하다; 서약하고 수도회에 들어가다. ◇ profession *n.*

pro·fessed [prəfést] *a.* ①〔限定的〕 공언한, 공공연한: The government stuck to its ~ intentions. 정부는 자신이 공언한 목적에 집착했다. ② 서약하고 수도회에 들어간. ③ 외양만의, 자칭의, 거짓의.

‡pro·fes·sion [prəféʃən] *n.* ① Ⓒ 직업《★ 특히 학문적 소양을 필요로 하는 지적 직업(교사·문필가·기사 등). 원래는 특히 법률가·의사·성직자를 가리켰음. occupation 은 일반적인 직업을 말함》: the honorable 〔teaching〕 ~ 교직 / a man of ~ 지적 직업〔자유업〕을 가진 사람. ② Ⓒ 공언, 언명, 고백, 선언. ③ (the ~) 〔集合的〕 동업자들;《俗》 배우들, 연예인들《★집합체로 생각할 때는 단수, 구성요소로 생각할 때는 복수로 취급》: *The* legal ~ has〔have〕 always resisted change. 법조계에 종사하고 있는 사람(들)은 언제나 변혁에 저항해왔다. ④ Ⓒ〖宗〗 신앙 고백; 서약하고 종교단체에 들어감; 고백한 신앙. ◇ profess *v.*

***Adam's* ~** 원예. ***by* ~** 직업은. ***in practice* 〔*fact*〕 *if not in* ~** 공언은 하지 않지만 사실상.

‡pro·fes·sion·al [prəféʃənəl] (***more* ~; *most* ~**) *a.* ①〔限定的〕 직업의, 직업적; 직업상의, 장사의: Both doctors have been charged with ~ misconduct. 두 명의 의사가 업무상 부정행위의 혐의를 받아왔다. ② 지적 직업의, 전문적 직업의: Lawyers and doctors are ~ people. 변호사나 의사는 전문직이다. ③ 전문의, 본직〔전업〕의, 프로의. OPP *amateur.* ¶ a ~ writer 전업의 문필가, 작가 / a ~ politician 직업적 정치인. ④〔限定的〕《蔑》 장사로 하는;《婉》〖競〗 (규칙 위반이) 고의인.

── *n.* Ⓒ ① 지적 직업인; 기술 전문가. ② 전문가. ③ 직업 선수, 프로 선수. ***turn* ~** 프로가 되다. ㊞ **~·ìsm** [-féʃənəlizəm] *n.* Ⓤ ① 전문가적 기질. ② 전문적〔직업적〕 기술;《婉》〖競〗 가벼운 규칙 위반을 하여 유리하게 이끌어가는 일. **~·ly** *ad.* 직업적〔전문적〕으로; 직업상.

‡pro·fes·sor [prəfésər] *n.* Ⓒ ① (대학) 교수. ②《口》 (남자) 교사, 선생. ③〔과장한 호칭〕 선생. ④ 공언자; 자칭자; 신앙 고백자. ㊞ **~·shìp** *n.* Ⓒ 교수의 직〔지위〕. **~·ess** *n. fem.*《古》.

pro·fes·so·ri·al [pròufəsɔ́:riəl, prɑ̀f- / prɔ̀f-] *a.* 교수의; 교수다운; 학자연(然)하는; 독단적인 (dogmatic).

***prof·fer** [prɑ́fər / prɔ́fər] *vt.* ① (물건)을 내 놓다: ~ a present 선물을 드리다 / ~ one's hand 손을 내 놓다 / He rose and ~*ed* a silver box full of cigarettes. 그는 일어나서 담배가 가득 들어 있는 은제 상자를 내 놓았다. ② …을 제의하다, 제공하다. ── *n.* Ⓤ,Ⓒ 제출, 제의, 제공(물).

***pro·fi·cien·cy** [prəfíʃənsi] *n.* Ⓤ 숙달, 능숙 (skill)《*in*》: a test of ~ *in* English 영어 실력 테스트(=an English ~ test) / make little ~ in French 프랑스어가 거의 숙달되지 않는다.

pro·fi·cient** [prəfíʃənt] (more* ~; *most* ~**) *a.* 숙달된, 능숙한, 능란한《*at*; *in*》: He's ~ *at* repartee. 그는 재치 있게 하는 즉답에 능하다.

── *n.* Ⓒ 숙달된 사람, 명인《*in*》.

***pro·file** [próufail] *n.* Ⓒ ① (조상(彫像) 따위의) 옆모습, 측면; 반면상. ② 윤곽(outline), 외형, 소묘(素描); (신문·텔레비전 등에서의) 인물 단평〔소개〕. ***in* ~** 측면에서 보아, 옆모습으로는.

── *vt.* ① …의 윤곽을 그리다; …의 종단면도〔측면도〕를 작성하다. ② 인물평을 쓰다; 반면상으로 만들다. ③〔흔히 受動으로〕 …의 윤곽을 보이다《*against*》: The skyscrapers *were* ~*d against* a starry sky. 마천루는 별들이 반짝이는 하늘 높이 우뚝 서 있었다.

***keep*〔*maintain*〕 *a low* ~** 눈에 띄지 않도록〔조심스럽게〕 행동하다, 저자세를 취하다.

‡prof·it [prɑ́fit / prɔ́f-] *n.* ① Ⓤ,Ⓒ (종종 *pl.*) (금전상의) 이익, 수익, 이윤, 소득. ② Ⓤ 득(得), 덕: I have read it *with* ~. 그것을 읽고 덕을 보았다 / He practiced early rising *with* ~ to his health. 그는 아침 일찍 일어나는 것을 실천하여 건

강에 덕을 보았다. ③ (흔히 *pl.*) (자본·보험에 대한) 이자. ***in*** ~ (회사가) 이익을 올리고 흑자로. ***make a ~ on*** …으로 이익을 보다. ***make*** one***'s*** ~ ***of*** …을 잘 이용하다. ***sell at a*** ~ 이익을 보고 팔다. ***to*** one***'s*** (***great***) ~ =***with*** ~ (크게) 득을 보고, 얻는 바가 있어. ***turn . . . to*** ~ …을 이용하다.
— *vt.* 《~+目/+目+目》 …의 이익이 되다, …의 득〔도움〕이 되다. — *vi.* 《+前+名》 이익을 보다, 소득을 얻다, (…에 의해, …에서) 덕을 입다 《*by* ; *from* ; *over*》: ~ *by*〔*over*〕 a transaction 거래에서 이익을 보다 / A lot of companies will ~ *from* the fall in interest rates. 많은 회사들이 이자율의 하락으로 이익을 볼 것이다 / He ~*ed* greatly *from* his schooling. 학교 교육에서 많은 득을 보았다.

‡**prof·it·a·ble** [práfitəbəl / prɔ́f-] (***more*** ~ ; ***most*** ~) *a.* ① 유리한, 이문이 있는《*to*》: a ~ deal 유리한 거래. ② 유익한, 이로운《*for*》: ~ instruction 유익한 교훈.
㊞ **-bly** *ad.* 유리〔유익〕하게. **~·ness** *n.* 유익. **pròf·it·a·bíl·i·ty** [-bíləti] *n.* Ⓤ 《특히》 이익률, 수익성.

prof·it·eer [pràfitíər / prɔ̀f-] *n.* Ⓒ 부당 이득자 《특히 전시 따위의》; 모리배, 간상(奸商).
— *vi.* 부당 이득을 취하다, 폭리를 보다.

prof·it·less [práfitlis / prɔ́f-] *a.* 이익 없는 ; 무익한, 쓸모없는. ㊞ **~·ly** *ad.*

prófit màrgin 〚商〛 이윤폭(幅).

prófit shàring (노사간의) 이익 분배(제).

prof·li·ga·cy [práfligəsi / prɔ́f-] *n.* Ⓤ 방탕, 품행이 나쁨 ; 낭비.

prof·li·gate [práfligit, -gèit / prɔ́f-] *a.* 방탕한, 품행이 나쁜 ; 낭비가 심한. — *n.* Ⓒ 방탕아, 난봉꾼, 도락자 ; 낭비가.

pro for·ma [prou-fɔ́:rmə] 《L.》 형식상, 형식을 위한.

‡**pro·found** [prəfáund] (**~·*er*** ; **~·*est***) *a.* ① 깊은, 밑바닥이 깊은 ; (병 따위의) 뿌리 깊은 : ~ depths 깊은 밑바닥 / ~ sleep 깊은 잠. ② 뜻깊은, 심원한. OPP *superficial.* ¶ a ~ thinker 심오한 사색가 / ~ knowledge 박식. ③ 충심으로부터의, 심심한, 심한, 충분한, 정중한 : ~ grief〔anxiety〕 깊은 슬픔〔걱정〕/ ~ sympathy〔regrets〕 마음으로부터의 동정〔후회〕/ a ~ bow (머리를 깊이 숙인) 정중〔공손〕한 인사 / draw a ~ sigh 깊은 한숨을 내쉬다. ④ (변화·영향 등이) 중대한, 깊은, 심대한.

pro·fun·di·ty [prəfʌ́ndəti] *n.* ① Ⓤ 깊음, 깊이 ; 깊숙함, 심오(深奧) : I don't doubt the ~ of this wisdom. 이 금언(金言)의 심오함을 나는 의심하지 않는다. ② Ⓒ 심연(深淵). ③ Ⓒ (*pl.*) 깊은 사상 ; (*pl.*) 심원한 일.

***pro·fuse** [prəfjú:s] *a.* ① 〔叙述的〕 아낌없는, 마음이 후한, 통이 큰 ; 사치스러운, 돈의 씀씀이가 헤픈《*in* ; *of*》: He was ~ *in* his praise of their honest dealing. 그는 그들의 정직한 태도를 아낌없이 칭찬했다 / be ~ *of*〔*with*〕 one's money 돈의 씀씀이가 헤프다. ② 많은, 풍부한.

pro·fu·sion** [prəfjú:ʒən] *n.* Ⓤ (또는 a ~) 대량, 풍부《*of*》: He was remarking on the recent ~ *of* books and articles on the subject of sex. 그는 성(性)을 주제로 한 책이나 논문의 최근의 홍수(사태)에 관심을 가지고 있었다. ***in ~ 풍부하게, 대단히 많이 : She'd never seen flowers so beautiful and *in* such ~. 그녀는 이제껏 그렇게 아름답고 대단히 많은 꽃들을 본 일이 없었다.

pro·gen·i·tor [proudʒénətər] (*fem.* ***-tress*** [-tris]) *n.* Ⓒ ① 조상, 선조 ; 창시자, 선각자, 선배. ② 원본(原本) ; (동식물의) 원종(原種).

prog·e·ny [prádʒəni / prɔ́dʒ-] *n.* Ⓤ 〔集合的 ; 單·複數 취급〕 자손 ; (사람·동물의) 어린 것들 ; 후계자 ; 《比》 결과, 소산(所産).

pro·ges·ter·one [prou*d*ʒéstəròun] *n.* Ⓤ 〚生化〛 프로게스테론, 황체 호르몬.

prog·na·thous [prágnəθəs, prɑgnéi- / prɔgnéi-, prɔ́gnə-] *a.* 〚解〛 턱이 튀어나온.

prog·no·sis [prɑgnóusis / prɔg-] (*pl.* ***-ses*** [-si:z]) *n.* Ⓤ,Ⓒ 예후, 예지, 예측 : The long-term ~ for the company's future is very encouraging. 회사의 장래에 대한 장기예측은 퍽 고무적이다.

prog·nos·tic [prɑgnástik / prɔgnɔ́s-] *a.* 전조를 나타내는《*of*》; 〚醫〛 예후(豫後)의.
— *n.* Ⓒ 전조 ; 예측, 예상, 예언 ; 〚醫〛 예후.

prog·nos·ti·cate [prɑgnástikèit / prɔgnɔ́sti-] *vt., vi.* (전조에 의해) 예지하다, 예언(예측)하다 ; …의 징후를 보이다. ㊞ **prog·nòs·ti·cá·tion** [-ʃən] *n.* Ⓤ 예측, 예언 ; Ⓒ 전조, 징후.

‡**pro·gram,** 《英》 **-gramme** [próugræm, -grəm] *n.* Ⓒ ① 프로그램, 차례표. ② 〔集合的〕 상연 종목, 연주 곡목 : a ~ of French music. ③ 댄스 차례표〔카드〕《상대자의 이름을 기입하는 여백이 있음》. ④ 계획(표), 예정(표) : What's the ~ for today? 오늘 계획은 어떻게 되나 / He played an important part in the development of the French nuclear power ~. 그는 프랑스 원자력 발전 계획 개발에서 중요한 역할을 하였다. ⑤ (강의 따위의) 요목 ; 학과 과정(표) : a school ~ 학과과정표. ⑥ 정당의 강령, 정강 : election ~*s* 선거강령. ⑦ 〚컴〛 프로그램. ***be on the*** ~ 프로그램에 실려 있다.
— (***-gramed, -gram·ing*** ; 《특히 英, 컴퓨터》 ***-grammed, -gram·ming***) *vt.* …의 프로그램을 짜다 ; …의 계획을 세우다 ; 〔흔히 受動으로〕 계획〔예정〕대로 하게 하다 ; 〚컴〛 프로그램을 공급하다.
— *vi.* 프로그램을 만들다 ; 계획〔예정〕대로 하다.

prógram dirèctor (라디오·텔레비전의) 프로편성자.

pro·gram·ma·ble, -gram·a·ble [próugræməbəl, -ˊ-ˉ-] *a.* 〚컴〛 프로그램화할 수 있는.

prógram màintenance 〚컴〛 프로그램 보수.

pro·gram·mat·ic [pròugrəmǽtik] *a.* 표제(標題) 음악의 ; 프로그램의. ㊞ **-i·cal·ly** *ad.*

prógrammed cóurse 〚教〛 프로그램 학습 과정.

prógrammed léarning 〚教〛 프로그램 학습.

pro·gram·(m)er [próugræmər, -grəm-] *n.* Ⓒ ① (영화·라디오 따위의) 프로그램 작성자. ② 〚컴〛 프로그램 작성자, 프로그래머.

pro·gram·(m)ing [próugræmiŋ, -grəm-] *n.* Ⓤ 〚컴〛 프로그램 짜기, 프로그램 편성.

prógramming lànguage 〚컴〛 프로그램 언어.

prógram mùsic 〚樂〛 표제 음악.

‡**prog·ress** [prágres / próug-] *n.* ① Ⓤ 전진, 진행 : Their ~ was stopped by a wide river. 그들의 전진은 넓은 강으로 정지되었다. ② Ⓤ 진보, 발달, 진척, 숙달, 보급 : Technological ~ has been so rapid over the last few years. 과학 기술의 발달은 지난 몇 년 동안에 너무나 급속했다. ③ Ⓤ 경과, 추이 : The Chancellor is reported to have been delighted with the ~ of the first day's talks. 수상은 첫날 회담의 경과에 만족한다고 보도되었다. ④ Ⓒ 《英》 (국왕 등의) 공적 여행, 순행. ***in*** ~ 진행 중. ***make*** ~ 전진〔숙달〕하다, 진보하다 : My son is *making* good ~ at school. 아들의 학교 성적이 좋아지고 있다.
— [prəgrés] *vi.* ① 《~ / +前+名》 전진〔진행〕

하다, 진척하다. opp retrogress. ¶ ~ toward health 건강해지다. ②《~ / +전+명》 진보하다, 발달하다 : My English never really ~*ed beyond* the stage of being able to order drinks at the bar. 내 영어 실력은 바에서 술 한잔을 주문할 수 있는 수준 이상으로 결코 향상되지 않았다. ③ 진척되다, 잘 되어가다.

pro·gres·sion** [prəgréʃən] *n.* ① U (또는 a ~) 전진, 진행 ; 진보, 발달 : The new medication slows down the ~ of the disease, but it cannot cure it. 새 약물 치료법은 그 병의 진행을 늦추기는 하나 완치하지는 못한다 / a ~ in quality 질(質)의 향상. ② C 연속, 계기(繼起)《*of*》. ③ C 〖數〗 수열. ***in ~ 연속적으로, 점차.

‡**pro·gres·sive** [prəgrésiv] (***more*** ~ ; ***most*** ~) *a.* ① (부단히) 전진하는 : ~ motion 전진(운동). opp *retrogressive.* ② 진보적 ; 진보주의의 ; (P-) 진보당의. opp *conservative.* ¶ a ~ nation 진취적인 국민. ③ 점진적 ; 누진적. ④〖醫〗 진행성의 : a ~ disease / ~ paralysis 진행성 마비. ⑤〖文法〗 진행형의. ── *n.* C 진보〔혁신〕주의자〔론자〕; 〖文法〗 진행형 ; (P-) 〖美史〗 진보당(원).

progréssive educátion 진보주의 교육.

pro·gres·siv·ism [prou*grésivìzəm*] *n.* U 진보주의, 혁신론 ; 진보주의 교육 이론.

‡**pro·hib·it** [prou*híbit*] *vt.* ① …을 금하다 : Smoking is ~*ed.* 흡연을 금지함 / The government introduced a law ~*ing* tobacco advertisements on TV. 정부는 TV에 담배광고를 금지하는 법률을 제출했다. ②《+목+전+명》 (…에게 …하는 것)을 금지하다《*from* do*ing*》. ③《+목+전+명》 …을 방해하다, …에게 지장을 가져오다 : Snow ~*ed* us *from* go*ing.* 눈 때문에 우리는 갈 수 없었다 / Illness ~*ed* his go*ing* out. 병으로 그는 외출하지 못했다. ◇ prohibition *n.* ~***ed articles***〔***goods***〕 금제품.

‡**pro·hi·bi·tion** [pròu*həbíʃən*] *n.* ① U 금지, 금제(禁制) ; C 금령 : ~ of the sale of firearms 총기류의 판매 금지. ② (흔히 P-) U《美》 주류 양조 판매 금지 ;《美》 금주법(禁酒法) ;《美》 금주법 기간《1920-33》.

pro·hib·i·tive [prou*híbətiv*] *a.* ① 금지〔금제〕의 : ~ measures 금지 조치 / ~ laws 금지법. ② 금지하는 것이나 다름없는, 엄청나게 비싼 : a ~ tax 금지적 중세(重稅).

pro·hib·i·to·ry [prou*híbətɔ̀ːri* / -təri] *a.* 금지의.

‡**pro·ject**[1] [prədʒékt] *vt.* ① …을 입안하다, 계획하다, 안출하다, 설계하다 : ~ a new dam 새로운 댐을 계획〔설계〕하다. ②《~+목 / +목+전+명》 …을 발사〔사출〕하다, 내던지다 : ~ a missile *into* space 공중으로 미사일을 발사하다. ③《+목+전+명》 …을 투영하다 ; 영사하다 ;〖數〗 투영하다. ④ …의 이미지를 주다, 이해시키다, (관념)을 넓히다 ; (자신)을 잘 표출하다, 인상지우다《*as*》: He tried to ~ Korea *as* a peace-loving nation. 그는 한국을 평화를 사랑하는 나라로 묘사하려 애썼다. ⑤ …을 마음 속에 그리다, 상상하다 : She ~*ed* her mind *into* the future. 그녀의 마음은 미래로 달렸다. ⑥〔흔히 受動으로〕 (…이라고) 예측하다, (미래 · 비용 따위)를 계량하다 : Retail prices for milk and cheese *are* ~*ed* to rise 3 percent by the end of the year. 밀크와 치즈의 소매값이 연말까지 3% 인상이 예상된다 / We ~ that our life will be better next year. 내년에는 우리 생활이 좋아질 것으로 예상하고 있다. ⑦〖劇〗 (음성 · 연기)를 강조하여 관객에게 호소하다 ; (소리)를 크게 하여 멀리까지 들리게 하다. ⑧〖心〗 (무의식의 감정 · 관념 따위)를 (다른 대상에) 투사(投射)하다, (마음을 비우고) …을 객관화하다. ── *vi.* ①《~ / +전+명》 삐죽〔불쑥〕 나오다 : The breakwater ~*s* far *into* the sea. 방파제가 멀리 바다 가운데로 삐죽 나와 있다. ② 자기의 사상 · 감정을 분명히〔강력히〕 전하다. ◇ projection *n.* ~ one***self*** (1) (머릿속에서) 자기몸을 …에 놓고 보다 : ~ *oneself* into the past 과거의 자신을 마음에 그려보다. (2)〖靈媒術〗 (…에게) 모습을 보이다《*to*》. 파 ~**·a·ble** *a.*

‡**proj·ect**[2] [prádʒekt / prɔ́dʒ-] *n.* C ① 안(案), 계획, 설계 ; 예정 : carry out a ~ 계획을 실시하다. ② 계획 사업 ; 개발 토목 공사 ;《美》 주택 단지 (housing ~) : engineering ~ 토목 사업. ③〖敎〗 연구 계획〔과제〕; 자습 과제 : a home ~ 가정 실습 / a ~ method 구안(構案) 교수법.

pro·ject·ed [prɑdʒéktid / prədʒéktid] *a.* ① 계획된 : a ~ visit 계획된 방문. ② 예상된.

pro·jec·tile [prədʒéktil, -tail] *a.* 〔限定的〕 사출〔발사〕하는 ; 투사될 수 있는 ; 추진하는 : ~ force〔movement〕 추진력〔운동〕 / a ~ weapon 발사(무)기. ── *n.* C 투사물, 사출물 ;〖軍〗 발사체(로켓 · 어뢰 · 미사일 등) ;〖物〗 포물체(抛物體).

pro·ject·ing [prədʒéktiŋ] *a.* 돌출한, 튀어나온 : ~ eyes 퉁방울눈 / ~ teeth 뻐드렁니.

***pro·jec·tion** [prədʒékʃən] *n.* ① U 사출(射出), 투사, 발사. ② U〖物〗 사영(射影), 투영 ;〖映〗 영사(映寫) : a ~ booth〔《英》 room〕 영사실 / a ~ machine 영사기 (projector). ③ C 돌출(부), 돌기(부). ④ U 설계, 계획, 고안. ⑤ C〖數〗 투영(법). ⑥ U,C (관념 따위의) 구체화 ; 심상(心象) ;〖心〗 주관의 객관화 : Writing is a ~ of one's thoughts on paper. 무엇을 쓴다는 것은 자기의 사상을 종이 위에 투사하는 것이다 / Part of the display involves the ~ of a series of images. 진열의 역할은 일련의 상상을 구체화하는 것이다. ⑦ C 예상, 추정, 계산 : the ~ for the rate of growth 성장률의 추정. ⑧〖컴〗 비춰내기. ◇ project *v.*

pro·jec·tive [prədʒéktiv] *a.* 사영(射影)의, 투사의 ; 튀어나온 ;〖心〗 주관을 반영하는.

projéctive geómetry 사영(射影) 기하학.

pro·jec·tor [prədʒéktə*r*] *n.* C 설계자, 계획자 ; (유령 회사의) 발기인 ; 투광기(投光器) ;〖映〗 영사기 ; 영사 기사.

pro·lac·tin [prou*lǽktin*] *n.* U〖生化〗 프롤락틴《뇌하수체 전엽(前葉)의 성호르몬 ; 생식 기관 · 젖샘 따위의 기능을 증진함》.

pro·lapse [proulǽps, ⌐-] *n.* U,C〖醫〗 (자궁 · 직장 등의) 탈출, 탈(출증). ── [proulǽps] *vi.* (자궁 · 직장 등이) 탈출하다, 빠져 처지다.

prole [proul] *n.*《蔑》 = PROLETARIAN.

***pro·le·tar·i·an** [pròulitέəriən] *a.* 프롤레타리아의, 무산 계급의 : ~ dictatorship 프롤레타리아 독재. ── *n.* C 프롤레타리아, 무산자. 파 ~**·ism** [-izəm] *n.* U 무산주의 ; 무산 계급 정치 ; 무산자의 처지〔신분〕.

***pro·le·tar·i·at** [pròulitέəriət] *n.* U (흔히 the ~) 〔集合的〕 ① 프롤레타리아트, 무산 계급. ②〖로史〗 최하층 사회《종종 경멸적》.

pro-life [proulάif] *a.* 임신 중절 합법화에 반대하는. opp *pro-choice.* 파 **-lif·er** *n.*

pro·lif·er·ate [prou*lífərèit*] *vi.*〖生〗 (분아(分芽) · 세포 분열 등으로) 증식〔번식〕하다 ; 급격히 늘다.

***pro·lif·ic** [prou*lífik*] *a.* ① (많은) 아이를 낳는, 열매를 맺는 ; 다산(多産)의. ② (작가가) 다작의 : a ~ writer 다작의 작가. ③〔敍述的〕 풍부한, (…이) 많은《*of* ; *in*》: a period ~ *in* inventions 발명이 왕성한 시대.

pro·lix [proulíks] *a.* 지루한, 장황한.

***pro·logue**, 《美》 **-log** [próulɔ:g, -lɑg / -lɔg] *n.* Ⓒ ① 머리말, 서언 ; 《詩》 서사(序詞). ② (연극의) 개막사(辭) ; 개막사를 말하는 배우 ; 서막. opp *epilogue.* ③ 서막적〔예비적〕인 사건〔행동〕《*to*》. ④ 〖樂〗 프롤로그, 전주곡, 도입곡.

‡pro·long [proulɔ́:ŋ, -lάŋ] *vt.* ① (공간적으로) …을 늘이다, 연장하다(lengthen) : ~ a line. ② (시간적으로) …을 오래끌다, 연기하다. ③ (모음 따위)를 길게 발음하다. ~ ***the agony*** ⇨AGONY.

pro·lon·ga·tion [prὸulɔ:ŋgéiʃən, -lɑŋ-] *n.* Ⓤ 연장 ; 연기, 유예 ; Ⓒ 연장 부분 ; 연장형.

pro·longed [prəlɔ́:ŋd, -lάŋd] *a.* 연장한 ; 오래 끄는 ; 장기(長期)의 : a ~ stay 장기 체재.

prom [prɑm / prɔm] *n.* Ⓒ 《주로 英口》 = PROMENADE CONCERT ; 《美口》 (대학·고교 따위의) 무도회, 댄스 파티.

PROM [prɑm / prɔm] 〖컴〗 programmable read-only memory.

***prom·e·nade** [prὰmənéid, -nά:d / prɔ̀m-] *n.* Ⓒ ① 산책, 산보 ; (무도회 시작할 때의) 전원의 행진. ② 산책길, 유보장(遊步場), 산책하는 곳. ③ 《美》 = PROM ; PROMENADE CONCERT.
— *vi.* 《~ / +부 / +전+명》 슬슬 거닐다, 산책하다 ; 뽐내며 걷다. — *vt.* ① …을 산책하다. ② 《+목+전+명》 (아무)를 데리고 산책하다 ; (미인 따위)를 여봐란 듯이 데리고 다니다 : He ~*d* her before the jealous eyes of her suitors. 그녀의 구혼자들이 선망의 눈으로 지켜보는 앞에서 여봐란 듯이 그녀를 데리고 산책했다.

promenáde cóncert 유보(遊步) 음악회.

promenáde dèck 유보 갑판《1등 선객용》.

Pro·me·the·us [prəmí:θiəs, -θju:s] *n.* 〖그神〗 프로메테우스.

pro·me·thi·um [prəmí:θiəm] *n.* Ⓤ 〖化〗 프로메튬《희토류 원소 ; 기호 Pm ; 번호 61》.

***prom·i·nence, -nen·cy** [prάmənəns / prɔ́m-], [-i] *n.* ① Ⓒ 돌기, 돌출 ; 돌출물, 돌출부. ② Ⓤ 두드러짐, 현저, 걸출, 탁월 : a man of ~ 명사 / come into ~ 두드러지게 되다. ③ Ⓒ 〖天〗 (태양 주변의) 홍염.

‡prom·i·nent [prάmənənt / prɔ́m-] (***more*** ~ ; ***most*** ~) *a.* ① 현저한, 두드러진 ; 저명한, 걸출〔탁월〕한 : a ~ writer 저명한 작가 / The government should be playing a more ~ role in promoting human rights. 정부는 인권신장에 있어서 좀더 뚜렷한 역할을 해야 한다. ② 돌기한, 돌출한 : ~ eyes 퉁방울눈 / ~ teeth 뻐드렁니 / New books were displayed in a ~ position on tables at the front of the shop. 신간 서적들이 서점 앞의 진열판 돌출 부분에 진열되어 있었다. 파 **~·ly** *ad.*

prom·is·cu·i·ty [prὰməskjú:əti, pròum- / prɔ̀m-] *n.* Ⓤ ① 뒤범벅, 난잡, 무차별. ② (성적) 난교(亂交).

pro·mis·cu·ous [prəmískjuəs] *a.* ① (성관계가) 문란한, 난교(亂交)의. ② 난잡〔혼잡〕한 ; 뒤죽박죽인, 무차별한 : ~ hospitality 아무나 가리지 않는 대접. ③ 남녀를 가리지 않는 : ~ bathing 남녀 혼욕. ④ 그때그때의, 불규칙한, 되는 대로의.

†prom·ise [prάmis / prɔ́m-] *n.* ① Ⓒ 약속, 계약 : Keep the ~ you made (to) me. 내게 한 약속은 꼭 지켜라. ② Ⓒ 약속한 것. ③ Ⓤ (성공에 대한) 기대, 희망, 가망 : There is not much ~ of good weather. 날씨가 좋아질 가망은 적다 / His English teacher had written on his report that he showed great ~. 그의 영어 교사는 그의 답안지에 전도가 크게 기대된다고 적었다. ④ Ⓤ (봄 따위의) 징후, 징조. ***be full of*** ~ 크게 유망하다. ***give*** 〔***make***〕 ***a*** ~ 약속하다 : If I *make a* ~ I like to keep it. 일단 한 약속은 그것을 지키고 싶다. ***give*** 〔***afford, show***〕 ~ ***of*** …의 가망이 있다. ***keep*** 〔***break***〕 one***'s*** ~ 약속을 지키다〔어기다〕. ***on*** (***the***) ~ ***that...*** …이라는 약속으로. ***the Land of Promise*** = PROMISED LAND.
— *vt.* ① 《~+목 / +*to* do / +목+목 / +목+전+명 / +목+*to* do / +(*that*) 절 / +목+(*that*) 절》 …을 약속하다, 약정하다 ; 준다는 약속을 하다 : I ~ (you) *to* come. = I ~ (you) (*that*) I will come. 오기로 약속하지 / ~ a donation 기부를 (하기로) 약속하다 / He ~*d* me a reward. 그는 내게 보답할 것을 약속했다(= He ~*d* a reward *to* me.) 《★ 受動으로는 I *was* ~*d* a reward by him. = A reward *was* ~*d* me by him. 임》. ② 《+목+목》 〔再歸的〕 …을 마음속에 기약하다, 기대하다 : I ~*d* my*self* a restful weekend. 조용한 주말을 보내려고 즐거움으로 기다리고 있었다. ③ 《~+목 / +*to* do》 …의 가망〔희망〕이 있다, …할 듯하다(be likely) : The clouds ~ rain. 저 구름을 보니 비가 올 전조이다. ④ 《+목+(*that*) 절》 《口》 〔제1인칭 때만〕 …을 단언하다, 보증하다 : I'll be back at nine, I ~. 약속하건대 9시에는 꼭 돌아오겠네. — *vi.* ① 약속〔계약〕하다 : It's one thing to ~ and another to perform. 약속하는 것과 실천하는 것과는 다르다. ② 《+부》 〔종종 well, fair를 동반하여〕 가망이 있다, 유망하다 : The scheme ~*s well* 〔*ill*〕. 그 계획은 전망이 좋다〔나쁘다〕. ***as ~d*** 약속대로. ***be ~d to*** …의 약혼자이다. ~ a person ***the earth*** 〔***moon***〕 가망도 없는 것을 (아무에게) 약속하다.

Prom·ised Land [prάmisd- / prɔ́m-] ① (the ~) 〖聖〗 약속의 땅(Canaan)《창세기 XII : 7》, 천국(Heaven). ② (p- l-) 이상적 땅〔상태〕.

‡prom·is·ing [prάməsiŋ / prɔ́m-] (***more*** ~ ; ***most*** ~) *a.* 가망있는, 유망한, 믿음직한 : a ~ youth 유망한 청년 / The weather is ~. 갤 듯하다. ***in a ~ state*** 〔***way***〕 가망 있는 ; 병이 회복되어 가는 ; 임신하여.

prom·is·so·ry [prάməsɔ̀:ri / prɔ́-] *a.* 약속하는, 약속의 ; 〖商〗 지급을 약속하는. ***a ~ note*** 〖商〗 약속 어음《略 : p.n.》.

pro·mo [próumou] *a.* 《美口》 판매 촉진의, 광고 선전의. — (*pl.* **~s**) *n.* Ⓒ 선전 광고, 선전용 필름, (텔레비전·라디오의) 프로 예고.

prom·on·to·ry [prάməntɔ̀:ri / prɔ́məntəri] *n.* Ⓒ 곶, 갑(岬) ; 〖解〗 융기, 돌기. 파 **-ried** [-rid] *a.* 곶이 있는, 돌기가 있는.

‡pro·mote [prəmóut] *vt.* ① …을 진전〔진척〕시키다, 조장〔증진〕하다, 장려하다 : ~ world peace 세계 평화를 증진시키다 / A report recently suggested that sugary foods ~ breast cancer. 최근의 한 보고에 의하면 가당(加糖) 식품이 유방암을 촉진시킨다는 것이다 / It has long been known that regular exercise ~*s* all-around good health. 규칙적인 운동이 전반적인 건강을 촉진한다는 것은 오래전부터 알려져 왔다. ② 《~+목 / +목+전+명 / +목+(*to be*) 보》 …의 계급·지위 등을 올리다, 승진시키다. opp *demote.* ¶ She's just been ~*d* which means a company car and an extra five thousand dollars. 그녀는 이제 승진되어, 회사 자동차와 5,000달러의 특별 급여를 받게 된다. ③ 《+목+전+명》 〖敎〗 …을 진급시키다 : The fifth graders did very well this year and all have been ~*d to* grade six. 5 학년 학생들이 금년에는 공부를 잘하여 전원 6 학년으로 진급했다. ④ (회사 따위의) 설립을 발기하다 ; (법안의) 통과에 노력하다. ⑤ (상품의) 판매를 선전을 통해 촉

진시키다. ⑥〖체스〗 (졸을 queen 으로) 승격시키다. ⑦ (복싱·연극 따위의) 흥행을 주최하다. ⑧《英》 (하위리그의 팀)을 승격시키다《*to*》. ◇ promotion *n.*

***pro·mot·er** [prəmóutər] *n.* Ⓒ 촉진자〔물〕, 조장자 ; 장려자 ; (주식 회사의) 발기인 ; 주창자 ; (권투 등의) 흥행주, 프로모터 ; 선동자, 주동자.

‡pro·mo·tion [prəmóuʃən] *n.* ① Ⓤ,Ⓒ 승진, 승격, 진급 : Did Steve get〔Was Steve given〕the ~ he wanted? 스티브는 바라던 승진을 했는가. ② Ⓤ 조장, 증진, 진흥, 장려 : They worked for the ~ of world peace. 그들은 세계 평화의 증진을 위해 힘썼다. ③ Ⓤ,Ⓒ 판매촉진(상품). ④ Ⓤ 주창, 발기, (회사) 창립. ***get***〔***obtain, win***〕~ 승진하다.

pro·mo·tive [prəmóutiv] *a.* 증진하는, 조장하는, 장려하는. ㊀ ~·**ness** *n.*

‡prompt [prɑmpt / prɔmpt] (*∠·er* ; *∠·est*) *a.* ① 신속한, 기민한 ; 즉석의 : a ~ reply 즉답 / It's a fairly serious problem which requires ~ action. 그것은 즉각적인 조치를 요하는 아주 중요한 문제이다. ② 즉시〔기꺼이〕 …하는《*to* do》: He's ~ in carrying out his duties. 그는 자기 의무를 다하는데 신속하다. ③〖商〗 즉시불의. ── *n.* Ⓒ ①〖商〗 지급 기일 ; 지급 기한부 계약. ② (배우가 대사를 잊었을 때) 숨어서 대사를 일러줌, 후견 ; 조언. ③ 자극〔촉진〕하는 것. ④〖컴〗 길잡이《컴퓨터가 조작자에 대하여 입력을 요구하고 있음을 나타내는 단말 화면상의 기호〔글〕》.

── *vt.* ①《~+목 / +목+전+명 / +목+*to* do》 …을 자극하다, 격려〔고무〕하다《*to*》: ~ a person *to* decision 아무를 자극하여 결심하게 하다. ② (행동)을 촉구하다, 유발하다 : Revelations over the minister's affair with a young actress have ~*ed* calls for his resignation. 그 장관은 젊은 여배우와의 염문사실이 폭로되어 그의 사임 요구가 촉발됐다. ③ (감정 따위)를 불러일으키다 ; (어떤 생각)을 생각나게 하다, 머리에 떠오르게 하다. ④ (아무)에게 해야 할 말을 암시해〔가르쳐〕 주다. ⑤〖劇〗 …에게 뒤에서 대사를 일러주다. ── *ad.* 정확히 : at five o'clock ~ 정확히 5시에.

prompt·er [prámptər / prɔ́mp-] *n.* Ⓒ ① 격려〔고무〕자. ②〖劇〗 (배우에게) 대사를 일러주는 자, 프롬프터.

prompt·ing [prámptiŋ / prɔ́mp-] *n.* ① Ⓤ (때때로 *pl.*) 자극, 고무. ② Ⓒ〖劇〗 대사 일러주기.

promp·ti·tude [prámptətjùːd / prɔ́m-] *n.* Ⓤ 민첩, 신속, 기민 ; 즉결 ; 시간 엄수.

‡prompt·ly [prámptli / prɔ́mpt-] *ad.* ① 신속히, 재빠르게 ; 즉석에서, 즉시. ② 정확히, 시간대로.

prom·ul·gate [práməlgèit, proumʌ́lgeit / prɔ́məlgèit] *vt.* (법령 따위)를 반포〔공포〕하다 ; 공표하다 ; (교리 따위)를 널리 펴다, 선전하다 ; (비밀 따위)를 터뜨리다, 공표하다 : The American Declaration of Independence was ~*d* in January 1776. 미국의 독립선언은 1776년 1월에 공포되었다. ㊀ **pròm·ul·gá·tion** [-ʃən] *n.* Ⓤ 반포(頒布), 공표 ; 선전.

pron. pronominal ; pronoun ; pronunciation.

***prone** [proun] *a.* ① 수그린, 납작 엎드린 ; 납작해진. opp *supine*[1]. ② …하기 쉬운, …의 경향이 있는 ; …에 걸리기 쉬운《*to*》: You have to bear in mind that Angela is rather ~ *to* exaggeration. 안젤라는 퍽 과장하는 경향이 있으니 명심하도록 하게.

prong [prɔːŋ / prɔŋ] *n.* Ⓒ ① 포크 모양의 물건, 갈퀴, 쇠스랑. ② (포크 따위의) 갈래, 날 ; (사슴뿔 따위의) 가지. ── *vt.* …을 찌르다, 꿰찌르다 ; (흙 따위)를 파헤치다 ; (갈퀴 따위로) 긁다. ㊀ ~**ed** [-d] *a.* 발이 달린, 갈래진 : a three-~*ed* fork 세 갈래진 포크, 삼지창.

prong·horn [∠hɔ̀ːrn] *n.* Ⓒ〖動〗 가지뿔 영양(羚羊)《북아메리카 서부산》.

pro·nom·i·nal [prounáмənəl / -nɔ́m-] *a.* 대명사의 ; 대명사적인.

‡pro·noun [próunàun] *n.* Ⓒ〖文法〗 대명사.

‡pro·nounce [prənáuns] *vt.* ① …을 발음하다, 소리내어 읽다. ② (낱말의) 발음을 표시하다 : Every word in this dictionary is ~*d.* 이 사전에서는 모든 낱말에 발음이 표시되어 있다. ◇ pronunciation *n.* ③《~+목 / +목+전+명》 …을 선언하다, 선고하다 : Then judgment was ~*d.* 그리고 판결이 내려졌다 / The judge ~*d* a fine *on* the prisoner. 판사는 피고인에게 벌금형을 선고했다. ④《+목+보 / +*that* 절 / +목+*to be* 보 / +목+*done*》 단언하다 ; 언명하다 ; 공표하다 ; 진술하다 : I ~ him honest. =I ~ *that* he is honest. 분명히 말하지만 그는 정직하다 / He ~*d* the signature *to be* a forgery. 그는 그 서명이 위조라고 단언했다 / The doctor ~*d* the baby *cured.* 의사는 그 아이가 회복했다고 단언했다 / The minister ~*d* them husband and wife. 목사는 그들이 부부임을 공표했다. ── *vi.* ① 발음하다 : ~ clearly 똑똑히 발음하다. ②《+전+명》 의견을 표명하다, 판단을 내리다《*on, upon*》: ~ *on* a proposal 제안에 대한 의견을 말하다. ~ ***a curse on***〔***upon***〕… 에게 악담〔욕〕을 하다. ~ ***against***〔***for, in favor of***〕 …에게 반대〔찬성〕하다, …에게 불리〔유리〕한 선고를 내리다. ~ ***a sentence of death on***〔***upon***〕 …에게 사형을 선고하다.

pro·nounced [prənáunst] *a.* 뚜렷한 ; 명백한 ; 단호한, 확고한 : a ~ tendency 두드러진 경향.

***pro·nounce·ment** [prənáunsmənt] *n.* Ⓒ 선언, 선고 ; 표명, 판결 ; 의견.

pron·to [prántou / prɔ́n-] *ad.* 《Sp.》《口》 신속히, 재빨리, 급속히.

‡pro·nun·ci·a·tion [prənʌ̀nsiéiʃən] *n.* Ⓤ,Ⓒ 발음 ; 발음하는 법. ◇ pronounce *v.*

‡proof [pruːf] (*pl.* ~***s***) *n.* ① Ⓤ 증명, 증거 ; Ⓒ 증거(가 되는 것) : Produce ~ against an allegation. 주장에 대한 반증(反證)을 제출해라. ② Ⓒ (*pl.*)〖法〗 증거서류 ; 증언. ③ Ⓒ 시험, 테스트, 음미(trial) ;〖數〗 검산 : The ~ of the pudding is in the eating. 《俗談》 백문이 불여일견《푸딩의 맛은 먹어봐야 안다》. ④ Ⓒ (종종 *pl.*)〖印〗 교정쇄 ; (판화 따위의) 시험쇄 ;〖寫〗 시험 인화 : pass the ~*s* for press 교료(校了)하다. ⑤ Ⓤ (술의) 표준 도수〔강도〕 : This whiskey is 90% ~. 이 위스키는 90(퍼센트) 프루프〔45도〕이다. ◇ prove *v.* ***bring***〔***put***〕 ***to the*** ~ 시험하다 : A soldier's courage is *put to the* ~ in battle. 병사의 용기는 전투에서 시험되고 있다. ***give*** ~ ***of***〔***that***〕 …을 증명하다. ***in*** ~ =***on the*** ~ 교정쇄로 : make corrections *in* ~ 교정 중에 정정하다《in ~ 인 경우는 무관사임》. ***In*** ~ ***of*** …의 증거로 : *In* ~ *of*〔*As* (*a*) ~ *of*〕 this assertion he produced a letter. 이 주장의 증거로서 그는 한 통의 편지를 제출했다. ***make*** ~ ***of*** . . . …을〔임을〕 입증〔증명〕하다 ; …을 시험해 보다. ~ ***positive of*** …의 확증. ***read***〔***revise***〕 ***the*** ~(***s***) 교정하다.

── *a.* ①〔敍述的〕 검사필의, 보증 붙은〔된〕. ②〔敍述的〕 (불·총알 따위를) 막는, 통과 안 시키는, (…에) 견디어내는《*against* ; *to*》: ~ *against* temptation 유혹에 안 넘어가는 / No household security devices are ~ *against* the determined burglar. 단단히 결심한 도둑을 막을 수 있는 주택

보안 장치란 없다(★ 흔히 합성 형용사를 만듦 : ⇨ WATERPROOF, BULLETPROOF). ③ 교정쇄(校正刷)의 ; 시험용〔검사용〕의. ④ 표준 도수〔강도〕의.
— *vt.* ① …에 내구력을 부여하다 ; (천 따위)를 방수 가공하다. ② …을 교정 보다 ; 시험하다.

próof lìst 〖컴〗 검사 목록.

proof·read [-rì:d] (*p., pp.* ***-read*** [-rèd]) *vi., vt.* 교정보다, …의 교정쇄를 읽다.

próof shèet 〖印〗 교정쇄.

próof spìrit 표준도수의 알코올 음료(미국은 50%, 영국은 57%).

próof strèss 내력(耐力).

***prop**[1] [prɑp / prɔp] *n.* Ⓒ ① 지주(支柱), 버팀목, 버팀대. ② 지지자, 후원자, 의지(가 되는 사람) : A child is a ~ for one's old age. 자식은 노후의 의지가 된다.
— (***-pp-***) *vt.* ① (~+目+補 / +目+副 / +目+前+名) …을 버티다, …에 버팀목(木)을 대다 (*up*) ; 기대 놓다(*against*) : She was sitting at the desk with her chin *~ped on* her hands. 그녀는 양손으로 턱을 괴고 책상에 앉아 있었다 / He *~ped* his bicycle (*up*) *against* the wall. 그는 자전거를 벽에 기대놓았다. ② (+目+副) …을 지지(支持)하다, 보강하다(*up*) : The Government does not intend to ~ *up* declining industries. 정부는 사양(斜陽)길에 들어선 산업들을 도우려 하지 않는다.

prop[2] *n.* Ⓒ 〖數〗 명제(proposition) ; (口) 〖劇〗 소품(property) ; (空口) = PROPELLER.

prop. propeller ; proper(ly) ; property ; proposition ; proprietor.

‡**prop·a·gan·da** [prɑ̀pəgǽndə / prɔ̀p-] *n.* ① Ⓤ,Ⓒ 〔흔히 無冠詞〕 (주의·신념의) 선전 ; 선전 활동 ; (선전하는) 주의, 주장. ② Ⓒ 선전 기관〔단체〕. ③ (the P-) 〖가톨릭〗 해외 포교성성(布教聖省) ; (the (College of) P-) 포교 신학교. ***make*** 〔***spread***〕 ~ ***for*** 〔***against***〕 …의 선전〔비난선전〕을 하다. ***set up a ~ for*** …의 선전 기관을〔체제를〕 만들다. — *a.* 〔限定的〕 (정치) 선전 등의 : ~ films〔posters〕 선전 영화〔포스터〕.

prop·a·gan·dist [prɑ̀pəgǽndist / prɔ̀p-] *n.* Ⓒ 선전자 ; 전도사, 선교사.

prop·a·gan·dize [prɑ̀pəgǽndaiz / prɔ̀p-] *vt., vi.* 선전하다 ; 선교〔전도〕하다.

prop·a·gate** [prɑ́pəgèit / prɔ́p-] *vt.* ① …을 번식시키다, 늘〔불〕리다. ② …을 널리 펴다, 선전〔보급〕하다 : The government tried to ~ the belief that this is a decent war. 정부는 이 전쟁은 명분있는 전쟁이라는 신념을 일반화시키려고 애썼다. ③ (빛·소리 따위)를 전파하다, 전하다. ④ (성질 따위)를 유전시키다, 전염시키다. — *vi.* 늘다, 붇다, 번식〔증식〕하다 : Some single-celled animals ~ by division rather than sexual reproduction. 일부 단세포 동물들은 유성(有性) 생식보다는 오히려 분열을 하여 번식한다. ~ ***itself 번식하다 : Many plants ~ *themselves* using the wind to carry their seeds. 많은 식물들이 바람을 이용하여 자신들의 종자를 날라 번식하고 있다.
◇ propagation, propaganda *n.*

***prop·a·ga·tion** [prɑ̀pəgéiʃən / prɔ̀p-] *n.* Ⓤ ① (동물 따위의) 번식, 증식 : *Propagation* is generally best in spring or early summer. 번식은 대체로 봄 아니면 이른 여름이 가장 좋다. ② 보급, 선전. ③ 전파, 전달. ④ (틈·금 등의) 확대.

pro·pane [próupein] *n.* Ⓤ 〖化〗 프로판(메탄계 탄화 수소의 하나 ; 액화 가스는 연료용).

pro·pel** [prəpél] (-ll-***) *vt.* …을 추진하다, 몰아대다 : *~ling* power 추진력.

pro·pel·lant [prəpélənt] *n.* Ⓤ,Ⓒ 추진시키는 것〔사람〕 ; (총포의) 발사 화약, 장약(裝藥) ; (로켓 등의) 추진제 ; (분무기용) 고압 가스.

pro·pel·lent [prəpélənt] *a.* 추진하는.
— *n.* = PROPELLANT.

‡**pro·pel·ler** [prəpélər] *n.* Ⓒ 프로펠러, 추진기 ; 추진시키는 사람〔것〕.

pro·pél·ling péncil [prəpéliŋ-] (英) 샤프펜슬.

pro·pen·si·ty [prəpénsəti] *n.* Ⓒ 경향, 성질, 성벽(inclination), 버릇(*to* ; *for*) : She's inherited from her mother a ~ *to* talk too much. 그녀는 어머니로부터 말을 너무 많이 하는 버릇을 물려받았다. ~ ***to consume*** 〖經〗 소비성향.

†**prop·er** [prɑ́pər / prɔ́p-] (***more ~ ; most ~***) *a.* ① 적당한, 타당한, 지당한, 상응하는(*for*). ② 올바른, 정식의 : a ~ way of skiing 올바른 스키 타기. ③ 예의바른, 품위 있는 : It's not ~ to eat with a knife. 칼을 가지고 음식을 먹는 것은 예의 바르지 않다. ④ 고유의, 특유한, 독특한(*to*) : Suicide is ~ *to* mankind. 자살은 인간 특유의 것이다. ⑤ 〔흔히 名詞 뒤에 와서〕 본래의, 진정한 ; 엄격한 의미로서의 : France ~ 프랑스 본토 / music ~ 음악 그 자체. ⑥ 개인〔개체〕에 속하는 ; 〖文法〗 고유의. ⑦ (英口) 순전한 : a ~ rogue 순전한 악당 / in ~ rage 노발 대발하여.
as you think ~ 적당히. ***in the ~ sense of the word*** 그 말의 본래의 뜻에 있어서. ***in the ~ way*** 적당한 방법으로, 적당히. ***paint*** a person ***in*** his ~ ***colors*** 아무를 있는 그대로 비평하다. ~ ***for the occasion*** 때〔시기〕에 알맞은. ***with my*** (***own***) ~ ***eyes*** 바로 내 눈으로. — *ad.* (俗·方) 완전히. ***good and ~*** (口) 완전히.

próper fráction 〖數〗 진분수.

‡**prop·er·ly** [prɑ́pərli / prɔ́p-] (***more ~ ; most ~***) *ad.* ① 당연히, 정당하게. ② 똑바로, 올바르게, 정확히 ; 완전히 : Do it ~ or not at all. 완전하게 하라, 아니면 아예 손을 대지 마라. ③ 훌륭하게, 단정히, 예의 바르게 : Come on, Evie, speak ~ — You're not a baby any more! 자, 에비야, 예의바르게 말해야지 — 이제 갓난아이는 아니잖니. ④ 적당하게, 온당하게, 원활히, 알맞게. ⑤ (口) 철저하게 ; 아주, 몹시 : He got himself ~ drunk. 그는 몹시 취해 있었다. ~ ***speaking*** = ***speaking*** ~ = ***to speak*** ~ 정확히 말하면 ; 본래.

próper mótion 〖天〗 (항성의) 고유 운동.

próper nóun 〔**náme**〕 〖文法〗 고유 명사.

prop·er·tied [prɑ́pərtid / prɔ́p-] *a.* 〔限定的〕 재산이 있는 : the ~ class(es) 유산 계급.

‡**prop·er·ty** [prɑ́pərti / prɔ́p-] *n.* ① Ⓤ 〔集合的〕 재산, 자산 : a man of ~ 재산가. ② Ⓒ 소유물〔지〕 : He has a small ~ in the country. 그는 시골에 땅을 조금 갖고 있다. ③ Ⓤ 소유(권), 소유본능, 물욕(物欲) : *Property* has its obligations. 소유권에는 의무가 따른다. ④ Ⓒ (고유한) 성질, 특성 ; 〖論〗 고유성 : One of the *properties* of copper is that it conducts heat and electricity very well. 구리의 특성의 하나는 열과 전기를 잘 전도한다는 것이다. ⑤ Ⓒ 도구, (흔히 *pl.*) 〖劇〗 소품 ; (상연될) 극, 각본. ***literary*** ~ 저작권. ***personal*** 〔***movable***〕 ~ 동산. ***private*** 〔***public***〕 ~ 사유〔공유〕 재산. ~ ***in copyright*** 판권 소유. ***real*** ~ 부동산. ㊞ ~·less *a.*

próperty màn 〔**màster**〕 〖劇〗 소품 담당 ; (英) 의상 담당.

próperty rìght 재산권.

próperty tàx 재산세.

***proph·e·cy** [prɑ́fəsi / prɔ́-] *n.* ① **a)** [U,C] 예언 ; 신의(神意)의 전달. **b)** [U] 예언 능력. ② [C] 〖聖〗 예언서.

***proph·e·sy** [prɑ́fəsài / prɔ́-] *vt.* 《~+[목] / +*that* [절] / +[목]+[목]》 …을 예언하다 ; 예측하다 ; 《古》 (성경)을 해석하다 : He *prophesied* war. 그는 전쟁을 예언했다. ── *vi.* ① 《+[전]+[명]》 예언하다 ; 예보를 하다《*of*》. ② 《古》 (신의 대변자로서) 가르치다, 말하다.

‡proph·et [prɑ́fit / prɔ́-] (*fem.* ~·***ess*** [-is]) *n.* [C] ① 예언자 ; 신의(神意)를 전달하는 사람. ② (주의 따위의) 대변자, 제창자, 선각자. ③ 《俗》 (경마의) 예상가, 예측가 ; 예보자. ④ (the P-) (구약성서 중의) 예언자〔서〕. ***the major ~s***, 4대 선지자〔예언서〕. ***the minor ~s***, 12 소(小) 선지자〔예언서〕.

***pro·phet·ic, -i·cal** [prəfétik], [-əl] *a.* ① 예언의, 예언적인 ; 예언하는 : be ~ of …을 예언하다. ② 예언자의, 예언자다운〔같은〕.

pro·phy·lac·tic [pròufəlǽktik, prɑ̀f- / prɔ̀f-] *a.* 질병 예방의. ── *n.* [C] ① 예방약 ; 예방법. ② 《美》 피임용구 ; 콘돔.

pro·phy·lax·is [pròufəlǽksis, prɑ̀f- / prɔ̀-] (*pl.* ***-lax·es*** [-lǽksiːz]) *n.* [U,C] 〖醫〗 (병 따위의) 예방(법) ; 예방 조처 ; 〖齒〗 (치석 제거를 위한) 이의 청소.

pro·pin·qui·ty [prəpíŋkwəti] *n.* [U] (때 · 장소 · 관계 등의) 가까움, 근접 ; 근친 ; 유사.

pro·pi·ti·ate [prəpíʃièit] *vt.* …을 달래다, 누이다 ; 화해시키다 ; 비위를 맞추다.

pro·pi·ti·a·tion [prəpìʃiéiʃən] *n.* ① [U] 달램, 화해. ② [C] 달래기 위한 물건.

pro·pi·ti·a·to·ry [prəpíʃiətɔ̀ːri / -təri] *a.* 달래는, 달래기 위한 ; 화해의 : make a ~ smile 순종〔애교〕의 웃음을 짓다. [파] **-ri·ly** *ad.*

pro·pi·tious [prəpíʃəs] *a.* ① 순조로운, (형편) 좋은(favorable)《*for* ; *to*》 ; 상서로운, 길조의 : The weather was ~ *for* our trip. 날씨는 우리들의 여행에는 안성맞춤이었다. ② (신이) 호의를 가진, 자비로운 ; 행운의. [파] **~·ly** *ad.*

próp·jet éngine [prɑ́pdʒèt- / prɔ́p-] 터보프롭 엔진(turboprop engine).

prop·man [prɑ́pmæ̀n / prɔ́p-] (*pl.* ***-men*** [-mèn]) *n.* = PROPERTY MAN.

pro·po·nent [prəpóunənt] *n.* [C] ① 제안자, 제의자, 주창자《*of*》. ② 지지자《*of*》.

‡pro·por·tion [prəpɔ́ːrʃən] *n.* ① [U,C] 비(比), 비율 : Their earnings are in ~ to their skill. 그들의 소득은 그 기술에 비례하고 있다. ② [U] 조화, 균형 : bear no ~ to …와 균형이 잡히지 않다. ③ [C] (일정 비율의) 부분 ; 몫, 할당〔배분〕분《~ of 다음에 오는 명사의 단수 · 복수에 따라 단수 또는 복수취급을 받음》 : do one's ~ of the work 일에 제 몫을 하다. ④ [U] 《比》 정도 ; (*pl.*) 크기, 넓이 ; 규모 : She's a woman of beautiful ~*s*. 그녀는 훌륭한 몸매를 하고 있다. ⑤ [U] 〖數〗 비례(산(算)). [cf] ratio. ***a large ~ of*** …의 대부분 : *a large ~ of* the earth's surface 지구 표면의 큰 부분. ***in ~ to*** 〔***as***〕 …에 비례하여 : You're lucky in that your legs are very long *in ~ to* your height. 자네 키에 비례하여 다리는 아주 길어서 자네는 다행일세. ***out of ~*** (1) 균형을 잃은. (2) (어떤 일을) 왜곡하여 : see things *out of ~* 일을 왜곡하여 보다. ***out of*** (***all***) ***~ to*** (전혀) …와 균형이 안 잡히는 : The punishment was *out of all ~ to* the crime. 그 처벌은 그 범죄와는 전혀 어울리지 않았다. ***simple*** 〔***compound***〕 ~ 단〔복〕비.
── *vt.* 《~+[목] / +[목]+[목]+[목]》 …을 균형잡히게 하다, 조화〔비례〕시키다《*to* ; *with*》.

***pro·por·tion·al** [prəpɔ́ːrʃənəl] *a.* 비례의 ; 균형이 잡힌, 조화된, 비례하는《*to*》.
── *n.* [C] 〖數〗 비례항, 비례수.

propórtional representátion 비례 대표제.

propórtional spàcing 〖컴〗 비례 간격.

propórtional tàx 비례세, 정률세(定率稅).

***pro·por·tion·ate** [prəpɔ́ːrʃənit] *a.* 균형잡힌, 비례를 이룬《*to*》.
── [-ʃənèit] *vt.* 《~+[목] / +[목]+[전]+[명]》 …을 균형잡히게 하다 ; …을 (―에) 비례시키다《*to*》 : ~ one's way of living *to* one's income 생활 방식을 자기 수입에 맞게 하다.

pro·por·tioned [prəpɔ́ːrʃənd] *a.* 〔흔히 樣態를 나타내는 副詞를 수반〕 비례한, 균형잡힌 : a well-~ body 균형잡힌 몸.

‡pro·pos·al [prəpóuzəl] *n.* ① [U,C] 신청 ; 제안, 제의 : a ~ *of* 〔*for*〕 peace 화평의 제안. ② [U,C] 계획, 안 : Congress has rejected the latest economic ~ put forward by the president. 의회는 대통령이 제출한 최근의 경제 계획안을 부결했다. ③ [C] 《특히》 청혼《*to*》 : make a ~ *to* a woman 여자에게 청혼하다. ◇ propose *v.* ***have*** 〔***make***〕 ***a ~ of*** 〔***for***〕 …의 신청〔제안〕을 받다〔하다〕.

‡pro·pose [prəpóuz] *vt.* ① 《~+[목] / +*to* do / +*-ing* / +*that* [절] / +[목]+[전]+[명]》 …을 제안하다, 제의하다, (의안 · 수수께끼 따위)를 내다 : ~ a marriage *to* a woman 여자에게 청혼하다. ② 《+*to* do / +*-ing*》 …을 꾀하다, 기도하다 : I ~ *to* take〔tak*ing*〕 a week's holiday. 나는 1주일간 휴가를 얻을 생각이다 / I don't ~ *to* discuss the matter. 그 문제에 대해 논의할 생각은 없다. ③ 《+[목]+*as* [보] / +[목]+[전]+[명]》 …을 추천하다, 지명하다《*for* ; *as*》 : ~ a person *for* membership 아무를 회원으로 추천하다. ④ (축배)를 제창하다.
── *vi.* ① 《~ / +[전]+[명]》 제안하다, 건의하다, 발의하다 ; 계획하다《*to*》 : Man ~*s*, God disposes. 《俗談》 인간은 일을 계획하나 일의 성사〔성패〕는 하느님이 정하신다. ② 《+[목]+[목]》 청혼하다《*to*》 : I ~*d to* her. 그녀에게 청혼했다. ◇ proposal, proposition *n.* ~ ***the health*** 〔***toast***〕 ***of*** a person 아무를 위하여 축배를 제의하다.

‡prop·o·si·tion [prɑ̀pəzíʃən / prɔ̀p-] *n.* [C] ① 제안, 건의 : make ~*s* of peace 강화를 제의하다. ② 계획 : I've put my ~ to the company director. 내 계획을 사장에게 제출했다. ③ 진술, 주장. ④ 〖論〗 명제 ; 〖修〗 주제 : They were debating the ~ that "All people are created equal." 그들은 "인간은 모두 평등하게 창조되었다"는 명제를 토론하고 있었다. ⑤ 〖數〗 정리, 명제 : a ~ in algebra 대수의 정리. ⑥ (a ~) 〔흔히 修飾語를 수반〕 **a)** 《美口》 기업, 사업, 일, 문제 : Writing a biography of a living person is *a* tricky ~. 생존하고 있는 사람의 전기를 쓴다는 것은 솜씨를 요하는 일이다. **b)** (…한) 놈, 상대 : He is *a* tough ~. 그는 만만찮은 상대다. ⑦ 《口》 (성교섭의) 꾐, 유혹. ── *vt.* 《口》 ① (…에게) …을 제안하다. ② (여성)을 유혹하다.

pro·pound [prəpáund] *vt.* (학설 · 문제 · 계획 따위)를 제출하다, 제의하다.

pro·pri·e·tary [prəpráiətèri / -təri] *a.* 〔限定的〕 ① 소유자의 ; 재산이 있는 ; 개인 또는 회사가 소유하는 : the ~ classes 유산 계급 / ~ rights 소유권. ② 독점의, 전매 (특허)의 : ~ brands 독점브랜드 / ~ medicine 특허 매약(賣藥) / We had to take action to protect the ~ technology. 우리는 독점기술을 보호하기 위해 조치를 취해야 했다.

propríetary náme (상품의) 특허명, 상표명.

***pro·pri·e·tor** [prəpráiətər] (*fem.* **-tress** [-tris]) *n.* Ⓒ 소유자 ; 경영자 ; (토지 · 상점 · 여관 등의) 주인, (학교의) 교주 《따위》.

pro·pri·e·to·ri·al [prəpràiətɔ́:riəl] *a.* 소유(권)의 ; 소유자의 ; 독점하는 ; 혼자만의 : He put a ~ arm around her. 그는 독점하는 듯 그녀의 허리를 안았다 / journalists protesting against ~ influence on editorial policy 논설 방침에 대한 독점적 영향력에 반대 항의하는 기자들.

pro·pri·e·ty** [prəpráiəti] *n.* ① Ⓤ 타당, 적당 ; 적정, 적부 : doubt the ~ of …의 적부를 의심하다. ② Ⓤ 예의바름, 예모, 교양. ③ (the proprieties) 예의 범절. ◇ proper *a.* ***a breach of ~ 예절에 어긋남. ***observe*** 〔***offend against***〕 ***the proprieties*** 예의 범절을 지키다〔어기다〕. ***with*** ~ 예법바르게.

pro·pul·sion [prəpʌ́lʃən] *n.* Ⓤ 추진(력).

pro·pul·sive [prəpʌ́lsiv] *a.* 〔限定的〕 추진하는, 추진력이 있는.

pro ra·ta [prou-réitə, -rɑ́:tə] 《L.》 비례하여, 안분하여 ; 비례하는.

pro·rate [prouréit, ⌐-] *vt., vi.* 비례 배분하다, 할당하다 : on the ~*d* daily basis 일수 계산으로.

pro·rogue [prouróug] *vt.* (특히 영국에서 의회)를 정회하다 ; 《稀》 연기하다. ── *vi.* (의회가) 정회되다. ㊞ **prò·ro·gá·tion** [-ʃən] *n.* Ⓤ 정회.

pro·sa·ic [prouzéiik] *a.* ① 산문(체)의 ; 산문적인. opp. *poetical, poetic.* ② 평범한, 단조로운 ; 살풍경한, 활기〔재미〕 없는, 지루한.
㊞ **-i·cal·ly** *ad.*

pro·sce·ni·um [prousí:niəm] (*pl.* **-nia** [-niə]) *n.* Ⓒ 앞무대 《막과 오케스트라석 사이》; (고대 로마 극장의) 무대 ; 《比》 전경(前景) (foreground).

pro·scribe [prouskráib] *vt.* ① (사람)의 인권을 박탈하다, (사람)을 법률의 보호 밖에 두다 ; 추방하다. ② …을 (위험한 것으로서) 금지〔배척〕하다 : In some cultures surgery is ~*d.* 일부 문화권에서는 수술은 금지되고 있다.

pro·scrip·tion [prouskrípʃən] *n.* Ⓤ 인권 박탈 ; 처벌〔추방〕의 선고 ; 추방 ; 금지.

‡prose [prouz] *n.* ① Ⓤ 산문. cf. verse. ② Ⓒ 《英》 (외국어로의) 번역 연습문제.
── *a.* 〔限定的〕 ① 산문의. ② 평범한, 단조로운.

pros·e·cute** [prɑ́səkjù:t / prɔ́-] *vt.* ① (장사 따위)에 종사하다 ; (노력이 드는 일)을 행하다 : ~ one's business〔studies〕 상업〔연구〕에 종사하다. ② 《~+목 / +목+전+명》 〖法〗 …을 기소하다, 소추(訴追)하다 ; (법에 호소해) 강행〔획득〕하다 : ~ a claim *for* damages 손해 배상을 청구하다 / Most of the civil servants involved in the affair have been successfully ~*d* and dismissed. 그 사건에 관련된 대부분의 공무원들이 순조롭게 기소되어 해고되었다. ── *vi.* 기소하다, 고소하다. ~ a person ***for 아무를 …로 기소하다.

prós·e·cut·ing attórney [prɑ́səkjù:tiŋ- / prɔ́s-] 《美》 지방 검찰관.

pros·e·cu·tion** [prɑ̀səkjú:ʃən / prɔ̀-] *n.* ① Ⓤ 실행, 수행 ; 속행 : She has to travel a great deal in the ~ of her duties. 그녀는 직무 수행상 많은 여행을 해야 한다. ② Ⓤ 종사, 경영. ③ Ⓤ,Ⓒ 기소, 소추(訴追), 고소 ; 구형 : a criminal ~ 형사소추. ④ Ⓤ (the ~) 기소자측, 검찰 당국. opp. *defense.* ***the director of public ~s 《英》 검찰총장. ◇ prosecute *v.*

pros·e·cu·tor** [prɑ́səkjù:tər / prɔ́-] (*fem.* **-cu·trix** [-triks] ; *fem. pl.* **-tri·ces** [-trisì:z]) *n.* Ⓒ 실행자, 수행자, 경영자 ; 〖法〗 소추자, 기소자, 고발자 ; 검찰관. ***a public ~ 검사.

pros·e·lyte [prɑ́səlàit / prɔ́-] *n.* Ⓒ ① 개종자. ② (정치적) 변절자.
── *vt., vi.* 개종〔전향〕시키다〔하다〕 ; 《美》 좋은 조건으로 선발해 가다《회원 · 운동 선수 등을》.
㊞ **-lyt·ism** [-lətìzəm, -lait-] *n.* Ⓤ 개종〔전향〕의 권유 ; 개종 ; 변절.

pros·e·lyt·ize [prɑ́sələtàiz / prɔ́s-] *vt., vi.* = PROSELYTE.

Pro·ser·pi·na, Pros·er·pi·ne [prousə́:rpənə], [prousə́:rpəni] *n.* 〖로神〗 프로세르피나《지옥의 여왕 ; 그리스 신화의 Persephone에 해당》.

pro·sit [próusit] *int.* 《L.》 축하합니다, 건강을 빕니다, 건배《축배 들 때의 말》.

pro·sod·ic [prəsɑ́dik / -sɔ́d-] *a.* 〔限定的〕 작시법(作詩法)의 ; 운율법에 맞는.

pros·o·dy [prɑ́sədi / prɔ́s-] *n.* Ⓤ 시형론, 운율론, 작시법.

‡pros·pect [prɑ́spekt / prɔ́s-] *n.* ① Ⓒ (흔히 *sing.*) 조망(眺望), 전망 ; 경치. ② Ⓒ (집 · 토지 따위가 면한) 향(向). ③ **a)** Ⓤ (또는 a ~) 예상, 전망, 기대 : There's not much ~ that this war will be over soon. 이 전쟁이 곧 끝날 것이라는 기대는 희박하다. **b)** (*pl.*) (장래의) 가망 : He has good ~*s.* 그는 전도 유망하다 / the ~*s* of the wine harvest 포도의 수확 예상. opp. *retrospect.* ④ Ⓒ 〔흔히 修飾語를 수반〕 《美》 단골 손님이 될 듯한 사람, 팔아줄 듯싶은 손님 ; 가망이 있는 사람 ; 유력 후보자, 유망 선수〔탤런트〕 : a good ~ for the new history chair 신임 역사 교수직(職)의 유력한 후보. ***have . . . in*** ~ …의 가망이 있다 ; …을 계획하고 있다. ***in*** ~ 고려중인 ; 예상〔예기, 기대〕되어 ; 기도하여 : He had no other alternative *in* ~. 그에게는 고려중인 대안이 없었다.
── [prəspékt] *vi.* ① 《+전+명》 (금광 · 석유 등을 찾아) 답사하다, 시굴하다《*for*》 : ~ *for* gold 금의 시굴을 하다. ② 《+부》 (광산이) 유망하다.
── *vt.* 《~+목 / +목+전+명》 (지역)을 답사〔조사〕하다 ; (광산)을 시굴하다.

***pro·spec·tive** [prəspéktiv] *a.* 〔限定的〕 ① 기대되는, 가망이 있는 : Always be polite to ~ buyers. 잠재 고객에게는 언제나 친절히 대해라. ② 장래의 : ~ earnings 장래의 수입.

pros·pec·tor [prɑ́spektər / prəspék-] *n.* Ⓒ 탐광자(探鑛者), 답사자, 시굴자 ; 투기자.

pro·spec·tus [prəspéktəs] (*pl.* **~·es**) *n.* Ⓒ ① (새 회사 따위의) 설립 취지서, 내용 설명서. ② (신간 서적의) 내용 견본. ③ 학교 입학 안내서.

***pros·per** [prɑ́spər / prɔ́s-] *vi.* (사업 등이) 번영하다, 성공하다 ; (어린이가) 잘 자라다 : A lot of microchip manufacturing companies ~*ed* at that time. 그때에는 많은 마이크로칩 제작회사들이 번창했다. ── *vt.* 《古》 (신이) …을 성공시키다, 번영케 하다.

‡pros·per·i·ty [prɑspérəti / prɔs-] *n.* Ⓤ 번영 ; 성공. opp. *adversity.* ¶ We wish you happiness and ~. 행복과 발전을 기원합니다.

‡pros·per·ous [prɑ́spərəs / prɔ́s-] (***more*** ~ ; ***most*** ~) *a.* ① 번영하는, 번창하고 있는, 성공한 : a ~ business 번창하고 있는 사업. ② 부유한 : a ~ family 부유한 집안. ③ 잘 되어 가는, 순조로운 ; 운이 좋은 : ~ weather 좋은 날씨 / a ~ gale 순풍. ***in a*** ~ ***hour*** 좋은 때에, 때마침.

pros·tate [prɑ́steit / prɔ́s-] *a.* 전립선(前立腺)의 (= prostatic) ── *n.* Ⓒ 전립선(=∠ **glànd**).

pros·the·sis [prɑ́sθəsis / prɔ́s-] (*pl.* **-ses** [-sì:z]) *n.* ① Ⓤ 인공 보철(補綴). ② Ⓒ 인공 보철물《의치 · 의족 · 의수 따위》.

pros·ti·tute [prɑ́stət*j*ù:t / prɔ́s-] *n.* Ⓒ 매춘부 ;

(돈을 벌기 위하여 작품의 질을 떨어뜨리는) 사람〔작가〕. ── *vt.* ①〔再歸的〕 매춘하다, 몸을 팔다 : She ~*d* her*self* because she had no other means of making money. 그녀는 돈을 벌 다른 방법이 없어서 몸을 팔았다. ② (명예·재능 등)을 돈을 위해 팔다, 비열한 목적에 이용하다.

pros·ti·tu·tion [prὰstətjú:ʃən / prɔ̀s-] *n.* Ⓤ 매춘 ; 타락 ; 악용 : Poverty drove her to ~. 가난이 그녀로 하여금 매음을 하게 만들었다 / political ~ 정치적 타락.

*__pros·trate__ [prástreit / prɔstréit] *vt.* ①…을 넘어뜨리다, 뒤엎다 : ~ one's opponent with a blow 일격으로 상대를 눕히다. ②〔再歸的〕 엎드리다 : ~ *oneself at* a shrine〔*before* a person〕 사당〔아무〕 앞에 엎드리다. ③〔흔히 受動으로〕 쇠약하게 하다, 극도로 피로케 하다. ***be ~d by the heat*** 더위에 지치다.

── [prástreit / prɔ́s-] *a.* ① 엎어진, 엎드린 : She lay ~ on the cold chapel floor while the other nuns sat in silence. 다른 수녀들이 조용히 앉아 있는 동안 그녀는 차디찬 교회의 마루바닥에 엎드려 있었다. ② 패배한, 항복한. ③ 기진 맥진한, 기운을 잃은 : be ~ with illness 병으로 지쳐 있다. ④〖植〗 포복성의.

pros·tra·tion [prɑstréiʃən / prɔs-] *n.* ① Ⓤ,Ⓒ 엎드림 : ~ *before* the altar 제단(祭壇) 앞에 엎드림. ② Ⓤ 피로, 쇠약 ; 의기 소침. ***general*** 〔***nervous***〕 ~ 전신〔신경〕 쇠약.

prosy [próuzi] (***pros·i·er*** ; ***-i·est***) *a.* 산문의, 산문체의 ; 몰취미한, 평범한, 지루한(prosaic).

㊕ **pros·i·ly** *ad.* **-i·ness** *n.*

Prot. Protectorate, Protestant.

pro·tac·tin·i·um, -to·ac- [pròutæktíniəm], [-touæk-] *n.* Ⓤ〖化〗 프로트악티늄《방사성 원소 ; 기호 Pa ; 번호 91》.

pro·tag·o·nist [proutǽgənist] *n.* Ⓒ (흔히 the ~)〖劇〗 주역, (소설·이야기 따위의) 주인공 ; 〔一般的〕 주역 ; (주의·운동의) 주창자 ; 수령(首領) : This is one of the few successful films this year in which *the* ~*s* are all female. 이 영화는 금년도 몇 안되는 성공한 영화중의 하나인데, 이 영화에서는 주역들이 모두 여자다.

prot·a·sis [prátəsis / prɔ́t-] (*pl.* ***-ses*** [-sì:z]) *n.* Ⓒ ①〖文法〗 조건절. ⓄⓅⓅ *apodosis.* ②〖劇〗 (고대 연극의) 도입부 ; 전제부.

Pro·te·an [próutiən, proutí:ən] *a.* ① Proteus 의 〔같은〕. ② (p-) 변화 무쌍한 ; 다방면의.

‡**pro·tect** [prətékt] *vt.* ①《~+목 / +목+전+명》…을 보호〔수호, 비호〕하다, 막다, 지키다 《*against* ; *from*》 : a ~*ed* state 보호국 / Surely the function of the law is to ~ everyone's rights. 틀림없이 법의 기능은 모든 사람의 권리를 지키는 것이다 / ~ young children *from* harm 위해(危害)로부터 어린이들을 보호하다. ②〖機〗…에 안전〔보호〕 장치를 하다 : a ~*ed* rifles 안전 장치가 된 소총. ③〖經〗 (보호 관세 등에 의하여) 보호하다《국내 산업을》 : ~*ed* trade 보호 무역.

‡**pro·tec·tion** [prətékʃən] *n.* ① Ⓤ 보호, 옹호 《*from* ; *against*》 : the ~ *of* one's country *against* potential enemies 가상적에 대한 국토 방위. ② Ⓤ 후원, 두둔. ③ (a ~) 보호하는 사람〔물건〕 : *a* ~ *against* cold 방한구 / A dog is *a* great ~ *against* burglars. 개는 훌륭한 도둑 방지자이다. ④ Ⓤ〖經〗 보호 무역 (제도). ⓄⓅⓅ *free trade.* ⑤ Ⓤ《美口》(폭력단의 보호에 대해 지급하는) 보호료(~ money), 또 그 보호, (폭력배가 하급 관리에게 주는) 뇌물, 묵인료. ◇ protect *v.* ***give***〔***afford, proride***〕 ~ …을 보호하다. ***take*** a person ***under*** one***'s*** ~ 아무를 보호하다. ***under the ~ of*** …의 보호를 받고, …의 신세를 지고.

pro·tec·tion·ism [prətékʃənìzm] *n.* Ⓤ 보호무역주의.

pro·tec·tion·ist [prətékʃənist] *n.* Ⓒ 보호무역주의자. ── *a.* 보호무역주의의(적).

protéction mòney 《口》 = PROTECTION ⑤.

protéction ràcket 《俗》 폭력단이 행패를 부리지 않는 대신 상점·음식점 등으로부터 돈을 뜯어내는 행위 : run a ~ 상납금을 뜯어내다.

*__pro·tec·tive__ [prətéktiv] (***more ~*** ; ***most ~***) *a.* ① 보호하는 : ~ clothing 보호복, 안전복 / He is very ~ *toward* his mother. 그는 어머니를 끔찍히 받들고 있다. ②〔限定的〕 보호 무역(정책)의 : a ~ trade policy 보호 무역 정책.

── *n.* Ⓒ 보호물 ; 《특히》 콘돔.

㊕ **~·ly** *ad.* **~·ness** *n.*

protéctive colorátion〔**cóloring**〕〖動〗 보호색.

protéctive cústody〖法〗 보호 구치(拘置).

protéctive fóods 영양 식품.

protéctive táriff 보호 관세(율).

*__pro·tec·tor__ [prətéktər] (*fem.* ***-tress*** [-tris]) *n.* Ⓒ ① 보호자, 옹호자, 후원자. ② 보호 장치〔물(物)〕, 안전〔안전〕 장치. ③〖野〗 가슴받이(chest ~), 프로텍터.

pro·tec·tor·ate [prətéktərit] *n.* Ⓒ 보호령, 보호국.

pro·té·gé [próutəʒèi, ⌐-⌐] (*fem.* ***-gée*** [-təʒèi]) *n.* Ⓒ 《F.》 피보호자 ; 부하.

‡**pro·tein** [próuti:in]〖生化〗 *n.* Ⓤ,Ⓒ 단백질 : Meat and nuts are good sources of ~. 육류와 견과류는 단백질의 좋은 공급원이다.

pro tem [prou-tém] 《口》 = PRO TEMPORE.

pro tem·po·re [prou-témpəri:] 《L.》 당분간 ; 일시적인〔으로〕 ; 임시의〔로〕.

Prot·er·o·zo·ic [prὰtərəzóuik / prɔ̀t-] *n., a.*〖地質〗 원생대(代)의, 선(先)캄브리아대(代)(의).

‡**pro·test** [prətést] *vi.* 《~ / +전+명》 항의하다, 이의를 제기하다《*against* ; *about* ; *at*》 : The student were ~*ing at* overcrowding in the university hostels. 학생들은 대학 기숙사에 지나치게 많은 인원을 수용한 데 대해 항의하고 있었다.

── *vt.* ①《美》…에 항의〔이의를 제기〕하다 : ~ a witness 증인에 대해 이의를 신청하다 / ~ low wages 낮은 임금에 항의하다. ②〔인용문과 함께〕…라고 단언하다 : "You're to blame." he ~*ed.* '자네가 잘못했어' 라고 그는 단언했다. ③《~+목 / +*that* 절》…을 주장〔단언, 확언〕하다, 맹세하고 말하다 : But he ~*s that* he knows nothing about the guns. 그러나 그는 그 총기(銃器)에 대해 전혀 아는 바 없다고 강력히 주장하고 있다.

── [próutest] *n.* ① Ⓤ,Ⓒ 항의, 항변, 이의 (신청) : ~ *against* increased taxation 증세에 대한 항의. ② Ⓒ 항의 집회〔데모〕. ③ Ⓒ〖競〗 항의(서). ***make***〔***enter, lodge***〕 ***a ~ with*** a person ***against*** 아무에게 …에 대해 항의하다, 이의를 신청하다. ***under ~*** 이의를 내세우고 ; 마지못해 : All right, I'll go to the meeting, but only *under* ~. 알겠어. 모임에 참석하겠지만, 할 수 없이 가는 걸세. ***without ~*** 반대하지 않고, 아무 말 없이. ㊕ **~·er, -tés·tor** *n.* Ⓒ 항의자 ; 이의 신청자 ; 주창자.

*__Prot·es·tant__ [prátəstənt / prɔ́-] *a.* ①〖基〗 프로테스탄트의, 신교의 ; 신교도의. ② (p-) 이의(異議)를 제기하는, 항의하는. ── *n.* Ⓒ ① 신교도. ② (p-) 항의자. ㊕ **~·ìsm** [-ìzəm] *n.* Ⓤ 신교(의 교리).

prot·es·ta·tion [prὰtistéiʃən, prὸutes- / prɔ̀t-] *n.* ① Ⓒ 주장, 단언, 언명《*of* ; *that*》: Despite his constant ~*s of* devotion and love, her doubts persisted. 그의 끈질긴 헌신과 사랑의 맹세에도 불구하고 그녀의 의심은 사라지지 않았다. ② Ⓤ 항의 ; 이의 (신청), 거절《*against*》.

Pro·teus [próutjuːs, -tiəs] *n.* ①〖그神〗프로테우스. ② Ⓒ (모양·성질이) 변하기 쉬운 것 ; (모습·생각이) 잘 변하는 사람, 변덕쟁이.

proto- *pref.* '원시의·최초의' 따위의 뜻 : *proto*type, *proto*gene.

pro·to·col [próutəkὰl, -kɔ̀ːl / -kɔ̀l] *n.* ① Ⓒ (문서의) 원본, 프로토콜, 의정서(議定書) ; 조서(調書) ; (조약 따위의) 원안. ② Ⓒ (국가간의)협정. ③ Ⓤ 외교 의례, 전례(典禮), 의전(儀典) : according to ~ 전례에 따라. ④ Ⓒ《美》실험〔부검 등의〕 계획안〔기록〕.

pro·ton [próutɑn / -tɔn] *n.* Ⓒ〖物〗양성자(陽性子), 프로톤. ⓒⓕ electron.

pro·to·plasm [próutouplæ̀zəm] *n.* Ⓤ〖生〗원형질.

pro·to·type [próutoutàip] *n.* Ⓒ ① 원형 ; 표준, 모범. ②〖生〗원형(原形).

Pro·to·zoa [prὸutouzóuə] *n. pl.* (*sing.* **-zo·on** [-zóuɑn / -ɔn])〖動〗원생 동물.

㊁ **prὸ·to·zó·an** [-n] *n., a.* 원생 동물(문(門)의).

pro·to·zo·on [prὸutəzóuɑn / -ɔn] (*pl.* **-zóa**) *n.* = PROTOZOAN.

pro·tract [proutrǽkt] *vt.* ① 오래 끌게 하다, 연장하다(prolong) : They ~*ed* their visit for some weeks. 그들은 몇 주간 체재기간을 연장했다. ②〖醫〗뻗다, 내밀다 : The tortoise ~*ed* its head. 거북이가 목을 내밀었다. ㊁ **pro·trac·tiv** [-iv] *a.*

pro·tract·ed [proutrǽktid] *a.* 오래 끈〔끄는〕《병·교섭 따위》: a ~ illness 긴병.

㊁ **~·ly** *ad.* **~·ness** *n.*

pro·trac·tile [proutrǽktil, -tail] *a.*〖動〗길게 늘일 수 있는, 내밀 수 있는《동물의 기관 따위》.

pro·trac·tion [proutrǽkʃən] *n.* Ⓤ 오래 끌게 하기 ; 신장(伸長), 연장.

pro·trac·tor [proutrǽktər] *n.* Ⓒ ①〖測〗각도기. ② 오래 끄는 사람〔것〕.

***pro·trude** [proutrúːd] *vt.* …을 (밀어)내다, 내밀다 : ~ one's tongue 혀를 내밀다. ── *vi.* 불쑥 나오다, 비어져 나오다《*from* ; *beyond*》: a shelf *protruding from* a wall 벽에서 튀어나온 선반 / His belly ~*s.* 그는 배가 나와 있다.

pro·tru·sion [proutrúːʒən] *n.* ① Ⓤ 내밂, 돌출, 비어져나옴. ②〖醫〗Ⓒ 돌기(부〔물〕), 융기(부〔물〕).

pro·tru·sive [proutrúːsiv] *a.* ① 내민, 돌출한. ② 주제넘게 나서는, 눈꼴 사나운. ㊁ **~·ly** *ad.* **~·ness** *n.*

pro·tu·ber·ance [proutjúːbərəns] *n.* Ⓤ 융기, 돌기 ; Ⓒ 돌출물, 돌기물, 혹, 결절《*on* a tree》.

pro·tu·ber·ant [proutjúːbərənt] *a.* 돌출〔돌기〕한, 불룩 솟은, 융기한 ; 현저한 : the most ~ fact of the history of modern Korea 한국 근대사에 있어서 가장 두드러진 사실 / a ~ stomach 올챙이 배.

†**proud** [praud] (**∠·er ; ∠·est**) *a.* ① 거만한(haughty), 잘난 체하는(arrogant), 뽐내는 : She is too ~ to ask questions. 그녀는 너무 도도해서 질문을 않는다. ② 자존심이 있는, 명예를 중히 여기는 ; 식견 있는 : be too ~ to beg 구걸하는 것은 자존심이 허락하지 않는다 / We Koreans are a ~ people. 우리 한국인들은 자존심 있는 국민이다. ③ 자랑으로 여기는, 영광으로 여기는 ; (좋은 의미로) 의기 양양한《*of*》: a ~ father (장한 자식을 두어) 자랑스러워하는 아버지 / I hope you feel ~ *of* yourself. 자신에 대하여 긍지를 가져주기 바란다. ④〔限定的〕자랑할 만한, 당당한(imposing), 훌륭한(splendid) : It was the ~*est* moment of his life. 그것은 그의 생애중 최고로 자랑할만한 순간이었다. ⑤ (말 따위가) 기운찬(spirited). ◇ pride *n.* ***(as) ~ as Punch*** 〔***a peacock, a turkey***〕 의기양양하여, 크게 기뻐서.

── *ad.* 〔다음 成句로만 쓰임〕 ***do*** a person ~《口》(1) 아무를 기쁘게 해주다, 아무의 면목을 세워 주다 : It will *do* me ~. 그것으로 매우 만족합니다. (2) …을 성대히 대접하다 : You really *did* us ~ with this supper. 정말 훌륭한 저녁 식사였습니다. ***do oneself*** ~ 훌륭하게 처신하다, 면목을 세우다.

próud flésh〖醫〗(상처가 아문 뒤에 생기는) 새살, 육아(肉芽).

proud·ly [práudli] *ad.* ① 자랑스러운듯, 자만하여. ② 거만스럽게, 뽐내며.

Prov. Provençal ;〖聖〗Proverbs ; Providence ; Provost. **prov.** proverb(ially) ; province ; provincial(ly) ; provincialism ; provisional.

prov·a·ble [prúːvəbəl] *a.* 증명〔입증〕 가능한. ㊁ **-bly** *ad.*

‡**prove** [pruːv] (**~d ; ~d, prov·en** [prúːvən]) *vt.* ①《~+목 / +목+보 / +목+(*to be*) 보 / +*that* 절》…을 증명하다, 입증(立證)하다 ; 〔再歸的〕 자기가 …임을 증명하다 : ~ one's identity 신원을 증명하다 / These papers will ~ him (*to be*) innocent. 이 서류들이 그가 결백함을 증명할 것이다 / He ~*d himself* (*to be*) a capable businessman. 그는 유능한 실업가임을 입증하였다 / I can ~ *that* his answer is right. 나는 그의 대답이 옳음을 증명할 수 있다. ② …을 시험하다 ; 실험하다. ③ (유언장)에 검인을 받다 ; 검증하다. ④〖數〗…을 검산하다 : ~ a sum.

── *vi.* ①《+(*to be*) 보 / +*to* do》(…임을) 알다, (…라는 것이) 판명되다(turn out)《to do 는 상태를 나타내는 동사에 한함》: The experiment ~*d* (*to be*) successful. 실험은 성공적이었다 / They ~*d to* know nothing about it. 그들은 그것에 대해 아무것도 모른다는 것이 판명되었다. ② (가루 반죽이) 부풀다, 발효하다. ◇ proof *n.* ~ ***out*** (*vi.*) 희망〔계획〕대로 되다 ; 잘 되어가다. (*vt.*) (성능 등)을 확인하다 ; …을 철저히 조사하다. ~ ***up*** 권리를 입증하다 ; 예상대로 되다.

prov·en [prúːvən] PROVE의 과거분사.

── *a.* 〔限定的〕 증명된(demonstrated) : He is a ~ liar. 그는 누구나가 다 아는 (소문난) 거짓말쟁이다.

pro·ve·nance [prάvənəns / prɔ́v-] *n.* Ⓤ 기원, 유래.

Pro·ven·çal [prὸuvənsάːl, prὰv- / prɔ̀vɑːn-] *a.* Provence 의 ; 프로방스 사람〔말〕의.

── *n.* Ⓒ 프로방스 사람 ; Ⓤ 프로방스 말.

Pro·vence [prouvάːns] *n.* 프로방스《프랑스 남동부의 옛 주(州) ; 중세의 서정 시인의 한 파의 활약으로 유명》.

prov·en·der [prάvindər / prɔ́v-] *n.* Ⓤ 여물, 꼴(fodder) ;《口·戲》음식물(food).

‡**prov·erb** [prάvəːrb / prɔ́v-] *n.* Ⓒ ① 속담, 격언(adage), 금언(金言) : "Haste makes waste." is a ~. '급할수록 돌아가라'는 격언이다. ② 정평 있는 사람〔것〕. ③ (the P-s) 〔單數취급〕〖聖〗잠언《구약 성서의 한 편》. ***as the ~ goes*** 〔***runs, says***〕 속담에 있듯이. ***be a ~ for*** …의 점에서 유명하다. ***pass into a*** ~ 소문이 나다, 웃음거리가

되다. ***to a*** ~ 유명하게 될〔소문날〕 정도로.

pro-verb [próuvə̀:rb] *n.* Ⓒ 〖文法〗 대동사(代動詞)《He writes better than you *do.* 의 *do* 따위》.

***pro·ver·bi·al** [prəvə́:rbiəl] *a.* 속담의; 속담투의; 속담에 있는; 소문난, 이름난: the ~ London fog 유명한 런던의 안개.

†pro·vide [prəváid] *vt.* ①《~+목/+목+전+명》(필요품)을 주다, 공급〔지급〕하다(supply)《*with; for,* 《美》 *to*》; (물건)에 장치하다《*with*》: ~ a person *with* food = ~ food *for* a person 아무에게 식사를 제공하다 / They ~*d* us food and drink. 그들은 우리에게 음식물을 주었다 / ~ one's car *with* a TV 차에 텔레비전을 장치하다 / Cows ~ milk *for* 〔*to*〕 us. 암소는 젖을 낸다. ②《+*that* 절》 …을 규정하다(stipulate): The rule ~*s that* a driver (should) be fined for speeding. 운전자는 속도위반에 벌금이 물린다고 법규에 규정되어 있다. ── *vi.* 《+전+명》 ① 준비하다, 대비하다《*for; against*》: ~ *for* urgent needs 긴급한 필요에 대비하다 / Beach operators do not have a legal obligation to ~ *against* injury or drowning. 해안휴양지 운영자들은 상해(傷害)나 익사에 대비해야 할 법적 의무가 없다. ② 생활의 자금〔필요물〕을 공급하다, 부양하다《*for*》: He has two young daughters and he has to ~ *for* them. 그는 어린 두 딸이 있어서 그들을 부양해야 한다. ③〖法〗 규정하다《*for*》; 금지하다《*against*》: The right of individuals to appeal to a higher court is ~*ed for* in the constitution. 상급 법원에 상소할 수 있는 개인의 권리가 헌법에 규정되어 있다. ~ one***self*** 자활〔지급〕하다.

***pro·vid·ed** [prəváidid] *conj.* 〔종종 ~ that 의 꼴로 조건을 나타냄〕 …을 조건으로(on the condition); 만약 …이면(if, if only)《*that*》: I will come ~ (*that*) it is fine tomorrow. 내일 날씨가 좋으면 가겠다. 《★ provided 는 if 보다 문어적임》. ── *a.* 준비된, 필요 물품이 공급된; 예비의.

***prov·i·dence** [právədəns / prɔ́v-] *n.* ① Ⓤ (또는 a ~) (종종 P-) 섭리, 하느님의 뜻: by divine ~ 신의 섭리로. ② (P-) 하느님(God), 천주, 신. ③ Ⓤ 선견(지명), 조심, 배려; 절약.

prov·i·dent [právədənt / prɔ́-] *a.* 선견지명이 있는(foreseeing), 신중한; 검소한(thrifty)《*of*》.

prov·i·den·tial [prὰvədénʃəl / prɔ̀-] *a.* 섭리의, 신의 뜻에 의한; 천우의, 행운의: It was most ~ that she narrowly escaped being killed. 그녀가 가까스로 죽음을 면한 것은 다시없는 행운이었다.

pro·vid·er [prəváidər] *n.* Ⓒ 공급자; 조달자, 준비자; (가족의) 부양자: a good 〔poor〕 ~ 가족에게 윤택〔곤궁〕한 생활을 시키는 사람 / The bank is now a major ~ of financial services to industry. 오늘날 은행은 기업에 대해 금융 서비스의 주된 제공자가 되고 있다.

***pro·vid·ing** [prəváidiŋ] *conj.* =PROVIDED.

‡prov·ince [právins / prɔ́v-] *n.* ① Ⓒ 지방, 지역(district). ② (the ~s) (수도·대도시에 대해서) 지방, 시골. ③ Ⓒ (행정 구획으로서의) 주(州), 성(省), 도(道). ④ Ⓤ (학문의) 범위(sphere), 분야(branch); 직분(duty). ⑤ Ⓒ 〖宗〗 (교회·수도회의) 대교구. ◇ provincial *a.* ***be within*** 〔***outside***〕 one***'s ~s*** 자기 직권내에 있다〔밖이다〕, 활동범위에 속하다〔속하지 않다〕. ***in the ~ of*** … 의 분야에서. ***in the ~s*** 지방〔시골〕에서: My friend was on tour *in the ~s.* 친구는 지방을 여행하고 있었다.

***pro·vin·cial** [prəvínʃəl] *a.* ①〔限定的〕 지방의, 시골의; 지방민의. ⓒⓕ local. ② 주(州)의, 도(道)의; 영토의: a ~ government 주정부. ③ 지방적인; 조야한; 편협한. ── *n.* Ⓒ ① 지방민, 시골 사람, 편협한 사람. ②〖敎會〗 대교구장. ㊞ **~·ly** *ad.*

pro·vin·cial·ism [prəvínʃəlìzəm] *n.* ① Ⓤ 시골〔지방〕티; 야비. ② Ⓒ 사투리, 방언. ③ Ⓤ 지방 제일주의, 지방 근성; 편협(성).

pro·vin·ci·al·i·ty [prəvìnʃiǽləti] *n.* = PROVINCIALISM.

próv·ing grὸund [prú:viŋ-] (무기·차(車) 따위의) 성능 시험장, 실험장; (이론 등의) 실험의 장(場), 실험대.

‡pro·vi·sion [prəvíʒən] *n.* ① Ⓤ 예비, 준비《*for; against*》: make ~ *for* one's old age 노년에 대비하다 / When designing buildings in this area you have to make ~(*s*) *against* earthquake. 이 지역에서 빌딩 설계를 할 때에는 지진에 대해서도 대비해야 한다. ② Ⓤ,Ⓒ 공급, 지급; 지급량(量). ③ (*pl.*) 양식, 식량; 저장품. ④ Ⓒ 〖法〗 규정, 조항(clause): the ~*s* in a will 유언장의 조항. ◇ provide *v.* ***run out of*** 〔***short of***〕 ***~s*** 식량이 떨어지다〔부족하다〕.
── *vt.* …에게 양식을 공급하다: Are you ~*ed for* the voyage? 항해에 필요한 식량은 준비했느냐〔배에 실었느냐〕/ They are fully ~*ed with* food and water. 그들은 식량과 음료수를 충분히 공급받았다.

***pro·vi·sion·al** [prəvíʒənəl] *a.* 일시적인, 가(假)…, 잠정적인, 임시의(temporary): a ~ contract 〔treaty〕 가계약〔조약〕 / a ~ government 임시정부. ㊞ **~·ly** *ad.*

pro·vi·so [prəváizou] (*pl.* ~(***e***)***s***) *n.* Ⓒ 단서(但書)《흔히 provided 로 시작됨》; 조건(condition): I make it a ~ that.... …을 조건으로 한다. ***with the*** ~ 조건부로: You can borrow this book, *with the* ~ *that* you return it within a week. 1주일 이내에 반환한다는 조건부로 이 책을 빌려줄 수 있다.

pro·vi·so·ry [prəváizəri] *a.* 단서가 붙은; 조건부의; 일시적인, 임시의: a ~ clause 단서.

prov·o·ca·tion** [prὰvəkéiʃən / prɔ̀v-] *n.* ① Ⓤ 성나게 함; 성남, 약오름: She loses her temper 〔get angry〕 at〔on〕 the slightest ~. 그녀는 사소한〔약간 비위를 건드리는〕 일에도 화를 낸다. ② Ⓒ 도전, 도발, 자극: Ignore the letter — it's just a ~ to see if you're really serious. 그 편지를 무시하게 — 그것은 다만 자네가 정말 진지한가를 확인하기 위한 자극일 뿐이다. ◇ provoke *v.* ***feel ~ 성내다. ***give*** ~ 성나게 하다. ***under*** ~ 도발을 받고, 성나서, 분개하여.

***pro·voc·a·tive** [prəvákətiv / -vɔ́k-] *a.* 성나게 하는, 약올리는; 도발적인(irritating), 자극적〔선동적〕인《말·태도 등》; …을 유발시키는《*of*》; 자극성의: be ~ *of* curiosity 호기심을 일으키다 / ~ remarks 도발적인 말 / She was wearing a rather ~ dress that evening. 그녀는 그날 밤 꽤 도발적인 옷을 입고 있었다. ㊞ **~·ly** *ad.*

‡pro·voke [prəvóuk] *vt.* ① (감정 등)을 일으키다, 선동〔자극〕하다: ~ a laugh 웃음을 자아내게 하다 / Test results have ~*d* worries that the reactor could overheat. 실험 결과는 원자로가 과열될 수 있다는 우려를 자아내게 했다. ② …을 성나게 하다(enrage), 신경질나게 하다: Police asked demonstrators to move away from the mourners who were ~*d* by their presence〔at their imprudences〕. 경찰은 시위운동자들에게 그들이 있음으로 해서 〔그들의 무례함에〕 화가 난 조객들한테서 떠나라고 요구했다. ③《+목+전+명 / +목+*to* do》 …을 유발시키다, 이끌다, 자극하여 …시키

다(incite)《*to* ; *into*》: An article has ~*d* me *to* write in to the newspaper. 한 기사가 나로 하여금 신문사에 투서하게 만들었다 / She attacked the boy because he ~*d* her *into* a state of rage. 소년이 그녀를 화나게 했기 때문에 그녀는 그 소년을 욕했다. ④ 선동〔도발〕하다 ; 야기시키다 : ~ a revolt 반란을 선동하다.

pro·vok·ing [prəvóukiŋ] *a.* 자극하는, 약오르는, 짜증나는, 귀찮은. ㊞ ~·**ly** *ad.*

pro·vost [próuvoust, právəst] *n.* Ⓒ ①〖英大學〗학료장(學寮長) ;〖美大學〗(교무) 사무장. ②〖敎會〗주임 사제 ; 교무원장, 수도원장. ③《Sc.》시장(市長).

próvost guàrd 《美》 헌병대.

próvost màrshal 〖陸軍〗헌병 사령관〔대장〕;〖英海軍〗법무 장교.

***prow** [prau] *n.* Ⓒ 뱃머리, 이물(bow) ; (항공기 따위의) 기수(機首) ;《詩》배(vessel).

***prow·ess** [práuis] *n.* Ⓤ ① 용감, 무용(武勇)(valor) ; 용감한 행위. ② 훌륭한 솜씨《*in* ; *at*》.

prowl** [praul] *vi.* ①《~ / +전+명》(먹이를) 찾아 헤매다 ; 배회하다(wander) : ~ *for* one's prey 먹이를 찾아 헤매다 / Jim ~*ed* restlessly *around* the room. 짐은 계속 방안을 서성거렸다. ② (도둑 등이) 동정을 살피다, 기웃거리다. —*vt.* ① …을 헤매다, 배회하다 : The cat ~*ed* the alleys in search of food. 고양이가 먹이를 찾아 뒷골목을 배회했다. ②《美俗》(총의 소지 여부를 알기 위해 아무)를 옷 위로 만져 보다. —*n.* Ⓤ (또는 a ~) 찾아 헤맴 ; 배회. ***be* 〔*go*〕 *on the ~ (먹이를 노리고) 배회하다. ***take a*** ~ 배회하다. ㊞ ~·**er** *n.* Ⓒ 배회하는 사람〔동물〕; 부랑자 ; 빈집을 털려고 노리는 도둑.

prówl càr 《美》(경찰의) 순찰차(squad car).

prox. [práks(əmòu) / prɔ́ks(-)] =PROXIMO.

prox·e·mics [prɑksí:miks / prɔks-] *n.* Ⓤ 근접학《인간과 문화적 공간과의 관계를 연구함》.

prox·i·mal [práksəməl / prɔ́k-] *a.* 가장 가까운, 인접하는(proximate) ;〖解〗기부(基部)의, 몸 중심에 가까운(위치의). opp. *distal.*

prox·i·mate [práksəmit / prɔ́k-] *a.* ① 가장 가까운(nearest), 바로 다음〔앞〕의. ②〔限定的〕직접적인 : the ~ cause 근인(近因). ㊞ ~·**ly** *ad.*

prox·im·i·ty [prɑksíməti / prɔks-] *n.* Ⓤ 근접, 가까움(nearness)《*to*》. ***in close*** ~ ***to*** …에 근접하여 : The house is *in close* ~ *to* the shops and the station. 그 집은 상점과 역에 근접해있다. ***in the*** ~ ***of*** …의 부근에 : The capsule landed somewhere *in the* ~ *of* the Bikini Islands. (우주 로켓의) 캡슐은 비키니 제도 근처의 어딘가에 착수했다. ~ ***of blood*** 혈족 관계, 근친.

prox·i·mo [práksəmòu / prɔ́ks-] *ad.* 《L.》내달《略 : prox.》. cf. instant ④, ultimo. ¶ on the 10th ~ 내달 10 일에《★ 언제나 날짜 뒤에 둠》.

proxy [práksi / prɔ́ksi] *n.* ① Ⓤ 대리(권). ② Ⓒ 대리인(agent) ; 대용물 ; 대리 투표 ; 위임장 : Books are not *proxies* for experience. 서적은 체험의 대용이 되지 못한다. ***by*** ~ 대리인으로 하여금. ***stand* 〔*be*〕 ~ *for*** …의 대리가 되다, …의 대용이 되다. —*a.* 〔限定的〕대리의〔에 의한〕.

prude [pru:d] *n.* Ⓒ (남녀 관계에) 결벽한 사람《특히 여성》. opp. *coquette.*

***pru·dence** [prú:dəns] *n.* Ⓤ 신중, 세심, 사려, 분별, 빈틈없음 : a man of ~ 분별 있는 남자 / with ~ 조심해서 / have ~ in dealing with matter 일을 처리하는 데 있어 신중하다.

‡**pru·dent** [prú:dənt] (***more*** ~ ; ***most*** ~) *a.* ① 신중한 ; 분별있는 ; 현명한 : a ~ man / It was ~ of you to save the money. 돈을 저축해 두었다니 잘했다. ② 빈틈없는, 타산적인(self-interested). ㊞ ~·**ly** *ad.*

pru·den·tial [pru:dénʃəl] *a.* ① 신중한, 조심성 있는, 세심한 : on ~ grounds 깊이 생각한 후. ②《美》자문의, 고문의 : a ~ committee 자문 위원회. ㊞ ~·**ly** *ad.*

prud·er·y [prú:dəri] *n.* ① Ⓤ 얌전한〔숙녀인〕체하기. ② Ⓒ (흔히 *pl.*) 얌전 빼는 행위〔말〕.

prud·ish [prú:diʃ] *a.* 숙녀인〔얌전한〕체하는 ; 지나치게 얌전빼는. ㊞ ~·**ly** *ad.* ~·**ness** *n.*

***prune**[1] [pru:n] *vt.* ① (여분의 가지·뿌리 등)을 잘라내다, 치다《*back* ; *away* ; *down* ; *off*》: ~ *away* off-shoots 곁가지를 잘라내다 / ~ *off* dead branches 죽은 가지를 잘라버리다 / *Prune back* the longer branches. 긴 가지들을 잘라내라. ② (불필요한 부분)을 제거하다 ; (비용 따위)를 바싹 줄이다 ; 정리하다 ; (문장 따위)를 간결하게 하다《*away* ; *down* ; *of*》: I'm *pruning down* my Christmas card list this year. 금년에는 크리스마스카드 보낼 사람을 줄이려 한다 / You'd better ~ the play *of* these irrelevant parts. 이 희곡에서 이들 부적절한 부분은 삭제하는 것이 좋겠다.

***prune**[2] *n.* ① Ⓒ Ⓤ 말린 자두(dried plum). ② Ⓒ 《口》바보, 얼간이.

prún·ing hòok [prú:niŋ-] 가지치는 낫, 전지용 낫《긴 장대 끝에 붙인 것》.

prúning shèars 〔scìssors〕 전정(剪定) 가위.

pru·ri·ent [prúəriənt] *a.* 호색의, 음란한. ㊞ -**ence** *n.* Ⓤ 호색, 색욕. ~·**ly** *ad.*

Prus·sia [prʌ́ʃə] *n.* 프로이센《독일 북부에 있었던 왕국(1701-1918)》.

Prus·sian [prʌ́ʃən] *a.* 프로이센의 ; 프로이센 사람〔말〕의 ; 프로이센식의. —*n.* ① Ⓒ 프로이센 사람. ② Ⓤ 프로이센 말.

Prússian blúe 감청(紺靑)《청색 안료》.

***pry**[1] [prai] *vi.* 《+전+명 / +副》엿보다(peep), 동정을 살피다《*about* ; *into*》; 파고들다, 캐다《*into*》: ~ *about* the house 집 주위의 동정을 살피다 / I don't want people *prying into* my affairs. 나는 사람들이 내 일을 꼬치꼬치 캐는 것을 원치 않는다.

pry[2] *vt.* ①《+목+보》…을 지레로 움직이다〔올리다〕《*up* ; *off*》: ~ *up* the lid of a box 지레로 상자뚜껑을 비집어 열다 / ~ a door open 문을 비틀어 열다 / *Prying off* the plastic lid, he took out a shovel. 플라스틱 뚜껑을 열고, 스푼을 하나 꺼냈다. ②《+목+전+명》(비밀 따위)를 알아 내다 : Eventually he *pried* the information *out of* her. 결국 그는 그녀로부터 정보를 얻어냈다.

pry·ing [práiiŋ] *a.* 들여다보는 ; 캐기 좋아하는 : a ~ newspaper reporter 꼬치꼬치 캐기 좋아하는 신문 기자. ㊞ ~·**ly** *ad.*

PS, P.S. 《英》 police sergeant ; postscript ; private secretary ; Privy Seal ;《美》 public school.

P.S. [pí:és] *n.* Ⓒ ① (편지의) 추신. ② 후기.

Ps, Ps., Psa Psalm(s).

‡**psalm** [sɑ:m] *n.* ① Ⓒ 찬송가, 성가(hymn), 성시(聖詩). ② (the P-s)〔單數취급〕〖聖〗(구약성서의) 시편(詩篇) (=the **Bóok of Psálms**)《略 : Ps., Psa., Pss.》.

psalm·ist [sá:mist] *n.* Ⓒ 찬송가 작자.

psal·mo·dy [sá:mədi, sǽlmə-] *n.* ① Ⓤ 성가 영창. ② Ⓒ〔集合的〕찬송가, 찬송가집.

Psal·ter [sɔ́:ltər] *n.* ① (the ~) 시편(詩篇) (=the Book of Psalms). ② Ⓒ (p-) (예배용) 시편서〔집〕, 성시집《150 장으로 된 기도문》.

psal·tery [sɔ́:ltəri] *n.* Ⓒ〖樂〗옛날의 현악기.

PSAT 《美》 Preliminary Scholastic Aptitude Test(대학 진학 적성 예비검사).

pse·phol·o·gy [sifálədʒi / -fɔ̀l-] *n.* [U] 선거학(選擧學).

pseud [su:d] 《口》 *a.* 거짓의, 가짜의, …인 체하는. ── *n.* [C] 잘난 체하는 사람, 거드름 피우는 사람; 사이비…《사람》.

pseu·do [sú:dou] *a.* 가짜의, 모조의; 의사(擬似)의. ── (*pl.* **~s**) *n.* [C] 《口》 겉을 꾸미는 사람, 거짓으로 속이는 사람.

pseud(o)- *pref.* '위(僞), 의(擬), 가(假)'의 뜻.

pseu·do·nym [sú:dənim] *n.* [C] 익명, (특히 저작자의) 필명(penname): write under a ~ 익명으로 쓰다.

pseu·don·y·mous [su:dánəməs / -dɔ́n-] *a.* 익명의, 필명으로 쓴.

pshaw [ʃɔ:] *int.* 피, 체, 바보 같으니, 뭐야.

psi [*p*sai] *n.* [U,C] 그리스어 알파벳의 스물셋째 글자(*ψ*, *Ψ*; 발음은 [ps]; 로마자의 ps에 해당).

psit·ta·co·sis [sitəkóusis] *n.* [U] 〖醫〗 앵무병《폐렴과 장티푸스 비슷한 전염병》.

pso·ri·a·sis [sɔráiəsis] *n.* [U] 〖醫〗 마른버짐, 건선(乾癬).

psst, pst [pst] *int.* 저, 여보세요, 잠깐《주의를 끌기 위해 부르는 말》: *Psst !* Let's get out now before they see us! 자, 그들이 우리를 보기 전에 지금 나가자. 「시).

P.(S.)T. Pacific Standard Time(태평양 표준

psych [saik] 《俗》 *vt.* ① …을 불안하게 하다, 두렵게 하다《*out*》: Leonard stared hard at Duran before the fight, trying to ~ him *out.* 시합이 시작되기 전에 레너드는 듀란에게 겁을 주기 위해 그를 단단히 노려보았다. ② (육감·직감으로 상대)를 꿰뚫어보다《*out*》. ③ 〔再歸的〕 마음을 다지다《*up*》: ~ oneself *up* for a match 경기에 임하는 마음의 준비를 하다.

Psy·che [sáiki] *n.* ① 〖그神〗 사이키, 프시케《영혼을 인격화한 것으로서, 나비 날개를 단 미녀의 모습을 취함; Eros의 애인》. ② [C] (p-) (육체에 대해서) 영혼, 정신, 마음.

psy·che·del·ic [sàikidélik] *a.* ① 환각을 일으키는, 도취적인. ② (색채·무늬가) 사이키델릭조(調)의《환각 상태를 연상시키는》: a ~ painting 사이키델릭조의 그림. ── *n.* [C] 환각제. [파] **-i·cal·ly** *ad.*

psy·chi·at·ric [sàikiǽtrik] *a.* 정신병학의, 정신병 치료의, 정신과의: a ~ clinic 정신병 진료소. [파] **-ri·cal·ly** *ad.*

psy·chi·a·trist [saikáiətrist, si-] *n.* [C] 정신병 의사〔학자〕.

psy·chi·a·try [saikáiətri, si-] *n.* [U] 정신병학, 정신 의학; 정신병 치료법.

psy·chic [sáikik] *a.* ① 마음의, 심적인. [opp] *physical.* ② 영혼의, 심령 (현상)의; 심령 작용을 받기 쉬운, 초능력을 갖는: a ~ healer 심령 치료자, 심령술사 / Jeremy helped police by using his ~ powers. 제레미는 초능력을 써서 경찰을 도왔다. ── *n.* [C] 무당, 영매.

psy·chi·cal [sáikikəl] *a.* = PSYCHIC. [파] **~·ly** *ad.*

psýchic reséarch 심령 연구.

psy·cho [sáikou] (*pl.* **~s**) 《口》 *n.* [C] 정신병 환자. ── *a.* 〔敍述的〕 정신병의.

psych(o)- *pref.* '정신, 영혼'의 뜻.

psy·cho·anal·y·sis [sàikouənǽləsis] *n.* [U] 정신 분석(학·법)《略: psychoanal.》.

psy·cho·an·a·lyst [sàikouǽnəlist] *n.* [C] 정신 분석가〔학자〕, 정신 분석 전문의(醫).

psy·cho·an·a·lyt·ic, -i·cal [sàikouæ̀nəlítik], [-əl] *a.* 정신 분석(학)의. [파] **-i·cal·ly** *ad.*

psy·cho·an·a·lyze [sàikouǽnəlàiz] *vt.* (사람)에게 정신 분석을 행하다. 「性)의.

psy·cho·gen·ic [sáikoudʒènik] *a.* 심인성(心因

psy·cho·ki·ne·sis [sàikoukiní:sis, -kai-] *n.* [U] 염력(念力)《정신력으로 물체를 움직임》. [파] **psỳcho·kinétic** *a.* **-ti·cal·ly** *ad.*

psy·cho·lin·guis·tics [sàikouliŋgwístiks] *n.* [U] 언어 심리학.

psy·cho·log·i·cal** [sàikəládʒikəl / -lɔ́dʒ-] (more*** ~; ***most*** ~) *a.* ① 〔限定的〕 심리학(상)의, 심리학적인. ② 정신적인, 심리적인: ~ effects 심리적 효과 / a ~ novel 심리 소설 / The doctor says his headaches are purely ~. 의사는 그의 두통은 순전히 심리적인 것이라고 말하고 있다. [파] **-i·cal·ly** *ad.*

psychológical móment (the ~) 절호의 기회, 아슬아슬한 순간.

psychológical wárfare 심리〔신경〕전.

‡**psy·chol·o·gy** [saikálədʒi / -kɔ́l-] *n.* ① [U] 심리학: applied ~ 응용 심리학 / clinical 〔medical〕 ~ 임상 심리학 / mob 〔mass〕 ~ 군중 심리(학). ② [U,C] 심리 (상태): women's ~ 여성의 심리 / She has a complex ~. 그녀는 복잡한 성격의 소유자이다. ③ [U] 사람의 심리를 헤아리는 힘, 통찰력, 독심술.
[파] ***psy·chól·o·gist** [-dʒist] *n.* [C] 심리학자.

psy·cho·neu·ro·sis [sàikounjuəróusis] (*pl.* **-ses** [-si:z]) *n.* [U] 정신 신경증, 노이로제.

psy·cho·path [sáikoupæ̀θ] *n.* [C] (반사회적 또는 폭력적 경향이 있는) 정신병질자.
[파] **psỳ·cho·páth·ic** [-ik] *a.* 정신병질(質)의: a ~ personality 정신병질 인격; 정신병질자.

psy·cho·pa·thol·o·gy [sàikoupəθálədʒi / -θɔ́l-] *n.* [U] 정신 병리학. [파] **-gist** *n.* [C]

psy·chop·a·thy [saikápəθi / -kɔ́p-] *n.* [U] 정신병; 정신병질.

psy·cho·phys·i·ol·o·gy [sàikoufìziálədʒi / -ɔ́l-] *n.* [U] 정신 생리학.

psy·cho·sis [saikóusis] (*pl.* **-ses** [-si:z]) *n.* [U,C] 정신병, 정신 이상.

psy·cho·so·cial [sàikousóuʃəl] *a.* 심리 사회적인. [파] **~·ly** *ad.*

psy·cho·so·mat·ic [sàikousoumǽtik] *a.* (병이) 정의(情意)에 의해 영향받는, 정신 신체 (상관)의, 심신의. [파] **-i·cal·ly** *ad.*

psy·cho·ther·a·py [sàikouθérəpi] *n.* [U] 정신〔심리〕 요법. [파] **-ther·a·péu·tic** [-θerəpjú:tik] *a.* 심리 요법의.

psy·chot·ic [saikátik / -kɔ́t-] *a.* 정신병의, 정신 이상의: a ~ disorder 정신병적 장애. ── *n.* [C] 정신병자. [파] **-i·cal·ly** *ad.*

psy·cho·trop·ic [sàikoutrápik / -trɔ́p-] *a.* 정신에 영향을 주는, 향(向)정신성의《약제》.

Pt 〖化〗 platinum. **Pt.** Point; Port. **pt.** part; payment; pint(s); point; port. **P.T., PT** Pacific time; 〖軍〗 physical training. **PTA, P.T.A.** Parent-Teacher Association.

ptar·mi·gan [tá:*r*migən] (*pl.* **~(s)**) *n.* [C] 〖鳥〗 뇌조(雷鳥) (snow grouse). 「(翼龍).

pter·o·dac·tyl [tèroudǽktil] *n.* [C] 〖古生〗 익룡

P.T.O., p.t.o. please turn over (다음 페이지에 계속).

Ptol·e·ma·ic [tàləméiik / tɔ̀l-] *a.* 프톨레마이오스(Ptolemy)의; 천동설(天動說)의: the ~ system 〔theory〕 천동설.

Ptol·e·my [táləmi / tɔ́l-] *n.* **Claudius** ~ 프톨레마이오스《2세기경 Alexandria의 천문학자·수

학자 · 지리학자 ; 천동설을 제창함》.
pto·main(e) [tóumein, -ˊ] *n.* Ⓤ 〖化〗 프토마인《단백질의 부패로 생기는 유독물》.
pts. parts ; payments ; pints ; points ; ports.
Pu 〖化〗 plutonium.
pub [pʌb] *n.* Ⓒ 《口》 술집, 대폿집《★ 영국 특유의 대중 주점으로, 그 지역의 사교장 구실도 함》.
pub. public ; publication ; published ; publisher ; publishing.
pub-crawl [pʌ́bkrɔ̀:l] *n.* Ⓒ 《英口》 이집 저집 돌아다니며 연거푸 술마시기, 술집 순례 : do 〔go on〕 a ~. ⊞ **~·er** *n.* Ⓒ
pu·ber·ty [pjú:bərti] *n.* Ⓤ 사춘기, 춘기 발동기, 묘령 : early in ~ 사춘기의 초기 / reach (the age of) ~ 사춘기에 이르다.
pu·bes[1] [pjú:bi:z] (*pl.* ~) *n.* ① Ⓒ 음부. ② Ⓤ 〔종종 the 〔one's, a person's〕 ~로〕 음모, 거웃.
pu·bes[2] PUBIS 의 복수.
pu·bes·cence [pju:bésəns] *n.* Ⓤ 사춘기에 이름, 묘령.
pu·bes·cent [pju:bésənt] *a.* 묘령의 ; 사춘기에 달해 있는 : The novel is targetted at ~ boys and girls. 그 소설은 사춘기의 소년 · 소녀를 겨냥하고 있다.
pu·bic [pjú:bik] *a.* 음부의 : the ~ hair 음모 / the ~ bone 치골.
pu·bis [pjú:bis] (*pl.* ***-bes*** [-bi:z], ***-bi·ses*** [-bisì:z]) *n.* Ⓒ 〖解〗 치골(恥骨).
†**pub·lic** [pʌ́blik] (***more*** *~;* ***most*** *~*) *a.* ① 공중의, 일반 국민의, 공공의, 공공에 속하는 : a ~ bath 공중 목욕탕 / a ~ toilet〔lavatory〕 공중화장실 / ~ property 공공물〔재산〕/ ~ safety 치안 / ~ welfare 공공 복지 / the ~ good〔interest〕 공익, 공공의 이익 / ~ health 공중위생 / a ~ holiday 공휴일 / at the ~ expense 공비(公費)로 / We want to increase ~ awareness of the dangers of AIDS. 우리는 에이즈의 위험에 대한 일반 국민의 각성이 증대하기를 바란다. ② 공립의, 공설의 : a ~ market 공설 시장 / a ~ park 공원 / a ~ library 공립 도서관 / a ~ hall 공회당. ③ 공적인, 공무의, 국사의 : a ~ official 〔officer〕 공무원, 관리 / ~ document 공문서 / a ~ offense 국사범 / ~ life 공적인 생활 / He works in the ~ sector. 그는 관공서에 근무하고 있다. ④ 공개의, 공공연한 : a ~ auction 〔sale〕 경매, 공매 / a ~ debate 공개 토론회 / in a ~ place (신문, TV 등의) 공개 석상에서. ⑤ 소문난, 모르는 사람이 없는 : a ~ scandal 모르는 사람이 없는 추문 / a matter of ~ knowledge 널리 알려진 일. ***go*** ~ (1) (회사가) 주식을 공개하다. (2) 기밀을 공표하다 : I will not *go* ~ *with* the facts until tomorrow. 나는 내일까지 그 사실을 공표하지 않겠다. ***make*** ~ 공표〔간행〕하다 : The results will not be *made* ~ until tomorrow. 결과는 내일까지 공표되지 않을 것이다.
── *n.* ① Ⓤ (the ~) 〔集合的〕 공중, 국민 ; (일반) 사회, 세상 : *the* general ~ 일반 대중〔사회〕/ *the* British ~ 영국 국민 / *The* ~ has a right to know. 국민들은 알 권리가 있다 / The palace and its grounds are open to *the* ~ during the summer months. 궁정과 그 정원이 여름 동안 일반에게 공개되고 있다. ② Ⓤ (또는 a ~) 〔集合的〕 …계(界), …사회, …동아리 : the cinemagoing ~ 영화 팬 / the reading ~ 독서계. ③ 《英口》 = PUBLIC HOUSE. ***in*** ~ 공공연히. Ⓞⓟⓟ *in private.*
⊞ **~·ly** *ad.* 공공연히 ; 공적으로.
púb·lic-ac·cess télevision [pʌ́blikæ̀kses-] 시청자 제작 프로그램.
púb·lic-ad·dréss sỳstem [pʌ́blikədrés-] 장내〔구내 · 교내〕 확성 장치.
pub·li·can [pʌ́blikən] *n.* Ⓒ ① 〖古로〗 수세리(收稅吏). ② 《英》 술집(pub)의 주인.
públic assístance 《美》 (사회 보장법에 의한) 생활 보호.
‡**pub·li·ca·tion** [pʌ̀bləkéiʃən] *n.* ① Ⓤ 발표, 공표 ; 발포(發布) : the ~ of a person's death 아무의 사망 공표. ② Ⓤ 간행, 출판, 발행. ③ Ⓒ 출판〔간행〕물 : a monthly 〔weekly〕 ~ 월간〔주간〕 출판물. ◇ publish *v.*
públic bár 《英》 (선술집의) 일반석. ⓒⓕ saloon bar.
públic bill 공공 관계 법안. ⓒⓕ private bill.
públic cómpany 《英》 주식 회사.
públic convénience 《英》 (역 따위의) 공중변소(《美》 comfort station).
públic corporátion 〖法〗 공법인, 공공단체 ; 공공 기업체, 공사(公社), 공단(公團).
públic defénder 《美》 공선(公選) 변호인.
públic domáin (the ~) 〖法〗 공유(公有)《시간의 경과에 따라 특허 · 저작권 등의 권리가 소멸된 상태》.
públic énemy 사회(전체)의 적, 공적(公敵).
públic héaring 공청회(公聽會).
públic hòuse 《英》 술집(pub).
pub·li·cist [pʌ́blisist] *n.* Ⓒ 선전 담당원.
‡**pub·lic·i·ty** [pʌblísəti] *n.* Ⓤ ① 주지(周知)(의상태), 널리 알려짐. Ⓞⓟⓟ *privacy.* ¶He is hungry for ~. 그는 유명해지고 싶어 안달이다. ② 공표, 공개 ; 선전, 광고(문 · 수단) : a ~ campaign 공보〔선전〕 활동 / The concert wasn't given much advance ~, so many tickets remained unsold. 그 연주회는 사전에 충분한 선전이 되어 있지 않아서 많은 표가 안 팔린 채 그대로 남았다.
publícity àgent 〔**màn**〕 광고 대행업자〔취급자〕.
pub·li·cize [pʌ́bləsàiz] *vt.* …을 선전〔공표, 광고〕하다.
públic láw 공법.
Públic Lénding Rìght (the ~) 〖圖書〗 공대권(公貸權)《공공도서관에서의 대출에 대하여 저자가 보상을 요구할 수 있는 권리 ; 略 PLR》.
públic límited cómpany 《英》 주식 회사.
pub·lic-mind·ed [pʌ́blikmáindid] *a.* 공공심〔애국심〕이 있는.
públic núisance ① 〖法〗 공적(公的) 불법 방해《소음 · 악취 같은 사회 전반에 해를 끼치는 위법 행위》. ② 《口》 모두 귀찮아하는 자.
públic óffice 관공서 ; 관청.
públic opínion 여론 : a ~ poll 여론 조사 / The government is bowing to ~ on this issue. 정부는 이 문제에 관해 여론에 따르고 있다.
públic ównership 공유(제), 국유(화).
públic prósecutor 검찰관.
públic relátions ① 〔單數취급〕 홍보〔선전〕 활동 ; 섭외 (사무), 피아르《略 : PR》. ② 어떤 조직과 일반 사람들과의 관계.
públic relátions òfficer 공보 담당관, 공보관《略 PRO》.
públic sále 공매(公賣), 경매(auction).
***públic schóol** ① 《美》 (초 · 중등) 공립학교. ② 《英》 사립 중 · 고등학교《상류 자제들을 위한 자치 · 기숙사 제도의 대학 예비교로 Eton, Winchester 등이 유명》.
públic séctor (the ~) (국가 경제의) 공공 부문. Ⓞⓟⓟ *private sector.*
públic sérvant 공무원, 공복(公僕).
públic sérvice ① 공공 사업, 공익 사업. ② 공

공〔사회〕봉사. ③ 공직, 관공서 근무.

púb·lic-sér·vice corporàtion [pʌ́bliksə́ːr-vis-] 《美》 공익법인, 공익사업 회사.

públic spéaking 화술, 변론술; 연설.

públic spírit 공공심, 애국심.

pub·lic-spir·it·ed [pʌ́blikspíritid] *a.* =PUBLIC-MINDED.

públic utílity 공익 사업〔기업〕《전기 · 가스 · 수도 따위》.

públic wélfare 공공 복지, 공안.

públic wórks 공공 토목 공사.

‡pub·lish [pʌ́bliʃ] *vt.* ① …을 발표〔공표〕하다: The latest unemployment figures will be *~ed* tomorrow. 최근의 실업자수가 내일 발표될 것이다. ② (책 따위)를 출판하다: The Minjung's Essence English-Korean Dictionary was *~ed* in 1971. 민중서림의 엣센스 영한사전은 1971년에 출판되었다 / This book was *~ed* by Oxford University Press. 이 책은 옥스퍼드 대학 출판부에서 발행되었다. —*vi.* ① 발행하다; 출판 사업을 하다: The new house will start to ~ next month. 새 회사는 내달에 출판사업을 시작한다. ② (저작을) 출판하다《*with*》: She has decided to ~ *with* another house. 다른 출판사에서 작품을 출판하기로 결정했다. ◇ publication *n.*

‡pub·lish·er [pʌ́bliʃər] *n.* [C] ① (종종 *pl.*) 출판업자. ② 《美》 신문업자, 신문사주.

pub·lish·ing [pʌ́bliʃiŋ] *n.* [U] 출판(업): get a job in ~ 출판사에 취직하다. —*a.* 출판(업)의: a ~ house 〔company, firm〕 출판사.

Puc·ci·ni [puːtʃíːni] *n.* **Giacomo** ~ 푸치니《이탈리아의 오페라 작곡가; 1858-1924》.

puce [pjuːs] *n.* [U] 암갈색. —*a.* 암갈색의: His face turned ~ with rage and he started shouting at me. 그는 노여움으로 얼굴을 붉히고 내게 고함을 지르기 시작했다.

puck[1] [pʌk] *n.* ① (P-) 퍽《영국 전설상의 장난꾸러기 꼬마 요정(Robin Goodfellow)》. ② [C] 장난꾸러기.

puck[2] *n.* [C] 퍽《아이스하키용 고무 원반》.

puck·er [pʌ́kər] *vt.* 《~+[목] / +[목]+[부]》 …에 주름을 잡다, 주름살지게 하다; (입술 등)을 오므리다《*up*》: The cloth was *~ed.* 옷감에 주름을 잡았다 / ~ (*up*) one's brow 눈살을 찌푸리다 / She *~ed* her lips into a rosebud and kissed him on the nose. 그녀는 장미꽃봉오리처럼 입을 오므리고는 그의 코에 키스를 했다. —*vi.* 《~ / +[부]》 주름잡히다, 주름살 지다; 오므라들다《*up*》: Her face *~ed* (*up*) in pain. 그녀의 얼굴은 고통으로 일그러졌다. —*n.* [C] 주름, 주름살: in *~s* 주름이 잡히어. [파] **~y** [pʌ́kəri] *a.* 주름이 지는, 주름이 많은.

puck·ish [pʌ́kiʃ] *a.* 장난꾸러기의, 멋대로 구는. [파] **~·ly** *ad.* **~·ness** *n.*

pud [pud] *n.* =PUDDING.

‡pud·ding [púdiŋ] *n.* ① [U,C] 푸딩《밀가루에 우유 · 달걀 · 과일 · 설탕 · 향료를 넣고 찐〔구운〕, 식후에 먹는 과자》: *Pudding* rather than praise. 금강산도 식후경 / The proof of the ~ is in the eating. 《俗談》 백문이 불여일견. ② [U,C] 《英》 (식후의) 디저트. ③ [U,C] 〔흔히 複合語로〕 (오트밀 · 선지 따위를 넣은) 순대〔소시지〕의 일종. ④ [C] 《口》 땅딸보. ***in the ~ club*** ⇨CLUB.

púdding fàce 《口》 동글넓적한 얼굴.

pud·ding·head [-hèd] *n.* [C] 《口》 멍청이.

púdding stòne 〖地質〗 역암(礫岩).

pud·dle [pʌ́dl] *n.* ① [C] 웅덩이. ② [U] 이긴 흙《진흙과 모래를 섞어 이긴 것》. —*vt.* …을 개어 진흙으로 만들다; 진흙을 바르다; (구멍 따위)를 진흙으로 막다《*up*》: ~ *up* a hole 진흙을 발라 구멍을 메우다.

pu·den·da [pjuːdéndə] (*sing.* ***-den·dum*** [-dəm]) *n. pl.* 〖解〗 (여성의) 외음부(vulva).

pudgy [pʌ́dʒi] (***pudg·i·er*** ; ***-i·est***) *a.* 땅딸막한; 부피〔무게〕가 있는.

pueb·lo [pwéblou, puéb-] (*pl.* **~*s***) *n.* [C] 푸에블로《돌 · 벽돌로 만든 원주민 부락; 미국 남서부에 많음》; (P-) 미국 남서부에 사는 원주민의 종족.

pu·er·ile [pjúːəril, -ràil] *a.* 어린애의〔같은〕, 앳된; 유치한. [파] **~·ly** *ad.*

pu·er·il·i·ty [pjùːəríləti] *n.* ① [U] 어린애 같음; 철없음, 유치함. ② [C] (흔히 *pl.*) 어린애 같은 언행.

pu·er·per·al [pjuːə́ːrpərəl] *a.* 〔限定的〕 〖醫〗 해산의, 분만의, 산욕(産褥)의: ~ fever 산욕열.

Puer·to Ri·co [pwɛ̀ərtəríːkou / pwɔ́ːrtə-] *n.* 푸에르토리코《서인도 제도의 섬; 미국 자치령; 수도 San Juan》. [파] **Puer·to Ri·can** [-ríːkən] *a., n.* 푸에르토리코의 (주민).

‡puff [pʌf] *n.* ① [C] 훅 불기〔부는 소리〕; 한 번 휙 불기: a ~ of wind 한 바탕 휙 부는 바람 / He blew out the candles with a ~. 그는 단숨에 촛불을 불어 껐다. ② [C] 한 번 부는 양; (담배의) 한 모금: have〔take〕 a ~ at a pipe 파이프 담배를 한 모금 빨다. ③ [C] 불룩한 부분《머리털 · 드레스 따위의》; 부푼 것《혹 · 종기(腫氣) 따위》: a ~ of hair 부풀게 한 머리 / a ~ of cloud 두둥실 떠 있는 한조각 구름. ④ [C] 퍼프, 분첩(powder ~). ⑤ [C] 깃털 이불. ⑥ [C] 부풀린 과자, 슈 크림. ⑦ [C] 과장된 칭찬, 비행기 태우기; 자기 선전: get 〔give〕 a good ~ 크게 칭찬받다〔하다〕, 호평을 받다〔하다〕. ⑧ [U] 《口》 숨, 호흡: be out of ~ 숨이 가쁘다, 숨차다.

—*vi.* ① 《~ / +[전]+[명] / +[부]》 (숨을) 훅 불다, (연기 따위를) 내뿜다; (담배를) 뻐끔뻐끔 피우다〔빨다〕《*out* ; *up* ; *away* ; *at* ; *on*》: ~ (*away*) *at* one's pipe 파이프를 (뻐끔뻐끔) 빨다 / Smoke *~ed up* from his pipe. 그의 파이프에서 연기가 푹푹 올라갔다 / The old steam train whistled and *~ed out of* the station. 그 낡은 증기 기관차는 기적을 울리고는 연기를 내뿜으며 역에서 움직이기 시작했다. ② 헐떡이다: He *~ed* hard as he ran. 그는 뛰면서 숨을 헐떡거렸다. ③ 《+[부]》 부풀어 오르다《*up* ; *out*》: My hair won't ~ *out.* 머리가 부풀지 않는다 / My leg *~ed up* all round the insect bite. 다리는 벌레에 물린 주변이 온통 부어 있었다.

—*vt.* ① 《~+[목] / +[목]+[부]》 (연기 따위)를 내뿜다《*out* ; *up* ; *away*》; 훅 불어버리다《*away*》; (담배)를 뻐끔뻐끔 피우다: ~ *out* the candle 촛불을 훅 불어 끄다 / The locomotive *~ed* smoke. 기관차가 연기를 내뿜었다 / *~away* dust 먼지를 훅 불어 날리다 / He *~ed* a cloud of cigarette smoke *into* my face. 그는 내 얼굴에 담배 연기를 획 뿜었다. ② 《~+[목] / +[목]+[전]+[명] / +[목]+[부]》 …을 부풀게 하다; (가슴)을 우쭐하여 부풀리다: He *~ed* (*out*) his chest *with* pride. 그는 우쭐하여 가슴을 폈다 / The sails were *~ed out with* wind. 돛은 바람을 받아 부풀어 있었다. ③ 《+[목]+[부]》 …의 자만심을 일으키게 하다《*up*》. ④ …을 마구 추어 올리다; 자찬하다; (과대) 선전하다. ⑤ 《+[목]+[부]》 《俗》 헐떡이며 말하다: manage to ~ *out* a few words 헐떡이며 겨우 몇 마디 말하다. **~ *and blow*** 〔***pant***〕 헐떡이다. **~ *out*** (1) 훅 불어 끄다. (2) 부풀리다. **~ *up*** (1) …을 부풀어 오르게 하다. (2) 득의 양양하(게 하)다: Their praises had *~ed* him *up.* 그들의 칭찬을 받고 그는 우쭐해 있었다.

(3) 부풀다 ; 상처가 붓다.

púff àdder 〖動〗 아프리카산(産)의 큰 독사《성나면 몸이 부풂》.

puff·ball [-bɔ̀:l] *n.* Ⓒ 〖植〗 말불버섯.

puffed [pʌft] *a.* 〔敍述的〕 《口》 숨이 찬《*out*》: When we got there we were quite ~ (*out*). 그곳에 도착했을 때에는 아주 숨이 찼었다.

puffed-up [-ʌ́p] *a.* 〔限定的〕 우쭐해 하는.

puff·er [pʌ́fər] *n.* Ⓒ ① **a**) 훅 부는 사람〔물건〕《흡연자·증기선 따위》. **b**) 《兒》 (기차의) 칙칙폭폭. ②〖魚〗 복어류(=∠ **fish**).

puf·fin [pʌ́fin] *n.* Ⓒ 〖鳥〗 섬새의 일종.

púff pàstry 퍼프페이스트리《부풀게 굽는 과자용 반죽》.

puff-puff [pʌ́fpʌ̀f] *n.* Ⓒ 《兒》 칙칙폭폭《기차》, 기관차.

puffy [pʌ́fi] (***puff·i·er*** ; ***-i·est***) *a.* ① 부풀어오른 ; 비만한 : ~-eyed *from* poor sleep 수면 부족으로 눈이 부은. ② 자만하는, 허풍떠는. ③ 숨이 찬, 헐떡이는, 씨근거리는. ④ 훅 부는 ; 한 바탕 부는《바람 따위》. ㊞ **púff·i·ly** *ad.* **-i·ness** *n.*.

‡**pug**[1] [pʌg] *n.* Ⓒ 퍼그(=**púg-dòg**)《불독 비슷한 얼굴을 한 발바리의 일종》.

pug[2] 《俗》 *n.* Ⓒ 프로복서.

Pú·get Sóund [pjú:dʒit-] 퓨젓 사운드《워싱턴주 북서부의 만》.

pu·gil·ism [pjú:dʒəlizəm] *n.* Ⓤ (프로) 권투.

pu·gil·ist [pjú:dʒəlist] *n.* Ⓒ 권투 선수(boxer), 《특히》 프로 복서. ㊞ **pù·gil·ís·tic** [-tik] *a.*

pug·na·cious [pʌgnéiʃəs] *a.* 싸움하기 좋아하는 : Her ~ speech convinced her opponents that she was still a threat to them. 그녀의 호전적인 연설은 그녀의 반대자들에게 그녀가 여전히 자기들의 위협이라는 생각을 갖게 했다. ㊞ **~·ly** *ad.* **~·ness** *n.* Ⓤ **pug·na·ci·ty** [pʌgnǽsəti] *n.* Ⓤ

púg nòse 사자코, 들창코.

pug-nosed [pʌ́gnòuzd] *a.* 사자코의.

pu·is·sance [pjú:isəns, pwísəns] *n.* ① Ⓤ 《古·詩》 권력, 힘. ② Ⓒ 〖馬〗 장애물 비월 경기.

pu·is·sant [pjú:isənt, pwísənt] *a.* 《詩·古》 힘센, 세력이 등등한, 권력이 있는.

puke [pju:k] *n.* Ⓤ 《口》 구토 ; 토한 것.
── *vi., vt.* 《口》 (…을) 토하다(vomit)《*up*》: I ~*d up* my dinner. 저녁 먹은 것을 토했다.

pul·chri·tude [pʌ́lkrətjù:d] *n.* Ⓤ 《文語》 (특히 여자의 육체의) 아름다움. ㊞ **pùl·chri·tú·di·nous** [-dənəs] *a.*

pule [pju:l] *vi.* 가냘픈 목소리로 울다.

Pú·litz·er Príze [pjú:litsər-] 《美》 퓰리처상《미국 시민에게 수여하는 신문·문학·음악상》.

†**pull** [pul] *vt.* ① 《~+目/+目+보/+目+전+명/+目+부》 …을 당기다, 끌(어당기)다, 당겨서 움직이게 하다. opp *push*. ¶ ~ a cart 짐수레를 끌다 / ~ a bell 줄을 당겨 종을 울리다 / ~ a person out of bed 아무를 침대에서 끌어내다 / ~ the curtains across 커튼을 치다 / She ~*ed* the desk nearer. 그녀는 책상을 끌어당겼다 / He ~*ed* his cap over his ears. 모자를 귀가 덮이도록 깊이 썼다 / He ~*ed* his belt tight. 허리띠를 단단히 조여 맸다 / She ~*ed* herself free from him. 그에게서 떨어졌다 / He ~*ed* the door. 그는 문을 열었다. ② (수레)를 끌고 가다 : The cow was ~*ing* a cart. 소가 짐수레를 끌고 있었다. ③ (주문·손님)을 끌어 들이다, 끌다 ; (투표 따위)를 끌어 모으다, (후원 따위)를 획득하다 : The show has certainly ~*ed* (*in*) the crowds. 그 쇼는 정말 엄청난 관중을 끌어들였다 / How many votes can he ~? 그는 몇 표(票) 정도 끌어모을 수 있을까. ④ (보트·노)를 젓다 ; (배에 …개의 노)가 달려 있다 : This boat ~*s* six oars. 이 보트는 여섯 개의 노로 젓는다. ⑤《~+目/+目+부》 …을 떼어놓다 ; 빼내다, 뽑아내다《*out*》; 찢다《*off*》: ~ the kids apart (싸우고 있는) 아이들을 떼어놓다 / I hadn't seen the dentist for three years, and she had to ~ two of my teeth *out.* 난 3년이나 치과에 가지 않아, 그녀〔의사〕는 내 이를 두개나 뽑아야 했다 / He got angry and ~*ed* the newspaper to pieces. 그는 화가 나서 신문을 갈기갈기 찢었다. ⑥ (꽃·열매 따위)를 따다《*from* ; *off*》: He ~*ed* some pears *from* the tree. 그는 나무에서 배를 몇 개 땄다. ⑦ (새)의 털을 뜯다, (생가죽)의 털을 뽑다. ⑧ (근육 따위)를 무리하게 쓰다 ; (여러 가지 얼굴)을 하다 : ~ a face 〔faces〕 찌푸린 얼굴을 하다 ; 《英俗》 〖*a*+인명 앞에서〗 …의 흉내를 내다 : ~ *a* Nixon 닉슨의 흉내를 내다〔닉슨처럼 행동하다〕 / ~ *a* Fletch 사기를 치다 / The runner ~*ed* a ligament in his foot. 그 주자는 발의 인대(靭帶)를 다쳤다. ⑨ 〖印〗 (교정쇄(校正刷))를 찍어내다. ⑩ (고삐를 당겨 말)을 멈추다 ; 〖競馬〗 (말을 고의로 이기지 못하게) 제어하다. ⑪ 〖拳〗 (펀치)의 힘을 줄이다. ⑫ 〖골프〗 (공)을 왼편으로 꺾어 치다 ; 〖크리켓〗 삼주문(三柱門)의 off 쪽에서 on 쪽으로 치다. ⑬ 《俗》 (경관이 범인)을 체포〔검거〕하다 ; (도박장 따위)를 급습하다 : ~ a pickpocket 소매치기를 붙잡다. ⑭ 《口》 **a**) (계획 등)을 (잘) 실행하다, (승리)를 얻다 ; (의무·사명 등)을 이룩하다 《*off*》: ~ *off* a stunning victory 놀라운 승리를 거두다. **b**) (나쁜 일 등)을 행하다, (강도짓)을 하다, (계략)을 (…에게) 쓰다《*on*》: Don't ~ any tricks. 속임수 쓰지 마라 / The gang that ~*ed* the bank robbery were all arrested. 은행을 턴 갱들은 모두 체포되었다. ⑮ 《~+目/+目+부》 《口》 (칼·권총 등)을 빼어들다, 들이대다 : ~ a revolver out 권총을 꺼내다 / She suddenly ~*ed* a gun *on* the man. 그녀는 갑자기 총을 뽑아 그 남자에게 들이댔다. ⑯ (차 따위)를 몰다, 나아가게 하다, 움직이게 하다 : She ~*ed* her car *away* from the garage. 그녀는 차를 차고 밖으로 몰고 나왔다. ⑰ (군대·사절단)을 철수시키다 : ~ troops out of action 전선에서 군대를 철수시키다.
── *vi.* ① 《+부/+전+명》 **a**) 끌다, 당기다, 잡아당기다《*at*》: ~ *at* a rope 밧줄을 잡아 당기다. **b**) 〔종종 well 등의 副詞를 수반하여〕 (말·엔진등이) 끄는 힘이 있다, 마력(馬力)이 있다 : This horse ~*s well.* 이 말은 끄는 힘이 좋다〔마력이 있다〕. opp *push.* ② 《+전+명/+부》 (끌려) 움직이다 ; (사람이) 배를 젓다(row), (배가) 저어지다 : The boat ~*ed for* the shore. 보트는 기슭을 향해 나아갔다. ③ 《~/+전+명/+부》 (차·열차 따위가) 나아가다 ; (어느 방향으로) 배〔차〕를 움직이다《*for*》; (애를 써서) 나아가다《*away* ; *ahead* ; *in* ; *out of* ; *for* ; *towards* ; *through*》: The train ~*ed into* 〔*out of*〕 the station. 열차가 역으로 들어갔다〔역에서 나왔다〕 / ~ heavily 힘겹게 나아가다. ④ 《+전+명》 담배를 피우다, (병에서) 술을 꿀꺽 마시다《*at* ; *on*》: ~ *at* a bottle 병째로〔에서 직접〕 마시다 / ~ *at* a pipe 파이프 담배를 피우다. ⑤ (선전이) 효과가 있다, 고객을 끌다 ; 인기를 모으다〔끌다〕; 후원하다 : The advertisement does not ~. 이 광고는 고객의 관심을 끌지 못한다 / We are ~*ing* for you, John. 존, 우리는 자네를 후원하고 있네. ⑥ 《+부》 끌리다, 당겨지다 : The bell rope ~*s* hard. 이 벨의 끈은 좀처럼 잡아 당겨지지 않는다.

~ ***about*** 〔***around***〕 여기저기 끌고 다니다 ; 거칠

게 다루다. ~ ***a fast one*** 《俗》 감쪽같이 속이다. ~ ***ahead*** 선두로 나가다 : During the last lap of the race one of the runners began to ~ *ahead.* 그 레이스의 마지막 한바퀴를 도는 동안 한 주자(走者)가 앞으로 나서기 시작했다. ~ ***apart*** (1) 떼어놓다 ; 잡아 찢다〔끊다〕. (2) 분석〔검토〕하다. (3) …의 흠을 찾다 ; 혹평하다 : The professor proceeded to ~ the student's paper *apart.* 교수는 학생의 논문을 혹평하기 시작했다. ~ ***around*** (…의) 생기를 되찾게 하다, 건강〔의식〕을 회복하다. ~ ***away*** (1) (…에서) 몸을 빼치다 ; 이탈하다 ; 떨어지다 ; 앞서다 : He tried to kiss her, but she *~ed away* fiercely. 그는 그녀에게 키스하려 했으나 그녀는 사납게 몸을 빼쳤다 / He began to ~ *away* from the other competition. 그는 다른 경쟁 상대를 떨어뜨리기 시작했다. (2) 발차하다, 달리기 시작하다 ; 보트가 해안을 떠나다 : They waved as the bus *~ed away*. 버스가 출발하자 그들은 손을 흔들어 환송했다. (3) 강제로 떨어지게 하다 : ~ a child *away* from the TV 어린이를 TV에서 강제로 떨어지게 하다. ~ ***back*** (1) 물러가다 ; (군대가) 후퇴하다 : ~ a person *back from* the fire 아무를 불에서 물러서게 하다. (2) (지출)을 삼가다, 절약하다《*on*》. (3) …을 되돌리다 : ~ a person *back to* health 아무를 건강한 상태로 되돌리다. (4) (뒤로) 물리다 ; 생각을 바꾸다 ; 약속을 깨다 : Their sponsors *~ed back* at the last minute. 그들의 스폰서는 마지막 순간에 생각을 바꾸었다 / He *~ed* his arm *back* sharply. 그는 잽싸게 팔을 끌어들였다. ~ ***down*** (1) 허물어뜨리다 : They *~ed down* the warehouse to build a new supermarket. 슈퍼마켓을 짓기 위해 창고를 헐었다. (2) (가치·지위 따위)를 떨어뜨리다. (3) 쇠약하게 하다 : That virus she had two months ago really *~ed* her *down*. 두달 전에 걸린 바이러스성 질환으로 그녀는 몹시 쇠약해졌다. (4) 《美口》 (일정 수입)을 얻다, 벌다 : It wasn't long before he was *~ing down* more than fifty thousand a year. 얼마 안 있어 그는 연간 5만 달러 이상을 벌게 되었다. (5) 창문의 블라인드를 내리다. ~ ***in*** (1) (목 따위)를 움츠리다 ; 후퇴시키다. (2) (비용)을 절약하다 : You'll have to ~ *in* or you'll be ruined. 절약하지 않으면 파산할 것이다. (3) (기차 따위가) 역에 들어오다. (4) 《口》 체포하다 : The police *~ed in* scores of protesters during the demonstration. 경찰은 데모가 진행되는 동안 수십명의 항의자를 체포했다. (5) (손님 따위)를 끌다. (6) (드라이브인·주유소 등에) 대다《*at*》 : He *~ed in at* the side of the road. 그는 길 한 옆에 차를 세웠다. (7) 〔再歸的〕 차렷자세를 취하다. (8) (말 따위의) 걸음을 늦추게 하다, 세우다. (9) 《口》 돈을 벌다. ~ ***off*** (1) 떼어내다, 잡아떼다. (2) (옷 따위)를 급히 벗다. (3) (상)을 타다 ; (경쟁)에 이기다 : The football club *~ed off* their first away win of the season this Saturday. 그 축구클럽은 이번 토요일 금년 시즌의 첫 원정경기를 승리로 이끌었다. (4) 《口》 잘 해내다. (5) (배, 차 따위가) 떠나다 ; 차를 길가에 대다. ~ ***on*** (옷)을 입다, (장갑)을 끼다, (양말)을 신다 ; 계속 젓다. ~ ***out*** (1) 빼내다, 꺼내다 ; 뽑아내다, (이 따위)를 뽑다. (2) 배를 저어 나가다 ; (열차가) 역을 발차하다 : I arrived just as the last train was *~ing out.* 막차가 막 출발하고 있을 때 나는 도착했다. (3) (사업 등에서) 손을 떼다, 떼게 하다 : The project became so expensive that we had to ~ *out.* 그 계획은 너무 비용이 많이 들게 되어 결국 손을 떼어야 했다. (4) (군대 따위)를〔가〕 철퇴 시키다〔하다〕 ~ . . . ***out of the fire*** ⇨FIRE. ~ ***round*** (1) 건강〔의식〕을 회복하다〔시키다〕 ; 경기(景氣)를 회복하다〔시키다〕. (2) 방향을 바꾸게 하다. (3) (일을) 성공시키다. (4) (생각을) 바꾸게 하다. ~ one***self together*** 마음을 가다듬다, 자제력을 발휘하다. ~ one***self up*** 자제하다, 갑자기 그치다 ; 등을 펴고 서다. ***Pull the other leg*** 〔***one***〕 (***it's got bells on it***). 말을 믿을 수가 없다 : I'll be a millionaire by the time I'm thirty. — Oh, ~ *the other leg.* 나는 30세까지는 100만 장자가 될 것일세 — 자네 말은 믿을 수가 없어. ~ ***through*** (1) (난국·병)을 헤쳐 나가다〔나가게 하다〕 : During their time in government they have *~ed through* several crises. 그들이 집권하고 있는 동안 몇번의 위기를 극복한 바 있었다. (2) …에서 살아나다〔구조되다〕, 완쾌하다 : They said the operation had been successful and they expected his wife to ~ *through.* 그들은 수술이 성공적이었다고 말하고, 그의 아내가 완쾌되기를 기대했다. ~ ***together*** (1) 협력하여 일하다 ; (조직 등을) 다시 세우다 ; (조직 등의) 단결을 꾀하다. (2) 〔再歸的〕 냉정을 되찾다, 진정하다. ~ ***to*** 〔***in***〕 ***pieces*** (1) …을 갈기갈기 찢다. (2) …을 혹평하다, 헐뜯다. ~ ***up*** (1) …을 잡아뽑다 : I spent the morning *~ing up* the weeds in the flowerbeds. 나는 오전을 화단의 잡초를 뽑으면서 보냈다. (2) (말·차)를 멈추다 ; (말·차가) 멎다 : The cab *~ed up* and the driver jumped out. 차가 서더니 운전수가 뛰어내렸다. (3) …을 비난하다, 꾸짖다 : He was *~ed up* by the chairman for inaccuracies in the report. 그는 리포트의 정확하지 못한 점들 때문에 학과장으로부터 꾸중을 들었다. (4) 중지하다〔시키다〕 ; 제지하다. (5) (성적이〔을〕) 오르다〔올리다〕 ; (성적이 올라) 따라잡다. (6) 〔再歸的〕 곧바로 일어서다《*up*》. — *n.* ① Ⓒ 잡아당기기, 한차례 당기기〔끌기〕 ; 한 번 젓기. ② Ⓤ 당기는 힘, 인력 : The greater the mass of an object, the greater its gravitational ~. 물체의 질량이 클수록 그 인력〔중력〕도 커진다. ③ (a ~) 노력, 수고. ④ Ⓒ (술·담배 따위의) 한 모금. ⑤ Ⓒ (문의) 손잡이, 당기는 줄. ⑥ Ⓒ (흔히 *sing.*) 〖印〗 교정쇄 ; 수쇄(手刷). ⑦ Ⓒ 〖골프·野〗 잡아당겨 치기. cf. slice. ⑧ Ⓤ (또는 a ~) 《口》 연줄, 빽, 연고(緣故) : have ~ 〔not much ~〕 *with* the company 회사에 연고가〔연줄이〕 있다〔그다지 없다〕. ⑨ Ⓤ.Ⓒ 《口》 매력, 이점.

pull·back [ˊbæ̀k] *n.* Ⓒ (군대의) 후퇴, 철수.

púll-by dàte [ˊbài-] (유제품 따위의) 판매 유효 기한의 날짜.

pul·let [púlit] *n.* Ⓒ (흔히 1년 미만의) 영계.

***pul·ley** [púli] *n.* Ⓒ 도르래, 활차(滑車), 풀리.

púlley blòck 〖機〗 도르래 장치.

pull-in [púlìn] *n.* Ⓒ 《英》 (특히 트럭 운전수용) 드라이브인 (《美》 truck stop).

Pull·man [púlmən] (*pl.* *~s*) *n.* Ⓒ 〖鐵〗 풀먼식 차량《쾌적한 설비가 있는 침대차》.

pull-on [púlàn, -ɔ̀(:)n] *n.* Ⓒ 잡아당겨 입는〔신는, 끼는〕 것《스웨터·장갑 등》. — [ˊˋ] *a.* 〔限定的〕 잡아당겨 착용하는.

pull·out [púlàut] *n.* Ⓒ ① (책 가운데) 접어 넣은 페이지〔그림판〕. ② (군대·거류민 등의) 철수(撤收), 이동.

pull·o·ver [púlòuvər] *n.*, *a.* 풀오버 (식의)《머리로부터 입는 스웨터 따위》.

pul·lu·late [pʌ́ljəlèit] *vi.* ① 싹트다, 움트다. ② (많은 수가) 우글거리다. ③ 번식하다. ④ (사상·주의 등이) 퍼지다.

pull-up [púlʌ̀p] *n.* Ⓒ ① 늘어짐. ② = PULL-IN.

pul·mo·nary [pʌ́lmənèri, púl- / pʌ́lmənəri] *a.* 〔限定的〕 폐의 ; 폐질환의 : ~ complaints 〔diseases〕 폐질환.

pulp** [pʌlp] *n.* ① Ⓤ 과육(果肉). ② Ⓤ 펄프《제지 원료》. ③ Ⓤ (또는 a ~) 걸쭉걸쭉한 물건 : Mash the bananas to *a* ~ and then mix in the yoghurt. 바나나를 걸죽하게 짓이겨 요구르트에 타라. ④ Ⓒ 선정적인 싸구려 잡지〔서적〕. ***beat** a person **to a ~ (아무를) 늘씬하게 패 주다. ***reduce** a person **to** (**a**)* ~ …을 정신적으로 압도하다.
— *vt.* ① …을 펄프화하다, 걸쭉하게 하다. ② (헌 신문 따위)를 펄프로 재생하다 : The old newspapers were ~*ed* and recycled. 헌 신문지는 펄프화되어 재활용되었다. — *a.* 〔限定的〕 싸구려의, 저속한 : ~ magazines 저속 잡지.

***pul·pit** [púlpit, pʌ́l-] *n.* Ⓒ ① 설교단(壇). ② (the ~) 〔集合的〕 설교사, 목사 ; 종교계. ③ (the ~) 설교 : occupy *the* ~ 설교하다.

pulp·wood [pʌ́lpwùd] *n.* Ⓤ 펄프재(材).

pulpy [pʌ́lpi] (***pulp·i·er*** ; ***-i·est***) *a.* ① 과육(果肉) (모양)의. ② 펄프 모양의 ; 걸쭉한, 흐늘흐늘한. ㊞ **-i·ness** *n.*

pul·sar [pʌ́lsɑːr, -sər] *n.* Ⓒ 〖天〗 펄서《전파 천체의 하나》.

pul·sate [pʌ́lseit / -⌐] *vi.* ① (맥박 등이) 뛰다, 고동하다 : Blood ~*s* in the arteries. 동맥 안을 혈액이 고동치며 흐른다. ② 〖電〗 (전류가) 맥동(脈動)하다. ③ 두근거리다 : ~ with excitement 흥분으로 두근거리다. ◇ pulsation *n.* 「悸).

pul·sa·tion [pʌlséiʃən] *n.* Ⓤ,Ⓒ 맥박, 동계(動

‡**pulse**[1] [pʌls] *n.* Ⓒ ① (흔히 *sing.*) 맥박, 고동, 동계 : a weak〔an irregular〕 ~ 약한 맥박〔부정맥〕 / feel 〔take〕 a person's ~ 아무의 맥을 짚어보다 ; 아무의 의중〔반응〕을 떠보다. ② (광선·음향 따위의) 파동, 진동. ③ 〖電〗 펄스《지속 시간이 극히 짧은 전류 또는 변조 전파》. ④ 〖樂〗 율동 ; 박(拍). ⑤ (사회 등의) 동향, 맥동, 경향. ⑥ 흥분 : There's nothing in the book to quicken your ~. 이 책에는 자네를 흥분시킬 만한 것은 아무 것도 없다. ***have**〔**keep**〕 one**'s finger on the*** ~ 현황을 파악하고 있다, 실상에 정통하고 있다 : It's important to *keep* your *finger on the* ~ by reading all the right magazines. 올바른 잡지를 모두 읽어서 현사태를 파악하는 것이 중요하다.
— *vi.* 맥이 뛰다, 고동하다 : Her heart ~*d* with pleasure. 그녀의 가슴은 기쁨으로 마구 뛰었다 / The exercise sent the blood *pulsing through* his veins. 그 운동으로 혈액이 그의 혈관안을 고동쳐 흘렀다.

pulse[2] *n.* Ⓒ (흔히 *pl.*) 콩류 ; 콩.

púlse còde modulátion 〖通信〗 펄스 부호 변조《略 : PCM》.

pul·ver·ize [pʌ́lvəràiz] *vt.* ① …을 가루로 만들다, 빻다. ② (의론 따위)를 분쇄하다 ; 완전히 쳐 이기다 : We absolutely ~*d* the opposition. 우리는 철저하게 반대 세력을 뭉개버렸다. — *vi.* 가루가 되다, 부서지다.
㊞ **pul·ver·i·za·tion** [pʌ̀lvərizéiʃən] *n.* Ⓤ 분쇄(粉碎). **-iz·er** [-ər] *n.* Ⓒ 분쇄기 ; 분무기 ; 분쇄자.

pu·ma [pjúːmə] (*pl.* ~***s***, 〔集合的〕 ~) *n.* Ⓒ 〖動〗 퓨마(cougar).

pum·ice [pʌ́mis] *n.* Ⓤ 속돌, 부석(浮石).

púmice stòne = PUMICE.

pum·mel [pʌ́məl] (***-l-***, 《英》 ***-ll-***) *vt.* (연달아) 주먹으로 치다(pommel), 연타하다 : He trapped Micheal in a corner and ~*ed* him ferociously for thirty seconds. 그는 마이클을 코너로 몰아넣고 30초 동안 사정없이 가격했다.

‡**pump**[1] [pʌmp] *n.* ① Ⓒ 펌프, 양수기 : a bicycle ~ 자전거 펌프 / a feed(ing) ~ 급수 펌프. ② (a ~) 펌프로 빨아올림. ③ Ⓒ 살살 꾀어 물어보기 ; 유도 신문 ; 유도 신문하는 사람. ***All hands to the*** ~(***s***)***!*** 전원 총력을 기울여 분투하라. ***give*** a person***'s hand a*** ~ 손을 상하로 흔들어 악수하다. ***prime the*** ~ (경기) 부양책을 취하다.
— *vt.* ① 《+目+副》 (물)을 펌프로 푸다《*out* ; *up*》 : ~ *out* water 펌프로 물을 퍼내다 / The oil and gas are ~*ed* (*up*) from under the seabed. 오일과 가스는 해저에서 펌프로 빨아올린다. ② 《~+目 / +目+보》 …에서 물을 퍼내다 : ~ a well dry 펌프로 퍼내 우물을 치다〔말리다〕. ③ (액체·공기 따위)를 주입하다, 흘려보내다, 넣다 : ~ air *into* a tire 타이어에 공기를 넣다 / The new wine is ~*ed into* storage tanks. 새 와인은 저장탱크로 주입된다 / She ~*ed up* the airbed. 펌프로 공기침대에 공기를 넣었다 / The heart ~*s* blood *into* the arteries. 심장은 혈액을 동맥으로 흘려보낸다. ④ 《+目+전+명》 (욕설·총알 따위)를 퍼붓다. ⑤ 《~+目 / +目+전+명》 (지식 따위)를 머리에 틀어넣다, …에 돈을 퍼부어넣다 : ~ knowledge *into* the heads of one's pupils 학생들의 머리에 지식을 주입하다. ⑥ (사람의 손 따위)를 펌프질하듯 상하로 움직이다 : ~ one's hand. ⑦ 《口》 유도 신문하다 : He ~*ed* me *for* the information. 그는 정보를 캐내려고 나를 유도 신문했다. ⑧ (위장 속)에 든 것을 (튜브 따위로) 빨아내다, (독을 마신 사람)의 위장을 세척하다 《*out*》 : She had to be taken to the hospital to have her stomach ~*ed out.* 그녀의 위장을 세척하기 위해 그녀는 병원으로 운반되어야 했다.
— *vi.* ① 펌프로 물을 푸다〔빨아내다〕《*out* ; *up*》. ② 펌프의 작용을 하다 : The heart goes on ~*ing* as long as life lasts. 목숨이 존속하는 한 심장은 펌프의 작용을 계속한다. ③ 급격히 오르내리다《기압계의 수은 따위》.

pump[2] *n.* Ⓒ (흔히 *pl.*) 끈 없는 가벼운 신《야회용·무도용》, 펌프스.

pum·per·nick·el [pʌ́mpərnìkəl] *n.* Ⓤ,Ⓒ 조제(粗製)한 호밀빵.

pump-han·dle [pʌ́mphæ̀ndl] *vt.* 《口》 (악수할 때 남의 손을) 과장되게 아래위로 흔들다.

‡**pump·kin** [pʌ́mpkin, pʌ́ŋkin] *n.* Ⓤ,Ⓒ 〖植〗 (서양) 호박 : a ~ pie 호박 파이.

púmp prìming 《美》 펌프에 마중물 붓기식의 경기 회복책《미국 대통령 F.D. Roosevelt 가 경기 회복을 위해 공익 토목 사업을 시행한 데서》.

púmp ròom (온천장의) 광천수(鑛泉水) 마시는 홀.

pun [pʌn] *n.* Ⓒ 결말, 신소리, 동음 이의(同音異義)의 익살《예 : Weren't you upset when the bank went bankrupt?" "No, I only lost my balance." '은행이 파산되었을 때는 아찔했겠지' '아니, 그저 밸런스를 잃었을 뿐이었지' ; balance 의 「예금 잔고」라는 뜻을 결말로 쓴 농담》.
— (***-nn-***) *vi.* 결말을〔신소리를〕 하다, 익살을 떨다, 재담하다《*on, upon*》 : In almost every article she ~*s on* the name of the person she's writing about. 거의 모든 기사 속에서 그녀는 자기가 말하고 있는 사람의 이름에 결말을 넣어 익살을 부리고 있다.

Punch [pʌntʃ] *n.* ① 펀치《영국 인형극 *Punch-and-Judy show* 의 주인공》. ② 펀치지(誌)《풍자 만화를 싣는 영국의 주간지 ; 1841년 창간, 1992년 폐간》. (***as***) ***pleased*** 〔***proud***〕 ***as Punch*** 아주 기뻐서〔의기 양양하여〕.

‡**punch**[1] [pʌntʃ] *n.* ① Ⓒ 구멍 뚫는 기구 ; 타인기(打印器) ; 찍어서 도려내는 기구 ; 표 찍는 가위 (ticket ~), 펀치. ② Ⓒ 타격, 펀치, 주먹으로 치

기, 때리기 : give a person a ~ on the head 아무의 머리에 한방 먹이다. ③ Ⓤ《口》힘, 세력, 활기 ; 효과 ; 박력 : a cartoon without ~ 박력이 없는 만화 / The speech was O.K. but it had no real ~. 연설은 좋았으나 박력이 없었다. ***beat*** a person ***to the*** ~《口》(1) (복싱에서) 상대보다 먼저 펀치를 가하다. (2) 아무의 기선을 제압하다. ***pull*** one***'s ~es***《口》(공격·비평 등에서) 사정을 봐주다.

— *vt.* ① (구멍 뚫는 기구로) …에 구멍을 뚫다 ; (표 따위)를 가위로 찍다 : ~ holes *in* an iron plate 철판에 구멍을 뚫다. ② (주먹으로) …을 치다, 후려갈기다 : ~ a person's chin = ~ a person on the chin 아무의 턱에 펀치를 가하다. ③ (타이프라이터 따위)를 치다. ~ ***in***《美》타임리코더로 출근 시각을 기록하다 ;【컴】(데이터 등을) 입력하다 : She ~*ed* my name *into*〔*in*〕 the computer. 그녀는 내 이름을 컴퓨터에 입력했다. ~ ***out*** 타임리코더를 누르고 퇴출하다.

㊥ **∠·er** *n.* Ⓒ 키펀처, 구멍 뚫는 사람〔기구〕; 펀처 ; 타인기.

***punch**[2] *n.* Ⓤ,Ⓒ 펀치《레몬즙·설탕·포도주 등의 혼합 음료》.

Púnch-and-Júdy shòw [pʌ́ntʃəndʒú:di-] 익살스러운 영국의 인형극.

punch·ball [∠bɔ̀:l] *n.*《英》= PUNCHING BAG.

púnch bòwl 펀치 담는 그릇.

púnch càrd【컴】뚫음 카드, 펀치 카드 : ~ reader 뚫음 카드 읽개〔판독기〕/ ~ system 뚫음 카드 체계.

punch-drunk [∠drʌ̀ŋk] *a.* (권투 선수 등이 얻어 맞고) 비틀거리는(groggy) ; 뇌에 손상을 입은 : Boxers who are ~ sometimes have speech problems. 뇌의 손상을 입은 복서들은 때때로 언어 장애를 일으키곤 한다.

púnched cárd [pʌ́ntʃt-] = PUNCH CARD.

púnched tápe (data 를 수록하는 컴퓨터용의) 천공(穿孔) 테이프.

pun·chi·nel·lo [pʌ̀ntʃənélou] (*pl.* ~(*e*)*s*) *n.* ① 펀치넬로(17 세기, 이탈리아 인형 희극에 나오는 어릿광대). ② Ⓒ (종종 P-) 용모가 괴상한 남자.

púnch·ing bàg〔《英》**bàll**〕[pʌ́ntʃiŋ-] (권투 연습용의) 달아맨 자루〔볼〕.

púnch lìne (농담·연설·광고·우스갯소리 등의) 요점이 되는 끝맺는 말.

punch-up [pʌ́ntʃʌ̀p] *n.* Ⓒ《英口》싸움, 난투 : He got into a ~ with the man who bumped his car. 그는 자기 차를 들이받은 사람과 한바탕 싸웠다.

punchy [pʌ́ntʃi] (***punch·i·er, -i·est***) *a.*《口》① 힘센, 힘찬 : a ~ style 박력 있는 문체. ② = PUNCH-DRUNK.

punc·til·io [pʌŋktíliòu] (*pl.* ~*s*) *n.* Ⓤ,Ⓒ (형식·의식(儀式) 등에서) 세밀한 점까지 마음을 씀, 지나치게 꼼꼼함.

punc·til·i·ous [pʌŋktíliəs] *a.* 세심 정밀한, 꼼꼼한 : She is very ~ about hygiene. 그녀는 위생에 대해서는 몹시 꼼꼼하다.

㊥ ~**·ly** *ad.* ~**·ness** *n.*

‡**punc·tu·al** [pʌ́ŋktʃuəl] (***more*** ~ ; ***most*** ~) *a.* ① 시간〔기한〕을 엄수하는 ; 어김없는 : I was always ~ *for* class. 수업에는 언제나 늦는 일이 없었다 / be ~ *in* the payment of one's rent 집세를 꼬박꼬박 내고 있다. ②〔敍述的〕(사람이 … 하는데) 틀림없는, 빈틈없는《*in*》: She's ~ *in* meeting her engagement. 그녀는 약속은 틀림없이 지킨다.

㊥ ~**·ly** [-i] *ad.*

punc·tu·al·i·ty [pʌ̀ŋktʃuǽləti] *n.* Ⓤ 시간〔기간〕 엄수 ; 정확함, 꼼꼼함 : The boss does expect ~ from us. 사장은 우리에게서 시간을 엄수할 것을 기대하고 있다.

punc·tu·ate [pʌ́ŋktʃuèit] *vt.* ① …에 구두점을 찍다 : These sentenses are not ~*d* properly. 이 문장들은 구두점이 잘못 찍혀 있다. ②《+목+전+명》중단시키다, (이야기)를 중도에 잠시 그치게 하다《*with*》: ~ a speech *with* cheers 연설 도중 박수를 쳐서 연설을 중단시키다 / The silence of the night was ~*d by* the distant rumble of traffic. 밤의 고요가 멀리서 울리는 찻소리로 깨지곤 했다.

***punc·tu·a·tion** [pʌ̀ŋktʃuéiʃən] *n.* Ⓤ ① 구두법(句讀法). ②〔集合的〕구두점(句讀點).

punctuátion màrk 구두점.

***punc·ture** [pʌ́ŋktʃər] *n.* 펑크《타이어 따위의》: I〔My car〕 had a ~ on the way. 차가 도중에서 펑크났다. — *vt.* ① (바늘 따위로) 찌르다, …에 구멍을 뚫다 ; (타이어)를 펑크내다 : He had his car tire ~*d.* 차의 타이어가 펑크났다《누군가가 펑크를 냈다》. ② (사람의 자존심)을 손상시키다, 망쳐 놓다. — *vi.* 펑크나다 ; 구멍이 뚫리다 : The new tires are made of a stronger rubber so that they ~ less easily. 새 타이어는 강화(強化)고무로 만들어졌기 때문에 쉽게 펑크나지 않는다.

pun·dit [pʌ́ndit] *n.* Ⓒ (인도의) 학자, 범학자(梵學者) ; 박식한 사람, 박물 군자.

pun·gent [pʌ́ndʒənt] *a.* ① 매운, 얼얼한, 자극성의《맛 따위》: a ~ sauce 매운 소스. ② 날카로운, 신랄한《말 따위》: ~ sarcasm 날카로운 풍자.

㊥ **-gen·cy** [-si] *n.* ~**·ly** *ad.*

Pu·nic [pjú:nik] *a.*〔限定的〕① 고대 카르타고 (사람)의. ② 믿을 수 없는, 신의가 없는, 불신의 : ~ faith〔fidelity〕 반역, 배신, 불신.

‡**pun·ish** [pʌ́niʃ] *vt.* ①《~+목 / +목+전+명》(사람 또는 죄)를 벌하다 ; 응징하다《*by* ; *for* ; *with*》: ~ a person *with*〔*by*〕 a fine 아무를 벌금형에 처하다 / ~ a person *for* his offense 아무의 죄과를〔반칙을〕 벌하다 / Drunken driving should be severely ~*ed.* 음주 운전은 엄벌에 처하여야 한다. ② …을 혼내주다, 난폭히 다루다 ; 혹사하다.

pun·ish·a·ble [pʌ́niʃəbəl] *a.* 벌 줄 수 있는, 처벌할 만한, 처벌해야 할 : a ~ offense 처벌해야 할 죄 / This crime is ~ *by* death in some countries. 이 범죄는 일부 국가에서는 사형에 처할 수도 있다. ㊥ **pùn·ish·a·bíl·i·ty** *n.*

pun·ish·ing [pʌ́niʃiŋ] *a.*〔限定的〕《口》몹시 지치게 만드는 ; 유해한, 해를 끼치는 : a ~ road (차에 유해한) 험한 길. — *n.* Ⓤ (a ~) 심한 타격 ; 혹사 : Both boxers took quite *a* ~. 두 복서는 아주 심한 타격을 받았다.

‡**pun·ish·ment** [pʌ́niʃmənt] *n.* ① Ⓤ 벌, 형벌, 처벌 : capital ~ 극형 / corporal ~ 체형(體刑) / disciplinary ~ 징계 / inflict a ~ on〔upon〕 an offender 죄인에게 (어떤) 형벌을 주다. ② Ⓒ 응징, 징계, 본보기 : He suffered the just ~ of his crime. 그는 자기 죄에 대한 정당한 처벌을 받았다. ③ Ⓤ《口》혹사, 학대.

pu·ni·tive [pjú:nətiv] *a.* ① 형벌의, 징벌의, 응보의 : a ~ force 토벌군(軍) / ~ justice 인과 응보. ② (과세 등이) 엄한, 무거운. ㊥ ~**·ly** *ad.*

Pun·jab [pʌndʒɑ́:b, ∠-] *n.* (흔히 the ~) 펀잡《인도 북서부의 한 지방 ; 현재는 인도와 파키스탄에 나뉘어 속해 있음》. ㊥ **Pun·ja·bi** [-dʒɑ́:bi, ∠-∠] *n.* ① Ⓒ 펀잡 사람. ② Ⓤ 펀잡어.

punk[1] [pʌŋk] *n.* Ⓤ《美》① (불쏘시개로 쓰는) 마른 나무 ; 불쏘시개. ② (꽃불 등의) 점화 물질.

punk² *a.* ①〔限定的〕 펑크조(調)의. ②《俗》 시시한. ③《美》 건강치 못한, 병든. ── *n.* ① Ⓒ 《口》 쓸모없는 인간. ② Ⓒ 풋내기, 애송이 ; 불량배. ③ Ⓤ 하찮은 물건 ; 실없는 소리.

pun·ka(h) [pʌ́ŋkə] *n.* Ⓒ 《Ind.》 큰 부채《천장에 매달고 줄을 당겨서 부침》.

púnk ròck 〖樂〗 펑크록《1970년대 후반에 영국에서 일어난 사회 체제에 대한 반항적인 음악의 조류 ; 강렬한 박자, 괴성과 과격한 가사가 특징》. ㊕ **~·er** *n.*

pun·net [pʌ́nit] *n.* Ⓒ 《주로 英》 (가벼운 나무로 엮은) 넓적한 광주리《과일을 담음》.

pun·ster [pʌ́nstər] *n.* Ⓒ 우스운 이야기를 잘 하는 사람, 익살을 잘 부리는 사람.

punt¹ [pʌnt] *n.* Ⓒ 《英》 (삿대로 젓는) 너벅선. ── *vt., vi.* (너벅선 등을) 삿대로 젓다 ; 너벅선으로 나르다〔가다〕. ㊕ **∠·er¹** *n.*

punt² 〖美蹴·럭비〗 *vt., vi.* (손에서 떨어뜨린 공을) 땅에 닿기 전에 차다, 펀트하다. ── *n.* Ⓒ 펀트하기. ⒞ drop kick. ㊕ **∠·er²** *n.*

punt³ *vi.* 물주를 상대로 돈을 걸다《faro 등의 트럼프에서》; 《英口》 (경마 등에서) 돈을 걸다. ㊕ **∠·er³** *n.*

pu·ny [pjúːni] (*-ni·er ; -ni·est*) *a.* ① 자그마한 ; 하잘것 없는. ② 허약한 : You'll never be able to lift that heavy box with your ~ muscles. 네 그 허약한 근육으로는 저 무거운 상자를 들지 못할 것이다.

pup** [pʌp] *n.* Ⓒ ① 강아지 ; (여우·바다표범 등의) 새끼. ⒞ cub. ② 건방진 풋내기. ***in ~ (개가) 새끼를 배고. ***sell*** a person ***a*** ~ 《英口》 (장래 가치가 오르리라는 등 거짓말로) …을 속여 팔다. ── (*-pp-*) *vi.* (암캐가) 새끼를 낳다.

pu·pa [pjúːpə] (*pl.* *-pae* [-piː], *-pas*) *n.* Ⓒ 번데기. ㊕ **pu·pal** [pjúːpəl] *a.*

pu·pate [pjúːpeit] *vi.* 번데기가 되다.

†**pu·pil¹** [pjúːpəl] *n.* Ⓒ 학생《흔히 초등 학생·중학생》; 제자 : This school has about 500 ~*s.* 이 학교에는 약(約) 500명의 학생이 있다 / I teach private ~*s* on Wednesdays. 수요일에 나는 개인 교수를 한다.

pu·pil² *n.* Ⓒ 〖解〗 눈동자, 동공(瞳孔).

***pup·pet** [pʌ́pit] *n.* Ⓒ 작은 인형 ; 꼭두각시 ; 괴뢰, 앞잡이. ── *a.* 〔限定的〕 괴뢰의, 앞잡이의, 로봇의 : a ~ government 괴뢰 정권. ㊕ **pùp·pe·teer** [pʌ̀pitíər] *n.* Ⓒ 인형을 부리는 사람.

***pup·py** [pʌ́pi] *n.* Ⓒ ① 강아지 ; (물개 따위의) 새끼(pup). ② 건방진 애송이.

púppy fàt 유아기·사춘기의 일시적 비만.

púppy lòve (젊은 사람이 연상의 사람에 대해 일시적으로 품는) 풋사랑(calf love).

púp tènt (1·2인용의) 소형 천막.

pur·blind [pə́ːrblàind] *a.* ① 반(半)소경의, 눈이 침침한. ② 우둔한.

pur·chas·a·ble [pə́ːrtʃəsəbəl] *a.* 살 수 있는, 구매 가능한 ; 매수할 수 있는.

‡**pur·chase** [pə́ːrtʃəs] *vt.* ① 《~+目 / +目+前+名》 (물건)을 사다, 구입하다 : ~ a book (*at* 〔*for*〕 ten dollars) 책을 (10달러 주고) 사다. ② 《~+目 / +目+前+名》 (노력·희생을 치르고) …을 획득하다, 손에 넣다 : ~ freedom 〔victory〕 *with* blood 피 흘려 자유〔승리〕를 쟁취하다 / a dearly ~*d* success 큰 희생을 치르고 얻은 성공. ── *n.* ① Ⓤ 사들임, 구입, 매입 : the ~ price 구입 가격 / ~ money 〖商〗 구입 대금 / (a) ~ order 구입 주문(서) / the ~ of a house 가옥의 구입 / This week he is to visit China to discuss the ~ of military supplies. 금주에 그는 군수품의 구입을 상의하기 위해 중국을 방문하도록 되어 있다. ② Ⓒ (종종 *pl.*) 구입〔매입〕품 : fill the basket with one's ~*s* 산 물건들을 광주리에 가득히 채우다 / How do you wish to pay for your ~*s ?* 물건 값을 어떤 방법으로 치르시겠습니까. ③ Ⓤ (또는 a ~) 발판, 손잡이 ; 실마리 : get *a* ~ with one's feet 〔hands〕 (오를 때 등에) 발판을〔손잡이를〕 잡다 / I just couldn't get any ~ on what he was saying. 그가 말하는 것을 이해할만한 어떤 실마리도 잡지 못했다.

***pur·chas·er** [pə́ːrtʃəsər] *n.* Ⓒ 사는 사람, 구매자.

púr·chas·ing pòwer [pə́ːrtʃəsiŋ-] 구매력 : The ~ of people living on investment income has fallen as interest rates have gone down. 투자 소득으로 살아가는 사람들의 구매력은 이자율이 떨어짐에 따라 떨어졌다.

‡**pure** [pjuər] (*púr·er ; púr·est*) *a.* ① 순수한 : ~ gold 순금. ② 맑은, 깨끗한 : ~ water 맑은 물 / ~ skin 깨끗한 피부 / The mountain air was wonderfully ~. 산의 공기는 놀랄만큼 맑았다. ③ 청순한, 순결한, 죄짓지 않은, 정숙한 : ~ in body and mind 몸과 마음이 청순한 / lead a life ~ from any blemish 더럽혀지지 않은 깨끗한 생활을 하다. ④ 섞이지 않은, 순종의 : a ~ Englishman 토박이 영국인 / Adolf Hitler wanted to create a ~ Aryan race. 히틀러는 순수한 아리안 종족을 창조하려 했다. ⑤ 〖音聲〗 (모음이) 단순한, 단모음의 ; (소리가) 맑은, 순음(純音)의 ; 〖樂〗 음조가 올바른, 불협화음이 아닌. ⑥ 〔限定的〕 감각·경험에 의하지 않는 ; 순이론적인 : ~ mathematics 순수〔이론〕 수학 / a ~ painting 〖美術〗 순수 회화 / ~ poetry 순수시 / ~ reason (칸트 철학의) 순수 이성 / ~ science 순수 과학. ◇ purity *n.* (***as***) ~ ***as the driven snow*** 〔종종 反語的〕 순수한, 청순한 : He thinks his daughter is ~ *as the driven snow.* 그는 자기 딸을 순수한 처녀로만 생각하고 있다. ㊕ **∠·ness** *n.* Ⓤ 깨끗함, 청정 ; 순수 ; 결백.

pure·blood·ed [∠blʌ̀did] *a.* =PUREBRED.

pure·bred [∠bréd] *a.* 순종의 ; 순계(純系)의. ── [∠∠] *n.* Ⓒ 순종(의 동물).

pu·rée [pjuréi, pjúrei, -ríː] *n.* Ⓤ 《F.》 퓌레《야채·고기를 삶아서 거른 진한 수프》.

‡**pure·ly** [pjúərli] (*more ~ ; most ~*) *ad.* ① 순수하게. ② 맑게, 깨끗하게, 순결하게 : live ~ 깨끗하게 살다. ③ 전연, 순전히, 아주 : be ~ accidental 전혀 우연이다 / We made this decision ~ for financial reasons. 이 결정을 순전히 재정적 이유 때문에 내렸다. ④ 단순히. ***~ and simply*** 에누리 없이, 순전히 : I can tell you now, I'm doing it ~ *and simply* for the money. 이제 이야기하는데, 나는 순전히 돈 때문에 그것을 하고 있다.

pur·ga·tion [pəːrgéiʃən] *n.* Ⓤ ① 깨끗하게 하기, 정화(淨化), 죄를 씻음 ; 〖가톨릭〗 정죄(淨罪)《연옥에서의》. ② (하제를 써서) 변이 잘 통하게 하기.

pur·ga·tive [pə́ːrgətiv] *a.* 변을 잘 통하게 하는, 하제의 : ~ medicine 하제(下劑). ── *n.* Ⓒ 〖醫〗 변통(便通)약, 하제.

pur·ga·to·ri·al [pə̀ːrgətɔ́ːriəl] *a.* 〖가톨릭〗 연옥(煉獄)의.

pur·ga·to·ry [pə́ːrgətɔ̀ːri / -təri] *n.* ① (종종 P-) Ⓤ 〖가톨릭〗 연옥. ② Ⓤ,Ⓒ 고난, 고행 : Every step of the last three miles was ~. 마지막 3마일은 한걸음한걸음이 고난이었다.

‡**purge** [pəːrdʒ] *vt.* ① 《~+目 / +目+前+名》 (몸·마음)을 깨끗이 하다《*of* ; *from*》: ~ the mind *of* 〔*from*〕 false notions 마음속의 옳지 않

은 생각을 깨끗이 씻다 / He closed his eyes and lay still, trying to ~ his mind *of* anxiety. 그는 눈을 감고 조용히 누워 마음의 걱정을 없애려고 애썼다. ②《~+목 / +목+부 / +목+전+명》(죄(罪)·더러움)을 제거하다, 일소하다《*away* ; *off* ; *out*》: ~ *away* one's sins 죄를 씻다 / ~ stains *off* windows 창문의 얼룩을 닦아내다. ③《~+목 / +목+전+명》〖政〗(반대자 등)을 추방하다, 숙청하다 : ~ a person *of* his office 아무를 그 직에서 몰아내다 / ~ a party *of* its corrupt members = ~ corrupt members *from* a party 당에서 부패 분자를 추방하다 / be ~*d from* public life 공직에서 추방당하다. ④…에게 하제를 쓰다, 변이 잘 통하게 하다. ⑤《~+목 / +목+전+명》〖法〗(혐의)를 풀게 하다 ; 무죄를 증명하다 ; 속죄하다 : be ~*d of* 〔*from*〕 sin 죄가 깨끗해지다 / He was ~*d of* all suspicion. 그의 모든 혐의가 풀렸다.

— *n.* Ⓒ ①깨끗하게 함, 정화. ②추방, 숙청 : Between 1934 and 1938, Stalin mounted a massive ~ of the Communist Party. 1934년에서 1938년 사이에 스탈린은 공산당에 대한 대대적인 숙청을 단행했다. ③하제(下劑).

***pu·ri·fi·ca·tion** [pjùərəfikéiʃən] *n.* Ⓤ 깨끗이〔청결히〕하기 ; 정화 ; 정제 : a water-~ plant 정수(淨水) 장치 / the ~ of souls 심령의 정화.

pu·rif·i·ca·to·ry [pjuərífəkətɔ̀ːri] *a.* 깨끗이 하는, 맑게 하는 ; 정제(精製)의.

***pu·ri·fy** [pjúərəfài] *vt.* ①…의 더러움을 제거하다, 깨끗이 하다, 맑게 하다 : ~ the air / One of the functions of the kidneys is to ~ the blood. 신장의 가능의 하나는 혈액을 깨끗이 하는 것이다 / Only *purified* water is used. 정수된 물만 사용할 수 있다. ②…을 제련〔정제〕하다 : ~ metals 금속을 제련하다. ③《~+목 / +목+전+명》…의 죄를 씻어 깨끗이 하다, 정화하다 : He was *purified from* all sins. 그는 모든 죄에서 정화되었다 / Hindus ~ themselves by bathing in the river Ganges. 힌두교도들은 갠지스 강에서 목욕함으로써 자신들을 정화한다. ◇ purification *n.*

㊕ **pu·ri·fi·er** [-fàiər] *n.* Ⓒ 정화 장치〔용구〕.

Pu·rim [púərim] *n.* 《Heb.》 퓨림절(節)《2월이나 3월에 열리는 유대인의 축제일》.

pur·ism [pjúərizəm] *n.* Ⓤ,Ⓒ (언어 등의) 순수주의. ㊕ **pur·ist** [-rist] *n.* Ⓒ 순수주의자.

‡**Pu·ri·tan** [pjúərətən] *n.* Ⓒ ①퓨리턴, 청교도《16-17 세기에 영국에 나타난 신교도의 한 파》. ②(p-) 엄격한 사람, 근엄한 사람. — *a.* ①청교도의〔같은〕. ②(p-) 엄격한, 근엄한.

pu·ri·tan·i·cal [pjùərətǽnikəl] *a.* ①청교도적〔금욕적〕인, 엄격한 ; 딱딱한 : She is very ~ about sex. 그녀는 성(性)에 대해서 대단히 엄격하다 / As a teenager, he rebelled against his ~ upbringing. 10대 소년으로서, 그는 청교도적인 가정 교육에 조화하지 못했다. ②(P-) 청교도의. ㊕ ~·**ly** *ad.*

Pu·ri·tan·ism [pjúərətənìzəm] *n.* Ⓤ ①퓨리터니즘, 청교(주의) ; 청교도 기질. ②(p-) 엄정주의《특히, 도덕·종교상의》.

***pu·ri·ty** [pjúərəti] *n.* Ⓤ ①순수 : One of the underlying causes of the war was a belief in racial ~, and a desire to drive all immigrants out of the country. 전쟁의 근본적인 원인 중의 하나는 종족적 순수성을 믿고, 자기나라에서 모든 이민들을 쫓아내려는 욕망에서였다. ②깨끗함, 청결, 맑음. ③(말의) 순정(純正). ④(마음의) 청렴, 결백, 순결 : the Virgin Mary is a symbol of ~. 동정녀 마리아는 순결의 상징이다.

purl[1] [pəːrl] *n.* Ⓤ〖編物〗뒤집어뜨기. — *vt., vi.* 〖編物〗(골이 지게) 뒤집어 뜨다.

purl[2] *n.* (*sing.*) 졸졸 흐름, 또 그 소리. — *vi.* 졸졸 소리를 내며〔소용돌이치며〕 흐르다.

purl·er [pə́ːrlər] *n.* (a ~) 《口》 거꾸로 떨어짐 : come *a* ~ 곤두박이치다.

pur·lieu [pə́ːrljuː] *n.* ①자주 드나드는 곳. ②(*pl.*) 근처, 주변.

pur·loin [pərlɔ́in, pə́ːr-] *vt.* 《文語·戲》(대단치 않은 귀중품 따위)를 슬쩍하다, 훔치다 : That's a nice pen. Where did you get it?" "Oh, I ~*ed* it from the office." '정말 좋은 펜인데. 어디서 구했나'. '응, 사무실에서 슬쩍 했지.'

‡**pur·ple** [pə́ːrpəl] (*-pler* ; *-plest*) *a.* ①자줏빛의 : He went ~ in the face trying to lift the heavy weights. 그 무거운 바벨을 들어올리느라고 그의 얼굴은 홍당무가 되었다. ②제왕의 ; 귀인〔고관〕의. ③(문장 따위가) 화려한 : a ~ passage 〔patch〕 (문장 중의) 화려한〔세련된〕 부분.

— *n.* ①Ⓤ 자줏빛. ②(the ~) **a**) 제위, 왕권, 고위. **b**) 추기경(의 직) : be raised to *the* ~ 추기경이 되다. ***be born*** 〔***cradled***〕 ***in*** 〔***to***〕 ***the*** ~ 왕가〔귀족의 집안〕에 태어나다.

Púrple Héart 《美》 명예 상이(傷痍) 기장.

pur·plish, pur·ply [pə́ːrpliʃ], [-pli] *a.* 자줏빛을 띤.

pur·port [pərpɔ́ːrt, pə́ːrpɔːrt] *vt.* 《+*to* do》 (가부는 불문하고) …이라 칭하다, 주장하다 : The document ~*s to* be official. 그 서류는 공문서라고 한다(지만 의심스럽다) / a man ~*ing to* be a policeman 경찰관이라고 자칭하는 사람.

— [pə́ːrpɔːrt] *n.* Ⓤ (서류·연설 등의) 의미, 취지, 요지 : the ~ of the statement 그 성명의 취지 / I do not understand the ~ of your question. 자네 질문의 요지를 모르겠다.

pur·port·ed [pərpɔ́ːrtid] *a.* …라고 하는〔소문난〕 : He was given a letter ~ signed by the Prime Minister. 그는 수상이 서명을 했다는 편지를 한 장 받았다. ㊕ ~·**ly** *ad.*

†**pur·pose** [pə́ːrpəs] *n.* ①Ⓒ 목적(aim), 의도 ; 용도 : For what ~ did you do it? 무슨 의도로 그랬나 / I came to Brighton *for* 〔*with*〕 the express ~ of seeing you. 자네를 만날 분명한 목적이 있어서 브라이튼에 왔다. ②Ⓤ 의지 ; 결심, 결의 : weak of ~ 의지 박약한 / renew one's ~ 결의를 새롭게 하다 / The teachers are enthusiastic and have a sense of ~. 선생들은 열정적이고 목적의식도 가지고 있다. ③Ⓤ 용도, 효과 : serve various ~*s* 여러 가지 용도에 쓰이다 / There is no ~ in opposing. 반대해도 소용 없어.

answer 〔***serve***〕 ***the*** 〔one***'s***〕 ~ 목적에 합치하다 ; 소용에 닿다 : The fabric I bought isn't exactly what I wanted, but it will *serve my* ~*s.* 내가 산 그 천은 내가 바로 원하던 것은 아니나 소용에는 닿을 것이다. ***on*** ~ (1) 고의로, 일부러 (opp. *by accident*) : Was it an accident or did David do it *on* ~? 그것은 우연한 사고였나 아니면 데이빗이 고의로 그것을 하였느냐. (2) 일부러 …하기 위해 : He came up to New York *on* ~ to meet me. 그는 나를 만나기 위해 일부러 뉴욕에 왔다. ***to good*** ~ 유효하게 : He used his past experience *to good* ~. 그는 과거의 경험을 아주 유효하게 사용하였다. ***to no*** 〔***little***〕 ~ 아주〔거의〕 헛되이 ; 아주〔거의〕 예상 밖으로 : Several mothers complained that the play equipment in the park was not safe for their children, but their complaints were *to little* ~. 몇몇 어머니들이 공원 안의 놀이시설이 어린이들에게 안전하지 못하다

고 불평했으나 그 불평은 아무 효과도 없었다. *to the* ~ 요령 있게 ; 적절히 : Her objections were not *to the* ~. 그녀의 반론은 정곡을 벗어난 것이었다. — *vt.* ① …을 의도하다, 꾀하다 : ~ a trip abroad 해외 여행을 꾀하다. ② …하려고 결심하다 : He ~*d* to change his way of life radically. 생활 양식을 근본적으로 바꾸려고 결심했다.

pur·pose-built [pə́:rpəsbìlt] *a.* 특정 목적을 위해 세워진〔만들어진〕: The college was the first ~ teacher training college in the country. 이 대학은 이 지방에 처음으로 특수 목적을 위해 세워진 교원 양성 대학이다.

pur·pose·ful [pə́:rpəsfəl] *a.* ① (뚜렷한) 목적이 있는 ; 의도가 있는 : Young people's energies should be directed toward(s) more ~ activities. 젊은 사람들의 정력은 좀더 뜻있는 활동에 돌려져야 한다. ② 과단성 있는 : What the company needs is a strong and ~ manager. 회사에 필요한 것은 강력하고 과단성 있는 관리자다.
㊐ **~·ly** *ad.* **~·ness** *n.*

pur·pose·less [pə́:rpəslis] *a.* 목적이 없는 ; 무의미한, 무익한 : This ~ fighting has been going on for far too long. 이 무익한 전쟁이 너무나 오래 계속되고 있다. ㊐ **~·ly** *ad.*

pur·pose·ly [pə́:rpəsli] *ad.* 목적을 갖고, 고의로, 일부러 : The trial has been ~ delayed. 공판은 고의로 지연되었다.

pur·pose-made [-méid] *a.* 《美》 특별한 목적을 위하여 만들어진.

pur·pos·ive [pə́:rpəsiv] *a.* ① 목적에 합치한. ② 결단력이 있는. ㊐ **~·ly** *ad.*

pur·pu·ra [pə́:rpjurə] *n.* Ⓤ 자반병(紫斑病).

***purr** [pə:r] *vi.* ① (고양이가 기분 좋은 듯) 목을 가르랑거리다 ; 목을 울려 알리다 : The cat ~*ed* as I stroked its fur. 털을 쓰다듬어 주었더니 고양이는 목을 가르랑거렸다. ② (자동차의 엔진 등이) 낮은 소리를 내다 : We could hear the sound of a lawnmower ~*ing* in the back garden. 뒤뜰에서 제초기의 윙윙거리는 소리가 들려왔다. — *vt.* (사람이) 만족스럽게 이야기하다 : "This is the life." she ~*ed* contentedly, as she lay by the pool in the sunshine. 그녀는 햇빛 쏟아지는 풀장 옆에 누운 채로 '인생이란 이런 것이야' 하며 만족스럽게 말했다. — *n.* Ⓒ ① (고양이의) 가르랑거리는 소리. ② (엔진 따위의) 낮은 소리.

‡purse [pə:rs] *n.* ① Ⓒ (꼭지쇠가 달린) 돈지갑 ; 《美》 핸드백 : Who holds the ~ rules the house. 《俗談》 돈이 제갈량(諸葛亮) / Little and often fills the ~. 티끌모아 태산이다. ② (*sing.*) 금전 ; 자력 : the power of the ~ 금력(金力), 돈의 힘 / That big car is beyond my ~. 저 큰 차는 내 자력으로는 도저히 살 수 없다 / live within one's ~ 수입 범위 내에서 생활하다. ③ Ⓒ 기부금, 현상금, 증여금 : win the ~ in a race 경주에 우승하여 상금을 타다. — *vt.* (입 따위)를 오므리다《*up*》: Mrs Johnson ~*d* her lips and stared. 존슨 부인은 입술을 오므리고 눈을 동그랗게 떴다.

purse-proud [ˊ-pràud] *a.* 부유함〔돈〕을 자랑하는〔내세우는〕.

purs·er [pə́:rsər] *n.* Ⓒ (선박·여객기의) 사무장, 퍼서.

purse-snatch·er [ˊ-snæ̀tʃər] *n.* Ⓒ 《美》 (핸드백을 채가는) 날치기.

púrse strìngs (the ~) 주머니 끈 ; 재정상의 권한 : loosen 〔tighten〕 *the* ~ 주머니끈을 풀다〔죄다〕. 「《샐러드용》.

purs·lane [pə́:rslin, -lein] *n.* Ⓤ,Ⓒ 〖植〗 쇠비름

pur·su·ance [pərsú:əns / -sjú:-] *n.* Ⓤ 이행 ; 종사 : in ~ of …에 종사하여 ; …을 수행 중에.

***pur·su·ant** [pərsú:ənt / -sjú:-] *a.* 〔前置詞的으로〕 …에 따라서, …에 의해, 준(準)하여《*to*》: The movement of goods, services, capital and persons between Member States has been liberalized ~ *to* this Treaty. 회원국 사이의 상품, 용역, 자본 및 사람의 이동은 이 조약에 따라 자유화되었다.

‡pur·sue [pərsú: / -sjú:] *vt.* ① …을 뒤쫓다, 추적하다 ; 〖軍〗 추격하다 : The police ~*d* the robber. 경찰은 그 강도를 뒤쫓았다. ② 추구하다 : ~ pleasure 쾌락을 추구하다 / It became harder for women married to diplomats to ~ their own interests. 외교관과 결혼한 여성들에게는 자신들의 취미를 추구한다는 것이 점점 힘들게 되었다. ③ (싫은 사람·불행 따위가) 따라〔붙어〕 다니다, 괴롭히다 : Misfortune ~*d* him whatever he did. 그는 무엇을 해도 불운이 뒤따랐다 / He ~*d* the teacher with silly questions. 그는 쓸데없는 질문으로 선생을 괴롭혔다. ④ (일·연구 등)을 수행하다, 종사하다, 속행하다 : He prudently ~*d* a plan. 그는 세심한 주의를 기울여 계획을 수행했다 / ~ one's studies 연구에 종사하다. ⑤ 가다, (길)을 찾아가다 : We ~*d* the path up to the peak. 우리는 정상을 향해 길을 계속 걸어갔다. — *vi.* 쫓아가다, 따라가다, 속행하다《*after*》.

***pur·su·er** [pərsú:ər / -sjú:-] *n.* Ⓒ ① 추적자 ; 추구자. ② 속행자, 수행자 ; 종사자, 연구자.

‡pur·suit [pərsú:t / -sjú:t] *n.* ① Ⓤ 추적 ; 추격 ; 추구《*of*》: the ~ *of* happiness 행복의 추구 / The police were in hot ~ *of* him. 경찰은 그를 맹렬히 추적하고 있었다. ② Ⓤ 속행, 수행, 종사 : the ~ *of* plan 계획의 수행. ③ Ⓒ 일 ; 취미 ; 연구 ; 오락 : one's daily ~*s* 일상 하는 일 / literary ~ 문학 연구 / Games like chess are rather intellectual ~*s*. 체스와 같은 게임은 꽤 지적인 오락이다.

pu·ru·lence [pjúərələns] *n.* Ⓤ 화농(化膿) ; 고름. 「性)의, 곪은.

pu·ru·lent [pjúərələnt] *a.* 고름의, 화농성(化膿

pur·vey [pərvéi] *vt.* ①《~+목 / +목+전+명》 (식료품 따위)를 공급하다, 조달하다, 납품하다《*for* ; *to*》: ~ food *for* an army 군대에 식량을 납품하다 / Fortnum and Mason is a well-known shop in London which ~*s* fine foods and wines. 포트넘과 메이슨은 런던에서는 좋은 식품과 술을 팔고 있는 이름난 상점이다. ② (정보 등)을 제공하다 : The newspaper has been accused of ~*ing* fictions instead of truths. 그 신문은 사실보다는 허구를 제공하고 있다는 비난을 받아왔다. — *vi.* (…에) 식료품 등을 조달하다《*for* ; *to*》.

pur·vey·ance [pərvéiəns] *n.* Ⓤ (식료품의) 공급, 조달. 「조달〔납품〕 업자.

pur·vey·or [pərvéiər] *n.* Ⓒ (식료품) 조달자 ;

pur·view [pə́:rvju:] *n.* Ⓤ 범위 ; 권한 : That, however, was beyond the ~ of the court ; it was a diplomatic matter. 그러나 그것은 법원 권한 밖의 일이었다. 그것은 외교적 문제였다.

pus [pʌs] *n.* Ⓤ 고름.

†push [puʃ] *vt.* ①《~+목 / +목+부 / +목+보 / +목+전+명》 밀다, 밀치다, 밀어 움직이다 : ~ a wheelbarrow 손수레를 밀다 / ~ a door open 문을 밀어 열다 / They were trying to ~ me *into* the water. 나를 물에 밀어넣으려고 했다 / He was penalized for ~*ing* another player. 그는 다른 선수를 밀었기 때문에 반칙경고를 받았다. ②《~+목 / +목+부》 (목적·일 등)을 추진하다, 확장하다 : ~ one's business 사업을 확장하다 / ~ one's conquests still further 더 멀리 정복해 나아가다. ③《~+목 / +목+부 / +목+전+명》 (제

안·목적 따위)를 밀고 나아가다, (강력히) 추구하다: The government has two weeks to ~ this piece of legislation through parliament before the current session ends. 정부는 회기(會期)가 끝나기 전 2주동안에 이 법률안을 의회에서 통과시켜야 한다. ④《+목+전+명》…을 압박하다, 괴롭히다, (돈 따위에) 궁하게 하다; 재촉하다《for》; 〔受動으로〕(…의) 부족으로 곤란받다《for》: ~ a person *for* payment 〔an answer〕 아무에게 지급〔회답〕을 재촉하다 / *be* ~*ed for* time〔money〕 시간〔돈〕에 쪼들리다. ⑤《+목+*to* do / +목+전+명》…에게 강요하다, 성화같이 독촉하다: ~ a child *to* do his homework 어린애에게 숙제를 하라고 성화같이 야단치다 / We had to ~ them *to* accept our terms. 그들에게 우리의 조건을 수락하도록 강요해야 한다. ⑥ (상품 따위의) 판매를 촉진하다, 광고 선전하다: The store is ~*ing* dry goods. 그 가게는 피륙 판매에 적극적이다 / The company has spent a lot of money on ~*ing* their new image. 그 회사는 자기들의 새 이미지를 부각시키는데 상당한 금액을 지출했다. ⑦《~+목 / +목+부 / +목+전+명》(손발)을 내밀다, (뿌리·싹)을 뻗다: ~ *out* fresh shoot 새싹이 나오다 / ~ roots *down* into the ground 땅속에 뿌리를 뻗다 / The snail ~*ed out* its horns. 달팽이가 촉각을 내밀었다. ⑧《~+목 / +목+전+명》후원하다: ~ a person *in* the world 아무의 출세를 후원하다. ⑨ (물가·실업률 등)을 밀어올리다〔내리다〕《*up* 〔*down*〕》: Rising demand tends to ~ prices *up*, and falling demand ~*es* them *down*. 수요의 상승은 가격을 올리고 수요의 하락은 값을 떨어뜨리는 경향이 있다 / The slump ~*ed up* unemployment *to* 23%. 불황으로 실업률이 23%까지 올라갔다. ⑩《口》(마약 따위)를 밀매하다, 행상하다: He was arrested for ~*ing* drugs *to* schoolchildren. 그는 어린 학생들에게 마약을 몰래 판 혐의로 체포되었다. ⑪ (택시·트럭 따위)를 운전하다; 몰다: ~ a car to over eighty miles an hour 차를 시속 80마일 이상으로 몰다. ⑫〖컴〗(데이터 항목을 동전통(stack)에) 밀어넣다. ⑬〔進行形〕(수·연령에) 접근하다: He is ~*ing* sixty. 그는 예순 살을 바라본다.

— *vi.* ①《~ / +전+명》밀다, 밀치다: Don't ~ *at* the back! 뒤에서 밀지 마라 / I ~*ed* (*at* the door) with all my might. (문을) 힘껏 밀었다. ②《+전+명》밀고 나아가다; 전진하다: ~ *to* the front 앞으로 밀고 나아가다 / The invading troops have ~*ed* further *into* the north of the country. 침략군은 그 나라의 북쪽 깊숙이 밀고 들어갔다. ③《+전+명》(…을) 자꾸 요구하다, 강요하다《*for*》: They're ~*ing for* wage increases. 그들은 임금 인상을 요구하고 있다. ④《俗》마약을 팔다.

~ ahead 척척 나아가다《*to*》; (계획을) 추진하다《*with*》: The Government ~*ed ahead with* the program. 정부는 그 계획을 추진했다 / In the final lap of the race, he managed to ~ *ahead*. 레이스의 마지막 한 바퀴에서 그는 재빨리 앞으로 내달았다. ***~ along*** (1) 밀고 나아가다《*to*》: Has anyone got any suggestions as to how we can ~ things *along?* 이 일들을 밀고 나갈 수 있는 방법에 대해 좋은 생각이 있는 사람은 없습니까. (2)《口》(손님이) 돌아가다, 작별하다: It's late — I'd better be ~*ing along* now. 시간이 늦었습니다. 이제 돌아가는 것이 좋을 듯 싶습니다. ***~ around*** 〔***about***〕《口》(사람)을 매정하게 다루다, 혹사하다: She left because she didn't like being ~*ed around* by her manager. 그녀는 부장에게서 혹사당하는 것이 싫어 회사를 그만두었다. ***~ aside*** …을 옆으로 밀어놓다; (문제 따위)를 뒤로 돌리다. ***~ back*** 도로 밀치다, (적 따위)를 후퇴시키다: In the end, reinforcements arrived, and the crowd was ~*ed back.* 마지막에 증원부대가 도착하자, 군중들은 후퇴했다. ***~ in*** (사람이) 떼밀고 들어가다; 주제넘게 나서다. ***~ off*** (1) 출범하다. (2)《口》〔흔히 命令形〕가 버리다, 떠나다. (3) 떠밀다. ***~ on*** (1) 힘차게 나아가다. (2) 서두르다. (3) (사람)을 몰아대다, 다그쳐서 …시키다. ***~ out*** (1) 밀어내다. (2) 〔종종 受動으로〕(부당히) 해고하다. (3) 노로 떼밀어 (배를) 내보내다. ***~ over*** 밀어 넘어뜨리다, 뒤집어엎다: The children were ~*ing* each other *over* on the sand. 어린이들이 모래 위에서 서로 밀어 넘어뜨리며 놀고 있었다. ~ one***'s way through*** (…을) 헤치고 나가다. ***~ through*** (*. . .*) (*vt.*) (1) (의안 따위)를 억지로 (…을) 통과케 하다; (일 따위)를 수행하다: The president is trying to ~ *through* tax reform. 대통령은 세제 개혁을 완수하려 하고 있다. (2) (아무)를 도와 (시험에) 합격하게 하다: The school manages to ~ most of its students *through* their exam. 학교 당국은 대부분의 학생들이 시험에 합격토록 조처하고 있다. (*vi.*) (…을) 헤치며 나아가다, 뚫고 나가다, (잎 등이) 나다. ***~ up*** 밀어 올리다; (수량)을 증대시키다, (물가 등)을 올리다; (경쟁 등에서) 돌진하다.

— *n.* ① Ⓒ **a)** (한 번) 밀기; (한 번) 찌르기, 찌름: give a ~ 한 번 찌르다, 한번 밀다 / The whole system can be activated at the ~ of a button. 모든 시스템이 단추 하나를 눌러 작동될 수 있다. **b)**〖軍〗공격; 압력, 압박: at the first ~ 첫째로; 첫공격으로. ② **a)** Ⓒ 추진; 한바탕의 앙버팀, 분발, 용씀. **b)** Ⓤ 기력, 진취적 기상, 억지가 셈. **c)** Ⓤ 추천, 후원. ③ (흔히 the ~) 밀어닥치는 힘, 압력. ④〖컴〗밀어넣기.

at a ~ 위기에 처하여; 만일의 경우에는. ***at one ~*** 대번에, 단숨에. ***come*** 〔***bring, put***〕 ***to the ~*** 궁지에 빠지다〔몰아넣다〕: If it *comes to the* ~, I can borrow some money from my brother. (사태가) 다급해지면 형으로부터 다소간의 돈을 변통할 수 있다. ***full of ~ and go*** 정력이 넘치는: a man *full of* ~ *and go* 정력가. ***give*** 〔***get***〕 ***the ~*** 해고당하다; 절교당하다. ***make a ~*** 분발하다《*at*; *for*》: The country is *making a* ~ *for* independence. 그 나라는 독립을 위해 분투하고 있다.

push·ball [-bɔ̀ːl] *n.* Ⓤ〖競〗푸시볼《지름 6피트의 큰 공을 서로 상대편의 골에 발로 차지 않고 밀어넣는 경기》.

push-bike [-bàik] *n.* Ⓒ《英口》페달식 보통 자전거. cf. motorbike.

púsh bùtton (벨·컴퓨터 등의) 누름 단추.

push-but·ton [-bʌ̀tn] *a.* 〔限定的〕누름 단추식의; 원격 조종에 의한: a ~ telephone 버튼식 전화 / ~ tuning〖電子〗누름단추식 동조(同調)〔파장 조정〕/ a ~ war(fare) 누름단추식 전쟁《유도탄 등 원격 조정에 의한 전쟁》.

push·cart [-kɑ̀ːrt] *n.* Ⓒ (장보기용 등의) 미는 「손수레.

push·chair [-tʃɛ̀ər] *n.* Ⓒ《英》(접는 식의) 유모차(《美》stroller).

push-down [-dàun] *n.*〖컴〗끝먼저내기《가장 새롭게 기억된 정보가 가장 먼저 검색되도록 된 정보 기억》: ~ list 끝먼저내기 목록.

pushed [puʃt] *a.* 〔敍述的〕《口》① (사람이) 돈·시간에 쪼들리는《*for*》: I'm always rather ~ *for* money at the end of the month. 늘 월말이면 조금 돈에 쪼들린다. ② 틈이 없는, 바쁜:

I'm a bit ~ now. 지금은 약간 바쁘다. ③ (…하는 것이) 곤란한, 어려운《*to* do》: I'll be ~ *to* finish it by tomorrow. 내일까지 끝내기는 힘들 것 같다.

push·er [púʃər] *n.* [C] ① 미는 사람〔것〕. ② 억지가 센 사람, 오지랖 넓은 사람. ③《口》 마약 밀매꾼.

push·ful [púʃfəl] *a.* ＝PUSHY.

púsh-in crìme 〔**jòb**〕 [púʃìn-]《美俗》(문이 열리자마자 덮치는) 주택 침입 강도.

push·ing [púʃiŋ] *a.* ① 미는, 찌르는. ② 활동적인, 진취적인. ③ 배짱이 센, 주제넘은. [파] **~·ly** *ad.*

push·out [-̀àut] *n.* [C]《美口》(학교·가정·직장에서) 쫓겨난 사람.

push·o·ver [-̀òuvər] *n.* (a ~)《口》① 식은 죽 먹기, 낙승(樂勝). ② 잘 속는 사람: Borrowing money from her is easy — she's *a* ~. 그녀에게서 돈을 빌리기란 식은죽 먹기다 — 그녀는 잘 속아넘어가거든.

push·pin [-̀pìn] *n.* [C] 제도용〔도화지용〕 압핀.

push-up [púʃʌ̀p] *n.* [C] ①《美》 엎드려 팔굽혀펴기: do twenty ~*s*. ②〖컴〗 처음먼저내기《최초에 기억된 자료가 최초에 꺼내지도록 하는》: ~ list 처음먼저내기 목록, 죽보(이)기.

pushy [púʃi] (***push·i·er*** ; ***-i·est***) *a.*《口》 강력히 밀어붙이는, 억지가 센; 진취적인; 뻔뻔스런: She made herself unpopular by being so ~. 그녀는 너무 드세서 인기가 없다. [파] **púsh·i·ly** *ad.* **-i·ness** *n.* [U]《美》 원기, 적극성.

pu·sil·la·nim·i·ty [pjùːsələnímәti] *n.* [U] 무기력, 비겁, 겁많음: The American government has been accused of ~ for pulling its troops out of the area of a conflict. 미국 정부는 전투지역에서 그 군대를 철수하여 비겁하다고 비난받았다.

pu·sil·lan·i·mous [pjùːsəlǽnəməs] *a.* 무기력한, 겁 많은, 소심한. [파] **~·ly** *ad.*

puss[1] [pus] *n.* [C] ① 고양이, 나비《주로 호칭》. ②《口》 소녀, 계집애.

puss[2] *n.* [C]《俗》(흔히 a ~) 얼굴, 낯짝; 입.

***pussy** [púsi] *n.* ① [C]《兒》 고양이. ② [C] 털이 있고 부드러운 것《버들개지 따위》. ③ [C]《卑》 여자의 음부. ④《美》 **a)** [U] 성교. **b)** [C] 성교 상대《여자》.

puss·y·cat [púsikæ̀t] *n.* [C] ① 고양이. ②《俗》 호인.

puss·y·foot [púsifùt] *vi.*《口》① 살그머니 걷다. ② 모호한 태도를 취하다: We've been ~*ing* for far too long — it's time we decided what to do. 우리는 너무 오랫동안 우물거려 왔다. 이제 무엇을 할 것인가를 결정할 때이다.

pússy wíllow〖植〗 땅버들의 일종《미국산》.

pus·tule [pʌ́stʃuːl] *n.* [C]〖醫〗 농포(膿疱).

†**put** [put] (*p., pp.* ***put*** ; ***pút·ting***) *vt.* ①《+[목]+[전]+[명] / +[목]+[부]》(어떤 위치)에 놓다, 두다, 설치하다, 붙이다, 얹다, 대다; 내려놓다: ~ a book *on* the shelf 책을 선반 위에 얹다〔올려놓다〕/ ~ one's cap *on* one's head 모자를 쓰다 / ~ the car *in* the carport 차를 차고에 넣어 두다 / ~ a person *in* prison 아무를 교도소에 집어넣다 / ~ a glass *to* one's lips 잔을 입에 대다 / ~ a ship *to* sea 배를 출항시키다 / *Put* your pencils *down.* 연필을 내려놓아라 / You should ~ your happiness first. 자신의 행복을 우선 첫째로 생각해야 한다. ②《+[목]+[전]+[명]》(어떤 방향으로) 향하게 하다: ~ one's horse *to* 〔*at*〕 a fence (뛰어넘게 하려고) 말을 담을 향하게 하다. ③《+[목]+[전]+[명] / +[목]+[부] / +[목]+[보]》(어떤 상태에) 놓다, (…으로) 하다《*in* ; *to*》; (어떤 상태에서) 벗어나게 하다, 벗기다《*out of*》: ~ the names *in* alphabetical order 이름을 abc 순으로 배열하다 / ~ a room *in* order 방을 정돈하다 / ~ a person *at* ease 아무를 마음 편하게 하다 / The news ~ him *in* a very good humor. 그 소식을 듣고 그는 기분이 매우 좋아졌다 / ~ a child *in* a special school 아이를 특수 학교에 넣다 / ~ a thing *upside down* 물건을 거꾸로 놓다 / ~ a person *out of* temper 아무를 화나게 하다 / Let's give her the chance to ~ her ideas *into* practice. 그녀에게 그녀의 생각을 실천할 수 있는 기회를 주어보자.

④《+[목]+[전]+[명]》(사람을 일 따위에) 종사시키다, 배치하다《*to*》: I've ~ the children *to* work clearing the snow from the path. 아이들에게 길의 눈을 치우는 일을 시켰다.

⑤《+[목]+[전]+[명]》…을 회부하다, 받게〔당하게〕 하다(subject)《*to*》: ~ a person *to* torture 아무를 고문하다 / ~ a person *to* embarrassment 아무를 당황케 하다 / I hope we're not ~*ting* you to any inconvenience. 우리는 당신에게 조금도 폐를 끼치고 싶지 않습니다.

⑥《+[목]+[전]+[명]》…을 더하다, 붙이다, 넣다, 타다, 치다: ~ water *to* wine 술에 물을 타다 / ~ sugar *in* tea 홍차에 설탕을 치다 / ~ some water *in* a jug 물병에 물을 넣다.

⑦《+[목]+[전]+[명]》…을 달다, 끼우다, 덧붙이다, 주다; 서명하다: ~ a new handle *to* a knife 칼자루를 새로 끼우다 / ~ a horse *to* a cart 짐수레에 말을 매다 / ~ one's name *to* a document 서류에 서명하다 / He ~ me a good idea. 그는 좋은 생각을 가르쳐 주었다.

⑧《+[목]+[전]+[명]》(제지·압력 등)을 가하다; (종말 등)을 짓다: ~ an end *to* war 전쟁을 끝내다 / He's ~*ting* pressure *on* me to change my mind. 그는 내가 마음을 바꾸도록 압력을 가하고 있다 / ~ an end *to* one's life 스스로 목숨을 끊다.

⑨《+[목]+[전]+[명]》(주의·정력·기술 따위)를 기울이다, 집중하다, 적용시키다, 발휘시키다; (돈 따위를 …에) 충당하다, 투자하다《*in* ; *to* ; *into*》: When the drugs failed to cure her, she ~ her faith *in* herbal medicine. 양약이 그녀의 병을 고치지 못하자, 그녀는 약초치료에 관심을 기울이고 있다 / ~ one's money *into* land 토지에 투자하다 / Let us ~ our minds *to* international affairs. 국제 문제에 관심을 기울이자 / Why don't you ~ your talent *to* a better use? 네 재능을 좀더 선용하면 어떤가 / The school ~*s* a lot of emphasis *on* teaching children to read and write. 그 학교는 어린이들에게 읽기와 쓰기를 가르치는데 많은 힘을 기울이고 있다.

⑩《~+[목] / +[목]+[전]+[명]》(문제·질문·의견 등)을 제출하다, 내다: ~ a case *before* a tribunal 사건을 법정에서 진술하다 / ~ a question *before* a committee 위원회에 질문을 제출하다 / I ~ it *to* you. 부탁합니다 / I ~ it *to* you that … 라는 말씀이지요 (그렇지 않습니까).

⑪《~+[목] / +[목]+[전]+[명] / +[목]+[부]》 **a)** 〔흔히 put it 로 樣態의 副詞(句)를 수반함〕(말로) 표현하다, 말하다: Let me ~ *it* in another way. 다른 방식으로 말해보지 / To ~ *it* briefly. 간단히 말하면 / I do not know how to ~ *it.* 그것을 어떻게 말로 표현했으면 좋을지 모르겠다 / That's ~*ting it* rather strongly. 그것은 약간 지나친 표현이다. **b)** 번역하다《*in*, *into*》; 쓰다, 기록하다: *Put* the following *into* English. 다음을 영역하라 / He ~ his experience *into* a novel. 자신의 체험을 소설로 썼다.

⑫《+[목]+[전]+[명]》 눈어림하다, 어림잡다《*at*》; 평

가하다《*on*》: Drama critics have ~ her *on* a level with the great Shakespearean actresses. 연극 비평가들은 그녀를 셰익스피어 시대의 가장 위대한 여배우들과 맞먹는 수준으로 평가하였다 / I ~ our damage *at* $ 7,000. 손해액을 7,000 달러로 어림했다 / They ~ the distance *at* five miles. 그들은 거리를 5 마일로 어림잡았다.
⑬《+目+前+名》(세금·의무·해석·비난·치욕 등)을 부과〔가〕하다, 억지로 떠맡기다, 퍼붓다: They ~ a heavy tax *on* luxury goods. 사치품에 중과세했다 / Don't ~ a wrong construction *on* his action. 그의 행동을 곡해해서는 안 된다 / They ~ all the blame *on* me. 그들은 모든 책임을 내게 전가했다.
⑭《+目+前+名》…의 탓으로 돌리다《*to*》: They ~ it *to* his ignorance. 그들은 그것을 그의 무식의 탓으로 돌렸다.
⑮ (경기자가 포환 따위)를 던지다: ~ the shot 포환던지기를 하다.
— *vi.* ①《+副 / +前+名》(배 따위가) 나아가다, 침로(針路)를 잡다, 향하다《*out to* ; *to* ; *for* ; *away*》;《美》(강물 따위가) 흘러가다: ~ *away* from the shore (배가) 뭍을 떠나다 / ~ (*in*)*to* harbor 입항하다 / The river ~*s into* a lake. 그 강은 호수로 흘러든다.
②《+前+名》《口》(사람이) 여행길에 오르다, 출발하다; 달아나다: ~ *for* home 급히 귀가하다.
③ (식물이) 싹트다《*out*》.
be hard ~ to it ⇨HARD *ad.* ~ ***about*** (*vt.*) (1) …의 침로를 바꾸다. (2) …을 공표하다, 퍼뜨리다: ~ *about* a rumor 소문을 퍼뜨리다 / It was ~ *about* that.... …라는 소문이 나돌았다. (*vi.*) (배가) 진로를 바꾸다; 되돌아가다: You had better ~ *about* right here. 당신은 바로 여기서 되돌아가는 것이 좋겠소. ~ ***across*** (1) (…을) 가로질러 건네다, 놓다, (사람을) 건네주다: ~ a car *across* the river 자동차를 강 건너로 건네다. (2) 훌륭히 해내다: ~ a project *across* 계획을 훌륭히 달성하다. (3) …을 속이다: They ~ *across* fraud on him. 그들은 그를 감쪽같이 속여 먹었다. (4) 이해시키다《*to*》: They took pains to ~ *across* their intention *to* the boss. 그들은 자기들의 의도를 사장에게 이해시키는 데 애먹었다. ~ ***ahead*** (1) …을 촉진하다. (2) …의 날짜를 당기다. (3) (시계) 바늘을 앞으로 돌리다. ~ ***apart*** ⇨ SET apart. ~ ***aside*** (1) (일시) 제쳐놓다, 치우다: She ~ *aside* her sewing and looked at me. 그녀는 재봉일감을 옆으로 치우고 나를 보았다. (2) (후일을 위하여) …을 따로 남겨〔떼어〕두다: We must ~ *aside* money for the future. 우리들은 장래를 위해 돈을 저축하여야 한다. (3) (불화·증오 따위)를 무시하다, 잊다: We should ~ *aside* our differences and discuss the things we have in common. 우리의 차이점은 무시하고 공통적으로 가지고 있는 것들에 대해 토의하자. ~ ***away*** (1) (언제나 두는 곳에) 치우다: It's time to ~ your toys *away* now. 자, 이제 장난감들을 치울 시간이 되었단다. (2) (장차를 위해) 떼어두다, 비축하다: ~ a little money *away* 조금 돈을 모으다. (3)《婉》투옥하다, (정신 병원에) 감금하다, 격리하다: He was ~ *away* for ten years for armed robbery. 무장 강도죄로 10년간 투옥되었다 / The doctor wanted to have him ~ *away.* 의사는 그를 격리〔감금〕하고 싶었다. (4)《婉》(늙은 개 등)을 죽이다, 처치하다. (5) (생각 등)을 포기하다, 버리다: We must ~ *away* these prejudices. 이런 편견들은 버려야 한다. (6) (음식)을 먹어치우다: I don't know how she manages to ~ so much food *away.* 그녀가 어떻게 그런 많은 음식을 먹어 치웠는지 알지 못하겠다. ~ ***back*** (1) 제자리에 되돌리다, 뒤쪽으로 옮기다〔향하게 하다〕: I can't accept it. *Put* it *back.* 그것을 받을 수 없으니 도로 거두어라 / *Put* the dictionary *back* on the shelf when you're through. 일을 끝냈으면 사전을 책선반에 되갖다 놓아라. (2) (시계)의 바늘을 되돌리다; 후퇴〔정체〕시키다; 늦추다, 연기하다(~ off): *Put* the clock *back* five minutes. 시계를 5분 늦추어라 / The earthquake ~ *back* railway transport. 지진으로 철도 수송이 정체했다. (3)《口》(많은 양의 술)을 마시다: He regularly ~*s back* six pints a night. 그는 어김없이 하룻밤에 6파인트의 술을 마신다. (4) (배가〔를〕) 되돌아가다〔가게 하다〕: The boat ~ *back to* shore. 보트는 기슭으로 돌아갔다. ~ ... ***before*** …을 …의 앞에 놓다, …보다 우선시키다; ⇨ *vt.* ⑩. ~ ***by*** 제쳐놓다; 떼어두다, (돈 따위)를 모아두다: I try to ~ *by* a few pounds every week. 나는 매주 몇 파운드씩을 저금하도록 노력하고 있다. ~ ***down*** (1) 내려놓다, (아기)를 침대에 누이다; (통화 중에 전화)를 끊다: This bag's too heavy for me to carry — I'll have to ~ it *down.* 이 가방은 내가 운반하기에 너무 무겁다—내려놓아야 하겠다 / We always ~ Dorothy *down* for a nap in the middle of the morning. 우리는 오전 한 때, 낮잠을 자도록 도로시를 침대에 누이곤 했다 / He ~ the phone *down.* 그는 수화기를 내려놓았다. (2) (힘·권력으로) 억누르다, 잠잠케 하다, 침묵시키다;《口》헐뜯다, 깎아내리다; 윽박지르다: Police used tear gas to ~ the riot *down.* 경찰은 폭동 진압을 위해 최류탄을 사용했다 / You seem to like ~*ting* people *down.* 자네는 사람들을 깎아내리기를 좋아하는 것 같군. (3) (값·집세)를 내리다: ~ prices *down* 물가를 내리다 / It's time that the government ~ *down* interest rates. 정부에서는 이자율을 내려야 할 시기다. (4) …을 저장해 두다, 보존하다: ~ *down* vegetables in salt 야채를 소금에 절여 저장하다. (5) …으로 보다〔간주하다〕《*as* ; *at* ; *for*》; 어림잡다: I ~ him *down for* 〔*as*〕 a fool. 나는 그를 바보로 본다 / How old should you ~ him *down at ?* 그의 나이를 몇 살이라고 생각하나. (6) 적어놓다; (예약·신청자로서) …의 이름을 기입하다《*for*》; …의 대금을 (…의 계정으로) 기장하다《*to*》: ~ *down* an address 주소를 적어놓다 / *Put* me *down for* ten thousand won. 내 부담금〔기부금〕을 10,000 원으로 기입해 놓으시오 / I have ~ my name *down for* the 100-meter dash. 100미터 경주에 출전 신청을 했다 / *Put* the bill *down to* my account. 그 계산은 내 앞으로 달아놓으세요. (7) (승객)을 내려놓다; (비행기가) 착륙하다; (비행기)를 착륙시키다: *Put* me *down* at Piccadily Circus. 피카딜리 서커스에서 내려주세요. (8)《口》열심히 마시다. (9) (병이 든 가축)을 죽이다, 처치하다. (10) …의 탓으로 돌리다《*to*》: ~ *down* one's failure *to* illness 실패를 병 탓으로 돌리다 / All the troubles in the world can be ~ *down to* money. 이 세상의 온갖 말썽은 돈 때문이라고 할 수 있다. (11) 맞돈으로 지급하다. (12) (동의)를 상정하다, 심의에 부치다. ~ ***forth*** (1) 내밀다, 뻗치다; (싹이) 나오다: Plants ~ *forth* buds in March. 3월에는 식물의 싹이 돋아 나온다. (2) (손 따위)를 뻗다, 내밀다. (3)《美》(계획·생각·문제 따위)를 제안하다, 내놓다, 진술하다: No one has ~ *forth* a workable solution. 실행가능한 해결책을 제안한 사람은 아무도 없었다. (4) (이론 따위)를 공표하다; (책 따위)를 출판하다: ~ *forth* a new book 새로 책을 출판하다 / A new interpretation

of the doctrine has been ~ *forth.* 그 교의(教義)의 새 해석이 발표되었다. (5) (힘 따위)를 발휘하다 ; 행사하다 ; (소리 따위)를 크게 외치다 : We will have to ~ *forth* our best efforts to win. 이기기 위해서는 최선의 노력을 다해야 할 것이다. (6) 항구를 나가다. ~ ***forward*** (1) 제안〔제언, 주장〕하다 : ~ *forward* a new theory 새로운 설을 제창하다. (2) (시계의 바늘)을 빠르게 하다 ; 빨리 가게 하다 ; (…의) 날짜를 앞당기다 : ~ one's watch *forward* two minites 시계의 바늘을 2분 빠르게 하다 / The meeting will be ~ *forward* to this week. 회의는 이번 주로 앞당겨질 것이다. (3) (날씨 등이 작물의 성장)을 촉진하다. (4) 앞으로 내세우다, 눈에 띄게 하다 : ~ oneself *forward* as a salesman 세일즈맨으로서 두각을 나타내다. (5) 천거하다《*for*》: We ~ him *forward for* treasurer. 그를 출납관으로 추천하였다. ~ ***in*** (1) …을 넣다, 끼우다 ; 더하다 ; 삽입하다 ; 첨가하다 ; (말로) 거들어주다 : ~ *in* a good word *for* one's friend 친구를 위해 한 마디 거들어주다. (2) (작물)을 심다 ; (씨)를 뿌리다. (3) (타격 따위)를 가하다 : ~ *in* a heavy blow 강한 펀치를 한대 먹이다. (4) (요구·문서 따위)를 내놓다, 제출하다 : ~ *in* a claim for damages 손해 배상을 요구하다 / ~ *in* a plea 탄원서를 제출하다. (5) 임명하다, 직장에 배치하다 : ~ *in* guards 파수꾼을 배치하다. (6) (어떤 일에) 시간을 보내다 : ~ *in* the summer at a resort 피서지에서 여름을 보내다 / I ~ *in* several hours (in) flying. 몇 시간을 비행했다. (7) 들르다 ; 기항하다 : We ~ *in* at the shop to take rest. 쉬려고 상점에 들렀다. (8) (일)을 하다 : If I ~ *in* some extra hours today, I can have some time off tomorrow. 오늘 몇 시간 일을 더 하면 내일은 몇 시간 쉴 수 있다 / She's ~ *in* a lot of effort on this piece of work. 그녀는 이 작품에 상당한 노력을 쏟았다. (9) 출원하다, 신청하다 : She has ~ *in* an application to the college. 그녀는 대학에 원서를 제출했다 / ~ *in* a request *for* a week's leave 1주간의 휴가신청을 내다. (10) 선거로 (정당·정부를) 선출하다. ~ ***into*** (1) …의 안에 넣다, …에 삽입하다 ; …에 주입(注入)하다 : ~ a knife *into* it 칼을 푹 찌르다. (2) ⇨*vt.* ⑪ b). (3) …에 입항하다. ~ ***it across*** (1) (사람)을 혼내주다, 혹평하다 : I'll ~ *it across* her. 그녀를 혼내주겠다. (2)《口》속이다. ~ ***it on***《口》〔흔히 ~ it on thick〕 (1) 감정을 과장해서 나타내다, 태깔부리다 ; 허풍떨다. (2) 터무니없는 값을 부르다, 바가지 씌우다. (3) 살찌다. ~ ***off*** (1) 연기하다, 미루다 : ~ *off* an appointment 약속을 연기하다 / ~ *off* going to the dentist 치과 의사에게 가는 것을 미루다 / Never ~ *off* untill tomorrow what you can do today. 오늘 할 수 있는 일을 내일까지 미루지 마라. (2) (옷)을 벗다, 버리다, 제거하다《★ 의복을 목적어로 할 때는 take off 쪽이 보통임. put off는 오히려 정신적인 것에 쓰임》: *Put off* your doubts. 의심을 버리시오. (3) (사람)을 기다리게 하다 ; 피하다 ; (사람·요구)를 회피하다, 용케 벗어나다 : I will not be ~ *off* any longer. 이 이상 더 기다리지는 못하겠다 / He is not to be ~ *off with* words. 말 따위에 속지는 않는다 / You're not going to ~ me *off with* excuses. 사과 따위로 나를 얼버무려 속이려 하지 말게. (4) (태도나 냄새 따위가) …에게 흥미를〔식욕을〕 잃게 하다, 혐오감을 갖게 하다 ; (사물·사람이) …에 대한 의욕〔기력〕을 잃게 하다, 진절머리나게 하다, …에게 (…할) 생각을 단념케 하다 : The mere smell ~ me *off* (the food). 냄새만으로도 식욕이 없어졌다 / His attitude ~ me right *off* (him). 그의 태도에는 정말 질린다 / We'd like to have gone to the concert, but we were ~ *off* by the cost of the tickets. 우리는 그 연주회에 갔으면 했으나 입장권의 값에 의욕을 잃었다 / The high divorce figures don't seem to be ~*ting* people *off* marriage. 높은 이혼율이 결혼을 단념시키고 있는 것 같지는 않다. (5) (수도·가스 등)을 잠그다 ; (라디오·전등)을 끄다. (6) (습관·근심)을 떨쳐버리다 : *Put off* those foolish ideas! 그런 어리석은 생각들은 떨쳐버리게. (7) (배가) 출항하다. (8) (보트·구명정)을 내리다 ; (탈것에서) 내려놓다. (9) 잠들게 하다, 마취시키다 : A cup of hot milk ~ him *off* to sleep well. 뜨거운 우유 한잔으로 그는 단잠을 잤다. ~ ***on*** (1) 몸에 걸치다, (옷)을 입다, (모자)를 쓰다, (신)을 신다, (반지)를 끼다, (안경)을 쓰다(opp *take off*) : ~ *on* one's shirt 〔hat, boots, ring, spectacles, etc.〕. (2) (체중·속력 따위)를 늘리다 : He's ~ *on* 10 pounds in the last month. 지난달에 그는 10파운드나 몸이 불었다 / ~ *on* years 나이를 먹다, 늙어가다 / ~ *on* the pace 걸음을 빠르게 하다, 서두르다 / ~ *on* speed 속도를 늘리다. (3) (점수)를 더하다 : ~ *on* 100 runs (크리켓에서) 100 점을 얻다. (4) …하는 체하다, …을 가장하다 ; (찌푸린 얼굴 따위)를 하다 : His modesty is all ~ *on.* 그의 겸손은 겉치레다 / He ~*s on* an air of innocence. 그는 순진한 체한다. (5) (시계)를 앞으로 돌리다, 빠르게 하다. (6) (임시 열차 따위)를 마련하다 : Because the trains aren't running buses have had to be ~ *on* instead. 기차가 운행하지 않기 때문에 대신 버스를 투입(投入)해야 했다. (7) (극)을 상연하다. (8) (아무를 경기·무대 등에) 등장시키다, 내보내다 : I'm ~*ting* you *on* next. 다음은 자네가 나갈 차례일세. (9) …의 전화를 연결하다 : Please ~ Jone *on.* 존을 대주십시오. (10) (물·가스 따위)를 고동을 열어서 내다, (불·라디오·TV 등)을 켜다 (turn on). (11) (레코드·테이프 따위)를 틀다. (12) (식사) 준비를 시작하다 : Whenever we go and see my aunt, she ~*s on* a wonderful meal for us. 숙모댁에 갈 때마다 숙모는 우리에게 훌륭한 음식을 마련해주시곤 한다. (13) (브레이크)를 걸다. (14)《美口》속이다, 놀리다 : "I love you." — "You're ~*ting* me *on.*" '당신을 사랑합니다' — '설마 농담이시겠지요.' (15) …에 돈을 걸다 ; (세금·벌금)을 부과하다, 값을 더하다 : I've ~ £10 *on* Black Widow. 블랙 위도에 10파운드를 걸었다 / The government has ~ ten pence *on* the price of a gallon of petrol. 정부는 석유 1갤론의 값을 10펜스 올렸다. ~ a person ***on to*** 〔***onto***〕 . . . 아무를 …에게 주선하다, …을 아무에게 알리다 : He ~ me *on to* a good shop. 그는 내게 좋은 가게를 알려주었다. ~ ***one over on***《口》(사람)을 속이다 : She thought he was trying to ~ *one over on* her. 그녀는 그가 자기를 속이려하고 있다고 생각했다. ~ ***out*** (1) 끄다 : ~ *out* a candle 촛불을 끄다. (2) 내쫓다 ; 해고하다 : He was ~ *out* of the room for being disobedient to the teacher. 선생님 말을 듣지 않았기 때문에 그는 교실에서 쫓겨났다. (3) 내밀다 : She ~ *out* her hand to shake mine. 그녀는 나와 악수하기 위해 손을 내밀었다. (4) ⇨*vi.* ③. (5) 탈구(脫臼)하다, 삐다 : ~ one's shoulder *out* 어깨 관절을 삐다. (6) …을 성가시게 하다, 번거롭게 하다 ; 〔종종 受動으로〕 당황케 하다, 난처케 하다, 짜증〔화〕나게 하다 : The least sound ~*s* her *out.* 자그마한 소리에도 그녀는 당황한다 / He *was* ~ *out* when I missed our appointment. 내가 약속을 어겼기 때문에 그는 기분이 상했다. (7) (힘)을 내다, 발휘하다, 나타내

다: ~ *out* one's strength 힘을 쥐어짜내다. (8) 발행하다, 출판하다, 발표하다; 생산하다: ~ *out* a pamphlet 팸플릿을 내놓다 / The factory ~*s out* 3,000 TV sets a day. 그 공장은 하루에 3,000 대의 텔레비전 세트를 생산한다. (9) …을 밖에 내놓다; (일 따위)를 외주하다; 하청주다: We always ~ the cat *out* at night. 밤에는 고양이를 집밖에 내놓는다 / The council has ~ the job of street-cleaning *out* to a private firm. 시(市)의회는 도로 청소일을 개인기업에 하청주었다. (10) 대출(貸出)하다, 투자하다. (11) 〖크리켓·野〗 (타자)를 아웃시키다. (12) 출범하다; 갑자기 떠나다. (13) 노력하다. (14) …을 실신시키다. (15) …에 오차를 일으키다, 고장나게 하다. (16) 《俗》 (돈·섹스 따위로) 바라는 대로 행동하다, (여자가) 상대와〔아무하고나〕 자다《*for*》. ~ ***over*** (1) 건너편에 건네주다; 맞은 편으로 건너가다: The film was so frightening that she ~ her hands *over* her eyes. 영화가 너무 무서워서 그녀는 손으로 눈을 가렸다. (2) 지체시키다, 연기하다. (3) (상대방에게) 잘 전하다, 이해시키다《*to*》: This is actually a very entertaining book ~*ting over* serious health messages. 이것은 실제로 중요한 건강 정보를 잘 설명해주고 있는 아주 재미있는 책이다. ~ one***self in for*** (경기 등에) 참가〔출전〕하다: ~ *oneself in for* the high jump 높이뛰기 경기에 출전 신청을 내다. ~ one***self out*** (남을 위해) 애를 쓰다: Brian's always willing to ~ *himself out* for other people. 브라이언은 언제나 남을 위해 궂은 일을 마다하지 않는다. ~ ***through*** (1) (일)을 성취하다; (신청서 등)을 처리하다: ~ *through* a business deal 상거래를 성립시키다 / The president is trying to ~ *through* reforms of the country's economic system. 대통령은 나라의 경제 체계의 개혁을 성취시키려고 노력하고 있다. (2) …의 전화를 연결시키다: Please ~ me *through* to Mr. Baker. 베이커 씨에게 연결해 주시오 / Hold the line, please. I'm just ~*ting* you *through*. 잠시 기다려 주십시요. 곧 연결시켜 드리겠습니다. (3) (…에 전화)를 걸다: ~ *through* a call to New York 뉴욕에 전화를 걸다. ~ ***together*** (1) (부분·요소)를 모으다, 구성하다; 조립하다, 편집하다: ~ *together* a dictionary. (2) …을 종합하다, 합계하다《★ 흔히 수동으로 쓰이며, 명사 뒤에 둠》: All the money ~ *together* still won't be enough. 모든 돈을 합쳐도 아직 충분하지 않다 / She earns more than all the rest of us ~ *together*. 그녀는 우리들 나머지 사람의 전부를 합친 것보다 더 많은 돈을 벌고 있다. (3) …을 결혼시키다. ~ ***under*** (1) (사람 따위)를 마취제로 의식을 잃게 하다; (사람)을 최면에 걸리게 하다. (2) 사람을 죽이다, 매장하다. ~ ***up*** (1) 올리다, (미사일 따위)를 쏴 올리다; (기·돛 따위)를 올리다, 내걸다; (광고 따위)를 내붙이다; (천막 따위)를 설치하다; (우산)을 받다; (견장 따위)를 붙이다; (집 따위)를 짓다: We ~ *up* a tent in the glade. 우리는 숲속에 천막을 쳤다 / ~ *up* a notice on a bulletin board 게시판에 광고문을 게시하다 / She ~ *up* her parasol to prevent sunburn. 그녀는 햇볕에 타는 것을 막으려고 양산을 폈다 / We've ~ *up* some new curtains in the living room. 우리는 거실에 새 커튼을 쳤다 / ~ *up* one's hand 손을 들다. (2) 치우다, 넣어두다, 거두다: *Put up* your sword. 칼을 칼집에 넣어 두시오 / ~ *up* a car in the garage 차고에 차를 넣어두다. (3) (설탕·소금 절임으로 하여) 저장하다, 통조림으로 하다; 포장하다: ~ *up* fruit 과일을 (설탕절임으로) 저장하다 / ~ *up* pork 돼지고기를 소금에 절여 놓다 / Mother ~ *up* sandwiches for her children. 어머니는 아이들에게 샌드위치를 싸주었다. (4) (값)을 올리다: I see they've ~ *up* the price of fuel again. 그들이 또다시 연료값을 올린 것을 나는 알고 있다. (5) (기도 따위)를 올리다; (청원서)를 제출하다. (6) 추천하다, 후보자로 지명하다; 입후보하다: I will ~ you *up* for the club, if you like. 원하신다면 클럽에 추천해 드리겠소 / ~ oneself *up* for the presidency 대통령에 입후보하다. (7) (제안·생각 등)을 내놓다, 제안하다, 주장하다: ~ *up* a new proposal 새로운 제안을 내놓다 / What argument did he ~ *up* against that? 그는 그것에 대해 뭐라고 반론하였는가. (8) 투숙하다; 숙박시키다: ~ *up* at an inn 여관에 묵다 / Sally is ~*ting* me *up* for the weekend. 샐리는 주말 동안 나를 숙박시켜주고 있다. (9) (저항·반대 등)을 보이다; (싸움)을 계속하다: No one has yet ~ *up* any objections to the proposal. 어느 누구도 아직 그 제안에 대해 어떤 반대도 하지 않았다 / The villagers were unable to ~ *up* any resistance to the invading troops. 마을 사람들은 침략군에 대해 어떤 저항도 할 수 없었다. (10) 경매에 붙이다, 팔려고 내놓다《*for*》: ~ *up* his personal effects to auction 그의 가재 도구를 경매에 붙이다 / ~ a house *up for* sale 집을 팔려고 내놓다. (11) 꾀하다, 날조하다, 꾸미다: ~ *up* a job 일〔나쁜 짓〕을 꾸미다. (12) 《美》 (돈)을 지급하다, 갚다; 걸다. (13) (머리)를 세트하다: Helen's going to ~ her hair *up* for her wedding. 헬렌은 결혼식에 대비해 머리를 신부 화장으로 세트하려 한다. (14) (짐승)을 내몰다《사냥에서》. (15) (약 등)을 조제하다. ~ ***upon*** 〔흔히 受動으로〕 《口》 (아무)를 속이다, 약점을 이용하다; …을 부당하게 다루다, …에게 폐를 끼치다: I will not *be* ~ *upon*. 나는 결코 속지 않을 것이다. ~ a person ***up to*** 아무를 선동하여 …시키다; …을 알리다〔경고하다〕; (생각 등)을 …에게 제시하다; (결정 따위)를 …에게 맡기다: The child said his brother had ~ him *up to* it. 어린이는 자기 형의 충동으로 했다고 말했다 / I ~ him *up to* one or two things worth knowing. 그가 알아둘만한 것을 한두가지 알려주었다. ~ ***up with*** …을 (지그시) 참다: He's finding it difficult to ~ *up with* the pain. 그는 그 고통을 참기 어렵다는 것을 알고 있다. ~ a person ***wise*** 아무에게 어떤 사실을 알려주다, 귀띔하다《*to*》: He ~ me *wise to* the way they run the company. 그는 나에게 그 회사의 경영 방법을 말해 주었다. ***would not*** ~ ***it past*** a person ***to*** do ⇨ PAST.

— *a.* 《口》 자리잡은, 정착한(fixed): stay ~ 꼼짝 않고 있다, 안정되어 있다.

— *n.* [C] (흔히 *sing.*) (포환 등의) 던지기.

pu·ta·tive [pjúːtətiv] *a.* 〔限定的〕 추정의, 억측의; 소문이 들리는: the ~ father of this child 이 아이의 아버지로 추정되는 사람. [파] ~·**ly** *ad.*

put-down [pútdàun] *n.* [U] ① (비행기의) 착륙. ② 심술궂은 말, 비난.

put-off [pútɔ̀(ː)f, -ɑ̀f] *n.* [C] 《美》 변명, 핑계.

put-on [pútán / -ɔ́n] *a.* 거짓의, 임시의; 꾸민 행동의. — [pútàn / -ɔ̀n] *n.* ① (*sing.*) 겉치레; 태깔부림. ② [C] 《美》 농담.

put-out [pútàut] *n.* [C] 〖野〗 터치아웃(시킴).

put-put [pʌ́tpʌ́t, ⌐⌐] *n.* [C] (소형 가솔린 엔진의) 펑펑〔통통〕하는 소리. — (**-tt-**) *vi.* 펑펑〔통통〕거리며 나아가다.

pu·tre·fac·tion [pjùːtrəfǽkʃən] *n.* [U] 부패(작용); 부패물. [파] **pù·tre·fác·tive** [-tiv] *a.* 부패하는〔하기 쉬운〕; 부패시키는.

pu·tre·fy [pjú:trəfài] *vt.* …을 썩게 하다. ── *vi.* ① 썩다 : The body had *putrefied* beyond recognition. 시체는 알아볼 수 없을 정도로 부패했다. ② 타락하다.

pu·tres·cent [pju:trésənt] *a.* 썩어가는 ; 부패한. ㊞ **-cence** *n.* Ⓤ 부패.

pu·trid [pjú:trid] *a.* ① 부패한 ; 악취가 나는 ; 더러운 ; 타락한 : turn ~ 썩다 / What's that ~ smell? 이 고약한 냄새는 무엇이냐. ② 《俗》 지독한, 고약한, 불쾌한 : Why did you paint the room that ~ color? 무슨 이유로 이 방을 저런 칙칙한 색깔로 칠했느냐. ㊞ **pu·trid·i·ty** [pju:trídəti] *n.* Ⓤ 부패.

putsch [putʃ] *n.* Ⓒ 《G.》 (정치적인) 반란, 폭동 ; 정부 전복 기도.

putt [pʌt] *vt., vi.* 【골프】 퍼트하다 《green 에서 hole 로 향하여 가볍게 침》; 공을 가볍게 치다. ── *n.* Ⓒ 경타(輕打), 퍼트.

put·tee [pʌtí:, pʌ́ti] *n.* Ⓒ (흔히 *pl.*) 각반 ; 가죽 각반.

put·ter[1] [pútər] *n.* Ⓒ 놓는 사람.

putt·er[2] [pʌ́tər] *n.* Ⓒ 【골프】 퍼터 《putt 하는 데 쓰는 채(클럽)》; putt 하는 사람.

pútt·ing grèen [pʌ́tiŋ-] 【골프】 ① 퍼팅 그린 《hole 의 주위의 퍼팅 구역》. ② 퍼팅 연습장.

put·to [pú:tou] (*pl.* ***-ti*** [-ti]) *n.* Ⓒ 【美術】 푸토 《큐피드와 같은 어린이의 화상(畫像)》.

put·ty [pʌ́ti] *n.* Ⓤ 퍼티 《창유리 따위의 접합제》: glazier's (plasterer's) ~ 유리창용 (미장이가 쓰는) 퍼티. ***be ~ in*** a person***'s hands*** 아무의 손아귀에서 놀다, 아무의 뜻대로 움직이다. ── *vt.* …을 퍼티로 접합하다(메우다).

put-up [pútʌ̀p] *a.* (限定的) 《口》 미리 꾸며낸 : a ~ job 짜고 하는 일.

put-up·on [pútəpɑ̀n / -ɔ̀n] *a.* (敍述的) 이용당한, 속은 : I felt rather ~. 어쩐지 꼭 이용당한 것같은 기분이 들었다.

‡puz·zle [pʌ́zl] *n.* ① Ⓒ 수수께끼, 퍼즐, 알아맞히기, 퀴즈 : a crossword ~ 크로스워드퍼즐 《낱말을 가로세로 맞추기》. ② Ⓒ (*sing.*) 난문, 난제 : The reason for his actions remains a ~ to historians. 그의 여러 행동의 이유가 역사가들에게는 여전히 난제로 남아있다. ③ (*sing.*) 당혹, 곤혹 : be in a ~ 어리둥절하고 있다. ── *vt.* ① 《~+목/+목+*wh. to* do》 당혹하게 하다, 난처하게 만들다 : This question ~*s* me. 이 문제는 아무리 해도 모르겠다. ② 《+목+전+명》 (머리)를 아프게 하다 《*over* ; *about* ; *as to*》 : ~ one's mind (brains) *over* (*about*) the solution of a problem 문제 해결에 부심하다 / I am ~*d as to* what I should do. 무엇을 해야 할지 도무지 막막하다. ── *vi.* 《+전+명》 이리저리 생각하다, 머리를 짜내다 《*over*》: Scientists are *puzzling over* the result of the research on the drug. 과학자들은 그 약품의 연구 결과에 대해 이리저리 생각하고 있다. ~ ***out*** (문제를) 풀다, 생각해 내다 : I am trying to ~ *out* what this letter says. 이 편지가 무엇을 말하는지 알아내려고 애쓰고 있다.

puz·zled [pʌ́zld] *a.* 당혹한, 어리둥절한 : a ~ expression 당혹한 표정 / You look ~. 곤혹스러운 것 같군.

puz·zle·ment [pʌ́zlmənt] *n.* Ⓤ 당혹 : He turned to her in ~. 어리둥절하여 그녀를 돌아보았다.

puz·zler [pʌ́zlər] *n.* Ⓒ 당혹하게 하는 사람(것), 《특히》 난문제.

***puz·zling** [pʌ́zliŋ] *a.* 당혹하게 하는, 어리둥절하게 하는 : a ~ situation 난처한 상황.

PVC polyvinyl chloride(염화 비닐 수지(樹脂)).

Pvt., pvt. 【美陸軍】 Private, private(사병).

PW, P.W. 《英》 policewoman ; prisoner of war(포로). **pw.** per week. **PWA** persons with Aids 《에이즈 환자》. **pwt.** pennyweight.

PX, P.X. 【美陸軍】 post exchange.

py·e·li·tis [pàiəláitəs] *n.* Ⓤ 【醫】 신우염(腎盂炎).

Pyg·ma·lion [pigméiljən, -liən] *n.* 【그神】 피그말리온 《자기가 만든 상(像)에 반한 키프로스의 왕 · 조각가》.

***pyg·my** [pígmi] *n.* Ⓒ ① (P-) 피그미족 《아프리카 적도 부근에 사는 키가 작은 종족》. ② 왜인, 키가 작은 사람 ; 보잘것 없는 사람(물건). ── *a.* (限定的) ① 키작은 사람의. ② 아주 작은 ; 하찮은.

py·ja·mas [pədʒɑ́:məz] *n.* =PAJAMA.

py·lon [páilɑn / -lɔn] *n.* Ⓒ ① 【電】 고압선용 철탑. ② 【空】 (비행장의) 지시탑, 목표탑, 파일런. ③ 탑문(塔門) 《고대 이집트 신전의》.

py·or·rhoea, py·or·rhea [pàiərí:ə] *n.* Ⓤ 【醫】 치조 농루(齒槽膿漏).

‡pyr·a·mid [pírəmìd] *n.* Ⓒ ① 피라미드 ; 피라미드형의 것. ② 【數】 각뿔 ; 【結晶】 추(錐) : a right ~ 직각뿔. ③ 【社】 피라미드형 조직.

py·ram·i·dal [pirǽmədəl] *a.* 피라미드 모양의.

Pyr·a·mus [pírəməs] *n.* 【그神】 피라무스 《Thisbe 를 사랑한 바빌론의 청년 ; 그녀가 사자에게 잡아먹힌 줄로 믿고 자살하였음》.

pyre [páiər] *n.* Ⓤ 화장용(火葬用) 장작(더미).

Pyr·e·ne·an [pìrəní:ən] *a., n.* Ⓒ 피레네 산맥의 (주민).

Pyr·e·nees [pírənì:z / ⌐--⌐] *n. pl.* (the ~) 피레네 산맥 《프랑스 · 스페인 국경의》.

py·re·thrum [paiərí:θrəm] *n.* Ⓒ 제충국(除蟲菊) ; Ⓤ 그 가루.

py·ret·ic [paiərétik] *a.* 【醫】 발열성의.

py·rite [páiərait] *n.* Ⓤ 황철광(黃鐵鑛).

py·ri·tes [paiəráiti:z, pə-, páiraits] *n.* Ⓤ 【鑛】 황화(黃化) 금속 광물 : copper ~ 황동광 / iron ~ 황철광.

pyro- '불, 열(熱)'의 뜻의 결합사.

py·ro·ma·nia [pàiərəméiniə] *n.* Ⓤ 【精神醫】 방화벽(放火癖), 방화광(狂).
㊞ **-ma·ni·ac** [-méiniæk] *n.* Ⓒ 방화광《사람》.

py·ro·tech·nic [pàiərouténik] *a.* ① 꽃불의, 꽃불 같은. ② 눈부신, 화려한 : The concert finished with a spectacular ~ display. 연주회는 놀랄만한 빛나는 연주로 대미(大尾)를 장식했다.

py·ro·tech·nics [pàiəroutékniks] *n.* ① Ⓤ 꽃불 제조술. ② 【複數 취급】 꽃불 올리기. ③ Ⓤ (변설 · 기지 등의) 화려함 : His verbal ~ held his audience spellbound. 그의 화술의 능란함은 청중들을 사로잡았다.

Pyr·rhic [pírik] *a.* Pyrrhus 왕의(같은) : ~ victory 피루스의 승리 《막대한 희생을 치른 승리 ; 보람없는 승리》.

Pyr·rhus [pírəs] *n.* 피루스 《옛 그리스 Epirus 의 왕(318 ? -272 B.C.) ; 로마와 싸워 이겼으나 많은 전사자를 냈다고 함》.

Py·thag·o·ras [piθǽgərəs] *n.* 피타고라스 (580 ? -500 ? B.C.) 《그리스의 철학자 · 수학자》.

Py·thag·o·re·an [piθæ̀gərí:ən] *a.* 피타고라스의 : the ~ proposition (theorem) 피타고라스의 정리.

Pyth·i·an [píθiən] *a.* 【그神】 Delphi 의 ; Delphi 에 있는 아폴로 신전의 ; 아폴로의 신탁(神託)의.

Pyth·i·as [píθiəs] *n.* =DAMON AND PYTHIAS.

py·thon [páiθɑn, -θən] *n.* Ⓒ 【動】 비단뱀.

pyx [piks] *n.* Ⓒ 【가톨릭】 성합(聖盒) 《성체(聖體) 용기》.

Q

Q, q [kjuː] (*pl.* **Q's, Qs, q's, qs** [-z]) ① U,C 큐《영어 알파벳의 17째 글자》. ② C Q자형(의 것). ③ U (연속된 것의) 제 17번째(의 것).

Q 〖電子〗 Q factor; Queen('s); quart(s); query; question; quotient.

Q. and A. question and answer(질의 응답).

Qa·tar [káːtaːr, kətáːr] *n.* 카타르《페르시아 만 연안의 토후국; 수도는 Doha》. ㊕ **Qa·ta·ri** [-ri] *n., a.* 카타르 주민(의).

q.b. 〖美蹴〗 quarterback.

Q. C., QC Quartermaster Corps; quality control. **QED** quantum electrodynamics.

Q.E.D., QED 〖數〗《L.》 *quod erat demonstrandum.*

Qi·a·na [kiːáːnə] *n.* 키아나《나일론계의 합성 섬유; 商標名》.

QM, Q.M. Quartermaster. **QMG, Q.M.G., Q.M.Gen.** Quartermaster General. **Qq., qq.** quartos; questions. **qr(s).** quarter(s); quire(s).

QSTOL [kjúːstòul] *n.* 〖空〗 큐에스톨기(機), 저(低)소음 단거리 이착륙기. [◂ *q*uiet *s*hort *t*ake-*o*ff and *l*anding]

Q.T., q.t. [kjúːtíː] *n.* 《口》 quiet. ***on the (strict)*** ~ ⇨ on the QUIET.

qt. quart(s); quarter. **qty.** quantity. **qu.** quart; quarter(ly); quasi; queen; query; question.

qua [kwei, kwaː] *ad.* 《L.》 …의 자격으로: *Qua* musician, he lacks skill, but his playing is lively and enthusiastic. 음악가로서는 기량이 부족하지만 그의 연주는 힘차고 열정적이다.

***quack**[1] [kwæk] *n.* C 꽥꽥《집오리 우는 소리》. ── *vi.* ① (집오리가) 꽥꽥 울다; 시끄럽게 지껄이다: There are plenty of ducks and geese ~*ing* on the lawn. 잔디 위에는 많은 오리와 거위들이 꽥꽥거리고 있다. ② 객적은 수다를 떨다.

quack[2] *n.* C ① 가짜 의사, 돌팔이 의사 (charlatan). ② 사기꾼. ── *a.* 가짜 의사의, 사기〔엉터리〕의: a ~ doctor 가짜〔돌팔이〕 의사 / ~ medicines 〔remedies〕 가짜 약〔엉터리 요법〕.

quack·ery [kwǽkəri] *n.* U,C 엉터리 치료(법).

quad [kwɑd / kwɔd] *n.* 《口》 ① =QUADRANGLE ②. ② =QUADRANT. ③ =QUADRUPLET.

quád dénsity 〖컴〗 4배 기록 밀도.

Quad·ra·ges·i·ma [kwɑ̀drədʒésəmə / kwɔ̀d-] *n.* 〖教會〗 4순절(Lent)의 첫째 일요일(=∠ **Súnday**); (4순절의) 40일(간).

quad·ran·gle [kwɑ́dræ̀ŋgəl / kwɔ́d-] *n.* C ① 4각형, 4변형《특히 정사각형과 직사각형》. ② **a**) (특히 대학의) 안뜰. **b**) 안뜰을 둘러싼 건물.

quad·ran·gu·lar [kwɑdrǽŋgjələr / kwɔd-] *a.* 4각형〔변형〕의.

quad·rant [kwɑ́drənt / kwɔ́d-] *n.* C ①〖數〗 사분면(四分面), 상한(象限). ②〖天·海〗 사분의(儀), 상한의(儀)《옛 천체 고도 측정기》.

quad·ra·phon·ic [kwɑ̀drəfɑ́nik / kwɔ̀drəfɔ́nik] *a.* (녹음 재생이) 4채널 방식의.

qua·draph·o·ny [kwɑdrǽfəni / kwɔ-] *n.* U (녹음·재생 등의) 4채널 방식.

quad·rate [kwɑ́drit, -reit / kwɔ́d-] *a.* 정사각형의; 방형(方形)의: a ~ bone 〔muscle〕 방형골〔근〕/ a ~ lobe (뇌수의) 방형엽(葉). ── *n.* C ① 정사각형. ②〖解〗 방형골(骨), 방형근(筋).

quad·ra·thon [kwɑ́drəθɑ̀n / kwɔ́drəθɔ̀n] *n.* 4종 경기《수영·경보·자전거·마라톤을 하루에 치르는》.

qua·drat·ic [kwɑdrǽtik / kwɔd-] 〖數〗 *a.* 2차의: solve a ~ equation, 2차 방정식을 풀다.

qua·dren·ni·al [kwɑdréniəl / kwɔd-] *a.* 4년간 계속되는, 4년마다의. ㊕ **~·ly** *ad.*

quadri-, quadr-, quadru- '4번째'의 뜻의 결합사《모음 앞에서는 quadr-》.

quad·ri·lat·er·al [kwɑ̀drəlǽtərəl / kwɔ̀d-] *n., a.* 4변형(의): a complete ~〖數〗 완전 사변형.

qua·drille [kwɑdríl, kwə-] *n.* C 쿼드릴《네 사람이 한 조로 추는 square dance》; 그 곡(曲).

qua·dril·lion [kwɑdríljən / kwɔd-] *n.* C ①《英·獨·프》 백만의 4제곱(10^{24}). ②《美》 천의 5제곱, 천조(10^{15}).

quad·ri·ple·gia [kwɑ̀drəplíːdʒiə / kwɔ̀d-] *n.* C 〖醫〗 사지마비(=**tetraplégia**). ㊕ **-plé·gic** *a., n.* C 사지 마비의 (환자).

qua·droon [kwɑdrúːn / kwɔd-] *n.* C 백인과 반백인(mulatto)과의 혼혈아; 4분의 1 흑인. cf mulatto, octoroon.

quad·ru·ped [kwɑ́drupèd / kwɔ́d-] *n.* C 〖動〗 네발짐승: Horses, lions and dogs are ~*s*. 말·사자·개는 네발짐승이다. ── *a.* 네발 가진.

qua·dru·ple [kwɑdrúːpəl, kwɑ́dru- / kwɔ́dru-pəl] *a.* ① 4배의(*to*); 네 겹의: a size ~ *of* 〔*to*〕 that of the earth 지구의 네 배 크기. ② 4부로 된; 4자간의. ③〖樂〗 4박자의: ~ time 〔measure, rhythm〕〖樂〗 4박자. cf triple, quintuple. ── *n.* U (the ~) 4배(수), 4배의 양(*of*). ── *vt., vi.* 4배로 하다〔되다〕: The price has ~*d* in the last few years. 지난 몇 년간 물가는 4배로 뛰었다. ㊕ **-ply** [-i] *ad.*

quad·ru·plet [kwɑ́druplit, kwɑdrʌ́p-, -drúːp- / kwɔ́drup-] *n.* C ① 네 개 한 조〔벌〕. ② **a**) 네 쌍둥이 중의 한 사람. **b**) (*pl.*) 네 쌍둥이. ③ 4인승 자전거.

quad·ru·pli·cate [kwɑdrúːplikit / kwɔd-] *a.* 4배〔겹〕의; 네 번 반복한; 네 통 복사한《증서 따위》. ── *n.* C 4조〔통〕 중의 하나; (*pl.*) 같은 사본의 네 통의 문서. ***in*** ~ (같은 문서를) 네 통으로 작성하여.
㊕ **qua·drù·pli·cá·tion** [-kéiʃən] *n.*

quaff [kwaːf, kwæf] *vt.* 《~+目/+目+副》 …을 쭉〔꿀꺽꿀꺽〕 들이켜다, 단숨에 마시다(*off*; *out*; *up*): ~ *off* a glass of beer 맥주 한 잔을 단숨에 마시다. ── *vi.* 들이켜다.

quag·mire [kwǽgmàiər] *n.* ① C 소택지, 질척거리는 땅. ② (a ~) 꼼짝할 수 없는 곤경, 진구렁: be in *a* ~ of debt 빚 때문에 움쭉〔꼼짝〕 못 하다.

***quail**[1] [kweil] (*pl.* **~s,** 〔集合的〕 ~) *n.* C 〖鳥〗 메추라기; U 그 고기.

quail[2] *vi.* 《~/+前+名》 기가 죽다, 겁내다, 주

춤〔움찔〕하다(shrink)《*at*; *before*; *to*》: I ~*ed before* her angry looks. 나는 그녀의 성난 표정을 보고 기가 꺾였다 / Amy ~*ed at* the sound of her father's angry voice. 에이미는 아버지의 성난 목소리에 기가 질렸다.

‡**quaint** [kweint] *a.* ① 기묘한, 기이한, 이상한 (incongruous, strange) : the ~ notion that... …라는 기묘한 생각. ② (특히, 오래되어) 색다르고 흥미있는 ; 예스런 멋이〔아취가〕 있는 : a ~ old house. 파 **∠·ly** *ad.* **∠·ness** *n.*

quake** [kweik] *vi.* ①(지면이) 흔들리다(shake), 진동하다(vibrate) : The earth began to ~ suddenly. 땅이 갑자기 흔들리기 시작했다. ②《~ / +전+명》 (추위 · 공포로) 전율하다(tremble), 떨다(shudder)《*with*; *for*》: He is *quaking with* fear 〔cold〕. 그는 공포〔추위〕 때문에 떨고 있다 / Her shoulders ~*ed*. 그녀의 어깨가 떨리고 있었다. ***be quaking in one***'s boots***〔***shoes***〕 몹시 두려움을 느끼다. **—** *n.* Ⓒ ① 흔들림, 동요, 전율. ②《口》 지진(earthquake) : The ~ destroyed mud buildings in many remote villages. 지진으로 많은 벽촌의 흙집들이 무너졌다.

quake·proof [kwéikprùːf] *a.* 내진성의. **—** *vt.* (건물)에 내진성을 주다.

‡**Quak·er** [kwéikər] (*fem.* **~·*ess*** [-kəris]) *n.* Ⓒ 퀘이커교도《17세기 중엽 영국의 George Fox가 창시한 Society of Friends 회원의 별칭》.

Quak·er·ism [kwéikərìzəm] *n.* Ⓤ 퀘이커 교도의 관습〔생활〕.

qual·i·fi·ca·tion [kwɑ̀ləfəkéiʃən / kwɔ̀l-] *n.* ① Ⓒ (종종 *pl.*) (지위 · 직업 등을 위한) 자격 ; (직에 어울리는) 능력, 기술, 지식《*for*; *to* do》: property ~ (선거를 위한) 재산 자격 / the ~*s for* a job 일할 수 있는 자격〔능력〕 / Mr. Smith has excellent ~*s to* be president. 스미스씨는 사장이 될 훌륭한 자격〔능력〕이 있다. ② Ⓒ,Ⓤ 조건(을 붙임), 제한(을 가함) (restriction) : endorse a plan without ~ 〔with several ~*s*〕 무조건〔여러 가지 조건을 붙여〕 계획에 찬성하다 / After certain ~*s*, the proposal was accepted. 몇 가지 조건을 붙여서 제안이 수락되었다. ③ Ⓤ 자격 부여〔취득〕.

qual·i·fied** [kwáləfàid / kwɔ́l-] (more*** ~; ***most*** ~) *a.* ① 자격이 있는 ; 적임의, 적당한 (fitted)《*for*; *to* do》; 면허의, 검정을 거친 : a ~ medical practitioner 면허 개업의(醫) / These tests have *to* be carried out by a ~ doctor. 이 실험들은 면허 있는 의사가 해야 한다. ② 제한〔한정〕된, 조건부의 : ~ acceptance 〖商〗 (어음의) 제한 인수 / ~ approval 조건부 찬성.

qual·i·fi·er [kwáləfàiər / kwɔ́l-] *n.* Ⓒ ① 자격〔권한〕을 주는 사람〔것〕; 한정하는 것. ②〖文法〗 한정사, 수식어《형용사 · 부사 따위》.

‡**qual·i·fy** [kwáləfài / kwɔ́l-] (***-fied***; **~·*ing***) *vt.* ①《~+목/+목+*to* do/+목+전+명/+목+*as* 보》…에게 자격〔권한〕을 주다 ; (지능 · 기술 등이) …을 …에 적격〔적임〕으로 하다, 적합하게 하다 : be *qualified for* teaching 〔*to* teach〕 music = be *qualified as* a music teacher 음악교사의 자격이 있다 / His skill *qualifies* him *for* the job. 그의 재능은 그 일에 아주 적격이다. ② …을 제한하다, 한정하다(limit) : ~ a claim 요구에 제한을 붙이다. ③ …을 누그러뜨리다, 진정하다(soften) : ~ one's anger 노여움을 누그러뜨리다. ④〖文法〗 …을 수식하다, 꾸미다(modify) : Adjectives ~ nouns. 형용사는 명사를 수식한다. **—** *vi.* 《+전+명 / +*as* 보》 자격을〔면허를〕 얻다 ; 적임이다, 적격이 되다 : He has not yet *qualified in* law. 아직 변호사 자격이 없다 / ~ *as* a doctor 〔solicitor〕 의사〔변호사〕의 자격을 얻다 / ~ *for* the job 그 일에 적격이다 / He has not yet *qualified for* the race. 아직 경주에 출전할 자격이 없다. ***a ~ing examination*** 자격 검정 시험.

***qual·i·ta·tive** [kwálətèitiv / kwɔ́lətə-] *a.* 성질상의, 질적인 ; 정성(定性)의, 정질(定質)의. opp. *quantitative.* ¶ ~ analysis 〖化〗 정성 분석.

‡**qual·i·ty** [kwáləti / kwɔ́l-] *n.* ① Ⓤ 질, 품질. opp. *quantity.* ¶ the ~ of students 학생의 질 / of good 〔poor〕 ~ 양질〔열등〕의 / *Quality* matters more than quantity. 양보다도 질이다 / We only sell things of the best ~. 최고품만을 팝니다. ② Ⓒ 특질, 특성, 속성(attribute), 자질 : the ~ of love 사랑의 본질 / I don't think he has the right *qualities* to be a politician. 그가 정치가로서의 바른 자질을 지녔다고 생각되지 않는다. ③ Ⓤ 양질(fineness), 우수성(excellence) ; 재능 : goods of ~ 질 좋은 물건 / All the members of the orchestra are musicians of real ~. 오케스트라의 모든 단원들은 훌륭한 음악가들이다. ④ Ⓤ 음질 ; 음색. ***give*** a person ***a taste of*** one***'s*** ~ 자기 능력의 일단을 아무에게 보이다. ***in*** (***the***) ~ ***of*** …의 자격으로. ***the*** ~ 상류 사회 사람들. **—** *a.* 질 좋은, 뛰어난, 고급의 : ~ goods 우량품 / a ~ magazine 고급 잡지 / a ~ newspaper 우량지(誌).

quálity contròl 품질 관리《略 : QC》.

qualm [kwɑːm, kwɔːm] *n.* Ⓒ (종종 *pl.*) ① 현기증, 구역질, 메스꺼움(nausea) : ~*s* of seasickness 뱃멀미. ② (돌연한) 불안, 걱정(misgiving), 의구심(doubt)《*about*》: He felt ~*s about* let*ting* her go alone. 그는 그녀를 혼자 보내는 것에 불안을 느꼈다. ③ (양심의) 가책《*about*》: She had no ~*s about* ly*ing* to the police. 그녀는 경관에게 거짓말을 하면서도 양심의 가책을 느끼지 않았다 〔않는 사람이다〕. ***with no ~s*** = ***without ~s*** 〔***a*** ~〕 아무 주저함 없이.
파 **∠·ish** *a.* 느글거리는 ; 양심의 가책을 느끼는.

quan·da·ry [kwándəri / kwɔ́n-] *n.* Ⓒ 곤혹, 당혹 ; 궁지, 곤경(dilemma), 진퇴유곡《*about*; *over*》: He found himself in a ~. 그는 알고 보니 진퇴양난에 빠져 있었다 / They're in a ~ *over* which school to send their children to. 그들은 자녀를 어느 학교에 보내야 할지 난감해하고 있다.

quan·go [kwǽŋgou] (*pl.* **~*s***) *n.* Ⓒ《英》 특수법인《정부로부터 재정 지원과 상급 직원의 임명을 받으나 독립된 권한을 가진 기관》. [◂ *qua*si-*a*utonomous *n*ational *g*overnmental *o*rganization]

quan·ta [kwántə / kwɔ́n-] QUANTUM의 복수.

quan·ti·fi·ca·tion [kwɑ̀ntəfəkéiʃən / kwɔ̀n-] *n.* Ⓤ 정량화(定量化), 수량화(數量化).

quan·ti·fi·er [kwántəfàiər / kwɔ́n-] *n.* Ⓒ〖論〗 양(量)기호 ; 〖言 · 文法〗 수량(형용)사《some, many 따위》.

quan·ti·fy [kwántəfài / kwɔ́n-] *vt.* …의 양(量)을 정하다 ; 양을 표시하다 ; 양을 재다.

***quan·ti·ta·tive** [kwántətèitiv / kwɔ́ntə-] *a.* 분량상의, 양에 관한, 양에 의한, 양적인 : ~ analysis 〖化〗 정량 분석 ; 〖經營〗 양적 분석 / It is not yet possible to make a ~ assessment of the effectiveness of our investment. 우리 투자의 효과를 양적으로 사정하기란 아직 불가능하다.

‡**quan·ti·ty** [kwántəti / kwɔ́n-] *n.* ① Ⓤ 양(量) ; Ⓒ (어떤 특정한) 분량, 수량, 액 : a given ~ 일정량 / Police found a large〔small〕 ~ of drugs in his possession. 경찰은 그가 다량〔소량〕의 마약을

소유하고 있음을 적발했다 / I prefer quality to ~. 양보다 질을 택한다 / There is only a small ~ left. 조금밖에 안 남았다. ② Ⓒ (흔히 *pl.*) 다량, 다수, 많음 : a ~ of books 많은 책 / *quantities* of money 많은 돈 / ~ production 대량 생산 / I had *quantities* of work to do. 해야 할 일이 많았다. ③ Ⓒ 〖數〗 양 ; 양을 나타내는 숫자〔기호〕: a known 〔an unknown〕 ~ 기지〔미지〕량〔수〕/ a negligible ~〖數〗 무시할 수 있는 양 ; 하찮은〔축에도 안 드는〕 사람〔물건〕. ***in*** ~ 〔***large quantities***〕 많은 〔많이〕, 다량의〔으로〕: After some initial problems, acetone was successfully produced *in* ~. 처음에 약간의 문제가 있은 후 아세톤은 성공적으로 대량 생산되었다.

quántity survèyor 〖建〗 적산사(積算士).

quan·tum [kwántəm / kwɔ́n-] (*pl.* ***-ta*** [-tə]) *n.* Ⓒ 《L.》 ① 양(量), 액(額) ; 《특히》 소량. ② 〖物〗 양자(量子). ***have*** one***'s*** ~ ***of*** …을 충분히 얻다.
— *a.* 획기적인, 비약적인 : a ~ improvement in quality 질의 획기적 개량.

quántum electrodynámics 〖原子〗 양자 전자(電磁) 역학《略 : QED》.

quántum electrónics 양자 일렉트로닉스, 양자 전자 공학.

quántum jùmp 〔**lèap**〕 ① 〖物〗 양자(量子) 도약. ② 비약적 진보〔개선〕, 약진(躍進) : a *quantum leap* in growth 비약적인 성장 / sudden *quantum jumps* in values 갑작스런 가격 상승.

Q

quántum mechánics 〖物〗 양자 역학.

quántum nùmber 〖物〗 양자수.

quántum phýsics 〖物〗 양자 물리학.

quántum thèory (종종 the ~) 〖物〗 양자론.

quar·an·tine [kwɔ́:rəntì:n, kwár-] *n.* ① Ⓤ 격리《전염병 예방을 위한》: He was sent home to Liverpool and put in ~. 그는 리버풀에 있는 집으로 보내져 격리되었다. ② Ⓒ 검역 정선(停船) 기간《40일간》. ③ Ⓒ 격리소 ; 검역소. ***in*** 〔***out of***〕 ~ 격리 중에〔검역을 받고〕.
— *vt.* 〔종종 受動으로〕 …을 검역하다 ; (전염병 환자 등)을 격리하다 ; (검역) 정선을 명하다 : She had to *be* ~*d for* a few days to prevent the infection from spreading. 그녀는 감염의 확산을 막기 위하여 며칠 동안 격리당해야 했다.

quark [kwɔ:rk, kwɑ:rk] *n.* Ⓒ 〖物〗 쿼크《소립자(素粒子)의 구성 요소로 되어 있는 입자》.

‡quar·rel [kwɔ́:rəl, kwár-] *n.* Ⓒ ① 싸움, 말다툼 ; 티격남, 불화《*with*》: I had a terrible ~ *with* my other brothers. 나는 다른 형제들과 심하게 다투었다 / It takes two to make a ~. 《俗談》 상대가 없으면 싸움이 안 된다《싸움의 책임은 쌍방에 다 있다》. ② (흔히 *sing.*) 싸움〔말다툼〕의 원인, 불평《*against* ; *with*》; 싸움의 구실 : My only ~ is *with* her talkativeness. 내가 꼭 한 가지 그녀에게 못마땅한 것은 수다스럽다는 것이다. ***fight*** a person***'s*** ~ ***for*** 아무의 싸움에 합세하다. ***make up a*** ~ 화해하다. ***pick*** 〔***seek***〕 ***a*** ~ ***with*** 싸움을 걸다.
— (***-l-***, 《英》 ***-ll-***) *vi.* 《~ / +前+名》 ① 싸우다, 언쟁하다《*with* ; *about* ; *for*》; 티격나다, 불화하게 되다《*with*》: I don't want to ~ *with* you. 나는 너와 싸우고 싶지 않다 / It was not worth ~*ing about.* 그건 싸울만한 것이 못된다 / The thieves ~*ed with* one another *about* 〔*over*〕 how to divide the loot. 도둑들은 장물 분배를 놓고 서로 다퉜다. ② 불평하다, 비난하다, 이의(異議)를 제기하다《*with*》: A bad workman ~*s with* his tools. 《俗談》 서툰 장색 연장 나무라기.

***quar·rel·some** [kwɔ́:rəlsəm, kwár-] *a.* 싸우기 좋아하는 ; 시비조의 : Man is a ~ and power-loving animal. 인간은 싸움을 좋아하고 권력을 좋아하는 동물이다. ㊔ ~**·ness** *n.*

***quar·ry**[1] [kwɔ́:ri, kwári] *n.* Ⓒ ① 채석장. ② 지식의 원천 ; 출처, (인용 등의) 전거.
— *vt.* ① 《~+目 / +目+副》 (돌)을 파내다, 떠내다 : ~ (*out*) marble 대리석을 떠내다. ② (사실 따위)를 애써 찾아내다《서적 등에서》; (기록 따위)를 애써 찾다. ③ …에 채석장을 만들다.
— *vi.* 고심하여 자료를 찾아내다.

quar·ry[2] *n.* (*sing.*) (쫓기는) 사냥감 ; 추적당하는 사람〔대상〕: Move slowly, or you will startle your ~. 천천히 움직여, 아니면 사냥감이 놀라 달아난다.

quar·ry·man [-mən] (*pl.* ***-men*** [-mən]) *n.* Ⓒ 채석공, 석수.

quart** [kwɔ:rt] *n.* Ⓒ ① 쿼트《액량인 경우는 1/4 gallon, 약 1.14*l*》; 건량(乾量)《보리·콩 따위에서는 1/8 peck, 2 pints》. ② 1 쿼트들이의 용기. ③ 1 쿼트의 맥주 〔술〕. cf. half pint. ***try to put a ~ ***into a pint pot*** 불가능한 일을 시도하다.

†quar·ter [kwɔ́:rtər] *n.* ① Ⓒ 4분의 1 : a mile and a ~, 1 마일과 4 분의 1 / a ~ of a pound, 4 분의 1 파운드 / for a ~ (of) the price 그 값의 4 분의 1 로 / the first ~ of this century 금세기의 4반세기, 25년《1901년부터 1925년까지》/ three ~s, 4 분의 3. ② Ⓒ 15 분 : at (a) ~ past〔《美》 after〕 two, 2시 15분 지나 / at (a) ~ to 〔《美》 of〕 two, 2시 15분 전에《a 는 종종 생략함》/ He stayed there for an hour and a ~. 거기에 1시간 15분 동안 있었다. ③ Ⓒ 4 분기(의 지급) ; 《美》 (4 학기로 나눈) 1 학기. cf. semester. ¶ owe two ~s' rent 반년치의 집세가 밀리다 / The electricity bill is sent each ~. 전기 요금 청구서는 분기마다 발송된다 / In the last ~ of 1995 inflation rose by 1%. 지난 1995년 마지막 분기에 인플레이션은 1퍼센트 상승했다. ④ Ⓒ 〖天〗 현(弦)《달의 공전기의 1/4》: the first 〔last〕 ~ 상현 〔하현〕. ⑤ Ⓒ 《美·Can.》 25 센트 경화. cf. dime, nickel, penny. ⑥ Ⓒ 《英》 쿼터 《(1) 곡량(穀量)의 단위=8 bushels. (2) 무게의 단위= 《美》 25 pounds, 《英》 28 pounds》. ⑦ Ⓒ 4 분의 1야드〔마일〕; (the ~) 4 분의 1 마일 경주 ; 〖海〗 4 분의 1 길(fathom) ; 네 발짐승의 네 다리의 하나. ⑧ Ⓒ 나침반의 4 방위의 하나, 방위(direction) : In what ~ is the wind? 바람이 어느 방향에서 불어오는가 ; 형세는 어떤가. ⑨ Ⓒ 방면 ; 지역, 지방(地方) ; (도시의) 지구, …거리(district) : the Chinese ~ of San Francisco 샌프란시스코의 중국인 거리 / the residential ~ 주택 지구 / the slum ~ 빈민굴(窟) / gay ~s 환락가. ⑩ Ⓒ (특수한) 방면, 통(通), (정보 등의) 출처(source) : This news comes from reliable ~*s*. 이 뉴스는 믿을 만한 소식통에서 나왔다. ⑪ (*pl.*) **a**) 숙소, 거처, 주소 : an office with sleeping ~*s* 숙직실이 있는 사무실 / the servants ~*s* 하인 방. **b**) 〖軍〗 진영, 병사(兵舍) : The army's married ~*s* are just outside the town. 군인의 기혼자 숙소는 바로 시 외각에 있다. ⑫ (*pl.*) (함선내의) 부서, 배치 : be at 〔call to〕 ~ 부서에 자리잡다〔배치하다〕. ⑬ Ⓤ 〔흔히 否定文〕 (항복한 적에게 보이는) 자비(mercy), 관대(indulgence) : We can expect *no* ~ from our enemies. 적의 자비 따위는 기대할 수 없다. ⑭ Ⓒ 〖建〗 간주(間柱) ; 〖紋章〗 (방패의) 4 반절 무늬. ⑮ Ⓒ 〖競〗 경기 시간 전체의 4 분의 1 ; 〖美蹴〗 = QUARTERBACK. ***ask for*** 〔***cry***〕 ~ (포로·패잔자 등이) 살려 달라고 빌다. ***at close*** ~***s*** 바싹 접근하여. ***give*** 〔***receive***〕 ~ 살려주다〔목숨을 건지

다〕: *Give* no ~. 사정없이 해치워라. ***live in close*** ~ 좁은 곳에 다닥다닥 살다. ***take up*** one*'s* ***~s*** 숙소를 잡다 ; 〖軍〗 부서에 자리잡다《특히 군함에서》.

── *a.* 〔限定的〕 4 분의 1 의 : a ~ mile, 4 분의 1 마일(경주).

── *vt.* ① …을 4(등)분하다, (짐승)을 네 갈래로 찢다 : ~ an apple 사과를 4 등분하다. ② (죄인)을 사지(四肢)를 찢어 죽이다 ; 〖紋章〗 (방패)를 열십자로 4 등분하다. ③《~+目 / +目+ 전+명》 …을 숙박〔숙영〕시키다 ; 부서에 자리잡게 하다《*in* ; *on* ; *with*》: The soldiers are ~*ed in*〔*on*〕 the village. 병사들은 마을에 숙영하게 되었다.

quar·ter·back [kwɔ́:*r*tə*r*bæ̀k] *n.* U,C 〖美蹴〗 쿼터백《forward와 halfback 중간에 위치 ; 略 : qb, QB》.

quárter dày 4 계〔4 분기〕 지급일《《美》 1월·4월·7월·10월의 첫날 ; 《英》 Lady Day(3월 25일) ; Midsummer Day(6월 24일) ; Michaelmas (9월 29일) ; Christmas(12월 25일) ; 《Sc.》 Candlemas(2월 2일) ; Whitsunday(5월 15일) ; Lammas(8월 1일) ; Martinmas(11월 11일)》.

quar·ter·deck [-dèk] *n.* (the ~) 후갑판, 선미갑판 : *The* ~ is usually reserved for officers. 후갑판에는 흔히 장교들이 있게 된다.

quárter dóllar 25 센트 화폐.

quar·ter·fi·nal [kwɔ̀:tərfáinəl] *n.* C, *a.* 준준결승(의). cf. semifinal. 파 **~·ist** *n.* C 준준결승 출전 선수〔팀〕.

quárter hòrse 단거리 경주말《1/4 마일 경주용으로 개량된 말》.

quar·ter-hour [kwɔ́:*r*təráuə*r*] *n.* C 15 분간 ; (어떤 시각의) 15 분 전〔지난〕 시점.

quárter lìght 《英》 (자동차 측면의) 3 각 창.

quar·ter·ly [kwɔ́:*r*tə*r*li] *a., ad.* ① 연(年) 4 회의〔에〕, 철마다(의) : ~ issue 계간(季刊) / This magazine comes out ~. 이 잡지는 연 4회 발행된다. ② 방패를 열십자로 4 등분한〔하여〕. ── *n.* C 연 4 회 간행물, 계간지(誌).

quar·ter·mas·ter [kwɔ́:tə*r*mæ̀stə*r*, -mɑ̀:s-] *n.* C ①〖陸軍〗 병참(兵站)〔보급〕 장교《略 : Q. M.》; 보급 부대원. ②〖海軍〗 조타수(操舵手).

Quártermaster Còrps 《美》 보급〔병참〕부대, 병참단《略 : Q.M.C.》.

quártermaster géneral (*pl.* ~*s*, ~) 〖軍〗 병참감《略 : Q.M.G.》.

quárter nòte 《美》〖樂〗 4 분음표.

quárter sèssions ①《英》 (옛) 4계 재판소《3 개월마다 열린 하급 형사 법원 ; 1971년 폐지되고 Crown Court 가 설치됨》. ②《美》 (몇 주에서 제한적인 관할권을 갖는) 하급 형사 법원.

quar·ter·staff [kwɔ́:*r*tə*r*stæ̀f, -stɑ̀:f] (*pl.* ***-staves*** [-stèivz]) *n.* C 옛날 영국 농민이 무기로 쓰던 6-8피트의 막대.

***quar·tet,** 《英》 **-tette** [kwɔ:*r*tét] *n.* C ①〖樂〗 4 중주, 4 중창 ; 4 중주곡, 4 중창곡 ; 4 중주단, 4 중창단. cf. solo. ② 넷 한 짝(을 이루는 것), 네 개짜리 ; 4 인조.

quar·to [kwɔ́:*r*tou] (*pl.* ***~s***) *n.* ① U 4 절판《9 1/2×12 1/2 인치 크기 ; 略 : Q., 4 to, 4°》. ② C 4절판의 책. cf. folio, sexto, octavo. ── *a.* 4절(판)의 : ~ paper 4절지 / a ~ edition 4절판.

quartz [kwɔ:rts] *n.* U 〖鑛〗 석영(石英) ; SMOKY QUARTZ.

quártz crỳstal 〖電子〗 수정 결정(結晶).

quártz(-crýs·tal) clòck [´(krístl)-] 수정 시계《정밀 전자 시계의 1 종》.

quártz glàss 석영 유리.

quártz wàtch 수정 (발진식) 시계《전자 시계》 (=**quártz-crýstal wàtch**).

qua·sar [kwéisɑ:*r*, -zə*r*, -sə*r*] *n.* C 〖天〗 퀘이사, 준성, 전파원(準星電波源).

quash [kwɑʃ / kwɔʃ] *vt.* ① (반란 따위)를 가라앉히다, 진압하다 : ~ a revolt〔a rebellion〕 반란을 진압하다 / All my hopes are ~*ed*. 나의 모든 희망이 사라졌다. ②〖法〗 (판결·명령 따위)를 취소하다, 파기하다.

qua·si [kwéisai, -zai, kwɑ́:si, -zi] *a.* 유사한, 준(準)하는 : a ~ contract 준계약 / a ~ member 준회원 / a ~ artist 사이비 예술가.

quasi- *pref.* '유사(類似), 의사(擬似), 준(準)' 등의 뜻 : *quasi*-cholera (유사 콜레라), a *quasi*-war(준전쟁).

quat·er·cen·te·na·ry [kwɑ̀:tə*r*séntənèri / kwæ̀tə*r*sentí:nəri] *n.* C 4 백년제(祭).

qua·ter·nary [kwətɔ́:*r*nəri, kwɑ́:tə*r*nèri] *a.* ① 4 요소로 되는 ; 넷 한 조〔짝〕의, 네 개짜리의 ; 4 부분으로 되는 ; 〖化〗 4 원소 또는 4기(基)로 되는. ② (Q-) 〖地質〗 제 4 기(紀)의. ── *n.* ① C 4 개 한 조의 것. ② (the Q-) 〖地質〗 제 4 기(紀)〔층(層)〕.

quat·rain [kwɑ́trein / kwɔ́t-] *n.* C 4 행시《흔히 abab 라고 압운함》.

quat·re·foil [kǽtə*r*fɔ̀il, kǽtrə-] *n.* C ① 사판화(四瓣花) ; (클로버 따위의) 네 잎. ②〖建〗 사엽(四葉) 장식.

***qua·ver** [kwéivə*r*] *vi.* ① (목소리가) 떨(리)다 : Her voice began to ~ and I thought she was going to cry. 그녀의 목소리가 떨리기 시작했고 나는 그녀가 울 것이라고 생각했다. ② 떠는 소리로 말〔이야기〕하다《*out*》. ── *vt.* 《~+目 / +目+副》 …을 떨리는 소리로 노래〔말〕하다 : ~ (*out*) a word 떨리는 소리로 한 마디 말하다.

── *n.* C ① 떨리는 소리 ; 진음. ②《英》〖樂〗 8 분음표(eighthnote).

quay [ki:] (*pl.* ***~s***) *n.* C (흔히, 돌 또는 콘크리트의) 선창, 부두, 방파제, 안벽(岸壁) : He was waiting for her on the ~. 그는 부두에서 그녀를 기다리고 있었다. cf. pier, wharf.

quay·side [´sàid] *n.* C 부두 지대〔부근〕.

Que. Quebec.

quea·sy [kwí:zi] (***-si·er*** ; ***-si·est***) *a.* ① 메슥거리는 : She felt a little ~ on the boat. 그녀는 보트에서 좀 메슥메슥하였다. ② (음식·장면 등이) 속을 느글거리게 하는, 메스껍게 하는. ③ 불안한 ; 소심한《*at* ; *about*》: She was ~ *at*〔*about*〕 having to hide the truth. 그녀는 사실을 감춰야했기에 불안했다. 파 **-si·ly** *ad.* 메스껍게. **-si·ness** *n.*

Que·bec [kwibék] *n.* 퀘벡《캐나다 동부의 주 ; 그 주도(州都)》. 파 **~·er** *n.* C 퀘벡 주의 주민.

†**queen** [kwi:n] *n.* C ① (종종 Q-) **a**) 여왕, 여제(女帝) (~ regnant). cf. king. ★ 영국에서는 그 때의 군주가 여왕이면 관용구가 King에서 Queen 으로 변함 : King's English → Queen's English. ¶ the *Queen* of England 영국 여왕 / *Queen* Elizabeth Ⅱ 엘리자베스 2세 여왕《칭호일 때는 무관사》/ How long did *Queen* Victoria reign? 빅토리아 여왕은 얼마동안이나 통치하였는가. **b**) 왕비, 왕후(~ consort) : the King and *Queen* 국왕 부처. ② (종종 Q-) (신화·전설의) 여신 ; 《특히》 미인 경연 대회의 입선자, (사교계 따위의) 여왕, 스타 ; (어느 분야에서의) 여성의 제1인자 : the ~ of beauty 미(美)의 여왕 / the ~ of crime writing 범죄소설의 여왕. ③ (여왕에 비길 만한) 뛰어나게 아름다운 것, 숭배의 대상 : the rose, ~ of flowers 꽃의 여왕 장미. ④ 정부(情婦), 연인, 아내 : my ~ 애인. ⑤〖카드놀이·체스〗 퀸. ⑥〖蟲〗

여왕벌, 여왕 개미. ⑦《俗》 여자 역(할)을 하는 남자 동성 연애자. ***the ~ of hearts*** 〖카드놀이〗 하트의 퀸; 미인(美人). ***the Queen of Heaven*** 〔***Grace, Glory***〕 성모 마리아; (the Queen of Heaven) = JUNO. ***the Queen of love*** = VENUS. ***the Queen of night*** = DIANA. ***the Queen of the Adriatic*** = VENICE. ***the ~ of the meadow*** (***s***) = MEADOWSWEET.

— *vt.* ① …을 여왕으로〔왕비(王妃)로〕 삼다. ② 여왕으로서 다스리다. ③〖체스〗 졸을 여왕으로 만들다. ~ ***it*** …에게 여왕 행세를 하다《*over*》(cf. lord it (over)): Jane likes to ~ *it over* her friends. 제인은 친구들에게 여왕처럼 굴려고 한다.

Quéen Ánne 앤 여왕조(朝) 양식(~ style)의 《18 세기 초기 영국의 건축·가구 양식》.

quéen ánt 여왕 개미.

quéen bée ① 여왕벌. ② 여왕처럼 구는 여성.

quéen cónsort (국왕의 아내로서의) 왕비.

quéen dówager (전왕의 미망인인) 왕대비.

queen·ly [kwíːnli] (***-li·er*** ; ***-li·est***) *a.* 여왕 같은〔다운〕, 여왕에 어울리는.

quéen móther (금상(今上)의 어머니인) 황태후(cf. queen dowager); 왕자〔공주〕를 둔 여왕.

quéen pòst 〖建〗 쌍대공 트러스, 암기둥. cf. king post.

quéen régent 섭정(攝政) 여왕.

quéen régnant (주권자로서의) 여왕.

Queens [kwiːnz] *n.* 퀸스《미국 New York 시 동부의 구(區)》.

Quéen's Bénch (the ~) 〖英法〗 ⇨KING'S BENCH (DIVISION).

Quéens·ber·ry rùles [kwíːnzbèri- / -bəri-] 퀸즈베리 법칙《Queensberry 후작이 설정한 권투 규칙》.

Quéen's Cóunsel 〔**Énglish, évidence**〕 ⇨ KING'S COUNSEL〔ENGLISH, EVIDENCE〕.

Quéen's Énglish (the ~) (여왕 치세 중의) 순정〔표준〕 영어.

queen-size [kwíːnsàiz] *a.* 중특대의《kingsize 보다 작은》.

Queens·land [kwíːnzlənd, -lǽnd] *n.* 퀸즐랜드 《오스트레일리아 북동쪽의 주》.

queer** [kwiər] (**∠·er** ; **∠·est**) *a.* ① 이상한, 기묘한(odd, strange); 야릇한, 색다른, 괴상한(eccentric): a ~ sort of fellow 이상한 놈 / It is ~ that he should have done such a thing. 그가 그런 일을 하다니 이상하구나. ②《口》 수상한, 의아〔의심〕스러운(suspicious): a ~ goings-on 수상한 행위 / a ~ character 의심스러운 인물. ③ 어지러운(giddy), 몸〔기분〕이 좋지 않은(unwell): I felt a little ~. 조금 기분이 나빴다. ④〔敍述的〕 머리가 좀 돈(deranged): go ~ 머리가 좀 돌다 / He's ~ in the head. 그는 머리가 이상하다. ⑤《美俗》 가짜의, 위조의(counterfeit): ~ money. ⑥《美俗》 (남자가) 동성애의. ⑦《英俗》 술취한. ***a ~ fish 〔***bird, card, customer***〕 괴짜, 기인. ***in Queer Street*** 〔~ ***street***〕《英俗》 (1) 돈에 쪼들려. (2) 궁지에 빠져.

— *vt.* 《+목+전+명》 (남의 계획·준비·기회 등)을 엉망으로 해놓다, 망치다. ~ ***the pitch for*** a person = ~ a person***'s pitch*** (사전에) 아무의 계획을〔기회를〕 망쳐놓다.

— *n.* Ⓒ 《俗·蔑》 호모, 동성애의 남자.

㊕ **∠·ly** *ad.* **∠·ness** *n.*

quell** [kwel] *vt.* ① (공포 등)을 (억)누르다, 가라앉히다: I was trying to ~ a growing unease. 나는 커가는 불안을 잠재우려고 애썼다. ② (반란 등)을 진압하다: The troops ~*ed* the rebellion quickly. 군대는 신속히 반란을 진압하였다. ~ one's hopes*** 희망을 잃게 하다. ㊕ **∠·er** *n.*

‡**quench** [kwentʃ] *vt.* ①《~+목 / +목+전+명》《文語》 (불 따위)를 끄다(extinguish): ~ a fire *with* water 물로 불을 끄다. ② (갈증 따위)를 풀다: ~ one's thirst. ③ (희망·속력·동작)을 억누르다, 억압〔억제〕하다(suppress): His thirst for knowledge will never be ~*ed*. 지식에 대한 그의 갈망은 결코 억제할 수 없을 것이다. ④〖冶〗 …을 쇠담금〔담금질〕하다; (달군 쇠 등)을 물〔기름 따위〕로 냉각시키다. ⑤《俗》 (반대자)를 침묵시키다. ~ ***the smoking flax*** 〖聖〗 모처럼의 희망을 도중에서 꺾다《이사야 XLII : 3》. ㊕ **∠·er** *n.* Ⓒ ① ~하는 사람; 냉각기(器). ②《口》 갈증을 푸는 것, 마실 것: a modest ~*er* 가벼운 한 잔. **∠·less** *a.* 끌 수 없는, (억)누를 수 없는: a ~*less* flame.

quer·u·lous [kwérjələs] *a.* 투덜거리는(complaining): a ~ tone〔attitude〕 불만스러운 어조〔태도〕. ㊕ **~·ly** *ad.* **~·ness** *n.*

***que·ry** [kwíəri] *n.* Ⓒ ① (불신·의혹을 품은) 질문, 의문《★ question 보다 격식차린 말씨임》: raise a ~ 질문을 하다 / If you have any *queries*, please don't hesitate to write. 의문이 나면 지체없이 편지하시오. ②〔particle 로서 의문구(句) 앞에 써서〕 감히 묻다, 묻노니《略 : q., qu., qy.》: *Query*, where are we to find the funds? 묻건대 어디를 가면 자금을 얻을 수 있는가. ③ 물음표(?). ④〖컴〗 질문, 조회《자료틀(data base)에 대한 특정 정보의 검색 요구》: ~ language 질의어(質疑語). — *vt.* ① …을 묻다, 질문하다, 캐어묻다《*about*》: She *queried* my reason for leaving the post. 그녀는 내가 그 자리를 떠난 이유를 물었다 / He *queried* me *about* my job. 그는 나의 일에 대하여 물었다. ②《~+목 / +*wh.* 절》 (언명·말 따위)를 의심하다, …에 의문을 던지다: I ~ *whether* 〔*if*〕 his word can be relied on. 그의 말이 믿을 만한 것인지 의심스럽다.

ques. question.

‡**quest** [kwest] *n.* Ⓒ 탐색(search), 탐구(hunt), 추구(pursuit)《*for*》: a ~ *for* knowledge〔truth〕 / Their ~ *for* valuable minerals was in vain. 그들의 유용광물의 탐색은 허사가 되었다. ***in ~ of*** …을 찾아: go *in ~ of* adventure. — *vi.* 《+부 / +전+명》 (…을) 찾아다니다, 탐색하다《*for* ; *after* ; *about*》: ~ *about for* game 사냥감의 뒤를 밟아 찾아다니다 / ~ *for* treasure 보물을 찾다 / We're still ~*ing* (*about*) *for* an answer. 우리는 아직 (이런저런) 타개책을 강구하고 있다.

†**ques·tion** [kwéstʃən] *n.* ① Ⓒ 질문, 심문, 물음(opp. *answer*); 〖文法〗 의문문: ~ and answer 질의 응답 / May I ask you a ~? 한 가지 질문해도 좋습니까 / He refused to answer further ~*s* on the subject. 그는 그 문제에 대한 더 이상의 질문에는 답하기를 거절하였다. ② Ⓤ 의심, 의문《*about* ; *as to*》: There's no ~ *about* his sincerity. 그가 성실함은 의심할 여지가 없다 / There's some ~ *as to* whether he will sign this resolution. 그가 이 결정에 서명할는지 어떨지는 약간의 의문이 있다. ③ Ⓒ (해결할) 문제; (…로 정해질) 문제(problem), 현안: an open ~ 미해결 문제 / the ~ of unemployment 실업 문제 / economic ~*s* 경제 문제 / the ~ at〔in〕 issue 계쟁 문제, 현안 / It is only a ~ of money〔time〕. 그것은 단지 돈〔시간〕 문제이다 / To be, or not to be, that is the ~. 사느냐 죽어 버리느냐 그것이 문제로다《Shak. *Ham.* Ⅲ ; 56》 / There remains the ~ (of) how to restore order. 어떻게 질서를 회복하

느냐 하는 문제가 남아 있다. ④ (the ~) 논제(論題); 의제; 표결: That is not *the* ~. 그것은 문제 밖이다 / *the* ~ before the senate 상원이 채결(採決)할 의제(議題) / put the matter to *the* ~ 문제를 표결에 부치다. ***beg the*** ~ ⇨ BEG. ***beside the*** ~ 본제를 벗어난, 요점에서 벗어난. ***beyond*** (***all***) 〔***past***〕 ~ 틀림없이, 확실히: He's bright, *beyond* (*all*) ~, but is he honest? 그는 머리가 좋은 것은 틀림없으나 성실한 사람일까. ***call in***〔***into***〕 ~ 문제삼다, 이의를 제기하다. ***come into*** ~ 문제가 되다, 논의의 대상이 되다. ***in*** ~ 문제의, 당해(當該)의: the matter *in* ~ 당해 문제, 본건. ***make no*** ~ ***of*** …을 의심치 않다. ***out of*** 〔***without***〕 ~ =beyond ~. ***out of the*** ~ 문제가 되지 않는, 전혀 불가능한. ***put a*** ~ ***to*** …에게 질문하다. ***put the*** ~ (가부의) 투표를 요구하다. ***Question !*** (연사의 탈선을 주의시켜서) 본제로 돌아가라, 이의 있소. ***raise a*** ~ 문제를 제기하다, 문제삼다. ***The*** ~ ***is. . .*** 문제는 …이다. ***There is no*** ~. 의문의 여지가 없다. ― *vt.* ①《~+[목] / +[목]+[전]+[명]》… 에게 묻다: ~ the governor *on* his politics 지사에게 정책에 대하여 질문하다. ② …을 신문하다 (inquire of): ~ a suspect 용의자를 신문하다. ③《~+[목] / +*wh.* [절] / +*that* [절]》…을 의문으로 여기다(doubt), 문제시하다; 이의를 제기하다: ~ the importance of school 학교의 중요성을 의문시하다 / I ~ *whether* it is practicable. 그것이 실행 가능한지는 의문스럽다 / It cannot be ~*ed* (but) *that*… …은 의심할 여지가 없다 / It never occurs to them to ~ the doctor's decisions. 의사의 결정에 그들은 결코 의문을 제기하지 않는다. ④ (사실 따위)를 탐구하다, 연구〔조사〕하다.
― *vi.* 묻다, 질문하다.
[파] ~·**er** *n.* [C] 질문〔심문〕자.

***ques·tion·a·ble** [kwéstʃənəbəl] *a.* ① 의심스러운, 의문의 여지가 있는: It is ~ whether he was telling the truth. 그가 진실을 말했는지는 의심스럽다. ② (행동 등이) 수상쩍은, 문제가 되는: ~ conduct 미심쩍은 행동. [파] **-bly** *ad.*

ques·tion·ary [kwéstʃənèri / -nəri] *a.* 질문의, 의문의. ― *n.* =QUESTIONNAIRE.

ques·tion·ing [kwéstʃəniŋ] *n.* [U] 질문, 심문. ― *a.* 의심스러운, 수상한, 묻는 듯한. [파] ~·**ly** *ad.*

‡**quéstion màrk** ① 의문부, 물음표(?). ② 미지의 일, '미지수'.

quéstion màster 《英》 = QUIZMASTER.

ques·tion·naire [kwèstʃənέər] *n.* [C] 《F.》 (참고 자료용의) 질문 사항, 질문표《조목별로 쓰인》, 앙케트《★ 프랑스어 enguête [a:ŋkét]에 유래》: fill out a ~ 앙케트에 기입하다.

quéstion tìme (영국 의회에서) 질의 시간.

quet·zal [ketsɑ́:l] *n.* [C] 케짜르. ①〖鳥〗 꼬리 긴 고운새의 일종(=∠ **bìrd**)《중앙 아메리카산》. ② (*pl.* ***-zá·les*** [-lis]) Guatemala 의 화폐 단위《略: Q》.

queue** [kju(:)] *n.* [C] ① (예전, 남성 등의) 변발(辮髮). ②《英》 열, 줄, 행렬《차례를 기다리는 사람·차 따위의》(《美》 line): stand in a ~ 줄을 서다 / If you want tickets you'll have to join the ~ at the ticket office. 표를 원하시면 매표소에서 줄을 서야 합니다. ***jump the ~ 《英》 (열에) 새치기하다. ― *vi.* 《英》 열〔줄〕을 짓다; 열에 끼다《*on*》, 줄서서 기다리다《*up*》: ~ *up* for a bus 줄을 지어 버스를 기다리다 / We had to ~ for two hours to get tickets. 표를 얻기 위하여 우리는 두 시간이나 줄을 서서 기다려야 했다.

queue-jump [∠ʒʌ̀mp] *vi.* 《英》 (순번을 무시하고) 줄에 끼어들다, 새치기하다.

Qué·zon Cíty [kéizɑn-, -soun- / -zɔn-] 케손 시티《1948-75년 필리핀의 공식 수도; 현재는 Metropolitan Manila 의 일부》.

quib·ble [kwíbəl] *n.* [C] ① 둔사(遁辭), 강변, 핑계, 구차스런 변명; 모호한 말씨. ② 쓸데없는 비판, 트집; 쓸데없는 반대〔이론〕. ― *vi.* 쓸데없는 의론을 하다〔트집을 잡다〕《*about*》: He was always *quibbling about* minor point. 그는 항상 사소한 문제를 갖고 이러쿵저러쿵했다.
[파] **quíb·bler** *n.* **quíb·bling** *a., n.* 속이는, 핑계(대는). **quíb·bling·ly** *ad.*

†**quick** [kwik] (***∠·er, more*** ~ ***; ∠·est, most*** ~) *a.* ① **a**) 빠른, 잽싼, 신속한; 즉석의 (prompt): Be ~ (about it)! 꾸물거리지 말고 빨리 해라 / a ~ reply 즉답 / a ~ grower 생장이 빠른 식물 / ~ sales and small profits 박리 다매. **b**) (…하는 것이) 빠른《*to* do》: He is ~ *to* take offence. 그는 걸핏하면 화를 낸다. **c**) (…에) 빠른《*at* ; *in*》; (…이) 빠른《*of*》: be ~ *at* figures 계산이 빠르다 / *Quick at* meal, ~ *at* work. 《俗談》 식사에 빠른 자 일도 빠르다 / She's ~ *in* answering questions. 그녀는 질문에 척척 대답한다 / be ~ *of* foot〔understanding〕 발이〔이해가〕 빠르다. ② 민감한, 눈치〔약삭〕빠른, 머리가 잘 도는, 영리한: ~ *to* learn 사물을 빨리 깨치는 / ~ *of* apprehension 이해가 빠른 / have ~ wits 재치 있다 / Women are very ~ *at* seeing into men's hearts. 여성은 아주 빠르게 남성의 마음을 꿰뚫어 본다 / She has a ~ ear. 그녀는 귀가 밝다. ③ 성미 급한, 괄괄한: have a ~ temper 성마른 사람이다. ④ (커브 따위가) 급한, 급커브의; 《美俗》 꽉 끼는, 갑갑한: a ~ bend〔curve〕 in the road 도로의 급커브 / make a ~ turn 급히 진로를 바꾸다. ⑤《古》 **a**) 살아 있는: go down ~ into Hell 산 채로 지옥에 떨어지다. **b**) (the ~)〔名詞的; 複數 취급〕 살아있는 사람들: *the* ~ and the dead 살아있는 자와 죽은 자. ***a*** ~ ***one*** (쭉 들이켜는) 한 잔(의 술). (***Be***) ~ ***!*** 빨리. ***be*** ~ ***to*** do …하는 것이 잽싸다. ***in*** ~ ***succession*** 잇따라, 줄달아.
― *ad.* ① 빨리, 급히: Come ~. 빨리 오너라 / run ~ / Now then, ~! 자자 빨리 / Who'll be there ~*est ?* 누가 거기에 제일 먼저 갈까. ★ 늘 동사 뒤에 옴. ②〔分詞와 결합하여〕 빨리: a ~-acting medicine 즉효약. ~ ***as thought*** 〔***lightning, wink***〕 순식간에, 당장에, 번개처럼.
― *n.* [U] ① (the ~) 살아 있는 사람. ② (특히 손톱 밑의) 생살; (상처 따위의) 새살, 생살. ***to the*** ~ (1) 속살까지: cut one's nails *to the* ~ 손톱을 바짝 깎다. (2) 골수에 사무치게, 절실히: Their callous treatment cut her *to the* ~. 그들의 냉대는 그녀를 몹시 가슴 아프게 했다. (3) 철저한, 토박이의: a British *to the* ~ 토박이 영국 사람.

quick-and-dirty [∠əndə́:rti] *n.* [C] 《美俗》 스낵바, 간이 식당. ― *a.* 《口》 싸게 만들 수 있는, 싸게 되는; 질 나쁜. 「우 등》.

quick-change [∠tʃèindʒ] *a.* 재빨리 변장하는《배

‡**quick·en** [kwíkən] *vt.* ① (걸음 등)을 빠르게 하다, 서두르게 하다(hasten): She ~*ed* her pace a little. 그녀는 걸음걸이를 조금 빨리 했다. ② …을 활기 띠게 하다, 자극〔고무〕하다: The illustration ~*ed* my interest. 그 삽화는 흥미를 돋우었다. ③《~+[목] / +[목]+[전]+[명]》 …을 되살리다, 소생시키다(revive): The spring rains ~*ed* the earth. 봄비가 대지를 소생시켰다 / ~ the dying fire *into* flames 꺼져 가던 불을 다시 타오르게 하다. ― *vi.* ① 빨라지다, 속도가 더해지다:

Q

His pulse ~*ed.* 맥박이 빨라졌다. ② 활기 띠다, 생기 띠다; (흥미 등이) 솟아 나다: My interest ~*ed.* 관심이〔흥미가〕 더해졌다. ③ 살아나다, 피어나다, 소생하다. ④ (태아가) 태동하다, 놀다. [파] **~·er** *n.*

quick-fire, -fir·ing [ˊ-fáiər], [ˊ-fáiəriŋ] *a.* 속사(速射)의; 《口》 잇따라 퍼붓는《질문 따위》: a ~ gun 속사포.

quíck fíx 임시 변통, 임시 처변.

quick-freeze [ˊ-frìːz] (**-froze** ; **-frozen**) *vt.* (식품)을 급속 냉동하다《보존을 위해》.

quíck fréezing 급속 냉동(법).

quick·ie [kwíki] *n.* [C] 《口》 ① 간단히〔짧게〕 되는 일: I'd like to ask a question. It's just a ~. 간단하지만 질문이 하나 있습니다. ② 날림으로 한 일. ③ 간단한 한 잔. ── *a.* 급히 만든, 속성의.

quick·lime [ˊ-làim] *n.* [U] 생석회.

†**quick·ly** [kwíkli] (**more ~ ; most ~**) *ad.* 빠르게, 급히; 곧: Write down my words ~. 내 말을 즉시 받아쓰시오 / We'll have to walk ~ to get there on time. 시간에 맞게 그곳에 다다르려면 빨리 걸어야 한다.

quick·sand [ˊ-sæ̀nd] *n.* [C] (종종 *pl.*) 유사(流砂), 퀵샌드《그 위를 걷는 사람·짐승을 빨아들임》. [파] **-sàndy** *a.*

quick·set [ˊ-sèt] *n.* [C] (산울타리용의) 나무, (특히 산사나무의) 산울타리(=ˊ **hèdge**). ── *a.* 산울타리의.

quick·sil·ver [ˊ-sìlvər] *n.* [U] 수은(mercury).

quíck sòrt 〖컴〗 빠른 정렬〔차례짓기〕.

quick·step [ˊ-stèp] *n.* [C] ① (흔히 *sing.*) 〖댄스〗 퀵스텝. ② 퀵스텝의 곡(曲).

quick-tem·pered [ˊ-témpərd] *a.* 성급한, 성마른.

quíck tìme 〖軍〗 속보.

quick-wit·ted [ˊ-wítid] *a.* 기지에 찬, 약삭빠른, 두뇌 회전이 빠른.

quid[1] [kwid] (*pl.* ~(**s**)) *n.* [C] 《英口》 1 파운드 금화, 소브린(sovereign)화(貨); 1 파운드(지폐): five ~, 5 파운드. ***be ~s in*** 《英口》 운이 좋다; 바람직한〔유리한〕 입장에 있다.

quid[2] *n.* [C] 한번 씹을 분량《씹는 담배의》.

quid pro quo [kwìd-prou-kwóu] 《L.》 (=something for something) 대상(물)(compensation), 응분의 대상; 보복(tit for tat); 상당물, 대용품: The government has promised food aid as a ~ for the stopping of violence. 정부는 폭력을 중지하는 대가로 식량 원조를 약속하였다.

qui·es·cence [kwaiésəns] *n.* [U] 정지(靜止); 무활동(inactivity); 정적; 침묵; (누에의) 휴면(休眠).

qui·es·cent [kwaiésənt] *a.* 정지한; 무활동의; 조용한. [파] **~·ly** *ad.*

†**qui·et** [kwáiət] (**~·er ; ~·est**) *a.* ① 조용한, 고요한, 소리 없는. [opp] *noisy.* ¶ Be〔Keep〕 ~! 정숙해 주시오, 조용히 / a ~ street 한적한 거리 / ~ neighbors 시끄럽지 않은 이웃들 / She spoke in a ~ voice. 그녀는 조용한 목소리로 말하였다 / All was ~ in the room. 방안은 조용하였다. ② 정숙한, 얌전한, 말수가 없는: ~ boys 얌전한 아이들 / a ~ person 과묵한 사람 / ~ manners 조용한 태도 / She's thoughtful and ~. 그녀는 사려가 깊고 정숙하다. ③ 온화한, 평온한: live a ~ life 평온한 생활을 하다 / a ~ conscience〔mind〕 거리낄 것 없는 양심〔마음〕 / a ~ sea 잔잔한 바다 / The wind is much ~*er* now. 바람은 꽤 잔잔해졌다. ④ 숨겨진, 은밀한: ~ resentment 내심의 노여움 / Keep absolutely ~ about this. 이것은 절대로 비밀로 해 두시오〔발설치 말아요〕. ⑤ 수수한, 눈에 띄지 않는, 은근한: a ~ color 차분한 색〔빛깔〕 / a ~ irony 은근히 꼬집기〔빈정대기〕 / She is ~ in dress. 그녀는 옷을 수수하게 입는다. ⑥ (거래가) 한산한, 활발치 못한: a ~ market. ⑦ 비공식적인 (informal): a ~ dinner party 비공식 만찬회. (***as***) **~ *as a mouse*** 매우 조용한, 고요하기 그지없는. ── *n.* [U] ① 고요함, 정적(stillness): in the ~ of the night 밤의 정적 속에. ② 평정, 평온, 마음의 평화, 안식(rest and ~): have an hour's ~, 1 시간의 안식을 취하다 / He is living in peace and ~. 그는 평온무사하게 살고 있다. ***at*** ~ 평온하게, 평정하게. ***in*** ~ 조용히, 편안히, 고요히. ***on the*** ~ 몰래, 은밀하게, 가만히《속어에서 on the Q.T.〔q.t.〕로 생략》: He was accepting bribes *on the* ~. 그는 몰래 뇌물을 받고 있었다. ***out of*** ~ 침착을 잃고. ── *vt.* ① …을 진정시키다, 가라앉히다《*down*》: ~ (*down*) the excited crowd 흥분한 군중을 진정시키다. ② 누그러지게 하다 (mollify), (소란 따위)를 가라앉히다. ③ …을 달래다, 안심시키다(soothe): ~ a frightened child 겁에 질린 아이를 안심시키다.

── *vi.* 《+[부]》 고요해〔조용해〕지다, 가라앉다《*down*》: The excitement ~*ed down.* 흥분이 가라앉았다 / When he ~*ed down,* I began to tell him the truth. 그가 잠잠해졌을 때 나는 사실을 말하기 시작했다. [파] **~·en** [kwáiətn] *vt., vi.* 《英》 = quiet. **~·er** *n.* 〖機〗 (내연 기관 등의) 소음 장치. **~·ness** *n.*

qui·et·ism [kwáiətìzəm] *n.* [U] ① 〖哲〗 정적(靜寂)주의《17세기의 신비주의적 종교 운동》. ② 무저항주의. [파] **quí·et·ist** [-ist] *n.* [C] 정적〔무저항〕주의자.

†**qui·et·ly** [kwáiətli] (**more ~ ; most ~**) *ad.* ① 조용히, 고요히: She closed the door ~. 그녀는 조용히 문을 닫았다 / "Come along ~," said the policeman. '얌전히 따라와'라고 경관은 말하였다. ② 침착하게: "I'm not afraid of death." he answered ~. '나는 죽음을 두려워 않는다'고 그는 침착하게 대답했다. ③ 수수하게: be dressed ~ in gray 수수한 회색옷을 입고 있다. ④ 은밀히.

qui·e·tude [kwáiətjùːd] *n.* [U] 고요, 평온, 정적(quietness): In many of his poems the poet reflects on the ~ of the countryside. 시인은 많은 그의 시에서 시골의 평온함을 말하고 있다.

qui·e·tus [kwaiíːtəs] *n.* (흔히 *sing.*) (마지막의) 숨통끊기, 최후의 일격, 결정타(打): put a ~ on the talk of rebellion 반란의 소문에 못을 박다. ***get*** one***'s*** ~ 죽다. ***give a ~ to*** (a rumor) (소문)을 근절시키다. ***give*** a person ***his*** ~ 아무를 죽이다.

quiff [kwif] *n.* [C] 《英》 앞이마에 늘어붙인 남성의 고수머리; 《俗》 교묘한 수단.

***quill** [kwil] *n.* [C] ① 깃촉; (날개깃·꼬리 따위의 튼튼한) 큰 깃. ② 깃촉펜(=ˊ **pèn**); 악기의 채(plectrum). ③ (흔히 *pl.*) (호저(豪猪)의) 가시.

***quilt** [kwilt] *n.* [C] (솜·털·깃털 따위를 둔) 누비이불; 누비 침대 커버(coverlet), 퀼트.

── *vt.* 《~+[목]/+[목]+[전]+[명]》 …을 속을 두어서 누비다〔무늬지게 누비다〕, 퀼트로 하다.

quilt·ed [kwíltid] *a.* 퀼트 풍의: She wore a ~ satin jacket. 그녀는 누빈 새틴 재킷을 입고 있었다.

quilt·ing [kwíltiŋ] *n.* [U] 퀼팅, 누빔, 누비; 누비 재료.

quin [kwin] *n.* 《英口》 =QUINTUPLET ②.

quince [kwins] *n.* [C] 〖植〗 마르멜로(의 열매).

quin·cen·te·na·ry [kwinséntənèri / kwìnsentíːnəri] *a.* 500 년제(祭)〔기념〕의. ── *n.* [C] 500

년제〔잔치〕.

qui·nine [kwáinain / kwiní:n] *n.* Ⓤ【藥】 퀴닌; 키니네.

quin·qua·ge·nar·i·an [kwìŋkwədʒinέəriən] *a., n.* Ⓒ 50 대의 (사람).

quin·quag·e·nary [kwinkwǽdʒinèri / kwìŋkwədʒí:nəri] *a.* 50 세〔대〕의.
— *n.* Ⓒ 50 세의 사람; 50 년제〔잔치〕.

Quin·qua·ges·i·ma [kwìŋkwədʒésəmə] *n.* 【가톨릭】 5순절(의 주일); 【聖公會】 4 순절(Lent) 직전의 일요일(= ∠ **Súnday**).

quin·quen·ni·al [kwiŋkwéniəl] *a.* 5 년마다의; 5 년의, 5 년간의, 5 년간 계속되는.
— *n.* Ⓒ 5 년마다 발생하는 것; 5 주년 (기념), 5 년제(祭), 5 주년 기념일; 5 년의 임기; 5 년간.

quin·sy [kwínzi] *n.* Ⓤ【醫】 편도선염, 후두염.

quint [kwint] *n.* 《美口》 =QUINTUPLET ②.

quin·tal [kwíntl] *n.* Ⓒ 퀸틀《무게의 1 단위; 미국에서는 100 lb., 영국에서는 112 lb., 미터법에서는 100 kg》.

quin·tes·sence [kwintésəns] *n.* Ⓤ (the ~) ① 정수, 진수《*of*》: The greatest happiness of the greatest number is *the* ~ *of* utilitarianism. 최대 다수의 최대 행복이 공리주의의 진수다. ② 전형《*of*》: She is *the* ~ *of* female virtue. 그녀는 부덕(婦德)의 전형이다.

quin·tes·sen·tial [kwìntəsénʃəl] *a.* 전형적인: Everybody thinks of him as the ~ New Yorker. 누구나 그를 전형적인 뉴욕 시민이라고 생각한다. ㊘ **~·ly** *ad.* 참으로, 철저히.

quin·tet, -tette [kwintét] *n.* Ⓒ ①【樂】 5 중주(곡); 5 중창(곡); 5 중주단(의 멤버). ② 5 인조; 5 개 한 벌; 《美口》 (남자) 농구 팀.

quin·til·lion [kwintíljən] *n.* Ⓒ, *a.* 《美》 백만의 3 제곱(10^{18})(의); 《英·獨·프》 백만의 5 제곱(10^{30})(의).

quin·tu·ple [kwintjú(:)pl / kwíntju:pl] *a.* 5 배의, 5 배양(量)〔액〕의; 5 중의; 5 부분으로 된. — *n.* Ⓒ 5 배; 5 배 양〔액〕; 5 개 한 벌〔짝〕. ⓒⓕ sextuple. — *vt., vi.* 5 배로 하다〔되다〕.

quin·tu·plet [kwintʌ́plət, -tjú:- / kwíntjuplit] *n.* Ⓒ ① 5 개 한 벌; 5 인 1 조. ② 다섯 쌍둥이의 한 사람(quint); (*pl.*) 다섯 쌍둥이(quins)《★ '다섯 쌍둥이 중 둘' 하면 two of the ~*s* 라고 함이 보통》.

quip [kwip] *n.* Ⓒ 경구, 명언; 빈정거리는 말, 신랄한 말; 둔사(遁辭), 핑계; 기묘한 것. — (*-pp-*) *vt., vi.* (…에게) 빈정거리다, 비꼬다, 놀리다; 둔사를 쓰다.

qui·pu [kí:pu:, kwípu:] (*pl.* **~s**) *n.* Ⓒ (옛 페루인의) 결승(結繩)문자.

quire [kwaiər] *n.* Ⓒ 1 첩(帖), 1 권(卷)《종이 24 또는 25 매》; (제본 때의) 한 절(折)《略: q., qr.》.

quirk [kwə:rk] *n.* Ⓒ ① 기상(奇想); 기벽(奇癖): have a strange ~ of doing …하는 묘한 버릇이 있다. ② 우연, 운명의 장난: By a strange ~ of fate I had to arrest my old friend. 얄궂은 운명의 장난으로 나는 옛 친구를 체포하지 않으면 안 되었다.

quirky [kwə́:rki] (***quirk·i·er*; *-i·est***) *a.* 기묘한, 별난. ㊘ **quírk·i·ly** *ad.* **-i·ness** *n.*

quirt [kwə:rt] *n.* Ⓒ, *vt.* 《美》 엮어 꼰 가죽 말채찍(으로 치다).

quis·ling [kwízliŋ] *n.* Ⓒ (적국에 협력하는) 배신자, 매국노《노르웨이 친(親)나치스 정치가 Vidkun Quisling의 이름에서》.

‡quit [kwit] (*p., pp.* ***∠·ted,*** 《주로 美》 ~; ***∠·ting***) *vt.* ① 《~+目 / +-*ing*》 (일 따위)를 그치다, 그만두다, 중지하다(discontinue): *Quit* that! 그거 그만두시오〔그치시오〕/ *Quit* worry*ing* about me. 내 일은 상관 말아 주게 / I'm going to ~ smok*ing* next week. 내주에는 담배를 끊으려 한다. ② …에서 떠나다, 물러나다; 버리고 가다, 포기하다, 내놓다(give up): He ~*ted* his room in anger. 그는 성이 나서 방을 나갔다 / I ~*ted* Seoul last year and went to live in the country. 작년에 서울을 떠나 시골에서 살고 있다. ③ (직)을 떠나다: ~ office 〔a job〕 사직하다 / Would you ~ your job if you inherited lots of money? 돈을 많이 물려받으면 일자리를 그만두겠는가. — *vi.* ① 《~ / +전+명》 일을 그만두다(stop), 단념하다: ~ *on* life 삶을 포기하다. ② 사직하다: He figured he would ~ before Smith fired him. 그는 스미스씨가 자기를 해고하기 전에 사직해야겠다고 생각했다. ***give*** 〔***have***〕 ***notice to*** ~ 사직〔물러날 것〕을 권고하다〔받다〕. ~ ***it*** 《美俗》 죽다. ***Quit it out!*** 《俗》 제발 그만 둬(Cut it out!). ~ ***the scene*** ⇨SCENE(成句).
— *a.* 〔敍述的〕 용서되어; 면제되어《*of*》: She was glad to be ~ *of* him. 그녀는 그와 손을 끊게 되어 기뻤다.

†quite [kwait] *ad.* ① 〔정도를 나타내지 않는 形容詞·動詞 또는 최상급의 形容詞 등을 修飾하여〕 완전히, 아주, 전혀(completely): That's ~ meaningless. 그건 전혀 무의미하다 / I ~ understand. 잘 알겠다 / I ~ agree with you. 전적으로 동감이다 / *Quite* the reverse is the case. 사실은 정반대다 / The two brothers are ~ different in character. 두 형제는 성격이 전혀 다르다. ② 〔not 와 함께 部分否定으로〕 완전히〔아주〕…은 아니다: I am *not* ~ ready. 준비가 덜 됐다 / I have*n't* ~ finished eating. 아직 다 먹지 않았다 / He 〔She〕 is*n't* ~. 《英口》 전적으로 신사 〔숙녀〕라고는 할 수 없다《a gentleman 〔lady〕를 보충함》. ③ 정말, 확실히; 사실상(actually), 실로, 꽤, 매우(very): Are you ~ sure? 정말 자신이 있나 / I've been ~ busy. 요즘 꽤 바빴다 / I am ~ tired. 매우 피곤하다. ④ 〔종종 다음에 but 을 수반하여〕 《英》 확실히〔상당히, 꽤나〕 …(그러나): She is ~ pretty, *but* uninteresting. 그녀는 확실히 예쁘긴 하나 재미가 없다. ⑤ 〔~ a+名詞〕 …이라 해도 좋을 정도로, 꽤, 상당히, 제법: She is ~ *a* lady. (신분에 어울리지 않게) 제법 귀부인 같다 / You are ~ *a* man! 너는 이제 어른 구실을 할 나이다. ⑥ 《주로 英》 그렇다, 그럼은요, 그렇고말고요, 동감입니다《대화에서》: Yes, ~. =Oh, ~. =*Quite* (so). 그럼은요, 동감이오, 그야 그렇지요 / *Quite* right. 좋소, 괜찮소, 그렇소. ~ ***a bit*** 〔***a few, a little***〕 《口》 어지간히, 꽤 많이〔많은〕: He knows ~ *a little* about it. 그 일에 대해 어지간히 알고 있다. ~ ***something*** 《口》 대단한 것〔일〕: It's ~ *something* to graduate with honor. 우등으로 졸업하다니 대단한 일이다. ~ ***the thing*** 유행되고 있는 것, 좋게 여겨지고 있는 것: be ~ *the thing* 크게 유행하고 있다.

quits [kwits] *a.* 대등〔팽팽〕하게 된, 피장파장인《갚음·보복에 의해》: Now we are ~. 자 이제 비겼다. ***be ~ with*** …에 복수하다; …와 대등해지다. ***cry*** 〔***call it***〕 ~ (1) (일 따위를) 일단 끝맺다, (오늘은) 이것으로 끝이라고 하다. (2) 무승부로 하다, 비긴 것으로 하다. ***double or*** ~ 〔***nothing***〕 군 쪽이 지면 빚이 2 배가 되고 이기면 빚이 없어지는 내기, 이판사판의 내기〔승부〕.

quit·tance [kwítəns] *n.* ① Ⓤ (채무·의무로부터의) 면제, 해제, 풀림《*from*》: Omittance is no ~. 재촉하지 않는 것은 탕감과는 별개의 것이다. ② Ⓒ 영수증, 채무면제 증명서. ***give*** a person his ~ 아무에게 나가라고 말하다.

quit·ter [kwítər] *n.* Ⓒ《口》(일 따위를) 곧 팽개치는 사람, 체념이 빠른〔줏대 없는〕사람.

‡quiv·er[1] [kwívər] *vi.* 《~ / +전+명》(가늘게) 떨리다(tremble, vibrate); 흔들리다: The leaves *~ed* in the wind. 나뭇잎이 바람에 흔들렸다 / Her bottom lip *~ed* and big tears rolled down her cheeks. 그녀의 아랫입술이 떨리면서 굵은 눈물이 두 볼에 흘러내렸다 / She was *~ing with* frustration and rage. 그녀는 좌절과 분노로 떨고 있었다. ── *vt.* (곤충이 날개·촉각)을 가늘게 떨다: The moth *~ed* its wings. 나방이 날개를 떨었다. ── *n.* Ⓒ (흔히 *sing.*) 떨림, 떪; 진동: A ~ of excitement ran through the audience. 흥분의 전율이 청중들 속에 퍼져 나갔다.

quiv·er[2] *n.* Ⓒ 화살통, 전동(箭筒). ***have an arrow*** 〔***a shaft***〕 ***left in*** one***'s*** ~ 아직 수단〔자력〕이 남아 있다. ***have*** one***'s*** ~ ***full*** 수단〔재력〕은 충분하다.

qui vive [ki:ví:v] 《F.》 누구야《보초의 수하(誰何)》. ***on the*** ~ 경계하여(on the lookout), 방심않고《*for*》.

Qui·xo·te [kihóuti, kwíksət / kihɔ:te] *n.* ⇨DON QUIXOTE.

quix·ot·ic [kwiksátik / -sɔ́t-] *a.* ① (*or* Q-) 돈키호테식의; 극단적으로 의협심이 있는. ② 비현실적인(unpractical). ㊎ **-i·cal·ly** [-kəli] *ad.*

quix·ot·ism [kwíksətìzəm] *n.* Ⓤ 돈키호테적인 성격; Ⓒ 기사연(然)하는〔공상적인〕행동〔생각〕.

quiz** [kwiz] (*pl.* ***∠·zes) *n.* Ⓒ ① 질문, 간단한 테스트; (라디오·TV의) 퀴즈: take part in a ~ 퀴즈에 참가하다. ② 간단한 구두〔필기〕시험.
── (**-zz-**) *vt.* 《~+목 / +목+전+명》 …에게 귀찮게 질문하다: She *~zed* me *about* my private life. 그녀는 내 사생활을 귀찮게 캐물었다 / He spent an hour being *~zed* by journalists. 그는 기자들의 질문에 한 시간이나 보냈다.

quíz gàme 〔**prògram, shòw**〕 〖放送〗 퀴즈놀이〔프로〕.

quiz·mas·ter [kwízmæ̀stər, -mɑ̀:s-] *n.* Ⓒ 퀴즈의 사회자.

quiz·zi·cal [kwízikəl] *a.* ① 놀리는(bantering), 조롱하는(chaffing). ② 야릇한(odd), 기묘한(queer), 우스운(comical): He gave me a ~ look. 그는 야릇한 표정으로 나를 보았다.
㊎ **~·ly** *ad.* **~·ness** *n.*

quod [kwɑd / kwɔd] 《英俗》 *n.* Ⓒ 교도소: in〔out of〕 ~ 형무소에 들어가〔출옥하여〕.
── (**-dd-**) *vt.* …을 투옥하다(imprison).

quod vi·de [kwɑd-váidi / kwɔd -] 《L.》 (= which see) …을 보라, …참조《略: q.v.》. 《★ 참조할 곳이 둘 이상일 때에는 quae vide; 略: qq.v.》.

quoin [kwɔin] *n.* Ⓒ ①〖建〗 (벽·건물의) 외각(外角); (방의) 구석. ② (건물 외각에 쌓는) 귀돌.

quoit [kwait / -ɔit] *n.* ① Ⓒ 고리《고리 던지기 놀이의》. ② (*pl.*) 〔單數 취급〕 고리던지기《땅 위에 세운 말뚝에 고리를 던지는 놀이》.

quon·dam [kwándəm / kwɔ́n-] *a.* 《L.》 〔限定的〕 원래의, 이전의: a ~ friend 옛 친구.

Quón·set hùt [kwánsət- / kwɔ́n-] 《美》 반원형 막사, 퀀셋(cf. Nissen hut)《미(美)해군 기지명에서; 商標名》.

quor·ate [kwɔ́:rit] *a.* 《英》 (회의가) 정족수에 달한. [◂ *quorum*+*-ate*]

quo·rum [kwɔ́:rəm] *n.* Ⓒ (의결에 필요한) 정족수(定足數): We now have a ~, so we can begin. 이제 정족수가 되었으니 (회의를) 시작할 수 있습니다.

quot. quotation; quoted.

quo·ta [kwóutə] *n.* Ⓒ ① 몫, 모가치. ② (제조·수출입 등의) 할당, 쿼터. ③ (이민·회원·학생 등의) 정원(수): The school has exceeded its ~ of students. 그 학교는 학생을 정원 이상으로 입학시켰다.

quot·a·ble [kwóutəbəl] *a.* 인용할 수 있는, 인용가치가 있는; 인용에 알맞은. ㊎ **quot·a·bil·i·ty** [kwòutəbíləti] *n.* Ⓤ 인용 가치.

quóta sỳstem (the ~) 할당 제도《수출입액·이민수 따위의》.

‡quo·ta·tion [kwoutéiʃən] *n.* ① **a)** Ⓤ 인용: suitable for ~ 인용에 적합한. **b)** Ⓒ 인용구〔어, 문〕《*from*》: a ~ *from* Shakespeare 셰익스피어에서 인용한 말 / At the beginning of the book there is a ~ *from* the Bible. 그 책 첫머리에 성경구절이 있다. ② Ⓒ〖商〗 시세, 시가; 시세놓기; 가격표, 견적서; 〖證〗 상장: today's ~ on 〔for〕 raw silk 오늘의 생사 시세.

‡quotátion màrks 따옴표, 인용부: single ~ 작은따옴표(' ') / double ~ 큰따옴표(" ").

‡quote [kwout] *vt.* ① 《~+목 / +목+전+명》 (남의 말·문장 따위)를 인용하다, 따다 쓰다: ~ Shakespeare 셰익스피어의 말을 인용하다 / ~ a verse *from* the Bible 성서에서 한 구절을 인용하다 / She ~*d* his remark *to* us. 그녀는 우리에게 그의 발언을 인용하였다 / Don't ~ me in this connection. 여기에 관련해 나를 끌어들이지 마시오. ② 《+목 / +목+목》 …을 예시(例示)하다: He ~*d* many facts in support of his argument. 그는 많은 사실을 들어 자기 주장을 뒷받침했다 / Can you ~ me a recent case? 최근의 예를 보여주시겠습니까. ③ 《~+목 / +목+전+명》 〖商〗 (가격·시세)를 부르다; 어림치다: ~ a price 값을 매기다 / ~ a thing *at* $100, 어떤 물건값을 백 달러로 어림잡다 / The commodity was ~*d at* five dollars. 그 상품의 시세는 5달러였다 / He ~*d* $ 500 *for* repairing my car. 그는 내 차 수리에 500달러 견적을 냈다. ── *vi.* ① 《~ / +전+명》 인용하다《*from*》: ~ *from* the Bible 성서에서 인용하다. ② 〔命令形〕 인용(문)을 시작하다《인용문의 개시를 나타냄; cf. unquote》: MacArthur said, ~, "I shall return," unquote. 맥아더는 말했다. '나는 반드시 돌아온다'고. ***be ~d as saying*** … 라고 말하였다(라고 전한다)《★ 신문 등에서 흔히 쓰임》.
── *n.* Ⓒ 《口》 ① 인용구(引用句), 인용문. ② (흔히 *pl.*) 인용부, 따옴표: in ~*s* 따옴표로 싸서〔둘러〕. ③ 시세, 견적(액).

quoth [kwouθ] *vt.* 《古》 …라고 말했다(said)《★ 1인칭 및 3인칭의 직설법 과거; 항상 주어의 앞에 둠》: "Very true," ~ he. '당연하지'라고 그는 말했다.

quo·tid·i·an [kwoutídiən] *a.* 〔限定的〕 매일의, 일상적인; 흔해빠진(trivial): Television has become part of our ~ existence. 텔레비전은 우리 일상 생활의 일부가 되었다 / ~ needs 일용필수품.

quo·tient [kwóuʃənt] *n.* Ⓒ ①〖數〗 몫: differential ~ 미분몫. ② 지수, 비율: intelligence ~ 지능지수 / a stress ~ (일 따위에서) 받는 스트레스의 비율.

Qu·ran, Qur'·an [kurɑ́:n] *n.* =KORAN.

q.v. *quod vide* 《L.》 (=which see).

qwer·ty, QWERTY [kwə́:rti] *a.* (키보드가) QWERTY 배열의《영자 키의 최상렬이 q, w, e, r, t, y의 순으로 되어 있는 일반적인 것》: a ~ keyboard.

Qy., qy. query.

R

R, r [ɑːr] (*pl.* **R's, Rs, r's, rs** [-z]) *n.* ① U,C 아르(영어 알파벳의 열여덟째 글자). ② C R자 모양의 것. ③ U 제 18번째(의 것)(j를 빼면 17번째); (R) 로마 숫자의 80. ***the r months,*** 9월부터 4월까지(달 이름에 모두 r자가 들어 있음; 굴(oyster)의 계절). ***the three R's***(기초 교육으로서의) 읽기·쓰기·셈(reading, writing, arithmetic).

R 〖電〗 resistance; 《美》 〖映〗 restricted(18세 미만의 미성년자는 보호자의 동반이 필요한, 준(準) 성인 영화). cf. G, PG; reverse; rial(s); riyal; ruble; rupee(s). **R, r** response; 〖체스〗 rook. **r.** right; ruble; rupee. **R.** Radius; Railroad; Railway; Ratio; Regina: Elizabeth R(여왕 엘리자베스)(★ 서명 등에 쓰임); Republic(an); Rex; River; Royal. Ⓡ registered trademark (등록 상표)

Ra [rɑː] *n.* (이집트 신화의) 태양신.

R.A. Rear Admiral; 《英》 Royal Academy (Academician); 《英》 Royal Artillery. **Ra** 〖化〗 radium.

rab·bet [rǽbit] *n.* C 〖木工〗 사개; 은촉홈(널빤지와 널빤지를 끼워 맞추기 위해서 그 단면에 낸 홈 따위); 은촉붙임, 사개맞춤.
— *vt.* …을 사개 맞춤을 하다, 은촉붙임하다.

rábbet jòint 사개 맞춤.

rab·bi [rǽbai] (*pl.* ~(***e***)***s***) *n.* C ① 유대의 율법 박사; 랍비. ② (경칭으로) 선생님.

rab·bin·i·cal [rəbínikəl] *n., a.* 랍비(의); 랍비의 교의(敎義)〔말투, 저작〕(의).

†rab·bit [rǽbit] *n.* ① C (*pl.* ~(***s***)) 집토끼(★ hare 보다 작으며, 미국에서는 일반적으로 토끼의 총칭으로 씀): breed〔multiply〕 like ~*s* 마구 아이를 낳다(경멸적). ② U 토끼의 모피〔고기〕. ③ C (장거리 경주의) 페이스 메이커. ④ C 《英口》 (골프·테니스 따위의) 서투른 경기자. ⑤ = WELSH RABBIT. ***(as) scared*** 〔***weak, timid***〕 ***as a*** ~ (토끼처럼) 겁을 내는〔소심한, 겁쟁이인〕.
— (**-tt-**) *vi.* ① 토끼 사냥을 하다: go ~*ting* 토끼 사냥가다. ② 《英口》 투덜거리다(*about*).

rábbit èars 《美口》 V자형 실내용 텔레비전 안테나.

rábbit hùtch 토끼장(상자꼴의).

rábbit pùnch 〖拳〗 래빗 펀치(뒤통수 치기).

rábbit wàrren 토끼 번식장.

rab·ble [rǽbəl] *n.* ① U,C 〔集合的〕 구경꾼, 오합지졸, 어중이떠중이. ② (the ~) 《蔑》 하층민, 천민, 대중.

rab·ble-rous·er [rǽbəlràuzər] *n.* C 대중 선동가. ㊕ **-ròus·ing** *n.* U 대중을 선동하는 일.
— *a.* 〔限定的〕 대중을 선동하는.

Rab·e·lais [rǽbəlèi, ⌐-⌐] *n.* **François** ~ 라블레(프랑스의 풍자 작가; 1494?-1553).

Rab·e·lai·si·an, -lae- [ræ̀bəléiziən, -ʒən] *a.* 라블레(풍)의; 야비하고 익살맞은. — *n.* C 라블레 숭배자〔모방자, 연구가〕.

rab·id [rǽbid] (~**·er**; ~**·est**) *a.* ① 〔限定的〕 맹렬한, 미친 듯한; 광포한; 과격한: ~ right-wingers 극우파. ② 광견병에 걸린: a ~ dog 미친 개. ㊕ ~**·ly** *ad.* ~**·ness** *n.*

***ra·bies** [réibiːz] *n.* U 〖醫〗 광견병, 공수병(恐水病)(hydrophobia).

RAC 《英》 Royal Automobile Club(영국 자동차 클럽).

rac·coon [rækúːn, rə-] (*pl.* ~(***s***)) *n.* ① C 〖動〗 미국너구리. ② U 미국너구리의 모피.

raccóon dòg 너구리(동부 아시아산(産)).

†race[1] [reis] *n.* ① C 경주; 보트〔요트〕레이스, 경마, 경견(競犬), 경륜(競輪), 자동차 레이스 (*with*; *against*): ride a ~ 경마〔경륜〕에 출전하다 / run a ~ *with*〔*against*〕 …와 경주하다. ② (the ~s) 경마〔경견(競犬)〕(회): go to *the* ~*s* 경마에 가다 / play *the* ~*s* 《美》 경마에 돈을 걸다. ③ C 〔一般的〕 경쟁; 급히 서두름, 노력(*for*; *against*): a ~ *for* promotion 승진을 위한 경쟁 / a ~ *against* time 시간과의 경쟁 / We had a ~ *for* the train. 열차 시간에 맞추려고 우리는 서둘렀다. ④ C 《古》 인생 행로, 생애; 《古》 (천체의) 운행; 《古》 시간의 경과; (사건·이야기 등의) 진행: Your ~ is nearly run. 당신 수명도 거의 끝장이오. ⑤ C 급류, 여울; 수로, 용수로.
make the ~ 《美》 (공직에) 입후보하다.
— *vi.* ① (~/ +전+명) 경주하다, 다투다, 경쟁하다(*with*; *for*); 질주하다: ~ *with* a person 아무와 경주하다 / The stream ~*d down* the valley. 그 시냇물은 골짜기를 세차게 흘러내려 갔다 / ~ *for* the presidential nomination 대통령 후보 지명을 위해 경쟁하다. ② (기계가) 헛돌다.
— *vt.* ① (~+목 / +목+전+명) …와 경주하다: I ~*d* him *to* the tree. 나무가 있는 데까지 그와 경주했다. ② (~+목 / +목+전+명) …을 경주시키다(*against*): ~ one's horse in the Derby 아무의 말을 더비 경마에 내보내다 / I ~*d* my dog *against* his. 내 개와 그의 개를 경주시켰다. ③ …을 전속력으로 달리게 하다: ~ one's car on the free way 고속 도로에서 차를 빨리 몰다. ④ (~+목 / +목+전+명) (상품 등)을 급송하다; (서류 등)을 급히 돌리다, (의안 등)을 서둘러 통과시키다: ~ a bill *through* the House 의안을 하원에서 급히 통과시키다. ⑤ (기계)를 헛돌게 하다; …을 전속력으로 돌리다. ~ **(*a*)*round*** 〔***about***〕 (흔히, 급한 일로) 뛰어다니다.

†race[2] *n.* ① U,C 인종, 종족; 인류(human ~): the white 〔yellow〕 ~ 백색〔황색〕 인종 / It's wrong to discriminate against people because of their ~. 인종을 이유로 사람을 차별하는 것은 잘못이다. ② U,C (문화상의 구별로) 민족, 국민: the Korean ~ 한국 민족. ③ C 〔修飾語와 함께〕 〖生〗 유(類); 〖動〗 종족, 품종: the feathered 〔finny〕 ~ 조류〔어류〕 / the reptile ~ 파충류 / an improved ~ of horse 개량 품종의 말. ④ U 혈통, 씨족, 가족; 자손; 가계(家系), 명문, 오래 대를 이어온 집안: the ~ of Abraham 아브라함의 자손. ⑤ C (직업·취미 따위가 동일한) 부류, 패거리, 동아리, 동업자: the ~ of artists 예술가 부류.
— *a.* 〔限定的〕 인종의, 인종적인(racial): a ~ problem 인종 문제 / ~ prejudice 인종 편견 / a ~ riot 인종 폭동.

ráce càrd (경마 등의) 출전표〔프로그램〕.

race·course [⌐kɔ̀ːrs] *n.* C ① 경주로(路), 경조

R

(競漕)로, 경마장. ② (물레방아의) 수로.
race·horse [⌐hɔ̀:rs] *n.* [C] 경주말, 경마말.
ráce mèeting 《英》 경마대회.
rac·er [réisər] *n.* [C] ① 경주자, 레이서. ② 경마말, 경조용 보트, 경주용 자전거〔자동차·요트〕.
race·track [réistræ̀k] *n.* [C] ① 경주장. ② 경마〔경견〕장, 레이스 코스.
Ra·chel [réitʃəl] *n.* ① 레이철《여자 이름 ; 애칭 Rae》. ②【聖】 Jacob의 처.
Rach·ma·ni·noff [rækmǽnənɔ̀:f, rɑ:kmɑ́:nə-, -nɔ̀:v / -nɔ̀f] *n.* **Sergei V(assilievich)** ~ 라흐마니노프《러시아의 작곡가 ; 1873-1943》.
***ra·cial** [réiʃəl] *a.* 인종(상)의, 종족의, 민족(간)의 : ~ discrimination 〔segregation〕 인종 차별. [파] **~·ly** *ad.* 인종적으로, 인종상.
ra·cial·ism [réiʃəlìzəm] = RACISM. [파] **-ist** *n., a.* = RACIST.
***rac·ing** [réisiŋ] *n.* [U] 경마 ; 경주.
— *a.* 경주용의, 경주의 ; 경마광의 : a ~ boat 경주용 보트 / a ~ cup (경마 등의) 우승배 / a ~ man 경마광〔팬〕 / the ~ world 경마계(界).
rácing fòrm 경마 신문〔전문지(誌)〕.
rac·ism [réisizəm] *n.* [U] 인종 차별주의〔정책〕; 인종적 편견. [파] **rác·ist** *n., a.* 인종 차별주의자 ; 민족주의적인, 인종 차별적인.
‡**rack**¹ [ræk] *n.* ① [C] 선반《그물·막대·못으로 만든》; (열차 따위의) 그물 선반, 격자(格子) 선반 ; 걸이《모자걸이·칼걸이·총걸이 따위》; (서류 따위의) 분류 상자. ② [C]【機】(톱니바퀴의) 래크 : Abt ~【鐵】 아프트식 레일. ③ (the ~) 고문대《중세에 팔다리를 잡아 늘이는》; 고문. ***be on the*** ~ 고문을 당하고 있다 ; 긴장하고 있다 ; 크게 괴로워하고 있다 : We will all *be on the* ~ until the exam results are published. 시험결과가 발표될 때까지 우리는 모두 긴장하고 있는 것이다. ***put*** a person ***to*** 〔***on***〕 ***the*** ~ 아무를 고문하다, 따끔한 맛을 보이다.
— *vt.* ① …을 고통을 주다, …을 괴롭히다《★ 종종 受動으로, 전치사는 by, with》: The world is still ~*ed with*〔*by*〕 poverty. 세계는 아직도 빈곤으로 고통을 당하고 있다. ② …을 고문하다. ~ one***'s brains*** 〔***memory***〕 머리를 짜서 생각하다. 생각해 내려고 애쓰다. ~ ***up*** 《口》 이기다, 달성하다, (득점을) 올리다.
rack² *n.* [U] 바람에 날리는 구름, 조각 구름.
rack³ *n.* [C] (말의) 가볍게 뛰는 걸음《속보와 보통 걸음의 중간 보조(步調)》; 측대보(側對步).
— *vi.* (말이) 측대보로〔가볍게〕 뛰어가다.
rack⁴ *n.* [U] 파괴, 황폐(destruction). ***go to*** ~ (***and ruin***) 파멸하다, 황폐해지다.
†**rack·et**¹ [rǽkit] *n.* ① [C] (테니스·배드민턴·탁구용) 라켓. ② (*pl.*) 〔單數취급〕 = RACQUET. ③ [C] (라켓 모양의) 눈신(snowshoe).
rack·et² *n.* ① (a ~) 떠드는 소리, 큰 소리, 소음 : They're making a hell of *a* ~ downstairs. 그들은 아래 층에서 야단법석을 떨고 있다. ② [U] 유흥, 도락. ③ [C] 《口》 부정 ; 부정한 돈벌이〔방법〕, 공갈, 사기, 밀수, 밀매 : a drugs ~ 마약 밀매 / work a ~ 부정한 짓을 하다. ④ [C] 《口》 직업, 장사 : What's your ~ ? 무슨 일을 하나.
rack·et·eer [ræ̀kitíər] *n.* [C] (공갈·사기 등으로)부정하게 돈벌이하는 사람 ; 폭력배.
rack·et·eer·ing [ræ̀kətíəriŋ] *n.* [U] (공갈·사기 등에 의한) 부정한 돈벌이 ; 공갈 ; 암거래.
rack·et·y [rǽkiti] *a.* ① 소란스러운(noisy). ② 떠들기 좋아하는 ; 방탕하는.
rack·ing [rǽkiŋ] *a.* 몹시 고통스런, 심한 : a ~ pain 심한 통증.
ráck ràilway 〔**ràilroad**〕 랙 철도, 아프트식 철도.
ráck rènt 엄청나게 비싼 지대〔집세, 소작료〕.
rack-rent [rǽkrènt] *vt.* rack rent를 받다.
ráck whèel 큰 톱니바퀴(cogwheel). 「콘》.
ra·con [réikɑn / -kɔn] *n.* [C] 레이콘《레이더용 비
rac·on·teur [ræ̀kɑntə́:r / -kɔn-] (*fem.* ***-teuse*** [-tə́:z]) *n.* [C] 《F.》 이야기 잘하는 사람, 이야기꾼.
ra·coon [rækú:n, rə-] *n.* = RACCOON.
rac·quet [rǽkit] *n.* = RACKET¹ ; 라켓 구기《벽으로 둘러싸인 코트에서 함》.
rac·quet·ball [-bɔ̀:l] *n.* [U] 《美》 라켓볼《2-4명이 자루가 짧은 라켓과 handball보다 조금 큰 공으로 하는, squash 비슷한 구기》.
racy [réisi] (***rac·i·er*** ; ***-i·est***) *a.* ① (음식·맛 따위) 독특한 맛이 있는 : a ~ flavor 독특한 풍미(風味). ② 발랄한, 팔팔한 ; 생기 있는 : a ~ style 생동감 있는 문체. ③ 추잡한, 음탕한 : a ~ novel 음탕한 소설. [파] **rác·i·ly** *ad.* **-i·ness** *n.*
rad¹ [ræd] *n.* [C]【物】 래드《1 그램에 대해 100 에르그의 흡수 에너지를 주는 방사선량을 1래드라 함》. [◂ *rad*iation]
rad² *n.* [C] 《美俗》 과격파(radical). — *a.* 《美俗》 멋있는, 근사한.
rad 【數】 radian(s). **rad.** radiator ; radical ; radius. **R.A.D.A., RADA** [rɑ́:də] 《英》 Royal Academy of Dramatic Art (영국 왕립 연극 학교).
ra·dar** [réidɑ:r] *n.* [C] ① 레이더, 전파 탐지법. ② 전파 탐지기. — *a.* 〔限定的〕 레이더의 : a ~ beacon 레이더 비콘 / a ~ screen 레이더 스크린. ***by ~ 레이더로. [◂ *ra*dio *d*etecting *a*nd *r*anging]
rádar tràp 【交通】 (레이더에 의한) 속도 위반 탐지 장치.
***ra·di·al** [réidiəl] *a.* 방사상(狀)의, 복사상(狀)의 : a ~ tire〔tyre〕 래디얼 타이어. [파] **~·ly** *ad.*
ra·di·al-ply [réidiəlplài] *a.* = RADIAL.
ra·di·an [réidiən] *n.* [C]【數】 라디안《호도법(弧度法)의 각도 단위 ; 약 57° ; 기호 rad》, 호도 ;【컴】 부채각, 라디안《단위》.
***ra·di·ance, -an·cy** [réidiəns], [-i] *n.* [U] 광휘(光輝) ; (눈이나 얼굴 따위의) 빛남.
‡**ra·di·ant** [réidiənt] (***more*** ~ ; ***most*** ~) *a.* ① 〔限定的〕 빛나는 ; 밝은 : the ~ sun 찬란한 태양. ② (행복·희망 따위로) 빛나는, 밝은 : a ~ smile 환한 미소. ③ 방사〔복사〕의〔에 의한〕; 방사상(狀)의. — *n.* [C]【光】 광점(光點) ; 광체(光體). [파] ~·**ly** *ad.*
rádiant héater 복사〔방사〕 난방기.
***ra·di·ate** [réidièit] *vi.* 《~ / +[전]+[명]》 ① (중심에서) 방사상으로 퍼지다《*from*》: Four avenues ~ *from* the square. 네개의 한길이 그 광장에서 사방으로 뻗어 있다. ② (빛·열 따위가) …에서 발하다, 방출되다《*from*》: Light and heat ~ *from* the sun. 빛과 열이 태양에서 방출된다. ③ (기쁨 등으로) 빛나다 ; (기쁨 등을) 발산하다《*with*》: She simply ~*s with* good humor. 그녀는 기분 좋음을 온몸으로 발산시키고 있다.
— *vt.* ① (빛·열 등)을 방사하다, 발하다 ; (중심에서) …을 분출〔확산〕시키다 : The sun ~*s* light and heat. 태양은 빛과 열을 발산한다. ② (기쁨·호의 등)을 발산시키다, 흩뿌리다 : His whole face ~*d* joy and excitement. 그는 얼굴에 기쁨과 흥분을 함빡 나타내고 있었다.
***ra·di·a·tion** [rèidiéiʃən] *n.* ① [U] (빛·열 등의) 방사, 복사 ; 발광(發光), 방열(放熱). ② [C] 복사선, 복사 에너지. ③ [U] 방사능〔성〕.
radiátion chémistry 방사선 화학.

radiátion sìckness 방사능증, 방사선병.

radiátion thèrapy = RADIOTHERAPY.

*__ra·di·a·tor__ [réidièitər] *n.* Ⓒ ① 라디에이터, 방열기, 난방기. ② (자동차·비행기의) 냉각 장치.

rádiator grìlle 라디에이터 그릴《자동차 정면의 공기 냉각용 격자》.

‡**rad·i·cal** [rǽdikəl] (**more ~; most ~**) *a.* ① 근본적인, 기본적인; 철저한: a ~ principle 기본 원칙. ② 급진적인, 과격한: a ~ politician 과격한 정치가 / a ~ cure 완전치료, 근치. ③ (흔히 R-) 급진파의: the *Radical* party 급진당. ④【數】근(根)의;【化】기(基)의;【植】근생(根生)의;【言】어근의;【樂】근음(根音)의: a ~ word 어근어(語). ── *n.* Ⓒ ① 과격론자, 과격분자; (흔히 R-) 급진당원. ②【數】근; 근호;【化】기(基);【言】어근;【樂】근음; (한자의) 부수(部首)《변(邊)·방(旁)·윗머리 등》.

rad·i·cal·ly [rǽdikəli] *ad.* 철저하게, 근본적으로, 완전히: change ~ 완전히 변화하다.

rad·i·cal·ism [rǽdikəlìzəm] *n.* Ⓤ 급진주의.

rad·i·cal·ize [rǽdikəlàiz] *vi., vt.* 급진적으로〔급진주의로〕 하다〔되다〕, 과격하게 되다; 근본적으로 개혁하다.

ra·di·ces [réidəsì:z] RADIX의 복수.

rad·i·cle [rǽdikəl] *n.* Ⓒ【植】어린 뿌리, 유근(幼根).

ra·dii [réidiài] RADIUS의 복수.

†**ra·dio** [réidiòu] (*pl.* **-di·os**) *n.* ① Ⓤ (흔히 the ~) 라디오(방송): He is on *the* ~. 그가 지금 라디오에 출연하고 있다. ② Ⓒ 라디오(수신기): listen (in) to the ~ 라디오를 듣다 / turn 〔switch〕 on 〔off〕 the ~ 라디오를 틀다〔끄다〕. ③ **a)** Ⓤ 무선 전신〔전화〕, 무전: send a message by ~ 무전으로 통신하다. **b)** Ⓒ 무선 전신기〔장치〕: a ship's ~ 선박용 무선 장치.
── *a.* 〔限定的〕 라디오(방송)의; 무선 전신〔전화〕의: ~ communication 무선 연락. ── *vt., vi.* (…을) 무선(통신)으로 전하다: The ship ~*ed* for help. 그 배는 무선으로 구조를 요청했다 / ~ a weather report to ships 기상 상황을 무선으로 선박에 통보하다.

radio- '방사, 복사, 광선, 반지름, 라듐, 라디오, 방사성〔능〕, 방사성 동위 원소, 요골(橈骨), 무선' 따위의 뜻의 결합사《★ 모음 앞에서는 radi-로 씀: *radi*opaque》.

*__ra·di·o·ac·tive__ [rèidiouǽktiv] *a.* 방사성의, 방사능이 있는: ~ substance 방사성 물질 / ~ contamination 방사능 오염 / ~ leakage 방사능 누출 / ~ rays 방사선. ㊞ **~·ly** *ad.*

ra·di·o·ac·tiv·i·ty [rèidiouæktívəti] *n.* Ⓤ 방사능〔성〕: artificial ~ 인공 방사능.

rádio astrónomy 전파 천문학.

rádio bèacon 라디오 비콘, 무선〔전파〕 표지(標識)(소(所)).

rádio bèam 신호〔라디오〕 전파, 전파 빔.

ra·di·o·bi·ol·o·gy [rèidioubaiálədʒi/-ɔ́l-] *n.* Ⓤ 방사선 생물학.

ra·di·o·broad·cast [rèidioubrɔ́:dkæ̀st, -kà:st] (*p., pp.* **~, ~·ed**) *vt., vi.* (…을) 라디오(로) 방송하다. ── *n.* Ⓤ 라디오 방송.

ra·di·o·car·bon [rèidioukά:rbən] *n.* Ⓤ【化】방사성 탄소; 《특히》 탄소 14.

radiocárbon dàting = CARBON DATING.

ra·di·o·chem·is·try [rèidioukémәstri] *n.* Ⓤ 방사 화학.

rádio cὸmpass 무선 방향 탐지기.

ra·di·o-con·trolled [rèidioukəntróuld] *a.* 무선 조종의.

ra·di·o·el·e·ment [rèidiouéləmənt] *n.* Ⓒ 방사성원소.

rádio fréquency 무선 주파수.

ra·di·o·gram [réidiougræ̀m] *n.* Ⓒ ① 무선 전보. ② = RADIOGRAPH.

ra·di·o·graph [réidiougræ̀f, -grà:f] *n.* Ⓒ 뢴트겐〔감마선〕 사진, 방사선 사진. ── *vt.* …의 뢴트겐 사진을 찍다. ㊞ **ra·di·og·ra·pher** [rèidiágrəfər / -ɔ́g-] *n.* Ⓒ 뢴트겐 기사. **ra·di·o·graph·ic** [rèidiougrǽfik] *a.* 뢴트겐 촬영의. **ra·di·og·ra·phy** [rèidiágrəfi / -ɔ́g-] *n.* Ⓤ 뢴트겐〔방사선〕 촬영(법).

ra·di·o·i·so·tope [rèidiouáisətòup] *n.* Ⓒ 방사성 동위 원소.

ra·di·o·lo·ca·tion [rèidiouloukéiʃən] *n.* Ⓤ 전파 탐지기에 의한 탐지〔측정〕.

ra·di·o·log·i·cal [rèidiəládʒikəl / -lɔ́dʒ-] *a.* 방사선(의)학의; 핵방사선의.

ra·di·ol·o·gy [rèidiálədʒi / -ɔ́l-] *n.* Ⓤ 방사선(의)학. ㊞ **-gist** *n.* Ⓒ 방사선〔능〕 학자; 뢴트겐 기사.

ra·di·o·phar·ma·ceu·ti·cal [rèidioufà:rməsú:tikəl] *a., n.* Ⓒ 방사성 의약품(의).

ra·di·o·phone [réidioufòun] *n.* = RADIOTELEPHONE.

ra·di·o·pho·to, -pho·to·graph [rèidioufóutou], [-fóutəgræ̀f, -grà:f] *n.* Ⓒ 무선 전송사진.

ra·di·os·co·py [rèidiáskəpi / -ɔ́s-] *n.* Ⓤ 방사선 투시(법), 엑스선 진찰〔검사〕. ㊞ **~·o·scóp·ic** *a.*

ra·di·o·sonde [réidiousὰnd / -sɔ̀nd] *n.* Ⓒ【氣】라디오존데《대기 상층의 기상 관측 기계》.

rádio stàr【天】전파별《우주 전파원의 하나》.

rádio stàtion 《美》 무선국; (라디오) 방송국.

ra·di·o·te·leg·ra·phy [rèidioutəlégrəfi] *n.* Ⓤ 무선 전신(술). ㊞ **-tel·e·gráph·ic** *a.*

ra·di·o·tel·e·phone [rèidioutéləfòun] *n.* Ⓒ 무선 전화(기).

rádio télescope 전파 망원경.

ra·di·o·ther·a·py [rèidiouθérəpi] *n.* Ⓤ,Ⓒ 방사선 치료법. ㊞ **-thér·a·pist** *n.* Ⓒ 방사선 치료사.

rádio wàve【通信】전파, 전자파.

*__rad·ish__ [rǽdiʃ] *n.* Ⓤ,Ⓒ【植】무.

*__ra·di·um__ [réidiəm] *n.* Ⓤ【化】라듐《방사성 원소; 기호 Ra; 번호 88》.

ra·di·um·ther·a·py [-θèrəpi] *n.* Ⓤ 라듐 치료법(radiotherapy).

*__ra·di·us__ [réidiəs] (*pl.* **-dii** [-diài], **~·es**) *n.* Ⓒ ① (원·구의) 반지름; 반지름내의 범위: What 〔How long〕 is the ~ of this circle? 이 원의 반지름은 얼마나 됩니까. ② 행동 반경; 《比》(활동 따위의) 범위: be out of the ~ of vision of the window 창에서 보이지 않는 곳에 있다. ③【醫】요골(橈骨). **a 〔the〕 ~ of action**【軍】행동 반경.

ra·dix [réidiks] (*pl.* **-di·ces** [réidəsì:z, rǽ-], **~·es**) *n.* Ⓒ ①【數】기(基), 근(根); (통계의) 기수(基數). ②【植】뿌리(root). ③ 근원.

ra·dome [réidoum] *n.* Ⓒ 레이돔《레이더 안테나 보호용의 덮개》.

ra·don [réidɑn / -dɔn] *n.* Ⓤ【化】라돈《라듐 붕괴로 발생하는 방사성의 비활성 기체 원소; 기호 Rn; 번호 86》.

RAF, R.A.F. [《口》 ræf] 《英》 Royal Air Force.

raff [ræf] *n.* = RIFFRAFF.

raf·fia [rǽfiə] *n.* ① Ⓒ【植】라피아(= ∠ **pàlm**) 《Madagascar 산(産)》. ② Ⓤ 그 잎의 섬유.

raff·ish [rǽfiʃ] *a.* ① 불량한, 허랑 방탕한. ② 저속한; 야한. ㊞ **~·ly** *ad.* **~·ness** *n.*

raf·fle¹ [rǽfəl] *n.* Ⓒ 복권 판매. ── *vt.* …을 복권식으로 팔다《*off*》.

raf·fle² *n.* Ⓤ 폐물, 잡동사니, 쓰레기(rubbish).

***raft¹** [ræft, rɑːft] *n.* Ⓒ ① 뗏목. ② (고무로 만든) 구명 뗏목. ③ 부잔교(浮棧橋). ── *vt.* ① …을 뗏목으로 엮다. ② …을 뗏목으로 나르다〔건네다〕. ── *vi.* 《~+副》 뗏목으로 가다 : ~ *down*〔*up*〕 a stream 뗏목으로 시내를 내려〔올라〕가다.

raft² *n.* (a~) 《美口》 다수, 다량《*of*》 : *a* ~ *of* books 수많은 서적들.

***raf·ter¹** [rǽftər, rάːftər] *n.* Ⓒ 〖建〗 서까래.

raft·er² *n.* Ⓒ = RAFTSMAN.

raft·ered [rǽftərd / rάːf-] *a.* 서까래를 얹은 ; 서까래가 보이는 : a ~ roof 서까래를 얹은 지붕.

rafts·man [rǽftsmən, rάːfts-] (*pl.* **-men** [-mən]) *n.* Ⓒ 뗏사공, 뗏목타는 사람.

‡rag¹ [ræg] *n.* ① U.C 넝마, 지스러기 ; 걸레 : Her clothes were torn〔worn〕 to ~*s*. 그녀의 옷은 갈기갈기 찢어져 있었다. ② Ⓒ 넝마와 같은 것 ; 《蔑》 해진 조각《손수건·신문·지폐·깃발·(극장의) 막·돛 따위의》: That magazine is a worthless ~. 이 잡지는 쓸모없는 쓰레기다. ③ (*pl.*) 누더기옷 ; 《戱》 의복 : dressed in ~*s* 누더기 옷을 입고. ④ **a**) Ⓒ 단편, 조각 : a ~ of cloud 조각 구름. **b**) (a ~) 〔흔히 否定文으로〕 조금도 ; 아무 것도 : She did*n't* wear *a* ~. 그녀는 아무 것도 입고 있지 않았다. ***chew the*** ~ ⇨CHEW. ***feel like a wet*** ~ 《口》 몹시 지쳐 있다. ***from ~s to riches*** 가난뱅이에서 부자로. ***in ~s*** (1) 누더기〔넝마〕가 되어. (2) 누더기를 입고. ***like a red ~ to a bull*** (소에 빨간 천을 보인 것처럼) 흥분〔격분〕되어.

rag² (*-gg-*) *vt.* 《口》 …을 지분거리다, 《英口》 놀리다. ── *n.* Ⓒ 《英》 ① 《口》 짓궂은 장난, 떠들고 놀기. ② (자선 등을 위한) 학생의 가장 행렬.

rag³ *n.* Ⓒ 래그《래그타임 리듬으로 지은 곡》.

rag·a·muf·fin [rǽgəmʌ̀fin] *n.* Ⓒ 누더기를 걸친 사내〔아이〕. 「주이〔장수〕.

rág-and-bóne màn [rǽgənbóun-] 《英》 넝마

rag·bag [rǽgbæ̀g] *n.* Ⓒ ① 헝겊 주머니. ② 이것저것 긁어모은 것. ③ 《俗》 너절한 옷차림의 여인.

rág bòok 천으로 만든 그림책《씻을 수 있음》.

rág dòll 봉제 인형.

‡rage [reidʒ] *n.* ① Ⓤ (또는 a~) 격노, 분격. cf. fury, wrath. ¶ in *a* black ~ 극도로 화가 나서 / tremble with ~ 노여움으로 몸을 떨다. ② Ⓒ (흔히 *sing.*) 열망(熱望), …광(狂)《*for*》 : a ~ *to* live 생에 대한 욕구. ④ Ⓤ (바람·파도 등의) 사나움, 맹위 : the ~ of Nature 대(大)자연의 맹위. ⑤ (the ~) (일시적) 대유행 : Platform shoes were (all) *the* ~ then. 그 때는 플랫폼 슈즈가 대유행이었다. ***fly into a*** ~ 벌컥 화를 내다. ***in a*** ~ (…에) 성을 내어《*with*》.

── *vi.* ① 《+前+名》 격노하다 ; 호되게 꾸짖다 《*against* ; *at* ; *over*》 : He ~*d at* his son for telling a lie. 그는 거짓말을 한 아들을 호되게 꾸짖었다. ② 사납게 날뛰다, 맹위를 떨치다 ; (유행병 따위가) 창궐하다 : The storm ~*d* all day. 폭풍우가 하루 종일 사납게 몰아쳤다.

‡rag·ged [rǽgid] (종종 **~·er ; ~·est**) *a.* ① 누덕누덕한, 해어진 : a ~ garment 다 해어진 옷 / A beggar was dozing on a pile of ~ blankets. 거지가 해어진 담요를 여러 장 둘러쓰고 졸고 있었다. ② 누더기를 입은, 행색이 초라한 : a ~ fellow 누더기 옷을 입은 사내. ③ 텁수룩한, 멋대로 자란. ④ 깔쭉깔쭉한, 울퉁불퉁한 : a ~ shoreline 들쭉날쭉한 해안선. ⑤ 거친 ; 귀에 거슬리는. ***on the ~ edge*** 위기에 처하여, 위기 일보 직전에서 : He is *on the* ~ *edge* of bankruptcy. 그는 파산 직전에 있다. ***be run*** ~ (긴장의 연속 등으로) 지치다. ㊞ **~·ly** *ad.* **~·ness** *n.*

rag·gle-tag·gle [rǽgəltǽgəl] *a.* 가지 각색의 ; 잡다한.

rag·ing [réidʒiŋ] *a.* 〔限定的〕 ① 격노한 : a ~ crowd 격분한 군중. ② 미친 듯이 날뛰는 ; 맹렬한 : a ~ sea 사나운 바다. ③ (감정·고통 따위가) 격렬한 : her ~ love 그녀의 열렬한 사랑 / a ~ headache 격렬한 두통. ㊞ **~·ly** *ad.*

rag·lan [rǽglən] *n.* Ⓒ 래글런《외투》. ── *a.* 〔限定的〕 래글런의 : ~ sleeves 래글런 소매.

rag·man [rǽgmæ̀n, -mən] (*pl.* **-men** [-mèn, -mən]) *n.* Ⓒ 넝마장수, 넝마주이.

rág pàper (넝마를 원료로 한) 래그페이퍼《최고급 종이》.

rag·pick·er [rǽgpìkər] *n.* Ⓒ 넝마주이.

rag·tag [rǽgtæ̀g] *n.* =RAGTAG AND BOBTAIL.

rágtag and bóbtail (the ~) 〔集合的〕 사회의 찌꺼기, 하층민, 부랑자.

rag·time [ˊ-tàim] 〖樂〗 *n.* U.C 래그타임《빠른 박자로 싱코페이션(syncopation)을 많이 사용한 곡 ; 재즈 음악의 시초》; 그 박자. ── *a.* 《俗》 흥게 늦은 ; 저속한. 「겉옷을 다루는」.

rág tràde (the ~) 《口》 복식 산업《특히 여성의

rag·weed [rǽgwìːd] *n.* Ⓒ 〖植〗 호그위드《꽃가루는 알레르기의 원인》.

rah [rɑː] *int.* =HURRAH.

rah-rah [rάːrάː] *a.* 《口》 열광적으로 응원하는 : a ~ cheerleader 열광적인 치어리더.

raid** [reid] *n.* Ⓒ ① 급습, 습격 ; (약탈 목적의) 불의의 침입《*on*》; 침략군 : an air ~ 공습 / a bank ~ 은행 강도. ② (경찰의) 불시 단속 ; (불량배) 일제 검거《*on, upon*》: a police ~ *on* a club 클럽에 대한 경찰의 단속. ③ 〖金融〗 (주가 폭락을 노리는 투기꾼의) 투매. ④ 종업원·조합원을 빼돌리기〔스카우트하기〕. ***make a ~ upon (인가·가축 따위)를 습격〔수색〕하다. ***make a ~ into*** (영토·장소 따위에) 침입하다.

── *vt.* ① …을 급습하다 ; 쳐들어가다 : Vikings ~*ed* settlements on the east coast. 바이킹이 동해안의 촌락들을 습격했다. ② (경찰이) …을 수색하다, 단속하다 : The club was ~*ed* by the police. 그 클럽은 경찰의 수색을 받았다.

── *vi.* ① 《+前+名》 침입〔급습〕하다《*on, upon*》: Some Indians ~*ed on* the settlers. 인디언이 개척자를 습격하였다.

raid·er [réidər] *n.* Ⓒ ① 급습자 ; 침입자, 침략자 ; 〖軍〗 특공대(원). ② 단속하는 경관.

‡rail¹ [reil] *n.* ① Ⓒ (울 따위의) 가로대, 가로장. ② Ⓒ 난간 ; (*pl.*) 울타리. ③ **a**) Ⓒ 레일, 궤조(軌條). **b**) Ⓤ 철도 : ~ travel 철도 여행. ***by*** ~ 철도(편으)로. ***off the ~s*** (1) (열차가) 탈선하여 : go〔run〕 *off the* ~*s* 탈선하다. (2) 상궤(常軌)를 벗어나 ; 사회의 관습을 지키지 않고. (3) 혼란하여 ; (사람이) 미쳐서. ***on the ~s*** (1) 궤도에 올라, 순조로이 진행되어. (2) 상궤를 벗어나지 않고 ; 사회의 관습을 지키고. ***over the ~s*** 〖海〗 뱃전에 기대어 ; (뱃전을 넘어) 바닷속으로.

── *vt.* 《~+目 / +目+副 / +目+前+名》 …에 난간〔가로장〕으로 사이를 막다〔두르다〕《*off* ; *in*》: ~ a park〔road, garden〕 공원〔도로, 정원〕에 울타리를 치다.

rail² (*pl.* ~(*s*)) *n.* Ⓒ 〖鳥〗 흰눈썹뜸부기류(類).

rail³ *vi.* 《+前+名》 욕을 퍼붓다 ; 불평을 말하다 《*at* ; *against*》: ~ *against*〔*at*〕 the injustices of the system 제도의 불공평을 저주하다.

rail·bird [ˊ-bə̀ːrd] *n.* Ⓒ ① 《美口》 (울타리에서 경마나 조련을 구경하는) 경마광. ② 비평가 ; 관객.

rail·car [ˊ-kὰːr] *n.* Ⓒ ① 기동차. ② 《美》 철도 차량.

rail·card [-kɑ̀:rd] *n.* [C] 《英》 철도 운임 할인증.
ráil fènce 《美》 가로장 울타리.
rail·gun [réilgʌ̀n] *n.* [C] 〖軍〗 레일건.
rail·head [-hèd] *n.* [C] 철도의 시발점〔종점〕.
***rail·ing** [réiliŋ] *n.* ① [C] (종종 *pl.*) 난간, 울타리. ② [U] 〔集合的〕 레일, 난간, 울타리.
rail·lery [réiləri] *n.* [U] 농담, 조롱, 야유.
rail·man [-mən] (*pl.* **-men** [-mən]) *n.* [C] 철도 종업원.
†rail·road [réilròud] *n.* [C] 《美》 ① 철도(선로) (《英》 railway) (★ 미국에서도 경량철도 등은 railway이라 함). ② 철도《회사·종업원·시설을 포함함 ; 略 : R.R.》. ── *a.* 〔限定的〕 《美》 철도의 : a ~ accident 철도 사고 / a ~ crossing 철도 건널목 / a ~ line 철도 노선.
── *vt.* ① …을 철도로 수송하다. ② 《+[목]+[전]+[명]》 《口》 …을 재촉하여 ─시키다《*into*》 ; (의안 따위)를 강제로 통과시키다《*through*》 : They ~*ed* the motion *through* the committee. 그들은 그 동의를 강제로 위원회에 부쳐 통과시켰다. ③ …에 누명을 씌우다, 죄명을 만들어 투옥하다 : He was ~*ed* to prison without a fair trial. 그는 공정한 재판도 받지 않고 누명을 쓰고 투옥되었다. ── *vi.* 《美》 철도에서 일하다.
[파] ~·**er** *n.* [C] 《美》 철도(종업)원 (《英》 railwayman).
ráilroad flàt 〔**apàrtment**〕 《美》 복도가 없는 기차칸식 아파트.
‡ráilroad stàtion 《美》 철도역.
†rail·way [réilwèi] *n.* [C] ① 《英》 철도 (《美》 railroad). ② 《美》 경편(輕便)〔시가, 고가, 지하철〕 궤도. ③ 철도 회사. ── *a.* 〔限定的〕 《英》 철도의 〔에 관한〕 : a ~ engine 철도 기관차 / a ~ track 궤도, 선로.
rail·way·man [-mæ̀n, -mən] (*pl.* **-men** [-mèn, -mən]) *n.* 《英》 =RAILROADER.
railway yard [-jɑ̀:rd] 《英》 (철도의) 조차장 「(操車場).
rai·ment [réimənt] *n.* [U] 〔集合的〕 《古·詩》 의류, 의상. [cf] array, garb, garment.
†rain [rein] *n.* ① [U,C] 비, 강우 ; [U] 우천 : (a) heavy ~ 호우(豪雨) / (a) pouring ~ 억수같이 쏟아지는 비 / a long spell of ~ 장마비 / We had lots of ~ this year. 금년에는 비가 많이 왔다 / It looks like ~. 비가 올 것 같다. ② (*pl.*) 소나기 ; 한 차례 내리는 비, 장마 ; (the ~s) (열대의) 우기 : spring ~*s* 봄장마. ③ (a ~) 《比》 빗발(치는 듯한…) : a ~ of abuses 마구 퍼붓는 욕설 / *a* ~ of bullets 빗발치는 탄환. **(as) right as ~** 《英口》 완전히 건강을 회복하여. ***in* ~** 빗발치듯. ***in the* ~** 빗속에, 비를 무릅쓰고 : go out *in the* ~ 비를 무릅쓰고 나가다. **~ *or shine* 〔*fine*〕 = *come ~, come shine*=*come ~ or* (*come*) *shine*** 비가 오거나 말거나 ; 어떤 일이 있어도.
── *vi.* ① 〔it를 主語로〕 비가 오다 : *It*'s ~*ing*. 비가 오고 있다 / *It* never ~*s* but it pours. 《俗談》 왔다 하면 장대비다 ; 화불단행(禍不單行). ② 《+[전]+[명] / +[부]》 비오듯 내리다 : Shells and bullets ~*ed upon* us. 총포탄이 비오듯 날아왔다 / Tears ~*ed down* her cheeks. 눈물이 뺨에 줄줄 흘러내렸다. ③ (신·구름 따위가) 비를 내리다《*on*》 : The lightning flashed and the sky ~*ed on* us in torrents. 번개가 치고 비가 억수같이 퍼부었다.
── *vt.* ① 《~+[목]+[부]》 〔it를 主語로 한 再歸的〕 비를 내리다 : *It* has ~*ed itself out*. 비가 그쳤다. ② 〔it를 主語로〕 …의 비를 내리게 하다 : *It* ~*ed* large drops. 굵은 비가 내렸다. ③ 《~+[목] / +[목]+[전]+[명]》 빗발치듯 퍼붓다 : ~ a shower of kisses *on* …에게 키스의 세례를 퍼붓다 / Honors were ~*ed* (down) *upon* him. 갖가지 영예가 그에게 주어졌다 / It ~*ed* blood 〔invitations〕. 피가 비오듯 쏟아졌다〔초대장이 쇄도했다〕 / Her eyes ~*ed* tears. 그녀의 눈에서 눈물이 펑펑 쏟아졌다.
be ~ed out 〔《英》 ***off***〕 (경기 따위가) 비 때문에 중지〔연기〕되다 : Our picnic *was* ~*ed out*. 우리들의 소풍은 비로 연기되었다.
†rain·bow [réinbòu] *n.* [C] 무지개. ***all the colors of the* ~** 갖가지의 빛깔. ***chase*** (***after***) **~*s*** 이룰 수 없는 소망을 품고 많은 시간을 허비하다. ── *a.* ① 무지개 빛깔의 ; 가지각색의. ② 여러 집단〔인종〕으로 이루어지는 : a ~ coalition 다수당 연립.
ráinbow tròut 〖魚〗 무지개송어《캐나다 원산》.
ráin chèck 우천 입장 보상권《야구 경기 등을 우천으로 연기할 때 주는 다음 회 유효권》 ; (초대 등의) 연기 ; (품절의 경우 따위에) 후일 우선 물품〔서비스〕 보증 : give 〔take〕 a ~ 후일에 다시 초대하기로 약속하다〔그 약속에 응하다〕 / May I have a ~ on your invitation? 당신의 초대에 뒷날 응해도 괜찮겠습니까?
ráin clòud 비구름(nimbus).
‡rain·coat [-kòut] *n.* [C] 레인코트, 비옷.
ráin dàte 행사 당일이 우천일 경우의 변경일.
‡rain·drop [-drɑ̀p / -drɔ̀p] *n.* [C] 낙숫물, 빗방울.
‡rain·fall [-fɔ̀:l] *n.* ① [U,C] 강우량, 강수량 : This area has (a) heavy〔low〕 ~. 이 지역은 강수량이 많다〔적다〕. ② [U] 강우(降雨) : The ~ grew heavier. 비가 한층 심해졌다.
ráin fòrest 열대 다우림.
ráin gàuge 우량계.
rain·mak·er [-mèikər] *n.* [C] ① 《口》 인공 강우 과학자〔전문가〕. ② 《美》 (마술로 비를 내리게 하는) 기우사.
rain·mak·ing [-mèikiŋ] *n.* [U] ① 인공 강우. ② 《美》 마술로 비를 내리게 하는 일.
rain·proof [-prù:f] *a.* 방수의.
rain·storm [-stɔ̀:rm] *n.* [C] 폭풍우.
rain·wa·ter [-wɔ̀:tər, -wɑ̀tər] *n.* [U] 빗물.
rain·wear [-wɛ̀ər] *n.* [U] 비옷, 우비.
†rainy [réini] (***rain·i·er ; -i·est***) *a.* ① 비오는, 우천의 ; 비가 많이 내리는 : ~ weather 우천 / ~ season 장마철 / It will be ~ this afternoon. 오늘 오후부터 비가 올 것이다. ② 비올 듯한, 비를 품은 : ~ clouds 비구름 / The sky looks ~. 하늘을 보니 비가 올 것 같다. ③ 비에 젖은. ***for a ~ day*** 유사시에 대비하여 : provide〔save up〕 *for a ~ day* 유사시에 대비해서 저축하다.
[파] **ráin·i·ly** *ad.* 비가 와서. **-i·ness** *n.*
†raise [reiz] *vt.* ① 《~+[목] / +[목]+[전]+[명] / +[목]+[부]》 …을 (위로) 올리다, 끌어올리다《비유적으로도 씀》 : ~ a curtain 막을 올리다 / ~ the price 〔temperature, rent〕 물가〔온도, 집세〕를 올리다 / ~ water *from* a well 우물물을 길어올리다 / ~ a sunken ship 침몰선을 끌어 올리다 / He ~*d* his hand for silence. 그는 손을 들어 정숙하기를 요망했다 / The stress ~*d* my blood pressure. 스트레스로 내 혈압이 올랐다.
② 《~+[목] / +[목]+[전]+[명]》 **a**) (넘어진 것)을 안아 일으키다, 일으켜 세우다 : ~ a person *from* his knees 무릎 꿇은 사람을 일으키다 / He ~*d* a fallen child. 그는 넘어진 어린아이를 일으켜 세웠다. **b**) 〔再歸的〕 몸을 일으키다《*up*》 : He ~*d himself* (*up*) to his full height. 그는 일어섰다.
③ 《+[목]+[전]+[명] / +[목]+[부]》 …을 승진〔출세〕시키다 : I'll ~ you *to* manager. 자네를 지배인으로 올려 주겠네 / It was this song that ~*d* the group *from* obscurity *to* fame. 무명의 그 그룹을

R

유명하게 만든 것은 바로 이 노래였다.
④《+목+전+명》…을 분기시키다, 격분시키다: ~ the country *against* the enemy 적에 대항하게 국민을 분기시키다.
⑤ (영혼 등)을 불러내다; (죽은 자)를 되살리다: Jesus ~*d* Lazarus from the grave. 예수는 라자로를 죽음에서 다시 살아나게 했다.
⑥ (새)를 날개치게 하다; (먼지)를 일으키다〔피우다〕: ~ a cloud of dust 뽀얗게 먼지를 일으키다.
⑦ (곤란·문제 따위)를 일으키다, 제기하다: ~ another question *with* the committee 위원회에 또 다른 문제를 제기하다 / ~ an issue at law 소송을 제기하다 / No one ~*d* any question. 아무도 질문을 하지 않았다.
⑧ (소동·폭풍 따위)를 일으키다: ~ a rebellion 반란을 일으키다.
⑨《~+목/+목+전+명》 (생리적·육체적 현상)을 일으키게 하다: That joke will ~ a laugh. 그 농담은 웃음을 자아내게 할 것이다 / These facts ~*d* doubts in their minds. 이런 사실들은 그들의 마음속에 의혹을 불러일으켰다.
⑩ (소리)를 지르다: He ~*d* his voice angrily. 그는 화가 나서 고함을 질렀다.
⑪ (집 따위)를 세우다, 건축〔건립〕하다: ~ a monument 기념비를 세우다.
⑫ …을 기르다, 사육하다, 재배하다: ~ five children 다섯 아이를 기르다 / He was born and ~*d* in a country town. 그는 지방의 작은 도시에서 태어나 자랐다 / The farmer ~*s* crops and cattle. 그 농부는 농작물을 재배하고 소를 기르고 있다.
⑬ (돈)을 마련〔조달〕하다, 모금하다; (병사)를 모집하다: They're *raising* funds for the expedition. 그들은 탐험자금을 조달하고 있다 / ~ *up* an army 모병하다.
⑭ (빵)을 부풀리다《이스트 따위로》: ~ dough (빵의) 반죽을 부풀리다.
⑮ (포위·금지 따위)를 풀다: ~ an oil embargo 석유수출 금지를 풀다.
⑯〖海〗(육지·딴 배 등)이 보이는 곳까지 오다.
⑰ (통신으로) …을 호출하다, …와 교신하다.
~ ***a dust*** ⇨DUST. ~ ***Cain*** 〔***hell, hell's delight, the roof, ned, heck, the devil, the mischief,*** etc.〕《口》⇨CAIN, HELL 등. ~ ***money on*** ⇨MONEY. ~ one***'s eyebrows*** ⇨EYEBROW. ~ one***'s glass to*** a person 아무를 축복하여 건배하다. ~ one***'s hat to*** ⇨HAT. ~ one***'s head*** ⇨HEAD. ~ a person***'s spirits*** 아무의 원기를 북돋우다. ~ ***the wind***《俗》⇨WIND[1].
── *n.* Ⓒ《美》①《美》임금 인상, 승급(액)《《英》rise》: a ~ in salary 승급. ② 높인 곳, 돋운 곳.

rais·er [réizər] *n.* Ⓒ〔흔히 複合語로〕① 일으키는 사람〔것〕: a fire-~ 방화범 / a fund-~ 자금 조달자. ②《美》사육자: a cattle-~ 소 기르는 사람.

***rai·sin** [réizən] *n.* ⓊⒸ 건포도.

rai·son d'ê·tre [réizoundétrə] (*pl.* ***raisons d'être*** [réizounz-])《F.》존재 이유: What is the ~ for this policy? 이 정책은 어떤 존재 이유가 있는가.

raj [rɑ:dʒ] *n.* (the ~) (옛날) 영국의 인도 통치.

ra·ja, ra·jah [rá:dʒə] *n.* (종종 R-)《Ind.》(인도의) 왕〔왕자〕, 왕후(王侯), 라자.

‡rake[1] [reik] *n.* Ⓒ ① 갈퀴; 고무래(꼴의 부지깽이). ② (도박장의) 판돈 거둬들이는 도구.
── *vt.* ①《~+목/+목+부/+목+전+명/+목+보》…을 갈퀴로 긁다, 긁어 내다《*out*》; 긁어모으다《*up*》; 긁어서 고르다; 긁어서 치우다《*off*》: They were *raking* the path clean. 그들은 갈퀴로 길을 깨끗이 청소하고 있었다 / We have to ~ *up* a few more players. 선수를 몇 사람 더 모아야 한다. ② …을 긁다; 할퀴다《*with*》: The cat ~*d* his hand *with* its claws. 고양이가 그의 손을 발톱으로 할퀴었다. ③《+목+부/+목+전+명》…을 샅샅이 찾다, 조사하다《*for*》: I ~*d* the old blanket *out for* camping. 야영을 하기 위해 이 낡은 담요를 샅샅이 뒤져 찾았다 / I ~*d* all those books *for* examples of the expression. 그런 책을 샅샅이 조사하여 그 표현의 용례를 찾았다. ④《+목+부》…을 들추어서 밝히다《*up*》: ~ *up* an old scandal 해묵은 추문을 들추다. ⑤ …을 (멀리) 바라보다, (죽) 훑어보다《*with*》: ~ the field *with* a telescope 망원경으로 들판을 훑어보다. ⑥《+목+부》(부·재산)을 재빨리〔풍부히〕손에 넣다《*in*》: He had ~*d* the cash *in* night after night for years. 그는 몇 해 동안 매일 밤 많은 돈을 긁어 들였다. ⑦ …을 소사(掃射)하다; 조사(照射)하다. ── *vi.* ① 갈퀴를 쓰다, 갈퀴로 긁다. ②《+전+명》깊이 파고들다《*in, into; among*》; 샅샅이 뒤지다: He ~*d into* our life. 그는 우리 생활을 이것저것 조사하였다. ~ ***it in***《口》큰돈을 벌다. ~ ***out*** (1) 긁어내다: ~ *out* a fire (화덕의) 불을 긁어내다. (2)《口》…을 찾아내다. ~ ***up*** (1) (과거·추문 따위를) 들추어 내다. (2) …로 긁어모으다. ~ ***over the ashes*** 〔***coals***〕의논을 다시 되풀이하다, 과거의 일을 나무라다.

rake[2] *n.* (*sing.*) ① 경사도. ②〖海〗이물〔고물〕의 돌출(부); (마스트·굴뚝 따위의) 고물〔뒤〕쪽으로의 경사(도);〖劇〗무대〔관람석〕의 경사.
── *vt., vi.* ① (무대가) 경사지(게 하)다. ② (돛대가) 고물〔뒤〕쪽으로 경사지(게 하)다.

rake[3] *n.* Ⓒ 난봉꾼, 방탕자(libertine).

rake-off [réikɔ̀(:)f, -ɑ̀f] *n.* Ⓒ《口》(특히 거래상의 부정한) 구문, 배당, 리베이트(rebate).

rak·ish[1] [réikiʃ] *a.* ① (배가) 경쾌한, 속력이 빠를 것 같은. ② 멋진, 날씬한(smart).
㊞ **~·ly** *ad.* **~·ness** *n.*

rak·ish[2] *a.* 방탕한; 건달패 티가 나는.
㊞ **~·ly** *ad.*

ral·len·tan·do [rɑ̀:ləntá:ndou / rælentǽn-] *a., ad.*《It.》〖樂〗랄렌탄도, 점점 느린〔느리게〕《略: rall.》. ── *n.* Ⓒ (*pl.* ***~s***) 랄렌탄도(의 악장).

‡ral·ly[1] [rǽli] *vt.* ① …을 모으다, 결집하다; 재편성하다: ~ the scattered army 흩어진 부대를 재편성하다 / The leader *rallied* the workers *around* him. 감독은 노무자들을 자기 주위에 불러 모았다. ② (정력 따위)를 분기시키다, 집중시키다: *Rally* your energy for one last effort. 다시 힘내서 최후의 노력을 해봐라.
── *vi.* ① 다시 모이다. ②《~/+전+명》(공통의 목적·주의·아무의 지지를 위하여) 모이다; 참가하다《*to; round*》: He *rallied to* his defeated friend. 그는 좌절한 친구를 도우러 달려갔다. ③《~/+전+명》원기를 회복하다; (경기 따위가) 회복하다: The patient *rallied* a little. 환자는 약간 회복했다.
── *n.* ① (a ~) 집결; 참집. ② Ⓒ〖政·宗〗대회, 집회. ③ Ⓒ 자동차 랠리《규정된 평균 속도로 공로에서 행하는 장거리 경주》. ④ (a ~) (건강·경기 등의) 회복. ⑤ (배드민턴·테니스 등에서) 서로 연달아 계속 쳐 넘기기, 랠리.

ral·ly[2] *vt.* …을 놀리다, 조롱하다《*about; on*》: Everybody *rallied* me *on* my haircut. 모두가 내 머리 모양을 놀렸다.

rál·ly·ing crỳ [rǽliiŋ-] (정치 운동 등의) 슬로건, 표어; 함성.

***ram** [ræm] *n.* ① **a**) Ⓒ (거세하지 않은) 숫양《암

R

양은 ewe). **b**) (the R-) 〚天〛 양자리(Aries), 백양궁(宮). ② Ⓒ 공성(攻城) 망치(battering ~); 충각(衝角)《옛날, 군함의 이물에 붙인 쇠로 된 돌기》; 충각이 있는 군함. ③ Ⓒ 말뚝 박는 메, 달구; 말뚝 박는 드롭해머. ④ Ⓒ (자동) 양수기(hydraulic ~); (수압기·밀펌프의) 피스톤.

— (*-mm-*) *vt.* ①《~+目/+目+前+名》…을 충각으로 들이받다; 부딪치게 하다《*against; at; into; on*》: He ~*med* his head *against* a wall. 그는 벽에 머리를 부딪쳤다. ②《~+目/+目+前+名》…을 때려박다《*down; in; into*》; 쑤셔넣다《*into; with*》: ~ piles *into* the riverbed 강바닥에 말뚝을 때려 박다 / He ~*med* his clothes *into* the bag. 그는 옷가지를 가방에 쑤셔 넣었다. ③《+目+副》(흙)을 다져 굳히다《*down*》: ~ earth well *down* 흙을 충분히 다져 굳히다.

~ ***down*** a person**'*s throat*** ⇨THROAT. ~ ***home*** 반복하여 (의론을) 충분히 납득시키다; (사고 따위의 사실이 필요성을) 명백히 하다.

RAM [ræm] 〚컴〛 random-access memory(임의 접근 기억 장치, 램; 무작위 접근 기억 장치).

Ram·a·dan [ræ̀mədɑ́:n, -dǽn] *n.* 라마단《이슬람력(曆)의 9월; 이 한 달 동안은 해돋이로부터 해 지기까지 단식함》.

***ram·ble** [rǽmbəl] *n.* Ⓒ 소요, 산책: We went on a ~ in the Peak District. 우리는 피크디스트릭트를 산책했다. — *vi.* ① (이리저리) 거닐다: We ~*d through* the woods. 우리는 숲속을 어슬렁거렸다. ② 두서없이 이야기하다[쓰다]《*on; about*》: The man ~*d on about* the days of his youth. 그 사나이는 자기의 젊은 날의 일들을 두서없이 지껄였다. ③《~/+前+名》(덩굴풀 등이) 퍼지다: Vines ~*d over* the fence. 덩굴이 담장 위로 번어 있었다. ④ (강·길이) 구불구불 뻗어가다, 굽이치다. ㊔ **rám·bler** [-blər] *n.* Ⓒ ① (공원 따위를) 어슬렁거리는 사람. ② 두서없이 지껄이는[쓰는] 사람. ③〚植〛 덩굴장미.

ram·bling [rǽmbliŋ] *a.* ① 어슬렁거리는; 방랑성의. ② 산만한, 종작없는. ③ (집·가로가) 무질서하게 뻗어 있는; 가지런하지 못한. ④〚植〛 덩굴지는: a ~ rose 덩굴장미. ㊔ **~·ly** *ad.*

ram·bunc·tious [ræmbʌ́ŋkʃəs] *a.*《美口》(사람이·행위가) 다루기 힘드는; 사나운; 사납게 날뛰는; 제멋대로인. ㊔ **~·ly** *ad.* **~·ness** *n.*

ram·ie [rǽmi] *n.* ① Ⓒ 〚植〛 모시풀. ② Ⓤ 그 섬유, 모시.

ram·i·fi·ca·tion [ræ̀məfikéiʃən] *n.* Ⓒ (흔히 *pl.*) ① 분지(分枝), 분기. ② 지맥(支脈), 지류(支流). ③ (파생한) 효과, 결과.

ram·i·fy [rǽməfài] *vt.* [흔히 受動으로] …을 분기(分岐)시키다; …을 작게 구분하다. — *vi.* 분파하다, 분기하다; 그물눈처럼 갈라지다, 작게 구분되다.

rám·jet (ènɡine) [rǽmdʒèt(-)] 〚空〛 램제트(엔진)《분사 추진 기관의 일종》.

ramp[1] [ræmp] *n.* Ⓒ ① (건물의 각층을 연락하는) 경사로; 입체 교차로 따위의 연결용 경사로, 램프. ② (여객기 따위의) 이동 트랩(boarding ~). ③《英》스피드 방지대《도로를 가로질러 도드라지게 한 부분》.

ramp[2] *n.* Ⓒ《英口》사기, 편취; 폭리.

ram·page [rǽmpeidʒ / -ˊ] *n.* (성나서) 날뛰기. [주로 다음 成句로] ***go*** [***be***] ***on the*** [***a***] ~ 날뛰다. —[ræmpéidʒ] *vi.* ① 돌진하다《*about; through*》. ② 마구 날뛰다.

ram·pa·geous [ræmpéidʒəs] *a.* 날뛰며 돌아다니는, 난폭한, 광포한, 휘어잡을 수 없는.

ramp·ant** [rǽmpənt] *a.* ① (언동이) 과격한, 사나운; 자유 분방한: ~ individualism 막된 개인주의. ② (잡초 등이) 무성한, 우거진. ③ (병·범죄·소문 등이) 만연하는, 성한, 마구 퍼지는: ~ violence 횡행하는 폭력. ④ (명사 뒤에 두어)〚紋章〛 뒷발로 선. ***a lion ~〚紋章〛 뒷발로 일어선 사자. ㊔ **~·ly** *ad.*

***ram·part** [rǽmpɑ:rt, -pərt] *n.* Ⓒ ① (종종 *pl.*) 누벽(壘壁), 성벽. ②《比》수비, 방어.

ram·rod [rǽmrɑ̀d / -rɔ̀d] *n.* Ⓒ 전장총(前裝銃)·전장포(砲)에 탄약을 재던 쇠꼬챙이; 꽂을대. (***as***) ***stiff*** [***straight***] ***as a*** ~ ⑴ 곧은, 직립부동의. ⑵ (태도나 외관이) 딱딱한.

— *a.* 곧게 서서 움직이지 않는: have a ~ bearing 직립부동의 자세를 취하다. — *ad.* 곧게 서서 움직이지 않고.

Ram·ses [rǽmsi:z] *n.* 람세스《고대 이집트왕들의 이름》.

ram·shack·le [rǽmʃækəl] *a.* 금방 넘어질 듯한《집 등》; 흔들[덜컥]거리는《차 등》.

†**ran** [ræn] RUN[1]의 과거.

***ranch** [ræntʃ] *n.* Ⓒ ① (미국·캐나다의) 대목장. cf. range. ② [특정 동물·과일 등의 修飾語와 함께] (특정 가축·작물을 기르는) 농장, 사육장. — *vi.* 목장을 경영하다; 목장에서 일하다.

ranch·er [rǽntʃər] *n.* Ⓒ ① 목장[농장]주. ② 목장[농장]에서 일하는 사람, 목장 노동자. ③ = RANCH HOUSE ②.

ránch hòuse ① (목장에 있는) 목장주의 주택. ② 랜치하우스《일반주택으로 지붕의 경사가 완만한 단층집》.

ranch·man [rǽntʃmən] (*pl.* ***-men*** [-mən]) *n.* Ⓒ《美》목장 경영자[감독]; 목동; 목장 노동자.

ran·cho [rǽntʃou, rɑ́:n-] (*pl.* ~***s***) *n.* Ⓒ ①《英》(목동·농장 노동자용의) 오두막집. ② 목장.

ran·cid [rǽnsid] *a.* ① 고약한 냄새가 나는: go ~ 악취를 발하다; 썩다. ② 불쾌한, (맛이) 고약한. ㊔ **~·ly** *ad.* **~·ness** *n.*

ran·cor,《英》**-cour** [rǽŋkər] *n.* Ⓤ 깊은 원한, 적의; 심한 증오.

ran·cor·ous [rǽŋkərəs] *a.* 원한이 사무친; 악의에 불타는. ㊔ **~·ly** *a.* **~·ness** *n.*

R & B, r & b rhythm and blues. **R & D, R and D** research and development(연구개발).

‡**ran·dom** [rǽndəm] (***more*** ~; ***most*** ~) *a.* [限定的] ① 닥치는 대로의, 되는 대로의, 임의의: a ~ remark [guess] 되는 대로 하는 말[억측] / a ~ shot 난사;《比》억측. ②〚統〛 임의의, 무작위(無作爲)의. — *n.* 되어 가는 대로임. [다음 成句로] ***at*** ~ 닥치는 대로; 아무렇게나: speak *at* ~ 입에서 나오는 대로 아무렇게나 말하다. ㊔ **~·ly** *ad.* **~·ness** *n.*

rándom áccess 〚컴〛 무작위 접근.

rán·dom-ác·cess mémory [rǽndəmǽkses-] 〚컴〛 무작위 접근 기억 장치《略: RAM》.

rándom fíle 〚컴〛 막[무작위] (기록)철《임의의 레코드를 등속 판독하여 폐기·갱신할 수 있는 파일》.

rándom sámple 〚統〛 무작위[임의] (추출)표본.

rándom sámpling 〚統〛 랜덤 샘플링, 임의[무작위]표본 추출법.

randy [rǽndi] (***rand·i·er; -i·est***) *a.* 호색적인, 추잡한. ㊔ **-i·ly** *ad.* **-i·ness** *n.*

ra·nee [rɑ́:ni, rɑ:ní:] *n.* Ⓒ (인도의 옛날) 왕비; 왕공 귀족의 부인; 공주.

‡**rang** [ræŋ] RING[2]의 과거.

‡**range** [reindʒ] *vt.* ①《~+目/+目+前+名》**a**) …을 정렬시키다, 늘어놓다, 배치하다《*along*》: The commander ~*d* his men *along* the river

R

bank. 지휘관은 병사(兵士)들을 강둑을 따라 배치하였다. **b)** 〔再歸的〕 줄지어서다, 정렬하다: The dancers *~d themselves* in rows. 무희들은 여러 줄로 정렬해 섰다. ② 《+[목]+[전]+[명]》 〔受動으로 또는 再歸用法으로〕 (동아리·당 따위)에 가입하다, …의 편을 들다, …을 지지하다《*with; among; on*》; 반대편에 서다《*against*》: Most of the politicians *were ~d with*〔*against*〕 the prime minister. 대부분의 정치가는 수상을 지지하였다〔적대하였다〕/ They *~d themselves* on the side of law and order. 그들은 법과 질서를 지키는 편에 섰다. ③ 돌아다니다, 방랑하다: They *~d* the woods. 그들은 숲을 헤맸다. ④ 《美》 방목하다.

— *vi.* ① 《+[부]/+[전]+[명]》 줄짓다; (산맥 따위가)(한 줄로) 연하다, 뻗다: The boundary *~s* east and west. 경계선은 동서로 뻗어 있다 / Brick houses ~ *along* the road. 벽돌집들이 길을 따라 서 있다. ② 《+[전]+[명]》 (사람·동물이) 헤매다, (떠)돌아다니다: Many animals ~ *through* the forests. 많은 동물이 숲속을 돌아다니고 있다. ③ 《+[전]+[명]》 퍼지다, (…의) 범위에 걸치다: His studies ~ *over* several languages. 그의 연구는 수개국어에 걸쳐 있다. ④ (어떤 범위 안에서) 이동하다, 변동하다, 변화하다《*between*》: Prices ~ *between* seven and ten dollars. 가격은 7달러에서 10달러 사이에서 변동한다 / This plant *~s from* Canada *to* Mexico. 이 식물은 캐나다로부터 멕시코에 걸쳐 분포하고 있다. ⑤ 《+[전]+[명]》 (어떤) 반열(班列)에 들다, 위치하다《*with*》: He *~s with* the great writers. 그는 대작가들과 어깨를 나란히 한다. ⑦ 《+[보]》 (탄알이) 도달하다; 사거리가 …이다: This gun *~s* 8 miles. 이 포의 사정은 8마일이다.

— *n.* ① (*sing.*) (활동·지식·경험 등이 미치는) 범위, 넓이《*of*》: a wide ~ *of* knowledge 광범위한 지식 / within ~ *of* vision 시야 범위 안에 / be out *of* ~ 범위 밖이다 / His reading is *of* very wide ~. 그의 독서는 매우 광범위하다. ② (*sing.*) (변동의) 범위, 한도, 폭《*of*》: the average annual ~ *of* temperature 연간 평균 기온차 / the ~ *of* tide 간만의 폭 / There is a wide price ~ *for* camera. 카메라는 가격폭이 다양하다 / I would expect a salary in the ~ *of* $25,000 to $30,000. 2만 5천 달러 내지 3만 달러 의 급료를 기대합니다. ③ [U] (또는 a ~) 사거리(射距離), 사정(射程); [C] 사격장: *a* rifle ~ 소총 사격장 / the effective ~ 유효 사거리 / The enemy ship came within ~. 적함은 사정거리 안에 들어왔다. ④ (a ~) 〖空·海〗 항속 거리: This passenger jets has *a* ~ *of* 2,000 miles. 이 제트 여객기의 항속거리는 2천마일이다. ⑤ [C] 열〔列〕, 줄; 연속; 산맥; 연산(連山)《*of*》: a long ~ *of* arches 길게 이어진 아치의 열. ⑥ (a ~) 음역: As the child grew older, his vocal ~ changed. 어린이가 자람에 따라 그의 음역은 바뀌었다. ⑦ (*sing.*) (동식물의) 분포〔생식〕 구역. ⑧ [C] 《美》 (방)목장. ⑨ [C] (요리용) 레인지, 《美》 전자〔가스〕 레인지.

at long*〔*short, close*〕 ~** 원〔근〕거리에서. ***beyond the ~ of …이 미치지 않는 곳에: *beyond the ~ of* human understanding 인간의 이해를 넘어서. ***in ~ with*** (2개의 물건이) …와 같은 방향으로, …와 나란히. ***in the ~ of*** …의 범위내에. ***on the ~*** 방목되어.

ránge finder 거리계(計); =TACHYMETER.

***rang·er** [réindʒər] *n.* [C] ① 《美》 삼림 경비대〔감시〕원; 《英》 왕실 소유림(林)의 감시원. ② 《美》 기마 경찰대원. ③ (R-) 《美》 (제 2 차 세계대전 중의) 특별 공격대원; 《美》 (특히 밀림 지대의) 게릴라전 훈련을 받은 병사. ④ 《英》 레인저《Girl Guide의 16세 이상 단원》.

Ran·goon [ræŋgúːn] *n.* Myanmar의 수도 Yangon의 구명.

rangy [réindʒi] (***rang·i·er; -i·est***) *a.* ① (사람·짐승이) 팔다리가 껑충한; 돌아다니기에 알맞은. ② 산맥〔산〕이 많은.

ra·ni [ráːni, rɑːníː] *n.* =RANEE.

‡rank[1] [ræŋk] *n.* ① [U.C] 계급, 등급; (사회적) 지위: people of all *~s* 모든 계층의 사람들 / the ~ of major 소령 계급 / the upper *~s* of society 상류 사회 / high in ~ 지위가 높은 / of the first ~ 제 1급의. ② [C] **a)** (사람·물건의) 열, 줄《*of*》: a ~ *of* pillars 기둥의 열 / standing in two separate *~s* 두줄로 나누어 서서 / The *~s of* bookshelves seemed endless. 책장의 열이 끝없이 이어지는 것처럼 보였다. **b)** 〖軍〗 횡열: the front〔rear〕 ~ 전〔후〕열 / break ~(*s*) 대열을 흐트리다, 낙오하다 / keep ~(*s*) 열을 흐트러 뜨리지 않다, 질서를 유지하다 / fall into ~ 옆에 끼어서다 / Soldiers stood in *~s* for the inspection. 군인들은 사열을 받기 위해 횡열을 지어 서 있었다. ③ (the ~s) **a)** 〖軍〗 (장교 이외의) 군대 구성원, 병사: all *the ~s* 전(全)사병 / rise from *the ~s* 사병에서 장교가 되다, 낮은 신분에서 출세하다. **b)** (정당·회사·단체의) 일반 당원, 사원, 회원, 동아리: join *the ~s* of protesters 항의자 편에 끼다. ④ [C] 체스판의 가로줄. [cf.] file[1]. ⑤ [C] 《英》 손님 대기 택시의 주차장(《美》 stand): ⇨ TAXI RANK. ⑥ 〖컴〗 순번.

close the ~s ⇨CLOSE[1](成句). ***other ~s*** (장교 이외의) 사병. ***pull one's ~*** (***on***) 《口》 (…에게) 지위를 이용하여 강제로 명령하다. ***take ~ of*** …의 윗자리를 차지하다. ***take ~ with*** …와 나란히 서다, …와 어깨를 나란히 하다. ***the ~ and fashion*** 상류 사회. ***the ~ and file*** (1) 병졸들. (2) 평사원, 일반당원. (3) 서민, 일반대중.

— *vt.* ① 〔때때로 受動으로〕 …을 나란히 세우다, 정렬시키다: He *~ed* the chessmen on the board. 그는 말을 체스판 위에 나란히 세웠다 / The children *were ~ed* according to height. 어린이들은 키에 따라 정렬하고 있었다. ② 《+[목]+[보]/+[목]+[전]+[명]/+[목]+*as*[보]》 …의 위치를 정하다, 부류에 넣다, 분류하다; 등급짓다; 평가하다: We ~ his abilities very high. 그의 재능을 높이 평가한다 / I ~ Tom *above*〔*below*〕 John. 나는 톰을 존보다 위〔아래〕로 친다. ③ 《美》 …보다 낫다, …의 윗자리에 서다 (outrank): The colonel *~s* all other officers in the unit. 대령은 그 부대의 다른 모든 장교보다 계급이 위다.

— *vi.* ① 《+*as*[보]/+[전]+[명]/+[보]》 자리잡다, 지위를 차지하다; 어깨를 겨루다: ~ *as* an officer 장교 대우를 받다 / ~ *among*〔*with*〕 the best Korean authors 한국의 일류 작가 부류에 속하다. ② 《美》 윗자리를 차지하다; 제 1위를 차지하다.

rank[2] *a.* ① 무성한, 울창한《*with*》: ~ grass 무성한 풀 / The garden is ~ *with* weeds. 그 정원에는 잡초가 우거져 있다. ② 맛이 고약한; 고약한 냄새가 나는; 썩은《*with*》: The room was ~ *with* cigarette smoke. 그 방은 담배 연기로 매캐했다. ③ 〔限定的〕 지독한; 완전한; 순전한: ~ disobedience 철저한 반항.

[파] **∠·ly** *ad.* **∠·ness** *n.*

rank-and-file [rǽŋkənfáil] *a.* 〔限定的〕 평사원〔평조합원〕의; 일반 대중의; 일개 사병의.

rank·er [rǽŋkər] *n.* [C] ① 사병. ② 사병 출신의 (특진) 장교.

rank·ing [rǽŋkiŋ] *n.* Ⓤ 등급 매기기 ; 순위, 서열. ── *a.* 〔限定的〕《美》 ① 상급의, 간부의 . ② 뛰어난, 발군(拔群)의, 일류의 : a ~ authority 일류 권위자. ③〔종종 複合語로〕 지위가 …인 : a high-~ officer 고급 장교.

ran·kle [rǽŋkəl] *vi.* (원한 따위가) 마음에 사무치다《*with*》: What he said still ~*s with* me. 그가 말한 것이 아직도 내 맘속에 맺혀 있다.

ran·sack [rǽnsæk] *vt.* ①《~+목 / +목+전+명》…을 샅샅이 〔구석구석까지〕 찾다 ; 찾아 돌아다니다《*for*》: He ~*ed* London *for* the book. 그는 그 책을 구하기 위해 런던 시내를 구석구석 찾아다녔다. ②《+목+전+명》 (도시 등)을 약탈하다(pillage)《*of*》: ~ a house *of* all that is worth anything 무엇이든 값어치 있는 것은 모두 그 집에서 약탈하다.

ran·som** [rǽnsəm] *n.* ① Ⓒ (인질 등의) 몸값, 배상금. ② Ⓤ (인질 등의) 해방, 인수. ***hold a person ***to*** 〔***for***〕 ~ 아무를 억류하고 몸값을 요구하다 ;《比》 아무를 협박하여 양보를 요구하다 : The management will not allow the strikers to *hold* them *to* ~. 경영진은 파업자들이 자기들에게 무리한 요구를 하는 것을 용인치 않을 것이다. ── *vt.* (인질 따위)를 몸값〔배상금〕을 치르고 되찾다.

rant [rænt] *n.* Ⓤ 호언 장담 ; 떠드는 소리. ── *vi.* ① 폭언을 하다, 마구 호통치다, 고함치다 ; 야단치다《*at* ; *about*》: They ~*ed* (*on*) *at* him *about* his carelessness. 그들은 그를 경솔하다고 마구 야단쳤다. ② 열광적으로 설교하다, 호언장담하다. ③ (배우 등이) 대사를 악을 쓰듯 말하다. ── *vt.* (대사 따위)를 큰소리로 말하다 ; 과장해서 떠들어대다. ~ ***and rave*** 마구 고함치다.

rant·er [rǽntər] *n.* Ⓒ ① 고함을 지르는 사람. ② (R-) 초기 메서디스트 교파 신자.

rap**[1] [ræp] *n.* ① Ⓒ (문・테이블 따위를) 톡톡 두드림 ; 두드리는 소리 : We heard a sharp ~ on the door. 탕탕 세차게 문을 노크하는 소리가 들렸다. ② Ⓒ《俗》 비난, 질책, 범죄 혐의 ;《美》 체포 : pin a murder ~ on a person 아무에게 살인 혐의를 두다. ③ Ⓒ《俗》 지껄임, 수다. ④ Ⓤ 랩《지껄이 듯이 노래하는 솔 음악》. ***beat the ~《俗》 벌을 면하다, 무죄가 되다. ***get a*** ~ ***on the knuckles*** 심하게 매맞다, 꾸중듣다. ***give*** a person a ~ ***on*** 〔***over***〕 ***the knuckles*** (벌로) 아무를 몹시 때리다 ; 꾸짖다. ***take the*** ~《美口》 비난〔벌〕을 받다 ; 남의 죄를 뒤집어 쓰다.

── (**-*pp*-**) *vt.* ①《~+목 / +목+부 / +목+전+명》 (문, 책상 따위)를 톡톡 두드리다 ; (사람의 신체)를 탁 치다 : She ~*ped* the table to get everyone's attention. 그녀는 모든 사람의 주의를 끌기 위해 책상을 두드렸다. ②《美俗》 비난〔혹평〕하다《★ 주로 신문 용어》: The judge ~*ped* the police *for* their treatment of the accused. 판사는 피의자를 다루는 태도 때문에 경찰을 비난했다. ③《俗》…에게 판결을 내리다 ; (형사범으로서) …을 체포하다.

── *vi.* ①《+전+명》 (문・책상 따위를) 톡톡 두드리다《*at* ; *on* ; *against*》: He ~*ped on* the table. 그는 테이블을 톡톡 두드렸다. ②《俗》 지껄이다, 잡담하다《*with*; *about*》. ~ ***out*** (신령이 영매(靈媒) 등을 통해 뜻을) 톡톡 두드려 알리다 ; 내뱉듯이 날카롭게 말하다 : "Is that the truth?" he suddenly ~*ped out*. '그게 사실인가' 하고 그가 갑자기 내뱉듯이 말했다.

rap[2] *n.* (a ~) 〔否定文에서〕《口》 피천 한닢, 조금(bit) : I do*n't* care〔mind, give〕 *a* ~ for his opinion. 나는 그의 의견이 어떻든 전혀 개의치 않는다. ***not worth a*** ~ 보잘것없는.

ra·pa·cious [rəpéiʃəs] *a.* ① 강탈하는. ② 욕심많은, 탐욕〔게걸〕스러운. ③〖動〗 산 동물을 잡아 먹는, 육식하는. 파 ~**·ly** *ad.* ~**·ness** *n.* 「탐식.

ra·pac·i·ty [rəpǽsəti] *n.* Ⓤ ① 강탈. ② 탐욕 ;

***rape**[1] [reip] *n.* Ⓤ,Ⓒ ① 성폭행. ② 강탈, 약탈 ; 파괴. ── *vt.* ① …을 성폭행하다 : The girl was dragged from the car and ~*d*. 소녀는 차에서 끌려 나와 성폭행당했다. ② …을 약탈하다, 파괴하다.

rape[2] *n.* Ⓤ〖植〗 평지.

Raph·a·el [rǽfiəl, réi-] *n.* 라파엘. ① 이탈리아 화가 ; Raffaello Santi(1483-1520). ② 남자 이름.

‡**rap·id** [rǽpid] (***more*** ~, ~***·er*** ; ***most*** ~, ~***·est***) *a.* ① (속도가) 빠른, 신속한 : make ~ progress 급속한 발전을 이루다 / a ~ increase in population 인구의 급속한 증가 / The patient made a ~ recovery. 환자는 빨리 회복하였다. ② (행동이) 재빠른, 민첩한 : a ~ worker 일이 빠른 사람 / He is a ~ thinker. 그는 머리 회전이 빠르다 / He took a ~ glance at me. 그는 흘끗 나를 한번 보았다. ③ 가파른, 몹시 비탈진 : a ~ slope 가파른 비탈. ④ 고속도 촬영의. ── *n.* Ⓒ (흔히 *pl.*) 급류, 여울. ***shoot the ~s*** (보트가) 여울을 건너다 ; 위험한 짓을 하다. 파 ~**·ness** *n.*

rápid éye mòvement〖生理〗 급속 안구(眼球)운동《수면 중에 안구가 급속히 움직이는 현상 ; 뇌파・심장 고동의 변화, 꿈 등과 관계가 있다고 함 ; 略 : REM》. 「SLEEP.

rápid éye mòvement slèep =REM

rap·id-fire [rǽpidfáiər] *a.* 〔限定的〕 ① 속사의 : a ~ gun 속사포. ② 연이은.

***ra·pid·i·ty** [rəpídəti] *n.* Ⓤ 신속, 급속 ; 민첩 : with ~ 빠르게(rapidly).

‡**rap·id·ly** [rǽpidli] *ad.* 빠르게, 재빨리, 신속히.

rápid tránsit (고가 철도・지하철에 의한 여객의) 고속 수송(법).

ra·pi·er [réipiər] *n.* Ⓒ 레이피어《가볍고 가느다란 양날의, 찌르기를 주로 하는 결투용 칼》.

rap·ine [rǽpin, -pain] *n.* Ⓤ《詩・文語》 강탈, 약탈.

rap·ist [réipist] *n.* Ⓒ 성폭행 범인.

ráp mùsic = RAP[1] *n.* ④.

rap·per [rǽpər] *n.* Ⓒ ① 두드리는 사람〔것〕. ② (문의) 노커. ③ 랩 음악을 하는 사람. ④《美俗》 수다떠는 사람.

rap·port [ræpɔ́ːr] *n.* Ⓤ (또는 a ~)《F.》 (친밀한・공감적인) 관계, 조화《*with*; *between*》: establish *a* close ~ *with* students 학생들과 친밀한 관계를 수립한다.

rap·proche·ment [ræ̀prouʃmɑ́ːŋ / ræprɔ́ʃmɑːŋ] *n.*《F.》 친교〔국교〕 회복, 우호관계 수립《*with* ; *between*》.

rap·scal·lion [ræpskǽljən] *n.* Ⓒ 악한, 부랑배.

ráp shèet《美俗》 전과(前科) 기록.

***rapt** [ræpt] *a.* ① (생각 따위에) 정신이 팔린, 넋을 잃은 : a ~ audience 넋을 잃고 보고 있는 관중〔청중〕/ a ~ expression 황홀한 표정 / listen with ~ attention 넋을 잃고 듣다. ② 〔敍述的〕 열중하여 정신이 없는, 몰두〔몰입〕한《*in*》: He was ~ *in* thought〔his work〕. 그는 깊은 사색에 빠져〔일에 열중하고〕 있었다.

rap·to·ri·al [ræptɔ́ːriəl] *a.* ① 육식의《새・짐승 따위》. ②〖動〗 맹금류(猛禽類)의.

‡**rap·ture** [rǽptʃər] *n.* Ⓤ (또는 *pl.*) 큰 기쁨, 환희, 황홀《*at*; *about*; *over*》: He stared with ~ *at* his baby son. 그는 황홀하게 갓난 아들을 들여다보았다. ***go*** 〔***fall***〕 ***into ~s over*** …에 열광하다.

R

in ~(*s*) 열광〔열중〕하여.
rap·tur·ous [rǽptʃərəs] *a.* 기뻐 날뛰는, 미친 듯이 기뻐하는, 열광적인 : A ~ reception awaited the winning team. 열광적 환영이 우승팀을 기다리고 있었다.
‡**rare**[1] [rɛər] (*rár·er* ; *-est*) *a.* ① 드문, 진기한, 좀처럼 없는 : a ~ event 드문 일 / ~ books 진본(珍本), 희귀본 / a ~ disease〔illness〕 희귀한 병 / It's ~ to see such a sight. 그것은 좀처럼 보기 힘든 광경이다 / It's ~ that he goes out. 그가 외출하는 것은 희한한 일이다. ②〔限定的〕 매우 근사한 : It was ~ fun at first. 그것은 처음에는 굉장히 재미있었다. ③ (공기 따위가) 희박한 : At this height the atmosphere is ~. 이 높이가 되면 공기는 희박하다. ***in ~ cases*** =***on ~ occasions*** 드물게, 때로는. ***~ and*** 《口》 매우 : I am ~ *and* thirsty. 몹시 목이 마르다. ***~ old*** 《口》 아주 좋은〔나쁜〕, 대단한 : have a ~ *old* time (of it) 퍽 즐겁게 보내다 ; 큰 곤경을 당하다. [파] ∠·**ness** *n.* 희귀 ; 희박 ; 진기.
***rare**[2] *a.* 덜 구워진, 설익은《고기 등》.
ráre éarth 〖化〗 희토류 원소(의 산화물).
ráre-éarth èlement 〔**mètal**〕 [rɛ́ərə́ːrθ-] 〖化〗 희토류 원소《원자 번호 57-71》.
rar·e·fy [rɛ́ərəfài] *vt.* ① (기체 따위)를 희박하게 하다. ② …을 순화〔정화〕하다. ── *vi.* 희박해지다.
rar·e·fied [rɛ́ərəfàid] *a.* 〔限定的〕 ① 높은, 고상한 ; 높은 곳의 : ~ tastes 고상한 취미. ② 희박한.
‡**rare·ly** [rɛ́ərli] (*more ~* ; *most ~*) *ad.* ①〔文章修飾〕 드물게, 좀처럼 …하지 않는(seldom) : It is ~ that he sings. 그는 좀처럼 노래를 하지 않는다 / He ~ drinks. 그는 거의 술을 마시지 않는다. ② 매우 (잘), 희한하게 : She was ~ beautiful. 그녀는 무척 아름다웠다. ***~ (if) ever*** 《口》 좀처럼 …하지 않는 : She ~ *if ever* plays the piano now. 그녀는 지금은 거의 피아노를 치지 않는다. ***~ or never*** 전혀〔결코〕 …하지 않는다 : He ~ *or never* goes out for dinner. 그는 결코 저녁을 외식하지 않는다.
rar·ing [rɛ́əriŋ] *a.* 〔敍述的〕《口》 몹시 …하고 싶어하는, 좀이 쑤셔하는(eager)《*to* do》: They're ready and ~ *to* go. 그들은 준비가 되자 빨리 출발하고 싶어하고 있다.
rar·i·ty [rɛ́ərəti] *n.* ① [U] 아주 드묾 ; 진기, 희박. ② [C] 만나기〔보기〕힘든 사람, 진귀한 것, 진품 : Snow is a ~ in that country. 눈은 그 나라에서는 아주 보기 힘든 것이다.
RAS 〖컴〗 reliability, availability & serviceability(신뢰도 · 이용 가능도 · 보수 가능도)《컴퓨터 능력 평가의 주요소》.
‡**ras·cal** [rǽskəl / rɑ́ːs-] *n.* [C] ① 악당, 깡패. ②《戱》 장난꾸러기, 개구쟁이.
ras·cal·i·ty [ræskǽləti / rɑːs-] *n.* [U.C] 나쁜 짓, 악행 ; 악당의 소행 ; 악당 근성.
ras·cal·ly [rǽskəli / rɑ́ːs-] *a.* ① 무뢰한의 ; 악당 같은. ② 교활한 ; 파렴치한.
rase [reiz] = RAZE.
‡**rash**[1] [ræʃ] (*~·er* ; *~·est*) *a.* ① 성급한, 무모한 : a ~ act 경솔한 행위 / It would be ~ to assert that the new cabinet will break up soon. 새 내각이 금방 분열할 것이라고 주장하는 것은 경솔하다. ② 분별 없는 : a ~ youth 분별없는 젊은이. [파] ∠·**ly** *ad.* 분별없게, 무모〔경솔〕하게(도). ∠·**ness** *n.*
rash[2] *n.* (a ~) ① 〖醫〗 발진(發疹), 뾰루지 : *a* heat ~ 땀띠. ② (불쾌한 일 등의) 다발(多發), 빈발《*of*》.
rash·er [rǽʃər] *n.* [C] 베이컨〔햄〕의 얇게 썬 조각.
rasp [ræsp, rɑːsp] *n.* ① [C] 거친 줄(=**rásp-cùt fíle**). ② (a ~) 줄질(하는 소리) ; 끽끽하는 소리. ── *vt.* ①《~+[목] / +[목]+[보]》 …을 거친 줄로 갈다 ; 강판으로 갈다 ; 쓸어〔갈아〕 내다《*away* ; *off*》: ~ *off* 〔*away*〕 corners 모서리를 갈아 내다. ②《+[목]+[부]》 …을 쉰〔귀에 거슬리는〕 목소리로 말하다《*out*》: The gunman ~*ed* (*out*) a command. 그 총잡이는 신경질적인 거친 소리로 명령을 내렸다. ③ …을 안타깝게〔초조하게〕 하다 : The sound ~*ed* his nerves. 그 소리는 그의 신경을 건드렸다. ── *vi.* ①《+[전]+[명]》 삐걱거리다 : She was ~*ing on* her violin. 그녀는 바이올린을 끽끽거리고 있었다. ② 끽끽 소리를 내어 초조하게 만들다《*on, upon*》: The noise ~*s on* my nerves. 그 시끄러운 소리가 내 신경을 곤두세우고 있다.
***rasp·ber·ry** [rǽzbèri, -bəri, rɑ́ːz-] *n.* ① [U.C] 나무딸기(열매). ② [C] 《俗》 입술 사이에서 혀를 떨며 내는 소리《경멸 · 냉소적인 행위》: get the〔a〕 ~ 조롱당하다.
rasp·ing [rǽspiŋ, rɑ́ːsp-] *a.* ① 삐걱거리는, 귀에 거슬리는. ② (감정을) 초조하게 하는. [파] ~·**ly** *ad.*
raspy [rǽspi, rɑ́ːspi] (*rasp·i·er* ; *-i·est*) *a.* ① 신경질적인, 성 잘 내는. ② 삐걱거리는.
‡**rat** [ræt] *n.* [C] ① 쥐, 시궁쥐. [cf.] mouse. ②《俗》 비열한 놈, 변절자, 배반자, 탈당자 : You old ~! 이 쥐새끼 같은 놈. ③《俗》 파업에 동참 않는 노동자. ④《俗》 밀고자. ***like* 〔*as wet as*〕 *a drowned* ~** 물에 빠진 생쥐처럼, 함빡 젖어서. ***smell a* ~** 《口》 수상쩍게 생각하다, 이상하다고 느끼다. ── *int.* (~s) 《俗》〔불신 · 실망 등을 나타내어〕 체, 젠장, 천만에 : Oh ~*s !* 저런, 설마. ── (*-tt-*) *vi.* ① 쥐를 잡다. ② **a)** 변절하다 ; 배반하다, 밀고하다《*on*》: He ~*ted on* his pals. 그는 동료를 배반했다. **b)** (약속 따위를) 깨다《*on*》: Don't ~ *on* the promise. 약속을 깨지 마라.
rat·a·ble [réitəbəl] *a.* ① 평가할 수 있는. ② 비례하는, 비율에 따르는. ③《英》 과세할 수 있는 ; 세를 부담할.
ra·tan [rætǽn, rə-] *n.* =RATTAN.
rat-a-tat [rǽtətǽt] *n.* (a ~) 둥둥, 쾅쾅《문, 북 따위를 두드리는 소리》.
rat·bag [rǽtbæ̀g] *n.* [C] 《Austral. 俗》 몹시 불쾌한 놈.
rat·catch·er [rǽtkæ̀tʃər] *n.* [C] 쥐잡는 사람〔동물〕.
ratch·et [rǽtʃət] *n.* [C] ① 깔쭉 톱니바퀴 (장치) ; 미늘톱니바퀴 (장치). ② (톱니바퀴의 역회전을 방지하는) 미늘, 제동기, 제차기.
rátchet whèel 깔쭉 톱니바퀴.
†**rate**[1] [reit] *n.* ① [C] 율(率), 비율 : the birth〔death〕 ~ 출생〔사망〕률 / the ~ of discount 할인율 / What is the won-dollar ~ today? 오늘의 원과 달러의 교환율은 얼마입니까. ② [C] 가격, 시세 : the ~ of exchange 환(換) 시세. ③ [C] 요금, 사용료 : postal〔railroad〕 ~*s* 우편〔철도〕요금. ④ [C] 속도, 진도 : We traveled at the〔a〕 ~ of sixty miles an hour. 우리 차는 시속 60마일의 속도로 달렸다. ⑤ (*pl.*) 《英》 지방세. ⑥ [U] 〔序數와 함께〕 등급, …등 : a *third* ~ motel 삼류 모텔.
at a great* ~** 고속으로. ***at a high* 〔*low*〕 ~** 비싸게〔싸게〕. ***at all ~s 기필코, 어떻게든지. ***at any* ~** 하여튼, 하여간 ; 적어도 : I'll have to meet him *at any* ~. 여하튼 그를 만나야 한다 / He didn't do the test very well, but *at any* ~ he passed. 그는 시험을 잘 치지는 못했지만 하여튼 합

격은 했다. ***at that*** 〔***this***〕 ~《口》 그런〔이런〕 꼴로는〔상태로는〕.

— *vt.* ①《+目+補/+目+前+名》 …을 평가하다, 어림잡다《*at*》: It's difficult to ~ a man *at* his true value. 사람의 진가를 평가하는 것은 어렵다 / The building was ~*d at* $5 million. 그 빌딩은 500만 달러로 평가되었다. ②《+目+(*as*) 補/+目+前+名》 …으로 간주하다, 생각하다《*among*》: He is ~*d* (*as*) one of the richest men. 그는 가장 부유한 사람 중의 하나로 여겨진다 / I ~ him *among* my benefactors. 나는 그를 은인의 한 사람으로 생각하고 있다. ③《英》〔흔히 受動으로〕 과세의 목적으로 평가하다《*at*》; …에게 과세하다: We *are* ~*d* high(ly) for education. 높은 교육세가 부과된다. ④…만한 가치가 있다: You ~ special treatment. 당신은 특별 대우를 받을 가치가 있습니다.

— *vi.* ①《+副》 어림짐작되다, 평가되다: He ~*s* high in my estimation. 나는 그를 높이 평가하고 있다. ②《+*as* 補》 (…으로) 간주되다: He ~*s as* the best pianist in the country. 그는 그 나라에서 최고의 피아니스트로 여겨지고 있다. ③ **a**) (…와) 같은 등급이다, 동열이다《*with*》: This ~*s with* the very best. 이것이야말로 최고급품의 반열에 속한다. **b**) 《口》 (…에게) 평판이 좋다, 사랑받고 있다《*with*》: The new teacher really ~*s with* our class. 새로 오신 선생님은 우리 학급에게 정말 평판이 좋다.

rate² *vt.* …을 꾸짖다, …에게 욕설을 퍼붓다《*at*》.

rateable ⇨RATABLE.

rate-cap·ping [réitkæ̀piŋ] *n.* Ⓤ 《英》 지방자치 단체의 지방세 징수액시 상한을 정하는 일.

rate·pay·er [réitpèiər] *n.* Ⓒ 《英》 지방세(재산세) 납부자.

rát fink 《美俗》 꼴보기 싫은 놈(fink), 밀고자, 「배반자.

†**rath·er** [rǽðər, rɑ́:ð-] *ad.* ① (…보다는) 오히려, 차라리《*than*》; 어느쪽인가 하면: He is a writer ~ *than* a scholar. 그는 학자라기보다는 문필가다 / It is sultry ~ *than* warm. 덥다기보다는 무덥다 / Thay are screaming ~ *than* singing. 그들은 노래한다기보다 절규하고 있다 / I ~ enjoy doing nothing. 어느쪽인가 하면 아무것도 하지 않는 것이 더 좋다(★동사를 받을 경우는 그 앞에 옴) / I would stay home ~ *than* go out. 나가기보다는 집에 있고 싶다 / *Rather than* travel by car, I'd prefer to walk. 자동차로 여행하는 것보다 도보여행이 더 좋다(★强調에 의한 rather than …의 前置). ② 어느 정도, 다소, 조금; 상당히, 꽤: I'm feeling ~ better today. 오늘은 다소 기분이 좋다 / It is ~ hot today. 오늘은 생각보다 꽤 덥다 / ~ an easy book = a ~ easy book 꽤나 쉬운 책 / This book is ~ too difficult for you. 이 책은 자네에게는 다소 어렵다. ③〔文章修飾〕 …기는 커녕, 도리어: It wasn't a help, ~ a hindrance. 도움은커녕 방해였었다. ④〔or ~로〕 더 정확히 말하면: my father, *or* ~, stepfather 나의 아버지 아니 정확히는 의붓아버지 / I returned late last night, *or* ~ early this morning. 나는 엊저녁 늦게, 아니 정확히는 오늘 아침 일찍 돌아왔다(★흔히 정정할 경우에 씀).

> 參考 **rather than** 과 **better than**: I like peaches *rather than* apples.에서는 '복숭아는 좋아하지만 사과는 좋아하지 않는다'를 의미하고, I like peaches *better than* apples. 에서는 '양쪽 다 좋아하지만 복숭아 쪽을 더 좋아한다'를 의미함.

the ~ ***that*** 〔***because***〕 …이기 때문에 더욱: I love her *the* ~ *that* she is weak. 그녀가 약하기 때문에 더욱 그녀를 사랑한다.

— *int.* [rǽðɔ́:r, rɑ́:ð-] 《英口》〔反語的으로 강한 긍정의 답에〕 그렇고 말고(certainly), 아무렴, 물론(Yes, indeed!): "Do you know her?" "*Rather!* She is my aunt." '저 여자분을 아십니까' '물론이지요, 숙모인걸요'.

***rat·i·fi·ca·tion** [rӕ̀təfikéiʃən] *n.* Ⓤ (조약 등의) 비준(批准), 시인, 재가.

***rat·i·fy** [rǽtəfài] *vt.* (조약 등)을 비준하다, 재가하다: ~ a peace treaty 평화조약을 비준하다. ㊞ **rát·i·fi·er** *n.*

rat·ing [réitiŋ] *n.* ① **a**) Ⓤ 평가, 견적(見積): The critics' ~ of his book is high. 그의 책에 대한 비평가들의 평가는 높다. **b**) Ⓒ 평가 가격. ② Ⓒ (실업가·기업 등의) 신용도; (라디오·TV의) 시청률; (정치의) 지지율. ③ Ⓒ (선박·승무원 등의) 등급, 급수. ④ Ⓒ〖英海軍〗 수병: officers and ~*s* 사관과 병사. ⑤ Ⓒ 《英》 지방세(재산세) 부과액.

***ra·tio** [réiʃou, -ʃiòu] (*pl.* ~*s*) *n.* Ⓤ,Ⓒ ① 비, 비율《*to*》: They are in the ~ of 3:2. 그들은 3대 2의 비율이다(★ 3:2는 three to two라고 읽음) / The ~ of men *to* women was two to one. 남녀의 비율은 2대 1이었다. ②〖數〗 비, 비례《*to*》: in direct 〔inverse〕 ~ (*to*)… …(에) 정비례〔반비례〕하여.

ra·ti·oc·i·nate [rӕ̀ʃiɑ́sənèit, rӕ̀ti-, -óus- / rӕ̀tiɔ́si-] *vi.* (삼단논법 따위로) 추리〔추론〕하다. ㊞ **rà·ti·òc·i·ná·tion** [-néiʃən] *n.* Ⓤ 추리, 추론.

rátio cóntrol〖컴〗 비율 제어(두 양 사이에 어떤 비례 관계를 유지시키려는 제어).

ra·tion** [rǽʃən, réi-] *n.* ① Ⓒ 정량; (식품 등의) 배급(량): a daily ~ 하루치 배급량. ② (*pl.*) 식량, 양식; (흔히 *pl.*)〖軍〗 휴대 식량, 하루치 식량: ~*s* for two weeks 두 주일 분의 식량. ***on short ~s 양식이 제한되어. ***the iron*** 〔***emergency***〕 ~ 비상용 휴대 양식.

— *vt.* ① (식량·연료 등)을 제한하다; 공급을 제한하다: Water must now be ~*ed.* 지금은 제한 급수를 하지 않으면 안 된다. ② …을 배급하다《*out*; *to*; *among*》: The remaining food was ~*ed out* carefully *among* the survivors. 나머지 식량은 생존자들에게 조심스럽게 분배되었다 / When supplies ran short we were ~*ed.* 양식이 부족해져서 우리들은 배급을 받게 되었다.

ra·tion·al** [rǽʃənl] (more*** ~; ***most*** ~) *a.* ① 이성이 있는, 이성적인; 제 정신인: Man is a ~ being. 인간은 이성적인 존재이다 / The doctor found him to be ~. 의사는 그가 정신이 멀쩡하다고 진단했다. ② 합리적인; 사회〔도리〕에 맞는, 온당한: a ~ explanation 합리적인 설명 / It's ~ to do so. 그렇게 하는 것이 합리적이다. ③ 추리〔추론〕의; 순 이론적인: the ~ faculty 추리력. ④〖數〗 유리(有理)의. opp. *irrational*. ¶ a ~ expression 유리식. — *n.* Ⓒ〖數〗 유리수(有理數)(~ number). ㊞ **~·ly** *ad.*

ra·tion·ale [rӕ̀ʃənǽl / -nɑ́:l] *n.* (the ~) 이론적 설명〔근거〕《*of*》: *the* ~ *of* a policy for increasing taxes 증세 정책의 이론적 근거.

ra·tion·al·ism [rǽʃənlìzəm] *n.* Ⓤ ① 합리주의, 이성론, 순리론(純理論). ② 이성주의. cf. empiricism, sensationalism. ㊞ **-ist** [-ist] *n.* Ⓒ (특히 신학·철학상의) 이성론자, 순리론자, 합리론자. — *ad.* = RATIONALISTIC.

ra·tion·al·is·tic [rӕ̀ʃənlístik] *a.* ① 순리〔합리〕적인; 이성주의(적)인. ② 합리주의자의, 이성론자의. ㊞ **-ti·cal·ly** [-tikəli] *ad.*

ra·tion·al·i·ty [ræ̀ʃənǽləti] *n.* Ⓤ 합리성, 순리성 ; 도리를 앎.

ra·tion·al·ize [rǽʃənəlàiz] *vt.* ① …을 합리화하다 ; …을 합리적으로 다루다〔해석하다〕; …을 정당화 하다. ② (산업)을 합리화〔재조직〕하다. ③ 〖數〗 …을 유리화(有理化)하다. ── *vi.* ① 합리적으로 생각, 행동하다 ; 정당화하다. ② (산업) 합리화를 행하다.

ra·tion·al·i·za·tion [ræ̀ʃənlizéiʃən] *n.* Ⓤ,Ⓒ ① 정당화. ② 합리화. ③〖數〗 유리화.

rátional númber 〖數·컴〗 유리수.

ra·tion·ing [rǽʃəniŋ] *n.* Ⓤ 배급(제도).

rat·lin(e) [rǽtlin] *n.* Ⓒ (흔히 *pl.*) 〖海〗 줄사다리(의 디딤줄).

rát ràce (the ~) 《口》 기진맥진케 하는 출세〔생존〕 경쟁.

rat·tan [rætǽn, rə-] *n.* ① Ⓒ 〖植〗 등(籐) ; 그 줄기. ② Ⓒ 등지팡이, 등회초리. ③ Ⓤ 〔集合的〕 등《제품용의 줄기》.

rat-tat [rǽt*t*ǽt], **rat-tat-tat** [rǽtətǽt], **rat-tat-too** [rǽtətúː] *n.* =RAT-A-TAT.

rat·ter [rǽtər] *n.* Ⓒ (사냥개나 고양이 같이) 쥐 잡는 동물·사람·물건.

ː**rat·tle** [rǽtl] *vi.* 《~ / +전+명》 ① 덜걱덜걱〔우르르〕 소리나다〔내다〕: The window ~*d* in the wind. 바람에 창문이 덜걱거렸다 / The hail ~*d on* the roof. 우박이 지붕을 후두두 내리쳤다. ② (차 따위가) 덜거덕거리며 달리다〔질주하다〕 《*along ; down ; over*》: An old car ~*d by*. 낡은 자동차 한대가 털털거리며 지나갔다 / He ~*d along* at 100 mph. 그는 시속 100마일로 질주했다. ③ 빠른 말로 지껄이다, (생각 없이) 재잘거리다 《*away ; on*》: The child ~*d away* merrily. 아이는 즐거운 듯이 재잘거렸다.

── *vt.* ① …을 덜걱덜걱〔우르르〕 소리나게 하다〔울리다〕: The wind ~*d* the window. 바람으로 창문이 덜걱거렸다. ② 《~+목 / +목+부》 (시·이야기 따위)를 줄줄 외다〔읽다, 노래를 하다〕, 재잘거리다《*off ; out ; over ; away*》: The girl ~*d off* her lessons. 그 소녀는 과제를 줄줄 외웠다. ③ 《종종 受動으로》 …을 흥분시키다 ; …을 놀래다, 당황케 하다 : Nothing ~*d* him. 그는 무슨 일에도 끄떡하지 않았다 / Don't get ~*d*. 흥분하지 마라.

── *n.* ① Ⓤ (또는 a ~) 드르륵, 덜걱덜걱(하는 소리) : *a* ~ of machine gun fire 기관총의 드르륵 하는 총소리. ② Ⓒ 달각달각 소리를 내는 기관(器官)《방울뱀의 꼬리 따위》; 드르륵 소리내는 도구 ; (장난감의) 딸랑이. ③ Ⓒ 쓸데없는 이야기, 잡담.

rat·tle·brain [ˊ-brèin] *n.* Ⓒ 머리가 빈 사람. ㊀ **rát·tle·bràined** [-d] *a.* 머리가 텅 빈.

rat·tler [rǽtlər] *n.* Ⓒ ① 덜거덕거리는 것〔사람〕: 《美》 =RATTLESNAKE; 《美口》 화물열차. ② 《口》 우수품, 일품(逸品).

***rat·tle·snake** [rǽtlsnèik] *n.* Ⓒ 방울뱀 ; 배반자, 신용 못할 사람.

rat·tle·trap [ˊ-træ̀p] *n.* Ⓒ 낡은 털터리 자동차. ── *a.* 〔限定的〕 덜거덕거리는, 낡아빠진.

rat·tling [rǽtliŋ] *a.* 〔限定的〕 ① 덜거덕거리는. ② 활발한 ; (발이) 빠른. ── *ad.* 《口》 굉장히, 아주, 매우 : a ~ good story 아주 재미있는 이야기.

rat·tly [rǽtli] *a.* 덜거덕덜거덕 소리를 내는.

rat·trap [rǽttræ̀p] *n.* Ⓒ ① 쥐덫. ② 절망적 상황, 난국. ③ 《口》 누추하고 헐어빠진 건물.

rat·ty [rǽti] (***rat·ti·er ; -ti·est***) *a.* ① 쥐 같은 ; 쥐 특유의 ; 쥐가 많은. ② 《俗》 초라〔남루〕한 : a ~ hotel 싸구려 호텔. ③ 《俗》 안달하는, 성 잘 내는. ***get ~ with*** …에 화를 내다.

rau·cous [rɔ́ːkəs] *a.* ① 목이 쉰, 쉰 목소리의, 귀에 거슬리는. ② 무질서하고 소란한 : a ~ party 떠들석한 파티. ㊀ **~·ly** *ad.* **~·ness** *n.*

raun·chy [rɔ́ːntʃi, rɑ́ːn-] (***-chi·er ; -chi·est***) *a.* ① 《美俗》 불결한, 남루한, 누추한. ② 천격스러운, 외설한, 호색적인 ; 술취한. ㊀ **~·chi·ness** *n.*

***rav·age** [rǽvidʒ] *n.* ① Ⓤ 파괴, 황폐 ; 파괴의 맹위. ② (the ~s) 손해, 참해(慘害) ; 파괴된 자취 《*of*》: *the ~s of* war 전화(戰禍). ── *vt.* ① 〔종종 受動으로〕 …을 파괴하다 ; …을 황폐하게 하다 : The crops *were ~d by* the typhoon. 태풍이 농작물을 망쳤다. ② …을 약탈하다.

***rave** [reiv] *vi.* ① 《~ / +전+명》 헛소리를 하다 ; (미친 사람같이) 소리치다, 고함치다《*about ; against ; at ; for ; of*》: He ~*d at*〔*against*〕 us. 그는 우리에게 막 대들었다 / He is always *raving about* his misfortunes. 그는 늘 자기의 불행에 대해 큰소리로 넋두리를 한다. ② 사납게 날뛰다, 노호(怒號)하다《바다·바람 따위가》. ③ 《+전+명》 열심히 이야기하다 ; 격찬하다《*about ; of ; over*》: They ~*d about* their trip. 그들은 여행에 대해 열심히 이야기하였다. ④ 《英口》 야단법석을 떨다.

──*vt.* ① …을 격찬하다 : All the papers ~*d*, "This is the most exciting film ever made." 모든 신문이 '이것은 지금껏 없었던 가장 자극적인 영화'라고 격찬했다. ② 《~+목 / +목+보 / +목+전+명》 〔再歸的〕 악을 쓰고 …되다 : He ~*d himself* hoarse〔*into* a high fever〕. 그는 고래고래 악을 쓰더니 목이 쉬었다〔신열이 났다〕. ③ 《+목+부》 〔再歸的〕 (폭풍 등이) 사납게 치다가 …(의 상태)가 되다 : At last the storm ~*d itself out*. 폭풍우가 몰아치다가 결국 그쳤다.

── *n.* Ⓤ,Ⓒ ① 악을 씀, 고함을 지름. ② 《口》 격찬. ── *a.* 〔限定的〕 침이 마르도록 칭찬하는 ; 열광적인 : a ~ review 극찬하는 비평.

rav·el [rǽvəl] (*-l-*, 《英》 *-ll-*) *vt.* ① (꼬인 밧줄·편물 등을) 풀다 ; (얽힌 사건 등을) 밝히다, 해명하다《*out*》: The detective soon ~*ed out* the truth. 그 형사는 즉각 진상을 밝혀냈다. ② 엉클다 ; (문제)를 혼란〔착잡〕하게 하다《*up*》. ── *vi.* ① 풀리다《*out*》. ② (곤란이) 해소하다《*out*》.

──*n.* Ⓒ ① (피륙 등의) 풀린 끝. ② (털실 따위의) 엉클림. ③ 혼란, 착잡(complication).

***ra·ven**[1] [réivən] *n.* Ⓒ 〖鳥〗 갈가마귀《불길한 새로 봄》; 큰까마귀. ── *a.* 〔限定的〕 검고 윤나는, 칠흑의《머리털 따위》: ~ hair 새까만 머리.

rav·en[2] [rǽvən] *vi.* 강탈하다, 노략질하다 《*about*》. ② 먹이를 찾아다니다《*for ; after*》. ③ 게걸스레 먹다. ── *vt.* …을 탐욕스레 먹다.

rav·en·ing [rǽvəniŋ] *a.* 〔限定的〕 먹이를 찾아다니는 ; 탐욕스러운.

rav·en·ous [rǽvənəs] *a.* ① 몹시 굶주린, 탐욕스러운 : I'm ~. 몹시 배가 고프다 / a ~ appetite 탐욕스러운 식욕. ② 〔敍述的〕 …을 열망하는《*after ; for*》: be ~ *for* power 권력을 갈망하다. ㊀ **~·ly** *ad.* **~·ness** *n.*

rav·er [réivər] *n.* Ⓒ 《英俗》 멋대로 살아가는 사람, 방탕아 ; 열광적인 사람〔팬〕.

rave-up [réivʌ̀p] *n.* Ⓒ 《英俗》 떠들썩한 파티.

***ra·vine** [rəvíːn] *n.* Ⓒ 협곡, 산골짜기, 계곡. ⓒⓕ canyon, gully.

rav·ing [réiviŋ] *a.* ① 미쳐 날뛰는, 광란의 : be in ~ hysterics 몹시 히스테리를 부리다. ② 《口》 대단한, 굉장한《미인 따위》 : a ~ beauty. 절세 미인. ── *ad.* 굉장〔대단〕하게. ***be ~ mad*** 《口》 아주 미치다. ── *n.* Ⓒ (흔히 *pl.*) 헛소리 : the ~*s* of a madman 미친 사람의 헛소리. ㊀ **~·ly** *ad.*

rav·ish [rǽviʃ] *vt.* ① 〔종종 受動으로〕 …을 황홀

R

하게 하다 ; 몹시 기쁘게 하다 : We *were ~ed by* her beauty. 우리는 그녀의 아름다움에 넋을 잃었다. ② …을 성폭행하다. ㊀ **~·ing** [-iŋ] *a.* 매혹적인, 황홀한. **~·ing·ly** *ad.* **~·ment** *n.* Ⓤ

‡**raw** [rɔː] *a.* ① 생〔날〕것의(OPP *cooked*) ; 설구워진, 설익은 : ~ meat 날고기 / eat oysters ~ 굴을 날로 먹다. ②〖限定的〗 **a)** 가공하지 않은, 원료 그대로의, 다듬지 않은 : ~ cloth 표백하지 않은 천 / ~ silk 생사(生絲) / ~ sugar 원당 / ~ milk 미(未)살균 우유 / ~ rubber 생고무. **b)** (짐승 가죽이) 무두질 되지 않은 : ~ hides (제혁용) 원료 가죽. **c)** (술 따위가) 물을 타지 않은, 희석되지 않은 : ~ whiskey 물타지 않은 위스키. **d)** (자료·서류 등이) 필요한 처리〔정리·편집·수정〕가 되지 않은 ;〖統·컴〗(자료나 값이) 정리되지 않은. **e)** (필름이) 노광〔사용〕하지 않은. ③〖限定的〗 무경험의, 미숙한 ; 세련되지 않은 : a ~ hand 〔lad〕 풋내기 / ~ recruits 신병. ④ **a)** 껍질이 벗겨진《상처》, 생살이 나온 ; 얼얼한, 따끔따끔 쑤시는 : a ~ cut 까진 상처 / My back feels ~ from the sun. 볕에 타서 등이 따끔따끔하다. **b)** 〔敍述的〕 …로 살갗이 튼《*with*》: hands ~ *with* cold 추위로 살갗이 튼 손. ⑤ (습하고) 으스스 추운 : a ~ winter night 으스스 추운 겨울밤. ⑥ (문장 등이) 다듬어지지 않은, 생경한 ; (묘사 등이) 노골적인 : a ~ comedy 야비한 희극. ⑦《口》 불공평한, 부당한 : get a ~ deal 부당한 취급을 당하다.

── *n.* Ⓒ (the ~) 살가죽이 벗겨진 곳, 빨간 생살 ; 아픈 곳. ***in the*** ~ ⑴ 자연 그대로, 가공하지 않고 : His films portray nature *in the* ~. 그의 영화는 자연을 가식없이 묘사하고 있다. ② 알몸으로 : She sunbathes *in the* ~. 그녀는 알몸으로 일광욕을 하고 있다. ***touch*** 〔***catch***〕 a person ***on the*** ~ 아무의 아픈 데를〔약점을〕 건드리다. ㊀ **∠·ly** *ad.* **∠·ness** *n.*

raw·boned [∠bóund] *a.* 빼빼 마른, 뼈만 남은.

raw·hide [∠hàid] *n.* Ⓤ 생가죽 ; Ⓒ 생가죽 채찍〔밧줄〕. ── *a.* 〔限定的〕 생가죽(제)의 : a ~ whip 생가죽 채찍.

ráw matérial ① 원료. ② (소설 등의) 소재.

‡**ray**[1] [rei] *n.* ① Ⓒ 광선 : ~*s* of the sun. 태양 광선. ② Ⓒ 약간, 소량《*of*》: There is not a ~ *of* hope. 한 가닥의 희망도 없다. ③ (*pl.*) 열선, 방사선, …선 : cosmic ~*s* 우주선(線) / X ~*s* 엑스레이.

ray[2] *n.* Ⓒ〖魚〗 가오리.

ráy gùn (SF에 나오는) 광선총.

Ray·mond [réimənd] *n.* 레이먼드《남자 이름, 애칭 Ray》.

***ray·on** [réiɑn / -ɔn] *n.* Ⓤ 인조견사, 레이온. ── *a.* 〔限定的〕 레이온(제)의.

raze [reiz] *vt.* ① …을 지우다, 없애다《기억 등에서》. ② …을 완전히 파괴하다, 무너뜨리다《도시·집 등을》: The houses were ~*d* to the ground by the earthquake. 집들이 지진으로 완전히 무너졌다.

‡**ra·zor** [réizər] *n.* Ⓒ 면도칼 ; 전기 면도기 : a safety ~ 안전 면도칼.

ra·zor·back [-bæ̀k] *n.* Ⓒ ①〖動〗 큰고래. ②《美》 반야생의 돼지(=∠ **hóg**).

rázor blade 면도날.

ra·zor-edge, rázor's edge** [réizərèdʒ] *n.* Ⓒ ① 면도날 ; 날카로운 날 ; 뾰족한 산등. ② 위기, 아슬아슬한 고비. ***be on a 〔***the***〕 ~ 위기에 처해 있다.

ra·zor-sharp [-ʃɑ́ːrp] *a.* 매우 날카로운.

razz [ræz] 《美俗》 *vt.* …을 비난〔혹평〕하다 ; 냉소하다. ── *n.* =RASPBERRY ②.

raz·zle [rǽzəl] *n.* Ⓤ (the ~)《俗》 법석댐(razzle-dazzle). ***be*** 〔***go***〕 ***on the*** ~ 법석떨다.

raz·zle-daz·zle [rǽzəldǽzəl] *n.* =RAZZLE.

razz·ma·tazz [rǽzmətǽz] *n.* Ⓤ 《口》 ① 화사함. ② 생기, 활기. ③ 사기.

Rb 〖化〗 rubidium. **RBI, R.B.I., rbi, r.b.i.** 〖野〗 run(s) batted in(타점(수)). **R.C.** Red Cross ; Roman Catholic.

r-col·ored [ɑ́ːrkʌ̀lərd] *a.* 〖音聲〗 (모음이) r 음의 영향을 받은〔음색을 띤〕.

rcpt. receipt. **R.D.** Rural Delivery. **R/D, R.D.** 〖銀行〗 refer to drawer. **Rd.** road.

-rd *suf.* 〔3 및 3으로 끝나는 序數詞를 나타냄〕 …3번째《★ 13은 제외》: the 23*rd* of May, 5월 23일.

Re [rei, riː] *n.* 〖이집트神〗 레《태양신 Ra의 별칭》.

re[1]**, ray** [rei, riː], [rei] *n.* Ⓤ,Ⓒ 〖樂〗 레《장음계의 둘째 음》.

re[2] [rei, riː] *prep.* 〖法·商〗 …에 관〔대〕하여 : ~ your letter of the 10th of May, 5월 10일자 귀하의 서한에 대하여.

're [ər] ARE의 간약형 : we'*re* ; you'*re* ; they'*re*.

re- *pref.* ① 라틴계의 낱말이 붙어서 '반복, 강의(強意), 되, 서로, 반대, 뒤, 비밀, 격리, 가버린, 아래의, 많은, 아닌, 비(非)' 따위의 뜻을 나타냄 : *re*cognize, *re*cede, *re*compense. ② 동사 또는 그 파생어에 붙어서 '다시, 새로이, 거듭 (되풀이하여), 원상(原狀)으로' 따위의 뜻을 나타냄 : *re*adjust, *re*arrange.

> 參考 **a)** 〔發音〕 ⑴ ②의 뜻을 나타내는 경우 및 re- 다음이 모음으로 시작되는 경우는 [riː] 로 발음함 : *re*arrange [riːəréindʒ]. ⑵ 위에 해당하지 않는 말 다음에 오는 음절에 악센트가 있는 경우에는 [ri]로 발음함 : *re*flect [riflékt]. ⑶ re 다음에 자음으로 시작되며 악센트가 없는 음절이 오는 경우 및 re-에 악센트가 있는 경우는 [re]로 발음함 : *re*collect [rèkəlékt]. **b)** 〔하이픈〕 ⑴ re- 다음이 e 로 시작되면 하이픈을 사용함 : re-elect. ⑵ 특히 기성어와 구별하는 경우 및 ②의 뜻을 강조하는 경우는 하이픈을 사용함 : re-form. cf. reform.

Re 〖化〗 rhenium. rupee.

†**reach** [riːtʃ] *vt.* ① …에 도착하다, …에 도달하다, …에 이르다 ; (적용 범위 등이) …에까지 이르다〔미치다〕; …와 연락이 되다 : ~ Seoul 서울에 도착하다 / ~ middle age 중년에 이르다 / His voice ~*es* everyone in the room. 그의 음성은 방의 구석구석까지 들린다 / The ladder did not ~ the window. 사다리는 창문까지 이르지 못했다 / The total number was expected to ~ one million. 그 수는 100만에 이르리라 기대되었다 / ~ an agreement 합의에 도달하다 / The book ~*es* a wide audience abroad. 그 책은 널리 해외 독자에게 읽히고 있다 / ~ him by phone at the office 전화로 사무실에 있는 그와 연락이 되다. ② …의 마음을 움직이다 : Such people cannot be ~*ed* by flattery. 저런 사람들은 아첨으로 마음이 움직이지 않는다. ③《~+목 / +목+전+명 / +목+부》 …을 뻗치다, 내밀다《*out*》: a tree ~*ing* its branches *over* the wall 담 너머로 가지를 뻗고 있는 나무 / I ~*ed out* my hand for〔to get〕 the apple. 그 사과를 따려고 손을 뻗쳤다. ④《+목+목》 …을 一까지 다다르게 하다, 건네주다 : *Reach* me the salt, please. 소금을 건네주시오. ⑤ (전화 따위로) …와 연락을 취하다 : I called but couldn't ~ you. 자네에게 전화를 했으나 연락되지 않았다 / He can be ~*ed* at 〔by calling〕 this number.

R

이 번호에 걸면 그와 연락이 됩니다.
— *vi.* ①《+副/+前+名》(어떤 물건을 잡으려고) 손·발을 뻗치다《*for* ; *toward*》; 발돋움하다 : He *~ed out for* a dictionary. 그는 사전을 집으려고 손을 뻗었다 / She *~ed up* and took a glass from the cupboard. 그녀는 위로 손을 뻗쳐 찬장에서 글래스를 끄집어냈다. ②《+前+名/+副》얻으려고 애쓰다, 구(求)하다《*after*》: *~ forward to* an ideal 이상을 추구하다 / *~ after* happiness 행복을 얻으려고 노력하다. ③《~/+前+名/+副》퍼지다 ; 이르다, 도달하다, 미치다《*to, into*》: His garden *~es down to* the sea. 그의 정원은 바다에까지 이른다 / This walkie-talkie *~es* as far as 2 miles. 이 휴대 무전기는 2마일까지 전파가 도달한다 / The United States *~es from* the Atlantic *to* the Pacfic Ocean. 미국은 대서양에서 태평양까지 퍼져 있다.
as far as the eye can ~ 눈이 미치는 데까지, 바라보이는 한. ~ ***for the stars*** 불가능에 가까운 이상을 좇다. ~ a person***'s conscience*** 아무의 양심을 움직이다.
—*n.* ① (a ~) 팔 길이, 리치 : That boxer has *a* long ~. 그 권투 선수는 팔 길이가 길다. ② Ⓤ 손발을 뻗칠 수 있는〔손발이 닿는〕 범위〔한도〕: Keep medicines out of children's ~ 〔out of ~ *of* children〕. 약은 어린이들의 손이 닿지 않는 곳에 보관하세요. ③ Ⓤ (행동·지력·능력·권력 따위의) 미치는〔유효〕 범위 ; 이해력, 견해 : He has a wonderful ~ of imagination. 그는 놀라운 상상력을 갖고 있다. ④ Ⓒ (흔히 *pl.*) 넓게 퍼진 곳, 구역 ; (강의 두 굽이 사이의 한눈에 바라볼 수 있는) 직선 유역 ; (운하의 두 수문간의) 일직선 구간 : *~es* of meadow 광활한 목초지 / the lower 〔upper〕 *~s* of the Mississippi 미시시피 강의 하류〔상류〕.
beyond 〔***above, out of***〕 a person***'s*** ~ 아무의 손이 닿지 않는, 힘이 미치지 못하는. ***within*** (***easy***) ~ ***of*** (쉽게) …의 손이 닿을 수 있는 곳에 ; (쉽게) 갈 수 있는 거리에. ***within*** a person***'s*** ~ 아무의 힘이 닿는 곳에.

reach-me-down [ríːtʃmidàun] *a., n.* 《英》 값싸고 저질의 (기성복) (hand-me-down).

***re·act** [riːǽkt] *vi.* 《~/+前+名》① 반작용하다, 되튀다《*on, upon*》; 서로 작용하다 : Kindness often *~s upon* the kind. 친절은 그것을 베푼 사람에 돌아오는 경우가 많다. ② 반대하다, 반항하다《*against*》: The people soon *~ed against* the tyrannical system. 국민은 곧 그 폭정에 반발했다. ③ (자극 등에 대해) 반응을 나타내다, 감응하다《*to*》: Our eyes ~ *to* light. 눈은 빛에 반응한다 / How will the patient ~ *to* the drug? 환자는 그 약에 어떤 반응을 나타낼까. ④【化】반응(反應)을 나타내다, 반응하다《*on* ; *with*》: How do acids ~ *on* iron? 산은 철에 어떤 반응을 보이는가 / A *~s with* B to form C. A는 B와 반응해서 C를 만든다. ◇ reaction *n.*

re-act [riːǽkt] *vt.* ① …을 재연하다. ② …을 되풀이하다, 다시 하다.

re·ac·tance [riːǽktəns] *n.* Ⓤ【電】리액턴스.

re·ac·tant [riːǽktənt] *n.* Ⓒ【化】반응 물질.

‡**re·ac·tion** [riːǽkʃən] *n.* ① Ⓤ,Ⓒ 반응, 반작용 : What was his ~ *to* your proposal? 당신의 제안에 대한 그의 반응은 어떠했습니까 / action and ~ 작용과 반작용. ② **a)** Ⓤ (또는 a ~) 반동《*against*》: the forces of ~ 보수 반동 세력 / *a* ~ *against* the permissive society 지나치게 관대한 사회에 대한 반동. **b)** 반항, 반발. ③ Ⓤ (또는 a ~) (과로·흥분 등의 뒤에) 활력 감퇴, 무기력. ④ Ⓤ,Ⓒ【化】반응 ;【醫】(나쁜) 반응 : a chemical ~ 화학 반응 / a patient's allergic ~ to the medicine 그 약에 대한 환자의 알레르기 반응.

***re·ac·tion·ary** [riːǽkʃənèri / -ʃənəri] *a.* 반동의 ; 반동주의의, 보수적인 ; 역(逆)코스의 : a ~ statesman 반동〔보수〕 정치가. — *n.* Ⓒ 반동〔보수〕주의자.

re·ac·ti·vate [riːǽktəvèit] *vt.* ① …을 다시 활동적으로〔활발하게〕 하다. ② …을 재활성화하다.

re·ac·tive [riːǽktiv] *a.*【化】반응이 있는. 派 **~·ly** *ad.* 반동적으로. **~·ness** *n.*

***re·ac·tor** [riːǽktər] *n.* Ⓒ ①【物】반응로 ; 원자로. ②【化】반응기(器).

†**read**[1] [riːd] (*p., pp.* ***read*** [red]) *vt.* ① (책·편지 따위)를 읽다 ; (외국어 따위)를 이해하고 읽다 : The Bible is the most *read* of all books. 성서는 모든 책 가운데서 가장 많이 읽히는 책이다 / He *~s* Spanish. 그는 에스파냐어를 읽을 줄 안다. ②《+目+副/+目+目/+目+前+名》…을 음독〔낭독〕하다《*aloud* ; *out* ; *off*》, 읽어 (들려) 주다 : ~ oneself to sleep. 책을 보다가 잠들다 / ~ oneself hoarse 소리 내어 읽어 목이 쉬다 / *Read* me the letter. 그 편지를 읽어 주시오 / She was *~ing* a story *to* the children. 애들에게 이야기책을 읽어주고 있었다. ③ (표정 따위에서 사람의 마음·생각 등)을 읽다, 알아차리다 ; (카드 따위)로 점치다, (수수께끼·징후 따위)를 풀다 ; (미래)를 예언하다 ; He must have ~ my fear in〔on〕 my face. 그는 내 얼굴에 나타난 두려움을 알아차렸음에 틀림없다 / ~ a dream 꿈을 해몽하다 / ~ the future 미래를 예언하다 / ~ a riddle 수수께끼를 풀다. ④ (기호·속기·악보 따위)를 읽다, 해독(解讀)하다 ; (점자 따위)를 판독하다 : ~ (a piece of) music 악보를 읽다 / Can you ~ maps? 지도를 볼 수 있어요. ⑤《~/+目/+目+*as* 補》(말·행위 따위)를 해석(解釋)하다, 뜻을 붙이다 : This passage may be *read* two ways. 이 문장은 두 가지 뜻으로 해석할 수 있다 / Your silence will be *read as* consent. 당신의 침묵은 승낙하는 뜻으로 해석될 것이오. ⑥《+目+前+名》…을 …라고 정정해서 읽다 ; (원고)를 정정해 편집하다 ; (쇄(刷))를 교정보다(proofread) : *For* wkite ~ white. (정오표에서) wkite는 white의 잘못임. ⑦《주로 英》(대학에서) …을 연구〔전공〕하다, (학위 취득 등을 위해) 공부하다 : ~ linguistics at university 대학에서 언어학을 전공하다. ⑧《+*that* 節》(…라는 것)을 읽어서 알다〔배우다〕: I have *read* somewhere *that*.... 어디에선가 …라고 읽은 기억이 있다 / I ~ in the newspaper *that* he had died yesterday. 그가 어제 사망했다는 것을 신문에서 읽고 알았다. ⑨ (온도계 등이 눈금·도수)를 나타내다 : The thermometer *~s* 30 degrees. 온도계는 30도이다. ⑩《+目+前+名》【議會】〔흔히 受動으로〕 …을 독회(讀會)에 회부하다 : The bill *was read for* the first time. 그 의안은 제 1 독회에 회부되었다. ⑪ (구화술에서 입술)을 읽다 ; (전신·전화로) 청취하다. ⑫【컴】(자료·프로그램·제어 정보)를 읽다 ;【生】(유전 정보)를 읽다.
— *vi.* ① 읽다, 독서하다 : I seldom ~. 나는 좀처럼 독서하지 않는다. ②《+前+名》음독〔낭독〕하다 ; 읽어주다《*to*》: ~ *to* a person 아무에게 읽어 주다. ③《+前+名》읽어서 알다, 읽다《*of* ; *about*》: ~ *of* daily happenings (신문 등을 읽어) 그날그날의 사건들을 알다. ④《~/+前+名》공부〔연구〕하다, 많이 읽어 두다 : ~ *for* the Bar 변호사 시험을 위한 공부를 하다. ⑤《well 등의 樣態副詞를 수반하여》…하게 읽을 수 있다, 읽어서 …한 느낌을 주다 : The magazine *~s* well. 그 잡

지는 재미있게 읽을 수 있다 / The play ~*s* better than it acts. 그 연극은 상연되는 것보다 책으로 읽는 편이 낫다. ⑥ …라고 씌어(져) 있다, …로 해석되다《*as* ; *like*》: It ~*s as* follows. 그 구절은 다음과 같다 / The rule ~*s* in several ways. 이 규칙은 여러 가지로 해석된다.

~ a person ***a lesson*** 〔***lecture***〕 아무에게 설교하다, 잔소리하다. ~ ***back*** 다시〔고쳐〕 읽다: Please ~ it *back* to me. 그것을 다시 한번 읽어주세요. ~ ***between the lines*** ⇨ LINE¹. ~ ***in*** (말하거나 글 쓴 사람이 의도하지 않은 것)을 알아내다; 〖컴〗 (자료·프로그램·제어 정보 등)을 읽다《주기억 장치에 입력하다》. ~ ***off*** (리스트 따위)를 거침없이 읽어나가다. ~ ***out*** (1) 소리내어 읽다; 읽어주다. (2) 〖컴〗 판독하다. ~ a person ***out of*** 아무를 …에서 제명하다: They ~ him *out of* the party. 그들은 그를 당에서 제명했다. ~ ***over*** 〔***through***〕 …을 끝까지 읽다; 통독하다, 훑어보다. ~ ***the Riot Act*** ⇨ RIOT ACT. ~ ***up*** 공부〔연구〕하다; 읽어두다《*on, about*》: I had ~ *up on* the subject. 그 주제에 대해 충분히 공부하였다.

── *n.* ① (a ~) (일회의) 독서 (시간): I'd like to give it *a* good ~. 그것을 차분히 읽어보고 싶다. ② 〔修飾語와 함께〕 (어떤) 읽을거리: His most recent novel is *a good* ~. 그의 최신작은 재미있는 읽을거리다.

†**read²** [red] READ¹의 과거·과거분사.
── (***more*** ~; ***most*** ~) *a.* 〔副詞를 수반하여〕 ① **a**) 읽어〔공부하여〕 잘 알고 있는: a well-~ man 박식한 사람. **b**) 〔敍述的〕 …에 깊이 통하는: He is deeply〔widely〕 ~ *in* the classics. 그는 고전을 깊이〔넓게〕 알고 있다. ***take ... as*** ~ …을 당연한 것으로 여기다.

read·a·bil·i·ty [rìːdəbíləti] *n.* [U] 읽기 쉬움; 재미있게 읽힘; 〖컴〗 읽힘성, 가독성.

read·a·ble [ríːdəbəl] *a.* ① 읽어서 재미있는, 읽기 쉬운: a ~ novel 재미있게 읽을 수 있는 소설 / The instructions are fairly ~. 이 설명서는 꽤 읽기 쉽다. ② (필적 등이) 읽기 쉬운, 똑똑한.

re·ad·dress [rìːədrés] *vt.* ① …에게 다시 이야기를 걸다. ② …의 주소를 고쳐〔바꿔〕 쓰다. ③ (문제 등)에 다시 달라붙다. ~ one***self*** 재차 착수하다《*to*》.

‡**read·er** [ríːdər] *n.* ① [C] 독자; 독서가: a good ~ 훌륭한 독서가 / the common〔general〕 ~ 일반 독자 / a quick ~ 속독가 / a great ~ 책을 많이 읽는 사람. ② [C] 리더, 독본: graded English ~*s* 난이도별 영어 독본. ③ [C,U] 출판사의 원고 검토인; 교정원. ④ 낭독자; 〖敎會〗 (예배 때 성서·기도서의) 낭독자; (라디오 등에서의) 낭독자. ⑤ [C,U] 《英》 (대학의) 강사; 《美》 (교수를 보좌하는) 조수: a ~ in Latin 라틴어 강사. ⑥ [C] 〖컴〗 읽개, 판독기. ⑦ =MICROREADER. ⑧ [C] (가스·전기 등의) 검침원. [파] **~·ship** [-ʃìp] *n.* ① (*sing.*) (신문·잡지 등의) 독자수〔층〕: This magazine has a ~*ship* of 30,000 =The ~*ship* of this magazine is 30,000. 이 잡지는 3만명의 독자를 가지고 있다 / The paper has a wide ~*ship*. 그 신문은 넓은 독자층을 가지고 있다. ② [U] (또는 a ~) 대학 강사의 직〔신분〕.

‡**read·i·ly** [rédəli] (***more*** ~; ***most*** ~) *ad.* ① 즉시; 쉽사리: Computers make data ~ available to users. 컴퓨터는 사용자가 즉시 이용할 수 있는 데이터를 작성한다. ② 이의없이, 쾌히: I ~ consented. 나는 쾌히 승낙했다.

*__read·i·ness__ [rédinis] *n.* ① [U] 《흔히 in ~로》 …에 대해 준비함《*for*》: Everything is *in* ~. 모든 것이 준비되어 있다 / be *in* ~ *for* an emergency 비상 사태에 대비하다. ② [U] (또는 a ~) 자진해서 함, 기꺼이 함: He expressed (*a*) ~ to help us. 그는 기꺼이 우리를 원조하겠다는 의향을 표시했다. ③ [U] (또는 a ~) 신속, 재빠름《*of*》. ④ [U] 〖敎育〗 준비도《행동 등에 필요한 일정 단계의 발달상 조건》. ◇ ready *a.* ~ ***of wit*** 임기 응변의 재치. ***with*** ~ 기꺼이, 자진하여.

†**read·ing** [ríːdiŋ] *n.* ① [U] 읽기, 독서; 낭독: I like ~. 독서를 좋아한다 / learn ~ and writing 읽기와 쓰기를 배우다. ② [U] (독서에 의한) 학식, 지식: a man of (wide) ~ 박식한 사람. ③ [C] 낭독회, 강독회: a poetry ~ (작가 자신에 의한) 시 낭독회. ④ [C] 〔序數詞를 수반하여〕 (의회의) 독회: the first 〔second, third〕 ~ 제 1〔제 2, 제 3〕 독회. ⑤ [U] 읽을거리, 기사: good〔dull〕 ~ 재미있는〔재미없는〕 읽을거리〔기사〕; (*pl.*) 문선: ~*s* from Shakespeare 셰익스피어 문선. ⑥ [U] 해석, 견해, (꿈·날씨·정세 등의) 판단; (각본의) 연출: What is your ~ of the fact? 그 사실을 어떻게 해석하십니까. ⑦ [C] (기압계·온도계 등의) 시도(示度)《*on; of*》. ⑧ 〔形容詞的으로〕 독서용의: a ~ lamp 전기 스탠드 / ⇨ READING DESK.
── *a.* 〔限定的〕 독서하는, 책을 즐기는: the ~ public 독서계(界) / a ~ man 독서인.

réading àge 독서 연령.

réading dèsk (서서 읽게 된 경사진) 독서대, 열람 책상; (교회의) 성서대(lectern).

réading glàss ① 확대경. ② (*pl.*) 독서용 안경.

réading màtter (신문·잡지의) 기사, 읽을거리.

réading ròom ① 서실, 열람실. ② (인쇄소의) 교정실.

re·ad·just [rìːədʒʌ́st] *vt.* …을 새로이〔다시〕 조정〔정리〕하다《*to*》: ~ a focus 초점을 재조정하다 / ~ one's tie 넥타이를 고쳐 매다 / I find it very hard to ~ myself *to* this busy life after the vacation. 휴가를 보낸 뒤에 이 바쁜 생활로 다시 돌아오기란 퍽 힘이 든다. ── *vi.* …에 다시 순응하다《*to*》. [파] **~·ment** *n.* [U,C] 재조정.

read-on·ly [ríːdóunli] *a.* 〖컴〗 읽기 전용의: ~ memory 늘기억 장치, 읽기 전용 기억 장치《略: ROM》.

read·out [ríːdàut] *n.* [U,C] 〖컴〗 (기억 장치 또는 기억 소자로부터의) 정보 읽기; 그 정보.

réad / wríte mèmory 〖컴〗 읽기 쓰기 기억 장치《略: R / WM》.

†**ready** [rédi] (***read·i·er*** ; ***-i·est***) *a.* ① 〔敍述的〕 준비가 된《*for*》; (언제든지 …할) 채비를 갖춘《*to* do》; …의 각오가 되어 있는《*for*》: get dinner ~ 저녁 준비를 하다 / Dinner is ~. 저녁 준비가 되었습니다 / Are you ~ *for* school? 학교에 갈 준비는 되었나 / Let's get ~ *for* our departure. 출발 준비를 하자 / We made ~ *for* the President's visit. 우리는 대통령을 맞을 준비를 했다 / I'm ~ *to* go out. 언제라도 외출할 수 있다 / The paper is ~ *for* you *to* sign. 서류는 당신이 사인만 하면 되도록 준비되어있다 / I'm ~ *for* death. 죽을 각오가 되어 있다. ② 〔敍述的〕 금방에라도 …할 것 같은《*to* do》: She seemed ~ *to* cry 〔fall〕. 그녀는 금세 울〔쓰러질〕 것같이 보였다 / The buds are just ~ *to* burst open. 봉오리가 금방이라도 틀 것 같다. ③ **a**) 〔限定的〕 즉석에서의, 재빠른: a ~ reply 〔answer〕 즉답 / a ~ worker 일손이 빠른 사람 / have a ~ wit 기지〔재치〕가 있다 / There's a ~ market for these goods. 이들 상품은 곧 팔린다. **b**) 〔敍述的〕 금방 …하는; 재빠른: He is ~ *with* excuses. 그는 금방 변명을 한다 / He is ~ *with* reckoning. 그는 계산이 빠르다. ④ 즉시 쓸 수 있는, 편리한; 손 가까이에 있는: pay ~

money〔cash〕 현금으로 지급하다 / Always keep your dictionary ~ (to hand). 사전은 언제나 손이 닿는 가까운 곳에 두세요 / ~ means 〔way〕 손쉬운 방법. ◇ readiness *n.*

— *n.* ① (the ~) 《口》 현금. ② (the readies) 《英口》 은행권(지폐). ***at the*** ~ (1) (총이) 쏠 수 있는 위치에, 곧 발사할 수 있는 : hold gun *at the* ~ 사격 자세를 취하다. (2) 곧 사용할 수 있는 상태로 : children with their umbrellas *at the* ~ 언제라도 쓸 수 있도록 우산을 들고 다니는 아이들.

— (***readi·er ; readi·est***) *ad.* ① 〔過去分詞를 수반하여 종종 複合語를 이룸〕 미리, 준비하여 : ~-built 이미 세워진 / ~-cooked food 요리를 마친 식품 / The boxes were ~ packed. 상자는 포장을 마쳤다. ② 〔흔히 比較級·最上級의 형태로〕 빨리, 신속히 : a boy who answers *readiest* 가장 빨리 대답하는 소년.

— *vt.* 《~+목/+목+전+명》 …을 마련〔준비〕하다 : ~ the room *for* use 그 방을 쓸 수 있도록 준비하다. ② 〔再歸的〕 …의 준비를 하다 : They *readied* them*selves for* the journey. 그들은 여행 준비를 했다.

read·y-made [-méid] *a.* ① (옷 따위가) 기성품의 (opp *made-to-order, custom-made*) : ~ clothes 기성복. ② 매우 편리한, 안성맞춤의 : The rain gave us a ~ excuse to stay at home. 비는 우리가 집에 머물 수 있는 아주 적절한 구실을 제공해 주었다. ③ (사상·의견 따위가) 진부한, 제것이 아닌, 빌려 온, 개성이 없는 : ~ ideas 진부한 사상. — *n.* Ⓒ 기성품.

read·y-mix [rédimìks, ⌐-⌐] *a.* (즉시 쓸 수 있도록) 각종 성분을 조합한. — *n.* Ⓤ 각종 성분을 조합한 물건《식품, 모르타르, 페인트 등》.

réady móney 〔**cásh**〕 현금, 맞돈.

réady réckoner 계산(조견)표.

read·y-to-wear, read·y-for-wear [-tə-wɛ́ər], [-fərwɛ́ər] *a.* 〔限定的〕 (의복이) 기성품인 ; 기성복을 취급하는 : a ~ shop 기성복 가게.

read·y-wit·ted [-wítid] *a.* 기민한, 꾀바른, 재치〔기지〕 있는.

re·af·for·est [rìːəfɔ́ːrist, -fár- / -fɔ́r-] *vt.* 《英》 …을 다시 조림(造林)하다(reforest).

Rea·gan [réigən] *n.* **Ronald Wilson** ~ 레이건 《미국의 제 40·41 대 대통령 ; 1911- 》.

re·a·gent [riːéidʒənt] *n.* Ⓒ 〖化〗 ① 시약(試藥), 시제(試劑). ② 반응물〔력〕.

†**re·al**[1] [ríːəl, ríəl] (***more*** ~, ~·***er ; most*** ~, ~·***est***) *a.* ① 진실의, 진짜의 : ~ gold 순금 / a ~ friend 참된 친구 / the ~ thing 진짜 ; 극상품 ; 본고장 물건 / ~ income 실수입 / a ~ man 성실한 사람 ; 남자다운 남자 / feel a ~ sympathy 진정한 동정심을 느끼다 / He is a ~ fool. 그는 진짜 바보다 / His love was ~. 그의 사랑은 진실이었다. ② 현실의, 실제의, 실재하는 ; 객관적인 (opp *ideal, nominal*) : a tale taken from ~ life 실생활에서 취재한 이야기 / Was King Arthur a ~ person in history? 아더왕은 역사상 실재의 인물이었습니까. ③ **a**) (묘사 등이) 박진감있는 ; 생생한 : The characters in this novel seem quite ~. 이 소설 속의 인물들은 실재한 사람처럼 생생하게 묘사되어있다. **b**) 〔限定的, 强意的〕 진짜의 : She's a ~ brain. 그녀는 진짜 수재이다. **c**) 〔限定的〕 대단한 : a ~ accident 대사건 / The earthquake was a ~ surprise to me. 그 지진은 나에게는 큰 놀라움이었다. ④ 〖法〗 부동산의. cf personal. ⑤ 〖數〗 실수(實數)의 ; 〖光〗 실상(實像)의 : ~ image 실상 / a ~ number 실수.

— *ad.* 《美口》 정말로, 매우, 아주 : I'm ~ glad to see her. 그녀를 만나서 정말로 기쁘다 / He's ~ smart. 그는 정말 멋있다. — *n.* (the ~) 현실, 실물, 실체. ***for*** ~ 《美口》 (1) 〔形容詞的〕 진짜의 : This is *for* ~. 이것은 진짜다 / Are UFOs *for* ~? UFO 라는 것이 진짜 있나. (2) 〔副詞的〕 진짜로, 진지하게 : Let's work *for* ~. 자, 열심히 일하자.

re·al[2] [ríːəl, reiáːl] (*pl.* ~***s, re·a·les*** [reiáːleis]) *n.* Ⓒ ① 옛 에스파냐의 작은 은화 ; 에스파냐의 구화폐 단위《1/4 peseta》. ② 브라질의 화폐단위.

réal estàte 〖法〗 부동산 : acquire a bit of ~ 약간의 부동산을 취득하다 / make a fortune in ~ 부동산으로 한몫 벌다. — *a.* 《美》 부동산을 매매하는 : a ~ agent 부동산업자 ; 공인중개사 / He's in the ~ business. 그는 부동산업에 종사하고 있다.

re·a·lia [riːéiliə] *n. pl.* 〖敎〗 실물 교재(敎材)《일상 생활을 설명하는 데 씀》.

re·align [rìːəláin] *vt.* …을 재편성〔조정〕하다.
㊕ ~·**ment** *n.* Ⓤ 재조정, 재편성 : a ~ of political parties 정당의 재편성.

re·al·ise [ríːəlàiz] *v.* 《英》 =REALIZE.

***re·al·ism** [ríːəlìzəm] *n.* Ⓤ ① 현실주의. ② (종종 R-) 〖文藝·美術〗 사실주의, 리얼리즘. opp *idealism*. ③ 〖哲〗 실재론(實在論), 실념론(實念論). opp *nominalism*.

***re·al·ist** [ríːəlist] *n.* Ⓒ 실제가 ; 현실주의자. opp *idealist*. ② 〖文藝·美術〗 사실주의 작가〔화가〕, 리얼리스트.

re·al·is·tic** [rìːəlístik] (more*** ~ ; ***most*** ~) *a.* ① 현실주의의 ; 현실적인, 실제적인 : a ~ plan 실제적 계획 / It isn't ~ to expect help from him. 그로부터 원조를 기대하는 것은 비현실적이다. ② 사실주의의, 사실파의 ; 생동감이 나는 : ~ novels 사실적 소설. ③ 실재론(자)의.
㊕ **-ti·cal·ly** [-əli] *ad.*

‡**re·al·i·ty** [riːǽləti] *n.* ① Ⓤ 현실(성), 진실성 ; 사실 ; 실재 : a description based on ~ 사실에 바탕을 둔 서술 / believers in the ~ of UFOs 유에프오의 실재를 믿는 사람들 / the harsh ~ that the unemployment rate is rising 실업률이 상승하고 있다는 냉엄한 사실. ② Ⓤ 박진성, 실물 그대로임 : He describes the scene with startling ~. 그는 그 광경을 놀랄만큼 박진감 있게 묘사하고 있다. ***in*** ~ 실은, 실제는 (opp *in name*), 정말로 : She looks young, but *in* ~ she is past forty. 그녀는 젊어 보이지만 실제로는 40이 넘었다.

re·al·iz·a·ble [ríːəlàizəbl] *a.* ① 실현할 수 있는 : Is the plan ~? 그 계획은 실현가능합니까. ② 현금화할 수 있는 : ~ assets 환금 가능한 자산.

***re·al·i·za·tion** [rìːələzéiʃən / -lai-] *n.* ① Ⓤ (또는 a ~) 사실로 깨달음, 실상을 앎, 이해, 인식 : They have no ~ of the danger. 그들은 위험을 깨닫지 못하고 있다 / The ~ that he had been bribed was a shock. 그가 뇌물을 받았다는 사실을 안 것은 충격이었다. ② Ⓤ 실현, 현실화《*of*》 : the ~ *of* space travel 우주 여행의 실현. ③ (the ~) 현금화 ; (재산의) 취득《*of*》 : *the* ~ *of* one's assets 자산의 현금화.

†**re·al·ize** [ríːəlàiz] *vt.* ① 〔종종 受動으로〕 (소망·계획 따위)를 실현하다, 현실화하다 : ~ a long-cherished wish 오랫동안 바라던 소망을 이루다 / My worst fears *were* ~*d*. 내가 가장 무서워하는 것이 현실화되었다. ② …을 여실히 보이다 ; …에게 현실감을 주다 : I tried to ~ these events in my book. 나는 이들 사건들을 저서에서 사실적으로 표현하려 했다. ③ …을 실감하다, (생생하게) 깨닫다 : ~ one's deficiencies 자기의 결점을 자각

하다. ④ 현금으로 바꾸다 ; (재산·이익)을 얻다, 벌다 : We ~*d* a good profit on the sale of our house 우리는 집을 팔아서 큰 이익을 보았다. ⑤ (얼마에) 팔리다 : The picture ~*d* $3,000. 그 그림은 3천 달러에 팔렸다.

re·al-life [ríːəllàif] *a.* 〔限定的〕 현실의, 공상〔가공〕이 아닌, 실재의.

†re·al·ly [ríːəli] *ad.* ① 참으로, 정말(이지), 실로, 실은, 실제로, 확실히 : see the object as it ~ is 대상을 실제로 있는 그대로 보다 / Tell me what you ~ think. 당신의 본심을 말하세요 / I ~ don't like her. 나는 정말로 그녀를 좋아하지 않는다 / Do you ~ want this? 정말로 이것을 원하십니까 《★ 의문문에서 no 의 대답을 기대하면서》 / I don't ~ know him. 사실은 별로 그를 잘 알고 있지는 않다《★ 부정문에서 표현을 부드럽게 하기 위해, really 는 not 다음에 씀》 / You should ~ have done it (for) yourself. 사실은 당신 자신이 그것을 했어야 했다《★ ought to, should 를 강조》 / *Really* (,) it was delicious. 사실 그것은 맛이 있었다 / She's a nice girl(,) ~. 그녀는 아름다운 아가씨이다, 사실이야《★ 文章修飾》 / This wine is ~ delicious. 이 포도주는 정말 향기롭다《★ 強意的》. ② 〔감탄사적으로 사용하여 놀람·의문·비난 등을 나타냄〕 어머, 아니, 뭐 : Not ~! 저런, 설마 / Well ~! 정말 난처하게 됐군 ; 어이없군 / *Really!* 그렇고 말고, 물론이지.

‡realm [relm] *n.* Ⓒ ① (종종 R-) 《文語》 왕국, 국토 : the *Realm* of England 잉글랜드 왕국. ② (종종 *pl.*) 범위, 영역 ; (학문의) 부문《*of*》 : the ~ *of* nature 자연계 / in the ~ *of* science 과학의 영역〔분야〕에서《★ in scientific ~*s* 에서 복수형이 되는 것은 물리학·화학 등 여러 분야를 상정하기 때문임》. ③ (동식물 분포의) 권(圈), 대(帶).

real McCoy [-məkɔ́i] *n.* (the ~) 《俗》 진짜.

re·al·po·li·tik [reiάːlpòulitìːk, ri-] *n.* Ⓤ 《G.》 (종종 R-) 현실적 정책〔정치〕《power politics의 완곡한 표현》.

réal ténnis 《英》 =COURT TENNIS.

réal tíme 〖컴〗 즉시, 실(實)시간《입력되는 자료 (data)를 즉시 처리하는 것》.

real-time [ríːəltáim] *a.* 〖컴〗 실시간의 : ~ operation 실시간 작동〔연산〕.

réal-tíme sỳstem 〖컴〗 실시간〔즉시 처리〕 시스템. ⓒⓕ batch system.

re·al·tor [ríəltər, -tɔ̀ːr] *n.* Ⓒ 《美》 부동산 중개업자(《英》 estate agent) ; 공인중개사.

re·al·ty [ríəlti] *n.* Ⓤ 〖法〗 부동산(real estate).

ream[1] [riːm] *n.* ① Ⓒ 연(連)《전엔 480 매(short ~), 지금은 500 매(long ~) ; 略 : rm.》. ② (흔히 *pl.*) 다량《특히 종이나 문서》 : He has written ~*s* of poetry. 그는 무수한 시를 썼다.

ream[2] *vt.* ① (리머로 구멍)을 넓히다, 크게 하다. ② 《美》 과즙을 짜내다. ③ 《美俗》 …을 속이다 ; 속여 우려내다(cheat)《*out of* …》.

ream·er [ríːmər] *n.* Ⓒ ① 리머, 확공기(擴孔器). ② 《美》 과즙 압착기(squeezer).

re·an·i·mate [riːǽnəmèit] *vt.* ① …을 소생〔부활〕시키다. ② 고무하다, …에 활기를 회복시키다.

‡reap [riːp] *vt.* ① (농작물)을 거둬들이다 ; 수확하다 : ~ one's crops 농작물을 거둬들이다 / It's time to ~ this field. 이 밭은 수확해도 좋은 시기다. ② (성과·이익 따위)를 올리다, 거둬들이다 : (보답 따위)를 받다 : He ~*ed* the fruits of his efforts. 그는 노력의 성과를 거두었다. ── *vi.* 수확하다 ; (보답을) 받다 : As you sow, so shall you ~. 뿌린대로 거두리라.

㊞ **∠·er** *n.* ① Ⓒ 베어〔거둬〕들이는 사람. ② Ⓒ (자동) 수확기. ③ (the (Grim) R-) 죽음의 신(神) 《해골이 수의를 입고 큰 낫을 든 모습으로 표현됨》.

***re·ap·pear** [rìːəpíər] *vi.* 다시 나타나다 ; 재발하다. ㊞ **~·ance** [-píərəns] *n.*

re·ap·prais·al [rìːəpréizəl] *n.* Ⓤ,Ⓒ 재검토, 재평가.

‡rear[1] [riər] *n.* ① (the ~) 뒤, 배면, 배후 : We moved to *the* ~ of the bus. 우리는 버스의 뒤로〔안쪽으로〕 이동했다 / He followed them *in the* ~ 그는 그들의 뒤를 따라갔다. ② (the ~) 〖軍〗 후위, 후미, 후방. ⓒⓕ van[2]. ¶ We attacked the enemy from *the* ~. 적을 배후에서 공격했다. ③ Ⓒ 《英口》《口》 궁둥이 : sit on one's ~ 털썩 앉다. ***bring*** 〔***close***〕 ***up the*** ~ 후위를 맡아보다, 맨 뒤에 오다. ── *a.* 〔限定的〕 후방의, 후방에 있는 : a ~ gate 뒷문 / the ~ rank 후열(後列) / ~ service 후방 근무.

‡rear[2] *vt.* ① …을 기르다 ; 사육〔재배〕하다 ; 육성하다 : ~ children 어린이를 기르다 / I was ~*ed* as a catholic. 가톨릭 신도로 양육되었다 / ~ poultry 양계하다. ② 《~+목 / +목+전+명》 **a)** 《文語》 …을 곧추세우다, 일으키다, 들어올리다. **b)** 〔再歸的〕 일어서다. ③ (회당·기념비 등)을 세우다 : ~ a monument *to* a person 아무를 기념하여 비를 세우다. ── *vi.* ① (말 따위가) 뒷다리로 서다 《*up*》. ② 우뚝 솟다 : The hotel ~*s* high over the neighboring buildings. 그 호텔은 근처 빌딩을 내려보듯 우뚝 솟아 있다. ~ ***it's*** (***ugly***) ***head*** 불쾌〔불행〕한 일이 모습을 드러 내다, 고개를 쳐들다.

réar ádmiral 해군 소장.

réar énd ① 후부, 후미. ② 《口》 궁둥이 (buttocks).

réar guárd 〖軍〗 후위(ⓞⓟⓟ *vanguard*).

réar-guard áction [ríərgὰːrd-] ① 〖軍〗 후위전. ② (우세한 사회적 추세에 대한) 무익한 저항 : fight a ~ against …에 대해 결연히 대항하다.

re·arm [riːάːrm] *vt.* ① …을 재무장시키다. ② (신무기)를 갖추게 하다《*with*》 : They ~*ed* their allies *with* modern missiles. 그들은 동맹국을 신형 미사일로 재무장시켰다. ── *vi.* 재무장〔재군비〕하다. ㊞ **re·ar·ma·ment** [riːάːrməmənt] *n.* Ⓤ 재무장, 재군비.

rear·most [ríərmòust] *a.* 〔限定的〕 맨 뒤〔후미〕의.

***re·ar·range** [riːəréindʒ] *vt.* …을 재정리〔재배열〕하다, 배열을 바꾸다 ; 재편성하다. ㊞ **~·ment** *n.* Ⓤ,Ⓒ 재정리, 재배열 ; 배치 전환.

réar·view mírror [ríərvjùː-] (자동차 따위의) 백미러.

rear·ward [ríərwərd] *ad.* 후방으로, 배후로. ── *n.* Ⓤ 후방, 후부, 배후 : to the ~ of …의 후부〔배후〕로.

── *a.* 〔限定的〕 후방의 ; 후미〔배후〕에 있는 : ~ visibility (자동차 등의) 후방 시계(視界).

rear·wards [ríərwərdz] *ad.* =REARWARD.

†rea·son [ríːzən] *n.* ① Ⓤ,Ⓒ 이유(cause), 까닭 ; 동기(ⓒⓕ cause) : for economical ~*s* 경제적 이유로, 절약하기 위해 / for what ~? 무슨 까닭에, 왜 / He struck me without〔for no〕 ~. 그는 까닭 없이 나를 때렸다 / He has every ~ to complain. 그로서는 불평을 말할 만한 충분한 이유가 있다 / The ~ I came here is to meet you. 내가 여기 온 이유는 당신을 만나기 위해서다 / I see no ~ why they should not make a happy couple. 왜 그들이 행복한 부부가 되지 못하는지 이유를 모르겠다. ② Ⓤ 도리, 조리, 핑계 : There is ~ in what you say. 네가 말하는 것엔 일리가 있다. ③ Ⓤ 이성, 지성 ; 추리력 ; 판단력 ; 분별 : Animals do not have ~. 동물에는 이성이 없다. ***beyond*** (***all***) ~ 터무니없는 : What he demanded was *beyond all*

R

~. 그의 요구는 터무니없는 것이었다. ***bring** a person **to** ~* 아무에게 사물의 도리를 깨치게 하다. ***by* 〔*for*〕 *~ of*** …의 이유로, … 때문에. ***for no other ~ but this* 〔*than that*〕** 단지 이것〔…라는 것〕만의 이유로. ***for one ~ or another*** 이런저런 이유로 : *For one ~ or another* she was usually absent. 이런저런 이유로 그녀는 대개 출석하지 않았다. ***for ~s best known to** one**self*** 개인적인 이유로. ***hear* 〔*listen to*〕 *~*** 이치에 따르다. ***in ~*** 도리에 맞는 ; 합당한, 옳은 : I will do anything *in* ~. 도리에 맞으면 무슨 일이라도 하겠다. ***lose** one**'s** ~* 미치다. ***out of all ~*** 이치에 닿지 않는, 터무니 없는. ***pass* (*all*) *~*** =beyond (all) ~ ***regain** one**'s** ~* = be restored to ~ 제정신이 들다. ***speak* 〔*talk*〕 *~*** 지당〔마땅〕한 말을 하다. ***with* (*good*) *~*** (…함도) 당연하다 : He complains, *with* ~, that he doesn't have the time. 시간이 없다고 그가 불평하는 것도 당연하다 《★ 문장 전체를 수식함》. ***within ~*** =in ~. ***without rhyme or ~*** 분별없는, 전혀 조리가 맞지 않는, 까닭을 알 수 없는.

— *vt.* ① 《~+目/+*that* 節/+*wh.*節》 …을 논〔추론〕하다 : Newton *~ed* that there must be a force such as gravity when an apple fell on his head. 사과가 그의 머리위에 떨어졌을 때, 중력과 같은 힘이 반드시 있다고 뉴턴은 추론했다. ② 《+目+副》 …을 논리적으로 생각해 내다 ; …을 이론적으로 해결하다《*out*》 : ~ *out* the answer to a question 질문에 대한 확실한 답을 생각해 내다. ③ 《+目+副/+目+前+名》 …을 설득하다 : ~ a person *down* 아무를 설득하다 / They tried to ~ me *into* accepting the offer. 그들은 그 제의를 받아들이도록 나를 설득하려고 했다 / We couldn't ~ him *out of* his panic. 우리는 그를 설득하여 공포로부터 그를 벗어나게 하는데 실패했다. — *vi.* 《~/+前 +名》 ① 논리적으로 생각하다, 추론하다《*about* ; *of* ; *from* ; *upon*》 : Human beings have the ability to ~. 인간에게는 논리적으로 생각하는 능력이 있다 / He is *~ing* (*about* it) from the false premises. 그는 (그것에 대해) 그릇된 전제에서 추론하고 있다. ② 설득하다 ; 이야기하다, 논하다《*with*》 : I *~ed with* her *about* the dangers of going alone. 그녀에게 혼자서 가는 것이 위험하다고 설득했다. ***ours* 〔*yours, theirs*, etc.〕 *not to ~ why*** 《口》 우리〔당신들, 그들〕에게는 가타부타할 권리가 없다.

㊞ **rea·son·er** [ríːzənər] *n.* Ⓒ 추론자 ; 논객.

†**rea·son·a·ble** [ríːzənəbəl] (***more ~ ; most ~***) *a.* ① 분별 있는, 사리를 아는 : a ~ person 분별 있는 사람 / Be more ~. 좀더 사리 분별을 하라. ② 이치에 맞는, 조리 있는 ; 정당한 : a ~ excuse 조리 있는 해명 / The price increases are not ~. 가격인상은 정당치 못하다. ③ 온당한, 적당한(moderate) ; 엄청나지 않은 : on ~ terms 무리 없는 조건으로 / The play was a ~ success. 그 연극은 그럭저럭 성공을 거두었다. ④ (가격 따위가) 비싸지 않은, 알맞은, 타당한 : at a ~ price 적당한 값으로. ㊞ **~·ness** *n.*

***rea·son·a·bly** [ríːzənəbli] *ad.* ① 합리적으로, 이치에 닿게, 도리에 맞게 : Despite her anger, she had behaved very ~. 화는 냈지만 그녀는 매우 분별있게 처신했다. ② 적당하게 ; 알맞게 : This is ~ priced. 이것은 값이 적당하다. ③ 〔文章修飾〕 당연히, 마땅하여 : You can ~ expect promotion. 당신은 당연히 승진을 기대할 수 있다.

rea·soned [ríːzənd] *a.* 〔限定的〕 심사숙고한 : a (well-)~ explanation 심사 숙고 끝의 설명.

***rea·son·ing** [ríːzəniŋ] *n.* Ⓤ ① 추론, 추리 ; 논법, 추리력. ② 〔集合的〕 논거, 증명.

rea·son·less [ríːzənlis] *a.* ① 이성이 없는. ② 도리를 모르는, 무분별한. ㊞ **~·ly** *ad.*

re·as·sert [rìːəsə́ːrt] *vt.* (권리 따위)를 거듭 주장하다.

re·as·sur·ance [rìːəʃúərəns] *n.* Ⓤ,Ⓒ ① 재보증. 《英》 재보험. ② 안심, 안도 ; 기운을 북돋움 ; (새로운) 자신 : Everybody's *~s* have encouraged me. 여러 사람의 격려로 나는 자신을 얻었다.

***re·as·sure** [rìːəʃúər] *vt.* ① …을 재보증하다, 재보험에 부치다. ② …을 안심시키다 ; 새로이 자신을 갖게 하다 ; 기운을 돋우다 : The success *~d* him. 그 성공으로 그는 자신을 되찾았다 / She was *~d* by his laugh. 그녀는 그의 웃음소리를 듣고 안심했다 / I *~d myself about* my health. 나 자신의 건강에 대해 안심했다.

re·as·sur·ing [rìəʃúəriŋ] *a.* 안심시키는, 기운을 돋우는, 위안을 주는. ㊞ ***~·ly** *ad.*

re·bar·ba·tive [ribáːrbətiv] *a.* 《文語》 어쩐지 마음에 들지 않는, 호감이 안 가는, 싫은, 정떨어지는.

re·bate [ríːbeit, ribéit] *n.* Ⓒ 환급(還給) ; 리베이트 : claim a tax ~ 세금의 환급을 청구하다.

Re·bec·ca [ribékə] *n.* 레베카《여자 이름 ; 애칭은 Becky, Reba》.

‡**reb·el** [rébəl] *n.* Ⓒ 반역자, 모반자. — *a.* 〔限定的〕 반역의.

— [ribél] (***-ll-***) *vi.* ① 모반하다, 배반하다 ; 반항하다《*against*》 : The masses *~led against* the harsh government. 군중은 가혹한 정부에 대해 반란을 일으켰다. ② 반감을 들어내다 ; 몹시 싫어하다《*against; at*》 : Children ~ *against*〔*at*〕 staying in on Sunday. 어린이는 일요일에 집안에 있는 것을 몹시 싫어한다.

‡**re·bel·lion** [ribéljən] *n.* Ⓤ,Ⓒ ① (정부·권위자에 대한) 모반, 반란, 폭동《*against*》 : an armed ~ 무장 반란 / a ~ *against* the military regime 군사 정권에 대한 반란 / rise in ~ 폭동을 일으키다. ② (권력·관습에 대한) 반항, 배반《*against*》 : a ~ *against* old traditions 낡은 전통에 대한 반항.

***re·bel·lious** [ribéljəs] *a.* ① 반항적인 : The boy is very ~. 그 소년은 매우 반항적이다. ② 반란을 일으킨, 반란에 참가한 : ~ troops 반란군.
㊞ **~·ly** *ad.* **~·ness** *n.*

re·bind [riːbáind] (*p., pp.* ***re·bound*** [riːbáund]) *vt.* ① …을 다시 묶다. ② …을 다시 제본하다.

re·birth [riːbə́ːrθ] *n.* Ⓤ (*sing.*) ① 재생. ② 부활 ; 부흥 : the ~ of conservatism 보수주의의 부활.

re·born [riːbɔ́ːrn] *a.* 〔敍述的〕 (정신적으로) 다시 태어난, 재생한.

re·bound [ribáund] *vi.* 《~/+前+名》 ① (공 등이) 되튀다《*from*》 : A ball *~ed from* the fence into the outfield. 볼은 펜스에 맞고 외야 쪽으로 튀어갔다. ② …로 되돌아오다《*on, upon*》 : Your lies *~ed on* you. 너의 거짓말이 너에게 되돌아왔다. ③ 원래대로 되돌아가다, 만회하다《*from*》 : ~ *from* a long recession 오랜 불황에서 회복하다.
— [ríːbàund, ribáund] *n.* Ⓒ ① 되튐, 반발 ; 반동. ② 〖籠〗 리바운드. ***on the ~*** (1) 되튀어나온 : I caught the ball *on the* ~. 나는 되튀어나온 공을 잡았다. (2) (실연 등의) 반발로 : He married Jane *on the* ~ from Mary. 메리에게 채인 반발로 제인과 결혼했다.

re·broad·cast [riːbrɔ́ːdkæ̀st, -kàːst] (*p., pp.* ***-cast, -cast·ed***) *vi., vt.* (…을) 중계방송하다 ; 재방송하다. — *n.* ① Ⓤ 중계〔재〕방송. ② Ⓒ 중계 방송〔재방송〕 프로그램.

re·buff [ribʌ́f] *n.* Ⓒ 거절, 퇴짜, 자빠댐 : Every attempt he made to befriend her met with a ~. 그가 그녀와 친구가 되려고 한 모든 시도는 퇴짜를 맞았다.

***re·build** [ri:bíld] (*p., pp.* **-built** [-bílt]) *vt.* ① …을 재건하다, 다시 짓다(reconstruct). ② …을 고치다, 개조하다 ; 다시 일으키다 : The family's fortune was *rebuilt* by frugality. 그 가족의 경제는 검약에 의해 다시 일어났다.

‡re·buke [ribjú:k] *vt.* 《~+목/+목+전+명》 …을 비난하다, 꾸짖다, 견책하다《*for*》: The president ~*d* his secretary *for* misplacing important papers. 사장은 중요한 서류를 잘못 두었다고 비서를 꾸짖었다. ── *n.* U.C 비난, 힐책. ***give*** 〔***receive***〕 ***a*** ~ 꾸지람하다〔듣다〕. ***without*** ~ 대과(大過) 없이. ㊎ **re·búk·ing·ly** *ad.* 흘닦아서, 비난하듯.

re·bus [rí:bəs] *n.* Ⓒ 수수께끼 그림《그림·기호·문자 등을 맞추어 어구를 만드는》.

re·but [ribʌ́t] (*-tt-*) *vt.* 〖法〗 …을 논박〔반박〕하다, …의 반증을 들다 ; 반박하다 : ~*ting* evidence 〖法〗 반증 / ~ an argument 논거를 반박하다.

re·but·tal [ribʌ́tl] *n.* ① Ⓤ 반증(의 제출) : in ~ of a charge 비난에 대한 반증으로서. ② Ⓒ (제출된) 반증, 반박 : offer a ~ 반증을 들다.

rec [rek] *n.* 〔종종 복합어로서 形容詞的으로〕 = RECREATION : a ~ hall 레크리에이션 홀 / ~ activities 레크리에이션 활동.

rec. receipt ; received ; receptacle ; recipe ; record(er) ; recorded ; recording.

re·cal·ci·trant [rikǽlsətrənt] *a.* 반항〔저항〕하는, 고집센, 말을 잘 안 듣는, 어기대는 : ~ children 어기대는 아이들. ── *n.* Ⓒ 반항자, 고집쟁이. ㊎ **-trance** *n.*

‡re·call [rikɔ́:l] *vt.* ① 《~+목/+*-ing*/+*wh.* 절/+*that* 절》 …을 생각해내다, 상기하다 ; (일)을 생각나게 하다 : I don't ~ her name 〔meet*ing* her, *where* I met her〕. 그녀의 이름이〔그녀를 만났었는지, 어디서 만났는지〕 생각이 나지를 않는다 / I ~ *that* I read the news. 그 뉴스를 읽은 일을 기억하고 있다 / I ~ you *as* a naughty boy. 네가 장난꾸러기였던 것이 생각난다 / "I was almost drowned" ~*ed* Anne. '자칫하면 물에 빠질 뻔했다'고 앤은 회상했다. ② 《+목+전+명》(현실 등으로 마음)을 돌아오게 하다 ; 상기시키다《*to*》: That picture ~*s* my happy school days. 저 그림은 즐거운 학창시절을 상기시킨다 / The sound of his name ~*ed* him *to himself*. 그의 이름을 부르는 소리에 정신이 들었다 / The story ~*ed* old faces *to* my mind. 그 이야기는 내 마음에 옛 친구들의 얼굴을 상기시켰다 / The picture ~*ed to* me that I had been there before. 그 그림을 보고 전에 거기에 갔던 일이 생각났다. ③ …을 소환하다, 귀환시키다 : The head office ~*ed* him from abroad to Seoul. 본사는 그를 외국에서 서울로 소환했다. ④《美》(공직에 있는 사람)을 리콜하다. ⑤ (결함 상품)을 회수하다 : The Z cars have been ~*ed* all to the manufacturer due to an engine fault. Z 자동차는 엔진 결함으로 제작사에 모두 회수되었다. ⑥ …을 취소하다, 철회하다 : ~ an order 주문을 취소하다.

── [+rí:kɔ̀:l] *n.* ① Ⓤ 회상(력), 기억(력) : instant ~ 재빨리 기억해내는 능력. ② Ⓤ (또는 a ~) 되부름, 소환《대사 등의》. ③ Ⓤ《美》 리콜《일반 투표에 의한 공직자의 해임(권)》; (결함 상품의) 회수. ④ Ⓤ 취소, 철회. ⑤〖컴〗(입력한 정보의) 되부르기. ⑥ (the ~) 〖軍〗 (나팔·북 따위의) 재집합 신호. ***beyond*** 〔***past***〕 ~ 생각이 나지 않는 ; 되돌릴 수 없는.

re·cant [rikǽnt] *vt.* (신앙·주장 등)을 바꾸다, 취소하다, 철회하다. ── *vi.* 자설(自說)을 철회하다. ㊎ **re·can·ta·tion** [rì:kæntéiʃən] *n.* U.C 취소, 철회.

re·cap[1] [rí:kæ̀p, -́-] (*-pp-*) *vt.* 《美》 (헌 타이어)를 수리하여 재생하다(cf. retread). ── [-́-] *n.* Ⓒ 재생 타이어. ㊎ **re·cáp·pa·ble** *a.*

re·cap[2] [rí:kæ̀p] (*-pp-*)《口》 *vt., vi.* = RECAPITULATE. ── *n.* = RECAPITULATION.

re·ca·pit·u·late [rì:kəpítʃəlèit] *vt., vi.* (…의) 요점을 되풀이하여 말하다, 개괄〔요약〕하다. ㊎ **rè·ca·pìt·u·lá·tion** [-léiʃən] *n.* U.C 요점의 반복 ; 개괄, 요약.

***re·cap·ture** [ri:kǽptʃər] *n.* Ⓤ 탈환, 회복. ── *vt.* ① …을 되찾다, 탈환하다(retake) ; 다시 붙잡다. ② (어떤 감정 등)을 불러일으키다 ; 다시 체험하다 ; 재현하다.

re·cast [ri:kǽst, -kɑ́:st] (*p., pp.* ~) *vt.* ① (금속 제품)을 개주(改鑄)하다. ② (글·계획 등)을 고쳐 만들다〔쓰다〕. ③ (배우)의 역을 바꾸다. ── [-́-] *n.* Ⓒ ① 개주물(物). ② 개작(품). ③ 배역 변경.

rec·ce [réki(:)] 《軍口》 *n.* = RECONNAISSANCE. ── *vt., vi.* = RECONNOITER.

rec'd., recd. received.

***re·cede** [risí:d] *vi.* ① 《~/+전+명》 물러나다, 퇴각하다 ; 멀어지다《*from*》: The tide has ~*d*. 조수가 빠졌다 / A ship ~*d from* the shore. 배가 해안에서 멀어져 갔다. ② 《+전+명》 몸을 빼다 ; 철회하다 ; 손을 떼다《*from*》: ~ *from* a position 지위에서 물러나다. ③ 뒤쪽으로 기울다, 후퇴하다 : His hair is beginning to ~. 그의 (앞) 머리털이 뒤로 벗겨지기 시작한다. ④ 《~/+전+명》 (가치·품질 따위가) 떨어지다, 하락하다 ; (인상·기억이) 엷어지다, 희미해지다. ◇ recession *n.*

‡re·ceipt [risí:t] *n.* ① Ⓤ 수령(受領), 영수, 받음 : acknowledge the ~ of a check 수표 받았음을 알리다. ② Ⓒ 인수증, 영수증 : make out a ~ 수령증을 쓰다 / get a ~ for …의 영수증을 받다. ③ (흔히 *pl.*) 수령〔수입〕액. ◇ receive *v.* ***be in ~ of*** 〖商〗 …을 받다 : I *am in ~ of* your letter dated the 5th inst. 이 달 5 일자(의) 편지는 받아 보았습니다《★ have received 보다 겸손한 표현》. ***on*** (***the***) ***~ of*** …을 받는 즉시 : *On ~ of* your instructions, we will dispatch the goods. 지시를 받는대로 상품을 급송하겠습니다.

── *vt.* (계산서)에 영수필(Received)이라고 쓰다 ; …을 받은 영수증을 끊다〔발행하다〕.

re·ceiv·a·ble [risí:vəbəl] *a.* ① (조건 등) 수락할 수 있는. ② 〔흔히 명사 뒤에서〕 돈을 받을 수 있는 ; 지급해야 할 : bills ~ 받을 어음. ── *n.* (*pl.*) 〖簿記〗 수취 계정, 받을 어음.

†re·ceive [risí:v] *vt.* ① 《~+목/+목+전+명》 …을 받다, 수령하다 : I ~*d* 〔《口》 got〕 a letter *from* him. 그에게서 편지를 받았다 / In 1996 he ~*d* the Nobel prize for medicine. 그는 1996년에 노벨 의학상을 받았다. ② 《~+목/+목+전+명》 (교육·훈련·모욕·타격 따위)를 받다, 입다 : ~ a good education〔training〕 좋은 교육〔훈련〕을 받다 / He ~*d* a blow *on* the head. 머리를 한방 얻어맞았다 / She ~*d* sympathy. 그녀는 동정을 받았다. ③ (제안 등)을 수리하다, 접수하다, 응하다 《★ 받는 쪽의 동의나 승인 여부는 무관》: He ~*d* her offer but did not accept it. 그는 그녀의 제의를 받았지만 수락하지는 않았다. ④ 《~+목/+목+*as* 보/+목+전+명》 …을 (마음에) 받아들

R

이다, 인정하다, 이해하다 : ~ new ideas 새 사상을 받아들이다 / He did not ~ her *as* his son's wife. 그는 그녀를 자기 아들의 아내로 인정하지 않았다 / ~ a person *into* the group 아무를 그룹에 받아들이다 / How did he ~ your suggestion? 그는 당신의 제안을 어떻게 받아들였습니까. ⑤ 《+목+전+명》 (힘·무게 등)을 버티다, 받아서 막다 : ~ a weight *on* one's back 등으로 무거운 것을 받치다. ⑥ …을 맞이하다, 환영하다 ; 접대하다 : They ~*d* me warmly. 그들은 나를 따뜻이 맞아주었다. ⑦〖通信〗 (전파)를 수신〔청취〕하다 ; 〖테니스〗 (서브)를 되받아 치다(cf. serve) : We can ~ the program via satellite. 우리는 위성을 통해 그 프로그램을 수신할 수 있다.

── *vi.* ① 받다. ② 방문을 받다, 응접하다 : She ~*s* on Monday afternoon. 그녀는 월요일 오후를 면회일로 삼고 있다. ③〖通信〗 수신〔수상(受像)〕하다, 청취하다. ④ (테니스 등에서) 리시브하다. ◇ receipt, reception *n.* ~ **a person's confession** 〔**oath**〕 아무의 고백〔서언(誓言)〕을 듣다〔받다〕. ~ **the sacrament** 〔**the Holy Communion**〕 영성체하다, 성체를 영하다.

re·ceived [risí:vd] *a.* 〔限定的〕 받아들여진 ; 인정받고 있는 : favorably ~ 호평의 / the ~ view 통념(通念) / the ~ wisdom 세상의 상식, 일반 여론.

Recéived Pronunciátion 표준 발음《영국의 음성학자 Daniel Jones의 용어로, Received Standard의 발음 ; 略 : RP》.

Recéived Stándard (Énglish) 공인 표준 영어《public school 및 Oxford, Cambridge 양 대학에서, 또 널리 교양인 사이에서 쓰이는 영어》.

R

‡re·ceiv·er [risí:vər] *n.* ① Ⓒ 수령인. opp. *sender.* ② Ⓒ 수납계원, 회계원(treasurer) ; 접대자(entertainer). ③ (종종 R-) 〖法〗 (파산 또는 계쟁 중인 재산의) 관리인, 관재인(管財人) ; 장물 취득자 ; 〖테니스〗 리시버 ; 〖野〗 캐처 : put the business in the hands of a ~ 사업을 관재인의 손에 맡기다. ④ Ⓒ 용기, …받이. ⑤ Ⓒ 수신기, 수화기, 리시버 ; (텔레비전의) 수상기. opp. *sender.* 파 **~·ship** *n.* Ⓤ 관재인의 직〔임기〕 ; 관재인에 의한 관리 : go into〔be in〕 ~*ship* 관재인의 관리 아래 두다〔놓이다〕.

re·ceiv·ing [risí:viŋ] *n.* Ⓤ ① 받음. ② 장물 취득. ── *a.* 〔限定的〕 받는 ; 수신의 : a ~ antenna 〔aerial〕 수신 안테나.

recéiving ènd 받는 쪽 ; 싫어도 받아들이지 않을 수 없는 사람, 희생자 ; 《野球俗》 포수의 수비 위치. **be at** 〔**on**〕 **the** ~ (피해·비난·공격 등을) 받는 쪽에 서다 : I'm the one who *is* always *on the* ~ of his bad moods. 나는 항상 그의 투정을 받는 쪽에 있는 사람이다.

recéiving òrder 《英》 (파산 재산의) 관리 명령(서).

‡re·cent [rí:sənt] (**more** ~ ; **most** ~) *a.* ① 근래의, 최근의(late) ; 새로운 : in ~ years 근년(에는) / the most ~ edition 최신 판. ② (R-) 〖地質〗 현세의 : the *Recent* Epoch 현세. ◇ recency *n.* 파 **~·ness** *n.* Ⓤ

‡re·cent·ly [rí:səntli] (**more** ~ ; **most** ~) *ad.* 최근, 작금 ; 요즘 : I did not know that until quite ~. 바로 최근까지 그것을 몰랐다 / She has ~ returned home from Europe. 그녀는 최근 유럽에서 귀국했다《★ 완료형·과거형의 어느 것에나 쓸 수 있음》.

***re·cep·ta·cle** [riséptəkəl] *n.* Ⓒ ① 그릇, 용기 ; 두는 곳, 저장소 : Please dispose of waste in the appropriate ~. 쓰레기는 적정 용기에 버려주세요. ②〖植〗 화탁(花托), 꽃턱. ③〖電〗 콘센트 ; 소켓.

‡re·cep·tion [risépʃən] *n.* ① Ⓤ 받아들임, 수령 ; 접수. ② Ⓒ (흔히 *sing.*) 〔修飾語와 함께〕 환영 ; 응접, 접대 : get a warm ~ 열렬한 환영〔〔反語的〕 세찬 저항〕을 받다 / give a person a cool ~ 아무를 쌀쌀하게 맞다. ③ Ⓒ 환영회, 리셉션 : a wedding ~ 결혼 피로연 / hold a ~ 환영회를 열다《*for* a person》. ④ Ⓤ 《英》 (호텔·회사 따위의) 접수구(처) ; 프런트 데스크. ⑤ Ⓤ 입회(허가), 가입. ⑥ Ⓒ (평가되는) 반응, 인기, 평판 : have 〔meet with〕 a favorable ~ 호평을 받다. ⑦ Ⓤ 〖通信〗 수신〔수상〕(의 상태), 수신율〔력〕 : Television ~ is good〔poor〕 here. 여기서는 텔레비전 시청이 잘 된다〔안 된다〕. ◇ receive *v.*

recéption dèsk (호텔의) 접수부, 프런트.

re·cep·tion·ist [risépʃənist] *n.* Ⓒ (회사·호텔 따위의) 응접〔접수〕계원.

recéption òrder 《英》 (정신 병원에의) 입원 명령, (정신 이상자의) 수용 명령.

recéption ròom 〔**hàll**〕 ① 응접실, 접견실 ; (병원 따위의) 대합실. ② 《英》 거실(居室)《건축업자의 용어》.

re·cep·tive [riséptiv] *a.* 잘 받아들이는《*to*》 ; 감수성이 예민한, 이해력이 빠른 : a ~ mind 이해가 빠른 머리 / You aren't ~ *to* my *ideas*, are you? 내 생각을 받아들이고 싶지 않은 모양이지. 파 **~·ly** *ad.* **~·ness** *n.*

re·cep·tiv·i·ty [rì:septívəti, risèp-] *n.* Ⓤ 수용성, 감수성(이 예민함), 이해력.

‡re·cess [rí:ses, risés] *n.* ① Ⓤ,Ⓒ 쉼, 휴식 (시간) ; (의회의) 휴회 : during the noon ~ 정오의 휴식시간 동안에 / take an hour's ~ for lunch 점심에 한 시간 휴식하다. ② Ⓤ 《美》 (법정의) 휴정 ; (대학의) 휴가(vacation). ③ Ⓒ (*pl.*) 깊숙한 곳〔부분〕, 구석 ; 후미진〔구석진〕 곳 ; (마음)속 : the deep ~*es* of cave 동굴의 깊숙한 곳 / lay bare the ~*es* of the soul 심중을 털어놓다. ④ Ⓒ (해안선·산맥 등의) 우묵한 곳 ; 벽의 움푹 들어간 곳, 벽감(niche) ; 구석진 방(alcove) ; 〖醫〗 (기관의) 와(窩), 오목한 데. **at** ~ 휴식 시간에. **be in** ~ 휴정(休廷)〔휴게〕 중이다. **go into** ~ 휴회하다 : Parliament will *go into* ~ next week. 의회는 내주부터 휴회한다.

── *vt.* ① 오목한 곳에 …을 두다〔감추다〕 : ~*ed* lighting 간접 조명. ② …에 우묵 들어간 곳을 만들다. ③ 《美》 …을 중단시키다, 휴회〔휴정〕시키다. ── *vi.* 《美》 휴회〔휴정〕하다(adjourn), 휴식하다.

re·ces·sion [riséʃən] *n.* ① Ⓤ 퇴거, 후퇴. ② Ⓒ (벽면 따위의) 들어간 곳〔부분〕, 우묵한 곳. ③ Ⓒ (일시적인) 경기 후퇴(slump), 불경기 : recover from a ~ 경기가 회복하다.

re·ces·sion·al [riséʃənəl] *a.* 퇴장 때 노래하는 : a ~ hymn 퇴장 성가. ── *n.* Ⓒ 퇴장할 때 부르는 찬송가(= ∠ **hỳmn**).

re·ces·sive [risésiv] *a.* ① 퇴행(退行)의, 역행의. ②〖生〗 열성(劣性)인(opp. *dominant*) : a ~ character〖生〗 열성 형질(形質).

re·charge [ri:tʃá:rdʒ] *vt.* ① (전지)를 재충전하다. ② …을 재습격하다, 역습하다. 파 **~·a·ble** *a.* 재충전 가능한.

re·check [ri:tʃék] *vt., vi.* (…을) 다시 검사하다, 재대조하다. ── *n.* Ⓒ 재검사.

re·cher·ché [rəʃέərʃei, --∠] *a.* 《F.》 (요리·표현 등이) 멋있는, 공들인.

re·cid·i·vist [risídəvist] *n.* Ⓒ 재범자 ; 상습범. ── *a.* 〔限定的〕 재범자의.

***rec·i·pe** [résəpìː] *n.* Ⓒ ① (약제 등의) 처방(전) 《기호 : R》. ② (요리의) 조리법《*for*》: a ~ *for* tomato soup 토마토 수프 조리법. ③ (무엇을 하기 위한) 비결, 비법 : a ~ *for* success in business 장사에서 성공하는 비결.

re·cip·i·ent [risípiənt] *n.* Ⓒ 수납자, 수령인 ; 수용자, 수상자, 수혈자 : the ~ of the Nobel peace prize 노벨 평화상 수상자.

***re·cip·ro·cal** [risíprəkəl] *a.* ① 상호의(mutual), 호혜적인 : ~ help 상호 원조 / a ~ treaty 호혜 조약. ②〖文法〗 상호 작용을〔관계를〕 나타내는 : a ~ pronoun 상호 대명사《each other, one another 등》. ⓟ **~·ly** [-kəli] *ad.*

re·cip·ro·cate [risíprəkèit] *vt.* ① …을 주고받다, 교환하다《친절 따위를》: ~ gifts 선물을 교환하다. ② …에 보답〔답례〕하다 ; 갚다, 보복하다 : ~ her favor 그녀의 호의에 보답하다. ③〖機〗 왕복 운동을 시키다. ── *vi.* ①《~ / +전+명》 보답〔답례〕하다 ; (…으로) 갚다《*with*》: To every attack he ~*d with* a blow. 공격을 받을 때마다 그도 되받아 쳤다 / Some day I will ~ *for* these kindness. 언젠가 이 친절에 보답하겠습니다. ② 왕복 운동을 하다.

re·cíp·ro·cat·ing èngine [risíprəkèitiŋ-]〖機〗 왕복 기관.

re·cip·ro·ca·tion [risìprəkéiʃən] *n.* Ⓤ ① 보답 ; 보복, 응수《*for*》: in ~ *for* …의 보답〔보복〕으로. ② 교환 : the ~ of letters between the two 두 사람 사이의 편지 교환. ③〖機〗 왕복 운동.

rec·i·proc·i·ty [rèsəprásəti / -prɔ́s-] *n.* Ⓤ ① 상호성(性), 상호 관계〔의존〕; 상호의 이익〔의무, 권리〕; 교환. ②〖商〗 상호 이해, 호혜주의 : a ~ treaty 호혜 조약.

***re·cit·al** [risáitl] *n.* ① Ⓒ〖樂〗 독주(회), 독창(회) ; 리사이틀 : give a vocal ~ 독창회를 열다. ② Ⓤ 상설(詳說), 상술(詳述) ; 이야기.

***rec·i·ta·tion** [rèsətéiʃən] *n.* ① Ⓤ 자세히 이야기함 ; 열거. ② Ⓤ 낭독, 음송, 암송 ; Ⓒ 암송하는 시문(詩文). ◇ recite *v.*

rec·i·ta·tive [rèsətətíːv] *n.*〖樂〗 ① Ⓤ 서창(敍唱), 레치타티보. ② Ⓒ 서창부(部)《오페라·오라토리오 따위의》. ── *a.* 서술(敍述)의, 설화의.

‡re·cite [risáit] *vt.* ① …을 암송하다, 낭송〔음송〕하다 : He ~*d* the poem *to* the class. 그는 반(班)학생들에게 그 시를 암송해서 들려주었다. ② …을 이야기하다(narrate), 상술하다, 열거하다 (enumerate). ── *vi.* 암송〔음송〕하다, 읊다. ◇ recitation *n.*

reck [rek] *vi.* 《詩·文語》〔否定文·疑問文〕《+전+명》 괘념〔개의〕하다《*of* ; *with*》: He ~*ed* not *of* the dangers. 그는 위험을 개의치 않았다.

‡reck·less [réklis] (***more*** ~ ; ***most*** ~) *a.* ① 분별 없는 ; (…하는 것은) 무모한《*of* ; *to*》: ~ driving 무모한 운전 / It was ~ *of* you *to* go there alone. 혼자서 그곳에 가다니 무모하군. ②〔敍述的〕 (위험 따위를) 염두에 두지 않는, 개의치 않는 《*of*》: *Reckless of* danger, he plunged into the river to save her. 위험을 무릅쓰고 그녀를 구하기 위해 그는 강으로 뛰어들었다.
ⓟ **~·ly** *ad.* **~·ness** *n.*

‡reck·on [rékən] *vt.* ①《~+목 / +목+부》 …을 세다(count), 낱낱이 세다, 열거하다《*up; over*》; 기산(起算)하다 ; 합산하다《*up*》: The charges are ~*ed from* August 1. 요금은 8월 1일부터 기산된다 / ~ his wrongs *over* 그가 한 나쁜 짓을 낱낱이 들다 / ~ *up* the bill 계산서를 총계하다. ②《+목+ (*to be*) 보 / +목+전+명》 …을 (…로) 보다, 간주하다(consider), 판단〔단정〕하다, 평가하다《*as* ; *for*》: ~ a person (*to be*) a genius 아무를 천재로 보다 / ~ a person *for* a wise man 아무를 현명하다고 판단하다. ③《+목+전+명》 …을 (…속에) 셈하다, 셈에 넣다(include)《*among* ; *in* ; *with*》: You may ~ me *among* your patrons. 나를 자네의 후원자의 한 사람으로 생각해도 좋다. ④《口》 생각하다《특히 《美》에서는 삽입적으로도 쓰임》;《英俗》 좋다고〔가망 있다고〕 생각하다 : I ~ (*that*) the answer will be in the negative. 회답은 부정적일 것으로 생각한다 / He will come soon, I ~. 그는 곧 올 것이다. ── *vi.* 세다, 계산하다 ; 지급하다, 청산하다(settle). **~ *in*** 계산에 넣다. **~ *on*** …을 의지하다. **~ *with*** …을 고려에 넣다 : I had not ~*ed with* such a change. 그런 변화가 일어나리라고 예기하지 못했다. **~ *without*** …을 무시하다, 간과하다 : I ~*ed without* her greed. 그녀의 탐욕스러움을 고려하지 못했다. ⓟ **~·er** *n.* Ⓒ 계산 조견표(ready ~er).

reck·on·ing** [rékəniŋ] *n.* ① Ⓤ 계산, 셈 ; 결산, 청산 : by my ~ 내 계산으로는. ② Ⓒ 계산서《술집 따위의》. ③ Ⓤ〖海〗 배 위치의 측정 ; 그 측정 위치. ***be out in 〔***of***〕 one'***s*** ~ (1) 계산이 틀리다 : You'*re* $10 *out in your* ~. 자네 계산은 10달러가 틀렸다. (2) 기대가 어긋나다. ***the day of*** ~ (1) 결산일. (2) = JUDGMENT DAY.

***re·claim** [rikléim] *vt.* ① 반환을 요구하다 ; 되찾다 : ~ one's baggage (맡겨둔) 화물을 찾다. ②《~+목 / +목+전+명》 …을 교정(矯正)하다, 개심케 하다, 교화하다 : ~ a person *from* a life of sin 아무를 죄악 생활에서 개심케 하다. ③《~+목 / +목+전+명》 …을 개간〔개척〕하다 ; (땅)을 메우다, 매립하다 ; 간척하다 : ~ land *from* the sea 바다를 매립하다. ④ …을 재생 이용하다, 이용하기 위해 회수하다. ◇ reclamation *n.*

rec·la·ma·tion [rèkləméiʃən] *n.* Ⓤ ① 개간, 매립, 간척. ② (폐물의) 재생(이용). ◇ reclaim *v.*

***re·cline** [rikláin] *vt.* 《~+목 / +목+전+명》 ① …을 기대게 하다, 의지하다, (몸)을 눕히다《*on*》. ② (좌석)을 뒤로 젖히다.
── *vi.* ①《+전+명》 기대다(lean), 눕다《*on* ; *against*》: ~ *upon*〔*on*〕 the grass 풀밭에 눕다 / ~ *against* a wall 벽에 기대다. ② (좌석이) 뒤로 눕다. ⓟ **re·clín·er** *n.* Ⓒ ① = RECLINING CHAIR. ② 기대는〔눕는〕 사람.

re·clín·ing chàir [rikláiniŋ-] (등받이와 발판이 조절되는) 안락 의자.

re·cluse [rékluːs, riklúːs] *n.* Ⓒ 은둔자, 속세를 떠나서 사는 사람.

rec·og·nise [rékəgnàiz] *v.* 《英》 = RECOGNIZE.

rec·og·ni·tion [rèkəgníʃən] *n.* Ⓤ ① 인식, 인정 ; 승인 : the ~ of a new government 신정부의 승인 / give ~ to …을 인정하다 / receive〔meet with〕 full ~ 크게 인정을 받다 / There's (a) growing ~ that we should abolish capital punishment. 사형은 폐지하여야 한다는 것이 점점 인식되고 있다. ② Ⓤ (또는 a ~) (공로 등의) 인정, 치하, 표창《*of*》: in ~ 〔as *a* ~〕 *of* a person's service 아무의 공로에 대한 표창으로. ③ 알아봄, 인식 : escape ~ 사람 눈에 띄지 않다 / She has changed *beyond* 〔*out of*〕 (all) ~. 그녀는 옛 모습을 찾을 수 없을 만큼 (완전히) 변해 있었다. ◇ recognize *v.*

rec·og·niz·a·ble [rékəgnàizəbəl] *a.* ① 인식〔승인〕할 수 있는. ② 알아볼 수 있는. ⓟ **-bly** *ad.* 곧 알아볼 수 있을 정도로.

re·cog·ni·zance [rikágnəzəns / -kɔ́g-] *n.* Ⓒ〖法〗 서약(서) ; 서약 보증금.

ːrec·og·nize [rékəgnàiz] *vt.* ①《~+목/+목+*as* 보》…을 알아보다, 보고 곧 알다, 알아〔생각해〕 내다; 인지하다: ~ a person *as* one's son 아무를 자기의 아들로 인지하다. ② (공로 따위)를 인정하다, 감사하다, 표창하다: When will our services be properly ~*d*? 우리들의 공로는 언제 정당하게 인정을 받을까. ③《~+목/+목+*to be* 보/+*that* 절/+목+*as* 보》(사실)을 인정하다; 승인하다(acknowledge): I ~ him *to be* honest. 그가 정직하다는 것을 인정한다 / He ~*d that* he had been beaten. 졌다는 것을 인정하였다. ④《美》(의회에서) …에게 발언권을 인정하다, …에게 발언을 허락하다.

***re·coil** [rikɔ́il, ríːkɔ̀il] *n.* Ⓤ ① (용수철 따위의) 되튐; (총포의) 반동, 뒤로 물러남. ② 뒷걸음질, 움찔함, 외축(畏縮), 싫음. ── [rikɔ́il] *vi.* 《~/+전+명》 ① 되튀다; 되돌아오다; 반동하다: Our acts ~ *upon* 〔*on*〕 ourselves. 자기 행위의 결과는 자신에게 되돌아온다. ② 퇴각〔패주〕하다; 뒷걸음질치다; 주춤하다《*from*; *before*; *at*》: She ~*ed from* him in horror. 그녀는 무서워 그로부터 물러섰다 / He ~*ed at* the sight of a snake on the road. 그는 길에서 뱀을 보고 주춤하였다.
㊞ **~·less** *a.* 반동이 없는, 무반동의: a ~ rifle 무반동 총.

ːrec·ol·lect [rèkəlékt] *vt.* 《~+목/+-*ing*/+*to* do/+목+-*ing*/+*that* 절/+*wh. to* do/+*wh.*절》…을 생각해 내다, 회상하다(recall): I ~ hav*ing* heard the melody. 그 선율을 들은 적이 있다 / I ~ him 〔his〕 say*ing* so. 그가 그렇게 말한 것을 기억한다《목적격 him을 쓰는 것은 口語》/ She ~*ed* the good old days. 그녀는 지나간 행복했던 날들을 회상했다 / I happened to ~ *who* he was. 나는 우연히 그가 누구인가 생각해냈다.
── *vi.* 기억이 있다, 상기하다: As far as I (can) ~, he lives in Seoul. 내가 알고 있기로는, 그는 서울에서 산다. ◇ recollection *n.*

re-col·lect [rìːkəlékt] *vt.* ① …을 다시 모으다. ②〔再歸的〕마음을 가라앉히다. ③ (힘·용기)를 불러일으키다: ~ one's energies 활동력을 다시 찾다, 만회하다.

ːrec·ol·lec·tion [rèkəlékʃən] *n.* ① Ⓤ (또는 a ~) 회상, 상기, 추억; 기억력: I have no ~ of it. 내게는 전혀 그 기억이 없다. ② Ⓒ (종종 *pl.*) 옛 생각, 추억되는 일: I have happy ~*s* of my visit to your house. 댁을 방문했을 때의 즐거운 추억이 남아 있습니다. ***be in* 〔*within*〕 *one's* ~** 기억하고 있다. ***to the best of my* ~** 내가 생각해 낼 수 있는 한에서(는).

re·com·bi·nant [riːkɑ́mbənənt / -kɔ́m-] 〖遺·生化〗 *a.* 재(再)조합형의: ~ DNA, 재조합된 DNA. ── *n.* Ⓒ (유전자의) 재조합형; 재조합체.

re·com·bi·na·tion [rìːkɑmbənéiʃən / -kɔm-] *n.* Ⓤ 〖遺〗 (유전자의) 재조합; 재결합.

ːrec·om·mend [rèkəménd] *vt.* ①《~+목/+목+*as* 보/+목+전+명/+목+목》…을 추천〔천거〕하다: I can ~ this film. 이 영화는 추천할 만하다 / She ~*ed* him *as* a cook. 그녀는 그를 조리사로 추천했다 / I ~ed him *to* her firm. 나는 그를 그녀 회사에 천거했다 / Will you please ~ me a good hotel? 좋은 호텔을 소개해 주시겠습니까. ②《+목+*to* do/+목+목/+목+전+명/+*that* 절》…을 권하다, 권고하다, 충고하다: I ~ you *to* say yes about it. 그것을 승낙하시는 것이 좋을 것입니다 / ~ a person a long rest = ~ a long rest *for* a person 아무에게 장기 휴양을 권하다 / I ~ *that* the work (should) be done at once. 그 일을 즉시 하도록 권합니다《should를 생략하는 것은 주로《美》용법》. ③ (행위·성질 따위가) …의 호감을 사게 하다, 마음에 들게 하다《*to*》: The plan has nothing to ~ it. 그 계획에는 쓸만한 점이라고는 하나도 없다 / What aspect of her character first ~*ed* her *to* you? 그녀의 성격의 어디가 먼저 마음에 들었습니까. ◇ recommendation *n.* ㊞ **~·a·ble** *a.* 추천할 수 있는, 권할 만한: a highly ~*able* plan 크게 권장할 만한 계획.

ːrec·om·men·da·tion [rèkəmendéiʃən] *n.* ① Ⓤ 추천, 천거: a letter of ~ 추천장 / in ~ of … 를 추천하며 / on his ~ 그의 추천으로. ② Ⓒ 추천〔소개〕장(letter of ~): give a person a ~ to a professor 아무에게 교수 앞으로 추천장을 써주다. ③ ⓊⒸ 권고, 충고, 건의. ④ Ⓒ 장점, 취할 점: Honesty is a ~ in him. 정직이 그의 장점의 하나다. ◇ recommend *v.*

rec·om·mend·a·to·ry [rèkəméndətɔ̀ːri / -təri] *a.* ① 추천의; 권고적인: a ~ letter 추천장. ② 장점이 되는.

re·com·mit [rìːkəmít] (*-tt-*) *vt.* ① (죄)를 다시 범하다. ② …을 다시 위탁하다; (의안)을 위원회에 다시 회부하다. ㊞ **~·ment**, **~·tal** [-tl] *n.* Ⓤ ① (의안의) 재차 회부. ② 재범.

ːrec·om·pense [rékəmpèns] *n.* Ⓤ (또는 a ~) ① 보수; 보답(reward)《*for*》: without ~ 무보수로. ② 보상, 배상(compensation)《*for*》: in ~ *for*… …에 대한 보상으로서. ── *vt.* 《~+목/+목+전+명》 ① …에게 보답하다, …에게 갚다〔대갚음하다〕《*for*; *with*》: He ~*d* good *with* evil. 그는 선을 악으로 갚았다. ② …에게 보상하다《*for*》: He was ~*d for* his losses. 그는 손실에 대한 보상을 받았다.

re·con [rikɑ́n / rikɔ́n] 《口》 *n.* = RECONNAISSANCE. ── *vt.*, *vi.* = RECONNOITER.

rec·on·cil·a·ble [rékənsàiləbəl, ˌ-ˌ-ˊ-] *a.* ① 화해할 수 있는, 조정의 가망이 있는. ② 조화〔일치〕시킬 수 있는. ㊞ **-bly** *ad.*

ːrec·on·cile [rékənsàil] *vt.* ①《~+목/+목+전+명》〔종종 受動으로〕…을 화해시키다, 사화시키다《*to*; *with*》: They quarreled but *were* soon ~*d*. 그들은 싸웠지만 금방 화해했다 / *Are* you ~*d with* her? 그녀와 화해했니. ②《~+목/+목+전+명》(싸움·논쟁 따위)를 조정하다; 조화시키다, 일치시키다《*to*; *with*》: He ~*d* the dispute among the factions. 그는 파벌간의 분쟁을 조절했다 / Can you ~ your ideals *with* reality? 이상과 현실을 일치시킬 수 있습니까. ③《+목+전+명》〔흔히 再歸的 또는 受動으로〕…으로 만족하다, 스스로 단념〔만족〕하게 하다《*to*》: He *was* ~*d to* his fate. 그는 자신의 운명을 감수하고 있었다 / He found it hard to ~ *himself to* this disagreeable state. 그는 이 불쾌한 상태에 자신이 만족하기 어렵다는 것을 알았다. ◇ reconciliation *n.*

ːrec·on·cil·i·a·tion [rèkənsìliéiʃən] *n.* Ⓤ (또는 a ~) ① 조정; 화해《*between*; *with*》: There will be *a* ~ *between* the two countries. 두 나라 사이에 조정이 이루어질 것이다. ② 조화, 일치《*of*》: the ~ *of* opinions 의견의 일치. ◇ reconcile *v.*

rec·on·cil·i·a·to·ry [rèkənsíliətɔ̀ːri / -təri] *a.* 화해〔조정〕의; 조화〔일치〕의.

rec·on·dite [rékəndàit, rikɑ́ndait / rikɔ́n-] *a.* 심원한, 알기 어려운, 난해한(profound). ㊞ **~·ly** *ad.* **~·ness** *n.*

re·con·di·tion [rìːkəndíʃən] *vt.* (기계 따위)를 신품처럼 고치다: a ~*ed* engine 재생 엔진.

re·con·firm [rìːkənfə́ːrm] *vt.* …(의 예약 따위)를 재확인하다: Don't forget to ~ your ticket.

(비행기)표의 예약 재확인을 잊지 마세요. ── *vi.* 예약 등의 재확인을 하다.

re·con·fir·ma·tion [rìːkɑnfərméiʃən / rìːkɔn-] *n.* Ⓤ,Ⓒ 재확인 ; 〖空〗 예약 재확인.

***re·con·nais·sance** [rikɑ́nəzəns, -səns / -kɔ́n-] *n.* Ⓤ,Ⓒ 정찰, 정찰대 : make a ~ of …를 정찰하다. ── *a.* 〔限定的〕 정찰하기 위한 : a ~ plane〔party〕 정찰기〔대〕.

recónnaissance sàtellite 정찰 위성.

re·con·noi·ter, 《英》 **-tre** [rìːkənɔ́itər, rèk-] *vt., vi.* (…을) 정찰하다 ; 답사하다.

***re·con·sid·er** [rìːkənsídər] *vt.* …을 다시 생각하다, 재고하다 : ~ one's decision 결정을 재고하다. ② (의안·동의 등)을 재심의에 부치다.
── *vi.* 재고하다 ; 재심하다.
㊎ **rè·con·sid·er·á·tion** [-sidəréiʃən] *n.* Ⓤ 재고, 재심.

re·con·sti·tute [rìːkɑ́nstətjùːt / -kɔ́n-] *vt., vi.* ① (…을) 재구성〔재조직, 재편성, 재제정〕하다. ② 물을 타서 원상으로 되돌리다 : ~ milk powder 물을 타서 분유를 우유로 만들다.

‡re·con·struct [rìːkənstrʌ́kt] *vt.* ① …을 재건하다(rebuild) ; 개조〔개축〕하다 : ~ a ruined castle 황폐한 성을 복원하다. ② (사건 등)을 재구성하다 : The police ~*ed* the crime from the evidence left on the spot. 경찰은 현장에 남겨진 증거로부터 범죄의 상황을 재현했다. ◇ reconstruction *n.*

‡re·con·struc·tion [rìːkənstrʌ́kʃən] *n.* ① Ⓤ 재건, 개축 ; 개조 ; 복원《*of*》. ② Ⓒ 재건〔복원〕된 것《*of*》: a huge ~ *of* the skeleton of a mammoth 거대한 매머드 골격의 복원 표본.

†rec·ord[1] [rékərd / -kɔːrd] *n.* ① Ⓤ 기록, 기입, 등록 : put〔place〕 an event on ~ 사건을 기록하다 / escape ~ 기록에서 빠지다. ② Ⓒ 기록 (문서) ; 공판기록 ; 의사록 : various ~*s* of human life 인간 생활에 대한 다양한 기록 / make a ~ *of* …을 기록하다 / keep a ~ *of* …을 기록으로 남기다. ③ Ⓒ 이력, 경력 ; 전과(前科) : have a (criminal) ~ 전과가 있다. ④ Ⓒ (학교 등의) 성적 ; 경기 기록, 《특히》 최고 기록 : set〔establish〕 a new ~ for〔in〕… …의 신기록을 세우다 / beat〔break〕 the ~ *for* marathon 마라톤 기록을 깨다 / have a good〔bad〕 ~ at school 학교 성적이 좋다〔나쁘다〕. ⑤ Ⓒ 레코드, 음반 : play〔put on〕 a ~ of Chopin 쇼팽의 레코드 판을 돌리다. ***a matter of*** ~ 공식 기록에 올라 있는 사실. ***for the*** ~ 공식적인〔으로〕, 기록을 위한〔위해〕 : *For the* ~, I disapprove of this decision. 정식으로 말씀드리는데, 나는 이 결정을 승인할 수 없습니다. ***go on*** ~ (기록에 남도록) 공식으로 의견을 발표하다. ***have the*** ~ ***for***〔***in***〕 …의 기록을 보유하고 있다. ***off the*** ~ 비공식의〔으로〕, 공표〔인용〕해서는 안 되는. ***on*** ~ (1) 기록되어 ; 기록적인 : the heaviest rain *on* ~ 기록적인 폭우. (2) 공표되어, 널리 알려져. ***put***〔***set***〕 ***the*** ~ ***straight*** 기록을 바로잡다 ; 오해를 풀다.
── *a.* 〔限定的〕 ① 기록적인 : a ~ crop 공전의 대풍작. ② 레코드에 의한 : ~ music 레코드 음악.

†re·cord[2] [rikɔ́ːrd] *vt.* ① …을 기록하다, 등기〔등록〕하다 : I ~ my thoughts and experiences in my diary. 내 생각과 경험을 일기에 기록하고 있다 / Where he lived is not ~*ed*. 그가 어디에 살았는지 기록에 없다 / The document ~*s that* the battle took place six years earlier. 문서에 따르면 그 전쟁은 6년 빨리 일어났다고 한다. ② …을 녹음〔녹화〕하다 : ~ music *from* the radio *onto* tape 음악을 라디오에서 테이프에 녹음하다 / The program is ~*ed* not live. 그 프로그램은 녹음 방송이지 생방송이 아니다. ③ (계기 등이) …을 표시하다 : The thermometer ~*ed* 15° below zero. 온도계가 영하 15°를 가리키고 있었다. ④ 공식으로 발표하다. ── *vi.* 기록〔녹음, 녹화〕하다.

récord brèaker 기록을 깨뜨린 사람.

rec·ord-break·ing [rékərdbrèikiŋ / -kɔːrd-] *a.* 기록 돌파의, 공전의.

re·córd·ed delívery [rikɔ́ːrdid-] 《英》 간이 「등기(우편).

‡re·cord·er [rikɔ́ːrdər] *n.* Ⓒ ① 기록자, 등록자. ② 기록 기계〔장치〕 ; 녹음기, 녹화기, 리코더 ; (전신의) 수신기. ③ 《英》 (종종 R-) 지방 법원 판사. ④〖樂〗 (옛날의) 플루트의 일종.

récord hòlder (최고) 기록 보유자.

***re·cord·ing** [rikɔ́ːrdiŋ] *a.* 기록하는 ; 기록용의 ; 자동 기록 장치의 : a ~ altimeter 자기 고도계 / a ~ instrument 자기 계기. ── *n.* ① Ⓤ,Ⓒ 녹음, 녹화 : make a ~ of …을 녹음〔녹화〕하다. ② Ⓒ 녹음〔녹화〕 테이프. ③ 〔形容詞的〕 녹음〔녹화〕하기 위한 : a ~ studio 녹음실.

recórding àngel 〖基〗 (사람의 선악을 기록하는) 기록 천사.

record lìbrary (대출용) 레코드 도서관.

‡récord plàyer 레코드플레이어 ; 전축.

***re·count** [rikáunt] *vt.* …을 자세히 얘기하다 : He ~*ed* all his adventures in Africa. 그는 아프리카에서의 모험을 자세히 이야기했다.

re-count [riːkáunt] *vt.* …을 다시 세다.
── [ㅡ, ㅡ] *n.* Ⓒ 다시 세기, 재계표《투표 등의》.

re·coup [rikúːp] *vt.* ① …을 벌충하다, 메우다《*for*》; 보상하다 : ~ a person for a loss 아무의 손실을 보상하다. ②〖法〗 …을 공제하다. ~ one*self* 들인 비용〔손실〕을 되찾다 : He ~*ed himself for* the losses. 그는 손실분을 되찾았다.

re·course** [ríːkɔːrs, rikɔ́ːrs] *n.* ① Ⓤ 의지, 의뢰《*to*》. ② Ⓒ 의지가 되는 것, 믿는 사람. ***have ~ ***to*** …에 의지〔호소〕하다.

‡re·cov·er [rikʌ́vər] *vt.* ①《~+목 / +목+전+명》 (앗긴 것)을 되찾다 ; (잃은〔놓친〕 것)을 찾아내다, 발견하다 ; (매몰·잊었던 것)을 캐내다 : ~ one's lost watch 잃었던 시계를 되찾다 / ~ bodies from a collapsed building 도괴된 건물에서 시체를 찾아내다. ② (손실)을 만회하다, 벌충하다 : We ~*ed* the lost time by running. 우리는 잃어버린 시간을 뛰어서 만회했다. ③ (기능·의식 등)을 회복하다 : ~ one's health〔consciousness〕 건강〔의식〕을 회복하다 / ~ one's feet〔legs〕 (쓰러졌다가) 다시 일어서다. ④《~+목 / +목+전+명》 (폐기물 등에서 유용한 물질)을 재생〔회수〕하다《*from*》: ~ useful things *from* materials that used to be thrown away 전에는 버렸던 재료에서 유용한 물질을 회수하다.
── *vi.* ①《~ / +전+명》 원상태로 되다, 복구되다 : ~ *from* the effects of the earthquake (도시 따위가) 지진의 피해에서 복구되다. ②《~ / +전+명》 회복하다, 낫다《*from* ; *of*》: It took her a long while to ~ *from* her heart operations. 그녀가 심장 수술에서 회복하는 데는 한동안 시간이 걸렸다. ③〖法〗 소송에 이기다. ◇ recovery *n.* ~ one***self*** 제정신이 들다 ; 몸의 균형을 되찾다 : I nearly fell but managed to ~ my*self*. 넘어질 뻔했다가 겨우 제대로 섰다.

re-cov·er [riːkʌ́vər] *vt.* ① …을 다시 덮다. ② …을 다시 바르다 ; (의자 등의 천)을 갈아 대다, 표지를 갈아 붙이다 : ~ a chair in leather 의자천을 가죽으로 갈다.

re·cov·er·a·ble [rikʌ́vərəbəl] *a.* 되찾을〔회복시 「킬〕 수 있는.

‡re·cov·ery [rikʌ́vəri] *n.* ① Ⓤ (또는 a ~) 회복,

복구 ; 경기 회복 : (an) economic ~ 경기 회복. ② [U] (또는 a ~) (병의) 쾌유 ; 회복 : She made a quick ~ *from* her illness. 그녀는 병에서 빨리 회복했다. ③ [U] 되찾음, 회수 : the ~ of the stolen car 도난차의 회수. ④ [U,C] 〖法〗 재산〔권리〕 회복. ◇ recover *v.*

recóvery ròom (병원의) 회복실.

rec·re·ant [rékriənt] *a.* 《詩·文語》 겁 많은, 비겁한(cowardly) ; 변절한. ── *n.* [C] 겁쟁이, 비겁한 사람 ; 배신자.

***rec·re·ate** [rékrièit] *vt.* 〔再歸的〕 휴양하다, 기분 전환을 하다 : ~ *oneself by* several holidays 며칠간 휴가를 얻어 예기를 기르다 / ~ *oneself with* tennis 테니스로 기분 전환을 하다. ── *vi.* 휴양하다, 기분전환을 하다.

re-cre·ate [rì:kriéit] *vt.* …을 개조하다, 고쳐〔다시〕 만들다 ; 재현하다.

†**rec·re·a·tion** [rèkriéiʃən] *n.* [U,C] 휴양, 보양 ; 기분전환, 레크리에이션 : What do you do for ~? 레크리에이션으로는 무엇을 합니까. ⓟ ***~·al** *a.* 레크리에이션의, 휴양의 : ~ facilities 휴양 시설.

re-cre·a·tion [rì:kriéiʃən] *n.* [U] 재창조, 개조 ; 재현.

recreátional véhicle 레크리에이션용 차량 (camper, trailer 따위 ; 略 : RV).

recreátion gròund 《英》 운동장, 유원지.

recreátion ròom〔**hàll**〕 《美》 오락실, 유희실, 게임실(室) (rec room 〔hall〕).

re·crim·i·nate [rikrímənèit] *vi.* 되비난하다 《*against*》. ⓟ **re·crìm·i·ná·tion** [-ʃən] *n.* **-na·tò·ry** [-nətɔ̀:ri / -təri] *a.*

réc ròom〔**hàll**〕 [rék-] 《美口》 = RECREATION ROOM 〔HALL〕.

re·cru·des·cence [rì:kru:désns] *n.* [C] 재발, 도짐 ; 재연. ⓟ **-dés·cent** [-désnt] *a.*

***re·cruit** [rikrú:t] *vt.* ① (새 회원 등)을 모집하다 〔들이다〕 : ~ new members *to* a club 새회원들을 클럽에 들이다 / The company ~*s* many new employees every year. 그 회사는 매년 신입사원을 많이 모집한다. ② 신병을 모집하다. ③ 《古》 (체력·건강 따위)를 회복하다 : ~ one's health 건강을 회복하다. ── *vi.* 신병〔새 회원〕을 모집하다〔들이다〕. ── *n.* [C] 신병, 보충병 ; 신당원 ; 신입생 ; 신회원. ⓟ **~·er** *n.* **~·ment** *n.* [U] 신병 징모 ; 신규 모집 ; 보충.

rec·ta [réktə] RECTUM 의 복수.

rec·tal [réktl] *a.* 직장(直腸)의.

***rec·tan·gle** [réktæ̀ŋgəl] *n.* [C] 〖數〗 직사각형.

***rec·tan·gu·lar** [rektǽŋgjələr] *a.* ① 직사각형의. ② 직각의.

rec·ti·fi·er [réktəfàiər] *n.* [C] ① 개정〔수정〕자. ② 〖電·化〗 정류기(整流器).

rec·ti·fy [réktəfài] *vt.* ① …을 개정〔수정, 교정〕하다 ; 고치다. ② 〖電·化〗 정류(整流)하다 ; 〖機〗 (궤도 등)을 수정하다, 조정하다. ⓟ **réc·ti·fi·a·ble** [-əbəl] *a.* 개정〔수정, 교정〕할 수 있는. **rec·ti·fi·ca·tion** [rèktəfikéiʃən] *n.*

rec·ti·lin·e·ar, -lin·e·al [rèktəlíniər], [-əl] *a.* ① 직선의 ; 직선으로 둘러싸인. ② 직진하는.

rec·ti·tude [réktət*j*ù:d] *n.* [U] 정직, 실직(實直), 청렴 : a person of great ~ 청렴결백한 사람.

rec·to [réktou] (*pl.* **~s**) *n.* [C] (펼쳐 놓은 책의) 오른쪽 페이지 ; 종이의 겉면. [opp] *verso.*

***rec·tor** [réktər] (*fem.* **-tress** [-tris]) *n.* [C] ① 〖宗〗 (영국 국교의) 교구 목사 ; 《美》(미국 감독 교회의) 교구 목사. [cf.] vicar. ② 교장, 학장, 총장 ; 〖가톨릭〗 신학교장, 수도원장.

rec·to·ry [réktəri] *n.* [C] rector 의 주택, 목사관(館) ; 《英》 rector 의 영지〔수입〕.

rec·tum [réktəm] (*pl.* **~s, -ta** [-tə]) *n.* [C] 〖解〗 직장(直腸).

re·cum·bent [rikʌ́mbənt] *a.* 옆으로 비스듬한 ; 가로누운 : a ~ figure (그림, 조각 등의) 옆모습 / in a ~ posture 옆으로 누운 자세로. ⓟ **-ben·cy** *n.* [U] 가로누움 ; 휴식(repose).

re·cu·per·ate [rik*j*ú:pərèit] *vt.* (건강·손실 등)을 회복〔만회〕하다 : ~ one's strength 건강을 되찾다. ── *vi.* (병·손실 등에서) 회복하다《*from*》 : ~ *from* (an) illness 병에서 회복하다.

ⓟ **re·cù·per·á·tion** [-ʃən] *n.* [U] 회복, 만회.

re·cu·per·a·tive [rik*j*ú:pərèitiv, -rət-] *a.* 회복시키는 ; 회복력 있는 : a ~ vacation 건강을 회복시키기 위한 휴가.

***re·cur** [rikə́:r] (*-rr-*) *vi.* ① (사건·문제 따위가) 재발하다 ; 되풀이되다 : There is a danger that the disease may ~ in later life. 그 병은 말년에 재발할 위험이 있다. ② 《+[전]+[명]》 (생각 등이) 마음에 다시 떠오르다, 상기되다 ; 다시 이야기하다 《*to*》 : His former mistake ~*red to* him 〔his mind〕. 전(前)의 실패가 그의 기억에 되살아났다 / I shall ~ *to* the subject later on. 그 문제에 대해서는 후에 또 언급키로 하겠다. ③ 〖數〗 순환하다 (circulate). ◇ recurrence *n.*

re·cur·rence [rikə́:rəns, -kʌ́r-] *n.* [U,C] 재기, 재현(repetition), 재발 ; 반복 ; 순환《*of*》 : the ~ *of* an illness〔error〕 병〔오류〕의 재발〔반복〕.

re·cur·rent [rikə́:rənt, -kʌ́r-] *a.* 재발〔재현〕하는 ; 정기적으로 되풀이되는 ; 회귀성(回歸性)의 : a ~ fever 회귀열 / a ~ problem 되풀이 일어나는 문제. ⓟ **~·ly** *ad.*

re·cur·ring [rikə́:riŋ] *a.* 되풀이하여 발생하는 ; 〖數〗 순환하는.

recúrring décimal 〖數〗 순환 소수 (repeating decimal).

recúrsive subróutine 〖컴〗 되부름의 아랫경로〔서브루틴〕《자기 자신을 불러내기(call)할 수 있는 아랫경로》.

re·cy·cla·ble [ri:sáikləbl] *a.* 재생 이용이 가능한. ── *n.* [C] 재생 이용이 가능한 것 : Separate the ~*s.* 재생 가능한 것은 분리해 주세요《게시》.

re·cy·cle [ri:sáikəl] *vt.* …을 재생 이용하다 : Aluminum cans can be ~*d* easily. 알루미늄 깡통은 간단하게 재생 이용이 가능하다 / ~*d* paper 재생지.

re·cy·cling *n.* ① [U] 재생 이용, 리사이클링. ② 〔形容詞的〕 재생 이용하는 : a ~ plant (유리·종이 등의) 재생 공장.

†**red** [red] (*∠·der ; ∠·dest*) *a.* ① 빨간, 붉은, 적색의 ; 불그스름한 : (as) ~ as a rose 장미처럼 붉은 / The sky is ~. 하늘은 불그스름하다. ② (노여움·부끄럼 등으로) (얼굴이) 붉어진, 눈에 핏발이 선, 붉은 피부의 : Her cheeks burned ~. 그녀의 볼이 빨갛게 달았다 / He turned ~ *with* anger. 그는 화가 나서 얼굴이 빨개졌다 / Her hands were ~ *with* cold. 그녀의 손은 추위로 빨개져 있었다. ③ 피로 물든, 유혈이 낭자한 : The river ran ~ (with blood). 강은 (피로) 붉게 물들었다. ④ (종종 R-) 적화한, 공산주의(국)의 ([cf.] pink[1]) ; 《口》 좌익의 : turn ~ 적화하다. ***paint the town*** ~ 《口》 ⇨PAINT.

── *n.* [U,C] ① 빨강, 적색 : a deep ~ 짙은 빨강. ② 빨간 천〔옷〕; (당구의) 빨간 공 : She was dressed in ~. 그녀는 빨간 옷을 입고 있었다. ③ (종종 R-) 공산주의자 ; 《口》 좌익, 급진파. ④ (the ~) 적자. ***be in the*** ~ 《美口》 적자를 내고 있다 : That company *was* $1,000,000 *in the* ~.

그 회사는 100만 달러의 적자였다. ***come out of (the)*** ~ 적자에서 헤어나다. ***go*** 〔***get***〕 ***into the*** ~ 적자를 내다, 결손을 보다. ***see*** ~《口》격노하다, 살기를 띠다.

-red [rəd] *suf.* 상태를 나타내는 명사를 만듦: hat*red*, kind*red*.

réd ádmiral 〖蟲〗 큰멋쟁이《나비》.

réd alért (공습의) 적색 경보; 긴급 비상 사태: on ~ 비상 태세에〔를 취하고〕.

réd bìddy *n.* Ⓤ《英口》(메틸 알코올을 섞은) 싸구려 레드 와인.

red·bird [ˊbə̀ːrd] *n.* Ⓒ 〖鳥〗 피리새 무리의 새; 홍관조의 속명(cardinal bird)《되샛과》.

réd blóod cèll 〔**còrpuscle**〕 〖解〗 적혈구.

red-blood·ed [ˊblʌ́did]《口》*a.* 〔限定的〕 기운찬, 발랄한, 용감한; 폭력물의. ㊞ **~·ness** *n.*

red·breast [ˊbrèst] *n.* Ⓒ 〖鳥〗 울새.

red·brick [ˊbrìk] *a.* 〔限定的〕 ① 붉은 벽돌의〔로 지은〕. ②《英》(대학이) 근대에 와서 창립된. ── *n.* Ⓒ (종종 R-) (Oxford, Cambridge 대학 이외의) 대학, 근대 창설 대학, 붉은 벽돌 대학.

red·cap [ˊkæ̀p] *n.* Ⓒ ①《美》(역의) 짐꾼, 포터(porter). ②《英》 헌병.

réd cárd *n.* Ⓒ 〖蹴球〗 레드 카드《레프리로부터의 퇴장 경고》. ⓒⓕ yellow card.

réd cárpet (귀빈을 맞기 위한) 붉은 융단; (the ~) 극진한 예우〔환영〕. ***roll out the*** ~ (***for***) (…을) 정중〔성대〕하게 환영하다.

red-car·pet [ˊkáːrpit] *a.* 〔限定的〕 정중한; 열렬한: give a person a ~ reception (붉은 융단을 깔고) 아무개를 성대하게 환영하다.

réd céll =RED BLOOD CELL.

réd cént《口》(옛날의) 1 센트화; 피천《부정문에 쓰임》: be not worth a ~ 한 푼의 값어치도 없다.

réd clóver 〖植〗 붉은토끼풀(cowgrass)《사료》.

red·coat [ˊkòut] *n.* Ⓒ (종종 R-) (옛날의) 영국 군인《특히 미국 독립전쟁 당시의》.

réd córpuscle 〔**corpúscule**〕 적혈구.

Réd Créscent (the ~) 적신월사(赤新月社)《회교국의 적십자사에 해당하는 조직》.

‡**Réd Cróss** (the ~) 적십자사(=ˊ **Society**); 적십자장(章); (the ~) 십자군(장(章)); (r- c-) 성(聖)조지 십자장(章)《영국의 국장》.

réd dèer 〖動〗 고라니.

***red·den** [rédn] *vt.* …을 붉게 하다, 얼굴을 붉히게 하다. ── *vi.* ① 붉어지다. ② 얼굴을 붉히다《*at*》, (노여움·부끄럼으로) 붉어지다《*with*》: She ~*ed at* the sight (*with* anger). 그녀는 그것을 보자 (화가 나서) 얼굴을 붉혔다.

***red·dish** [rédiʃ] *a.* 불그스레한, 불그레한 갈색을 띤.

red·dle [rédl] *n.* Ⓤ 〖鑛〗 대자석(代赭石), 자토(赭土).

réd dúster《英口》=RED ENSIGN.

re·dec·o·rate [riːdékərèit] *vt.* …을 다시 꾸미다, 개장(改裝)하다. ── *vi.* 다시 꾸미다.

***re·deem** [ridíːm] *vt.* ① …을 되사다, 되찾다; (저당물)을 도로 찾다《*from*》: ~ a debt 빚을 청산하다 / ~ a watch *from* a pawnbroker 시계를 전당포에서 되찾다. ② (쿠폰·상품권 등)을 상품으로 바꾸다, 상각〔상환〕하다; (지폐)를 태환〔회수〕하다: ~ a coupon 쿠폰〔상품권〕으로 상품을 사다. ③ 〔종종 再歸的〕 (노력하여) 명예 등을 회복하다, 다시 찾다: He worked hard to ~ *himself* from his failure. 그는 실패에 대한 명예를 회복하기 위해 열심히 일했다. ④ 속량(贖良)하다, 구하다: ~ a slave 노예를 해방하다. ⑤ (신·그리스도가) …을 구속(救贖)하다, 속죄하다《*from*》: Jesus Christ ~*ed* us (*from* sin). 예수 그리스도는 우리들을 (죄에서) 구했다. ⑥《~+目/+目+前+名》(결점·과실 등)을 벌충하다, 채우다《*from*》: A charm of voice ~ her *from* plainness. 그녀의 매력있는 목소리가 그녀의 평범한 얼굴을 덮어주고 있다. ⑦ (약속·의무 등)을 이행하다: The government has not ~*ed* any of its election promises. 정부는 선거 공약을 하나도 이행하지 않고 있다. ◇ redemption *n.*

re·deem·a·ble [ridíːməbəl] *a.* ① 되살〔전당물을 되찾을〕 수 있는. ② 태환할 수 있는: ~ bonds 환금할 수 있는 채권. ③ 속죄할 수 있는.

Re·deem·er [ridíːmər] *n.* (the ~, our ~) 구세주, 그리스도.

re·deem·ing [ridíːmiŋ] *a.* (결점·과실 등을) 보완하는, 벌충하는: a ~ feature 〔point〕 다른 결점을 커버〔벌충〕하는 장점.

re·demp·tion** [ridémpʃən] *n.* Ⓤ ① 되찾음, 되삼. ② 속전을 내고 죄인을 구제함. ③ 상환, 상각. ④ (약속의) 이행. ⑤ 구출; 〖神學〗 (예수에 의한) 구속(salvation). ◇ redeem *v.* ***beyond 〔***past, without***〕 ~ 회복할 가망이 없는; 구제 불능의.

re·demp·tive [ridémptiv] *a.* 구속(救贖)의.

réd énsign (the ~) 영국 상선기(商船旗)(ⓒⓕ white ensign).

re·de·ploy [rìːdiplɔ́i] *vt.* (부대·생산시설 따위)를 이동(전환)시키다. ㊞ **~·ment** *n.* Ⓤ 이동, 배치 전환.

re·de·vel·op [rìːdivéləp] *vt.* …을 재개발하다. ㊞ **~·ment** *n.*

red-eye [rédài] *n.* ① Ⓒ《美口》 야간 비행편(=ˊ **flíght**). ② Ⓤ《美俗》 싸구려 위스키. ── *a.* 〔限定的〕《美口》 장거리 야간 비행의: catch a ~ special 야간 특별 비행편에 대어가다.

red-faced [ˊféist] *a.* ① 불그스름한 얼굴의. ② (화·곤혹·부끄럼 따위로) 낯을 붉힌.

réd flág ① 적기(赤旗)《혁명기·위험 신호》. ② (the R- F-) 적기가(歌)《영국 노동당 당가》.

réd fóx 〖動〗 여우, 붉은여우; 여우 가죽.

réd gíant 〖天〗 적색 거성(巨星)《표면 온도가 낮고 빨갛게 빛남》.

réd gróuse 〖鳥〗 붉은뇌조(moorfowl, moorgame)《영국 및 그 주변산》.

red-hand·ed [ˊhǽndid] *a.* 〔敍述的〕 (나쁜 짓의) 현행범의: Jack was caught ~ taking money from the register. 잭은 금전 출납기에서 돈을 꺼내다가 현행범으로 체포되었다.

réd hát 추기경(cardinal)의 모자; 추기경.

red·head [ˊhèd] *n.* Ⓒ 머리칼이 빨간 사람.

red-head·ed [ˊhèdid] *a.* 머리칼이 빨간; 〖鳥〗 머리깃이 빨간.

réd héat ① 〖物〗 적열(赤熱)(상태·온도). ② 격노, 흥분.

réd hérring ① 훈제한 청어. ② 사람의 주의를 딴 데로 돌리는 것: He must have used it as a ~. 그는 그것을 눈속임으로 썼음에 틀림없다. ***draw a ~ across*** a person***'s*** 〔***the***〕 ***track*** 〔***trail, path***〕 아무의 관심을 딴 데로 돌리려 하다. ***neither fish, flesh, fowl, nor good*** ~ = ***neither fish, flesh nor fowl***=***neither fish nor fowl*** ⇨FISH.

***red-hot** [ˊhát / ˊhɔ́t] *a.* ① (금속 등이) 빨갛게 달구어진. ② 몹시 흥분한; 열광적인: in a ~ passion 몹시 흥분하여. ③ (뉴스 등이) 최신의.

Re·dif·fu·sion [rìːdifjúːʒən] *n.* Ⓤ《英》(유선 방식에 의한 라디오·텔레비전 프로의) 중계 시스템《商標名》.

Réd Índian 북아메리카 원주민(redskin).

re·di·rect [rìːdirékt, -dai-] *vt.* ① (방향)을 고치다, …의 방향을 바꾸다. ② 수신인 주소를 고쳐 쓰다(readdress).

re·dis·trib·ute [rì:distríbju(:)t] *vt.* …를 다시 분배하다, 재분배하다.
㊕ **rè·dis·tri·bú·tion** [-tribjú:ʃən] *n.*
réd léad [-léd] 연단(鉛丹) (minium), 광명단.
réd-lét·ter dày [-létər-] ① 축(제)일. ② 기념일, 특별히 기억할 만한 즐거운 날.
réd líght (건널목의) 붉은 신호; 위험신호(OPP *green light*): drive 〔go〕 through a ~ 빨간 신호를 (무시하고) 통과하다 / stop at〔for〕 a~ 빨간 신호로 정지하다. ***see the*** ~ 위험을 알아차리다.
réd-líght dìstrict [rédláit-] 홍등가.
red·ly [rédli] *ad.* 붉게, 빨갛게, 붉은 색으로.
réd màn =RED INDIAN.
réd mèat 빨간 고기《쇠고기·양고기 따위》.
red·neck [rédnèk] *n.* Ⓒ《美口》《종종 蔑》(남부의 교육을 받지 못한) 백인 노동자.
re·do [ri:dú:] (*-did* [-díd]; *-done* [-dʌ́n]) *vt.* …을 다시 하다; 고쳐 만들다〔쓰다〕; 개장(改裝)하다: I *redid* my hair. 머리를 다시 매만졌다.
réd ócher 대자석(代赭石)《안료용》.
red·o·lence [rédələns] *n.* Ⓤ 방향, 향기《*of*》.
red·o·lent [rédələnt] *a.* ① **a**) 향기로운: ~ odors 방향. **b**) 〔敍述的〕 …의 향기가 나는《*of* ; *with*》: a room ~ *of* roses 장미향으로 가득한 방 / The air was ~ *with* the scent of pine needles. 공기는 솔잎 향내로 가득했다. ② 〔敍述的〕 …을 생각나게 하는, 암시하는(suggestive)《*of* ; *with*》: scenes ~ *of* the Middle Ages. 중세기를 연상케 하는 장면〔배경〕. ㊕ **~·ly** *ad.*
***re·dou·ble** [ri:dʌ́bəl] *vt.* …를 다시 배가(倍加)하다; 세게 하다: We ~*d* our efforts to finish the job in time. 우리는 그 일을 시간 안에 마치기 위해 더 한층 노력을 배가했다. ― *vi.* 배가되다, 세지다: The rain ~*d.* 비는 한층 더 세차게 내렸다.
re·doubt [ridáut] *n.* Ⓒ 〖築城〗 각면보(角面堡); 작은 요새, 성채.
re·doubt·a·ble [ridáutəbəl] *a.* ① 가공할, 무서운; 가벼이 볼 수 없는: a ~ opponent 가벼이 볼 수 없는 상대. ② 외경〔畏敬〕의 마음을 일으키게 하는.
re·dound [ridáund] *vi.* ① (신용·이익 등을) 증가하다, 높이다《*to*》: This will ~ to your credit. 이것은 당신의 신용을 크게 높일 것이다. ② (행위의 선악〔인과〕 따위가) 되돌아오다《*on, upon*》: His past misdeeds ~*ed on* him. 그의 지난날의 악행이 그에게 되돌아왔다.
red-pen·cil [-pénsəl] (*-l-*, 《특히 英》 *-ll-*) *vt.* …에 붉은 연필로 정정〔가필〕하다(censor, correct).
réd pépper 고추.
re·draft [rí:dræ̀ft, -drɑ̀:ft] *vt.* …을 다시 쓰다; 다시 기초하다.
réd rág 화나게 하는 것.
re·dress** [rí:dres, ridrés] *n.* Ⓤ 부정(不正)의 교정; 보상, 구제: seek legal ~ for unfair dismissal 부당한 해고에 대한 법적 구제를 청구하다. ― [ridrés] *vt.* ① (불공평 따위)를 고치다, 시정하다: They had the courage to ~ the wrongs they had suffered. 그들은 그들이 겪었던 갖가지 잘못을 시정할 용기를 가지고 있었다. ② (평형)을 되찾다. ③ (불평 등)의 원인을 제거하다: Her boss ~*ed* her grievances by increasing her salary. 그녀의 상사는 그녀의 급료를 인상함으로써 그녀의 불평을 제거했다. ~ ***the balance 〔***scales***〕 평등하게 하다, 불균형을 시정하다.
re-dress [ridrés] *vt.* …을 다시 입히다; 붕대를 고쳐 감다.
Réd Séa (the ~) 홍해.

red·skin [-skìn] *n.* Ⓒ 《종종 蔑》 북아메리카 인디언.
réd squírrel 〖動〗 붉은다람쥐《북아메리카산》.
red·start [-stɑ̀:rt] *n.* Ⓒ 〖鳥〗 딱새.
réd tápe 관청식, 관료적 형식주의, 번문 욕례: There's too much ~ in this office. 이 직장은 너무 관료적이다.
réd tíde 적조(赤潮) (=**réd wáter**).
‡re·duce [ridjú:s] *vt.* ①《~+목 / +목+전+명》 (양·액수·정도 따위)를 줄이다; 축소하다(diminish); 한정하다: ~ business 경영규모를 축소하다 / We have to ~ our expenses this month. 이 달은 지출을 줄여야만 한다 / Do nuclear weapons really ~ the risk of war? 핵무기가 정말 전쟁의 위험을 줄일 수 있을까? / The plane ~*d* speed as it approached the airport. 비행기는 공항에 가까워짐에 따라 속도를 줄였다 / I ~*d* (my) weight by going on a diet. 다이어트를 계속하여 체중을 줄였다. ②《~+목 / +목+전+명》〔종종 受動으로〕 (지위·계급 등)을 떨어뜨리다, 격하시키다; 영락케 하다: He *was* ~*d to* the ranks. 그는 졸병으로 강등되었다. ③《+목+전+명》〔종종 受動으로〕 …을 (어떤 상태로) 만들다, 바꾸다: They were ~*d to* silence. 그들은 입을 다물었다. ④《+목+전+명》 …을 진압하다, 항복시키다: ~ the rebels *to* submission 폭도를 진압하다. ⑤《+목+전+명》 …을 변형시키다; 단순화하다; 분해〔분류〕하다《*to*》: The earthquake has ~*d* the town *to* ruins. 지진이 거리를 폐허로 만들어버렸다 / These facts can be ~*d to* two categories. 이들 사실은 두 가지 부류로 분류할 수 있다. ⑥《~+목 / +목+전+명》〖數〗 …을 환산하다; 맞줄임〔통분〕하다; (방정식)을 풀다: ~ an equation 방정식을 풀다 / ~ pounds *to* pence 파운드를 펜스로 환산하다. ⑦《~+목 / +목+전+명》〖化〗 …을 환원하다(deoxidize), 분해하다: ~ a compound *to* its elements 화합물을 원래의 원소로 분해하다. ⑧〖醫〗 (탈구(脫臼) 따위)를 고치다; 접골〔정골〕하다.
― *vi.* ① 줄다, 축소하다; 내려가다. ②《口》 (식이 요법 등으로) 체중을 줄이다: No more, thanks, I'm *reducing.* 됐습니다. 절식(節食)하고 있으니까요. ◇ reduction *n.*
be ~d to nothing 〔***to skin and bones***〕 (말라서) 피골이 상접해지다. ~ one***self into*** …한 처지에 빠지다. ~ (a rule) ***to practice*** (규칙을) 실시하다.
re·duced *a.* ① 준, 감소한: at a ~ price 할인 가격으로. ② 영락(零落)한: in ~ circumstances 영락하여.
re·duc·i·ble [ribjú:səbl] *a.* ① 축소〔감소〕할 수 있는. ② 요약할 수 있는. ③ 환원할 수 있는.
re·duc·tio ad ab·sur·dum [ridʌ́ktiòu-æ̀d-æbsə́:rdəm] *n.* Ⓤ 《L.》〖論·數〗 귀류법(歸謬法) (=reduction to absurdity).
‡re·duc·tion [ridʌ́kʃən] *n.* ① Ⓤ,Ⓒ 감소, 절감; 축사(縮寫); 축도(縮圖); 할인: a ~ of personnel 인원 감축 / What ~ will you make on this article? 이 물건은 얼마나 할인해줍니까 / arms ~ 군축. ② Ⓤ 하락; 격하; 변형; 정리. ③ Ⓤ 〖數〗 약분; 환산. ④ Ⓒ 〖化〗 환원(법). ◇ reduce *v.*
redúction divìsion 〖生〗 감수 분열.
re·dun·dan·cy, -dance [ridʌ́ndənsi], [-dəns] *n.* Ⓤ,Ⓒ ① 과잉, 여분. ② (특히 말의) 쓸데없는 반복. ③ 여분의 것〔부분, 양〕. ④〖言〗 잉여(성); 〖컴〗 중복. ⑤《주로 英》 실업(상태); 잉여 종업원; 실업자.
redúndancy chèck 〖컴〗 중복 검사.

redúndancy pày 《英》 (잉여 노동자 해고시의) 퇴직 수당.

re·dun·dant [ridʌ́ndənt] *a.* ① 여분의, 과다한; (표현이) 용장(冗長)한: a ~ style 장황한 문체. ②〖컴〗 중복(重複)인. ③《주로 英》 (노동자가) 잉여 인원이 된, (일시) 해고되는: My husband was made ~ last year. 남편은 작년에 해고당했다. ㊕ **~·ly** *ad.*

re·du·pli·cate [ridjú:plikèit] *vt.* ① …을 이중으로 하다, 배가하다; 되풀이하다(repeat). ②〖文法〗 (문자·음절)을 중복시키다; 음절을 중복하여 (파생어·변화형 등)을 만들다.

re·du·pli·ca·tion [ridjù:plikéiʃən] *n.* Ⓤ ① 이중, 배가; 반복. ②〖文法〗(어두·음절의) 중복.

réd wíne 붉은 포도주.

red·wing [rédwìŋ] *n.* Ⓒ〖鳥〗 개똥지빠귀의 일종.

red·wood [ˊwùd] *n.* ① Ⓒ〖植〗 미국삼나무. ②〔一般的〕 Ⓤ 적색 목재(가 되는 나무).

ree·bok [rí:bak / -bɔk] *n.* Ⓒ〖動〗 리복《남아프리카에서 나는 작은 영양》.

re·echo [ri(:)ékou] *vi.* 반향하다; 울려 퍼지다: The hall ~*ed* with peals of laughter. 홀은 웃음소리로 왁자지껄했다. ── *vt.* …를 반향하다.

‡reed [ri:d] *n.* ① **a)** Ⓒ〖植〗 갈대: a ~ shaken with the wind 바람에 흔들리는 갈대, 줏대없는 사람 / a thinking ~ 생각하는 갈대; 인간. **b)** Ⓤ 갈대밭. **c)** (*pl.*) (지붕의) 갈대 이엉. ②〖樂〗 **a)** Ⓒ (악기의) 혀. **b)** Ⓒ (흔히 *pl.*) 리드 악기. **c)** (the ~s) (관현악단의) 리드 악기부《oboe, bassoon, clarinet 따위》. ── *vt.* ① (지붕)을 갈대로 이다. ② …을 갈대로 장식하다.

réed ìnstrument 리드 악기.

réed òrgan 리드오르간, 페달식 풍금.

réed pìpe 〖樂〗 ① (풍금 따위의) 리드관(管). ② 갈대피리, 목적(牧笛).

re·ed·u·cate [ri:édʒukèit] *vt.* …을 재교육하다; 재활교육을 하다.

re·ed·u·ca·tion [ri:èdʒukéiʃən] *n.* Ⓤ 재교육.

reedy [rí:di] (*reed·i·er ; -i·est*) *a.* ① 갈대가 많은; 갈대 모양의, 호리호리한, 몹시 약한. ② 높고 날카로운, (목소리가) 피리 소리와 비슷한: a ~ voice 카랑카랑한 목소리. ㊕ **réed·i·ness** [-inis] *n.*

***reef**[1] [ri:f] *n.* Ⓒ 초(礁)《암초·모래톱 따위》: a coral ~ 산호초 / strike 〔go on〕 a ~ 좌초하다.

reef[2] *n.* Ⓒ〖海〗 축범부(縮帆部)《돛을 말아 올려 줄일 수 있는 부분》. ***take in a*** ~ (1) 돛을 줄이다. (2) 조심하여 나아가다, 신중히 하다.
── *vt.* (돛)을 줄이다《*in*》; (topmast, bowsprit 따위)를 짧게 하다; 《美》 (축범하듯이) 접치다.

reef·er[1] [rí:fər] *n.* Ⓒ ① 돛을 줄이는〔축범(縮帆)하는〕 사람. ② 리퍼《두꺼운 더블 웃옷의 일종》.

reef·er[2] *n.* Ⓒ 《俗》 마리화나 궐련.

ree·fer[3] *n.* Ⓒ 《美口》 ① (철도의) 냉동차, 냉동트럭, 냉동선. ② (사람이 들어갈 수 있는 대형) 냉장고.

réef knòt 〖海〗 옭매듭(square knot).

reefy [rí:fi] (*ree·i·er ; -i·est*) *a.* (해안 등) 암초가 많은.

reek [ri:k] *n.* Ⓤ (또는 a ~) 악취(惡臭): *a* ~ of rotten onions 썩은 양파의 악취. ── *vi.* 《~ / +전+명》 ① 악취를 풍기다; …냄새가 나다《*of*》; 《比》 …의 낌새가 있다《*of* ; *with*》: His promotion ~*s of* favoritism. 그의 승진은 정실(情實)의 낌새가 있다 / ~ *with* sweat 땀내가 나다 / He ~*ed of* alcohol〔garlic〕. 그에게서 술〔마늘〕 냄새가 났다. ② (땀·피) 투성이가 되다《*with* ; *of*》: hands still ~*ing of* 〔*with*〕 blood 아직 피비린내 나는 손.

reeky [rí:ki] (*reek·i·er ; -i·est*) *a.* 악취를 풍기는.

‡reel[1] [ri:l] *n.* Ⓒ ① 릴, 얼레; 한 두루마리의 양. ② 물레, 자새, 실패. ③ (낚싯대의) 감개, 릴; (기계의) 회전부. ④ (필름의) 1권: a picture in three ~*s*, 3권짜리 영화. ⑤〖컴〗 테, 감개, 릴. (***right*** 〔***straight***〕) ***off the*** ~ 《口》 (실 따위가) 줄줄 곧장 풀려; 막힘 없이《이야기하다》; 주저 없이. ── *vt.* ① 《+목+전+명》 …을 얼레에 감다; (실)을 감다: ~ silk *in* a frame 명주실을 얼레에 감다. ② 《+목+부》 (물고기·낚싯줄 따위)를 릴로 끌어 올리다〔끌어 당기다〕《*in* ; *up*》: ~ a fish *in* 〔*up*〕 릴을 감아 물고기를 끌어올리다. ~ ***off*** (1) (물레로부터) 풀어내다; (실을) 자아내다《고치로부터》. (2) 술술〔거침없이〕 이야기하다〔쓰다〕: She can ~ *off* the whole poem. 그녀는 그 시 전부를 줄줄 욀 수 있다.

reel[2] *vi.* ① 비틀거리다; 비틀비틀〔휘청휘청〕 걷다 《*about* ; *along*》: He ~*ed* drunkenly *along* the street. 그는 술에 취해 거리를 비틀거리며 걸어갔다. ② 어질어질하다, 현기증이 나다; (눈앞의 것이) 빙빙 도는 듯이 보이다: He ~*ed from* 〔*with*, *under*〕 the shock. 그는 쇼크로 현기증이 났다 / A stone hit his head and the street ~*ed* before his eyes. 머리에 돌을 맞아서 거리가 눈앞에서 빙빙 도는 듯이 보였다.

reel[3] *n.* Ⓒ 릴《스코틀랜드 고지 사람의 경쾌한 춤, 그 곡》. ── *vi.* 릴을 추다.

***re·e·lect** [rìilékt] *vt.* …을 재선〔개선〕하다.

re·elec·tion [rìilékʃən] *n.* Ⓤ,Ⓒ 재선, 개선.

re·en·force [rì:enfɔ́:rs] *vt.* 《美》 =REINFORCE. ㊕ **~·ment** *n.* 《美》 =REINFORCEMENT.

***re·en·ter** [ri:éntər] *vt.* ① …에 다시 들어가다: The spaceship ~*ed* the atmosphere. 우주선은 대기권에 재돌입했다. ② …에 다시 가입〔등록〕하다; 재기입하다. ── *vi.* ① 다시 들어가다. ② 다시 가입〔기입〕하다.

re·en·try [ri:éntri] *n.* Ⓤ,Ⓒ ① 다시 넣기〔들어가기〕; 재입국; 재등록: to be refused ~ without a visa 비자 없는 재입국을 거절당하다. ② (로켓·우주선의 대기권에의) 재돌입(atmospheric ~).

reeve [ri:v] *n.* Ⓒ ①〖英史〗 (읍·지방의) 장(長); 장원(莊園) 관리인. ② 《Can.》 (읍·면 의회의) 의장.

re·ex·am·i·na·tion [rì:egzæ̀minéiʃən] *n.* Ⓤ,Ⓒ ① 재시험, 재검토, 재검사. ②〖法〗 재신문.

re·ex·am·ine [rì:egzǽmin] *vt.* …을 재시험〔재검사, 재검토〕하다;〖法〗 (증인)을 재신문하다.

ref [ref] *n.* 《口》 =REFEREE.

ref. referee ; reference ; referred ; reformed.

re·face [ri:féis] *vt.* (건물·벽 등)의 표면을 새롭게 하다.

re·fash·ion [ri:fǽʃən] *vt.* ① …을 고쳐 만들다, 개조하다, 개장하다. ② 모양〔배열〕을 바꾸다.

re·fec·to·ry [riféktəri] *n.* Ⓒ 큰 식당(dining hall), (특히 수도원의) 식당; 휴게실.

reféctory tàble 직사각형의 긴 식탁《다리가 굵고 발을 걸치는 가로대가 있음》.

‡re·fer [rifə́:r] (*-rr-*) *vt.* ① 《+목+전+명》 (조력·정보·결정을 위해 아무)를 보내다, 조회하다 《*to*》; (아무)에게 참조시키다, 주목〔유의〕시키다 《*to*》: My doctor ~*red* me *to* a specialist. 내 담당 의사가 나를 전문의에게 보냈다 / I was ~*red to* the secretary *for* detailed information. 자세한 정보에 대해서는 비서에게 가서 문의해보라는 대답을 받았다 / The asterisk ~*s* the reader *to* a note. 별표(*)는 독자에게 주를 참조하라는 표시다. ② 《+목+전+명》 (사건·문제 따위)를 위탁하다, 맡기다, 회부하다《*to*》. ③ (의안 따위)를 되

돌려 보내다 : ~ a bill *back to* a committee 의안을 위원회에 환송하다.
— *vi.* ①《+전+명》지시하다 ; 관계하다, 관련하다 ; (규칙 따위가) 적용되다《*to*》: books ~*ring to* fish 어류 참고서 / The asterisk ~*s to* a footnote. 별표는 각주(脚註)를 나타낸다. ②《+전+명》조회〔문의〕하다, 참고로 하다《*to*》: Always ~ *to* a dictionary when you're doubtful. 의심스러울 때는 언제나 사전을 참고하라 / We ~*red to* his former employer *for* information about his character. 그의 인물에 대한 정보를 그의 전 고용주에게 조회했다. ③《+전+명》언급하다, 변죽울리다 ; 인용하다《*to*》: Who are you ~*ring to* ? 누구 이야기를 하고 있는 거야 / The author frequently ~*s to* the Bible. 저자는 자주 성서를 인용한다 / I don't mean to ~ *to* you by that remark. 그 말은 당신에 대해 말하고자 한 것은 아닙니다. ◇ reference *n.* ~ **one*self* to** …에게 일임하다 : We ~ *ourselves to* your generosity. 관대한 처분을 바랍니다. **~ *to*... *as*_** …을 ─의 이름으로 부르다〔─로 칭하다〕: Johnson ~*red to* the discovery *as* a major break through in medical science. 존슨은 그 발명을 의학의 대약진이라고 불렀다.

ref·er·a·ble [réfərəbəl, rifə́:rəbəl] *a.* 〔敍述的〕…로 돌릴〔…에 귀속시킬, 관계를 갖게 할〕수 있는《*to*》.

***ref·er·ee** [rèfəríː] *n.* Ⓒ ① 중재인, 조정관. ②《英》신원 조회처, 신원 보증인. ③ (경기·시합의) 심판원, 레퍼리. ④ 논문 교열자(校閱者).
— *vt.* …을 중재하다 ; …을 심판하다. — *vi.* 심판을 보다, 중재를 맡아보다.

‡ref·er·ence [réfərəns] *n.* ① Ⓤ 문의, 조회《*to*》. ② Ⓒ 신용 조회처 ; 신원 보증인 : act as a person's ~ 신원 보증인이 되다 / get a teacher to be one's ~ 선생님이 신원 보증인이 되어 주다. ③ Ⓒ (신원 등의) 증명서, 신용 조회장(狀) : He has a good ~ from his former employer. 그는 이전 고용주에게서 받은 훌륭한 추천장이 있다. ④ Ⓤ 참조, 참고《*to*》: make ~ *to* a guidebook 안내서를 참조하다. ⑤ Ⓒ 참고서 ; 참조 문헌 ; 참고문(文) ; 인용문 ; 참조 부호(~ mark)《*, †, ‡, ¶, §, ‖ 따위》: a list of ~*s* 참고 문헌 일람. ⑥ Ⓤ 언급, 논급《*to*》: make ~ *to* …에 언급하다. ⑦ Ⓤ 관련, 관계《*to*》: This has〔bears〕 some ~ *to* our problem. 이것은 우리 문제와 약간 관계가 있다. ⑧ Ⓤ 위탁, 부탁《*to*》: the terms of ~ 위탁의 조건. ⑨ Ⓤ 〖컴〗 참조 : a ~ manual 참조 설명서. ◇ refer *v.* ***frame of*** ~ ⇨ FRAME *n.* ***in*** 〔***with***〕 **~ *to*** …에 관하여. ***without* ~ *to*** …에 관계 없이, …에 구애 없이.
— *a.* 〔限定的〕 기준의, 참조용의.

réference bòok 참고서(book of 〔for〕 reference)《사서·백과 사전·지도 따위》.

réference lìbrary 참고 도서관《대출하지 않는》; 참고 도서류.

réference màrk 참조 부호(reference ⑤).

réference ròom (참고서를 두는) 자료실.

ref·er·en·dum [rèfəréndəm] (*pl.* **~*s*, *-da*** [-də]) *n.* Ⓒ 국민〔일반〕 투표 : settle a national issue by ~ 국가적 쟁점을 국민 투표로 결정하다《★무관사에 주의》.

ref·er·ent [réfərənt] *n.* Ⓒ 〖言〗 지시 대상(물).

ref·er·en·tial [rèfərénʃəl] *a.* 참조의, 참고용의.

re·fer·ral [rifə́:rəl] *n.* ① Ⓤ,Ⓒ 참조 ; 조회 ; 추천 ; 위탁. ② Ⓒ 보내진〔소개받은〕 사람 : several ~*s* from the clinic 의원에서 진찰 후 보낸 사람들.

re·fill [riːfíl] *vt.* …으로 다시 채우다, (재)충전하다 ; 보충하다 : He got up and ~*ed* their glasses. 그는 일어나서 그들의 술잔을 다시 채웠다.
— [ríːfil] *n.* Ⓒ ① 보충물, 다시 채운 것 ; (볼펜 등의) 대체 심 : a ~ *for* a ball-point pen 볼펜의 대체 심. ②《口》(음식물의) 두 그릇째.

***re·fine** [rifáin] *vt.* ① …을 정련하다, 정제〔순화〕하다 : ~ crude oil into various petroleum products 원유를 정제하여 여러 가지 석유 제품을 만들다. ② …을 세련하다, 품위 있게 하다, 풍치〔풍류, 멋이〕 있게 하다 ; …을 다듬다 : ~ one's language 〔manners〕 말씨를〔행동을〕 품위 있게 하다.
— *vi.* ① 순수〔청정〕해지다. ② 세련되다, 품위 있게 되다, 다듬어지다. **~ *on*** 〔***upon***〕 …을 다듬다 〔개선하다〕 : ~ *on* one's previous work 이전의 작품을 더욱 다듬다.

‡re·fined [rifáind] (***more* ~ ; *most* ~**) *a.* ① 정련한, 정제한 : ~ oil 정유(精油). ②《때로 蔑》세련된, 땟물을 벗은, 품위(가) 있는, 우아한 : ~ tastes 고상한 취미 / She's most ~. 그녀는 매우 우아하다. ③ 정치(精緻)한, 정밀한, 정교한.

***re·fine·ment** [rifáinmənt] *n.* ① Ⓤ 정련, 정제《*of*》. ② Ⓤ 세련, 고상, 우아, 품위 있음 : a woman of ~ 품위 있는 부인. ③ Ⓒ **a**) 개선, 개량(점)《*of*》: make further ~*s* to …을 더욱 개선하다. **b**) 세밀한 구별《*of*》: ~*s of* logic 논리의 정밀한 추리.

re·fin·er [rifáinər] *n.* Ⓒ 〔흔히 修飾語와 함께〕 정제업자 ; 정제기.

***re·fin·ery** [rifáinəri] *n.* Ⓒ 정련〔정제〕소 ; 정련 장치〔기구〕 : an oil ~ 정유 공장.

re·fit [riːfít] (*-tt-*) *vt.* (배 따위)를 재(再)장비〔개장(改裝)〕하다, 수리하다 : ~ a ship〔car〕 배〔자동차〕를 수리하다.
— *vi.* (특히 배가) 수리를 받다 ; 재장비〔개장〕되다.
— [ríːfit] *n.* Ⓒ (특히 배의) 수리, 개장 : under ~ 수리중(에)《★ 무관사에 주의》.

refl. reflection ; reflective(ly) ; reflex(ive).

re·flag [riːflǽg] *vt.* (배의) 국적을 바꾸다.

re·flate [rifléit] *vt., vi.* (수축된 통화를) 다시 팽창시키다 ; (통화의) 재팽창 정책을 취하다. cf. deflate, inflate.

re·fla·tion [rifléiʃən] *n.* Ⓤ 〖經〗 통화 재팽창, 리플레이션.

re·fla·tion·ary [rifléiʃənèri / -əri] *a.* 통화 재팽창의, 리플레이션의 : adopt ~ policies 경기 부양책을 취하다.

‡re·flect [riflékt] *vt.* ① (빛·소리·열 따위)를 반사하다, 되튀기다 : White clothes are cooler because they ~ the heat. 흰 옷은 열을 반사하기 때문에 보다 시원하다. ② (거울 따위) 물건을 비추다 : I saw street lamps mistily ~*ed* in a black stream. 캄캄한 개울에 희미하게 비친 가로등을 보았다. ③《比》…을 반영하다, 나타내다 : His deeds ~ his thoughts. 그의 행위는 그의 생각을 반영하고 있다. ④《+목+전+명》(신용·불명예 따위)를 가져오게 하다, 초래하다《*on, upon*》: His behavior ~*ed* honor *upon* his family. 그의 행동은 그의 가문에 명예를 가져왔다. ⑤《+ *that* 절 / + *wh.* 절》…을 깊이 생각하다 ; 숙고하다 : He ~*ed that* it was difficult to solve the problem. 그는 그 문제를 해결하는 것은 어렵다고 생각했다.
— *vi.* ①《+전+명》반사하다 ; 반향(反響)하다 : Light ~*s* when it meets a polished surface. 빛은 광택있는 표면에 닿으면 반사한다. ②《~ / +전+명》곰곰이 생각하여 보다, 회고하다《*on, upon*》: Give time to ~. 생각할 시간을 주세요. ③《+전+명》〔well, badly 등 부사와 함께〕 (나쁜) 영향

을 미치다《*on, upon*》: This scandal ~*s badly on* all of us. 이 스캔들로 우리 모두는 체면을 구겼다. ◇ reflection *n.*

re·flect·ed [rifléktid] *a.* 반사된 ; 비친 : ~ heat 반사열 / I looked at my face ~ in the mirror. 거울에 비친 내 얼굴을 보았다.

re·fléct·ing tèlescope [rifléktiŋ-] 반사 망「원경.

re·flec·tion, 《英》 re·flex·ion [riflékʃən] 《reflexion 은 주로 과학 용어》 *n.* ① Ⓤ,Ⓒ 반사 ; 반사열〔광(光), 색〕, 반향음 : an angle of ~ 반사각. ② Ⓒ 반영 ; 영상, (물에 비친) 그림자 : His rudeness is a ~ of his dissatisfaction. 그의 무례함은 불만을 드러낸 것이다. ③ Ⓒ 남을 흉내내는 사람 ; 꼭 닮은 것, 꼭 닮은 동작〔언어, 사상〕: She is a ~ of her mother. 그녀는 어머니를 꼭 닮았다. ④ Ⓤ 반성, 숙고, 심사, 회상《*on, upon*》: *on* 〔*upon*〕 ~ 곰곰 생각한 끝에, 잘 생각해 보니 / without (due) ~ 경솔하게. ⑤ Ⓒ(종종 *pl.*) 감상, 의견, 사상. ⑥ Ⓒ 비난, 잔소리《*on, upon*》: Is that a ~ *on* me? 그것은 내게 대한 비난입니까 / a ~ *upon* one's honor 명예를 손상시키는 것. ◇ reflect *v.*

***re·flec·tive** [rifléktiv] *a.* ① 반사하는 ; 반영하는. ② 숙고하는 ; 사려 깊은. ③ 〔敍述的〕 (…을) 반영하는《*of*》: This comment is not ~ *of* the public mood. 이 의견은 국민의 기분을 반영하고 있지 않다.

㊞ ~·**ly** *ad.* 반성하여, 반사적으로. ~·**ness** *n.*

***re·flec·tor** [rifléktər] *n.* Ⓒ 반사물〔기(器)〕; 반사경〔판〕; 반사 망원경.

***re·flex** [rí:fleks] *a.* ① 반사적인 : a ~ action 반사 작용. ② 반동적인, 재귀적(再歸的)인. ③ 반성하는 ; 내향적〔내성적〕인.

── *n.* Ⓒ ① 반사 운동(=∠ **áct**) ; 반사 작용(=∠ **áction**) ; (*pl.*) 반사 능력 : a conditioned ~ 조건 반사. ② (습관적인) 사고 방식, 행동 양식.

réflex ángle 〖數〗 우각(優角).

réflex cámera 〖寫〗 리플렉스 카메라.

reflexion ⇨REFLECTION.

re·flex·ive [rifléksiv] *a.* ① 〖文法〗 재귀의 : a ~ pronoun 재귀 대명사 / a ~ verb 재귀 동사. ② 반사성의, 반사적인. ── *n.* Ⓒ 재귀 동사〔대명사〕《He often absents himself. 에 있어서 absent가 재귀 동사이고, himself 가 재귀 대명사》.

㊞ ~·**ly** *ad.*

re·flex·ol·o·gy [rì:fleksálədʒi / -ɔ́l-] *n.* Ⓤ ① 손발에 있는 경혈의 마사지법. ② 〖生理〗 반사학.

re·float [ri:flóut] *vt.* (침몰선 따위)를 다시 뜨게 하다, 떠오르게 하다 ; (침몰선)을 끌어 올리다. ── *vi.* (침몰선 등이) 다시 떠오르다, 인양되다.

re·flux [rí:flʌ̀ks] *n.* Ⓤ,Ⓒ 역류 ; 썰물, 퇴조.

re·for·est [ri:fɔ́(:)rist, -fár-] *vt.* 《美》 …에 다시 식림(植林)하다, 재조림하다, (토지에 나무를 심어) 숲을 재생시키다.

re·for·est·a·tion [rì:fɔ(:)ristéiʃən] *n.* Ⓤ 산림 재「생.

‡re·form [rifɔ́:rm] *vt.* ① …을 개혁하다, 개정〔개량〕하다 : ~ an educational system 교육 제도를 개혁하다. ② **a)** …을 교정(矯正)하다, 시정하다 ; 개심시키다 : ~ a criminal 범죄자를 갱생시키다. **b)** 〔再歸的〕 개심하다. ── *vi.* ① 개혁〔개선, 교정, 시정〕되다. ② 개심하다. ◇ reformation *n.*

── *n.* Ⓤ,Ⓒ ① 개혁, 개정, 개선《*of*》: social ~ 사회 개혁. ② 교정(矯正), 개심 ; 시정. ── *a.* 〔限定的〕 개혁〔개정〕의 : a ~ bill 개정 법안 / ~ measures 개정 수단.

re-form [ri:fɔ́:rm] *vt.* …을 다시 만들다, 고쳐 만들다 ; 재편성하다. ── *vi.* 형태가 바뀌다, 개편되다, 다시 성립되다.

***ref·or·ma·tion** [rèfərméiʃən] *n.* ① Ⓤ,Ⓒ **a)** 개혁, 개정, 개선. opp *deformation.* **b)** 개심 ; 교정(矯正). ② (the R-) 〖史〗 (16 세기의) 종교 개혁.

re-for·ma·tion [rì:fɔ:rméiʃən] *n.* Ⓤ 재구성, 재편성 ; 개조(改造).

re·form·a·tive [rifɔ́:rmətiv] *a.* = REFORMATORY.

re·form·a·to·ry [rifɔ́:rmətɔ̀:ri / -təri] *n.* Ⓒ 《美》 소년원. ── *a.* 개혁〔개선, 교정〕을 위한.

re·formed [rifɔ́:rmd] *a.* 개혁〔교정, 개선〕된 ; 개심한.

***re·form·er** [rifɔ́:rmər] *n.* Ⓒ ① 개혁가 : a great social ~ 훌륭한 사회 개혁가. ② (R-) (특히 16세기의) 종교 개혁의 지도자.

re·form·ist [rifɔ́:rmist] *n.* Ⓒ 개혁〔혁신〕주의자. ── *a.* 혁신주의(자)의.

refórm schòol 감화원, 소년원(reformatory).

re·fract [rifrǽkt] *vt.* 〖物〗 (광선)을 굴절시키다 : Water ~*s* light. 물은 빛을 굴절시킨다.

re·fráct·ing tèlescope [rifrǽktiŋ-] 굴절 망원경.

re·frac·tion [rifrǽkʃən] *n.* Ⓤ (빛 등의) 굴절(작용) : the angle of ~ 굴절각. ***the index of ~*** 〖物〗 굴절률.

re·frac·tive [rifrǽktiv] *a.* 굴절하는 ; 굴절에 의한 ; 굴절의. ㊞ ~·**ly** *ad.* ~·**ness** *n.*

re·frac·tor [rifrǽktər] *n.* Ⓒ ① 굴절시키는 것《렌즈 따위》, 굴절 매체(媒體). ② 굴절 망원경.

re·frac·to·ry [rifrǽktəri] *a.* ① 말을 안 듣는, 다루기 어려운, 고집센. ② 난치의, 고질적인《병 따위》: a ~ disease 난치병. ③ 녹기 어려운 ; 처리하기 힘든 ; 내화성(耐火性)의, 내열성의 : ~ brick 내화 벽돌. ── *n.* Ⓒ 내화 물질《내화 벽돌 따위》.

‡re·frain[1] [rifréin] *vi.* 《+전+명》 그만두다, 삼가다, 참다《*from*》: ~ *from* weeping 울음을 참다.

***re·frain**[2] *n.* Ⓒ 후렴, (시가의) 반복(구), 리프레인.

‡re·fresh [rifréʃ] *vt.* ① (심신)을 상쾌하게 하다, 기운나게 하다 : A cup of coffee will ~ you. 커피를 한잔 하면 기운이 날 것이다. ② (기억)을 새로이 하다. ③ 〖컴〗 (화상이나 기억장치의 내용)을 재생하다. ◇ refreshment *n.* ***feel ~ed*** 기분이 상쾌해지다. ~ one***self*** 원기를 되찾다《특히 먹거나 마시어》.

re·freshed [rifréʃt] *a.* 〔敍述的〕 …로 상쾌해진, 다시 기운이 난《*with*》: I was〔felt〕 quite ~ *with* a cup of coffee. 커피 한 잔을 들고 나니 기분이 상쾌해졌다.

re·fresh·er [rifréʃər] *n.* Ⓒ ① 원기를 회복시켜주는 사람〔것〕; 음식물. ② = REFRESHER COURSE. ③ 〖英法〗 추가 사례금, 가외 보수《소송을 오래 끌 때 변호사에게 지급하는》.

refrésher còurse 재교육 과정《전문 지식을 보완하기 위한》.

***re·fresh·ing** [rifréʃiŋ] *a.* ① 상쾌한, 후련한, 마음이 시원한 : a ~ breeze 시원한 산들바람 / a ~ beverage 〔drink〕 청량 음료. ② 새롭고 재미있는 ; 참신하고 기분 좋은. ㊞ ~·**ly** *ad.*

‡re·fresh·ment [rifréʃmənt] *n.* ① Ⓤ (또는 a ~) 원기 회복, 기분을 상쾌하게 함. ② Ⓤ (또는 *pl.*) (가벼운) 음식물, 다과 : *Refreshments* can be obtained at the station. 간단한 식사는 역에서 할 수 있다.

refréshment ròom (역(驛)·회관 등의) 식당.

re·frig·er·ant [rifrídʒərənt] *a.* ① 얼게 하는, 냉각하는 ; 서늘하게〔차게〕 하는. ② 해열의 : ~ medicines 해열제.

── *n.* Ⓒ ① 냉각〔냉동〕제. ② 해열제.

re·frig·er·ate [rifrídʒərèit] *vt.* …을 냉각하다 ;

서늘하게〔차게〕 하다 ; 냉장〔냉동〕하다 : ~*d* food 냉동 식품 / a ~*d* van 냉장차(車) / Keep ~*d* 냉장해 주세요, 요 냉장《식품 등에 표시하는 글》.

re·frig·er·a·tion [rifrìdʒəréiʃən] *n.* Ⓤ 냉장, 냉동 ; 냉각 : Keep all meat products under ~. 모든 육제품(肉製品)은 냉장해 두세요.

***re·frig·er·a·tor** [rifrídʒərèitər] *n.* Ⓒ 냉장고 ; 냉각〔냉동〕 장치 ; 증기 응결기(凝結器).

refrígerator càr (철도의) 냉동차.

re·fu·el [ri:fjú:əl] (*-l-*, 《英》 *-ll-*) *vt.* …에 연료를 보급하다. ── *vi.* 연료 보급을 받다.

‡ref·uge [réfju:dʒ] *n.* ① Ⓤ 피난, 도피 ; 보호 《*from*》: a house of ~ 난민 수용소. ② Ⓒ 피난소, 은신처 ; (등산자의) 대피막 : establish a ~ *for* rare birds 희귀조를 위한 보호 지역을 설치하다. ③ Ⓒ (가로(街路)의) 안전 지대(safety island). ④ Ⓒ 의지가 되는 사람〔물건〕, 위안물. ⑤ Ⓒ (궁지를 벗어나기 위한) 수단, 방편, 도피구, 핑계. ***give ~ to*** …을 숨겨 주다, …을 보호하다. ***seek ~ from*** …로부터 피난〔도피〕하다. ***seek ~ with*** a person 아무에게로 도망쳐 들다. ***take ~ in*** 〔***at***〕 …에 피난하다 : *take* ~ *in* alcohol 술에서 위안을 찾다.

***ref·u·gee** [rèfjudʒí:, ⌐-⌐] *n.* Ⓒ 피난자, 난민 ; 망명자, 도망자 : political ~*s* 정치적 망명자들 / a ~ camp 난민 수용소.

re·ful·gent [rifʌ́ldʒənt] *a.* 찬연히 빛나는, 찬란한. ㊎ **-gence** *n.* Ⓤ 광휘, 빛남, 광채(光彩).

***re·fund** [rí:fʌnd] *n.* Ⓤ,Ⓒ 환불, 반환, 변제 ; 상환(금) ; 변상(금) : demand a ~ on a damaged parcel 파손된 소포에 대한 변상을 요구하다.
── [rifʌ́nd, rí:fʌnd] *vt.* …을 환불하다, 반환하다 ; 상환하다 ; (산 물건)을 반품하다 ; (아무)에게 배상하다 : ~ a deposit 보증금을 되돌려 주다.
── *vi.* 변제하다.

re·fur·bish [ri:fə́:rbiʃ] *vt.* …을 다시 닦다〔윤내다〕, 다시 갈다 ; …을 일신〔쇄신〕하다 : ~ one's German (잊게 된) 독일어를 다시 숙달케 하다. ㊎ **~·ment** *n.*

‡re·fus·al [rifjú:zəl] *n.* ① Ⓤ,Ⓒ 거절 ; 거부 ; 사퇴 : shake one's head in ~ 머리를 흔들어 거절하다 / give a person a flat ~ 아무에게 딱 잘라 거절하다. ② ((the) first ~로) 우선권, 선택의 권리 ; 선매권(先買權) : give 〔have, get〕 (*the*) *first* ~ of …의 우선적 선택권을 주다〔얻다〕. ◇ refuse *v.* ***take no ~*** 거절을 못하게 하다.

‡re·fuse[1] [rifjú:z] *vt.* ① 《~+목 / +목+목》 (부탁·요구·명령 등)을 거절하다, 거부하다, 물리치다(opp *accept*) ; (여성이) 청혼을 거절하다 : ~ orders 명령을 거부하다 / ~ a suitor 청혼자를 거절하다 / ~ permission 허가를 하지 않다 / They ~*d* Tom the promotion. =Tom's promotion was ~*d*. =Tom was ~*d* the promotion. 그들은 톰의 승진을 거절했다. ② (제의 등)을 받아들이지 않다, 사절〔사퇴〕하다 : He ~*d* our offer. 그는 우리의 제의를 거절했다. ③ 《+*to* do》 …하려 하지 않다, …하는 경향〔성질〕이 없다 : I ~ *to* discuss the question. 나는 이 문제를 논하고 싶지 않다 / The car ~*d to* start. 자동차는 아무리 해도 움직이지 않았다. ── *vi.* 거절〔사퇴〕하다 : I asked her to come, but she ~*d*. 와달라고 청했지만 그녀는 와주지 않았다. ◇ refusal *n.* ㊎ **~·er** *n.*

ref·use[2] [réfju:s, -fju:z] *n.* Ⓤ 폐물, 쓰레기, 찌꺼기, 허섭스레기 : kitchen ~ 생활 쓰레기.
── *a.* 〔限定的〕 지질한, 폐물의 : a ~ bag 쓰레기 봉지 / a ~ dump 쓰레기 폐기장.

re·fut·a·ble [rifjú:təbəl, réfjətə-] *a.* 논파〔논박〕할 수 있는, 잘못된.

ref·u·ta·tion [rèfjutéiʃən] *n.* Ⓤ,Ⓒ 남의 잘못을 논증〔논파〕함, 논박, 반박.

re·fute [rifjú:t] *vt.* (학설 따위)를 논박〔반박〕하다 ; 잘못을 밝히다 : ~ an opponent 상대를 논파하다. ㊎ **re·fút·er** [-ər] *n.*

reg. regent ; regiment ; region ; register(ed) ; registrar ; registry ; regular(ly).

re·gain** [rigéin] *vt.* ① …을 되찾다, 탈환하다, 회복하다 : ~ one's freedom 〔health〕 자유를〔건강을〕 되찾다 / ~ consciousness 의식을 회복하다. ② …에 되돌아가다 ; 다시 도달하다. ***~ one's feet 〔***footing, legs***〕 (넘어진 사람이) 일어나다〔서다〕.

***re·gal** [rí:gəl] *a.* ① 국왕의, 제왕의 ; 왕자(王者)다운. cf. royal. ¶ the ~ government 〔office〕 왕정(王政)〔왕위〕 / the ~ power 왕권. ② 장엄한, 당당한 ; 호사로운. ㊎ **~·ly** *ad.* 제왕과 같이 ; 당당하게.

re·gale [rigéil] *vt.* 《~+목 / +목+전+명》 ① …을 향응하다, …를 융숭하게 대접하다《*with* ; *on*》: They ~*d* us *with* champagne. 그들은 우리에게 샴페인을 대접해 주었다. ② **a**) …을 기쁘게 해주다, 만족케 하다. **b**) 〔再歸的〕 …을 먹다, 마시다 《*with*》: ~ one*self with* a cigar 여송연을 느긋하게 피우다. ── *vi.* ① 성찬을 먹다. ② 크게 기뻐하다. ㊎ **~·ment** *n.* Ⓤ 향응 ; 성찬.

re·ga·lia [rigéiliə, -ljə] *n. pl.* ① 왕위의 표상〔상징〕, 왕보(王寶)《왕관·홀(笏)·보주(寶珠) 따위》. ② (벼슬 따위의) 기장(記章) ; (벼슬 따위를 나타내는) 예복, 훈장. ③ 〖史〗 왕권.

‡re·gard [rigá:rd] *vt.* ① **a**) 〔흔히 副詞(句)와 함께〕 …을 주목해서 보다, 주시〔응시〕하다《*with*》: I noticed he was ~*ing* me *with* curiosity. 그가 신기한 듯이 나를 바라보고 있는 것을 깨달았다. **b**) 《+목+전+명》 (애정·증오 따위의 감정을 가지고) …을 보다, 대하다 : He ~*ed* our plans *with* suspicion. 그는 우리의 계획을 의혹의 눈으로 보았다. ② 중시하다, 존중〔존경〕하다 ; 주의하다. ③ 〔흔히 否定形으로〕 …을 고려〔참작〕하다, …에 주의하다 : He *seldom* ~*s* my advice. 그는 내 충고 따위는 아랑곳하지 않는다 / *Nobody* ~*ed* what she said. 아무도 그녀의 말에 주의하지 않았다. ④ 《+목+*as* 보》 …을 (…로) 생각하다〔여기다〕 《*as*》: He ~*ed* their offer *as* a joke. 그는 그들의 제의를 농담으로 여겼다 / He ~*s* the situation *as* serious. 그는 사태를 중대시하고 있다. ***as ~s*** = ***as ~ing*** …에 대해서 말하면, …에 관해서는, …의 점에서는.
── *n.* ① Ⓤ 배려, 걱정 ; 고려《*for* ; *to*》: He has no ~ *for* the feelings of others. 그는 남의 기분에는 전혀 무관심하다. ② Ⓤ (또는 a ~) 존경, 경의 ; 호의, 호감《*for*》: They had (*a*) high ~ *for* her ability. 그들은 그녀의 재능을 높이 사고 있다 / The students hold their teacher in high ~. 학생들은 선생님을 존경하고 있다. ③ (*pl.*) (편지 등에서) 안녕이라는 인사 : With best〔kind〕 ~*s*. 경구(敬具). ④ Ⓤ (또는 a ~) 주시(注視), (응시하고 있는) 시선. ⑤ Ⓤ (고려할) 점《★ 흔히 다음의 구로만 쓰임》: in this〔that〕 ~ 이〔그〕 점에 관해서는》. ***Give my best ~s to*** …에게 안부 전해 주시오. ***in ~ of*** 〔***to***〕 = ***with ~ to*** …에 관해서(는). ***without ~ to*** 〔***for***〕 …을 돌보지 않고, …에 상관 없이 : *without* ~ *to* decency〔*for* one's safety〕 예의 범절〔자신의 안전〕은 고려치 않고.

re·gard·ful [rigá:rdfəl] *a.* 〔敍述的〕 개의하는, 주의 깊은《*of*》.

‡re·gard·ing [rigá:rdiŋ] *prep.* …에 관하여(는),

…의 점에서는(with regard to) : *Regarding* your question, I can't say anything now. 당신의 질문에 관하여, 지금으로서는 아무 말씀도 드릴 수 없습니다.

re·gard·less** [rigɑ́:rdlis] *a.* 무관심한 ; 부주의한 《*of*》; 괘념치 않는. ~ ***of …을 개의〔괘념〕치 않고 ; …에 관계 없이 : Our proposals were rejected ~ *of* their merits. 우리의 제안은 그 장점에 관계 없이 배척되었다.

— *ad.* 〔생략 構文〕 비용〔반대, 곤란〕을 마다하지 않고〔개의치 않고〕, 여하튼 : The weather was very bad, but he went on ~. 날씨가 매우 나빴지만 그는 개의치 않고 전진했다.

***re·gat·ta** [rigǽtə] *n.* Ⓒ 레가타《보트〔요트〕 조정(漕艇)(대회)》.

re·gen·cy [rí:dʒənsi] *n.* ① Ⓤ 섭정 정치 ; 섭정의 지위〔자리〕. ② Ⓒ 집정(執政) 기간. ③ (the R-) 섭정 시대《영국에서 1811-20》. — *a.* 〔限定的〕 (R-) (영국) 섭정 시대풍의《가구 등》.

***re·gen·er·ate** [ridʒénərèit] *vt.* ① (정신적·도덕적으로) 갱생시키다. ② …을 되살아나게 하다 : ~ one's self-respect 자존심을 되찾다. ③ (사회·제도 따위)를 혁신〔쇄신〕하다. ④〖生〗(잃어버린 기관(器官))을 재생시키다. — *vi.* 재생하다 ; 갱생〔개심〕하다. — [-rit] *a.* 〔限定的〕 ① 새 생명을 얻은, 갱생한. ② 개량〔쇄신〕된.

re·gen·er·a·tion [ridʒènəréiʃən] *n.* Ⓤ ① 재건, 부흥, 부활 ; 개혁, 쇄신. ② (정신적·도덕적) 갱생 ; 신생. ③〖生〗재생.

re·gen·er·a·tive [ridʒénərèitiv, -rətiv] *a.* 재생〔갱생〕시키는 ; 개심시키는 : the ~ powers of nature 자연의 재생력.

re·gent [rí:dʒənt] *n.* Ⓒ ① (종종 R-) 섭정. ② 《美》 (대학의) 평의원. — *a.* 〔名詞 뒤에서〕(종종 R-) 섭정의 지위에 있는 : the Prince〔Queen〕 *Regent* 섭정 왕자〔여왕〕.

re·ges [rí:dʒi:z] REX의 복수.

reg·i·cide [rédʒəsàid] *n.* ① Ⓤ 국왕 시해, 대역(大逆). ② Ⓒ 대역자. ㊞ **règ·i·cíd·al** [-sáidl] *a.*

***re·gime, ré·gime** [reiʒí:m, ri-] *n.* Ⓒ ① 〔흔히 修飾語와 함께〕 정체, 체제 ; 정권 ; 제도 : a dictatorial ~ 독재 체제 / a puppet ~ 괴뢰 정권. ② = REGIMEN.

reg·i·men [rédʒəmən, -mèn] *n.* Ⓒ〖醫〗(식사·운동 등의 규제에 의한) 섭생, 식이 요법 : keep to a prescribed ~ 처방대로 식이 요법을 지키다.

***reg·i·ment** [rédʒəmənt] *n.* Ⓒ ①〖軍〗연대《略 : regt., R.》: the Colonel of a ~ 연대장. ② (종종 *pl.*) 《주로 方言》 다수, 큰 무리《*of*》: a whole ~ *of* ants 개미의 대군. — [rédʒəmènt] *vt.* ① …을 연대로 편성〔편입〕하다. ② …을 엄격하게 통제하다, 관리〔조직화〕하다《★ 종종 受動으로 쓰임》: ~ an entire country 나라 전체를 엄격하게 통제하다 / I don't like *being* ~*ed.* 나는 관리 통제 받는 것은 싫다.

reg·i·men·tal [rèdʒəméntl] *a.* 〔限定的〕 연대의 ; 연대에 배속된 ; 통제적인 : the ~ colors 연대기 / ~ management 획일적 관리.

— *n.* (*pl.*) 연대복, 군복.

reg·i·men·ta·tion [rèdʒəmentéiʃən, -mən-] *n.* Ⓤ ① 연대 편성. ② 편성, 조직화 ; (관리) 통제.

reg·i·ment·ed [rédʒəmèntid] *a.* 엄격히 통제〔관리, 조직화〕된 : a ~ society 통제된 사회.

re·gi·na [ridʒáinə] *n.* 《L.》 (칭호에는 R-) 여왕 《略 : R.; 보기 : E.R. =Elizabeth *Regina*》. ⒞ rex.

‡**re·gion** [rí:dʒən] *n.* Ⓒ ① (종종 *pl.*) (뚜렷한 한계가 없는 광대한) 지방, 지역, 지구, 지대 : a tropical ~ 열대 지방 / a fertile ~ 비옥한 지역. ② (종종 *pl.*) (세계 또는 우주의) 부분, 역(域), 층, 계 ; (동식물 지리상의) 구(區) ; (대기·해수의) 층 : the upper ~*s* of the air 대기의 상층부 / the lower〔infernal, nether〕 ~*s* 지옥 / the upper ~*s* 하늘, 천국. ③ (학문·예술 따위의) 영역, 범위, 분야 : the ~ *of* science 과학의 영역. ④ (신체의) 국부, 부위 : the lumbar 〔abdominal〕 ~ 요〔복〕부. ⑤〖컴〗영역《기억 장치의 구역》. ***in the ~ of*** …의 부근에 ; 거의…, 약…(about) : *in the ~ of* $5,000, 약 5천 달러 가량.

***re·gion·al** [rí:dʒənəl] *a.* 〔限定的〕 지방의 ; 지역적인 ;〖醫〗국부의 : a ~ accent 지역 방언 / a ~ meeting of the Boy Scout 보이 스카우트의 지구 대회.

re·gion·al·ism [rí:dʒənəlizəm] *n.* Ⓤ 지방(분권)주의 ; 지방적 특색 ; 지방색 ; 향토애.

re·gion·al·ly [rí:dʒənəli] *ad.* 지방에서, 지방적으로 ; 국부적으로.

‡**reg·is·ter** [rédʒəstər] *n.* ① Ⓒ 기록부, (출생·선적 등의) 등록〔등기〕부(=∠ **bòok**) : a ~ of voters 선거인 명부 / a hotel ~ 호텔의 숙박자 명부 / call the ~ (선생님이) 출석을 부르다. ② Ⓒ 기록, 등록, 등기. ③ Ⓒ 자동 기록기, 금전 등록기, 레지스터 ; 기록 표시기 : a cash ~ 금전 등록기. ④ Ⓒ 통풍〔온도 조절〕 장치. ⑤ Ⓒ〖樂〗성역, 음역 ; (오르간의) 음전(音栓), 스톱 : the head 〔chest〕 ~ 두성(頭聲) 〔흉성(胸聲)〕. ⑥ Ⓒ〖컴〗기록기. ⑦ Ⓤ,Ⓒ〖言〗위상(어), 사용역(域).

— *vt.* ① …에 기록〔기입〕하다 ; 등록〔등기〕하다 : ~ oneself *as* a beautician 미용사로서 등록하다 / ~ new students 신입생을 학적에 올리다 / ~ a car 자동차를 등록하다 / ~ the birth of a child 어린아이의 출생을 호적에 올리다 / ~ a gun *with* the police 경찰에 총을 등록하다 / This house is ~*ed* in my name. 이 집은 내 이름으로 등기되어 있다. ② (우편물)을 등기로 부치다 : get 〔have〕 a letter ~*ed* 편지를 등기로 부치다. ③ (온도계 따위가) 가리키다 ; (기계가) 표시〔기록〕하다 : The thermometer ~*ed* 20 degrees of frost. 온도계는 영하 20도를 가리키고 있었다. ④ **a**) (표정 따위로 감정)을 나타내다 : Her face ~*ed* surprise. 그녀 얼굴에는 놀란 기색이 보였다. **b**) (의견 따위)를 정식으로 표명하다 : We ought to ~ our opposition. 우리의 반대 의견을 명확히 밝혀야만 한다.

— *vi.* ①《~ / +전+명》 명부에 등록하다, 등록 절차를 밟다 ; 숙박부에 기재하다 : ~ *for* the new course 새학기 수강 신청을 하다 / ~ *at* a hotel 호텔의 숙박부에 기재하다 / He has ~*ed as* a Democrat. 그는 민주당원으로서 등록했다. ② 〔흔히 否定文에서〕《口》 효과적인 인상을 주다, 마음에 새겨지다 : The name simply did *not* ~ (*with* me). 그 이름이 아무리해도 기억되지 않았다. ◇ registration *n.* ~ one***self*** (선거인 등의) 명부에 등록하다 ; 등록 절차를 밟다 ; (호텔 따위에서) 숙박부에 기재하다.

***reg·is·tered** [rédʒəstərd] *a.* ① 등록한, 등기를 필한 ; 기명의 : a ~ bond 기명 사채 / a ~ design 〔trademark〕 등록 의장(意匠) 〔상표《약호 ®》〕. ② (우편물이) 등기로 된 : ~ mail 등기 우편.

régistered núrse 《美》 공인 간호사《略 : R.N.》.

régister òffice 등기소 ; 《美》 직업 소개소.

régister tòn 〖海〗 등록 톤《배의 내부 용적의 단위 ; =100 입방 피트》.

reg·is·tra·ble [rédʒəstrəbəl] *a.* 등록〔등기〕할 수 있는 ; 등기로 부칠 수 있는.

reg·is·trant [rédʒəstrənt] *n.* Ⓒ 등록자.

reg·is·trar [rédʒəstrɑ̀:r, ∠-∠] *n.* Ⓒ ① 기록원, 등

록 〔호적〕계원; 등기 관리; (대학의) 사무 주임. ②《英》 (병원의) 수련의.

***reg·is·tra·tion** [rèdʒəstréiʃən] *n.* ① Ⓤ 기입, 등기, 등록; 기명《*of*》; (우편물의) 등기: Student ~ is the first week in September. 학생 등록은 9월 첫 주이다. ② Ⓒ **a**) 등록된 사람〔사항〕. **b**) 등록 증명서. **c**)〔集合的〕 등록자수, 등록 건수.
── *a.* 등기의, 등록의: a ~ fee 등기〔등록〕료. ◇ register *v.*

registrátion nùmber 〔**màrk**〕 (자동차) 등록 번호, 차량 번호.

reg·is·try [rédʒəstri] *n.* ① Ⓤ 기입, 등기, 등록: the port of ~ 선적항. ② Ⓒ 등기소, 등록소: marriage at a ~ (office) (식을 안 올리는) 신고 결혼.

régistry òffice 《英》 호적 등기소.

reg·nant [régnənt] *a.* 〔名詞 뒤에 써서〕 통치하는, 군림하는: ⇨QUEEN REGNANT.

re·gress [ríːgres] *n.* Ⓤ 후퇴; 역행; 퇴보; 타락.
── [rigrés] *vi.* 되돌아가다; 역행하다; 퇴보하다, 퇴행하다《*to*》. opp. *progress.* ¶ ~ *to* the mental age of a five-year-old 다섯 살의 정신 연령으로 퇴행하다.

re·gres·sion [rigréʃən] *n.* Ⓤ 복귀; 역행; 퇴보, 퇴화; 〖天〗 역행(운동); 〖數〗 (곡선의) 회귀.

re·gres·sive [rigrésiv] *a.* ① 후퇴의, 역행하는; 퇴화〔퇴보〕하는; 회귀하는. ② (세금이) 누감(累減)적인.

:re·gret [rigrét] *n.* ① Ⓤ (또는 a ~) **a**) (행위·실패 등에 대한) 유감; 후회《*for*; *about*》: I feel (*a*) deep ~ *for* my follies. 자신의 우행(愚行)을 크게 후회하고 있다 / I hear with ~ that you failed to achieve your aim. 목적을 이루지 못했다 하니 매우 유감입니다. **b**) 애도, 슬픔, 낙담: I heard of his death with profound ~. 그의 죽음을 슬픈 마음으로 들었다. ② (*pl.*) **a**) 유감의 뜻, 후회의 말《*at*; *about*》. **b**) (초대장에 대한) 사절(장): Please accept my ~*s*. 사절하게 됨을 용서하여 주십시오. (***much*** 〔***greatly***〕) ***to*** one***'s*** ~ (대단히) 유감이지만, (정말) 유감스럽게도.
── (**-*tt*-**) *vt.* ①《~+目 / +-*ing* / +*that* 節》 …을 후회하다; 유감으로 생각하다: ~ one's follies 자신의 어리석은 행동을 후회하다 / He ~*ted* not hav*ing* done his best. 그는 최선을 다하지 않은 것을 후회했다《★과거의 일을 명시할 때에는 완료 동명사를 씀》. ②《~+目 / +*to* do》 유감스럽게도 …하다, …을 유감스럽게 생각하다: ~ his death 그의 죽음을 애도하다 / We ~ *to* inform you that your application has not been accepted 〔successful〕. 유감스럽게도 귀하의 출원이 수리되지 못했습니다《불합격 통지문》.

***re·gret·ful** [rigrétfəl] *a.* ① 아쉬워하는, 애석해하는 ; 유감의 뜻을 나타내는: with a ~ look 아쉬운 듯한 눈으로. ②〔敍述的〕 …을 후회하는, 슬퍼하는《*for*; *about*》. 派 ~·**ness** *n.*

re·gret·ful·ly [rigrétfəli] *ad.* ① 아쉬운 듯이; 후회하고: sigh ~ 아쉬운 듯 한숨을 쉬다. ②〔文章修飾〕 유감스럽게도《★ 이 용법을 잘못되었다고 하는 사람도 있음》. cf. regrettably. ¶ *Regretfully,* I have forgotten his name. 유감스럽게도 그의 이름을 잊어버렸다.

***re·gret·ta·ble** [rigrétəbəl] *a.* 유감스런, 안된; 슬퍼할 만한, 가엾은. cf. regretful. ¶ a ~ error 유감스러운 과오.

re·gret·ta·bly [rigrétəbəli] *ad.* ① 유감스럽게도, 안쓰러울 정도로: He is ~ slow to understand. 그는 안쓰러울 정도로 이해력이 뜨다. ②〔文章修飾〕 유감스럽게도: *Regrettably,* he failed the examination. 유감스럽게도 그는 시험에 실패했다.

re·group [riːgrúːp] *vt.* …을 다시 모으다; 〖軍〗 재편성하다. ── *vi.* 재조직하다, (부대를) 재편성하다.

Regt regent; regiment.

:reg·u·lar [régjələr] (***more*** ~; ***most*** ~) *a.* ① 규칙적인, 정연한, 계통이 선; 조직적인, 균형잡힌: ~ verbs 규칙 동사 / ~ teeth 고르게 난 이 / Your pulse is not very ~. 네 맥박은 극히 고르지가 않다. ②〔限定的〕 정례의, 정기적인; 〔敍述的〕 규칙적으로 통변〔월경〕이 있는: a ~ concert 정기 연주회 / meet on a ~ basis 정기적으로 회합하다 / Are you ~? 배변〔월경〕은 정상적인가요. ③ 일정한, 불변의; 늘 다니는: a ~ income 고정 수입 / ~ employ 상시 고용 / a ~ customer 단골손님 / at a ~ speed 일정한 속도로. ④ (사이즈가) 보통의, 표준의; (커피에) 보통 양의 밀크와 설탕이 든. ⑤〔限定的〕 정규의, 정식의; 면허 있는, 본직의; 〖軍〗 상비의, 정규의; 《美》 (정당 따위의) 공인의. cf. normal. ¶ a ~ member 정회원 / a ~ candidate 공인 후보 / a ~ soldier 정규병. ⑥〔限定的〕《口》 전적인, 완전한; 정말의, 진짜의: I haven't had a ~ holiday for years. 요 몇년 동안 휴일 다운 휴일을 가져 본 적이 없다. ⑦〔限定的〕《美口》 기분좋은, 재미있는, 의지가 되는: a ~ fellow 〔guy〕 (붙임성 있는) 좋은 녀석. ⑧ 교단〔수도회〕에 속하는(cf. secular): the ~ clergy 수사. ⑨ 균형이 잡힌; 가지런한: ~ features 균형 잡힌 용모. ⑩〖數〗 등각 등변(等角等邊)의; (입체에서) 면의 크기와 모양이 같은: a ~ polygon 정다각형. ***keep ~ hours*** =***lead a ~ life*** 규칙적인 생활을 하다.
── *n.* ① Ⓒ 정규〔상비〕병; 정(규)선수. ② Ⓒ《口》 단골 손님; 상시 고용(인). ③ Ⓒ 표준 사이즈(기성복). ④ Ⓤ 레귤러〔무연(無鉛)〕 가솔린. ⑤ Ⓒ 수사(修士).

régular gásoline 레귤러(가솔린)《옥탄가가 낮은 보통 가솔린》.

reg·u·lar·i·ty [règjəlǽrəti] *n.* Ⓤ ① 규칙적임: with ~ 규칙적으로, 정기적으로. ② 질서가 있음; 조화가 이루어져〔균형이 잡혀〕 있음. ③ 일정 불변. ④ 정규, 보통.

reg·u·lar·i·za·tion [règjələrizéiʃən / -raiz-] *n.* Ⓤ 규칙화.

reg·u·lar·ize [régjələràiz] *vt.* …을 규칙적으로〔질서있게〕 하다, 조직화하다; 조정하다.

:reg·u·lar·ly [régjələrli] (***more*** ~; ***most*** ~) *ad.* ① 규칙 바르게, 바르고 순서 있게; 정식으로; 균형 있게. ② 정기적으로, 일정하게. ③《口》 아주; 철저히: I was ~ cheated. 감쪽같이 속았다.

***reg·u·late** [régjəlèit] *vt.* ① …을 규제하다; 통제〔단속〕하다. ② …을 조절하다, 정리하다: ~ the traffic 교통을 정리하다 / ~ a clock 시계를 조정하다. ◇ regulation *n.*

***reg·u·la·tion** [règjəléiʃən] *n.* ① Ⓒ 규칙, 규정, 법규, 조례: traffic ~*s* 교통 규칙 / against (the) ~*s* 규칙 위반으로. ② Ⓤ 조절, 조정; 단속, 제한: ~ of prices 물가 조정.
── *a.* 〔限定的〕 ① 규정대로의, 정규의; 정식의, 표준의: a ~ cap 〔uniform〕 정모〔정복〕 / a ~ game 정식 시합 / exceed the ~ speed 규정 속도를 초과하다. ② 언제나 꼭 같은, 보통의, 평범한. ◇ regulate *v.*

reg·u·la·tive [régjəlèitiv, -lə-] *a.* = REGULATORY.

reg·u·la·tor [régjəlèitər] *n.* Ⓒ ① 규정자; 조정자; 단속인. ②〖機〗 조정기, 조절기. ③ 시간 조정 장치, 표준 시계.

reg·u·la·to·ry [régjələtɔ̀ːri / -léitəri] *a.* 규정하

는; 단속하는; 조정하는.

reg·u·lo [régjəlòu] (*pl.* **~s**) *n.* [C] 〔흔히 숫자와 함께〕《英》 레귤로《가스 오븐의 열도 표시》: Cook this on〔at〕 ~ 3. 이것은 3레귤로로 조리할 것.

re·gur·gi·tate [rigə́ːrdʒətèit] *vt.* ① (먹은 것)을 토해 내다. ② …을 앵무새처럼 되뇌다.
[파] **re·gùr·gi·tá·tion** [-ʃən] *n.*

re·hab [ríːhæ̀b] 《美》 *n.* = REHABILITATION. — *vt.* = REHABILITATE.

re·ha·bil·i·tate [rìːhəbílətèit] *vt.* ① (장애자·부상자·범죄자 등)을 사회에 복귀시키다; …에 사회 복귀 훈련을 베풀다: ~ the disabled in the community 신체 장애자를 사회에 복귀시키다. ② …을 복권〔복직, 복위〕시키다, 지위·권리를 회복시키다. ③ …을 원상태로 되돌리다, 복구하다, 부흥하다: ~ an old house 낡은 집을 수복(修復)하다.

***re·ha·bil·i·ta·tion** [rìːhəbìlətéiʃən] *n.* [U] ① 사회 복귀, 리허빌리테이션. ② 복위, 복권, 명예〔신용〕 회복. ③ 부흥, 재건. — *a.* 〔限定的〕 리허빌리테이션의: a ~ center (장애자 등의) 갱생 시설.

re·hash [riːhǽʃ] *vt.* (낡은 것)을 개작하다, 고쳐 만들다; 재검토하다: The group is ~*ing* its old hits. 그 그룹은 옛날 히트 곡을 재탕하고 있다. — [ríːhæ̀ʃ] *n.* [C] (흔히 *sing.*) (낡은 것을) 고쳐 쓰기, 개작, 재탕.

re·hear [riːhíər] (*p., pp.* **-heard** [-hə́ːrd]) *vt.* ① …을 다시 듣다. ② 〖法〗 …을 재심하다.

***re·hears·al** [rihə́ːrsəl] *n.* ① [U,C] 연습, 대본(臺本) 읽기, 시연(試演), (극·음악 따위의) 리허설; (의식 따위의) 예행 연습: ⇨DRESS REHEARSAL / a public ~ 공개 시연(試演). ② [C] 열거함, 자세히 말함《*of*》. ③ [C] 암송, 복창《*of*》.

***re·hearse** [rihə́ːrs] *vt.* ① …을 연습하다, 시연하다; 예행 연습을 하다. ② (불평 따위)를 늘어놓다, 자세히 이야기하다: ~ one's grievances 불평을 늘어놓다. ③ (마음속에서) 복창하다, 암송하다. — *vi.* (예행) 연습을 하다; 리허설하다.

re·house [riːháuz] *vt.* …에게 새 집을 주다, …을 새 집에 살게 하다.

Reich [raik ; *G.* raiç] *n.* (the ~) 《G.》 독일: *the* Third ~ (나치스 독일의) 제3 제국.

re·i·fy [ríːəfài, réiə-] *vt.* (추상관념 따위)를 구체화하다, 구상화하다. [파] **rè·i·fi·cá·tion** [-fikéiʃən] *n.* [U] 구상화(具象化).

‡reign [rein] *n.* ① [C] 치세, 성대: in 〔during〕 the ~ of King Alfred 앨프레드 왕 시대에. ② [U] 통치, 지배; 통치〔지배〕권, 힘, 세력, 권세: the ~ of law 법의 지배 / under the ~ of Queen Elizabeth I, 엘리자베스 1세 통치하에.
— *vi.* ①《~ / +[전]+[명]》 군림하다, 지배하다《*over*》: The King ~*s*, but he does not rule. 왕은 군림하나 통치하지는 않는다. ② 세력을〔권세를〕 떨치다; 크게 유행하다: Silence ~*s*. 사방이 쥐죽은 듯하다.

reign·ing [réiniŋ] *a.* 〔限定的〕 군림하는; 현재의: the ~ beauty 당대의 미인 / the ~ emperor 〔king〕 금상(今上) 폐하, 현(現) 국왕.

re·im·burse [rìːimbə́ːrs] *vt.* (빚 따위)를 갚다; 상환하다; …에게 변상〔배상〕하다: He ~*d* me (*for*) the losses. 그는 나의 손실을 변상해 주었다.

re·im·burse·ment [rìːimbə́ːrsmənt] *n.* [U,C] 변상, 배상, 상환, 변제.

rein** [rein] *n.* [C] ① (흔히 *pl.*) 고삐; (어린이에게 매어주는) 안전 끈: pull (on) 〔draw in〕 the ~*s* 고삐를 당기다〔당겨서 말을 세우다〕 / with a loose ~ 고삐를 늦추어서, 관대히. ② (*pl.*) 통어, 제어, 억제; 지배권; 구속(력): impose ~*s* on …을 억제〔제어〕하다 / assume〔take over〕 the ~*s* of government 정권을 잡다〔탈취하다〕. ***give ((***a***) ***free*** 〔***full***〕) ~ 〔***the ~s, a loose ~***〕 ***to*** …에게 자유를 주다, …에게 저 좋을 대로 하게 하다: He *gave free* ~ *to* his imagination and produced a brilliant piece of writing. 그는 마음껏 상상력을 펼치어 훌륭한 작품을 만들어 냈다. ***keep a tight ~ on*** …을 엄격히 제어하다, 꽉 누르고 있다.
— *vt.* ① (말)을 고삐로 어거〔제어〕하다; 멈추게 하다《*in* ; *up* ; *back*》. ② (감정 등)을 억누르다, 억제하다: *Rein* your tongue. 말을 삼가라. ~ ***back*** 〔***up***〕 말 따위를 세우다. ~ ***in*** (말의) 걸음을 늦추게〔멈추게〕 하다; 억제하다; 삼가다: ~ *in* one's temper 화를 억누르다.

re·in·car·nate [rìːinkɑ́ːrneit] *vt.* ① …에 다시 육체를 부여하다; 화신(化身)시키다. ② 환생시키다《*as*》《★ 흔히 受動으로》: She *was* ~*d as* a snake. 그녀는 뱀으로 환생했다. — [rìːinkɑ́ːrnit] *a.* 화신을 한; 딴 몸으로 태어난, 환생한.

re·in·car·na·tion [rìːinkɑːrnéiʃən] *n.* ① [U] 다시 육체를 부여함; 윤회(輪廻). ② [C] 화신(化身), 재생, 환생《*of*》.

rein·deer [réindìər] (*pl.* **~s**, 〔集合的〕 ~) *n.* [C] 〖動〗 순록(馴鹿).

***re·in·force** [rìːinfɔ́ːrs] *vt.* ① …을 강화하다, 보강하다, 증강하다: ~ an army 군대를 증강하다 / ~ a bridge 다리를 보강하다 / ~ supplies 보급을 늘리다 / His belief was ~*d by*〔*with*〕 the new evidence. 그 새로운 증거로 그의 신념은 더욱 굳어졌다. ② 〔一般的〕 강화〔보강〕하다, …에게 기운을 불어넣다(strengthen): The new evidence ~*s* my argument. 그 새로운 증거는 내 논거를 공고히 해준다. ③ 〖心〗 (자극에 대한 반응)을 강화하다.

re·in·fórced cóncrete [rìːinfɔ́ːrst-] 철근 콘크리트.

re·in·force·ment [rìːinfɔ́ːrsmənt] *n.* ① [U] 보강, 강화, 증원. ② (*pl.*) 증원병, 증원 부대〔함대〕: More ~*s* have been sent to the border area. 더 많은 증원 부대가 국경 지대로 파견되었다. ③ [C] 보강(재), 보급(품). ④ [U,C] 〖心〗 강화.

re·in·state [rìːinstéit] *vt.* ① …을 본래대로 하다, 회복하다: ~ law and order 법과 질서를 회복하다. ② …을 복위〔복직, 복권〕시키다: He was ~*d* as President. 그는 사장으로 복직되었다.
[파] **~·ment** *n.*

re·in·sure [rìːinʃúər] *vt.* …을 위해 재보험을 들다. [파] **re·in·sur·ance** [-ʃúərəns] *n.* 재보험(액).

re·is·sue [riːíʃuː / -ísjuː] *vt.* (통화·우표·책 따위)를 재발행하다: The novel was ~*d* as a paperback. 그 소설은 보급판 문고로 재발행되었다. — *n.* [C] 재발행(물)《도서·통화》.

***re·it·er·ate** [riːítərèit] *vt.* …을 여러 차례 되풀이하다, 반복하다: ~ the command 명령을 복창하다.

re·it·er·a·tion [riːìtəreiʃən] *n.* [U,C] 반복; 되풀이《*to*》.

‡re·ject [ridʒékt] *vt.* ① (요구·제의 등)을 거절하다, 사절하다, 각하하다. ② (불량품 등)을 물리치다, 버리다: ~ all imperfect merchandise 결함 있는 상품은 모두 거절하다. ③ (지원자 등)을 불합격 처리하다; (구혼자)의 신청을 거절하다; (사람)을 무시하다: ~ applicants 응모자를 불합격시키다 / ~ a suitor 구혼자를 물리치다. ④ (위가 음식)을 받지 않다, 게우다: My stomach still ~*s* anything solid. 내 위는 아직 고형 음식물은 아무것도 받아들이지 않는다. ⑤ 〖生理〗 (이식된 장기(臟器) 따위)에 거부 반응을 일으키다. ◇ rejection *n.*

—— [ríːdʒekt] *n.* Ⓒ 거부된 물건〔사람〕, 불합격품〔자〕, 파치. 「자.

re·ject·er, re·jec·tor [ridʒéktər] *n.* Ⓒ 거절

***re·jec·tion** [ridʒékʃən] *n.* ① U.C 거절, 기각 ; 부결 ; 폐기. ② U.C 〖生理〗 거부 (반응). ③ Ⓒ 폐기물. ◇ reject *v.*

re·jig [riːdʒíg] (*-gg-*) *vt.* ① (공장)에 새로운 시설을 갖추다 ; 재조정〔재정비〕하다. ② 《口》 …을 개조〔손질〕하다.

‡re·joice [ridʒɔ́is] *vi.* ① 《+전+명 / +*to* do / +*that* 절》 기뻐하다, 좋아하다, 축하하다《*at* ; *in* ; *over* ; *on*》: ~ *at* the good news 좋은 소식에 기뻐하다 / She ~*d to* hear of his success.=She ~*d* (*to* hear) *that* he (had) succeeded. 그가 성공했다는 것을 듣고 그녀는 기뻐했다 / They all ~*d over* the victory. 그들은 모두 승리를 축하했다. ② 《+전+명》 누리고 있다, 부여되어 있다《*in*》: ~ *in* good health 건강을 누리다. —— *vt.* …을 기쁘게 하다, 즐겁게 하다. ~ ***in the name of*** 《戱》 …라는 묘한 이름을〔칭호를〕 갖고 있다 : The general ~*d in the name of* Pigg. 그 장군은 피그라는 묘한 이름을 가지고 있었다.

***re·joic·ing** [ridʒɔ́isiŋ] *n.* ① Ⓤ 기쁨, 환희. ② (*pl.*) 환호 ; 환락 ; 축하.

re·join[1] [riːdʒɔ́in] *vt.* ① (망가진 것, 분리된 것)을 재결합하다 ; 재합동하다 ; 재접합(再接合)하다 : This lane ~*s* the main road further on. 이 길은 조금 더 가면 큰 길과 만난다. ② …을 다시 함께 되게 하다 ; …에 복귀하다 : ~ one's regiment 원대에 복귀하다.

re·join[2] [ridʒɔ́in] *vt.* …라고 대답하다, 대꾸하다. —— *vi.* 응답〔답변〕하다.

re·join·der [ridʒɔ́indər] *n.* Ⓒ 대답, 답변 ; 대꾸.

re·ju·ve·nate [ridʒúːvənèit] *vt.* …을 도로 젊어지게 하다, 활기 띠게 하다《★ 종종 受動으로》: He *was* ~*d* by his trip. 그는 여행으로 원기를 회복했다.

re·ju·ve·na·tion [ridʒúːvənéiʃən] *n.* Ⓤ (또는 a ~) 되젊어짐, 회춘, 원기 회복.

re·kin·dle [riːkíndl] *vt.* ① …에 다시 불붙이다 ; 다시 활발해지다 : His interest was ~*d*. 그의 흥미가 다시 솟아났다. ② 다시 기운을 돋우다.

rel. relative(ly) ; religion. 「cockerel.

-rel [-rəl] *suf.* '소…, 작은…'의 뜻의 명사를 만듦 :

re·lapse [rilǽps] *n.* Ⓒ ① (본디 나쁜 상태로) 되돌아감 ; 다시 나쁜 길〔버릇〕에 빠짐 ; 타락, 퇴보《*into*》. ② 〖醫〗 재발 : have a ~ (병이) 도지다, 재발하다. —— *vi.* ① (본디 나쁜 상태로) 되돌아가다, 다시 빠지다《*into*》: She ~*d into* depression. 그녀는 다시 침울해졌다 / He kept off drink for a few weeks, but now he has ~*d*. 그는 2·3주간 금주했다가 다시 원상태로 되돌아갔다. ② (병이) 재발하다《*into*》.

‡re·late [riléit] *vt.* ① 《~+목 / +목+전+명》 …와 관계시키다, 관련시키다, 관련시켜서 설명하다《*to* ; *with*》: Crime has often been ~*d to*〔*with*〕 poverty. 범죄는 종종 빈곤과 관련시켜 설명되어 왔다. ② …을 이야기하다, 말하다 : ~ one's adventures 모험담을 이야기하다 / She ~*d to* her husband all that had happened during his absence. 그녀는 남편의 출타 중에 생긴 일을 모두 이야기했다.
—— *vi.* ① 《+전+명》 …에 관계가 있다《*to*》: This letter ~*s to* business. 이 편지는 사업에 관련된 것이다. ② 《+전+명》 관련이 있다 ; 상관하다《*to*》: He notices only what ~*s to* himself. 그는 자기에게 상관이 있는 것만 유의한다. ③ 〔종종 否定으로〕 (남과) 잘 어울리다 ; 합치하다 : Such children do*n't* ~ well *to* other people. 저런 아이들은 다른 사람과 잘 어울리지 않는다. ◇ relation *n.* ***Strange to*** ~ 묘한 이야기지만.

***re·lat·ed** [riléitid] *a.* ① 관계 있는, 관련되어 있는 ; 상관하고 있는 : physics, chemistry, and other ~ subjects 물리, 화학 및 그밖의 관련 과목 / the oil-~ industries 석유 관련 산업 / a question ~ *to*〔《英》 *with*〕 his lecture 그의 강의와 관련된 질문. ② 동류의 ; 동족〔친척·혈연〕의 : ~ languages 동족어 / "How are you two ~?" "We are cousins." '두 분은 어떤 관계이신가요' '우리는 사촌간입니다'. 파 ~·**ness** *n.* 「사람.

re·lat·er, re·la·tor [riléitər] *n.* Ⓒ 이야기하는

‡re·la·tion [riléiʃən] *n.* ① Ⓤ 관계, 관련《*between; to*》: the ~ *between* cause and effect 인과 관계 / The questions bear〔have〕 no ~ *to* the point of discussion. 그 문제는 토의의 요지와는 아무 관계도 없다. ② (*pl.*) 사이, 국제 관계 ; (사람과의) 이해 관계 ; (이성과의) 성적 관계《*between; with*》: the friendly ~*s between* Korea and the United States 한미간의 우호 관계 / have (sexual) ~*s with* …와 성관계를 갖다. ③ **a)** Ⓤ 친족〔혈연〕관계, 연고《이 뜻으로는 보통 relationship》. **b)** Ⓒ 친척《이 뜻으로는 보통 relative》: rich ~*s* 돈 많은 친척 / Is he any ~ *to* you? = Is he a ~ of yours? 그는 당신의 친척입니까. ④ Ⓒ 설화(說話), 진술 ; 이야기. ◇ relate *v.* ***in*** 〔***with***〕 ~ ***to*** … 에 관하여 : his responsibility *in* ~ *to* the accident 그 사고에 관한 그의 책임.

re·la·tion·al [riléiʃənəl] *a.* ① 관계가 있는. ② 친족의. ③ 〖文法〗 문법 관계를 나타내는, 상관적인.

re·la·tion·ship** [riléiʃənʃip] *n.* U.C 친족 관계, 연고 관계 ; 〖生〗 유연(類緣) 관계 ; 관계, 관련 : "What is your ~ to him?" "I'm his father." '그 이와 당신과의 관계는 어떻게 됩니까' '내가 그의 아버지입니다'. ***the degree of ~ 촌수, 친등(親等).

‡rel·a·tive [rélətiv] *a.* ① 비교상의, 상대적인 : ~ merits 〔advantage〕 of A and B 〔of the two〕, A와 B 〔양자〕의 우열 / "Good" and "bad" are ~ terms. '선'과 '악'은 상대적인 말이다. cf. absolute, positive. ② 상호의 ; 상관적인. ③ …나름의, …에 의한 : Beauty is ~ *to* the beholder's eye. 미추(美醜)는 보는 사람의 눈에 따라 다르다. ④ 관계〔관련〕 있는, 적절한《*to*》; 〖樂〗 관계의 : 〖文法〗 관계를 나타내는 : a ~ adjective〔adverb, clause, pronoun〕 관계 형용사〔부사, 절, 대명사〕. ~ ***to*** (1) …에 관계가 있는, …에 관하여 : a fact ~ *to* the accident 그 사고와 관계가 있는 사실. (2) …에 비례하는 : Supply is ~ *to* demand. 공급은 수요에 비례한다.
—— *n.* Ⓒ ① 친척, 친족. cf. kinsman. ¶ He's a close〔distant〕 ~ of mine. 그는 내 가까운〔먼〕 친척이다. ② 〖文法〗 관계사(詞) ; (특히) 관계 대명사. 파 ~·**ness** *n.*

rélative áddress 〖컴〗 상대(相對) 번지.

***rel·a·tive·ly** [rélətivli] *ad.* ① 비교적 ; 상대적으로 : a ~ warm day for winter 겨울치고는 비교적 따뜻한 날 / *Relatively* speaking, the venture was a success. 상대적으로 말하자면, 그 모험은 성공적이었다. ② …에 비교하여, …에 비례하여, …에 비해서《*to*》: He is intelligent ~ *to* his age. 그는 나이에 비해 영리하다. 「〔론〕.

rel·a·tiv·ism [rélətivìzəm] *n.* Ⓤ 〖哲〗 상대주의

rel·a·tiv·is·tic [rèlətivístik] *a.* 〖哲〗 상대주의의.

rel·a·tiv·i·ty [rèlətívəti] *n.* Ⓤ ① 관련성, 상관성 ; 〖哲·物〗 상대성 : the theory of ~ 상대성 이론. ② (종종 R-) 〖物〗 상대성(이론).

ː re·lax [rilǽks] *vt.* ① …을 늦추다, 완화하다 : ~ stiff shoulder muscles 땅기는 어깨의 근육을 풀다 / I ~*ed* my grip on the rope. 줄을 쥐고 있는 손을 늦추었다. ② **a)** (주의·노력 따위)를 덜하다, 늦추다 : You must not ~ your efforts. 노력을 게을리해서는 안 된다. **b)** …의 긴장을 풀다, 편하게 하다, 쉬게 하다 : A few days in the country will ~ you. 며칠 시골에 있으면 피로가 풀릴 것이다. ③ (법·규율 따위)를 관대하게 하다, 경감〔완화〕하다(mitigate) : ~ censorship 검열 제도를 완화하다.
── *vi.* ① (힘·긴장 따위가) 느슨해지다 : His hands ~*ed*. 꽉 쥔 손이 느슨해졌다. ② 누그러지다, 약해지다 ; 관대하게 되다《*into*》: Her face ~*ed into* a smile. 그녀의 얼굴이 환하게 펴졌다. ③ 마음을 풀다, (마음의) 긴장을 풀다, 피로를 풀다 : Sit down and ~. 앉아서 편히 쉬시오 / *Relax* and enjoy yourself. 마음 편히 즐겁게 지내세요. ◇ relaxation *n.*

***re·lax·a·tion** [rìːlækséiʃən] *n.* ① Ⓤ 느즈러짐, 풀림, 이완(弛緩) ; (의무·부담 따위의) 경감, 완화《*of* ; *in*》: the ~ *of* international tension 국제 긴장의 완화. ② Ⓤ,Ⓒ 긴장을 풂, 휴양, 오락 : I play golf for ~. 기분 전환으로 골프를 한다. ◇ relax *v.*

re·laxed [rilǽkst] *a.* 느즈러진, 누그러진, 긴장을 푼, 편한 : ~ rules 느슨한 규칙 / a ~ smile 온화한 웃음 / in a ~ mood 느긋한 기분으로. ㊞ **~·ly** [-lǽksidli, -stli] *ad.* **~·ness** *n.*

re·lax·ing [rilǽksiŋ] *a.* 편안한 ; 나른한 : a ~ place 편히 쉴만한 장소 / a ~ climate 나른해지는 기후.

re-lay [riːléi] (*p.*, *pp.* ***-laid*** [-léid]) *vt.* …을 다시 놓다〔깔다〕; (철도 따위)를 다시 부설하다.

***re·lay** [ríːlei] *n.* ① Ⓒ **a)** 교체 요원, 신참 ; 새로운 공급, 신재료 : a fresh ~ of soldiers 신참 병사 / work *in* ~*s* 교대로 일하다. **b)** (여행·사냥 따위의) 갈아 타는 말, 역말(=∠ **hòrse**) ; (사냥의) 교대용 개. ② Ⓒ 〖競〗 =RELAY RACE ; 릴레이의 각 선수 분담 거리 : take part in a ~ 릴레이 경주에 참가하다. ③ **a)** Ⓤ (라디오·텔레비전의) 중계 : by ~ 중계로. **b)** Ⓒ 중계 방송 : listen to a ~ of an opera 오페라 중계 방송을 듣다.
── *a.* 〔限定的〕 ① 릴레이 경주의 : a ~ team 릴레이 경주팀. ② 중계 방송의 : ⇨ RELAY STATION.
── [ríːlei, riléi] *vt.* ① …을 중계(방송)하다. ② (중간에서) …을 전해주다 : I ~*ed* the news to her. 나는 그 소식을 그녀에게 전해주었다.

rélay ràce 릴레이 경주〔경영(競泳)〕, 계주.

rélay stàtion 〖通信〗 중계국(局).

ː re·lease [rilíːs] *vt.* ①《~+목 / +목+전+명》…을 풀어 놓다, 떼(어 놓)다, (손)을 놓다 ; (폭탄)을 투하하다 ; 방출하다 : ~ one's hold 잡았던 손을 놓다 / ~ hair *from* pins 핀을 빼고 머리를 풀다. ②《~+목 / +목+전+명》…을 방면(放免)하다, 해방〔석방〕하다 ; 면제〔해제〕하다《*from*》: ~ hostages 인질을 풀어주다 / ~ a person *from* prison 아무를 교도소에서 석방하다 / He was ~*d from* the army. 그는 군에서 제대했다. ③ (자물쇠 따위)를 풀다. ④《~+목 / +목+전+명》(영화)를 개봉하다 ; (정보·레코드·신간 등)을 공개〔발표, 발매〕하다 : ~ a new CD 새로운 콤팩트 디스크를 발매하다 / The news has just been ~*d* to the media. 그 뉴스는 방금 매스컴에 공개되었다. ⑤ 〖法〗 …을 포기하다, 양도하다.
── *n.* ① Ⓤ (또는 a ~) 해방, 석방, 면제 : *a* feeling of ~ 해방감 / His ~ *from* prison took place yesterday. 그의 출감은 어제 이루어졌다. ② Ⓤ (또는 a ~) 발사, (폭탄의) 투하. ③ Ⓤ,Ⓒ 발표〔공개, 발매〕(물) ; 개봉(영화). ④ Ⓤ,Ⓒ 〖法〗 양도〔기권〕(증서). ⑤ Ⓒ 〖機〗 시동〔정지〕 장치《핸들·바퀴 멈추개 등》. 「추.

reléase bùtton (핸드 브레이크 등의) 해제 단

rel·e·gate [réləgèit] *vt.*《+목+전+명》① …을 퇴거시키다, …를 추방하다 ; 지위를 떨어뜨리다, 좌천하다《*to*》: ~ a person *to* an inferior post 아무를 하위직으로 좌천하다. ② (운동 팀을 하위 리그로) 떨어뜨리다 ;《英》(축구팀을 하위 클래스로) 격하하다《*to*》: The football team was ~*d* (*to* the second division). 그 축구팀은 (2군으로) 격하되었다. ③ (사건 등)을 이관하다, 위탁하다《*to*》: ~ a task *to* one's subordinates 일을 부하에게 위임하다. ㊞ **rèl·e·gá·tion** [-géiʃən] *n.*

***re·lent** [rilént] *vi.* ① 상냥스러워지다, 누그러지다. ② 측은하게 생각하다, 가엾게 여기다《*toward* ; *at*》. ③ (바람 등이) 약해지다 : The winds ~*ed*. 바람이 잠잠해졌다.

***re·lent·less** [riléntlis] *a.* ① 가차 없는, 잔인한 ; 혹독한 : a ~ struggle for power 권력을 위한 냉혹한 투쟁. ② 〔敍述的〕 …에 가차없는《*in*》: a regime that was ~ *in* its persecution of dissidents 반대자의 탄압에 가혹했던 정권. ㊞ **~·ly** *ad.* **~·ness** *n.*

rel·e·vance, -cy [réləvəns], [-si] *n.* Ⓤ ① 관련 ; 적당, 적절(성)《*to*》: What you say has no 〔some〕 ~ *to* the subject. 네가 말하는 것은 그 문제와는 아무 관련이 없다〔다소 관련이 있다〕. ② 〖컴〗 (사용자가 필요로 하는 자료의) 검색 능력.

***rel·e·vant** [réləvənt] *a.* (당면한 문제에) 관련된 ; 적절한, 타당한《*to*》: a ~ question 적절한 질문 / collect all the ~ data 모든 관련 자료를 수집하다. ㊞ **~·ly** *ad.* 적절하게, 요령 있게.

re·li·a·bil·i·ty [rilàiəbíləti] *n.* Ⓤ 신빙성, 확실성 ; 〖컴〗 믿음성, 신뢰도.

re·li·a·ble** [riláiəbəl] (more*** ~ ; ***most*** ~) *a.* 의지가 되는, 믿음직한 ; 확실한, 신뢰성 있는 : a ~ man 믿을 만한 사람. ◇ rely *v.* ㊞ **~·ness** *n.*

re·li·a·bly [riláiəbli] *ad.* ① 믿을 수 있도록. ② 믿을 만한 곳에서 : We are ~ informed that he will stand for next election. 믿을 만한 소식통에 의하면 그는 다음 선거에 출마할 것이라고 한다.

***re·li·ance** [riláiəns] *n.* ① Ⓤ 믿음, 의지, 신뢰《*on, upon; in*》: I put ~ *on* him. 나는 그를 신용한다 / She acted in ~ *on* his promises. 그녀는 그의 약속을 믿고 행동했다. ② Ⓒ 믿음직한 사람〔물건〕, 의지할 곳. ◇ rely *v.*

re·li·ant [riláiənt] *a.* 〔敍述的〕 믿는, 의지하는, 신뢰하는《*on, upon*》: She's far too ~ *on* her parents for financial support. 그녀는 생활비에 대해 너무 부모에게 의지하고 있다.

***rel·ic** [rélik] *n.* ① (*pl.*) 유적, 유물. ② Ⓒ 잔재, 유풍(遺風). ③ (*pl.*) (성인·순교자의) 유골, 성물(聖物) ; 유품, 기념품.

rel·ict [rélikt] *n.* Ⓒ 잔존 생물〔종(種)〕. ── *a.* 〔限定的〕 잔존하는.

ː re·lief [rilíːf] (*pl.* ~***s***) *n.* **A)** ① Ⓤ **a)** (고통·곤란·지루함 따위의) 경감, 제거 : This drug gives rapid ~ from pain. 이 약은 고통을 빨리 없애준다. **b)** (또는 a ~) 안심, 위안 ; 소창 ; 휴식 : breathe *a* sigh of ~ 안도의 한숨을 쉬다 / It was *a* great ~ to learn that he was safe. 그가 무사하다는 것을 알고 크게 안심했다. ② Ⓤ **a)** 구원, 구조, 구제 ; 원조 물자〔자금〕. **b)** Ⓒ (버스·비행기 등의) 증편(增便). ③ **a)** Ⓤ 교체, 증원. **b)** Ⓒ 〔集合的 ; 單·複數 취급〕 교체자〔병〕: The ~ is 〔are〕 expected soon. 교체자는 곧 오게 되어 있

다. ④Ⓤ 세금의 면제금: tax ~ 세금 공제. ⑤Ⓤ (포위된 도시 따위의) 해방, 구원.

B) Ⓤ,Ⓒ ① **a)** 〖彫〗 부조(浮彫); 양각(陽刻) 세공. cf. intaglio. **b)** 〖印〗 철판(凸板) 인쇄. ② 두드러짐, 탁월; 강조. ③ (토지의) 고저, 기복. ◇ relieve *v.* ***in*** ~ 양각한; 뚜렷이: The castle stood out *in* (bold〔strong〕) ~ against the sky. 그 성은 하늘을 배경으로 (뚜렷이) 두드러져 보였다. ***on*** ~ 《美》 정부의 구호를 받고.

── *a.* 〔限定的〕 ① 구제〔구원〕(용)의: a ~ fund 구제 기금 / ~ work(s) 실업 대책 사업. ② 교체의; 〖野球〗 구원의, 릴리프의: a ~ crew 교체 승무원 / a ~ pitcher 구원 투수. ③ 임시의, 증편의.

relíef màp 기복(起伏)〔모형〕 지도. 「로.

relíef ròad 《英》 (교통 체증을 덜기 위한) 우회

ː**re·lieve** [rilíːv] *vt.* **A)** ① **a)** (고통·부담 따위)를 경감하다, 덜다, 누이다: No words can ~ his sorrow. 어떤 말도 그의 슬픔을 위로할 수 없다. **b)** …을 안도케 하다; (긴장)을 풀게 하다: His joke ~*d* the tension in the room. 그의 농담으로 방안의 긴장이 풀렸다. **c)** 《~+목 / +목+전+명》 (고통·공포 따위로부터) 해방하다, (걱정)을 덜다《*of*; *from*》; 《戲》 …을 훔치다《*of*》: The doctor ~*d* me *of* my psychological burden. 의사는 내게서 심리적인 부담을 덜어주었다 / Death ~*d* him *from* the pain. 죽음은 그를 고통으로 부터 해방시켰다 / A thief ~*d* him *of* his purse. 도둑이 그의 지갑을 훔쳐 갔다. ② …을 구원하다; 구제〔구조〕하다: ~ earthquake victims 지진 피해자를 구제하다. ③ 《~+목 / +목+전+명》 아무를 해임하다《*of*》; (아무로부터) …을 해제하다《*of*》; …와 교체하다〔교체시키다〕; 〖野〗 구원하다: He was ~*d of* (his) office. 그는 해직이 되었다 / We shall be ~*d* at five o'clock. 우리는 5시에 교체된다 / Let me ~ you *of* the load. 그 짐을 들어 드리지요. ④ (단조로움)을 덜다; …에게 변화를 갖게 하다: Nothing ~*d* the boredom. 그 지루함을 덜어 주는 것은 아무 것도 없었다. ⑤ (포위된 도시 따위)를 해방하다, 구원하다.

B) …을 돋보이게 하다, 눈에 띄게 하다《*by*; *with*》. ~ ***one's feelings*** (울거나 고함치거나 하여) 답답함〔울분〕을 풀다. ㊀ **re·liév·er** *n.* Ⓒ ~하는 사람〔물건〕; 〖野〗 구원 투수.

re·lieved [rilíːvd] *a.* ① 〔限定的〕 한시름 놓은, 안심한 표정의: a ~ look 안도하는 모습 / in a ~ tone 안심된다는 말투로. ② 〔敍述的〕 안도하는, 안심하는《*at*; *to* do》: He was ~ *at* the news. 그는 그 소식을 듣고 안심했다.

re·lie·vo [rilíːvou] (*pl.* **~s**) *n.* ① Ⓤ 〖彫·建〗 부조(浮彫) (relief). cf. alto-relievo. ② Ⓒ 부조 세공〔모양〕.

ː**re·li·gion** [rilídʒən] *n.* ① Ⓤ 종교; Ⓒ (특정한) 종교, …교(敎): the freedom of ~ 종교의 자유 / the Christian ~ 그리스도교. ② Ⓤ 신앙〔수도〕(생활); 신앙심: lead the life of ~ 신앙 생활을 하다 / be in ~ 수도자〔성직자〕이다. ③ (*sing.*) (신앙처럼) 굳게 지키는 것; 몰두하는 것. ◇ religious *a.*

re·li·gion·ism [rilídʒənìzəm] *n.* Ⓤ 종교에 미침, 신심 삼매(信心三昧); 독실한 체함. 「신자.

re·li·gion·ist [rilídʒənist] *n.* Ⓒ 독실한 신자; 광

re·li·gi·ose [rilídʒiòus] *a.* 믿음이 깊은; 좀 광신적인. ㊀ **-os·i·ty** [rilìdʒiásəti / -ɔ́s-] *n.*

ː**re·li·gious** [rilídʒəs] (***more*** ~; ***most*** ~) *a.* ① 종교(상)의, 종교적인. opp. *secular*. ¶ a ~ service 예배 / ~ ecstasy 법열. ② **a)** 신앙의, 신앙심이 깊은, 경건한; (the ~) 종교가들, 신앙인들: a ~ life 신앙 생활 / a deeply ~ person 독실한 신앙인 / They are very ~. 그들은 매우 경건하다. **b)** 계율을 따르는, 수도의; 수도회에 속한, 교단의: a ~ house 수도원. ③ 양심적인; 세심한 (scrupulous): with ~ care 용의(用意)주도하게. ◇ religion *n.* ── (*pl.* ~) *n.* Ⓒ 수도자, 수사, 수녀. ㊀ **~·ness** *n.*

re·li·gious·ly [rilídʒəsli] *ad.* ① 독실하게; 경건히. ② 양심적으로; 정기적으로, 꼭: work ~ 양심적으로 일하다.

re·line [riːláin] *vt.* (옷에) 안(감)을 다시 대다.

***re·lin·quish** [rilíŋkwiʃ] *vt.* ① 《~+목 / +목+전+명》 (소유물·권리 따위)를 포기〔양도〕하다; 철회하다. cf. abandon[1], renounce. ¶ ~ one's claim 요구를 포기하다 / ~ the right of inheritance 유산 상속권을 포기하다. ② …의 손을 늦추다, (줄)을 손에서 놓다: ~ one's hold (on a rope) (줄을) 쥐고 있는 손을 늦추다〔놓다〕. ③ (계획·습관 따위)를 버리다, 단념하다: ~ a plan 계획을 단념하다.

㊀ **~·ment** *n.* Ⓤ 포기, 철회; 양도.

rel·ish** [réliʃ] *n.* ① Ⓤ (또는 a ~) 맛, 풍미 (flavor): *a* ~ of garlic 마늘의 맛 / Hunger gives ~ to any food. 시장이 반찬. ② Ⓤ 〔흔히 否定文으로; 肯定文에서는 a ~〕 흥미, 의욕: I have *no* ~ *for* traveling. 여행에는 취미가 없다 / A spirit of adventure gives *a* ~ to the plan. 모험심이 그 계획에 흥미를 더해 주고 있다. ③ Ⓤ,Ⓒ 양념, 조미료. ④ Ⓤ (또는 a ~) 기미, 기색; 소량《*of*》: His speech had some ~ *of* sarcasm. 그의 연설에는 약간의 풍자가 들어 있었다. ***with ~ (1) 맛있게: eat meat *with* (a) ~ 고기를 맛있게 먹다. (2) 재미있게.

── *vt.* ① …을 상미(賞味)하다; 맛있게 먹다: ~ one's food 음식을 맛있게 먹다. ② 《~+목 / +-*ing*》 …을 즐기다(enjoy), (… 하기)를 좋아하다, 기쁘게 여기다: ~ a long journey 긴 여행을 즐기다 / He won't ~ hav*ing* to walk all that distance. 그는 그만한 거리를 걸어야 하는 것을 싫어할 것이다. ── *vi.* 《~ / +전+명》 (…의) 맛이〔풍미가〕 나다《*of*》; (…한) 기미〔기〕가 있다《*of*》: ~ well 맛이 좋다.

re·live [riːlív] *vt.* (생활·경험)을 되새기다, 회상하다; 다시 체험하다; 재생하다.

re·load [riːlóud] *vt.* ① …에 짐을 되싣다. ② …에 다시 탄약을 재다. ── *vi.* 다시 장전하다.

re·lo·cate [riːlóukeit] *vt.* ① …을 다시 배치하다; (주거·공장·주민 등)을 새 장소로 옮기다, 이전시키다(★ 개발 사업 등으로 강제 이주하는 등의 경우에 자주 쓰임): We were ~*d* to the other side of town. 우리는 시가지 반대쪽으로 옮겨졌다. ② 〖컴〗 다시 배치하다. ── *vi.* 이전〔이동〕하다.

re·lo·ca·tion [rìːloukéiʃən] *n.* Ⓤ 재배치, 배치전환; 〖美軍〗 (적(敵)국민의) 강제 격리 수용.

***re·luc·tance, -tan·cy** [rilʌ́ktəns], [-i] *n.* Ⓤ ① 마음이 내키지 않음, 마지못해 함, (하기) 싫음《*to* do》: with ~ 마지못해서 / without ~ 기꺼이 / He showed no ~ *to* help us. 그는 우리를 도와주는 것을 조금도 싫어하지 않았다. ② 〖電〗 자기(磁氣) 저항.

re·luc·tant** [rilʌ́ktənt] (more*** ~; ***most*** ~) *a.* 마음 내키지 않는(unwilling), 꺼리는, 마지못해 하는《*to* do》: a ~ answer 마음 내키지 않는 대답.

***re·luc·tant·ly** [rilʌ́ktəntli] *ad.* ① 마지못해, 싫어하면서: not ~ 아주 좋아서 / She ~ agreed. 그녀는 마지못해 동의했다. ② 〔文章修飾〕 본의 아니게: *Reluctantly,* he didn't write to her about it. 본의아니게 그는 그녀에게 보내는 편지에서 그것에 대해서 언급하지 않았다.

ː**re·ly** [rilái] (*p.*, *pp.* ***-lied*** [-láid]; ***-ly·ing***

[-láiiŋ]) *vi.* 《+[전]+[명]》 의지하다, 신뢰하다《*on, upon*》: He can be *relied upon.* 그는 신뢰할 수 있다 / You may ~ *upon* it that he will be here this afternoon. 오늘 오후 그는 꼭 온다 / I ~ *on* you *to* be there! 당신이 거기에 와 주리라고 믿고 있습니다《★ 꼭 와달라는 요청》/ We ~ *on* the dam *for* our water. 우리는 물을 이 댐에 의존하고 있다 / I ~ *on*〔*upon*〕get*ting* my money back on the agreed date. 약속된 날짜에 돈을 돌려 받을 것으로 믿고 있다. ◇ reliance *n.*
~ ***upon it*** 〔文章修飾〕 확실히 (depend upon it), 틀림없이: *Rely upon it,* it will be fine tomorrow. 틀림없이 내일은 갠다.

REM¹ [rem] *n.* [C] 〔心〕 렘《수면중의 급속한 안구 운동》. [◂ *r*apid *e*ye *m*ovement]

REM², rem [rem] (*pl.* ~) *n.* [C] 〔物〕 렘《인체에 주는 피해 정도에 입각한 방사선량(量)의 단위》. [◂ *r*oentgen-*e*quivalent-*m*an]

†re·main [riméin] *vi.* ① 《~ / +[전]+[명]》 남다, 남아 있다; 없어지지 않고 있다; 살아남다《*in; on; to; of*》: If you take 3 from 8, 5 ~*s.* 8에서 3을 빼면 5가 남는다 / ~ *on*〔*in*〕 one's memory 기억에 남다 / Little of the original architecture ~*s.* 본래의 건물은 거의 남아 있지 않다. ② 《+[전]+[명] / +[부]》 머무르다, 체류하다: ~ *in* one's post 유임하다 / I will ~ *here*〔*at* the hotel〕 three more days. 3일간 더 여기〔호텔에〕 머물겠다. ③ 《+*to* do》 …하지 않고 남아 있다, 아직 …하지 않으면 안 되다: This problem still ~*s to* be solved. 이 문제는 아직도 해결되지 않고(남아) 있다. ④ 《+[보] / +*done* / +[전]+[명]》 …한 대로이다, 여전히 …이다: ~ silent 침묵을 지키고 있다 / They ~*ed* friends. 그들은 여전히 친구 사이였다 / He ~*ed* undisturbed. 그는 여전히 평온했다 / They ~*ed at* peace. 그들은 여전히 평화를 유지하고 있었다. ***I ~ yours sincerely*** 〔***truly,*** etc.〕. 경구《편지의 결구》.
— *n.* (*pl.*) ① 잔존물; 나머지《*of*》: the ~*s of* a meal 식사하고 남은 것, 잔반. ② 유물, 유적; 화석 (fossil ~s); 유체, 유해 (遺骸). ③ (작가의) 유고(遺稿).

***re·main·der** [riméindər] *n.* ① (the ~) 나머지, 잔여《*of*》. ② (the ~) 잔류자〔물〕, 그 밖의 사람〔물건〕《*of*》: Please pay half the money now and *the* ~ when you receive the goods. 지금 반액을 내시고 나머지는 물품을 인수할 때 내세요. ③ [C] 〔數〕 (뺄셈·나눗셈의) 나머지, 잉여. ④ [C] 팔다 남은 책, 잔품. — *vt.* …을 팔다 남은 책으로서 싸게 팔다.

re·main·ing [remeíniŋ] *a.* 〔限定的〕 남은, 나머지의: ~ snow 잔설.

re·make [riːméik] (*p., pp.* ***-made***) *vt.* …을 고쳐 만들다, 개조하다, 개작하다. — [ᐩᐩ] *n.* [C] 재제조; 개작, 개조; 《특히》 재영화화한 작품.

re·mand [rimǽnd, -máːnd] *vt.* ① …을 재유치하다《흔히 受動으로》: He *was* ~*ed* in custody. 그는 (구치소에) 재구금되었다. ② …을 하급 법원으로 반송하다. — *n.* [U] 재구류, 재유치.

remánd hòme 〔**cènter**〕 《英》 소년 구치소.

‡re·mark [rimáːrk] *vt.* ① …에 주목〔주의〕하다; …을 알아차리다, 인지하다 (perceive): I didn't ~ anything unusual. 여느 때와는 다르다는 것을 발견하지 못했다. ② 《~+[목] / (+[전]+[명]) +*that* [절]》 …라고 말하다, 한 마디 말하다: "I thought you had gone." he ~*ed.* '당신은 가버렸다고 생각했습니다'라고 그는 말했다.
— *vi.* 《+[전]+[명]》 의견을 말하다, 비평하다《*on, upon*》: I ~*ed on* his hair style. 그의 머리 모양에 대해서 한 마디 했다. ***as ~ed above*** 위에서 말한 것처럼.
— *n.* ① [U] 주의, 주목; 관찰: escape ~ 들키지 않다 / There's nothing worthy of ~ in this town. 이 도시〔읍〕에는 볼 만한 것이 아무 것도 없다. ② [C] 소견, 비평《*about, on*》: make ~*s about*〔*on*〕 …을 비평하다, 감상〔소견〕을 말하다, (짧은) 연설을 하다.

‡re·mark·a·ble [rimáːrkəbəl] (***more*** ~; ***most*** ~) *a.* ① 주목할 만한, 놀랄 만한: Really? How ~! 정말? 놀랐는데 / He is ~ *for* his diligence. 그의 근면은 이만저만하지 않다. ② 비범한; 대단한. ㊖ **~·ness** *n.*

re·mark·a·bly** [rimáːrkəbəli] (more*** ~; ***most*** ~) *ad.* ① 매우, 대단히, 뚜렷이: She sang ~ well. 그녀는 노래를 썩 잘 불렀다. ② 〔文章修飾〕 놀랍게도: *Remarkably* (enough), he wasn't hurt in the crash. 놀랍게도 그는 추락 사고에서 다치지 않았다.

re·mar·ry [riːmǽri] *vt., vi.* 재혼시키다〔하다〕.

re·me·di·a·ble [rimíːdiəbəl] *a.* 치료할 수 있는; 구제〔교정〕 가능한. ㊖ **-bly** *ad.* **~·ness** *n.*

re·me·di·al [rimíːdiəl] *a.* ① 치료상의, 치료를 위한. ② 구제〔수정〕적인; 교정〔개선〕하는: ~ measures 개선책. ③ 보수적(補修的)인: ~ lessons 보충 수업. ㊖ **~·ly** *ad.*

‡rem·e·dy [rémədi] *n.* [U,C] ① 치료(법)《*for; against*》: a folk ~ 민간 요법. ② 구제책, 교정(矯正)법《*for*》: He is past〔beyond〕 ~. 이미 틀린 사람이다.
— *vt.* ① …을 고치다, 치료〔교정〕하다; 보수하다. ② …을 구제하다; 교정하다, 개선하다: ~ a situation 사태를 개선하다.

†re·mem·ber [rimémbər] *vt.* ① 《~+[목] / +*that* [절]》 …을 생각해 내다, 상기하다: He suddenly ~*ed that* he made a promise with her. 갑자기 그녀와의 약속이 생각났다. ② 《~+[목] / +*to* do / +*-ing* / +*that* [절] / +[목]+*-ing* / +*wh.* [절] / +*wh. to* do / +[목]+*as* [보] / +[목]+[전]+[명]》 …을 기억하고 있다, 기억해두다; 잊지 않고 …하다: Do you ~ me? 나를 기억하고 있느냐 / *Remember to* get the letter registered. 그 편지를 잊지 말고 등기로 부쳐라 / I ~ meet*ing* her once.=I ~ *that* I met her once. 그녀와 한 번 만난 적이 있다 / I ~ him sing*ing* beautifully. 그가 훌륭하게 노래 부른 것을 기억하고 있다 / I ~ him *as* a bright boy. 영리한 소년 시절의 그를 기억하고 있다. ③ 《~+[목] / +[목]+[전]+[명]》 …에게 특별한 감정을 품다; …에게 선물〔팁〕을 주다; …을 위해 기도하다; 기록〔기념〕하다: Please ~ the waiter. 사환에게 팁을 주십시오 / ~ a person *in* one's prayer 아무를 위해 기도하다. ④ 《+[목]+[전]+[명]》 …로부터 안부를 전하다〔전언(傳言)하다〕: My mother asked to be ~*ed to* you. 어머니께서 당신께 안부 전해 달라고 말씀하셨습니다.
— *vi.* 기억하고 있다; 회고하다, 생각나다; …을 생각해내다《*of*》: if I ~ right(ly) 내 기억이 정확하다면 / (as) you ~ 당신도 아시다시피 / Don't forget to do it. Please ~! 잊지 말고 그렇게 해주세요, 아시겠어요.

‡re·mem·brance [rimémbrəns] *n.* ① [U,C] 기억; 회상, 추상; 기억력: bring…to ~ …을 생각나게 하다 / escape one's ~ 잊다. ② [U,C] 기념; 기념품, 유품 (keepsake): a service *in* ~ *of* those killed in the war 전사자를 위한 예배. ③ (*pl.*) (안부의) 전언: Give my kind ~*s to*…. …에게 안부 전해 주시오. ◇ remember.

Remémbrance Dày 〔**Súnday**〕 현충일

(顯忠日)《英》 제1·2차 세계 대전의 전사자를 기념하는 법정 휴일; 11월 11일에 가까운 일요일》.

re·mem·branc·er [rimémbrənsər] *n.* Ⓒ ① 생각나게 하는 사람(것). ② 기념품; 추억거리 (reminder); 비망록, 메모.

re·mil·i·ta·ri·za·tion [ri:mìlitərizéiʃən] *n.* Ⓤ 재군비(rearmament).

re·mil·i·ta·rize [ri:mílitəràiz] *vt., vi.* 재군비하다.

‡re·mind [rimáind] *vt.* 《~+목/+목+전+명/+목+to do/+목+that 절》 …에게 생각나게 하다, …에게 깨닫게 하다, …에게 주의를 주다《*of*》: That ~*s* me. 그것으로 생각났다/She ~*s* me *of* my mother. 그녀를 보니 어머니 생각이 납니다/We must ~ him *that* he's on duty tonight. 오늘 저녁 당직임을 잊지 말라고 그에게 다짐해야 한다.

***re·mind·er** [rimáindər] *n.* Ⓒ ① 생각나게 하는 사람(것). ② 생각나게 하기 위한 조언(주의); 독촉장: I received a ~ that the book was overdue. 책의 반환 기한이 지났다는 독촉장을 받았다.

re·mind·ful [rimáindfəl] *a.* ① 생각나게 하는, 추억의 요인이 되는《*of*》. ② 기억하고 있는.

rem·i·nisce [rèmənís] *vi.* 추억에 잠기다; (…의) 추억을 말하다(쓰다)《*about*》.

***rem·i·nis·cence** [rèmənísəns] *n.* ① Ⓤ 회상, 추억; 기억(상기)력. ② (*pl.*) 추억, 회고담, 회상록《*of*》: ~*s of* the war 전쟁 회고록.

***rem·i·nis·cent** [rèmənísənt] *a.* ① 〔敍述的〕 생각나게 하는《*of*》. ② 추억의, 추억에 잠기는: in a ~ tone 추억에 잠기는 듯한 말투로. ㊞ **~·ly** *ad.* 회상에 잠겨.

re·miss [rimís] *a.* 〔敍述的〕 태만한, 부주의한 (careless): be ~ in one's duties 직무 태만이다. ㊞ **~·ly** *ad.* **~·ness** *n.*

re·mis·sion [rimíʃən] *n.* ① Ⓤ 용서, 면제; 면죄, 사면(pardon)《*of*》. ② U,C (모범수의) 형기 단축. ③ U,C 풀림, 누그러짐; 경감; (아픔 따위의) 진정; (병의) 차도. ◇ remit *v.*

***re·mit** [rimít] (*-tt-*) *vt.* ①《+목+목/+목+전+명》 (돈·화물 따위)를 보내다, 우송하다: *Remit* me the money at once.=*Remit* the money *to* me at once. 지급으로 송금해 주십시오. ② (문제·사건을 위원회 등)에 회부하다; (소송)을 하급 법원으로 환송하다《*to*》. ③ (부채·세금·형벌 등)을 면제하다, 감면하다. ④ (노염·고통 따위)를 누그러뜨리다(abate), (노력)을 완화하다, 감하다. ── *vi.* ① 송금하다, 지급하다: Enclosed is our bill; please ~. 청구서를 동봉했으니 송금바랍니다. ② 누그러지다, 풀리다; (병이) 차도가 있다. ── *n.* Ⓤ (위원회 등에 위탁된) 권한. ◇ remission *n.*

re·mit·tance [rimítəns] *n.* Ⓤ (또는 a ~) 송금; 송금액: make (a) ~ 송금하다. ◇ remit *v.*

re·mit·tent [rimítənt] *a.* 〖醫〗 더했다 덜했다 하는, 이장성(弛張性)의, (열이) 오르내리는.

re·mit·ter [rimítər] *n.* Ⓒ 송금자; 발행인.

***rem·nant** [rémnənt] *n.* ① (종종 *pl.*) 나머지, 잔여《*of*》. ② Ⓒ 찌꺼기(scrap), 우수리; 자투리: a ~ sale 떨이 판매. ③ Ⓒ 잔존물, 유물, 자취, 유풍《*of*》: a ~ *of* her former beauty 그녀의 옛 미모의 자취.
── *a.* 〔限定的〕 나머지(물건)의. ◇ remain *v.*

re·mod·el [ri:mádl/-mɔ́dl] (*-l-*, 《英》 *-ll-*) *vt.* 《~+목/+목+전+명》 …을 고쳐 만들다, 형(型)(본)을 고치다, 개조(개작)하다: ~ an old inn *into* a hotel 낡은 여관을 호텔로 개축하다.

re·mold, 《英》 **-mould** [ri:móuld] *vt.* (자동차 타이어)의 지면 접촉면을 재생하다. ── *n.* Ⓒ 재생 타이어.

re·mon·strance [rimánstrəns/-mɔ́n-] *n.* U,C 항의; 충고; 타이름.

re·mon·strant [rimánstrənt/-mɔ́n-] *a.* 반대하는, 항의의; 충고하는, 충고의, 타이르는.

re·mon·strate [rimánstreit, rémənstrèit/rimɔ́nstreit] *vi.* 《~/+전+명》 이의를 말하다, 항의하다《*against*》; 충고하다, 간언하다(expostulate)《*with*》: The doctor ~*d with* me *on*(*about*) my smoking. 의사는 나의 흡연에 대해 충고했다/We ~*d against* the corporal punishment of children. 우리는 어린이들에 대한 체벌에 항의했다. ── *vt.* …을 항의하다《*that*》.
㊞ **re·mon·stra·tion** [rìmanstréiʃən, rèmən-/rìmɔn-] *n.* **re·mon·stra·tive** [rimánstrətiv/rimɔ́n-] *a.* 간언(諫言)의, 항의의. **re·mon·stra·tor** [rimánstreitər, rémənstrèitər] *n.*

rem·o·ra [rémərə] *n.* Ⓒ 〖魚〗 빨판상어.

re·morse** [rimɔ́:rs] *n.* Ⓤ 후회, 양심의 가책 (compunction)《*for*; *over*》: feel ~ *for* one's crime 죄를 짓고 양심의 가책을 느끼다. ***without ~ 가차 없이.

re·morse·ful [rimɔ́:rsfəl] *a.* 몹시 후회하고 있는, 양심의 가책을 받는: ~ tears 회한의 눈물. ㊞ **~·ly** [-fəli] *ad.* **~·ness** *n.*

re·morse·less [rimɔ́:rslis] *a.* 무자비한, 냉혹(잔인)한. ㊞ **~·ly** *ad.* **~·ness** *n.*

‡re·mote [rimóut] (*-mot·er*; *-mot·est*) *a.* ① 먼, 먼 곳의; 인가에서 떨어진, 외딴(secluded)《*from*》. cf. far. ¶ a village ~ *from* the town 도시에서 떨어진 벽촌. ②《比》 먼: a ~ future 먼 장래/a ~ ancestor 먼 조상. ③ 관계가 적은, 간접적인: ~ causes(effects) 간접적인 원인(영향). ④ (태도 따위가) 쌀쌀한, 서먹서먹한: with a ~ air 쌀쌀맞게. ⑤ 〔종종 最上級이나 또는 否定文으로〕 (가능성 따위가) 미미한; 여간해서 일어날 것 같지 않은: a ~ possibility 만에 하나의 가능성/There's *not* the *remotest* chance of success. 성공할 가능성은 전혀 없다. ⑥ 원격 조작의: ⇨ REMOTE CONTROL. ㊞ **~·ly** *ad.* **~·ness** *n.*

remóte contról 원격 제어(遠隔制御)(조작), 리모컨.

remóte prócessing 〖컴〗 원격 처리.

remould ⇨ REMOLD.

re·mount [ri:máunt] *vt.* ① (말·자동차 등)에 다시 타다; (사다리·산)에 다시 오르다. ② (사진·보석 따위)를 갈아 끼우다. ── *vi.* ① 다시 타다. ② 다시 오르다. ── [ˊ-, -ˊ] *n.* Ⓒ 갈아탈 말, 예비 말; 보충 말.

re·mov·a·ble [rimú:vəbəl] *a.* ① 이동할 수 있는; 제거할 수 있는; 해체할 수 있는: These bookshelves are ~. 이 서가들은 해체할 수 있다. ② 해임(면직)할 수 있는.

***re·mov·al** [rimú:vəl] *n.* U,C ① 이동, 이전, 전거. ② 제거; 철수; 해임, 면직.
── *a.* 〔限定的〕《英》 이삿짐 센터(업)의, 이삿짐 운반업의: a ~ van 이삿짐 운반차(《美》 moving van).

***re·move** [rimú:v] *vt.* ①《~+목/+목+전+명》 …을 옮기다, 움직이다, 이전(이동)시키다: ~ one's eyes *from* the painting 그림에서 눈을 돌리다/~ the troop *to* the front 군대를 전선으로 이동하다/Will you ~ the dishes *from* the table? 식탁에서 접시를 치워 주실래요. ②《~+목/+목+전+명》 …을 제거하다; 치우다; 벗(기)다: ~ a name *from* a list 명부에서 이름을 빼다/~ lipstick *with* a tissue 휴지로 입술연지를 지우다/~ graffiti *from* a wall 벽에서 낙서를 지워 없애

다 / Please ~ your shoes. 신발을 벗으시오. ③ 《~+목 / +목+전+명》 …을 내쫓다, 해임〔면직, 해고〕하다 : He was ~*d for* embezzling. 그는 횡령혐의로 면직됐다 / The governor was ~*d from* office, pending an investigation. 그 주지사는 수사가 진행되는 중에 해임되었다. ④《口》…을 죽이다, 암살하다. ── *vi.* ①《~ / +전+명》 이동하다; 이전하다《*from* ; *to, into*》: ~ *to*〔*into*〕 another apartment 다른 아파트로 옮기다 / The company has ~*d from* Seoul *to* Pusan. 회사는 서울에서 부산으로 이전했다《★ 《口》에서는 move》. ②《詩》 떠나다, 사라지다(disappear). ③ 제거되다, 벗겨지다.

── *n.* Ⓒ 〔흔히 수를 나타내는 말과 함께〕 ① 거리, 간격 : at a certain ~ 조금 떨어진 곳에서 / Genius is but one ~ *from* insanity. 천재와 광기는 종이 한 장 차이이다 / This is (at) many ~*s from* what I expected. 이것은 내가 기대했던 것과 너무 크게 다르다. ② 등급; 촌수 : a cousin in the second ~ 사촌의 손자, 육촌.

***re·moved** [rimúːvd] *a.* ① 떨어진(remote), 사이를 둔(distant)《*from*》: His confession was *far* ~ *from* the truth. 그의 고백은 진실과는 아주 동떨어져 있다. ② (once, twice, …times 등과 함께) 연분〔인연〕이 먼; …촌(寸)의 : one's first cousin *once*〔*twice*〕~ 사촌의 아들딸〔손자〕, 오〔육〕촌.

re·mov·er [rimúːvər] *n.* Ⓒ ①《英》(이삿짐) 운송업자, 이삿짐 센터(《美》 mover). ② (칠·얼룩의) 제거제 : a stain ~ 얼룩 제거제. ③ 이전〔전거(轉居)〕자.

RÉM slèep [rém-] 〖生理〗 역설(逆說)수면.

re·mu·ner·ate [rimjúːnərèit] *vt.* 《~+목 / +목+전+명》 …에게 보수를 주다; 보상하다; 보답하다 : ~ a person *for* his labor 노동에 대한 보수를 주다.

re·mu·ner·a·tion [rimjùːnəréiʃən] *n.* Ⓤ (또는 a ~) 보수, 보상《*for*》; 급료.

re·mu·ner·a·tive [rimjúːnərèitiv / -nərətiv] *a.* 보수가 있는; 유리한(profitable), 수지맞는. ㊕ ~·ly *ad.* ~·ness *n.*

Re·mus [ríːməs] *n.* 〖로神〗 Romulus 의 쌍둥이 형제. ⓒⓕ Romulus.

***Ren·ais·sance** [rènəsáːns, -záːns, ∸∸∸ / rinéisəns] *n.* ① **a)** (the ~) 문예 부흥, 르네상스《14-16세기 유럽의》. **b)** 르네상스의 미술〔문예, 건축〕양식. ② (r-) (문예·종교 등의) 부흥, 부활; 신생, 재생. ── *a.* 문예 부흥(시대)의; 르네상스 양식의.

re·nal [ríːnəl] *a.* 콩팥의; 신장부(腎臟部)의 : a ~ calculus 신장 결석. ◇ kidney *n.*

re·name [riːnéim] *vt.* …에게 새로 이름을 붙이다; 개명하다 : Leningrad has been ~*d* Saint Petersburg. 레닌그라드는 상트페테르부르크로 개명되었다. ── *n.* 〖컴〗 새 이름《파일 이름의 변경》.

re·nas·cence [rinǽsəns, -néi-] = RENAISSANCE.

re·nas·cent [rinǽsənt] *a.* 재생하는; 부활〔부흥〕하는; 재기하는.

rend** [rend] (*p., pp.* ***rent [rent]) *vt.* ① …을 째다, 찢다. ② …을 나누다, 분열〔분리〕시키다. ③ …을 떼어놓다, 비틀어 떼다, 강탈하다《*off* ; *away*》. ④ (옷·머리털 따위)를 쥐어뜯다; (마음)을 상하게 하다 : ~ one's hair in grief 슬픈 나머지 머리를 쥐어뜯다. ⑤ (외침 소리 따위가 하늘)을 찌르다.

── *vi.* 《~ / +부》 째지다, 쪼개지다; 산산조각이 나다, 분열하다. ⓒⓕ tear².

‡ren·der [réndər] *vt.* ①《+목+보》…로 만들다, …이 되게 하다 : ~ a person helpless 아무를 어찌할 수 없는 상태로 몰다 / He was momentarily ~*ed* speechless with joy. 그는 기쁜 나머지 잠시 말이 안 나왔다. ② **a)** 《+목+전+명》 (보답으로서) …을 주다, 갚다, …에 보답하다 : ~ evil *for* good 선을 악으로 갚다 / ~ blow *for* blow 맞고 때려주다. **b)** 《~+목 / +목+전+명》 (세금 따위)를 납부하다, 바치다《*to*》: *Render* unto Caesar the things that are Caesar's. 〖聖〗 가이사의 것은 가이사에게 바치라《마가복음 XII : 17》. ③ (계산서·이유·회답 등)을 제출하다, 교부하다; (판결 등)을 선고하다, 평결하다 : ~ a bill 청구서를 제출하다. ④《~+목 / +목+전+명 / +목+목》 (아무에게 어떤 일)을 하다, 행하다, 다하다; (조력 등)을 주다, 제공하다; (경의 따위)를 표하다 : ~ a service *to* a person = ~ a person a service 아무를 위하여 진력하다. ⑤ **a)** 표현하다, 묘사하다; 연주〔연출〕하다. **b)** 《+목+전+명》 …을 번역하다《*into*》: *Render* the following *into* Korean. 다음 글을 국역하라. ⑥《~+목 / +목+부》 (지방 따위)를 녹여서 정제(精製)하다; …에서 기름을 짜다 : ~ *down* fat 지방을 정제하다. ⑦《+목+부》 …을 갚다, 돌려 주다. ⑧ (벽)에 초벽질을 하다. ~ ***up*** (1) 명도하다, 인도하다. (2) 기도를 올리다.

ren·der·ing [réndəriŋ] *n.* Ⓤ,Ⓒ ① (연극·음악 등의) 표현, 연출, 연주《*of*》: She gave a splendid ~ *of* the piano sonata. 그녀는 그 피아노 소나타를 훌륭히 연주했다. ② 번역(문).

***ren·dez·vous** [rándivùː / rɔ́n-] (*pl.* ~ [-z]) *n.* Ⓒ《F.》① (특정한 장소·때에) 만날 약속; 약속에 의한 회합(장소); 〔一般的〕 회합(장소). ⓒⓕ date. ¶ have a ~ with …와 만나기로 하다. ② 〖宇宙〗 (우주선의) 랑데부. ── *vi.* 약속 장소에서 만나다; (우주선이) 랑데부하다. 「출, 연주.

ren·di·tion [rendíʃən] *n.* Ⓤ,Ⓒ 번역; 해석; 연

ren·e·gade [rénigèid] *n.* Ⓒ ① 배교자. ② 배반자; 탈당자, 변절자; 반역자. ── *a.* 〔限定的〕 ① 배교한. ② 배반의, 변절한.

re·nege, 《英》 **-negue** [riníg, -nég, -níːg / -níːg] *vi.* ① 〖카드놀이〗 (선의 패와 같은 짝의 패를 가지고 있으면서) 딴 패를 내다《반칙》. ② (계약·약속을) 어기다《*on*》: ~ *on* one's promise 약속을 어기다.

‡re·new [rinjúː] *vt.* ① …을 새롭게 하다, 신생시키다, 부활하다, 재흥하다 : They ~*ed* their acquaintance. 그들은 오랜 교제를 새로이 했다. ② …을 되찾다, 회복하다 : ~ one's enthusiasm 열의를 새롭게 하다. ③ …을 재개하다; 반복하다, 되풀이하다 : The naval attack was ~*ed* the next morning. 해군의 공격이 이튿날 아침 재개되었다. ④ (계약 등)을 갱신하다; …의 기한을 연장하다 : ~ the library book for another week 책의 대출을 한 주일 더 연장하다. ⑤ …을 신품과 교체하다 : ~ tires 타이어를 새로 교체하다. ── *vi.* ① 새로워지다; 새로 시작하다(recommence). ② 회복하다. ③ 계약을 갱신하다.

re·new·a·ble [rinjúːəbl] *a.* ① (계약 등을) 갱신〔연장〕할 수 있는〔해야 하는〕. ② 재생 가능한 : ~ energy 재생 가능한 에너지.

***re·new·al** [rinjúːəl] *n.* Ⓤ,Ⓒ ① 새롭게 하기. ② 부활, 회복; 재생, 소생; 재개. ③ (계약·어음 등의) 갱신, 개서(改書).

ren·net [rénit] *n.* Ⓤ 응유(凝乳)《치즈 제조에 씀》; 응유 효소(rennin).

Re·noir [rénwaːr] *n.* **Pierre Auguste** ~ 르누아르《프랑스의 화가; 1841-1919》.

***re·nounce** [rináuns] *vt.* ① (정식으로 권리 등)을 포기하다(surrender), 기권하다 ; 버리다 ; 단념하다 : ~ one's religion 신앙을 버리다 / James Ⅱ ~*d* all claims to the English throne. 제임스 2세는 영국의 왕위 계승권을 완전히 포기했다. ② 인연을 끊다, 의절하다 : ~ friendship 친구와 절교하다. ㊕ ~·**ment** *n.*

ren·o·vate [rénəvèit] *vt.* ① …을 새롭게 하다, 혁신하다, 쇄신하다 ; 고쳐 만들다, 수선하다. ② …을 회복하다 ; 원기를 회복시키다, 활기를 불어넣다. ㊕ **rèn·o·vá·tion** [-ʃən] *n.* Ⓤ 쇄신, 혁신 ; 수리, 수선 ; 원기 회복. **rén·o·và·tor** [-ər] *n.* Ⓒ 혁신〔쇄신〕자 ; 수선자.

***re·nown** [rináun] *n.* Ⓤ 명성, 영명(令名) : of high 〔great〕 ~ 매우 유명한 / At college, I'd acquired some ~ as a football player. 대학에서, 나는 축구 선수로 어느 정도 명성을 얻었다.

re·nowned** [rináund] (more*** ~ ; ***most*** ~) *a.* 유명한, 명성이 있는 : a ~ scientist 유명한 과학자 / Goldman was ~ *as* a journalist and author. 골드맨은 저널리스트 겸 작가로서 유명했다.

‡rent[1] [rent] *n.* Ⓤ (또는 a ~) ① 지대, 소작료. ② 집세, 방세. ③ 〔一般的〕 임대〔임차〕료 : free of ~ 임대료 없이. ***For*** ~. 《美》 셋집〔셋방〕 있음《게시문》. ── *vt.* 《~+목 / +목+전+명》 ① …을 임차하다, 빌리다 : We ~*ed* a car from a rent-a-car. 우리는 렌터카 회사로부터 차를 한 대 세냈다. ② …을 임대하다, 빌려주다, 세놓다 : ~ a room to a person 아무에게 방을 세놓다. ── *vi.* 《+전+명》 세놓다, 임대되다 : ~ at 〔for〕 1,000 dollars a year, 1년에 천 달러로 세놓다. ── *a.* 〔限定的〕 집세의, 지대의 : a ~ collector 집세〔지대〕 수금원. ㊕ ∠·**a·ble** *a.*

rent[2] *n.* Ⓒ ① 째진 틈, 해진 곳 : a ~ in a sleeve 소매의 해진 곳. ② (구름 따위의) 갈라진 사이, 갈린 곳〔틈〕 ; 협곡. ③ (의견·관계 등의) 분열, 불화. ◇ rend *v.*

rent[3] REND의 과거·과거분사.

rent-a-car [réntəkɑ̀ːr] *n.* Ⓒ 렌터카, 임대차 ; 렌터카 회사.

***rent·al** [réntl] *n.* Ⓒ ① 임대〔임차〕료. ② 《美》 임대용〔임차용〕의 집〔방, 차〕. ③ 임대 업무 ; 임대〔렌터〕 회사. ── *a.* 임대〔임차〕의 ; 지대〔집세〕의 ; 임대 업무를 행하고 있는 : ~ system 렌털시스템, (단기) 임대 방식.

réntal lìbrary 《美》 (유료) 대출 도서관, 대출문고, 세책집.

rént bòy 젊은 남창(男娼).

rent·er [réntər] *n.* Ⓒ 임차인, 차지인, 소작인 ; 임대인 ; 빌려 주는 사람, 빌리는 사람.

rent-free [réntfríː] *a.*, *ad.* 지대〔집세〕가 없는〔없이〕.

ren·tier [*F.* rɑ̃ːtjéi] *n.* Ⓒ 《F.》 금리〔배당〕 생활자.

re·nun·ci·a·tion [rinʌ̀nsiéiʃən, -ʃi-] *n.* Ⓤ,Ⓒ ① 포기 ; 기권 ; 단념, 체념. ② 극기(克己), 자제. ◇ renounce *v.*

***re·o·pen** [riːóupən] *vt.* …을 다시 열다 ; 다시 시작하다, 재개하다 ; …의 교섭을 재개하다 : ~ a trial 심리를 재개하다. ── *vi.* 다시 열리다, 재개되다 : The store will ~ next week. 그 가게는 내주에 다시 문을 연다.

***re·or·gan·i·za·tion** [riːɔ̀ːrgənizéiʃən] *n.* Ⓤ 재편, 개편 ; 개조.

***re·or·gan·ize** [riːɔ́ːrgənàiz] *vt.* …을 재편성하다, 개편하다 ; 개조하다 ; 개혁하다.

rep[1], **repp** [rep] *n.* Ⓤ 렙《골지게 짠 직물》.

rep[2] *n.* Ⓒ 《口》 ① 판매원, 외무 사원. ② 대표자 : a union ~ 조합 대표.

rep[3] *n.* 《口》 =REPERTORY COMPANY 〔THEATER〕.

rep[4] *n.* Ⓤ 《美俗》 명성. [◂ *rep*utation]

Rep. 《美》 Representative ; Republic ; Republican.

rep. repair ; repeat ; report(ed) ; reporter ; representative ; reprint ; republic.

re·paid [riːpéid] REPAY 의 과거·과거분사.

‡re·pair[1] [ripέər] *vt.* ① …을 수리〔수선, 개수〕하다 : ~ a house 집을 개축하다. ② (건강·힘 등)을 되찾다, 회복하다 ; (상처 등)을 치료하다. ⓒⓕ renew. ③ …을 정정〔교정(矯正)〕하다. ④ (손해·부족 등)을 벌충하다 ; (부정·죄 등)을 보상하다, 배상하다 : How can I ~ the wrong I have done him? 그에게 저지른 잘못을 어떻게 보상할까. ── *n.* Ⓤ 수리, 수선 ; Ⓒ (종종 *pl.*) 수선〔수리, 복구〕 작업 ; Ⓒ 수선 부분 ; (*pl.*) 수선비 : The shop will be closed during ~*s.* 수리 중에는 휴점합니다 / need ~ 수리를 요하다《★ 단수일 때에도 a를 붙이지 않음》. ***beyond*** 〔***past***〕 ~ 수리의 가망이 없는. ***in good*** 〔***bad***〕 ~ = ***in*** 〔***out of***〕 ~ 손질이 잘 되어 있어서〔있지 않아서〕. ***under*** ~(***s***) 수리 중. ㊕ ~·**er** *n.* 수리자.

re·pair[2] *vi.* 《~ / +전+명》 가다, 다니다, 종종 가다《*to*》 ; 여럿이 가다《*to*》 : ~ in person *to* London 몸소 런던으로 가다.

re·pair·man [ripέərmæ̀n, -mən] (*pl.* ***-men*** [-mèn, -mən]) *n.* Ⓒ (기계의) 수리공, 수선인.

rep·a·ra·ble [répərəbəl] *a.* 수선할 수 있는 ; 배상〔보상〕할 수 있는 ; 돌이킬 수 있는.

***rep·a·ra·tion** [rèpəréiʃən] *n.* ① Ⓤ 보상, 배상 : make ~ *for* …을 배상하다. ② (*pl.*) 배상금, 배상물(物).

rep·ar·tee [rèpɑːrtíː] *n.* Ⓤ 재치있는 즉답〔응수〕.

re·past [ripǽst, -pɑ́ːst] *n.* Ⓒ 식사 : a dainty ~ 미식(美食) / a light 〔slight〕 ~ 간단한 식사.

re·pa·tri·ate [riːpéitrièit / -pǽt-] *vt.* ① …을 본국에 송환하다. ② (이익·자산 등)을 본국으로 보내다. ── *vi.* 본국에 돌아가다. ── [riːpéitriit / -pǽt-] *n.* Ⓒ 본국으로의 송환자, 귀환자. ⓒⓕ evacuee.
㊕ **re·pa·tri·a·tion** [riːpèitriéiʃən / -pæ̀t-] *n.* Ⓤ 본국 송환〔귀환〕.

‡re·pay [ripéi] (*p.*, *pp.* ***-paid*** [-péid]) *vt.* ① 《~+목 / +목+목 / +목+전+명》 (아무에게 돈)을 갚다, 반제(返濟)하다 : ~ a debt 빚을 갚다 / *Repay* me the money. = *Repay* the money *to* me. 돈을 갚아 주게. ② 《~+목 / +목+전+명》 (아무)에게 보답하다, 은혜를 갚다《*for* ; *with*》 : ~ a person's kindness 아무의 친절에 보답하다 / I cannot ~ you *for* all your kindness. 당신의 온갖 친절에 보답할 수가 없겠군요. ③ (행위 따위)에 보답하다 ; 값어치가 있다 : This book ~*s* close study. 이 책은 정독할 만한 값어치가 있다. ── *vi.* 돈을 갚다 ; 보답하다. ㊕ ~·**a·ble** [-əbəl] *a.* 돌려 줄〔반제할〕 수 있는 ; 돌려줘야〔반제해야〕 할. ~·**ment** [-mənt] *n.* Ⓤ,Ⓒ 반제, 상환 ; 보상 ; 보은 ; 앙갚음.

***re·peal** [ripíːl] *vt.* …을 무효로 하다, 폐지하다, 철회하다. ── *n.* Ⓤ 폐지, 철회.

‡re·peat [ripíːt] *vt.* ① …을 되풀이하다, 반복하다 : History ~*s* itself. 역사는 되풀이한다. ② 《~+목 / +*that* 절》 …을 되풀이해 말하다 : I ~ *that* I can't accede to your demand. 다시 한번 말하지만 너의 요구에는 응할 수 없다. ③ …을 흉내내어 말하다. ④ …을 그대로 사람에게 전하다, 딴 사람에게 말하다. ⑤ 〔흔히 受動으로〕 …을 재방영〔재방송〕하다 : The program is be*ing* ~*ed* on Channel 7 next Sunday. 이 프로그램은 다음 일요

일에 채널 7에서 재방송된다. ── *vi.* ① 되풀이하여 말하다 : Please ~ after me. 나를 따라 말하세요. ②《~ / +전+명》(먹은 음식의) 냄새가 그대로 입안에 남아 있다《*on*》: I don't like onions because they ~ *on* me. 양파를 먹고 나면 냄새가 남기 때문에 양파가 싫다. ③《美》(불법으로) 이중 투표하다. ④ (수·소수 따위가) 순환하다. ⑤ (시계가) 시보를 되풀이하다. ⑥ 유급하다, 재수하다. ◇ repetition *n.* ***No, ~, no*** 절대로 아니다. ***not bear repeating*** (말이) 입에 담기 민망할 만큼 지독하다.
── *n.* Ⓒ ① 되풀이함 ; 반복. ②〖樂〗도돌이(표). ③〖商〗재공급, 재주문. ④ (라디오·텔레비전의) 재방송. ── *a.* 〔限定的〕 되풀이하는 : a ~ order 재주문 / a ~ performance 재공연.

re·peat·a·ble [ripíːtəbəl] *a.* 되풀이할 수 있는, 되풀이하기 알맞은.

***re·peat·ed** [ripíːtid] *a.* 〔限定的〕 되풀이된, 종종 있는 : ~ failure 되풀이되는 실패.

re·peat·ed·ly** [ripíːtidli] (more*** ~ ; ***most*** ~) *ad.* 되풀이하여, 몇 번이고, 재삼 재사.

re·peat·er [ripíːtər] *n.* Ⓒ ① 되풀이하는 사람〔것〕; 암송자. ② 연발총. ③〖數〗순환 소수. ④《美》여러 번 투표하는 부정 투표자 ; 상습범. ⑤ 낙제생, 재수생. ⑥ 시보를 되풀이하는 시계.

re·peat·ing [ripíːtiŋ] *a.* 〔限定的〕 ① 되풀이하는, 반복하는. ② 순환하는 : a ~ decimal 순환 소수. ③ 연발식의《총》.

***re·pel** [ripél] (*-ll-*) *vt.* ① …을 쫓아버리다, 격퇴하다 : ~ invaders 침략자를 격퇴하다. ② …을 반박하다 ; 저항하다 ; 퇴짜놓다, 거절하다. ③〖物〗…을 반발하다, 튀기다. ④ …에게 혐오감〔불쾌감〕을 주다 : The odor ~*s* me. 이 냄새는 역하다. ── *vi.* ① 퇴짜놓다. ② 불쾌하게 하다. ◇ repulse, repulsion *n.*

re·pel·lent [ripélənt] *a.* ① 불쾌한, 싫은 : ~ work 싫은 일 / Everything about him was ~ to her. 그에 대한 모든 것이 그녀에게는 불쾌했다. ② 〔종종 複合語를 이루어〕 반발하는 ; (물 따위를) 먹지 않는 : water-~ cloth 방수천.
── *n.* Ⓤ,Ⓒ 방수 가공제《헝겊에 바르는》; 구충제.

‡re·pent [ripént] *vi.* 《~ / +전+명》 후회하다, 유감으로 생각하다《*of* ; *for*》; 회개하다《*of*》: ~ *of* one's sins 죄를 뉘우치다. ── *vt.* 《~+목 / +*-ing* / +*that* 절》 …을 후회〔회개, 참회〕하다, 유감으로 생각하다 : I ~ hav*ing* wounded her pride. 그녀의 자존심을 상하게 한 것을 후회하고 있다. ㊞ ~·**er** *n.*

***re·pent·ance** [ripéntəns] *n.* Ⓤ 후회 ; 회개 : It was too late now for ~. 이제 후회해도 너무 늦었다. cf. penitence, remorse.

re·pent·ant [ripéntənt] *a.* 후회하고 있는《*of*》; 개전의 정을 보이는 ; 참회의 : He's ~ *of* his sins. 그는 죄를 참회하고 있다. ㊞ ~·**ly** *ad.*

re·per·cus·sion [rìːpərkʌ́ʃən] *n.* Ⓤ,Ⓒ ① (소리의) 반향 ; (빛 따위의) 반사. ② (흔히 *pl.*) (어떤 사건·행동 등의 오래도록 남는) 영향.

rep·er·toire [répərtwɑ̀ːr] *n.* Ⓒ 연예〔상연〕 목록, 연주 곡목, 레퍼토리.

rep·er·to·ry [répərtɔ̀ːri / -təri] *n.* ① = REPERTOIRE. ② Ⓒ (지식·정보 따위의) 축적 ; 보고(寶庫). ③ = REPERTORY COMPANY〔THEATER〕.

répertory còmpany〔thèater〕 레퍼토리 극단〔극장〕.

‡rep·e·ti·tion [rèpətíʃən] *n.* ① Ⓤ,Ⓒ 되풀이, 반복. ② Ⓤ 복창 ; 암송. ③ Ⓒ 되풀이되는 말 ; 암송문 ; 복사, 모사. ◇ repeat *v.*

rep·e·ti·tious [rèpətíʃəs] *a.* 자꾸 되풀이하는, 중복하는 ; 번거로운. ㊞ ~·**ly** *ad.* ~·**ness** *n.*

re·pet·i·tive [ripétətiv] *a.* 되풀이하는, 반복성의.

re·phrase [riːfréiz] *vt.* …을 고쳐〔바꾸어〕 말하다.

re·pine [ripáin] *vi.* 불평하다, 투덜거리다 ; 실망하다《*at* ; *against*》: ~ *at* one's sad fate 자기의 비운을 푸념하다.

‡re·place [ripléis] *vt.* ①《~+목 / +목+전+명》…을 제자리에 놓다, 되돌리다. ②《~+목 / +목+*as* 보》…에 대신하다, …의 후계자가 되다 : Mr. Major ~*d* Mrs. Thatcher *as* Prime Minister. 메이저씨가 수상으로서 대처 여사의 후임이 되었다. ③《~+목 / +목+전+명》…을 바꾸다, 바꾸어 놓다〔넣다〕《*by* ; *with*》: They're *replacing* the old window *with* double glazing. 그들은 낡은 창을 이중 유리로 갈아 끼우고 있다. a person ***hard to*** ~ 대체할 수 없는 사람.
── *n.* 〖컴〗새로 바꾸기. ㊞ ~·**a·ble** [-əbəl] *a.* 제자리에 되돌릴 수 있는 ; 바꾸어 놓을 수 있는.

***re·place·ment** [ripléismənt] *n.* ① Ⓤ 제자리에 되돌림 ; 복직, 반환 ; 대체, 교체. ② Ⓒ 후계자 ; 교체자〔물〕; 〖軍〗보충병, 교체 요원. ③ Ⓤ 〖컴〗대체(代替).

re·play [riːpléi] *vt.* ① (경기 등)을 재시합하다 ; 재연(再演)하다. ② (테이프 따위)를 재생하다.
── [ríːplèi] *n.* Ⓒ 재(再)경기 ; (녹음·녹화 테이프의) 재생.

re·plen·ish [ripléniʃ] *vt.* 《~+목 / +목+전+명》…을 다시 채우다 ; …을 계속 공급하다 ; 새로 보충〔보급〕하다《*with*》: He ~*ed* his pipe *with* tobacco. 그는 파이프에 담배를 다시 채웠다.
㊞ ~·**ment** [-mənt] *n.* Ⓤ 보충, 보급 ; Ⓒ 보급물.

re·plete [ripliːt] *a.* 〔敍述的〕 ① 가득 찬, 충만한《*with*》: a book ~ *with* diagrams 도표로 가득한 책. ② 포만한, 포식한《*with*》: No, thanks. I'm ~. 감사합니다만, 더 못 먹겠습니다 / He was ~ *with* food and drink. 그는 실컷 먹고 마셨다.

re·ple·tion [riplíːʃən] *n.* Ⓤ 충만, 과다 ; 포식, 만복(滿腹). ***to*** ~ 충분히, 가득히 ; 실컷.

rep·li·ca [réplikə] *n.* Ⓒ ① (특히 원작자의 손으로 된) 복사《그림·상(像) 따위의》. ② 모사(模寫), 복제(품).

rep·li·cate [répləkèit] *vt.* ① …을 반대편으로 접다〔젖히다〕. ② …을 모사하다 ; 복제하다.

rep·li·ca·tion [rèpləkéiʃən] *n.* Ⓤ,Ⓒ 복사, 모사 ; 복제 ; 반대로 젖혀짐.

†re·ply [riplái] *vi.* ①《~ / +전+명》 대답하다《*to*》: ~ *to* a question 질문에 답(答)하다 / You must ~ *to* Anne's letter soon. 앤의 편지에 곧 답장을 써야 한다. ②《~ / +전+명》 응수하다 ; 응전하다《*to* ; *with*》: ~ *to* the enemy's fire 적의 포화에 응사하다. ── *vt.* 《~+목 / +*that* 절》 **a**) 〔疑問文에서 또는 that節을 수반하여〕 …라고 대답하다 : What will her ~ ? 그녀는 무어라고 대답할까 / He *replied that* his mind was made up. 그는 결심이 섰다고 대답하였다. **b**) 〔否定文에서〕 답하다《★ 목적어에는 대답할 내용이 오므로, 인칭대명사나 letter 따위의 명사는 올 수 없음》: He *replied* nothing. = He didn't ~ anything. 그는 한마디도 대답하지 않았다. ~ ***for*** …을 대신하여 답변하다 ; …을 대표하여 답사를 하다. ── *n.* Ⓒ 답, 대답, 회답《*to*》: I haven't heard your ~ yet. 아직 당신의 대답을 듣지 못했는데요. ***in*** ~ (***to***) (…의) 대답으로, (…에) 답하여 : He said nothing *in* ~. 그는 아무런 대답도 하지 않았다.

re·ply-paid [ripláipèid] *a.* 반신료가 첨부된《전보》; 요금 수취인불의《봉투》.

re·point [rìːpɔ́int] *vt.* (벽돌 구조물)의 줄눈에 다

시 모르타르를 바르다.

†re·port [ripɔ́:rt] *vt.* ①《~+목/+목+(*to be*) 보/+*that*절/+목+전+명/+*-ing*》(연구·조사 등)을 보고하다; (들은 것)을 전하다, 말하다, 이야기하다; …을 보도하다; 공표하다; (세상에서) …라고 말하다: ~ a ship missing 배가 행방불명이라고 보고하다/He was ~*ed* (*to be*) killed in the war. 그는 전사하였다고 보도되었다(to be를 생략하는 것은 주로 미국 용법)/He ~*ed* the accident *to* the police. 그는 경찰에 그 사고를 알렸다. ②《~+목/+목+전+명》(소재·상황)을 신고하다, 통보하다《*to*》; 〔再歸的〕 …에 출두하다: He ~*ed* her disappearance *to* the police. 그는 그녀의 실종을 경찰에 신고했다/~ one*self to* the principal 교장에게 출두하다. ③(강연 따위)를 기록하다; …의 기사를 쓰다〔싣다〕, 취재하다: ~ a trial 공판 기사를 쓰다. ④《~+목/+목+전+명》(상사 등)에게 …에 대한 일을 고자질하다: ~ a person *to* his employer *for* laziness 아무가 태만하다고 주인에게 일러바치다. ── *vi.* ①《+전+명》보고하다, 복명하다《*of*; *on, upon*》: He ~*ed* to the committee *on* the condition of a mine. 그는 광산의 상황에 관한 보고서를 위원회에 제출했다. ②《+전+명》기사를 작성하다〔보내다〕, 보도하다《*on, upon*》; 탐방하다, 탐방 기자 일을 보다: He ~*s* for the Time. 그는 타임지의 통신원이다/~ from Washington *on* the presidential election 워싱턴에서 미국 대통령 선거에 관해 보도하다. ③《+보/+전+명》(자기의 거처·상태를) 신고하다, 보고하다; 출두하다: ~ sick 병이 났다고 보고하다/I was told to ~ *to* the police. 경찰에 출두하라는 통지를 받았다. ~ ***back*** (1)(…라는) 보고를 가지고 돌아오다. (2) 돌아와서 보고하다. ~ ***progress*** 경과 보고를 하다.
── *n.* ①Ⓒ 보고(서); 공보; 보도, 기사《*on*》; (학교의) 성적표: the weather ~ 기상 통보/Did you get a good ~ this term? 이번 학기에는 좋은 성적을 받았나요. ②ⓊⒸ 소문, 세평; 평판, 명성: a man of good 〔bad〕 ~ 평판이 좋은〔나쁜〕 사람/According to ~*s* he's not coming back. 소문에 의하면, 그는 돌아오지 않으리라고 한다. ③Ⓒ (흔히 *pl.*) 판례집; 의사록. ④Ⓒ 총성, 포성, 폭발음. ***on*** ~ (규칙 위반 등으로) 출두 명령을 받고. 파 **~·a·ble** *a.* 보고〔보도〕할 수 있는; 보고〔보도〕 가치가 있는.

re·port·age [rèpɔ:rtɑ́:ʒ, ripɔ́:rtidʒ] *n.* Ⓤ《F.》르포르타주, 보고 문학〔문체〕; 현지 보고.

repórt càrd《美》①성적〔생활〕 통지표. ②(일반적) 성적 평가.

re·port·ed·ly [ripɔ́:rtidli] *ad.* 〔文章修飾〕 소문에 의하면, 들리는 바에 의하면: He is ~ not intending to return to this country. 소문에 의하면, 그는 이 나라에 돌아오지 않으리라고 한다.

re·pórt·ed spéech [ripɔ́:rtid-]〖文法〗간접 화법(indirect narration).

***re·port·er** [ripɔ́:rtər] *n.* Ⓒ ①보고자, 신고자. ②보도 기자, 통신원, 탐방 기자《*for*》; 뉴스 아나운서. ③의사〔판결〕 기록원.

rep·or·to·ri·al [rèpərtɔ́:riəl] *a.*《美》보고자의, 기자의; 기록〔속기〕자의; 보도의.

‡re·pose[1] [ripóuz] *n.* Ⓤ ①휴식, 휴양; 수면: Good night and sweet ~. 편히 잘 자요. ②침착, 평정(平靜), 평안; (색채 등의) 조화. ***in*** ~ (표정이) 안온하게; 침착하게.
── *vt.*《~+목/+목+전+명》…에 누이다; 쉬게 하다《*on*; *in*》: He ~*d* his head *on* a pillow. 그는 베개를 베고 누웠다. ── *vi.* ①《~/+전+명》쉬다, 휴식하다《*on, in*》: ~ *on* 〔*upon*〕 a bed 침대에 눕다/~ *in* the shade 나무그늘에서 쉬다. ②《~/+전+명》영면하다, 안치되다《*on; in; below*》: ~ *in* a cemetery 묘지에 잠들다. ③《+전+명》가로놓이다, (바다·섬 따위가) 조용히 가로놓여 있다; 기초를 두다《*on, upon*》: His argument ~*d on* a close study of the facts. 그의 논증은 사실의 면밀한 연구에 바탕을 두고 있었다. ~ one***self*** 쉬다, 자다《*on*; *in*》: I ~*d myself on* a bed〔*in* a chair〕. 나는 침대에 누워〔의자에 앉아〕 쉬었다.

re·pose[2] *vt.* (신뢰·희망 따위)를 두다, 걸다《*in*; *on*》: ~ one's trust *in* a person 아무를 신뢰하다.

re·pos·i·tory [ripázitɔ̀:ri/-pɔ́zitəri] *n.* Ⓒ ①저장소, 창고. ②《比》(지식 등의) 보고(寶庫)《사람에게도 씀》. ③납골당(納骨堂), 매장소. ④(비밀 등을) 터놓을 수 있는 사람, 막역한 친구.

re·pos·sess [rì:pəzés] *vt.* …을 다시 손에 넣다, 되찾다; (상품)을 회수하다《할부 계약 따위의 불이행으로》; (아무)에게 도로 찾아〔회복시켜〕주다: ~ oneself of …을 도로 찾다.
파 **re·pos·ses·sion** [rì:pəzéʃən] *n.* Ⓤ 되찾음, 재(再)소유, 회복.

re·pot [ri:pát/-pɔ́t] (*-tt-*) *vt.* (식물)을 딴 화분에 옮겨 심다.

repp ⇨ REP[1].

rep·re·hend [rèprihénd] *vt.* …를 꾸짖다, 나무라다, 비난하다.

rep·re·hen·si·ble [rèprihénsəbəl] *a.* 비난할 만한, 괘씸한: His attitude is most ~. 그의 태도는 정말 괘씸하다. 파 **-bly** *ad.*

rep·re·hen·sion [rèprihénʃən] *n.* Ⓤ 비난.

rep·re·hen·sive [rèprihénsiv] *a.* 비난하는, 질책하는. 파 **~·ly** *ad.*

‡rep·re·sent [rèprizént] *vt.* ①…을 묘사하다, 그리다: This drawing ~*s* the landscape of the English countryside. 이 그림은 영국의 전원 풍경을 그리고 있다. ②《~+목/+목+전+명》…을 마음에 그리다, 상상하다: Can you ~ infinity *to* yourself? 무한이라는 것을 상상할 수 있나. ③《+목+*as*보/+목+*to be*보/+*that*절》…을 말하다, 기술하다, 말로 표현하다, 주장〔단언〕하다: He ~*ed* the war as 〔*to be*〕 already lost. 그는 전쟁은 이미 진 것이라고 말했다/He ~*ed that* they were in urgent need of help. 그들에게는 원조가 절실하다고 그는 말했다. ④(기호 등)이 표시〔상징〕하다; 의미하다: X ~*s* the unknown. X는 미지의 것을 나타낸다. ⑤…의 표본〔일례〕이다: This house ~*s* the most typical houses in these parts. 이 집은 이 지방의 전형적 가옥의 일례이다. ⑥…을 대표하다, 대리하다: Mr. John ~*s* our company in Korea. 존씨는 한국에 있는 우리 회사의 대표입니다. ⑦《~+목/+목+전+명》…을 설명하다, 납득시키다. ⑧…을 상연하다; …의 역을 맡아 하다, …으로 분장하다. ⑨…에 상당하다: Camels are ~*ed* in South America by llamas. 낙타는 남미에서 야마에 상당한다. ~ one***self as*** 〔***to be***〕 자기는 …라고 주장하다〔말하다〕.

re-pre·sent [rì:prizént] *vt.* ①…을 다시 선사하다; 다시 제출하다. ②(극 따위)를 재연하다.

***rep·re·sen·ta·tion** [rèprizentéiʃən] *n.* ①Ⓤ 표시, 표현, 묘사. ②Ⓒ 초상(화), 조상(彫像), 회화. ③(종종 *pl.*) 진정; 항의. ④ⓊⒸ 상연, 연출; 분장. ⑤Ⓒ 설명, 진술. ⑥Ⓤ 대표(권), 대리(권); 대표 참가; 대의 제도; 〔集合的〕 의원단: proportional ~ 비례 대표제/regional ~ 지역 대표제. 파 **~·al** [-ʃənəl] *a.* ①구상(具象)파〔주의〕의. ②대의제(代議制)에 관한.

rep·re·sent·a·tive** [rèprizéntətiv] (*more* ~; *most* ~) *a.* ① 대표적인, 전형적인 : a ~ Korean 대표적 한국인 / Notre Dame is ~ of Gothic architecture. 노트르담 대성당은 고딕 건축양식의 전형이다. ② 대리〔대표〕하는 ; 대의제의 : ~ government 대의 정체 / the ~ system 대의제(制). ③〔敍述的〕표시하는, 표현하는, 묘사하는 ; 상징하는《*of*》: a painting ~ *of* a battle 전쟁화(畫). ── *n.* Ⓒ ① 대표자, 대행자, 대리인《*of* ; *from* ; *on* ; *at*》; 재외(在外) 사절 ; 후계자, 상속자 : diplomatic ~*s* 외교관. ② 대의원 ; (R-) 《美》 하원 의원. ③ 판매 대리인, 판매 회사. ④ 견본, 표본 ; 전형. ***the House of Representatives 《美》 하원. ㉺ ~·**ly** *ad.*

rep·re·sént·ed spéech [rèprizéntid-] 〖文法〗 묘출(描出) 화법《직접화법과 간접화법과의 중간 성격》.

***re·press** [riprés] *vt.* ① …을 억누르다 ; 참다. ② (반란 등)을 진압하다. ③〖心〗(욕구 등)을 억제하다.

re·pressed [riprést] *a.* 억눌린 ; 억압된 ; 욕구 불만의 : a ~ child 욕구 불만의 아이.

re·press·i·ble [riprésəbəl] *a.* 억제〔제압〕할 수 있는.

re·pres·sion [ripréʃən] *n.* ① Ⓤ 진압, 제지, 억제. ②〖心〗 **a)** Ⓤ 억압. **b)** Ⓒ 억압 본능.

re·pres·sive [riprésiv] *a.* 억누르는, 억압적인 ; 진압하는 : a ~ regime 억압적인 정권. ㉺ ~·**ly** *ad.* ~·**ness** *n.*

re·prieve [riprí:v] *n.* Ⓒ〖法〗 집행 유예《특히 사형의》, 그 영장 ; 일시적 경감〔유예, 모면〕.
── *vt.*〖法〗 …의 형의 집행을 유예하다, 처형을 일시 연기하다 ; 일시 구제〔경감〕하다.

rep·ri·mand [répramæ̀nd, -mɑ̀:nd] *n.* Ⓤ,Ⓒ 견책, 징계 ; 비난, 질책. ── *vt.* 《~+목 / +목+전+명》 …를 견책〔징계〕하다 ; 호되게 꾸짖다《*for*》: The captain ~*ed* the sentry *for* deserting his post. 대장은 자기 초소를 무단이탈한 이유로 보초를 질책하였다.

***re·print** [ri:prínt] *vt.* …을 증쇄(增刷)〔재판〕하다, (개정하지 않고) 다시 인쇄하다 ; 번각(飜刻)하다. ── *vi.* 증쇄〔재판〕되다. ── *n.* Ⓒ 증쇄, 재쇄(再刷), 재판.

re·pris·al [ripráizəl] *n.* Ⓤ,Ⓒ (정치적 · 군사적) 앙갚음, 보복 : take〔carry out〕 ~*s* against …에 대해 보복하다.

re·prise [rəprí:z] *n.* Ⓒ〖樂〗(주제의) 반복.

re·pro [rí:prou] (*pl.* ~*s*) *n.* Ⓒ ①《口》= REPRODUCTION ②. ② = REPRODUCTION PROOF.
── *a.*〔限定的〕 복제의, 재생의.

‡re·proach [ripróutʃ] *vt.* 《+목+전+명》 (아무)를 비난하다《*for*》; 나무라다, 꾸짖다《*with*》: ~ a person *for* being idle〔*with* his idleness〕 아무의 나태함을 꾸짖다. ── *n.* ① Ⓤ 비난, 질책 : above〔beyond〕 ~ 나무랄 데 없는. ② Ⓒ 비난의 대상〔말〕: heap ~*es* on …에게 비난을 퍼붓다. ③ **a)** Ⓤ 불명예, 치욕 : That will bring ~ upon you. 그것은 당신에게 불명예가 될 것이다. **b)** (a ~) 치욕스러운 것《to》: Slums are *a* ~ *to* a civilized society. 슬럼가(街)는 문명사회의 치욕이다.

re·proach·ful [ripróutʃfəl] *a.* 꾸짖는, 비난하는 ; 책망하는 듯한 : He gave me a ~ glance. 그는 나를 비난하는 듯한 눈으로 보았다. ㉺ ~·**ly** *ad.* = REPROACHINGLY.

re·proach·ing·ly [ripróutʃiŋli] *ad.* 나무라듯이, 비난조로.

rep·ro·bate [réprəbèit] *vt.* ① …을 책망하다, 비난하다. ② (신이 사람)을 저버리다.
── *a.* 사악한, 불량한. ── *n.* Ⓒ 타락한 사람, 무뢰한(漢).

rep·ro·ba·tion [rèprəbéiʃən] *n.* Ⓤ 비난, 질책 ; 배척 ;〖神學〗 영벌(永罰).

re·proc·ess [ri:práses / -próus-] *vt.* (폐품 따위)를 재생하다, 재가공〔재처리〕하다 : ~*ed* wool 재생 양모.

re·próc·ess·ing plànt [ri:prásesiŋ / -próus-] (핵연료) 재처리 공장, 재처리 플랜트.

***re·pro·duce** [rì:prədjú:s] *vt.* ① …을 재생하다 ; 재현하다 ; 재연하다 ; (책)을 재판하다 : The lizard ~*s* its torn tail. 도마뱀은 잘린 꼬리를 재생한다 / The film ~*s* the prewar atmosphere perfectly. 이 영화는 전쟁전의 분위기를 완전히 재현하고 있다. ②《~+목 / +목+전+명》 …을 복사하다, 모사하다 ; 모조하다 : This machine can ~ any key in three minutes. 이 기계는 어떤 열쇠라도 3분이면 복제할 수 있다. ③〔再歸的〕 …을 생식〔번식〕하다 : Plants and animals which cannot ~ *themselves* become extinct. 번식할 수 없는 동식물은 절멸한다. ── *vi.* ① 생식하다, 번식하다. ②〔well 등의 樣態의 副詞와 함께〕 복제〔복사, 재생〕되다 : Some prints ~ well〔badly〕. 어떤 판화는 잘 복제되는〔복제되지 않는〕 것이 있다.
㉺ **-dúc·er** *n.* **-dú·ci·ble** [-əbəl] *a.*

***re·pro·duc·tion** [rì:prədʌ́kʃən] *n.* ① Ⓤ 재생, 재현. ② Ⓤ,Ⓒ 복제(물), 복사, 모조 ; 전재(轉載) ; 번각(飜刻)(물). ③ Ⓤ 생식(生殖) ; 번식 : sexual〔asexual〕 ~ 유성〔무성〕 생식. ④ Ⓤ〖經〗 재생산.
── *a.*〔限定的〕(가구 등) 옛것을 모방한.

reprodúction pròof 〖印〗 전사(repro proof).

re·pro·duc·tive [rì:prədʌ́ktiv] *a.*〔限定的〕 ① 생식의 : ~ organs 생식기. ② 재생의, 재현의. ③ 복제하는, 복사하는. ㉺ ~·**ly** *ad.* ~·**ness** *n.*

re·proof** [riprú:f] (*pl.* ~*s*) *n.* ① Ⓤ 비난, 질책 ; 책망. ⓒⓕ reproach. ② Ⓒ 잔소리 : receive a sharp ~ 심한 잔소리를 듣다. ◇ reprove *v.* ***in ~ ***of*** …을 비난하여.

***re·prove** [riprú:v] *vt.* 《~+목 / +목+전+명》 …을 꾸짖다, 비난하다 ; 훈계하다, 타이르다 : The teacher ~*d* me for my frequent absences. 선생님은 결석이 잦다고 나를 꾸짖으셨다.

re·prov·ing [riprú:viŋ] *a.*〔限定的〕 꾸짖는〔질책하는〕 듯한 : a ~ remark 비난조의 말. ㉺ ~·**ly** [-li] *ad.* 비난하듯이, 꾸짖듯이, 듣기 싫게.

***rep·tile** [réptil, -tail] *n.* Ⓒ ① 파충류의 동물. ② 《比》 비열한 인간, 엉큼한 사람.

rep·til·i·an [reptíliən] *a.* ① 파충류의 ; 파충류 비슷한. ② 비열한, 음험한. ── *n.* Ⓒ 파충류의 동물.

Repub. Republic ; Republican.

‡re·pub·lic [ripʌ́blik] *n.* Ⓒ ① 공화국 ; 공화정체. ⓒⓕ monarchy. ¶ a constitutional ~ 입헌 공화국. ② (공동목적을 가진) …사회, …계(界) : the ~ of letters 문학계, 문단. ③ (the R-)〔흔히 序數와 함께〕(프랑스의) 공화제.

re·pub·li·can** [ripʌ́blikən] (more*** ~; ***most*** ~) *a.* ① 공화 정체의 ; 공화국의 ; 공화주의의. ② (R-) 《美》 공화당의. ── *n.* Ⓒ ① 공화주의자. ② (R-) 《美》 공화당원, 공화당 지지자.
㉺ ~·**ism** [-ìzəm] *n.* Ⓤ ① 공화 정체 ; 공화주의. ② (R-) 《美》 공화당의 주의〔정책〕.

Repúblican Párty (the ~) 《美》 공화당.

re·pu·di·ate [ripjú:dièit] *vt.* ① …을 거부하다, 부인하다, 받아들이지 않다 : He ~*d* the authorship of the book. 그는 그 책의 저작자임을 부인했다. ② (채무 이행)을 거부하다 ; (국가 · 자치 단체 등이) …의 지급 의무를 부인하다. ③ (어버이와 자식)의 인연을 끊다, 의절하다.

re·pu·di·a·tion [ripjù:diéiʃən] *n.* Ⓤ,Ⓒ ① 거부, 거절. ② 부인 : Nobody believed his repeated

~s. 아무도 그의 거듭되는 부인을 믿지 않았다. ③ 지급 거절. ④ (자식과의) 절연; 이혼.

re·pug·nance [ripʌ́gnəns] *n.* Ⓤ 질색, 강한 반감, 혐오 : in〔with〕 ~ 증오하여.

re·pug·nant [ripʌ́gnənt] *a.* ① 비위에 거슬리는, 불유쾌한, 싫은《*to*》: a ~ fellow 불쾌한 녀석 / The mere thought of it was ~ *to* me. 그 일을 생각만 해도 나는 배알이 꼴렸다. ②〔敍述的〕모순된《*to*》; 일치〔조화〕되지 않는《*to*; *with*》: These actions seem ~ *to* common sense. 이들 행동은 상식에 어긋나는 것 같다. ㊞ **~·ly** *ad.*

***re·pulse** [ripʌ́ls] *vt.* ① …을 되쫓아버리다, 격퇴하다. ② …을 거절하다; 퇴박놓다. ── *n.* (*sing.*) 격퇴; 거절 : meet with〔suffer〕 a ~ 거절〔격퇴〕 당하다.

re·pul·sion [ripʌ́lʃən] *n.* Ⓤ ① 반감, 혐오《*for*》: He feels (a strong) ~ *for* snakes. 그는 뱀을 아주 싫어한다. ②〖物〗척력(斥力), 반발 작용(opp *attraction*).

re·pul·sive [ripʌ́lsiv] *a.* ① 몹시 싫은, 불쾌한《*to*》: a ~ smell 역겨운 냄새. ②〖物〗반발하는 : ~ forces 반발력. ㊞ **~·ly** *ad.* **~·ness** *n.*

rep·u·ta·ble [répjətəbəl] *a.* 평판 좋은, 영명(令名)높은; 훌륭한, 존경할 만한(respectable) : a highly ~ doctor 아주 평판이 좋은 의사.
㊞ **-bly** [-bəli] *ad.* 평판 좋게; 훌륭히.

‡rep·u·ta·tion [rèpjətéiʃən] *n.* ① Ⓤ (또는 a ~) 평판, 세평《*of*; *for*》: make *a* ~ *for* oneself 좋은 평판을 얻다, 유명해지다 / He has a good ~ *as* a doctor. 그는 의사로서의 명망이 높다. ② Ⓤ 명성, 신망, 호평 : a man of no ~ 평판이 좋지 않은〔무명의〕 남자.

re·pute** [ripjúːt] *n.* Ⓤ ① (좋은 또는 나쁜) 평판, 세평 : be held in high ~ 높은 평판을 얻고 있다. ② Ⓤ 명성, 영명(令名) : a man of ~ 세상에 널리 알려진 사람. ***through good and ill ~ 세평에 개의치〔구애받지〕 않고.

re·put·ed [ripjúːtid] *a.* 〔限定的〕 유명한; …라 일컬어지는, …이란 평판이 있는 : his ~ father 그의 아버지라는 사람 / He's ~ (as) the best dentist in the town. 그는 그 도시에서 가장 훌륭한 치과의사라는 평판이 있다.
㊞ **~·ly** *ad.* 〔文章修飾〕평판으로는, 세평에 의하면 : The committee has ~*ly* spent over $3,000 on 'business entertainment'. 세평에 따르면 그 위원회는 '접대비'로 3천 달러 이상을 썼다.

‡re·quest [rikwést] *n.* ① Ⓤ,Ⓒ 요구, 요망, 의뢰, 소망 : make a ~ 〔~s〕 to〔of〕 a person for help 아무에게 도움을 간청하다. ② Ⓒ 의뢰물; 요망서 : submit a ~ to …에 청원서를 내다 / play ~*s* 신청곡을 연주하다. ③ Ⓤ 수요(demand). ***at*** a person***'s*** ~ = ***at the*** ~ ***of*** a person 아무의 의뢰〔요구〕에 의하여 : I did so *at your* ~. 요청하신 대로 했습니다. ***by*** ~ 의뢰에 의하여, 요구에 응하여 : Buses stop here only *by* ~. 버스는 요청이 있을 때만 여기 섭니다. ***in*** ~ 수요가 있어서 : This article is *in* (great) ~. 이 물품은 (대단히) 수요가 많다. ***on*** ~ 신청에 의해; 신청하는 대로.
── *vt.* ① …을 요청하다, (신)청하다 : ~ assistance 원조를 신청하다. ②《~+목 / +목+*to* do / +*that*절 / +목+*that*절》 …에게 원하다, …에게 부탁〔청〕하다 : Visitors are ~*ed* not *to* touch the exhibits. 진열품에 손대지 마시오 / The staff immediately ~*ed that* he reconsider his decision. 직원들은 즉시 그가 그의 결정을 재고해 줄 것을 요청했다.

requést stòp (승하차객이 있을 때만 서는) 버스 정류소.

req·ui·em [rékwiəm, ríː-, réi-] *n.* Ⓒ ① (종종 R-) 〖가톨릭〗 죽은 이를 위한 미사, 그 미사곡, 위령곡, 레퀴엠. ② (죽은 이의 명복을 비는) 애가(哀歌)(dirge), 만가(挽歌), 진혼곡.

réquiem máss 위령 미사, 연미사.

†re·quire [rikwáiər] *vt.* ①《~+목 / +목+전+명 / +목+*to* do / +*that*절》 …을 요구하다, 명하다, 규정하다《*of*》: I'll do all that is ~*d of* me. 시키는 일은 무엇이라도 하겠습니다 / He ~*d* some more information *from* me. 그는 내게 더 많은 정보를 알려줄 것을 요구했다 / Your presence is urgently ~*d*. 반드시 출석하시압 / They ~ me *to* work harder. 나에게 더욱 열심히 일하라고 한다 / He has done all that is ~*d* by the law. 그는 법률에 의해 규정된 것을 모두 이행했다. ②《~+목 / +*to* do / +*-ing* / +*that*절》 …을 필요로 하다; …할〔될〕 필요가 있다 : He ~*s* medical care. 치료를 받아야 한다 / This car ~*s* repair*ing*. 이 차는 수리할 필요가 있다 / The emergency ~*s that* it (should) be done. 위급한 경우이므로 그것을 하지 않으면 안 된다《미국에서는 종종 should를 생략함》. ***if circumstances*** ~ 필요하다면. ── *vi.* (법률 등이) 요구하다, 명하다.

re·quired [rikwáiərd] *a.* (학과 등이) 필수의 : a ~ subject 필수 과목.

‡re·quire·ment [rikwáiərmənt] *n.* Ⓒ ① 요구하는 것, 요구물, 요건 : satisfy entrance ~*s* of the college 대학 입학(자격) 요건을 충족시키다. ② 필요로 하는 것, 필요물; 필요 조건 : meet the ~*s* of daily life 일상 생활에 필요한 것을 충족시키다.

***req·ui·site** [rékwəzit] *a.* 〔限定的〕 필요한, 없어서는 안 될, 필수의(needful)《*to*; *for*》: He lacks the ~ qualifications. 그는 필요한 자격이 없다 / Time is ~ *for*〔*to*〕 the change of the whole. 전체의 개혁에는 시간이 필요하다. ── *n.* Ⓒ (흔히 *pl.*) 필요물, 필수품, 필수 조건《*for*; *of*》: the essential ~*s for* the job 그 일에 대한 필수 조건.
㊞ **~·ly** *ad.* **~·ness** *n.*

req·ui·si·tion [rèkwəzíʃən] *n.* ① Ⓤ (특히 군대 등에 의한) 징발, 징용; 접수(接受) : in〔under〕 ~ 징발〔접수〕되어. ② Ⓒ 징발령《*for*》: Troops made a ~ on the villagers *for* provisions. 군대는 촌민들에게 식량 징발령을 내렸다.
── *vt.* 《~+목 / +목+전+명》 …을 징발하다, 징용하다, 접수하다《*for*》: ~ supplies *from* villagers *for* troops 촌민으로부터 군용 물자를 징발하다.

re·quit·al [rikwáitl] *n.* Ⓤ 보수, 보답; 앙갚음, 「보복.

re·quite [rikwáit] *vt.* ①《~+목 / +목+전+명》 …을 갚다, 보상하다, 보답하다 : ~ good *with* evil 은혜를 원수로 갚다 / She ~*d* him *for* his help *with* a kiss. 그녀는 그의 도움에 키스로 보답했다. ②《+목+전+명》 …을 앙갚음하다, 보복하다《*for*; *with*》; 벌하다, 징벌하다 : I will ~ you *for* this someday. 이것에 대해 언젠가 너에게 보복하겠다.

***re·read** [riːríːd] (*p.*, *pp.* **-read** [-réd]) *vt.* …을 다시 읽다, 재독(再讀)하다.

rere·dos [ríərdɑs / -dɔs] *n.* Ⓒ 제단(祭壇) 뒤의 장식 벽〔병풍〕(altarpiece).

re·route [riːrúːt, -ráut] *vt.* …을 다른〔새로운〕 길로 수송하다; (항공기의 항로)를 변경시키다.

re·run [ríːrʌ̀n] *n.* Ⓒ ①〖映〗재상영(영화); 〖TV〗 재방송(프로). ②〖컴〗재실행.
── [riːrʌ́n] (**-ran** [-rǽn]; **-run**; **-run·ning**) *vt.* ① …을 재상영하다; 재방송하다. ② (레이스)를

다시 하다. ③〖컴〗 …을 다시 실행하다.
re·sale [ríːsèil, -ˊ] *n.* Ⓤ,Ⓒ 재판매, 재매각 ; 전매(轉賣) ; (구매자에게의) 추가 판매. 「유지.
résale prìce màintenance 재판매 가격
re·sched·ule [riːskédʒu(ː)l] (*-uled* ; *-ul·ing*) *vt.* ① …의 스케줄을 다시 잡다, 계획을 변경하다. ② (채무 변제)를 연장하다.
re·scind [risínd] *vt.* (법률·조건 등)을 폐지하다 ; (계약 등)을 무효로 하다, 취소하다.
㊕ **~·ment** *n.* 「함, 철폐.
re·scis·sion [risíʒən] *n.* Ⓤ 폐지, 취소, 무효로
‡**res·cue** [réskjuː] *vt.* ①《~+목 / +목+전+명》 …을 구조하다, 구하다 ; (파괴 따위)로부터 보호하다 : ~ a drowning child = ~ a child *from* drowning 물에 빠진 아이를 구출하다. ②〖法〗 (압류 물건)을 불법으로 탈환하다 ; (죄수)를 탈주시키다.
── *n.* ① Ⓤ,Ⓒ 구조, 구출, 구제 : come〔go〕 to the ~ of …을 구조하러 오다〔가다〕, …에 구조〔구원〕의 손을 뻗다. ② Ⓤ〖法〗 불법 탈환〔석방〕.
㊕ **rés·cu·er** *n.* Ⓒ 구조자, 구원자.
‡**re·search** [risə́ːrtʃ, ríːsəːrtʃ] *n.* Ⓤ 〔종종 one's ~es 로〕 (학술) 연구, 조사, 탐구, 탐색《*for* ; *in* ; *on*》 : ~*es in* nuclear physics 핵 물리학의 연구 / I'm doing some ~ *for* an article about student life. 나는 대학생 생활에 관한 논문을 쓰기 위해 조사를 좀 하고 있다. ── *vi.* 《~ / +전+명》 연구하다, 조사하다《*into*》 : ~ *into* a matter thoroughly 문제를 철저하게 조사하다. ── *vt.* …을 연구하다, 조사하다 : He's ~*ing* the effects of aerosol on the environment. 그는 환경에 대한 에어로솔의 영향을 연구하고 있다. ㊕ ***~·er** *n.* 연구〔조사〕원.
reséarch-inténsive [risə́ːrtʃinténsiv] *a.* 연구 개발에 돈이 많이 드는.
re·seat [riːsíːt] *vt.* ① 〔再歸的〕 다시 앉다《★ 受動으로도 쓰임》. ② (의자)의 앉는 부분을 갈다.
re·sell [riːsél] (*p.*, *pp.* ***-sold*** [-sóuld]) *vt.* …을 다시 팔다, 전매하다.
***re·sem·blance** [rizémbləns] *n.* ① Ⓤ,Ⓒ 유사(성), 유사점《*to* ; *between*》 : There is a close ~ *between* them. 그들은 아주 닮았다 / He has〔bears〕 little ~ *to* his father. 그는 아버지를 별로 닮지 않았다. ② Ⓒ 닮은 얼굴, 초상화.
‡**re·sem·ble** [rizémbəl] *vt.* …와 닮다, …와 공통점이 있다 : He closely ~*s* his father. 그는 아버지를 꼭 닮았다 / They ~ each other *in* taste. 그들은 취미에서 서로 닮은 데가 있다.
***re·sent** [rizént] *vt.* 《~+목 / +*-ing*》 …에 골내다, …에 분개하다 ; 원망하다 : ~ an unfavorable criticism 호의적이 아닌 비평에 분개하다 / He ~*ed* be*ing* called a fool. 바보라는 소리에 분개했다.
re·sent·ful [rizéntfəl] *a.* 분개한, 성마른 ; 성 잘 내는 : a ~ look 성낸 얼굴 / I felt ~ *about* what she had said. 그녀가 한 말에 대해 분노를 느꼈다.
㊕ **~·ly** *ad.* **~·ness** *n.*
***re·sent·ment** [rizéntmənt] *n.* Ⓤ (또는 a ~) 노함, 분개《*against* ; *at* ; *toward*》 : in ~ 분연히 / There was widespread ~ *against* their boss. 그들의 상사에 대한 불만이 확대되어 갔다.
***res·er·va·tion** [rèzərvéiʃən] *n.* ① Ⓤ,Ⓒ 예약 ; 예약석, 예약실 : seats without ~ 자유석 / cancel a ~ 예약을 취소하다 / I'd like to make a ~. 예약을 하고 싶은데요《호텔 등에서》. ② Ⓤ,Ⓒ 조건, 제한, 단서(但書) : with ~(*s*) 조건부로 / without ~ 무조건. ③ Ⓒ 걱정《*about*》 : I have some ~*s about* their marriage. 그들의 결혼에 약간 마음이 쓰인다. ④ Ⓒ 인디언 보호 거주지 ; 《英》 차도의 중앙 분리대.
‡**re·serve** [rizə́ːrv] *vt.* ①《~+목 / +목+전+명》 (미래 혹은 어떤 목적을 위하여) …을 떼어두다, 비축하다 : *Reserve* your strength *for* the climb. 등산에 대비하여 힘을 아껴 둬라. ②《+목+전+명》 (특정한 사람 등을 위하여) …을 준비〔마련〕해 두다 ; 예정해 두다 ; 운명지우다《*for* ; *to*》《★ 흔히 과거분사로 형용사적으로 쓰임》 : These seats are ~*d for* the elderly and disabled. 이 자리들은 노인과 장애인을 위해 마련되었다 / A great future is ~*d for* you. 너의 앞길은 양양하다. ③ …을 예약하다. ④ (권리·이익)을 유보하다 : all rights ~*d* 판권 (본사) 소유《책의 속표지에 쓰인 글귀》/ ~ (one's) judgment on …에 대한 판단을 유보하다.
── *n.* ① Ⓤ,Ⓒ 비축, 예비 ; (*pl.*) 예비〔보존〕품 ; (*pl.*) 준비〔적립〕금 ; 후보 선수 : money in ~ 예비금 / keep〔have〕 food in ~ 식량을 비축하다. ② (종종 Reserve, the ~, *pl.*)〖軍〗 예비대〔함대〕 ; 예비역병 ; 보결 선수 : call up *the* ~(*s*) 예비군을 소집하다. ③ Ⓒ (종종 *pl.*) 준비금, 적립금 : foreign exchange ~*s* 외환보유고 / the ~(*s*) of a bank 은행의 준비금. ④ Ⓒ〔修飾語와 함께〕 특별 보류지 : a game ~ 금렵 지역《아프리카 등지의》. ⑤ Ⓒ (경매 등의) 최저 가격 : He put a ~ *of* $100,000 on the house. 그는 그 집에 10만 달러의 최저 가격을 매겼다. ⑥ Ⓤ 삼감 ; 침묵 : with an air of ~ 조심스런 태도로 / without ~ 거리낌없이, 숨김없이 / throw off ~ 말을 놓다. ***with all*** (***proper***) ~ 시인을〔지지를〕 유보하고, 진위에 대해 보증을 일체 하지 않고.
── *a.* 〖限定的〗 예비의 ; 준비의 : a ~ fund 적립 자금 / a ~ officer 예비역 장교.
resérve bànk 《美》 연방 준비 은행.
***re·served** [rizə́ːrvd] *a.* ① 보류된, 따로 치워둔 ; 전세의, 예약의 ; 예비의 ; 저장〔보존〕되어 있는 : a ~ car〔carriage〕 (열차의) 전세차 / I'm sorry, but this seat's ~. 미안합니다만, 이 자리는 예약이 되어 있습니다. ② 겸양하는, 서름서름한, 수줍어하는, 말없는, 내성적인 : She was a shy, ~ girl. 그녀는 수줍어하고 내성적인 소녀였다. ③ 〔敍述的〕 숙명적인, 운명적인《*for*》 : It was ~ *for* him to make the discovery. 그 발견은 그가 하게끔 운명지어져 있었다. ㊕ **~·ness** *n.*
re·serv·ed·ly [rizə́ːrvidli] *ad.* 삼가서, 서름서름하게.
resérve prìce 〖商〗 최저 경매 가격.
re·serv·ist [rizə́ːrvist] *n.* Ⓒ 예비병, 재향 군인.
***res·er·voir** [rézərvwàːr, -vwɔ̀ːr] *n.* Ⓒ ① 저장소 ; 저수지, 급수소〔탱크〕 : a storing ~ 저수지. ② (지식·부 따위의) 축적, 저장.
re·set[1] [riːsét] (*p.*, *pp.* ***-set*** ; ***-set·ting***) *vt.* ①《~+목 / +목+전+명》 …을 고쳐 놓다 ; (계기의 눈금)을 다시 맞추다 : ~ one's watch by the radio signal 라디오 시보에 시계를 맞추다. ② (보석 따위)를 고쳐 박다. ③ 칼날을 다시 세우다. ④〖印〗 (활자)를 다시 짜다. ⑤〖醫〗 (부러진 뼈)를 접골〔정골〕하다. ⑥〖컴〗 …을 재(再)시동〔리셋〕하다《메모리·낱칸(cell)의 값을 0으로 함》.
── [ríːsèt] *n.* Ⓒ ① 바꾸어 놓기 ; 고쳐 박기. ②〖印〗 고쳐 짜기〔짠 것〕. ③〖컴〗 재시동, 리셋.
re·set·tle [riːsétl] *vt.* (특히, 피난민)을 다시 정주(定住)시키다《*in*》 : The refugees were ~*d in* Canada by a UN relief organization. 난민들은 유엔의 한 구호 단체에 의해 캐나다에 다시 정주하게 되었다. ── *vi.* 다시 정주하다.
㊕ **~·ment** *n.* Ⓤ 재정주 ; 재식민.
re·shuf·fle [riːʃʌ́fəl] *vt.* ① (카드의 패)를 다시 치

다〔섞다〕. ② (내각 등)을 개편하다. ── *n.* Ⓒ ① (패를) 다시 침〔섞음〕. ② (내각 등의) 개편.

‡re·side [rizáid] *vi.* 《+전+명》 ① 살다《*at* ; *in*》; 주재하다 : He ~*s* here *in* Seoul. 그는 이 곳 서울에서 살고 있다. ② 존재하다 ; (성질이) 있다 ; (권리 등이 …에) 귀속하다, (…으로) 돌아가다《*in*》: The power of decision ~*s in* President. 결정권은 대통령에게 있다.

‡res·i·dence [rézidəns] *n.* ① Ⓒ 주거, 주택 ; 저택 : an official ~ 공관(公館), 관저. ② Ⓤ 거주, 재주(在住) ; 주재, 재근(在勤), 재학 : have〔keep〕 one's ~ in …에 거주하다 / take up (one's) ~ 거처를 정하다. ③ Ⓒ 체재〔주재〕 기간 : His three years' ~ abroad was a pleasant one. 그의 3년간의 해외생활은 즐거운 것이었다. ◇ reside *v.* ***in*** ~ (1) 주재하여, 관저〔공관〕에 살며 : The Royal Standard is put up when the Queen is *in* ~. 왕기는 여왕이 머물러 있을 때에 게양된다. (2) (대학 기숙사 내에) 기숙하여, 재학하여.

res·i·den·cy [rézidənsi] *n.* Ⓤ 《美》 (전문의의) 수련 기간《병원에서 기숙》; 수련의의 신분.

‡res·i·dent [rézidənt] *a.* ① 거주하는, 재주〔거류〕하는《*at* ; *in*》: ~ aliens 재류 외국인 / He is ~ abroad. 그는 외국에 살고 있다. ② 주재하는, 입주하는 : a ~ tutor 입주 가정 교사. ③ 〔敍述的〕 고유의, 내재하는《*in*》: energy ~ *in* matter 물질에 내재하는 에너지. ④ (탤런트 · 기술자 · 학자 등이) …에 전속된, 전임의 : the orchestra's ~ conductor 그 오케스트라 전속 지휘자. ⑤ (새나 짐승이) 이주하지 않는 : a ~ bird 텃새.

── *n.* Ⓒ ① 거주자, 정주자, 거류민 : summer ~*s* 피서객 / British ~*s* in Korea 재한 영국인. ② (호텔 등의) 투숙객, 체재자. ③ 텃새. cf. migrant, MIGRATORY bird. ④ 《美》 전문의(醫) 수련자 ; 실습생《병원 · 연구소에 숙식하는》.

res·i·den·tial** [rèzidénʃəl] (more*** ~ ; ***most*** ~) *a.* 〔限定的〕 ① 주거의, 주택에 알맞은 : a ~ quarter 주택지 / ~ qualifications (투표에 필요한) 거주 자격. ② (일이나 연구 등을) 현지〔학교〕에 거주하면서 하는. ③ 장기 투숙객을 위한 ; (학생을 위한) 숙박 설비가 있는 : a ~ hotel 거주용 호텔 / a ~ college 기숙사가 있는 대학.

re·sid·ua RESIDUUM의 복수.

re·sid·u·al [rizídʒuəl] *a.* 〔限定的〕 ① 나머지의 : one's ~ income 세금을 제한 실수입. ② 〖數〗 나머지의 ; (계산의 오차를) 설명할 수 없는. ── *n.* Ⓒ ① 잔여 ; 찌꺼기. ② 〖數〗 나머지 ; 오차. ③ (*pl.*) (출연자에게 주는) 재방송료. ④ (종종 *pl.*) 〖醫〗 후유증.

re·sid·u·ary [rizídʒuèri / -əri] *a.* 〔限定的〕 잔여의, 나머지의 ; 잔류성의 ; 〖法〗 잔여재산의.

res·i·due [rézidjùː] *n.* Ⓒ (흔히 *sing.*) ① 나머지. ② 〖法〗 잔여재산. ③ 〖化〗 찌꺼기.

re·sid·u·um [rizídʒuəm] (*pl.* ***-sid·ua*** [-dʒuə]) *n.* Ⓒ ① 나머지 ; 찌꺼기 ; 〖化〗 잔류물 ; 〖數〗 나머지 ; 오차. ② 〖法〗 잔여 재산.

‡re·sign [rizáin] *vt.* ① (지위 · 관직 따위)를 사임하다, 사직하다, 그만두다 : He ~*ed* his post as headmaster. 그는 교장직을 그만두었다. ② (권리 따위)를 포기하다, 단념하다. ③ (사람 · 일 따위)를 …에 맡기다《*to*》: She ~*ed* her child *to* an adoption. 아기를 양자 알선기관에 맡겼다. ④ 《+목+전+명》 〔흔히 再歸的 또는 受動으로〕 몸을 맡기다, 따르다《*to*》: I ~*ed myself to* my fate. 나는 운명을 감수했다. ◇ resignation *n.*

── *vi.* ① 《~ / +전+명 / +*as* 보》 사임하다, 몸을 빼다《*from*》: He ~*ed as* president. 그는 사장직을 사임했다. ② (운명에) 복종하다, 맡기다《*to*》: He ~*ed to* the inevitable. 그는 피할 수 없는 운명에 몸을 맡겼다.

***res·ig·na·tion** [rèzignéiʃən] *n.* ① Ⓤ Ⓒ 사직, 사임. ② Ⓒ (흔히 one's ~) 사표 : give in〔hand in, tender〕 one's ~ 사표를 내다. ③ Ⓤ 포기, 단념 ; 체념, 인종(忍從), 감수《*to*》: meet〔accept〕 one's fate with ~ 체념하고 운명에 몸을 맡기다.

re·signed [rizáind] *a.* ① 체념한, 복종하고 있는 ; 감수하는, 체념하는《*to*》: with a ~ look 체념한 듯한 얼굴을 하고 / be ~ *to* one's fate 자기의 운명을 감수하다. ② 사직〔퇴직〕한 ; 사직〔사임〕해서 자리가 빈 : a ~ post 공석.

re·sign·ed·ly [rizáinidli] *ad.* 체념하여, 어쩔 수 없이.

re·sil·ience, -ien·cy [rizíljəns, -liəns], [-ənsi] *n.* Ⓤ (또는 a ~) ① 되튐, 반발 ; 탄성(elasticity), 탄력. ② (원기의) 회복력.

re·sil·ient [rizíljənt, -liənt] *a.* ① 되튀는 ; 탄력 있는. ② 곧 원기를 회복하는 ; 쾌활한, 발랄한. 파 ~·**ly** *ad.*

***res·in** [rézin] *n.* Ⓤ Ⓒ ① (나무의) 진, 수지(樹脂), 송진. ② 합성 수지(synthetic resin).

res·in·at·ed [rézənèitid] *a.* 수지 가공〔처리〕한 ; 수지의 향을 바른.

res·in·ous [rézənəs] *a.* 수지(질)의, 수지 모양의, 진이 많은, 수지를 함유한, 수지로 만든.

‡re·sist [rizíst] *vt.* ① 《~+목 / +-*ing*》 …에 저항하다 ; 격퇴하다 ; 방해하다 : She ~*ed* be*ing* kissed. 키스당하지 않으려고 저항했다 / The city ~*ed* the enemy attacks for two weeks. 그 도시는 두 주일 동안 적의 공격에 대항했다. ② (병 · 화학 작용 등)에 견디다, 침식〔영향〕받지 않다 : metal that ~*s* acid 산에 침식받지 않는 금속. ③ 《~+목 / +-*ing*》 〔주로 否定文에서〕 …을 참다 : She ca*n't* ~ sweets. 그녀는 단 과자라면 사족을 못 쓴다 / I *could not* ~ laugh*ing*. 웃지 않고는 배길 수 없었다.

── *vi.* 저항하다 : The enemy ~*ed* stoutly. 적은 완강히 저항했다.

‡re·sist·ance [rizístəns] *n.* ① Ⓤ (또는 a ~) 저항, 반항 : put up (*a*) strong ~ *to* the enemy attack. 적의 공격에 완강히 저항하다. ② Ⓤ (종종 the R-) 〖政〗 (특히 제2차 세계 대전 중의 나치스 점령지에서의) 레지스탕스, 지하 저항(운동). ③ Ⓤ 〖物〗 저항 ; 저항기 ; (세균 · 병에 대한) 내성 : build up ~ to (*a*) disease 병에 대한 저항력을 키우다. ***the line of least*** ~ 가장 편한 방법 : take〔choose, follow〕 *the line of least* ~ 가장 편한 방법을 취하다.

re·sist·ant [rizístənt] *a.* ① 저항하는, 반항하는 : A healthy diet makes the body more ~. 건강에 좋은 식생활은 신체를 한층 저항력 있게 만든다. ② 〔종종 複合語로〕 견디는, 내성(耐性)이 있는 : corrosion-~ materials 방부 물질 / a quake-~ building 내진(耐震) 건축물.

re·sist·i·ble [rizístəbəl] *a.* 저항〔반항〕할 수 있는.

re·sis·tor [rizístər] *n.* Ⓒ 〖電〗 저항기(器).

re·sole [riːsóul] *vt.* (구두)의 창을 갈다.

re·sol·u·ble [rizáljəbəl, rézəl- / rizɔ́l-] *a.* ① 분해〔용해〕할 수 있는《*into*》. ② 해결할 수 있는.

res·o·lute** [rézəlùːt] (more*** ~ ; ***most*** ~) *a.* ① 굳게 결심한, 결연한 : He was ~ *in* carrying out his plan. 계획을 실현할 결의가 확고하였다. ② 굳은, 단호한 : a ~ will 불굴의 의지. 파 ~·**ly** *ad.* 단호히, 결연히. ~·**ness** *n.*

‡res·o·lu·tion [rèzəlúːʃən] *n.* ① Ⓤ Ⓒ 결심, 결의 : He made a ~ to give up drinking. 그는 술을 끊기로 결심했다. ② Ⓤ 확고한 정신, 과단 : a man who lacks ~ 우유 부단한 사나이 / act with ~ 과단성 있게 행동하다. ③ Ⓒ 결의, 결의안〔문〕: a nonconfidence ~ 불신임 결의. ④ Ⓤ 해결, 해답《*of*》. ⑤ Ⓤ 분해, 분석《*into*》. ◇ resolve *v.* ***pass a ~ against*** 〔***in favor of***〕 …에 반대〔찬성〕의 결의를 하다.

re·solv·a·ble [rizálvəbəl / -zɔ́lv-] *a.* ＝RESOLUBLE.

‡re·solve [rizálv / -zɔ́lv] *vt.* ①《~+목 / +목+전+명》…을 분해하다, 분석하다《*into*》: We can ~ the problem *into* two parts. 그 문제는 두 부분으로 분석할 수 있다. ②《+목+전+명》〔종종 再歸的〕 …로 화하다, (분해하여) …으로 변형시키다《*into*》: The fog was soon ~*d into* rain. 안개는 곧 비로 변했다 / A discussion ~*d itself into* an argument. 토론이 논쟁으로 되었다. ③ (문제·곤란 따위)를 풀다, 해결하다, 해소하다; (의혹)을 풀다: Difference can be ~*d* through discussion. 의견의 차이는 토의를 통해서 해결할 수 있다. ④《+*that*절 / +*to* do》…을 결의하다, 결정하다: The House ~*d to* take up the bill. 의회는 그 법안의 채택을 결의했다. ⑤《+목+*to* do》…에게 결심〔결정〕시키다: This fact ~*d* him *to* fight. 이 사실 때문에 그는 싸울 결심을 하였다. ⑥《+*to* do / +that절》…을 결심하다: After the divorce she ~*d* never *to* marry again. 이혼 후 그녀는 다시는 결혼하지 않겠다고 결심했다 / I ~*d that* nothing (should) hold me back. 어떤 일이 있어도 결코 뒤로 물러서지 않을 것을 결심했다.

— *vi.* ①《+전+명》결심하다, 결정하다, 결의하다《*on, upon*》: They ~*d on* 〔*against*〕 continuing the campaign. 그들은 그 운동을 계속〔중지〕하기로 결의했다. ②《+전+명》분해하다, 변하다; 환원하다, 귀착하다《*into*; *to*》: It ~*s into* its elements. 그것은 분해하여 원소가 된다. ◇ resolution *n.* resolute, resolvent *a.*

— *n.* ① Ⓤ,Ⓒ 결심, 결의: be strong〔weak〕 in ~ 결심이 세다〔약하다〕/ make a ~ 결심하다. ② Ⓤ《文語》견인 불발: a man of ~ 결의가 굳은 사람. ③ Ⓒ《美》(의회 등의) 결의.

***re·solved** [rizálvd / -zɔ́l-] *a.* 〔敍述的〕 결심한, 단호한(resolute); 깊이 생각한: He was ~*ed to* ask her to marry him. 그녀에게 청혼하기로 결심했다. ㊞ **re·sólv·ed·ly** [-idli] *ad.* 단호히, 결연히.

res·o·nance [rézənəns] *n.* ① Ⓤ,Ⓒ 반향, 울림; 여운. ②〔物〕Ⓤ 공명(共鳴), 공진(共振).

res·o·nant [rézənənt] *a.* 공명하는; 반향하는, 울리는《*with*》: The valley was ~ *with* the sounds of a waterfall. 골짜기에는 폭포 소리가 울려퍼지고 있었다. ㊞ **~·ly** *ad.*

res·o·nate [rézənèit] *vi.* ① 울리다, 울려 퍼지다. ② (…에) 공진〔반향〕하다《*with*》. ㊞ **-na·tor** [-ər] *n.* Ⓒ 공명기(共鳴器), 공명체; 〖電子〗 공진기, 공진자(子).

re-sort [riːsɔ́ːrt] *vt.* …을 다시 분류하다.

‡re·sort [rizɔ́ːrt] *n.* ① Ⓒ **a)** 유흥지, 행락지: a summer〔winter〕 ~ 피서지〔피한지〕. **b)**〔흔히 修飾語를 수반하여〕 사람들이 잘 가는 곳: The café is a favorite ~ of artists and intellectuals. 그 카페는 예술가들과 인텔리들이 잘 가는 곳이다. ② Ⓤ 자주 다님, 사람들의 출입: a place of great ~ 번화한 곳. ③ Ⓤ 의지, 의뢰《*to*》; Ⓒ 의지가 되는 사람〔물건〕, 수단, 방책. ***have*** 〔***make***〕 ***~ to*** (violence) (폭력)에 호소하다. ***in the last ~*** = ***as a*** 〔***the***〕 ***last ~*** 최후의 수단으로서, 결국. ***without ~ to*** …에 의지하지 않고. — *vi.* ①《+전+명》가다; 잘 가다〔다니다〕《*to*》: In the evenings they ~ to bars or nightclubs. 밤이면 그들은 술집이나 나이트클럽에 잘 다닌다. ②《+전+명》의지하다, 도움을 청하다, 호소하다《*to*》: If other means fail, we shall ~ *to* force. 만일 딴 수단이 실패하면 힘에 호소할 것이다.

re·sort·er [rizɔ́ːrtər] *n.* Ⓒ (유흥지 따위에) 잘 가는〔모이는〕 사람.

***re·sound** [rizáund] *vi.* ① (소리가) 울리다, 울려 퍼지다; 공명하다《*through*; *throughout*; *in*》: The trumpet ~*ed through* the hall. 트럼펫 소리가 홀에 울려퍼졌다. ②《~ / +전+명》반향하다《*with*》: The room ~*ed with* the children's shouts. 방은 아이들의 고함소리로 울렸다. ③《+전+명》(사건·명성 따위가) 떨치다, 평판이 자자하다《*through*; *throughout*; *all over*》: His act ~*ed through* the nation. 그의 행동은 전국에 널리 알려졌다.

re·sound·ing [rizáundiŋ] *a.* 〔限定的〕 ① 반향하는, 울리는. ② 널리 알려진; 철저한. ㊞ **~·ly** *ad.*

‡re·source [ríːsɔːrs, -zɔːrs, risɔ́ːrs, -zɔ́ːrs] *n.* ① Ⓒ (흔히 *pl.*) 자원; 물자; 재원(~ of money), 자력: human ~*s* 인적 자원 / financial ~*s* 재원(財源) / Canada's vast mineral ~*s* 캐나다의 방대한 광물 자원. ② Ⓒ (의지하는) 수단, 방책: Flight was his only ~. 달아날 수밖에 없었다. ③ Ⓒ 힘, 재능, 역량: He has the (inner) ~*s* for the job. 그는 그 일을 할 만한 역량이 있다. ④ Ⓒ 소창, 위안, 오락: Reading is one of his ~s. 독서는 그의 위안 중의 하나다. ⑤ Ⓤ 기지, 재치; 임기응변: a man of ~ 재치 있는 사람.

leave a person ***to*** his ***own ~s*** 아무를 그의 하고 싶은 대로 놓아두다.

re·source·ful [risɔ́ːrsfəl, -zɔ́ːrs-] *a.* 꾀바른, 기략이 풍부한, 책략이 있는. ㊞ **~·ly** *ad.* **~·ness** *n.*

†re·spect [rispékt] *n.* ① Ⓤ (또는 a ~) 존경, 경의(敬意)《*for*》: have (*a*) deep〔great〕 ~ *for* … 에 대해 깊은 존경심을 품다. ② (one's ~s) 인사, 안부를 전함《*to*》: Give *my* ~*s* to your mother. 어머님께 안부 전해 주세요 / We paid *our* last ~*s* to him. 우리는 그에게 마지막 고별의 정을 표했다. ③ Ⓤ 존중, 중시《*for*》: He shows no ~ *for* the law. 그는 법을 무시하고 있다. ④ Ⓤ 주의, 관심《*to*》. ⑤ Ⓒ 점, 개소, 세목: in any ~ 어느 점에서도. ***in all*** 〔***some***〕 ***~s*** 모든〔어떤〕 점에서. ***in every ~*** 모든 점에서. ***in no ~*** 아무리 보아도〔전연〕 …이 아니다. ***in ~ of*** 〔***to***〕 …에 관해서는, …에 대해서는; …의 대가〔사례〕로서《상업 통신문에서》. ***with*** (***all due***) ***~*** 의견은 지당합니다마는, 송구스럽습니다마는. ***without ~ to*** 〔***of***〕 …을 무시하고〔고려하지 않고〕. ***with ~ to*** …에 관해: *With ~ to* your proposal, we are sorry to say that we cannot agree to it. 귀하의 제의에 관해 동의할 수 없어 유감입니다.

— *vt.* ①《~+목 / +목+*as* 보》…를 존중하다, 존경하다: be ~*ed* by …에게 존경받고 있다 / I ~ him *as* my senior. 그를 선배로서 존경하고 있다. ② …을 중히 여기다, 고려에 넣다: ~ a person's privacy 아무의 사생활을 중히 여기다.

re·spect·a·bil·i·ty [rispèktəbíləti] *n.* ① Ⓤ 존경할 만함; 체면; 상당한 사회적 지위가 있음. ②〔集合的〕 훌륭한 사람들; 〔反語的〕 점잖은 양반들: all the ~ of the city 시의 고관들.

‡re·spect·a·ble [rispéktəbəl] (***more ~***; ***most ~***) *a.* ① 존경할 만한, 훌륭한; 신분이 높은: ~ citizens 훌륭한 시민. ② 흉하지 않은, 모양새 좋은: a ~ suit of clothes 모양새 좋은 복장 / We have to be ~ for tonight's party. 오늘 저녁 파티에 걸맞은 차림을 해야 한다. ③《口》(질·수량 등이) 상당한: a ~ minority 소수이지만 상당한

수 / quite a ~ income 적지 않은 수입. ㊥ **-bly** *ad.* 훌륭하게, 꽤. **~·ness** *n.*

re·spect·er [rispéktər] *n.* Ⓒ 〔흔히 否定構文〕 차별 대우하는 사람, 편들어주는 사람. ***be no ~ of persons*** (하느님·죽음·법 따위가) (지위·빈부 등에 의해) 사람을 차별하지 않다《사도행전 X : 34》.

re·spect·ful** [rispéktfəl] (more ~ ; most ~***) *a.* 경의를 표하는, 공손한, 정중한《*to* ; *toward(s)*》; (…을) 중히 여기는《*of*》: keep〔stand〕 at a ~ distance from …을 경원하다 / He is ~ *to* age. 그는 노인을 존경한다. ㊥ **~·ness** *n.*

‡**re·spect·ful·ly** [rispéktfəli] *ad.* 공손히, 정중하게. ***Respectfully yours*** = ***Yours ~*** 경백(敬白), 경구(敬具)《편지의 끝맺는 말》.

re·spect·ing [rispéktiŋ] *prep.* …에 관하여 ; …에 비추어. ⓒⓕ concerning, regarding.

***re·spec·tive** [rispéktiv] *a.* 〔限定的〕 각각의, 각기의, 각자의〔흔히 複數名詞를 수반함〕: They have their ~ merits. 그들은 각기 장점이 있다. ㊥ ***~·ly** *ad.* 각각, 각기, 따로따로.

***res·pi·ra·tion** [rèspəréiʃən] *n.* ① Ⓤ 호흡: artificial ~ 인공 호흡. ② Ⓒ 한번 숨쉼.

res·pi·ra·tor [réspərèitər] *n.* Ⓒ 마스크《천으로 된》; 방독면, 가스 마스크 ; 인공 호흡 장치.

res·pi·ra·to·ry [réspərətɔ̀:ri, rispáiərə- / rispáiərətəri] *a.* 〔限定的〕 호흡(작용)의, 호흡(성(性))의 ; 호흡을 위한 : ~ organs 호흡기(관) / a ~ disease 호흡기 질환.

re·spire [rispáiər] *vi.* 호흡하다.

res·pite [réspit] *n.* Ⓤ (또는 a ~) ① 연기 ; 유예 ; 〖法〗 (사형의) 집행 유예. ② 휴식, 중간 휴식《*from*》: without ~ 쉬지 않고 / take *a ~ from* one's work 일을 잠시 쉬다.

re·splend·ence, -en·cy [rispléndəns], [-i] *n.* Ⓤ 번쩍임, 광휘, 눈부심, 화려함.

re·splend·ent [rispléndənt] *a.* 빤짝빤짝 빛나는, 눈부신 : ~ in a white suit 눈부시게 하얀 슈트를 입고. ㊥ **~·ly** *ad.* 번쩍이고, 눈부시게.

‡**re·spond** [rispάnd / -spɔ́nd] *vi.* ①《~ / +전+명》 응답하다, 대답하다, 응(수)하다《*to*》: I asked why, but he didn't ~. 내가 왜냐고 물었지만, 그는 대답하지 않았다 / She ~*ed to* my suggestion *with* a laugh. 그는 내 제의에 웃음으로 응답했다. ② (자극 등에) 반응하다 ; (약 등에) 좋은 반응을 보이다 : The disease ~*s to* the new drug. 그 질병은 새 약에 좋은 반응을 보이고 있다. ③ 〖敎會〗 (회중이 사제에게) 답창〔응창〕하다. ── *vt.* …라고 답하다, 응답하다. ◇ response *n.*

re·spond·ent [rispάndənt / -spɔ́nd-] *n.* Ⓒ (조사 등의) 회답자 ; 〖法〗 피고《이혼 소송의》.

‡**re·sponse** [rispάns / -spɔ́ns] *n.* ① Ⓒ 응답, 대답 : make no ~ 아무런 대답도 않다, 응답이 없다. ② Ⓤ.Ⓒ 감응, 반응 ; 〖生·心〗 반응 : There was a sympathetic ~ to our appeal for help. 도움을 구하는 우리의 호소에 호의적인 반응이 있었다. ③ Ⓒ (흔히 *pl.*) 〖敎會〗 답창, 화창하는 구절. ◇ respond *v.* ***in ~ to*** …에 응하여〔답하여〕.

‡**re·spon·si·bil·i·ty** [rispὰnsəbíləti / -spɔ̀n-] *n.* ① Ⓤ 책임, 책무, 의무《*of* ; *for*》: a sense of ~ 책임감 / I will take〔assume〕 the ~ *of*〔*for*〕 doing it. 내가 책임을 지고 그것을 하겠습니다. ② Ⓒ 책임이 되는 것, 부담, 무거운 짐 : A child is a ~ *to its* parents. 어린이는 부모가 책임을 져야 한다. ③ Ⓤ 신뢰성〔도〕; 의무 이행 능력, 지급 능력. ***be relieved of*** one***'s ~*** 〔***responsibilities***〕 책임을 면하게 되다.

‡**re·spon·si·ble** [rispάnsəbəl / -spɔ́n-] (***more ~ ; most ~***) *a.* ① …에 책임 있는, 책임을 져야 할《*to* ; *for*》: make〔feel〕 oneself ~ *for* …의 책임을 지다〔느끼다〕/ The pilot of the plane is ~ *for* the passengers' safety. 비행기 조종사는 여객의 안전에 대하여 책임이 있다 / We must be ~ *to* ourselves. 우리는 자신의 행동에 대하여 책임을 져야 한다. ② 원인이 되는, …의 탓인《*for*》: The weather is ~ *for* the delay. 연기한 것은 날씨 때문이다. ③ 신뢰할 수 있는, 책임을 다할 수 있는, 도의심이 있는 : a ~ man 신뢰할 수 있는 사람. ④ 책임이 무거운 : a ~ position〔role〕 책임이 무거운 지위〔역할〕. ◇ responsibility *n.* ***hold*** a person 〔oneself〕 ***~ for*** 아무에게 …의 책임을 지우다〔…의 책임을 맡다〕.
㊥ **-bly** *ad.* 책임지고, 확실히.

***re·spon·sive** [rispάnsiv / -spɔ́n-] *a.* 곧 응답하는, 응하는 ; 감응〔감동〕하기 쉬운《*to*》: We try to be ~ *to* the needs of the customer. 고객의 수요에 즉응하도록 노력한다. ㊥ **~·ly** *ad.* 대답하여 ; 반응하여. **~·ness** *n.*

†**rest**[1] [rest] *n.* ① Ⓤ.Ⓒ 휴식, 휴게, 정양 : Take 〔Have〕 a ~ *from* your work. 잠시 일을 쉬도록 하라. ② Ⓤ (또는 a ~) 안정, 안락 ; 안심 : This medicine will give you some ~. 이 약으로 좀 안정을 얻을 수 있을 게다. ③ Ⓤ.Ⓒ 수면 : She had a good night's ~. 그녀는 밤에 푹 잤다. ④ Ⓤ 휴지, 정지(靜止). ⑤ Ⓒ 〖樂〗 휴지, 쉼표. ⑥ Ⓒ (물건·발을 올려놓는) 받침 ; 《英》〖撞球〗 큐대, 레스트. ***at ~*** (1) 휴식하여, 안심하여, 안정되어 : set a person's mind〔fears〕 *at ~* 아무의 마음〔불안〕을 진정시키다. (2) (기계 등이) 정지하여. (3) 해결되어 : set a question *at ~* 문제를 해결하다. (4) 영면하여. ***be called to*** one***'s eternal ~*** 영원히 잠들다, 죽다. ***come to ~*** 정지하다, 멈추다. ***Give it a ~ !*** 《英口》 그만해 ; 입다물어. ***lay ... to ~*** (1) 매장하다. (2) 망각하다.
── *vi.* ①《~ / +전+명》 쉬다, 휴식하다《*from*》: He ~*ed* (*for*) an hour after lunch. 점심 후 1시간 쉬었다. ②《~ / +전+명》 눕다, 자다 ; 영면하다, 지하에 잠들다 : Let him ~ *in* peace. 그를 고이 잠들게 하소서. ③ 〔흔히 否定文에서〕《~ / +전+명》 안심하다, 안심하고 있다 : I cannot ~ *under* these circumstances. 이런 상황에서는 안심할 수 없다. ④ 휴지〔정지〕하다. ⑤《+전+명》 (…에) 있다, 놓여 있다, 얹혀 있다, 기대다 ; 앉다《*on, upon* ; *against*》; (시선 따위가) 쏠리다, 멈추다 : The columns ~ *on* their pedestals. 원기둥은 각기 받침대 위에 얹혀 있다. ⑥《+전+명》 신뢰를 두다《*in*》; 의지하다《*on, upon*》: ~ *on*〔*in*〕 her promise 그녀의 약속을 믿다. ⑦《+전+명》 기초를 두다, 의거하다《*on, upon*》; (결정 등이) …에게 있다《*with*》: The decision ~*s with* him. 결정권은 그에게 있다. ⑧ (땅이) 갈지 않은 채로 있다, 놀고 있다. ⑨《+전+명》 (짐·책임이) 지워져 있다《*on, upon*》: No responsibility ~*s on* you. 당신에게는 아무런 책임이 없소. ⑩《+전+명》 오래 머무르다, 감돌다《*on, upon*》: A smile ~*ed on* her lips. 미소가 그녀 입가에 감돌았다. ⑪ 〖法〗 (변호인이) 증거 제출을 자발적으로 중지하다.
── *vt.* ① **a)** …을 쉬게 하다, 휴식시키다 ; 휴양시키다 ; 편히 쉬게 하다 : He stopped to ~ his horse. 그는 말을 쉬게 하기 위해 멈추어 섰다 / May God ~ his soul. 하느님, 그의 영혼을 쉬게 하옵소서. **b)** 〔再歸的〕 휴식하다 : You'd better ~ *yourself.* 자네는 쉬는 게 좋겠네. ②《+목+전+명》 …을 놓다, 얹다 ; 세워 놓다, 기대게 하다《*on, upon* ; *against*》: She ~*ed* her elbows *on* the table. 그

너는 테이블에 두 팔꿈치를 얹고 있었다 / *Rest* the ladder *against* the wall. 사다리를 벽에 걸쳐 놓아라. ③《+目+前+名》(시선 등)을 멈추다 : ~ one's gaze *on* a person 아무를 응시하다. ④《+目+前+名》…에 기초를 두다 ; …에 의거하다 ; (희망 등)을 걸다 : He ~*s* his theory *on* three basic premises. 그의 이론은 세 가지 기본적 전제에 기초를 두고 있다. ⑤〖法〗…의 증거 제출을 자발적으로 중지하다.

‡**rest²** *n.* (the ~) ① 나머지, 잔여(殘餘) : Take what you want and throw *the* ~ away. 당신이 좋아하는 것을 취하고 나머지는 버리시오. ②〔集合的〕 나머지〔그 밖의〕 사람들 : The ~ (of us) are to stay behind. (우리들 중의) 나머지 사람들은 뒤에 남게 되어 있다.

re·stage [ri:stéidʒ] *vt.* (연극 등)을 재상연하다.

rést àrea 《美》(고속 도로 등의) 대피소.

re·state [ri:stéit] *vt.* …을 다시 진술하다 ; 고쳐 말하다. 파 **~·ment** [-mənt] *n.* C,U 재성명.

‡**res·tau·rant** [réstərənt, -rà:nt / -rɔ̀nt, -rɔ̃:ŋ] *n.* C (F.) 요리점, 레스토랑 ; (호텔 등의) 식당.

réstaurant càr 《英》 식당차(dining car).

res·tau·ra·teur [rèstərətə́:r / -tɔ(:)rə-] *n.* C (F.) 요리점 경영자.

rést cùre 안정 요법《주로 정신병의》.

rést dày 안식일, 휴일.

rest·ed [réstid] *a.* 휴식한, 쉰 : I felt ~ and relaxed. 쉬고 나니 기분이 좋다.

rest·ful [réstfəl] *a.* 휴식을 주는 ; 조용한, 편안한, 평온한 : (a) ~ slumber 편안한 잠 / a ~ weekend 안온한 주말. 파 **~·ly** *ad.* **~·ness** *n.*

rést hòme =SANATORIUM.

rést hòuse (여행자를 위한) 휴게소, 숙박소.

rest·ing-place [réstiŋplèis] *n.* C 휴식처 ; 무덤 : one's last ~ 무덤.

res·ti·tu·tion [rèstətjú:ʃən] *n.* U (정당한 소유자에의) 반환 ; 배상 : The court ordered him to make full ~ to the family. 법원은 그 가족에게 전액을 배상하라고 그에게 명령했다.

res·tive [réstiv] *a.* ① 침착하지 못한, 안달하는, 마음이 들뜬(restless) : in a ~ mood 들뜬 기분으로. ② (말 따위가) 나아가기를 싫어하는, 고집센 ; 다루기 힘든 ; 반항적인. 파 **~·ly** *ad.* **~·ness** *n.*

‡**rest·less** [réstlis] (***more*** ~ ; ***most*** ~) *a.* ① 침착하지 못한, 들떠 있는 : We get ~ near the end of the term. 우리들은 학기말이 가까워지면 싱숭생숭해진다. ②〔限定的〕 잠을 이룰 수 없는, 안면할 수 없는 : a ~ night 잠 못 이루는 밤. ③ 끊임없는 : ~ waves 끊임없이 밀어닥치는 파도. 파 **~·ly** *ad.* **~·ness** *n.*

re·stock [ri:stɑ́k / -stɔ́k] *vt.* …을 보충하다, 새로 사들이다《*with*》: I ~*ed* the pond *with* carp. 연못에 다시 잉어를 사 넣었다. ── *vi.* 새로 사들이다.

re·stor·able [ristɔ́:rəbəl] *a.* 회복〔복구〕할 수 있는.

*__res·to·ra·tion__ [rèstəréiʃən] *n.* ① U 회복 ; 복구《*of*》; 복직 ; 반환《*of* ; *to*》: (the) ~ *of* order 질서 회복 / the ~ *of* stolen goods 장물의 반환. ② U,C (미술품·문헌 따위의) 수복(修復), 복원(復元) ; C (건축·미술품·고생물 따위의) 원형 모조, 수복〔복원〕된 것. ③ (the R-)〖英史〗 왕정 복고《1660년 Charles 2세의 즉위》, 왕정 복고 시대(1660-88).

re·stor·a·tive [ristɔ́:rətiv] *a.* 〔限定的〕(건강·원기를) 회복시키는. ── *n.* C 각성제.

‡**re·store** [ristɔ́:r] *vt.* ①《~+目 / +目+前+名》…을 원장소에 되돌리다 ; 반환〔반송〕하다《*to*》: ~ the book *to* the shelf 책꽂이에 책을 도로 가져다 놓다 / The stolen document was soon ~*d to* its owner. 도난당한 문서는 곧 소유주에게 반환되었다. ② …을 부흥〔부활〕하다 ; 복구〔재건〕하다 ; 복원하다, 수선하다 : The picture has been ~*d to* its original condition. 그 그림은 본디 상태로 복원되었다 / ~ law and order 치안을 회복하다. ③《~+目 / +目+前+名》(원지위)로 복귀시키다 ; 복위시키다 : ~ laid-off workers to their position 일시해고한 종업원을 원직장에 복직시키다. ④《~+目 / +目+前+名》(…의 건강·의식 따위)를 회복시키다 : She was soon ~*d to* health. 그녀는 곧 건강을 회복했다. ◇ restoration *n.*

파 **re·stór·er** [-rər] *n.* C 〔흔히 修飾語와 함께〕 원상 복구시키는 사람〔것〕: a hair *restorer* 털나는 약.

‡**re·strain** [ristréin] *vt.* ①《~+目 / +目+前+名》…을 제지〔방지〕하다 ; 제한하다 : I had to ~ her *from* running out into the street after him. 그녀가 그를 뒤따라 거리로 뛰쳐나가지 못하도록 해야만 했었다 / ~ a person *of* his liberty 아무의 자유를 제한하다. ② (감정·욕망 등)을 억누르다, 억제하다 : He could not ~ his tears. 그는 눈물을 억제할 수가 없었다. ③ …를 구속하다, 감금하다. ◇ restraint *n.* ~ one***self*** 참다, 자제하다.

*__re·strained__ [ristréind] *a.* ① 삼가는, 자제하는. ② 억제된, 진득한, 침착한.

파 **re·strain·ed·ly** [-stréinidli] *ad.*

*__re·straint__ [ristréint] *n.* ① U,C 제지, 금지, 억제(작용·력) ; 억제 수단〔도구〕: press ~*s* 보도제한 / The government imposed〔put〕 ~*s* on the export of military hardware. 정부는 군사용 기자재의 수출 억제 조치를 취했다. ② U 속박, 구속, 감금 : lay a person under ~ 아무를 구속하다. ③ U 자제, 근신 : without ~ 자유로이, 마음대로. ◇ restrain *v.*

*__re·strict__ [ristríkt] *vt.* 《~+目 / +目+前+名》…을 제한하다, 한정하다《*to*》: ~ a person's activities 아무의 활동을 제한하다 / The speed is ~*ed to* 50 kilometers an hour here. 이곳에서 속도는 시속 50킬로미터로 제한된다. ◇ restriction *n.*

*__re·strict·ed__ [ristríktid] *a.* ① 한정된, 제한된 : ⇨RESTRICTED AREA. ② 특정한 목적〔사람〕에 한정된 : Entrance is ~ to members (only). 입장은 회원에 한함《게시》. ③《美》(정보·문서 따위가) 기밀의, 부외비(部外祕)의. ④ 비좁은, 답답한.

파 **~·ly** *ad.* **~·ness** *n.*

restrícted área〖美軍〗 출입 금지 구역 ;《英》 자동차 속도 제한 구역.

*__re·stric·tion__ [ristríkʃən] *n.* U,C 제한, 한정 ; 제약 : without ~ 제한없이 / impose〔put, place〕 ~*s* on …에 제한을 가하다. ◇ restrict *v.*

restríction ènzyme〖生化〗 제한 효소《이중 사슬 DNA를 특정 부위에서 절단하는 효소》.

*__re·stric·tive__ [ristríktiv] *a.* ① 제한하는, 구속하는, 한정하는 : ~ measures 제한조치. ②〖文法〗 한정적인 : a ~ relative clause 제한적 관계사절.

파 **~·ly** *ad.* **~·ness** *n.*

rést ròom 《美》(극장 따위의) 휴게실 ; 화장실.

re·struc·ture [ri:strʌ́ktʃər] *vt.* …을 재구성〔편성〕하다, 개조하다. ── *vi.* 다시 구축하다, 구조를 개조하다.

rést stòp =REST AREA.

†**re·sult** [rizʌ́lt] *n.* ① U,C 결과, 결말, 성과, 성적 : the ~*s of* an election 선거의 결과 / obtain〔get〕 good〔bad〕 ~*s* in an exam 시험에서 좋은〔나쁜〕 성적을 얻다. ② C (계산의) 결과, 답. ③ (*pl.*) (경기 따위의) 결과, 성적 ;《英俗》(축구 경기의) 승리 : the baseball ~*s* 야구 경기의 결

과. ***as a ~ of*** …의 결과로서 : *As a ~ of* the accident I was late. 그 사고의 결과 지각하고 말았다. ***without ~*** 헛되게, 보람없이 ; 공연한 : Their efforts were *without ~*. 그들의 노력은 허사였다. ***with the ~ that*** 그 결과 : There was a lot of drink, *with the ~ that* everybody got drunk. 술이 많이 있어서 그 결과 모든 사람이 취했다.
— *vi.* ①《~ / +전+명》 결과로서 일어나다, 생기다, 유래하다《*from*》: the damage which *~ed from* the fire 화재로 인한 손해. ②《+전+명》 귀착하다, 끝나다《*in*》: The plan *~ed in* failure. 그 계획은 결국 실패했다.

***re·sult·ant** [rizʌ́ltənt] *a.* 〔限定的〕 ① 결과로서 생기는. ②〖物〗 합성된 : a ~ force〖物〗 합성력.
— *n.* Ⓒ 결과 ;〖物〗 합성력 ; 합성 운동.

re·sult·ful [rizʌ́ltfəl] *a.* 성과〔효과〕 있는.

re·sult·less [rizʌ́ltlis] *a.* 성과〔효과〕 없는.

‡**re·sume** [rizú:m / -zjú:m] *vt.* ① (자리 따위)를 다시 차지하다〔점유하다〕 : Please ~ your seats. 자리에 다시 앉아 주세요. ② …을 되찾다 ; (건강)을 회복하다. ③ …을 다시 시작〔계속〕하다 : Parliament *~d* work〔its labors〕. 의회가 다시 열렸다. — *vi.* 다시 차지하다 ; 다시 찾다 ; 다시 시작하다, 계속하다 : When the audience had become quite, the speaker *~d*. 청중이 조용해지자 연사는 다시 이야기를 계속했다. ◇ resumption *n.*

ré·su·mé [rèzuméi, ⌐–⌐] *n.* Ⓒ ①《F.》 적요, 요약, 경개(梗槪). ②《美》 이력서.

***re·sump·tion** [rizʌ́mpʃən] *n.* Ⓤ ① 되찾음, 회수, 회복《*of*》. ② 재개시, 속행. ◇ resume *v.*

re·sur·face [ri:sə́:rfis] *vt.* …의 표지를 바꾸다, 거죽을 다시 꾸미다 ; (길)을 다시 포장하다.
— *vi.* (잠수함이) 다시 떠오르다.

re·sur·gent [risə́:rdʒənt] *a.* 〔限定的〕 소생〔부활〕하는.
㊕ **re·súr·gence** *n.* Ⓤ (또는 a ~) 재기, 부활.

res·ur·rect [rèzərékt] *vt.* ① (쇠퇴한 습관 따위)를 부흥시키다 : ~ an ancient custom 옛날 습속을 부활시키다. ②〖神學〗 죽은 이를 소생시키다.
— *vi.* 소생〔부활〕하다.

***res·ur·rec·tion** [rèzərékʃən] *n.* ① (the R-) 예수의 부활 ; (the R-) (최후의 심판일에 있어서의) 전(全)인류의 부활. ② Ⓤ 부활 ; 부흥, 재유행《*of*》. ◇ resurrect *v.*

re·sus·ci·tate [risʌ́sətèit] *vt.* (인공 호흡 따위)로 소생시키다 ; 의식을〔원기를〕 회복시키다.
㊕ **re·sùs·ci·tá·tion** *n.* Ⓤ 소생, 부활.

***re·tail** [rí:teil] *n.* Ⓤ 소매(小賣) : at〔《英》 by〕 ~ 소매로. opp. *wholesale*. — *a.* 〔限定的〕 소매하는 : a ~ dealer〔store〕 소매상(商). — *ad.* 소매로 : sell goods ~ 물품을 소매하다. — *vt.* ① …을 소매하다. ② [ritéil] (들은 얘기)를 그대로 옮기다 ; (소문 따위)를 퍼뜨리다 : ~ a scandal 추문을 퍼뜨리다. — *vi.* 《+전+명》 소매되다《*at* ; *for*》 : It *~s at* 〔*for*〕 1,000 won. 그건 소매로 천원이다.

re·tail·er [rí:teilər] *n.* Ⓒ 소매상인.

‡**re·tain** [ritéin] *vt.* ① …을 보유〔유지〕하다 : ~ one's balance 밸런스를 유지하다 / The dam *~s* millions of tons of water. 댐은 수백만 톤의 물을 보유하고 있다. ② (변호사・사환)을 고용하다 : ~ a lawyer 변호사를 고용하다. ③ …을 잊지 않고 있다 : I ~ a clear memory of those days. 그 당시의 일을 확실히 기억하고 있다. ◇ retention *n.* ㊕ **~·ment** *n.*

re·táined óbject [ritéind-]〖文法〗 보류 목적어《보기 : He was given the *book* by me / The book was given *him*.》.

re·tain·er[1] [ritéinər] *n.* Ⓒ ① 보유자. ②〖史〗 가신(家臣), 종자.

re·tain·er[2] *n.* Ⓒ (변호사 따위의) 고용 ;〖法〗 변호 의뢰(료)《예약을 위한》 ; 변호 약속.

retáining wàll 옹벽(擁壁).

re·take [ri:téik] (***-took*** [-túk] ; ***-tak·en*** [-téikən]) *vt.* ① …을 다시 잡다 ; 되찾다, 탈환〔회복〕하다. ② (영화 따위)를 다시 찍다. ③ 시험을 다시 치다.
— [rí:tèik] *n.* Ⓒ ①〖映〗 재촬영. ② 재시험.

re·tal·i·ate [ritǽlièit] *vi.* 《~ / +전+명》 보복하다, 앙갚음하다《*on, upon; for*》 ; 대꾸하다, 응수하다《*by* ; *with*》 : ~ *for* an injury 손상을 받은 것에 대해 보복하다 / When the police started to arrest people, some of demonstrators *~d by* throwing stones. 경찰이 사람들을 체포하기 시작하자, 시위자들의 일부가 투석으로 응수했다.
— *vt.* …에게 보복하다, 앙갚음하다.

re·tal·i·a·tion [ritæ̀liéiʃən] *n.* Ⓤ 보복, 앙갚음. ***in ~ of*** 〔***for***〕 …의 보복으로.

re·tal·i·a·tive, -a·to·ry [ritǽlièitiv], [-ətɔ̀:ri / -ətəri] *a.* 보복적인.

re·tard [ritá:rd] *vt.* …을 늦어지게 하다, 지체시키다 ; 방해하다, 저지하다 : Cold weather *~s* the growth of plants. 차가운 날씨는 식물의 성장을 방해한다. opp. *accelerate*. ◇ retardation *n.*

re·tard·ant [ritá:rdənt] *a.* 〔흔히 複合形으로〕 늦어지게 하는 ; 저지하는 : fire-~ construction materials 방화(防火) 건축 자재. — *n.* Ⓤ,Ⓒ〖化〗 지연〔억제〕제(劑).

re·tar·date [ritá:rdeit] *n.* Ⓒ 지능 발달이 뒤진 사람. — *a.* 《美》 지능 발달이 늦은.

re·tar·da·tion [ri:tɑ:rdéiʃən] *n.* Ⓤ,Ⓒ 지연 ; 방해 ; 저지 ;〖心〗 정신 지체《보통 IQ 70 미만》.

re·tard·ed [ritá:rdid] *a.* 발달이 늦은 ; (지능 등이) 뒤진.

retch [retʃ] *vi.* 헛구역질을 하다 ; 억지로 토하려고 하다. — *n.* Ⓒ 구역질(소리).

retd. retained ; retired ; returned.

re·tell [ri:tél] (*p., pp.* ***-told*** [-tóuld]) *vt.* 다른 형식으로〔형태를 바꾸어〕 말하다 ; 다시 말하다 : old Greek myths *retold* for children 어린이용으로 고쳐 쓴 고대 그리스 신화.

re·ten·tion [riténʃən] *n.* Ⓤ ① 보유, 보존 ; 보류 ; 유지. ② 보유력 ; 기억력. ③〖醫〗 정체(停滯) : ~ of urine 요폐(尿閉). ◇ retain *v.*

re·ten·tive [riténtiv] *a.* ① 보유하는, 보유력이 있는《*of*》. ② 기억력이 좋은. ㊕ **~·ly** *ad.* **~·ness** *n.*

re·think [ri:θíŋk] (*p., pp.* ***-thought***) *vt., vi.* 재고하다, 고쳐 생각하다. — [rí:θiŋk] *n.* Ⓤ (또는 a ~) 재고 : have *a ~* on〔about〕 …에 대해 재고하다.

ret·i·cent [rétəsənt] *a.* ① 과묵한 ; 말이 적은《*on* ; *about*》 : a ~ boy 과묵한 소년 / He was ~ *about* his past. 그는 과거를 이야기하려 하지 않았다. ② 삼가는 ; 억제된. ㊕ **~·ly** *ad.* **-cence** [-səns] *n.* Ⓤ 과묵, (입을) 조심함.

re·tic·u·lat·ed [ritíkjəlèitid] *a.* 그물 모양의 ; 그물코 무늬의. ㊕ **re·tìc·u·lá·tion** [-léiʃən] *n.* (종종 *pl.*) 그물 모양(의 것), 망상(網狀) 조직 ; 그물코 무늬.

ret·i·cule [rétikjù:l] *n.* Ⓒ (여성용의) 손가방, 그물 주머니.

ret·i·na [rétənə] (*pl.* ***~s, -nae*** [-nì:]) *n.* Ⓒ〖解〗 (눈의) 망막. ㊕ **-nal** [-nəl] *a.* 망막의.

ret·i·nue [rétənjù:] *n.* Ⓒ 〔集合的〕 (특히 왕・귀족의) 수행원, 종자(從者) : He was in the King's

~. 그는 왕의 수행원이었다.

:re·tire [ritáiər] *vi.* ①《~ / +전+명》 물러가다, 칩거하다 : They all ~*d to* their rooms. 그들은 각기 방으로 물러갔다. ②《~ / +전+명》 자다, 자리에 들다 : It's time to ~. 취침 시간이 되었다. ③《~ / +전+명》 은퇴하다, 퇴직하다 ; 폐업하다《*from* ; *into*》: The teachers ~ *at* 65. 교원의 정년은 65 세다 / The president will soon ~ *from* office. 사장은 곧 사임할 것이다. ④ 퇴각하다 : The army ~*d* in good order. 군은 질서 정연하게 퇴각했다. ⑤ (선수가 부상 등으로) 중도 퇴장하다. — *vt.* ① …를 퇴직〔퇴역, 은퇴〕시키다. ② (군대)를 철수시키다. ③〖野 · 크리켓〗 (타자)를 아웃시키다. ~ ***into*** one***self*** (생각에 잠겨) 말을 하지 않다 ; 사람과 사귀지 않다.

***re·tired** [ritáiərd] *a.* ① 은퇴한, 퇴직한, 퇴역의. opp *active*. ¶ My father is ~ now. 아버지는 퇴직하셨습니다. ② 궁벽한 ; 한적한. 「퇴자.

re·tir·ee [ritaiərí:, -⌐-] *n.* Ⓒ (정년) 퇴직자, 은

***re·tire·ment** [ritáiərmənt] *n.* ① Ⓤ 퇴거 ; 은퇴, 은거. ② U.C 퇴직, 퇴역 ; 정년(停年) (후의 시기) : go into ~ 은퇴하다.
— *a.* 〔限定的〕 퇴직자의 : (the) ~ age 정년 / a ~ allowance 퇴직금.

retírement pènsion 퇴직 연금.

***re·tir·ing** [ritáiəriŋ] *a.* ① 〔限定的〕 곧 은퇴하는, 퇴직(자)의 : a ~ employee 곧 퇴직할 종업원. ② 암띤 ; 사교성 없는, 수줍은.

retíring àge (the ~) 퇴직 연령, 정년.

***re·tort**[1] [ritɔ́:rt] *vt.* ①《~+목 / +목+전+명》 (반론 · 의론 · 장난)을 받아넘기다, 응수하다《*on, upon* ; *against*》: ~ a jest *on* a person 아무에게 농담으로 받아넘기다 / "It's all your fault!" she ~*ed*. '그건 모두 네 잘못이야' 하고 그녀는 쏘아붙였다. ② 반론하여 말하다, 반박하다《*that*》: He ~*ed that* he needed no help. 도움 따위 필요 없다고 그는 반박했다. — *vi.* 《~ / +전+명》 반론〔반박〕하다, 말대꾸하다 ; 역습〔반격〕하다, 응전하다《*on, upon* ; *against*》: ~ *upon* a person's charge 아무의 고발에 반격하다.
— *n.* U.C 말대꾸 ; 반박(refutation).

re·tort[2] *n.* Ⓒ 〖化〗 레토르트, 증류기.

re·touch [ri:tʌ́tʃ] *vt.* …을 다시 손대다 ; (사진 · 그림 · 문장 따위)를 손질〔수정, 가필〕하다 : ~ a photograph 사진을 수정하다.
—[⌐⌐, ⌐⌐] *n.* Ⓒ (사진 · 그림 · 문장 따위의) 손질〔수정〕, 가필.

re·trace [ritréis] *vt.* ① (길 따위)를 되돌아 가다, 되풀이하다 : After about fifty paces, he turned around and began to ~ his steps. 약 쉰 걸음쯤 걷다가 그는 돌아서서 오던 길을 되돌아가기 시작했다. ② …을 근원을 더듬다, 거슬러 올라가 조사하다 : ~ one's family line 가계를 거슬러 올라가 조사하다. ③ …을 회고〔회상〕하다.

re·tract [ritrǽkt] *vt.* ① (혀 등을 입 안으로) 끌어넣다 ; 수축시키다 : Cats can ~ their claws. 고양이는 발톱을 오므릴 수 있다. ② (앞서 한 말 · 약속 · 명령 등)을 취소〔철회〕하다 : ~ an accusation 고소를 취하하다. — *vi.* ① 쑥 들어가다 ; 수축하다. ② (앞서 한 말을) 취소〔철회〕하다.

re·tract·a·ble [ritrǽktəbəl] *a.* ① (자동차의 헤드라이트 · 비행기의 바퀴 따위를) 안으로 들일〔접어 넣을〕 수 있는 ; 신축 자재의. ② 취소〔철회〕할 수 있는.

re·trac·tile [ritrǽktil, -tail] *a.* 신축 자재의 ; 〖動〗 (목을) 움츠려 들일 수 있는, (발톱을) 오므릴 수 있는. opp *protractile*.

re·trac·tion [ritrǽkʃən] *n.* ① Ⓤ (발톱 따위를) 오므림. ② U.C 취소, 철회.

re·tread [ri:tréd] (*-trod* [-trɑ́d / -trɔ́d] ; *-trodden* [-trɑ́dn / -trɔ́dn], *-trod*) *vt.* 타이어를 재생하다. —[rí:trèd] *n.* Ⓒ (바닥을 갈아 댄) 재생타이어.

:re·treat [ritrí:t] *n.* ① U.C 퇴각, 퇴거 ; (the ~) 퇴각 신호 : make a ~ 후퇴하다 / sound *the* ~ 퇴각 나팔을 불다. ② Ⓒ 정양하는 곳, 은신처, 피난처 ; (취한 · 노인 등의) 수용소 : a mountain ~ 산장 / a summer ~ 피서지. ③ U.C 묵상 ; 피정(避靜)《일정 기간 조용한 곳에서 하는 종교적 수련》: be in ~ 묵상 중이다.
— *vi.* ①《~ / +전+명》 물러가다, 후퇴하다, 퇴각하다《*from*》: The enemy ~*ed from* the field *to* the hill. 적은 전선에서 언덕으로 후퇴했다. ②《+전+명》 (불쾌한 곳에서) …로 떠나다, 피하다 : He lit the fuse and ~*ed to* a safe distance. 그는 뇌관에 불을 붙이고 안전한 거리까지 피했다.

re·trench [ritréntʃ] *vt.* ① (비용 따위)를 절감〔절약〕하다(reduce). ② …을 삭제〔생략〕하다.
— *vi.* 절약〔검약〕하다.
㊞ ~·**ment** *n.* U.C 경비 절약 ; 단축, 축소 ; 삭감.

re·tri·al [ri:tráiəl] *n.* U.C 〖法〗 재심 : a petition for ~ 재심 청구.

ret·ri·bu·tion [rètrəbjú:ʃən] *n.* Ⓤ (또는 a ~) 보복 ; 징벌 ; 〖神學〗 응보, 천벌 : the day of ~ 최후의 심판일 ; 응보의 날.

re·trib·u·tive [ritríbjətiv] *a.* 보복의, 응보의.

re·triev·al [ritrí:vəl] *n.* Ⓤ ① 만회, 복구, 회복 ; 벌충, 보상. ②〖컴〗 (정보의) 검색.

retríeval sỳstem 〖컴〗 정보 검색 시스템.

***re·trieve** [ritrí:v] *vt.* ① …을 회수하다 : ~ the black box of a crashed plane from the ocean 추락한 비행기의 블랙 박스를 바다에서 회수하다. ② …을 회복〔만회〕하다 : ~ one's honor 명예를 회복〔만회〕하다. ③ …을 보상〔벌충〕하다(atone for) ; 수선하다 ; 정정하다. ④《+목+전+명》 …을 구하다, 구출하다《*from* ; *out of*》: ~ a person *from* 〔*out of*〕 ruin 아무를 파멸에서 구하다. ⑤ …을 갱생〔부활〕시키다 : She arrived just in time to ~ the situation. 그녀가 마침 때맞추어 도착하여 그 때의 분위기가 되살아났다. ⑥ (사냥개가 잡은 짐승)을 찾아가지고 오다 ; (테니스 등에서) (어려운 볼을) 잘 되치다. ⑦〖컴〗 (정보)를 검색(檢索)하다 — *vi.* (사냥개가) 잡은 짐승을 찾아 물고 오다. — *n.* = RETRIEVAL.

re·triev·er [ritrí:vər] *n.* Ⓒ ① retrieve하는 사람〔물건〕. ② 잡은 짐승을 찾아가지고 오는 사냥개 ; 리트리버《사냥개의 일종》.

ret·ro [rétrou] *n.* U.C (복장 등) 복고조 스타일.
— *a.* 〔限定的〕 ① 복고조의 : ~ clothes stores 복고조 옷가게. ② = RETROACTIVE.

retro- *pref.* '뒤로, 거꾸로, 거슬러, 재추진의' 등의 뜻. cf. pro-[1].

ret·ro·ac·tive [rètrouǽktiv] *a.* (법률 · 효력 등이) 소급하는 : a ~ law 〖法〗 소급법 / ~ to May 1, 5월 1일로 소급하여. ㊞ ~·**ly** *ad.*

ret·ro·fire [rétroufàiər] *vt.* (역추진 로켓)에 점화하다, 발사시키다. — *vi.* (역추진 로켓이) 점화〔분사〕하다.

ret·ro·fit [rétroufit] *vt.* 구형(舊型) 장치〔장비〕를 개조하다. — *n.* ① Ⓤ 장치의 개조. ② Ⓒ 개조한 부품.

ret·ro·flex(ed) [rétrəflèks(t)] *a.* 뒤로 휜〔굽은〕, 반전한 ; 〖醫〗 후굴의 ; 〖音聲〗 반전음의.

ret·ro·flex·ion [rètrəflékʃən] *n.* Ⓤ 반전(反轉) ; 〖醫〗 자궁 후굴 ; 〖音聲〗 반전음.

ret·ro·grade [rétrəgrèid] *a.* ① 후퇴하는, 역진

하는. ② 퇴보하는 ; 역행적인 : an ecologically ~ step 생리학적으로는 오히려 나쁜 수단. ③ (순서 따위가) 역의 : in a ~ order 역순으로.
— *vi.* ① 후퇴하다, 역행하다. ② 퇴보〔퇴화〕하다.

ret·ro·gress [rétrəgrès, ⌐-⌐] *vi.* ① 뒤로 되돌아가다, 후퇴하다, 역행하다. ② 퇴보〔퇴화〕하다 ; 쇠퇴하다, 악화하다. OPP *progress.*
㊕ **rèt·ro·grés·sion** [-ʃən] *n.*

ret·ro·gres·sive [rètrəgrésiv] *a.* 후퇴〔역행〕하는 ; 퇴화하는. OPP *progressive.* ㊕ **~·ly** *ad.*

ret·ro·rock·et [rétrourɑ̀kit / -rɔ̀k-] *n.* Ⓒ 〖宇宙〗 역추진〔역분사〕 로켓.

ret·ro·spect [rétrəspèkt] *n.* Ⓤ 회고, 회상, 회구(懷舊). OPP *prospect.* ***in*** ~ 뒤돌아 보면, 회고하면.
㊕ **rèt·ro·spéc·tion** [-ʃən] *n.* Ⓤ 회고, 회상, 추억.

ret·ro·spec·tive [rètrəspéktiv] *a.* ① 회고의, 회구(懷舊)의. OPP *prospective.* ¶ a ~ exhibition 회고전. ② 과거로 거슬러 올라가는 ; 〖法〗 소급하는(retroactive) : ~ legislation 소급 입법. — *n.* Ⓒ 회고전(展). ㊕ **~·ly** *ad.* 회고하면.

ret·rous·sé [rètru:séi / rətrú:sei] *a.* 《F.》 (코 따위가) 위로 향한〔젖혀진〕, 들창코의.

ret·ro·vi·rus [rètrəváiərəs, ⌐-⌐-] *n.* Ⓒ〖生〗 레트로바이러스《RNA 종양 바이러스 ; AIDS 바이러스나 발암에 관련한 바이러스가 포함됨》.

†**re·turn** [ritə́:rn] *vi.* ①《~ / +전+명》 (본래의 장소·상태·화제 따위로) 되돌아가다, 돌아가〔오〕다 : ~ *to* one's old habit 본래의 습관으로 돌아가다 / He left home never to ~. 그는 고향을 떠나서 다시는 돌아오지 않았다 / ~ *in* triumph 개선하다 / ~ safe and sound 무사히 귀환하다. ② 다시 (찾아)오다, 다시 일어나다 ; (병 따위가) 재발하다. ③ 답하다, 말대꾸하다.
— *vt.* ①《~+목 / +목+목 / +목+전+명》 …을 돌려주다, 도로 보내다, 반환하다 ; (포로 따위)를 송환하다 ; (무기 따위)를 제자리에〔본디 상태로〕 되돌리다 ; 반사〔반향〕하다 : I ~*ed* him the book 〔the book *to* him〕. 그에게 그 책을 돌려 주었다. ②《~+목 / +목+전+명》 …을 갚다, 보답하다, 답례하다《*for*》 : ~ a favor 호의(好意)에 호의로 갚다 / ~ evil *for* good = ~ good *with* evil 은혜를 원수로 갚다. ③《~+목 / +목+전+명》 대답하다 ; 답변하다 ; 대꾸하다 : "No", she ~*ed* indifferently. '아니', 하며 그녀는 냉담하게 대답했다 / To my question she ~*ed* no reply. 내 질문에 그녀는 대답하지 않았다. ④ (이익 따위)를 낳다 : ~ a good interest 상당한 이자를 낳다. ⑤《~+목 / +목+보 / +목+*as* 보》 (정식으로) …을 보고하다, 복명(復命)하다, 신고하다 ; (배심원이) 답신하다 : The jury ~*ed* a verdict of not guilty. 배심원들은 무죄의 평결을 내렸다 / ~ a soldier *as* killed 병사를 전사한 것으로 보고하다. ⑥《~+목 / +목+전+명》 (선거구가) …을 선출하다 : He was ~*ed to* parliament *for* Boston. 그는 보스턴에서 국회의원으로 선출되었다. ⑦〖카드놀이〗 같은 패로 응하다 ; 〖테니스〗 (공)을 되받아치다(strike back). ***To*** 〔***Now to***〕 ~ (to the subject) 〔독립부정사로서〕 본론으로 돌아가서…, 여담은 그만하고….
— *n.* ① Ⓤ,Ⓒ 돌아옴〔감〕, 귀가, 귀향, 귀국 : on my ~ *from* the trip 내가 여행에서 돌아왔을〔돌아올〕 때. ② Ⓤ,Ⓒ 복귀, 회복 ; 재발, 반복. ③ Ⓤ 반환, 되돌림, 반송(返送) ; (*pl.*) 반품(返品) : the ~ of a loan 빚의 반제. ④ Ⓒ 보답, 답례 ; 말대꾸 ; 대답, 회답 : a poor ~ for kindness 친절에 대한 불충분한 보답. ⑤ Ⓒ (공식) 보고(서), 신고(서) ; 소득세 신고서 ; 과세 대상 재산 목록 ; (흔히 *pl.*) 통계표 : income tax ~ 소득세 신고. ⑥ Ⓤ 《英》 선출 ; (흔히 *pl.*) 개표 보고 : election ~*s* 선거 개표 보고(서). ⑦ Ⓒ (종종 *pl.*) 수입, 수익 ; 보수 ; 〖經〗 수익률 : get a good ~ on an investment 투자하여 상당한 이득을 얻다. ⑧ Ⓒ 〖테니스〗 공을 되받아치기. ⑨ Ⓒ 설욕전, 리턴 매치. ⑩ 〔形容詞的〕 돌아가〔오〕는 ; 《英》 왕복의 ; 보답〔답례〕의 ; 꺾인 ; 재차의 : a ~ passenger〔voyage〕 귀환객〔귀항(歸航)〕 / a ~ visit 답례 방문 / ⇨ RETURN TICKET / a ~ postcard 왕복 엽서. ***by*** ~ (***of post*** 〔《美》 ***mail***〕) (우편에서) 받는 즉시로, 대지급으로. ***in*** ~ 답례로, 대답으로 ; 보답으로 ; 그 대신에.

re·turn·a·ble [ritə́:rnəbəl] *a.* 되돌릴 수 있는 ; 반환〔보고〕해야 할. — *n.* Ⓒ 《美》 반환하면 돈을 받을 수 있는 빈 병〔깡통〕.

retúrn addrèss 발신〔발송〕인의 주소·성명 ; 〖컴〗 복귀 번지.

retúrn càrd (상점 등의 광고용) 왕복 엽서.

re·turn·ee [ritə:rní:, -⌐⌐] *n.* Ⓒ ① (전쟁터·외국 등에서의) 귀환자 ; 귀국자. ② 장기 휴가에서 돌아온 자. ③ 귀국한 자녀.

retúrn gáme 〔**mátch**〕 (경기의) 설욕전, 리턴 매치.

re·túrn·ing òfficer [ritə́:rniŋ-] 《英·Can.》 선거 관리관.

retúrn kèy 〖컴〗 복귀(글)쇠《return의 입력을 위한》.

retúrn tícket 《英》 왕복표(《美》 round trip ticket) ; 《美》 돌아올 때 쓰는 표.

retúrn tríp ① 《美》 돌아오는 길, 귀로. ② 《英》 왕복 여행(《美》 round trip).

re·u·ni·fy [ri:jú:nəfài] *vt.* 다시 통일〔통합〕시키다.
㊕ **rè·u·ni·fi·cá·tion** [-fikéiʃən] *n.* Ⓤ 재통일.

***re·un·ion** [ri:jú:njən] *n.* ① Ⓤ 재결합, 재합동. ② Ⓒ 재회의 모임, 친목회, 동창회 ; 재회 : our college ~ 대학 동창회.

re·u·nite [rì:ju:náit] *vi., vt.* 재결합〔재합동〕하다〔시키다〕, 화해〔재회〕하다〔시키다〕 : Father and child were ~*d* after ten years of separation. 헤어진지 10년 만에 아버지와 자식이 재회했다.

re·us·a·ble [ri:jú:zəbəl] *a.* 재활용할 수 있는.

re·use [ri:jú:z] *vt.* …을 다시 이용하다.
— [ri:jú:s, rí:jù:s] *n.* Ⓤ 재사용, 재이용.

Reu·ters [rɔ́itərz] *n.* (영국의) 로이터 통신사(= **Réuter's Néws Àgency**).

rev [rev] *n.* Ⓒ 《口》 (엔진·레코드 등의) 회전.
— (**-vv-**) *vt.* ①《+목+부》 (엔진)의 회전 속도를 올리다 ; 공회전시키다 ; (활동)을 더욱 활발하게 하다《*up*》. — *vi.* 《+부》 (엔진이) 회전을 빨리 하다《*up*》. [◂ *rev*olution]

Rev. Revelation(s) ; Reverend. **rev.** revenue ; reverse(d) ; review(ed) ; revise(d) ; revision ; revolution ; revolving.

re·val·u·a·tion [ri:væ̀ljuéiʃən] *n.* Ⓤ ① 재평가. ② 〖經〗 평가 절상(切上).

re·val·ue [ri:vǽlju:] *vt.* ① …을 재평가하다. ② …의 평가를 절상하다.

re·vamp [ri:vǽmp] *vt.* …을 개수하다 ; 개조〔개정(改訂)〕하다 ; 개편〔개혁〕하다.

Revd. Reverend.

‡**re·veal** [riví:l] *vt.* ①《~+목 / +목+전+명 / +목+(*to be*) 보 / +*that* 절》 (숨겨졌던 것)을 드러내다 ; 알리다, 누설하다《*to*》 ; 폭로하다, 들추어내다 : He ~*ed* the secret *to* his wife. 그는 비밀을 아내에게 털어놓았다 / Research ~*ed* him (*to be*) a bad man. = Research ~*ed that* he was a bad man. 조사 결과 그는 나쁜 사람임이 드러났다.

②《~+목/+목+전+명/+목+as 보》…을 보이다, 나타내다: The moonlight ~*ed* her face. 달빛으로 그녀의 얼굴이 보였다/The telescope ~*s* a lot of distant stars *to* us. 망원경으로 멀리 떨어져 있는 많은 별을 볼 수 있다/She ~*s* her*self* *as* full of mercy. 매우 자애로운 듯이 행동한다. ③(신이) 묵시하다, 계시하다《*to*》. ◇ revelation *n.* ㊕ **~·ment** [-mənt] *n.* Ⓤ 폭로;〖神學〗계시, 묵시.

re·véaled relígion [rivíːld-] 계시 종교《유대교·기독교》. opp *natural religion.*

re·veal·ing [rivíːliŋ] *a.* ①드러나 있는, 노출된. ②계발적(啓發的)인; 의미가 있는.

rev·eil·le [révəli/rivǽli] *n.* Ⓤ (종종 the ~)〖軍〗기상 나팔: sound (*the*) ~ 기상 나팔을 불다.

***rev·el** [révəl] (*-l-*, 《英》 *-ll-*) *vi.* ①주연을 베풀다, 마시고 흥청거리다: We ~*ed* all night long. 우리는 밤새 흥청거리며 놀았다. ②《+전+명》한껏 즐기다; …에 빠지다《*in*》: ~ *in* one's freedom 자유를 만끽하다/I ~ *in* meeting new people. 나는 새로운 사람들과 만나는 것이 즐겁다. ― *n.* Ⓒ (종종 *pl.*) 술잔치; 흥청망청 떠들기. ㊕ **rév·el·er,** 《英》 **-el·ler** [-ər] *n.* Ⓒ 주연을 베푸는 사람, 술마시고 떠드는 사람.

***rev·e·la·tion** [rèvəléiʃən] *n.* ①Ⓤ 폭로; (비밀의) 누설, 발각《*of*》: His ~ *of* the secret led to their arrest. 그의 비밀 폭로로 그들이 체포되었다. ②Ⓒ 폭로된 것, 의외의 새 사실: It was a ~ *to* me. 그것은 내게 의외의 일이었다. ③Ⓤ〖神學〗천계(天啓), 묵시, 계시(啓示), 신탁(神託). ④(the R-, (the) R-s)〔單數취급〕〖聖〗요한 계시록(the Apocalypse)《略: Rev.》. ◇ reveal *v.*

rev·el·ry [révəlri] *n.* Ⓤ (또는 *pl.*) 술 마시고〔흥청망청〕떠들기, 환락(merrymaking).

:re·venge [rivéndʒ] *n.* Ⓤ ①보복, 복수(vengeance), 앙갚음, 분풀이《*on, upon*》: in ~ for 〔of〕…에 대한 보복으로/have〔take, get〕~ *on* 〔*upon*〕a person 아무에 대한 복수를 하다. ②원한, 유한(遺恨), 복수심: out of ~ for …에 대한 복수심에서. ③복수의 기회; (스포츠·카드놀이 등의) 설욕의 기회: give a person his ~ 설욕전에 응하다.

― *vt.*①《+목+전+명》〔再歸用法 또는 受動으로〕…에게 원수를 갚다, 앙갚음〔복수〕하다《*on, upon*》: The red team ~*d* them*selves*〔*be* ~*d*〕on the blue team by winning the semifinal. 홍팀은 준결승전에서 승리함으로써 청팀에 대한 복수를 하였다. ②〔피해자·부당 행위를 目的語로 하여〕…의 원수를 갚다, 원한을 풀다; (가해 등에) 보복하다: ~ a defeat 패배를 설욕하다/~ one's brother〔one's brother's death〕(죽은) 형의 원수를 갚다.

re·venge·ful [rivéndʒfəl] *a.* 복수심에 불타는, 앙심을 품은. ㊕ **~·ly** *ad.* **~·ness** *n.*

:rev·e·nue [révənjùː] *n.* ①Ⓤ (또는 *pl.*) (국가의) 세입; (국가·단체·개인 등의) 총수입, 총소득: ~ and expenditure 세입과 세출/⇨ INLAND REVENUE/one's annual ~ 연간 수입. ②Ⓒ 수익; 수입; 수입원. ③(흔히 the ~) 국세청, 세무서: defraud *the* ~ 탈세하다.

révenue expénditure〖商〗수익 지출. cf. capital expenditure.

révenue stàmp 수입 인지.

révenue tàriff 수입(收入) 관세, 재정(財政) 관세. opp *protective tariff.*

re·ver·ber·ant [rivə́ːrbərənt] *a.* 반향하는; 울려 퍼지는.

re·ver·ber·ate [rivə́ːrbərèit] *vi.* ①《~/+전+명》반향하다(echo); 울려 퍼지다: A shot ~*d* through the hall. 한 발의 총성이 회장 안에 울려 퍼졌다/The hall ~*d with* the sound of the explosion. 회장안에 그 폭발음이 울려퍼졌다. ②(열·빛이) 반사하다. ③(뉴스·소문 따위가) 입에 오르다, 퍼지다. ― *vt.* ①(소리)를 반향시키다: The steam whistle of the train was ~*d* through the hills. 열차의 기적 소리가 이산 저산에 메아리쳤다. ②(열·빛)을 반사하다, 굴절시키다.

re·ver·ber·a·tion [rivə̀ːrbəréiʃən] *n.* ①Ⓤ 반향; 여운; Ⓒ 반사(열〔광〕). ②Ⓒ (흔히 *pl.*) 반향음, 울리는 소리.

re·ver·ber·a·to·ry [rivə́ːrbərətɔ̀ːri/-təri] *a.* ①반사의; 반사에 의한. ②반사형의《노(爐) 따위》. ― *n.* Ⓒ 반사로.

re·vere [rivíər] *vt.* …을 존경하다, 숭배하다: ~ a saint 성인을 존경하다.

***rev·er·ence** [révərəns] *n.* ①Ⓤ 숭배, 존경; 경의: with ~ 존경하여, 공손히/feel ~ *for* …을 존경하다/show profound ~ *for* a person 아무에게 깊은 존경의 뜻을 표하다. cf. respect, veneration. ②(흔히 your〔his〕R-) 신부〔목사〕님《성직자에 대한 경칭; you, he, him 대신에 씀》. ― *vt.* …을 존경하다, 숭배하다.

rev·er·end [révərənd] *a.*〔限定的〕①귀하신, 존경할 만한, 거룩한《사람·사물·장소 따위》. ②(the R-) …님《성직자에 대한 경칭; 略: Rev.》: *the Reverend*〔*Rev.*〕John Smith 존 스미스 신부님. ③성직의, 목사〔신부〕의: the ~ gentleman (성직자에 대하여) 그 목사〔신부〕님. ― *n.* Ⓒ《口》성직자, 목사, 신부.

rev·er·ent [révərənt] *a.* 경건한, 공손한. ㊕ **~·ly** *ad.* 경건하게, 공손히.

rev·er·en·tial [rèvərénʃəl] *a.* 경건한, 존경을 표시하는, 존경심으로 가득 찬, 공손한: in ~ tone 경건한 목소리로. ㊕ **~·ly** *ad.* 경건하게, 삼가.

rev·er·ie, rev·ery [révəri] *n.* ①U,C 공상, 환상; 몽상: be lost in (a) ~ 공상〔사색〕에 잠기다. ②Ⓒ〖樂〗환상곡.

re·ver·sal [rivə́ːrsəl] *n.* U,C ①반전(反轉), 전도; 역전. ②〖法〗원판결의 파기, 취소. ③〖寫〗반전(현상). ◇ reverse *v.*

:re·verse [rivə́ːrs] *vt.* ①…을 거꾸로 하다, 반대로 하다; 뒤집다; (위치 등)을 바꾸다, 전환하다: ~ a coat 상의를 뒤집다/Their positions are now ~*d*. 그들의 입장이 이제는 바뀌었다. ②(자동차)를 후진시키다; (기계)를 역전시키다: I ~*d* the car into the garage. 자동차를 후진해서 차고에 넣었다. ③(주의·결정 등)을 뒤엎다, 번복하다;〖法〗취소하다, 파기하다: ~ a decision 판결을 파기하다. ④《英》(통화 요금)을 수신인 지급으로 하다. ― *vi.* ①거꾸로 되다; 되돌아가다; 역행하다. ②차를 후진시키다; (엔진 등이) 역회전하다. ③〖댄스〗역으로 돌다.

― *a.* ①〔限定的〕반대의, 거꾸로의《*to*》; 상하 전도된, 역의: in ~ order 역순으로. ②(…와) 반대의《*to*》: a result ~ *to* what was intended 의도했던 것과 정반대의 결과. ③뒤로 향한; 역전하는. ④〔限定的〕뒤의, 이면의, 배후의: the ~ side of a coin 동전의 뒤쪽.

― *n.* ①Ⓤ (the ~) 역(逆), 반대《*of*》: "Are you happy?"―"Quite *the* ~." '행복하세요?' '그 정반대입니다.' ②Ⓒ(the ~) 뒤, 배면, 배후; (화폐·메달 등의) 이면(opp *obverse*); (책의) 뒤 페이지, 왼쪽 페이지(verso)(opp *recto*). ③Ⓒ 불운, 실패, 패배(defeat): the ~*s* of fortune 불운, 패배/suffer〔sustain〕a ~ 실패하다, 패배하다. ④U,C 역전, 역진(장치); (자동차의) 후진(장치).

⑤ 〖댄스〗 역으로 돌기.
㊞ ~·**ly** *ad.* 거꾸로, 반대로; 이에 반하여.

revérse géar (자동차의) 후진 기어.

re·vers·i·ble [rivə́ːrsəbəl] *a.* ① 거꾸로〔전도, 전환〕할 수 있는; 뒤집을 수 있는. ② 안팎을 다 쓸 수 있는《코트 따위》, 양면의 : a ~ coat 양면 겸용 코트. ── *n.* Ⓒ 안팎이 없는 천〔옷〕.

re·vérs·ing líght [rivə́ːrsiŋ-] (자동차의) 후진등(後進燈) (《美》 backup light).

re·ver·sion [rivə́ːrʒən, -ʃən] *n.* ① Ⓤ 역전, 전환; 되돌아가기, 복귀. ② Ⓤ 〖生〗 격세〔귀선(歸先)〕 유전(atavism). ③ Ⓤ.Ⓒ 〖法〗 복귀권; 계승권, 상속권; (양도인·상속인에의) 재산 복귀; 복귀 재산. ㊞ ~·**ary** [-èri / -əri] *a.* 〖法〗 복귀권이 있는, 장래 향유할.

re·vert** [rivə́ːrt] *vi.* ① 《+전+명》 (본래 습관·상태로) 되돌아가다; (본래 화제 등으로) 돌아가다《*to*》: ~ *to* the old system 옛 제도로 복귀하다 / The land has ~*ed to* wilderness. 그 땅은 본래의 황무지로 되돌아갔다 / Let us ~ *to* the original subject. 본론으로 돌아가자. ② (부동산 따위가) 복귀하다《*to*》. ③ 〖生〗 격세 유전하다《*to*》. ~ ***to type 본래의 모습으로 되돌아가다.

revery ⇨REVERIE.

re·vet·ment [rivétmənt] *n.* Ⓒ 〖軍〗 방벽(防壁); 〖土〗 옹벽(擁壁); 호안(護岸).

‡**re·view** [rivjúː] *n.* ① Ⓤ.Ⓒ 재조사, 재검토; 관찰: His research will come under ~. 그의 연구는 재검토될 것이다. ② Ⓒ 개관(槪觀); 전망; 보고; 반성, 회고: a ~ of historical events 역사적 사건의 개관. ③ Ⓒ 《美》 복습, 연습; 복습 과제. ④ Ⓤ.Ⓒ 열병(閱兵), 관병식(觀兵式), 관함식(觀艦式): march in ~ 분열 행진하다. ⑤ Ⓒ 비평, 논평; (종종 R-) 평론 잡지: a scientific ~ 과학 평론. ⑥ Ⓤ.Ⓒ 〖法〗 재심리: a court of ~ 재심 법원. ⑦ 〖劇〗 =REVUE. ***pass ... in ~*** (1) 검사를 〔검열, 열병을〕 받다〔하다〕. (2) …을 회고하다: *pass* one's life *in* ~ 자기 일생을 회고하다.
── *vt.* ① …을 재검토〔재음미〕하다; 자세히 조사하다: ~ the facts 사실을 자세히 조사〔재검토〕하다. ② …을 반성하다; 회고하다: He ~*ed* his past life. 그는 자기의 과거 생활을 되돌아 보았다. ③ 《美》 (학과)를 복습하다(《英》 revise): ~ today's lessons 오늘 수업의 복습을 하다. ④ …을 열병하다. ⑤ (책 등)을 비평〔논평〕하다: His recent books were favorably ~*ed.* 그의 최신작들은 호평을 받았다. ⑥ 〖法〗 (하급 법원의 판결 등)을 재심리하다. ── *vi.* ① (신문·잡지에) 서평〔극평〕을 쓰다. ② 복습하다: ~ for an exam 시험에 대비해 복습하다. ㊞ ~·**er** *n.* Ⓒ 평론〔비평〕가; 평론 잡지 기자; 검열자; 재심자.

***re·vile** [riváil] *vt., vi.* 욕하다, 욕설하다《*at; against*》. ㊞ ~·**ment** *n.*

***re·vise** [riváiz] *vt.* ① …을 개정하다; 교정(校訂)〔수정〕하다; 교정(校正)〔교열〕하다; 재검사하다: a ~*d* edition 개정판 / ~ a dictionary 사전을 개정하다. ② (의견·규칙 따위)를 수정하다, 변경하다: He has ~*d* his opinions about educational reform. 그는 교육 개혁에 관한 그의 견해를 바꾸었다. ③ 《英》 …을 복습하다(《美》 review): ~ one's English for one's exam 시험에 대비해서 영어를 복습하다. ── *vi.* 《英》 복습하다 (《美》 review). ◇ revision *n.*
── *n.* Ⓒ ① 교정, 수정, 정정. ② 〖印〗 재교쇄.

Revísed Stándard Vérsion (the ~) 현대어역 성서《신약은 1946년, 구약은 1952년 미국에서 발행; 略: RSV, R.S.V.》.

Revísed Vérsion (of the Bíble) (the ~) 개역 성서《Authorized Version의 개정판, 신약은 1881년, 구약은 1885년에 발행; 略: R.V., Rev. Ver.》.

***re·vi·sion** [rivíʒən] *n.* ① Ⓤ.Ⓒ 개정, 교정(校訂), 교열, 수정. ② Ⓒ 교정본, 개정판. ③ 《英》 Ⓤ 복습. ◇ revise *v.* ㊞ ~·**ism** [-ìzəm] *n.* Ⓤ 수정론〔주의〕, 수정사회주의. ~·**ist** *n.* Ⓒ 수정론자, 수정주의자. ── *a.* 수정주의(자)의.

re·vis·it [riːvízit] *vt.* …을 재방문하다; …로 되돌아오다.

re·vi·tal·ize, 《英》 **-ise** [riːváitəlàiz] *vt.* …의 생기를 회복시키다; 소생시키다; (사업 따위)를 부활〔부흥〕시키다. ㊞ **re·vì·tal·i·zá·tion** [-lizéiʃən] *n.* Ⓤ 새 활력〔생명, 힘〕을 줌; 경기 부양화.

re·viv·al** [riváivəl] *n.* ① Ⓤ.Ⓒ **a)** 소생, 재생, 부활; (의식·체력의) 회복. **b)** 부흥; (예전 건축양식·복장 등의) 재유행; (the R-) 문예 부흥(Renaissance): the ~ of Buddhism in China 중국에서의 불교 부흥 / An economic ~ is sweeping the country. 경제 재건이 그 나라를 풍미하고 있다. ② Ⓒ 〖基〗 신앙 부흥(운동); 신앙 부흥 전도 집회. ③ Ⓒ 〖劇〗 리바이벌, 재상연, 재연주, 〖映〗 재상영. ◇ revive *v.* ***the Revival of Learning 〔***Letters, Literature***〕 문예 부흥.
㊞ ~·**ism** *n.* Ⓤ 신앙 부흥 운동; 부흥 기운. ~·**ist** *n.* Ⓒ 신앙 부흥 운동자.

revíval mèeting 신앙 부흥 전도 집회.

‡**re·vive** [riváiv] *vt.* ① …을 소생하게 하다; (…의 의식)을 회복시키다; 기운나게 하다: The doctors ~*d* her with injections of glucose. 의사들은 포도당 주사를 놓아 그녀를 소생시켰다. ② (잊혀진 것·유행·효력·기억·관심·희망 따위)가 되살아나게 하다, 부활시키다, 부흥시키다. ③ …을 재상연〔재상영〕하다: ~ a play.
── *vi.* ① 《+전+명》 소생하다, 살아나다; 원기를 회복하다: The plants will ~ with a little water. 그 나무는 물을 조금 주면 살아날 것이다. ② 부활하다, 되살아나다, 부흥하다, 재유행하다: Traditional skills are being ~*d* by local craftsmen. 전통적 기능이 지방 장인(匠人)들에 의해 되살아나고 있다. ◇ revival *n.*

re·viv·i·fy [rivívəfài] *vt.* ① …을 소생시키다, 부활시키다. ② …을 기운나게 하다.

rev·o·ca·tion [rèvəkéiʃən] *n.* Ⓤ.Ⓒ 폐지, 취소.

re·voke [rivóuk] *vt.* (명령·약속·특권 따위)를 철회〔폐지, 취소〕하다, 무효로 하다, 해약하다 (repeal, annul): His driving license was ~*d.* 그의 운전면허는 취소되었다. ⓒⓕ refuse[1], renounce. ── *vi.* 〖카드놀이〗 (물주가 낸 패와 같은 패를 가지고 있으면서) 딴 패를 내다, 리복하다. ── *n.* Ⓒ 〖카드놀이〗 리복하기: make a ~ 리복하다.

‡**re·volt** [rivóult] *n.* Ⓤ.Ⓒ ① 반란, 반역; 폭동: in ~ against …에 반항하여 / stir the people to ~ 사람들을 선동하여 반란을 일으키게 하다 / put down a ~ 반란을 진압하다 / A ~ broke out. 반란이 일어났다. ② 반항(심), 혐오감, 불쾌, 반감.
── *vi.* ① 《~ / +전+명》 반란을 일으키다, 반항하다《*against*》: The people ~*ed against* the tyrannical regime. 국민은 그 전제 정권에 대항해 반란을 일으켰다. ② 《+전+명》 비위에 거슬리다, 구역질나다《*at; against; from*》: Human nature ~*s at* such a crime. 인간의 본성은 그러한 범죄에 대해 혐오감을 갖는다.
── *vt.* 불쾌감을 갖게 하다, 불쾌하게 하다: Such low taste ~*s* me. 그와 같은 천한 취미는 구역질나게 한다. ㊞ ~·**er** *n.*

re·volt·ing [rivóultiŋ] *a.* ① 혐오할 만한, 불쾌감

을 일으키게 하는, 구역질나는: the ~ taste of sour milk 상한 우유의 불쾌한 맛 / His leering glances were ~ to her. 그의 흘겨보는 눈짓이 그녀로서는 불쾌했다. ② 반란을 일으킨.
㊞ ~·**ly** *ad.* 몹시 불쾌하게 ; 구역질이 날 만큼.

‡rev·o·lu·tion [rèvəlú:ʃən] *n.* ① U.C 혁명 ; 변혁: a ~ in manufacturing 제조공업의 혁명. ② U.C 회전 (운동), 1 회전: a speed of 100 ~*s* per minute 분당 100회전의 속도. ③ U.C 〖天〗 공전(公轉). ④ (계절의) 주기 ; 순환. ◇ revolve *v.*

***rev·o·lu·tion·ary** [rèvəlú:ʃənèri / -nəri] *a.* ① 〔限定的〕 (정치적·사회적) 혁명의: a ~ leader 혁명의 지도자. ② (발명 등에서) 혁명적인, 획기적인: Penicillin was a ~ drug. 페니실린은 획기적인 약이었다. ③ (R-) 미국 독립전쟁(시대)의.
— *n.* =REVOLUTIONIST.

rev·o·lu·tion·ist [rèvəlú:ʃənist] *n.* C 혁명가, 혁명론자〔당원, 주의자〕.

rev·o·lu·tion·ize [rèvəlú:ʃənàiz] *vt.* 혁명을 일으키다 ; 대변혁을 일으키다.

***re·volve** [rivɑ́lv / -vɔ́lv] *vi.* ① 《+전+명》 회전하다, (축을 중심으로) 돌다《*on*》: The fan was *revolving* slowly. 선풍기가 천천히 돌고 있었다 / The earth ~*s on* its axis. 지구는 지축을 중심으로 자전한다. ② 《+전+명》 (…의 주위를) 돌다《*about* ; *round*》: The earth ~*s round* 〔*about*〕 the sun. 지구는 태양 둘레를 돈다〔공전한다〕. ③ 순환하다, 주기적으로 일어나다 ; (마음속을) 맴돌다. ④ 중심 과제가 되다: The story ~*s round* a young girl who run away from home. 그 이야기는 가출한 어린 소녀를 중심으로 한 내용이다.
— *vt.* ① …을 회전〔공전〕시키다. ② …을 궁리하다, 곰곰이 생각하다: ~ a problem in one's mind 문제를 마음속에서 두루 생각하다. ◇ revolution *n.*

***re·volv·er** [rivɑ́lvər / -vɔ́lv-] *n.* C (회전식의) 연발 권총 ; 리벌버.

re·volv·ing [rivɑ́lviŋ / -vɔ́lv-] *a.* 〔限定的〕 회전하는 ; (주기적으로) 돌아오는: a ~ bookstand 회전 서가 / a ~ door 회전문.

re·vue [rivjú:] *n.* U.C 《F.》 레뷔 ; 시사 풍자의 익살극《노래·춤·시국 풍자 따위를 호화찬란하게 뒤섞은 것》. ★ review 라고도 씀.

re·vul·sion [rivʌ́lʃən] *n.* U (또는 a ~) ① 반감, 혐오, 증오《*against*》: *a* ~ *against* indiscriminate slaughter 무차별 살해에 대한 격심한 증오. ② (감정 따위의) 격변, 급변.

‡re·ward [riwɔ́:rd] *n.* ① U.C 보수, 포상 ; 보답, 응보《*for*》: give a ~ *for* …에 대하여 포상하다 / No ~ without toil. 《格言》 고생 끝에 낙(樂). ② C 사례금, 상금《*for* ; *of*》: offer a big ~ *for* … 에 대해 막대한 상금을 걸다. — *vt.* ① 《~+목 / +목+전+명》 **a)** …에 보답하다: ~ a service 공로에 보답하다. **b)** (주의·연구할) 가치가 있다: The way he holds the bow of the violin ~*s* attention. 그의 바이얼린 활을 쥐는 방법은 주의해 볼 가치가 있다. ② (사람)에게 보답하다《*with*》; 보상〔보수·상〕을 주다《*for*》: The teacher ~*ed* John *for* his diligence. 선생님은 존에게 근면하다고 상을 주었다 / Tom complimented her and was ~*ed with* a smile. 톰이 그녀에게 찬사를 보내자 그녀는 미소로 답례했다.
㊞ ~·**ing** *a.* (…할) 보람이 있는, (…할 만한) 가치가 있는: a ~*ing* book 읽을 가치가 있는 책.

re·wind [ri:wáind] (*-wound,* 《稀》 *-wind·ed*) *vt.* (테이프·필름)을 되감다, 다시 감다.

re·wire [ri:wáiər] *vt.* …의 철사를〔배선을〕 갈다 ; 다시〔회신〕 전보를 치다.

re·word [ri:wɔ́:rd] *vt.* …을 되풀이하여 말하다 (repeat) ; 바꾸어 말하다.

‡re·write [ri:ráit] (*-wrote* [-róut] ; *-writ·ten* [-rítn]) *vt.* …을 고쳐 쓰다 ; 다시 쓰다 ; 《美》 (취재 기사)를 기사용으로 고쳐 쓰다: ~ a composition 작문을 고쳐 쓰다 / ~ a story for children 이야기를 어린이용으로 고쳐 쓰다. — [rí:ràit] *n.* C 《美》 고쳐 쓴 기사 ; 완성된 원고.

rex [reks] (*pl.* ***re·ges*** [rí:dʒi:z]) *n.* C 《L.》 국왕 ; (R-) 현 국왕《略: R.》. cf. regina.

Rey·kja·vik [réikjəvì:k] *n.* 레이캬비크《Iceland 의 수도》.

Reyn·ard [rénərd, réinɑ:rd] *n.* ① 르나르《중세의 서사시 *Reynard the Fox* 중에 나오는 여우의 이름》. ② (r-) C 여우(fox).

r.f. radio frequency ; rapid fire ; right field(er). **R.F.C.** 《英》 Rugby Football Club. **RFD, R.F.D.** 《美》 Rural Free Delivery. **Rh** rhesus ; Rh factor ; 〖化〗 rhodium. **rh., r.h.** 〖樂〗 right hand(오른손 (사용)).

rhap·sod·ic [ræpsɑ́dik / -sɔ́d-] *a.* ① 열광〔광상〕적인 ; 과장된. ② 랩소디 (양식)의.

rhap·so·dize [rǽpsədàiz] *vi.* (…에 관해) 열광적으로 쓰다〔이야기하다〕《*about* ; *on*》: He ~*d over* 〔*about, on*〕 the victory. 그는 승리에 관해 열광적으로 이야기했다.

rhap·so·dy [rǽpsədi] *n.* ① C (옛 그리스의) 서사시. ② C (종종 *pl.*) 열광적인 말〔문장, 시가〕《*about* ; *over*》: go into *rhapsodies over* …을 열광적으로 말하다〔쓰다, 칭찬하다〕. ③ (종종 R-) 〖樂〗 광시곡, 랩소디.

Rhea [rí:ə] *n.* ① 여자 이름. ② 〖그神〗 레아《Zeus, Hera, Poseidon 등 그리스 여러 신의 어머니》. ③ (r-) C 〖鳥〗 아메리카타조《남아메리카산》.

Rhen·ish [réniʃ, rí:n-] *a.* Rhine 강(유역)의.
— *n.* U =RHINE WINE.

rhe·ni·um [rí:niəm] *n.* U 〖化〗 레늄《망간족 전이원소에 속하는 금속원소 ; 기호 Re ; 번호 75》.

rhe·o·stat [rí:əstæ̀t] *n.* C 〖電〗 가감 저항기.

Rhésus fàctor 〔**àntigen**〕 =RH FACTOR.

rhésus mónkey 〖動〗 붉은털원숭이《의학 실험용 ; Rh 인자를 가진 원숭이》.

***rhet·o·ric** [rétərik] *n.* U ① 수사(修辭) ; 수사학 ; 웅변술. ② 화려한 문체, 미사여구: Positive action is better than ~. 실제 행동이 화려한 말보다 낫다《말보다 행동》.

rhe·tor·i·cal [ritɔ́(:)rikəl, -tɑ́r-] *a.* ① 〔限定的〕 수사학의 ; 수사학에 맞는 ; 수사적인. ② 미사 여구의, 과장한. ㊞ ~·**ly** *ad.* 수사(학)적으로 ; 미사 여구를 써서, 과장하여.

rhetórical quéstion 〖文法〗 수사 의문《보기: Nobody cares. 의 뜻의 *Who cares ?*》.

rhet·o·ri·cian [rètəríʃən] *n.* C 수사학자 ; 웅변가 ; 수사에 능한 사람.

rheum [ru:m] *n.* U 〖醫〗 카타르성 분비물《콧물·눈물 등》.

rheu·mat·ic [rumǽtik] *a.* 〖醫〗 류머티즘의〔에 의한〕 ; 류머티즘에 걸린〔걸리기 쉬운〕 ; 류머티즘을 일으키는: ~ fever 류머티스 열. — *n.* C 류머티즘 환자 ; (the ~s) 《口》 류머티즘.

rheu·mat·icky [ru:mǽtiki] *a.* 《口》 류머티즘으로 고생하는.

***rheu·ma·tism** [rú:mətìzəm] *n.* U 〖醫〗 류머티즘.

rheu·ma·toid [rú:mətɔ̀id] *a.* 류머티스성(性)의: ~ arthritis 류머티스성 관절염.

rheumy [rú:mi] (*rheum·i·er* ; *-i·est*) *a.* 카타르성(性) 분비물의〔이 많은〕 ; 비염(鼻炎)에 걸린 ; 비염을 일으키기 쉬운 ; 냉습한《공기 따위》.

Rh fàctor [ɑ́:réitʃ-] 〖生化〗 Rh 인자, 리서스인

자《사람이나 rhesus 의 적혈구 속의 응혈소》.

***Rhine** [rain] *n.* (the ~) 라인 강《★ 독일어 철자는 Rhein.》.

Rhine·land [ráinlæ̀nd] *n.* 라인란트《독일의 라인 강 연안 지역》.

rhine·stone [ráinstòun] *n.* U.C 라인석《수정의 일종; 모조 다이아몬드》.

Rhíne wìne 라인 백포도주(Rhenish).

rhi·no [ráinou] (*pl.* ~(*s*)) *n.* 《口》 =RHINOCEROS.

***rhi·noc·er·os** [rainásərəs / -nɔ́s-] (*pl.* ~·*es,* 〔集合的〕 ~) *n.* C 〖動〗 코뿔소, 무소.

rhi·zome, rhi·zo·ma [ráizoum], [raizóumə] *n.* C 〖植〗 뿌리줄기, 땅속줄기.

rho [rou] (*pl.* ~*s*) *n.* U.C 그리스어 알파벳의 열일곱째 글자(P, ρ; 로마자의 R, r 에 해당).

Rhòde Ísland [ròud-] 로드아일랜드《미국 북동부의 주; 略: R. I.》.

Rho·de·sia [roudíːʒiə] *n.* 로디지아《아프리카 남부 지역; 북로디지아의 잠비아(Zambia) 공화국 및 남로디지아의 짐바브웨 공화국으로 나뉨》.

rho·di·um [róudiəm] *n.* U 〖化〗 로듐《백금속 원소의 하나; 기호 Rh; 번호 45》.

rho·do·den·dron [ròudədéndrən] *n.* C 〖植〗 철쭉속(屬)의 식물《만병초 따위》.

rhomb [ramb / rɔm] *n.* =RHOMBUS.

rhom·bic [rámbik / rɔ́m-] *a.* 마름모의, 사방(斜方)형의; 〖結晶〗 사방정계(斜方晶系)의.

rhom·boid [rámbɔid / rɔ́m-] *n.* C 〖數〗 편능형(偏菱形), 장사방(長斜方)형. ── *a.* 장사방형의. ㊞ **rhom·boi·dal** [rambɔ́idl / rɔm-] *a.*

rhom·bus [rámbəs / rɔ́m-] (*pl.* ~·*es* [-iz], **-bi** [-bai]) *n.* C 〖數〗 마름모, 사방형(斜方形); 〖結晶〗 사방(斜方) 육면체.

rhu·barb [rúːbaːrb] *n.* ① U 〖植〗 장군풀, 대황(大黃); 장군풀의 잎자루《식용》; 대황근(根)《하제(下劑)용》. ② C 《美俗》 격론(row), 말다툼; 《口》 (많은 사람이 동시에) 떠들어대는 소리.

rhumba ⇨RUMBA.

rhyme, rime** [raim] *n.* ① U.C 〖韻〗 운, 압운(押韻), 각운(脚韻). ② C 동운어(同韻語)《*to*; *for*》. ③ C 〔集合的〕 압운시; 운문. ***double 〔***female, feminine***〕 ~ 이중 압운 ***imperfect*** ~ 불완전운《예컨대 love 와 move, phase 와 race》. ~ ***or reason*** 〔흔히 否定으로〕 이유, 근거: *without* ~ *or reason* 아무 까닭도 없이 / There's *no* ~ *or reason to* his demands. 그의 요구에는 아무런 근거도 이유도 없다. ***single*** 〔***male, masculine***〕 ~ 단운(單韻)〔남성운〕《heart와 part처럼 단음절어가 다는 운》. ── *vi.* ① 《~ / +전+명》 운을 달다; 운이 맞다《*to*; *with*》: "More" ~*s with* 〔*to*〕 "door." more 는 door 와 운이 맞는다. ② 시를 짓다.
── *vt.* ① (시·운문)을 짓다; 시로 만들다. ② 《+목+전+명》 …에 운을 달게 하다《*with*》: ~ "shepherd" *with* "leopard", shepherd를 leopard 와 압운시키다.

rhymed [raimd] *a.* 운을 단, 압운(押韻)한; 압운의: ~ verse 압운시. cf. blank verse.

rhyme·ster, rime- [ráimstər] *n.* C 엉터리 시인.

rhym·ing [ráimiŋ] *a.* 〔限定的〕 운이 맞는: ~ words 운이 맞는 말 / a ~ dictionary 압운어 사전.

rhýming slàng 압운 속어《tealeaf 로 thief 를 나타내는 따위; [-iːf]의 음이 같음》.

‡**rhythm** [ríðəm] *n.* U.C ① 율동, 리듬; 율동적인 가락, 주기적 변동: in samba ~ 삼바리듬으로 / the ~ of a heartbeat 심장 고동의 율동적 박동 / the ~ of the seasons 사계의 순환 / biological ~*s* 바이오 리듬, 생체 리듬. ② 〖樂〗 리듬, 음률. ③ 운율.

rhýthm and blúes 리듬 앤드 블루스《흑인 음악의 일종》.

***rhyth·mic** [ríðmik] *a.* 율동적인, 리드미컬한: a strong ~ beat 강렬한 율동적 장단 / The music is strongly ~. 그 음악은 리듬이 강렬하다. ㊞ **-mi·cal** *a.* **-mi·cal·ly** [-kəli] *ad.*

rhýthmic (spórtive) gymnástics 〖스포츠〗 리듬 체조.

rhýthm mèthod (the ~) 주기(周期)(피임)법.

rhýthm sèction 〖樂〗 리듬 섹션《밴드의 리듬 담당 그룹》.

R.I. Rhode Island; Royal Institution 〔Institute〕.

ri·al [riɔ́ːl, -áːl] *n.* C 리알《Iran 의 화폐 단위; = 100 dinars; 기호 R》.

ri·al·to [riǽltou] (*pl.* ~*s*) *n.* ① C 거래소, 시장. ② C 《美》 뉴욕 Broadway 의 극장가. ③ (the R-) Venice의 Grand Canal에 걸린 대리석 다리; (the R-) 베네치아의 상업 중심 구역.

‡**rib** [rib] *n.* C ① 〖醫〗 늑골, 갈빗대. ② (고기가 붙은) 갈비. ③ 〖植〗 주엽맥(主葉脈). ④ 늑골 모양의 것; (선박의) 늑재(肋材); 〖建〗 리브, 둥근 지붕의 서까래; (양산의) 살. ⑤ (논·밭의) 둑, 이랑; (직물의) 이랑. ***poke*** 〔***nudge***〕 a person ***in the*** ~***s*** 아무의 옆구리를 살짝 찔러 주의시키다.
── (**-bb-**) *vt.* ① …에 늑골을〔늑재(肋材)를〕 붙이다, 늑골〔늑재〕로 두르다. ② …에 이랑을〔이랑 무늬를〕 만들다. ③ 《口》 …를 괴롭히다, 놀리다, 조롱하다(tease): Tony's always ~*bing* me about my accent. 토니는 늘 악센트 문제로 나를 놀린다.

rib·ald [ríbəld] *a.* 입이 건〔추잡한〕, 상스러운, 음란한: a ~ joke 상스런 농담. ── *n.* C 상스런 말을 하는 사람. ㊞ ~·**ry** [-ri] *n.* U 품위가 낮음, 상스러움; 야비한〔상스러운〕 말〔농담〕.

ribbed [ribd] *a.* 〔종종 複合語로〕 늑골〔이랑, 엽맥〕이 있는: ~ fabric 골이 지게 짠 천.

rib·bing [ríbiŋ] *n.* U ① 〔集合的〕 늑골; 이랑; 늑상(肋狀) 조직《잎맥·늑재(肋材)·날개맥 따위》. ② 골지게 짠 무늬. ③ (또는 a ~) 《口》 (악의 없는) 조롱, 놀림: give a person *a* good ~ 아무를 몹시 놀리다.

‡**rib·bon** [ríbən] *n.* ① U.C 리본, 장식띠: tie up one's hair with a ~ 리본으로 머리를 묶다. ② C (훈장의) 장식띠, 수(綬); (타이프라이터 따위의) 잉크 리본. ③ C 끈〔띠〕 모양의 물건, 오라기, 가늘고 긴 조각. ④ (*pl.*) 가늘게 째진 것: be torn to ~*s* 갈기갈기 찢어지다.

ríbbon devèlopment 대상(帶狀) 발전〔개발〕(string development)《도시에서 교외로 간선 도로를 따라 띠 모양으로 뻗어가는 건축군(群)》.

ríbbon wòrm 유형(紐形) 동물(=**ne·mér·te·an**).

ríb càge 〖解〗 흉곽(胸廓).

ri·bo·fla·vin [ràibouflèivin, -bə-, ⌐-⌐-] *n.* U 〖生化〗 리보플라빈《비타민 B_2 또는 G》.

ri·bo·nu·clé·ic ácid [ràibounjuːklíːik-, -kléi-] 〖生化〗 리보핵산(核酸)《略: RNA》.

†**rice** [rais] *n.* U 쌀; 밥; 벼: a ~ crop 미작(米作), 벼농사 / rough ~ 쌀겨 / brown〔unpolished〕 ~ 현미 / polished ~정미 / boil 〔cook〕 ~ 밥을 짓다. ── *vt.* 《美》 (감자 따위)를 ricer 로 으깨다, 쌀알처럼 만들다.

ríce bòwl 밥 사발〔공기〕; 미작(米作) 지대.

ríce pàper 얇은 고급 종이, 라이스페이퍼.

ríce púdding 우유와 쌀가루로 만든 푸딩.

ric·er [ráisər] *n.* C 《美》 라이서《삶은 감자 따위를 으깨어 뽑는 주방 기구》.

†**rich** [ritʃ] (∠·*er*; ∠·*est*) *a.* ① **a)** 부자의, 부유

한 : a ~ man 부자 / a ~ family 부유한 가족 / He's an extremely ~ man. 그는 아주 큰 부자다 / There's poverty even in ~ countries. 부유한 나라들에서도 빈곤은 있다. **b**) (the ~) 〔名詞的 ; 複數취급〕 부자들. ② 〔敍述的〕 (…이) 많은, (…이) 풍부한《*in* ; *with*》: The country is ~ *in* oil. 그 나라에는 석유가 많다 / ~ *with* possibilities 가능성이 많은. ③ 비옥한, 기름진 ; 산출이 많은 : ~ soil 기름진 땅 / a ~ mine 산출량이 많은 광산. ④ 값진, 귀중한, 화려한, 훌륭한, 사치한 : ~ dresses / a ~ banquet 호화로운 연회. ⑤ (음식 · 음료가) 향료를 듬뿍 친 ; 영양분이 풍부한 ; 기름기가 많은 : a ~ diet 영양 있는 식사. ⑥ (빛깔이) 짙은, 선명한(vivid) ; (음성이) 낭랑한, 굵은 ; (향기가) 강한. ⑦ 의미 심장한. ⑧《口》몹시 우스운, 아주 재미있는. ⑨《口》터무니없는, 말도 안 되는(absurd). ⑩ 〔分詞와 결합해 副詞的으로〕 훌륭하게, 사치스럽게 : a ~-glittering ring 화려하게 번쩍이는 반지 / ~-bound 장정(裝幀)이 호화판인. ⑪ (술이) 독하고 맛이 좋은, 감칠맛 있는, 향기 좋은. ***(as)*** **~ *as Croesus*** ⇨CROESUS. **~ *and poor*** 부자나 가난한 사람이나 모두《★ 複數취급》. ***That's ~ !*** (1) 그거 참 재미있는데. (2) 〔反語的〕 말도 안돼 !《예상 밖의 일이 일어났을 때》.

Rich·ard [rítʃərd] *n.* 리처드《 남자 이름》.

‡**rich·es** [rítʃiz] *n. pl.* 〔흔히 複數취급 ; 본디 單數취급〕 부(富), 재산 : *Riches* have wings. 《俗談》 돈에는 날개가 있다, 돈은 헤픈 것 / heap up 〔amass〕 great ~ 거만(巨萬)의 부(富)를 쌓다〔모으다〕. ◇ rich *a.*

‡**rich·ly** [rítʃli] *ad.* ① 풍부하게 ; 충분히 : reward a person ~ 아무에게 충분히 보상하다 / The book is ~ provided with illustrations. 그 책에는 삽화가 많이 들어 있다. ② 호화롭게 ; 화려하게. ③ 짙게 ; 선명하게. ④ (~ deserved 로) 충분히 ; 완전히 : You ~ *deserved* that beating. 네가 그렇게 얻어 맞는 것도 당연하다.

***rich·ness** [rítʃnis] *n.* Ⓤ 부유 ; 풍부 ; 비옥 ; 귀중, 훌륭함 ; 농후.

Rích·ter scàle [ríktər-] (the ~) 리히터 스케일《진도(震度) 눈금 ; magnitude 1-10으로 표시》: The quake registered eight on *the* ~. 그 지진은 리히터 스케일로 8을 기록했다.

rick[1] [rik] *n.* Ⓒ 건초〔짚 · 곡물 따위〕의 가리《보통, 풀로 이엉을 해 씌운 것》; 장작더미.
— *vt.* (건초 따위)를 쌓아 올리다, 가리다.

rick[2] 《英》 *vt.* 접질리다, 삐다. — *n.* 접질림, 삠.

rick·ets [ríkits] *n.* Ⓤ 〔흔히 單數취급〕 〖醫〗 구루병(佝僂病), 곱사등.

rick·ett·sia [rikétsiə] (*pl.* **-si·ae** [-tsii:], **~s**) *n.* Ⓒ 〖醫〗 리케차《발진티푸스 등의 병원체》.

rick·ety [ríkiti] (***-et·i·er*** ; ***-et·i·est***) *a.* ① 구루병에 걸린, 곱사등의. ② 흔들흔들하는, 쓰러질 듯한. ③ 비틀비틀〔비실비실〕 하는.

rick·shaw, -sha [ríkʃɔ:, -ʃɑ:] *n.* Ⓒ 인력거.

ric·o·chet [ríkəʃèi / -ʃèt] *n.* Ⓤ 도비(跳飛)《탄환 등이 물수제비뜨는 돌멩이처럼 튀면서 날기》; Ⓒ 도탄(跳彈). — (*p., pp.* **~ed** [-ʃèid], 《英》 **~·ted** [-ʃètid] ; **~·ing** [-ʃèiiŋ], 《英》 **~·ting** [-ʃètiŋ]) *vi.* (탄환 등이) 튀면서 날다.

rid** [rid] (*p., pp.* **~, ~·ded** [rídid] ; **∠·ding**) *vt.* ① 《+목+전+명》 …을 제거하다 : ~ a house *of* mice 집에서 쥐를 몰아내다 / ~ a person *of* fears 아무의 공포심을 제거해 주다. ② 〔再歸的〕 …을 면하다, …에서 벗어나다《受動으로도 쓰이며, …을 면하다, …이 없어지다의 뜻이 됨》: He managed to ~ *himself of* the habit. 그는 어렵사리 그 버릇에서 벗어났다 / He's ~ *of* the fever. 그는 열이 떨어졌다 / I'm glad to *be* ~ *of* him. 그 자가 없어지니 마음이 가쁜하다. ***get ~ of …을 면하다〔벗어나다〕; …을 제거하다〔치워놓다〕; …을 폐(廢)하다〔죽이다〕: AIDS must be *got* ~ *of*. 에이즈는 박멸되어야 한다.

rid·dance [rídəns] *n.* Ⓤ 면함 ; (장애물 · 귀찮은 것을) 제거함, 쫓아버림 : make clean ~ of …을 일소하다. ***good*** ~ (***to bad rubbish***) 귀찮은 것을 떼쳐서 시원하다 : "Jim's left." "Well, *good* ~." said John. '짐이 떠났어' '그래, 아주 시원하게 쫓아버렸구만' 존이 말했다.

‡**rid·den** [rídn] RIDE 의 과거분사.
— *a.* 〔흔히 複合語를 이루어〕 ① (…에) 지배된 ; (…에) 고통받는 : a bed-~ patient 몸져 누워 있는 환자. ② …이 가득한, 너무 많은 : a weed-~ garden 잡초가 우거진 정원.

‡**rid·dle**[1] [rídl] *n.* Ⓒ ① 수수께끼, 알아맞히기 : ask a ~ 수수께끼를 내다 / solve〔find out, guess〕 a ~ 수수께끼를 풀다 / speak〔talk〕 in ~*s* 수수께끼를 내다, 수수께끼 같은 말을 하다. ② 난(難)문제 ; 수수께끼 같은 사람〔물건〕: He's a ~ to me. 나로서는 그라는 사람을 알 수가 없다.

rid·dle[2] *n.* Ⓒ 어레미, 도드미《자갈 따위를 치는》. — *vt.* ① 체질을 해서 거르다. ② (화덕의 재받이 따위)를 흔들다, 떨다. ③ (총탄 따위로 벌집같이) 구멍 투성이를 만들다《*with*》: Stay where you are, or I'll ~ you *with* bullet holes. 그 자리에서 움직이지 마, 그렇지 않으면 총으로 벌집을 만들겠다.

rid·dled [rídld] *a.* 〔敍述的〕 ① …로 구멍투성이가 되어《*with*》: The wall was ~ *with* bullets. 벽은 총알로 벌집이 되어 있었다. ② (…로) 가득한 : He's ~ *with* defects. 그는 결점투성이다.

†**ride** [raid] (***rode*** [roud], 《古》 ***rid*** [rid] ; ***rid·den*** [rídn]) *vi.* ① 《~ / +부 / +전+명》 (말 · 탈것 따위에) 타다, 타고 가다《*on* ; *in*》: ~ *on* horseback 말에 타다 / ~ *on* a bus 〔train, ship〕 버스〔기차, 배〕를 타다 / ~ *in* a car 〔a taxi, an elevator〕 차〔택시, 엘리베이터〕에 타다《★ 말 · 오토바이 등 걸터타는 것엔 on을 쓰며, 또 보통 대형의 탈것에도 on을 쓰지만 안을 의식할 때는 in도 씀 : ~ *in* a plane》. ② 승마하다, 말을 타고 가다 : I can't ~. 나는 말을 못 탄다 / I go *riding* every Saturday. 나는 토요일마다 승마하러 간다. ③ 《~/ +전+명》 말 타듯이 올라타다, 걸터타다 : let a child ~ *on* one's shoulders 어린애를 목말태우다. ④ 《~ / +전+명 / +보》 (배가) 물에 뜨다, 정박하다 ; (천체 · 새가) 공중에 뜨다, 걸리다, 떠 있다, 떠 오르다 : The ship ~*s at* anchor. 배가 정박하고 있다 / The moon ~*s* high. 달이 높이 떠 있다. ⑤ 《~ / +전+명》 (부러진 뼈 · 인쇄 등이) 겹치다. ⑥ 《+전+명》 얹혀서 움직이다 ; (일이) …에 달려 있다《*on, upon*》: The wheel ~*s on* the axle. 차바퀴는 굴대로 돈다 / All these changes ~ *on* that decision. 이 모든 변경은 그 결정에 달려 있다. ⑦ 《~ / +보》 탄 기분이 …하다 : This new model car ~*s* very smoothly. 이 신형차는 승차감이 아주 편안하다.
— *vt.* ① 《~+목 / +목+전+명》 (말·탈것 등)에 타다, 타고 가다 ; (말)을 타고 몰다 : ~ a horse 말을 타다 / He ~*s* his bicycle *to* school 그는 자전거를 타고 등교한다. ② (말 · 탈것)으로 나아가다, 지나가다, 건너다 ; (말 · 탈것)을 타고 행하다 : ~ a ford 여울을 말타고 건너다 / We *rode* a race (with each other). 우리는 말을 타고 경주했다. ③ 《~+목 / +목+전+명》 …을 타게 하다, 걸터 태우다 ; 태워서 실어 나르다 : The injured man was quickly *ridden on* a stretcher. 부상자는 곧

들것으로 운반되었다. ④ …에 뜨다, …을 타다, …에 걸리다, …에 얹혀 있다 : The ship *rode* the waves. 배가 파도를 타고 나아갔다 / His spectacles *rode* his nose low. 안경이 그의 코 끝에 얹혀 있었다. ⑤ 〔흔히 受動으로〕 …을 지배하다 ; 괴롭히다, 압박〔학대〕하다 : a man *ridden* by fear 공포에 사로잡힌 사람 / *be ridden* with nightmare 악몽에 시달리다. ⑥《美口》(짓궂게) 놀리다, 괴롭히다, 애먹이다 ; 속이다 : They *rode* him *about* his long hair. 그들은 그의 장발로 그를 놀렸다. ⑦ (암컷)에 타다, 《卑》(여자)와 성교하다. ***let*** ~ 《俗》 방치하다, 버려두다 : He decided to *let* it ~. 되어가는 대로 내버려두기로 했다. ~ ***again*** 원기를 되찾아 다시 나타나다. ~ ***down*** 말로 뒤쫓아 잡다 ; 말로 짓밟다. ~ ***for a fall*** 무리하게 말을 타다 ; 무모한 짓을 하다. ~ ***herd on*** ⇨HERD¹. ~ ***high*** 성공하다, 잘 해내다. ~ ***off on side issues*** 지엽적인 문제를 꺼내어 요점을 피하다. ~ ***out*** (폭풍·곤란 따위를) 이겨내다 ; (어려움 등을) 극복하다. ~ (***roughshod***) ***over*** ⇨ ROUGHSHOD. ~ ***to hounds*** ⇨HOUND. ~ ***up*** (앉을 때 치마 따위가) 밀려올라가다.

— *n.* Ⓒ ① (말·탈것·사람의 등 따위에) 탐, 태움 ; 타고〔태우고〕 감 : give a person a ~ 아무를 태워 주다 / pick up a ~ (남의) 차를 타다 / thumb a ~ 히치하이크하다, 편승하다 / It's a long bus ~ to and from the school. 그 학교까지의 왕복은 버스로 꽤 시간이 걸린다. ② 타는 시간 ; 승마〔차〕 여행 : It's about 2 hours' ~. 차로 약 2 시간 걸린다. ③ (숲속의) 승마 도로 ; (유원지 등의) 탈것. ④ 〔修飾語와 함께〕 승차감 : This car has〔gives〕 a rough 〔soft〕 ~. 이 차는 승차감이 나쁘다〔부드럽다〕. ***go for a*** ~ (말·자전거·열차 등을) 타러가다. ***have a ~ on a horse***〔***in a car***〕 말(차)에 타다. ***take*** a person ***for a*** ~ 《口》 (1) …을 승마〔드라이브〕하러 데려가다. (2) 아무를 속이다. (3) 죽이기 위해 아무를 끌어내다.

‡rid·er [ráidər] *n.* Ⓒ ① **a**) 타는 사람, 기수 ; 《美》 카우보이. **b**) 〔修飾語와 함께〕 말타는 것이 …한 사람 : He's a poor ~. 그는 승마가 서툴다. ② 추서(追書), 첨서(添書), 부가 조항 : by way of (a) ~ (to) 추가로. ㊕ **~·less** *a.* 탄 사람 없는.

‡ridge [ridʒ] *n.* Ⓒ ① 산마루, 산등성이 ; 능선 ; 분수령. ② 〔一般的〕 융기 ; (파도의) 물마루, 이랑 ; 콧대 ; 두둑, 이랑 ; 용마루. ③ (일기도에서) 고기압이 확장된 부분, 기압 마루. — *vt.* ① …에 용마루를 대다. ② …두둑〔이랑〕을 만들다《*up*》. — *vi.* 이랑지다 ; 물결치다, 물결이 일다. 「목.

ridge·pole [´pòul] *n.* Ⓒ 마룻대, 천막의 들보 재

ridge·way [´wèi] *n.* Ⓒ 산마룻길 ; 논둑길.

***rid·i·cule** [rídikjùːl] *n.* Ⓤ 비웃음, 조소, 조롱 : an object of ~ 조롱거리 / bring a person into ~ = cast ~ upon a person = hold a person up to ~ 아무를 비웃다, 조롱하다 / lay oneself open to ~ 남의 웃음거리가 될 만한 짓을 하다. ◇ ridiculous *a.* — *vt.* …을 비웃다, 조소하다, 놀리다 : He ~*d* my stupidities. 그는 나의 우행을 비웃었다.

‡ri·dic·u·lous [ridíkjələs] (***more*** ~ ; ***most*** ~) *a.* 우스운, 어리석은 ; 엉뚱한 : Don't be so ~. 그런 바보 같은 소리는 그만 둬 / He looked absolutely ~ in those trousers. 그런 바지를 입고 있어서 정말 바보로 보였다. ⓒⓕ ludicrous. ◇ ridicule *n.* ㊕ **~·ly** *ad.* 바보스레 ; 바보스러울 만큼.

***rid·ing¹** [ráidiŋ] *n.* Ⓤ 승마 ; 승차 ; 〔形容詞的으로〕 승마(용)의 : take up ~ 승마를 시작하다 / ~ boots 승마 구두.

rid·ing² *n.* Ⓒ (캐나다의) 선거구.

ríding làmp 〔**lìght**〕 〖海〗 정박등(燈).

ríding schòol 승마 학교.

Ries·ling [ríːzliŋ, ríːs-] *n.* Ⓤ,Ⓒ 리슬링《리슬링 포도로 만든 백포도주 ; 라인 와인 따위》.

rife [raif] *a.* 〔敍述的〕 ① (질병이) 유행하는 : Disease is ~ *in* the area. 이 지역에 질병이 유행하고 있다. ② (나쁜 일이) 가득한, 많은《*with*》: The streets were ~ *with* rumors of the President's resignation. 거리에는 온통 대통령의 사직에 관한 소문이 자자하다. 「프를 연주하다.

riff [rif] *n.* Ⓒ 〖재즈〗 리프, 반복 악절. — *vi.* 리

rif·fle [rífəl] *n.* Ⓒ ①《美》(강의) 얕은 여울 ; 잔물결. ② 〖카드놀이〗 카드를 두 손으로 나누어 쥐고 튀기며 엇갈리게 섞기, 리플.

— *vi.* ① (책장을) 펄럭펄럭 넘기다《*through*》. ② 잔물결이 일다.

— *vt.* ① (카드)를 리플하다. ② (책장 따위)를 펄럭펄럭 넘기다. ③ …에 잔물결을 일으키다.

riff·raff [rífrӕf] *n.* (the ~) 〔集合的〕 (하층 계급의) 하찮은 패거리 ; 잡동사니, 하찮은 물건.

‡ri·fle¹ [ráifəl] *n.* ① Ⓒ 라이플총 ; 소총. ② (*pl.*) 라이플총 부대. — *vt.* (총신〔포신〕)에 선조를 새기다.

ri·fle² *vt.* 《~+목/ +목+전+명》 …을 샅샅이 뒤져서 훔치다 : A thief ~*d* my wallet. 도둑이 내 지갑안의 물건을 훔쳐갔다.

ri·fle·man [-mən] (*pl.* ***-men*** [-mən]) *n.* Ⓒ 소총병 ; 라이플총 명사수(名射手). 「사격장.

rífle rànge ① 소총 사정(射程). ② 소총

ri·fling [ráifliŋ] *n.* Ⓤ (라이플의) 선조.

rift [rift] *n.* Ⓒ ① 째진 틈, 갈라진 틈. ② 불화(不和) ; (관계의) 단절《*in* ; *between*》: The marriage caused a ~ *between* the brothers. 그 결혼은 형제간의 불화의 원인이 되었다.

ríft vàlley 〖地〗 지구대(地溝帶).

rig¹** [rig] *n.* ① Ⓒ 〖船〗 의장(艤裝), 범장(帆裝). ② Ⓤ 〔修飾語와 함께〕 복장, (현란한·색다른) 몸차림 : bizarre ~ 괴상한 복장. ③ (*pl.*) (특정 목적의) 도구 ; 장구(裝具). ④ Ⓒ 《美》 트레일러차 ; 말을 맨 마차. ***in full ~ 한껏 모양을 내어.

— (**-gg-**) *vt.* ① …에 돛·삭구(索具) 등을 장비〔장착(裝着)〕하다, 의장하다(equip) ; 장비를 갖추다, 준비하다《*out* ; *with*》: The ship is ~*ged with* new sails. 배에 새 돛이 장착되어 있다 / He ~*ged out* his car *with* lights for parade. 차에 퍼레이드용 라이트를 달았다 / The store ~*s* us out *with* everything we need. 그 가게에 가면 우리가 필요한 모든 장비를 갖출 수 있다. ② …을 입히다, 차려입히다《*out* ; *up*》: ~ *out* one's child *in* a witch's costume 어린이에게 마녀의 복장을 입히다. ③ 〔再歸的 또는 受動으로〕 이상한 복장을 하다 ; 성장하다《*out*》: I ~*ged* my*self out* as a knight. 나는 기사의 차림을 하였다 / They *were* ~*ged out in* old clothes. 그들은 옛날 복장을 입고 있었다. ④ 《+목+부》 …을 임시변통으로 만들다, 날림으로 짓다《*up*》: ~ *up* a hut 오두막집을 임시로 짓다.

rig² (**-gg-**) *vt.* 부정을 저지르다 ; 사기치다 : ~ the market (투자가가) 주식 시세를 조작하다 / He claimed the election was ~*ged*. 그는 선거가 부정했다고 주장했다.

rigged [rigd] *a.* 〔흔히 複合語로〕 …식(式) 범장(帆裝)의 : schooner-~ 스쿠너식 범장의.

rig·ger¹ [rígər] *n.* Ⓒ ① 삭구(索具) 장비자, 의장자(艤裝者). ② 〔흔히 複合語로〕 …(식) 범장선.

rig·ger² *n.* Ⓒ (증권시장 등에서) 시세를 조작하는 사람 ; 부정을 행하는 사람.

rig·ging [ríɡiŋ] *n.* Ⓤ 삭구, 장비 ; 의장(艤裝).

†**right** [rait] (*more* ~ ; *most* ~) *a.* ① 옳은, 올바른, (법적·도덕적으로) 정당한. opp *wrong.* ¶ ~ conduct 정당한 행위 / It's ~ *of* him to do that. 그가 그렇게 하는 것은 정당하다. ② 정확한, 틀리지 않은. opp *wrong.* cf correct. ¶ the ~ answer 옳은 답 / This diagram is not ~. 이 시각표는 정확하지 않다. ③ 곧은, 곧게 선, 직각(直角)의 : a ~ line 직선. ④ 적절한, 제격인, 어울리는 : He is the ~ man for the position. 그는 그 자리에 제격이다. ⑤ 형편 좋은, 안성맞춤의, 말할 나위 없는 ; 정상적인 : All will be ~. 만사 잘 될 것이다. ⑥ 건강한 ; 제 정신의 ; 정연한, 상태가 좋은 : be not in one's 〔the〕 ~ mind〔sense〕 제 정신이 아니다 / put〔set〕 things ~ 정돈하다. ⑦ 겉의, 표면의, 정면의. opp *wrong.* ¶ the ~ side of the cloth 천의 겉. ⑧ 〔글머리에 써서〕 좋습니다 ; 그렇습니다 : "Come with me." "All ~". "함께 가자" "그래" / "You are hungry."—"*Right.*" "배 고프겠구나." "그래요." ⑨ 〔사람의 주의를 환기하거나 확인하기 위해〕 그런데 ; 그렇다면 : *Right*, pass my hat. 그런데, 모자 좀 집어주게 / Then you won't come, ~? 그렇다면 안오겠군. ⑩ 오른쪽의, 우측의. opp *left.* ¶ on the ~ side 우측에. ⑪ 우파(右派)〔보수주의〕의 ; (야구 따위의) 우익의. opp *left.* ***all*** ~ (1) 좋다 ; 더할 나위 없이〔없는〕 ; 무사히〔한〕 ; 확실히. (2) 《美俗》 신뢰할 수 있는. (3) 어디 두고 보자. ***on the ~ side of*** 아직 …살 이전의. ***put . . .*** ~ (1) …을 정리하다. (2) …을 교정〔정정〕하다. (3) …을 다시 건강하게 하다 : A week's rest will *put* you ~ again. 한 주일 휴식하면 다시 건강을 회복할 것이다. ***put*** one***self*** ~ (1) …와 친해지다 ; …와 화해하다. (2) 자기잘못을 고치다. ~ ***as rain*** 〔***a trivet***〕 《英口》 지극히 건강하여. ~ ***enough*** 만족스러운 ; 기대한 대로. ***Right oh !*** 《俗》 좋아, 알았다. ~ ***or wrong*** 좋건 나쁘건, 옳든 그르든, 불가불. ***Right you are !*** 《口》 옳은 말씀이오 ; 좋다, 알았습니다. ***Too*** ~ ***!*** 《Austral. 口》 좋아(okay), 됐어.

— (*more* ~ ; *most* ~) *ad.* ① (도덕상) 바르게, 옳게, 공정하게 : act ~ 바르게 행동하다. ② 정확히 : if I remember ~ 만약 내 기억이 틀림 없다면. ③ 적절히 ; 바라는 대로, 알맞게, 편리하게, 정연하게 : Nothing goes ~ with me. 무슨일 하나 제대로 안된다. ④ 〔副詞(句)를 수식하여〕 바로, 꼭, 아주 ; 정면으로, 똑바로 : ~ now 《美口》 지금 곧, 바로 지금 / ~ after supper 저녁 식사 바로 후(에) / ~ in the middle 꼭 한가운데에 / The wind was ~ in our faces. 바람이 우리들 얼굴 정면으로 불어 왔다 / go ~ home 곧장 집으로 돌아가다 / The car turned ~ over. 차가 완전히 전복되었다. ⑤ 우측에〔으로〕 : turn ~ 우측으로 돌다 / Eyes ~ ! 《구령》 우로 봐. ⑥ 《口·方》 매우, 몹시 : I'm ~ glad to see you. 뵙게 되어 대단히 기쁩니다. ⑦ 〔稱號·尊稱 등과 함께〕 the *Right* Worshipful 〔Worthy〕 각하. ***get in*** ~ ***with*** a person 《美》 (아무의) 마음에 들다, (아무에게) 아첨하다. ~ ***along*** 쉬지 않고, 줄곧, 끊임없이 ; 순조롭게. ~ ***away*** 〔***off, now***〕 곧, 즉시, 당장에. ~ ***enough*** 예상대로, 정확히. ~ ***off*** = ~ away. ~ ***on !*** 《口》 (*int.*) 찬성이오, 옳소. (*a.*) 납득한 ; 진지한, 착실한.

— *n.* ① Ⓤ 올바름, 정의, 공정 : ~ and wrong 옳고 그름 / Might is ~. 《比》 힘은 정의다. ② Ⓤ,Ⓒ 권리. cf rights. ¶ civil ~*s* 공민권 / have a 〔the〕 ~ to one's opinion 의견을 말할 권리가 있다. ③ Ⓤ 정확함. ④ (*pl.*) 진상, 실황 ; 올바른 상태 ; 옳은 해석 : the ~*s* of the case 사건의 진상. ⑤ Ⓒ,Ⓤ 판권, 상연〔소유〕권. ⑥ Ⓤ 오른쪽, 우측. ⑦ Ⓒ 우로 꺾음 : make a ~ 오른쪽으로 돌다. ⑧ Ⓒ 〖拳〗 라이트, 오른손의 일격 ; 〖野〗 라이트, 우익수. ⑨ (종종 the R-) 〖政〗 (의장(議場)의) 우측, 우익 ; (흔히 the R-) 〖政〗 우파(세력), 보수당(의원) ; 보수적 입장 ; 반동적 견해 : sit on *the Right* 우파〔보수당〕 의원이다. ⑩ Ⓒ 표면, 정면. ***as of*** ~ 당연한 권리로. ***be in the*** ~ 올바르다, 이치에 닿다〔맞다〕 : You *are in the* ~. 네가 맞다, 당신이 옳소. ***by*** 〔***in***〕 ~ ***of*** …의 권한에 의해, …의 이유로 : I took the chair *by* ~ *of* seniority. 선임이기 때문에 나는 의장직을 맡았다. ***by*** ~***s*** 바르게, 정당하게. ***do*** a person ~ 아무를 공평히 다루다〔정당하게 평가하다〕. ***get*** a person ***dead to*** ~***s*** =get a person's NUMBER. ***in*** one***'s*** (***own***) ~ 자기의 (타고난) 권리로 ; 당연히, 의당 : a queen *in her own* ~ 나면서의 여왕《왕비로서 여왕이 된 것이 아님》. ***Mr. Right*** 《口》 (결혼 상대로) 이상적인 남자.

— *vt.* ① (잘못 등)을 바로잡다, 고치다 ; (손해 등)을 보상하다 : ~ a wrong 잘못을 고치다. ② …의 위치를 바르게 하다, 정돈하다, 본래대로 하다 ; 일으키다, 다시 세우다.

— *vi.* (기울어진 것이) 바로 서다. ~ ***itself*** 〔one***self***〕 (1) 원상으로 돌아가다, 바로 서다. (2) 변명하다, 결백을 증명하다, 명예를 회복하다.

right·a·bout [ráitəbàut] *n.* Ⓒ 정반대의 방향 ; =rightabout-face. ⓜ ~**-fáce** [-féis] *n.* Ⓒ 〖軍〗 ① 뒤로 돌아(의 구령). ② (주의·정책 등의 180도) 방향 전환. ③ 재빠른 후퇴.

‡**ríght ángle** 〖數〗 직각 : at ~*s* with …와 직각으로.

right-an·gled [∸æ̀ŋɡəld] *a.* 직각의.

ríght árm ① (the ~, one's ~) 오른팔. ② (one's ~) 심복(right hand).

***right·eous** [ráitʃəs] *a.* ① 도의적으로 올바른, 정직한 ; 염직(廉直)한 ; 공정한, 정의의, 덕이 있는 : lead a clean ~ life 청렴 결백한 일생을 보내다. ② 정당한, 당연한 : ~ indignation 의분. ⓜ ~**·ly** *ad.* *~**·ness** *n.* Ⓤ 올바름, 정의, 공정 ; 염직.

ríght fíeld 〖野〗 우익, 라이트 필드.

ríght fíelder 〖野〗 우익수.

***right·ful** [ráitfəl] *a.* 〔限定的〕 올바른 ; 정당한 ; 당연한 ; 적법의, 합법의 : the ~ owner 소유주 / a ~ claim 정당한 요구. ⓜ ~**·ly** [-fəli] *ad.*

ríght hánd ① (the ~, one's ~) 오른손 ; (우정·환영 등의) 악수하는 손. ② (one's ~) 믿을 수 있는 사람, 심복.

***right-hand** [ráithæ̀nd] *a.* 〔限定的〕 ① 오른손의, 우측의 : (a) ~ drive 우측 핸들(의 차). ② 오른손을 쓰는, 오른손에 관한 ; 오른손잡이의. ③ 의지가 되는, 한팔이 되는, 심복의.

right-hand·ed [∸hǽndid] *a.* ① 오른 쪽의 ; 오른손잡이의. 오른손을 쓰는 : a ~ pitcher 우완투수. ② 오른팔이 될 수 있는, 믿을 수 있는 : one's ~ man 심복. ③ 오른쪽으로 도는《시계 바늘과 같은 방향의》, 우선회의 : a ~ screw 오른 나사 / make 〔take〕 a ~ turn 시계 방향으로 돌다. — *ad.* 오른손으로, 오른손을 써서. ⓜ ~**·ly** *ad.* ~**·ness** *n.*

right-hand·er [∸hǽndər] *n.* Ⓒ ① 오른손잡이 ; 〖野〗 우완 투수〔타자〕. ② 《口》 오른손의 일격 ; 오른손 던지기.

right·ist [ráitist] *n.* Ⓒ (종종 R-) 우익〔우파〕 인사 ; 보수주의자. — *a.* 우익의, 우파의.

***right·ly** [ráitli] (*more* ~ ; *most* ~) *ad.* ① 올바르게, 정당하게 : judge a person ~ 아무를 올바르게 판단하다. ② 〔文章修飾〕 당연히, 마땅히 : *Rightly*, she refused. 당연히 그녀는 거절했다 / He's ~ served. 그는 당연한 응보를 받았다《벌을

받았다). ③ 〔否定文으로〕 《口》 정확히〔확실히〕(는) : I do*n't* ~ know whether it was Mary or Jane. 그것이 메리였는지 제인이었는지 확실히는 모른다.

right-mind·ed [-máindid] *a.* 〔限定的〕 마음이 바른, 정직한. ㊀ **~·ness** *n.*

right·ness [ráitnis] *n.* Ⓤ ① 올바름, 공정 ; 정의. ② 정확 ; 적정.

right-o, right-oh [ráitòu, --] *int.* 《英口》 좋다, 그렇다(all right, OK).

right-of-cen·ter [ráitəvséntər] *a.* 중도 우파의.

right-of-search [ráitəvsə́:rtʃ] *n.* (the ~) 〖國際法〗 (교전국의 공해상의 중립국 선박에 대한) 수색권.

right-of-way [ráitəvwéi] (*pl.* ***rights-, ~s***) *n.* ① Ⓒ (타인 소유지내의) 통행권, 통행권이 있는 도로. ② Ⓒ 도로〔선로〕용지. ③ (the ~, one's ~) 교통상의 선행권.

right-on [-án, -ɔ́(:)n] *a.* 전적으로 옳은 ; 시대에 맞는.

right-think·ing [ráitθíŋkiŋ] *a.* =RIGHT-MINDED.

right-to-die [ráittədái] *a.* 《美》 죽을 권리를 인정하는《회복 불능 환자의 안락사 등과 같은》.

right-to-life [ráittəláif] *a.* 《美》 임신 중절에 반대하는《임신 중절 금지법을 지지하는》. ㊀ **-líf·er** *n.* Ⓒ 임신 중절 반대〔금지법〕 지지자.

right·ward [-wərd] *a.* 오른쪽 방향의, 우측의. ── *ad.* 오른쪽에〔으로〕.

right·wards [-wərdz] *ad.* =RIGHTWARD.

ríght whàle 큰고래.

ríght wíng 우익(수) ; 우파, 보수파.

right-wing [-wíŋ] *a.* 우익(수)의 ; 우파〔보수파〕의. ㊀ **~·er** *n.* Ⓒ 우익〔우파〕의 사람.

rig·id** [rídʒid] (more*** ~ ; ***most*** ~) *a.* ① 굳은, 단단한, 휘어지지 않는 ; 경직된. opp *pliable, soft.* ¶ His face looked ~ with distress. 그의 얼굴은 걱정으로 굳어 있는 것처럼 보였다. ② 완고한, 융통성 없는 : He's ~ *in* his opinions. 그는 완고해서 자기 의견을 굽히지 않는다. ③ 엄격한, 엄정한 : the ~ discipline of army life 군생활의 엄격한 규율. ④ 엄밀한, 정밀한 : a ~ examination 정밀한 검사. ㊀ **~·ly** *ad.* **~·ness** *n.*

ri·gid·i·ty [ridʒídəti] *n.* Ⓤ ① 단단함, 경직(성). ② 완고, 엄격 ; 엄정, 엄밀. ③ 〖物〗 강성(剛性).

rig·ma·role [rígmərɔ̀ul] *n.* ① Ⓤ (또는 a ~) 데데한 긴 이야기 ; 조리 없는 긴 글. ② Ⓤ 질질 끄는 수법〔절차〕.

***rig·or,** 《英》 **-our** [rígər] *n.* ① Ⓤ 엄함, 엄격 : with the full ~ of the law 법을 아주 엄격히 적용하여. ② (the ~ ; 종종 *pl.*) (추위 따위가) 혹독함, (생활 따위의) 곤궁 : the ~*s* of winter 겨울의 혹독함 / the ~*s* of life 생활의 고달픔. ③ Ⓤ (연구 방법 등의) 엄밀함, 정밀함, 정확함.

ríg·or mór·tis [rígərmɔ́:rtis / ráigɔ:r-] 《L.》 〖醫〗 사후 경직(死後硬直)(stiffness of death).

***rig·or·ous** [rígərəs] *a.* ① 준엄한 ; 가혹한 ; 엄격한 : ~ discipline 엄격한 규율. ② (한서(寒暑) 따위가) 매우 혹독한 : a ~ climate 혹독한 기후. ③ 엄밀한, 정밀한 : ~ safety checks 엄밀한 안전 검사. ㊀ **~·ly** *ad.* **~·ness** *n.*

rig-out [rígàut] *n.* Ⓒ 《口》 (괴상한) 의복 한 벌 ; 복장.

rile [rail] *vt.* 《美》 ① …을 휘저어서 흐리게 하다 《물 따위를》. ② 《口》 …를 화나게 하다, 짜증나게 하다 : He get ~*d*. 그는 화가 났다.

***rill** [ril] *n.* Ⓒ 작은 내, 시내, 실개천. cf rivulet, stream.

‡**rim** [rim] *n.* Ⓒ ① (특히 원형물의) 가장자리, 테 : the golden ~ 《詩》 왕관 / He looked over the ~*s* of his glasses. 그는 안경너머로 보았다. ② (타이어를 끼우는) 테, 림.

── (***-mm-***) *vt.* …에 가장자리〔가, 테〕를 달다 ; …을 둘러싸다 : Wild flowers ~*med* the little pool. 들꽃들이 연못가를 따라 피어 있었다.

rime¹ [raim] *n.* Ⓤ 〖氣〗 무빙(霧氷), 상고대.

rime² ⇨RHYME.

rim·er [ráimər] *n.* 《英》 =REAMER.

rim·less [rímlis] *a.* 테가 없는《안경 따위》.

rimmed [rimd] *a.* 〔흔히 複合語를 이루어〕 …의 테가〔틀이〕 있는 : red-~ eyes from crying 울어서 충혈된 눈.

rimy [ráimi] (***rim·i·er*** ; ***-i·est***) *a.* 서리로 덮인 (frosty).

***rind** [raind] *n.* Ⓤ,Ⓒ 껍질《과실·야채 따위의》, 외피 ; 베이컨의 껍질 ; 치즈의 겉껍질《★ 오렌지 껍질은 peel, 바나나·양파 등의 껍질은 skin》.

rin·der·pest [ríndərpèst] *n.* Ⓤ 《G.》 우역(牛疫).

†**ring**¹ [riŋ] *n.* ① Ⓒ 고리 ; 바퀴 ; 고리 모양의 것 : a napkin ~ 냅킨링《냅킨 꿰는 고리》 / He puffed smoke ~*s*. 그는 담배 연기를 고리 모양으로 뿜었다. ② Ⓒ 반지 ; 귀걸이, 팔찌《따위》 : a wedding ~ 결혼 반지. ③ Ⓒ 원, 원형 ; 빙 둘러앉은 사람들 : form a ~ 원을 형성하다 ; 빙 둘러앉다 ; 손가락으로 원을 지어 보이다《OK 의 뜻으로》. ④ Ⓒ 〖植〗 나이테. ⑤ (the ~) 경마〔경기, 권투〕장, 씨름판, 링 : He retired from *the* ~ at 34. 그는 34 살에 링에서 은퇴했다. ⑥ (the ~) 권투(계) ; 투쟁장. ⑦ Ⓒ (장사·정치상의) 한패, 도당 ; (경마의) 도박꾼 ; 사설 마권업자. ⑧ Ⓒ 〖數〗 환(環) ; 〖化〗 고리《고리모양으로 결합된 원자 집단》 ; 〖天〗 (토성 등의) 환, 고리. ⑨ Ⓒ 〖建〗 링, 바퀴 모양의 테두리. ⑩ (*pl.*) 〖體操〗 링, 조환(吊環). ***make* 〔*run*〕 *~s around*** a person 《口》 아무보다 훨씬 빨리 가다〔하다〕, (승부에서) 상대를 여지없이 패배시키다 : My five-year-old can *run* ~*s around* me on the computer. 우리 집 다섯 살짜리 꼬마가 컴퓨터에 관해서는 나를 앞지를 수 있다. ***toss* one's *hat in the*** ~ (선거에서) 입후보하다.

── (*p., pp.* ***~ed,*** 《稀》 ***rung*** [rʌŋ]) *vt.* ① …을 둘러싸다, 에워싸다《*about* ; *round*》 : The police ~*ed* the house. 경찰이 그 집을 포위했다 / The young singer was ~*ed about*〔*round*〕 *with* excited girls. 그 젊은 가수는 열광하는 소녀들에게 둘러싸였다. ② (소의 코, 비둘기의 다리 따위)에 쇠코뚜레를 끼우다 ; 발가락지를 채우다. ③ (과일·채소 등)을 고리 모양으로 썰다. ④ …에 고리〔편자〕를 던져 끼우다《고리던지기의 놀이에서》.

†**ring**² (***rang*** [ræŋ], 《稀》 ***rung*** [rʌŋ] ; ***rung***) *vt.* ① (종·벨·타악기 따위)를 울리다, 울려서 알리다 : ~ a bell 종을 울리다 / ~ an alarm 종을 울려 경보를 알리다. ② 《~+목 / +목+부》 (벨 따위를 울려) 부르다, 불러들이다〔내다〕 : ~ the bell *for* a secretary 벨을 눌러 비서를 부르다. ③ 《+목+부》 《英》 …에게 전화를 걸다《*up*》 : *Ring* me *up* any time. 언제라도 전화를 주시오. ④ (종을 쳐서) 묵은 해〔오는 해〕를 보내다〔맞다〕 : *Ring out* the Old Year and ~ *in* the new. (종소리와 함께) 묵은 해를 보내고 새해를 맞다.

── *vi.* ① 《~ / +부》 (종·벨 따위가) 울다, (소리가) 울려 퍼지다 : The bell ~*s*. 벨이 울린다 / Did the telephone ~? 전화가 울렸습니까 / A shot *rang out.* 총성이 울려 퍼졌다. ② 《+전+명》 (장소 따위에 소리가) 울리다 ; (평판·이야기 등이)자자해지다《*with*》 : The hall *rang with* laughter. 홀에 웃음 소리가 울려 퍼졌다 / The world *rang with* his fame. 온 세계에 그의 명성이 퍼졌다. ③ (귀가) 울리다 : My ears ~. 귀울음이 난다. ④ 《+보》 …하게 울리다, …하게 들리다 : His words ~ hollow. 그의 말은 허황되게 들린다. ⑤

《~ / +전+명》 초인종〔벨〕을 울리다《at》; 울려서 부르다〔요구하다〕《for》: I *rang at* the front door. 현관벨을 울렸다 / ~ *for* coffee 〔a waiter〕 초인종을 울려 커피를 가져오게 하다〔웨이터를 부르다〕. ⑥《英》 전화를 걸다《up; through》. ⑦《英俗》 속이다(cheat). ~ ***a bell*** ⇨ BELL[1]. ~ ***back*** 《英》 나중에 (다시) 전화하다(《美》 call back). ~ ***down*** 〔***up***〕 ***the curtain*** ⇨CURTAIN. ~ ***in*** (1) (타임리코더로) 출근 시각을 기록하다(opp. *ring out*). (2) (새해 등을) 종을 울려 맞이하다. (3)《英口》 전화를 하여 연락을 취하다. ~ ***off*** 《英》 전화를 끊다. ~ ***the bell*** (1)《口》 성공하다, 잘 되다. (2) (링을 눌러) …를 부르다. ~ (***the***) ***changes*** ⇨CHANGE. ~ ***the knell of*** ⇨KNELL. ~ ***up*** (매상)을 금전 등록기에 기록하다; 성취하다, 이루다; 《英》 전화하다. —— *n.* ①Ⓒ (종·벨·경화(硬貨) 따위를) 울리기, 울리는 소리《땡, 딸랑, 쩔렁 따위》; (벨·전화의) 호출: There was a single ~ at the door. 현관 벨이 한 번 울렸다 / give the bell a ~ 벨을 (눌러) 울리다. ②Ⓒ 울림, 잘 울리는 소리: the ~ of one's laughter 잘 울리는 웃음 소리. ③ (a ~, the ~) (말·이야기 내용 등의) (…다운) 울림, 가락, …다움, 느낌, 인상《of》: *a ~ of* assurance in her voice 그녀 목소리의 확신에 찬 울림. ④ (교회의) 한 벌의 종: a ~ of bells. ⑤ 전화: give a person a ~ 아무에게 전화를 걸다.

ríng bìnder 링 바인더.

ring·er [-ər] *n.* Ⓒ ①종〔방울〕을 울리는 사람; 방울 울리는 장치. ②《俗》 (신원 등을 속인) 부정 출장 선수. ③ (종종 dead ~) 《俗》 아주 닮은 사람〔것〕《for; of》: He is a (*dead*) ~ *for* his father. 그는 제 아버지를 빼쏘았다.

ríng fìnger (흔히 결혼반지를 끼는 왼손의) 약손가락.

ring·ing [ríŋiŋ] *a.* 울리는, 울려퍼지는: in ~ voices 낭랑한 목소리로.

ring·lead·er [ríŋlìːdər] *n.* Ⓒ (폭동·데모 등의) 주모자, 장본인.

ring·let [ríŋlit] *n.* Ⓒ ① 컬한 머리털. ② 작은 바퀴, 작은 고리.

ring·mas·ter [-mæ̀stər, -mɑ̀ːs-] *n.* Ⓒ (서커스 등의) 연기 지도자, 곡마단장.

ring-necked [-nèkt] *a.* 〖動〗 목 주위에 고리 무늬가 있는《새·동물》.

ring-pull [-pùl] *a.* 고리를 당겨 딸 수 있는《캔맥주·캔주스 따위》: a ~ can 링풀식(式)의 캔.

ríng ròad 《英》 (도시 주변의) 순환 도로(《美》 belt highway 〔way〕).

ring·side [-sàid] *n.* (the ~) (서커스·권투 따위의) 링 주변, 링사이드. —— *a.* 〔限定的〕 링사이드의.

ring·tailed [ríŋtèild] *a.* 꼬리에 고리무늬가 있는.

ring·worm [-wə̀ːrm] *n.* Ⓤ 〖醫〗 백선(白癬); 완선(頑癬), 쇠버짐.

rink [riŋk] *n.* Ⓒ (흔히, 실내의) 스케이트장, 스케이트링크; 롤러스케이트장; 〖氷上〗 curling 장; 아이스하키장.

rinky-dink [ríŋkidíŋk] *a.* 《美俗》 ① 싸구려의. ② 케케묵은. —— *n.* Ⓒ 진부한 사람, 케케묵은 것.

***rinse** [rins] *n.* ①Ⓒ 헹구기, 가시기; 씻어내기. ②Ⓤ,Ⓒ 린스《머리 헹구는 유성제(油性劑)》: give a shirt a good ~ 셔츠를 잘 헹구다.

—— *vt.* ① …을 헹구다, 가시다. ②《+목+전+명》 …을 씻어내다《away; off; out》: *Rinse* the soap *out of* your head. 머리의 비누를 씻어내라. ③《+목+부》 (우유 따위로 음식물을 위(胃) 속)에 흘려 넣다《down》: ~ the food *down* with a glass of milk 한 컵의 우유로 음식물을 위 안에 흘려 넣다. ★ 《美》에서는 wash down이 일반적.

Rio de Ja·nei·ro [ríːoudeiʒənɛ́ərou, -dədʒəníərou] 리우데자네이루《브라질 공화국의 옛 수도; 略: Rio》.

Rio Gran·de [ríːougrǽndi] (the ~) 리오그란데《미국과 멕시코 국경을 이루는 강》.

‡ri·ot [ráiət] *n.* ①Ⓒ 폭동, 소동; 대혼란; 〖法〗 소요죄: get up〔raise, start, set off〕 a ~ (against) (…에 반대하여) 폭동을 일으키다 / put down 〔suppress〕 a ~ 폭동을 진압하다. ② (a ~) (색채·소리 따위의) 다채로움《of》: *a ~ of* color 갖가지 색깔. ③ (a ~) (감정·상상 등의) 분방(奔放), 분출, 격발《of》: *a ~ of* emotion 감정의 격발. ④ (a ~) 《口》 우스꽝스러운 사람〔일〕; 크게 웃을 만한 일: His new comedy is *a ~*. 그의 신작 코미디는 아주 재미있다. ***run*** ~ 소란을 피우며 다니다; (꽃이) 만발하다. —— *a.* 〔限定的〕 폭동 진압용의.

—— *vi.* ① 폭동을 일으키다. ② 떠들다; 법석을 떨다. ③ 방탕한 생활을 하다.

Ríot Àct ① (the ~) 《英》 소요 단속법. ② (the r- a-) 질책, 비난. ***read the*** ~ 소동을 그치도록 엄명하다《to》; 《戱》 엄히 꾸짖다.

ri·ot·er [ráiətər] *n.* Ⓒ 폭도; 야단법석을 떠는 사람.

ri·ot·ous [ráiətəs] *a.* ① 폭동의; 폭동에 가담하고 있는: a ~ crowd 폭도화한 군중. ② 시끄러운, 술마시고 떠드는: We had a ~ time. 우리들은 술마시고 마구 떠들었다. ③《口》 매우 유쾌한.

㊞ ~·ly *ad.* ~·ness *n.*

ríot squàd 〔**polìce**〕 〔集合的; 複數 취급〕 폭동 진압 경찰대, 경찰 기동대.

***rip**[1] [rip] (*-pp-*) *vt.* ①《~+목 / +목+보》 …을 쪼개다, 째다, 찢다《open; up》: ~ *open* the envelop 봉투를 뜯다 / ~ *up* a letter 편지를 찢다. ②《+목+부 / +목+전+명》 …을 벗겨내다, 떼어내다《out; off; away》: ~ a page *out of* a book 책에서 한 페이지를 떼어내다 / They *~ped off* their clothes and ran into the sea. 그들은 옷을 벗어던지고 바다 속으로 뛰어 들어갔다. ③ (목재 따위)를 빠개다, 세로로 켜다.

—— *vi.* 《+부》 ① 쪼개지다, 째지다, 찢어지다; 터지다: Cheap cloth *~s* easily. 싸구려 천은 쉽게 찢어진다. ②《口》 돌진하다《along》. ③ 맹렬히 공격하다〔비난하다〕. ***Let her*** 〔***it***〕 ~. 《口》 (자동차 등을) 마구 몰아라: Put your foot on the gas and *let her ~*! 액셀을 밟아, 빨리 몰아라. ***let*** ~ 몹시 비난하다《against》; 멋대로 지껄이다《about; at》; 욕지거리하다. ***Let things*** ~. 되어 가는 대로〔밥이 되든 죽이 되든〕 내버려 두어라. ~ ***off*** (1)《口》 (아무로부터) 지나치게 많은 돈을 받다: They really *~ped* us *off* at that hotel! 그 호텔에서는 우리에게 정말 큰 바가지를 씌웠다. (2)《俗》 …을 훔치다〔속이다〕.

—— *n.* Ⓒ 찢음; (옷의) 터짐, 찢어진 곳; 열상(裂傷).

rip[2] *n.* Ⓒ 《口》 방탕자, 불량배.

rip[3] *n.* Ⓒ 여울에 이는 물결; 격랑(激浪), 흐름이 빠른 조류(潮流).

RIP, R.I.P. *Requiesca(n)t in pace* 《L.》 (= May he〔she, they〕 rest in peace!).

ri·par·i·an [ripɛ́əriən, rai-] *a.* 강기슭의; 강기슭에 나는〔사는〕: ~ life 물가에 사는 생물.

ríp còrd 〖空〗 (기구(氣球)·비행선의) 긴급 가스 방출삭(放出索); (낙하산을) 펼치는 줄, 립 코드.

ríp cùrrent 역조(逆潮), 이안류(離岸流)《바닷가에서 난바다쪽으로 흐르는 강한 조류(潮流)》.

‡ripe [raip] (*ríp·er; ríp·est*) *a.* ① (과일·곡식이) 익은, 여문: ~ fruit 익은 과일 / a ~ field 수확을 할 수 있는 밭. ② (술 따위가) 숙성한, 먹게 된: ~ cheese 숙성한 치즈. ③ 원숙한, 숙달된; 심신이 성숙한: a person of ~ years 성인(成人) /

Soon ~, soon rotten. 《格言》 빨리 익은 것은 빨리 썩는다, 대기 만성 / He is ~ *in* the business. 그는 일에 매우 숙달되어 있다. ④ 고령의 : She lived to the ~ old age of 97. 그녀는 97세 고령까지 살았다. ⑤ (기회가) 무르익은 ; 막 …하게 되어 있는 《*for*》: The time is ~ *for* action. 실행할 때가 되었다 / The opportunity for revolution is now ~ to be seized. 바야흐로 혁명을 단행할 절호의 기회이다. ⑥ (암내 따위) 역겨운 냄새가 나는. ⑦ 《口》 천한, 상스런. ◇ ripen *v.*
[파] **∠·ly** *ad.* 익어서 ; 원숙하여 ; 기회가 무르익어.

***rip·en** [ráipən] *vi.* 《~ / +[전]+[명] / +[보]》 ① 익다 : The tomatoes quickly ~*ed* in the hot weather. 토마토가 더운 날씨에 빨리 익었다. ② 원숙하다 ; 무르익다 : Friendship often ~*s into* love. 우정은 흔히 애정으로 발전한다. — *vt.* …을 익게 하다, 원숙하게 하다 : The sun ~*s* the fruit. 햇볕으로 과일이 익는다. [파] **~·ness** *n.*

rip-off [rípɔ̀(:)f, -ɑ̀f] *n.* [C] 《俗》 ① 지나치게 많은 돈을 받음, 착취. ② 도둑질, 사기 ; 장물.

ri·poste [ripóust] *n.* [C] ① 【펜싱】 되찌르기. ② 재치 있는 즉답, 응구 첩대(應口輒對). — *vi.* 빨리 되찌르다 ; 되받아 넘겨 대꾸하다, 재치 있는 즉답을 하다. 「② 내릴톱(ripsaw).

rip·per [rípər] *n.* [C] ① 찢는 사람〔도구〕; 살인광.

rip·ping [rípiŋ] *a.* 《美口 · 英俗》 훌륭한, 멋있는.

:rip·ple [rípəl] *n.* ① [C] 잔물결, 파문. ② [C] (머리털 따위의) 곱슬곱슬함, 웨이브. ③ (*sing.*) 잔물결(같은) 소리 ; 소곤거림. ④ [U] 리플《초콜릿과 라즈베리가 줄무늬처럼 들어 있는 아이스크림》. ⑤ [C] 《美》 작은 여울. — *vi.* ① 잔물결〔파문〕이 일다 : The lake ~*d* gently. 호수는 조용히 물결치고 있었다. ② 졸졸 흐르다. ③ 웅성거리다, 술렁거리다 ; 물결처럼 퍼지다 : Anxiety ~*d* through the crowd. 불안이 군중 사이로 번져 갔다. — *vt.* ① …에 잔물결〔파문〕을 일으키다. ② (머리털 등)을 곱슬곱슬하게 하다.

rípple effèct 파급 효과.

rípple màrk 모래 위의 파문〔풍문(風紋)〕.

rip-roar·ing [ríprɔ̀:riŋ] *a.* 《口》 ① 떠들썩한, 왜자기는. ② 《英》 멋진, 근사한.

rip·saw [rípsɔ̀:] *n.* [C] 내릴톱.

rip·snort·er [rípsnɔ́:rtər] *n.* [C] 《口》 매우 시끄러운〔난폭한〕 사람 ; 훌륭한〔재미있는〕 사람〔물건〕; 굉장한〔맹렬한〕 것.

rip·tide [ríptàid] *n.* =RIP CURRENT.

Rip van Win·kle [rìpvænwíŋkəl] *n.* ① 미국의 작가 W. Irving 작 *The Sketch Book* 중의 한 주인공. ② [C] 《比》 시대에 뒤떨어진 사람.

†rise [raiz] (***rose*** [rouz] ; ***ris·en*** [rízən]) *vi.* ① 《~ / +[전]+[명]》 일어서다, 일어나다 : ~ *from* a chair 의자에서 일어서다. ② (회합이) 폐회되다, 산회하다 : The House *rose* at five. 의회는 5시에 폐회하였다. ③ 《~ / +[부]》 기상하다 : ~ *early* 일찍 일어나다《★ arise는 시어 · 문어, get up은 구어, rise는 그 중간》. ④ 《+[부] / +[전]+[명]》 【神學】 다시 살아나다 : ~ *again* =~ *from* the dead (죽음에서) 다시 살아나다. ⑤ 《~ / +[부] / +[전]+[명]》 (연기 따위가) 오르다 ; (해 · 달이) 떠오르다 ; (막이) 오르다 : The moon was *rising above* the horizon. 달이 지평선 위로 떠오르고 있었다. ⑥ (토지 · 길이) 오르막이 되다, 치받이가 되다. ⑦ 《~ / +[전]+[명]》 지위가 오르다, 승진하다 : ~ *to* a high position 높은 지위에 오르다. ⑧ 《~ / +[전]+[명]》 (물가 · 수치 따위가) 상승하다 : Sugar will ~ in its price. 설탕값이 오를 것이다. ⑨ (부피가) 늘다 ; (감정이) 격해지다 ; (소리가) 높아지다 ; (색 따위가) 짙어지다 ; (신용 · 흥미 · 중요성 등이) 증대하다 ; (기분이) 나다 : His spirits *rose.* 그는 기운이 났다. ⑩ (바람이) 세어지다, 일다 ; (강의) 물이 붇다 : The river *rose* five feet. 강물이 5 피트 불어났다. ⑪ 《~ / +[부] / +[전]+[명]》 치솟다 : Mt. Sŏrak ~*s high.* 설악산이 높이 솟아 있다. ⑫ 《~ / +[전]+[명]》 (집이) 서다, 세워지다 : The houses *rose* quickly. 집이 속속 들어섰다. ⑬ 《+[전]+[명]》 반항하여 일어나다, 반역하다 《*against*》: ~ *against* a king 국왕에게 반기를 들고 일어서다 / ~ in revolt〔rebellion〕 폭동을 일으키다. ⑭ 《~ / +[전]+[명]》 나타나다, 수면에 떠오르다, (배 따위가 수평선 위로) 보이기 시작하다 : Land *rose to* view. 육지가 시야에 들어왔다. ⑮ 《+[전]+[명]》 (생각 따위가) 마음에 떠오르다 ; (맛 · 냄새가) 느껴지다 : The scene *rose before* my mind. 그 장면이 생각났다. ⑯ 《+[전]+[명]》 (사건 · 강 따위가) 생기다, 근원을 이루다《*from ; in ; at*》: The river ~*s from* Lake Paro. 이 강의 수원은 파로호이다. ⑰ (빵이) 부풀다. ⑱ 감정이 격해지다. ⑲ 《+[전]+[명]》 대처하다, 타개하다《*to*》: I can't ~ *to* it. 그것을 할 힘이 없다〔기분이 나지 않는다〕. ~ ***above*** (1) …의 위에 솟아나다. (2) …을 초월하다 ; (곤란 따위)를 극복〔무시〕하다. ~ ***and fall*** (배 따위가) 파도에 오르내리다 ; (가슴이) 뛰다. ~ ***and shine*** 기상하다 ; 〔종종 命令形으로〕 기상. ~ ***in the mind*** 마음에 떠오르다. ~ 2,000 feet ***out of the sea*** 〔***above the sea level***〕 해발 2,000 피트이다. ~ ***to*** (1) …에 응하여 일어서다. (2) …에 오르다 : ~ *to* fame 명성을 얻다 / ~ *to* greatness 훌륭해지다. ~ ***to*** one***'s eyes*** (눈물이) 눈에 글썽거리다. ~ ***to the occasion*** 〔***emergency, crisis***〕 난국〔위기〕에 대처하다.
— *n.* ① [C] 상승, 오름 : at ~ of sun 〔moon〕 해〔달〕뜰때에. ② [C] (물가 · 수치 · 눈금 등의) 상승 ; 《英》 승급(액). ③ [C] (정도 등의) 증가 ; (감정 등의) 고조, 격앙. ④ [C] 증대(량), 증수(량) : the ~ of a river. ⑤ [U] (또는 a ~) 진보, 향상 ; 입신 출세 : one's ~ to power 권좌에 오름. ⑥ [C] 높은 지대, 언덕(길) : a gentle ~ in the road 완만한 언덕길. ⑦ [U,C] 반란 ; 봉기. ⑧ (물고기 따위의) 떠오름. ⑨ 기원, 발생 ; 소생. ⑩ [U,C] (아치 등의) 높이 ; (층계의) 한 계단 높이. ⑪ 회생, 소생. ⑫ [U] (무대의) 막이 오름. ***and the*** ~ 《美口》 그리고 그 이상(and more). ***get*** 〔***have, take***〕 ***a*** 〔***the***〕 ~ ***out of*** a person 아무를 부추기어 바라는 바를 이루다 ; 《口》 아무를 계획적으로 골나게 하다. ***give*** ~ ***to*** …을 일으키다, 생기게 하다, …의 근원이다. ***take*** 〔***have***〕 ***its*** ~ 일어나다, 생기다 ; (강 따위가) …에서 기원하다 : The river *has its* ~ among the mountains. 그 강은 산간에서 발원한다. ***the*** ~ ***and fall*** (of the Roman Empire) (로마 제국의) 성쇠. ***the*** ~ ***of*** 《美口》…

***ris·en** [rízən] RISE 의 과거분사. ⌊보다 조금 많은.

ris·er [ráizər] *n.* [C] ① 〔early, late의 形容詞를 수반하여〕 기상자(起床者) : an *early* 〔a *late*〕 ~ 일찍 일어나는 사람〔늦잠꾸러기〕. ② 【建】 (층계의) 층뒤판.

ris·i·bil·i·ty [rìzəbíləti] *n.* [U] 잘 웃는 성질, 웃는 버릇 ; (종종 *pl.*) 웃음에 대한 감수성〔이해〕.

ris·i·ble [rízəbəl] *a.* 웃을 수 있는 ; 잘 웃는 ; 웃음의 ; 웃기는, 우스운.

***ris·ing** [ráiziŋ] *a.* ① (태양 따위가) 떠오르는, 오르는 : the ~ sun 떠오르는 태양. ② 등귀〔증대〕하는 ; 증수(增水)하는 : the ~ wind 점점 세어지는 바람 / a ~ market 오름세 시세 / the ~ tide 밀물. ③ 승진하는 ; 신진의 ; 성장 중의 ; 인기가 한창 오르고 있는 : a ~ novelist 신진 작가 / the ~ generation 젊은이들. — *n.* ① [U] 오름, 상승 :

the ~ of the sun 해돋이. ②Ⓤ 기립, 기상. ③Ⓤ 부활, 소생: ~ again 부활. ④Ⓒ 봉기, 반란. ⑤Ⓒ 돈대.
— *prep.* (연령 등이) …에 가까운, 거의 …한, 약: a boy ~ ten 곧 10 세가 될 소년 / Sue is ~ nine (years old). 수는 곧 아홉 살이 된다.

rísing dámp 상승 수분〔습도〕《땅 속에서 건물의 벽으로 스미는 습기》.

‡risk [risk] *n.* ①Ⓤ,Ⓒ 위험; 모험; 위험성〔도〕, 손상〔손해〕의 염려: run a ~ 위험을 무릅쓰다 / take a ~ 되든 안되든 해보다 / There is the ~ of his catching cold. 그는 감기 걸릴 염려가 있다. ②Ⓒ 〔흔히 修飾語과 함께〕〖保險〗 피보험자〔물〕. ***at all ~s*** = ***at any*** 〔***whatever***〕 ~ 어떤 위험을 무릅쓰고라도. ***at*** ~ 《英》 위험한 상태로. ***at one's own*** ~ 자기가 책임지고: Cross the road *at your own* ~. 차에 치어도 책임지지 않음《횡단금지의 완곡한 표현》. ***at the ~ of*** …의 위험을 무릅쓰고, …을 걸고: *at the* ~ *of* one's life 목숨을 걸고.
— *vt.* ① …을 위험에 내맡기다, 위태롭게 하다, (목숨 등)을 걸다: He ~*ed* his life to save his dog from the fire. 그는 목숨을 걸고 불 속에서 개를 구해냈다. ②《~+목/+-*ing*》 위험을 무릅쓰고 …하다, 감행하다: He ~*ed* los*ing* his house when his company went bankrupt. 그는 회사가 파산 상태에 빠졌을 때 자기 집까지 잃을 각오도 서슴지 않았다.

risky [ríski] (***risk·i·er; -i·est***) *a.* ① 위험한; 모험적인. ② 외설스러운(risqué)《이야기·장면 등이》. ㊞ **rísk·i·ly** *ad.* **-i·ness** *n.*

ri·sot·to [risɔ́:tou / -sɔ́t-] (*pl.* ~***s***) *n.* Ⓒ,Ⓤ 《It.》 리조토《쌀·양파·닭고기 따위로 만든 스튜》.

ris·qué [riskéi] *a.* 《F.》 풍속을 해치는, 외설스러운(off-color).

ris·sole [risóul] *n.* Ⓒ,Ⓤ 《F.》 리솔《파이 껍질에 고기·생선 등을 넣어 튀긴 요리》.

rit., ritard. ritardando.

ri·tar·dan·do [rì:tɑ:rdɑ́:ndou] *a., ad.* 《It.》〖樂〗 점점 느린〔느리게〕. — (*pl.* ~***s***) *n.* Ⓒ〖樂〗 리타르단도(의 악장).

***rite** [rait] *n.* Ⓒ (종종 *pl.*) 의례, 의식; 교회의 의식, 전례(典禮): (the) marriage ~*s* 결혼식 / (the) burial〔funeral〕 ~*s* 장례식 / a ~ of passage 통과 의례 / the ~ of confirmation〖基〗 견진성사(堅振聖事).

***rit·u·al** [rítʃuəl] *a.* (교회 따위의) 의식의, 제식의; 의식에 관한〔에 사용되는〕. — *n.* ①Ⓤ (종교적) 의식, 예배식; 제식. ②Ⓒ 의식서; 식전. ③Ⓒ 의식적 행사〔관습〕. ㊞ ~**·ism** *n.* Ⓤ 의식주의. ~**·ist** *n.* Ⓒ 의식주의자. ~**·ly** *ad.*

rit·u·al·is·tic [rìtʃuəlístik] *a.* 의식의; 의식주의의, 의례(고수)주의의. ㊞ **-ti·cal·ly** *ad.*

ritzy [rítsi] (***ritz·i·er; -i·est***) *a.* 《俗》 몹시 사치한, 초고급의, 호화로운.

riv. river.

‡ri·val [ráivəl] *n.* Ⓒ 경쟁자, 라이벌; 호적수, 필적할 사람《*in; for*》: without (a) ~ 무적의《★종종 무관사》/ The city has no ~ *for* polluted air. 공기 오염에서 그 도시만 한 곳은 없다. — *a.* 〔限定的〕 경쟁자의, 서로 싸우는: ~ lovers 연적.
— (***-l-,*** 《英》 ***-ll-***) *vt.* 《~+목/+목+전+명》 …와 경쟁하다, …와 맞서다《*in*》; …에 필적하다, …에 뒤지지 않다: She ~*ed* her mother *in* beauty. 그녀는 어머니 못지 않은 미인이었다.

***ri·val·ry** [ráivəlri] *n.* Ⓤ,Ⓒ 경쟁, 대항, 맞겨룸: enter into ~ with …와 경쟁을 시작하다 / a fierce ~ between the two basketball teams 두 농구팀 사이의 격심한 경쟁.

riv·en [rívən] *a.* 〔敍述的〕 찢어진; 갈라진: a community ~ *by* religious differences 종교적 의견 차이로 갈라진 지역 사회.

†riv·er [rívər] *n.* ①Ⓒ 강: swim in a ~ 강에서 수영하다 / go boating on a ~ 강으로 보트 놀이 가다. ★ 강의 이름: 흔히 영국에선 the *river* 〔*River*〕 Thames, 미국에서는 the Mississippi *River*. ②Ⓒ 물 이외의 흐름; (*pl.*) 다량의 흐름: ~*s* of blood 피바다 / ~*s* of tears 하염없이 흐르는 눈물. ***sell*** a person ***down the*** ~ 《口》 (아무를) 배반하다, 저버리다. ***send*** a person ***up the*** ~ 《美俗》 교도소에 처넣다《죄수를 New York 에서 Hudson 강 상류의 싱싱 교도소로 보낸 데서》.

riv·er·bank [rívərbæ̀ŋk] *n.* Ⓒ 강기슭, 강둑.

ríver bàsin 하천 유역.

riv·er·bed [rívərbèd] *n.* Ⓒ 강바닥, 하상(河床).

riv·er·boat [-bòut] *n.* Ⓒ 강(江)배.

riv·er·head [-hèd] *n.* Ⓒ 강의 수원(지), 원류.

ríver hòrse 〖動〗 하마(hippopotamus).

riv·er·ine [rívəràin] *a.* 강의; 강변의, 강기슭의; (동식물 따위가) 강가에서 나는〔사는〕.

***riv·er·side** [rívərsàid] *n.* (the ~) 강가, 강변.
— *a.* 〔限定的〕 강가의, 강변에 있는: a ~ hotel 강변에 있는 호텔.

***riv·et** [rívit] *n.* Ⓒ 리벳, 대갈못. — *vt.* ①《~+목 / +목+부 / +목+전+명》 …을 리벳으로 붙박다《*down; into; on; to; together*》: ~ two pieces of iron *together* 리벳으로 두 쇳조각을 붙박이 붙이다 / ~ a metal plate *on* a roof 지붕에 금속판을 붙박다. ②《~+목 / +목+전+명》〔종종 受動 또는 過去分詞로 形容詞的으로〕《比》 …에 못박다; …을 단단히 고정시키다: stand ~*ed* to the spot in terror 무서워 그자리에 꼼짝 못하고 서다 / It *was* ~*ed* in my memory. 그것은 내 기억에 깊이 새겨졌다. ③《~+목 / +목+전+명》 (시선 등)을 쏟다, (주의)를 집중하다《*on, upon*》: His eyes were ~*ed on* the huge tiger. 그의 시선은 그 커다란 호랑이에 사로잡혀 있었다.
㊞ ~**·er** [-ər] *n.* Ⓒ 리벳공(工); 리벳 박는 기계.

riv·et·ing [rívitiŋ] *a.* 황홀케 하는, 매혹적인; 재미 있는: a ~ performance 재미있는 공연.

***riv·u·let** [rívjəlit] *n.* Ⓒ 개울, 시내. cf rill, brook[1], stream.

Ri·yadh [ri:jɑ́:d] *n.* 리야드《사우디아라비아의 수도》.

ri·yal [rijɑ́:l, -jɔ́:l] *n.* Ⓒ 리얄《사우디아라비아의 화폐 단위; 기호 R.》.

R.L.S. Robert Louis Stevenson. **R.M.** 《英》 Royal Mail; 《英》 Royal Marines.

R mònths [ɑ́:r-] (the ~) 'R' 달《달 이름에 r자가 있는 9월에서 4월까지의 8개월; 굴(oyster)의 계절》.

rms. reams; rooms. **R.M.S.** Royal Mail Steamer 〔Steamship〕. **Rn** 〖化〗 radon. **R.N.** 《美》 Registered Nurse; Royal Navy.

RNA [ɑ̀:rènéi] *n.* 〖生化〗 리보핵산(ribonucleic acid).

roach[1] [routʃ] (*pl.* ~**·es,** 〔集合的〕 ~) *n.* Ⓒ 로치《잉어과의 물고기》.

roach[2] *n.* Ⓒ ① =COCKROACH. ②《俗》 마리화나 담배 꽁초.

†road [roud] *n.* ①Ⓒ 길, 도로: a dirt ~ 비포장 도로 / a toll ~ 유료 도로 / Don't play in〔on〕 the ~. 길에서 놀지 마라《★ '길에서'의 전치사는 흔히 on이며, in이 쓰이는 경우는 통행에 '방해가 된다'는 뜻이 강함》/ This ~ is always jammed with cars. 이 길은 언제나 차로 붐빈다. ② **a)** (the R-) (특정한 곳으로 통하는) 가도(街道): *the* London *Road* 런던 가도. **b)** (R-) (도시의 주요

가로명으로 쓰여) 주요 가로, 가(街)《略 : Rd.》: Victoria *Road* 빅토리아 가 / 11 Homer *Rd.*, London 런던시 호머가 11번지. ③ (the ~) 길, 방법, 수단 : *the* ~ *to* peace 평화로 가는 길. ④ 《美》 철도. ⑤ Ⓒ (종종 *pl.*) 〖海〗 정박지(地) : the outer ~ 외항 / anchor in the ~*s* 정박지에 닻을 내리다.

burn up the ~ 《口》 대단한 속도로 운전하다〔나아가다〕. ***by*** ~ 육로로, 자동차로 : It takes three hours *by* ~. 자동차로 세 시간은 걸린다. ***down the*** ~ (1) 이〔그〕 길 저편에 : We live just *down the* ~. 우리는 이 길 바로 저편에 산다. (2) 장래. ***get out of the*** 〔a person*'s*〕 ~ 《口》 아무의 방해가 되지 않도록 하다. ***hit the*** ~ 《俗》 여행을 떠나다, 여행을 계속하다 ; 《俗》 방랑 생활을 시작〔계속〕하다. ***hold*** 〔***hug***〕 ***the*** ~ (차가) 매끄럽게 노상을 달리다. ***in the*** 〔a person*'s*〕 ~ 아무의 방해가 되어. ***on the*** ~ (1) 도로상에서. (2) 도상(途上)에서. (3) (세일즈맨이) 지방을 다니고. (4) (극단이) 지방 순회 중에. (5) (자동차 등이) 아직 사용할 수 있어. ***take to the*** ~ (1) 여행을 떠나다. (2) 방랑생활을 하다.

── *a.* 〔限定的〕 도로 (위)의 : a ~ sign 도로 표지 / a ~ accident 교통사고 / a ~ junction 도로의 교차점, 합류점.

róad àgent 〖美史〗 노상 강도.

road·bed [⌐bèd] *n.* Ⓒ (흔히 *sing.*) 노상(路床) ; (철도의) 노반(路盤) ; 노면.

road·block [⌐blɑ̀k / ⌐blɔ̀k] *n.* Ⓒ (군용(軍用)의 도로상의) 방책, 도로 봉쇄 ; 장애(물), 방해(물).

róad còmpany 지방 순회 극단.

róad fùnd lìcence 《英口》 자동차세 납부 증명서.

róad gàme 원정 경기.

róad hòg (타(他)차선으로 나오거나 도로 복판을 달려) 다른 차의 통행을 방해하는 난폭 운전사.

road·hold·ing [⌐hòuldiŋ] *n.* Ⓤ 《英》 (자동차의) 노면 보존 성능, 주행 안전성.

road·house [⌐hàus] *n.* Ⓒ 교외 간선 도로변의 여관〔술집, 나이트클럽〕.

róad hùmp 과속 방지 턱(sleeping policeman).

road·ie [róudi] *n.* Ⓒ 《俗》 (록 그룹 등의) 지방 공연 매니저.

road·less [róudlis] *a.* 길이 없는.

road·man [⌐mən] (*pl.* ***-men*** [⌐mən]) *n.* Ⓒ 도로 인부 ; 트럭 운전수.

róad mànager =ROADIE.

róad màp 도로 지도《자동차 여행용의》.

róad mènder 도로 수리 인부.

róad mètal 도로 포장용 자갈, (자갈 따위의) 포장 재료.

róad ràce (자동차 등의) 도로 경주.

róad ràcer ① 도로 경주용 자동차. ② 도로 경주 선수.

róad ràcing (특히 자동차의) 도로 경주《도로 또는 도로를 본뜬 코스에서 행함》.

róad ròller 도로를 다지는 롤러, 로드 롤러.

road·run·ner [⌐rʌ̀nər] *n.* Ⓒ 〖鳥〗 두견잇과(科)의 일종《땅위를 질주하며 뱀을 잡아 먹음 ; 미국 남서부·멕시코산(產)》(=**chaparrál bìrd**).

róad sàfety 교통 안전.

róad sènse 도로 이용 능력, 도로 감각《운전자·보행자·개 등의》.

*__róad shòw__ ① (극단 따위의) 지방 흥행. ② 《美》 (신작(新作) 영화의) 독점 개봉 흥행, 로드쇼. ③ (브로드웨이 뮤지컬 등의) 지방 흥행.

*__road·side__ [⌐sàid] *n.* (the ~) 길가, 노변 : by 〔on, at〕 *the* ~ 길가에, 노변에, 연도에. ── *a.* 〔限定的〕 연도〔길가〕의 : a ~ inn 길가의 여인숙.

road·stead [⌐stèd] *n.* Ⓒ 〖海〗 난바다의 정박지, 항구 밖의 투묘소(投錨所).

road·ster [róudstər] *n.* Ⓒ 2·3인용의 무개(無蓋) 자동차.

róad tèst ① (자동차의) 노상 성능 시험, 시운전. ② (면허를 위한) 노상 운전 시험. ㊞ **róad-tèst** *vt.* 노상에서 테스트를 하다.

*__road·way__ [⌐wèi] *n.* (the ~) 도로 ; 차도, 노선 ; (철도의) 선로 ; (교량의) 차도 부분.

road·work [⌐wə̀ːrk] *n.* ① Ⓤ 〖競〗 로드워크《권투 선수 등이 컨디션 조절을 위해 행하는 장거리 러닝》. ② (*pl.*) 《英》 도로 공사 : *Roadworks* ahead. 전방 도로공사 중《★ 《美》에서는 construction ahead 또는 Men at work ahead》.

road·wor·thy [⌐wə̀ːrði] (***-thi·er*** ; ***-thi·est***) *a.* (차가) 도로에 적합한.

‡**roam** [roum] *vi.* 《~ / +전+명》 (건들건들) 돌아다니다, 방랑〔배회〕하다《*about* ; *around* ; *through* ; *over*》: He ~*ed about* the world. 그는 세계를 두루 돌아다녔다. ── *vt.* …을 돌아다니다, 방랑〔배회〕하다 : We ~*ed* the woods gathering flowers. 꽃을 꺾어 모으면서 숲을 돌아다녔다.

── *n.* Ⓒ 돌아다님. ㊞ ⌐**·er** *n.* Ⓒ 배회〔방랑〕자.

roan[1] [roun] *a.* 〔限定的〕 회색 또는 흰 얼룩이 섞인《밤색 말 따위》. ── *n.* Ⓒ 워라말《따위》.

roan[2] *n.* Ⓤ 부드러운 양피(羊皮)《제본용》.

‡**roar** [rɔːr] *vi.* ① (짐승 따위가) 으르렁거리다, 포효하다 : We heard a lion ~. 사자가 으르렁거리는 소리를 들었다. ② 《~ / +전+명》 고함치다, 소리지르다, 대갈하다 : You need not ~. 그렇게 큰 소리를 내지 않아도 된다 / ~ *for* mercy 살려 달라고 아우성치다. ③ 《~ / +전+명》 크게 웃다 : ~ *at* a joke 농담에 왁자그르르 웃다. ④ (대포·천둥 따위가) 울리다, 울려 퍼지다, (파도 따위가) 노호하다 : I heard the waves ~*ing*. 노호하는 파도 소리를 들었다. ⑤ 《+부》 큰 소리를 내다 : The truck ~*ed away*. 트럭이 요란한 소리를 내며 사라졌다.

── *vt.* ① 《~+목 / +목+부》 …을 큰 소리로 말〔노래〕하다《*out*》, 외치다 : ~ *out* a song 큰 소리로 노래를 부르다 / He ~*ed back*, "Who are you?" '자네는 도대체 누구야'하며 그는 큰소리로 되물었다. ② 《~+목 / +목+부 / +목+보》 큰 소리를 질러 …하게 하다 : The crowd ~*ed* the speaker *down*. 군중은 소리 질러 연사를 침묵게 했다 / ~ one*self* hoarse 외쳐서 목소리가 쉬다.

── *n.* Ⓒ 으르렁거리는 소리, 고함소리 ; 노호 : the ~*s* of a lion 사자의 포효 / ~*s* of laughter 왁자지껄한 웃음 소리 / A ~ of approval came from the crowd. 찬성을 외치는 고함 소리가 군중으로부터 들려왔다. ***in a*** ~ 왁자그르르 떠들어, 떠들썩하게 : He set the table 〔company, room〕 *in a* ~. 그는 좌중의 사람들을 크게 웃겼다.

㊞ **~·er** [rɔ́ːrər] *n.* 포효하는 것 ; 소리치는 사람.

*__roar·ing__ [rɔ́ːriŋ] *n.* ① Ⓤ 으르렁거림, 포효. ② (a ~) 포효〔노호〕 소리 ; 고함.

── *a.* 〔限定的〕 ① 포효〔노호〕하는 ; 소란한 : a ~ tiger 포효하는 호랑이 / ~ traffic 시끄러운 자동차의 소음. ② 《口》 번창한 ; 활기찬 : do 〔drive〕 a ~ trade 장사가 크게 번창하다 / The new musical has been a ~ success. 신작 뮤지컬이 대성공했다. ── *ad.* 몹시 : ~ drunk 몹시 취하여.

róaring fórties (the ~) 풍랑이 심한 해역《북위 및 남위 40-50도》.

Róaring Twénties (the ~) 《美》 광란의 '20년대《재즈와 호경기의 광란의 시대인 1920년대》.

‡**roast** [roust] *vt.* ① (고기)를 굽다, 불에 쬐다, 익히다, 오븐〔뜨거운 재〕에 굽다 : ~ meat 고기를 굽다. ② 《~+목 / +목+보》 (콩·커피 열매 따위)를 볶다, 덖다 : ~ the beans brown 콩을 누르께

하게 볶다. ③〔再歸的〕 불에 데우다; 불을 쬐어 따뜻하게 하다: She was ~*ing herself* before the fire. 그녀는 불을 쬐어 몸을 따뜻하게 했다. ④《口》 조롱하다, 놀리다; 혹평하다. — *vi.* ①구워지다, 볶아지다. ②볕에 그을리다; 더워지다, 찌는 듯이 덥다: They lay ~*ing* in the sun. 그들은 누워서 살갗을 태우고 있었다 / I'm simply ~*ing*. 지독하게 덥다. — *a.* 〔限定的〕 구운, 불에 쬔, 볶은: ⇨ ROAST BEEF.

— *n.* ① U.C (오븐에 구운) 불고기; C (불고기용의) 고기(《英》 joint), 로스트 고기《흔히 쇠고기》. ②(a ~) 굽기; 볶기: Give it *a* good ~. 그것을 잘 구워라. ③ C 《口》 불고기를 먹는 피크닉〔파티〕. ***rule the*** ~ =rule the ROOST.

róast béef 로스트 비프《오븐에 구운 쇠고기; 전형적인 영국 요리로 양고추냉이를 발라 먹음》.

roast·er [róustər] *n.* C 굽는 사람; 굽는 기구, 고기 굽는 냄비〔오븐〕, 로스터; 《특히》 로스트용의 돼지 새끼.

roast·ing [róustiŋ] *a.* ①몹시 뜨거운〔더운〕: I'm absolutely ~ in this suit. 이 옷을 입으니 지독히 덥다. ②〔副詞的〕 몹시 더워: a ~ hot day 몹시 더운 날. — *n.* ① U 불에 구움〔볶음〕. ② (a ~) 《口》 철저하게 헐뜯음: give a person *a* ~ 아무를 몹시 비난하다 / get *a* ~ 몹시 비난받다.

‡**rob** [rab / rɔb] (*-bb-*) *vt.* ①《+目+前+名》 …에서 훔치다, 강탈〔약탈〕하다, 빼앗다; (권리 등)을 잃게 하다《*of*》: I was ~*bed of* my purse. 지갑을 도둑맞았다. ②(집·상점)을 털다; (금고 따위)의 내용물을 훔치다: ~ a safe 금고 안의 물건을 훔치다 / ~ a house 집을 털다. ③(사람)으로부터 행복·능력을 빼앗다: The shock ~*bed* him *of* speech. 쇼크로 말을 못했다.

— *vi.* 강도질을 하다(plunder).

‡**rob·ber** [rábər / rɔ́bər] *n.* C (특히 폭력을 쓰는) 도둑, 강도; 약탈자.

***rob·bery** [rábəri / rɔ́b-] *n.* U.C 강도 (행위), 약탈: a bank ~ 은행 강도 / commit ~ 강도질하다 / Police are investigating a series of bank *robberies* in the county. 경찰은 그 군에서 일어난 일련의 은행 강도사건을 수사하고 있다.

‡**robe** [roub] *n.* ① C 길고 품이 큰 겉옷; 긴 원피스의 여자 옷; 긴 아동복; =BATHROBE. ②(종종 *pl.*) 관복, 예복; 법복: judges' ~*s* 재판관의 법복. ③《美》 (차에 탔을 때 쓰는) 무릎 가리개.

— *vt.* 〔再歸的·受動으로〕 …을 입다: She ~*d herself* in her evening dress. 그녀는 이브닝 드레스를 입었다.

Rob·ert [rábərt / rɔ́b-] *n.* 로버트《남자 이름; 애칭 Bert, Berty, Bob, Dob, Rob, Robin》.

‡**rob·in** [rábin / rɔ́b-] *n.* C 울새((~) redbreast); 《美》 개똥지빠귀의 일종.

Róbin Góod·fel·low [-gúdfelou] (영국 전설의) 장난꾸러기 꼬마 요정. cf. Puck.

Róbin Hòod [-hùd] 로빈후드《중세 영국 전설에 나오는 의적》. cf. Maid Marian.

róbin rédbreast 울새.

Rób·in·son Crú·soe [rábinsənkrú:sou / rɔ́b-] 로빈슨 크루소《Danniel Defoe작의 표류기; 그 주인공》.

***ro·bot** [róubət, -bat / róubɔt] *n.* C ①로봇, 인조 인간; 자동 장치: an industrial ~ 산업용 로봇. ②기계적으로 일하는 사람.

ro·bot·ics [roubátiks / -bɔ́t-] *n.* U 로봇 공학.

***ro·bust** [roubʌ́st, róubʌst] (~*·er* ; ~*·est*) *a.* ①튼튼한, 강건한: a ~ physique〔frame〕 튼튼한 체격 / a ~ appetite 왕성한 식욕. ②건전한; 힘이 드는《일 따위》. ③(연설 등이) 강렬한, (말·농담 등이) 거친. ④(술 따위가) 감칠맛이 있는. 派 ~**·ly** *ad.* ~**·ness** *n.*

roc [rak / rɔk] *n.* 아라비아 전설의 큰 괴조(怪鳥). ***a ~'s egg*** 이야기뿐이며 실제로는 없는 것, 믿을 수 없는 것.

†**rock**[1] [rak / rɔk] *n.* ① U.C 바위, 암석, 암반(岩盤); 암벽: a mass of ~ 암괴(岩塊) / a fallen ~ 낙석(落石). ②(종종 *pl.*) 암초(暗礁): a sunken ~ 암초 / strike a ~ 암초에 부딪치다 / go〔run〕 on the ~*s* 난파하다, 좌초하다 / *Rocks* ahead! 암초다, 위험하다. ③(*sing.*) (견고한) 토대, 지지, 지주; 방호〔보호〕해주는 것: The Lord is my ~. 주는 나의 반석이시다. ④《美》 조약돌: throw ~*s* at …에 돌을 던지다. ⑤ U.C 다이아몬드, 보석. ⑥ U 《英》 단단한 사탕 과자, 얼음사탕. ⑦(*pl.*) 《卑》 불알. ⑧(*pl.*) 《美俗》 돈. ⑨ U 《俗》 코카인. (***as***) ***firm*** 〔***steady, solid***〕 ***as*** (***a***) ~ (1)극히 단단한. (2)(사람이) 믿을 수 있는. ***off the ~s*** 《口》 위험에서 벗어나, 파탄〔파산〕의 걱정없이. ***on the ~s*** (1)좌초〔난파〕하여. (2)파멸하여; 진퇴 양난으로; 《口》 돈에 쪼들려: Their marriage is *on the* ~*s*. 그들의 결혼 생활은 위기에 처해 있다. (3)《口》 (몇 개의) 얼음 덩어리 위에 부은《위스키 따위》: Scotch *on the* ~*s*.

‡**rock**[2] *vt.* ①…을 흔들리게 하다; 진동시키다: The building was ~*ed* by an earthquake. 빌딩이 지진으로 흔들렸다. ②《~+目 / +目+補 / +目+*to* do》 …을 (요람에 태워) 흔들다, 흔들어 …하게 하다; 달래다, 기분 좋게 해주다: ~ a cradle 요람을 흔들다 / ~ a baby *asleep* =~ a baby *to* sleep 갓난애를 흔들어 재우다. — *vi.* ①흔들리다; 흔들거리다: The ship ~*ed* in the storm. 배는 폭풍우 속에서 흔들거렸다. ②진동하다: He felt the house ~. 그는 집이 진동하는 것을 느꼈다. ③동요하다; 감동하다: The hall ~*ed* with laughter. 회관은 웃음소리로 진동했다. — *n.* ① C 흔들림; 동요; 한 번 흔듦: give a chair a ~ 의자를 흔들다. ② U =ROCK'N' ROLL; 로큰롤에서 파생된 록 음악.

rock·a·bil·ly [rákəbìli / rɔ́k-] *n.* U 로커빌리《열정적인 리듬의 재즈 음악》. [◂ *rock* and roll+hill*billy* song]

róck and róll =ROCK'N' ROLL.

róck bóttom 맨 밑바닥, 최저; 깊은 내막.

rock-bot·tom [rákbátəm / rɔ́kbɔ́t-] *a.* 〔限定的〕 맨 밑바닥의, 최저의: ~ prices 최저가.

rock·bound [-bàund] *a.* 바위로 둘러싸인; 바위투성이의; 끈질긴, 완강한.

róck cáke 겉이 딱딱하고 꺼칠한 쿠키.

róck cándy 《美》 ①얼음 사탕(《英》 sugar candy). ②막대 모양의 얼음 과자.

rock-climb·ing [-klàimiŋ] *n.* U 〖登山〗 암벽 등반, 바위타기.

róck crỳstal 〖鑛〗 (무색·투명의) 수정.

róck dàsh =PEBBLE DASH.

Rock·e·fel·ler [rákəfèlər / rɔ́k-] *n.* 록펠러《**John Davison** ~ 미국의 자본가·자선 사업가; 1839–1937》.

Róckefeller Cénter (the ~) 록펠러 센터《New York시 중심지에 있는 상업·오락 지구》.

rock·er [rákər / rɔ́k-] *n.* ①흔들리는 것, (흔들의자 따위의 밑에 달린) 호상(弧狀)의 다리; 흔들의자(rocking chair); 흔들목마. ②《英》 폭주족《1960 년대에 가죽 잠바를 입고 오토바이를 타며 록 음악을 듣던 십대들》. ③《口》 록 연주가, 록 팬, 록 음악. ***off** one's* ~ 《俗》 제 정신이 아닌; 미친.

rock·ery [rákəri / rɔ́k-] *n.* =ROCK GARDEN.

‡**rock·et** [rákit / rɔ́k-] *n.* ① C 로켓; 로켓탄; 로켓 발사 우주선: launch a ~ 로켓을 발사하다.

②Ⓒ 화전(火箭), 봉화; 쏘아올리는 불꽃. ③ (a ~) 《口》 심한 질책 : give a person *a* ~ 아무를 호되게 꾸짖다 / get *a* ~ 야단 맞다.
— *vt.* ①…을 로켓으로 나르다〔쏴 올리다〕: ~ an object *into* space 로켓으로 물체를 우주로 보내다. ② (아무)를 급히 …되게 하다 : This ~*ed* him to a top position. 이것으로 그는 단숨에 최고의 지위에 올랐다. — *vi.* ① (로켓처럼) 돌진하다 : The train ~*ed* through the tunnel. 열차는 재빨리 터널을 통과했다. ② (바람직한) 상태로 급변하다 : Their new album ~*ed* to number one in the charts. 그들의 새 음반은 단숨에 차트의 1위에 올랐다. ③ (가격 등이) 갑작스레 치솟다 : Price have ~*ed* this year. 금년은 물가가 급등했다.
— *a.* 〔限定的〕 로켓의 : a ~ launcher 로켓 발사 장치〔기〕/ ~ propulsion 로켓 추진.

rock·e·teer [ràkitíər / rɔ̀k-] *n.* Ⓒ 로켓 사수(射手)〔조종사〕; 로켓 기사〔연구가, 설계사〕.

rócket ѐngine 〔mòtor〕 (초음속 비행기 등의) 로켓 엔진.

rock·et-pro·pelled [rákitprəpéld / rɔ́k-] *a.* 로켓 추진식의. 「사용」.

rock·et·ry [rákitri / rɔ́k-] *n.* Ⓤ 로켓 공학〔실험,

rócket shìp (공상 과학 소설에 나오는) 우주선.

rock·fall [rákfɔ̀ːl / rɔ́k-] *n.* Ⓒ 낙석, 낙반.

róck gàrden 암석 정원; 석가산(石假山)이 있는 정원. 「MOUNTAINS.

Rock·ies [rákiz / rɔ́k-] *n. pl.* (the ~) = ROCKY

rócking chàir 흔들의자.

rócking hòrse = HOBBYHORSE ①.

rócking stòne 흔들리는 바위(logan stone).

róck mùsic 록 음악.

rock'n'roll, rock-'n'roll [rákənróul / rɔ́k-] *n.* Ⓤ 로큰롤.

róck plànt 암생(岩生) 식물; 고산 식물.

róck pòol 썰물 때 드러나는 바위틈의 웅덩이.

róck sálmon 《英》 dogfish, pollack, wolffish 등 몇몇 해산 식용어의 총칭《생선 장수의 용어》.

róck sàlt 암염(岩塩). cf. sea salt.

róck wòol 암면(岩綿)《광석을 녹여 만든 섬유; 단열·보온·방음용》.

‡**rocky**[1] [ráki / rɔ́ki] (*rock·i·er ; -i·est*) *a.* ① 암석이 많은, 바위로 된 : a ~ road 바위투성이 길; 고난의 길. ②바위 같은, 튼튼한. ③ 부동의, 태연한; 완고한, 냉혹한, 무정한.

rocky[2] (*rock·i·er ; -i·est*) *a.* ① 흔들흔들하는, 불안정한 : His business was in (a) ~ condition. 그의 사업은 불안정 상태에 있었다. ② 《口》 비슬거리는, 현기증 나는 : I'm still a little ~. 나는 아직도 다리가 떨린다.

Rócky Móuntains (the ~) 로키 산맥.

ro·co·co [rəkóukou, ròukəkóu] *n.* Ⓤ (종종 R-) 로코코식《18세기경 유행된 건축·미술 등의 양식》. — *a.* 로코코식의; 지나치게 장식이 많은.

‡**rod** [rad / rɔd] *n.* ①Ⓒ 〔종종 複合語로〕 장대, (가늘고 긴) 막대; 낚싯대 : ⇨CURTAIN ROD / a ~ and line 낚싯줄이 달린 낚싯대 / fish with ~ and line 낚시를 하다(★ with ~ and line은 무관사). ②Ⓒ 작은 가지, 애가지. ③Ⓒ 회초리; (the ~) 회초리로 때리기, 매질, 징계 : Spare *the* ~ and spoil the child. 《俗談》 매를 아끼면 자식을 버린다, 귀한 자식 매로 키워라. ④ Ⓒ 권장(權杖), 홀(笏); 권력, 직권. ⑤Ⓒ 로드 (perch[1])《길이의 단위; 5 1/2야드, 5.0292 미터》; 면적의 단위《30 1/4 평방야드, 25.29 평방미터》. ⑥ Ⓒ 《美俗》 권총 : pack a ~ 권총을 지니다. ⑦Ⓒ 〖機〗 간(桿); 측량간. ⑧Ⓒ 〖生〗 간균(桿菌). ⑨ Ⓒ 〖解〗 간상체(桿狀體). ***make a ~ for*** one***self*** 〔***for*** one***'s own back***〕 화를 자초하다, 사서 고생하다.

‡**rode** [roud] RIDE 의 과거. 「끼 따위」.

ro·dent [róudənt] *n.* Ⓒ 설치류의 동물《쥐·토

ro·deo [róudiòu, roudéiou] (*pl.* **~s**) *n.* Ⓒ 《美》 ① (낙인을 찍기 위하여) 목우(牧牛)를 한데 모으기. ② 로데오《카우보이의 말타기 따위의 공개 경기대회》.

Ro·din [roudǽn, -dɑ́ːn] *n.* **Auguste** ~ 로댕《프랑스의 조각가; 1840-1917》.

rod·o·mon·tade [ràdəmɑntéid, ròu-, -tɑ́ːd] *n.* Ⓤ 호언 장담, 허풍. — *a.* 자랑하는, 허풍떠는. — *vi.* 호언 장담하다.

roe[1] [rou] (*pl.* **~s,** 〔集合的〕 ~) *n.* 노루(~ deer).

roe[2] *n.* Ⓤ,Ⓒ ① 곤이, 어란(魚卵)(hard ~). ② 어정(魚精), 이리(soft ~).

roe·buck [∸bʌ̀k] (*pl.* ~, **~s**) *n.* Ⓒ 노루의 수컷.

róe dèer 노루.

Roent·gen [réntgən, -dʒən, rʌ́nt-] *n.* 뢴트겐. ① **Wilhelm Conrad** ~ 뢴트겐선을 발견한 독일의 물리학자《1845-1923》. ② (r-) 방사선의 세기의 단위《略: R》. — *a.* 〔限定的〕 뢴트겐의, X 선의 : a *roentgen* photograph 뢴트겐 사진.

ro·ga·tion [rougéiʃən] *n.* (*pl.*) 〖基〗 (예수 승천축일 전의 3 일간의) 기도, 기원.

Rogátion Dàys (the ~) 기도 성일《예수 승천 축일 전의 3 일간》.

rog·er[1] [rádʒər / rɔ́dʒər] *int.* (*or* R-) 〖通信〗 알았다, 로저; 《口》 좋다, 알겠다(all right, O.K.).

rog·er[2] *vt., vi.* 《英卑》 (…와) 동침〔성교〕하다.

‡**rogue** [roug] *n.* Ⓒ ① 악한, 불량배, 깡패. ② 《戲》 개구쟁이, 장난꾸러기.
— *a.* 〔限定的〕 (야생 동물이) 무리와 떨어져있어 사나운; 단독으로〔외톨로〕 이탈한.

ro·guery [róugəri] *n.* Ⓤ,Ⓒ 못된 짓, 부정; 장난, 짓궂음. ***play ~ upon*** …을 속이다.

rógues' gállery (경찰 등의) 범인 사진첩.

ro·guish [róugiʃ] *a.* 깡패의, 건달의; 장난치는, 짓궂은. ㊞ **~·ly** *ad.* **~·ness** *n.*

roil [rɔil] *vt.* ① …을 휘젓다, 휘정거려 흐리게 하다 : ~ a spring 샘을 흐리게 하다. ② 《美》 = RILE.

rois·ter·er [rɔ́istərər] *n.* Ⓒ 술마시고 (들떠서) 떠드는 사람.

rois·ter·ing [rɔ́istəriŋ] *n.* Ⓤ 술마시고 떠듦.
— *a.* 〔限定的〕 술마시고 떠드는.

ROK the Republic of Korea(대한 민국).
ROKA ROK Army. **ROKAF** ROK Air Force.
ROKMC ROK Marine Corps. **ROKN** ROK Navy.

Ro·land [róulənd] *n.* 롤런드《남자 이름》.

‡**role, rôle** [roul] *n.* 《F.》 ① (배우의) 배역 : ⇨ TITLE ROLE / She plays the ~ of Ophelia in Hamlet. 그녀는 '햄릿'에서 오필리아 역을 맡고 있다. ② 역할, 임무 : one's ~ as a teacher 교사로서의 임무 / fill the ~ of …의 임무를 완수하다. 「따위에서」.

róle mòdel 역할 모델.

role-play·ing [∸plèiiŋ] *n.* Ⓤ 역할 연기《심리극

†**roll** [roul] *vi.* ①《~ / +副 / +前+名》 (공·바퀴 따위가) 구르다, 굴러가다, 회전(回轉)하다 : The ball ~*ed into* the street. 공은 차도(車道) 안으로 굴러갔다. ② (차가) 나아가다, 달리다, (차로) 가다《*along ; by*》: The car ~*ed off* 〔*along*〕. 차는 달려 사라졌다〔나아갔다〕. ③ (작업 등이) 척척 진척하다 : get business ~*ing* 일을 척척 진척시키다. ④《+前+名》 (천체가) 주기적으로 운행하다. ⑤《+副》 (세월이) 지나가다《*on ; away ; by*》; (다시) 돌아오다, 돌고 돌다《*round ; around*》: Centuries ~*ed on* 〔*by*〕. 수세기가 흘

러갔다 / Summer ~*ed round* again. 여름이 또다시 돌아왔다. ⑥《~ / +젼+명 / +뷔》(땅이 높고 낮게) 기복하다; (파도 따위가) 굽이치다, 파동하다; (연기·안개 등이) 끼다, 감돌다: The country ~*ed* away 〔on〕 for miles and miles. 그 땅은 몇 마일이나 기복이 계속되어 있었다. ⑦《~ / +뷔 / +젼+명》(배·비행기가) 옆질하다, 좌우로 흔들리다. cf. pitch¹. ¶ The ship ~*ed in* the waves. 배가 파도에 좌우로 흔들렸다. ⑧ (사람이) 몸을 흔들며 걷다; 뒤치다, 뒹굴다: ~ *in* bed 잠자리에서 몸을 뒤치락거리다 / He ~*ed up* to me. 비틀거리며 내 앞으로 왔다. ⑨《俗》나가다; 착수하다. ⑩ (천둥이) 우르르하다〔울리다〕, (북이) 둥둥 울리다: The thunder ~*ed* in the distance. 천둥소리가 멀리서 들려왔다. ⑪ (이야기·변설 등이) 유창하다, 도도히 논하다; (새가) 떨리는 소리로 지저귀다. ⑫《+뷔 / +젼+명》동그래지다, 똘똘 뭉쳐〔말려〕 좋아들다《*up*; *together*》: This rug won't ~ *up* easily. 이 깔개는 잘 말리지 않는다. ⑬ (금속·인쇄잉크·가루반죽 등이 롤러에 걸려) 늘어나다〔압연되다〕, 펴지다. ⑭ (눈이) 희번덕거리다; 눈알을 부라리며 보다《*at*》: His eyes were ~*ing*. 그의 눈이 희번덕거리고 있었다. ⑮《+젼+명》《口》호화롭게 살다, 남아 돌아갈 만큼 있다: He is ~*ing in* money. 돈에 파묻혀 살고 있다. ⑯《口》(일 따위에) 착수하다, 시작하다; 출발하다.

— *vt.* ①《~+목 / +목+젼+명》…을 굴리다, 회전시키다: *Roll* the ball *to* me. 공을 내게 굴려라. ②《+목+젼+명》…을 굴려 가다, 실어나르다; 탈것으로〔굴림대로〕 옮기다: ~ a ship *into* water 굴림대로 배를 움직여 물에 띄우다. ③《~+목 / +목+젼+명》(파도·물)을 굽이치게 하다, (안개)를 감돌게 하다; 물결처럼 굽이쳐 나가게 하다; (연기·먼지 등)을 휘말아 올리다: The river ~*s* water *into* the ocean. 강물은 굽이굽이 흘러 바다로 간다 / The chimney were ~*ing up* smoke. 굴뚝은 뭉게뭉게 연기를 뿜고 있었다. ④《~+목 / +목+젼+명》…을 동그랗게 하다, 말다, 말아서 만들다; 감다《*around*》; 감싸다, 싸다: ~ a cigarette 담배를 말다 / ~ the string *into* a ball 실을 감아 공을 만들다. ⑤…을 롤러를 굴려 판판하게 하다, 밀방망이로 밀어 늘리다; (금속)을 압연하다: ~ a court 테니스장을 고르다. ⑥…을 조작하다, 움직이다: ~ the camera 카메라를 조작하다. ⑦ (북 따위)를 둥둥 울리다; 울리게 하다; 낭랑하게 지껄여대다; (r)를 혀를 꼬부려 발음하다. ⑧《~+목 / +목+뷔 / +목+젼+명》(눈알)을 희번덕거리다: ~ *up* one's eyes *on* a person 아무에게 눈을 부라리다. ⑨《+목+뷔》(배·비행기)를 옆질하게〔좌우로 흔들리게〕 하다: The waves ~*ed* the ship *along*. 배가 파도에 좌우로 흔들리면서 나아갔다. ⑩ (아무)를 때려서 자빠뜨리다; (술취한 사람)에게서 돈을 훔치다, 강탈하다. ⑪《+목+뷔》(감은 것)을 펴다, 펼치다《*out*》: He ~*ed* the map *out* on the table. 책상 위에 지도를 폈다. ***be ~ing in it*** 《口》굉장한 부자다: *be ~ing in* luxury 호화판으로 살다(⇨*vi.* ⑮). ~ ***back*** 《美》(*vt.*)(카펫 따위)를 말아서 치우다; 역전〔격퇴〕시키다; 《美》(통제하여 물가)를 본래 수준으로 되돌리다. (*vi.*)(파도·조수 따위가) 빠지다; 후퇴하다. cf. rollback. ~ ***down*** 굴러 떨어지다, 흘러내리다: Tears ~*ed down* her cheeks. 눈물이 뺨 위를 흘러내렸다. ~ ***in*** (1) 꾸역꾸역 모여들다, 많이 오다: Presents are ~*ing in*. 선물이 답지하고 있다. (2)《美》자다, 잠자리에 들다. (3)《口》(집 따위에) 겨우 다다르다. ~ ***in the aisles*** ⇨ AISLE. ~ ***into one*** 합하여 하나로 만들다: one's assistant and secretary ~*ed into one* 조수와 비서를 겸한 사람. ~ ***on*** 굴러가다; (세월이) 흘러가다; 《英》〔命令形; 主語를 文尾에 놓고〕 (기다리는 날 등이) 빨리 오너라; (페인트 등을) 롤러로 칠하다: *Roll on*(,) Spring! 봄이여 빨리 오라. ~ ***out*** (1) 굴러나오다. (2)《美俗》(침대에서) 일어나 나오다. (3) 펴서 판판하게 하다. (4) 낮은 음조로 말하다. (5)《口》대량 생산하다. ~ ***out the red carpet*** 정중히 환영(할 준비를) 하다. ~ ***over*** (1) (몸을) 뒤치다: Ben ~*ed over* and kissed her. 벤은 돌아누우며 그녀에게 키스했다. (2) 옆으로 기울다: The ship ~*ed over* and sank. 배는 옆으로 기울더니 침몰했다. (3) 넘어뜨리다. ~ one***self*** (1) 동그래지다; 몸을 감싸다《*in*》: ~ (*oneself*) *up in* the blanket 담요로 (몸을) 감싸다. (2) 굴리다; (몸을) 뒤치다《*onto*》: He ~*ed himself onto* his stomach. 그는 몸을 뒤쳐 엎드렸다. ~ ***up***(*vi.*)(1) 동그래지다, 감싸이다. (2) (연기 따위가) 뭉게뭉게 오르다; 《口》나타나다, (늦게〔취하여〕) 오다: *Roll up*! (*Roll up*)! 자자 어서 오십시오《서커스·노점 따위의 외치는 소리》. (*vt.*)(1) …을 둘둘 말다; 손잡이를 돌려 (자동차 문 등)을 닫다; …을 싸다; 감싸다. (2) (돈 따위)를 모으다. ~ ***up*** one***'s sleeves*** ⇨SLEEVE.

— *n.* Ⓒ ① 회전, 구르기. ② (배 등의) 옆질. opp. *pitch*. ③ (비행기·로켓 등의) 횡전(橫轉). ④ (땅 따위의) 기복, 굽이침. ⑤ 두루마리, 권축(卷軸), 둘둘 만 종이, 한 통, 롤: a ~ of printing paper 〔film〕 인쇄지〔필름〕 한 통. ⑥ 명부, 《英》변호사 명부; 출석부; 표, 기록(부); 공문서; 사본; 목록: on the ~*s* of fame 명사록에 게재되어 / call the ~ 출석을 부르다. ⑦ 구형〔원통형〕의 것; 말아서 만든 것, 말려 있는 것《빵·케이크·담배·실 따위》: a ~ of bread 두루마리빵, 롤빵. ⑧ (지방 등의) 쌓인 덩이: ~*s* of fat 비곗덩어리. ⑨ (천둥 등의) 울림; (북의) 연타; 낭랑한 음조: a distant ~ of thunder 멀리서 들려오는 천둥 소리. ⑩《美口》지폐 뭉치. ⑪ (the R-s)《英》공문서 보관소. ⑫ 주사위를 흔듦; 주사위를 던져서 나온 수의 합계. ~ ***in the hay*** 성교(하다). ***on a*** ~ 《美口》운이 따라; 상태가 좋아: I'm *on a* ~. 나는 컨디션이 좋다. ***the*** ~ ***of honor*** 영예의 전사자 명부.

roll·a·way [róuləwèi] *a.* (가구 따위가) 바퀴 달린. — *n.* Ⓒ 롤러 달린 침대(=~ **bèd**).

roll·back [∸bæ̀k] *n.* Ⓒ ① 역전, 되돌림. ② (물가·임금의 이전 수준으로의) 인하.

róll bàr 롤바《충돌·전복에 대비한 레이스용 자동차의 천장 보강용 철봉》.

róll bóok (교사가 지니는) 출석부, 교무수첩.

róll càll 출석 조사, 점호; 〖軍〗 점호 나팔〔북〕, 점호 시간: skip (the) ~ 점호를 생략하다 / *Roll call* is at 6 a.m. 점호는 오전 6시에 있다.

rólled góld (plàte) [róuld-] 금을 얇게 입힌 황동판(黃銅板); 황금제의 얇은 전극판.

rólled óats (맷돌로) 탄 귀리《오트밀용(用)》.

rolled-up [∸ʌ́p] *a.* 둘둘 감은〔만〕.

‡**roll·er** [róulər] *n.* Ⓒ ① 롤러, 녹로(轆轤); (지도 등의) 축, 권축(卷軸); 굴림대, 산륜(散輪); 땅 고르는 기계; 압연기(壓延機); 〖印〗 잉크롤러. ② 두루마리 붕대. ③ (폭풍우 후의) 큰 놀. ④ 굴리는 사람, 회전 기계 조작자. ⑤ 롤러카나리아; 집비둘기의 일종.

róller bàndage 두루마리 붕대.

róller bèaring 〖機〗 롤러베어링.

róller blìnd 《英》 감아올리는 블라인드.

róller còaster 롤러 코스터(《英》 switchback) 《환상(環狀)의 물매진 선로를 달리는 오락용 활주

차(滑走車)》.

róller skàte (흔히 *pl.*) 롤러스케이트 구두 : a girl on ~*s* 롤러스케이트 구두를 신은 소녀.
㊞ **róller skàter** 롤러스케이트 타는 사람.

roll·er-skate [-skèit] *vi.* 롤러스케이트를 타다.

roll·er-skat·ing [-skèitiŋ] *n.* Ⓤ 롤러스케이트 타기.

「롤러에 매단).

róller tòwel 고리 타월(타월 양끝을 맞꿰매어

róll fìlm 〖寫〗 두루마리 필름. ⓒⓕ plate.

rol·lick·ing[1] [rálikiŋ / rɔ́l-] *a.* 〔限定的〕 까부는, 떠드는 ; 쾌활한.

rol·lick·ing[2] *n.* Ⓒ 《英口》 심한 꾸지람 : give a person a ~ 아무를 질책하다.

‡roll·ing [róuliŋ] *a.* ① 구르는 ; 회전하는 ; (눈알이) 두리번거리는. ② 옆질하는, 비틀거리는 ; 놀치는 ; (토지가) 기복이 있는 : a ~ country 기복이 진 땅. ③〔敍述的〕 (흔히 ~ in it로) 《口》 돈이 엄청나게 많은. ── *n.* Ⓤ 구르기, 굴리기 ; 회전 ; 눈을 두리번거림 ; (배 · 비행기의) 옆질 ; 기복, 굽이침 ; 우르르 울림 ; (금속의) 압연.

rólling mìll 압연기 ; 압연 공장.

rólling pìn 밀방망이.

rólling stóck 〔集合的〕 (철도의) 차량(기관차 · 객차 · 화차 따위) ; (철도회사〔《美》 운수업자〕 소유의) 화물 자동차.

rólling stóne 구르는 돌 ; 진득하지 못한 사람, 주거를〔직업을〕 자주 바꾸는 사람 ; 《美》 활동가 《다음 속담에서》 : A ~ gathers no moss. 《俗談》 구르는 돌은 이끼가 끼지 않는다(흔히는 직업 등을 자주 옮기는 것이 나쁘다는 뜻으로 쓰이나, 《美》에서는 종종 활동하는 자는 늘 신선하다는 뜻).

roll·mops [-màps / -mɔ̀ps] (*pl.* ~, ***-mop·se*** [-sə]) *n.* 롤몹스(청어를 만 피클스).

roll-on [róulàn / -ɔ̀n] *a.* 〔限定的〕 (화장품·약품이) 롤온식(式)의, 회전 도포식의.

roll-on roll-off, roll-on-roll-off [-róul-ɔ̀(:)f, -ɑ̀f] *a.* 〔限定的〕 롤온 롤오프식의, (페리 등이) 짐 실은 트럭〔트레일러 등〕을 그대로 승 · 하선시킬 수 있는 : a *roll-on-roll-off* car ferry 롤온 롤오프식 카페리.

roll·over [róulòuvər] *n.* Ⓒ (자동차의) 전복.

Rolls-Royce [róulzrɔ́is] *n.* 롤스로이스(영국제 고급 승용차 ; 商標名).

róll-top désk 접이식의 뚜껑이 달린 책상.

roll-up [róulʌ̀p] *n.* Ⓒ 손으로 만 담배.

ro·ly-po·ly [róulipóuli] *n.* Ⓤⓒ ① 잼 · 과일 등을 넣은 꽈배기 푸딩(=∠ **pùdding**). ② 토실토실한 사람〔동물〕. ── *a.* 토실토실 살찐.

ROM [ram / rɔm] *n.* Ⓤ (또는 a ~) 〖컴〗 롬, 읽기 전용 기억 장치(read-only memory 의 머리 글자).

Rom. Roman; Romance; Romanic ; Romans ; Rome. **rom.** 《印》 roman (type).

†Ro·man [róumən] (***more*** ~ ; ***most*** ~) *a.* ① 로마시의 ; (현대의) 로마(사람)의 ; (고대) 로마 사람의 : the ~ alphabet 로마자, 라틴 문자 / the ~ school 로마파(16-17 세기에 Raphael 등이 주동한). ② 로마 가톨릭교의. ③ (흔히 r-) 로마 글자(체)의 (ⓒⓕ italic) ; 로마 숫자의. ④ 로마 사람 풍〔기질〕의 ; 고대 로마 건축 양식의.
── (*pl.* ~***s***) *n.* ① Ⓒ 로마 사람 ; (이탈리아 말의) 로마 방언. ② (the ~s) 〖聖〗 로마서(略 : Rom.). ③ Ⓒ 로마 가톨릭교도. ④ (흔히 r-) Ⓤ 〖印〗 로마자(의 활자) (=**róman týpe**) (略 : rom.).

ro·man à clef [*F.* rɔmɑ̃nakle] (*pl.* ***ro·mans à clef*** [rɔmɑ̃za-]) 《F.》 실화 소설, 모델 소설.

Róman álphabet (the ~) 로마자(字).

Róman cándle 꽃불의 일종(긴 통에서 불똥이 튀어나옴).

Róman Cátholic *a.* (로마) 가톨릭교의 ; 천주교의 : the ~ Church (로마) 가톨릭 교회(略 : RCC). ── *n.* Ⓒ (로마) 가톨릭교도.

Róman Cathólicism (로마) 가톨릭교, 천주교 ; 가톨릭의 교의〔의식, 관습〕.

‡ro·mance [roumǽns, róumæns] *n.* ① Ⓤⓒ 가공적인 이야기 ; Ⓒ (중세의) 기사〔모험〕 이야기 ; 전기〔모험〕 소설 ; 연애 소설. ② Ⓒ 로맨스, 연애, 정사(情事) : She had a ~ with an actor. 그녀는 배우와 로맨스가 있었다. ③ Ⓤ 로맨틱한 분위기. ④ Ⓤ 〖樂〗 서정적인 기악곡.
── *a.* (R-) 로망스어의, 라틴계 언어의.
── *vi.* ① (…에 대해) 로맨틱하게 말하다〔생각하다, 쓰다〕 : an old man *romancing about* the past 과거를 로맨틱하게 이야기하는 노인. ② 로맨틱한 시간을 보내다.

Rómance lánguages (the ~) 로망스어(라틴 말 계통의 근대어 ; 프랑스 말 · 이탈리아 말 · 스페인 말 · 루마니아 말 따위).

Róman Émpire (the ~) 로마 제국(帝國)(기원전 27년 Augustus가 건설 ; 395년 동서로 분열).

Ro·man·esque [ròumənésk] *a.* 로마네스크 양식의. ── *n.* Ⓤ 로마네스크 양식(건축 · 조각 · 회화 등의).

ro·man-fleuve [*F.* rɔmɑ̃flœ:v] (*pl.* ***romans-fleuves*** [─]) *n.* 《F.》 대하(大河) 소설(river novel ; 《英》 saga novel).

Róman hóliday 로마(인)의 휴일(남을 희생시키고 즐기는 오락).

Ro·ma·nia [rouméiniə, -njə] *n.* =RUMANIA.
㊞ **Ro·má·ni·an** *a., n.*

Ro·man·ize [róumənàiz] *vt.* ① (r-) 로마 글자체로 쓰다, 로마자로 고치다 : ~ Korean 한국어를 로마자로 쓰다. ② 가톨릭교화하다.
㊞ **Rò·ma·ni·zá·tion** [-nizéiʃən] *n.*

Róman láw 로마법.

「體)의 활자.

róman létters 〖印〗 로마자(字) ; 로마 자체(字

Róman númerals 로마 숫자(Ⅰ=1, Ⅱ=2, Ⅴ=5, Ⅹ=10, L=50, C=100, D=500, M=1,000 따위). ⓒⓕ ARABIC NUMERALS.

‡ro·man·tic [roumǽntik] (***more*** ~ ; ***most*** ~) *a.* ① **a)** 공상〔모험, 연애〕 소설적인, 로맨틱한 ; 신비적인, 괴기적인 : a ~ tale 〔scene〕 로맨틱한 이야기〔장면〕. **b)** 공상적인, 엉뚱한 ; 비현실적인, 실행키 어려운 : ~ ideas〔movies〕 엉뚱한 생각〔동기〕. **c)** 공상에 잠기는 : a ~ girl 꿈꾸는 소녀. **d)** (이야기 등이) 가공의, 허구의. ② 열렬한 연애의, 정사적인 : ~ relationship 연애 관계, 정사. ③ (종종 R-) 낭만주의(파)의 : the ~ poets 낭만파의 시인 / the ~ school 낭만파. ◇ romanticism.
── *n.* Ⓒ 로맨틱한 사람 ; (종종 R-) 낭만주의 작가〔시인, 작곡가〕.
㊞ **-ti·cal·ly** [-kəli] *ad.* 낭만〔공상〕적으로.

ro·man·ti·cism [roumǽntəsìzəm] *n.* Ⓤ ① 로맨틱함, 공상적인 경향. ② (종종 R-) 로맨티시즘, 낭만주의. ⓒⓕ classicism.
㊞ **-cist** *n.* Ⓒ 로맨티시스트, 낭만주의자.

ro·man·ti·cize [roumǽntəsàiz] *vt., vi.* (…을) 로맨틱하게 하다〔다루다〕 ; 낭만적으로 묘사하다.

Rom·a·ny [rámənі, róum- / rɔ́m-] (*pl.* ~, ***Rom·a·nies***) *n.* ① Ⓒ 집시. ② Ⓤ 집시 말.

Rom. Cath. Roman Catholic.

†Rome [roum] *n.* ① 로마(이탈리아의 수도 ; 고대 로마 제국의 수도) : All roads lead to ~. 《俗談》 모든 길은 로마로 통한다(목적 달성의 방법은 여러가지가 있다) / When in ~ do as the Romans do. 《俗談》 입향 순속(入鄕循俗) / ~ was not built in a day. 《俗談》 로마는 하루 아침에 이루어진 것이 아니다《큰일은 일조일석에 되지 않는다》. ② (로마) 가톨릭 교회. ***fiddle while ~ is burning*** 큰일을 제쳐놓고 안일에 빠지다《Nero 의 고사(古事)에서》.

Ro·meo [róumiòu] *n.* ① 로미오《Shakespeare 의 비극 *Romeo and Juliet*의 주인공》. ② Ⓒ (*pl.* **~s**) 사랑에 빠진 남자; 애인(lover)《남자》.

Rom·ish [róumiʃ] *a.* 가톨릭교의.

romp** [rɑmp / rɔmp] *n.* Ⓒ ① 떠들며 뛰어놀기, 활발한 장난. ② 장난꾸러기, 《특히》 말괄량이. ③ 쾌주, 낙승 : in a ~ 아주 쉽게, 간단하게. ── *vi.* ① 떠들썩하게 뛰놀다《*about ; around*》: The children are *~ing about* on the playground. 아이들이 운동장에서 뛰어 놀고 있다. ② (…에) 쉽사리 성공하다《*along ; past ; through*》: He *~ed through* the entrance exams. 그는 입학 시험에 무난히 패스했다. ~ ***home 〔***in***〕 《口》 (큰 차이로) 낙승(樂勝)하다. ㊎ ∠·**er** *n.*

Rom·u·lus [rɑ́mjələs / rɔ́m-] *n.* 〖로神〗 로물루스《로마의 건설자로 초대 왕; 그 쌍둥이 형제, Remus 와 함께 늑대에게 양육되었다 함》.

ron·deau [rɑ́ndou / rɔ́n-] (*pl.* ***-deaus, -deaux*** [-dou(z)]) *n.* Ⓒ 론도체(의 시)《10행〔13행〕 시; 두 개의 운(韻)을 가지며 시의 첫말 또는 구가 두 번 후렴(refrain)으로 쓰임》.

ron·do [rɑ́ndou / rɔ́n-] (*pl.* **~s**) *n.* Ⓒ 《It.》 〖樂〗 론도, 회선곡(回旋曲).

Rönt·gen [réntgən, -dʒən, rʌ́nt-] = ROENTGEN.

rood [ru:d] *n.* Ⓒ ① (the ~) 교회 안의 십자 고상(苦像), 십자가 위의 예수상(像). ② 루드《길이의 단위; 5 1/2-8 yard; 때로 1 rod; 토지 면적의 단위: 1 acre의 1/4, 약 1,011.7 m², 약 300 평》.

róod scrèen (교회의) 강단 후면의 칸막이.

†**roof** [ru:f, ruf] (*pl.* **~s** [-s]) *n.* Ⓒ ① 지붕; 지붕 모양의 것 : a thatched ~ 초가지붕 / the ~ of the mouth 입천장, 구개(口蓋); 동굴 따위의 천장. ② 《比》 집, 가정 : a hospitable ~ 손님 대접이 후한 집. ③ 정상, 꼭대기, 최고부 : the ~ of the world 세계의 지붕《Pamir 고원(高原)》/ the ~ of heaven 천공(天空). ***be*** (***left***) ***without a*** ~ = ***have no ~ over*** one'***s head*** 거처할 집이 없다. ***hit*** 〔***go through***〕 ***the*** ~ (1) 몹시 화를 내다. (2) (물가가) 천정부지로 오르다. ***live under the same*** ~ (***as*** a person) (아무와) 동거하다, 한 집에 살다. ***raise the*** ~ 《口》 (1) 큰 소동을 일으키다. (2) 큰 소리로 불평을 늘어놓다. ***under*** a person'***s*** ~ 아무의 집에 묵어, 아무의 신세를 지고. ***You'll bring the ~ down !*** 《口》 목소리가 높다, 시끄럽구나.
── *vt.* 《~+목/+목+부/+목+전+명》 …에 지붕을 달다; (지붕)을 이다《*with*》; 지붕처럼 덮다《*in ; over*》: ~ a house *with* tiles 기와로 지붕을 이다. ㊎ ∠·**er** *n.* Ⓒ 기와장이.

róof gàrden 옥상 정원.

roof·ing [rú:fiŋ, rúf-] *n.* Ⓤ ① 지붕이기. ② 지붕이는 재료.

roof·less [rú:flis, rúf-] *a.* ① 지붕이 없는. ② 집 없는《떠돌이 등》.

róof ràck 《英》 자동차 지붕 위의 짐 싣는 곳.

roof·top [rú:ftɑ̀p, rúf- / -tɔ̀p] *n.* Ⓒ 옥상. ***shout . . . from the ~s*** (…을) 세상에 소문내다; 크게 떠들어대다.

roof·tree [rú:ftrì:, rúf-] *n.* Ⓒ 〖建〗 마룻대; 지붕; 주거 : under one's ~ 자택에서.

rook¹ [ruk] *n.* Ⓒ ① 〖鳥〗 떼까마귀《유럽산》. ② 사기꾼; (카드놀이에서) 속이는 사람. ── *vt.* (내기)에서 속이다; (손님)에게서 부당한 대금을 받다, 바가지 씌우다.

rook² *n.* Ⓒ 〖체스〗 룩, 성장(城將) (castle)《장기의 차(車)에 해당; 略 : R》.

rook·ery [rúkəri] *n.* Ⓒ ① 떼까마귀의 군생(群生)하는 숲〔집단 서식지〕. ② 바다표범·펭귄 따위의 번식지.

rook·ie [rúki] *n.* Ⓒ 《口》 신병; 신출내기; (프로 스포츠의) 신인 선수. [◂ *recruit*]

†**room** [ru:m, rum] 《[ru:m] 이 더 우세하며, 특히 미국에 많음》 *n.* ① Ⓒ 〔종종 複合語를 이루어〕 방《略 : rm.》: ⇨bathroom / a furnished ~ 가구가 비치된 방 / My ~ is upstairs. 내 방은 위층〔이층〕에 있다. ② (*pl.*) (침실·거실·응접실 따위) 한 벌이 갖추어져 있는 방; 하숙방, 셋방 : *Room* to let. = *Room* for rent. 셋방 있음. ③ (흔히 the ~) 방 안의 사람들, 한 자리에 모인 사람들 : *The* whole ~ turned and look at her. 방안의 모든 사람이 돌아서서 그녀를 바라보았다. ④ Ⓤ (빈) 장소, 공간, 여지(餘地); 기회; 여유《*for*》: There's little ~ *for* innovation〔doubt〕. 기술 혁신〔의심〕의 여지가 거의 없다. ***make ~ for*** …을 위하여 장소〔통로〕를 비우다, 자리를 양보하다 : *make ~ for* an old man 노인에게 자리를 양보하다. ~ ***and board*** 식사 제공 하숙방. ~ (***and***) ***to spare*** 《口》 충분한 여지.
── *vi.* 《~ / +전+명》 묵다; 동숙〔합숙〕하다; 《美》 하숙하다《*in ; with*》: He is *~ing with* Smith. 그는 스미스와 한방에서 지낸다 / We ~ *in* the same dormitory. 우리는 같은 기숙사에서 기숙한다.

roomed [ru(:)md] *a.* 〔複合語로서〕 방(房)이 …개 있는 : a three-~ house 방 3개 짜리 집(★ 미국에서는 a three-*room* house 의 형식이 보통임).

room·er [rú(:)mər] *n.* Ⓒ 《美》 셋방 든 사람; (특히 식사는 하지 않는) 하숙인.

room·ette [ru(:)mét] *n.* Ⓒ 〖美鐵〗 (침대차의) 작은 독방《침대·세면소가 달린》.

room·ful [rú(:)mful] *n.* Ⓒ 한 방 가득(한 사람·물건); 만장(滿場)의 사람들《*of*》: a ~ *of* furniture 방 하나 가득한 가구.

room·ie [rú(:)mi:] *n.* 《俗》 = ROOMMATE.

róoming hòuse 하숙집(lodging house)《취사 설비는 없고 외식하는》.

room·mate [rú(:)mmèit] *n.* Ⓒ 동숙인, 룸메이트.

róom nùmber (호텔 등의) 객실 번호.

róom sèrvice 룸 서비스《호텔 등에서 객실에 식사 따위를 운반하는 일; 그 담당자〔부서〕》.

roomy¹ [rú(:)mi] (***room·i·er ; -i·est***) *a.* 칸수(數)가 많은; 널찍한《침실 따위》. ㊎ **-i·ness** *n.*

roomy² = ROOMMATE.

roor·back [rúərbæ̀k] *n.* Ⓒ 《美》 중상적 데마《선거 같은 때 정적(政敵)에게 퍼붓는》.

Roo·se·velt [róuzəvèlt, róuzvəlt] *n.* 루스벨트. ① **Franklin Delano** ~ 미국의 제32대 대통령(1882-1945). ② **Theodore** ~ 미국 제26대 대통령(1858-1919).

roost** [ru:st] *n.* Ⓒ (새가) 앉는 나무, 홰; 보금자리; 닭장(안의 홰). ***at ~ 보금자리에 들어; 잠자리에 들어. ***come home to*** ~ 나쁜 일이 제게 되돌아오다; 자업자득이 되다 : Curses *come home to* ~. 《俗談》 누워서 침뱉기. ***rule the*** ~ 지배하다, 좌지우지하다.
── *vi.* (홰에) 앉다, 보금자리에 들다.

***roost·er** [rú:stər] *n.* Ⓒ 《美》 수탉(cock¹); 《口》 젠체하는 사람.

‡**root**¹ [ru:t, rut] *n.* ① **a**) Ⓒ 뿌리. **b**) (*pl.*) 《英》 근채류(根菜類). ② Ⓒ 밑동, (털·이·손톱·손가락 따위의) 밑뿌리. ③ Ⓒ (흔히 the ~(s)) **a**)

근원, 원인 : The love of money is *the* ~ of all evil. 금전욕은 모든 악의 근원이다. **b**) 근본, 기초 ; 기반 : the ~ of the matter 사물의 본질, 근본, 가장 긴요한 것. ④ **a**) (*pl.*) (정신적인) 고향 ; (사람들·토지 등의) 깊은 결합. **b**) Ⓒ 조상, 시조. ⑤ 〖數〗 근(根)《기호 : √‾》(cf. square 〔cube〕 ~) ; 〖言〗 어원, 어근 ; 〖樂〗 바탕음. ***have* (*its*) ~(*s*) *in*** …에 근거하다. ***pull up by the* ~(*s*)** (1) 뿌리째 뽑다. (2) …을 근절하다. ***put down ~s*** 뿌리를 내리다, 자리를 잡다. **~ *and branch*** 완전히, 철저하게 : These evil practices must be destroyed ~ *and branch.* 이런 악습은 철저히 근절시켜야 한다. ***take* 〔*strike*〕 ~** 뿌리를 박다 ; 정착하다.

── *a.* 〔限定的〕 근(根)의, 근본적인.

── *vi.* 뿌리박다 ; 정착하다 : Some cuttings ~ easily. 꺾꽂이 중에는 쉽게 뿌리박는 것도 있다.

── *vt.* ①《~+目 / +目+前+名》…을 뿌리박게 하다 ;《比》뿌리 깊게 심다, 정착〔고착〕시키다 : She was ~*ed* to the spot with fear. 그녀는 무서워서 그 자리에서 꼼짝도 못했다. ②《+目+副 / +目+前+名》…을 뿌리째 뽑다 ; 근절하다《*up* ; *out* ; *away*》: ~ *out* evils 나쁜 폐단을 근절하다 / ~ imperialism *out of* the country 제국주의를 나라 안에서 일소하다. ***be ~ed in*** (1) …에 원인이 있다, …에서 유래하다 : War *is ~ed in* economic causes. 전쟁은 경제적인 원인에서 일어난다. (2) (습관 등이) …에 뿌리박혀 있다 : Good manners *were ~ed in* him. 예의범절이 몸에 배어 있었다.

root² *vi.* ①《+副》(돼지 등이) 코로 땅을 헤집다 ; 헤적이다 : Pigs ~ *for* food. 돼지는 먹이를 찾아 코로 땅을 헤집는다. ② (사람이 물건을 찾아) 휘젓다, 탐색하다《*about* ; *around* ; *for*》: He ~*ed about* in a drawer for the paper. 그 서류를 찾기 위해 서랍을 뒤적였다. ── *vt.* …을 코로 파다, 파헤집다《*up*》; 찾아내다, 밝혀내다《*up* ; *out*》.

root³ *vi.* 《美口》(요란하게) 응원하다, 성원하다 (cheer) ; 격려하다《*for*》: The students were ~*ing for* their team. 학생들은 자기네 팀을 응원하고 있었다.

róot bèer 《美》사르사 뿌리·사사프라스 뿌리 따위로 만드는 청량음료《알코올 성분이 거의 없음》.

róot cròp 근채(根菜)작물《감자·순무 등》.

***root·ed** [rúːtid, rút-] *a.* ① 뿌리를 박은 ; 뿌리가 있는 ;《比》뿌리 깊은 : a ~ opinion 확고한 의견 / The desire to reproduce is deeply ~ in human nature. 생식 본능은 인간성에 깊이 뿌리박고 있다. ② 〔敍述的〕 (뿌리박힌 듯) 움직이지 않는 : Terrified, he stood ~ to the spot. 섬뜩하여, 그는 그 자리에 못박힌 듯 섰다. 「지 따위).

root·er¹ [rúːtər, rút-] *n.* Ⓒ 코로 땅 파는 동물《돼

root·er² *n.* Ⓒ 《美口》(열광적인) 응원자.

róot fòrm 〖文法〗 원형.

róot hàir 〖植〗 뿌리털, 근모(根毛).

roo·tle [rúːtl] *vt., vi.* 《英》 =ROOT².

root·less [rúːtlis, rút-] *a.* ① 뿌리가 없는. ② 불안정한 ; 사회적 의지처가 없는 : a ~ feeling resulting from economic and social change 경제적 및 사회적 변화에 기인하는 불안감.

㊞ **~·ness** *n.*

root·let [rúːtlit, rút-] *n.* Ⓒ 〖植〗 가는〔연한〕 뿌리, 지근(支根).

root·stock [rúːtstɑ̀k, rút- / rúːtstɔ̀k] *n.* Ⓒ ① 〖植〗 근경(根莖). ② 근원, 기원. ③ 〖園藝〗 (접목의) 접본(椄本).

róot vègetable =ROOT CROP.

rooty [rúːti, rúti] (***root·i·er*** ; ***-i·est***) *a.* 뿌리가 많은, 뿌리 모양의, 뿌리 같은.

†**rope** [roup] *n.* ① Ⓤ,Ⓒ (밧)줄, 끈, 로프 : a piece of ~ 한 가닥의 로프 / jump〔skip〕 ~《美》줄넘기하다 / They tied up the prisoner with ~. 죄수를 밧줄로 묶었다. ② Ⓒ《美》올가미 밧줄(lasso) ; (the ~) 목매는 밧줄 ; 교수형. ③ Ⓤ 한 꿰미, 한 두름 : a ~ of pearls 진주 한 꿰미. ④ (*pl.*) 둘러치는 새끼줄, (권투장 따위의) 링의 밧줄. ⑤ (the ~s) 비결, 요령 : know〔learn〕 *the* ~*s* 요령을 잘 알고 있다〔배우다〕. ***a* ~ *of sand*** 믿을 수 없는 것. ***give*** a person ***enough*** 〔***plenty of***〕 **~ (*to hang* him*self*)** (지나쳐 실패할 것을 기대하고) 아무에게 하고 싶은 대로 하게 내버려두다. ***on the* ~** (등산가가) 밧줄로 몸을 서로 이어 매고. ***on the* ~*s*** 〖拳〗 로프에 기대어 ;《口》매우 곤란하게 되어, 궁지에 몰려.

── *vt.* ① …을 줄로 묶다 ; (등산가 등이) 몸을 밧줄로 묶다〔매다〕《*up*》: He ~*d* his horse *to* a nearby tree. 가까운 나무에 말을 맸다. ②《~+目+副》…에 밧줄을 둘러치다, 새끼줄을 치다《*in* ; *off*》: ~ *in* a plot of ground 지면의 한 구획에 새끼줄을 치다. ③《美》…을 올가미를 던져 잡다 ; 밧줄로 끌어당기다.

── *vi.* (로프를 써서) 등산하다, 로프를 잡고 움직이다《*up* ; *down*》. **~ *in*** (1) 로프로 둘러치다. (2) (동아리로) 꼬여 들이다 : I've ~*d* him *in* to help with the entertainment. 그를 꼬여들여 연회를 돕게 했다. ~ a person ***into*** . . .《口》아무를 꼬여서 …시키다 : We ~*d* a couple of spectators *into* playing for our team. 우리는 두 명의 관객을 꼬여 우리팀을 편들게 했다.

rópe brìdge 줄다리.

rope·danc·er [róupdæ̀nsər, -dɑ̀ːns-] *n.* Ⓒ 줄타기 광대.

rópe làdder 줄사닥다리.

rope·walk [róupwɔ̀ːk] *n.* Ⓒ 새끼〔밧줄〕 공장.

rope·walk·er [⌐wɔ̀ːkər] *n.* Ⓒ 줄타기 광대.

rope·walk·ing [⌐wɔ̀ːkiŋ] *n.* Ⓤ 줄타기.

rope·way [⌐wèi] *n.* Ⓒ 삭도(索道) ; 로프웨이, 공중 케이블.

ropey [róupi] *a.* =ROPY.

rópe yàrd 새끼〔밧줄〕 제조장(ropewalk).

ropy [róupi] (***rop·i·er*** ; ***-i·est***) *a.* ① 끈적끈적한, 끈끈한, 점착성이 있는. ② 밧줄과 같은. ③《英口》**a**) (몸의) 컨디션이 좋지 않은 : I'm feeling a bit ~ this morning. 오늘 아침은 약간 컨디션이 안 좋다. **b**) (물건이) 질이 나쁜, 빈약한 : a ~ hotel 싸구려 호텔.

Róque·fort (chéese) [róukfərt(-) / rɔ́kfɔːr(-)] *n.* Ⓤ,Ⓒ 《F.》 로크포르 치즈《염소 젖으로 만듦 ; 商標名》.

Rór·schach tèst [rɔ́ːrʃɑːk-] 〖心〗 로르샤흐 검사《잉크 얼룩 같은 도형을 해석시켜 사람의 성격을 판단함》.

ro·sa·ry [róuzəri] *n.* Ⓒ 〖가톨릭〗 ① 로자리오, 묵주. ② (the ~, 종종 R-) 로자리오의 기도(서).

†**rose¹** *n.* Ⓒ ① 〖植〗 장미(꽃) : (There is) no ~ without a thorn.《俗談》가시 없는 장미는 없다《완전한 행복이란 없다》. ② Ⓒ 장미꽃 무늬 ; 장미 매듭(~ knot) ; 〖建〗 장미창(窓), 원화창(圓華窓) ; (물뿌리개·호스의) 살수구(撒水口). ③ Ⓤ 장밋빛, 담홍색 ; (흔히 *pl.*) 발그레한 얼굴빛 : have ~*s* in one's cheeks 볼이 발그레하다, 건강하다. ④ (the ~) 미인, 명화(名花) : *the* ~ of Paris 파리 제일 가는 미인. ***come up ~s*** 〔흔히 進行形으로〕《口》(생각했던 것보다 훨씬) 잘 되다 : Everything's *coming up ~s.* 만사 잘 되어가고 있다. ***not all ~s*** 반드시 편한 것만은 아닌 : Life is *not all ~s.* 인생은 즐거운 것만은 아니다. ***under***

the ~ 비밀히, 몰래. ── *a.* 〔限定的〕 장미의 ; 장밋빛의 ; 장미 향기가 나는 ; 장미에 둘러싸인.
†**rose²** [rouz] RISE 의 과거.
ro·sé [rouzéi] *n.* U,C 《F.》 로제《장밋빛의 포도주》.
ro·se·ate [róuziit, -èit] *a.* ① 장밋빛의. ② 행복한 ; 쾌활한, 밝은 ; 낙관적인.
róse bòwl ① 꺾꽂이 장미를 꽂는 유리분. ② (the R- B-) 로즈 볼《Los Angeles 교외의 Pasadena 에 있는 스타디움 ; 또 그 곳에서 1 월 1 일 행해지는 미식 축구의 대학 패자(霸者) 경기》.
***rose·bud** [-bÀd] *n.* C ① 장미 봉오리. ②《英》 묘령의 예쁜 소녀 ; 사교계에 처음 나가는 소녀.
rose·bush [-bùʃ] *n.* C 장미 관목〔덩굴〕.
rose-col·ored [-kÀlərd] *a.* ① 장밋빛의, 담홍색의. ② 유망한, 낙관적인, 명랑한, 쾌활한 : see things through ~ spectacles〔glasses〕 사물을 낙관적으로 보다 / take a ~ view 낙관하다.
róse hìp 〔**hàw**〕 장미의 열매.
rose·leaf [róuzlìːf] *n.* C 장미 꽃잎 ; 장미잎.
rose·ma·ry [-mɛ̀əri] *n.* C 〖植〗 로즈메리《상록 관목으로 충실·정조·기억의 상징》.
rose-pink [-pìŋk] *a.* (연한) 장밋빛의, 담홍색의.
rose-red [-réd] *a.* 장미처럼 빨간, 심홍색의.
rose-tint·ed [-tìntid] *a.* =ROSE-COLORED.
róse trèe 장미 나무.
Ro·sét·ta stòne [rouzétə-] (the ~) 로제타석(石)《1799 년에 Rosetta 에서 발견된 비석 ; 고대 이집트 상형문자 해독의 단서가 됨》.
ro·sette [rouzét] *n.* C ① **a**) 장미꽃 모양의 술〔매듭〕; 장미꽃 장식 ; 〖建〗 (벽면(壁面) 따위의) 꽃 모양의 장식 ; (꽃무늬살의) 장식 원창(圓窓). **b**) 〖植〗 로제트병(病)《잎이 로제트처럼 겹치는》. **c**) 로즈형〔24 면〕 다이아몬드. ② (R-) 여자 이름 《Rosetta 의 이명》.
róse wàter 장미 향수.
róse wíndow 〖建〗 장미창, 원화창(圓華窓).
rose·wood [róuzwùd] *n.* ① C 〖植〗 자단(紫檀). ② U 화류(樺榴).
Rosh Ha·sha·na(h), -sho·no(h) [róuʃhəʃáːnə, rɔ́ːʃ- / rɔ́ʃ-] 유대 신년제(新年祭)《유대력 1 월 1일, 2일》.
ros·in [rázən, rɔ́(ː)zn] *n.* U 로진《송진에서 테레빈유를 증류시키고 남은 수지(樹脂) ; 현악기의 활이 미끄러짐을 방지함》. cf. resin.
── *vt.* …을 로진으로 문지르다, 로진을 바르다.
Ros·set·ti [rouséti, -zéti, rə-] *n.* 로세티. ① **Christina** (**Georgina**) ~ 전(前)라파엘파의 영국 여류 시인(1830-94). ② **Dante Gabriel** ~전라파엘파의 시인·화가 ; ①의 오빠(1828-82).
Ros·si·ni [rousíːni] *n.* **Gioacchino** (**Antonio**) ~로시니《이탈리아의 오페라 작곡가 ; 1792-1868》.
ros·ter [rástər / rɔ́s-] *n.* C 〖軍〗 근무(당번)표 ; 〔一般的〕 명부 ; 등록부 ; 〖野〗 (벤치에 들어갈 수 있는) 등록 멤버. ── *vt.* …을 명부에 싣리다.
rostra ROSTRUM 의 복수.
ros·trum [rástrəm / rɔ́s-] (*pl.* **-tra** [-trə], ~**s**) *n.* C ① 연단, 강단 ; (오케스트라의) 지휘대 : take the ~ 등단하다. ② 〖動〗 부리(모양의 돌기).
‡**rosy** [róuzi] (**ros·i·er** ; **-i·est**) *a.* ① **a**) 장밋빛의, 담홍색의. **b**) (살갗 등이) 불그레한, 홍안의. ② 유망한, 밝은, 낙관적인 : ~ views 낙관론 / His prospects are ~. 그의 전도는 양양하다.
㊞ **rós·i·ly** *ad.* 장미처럼 ; 장밋빛으로 ; 밝게, 낙천적으로. **-i·ness** *n.*
***rot** [rat / rɔt] *n.* ① U **a**) 썩음, 부패, 부식 ; 부패물. **b**) (사회적·도덕적) 부패, 타락, 퇴폐. ② (the ~) (설명할 수 없는) 잇따른 실패 ; 사태의 악화 : stop *the* ~ 위기를 막다 / *The* ~ set in when he left us. 그가 우리를 떠난 때부터 사태가 나빠지기 시작했다. ③ U 《俗》 잠꼬대 같은 소리, 허튼 소리 : Don't talk ~ ! 바보 같은 소리 마라.
── (**-tt-**) *vi.* ① 《~ / +副》 썩다, 썩어 없어지다, 부패하다 ; 말라죽다, 시들다《*away* ; *off* ; *out*》: A fallen tree soon ~*s*. 넘어진 나무는 곧 썩는다. ② (사회·제도 등이) 도덕적으로 부패〔타락〕하다, 못쓰게 되다. ③ (죄수 등이) (감방에서) 쇠약해지다 : The prisoners were left to ~ in prison. 교도소에 있는 죄수들은 매우 수척한 상태로 방치되어 있었다. ④ 〔進行形〕《英俗》 허튼소리 하다, 빈정대다.
── *vt.* ① …을 부패시키다 : Sugar ~*s* your teeth. 설탕은 이를 썩게 한다. ② (도덕적으로) 타락시키다 : Too much drink ~*ted* his mind. 과음은 그의 정신을 타락케 했다. ③ 《英俗》 …을 놀리다.
ro·ta [róutə] *n.* C 《英》 명부 ; (특히) 순번 근무 당번표(roster) ; 당번, 순번.
Ro·tar·i·an [routɛ́əriən] *a.*, *n.* 로터리 클럽의 (회원).
***ro·ta·ry** [róutəri] *a.* ① 회전〔선회, 윤전〕하는 : the ~ movement of the helicopter blades 헬리콥터 날개의 회전 운동. ② (기계 등에) 회전 부분이 있는 ; 회전식의 : a ~ fan 선풍기 / a ~ engine 로터리 엔진. ── *n.* C 윤전기 ; 로터리, 환상(環狀) 교차로(《英》 roundabout) ; 〖電〗 회전 변류기(=~ **convérter**).
Rótary Clùb (the ~) 로터리 클럽《1905년 Chicago 서 창설됨. 세계 각지의 지부가 Rotary International (국제 로터리)를 구성함》.
***ro·tate** [róuteit / -ˊ] *vi.* ① 회전하다 ; 순환하다 : The earth ~*s* on its axis. 지구는 지축을 중심으로 자전한다. ② 교대하다 : The workers ~ between the day and night shifts. 노동자들은 주야 2 교대로 근무한다. ── *vt.* ① (축을 중심으로) …을 회전시키다 ; 순환시키다 : ~ a handle 손잡이를 돌리다. ② …을 교체하다 ; (작물)을 윤작하다, 돌려 짓다.
***ro·ta·tion** [routéiʃən] *n.* ① U,C 회전 ; 순환 ; (지구의) 자전. ② U 규칙적인 교대 ; 윤번 : in ~ 차례로. ③ U,C 〖農〗 돌려짓기(=~ **of crópS**). ◇ rotate *v.* ㊞ **~·al** *a.*
ro·ta·tor [róuteitər / -ˊ-] *n.* C ① (*pl.* ~**s**) 회전하는〔시키는〕 것 ; 회전 장치 ; 〖物〗 회전자 ; 〖冶〗 회전로(爐). ② (*pl.* ~**s**, ~**·es** [ròutətɔ́ːriːz]) 〖解〗 회선근(回旋筋). ③ (윤번으로) 교대하는 사람.
ro·ta·to·ry [róutətɔ̀ːri / -təri] *a.* 회전하는 ; 회전 운동의 ; 순환하는 ; 윤번의 ; 회전시키는 ; 교대하는 ; (근육이) 회선(回旋)하는.
ROTC, R.O.T.C. 《美》 (the ~) Reserve Officers' Training Corps (학도 군사 훈련단).
rote [rout] *n.* 기계적 방법 ; 기계적인 암기(법) ; (지루한) 되풀이. ***by*** ~ 기계적으로 : learn a poem *by* ~ 시를 기계적으로 암기하다.
róte lèarning 암기(暗記).
rot·gut [rátgÀt / rɔ́t-] *n.* U 《俗》 싸구려 술.
ro·tis·ser·ie [routísəri] *n.* C 《F.》 ① 불고기집. ② 회전식의 고기 굽는 전기 기구.
ro·to·gra·vure [ròutəgrəvjúər] *n.* ① U 〖印〗 사진 요판(凹版)(술), 윤전 그라비어(판). ② C 《美》 (신문의) 그라비어 사진 페이지.
ro·tor [róutər] *n.* C ① 〖電〗 (발전기의) 회전자. OPP. *stator*. ② 〖機〗 (증기 터빈의) 로터. ③ 〖空〗 (헬리콥터의) 회전익.
‡**rot·ten** [rátn / rɔ́tn] (~**·er** ; ~**·est**) *a.* ① 썩은, 부패한 : ~ bananas 썩은 바나나 / go ~ 썩다. ② 냄새 고약한, 더러운. ③ (도덕적으로) 부패한, 타락한 ; 너무 응석을 받아 준 : ~ to the core 골수

까지 썩은 / a ~ child 버릇 없는 아이. ④ 부서지기 쉬운, 취약한. ⑤《口》지독히 나쁜; 불쾌한: a ~ book 시시껄렁한 책 / ~ weather 궂은 날씨 / He's a ~ driver. 그는 엉터리 운전사야. ⑥《口》기분이 나쁜: feel ~ 기분이 나쁘다.
㊞ ~·ly *ad.* ~·ness *n.* 「못한 자.

rot·ter [rɑ́tər / rɔ́t-] *n.* Ⓒ《英俗》건달, 변변치

ro·tund [routʌ́nd] *a.* ① 둥근; 토실토실 살찐. ② (음성이) 낭랑한. ㊞ ~·ly *ad.*

ro·tun·da [routʌ́ndə] *n.* Ⓒ〚建〛(지붕이 둥근) 원형의 건물; 둥근 천장의 홀.

ro·tun·di·ty [routʌ́ndəti] *n.* Ⓤ 구상(球狀), 원형(円形); 둥근 물건; 살이 쪄서 동글동글함, 비만; 낭랑한 목소리; 미사여구.

rouble ⇨ RUBLE.

***rouge** [ruːʒ] *n.* Ⓤ ① 입술 연지, 루즈: put on 〔wear〕 ~ 입술 연지를 바르다〔바르고 있다〕. ②〚化〛산화 제 2 철, 철단(鐵丹)《연마용(研磨用)》.
— *vt., vi.* (입술) 연지를 바르다《*on*》.

‡rough [rʌf] (*∠·er* ; *∠·est*) *a.* ① 거친, 거칠거칠한, 껄껄한. opp. *smooth.* ¶ ~ paper 거칠거칠한 종이. ② 텁수룩한, 털이 많은. ③ 울퉁불퉁한, 험한: a ~ road 울퉁불퉁한 길. ④ (날씨 따위가) 험악한, 거친; (항행·장소 따위가) 위험〔불안〕한: ~ waters 거친 바다 / The plane had a ~ flight in the storm. 비행기는 폭풍우 속에서 위험한 비행을 했다. ⑤ 가공되지 않은, 손질하지 않은; 미완성의: ~ rice 벼. ⑥ 난폭한; 세련되지 않은; 우악스러운; 귀에 거슬리는; (맛이) 떫은〔신〕; 변변치 않은《음식 따위》: a ~ tongue 버릇 없는 말투 / ~ sounds 귀에 거슬리는 소리 / Don't be so ~ with the child. 애를 그리 우악스럽게 다루지 마라 / He's ~ *of* 〔*in*〕 speech. 그는 말씨가 거칠다. ⑦ 괴로운, 고된: a ~ day 고된 하루 / She's had a very ~ time of it lately. 그녀는 요즘 정말 고생을 많이 했다. ⑧ 대강의, 대략적인: a ~ estimate 어림셈, 개산 / a ~ drawing 초벌 그림 / give a ~ outline 대략적인 윤곽을 설명하다. ⑨《口》기분〔컨디션〕이 나쁜: I feel ~ today. 오늘은 컨디션이 좋지 않다.
give** a person **the ~ side** 〔**edge**〕 **of** one's **tongue 아무에게 딱딱거리다, 아무를 꾸짖다. ***~ and ready*** =ROUGH-AND-READY
— *ad.* 거칠게, 난폭하게, 우악스럽게; 대충, 개략적으로(roughly); (특히 옥외에서) 아무렇게나: play ~ 거칠게 플레이하다 / sleep ~ on the street 거리에서 노숙하다. ***cut up*** ~《口》화를〔역정을〕 내다.
— *n.* ① Ⓤ 울퉁불퉁한 땅; (the ~)〚골프〛(fair way 밖의) 잡초가 우거진 곳. ② (the ~) 고생, 고난: take *the* ~ with the smooth 인생의 고락을 태연히 감수하다. ③ Ⓒ 밑그림, 스케치. ④ Ⓒ《英》불량배, 깡패. ***in*** ~ 초잡아, 대충 (그려): write down one's ideas *in* ~ 자기 생각을 대충 쓰다. ***in the*** ~ (1) 미완성〔미가공〕인 채로〔의〕. (2) 평상대로의, 준비 없이.
— *vt.* ① …을 거칠게 하다, 울퉁불퉁하게 하다; (머리 따위)를 헝클어뜨리다. ② …을 대충대충 하다, 건목치다; (상대에게) 거친 플레이를 하다. ~ ***in*** 〔***out***〕 대충 쓰다〔그리다〕, 윤곽을 그리다. ~ ***it*** 불편한 생활을 하다〔에 견디다〕. ~ ***up***《俗》(아무)를 거칠게 다루다, (협박하기 위해) 폭력을 휘두르다; (장소)를 어지럽히다.

rough·age [∠idʒ] *n.* Ⓤ 조악한 음식물〔사료〕《등겨·짚·과피 따위》; 섬유소를 함유하는 음식《장의 연동 운동을 자극함》.

rough-and-ready [∠ənrédi] *a.* 조잡한, 날림으로 만든; 임시변통의: There is only ~ cooking equipment. 조잡한 조리 기구밖에 없다.

rough-and-tum·ble [∠əntʌ́mbəl] *a.* (행동·경쟁이) 난폭한, 무법의, 마구잡이의: He led an adventurous, ~ life. 그는 모험적이며 마구잡이의 인생을 살았다. — *n.* Ⓤ,Ⓒ 난투.

rough·cast [∠kæ̀st, ∠kɑ̀ːst] (*p., pp.* ***-cast***) *vt.* ① 초벽을 치다, 초벌칠하다. ② (계획 등)을 대충 준비하다; (소설 등의) 대강의 줄거리를 세우다.

róugh cóat (벽면의) 애벌칠.

róugh cópy ① (원고의) 초고. ② 밑그림.

rough-dry [rʌ́fdrái] *vt.* (세탁물)을 말리기만 하다. — [∠∠] *a.* 말리기만 하고 다리지 않은.

rough·en [∠ən] *vt., vi.* (…을) 거칠게 하다, 거칠어지다, 꺼칠꺼칠하게 하다〔되다〕, 울퉁불퉁하게 하다〔되다〕. 「다.

rough-handle [∠hǽndl] *vt.* …을 거칠게 다루

rough-hewn [∠hjúːn] *a.* ① 대충 깎은; 건목친. ② 조야한, 버릇 없는; 교양이 없는.

rough·house [∠hàus]《口》*n.* (*sing.*) (옥내에서의) 난장판, 야단법석; 난폭; 큰 싸움. — *vt.* (사람을) 거칠게 다루다. — *vi.* 큰 소동을 벌이다, 대판 싸우다.

róugh jústice ① 거의 공정한 취급. ② 부당한 취급.

‡rough·ly [rʌ́fli] (***more*** ~ ; ***most*** ~) *ad.* ① 거칠게, 마구; 난폭하게: treat a person ~ 아무를 마구 다루다 / a ~ built hut 허술하게 지은 오두막. ② 대충, 개략적으로: ~ speaking 대충 말하면, 대체로 / Azaleas flower at ~ the same time each year. 진달래는 매년 거의 같은 시기에 핀다.

> 參考 다음의 차이에 주의: He handled it *roughly,* in the same way. 그는 여전히 그것을 거칠게 다루었다. He handled it, *roughly* in the same way. 그는 그것을 거의 전과 같이 다루었다.

rough·neck [∠nèk] *n.* Ⓒ《口》① 무작〔우악〕한 사람, 난폭한 사람(rowdy). ② 유정(油井)을 파는 인부.

rough·ness [∠nis] *n.* ① Ⓤ 거칢; 난폭, 조야; 거친 날씨; 날림. ② Ⓒ 거친 부분.

róugh pássage 황천(荒天)의 항해;《比》시련기(期).

rough·rid·er [rʌ́fràidər] *n.* Ⓒ ① 사나운 말을 잘 다루는 사람. ② 조마사(調馬師).

rough·shod [∠ʃɑ́d / ∠ʃɔ́d] *a.* (말이) 미끄러지지 않게 스파이크 편자를 박은. ***ride ~ over*** …을 거칠게 다루다; 남의 사정은 고려하지 않고 제멋대로 행하다: The government is *riding ~ over* the people's rights. 정부는 국민의 권리를 고려하지 않고 제멋대로 짓밟고 있다.

róugh stùff《俗》폭력(행위), 난폭한 일.

rou·lade [ruːlɑ́ːd] *n.* Ⓒ《F.》①〚樂〛룰라드《장식음의 한 가지》. ② 잘게 다진 고기를 얇게 썬 쇠고기 조각에 싸서 만 요리.

rou·lette [ruːlét] *n.* Ⓤ《F.》룰렛《회전하는 원반 위에 공을 굴리는 노름》; 그 기구.

Rou·ma·nia [ru(ː)méiniə, -njə] *n.* =RUMANIA.

†round[1] [raund] (*∠·er* ; *∠·est*) *a.* ① 둥근, 원형의; 구상(球狀)〔원통형, 반원형, 호상(弧狀)〕의: a ~ table 둥근 테이블 / a ~ can 원통형의 깡통 / Her eyes grew ~ with surprise. 그녀의 눈은 놀라서 둥글해졌다. ② 둥그스름한; 똥똥한, 토실토실 살찐: ~ cheeks 토실토실한 볼 / ~ shoulders 새우등. ③ 한 바퀴 도는;《美》왕복의;《英》주유(周遊)의: a ~ tour 주유 / ⇨ ROUND TRIP. ④ 우수리 없는, 꼭: a ~ dozen 꼭 한 다스.

⑤ (10, 100, 1,000 … 단위로) 약; 대략: in ~ numbers〔figures〕 우수리를 버리고, 대략의 숫자로. ⑥ 꽤 많은, 상당한, 큰: I paid a ~ sum for it. 나는 거기에 상당한 돈을 냈다. ⑦ **a**) (문체 따위가) 원숙한. **b**) (술 따위가) 숙성한. ⑧ (소리·음성이) 풍부한, 쩡쩡 울리는, 낭랑한. ⑨ 활기 있는; 활발한, 민첩한: at a ~ pace 활기 있는 발걸음으로. ⑩ 솔직한, 곧이곧대로의, 기탄 없는, 노골적인: be ~ *with* a person 아무에게 솔직히〔노골적으로〕 말하다. ⑪ 사정 없는《매질 따위》: have a ~ blow 사정 없이 두들겨 맞다. ⑫〖音聲〗 원순음(圓脣音)의: a ~ vowel 원순 모음《보기: [u, o]》.
— *n.* Ⓒ ① 원(圓), 고리, 구(球); 원〔구, 원통〕형의 것: sit in a ~ (빙) 둘러 앉다. ② 한 바퀴, 순환; 일주(로(路)): the ~ of the seasons 계절의 순환. ③ 연속, 되풀이; 정해진 일〔생활〕: the daily ~ 일상 생활 / a ~ of parties 연이은 파티. ④ (종종 *pl.*) 순시, 순회, (의사의) 회진; (종종 *pl.*) 순회〔담당〕 구역; (소문 따위의) 전달 경로: The doctor is out on his ~*s* till 3 o'clock. 그 의사는 3시까지 회진 중입니다. ⑤ 범위: the whole ~ of knowledge 지식의 전 범위. ⑥ (승부의) 한 판, 한 게임, 1회, 1라운드, (토너먼트의) …회전: play a ~ of bridge 〔golf〕 브리지〔골프〕를 한 판 하다 / a three ~ bout, 3판 승부. ⑦ 일제 사격(에 필요한 탄알); (탄약의) 한 방분, (탄알의) 한 발: 20 ~*s* of ball cartridge 총알 20 발. ⑧ 일제 협의, 일련의 교섭: The next ~ of talks will be held in Seoul. 다음 일련의 협의는 서울에서 개최된다 / ⇨ URUGUAY ROUND. ⑨ (사람의) 일단; 둘러 앉은 사람들. ⑩ (술 등의) 한 순배(巡杯)(의 양): This ~ is on me. 이번엔〔이 한 잔은〕 내가 내지. ⑪ 윤무(輪舞); 윤창(輪唱). ⑫ 사닥다리의 발판〔가로장〕. ⑬ 소의 넓적다리살(~ of beef). ⑭ (둥그스름한) 책의 등〔가장자리〕. ⑮ (종종 *pl.*) 떠나갈 듯한 박수; (환성·갈채 따위의) 한바탕: ~ after ~ of cheers 연달아 일어나는 함성 소리.
make** one'**s** ~**s (1) 순시〔순회〕하다. (2) (소문 질병 따위가) 퍼지다. ***make the ~ of*** …을 한 바퀴 돌다. ***in the*** ~ (1)〖彫〗 환조(丸彫)로. (2) 개괄적으로, 모든 특징을 나타내어: Seoul *in the* ~ 서울의 전모. (3) 생생하게; (극장 등이) 원형식의. ***take a*** ~ 한 바퀴 돌다; 산책하다《*of*》.
— *ad.* ① 돌아서, 빙 (그르르): Turn ~ and face the wall. 빙 돌아서 벽을 바라보세요. ② 둘레에 (빙), 사방에; 둘레가 …로: look ~ 둘러보다 / The garden has a fence all ~. 그 정원은 울타리가 죽 둘려 쳐져 있다 / 10 feet ~ 둘레 10 피트. ③ 한 바퀴〔먼길을〕 돌아서; 우회하여; 특정 장소에: go a long way ~ 빙 둘러서 가다 / Will you bring the car ~ to the door? 차를 현관으로 돌려 주시겠습니까. ④ 고루 미쳐, 차례차례: Tea was handed ~. 차를 모든 이에게 돌렸다. ⑤ 처음부터 끝까지: (all) the year ~, 1년 내내. ⑥ 약(約), 대략: ~ there 그 부근에서. ⑦ (방향·생각이) 반대 방향으로, 역으로. ***ask*** a person ~ 아무를 자택으로 초대하다. ***loaf*** ~ 여기저기 빈들거리며 돌아다니다. ***order*** (a car) ~ (자동차를) 돌리게 하다. ~ ***about*** (1) 원을 이루어, 둘레에, 사방에; 멀리 돌아서. (2) 반대쪽에. (3) 대략, 대체로: It will cost ~ *about* 100 dollars. 대략 100 달러가 들 것이다. ~ ***and*** ~ 빙글빙글. ***show*** a person ~ 아무를 안내하고 다니다. ***turn*** (***short***) ~ *about* (갑자기) 돌아보다.
— *prep.* ① …의 둘레를〔에〕; …을 돌아서: flying ~ Africa 아프리카 일주 비행. ② …을 돈 곳에: the first house ~ the corner 모퉁이를 돌아 첫 집. ③ …의 부근에〔의〕: the lands ~ the city 시 주변의 땅. ④ …의 안을 이곳저곳: look ~ the room 방안을 여기저기 둘러보다 / show him ~ the town 그에게 시내 이곳저곳을 안내하다. ⑤ …정도; …경: pay somewhere ~ $100, 100 달러 정도 치르다. ⑥ …하는 동안 죽. ~ ***about*** …의 주위에〔를〕; 대략〔대충〕 …: ~ *about* five o'clock 5시경에. ~ ***and*** ~ …의 주위를 빙글빙글: argue ~ *and* ~ a subject 문제의 핵심은 논하지 않고 주변 문제를 논하다.
— *vt.* ① …을 둥글게 하다; 둥그스름하게 하다, …의 모를 둥글게 하다《*off*》: with ~*ed* eyes 눈을 휘둥그렇게 뜨고 / ~ *off* the angle 모서리를 다듬어서 둥글게 하다. ② (끝수)를 반올림하다: *Round off* the fractions to three decimal places. 소수점 세 자리 이하는 반올림하라. ③ …을 일주하다, (커브·모퉁이)를 돌다: ~ the island 섬을 일주하다 / ~ the corner 모퉁이를 돌다. ④〖音聲〗 입술을 둥글게 하고 발음하다.
— *vi.* ① 휘다, 만곡하다. ②《+전+명》 돌다; 돌아보다: ~ *on* one's heels 되돌아가다. ③ 한 바퀴 돌다; 순회하다: The runners ~*ed into* the homestretch. 주자는 코너를 돌아 홈스트레치로 들어섰다. ④ 둥글게 되다; 토실토실해지다: His eyes ~*ed with* surprise. 그의 눈은 경악으로 휘둥그레졌다. ~ ***down*** (수·금전 따위의) 우수리를 잘라버리다. ~ ***off*** (1) 의 모를 둥글게 하다. (2) 깨끗이 마무르다, 완결하다《*by*; *with*》: This passage needs ~*ing off*. 이 문장은 깔끔하게 마무리할 필요가 있다 / Let's ~ *off* the party *with* a song. 노래로 파티를 끝내자. (3) 사사오입하다; 개략수로 나타내다. ~ ***on*** 〔***upon***〕 (1) …에게 대들다. (2) …을 배반하다. ~ ***out*** 몸에 살이 붙다; …의 마지막 마무리를 하다. ~ ***up*** (1) (가축)을 몰아서 모으다; (사람)을 불러모으다. (2) (범인)을 체포하다. (3) …을 둥글게 뭉치다; (수·금전)을 우수리가 없게 잘라 올리다.
Ⓜ ∠·**ness** *n.* Ⓤ ① 둥긂, 원형; 구형(球形). ② 솔직, 정직. ③ 완전, 원만.

***round·a·bout** [ráundəbàut] *a.* 〔限定的〕 ① 우회하는, 돌아가는: a ~ route 돌아가는 길. ② (말 따위가) 에두르는, 간접적인: in a ~ way 에둘러서, 간접적으로. — *n.* Ⓒ ①《英》 환상 교차로, 로터리(《美》 traffic circle). ②《英》 회전 목마(木馬) (merry-go-round).

róund brácket〖印〗 둥근 괄호.

round·ed [ráundid] *a.* ① 둥글게 된, 둥글린: beautifully ~ breasts 아름답게 둥그스름한 유방 / a ~ hill 둥그스름한 언덕. ② 수북이 고봉으로 한: a ~ teaspoonful of salt 수북한 소금 한 찻숟. ③〖音聲〗 원순(圓脣)의: a ~ vowel 원순 모음.

roun·del [ráundl] *n.* Ⓒ 둥근 것; 작은 원반; (조명·신호용의) 원형 (착색) 유리판, 원형 방패; 원형의 작은 창; (영국 군용기의) 원형 표지.

round·er [∠ər] *n.* Ⓒ ① 둥글리는 사람〔연장〕. ② (*pl.*) 〔單數취급〕《英》 라운더스《야구 비슷한 구기》. ③《美》 2차·3차 돌아가며 술을 마시는 사람. ④〖拳〗 …회전(回戰)(의 경기).

round-eyed [ráundàid] *a.* (깜짝 놀라) 눈을 둥그렇게 뜬.

róund hánd (잇대어 쓰지 않은) 동글동글한 글씨체《주로 제도용》. cf. running hand

Round·head [ráundhèd] *n.* Ⓒ〖英史〗 의회당원《17세기의 내란 때 반국왕파로 머리를 짧게 깎은 청교도의 별명》.

round·house [∠hàus] *n.* Ⓒ ① (원형·반원형의) 기관차고(庫). ②〖海〗 후갑판 선실. ③〖拳〗 크게 휘두르는 훅.

round·ish [´-iʃ] *a.* 둥그스름한, 약간 둥근.
round·ly [´-li] *ad.* ① 둥글게, 원형으로. ② 솔직히, 노골적으로; 가차 없이; 단호히: He was ~ criticized. 그는 가차 없이 비판당했다. ③ 기운차게, 활발히. ④ 충분[완전]히: We were ~ defeated. 우리들은 완패했다.
róund róbin ① 사발통문식 청원서[탄원서]《서명자의 순서를 감추기 위한》. ②【競】리그전(戰).
round-shoul·dered [ráundʃóuldərd] *a.* 새우등의.
rounds·man [ráundzmən] (*pl.* ***-men*** [-mən]) *n.* [C] ①《美》경사(警查). ②《英》(빵이나 우유를) 주문받으러 다니는 사람, 배달원.
róund tàble 원탁(에 둘러앉아 토론하는 사람들); 원탁 회의; 《口》토론회; (the R- T-) (Arthur 왕의 전설에서) 대리석의 원탁, 원탁의 기사단. 「a ~ conference 원탁 회의.
round-ta·ble [ráundtèibəl] *a.* 〔限定的〕원탁의:
round-the-clock [´-ðəklák / -klɔ́k] *a.* 24시간 연속(제)의(《英》around-the-clock).
róund tríp 주유(周遊) 여행; 왕복 여행.
round-trip [ráundtríp] *a.* 〔限定的〕《美》왕복(여행)의; 《英》주유(周遊)(여행)의: a ~ ticket 《美》왕복 승차권(《英》return ticket).
round·up [´-ʌ̀p] *n.* [C] ①《美方》(가축을) 몰아 한데 모으기[모으는 카우보이, 말]; 몰아서 한데 모은 가축. ② (범인 따위의) 일제 검거: a ~ of suspected drug-dealers 마약 밀매 용의자의 일제 검거. ③ (뉴스 등의) 총괄적인 보고, 개요, 요약 (summary).
round·worm [´-wɜ̀ːrm] *n.* [C]【動】회충.
‡rouse [rauz] *vt.* ①《+[목]+[부] / +[목]+[전]+[명]》…을 깨우다, 일으키다; …의 의식을 회복시키다 《*from*; *out of*》: The sound ~*d* him *from* his sleep. 그 소리로 그는 잠에서 깨어났다. ②《~+[목] / +[목]+[전]+[명]》(아무)를 분기시키다; (감정)을 돋우다; 성나게 하다: ~ the audience 청중을 고무하다 / He was ~*d to* anger. 그는 몹시 화가 났다. ③〔再歸的〕분기하다: It's time we ~*d ourselves* and put up some resistance. 지금이야 말로 우리가 분기해서 저항할 때다. ④《+[목]+[전]+[명]》(새 따위)를 휘 날게 하다, 몰아내다: The dog ~*d* pheasants *from* the bushes. 개가 꿩을 덤불에서 몰아냈다. ── *vi.* ①《+[부] / +[전]+[명]》깨다, 일어나다《*up*》: ~ *up* from sleep 잠에서 깨다. ②《+[부]》분기[분발]하다《*up*》: He ~*d up* suddenly. 그는 갑자기 분발하였다.
rous·ing [ráuziŋ] *a.* 깨우치는; 분기시키는; 감동시키는; 활발한, 왕성한: a ~ speech 감동적인 연설 / a ~ business 활발한 사업. [파] ~·**ly** *ad.*
Rous·seau [ruːsóu] *n.* **Jean Jacques** ~ 루소 《프랑스의 철학자·저술가; 1712-78》.
roust·a·bout [ráustəbàut] *n.* [C]《美》부두 노동자, 갑판 일꾼, 화물 운반인; 《美》미숙련 노동자.
***rout**[1] [raut] *n.* [U,C] 참패, 패주: put the enemy to ~ 적을 패주시키다. ── *vt.* …을 참패[패주]시키다: The racists were ~*ed* in the elections. 인종 차별주의자는 선거에서 완패했다.
rout[2] *vt., vi.* (돼지 따위가) 코 끝으로 파헤치다; 찾아내다; 두들겨 깨우다《*up*》; …에서 끌어내다 《*out*》: ~ a person *out* (*of* bed) 아무를 침대에서 (깨워) 끌어내다.
‡route [ruːt, raut] *n.* [C] ① 도로, 길; (일정한) 통로, 노선: an air ~ 항공로 / take one's ~ (나아)가다 / the great circle ~ 대권 항로 / His house is on a bus ~. 그의 집은 버스가 다니는 길가에 있다. ② (R-) 《美》주요 간선 도로: Take *Route* 95 through Connecticut. 코네티컷을 경유하는 간선 도로 95호선을 이용하세요. ③ (성공·파멸 등에 이르는) 길. ④《口》(우유·신문 따위의) 배달 루트[구역]. ***go the*** ~ (임무 따위를) 끝까지 해내다; 〖野〗완투(完投)하다. ── *vt.* ① …의 경로를 정하다: ~ one's tour 여행 경로를 정하다. ② (어떤 경로·노선을 통해) …을 발송[송달]하다; (어떤 방향으로) 돌리다: ~ the goods *through* the Panama Canal 파나마 운하의 루트로 물품을 발송하다.
‡rou·tine [ruːtíːn] *n.* [U,C] ① 판에 박힌 일, 일상의 과정[일]: daily ~ 일과. ② **a**) 정해진 수순[과정], 관례; 기계적 조작: break the ~ 관례를 깨뜨리다. **b**) 상투적인 말; 틀에 박힌 연기; (춤 따위의) 정해진 일련의 스텝. ③【컴】루틴《어떤 작업에 대한 일련의 명령군(群); 완성된 프로그램》. ── *a.* 일상의; 판에 박힌; 정기적인: a boring ~ job 따분한 판에 박힌 일 / a ~ inspection 정기 검사. [◂route] [파] ~·**ly** *ad.*
rou·tin·ize [ruːtíːnaiz] *vt.* …을 관례화하다; …을 일상의 일로 삼다.
roux [ruː] *n.* 루《소스나 수프를 진하게 하는데 쓰는 밀가루·버터를 섞은 것》.
***rove** [rouv] *vi.* ①《~ / +[전]+[명]》(정처 없이) 헤매다, 배회[유랑]하다, 떠돌다; 표류하다 《*through*; *over*》: ~ *over* the fields 들판을 배회하다 / These tribes ~*d through* the areas hunting game. 이들 종족들은 사냥감을 찾아 그 지역을 헤매고 다녔다. ② (눈이) 두리번거리다 《*around*; *about*》: His eyes ~*d around* the room. 그의 눈은 방안을 두리번거렸다. ── *vt.* ① …을 배회하다, 유랑하다. [cf.] roam. ¶ ~ the woods 숲속을 배회하다. ② …을 두리번거리다, 힐끔힐끔 보다. ── *n.* [U] (종종 the ~) 헤맴, 배회, 유랑: on *the* ~ 배회하여, 유랑하여.
***rov·er** [róuvər] *n.* [C] 배회자; 유랑자.
rov·ing [róuviŋ] *a.* 방랑하는; 상주하지 않는, 이동하는: a ~ ambassador 순회 대사 / a ~ life 유랑 생활.
róving commíssion (조사원의) 자유 여행 권한; 《口》여기저기 돌아다니는 일.
róving éye (a ~) (계속 새로운 이성에게 눈길을 옮기는) 추파, 곁눈질: have *a* ~ 추파를 던지다, 바람기가 있다.
‡row[1] [rou] *n.* [C] ① 열, 줄, 횡렬; (극장 따위의) 좌석의 줄: in the front (third) ~ 앞줄[제 3 렬]에. ② (곧바로 늘어선 나무·집 따위의) 줄; (양 쪽에 집이 즐비한) 거리; 《英》(R-) (거리 이름으로) …거리[로(路)]: a ~ of trees 가로수 / a ~ of houses 즐비한 집 / Savile *Row* 새빌 로(路)《런던의 거리 이름》. ***a hard*** 〔***long, tough***〕 ~ ***to hoe*** 어려운[지긋지긋한] 일. ***in a*** ~ (1) 일렬로: Set the glasses *in a* ~. 유리잔을 한 줄로 놓아라. (2) 연속적으로: He won three games *in a* ~. 그는 세 게임을 계속해서 이겼다.
‡row[2] *vt.* ① (노로 배)를 젓다; …의 노잡이를 맡다: ~ a boat 배를 젓다 / ~ bow (five) 앞[5번] 노잡이를 맡다. ②《~+[목] / +[목]+[부] / +[목]+[전]+[명]》(배로) …을 저어 나르다: ~ a person *across* the river 아무를 배로 강을 건네 주다 / He ~*ed* us *up* (*down*). 우리를 위해 (강을) 저어 올라[내려]갔다. ③ (보트 경주)에 출전하다; …와 보트 경주를 하다: Our crew ~*ed* Yale. 우리 팀은 예일 대학 보트 팀과 싸웠다. ── *vi.* ①《~ / +[전]+[명]》배를 젓다: He ~*ed across* the lake. 그는 배를 저어 호수를 건너갔다. ② (보트가) 저어지다: This boat ~*s* easily. 이 보트는 젓기가 쉽다. ③《~ / +[전]+[명]》보트 경주에 참가하다 《*against*》: They ~*ed against* the Oxford crew.

옥스퍼드 대학 팀과 경조(競漕)했다 / ~ *for* Oxford 옥스퍼드 대학 팀 선수로 레이스에 참가하다. — *n.* (a ~) 노〔배〕젓기 ; 젓는 거리〔시간〕: Come for *a* ~ with me! 함께 보트놀이 가자 / It was *a* long ~ to the opposite bank. 대안까지 저어가는데 꽤 오래 걸렸다.

‡**row³** [rau] *n.* ① Ⓒ 법석, 소동 : Hold your ~! 시끄러워, 조용히 해 / make 〔kick up〕 a ~ 큰 소리를 치다. ② 《口》 Ⓒ 말다툼, 싸움 ; 꾸짖음 ; (정치적·사회적) 논쟁, 논의 : He had a ~ *with* his wife. 그는 아내와 대판 싸움을 했다. ③ (*sing.*) 소란스럼, 소음 : What's the ~? 왠 소란이냐. ④ Ⓒ 《英》 야단 맞음 : get into a ~ 야단맞다 / There will be a ~ if we get found out. 들키면 야단맞는다. — *vi.* (아무와) 싸움〔언쟁〕하다《*with* ; *about* ; *over*》: Stop ~*ing with* him *over* 〔*about*〕 such trifles. 하찮은 일로 그와 싸우지 마라.

row·an [róuən, ráu-] *n.* Ⓒ 〖植〗 ① 마가목의 일종. cf. mountain ash. ② 그 빨간 열매(=∠-**bèr·ry**).

row·boat [róubòut] *n.* Ⓒ 노로 젓는 배.

row·dy [ráudi] *n.* Ⓒ 난폭한〔싸움 좋아하는〕 사람. — (***-di·er*** ; ***-di·est***) *a.* 난폭한, 난장치는, 싸움 좋아하는 ; 떠들썩한 : Don't be so ~. 떠들지 마라, 좀 조용히 해라.
㊐ **-di·ly** *ad.* **-di·ness** *n.*

row·dy·ism [ráudiìzəm] *n.* Ⓤ 난폭한 태도〔성질, 행위〕; 떠들썩 함.

row·el [ráuəl] *n.* Ⓒ (박차(拍車) 끝의) 작은 톱니바퀴.

row·er [róuər] *n.* Ⓒ 노잡이, 노젓는 사람.

rów hòuse 《美》 (단지 등의) 잇대어 지은 같은 형의 집 중의 하나 ; 연립 주택의 하나.

row·ing [róuiŋ] *n.* Ⓤ 로잉, 노젓기, 조정(漕艇).

rówing bòat 《英》 =ROWBOAT.

row·lock [rálək, rʌ́l- / rɔ́l-, rʌ́l-] *n.* Ⓒ 《英》 노걸이, 노받이, 클러치.

‡**roy·al** [rɔ́iəl] *a.* 〔限定的〕 ① (종종 R-) 왕〔여왕〕의 ; 왕실의, 왕족의. cf. regal. ¶ the ~ blood 〔birth〕 왕족, 왕통 / the ~ family 〔household〕 왕실, 왕가 / a ~ palace 왕궁 / a ~ princess 왕녀. ② (흔히 R-) 왕립의 ; 칙허(勅許)의, 국왕의 보호를 받는 ; 국왕에게 봉사하는 : a ~ charter 칙허장 / a ~ edict 칙령(勅令). ③ 왕자다운 ; 당당한, 훌륭한, 고귀한 : ~ pomp 왕자다운〔위용 있는〕 화려함 / a ~ welcome 성대한 환영 / *in* ~ spirits 원기 왕성하게.

> 參考 영국에서는 '국립'이나 '나라의'라고 할 때 royal 이라고 하는 일이 많으며, 반드시 '왕립'이라고 한정되지는 않음.

— *n.* Ⓒ (흔히 *pl.*) 《口》 왕족〔왕가〕의 사람.

Róyal Acádemy (of Árts) (the ~) 《英》 왕립 미술원(the Academy)《略 : R.A.》.

Róyal Áir Fòrce (the ~) 영국 공군《略 : R.A.F.》.

róyal blúe 《英》 감청색(紺青色).

Róyal Commíssion 영국 심의회.

róyal fámily (the ~)〔集合的〕 ① 왕족. ② (종종 the R-F-) 영국 왕실.

róyal flúsh 〖카드놀이〗 로열 플러시《포커에서 같은 조의 으뜸패(ace)로부터 연속된 5장》.

Róyal Híghness 전하《황족에 대한 경칭 ; 略 : R.H. ; cf. highness》.

róyal ícing 로열 아이싱《사탕과 달걀 흰자로 만든 당의(糖衣)》.

Róyal Institútion (the ~) 영국 왕립 과학 연구소《1799 년 창립 ; 略 : R.I.》.

roy·al·ism [rɔ́iəlìzəm] *n.* Ⓤ 왕당주의 ; 군주주의.

roy·al·ist [-ist] *n.* Ⓒ 왕당원 ; 군주(제) 지지자 ; (R-) 〖英史〗 (Charles 1 세를 지지한) 왕당원 ; 〖美史〗 (독립 전쟁 당시의) 영국파.

róyal jélly 로열 젤리《꿀벌이 여왕벌이 될 애벌레에게 주는 영양 있는 분비물》.

roy·al·ly [rɔ́iəli] *ad.* 왕〔여왕〕으로서, 왕〔여왕〕답게 ; 존엄하게, 당당히 : treat her ~ 그녀를 환대하다.

Róyal Máil (the ~) 영국 체신(부).

Róyal Marínes (the ~) 영국 해병대《略 : R.M.》.

Róyal Mínt (the ~) 영국 왕립 조폐국.

Róyal Návy (the ~) 영국 해군《略 : R.N.》.

róyal prerógative (the ~ ; 종종 the R- P-) 왕〔여왕〕의 특권, 대권.

róyal púrple 짙푸른 자줏빛.

***róyal róad** 왕도, 지름길, 쉬운 방법 : There is no ~ *to* learning. 《俗談》 학문에 지름길은 없다.

Róyal Socíety (the ~) 영국 학술원《1662 년 창립 ; 略 : R.S.》. ★ 정식 명칭은 The Royal Society of London for the Improving of Natural Knowledge.

***roy·al·ty** [rɔ́iəlti] *n.* ① Ⓤ 왕〔여왕〕임 ; 왕권, 왕위 ; 왕의 위엄 ; 장엄 ; 왕도 ; 왕자 ; (흔히 *pl.*) 왕족 ; (흔히 *pl.*) 왕의 특권 ; Ⓒ 왕실의 일원 : a symbol of ~ 왕권의 상징. ② Ⓒ 특허권〔저작권〕 사용료 ; (희곡) 상연료 ; 인세(印稅) ; 채굴권 ; 광구〔광산, 유전, 특허권〕 사용료 : a ~ of ten percent on a book 저서에 대한 10 % 의 인세.

róyal wárrant 왕실 어용상인〔납품업자〕 허가증.

roz·zer [rázər / rɔ́z-] *n.* Ⓒ 《英俗》 순경, 형사.

R.P. Received Pronunciation (표준적인 발음).
r.p.m., RPM revolutions per minute. 매분 …회전. **rpt.** report. **R.R.** railroad. **RRP** 〖商〗 recommended retail price(권장 소매가). **R.S., RS** Royal Society(영국 학술원). **RSC** 〖拳〗 referee stop contest (심판 중지 시합). Royal Shakespeare Company(로열 셰익 스피어 극단). **R.S.P.C.A.** 《英》 Royal Society for the Prevention of Cruelty to Animals. (영국 동물 애호 협회). **RSV, R.S.V.** Revised Standard Version (of the Bible). (현대어역 성서). **R.S.V.P., r.s.v.p., rsvp** *Répondez, s'il vous plaît* 《F.》 (=Reply, if you please). 회신을 부탁합니다 ; 초대장 등에서 쓰는 문구). **rt.** right. **Ru** 〖化〗 ruthenium.

‡**rub** [rʌb] (***-bb-***) *vt.* ① 《~+목/+목+부/+목+전+명》 …을 문지르다, 비비다 ; 마찰하다 : You've ~*bed* your coat *against* some wet paint. 당신은 갓 칠한 페인트에 웃옷을 비벼댔군요 / He ~*bed* his eyes and yawned. 그는 눈을 비비고 하품을 했다. ② 《~+목/+목+부/+목+전+명》 …을 닦다《*up*》; 문질러 지우다, 비벼 떼다〔없애다〕; 스쳐 벗기다, 까지게 하다《*off* ; *out*》: This shoe ~*s* my heel. 이 신발은 발뒤꿈치를 까지게 한다 / I have ~*bed* the skin *off*. 살갗이 벗겨졌다 / She ~*bed off* the dirt *from* her boots. 그녀는 부츠에 묻은 진흙을 문질러 떨어지게 했다. ③ 《+목+보/+목+전+명》 …을 비벼서〔문질러〕 (…로) 하다 : You'll ~ a hole *in* the carpet. 그렇게 문지르면 카펫에 구멍이 생기겠다. ④ 《+목+전+명》 …을 문질러 바르다 ; …에 (몸을) 비벼대다《*over* ; *on* ; *in*, *into* ; *against*》: ~ cream *over* the face 얼굴에 크림을 바르다 / The cat was ~*bing* itself 〔its head〕 *against* her legs.

고양이는 몸을〔머리를〕 그녀의 다리에 비벼대고 있었다.

── *vi.* 《+전+명/+부》 ① 마찰하다, 닿다 ; 비벼 떨어지다《*against* ; *on* ; *off* ; *out*》: The door ~*s on* the floor. 문이 마루에 닿아 서로 스친다 / Blood stains don't ~ *off* easily. 핏자국은 비벼도 잘 지워지지 않는다. ② …에 (몸 따위)를 비비다《*against* ; *on*》: The dog ~*bed against* her. 개가 그녀에게 몸을 비벼댔다.

~ ***along*** (1) 그럭저럭 해 나가다 : I'm ~*bing along* O.K. 그럭저럭 잘 지내고 있네. (2) …와 사이 좋게 지내다《*with*》. (3) (여럿이서) 잘하고 있다. ~ ***down*** (1) 마찰하다 : I ~ myself *down* with a rough towel every morning. 매일 아침 건포 마찰을 한다. (2) 문질러 닦다〔면이 고르게 하다〕: ~ *down* a chair *with* sandpaper 사포로 의자를 문질러 닦다. ~ ***elbows*** 〔***shoulders***〕 ***with*** …와 팔꿈치〔어깨〕를 맞대다 ; …와 어울리다 ; (저명인사 등)과 (친하게) 교제하다. ~ (***it***) ***in*** 《口》 (사실·잘못 등을) 짓궂게 되풀이하여 말하다 : All right, all right. There is no need to ~ *it in.* 그래, 그래. 그만 좀 얘기해. ~ ***off on to***〔***onto***〕 (성질·습관 등이) …에 옮다 ; 영향을 미치다. ~ ***out*** (1) 문질러 지우다 ; (담뱃불 따위를) 비벼 끄다. (2) 《俗》 (사람을) 죽이다, 제거하다(murder). ~ (a person) (***up***) ***the wrong way*** (아무의) 신경을 건드리다, 짜증나게 하다, 화나게 하다. ~ ***up*** (1) 충분히 문지르다, 닦다. (2) 더욱 연마하다 ; 복습하다 : ~ *up* one's Latin 라틴말을 다시 공부하다.

── *n.* ① (a ~) 마찰, 문지름 : give silver plate *a* good ~ 은식기를 잘 닦다. ② (the ~) 장애, 곤란 : There's *the* ~. 그것이 (곤란한) 문제이다.

‡**rub·ber**[1] [rʌ́bə*r*] *n.* ① Ⓤ 고무, 생고무, 천연고무. ② Ⓒ 고무 제품 ; 고무〔칠판〕 지우개(eraser) ; 고무 밴드(~ band) ; 《口》 풍선 ; 고무 타이어《차 한 대분》; (고무제(製)의) 레인코트, 비옷 ; (*pl.*) 고무덧신. ③ Ⓒ 문지르는〔닦는〕 사람 ; 안마사 ; (목욕탕용의) 큰 타월. ④ Ⓒ 숫돌(whetstone) ; 사포, 연마사(砂) ; 거친 줄. ⑤ (the ~) 〖野〗 투수판, 홈플레이트. ── *a.* 〔限定的〕 고무제(품)의 : ~ boots 고무 장화 / ~ cloth 고무를 입힌 천 / a ~ plantation 고무나무 재배원.

rub·ber[2] *n.* Ⓒ (카드놀이 따위의) 3 판 승부 ; (the ~) 3 판 승부 중의 2승 : have a ~ of bridge 브리지의 3판 승부를 하다. ★ 줄여서 the rub 라고도 함.

rúbber bánd 고무 밴드.

rúbber chéck 《口》 부도 수표.

rúbber dínghy 《美》 (소형) 고무 보트.

rúbber góods 《婉》 고무제품《피임용구》.

rub·ber·ize [rʌ́bəràiz] *vt.* …에 고무를 입히다 ; 고무로 처리하다.

rub·ber·neck [rʌ́bə*r*nèk] 《口》 *vi.* ① 목을 (길게) 빼고 유심히 보다〔살피다〕; 구경하다 : tourists ~*ing* at the White House 백악관을 구경하는 관광객들. ② (안내원의 인솔로) 단체 관광 여행을 가다.

── *n.* Ⓒ ① 구경(하기 좋아)하는 사람 ; 호기심이 많은 사람. ② 관광객.

── *a.* 〔限定的〕 관광용의 : a ~ bus 관광 버스.

rúbber plànt 고무나무, 《특히》 인도고무나무.

rúbber stámp ① 고무 도장. ② 《口》 무턱대고 도장을 찍는 사람, 무비판적으로 승인〔찬성〕하는 사람〔관청·의회〕.

rub·ber-stamp [rʌ́bə*r*stǽmp] *vt.* ① …에 고무 도장을 찍다. ② 《口》 …에 무턱대고 도장을 찍다 ; …을 잘 생각지도 않고 찬성〔승인〕하다.

rúbber trèe 고무나무, 《특히》 파라고무나무.

rub·bery [rʌ́bəri] *a.* 고무 같은, 탄력(성) 있는 (elastic) ; 질긴(tough) : The meat was rather ~. 그 고기는 꽤 질겼다.

rub·bing [rʌ́biŋ] *n.* ① Ⓤ.Ⓒ 마찰 ; 연마 ; 안마, 마사지. ② Ⓒ (비명(碑銘) 따위의) 탑본, 탁본 : do〔take〕 a ~ of …의 탁본을 뜨다.

rúbbing àlcohol 《美》 소독용 알코올.

***rub·bish** [rʌ́biʃ] *n.* Ⓤ ① 쓰레기, 폐물, 잡동사니 : a pile of ~ 쓰레기〔잡동사니〕 더미. ② 하찮은 것, 부질 없는 생각, 어리석은 짓 : You're talking utter ~. 자네는 정말 허튼 소리만 하고 있군. ── *vt.* …을 형편 없다고 혹평하다. ── *int.* 바보 같이.

rúbbish bín 《英》 =DUSTBIN.

rub·bishy [rʌ́biʃi] *a.* ① 쓰레기의, 잡동사니의. ② 하찮은.

rub·ble [rʌ́bəl] *n.* Ⓤ ① 깨진 기와〔벽돌〕 조각. ② 잡석(雜石). ㊕ **rub·bly** *a.*

rub·down [rʌ́bdáun] *n.* (a ~) ① 신체 마찰, 마사지 : have *a* ~ with a wet towel 냉수 마찰을 하다. ② 박박 문지르는〔닦는〕 일 : Give this *a* good ~. 이것을 잘 닦아 주게.

rube [ru:b] *n.* Ⓒ 《俗》 (도회지로 갓 올라온) 시골뜨기 ; 《美俗》 풋내기, 철부지 ; 《俗》 멍텅구리.

ru·bel·la [ru:bélə] *n.* 〖醫〗 =GERMAN MEASLES.

Ru·bens [rú:bənz] *n.* **Peter Paul** ~ 루벤스 《Flanders 파의 화가 ; 1577-1640》.

Ru·bi·con [rú:bikɑ̀n/-kən] *n.* (the ~) 루비콘강《이탈리아 북부의 강 ; Julius Caesar 가 '주사위는 던져졌다'라고 말하고 건넜던 강》. ***cross*** 〔***pass***〕 ***the*** ~ 단호한 조처를 취하다, 홍망을 걸고 해보다.

ru·bi·cund [rú:bikʌ̀nd] *a.* 얼굴이 붉고 건강한, 「혈색이 좋은.

ru·bid·i·um [ru:bídiəm] *n.* Ⓤ 〖化〗 루비듐《금속 원소 ; 기호 Rb ; 번호 37》.

Rú·bik('s) Cùbe [rú:bik(s)-] 루빅 큐브《정육면체의 색깔 맞추기 장난감 ; 商標名》.

ru·ble, rou- [rú:bəl] *n.* 루블《러시아의 화폐 단위 ; 기호 R, Rub ; =100 kopecks : 기호 R., r》.

rub·out [rʌ́bàut] *n.* Ⓒ 《美俗》 살인.

ru·bric [rú:brik] *n.* Ⓒ ① (시험지 위 쪽에 써 붙인) 수험 요령 ; 관례, 규정. ② (책의 장·절에 붙이는) 제목. ③ 〖基〗 전례 법규.

ru·bri·cate [rú:brəkèit] *vt.* …을 주서(朱書)하다, 붉게 인쇄하다.

rub·up [rʌ́bʌ̀p] *n.* (a ~) 닦음, 닦기.

***ru·by** [rú:bi] *n.* ① Ⓤ.Ⓒ 〖鑛〗 루비 ; 홍옥(紅玉). ② Ⓤ 루비 빛깔, 진홍색. ── *a.* 〔限定的〕 루비(빛)의, 진홍색의 : her ~ lip 그녀의 진홍색 입술.

ruck[1] [rʌk] *vt., vi.* (…을) 주름살투성이가 되(게 하)다《*up*》. ── *n.* Ⓒ 주름살, 주름(crease).

ruck[2] *n.* ① (the ~) 무리 ; 군중, 대중 : try to get out of *the* ~ 범속한 무리 중에서 특출나려고 노력하다. ② Ⓒ 잡동사니 ; 다수. ③ (the ~) (경마에서) 낙오한 말의 떼 ; (경주 따위에서) 후속 집단. ④ (*sing.*) 〖럭비〗 럭《지면의 공을 둘러싸고 선수들이 밀집해 서로 밀고 있는 상태》.

ruck·sack [rʌ́ksæ̀k, rúk-] *n.* Ⓒ 《G.》 배낭, 룩색.

ruck·us [rʌ́kəs] *n.* Ⓒ (*sing.*) 《口》 법석, 소동.

ruc·tion [rʌ́kʃən] *n.* 《口》 ① (*sing.*) 소란, 소동. ② (*pl.*) 불평 ; 격론.

***rud·der** [rʌ́də*r*] *n.* Ⓒ ① (배의) 키 ; (비행기의) 방향타(舵). ② 《比》 지도자 ; 지침.

rud·der·less [ˊ-lis] *a.* 키가 없는 ; 지도자가 없는.

rud·dle [rʌ́dl] *n.* Ⓤ 〖鑛〗 홍토(紅土), 대자석(代

赭石). ── *vt.* 홍토로 표를 하다《특히 양(羊)에게》; 홍토를 바르다.

__rud·dy__ [rʌ́di] (-di·er* ; *-di·est*) *a.* ① 붉은, 불그스름한 ; 혈색이 좋은, 건강한. cf. rosy. ¶ a ~ complexion 혈색 좋은 얼굴. ② 〔限定的 ; 強意語〕《英俗》 싫은, 괘씸한, 지긋지긋한 : You've got a ~ nerve! 자네는 여간 뻔뻔스럽지 않군. ── *ad.* 〔強意的〕 매우, 몹시 : She makes me work ~ hard. 그녀는 나를 혹심하게 부려 먹는다.

‡**rude** [ru:d] (*rúd·er* ; *rúd·est*) *a.* ① 버릇 없는, 무례한(impolite), 실례의《*to*》: They're very ~. 그들은 정말 버릇이 없다 / It's ~ *of* me *to* have kept you waiting. 기다리게 해서 실례했습니다. ② 교양이 없는, 미개한, 야만의 ; 야비한 : a ~ tribe 미개한 부족 / ~ times 야만 시대 / a ~ gesture 야비한 몸짓. ③ 난폭한 ; 거친 : ~ youths 난폭한 젊은이들. ④ 미가공의, 미완성의 : ~ ore 원(광)석. ⑤ 미숙한, 조잡한 ; 대강의 : a ~ sketch 조잡한 묘사 / a ~ estimate 대강의 견적. ⑥ 튼튼한, 건강한. opp. *delicate*. ¶ ~ health 강건(強健). ⑦ 귀에 거슬리는 ; (음식이) 맛없는, 소홀한 : ~ sounds 비음악적인〔거친〕 소리 / ~ fare 소찬(素饌), 변변치 못한 음식. ⑧ 격심한 ; 돌연한 : ~ passions 격정 / a ~ shock 갑작스러운 충격. 㖈 ∠**·ness** *n.*

rude·ly [∠li] (*more* ~ ; *most* ~) *ad.* ① 버릇없이, 무례하게 : behave ~ 무례하게 굴다. ② 갑자기, 거칠게 : She was ~ awakened by what he said next. 그가 다음에 한 말을 듣고 그녀는 퍼뜩 제정신이 들었다. ③ 조잡하게.

ru·di·ment [rú:dəmənt] *n.* ① (*pl.*) 기본, 기초(원리) ; 초보 ; 시초《*of*》: the ~*s of* economics 경제학의 기초 / the ~*s of* a plan 계획의 초기 단계. ② Ⓒ 〖生〗 퇴화 흔적, 퇴화 기관.

ru·di·men·ta·ry [rù:dəméntəri] *a.* ① 근본의, 기본의 ; 초보의(elementary) ; 원시적인 ; 변변치 못한 : a ~ knowledge of English 영어에 관한 기초 지식. ② 미발달의 ; 발육 부전의 ; 흔적의 : a ~ organ 흔적 기관(器官), 퇴화 기관.

Ru·dolf, -dolph [rú:dɑlf / -dɔlf] *n.* 루돌프《남자 이름》.

rue[1] [ru:] *vt.* …을 후회하다, 유감으로 생각하다 : I ~ the day (when) I accepted the offer. 그 제안을 받아들였던 그 날을 후회하고 있다.

rue[2] *n.* Ⓤ 〖植〗 루타(*Ruta*)《운향과(芸香科)의 상록 다년초 ; 흥분제·자극제로 사용했음》.

rue·ful [rú:fəl] *a.* ① 후회하고 있는 ; 슬퍼하는 : a ~ smile 슬픈 미소. ② (광경 따위가) 가련한, 애통스러운 : a ~ sight 안쓰러운 광경. 㖈 ~**·ly** *ad.*

ruff[1] [rʌf] *n.* Ⓒ ① 풀이 센 높은 주름 칼라《특히 16 세기의》. ② 새·짐승의 목 둘레의 고리 모양의 털〔깃털〕.

ruff[2]**, ruffe** *n.* 작은 농어류(類)의 민물고기《유럽산(産)》.

ruff[3] *n.* Ⓤ 〖카드놀이〗 으뜸패로 잡기. ── *vi.* 으뜸패로 잡다〔를 내놓다〕.

rúffed gróuse [rʌ́ft-] 〖鳥〗 목도리뇌조(雷鳥)《북아메리카산》.

*__ruf·fi·an__ [rʌ́fiən, -fjən] *n.* Ⓒ 악한, 불량배, 폭력배, 무법자 : a gang of ~*s* 폭력단. 㖈 ~**·ly** *a.*

*__ruf·fle__[1] [rʌ́fəl] *vt.* ① (머리카락 등)을 헝클어뜨리다 ; …을 물결치게 하다 : A breeze ~*d* the water. 미풍이 불어 수면에 물결이 일었다. ② 《~+目 / +目+副》 (새가 성을 내어 깃털)을 곤두세우다《*up*》; 성나게〔약이 오르게〕 하다 : Nothing ~*d* him. 그는 무슨 일에도 동요하지 않았다 / The bird ~*d up* its feathers. 새는 성이 나서 깃털을 곤두세웠다. ③ …에 주름을 잡다 ; 프릴을 달다. ── *vi.* 구김살지다, 구겨지다 ; 물결이 일다 ; (깃발 따위가) 펄럭이다.

── *n.* Ⓒ ① (옷깃·소맷부리 따위의) 프릴 ; 새의 목털. ② 물결 일기 ; 잔물결. ③ 동요, 불안 : put a person in a ~ 아무를 동요시키다〔성나게 하다〕.

ruf·fle[2] *n.* Ⓒ 북을 나직이 둥둥 침, 또는 그 북치는 소리. ── *vt.* (북)을 나직이 둥둥 치다.

ruf·fled [rʌ́fəld] *a.* ① 주름(장식)이 있는 ; 목털이 있는. ② 구겨진 ; 물결이 이는. ③ 어지럽혀진.

‡**rug** [rʌg] *n.* Ⓒ ① **a)** (바닥의) 깔개, 융단, 양탄자. **b)** 까는 모피, 《특히》 난로 앞에 까는 것. ② 《英》 무릎 덮개 (《美》 lap robe). ③ 《美俗》 남성용 가발. ***pull the*** ~(***s***) 〔***carpet***〕 (***out***) ***from under*** ⇨ CARPET. ***sweep*** 〔***brush, push***〕 ***under the*** ~ 〔***carpet***〕 ⇨CARPET(成句).

*__Rug·by__ [rʌ́gbi] *n.* ① 럭비《잉글랜드 중부의 도시 ; ~ School 소재지》. ② 럭비교(~ School). ③ (종종 r-) 럭비(~ football). cf. football.

Rúgby fóotball (종종 r-) 럭비.

Rúgby Schòol 럭비교《Rugby 시에 있는 유명한 남자 public school》.

‡**rug·ged** [rʌ́gid] (*more* ~, ~*·er* ; *most* ~, ~*·est*) *a.* ① 우툴두툴한《바위·나무껍질 등》, 울퉁불퉁한 : a ~ path 울퉁불퉁한 길 / a ~ mountain 바위투성이의 산. ② 메부수수한, 소박한, 조야한(rude) : a ~ peasant 소박한 농부 / ~ kindness 무뚝뚝한 친절. ③ (얼굴 모습 따위가) 만만찮은, 엄하게 보이는 : a ~ face 만만찮은〔엄한〕 얼굴. ④ 엄한, 어려운, 괴로운 ; 궂은 날씨의 ; 거친 : a ~ life 어려운 생활 / ~ weather 궂은 날씨. ⑤ 귀에 거슬리는. ⑥ 단단한, 억센 : This vehicle is ~ and reliable. 이 차는 단단하여 믿을 수 있다. 㖈 ~**·ly** *ad.* ~**·ness** *n.*

rug·ger [rʌ́gər] *n.* 《英口》 러거, 럭비(Rugby football). cf. soccer.

‡**ru·in** [rú:in] *n.* ① Ⓤ 파멸 ; 파산, 몰락 ; 황폐 : come〔go, run〕 to ~ =fall into ~ 황폐하다 ; 멸망하다 / face financial ~ 파산에 직면하다. ② (*pl.*) 폐허, 옛터(remains) ; Ⓒ 파괴된〔황폐한〕 것 ; 잔해 : lie in ~*s* 폐허로 화했다 / the ~*s* of ancient Greece 고대 그리스 유적. ③ Ⓒ (옛 모습을 찾을 수 없게) 몰락〔영락〕한 사람〔모습〕: He is but the ~ of what he was. 그는 옛 모습을 찾아볼 수 없을 만큼 몰락했다. ④ (the ~, one's ~) 파멸의 원인, 화근 : Alcohol was *his* ~. 그는 술 때문에 몸을 망쳤다. ***in*** ~***s*** (1) 폐허가 되어, 황폐하여. (2) 파멸하여 : Their hopes were *in* ~*s*. 그들의 희망은 무너졌다.

── *vt.* ① …을 파괴하다 ; 파멸〔황폐〕시키다 ; 못쓰게 하다 : ~ one's health by excesses 절제를 하지 않아 건강을 망치다 / The snow ~*ed* my weekend. 눈으로 내 주말은 잡쳐 버렸다. ② …을 영락〔몰락〕시키다, 파산시키다 : He was ~*ed* by drink. 그는 술로 몸을 망쳤다. ③ (여자의 처녀성)을 빼앗다, 타락시키다. ── *vi.* ① 황폐하다, 파멸하다, 망하다. ② 영락〔몰락〕하다.

㖈 ~**ed** *a.* 멸망한, 파멸된 ; 타락한 ; 몰락〔파산〕한 ; 시든, 해를 입은.

ru·in·a·tion [rù:inéiʃən] *n.* Ⓤ 파멸, 멸망 ; 황폐 ; 몰락, 파산 ; 파멸〔타락〕의 원인, 화근 : Drink will be his ~. 그는 술로 파멸할 것이다.

ru·in·ous [rú:inəs] *a.* 파괴적인, 파멸을 초래하는 ; 황폐한 ; 폐허의 ; 《口》 턱없이 비싼 : a ~ house 황폐한 고옥. 㖈 ~**·ly** *ad.*

†**rule** [ru:l] *n.* ① Ⓒ 규칙, 규정 ; 법칙 ; 〖宗〗 종규(宗規) : the school ~*s* 교칙 / the ~ of the road 교통 규칙 / a breach of (the) ~*s* 규칙 위반 / There is no (general) ~ without some exceptions. 《俗談》 예외 없는 규칙은 없다 / You can't

come in if you're not a member — it's against the ~*s.* 회원이 아니면 들어올 수 없다 — 그것은 규칙을 어기는 짓이다 / We might be able to bend the ~*s* just this one time. 이번 만큼은 규칙을 어겨도 좋을 것 같다. ② Ⓒ 통례, 관례, 습관; 주의: He makes a ~ of reading an hour before breakfast. 그는 조반 전에 한 시간씩 독서하기로 하고 있다. ③ Ⓤ 지배(control), 통치: the ~ of force 무력에 의한 지배 / countries that were once under French ~ 일찍이 프랑스 통치를 받던 나라들 / One-party ~ is dangerous. 일당 지배는 위험하다. ④ 〔修飾語와 함께〕 통치 기간; 치세: during the ~ of Queen Elizabeth I, 엘리자베스 여왕 1세의 치세 중 / His ~ lasted three days. 그의 통치는 3일만에 끝났다. ⑤ Ⓒ 자(ruler): a carpenter's ~ 접자. ⑥ Ⓒ 〖印〗 괘선(罫線). ⑦ (수학의) 공식, 해법, (과학상·예술상의) 법칙, 방식(★과학적 사실에 관한 법칙에는 law를 씀). ***a hard and fast*** ~ 융통성 없는 규정〔방식〕. ***as a*** (***general***) ~ 대개, 일반적으로: *As a* ~, business is slack in summer. 대체로 여름에는 장사가 잘 되지 않는다. ***by*** 〔***according to***〕 ~ 규칙대로: You cannot do everything *by* ~. 무엇이나 규칙대로 할 수 있는 것은 아니다. ***make it a*** ~ ***to*** do 언제나 …하기로 하고 있다: I *make it a* ~ never *to* watch television during the day. 나는 낮에는 절대로 텔레비전을 보지 않기로 하고 있다. ***the*** ~ ***of three***, 3수법(數法). ***work to*** ~ 《英》 (노동 조합원이) 준법 투쟁을 하다.

— *vt.* ① …을 다스리다, 통치하다: Queen Victoria ~*d* England for 64 years. 빅토리아 여왕은 64년 동안 영국을 통치했다. ② 〔흔히 受動으로〕 지시〔좌우〕하다: *be* ~*d by* advice 충고에 따르다. ③ …을 억제하다: ~ one's desires 욕망을 누르다. ④ 《+*that* 절》 …을 재정하다, 판결하다: The court ~*d that* he was not entitled to the property. 법원은 그에게 그 재산을 상속할 자격이 없다고 판시했다. ⑤ 《~+목/+목+전+명》 …에 자로 줄을 긋다: ~ paper *with* lines 종이에 선을 긋다. — *vi.* ① 《~/+전+명》 통치〔지배〕하다《*over*》: An Emperor ~*s over* an Empire. 황제가 제국을 지배한다. ② 널리 행해지다. ③ 《~/+전+명》 재정〔판결〕하다: The court will soon ~ *on* the matter. 법정은 그 사건에 대하여 곧 판결을 내릴 것이다. ~ ***off*** (난(欄) 따위를) 선을 그어 구획하다; (경기자 등)을 제외하다. ~ ***out*** (규정 등에 따라) 제외하다, 불가능하게 하다, 방해하다; 금지하다: Rain ~*d* our going *out.* 비가 와서 외출할 수 없었다. ~ ***the roost*** 〔***roast***〕 ⇨ROOST.

rule·book [⁻bùk] *n.* ① Ⓒ (취업) 규칙서. ② (the ~) (스포츠 등의) 규칙집(集).

ruled [-d] *n.* 괘선을 그은: ~ paper 괘선지.

‡**rul·er** [⁻ər] *n.* Ⓒ ① 통치자, 주권자, 지배자《*of*》: ~*s* and ruled 치자와 피치자. ② 자: a 12-inch ~, 12인치 자.

‡**rul·ing** [⁻iŋ] *a.* 〔限定的〕 지배하는, 통치하는; 주된, 우세한, 유력한; 일반적인, 평균의《시세 따위》: the ~ price 일반적인 시세, 시가 / a ~ idea 유력한 생각 / the ~ spirit 주동자; 수뇌, 우두머리 / the ~ party 여당.

— *n.* ① Ⓤ 지배; 통치. ② Ⓒ 〖法〗 판결, 재정(裁定): give a ~ in favor of a person 아무에게 유리한 판결을 내리다. ③ Ⓤ (자로) 괘선을 그음, 줄긋기; 괘선(ruled lines).

***rum**[1] [rʌm] *n.* Ⓤ.Ⓒ 럼주(酒)《사탕수수·당밀(糖蜜)로 만듦》; 《美》 〔一般的〕 술.

rum[2] (⁻·***mer*** ; ⁻·***mest***) *a.* 《俗》 기묘한(queer), 괴상한(odd); 위험한; 나쁜(bad): a ~ customer 섣불리 손댈 수 없는 상대〔것〕/ feel ~ 기분이 나쁘다. ㊕ ⁻·**ly** *ad.* ⁻·**ness** *n.*

Ru·ma·nia [ru:méiniə, -njə] *n.* 루마니아(Roumania)《유럽 남동부의 공화국; 수도는 부쿠레슈티(Bucharest)》. ㊕ **-ni·an** *n., a.* 루마니아 사람(의); Ⓤ 루마니아 말(의).

rum·ba, rhum·ba [rʌ́mbə, rú(:)m-] *n.* Ⓒ 《Sp.》 룸바《쿠바 원주민의 춤》.

***rum·ble**[1] [rʌ́mbəl] *n.* (*sing.*) (천둥·수레 따위의) 우르르〔덜커덕덜커덕〕 울리는 소리; 《美俗》 불량배끼리의 싸움: a distant ~ of thunder 멀리서 들리는 천둥소리.

— *vi.* ① 우르르 울리다, 덜커덕덜커덕 소리가 나다: We could hear thunder *rumbling* in the distance. 멀리서 우르르하는 천둥 소리가 들려왔다. ② 《+부》 (수레가) 덜커덕거리며 가다《*away ; along ; by ; down*》: The train ~*d by.* 열차가 굉음을 내며 지나갔다. ③ 장황하게 이야기하다.

— *vt.* …을 굵은 소리로 말하다.

rum·ble[2] *vt.* 《俗》 …을 꿰뚫어 보다, 간파하다.

rúmble sèat 《美》 자동차 후부의 무개(無蓋)접좌석.

rum·bling [rʌ́mbəliŋ] *n.* Ⓒ ① (*sing.*) 우르르〔덜거덕〕 소리. ② (흔히 *pl.*) 불평, 불만: I've heard ~*s* of discontent. 불만의 소리를 들어 왔다.

rum·bus·tious [rəmbʌ́stʃəs] *a.* 《英口》 떠들썩한, 시끄러운(boisterous).
㊕ ~·**ly** *ad.* ~·**ness** *n.*

ru·men [rú:min] (*pl.* ***-mi·na*** [-nə]) *n.* Ⓒ 《L.》 (반추 동물의) 반추위(胃)《제 1 위(胃)》; (제 1 위에서) 되돌린 음식.

ru·mi·nant [rú:mənənt] *a.* ① 되새기는, 반추 동물의. ② 심사숙고의, 생각〔묵상〕에 잠긴(meditative). — *n.* Ⓒ 반추 동물.

ru·mi·nate [rú:mənèit] *vi.* ① 반추하다. ② 곰곰이 생각하다, 생각에 잠기다《*about ; on ; over*》: He ~*d on*〔*over*〕 what had happened the day before. 그는 전날 일어난 일을 곰곰이 생각했다.
— *vt.* …을 되새기다.
㊕ **rù·mi·ná·tion** [-ʃən] *n.* ① Ⓤ 반추. ② 생각에 잠김, 묵상. ③ Ⓒ (종종 *pl.*) 심사 숙고의 결과.

ru·mi·na·tive [rú:mənèitiv / -nətiv] *a.* 묵상적인, 묵상에 잠긴(pondering). ㊕ ~·**ly** *ad.*

rum·mage [rʌ́midʒ] *vt.* ① …을 샅샅이 뒤지다〔찾다〕. ② 《~+목/+목+부》 …을 찾아내다, 발견하다《*out ; up*》; (찾기 위해) 마구 뒤적거리다: She ~*d out* the pin. 그녀는 핀을 찾아냈다.
— *vi.* 《+전+명/+부》 뒤적거려 찾다, 샅샅이 찾다《*about ; for ; among ; in*》: ~ *for* a ring *in* a drawer 서랍을 뒤적거려 반지를 찾다.
— *n.* ① (a ~) 샅샅이 뒤지기: I had *a* ~ in the attic. 고미다락을 샅샅이 뒤졌다. ② Ⓤ 쓰레기, 잡동사니.

rúmmage sàle 자선 기부 경매; 재고품 정리 판매, 잡동사니 시장.

rum·my[1] [rʌ́mi] *n.* Ⓒ 《美俗》 주정뱅이.

rum·my[2] (***-mi·er*** ; ***-mi·est***) *a.* 《英俗》 =RUM[2].

rum·my[3] *n.* Ⓤ 러미《카드놀이의 일종; 같은 패(牌)를 갖추어 차례로 늘어놓는》.

‡**ru·mor,** 《英》 **-mour** [rú:mər] *n.* Ⓤ.Ⓒ 소문, 풍문, 세평, 풍설《*about ; of*》: a wild ~ 아무 근거 없는 소문 / There's a ~ *of a* flying saucer having been seen. 비행접시가 목격되었다는 소문이 있다 / There's a ~ (circulating) *that* the country has nuclear weapons. 그 나라는 핵무기를 가지고 있다는 소문이 파다하다 / *Rumor* has it

〔says〕 that he's getting married again. 그가 재혼할 것이라는 소문이 있다.
— *vt.* (남의 이야기)를 하다, 소문을 내다. ★흔히 과거분사로 형용사적으로 쓰임. ⇨rumored.

ru·mored [´-d] *a.* ①〔限定的〕 소문난 : the ~ event 소문난 사건. ②〔敍述的〕 **a**) 〔it is ~ that …로〕 …라는 소문이 있는 : *It was* ~ *that* he had been poisoned. 그가 독살되었다는 소문이 떠돌았다. **b**) 《+목+*to* do》 …라는 소문이 떠도는 : He's ~ *to* be sick. 그는 병석에 있다는 소문이다.

ru·mor·mon·ger [-mʌ̀ŋgər] *n.* Ⓒ 소문을 내는 사람.

***rump** [rʌmp] *n.* Ⓒ ① (새·짐승 따위의) 둔부, 궁둥이 ; 엉덩잇살《특히 소의》. ② 남은 것 ; 잔당 《특히 의회·정당 등의》.

rum·ple [rʌ́mpəl] *vt.* (옷·종이 따위)를 구기다 ; (머리)를 헝클어뜨리다 : The wind ~*d* my hair. 바람에 머리칼이 헝클어졌다. — *n.* Ⓒ 구김살.

rúmp stèak 홍두깨살.

rum·pus [rʌ́mpəs] *n.* (*sing.*) 《口》 소동, 소란 ; 격론, 싸움, 언쟁 ; 소음 : make〔cause, kick up, raise〕 a ~ 소동을 일으키다.

rúmpus ròom 오락실《주로 지하실》.

†**run**[1] [rʌn] (***ran*** [ræn] ; ***run*** ; ***rún·ning***) *vi.* ① 《~/+전+명/+부》 (사람·말이) 달리다, 뛰다 : ~ back 달려서 되돌아오다 / ~ *across* the street 거리를 뛰어 건너다 / ~ *down* the stairs 계단을 뛰어 내려가다 / ~ *about* 뛰어다니다.
② 《~/+전+명/+부》 급하게 가다, 잠깐 들르다〔방문하다〕《*down* ; *over* ; *up*》 : ~ *up to* town 급히 읍까지 가다 / I'll ~ *over* to see you after dinner. 식사 후에 잠깐 방문하겠습니다.
③ 《+전+명》 …에〔을〕 의지하다 ; …에 호소하다 《*to*》 : ~ *to* arms 무력에 호소하다 / You shouldn't ~ *to* your parents with every little problem. 사소한 일을 가지고 일일이 부모에게 도움을 청해서는 안 된다.
④ 《~/+전+명》 (차·배가) 달리다, 다니다, 왕복〔운행〕하다 (ply) 《*between* ; *from* … *to* _》 : The buses ~ every ten minutes. 그 버스는 10 분마다 다닌다 / This bus ~*s between* Seoul and Inch'ŏn. 이 버스는 서울과 인천 사이를 왕래한다.
⑤ 《+부/+전+명》 떠돌아다니다, 헤매다, 배회〔방황〕하다《*about* ; *around*》 : ~ *around* in the park 공원에서 어슬렁거리다.
⑥ 《+부/+전+명》 (길 따위가) 통하다, 이어지다 : The road ~*s along* the river. 길은 강을 따라 나 있다 / The road ~*s through* the woods. 길은 숲속을 지나고 있다.
⑦ 《~/+전+명/+부》 달아나다, 도망치다 (flee) : He *ran for* his life. 필사적으로 도망쳤다 / Seeing me, he *ran off.* 나를 보자 그는 달아났다.
⑧ 《+부》 (세월이) 흐르다, (때·인생이) 지나다 : How fast the years ~ *by !* 세월의 흐름이 참 빠르기도 하구나 / His life has only a few months to ~. 그의 생명도 고작 수개월밖에 없다.
⑨ 《~/+전+명》 (뉴스·소문 따위가) 퍼지다, 전해지다 ; 인쇄되다 ; 기사화하다, 실리다 : The news *ran* all over the town. 그 소식은 온 읍내에 퍼졌다 / The account *ran in* all papers. 그 기사는 어느 신문에나 실렸다.
⑩ 《+전+명》 (생각·기억 따위가) 떠오르다 : A thought *ran through* his mind. 문뜩 어떤 생각이 머리에 떠올랐다.
⑪ 《~/+보/+전+명》 경주에 출장하다 ; (시합·경주에서) …등이 되다 : Tom *ran* second all the way. 톰은 내내 2 등으로 달렸다.
⑫ 《~/+전+명》 입후보〔출마〕하다《*for*》 : ~ *for* Parliament 〔*for* (the) Presidency, *for* President〕 국회의원〔대통령〕에 출마하다.
⑬ 《~/+전+명》 (미끄러지듯) 움직이다, 이동하다 ; 구르다, 굴러가다 : Trains ~ *on* rails. 기차는 레일 위를 달린다.
⑭ 《~/+전+명/+부》 (기계 따위가) 돌아가다, 돌다 ; 잘 움직이다 : The engine ~*s on* gasoline. 엔진은 휘발유로 작동한다 / His tongue *ran on* and *on*. 그는 계속 지절대었다.
⑮ 《~/+전+명》 (영화·극 등이) 연속 공연되다, 상영〔상연〕 중이다 : The play *ran for* two years. 그 극은 2 년간 연속 공연되었다.
⑯ 《~/+전+명》 계속하다〔되다〕 (continue) ; 〖法〗 (영장 등이) 유효하다 : The contract ~*s for* twenty-six weeks. 그 계약은 26 주간 유효하다.
⑰ 《+보》 (어떤 상태가) 되다, 변하다 (become) : ~ loose 뿔뿔이 흩어지다 / ~ to ruin 황폐해지다 / The sea *ran* high. 바다는 사납게 놀쳤다.
⑱ 《~/+전+명》 (수·액수가) …에 달하다《*to*》 : The debt *ran to* $500. 빚이 500 달러가 됐다.
⑲ 《~/+전+명/+보》 …한 경향이 있다, 대체로〔평균〕 …이다 : Meat still ~*s* high. 고기는 아직 (값이) 비싸다 / Potatoes are ~*ning* large this year. 올해에는 감자 알이 대체로 크다.
⑳ 《~/+*as* 보/+부》 …라고 씌어 있다 : His statement ~*s as* follows. 그의 성명서는 다음과 같다 / *How* does the first verse ~ ? 처음 1 절은 무어라고 되어 있느냐.
㉑ 《+보/+부》 (식물이) 뻗다, 퍼지다 ; (물고기가) 떼를 지어 이동하다, 강을 거슬러 오르다 ; 자꾸 성장하다 : Vines ~ *over* the ground. 덩굴풀이 땅 위를 덮고 있다.
㉒ 《~/+전+명》 (화제가) …에 미치다, 걸치다 《*on*》 ; (종류·범위·크기가) 미치다《*from* … *to*》 ; 뻗다 : The talk *ran on* scientific subjects. 이야기는 과학적인 화제에 미쳤다.
㉓ 《~/+전+명/+보》 (물·피·강 따위가) 흐르다 : The stream ~*s* clear 〔thick〕. 시냇물은 맑다〔흐리다〕.
㉔ 《~/+전+명》 (눈·코·상처가) 눈물·콧물·피를 흘리다, (고름 따위가) 나오다 : My nose ~*s*. 콧물이 나온다 / The room *ran with* blood. 방에는 선혈이 낭자했다.
㉕ 《~/+부》 (촛농 따위가) 녹아 흐르다, (색깔이) 배어나오다, 번지다 (spread) ; 새다 ; 넘치다 《*over*》 ; (모래 시계의) 모래가 흘러내리다 : Will the color ~ if the dress is washed? 이 옷은 빨면 색이 번집니까 / The pot began to ~ *over*. 냄비가 넘치기 시작했다.
㉖ (직물이) 풀리다 ; 《美》 (양말이) 올이 풀리다 (《英》 ladder) : Silk stockings ~ more easily than nylons. 비단 양말은 나일론제(製)보다 올이 잘 풀린다.
㉗ 《+전+명》 서둘러 하다 ; 대충 훑어보다《*over* ; *through*》 : ~ *through* one's work 일을 빨리 끝내다 / His eyes *ran over* the pages. 그는 대충 몇 페이지를 훑어보았다.
㉘ 《+전+명》 (성격·특징 등이) 내재하다, …의 혈통이다 : Courage ~*s in* the family. 용기는 그 집안의 내력이다.
㉙ 《+전+명》 (예금주가) 예금을 찾으려고 은행에 몰려들다 ; (빚이) 밀리다 : ~ *on* a bank 예금을 찾으려고 은행에 한꺼번에 몰려들다.
— *vt.* ① 《~+목/+목+전+명/+목+보》 (말·개 따위)를 달리게〔뛰게〕 하다, 서두르게 하다 ; 달려서 …하게 하다 : ~ a horse *to* death 말을 너무 몰아서 죽게 하다 / He *ran* himself breathless

〔out of breath〕. 그는 숨이 턱에 닿도록 달렸다.
②《+목+전+명》…을 빨리 움직이다〔놀리다〕: ~ one's eyes *over* the list 목록을 대충 훑어보다 / She *ran* her fingers *over* the keyboard. 그녀는 손가락을 자판기 위에서 부지런히 놀렸다.
③《+목+전+명》(말)을 경마에 내보내다; (아무)를 입후보시키다: He *ran* his horse *in* the Derby. 그는 자기 말을 더비 경마에 내보냈다 / ~ a person *for* governor 아무를 주지사 선거에 출마시키다.
④《~+목 / +목+전+명》(차·배 따위)를 달리게〔다니게〕 하다, 왕복시키다: ~ a bus *between* Chicago and Detroit 시카고와 디트로이트 사이에 버스를 운행하다.
⑤ (심부름 따위)를 달려서 하다: ~ an errand for the firm 줄달음쳐서 회사 심부름을 하다.
⑥《~+목 / +목+목 / +목+전+명》(아무)와 경주하다: ~ a person two miles 아무와 2마일 경주를 하다 / I'll *ran* you *to* the corner. 저 모퉁이까지 경주하자.
⑦《~+목 / +목+부 / +목+전+명》(사냥감)을 쫓다, 몰다; 《比》 뒤쫓다: ~ *close* an enemy 적을 바싹 뒤쫓다 / ~ the rumor *back to* its source 소문의 출처를 밝혀내다.
⑧《+목+전+명 / +목+부》…을 부딪다, 부딪치다《*against*》: ~ one's head *against* a wall 벽에 머리를 부딪다 / He *ran* the ship *ashore* 〔*aground*〕. 그는 배를 좌초시켰다.
⑨《+목+전+명》…을 찌르다, 처박다: ~ a nail *into* a board 판자에 못을 박다 / He *ran* his hand 〔fingers〕 *through* his hair. 그는 손(가락)으로 머리 밑을 긁적거렸다.
⑩《+목+전+명》(실 따위)를 꿰다, 통과시키다《*into* ; *through*》: ~ a thread *through* the eye of a needle 바늘 구멍에 실을 꿰다.
⑪ (길)을 빠져나가다, 돌파하다, 지나가다; 뛰어가다, 뛰어다니다: ~ a blockade 봉쇄선을 뚫다〔돌파하다〕.
⑫ (어떤 거리)를 달리다: ~ ten miles.
⑬ (위험)을 무릅쓰다: ~ a risk 위험을 무릅쓰다 / ~ the chance 〔danger〕 of ... …을 위험을 무릅쓰고 모험하다.
⑭ …에서 도망치다: ~ town 읍내에서 자취를 감추다 / ~ one's country 망명하다.
⑮《+목+전+명》(차에 실어) …을 나르다: He *ran* us *to* the station in his car. 그는 우리를 정거장까지 그의 차로 태워다 주었다.
⑯《+목+부》(부주의 등으로 배·차 등)을 일정한 침로에서 벗어나게 하다: ~ a car *up* on to the curb 차를 보도의 연석(緣石) 위로 올라가게 하다.
⑰《~+목 / +목+부 / +목+전+명》(책 따위)를 찍다, 인쇄하다《*off*》; (기사·광고 따위)를 게재하다: *Run off* these posters. 이 포스터를 찍어 주시오.
⑱《+목+전+명》…을 (어떤 상태로) 몰아 넣다: His action *ran* me *into* difficulties. 그의 행동은 나를 궁지에 몰아넣었다.
⑲《~+목 / +목+전+명》(기계·모터 따위)를 돌리다, 움직이다, 회전시키다, 조작하다; 공전(空轉)시키다: She ~*s* her own car. 그녀는 자기 차를 운전하고 있다.
⑳ (실험 따위)를 하다; (물건)을 제작하다, 제조하다, 정제하다(refine): ~ 10,000 gallons of oil a day 하루에 1만 갤런의 석유를 정제하다.
㉑ …을 경영하다, 관리하다; 지휘〔지배〕하다: ~ a firm 회사를 운영하다 / The hotel is well ~. 그 호텔의 경영은 잘 되고 있다 / He is ~ by his wife. 그는 마누라에게 쥐여 산다.
㉒ (가축)을 기르다〔치다〕, 사육하다; (가축 따위가) …의 풀을 뜯(어 먹)다: They ~ sixty head of cattle on their ranch. 목장에서 소를 60마리 기르고 있다.
㉓《~+목 / +목+전+명》…을 흘리다, (물 따위)를 붓다; 녹여 (부어) 넣다, 주조(鑄造)하다: ~ metal types 활자를 주조하다 / ~ lead *into* molds 납을 녹여 거푸집에 붓다.
㉔ (물·눈물)을 흘리다, 넘쳐 흐르게 하다: Her eyes *ran* hot tears. 그녀의 눈에서 뜨거운 눈물이 흘렀다.
㉕ (그릇)을 가득 채우다: She *ran* a hot bathtub *for* him. 그를 위해 그녀는 더운 물을 욕조에 가득 채웠다.
㉖《+목+전+명》(선(線))을 긋다; (경계)를 짓다: ~ a line *through* a word 낱말에 줄을 긋다《삭제하기 위해서》/ ~ a line *over* the surface of the road 도로 위에 선을 긋다.
㉗《+목+전+명》《美》(옷·양말의) 올이 풀어지게 하다: ~ a stocking *on* a nail 양말이 못에 걸려 올이 풀리다.
㉘《~+목 / +목+보》…의 비용이 들다, …하게 먹히다: This dress ~*s* $ 30. 이 옷은 30 달러 한다 / The house he bought *ran* him dear. 그가 산 집은 비싸게 먹혔다.
㉙ (아편·술·무기 따위)를 밀수입〔밀수출〕하다 (smuggle). cf rumrunner.
㉚《口》〔흔히 進行形〕(열)을 내다, (열)이 나다; (병)에 걸리다: She *is* ~*ning* a temperature 〔fever〕 with (the) flu. 그녀는 감기로 열이 나 있다.
㉛〖撞球〗(점수)를 연속해서 올리다; 〖골프〗(공)이 낙하한 뒤에 구르도록 치다, 런(run)시키다; 〖크리켓〗(…점)을 따다, 득점하다.
㉜〖컴〗(프로그램 속의 명령)을 처리하다(process), (명령)을 실행하다.
be ~ (clean) off one's feet 《口》 몹시 바쁘다; 부지런히 일해야 하다. ~ ***across*** …을 우연히 만나다〔찾아내다〕. ~ ***after*** …을 뒤쫓다, …을 추적하다; 《口》…의 꽁무니를 쫓아다니다; …의 시중을 들다, 보살펴주다. ~ ***against*** (1) …와 충돌하다〔부딪치다〕. (2) …와 우연히 만나다. (3) …와 선거에서 다투다. ~ ***along*** 떠나(가)다. ~ ***around*** 《口》 여기저기 놀며 다니다, 《특히》 아내〔남편〕 아닌 딴 여자〔남자〕와 관계하다《*with*》. ~ ***at*** …에게 덤벼들다. ~ ***away*** 달아나다, 가출하다; 사랑의 도피를 하다. ~ ***away with*** (1) …을 가지고〔훔치어〕 도망치다; …와 함께 달아나다, …와 사랑의 도피를 하다(elope with). (2) (감정 따위)에 이끌리다; (아무의 의견)을 지레 짐작하다. (3) …으로 남을 압도하다, …에 압도적으로 이기다; 남을 물리치고 상을 타다. (4) (돈 따위)를 소비하다. ~ ***back*** (1) 뛰어 돌아오다〔가다〕. (2) (가계(家系) 등이) (…에) 거슬러 올라가다《*to*》. (3) 회상하다《*over*》: ~ *back over* the past 과거를 회상하다. (4) (필름·테이프)를 되감다. ~ ***down*** (*vi.*) (1) 뛰어내려가다; (도회에서) 시골로 내려가다. (2) (산업 등이) 쇠하다; 힘이 감소하다. (3) 태엽이 풀려 시계 등이 서다, (전지 따위가) 다하다. (*vt.*) (1) 따라잡다, 바싹 뒤쫓다, 몰아대다; 찾아내다. (2) 헐뜯다, 욕하다. (3) 부딪쳐〔받아〕 쓰러뜨리다; …와 충돌하다; 〖野〗(주자를) 협살하다. (4) …의 가치를 떨어뜨리다; (인원 따위)를 삭감〔감원〕하다: ~ *down* a factory 공장 조업을 단축하다. (5) 〔흔히 受動으로〕 쇠약해지다: I *am* 〔feel〕 much ~ *down*. 몹시 피로하다. (6) 대충 읽어 보다, 속독하다. ~ ***for it*** 급히 (위험 등에서) 달아나다.

~ ***for*** one***'s*** 〔***dear***〕 ***life*** 필사적으로 달아나다; 기를 쓰고 도망치다. ~ ***in*** (1) 뛰어들다; 《口》 (남의 집에) 잠깐 들르다《*to*》. (2) 〖印〗 행을 바꾸지 않고 이어 짜다 (~ on). (3) 맞붙어 격투하다; 육박하다. (4) 《口》 구류〔체포〕하다. (5) (새 기계〔차〕를) 길들이다, 시(試)운전하다. ~ ***in the family*** 〔***in blood***〕 …혈통을〔피를〕 물려받다, 유전하다. ~ ***into*** (1) …에 뛰어들다; (강이 바다로) 흘러들다; …한 상태에 빠지다〔빠지게 하다〕: ~ *into* trouble 곤란하게 되다 / ~ *into* debt 빚을 지게 되다. (2) …에 달하다; …까지 계속하다: ~ *into* five editions, 5 판을 거듭하다. (3) …와 충돌하다〔시키다〕, …와 우연히 만나다. (4) …와 일체가 되다〔합병하다〕; …로 기울다. (5) …을 (푹) 찌르다. ~ ***off*** (1) 도망치다; 《口》 사랑의 도피를 하다《*with*》. (2) 흘러나오다. (3) 벗어나다, (얘기가) 빗나가다. (4) 유출시키다; 마르게 하다; 방출하다; 《Can.》 (눈·얼음 등이) 녹다: *Run* the water *off* when you've had your bath. 목욕을 마치거든 몸의 물기를 닦으시오. (5) (경기에서) 결승전을 하다. (6) (시·글 따위를) 거침 없이〔줄줄〕 읽다〔말하다, 쓰다〕. (7) 인쇄하다: ~ *off* a hundred copies per minute, 1 분간에 100 부 인쇄하다. ~ ***off with*** …을 가지고 달아나다(steal); …와 사랑의 도피행을 하다. ~ ***on*** 〔on이 副詞인 경우〕 (1) 계속하다, 계속 달리다; 연속 흥행하다; 노상 지껄이다; 〖印〗 절(節)·행(行)을 끊지 않고 계속하다〔되다〕. (2) 경과하다. 〔on이 前置詞인 경우〕 (1) …을 화제〔문제〕로 하다, …에 미치다. (2) (암초)에 좌초하다. (3) (은행에 예금을 찾으려고 예금자가) 밀려들다. ~ ***out*** (1) 끝까지 달리다, 내내 달리다; 뛰쳐 나가다. (2) 흘러 나오다. (3) (계약 기간이) 끝나다; 만기가 되다; (재고품·보급 등이) 끝나다, 다하다. (4) (인내심 따위가) 한계에 다다르다. (5) (경기의) 승부를 가리다. (6) 내쫓다, 추방하다《*of*》; 〖野〗 러너를 아웃시키다. (7) (그물 따위를) 풀어내다〔풀려나가다〕. ~ ***out of*** …을 다 써버리다; (물품 따위가) 바닥이 나다; 추방하다, 내쫓다. ~ ***out on*** 《口》 (처·자식 따위를) 버리다(desert). ~ ***over*** (1) (액체가) 그릇을 넘쳐 흐르다. (2) (말·차 따위로) 가다, 들르다《*to*》. (3) (특히 차가 사람을) 치다. (4) 대충 훑어보다; …을 (휑하니) 연습하다. (5) (피아노의 키 따위에서) 잽싸게 손가락을 놀리다. ~ ***through*** (1) 통독하다, (…을) 대충 훑어보다; …을 요약하다. (2) (…을) 다 써 버리다, (…을) 낭비하다. (3) (철도가) 통하다; (강이) 관류(貫流)하다; 뛰어 빠져나가다. (4) (글씨 따위를) 선을 그어 지우다. (5) (극·장면을) 처음부터 끝까지 연습하다: ~ *through* the last scene. (6) …을 찌르다. ~ ***through*** one***'s mind*** (1) 머리〔귀〕에 박혀 사라지지 않다. (2) 머리를 스치다. ~ ***to*** (1) (도움을 구하려고) 뛰어 …로 가다. (2) (수량이) …에 이르다〔미치다〕, …에 달하다; …을 할 자력〔돈〕이 있다. (3) (파멸 등)에 빠지다. (4) …하는 경향이 있다: The family ~*s to* being overweight. 그 가족은 모두 살이 너무 찌는 경향이 있다. ~ ***together*** 혼합〔결합〕하다; 화합하다. ~ ***up*** (1) (…을) 뛰어오르다; (도시 따위로) 급히 나가다; 달려가다. (2) (값이) 오르다, (값을) 올리다; (수량 따위가) 달하다《*to*》; (지출·빚 따위가) 갑자기 늘다; (지출·빚 따위를) 늘리다. (3) 부쩍부쩍 자라다《*to*》. (4) (집 따위를) 급히 짓다; 급히 꿰매다; (숫자를) 합계하다. (5) (기를) 걸다, 올리다. ~ ***up against*** …와 충돌하다, (곤란 따위에) 부딪치다; …와 우연히 마주치다. ~ ***upon*** …를 (뜻밖에) 만나다; …이 문득 생각나다; (배가) 좌초하다. ~ ***wild*** ⇨WILD.

—— *n.* ① Ⓒ 달림, 뛰기, 뜀박질; 도주; 경주: go for a ~ 한바탕 달리다 / make a ~ for …로 달려가다.
② (a ~) 단거리 여행(trip); 드라이브: take *a* ~ to town 읍에까지 잠깐 다녀오다.
③ (a ~) (배가) 일정 시간에 가는 거리; 주행 거리: Taejŏn is *a* 3-hour ~ from Seoul by train. 대전은 서울에서 열차로 3 시간 거리이다.
④ **a**) 노선, 코스, 항로: The boat was taken off its usual ~. 배는 정상 항로를 벗어났다. **b**) (스키 등의) 사면(斜面), 슬로프: a ~ for training beginning skiers 스키 초심자 훈련용의 슬로프.
⑤ (*sing.*) 조업 (시간), 운전 (시간); 작업량: an eight-hour ~, 8 시간 조업.
⑥ 흐름; 유량(流量); (the ~s) 《俗》 설사; 《美》 개천; 수로; 도관(導管), 물받이: a ~ of water 물의 흐름.
⑦ (특히 산란기의 물고기가) 강을 거슬러 오르는 것; 산란기 물고기의 이동(하는 무리).
⑧ (a ~) 연속: *a* ~ of bad luck 불운의 연속 / *a* ~ of fine weather 좋은 날씨의 계속 / *a* (long) ~ of office (오랜) 재직 기간.
⑨ 연속 흥행〔공연〕: a long ~ 롱런, 장기 흥행.
⑩ 사육장; 방목장; (사슴 등의) 통로: a chicken ~ 양계장.
⑪ 보통의 것〔종류〕: the common 〔ordinary, general〕 ~ of men 보통 인간.
⑫ (상품 따위의) 종류: a superior ~ of blouses 고급 블라우스.
⑬ 형세, 추세, (사건의) 귀추(歸趨); 방향, 층향(層向); 광맥(의 방향): the ~ of events 일의 귀추 / the ~ of a mountain range 산맥이 뻗은 방향.
⑭ 큰 수요, 날개 돋치듯 팔림; 인기, 유행《*on*》; (은행에의) 지급 청구 쇄도《*on*》: a great ~ *on* a new novel 신간 소설의 대단한 판매 성적 / a ~ *on* a bank 은행에 대한 지급 청구의 쇄도.
⑮ (the ~) 출입〔사용〕의 자유: allow one's guests *the* ~ of the house 손님이 마음대로 집안에 드나들게 하다.
⑯ 《美》 (신문에의) 연재.
⑰ 〖野〗 득점, 1 점: a two-~ homer, 2 점 호머.
⑱ 〖樂〗 빠른 연주(roulade).
⑲ 《美》 (양말의) 올의 풀림(《英》 ladder)《*in*》: a ~ *in* a stocking 스타킹의 올풀림.
⑳ 〖空〗 활주; 〖軍〗 (폭격 목표로의) 직선 비행, 접근: a landing ~ 착륙 활주.
㉑ 〖컴〗 (프로그램의) 실행.
㉒ (기자의) 담당 구역.
a (***good***) ~ ***for*** one***'s money*** 《口》 (1) 막상막하의 경쟁〔승부〕, 접전; 대단한 노력〔수고〕: Though we lost, we gave them *a* (*good*) ~ *for their money.* 비록 우리가 지긴 했지만, 선전해서 상대를 크게 애먹였다. (2) 돈을 준〔애쓴〕 만큼의 이익〔만족〕. ***at a*** ~ 구보로. ***in*** 〔《美》 ***over***〕 ***the long*** ~ 긴 안목으로 보면, 결국은(in the end). ***in the short*** ~ 단기적 관점에서 보면, 눈앞의 계산으로는, 한 마디로 말하면. ***on the*** 〔***a***〕 ***dead*** ~ 전속력으로; 대단히 분주하여. ***make a*** ~ ***for it*** 급히 도주하다. ***on the*** ~ 뛰어서; 서둘러서; 쫓기어, 도망하여; (바삐) 뛰어 돌아다니며. ***with a*** ~ 갑자기, 일제히, 한꺼번에.

†**run**² [rʌn] RUN¹ 의 과거분사.
—— *a.* 바다에서 갓 거슬러 올라온《물고기》; 짜낸; 녹은; 주조된; 밀수입〔밀수출〕한; 〔複合語〕 …경영의: a state-~ university 주립 대학.

run·a·bout [rʌ́nəbàut] *n.* Ⓒ ① 배회하는 사람; 바쁘게 돌아다니는 사람. ② 소형 자동차〔오픈카〕; 작은 발동기선; 소형 비행기.

run·a·round [´-əràund] *n.* (the ~) 《口》 발뺌, 핑계, 속임수 : get *the* ~ 속다 ; 배반당하다 / give a person *the* ~ 아무에게 핑계를 대다 ; 속이다 ; 배반하다.

***run·a·way** [´-əwèi] *n.* Ⓒ ① 도망자, 탈주자 ; 가출 소년〔소녀〕. ② 도망친 망아지 ; 폭주차(暴走車). ③ 도망, 탈주 ; 사랑의 도피(eloping). ④ 낙승, 손쉬운 성공.
— *a.* 〔限定的〕 ① 도주한 ; 다룰 수 없는 ; (차 따위가) 폭주한 : a ~ horse 고삐 풀린 말 / a ~ car 〔truck〕 폭주차〔트럭〕. ② 사랑의 도피를 한 : a ~ marriage 〔match〕 사랑의 도피 결혼. ③ (경기가) 일방적인, 수월하게 이긴, 낙승의 : a ~ victory 압승. ④ (물가 등이) 마구 뛰어오르는, 끝없는 : a ~ inflation 천정 부지의 인플레이션.

run·down [´-dàun] *n.* ① (the ~) (산업·회사 등의) 축소(화), 쇠퇴《*of*》: *the* ~ *of* the car industry 자동차 산업의 쇠퇴. ② Ⓒ 《口》 개요(의 설명)《*on*》: Can you give me the ~ *on* the present situation? 현상황에 대한 개요를 설명해 주실 수 있습니까. ③ Ⓒ 〖野〗 런다운, 협살.

run-down [´-dáun] *a.* ① 몹시 황폐한 ; 쇠퇴한 : a ~ area 황폐한 지역 / a ~ industry 쇠퇴한 산업. ② 〔敍述的〕 몹시 피곤한, 기진맥진한 ; 몸 상태가 좋지 않은, 병난 : feel ~ 피곤하다 / You look a bit ~—maybe you need a rest. 자네 조금 피곤해 보이는데, 쉬는 게 좋겠다. ③ 태엽이 풀려서 선《시계》.

rune [ru:n] *n.* Ⓒ ① 룬 문자《옛날 북유럽 민족이 쓴》. ② 신비로운 기호〔문자〕.

rung[1] [rʌŋ] *n.* Ⓒ ① (사닥다리의) 발을 딛는 가로장 ; (의자 따위의) 가로대. ② (사회적 지위 등의) 단계. ***on the top*** 〔***bottom***〕 ~ (***of the ladder***) 최고〔최저〕 지위에 : start *on the bottom* ~ *of the ladder* 평사원에서 출발하다.

‡**rung**[2] RING[2] 의 과거·과거분사.

ru·nic [rú:nik] *a.* ① 룬 문자(rune)의. ② 고대 북유럽 사람의 ; 고대 북유럽(식)의.

run-in [rʌ́nìn] (*pl.* **~s**) *n.* ① Ⓒ 《口》 싸움, 논쟁 ; 분쟁《*with*》: He got drunk and had a ~ *with* the police. 그는 만취되어 경관과 다투었다. ② (the ~) 《英》 준비 기간. — *a.* 〖印〗 (행 바꿈 없이) 본문에 추가되는.

run·nel [rʌ́nl] *n.* Ⓒ 시내 ; 작은 수로(水路).

‡**run·ner** [rʌ́nər] *n.* Ⓒ ① 달리는 사람 ; 경주자〔말〕; 〖野〗 러너, 주자(走者)(base runner) : a good ~ 빠른 주자. ② 〔흔히 複合語로〕 ; 밀수입자〔선〕; (마약 등의) 밀매인 : a gun-~ 총기의 밀수업자. ③ 잔심부름꾼 ; 수금원, 외교원 ; 손님 끄는 사람 ; 정보원. ④ (기계 등의) 운전자. ⑤ (스케이트·썰매 따위의) 활주부(滑走部) ; (기계·커튼 따위의) 홈, 고리 ; (기계의) 롤러 ; 움직도르래, 동활차 ; (맷돌의) 위짝 ; 터빈의 날개 ; 우산의 사북. ⑥ 〖植〗 덩굴, (딸기 따위의) 포복지(匍匐枝). ⑦ 〖鳥〗 흰눈썹뜸부기. ⑧ (양말의) 올이 풀린 곳. ⑨ (복도나 홀 등에 깐) 기다란 융단 ; 기다란 장식용 테이블 보. ***do a*** ~ 《俗》 급히 떠나다, 도망치다.

rúnner bèan 《英》 〖植〗 깍지를 먹는 콩(string bean)《강낭콩·완두 따위》.

run·ner-up [rʌ́nərʌ́p] (*pl.* ***run·ners-***, **~s**) *n.* Ⓒ (경기·경쟁의) 차점자, 2등(팀).

run·ning** [´-iŋ] *a.* 〔限定的〕 ① 달리는, 달리면서 하는 ; 경주(용)의 : a ~ start (세 단 뛰기의) 도움닫기 / ⇨ RUNNING JUMP / a ~ fight 추격전. ② 흐르는 ; (고름·액체가) 흘러나오는 : I have a ~ nose. 코감기가 들었다. ③ (음악이) 유려한 ; (필적이) 흘림체의 : a ~ hand 초서. ④ (열차·버스 등이) 주행 중인, 달리고 있는 : a ~ train 주행 중인 열차. ⑤ (기계 등이) 돌고 있는, 가동〔운전〕 중인 ; 유지〔운용〕하는 : What are the ~ costs for a computer? 컴퓨터 유지비는 얼마나 듭니까. ⑥ 연속적인, 계속하는 : a ~ pattern 연속 무늬 / We had a ~ battle with the landlord about the rent. 우리는 집세 문제로 집주인과 계속 싸웠다. ⑦ 널리 퍼져 있는 ; 현행의 ; 동시 진행의 : ~ rumor 퍼져 있는 소문 / the ~ month 이달 / a ~ price 시가(時價) / a ~ translation 동시 번역. ***in ~ order (기계가) 정상 가동하여.
— *ad.* 〔複數名詞 뒤에서〕 잇따라, 계속해서 : for five days ~ 5일간 계속하여.
— *n.* Ⓤ ① 달리기 ; 경주 : 주력(走力). ② 유출(물) ; 유출량. ③ 운전 ; 경영. ④ 〖競〗 주로(走路)의 상태. ⑤ 〖野〗 주루(走壘).
in 〔***out of***〕 ***the*** ~ 경주·경쟁에 참가〔불참〕하여 ; 승산이 있어〔없어〕: I'm *out of the* ~. 승산이 없다 / He's still *in the* ~ for the post of president. 그는 아직 사장 자리에 앉을 가능성이 있다. ***make*** 〔***take up***〕 ***the*** ~ (말이) 선두를 달리다 ; 솔선하다, 앞장서다.

rúnning accòunt (은행의) 당좌 계정.

rúnning bòard (옛 자동차의) 발판.

rúnning cómmentary (스포츠 등의) 실황 방송 ; 필요에 따라 수시로 하는 해설〔비평〕《*on*》: a ~ *on* a baseball match 야구 경기 실황 방송.

rúnning fíre (a ~) (이동하면서 하는) 연속 사격 ; (비평·질문 등의) 연발 : keep up *a* ~ *of* questions 잇달아 질문하다.

rúnning héad(line) 〖印〗 (책의 각 페이지 상단의) 난외(欄外) 표제.

rúnning júmp (도움닫기를 하는) 높이〔멀리〕 뛰기. (***go and***) ***take a*** ~ (***at yourself***) 《口》〔命令形〕 꺼져 버려, 뒈져 버려《분노·초조함 등을 나타냄》.

rúnning knót 풀 매듭.

rúnning lìght ① 〖海·空〗 야간 항행등. ② (자동차의) 주행등.

rúnning màte ① 〖競馬〗 (보조를 조종하기 위해) 같이 뛰게 하는 연습 상대 말. ② 《美》 러닝 메이트, (선거에서) 부…후보, 《특히》 부통령 후보 : Al Gore was Bill Clinton's ~ in the 1996 election. 앨 고어는 1996 년 선거에서 빌 클린턴의 러닝 메이트였다.

rúnning repáirs 간단한〔응급〕 수리.

rúnning títle = RUNNING HEAD.

rúnning tótal 어떤 시점〔현재〕까지의 합계액.

rúnning wáter ① 수도(물) ; 파이프로 급수하는 물 : Does this room have hot ~? 이 방에는 더운 물이 나옵니까. ② 유수(流水).

run·ny [rʌ́ni] (***-ni·er*** ; ***-ni·est***) *a.* ① (버터·잼 등이) 너무 무른, 액체 비슷한. ② 점액(粘液)을 잘 분비하는 : I've got a ~ nose. 코감기에 걸렸다.

run·off [´-ɔ̀(:)f, -àf] *n.* Ⓒ ① 빗물, 눈녹은 물 ; 《美》 (땅 위를 흐르는) 빗물의 양. ② (동점자의) 결승전 ; 《美》 = RUNOFF PRIMARY.

rúnoff prìmary 〖美政〗 결선 투표

run-of-(the-)mill [´-ɔv(ðə)míl] *a.* 보통의, 평범한 : He's not particularly brilliant ; just ~. 그는 특히 머리가 좋은 것이 아니라 그저 보통 사람이다.

run-on [´-àn, -ɔ̀:n / -ɔ̀n] *a.* ① 〖詩學〗 행마다 뜻〔문장〕이 끊어지지 않는. OPP *end-stopped.* ② 〖印〗 행을 바꾸지 않고 계속하는 ; 추가의. — *n.* Ⓒ 추가 (사항).

runt [rʌnt] *n.* Ⓒ ① (한 배 새끼 중에서 가장 발육이 나쁜) 작은 새끼. ② 꼬마, 못난이.

run-through [rʌ́nθrù:] *n.* Ⓒ (연극·음악회 따

위의) 처음부터 끝까지 한번 (연습)해 보기, 예행 연습(rehearsal).

run-up [ˊ-ʌ̀p] *n.* ① Ⓒ 〖競〗 도움닫기. ② (the ~) (어떤 행사를 위한) 준비 기간(활동)《*to*》: *the* ~ *to* an election 선거 운동 기간. ③ Ⓒ 《美》 급증, 급등.

***run·way** [ˊ-wèi] *n.* Ⓒ ① 주로(走路), 통로; 수로(水路). ② 짐승이 다니는 길. ③ 〖空〗 활주로. ④ (도움닫기 하는) 조주로(助走路). ⑤ 무대에서 관람석으로 튀어나온 부분; (패션쇼 등의) 스테이지, 런웨이.

ru·pee [ruːpíː] *n.* Ⓒ 루피《인도·파키스탄·스리랑카의 화폐 단위; 기호 R, Re》; 루피 화폐.

ru·pi·ah [ruːpíːə] (*pl.* ~, ~**s**) *n.* 루피아《인도네시아의 화폐 단위; 기호 Rp》.

rup·ture [rʌ́ptʃər] *n.* ① ⓊⒸ 파열, 파괴; 결렬; 불화, 사이가 틀어짐《*between*; *with*》: the ~ of a blood vessel 혈관 파열 / come to a ~ (교섭이) 결렬되다. ② 〖醫〗 헤르니아(hernia), 탈장.
— *vt.* ① …을 터뜨리다, 찢다, 째다; (관계 등)을 끊다. ② 〖醫〗 헤르니아에 걸리게 하다: ~ oneself 헤르니아에 걸리다. — *vi.* ① 파열하다, 찢어지다, 갈라지다. ② 〖醫〗 헤르니아에 걸리다.

‡ru·ral [rúərəl] (***more*** ~; ***most*** ~) *a.* ① 시골의, 지방의, 시골풍의, 전원의. OPP. *urban.* ¶ ~ life 전원 생활 / a ~ community 농촌 사회. ② 농업의, 농사의: a ~ economy 농업 경제.

rúral déan 〖英國國教〗 지방 감독.

rúral delívery sèrvice (벽지의) 지방 무료 우편 배달《구칭은 **rúral frée delívery**》.

ruse [ruːz] *n.* Ⓒ 책략, 계략(trick).

†rush[1] [rʌʃ] *vi.* ① 《~ / +副 / +前+名》 돌진하다, 맥진〔쇄도, 급행〕하다, 힘차게 …하다: We ~*ed into* the room. 우리는 방으로 달려들어갔다 / Fools ~ *in* where angels fear to tread. ⇨ANGEL. ② 《+前+名》 달려들다《*on, upon*; *at*》: ~ *at* the enemy 적을 향해 돌격하다. ③ 《+前+名》 급하게〔무모하게〕 행동하다, 덤비다《*to*; *into*》: ~ *to* extremes 극단으로 흐르다 / ~ *into* marriage 서둘러 결혼하다. ④ 《+前+名》 (생각 따위가) 갑자기〔문뜩〕 떠오르다; 갑자기 일어나다〔나타나다〕: ~ *into* one's mind 갑자기 마음에 떠오르다 / Tears ~*ed to* her eyes. 그녀의 눈에 눈물이 가득했다. ⑤ 〖美蹴〗 공을 가지고 돌진하다.
— *vt.* ① …을 몰아대다; 재치다: Don't ~ him —he tends to panic. 그를 너무 재촉하지 마라, 쉽게 당황해 하거든 / She was ~*ed into* buying the ring. 그녀는 성화 같은 재촉에 못이겨 반지를 샀다. ② 《~+目 / +目+前+名 / +目+副》 …을 부랴부랴 보내다〔운반하다, 데리고 가다〕, 부리나케〔급히〕 해치우다: We ~*ed* him *to* a hospital. 우리는 그를 급히 병원으로 보냈다 / *Rush* the work *in* a week. 일 주일 동안에 그 일을 끝내게 / Would you ~ this application *through*? 이 신청서를 지급으로 처리해 주시겠습니까. ③ …을 향해 돌진하다; 급습〔돌격〕하다, 급습하여 점령하다: ~ the fort 성채를 급습하다. ④ (금광·연단 따위)에 여럿이 밀어닥치다, 몰려가서 점거하다. ⑤ 《美口》 (여자에게) 열렬히〔끈덕지게〕 구혼하다; 《美口》 (대학의 사교 클럽에) 입회를 권유하기 위해 환대하다. ⑥ 《~+目 / +目+目 / +目+前+名》 《英俗》 (손님)에게 바가지씌우다《*for*》: How much did they ~ you *for* this watch? 이 시계에는 얼마나 바가지를 씌웠나. ~ ***out*** (인쇄물 등)을 대량으로 증쇄하다. ~ ***through*** (법안 등)을 급하게 통과시키다 : (일)을 급히 해치우다: They ~*ed* the bill *through.* 그들은 그 의안을 급하게 통과시켰다.
— *n.* ① Ⓒ 돌진, 돌격; 쇄도: the ~ of the current 급류 / a ~ of wind 일진의 돌풍. ② (a ~) (사람의) 쇄도; 붐빔: *a* gold ~ 황금 산지로의 쇄도. ③ Ⓤ 분망(함), 몹시 바쁨; 대수요(需要), 주문의 쇄도《*for*; *on*》: What is all this ~? 무엇 때문에 이렇게 어수선하지. ④ (*pl.*) 〖映〗 (제작 도중의) 편집용 프린트. ⑤ Ⓒ (미식 축구·럭비의) 러시. ***with a*** ~ 와락 한꺼번에, 갑자기; 황급히.
— *a.* 〔限定的〕 쇄도하는; 지급〔긴급〕을 요하는, 급한: ~ orders 급한 주문.

rush[2] *n.* ① Ⓒ 등심초속(屬)의 식물, 골풀. ② Ⓤ 골풀 줄기《세공품의 재료》.

rúsh cándle 골풀 양초(rushlight).

rúsh hòur 러시 아워, 혼잡한 시간: The crowds in the ~*s* are terrible. 러시 아워의 혼잡은 지독하다.

rush-hour [rʌ́ʃàuər] *a.* 〔限定的〕 러시 아워의: get caught in the ~ traffic 러시 아워의 교통 체증에 휘말리다.

rush·light [rʌ́ʃlàit] *n.* Ⓒ = RUSH CANDLE.

rushy [rʌ́ʃi] (***rush·i·er***; ***-i·est***) *a.* 등심초가 많은; 골풀로 만든.

rusk [rʌsk] *n.* ⒸⓊ 러스크《살짝 구운 빵·비스킷》.

Russ. Russia; Russian.

Rus·sell [rʌ́səl] *n.* **Bertrand** ~ 러셀《영국의 철학자·수학자·저술가; 노벨 문학상 수상(1950); 1872-1970》.

rus·set [rʌ́sət] *a.* 황갈색의, 적갈색〔고동색〕의.
— *n.* ① Ⓤ 황갈색, 적갈색. ② Ⓤ 황갈색의 거친 수직(手織)천; 그 옷.

‡Rus·sia [rʌ́ʃə] *n.* ① 러시아 연방(1991 년 옛 소련의 해체로 성립; 수도 Moscow). ② 러시아 제국(1917 년의 혁명으로 멸망, 수도 St. Petersburg).

‡Rus·sian [rʌ́ʃən] *a.* 러시아(사람·말)의.
— *n.* Ⓒ 러시아 사람; Ⓤ 러시아 말.

Rússian Émpire (the ~) 러시아 제국《1917 년의 혁명으로 멸망》.

Rússian Federátion 러시아 연방《수도는 Moscow》.

Rússian Órthodox Chúrch (the ~) 러시아 정교회(= **Rússian Chúrch**).

Rússian Revolútion (the ~) 러시아 혁명 (February Revolution)《1917 년 러시아력(曆) 2 월》; 10 월 혁명(October Revolution)《1917 년 러시아력 10 월》.

Rússian roulétte 러시안 룰렛《총알이 한 개만 든 탄창을 돌려서 자기 머리를 향해 방아쇠를 당기는 목숨을 건 승부》: play (at) ~ 러시안 룰렛을 하다.

Rússian Sóviet Féderated Sócialist Repúblic (the ~) 러시아 소비에트 연방 사회주의 공화국《Russian Federation 의 구칭 (1917-91)》.

Rússian wólfhound = BORZOI.

Russo- '러시아(사람)(의)'의 뜻의 결합사: the ~-Japanese War 러일 전쟁(1904-5).

Rus·so-Ko·re·an [rʌ́soukəríː(ː)ən] *a.* 한러의, 한로(韓露)의.

‡rust [rʌst] *n.* Ⓤ ① (금속의) 녹: remove ~ from ... …의 녹을 닦다〔없애다〕/ be covered with ~ 녹슬어 있다 / gather ~ 녹슬다 / keep from ~ 녹슬지 않게 하다. ② 〖植〗 녹병(病)(균). ③ 적갈색, 고동색; 적갈색의 도료〔염료〕.
— *vi.* ① 《~ / +副》 녹나다, 부식하다; (머리 따위가) 둔해지다, 쓸모 없이 되다 / (It is) better wear out than ~ out. 《俗談》 묵혀 없애느니 써

서 없애는 편이 낫다《노인의 무위함을 경고하는 말》/ The lock had ~*ed* away. 자물쇠는 온통 녹슬어 삭았다. ②〖植〗 녹병에 걸리다. ③ 녹빛이 되다. ── *vt.* ① …을 녹슬게 하다, 부식시키다 : The tin roof was badly ~*ed.* 양철 지붕이 몹시 녹슬어 있었다. ② (머리 등)을 둔하게 하다 ; 쓸모 없게 하다, 못쓰게 하다. ③〖植〗 녹병에 걸리게 하다.

rust-col·ored [rʌ́stkʌ̀lərd] *a.* 녹빛의.

‡**rus·tic** [rʌ́stik] (***more*** ~ ; ***most*** ~) *a.* ① 시골의 ; 시골풍의, 전원 생활의 : The village had a certain ~ charm. 그 마을은 무어라 말할 수 없는 시골다운 매력을 지니고 있었다. ② 단순한, 소박한 ; 조야한, 교양 없는 : ~ manners 촌스런 태도. ③ 거칠게 만든, 통나무로 만든 : a ~ bridge 〔chair〕 통나무다리〔의자〕. ◇ rusticity *n.* ── *n.* Ⓒ 시골뜨기 ; 농부. ㊎ **-ti·cal·ly** [-əli] *ad.*

rus·ti·cate [rʌ́stəkèit] *vi.* 시골로 가다 ; 시골에서 살다. ── *vt.* ① …을 시골에서 살게 하다 ; 시골로 쫓아내다 ; 시골풍으로 하다. ②《美》(대학에서) …에게 정학을 명하다. ㊎ **rùs·ti·cátion** [-ʃən] *n.* Ⓤ 시골살이 ; 시골로 쫓음 ; 정학.

rus·tic·i·ty [rʌstísəti] *n.* Ⓤ 시골풍 ; 전원 생활 ; 소박 ; 질박 ; 조야, 무교양.

‡**rus·tle** [rʌ́səl] *vi.* 《~ / +副》 ① (나뭇잎이나 비단 등이) 와삭〔바스락〕거리다 : The reeds ~*d* in the wind. 갈대가 바람에 와스스했다. ② 옷 스치는 소리를 내며 걷다 : Her skirt ~*ed* as she walked. 그녀가 걸을 때 스커트 자락이 바스락거렸다. ③《美口》 활발히 움직이다, (정력적으로) 활동하다〔일하다〕《*around*》: *Rustle around* and see what you can find. 부지런히 돌아다니면 무엇인가를 찾을 게다. ④《美口》 가축을 훔치다.
── *vt.* ① (나뭇잎·종이 등)을 와스스〔와삭와삭, 바스락〕 소리를 내게 하다 ; …을 와삭와삭 뒤흔들다 ; 옷 스치는 소리를 내게 하다 : Stop *rustling* the newspaper! 신문을 바스락거리지 말아요. ②《美口》(가축)을 훔치다. ~ ***up***《口》(1) …을 애써서 모으다 ; 두루 찾아서 발견하다〔입수하다〕 : ~ *up* some wood for a fire 모닥불을 피우기 위해 나무를 그러모으다. (2) (재료)를 (서둘러) 준비하다〔만들다〕 : We ~*d up* some food for our unexpected guests. 뜻밖의 손님을 위해 황급히 음식을 마련했다.
── *n.* (*sing.*) 살랑〔와삭, 바스락〕거리는 소리 ; 나뭇잎의 살랑거림 ; 옷 스치는 소리.

rus·tler [rʌ́slər] *n.* Ⓒ《美口》 소도둑.

rust·less [ˊ-lis] *a.* 녹슬지 않은〔않는〕.

***rus·tling** [ˊ-iŋ] *n.* Ⓤ ① (*pl.*) 바삭바삭 하는 소리 : the ~(*s*) of leaves 나뭇잎의 바스락거리는 소리. ②《美口》 가축 도둑질. 「둔」.

rust·proof [rʌ́stprù:f] *a.* 녹슬지 않는〔않게 해

‡**rusty** [rʌ́sti] (***rust·i·er*** ; ***-i·est***) *a.* ① 녹슨, 녹이 난 : The machine is getting ~ . 그 기계는 녹이 슬고 있다. ② 〔敍述的〕 (쓰지 않아) 무디어진, 못쓰게 된 ; 서툴러진 : My French is rather ~. 프랑스어가 몹시 서툴러졌다. ③ 녹빛의, 적갈색의. ④ (목이) 쉰. ㊎ **rúst·i·ly** *ad.* **-i·ness** *n.*

rut[1] [rʌt] *n.* ① Ⓒ 바퀴 자국 ; 홈. ② (a ~) 판에 박힌 방법, 틀에 박힌 일, 상습, 관례, 상례(常例) : get out of *a* ~ 틀에서 벗어나다 / get into *a* ~ 틀에 박히다 / I was stuck in *a* ~, and decided to look for a new job. 판에 박힌 일을 하고 있어, 새로운 일을 찾아보기로 결심했다.

rut[2] *n.* ① Ⓤ (사슴·염소·양 등의) 발정(heat). ② (the ~) 발정기 : at〔in〕 *the* ~ 발정하여 / go to *the* ~ 발정하다.
── (**-tt-**) *vi.* 암내나다, 발정하다.

ru·ta·ba·ga [rù:təbéigə] *n.* Ⓤ,Ⓒ〖植〗 황색의 큰 순무의 일종(Swedish turnip).

Ruth [ru:θ] *n.* ① 루스《여자 이름》. ②〖聖〗 룻《시어머니에 대한 효성으로 유명》; 룻기(記)《구약성서의 한 편》.

ru·the·ni·um [ru:θí:niəm, -njəm] *n.* Ⓒ〖化〗 루테늄《금속 원소 ; 기호 Ru ; 번호 44》.

ruth·less** [rú:θlis] (more*** ~ ; ***most*** ~) *a.* 무정한, 무자비한, 인정머리 없는(pitiless) ; 잔인한 : a ~ tyrant 무자비한 폭군.
㊎ *~**·ly** *ad.* ~**·ness** *n.*

rut·ted [rʌ́tid] *a.* (바퀴) 자국이 난 : a ~ dirt road 바퀴 자국이 난 비포장 도로.

rut·ting [rʌ́tiŋ] *a.* 〔限定的〕 (수사슴 등이) 발정하고 있는, 발정기의.

rut·ty [rʌ́ti] (***-ti·er*** ; ***-ti·est***) *a.* (도로 따위가) 바퀴 자국투성이인.

RV recreational vehicle.

R.V. Revised Version (of the Bible).

Rwan·da [ruá:ndə] *n.* 르완다《아프리카 중부의 공화국 ; 수도는 키갈리(Kigali)》.
㊎ **-dan** [-dən] *a., n.*

Rx [á:réks] (*pl.* ~**'s,** ~**s**) *n.* 처방(prescription) ; 대응책, 대처법, 조처. [《L.》 recipe 의 약호 R]

Ry. Railway.

-ry [-ri] *suf.* -ery 의 다른 꼴.

***rye** [rai] *n.* Ⓤ ① 호밀. ② = RYE WHISKEY. ③ = RYE BREAD.

rýe bréad (호밀로 만든) 흑빵.

rýe whískey 라이 위스키《라이 보리가 주원료 ; 미국·캐나다 주산》.

S

S, s [es] (*pl.* **S's, Ss, s's, ss** [ésiz]) ① Ⓤ,Ⓒ 에스《영어 알파벳의 열아홉째 글자》. ② Ⓒ S자 모양(의 것). ③ Ⓤ (연속된 것의) 19 번째(의 것).
-s [(유성음의 뒤에서) z, (무성음의 뒤에서) s, (s, z. ʃ, ʒ, tʃ, dʒ의 뒤) iz] *suf.* ① 명사의 복수어미 : desk*s* [-s], cat*s* [-s], dog*s* [-z], box*es* [-iz], church*es* [-iz], judge*s* [-iz]. ★ 흔히 복수형으로 쓰이는 명사에 있어서도 같음 : trouser*s* [-z], scissor*s* [-z]. ② 3 인칭 · 단수 · 현재의 동사의 어미 : He laugh*s* [-s]. She teach*es* [-iz]. It rain*s* [-z]. ③ 부사 어미 : alway*s* [-iz], need*s* [-z], unaware*s* [-z].
's[1] [위 -s의 경우와 같음] ① 명사의 소유격 어미 : cat*'s*, dog*'s*, today*'s*, Korea*'s*. ★ s 로 끝나는 고유명사에는 -s's 또는 -s' 중 어느 하나가 쓰임 : James*'s* [dʒéimziz] (*or* James'). ② 글자 · 숫자 · 기호 따위의 복수 어미 : S*'s*, 8*'s*, §*'s*. ★ [']는 생략하는 경우도 있음.
's[2] 《口》 has, is, us, does, as 의 간약형 : He*'s* done it. / It*'s* time. / Let*'s* see. / What*'s* (=what does) he say about it? / so*'s* (=so as) be in time. ★ 어떤 간약형이든 문미에서는 쓰지 못함. 따라서 I wonder where he is.는 맞으나 I wonder where he's.는 틀림.
S Saxon ; South ; Southern ; 〖文法〗 subject ; 〖化〗 sulfur. **S, S** / sol, soles. **S.** Saturday ; school ; Senate ; *Señor* ; September ; Society ; South(ern) ; Sunday. **s.** second(s) ; see ; shilling(s) ; singular ; son ; south(ern) ; steamer.
‡**$, $** dollar(s) : $1(=one 〔a〕 dallar 라고 읽음) 1달러 / $30.50(=thirty dollars, (and) fifty cents 라고 읽음) 3달러 50센트.
S.A. Salvation Army ; South Africa ; South America ; South Australia.
sab [sæb] *n.* Ⓒ 《英口》 유혈이 따르는 사냥을 방해하고 반대하는 사람 : a hunt ~ 사냥 반대자. ── (***sabbed*** ; ***sáb·bing***) *vt., vi.* (사냥을) 방해하고 반대하다.
Sab·ba·tar·i·an [sæ̀bətέəriən] *a.* (종종 s-) 안식일을 엄수하는. ── *n.* Ⓒ 안식일(Sabbath)을 지키는 사람.
***Sab·bath** [sǽbəθ] *n.* ① (the ~) 안식일《유대교에서는 토요일, 기독교는 일요일》: break *the* ~ 안식일을 어기다 / keep〔observe〕 *the* ~ 안식일을 지키다. ② (연 1 회 야밤중에 열린다는) 악마의 연회(witches' ~).
sab·bat·i·cal [səbǽtikəl] *n.* Ⓒ 안식 휴가, 서배티컬《1년 또는 반년간의 유급 휴가 ; 대학 교수 등에 7년마다 줌》. ── *a.* 〔限定的〕 안식의, 안식 휴가의 : (a) ~ leave 안식 휴가, 서배티컬.
sabbátical yéar ① (종종 S-) 안식년《이스라엘 사람들이 경작을 쉰 7년마다의 해》. ② = SUBATICAL.
***sa·ber,** 《英》 **-bre** [séibər] *n.* ① Ⓒ 사브르《옛날의 약간 휜 기병도(刀)》: The cavalry rode into battle brandishing their ~*s*. 기병대는 말을 타고 기병도를 내흔들며 싸움에 뛰어들었다. ② **a)** Ⓒ 《펜싱》 사브르《찌르기와 베는데 쓰는 칼》. **b)** Ⓤ 사브르 경기. ── *vt.* …을 사브르로 베다.
sa·ber-rat·tling [-rǽtliŋ] *n.* Ⓤ 무력 시위.
sá·ber-toothed tíger〔**kón, cát**〕 [-tù:θt-, -tù:ðd-] 〖古生〗 검치호(劍齒虎).
Sá·bin vàccine [séibin-] 세이빈 백신《소아마비 생(生)백신》.
***sa·ble** [séibəl] *n.* ① **a)** Ⓒ 〖動〗 검은담비. **b)** Ⓤ 검은담비의 모피. ② Ⓤ 《詩》 검정빛.
── *a.* ① 검은담비 (털)가죽의. ② 《詩》 검은, 흑색의 ; 암흑의 : an escutcheon with a lion on a field ~ 검은 바탕에 사자가 있는 방패.
sab·ot [sǽbou] (*pl.* **~s** [-z]) *n.* Ⓒ 《F.》 사보, 나막신.
sab·o·tage [sǽbətɑ̀:ʒ, -tidʒ] *n.* Ⓤ 《F.》 ① 사보타주《★ sabotage 는 '태업'의 뜻이 아님. 이 뜻으로는 《美》 slowdown, 《英》 go-slow 임》. ② 방해〔파괴〕 행위.
── *vt.* …을 고의로 방해〔파괴〕하다 : The power station had been ~*d* by antigovernment guerrillas. 발전소는 반정부 게릴라에 의해 파괴됐다.
sab·o·teur [sæ̀bətə́:r] *n.* Ⓒ 《F.》 파괴〔방해〕활동가 : Orders were given to root out the ~*s*. 파괴 활동가들을 뿌리 째 뽑으라는 명령이 내려졌다.
sa·bra [sɑ́:brə] *n.* Ⓒ (종종 S-) 이스라엘 태생의〔토박이〕 이스라엘인.
***sabre** ⇨ SABER.
sac [sæk] *n.* Ⓒ 〖生〗 낭(囊), 액낭(液囊), 기낭(氣囊).
SAC [sæk] Strategic Air Command.
sac·cha·rin [sǽkərin] *n.* Ⓤ 〖化〗 사카린.
sac·cha·rine [sǽkəràin, -rin, -rì:n] *a.* ① 당질(糖質)의 ; 당분 과다의, 지나치게 단. ② 달콤한 《음성 · 태도 · 웃음》: ~ music 감미로운 음악.
sac·er·do·tal [sæ̀sərdóutl] *a.* 성직자의, 사제(司祭)의 ; 성직(聖職) 존중의. ⓜ **~·ism** [-təlìzəm] *n.* Ⓤ 성직자〔사제〕 제도 ; 성직 존중주의.
sa·chem [séitʃəm] *n.* Ⓒ ① (북아메리카 원주민의) 추장(chief). ② 《美》 지도자, 리더.
sa·chet [sæʃéi / ⌐⌐] *n.* Ⓒ 《F.》 ① (1회분의 설탕 · 샴푸 등을 넣은 작은 주머니. ② (옷장 등에 넣어 두는) 향낭(香囊).
‡**sack**[1] [sæk] *n.* Ⓒ ① 마대, 자루, 부대 : The ~ split and the rice poured out. 자루가 찢어져 쌀이 쏟아져 나왔다. ② 《美》 (식품 따위를 넣는) 종이봉지, 비닐 봉지 ; 한 봉지(의 양) : a ~ of candies 캔디 한 봉지. ③ (부녀자 · 아이들의) 헐렁한 웃옷. ④ (the ~) 《口》 해고, '모가지' : Hundreds of employees have been given *the* ~. 수백명의 종업원이 해고됐다 / If you are late again tomorrow, you'll get *the* ~. 내일 또 늦으면 넌 해고다. ⑤ (the ~) 《俗》 잠자리 : be in *the* ~ 자고 있다 / It was late and we jumped into *the* ~. 밤이 늦어 우리는 잠자리에 뛰어들었다. ⑥ 《野球俗》 누(壘), 베이스(base). ── *vt.* ① …을 부대〔자루〕에 넣다. ② 《口》 해고하다(dismiss) : You're ~*ed*! 너는 모가지다.
sack[2] *vt.* ① (점령군이 도시)를 약탈하다 ; 노략질하다 : The invaders ~*ed* every village they passed on their route. 침략군은 지나는 길에 있는 모든 마을을 약탈했다. ② (귀중품)을 훔치다. ③ 〖美蹴〗 (쿼터백)을 스크리미지 라인의 뒤에서 태클하다. ── *n.* (the ~) (점령지의) 약탈 ; 강탈 : put to *the* ~ 약탈하다.

S

sack·cloth [ˊ-klɔ̀(:)θ, ˊ-klɑ̀θ] *n.* [U] ① 부대를 만드는 데 쓰는 거친 마포, 즈크. ② (예전에 뉘우치는 표시로 입던) 삼베옷. ***in ~ and ashes*** 깊이 뉘우쳐 ; 비탄에 잠겨.

sáck còat 색코트《헐렁한 신사복 상의》.

sáck drèss 색드레스《(여성·유아용의) 헐렁한 웃옷》.

sack·ful [sǽkfùl] (*pl.* **~s, sacks·ful**) *n.* [C] 부대 가득한 분량, 한 부대 : a ~ of coal 석탄 한 부대.

sack·ing [sǽkiŋ] *n.* ① =SACKCLOTH. ② [C] (흔히 *sing.*) 해고.

sáck ràce 자루 경주《자루에서 목만 내놓고 달림》.

sáck sùit 《美》 (상의가 색코트인) 신사복.

sáck tìme 《美俗》 취침 시간.

sa·cra [séikrə] SACRUM 의 복수.

sa·cral [séikrəl] *a.* 제식(祭式)의, 성례(聖禮)의.

sac·ra·ment [sǽkrəmənt] *n.* ① [C] 〖新敎〗 성례전(聖禮典)《세례(baptism)·성찬(the Eucharist)의 두 예식》; 〖가톨릭〗 성사(聖事)《세례·견진·성체·고백·병자·신품·혼인의 일곱 가지》. ② (the ~, the S-) **a)** 성체(=the ∠ **of the áltar**) : They went up to alter to receive *the* holy ~ at the Eucharist. 그들은 성찬의 전례에서 영성체하기 위해 제단에 올라갔다. **b)** 성찬의 전례, 성찬식. ***go to the*** ~ 성찬식에 참석하다.

sac·ra·men·tal [sæ̀krəméntl] *a.* 성례전(聖禮典)〔성찬〕의 ; 신성한 ; 성례전 존중의 : a ~ obligation 신성한 의무 / ~ rites 성찬식 / ~ wine 성찬용 포도주.
[파] **~·ism** [-təlìzəm] *n.* [U] 성사 중시(重視)주의.

Sac·ra·men·to [sæ̀krəméntou] *n.* 새크라멘토《미국 California 주의 주도》.

‡**sa·cred** [séikrid] (***more ~ ; most ~***) *a.* ① 신성한(holy) ; 신에게 바쳐진, 신을 모신 : a ~ building 〔edifice〕 신전 / Cows are ~ to Hindus. 힌두 사람은 소를 신성시한다. ② 종교적인, 성전(聖典)의. [opp] *profane, secular.* ¶ a ~ history 종교〔교회〕사 / ~ music 종교 음악 / a ~ number 성수(聖數) 《7 따위》 / a ~ place 묘지 / ~ writings 성전(聖典)《성경 또는 코란》. ③ (약속 등이) 신성 불가침의 ; 존중해야 할 : a ~ promise 어겨서는 안될 약속 / I hold my duty ~. 나는 내 의무를 존중한다. ④ 〔敍述的〕 (신령 등에) 바쳐진 (dedicated) 《*to*》 : a tree ~ *to* Jupiter 주피터에게 바쳐진 나무 / This monument is ~ *to* the memory of the Unknown Soldier. 이 기념비는 무명용사에게 바쳐졌다. ***the S- Heart (of Jesus)*** 〖가톨릭〗 예수 성심. [파] **~·ly** *ad.* **~·ness** *n.*

Sácred Cóllege (of Cárdinals) (the ~) 〖가톨릭〗 추기경단《교황의 최고 자문 기관》.

sácred ców ① (인도의) 성우(聖牛). ② 《比》 (사상·제도 등) 비판〔공격〕할 수 없는 신성한 것 : You can't criticize their system of selecting the leader ; it's one of their ~*s.* 그들의 지도자 선출 방식을 비판할 수 없다. 그것은 그들이 신성시하는 것 중의 하나다.

sácred íbis 〖鳥〗 (옛 이집트에서 영조(靈鳥)로 삼던) 따오기.

‡**sac·ri·fice** [sǽkrəfàis] *n.* ① **a)** [U.C] 신에게 산 제물을 바침 : make a ~ to God 신에게 산 제물을 바치다. **b)** [C] 희생, 산 제물, 제물 : offer a ~ 제물을 바치다 / kill a goat as a ~ to God 신에의 제물로서 양을 죽이다. ② **a)** [U.C] 희생(으로 삼음) 《*of*》 : at the ~ *of* …을 희생하여 / make a ~ *of* …을 희생하다. **b)** [C] 희생(적인 행위), 헌신 : Her parents made many ~*s* so that she could get a university education. 그녀 부모의 많은 희생 덕분으로 그녀는 대학을 마칠 수 있었다 / He said he would do it at any ~. 그는 어떤 희생을 치르더라도 그것을 하겠다고 말했다 / Success is not worth the ~ of your health. 성공이 네 건강을 희생할 만큼 값진 것은 아니다. ③ [C] 〖商〗 투매(投賣) (~ sale) : sell at a considerable ~ 아주 싸게 투매하다. ④ [C] 〖野〗 희생타, 희생 번트(~ bunt).
— *vt.* ① 《+[목]+[전]+[명]》 …을 희생하다, 제물로 바치다 ; 단념〔포기〕하다《*for* ; *to*》 : ~ oneself *for* one's country 조국을 위해(서) 몸을 바치다 / ~ accuracy *to* effect (문장 등의) 효과를 노려 정확성을 희생하다 / He ~*d* his life to save the child from the fire. 그는 불속에서 아이를 구하기 위해 자신을 희생했다 / I refused to ~ my political beliefs *for* money. 나는 돈 때문에 내 정치적 신념을 버리기를 거부했다. ② 〖商〗 …을 투매하다, 헐값에 팔다 : I need the money and I'm having to ~ my car. 나는 그 돈이 필요하다. 그래서 차를 헐값에 팔아야겠다. ③ 〖野〗 (주자)를 희생타로 진루시키다. — *vi.* ① 《+[전]+[명]》 (…에) 산 제물을 바치다 : ~ *to* God 신에게 산 제물을 바치다. ② 《+*for*+[명]》 (…을 위해) 희생이 되다 : A mother will ~ *for* her children. 어머니는 아이들을 위해 제 몸을 돌보지 않는다. ③ 《口》 투매하다. ④ 〖野〗 희생타를 치다.

sácrifice búnt 〔**hít**〕 〖野〗 희생 번트, 희생타.

sácrifice flý 〖野〗 희생 플라이.

sac·ri·fi·cial [sæ̀krəfíʃəl] *a.* ① 희생의, 산 제물의 : a ~ lamb 희생양. ② 헌신적인, 희생적인.
[파] **~·ly** *ad.*

sac·ri·lege [sǽkrəlidʒ] *n.* ① [U] 신성한 것을 더럽힘 ; 신성 모독(죄) : Muslims consider it ~ to wear shoes inside the mosque. 이슬람교에서는 성전 안에서 신발을 신는 것을 신성 모독으로 간주한다. ② [C] (흔히 *sing.*) 벌받을 행위 : It would be (a) ~ to rebuild such an ancient temple. 저런 옛 사찰을 헐고 다시 짓는다면 벌받을 것이다.

sac·ri·le·gious [sæ̀krəlídʒəs, -líː-] *a.* ① 신성 모독의 : an ~ act 신성 모독 행위. ② 벌받을 : Harming these animals is considered ~. 이들 짐승을 해치는 것은 벌받을 짓이라고 본다.
[파] **~·ly** *ad.* **~·ness** *n.*

sac·ris·tan [sǽkrəstən] *n.* [C] 〖가톨릭〗 성당 성물(聖物) 관리인, 성당지기.

sac·ris·ty [sǽkrəsti] *n.* [C] 〖가톨릭〗 제의실《성직자가 여기서 옷을 갈아 입음》.

sac·ro·sanct [sǽkrou*s*æ̀ŋkt] *a.* 지극히 신성한, 신성 불가침의 : ~ rights 신성 불가침의 권리.

sa·crum [séikrəm, sǽk-] (*pl.* **~s, -cra** [-krə]) *n.* [C] 〖解〗 천골(薦骨).

†**sad** [sæd] (***-dd-***) *a.* ① 슬픈, 슬픔에 잠긴 (sorrowful), 슬픈 듯한. [opp] *happy.* ¶ feel ~ 슬프다, 슬퍼하다 / a ~ face〔heart〕 슬픈 안색〔마음〕 / What makes you so ~ ? 뭣 때문에 그렇게 슬프냐. ② 슬퍼할, 슬프게 하는 ; 통탄할 : a ~ relaxation of morals 통탄할 도덕심의 해이 / The more he thought about it, the ~*der* he became. 그 일을 생각하면 할수록 그는 슬퍼졌다 / It is ~ that he did not live to see his book published. 그가 자신의 책이 출판된 것을 못보고 죽은 것은 애석한 일이다. ③ 〔限定的〕 괘씸한, 지독한 ; 열등한 : a ~ rogue 지독한 악당 / a ~ mess 엉망, 뒤죽박죽 / The children left the room in a ~ state. 아이들이 방을 엉망으로 만들어 놓았다. ④ (색이) 칙칙한(dull), 충충한(somber). ***a ~der***

and 〔***but***〕 ***a wiser man*** (슬픈 경험을 겪어 현명해진) 고생한 사람. **~ *to say*** 유감스럽게도, 슬프게도 : *Sad to say*, he didn't live up to our expectations. 유감스럽게도 그는 우리들 기대에는 미치지 못했다.

Sa·dat [sədɑ́ːt, -dǽt] *n.* **Mohammed Anwar el-~** 사다트《이집트의 2 대 대통령 ; Nobel 평화상 수상(1978) ; 1918-81》.

sad·col·ored [sǽdkʌ́lərd] *a.* 충충한.

***sad·den** [sǽdn] *vt.* …을 슬프게 하다 : It *~ed* me to see all of their efforts wasted. 그들의 모든 노력이 허사임을 알고 슬퍼졌다 / This is one of the things that *~s* me most. 이것이 나를 가장 슬프게 하는 것 중의 하나다. ── *vi.* 슬퍼지다 《*at*》 : She *~ed at* the thought of his departure. 그가 떠난다는 생각에 그녀는 슬퍼졌다.

‡sad·dle [sǽdl] *n.* ①Ⓒ 안장 ; (자전거 따위의) 안장 : put a ~ on a horse 말에 안장을 놓다 / fall out of the ~ 낙마하다 / He swung himself into the ~ and rode off. 그는 훌쩍 안장에 올라타고는 말을 몰고 갔다. ②Ⓤ.Ⓒ (양 따위의) 등심 고기 : (a) ~ of mutton〔venison〕 양〔사슴〕의 등심. ③ Ⓒ 〖地〗 안부(鞍部), 산등성이. ***in the ~*** (1) 말을 타고 : I've been *in the* ~ all day. 종일 말을 탔다 / They were weary after many hours *in the* ~. 그들은 오랫동안 말을 타서 지쳐 있었다. (2) 권력을 잡아 : Who is *in the* ~ ? 권력은 누구한테 있는가.
── *vt.* ①…에 안장을 놓다 : She *~d* (up) the horse for her brother. 그녀는 동생의 말에 안장을 얹어주었다. ②《+目+前+名》 **a)** …에게 (부담·책임 따위)를 지우다, …에게 과(課)하다《*with*》 : be *~d with* debt 빚을 지다 / Don't ~ me *with* taking the children to school again. 다시는 아이들을 학교에 데려다 주라고 하지 마시오 / I'm *~ed with* the job of organizing the conference. 회의를 준비하는 업무가 내게 맡겨졌다. **b)** 〔再歸的〕 (책임 등)을 지다《*with*》 : He *~d himself with* numerous debts. 그는 많은 빚을 졌다. ── *vi.* ① (안장을 얹은) 말을 타다. ② 말에 안장을 얹다 《*up*》.

sad·dle·bag [-bæ̀g] *n.* Ⓒ ① 안장에 다는 주머니. ② (자전거·오토바이 따위의) 새들백.

sáddle·choth 안장 방석〔반침〕.

sáddle hòrse 승마용의 말.

saddle·less [sǽdlles] *a.* 안장을 얹지 않은.

sad·dler [sǽdlər] *n.* Ⓒ 마구 만드는〔파는〕 사람.

sad·dlery [sǽdləri] *n.* ①Ⓒ 마구 제작소, 마구점〔두는 곳〕. ②Ⓤ 〔集合的〕 마구 한 벌, 마구(류).

sáddle shòes 새들신《구두끈 있는 등 부분을 색이 다른 가죽으로 씌운 Oxford shoes》.

sáddle sòap 가죽 닦는 비누.

sáddle sòre (안장으로 인하여 사람·말에 생긴) 쓸린 상처.

sad·dle·sore [sǽdlsɔ̀ːr] *a.* (사람이) 안장에 쓸린, 안장에 쓸려 아픈.

sáddle stìtch 〖製本〗 주간지처럼 책 등을 철사로 박는 제본 방식.

Sad·du·cee [sǽdʒəsìː, -djə-] *n.* Ⓒ 사두개 교도.

sa·dhu [sɑ́ːduː] *n.* Ⓒ 성인(聖人), 현인.

sad·ism [sǽdizəm, séid-] *n.* Ⓤ ① 사디즘, 가학성(加虐性) 변태 성욕. ② 병적인 잔혹성. OPP *masochism.* ㊕ **-ist** *n.* Ⓒ ① 가학성 변태 성욕자, 사디스트. ② 잔혹한 짓을 좋아하는 사람.
sa·dis·tic [sədístik, sei-] *a.* 사디스트적인.

‡sad·ly [sǽdli] (***more ~ ; most ~***) *ad.* ① 슬픈 듯이, 구슬프게 : She looked at him ~. 그 여자는 슬픈 듯이 그를 보았다 / The bell rang ~. 종이 구슬프게 울렸다 / "He's gone away for six months." she said ~. '그 사람은 여섯 달째 안 돌아옵니다'하고 그녀는 슬픈 듯이 말했다. ② 〔文章修飾〕 슬프게도, 유감스럽게도 : *Sadly*, our plan failed. 한심하게도 우리 계획은 실패했다. ③ 몹시 : a ~ neglected garden 너무 방치된 정원 / If you think she'll let you do that, you're ~ mistaken. 그녀가 네게 그것을 하도록 할 것이라고 생각한다면 이만저만 오산이 아니다.

‡sad·ness [sǽdnis] *n.* Ⓤ ① 슬픔, 비애. ② 슬픈 일, 슬프게 하는 일.

sa·do·mas·o·chism [sèidoumǽzəkìzəm, sæ̀d-, -mǽs-] *n.* Ⓒ 가학피학성 변태 성욕(加虐被虐性變態性欲).
㊕ **-chist** *n.* 가학 피학성 변태 성욕자.

sád sàck 《美口》 멍청이, 덜된 사람.

SAE, s. a. e. stamped addressed envelope (회신용 봉투(를 동봉한 것)).

sa·fa·ri [səfɑ́ːri] *n.* Ⓒ ① (아프리카에서 하는) 수렵〔조사, 탐험〕 여행(대), 사파리 : They're currently on ~ in Kenya. 그들은 지금 케냐에서 사파리 여행 중이다. ②《口》 탐험, 모험 여행 : an Artic ~ 남극 탐험.

safári jàcket 사파리 재킷.

safári pàrk 《英》 자연 동물원, 사파리 파크《짐승을 놓아 기르며 사람은 차안에서 구경함》.

safári sùit 사파리 슈트《safari jacket 과 같은 천의 스커트〔바지〕의 맞춤》.

†safe [seif] (***sáf·er ; sáf·est***) *a.* ① 안전한, 위험이 없는, 피해 입을〔가해할〕 걱정이 없는 《*from*》. OPP *dangerous.* ¶ be ~ *from* fire 불날 염려가 없다 / Is your dog ~? 자네의 개는 괜찮은가〔물지 않는가〕 / It is as ~ as the Bank of England. 그것은 아무 염려 없다 / You'll be ~ here. 여기서는 안전하다 / Will the car be ~ outside? 차를 밖에 둬도 괜찮을까 / It's ~ to come out now — the enemy planes have gone. 이제 밖에 나가도 괜찮다. 적기는 가 버렸다 / Your secret is ~ with me. 네 비밀은 지켜주마. ② 〔be, come, arrive, bring, keep 따위의 補語〕 무사히, 탈없이, 손상 없이 : They all arrived ~. 그들은 모두 무사히 도착했다 / see a person ~ home 아무를 무사히 집에까지 바래다 주다. ★ safe 는 예전엔 부사이기도 했으므로 오늘날에도 safely 를 대용하는 일이 있음. ③ 믿을 수 있는 : a ~ person to confide in 털어놓아도 괜찮을 사람 / I don't like going in car with him — he's not a ~ driver. 그 사람과 같은 차를 탈 생각이 없어. 미덥지 못한 운전사다. ④ 신중한, 주의 깊은, 소심한 : a ~ play 신중한 경기 자세. ⑤ 확실한, 반드시 …하는 : a ~ winner 우승이 확실한 사람〔말〕 / He is ~ *to* get in. 그는 당선이 확실하다 / a ~ first, 1등이 틀림없는 사람 / a ~ one 〖競馬〗 우승이 확실한 말 / The President is ~ to be reelected. 대통령은 재선이 확실하다. ⑥〖野〗 세이프의. ◇ safety *n.* (***as***) **~ *as anything*** 〔《口》***houses***〕 더없이 안전한 : If you invest your money with us, it will be *as ~ as houses.* 네 돈을 우리와 같이 투자하면 더 없이 안전하다. ***be on the ~ side*** 신중을 기하다 : Although the sun was shining, I took an umbrella (just) to *be on the ~ side.* 날씨는 좋았지만, 신중을 기해서 우산을 가져왔다. ***play*** (***it***) **~**《口》 신중을 기하다, 모험을 피하다 : The road might be busy, so we'd better *play ~* and catch the earlier bus. 길이 붐빌지 모른다. 그러니 신중을 기해서 이른 버스를 타자. **~ *and sound*** 무사히, 탈없이 : I'm glad to see

S

you home ~ *and sound*. 무사히 돌아온 너를 보니 기쁘다. ── (*pl.* **~s**) *n.* Ⓒ ① 금고. ②(육류 따위 식품을 보존하는) 파리장(meat safe). ③《美俗》=CONDOM. 🄿 **∠·ness** *n.*

safe·break·er [∠brèikər] *n.* 《英》 =SAFECRACKER.

safe·break·ing [∠brèikiŋ] *n.* 《英》 =SAFECRACKING.

safe-con·duct [∠kándʌkt / ∠kɔ́n-] *n.* ① Ⓤ (특히 전시의) 안전 통행권(증). ② Ⓒ (특정 지역의) 안전 통행증: Both journalists were issued with a ~ valid for forty five hours. 두 기자는 45시간 유효의 안전 통행증을 발급 받았다.

safe·crack·er [∠krӕkər] *n.* Ⓒ 《美》 금고털이《사람》.

safe·crack·ing [∠krӕkiŋ] *n.* Ⓤ 《美》 금고털이《행위》.

sáfe depòsit (은행의) 대여 금고.

safe-de·pos·it [∠dipàzit / -pɔ̀z-] *a.* 안전 보관의: a ~ company 금고 대여 회사 / a ~ box 〔vault〕 (은행의) 대여 금고.

***safe·guard** [∠gà:rd] *n.* Ⓒ ① 보호물, 안전 장치: a ~ against accident〔fire〕 사고〔화재〕 방지 장치〔설비〕. ② 보장 조항〔규약〕; 방위(수단) 《*against*》: This clause was inserted as a ~ *against* possible exploitation. 이 조항은 있을 수도 있는 이기적인 이용에 대한 방지 수단으로서 삽입되었다. ── *vt.* …을 보호하다, 호위하다 《*against*》: a policy to ~ home industry 국내 산업 보호정책 / They have to fight to ~ their future. 그들은 자신들의 미래를 보호하기 위해 투쟁해야 했다.

sáfe hít 〖野〗 안타(base hit).

sáfe hóuse (간첩 등의) 아지트, 연락 장소.

safe·keep [∠kì:p] *vt.* …을 보호〔보관〕하다.

safe·keep·ing [∠kì:piŋ] *n.* Ⓤ 보호, 호위, 보관(custody): My important papers are in ~ with a lawyer. 내 주요 서류들은 변호사에 맡겨 있다.

safe·light [∠làit] *n.* Ⓤ 〖寫〗 (암실용의) 안전광(光).

S

‡**safe·ly** [séifli] (***more ~; most ~***) *ad.* ① 안전하게, 무사히: arrive ~ 안착하다 / put away ~ 안전한 곳에 치우다 / She checked that the both rear doors ~ shut. 그녀는 두 뒷문이 안전하게 닫혔는지를 확인했다. ② 틀림없이: It may ~ be said that…. …라고 말해도 틀림〔상관〕없다 / I think we can ~ say they won't find us. 그들이 우리를 발견할 수 없다고 단언해도 무방하다고 생각한다.

sáfe pèriod (흔히 the ~) 피임 안전 기간.

sáfe sex (성병 예방의) 안전한 성행위.

‡**safe·ty** [séifti] *n.* ① Ⓤ 안전, 무사; 무난(security), 무해: flee for ~ 피난하다 / traffic 〔road〕 ~ 교통 안전 / Let's try to stay together as a group; there is ~ in numbers. 그룹으로 함께 머물자. 수가 많은 편이 안전하니까. ② Ⓒ (총의) 안전 장치, 안전판. ③ Ⓒ 〖野〗 안타(safe hit); 〖美蹴〗 세이프티.
── *a.* 〔限定的〕 안전을 지키는: a ~ device 〔apparatus〕 안전 장치 / ~ measure 안전 조치 / road ~ rules 도로 안전 운행 규칙.

sáfety bèlt (자동차·비행기나 고소 작업용의) 안전 벨트〔띠〕, 안전 밴드: I told them to return to their seats and fasten their ~. 나는 그들에게 각자 제자리로 돌아가서 안전 벨트를 매라고 했다.

sáfety càtch (총·기계 따위의) 안전 장치.

sáfety cùrtain (극장의) 방화막(防火幕).

safe·ty-de·pos·it [-dipàzit / -pɔ̀z-] *a.* =SAFE-DEPOSIT.

safe·ty-first [-fə̀:rst] *a.* 안전 제일주의의, 아주 신중한: A ~ attitude is best when it comes to driving. 안전 제일주의를 지키는 태도가 차를 운전하는 데는 최선이다.

sáfety glàss (자동차 앞유리 등의) 안전 유리.

sáfety hàt 안전모《공사장 작업용의》.

sáfety inspèction 《美》 차량 검사(《英》 M.O.T. (test)); 안전 점검〔검사〕.

sáfety ìsland 〔**ìsle**〕 (도로의) 안전 지대.

sáfety làmp (광산용) 안전등.

sáfety lòck 안전 자물쇠; (총의) 안전 장치.

sáfety màtch (안전) 성냥.

sáfety mèasure 안전 대책.

sáfety nèt ① (서커스 등의) 안전망: There was a ~ below the acrobats at the circus. 서커스의 곡예사 밑에는 안전망이 쳐 있었다. ② 안전책; 보호 수단.

sáfety pìn 안전핀.

sáfety ràzor 안전 면도칼.

sáfety vàlve ① (보일러의) 안전판(瓣): The blast was caused by a gas leak after a ~ had been removed for maintenance. 폭발은 정비하려고 안전판을 옮긴 뒤 가스 누출로 일어났다. ② (정력·감정 등의) 배출구《*for*》: Sport is a good ~ *for* the tension. 운동은 긴장을 해소하는 배출구이다.

sáfety zòne 《美》 (도로 위의) 안전 지대.

saf·flow·er [sӕflàuər] *n.* ① Ⓒ 〖植〗 잇꽃. ② Ⓤ 잇꽃물감《붉은색》.

***saf·fron** [sӕfrən] *n.* ① **a**) Ⓒ 〖植〗 사프란(=∠ **cròcus**). **b**) Ⓤ 그 꽃의 암술머리《본디는 약용, 지금은 과자 따위의 착색 향미료》. ② Ⓤ 사프란색, 샛노랑(=∠ **yéllow**).

saf·ing [séifiŋ] *a.* 〖宇宙〗 (로켓·미사일 따위가) 안전화 장치가 돼 있는.

S. Afr. South Africa(n).

***sag** [sæg] (**-gg-**) *vi.* ① **a**) (다리·선반 등의 중앙부가) 휘다, 처지다: The ceiling is ~*ging*. 천장이 처져 있다. **b**) (노령으로 피부·근육 등이) 축 늘어지다. **c**) (바지 무릎 따위가) 쑥 나오다. ② (시세·물가 등이) 떨어지다: Exports ~*ged* in the first quarter of the year. 올해 1/4 분기에 수출이 떨어졌다. ③ 기운이 빠지다, 낙담하다; (흥미 등이) 시들해지다; (책 따위가) 따분해지다: My spirits ~*ged* at the news. 그 소식을 듣고 나는 맥이 탁 풀렸다.
── *n.* Ⓤ (또는 a ~) ① 휨, 처짐, 늘어짐: There's a lot of ~ in the roof; It'll fall down soon. 지붕이 많이 꺼져 있다. 곧 내려 앉겠어. ② 〖商〗 (시세의) 하락, 점락(漸落): *a* ~ in sales 매상 하락.

sa·ga [sá:gə] *n.* Ⓒ ① 사가《영웅·왕후(王侯) 등을 다룬 북유럽의 전설》. ② 무용담, 모험담. ③ 대하 소설(~ novel, *roman-fleuve*).

***sa·ga·cious** [səgéiʃəs] *a.* 총명〔명민, 현명〕한; (판단 등이) 정확한《★ wise 보다는 딱딱한 말씨》: a ~ person 현명한 사람 / He proved himself quite a ~ leader. 그는 자신이 아주 현명한 지도자임을 입증했다. 🄿 **~·ly** *ad.* **~·ness** *n.*

***sa·gac·i·ty** [səgǽsəti] *n.* Ⓤ 총명, 명민.

sága nòvel 대하 소설.

sage**[1] [seidʒ] *a.* 〔限定的〕 ① 슬기로운, 현명한; 사려 깊은, 경험이 많은: ~ advice 현명한 조언 / a ~ counselor 사려 깊고 경험 많은 조언자. ② 《戲》 현인인 체하는, 점잔 빼는《얼굴 따위》. ── *n.* Ⓒ 현인, 철인; 경험이 풍부한 사람; 《戲》 현인인 체하는 사람: consult the ~*s* 현인들의 의견을 듣다. ***the seven ~s (***of ancient Greece***) (고대 그리스의) 7 현인. 🄿 **∠·ly** *ad.* **∠·ness** *n.*

sage[2] *n.* Ⓤ 〖植〗 세이지《샐비어의 일종》; 그 잎

《약용·요리용》; ＝SAGEBRUSH.

sage·brush [séidʒbrʌ̀ʃ] *n.* Ⓤ 〖植〗 쑥의 일종《미국 서부산(産); Nevada 주의 주화》.

ságe tèa 샐비어 잎을 달인 건강 음료. 「진.

sag·gy [sǽgi] (*-gi·er*; *-gi·est*) *a.* 처진, 늘어

Sag·it·tar·i·us [sæ̀dʒətέəriəs] *n.* 〖天〗 궁수(弓手)자리; 인마궁(人馬宮)(the Archer).

Sa·hara [səhǽrə, səhάːrə, səhέərə] *n.* (the ~) 사하라 사막. ㊞ **Sa·har·an** [-ən] *a.*

sa·hib [sάːhib] (*fem.* ***-hi·ba(h)*** [-ə], ***mém-sà·hib***) *n.* 《Ind.》 ① (S-) 각하, 대감, 선생, …님: James ~ 제임스 나리 / Colonel ~ 대령님. ② Ⓒ 나리; 신사.

†said [sed] SAY의 과거·과거 분사.
— *a.* 〔限定的〕 (흔히 the ~) 전기(前記)한, 상술(上述)한: *the* ~ person 본인, 당해 인물, 당사자 / *the* ~ witness 전술한 증인.

Sai·gon [saigάn / -gɔ́n] *n.* 사이공《Ho Chi Minh City의 구칭》.

†sail [seil] *n.* ① Ⓒ 돛; Ⓤ 〔集合的〕 배의 돛《한 척의 배의 일부 또는 전부》: go by ~ 범주(帆走)하다 / in full ~ 돛을 전부 올리고 / hoist〔carry〕 ~ 돛을 올리다〔올리고 있다〕. ② Ⓒ 〔單·複同形〕 돛단배, 범선; 선박: the days of ~ 범선 시대 / a fleet of twenty ~, 20 척 편성의 선대. ③ **a)** (a ~) 범주(帆走), 항해; 뱃놀이: We went on *a* ~ around the world. 우리는 세계 일주 항해를 떠났다 / go for *a* ~ 뱃놀이 가다. **b)** Ⓤ (또는 a ~) 범주 거리, 항정(航程): It's two day's ~ from here to the nearest island. 여기서 가장 가까운 섬까지가 이틀거리의 뱃길이다. ④ Ⓒ 돛 모양의 것; 풍차의 날개. ⑤ Ⓒ 〖魚〗 돛새치의 등지느러미. ***make*** ~ (1) (…을 향해) 돛을 올리다, 출범하다 《*for*》. (2) 돛을 더 달고 빨리 가다. ***make*** ~ ***to*** (a fair wind) (순풍)에 돛을 달다. ***set*** ~ (1) 돛을 올리다. (2) (…을 향하여) 출범하다《*for*》: We *set* ~ *for* France at high tide. 우리는 만조 때 프랑스로 출범했다. ***take the wind out of*** 〔***from***〕 a person***'s*** ***~s*** 아무를 꼭뒤지르다, 아무의 허(虛)〔의표〕를 찌르다. ***under*** (***full***) ~ (온) 돛을 펴고; (전력) 항해 중에: There was too little wind for the yacht to be *under sail.* 요트가 (돛을 펴고) 항해하기에는 바람이 너무 적었다.
— *vi.* ① 《~ / +전+명 / +부 / +보》 범주하다; 항해하다; 출범하다: ~ (*at*) ten knots 10 노트로 항해하다 / The boat ~*ed along* the coast. 배는 해안을 따라 항해했다 / The ship ~*ed down* the east coast of South America. 배는 남미의 동해안을 항해하며 내려갔다. ② 《~ / +부》 (새·비행기 등이) 날다; (물새 등이) 미끄러지듯 헤엄쳐 가다, 유영(游泳)하다: clouds ~*ing* overhead 머리 위를 가볍게 떠 가는 구름 / Swans were ~*ing* gracefully on the lake. 백조의 무리가 우아하게 호수에서 헤엄치고 있었다. ③ 《+전+명》 당당히 나아가다; (특히 여성이) 점잔빼며 걷다: She ~*ed into* the room. 그녀는 점잖게 방으로 들어왔다 / She ~*ed* past, ignoring us completely. 그녀는 철저히 우리를 무시한 채 지나갔다. ④ 《+전+명》 《口》 힘있게 일을 시작하다; 감연히 하다《*in*; *into*》: He ~*ed in*〔*into*〕 the work. 그는 힘차게 일을 시작했다 / He ~*ed into* his hamburger. 그는 햄버거를 먹어대기 시작했다. ⑤ 《+전+명》 《口》 공격하다, 매도하다: He ~*ed into* his children for making too much noise. 그는 아이들을 너무 시끄럽게 군다고 야단쳤다. ⑥ 《+전+명》 (시험·곤란 등)을 쉽게 통과하다; 성취하다《*through*》: He ~*ed through* the difficult examination. 그는 어려운 시험에 쉽게 합격했다.
— *vt.* ① …을 항해하다; (사람·배가 바다·강)을 항행하다, (새·항공기 등이 하늘)을 날다: The islanders ~*ed* the ocean in their small boats. 섬사람들은 작은 배로 바다를 항행했다. ② (배나 요트)를 달리다, 조종하다: The captain ~*ed* his ship safely through the narrow passage. 선장은 그의 배를 안전하게 조종해서 좁은 수로를 지나갔다. ~ ***close to*** 〔***near***〕 ***the wind*** (1) 〖海〗 바람을 옆으로 받으며 범주(帆走)하다. (2) (법률·도덕 따위에 저촉될까 말까 한) 아슬아슬한 짓을 하다. ~ ***into*** 〔***in***〕 (1) (…에) 입항하다. (2) 《口》 …을 과감히 시작하다; 당당히 나아가다〔걷다〕.

sail·board [-bɔ̀ːrd] *n.* Ⓒ 세일보드《1-2 인용 소형 평저(平底)범선; 윈드 서핑용 보드》.

sail·boat [-bòut] *n.* Ⓒ 《美》 (경기용) 돛배, 범선, 요트(《英》 sailing boat). 「크.

sail·cloth [-klɔ̀(ː)θ, -klὰθ] *n.* Ⓤ 범포(帆布), 즈

sail·er [séilər] *n.* Ⓒ ① 범선. ② (속력이) …한 배: a good 〔fast〕 ~ 속력이 빠른 배 / a heavy 〔bad, poor, slow〕 ~ 속력이 느린 배.

sail·fish [séilfìʃ] *n.* Ⓒ 〖魚〗 돛새치.

***sail·ing** [séiliŋ] *n.* ① Ⓤ 범주(帆走)(법); 항해(술); 요트 경기: ⇨ PLAIN 〔PLANE〕 SAILING / great-circle ~ 대권 항법(大圈航法) / Four days' ~ left us all exhausted. 나흘간의 항해로 우리는 기진맥진했다. ② Ⓤ,Ⓒ 바다 여행, 항해; (정기선의) 출항, 출범: the hours of ~ 항해 시간 / a list of ~*s* 출항표 / There are frequent ~*s* from Dover. 도버에선 출항이 잦다 / the dates and times of ~ this month from Pusan 이 달 부산 출항 일시. — *a.* 항해의; 출항〔출범〕의. 「sailboat).

sáiling bòat 《英》 돛배, 범선, 요트(《美》

sáiling dày ① (객선의) 출항 예정일. ② 〖海〗 화물의 마지막 선적일.

sáiling lèngth 요트의 전장(全長).

sáiling lìst 출항 예정표.

sáiling master 〖海〗 항해장.

sáiling òrders 출항 명령(서), 항해 지시서.

sáiling shìp 〔**vèssel**〕 범선.

†sail·or [séilər] *n.* Ⓒ ① 뱃사람, 선원. ② 수병; 해군 군인: He had been a ~ in the Italian navy. 그는 이탈리아 해군에서 수병으로 있었다. ③ (배에) …한 사람: a bad〔poor〕 ~ 뱃멀미를 하는 사람. ㊞ **~·ing** [-riŋ] *n.* Ⓤ 선원 생활; 선원〔뱃사람〕의 일.

sáilor còllar 세일러 칼라《세일러복의 접은 깃》.

sail·or·man [-mæ̀n, -mən] (*pl.* ***-men*** [-mèn, -mən]) *n.* Ⓒ 뱃사람, 선원.

sáilors' hóme 선원 숙박소.

sáilor's knòt ① 선원의 밧줄 매듭(법). ② 넥타이 매는 법의 하나.

sáilor sùit (어린이용) 세일러복.

sail·plane [séilplèin] *n.* Ⓒ 세일플레인《익면하중(翼面荷重)이 작은 글라이더》. — *vi.* 세일플레인으로 활공하다〔날다〕.

‡saint [seint] (*fem.* ***∠·ess*** [-is]) *n.* Ⓒ ① 성인《죽은 후 교회에 의해 시성(諡聖)이 된 사람》; 성자: ⇨ PATRON SAINT / make a ~ of …을 성인 반열에 올리다. ② (S-) 성(聖)…《인명·교회명·지명 따위 앞에서는 흔히 St. [seint, sən(자음 앞), sənt(모음 앞)]로 씀; 이 사전에서는 지명·기타의 복합어에서 St.는 Saint로 철자할 때의 어순(語順)으로 보였음》: *St.* Luke 성(聖)누가 / *St.* Helena 세인트헬레나; 유형지. ③ 덕이 높은 사람; 군자(君子); 훌륭한 사람: live a ~ 성인 같은 생활을 하다 / It would try the patience of a ~. 그래서는 성인 군자라도 분통이 터질 게다 / Your mother

S

was a ~. 네 어머니는 자비로운 분이셨다. ④ (흔히 *pl.*) 죽은이(의 영혼) ; 천국에 간 사람 : the (blessed) *Saints* 천상의 여러 성인 / the departed ~ 고인, 죽은 사람.

Sáint Bernárd 세인트 버너드《본디 성베르나르 고개의 수도원에서 기르던 구명견(犬)》.

St. Chrís·to·pher and Névis [sèintkrístəfərən-] 세인트 크리스토퍼 네비스《서인도 제도의 St. Kitts [kíts] 섬과 Nevis 섬으로 이루어진 나라 ; 수도 Basseterre》.

saint·ed [séintid] *a.* ① 성인이 된, 시성(諡聖)이 된《略 : Std.》. ②《때로 戱》 신성한 ; 덕망 높은 : Your ~ father would agree. 네 후덕하신 아버님은 승낙하실 거다.

saint·hood [séinthùd] *n.* Ⓤ ① 성인의 지위. ② 〔集合的〕 성인〔성도〕들.

St. Lú·cia [sèintlú:ʃiə] *n.* 세인트루시아《서인도 제도 동부의 독립국 ; 수도 Castries》.

saint·ly [séintli] *a.* 성인 같은〔다운〕; 덕망 높은, 거룩한 : a ~ expression on her face 그녀 얼굴의 성인같은 표정 / He led a virtuous, almost a ~ life. 그는 덕있는, 거의 성인같은 삶을 보냈다. ⓟ **-li·ness** *n.*

sáint's dày 성인 축일.

St. Víncent and the Gren·a·dínes [-grènədí:nz] 세인트빈센트 그레나딘 《서인도 제도에 있는 독립국 ; 수도 Kingstown》.

Sai·pan [saipǽn] *n.* 사이판《북부 Mariana 제도의 수도로 이 나라 최대의 섬》.

saith [seθ] *vt., vi.* 《古·詩》 SAY의 3 인칭 · 단수 · 직 「설법 · 현재.

‡sake [seik] *n.* Ⓤ 위함, 이익 ; 목적 ; 원인, 이유 《★ 현재는 보통 for the ~ of... ; for ...'s ~의 형태로 쓰임 ; for ...'s ~ 의 형태에서 sake 앞의 명사가 [s] 음으로 끝날 때는 흔히 소유격 s를 생략함》 : for convenience' ~ 편의상 / for conscience(') ~ 양심에 부끄럽지 않게 ; 잠시의 위안을 위해 / I don't like to argue for arguments' ~. 논쟁을 위한 논쟁은 싫다 / Please come back early *for the ~ of* children〔for the children's ~〕. 아이들을 위해 오늘은 일찍 돌아오시오. ***for God's*** 〔***Christ's, goodness*** ('), ***heaven's, mercy's, Peter's, Pete's, pity's,*** etc.〕 ~ (1) 제발, 아무쪼록, 부디《다음에 오는 명령문을 강조함》 : For *God's* ~, keep it secret from him! 부탁인데, 그 일을 그에게 말하지 말게. (2) 도대체《의문문에서 짜증 · 난처함을 나타냄》 : What's your real intention, *for goodness' ~ ?* 도대체, 진의가 무엇이냐 《★ for Christ's ~가 가장 강한 표현이고, for God's ~가 그 다음, for goodness(') ~가 가장 부드러운 표현》. ***for old times'*** ~ 옛 정분으로 ; 즐거웠던 옛 추억으로.

Sa·kha·lin [sǽkəlí:n] *n.* 사할린(섬).

Sa·kha·rov [sá:kərɔ̀f, sá:xə-] *n.* **Andrei (Dimitrievich)** ~ 사하로프《구소련의 핵 물리학자 ; 노벨 평화상(1975) ; 1921-89》.

sa·laam [səlá:m] *n.* Ⓒ ① 살람《이슬람 교도의 인사 말》. ② (인도 사람의) 오른손을 이마에 대고 하는 절 : make one's ~ 이마에 손 대고 절하다, 경례하다. ── *vt., vi.* 이마에 손을 대고 절하다.

sal·a·bil·i·ty [sèiləbíləti] *n.* Ⓤ 잘 팔림, 시장성.

sal·a·ble [séiləbəl] *a.* 팔기에 적합한 ; (값이) 적당한 ; 잘 먹히는, 수요가 많은.

sa·la·cious [səléiʃəs] *a.* ① 호색의. ② 외설〔추잡〕한《말씨 · 서화 등》 : a ~ film〔book〕 음란 영화〔서적〕 / a ~ joke 추잡한 농담. ⓟ **~·ly** *ad.* **~·ness** *n.*

sa·lac·i·ty [səlǽsəti] *n.* Ⓤ 호색 ; 외설.

‡sal·ad [sǽləd] *n.* ① ⒸⓊ 생채 요리, 샐러드 : make〔prepare〕 a ~ 샐러드를 만들다 / toss 〔mix〕 a ~ (드레싱을 얹어) 샐러드를 잘 섞다. ② Ⓤ 샐러드용 생야채《특히 lettuce》; 《美俗》 = FRUIT SALAD.

sálad bòwl 샐러드용 사발.

sálad crèam 크림 같은 샐러드 드레싱《마요네 「즈 등》.

sálad dàys (one's ~) (철없는) 풋내기〔신출내기〕 시절 : I met her in my ~. 신출내기 시절에 그녀를 만났다.

sálad drèssing 샐러드용 드레싱.

sálad òil 샐러드 기름.

sal·a·man·der [sǽləmæ̀ndər] *n.* Ⓒ ①〖動〗 도롱뇽 ; 영원. ② 불도마뱀《불 속에 산다는 전설의 괴물》. ③ 불의 정(精). ⓒⓕ nymph.

sa·la·mi [səlá:mi] (*sing.* **-me** [-mei]) *n.* ⓊⒸ 《It.》 살라미 소시지《향미 강한 이탈리아 소시지》.

sal·a·ried [sǽlərid] *a.* 봉급을 받는 ; 유급의 : a ~ man 봉급 생활자《a salary man 은 오용》 / a ~ office〔position〕 유급직(職) / The post is ~. 그 직은 유급이다.

‡sal·a·ry [sǽləri] *n.* ⓊⒸ (공무원 · 회사원 따위의) 봉급, 급료, 샐러리《★ 노동자의 임금은 wages》 : a monthly ~ 월급 / a annual ~ 연봉 / get 〔draw〕 a small ~ 싼 급료를 받다 / The company pays good〔poor〕 salaries. 그 회사는 봉급이 후하다〔박하다〕.

†sale [seil] *n.* ① ⓊⒸ 판매, 팔기, 매매 : (a) cash ~ 현금 판매 / put a piano *for* ~ 피아노를 팔려고 내놓다 / We haven't made a ~ yet this morning. 아침에 아직 개시도 못했다 / They are currently negotiating the ~ of one of their subsidiary companies. 지금 그들은 자회사 중의 하나를 매각하려고 협상 중이다. ② Ⓒ **a)** 팔림새, 매상 ; 판로, 수요 : The company's expecting a large ~ for the new product. 회사는 신제품의 많은 매상을 기대하고 있다 / Stocks find no ~. 증권은 전혀 거래가 없다 / Car ~*s* are 5 percent down. 차는 매상이 5퍼센트 줄었다. **b)** (*pl.*) 매상액 : *Sales* are up this months. 이 달 매상액이 올랐다 / *Sales* of the magazine are decreasing. 잡지 매상액이 줄고 있다. ③ Ⓒ 특매 ; 염가 매출, 세일 : a closing down ~ 점포 정리 대매출 / They're having a clearance ~. 그들은 떨이로 팔고 있다. ④ (*pl.*) 판매(촉진) 활동 ; 판매 부문 : a ~*s* executive 판매 부장 / He works in ~*s*. 그는 판매부에서 일하고 있다. ⑤ Ⓒ 경매(auction) : the quarterly cattle ~ 계절마다의 가축 경매. ◇ sell *v.* ***for*** ~ 팔려고 내놓은 : This painting is not *for* ~. 이 그림은 파는 것이 아닙니다 / Not *for* ~. 비매품《게시》. ***offer for*** ~ 팔려고 내놓다. ***on*** ~ (싸게 팔려고) 내놓아 ; 특가로(팔다) : The new model is not yet *on* ~ here. 그 새 모델은 아직 여기서 팔지 않는다. ***on*** ~ ***or return*** 〖商〗 재고 인수 조건으로, 위탁 판매제로. ~ ***of work*** (수제품) 자선시, 바자.

sale·a·ble [séiləbəl] *a.* = SALABLE.

sale·room [séilrù(:)m] *n.* 《英》 = SALESROOM.

sáles anàlysis 〖마케팅〗 판매 분석.

sáles chèck (소매점의) 매상 전표.

sales·clerk [séilzklə̀:rk] *n.* Ⓒ 《美》 (판매장의) 점원《《英》 shop assistant ; 여성에게도 쓰임》.

sáles depàrtment (회사의) 판매부, 영업부.

sáles engineèr 판매 담당 기술자.

sáles fòrecast 〖마케팅〗 판매 예측.

sales·girl [séilzgə̀:rl] *n.* 《美》 (젊은) 여점원.

sales·la·dy [séilzlèidi] *n.* 《美》 = SALESWOMAN.

‡sales·man [séilzmən] (*pl.* **-men** [-mən]) *n.* Ⓒ ① 판매원, 남성 점원. ② 《美》 세일즈맨, 외판원.

S

sáles mànagement 〖마케팅〗 판매 관리.
sáles mànager 판매 부장. 「매 수완.
sales·man·ship [-ʃip] *n.* Ⓤ 판매술〔정책〕; 판
sáles orientàtion 〖마케팅〗 판매 지향《제품 구입을 설득시키는 경영 이념》.
sales·peo·ple [séilzpìːpl] *n.* 〔集合的; 複數 취급〕《美》 판매원, 외판원.
sales·per·son [séilzpəːrsn] *n.* Ⓒ《美》 판매원, 외판원《★ salesman, saleswoman 등 남녀 성별을 피할 때 쓰임》.
sáles pìtch 《美》 =SALES TALK.
sáles promòtion (광고 이외의) 판매 촉진(활동).
sáles represèntative 외판원《형식적》.
sáles resìstance 《美》 (일반 소비자의) 구매 거부〔저항〕.
sales·room [séilzru(ː)m] *n.* Ⓒ 판〔경〕매장.
sáles slìp 《美》 매상 전표(sales check).
sáles tàlk 《美》 ① 팔기 위한 권유, 상담. ② 설득력 있는 의론〔권유〕.
sáles tàx 《美》 물품세《흔히, 판매자가 판매 가격에 포함시켜 구입자로부터 징수함》.
sales·wom·an [séilzwùmən] (*pl.* ***-wom·en*** [-wìmin]) *n.* Ⓒ 여점원, 여자 판매원.
sal·i·cýl·ic àcid [sæ̀ləsílik-] 살리실산.
sa·li·ence, -en·cy [séiliəns, -ljəns], [-ənsi] *n.* ① **a)** Ⓤ 돌출, 돌기. **b)** Ⓒ 돌기물. ② Ⓒ (이야기·의론 등의) (중)요점.
sa·li·ent [séiliənt, -ljənt] *a.* ① 현저한, 두드러진: She pointed out all the ~ features of the new design. 그녀는 새 디자인의 모든 특징들을 지적했다 / the ~ points of a speech 강연의 요점. ② 돌출〔돌기〕한, 돌각(突角)의. ⓞⓟⓟ *reentrant.* ¶ a ~ angle 철각(凸角). ③ **a)** (짐승·물고기 등이) 튀는, 튀어오르는. **b)** (물·샘 따위) 분출하는. ── *n.* Ⓒ 돌각(=~ **ángle**) (ⓞⓟⓟ *reentering angle*); (전선·요새 등의) 돌출부. ⓟ **~·ly** *ad.*
sa·lif·er·ous [səlífərəs] *a.* 〖地質〗 염분이 있는.
sal·i·fy [sǽləfài] *vt.* 〖化〗 …을 염화(塩化)하다.
sa·line [séiliːn, -lain] *a.* 염분이 있는; 짠: a ~ lake 염수호 / a ~ solution 식염 용액 / a ~ taste 짠맛. ── *n.* Ⓤ 마그네슘 하제; 〖醫〗 생리 식염수.
sa·lin·i·ty [səlínəti] *n.* Ⓤ 염분, 염도.
sal·i·nom·e·ter [sæ̀lənámitər / -nɔ́m-] *n.* Ⓒ 염분계(塩分計).
sa·li·va [səláivə] *n.* Ⓤ 침, 타액(唾液): *Saliva* dribbled from the baby's mouth. 애기 입에서 침이 흘렀다.
sal·i·vary [sǽləvèri / -vəri] *a.* 침의; 타액을 분비하는: ~ glands 〖解〗 침샘, 타액선.
sal·i·vate [sǽləvèit] *vi.* 침을 내다; 침을 흘리다: The mere thought of that delicious food made me start to ~. 저 맛좋은 음식을 생각만 해도 침이 흐른다. ⓟ **sàl·i·vá·tion** [-ʃən] *n.* Ⓤ ① 타액 분비. ② 〖醫〗 유연증(流涎症). 「용》.
Sálk vàccine [sɔ́ːlk-] 소크백신《소아마비 예방
***sal·low** [sǽlou] (**~·er**; **~·est**) *a.* (안색 등이 병적으로) 누르스름한, 혈색이 나쁜. ⓞⓟⓟ *ruddy.* ¶ He looked ~ and drawn. 그는 얼굴이 누렇게 뜨고 일그러져 보였다. ── *vt.* …을 누르스름하게〔창백하게〕 하다: a face ~*ed* by sickness 병으로 누렇게 된 얼굴. ⓟ **~·ness** *n.*
sal·low·ish [sǽlouiʃ] *a.* 약간 누르스름한.
‡sal·ly [sǽli] *n.* Ⓒ ① (농성 부대 등의) 출격, 돌격: make a ~ 뛰쳐나가다, 출격하다. ②《口》 외출, 소풍, 여행. ③ (행위 등의) 돌발; (감정·재치 등의) 분출《*of*》: a ~ *of* anger 분노의 폭발. ④ (상대를 공격하는) 야유; 비꼼, 농담.
── *vi.* ① 치고 나가다, (역습적으로) 출격하다《*out*》: The soldiers in the fort *sallied out* against the enemy. 요새에 있는 병사들은 적군을 향하여 돌격해 나갔다. ②《+副》 기운차게 나서다; (소풍 등에) 신나게 출발하다《*forth*; *out*》: Let's ~ *forth* and look at the town. 자 나가서 거리를 구경하자.
Sálly Ármy 《英口》 =SALVATION ARMY.
sal·mi [sǽlmi] *n.* Ⓤ,Ⓒ 새고기 스튜.
‡salm·on [sǽmən] (*pl.* **~s,** 〔集合的〕 ~) *n.* ① Ⓒ 〖魚〗 연어. ② Ⓤ 연어 살빛(=~ **pínk**); 연어 고기: canned ~ 연어 통조림. ── *a.* 〔限定的〕 ① 연어의. ② 연어 살빛의.
sal·mo·nel·la [sæ̀lmənélə] (*pl.* ***-lae*** [-néliː, -nélai], ~(***s***)) *n.* Ⓒ 살모넬라균《장티푸스·식중독 등의 병원균》.
sálmon làdder 〔**lèap, stàir**〕 (산란기에) 연어를 방죽 위로 올라가게 하는 어제(魚梯).
Sa·lo·me [səlóumi] *n.* 〖聖〗 살로메《Herodias의 딸; Herod 왕에게 청하여 John the Baptist(세례 요한)의 목을 얻은 여인》.
***sa·lon** [səlɑ́n / -lɔ́n] *n.* Ⓒ 《F.》 ① (프랑스 등지의 대저택의) 객실, 응접실, 살롱. ② (대저택의 객실에서 갖는) 명사들의 모임, 상류 부인의 초대회; 상류 사회. ③ 미술 전람회장; (the S-) 살롱《매년 개최되는 파리의 현대 미술 전람회》. ④ (양장점·미용실 따위의) …점〔실〕: a beauty ~ 미용실.
salón mùsic 살롱 음악《객실 등에서 연주되는 경음악》.
***sa·loon** [səlúːn] *n.* Ⓒ ① (호텔 따위의) 큰 홀 (hall); (여객선의) 담화실. ② (일반이 출입하는) …장(場): a dancing ~ 댄스 홀 / a billiard ~ 당구장. ③《美》 술집, 바《지금은 흔히 bar를 씀》; 《英》 =SALOON BAR. ④ (여객기의) 객실; 〖英鐵〗 특별 객차, 전망차. ⑤ 객실, 응접실.
salóon bàr 《英》 (술집의) 고급 바. 「차.
salóon càr ① 특별 객차. ②《英》 세단형 승용
sal·sa [sɔ́ːlsə] *n.* ① Ⓒ 살사《쿠바 기원의 맘보 비슷한 춤곡》. ② Ⓤ 스페인〔이탈리아〕풍의 소스.
sal·si·fy [sǽlsəfài] *n.* Ⓒ Ⓤ 〖植〗 선모(仙茅).
†salt [sɔːlt] *n.* ① Ⓤ 소금, 식염(=**cómmon** ~): a pinch of ~ 소량의 소금 / spill ~ 소금을 흘리다 《재수없다고 함》. ② Ⓒ 소금 그릇(saltcellar): Pass (me) the ~, will you? 소금 그릇 좀 집어 주시겠오. ③ Ⓒ 〖化〗 염(塩), 염류; (*pl.*) 약용 소금, 약소금《하제(下劑) 등》. ④ Ⓤ 얼얼한〔짜릿한〕 맛; 자극, 활기〔흥미〕를 주는 것; 기지(機智): ⇨ ATTIC SALT / the ~ of personality 사람의 독특한 개성 / a wit which has kept its ~ 통쾌한 맛을 잃지 않은 기지 / a talk full of ~ 재치에 찬 이야기. ⑤ Ⓒ (흔히 old ~) 《口》 노련한 뱃사람.
eat** a person**'s** ~ = **eat** ~ **with a person (1) 아무의 손님이 되다. (2) 아무의 집에 기식하다. ***like a dose of ~s*** 《俗》 (하제가 곧 듣듯이) 대단히 빨리, 효율적으로. ***not made of*** ~ 비가 와도 끄떡없이. ***rub ~ in*** 〔***into***〕 ***the*** 〔a person***'s***〕 ***wound*** (***s***) (상처에 소금을 바르듯) 아무의 고통〔슬픔 등〕을 가중시키다, (사태를) 더욱 악화시키다: The proposed ten per cent cut in wages is really *rubbing ~ into the wound.* 그 제안된 임금 10프로 삭감은 정말 사태를 더욱 악화시키고 있다. ***take . . . with a grain*** 〔***pinch***〕 ***of*** ~ (남의 이야기 따위)를 에누리해서 듣다〔받아들이다〕: You must *take* this “true story” *with a* large *grain of* ~; most of it is the writer's imagination. 이 “실화”를 크게 에누리해서 읽어야 한다. 그 대부분이 작가의 상상이란 말이다. ***the ~ of the earth*** 〖聖〗 세상의 소금《마태복음 V: 13》;

S

세상의 사표(師表)가 되는 사람(들): You can trust her — she's *the ~ of the earth.* 당신은 그녀를 믿을 수 있오. 그녀는 세상의 사표가 되는 사람이오. ***worth*** one's ~ 〔종종 否定文〕 급료를 받은 만큼의 구실을 하는; 유능한, 쓸모 있는.

— *a.* ① 소금을〔소금기를〕 함유한; 짠; 소금에 절인: ~ breezes 바닷바람 / The cooked eggs are kept in ~ water for a few days. 삶은 계란을 며칠간 소금물에 재워둔다. ② 〔限定的〕 바닷물에 잠긴; 소금물의: a ~ meadow 바닷물에 잠긴 풀밭.

— *vt.* ① **a)** …에 소금을 치다; 소금을 쳐서 간을 맞추다; …을 절이다; 소금으로 처리하다: Don't forget to ~ the potatoes. 감자에 소금치는 것을 잊지 않도록 하시오 / My granny used to ~ (down) green beans each summer for eating in the winter. 할머니는 겨울에 먹기 위해 여름마다 푸른 콩을 소금에 절인다. **b)** (얼음을 녹이려고 언 도로 등)에 소금을 뿌리다: When it's icy the city *~s* the roads to thaw the ice. 얼음이 얼면 시에서는 그 얼음을 녹이려고 길에다 소금을 뿌린다. ② (가축)에 소금을 주다. ③ 〔흔히 受動으로〕 (이야기 따위)에 흥미를 돋우다, …을 재미있게 하다: a long report, but *~ed* with interesting case studies 길지만 흥미있는 사례 연구로 재미있게 쓴 보고서. ④ **a)** (속임수로) …을 실제 이상으로〔진짜 같이〕 보이게 하다. **b)** 《俗》 (광산·유정(油井))에 질 좋은 광물을〔석유를〕 넣어 속이다.

— *vi.* 소금의 침전〔앙금〕이 생기다《*out*》. ~ ***away*** 〔***down***〕 (1) …을 소금에 절이다. (2) 《口》 (앞날을 위해 재물 따위)를 비축해 두다, 모으다: He *~ed away* a fourtune over the years and no one ever knew! 그 여러 해 동안 큰 재산을 모았다. 그것도 아무도 모르게.

salt-and-pep·per [ˊ-ənpépər] *a.* = PEPPER-AND-SALT.

S

sal·ta·tion [sæltéiʃən] *n.* Ⓤ ① (껑충) 뜀, 도약. ② 격변, 격동.

salt·box [sɔ́:ltbɑ̀ks / -bɔ̀ks] *n.* Ⓒ ① (부엌의) 소금 그릇. ② 《美》 소금통 모양의 집《전면은 2층, 후면은 단층》 (=ˊ **hòuse**).

salt·cel·lar [ˊ-sèlər] *n.* 《英》 = SALTSHAKER.

salt·ed [sɔ́:ltid] *a.* 소금에 절인, 소금으로 간을 한: ~ peanuts / lightly ~ butter 심심하게 간을 한 버터.

salt·er [sɔ́:ltər] *n.* Ⓒ ① 제염업자; 소금장수. ② (고기·생선 등의) 소금절이 가공업자.

salt·ine [sɔ:ltí:n] *n.* Ⓒ 짭짤한 크래커.

sal·tire [sǽltaiər, sɔ́:l-, -tiər] *n.* Ⓒ 〖紋章〗 X형 십자.

salt·ish [sɔ́:ltiʃ] *a.* 소금기가 있는, 짭짤한.

sált láke 함수호(鹹水湖), 염호.

salt·less [sɔ́:ltlis] *a.* ① 소금기 없는, 맛없는. ② 자극이 없는, 시시한.

sált lìck ① 동물이 소금기를 핥으러 모이는 곳. ② (목초지에 두는) 가축용 암염(岩塩).

sált màrsh 바닷물이 드나드는 늪지.

salt·pan [sɔ́:ltpæ̀n] *n.* Ⓒ (천연) 염전.

salt·pe·ter, 《英》 **-tre** [sɔ̀:ltpí:tər / ˊ-ˊ-] *n.* Ⓤ 초석(硝石): Chile ~ 칠레 초석.

salt·shak·er [sɔ́:lt-ʃèikər] *n.* Ⓒ 《美》 식탁용 소금 그릇《윗부분에 구멍이 뚫림》.

sált spòon (식탁용의 작은) 소금 숟가락.

sált wáter ① 소금물, 바닷물: We washed it in ~. 그걸 소금물에 씻었다. ② 눈물.

salt·wa·ter [ˊ-wɔ́:tər, ˊ-wɑ́tər] *a.* 〖限定的〗 소금물의; 바닷물에서 나는: a ~ fish 바닷물고기.

salt·works [sɔ́:ltwə̀:rks] *n. pl.* 제염소.

salty** [sɔ́:lti] (salt·i·er, more*** ~; ***-i·est, most*** ~) *a.* ① 짠, 소금기가 있는: ~ butter 짠 버터 / This bacon is too ~ for me. 이 베이컨은 너무 짜다. ② (말 따위가) 신랄한, 재치 있는: her ~ language 그녀의 재치있는 말씨.

Ⓓ **sált·i·ly** *ad.* **-i·ness** *n.*

sa·lu·bri·ous [səlú:briəs] *a.* (기후·토지 따위가) 건강에 좋은: ~ mountain air 건강에 좋은 산 공기. Ⓓ **~·ly** *ad.* **~·ness** *n.*

sa·lú·bri·ty [səlú:brəti] *n.* Ⓤ 건강에 좋음.

sa·lu·ki [səlú:ki] *n.* Ⓒ 살루키《중근동·북아프리카 원산의 사냥개》.

sal·u·tary [sǽljətèri / -təri] *a.* ① 유익한: a ~ lesson〔experience〕 유익한 교훈〔경험〕. ② 건강에 좋은.

***sal·u·ta·tion** [sæ̀ljətéiʃən] *n.* ① Ⓤ 인사《★ 지금은 흔히 greeting을 씀》: She threw a kiss as a ~. 인사로 그녀는 키스를 퍼부었다 / raise one's hat in ~ 모자를 들어 인사하다. ② Ⓒ 인사말〔문구〕; 편지의 서두《Dear Sir 따위》: He addressed us with the ~, "Gentlepersons." 그는 "여러분" 하는 인사말로 연설을 했다.

sa·lu·ta·to·ri·an [səlù:tətɔ́:riən] *n.* 《美》 (졸업생 대표로) salutatory를 하는 학생.

sa·lu·ta·to·ry [səlú:tətɔ̀:ri / -təri] *a.* 인사의, 환영의. — *n.* Ⓒ 《美》 (졸업식에서 내빈에 대한) 인사말《흔히 차석 우등 졸업생이 함》.

‡sa·lute [səlú:t] *vt.* ① 《~+목/+목+전+명》 …에게 인사하다《특히 깍듯이》: He took his hat to ~ her. 그는 모자를 벗고 그녀에게 인사했다. ② (거수·받들어총·예포 등으로) …에 경례하다, 경의를 표하다《*with; by*》: ~ the flag *with* a hand 국기에 대하여 거수경례하다 / He *~d* the captain. 그는 대위에게 경례했다. ③ (사람·행위 등)을 칭찬〔칭송〕하다: We ~ you for your courage and determination. 우리는 귀하의 용기와 결단력을 칭송하는 바입니다. ④ (사람)을 …로 맞이하다《*with*》: ~ a person *with* a smile 미소로 아무를 맞다. ◇ salutation *n.* — *vi.* 경례하다.

— *n.* Ⓒ ① 인사《★ 이 뜻으론 greeting이 더 일반적》: They raised their glasses in ~. 그들은 인사의 표시로서 잔을 들어올렸다. ② 경례, 거수경례; 예포: give〔make〕 a ~ 경례하다 / The officer returned the sergeant's ~. 장교는 하사관의 거수 경례에 답례했다 / give〔fire〕 a 21- gun ~, 21발의 예포를 쏘다.

Sal·va·dor [sǽlvədɔ̀:r] *n.* = EL SALVADOR.

***sal·vage** [sǽlvidʒ] *n.* Ⓤ ① 해난 구조; (침몰선의) 인양 (작업); (화재시의) 인명 구조: a ~ company 구난 회사, 침몰선 인양 회사 / ~ of the wreck 난파선의 구조 / mount a ~ operation 구난 작업을 시작하다. ② (침몰·화재로부터의) 구조 화물, 구조 재산; 인양된 선박: There's no time for the ~ of his goods from the fire. 화재에서 그의 물건들을 꺼낼 시간은 없다. ③ 해난 구조료; 구조 사례액; 보험금 공제액. ④ 폐물(廢物) 이용, 폐품 회수: a ~ campaign 폐품 수집 운동.

— *vt.* ① (해난·화재 따위로부터 선박·화물·가재 따위)를 구조하다《*from*》: The ship was lying in deep water, but we managed to ~ some of its cargo. 배는 물속 깊이 침몰돼 있으나 우리는 용케 약간의 화물을 인양했다. ② (곤란한 사태로부터) …을 구(救)하다; (환부)를 치료하다: "We'll try to ~ your leg" said the doctor to trapped man. '우리가 당신 다리를 구해 보겠오' 하고 의사는 덫에 걸린 사람에게 말했다. ③ (재활

용할) 폐물을 이용하다. ㊎ ~·**a·ble** *a.*

***sal·va·tion** [sælvéiʃən] *n.* ①Ⓤ 구조, 구제: You're in trouble; your ~ depends on quick action. 너는 곤란한 처지에 있다. 빠져나올 길은 신속한 행동이다. ②Ⓒ (흔히 *sing.*) 구조물, 구제자, 구조 수단: That blanket was my ~ when my car broke down in the snow. 차가 눈 속에서 고장났을 때 저 담요가 날 살려줬다. ③Ⓤ 〖神學〗 (죄로부터의) 구원, 구세(주): the ~ of souls 영혼의 구원 / pray for the ~ of the world 세상의 구원을 위해 기도하다.

Salvátion Ármy (the ~) 구세군.

Sal·va·tion·ist [sælvéiʃənist] *n.* Ⓒ ① 구세군 군인. ② (종종 s-) 복음 전도자.

salve[1] [sæ(:)v, sɑ:v / sælv] *n.* ①Ⓤ,Ⓒ 연고, 고약: spread ~ on the wound 상처에 고약을 바르다. ②Ⓒ 위안《*for*》: a ~ for wounded feelings 상처입은 기분을 달래는 것《다정한 말 따위》.
—*vt.* (고통)을 덜다, 완화하다; (양심 등)을 달래다: The gift was his way of *salving* his conscience. 선물이 그의 양심의 가책을 덜어주는 방법이었다.

salve[2] [sælv] *vt.* =SALVAGE.

sal·ver [sǽlvər] *n.* Ⓒ (금속제의 둥근) 쟁반《편지·음료·명함 따위를 얹어 내놓음》.

sal·via [sǽlviə] *n.* Ⓤ 〖植〗 샐비어, 깨꽃.

sal·vo [sǽlvou] (*pl.* ~(*e*)*s*) *n.* Ⓒ ①〖軍〗 일제 사격; (의식에서의) 일제 축포; 〖空〗 (폭탄의) 일제 투하: Another ~ exploded near our position. 또 다른 일제 투하된 폭탄이 우리 진지 부근에서 터졌다. ② 일제히 터져나온 박수 갈채: a ~ of applause.

sal vo·la·ti·le [sæ̀l-voulǽtəlì:] (L.) 각성제《탄산암모니아수》.

sal·vor [sǽlvər] *n.* Ⓒ 해난 구조자〔선〕.

Sal·yut [sæljú:t] *n.* 살류트《구소련의 우주 스테이션》. ⓒf. Soyuz.

Salz·burg [sɔ́:lzbə:rg] *n.* 잘츠부르크《오스트리아 서부의 도시, 모차르트의 출생지》.

SAM [sæm] ① surface-to-air missile (지〔함〕대공(地〔艦〕對空) 미사일). ② 〖컴〗 sequential access method(순차 접근 방식).

Sam. 〖聖〗 Samuel.

Sa·mar·ia [səmέəriə] *n.* 사마리아《옛 Palestine의 북부 지방; 그 수도》.

Sa·mar·i·tan [səmǽrətn] *a.* Samaria의; Samaria 사람의.
—*n.* ①Ⓒ 사마리아 사람. ② **a**) (the ~s) 사마리아인 협회《영국의 자선 단체》. **b**) 사마리아인 협회의 회원. ***a good*** ~ 착한 사마리아 사람《누가복음 Ⅹ: 30-37》.

sa·mar·i·um [səmǽriəm, -mέər-] *n.* Ⓤ 〖化〗 사마륨《희토류 원소의 하나; 기호 Sm; 번호 62》.

sam·ba [sǽmbə] (*pl.* ~***s***) *n.* ① (the ~) 삼바《아프리카 기원의 경쾌한 브라질의 댄스》. ②Ⓒ 삼바곡(曲).

sam·bo [sǽmbou] *n.* Ⓤ 삼보《러시아 특유의 격투기》.

†**same** [seim] *a.* ① (흔히 the ~) 같은, 마찬가지의(ⓞpp. *different*): Three of the girls had *the* ~ umbrella. 소녀들 중 셋은 같은 우산을 갖고 있었다. ★ (1) 별개의 것이지만 종류·외관·양 등에서 다르지 않다는 뜻. identical은 동일물임. (2) 종종 as와 상관적으로 쓰임: It was *the* ~ color *as* the wall. 벽과 같은 색이었다 / Frozen peas taste much *the* ~ *as* fresh ones. 냉동한 완두는 생것과 거의 같은 맛이다. ② (흔히 the 〔this, that, these, those〕 ~) **a**) 동일한, 바로 그: They met early in 1990 and got married later *that* ~ year. 그들은 1990년 초에 만나 바로 그 해 늦게 결혼하였다. ★ (1) 종종 as, that, which, who, when, where 등과 함께 쓰임: That's *the* ~ boy *that* was looking for you yesterday. 그가 바로 어제 너를 찾던 소년이다 / She put the magazine back in *the* ~ place *where* she found it. 그녀는 그 잡지를 발견했던 같은 장소에 도로 놓았다. (2) 주어나 동사가 생략되면 as를 쓰고 that은 불가함. **b**) 방금 말한, 전술한, 예의: *This* ~ man was later prime minister. 방금 말한 이 사람이 뒤에 수상이 되었다. ③ (흔히 the ~) (전과) 다름없는, 마찬가지: She is always *the* ~ to us. 그녀는 언제나 우리에게 변함없는 태도를 취한다 / The patient is much *the* ~ (*as* yesterday). 환자는 (어제와) 같은 용태이다. ④ 〔the 없이〕 단조로운, 변함없는: The life is ~ here. 이곳 생활은 여전하다.
—*ad.* (흔히 the ~) 마찬가지로; (~ as) 《口》 …와 마찬가지로: feel *the* ~ 같은 느낌이다 / The two words are spelled differently, but pronounced *the* ~. 그 두 말은 철자는 다르지만 발음은 같다 / We don't think *the* ~ *as* they do. 우리는 그들이 생각하는 것과 똑같이 생각하지 않는다. ***all the*** ~ (1) 아주 같은〔한가지인〕, 아무래도〔어느 쪽이든〕 상관 없는: It's *all the* ~ to me. 어느 쪽이든 나에겐 상관 없다 / if it's *all the* ~ (to you) (네게) 상관이 없다면. (2) 그래도 (역시), 그럼에도 불구하고: Days were pleasant *all the* ~. 변함없이〔여전히〕 하루하루가 즐거웠다 / She knew he wasn't listening, but she went on *all the* ~. 그녀는 그가 듣지 않고 있다는 것을 알았으나 그럼에도 불구하고 말을 계속했다. ***at the*** ~ ***time*** ⇨ TIME. ***one and the*** ~ 아주 동일한: The two parts were played by *one and the* ~ actor. 그 두 역은 같은 한 사람의 배우가 연기했다. (***the***) ~ ***but***〔***only***〕 ***different*** 《口》 거의 같은, 약간 다른.
—*pron.* ① (the ~) 동일한 것: You treated me badly. I'll do *the* ~ to you some day. 너 내게 심하게 굴었다. 내 언젠가 같은 맛을 보여 줄테다 / I'll have *the* ~. =*Same* for me, please. 나도 같은 것을 주시오《주문할 때》. ② 〔the 없이〕 《戱》 〖法·商〗 앞에서 언급한 동일한 일〔사람〕: Enclosed, please find a check for ~. 그에 대한 수표를 동봉합니다 / The charge is $ 300; Please remit ~. 대금은 3백 달러임. 동액 송금 바랍니다. ***Same here.*** 《口》 (1) 나도 같은 것《음식 주문 등에서》. (2) 나도 그렇다: "I'm very tired". "*Same here*" '몸이 피곤하다' '나도 그렇다' (***The***) ~ ***again*** (, ***please***). 《口》 더 주시오《같은 음료를 청할 때의 말》: "What are you having, Tom?" "*Same again, please.*" '뭘 마실래, 톰' '아까 그걸로 더 줘.'

same·ness [séimnis] *n.* Ⓤ ① 동일(성), 흡사. ② 변화 없음, 단조로움: Don't you ever get tired of the ~ of the work in this office? 이 사무실에서 단조로운 일이 도대체 싫증나지 않느냐.

S. Am(er). South America(n).

samey [séimi] (***sam·i·er*** ; ***-i·est***) *a.* 《英口》 단조로운.

Sa·moa [səmóuə] *n.* 사모아《남서 태평양의 군도; American Samoa 와 Western Samoa 로 나뉨》. ㊎ **Sa·mó·an** [-n] *a.* Samoa 의; 사모아 말〔사람〕의. —*n.* ①Ⓒ 사모아 사람. ②Ⓤ 사모아어.

sam·o·var [sǽmouvɑ̀:r, ⌐-⌐] *n.* Ⓒ 사모바르《러시아의 차 끓이는 주전자》.

Sam·o·yed(e) [sæ̀məjéd, səmáiid] (*pl.* ~(***s***)) *n.* ① (the ~s) 사모예드 사람《시베리아 거주 몽

S

고족). ② Ⓤ 사모예드 어. ③ [sæ̀məjéd / səmɔ́ied] 사모예드 개.

samp [sæmp] *n.* Ⓤ《美》탄 옥수수(로 끓인 죽).

sam·pan [sǽmpæn] *n.* Ⓤ 삼판《중국·동남아 일대의 작은 목선》.

‡**sam·ple** [sǽmpəl / sá:m-] *n.* Ⓒ ① 견본, 샘플, 표본 ; 시료(試料) ; 본보기, 샘플 : buy by ~ 견본을 보고 사다 / ~*s* of curtain material 커튼감 샘플 / a blood ~ 혈액 샘플. ② 실례(實例) (illustration) : That's a fair ~ of his manners. 그의 행실은 저렇다니까. ③〖統〗(추출) 표본, 샘플 : take a random ~ of 50,000 adult civilians, 5만 명의 성인에 대해 무작위 표본 조사를 하다. ── *a.* 〔限定的〕견본의 : a ~ piece of cloth 천 견본 / a ~ fair 견본시(市). ── *vt.* ① …의 견본을 뽑다 ; 견본으로 조사하다. ② …을 실제로 경험해보다 : ~ the pleasures of country life 시골 생활의 즐거움을 체험하다. ③〖統〗…의 표본 추출을 하다.

sam·pler [sǽmplər, sá:m-] *n.* Ⓒ ① 견본 검사원 ; 시식〔시음〕자. ②《美》견본집, 선집(選集). ③ (뜨개 솜씨를 보이기 위한) 자수 시작품(試作品).

*__sam·pling__ [sǽmpliŋ] *n.* ① Ⓤ 견본 추출, 시료 채취 : random ~〖統〗무작위〔임의〕표본 추출. ② Ⓒ 추출 견본 ; 시식〔시음〕품〔회〕. ③〖電〗샘플링.

Sam·son [sǽmsən] *n.*〖聖〗삼손《힘이 장사인 히브리의 사사(士師) ; 사사기(士師記) XIII - XVI》; 힘센 사람. cf. Delilah.

Sam·u·el [sǽmjuəl] *n.* ① 사무엘《남자 이름》. ②〖聖〗**a**) 사무엘《히브리의 사사(士師)·예언자》. **b**) 사무엘기(記)《구약성서의 **The First** 〔**Second**〕 **Book of** ∠ (사무엘기 상〔하〕)의 하나 ; 略 : Sam.》.

Sa·n'a [sɑ:ná:] *n.* 사나《예멘 공화국의 수도》.

san·a·tive [sǽnətiv] *a.* 병을 고치는 ; (육체·정신의) 건강에 좋은.

san·a·to·ri·um [sæ̀nətɔ́:riəm] (*pl.* **~s, -ria** [-riə]) *n.* Ⓒ ① 새너토리엄, (특히 병 회복기 및 결핵 환자의) 요양소(sanitarium). ② 요양지. ③ (학교의) 양호실.

San·cho Pan·za [sǽntʃou pǽnzə] *n.* 산초 판사《Don Quixote의 충실한 하인》; 현실적 인물의 전형.

sanc·ta [sǽŋktə] SANCTUM 의 복수.

sanc·ti·fi·ca·tion [sæ̀ŋktəfikéiʃən] *n.* Ⓤ ① 성화(聖化) ; 축성(祝聖). ② 죄를 씻음.

sanc·ti·fied [sǽŋktəfàid] *a.* ① 성화된 ; 축성된. ② 믿음이 두터운 체하는.

*__sanc·ti·fy__ [sǽŋktəfài] *vt.* ① …을 신성하게 하다, 축성(祝聖)하다 : a life *sanctified* by prayer 기도에 의해 성화된 생활 / At one time, marriages were always *sanctified* by the church. 한때, 결혼은 항상 교회에 의해서 축성되었다. ② 죄를 씻다 : ~ a person's heart 아무의 마음을 깨끗이 하다. ③ 〔흔히 受動으로〕…을 정당화하다, 시인하다(justify) : a bad custom *sanctified* by long use 오랜 습관으로 정당화된 악습.

sanc·ti·mo·ni·ous [sæ̀ŋktəmóuniəs] *a.* 신앙이 깊은 체하는, 경건한 체하는 : a ~ smile〔voice〕경건한 체하는 미소〔음성〕. 파 **~·ly** *ad.* **~·ness** *n.*

sanc·ti·mo·ny [sǽŋktəmòuni] *n.* Ⓤ 성자연함, 신앙이 깊은 체함.

*__sanc·tion__ [sǽŋkʃən] *n.* ① Ⓤ 재가(裁可), 인가 ; 승인, 허가 : The army acts only with the ~ of Parliament. 군대는 의회의 승인이 있어야만 움직인다 / The book was translated without the ~ of the author. 그 책은 저자의 허가없이 번역되었다 / Some months later our proposal was given official ~. 몇달 후에 우리 제안은 공식적인 승인을 얻었다. ② Ⓒ (법규 위반자에 대한) 제재, 처벌 : social ~ 사회적 제재 / the need for effective ~*s* against computer hacking 컴퓨터 해킹에 대한 효과적인 제재의 필요성. ③ Ⓒ (흔히 *pl.*) (국제법 위반국에 대한) 제재(조치) : impose military 〔economic〕 ~*s* against〔on〕 …에 군사적〔경제적〕제재를 가하다. ④ Ⓒ 도덕〔사회〕적 구속(력) : In Orient shame operates as the principal ~. 동양에서는 수치가 중요한 도덕적 구속력으로서의 기능을 한다.

── *vt.* …을 재가〔인가〕하다 ; 시인〔확인〕하다 : Slavery was once socially ~*ed*. 노예 제도가 한때 사회적으로 인정되었었다 / The church would not ~ the King's second marriage. 교회는 왕의 재혼을 승인하지 않을 것이다.

*__sanc·ti·ty__ [sǽŋktəti] *n.* ① Ⓤ 신성, 존엄 ; 고결, 청정(清淨) ; 신성한 것 : the ~ of human life 인간 생명의 존엄성 / They believe in the ~ of marriage. 그들은 결혼의 신성함을 믿고 있다. ② (*pl.*) 신성한 의무〔감정〕: the *sanctities* of the home 가정의 신성한 의무.

*__sanc·tu·ary__ [sǽŋktʃuèri / -əri] *n.* ① Ⓒ **a**) 거룩한 장소, 성역《교회, 신전, 사원 등》. **b**) (교회 안쪽 제단 앞의) 지성소(至聖所) (holy of holies). ② Ⓒ **a**) 성역《중세에 법률의 힘이 미치지 못한 교회 등》, 은신처, 피난처 : There will be no ~ for criminals this side of the border. 경계 이쪽엔 범죄자들이 숨을 곳은 없을 것이다 / The fleeing rebels found a ~ in the cathedral. 도주하는 반란군들은 성당 안에 은신처를 찾았다. **b**) Ⓤ (교회 등의) 죄인 비호(권) : give ~ to …을 비호하다 ; …에게 '성역'을 제공하다 / break 〔violate〕 ~ 성역(聖域)을 침범하다〔침범하여 도피자를 체포하다〕. ③ Ⓒ 조수(鳥獸) 보호 구역, 금렵구(禁獵區) ;자연 보호 구역 : She wanted to turn her orchard into a bird ~. 그녀는 자기 과수원을 조류 보호 구역으로 만들고 싶었다.

sanc·tum [sǽŋktəm] (*pl.* **~s, -ta** [-tə]) *n.* Ⓒ ① 거룩한 곳, 성소(聖所). ②《口》사실(私室), 서재.

Sanc·tus [sǽŋktəs] *n.* (the ~)〖가톨릭〗상투스《미사에서 Sanctus(거룩하시도다), sanctus, sanctus 로 시작되는 감사송》.

†**sand** [sænd] *n.* ① Ⓤ 모래 ; (흔히 *pl.*) 모래알 : a grain of ~ 모래 한 알 / I've got some ~ in my shoe〔eye〕. 신발〔눈〕에 모래가 들어갔다. ② (흔히 *pl.*) 모래밭, 사막 ; 모래펄 ; 모래톱 : The children were playing all day on the ~*s*. 아이들이 종일 모래밭에서 놀고 있었다. ③ (*pl.*) (모래 시계의) 모래알 ; 시각 ; 수명 : His ~*s* are running out. 그의 수명이 다하려 하고 있다. ④ Ⓤ 모래빛, 적황색. ⑤ Ⓤ《美口》용기, 기개 : a man who has got plenty of ~ 매우 기골이 있는 남자. ***built on*** **~** 모래 위에 세운, 불안정한. ***bury*** 〔***hide, have, put***〕 one***'s head in the*** **~** ⇨ HEAD. ***make a rope of*** **~** 모래로 새끼를 꼬다 ; 불가능한 일을 꾀〔시도〕하다. ***numberless*** 〔***numerous***〕 ***as the*** **~*s*** 무수한.

── *vt.* ① (미끄럽지 않게) …에 모래를 뿌리다 : The roads were ~*ed* after the snowfall. 눈이 온 뒤에 도로에는 모래가 뿌려져 있었다. ②《+目+副》…을 모래로 덮다〔묻다〕《*over* ; *up*》: The harbor is ~*ed up* by the current. 그 항구는 조수에 밀려 온 모래로 얕아져 있다. ③ …을 모래〔샌드페이퍼〕로 닦다《*down*》: The bare wood must be ~*ed down*. 다듬지 않은 목재는 사포로 닦아야

한다.

***san·dal** [sǽndl] *n.* Ⓒ (흔히 *pl.*) ① 샌들 : a pair of ~*s* / open-toed ~*s* 앞이 막히지 않은 샌들. ② (고대 그리스·로마 사람의) 짚신 모양의 신발. ③《美》운두가 낮은 덧신. ── (*-l-*, 《英》 *-ll-*) *vt.* …에게 샌들을 신기다. ㊂ **sán·dal(l)ed** [-dld] *a.* 샌들을 신은 : one's ~*ed* feet 샌들을 신은 발.

san·dal·wood [sǽndlwùd] *n.* Ⓤ 〖植〗 백단향.

sand·bag [sǽn*d*bæ̀g] *n.* Ⓒ ① 모래 부대, 사낭(砂囊). ② (흉기로 이용할 수 있는) 막대 모양의 모래 주머니. ── (*-gg-*) *vt.* ① …을 모래 부대로 (틀어) 막다 : They ~*ged* doors to stop〔keep〕 the water coming in. 물이 못들어오게 문 앞에 모래 부대를 쌓았다. ② …을 모래주머니로 때려 눕히다. ③《美口》…을 강제하다 : I didn't want to go but was ~*ged* (*into* going) by my mother. 나는 가기 싫었으나 어머니가 강제로 가게 했다.

sand·bank [sǽn*d*bæ̀ŋk] *n.* Ⓒ 모래톱, 모래언덕.

sánd bàr (조류 때문에 형성된) 모래톱.

sánd bàth 모래욕(浴), 모래찜.

sand·blast [sǽn*d*blæ̀st, -blɑ̀ːst] *n.* ① Ⓤ 모래 뿜기《유리의 투명성을 없애거나 건물의 외면을 청소하기 위함》. ② Ⓒ 모래뿜는 기계. ── *vt.* …에 모래를 뿜어 닦다 : They ~*ed* the cathedral and restored the beautiful golden color of the wall. 그들은 대성당에다 모래를 뿜어대어 외벽의 아름다운 황금색을 되살렸다.

sand·box [sǽn*d*bɑ̀ks / -bɔ̀ks] *n.* Ⓒ《美》(어린이) 모래 놀이통, 모래밭《놀이터》.

sand·boy [sǽn*d*bɔ̀i] *n.* 〔흔히 다음 成句로〕 (*as*) ***jolly*** 〔***happy, merry***〕 ***as a*** ~ 《口》 아주 명랑한.

sand·cas·tle [´-kæ̀sl, ´-kɑ̀ːsl] *n.* Ⓒ (어린이가 만드는) 모래성.

sánd clòud (사막의 열풍으로 일어나는) 모래먼지.

sánd dòllar 〖動〗 성게의 일종.

sánd dùne (바람에 의한) 사구(砂丘), 모래 언덕.

sánd flèa 〖蟲〗 모래벼룩 ; 갯벼룩.

sand·fly [sǽndflài] *n.* Ⓒ 〖蟲〗 눈에놀이.

sand·glass [sǽn*d*glæ̀s, -glɑ̀ːs] *n.* Ⓒ 모래시계(hourglass).

sánd hìll 모래 언덕.

sand·hog [sǽndhɑ̀g, -hɔ̀(ː)g] *n.* Ⓒ (잠함(潛函) 따위에서 일하는) 수중 작업부.

sánd hòpper 갯벼룩.

San Di·e·go [sæ̀ndiéigou] 샌디에이고《미국 서해안의 군항》.

sand·lot [sǽndlɑ̀t / -lɔ̀t] *n.* Ⓒ《美》(도시의 어린이 운동용) 빈터. ── *a.*〔限定的〕빈터의, 빈터에서 하는 : ~ baseball 빈터(에서 하는) 동네 야구. ㊂ **~·ter** *n.*

sand·man [sǽn*d*mæ̀n] (*pl.* ***-men*** [-mèn]) *n.* Ⓒ (the ~) (어린이 눈에 모래를 뿌려 잠들게 한다는) 잠귀신 : *The* ~ is coming! (부모가 아이에게) 이젠 잘 시간이다.

sand-pail [sǽn*d*pèil] *n.* Ⓒ《美》모래 버킷《아이들 놀이용》.

sánd pàinting 모래 그림.

sand·pa·per [sǽn*d*pèipər] *n.* Ⓤ 사포(砂布), 샌드페이퍼. ── *vt.* …을 사포로 닦다.

sand·pip·er [sǽn*d*pàipər] *n.* Ⓒ 〖鳥〗 삑삑도요·깝작도요의 무리.

sand·pit [sǽn*d*pìt] *n.* Ⓒ《英》(어린이들이 노는) 모래밭(《美》sand box).

sánd pùmp 모래 펌프.

sánd shòe 《英》 즈크신의 일종《테니스용》.

sánd sìnk 모래 처리《해면에 퍼진 기름을, 화학 처리한 모래를 뿌려 가라앉혀 제거하기》.

sand·stone [sǽn*d*stòun] *n.* Ⓤ 〖地質〗 사암(砂岩).

sand·storm [sǽn*d*stɔ̀ːrm] *n.* Ⓤ (사막의) 모래 폭풍.

sánd tràp 《美》〖골프〗 샌드트랩, 모래 구덩이 (《英》bunker).

‡**sand·wich** [sǽn*d*witʃ / sǽnwidʒ, -witʃ] *n.* Ⓒ,Ⓤ ① 샌드위치 : Egg and cress or cheese and tomato are typical ~ fillings. 계란과 다닥냉이 또는 치즈와 토마토가 샌드위치 속으로는 아주 그만이다. ② 《英》 = SANDWICH CAKE.
── *vt.* 《~+목+부 / +목+전+명》 (사람·물건·일)을 삽입하다, (억지로) 끼우다《*in*》: I'll try to ~ the interview *in* after lunch. (예정에 없으나) 인터뷰를 점심 후에 끼워넣겠다 / ~ an appointment *in between* two board meetings 임원회와 임원회 사이에 만날 약속을 하다 / I was ~*ed* (*in*) *between* two fat men on the bus. 버스에서 나는 두 뚱뚱한 남자 사이에 끼였다.

sándwich bàr (카운터식의) 샌드위치 전문의 레스토랑.

sándwich bóard 샌드위치맨이 걸치는 앞뒤 두 장의 광고판.

sándwich càke 샌드위치 케이크《사이에 잼이나 크림을 끼운 케이크》.

sándwich cóurse 《英》 샌드위치 코스《실업학교에서 현장 실습과 이론 연구를 번갈아 하는 교육 제도 ; 3 내지 6개월 교대》.

sándwich màn 샌드위치맨《몸 앞뒤에 광고판을 달고 다니는 사람》.

sand·worm [sǽndwə̀ːrm] *n.* Ⓒ 갯지렁이.

sandy** [sǽndi] (sand·i·er*** ; ***-i·est***) *a.* ① 모래의 ; 모래땅의 ; 모래투성이의 : the long ~ beach 긴 모래 해변 / ~ soil 모래 땅 / His farm has ~, acidic soil. 그의 농장은 모래가 많고 산성 토질이다. ② 모랫빛(머리털)의, 연한 갈색의.
㊂ **sánd·i·ness** *n.*

sánd yàcht 사상(砂上) 요트《바퀴 달린》.

sane** [sein] (sán·er, more*** ~ ; ***sán·est, most*** ~) *a.* ① 제정신을 가진. opp *insane*. ¶ He doesn't seem ~. 제정신이 아닌 것 같다. ② (정신적으로) 온건한, 건전한, 분별 있는 : ~ educational system 건전한 교육 제도 / No ~ man would do such a thing. 분별 있는 사람이라면 그런 일은 않는다 / ~ judgment〔view〕 분별있는 판단〔견해〕. ◇ sanity *n.*
㊂ **´·ly** *ad.* **´·ness** *n.*

San·for·ize [sǽnfəràiz] *vt.* (천)에 방축(防縮) 가공을 하다.

‡**San Fran·cis·co** [sæ̀nfrənsískou / -fræn-] *n.* 샌프란시스코《미국 California 주의 항구 도시》.
㊂ **Sàn Fran·cís·can** 샌프란시스코 주민.

†**sang** [sæŋ] SING의 과거.

sang·froid [sɑːŋfrwɑ́ː, sæŋ- ; *F.* sɑ̃frwa] *n.* Ⓤ 《F.》 냉정, 침착 : He faced the attack with amaging ~. 그는 놀라울 정도로 침착하게 공격에 맞섰다.

san·gria [sæŋgríːə] *n.* Ⓤ,Ⓒ 생그리어《붉은 포도주에 주스·탄산수를 타서 냉각시켜 마시는 음료》.

san·gui·na·ry [sǽŋgwənèri / -nəri] *a.* ① 피비린내나는, 피투성이의(bloody) : a ~ battle 피비린내나는 싸움. ② 피에 굶주린, 살벌〔잔인〕한 : a ~ disposition〔vilain〕 잔인한 기질〔악당〕. ③ 사형을 과(科)하는. ㊂ **-ri·ly** *ad.* **-ri·ness** *n.*

***san·guine** [sǽŋgwin] *a.* ① 붉은빛을 띤 ; 혈색이 좋은 ; 다혈질의 : a ~ temperature 다혈질. ② (기질 등이) 쾌활한, 낙관하는 ; 낙천적인《*of*》: a ~ person 낙천가 / He has a ~ attitude to life. 그는 인생을 낙천적으로 생각한다 / He's ~ about getting the work finished on time. 그는 그 일을

제시간에 끝내는 데에 낙관적이다. ㊞ ~·ly *ad.* ~·ness *n.*

san·guin·e·ous [sæŋgwíniəs] *a.* ① 피의 ; 붉은 핏빛의. ② 다혈질의, 혈기 왕성한. ③ 유혈의, 피비린내나는. ㊞ ~·ness *n.*

san·i·tar·i·an [sæ̀nətέəriən] *n.* Ⓒ (공중) 위생학자 ; 위생 개선가.

***san·i·tar·i·um** [sæ̀nətέəriəm] (*pl.* ~s, -ia [-riə]) *n.* 《美》 =SANATORIUM ①, ②.

‡san·i·ta·ry [sǽnətèri / -təri] (*more* ~ ; *most* ~) *a.* ①〔限定的〕(공중) 위생의, 보건상의 : ~ arrangements 위생 설비 / ~ regulations 〔laws〕 공중 위생 규칙〔법〕. ② 위생적인, 깨끗한 : ~ sewage 수세식 오물〔오수〕 처리. ㊞ -ri·ly *ad.*

sánitary bélt 생리대.

sánitary engineér 위생 기사.

sánitary enginéering 위생 공학〔공사〕.

sánitary nápkin 〔《英》 **tówel**〕 생리용 냅킨.

sánitary wáre 위생 도기(陶器).

san·i·tate [sǽnətèit] *vt.* …을 위생적으로 하다 ; …에 위생 설비를 하다.

***san·i·ta·tion** [sæ̀nətéiʃən] *n.* Ⓤ ① (공중) 위생. ② 위생 시설〔설비〕; 《특히》 하수 설비 : Many illnesses in these temporary refugee camps are the result of bad〔poor〕 ~. 이들 임시 난민 캠프에 질병이 많은 것은 열악한 위생 설비 탓이다.

san·i·tize [sǽnətàiz] *vt.* ① (소독 등에 의해) …을 위생적으로 하다, …에 위생 설비를 하다. ② (진실을 왜곡하거나 골자를 빼서 뉴스 등)을 부드럽게 만들다 : The military government wants to allow only a ~*d* report of the incident to become public. 군사 정권은 그 사건이 공개됨에 있어 왜곡된 보도만을 인정하고 싶어한다.

san·i·ty [sǽnəti] *n.* Ⓤ ① 제정신, 정신이 멀쩡함. OPP *insanity* ¶ On this occasion they lost their ~. 이 때 그들은 이성을 잃었다. ② (사고·판단 등의) 건전함, 온건함.

S

San Jo·se [sæ̀nəzéi] *n.* 새너제이《California주 서부 San Francisco 남남동부의 도시》.

San Jo·sé [sæ̀n-houzéi] *n.* 산호세《Costa Rica의 수도》.

‡sank [sæŋk] SINK 의 과거.

San Ma·ri·no [sæ̀nmərí:nou] *n.* 산마리노《이탈리아 중부의 공화국 ; 그 수도》.

sans[1] [sænz ; *F.* sɑ̃] *prep.* 《古·文語》 …없이, 없어서(without) : *Sans* teeth, ~ eyes, ~ taste, ~ everything. 이도 눈도 없고 게다가 맛도 없으며 무엇 하나 있는 것이 없이《Shakespeare 작 *As You Like It* 에서》.

sans[2] *n.* =SANS SERIF.

San Sal·va·dor [sænsǽlvədɔ̀:r] *n.* 산살바도르《중앙 아메리카 El Salvador 의 수도》.

sans·cu·lotte [sæ̀nzk*j*ulát / -lɔ́t] *n.* Ⓒ ① 《F.》 (프랑스 혁명 당시의) 과격 공화당원《귀족적인 culotte 를 입지 않은 데서 연유》. ② 과격주의자, 급진 혁명가.

san·ser·if [sænsérif] *n.* =SANS SERIF.

San·skrit [sǽnskrit] *n.* Ⓤ 산스크리트, 범어(梵語)《略 : Skr., Skrt., Skt.》. ── *a.* 산스크리트〔범어〕의.

sans serif [sǽnzsérif / sǽnser-] *n.* 〖印〗 ① Ⓤ 산세리프체《보기 : ABC abc》. ② Ⓒ 산세리프체 활자. cf serif.

San·ta [sǽntə] *n.* 《口》 =SANTA CLAUS.

†Sán·ta Clàus [sǽntəklɔ̀:z] 산타클로스 : Go to sleep quickly or ~ won't come! 빨리 가서 자거라. 아니면 산타클로스가 안오신다.

San·ta Fe [sǽntəféi] *n.* ① 샌타페이《New Mexico주의 수도》. ② 산타페《아르헨티나 중부의 도시》.

Sánta Fé Tráil (the ~) 샌타페이 가도(街道) 《1880년경의 철도 개통시까지, Santa Fe에서 Missouri 주의 Independence 에 이르는 교역 산업 도로》. 「수도》.

San·ti·a·go [sæ̀ntiá:gou] *n.* 산티아고《칠레의

San·to Do·min·go [sǽnto*u*dəmíŋgou] *n.* 산토도밍고《도미니카 공화국의 수도》.

san·to·nin [sǽntənin] *n.* Ⓤ 〖化〗 산토닌.

São Pau·lo [sɑ̀:uŋpáulu:] 상파울루《Brazil 남부의 대도시》.

São To·mé and Prín·ci·pe [sɑ́:uŋtəméi ənd(e) prínsəpə] 상투메 프린시페《서아프리카 기니 만의 공화국, 수도 São Tomé》.

‡sap[1] [sæp] *n.* ① Ⓤ 수액(樹液) : It was spring, and the ~ was rising in the trees. 봄이었다. 그리고 나무 속에서 수액이 오르고 있었다. ② Ⓤ 활력, 원기, 생기 : the ~ of life 활력, 정력 / the ~ of youth 혈기. ③ Ⓒ 《俗》 바보, 얼간이, 멍청이 (saphead) : The poor ~ never knew his wife was cheating him. 그 불쌍한 멍텅구리는 아내가 그를 속인다는 것을 조금도 몰랐다. ④ Ⓒ 《美俗》 곤봉. ── (*-pp-*) *vt.* ① …에서 수액을 짜내다. ② …에서 활력을 없애다, 약화시키다 : Looking after her dying mother ~*ped* all her energy. 빈사의 모친 병수발로 그녀는 기진맥진했다. ③ 《美俗》 …을 몽둥이로 때리다.

sap[2] *n.* Ⓒ 〖軍〗 (적진 접근을 위한) 대호(對壕). ── (*-pp-*) *vt.* ① 〖軍〗 대호를 파서 (적진에) 접근하다. ② (담 밑 등)을 파서 무너〔쓰러〕뜨리다 《*away*》 : The foundations were ~*ped away* by termites in a few years. 흰개미 때문에 기초는 몇 년이 못가 무너져 내렸다. ③ (건강·기력 등)을 점차 약화시키다 : Overwork has ~*ped* his health. 과로가 그의 건강을 좀먹어 들어갔다. ── *vi.* 대호를 파다, 대호를 파서 적진에 접근하다.

sap·head [sǽphèd] *n.* Ⓒ 《俗》 바보, 얼간이. ㊞ ~·ed *a.* 《俗》 바보 같은.

sa·pi·ence [séipiəns] *n.* Ⓤ 지혜.

sa·pi·ent [séipiənt] *a.* ① 아는 체하는. ② 《文語》 약은, 영리한. ㊞ ~·ly *ad.*

sap·less [sǽplis] *a.* ① 수액이 없는 ; 시든. ② 기운 없는, 활기 없는.

sap·ling [sǽpliŋ] *n.* Ⓒ ① 묘목, 어린 나무. ② 젊은이, 청년(youth).

sap·o·dil·la [sæ̀pədílə] *n.* Ⓒ 〖植〗 사포딜라《열대 아메리카산의 상록수로, 수액에서 추잉 검 원료인 chicle 을 얻음》; 그 열매.

sap·o·na·ceous [sæ̀pənéiʃəs] *a.* 비누 같은, 비누질(質)의.

sa·pon·i·fy [səpánəfài / -pɔ́n-] *vi., vt.* 〖化〗 (유지(油脂)를) 비누화하다〔시키다〕.

sap·per [sǽpər] *n.* Ⓒ 〖軍〗 공병(工兵).

Sap·phic [sǽfik] *a.* ① Sappho(식)의 ; 사포시체(詩體)의 : a ~ verse 사포시체. ② (s-) (여성의) 동성애의 : ~ vice =SAPPHISM. ── *n.* Ⓒ 사포시체(詩體).

***sap·phire** [sǽfaiər] *n.* ① Ⓤ,Ⓒ 사파이어, 청옥(青玉) : a ~ ring 사파이어반지. ② Ⓤ 사파이어 빛 ; 자색을 띤 남색, 하늘빛 : She has ~ blue eyes. 그녀는 눈이 푸르다.

sap·phism [sǽfizəm] *n.* Ⓤ (여성의) 동성애.

Sap·pho [sǽfou] *n.* 사포《기원전 600년경의 그리스 제일의 여류 시인》.

sap·py [sǽpi] (*-pi·er* ; *-pi·est*) *a.* ① 수액(樹液)이〔물기가〕 많은. ② (젊어) 기운이 좋은. ③ a) 《美俗》 어리석은. b) 몹시 감상적인.

sap·wood [sǽpwùd] *n.* Ⓤ (목재의) 변재(邊材), 백목질(白木質)《나무 껍질 바로 밑의 연한 목재》.

sar·a·band(e) [sǽrəbæ̀nd] *n.* Ⓒ 사라반드《느린 3박자의 스페인 춤》; 그 곡.

Sar·a·cen [sǽrəsən] *n.* Ⓒ ① 사라센 사람《시리아·아라비아의 사막에 사는 유목민》. ② (특히 십자군 시대의) 이슬람 교도; (넓은 뜻으로) 아랍인. ── *a.* =SARACENIC.

Sar·a·cen·ic [sæ̀rəsénik] *a.* ① 사라센(사람)의. ② 사라센 양식의.

Sa·ra·je·vo [sæ̀rəjéivou] *n.* 사라예보《보스니아 헤르체고비나 공화국의 수도》.

Sa·ra·wak [sərɑ́ːwɑːk, -wæk / -wək] *n.* 사라와크《Borneo 서북부, 말레이시아 연방의 한 주》.

sar·casm [sɑ́ːrkæzəm] *n.* ① Ⓤ 빈정거림, 비꼼 《★ irony와 달라, 상대의 감정을 해치는 악의있는 말》: in ~ 비꼬아서. ② Ⓒ 풍자; 비꼬는 말.

‡sar·cas·tic, -ti·cal [sɑːrkǽstik], [-əl] *a.* 빈정거리는, 신랄한, 비꼬는: The teacher's ~ comment made her cry. 선생님의 신랄한 말에 그녀는 울어버렸다. ㉥ **-ti·cal·ly** [-əli] *ad.*

sar·co·ma [sɑːrkóumə] (*pl.* ***-ma·ta*** [-mətə], ***~s***) *n.* Ⓒ,Ⓤ 〖醫〗 육종(肉腫).

sar·coph·a·gus [sɑːrkɑ́fəgəs / -kɔ́f-] (*pl.* ***-gi*** [-dʒài, -gài], ***~·es***) *n.* Ⓒ (정교한 조각을 한, 대리석제의 고대) 석관(石棺).

sard [sɑːrd] *n.* Ⓤ,Ⓒ 〖鑛〗 홍옥수(紅玉髓).

sar·dine** [sɑːrdíːn] *n.* Ⓒ,Ⓤ 〖魚〗 정어리: The ten of us were squashed together like *~s* in the tiny room. 우리 열 사람은 그 작은 방에 정어리처럼 한데 처넣어져 있었다. ***be packed like ~s 빽빽하게〔꽉〕 채워지다.

sar·don·ic [sɑːrdɑ́nik / -dɔ́n-] *a.* 조소하는, 냉소적인, 빈정대는: She gave him a ~ smile. 그녀는 그를 보고 차갑게 웃었다. ㉥ **-i·cal·ly** *ad.*

sar·do·nyx [sɑ́ːrdɑniks / sɑ́ːrdɔ-] *n.* Ⓤ,Ⓒ 〖鑛〗 붉은 줄무늬가 있는 마노(瑪瑙).

saree ⇨SARI.

sar·gas·so [sɑːrgǽsou] (*pl.* ~(*e*)*s*) *n.* Ⓒ 〖植〗 사르가소, 모자반류(類)《바닷말》.

sarge [sɑːrdʒ] *n.* 《口》 =SERGEANT《호칭》.

sa·ri [sɑ́ːri(ː)] (*pl.* ***~s***) *n.* Ⓒ (인도 여성이 몸에 두르는) 사리: women in brightly colored *~s* 밝은 색의 사리를 입은 여인들.

sa·rin [sɑ́ːrən, zɑːríːn] *n.* Ⓤ 〖化〗 사린《치사(致死)성 신경가스의 일종》.

sarky [sɑ́ːrki] *a.* 《英口》 =SARCASTIC.

sa·rong [sərɔ́(ː)ŋ, -rɑ́ŋ] *n.* Ⓒ 사롱《말레이 군도 원주민의 허리 두르개》.

sar·sa·pa·ril·la [sɑ́ːrsəpərílə] *n.* ① Ⓒ 〖植〗 청미래덩굴속(屬)의 식물, 사르사; 그 뿌리《약용》. ② Ⓤ 사르사 뿌리로 가미한 탄산수의 일종.

sar·to·ri·al [sɑːrtɔ́ːriəl] *a.* ① 재봉(사)의; 바느질의: the ~ art 재봉기술. ② 의복에 관한, 의상의.

Sar·tre [sɑ́ːrtrə] *n.* **Jean Paul** ~ 사르트르《프랑스의 실존주의 작가; 1905-80》.

SAS [sæs] Scandinavian Airlines System(스칸디나비아 항공). **SASE.** 《美》 self-addressed stamped envelope (자기 주소를 쓴 반신용 봉투).

‡sash[1] [sæʃ] *n.* Ⓒ ① (여성·어린이용의) 띠, 장식띠, 허리띠. ② 〖軍〗 (어깨에서 내려 뜨리는) 현장(懸章).

sash[2] (*pl.* ~, ***∠·es***) *n.* Ⓒ 〖建〗 새시 창틀. ── *vt.* …에 새시를 달다.

sa·shay [sæʃéi] *vi.* 《口》 미끄러지듯 나아가다〔움직이다〕; 《口》 뽐내며 걷다: She *~ed down* the stairs, into the hall. 사뿐사뿐 계단을 내려와서 홀로 들어갔다.

sásh còrd (내리닫이 창의) 도르래 줄.

sásh wìndow 내리닫이 창(窓). ⓒⓕ casement window.

sa·sin [séisin] *n.* Ⓒ 〖動〗 영양(羚羊).

Sas·katch·e·wan [sæskǽtʃəwɑ̀n, səs-, -wən] *n.* 서스캐처원《캐나다 남서부의 주; 略: Sask.》.

Sas·quatch [sǽskwætʃ, -kwɑtʃ] *n.* Ⓒ 〖動〗 새스콰치(Bigfoot, Omah)《북아메리카 북서부 산중에 산다는 손이 길고 털이 많은, 사람 비슷한 동물》.

sass [sæs] *n.* Ⓤ 《美口》 건방진 말대꾸: You just sit there and shut up — I don't want to hear any more of your ~! 너 입닥치고 거기 가만히 앉아 있어. 더이상 그따위 말대꾸는 듣기도 싫어. ── *vt.* 《美口》 (윗사람)에게 건방진 말을 하다, 말대꾸하다: Don't you dare ~ me! 이놈, 감히 내게 말대꾸하다니.

sas·sa·fras [sǽsəfræ̀s] *n.* ① Ⓒ 〖植〗 사사프라스《북아메리카산(產)의 녹나뭇과(科) 식물》. ② Ⓤ 그 나무〔뿌리〕의 껍질을 말린 것《강장제·향료》.

sassy [sǽsi] (***sas·si·er*** ; ***-si·est***) *a.* 《美口》 ① 건방진, 염치없는: a ~ young girl 건방진 소녀. ② 활발한, 생기가 넘치는: The company takes pride in its ~ management style. 회사는 그 활기찬 경영 방식을 자랑하고 있다.

†sat [sæt] SIT의 과거·과거분사.

SAT 《美》 Scholastic Aptitude Test(대학 진학 적성 검사). **Sat.** Saturday; Saturn.

‡Sa·tan [séitən] *n.* 사탄, 악마, 마왕(the Devil).

sa·tan·ic [seitǽnik, sə-] *a.* ① (때로 S-) 악마의, 마왕의. ② 악마 같은, 흉악한: He gave a ~ smile. 그는 악마 같은 미소를 지었다 / ~ cruelties 악마 같은 잔학 행위. ㉥ **-i·cal·ly** [-əli] *ad.*

Sa·tan·ism [séitənìzəm] *n.* Ⓤ 악마주의, 악마숭배. ㉥ **-ist** *n.*

***satch·el** [sǽtʃəl] *n.* Ⓒ 학생 가방《손에 들거나 어깨에 멤》.

sate [seit] *vt.* ① (갈증·욕망 등)을 충분히 만족시키다. ② (남)을 물리게〔넌덜나게〕 하다《★ 흔히 過去分詞로 形容詞的으로 쓰임》.

sat·ed [séitid] *a.* 넌더리〔진저리〕나는: He was ~ with steak. 스테이크를 물리도록 먹었다.

sa·teen [sætíːn] *n.* Ⓤ 면수자(綿繻子).

‡sat·el·lite [sǽtəlàit] *n.* ① Ⓒ 〖天〗 위성; 인공위성(artificial ~): a broadcasting〔military, scientific, weather〕 ~ 방송〔군사, 과학, 기상(氣象)〕위성 / The moon is the ~ of the Earth. 달은 지구의 위성이다 / place a ~ into orbit 인공위성을 궤도에 올리다. ② Ⓤ 위성 방송. ③ Ⓒ 위성국; 위성 도시: Many of these problems are shared by the former ~ countries. 이 많은 문제들은 이전의 위성국가들이 다같이 겪는〔안고 있는〕 문제이다. ④ Ⓒ 아첨꾼, 식객. ── *a.* 〔限定的〕 ① (인공) 위성의; 위성과 같은: ~ hookup 위성중계. ② 종속된: ~ states 위성국.

sátellite bròadcasting 위성 방송.

sátellite bùsiness 위성 비즈니스《통신 위성을 사용한 전화·텔레비전·팩시밀리·데이터 통신 등, 정보 서비스 비즈니스》.

sátellite dìsh 파라볼라 안테나, 위성 텔레비전 수신용 안테나.

sátellite stàtion 인공위성〔우주선〕 기지; 위성방송 기지.

sa·tia·ble [séiʃiəbəl / -ʃjə-] *a.* 물리게 할 수 있는, 만족할 수 있는. ㉥ **-bly** *ad.*

sa·ti·ate [séiʃièit] *vt.* ① (필요·욕망 등)을 충분히 만족시키다《*with*》: These books ~ the

S

reader's interest. 이들 책은 독자의 흥미를 충분히 만족시킨다 / *Satiated with* food and drink, he and his men soon fell asleep. 잔뜩 먹고 마시고 난 그와 그의 부하들은 곧 잠에 떨어졌다. ② (남)을 물리게 하다《*with*》《★ 흔히 過去分詞로 形容詞的으로 쓰임》. ㊞ **sà·ti·á·tion** [-ʃən] *n.* Ⓤ ① 포만, 포식. ② 물리게 함.

sa·ti·e·ty [sətáiəti] *n.* Ⓤ 물림, 포만 : to (the point of) ~ 진저리〔넌더리〕 날 만큼.

***sat·in** [sǽtən] *n.* Ⓤ 견수자(絹繻子), 공단, 새틴. cf sateen. ── *a.* ① 수자로〔공단으로〕 만든. ② 매끄러운, 광택이 있는.

sátin pàper (윤기 있는) 필기용 종이, 광택지.

sat·in·wood [sǽtənwùd] *n.* ① Ⓒ (동인도산의) 마호가니류(類)의 나무. ② Ⓤ 그 목재《가구재》.

sat·iny [sǽtəni] *a.* 수자 같은(광택이 나는) ; 매끄러운.

‡sat·ire [sǽtaiər] *n.* ① Ⓤ,Ⓒ 풍자《*on, upon*》 : a biting ~ on existing society 현 사회에 대한 날카로운 풍자. ★ satire는 사회(제도)나 사회적 권위자에 대한 풍자, sarcasm은 일반 개인에 대한 비꼬기. ② Ⓤ 〔集合的〕 풍자 문학. ③ Ⓒ 풍자 작품《시·소설·연극 등》 : George Orwell's "Animal Farm" is a work of political ~. 조지 오웰의 '동물 농장'은 정치적 풍자 작품이다.

sa·tir·ic, -i·cal [sətírik], [-əl] *a.* 풍자적인, 풍자를 좋아하는 ; 풍자문을 쓰는 : a ~ novel 풍자 소설 / His poems are witty and ~. 그의 시들은 위트가 있고 풍자적이다. ㊞ **-i·cal·ly** *ad.*

sat·i·rist [sǽtərist] *n.* Ⓒ 풍자시〔문〕 작자 ; 풍자가, 빈정대는 사람 : a political ~ 정치 풍자가 / Voltaire was a famous French ~. 볼테르는 유명한 프랑스 풍자 작가였다.

sat·i·rize [sǽtəràiz] *vt.* …을 풍자하다 ; 빈정대다, 비꼬다 : This is a poem *satirizing* the government. 이것은 정부를 풍자한 시다.

‡sat·is·fac·tion [sæ̀tisfǽkʃən] *n.* ① Ⓤ 만족(감)《*at ; with*》 : *with* great〔much〕 ~ 매우 만족하여 / feel ~ *at* having one's ability recognized 자기 재능이 인정된 것을 만족해 하다 / A fine family is quite a good model of ~ to anybody. 훌륭한 가정은 누구에게나 아주 좋은 만족의 본이 된다. ② Ⓤ,Ⓒ 만족시키는 것《*to*》 : Your success will be a great ~ *to* your parents. 성공하여 부모님께서 매우 만족하시겠다. ③ 〖法〗 Ⓤ (빚의) 변제, (손해의) 배상《*for*》 ; (의무의) 이행 : give ~ to …에게 배상하다 / make ~ *for* …을 변상하다 / demand ~ *for* …의 배상을 요구하다. ④ Ⓤ (명예 훼손에 대해) 사죄·결투 등에 의한 명예 회복의 기회《*for*》 : demand ~ *for* an insult 모욕을 씻기 위한 사죄〔결투〕를 요구하다 / I'll have ~ *for* that statement. 그 말에 대해 납득할 만한 설명을 들어야겠다《그냥 넘길 수는 없다》. ◇ satisfy *v.* ***to the ~ of*** …가 만족〔납득〕하도록.

***sat·is·fac·to·ri·ly** [sæ̀tisfǽktərəli] *ad.* 만족하게, 마음껏, 더할 나위 없이, 납득이 가도록 : The central heating system is working ~. 중앙 난방 시스템은 만족하게 돌아가고 있다.

sat·is·fac·to·ry** [sæ̀tisfǽktəri] (more*** ~ ; ***most*** ~) *a.* ① 만족스러운, 더할 나위 없는《*to*》 : ~ results 아주 좋은 결과 / His score was highly ~. 그의 스코어는 아주 더할 나위 없었다 / Sales are up 20% from last year ; that's very ~. 작년부터 매상이 20퍼센트 올랐다. 아주 고무적이다. ② (성적이) 보통인, C인.

sat·is·fied [sǽtisfàid] (***more*** ~ ; ***most*** ~) *a.* ① 만족한, 흡족한 : a ~ smile 만족스러운 미소 / We can be ~ that we've missed nothing important. 우리는 중요한 것을 하나도 잃지 않았다는 데서 만족할 수 있다. ② 〔敍述的〕 확신하는 : I'm ~ that he's innocent. 나는 그의 무고함을 확신한다.

‡sat·is·fy [sǽtisfài] *vt.* ①《~+목 / +목+전+명 / +목+to do》 …를 만족시키다 ; (희망 등)을 충족시키다, 채우다 : ~ one's appetite 식욕을 채우다 / ~ one's thirst *with* water 물로 갈증을 풀다 / I was *satisfied to* meet her. 그녀를 만나서 만족스러웠다 / ~ one's hunger 공복을 채우다. ②《~+목 / +목+전+명 / +목+*that* 절》 (의심 따위)를 풀다, (아무)를 안심〔확신〕시키다, 납득시키다(convince)《*of*》 : ~ an objection 이의에 답변하다 / ~ a person *of* a fact 아무에게 어떤 사실을 납득시키다 / He *satisfied* me *that* he could finish it in time. 그는 제때에 그 일을 마칠 수 있다고 나를 안심시켰다. ③《~+목 / +목+전+명》 (채권자)에게 변제하다 ; (빚 등)을 갚다 ; (배상 요구 등)에 응하다 ; (의무)를 이행하다 : ~ a bill 셈을 치르다 / ~ claims *for* damage 손해 배상 청구에 응하다. ── *vi.* 만족을 주다 ; 만족시키다. ~ ***the examiners*** (대학 시험에서) 합격점에 달하다, 보통 성적으로 합격하다.

***sat·is·fy·ing** [sǽtisfàiiŋ] *a.* 만족한, 충분한 : There is nothing more ~ than doing the work you love. 자기가 좋아하는 일을 하는 것만큼 더 만족스러운 것은 없다. ㊞ **~·ly** *ad.*

sat·u·ra·ble [sǽtʃərəbəl] *a.* 포화(飽和)시킬 수 있는. ㊞ **sàt·u·ra·bíl·i·ty** [-bíləti] *n.*

***sat·u·rate** [sǽtʃərèit] *vt.* ①《+목+전+명》 …을 적시다 ; 흠뻑 적시다 ; (…에) …을 배어들게 하다《*with*》 : ~ a handkerchief *with* water 손수건에 물을 적시다 / The grass has been ~*d* by overnight rain. 밤새도록 비가 와서 풀이 함빡 젖었다 / The blood had ~*d* his shirt around wound. 상처 부위의 셔츠에 피가 흠뻑 배어들었다. ② (상품)을 과잉 공급하다 ; 충만하게 하다《*with*》 : The newspapers nowadays are ~*d with* dismal news of the political scene. 요즘 신문들은 정계의 우울한 뉴스로 차 있다. ③《+목+전+명》〖物·化〗 …을 포화시키다 : ~ water *with* salt 물을 소금으로 포화시키다.

sat·u·rat·ed [sǽtʃərèitid] *a.* ① 스며든, 흠뻑 젖은 : I went out in the rain and got ~. 빗속에 나가서 흠뻑 젖었다. ② 〔敍述的〕 (전통·편견 등이) 배어 있는, 스며 있는《*with ; in*》 : a college ~ *with* old tradition 오랜 전통이 배어있는 대학. ③ 〔限定的〕〖物·化〗 (용액이) 포화 상태가 된 : a ~ solution 포화 용액.

sat·u·ra·tion [sæ̀tʃəréiʃən] *n.* Ⓤ ① 침투, 침윤(浸潤). ② 〖美術〗 채도(彩度). cf brilliance, hue[1]. ③ 〖物·化〗 포화(상태). ④ 〖軍〗 집중 공격〔폭격〕 : ~ bombing of the city 그 도시에 대한 집중 폭격.

saturátion pòint 포화점 ; 한도, 극한.

†Sat·ur·day [sǽtərdi, -dèi] *n.* 〔원칙적으로 無冠詞로 Ⓤ ; 그러나 의미에 따라 冠詞가 붙기도 하고 Ⓒ도 됨〕 토요일《略 : Sat.》 : on ~ 토요일에 / on ~*s* 토요일마다, 언제나 토요일에는 / on a ~ (과거나 미래의) 어느 토요일에 / There is no school *on* ~(*s*). 토요일엔 수업이 없다. ── *a.* 〔限定的〕 토요일의 : on ~ afternoon 토요일 오후에. ── *ad.* 《美》 토요일에 : See you ~. 그럼 토요일에 또 만나요.

Sáturday nìght spécial (싸구려) 소형 권총《주말 범죄에 잘 쓰이는 데서》. 「에〔마다〕.

Sat·ur·days [sǽtərdiz, -dèiz] *ad.* 《口》 토요일

***Sat·urn** [sǽtərn] *n.* ① 〖로神〗 농업의 신. ② 〖天〗

토성. ⓒⓕ planet.

Sat·ur·na·lia [sæ̀tərnéiliə, -ljə] *n.* ① (고대 로마의) 농신제(農神祭)《12월 17 일경》. ② (종종 s-) Ⓒ (*pl.* **-li·as,** ~) 법석떪 : a ~ of crime 제멋대로 하는 나쁜 짓.

Sa·tur·ni·an [sætə́:rniən] *a.* 〖天〗 토성의.

sat·ur·nine [sǽtərnàin] *a.* (안색·기질이) 무뚝뚝한, 음침한(gloomy) : a ~ character 무뚝뚝한 성격 / A ~ customs officer looked through our baggage. 무뚝뚝해 보이는 세관원이 우리 짐을 철저히 검사했다. ⓞⓟⓟ *mercurial.*

sa·tyr [séitər, sǽt-] *n.* ① (종종 S-) 〖그神〗 사티로스《주신 Bacchus를 따르는 반인반수(半人半獸)의 숲의 신 ; 술과 여자를 좋아함》. ② Ⓒ 호색가.

‡**sauce** [sɔ:s] *n.* ① Ⓤ.Ⓒ 소스 : Hunger is the best ~. 《俗談》 시장이 반찬 / Sweet meat will have sour ~. 《俗談》 음지가 있으면 양지가 있다 / He puts tomato ~ on everything he eats. 그는 먹는 것이라면 무엇이나 토마토 소스를 친다. ② Ⓒ 맛을 돋우는 것, 자극, 재미 : The love affair was a ~ to the monotony of rural life. 그 연애 사건은 따분한 시골 생활에 한 자극이었다. ③ Ⓤ.Ⓒ 《口》 건방짐, 건방진 말, 뻔뻔스러움(cheek) : That's enough of your ~, young man! 이봐 젊은 친구, 그 건방진 소리 작작하게 / None of your ~! 건방진 소리 마. ④ Ⓤ 《美》 (과일의) 설탕 조림. ── *vt.* ① …에 소스를 치다, …을 (소스로) 맛을 내다. ② …에 흥미를 더하다 : a sermon ~*d* with wit 재치로 흥미를 돋운 설교. ③ 《口》 …에게 무례한 말을 하다(=《美口》 sass) : How dare you ~ your mother? (아버지가 아이에게) 어떻게 어머니한테 그따위 말버릇이냐. 「릇.

sauce·boat [ˊbòut] *n.* Ⓒ (배 모양의) 소스 그

*__sauce·pan__ [sɔ́:spæ̀n] *n.* Ⓒ (자루·뚜껑이 달린) 스튜 냄비.

‡**sau·cer** [sɔ́:sər] *n.* Ⓒ ① (커피 잔 따위의) 받침 접시 ; (화분의) 받침 (접시) : a cup and ~ 받침 접시가 딸린 컵. ② 받침 접시 모양의 것 ; (특히 전파 망원경의) 파라볼라 안테나 : a flying ~ 비행 접시.

sau·cer-eyed [sɔ́:sərάid] *a.* (놀라서) 눈이 접시같이 둥근, 눈을 부릅뜬.

sau·ci·ly [sɔ́:səli] *ad.* 건방지게, 뻔뻔스럽게.

‡**sau·cy** [sɔ́:si] (***-ci·er, more*** ~ ; ***-ci·est, most*** ~) *a.* ① 건방진, 뻔뻔스런 : a ~ girl 건방진 계집애 / a ~ remark 건방진 소리 / Don't be ~. 건방진 소리하지 마. ② 《口》 (특히 옷이) 맵시 있는, 멋들어진(smart). ③ 《口》 음란한, 외설적인《영화·연극》 : a ~ magazine 외설 잡지.
㊕ **-ci·ness** *n.*

Sau·di [sáudi, sɑ:ú:di, sɔ́:di] *a.* 사우디 아라비아의. ── *n.* Ⓒ 사우디 아라비아 사람.

Sáudi Arábia 사우디 아라비아《수도 Riyadh, 종교의 중심은 Mecca》.

sau·er·kraut [sáuərkràut] *n.* Ⓤ 《G.》 사우어 크라우트《잘게 썬 양배추에 식초를 쳐서 담근 독일 김치》.

Saul [sɔ:l] *n.* ① 솔《남자 이름》. ② 〖聖〗 사울《사무엘 上 ; 이스라엘의 초대 왕》. ③ 〖聖〗 사울《St. Paul의 본래 이름》.

sau·na [sáunə, sɔ́:nə] *n.* Ⓒ (핀란드의) 증기욕〔탕〕, 사우나(탕).

saun·ter [sɔ́:ntər, sɑ́:n-] *vi.* 어슬렁거리다, 산책하다(stroll) : He ~*ed* up and down looking at the shops and the people. 그는 상점이랑 사람들 구경을 하면서 어슬렁거렸다.
── *n.* (a ~) 산책(ramble) : Let's go for *a* ~ along the river. 강가로 슬슬 산책이나 갑시다.
㊕ **~·er** *n.* Ⓒ 산책하는 사람.

sau·ri·an [sɔ́:riən] *a., n.* Ⓒ 도마뱀류의 (동물).

‡**sau·sage** [sɔ́:sidʒ / sɔ́s-] *n.* Ⓤ.Ⓒ 소시지, 순대 : a string of ~*s* 한 두름으로 된 소시지.

sáusage dòg 《英口》 =DACHSHUND.

sáusage finger 끝이 뭉툭한 손가락. ⓞⓟⓟ *taper finger.*

sáusage mèat (소시지용) 다진 고기.

sáusage róll 《英》 소시지 롤빵.

sau·té [soutéi, sɔ-] *a.* 《F.》 〖料〗 (버터 따위로) 살짝 튀긴, 소테로 한. ── *n.* Ⓤ.Ⓒ 소테《살짝 튀긴 요리》. ── (~(***e***)***d*** ; **~·*ing***) *vt.* 살짝 튀기다.

sav·a·ble, save·a- [séivəbəl] *a.* ① 구조할 수 있는. ② 저축〔절약〕할 수 있는.

‡**sav·age** [sǽvidʒ] (***-age·er, more*** ~ ; ***-ag·est, most*** ~) *a.* ① 〔限定的〕 야만의, 미개한 ; 미개인의. ⓒⓕ barbarous. ⓞⓟⓟ *civil.* ¶ ~ tribes 야만족 / ~ fine arts 미개인의 예술. ② 사나운 ; 잔혹한, 잔인한 : ~ beasts 사나운 야수 / He has a ~ temper. 그는 성격이 잔인하다 / The article was a ~ attack on the government's record. 기사는 정부측 증언에 대한 맹렬한 공격이었다. ③ (풍경이) 황량한, 쓸쓸한 : ~ mountain scenery 황량한 산 경치. ④ 길들지 않은, 야생의; 《口》 성난 : get ~ with …에 몹시 화를 내다 / Her rudeness makes me ~. 무례한 그녀에게 나는 화가 났다. ***make a ~ attack upon*** …을 맹렬히 공격하다.
── *n.* Ⓒ ① 야만인, 미개인 : Thousands years ago, your ancestors were primitive ~*s* living in caves. 수천년 전, 여러분의 선조는 동굴속에 사는 원시적 미개인들이었다. ② 잔인한 사람 ; 무뢰한, 버릇없는 사람 : He described the terrorist attack as the work of ~*s.* 그는 테러리스트들의 공격을 야만인들의 짓거리라고 기술했다.
── *vt.* ① (성난 말·개 따위가 사람)을 물어뜯다 : She was ~*d* by a large dog. 그녀는 큰 개한테 물렸다. ② …을 맹렬히 비난하다, 혹평하다 : An opposition spokesman ~*ed* the Government's housing investment program. 야당 대변인은 정부의 주택 투자 계획을 맹렬하게 공격했다. ㊕ **~·ly** *ad.* **~·ness** *n.*

sav·age·ry [sǽvidʒəri] *n.* ① Ⓤ 야만, 미개(상태). ② Ⓤ 흉포성 ; 거칠고 사나움 : the ~ of the attack 공격의 흉포성. ③ (*pl.*) 야만 행위, 만행 : *Savageries* like this massacre make you ashamed to be a human being. 이 대량 학살 만행은 우리가 인간임을 부끄럽게 한다.

*__sa·van·na(h)__ [səvǽnə] *n.* Ⓤ.Ⓒ (특히 열대 아프리카·아열대 지방의 수목이 없는) 대초원, 사바나 : During the wet season they will move out into the ~ area. 우기에 그들은 사바나 지역으로 옮겨 갈 것이다. ⓒⓕ pampas, prairie, steppe.

sa·vant [sævɑ́:nt, sǽvənt ; *F.* savɑ̃] *n.* Ⓒ 《F.》 《文語》 학자, 석학(碩學).

sav·a·rin [sǽvərin] *n.* Ⓤ.Ⓒ 《F.》 사바랭《럼주 등을 넣고 만든 원통형의 케이크》.

sa·vate [səvǽt, -vɑ́:t] *n.* Ⓤ 사바트《손과 발을 쓰는 프랑스식 권투》.

†**save**[1] [seiv] *vt.* ① 《~+목/+목+전+명》 (위험 따위)에서 구하다, 건지다《*from*》: The young man ~*d* a boy *from* drowning. 그 청년이 물에 빠진 소년을 구했다 / An artificial heart could ~ his life. 인공심장이 그의 목숨을 구할 수 있었다. ② (안전하게) …을 지키다 : ~ one's honor 〔name〕 명예를〔명성을〕 지키다 / Seat belts ~ lives — buckle up! 시트벨트가 생명을 지킨다. 버

클로 바싹 맵시다《표어》.
③ 《~+目/+目+前+名》 **a**) …을 떼어〔남겨〕두다; 절약하다, 아끼다, 쓰지 않고 때우다: It ~*d* us so much time and effort. 그것으로 많은 시간과 노력이 절약되었다 / *Save* money for a rainy day. 만일을 위해 돈을 아껴라 / You'd better ~ as much of your provisions. 될 수 있는 대로 식량을 절약하는 것이 좋다. **b**) 〔再歸的〕 …을 위해 체력을 소모하지 않도록 하다: You could ~ *yourself* a lot of work if you used a computer. 컴퓨터를 사용하면 많은 일을 덜 수 있을 텐데.
④ …을 모으다, 저축하다: ~ money 저축하다 / I'm *saving* money for (the) Christmas vacation. 크리스마스 휴가를 위해 저금하고 있다.
⑤ 《~+目/+-*ing*/+目+目》 (지출)을 덜다; (수고·어려움 따위)를 적게 하다, 면하게 하다: ~ trouble 수고를 덜다 / This shirt ~*s* iron*ing*. 이 셔츠는 다림질을 안 해도 된다 / A stitch in time ~*s* nine. 《俗談》 제 때의 한 땀 아홉 수고 던다 / The government's real motive is to ~ money. 정부의 진짜 동기는 돈을 아끼자는 데에 있다.
— *vi.* ① 《~/+副/+前+名》 낭비를 막다, 절약하다; 저축하다《*for*; *up*; *on*》: We're *saving* (*up*) *for* a new car. 새 차를 사기 위해 저축하고 있다 / Living there will ~ *on* fuel. 거기 살면 연료비를 절약하게 될 것이다 / We ~ *on* time and money by shopping at the supermarket. 슈퍼마켓에서 물건을 사니 돈과 시간이 절약된다. ② 구하다, 구제하다; 골을 지키다. ◇ safe *a.* ***God ~ us !*** = ***Save us !*** 어유 놀랐다. ~ ***appearances*** 체면을 지키다〔차리다〕. ~ a person ***from*** (1) 아무를 …에서 구하다. (2) 아무에게 …을 면하게 하다. ~ ***one's bacon*** 목숨을 건지다, (간신히) 위해(危害)를 모면하다: I was nearly bankrupt, but your loan ~*d my bacon*. 거의 파산 지경이었는데 당신이 돈을 빌려줘서 위기를 면했어요. ~ ***one's breath*** 쓸데없는 말을 하지 않다: *Save your breath*—you'll never persuade her. 공연한 소리 마라. 너는 그녀를 설득할 수 없을 거야. ~ ***one's pains*** 〔***trouble***〕 헛수고를 덜다. ~ ***one's pocket*** 손해〔출비(出費)〕를 면(免)하다.
— *n.* Ⓒ ① (축구 등에서) 상대편의 득점을 막음: The goalkeeper made a great ~ in the last minute of the match. 골키퍼가 경기 최후 순간에 상대의 득점을 잘 막아 주었다. ② 〖野〗 구원 투수가 리드를 지켜 나감, 세이브.

‡save[2] *prep.* …을 제외하고, …이외에, …은 별도로 치고: the last ~ one 끝에서 둘째 / The store is open ~ on Sundays. 그 가게는 일요일을 빼고는 문을 연다 / All the boys went home ~ him. 그를 제외하고 소년들은 모두 집에 갔다. ★ 《美》에서는 except 다음으로 흔히 쓰이나, 《英》에서는 《古》 또는 《文語》로 사용됨. ~ ***for*** …을 제외하고: The stage was empty ~ *for* a few pieces of furniture. 가구 몇 점을 제외하곤 무대는 비어 있었다.
— *conj.* 〔~ that로〕 《古》 …임을 제외하고는: I know nothing ~ *that* she loves you. 그녀가 널 사랑한다는 것 외는 아무것도 모른다.

save-as-you-earn [séivəzjuːə́ːrn] *n.* Ⓤ 《英》 급료 공제 예금《略: S.A.Y.E.》.

sav·e·loy [sǽvəlɔ̀i] (*pl.* ~**s**) *n.* Ⓤ,Ⓒ 《英》 새벌로이《조미(調味)한 건제(乾製) 소시지》.

sav·er [séivər] *n.* Ⓒ ① 구조〔구제〕자. ② 절약〔저축〕가: *Savers* will be pleased about the rise in interest rates. 저축한 사람들은 이자율이 올라서 기쁠 것이다. ③ 〔複合語로〕 …절약기〔장치〕: This machine is a real time-~. 이 기계는 정말 시간을 절약하는 장치다.

‡sav·ing [séiviŋ] (***more*** ~; ***most*** ~) *a.* ① 절약하는, 알뜰한, 검소한: a ~ housewife 알뜰한 주부. ② 도움이 되는, 구조〔구제〕하는. ③ 〔限定的〕 손해없는, 벌충〔장점〕이 되는: a ~ bargain 손해 없는 거래 / a dull person with no ~ characteristics 이렇다 할 장점도 없는 우둔한 인물. ④ 예외의; 제외하는; 보류의: a ~ clause 유보 조항, 단서.
— *n.* ① Ⓤ,Ⓒ 절약, 검약(economy): ~ of 30 percent, 3할의 절약 / From ~ comes having. 《格言》 절약은 부의 근본 / *Saving* is getting. 《格言》 절약이 곧 돈 버는 것이다. ② (*pl.*) 저금, 저축(액): ~*s* deposits 저축성 예금 / He spent all his ~*s* on an expensive car. 고급차 하나 사는데 저금을 전부 썼다. ③ Ⓤ 구조, 구제; 제도(濟度). ④ Ⓤ 〖法〗 유보(留保), 제외.
— *prep.* …을 제외하고, …외에: *Saving* your presence…. 면전에서 실례입니다만….

sávings accòunt 저축 예금《《美》 '보통예금', 《英》 '적립 정기예금'에 상당》.

sávings and lóan associàtion 《美》 저축 대출 조합, 상호 은행《略: S & L》.

sávings bànk 저축 은행.

sávings bònd 《美》 저축 채권.

sáving gráce (결점을 보완하는) 장점: The play's only ~ was the high standard of the acting. 그 연극의 유일한 장점은 수준 높은 연기였다.

***sav·ior,** 《英》 **-iour** [séivjər] *n.* ① Ⓒ 구조자: Many people regarded Churchill as the ~ of the country. 많은 국민들은 처칠을 구국의 애국자로서 존경했다. ② (the〔our〕 S-) 구세주, 구주(救主)《예수》. ★ ②의 뜻으로는 《美》에서도 saviour 로 쓰는 일이 많음.

sa·voir faire [sǽvwɑːrfέər] *n.* Ⓤ 《F.》 (=to know how to do) (사교계 등에서의) 임기 응변의 재치, 수완.

***sa·vor,** 《英》 **-vour** [séivər] *n.* ① Ⓤ (또는 a ~) (독특한) 맛, 풍미: This soup has *a* ~ of garlic. 이 수프는 마늘 맛이 난다. ② (a ~) (…의) 기미, 느낌《*of*》: His words has *a* ~ *of* malice. 그의 말에는 어딘가 가시돋힌 데가 있었다. ③ Ⓤ (또는 a ~) 흥취, 흥미, 재미: Life lost its ~ after his wife died. 아내가 죽고 나서 그의 인생은 무미건조했다.
— *vt.* …을 만끽하다; 맛보다, 완미(玩味)하다: ~ the finest French cuisine 가장 훌륭한 프랑스 요리를 맛보다 / It's the first day of the holidays, so I'm ~*ing* my freedom. 오늘이 휴가 첫날이다. 그래서 난 자유를 만끽하고 있다.
— *vi.* 《+前+名》 맛이 나다《*of*》; 기미가 있다《*of*》, (…의) 느낌이 들다: His opinion ~*s of* dogmatism. 그의 의견은 일방적인 경향이 있다.

sa·vory[1] [séivəri] *n.* Ⓒ 〖植〗 차조깃과(科)의 식물《요리용; 유럽산(産)》.

sa·vory[2]**,** 《英》 **-voury** [séivəri] (***-vor·i·er***; ***-vor·i·est***) *a.* ① 풍미있는, 맛좋은; 향기로운. ② 〔흔히 否定文으로〕 (도덕적으로) 건전한: His reputation is *not* very ~. 그의 평판이 별로 좋지 않다. ③ 〖料〗 짭짤한, 소금으로 간을 한: a ~ omelet 소금으로 간을 한 오믈렛.
— *n.* Ⓒ 《英》 (흔히 식후에 내는) 짭짤한 맛이 나는 요리, 세이버리: finish up with a ~ of anchovies and cheese 안초비와 치즈의 짭짤한 요리로 식사를 마치다. ㊎ **sá·vor·i·ly** *ad.* **-i·ness** *n.*

sa·voy [səvɔ́i] *n.* =SAVOY CABBAGE.
savóy càbbage 〖植〗 양배추의 한 가지.
Savóy óperas (the ~) 사보이 오페라《19세기 말 영국의 극작가 Gilbert와 작곡가 Sullivan의 합작으로 된 일련의 희가극》.
sav·vy [sǽvi] 《俗》 *vt.* …을 알다, 이해하다 : If you do that again, I'll sock you. *Savvy ?* 또 한번 그러면 때려 주겠다. 알겠느냐 / No ~. 모르겠다.
— *n.* Ⓤ (실제적) 상식, 지식 : He has a lot of ~. 상식이 많은 사람이다.
— (*-vi·er ; -vi·est*) *a.* 사정에 정통한, 약은, 경험 있고 박식한.
‡**saw**[1] [sɔː] *n.* Ⓒ 톱 : the teeth of a ~ 톱니 / a chain〔power, circular〕 ~ 사슬〔동력, 둥근〕톱.
— (*~ed ; ~n* [sɔːn], 《稀》 *~ed*) *vt.* ①《~+목 / +목+전+명 / +목+부》 …을 톱으로 켜다〔자르다〕; 톱으로 켜서 만들다 : ~ boards 판자를 톱으로 켜다 ; (나무를 켜서) 판자를 만들다 / ~ a log *into* boards 통나무를 켜서 판자로 만들다 / ~ a branch *off* 가지를 톱으로 자르다 / ~ a plank in two 두꺼운 판자를 두 장으로 켜다 / We'll have to ~ that tree *down*.저 나무를 톱으로 잘라 넘어뜨려야겠다. ②《+목+부 / +목+전+명》 (톱질하듯이) …을 앞뒤로 움직이다 : ~ *out* a tune *on* the violin (활을 앞뒤로 움직여) 바이올린으로 한 곡 켜다 / He ~*ed* his arm back and forth. 그는 팔을 앞뒤로 흔들었다. — *vi.* ① 톱질하다. ②《+부》 (나무가) 톱으로 …하게 켜지다 : This wood does not ~ *well.* 이 나무는 톱이 잘 안받는다. ③《~ / +부 / +전+명》 (톱질하듯이) 손을 앞뒤로 움직이다 : He ~*ed away* dissonantly at the violin. 그는 바이올린을 서툴게 마구 켜댔다.
saw[2] *n.* Ⓒ 속담(proverb), 격언《보통 old saw 또는 wise saw 로서 쓰임》.
†**saw**[3] SEE[1] 의 과거.
saw·bones [⌐bòunz] (*pl.* *~, ~·es*) *n.* Ⓒ 《俗》 의사, 《특히》 외과의.
saw·buck [⌐bʌ̀k] *n.* Ⓒ ① =SAWHORSE. ②《美俗》 10달러 지폐.
sáwbuck tàble X 자형 다리의 책상.
saw·dust [⌐dʌ̀st] *n.* Ⓤ 톱밥. ***let the ~ out of*** …의 약점을 들춰내다《인형 속의 톱밥을 끄집어 내는 데서》.
saw·edged [⌐édʒd] *a.* 톱니 모양의.
sawed-off [sɔ́ːdɔ́(ː)f, -ɑ́f] *a.* 《美》 ① 한쪽 끝을 잘라 짧게 한 : a ~ gun 총신을 짧게 자른 총《갱들이 사용》. ②《俗》 키가 작은.
saw·fish [sɔ́ːfìʃ] *n.* Ⓒ 〖魚〗 톱상어.
saw·horse [⌐hɔ̀ːrs] *n.* Ⓒ 톱질 모탕.
***saw·mill** [⌐mil] *n.* Ⓒ ① 제재소. ② 대형 제재(製材)톱.
***sawn** [sɔːn] SAW[1] 의 과거분사.
sáw pìt 톱질 구덩이《두 사람이 위아래로 되어 톱질할 때 아래쪽 사람이 들어감》.
sáw sèt 톱날 세우는 기구.
saw-toothed [⌐tùːθt] *a.* 톱니(모양)의, 들쭉날쭉한.
saw·yer [sɔ́ːjər] *n.* Ⓒ 톱장이.
sax [sæks] *n.* 《口》 =SAXOPHONE.
sax·horn [sǽkshɔ̀ːrn] *n.* Ⓒ 〖樂〗 색스혼《금관악기의 하나 ; saxophone과는 다름》.
***Sax·on** [sǽksən] *n.* ① **a**) Ⓒ 색슨 사람. **b**) (the ~s) 색슨 족《독일 북부 Elbe 강 하구에 살고 있던 게르만족으로, 그 일부는 5-6 세기에 영국을 정복했음》. ② Ⓒ 영국 사람, 잉글랜드 사람(Englishman)《아일랜드 사람 · 웨일스 사람에 대하여》. ③ Ⓤ (색슨 사람이 사용하던) 색슨 말.
— *a.* 색슨 사람〔말〕의.

sax·o·phone [sǽksəfòun] *n.* Ⓒ 색소폰《목관악기의 하나》. ㊞ **sax·o·phon·ist** [sǽksəfòunist] *n.* Ⓒ 색소폰 연주가.
sax·tu·ba [sǽkstjùːbə] *n.* Ⓒ 〖樂〗 저음의 대형 「saxhorn.
†**say** [sei] (*p., pp.* ***said*** [sed] ; 3 인칭 단수 현재 직설법 ***says*** [sez]) *vt.* ①《~+목 / +(전+명)+*that* 절 / +*wh.* 절 / +목+전+명》 …을 말하다, 이야기하다 : Who *said* that ? 누가 그렇게 말했는가 / What did you ~ ? 뭐라고 했나 / If you break your promise, he'll have plenty to ~ about it. 약속을 어기면 그가 말깨나 할거다 / What did he ~ next ? He *said* "Get out !" 다음에 그는 뭐라고 그랬지 ? '나가라'고 했다 / He *said* (*to* John) *that* little damage was caused. 그는 (존에게) 손해는 거의 없다고 말했다 / He talked very much but *said* very little. 말은 많이 했으나 알맹이는 거의 없었다 / "I'm going shopping," she *said.* "Do you want to come?" '장보러 갑니다, 같이 가시려오'하고 그녀는 말했다 / ~ a word 한마디 하다 / Small children find it difficult to ~ long words. 어린 아이들은 긴 말을 하기 어려워한다 / *Say what* you mean simply. 무슨 말인지 좀 더 분명히 말해 주게 / *Say* ah. 아아 해 봐《환자의 입을 벌리게 할 때》/ He *said* a good word *for* his friend. 그는 친구의 일을 좋게 말했다 ; 그는 친구를 변호했다 / Easier *said* than done. 《格言》 말하긴 쉽고 행하긴 어렵다, 말보다 실천 / The less *said* about it the better. 《格言》 말은 적을수록 좋다. ⓒⓕ speak.
②《+목+전+명》 (말 이외의 방법으로) …을 나타내다, 표현하다 : *Say* it *with* flowers. 그 마음〔뜻〕을 꽃으로 (전하시오)《꽃집의 선전》.
③《+*that* 절》 (신문 · 게시 · 편지 · 책 따위가) …라고 씌어져 있다 ; (책 따위에) 나 있다 : There were stickers all over the crate ~*ing*; "Glass—Handle with Care." 크레이트에는 온통 '유리, 취급 주의' 라는 스티커들이 붙어 있었다 / The Bible ~*s that*.... 성서에는 …라고 씌어져 있다 / The road was not where the map *said* it should be. 지도에 나와 있어야 할 그 길은 없었다 / The clock ~*s* it is six. 시계는 여섯 시를 가리키고 있다.
④《+*that* 절》 (세상 사람들이) …이라 전하다, 말하다, …라고(들) 하다 : They ~ (*that*) he is guilty. 그는 유죄라고 한다 / They ~ 〔It's *said*〕 *that* he's to blame for it. 남들이 말하길 그건 그의 잘못이라 한다.
⑤ (기도문 · 시 등)을 외다 ; 암송하다 : ~ one's part 대사를 외다 / Try to ~ that line with more conviction. 좀 더 자신을 기지고 그 구절을 외도록 해봐라.
⑥〔삽입구처럼 예시하는 것 앞에서〕 이를테면, 예를 들면, 글쎄요 : Will you come to see me, ~, next Sunday ? 나한테 놀러 오지 않겠나, 이를테면 요번 일요일 날에라도 / Compare, ~, a Michelangelo painting with a van Gogh. 이를테면 미켈란젤로의 그림과 반 고흐의 그림을 비교해 봐라 / You could learn to play chess in, (let's) ~, three months. 이를테면 석달 정도면 체스 두는 것을 배울 수 있다.
⑦《+*that* 절》〔命令形으로〕 (가령) …라고 한다면 : Well, ~ it were true, what then ? 그런데 그게 사실이라면 어찌 됩니까.
⑧《+*to* do》《美口》 …을 명하다, …하라고 말하다 : He *said* (for me) *to* start at once. 그는 곧 출발하라고 말했다.
— *vi.* ①《~ / +부》 말하다 ; 의견을 말하다, 단언하다 : It is just as you ~. 정말 자네 말대로다 / *Say on !* 말을 계속하시오 / "Where was he

S

going?" "He didn't ~." '그는 어디 갔나'—'(내게) 말이 없었다' / "Is it possible?" "Who can ~?" '그것이 가능할까.' '그걸 누가 알겠나.' / I cannot ~. (나로서는) 모르겠다 / It ~s in our contract *that* we get three weeks' vacation. 계약서에는 우리에게 3주간의 휴가가 있다고 씌여 있다. ② 《美口》 이봐, 여보세요, 저어 ; 이거 놀랐다 (《英》 I ~.) : *Say*, there! 여보세요.

and so ~ all of us 모두 같은 의견이다. ***as much as to ~*** (마치) …라고나 하려는 듯이. ***As you ~!*** 말씀하시는 그대로입니다. ***be said to*** do 하다고 한다 : He *is said to* be the best student in the class. 그는 반에서 가장 우수한 학생이라고 한다(It is said that he is…). ***How ~ you?*** (배심원에게) 판결을 청합니다. ***I dare ~.*** 아마 그렇죠 : *I dare ~* you are British, but you still need a passport to prove it. 당신이 영국인인지도 모르죠. 그러나 그렇다 치더라도 그걸 증명할 여권이 있어야 하오. ***I mean to ~*** 《口》 더 정확하게 말하면. ***I must ~*** 〔문장의 뜻을 強調〕 정말로, 아주. ***I ~.*** (1) 《英》 이봐, 여보세요 : *I ~*, can you lend me five dollars? 이봐, 5달러 빌려주겠나. (2) 《英口》 아이구 깜짝이야 : *I ~!* What a surprise! 야! 정말 놀랐는데. ***I should ~ so*** 〔***not***〕. 그렇다고〔그렇지 않다고〕 생각한다. ***It goes without ~ing that ....*** …(임)은 말할 것도 없다. ***It is not too much to ~ that....*** …라고 해도 과언은 아니다. ***I wouldn't ~ no.*** 《英口》 네네, 좋고말고요, 기꺼이 : "Would you like some beer?"—"I *would't ~ no.*" '맥주 좀 드시겠어요', '네, 좋습니다.' ***Never ~ die!*** 낙담하지 마라, 기운내라. ***not to ~*** …라고 할 정도는 아니다 ; …라고(까지)는 말 못하더라도. ***~ a good word for*** …을 추천하다, 좋게 말하다 ; …을 위하여 변호하다. ***~ for oneself*** 변명하다. ***~ no*** '아니다'라고 말하다, …에 반대하다(*to*). ***~ on*** 〔흔히 命令形으로〕 말을 계속하다 (★go on이 일반적). ***~ out*** …을 숨김없이 말하다, 털어놓다. ***~ the word*** 명령을 내리다. ***~ to oneself*** 스스로 다짐하다, 혼자말하다 ; 마음 속에 생각하다. ***~ what you like*** 당신이 반대하여도. ***Say when*** (***I should stop***)***!*** 그만 받고 싶을 때 그렇다고 말하시오(술 따위를 따를 때). ***~ yes*** …에 동의하다, 찬성하다. ***so to ~*** 말하자면, 마치, 이를테면. ***that is to ~*** 즉, 바꿔 말하면 ; 적어도. ***though I ~ it*** (***who*** 〔《口》 ***as***〕 ***should not***) 나의 입으로 말하기는 쑥스럽지만. ***to ~ nothing of*** …은 제쳐놓고 〔고사하고〕, …은 말할 것도 없고. ***to ~ the least of it*** 극히 줄잡아 말해도. ***What do you ~*** 〔《美口》 ***What ~ you***〕 ***to...?*** …이 어떨까요 : *What do you ~ to* a drink? 한 잔 어떻소. ***When all is said*** (***and done***) 결국(은). ***You can ~ that again.*** = ***You*** 〔***You've***〕 ***said it!*** 《口》 맞았어, 바로 그대로야. ***You don't ~*** (***so***)***!*** 설마, 어떨까, 아무려니. ***You said it.*** 《口》 맞았어, 자네 말대로야.

— *n.* ① Ⓤ 할 말 ; 주장, 의견. ② Ⓤ (또는 a ~) 발언권, 발언할 차례〔기회〕 : have *a* ~ in the matter 그 일에 말할 권리가〔발언권이〕 있다 / It's your ~ now. 이번엔 네가 말할 차례다. ③ (the ~) 《美》 (최후의) 결정권(權) : have *the* ~ 최종적 결정권을 갖다(*in* ; *on*). ***say*** 〔***have***〕 ***one's ~*** 하고 싶은 말을 하다.

SAYE = SAVE-AS-YOU-EARN.

‡say·ing [séiiŋ] *n.* ① **a)** Ⓤ 말하기, 발언 : his ~ and doing 그의 언행 / He's better at ~ than doing. 그는 실행보다는 말이 앞선다. **b)** Ⓒ 말, 진술 : It was a ~ of his that.... 그는 곧잘 …라고 말했다. ② Ⓒ 속담, 격언 ; 전해 오는 말 : An old ~ tells us that 〔According to an old ~,〕 haste makes wastes. 옛 격언에 조급히 굴면 일을 그르친다고 했다.

say-so [séisòu] *n.* (*sing.*) 《口》 ① 〔흔히 on one's ~로〕 독단적인 주장, (근거없는) 발언 : I cannot accept it just *on your ~*. 네 말 만으로는 그걸 믿을 수 없다. ② 〔on the ~로〕 (권위 있는) 발언, 단정, 허가 : No baggage can go into the aircraft without his ~. 그의 허가없이는 어떤 수화물도 기내에 들여가지 못한다.

Sb 〖化〗 stibium 《L.》 (=antimony). **sb.** 〖文法〗 substantive. **S.B.** *Scientiae Baccalaureus* 《L.》 (=Bachelor of Science) ; simultaneous broadcasting. **s.b., sb** 〖野〗 stolen base(s) (도루). **SBA** 《美》 Small Business Administration(중소기업청). **SbE.** 〔**W.**〕 South by East 〔West〕. **SBN** Standard Book Number(표준 도서 번호). **Sc** 〖化〗 scandium ; 〖氣〗 stratocumulus. **Sc.** science ; Scotch ; Scots ; Scottish. **sc.** scale ; scene ; science ; scientific ; *scilicet* ; screw ; scruple ; sculpsit.

scab [skæb] *n.* ① Ⓒ (헌데·상처의) 딱지 : You shouldn't pick the ~*s*. 손톱으로 딱지를 떼선 안된다. ② Ⓤ **a)** 옴, 개선(疥癬) (scabies), (가축의) 피부병. **b)** 〖植〗 (감자 따위의) 반점병. ③ Ⓒ 《蔑》 노동 조합 비가입자 ; 파업을 깨뜨리는 사람 ; 배반자.

— (***-bb-***) *vi.* ① (상처에) 딱지가 앉다 : The wound ~*bed over*. 상처에 딱지가 앉았다. ② (~/+전+명) 《美》 《蔑》 비조합원으로 일하다, 파업을 깨뜨리다(*on*) : ~ *on* strikers 파업하는 사람들을 배반하다, 파업을 깨뜨리다.

***scab·bard** [skǽbərd] *n.* Ⓒ ① (칼 따위의) 집. ② 《美》 권총집.

scábbard fish 〖魚〗 갈치.

scab·by [skǽbi] (***-bi·er*** ; ***-bi·est***) *a.* ① 딱지투성이의, 딱지가 앉은. ② 옴〔부패병〕에 걸린.

sca·bi·es [skéibiìːz, -bìːz] *n.* Ⓤ 〖醫〗 개선(疥癬), 옴 : *Scabies* is a contagious disease which is caused by a parasite. 옴은 기생충에 의한 전염병의 하나다.

sca·bi·ous[1] [skéibiəs] *a.* 딱지 있는, 딱지투성이인 ; 딱지의(같은).

sca·bi·ous[2] *n.* Ⓤ 〖植〗 옴에 좋다는 초본(체꽃·망초 따위).

scab·rous [skǽbrəs / skéi-] *a.* ① (표면이) 꺼칠꺼칠〔우툴두툴〕한 : a ~ leaf 까칠까칠한 나뭇잎. ② (문제 따위가) 골치 아픈, 까다로운. ③ (소설 따위가) 외설〔음란〕한 : a ~ description of his past life 그의 과거에 대한 음란한 묘사.

scad [skæd] *n.* (종종 *pl.*) 《美口》 많음(*of*) : He earned ~*s of* money. 많은 돈을 벌었다 / *Scads* of people came to the party. 파티에 많은 사람이 왔다.

***scaf·fold** [skǽfəld, -fould] *n.* ① Ⓒ (건축장 따위의) 비계(scaffolding). ② **a)** Ⓒ 교수대, 단두대 : A ~ was erected in the town square. 시 광장에 교수대가 세워졌다. **b)** (the ~) (교수·단두에 의한) 사형 : send〔bring〕 a person to *the* ~ 아무를 교수대에 보내다〔사형에 처하다〕 / go to 〔mount〕 *the* ~ 교수대에 오르다, 사형에 처해지다. ③ Ⓒ 야외의 조립식 무대. — *vt.* …에 비계를〔발판을〕 만들다.

scaf·fold·ing [-iŋ] *n.* Ⓤ ① (건축장의) 비계, 발판 : The incident occurred when ~ outside the building collapsed. 사고는 건물 외벽의 비계가 무너져 일어났다. ② 〔集合的〕 발판 재료.

S

scag [skæg] *n.* Ⓤ 《美俗》 헤로인.

scal·a·ble [skéiləbl] *a.* ① (산 따위에) 오를 수 있는. ② (저울로) 달 수 있는.

sca·lar [skéilər] *n.* Ⓒ 〖物·數〗 스칼라《실수(實數)로 표시할 수 있는 수량》. cf. vector. ── *a.* 스칼라의〔를 사용한〕.

scal·a·wag, 《英》 **scal·la-** [skǽləwæ̀g] *n.* Ⓒ ① 밥벌레; 장난꾸러기, 개구쟁이: You naughty little ~! 요 장난꾸러기야 / He's a real ~ and always getting into mischief. 녀석은 정말 못말려, 노상 말썽거리다. ② 무골충, 겁쟁이《남북 전쟁 후 공화당에 가담한 남부의 백인; 남부 민주당원이 하는 욕》.

scald** [skɔːld] *n.* ① Ⓒ (끓는 물·김에 의한) 뎀 《★ 불에 덴 때는 burn》: For minor burns and ~*s*, cool the affected area under running water. 대단찮은 화상이나 데었을 때는 그 부위를 흐르는 물에다 식혀라. ② Ⓤ (과일의) 물크러짐. ── *vt.* ① 《~+目/+目+前+名》 (끓는 물·김으로) …을 데게 하다: be ~*ed* to death 화상으로 죽다 / He ~*ed* himself *with* boiling water. 그는 끓는 물에 데었다 / She was badly ~*ed* when the boiler exploded. 보일러가 터졌을 때 그녀는 심한 화상을 입었다. ② (닭·야채 따위)를 데치다; (기물(器物))을 끓는 물로 씻다〔소독하다〕《*out*》. ③ **a**) (우유 등)을 비등점 가까이까지 데우다. **b**) (닭 따위)를 튀기다. ── *vi.* 데다. ***like a ~ed cat 맹렬한 기세로《움직이다》.

scald·ing [skɔ́ːldiŋ] *a.* ① 델 것 같은; (모래밭 등이) 타는 듯한: ~ tears (비탄의) 뜨거운 눈물. ② (비평 등이) 신랄한, 통렬한. ── *ad.* 델 정도로: The coffee was ~ hot. 커피가 아주 뜨거웠다.

‡**scale**[1] [skeil] *n.* ① Ⓒ 눈금, 저울눈; 척도; 자(ruler): the ~ of a clinical thermometer 체온계의 눈금. ② Ⓒ (지도 따위의) 축척, 비율: a map drawn to a ~ of ten miles to the inch, 10마일 1인치 축척에 의한 지도. ③ Ⓒ (임금·요금·세금 등의) 율(率); 임금표: a ~ of taxation 세율. ④ Ⓤ,Ⓒ 규모, 정도: a plan of a large ~ 대규모의 계획 / The plan was never very grand in ~. 계획은 규모에 있어 결코 대단하지 않았다. ⑤ Ⓒ 계급(rank), 등급, 단계(gradation): rise in the social ~ 사회적인 지위가 오르다 / get 150 points on a 200 points ~, 2백점 만점에 150점 얻다. ⑥ Ⓒ 〖樂〗 음계, 도레미파: the major 〔minor〕 ~ 장〔단〕음계 / practice ~*s* on the piano 피아노로 음계를 연습하다. ⑦ Ⓒ 〖數〗 …진법, 기수법(記數法): the decimal ~ 십진법. ***in ~*** 일정한 척도에 따라, 균형이 잡혀《*with*》. ***out of ~*** 일정한 척도에서 벗어나, 균형을 잃고《*with*》. ***to ~*** 일정한 비율로 확대〔축소〕한: a miniature garden, with little pagodas and bridges all *to* ~ 작은 탑들과 다리들을 일정한 비율로 축소한 모형 정원.
── *vt.* ① (산 따위)에 올라가다; 사다리로 오르다: ~ a wall with a ladder 벽에 사다리를 대고 오르다. ② (지도)를 축척으로 그리다; 일정한 비율로 만들다〔에 따라 정하다〕; (단계적으로) 줄이다《*down*》: ~ a map 축척으로 지도를 그리다. ③ …을 조정하다; 비율에 따라 축소〔확대〕하다: ~ a production schedule to actual demand 실수요에 따라 생산 계획을 세우다. ── *vi.* 오르다; 점점 높아지다. ~ ***back*** 축소하다: ~ *back* military forces 병력을 감축하다. ~ ***down*** 〔***up***〕 비율에 따라 줄이다〔늘리다〕, 축소〔확대〕하다: Trade union leaders have threatened to ~ *up* strike action. 노조 지도자들은 파업 활동을 확대하겠다고 위협했다.

‡**scale**[2] *n.* ① Ⓒ 천칭의 접시; (흔히 *pl.*) 천칭; (종종 *pl.*) 저울: a pair of ~*s* 천칭 / a spring ~ 용수철 저울 / weigh oneself on the bathroom ~(*s*) 욕실의 저울로 체중을 재다. ② (the S-s) 〖天〗 저울자리〔궁〕(Libra). ***go to ~ at*** 체중이 …이다. ***hang in the ~*** 어느 쪽으로도 결정하지 않다. ***hold the ~s even*** 〔***equally***〕 공평히 판가름하다. ***tip*** 〔***tilt, turn***〕 ***the ~(s)*** (1) 무게가 나가다《*at*》: He *tips the ~s at* 60kg. 그는 체중이 60 kg 나간다. (2) (저울을 기울게 하듯이) 형세를〔국면을〕 일변시키다.
── *vt.* …을 저울로 달다.
── *vi.* 《+補》 무게가 …나가다(weigh): It ~*s* 10 tons. 그것은 무게가 10톤 나간다.

scale**[3] *n.* ① Ⓒ 비늘: Wash the fish and scrape off the ~*s* with a sharp knife. 생선을 씻어서 잘 드는 칼로 비늘을 벗겨내라. ② Ⓤ 비늘 모양의 것; 얇은 조각; 인편(鱗片); 딱지. ③ Ⓒ 〖植〗 아린(芽鱗)《싹·봉오리를 보호하는》, 인포(鱗苞). ④ Ⓤ 《주로 美》 (보일러 속에 끼는) 물때. ⑤ Ⓤ 이똥; 치석(齒石)(tartar). ***remove the ~s from a person'***s eyes*** 아무의 눈을 뜨게 하다; 잘못을 깨닫게 하다. ***The ~s fall*** (***off***) ***from*** one'***s eyes***. 〖聖〗 잘못을 깨닫다《사도행전 Ⅸ: 18》.
── *vt.* ① …에서 비늘〔껍질〕을 벗기다: ~ a fish. ② 《~+目/+目+前+名》 이똥〔치석〕을 벗기다《*from*》: ~ tartar (*from* the teeth) 치석을 제거하다. ③ (보일러 따위)에 물때를 앉게 하다.
── *vi.* ① 《~/+副/+前+名》 (비늘·페인트 등이) 벗겨져 떨어지다《*off*; *away*》: The paint is *scaling off* (the door). (문의) 페인트가 벗겨져 가고 있다. ② 버캐가〔쇳녹, 이똥 등이〕 끼다.

scaled [skeild] *a.* ① 눈금이 있는. ② 〖動〗 비늘이 있는, 비늘 모양의.

scále ìnsect 〖蟲〗 개각충(介殼蟲), 깍지진디.

sca·lene [skeilíːn] *a.* 〖數〗 (삼각형이) 부등변의: a ~ triangle 부등변 삼각형.

scal·ing [skéiliŋ] *n.* Ⓤ 〖컴〗 크기 조정; 〖齒〗 치석 제거.

scáling làdder 공성(攻城) 사다리; 소방 사다리.

scal·lion [skǽljən] *n.* Ⓒ 〖植〗 부추(leek); 골파.

scal·lop [skɑ́ləp, skǽl-/skɔ́l-] *n.* ① Ⓒ 〖貝〗 가리비; 그 껍질(~ shell); 조개 냄비, 속이 얕은 냄비. ② (*pl.*) 〖服〗 스캘럽《가장자리 장식으로 쓰이는 부채꼴의 연속 무늬》. ── *vt.* ① …을 부채 모양으로 하다; 〖刺繡〗 스캘럽으로 꾸미다: a ~*ed* cuff 스캘럽으로 장식한 소맷부리. ② …을 조개 냄비에 조리하다〔요리하다〕.

scal·ly·wag [skǽliwæ̀g] *n.* =SCALAWAG.

***scalp** [skælp] *n.* Ⓒ ① 머릿가죽. ② **a**) (머리털이 붙은) 머릿가죽. **b**) 《口》 전리품(trophy), 승리의 징표.
── *vt.* ① …의 머릿가죽을 벗기다. ② 《美口》 **a**) (증권 등)을 차익금을 남기고 팔다. **b**) (표 따위)를 (매점했다가) 비싸게 팔아 넘기다.

scal·pel [skǽlpəl] *n.* Ⓒ 외과용〔해부용〕 메스.

scalp·er [skǽlpər] *n.* Ⓒ ① 머릿가죽을 벗기는 사람. ② 《口》 당장의 이윤을 노려 사고 파는 사람; 암표상(ticket ~).

scálp hàir 머리칼.

scaly [skéili] (***scal·i·er; -i·est***) *a.* ① 비늘이 있는; 비늘 모양의. ② 비늘처럼 벗겨지는. ③ 물때가 있는, 버캐가 앉은. ㊕ **scál·i·ness** *n.*

scály ánteater 〖動〗 천산갑(pangolin).

scam, skam [skæm] *n.* Ⓒ 《美俗》 (신용) 사기, 편취. ── (**-mm-**) *vt.* …을 속이다, 사기치다. ── *vi.* ① 애무하다. ② 성교하다.

scamp [skæmp] *n.* Ⓒ ① 무뢰한, 깡패. ② (애

S

칭으로서) 개구쟁이, 장난꾸러기; 말괄량이: That little ~ has hidden my slippers again! 저 개구쟁이가 또 내 슬리퍼를 감췄구나 / Where have you been up to, you ~? 이 말썽꾸러기야 이제까지 어디 있었니. ― *vt.* (일)을 되는 대로 하다, 겉날리다.

***scam·per** [skǽmpər] *vi.* 《~ / +전+명》 (어린 아이·작은 짐승 등이) 강종강종 뛰어다니다〔돌아다니다〕, 재빨리 도망가다《*about*; *around*; *into*》: The mouse *~ed* (*away*) *to* its hole. 생쥐가 재빨리 구멍으로 도망갔다 / The children *~ed* up the steps laughing. 아이들이 깔깔거리며 계단을 뛰어 올라갔다. ― *n.* Ⓒ 뛰어다님.

scam·pi [skǽmpi] (*pl.* ~) *n.* ① Ⓒ 참새우. ② Ⓤ 스캠피《참새우를 기름이나 버터에 지진 요리》.

scan** [skæn] (-nn-***) *vt.* ① (얼굴 등)을 자세히 쳐다보다; 자세히 조사하다, 세밀히 살피다(scrutinize): ~ a person's face 아무의 얼굴을 뚫어지게〔자세히〕 보다 / They *~ned* the sky for the spacecraft. 그들은 우주선이 안보일 때까지 하늘을 응시했다. ②《美口》(신문 등)을 대충 훑어보다: I haven't read much into it as yet. I've only just *~ned through* it. 나는 그걸 아직 많이 읽지 못했다. 그저 대충 훑어봤을 뿐이다. ③〖TV〗(영상)을 주사(走査)하다; (레이더나 소나)로 탐지하다; 〖컴〗 훑다, 주사(走査)하다: The radar *~ned* the sea for any sign of enemy ship. 레이더는 적함의 흔적을 찾아 해면을 훑었다 / The documents and diagrams can be *~ned* into the computer. 문서와 도표들은 컴퓨터로 주사할 수 있다. ④ (인체에 방사성 물질을 넣어) 주사(走査)하다, 스캔하다. ― *vi.* ① (시행(詩行)이) 운율〔운각〕에 맞다: This line doesn't ~. 이 행은 운율이 맞지 않는다. ②〖TV〗 주사(走査)하다.
― *n.* (a ~) ① 자세히 살핌; 정사(精査). ②〖TV·통신·컴·醫〗 주사(走査), 스캔. ③ 운율을 맞추기.

S

Scan(d). Scandinavia(n).

:scan·dal [skǽndl] *n.* ① Ⓤ,Ⓒ 추문, 스캔들, 의옥(疑獄), 독직〔부정〕 사건〔행위〕: a political ~ 정치적 스캔들 / a financial ~ 금융 부정 사건 / A series of corruption *~s* led to the fall of the government. 일련의 부패 스캔들이 정부를 붕괴로 몰고갔다. ② Ⓒ 불명예, 창피, 수치(disgrace) 《*to*》: What a ~! 무슨 창피람 / Her conduct is a ~ *to* us. 그녀의 행위는 우리의 수치다. ③ Ⓒ (스캔들에 대한) 세상의 분개, 물의: It is a ~ that someone can be stopped for no reason by the police. 누구나 이유없이 경찰에 잡힌다면 그건 언어도단이다. ④ Ⓤ 악평; 중상; 험구; 비방(backbiting): Everyone enjoys a bit of ~. 누구라도 조금은 남의 비방을 하기 좋아한다 / talk ~ 중상하다. ***cause*** 〔***create, give rise to***〕 ~ 세간에 물의를 일으키다.

scan·dal·ize [skǽndəlàiz] *vt.* 〔흔히 受動으로〕 …을 어이없게 만들다, 분개시키다, …의 반감을 사다《*at*; *by*》: People *were ~d at* the slovenly management of the firm. 사람들은 그 회사의 방만한 경영에 어이가 없었다.

scan·dal·mon·ger [skǽndlmʌ̀ŋgər] *n.* Ⓒ 험담꾼, 추문을 퍼뜨리는 사람.

***scan·dal·ous** [skǽndələs] *a.* ① 소문이 나쁜; 명예롭지 못한, 수치스러운(shameful): There were some ~ stories about her. 그녀에 대한 좋지 못한 소문이 나돌았다. ② 괘씸한; 중상적인, 욕을 하는: ~ reports 중상 보도 / It is ~ that you were treated so badly. 네가 그런 심한 대우를 받았다니 괘씸하구나. ㊞ **~·ly** *ad.* **~·ness** *n.*

scándal shèet 《美》 추문·가십을 크게 다루는 신문〔잡지〕.

Scan·di·na·via [skæ̀ndənéiviə] *n.* 스칸디나비아; 북유럽《스웨덴·노르웨이·덴마크, 때로는 아이슬란드와 그 부근의 섬을 포함함》.

***Scan·di·na·vi·an** [skæ̀ndənéiviən] *a.* ① 스칸디나비아의. ② 스칸디나비아 사람〔어〕의. ― *n.* ① Ⓒ 스칸디나비아 사람. ② Ⓤ 스칸디나비아 어.

Scandináv ian Península (the ~) 스칸디나비아 반도.

scan·di·um [skǽndiəm] *n.* Ⓤ 〖化〗 스칸듐《희(稀)금속 원소; 기호 Sc; 번호 21》.

scan·ner [skǽnər] *n.* Ⓒ ①〖TV·通信〗 영상(映像) 주사기; 주사(走査) 공중선. ②〖醫〗 (인체 주사용) 단층 촬영장치, 스캐너. ③ scan하는 사람.

scan·ning [skǽniŋ] *n.* Ⓤ ①〖TV·通信·컴·레이더〗 주사(走査). ②〖醫〗 인체 스캐닝, 단층 촬영.

scánning lìne 〖TV〗 주사선(走査線).

scánning ràdar 주사식(走査式) 레이더.

scan·sion [skǽnʃən] *n.* Ⓤ,Ⓒ 율독(律讀)(법)《운율을 붙여 낭독함》; (시의) 운율 분석. ◇ scan *v.*

scant** [skænt] *a.* ① (지식·경험·청중 등) 많지 않은, 불충분한, 부족한(deficient): a ~ supply of water 부족한 물공급 / The man has ~ regard for the truth. 그 사람은 진실에 대해 별 관심이 없다. ② 〔敍述的〕 모자라는, 부족한《*of*》: be ~ *of* money 돈에 궁하다 / He's ~ of breath. 그는 숨차하고 있다. ③ 〔限定的; 수량을 나타내는 말을 修飾〕 약간 모자라는: We had a ~ hour to pack. 짐싸는데 채 한 시간도 시간 여유가 없었다. ***with ~ courtesy 아무렇게나, 되는대로.

scant·ies [skǽntiz] *n. pl.* 《口》 (여성용의) 짧은 바지, 스캔티.

scant·ling [skǽntliŋ] *n.* ① Ⓒ (서까래 따위로 쓰는 5인치각(角) 이하의) 각재(角材). ② Ⓤ 〔集合的〕 작은 각재류.

:scanty [skǽnti] (***scant·i·er***; ***-i·est***) *a.* (수·양·치수 등이) 모자라는, 부족한, 얼마 안되는, 불충분한(insufficient), 빈약한. opp. *plentiful, ample.* ¶ a ~ breakfast 불충분한 조반 / She had only *scantiest* education. 그녀는 거의 교육을 받지 못했다.
㊞ **scánt·i·ly** *ad.* 모자라게, 부족하게, 빈약하게: The bedroom was *scantily* furnished. 그 침실에는 별로 가구가 없었다. **-i·ness** *n.*

scape [skeip] *n.* Ⓒ 〖植〗 (수선화처럼 뿌리에서 곧장 나오는) 꽃꼭지, 꽃줄기.

-scape '경치'의 뜻의 결합사: land*scape*, sea*scape*, cloud*scape*.

scape·goat [skéipgòut] *n.* Ⓒ ①〖聖〗 속죄양《사람의 죄를 대신 지고 광야에 버려진 양》. ② 남의 죄를 대신 지는 사람, 희생양: He has been made the ~ for the government's incompetence. 정부의 무능에 그가 희생양이 됐다.

scape·grace [∠grèis] *n.* Ⓒ 성가신 놈, 쓸모없는 사람.

scap·u·la [skǽpjələ] (*pl.* ***-lae*** [-lìː, -lài], ***~s***) *n.* Ⓒ 《L.》〖解〗 견갑골(肩胛骨), 어깨뼈.

scap·u·lar [skǽpjələr] *a.* 견갑골의; 어깨의.

:scar [skɑːr] *n.* Ⓒ ① **a**) (화상·부스럼 따위의) 상처 자국, 흉터: a vaccination ~ 우두 자국 / There were *~s* on his arm. 그의 팔에는 여러 흉터가 있었다. **b**) (가구 따위의) 흠집. ② 자국: Every village bears the *~s* of war. 어느 마을에나 전쟁의 상흔이 남아 있다. ③ (마음·명성 등의) 상처: leave a ~ on one's good name 명성이 손

상되다 / The trauma of her mother's death had left deep ~*s*. 어머니의 죽음으로 인한 충격은 그녀에게 깊은 상처를 남겼다.
— (-*rr*-) *vt.* …에 상처를 남기다 : He dropped the ashtray and ~*red* the table. 재떨이를 떨어뜨려 탁자에 흠집을 냈다. — *vi.* 상처가 되다 ; 흉터〔상처〕를 남기고 낫다《*over*》: The cut will ~ *over*. 그 벤 상처는 흉터가 남을 것이다.

scar·ab [skǽrəb] *n.* Ⓒ ①〖蟲〗 풍뎅이(=∠ **bèetle**). ② 스카라베《고대 이집트인이 부적이나 장식품으로 썼던 풍뎅이 모양의 보석·도기(陶器)》.

Scar·a·mouch [skǽrəmùːʃ, -màutʃ] *n.* Ⓒ ① 스카라무슈《옛 이탈리아 희극의 겁많은 어릿광대 역(役)》. ② (s-) 공연히 우쭐대는 겁쟁이 ; 허풍떠는 불량배.

‡scarce [skɛərs] *a.* ①〔敍述的〕(음식물·돈·생활 필수품이) 부족한, 적은, 결핍한《*of*》: be ~ *of* provisions 식량이 부족하다 / Money is ~. 돈이 부족하다 / Food was ~ and expensive. 식품은 부족하고 값은 비쌌다. ② 드문, 희귀한(rare) : a ~ book 진본(珍本). ◇ scarcity *n.* ***make oneself*** ~《口》(난처한 사람·일에서) 슬쩍 몸을 숨기다, 사라지다 : Dad's really angry with you, so you'd better *make yourself* ~. 아빠가 너 때문에 몹시 화가 났다. 그러니 몸을 피해라.

‡scarce·ly [skɛ́ərsli] *ad.* ① 간신히, 가까스로, 겨우. cf. hardly. ¶ He is ~ seventeen. 그는 겨우 17세가 될까말까 한다 / She seemed ~ aware of him. 그녀는 겨우 그를 알아보는 것 같았다. ② 거의 …아니다 ; 설마 …하는 일은 없다 : I can ~ see. 거의 안 보인다 / There was ~ anything left to eat. 먹을 수 있는 것은 거의 남아 있지 않았다 / He can ~ have done so. 설마 그가 그런 짓을 했으리라고 생각되지 않는다 / We could ~ see anything through the thick fog. 짙은 안개로 거의 아무것도 볼 수 없었다. ③ 단연 …아니다 : This is ~ the time for arguments! 지금은 토론하고 있을 때가 아니다. ~ . . . ***but*** …하지 않은 것은〔없는 것은〕 거의 없다 : There is ~ a man *but* has his weak side. 약점이 없는 사람은 거의 없다. ~ ***ever*** 좀처럼 …않다. ~ . . . ***when*** 〔***before***〕 …하자마자〔하기가 무섭게〕, …함과 거의 동시에《강조를 위해 전도되는 경우가 많음》: I had ~ said the word *when* he entered. 내가 그렇게 말하자마자 그가 들어왔다 / *Scarcely* had I sat down to eat *when* the phone rang. 앉아서 막 먹으려 하는데 전화가 울렸다.

***scar·ci·ty** [skɛ́ərsəti] *n.* ① U,C (생필품 등의) 부족(lack) ; 결핍《*of*》: ~ *of* petroleum 석유 부족 / A ~ *of* safe water is helping the disease to spread. 안전한 식수 부족이 질병 확산을 조장하고 있다. ② Ⓤ 드문 일(rarity), 희소 가치.

‡scare [skɛər] *vt.* ① …을 위협하다, 놀라게〔겁나게〕 하다 : a ~*d* look 겁에 질린 표정 / I didn't mean to ~ you. 너를 겁주려는 게 아니었다 / The Minister said America could not ~ Pakistan with aid cuts. 수상은 미국의 원조삭감이 파키스탄에겐 위협이 되지 못할 것이라 말했다. ②《+目+前+名 / +目+副》…을 겁주어〔위협해〕 …하게 하다《*into*》; 을러대어 쫓아버리다《*away* ; *off*》: ~ a person *from* a room 위협해 아무를 방에서 쫓아내다 / He ~*d* the salesman *away*. 그는 그 외판원을 위협해 쫓아버렸다. ③《+目+補》…을 무섭게 하여 …한 상태로 만들다 : The accident ~*d* them senseless. 그 사고로 그들은 기절할 정도로 놀랐다 / The lion's roar ~*d* him stiff. = He was ~*d* stiff by the lion's roar. 사자가 짖는 소리에 그는 기겁을 했다. — *vi.*《~ / +前+名》겁내다, 놀라다 : That horse ~*s* quite easily. 저 말은 걸핏하면 놀란다 / She ~*d at* a lizard. 그녀는 도마뱀에 놀랐다. ~ ***the life*** 〔***the hell***〕 ***out of*** a person《口》…을 기절초풍하게 하다 : She ~*d the life out of* me when she crept up behind me and shouted in my ear. 그녀가 살금살금 내 뒤로 다가와서 내 귀에다 왁 소리질렀을 때 나는 혼절을 했다. ~ ***up*** 〔***out***〕《美》(1) (숨어 있는 사냥 짐승)을 몰아내다. (2) (돈·급히 필요한 물건)을 변통하다, 긁어 모으다 ; (갖고 있는 것으로 식사 따위)를 마련하다.
— *n.* ① (a ~) 공포, 겁, 놀라기 : You gave me *a* ~. 사람 놀라게 만드는군 / We got a bit of *a* ~. 우리는 좀 무서웠다. ② Ⓒ (잘못된 소문으로) 놀라서 떠들기, (사회적) 공황, 패닉 : The rumor caused a war ~. 그 소문으로 해서 전쟁 소동이 일어났다.
— *a.* 〔限定的〕 놀라게 하는, 겁주는 : a ~ headline 깜짝 놀라게 하는 신문의 표제(기사).

‡scare·crow [∠kròu] *n.* Ⓒ ① 허수아비. ②《口》초라한〔여윈〕 사람. ③ 엄포.

scared [skɛərd] (***more*** ~ ; ***most*** ~) *a.* 무서워하는, 겁먹은 : a ~ boy〔look〕 겁먹은 아이〔표정〕 / She was ~ (*to* death) *at*〔*by*〕 the strange noise. 그녀는 그 이상한 소리에 (몹시) 겁이 났다 / I'm ~ of snakes. 나는 뱀이 무섭다 / I'm ~ that these will turn out to be the wrong ones. 나는 이것들이 잘못된 것으로 드러날까봐 두렵다.

scaredy-cat [skɛ́ərdikæ̀t] *n.* Ⓒ《口》겁쟁이.

scare·head [∠hèd] *n.* =SCAREHEADING.

scare·heading [skɛ́ərhèdiŋ] *n.* Ⓒ《口》(신문의) 특대 표제.

scare·mon·ger [∠mʌ̀ŋgər] *n.* Ⓒ (유언비어 등으로) 세상을 시끄럽게 하는 사람.

scare·truck [∠trʌ̀k] *n.* Ⓒ《美俗》(주차 위반차를 끌어가는 경찰의) 견인차.

‡scarf [skɑːrf] (*pl.* ~***s*** [-fs], ***scarves*** [-vz]) *n.* Ⓒ ① 스카프, 목도리. ②《美》(옷장·테이블·피아노 따위의) 덮개, 보(따위).

scar-faced [skάːrfèist] *a.* 얼굴에 흉터가 있는.

scárf clòud 〖植〗 (버섯의) 갓.

scarf·pin [skάːrfpìn] *n.* Ⓒ 스카프핀.

scarf·skin [skάːrfskìn] *n.* (the ~) 〖解〗 (손톱 뿌리의) 표피.

scarf-wise [skάːrfwàiz] *ad.* (어깨띠 모양으로) 어깨에서 옆구리로 비스듬히.

scar·i·fy[1] [skǽrəfài] *vt.* ①〖醫〗 (피부)를 마구 베다《우두 등에서 살갗을 몇 군데 잘게 절개하는 일》. ②〖農〗 (표토)를 파 일구다. ③《文語》…을 혹평하다, 마구 헐뜯다.

scar·i·fy[2] [skǽrəfài] *vt.*《口》…을 겁주다, 무섭게 하다.

‡scar·let [skάːrlit] *n.* Ⓤ ① 주홍, 진홍색《죄악을 상징하는 빛으로 동시에, 지위·신분이 높음도 상징》: She blushed ~ when I swore. 내가 욕을 했더니 그녀는 얼굴이 새빨개졌다 / The band was dressed in ~. 악단은 진홍색 의상을 하고 있었다. ② 진홍색의 옷(감). — *a.* ① 주홍의, 다〔진〕홍색의 : turn ~ (with anger〔shame〕) (노해서〔부끄러워〕) 새빨개지다. ② (성적으로) 음란한(whorish).

scárlet féver 〖醫〗 성홍열(猩紅熱).

scárlet létter 주홍글자《옛날, 미국 청교도들이 간통한 자의 옷가슴에 꿰맨 주홍색의 A글자 ; adultery의 머릿글자임》.

scárlet pímpernel 〖植〗 나도개별꽃.

scárlet rásh 〖醫〗 장미진(疹).

scárlet wóman 음란한 여자, 매춘부.
scarp [skɑːrp] *n.* Ⓒ 〖地質〗 (단층(斷層) 또는 침식에 의한) 가파른 사면(斜面).
scar·per [skɑ́ːrpər] *vi.* 《英俗》 도망치다 : Go on ~! 튀자 / The baby's father *~ed* as soon as I told him I was pregnant. 내가 임신했다고 하자 애기 아버지는 도망쳤다.
scarred [skɑːrd] *a.* 상흔(傷痕)을 남기고 있는 : a war-~ country 전쟁의 상흔을 남기고 있는 나라 / a face ~ with sorrow 슬픔을 간직한 얼굴.
sćar tìssue 〖醫〗 반흔(瘢痕) 조직.
scar·y [skɛ́əri] (***scar·i·er ; -i·est***) *a.* 《口》 ① 잘 놀라는, 겁이 많은, 소심한 : There is something very ~ to him. 그는 아주 소심한 데가 있다 / Don't be so ~ ; we're quite safe. 그렇게 겁내지 마. 우린 아주 안전하다. ② 무서운, 두려운 : a ~ movie 공포 영화 / It was a ~ moment. 그건 무서운 순간이었다. ㊎ **scár·i·ness** *n.*
scat[1] [skæt] *vi.* 〔흔히, 命令形으로〕 황급히 가다 : *Scat !* 꺼져 / It's getting dark ; You'd better ~*!* 어두워진다. 너희들 빨리 가는 게 좋겠다.
scat[2] *n.* Ⓤ 〖재즈〗 스캣《무의미한 음절을 반복하는 노래〔창법〕》. ── (***-tt-***) *vi.* 스캣을 부르다.
scath·ing [skéiðiŋ] *a.* (비평 등이) 냉혹한, 가차없는 : ~ criticism 통렬한 비평 / They made a ~ attack on the government. 그들은 정부를 가차없이 비난했다 / The report was ~ about the lack of safety precautions. 기사는 안전 예방조치가 없었음을 통박했다. ㊎ **~·ly** *ad.*
sca·tol·o·gy [skətɑ́lədʒi / -tɔ́l-] *n.* Ⓤ ① (화석의) 분석학(糞石學) ; 〖醫〗 분변학(糞便學). ② 배설물에 관한 외설(문학). ㊎ **scat·o·log·i·cal** [skæ̀təlɑ́dʒikəl / -lɔ́dʒ-] *a.*
‡**scat·ter** [skǽtər] *vt.* ① …을 흩뿌리다, (씨 따위)를 뿌리다《*around ; round ; about*》: ~ seeds *over* the fields 밭에 씨를 뿌리다 / *Scatter* some of this powder *round* the plants and they will grow better. 이 가루를 나무 둘레에 좀 뿌리시오. 그럼 더 잘 자랄 것이오.
② 《~+목 / +목+전+명》 …에 흩뜨려 놓다, 산재(散在)시키다《*with*》: a child who *~s* his toys all over the house 온 집 안에 장난감들을 어질러 놓는 아이 / ~ a book *with* anecdotes 책의 여기저기에 일화를 삽입하다 / Parrots ~ their food *about* and make a mess. 앵무새들이 모이를 엉망으로 흩뜨리고 있다.
③ (군중·짐승·적군 등)을 흩어버리다, 쫓아버리다 : The police *~ed* the crowd mercilessly. 경찰이 진입하여 가차없이 군중을 해산시켰다.
④ (희망·공포·의심 따위)를 흩어버리다, 사라지게 하다(dissipate) : ~ one's hopes.
── *vi.* 뿔뿔이 흩어지다 : The boys *~ed* squealing in horror. 아이들은 무서워 비명을 지르며 흩어졌다 / The policeman blew his whistle and the students *~ed* in as directions. 경찰이 호각을 불자 학생들은 사방으로 흩어졌다 / The protesters *~ed* at the sound of gunshots. 항의자들은 총성을 듣고 흩어졌다. ~ ***to the four winds*** 사방에 흩뿌리다〔흩어지다〕.
── *n.* ① Ⓤ 흩뿌리기, 살포. ② (a ~) 흩뿌리는 정도의 수〔양〕, 소수, 소량 : *a* ~ of rain on the window 똑똑 창문을 때리는 비 / *a* ~ of applause 산발적으로 터지는 박수.
scat·ter·brain [skǽtərbrèin] *n.* Ⓒ 머리가 산만한 사람 ; 침착하지 못한 사람.
scat·ter·brained [skǽtərbrèind] *a.* 침착하지 못한, 머리가 산만한 : I find I'm becoming more ~ as I get older. 나는 내가 늙어가면서 머리가 더 산만해지는 것을 안다.
scátter cùshion 《美》 (소파용의) 쿠션.
***scat·tered** [skǽtərd] *a.* ① 뿔뿔이 된, 산재하는, 드문드문한 : ~ houses 드문드문한 민가. ② 산발적인 : sunshine with ~ showers 산발적인 소나기를 동반한 맑은 날씨.
scat·ter·ing [skǽtəriŋ] *a.* 드문드문 있는, 흩어지는, 산재하는 : ~ birds 사방으로 흩어져 날아가는 새들. ── *n.* Ⓤ ① 흩어지기, 산재 : the blue night sky with its ~ of stars 별들이 산재하는 푸른 밤하늘. ② (또는 a ~) 흩뿌리는 정도의 수〔양〕, 소수, 소량《*of*》: have *a* ~ *of* visitors 간간이 손님이 오다 / *a* ~ *of* sheep grazing on the meadows 목장 여기저기서 풀을 뜯고 있는 양들. ㊎ **~·ly** *ad.* 분산되어, 뿔뿔이.
scátter propagàtion 〖通信〗 산란 전파(傳播).
scátter rùg (방 안 여기저기에 깔아 놓는) 작은 융단(throw rug).
scat·ter·shot [skǽtərʃɑ̀t / -ʃɔ̀t] *a.* 〔限定的〕 《美》 마구 쏘는, 난사하는 ; 닥치는 대로의, 무차별적인.
scat·ty [skǽti] (***-ti·er ; -ti·est***) *a.* 《英口》 덜떨어진, 머리가 산만한, 미덥지 못한 : She's a ~ but charming girl. 그녀는 약간 모자라지만 밉지 않은 소녀다.
scav·enge [skǽvəndʒ] *vt.* ① (거리)를 청소하다. ② (내연 기관의 기통)에서 배기(排氣)하다. ③ 먹을 것을 찾아 헤매다 ; (썩은 고기, 음식 찌꺼기)를 먹다 : a crow *scavenging* for carrion 썩은 고기를 뜯어먹고 있는 까마귀. ④ (이용할 수 있는 것)을 폐품 중에서 가려내다〔모으다〕; 폐품을 이용하다 : We managed to ~ a lot of furniture from the local rubbish dump. 우리는 지역 쓰레기 더미에서 그럭저럭 꽤 쓸만한 많은 가구를 가려 모았다.
scav·en·ger [skǽvindʒər] *n.* Ⓒ ① 썩은 고기를 먹는 짐승. ② 《英》 **a)** 거리 청소부《★ 지금은 흔히 dustman을 씀》. **b)** 넝마주이, 폐품업자.
sce·na [ʃéinə] (*pl.* ***-nae*** [-niː, -nai]) *n.* Ⓒ 《It.》 〖樂〗 (가극의) 한 장면 ; 극적 독창곡.
sce·nar·io [sinɛ́əriòu, -nɑ́ːr-] (*pl.* ***-i·os***) *n.* Ⓒ ① 《It.》 〖劇〗 극본 ; 〖映〗 시나리오, 영화 각본(screenplay), 촬영대본(shooting script). ② 행동 계획, 계획안.
sce·nar·ist [sinɛ́ərist, -nɑ́ːr-] *n.* Ⓒ 영화 각본가, 시나리오 작가.
†**scene** [siːn] *n.* ① Ⓒ (종종 *pl.*) (연극의) 무대 장면 ; (영화의) 세트 ; (무대의) 배경, 무대장치 : paint *~s* 배경을 그리다 / The *~s* are changed during the interval. 막간에서 몇 장면이 바뀌었다. ② Ⓒ (극의) 장(場) ; (무대·영화에 펼쳐지는 특정한) 장면 ; 신 : a love ~ 러브 신 / Act III, *Scene* ii, 제 3 막 제 2 장 / the balcony ~ from〔in〕 "Romeo and Juliet" '로미오와 줄리엣'의 발코니 신. ③ Ⓒ 광경, 경치, 조망 : a lovely wood land ~ 아름다운 삼림지대의 풍경. ④ (the ~) (사건·소설 따위의) 무대, 현장 : *the* ~ of action〔disaster〕 현장〔조난지〕/ Police reached *the* ~ too late to prevent a riot. 난동을 막기에는 경찰의 현장 도착이 너무 늦었다 / Criminals often return to *the* ~ of the crime. 범인들은 종종 범죄현장에 다시 돌아온다. ⑤ Ⓒ (울부짖는) 큰 소동 : She made a ~ to get her own way. 그녀는 울부짖는 등 소란을 피워 제 고집을 관철했다. ⑥ Ⓒ **a)** 《口》 실황, 사정 ; (the ~) 《口》 (패션·음악 등의) …계(界) : an intriguing newcomer on *the* rockmusic ~ 록뮤직계의 매혹적인 신인 / After years at the top, she simply vanished from *the*

film ~. 수년간 정상에 있던 그녀는 그냥 갑자기 은막에서 사라졌다. **b**) (one's ~) 〔흔히 否定文으로〕《口》 흥미(의 대상), 기호; 《美俗》 (재즈 애호가의) 모임, 늘 모이는 장소: It's *not my* ~. 그것은 내가 잘 모르는 일이다 / I'm *not* going to the disco — it's just *not my* ~. 난 디스코에 안 가겠다. 내 취향에 안맞는다. ★ 보통 scene은 한정된 개개의 장면으로 [C], scenery는 (특히 자연의) 전(全)풍경을 가리켜 [U]. ◇ scenic *a.*
behind the ~s (1) 무대 뒤〔막후〕에서: Officials working *behind the ~s* urged them to avoid further confrontation. 막후에서 움직이는 관리들은 그들에게 더이상의 대립을 피해달라고 강력히 권고했다. (2) 이면에서, 비밀로. ***come*** 〔***appear, arrive***〕 ***on the*** ~ 무대에 등장하다; 나타나다. ***have a nice*** ~ 활극을 벌이다《*with*》; 법석을 떨다. ***on the*** ~ 현장에, 그 자리에: I phoned the police and they were *on the* ~ within minutes. 경찰에 전화했더니 수분 이내에 그들은 현장에 출동했다. ***quit the*** ~ 퇴장하다; 죽다. ***set the*** ~ 준비하다, (…으로의) 길을 트다《*for*》; 장소를 설정하다: The unjust peace agreement *set the* ~ for another war. 그 부당한 평화 협정은 또다른 전쟁에의 길을 열어놓았다. ***steal the*** ~ (엉뚱한 사람이) 인기를 앗아가다.

scène [sɛn] *n.* [C] 《F.》 =SCENE. ***en*** ~ 상연되어 (=on the stage).

scéne pàinter ① (무대의) 배경화가. ② 풍경화가.

‡scen·ery [síːnəri] *n.* [U] 〔集合的〕 ① (연극의) 무대 장면, 배경, (무대의) 장치: Who designed the ~? 무대 장치는 누가 디자인했나. ② (한 지방〔자연〕 전체의) 풍경, 경치: natural ~ 자연 풍경 / stop to admire the ~ 경치에 탄복하여 멈춰서다.

scene·shift·er [síːnʃìftər] *n.* [C] (연극의) 무대 장치 담당자.

scene-steal·er [síːnstìːlər] *n.* [C] 〖劇〗 주역보다 더 인기 있는 (조연) 배우.

***sce·nic** [síːnik, sén-] *a.* ① 경치의; 경치가 좋은: ~ beauty 풍경의 아름다움 / a ~ zone 풍치 지구 / ~ wallpaper 경치를 그려넣은 벽지 / The island has a ~ coastline. 그 섬은 해안선이 아름답다. ② 무대의, 배경의; 무대 장치의: ~ effects 무대 효과 / a ~ artist (무대의) 배경 화가. ③ (그림이나 조각 등) 장면을 묘사한. ㊕ **sce·ni·cal·ly** [-əli] *ad.* 풍경에 관해서; 무대상으로.

scénic dríve 《美》 경치가 아름다운 길임을 알리는 도로 표지.

scénic ráilway (유원지 따위의) 유람 꼬마 철도; =ROLLER COASTER.

‡scent [sent] *n.* ① [U,C] 냄새; (좋은) 향기, 향내: the ~ of lilac〔roses〕 라일락〔장미〕 꽃향기 / The evening air was full of the ~ of new-mown hay. 저녁 공기는 갓 벤 건초 향기로 가득했다 / These flowers have no ~. 이들 꽃에는 향기가 없다. ② (a ~) (사냥개의) 후각(嗅覺); 센스, 직각력(nose)《*for*》: have no ~ *for* …에 대한 센스가 무디다 / Dogs have *a* keen ~. 개는 후각이 예민하다 / *a* ~ of danger 위험에 대한 육감 / He has *a* good ~ *for* talent. 그는 인재를 발굴하는 직감력이 있다. ③ [C] (흔히 *sing.*) (짐승 따위가 남긴) 냄새; (수사의) 단서: follow up the ~ (사냥개 따위가) 냄새를 좇아 추적하다 / lose the ~ (사냥개 등이) 냄새를 잃다; (사람이) 단서를 놓치다. ④ 《英》 [U] 향수(perfume): She sprinkled some ~ on her dress. 그녀는 옷에 향수를 뿌렸다. ***get*** 〔***take the***〕 ~ ***of*** …을 냄새맡다〔눈치채다〕. ***on the*** ~ 냄새를 맡고, 단서를 잡아: They were *on the* ~ *of* a new plot. 새 음모를 감지했다. ***put*** 〔***throw***〕 a person ***off the*** ~ = ***put*** a person ***on the*** 〔***a***〕 ***wrong*** 〔***false***〕 ~ 아무를 따돌리다〔헷갈리게 하다, 혼란시키다〕: The criminal managed to *throw*〔*put*〕 the police *off the* ~. 범인은 용케 경찰을 따돌렸다.
— *vt.* ① …을 냄새맡다, 냄새를 구별하다《*out*》: The hound ~*ed out* a fox. 사냥개가 여우의 냄새를 맡았다. ② (비밀 등)을 냄새맡다, 눈치채다; 의심하기 시작하다; (위험 따위)를 감지하다: ~ danger 위험을 감지하다 / From the look on his face, she ~*ed* (that) something was wrong. 그의 표정에서 그녀는 뭔가 잘못됐구나 하고 눈치챘다. ③ 냄새를 풍기다, …에 향수를 뿌리다: ~ one's handkerchief 손수건에 향수를 뿌리다.
— *vi.* (냄새를 따라) 추적하다《*about*》.

scént bàg 향주머니; 향낭(香囊).

scént bòttle 《英》 향수병.

scent·ed [séntid] *a.* ① 향수가 든, 향수를 바른, 향기로운: The roses were pleasantly ~. 장미는 기분 좋게 향기로웠다. ② 〔複合語로〕 …냄새가 있는; 후각이 …한: keen-~ 후각이 예민한 / ~-soap 향수 비누.

scént glànd 〖動〗 사향(麝香) 분비선.

scent·less [séntlis] *a.* ① 향기〔냄새〕가 없는. ② 사냥감의 냄새가 없어진.

scep·ter, 《英》 **-tre** [séptər] *n.* ① [C] (제왕의) 홀(笏). ② (the ~) 왕권, 왕위; 주권: lay down *the* ~ 왕위를 물러나다 / sway 〔wield〕 *the* ~ 군림〔지배〕하다.

sceptic ⇨SKEPTIC.

sceptical ⇨SKEPTICAL.

scepticism ⇨SKEPTICISM.

sch. scholar; school.

‡sched·ule [skédʒu(ː)l / ʃédjuːl] *n.* [C] ① 《美》 시간표(timetable): a train ~ 열차 시각〔발착〕표 / a school ~ 수업 시간표 / The fog disrupted airline ~*s.* 안개로 항공 시간표에 혼란을 가져왔다 / the daily ~ of classes 학급의 일일 시간표. ② 예정(표), 스케줄, 일정: my ~ *for* tomorrow 나의 내일 일정 / have a heavy〔full, tight, crowded〕 ~ 예정〔일정〕이 꽉 차 있다. ③ 표(list), 일람표; 목록; (본표에 딸린) 별표, 부속 명세서; 조목, 항목; 조사표: a ~ of price 정가표 / a salary ~ 급여표 / a ~ of charges 요금표. ***according to*** ~ 예정대로; 예정에 의하면: Everything is running *according to* ~. 모든 것은 예정대로 진행되고 있다. ***behind*** 〔***ahead of***〕 ~ 예정 시간보다 늦게〔앞서〕: It will be completed several weeks *behind* ~. 그것은 예정보다 몇 주일 늦게 완결될 것이다 / The jet arrived in Johannesburg two minutes *ahead of* ~. 제트기는 예정보다 2분 전에 요한네스버그에 도착했다. ***on*** ~ 시간(표)〔예정〕대로; 정시에: The Presidential plane arrived precisely *on* ~. 대통령 전용기는 정확히 예정 시간대로 도착했다.
— *vt.* ①《+[목]+[전]+[명] / +[목]+*to* do》 〔종종 受動으로〕 (특정 일시에) …을 예정하다: The meeting *is* ~*d for* Sunday. 회합은 일요일로 예정되어 있다 / I *am* ~*d to* leave here tomorrow. 내일 여기를 떠날 예정입니다 / The restoration work *is* ~*d to* begin early next year. 복구작업은 내년 연초에 시작하는 것으로 예정돼 있다. ② …을 예정(표)에 넣다: The bus company has ~*d* five buses for hikers. 버스 회사는 하이커들을 위해 다섯 대의 버스를 예정하고 있다.

schéd·uled flíght [skédʒ(ː)ld- / ʃédjuːld-] 정기편(定期便): Are you going by a ~ or by charter? 정기편으로 갑니까 아니면 전세기로 갑

니까?

Sche·her·a·za·de [ʃəhèrəzά:də, -hìər-] *n.* 셰에라자드(《'천일야화'를 이야기한 술탄의 왕비》).

sche·ma [skí:mə] (*pl.* **~·ta** [-tə]) *n.* Ⓒ ① 도식, 도표, 도해. ② 개요, 대요.

sche·mat·ic [ski(:)mǽtik] *a.* ① 도해의, 약도의; 도식적인. ② 개요의, 개략적인: It's only ~ diagram — it doesn't show all the details. 그건 개략적인 도표일 뿐 모든 세목은 나타나 있지 않다. ㊕ **-i·cal·ly** *ad.*

sche·ma·tize, sche·ma·tise [skí:mətàiz] *vt.* …을 도식화하다.

‡**scheme** [ski:m] *n.* Ⓒ ① 계획, 안: adopt a ~ 계획을 채택하다 / There's a new ~ in our town for recycling plastic bottle. 우리 마을에 플라스틱 병을 재활용하려는 새로운 계획이 있다. ② 획책, 책략, 음모: a ~ to escape taxes 탈세하려는 책략 / They've devised a ~ to defraud the government of millions of dollars. 그들은 수백만 달러의 정부돈을 들어먹을 계략을 꾸몄다. ③ 조직, 기구, 체계: in the ~ of things 사물의 구성〔체계〕상. ④ 일람표, 도표(schema), 도식(圖式), 도해: a ~ of postal rate 우편 요금(일람)표. — *vt.* ① 《~+목 / +목+부》 (종종 ~ out) …을 계획〔안출〕하다: They ~*d* (*out*) a new method of taxation. 그들은 과세의 새로운 방안을 생각해냈다. ② 《+*to* do》 …의 음모를 꾸미다, …을 책동하다, 꾀하다: They ~*d to* overthrow the Cabinet. 그들은 내각 타도의 음모를 꾸몄다. — *vi.* 계획을 세우다; 음모를 꾸미다, 책동하다.

schem·er [skí:mər] *n.* Ⓒ 계획자; 《특히》 음모가, 책사(策士).

schem·ing [skí:miŋ] *a.* 계획적인; 교활한: a ~ politician 술수에 능한 정치가. ㊕ **~·ly** *ad.*

scher·zo [skέərtsou] (*pl.* **~s, -zi** [-tsi:]) *n.* Ⓒ (It.) 〖樂〗 스케르초(《경쾌하고 해학적인 곡》).

Schil·ler [ʃílər] *n.* **Johann Friedrich von** ~ 실러(《독일의 시인·극작가; 1759-1805》).

schil·ling [ʃíliŋ] *n.* Ⓒ ① 실링(《오스트리아의 화폐 단위; 기호 S》). ② 1실링 화폐.

schism [sízəm, skíz-] *n.* Ⓤ,Ⓒ (단체의) 분리, 분열; (특히 교회·종파의) 분립, 분파.

schis·mat·ic [sizmǽtik, skiz-] *n.* Ⓒ (교회 등의) 종파 분리론자; 분리〔분파〕자. — *a.* 분리〔분열〕의

schist [ʃist] *n.* Ⓤ 〖地質〗 편암(片岩).

schizo [skítsou] (*pl.* **schíz·os**) *n.* Ⓒ 《口》 정신 분열증 환자.

schiz·oid [skítsɔid] *a.* 정신 분열병의〔같은〕, 분열병질의. — *n.* Ⓒ 분열병질인 사람.

schiz·o·phre·nia [skìzəfrí:niə, -tsə-] *n.* Ⓤ 〖醫〗 정신 분열병〔증〕. ㊕ **schíz·o·phrén·ic** [-frénik] *a., n.* Ⓒ 정신 분열병의 (환자).

schlep(p) [ʃlep] 《美俗》 *n.* Ⓒ ① 아둔한 사람. ② 따분한 일. — (**-pp-**) *vt.* …을 힘들게 나르다〔끌다〕: Do I really have to ~ all that junk down to the cellar? 이 잡동사니들을 정말로 내가 다 지하실로 옮겨야 한단 말인가. — *vi.* 발을 질질 끌며 걷다, 천천히 움직이다: ~ around the town trying to find a job 일자리를 찾아 시내를 돌아다니다.

schlock [ʃlak / ʃlɔk] *a.* 《美俗》 저속한, 하찮은: ~ TV programs 저질 TV 프로 / stories full of ~ 저속 일변도의 이야기들. — *n.* Ⓤ 하찮은 것.

schmal(t)z [ʃma:lts, ʃmɔ:lts] *n.* Ⓤ 《美口》 (노래·문학 등의) 극단적인 감상주의. ㊕ **∠y** *a.* 지나치게 감상적인.

schmo(e) [ʃmou] *n.* Ⓒ 《美俗》 얼간이, 바보.

schmooze [ʃmu:z] *n.* Ⓒ 수다, 허튼 소리. — *vi.* 《美俗》 수다 떨다, 잡담하다.

schmuck [ʃmʌk] *n.* Ⓒ 《美俗》 얼간이, 시시한 놈: Her husband was a complete ~ and was always being deceived. 그녀의 남편은 진짜 바보여서 늘 속기만 하였다.

schnapps [ʃnæps, ʃna:ps] *n.* Ⓤ,Ⓒ 슈납스(《알코올 도수가 강한 증류주》).

schnau·zer [ʃnáutsər, -zər] *n.* Ⓒ 슈나우처(《독일종의 테리어개》).

schnit·zel [ʃnítsəl] *n.* Ⓤ,Ⓒ 슈니첼(《흔히, 송아지 고기의 커틀릿》).

schnook [ʃnuk] *n.* Ⓒ 《美俗》 얼간이, 잘 속는 사람, 멍텅구리.

schnor·kel [ʃnɔ́:rkəl] *n.* =SNORKEL.

schnoz [ʃnaz / ʃnɔz] *n.* =SCHNOZZLE.

schnoz·zle [ʃnázəl / ʃnɔ́zəl] *n.* Ⓒ 《美俗》 (큰) 코.

‡**schol·ar** [skálər / skɔ́l-] *n.* Ⓒ ① 학자(《특히 인문학·고전학의》): an eminent Shakespeare ~ 저명한 셰익스피어 학자 / The library attracts thousands of ~*s* and researchers. 그 도서관은 수천의 학자, 연구가들의 흥미를 끈다. ② 〔흔히 否定文으로〕 《口》 학식〔학문〕이 있는 사람: I am *no* ~. 배운 것은 별로 없습니다 / I'm afraid I've *never* been much of a ~. 유감스럽게도 저는 결코 이렇다할 학자가 못 됩니다 / be a poor (hand as a) ~ 변변히 읽을 줄도 쓸 줄도 모르다 / He is an apt 〔a dull〕 ~. 이해가 빠르다〔느리다〕. ③ 장학생, 특대생. ④ 《古·雅》 학생; 생도(★ 오늘날엔 student 가 보통).

*__schol·ar·ly__ [skálərli / skɔ́l-] *a.* ① 학자다운, 학구적인: a man of ~ tastes 학자 기질의 사람. ② 학문적인, 학술적인: a ~ work 학문적인 저작 / a ~ journal 학술지.

‡**schol·ar·ship** [skálərʃip / skɔ́l-] *n.* ① Ⓤ 학문, (특히 인문학·고전의) 학식, 박학: a person of great ~ 대학자. ② Ⓒ 〔종종 명칭과 함께 써서 S-〕 장학금, 육영 자금: a ~ association 육영회 / receive〔win〕 a ~ 장학금을 받다〔획득하다〕 / study on a Fulbright *Scholarship* 풀브라이트 장학금으로 공부하다 / I applied for a ~ to study philosophy at Oxford. 옥스퍼드 대학에서 철학을 공부하려고 장학금을 신청했다.

*__scho·las·tic__ [skəlǽstik] *a.* ① 〔限定的〕 학교의; 학교 교육의: a ~ year 학년 / a ~ institution 학교 시설, 학교 / ~ attainments 학업 성적 / the ~ professor 교직원. ② **a)** 학자의, 학자 같은. **b)** 사소한 일에 까다로운, 학자연하는. ③ (종종 S-) 스콜라 철학자의, 스콜라 철학적인. ***a Scholastic Aptitude Test*** 진학 적성 검사.
— *n.* Ⓒ ① (종종 S-) 스콜라 철학자. ② 현학자(衒學者), 학자티를 내는 사람.
㊕ **-ti·cal·ly** *ad.* 학자처럼〔연하며〕; 스콜라 철학풍으로.

scho·las·ti·cism [skəlǽstəsìzəm] *n.* Ⓤ (종종 S-) 스콜라 철학.

†**school**[1] [sku:l] *n.* ① **a)** Ⓒ (건물·시설로서의) 학교: keep〔run〕 a ~ (사립) 학교를 경영하다 / teach in a ~ 학교에서 가르치다, 선생노릇하다 / build a new ~ 새 학교를 세우다〔짓다〕. **b)** Ⓤ 〔無冠詞〕 (교육으로서의) 학교; 수업: after ~ 방과 후 / attend ~ 통학하다 / enter (a) ~ 입학하다 / leave ~ 졸업〔퇴학〕하다 / There is no ~ today. 오늘은 수업이 없다 / be late for ~ 지각하다 / start ~ 취학〔입학〕하다 / Even the good students say homework is what they most dislike about ~. 착실한 학생도 숙제가 학교에서 가

장 싫은 것이라 한다 / finish ~ 학업을 마치다, 졸업하다. **c)** Ⓒ (대학의) 학부, 전문 학부(일반적으로 대학원 과정을 포함한); 대학원 : the Medical *School* 의학부 / the *School* of Law 법학부 / a graduate ~ 대학원. ② (the ~s) 〔集合的〕 대학, 학계 : the views accepted by *the ~s* 학계에서 인정된 견해. ③ Ⓒ (대학에 대하여) 초·중·고등학교 : ~*s* and colleges 초·중·고등 학교 및 대학. ④ (the ~) 〔集合的〕 전교 학생(과 교직원) : The new teacher was liked by the whole ~. 새로 부임한 선생은 전교 학생들이 좋아했다 / The whole ~ knows〔know〕 it. 학교에서 그걸 모르는 사람은 없다 / Half of the ~ is〔are〕 absent because of flu(e). 독감으로 학생의 반이 결석이다. ⑤ **a)** Ⓒ 〔종종 複合語〕 (특수기능을 가르치는) 학교, 교습〔양성〕소 : a driving ~ 자동차 교습소 / a dancing ~ 무용학원. **b)** Ⓒ (경험 등의) 수련장, 도장 : Life is a hard ~. 인생이란 냉엄한 시련장이다. ⑥ Ⓒ 파, 학파, 유파(流派) : the laissez-faire ~ 자유 방임주의(학)파. ***go to ~*** ⑴ 학교에 다니다, 등교하다. ⑵ 취학하다; 취학 중이다 : Where do you *go to ~?* 어느 학교에 다니냐(★ 주어가 복수라도 school은 복수꼴을 취하지 않음). ***go to ~ to*** …에게서 가르침을 받다, …에게서 배우다. ***of the old ~*** 구식의; 전통을 지키는. ***out of ~*** 학교를 나와, 졸업하여. ***~ of thought*** 생각〔의견〕을 같이 하는 사람들, 학파, 유파.

— *a.* 〔限定的〕 학교(교육)의〔에 관한〕 : a ~ library 학교 도서관 / ~ things 학용품 / ~ supplies 학용품 / ~ education〔life〕 학교 교육〔생활〕.

— *vt.* ①(~+목/+목+전+명) **a)** …을 가르치다; 익히다, 훈련〔단련〕하다 : ~ a horse 말을 조련(調練)하다 / She's well ~*ed* in languages. 그녀는 충분히 외국어의 소양을 쌓았다. **b)** 〔再歸的〕 (…하도록) 수양하다, 기르다 : He ~*ed himself to* 〔*in*〕 patience. 그는 인내력을 길렀다 / *School yourself* to control your temper. 성미를 스스로 다스리는 수양을 해라. ② …을 교육하다, …에게 학교 교육을 받게 하다.

school² *n.* Ⓒ (물고기 따위의) 무리, 떼 : a ~ of mackerel 고등어 떼 / in ~*s* 떼를 지어. — *vi.* (물고기 따위가) 떼를 짓다, 떼를 이루어 (헤엄쳐) 나아가다.

schóol àge ① 취학 연령. ② 의무 교육 연한.

school·bag [-bæ̀g] *n.* Ⓒ 학생 가방.

schóol bòard 《美》 교육 위원회.

school·book [-bùk] *n.* Ⓒ 교과서.

†**school·boy** [-bɔ̀i] *n.* Ⓒ (초·중·고등 학교의) 남학생(★ 아직 어리다는 어감이 있고, 미국에서는 잘 안 쓰임).

schóol bùs 통학 버스.

school·child [-tʃàild] (*pl.* ***-chìl·dren***) *n.* Ⓒ 학동(schoolboy 또는 schoolgirl).

schóol dày ① 수업일 : on a ~ 수업이 있는 날은. ② (one's ~s) 학창〔학생〕 시절 : in *one's ~s* 학창〔학생〕 시절에.

schóol dìstrict 《美》 학구(學區).

schóol fèe(s) 수업료.

school·fel·low [-fèlou] *n.* =SCHOOLMATE.

†**school·girl** [-gə̀:rl] *n.* Ⓒ 여학생(초등 학교, 중·고등 학교의).

schóol hóuse 《英》 교장 숙사(public school 등의).

‡**school·house** [-hàus] *n.* Ⓒ ① (특히 시골 초등학교의 작은) 교사(校舍). ② 《英》 (학교 부속의) 교원 주택.

***school·ing** [skú:liŋ] *n.* Ⓤ ① 학교 교육; (통신 교육의) 교실 수업 : He has little real ~. 그는 정식 학교 교육은 거의 못 받았다 / get (a) good ~ 제대로의 교육을 받다. ② 학비, 교육비. ③ (말의) 조련(調練).

schóol inspèctor 장학관.

school-leav·er [-lì:vər] *n.* Ⓒ 《英》 의무교육 수료자.

school·ma'am, -marm [-mɑ̀m, -mæ̀m], [-mɑ̀:rm] *n.* Ⓒ 《口》 (생각이 구식인) 여선생. ㊞ **~·ish** *a.* 엄격하고 잔소리가 많은.

school·man [-mən, -mæ̀n] (*pl.* ***-men*** [-mən, -mèn]) *n.* Ⓒ (종종 S-) (중세의) 스콜라 철학자.

‡**school·mas·ter** [-mæ̀stər, -mɑ̀:s-] *n.* Ⓒ 《英》 ① 남자 교원, 남선생. ② 교장.

school·mate [skú:lmèit] *n.* Ⓒ 교우, 동창.

school·mis·tress [-mìstris] *n.* Ⓒ 《英》 ① 여선생. ② 여자 교장.

schóol repòrt 《英》 성적〔생활〕 통지표(《美》 report card).

***school·room** [-rù(:)m] *n.* Ⓒ 교실(★ classroom이 더 일반적임).

school·teach·er [-tì:tʃər] *n.* Ⓒ 학교 선생(초등·중등·고등학교의).

school·time [-tàim] *n.* ① Ⓤ 수업 시간. ② Ⓒ (흔히 *pl.*) 학창〔학생〕 시절.

school·work [-wə̀:rk] *n.* Ⓤ 학업; (학교의) 숙제 : neglect one's ~ 공부를 게을리하다 / Mother would help me with my ~. 어머니가 내 숙제를 도와주시곤 했다.

school·yard [-jɑ̀:rd] *n.* Ⓒ 교정, 학교 운동장.

schóol yéar 학년도(academic year)(英·美에서는 보통 9월에서 6월까지).

***schoon·er** [skú:nər] *n.* Ⓒ ① 〖海〗 스쿠너(두 개 이상의 마스트를 가진 세로돛의 범선). ② 《美》 큰 맥줏잔(jug).

Scho·pen·hau·er [ʃóupənhàuər] *n.* **Arthur** ~ 쇼펜하우어(독일 철학자; 1788–1860).

Schu·bert [ʃú:bərt] *n.* **Franz** ~ 슈베르트(오스트리아의 작곡가; 1797–1828).

Schu·mann [ʃú:mɑ:n] *n.* **Robert** ~ 슈만(독일의 작곡가; 1810–56).

schuss [ʃu(:)s] *n.* Ⓒ 〖스키〗 (전속력) 직(直)활강, 슈스. — *vi.* 직활강하다.

schwa [ʃwɑ:] *n.* Ⓒ 〖音聲〗 슈와(악센트 없는 애매한 모음; *a*bout의 *a* [ə], circ*u*s의 *u* [ə] 따위).

Schweit·zer [ʃváitsər] *n.* **Albert** ~ 슈바이처(Alsace 태생의 철학자·의사·오르간 연주가; 노벨 평화상 수상(1952); 1875–1965).

sci. science; scientific.

sci·at·ic [saiǽtik] *a.* 〖醫〗 좌골의, 좌골신경(통)의 : ~ nerve 좌골 신경.

sci·at·i·ca [saiǽtikə] *n.* Ⓤ 〖醫〗 좌골 신경통, 《널리》 좌골통.

†**sci·ence** [sáiəns] *n.* ① Ⓤ 과학; 《특히》 자연 과학 : a man of ~ 과학자 / applied〔practical〕 ~ 응용〔실용〕 과학 / The best discoveries in ~ are very simple. 과학의 최고의 발견들은 아주 단순하다. ② Ⓤ,Ⓒ (세분된 개개의) 과학, …학(學) : political ~ 정치학 / Economics and sociology are social ~*s.* 경제학과 사회학은 사회과학에 속한다. ③ Ⓤ 《경기·요리 등의》 기술, 기량; 숙련. ⓒⓕ art. ¶ cooking ~ 요리술 / In boxing ~ is more important than strength. 권투에서는 기술이 힘보다 중요하다 / She took night classes in the ~ of self-defence. 그는 호신술의 야간반에 들었다. ◇ scientific *a.*

scíence fíction 공상 과학 소설(略 : SF, sf).

Scíence Pàrk 《英》 첨단과학 밀집지역. ⓒⓕ 《美》 Silicon Valley.

‡**sci·en·tif·ic** [sàiəntífik] (***more ~; most ~***)

a. ①〔限定的〕 과학의, 자연 과학(상)의 : ~ knowledge 과학 지식 / a ~ discovery 과학상의 발견. ② 과학적인, 정확한 ; 계통이 선 : ~ farming 과학적 영농 / They are very ~ in their approach. 그들의 접근 방식은 아주 과학적이다. ③ (경기 등에서) 기량이 좋은, 숙련된 : a ~ boxer 기량이 좋은 권투 선수.

sci·en·tif·i·cal·ly [sàiəntífikəli] ad. 과학적으로 : ~ proven 과학적으로 증명된 / The firm insists the survey was carried out ~. 그 회사는 조사가 과학적으로 수행되었다고 주장한다.

scientífic náme 〖生〗 학명(學名) (taxon)《국제 명명 규약에서 규정된》.

sci·en·tism [sáiəntizəm] n. Ⓤ ①《종종 蔑》 과학주의, 과학 만능주의. ② (인문과학에 있어) 과학자적 방법〔태도〕.

‡**sci·en·tist** [sáiəntist] n. Ⓒ 과학자 ; 《특히》 자연 과학자.

sci-fi [sáifái] n. Ⓤ, a. 〔限定的〕《口》 공상 과학 소설(의), SF(의). [◂ *science fiction*]

scil. scilicet.

sci·li·cet [síləsèt] ad. 《L.》 다시 말하면, 즉 (namely)《略 : scil., sc.》.

scim·i·tar [símətər] n. Ⓒ (터키·아라비아인 등의) 언월도(偃月刀).

scin·til·la [sintílə] n. (a ~) 〔흔히 疑問·否定文으로〕 (극)소량, 흔적《*of*》: There is *not a ~ of* truth in the claim. 그 주장에는 진실이라곤 털끝만큼도 없다.

scin·til·lant [síntələnt] a. 불꽃을 내는, 번쩍이는, 번득이는. ㊕ **~·ly** ad.

scin·til·late [síntəlèit] vi. ① 불꽃을 내다 ; (다이아몬드처럼) 번쩍이다 : The stars ~*d* (their light) in the winter sky. 겨울 하늘에 별들이 반짝였다. ② (재치·기지 등이) 번득이다 : The essay ~*s* with wit. 그 에세이는 기지에 넘쳐 있다.

scin·til·lat·ing [síntəlèitiŋ] a. ① 반짝반짝 빛나는. ② 번득이는 ; 재치가 넘치는 : ~ conversation. ㊕ **~·ly** ad.

scin·til·la·tion [sìntəléiʃən] n. Ⓤ ① 불꽃〔섬광〕(을 냄) ; 번쩍임. ② 재기(才氣) 발랄.

sci·on [sáiən] n. Ⓒ ① (접목의) 접수(接穗) ; 삽수(揷穗). ② (특히 명문·귀족의) 아들, 자손, 상속인.

scis·sion [síʒən, síʃən] n. Ⓤ ① 절단(cutting). ② 분할, 분리, 분열.

scis·sor [sízər] vt. …을 가위로 자르다, 잘라내다《*off* ; *up* ; *into* ; *out*》; 베어〔오려〕내다《*out of*》: ~ an article *out of* a newspaper 신문에서 기사를 오려내다.

‡**scis·sors** [sízərz] n. pl. ① 가위《★ 흔히 複數, 때로 單數 취급도 하나 그때는 a pair of ~가 일반적》: two pairs of ~ 가위 두 자루 / Where are my ~? 내 가위는 어디 있지. ② (a ~) 〔單數취급〕 a) 〖레슬링〗 다리로 죄기. b) 〖體操〗 (도약할 때) 두 다리를 가위처럼 놀리기. ~ ***and paste*** (남의 저서에서 인용한) 풀과 가위질만의 편집.

scis·sors-and-paste [sízərzəndpéist] a. 《口》 풀과 가위의〔를 사용하는〕《남의 책을 오려내 편집하는 일》: This book is just a ~ job. 이 책은 남의 책에서 오려내 따붙이기한 것에 불과하다.

scíssors kìck 〖水泳〗 다리를 가위처럼 놀리기.

sclaff [sklæf / sklɑːf] 〖골프〗 vt., vi. (타구 직전에) 골프채가 지면을 스치(게 하)다, 스클랩하다. ── n. Ⓒ 〖골프〗 스클랩《타구 직전에 골프채가 지면을 스치게 함》.

scle·ro·sis [skliəróusis, sklə-] (pl. **-ses** [-siːz]) n. Ⓤ,Ⓒ 〖醫〗 (동맥 등의) 경화증(硬化症) : ~ of the arteries 동맥 경화(증).

***scoff**[1] [skɔːf, skɑf] n. ① Ⓒ (흔히 pl.) 비웃음, 냉소, 조롱《*at*》: Despite the ~*s* of her colleague, the experiment was completely successful. 그녀 동료들의 조소에도 불구하고 실험은 완벽하게 성공했다. ② (the ~) 웃음거리《*of*》: Jim is *the ~ of* the world. 짐은 뭇사람들의 웃음거리다. ── vi. 《 ~ / +前+名》 비웃다, 조소하다, 조롱하다《*at*》: Don't ~ ─ what I've just said is absolutely true. 비웃지 마. 내가 방금 말한 것은 틀림없는 사실이다 / Years ago people would have ~*ed at* the notion that cars would be built by robots. 몇 해 전엔 차가 로봇에 의해 조립될 것이라는 생각을 사람들은 비웃었다. ㊕ **∠·er** n.

scoff[2] n. Ⓤ 음식물. ── vt., vi. (…을) 게걸스레 먹다 : The pancakes were so good that I ~*ed* the lot. 팬케이크가 얼마나 맛있던지 나는 몽땅 쓸어먹었다.

scoff·law [skɔ́ːflɔ̀ː, skɑ́f-] n. Ⓒ 《美口》 법을 우습게 아는 사람 ; 벌금에 응하지 않는 사람.

‡**scold** [skould] vt. 《~+目 / +目+前+名》 (어린애 등)을 꾸짖다, …에게 잔소리하다 : His mother ~*ed* him *for* being naughty. 어머니는 그가 말을 듣지 않는다고 꾸짖었다 / I hate to ~ (at you), son, but you mustn't stay out so late at night! 얘야, 난 (네게) 잔소리하긴 싫다만 그렇게 밤늦도록 밖에 나가 있어서는 못쓴다. ── vi. 《~ / +前+名》 꾸짖다, 잔소리하다 ; 호통치다《*at*》: That woman is always ~*ing at* her husband. 저 여자는 남편한테 바가지 긁는 게 일이다. ── n. Ⓒ (흔히 sing.) 잔소리가 심한 사람《특히 여자》.

scold·ing [skóuldiŋ] n. Ⓤ,Ⓒ 꾸짖음, 잔소리, 질책 : give a good ~ 한바탕 꾸짖다 / I used to get a ~ from my parents then. 그 당시 나는 부모님한테 꾸중 듣는 게 예사였다. ──a. (특히 여자가) 쨍쨍거리는.

scol·lop [skáləp / skɔ́ləp] n., vt. =SCALLOP.

sconce [skɑns / skɔns] n. Ⓒ (벽 따위에 설비한) 쑥 내민 촛대〔전등〕.

Scone [skuːn] n. 스쿤《스코틀랜드 Perth 교외의 마을》. ***the Stone of ~ = the ~ Stone*** 스쿤의 돌《스코틀랜드왕(王) 즉위시 앉았던 바위 ; 지금은 Westminster 성당 안의 대관식용 의자 밑에 박혀 있음》. 「크의 일종》.

scone [skoun, skɑn / skɔn] n. Ⓤ,Ⓒ 스콘《핫케이

scoop** [skuːp] n. Ⓒ ① 국자 ; (설탕·밀가루·석탄 따위를 퍼내는) 삽 ; 주걱, 큰 숟가락 ; (아이스크림)을 푸는 기구. ② (토목 공사용) 대형 삽 ; (준설기의) 버킷. ③ 한 번 퍼내는 양(量) : a ~ of ice cream. ④ (신문의) 특종 ; 스쿠프 : get a ~ on other papers 특종 기사로 다른 신문을 앞지르다 / The story was a ~. 그 기사는 특종이었다. ⑤ 《口》 (경쟁자를 앞지르는) 큰 벌이〔이익〕, 대성공 : make a big ~ 크게 성공하다. ***at 〔***in, with***〕 ***one*** 〔***a***〕 ~ 한번 퍼서, 한번에 ; 일거에 : win 50 dollars *at one* ~ 단번에 50 달러를 벌다. ── vt. ① 《+目+前+名》 …을 푸다, 뜨다, 퍼올리다《*up* ; *out*》: *Scoop out* the flesh of the melon with a spoon. 멜론의 속은 스푼으로 떠내라 / Cut the gourd in half and ~ *out* the seeds. 그 박을 반으로 갈라 씨를 퍼내라. ② 《+目+補》 …의 물을 퍼서(…의) 상태로 만들다 : ~ a boat dry 보트의 물을 모두 퍼내다. ③ 《~+目 / +目+副 / +目+前+名》 파다 ; 퍼서 …을 만들다《*out*》: ~ (*out*) a hole in the sand 모래를 파서 구멍을 만들다. ④ 〖新聞〗 (특종으로) 다른 신문을 앞지르다, 스쿠프하다 : ~ a rival paper 특종으로 경쟁신문을 앞지

르다 / The "News" ~*ed* the other newspapers with an early report on the election. '뉴스지(紙)'는 그 선거에 관한 재빠른 보도로 타지를 앞질렀다.

scoop·ful [skú:pfùl] (*pl.* ~*s*) *n.* Ⓒ 한 국자[삽] 가득(한 분량) : a ~ of ice cream. 「선.

scóop nèck (여성복의) 둥글게 파인 목둘레의

scóop nèt 뜰채.

scoot [sku:t] *vi.* 내닫다, 뛰쳐 나가다 : The bus ~*ed* off into the dark. 버스는 어둠 속으로 내달았다 / I'll have to ~ or I'll miss my train. 뛰어가지 않으면 열차를 놓칠 것이다. — *vt.* …을 내닫게 하다, 뛰어 가게 하다.

scoot·er [skú:tər] *n.* Ⓒ ① (아이들의) 장난감스쿠터. ② (모터) 스쿠터(motor ~).

‡scope[1] [skoup] *n.* Ⓤ ① (지력·연구·활동 등이 미치는) 범위, 영역 ; (정신적) 시야 : the ~ of science 과학이 미치는 범위 / an investigation of wide ~ 광범위한 조사. ② (능력 등을 발휘할) 여유, 여지, 기회《*for*》: give one's fancy full ~ 공상을 마음껏 펴게 하다 / seek ~ *for* one's energy 정력을 쏟을 길을 찾다 / There is not much ~ *for* originality. 독창성을 발휘할 여지는 별로 없다.

beyond* 〔*outside*〕 *the* ~ *of …이 미치지 않는 곳에서, …의 범위 밖에서 : I'm afraid that problem is *beyond* 〔*outside*〕 *the* ~ *of* my lecture. 안됐습니다만 그건 제 강의에서 다룰 문제가 아닙니다.

scope[2] *n.* Ⓒ 《口》 보는[관찰하는] 기계《특히, microscope, periscope, telescope 등》.

-scope '보는 기계'의 뜻의 결합사 : tele*scope*.

scor·bu·tic [skɔ:rbjú:tik] 〖醫〗 *a.* 괴혈병(scurvy)의[에 걸린]. — *n.* Ⓒ 괴혈병 환자.

‡scorch [skɔ:rtʃ] *vt.* ① …을 눋게 하다, 그슬리다 : You ~*ed* my shirt when you ironed it. 내 셔츠를 다리미질하면서 태웠다. ② (햇볕이 살갗)을 태우다, (열로 초목)을 말라죽게 하다 : The sun ~*ed* my face. 볕에 얼굴이 탔다 / The long, hot summer ~*ed* the grass. 길고 무더운 여름은 풀을 마르게 하였다 / The lawn was ~*ed* and the soil was baked hard. 잔디는 볕에 마르고 땅은 딱딱하게 구워졌다. ③ …을 헐뜯다, 몹시 꾸짖다, …에게 욕지거리하다. — *vi.* ① 타다, 눋다 : Don't stand too near the fire or your clothes will ~. 불에 너무 가까이 서지 마라. 안그러면 옷이 눋는다. ② (열로) 시들해지다, 마르다. ③ 《口》 (자동차 따위가) 마구 달리다 ; (자동차·자전거로) 전속력으로 달리다《*off* ; *away*》: The bank robbers ~*ed off* in their car. 은행 강도단은 차를 몰아 쏜살같이 사라졌다. — *n.* ① Ⓒ 탐, 눌음 : Is there any way of getting rid of the ~ on this shirt? 이 셔츠의 눌은 데를 없앨 방법이 없을까. ② Ⓤ (식물의 잎이) 말라 죽음.

scorched [skɔ:rtʃt] *a.* 탄, 그을은.

scórched éarth pòlicy (적이 이용할 만한 것을 모두 태워 버리는) 초토화 전술.

scorch·er [skɔ́:rtʃər] *n.* ① (a ~) 타는듯이 더운 날 : Today's going to be *a* ~. 오늘은 굉장히 덥겠다. ② (a ~) 신랄[통렬]한 비난[비평]. ③ Ⓒ (자전거·자동차 등의) 폭주족(暴走族). ④ (a ~) 《俗》 굉장한[선풍을 일으키는] 사람 ; 굉장한 것, 일품 : His first goal was *a* ~. 그의 첫골은 굉장한 것이었다.

scorch·ing [skɔ́:rtʃiŋ] *a.* ① 태우는 듯한, 몹시 뜨거운. ② (비판 등이) 호된, 신랄한. — *ad.* (햇볕에) 탈 정도로 : It's ~ hot. 무지무지하게 덥다. ㊕ **~·ly** *ad.*

‡score [skɔ:r] *n.* ① **a**) Ⓒ (*pl.* ~) 20, 스무 사람[개] : He was nearly four ~ when he died. 그는 죽을 때 80세에 가까웠다 / None of these groups had more than a ~ of supporters. 이들 그룹 중 20명 이상의 후원자가 있는 그룹은 하나도 없다. **b**) (*pl.*) 다수, 다대 : ~*s* of times 종종, 몇번이고 / ~*s* of years ago 수십년 전에. ② Ⓒ 새긴 표[금], 칼자국 ; 긁힌 자국, 베인 상처 : The ~ should run with the grain. 칼자국은 나뭇결에 따라서 내어야 한다. ③ Ⓒ (흔히 *sing.*) (경기 등에서) 득점(표) ; (시험의) 득점, 성적 : make a ~ 득점하다 / win by a ~ of 4 to 2, 4대 2로 이기다 / Anne got an average ~ of 72 in her exams. 앤은 시험 성적이 평균 72점을 얻었다. ④ Ⓒ 〖樂〗 악보, 《특히》 총보(總譜). ⑤ Ⓒ (예전, 술집에서 술값을 기록했던) 엄대 ; 셈, 빚 : Death pays all ~*s*. 《俗談》 죽으면 모든 셈이 끝난다[모든 것이 청산된다] ⑥ Ⓒ 옛[묵은] 원한 : I have a few old ~*s* to settle with him. 그와는 해결을 봐야 할 몇 가지 묵은 원한이 있다. ⑦ Ⓒ 《口》 성공, 행운(hit) : What a ~! ⑧ Ⓒ (흔히 *sing.*) 이유, 근거(ground) : on the ~ of poverty 가난 때문에.

know the ~ (불쾌한) 진상[내막]을 알고 있다 ; 세상 일[이면]을 알고 있다. ***on that*** ~ (1) 그 점에 관해서(는) : You don't have to worry *on that* ~. 그 점에 관해서는 걱정할 것 없다. (2) 그 때문에 : I refused *on that* ~. 그래서 나는 거절했다. ***on the*** ~ ***of*** (1) …의 이유로. (2) …라는 점[일]에 대해서는 : *On the* ~ *of* money, don't worry. 돈 문제라면 걱정마라.

— *vt.* ① …을 기록하다. ② …의 셈을 달다 ; 채점하다 : ~ a test 시험을 채점하다. ③ 득점하다 ; (이익·성공 등)을 거두다 : ~ a point 한 점을 얻다 / That slugger ~*d* four runs. 저 강타자가 넉 점을 올렸다. ④ …에 칼자국[긁힌 자국]을 내다, …에 선을 긋다 ; (선을 그어) 지우다《*out* ; *off*》: ~ mistakes in red ink 틀린 곳을 붉은 잉크로 지우다 / *Score* the paper before tearing it. 그 종이를 찢기 전에 접은 금을 내라. ⑤ 〖樂〗 …으로 편곡[작곡]하다《*for*》: a piece ~*d for* violin, viola and cello 바이올린, 비올라, 첼로를 위해 편곡한 악보. ⑥ 《美》 …을 욕하다, 깎아내리다 ; 꾸짖다 ; 크게 비난하다 : The President ~*d* Congress *for* rejecting his plan. 대통령은 그의 계획을 각하한 데 대해 의회를 규탄했다.

— *vi.* ① 득점하다 ; 득점을 올리다 ; 이기다 《*against*》: He ~*d* several times. 그는 여러 번 득점했다. ② 득을 보다 ; 《俗》 성공하다 : He ~*s* by knowing English well. 그는 영어를 잘하기 때문에 유리하다. ③ (시험 등에서) …성적을 얻다 : ~ high *on*[*in*] an exam 시험에서 좋은 성적을 올리다 / The car ~*d* well in fuel consumption. 그 차는 연비에서 우수했다. ④ 선[칼자국]을 내다, 밑줄을 긋다《*under*》. ⑤ 《俗》 **a**) (남성이) 용케 성교 상대를 구하다. **b**) 불법으로 마약을 입수하다. ~ ***a run*** 〖野〗 득점하다. ~ ***off*** a person (의론 따위로) 아무를 이기다, 납작하게 만들다 : It's not easy to ~ *off* the guy. 놈을 납작하게 만들기란 쉽지 않다. ~ (***a point*** 〔***points***〕) ***off*** 〔***against, over***〕 …보다 우세하다, …을 끽소리 못하게 하다, 논파하다.

score·board [ˊ-bɔ̀:rd] *n.* Ⓒ 스코어보드, 득점 게시판.

score·book [ˊ-bùk] *n.* Ⓒ 득점표, 스코어북.

score·card [ˊ-kὰ:rd] *n.* Ⓒ ① 〖競〗 채점표, 득점카드. ② (상대 팀의) 선수 명단. 「록원.

score·keep·er [ˊ-kì:pər] *n.* Ⓒ (공식) 점수 기

score·less [skɔ́:rlis] *a.* 무득점의.

scor·er [skɔ́ːrər] *n.* [C] ① =SCOREKEEPER. ② (경기) 득점자.

scorn [skɔːrn] *n.* ① [U] 경멸, 멸시, 비웃음, 냉소: with ~ 경멸하여 / have (feel) ~ for …에 대해 경멸감을 갖다 / laugh a person to ~ 아무를 비웃다 / think (hold) it ~ to do …하는 것을 치사하게 여기다 / think ~ of …을 경멸하다 / He is held in ~ from other. 그는 남에게 경멸당하고 있다. ② (the ~) 경멸의 대상, 웃음거리: After the cheating in the exam, he became *the* ~ *of* all his classmates. 커닝으로 해서 그는 반의 놀림감이 됐다. — *vt.* ① …을 경멸하다, 모욕하다: People ~ me as a single parent. 사람들은 나를 결손 가족이라고 업신여긴다. ②《+*to* do / ~+*-ing*》…을 치사하게(수치로) 여기다: ~ *to* tell a lie = ~ tell*ing* a lie 거짓말을 수치로 여기다 / ~ *to* take a bribe 뇌물 받는 것을 수치로 여기다 / Although his hearing was not good, he ~*ed* a deaf aid. 귀가 잘 들리지 않는데도 그는 보청기 (쓰기)를 남세스러워했다.

scorn·ful** [skɔ́ːrnfəl] (more*** ~; ***most*** ~) *a.* 경멸하는, 비웃는: He's ~ of honors. 그는 명예 따위는 우습게 여긴다.
[파] *~·ly *ad.* 경멸하여, 깔보아. ~·**ness** *n.*

Scor·pio [skɔ́ːrpiòu] *n.* 〖天〗 전갈(全蠍)자리; 천갈궁(天蠍宮); [C] 전갈자리에 태어난 사람.

***scor·pi·on** [skɔ́ːrpiən] *n.* ① [C] 〖動〗 전갈. ② (the S-) 〖天〗 =SCORPIO.

***Scot** [skɑt / skɔt] *n.* ① [C] 스코틀랜드 사람 (Scotsman). ② (the ~s) 스코트족《6세기경 아일랜드에서 스코틀랜드로 이주한 게일족(Gaels)의 일파》.

Scot. Scotch; Scotland; Scottish.

‡**Scotch** [skɑtʃ / skɔtʃ] *a.* ① 스코틀랜드의, 스코틀랜드 사람(말)의. ② (흔히 S-) 인색한. — *n.* ① (the ~) 〔集合的; 複數 취급〕 스코틀랜드 사람. ② [U] 스코틀랜드 영어(방언): He speaks broad ~. 그의 말은 순 스코틀랜드 방언이다. ③ [U,C] (종종 s-) 스카치 위스키(~ whisky): Waiter, three ~*es*, please. 웨이터, 스카치 위스키 석잔 주시오. ★ 스코틀랜드인 스스로는 Scotch, Scottish 또는 Scots를 씀.

Scótch bróth 스카치 브로스《고기·야채·보리가 든 진한 수프》.

Scótch égg 스카치 에그《삶은 달걀을 저민 고기로 싸서 튀긴 것》.

Scotch-Irish [-áiəriʃ] *a.* 스코틀랜드계 아일랜드 사람의.

Scotch·man [-mən] (*pl.* ***-men*** [-mən]) *n.* [C] 스코틀랜드 사람. 「개비.

Scótch míst (스코틀랜드 산악지대의) 짙은 안

Scótch píne 〖植〗 유럽 소나무.

Scótch tápe 《美》 스카치 테이프《商標名》.

Scótch térrier 스카치테리어《개》.

Scótch whísky 스카치 위스키.

Scotch·wom·an [-wùmən] (*pl.* ***-wom·en*** [-wìmin]) *n.* [C] 스코틀랜드 여자.

Scótch wóodcock 스카치 우드콕《anchovy를 이긴 것과 푼 달걀을 바른 토스트(크래커)》.

scot-free [skɑ́tfríː / skɔ́t-] *a.* 〔敍述的〕 처벌을 모면한; 무사한: escape ~ 무사히 도망치다.

Sco·tia [skóuʃə] *n.* 《詩》 =SCOTLAND.

‡**Scot·land** [skɑ́tlənd / skɔ́t-] *n.* 스코틀랜드.

Scótland Yárd 런던 경찰국《원래의 소재지명에서; 정식명은 New ~》; 그 수사과, 형사부: call in ~ (지방 경찰이 어려운 사건을) 런던 경찰청 형사부에 의뢰하다.

Scots [skɑts / skɔts] *a.* 스코틀랜드(사람·말)의. — *n.* [U] 《Sc.》 스코틀랜드 영어(방언).

Scots·man [-mən] (*pl.* ***-men*** [-mən]) *n.* [C] 스코틀랜드 사람.

Scots·wom·an [-wùmən] (*pl.* ***-wòm·en***) [C] *n.* 스코틀랜드 여자.

Scott [skɑt / skɔt] *n.* Sir **Walter** ~ 스코트《스코틀랜드의 소설가·시인; 1771-1832》.

Scot·ti·cism [skɑ́tisìzəm / skɔ́t-] *n.* [C] 스코틀랜드 어법, 스코틀랜드 사투리.

***Scot·tish** [skɑ́tiʃ / skɔ́tiʃ] *a., n.* =SCOTCH.

***scoun·drel** [skáundrəl] *n.* [C] 악당, 깡패, 불한당. [파] ~·**ly** *a.* 악당의, 악당 같은.

***scour**[1] [skauər] *vt.* ① **a**) …을 문질러 닦다; 윤내다《*down*; *out*》: ~ the floor *with* a brush 브러시로 마루를 문질러 닦다 / ~ the pots and pans 항아리와 냄비를 닦아 윤내다. **b**) 비벼 빨다, 세탁하다. ②《+[목]+[전]+[명] / +[목]+[부]》(녹·얼룩)을 문질러(씻어) 없애다《*off*; *away*; *out*》: ~ rust *off* a knife 칼의 녹을 벗기다 / He ~*ed* the grease *off* from dishes. 그는 접시의 기름때를 벗겨냈다. ③ **a**) (파이프·배수로 등)에 물을 부어 깨끗이 하다: ~ (*out*) a ditch 물을 흘려보내 도랑을 쳐내다. **b**) (물 따위가 세게 흘러 수로 등)을 형성하다: The torrent ~*ed* (*out*) a channel. 세찬 급류로 수로가 하나 생겼다. ④《~+[목] / +[목]+[부]》(물로) …을 씻어내다. — *n.* (a ~) 문질러 닦기; 씻어내기: She gave the saucepan *a* good ~. 소스팬을 깨끗이 닦았다.

scour[2] *vt.* …을 찾아 (급히) 돌아다니다. 찾아 다니다《*for*》: They ~*ed* the countryside *for* the lost child. 그들은 미아를 찾아 그 주변 일대를 돌아다녔다.
— *vi.* 《+[부] / +[전]+[명]》(…을 구하여) 찾아다니다(헤매다)《*about*; *after*; *for*》: The fox ~*ed about* in search of food. 여우는 먹을 것을 찾아 헤맸다.

scour·er [skáurər, skáuərər] *n.* [C] (나일론이나 쇠로 만든) 수세미.

***scourge** [skəːrdʒ] *n.* [C] ① (천재·전쟁 등) 하늘의 응징, 천벌: the ~ of war 전쟁의 참화 / the ~ of Heaven 천벌. ② 두통거리: Rabbits are a serious ~ in some rural areas. 굴토끼가 어떤 시골에서는 큰 골칫거리다. ③ 채찍, 매.
— *vt.* …을 몹시 괴롭히다; 징계하다; 채찍질하다: a country ~*d* by disease and war 질병과 전쟁으로 고통을 받고 있는 나라.

‡**scout**[1] [skaut] *n.* ① [C] **a**) 〖軍〗 정찰병, 척후병: The ~*s* reported that the enemy was advancing. 정찰병은 적군이 전진하고 있다고 보고했다. **b**) 정찰기(선, 함). ② (a ~) 정찰, 찾아다님: take *a* ~ around (《美》 round) 여기저기 정찰하(며 돌아다니)다. ③ [C] (종종 S-) 보이스카웃(Boy Scouts)의 일원(★ 《美》에서는 Girl Scouts 의 일원도 말함): join the *Scouts*. ④ [C] (경기·예능 등의) 신인을 찾는 사람: a talent ~ 신인 발굴자. ⑤ [C] 《英》 Oxford 대학의 사환, 용원(傭員). ⑥ [C] 《口》 녀석, 놈: I'll ask Tom to help, he's a good ~. 톰에게 도움을 청하겠다. 놈은 괜찮은 녀석이거든. ***be on*** (***in***) ***the*** ~ 정찰하고 있다.
— *vt.* ① (적정 따위)를 정찰하다. ②《口》…을 수색하다, 찾아 다니다《*out*; *up*》: Could you ~ *around* and see if (whether) there's a place we could take a rest? 돌아다니면서 우리가 쉴 만한 곳을 찾아보겠나 / *Scout around* for a shop that's open late. 늦게까지 영업하는 가게를 찾아라.
— *vi.* ① 정찰(척후)하다: He went out ~*ing*. 그가 척후에 나갔다. ② (…을) 찾아 다니다 《*around*; *about*》: We'll ~ *around* to see if

anyone is here. 여기에 누가 있는지 찾아보겠다.

scout² *vt.* (제의·의견 등)을 거절하다 ; 코웃음 치다.

scóut càr 〖美軍〗 고속 정찰 자동차.

scout·hood [skáuthùd] *n.* Ⓤ 보이〔걸〕 스카우트의 신분〔특징, 정신〕.

scout·ing [skáutiŋ] *n.* Ⓤ ① 척후〔정찰〕 활동. ② 소년〔소녀〕단의 활동.

scout·mas·ter [ˊmæ̀stər, ˊmɑ̀ːs-] *n.* Ⓒ 스카우트 대장 ; 《특히》 보이스카우트 어른 대장.

scow [skau] *n.* Ⓒ (모래·광석·폐기물 운반용) 대형 평저선(平底船).

***scowl** [skaul] *n.* Ⓒ 찌푸린 얼굴, 오만상 : have a ~ on one's face 얼굴을 찌푸리다 / Her grin changed to ~. 생긋거리더니 얼굴을 찌푸렸다.
— *vi.* 《~ / +전+명》 얼굴을 찌푸리다, 오만상을 짓다 ; 노려보다《*at* ; *on*》: The prisoner *~ed at* the jailer. 죄수는 간수를 노려보았다 / The teacher *~ed at* the noisy boy. 선생은 시끄러운 학생을 보고 눈살을 찌푸렸다. — *vt.* 얼굴을 찌푸려 (감정을) 나타내다 : ~ down a person 눈살을 찌푸려 아무가 입을 다물게 한다.

scrab·ble [skrǽbəl] *vi.* ① (손톱으로) 할퀴다《*at* ; *against*》. ② 휘갈겨 쓰다. ③ 헤적여 찾다《*about* ; *around*》: She *~d around* in her handbag to find the ring. 그녀는 반지를 찾으려고 핸드백을 뒤졌다. — *n.* (a ~) ① 해적질. ② 쟁탈.

scrag [skræg] *n.* ① Ⓒ 말라빠진 사람〔동물〕. ② Ⓤ (양·송아지의) 목덜미 고기. ③ Ⓒ 《俗》 사람의 모가지. — (*-gg-*) *vt.* ① (짐승의 목)을 비틀어 죽이다. ② …의 목을 쥐고 거칠게 다루다. ③ …을 마구 다루다 ; 혼내다.

scrag·gly [skrǽgəli] (*-gli·er* ; *-gli·est*) *a.* 터부룩한《수염 따위》; (바위 따위가) 삐죽삐죽한, 우툴두툴한 : a ~ beard 더부룩한 턱수염 / long ~ hair 더부룩한 장발.

scrag·gy [skrǽgi] (*-gi·er* ; *-gi·est*) *a.* ① 말라빠진 ; 뼈만 앙상한 : a ~ neck. ② 울퉁불퉁한 : ~ cliffs. ㊎ **-gi·ly** *ad.* **-gi·ness** *n.*

scram¹ [skræm] (*-mm-*) *vi.* 〔흔히 命令文으로〕 《口》 도망하다, (급히) 떠나다, 나가다 : *Scram*, you aren't wanted here. 나가, 네가 있으면 방해다 / Let's ~ ! 튀자 / Hey, you kids ! *Scram !* 조무래기들, 썩 꺼져.

scram² [skræm] *n.* Ⓒ 〖原子〗 스크램《원자로의 긴급 정지》.

‡**scram·ble** [skrǽmbəl] *vi.* ① 《+전+명》 기어오르다《*up* ; *on* ; *over*》: We *~ed up* the side of the cliff. 우리는 벼랑 가장자리를 기어올라갔다 / They *~d* away *over* the rocks and fled. 그들은 바위모서리를 기어넘어 달아났다. ② 《~ / +뷰》 기(어가)듯 움직이다, 기어가다 : ~ *about* 기어다니다 / ~ *down* 기어내리다. ③ 《+전+명》 급히 움직이다 : He *~d* to his feet. 그는 후닥닥 일어섰다 / ~ into one's coat 서둘러 코트를 입다. ④ 《+전+명》 다투다, 서로 빼앗다, 얻으려고 다투다《*for* ; *after*》: ~ *after* promotion 승진을 겨루다 / As the burning plane landed, the terrified passangers *~d for* the door. 불타는 항공기가 착륙하자 겁에 질린 승객들은 뒤엉켜 문쪽으로 뛰었다. ⑤ (적기를 요격하기 위해) 긴급 발진하다.
— *vt.* ① 《+목+뷰》 …을 (급히) 긁어모으다, 그러모으다《*up*》: He *~d* the papers *up* on the desk. 그는 급히 책상 위의 서류를 그러모았다. ② …을 뒤섞다, 혼동하다 : The wind *~d* the pages of the book. 바람에 책장이 엉망이 됐다 / He has hopelessly *~d* our names and faces. 그는 우리들의 이름과 얼굴을 혼동해 버렸다. ③ 달걀을 휘저으며 익히다 ; (카드)를 뒤섞다. ④〖通信〗 (도청 못하도록 주파수)를 변경하다. ⑤ (요격기)를 긴급 발진시키다.
— *n.* ① (a ~) 기어 오름 : It was quite *a ~* to get to the top of the hill. 언덕배기까지 오르는데는 여간 힘들지 않았다. ② **a**) (a ~) 쟁탈《*for*》: After the death of the dictator there was *an* unseemly ~ *for* power among the generals. 그 독재자가 죽은 후, 장군들간에 권력 쟁탈의 암투가 있었다. **b**) 《+*to* do》 (…하기 위한) 다툼《*for*》: a ~ *for to* get best seat 좋은 자리를 차지하기 위한 쟁탈. ③ Ⓒ 〖空軍〗 (전투기의) 긴급 발진, 스크램블. ④ (a ~) 무질서한 그러모으기. ⑤ Ⓒ (급경사·울퉁불퉁한 코스에서 하는) 오토바이의 스크램블 레이스.

scram·bler [skrǽmblər] *n.* Ⓒ (도청 방지의) 주파수대(帶) 변환기.

scram·jet [skrǽmdʒèt] *n.* Ⓒ 스크램제트《초음속 기류 속에서 연료를 연소시키는 램제트 엔진》.

‡**scrap¹** [skræp] *n.* ① Ⓒ 작은 조각 ; 토막, 단편《*of*》: a ~ *of* paper 종잇조각 / *~s of* conversation 대화의 단편 / *~s of* news 단편적인 뉴스. ② **a**) (*pl.*) 먹다 남은 음식, 찌꺼기 : Give the *~s* to the dog. 먹다 남는 것은 개에 줘라. **b**) (a ~) 〔否定文으로〕 근소, 조금 : I do*n't* care *a ~*. 조금도 괘념치 않습니다, 염려할 것 없습니다 / There's *not a ~* of truth in the claim. 그 주장에는 눈곱만한 진실도 없다 / It *never* made *a ~* of difference to his feeling for her. 그의 그녀에 대한 감정은 조금도 달라지지 않았다. ③ Ⓤ 폐물, 쓰레기 ; 파쇠, 스크랩 : ~ iron 파쇠 / A man comes round regularly to collect ~. 정기적으로 폐품 수집하러 오는 남자가 있다 / He sold his old car for ~. 그는 헌 차를 고철로 팔아치웠다. ④ Ⓒ (*pl.*) (신문·잡지 따위의) 발췌 ; 스크랩《★ 《美》에선 흔히 clipping, 《英》에서는 cutting이라 함》.
— *a.* 〔限定的〕 ① 조각의, 조각으로 된. ② 폐물이〔허섭스레기가〕 된 ; 폐물로 버려질 : ~ value 〖商〗 잔존(殘存) 가치.
— (*-pp-*) *vt.* ① …을 쓰레기로 버리다, 파쇠로 하다 : The navy's biggest aircraft carrier is being *~ped* this year. 해군이 보유하고 있는 최대의 항공모함이 금년에 폐선 처리될 것이다. ② (계획 등)을 폐기하다 : The plan to extend the airport may have to be *~ped*. 공항 확장 계획은 폐기해야 할 것 같다.

scrap² (*-pp-*) 《口》 *vi.* …와 싸우다《*with*》.
— *n.* Ⓒ 승강이, 언쟁, 알력 : get into a ~ 옥신각신하다 / Mr. Roberts loved a ~. 로버트씨는 걸핏하면 싸웠다.

***scrap·book** [ˊbùk] *n.* Ⓒ 스크랩북.

‡**scrape** [skreip] *vt.* ① 《~+목 / +목+뷰 / +목+전+명》 …을 문지르다 ; 문질러〔긁어, 닦아서〕 반반하게 하다, 후리다 ; 문질러〔긁어〕 벗기다, 비벼서〔문질러〕 깨끗이 하다《*off* ; *away* ; *out*》: ~ the potatoes 감자를 깎다 / ~ peeling paint *off*〔*away*〕 벗겨져가는 페인트를 긁어 벗기다 / ~ scales *off* a fish 생선비늘을 긁어벗기다 / He *~d* his knee *on* a stone〔nail〕. 돌〔못〕에 무릎이 벗겨졌다 / He *~d* muddy shoes *on* the door mat. 흙투성이가 된 신을 현관 매트에 문질러서 흙을 털었다 / The nuts can be eaten raw once they have been *~d*. 그 열매는 한번만 문질러 닦으면 날로 먹을 수 있다 / She went round the car *scraping* the frost *off* the windows. 그녀는 돌아가면서 차유리의 서리를 닦아냈다. ② …와 마찰시켜 삐걱거리게 하다, 비벼 소리를 내다 ; (바이올린 따위)를 켜다. ③ 《~+목 / +목+뷰》 **a**)

(자금·선수 등)을 긁어 모으다, 마련하다《*up*; *together*》: ~ *together* enough money for …에 쓸 수 있을 만큼의 돈을 애써서 긁어 모으다 / He did not want his kids to have to ~ to get through college. 그는 자식놈들이 대학을 마치는 데 필요한 돈을 마련해야 하는 것을 원치 않았다. **b**) (겨우 생활비)를 벌다 : manage to ~ living 그럭저럭 살아가다. ④《~+목/+목+부》…을 긁어 내다; …을 파다, 도려내다《*out*》: ~ (*out*) a hole on the ground 마당에 구멍을 파다.

— *vi.* ①《+전+명》 스치다《*against*; *past*》: The two buses ~*d past* each other. 두 대의 버스는 서로 스칠 듯이 지나갔다 / The lane was narrow but we could ~ *through.* 길이 좁았으나 우리는 그럭저럭해서 지날 수 있었다. ② 쓸리다《*on*; *against*》: The rope ~ *against* the rock. 밧줄이 바위에 쓸려 닳았다. ③《+전+명》(악기)를 켜다 : ~ *on* a violin. ④《+부/+전+명》 간신히〔가까스로〕 …하다 : He has ~*d by* on very small wage. 쥐꼬리만한 급료로 살아왔다 / I barely ~*d through* the test. 나는 간신히 테스트에 합격했다. ⑤ (돈·사람 등)을 근근이 모으다《*up*; *together*》: He ~*d up*〔*together*〕 the money to start a restaurant. 근근이 그는 식당 차릴 돈을 모았다 / We ~*d together up* an audience of fifty for the play. 우리는 그 연극에 가까스로 50명의 관객을 모았다. ***bow and*** ~ ⇨BOW² *v.* ~ ***acquaintance with*** …와 사귀려고 하다. ~ (***the bottom of***) ***the barrel*** ⇨ BARREL.

— *n.* Ⓒ ① ~하기 ; ~하는 소리. ② 찰과상, 긁힌 자국 : a ~ on the car door 자동차 문에 난 긁힌 자국. ③《口》(스스로 자초한) 곤란, 곤경 : We got into terrible ~*s.* 우리는 대단한 곤경에 빠져 들었다.

***scrap·er** [skréipər] *n.* Ⓒ ① (신발의) 흙떨이 (매트). ② 페인트를 긁어내는 주걱. ③ (그릇에 붙은 음식 찌꺼기 등을 긁어내는) 딱딱한 고무제의 주걱.

scráp hèap ① 쓰레기〔고철〕 더미. ② (the ~) 쓰레기터〔폐기장〕. ***on the*** ~ 버려져서, 폐기되어 : Put that plane *on the* ~ ; it'll never work. 그 비행기를 쓰레기로 버려라. 아무짝에도 못쓴다.

scrap·ing [skréipiŋ] *n.* ① Ⓤ 깎음, 문지름, 긁음 ; 깎는〔문지르는, 켜는〕 소리. ② (*pl.*) 깎은 부스러기 ; 쓰레기 : the ~*s* and scourings of the street 거리의 쓰레기 ; 거리의 불량배.

scráp mèrchant 고철상, 폐품 수집업자.

scráp pàper ① 휴지. ②《英》메모 용지(《美》scratch paper).

scrap·ple [skrǽpəl] *n.* Ⓤ《美》스크래플《저민 돼지고기와 옥수수가루를 섞어 기름에 튀긴 요리》.

scrap·py¹ [skrǽpi] (***-pi·er*** ; ***-pi·est***) *a.* ① 부스러기의, 지스러기의 : a ~ dinner 먹다 남은 것으로 만든 저녁. ② 단편적인, 산만한 : a ~ education 단편적인 교육 / I'm afraid your last essay was a very ~ piece of work. 미안한 얘기지만 당신의 최근 에세이는 아주 산만한 것이었소. ㊕ **-pi·ly** *ad.* **-pi·ness** *n.*

scrap·py² *a.*《口》툭하면 싸우는, 논쟁하기를 좋아하는.

scrap·yard [skrǽpjɑ̀ːrd] *n.* Ⓒ 쓰레기 버리는 곳, 고철〔폐품〕 하치장.

‡scratch [skrætʃ] *vt.* ①《~+목/+목+부》…을 할퀴다, 긁다 ; (몸)에 할퀸 상처를 내다 ; (가려운 곳)을 긁다 ; (땅)을 긁어 구멍을 내다 ; …을 긁어 벗기다 : The cat ~*ed* my face. 고양이가 내 얼굴을 할퀴었다 / The child ~*ed* the table top with a knife. 애가 칼로 식탁 위에 흠집을 냈다 / I've ~*ed* my hand badly. 손에 큰 찰과상을 입었다 / ~ (*out*) a hole in the ground 땅을 긁어 구멍을 파다 / Will you ~ that sticker *off* the car window? 자동차 유리의 저 스티커를 벗겨 주겠나 / I got my shin ~*ed* by a rose bush. 장미 덤불에 정강이를 긁혔다 / The old man lifted his cardigan to ~ his side. 노인은 카디건을 올려 옆구리를 긁었다 / The dog was ~*ing itself* (with its hind leg). 개가 (뒷다리로) 몸을 긁고 있었다. ② …을 휘갈겨쓰다 : She ~*ed* a note hurriedly. 그녀는 서둘러 메모를 휘갈겼다. ③《~+목/+목+부》…을 지워 없애다, 말살(抹殺)하다 ; 명부〔예정〕에서 지우다〔빼다〕《*out*; *off*; *through*》: ~ (*out*) a candidate 후보자를 명단에서 빼다 / I ~*ed out* the sentence. 나는 그 문장을 지워버렸다. ④《+목+부》(돈 따위)를 긁어 모으다, 푼푼이 저축하다《*together*; *up*》: She ~*ed up* some money for holidays. 그녀는 휴가를 위해서 돈을 약간 저축했다. ⑤ (후보자)의 이름을 지우다, 삭제하다《*off*; *from*; *out of*》: The name had been ~*ed off*〔*from*〕 the list. 그 이름은 명단에서 삭제됐다. ⑥〖競〗(선수·말 등)을 출장 명부에서 지우다 : The horse was officially ~*ed.* 말은 정식으로 출장이 취소됐다 / He had been ~*ed from* the race because of his injury. 그는 부상 때문에 경기에서 탈락됐다.

— *vi.* ① **a**) 긁다, 갉다《*at*; *on*》; (가려운 데를) (계속) 긁었다《*away*; *at*; *on*》: ~ *on* the door 문을 긁다 / He ~*ed away at* his rash. 부스럼을 벅벅 긁었다. **b**)《+전+명/+부》 긁어 파다 ; 헤집어 찾다, 긁어 모으다《*for*; *about*》: The chickens ~*ed about* for food. 닭이 여기저기 헤집어 모이를 찾았다 / A few chickens were ~*ing about*〔*around*〕 *in* the yard for grain. 닭 몇 마리가 낟알을 찾아 마당을 헤집고 있었다. ② (펜이 닳아서) 긁히다 : This pen doesn't ~. 이 펜은 쓰기가 좋다. ③《+부》 가까스로 살아가다〔타개하다〕《*along*》: ~ *along* on very little money 아주 적은 돈으로 근근이 살아가다. ④ 후보자의 이름을 취소하다 ; (경쟁·일 따위에서) 손을 떼다《*from*》. ~ ***about***〔***around***〕 ***for*** …을 찾아 헤매다〔다니다〕: The editor of the local paper says he's really ~*ing around for* stories this week. 그 지방지 편집장은 금주 기삿거리가 정말 난감하다고 한다. ~ ***the surface of*** …의 겉을 만지다《핵심에 닿지 않다》: Officials say they've only ~*ed the surface of* the drug problem. 관리들은 마약 문제를 그저 피상적으로만 다루어왔다고 말한다. ~ a person ***where he itches*** 가려운 곳을 긁어주다 ; 아무의 마음에 들도록 해 주다.

— *n.* ① (a ~) (가려운 데를) 긁기 : I had *a* good ~. 실컷 긁었다. ② Ⓒ **a**) 긁은〔할퀸〕 자국 ; 할퀸 상처, 찰상(擦傷) : a ~ *on* one's face 얼굴의 찰과상. **b**) 긁는 소리, 스크래치 : the ~ of a pen on paper 종이에 펜 긁히는 소리. ③ Ⓒ〖競〗 출장을 취소한 선수. ④ Ⓤ《俗》돈, 현금. ⑤ Ⓤ〖樂〗(랩 음악에서 쓰이는) 스크래치. ***from*** ~ 출발점에서부터 ; 처음부터, 무(無)에서 : I had to rewrite the report *from* ~. 보고서를 처음부터 다시 써야 했다. ***up to*** (***the***) ~ 표준에 닿아, 좋은 상태로 : His work isn't *up to* ~. 그의 일(하는 모양)은 시답잖다.

— *a.* 〔限定的〕 ① 긁어 모은, 있는 것으로 만든 : ~ dinner 있는 것으로 차린 식사 / a ~ team 그러모은〔갑자기 편성한〕 팀. ②〖競〗 대등한, 핸디캡 없는 : a ~ golfer 핸디가 제로인 골퍼.

scrátch hìt〖野〗요행수로 친 안타, 우연한 안타.

scrátch lìne (경주의) 출발선 ;〖美競〗발을 굴

러 도약하는 곳〔선〕, 스로인 라인《따위》.

scrátch pàd ①《美》(낱장으로 떼어 쓰는) 편지지, 메모용지철. ②〖컴〗 스크래치 패드《정보의 일시적 기억 장치》.

scrátch pàper 《美》 메모 용지(《英》 scrap 「paper).

scrátch tèst 〖醫〗 피부 반응〔시험〕《알레르기 반응 검사》.

scratchy [skrǽtʃi] (*scratch·i·er ; -i·est*) *a.* ① (글씨·그림 등을) 휘갈긴, 날림의 : ~ handwriting 마구 휘갈긴 필적 / What's her name? I can't read this ~ signature. 그 여자이름이 뭐지. 이 휘갈긴 사인으로는 알아볼 수 없다. ② (펜 따위가) 긁히는, (레코드 판이) 직직 소리나는 : ~ old jazz records 직직거리는 낡은 재즈 레코드판. ③ (옷 따위가) 가려운, 따끔거리는 : a ~ wool sweater 따끔따끔한 털스웨터.

㊕ **scrátch·i·ly** *ad.* **-i·ness** *n.*

***scrawl** [skrɔːl] *vt.* 《~+目 / +目+前+名》 …을 휘갈겨〔흘려〕 쓰다 ; (벽 따위)에 낙서하다 : ~ a letter 편지를 갈겨 쓰다 / Someone had ~*ed* 'Scum' on his car. 누군가가 차에 '쓰레기'라고 낙서를 했다. ── *vi.* 갈겨 쓰다, 낙서하다《*on ; over*》: Who's ~*ed* all *over* the wall? 누가 벽에 가득 낙서를 했느냐. ── *n.* ① Ⓒ (흔히 *sing.*) 휘갈겨 쓴 글씨〔편지〕: This letter must be from him, I recognize his ~. 이 편지는 그에게서 온 게 분명하다. 나는 그의 휘갈기는 글씨를 알고 있다. ② (one's ~) 마구 휘갈긴 필적 : Excuse *my* ~. 악필을 용서하십시오.

scraw·ny [skrɔ́ːni] (*-ni·er ; -ni·est*) *a.* 《口》 야윈, 앙상한 : a ~ pine 앙상한 소나무 / a ~ youth / ~ cattle.

‡**scream** [skriːm] *vi.* ①《~ / +前+名》 소리치다, 비명을 지르다 : She ~*ed for* help〔*in* fright〕. 그녀는 도와달라고〔무서워서〕 비명을 질렀다. ②《+前+名》 깔깔대다 : We all ~*ed with* laughter at his joke. 그의 농담에 우리는 배를 쥐고 웃었다. ③ (아이들이) 앙앙 울다 ; (올빼미 따위가) 날카로운 소리로 울다 ; (기적 등이) 삐익하고 울리다 ; (바람이) 씽씽 불다 : The gale ~*ed* through the streets. 사나운 바람이 씽씽거리며 거리를 지나갔다. ④《俗》(비행기·차가) 쌩하고 날아〔지나〕가다 : Police cars ~*ed* past. 순찰차가 요란한 소리를 내며 지나갔다.

── *vt.* ①《~+目 / +目+副 / +*that* 節》 …을 새된 소리로 말하다, 큰 소리로 외치다, 절규하여 알리다 : ~ conspiracy 음모라고 외치다 / ~ *out* an order 큰 소리로 명령을 내리다 / She ~*ed that* I was to blame. 잘못은 내게 있다고 그녀는 소리를 질렀다. ②《+目+補》〔再歸的〕 소리 질러 …한 상태가 되다〔되게 하다〕: ~ *oneself* hoarse 목이 쉬도록 외치다.

── *n.* ① Ⓒ 외침 (소리), (공포·고통의) 절규, 비명 ; 새된 소리 : I was awakened by the sound of ~*s.* 비명소리에 나는 잠이 깼다 / The car roared round the corner with a ~ of tyres. 차가 삐익하는 바퀴소리를 내며 모퉁이를 돌아갔다. ② (a ~) 《口》 아주 웃기는 사람〔일, 물건〕: He is really *a* ~. 정말 재미있는 친구다.

scream·er [skríːmər] *n.* Ⓒ ① 외치는 사람, 날카로운 소리를 지르는 사람〔내는 것〕. ②《口》 몹시 웃기는 이야기〔일, 사람〕. ③《美俗》(신문의) 센세이셔널한 표제. ㊋ banner (line).

scream·ing [skríːmiŋ] *a.* ① 외치는, 날카로운 소리를 내는. ② 배를 움켜쥐게 하는, (사람이) 킬킬 웃는. ③ 깜짝 놀라게 하는, 센세이셔널한. ④ (빛깔 등이) 야단스러운 : ~ colors 현란한 색채.

scream·ing·ly [skríːmiŋli] *ad.* (흔히 ~ funny 로) 몹시 : ~ *funny* 아주 웃기는〔재미 있는〕.

scree [skriː] *n.* ① Ⓒ 자갈〔돌〕더미. ② Ⓤ 암설(岩屑)로 된 산허리의 급사면.

***screech** [skriːtʃ] *n.* Ⓒ 날카로운 소리 ; (브레이크 따위가) 끼익하는 소리 : The truck stopped with a ~ of brakes. 트럭이 브레이크 밟는 끼익 소리를 내며 멈추었다.

── *vi.* ① 날카로운〔새된〕 소리를 내다, 비명을 지르다 : He was ~*ing* with pain. 아파서 비명을 지르고 있었다 / I heard some owls ~*ing* in the trees. 올빼미가 숲에서 날카롭게 우는 소리가 들렸다. ② (자동차·브레이크 등이) 끼익하고 소리를 내다 : The car ~*ed* to a halt. 자동차가 끼익 소리를 내며 멈추었다. ── *vt.* 《~+目 / +目+副》 ① …을 날카로운〔새된〕 소리로 외치다《*out*》: She ~*ed out* her innocence. 그녀는 날카롭게 자기의 결백을 외쳤다. ② (자동차·브레이크 등)을 끼익 소리 나게 하다.

screech·ing [skríːtʃiŋ] *a.* ① 날카로운 소리를 내는. ② 끼익소리를 내는 : come to a ~ halt (차 등이) 끼익하고 멈추다 ; (계획 등이) 갑자기 중지되다.

scréech òwl 부엉이의 일종 ; =BARN OWL.

screechy [skríːtʃi] (*screech·i·er ; -i·est*) *a.* ① (음성·소리 등이) 날카로운. ② (사람이) 새된 소리를 내는.

screed [skriːd] *n.* Ⓒ (종종 *pl.*) 장황한〔지루한〕 「이야기〔문장〕.

‡**screen** [skriːn] *n.* ① Ⓒ 칸막이 ; 병풍, 장지 ; 차폐물 ; 칸막이 커튼〔장지〕, 막 ; 《美》(창문의) 망, 방충망 : a folding ~ of six panels, 6폭으로 된 병풍 / a sliding ~ 장지 / lay down a smoke ~ 연막을 치다 / He was using his business activities as a ~ for crime. 그는 사업 활동을 범죄 행위의 보호막으로 쓰고 있었다. ② Ⓒ (교회당의) 제단과 신자석(席) 사이의 구획. ③ **a**) Ⓒ 스크린 ; 영사막. **b**) (the ~) 〔集合的〕 영화(계) : appear on *the* ~ 영화에 출연하다 / It's only a year since she made her ~ debut. 그녀가 영화계에 데뷔한 지 1년밖에 안된다. **c**) Ⓒ (TV·컴퓨터의) 영상면(面) : Our television has a 19-inch ~. 우리 집 텔레비전은 화면이 19인치짜리다. ④ Ⓒ (흙·모래 등을 거르는) 어레미. ***under* (*the*) ~ *of night*** 야음을 틈타서.

── *vt.* ①《~+目 / +目+前+名 / +目+副》 …을 가리다 ; 칸막다 ; (빛·사람의 눈 등)을 가로막다 ; 막다, 숨기다, 감싸다《*from ; out ; against ; off*》: ~ windows 창에 (방충)망을 치다 / an orchard ~*ed from* north winds by a hill 야산이 북풍을 막아 주는 과수원 / ~ a person *from* blame 아무를 비난으로부터 두둔하다 / She raised her hand to ~ her eyes *from* the bright light. 그녀는 눈에 비치는 밝은 빛을 가리기 위해 손을 들었다 / Sun lotions ~ *out* damaging ultraviolet light. 선로션은 자외선 피해를 막아준다 / The wall ~*s* us *against* the wind. 벽이 바람을 막아준다 / One corner of the room was ~*ed off.* 방 한쪽 구석이 칸막이 되어 있었다. ② (석탄 등)을 체질하여 가르다, 체로 치다. ③ (지원자)를 선발〔심사〕하다《*out*》; (소지품·병균 등에 대해) (사람)을 조사하다 : They will ~ all their candidates. 그들은 모든 후보자를 심사할 것이다 / All women over 50 will be ~*ed* for breast cancer. 50세 이상의 여성들은 모두 유방암의 검사를 받게 된다. ④ 영사〔상영〕하다 ; 영화화〔각색〕하다 ; 촬영하다 : The old movie will be ~*ed* on TV tomorrow. 그 옛 영화는 내일 TV에 상영된다.

── *vi.* 〔well, badly 등의 부사와 함께〕 (배우가) 영화에 어울리다 : The actress ~*s badly.* 그 여배

우는 그 영화에 전혀 어울리지 않는다.
— *a.* 〔限定的〕 ① 쇠망을 친. ② 영화〔은막〕의 : a ~ actor 영화 배우 / a ~ face 영화에 맞는 얼굴 / ~ time 상영 시간.

screen·ing [skríːniŋ] *n.* ① Ⓤ.Ⓒ (영화・TV 등의) 상영, 영사(映寫). ② Ⓤ **a)** 선발, (적격) 심사 : a ~ test 적격 심사 ; 〖醫〗 선별〔예비〕 검사 / a ~ committee 적격 심사 위원회. **b)** 〖醫〗 집단 검진. ③ (*pl.*) 무거리.

screen·play [ˊ-plèi] *n.* Ⓒ 영화 대본, 시나리오.

scréen stár 영화 스타.

scréen tèst (실제 촬영에 의한) 스크린 테스트 《영화 배우의 적성〔배역〕 심사》.

screen·writ·er [ˊ-ràitər] *n.* Ⓒ 시나리오 작가.

‡**screw** [skruː] *n.* Ⓒ ① 나사 ; 나사못, 볼트 : a female 〔male〕 ~ 암〔수〕나사 / a wood ~ 나무나사 / give the ~ another turn 나사를 한번 더 죄다 / tighten a ~ with a screwdriver 드라이버로 나사를 죄다. ② (배의) 스크루, 추진기 ; (비행기의) 프로펠러 : a twin-~ cruiser 쌍발 순항기. ③ (병의) 마개뽑이(corkscrew). ④ 비틀기 ; (나사의) 한번 틀기〔죔〕, 한번 돌림 : This isn't tight enough yet ; give it another ~. 아직 꽉 죄이지 않았다. 한 번 더 죄어라. ⑤ 《英俗》 임금, 급료 : draw one's ~ 급료를 타다 / a good〔poor〕 ~ 후한〔박한〕 급료. ⑥ 《英》 (담배・소금 등을) 양끝을 꼬아 싼 봉투, 한 봉지 : a ~ of tobacco 담배 한 봉지. ⑦ 《英口》 구두쇠. ⑧ 《英口》 쇠약한 말, 폐마. ⑨ 《俗》 교도관(jailer). ⑩ 《俗》 성교(의 상대). ***have a ~ loose*** 《口》 머리가 좀 이상하다 ; 고장나다 : He must *have a ~ loose* to do that. 그런 짓을 하다니 좀 이상해진게 틀림없다. ***put*** 〔***tighten***〕 ***the ~s on*** a person 《口》 (동의하도록) 아무에게 압력을 넣다, …을 을러메다 : The landlord's *putting the ~s on* to get her to leave. 집주인은 그녀를 내보내려고 압력을 넣고 있다.
— *vt.* ① 《+目+副 / +目+前+名》 …을 나사로 죄다《*up*》 ; 나사못으로 고정시키다《*down* ; *on*》 ; …에서 나사를 풀어서 떼다《*off*》 : ~ *up* a handle *on* (the door) (문에) 손잡이를 달다 / ~ a license plate *to*〔*on*〕 a car 자동차에 번호판을 나사로 붙이다 / I tried to ~ the lid *off*. 나는 나사를 풀어 뚜껑을 떼려고 했다 / The table legs are *~ed to* the top. 식탁 다리는 나사로 상판에 고정돼 있다. ② 《~+目 / +目+副 / +目+前+名》 …을 (비)틀다 ; 굽히다 ; (병(마개) 등)을 돌려 죄다〔틀어 넣다, 따다〕《*round* ; *around*》 : ~ a person's arm 아무의 팔을 비틀다 / ~ a bottle open〔shut〕 마개를 틀어 병을 따다〔막다〕 / He *~ed* his head *around* to see me. 고개를 돌려 나를 봤다 / *Screw* the two pipes *together* end to end. 파이프 양끝을 비틀어 붙여라 / ~ a lid *on* the jar 병 뚜껑을 돌려 죄다. ③ 《+目+前+名》 (얼굴 등)을 찡그리다 ; 일그러뜨리다 : ~ one's face *into* wrinkles 얼굴을 찡그려 주름살 투성이로 만들다. ④ (불안하여 종이 따위)를 꾸깃꾸깃 뭉치다 : She *~ed up* the papers *into* a ball. 그녀는 서류를 꾸깃꾸깃 뭉쳐서 버렸다. ⑤ …을 긴장시키다 ; (용기 등)을 불러일으키다《*up*》 : I *~ed up* my courage to ask for help. 용기를 내어 도움을 청했다 / He was *~ed up* about his first appearance on stage. 그는 처음 무대에 서게 되어 불안해졌다. ⑥ 《~+目 / +目+前+名 / +目+副》 《口》 쥐어 짜다 ; 착취하다 ; 무리하게 빼앗다 《*out of* ; *from*》 : ~ water *out of* a wet towel 젖은 수건에서 물을 짜내다 / ~ money 〔taxes, consent〕 *out of* a person 아무에게서 돈〔세금, 승낙〕을 억지로 받아내다. ⑦ 〔종종 受動으로〕 《俗》 …을 속이다 : He was completely *~ed*. 그는 감쪽같이 속았다. ⑧ 《俗》 …와 성교하다.
— *vi.* ① (나사가) 돌(아가)다, 틀리다 ; 나사 모양으로 돌다 ; 비틀리다 : The handle won't ~. 손잡이가 돌지 않는다. ② 나사로 고정되다, 잠기다《*on* ; *together* ; *off*》 : This top *~s on* that bottle. 이 마개는 저 병에 맞는다 / These parts ~ *together*. 이 부품들은 나사로 붙이게 돼 있다. ③ (당구 공이) 커트되다. ④ 실수하다, 잘못되다 《*up*》 : The car broke down, so that *~ed up* our holiday. 차가 고장나서 휴일을 잡쳤다. ⑤ 《卑》 성교하다. ***have*** one***'s head ~ed on the right way*** =***have*** one***'s head well ~ed on*** 빈틈이 없다, 분별(分別)이 있다 ; 옳은 판단을 하다. ~ ***around*** (1) 빈둥빈둥 시간을 낭비하다. (2) 《俗》 난교(亂交)하다.

screw·ball [skrúːbɔ̀ːl] *n.* Ⓒ ① 《美俗》 괴짜 (nut) ; 재미있는 사람 : You'll love Chris — she's a real ~! 너는 크리스를 사랑하게 될거야. 그녀는 정말 재미있는 여자다. ② 〖野〗 스크루볼《변화구의 일종》.

scréw bòlt 나사 볼트.

scréw bòx 나사받이 ; (나무 나사를 깎는) 나사틀.

scréw càp =SCREW TOP.

scréw convèyer 스크루 컨베이어.

scréw còupling 나사 연결용 너트.

scréw cùtter 나사 깎는 기계.

screw·driv·er [ˊ-dràivər] *n.* ① Ⓒ 나사돌리개, 드라이버. ② Ⓤ.Ⓒ 《美》 스크루드라이버《보드카와 오렌지주스를 섞은 칵테일》.

scréw propèller ① (배의) 추진기. ② (비행기의) 프로펠러.

scréw spìke 나사못.

scréw thrèad 나사산(山).

scréw tòp (병 따위의) 나사 뚜껑《돌려서 개폐》.

screw·up, screw-up [skrúːʌ̀p] *n.* Ⓒ ① 실패, 실수. ② 얼빠진 놈, 쓸모없는 녀석.

screwy [skrúːi] (***screw·i·er*** ; ***-i·est***) *a.* ① 《口》 정신나간, 어딘가 별난 : He's got some pretty ~ ideas. 좀 아주 엉뚱한 생각을 하는 사람이다. ② (일・생각 등이) 매우 이상한 : It might seem ~ to you, but it makes perfect sense to me. 그게 네게는 이상할지 모르지만 나는 전혀 그렇지 않다.

***scrib·ble** [skríbəl] *n.* ① Ⓤ (또는 a ~) 갈겨 쓰기, 난필(亂筆), 악필 : I can't read this ~. 이 난필은 읽을 수가 없다. ② Ⓒ (종종 *pl.*) 휼려 쓴 것, 낙서 : There are *~s* on the lift wall. 승강기 벽에 낙서들이 있다.
— *vt.* …을 갈겨쓰다《*down*》 : She *~d down* his comments. 그녀는 그의 논평을 부랴부랴 휘갈겨 썼다. — *vi.* 휘갈겨쓰다, 낙서하다 : No *Scribbling*. 《게시》 낙서 금지.

scrib·bler [skríblər] *n.* Ⓒ ① 휘갈겨쓰는 사람, 난필〔악필〕가. ② 삼류 작가.

scribe [skraib] *n.* Ⓒ ① (인쇄술 발명 전의) 필기사, 필생(筆生). ② 〖聖〗 (흔히 S-) 율법학자. ③ 《美口》 저널리스트, 작가.
— *vt.* (금속・나무・벽돌 등)에 화선기(畫線器)로 선을 새기다〔긋다〕. ㊕ **scríb·er** *n.* Ⓒ 화선기.

scrim [skrim] *n.* Ⓤ ① 스크림《올이 성긴 면 또는 마직물의 일종》. ② 《美》 스크림으로 만든 반투명의 무대 장식용 커튼.

scrim·mage [skrímidʒ] *n.* Ⓒ ① 격투, 드잡이, 난투 : There were howls and screams, rocks were thrown, and out of the ~ the police came running. 아우성 소리와 비명이 들리고 돌이 날아다녔다. 그러한 난장 때문에 경찰이 달려왔다. ②

〖美蹴〗 스크리미지. ***line of*** ~ 스크리미지 라인. ── *vi.* ① 격투〔드잡이〕하다. ②〖美蹴〗 스크리미지하다.

scrimp [skrimp] *vt.* …을 긴축〔절약〕하다, (음식 등)을 바싹 줄이다; (돈)을 꾸준히 모으다. ── *vi.* 《~/+전+명》 인색하게 굴다, 절약하다《*on*》: She ~*s on* food. 그녀는 먹을 것에 인색하게 군다 / We had to ~ and save to pay the bills. 셈을 치르기 위해 우리는 아끼고 저축을 해야 했다. ~ ***and scrape*** 검소하게 살다, 꾸준하게 조금씩 저축하다: I've been ~*ing and scraping* all year for our holiday. 나는 우리 휴가를 위해 한 해를 꼬박 검소하게 지냈다.

scrimpy [skrímpi] (***scrimp·i·er*** ; ***-i·est***) *a.* 긴축하는, 조리차하는, 인색한. ㊞ **scrímpi·ly** *ad.*

scrim·shank [skrímʃæŋk] *vi.* 《英俗》 일을 태만히 하다, 농땡이 부리다.

scrim·shaw [skrímʃɔ:] *n.* ⒸⓊ (오랜 항해 중 선원이 심심풀이로 조가비·해마의 엄니 등으로 만든) 세공(품).

scrip [skrip] *n.* Ⓤ (긴급시에 발행되는) 임시 지폐; (점령군의) 군표.

‡**script** [skript] *n.* ① Ⓤ 손으로 쓴 글《print 에 대해》; 필체; Ⓤ 〖印〗 필기〔스크립트〕체 (활자). ② Ⓤ 문자, 글자: Arabic ~ 아라비아 문자 / The letter was written in elegant ~. 편지는 세련된 필체였다. ③ (극·영화·방송극 등의) 각본, 대본, 스크립트: All members of the cast must keep to 〔not depart from〕 the ~. 모든 배역들은 각본에 충실해야〔따라야〕 한다. ④ Ⓒ (흔히 *pl.*) 《英》 답안. ── *vt.* 《口》 (영화 등의) 스크립트를 〔대본을〕 쓰다.

script·ed [skríptəd] *a.* (방송 등이) 대본이 있는, 대본대로의; (연설 등이) 원고를 읽은: He read from a ~ speech. 그는 원고대로의 연설을 마쳤다.

scrip·to·ri·um [skriptɔ́:riəm] (*pl.* ~***s***, ***-ria*** [-riə]) *n.* Ⓒ (특히 수도원의) 사자실(寫字室), 기록실, 필사실(筆寫室).

scrip·tur·al [skríptʃərəl] *a.* (종종 S-) 성서(聖書)의〔에 바탕을 둔〕: a ~ scholar 성서학자.

***scrip·ture** [skríptʃər] *n.* ① (the S-(s)) 성서 (Holy Scripture). ② Ⓒ 성서의 한 절, 성구: a ~ lesson 일과로서 읽는 성서 구절 / a ~ reader (무식한 빈자를 찾아가 성서를 읽어 주는) 전도사. ③ Ⓤ (또는 ~s; 종종 S-) (기독교 이외의) 경전(經典), 성전(聖典): the Buddhist〔Mohammedan〕 *Scriptures* 불교〔이슬람〕 경전.

script·writ·er [skríptràitər] *n.* Ⓒ (영화·방송의) 각본가, 각색자, 스크립트라이터.

scriv·en·er [skrívnər] *n.* Ⓒ (옛날의) 대서인; 공증인 (notary public).

scrof·u·la [skrɔ́:fjulə, skrɑ́f- / skrɔ́f-] *n.* Ⓤ 〖醫〗 연주창(King's Evil). ㊞ **-lous** [-ləs] *a.* 연주창의〔에 걸린〕.

***scroll** [skroul] *n.* Ⓒ ① (양피지 또는 종이) 두루마리《옛날의 문서로 양끝에 막대가 있음》: ~ bar. ② 〖建〗 (장식용의) 소용돌이 무늬, 소용돌이 모양. ③ (바이올린 등 현악기 선단의) 소용돌이 머리; 스크롤.

scrolled [skrould] *a.* 소용돌이 장식이 있는.

scróll sàw (곡선용) 실톱.

scroll·work [⁻wə̀:rk] *n.* Ⓤ 소용돌이 장식, 당초(唐草) 무늬.

Scrooge [skru:dʒ] *n.* ① **Ebenezer** ~ 스크루지《Dickens 의 소설 *A Christmas Carol*의 주인공인 늙은 수전노》. ② (흔히 s-) 수전노.

scro·tum [skróutəm] (*pl.* ~***s*** [-z], ***-ta*** [-tə]) *n.* Ⓒ 〖解〗 음낭(陰囊). ㊞ **scró·tal** [-təl] *a.*

scrounge [skraundʒ] 《口》 *vt.* ① …을 찾아다니다〔헤매다〕: They still had to ~ for food and water. 그래도 그들은 음식을 찾아 헤매야 했다. ② …을 조르다, 졸라서 손에 넣다《*off*》: ~ a cigarette *off* a person 아무에게서 담배 한 대를 얻어내다. ── *vi.* 여기저기 찾아 (돌아)다니다《*around*》; 우려내다(wheedle): He never buys anything — he just ~*s off* from his friends. 그는 무엇이건 사는 법이 없다. 그저 친구들한테서 우려내기만 한다.

scroung·er [skráundʒər] *n.* Ⓒ 등치는 사람, 공갈배; 식객.

‡**scrub**[1] [skrʌb] (***-bb-***) *vt.* ① 《~+목/+목+부/+목+전+명》 비벼 빨다〔씻다〕; 북북 문지르다〔닦다〕; (솔 따위로) 세게 문지르다: ~ *out* a dish 접시를 문질러 닦다 / ~ oneself *with* a towel 타월로 몸을 북북 문지르다 / She ~*bed* the kitchen floor *with* a brush. 그녀는 부엌 바닥을 솔로 북북 닦았다. ② **a**) (불순물)을 없애다, 제거하다: I ~*bed* the cold cream *off* my face with a tissue. 티슈로 얼굴을 문질러 콜드크림을 지워냈다. **b**) 〖컴〗 (필요없는 데이터를 제거하여 파일을) 깨끗이 하다. ③ **a**) 《口》 (계획·명령 등)을 취소하다《*out*》: The game was ~*bed* (out) because of the rain. 비가 와서 경기는 중지됐다. **b**) (로켓 발사 등)을 중지〔연기〕하다. ── *vi.* 문질러서 깨끗이 하다〔씻다〕; (외과의가) 수술전에 손을 씻다《*up*》: Surgeons used to ~ *up* before performing an operation. 외과의사들은 수술 전에는 늘 손을 씻곤 했다. ~ ***round*** 《口》 …을 피하다, 회피(回避)하다.

── *n.* Ⓤ (또는 a ~) 북북 문지르기, 세게 닦기: Give the floor *a* good hard ~. 마루를 세게 북북 문질러 닦아라.

scrub[2] *n.* ① Ⓤ 〔集合的〕 덤불, 관목숲(brushwood); 잡목 지대: The birds disappeared into the ~. 새들은 잡목숲으로 사라졌다 / The country is flat, grassy and covered with ~. 그 지대는 평탄한데 풀이 무성하고 덤불투성이다. ② Ⓒ 지질한 사람〔것〕, 좀스러운〔인색한〕 놈. ③ Ⓒ 《美口》 보결〔2 류〕선수.

scrub·ber [skrʌ́bər] *n.* Ⓒ ① 마루〔바닥〕 닦는 사람. ② 솔, 수세미, 걸레; 집진기, 스크래퍼. ③ 《英俗》 논다니, 갈보.

scrúb(·bing) brùsh [skrʌ́b(iŋ)-] 《美》 세탁솔, 수세미.

scrub·by [skrʌ́bi] (***-bi·er*** ; ***-bi·est***) *a.* ① (나무·짐승이) 작은, 왜소한. ② 관목이 우거진, 덤불이 많은: the ~ slopes of the hills 덤불이 우거진 산비탈. ③ (사람이) 왜소한, 초라한.

scrub·land [skrʌ́blæ̀nd] *n.* Ⓤ 작은 잡목이 우거진 땅, 관목 지대, 총림지(叢林地): Most of the country is desert and ~. 그 나라의 대부분은 사막과 관목 지대다.

scrub·wom·an [⁻wùmən] (*pl.* ***-wòm·en*** [-wìmin]) *n.* Ⓒ 《美》 잡역부(婦) (charwoman).

scruff[1] [skrʌf] *n.* Ⓒ 〔흔히 the ~ of the neck 로〕 (사람·짐승의) 목덜미(nape): take 〔seize〕 a person by *the* ~ *of the neck* 아무의 목덜미를 잡다.

scruff[2] *n.* Ⓒ 《英口》 궁상맞은〔추레한〕 사람: These old trousers make you look a terrible ~. 이런 헌 바지를 입으면 아주 궁상맞게 보인다.

scruffy [skrʌ́fi] (***scruff·i·er*** ; ***-i·est***) *a.* 추레한, 꾀죄죄한, 더러운: The hotel looked rather ~ so we decided not to stay there. 여관이 좀 지저분해 보여 거기에 묵지 않기로 했다.

scrum, scrum·mage [skrʌm], [skrʌ́midʒ] *n.* Ⓒ ①〖럭비〗 스크럼 : taking the ball from ~ 스크럼에서 공을 빼내서. ②《英口》 (전철·바겐세일 등에) 쇄도하는 군중. — *vi.* 〖럭비〗 스크럼을 짜다.

scrum·cap [skrʌ́mkæ̀p] *n.* Ⓒ〖럭비〗 헤드기어 《두부(頭部) 보호용》.

scrúm hàlf〖럭비〗 스크럼 하프《공을 스크럼 안에 넣는 하프백》.

scrump [skrʌmp] *vt.* (특히 사과)를 서리하다.

scrump·tious [skrʌ́mpʃəs] *a.* 《口》 굉장한, 멋진, (음식 따위가) 아주 맛있는 : We had a ~ lunch. 아주 맛있는 점심을 먹었다.

scrum·py [skrʌ́mpi] *n.* Ⓤ 《英方》 신맛이 강한 사과주《잉글랜드 남서부 특산》.

scrunch [skrʌntʃ] *vi., vt., n.* =CRUNCH.

***scru·ple**[1] [skrúːpəl] *n.* ① Ⓒ (종종 ~*s*) 양심의 가책《*about*》: a man of no ~*s* 양심의 가책을 모르는 사람, 나쁜 짓을 예사로 하는 사람 / I had a slight ~ *about* doing that kind of thing. 그런 짓을 하는데 좀 양심의 가책을 느꼈다. ② Ⓤ 〔흔히 no, without 등의 뒤에 써서〕 (일의 옳고 그름에 대한) 의심, 주저, 망설임 : He had *no* ~*s* borrowing money. 돈 꾸는 데에 이골이 난 사람이었다. — *vi.* 〔흔히 否定文〕《+전+명》 (…하는 것을) 망설이다, 주저하다 : He did*n't* ~ *about* lying. 그는 거짓말이 예사였다.

scru·ple[2] *n.* Ⓒ ① 스크루플《약량(藥量)의 단위 ; 20 grains=1.296 g ; 略 : sc.》. ② 조금, 미량.

scru·pu·los·i·ty [skrùːpjəlɑ́səti / -lɔ́s-] *n.* Ⓤ 자세하고 빈틈없음, 꼼꼼함.

***scru·pu·lous** [skrúːpjələs] *a.* ① 양심적인, 성실한 : The Board is ~ in its examination of all applications for licenses. 위원회는 모든 면허 신청서를 심사함에 있어 신중하다. ② 세심한, 꼼꼼한 : He is ~ in matters of business. 그는 사업 일에는 꼼꼼하다 / She took ~ care of the children's health. 그녀는 아이들의 건강에는 세심한 주의를 기울였다. ㊕ ~·**ly** *ad.* ~·**ness** *n.*

scru·ti·neer [skrùːtəníər] *n.* Ⓒ 《英》 검사관 ; (특히) 투표 감시인(《美》 canvasser).

***scru·ti·nize** [skrúːtənàiz] *vt.* ① …을 자세〔철저〕히 조사하다 : He ~*d* minutely all the documents relating to the trial. 그는 공판에 관계되는 모든 서류들을 세세하게 조사했다. ② …을 유심히〔자세히〕 살피다《*into*》: She began to ~ faces in the compartment. 그녀는 객실 내의 승객 얼굴들을 자세히 살피기 시작했다.
㊕ **-nìz·ing·ly** *ad.* 꼼꼼히, 유심히.

***scru·ti·ny** [skrúːtəni] *n.* ① Ⓤ,Ⓒ **a**) (면밀한) 음미〔조사〕, 정사(精査) : His theory won't bear ~. 그의 이론을 면밀하게 조사하면 허점이 들어날 것이다 / His private life came under media ~. 그의 사생활이 매스컴의 주목을 받게 되었다. **b**) 자세히 보는 일. ② Ⓒ 《英》 투표(재)검사.

scu·ba [skúːbə] *n.* Ⓒ 스쿠버《잠수용 수중 호흡기 ; aqualung 은 이것이 나오기 전의 商標名》.

scúba dìve 스쿠버 다이빙을 하다.

scúba dìver 스쿠버 다이버.

scúba dìving 스쿠버 다이빙. ⓒⓕ skin diving.

scud [skʌd] (*-dd-*) *vi.* 질주하다 ; 구름이 바람에 휙 날라가다 ;〖海〗 배가 강풍에 밀려 거의 돛을 안 펴고 달리다 : Clouds were ~*ding across* the sky. 구름이 하늘에 둥실 떠 가고 있었다.
— *n.* ① (a ~) 휙 달리는〔나는〕 일. ② Ⓤ (바람에 날리는) 조각 구름, 비구름. ③ Ⓒ 소나기 ; 돌풍.

Scúd missile 스커드 미사일《구소련제 장거리 지대지 미사일》.

scuff [skʌf] *vi.* ① 발을 질질 끌며 걷다(shuffle). ② (구두 따위가) 닳다《*up*》. — *vt.* ① **a**) (발)을 끌다. **b**) (발로) …을 비비다, 문지르다. ② (신발·마루 따위)를 닳게 하다《*up*》: My shoes are ~*ed up*. 신발이 닳아버렸다. — *n.* Ⓒ ① 비벼서〔닳아서〕 생긴 흠집. ② (흔히 *pl.*) 슬리퍼.

scuf·fle [skʌ́fəl] *n.* Ⓒ 드잡이, 격투, 난투 : *Scuffles* broke out between police and demonstrators. 경찰과 시위대 간에 난투가 벌어졌다. — *vi.* ① (…와) 드잡이하다, 난투하다《*with*》: Police ~*d with* some of protesters outside the house. 경찰은 의사당 밖에서 몇몇 항의 군중과 난투를 벌였다. ② 허둥대다. ③ 발을 끌며 걷다.

scull [skʌl] *n.* ① Ⓒ 스컬《한 사람이 양손에 한 자루씩 가지고 젓는 노》; 그 노로 젓는 가벼운 경조용 보트. ② (a ~) 스컬로 젓는 일. ③ (~s) 스컬 경기. — *vi., vt.* (보트를) 스컬〔노〕로 젓다.
㊕ ∠·**er** *n.* Ⓒ 스컬〔노〕로 젓는 사람.

scul·lery [skʌ́ləri] *n.* Ⓒ (대저택 등의 부엌에 붙은) 그릇씻는 데.

sculpt [skʌlp(t)] *vt., vi.* 《口》 =SCULPTURE.

***sculp·tor** [skʌ́lptər] (*fem.* **-tress** [-tris]) *n.* Ⓒ 조각가, 조각사(師).

‡**sculp·ture** [skʌ́lptʃər] *n.* ① Ⓤ 조각(술), 조소(彫塑). ② Ⓤ,Ⓒ 조각 작품 : There's some interesting ~ in this church. 이 교회에는 좀 흥미있는 조각품이 있다. — *vt.* ①《~+목 / +목+전+명》…의 상을 조각하다 ; (…로 상)을 조각하다《*in, out of*》: ~ a king 임금의 상을 조각하다 / ~ a statue *out of* bronze 브론즈를 조각하여 상을 만들다. ② …에 여러 가지 조각을 하다, …을 조각으로 장식하다. ③ 침식하다(erode). — *vi.* 조각을 하다. ㊕ **-tur·al** [-tʃərəl] *a.* 조각한, 조각된, 조각적인 ; 조각술의.

sculp·tured [skʌ́lptʃərd] *a.* 조각한, 조각으로 장식한 : ~ columns 여러 가지 조각을 한 원기둥.

sculp·tur·esque [skʌ̀lptʃərésk] *a.* 조각풍의, 조각 같은 ; 모양이〔이목구비가〕 반듯한 : a man of perfectly ~ feature 이목구비가 훌륭한 모습의 남자.

scum [skʌm] *n.* ① Ⓤ (또는 a ~) (액체 표면에) 떠 있는 찌끼, 더껑이, 버캐 ; 찌끼《*of*》: a pond covered with (*a*) ~ 찌꺼기로 덮인 연못. ② Ⓤ 〔集合的 ; 複數 취급〕 인간 쓰레기 : You filthy ~! 이 더러운 밥벌레야 / Don't waste your sympathy on ~ like that. 저런 인간 쓰레기에 쓸데없이 동정할 필요가 없다. — *vi.* (**-med ; -ming**) 찌꺼기〔가스〕가 생기다.

scum·my [skʌ́mi] (**-mi·er ; -mi·est**) *a.* ① 더껑이가 생긴, 거품이 인, 더껑이 같은. ②《口》 하찮은, 비열한.

scup·per [skʌ́pər] *n.* Ⓒ (흔히 ~s)〖海〗 (갑판의) 배수구. — *vt.* 《英俗》 ① (배)를 의도적으로 침몰시키다. ② 〔흔히 受動으로〕《口》 (계획 등)을 망치다, 망가뜨리다 : We're ~*ed !* 이젠 틀렸다. ③ (사람)을 죽이다.

scurf [skəːrf] *n.* Ⓤ 비듬(dandruff) ; 때 : The collar of his black jacket was covered with ~. 그의 검은 상의 깃은 비듬투성이었다. ㊕ ∠**y** *a.* 비듬투성이의 ; 비듬 같은.

scur·ril·i·ty [skəːríləti] *n.* ① Ⓤ 천박. ② **a**) Ⓤ 상스러움. **b**) Ⓒ 상말.

scur·ril·ous [skə́ːrələs, skʌ́-] *a.* 천박한, 야비한 ; 상스러운 : ~ remark 쌍말 / He wrote a ~ piece about me in the local press. 그는 지방지에 나에 관한 야비한 기사를 썼다.
㊕ ~·**ly** *ad.* ~·**ness** *n.*

***scur·ry** [skə́ːri, skʌ́ri] *vi.* 종종걸음으로〔허둥지

둥) 달리다, 잔달음질치다《*about; along; off; away*》: Mice are always *~ing about* in the ceiling. 밤낮으로 쥐가 천장에서 우당탕거린다.
— *n.* ① (a ~, the ~) (허둥대는) 급한 걸음; 종종걸음; 그 발소리: There was *a* great ~ for bargains. 떨이를 향해 너도나도 종종걸음쳤다.

scur·vy [skə́:rvi] (*-vi·er; -vi·est*) *a.* 《口》 상스러운: a ~ trick 비열한 속임수. — *n.* Ⓤ 〖醫〗 괴혈병. 㽡 **-vi·ly** *ad.* 천하게. **-vi·ness** *n.* 천함.

scut [skʌt] *n.* Ⓒ (토끼 따위의) 짧은 꼬리.

scutch·eon [skʌ́tʃən] *n.* =ESCUTCHEON.

***scut·tle**[1] [skʌ́tl] *n.* Ⓒ (실내용) 석탄 그릇(통).

scut·tle[2] *vi.* 급히 가다, 황급히 달리다; 허둥지둥 도망가다《*away; off*》: The children *~d off* as soon as the headmaster appeared. 아이들은 교장선생님이 나타나자 줄행랑을 쳤다. — *n.* (a ~) 종종걸음; 허둥지둥 달리기〔도망치기, 떠나기〕.

scut·tle[3] *n.* Ⓒ (배의) 현창(舷窓); 천창(天窓), (천장·벽 따위의) 채광창; 그 뚜껑.
— *vt.* ① (배)를 선저판(船底瓣)을 열어〔밑바닥에 구멍을 뚫어〕 침몰시키다: The captain gave orders that the ship should be *~d.* 선장은 배를 침몰시키라는 명령을 내렸다. ② (계획·희망 등)을 단념하다, 버리다: We decided to ~ the expansion plan. 우리는 그 확장 계획을 포기하기로 했다. 「가십.

scut·tle·butt [skʌ́tlbʌ̀t] *n.* Ⓒ 《口》 (뜬)소문,

scuzz [skʌz] *n.* Ⓒ 불결한 사람〔물건〕.
— *a.* =SCUZZY.

scuz·zy [skʌ́zi] (*-zi·er; -zi·est*) *a.* 《美俗》 더러운, 불결한: Who's that ~-looking guy in the corner? 구석의 저 지저분한 놈은 누구냐.

Scyl·la [sílə] *n.* 스킬라. ① Messina 해협의 이탈리아 쪽 해안의 큰 바위. ② 〖그神〗 이 바위에 살던 머리 6개, 다리 12개의 여자 괴물《Charybdis의 소용돌이를 피해 이 바위에 온 뱃사람들을 잡아 먹었다 함》. ***between ~ and Charybdis*** 《文語》 진퇴 유곡으로.

***scythe** [saið] *n.* Ⓒ (자루가 긴) 큰 낫《양손에 들고 쓸듯이 풀 따위를 벰; 사신(死神)의 상징이기도 함》: swing〔wield〕 a ~ 큰 낫을 휘둘러 베다.
— *vt.* …을 큰 낫으로 베다《*down; off*》.
— *vi.* 큰 낫으로 베다.

S.D. 〖郵〗 South Dakota. **S.D(ak).** South Dakota. **SDI** Strategic Defense Initiative(전략방위 구상). **SDP** 《英》 Social Democratic Party. **SDR, S.O.R.** special drawing rights(IMF의 특별 인출권). **s.e.,SE,S.E.** southeast. **Se** 〖化〗 selenium.

†**sea** [si:] *n.* ① **a)** Ⓒ (흔히 the ~; 또는 ~s) 바다, 대해, 해양. ⓒⓕ ocean. ★ '바다'의 뜻으로 미국에서는 일반적으로 ocean을 쓰며 sea는 흔히 시적인 느낌을 가짐. ¶ sail on〔in〕 *the* ~ 해상을 항해하다 / an arm of *the* ~ 후미《호수나 바다가 육지로 파고든 곳》/ Most of the earth is covered by ~. 지구의 대부분은 바다로 덮여 있다 / The rivers flow into *the* ~. 강들은 바다로 흘러든다. **b)** (the ~) 해안, 해변: He lives by *the* ~. 그는 해변에 살고 있다. ② (the ~) (육지·섬으로 둘린) 바다, …해《동해·지중해 따위》; 염수호(湖); 큰 호수: *the* closed ~ 영해 / ⇨SEVEN SEAS, DEAD SEA, BLACK SEA. ③ Ⓒ 〔종종 ~s; 흔히 수식어와 함께〕 (어떤 상태의) 바다; 파도, 조수: a high〔heavy〕 ~ 큰 파도, 놀 / a rough ~ 거친 바다 / a broken ~ 부서지는 파도 / a full ~ 만조(滿潮) / a long ~ 크게 일렁이는 파도〔해면〕. ④ (a ~; 또는 ~s) (바다처럼) 많음; (광대한) 퍼짐, …의 바다; 다량, 다수《*of*》: *a* ~ *of* flame 불바다 / *~s of* blood 피바다, 잔혹한 유혈 / *a* ~ *of* troubles〔care(s)〕 한없는 걱정〔근심거리〕.
at* ~** (1) 해상에서, 항해중에: The ship was lost *at* ~. 그 배는 항해중에 행방불명되었다. (2) (종종 completely〔all〕 at ~로) 어찌할 바를 몰라: He was *completely*〔*all*〕 *at* ~ as to how to run the company. 그는 회사를 어떻게 운영해야 할지 난감했다. ***beyond the ~(s) 바다 저편, 외국에서. ***by* ~** 바닷길로, 뱃길로; 배편으로: go *by* ~ 배편으로 가다. ***follow the* ~** 뱃사람〔선원〕이 되다. ***go to* ~** (1) 뱃사람이 되다. (2) 출항하다. ***over the ~(s)*** = beyond the ~(s). ***put (out) to* ~** 출항〔출범(出帆)〕하다. ***take the* ~** 출범하다; 승선하다. — *a.* 〔限定的〕 ① 바다의, 해상의: ~ air 바다〔해변의〕 공기 / ~ water 바닷물 / a ~ chart 해도 / ~ traffic 해상 교통. ② 해변〔해안〕의: ~ bathing 해수욕. ③ 해군의: ~ forces 해군.

séa anémone 〖動〗 말미잘.

sea·bag [-bæ̀g] *n.* Ⓒ 세일러백《선원들의 옷 따위를 넣는 원통형의 즈크제 주머니》.

sea·bed [sí:bèd] *n.* (the ~) 해저(seafloor).

Sea·bee [-bì:] *n.* Ⓒ 〖美海軍〗 건설대(원).

sea·bird [-bə̀:rd] *n.* Ⓒ 바닷새(=**séa bìrd**).

séa blùbber 〖動〗 해파리(jellyfish).

sea·board [-bɔ̀:rd] *n.* Ⓒ 해안, 연해〔연안〕 지방; 해안선: the eastern ~ of the US 미국 동부 해안 / She lives on the Atlantic ~. 그녀는 대서양 연안에 살고 있다. — *a.* 〔限定的〕 해변의, 해안(지대)의.

sea·borne [-bɔ̀:rn] *a.* 해상 수송의〔에 의한〕; 바다를 건너오는: ~ articles 외래품 / ~ goods 해운 화물 / the threat of a ~ invasion 해상 침략의 위협 / ~ trade 해상 무역.

séa brèam 〖魚〗 도미류(類).

séa brèeze 〖氣〗 바닷바람, 해연풍(海軟風). ⓞⓟⓟ *land breeze*.

séa càptain 《口》 (특히 상선의) 선장.

séa chànge 《文語》 급격한〔눈부신〕 변화: undergo a ~ 양상을 일변시키다.

***sea·coast** [-kòust] *n.* Ⓒ 연안, 해안.

séa còw 〖動〗 ① 해우. ② 해마.

séa cùcumber 〖動〗 해삼.

sea·cul·ture [-kʌ̀ltʃər] *n.* Ⓤ 해산물의 양식(養殖).

séa dòg 노련한 선원〔선장〕.

sea-ear [-ìər] *n.* Ⓒ 〖貝〗 전복(abalone).

séa èlephant 〖動〗 바다코끼리.

sea·far·er [-fɛ̀ərər] *n.* Ⓒ 뱃사람; 항해자: experienced *~s* 노련한 뱃사람들.

***sea·far·ing** [-fɛ̀əriŋ] *a.* 〔限定的〕 항해의; 선원을 직업으로 하는; 바다에서 생활하는: a ~ life 선원 생활 / a ~ man 뱃사람 / a ~ nation 해양 국가. — *n.* Ⓤ ① 선원 생활; 배를 타는 직업. ② 항해.

séa fight (전함끼리의) 해전.

séa fòg (바다에서 뭍으로 오는) 바다 안개.

sea·food [-fù:d] *n.* Ⓤ 해산 식품《생선·조개류》: He refuses to eat meat, but he'll eat ~. 그가 고기는 안먹어도 해산 식품은 먹을 게다.
— *a.* 〔限定的〕 생선·조개류의.

sea·fowl [-fàul] (*pl.* ~, *~s*) *n.* Ⓒ 바닷새.

sea·front [-frʌ̀nt] *n.* (the ~) (도시의) 해안 거리: a hotel on *the* ~ 해안 거리의 호텔.
— *a.* 〔限定的〕 해안 거리의: a ~ restaurant.

sea·girt [-gə̀:rt] *a.* 《詩》 바다로 둘러싸인.

sea·go·ing [-gòuiŋ] *a.* 〔限定的〕 ① (배가) 원양 항해의〔에 적합한〕: In ~ car ferries, passengers have to leave their cars for the duration of the crossing. 원양 카페리에서 승객들은 항해하는 동안 각자의 차에서 내려 있어야 한다. ② 직업적으로 배를 타는.

sea-green [-grí:n] *a.* 푸른 빛이 도는 초록색의 : her ~ eyes. 「기).

séa gùll 갈매기《특히 해안에서 볼 수 있는 갈매

séa hòrse ①〖神〗해마《해신의 전차를 끄는 말머리·물고기 꼬리의 괴물》. ②〖動·魚〗해마.

séa ìsland (cótton) 해도면(海島綿)《서인도제도산의 고급 면》. 「은 식용》.

séa kàle 겨잣과(科)의 식물《유럽 해안산 ; 새싹

*__seal__[1] [si:l] (*pl.* **~s,** ~) *n.* ①Ⓒ〖動〗바다표범, 물개(fur ~), 강치. ②Ⓤ 그 모피.
— *vi.* 바다표범〔물개, 강치〕사냥을 하다.

‡**seal**[2] *n.* Ⓒ ① 봉인, 증인(證印)《봉랍(封蠟)·봉연(封鉛)·봉인지 등에 찍은》; (seal을 찍기 위한) 인장 ; 옥새(玉璽) ; 문장(紋章) ; 인발 : impress one's ~ on the wax 인장을 봉랍 위에 찍다 / the Lord Privy *Seal* 옥새 상서. ② 보증〔인증〕의 표적, 보증인(印). ③ 비밀 엄수 약속, 입막음하는 것 : under ~ of secrecy 비밀을 지킨다는 약속으로 / put a ~ upon a person's lips 아무의 입을 봉하다, 입막음하다. ④ (사회 사업 등으로 발행하는) 실, 장식 우표 : a Christmas ~. ⑤ (흔히 the ~s (of office))《英》대법관〔장관〕의 관직 : receive 〔return〕 *the ~s* 장관·대법관에 취임〔사임〕하다. ***given under*** one***'s hand and*** ~ (증서 따위에) 서명 날인한. ***put*** 〔***set***〕 one***'s*** ~ ***to*** (1) …에 도장을 찍다. (2) …을 보증〔승인〕하다. ***set the*** ~ ***to*** 〔***on***〕 …의 결말을 내다, …을 끝내다. — *vt.* ① …에 날인하다, …에 조인하다 ; (상담 따위)를 타결짓다 : They signed and ~*ed* the treaty. 그들은 조약에 서명 날인했다 / an agreement signed, ~*ed* and delivered in the presence of witnesses 증인 입회하에 서명과 봉인을 하고 교부된 계약서. ②《~+목 / +목+전+명》(상품 따위에) 검인하다 ; 보증하다 ; 확인〔증명〕하다 : We ~*ed* the promise *with* a handshake. 우리들은 악수로 그 약속을 다짐했다. ③ …에 봉인하다《*off*》; (편지를) 봉하다 : Mrs. Ann ~*ed* the envelopes and left them on her desk. 앤 여사는 봉투를 봉인하고 책상 위에 놓아두었다. ④《~+목 / +목+부》밀봉하다, 밀폐하다, 틈새를 막다《*up*》: ~ *up* a window 창문을 밀폐하다 / She barely filled the containers, ~*ed* them with a cork and pasted on labels. 그녀는 간신히 용기들을 채우고 코르크 마개를 한 다음 라벨을 붙였다 / I ~*ed up* the cracks with putty. 갈라진 데를 퍼티 접착제로 메웠다. ⑤《+목+부》가두다 : be ~*ed up* in ice 얼음에 갇혀서 꼼짝 못 하다 / Use a tight lid to ~ the flavor *in* 〔the air *out*〕. 향미가 안 새도록〔공기가 안 나가도록〕 단단히 뚜껑을 하시오 / The army immediately ~*ed* the country's borders. 군은 즉시 국경을 봉쇄했다. ⑥ (입 따위)를 막다, (눈)을 가리다 : His lips are ~*ed.* 그는 아무것도 말할 수 없었다. ⑦ (비밀)을 엄수시키다. ⑧《~+목 / +목+부》(운명 따위)를 결정하다 : His fate is ~*ed* (*up*). 그의 운명은 결정됐다. ~ ***off*** 밀봉하다 ; 출입을 금지하다, (비상선 등으로) 포위하다 : The police ~*ed off* the area while they hunted the criminal. 경찰은 범인 수색 중 그 지역의 출입을 막았다.

sea-lane [-lein] *n.* Ⓒ 해상 교통 수송로.

seal·ant [sí:lənt] *n.* Ⓤ,Ⓒ 밀폐〔봉합〕제(劑), 방수제.

sealed [si:ld] *a.* 〔限定的〕 도장을 찍은, 조인한 ; 봉인〔밀봉〕한 : The teacher opened the ~ envelope containing the exam papers. 선생님은 시험지가 밀봉된 봉투를 뜯었다.

séaled bóok 신비, 수수께끼 : Young people were always a ~ to him. 젊은이들은 언제나 그에게 수수께끼였다.

séaled órders〖海〗봉함 명령《어느 시점까지 개봉이 금지된 선장 등에 대한 명령서》.

séa lègs《口》흔들리는 배 안을 요령있게 걷는 뱃사람의 걸음걸이. ***get*** 〔***have, find***〕 one***'s*** ~ (***on***) 배의 흔들림에 익숙해지다.

seal·er[1] [sí:lər] *n.* Ⓒ ① 날인자(者)〔기(機)〕; 검인자 ; 봉인자. ②《美》도량형 검사관《합격된 것에 검인을 찍음》.

seal·er[2] *n.* Ⓒ 바다표범잡이《사람, 선박》.

séa lèvel 해수면, 평균 해면 : above ~ 해발 / Fully one-fourth of Holland is below ~. 네덜란드는 완전히 1/4이 해면보다 낮다.

séa lìly〖動〗갯나리.

séal·ing wàx [sí:liŋ-] 봉랍.

séa lìon〖動〗강치.

séal rìng 인발이 찍힌 반지(signet ring).

seal·skin [sí:lskìn] *n.* ①Ⓤ 바다표범〔물개〕가죽. ②Ⓒ 그것으로 만든 코트 (따위).

Séa·ly·ham (tèrrier) [sí:lihæm(-)] 실리햄《테리어의 일종으로 백색의 복슬복슬한 털이 남》.

‡**seam** [si:m] *n.* Ⓒ ① (천 따위의) 솔기 : cut a ~ open 솔기를 뜯다 / The ~ has started. 솔기가 터졌다. ② (판자 따위의) 이음매 : ~*s* in brickwork 쌓은 벽돌의 줄눈. ③ **a)** 상처 (자국), 주름. **b)**〖醫〗봉합선. **c)** (얼굴 등의) 주름. ④ 갈라진 틈, 금 ;〖地質〗두 지층 사이의 경계선, (석탄 등의) 얇은 층. ***burst at the ~s*** (가득 차서) 터질 듯하다, 매우 붐비다, 대만원이다. ***come*** 〔***fall, break***〕 ***apart at the ~s*** (1) 솔기가 터지다. (2)《口》(계획 등이 여기저기 파투가 나) 틀어지다.
— *vt.* ①《+목+부》…을 이어〔꿰매어〕 맞추다《*together* ; *up*》: ~ two pieces of cloth *together* 두 천을 꿰매어 잇다. ②《~+목 / +목+전+명》…에 주름〔상처·자국〕을 내다《★ 흔히 과거분사로서 형용사적으로 쓰임》: a face ~*ed* with saber cuts 칼자국이 난 얼굴.

‡**sea·man** [sí:mən] (*pl.* ***-men*** [-mən]) *n.* ①Ⓒ 선원, 뱃사람 ; 항해자 ;〖海軍〗수병(bluejacket) : a merchant ~ 상선 승무원. ②〔形容詞와 함께〕 배의 조종이 …하는 사람 : a good 〔poor〕 ~ 배를 잘〔잘못〕 다루는 사람 / ⇨ ABLE(-BODIED) SEAMAN, ORDINARY SEAMAN.

sea·man·like [-làik] *a.* 선원〔수병〕 같은.

séaman recrúit〖美海軍〗신병.

sea·man·ship [sí:mənʃìp] *n.* Ⓤ 선박 조종술, 항해술 : a high degree of ~ 고도의 항해술.

sea·mark [sí:mà:rk] *n.* Ⓒ ① 항로 표지. cf. landmark. ② (파도가 밀리는 물가의) 파선(波線), 만조(滿潮) 수위선.

seamed [si:md] *a.* ① 주름이 잡힌《*with*》: Her face was ~ *with* care〔old age〕. 근심 때문에〔나이가 들어〕 그녀의 얼굴은 주름져 있었다. ②〔敍述的〕 …의 상처가 있는《*with*》: a face ~ *with* scars 상처 있는 얼굴.

séa mìle 해리(nautical mile). 「stockings.

seam·less [sí:mlis] *a.* 솔기〔이음매〕 없는 : ~

seam·stress [sí:mstris / sém-] *n.* Ⓒ 침모, 여자 재봉사(sewing woman).

seamy [sí:mi] (***seam·i·er*** ; ***-i·est***) *a.* ① 솔기〔이음매〕가 있는. ②〔흔히 the ~ side of …로〕 이면의, 보기 흉한, 불쾌한, 더러운 : *the ~ side of* life 인생의 이면, 사회의 암흑면.

Séan·ad Éir·eann [sǽnɑ:d-ɛ́ərən] (the ~) 아일랜드 공화국의 상원. cf. Oireachtas.

sé·ance, se- [séiɑːns] *n.* Ⓒ《F.》(영매(靈媒)를 통한) 강령회(降靈會), 교령회(交靈會).
séa òtter 〖動〗 해달.
séa pìg 〖動〗 돌고래 ; 듀공(dugong).
séa pìnk 〖植〗 아르메리아(thrift).
sea·plane [-plèin] *n.* Ⓒ 수상 비행기.
séa plànt 해초.
‡**sea·port** [síːpɔ̀ːrt] *n.* Ⓒ 항구 ; 항구 도시.
séa pòwer 해군력, 제해권 ; 해군국.
sear [siər] *vt.* ① …을 태우다, (뜨겁게 재빨리) 굽다 ; 눋게 하다 : The hot iron ~*ed* the shirt. 뜨거운 다리미에 와이셔츠가 눌었다 / *Sear* the meat for one minute. 일분 동안 고기를 바짝 구워라. ② (상처)를 소작(燒灼)하다 ; 데 다《*on* ; *with*》. ③ (양심·감정 따위)를 마비시키다. ── *a.* 시든, 말라 배틀어진.
‡**search** [səːrtʃ] *vt.* ①《~+목 / +목+전+명》(장소)를 찾다, 뒤지다, 탐색하다, 수색하다《*for*》: They ~*ed* the woods *for* the missing child. 실종된 아이를 찾아 숲을 수색했다 / He glanced around the room, ~*ing for* a place to sit. 앉을 자리를 찾아 그는 방을 두리번거렸다《★ 찾는 대상을 목적어로 하지 않음》. ② …의 몸을 수색하다 : We were stopped by the police and ~*ed*. 우리는 경찰에게 정지당하여 몸수색을 받았다. ③ (상처·감정 따위)를 살피다 : ~ one's heart 자기의 마음속을 살펴보다. ④《~+목 / +목+전+명》(얼굴 등)을 유심히 (살펴)보다 : He ~*ed* my face *for* my real intention. 그는 내 진의를 알려고 내 얼굴을 유심히 바라보았다. ⑤ (기억 등)을 더듬다 : She ~*ed* her mind〔memory〕 *for* the man's name, but she failed. 그 남자의 이름을 기억하려고 했으나 생각이 나지 않았다. ⑥ (추위·바람·빛 등이) …의 구석구석까지 미치다, …속에 스며들다 : The beam ~*ed* the room. 광선이 방안 가득히 들어왔다. ── *vi.* 《+전+명》 ① 찾다《*for* ; *after*》: All men ~ *after* happiness. 사람은 다 행복을 추구한다 / The police ~*ed* everywhere *for* the murderer. 경찰은 살인범을 쫓아 모든 곳을 수색했다. ② 조사하다, 파헤치다《*through* ; *into*》: We must ~ *into* the matter. 우리는 그 사건을 조사할 필요가 있다. ***Search me !***《口》난 몰라 (I don't know) : "Where's the newspaper?" "*Search me*, I haven't seen it." '신문이 어디 있나.' '난 몰라, 본 일도 없다.' ~ ***out*** (조사·탐색 따위를 통하여) …을 찾아내다 : I have been ~*ing out* one of my old friend. 한 옛 친구를 이제껏 찾고 있다.
── *n.* Ⓒ ① 탐색(探索), 수색, 추구《*for* ; *after*》: a close ~ 엄밀한 수색 / Every ~ was made *for* him. 백방으로 손을 써서 그를 찾았다. ② 조사, 검사《*of*》. ***in ~ of*** …을 찾아 : We went round the town *in* ~ *of* a place to stay. 우리는 머물 곳을 찾아 마을을 돌아다녔다. ***the right of*** ~ (교전국의 중립국 선박에 대한) 수색권.
search·er [sə́ːrtʃər] *n.* Ⓒ ① 수색자, 조사자. ② 세관〔선박〕 검사관, 신체 검사관.
***search·ing** [sə́ːrtʃiŋ] *a.* ① (조사 따위가) 철저한, 면밀한, 엄중한 : I think we need to ask some ~ questions about how the money has been spent. 우리는 그 돈을 어떻게 써버렸는지 철저한 신문을 할 필요가 있다고 나는 생각한다. ② (시선 등이) 날카로운 : He gave the girl a quick ~ look. 그는 소녀에게 날카로운 시선을 보냈다. ③ (찬바람 등이) 스며드는 : a ~ cold 몸에 스며드는 추위.
Ⓟ **~·ly** *ad.* 엄격히, 신랄히. **~·ness** *n.*
search·light [-làit] *n.* Ⓒ 탐조등, 서치라이트 ; 그 불빛 : play a ~ on …을 탐조등으로 비추다.
séarch pàrty 수색대.
séarch wàrrant (가택 등의) 수색 영장.
sear·ing [síəriŋ] *a.* ① 타는 듯한 : the ~ heat of the tropical summer 열대 지방 여름의 타는듯한 더위 / He felt a ~ pain in his left arm. 그는 왼팔에 화끈화끈한 통증을 느꼈다. ②《口》(성적으로) 흥분시키는.
séa ròom 〖海〗 조선(操船) 여지(餘地)《배를 조종하기에 넉넉한 해면》.
séa ròute 항로, 해로.
séa ròver 해적(선).
séa sàlt 바닷소금. cf rock salt.
sea·scape [-skèip] *n.* Ⓒ 바다의 경치 ; 바다 그림. cf landscape.
Séa Scòut 해양 소년단원.
séa sèrpent ① (전설상의) 큰 바다뱀. ② (the S- S-) 〖天〗 바다뱀자리(Hydra).
séa shèll 바닷조개, 조가비.
‡**sea·shore** [-ʃɔ̀ːr] *n.* Ⓤ 해변, 해안. ── *a.* 〔限定的〕 해안의, 해변의 : a ~ village 바닷가 마을.
***sea·sick** [-sìk] *a.* 뱃멀미하는 : get ~ 뱃멀미하다. Ⓟ **~·ness** *n.* Ⓤ 뱃멀미 : He suffers from ~*ness*. 그는 뱃멀미를 한다.
‡**sea·side** [-sàid] *n.* (the ~) 해변, 바닷가《★ 특히 《英》에서는 피서지로서의 해변》: go to *the* ~ (수영·피서차) 해변으로 가다 / spent two weeks at〔by〕 *the* ~ 해변에서 두 주일을 보내다. ── *a.* 〔限定的〕 해안의 : a ~ hotel〔town〕 / a ~ resort 해수욕장, 해안의 유원지.
†**sea·son** [síːzən] *n.* Ⓒ ① 계절, 철, 사철의 하나 : the cycle of the ~*s* 계절의 순환 / the four ~*s* 사계절 / at〔in〕 all ~*s* 일년 내내, 사철을 통하여. ② 시절, 철 : the Christmas ~ 크리스마스 시기〔철〕 / the rainy 〔wet〕 ~ 우기 / ⇨CLOSE 〔OPEN〕 SEASON / a busy〔dull〕 ~ (for hotels) (호텔의) 성수기〔비수기〕. ③ 한창 때, 한물, 활동기, 시즌 : the baseball 〔holiday〕 ~ 야구〔휴가〕 시즌 / the ~ for oysters 굴의 계절 / the breeding〔mating〕 ~ (짐승의) 번식〔교미〕기 / a proper ~ *for* transplanting dahlia 달리아 이식에 알맞은 철 / come into ~ (과일·생선 등이) 제철이 되다, 가게에 나오다 / ⇨HIGH SEASON. ④ 호기(好機), 알맞은 때, 제때 : a word in ~ 때에 알맞은 충고 / It is not the ~ for quarreling. 싸우고 있을 때가 아니다. ⑥《英口》=SEASON TICKET. ***in good*** ~ 때마침, 때맞춰 ; 넉넉히 제시간에 대어 : go back *in good* ~ 일찌감치 돌아가다. ***in*** ~ 때맞춘, 알맞은 때의, 마침 좋은 때의 ; (과일 따위가) 한물 때에, 한창〔제때〕인 ; 사냥철에 : Peaches are *in* ~ now. 복숭아는 지금이 한철이다 / Trout is *in* ~ for another month. 송어는 (아직) 한 달은 더 잡을 수 있다. ***in ~ and out of*** ~ (철을 가리지 않고) 언제나, 늘, 때없이. ***out of*** ~ 철 지난, 한물 간, 한창 때를〔제철이〕 지난 ; 시기를 놓치어 ; 금렵기에 : We've often been there *out of* ~, and it's much quieter. 제철이 지난 때 그곳을 자주 다녀왔는데 꽤 조용하더군.
── *vt.* ①《~+목 / +목+전+명》…에 맛을 내다, 간을 맞추다, 조미하다 : ~ food *with* salt 소금으로 음식의 간을 맞추다. ②《+목+전+명》…에 흥취를 돋우다 : He ~*ed* the speech *with* jokes. 조크를 섞어가며 재미있게 연설을 했다. ③ …을 누그러뜨리다, 완화하다. ④《~+목 / +목+전+명》(환경·기후 따위에) 적응시키다, 길들이다 ; 단련하다 : The baby is not ~*ed to* the open air. 아기는 아직 바깥 바람을 쐬지 못한다. ⑤ (재목)을 말리다 : furniture made of oak that

has been well ~*ed* 잘 마른 오크 재목으로 만든 가구. — *vi.* (재목이) 마르다.

sea·son·a·ble [síːzənəbəl] *a.* ① 계절에 알맞은: ~ weather 순조로운 날씨 / ~ clothes 계절에 맞는(어울리는) 옷. ② (시의) 적절한: This ~ advice was just what we needed. 이 적절한 충고가 바로 우리에게 필요한 것이었다.
[파] **-bly** *ad.* ~**·ness** *n.*

*__sea·son·al__ [síːzənəl] *a.* ① 특정한 계절만의: a ~ laborer 계절 노동자 / ~ variation in unemployment(price) 실업(물가)의 계절적 변화 / ~ rates 계절 요금. ② 주기적인, 계절적인: ~ changes of weather 기후의 계절적 변화.
[파] ~**·ly** [-nəli] *ad.*

sea·soned [síːzənd] *a.* ① 조미(調味)한, 맛을 낸. ② **a)** (재목 등이) 잘 마른. **b)** (담배 파이프 등) 길이 잘 든. ③ 〔限定的〕 경험이 많은, 숙달된: a ~ soldier 노련한 군인, 고참병 / a ~ politician 노련한 정치가.

sea·son·ing [síːzəniŋ] *n.* ① [U] 조미(調味), 맛내기: This soup needs more ~. 이 국은 간이 모자란다. ② [U,C] 조미료, 양념: Salt and pepper are the two most common ~*s* in cooking. 소금과 후추는 요리에서 가장 일반적인 두 가지 조미료다. ③ [C] 흥을 돋우는 것: Humor is the ~ of good conversation. 유머는 대화에 흥을 더해준다. ④ [U] (목재 등의) 건조.

séason tícket ① 《英》 정기 승차권(《美》 commutation ticket). ② (연극·연주회 등의) 정기 입장권.

†**seat** [siːt] *n.* [C] ① 자리, 좌석; 걸상(의자·벤치 따위); (의자 따위의) 앉는 부분: leave one's ~ 자리를 뜨다 / rise from one's ~ 자리에서 일어서다 / This chair has a broken ~. 이 의자는 앉는 데가 부서져 있다 / Is this ~ free? 이 자리 비어 있습니까? ② (극장 따위의) 지정석, 예약석: reserve a ~ on a train 열차에 자리 하나를 예약하다 / Could I book two ~*s* for tomorrow evening's performance? 내일 야간 공연의 좌석 두 장 예약할 수 있습니까. ③ 의석; 의원(위원)의 지위; 왕좌, 왕권: win (get) a ~ in Congress 의원에 당선되다 / Independent candidates won the majority ~*s* on the local council. 무소속 후보들이 지방 의회의 다수석을 차지했다. ④ **a)** (활동 등의) 소재지, 위치; 중심지(*of*): the ~ *of* government 정부 소재지 / a university town renowned as a ~ *of* learning 학문의 중심지로 이름난 대학도시. **b)** 병원(病源), 병소(病巢), 환부(*of*). ⑤ 영지(領地), 토지; (시골의) 저택, 별장: a country ~ 시골의 대저택. ⑥ 엉덩이, 둔부(臀部); (바지 등의) 엉덩이, 시트: These trousers are tight in the ~. 이 바지는 엉덩이가 끼인다. ⑦ 착석법; (말 따위에) 탄 자세, (말)타기: She has a good ~. 그녀의 말탄 자세가 아름답다 / have a good ~ on a horse 말을 잘 타다(부리다). ⑧ (기계 따위의) 대(臺), 대좌. ***by the ~ of one's pants*** 《口》 자기 경험에 의거하여, (경험으로 얻은) 감으로: You must fly *by the ~ of your pants*. 네 감(경험)으로 비행기를 조종해야 한다. ***keep*** (***have, hold***) ***a*** (***one's***) ~ (1) 자리에 앉은 채로 있다: Please *keep your ~s!* 그대로 앉아주세요. (2) (의원이) 지위를(의석을) 유지하다, 재선되다.
— *vt.* ① (~+[목] / +[목]+[전]+[명]) **a)** …을 앉히다, 착석시키다: The usher ~*ed* me *in* a vacant chair. 안내인이 나를 빈자리에 앉혔다 / *Seat* the boy next to his mother. 소년을 그 애 어머니 곁에 앉혀라. **b)** 〔再歸的〕 앉다(★ 受動으로도 쓰임): Please ~ *yourself in* a chair. 의자에 좀 앉아 주시오 / He was ~*ed* at his desk. 그는 책상머리에 앉아 있었다. ② (~+[목] / +[목]+[전]+[명]) (건물이) …명분의 좌석을 갖다; …을 수용하다: The hall ~*s* (*is* ~*ed for*) 3,000. 그 홀에는 3,000 개의 좌석이 있다. ③ (+[목]+[전]+[명]) 〔흔히 再歸的 또는 受動으로〕 …에 위치하다, 정주하다, 자리잡다: They ~*ed themselves along* the shore. 그들은 해안에 정주하였다 / He ~*ed himself* arrogantly on a chair of the platform. 그는 거만하게 연단의 의자에 앉았다. ④ (걸상·바지 등의) 앉는 부분을 갈다(대다): ~ a chair 의자의 시트를 갈다.

séat bèlt (비행기·자동차 등의) 좌석(안전) 벨트, 시트벨트: fasten (unfasten) a ~ 좌석 벨트를 매다(풀다).

(-)**seat·ed** [síːtid] *a.* ① 걸상(좌석)이 …인; 걸터앉는(엉덩이) 부분이 …인: a cane-~ chair 등(籐)의자. ② 위치가 …인: a deep-~ disease 뿌리 깊은 병, 만성병.

seat·er [síːtər] *n.* [C] 〔흔히 合成語로〕 (자동차·비행기의) …인승: a four-~, 4 인승.

seat·ing [síːtiŋ] *n.* [U] ① 착석; 좌석에의 안내. ② 〔集合的〕 좌석(수): We have enough ~ (room) for the guests. 우리는 고객을 위한 충분한 자리가 있다. ③ (의자의) 쿠션(커버) 자료: strong cotton ~ 튼튼한 무명 의자 천.
— *a.* 〔限定的〕 좌석의: a ~ capacity 좌석수, 수용력.

seat·mate [ˊmèit] *n.* [C] 《美》 (열차·항공기 등의) 옆자리 사람.

SEATO [síːtou] Southeast Asia Treaty Organization(동남 아시아 조약 기구).

Se·at·tle [siǽtl] *n.* 시애틀(미국 워싱턴주의 항구 도시).

séa ùrchin 〖動〗 성게.

séa wàll 안벽(岸壁), 호안(護岸).

*__sea·ward__ [síːwərd] *a.* 바다에 면한. — *ad.* 바다쪽으로.

sea·wards [síːwərdz] *ad.* =SEAWARD.

sea·water [ˊwɔ̀ːtər] *n.* [U] 바닷물.

sea·way [ˊwèi] *n.* ① [C] 해로; 항로. ② [C] (큰 배가 다닐 수 있는) 깊은 내륙 수로. ③ [U] (선박의) 속도: make (good) ~ (배가) (빠르게) 항진하다.

*__sea·weed__ [ˊwiːd] *n.* [U] 〖植〗 해조, 바닷말.

sea·wor·thy [ˊwəːrði] *a.* (배 따위가) 항해에 적합한, 항해할 수 있는: The ship was completely ~. 그 배의 항해 성능은 완벽했다. [파] **-thi·ness** *n.* [U] 내항성.

se·ba·ceous [sibéiʃəs] *a.* 피지성(皮脂性)의; 지방을 분비하는: ~ glands 〖解〗 피지선(皮脂腺).

SEbE southeast by east(남동미동(微東)).

SEbS southeast by south(남동미남(微南)).

se·bum [síːbəm] *n.* [U] 〖生理〗 피지(皮脂).

sec[1] [sek] *a.* 《F.》 (포도주가) 맛이 쓴(dry).

sec[2] *n.* [C] 《口》 일각, 순간(second): Wait a ~. 잠깐.

Sec Securities and Exchange Commission.

sec. 〖數〗 secant; second(ary); second(s); secretary; section; sector.

se·cant [síːkənt, -kænt] *a.* 〖數〗 나누는, 자르는, 교차하는: a ~ line 할선(割線). — *n.* [C] 할선; 시컨트(略: sec).

sec·a·teurs [sékətəːrz] *n. pl.* 〔單·複數 취급〕 《英》 전정(剪定) 가위: You'll need a pair of ~ to prune the roses. 장미를 전지하는 데는 전정가위가 필요할거야.

se·cede [sisíːd] *vi.* (교회·정당 등에서) 정식으로 탈퇴(분리)하다(*from*): Latvia ~*d from* the

Soviet Union in 1991. 라트비아는 1991년 소(蘇) 연방에서 이탈했다. ◇ secession *n.*

se·ced·er [sisíːdər] *n.* Ⓒ (교회·정당 등에서의) 탈퇴자, 탈당자.

se·ces·sion [siséʃən] *n.* ① Ⓤ (정당·교회 등에서의) 탈퇴, 분리. ② (종종 S-) 〖美史〗 (남북 전쟁의 발단이 된) 남부 11주의 연방 탈퇴.

se·ces·sion·ism [siséʃənìzm] *n.* Ⓤ ① 분리론, 탈퇴론. ② (종종 S-) 〖美史〗 (남북전쟁에서의) 연방 탈퇴론.

***se·clude** [siklúːd] *vt.* 《~+목/+목+전+명》 ① (사람을) …에서 분리하다, 격리하다《*from*》: ~ a patient *for* long periods 어떤 환자를 오랫동안 격리시키다 / ~ one's children *from* bad influences 아이들을 나쁜 영향에서 떼어놓다. ② 〔再歸的〕 …에서 은퇴하다《*from*》; …에 틀어박히다《*in*》: ~ *oneself from* society 사회에서 은둔하다 / She ~*d herself in* her room. 그녀는 자기 방에서 나오지 않았다. ◇ seclusion *n.*

se·clud·ed [siklúːdid] *a.* ① 외진 곳에 있는, 인가에서 떨어진, 한적한: a ~ mountain cottage 인가에서 떨어진 산장. ② 은둔〔은퇴〕한: lead a ~ life 은둔생활을 하다.

se·clu·sion [siklúːʒən] *n.* Ⓤ ① 격리: a policy of ~ 쇄국 정책 / in the ~ of one's room 자기 방에 틀어박혀. ② 은퇴, 은둔(隱遁); 한거(閑居): live in ~ 은둔 생활을 하다, 한거하다.

se·clu·sive [siklúːsiv] *a.* 틀어박혀 있기를 좋아하는. ㊕ **~·ly** *ad.* **~·ness** *n.*

†sec·ond[1] [sékənd] *a.* ① (흔히 the ~) 제 2 의, 둘쨋번〔두 번째〕의; 2 등의, 둘째〔2 위〕의, 차위의 《略: 2d, 2nd》: *the* ~ day of the month 초이틀 / *the* ~ largest city in Korea 한국 두 번째의 대(大)도시 / She was *the* ~ of nine children. 그녀는 아홉남매 중 둘째였다. ② 다음〔버금〕가는, 부(副)의, 보조의; 종속적인: He is a member of the school's ~ baseball team. 그는 학교의 2군 야구 선수다 / *Second to* him, I'm the best runner in〔on〕 our team. 그의 다음으로 팀에서 내가 가장 빠르다. ③ 또 하나의, 다른: Try it a ~ time. 한 번 더 해봐라 / May I have a ~ helping of soup? 국 한그릇 더 주시겠소 / a ~ Daniel (명재판관) 다니엘의 재래 / ⇨SECOND HABIT. ④ 〖樂〗 제2의; 음정이 낮은: a ~ violin 제 2 바이올린. ***at ~ hand*** 전해〔얻어〕 들어서; 중간체를 개재하여, 간접적으로. ***for the ~ time*** 다시, 두 번, 재차. ***~ to none*** 누구에게도〔무엇에도〕 뒤지지 않는, 첫째 가는: He's ~ *to none* in English in his class. 영어로는 반에서 누구에게도 뒤지지 않는다.

── *ad.* ① 둘째〔제 2〕로, 다음으로, 두 번째로: come in ~ (경주에서) 2 등이 되다 / And ~, this kind of policy doesn't help to create jobs. 두번째로, 이런 정책은 고용창출에 도움이 안된다. ② (교통 기관의) 2 등으로: travel ~, 2 등차로 여행하다.

── *n.* ① Ⓤ (흔히 the ~; 때로 a ~) **a)** 둘째, 2 위, 2 류, 2 번, 2 등, 2 호: *the* ~ in command 부사령관 / You are *the* ~ *to* arrive. 네가 두번째로 왔다 / be *a* close〔distant, poor〕 ~ 1등과 대차없는〔차가 큰〕 1착이다 / George *the Second* =King George Ⅱ, 조지 2 세. **b)** 초이틀, 제 2 일: *the* ~ of March. ② Ⓒ 딴 사람, 또 한 사람; 대신인 사람; 두 번째의 남편〔아내〕. ③ Ⓒ 조수, 보조자; (결투·권투 따위의) 입회인, 세컨드: act as ~ to a person 아무의 세컨드를 보다. ④ Ⓤ 〔無冠詞로〕 〖野〗 2루(수). ⑤ Ⓒ 〖樂〗 2 도 음정, 둘째음; 알토. ⑥ (*pl.*) 《口》 더 달래서 먹는 음식, 두 그릇째의 음식: have ~*s* on the potatoes 감자를 두 그릇째 먹다. ⑦ Ⓤ (자동차의) 2 단 속도, 세컨드: shift into ~, 2 단 기어를 넣다.

── *vt.* ① 후원하다; 보좌하다, 시중들다, 입회하다《특히 결투·권투에서》. ② (동의·제안 따위)에 찬성하다, 지지하다: "Will anyone ~ this motion?" "I ~ it, Mr. Chairman" '이 동의에 찬성하는 분 계십니까' '의장, 나는 찬성이요'.

sec·ond[2] [sikánd, sékənd / sikɔ́nd] *vt.* ① 〔흔히 受動으로〕 〖英軍〗 (장교)의 부대 소속을 해제하다, 대외(隊外) 근무를 명하다《*for*》: Captain Smith was ~*ed for* service on the general staff. 스미스 대위는 부대 근무를 면하고 일반 참모부 근무를 명받았다. ② 《英》 (공무원)을 다른 부서로 옮기다, 소속을 임시로 바꾸다.

‡sec·ond[3] [sékənd] *n.* Ⓒ ① 초《시간·각도의 단위; 기호 ″; 略 s, sec.》: There are sixty ~*s* in a minute. / 1°6′10″ (= one degree, six minutes and ten seconds), 1도 6분 10초. ② 《口》 매우 짧은 시간: Wait a ~. 잠깐 기다려 / a split ~ 몇 분의 1초; 눈 깜짝할 사이. ***in a few ~s*** 잠시 후에 곧.

Sécond Ádvent (the ~) 예수의 재림.

sec·on·da·ri·ly [sékəndèrəli / -dəri-] *ad.* 두번째로, 다음으로; 종속적으로; 보좌〔보조〕로서.

‡sec·on·da·ry [sékəndèri / -dəri] *a.* ① (중요성·순서 등이) 제 2 위의, 2 차의, 2 류의, 제이의적(第二義的)인, 제 2 의. ㏄ primary. ¶ a ~ cause 제 2 의 원인 / a ~ infection, 2차 감염 / a matter of ~ interest〔importance〕 그다지 흥미없는〔중요치 않은〕 문제. ② 다음〔버금〕의; 파생적인, 부차적인; 보조의, 종속적인: a ~ meaning 파생적 의미 / a ~ product 부산물. ③ 중등 교육의, 중등 학교의. ㏄ primary. ¶ ~ education 중등 교육 / a ~ teacher 중학교선생. ④ 〖電·化〗 2 차의: a ~ battery〔current, coil〕, 2 차 전지〔전류, 코일〕.

── *n.* Ⓒ ① 제 2 위(位)적인 것, 제이의적인 것. ② 대리인; 보좌. ③ 〖天〗 (행성의) 위성. ④ 〖美蹴〗 세컨더리《전위 뒤의 제 2 수비진》.

sécondary áccent〔stréss〕 〖音聲〗 제 2 악센트《흔히 ˎ로 나타냄》.

sécondary cólor 〔《英》 **cólour**〕 등화색(等和色)《두 원색을 등분으로 섞은 색》.

sécondary mód = 《口》 SECONDARY MODERN (SCHOOL).

sécondary módern (schòol) 《英》 근대 중등 학교《실용 과목을 중시하는 공립 중학교의 하나; comprehensive school의 증가에 따라 감소함》.

sécondary schòol 중등 학교, 중학교(《美》의 high school, 《英》의 공립 중학교).

sécondary séx 〔séxual〕 characterìstic 〖醫〗 제 2 차 성징(性徵).

sécondary téchnical schòol 《英》 실업 중학교.

sécond bállot 결선〔제2차〕 투표.

sécond banána 《美俗》 (코미디의) 조연「(자).

sécond báse 〔흔히 無冠詞〕 〖野〗 2 루; 2루의 위치〔수비〕: play ~, 2루를 지키다.

sécond báseman 〖野〗 2루수.

sécond bést 둘째로 좋은 사람〔것〕.

sec·ond-best [sékəndbést] *a.* 차선의, 두 번째로 좋은: one's ~ suit 두번째로 좋은 옷 / the ~ policy 차선책(策) / Hiring professionals is impractical, so as a ~, we'll use unpaid amateurs. 직업 선수를 쓴다는 것은 비실용적이다. 차선책으로 우린 아마추어를 쓰겠다. ── *ad.* 차위로: come off ~ 차위로 떨어지다, 지다.

sécond chíldhood (a ～, one's ～) 노망 (dotage) : I am not in *my* ～. 나는 노망들지 않았다.

sécond cláss ① 2급 ; 2류. ② (탈것의) 2등. ③《美》제 2종 우편물《신문·잡지 등 정기 간행물》; 《英》(속달에 대한) 보통 우편.

sec·ond-class [-klǽs, -klɑ́:s] *a.* ① 2등의 : a ～ passenger〔ticket〕, 2등 승객〔(차)표〕/ a ～ cabin, 2등 선실. ② 2류의, 평범한 : a ～ hotel, 2류 호텔 / The old are treated as ～ citizen. 노인들은 제대로의 인간 대접을 못 받고 있다. ③ (우편물이) 제 2종의 : a ～ matter 제 2종 우편물 / There's no hurry—send it ～. 바쁠 것도 없으니 보통으로 붙여라. ── *ad.* 2종〔등〕으로 : go ～, 2등석에 타고 가다 / send a letter ～《英》편지를 2종 우편으로 붙이다. 「Advent.

Sécond Cóming (the ～) 재림(再臨). ⓒⓕ

sec·ond-de·gree [-digrí:] *a.* ① (화상(火傷)이) 제 2도의 : ～ burn 〖醫〗 2도 화상. ② (죄질이) 제 2급의 : ～ murder 제 2급 살인.

sec·ond·er [sékəndər] *n.* ① (의안·동의(動議)의) 찬성자. ② 후원자. ⓒⓕ proposer.

sécond flóor ①《美》2층《3층 이상인 집의 2층이 second floor, 2층집의 2층은 흔히 upstairs》. ②《英》3층.

sécond géar (자동차의) 2단 기어.

sec·ond-guess [-gés] *vt.* 《美口》(남이 한 일을 '그랬어야 했다'고) 사후에 비판하다.

***sécond hánd** (시계의) 초침.

‡sec·ond·hand [-hǽnd] *a.* ① 간접적인 ; 전해〔얻어〕들은 : ～ news 얻어 들은 뉴스. ② (상품 등이) 중고(품)의, 고물의 ; 고물〔헌것〕을 다루는 : a ～ car 중고차 / a ～ bookseller〔bookshop, bookstore〕헌책방 / ～ books〔furniture〕고본(古本)〔중고 가구〕/ a ～ dealer 고물상.
── *ad.* ① 간접으로 ; 전문(傳聞)으로 : get the news ～ 그 소식을 간접으로 듣다. ② 중고품으로, 고물로 : We bought the car ～. 그 차를 중고품으로 샀다.

sécondhand smóke 간접 흡연《비흡연자가 흡연자의 담배 연기를 마시는 일》.

sec·ond-in-com·mand [-inkəmǽnd, -mɑ́:nd] *n.* Ⓒ ① 부사령관. ② 차장.

sécond lánguage (한 나라의) 제 2공용어 ; (모어(母語)에 다음 가는) 제 2의 언어.

sécond lieuténant 〖軍〗소위.

***sec·ond·ly** [sékəndli] *ad.* 제 2로, 다음으로 : I want two things from my boss—firstly, a pay rise, and ～, a longer contract. 사장에게 두 가지 요구가 있다. 첫째는 급료 인상, 둘째는 고용 계약의 연장이다.

sécond náme 성(姓).

sécond náture 제 2의 천성 : Habit is ～.《俗談》습관은 제 2의 천성. 「《you》.

sécond pérson (the ～) 〖文法〗제 2인칭

***sec·ond-rate** [-réit] *a.* 2류의 ; 2등의 ; 열등한 (interior) ; 평범한 : a ～ writer〔actor〕2류 작가〔배우〕/ a ～ play 시원찮은 연기.

sécond sélf (one's ～) (절친한) 친구.

sécond síght 투시력, 통찰력, 천리안.
㊕ **séc·ond-síght·ed** [-sáitid] *a.*

sec·ond-sto·ry [-stɔ̀:ri] *a.* 《美》2층의.

sécond-stóry màn 《美口》2층 창으로 침입한 밤도둑(cat burglar).

sécond stríng ①〔集合的〕(팀 등의) 2군. ② 차선책, 대안.

sec·ond-string [-stríŋ] *a.* 《美》① (팀·선수 등이) 2군의, 보결(補缺)의. ② 2류의, 하찮은 ; 제 2선급(線級)의《선수 따위》; 《英》차선(次善)의《방책·계획 등》. 「보결 선수.

sec·ond-string·er [-stríŋər] *n.* Ⓒ 2군 선수,

sécond tóoth 영구치(齒). ⓒⓕ milk tooth.

sécond thóught(s) 재고(再考) : have ～*s* about …을 다시 생각하다, 재고하다. ***on*** ～ 잘 생각해서, 다시 생각해서 : I said I wouldn't do it, but *on* ～*s* I think I will. 그건 못 하겠다고 말했지만 다시 생각하니 하겠다는 생각이 든다.

sécond wínd ① (심한 운동 뒤의) 호흡 조정. ② 원기 회복 : get one's ～ 원기를〔컨디션을〕회복하다.

Sécond Wórld (the ～) 제 2세계《사회주의 국가들》. 「대전(1939-1945).

Sécond Wórld Wár (the ～) 제 2차 세계

‡se·cre·cy [sí:krəsi] *n.* Ⓤ ① 비밀(성) ; 비밀주의 : in ～ 비밀히 / preserve〔maintain〕～ 비밀에 부쳐두다 / Guard the ～ of the plan. 그 계획의 비밀을 지켜라 / The affair is still surrounded by ～. 그 사건은 아직 비밀에 싸여 있다. ② 비밀 엄수, 입이 무거움 : promise ～ 비밀 엄수를 약속하다 / You can rely on his ～. 그의 입이 무거운 것은 믿어도 좋다 / He stressed the necessity of absolute ～. 그는 절대 비밀의 필요성을 강조했다.

†se·cret [sí:krit] (***more*** ～ ; ***most*** ～) *a.* ① 비밀〔기밀〕의 ; 내밀의 : a ～ messenger 밀사 / The details are ～. 상세한 것은 비밀이다. ②〔限定的〕사람 눈에 안 띄는, 외진, 으슥한 : a ～ place〔spot〕으슥한〔구석진〕곳 / We came through a ～ passage. 우리는 비밀 통로로 들어왔다. ③〔敍述的〕비밀을 지키는, 입이 무거운 ; 숨기는《*about*》: I've been ～ *about* personal affairs. 나는 개인적인 일을 비밀리에 해왔다. ④〔限定的〕공표되지 않은, 인정을 받지 못한. ── *n.* ① Ⓒ 비밀(한 일) ; 기밀(사항) : a military ～ 군사 기밀 / an open ～ 공공연한 비밀 / They have no ～*s* from each other. 그들은 서로 털어 놓는 사이다 / He made no ～ of his dislike for me. 그는 나를 싫어한다는 것을 숨기지 않았다. ② (the ～) 비법, 비결《*of*》: What's *the* ～ *of* your success? 네 성공의 비결은 뭐냐 / *The* ～ *of* good design is simplicity. 훌륭한 디자인의 비결은 단순성에 있다. ③ Ⓒ (자연계의) 신비, 불가사의, 수수께끼 : Science has been unlocked the ～*s* of nature. 과학은 자연계의 신비를 풀어왔다. ***in*** (***on***) ***the*** ～ 비밀을 알고, 기밀에 관여하여 : be *in the* ～ of a person's plan 아무의 계획의 비밀을 알고 있다. ***in*** ～ 비밀히, 은밀히. ★ 기밀은 top-secret (1급 비밀), secret (2급 비밀), confidential (3급 비밀), restricted (부외비(部外秘))로 구분됨.

sécret ágent 첩보원, 첩자, 스파이.

sec·re·tar·i·al [sèkrətέəriəl] *a.* ① 비서의 : ～ work 비서의 일 / a ～ pool〔section〕비서실〔과〕. ② (S-) (국무) 장관의.

sec·re·tar·i·ate [sèkrətέəriət] *n.* ① Ⓒ 비서과, 문서과, 사무국. ② Ⓤ〔集合的 ; 單·複數 취급〕그 직원들.

‡sec·re·ta·ry [sékrətèri / -tri] *n.* Ⓒ ① (개인의) 비서《*to*》: She is〔acts as〕～ *to* the president. 그녀는 사장 비서다《★ 보어로 쓰일 때는 無冠詞》. ② (단체·협회의) 서기, 간사 ; (관청의) 서기관, 비서관 : a first〔third〕～ of the embassy 대사관 1등〔3등〕서기관 / an honorary ～ 명예 간사. ③ (S-) (각 부(部)의) 장관 : the *Secretary* of State《美》국무 장관 ; 《英》장관 / the *Secretary* of Defense〔Treasury〕《美》국방〔재무〕장관 / the Foreign〔Home〕*Secretary* ; the *Secretary* of State for Foreign〔Home〕Affairs《英》외무〔내

무〕장관 / the *Secretary* of State Education 교육 장관《★《英》신설 성(省)의 장관은 minister 가 보통: the Minister of Civil Aviation and Transport 민간 항공 운수 장관》.

sécretary bìrd 〖鳥〗 독수리의 일종《뱀을 먹음; 아프리카산》.

sec·re·ta·ry-gen·er·al [-dʒénərəl] (*pl.* ***sec·re·tar·ies-***) *n.* [C] 사무 총장, 사무 국장.

sécret bállot 비밀 투표.

se·crete[1] [sikríːt] *vt.* …을 비밀로 하다, 은닉하다; 숨기다: He *~d* the package inside his donkey-jacket. 그는 방한복 안으로 꾸러미를 숨겼다.

se·crete[2] *vt.* 〖生理〗 …을 분비하다: Saliva is *~d* by glands in the mouth. 침은 입안의 침샘에서 분비된다.

se·cre·tion[1] [sikríːʃən] *n.* [U] 숨김, 은닉.

se·cre·tion[2] *n.* ① [U] 〖生理〗 분비(작용). ② [C] 분비물, 분비액.

se·cre·tive [sikríːtiv, síːkrə-] *a.* (사람이) 숨기는; 비밀주의의《*about*》: a ~ nature 비사교적 성격 / He is rather ~ *about* his private life. 그는 사생활에 대해서는 말을 안하는 편이다. [파] **~·ly** *ad.* **~·ness** *n.*

‡se·cret·ly [síːkritli] *ad.* 비밀로, 몰래.

se·cre·to·ry [sikríːtəri] *a.* 〖生理〗 분비(성)의: a ~ organ〔gland〕 분비 기관〔선(腺)〕.

sécret políce (the ~) 비밀 경찰.

sécret sérvice ① (the ~) (국가의) 비밀 정보 기관, 첩보부. [cf] intelligence service. ② (the S- S-) 시크릿서비스. **a)** 《美》 재무부 비밀 검찰부《대통령의 호위, 위조 지폐 적발 따위를 담당》. **b)** 《英》 내무성 (비밀) 검찰국〔정보부〕.

sécret socíety 비밀 결사.

***sect** [sekt] *n.* [C] 분파, 종파; 교파; 당파; (철학 따위의) 학파, 섹트.

sect. section.

sec·tar·i·an [sektέəriən] *a.* 분파의, 종파의; 학파의; 당파심이 강한; 협량한, 편협한: ~ politics 파벌 정치 / The conference had collapsed in ~ squabbles. 회의는 종파간의 사소한 언쟁으로 결렬됐다. ── *n.* [C] 종파에 속하는 사람; 파벌적인 사람; 종파〔당파〕심이 강한 사람.

sec·ta·ry [séktəri] *n.* [C] = SECTARIAN.

‡sec·tion [sékʃən] *n.* ① **a)** [U,C] 절단; 절개: Caesarean ~ 〔operation〕 제왕 절개. **b)** [C] 잘라낸 조각: a microscopic ~ 현미경용 박편(薄片). ② [C] 자른 면, 단면(도): a longitudinal〔a cross〕 ~ of the ship 선박의 종〔횡〕단면도. ③ [C] 부분, 단편; 부분품, 접합 부분: the *~s* of an orange 귤의 조각 / the freezer ~ of a refrigerator 냉장고의 냉동칸 / *~s* of the machine 기계의 부품 / cut a cake into five equal *~s* 케이크를 5등분하다. ④ [C] 구분, 구획; 구역(區域); 구간; 《美》 (town 등의) 한 구역, 지구, 지방. [cf] district. ¶ a business ~ 상업 지구 / a smoking〔non-smoking〕 ~ 흡연〔금연〕 구역 / This ~ of the road is closed. 이 구간의 길은 통행불가다. ⑤ [C] 부문; (단체의) 파; (관청 등의) 부, 과, 반: the conservative ~ 보수파 / a personnel ~ 인사과. ⑥ [C] (군대의) 분대. ⑦ [C] (책·문장의) 절(節), 항(項), 단락(段落); (신문의) 난(欄); 〖樂〗 악절: the social 〔sports〕 ~ of a newspaper 신문의 사회〔스포츠〕란 / the first ~ 〔*Section* One〕 of Chapter 10, 제10장의 제 1 절. ***in*** ~ 단면으로.
── *vt.* ① …을 분할하다, 구분하다: ~ a class by ability 클래스를 능력에 따라 구분하다. ② 〖醫〗 …을 절개하다. ③ …의 단면도를 그리다. ④ (현미경 검사를 위해) …의 박편을 만들다.

sec·tion·al [sékʃənəl] *a.* ① 부분의; 구분의; 부분적인: the ~ renovation of a house 가옥의 부분적 보수. ② 부(部)의, 과(課)의: a ~ chief 과장. ③ 조립식의, 짜맞추는 식의: ~ furnitures 조립식 가구. ④ 부문적인; 지방적인; 지방적 편견이 있는: ~ politics〔quarrels〕 파벌 정치〔싸움〕/ The broadcasting must not become an instrument of narrow ~ interests. 방송이 편협한 지역적 이익을 대변하는 기구가 되어서는 안된다. ⑤ 단면(도)의: the ~ plan of a building 건물의 단면도. [파] **~·ly** [-nəli] *ad.*

sec·tion·al·ism [sékʃənəlizəm] *n.* [U] 지방〔부분〕 편중, 지방중심〔주의〕; 지방적 편견; 파벌주의; 섹트주의〔근성〕.

sec·tion·al·ize [sékʃənəlàiz] *vt.* …을 부분으로 나누다; 지역으로 나누다.

***sec·tor** [séktər] *n.* [C] ① 〖數〗 부채꼴. ② 〖軍〗 (각 부대가 책임지는) 전투 지구, 작전 지구. ③ (산업·경제 등의) 분야, 방면, 영역: the banking ~ 금융 분야 / the private〔public〕 ~ (국가 산업의) 사기업〔공기업〕 부문.

sec·to·ri·al [sektɔ́ːriəl] *a.* sector의; 부채꼴의.

***sec·u·lar** [sékjələr] *a.* ① (영적·종교적인 것과 구별하여) 현세의, 세속의; 비종교적인: ~ affairs 속세의 일 / ~ education (종교 교육에 대하여) 보통 교육 / ~ music 세속적인 음악 / the ~ power 속권(俗權) / ~ life (수도원 생활에 대하여) 세속의 생활. ② 〖가톨릭〗 (성직자가) 교구에 속한. [opp] *regular.* ¶ a ~ priest 〔clergy〕 교구 사제〔성직자〕. ── *n.* [C] ① 〖가톨릭〗 교구 신부. ② 속인(俗人). [파] **~·ly** *ad.*

sec·u·lar·ism [sékjələrìzəm] *n.* [U] 세속주의; 교육 종교 분리주의. [파] **-ist** *n.* [C] 세속주의자; 교육 종교 분리주의자. **sèc·u·lar·ís·tic** *a.*

sec·u·lar·i·ty [sèkjəlǽrəti] *n.* ① [U] 세속성; 속심(俗心). ② [C] 속된 일.

sec·u·lar·ize [sékjələràiz] *vt.* ① …을 세속화하다. ② …에서 종교를 배제하다: ~ education 교육을 종교로부터 분리하다. [파] **sèc·u·lar·i·zá·tion** *n.* [U] ① 세속화. ② 교육(등)의 종교로부터의 분리.

‡se·cure [sikjúər] (***more*** **~,** ***-cur·er*** **;** ***most*** **~,** ***-cur·est***) *a.* ① 안전한, 위험이 없는《*against* ; *from*》: a ~ hideout 안전한 은신처 / a ~ job 안정된 일자리 / The city was not quite ~ *from* 〔*against*〕 enemy attack. 시(市)는 적의 공격에서 충분히 안전하지 못했다. ② (토대·발판 등이) 안정된, 튼튼한: The building was ~, even in an earthquake. 그 건물은 지진에도 끄떡없었다. ③ 〔敍述的〕 안전하게 보관된; 도망칠 염려 없는: Are you sure the money is ~? 그 돈은 확실히 안전하게 보관되어 있습니까 / keep〔hold〕 a prisoner ~ 죄수를 엄중히 감금해 두다. ④ 확실한; (관계·명성 등이) 확립된; (판단 등이) 믿을 수 있는: a ~ life 안정된 생활 / His place in the company is now ~. 회사에서의 그의 지위는 이제 확고하다 / His promotion is ~. 그의 승진은 틀림없다. ⑤ 〔敍述的〕 (…에 대해) 안심하는, 걱정 없는《*about* ; *as to*》; …을 확신하는: We were ~ *of* victory. 우리는 승리를 확신하고 있었다 / He feels ~ *about* his future. 장래에 대하여 불안을 느끼지 않는다. ◇security. *n.*
── *vt.* ① 《~+[목] / +[목]+[전]+[명]》 …을 안전하게 하다, 굳게 지키다《*against* ; *from*》: He *~d* himself *against* the cold. 그는 추위에 대비했다 / The wall was built to ~ the village from attack. 적의 공격으로부터 마을을 지키기 위해 장벽이 세워졌다. ② …을 확실하게 하다, 확고히 하다: The

success ~*d* his reputation. 그 성공으로 그의 명성은 확고하게 되었다. ③《~+목/+목+전+명》…을 보증하다, 책임지다, …에 담보를 제공하다[잡히다]; …을 보험에 넣다: The bank wanted to ~ the loan *against* my house. 은행은 대출에 내 집을 담보로 요구했다. ④《~+목/+목+목/+목+전+명》확보[획득]하다, 얻다, 손에 넣다; (회견 따위를 할 기회)를 간신히 얻다: Please ~ me a seat. =Please ~ a seat *for* me. 자리를 하나 잡아 주시오 / He's lucky to have ~*d* himself such a good job. 그런 좋은 일자리를 얻은 그는 행복하다. ⑤ (죄인 등)을 가두다, 감금하다. ⑥ (문)을 단단히 잠그다, 채우다: *Secure* all the doors and windows before leaving. 떠나기 전에 문과 창문을 모두 단단히 채워라. ⑦ …에 쇠고리를 걸다; 고착시키다, 잡아매다《*to*》.
㊞ ~·**ly** *ad.* 확실히, 안전히, 단단히.

Secúrities and Exchánge Commìssion (the ~)《美》증권 거래 위원회《略: SEC》.

***se·cu·ri·ty** [sikjúəriti] *n.* ①Ⓤ 안전, 무사; 안심: rest in ~ 안심하고 쉬다 / The tenants are exploited and have no ~ of tenure. 소작인들은 착취당하고 있으며 소작 기간도 불확실하다. ②Ⓤ 안심, 마음 든든함: *Security* is the greatest enemy. 《俗談》방심은 금물. ③ⓊⒸ 보안, 방위(수단), 보호, 방어; (요인 보호 등의) 경비; 안전 보장《*against*; *from*》: a ~ *against* burglars 도둑에 대한 방위(수단) / The ~ was very tight when the premier was here. 수상이 여기 왔을 때는 경호가 엄중했다. ④ⓊⒸ 보증; 보증금; 담보(요건); 보증인; 차용증《*for*》: ~ *for* a loan 차용금에 대한 담보 / He borrowed money on the ~ of his estate. 그는 땅을 저당으로 돈을 꾸었다. ⑤ (*pl.*) 유가 증권《share, bond 따위의 총칭》: government *securities* 정부에서 발행하는 유가증권《국채·공채 따위》/ the *securities* market 증권 시장. ── *a.* 〔限定的〕 안전〔보안〕을 위한, 안전 보장의: ~ forces 보안대 / a ~ company 경비회사.

secúrity blànket 《美》 ① (안도감을 갖기 위해 아이가 늘 손에 쥐고 있는) 담요〔수건, 베개〕. ② 안전을 보장하는〔마음이 안정되는〕 것〔사람〕.

Secúrity Cóuncil (the ~) (유엔) 안전 보장 이사회《略: S.C.》.

secúrity guàrd (빌딩 등의) 경비원.

secúrity màn 〔**òfficer**〕 경비원, 경호원.

secúrity pàct 〔**trèaty**〕 안전 보장 조약.

secúrity políce 비밀 경찰.

secúrity rìsk 기밀 유지상의 요주의 인물.

secy., sec'y. secretary.

se·dan [sidǽn] *n.* Ⓒ ①《美》세단형 자동차(《英》saloon). ② (예전의) 의자 가마 (=∠ **chàir**).

se·date [sidéit] (**-dat·er**; **-dat·est**) *a.* 침착한, 조용한: a ~ old lady 점잖은 노부인 / walk at a ~ pace 침착한 걸음걸이로 걷다 / He was graver and more ~. 그는 훨씬 드레지고 신중해졌다. ㊞ ~·**ly** *ad.* ~·**ness** *n.*

se·da·tion [sidéiʃən] *n.* Ⓤ 〖醫〗 (진정제 등에 의한) 진정(작용): be under ~ 진정 상태에 있다 / put a person under ~ 아무를 진정시키다.

sed·a·tive [sédətiv] *a.* 진정 작용이 있는. ── *n.* Ⓒ 〖醫〗 진정제.

***sed·en·ta·ry** [sédəntèri / -təri] *a.* ① 앉아만 있는, 앉으려 드는; 앉아서 할 수 있는: lead a ~ life (노령·병 등으로) 앉아 지내다 / a ~ job 〔work〕 좌업(坐業) / Many people in ~ occupations do not take enough exercise. 앉아서 하는 일에 종사하는 사람의 대부분은 운동이 부족하다. ②〖動〗 이주〔이동〕하지 않는《새》. ㊞ **-ri·ly** *ad.* (늘) 앉아서; 정주(定住)하여. **-ri·ness** *n.*

sedge [sedʒ] *n.* Ⓤ 사초속(屬)의 각종 식물. ㊞ **sédgy** *a.* 사초가 무성한; 사초의〔같은〕.

***sed·i·ment** [sédəmənt] *n.* ①Ⓤ (또는 a ~) 앙금, 침전물: We took cores of ~ from the lake. 우리는 호수에서 침전물 덩어리를 제거했다. ②Ⓤ 〖地質〗 퇴적물.

sed·i·men·tary [sèdəméntəri] *a.* 앙금의, 침전물의; 침전〔퇴적〕으로 생긴: fossils in ancient ~ rock 고대 퇴적암에 든 화석.

sed·i·men·ta·tion [sèdəmәntéiʃən] *n.* Ⓤ ① 〖地質〗 침전〔퇴적〕(작용). ②〖物〗 침강(沈降) 분리, 침강(법).

se·di·tion [sidíʃən] *n.* Ⓤ (반정부적) 선동, 치안 방해(죄), 폭동 교사(행위): The government has called the march an act of ~. 정부는 그 행진을 치안 방해행위라고 비난했다. ㊞ ~·**ist** *n.*

se·di·tious [sidíʃəs] *a.* 선동적인, 치안 방해의: a ~ speech 선동 연설 / ~ activities 치안 방해 활동. ㊞ ~·**ly** *ad.* ~·**ness** *n.*

***se·duce** [sidjúːs] *vt.* ①《+목+전+명》…을 부추기다, 속이다, 꾀다: ~ a person *into* error 아무를 속여 실수하게 하다 / I was ~*d into* buying a fake diamond. 속아서 가짜 다이아몬드를 샀다 / They ~*d* him with a bribe to reveal the secret. 그들은 뇌물로 그를 유혹해서 비밀을 누설하게 했다. ② (여자)를 유혹하다; 매혹시키다, 반하게 하다: She claimed that he had ~*d* her. 그가 자신을 유혹했다고 그녀는 주장했다. ③ (좋은 뜻으로) …을 끌다, 혹하게 하다: The beauty of the moonlight ~*d* me out of doors. 아름다운 달빛에 이끌려 밖에 나갔다. ㊞ **se·dúc·er** *n.* Ⓒ 유혹자〔물〕, 《특히》 여자 농락꾼, 색마.

se·duc·tion [sidʌ́kʃən] *n.* ①ⓊⒸ 사주(使嗾), 유혹; 〖法〗 부녀 유괴. ② (흔히 *pl.*) 유혹물, 매력, 매혹《*of*》: the ~*s of* city life 도시 생활의 매력.

se·duc·tive [sidʌ́ktiv] *a.* 유혹하는; 호리는, 매력 있는: a ~ woman 남성에게 매력적인 여성 / This offer of a high salary and a company car is very ~. 고임금에다 회사 차를 준다는 이 제의는 대단한 유혹이다. ㊞ ~·**ly** *ad.* ~·**ness** *n.*

se·du·li·ty [sidjúːləti] *n.* Ⓤ 근면, 정려(精勵).

sed·u·lous [sédʒuləs] *a.* ① 근면한, 부지런한: a ~ worker. ② (행동이) 꼼꼼한, 공들인: ~ attention 세심한 주의. ㊞ ~·**ly** *ad.* ~·**ness** *n.*

†**see**[1] [siː] (**saw** [sɔː]; **seen** [siːn]) *vt.* ①《~+목/+목+*do*/+목+*-ing*》…을 보다, …이 보이다《★ 흔히 進行形 없음》: *See* me in the face. 나를 똑바로 보시오 / Can you ~ the house over there? 저 쪽에 집이 보이나《★ can, could 와 쓰이면 보려는 노력이 엿보임》/ She was *seen to* go out. 그녀가 외출하는 게 보였다《★ 受動에서는 to 부정사를 수반함》/ I *saw* her kniting wool into stockings. 그녀가 털실로 양말을 뜨고 있는 걸 보았다.

②《+목+전+명》(글자·인쇄물 등)을 보다, 읽다《★ 進行形 없음》: I *saw* your appointment *in* the newspaper. 신문에서 너의 임명 기사를 보았다.

③ …을 바라보다, 관찰하다; 구경하다: He ~*s* only her faults. 그에게는 그녀의 결점만이 눈에 비친다 / It'll take a whole day to ~ the town. 시내 구경에 꼬박 하루가 걸릴 것이다 / Did you ~ the football game on TV yesterday? 어제 TV에서 그 축구 시합을 보았니.

④ …를 만나(보)다, …를 면회하다, …와 회견〔회담〕하다: Come and ~ me sometime. 언제나 와

주십시오 / I am very glad〔pleased〕 to ~ you. = It's nice to ~ you. 만나뵈어 반갑습니다 ; 잘 와 주셨습니다《초대면의 경우는 see 대신 meet를 쓰는 것이 좋을 것임》/ I never *saw* him before. 그를 한 번도 만나본 일이 없다 / *See* my agent. 대리인과 말씀하십시오.
⑤ 방문하다, 찾다, (환자)를 문병하다 ; (의사에게) 진찰을 받다 : The doctor can't ~ you yet : he's ~*ing* someone else at the moment. 아직은 의사 선생님을 만날 수 없습니다. 선생님은 지금 다른 환자를 진찰하고 계십니다.
⑥ …와 자주 만나다〔데이트하다〕: ~ each other 서로 (가끔) 만나고〔데이트하고〕 있다 / He's still ~*ing* her. 그는 아직도 그녀와 만나고 있다.
⑦ …을 만나다, 조우하다, 겪다, 경험하다 ; (장소가) …현장이 되다, 목격하다 : Everyone will ~ death. 누구에게나 죽음은 온다 / The house *saw* all manner of human misery. 그 집은 인간의 온갖 불행을 겪었다 / This town has *seen* a lot of change. 이 마을은 꽤나 변했다.
⑧《~+목 / +목+전+명》 인정하다, 발견하다, 《특히》 장점으로서 …을 찾아내다 : I looked for her but I couldn't ~ her in the crowd. 나는 그녀를 찾았으나 군중 속의 그녀를 볼 수 없었다 / I don't ~ any harm in it. 나는 그것에서 이렇다 할 해로운 점을 찾을 수 없다 / What do you ~ in her? 그녀의 어디가 마음에 들었나.
⑨《~+목 / +*wh.* 절 / +*that* 절 / +목+*to* do / +*wh. to* do》 깨닫다, 이해하다, 알다 ; …을 알아채다《★ 進行形 없음》: I don't ~ your point. 취지를 모르겠습니다 / "Do you ~ *what* I mean?" "Yes, now I ~." '내 말을 알겠나' '응, 이제 알겠다' / I ~ *what* you mean. 네 말을 이해하겠다 / He never ~*s* a joke. 그는 농담을 이해하지 못한다 / If you watch carefully you'll ~ *how* I do it 〔*how* it is done〕. 자세히 지켜보면 내가 어떻게 하는지〔그게 어떻게 해서 되는지〕 알 것이다 / He didn't ~ (*that*) she was foolish. = 《文語》 He didn't ~ her *to* be foolish. 그는 그녀가 어리석음을 알아채지 못했다 / I can ~ *why* he is worried. 그가 어째서 걱정하는지 이해하겠다.
⑩《~ +목 / +*wh.* 절》 잘 보다, 살펴보다, 조사〔검사〕하다 : It would be better for you to go and ~ its truth for yourself. 가서 직접 그 진위를 확인하는 것이 좋겠다 / *See who* is at the door. 누가 왔는지 나가봐라 / *See how* to operate the machine before turning it on. 스위치를 넣기 전에 그 기계의 작동법을 잘 알아둬라.
⑪《~ +목 / +목+*as* 보 / +목+*-ing*》 생각해 보다, 상상하다, (꿈에) 보다 : I can't ~ him *as* a president. 그가 대통령이 된다는 따위는 상상도 할 수 없다 / He can't ~ me know*ing* the fact. 그는 내가 사실을 알고 있으리라고 상상도 못한다 / Some *saw* the affair *as* a tragedy. 그 사건을 비극이라 여기는 사람도 있었다.
⑫《~ +목 / +목+부 / +목+보》 〔종종 副詞(句)를 수반해〕 생각하다, …하다고〔…라고〕 생각하다〔보다〕: ~ things differently now 이제는 세상을 다르게 보다 / He *saw* it right to do so. 그는 그렇게 하는 것이 옳다고 여겼다 / I can't ~ the matter that way. 나는 그 문제를 그런 식으로 생각하지 않는다 / Can you ~ him agreeing to our plan? 그가 우리 계획에 찬성하리라고 생각하나.
⑬《+목+부 / +목+전+명》 바래다 주다 ; 배웅하다《*to*》: May I ~ you home? 댁까지 바래다 드릴까요 / I *saw* my friend *to* the station. 친구를 역까지 바래다 주었다.
⑭《+목+전+명》 …에게 원조를〔도움을, 돈을〕 주다 : She *saw* her brother *through* college. 남동생을〔오빠를〕 도와 대학을 졸업시켰다.
⑮《+*that* 절 / +목+*done*》 (…이 …하도록) 마음을 쓰다, 주선〔배려, 조처〕하다 : You go and play, I'll ~ to the dishes. 설거지는 내가 할테니 가서 놀아라 / I'll ~ (*to it*) *that* everything is all right. 만사 틀림없도록 조처하겠다 / I'll ~ the work *done* in time. 일이 기한내 끝나도록 하겠다.
⑯《+목+*-ing* / +목+*do* / +목+*done*》 묵인하다 ; 〔will ~ ... before의 구문으로〕 바라다 : I can't ~ him mak*ing* use of me. 나는 그에게 이용당하고만 있을 수 없다 / I'*d* ~ the house *burnt* down *before* I part with it. 집을 내주느니 차라리 불타 없어지는 게 낫겠다.
── *vi.* ① 〔종종 can 을 수반 ; 進行形 없음〕 보다 ; 보이다, 눈이 보이다 ; (보인 것을 가리켜) 저봐, 자, 어때 : I *can*'t ~ that far. 그렇게 멀리는 안 보인다 / Owls *can* ~ in the dark. 부엉이는 어둠 속에서도 볼 수 있다 / *See,* here he comes! 저봐, 그가 왔어. ② 알다, 이해하다, 납득하다 : *See*〔Do you ~〕? 알았느냐 / I ~. 알았어요 / You'll ~. (내 말을) 언제고 알게 될 것이다 ; 나중에 말해주겠다 / as for as I can ~ 내가 아는 한은. ③ 《~ / +전+명 / +*that* 절》 살펴보다, 주의하다, 확인하다, 조사하다 : We'll just have to wait and ~. 우리는 그저 기다려서 형편을 살피는 수 밖에 없다 / Go and ~ for yourself. 가서 스스로 확인해라 / Please ~ *to* it *that* the door is locked. 문의 자물쇠를 반드시 잠가 두세요《구어체에서는 to it를 생략하는 것이 보통 ; cf. *vt.* ⑩》. ④ 생각해 보다 : Let me ~, what was I saying? 그런데 무슨 말을 했더라.
as I ~ it 내가 보는 바로는. ***I'll be seeing you!*** 안녕《헤어질 때 인사》. ***Let me ~.*** ⇨LET¹. ***~ about*** …을 주선〔준비〕하다, …을 생각해 두다 : We'll ~ *about* the place. 장소는 우리가 알아보겠다 / I'll ~ *about* it. 생각해 보겠다《완곡한 거절》. ***~ after*** …을 돌보다《look after 쪽이 보통임》. ***~ eye to eye*** (***with***) ⇨EYE. ***~ fit*** 〔***good***〕 ***to*** do …하는 것이 좋다고 생각하다, …하려고 작정하다 《★ 形式目的語의 it 를 see 뒤에 안 두는 것이 관용적》: We must wait until they ~ *fit to* help us. 우리는 그들이 도와주고 싶은 생각이 들때까지 기다려야 한다. ***See here!*** 《美》 어이, 이봐《흔히 경고, 금지의 뜻으로 씀》. ***~ in*** (1) …집〔방〕 안에 안내하다 : Will you ~ our guest *in*? 손님을 방에 안내해 주겠나. (2) (새해)를 맞다 : ~ *in* the New Year = ~ the New Year *in*. ***~ into*** …을 조사〔간파〕하다. ***~ much*** 〔***less, nothing, something***〕 ***of*** …을 자주 만나다〔자주 만나지 않다, 통 못 만나다, 때로 만나다〕: I've *seen nothing of* her for the last ten years. 10년 동안 전혀 그녀를 만나지 못했다《★ 이 구문에서 much 를 쓸 경우는 흔히 否定 또는 疑問文으로 쓰이며 肯定文의 경우는 a good〔great〕 deal 을 씀》. ***~ off*** (1) 배웅하다 : ~ a person *off* into the train 기차를 탈 때까지 배웅하다. (2) (침입자 등)을 쫓아버리다, 격퇴하다 : They *saw off* 3 enemy attacks within 3 days. 그들은 사흘 동안에 적의 공격을 세 차례 물리쳤다. ***~ out*** (1) 현관까지 배웅하다《*of*》: I can ~ myself *out.* (현관까지 배웅하지 않아도) 혼자 돌아갈 수 있습니다. (2) 끝까지 (지켜)보다 : ~ a play *out* 연극을 끝까지 보다. (3) …이 (끝까지) 지탱하다 : She will never ~ the winter *out.* 그녀가 도저히 겨울은 못넘길 것 같다《겨울을 못나고 죽을 것이다》. ***~ over*** 〔***round***〕 …을 돌아보다, …을 시찰하다, …을 검

사하다 : He *saw over* the house he wanted to buy. 사고 싶은 집을 찬찬히 살폈다. ~ ***reason*** ⇨ REASON. ~ ***red*** ⇨RED. ~ a person ***right*** 아무를 정당하게 다루다, 아무가 손해를 안보게 하다. ~ ***round*** = ~ over. ~ ***the back of*** ⇨ BACK. ~ ***the color of*** a person***'s money*** 아무에게 돈을 치르게 하다. ~ ***the last of*** …와 손을 끊다, …을 내쫓다. ~ ***things*** 환각을 일으키다 : She can't be back already — I must be *~ing things!* 그녀가 벌써 돌아왔을 리 없다. 내가 허깨비를 보고 있는게 틀림없다. ~ ***through*** …을 꿰뚫어보다〔간파하다〕: ~ *through* a brick wall 〔a millstone〕 ⇨ WALL, MILLSTONE. ***See you*** (***later***)***!*** ⇨ LATER. ***So I*** ~. 그렇군, 네 말대로다. ***We'll*** (***soon***) ~ ***about that!*** 그렇게는 내버려두지 않겠다, 못하게 하겠다. ***You*** ~. 어때, 알겠나 : It's like this, *you* ~. 이렇단 말야, 알았지 / *You* ~, I'm very hungry. 실은 배가 몹시 고프단 말야.

see² [siː] *n.* Ⓒ bishop 〔archbishop〕의 지위〔관구〕: the *See* of Rome = the Holy *See* 교황의 지위 ; 로마 교황청 / the ~ of Canterbury 캔터베리 대주교 관구.

‡**seed** [siːd] (*pl.* ***~s,*** ~) *n.* ① Ⓤ.Ⓒ 씨(앗), 종자 : Sow parsley *~s* now, covering them with a little soil. 이제 파슬리씨를 뿌리고 흙으로 조금씩 덮어라 / grow a plant from ~ 씨를 뿌려 식물을 키우다. ② Ⓤ 〖聖〗〔集合的〕 자손 : The Jews are the ~ of Abraham. 유대인은 아브라함의 자손이다. ③ Ⓤ **a**) (물고기 따위의) 이리. **b**) 정액. ④ (흔히 *pl.*) 《比》 (악의) 근원, (싸움의) 원인〔불씨〕《*of*》: sow〔plant〕 the *~s* of future trouble 장차의 재앙의 씨를 뿌리다 / This planted the *~s* of doubts in my mind. 이것이 내게 의심을 갖게 했다. ⑤ Ⓒ 〖競〗 시드 선수. ***go*** 〔***run***〕 ***to*** ~ (1) 꽃이 지고 열매를 맺다. (2) (사람 등이) 한창 때가 지나다, 초라해지다 : After he retired he gradually *went to* ~. 은퇴하고 나서 그는 점점 추레해졌다. ***in*** ~ (꽃이 지고) 씨를 맺어.

— *vi.* ① 씨를 뿌리다. ② 씨앗이 생기다 ; 씨를 떨어뜨리다 : Dandelions ~ themselves. 민들레는 스스로 씨를 뿌린다. — *vt.* ①《~+목 / +목+전+명》 (땅)에 씨를 뿌리다 ; (씨앗)을 뿌리다 : They *~ed* their fields *with* wheat. = They *~ed* wheat *in* their fields. 그들은 밭에 밀씨를 뿌렸다. ② …에서 씨를 제거하다 : She *~ed* the raisins for the cake. 그녀는 과자를 만들기 위해 건포도의 씨를 발라냈다. ③〖競〗〔흔히 受動으로〕 시드 배정하다《우수 선수끼리 처음부터 맞붙지 않도록 대진표를 짜다》: He was *~ed* second. 그는 제2 시드에 배정되었다. ④ (구름에) 드라이아이스 등 약품을 살포하다《인공 강우를 위해》.

seed·bed [ˊbèd] *n.* Ⓒ ① 묘상(苗床), 모판. ② (죄악 따위의) 온상 : Crisis and conflicts are a ~ for international terrorism. 정치적 위기와 갈등이 국제 테러리즘의 온상이다.

seed·cake [ˊkèik] *n.* Ⓤ.Ⓒ 시드케이크《주로 caraway의》 씨를 넣은 과자》.

seed·case [ˊkèis] *n.* Ⓒ 과피(果皮).

séed còrn ① 씨앗용 옥수수. ② 장차의 이익에 다시 이용되는 자산(資産).

seed·er [síːdər] *n.* Ⓒ ① 씨 뿌리는 사람. ② 파종기 ; 씨 받는 기계〔장치〕.

seed·less [ˊlis] *a.* 〖植〗 씨없는 : ~ grapes.

***seed·ling** [síːdliŋ] *n.* Ⓒ ①〖植〗 실생(實生) 식물. ② 묘목《3 피트 이하》.

séed mòney (새 사업의) 착수(자)금, 밑천.

séed òyster 〖貝〗 (양식용의) 종자(種子)굴.

séed plànt 종자 식물.

seeds·man [síːdzmən] (*pl.* ***-men*** [-mən]) *n.* Ⓒ ① 씨 뿌리는 사람. ② 씨앗 장수, 종묘상.

seedy [síːdi] (***seed·i·er*** ; ***-i·est***) *a.* ① 씨가 많은 : ~ grapes. ② **a**) 초라한, 지저분한 : ~ clothes 헐어빠진 옷 / a ~ hotel 초라한 호텔. **b**) 〔敍述的〕《口》 기분이 언짢은, 몸이 불편한 : feel 〔look〕 ~ 기분이 나쁘다〔나빠 보이다〕.

㊐ **séed·i·ly** *ad.* **-i·ness** *n.*

***see·ing** [síːiŋ] *n.* ① Ⓤ.Ⓒ 보기, 보는 일 : It is a sight worth ~. 그것은 볼 만한 경치다 / *Seeing* is believing. 《俗談》 백문이 불여일견. ② Ⓤ 시력, 시각. — *conj.* 〔종종 *that* 〔《口》 *as*〕와 함께〕 …이므로, …이니까, …에 비추어(considering), …임을 생각하면 : *Seeing* (*that*) it is 9 o'clock, we will wait no longer. 이미 9시나 됐으니 더는 기다리지 말자 / *Seeing* (*that*) he's young, his salary is not so bad. 젊은 것을 생각하면 그의 급료가 그다지 적지는 않다.

Séeing Éye (**dòg**) 맹도견(guide dog)《자선 단체 Seeing Eye에서 훈련, 공급하는 개》.

†**seek** [siːk] (*p., pp.* ***sought*** [sɔːt]) *vt.* ① …을 찾다 ; 추구〔탐구〕하다, 조사하다 ; (명성·부(富) 따위)를 얻으려고 하다 ; (…에게 조언·설명)을 구하다, 요구하다 : ~ fame 〔power〕 명성〔권력〕을 추구하다 / She's too proud to ~ help. 너무 자존심이 세서 남의 도움을 바라지 않는다 / ~ fortune 한 재산 모으려 하다 / ~ the truth 진리를 탐구하다 / ~ the solution to a problem 문제의 해결책을 모색하다 / Thousands of people were *~ing* food and shelter. 수천명의 사람들이 음식물과 거처를 찾고 있었다 / *Seek* him *out* and pass on the news. 그 사람을 찾아내 그 소식을 전하여라. ② …하려고 시도〔노력〕하다《*to* do》: ~ *to* satisfy their needs 그들의 필요를 충족시키려고 노력하다 / She *sought* vainly *to* make him understand. 그를 이해시키려 했으나 허사였다. ③ …에 가다 (…의 방향으로) 움직이다 : ~ a place to rest 쉴 곳으로 가다. — *vi.* ①《~ / +전+명》 찾다, 수색하다 ; 탐구하다《*after* ; *for*》: ~ *for* something lost 잃은 것을 찾다 / I *sought for*, but could not find a means of persuading her. 그녀를 설득할 방도를 찾았으나 찾지 못했다. ②《+전+명》 얻으려고〔찾으려고〕하다《*after* ; *for*》: He *is* always *~ing after* fame. 그는 항상 명성을 추구하고 있다 / His pictures *are* much *sought after* by collectors. 그의 그림은 수집가들이 많이 찾는다. ***be not far to*** ~ 가까운 곳에 있다 ; 명백하다 : The success *is not far to* ~. 성공하기가 어렵지는 않다.

㊐ ˊ·**er** *n.* Ⓒ 찾는 사람, 수색자 ; 탐구자.

†**seem** [siːm] *vi.* ①《+(*to be*) 보》〔進行形 不可〕 …으로 보이다, …(인 것) 같다, …(인 것으)로 생각되다 : He *~s* (*to be*) a kind man. 그는 친절한 사람(인 것) 같다 / They don't ~ (*to be*) happy. 그들은 즐거워 보이지 않는다 / I ~ unable to do it. 나로서는 그걸 할 성싶지 않다 / I *~ed to* have contracted the stomach problem. 내가 배탈이 난 모양이다 / Her reaction *~ed* strange to me. 나에겐 그녀의 반응이 이상하게 보였다 / The problem *~s* (*to be*) of great importance. 그 문제는 매우 중요하게 생각된다 / It *~ed* wiser to them *to* give up. 포기하는 편이 낫겠다고 그들은 생각했다 / Things are not what they ~. 사물은 겉모습과는 다르다 / All their efforts *~ed* in vain. 그들의 모든 노력이 수포로 돌아간 것 같았다 / The proposal *~s* designed *to* break opposition to government's economic program. 그 제안은 정부의 경제 계획에 대한 반대를 분쇄하기 위

한 것으로 생각된다. ★ to be는 원칙적으로 삽입하는 형과 삽입하지 않는 형이 있는데, 실제로는 어조나 그 밖의 이유에서 어느 하나로 정해질 때가 많음.
②《+to do》 (아무가 …하는 것 같이) 생각되다, (…하는 것 같은) 느낌이 들다, (…하는 것 같이) 여겨지다〔생각되다〕: He ~s *to* have lived here then. 그는 당시 여기 살았던 것 같다 / I ~ *to* hear him sing. 그의 노랫소리가 들리는 것 같다.
③《+보 / +*that*절 / +전+명+*that*절》 〔it를 主語로 하여〕 …인〔한〕 것 같다《★ 《口》에서는 that이 생략될 수도 있고 that 대신 as if 또는 as though, 때로 like도 쓰임》: *It* ~*s* so. 그런 것 같다 / *It* ~*s* safer for you not to go. 너는 가지 않는 편이 안전할 성싶다 / *It* ~*s* (*as if*) there will be an election soon. 그곳에 선거가 곧 있을성 싶다 / *It* ~*s* likely to rain. 비가 올 것 같다 / *It* would ~ *that* something is wrong with the radio. 그 라디오는 어딘가 좀 이상한 것 같다 / *It* ~*s* (*that*) we have no other alternative. 다른 방도가 있을 것 같지 않다 / *It* ~*s* (*that*) they are wrong. 그들이 잘못인 것 같다(=They ~ *to* be wrong.) / *It* ~*s to* me *that* he likes study. 내게는 그가 공부를 좋아하는 것 같다(=He ~*s to* like study to me.) / *It* ~*ed* (*to* him) *as if* 〔*as though*〕 all the world were smiling on him. (그에게는) 마치 온 세계가 자기에게 미소를 던지는 것같이 생각되었다.
④〔there ~(s) to be …〕 …이 있는 것같이 생각되다: *There* ~*s to be* no need to wait. 기다릴 필요는 없을 것 같다 / To me *there* ~*ed* no reason to withdraw our claim. 우리 요구를 철회할 이유는 없는 것으로 생각됐다.

> 語法 (1) '아무에게는 (…하게 생각되다)'를 명시하고자 할 때는 to me, to him 따위를 삽입함. (2) 부정의 not는 do *not* seem … 의 형태로 앞에 나올 경우가 많음. 다음 예에서 〔 〕안의 형식은 자주 쓰이지 않음《구어에서는 특히 그 경향이 짙음》: They *don't seem to* know. 〔They *seem not to* know〕. 모르는 것 같다. It does *not seem that* he succeeded. 〔It *seems that* he did *not* succeed〕. 그는 성공하지 못한 것 같다.

can't ~ to do 〔be〕 《口》 …할 수 있을 것 같지가 않다: She *couldn't* ~ *to* get out of the habit. 그녀는 그 버릇을 고칠 성 싶지 않았다. ***There ~(s) (to be)*** …이 있는 것 같다: *There* ~*s to be* a lot of support in Congress for this move. 의회 내에 이 움직임에 대한 동조자가 아주 많이 있는 모양이다《★ 否定이면 There doesn't ~ to be …》.

***seem·ing** [síːmiŋ] *a.* 〔限定的〕 겉으로의, 외관상의; 겉보기만의, 허울만의, 그럴 듯한: ~ friendship 허울만의 우정 / with ~ kindness 자못 친절한 듯이 / Despite his ~ deafness, he could hear every word. 귀먹은 것 같았으나 그는 죄다 들을 수 있었다. ── *n.* U,C 외관; 겉보기: to all ~ 아무리 보아도.

***seem·ing·ly** [síːmiŋli] *ad.* ① 보기엔, 외관상: two ~ unrelated cases 외관상 관계가 없는 듯이 보이는 두 사건. ② 겉으로는, 표면적으로는: *Seemingly* he is mistaken. 표면상으로는 그가 잘못이었다.

seem·ly [síːmli] (*-li·er; -li·est*) *a.* (언행이 예의에) 어울리는, 적당한; 점잖은: ~ behavior 품위있는 행동 / It would be more ~ to tell her after the funeral. 장례가 끝난 다음에 그녀에게 이야기해주는 것이 더 낫겠다. ㊕ **-li·ness** *n.*

†**seen** [siːn] SEE[1]의 과거분사.

seep [siːp] *vi.* ① 스며나오다, 새다: Oil is ~*ing* out through a crack in the tank. 탱크 안의 갈라진 금으로 기름이 새고 있다. ② (사상 등이) 서서히 침투하다, 확산하다: The tide of racism which is sweeping Europe ~*s* into Britain. 유럽을 휩쓸고 있는 인종차별주의가 영국에 확산되고 있다.

seep·age [síːpidʒ] *n.* U (또는 a ~) 삼출(滲出), 침투(浸透); 스며나온 양(量)〔액체〕: water lost through ~ out of the container 용기에서 새나간 물.

seepy [síːpi] (***seep·i·er; -i·est***) *a.* 물〔기름〕이 스며든《땅》, 배수(排水)가 잘 안되는.

***se·er** *n.* C ① [síːər] 보는사람. ② [síər] 앞일을 내다보는 사람; 예언자: the writings of the 16th century French ~, Nostradamus 16세기 프랑스 예언자, 노스트라다무스의 저서.

seer·suck·er [síərsʌ̀kər] *n.* U (시어) 서커《세로 줄무늬가 있는 아마포; 여성, 아동복지》.

‡**see·saw** [síːsɔ̀ː] *n.* ① **a**) U 시소(놀이): play (at) ~ 시소(로) 놀이하다. **b**) C 시소판(板): There is paddling pool, a sand pit, a ~ and swings in the park. 공원에는 어린이 물놀이터, 모래밭, 시소판 그리고 그네가 있다. ② U,C 동요, 변동, 상하〔전후〕동(動); 일진일퇴(一進一退): a ~ in prices 물가 변동. ── *vi.* ① 시소를 타다, 널뛰다. ② 아래위〔앞뒤〕로 움직이다; 변동하다, 동요하다: She ~*ed* between two opinions. 그녀는 두 가지 의견 사이에서 망설였다.

seethe** [siːð] (~s***, 《古》 ***sod*** [sɑd / sɔd]; ~***d***, 《古》 ***sod·den*** [sɑ́dn / sɔ́dn]) *vi.* ① **a**) 끓어오르다; 펄펄 끓다. **b**) (파도 따위가) 소용돌이치다. ② 〔흔히 進行形으로〕 **a**) (사람이) 화가 나서 속이 끓다《*with*》: He was *seething* (*with* rage). 화나서 속이 부글부글 끓고 있었다. **b**) (나라 · 군중 등이) (불평 등으로) 들끓다《*with*》: The crowd was *seething with* discontent. 군중은 불만으로 웅성거리고 있었다.

seeth·ing [síːðiŋ] *a.* ① 끓고 있는; (파도 등이) 소용돌이치는: the ~ waters 소용돌이치는 파도. ② **a**) (노여움 · 흥분 등으로) 속이 끓어오르는: ~ anger. **b**) 〔敍述的〕 (…로) 시끄러운, 술렁거리는 《*with*》: a country ~ *with* revolution.

see-through [síːθrùː] *a.* 〔限定的〕 (물건 따위가) 비쳐 보이는, (천 · 직물 따위가) 비치는. ── *n.* C 비치는 옷〔드레스〕.

***seg·ment** [ségmənt] *n.* C ① 단편, 조각; 부분, 구획: a ~ of an orange 귤 한 조각. ② 〖數〗 (직선의) 선분; (원의) 호(弧). ③ 〖動〗 체절, 환절(環節). ④ 〖컴〗 칸살《(1) 프로그램의 일부분으로 다른 부분과는 독립해 컴퓨터에 올려 실행함. (2) data base 내의 data의 단위》.
── [ségment / -ˊ] *vt., vi.* 분단〔분할〕하다, 분열하다〔시키다〕, 나누(이)다: Oranges usually may be ~*ed* into 10 or 12 pieces. 오렌지는 흔히 열 또는 열두 쪽으로 나누어진다.

***seg·men·tal** [segméntl] *a.* 부분의, 부분으로 이루어진, 부분으로 나누어지는. ㊕ **~·ly** *ad.*

seg·men·tary [ségmәntèri / -təri] *a.* =SEGMENTAL.

seg·men·ta·tion [sègmәntéiʃən] *n.* ① U,C 분할, 분열. ② U 〖生〗 (수정난의) 난할(卵割).

se·go [síːgou] (*pl.* ~***s***) *n.* C 〖植〗 (북아메리카 서부의) 백합의 일종(=ˊ **lìly**)《알뿌리는 식용》.

seg·re·gate [ségrigèit] *vt.* ① …을 분리〔격리〕하다(separate, isolate)《*from*》: ~ the cholera

patients *from* …에서 콜레라 환자를 격리하다. ② 〔흔히 受動으로〕 (어떤 인종·성별 등에 따라) …을 분리하다.
— *vi.* ① 분리하다. ② (인종·성별 등에 따라) 분리 정책을 쓰다.

seg·re·gat·ed [ségrigèitid] *a.* ① 분리〔격리〕된. ② 인종 차별의〔을 하는〕: In the U.S.A., blacks and whites used to go to ~ schools. 미국에서는 흑인과 백인이 분리된 학교에 다녔었다. ③ 특수 인종〔그룹〕에 한정된.

seg·re·ga·tion [sègrigéiʃən] *n.* Ⓤ ① 분리, 격리. ② 인종 차별 : a policy of racial ~ 인종차별 정책.
㊞ **~·ist** [-ist] *n.* Ⓒ 인종 차별〔분리〕주의자.

seg·re·ga·tive [ségrigèitiv] *a.* ① (사람이) 교제를 싫어하는, 비사교적인. ② 인종 차별적인.

***Seine** [sein] *n.* (the ~) 센 강《파리의 강》.

seine *n.* Ⓒ 예인망(曳引網), 후릿그물.
— *vt., vi.* (물고기를) 예인망으로 잡다 ; 예인망〔후릿그물〕을 치다.

sei·sin [sí:zin] *n.* Ⓤ 〖法〗 (토지·동산의) (특별) 점유(권).

seis·mic [sáizmik] *a.* ① 지진의〔에 의한〕: ~ waves 지진파 / a ~ belt 지진대. ② (정도가) 큰, 심한. ㊞ **-mic·i·ty** [saizmísəti] *n.* Ⓤ (특정 지역의) 지진 활동의 활발도.

seis·mo·gram [sáizməgræ̀m] *n.* Ⓒ (지진계가 기록한) 진동 기록, 진동도(震動圖).

seis·mo·graph [sáizməgræ̀f, -grɑ̀:f] *n.* Ⓒ 지진계, 진동계(震動計).

seis·mol·o·gy [saizmɑ́lədʒi / -mɔ́l-] *n.* Ⓤ 지진학. ㊞ **-gist** *n.* Ⓒ 지진학자.

seis·mo·log·i·cal [sàizməlɑ́dʒikəl / -lɔ́dʒ-] *a.* 지진학의 : a ~ laboratory 지진 연구소.

seis·mom·e·ter [saizmɑ́mitər / -mɔ́m-] *n.* Ⓒ 지진계.

seiz·a·ble [sí:zəbəl] *a.* ① 잡을 수 있는. ② 압류할 수 있는.

***seize** [si:z] *vt.* ①《~+목 / +목+전+명》…을 (갑자기) (붙)잡다, 붙들다, 꽉 (움켜) 쥐다 : ~ a rope 밧줄을 꽉 붙잡다 / He ~*d* her arm and dragged her into the kitchen. 그는 그녀의 팔을 잡고는 부엌으로 끌고 들어갔다 / The policeman ~*d* him *by* the arm. 경찰은 그의 팔을 붙잡았다. ② (기회 따위)를 붙잡다, 포착하다 : ~ an opportunity to ask questions 질문할 기회를 잡다. ③ …을 빼앗다, 탈취〔강탈〕하다 : ~ a fortress 요새를 빼앗다 / ~ the throne 왕위를 탈취하다 / The rebels had ~*d* control of the city. 반군들은 그 도시를 장악했다. ④ (의미 따위)를 파악〔이해〕하다 (comprehend) : ~ the point of an argument 의론의 요점을 파악하다. ⑤《~+목 / +목+전+명》〔종종 受動으로〕 (공포·병 등이) 덮치다, 엄습하다, …에게 달라붙다《*with* ; *by*》: Panic ~*d* the crowd. =The crowd *was* ~*d with* 〔*by*〕 panic. 군중은 갑자기 공포에 사로잡혔다 / He *was* ~*d with* a sudden rage. 갑자기 그는 화가 치밀었다. ⑥〔종종 受動으로〕 (범인 따위)를 체포하다 (arrest) : A bogus professor *was* ~*d* on Sunday by three detectives. 일요일에 한 가짜 교수가 세 형사에게 체포되었다. ⑦ 〖法〗 …을 몰수〔압수〕하다, 압류하다 : Customs officers at the port have ~*d* 60 kilos of heroin. 그 항구의 세관원들은 60킬로그램의 헤로인을 압수했다. ⑧《~+목 / +목+부 / +목+전+명》〖海〗 …을 동여〔잡아〕 매다《*together*》: ~ two ropes *together* 두 가닥의 밧줄을 서로 동여매다. — *vi.* ①《~+전+명》꽉 쥐다, 움켜쥐다 ; (기회·구실·결점 등을) 포착하다, 잘 이용하다《*on, upon*》: They ~*d on*〔*upon*〕 the flaws in the argument. 그들은 그 논거의 약점을 찔렀다 / ~ *upon* a chance〔pretext〕 기회를〔구실을〕 잡다. ② (과열·과압으로) 기계가 갑자기 서다, 멈추다《*up*》: The engine has ~*d up.* 엔진이 멈췄다. ◇ seizure *n.*

seized [si:zd] *a.* 〔敍述的〕 ① 〖法〗 (…을) 소유〔점유〕한《*of*》: He is 〔stands〕 ~ *of* much property. 그는 많은 재산을 가지고 있다. ② (…을) 알고 있는《*of*》.

seizin ⇨SEISIN.

***sei·zure** [sí:ʒər] *n.* ① Ⓤ 붙잡기, 쥐기. ② Ⓤ 압류, 압수, 몰수《*of*》: The courts ordered the ~ *of* his property. 법원은 그의 재산의 압류를 명령했다. ③ Ⓤ 강탈 ; 점령 ; 점유《*of*》: the ~ *of* factories by the workers 노동자들에 의한 공장 점거. ④ Ⓒ (지랄증 등의) 발작, 《특히》 졸도 : a heart ~ 심장 발작. ◇ seize *v.*

:sel·dom [séldəm] *ad.* 좀처럼 …않는(rarely) 《★ 글에서의 위치는 often과 같음》. opp. *often.*
¶ He ~ changed the opinion he had formed. 그는 한번 굳힌 의견은 좀처럼 바꾸지 않았다 / He ~ gives interviews. 그는 좀처럼 인터뷰를 않는다 / I've ~ felt so happy. 그런 행복감은 드물었다. ***not*** ~ 왕왕, 때때로(often) : It *not* ~ happens that we have snow in April. 4월에 눈이 오는 일은 별로 드문 일이 아니다. ***~, if ever*** 설령 …이라 치더라도 매우 드물게 : He ~, *if ever*, goes out. 외출하는 일은 좀처럼 없다 / She has ~, *if ever* written to me. 그녀는 좀처럼 편지를 안 보냈다. ***~ or never*** =***very*** ~ 거의 …하지 않는, 좀처럼 …않는〔없는〕(hardly ever) : He ~ *or never* reads. 그는 거의 책을 읽지 않는다 / She attends our meeting *very* ~. 우리 모임에 그녀는 거의 나오지 않는다.

:se·lect [silékt] *vt.* 《~+목 / +목+전+명 / +목+부 / +목+*to* do》 (많은 것 중에서 가장 좋은 것으로) 을 선택하다, 고르다, 선발하다《*out of* ; *from* ; *among*》: *Select* the book you want. 갖고 싶은 책을 골라라 / She ~*ed* a birthday present *for* her friend. 친구를 위해 생일 선물을 골랐다 / He was ~*ed out of* 〔*from, among*〕 a great number of applicants. 그는 많은 응모자 중에서 뽑혔다 / She ~*ed* a pair of stockings to match her skirt. 그녀는 스커트에 어울리는 스타킹을 골랐다 / I was ~*ed to* make the speech. 내가 선발되어 연설을 했다.
— *vi.* 선택하다, 고르다. — (***more*** ~ ; ***most*** ~) *a.* ① 〔限定的〕 가려〔추려〕낸, 정선한, 극상의 (superior) : ~ passages from Milton 밀턴 저서에서 정선한 몇 구절 / a ~ library 양서(良書)만으로 된 장서 / a ~ crew 선발된 선원들. ② 가리는 ; (회 따위의) 입회 조건이〔선택에〕 까다로운 : She is very ~ in the people she invites. 초청객을 고르는 데 그녀는 매우 까다롭다. ③ 상류 사회의, 상류 계급의 : a ~ part of the city 그 도시의 고급 주택가 / This hotel is very ~. 이 호텔은 아주 고급이다 / a ~ society 〔circle〕 상류 사회.

seléct commíttee 〖英·美議會〗 특별 (조사) 위원회.

se·lect·ee [silèktí:] *n.* Ⓒ ① 선발된 사람. ② 《美》 징병제에 의한 선발 응소자. cf. selective service.

:se·lec·tion [silékʃən] *n.* ① Ⓤ **a**) 선발, 선택, 정선, 선정 : She stood little chance of ~. 그녀에게 선택의 여지가 거의 없었다 / I'm delighted about my ~ as leader. 내가 지휘자로 뽑힌 것을 기쁘게 생각합니다. **b**) 선발된 것〔사

람) ; 선택물 : Your new secretary is a good ~. 당신의 새 비서는 적임자요. ② Ⓒ (흔히 *sing.*) 정선물 ; 선집 : a fine ~ of summer goods 정선된 여름철 물건 / a ~ from the works of Hemingway 헤밍웨이 선집. ③ Ⓤ 〖生〗 선택, 도태.

***se·lec·tive** [siléktiv] *a.* ① 선택(성)의. 정선된. ② **a)** 선택력 있는, 선택안(眼)이 있는 : ~ readers 수준 높은 독자들. **b)** 〔叙述的〕 선택적인《*in*》: This medicine is ~ *in* its effects. 이 약품 효과는 선택적으로 듣는다. ③ 〖通信〗 선택〔분리〕식의. ㊉ **~·ly** *ad.* **~·ness** *n.*

seléctive sérvice 《美》 의무 병역(제도) (《英》 national service).

se·lec·tiv·i·ty [silèktívəti] *n.* Ⓤ ① 선택력, 정선. ② 〖通信〗 (수신기 따위의) 선택 감도, 선택도.

se·lec·tor [siléktər] *n.* Ⓒ ① **a)** 선택자 ; 선별기. **b)** 《英》 선수 선발 위원. ② 〖機·通信·컴〗 선택 장치.

Se·le·ne [silíːniː, sə-] *n.* 〖그神〗 셀레네《달의 여신 ; 로마 신화의 Luna 에 해당》.

se·le·ni·um [silíːniəm] *n.* Ⓤ 〖化〗 셀렌《비금속 원소 ; 기호 Se ; 번호 34》.

sel·e·nog·ra·phy [sèlənɑ́grəfi / -nɔ́g-] *n.* Ⓤ 〖天〗 월리학(月理學), 월면(月面) 지리학《월면의 특징·지세 등을 연구》.

sel·e·nol·o·gy [sèlənɑ́lədʒi / -nɔ́l-] *n.* Ⓤ 월학(月學), 월리학(月理學)《달의 물리적 특성, 기원 등을 취급》.

‡self [self] (*pl.* ***selves*** [selvz]) *n.* ① **a)** Ⓒ 〔흔히 修飾語와 함께〕 자기, 자신, (이기심으로서의) 자기 : one's own ~ 자기 자신 / your honored ~ 귀하 / have no thought of ~ 자기 일〔사욕〕을 생각지 않다 / *Self* do, ~ have. 《俗談》 자업 자득 / I put my whole ~ into the job. 그 일에 내 모든 것을 쏟았다. **b)** Ⓤ (종종 the ~) 〖哲〗 자아 : *the* study of ~ 자아의 탐구. ② (one's ~) 〔修飾語와 함께〕 (자기의) 일면 ; (특정 시기에 있어서의) 그 사람 : his former〔present〕 ~ 이전〔현재〕의 그 (사람) / one's better ~ 자기의 좋은 면, 자기의 양심 / He's not looking like his old ~ lately. 요즘은 어쩐지 예전의 그이 같지 않다. ③ Ⓤ 본성, 진수 : reveal its true ~ 본성을 드러내다 / She is beauty's ~. 그녀는 미(美)의 화신이다. ④ Ⓤ 사리, 사욕, 이기심 : He cares for nothing but ~. 그는 자기밖에 모른다 / She takes no thought of ~. 그녀는 자기 생각은 않는다.
— *a.* 같은 색의, 같은 종류〔재료〕의 : a dress with the ~ belt 같은 천의 벨트가 있는 여성복 / ~ black 검정 일색.

self- '자기, 스스로의'의 뜻의 결합사.

> 語法 (1) 이 복합어는 거의 전부 하이픈으로 연결됨. (2) 거의 전부 self 에 제 1 악센트를, 또 제 2 요소어(語)는 본래의 악센트를 유지함. (3) 이 사전에 보이지 않은 복합어는 어근(語根)의 뜻에서 유추하면 됨.

self-a·ban·don·ment [ˊəbǽndənmənt] *n.* Ⓤ 자포 자기.

self-a·base·ment [ˊəbéismənt] *n.* Ⓤ 겸손(modesty), 자기를 낮춤.

self-ab·hor·rence [ˊəbhɔ́ːrəns, -hɑ́r- / -hɔ́r-] *n.* Ⓤ 자기 혐오〔증오〕.

self-ab·ne·ga·tion [ˊæbnəgéiʃən] *n.* Ⓤ 자기 희생, 헌신.

self-ab·sorbed [ˊəbsɔ́ːrbd, -zɔ́ːrbd] *a.* 자기 일〔생각, 이익〕에 열중한, 자기 도취의.

self-ab·sorp·tion [ˊəbsɔ́ːrpʃən, -zɔ́ːrp-] *n.* Ⓤ 자기 몰두〔도취〕.

self-a·buse [ˊəbjúːs] *n.* Ⓤ 자기 재능의 악용.

self-ac·cu·sa·tion [ˊækjuzéiʃən] *n.* Ⓤ 자책, 자책감.

self-act·ing [ˊǽktiŋ] *a.* 자동(식)의.

self-ad·dressed [ˊədrést] *a.* 자기 (이름) 앞으로의〔쓴〕, 반신용의 : a ~ stamped envelope 자기 앞 반신용(返信用) 봉투《略 : SASE, s.a.s.e.》.

self-ad·he·sive [ˊædhíːsiv] *a.* (종이·플라스틱·봉투 등이) 풀칠되어 있는 : ~ ceramic tiles 접착제가 도포된 타일.

self-ad·just·ing [ˊədʒʌ́stiŋ] *a.* 자동조절(식)의.

self-ag·gran·dize·ment [ˊəgrǽndizmənt] *n.* Ⓤ (남을 꺼리지 않는) 자기 권력〔재산〕의 확대〔강화〕, 자기 발전.

self-a·nal·y·sis [ˊənǽləsis] *n.* Ⓤ 자기분석.

self-ap·point·ed [ˊəpɔ́intid] *a.* 〔限定的〕 혼자 정한, 자천(自薦)의, 자칭(自稱)의 : the new ~ leaders of the movement 그 운동의 새로운 지도자로 자청하고 나선 사람들.

self-as·ser·tion [ˊəsə́ːrʃən] *n.* Ⓤ 자기 주장, 주제넘게 나섬, 과시.

self-as·ser·tive [ˊəsə́ːrtiv] *a.* 자기 주장을 굽히지 않는, 주제넘은. ㊉ **~·ly** *ad.* **~·ness** *n.*

self-as·sur·ance [ˊəʃúərəns] *n.* Ⓤ 자신(自信), 자기 과신 : She came on the stage with the dignity and ~ of a great opera star. 그녀는 위대한 오페라 배우로서의 위엄과 자신을 가지고 무대에 나타났다.

self-as·sured [ˊəʃúərd] *a.* 자신 있는 ; 자기만족의 : The Prime Minister appeared less ~ than usual. 수상은 평소보다는 덜 자신에 찬 모습으로 나타났다.

self-a·ware·ness [ˊəwɛ́ərnis] *n.* Ⓤ 자기인식 ; 자아(自我)에 눈뜸.

self-cat·er·ing [ˊkéitəriŋ] *a.* 《주로 英》 셀프 케이터링, 자취용의 : ~ flats for students 자취 학생을 위한 아파트 / We decided to go for ~ rather than stay in a hotel. 우린 여관에 묵기보다는 자취하기로 했다.

self-cen·tered [ˊséntərd] *a.* 자기 중심〔본위〕의 ; 이기적인.

sélf-chéck·ing nùmber [ˊtʃékiŋ-] 〖컴〗 자기 검사수《검사 문자가 부가된 수》. ㊉ **~·ness** *n.*

self-clean·ing [ˊklíːniŋ] *a.* 자정 능력(自淨能力)이 있는.

self-col·ored [ˊkʌ́lərd] *a.* ① (꽃·동물·천 등이) 단색(單色)의 : a ~ flower〔cloth〕. ② (천 따위가) 자연색의.

self-com·mand [ˊkəmǽnd, -mɑ́ːnd] *n.* Ⓤ 자제, 극기(克己) ; 침착.

self-com·pla·cen·cy [ˊkəmpléisnsi] *n.* Ⓤ 자기 만족, 자기 도취.

self-com·pla·cent [ˊkəmpléisnt] *a.* 자기 만족〔도취〕의, 독선의.

self-com·posed [ˊkəmpóuzd] *a.* 냉정한, 침착한.

self-con·ceit [ˊkənsíːt] *n.* Ⓤ 자부심, 허영심. ㊉ **~·ed** *a.* 자부심이 강한.

self-con·demned [ˊkəndémd] *a.* 자책의, 양심의 가책을 받은.

self-con·fessed [ˊkənfést] *a.* 〔限定的〕 (결점을) 자인하는 : a ~ liar〔drug taker〕 자기도 인정하는 거짓말쟁이〔마약 중독자〕.

self-con·fi·dence [ˊkɑ́nfədəns / ˊkɔ́nf-] *n.* Ⓤ 자신(自信) ; 자신 과잉, 자기 과신.

self-con·fi·dent [ˊkɑ́nfədənt / ˊkɔ́nf-] *a.* 자신 있는 ; 자신 과잉의.

self-con·grat·u·la·tion [ˊkəngrætʃuléiʃən] *n.* Ⓤ 자축(自祝), 자기 만족.

***self-con·scious** [⌐kánʃəs / ⌐kɔ́n-] (*more* ~ ; *most* ~) *a.* ① **a)** 자의식이 강한 ; 사람 앞을 꺼리는 ; 수줍어 하는. **b)** 〔敍述的〕 …을 지나치게 의식하는 : He is too ~ about his baldness. 대머리에 너무 신경을 쓴다. ② 〖哲·心〗 자기를 의식하는. 㾺 **~·ly** *ad.* **~·ness** *n.* Ⓤ 자기 의식, 자의식, 자각 ; 수줍음.

self-con·sist·ent [⌐kənsístənt] *a.* 사리에 맞는, 조리가 닿는, 자기 모순이 없는.

self-con·sti·tut·ed [⌐kánstətjù:tid / ⌐kɔ́nstitjù:tid] *a.* 스스로 정한, 자기 설정의.

self-con·tained [⌐kəntéind] *a.* ① 말이 없는, 터놓지 않는 ; 초연한 : Neighbors described him as a ~ man who seldom spoke to anyone. 이웃들은 그를 좀체 남에게 말을 걸지 않는 사람이라고 했다. ② (설비 따위가) 일체 완비된, 자급식의 ; 《英》 각 가구가 독립식인《아파트 따위》.

self-con·tempt [⌐kəntémpt] *n.* Ⓤ 자기 비하.

self-con·tent [⌐kəntént] *n.* Ⓤ 자기 만족.

self-con·tra·dic·tion [⌐kàntrədíkʃən / ⌐kɔ̀n-] *n.* Ⓤ,Ⓒ 자가 당착, 자기 모순(의 진술).

self-con·tra·dic·to·ry [⌐kàntrədíktəri / ⌐kɔ̀n-] *a.* 자기 모순의, 자가 당착의.

***self-con·trol** [⌐kəntróul] *n.* Ⓤ 자제(심), 극기(克己) : lose 〔show, exercise〕 (one's) ~ 자제심을 잃다〔발휘하다〕.

self-con·trolled [⌐kəntróuld] *a.* 자제심이 있는 : She appeared calm and ~ in the face of the disaster. 그녀는 재난에 직면하여 조용하고 자제심이 있는 여인임을 보여줬다.

self-cor·rect·ing [⌐kəréktiŋ] *a.* (기계 등이) 스스로 바르게 하는 ; 자동 수정하는.

self-crit·i·cism [⌐krítisìzəm] *n.* Ⓤ 자기 비판.

self-de·ceiv·ing [⌐disí:viŋ] *a.* 자기 기만의.

self-de·cep·tion [⌐disépʃən] *n.* Ⓤ 자기 기만.

self-de·cep·tive [⌐diséptiv] *a.* =SELF-DECEIVING.

self-de·feat·ing [⌐difí:tiŋ] *a.* 자멸적인.

***self-de·fense,** 《英》 **-fence** [⌐diféns] *n.* Ⓤ 자위(自衛), 자기 방어 ; 〖法〗 정당 방위 : the (noble) art of ~ 자기 방어술, 호신술 / She struck him in ~. 그녀는 자기 방어를 위해 그를 휘갈겼다.
㾺 **-fén·sive** *a.*

self-de·lu·sion [⌐dilú:ʒən] *n.* Ⓤ 자기 기만.

self-de·ni·al [⌐dináiəl] *n.* Ⓤ 극기 ; 금욕 ; 자제 ; 무사(無私) : They were urged to dedicate Friday as day of fasting and ~. 그들은 금요일을 금식과 극기의 날로 바칠 것을 강요당했다.

self-de·ny·ing [⌐dináiiŋ] *a.* 극기의, 무사(無私)의, 헌신적인 ; 금욕적인.

self-de·pend·ence [⌐dipéndəns] *n.* Ⓤ 자기 신뢰〔의존〕, 자립.

self-dep·re·ci·a·tion [⌐diprì:ʃiéiʃən] *n.* Ⓤ 자기 경시, 자기를 낮춤, 자기 비하.

self-de·struct [⌐distrʌ́kt] *vi.* 《주로 美》 (로켓·미사일이 고장났을 때 등에) 자기파괴하다, 자폭하다 : An investigation is under way after a missile ~*ed* shortly after it was launched. 발사 직후 미사일이 자기파괴를 한 데 대한 조사가 진행 중이다. ── *a.* 〔限定的〕 자기파괴가 되는, 자폭장치가 된.

self-de·struc·tion [⌐distrʌ́kʃən] *n.* Ⓤ 자멸 ; 자살 ; 자폭(自爆).

self-de·struc·tive [⌐distrʌ́ktiv] *a.* 자멸적인.

self-de·ter·mi·na·tion [⌐ditə̀:rminéiʃən] *n.* Ⓤ 민족 자결(自決)(권) ; 자발적 결정(능력) : racial ~ 민족 자결(주의〔권〕).

self-de·vo·tion [⌐divóuʃən] *n.* Ⓤ 헌신, 자기 희생 ; 몰두.

self-di·rect·ed [⌐diréktid] *a.* 스스로 방향을 결정하는, 자발적인.

self-dis·ci·pline [⌐dísəplin] *n.* Ⓤ 자기 훈련〔수양〕 ; 자제 : Dieting demands ~. 다이어트는 자제가 필요하다.

self-dis·cov·ery [⌐diskʌ́vəri] *n.* Ⓤ,Ⓒ 자기 발견.

self-dis·play [⌐displéi] *n.* Ⓤ 자기 현시, 자기 선전.

self-doubt [⌐dáut] *n.* Ⓤ 자신 상실〔불신〕.

self-drive [⌐dráiv] *a.* 《英》 (빌린 차에 기사가 딸리지 않은) 자기 운전의 : a ~ car 렌터카.

self-ed·u·cat·ed [⌐édʒukèitid] *a.* 독학의 : For a ~ writer I think his work shows remarkable talent. 독학한 작가로서 그의 작품은 대단한 재능을 보여준다고 나는 생각한다.

self-ef·face·ment [⌐iféismənt] *n.* Ⓤ 표면에 나타나지 않음, 삼가는 태도.

self-ef·fac·ing [⌐iféisiŋ] *a.* 나서기를 삼가는, 자기를 내세우지 않는 : Garland was always generous and ~ with her fellow actresses. 갈런드는 동료 여배우들에게 언제나 너그러웠고 자기를 내세우지 않았다.

self-em·ployed [⌐implɔ́id, ⌐em-] *a.* 자가 영업〔근무〕의, 자영(自營)의, 자유업의 : Do you pay less tax if you're ~? 자영업자가 되면 세금을 덜 냅니까.

self-es·teem [⌐estí:m] *n.* Ⓤ 자존 ; 자부(심), 자만(심) : He wanted to regain his ~. 그에겐 자존심의 회복이 필요했다.

self-ev·i·dent [⌐évədənt] *a.* 자명한 : The answers to moral problems are not ~. 도덕적 문제들에 대한 해답이 자명한 것은 아니다《쉽지만은 않다》.

self-ex·am·i·na·tion [⌐igzæ̀minéiʃən] *n.* Ⓤ 자기 반성〔진단〕, 반성.

self-ex·plan·a·to·ry [⌐iksplǽnətɔ̀:ri / -təri] *a.* 자명한, 설명이 필요 없는.

self-ex·pres·sion [⌐ikspréʃən] *n.* Ⓤ (예술·문학 등에 있어서) 자기〔개성〕 표현 : He regarded poetry as sentimental ~. 그는 시를 감상적인 자기 표현이라고 보았다.

self-feed·er [⌐fí:dər] *n.* Ⓒ (사료·연료의) 자동 보급 장치.

self-fer·til·i·za·tion [⌐fə̀:rtəlizéiʃən / -tilai-] *n.* Ⓤ 〖植〗 자화 수정, 제꽃정받이.

self-for·get·ful [⌐fərgétfəl] *a.* 자기를 잊은, 헌신적인, 무사무욕의.

self-ful·fill·ing [⌐fulfíliŋ] *a.* 자기 실현의, 자기 달성을 하고 있는.

self-ful·fil(l)·ment [⌐fulfílmənt] *n.* Ⓤ 자기 달성.

self-gov·erned [⌐gʌ́vərnd] *a.* 자치(제)의.

self-gov·ern·ing [⌐gʌ́vərniŋ] *a.* 자치의 ; 독립의 : the ~ colonies 자치 식민지.

self-gov·ern·ment [⌐gʌ́vərnmənt, -ərmənt] *n.* Ⓤ ① (식민지에 있어서의 자국민에 의한) 자치 : The poll showed that 80% of the population supported regional ~. 여론 조사는 인구의 80 퍼센트가 지역 자치를 지지하는 것으로 나타났다. ② 자제, 극기.

self-ha·tred [⌐héitrid] *n.* Ⓤ 자기 혐오.

self-help [⌐hélp] *n.* Ⓤ 자립, 자조(自助) : *Self-help* is the best help. 《格言》 자조가 최상의 도움이다. ── *a.* 〔限定的〕 자습의.

self-hood [⌐hùd] *n.* Ⓤ ① 자아 ; 개성. ② 자기 본위, 이기심.

self-hyp·no·sis [⌐hipnóusis] *n.* Ⓤ 자기 최면.

self-i·den·ti·ty [⌐aidéntəti] *n.* Ⓤ 자기 동일성.

self-im·age [ˊímidʒ] *n.* [C] 자기 이미지, 자상(自像) : You must strive constantly to improve your ~. 항상 자기 이미지의 개선을 게을리하지 말아야 한다.
self-im·por·tance [ˊimpɔ́ːrtəns] *n.* [U] 자존, 거만하게 굶 : He's a modest, mild-mannered man, without a trace of ~. 그는 조금도 거만함이 없는 겸손하고 태도가 부드러운 사람이다.
self-im·por·tant [ˊimpɔ́ːrtənt] *a.* 젠체하는, 자부심이 강한 : He coughed and sat down in a ~ way. 그는 헛기침을 하고는 거만하게 자리에 앉았다. [파] **~·ly** *ad.*
self-im·posed [ˊimpóuzd] *a.* 스스로 맡아서 하는, 제가 좋아서 하는 : He returned home in the summer of 1980 after 7 years of ~ exile. 그는 1980년 여름에 7년 동안의 자의적인 망명생활 끝에 귀국했다.
self-im·prove·ment [ˊimprúːvmənt] *n.* [U] 자기 개선, 자기 수양.
self-in·dul·gence [ˊindʌ́ldʒəns] *n.* [U] 방종, 제멋대로 굶.
self-in·dul·gent [ˊindʌ́ldʒənt] *a.* 방종한, 제멋대로 구는 : We are, by and large, idle, ~ and lacking in public spirit. 전반적으로 우리는 나태하고 방종하고 공공심이 결여돼 있다. [파] **~·ly** *ad.*
self-in·flict·ed [ˊinflíktid] *a.* (피해 등) 스스로 자초(自招)한 : Another six people are said to have died from ~ injuries. 또다른 여섯 사람이 자해로 인해 사망했다고 한다.
self-in·ter·est [ˊíntərist] *n.* [U] 자기의 이익〔권익〕; 사리 사욕; 이기심 : act purely from 〔out of〕 ~ 순전히 사리〔私利〕에서 행동하다.
self-in·ter·est·ed [ˊíntəristid] *a.* 자기 본위의, 이기적인 : It is not enough to protect animals for ~ reason alone. 이기적인 이유만으로 동물 보호는 충분하게 되지 않는다.
self-in·tro·duc·tion [ˊintrədʌ́kʃən] *n.* [U,C] 자기 소개.
self-in·vit·ed [ˊinváitid] *a.* 초대도 받지 않고 찾아간, 불청객의.
‡**self·ish** [sélfiʃ] (***more*** *~* ; ***most*** *~*) *a.* 이기적인, 이기주의의, 자기 본위의 : It is ~ of you to say so. 그런 말을 한다는 것은 너의 이기주의다 / How mean and ~ you are! 어쩜 그렇게 치사하고 이기적이냐.
[파] **~·ly** *ad.* ***~·ness** *n.*
self-jus·ti·fi·ca·tion [ˊdʒʌ̀stəfikéiʃən] *n.* [U] 자기 정당화〔합리화〕, 자기 변호.
self-knowl·edge [ˊnálidʒ / ˊnɔ́l-] *n.* [U] 자각, 자기 인식.
self·less [sélflis] *a.* 사심〔이기심〕 없는, 무욕〔무사〕의 (unselfish) : It was impossible to repay years of ~ devotion. 여러해의 사심 없는 헌신에 보답하기는 불가능했다. [파] **~·ly** *ad.* **~·ness** *n.*
self-load·ing [ˊlóudiŋ] *a.* (총 따위가) 자동 장전의, 반자동식의.
self-lock·ing [ˊlákiŋ / ˊlɔ́k-] *a.* 자동으로 열쇠가 잠기는.
self-love [ˊlʌ́v] *n.* [U] 자애 ; 이기심, 이기주의.
self-made [ˊméid] *a.* ① 자력으로 만든, 자작(自作)의. ② 자력으로 성공한, 독립 독행의 : My father was a ~ man. 아버지는 자력으로 성공하셨다.
self-mas·tery [ˊmǽstəri, ˊmáːs-] *n.* [U] 극기, 자제(自制), 침착.
self-mov·ing [ˊmúːviŋ] *a.* 자동(식)의.
self-mur·der [ˊmə́ːrdər] *n.* [U] 자해, 자살.
self-o·pin·ion·at·ed [ˊəpínjənèitid] *a.* 자부심이 강한, 고집이 센, 완고한.
self-per·pet·u·at·ing [ˊpərpétʃuèitiŋ] *a.* (지위·직무에) 언제까지나 머무는〔머무를 수 있는〕; 무제한으로 계속할 수 있는.
self-pity [ˊpíti] *n.* [U] 자기 연민 : He could not fight off the ~ that welled up inside him. 그는 속에서 밀어오르는 자기 연민의 정을 떨쳐버릴 수 없었다.
self-pol·li·na·tion [ˊpàlənéiʃən / ˊpɔ̀l-] *n.* [U] 〖植〗 자화 수분, 제꽃가루받이.
self-por·trait [ˊpɔ́ːrtrit, ˊpɔ́ːrtreit] *n.* [C] 자화상 : a ~ by van Gogh 반고흐의 자화상.
self-pos·sessed [ˊpəzést] *a.* 침착한, 냉정한 : She seemed very ~ in front of the TV camera. 그녀는 TV 카메라 앞에서 극히 침착해 보였다.
self-pos·ses·sion [ˊpəzéʃən] *n.* [U] 침착, 냉정 : keep〔lose, regain〕 one's ~ 냉정을 지키다〔잃다, 되찾다〕.
self-praise [ˊpréiz] *n.* [U] 자찬, 자기 자랑.
self-pres·er·va·tion [ˊprèzərvéiʃən] *n.* [U] 자기 보존, 자위 본능 : He had a strong instinct for ~. 그에겐 강한 자위적 본능이 있었다.
self-pro·pelled [ˊprəpéld] *a.* (미사일 등) 자력 추진의 ; 자주식(自走式)의 : a ~ gun 자주포.
self-pro·tec·tion [ˊprətékʃən] *n.* [U] 자기 방위, 자위(self-defense) : They claimed that they needed the weapons for ~. 그들은 자기 방위를 위해 무기가 필요했다고 주장했다.
self-rais·ing [ˊréiziŋ] *a.* 《英》 =SELF-RISING.
self-re·al·i·za·tion [ˊrìːəlizéiʃən] *n.* [U] 자기 실현〔완성〕.
self-re·cord·ing [ˊrikɔ́ːrdiŋ] *a.* 자동 기록(식)의.
self-re·gard [ˊrigáːrd] *n.* [U] ① 자애, 이기(利己). ② 자존(심).
self-reg·is·ter·ing [ˊrédʒistəriŋ] *a.* 자동기록(식)의 : a ~ barometer 자동 기록식 청우계.
self-reg·u·lat·ing [ˊrégjəlèitiŋ] *a.* 자동 조정의 ; 자기 조절의, 자동 제어의.
self-re·li·ance [ˊriláiəns] *n.* [U] 자기 신뢰, 독립 독행, 자립, 자신(自信) : The Prime Minister called for more economic ~. 수상은 더 한층의 경제적 자립에 협력을 호소했다.
self-re·li·ant [ˊriláiənt] *a.* 자력에 의한, 독립 독행의 : She lives alone and is totally ~. 그녀는 혼자서 그리고 전적으로 자력으로 믿고 산다.
self-re·nun·ci·a·tion [ˊrinʌ̀nsiéiʃən] *n.* [U] 자기 포기〔희생〕, 헌신, 무사(無私).
self-re·proach [ˊripróutʃ] *n.* [U] 자책, 자기 비난, 후회.
***self-re·spect** [ˊrispékt] *n.* [U] 자존(심), 자중(自重) : How can we keep our ~ in such poverty and starvation? 이 같은 가난과 굶주림에서 어떻게 자존심을 지킬 수 있겠는가.
self-res·pect·ing [ˊrispéktiŋ] *a.* 〔限定的〕 자존심이 있는 : a mature, ~ citizen 자존심 있는 성숙한 시민.
self-re·straint [ˊristréint] *n.* [U] 자제(自制), 극기(克己) : He was angry but managed, with great ~, to reply calmly. 그는 화가 났지만 가까스로 자제하여 조용하게 대답을 했다.
self-re·veal·ing [ˊrivíːliŋ] *a.* (본의 아니게) 본심을 나타내는.
self-right·eous [ˊráitʃəs] *a.* 독선적인 : a ~ attitude 독선적 태도. [파] **~·ly** *ad.* **~·ness** *n.*
self-right·ing [ˊráitiŋ] *a.* (보트 따위가) 자동 복원(復元)하는, 전복할 우려가 없는 : a ~ boat.
self-ris·ing [ˊráiziŋ] *a.* (밀가루가) 베이킹 파우더가 든(《英》 self-raising) : ~ flour.
self-rule [ˊrúːl] *n.* [U] 자치(self-government).
self-sac·ri·fice [ˊsǽkrəfàis] *n.* [U] 자기희생, 헌

신(적 행위) : I thanked my parents for all their ~ on my behalf. 나를 위하여 부모님께서 갖은 헌신을 다해 주신데 대해서 감사를 드렸다.
[파] **-fic·ing** *a.*

self·same [sélfsèim] *a.* (the ~) 〔限定的〕 꼭 같은, 동일한《★ same 의 강조형(强調形)》: *the* ~ name 똑같은 이름.

self-sat·is·fac·tion [ˊ-sæ̀tisfǽkʃən] *n.* [U] 자기 만족, 자부 : His expression of ~ was almost grotesque. 스스로 만족해하는 그의 표정은 거의 그로테스크했다.

self-sat·is·fied [ˊ-sǽtisfàid] *a.* 자기 만족의.

self-seal·ing [ˊ-síːliŋ] *a.* ① 펑크가 나도 자동적으로 구멍이 메워지는. ② (봉투가) 풀이 필요없는.

self-seek·er [ˊ-síːkər] *n.* [C] 이기주의자, 자기 본위의 사람.

self-seek·ing [ˊ-síːkiŋ] *n.* [U] 이기주의. ── *a.* 이기적인, 자기 본위(의) : Most of her colleagues are intolerant, ~ and shallow. 그녀의 대부분의 동료는 편협하고 이기적이고 그리고 천박하다.

self-serv·ice [ˊ-sə́ːrvis] *n.* ① [U] (식당·매점 따위의) 셀프서비스. ② [C] 《口》 셀프서비스하는 상점. ── *a.* 〔限定的〕 셀프서비스하는 : a ~ restaurant / a ~ laundry〔cafeteria〕 셀프서비스 세탁소〔카페테리아〕.

self-serv·ing [ˊ-sə́ːrviŋ] *a.* (사람이) 자기 잇속만 차리는, 이기적인 : ~ propaganda 자기 선전 / corrupt, ~ politician 부패하고 이기적인 정치가.

self-sown [ˊ-sóun] *a.* (식물 따위가) 저절로 생긴〔난〕, 자생(自生)의.

self-start·er [ˊ-stáːrtər] *n.* [C] ① **a**) (자동차 등의) 자동 시동 장치, 셀프스타터 : They climbed into the car, and Antony pressed the ~. Nothing happened. 그들은 차에 기어들어가서 앤터니가 셀프스타터를 눌렀다. 그러나 아무 일도 일어나지 않았다. **b**) 셀프스타터가 있는 차·오토바이 (등). ② 《美口》 솔선해서 일하는 사람.

self-styled [ˊ-stáild] *a.* 〔限定的〕 자칭〔자임〕하는 : a ~ leader 〔champion〕 / He is the ~ president of the island. 그는 그 섬의 자칭 대통령이다.

self-suf·fi·cien·cy [ˊ-səfíʃənsi] *n.* [U] 자급자족.

self-suf·fi·cient, -suf·fic·ing [ˊ-səfíʃənt], [ˊ-səfáisiŋ] *a.* ① 자급자족의 ; (…을) 자급할 수 있는《*in*》: ~ economy 자급자족 경제 / We have achieved ~ *in* coal and food. 우리는 석탄과 식량의 자급자족을 달성했다. ② 자부심이 강한, 오만한.

self-sup·port [ˊ-səpɔ́ːrt] *n.* [U] ① (사람의) 자활, 자립. ② (회사 등의) 자영, 독립 경영.

self-sup·port·ing [ˊ-səpɔ́ːrtiŋ] *a.* ① (사람이) 자활하는 : The vast majority of students here are ~. 여기 있는 대다수의 학생은 자활하고 있다. ② (회사 등이) 자영하는, 독립 채산의.

self-sus·tain·ing [ˊ-səstéiniŋ] *a.* 자립의, 자활의, 자급의.

self-taught [ˊ-tɔ́ːt] *a.* 독학의, 독습〔자습〕의 : ~ knowledge 독학으로 얻은 지식 / The mathematician, a poor clerk from a country, was entirely ~. 어느 시골 출신의 가난한 서기인 그 수학자는 순전한 독학자였다.

self-tim·er [ˊ-táimər] *n.* [C] 〖寫〗 (카메라의) 자동 셔터, 셀프타이머.

self-will [ˊ-wíl] *n.* [U] 억지, 제멋대로임 ; 방자.

self-willed [ˊ-wíld] *a.* 제멋대로의, 방자한, 버릇없는.

self-wind·ing [ˊ-wáindiŋ] *a.* (시계의 태엽이) 자동적으로 감기는.

†**sell** [sel] (*p., pp.* ***sold*** [sould]) *vt.* ①《~+[목] / +[목]+[전]+[명] / +[목]+[목]》 **a**) …을 팔다, 매도〔매각〕하다《*at* ; *for*》. [opp] *buy.* ¶ He *sold* his house *for* $80,000. 그는 집을 8만 달러에 매각했다 / ~ a used car *at* a good price 〔*at* a profit〕 중고차를 괜찮은 값으로 〔이득을 보고〕 팔다 / Won't you ~ me your motorcycle? = Won't you ~ your motorcycle *to* me? 네 오토바이를 내게 팔지 않겠나. **b**) (가게가) …을 팔고 있다, 매매하다 : Supermarkets ~ a great variety of things. 수퍼마켓은 가지각색의 물건을 팔고 있다. ② (명예·정조 따위)를 팔다, (조국·친구 등)을 배반하다. ③ (무엇이) …의 판매를 촉진시키다, …의 팔림새를 돕다, 선전하다, 추천하다 : TV ~*s* consumer goods. / The comics ~ newspaper. 그 만화로 해서 신문이 (잘) 팔린다 / Its high quality ~*s* well this products. 품질이 좋아서 이 제품이 잘 팔린다 / This design will ~ the purchaser. 이 디자인은 구입자의 구매심을 돋울 것이다. ④《+[목]+[전]+[명]》《口》 …에게 (─을) 받아들이게 하다〔납득시키다〕《*on*》: I *sold* him *on* the idea that…. 나는 그에게 …에 대한 계획을 납득시켰다 / Well, I'm *sold on* the idea. 좋아, 그것에 찬성이다. ⑤ 〔흔히 受動으로〕《口》 감쪽같이 속여 넘기다 : *Sold* again! 또 당했다〔속았다〕.

── *vi.* ①《~ / +[부] / +[전]+[명]》 팔리다《*at* ; *for*》: ~ like hot cakes〔crazy, mad〕《口》 날개 돋히듯 팔리다 / These baskets ~ well. 이런 바구니가 잘 팔리고 있다 / His book is marvelous, but will it ~? 그의 저서는 굉장한 책이다. 그런데 팔릴까 / This shirt ~*s for* ten dollars. 이 셔츠는 10달러에 팔리고 있다. ② 팔려고 내놓다 ; 장사를 하다 : I like the house. Will you ~? 이 집이 마음에 듭니다. 팔겠습니까. ③ 〔흔히 副詞句를 수반하여〕 팔림새가 …하다 : The new edition of this book is ~*ing* well. 이 책의 신판은 잘 팔리고 있다 / The new products are ~*ing* badly. 새 제품의 팔림새는 시원찮다. ④ (생각 등이) 《口》 채용되다, 환영받다 : Your idea won't ~. 자네 아이디어는 찬성 못 받을걸 / His progressive ideas did not ~ with the conservative public. 그의 진보적 생각이 보수적 대중에게는 먹혀들지 않았다.

be sold out of 매진〔품절〕되다 : We *are sold out of* eggs. 달걀은 매진되었다. ~ ***off*** 싸게 팔아치우다 : We were forced to ~ *off* our land. 우리는 땅을 싸게 팔라고 강요당했다 / We had to ~ things *off* to pay the debts. 빚을 갚기 위해 우리는 물건들을 싸게 팔아치워야 했다. ~ ***out*** (*vt.*) (1) …을 죄다 팔아 치우다, 매각하다 ; 〔흔히 受動으로〕 (물건·표 등)을 …에게 매진케 하다《*of*》: Sorry, we're *sold out* (*of* coffee). 미안합니다. (커피는) 다 팔렸습니다 / The theater 〔concert〕 *is sold out*. 그 극장〔음악회〕 표는 매진되었다. (2) (채무자)의 소유물을 팔아버리다. (*vi.*) (1) 전상품을 팔아버리다, 폐점하다, 사업에서 손을 떼다. (2) (상점에서 물건)을 다 팔아버리다《*of*》; (물건)이 다 팔리다 : We've *sold out of* your size. 구하시는 치수는 다 나갔습니다. (3) (이익을 위해 친구·주의 등)을 팔다, 배반하다《*to*》. ~ ***short*** ⇨ SHORT. ~ ***up*** 《英》 (1) 가게를 처분하다, 폐업하다. (2) (채무자)의 재산을 처분하다. (3) 사업을 팔아 넘기다.

── *n.* ① [U] 판매(술). ② (a ~) 사기 ; 실망스러운 것 : It's *a* real ~ ─ the menu seemed cheap but they charged extra for vegetables. 그건 정말 속임수였다. 메뉴가 싼듯 싶었는데 채소에도 가욋돈을 청구했다.

séll-by dàte 《英》 (포장 식품 등의) 판매 유효

기한 날짜(《美》 pull-by date).

***sell·er** [sélər] *n.* Ⓒ ① 파는 사람, 판매인 : a book ~ 책장수, 서적 판매인. ② 팔리는 물건, 잘 나가는 상품 : a good 〔bad, poor〕 ~ 잘 팔리는〔안 팔리는〕 상품 / a best ~ 불티나게〔가장 잘〕 팔린 물건〔책〕, 베스트 셀러 / a big ~ 히트 상품.

séllers' màrket 판매자 시장《상품의 공급이 적고 수요가 많아서 seller에게 유리한 시장》. opp. *buyers' market.*

sélling àgent 판매 대리상〔인〕.

sélling pòint 판매시의 강조점, 셀링 포인트 : The car's main ~ is its originality. 그 자동차의 주된 셀링 포인트는 독창성에 있다.

sell-off [sélɔ̀(:)f, -ɑ̀f] *n.* Ⓤ (주가·채권 등의) 급락, 폭락.

Sel·lo·tape [sélətèip] *n.* Ⓤ 셀로테이프《商標名》. cf. Scotch Tape. — *vt.* (때로 s-) …을 셀로테이프로 붙이다 : I stuck the note to the door with ~. 문에다 셀로테이프로 메모를 붙였다.

sell·out [sélàut] *n.* Ⓒ 《口》 ① **a**) 매진. **b**) (흔히 *sing.*) 성공적 흥행, 초만원 : a ~ audience 만원인 청중. ② (흔히 *sing.*) 배반(행위), 내통.

selves [selvz] SELF의 복수.

se·man·tic [simǽntik] *a.* 의미론(상)의, 의미에 관한 : ~ analysis 〖心〗 의미 분석.

se·man·tics [simǽntiks] *n.* 〖言·哲〗 의미론; 어의론.

sem·a·phore [séməfɔ̀ːr] *n.* ① Ⓒ (철도의) 까치발 신호기, 시그널. ② Ⓤ 수기(手旗) 신호 : send a message by ~ 수기로 통신을 보내다. — *vt., vi.* (신호를) 신호기〔수기〕로 알리다.

***sem·blance** [sémbləns] *n.* (*sing.*) ① **a**) 외관, 외형(*of*) : in ~ 외형은 / The rock has the ~ *of* a large head. 그 바위는 큰 머리 모양을 하고 있다. **b**) 겉보기; 꾸밈 : She put on a ~ of anger. 그녀는 성난 척했다. ② 유사, 닮음; …비슷한 것 : There is not even a ~ of proof. 증거 비슷한 것도 없다 / There is some ~ of truth in his statement. 그의 진술에는 좀 그럴듯한 데가 있다 / At least some ~ of order had been restored. 최소한 질서 같은 것이 회복되었다.

se·men [síːmən] *n.* Ⓤ 〖生理〗 정액(sperm).

***se·mes·ter** [siméstər] *n.* Ⓒ (1년 2학기제 대학의) 한 학기, 반학년.

semi[1] [sémi] *n.* 《美口》 = SEMIFINAL.

semi[2] *n.* 《英口》 = SEMIDETACHED.

semi[3] *n.* 《美口》 = SEMITRAILER.

semi- *pref.* '반…, 어느 정도…, 좀…'의 뜻. cf. demi-, hemi-, bi-. ★ 이 접두사는 고유명사나, i-로 시작되는 단어 이외에는 일반적으로 하이픈이 불필요함.

sem·i·an·nu·al [sèmiǽnjuəl, sèmai-] *a.* 반년마다의, 연 2회의, 반기의. ⊞ ~·**ly** *ad.*

sem·i·ar·id [sèmiǽrid, sèmai-] *a.* 반건조의, 비가 매우 적은《지대·기후》.

sem·i·au·to·mat·ic [sèmiɔ̀ːtəmǽtik, sèmai-] *a.* 반자동식의《기계·총 따위》. — *n.* Ⓒ 반자동식 소총〔기계〕.

sem·i·base·ment [sèmibéismənt] *n.* Ⓒ 반(半)지하실.

sem·i·breve [sémibrìːv, sémai-] *n.* Ⓒ 《英》 〖樂〗 온음표(《美》 whole note).

sem·i·cir·cle [sémisə̀ːrkəl] *n.* Ⓒ 반원(형).

sem·i·cir·cu·lar [sèmisə́ːrkjələr] *a.* 반원(형)의 : a ~ flower-bed 반원형의 화단.

‡sem·i·co·lon [sémikòulən] *n.* Ⓒ 세미콜론(;) (★ period(.) 보다 약하고, comma(,) 보다는 강한 구두점).

sem·i·con·duc·tor [sèmikəndʌ́ktər, sèmai-] *n.* Ⓒ 〖物〗 반도체; 반도체를 이용한 장치《트랜지스터·IC 등》 : ~ junction laser 반도체 접합 레이저.

sem·i·con·scious [sèmikɑ́nʃəs, sèmai- / sèmikɔ́n-] *a.* 반의식이 있는, 의식이 완전치 않은 : An elderly woman was found ~ on the floor of her kitchen. 한 초로의 부인이 부엌 바닥에 의식이 몽롱한 상태로 발견되었다.

sem·i·de·tached [sèmiditǽtʃt, sèmai-] *a.* 《주로 英》 한쪽 벽이 이웃채에 붙은, 두 가구 연립의. cf. detached. — *n.* Ⓒ 《英》 2가구 연립주택(《美》 duplex house).

sem·i·doc·u·men·ta·ry [sèmidɑ̀kjəméntəri, sèmai- / sèmidɔ̀k-] *n.* Ⓒ 세미다큐멘터리《다큐멘터리 영화 수법으로 만들어진 극영화·TV 프로》. — *a.* 세미다큐멘터리의.

sem·i·fi·nal [sèmifáinəl, sèmai-] *n.* Ⓒ (종종 *pl.*) 〖競〗 준결승 경기 : He was beaten in the ~*s* by Chris. 그는 준결승에서 크리스에게 패배했다. — *a.* 준결승의. ⊞ ~·**ist** *n.* Ⓒ 준결승 진출 선수〔팀〕.

sem·i·flu·id [sèmiflúːid, sèmai-] *a.* 반유동체의. — *n.* Ⓤ,Ⓒ 반유동체.

semi-for·mal [-fɔ́ːrməl] *a.* (복장·파티 등이) 다소 격식차린, 반공식적인.

sem·i·lu·nar [sèmilúːnər, sèmai-] *a.* 반달 꼴의.

sem·i·month·ly [sèmimʌ́nθli, sèmai-] *a.* 반달마다의, 월 2회의. — *ad.* 반달마다, 월 2회. — *n.* Ⓒ 월 2회의 (정기)간행물. cf. bimonthly.

se·mi·nal [sémənl, síːm-] *a.* ① 정액의 : a ~ duct 정관. ② 〖植〗 씨의 : a ~ leaf 자엽, 떡잎. ③ **a**) 발전성〔장래성〕 있는 : a ~ idea 발전성있는 사고. **b**) 독창성이 풍부한; 생산적인.

‡sem·i·nar [séməǹɑːr] *n.* Ⓒ ① 세미나《대학에서 교수의 지도 아래 소수 학생이 특수 주제를 연구 토의하는 학습법》; (대학의) 연구과, 대학원 과정; 연구실. ② 연구〔토론〕 집회; 《美》 전문가 회의 : a one-day business management ~ 일일 경영 관리 세미나.

sem·i·nar·i·an [sèmənɛ́əriən] *n.* Ⓒ 신학교의 학생.

sem·i·nar·ist [sémənərist] *n.* Ⓒ = SEMINARIAN.

***sem·i·na·ry** [sémənèri / -nəri] *n.* Ⓒ ① (가톨릭계통의) 신학교. ② 《美》 (가톨릭 이외 종파의) 신학교.

sem·i·of·fi·cial [sèmiəfíʃəl, sèmai-] *a.* 반관적(半官的)인《보도, 성명 따위》, 반공식적인.

se·mi·ol·o·gy [sìːmiɑ́lədʒi, sèmi-, sìːmai- / -ɔ́l-] *n.* Ⓤ = SEMIOTICS.

se·mi·ot·ic [sìːmiɑ́tik, sèm-, sìːmai- / -ɔ́t-] *a.* 〖論·言〗 기호(언어)의.

se·mi·ot·ics [sìːmiɑ́tiks, sèm-, sìːmai- / -ɔ́t-] *n.* Ⓤ 〖論·言〗 기호(언어)학.

sem·i·per·me·a·ble [sèmipə́ːrmiəbəl, sèmai-] *a.* (막(膜) 따위가) 반투과성(半透過性)의.

sem·i·pre·cious [sèmipréʃəs, sèmai-] *a.* (광석이) 준(準)보석의.

sem·i·pri·vate [sèmipráivit, sèmai-] *a.* (병실 등이) 준특실(準特室)의.

sem·i·pro [sémipròu, sémai-] *a.* 《美口》 = SEMIPROFESSIONAL.

sem·i·pro·fes·sion·al [sèmiprəféʃənəl, sèmai-] *a., n.* Ⓒ (음악가·선수가) 반직업적인 (선수), 세미프로(의).

sem·i·qua·ver [sémikwèivər, sémai-] *n.* Ⓒ 《英》 〖樂〗 16분 음표(《美》 sixteenth note).

sem·i·skilled [sèmiskíld, sèmai-] *a.* 반숙련의.

sem·i·soft [-sɔ́(:)ft] *a.* (치즈 등이) 적당히 부드러

운〔굳은〕.

sem·i·sol·id [sèmisálid, sèmai- / sèmisɔ́l-] *a.*, *n.* Ⓒ 반고체(의).

sem·i·sweet [sèmiswíːt, sèmai-] *a.* (초콜릿 등을) 조금〔약간〕 달게 한.

Sem·ite [sémait / síːm-] *n.* Ⓒ ① 셈족(族)《히브리 사람·아라비아 사람 등. 또 옛 아시리아 사람·바빌로니아 사람·페니키아 사람 등》. ② 유대인.

Se·mit·ic [semítik] *a.* 셈족(族)의; 셈어의. ── *n.* Ⓤ 셈어《히브리어·아라비아어 따위》.

sem·i·tone [sémitòun] *n.* Ⓒ《英》〖樂〗 반음(정) (《美》 halftone).

sem·i·trail·er [sémitrèilər, sémai-] *n.* Ⓒ 세미트레일러《대형 화물·승합 자동차》.

sem·i·trans·par·ent [sèmitrænspέərənt, sèmai-] *a.* 반투명의.

sem·i·trop·i·cal [sèmitrápikəl, sèmai- / -trɔ́p-] *a.* 아열대의.

sem·i·vow·el [sémivàuəl, sémai-] *n.* Ⓒ ① 반모음《[w, j] 따위; [m, n, ŋ, r, l] 따위를 포함시킬 때도 있음》. ② 반모음자《w, y 따위》.

sem·i·week·ly [sèmiwíːkli, sèmai-] *a.* 반주(半週)마다의, 주 2회의. ── *ad.* 주 2회(씩). ── *n.* Ⓒ 주 2회의 (정기) 간행물.

sem·i·year·ly [sèmijíərli, sèmai-] *a.* 반년마다의, 연 2 회의. ── *ad.* 반년마다, 연 2회(씩).

sem·o·li·na [sèməlíːnə] *n.* Ⓤ 세몰리나《거친 밀가루; 마카로니·푸딩의 원료》.

semp·stress [sémpstris] *n.* =SEAMSTRESS.

SEN 《英》 State Enrolled Nurse.

Sen. sen. Senate; Senator; senior.

‡**sen·ate** [sénət] *n.* ① **a**) (the S-) 〔集合的; 單·複數 취급〕 (미국·캐나다·프랑스 등지의) 상원. cf. congress. ¶ *a Senate* hearing 상원 청문회. **b**) Ⓒ 상원 의사당. ② Ⓒ (종종 the ~) 〔集合的; 單·複數 취급〕 (대학 등의) 평의원회. ③ Ⓤ (고대 로마·그리스의) 원로원. ④ Ⓒ 입법부, 의회.

‡**sen·a·tor** [sénətər] *n.* Ⓒ ① (종종 S-)《美》 상원 의원. ② (대학의) 평의원, 이사. ③ (고대 로마의) 원로원 의원.

sen·a·to·ri·al [sènətɔ́ːriəl] *a.* ① 상원의, 상원 의원의: a ~ district 《美》 상원 의원 선거구. ② (대학의) 평의원회의. ③ 원로원(의원)의.

†**send** [send] (*p., pp.* ***sent*** [sent]) *vt.* ①《~+목/+목+부/+목+목/+목+전+명》 …을 보내다; 발송하다; 송신〔송전〕하다: I'll ~ him a letter tomorrow. 내일 그에게 편지를 보내겠다 / *Send* a car *for* us. 차를 한 대 보내주시오/She *sent* the gift *back*. 그녀는 선물을 되돌려 보냈다. ②《~+목/+목+부/+목+전+명》 (사람·군대 등)을 파견하다, 가게 하다, 보내다: ~ an emissary 밀사를 보내다 / ~ a person *abroad* 아무를 해외에 파견하다 / His mother *sent* him *to* the bakery to get some bread. 어머니가 빵을 좀 사오도록 그를 빵가게에 보냈다. ③ (접시·술 등)을 차례로 건네다, 돌리다. ④《~+목/+목+부/+목+전+명》 …을 내다, 발(發)하다《*forth; off; out; through*》; (일정한 방향)으로 발사하다, 쏘다; (연기 따위)를 내다; (돌 따위)를 던지다; (탄알 따위)를 도달시키다: ~ an arrow 화살을 쏘다 / ~ *out* light 빛을 내다 / ~ a blow *to* the jaw 턱에 한 대 먹이다 / The slugger *sent* the ball *into* the bleachers. 그 강타자는 공을 외야석으로 날려 보냈다. ⑤《+목+전+명》 …을 내몰다, 억지로 보내다: *Send* the cat *out of* the room. 고양이를 방에서 내쫓으시오. ⑥《文語》 (하느님·신이) …을 주다, 허하다, 베풀다; (재앙 따위)를 입히다; 배려하다; …하게〔되게〕 하다: Heaven ~ that he arrives safely. 하늘이시여 그로 하여금 무사히 닿게 해 주소서 / God ~ it may be so! 부디 그렇게 되기를. ⑦《+목+보/+목+전+명/+목+-*ing*》 …의 상태로 되게〔빠지게〕 하다; …상태로 몰아넣다《*into; to*》: This noise will ~ me mad. 시끄러워서 미칠 것 같다 / ~ a person *into* tears 〔laughter〕 아무를 울리다〔웃기다〕/ The news *sent* our spirits ris*ing*. 그 소식에 우리는 힘이 솟았다. ⑧《口》 (청중)을 흥분시키다《재즈 연주 따위로》, 황홀하게 하다: His trumpet used to ~ me. 그의 트럼펫 소리는 나를 황홀하게 하곤 했다 / The jazz really *sent* me! 그 재즈는 정말 나를 황홀하게 했다. ⑨ (신호·전파)를 보내다.

── *vi.* ①《~/+전+명/+*to* do》 사람을 보내다, 심부름꾼을 보내다: If you want me, please ~. 일이 있으면 사람을 보내시오 / He *sent to* me *to* come soon. 그는 나를 곧 오라고 심부름꾼을 보내왔다. ② 편지를 보내다, 소식을 전하다. ③〖電〗 신호를 보내다.

~ a person ***about*** his ***business*** 아무를 내쫓다, 해고하다. ~ ***after*** (1) …의 뒤를 쫓게 하다. (2) …에게 전갈을 보내다. ~ ***away*** (1) 떠나게〔물러가게〕 하다, 내쫓다. (2) 해고하다, …을 내어보내다. (3) 멀리 가지러 보내다. ~ ***down*** (1) …을 내리다, 하락〔하강〕시키다: ~ prices *down* 물가를 내리다. (2)〖英大學〗 퇴학시키다; …에게 정학을 명하다. (3)《英》 …을 투옥하다: He was *sent down* for ten years for armed robbery. 무장 강도죄로 10년간 투옥되었다. ~ ***for*** (1) …을 부르러 보내다: ~ *for* the doctor 의사를 부르러 보내다. (2) …을 주문〔청구〕하다: ~ *for* your catalog today 오늘 귀사의 카탈로그를 주문하다. ~ ***forth*** (1) 파견하다, 보내다. (2) (잎 따위)를 내다. (3) (향기·증기 따위)를 발하다, 내다. (4) (책)을 발행하다. ~ ***in*** (1) (방 따위)에 안내하다, 들이다: *Send* him *in*. 안으로 모셔라. (2) (신청서·사표 따위)를 내다, 제출하다; (그림 등)을 출품하다, (명함)을 내놓다《전갈 나온 사람에게》; (선수)를 경기에 출전시키다《*for*》: Don't forget to ~ *in* your entries *for* the competition. 이번 경기에 참가 신청하는 것을 잊지 마라 / ~ *in* one's name 명함을 내놓다. ~ ***off*** 배웅하다; 쫓아내다, 해고하다; (편지 따위)를 발송하다. ~ ***on*** (1) (화물·편지 등)을 회송하다: We coordinated the reports from the overseas divisions, and *sent* them *on* to headquarter. 우리는 해외부에서 온 보고를 종합해서는 그것들을 본부에 회송했다. (2) (짐 등)을 미리 보내다: ~ *on* one's luggage 짐을 미리 보내다. (3) (사람)을 앞서 보내다; (극·경기 등에 사람)을 출연〔출장〕시키다. ~ ***out*** (1) …을 발송하다, (초대장·주문품 등)을 내다; 파견하다: She had *sent out* well over three hundred invitations that afternoon. 그녀는 그날 오후 3백장이 훨씬 넘는 초대장을 발송했다. (2) (물건)을 가지러〔사러〕(사람)을 보내다《*for*》. (3) (나무가 싹 등)을 내다: The trees ~ *out* new leaves in spring. 나무들은 봄에 새 잎을 낸다. (4) (빛·향기 등)을 발하다: The sun ~*s out* light and warmth. 태양은 빛과 온기를 발산한다. ~ ***over*** 방송하다. ~ a person ***packing*** 아무를 데꺽 해고하다, 쫓아내다. ~ ***up*** (1) …을 올리다: The war *sent up* the price. 전쟁으로 물가가 올랐다. (2) (공 따위)를 보내다. (3) (서류)를 제출하다; (이름)을 알리다, (명함)을 내놓다: ~ *up* the bill to the customer 손님에게 청구서를 제출하다. (4) (음식)을 식탁에 내놓다. (5)《美口》 구치소에 처넣다; 판결하다. (6)《英口》 놀리다, 비웃다: comedians who ~ *up* members of the government 정부 각료들을 야유하는 코미디언들. ~

word 전언하다, 알리다, 전해 보내다《*to*》: She *sent word* that she wouldn't be able to come. 그녀는 올 수 없을 것이라고 전갈을 보내왔다.

***send·er** [séndər] *n.* [C] ① 발송인〔주〕《★ 봉투 따위에 적는 말; 無冠詞》. ②〚電〛 송신기.

send-off [séndɔ̀(:)f, -àf] *n.* [C]《口》 배웅, 송별: She was given a good ~ at the airport. 그녀는 공항에서 성대한 배웅을 받았다.

send-up [séndʌ̀p] *n.* [C]《英口》 흉내, 비꼼: do a ~ of a person 남을 놀리다 / He made a name for himself with his comic ~*s* of classmates. 그는 급우들에 대한 코믹한 흉내로 유명했다.

Sen·e·gal [sènigɔ́:l] *n.* 세네갈《아프리카 서부에 있는 공화국; 수도 Dakar》.

Sen·e·gal·ese [sènəgɔ:lí:z, -gə-, -lí:s] *n.*[C], *a.* 세네갈(의); 세네갈 사람(의).

se·nes·cense [sinésəns] *n.* [U] 노후, 노쇠.

se·nes·cent [sinésənt] *a.* 늙은, 노쇠한.

se·nile [sí:nail, sén-] *a.* 나이 많은; 노망난: ~ dementia 노인성 치매증.

se·nil·i·ty [siníləti] *n.* [U] 고령, 노쇠; 노인성 치매증.

‡sen·ior [sí:njər] *a.* ① 손위의, 연상의《*to*》: He is two years ~ *to* me. =He is ~ *to* me by two years. 그는 나보다 두 살 위다. ② (가족·학교 따위 동일 집단의 같은 이름인 사람에 대해) 나이 많은 쪽의《略: sen., senr. 또는 Sr.》: the ~ Mr. Brown; Mr. William Nathaniel Brown, *Sr.* 손위의 (윌리엄 나다니엘) 브라운씨. ③ 선배의, 선임의, 고참의; 상사의, 윗자리의, 상급의: a ~ man 고참자, 상급생 / the ~ service《英》(육군에 대하여) 해군 / a ~ examination 진급 시험 / a ~ counsel 수석 변호사 / He is a ~ member of the firm. 그는 이 회사의 고참의 한 사람이다 / He held a very ~ position in the Foreign Office. 그는 외무부의 고위 관리였다. ④《美》(4년제 대학의) 제 4년〔최상〕급의, (고교의) 최고학년의;《英》중등 교육의. [cf.] freshman, sophomore, junior.
—— *n.* [C] ① (one's ~) 연장자(者), 손윗사람: He is two years my ~. 그는 나보다 두 살 위이다. ② 어른, 고로(古老), 장로: the village ~*s* 마을의 어른들. ③ 선배, 선임자, 고참자. ④ 상사, 상관, 윗사람. ⑤《美》최상급생, 4학년생;《英》(대학의) 상급생. 「인.

sénior cítizen 고령의 연금 생활자, 고령자, 노

sénior hígh schòol 《美》 상급 고등학교《10, 11, 12학년으로 우리의 고교에 해당》. [cf.] junior high school.

sen·ior·i·ty [si:njɔ́:rəti, -njár-] *n.* [U] ① 연상(年上). ② 선배임, 선임, 고참; 연공(서열): Should promotion be based on merit or ~? 승진은 실적에 근거해야 하나요 아니면 연공서열에 근거해야 합니까?

sénior tútor 《英》 시니어 튜터《커리큘럼의 조정도 맡아보는 지도 교수》.

sen·na [sénə] *n.* ① [C]〚植〛 센나《석결명류(類)》. ② [U] 말린 센나잎·〔열매〕《완하제》.

se·ñor [senjɔ́:r] (*pl.* **-ñor·es** [-njɔ́:reis]) *n.* 《Sp.》 ① **a**) 귀하, 선생님, 나리《영어의 sir 에 해당》. **b**) (S-) …님, …씨, …선생《영어의 Mr.에 해당; 略: Sr.》. ② [C] (스페인) 신사, 남성.

se·ño·ri·ta [sèinjərí:tə, sì:-] *n.* 《Sp.》 ① **a**) 아가씨, 아씨. **b**) (S-) …양《영어의 Miss 에 해당; 略: Srta.》. ② [C] (스페인의) 미혼 여성, 처녀.

‡sen·sa·tion [senséiʃən] *n.* ① [U,C] (오관, 특히 촉각에 의한) 감각, 지각(知覺): He had almost no ~ in the legs. 양다리에 거의 감각이 없었다. ② [C] (막연한) 감, 느낌, 기분, …감《★ 이 뜻으로는 feeling 이 일반적》: a pleasant〔disagreeable〕 ~ 기분이 좋은〔나쁜〕 느낌 / the ~ of heat 〔cold〕 더운〔차가운〕 느낌 / She had the ~ that she was floating. 그녀는 공중에 뜬 기분이었다. ③ [U] (또는 a ~) 센세이션, 물의, 평판(이 대단한 것), 대사건: *a* worldwide ~ 세계적인 평판 / create 〔cause, make〕 *a* ~ 센세이션을 일으키다.

***sen·sa·tion·al** [senséiʃənəl] *a.* ① 선풍적 인기의, 대평판의, 세상을 놀라게 하는; 선정적인, 센세이셔널한: a ~ novel 선정적인 소설 / That's ~! 거참 멋있구나; 그것 참 굉장하군. ② 감각상의, 지각의. [파] ~·**ly** *ad.*

sen·sa·tion·al·ism [senséiʃənəlìzəm] *n.* [U] ① (예술·저널리즘·정치 등의) 선정주의, 흥미 본위, 인기 위주: the ~ of the popular press 대중잡지의 선정주의〔인기위주〕/ The report criticised the newspaper for errors and ~ and for being 'irresponsible in the extreme'. 보고서는 그 신문이 그릇되고 선정적이며 '극단적으로 무책임'하다고 비판했다. ②〚哲〛 감각론;〚論〛 감정론.

sen·sa·tion·al·ist [-ʃənəlist] *n.* [C] 인기를 얻으려고 애쓰는 자, 소란 피우는 사람, 선정주의자.

†sense [sens] *n.* ① **a**) [C] (시각·청각·촉각 따위의) 감각, 오감(五感)의 하나, 관능; 감각 기관: the ~ of touch 〔vision, hearing, taste, smell〕 촉각〔시각, 청각, 미각, 후각〕/ the (five) ~*s* 오감 / ⇨ SIXTH SENSE / The dog has a keen ~ of smell. 개는 예민한 후각을 갖고 있다. **b**) (one's ~s) (*pl.*) 오감; 제정신; 의식; 정상적인 의식 상태, 침착, 평정: frighten a person out of *his* ~*s* 사람을 놀라 어쩔 줄 모르게 하다 / lose one'*s* ~*s* 기절하다; 미치다 / recover〔regain〕 one'*s* ~*s* 제정신이 돌아오다. ② **a**) [U] (또는 a ~) (막연한) 느낌, …감: *a* ~ of hunger 〔uneasiness〕 공복〔불안〕감 / I had *a* ~ that there was some difficulty we couldn't overcome. 우리가 극복할 수 없는 어떤 난관이 있다는 느낌이 들었다. **b**) (the *or* a ~) 의식, 직감, 깨달음, (직감적인) 이해, (…의) 관념, …을 이해하는 마음: *a* ~ of beauty 미감 / *a* ~ of humor 유모어 감각 / *the* moral ~ 도덕 관념 / He has no ~ of economy. 경제관념이 없다. ③ [U] (또는 a ~) (미·방향 등에 대한) 분별력, 센스, 사려, 판단력《*of*》: *a* man *of* ~ 분별 있는 사람, 지각 있는 사람 / I have *a* poor ~ *of* direction. 나는 방향 감각이 없다 / What's the ~ *of* you doing that? 어쩔려고 그러나 / *Sense* comes with age.《俗談》 나이 들면 철도 든다. ④ [U] (여러 사람의) 의향, 의견; 여론: take the ~ of meeting 회중(會衆)의 의향을 묻다. ⑤ [C] 의미, 뜻: In what ~ do you use the word? 자넨 그 말을 어떤 뜻으로 쓰는가 / in a 〔the〕 broad ~ of the word 그 말의 넓은 뜻으로는 / the literal ~ of the expression 그 표현의 글자그대로의 뜻.

come to** one'**s ~s (1) 의식을 되찾다; 깨어나다: When I *came to my* ~*s*, I was lying in the gutter. 정신이 들어보니 내가 하수구에 누워있었다. (2) 본심으로 되돌아오다. ***in a***〔***one***〕 ~ 어떤 점〔뜻〕에서, 어느 정도까지: What he says is true *in a* ~. 그의 말이 어느 정도는 사실이다. ***in no*** ~ 결코 …아니다: He is *in no* ~ normal. 절대로 정상적인 사람이 아니다. ***make*** ~ (사물이) 도리에 맞다; (표현·행동 등이) 뜻을 이루다, 이해되다: His attitude doesn't *make* ~ to me. 그의 태도는 이해할 수 없다 / Am I *making* ~ to you? 알겠습니까. ***make*** ~ (***out***) ***of***〔흔히 否定·疑問文으로〕 …의 뜻을 이해하다: I could*n't make* ~ (*out*) *of* the situation. 그 상황을 잘 이해할 수 없었다. ***talk*** ~ 맞는 말을 하다, 이치에 닿는 말을

하다: On defense matter he *talked* a great deal of ~. 방어 문제에 대해 그는 많은 유익한 말을 했다. ***under a ~ of wrong*** 학대받았다고 생각하고.

— *vt.* ① …을 느끼다, 지각하다: He ~*d* (that) his guests were bored, although they were listening politely. 그는 내객들이 비록 정중히 듣고는 있으나 지루해 하는 것을 알았다. ②《~+목/+*that* 절》 …을 알아채다; 깨닫다: He fully ~*d* the danger of his position. 그는 자기의 입장이 위험함을 잘 감지했다 / I ~*d that* she would go to kill herself. 그녀가 자살할 것 같은 예감이 들었다. ③《美》 …을 납득〔이해〕하다: I ~*ed that* there was a double meaning in his words. 나는 그의 말에 두가지 뜻이 있음을 알았다. ④ (계기가) …을 감지하다: apparatus that ~*s* the presence of the toxic gases 유독가스를 감지하는 기계.

sense·less** [sénslis] (more ~; most ~***) *a.* ① 무감각한; 인사불성의: I saw my boy lying ~ on the floor. 마루에 인사불성으로 누워있는 아들을 발견했다. ② 몰상식한, 어리석은, 분별〔상식〕없는: It would be ~ to continue any further. 더 이상 계속한다는 것은 어리석다 / What a ~ idea! 바보 같은 생각이군. ③ 뜻〔의미〕 없는.
㊕ ~·**ly** *ad.* ~·**ness** *n.*

sénse òrgan 감각 기관.

***sen·si·bil·i·ty** [sènsəbíləti] *n.* Ⓤ ① 감각(력), 지각: My left hand lost its ~ for time. 한동안 왼손의 감각이 없었다. ② (종종 *pl.*) **a**) (예술가 등의) 예민한 감수성, 감각: the ~ of a writer to words 작가의 언어에 대한 예민한 감각 / He has no artistic ~. 그에겐 예술적 감각이 없다. **b**) 섬세한 감정: a woman of ~ 감정이 섬세한 여인 / wound a person's *sensibilities* 남의 감정을 해치다. ③ (자극에 대한) 민감함, 감수성.

‡sen·si·ble [sénsəbəl] (***more ~; most ~***) *a.* ① 분별 있는, 양식(良識)을 갖춘, 사리를 아는, 현명한: ~ advice / It was ~ of you to lock the door. 문을 채우길 잘했다 / It might be ~ to get a solicitor. 변호사를 채용하는 게 현명할 것 같다. ② 느끼는, 깨닫는《*of*》(★ 지금은 딱딱한 느낌을 줌): She is ~ *of* her fiancé's weakness for alcohol. 그녀는 약혼자가 술을 좋아한다는 것을 알고 있다. ③ **a**) 느낄〔깨달을〕 수 있는 (정도의): Her distress was ~ from her manner. 그녀 태도에서 고민을 느낄 수 있었다. **b**) 두드러질 정도의, 현저한: There was a ~ fall in the temperature. 온도가 꽤 내렸다. ④〔限定的〕(의복 등) 모양보다는 실용 위주의, 기능적인: ~ clothes 실용적인 의복. ㊕ ~·**ness** *n.*

sen·si·bly [sénsəbəli] *ad.* ① 현명하게, 분별 있게: They decided, quite ~, to postpone the broadcast for a few months. 현명하게도 그들은 그 방송을 몇 달간 연기하기로 했다. ② 두드러지게, 꽤: grow ~ colder 꽤 추워지다. ③ 실용적으로.

‡sen·si·tive [sénsətiv] (***more ~; most ~***) *a.* ① 민감한, 예민한《*to*》: a ~ ear 밝은 귀 / He's very ~ *to* heat〔cold〕. 그는 아주 더위〔추위〕를 잘 탄다 / Dogs are ~ *to* smell. 개는 냄새에 민감하다. ② 감수성이 강한; 신경 과민의, 신경질적인; (감정이) 상하기 쉬운; 걱정〔고민〕하는《*about*; *over*》: be ~ *over* the scar on one's face 얼굴의 흉터로 고민하다. ③ (계기(計器) 등이) 고감도의, (필름이) 감광성의: ~ paper 감광지 / a ~ radio receiving set 고감도 전파 수신기. ④ (사람·연기 등이) 예민한, 섬세한: a ~ actor 연기가 섬세한 배우 / give a ~ performance 섬세한 연기를 하다. ⑤ **a**) (일·문제 등이) 미묘한; 주의를 요하는; 골치 아픈, 다루기 난처한: This is one of the most ~ issues that government faces. 이건 정부가 직면한 가장 민감한 문제의 하나다. **b**) (문서·직무 등이) 국가 기밀에 관한, 기밀 취급의: ~ documents 기밀 서류 / officials in ~ positions in the government 정부 기밀을 취급하는 지위에 있는 관리들.
㊕ ~·**ly** *ad.* 민감하게. ~·**ness** *n.*

sénsitive plànt 〖植〗 함수초.

***sen·si·tiv·i·ty** [sènsətívəti] *n.* Ⓤ ① 감성(感性), 민감도, 감수성 (irritability). ② (필름 등의) 감광도; (계기·수신기 등의) 감도(感度).

sen·si·tize [sénsətàiz] *vt.* ① **a**) …을 민감하게 하다: become ~*d* to …에 민감해지다. **b**) 〖免疫〗 (사람)을 항원에 민감케 하다. ② (종이·필름)에 감광성을 주다: ~*d* paper 감광지.

sen·sor [sénsər, -sɔːr] *n.* Ⓒ 센서《빛·열·소리 등에 반응하는 감지기(器)》: The toaster has an electronic ~ for even browning. 그 토스터에는 고른 갈색으로 굽도록 하는 전자 센서가 있다.

sen·so·ri·al [sensɔ́ːriəl] *a.* =SENSORY.

sen·so·ry [sénsəri] *a.* 지〔감〕각의; 지각 기관의: a ~ nerve 지각 신경.

***sen·su·al** [sénʃuəl] *a.* 관능적인; 호색(好色)의, 육욕의; 육감적인. ⓒⓕ sensuous. ¶ ~ pleasure 관능〔육체〕적 쾌락 / ~ music / She has ~ lips. 그녀 입술은 육감적이다. ㊕ ~·**ly** *ad.*

sen·su·al·ism [sénʃuəlìzəm] *n.* Ⓤ ① 육욕〔관능〕주의, 호색. ② 〖美術〗 감각〔관능〕주의.

sen·su·al·ist [sénʃuəlist] *n.* Ⓒ ① 호색가. ② 〖美術〗 감각〔관능〕주의자.

sen·su·al·i·ty [sènʃuǽləti] *n.* Ⓤ ① 관능성, 육욕성: She found his innocent ~ irresistible. 그녀는 그의 순결한 관능에 견딜 수 없는 매혹을 느꼈다. ② 호색, 음탕. ⓞⓟⓟ *spirituality.*

sen·su·ous [sénʃuəs] *a.* ① 감각적인; 오감에 의한; 감각에 호소하는; 감각을 즐겁게 하는: ~ colors〔music〕 감각적인 색〔음악〕 / He stretched himself with ~ pleasure in the bath. 그는 욕조에 들어 기분좋게 기지개를 켰다. ② 감각이 예민한, 민감한.
㊕ ~·**ly** *ad.* ~·**ness** *n.*

†sent [sent] SEND의 과거·과거분사.

†sen·tence [séntəns] *n.* ① Ⓒ 〖文法〗 문장, 글. ⓒⓕ passage, style. ¶ stop a ~ 문장에 마침표를 찍다 / a declarative ~ 평서문 / an imperative〔interrogative〕 ~ 명령〔의문〕문 / a simple〔compound〕 ~ 단문〔중문〕. ② **a**) Ⓤ,Ⓒ 〖法〗 판결, 선고; 형(刑). ⓒⓕ verdict. ¶ be under ~ of …의 선고(宣告)를 받다 / pass〔pronounce〕 ~ upon …에게 형을 선고하다 / If found guilty he will face a ~ of ten years in prison. 유죄가 인정되면 10년 징역형을 받을 것이다. **b**) Ⓒ〔修飾語와 함께〕 …형(刑): a life ~ 종신형 / a death ~ 사형 / receive a light〔heavy〕 ~ 가벼운〔무거운〕 형을 받다. ③ Ⓒ 《古》 격언, 금언, 명언.

— *vt.* 《~+목/+목+전+명》 …에게 판결을 내리다〔형을 선고하다〕《*to*》: The judge ~*d* the thief *to* five years' imprisonment. 재판관은 도둑에게 금고 5년의 판결을 내렸다.

séntence pàttern 〖文法〗 문형.

sen·ten·tious [senténʃəs] *a.* ① (말·사람이) 점잔빼는, 설교조의. ② 금언적인, 경구조의.
㊕ ~·**ly** *ad.* ~·**ness** *n.*

sen·tience, -tien·cy [sénʃəns], [-si] *n.* Ⓤ 감(각)성, 지각력.

sen·tient [sénʃənt] *a.* ①〔限定的〕 감각력〔지각

력)이 있는 : Is there ~ life on Mars? 화성에 지각있는 생물이 존재합니까. ② 알고 있는, 의식하는(aware)《*of*》: Few were ~ *of* their failure. 실패를 안 사람은 거의 없었다.

‡sen·ti·ment [séntəmənt] *n.* ① [U] **a**) (종종 *pl.*) (고상한) 감정, 정서, 정감 : patriotic ~(*s*) 애국심 / have friendly (hostile) ~*s* toward …에 호의(적의)를 품고 있다 / There is no room for ~ in business. 사업에 정서가 끼어들 여지는 없다. **b**) (예술품에 나타나는) 정취, 세련된 감정 : True art appeals to ~. 진정한 예술은 감정에 호소한다. ② [U] (애착·추억 등에 의한) 감상, 다정다감, 감상 : She is full of ~. 그녀는 다정다감하다. ③ [C] (흔히 *pl.*) 소감, 감상, 생각 ; 취지 ; (말 자체에 대해 그 이면의) 뜻, 생각, 기분 : These are my ~*s*. 이것이 내 소감이다 / My ~ is exactly! 전적으로 동감(찬성)이오 / This was a ~ we all shared. 이건 우리 모두의 생각이었다 / I don't think she shares our ~*s*. 그녀는 우리 생각과 다르다고 생각한다. ④ [C] (때로 ~s) 상투적인 인사(말)《인사장 등에 인쇄된 말이나 건배 때의 말》.

***sen·ti·men·tal** [sèntəméntl] *a.* ① **a**) (사람이) 감상적인 ; 다정다감한 ; 정에 약한 : become ~ remembering one's childhood 어린 시절을 생각하며 감상에 젖다 / She's getting ~ in her old age. 나이가 들어 감상적이 되어간다. **b**) (소설·극 등이) 감상적인, 센티멘털한 : a ~ melodrama 감상적인 멜로드라마. ② (이성을 떠나) 감정적인, 감정에 의거한(이끌리는) : action by a ~ motive 감정적인 동기에 의한 행동 / for ~ reason 감정적 이유로. [파] ~**·ly** *ad.* 감정적(감상적)으로.

sen·ti·men·tal·ism [sèntəméntəlìzəm] *n.* [U] 감정(정서)주의, 감상주의 ; 다정다감, 감상벽, 정에 무름. [파] **-ist** *n.*

sen·ti·men·tal·i·ty [sèntəmentǽləti] *n.* [U] 감정(감상)적임, 감상벽 : "What do you think of his songs?" "The tunes are great, but I can't stand the ~ of his lyrics." '그 사람 노래가 어떤가' '곡조는 훌륭해. 그러나 감상적인 가사에는 참을 수가 없어.'

sen·ti·men·tal·ize [sèntəméntəlàiz] *vi., vt.* 감상적으로 다루다(하다) ; 감상에 빠지다 ; 감상적이 되다《*about* ; *over*》: ~ *about* one's childhood 어린 시절의 생각에 감상적이 되다.

***sen·ti·nel** [séntənl] *n.* [C] 《文語》 보초 ; 파수《★ 지금은 sentry 가 일반적》: A policeman stood ~ at entrance. 경찰관이 입구에서 보초를 서고 있었다.

***sen·try** [séntri] *n.* [C] 〖軍〗 보초, 초병 : be on (keep) ~ 보초를 서다, 파수를 보다 / Who is ~ duty tonight? 오늘밤 보초는 누구냐.

séntry bòx 보초막, 초소 ; 파수막.

sen·try-go [-gòu] *n.* [U] 《英》 보초 근무 : be (stand) on ~ 보초 근무를 하다, 보초를 서다.

***Se·oul** [sóul] *n.* 서울. [파] **Se·oul·ite** [sóulait] *n.* [C], *a.* 서울 사람(시민)(의).

Sep. September.

se·pal [sí:pəl] *n.* [C] 〖植〗 꽃받침. [cf] petal.

sep·a·ra·bil·i·ty [sèpərəbíləti] *n.* [U] 분리할 수 있음, 가분성(可分性).

sep·a·ra·ble [sépərəbəl] *a.* 분리할(가를) 수 있는《*from*》: Supply and demand are not easily ~. 공급과 수요는 따로 떼어 생각할 수 없다. [파] **-bly** *ad.*

‡sep·a·rate [sépərèit] *vt.* ①《~+[목] / +[목]+[전]+[명]》…을 잘라서 떼어 놓다, 분리하다, 가르다《*into* ; *from*》: ~ an egg 계란 노른자와 흰자위를 분리하다 / The wall ~*s* the garden *into* two parts. 담이 뜰을 둘로 갈라놓고 있다 / England is ~*d from* France by the Channel. 영국은 영국 해협으로 프랑스와 갈라져 있다. ②《~+[목] / +[목]+[전]+[명]》(사람)을 떼어(갈라)놓다, 별거시키다, 이간붙이다 : ~ the two boys who are fighting 싸우고 있는 두 소년을 떼어 놓다 / ~ two boxers (클린치한) 두 복서를 떼어놓다 / War ~*d* the families. 전쟁은 가족들을 이산시켰다 / He is ~*d from* his wife. 그는 아내와 별거하고 있다. ③《~+[목] / +[목]+[전]+[명]》…을 식별하다, 구별하다 : We must ~ a crime *from* a person who commits it. 우리는 범죄와 그 범인을 구분해야 한다. ④《~+[목] / +[목]+[전]+[명]》…을 분류하다, 분리하여 뽑아내다《*from*》: ~ cream *from* milk 우유를 탈지하다. ⑤ …을 제대시키다 ; 해고하다 ; 퇴학시키다《*from*》: He was ~*d from* the army. 그는 제대했다.

── *vi.* ①《~ / +[전]+[명]》분리하다, 이탈하다, 독립하다, 교제를 끊다《*from*》: America ~*d from* Britain in 1776. 미국은 1776년 영국에서 분리 독립했다. ②《~+[전]+[명]》(성분이) 서로 섞이지 않다 : Oil ~*s from* water. 기름은 물과 섞이지 않는다. ③ (부부가) 별거하다, 갈라지다 : My parents ~*d* when I was six and divorced a couple of years later. 내 부모는 내가 여섯살 때 별거했다가 그 2년 후에 이혼했다. ④ 헤어지다, 산회(해산)하다 : After the meeting we drank until midnight and then ~*d*. 회의 후 우리는 자정까지 술을 마시고 헤어졌다. ⑤ 끊어지다 : The rope began to ~ under the heavy strain. 밧줄이 너무 켕겨 끊어지기 시작했다.

~ ***the grain*** (***wheat***) ***from the chaff*** 가치 있는 것과 그렇지 않은 것을 가르다.

── [sépərit] (***more*** ~ ; ***most*** ~) *a.* ① 갈라진, 분리된, 분산된, 끊어진《*from*》: ~ volumes 분책(分冊) / Violent prisoners are kept ~ *from* others. 난폭한 죄수는 다른 죄수와 격리돼 있다. ② 따로따로의, 하나하나의, 한 사람 한 사람의 : Each of us sleeps in a ~ room. 우리는 각기 딴 방에서 잔다 / We went our ~ ways at the crossroads. 우리는 교차로에서 각자의 방향으로 갔다.

── [sépərit] *n.* ① [C] (잡지·논문 등의) 발췌 인쇄(물). ② (*pl.*) 〖服〗 세퍼레이츠《아래위가 따로 된 여성·여아복》.

sep·a·rate·ly [sépəritli, -pərtli] *ad.* 갈라져 ; 따로따로, 단독으로《*from*》: The two issues cannot be considered ~ (*from* each other). 그 두 문제는 따로 따로 생각할 수 없다.

‡sep·a·ra·tion [sèpəréiʃən] *n.* ① [U,C] 분리, 독립, 이탈《*of*》: ~ *of* church and state 정교 분리 / the ~ *of* (three) powers 삼권 분립. ② [U,C] 이별 ; 별거《*from*》: The friends were glad to meet after so long a ~. 친구들은 오랜 이별 끝에 다시 만나 기뻤다 / She wondered if he had been unfaithful to her during this long ~. 그녀는 이 오랜 별거로 그가 변심하지 않았나 의심했다. ③ [C] 분리된 곳, 분기점 ; 터진 데. ④ [U] 《美》 제대 ; 해고, 퇴교《*from*》. ⑤ [U,C] 〖法〗 (부부의) 별거 : judicial (legal) ~ 판결에 의한 부부 별거. ⑥ [U] 〖宇宙〗 (다단 로켓의) 분리. ◇ separate *v.*

seperátion òrder (재판소가 내는) 부부 별거 명령.

sep·a·ra·tism [sépərətìzəm] *n.* [U] (정치·종교·인종·계급상의) 분리주의. [opp] *unionism.*

sep·a·rat·ist [sépərèitist, -ərətist] *n.* [C] 분리주의자, 분리(독립)파의 사람.

── *a.* 분리주의(자)의.

sep·a·ra·tive [sépərèitiv, sépərət-] *a.* 분리적 경향이 있는, 분리성의 ; 독립적인.
sep·a·ra·tor [sépərèitər] *n.* [C] ① 분리하는 사람. ② **a)** (우유에서 크림을 분리하는) 분리기. **b)** 선광기(選鑛器). **c)** (전지(電池)의) 격리판(板). ③ 〖컴〗 (정보 단위의 개시 · 종료를 나타내는) 분리 부호 ; 분리대(帶).
Se·phar·di [səfá:rdi] (*pl.* **-dim** [-dim]) *n.* [C] 세파르디《스페인 · 포르투갈계의 유대인》. [파] **-dic** *a.*
se·pia [sí:piə] *n.* ① [U] 세피아《뼈오징어(cuttlefish)의 먹물》; (그것으로 만든) 암갈색의 그림물감. ② [U] 세피아 색. ③ [C] 세피아 색의 사진〔그림〕: On the walls of the office are turn-of-the-century ~ photographs. 사무실 벽에는 암갈색으로 변한 백년은 되었을 사진들이 있었다.
── *a.* 세피아 색〔그림〕의. 「도용병.
se·poy [sí:pɔi] *n.* [C] 〖史〗 (본래 영국 육군의) 인
sep·sis [sépsis] *n.* [U,C] 〖醫〗 화농증, 패혈증.
sept- '7'의 뜻의 결합사.
***Sept.** September
sep·ta [séptə] SEPTUM의 복수. 「Sept.》.
†Sep·tem·ber [septémbər] *n.* 9월《略 : Sep.,
sep·tet, -tette [septét] *n.* [C] 〖樂〗 7 중주〔창〕곡, 7 부 합주〔창〕곡.
sep·tic [séptik] *a.* 부패(성)의, 패혈성의 : ~ poisoning 패혈증.
sep·ti·ce·mia, -cae- [sèptəsí:miə] *n.* [U] 〖醫〗 패혈증(blood poisoning).
séptic tànk (세균을 이용한) 오수(汚水) 정화조(淨化槽).
sep·tu·a·ge·nar·i·an [sèptʃu:ədʒənέəriən, -tju:-] *a., n.* 70 세의 (사람) ; 70대(代)의 (사람).
Sep·tu·a·gint [séptjuədʒìnt, séptʃu:-] *n.* (the ~) 70인역(譯) 성서《B.C. 270년경에 완성된 가장 오래 된 그리스어역 구약성서》.
sep·tum [séptəm] (*pl.* **-ta** [-tə]) *n.* [C] 〖生 · 解〗 격벽(隔壁) ; 격막(隔膜), 중격(中隔).
***sep·ul·cher,** 《英》 **-chre** [sépəlkər] *n.* ① 무덤《특히 바위를 뚫거나, 돌 · 벽돌로 구축한 것》.
se·pul·chral [səpʌ́lkrəl] *a.* ① 묘의, 무덤의 ; 매장(식)의 : a ~ stone 묘석. ② (얼굴 · 음성 등이) 음산한(dismal) : a ~ tone 음침한 목소리.
sep·ul·ture [sépəltʃər] *n.* [U] 매장.
se·quel [sí:kwəl] *n.* [C] ① (소설 · 영화 등의) 계속, 후편《*to*》: the ~ *to* the novel 그 소설의 후편 / He starred in "The Godfather" and in its ~, "The Godfather Ⅱ". 그는 '대부' 및 그 속편 '대부 Ⅱ'에서 주역을 했다. ② 귀추, 결과, 결말, 귀착점《*of* ; *to*》: As a ~ *to* the talks the two countries have announced missile reductions. 그 회담 결과로 양국은 미사일 감축을 발표했다. ***in the*** ~ 결국.
‡se·quence [sí:kwəns] *n.* ① [U] 연달아 일어남, 속발. ② [U] 연속, 연쇄, 계속 : Calamities fall in rapid ~. 불행은 잇따라 급히 일어난다 / a ~ of tragedies 일련의 비극. ③ [U] 전후 관련 ; 순서, 차례 : out of ~ 순서가 틀려 / Arrange the names in alphabetical ~. 이름을 알파벳순으로 배열하시오. ④ [U] 이치, 조리. ⑤ [U] 결과, 귀추 ; 결론《*of* ; *to*》: What was the ~ *to* that? 그 결과는 어떻게 됐나. ⑥ [C] 〖樂〗 반복 진행, 계기(繼起). ⑦ [C] 〖映〗 (연관성이 있는) 일련의 장면〔화면〕, 시퀀스. ⑧ [C] 〖數〗 수열(~ of numbers).
── *vt.* …을 차례로 배열하다.
se·quent [sí:kwənt] *a.* 연속하는, 잇따라 일어나는 ; 다음의 ; 결과로서 생기는《*on, upon* ; *to*》.
se·quen·tial [sikwénʃəl] *a.* ① 연속되는, 일련의, 잇따라 일어나는. ② 결과로서 일어나는.
***se·ques·ter** [sikwéstər] *vt.* ① …을 격리하다. ② **a)** …을 은퇴시키다《*from*》. **b)** 〔再歸的〕 …에서 은퇴하다《*from*》. ③ 〖法〗 …을 가(假)압류하다 ; 몰수하다 : Everything he owned was ~*ed*. 그의 소유물은 모조리 압류당했다.
se·ques·tered [-tərd] *a.* ① 은퇴한(retired) : lead a ~ life 은퇴 생활하다. ② (장소 등) 구석진, 외딴 : a ~ valley〔spot〕 외딴 골짜기〔장소〕.
se·ques·tra·ble [sikwéstrəbəl] *a.* 가압류할 수 있는, 몰수할 수 있는.
se·ques·trate [sikwéstreit] *vt.* =SEQUESTER.
se·ques·tra·tion [sì:kwestréiʃən] *n.* [U,C] ① 격리 ; 은퇴, 은둔. ② 〖法〗 (재산의) 가압류.
se·quin [sí:kwin] *n.* [C] 세퀸, 스팽글(spangle)《의복 장식으로 다는 원형의 반짝이는 작은 금속편》: a dress embroidered with thousands of tiny ~*s* 수천 개의 스팽글을 수놓은 드레스.
se·quoia [sikwɔ́iə] *n.* [C] 세쿼이아《미국 캘리포니아산(産)의 거목(巨木) ; 높이 100m 이상의 것도 있음》.
se·ra [síərə] SERUM의 복수.
se·ra·glio [sirǽljou, sirá:liòu] (*pl.* **~s**) *n.* [C] (이슬람국의) 후궁, 하렘(harem).
se·ra·pe [sərá:pi] *n.* [C] 세라페《화사한 모포 ; 멕시코 지방에서 숄 따위로 씀》.
***ser·aph** [sérəf] (*pl.* **~s, -a·phim** [-ìm]) *n.* [C] 치품 천사(熾品天使)《세 쌍의 날개를 가진 최고위 천사》. [cf] archangel, cherub.
se·raph·ic [sirǽfik] *a.* ① 치품 천사의. ② (미소 · 아이 등이) 천사와 같은, 아름답고 거룩한.
ser·a·phim [sérəfim] SERAPH의 복수.
Serb, Ser·bi·an [sə:rb], [sə́:rbiən] *a.* 세르비아(사람)의 ; 세르비아어의.
── *n.* [C] 세르비아 사람 ; [U] 세르비아어.
Ser·bia [sə́:rbiə] *n.* 세르비아《구유고슬라비아의 한 공화국 ; 1992년 몬테네그로와 신(新)유고를 이룸》.
Ser·bo-Cro·a·tian [sə́:rboukrouéiʃiən] *a.* 세르보크로아티아어(語)(계 주민)의. ── *n.* [U] 세르보크로아티아어《구유고슬라비아의 공용어; Slavic 어파에 속함》.
sere [siər] *a.* 《詩》 말라빠진, 시든, 마른 : The leaves became ~ in the hot dry weather. 덥고 건조한 날씨에 잎들이 시들었다.
***ser·e·nade** [sèrənéid] *n.* [C] 〖樂〗 세레나데, 소야곡《특히, 남유럽 풍습으로 남자가 밤에 연인의 창밑에서 부르는 노래 · 연주》; (소규모 그룹이 연주하는) 기악곡. ── *vt.* …에게 세레나데를 들려주다〔연주하다, 노래하다〕: He ~*d* her in the moonlight. 그는 달빛 아래서 그녀에게 세레나데를 들려주었다. [파] **-nád·er** *n.*
ser·en·dip·i·ty [sèrəndípəti] *n.* [U] 뜻밖의 발견(을 하는 능력).
‡se·rene [sirí:n] (**se·ren·er ; -est**) *a.* ① 고요한, 잔잔한 ; 화창한, 맑게 갠 : The sky is ~. 하늘은 맑게 갰다. ② (사람 · 표정 · 기질 따위가) 침착한, 차분한 ; 평화스러운 : Throughout the crisis she remained ~. 그 위기 동안 내내 그녀는 침착했다. ③ (S-) 고귀한《유럽 대륙에서 왕후 · 왕비에 대한 경칭에 쓰임》: His〔Her〕 *Serene* Highness. 전하(殿下). ***All*** **~.** 《英俗》 이상 무(all right).
[파] **~·ly** *ad.* **~·ness** *n.*
***se·ren·i·ty** [sirénəti] *n.* [U] ① (자연 · 바다 · 하늘 등의) 고요함 ; 청명, 화창함 : the Sea of *Serenity* (달의) '고요의 바다'. ② (마음의) 평온, 차분함 ; 침착, 태연 : I was moved by her ~ and confidence. 나는 그녀의 침착과 자기 신뢰에 감동했다.
serf [sə:rf] *n.* [C] (중세의) 농노(農奴)《토지와 함

께 매매된 최하위 계급의 농민).
serf·dom [sə́ːrfdəm] *n.* Ⓤ 농노 신분 ; 농노제 : abolish ~ 농노제를 철폐하다 / He was released from his ~. 그는 농노에서 해방됐다.
serf-hood [∠hud] *n.* =SERFDOM.
Serg. Sergeant.
***serge** [səːrdʒ] *n.* Ⓤ 서지, 세루《피륙》.
‡ser·geant [sɑ́ːrdʒənt] *n.* ① 하사관, 병장《略 : Serg., Sergt., Sgt.》. ★ 미국 육군에서는 staff sergeant의 아래, corporal 의 윗 계급. ② 경사(警査)《미국은 captain 또는 lieutenant와 patrolman 의 중간, 영국은 inspector 와 constable 의 중간》.
ser·geant-at-arms [-ətɑ́ːrmz] (*pl.* ***sér-geants-at-árms***) *n.* Ⓒ (의회 · 법정 등의) 경위(警衛).
sérgeant màjor 〖美陸軍·海兵隊〗 원사(元士).
Sergt. Sergeant.
***se·ri·al** [síəriəl] *a.* ① 계속되는, 연속〔일련〕의 ; 연속적인 : in ~ order 번호순으로, 연속해서 / ~ murders 연쇄 살인. ② 〔限定的〕 (소설 등이) 연속물인 ; 정기의《간행물 따위》: a ~ publication 정기 간행물 / Our new drama ~ begins at 7 : 30 this evening. 우리가 새로 보는 연속 드라마는 오늘 밤 7 시 30 분에 시작된다.
— *n.* Ⓒ ① 연속물《신문 · 잡지 또는 영화의》: a television ~, TV 연속 프로 / a 'soap opera' ~ on TV, 텔레비전의 주간 연속 멜로드라마. ② 정기 간행물. ㊕ **~·ly** *ad.*
se·ri·al·ize [síəriəlàiz] *vt.* …을 차례로 나열하다 ; 연속물로서 연재〔출판, 방송〕하다 : 'The Adventures of Sherlock Holmes' was ~*d* in the Strand Magazine. '셜록 홈스의 모험'이 스트랜드 잡지에 연속물로 연재되었다. ㊕ **sè·ri·al·i·zá·tion** [sì(ə)riəlizéiʃən] *n.* Ⓤ,Ⓒ 연재 ; 연속 방송〔방영, 상영〕.
sérial nùmber 일련 번호 ; 〖軍〗 군번.
sérial ríghts 〖出版〗 연재권(連載權) : Evening Press bought the ~ to her autobiography. 이브닝 프레스가 그녀 자서전의 연재권을 샀다.
se·ri·ate [síərièit] *vt.* …을 연속시키다, 연속적으로 배열하다. —[síəriit] *a.* 연속한, 연속적인.
se·ri·a·tim [sìəriéitim] *ad.* 계속하여, 순차로.
ser·i·cul·ture [sérəkʌ̀ltʃər] *n.* Ⓤ 양잠(업).
㊕ **sèr·i·cúl·tur·al** [-tʃərəl] *a.* **sèr·i·cúl·tur·ist** [-tʃərist] *n.* Ⓒ 양잠가〔업자〕.
‡se·ries [síəriːz] (*pl.* ~) *n.* ① 일련, 한 계열, 연속《*of*》: a ~ *of* rainy days 우천의 연속 / a ~ *of* victories (연전) 연승 / Her life was a long ~ *of* misfortunes. 그녀의 일생은 긴 불행의 연속이었다. ② **a)** 시리즈, 총서, 연속 출판물 : the first ~ (연속) 간행물의 제1집 / They do a ~ on architecture throughout the ages. 그들은 모든 시대의 건축 기술에 대한 시리즈를 만들고 있다. **b)** 〖TV · 라디오〗 연속물〔프로〕 ; 연속 강의 : a television〔radio〕 ~ / She gave a ~ of lectures at the university last year on contemporary Korean writers. 그녀는 작년 그 대학에서 현대 한국 작가들에 대한 연속 강의를 했다. **c)** 연속 경기 : The World *Series* 월드 시리즈《미국 프로 야구 선수권 경기》. ③ Ⓒ (우표 · 코인 따위의) 한 세트. ④ Ⓤ 〖電〗 직렬 (연결). ⑤ Ⓒ 〖數〗 급수(級數) : arithmetic〔geometric〕 ~ 등차〔등비〕급수. ***in*** ~ 연속하여 ; 〖電〗 직렬로 ; 총서로서.
— *a.* 〖電〗 직렬(식)의 : a ~ circuit 직렬 회로.
ser·if [sérif] *n.* Ⓒ 〖印〗 세리프《H, I 따위의 활자에서 볼 수 있는 상하의 가는 선》.
se·ri·graph [sérəgræ̀f / -grɑ̀ːf] *n.* Ⓤ 세리그래프《실크스크린 날염의 색채화》.
se·rig·ra·phy [sirígrəfi, sə-] *n.* Ⓤ 세리그래피《실크스크린 날염(법)》.
se·ri·o·com·ic [sìərioukɑ́mik / -kɔ́m-] *a.* 진지하면서도 우스운《그 반대의 경우도 말함》. ㊕ **-i·cal·ly** *ad.*
‡se·ri·ous [síəriəs] (***more*** ~ ; ***most*** ~) *a.* ① **a)** 진지한, 진정인, 농담이 아닌, 심각한 : Are you ~ ? 너 지금 진담이냐 / You can't be ~ ! 농담이겠지 / Don't be so ~ ; it's only a game. 그렇게 화내지 마. 그저 놀이니까 / I'm quite ~ about it. 나는 그 일을 심각하게 생각하고 있다. **b)** (표정 따위가) 정색을 한, 심각한 : a ~ look〔face〕 심각한 표정〔얼굴〕 / look ~ 심각한 표정을 하다. ② (사태, 문제 등이) 중대한, 심상치 않은(important) ; (병 · 부상 따위가) 심한, 중한 : a ~ problem〔matter〕 중대한 문제〔일〕 / He suffered from a ~ illness. 그는 중병에 걸렸다 / The state of things is ~. 사태는 매우 심각하다 / in ~ trouble 중대한 사건에 관련되어 ; 살인 혐의를 받아 / The international situation is extremely ~. 국제 정세는 말할 수 없이 심각하다. ③ (문학 등이) 진지한, 딱딱한 : ~ literature 순수 문학〔문예〕 / ~ readings 딱딱한 읽을거리〔책〕, 교양서. — *ad.* 매우, 대단히.
‡se·ri·ous·ly [sìəriəsli] (***more*** ~ ; ***most*** ~) *ad.* ① 심각〔진지〕하게, 진정으로 : Don't take his promises ~. 그의 약속은 곧이곧대로 들을 것이 못 된다 / Do you ~ mean what you say? 네 하는 말이 진정이냐. ② 〔文章修飾〕 진담인데《농이 아니고》: *Seriously* now, we ought to make preparation for the next election. 이건 진담인데, 우리는 다음 선거의 준비를 해야 한다. ③ 심각하게, 매우 : She's ~ wounded. 그녀는 중상이다 / My mother is ~ sick. 나의 어머니는 중병이시다. ~ ***speaking*** 진담인데.
sérious móney 많은 돈.
se·ri·ous·ness [síəriəsnis] *n.* Ⓤ ① 진정, 진심 : I see no reason, in all ~, why women should not become priests. 진정인데 여자는 성직자가 되지 말라는 법이 없잖나. ② 중대, 심각함 : the ~ of an illness 중태.
ser·jeant [sɑ́ːrdʒənt] *n.* 《英》 =SERGEANT.
ser·jeant-at-arms [-ətɑ́ːrmz] (*pl.* ***sér-jeants-at-árms***) *n.* =SERGEANT-AT-ARMS.
‡ser·mon [sə́ːrmən] *n.* Ⓒ ① 설교 : preach a ~ 설교하다 / Today's ~ was on the importance of compassion. 오늘의 설교는 긍휼의 소중함에 대한 것이었다. cf. preachment. ② 《口》 잔소리 ; 장광설 : get a ~ on …일로 잔소리를 듣다 / We had to listen to a long ~ from the manager about not wasting the time. 우리는 지배인한테 시간을 아끼라는 지루한 잔소리를 들어야 했다. ***the Sermon on the Mount*** 〖聖〗 산상 수훈(垂訓)《마태복음 Ⅴ-Ⅶ》.
ser·mon·ize [sə́ːrmənàiz] *vt., vi.* (…에게) 설교하다, 잔소리하다.
se·rol·o·gy [siərɑ́lədʒi / -ɔ́l-] *n.* Ⓤ 혈청학.
se·rous [síərəs] *a.* ① 〖生理〗 장액(漿液)의, 혈장(血漿)(모양)의. ② 물 같은, 멀건, 희박한.
‡ser·pent [sə́ːrpənt] *n.* Ⓒ ① (크고 독 있는) 뱀. ② 음험한 사람 ; 교활한〔뱀 같은〕 사람. ③ 〖樂〗 (옛날의) 뱀 모양의 나팔. ***the*** (***Old***) ***Serpent*** 〖聖〗 악마《창세기 Ⅲ : 1-5》.
ser·pen·tine [sə́ːrpəntàin, -tìːn] *a.* ① 꾸불꾸불한 : We followed the ~ course of the road. 구불구불한 길을 따라갔다. ② 음험한, 교활한.
SERPS [səːrps] 《英》 State Earnings Related Pension Scheme (수입을 기초로 한 국가 연금).

ser·rate [sérət, səréit] *a.* =SERRATED.
ser·rat·ed [séreitid] *a.* ① 톱니 모양의, 깔쭉깔쭉한 : Bread knives should have a ~ edge. 빵 칼은 날이 깔쭉깔쭉해야 한다. ② (잎 따위가) 톱니 모양의.
ser·ra·tion [seréiʃən] *n.* Ⓤ 톱니 모양 ; 톱니(모양의 돌기).
ser·ried [sérid] *a.* 〔限定的〕 밀집한, 빽빽이 늘어선《대열(隊列)·나무 등》: ~ ranks of soldiers 빽빽한 군인의 대열.
se·rum [síərəm] (*pl.* **~s, -ra** [-rə]) *n.* ① Ⓤ 【生理】 장액(漿液), 림프액. ② Ⓤ,Ⓒ 【醫】 혈청. cf. vaccine. ¶ a ~ injection 혈청 주사
ser·val [sə́:rvəl] *n.* Ⓒ 【動】 서벌《살쾡이의 일종 ; 아프리카산 ; 표범 같은 얼룩무늬가 있음》.
†**serv·ant** [sə́:rvənt] *n.* Ⓒ ① 사용인, 고용인, 하인《보통 이 말 대신 (domestic) help 를 씀》. opp *master*. ¶ a ~ woman 〔made〕 가정부 / She treated her ~*s* like slaves. 그녀는 하인들을 노예 부리듯 했다. ② 공무원, 관리 : *Servants* of the state should be incorruptable. 국가 공무원은 청렴해야 한다 / ⇨CIVIL 〔PUBLIC〕 SERVANT. ***Your* (*most*) *obedient* 〔*humble*〕 ~** 《英》 경백(敬白) 《공문서의 맺음말》.
†**serve** [sə:rv] *vt.* ① (신·사람 등)을 섬기다, …에 봉사하다 ; …을 위해 진력하다, …을 위해 일하다 : ~ one's master 〔God〕 주인〔신〕을 섬기다 / *Serve* your country. 네 조국에 봉사하라 / She ~*d* the family as a housekeeper for twenty-one years. 그녀는 가정부로서 그 가족에게 21년 동안 봉사했다 / For over twenty years, she has ~*d* the company loyally and well. 그녀는 20년 넘게 회사에 충실하고도 훌륭하게 봉사했다. ② 《~+목 / +목+전+명》 (손님)의 주문을 받다, (손님)에게 보이다 : ~ a customer 손님을 접대하다 / What may I ~ you *with*? 무엇을 보여 드릴까요. ③ 《~+목 / +목+보》 (음식)을 차려내다, 상을 차리다 ; (손님)의 시중을 들다 : They ~ very good roast beef at that restaurant. 저 식당에서는 아주 맛있는 로스트 비프를 제공한다 / Dinner is ~*d*. 식사 준비가 됐습니다 / The dish must be ~*d* hot. 요리는 뜨거울 때 내놓아야 한다. ④ 《~+목 / +목+전+명》 …에게 공급하다, …의 요구를 채우다, …에게 편의를 주다 ; (교통기관이) …에 통하다 : ~ a town *with* gas=~ gas *to* a town 시(市)에 가스를 공급하다 / One doctor ~*s* the whole town. 의사 한 분이 그 마을 전체를 돌보고 있다 / This area is ~*d* both by train and bus. 이 지역엔 기차도 버스도 다니고 있다 / All floors are ~*d* by elevators. 각 층 모두 승강기가 운행되고 있다. ⑤ 《~+목 / +목+*as* 보》 …에 도움〔소용〕되다, …에 공헌〔이바지〕하다 ; (요구·필요)를 만족시키다, …(목적)에 맞다 : ~ two ends 일거 양득이 되다 / His refusal to answer only ~*d* to increase our suspicions to him. 그의 답변 거부는 그에게 대한 의심을 더했을 뿐이었다 / The excuse does not ~ you. 그 변명은 소용 없다 / This box ~*s* us *as* a table. 이 상자는 식탁 대용이 된다 / This old car ~*s* me quite well. 이 고물차도 꽤 쓸만하다. ⑥ 《+목+목 / +목+전+명 / +목+부》 …을 다루다, 대우하다 ; …에 보답하다 : ~ a person trick 아무를 속이다 / ~ a person *cruelly* 〔*well*〕 아무를 학대하다〔친절히 대우하다〕 / That ~*d* him *ill*. 그것은 그에게 맞는 대우가 못 되었다 / She was ill ~*d* when she was in that firm. 그녀는 그 회사에 있을 때 심한 대우를 받았다. ⑦ 《~+목 / +목+부 / +목+*as* 보》 (임기·연한 따위)를 채우다, 복무〔근무〕하다, 보내다 : ~ time 복역하다, 형을 살다 / ~ *out* an apprenticeship 고용 계약 기간을 다 마치다 / ~ two terms *as* mayor 〔President〕 시장〔대통령〕의 임기를 2기째 맡아 하다 / He ~*d* three years in the army. 그는 3년동안 군복무를 했다 / He ~*d* five years for an armed robbery. 그는 무장 강도죄로 5년 복역했다. ⑧ (공)을 서브하다《테니스 등에서》. ⑨ 《~+목 / +목+전+명》 【法】 (영장 따위)를 송달하다《*with*》: ~ a person *with* a summons=~ a summons *on* 〔*upon*〕 a person 아무에게 소환장을 송달하다. ⑩ (씨말 따위를 암말)과 교미시키다(cover).
— *vi.* ① 《~ / +전+명 / +*as* 보》 봉사하다 ; 근무하다, 복무하다, 《특히》 군무에 복무하다 : ~ *on* a farm 〔*in* the kitchen〕 농장〔부엌〕에서 일하다 / He ~*d with* the army in France. 그는 프랑스에서 군복무를 했다 / ~ *on* jury 배심원을 맡아 하다. ② 《+전+명》 (의원·임원 등이) 임기 동안 일보다 : ~ *on* a committee 위원을 맡아 보다. ③ 《+전+명》 (손님의) 시중을 들다 : At that restaurant a beautiful waitress ~*s* (at table). 저 식당에서는 예쁜 웨이트리스가 시중을 든다. ④ 《+전+명 / +*as* 보 / +*to* do》 도움〔소용〕이 되다, 쓸모있다, 알맞다, 족하다 ; 편리하다 : This log will ~ *as* 〔*for*〕 a chair. 이 통나무는 걸상 대용이 될 것이다 / It ~*d as* a clue to a criminal's tracing. 그것으로 범인추적의 단서를 잡았다 / This wrench is too small to ~. 이 렌치는 너무 작아 쓸모가 없다. ⑤ (날씨 따위가) 알맞다, 적당하다 : He showed off his collection as the occasion ~*d*. 그는 기회만 있으면 컬렉션을 내보인다. ⑥ 《+부》 (테니스 따위에서) 서브하다 : ~ *well* 〔*badly, poorly*〕 서브가 좋다〔나쁘다〕. ⑦ (미사에서) 복사(服事)로 일하다. ◇ service *n.* **~ *out*** (1) 음식을 도르다. (2) (임기·형기)를 다 채우다. **~ a person *right*** 아무에게 마땅한 대우를 하다, 당연한 취급을 하다. **~ a person*'s turn* 〔*need*〕** 아무에게 쓸모있다, 유용하다. **~ *up*** (음식을) 식탁에 내다 : Army kitchens ~ *up* better fare than some hotels do. 군대 식당이 일부 호텔보다 식사가 좋다.
— *n.* Ⓤ,Ⓒ (테니스 따위에서) 서브(권) : return a ~ 서브를 되받아 넘기다 / Whose ~ is it? 누구의 서브 차례냐.
***serv·er** [sə́:rvər] *n.* Ⓒ ① 봉사자, 급사 ; 근무자. ② 【가톨릭】 (미사 때 사제(司祭)를 돕는) 복사(服事). ③ 【球技】 서브하는 사람. ④ 음식을 나누는 큰 쟁반〔포크 (따위)〕: salad ~*s* 큰 샐러드 쟁반.
†**ser·vice** [sə́:rvis] *n.* ① Ⓒ (흔히 *pl.*) 봉사, 수고, 공헌, 이바지 : They will be very happy to give their ~*s* free of charge. 그들은 보수없이 봉사하는 것을 매우 기뻐할 것이다. ② Ⓤ,Ⓒ 돌봄, 조력 ; 도움, 유익, 유용 ; 편의, 은혜 : It did me a valuable ~. 그것은 내게 큰 도움이 됐다 / Will you do me a ~? 부탁이 하나 있는데 / You could get very good ~ from this computer. 이 컴퓨터가 크게 도움이 될거다. ③ Ⓤ,Ⓒ (흔히 *pl.*) 【經】 용역, 서비스 ; 사무 ; 공로, 공훈 : the ~*s* of a doctor 의사의 일 / ⇨PUBLIC SERVICE. ④ Ⓤ 부림을 당함, 고용(살이), 봉직, 근무 : go into ~ 고용되다 / take a person into one's ~ 아무를 고용하다. ⑤ Ⓤ,Ⓒ **a**) (손님에 대한) 서비스, 접대 ; (식사) 시중 ; (자동차·전기 기구 따위의) (애프터) 서비스 ; (정기) 점검〔수리〕: repair ~ (판매품에 대한) 수리 서비스 / The ~ on household electric appliances is pretty good in Korea. 한국의 가전제품에 대한 사후 관리는 퍽 잘돼 있다 / regular ~ (차량 등

의) 정기 점검 / Laundry ~*s* are available. (호텔 등에서) 세탁해드립니다 / The food is good at this hotel, but the ~ is poor. 이 호텔이 식사는 괜찮은데 서비스가 나쁘다 / Is ~ included in this bill? 이 청구서에 서비스료가 포함돼 있소. **b)** [C] 서비스업《제품 생산을 않는 운송·오락 등의 산업》. ⑥ [CU] (교통 기관의) 편(便), 운항: We have three airline ~*s* daily. 하루 3회의 항공편(便)이 있다 / There is no bus ~ available in this part. 여기는 버스편이 없다. ⑦ [CU] 공공 사업, (우편·전화·전신 등의) 시설; (가스·수도의) 공급; 부설; (*pl.*) 부대 설비: telephone ~ 전화 사업 / mail 〔postal〕 ~ 우편 업무. ⑧ [C] (관청의) 부문(department), …부, 국(局), 청(廳); (병원의) 과(科): ⇨ CIVIL SERVICE / the intelligence ~ 정보부(의 사람들) / Public Health *Service* 보건소〔과〕/ (the) government ~ 관청. ⑨ [U] 군무, 병역(기간); [C] (육·해·공의) 군(軍): the (three) ~*s* 육해공군, 3군 / the senior ~ 《英》 (육군에 대한) 해군 / the military ~ 병역. ⑩ [CU] (종종 *pl.*) 예배(의식); 식; 전례(典禮)(음악), 전례 성가: a burial ~ 장례식 / a marriage ~ 결혼식 / A memorial ~ will be held on Sunday for victims of the bomb explosion. 폭발사고에 의한 희생자들의 추도식이 일요일에 거행된다. ⑪ [C] (식기 등의) 한 벌: a silver tea ~ for seven, 7인용의 은제 티세트. ⑫ [C] (테니스·탁구 따위에서) 서브 (넣기): receive a ~ 서브를 받다 / break a person's ~ 상대의 서브를 브레이크하다〔깨다〕/ win〔keep, hold〕one's ~ 서브로 득점하다〔서브권을 지키다〕. ⑬ [U] 〖法〗 (영장 따위의) 송달: ~ of a writ 영장의 송달. ⑭ [U] 〖畜産〗 흘레붙이기. ◇ serve *v.* ***at*** a person's ~ 언제나 소용에 닿는〔쓸모 있는〕: (I'm) John Smith *at* your ~. 존 스미스입니다. 잘 부탁합니다《자기 소개; 정중하나 약간의 익살기가 있음》/ My car is *at* your ~. 내 차를 언제든 쓰시오. ***in*** ~ (1) (기구·탈것·교량·도로 등이) 사용〔운영〕되고: The number you have called is no longer *in* ~. 거신 전화번호는 지금 쓰이지 않습니다. (2) 군에 복무하고. ***in the*** **~*s*** 《英》 군에 입대하여. ***On His*** 〔***Her***〕 ***Majesty's Service*** 《英》 공용《공문서 등의 무료 송달 도장; 略: O.H.M.S.》. ***see*** ~ (1) 종군하다; 실전 경험을 쌓다. (2) 〔完了形으로〕 (옷 따위가) 오래 소용이 되다, 써서 낡다: These boots *have seen* two years' ~. 이 구두는 2년이나 신었다. ***take*** ~ ***with*** 〔***in***〕 …에 근무하다〔고용되다〕.

— *a.* 〔限定的〕 ① 근무의; 군용의: ~ clothes 근무복, 평상복 / ~ regulations 군복무 규율 / (a) ~ uniform〔dress〕 (군) 제복. ② 고용인용의, 업무용의: a ~ door 업무용 입구 / a ~ stairway 고용인〔점원〕용 계단 / the ~ industry 서비스 (산)업. ③ 애프터 서비스의: the ~ department (in a store) (가게의) 애프터 서비스부. ④ 일상 사용하는, 덕용의: a ~ brake 보통 브레이크《emergency brake(비상 브레이크)에 대한》.

— *vt.* ① …의 애프터 서비스를 하다, …을 보수 점검하다: ~ a car 자동차 수리를 하다 / I have my car ~*d* regularly. 나는 차를 정기적으로 점검받고 있다. ② …에 정보를 제공하다. ③ (융자·부채)의 이자를 치르다.

ser·vice·a·bil·i·ty [ˊ-səbíləti] *n.* [U] 유용(성), 편리; 오래감, 내구성이 좋음.

***ser·vice·a·ble** [sə́:rvisəbəl] *a.* ① 쓸모 있는, 편리한《*to*》. ② 튼튼한(durable), 실용적인.
㊞ **-bly** *ad.* **~·ness** *n.*

sérvice àce 〖테니스〗 서비스 에이스(ace).

sérvice àrea ① (라디오·TV의) 청취〔시청〕 가능 지역. ② (수도·전기의) 공급 구역. ③ (고속 도로변의) 휴게소《주유소·식당·화장실 등이 있는》.

sérvice bòok 교회의 기도서.

sérvice brèak (테니스 등) 서비스 브레이크.

sérvice chàrge 수수료, (호텔 따위의) 서비스료, 서비스 차지: Does my bill include a ~? 내 계산서에 봉사료가 포함되나요.

sérvice clùb ① 지역 사회 봉사가 목적인 친목단체《로터리 클럽 따위》. ② 하사관용 오락 시설.

sérvice còurt 〖테니스〗 서브코트.

sérvice flàt 《英》 호텔식 아파트《식사 제공과 청소도 해주는 아파트》.

sérvice hàtch 《英》 (주방에서 식당으로) 요리를 내보내는 창구.

sérvice ìndustry (교통·오락 등의) 서비스 「(산)업.

sérvice lìne 〖테니스〗 서브라인.

ser·vice·man [-mæ̀n] (*pl.* ***-men*** [-mèn]) *n.* [C] ① (현역) 군인: an ex-~ 재향 군인. ② 수리공; 주유소 종업원.

sérvice màrk 서비스 마크《자사의 서비스를 타사의 것과 구별키 위해 사용하는 표장〔어구(語句) (따위)〕; 등록하면 법적으로 보호받음》. [cf.] trademark.

sérvice ròad 《英》 = FRONTAGE ROAD.

sérvice stàtion ① (자동차 등의) 주유소. ② 서비스 스테이션《기계·전기 기구 따위의 정비·수리 등을 하는 곳》.

ser·vice·wo·man [ˊ-wùmən] *n.* [C] 여군.

ser·vi·ette [sə̀:rviét] *n.* [C] 《英》 냅킨.

***ser·vile** [sə́:rvil, -vail] *a.* ① 노예의; 노예 근성의, 비굴한(mean): He was subservient and ~. 그는 비굴하고 노예 근성이 있었다. ② 〔敍述的〕 맹종하는, 굽실거리는《*to*》: be ~ *to* people in authority 권력자에게 굽실거리다. ③ (예술 따위) 독창성이 없는.
㊞ **~·ly** *ad.*

ser·vil·i·ty [sə:rvíləti] *n.* [U] 노예 근성, 비굴; 노예 상태, 굴종: She's a curious mixture of stubbornness and ~. 그녀는 성격이 완고함과 비굴의 기묘한 혼합체였다.

serv·ing [sə́:rviŋ] *n.* ① **a)** [U] 식사 시중 들기. **b)** 〔形容詞的〕 음식을 내기〔도르기〕 위한: Pile the potatoes into a warm ~ dish. 감자를 따뜻한 서빙 접시에 수북히 담아라. ② [C] (식사의) 1인분.

***ser·vi·tude** [sə́:rvətjù:d] *n.* [U] ① 노예 상태; 예속《*to*》: In the past, the majority of women were consigned to a lifetime of ~ and poverty. 지난 날에 대부분의 여성들은 평생을 예속과 가난 속에 지냈다. ② 강제 노동, 징역: The workers were tricked into ~ by plantation owners. 노동자들은 농장주에 속아 강제 노역을 했다.

ser·vo [sə́:rvou] (*pl.* **~*s***) *n.* ① = SERVOMECHANISM. ② = SERVOMOTOR.

sérvo contròl 〖空〗 *n.* 서보 조종 장치.

ser·vo·mech·an·ism [sə́:rvoumèkənìzəm] *n.* [U] 〖機〗 서보 기구(機構)《자동 귀환 제어 장치》.

ser·vo·mo·tor [sə́:rvoumòutər] *n.* [C] 〖機〗 서보모터《자동 제어장치로 움직이는》.

ses·a·me** [sésəmi] *n.* [U] 참깨(씨). ***open ~ (1) 열려라 참깨《Ali Baba 의 이야기에서》. (2) (소망을 이루어 주는) 마법의 열쇠.

sésame òil 참기름.

ses·qui·cen·ten·ni·al [sèskwisenténiəl] *a.* 150년(축제)의. — *n.* [C] 150년 축제. [cf.] centennial.

ses·sion [séʃən] *n.* ① [U] (의회·회의 등의) 개

회중, 개회해 있음 ; (법정이) 개정중임 : go into ~ 개회〔개정〕하다 / Congress is now in〔out of〕 ~. 의회는 지금 개회〔폐회〕 중이다 / Parliament is not in ~ during the summer. 의회는 여름 동안 휴회다. ② Ⓒ 회기, 개정 기간 ; 회의 : a plenary〔an extraordinary〕 ~ 본〔임시〕 회의 / the 30 ~ of the National Assembly 제 30 회기 국회. ③ Ⓒ 《Sc.·美》 학기 ; 《英》 학년 ; 《美》 수업 시간 : a morning〔afternoon, night, summer〕 ~ 오전〔오후, 야간, 하계〕 수업 / double ~*s*, 2부 수업 / Access to these buildings is restricted when school is in ~. 수업 중에 이들 건물에의 접근은 금지(禁止)된다. ④ Ⓒ 《口》 (양자 간의) 상의, 이야기 : a difficult ~ with one's teenage son, 10대의 자식과의 골치아픈 이야기. ⑤ Ⓒ (특히, 집단으로 행하는 특정 목적의) 활동, 강습회, 모임 ; 그 기간 : a folk dance ~ 포크 댄스 강습회.

ses·sion·al [séʃənəl] *a.* 개회〔개정·회기〕(중)의 : ~ orders (영국 의회에서) 회기 중의 의사 규정.

†set [set] (*p., pp.* ***set*** ; ***sét·ting***) *vt.* ① 《+目+前+名 / +目+副》 (특정 장소에 움직이지 않게) …을 두다, 놓다, 세우다, 설치하다 : He filled the kettle and ~ it *on* the stove. 그는 주전자에 물을 채워 난로에 얹어 놓았다.

② 《~+目 / +目+副 / +目+前+名》 …을 앉히다 : She ~ her baby *in* the chair. 그녀는 아이를 의자에 앉혔다.

③ 《~+目 / +目+前+名》 (모종·씨 등)을 심다 ; (그림 등)을 끼우다 : ~ plants 묘목을 심다 / ~ seeds 씨를 뿌리다 / ~ an oil painting *in* a frame 유화를 액자에 끼우다.

④ 《~+目 / +目+前+名》 (정연히) …을 배치하다, 나란히 세우다 : ~ a watch 파수꾼을 세우다 / ~ guards *along* the borders 국경선을 따라 경비병을 배치하다.

⑤ …을 준비〔마련〕하다, 차리다 : Will you ~ the table, please? 밥상을 좀 차려주겠소 / ~ the trap 덫을 놓다.

⑥ 《+目+前+名》 (개 등)을 부추기다《*on* ; *at* ; *against*》 : ~ a dog *on* a robber 개를 부추겨 도둑에게 덤벼들게 하다 / He ~ the dogs *on* the trespasser. 그는 침입자에게 개를 부추겼다.

⑦ 《+目+前+名 / +目+副》 (얼굴·진로 등)을 (…에) 향하다, 돌리다 ; (눈길·마음 따위)를 쏟다 : ~ one's face *towards* the light 얼굴을 빛 쪽으로 돌리다 / ~ one's mind *to*〔*on*〕 a task 일에 열중하다 / ~ one's affection *on* a person 아무에게 애정을 쏟다 / They ~ sail *for* America. 그들은 미국을 향하여 출범했다 / We ~ our rout *eastward.* 우리는 진로를 동쪽으로 잡았다 / The speaker ~ his face *toward* the audience. 연사는 얼굴을 청중에게 돌렸다.

⑧ 《+目+前+名 / +目+*to* do》 (아무)를 …에 종사시키다《*to*》 ; (아무에게) …시키다(impose, assign) : The boss ~ him *to* a work 〔*to* chopping wood〕. 주인은 그에게 일을 시켰다〔장작을 패라 했다〕 / He then ~ them *to* write reports on what they'd done. 그리고는 그들에게 각자가 하는 일에 대한 리포트를 내라고 했다.

⑨ 《+目+補 / +目+前+名 / +目+-*ing*》 …하게 하다《*on*》, 어떤 상태로 하다 : ~ a prisoner free 죄수를 풀어〔놓아〕 주다 / ~ a room *in* order 방을 치우다〔정돈하다〕 / I ~ him *to* dust*ing* the carpet. 그에게 카펫을 털게 했다 / That ~ me think*ing*. 그 일로 해서 나는 생각에 잠기게 됐다.

⑩ 《~+目 / +目+前+名 / +目+目》 (때·장소 따위)를 정하다, 지정하다 ; (일·과제)를 과하다, 맡기다《*for*》 : Let us ~ a place and a date (*for* a meeting). (회합) 장소와 날짜를 정합시다 / Demand ~*s* a limit *to* production. 수요는 생산을 제한한다 / The chief ~ me a difficult task. = The chief ~ a difficult task *for* me. 과장은 나에게 어려운 일을 맡겼다.

⑪ 《~+目 / +目+目 / +目+前+名》 (모범·유행 따위)를 보이다 : ~ the pace (선두에서) 보조를 정하다 ; 모범을 보이다 / ~ a person an example = ~ an example *to* a person 아무에게 모범을 보여 주다 / His success ~ them a good example. = His success ~ a good example *to* them. 그의 성공은 그들에게 훌륭한 모범이 됐다.

⑫ 《+目+前+名》 (값)을 결정하다, 매기다 ; (가치)를 두다 ; 평가하다 : The committee ~*s* the price. 위원회가 가격을 결정한다 / They ~ a high price *on* the old vase. 그들은 그 옛 화병에 비싼 값을 매겼다 / He ~ the car *at* $600. 차 값을 600 달러로 정했다〔평가했다〕.

⑬ 《+目+前+名》 …을 갖다 대다, 접근시키다, 붙이다 : ~ pen *to* paper 펜을 잡다, 글을 쓰다 / ~ fire *to* a house = ~ a house *on* fire 집에 불을 지르다 / He ~ his lips *to* the glass. = He ~ the glass *to* his lips. 그는 컵에 입을 댔다.

⑭ 《~+目 / +目+副 / +目+前+名》 …을 고정하다, 굳히다, 꼭 죄다 ; (머리)를 세트하다 ; (뼈)를 잇다 : ~ the white of an egg by boiling it 달걀을 삶아 흰자위를 굳히다 / ~ nuts well *up* 너트를 단단히 죄다.

⑮ 《~+目 / +目+前+名》 (기계 따위)를 설치하다, 사용 가능한 상태로 하다, 조정하다 : ~ one's camera lens *to* infinity 카메라 렌즈를 무한대에 맞추다.

⑯ 《+目+前+名》 …을 편곡하다《*to*》 : ~ music *for* the orchestra 관현악으로 편곡하다 / ~ a psalm *to* music 찬송가를 작곡하다 / She ~ his poem (*to* music). 그녀는 그의 시에 곡을 붙였다.

⑰ 《+目+前+名》 (시계)를 맞추다 ; (눈금·다이얼 따위)를 맞추다 ; (자명종 따위)를 …시에 울리게 맞춰 놓다 : ~ one's watch *by* the time signal 라디오 시보에 시계를 맞추다 / She ~ the alarm (clock) *for* 9 o'clock. 그녀는 자명종을 아홉시에 맞췄다.

⑱ 《~+目 / +目+前+名》 (알)을 안기다, 부화기에 넣다 : ~ a hen *on* eggs = ~ eggs *under* a hen 암탉에게 알을 안기다.

⑲ 《+目+前+名》 (무대·장면)을 장치〔세트〕하다 : ~ a scene *in* Paris 파리를 무대로 하다 / During the interval the stage was ~ *for* the second act. 막간을 이용해 무대에 제 2 막을 설치했다.

⑳ (문서에 도장)을 찍다, 누르다, 서명하다 : He ~ his hand〔name〕 to the document. 그는 서류에 날인〔서명〕했다.

㉑ 《+目+前+名》 …에 끼워 박다《*with*》 : ~ a bracelet *with* pearls 팔찌에 진주를 박다.

㉒ 《~+目 / +目+前+名》 (반죽)을 부풀리다 ; (우유 등)을 응고시키다 ; (결의 따위를 보이기 위해 얼굴 따위)를 굳게 하다 : ~ milk *for* cheese 우유를 굳혀 치즈로 만들다 / His face was ~ in determination. 결의로 그의 얼굴은 굳어 있었다.

㉓ 《~+目 / +目+副》 (활자)를 짜다 ; (원고)를 활자로 조판하다 : ~ an article 논문을 활자로 조판하다 / The copy is already ~ *up* in pages. 원고는 이미 조판이 됐다.

㉔ (날)을 갈다 ; (톱날)을 세우다 : ~ (the teeth of) a saw 톱날을 세우다.

— *vi.* ①《~ / +전+명》 (해·달이) 지다, 저물다: The sun ~*s in* the west. 해는 서쪽으로 진다. ② 기울다, 쇠하다. ③ **a**) 굳어지다, 응고하다: The jelly has ~ in the fridge. 냉장고에서 젤리가 굳었다 / Cement ~*s* as it dries. 시멘트는 마르면 굳는다. **b**) (부러진 뼈가) 정복(整復)되다: When a broken bones ~*s*, it heals in a fixed position. 부러진 뼈가 정복되면 뼈는 제자리에 들어가 치유된다. ④ (표정 따위가) 굳어지다. ⑤ (머리가) 세트되다, 모양이 잡히다. ⑥《+부》 (옷이) 어울리다, 맞다: The coat ~*s well* 〔*badly*〕. 코트가 잘〔안〕 어울린다. ⑦ 종사하다, 착수하다《*about* ; *to* work》; 움직이기 시작하다, 출발하다《*forth* ; *out* ; *off*》. ⑧《+전+명 / +부》 (조수·바람 따위가) 흐르다, 불다: The wind ~*s to* 〔*from*〕 the north. 바람이 북쪽으로〔에서 (남쪽으로)〕 분다 / The tide ~*s in* 〔*out*〕. 조수가 들고〔나가고〕 있다. ⑨《+부》〖植〗 열매를 맺다: The apple trees have ~ *well* this year. 금년은 사과가 잘 됐다. ⑩《+부 / +전+명》 (암탉이) 알을 품다; (사냥개가) 멈춰서서 사냥감의 방향을 가리키다: This dog ~*s well.* 이 개는 사냥감을 잘 찾아낸다 / A hen ~*s on* 〔*upon*〕 eggs. 암탉이 알을 품고 있다.

~ *about* (1) …에 착수하다; 꾀하다: We ~ *about* repair*ing* our hut. 우리는 오두막 수리에 나섰다. (2)《口》 …을 공격하다: He ~ *about* the intruders with a stick. 그는 몽둥이를 들고 난입자들을 공격했다. (3) 퍼뜨리다: ~ a rumor *about* 소문을 퍼뜨리다. **~ *against*** (1) …와 비교하다; …와 균형을 맞추다: ~ gains *against* losses 이익과 손실을 맞대보다. (2) …와 사이가 틀어지게 하다; …에 대항시키다: The civil war ~ brother *against* brother. 내전은 형제끼리 반목하게 만들었다. (3) …을 반대 방향으로 돌리다; …을 부추겨 공격하게 하다. **~ *apart*** (1) …을 따로 떼어 두다 (reserve)《*for*》: She ~*s apart* some of her earnings *for* her wedding. 그녀는 벌이의 얼마를 결혼식을 위해 따로 떼놓는다. (2) 갈라 놓다(separate): He felt ~ *apart from* the other boys. 그는 다른 아이들로부터 소외감을 느꼈다. **~ *aside*** (1) 곁에 두다; 챙겨 두다《*for*》: Try and ~ *aside* time to do some other odd jobs. 좀 다른 허드렛일도 하게 시간을 챙기도록 해라. (2) 무시하다; 거절하다; (적의·의례(儀禮) 따위)를 버리다;〖法〗 (판결 따위)를 파기하다, 무효로 하다: Let's ~ *aside* all formality. 형식적인 일은 모두 집어치우자. **~ *back*** (1) 저지하다, 늦어지게 하다: This has ~ *back* the whole program of nuclear power in America. 이 일이 미국의 전체적 원자력 계획에 차질을 가져왔다. (2) (시계 바늘 등)을 되돌리다: ~ *back* the clock one hour 시계 바늘을 한 시간 되돌려 놓다. (3)《口》 …에 비용을 들이다: This ~ me *back* a great deal of money. 이 때문에 많은 비용이 들었다. **~ *. . . beside . . .*** …와 …을 비교하다: *Set beside* her, no singer seems very good. 그녀와 비교하니 다른 가수는 그저 그렇다. **~ *by*** (돈·물건 등)을 따로 떼두다, 여축하다. **~ *down*** (1) 밑에 놓다; 앉히다. (2) 적어 두다: Why don't you ~ your ideas *down* on paper? 생각을 적어두면 좋지 않나. (3)《英》 (승객·짐 따위를) 내리다: I'll ~ you *down* at that corner. 저 모퉁이에서 내려 드리겠소. (4) 규정하다, (원칙)을 세우다. (5) …로 보다《*as*》: We must ~ him *down as* either a knave or a fool. 그를 악당 아니면 바보로 보지 않을 수 없다. (6) …탓으로 돌리다《*to*》: He ~ *down* my failure *to* idleness. 그는 실패가 내 게으른 탓으로 보았다. (7)《美》 착륙하다, (비행기)를 착륙시키다. **~ *eyes on*** …을 보다, 발견하다. **~ *forth*** (1) 출발하다: They ~ *forth* on a journey. 그들은 여행을 떠났다. (2) …을 밝히다; 발표〔공표〕하다: ~ *forth* one's views 의견을 말하다 / *Set forth* your idea. 네 생각을 밝혀라. **~ *in*** (1) (바람직하지 않은 일·계절 등이) 시작되다: The rainy season has ~ *in.* 장마철에 들어섰다. (2) (밀물이) 들어오다; (바람이) 뭍 쪽으로 불다; (배)를 해안 쪽으로 향하다. (3) 삽입하다. **~ *little*** 〔***light***〕 ***by*** …을 경시하다. **~ *much*** 〔***store, a great deal***〕 ***by*** …을 크게 존중하다, 소중히 하다. **~ *off*** 출발하다: He ~ *off* on another trip to Taiwan. 그는 또 대만 여행에 나섰다. **~ *. . . off*** (1) …을 돋보이게 하다, 드러나게 하다: His long hair ~ him *off* from the ordinary businessmen. 그의 긴 머리는 여느 직업인들과는 드러나 보였다. (2) 에끼다, 벌충하다: He ~ *off* the loss by hard work. 그는 열심히 일해 손실을 벌충했다. (3) 〔흔히 受動으로〕 구획하다, 가르다, 끊다: Sentences *are* ~ *off by* full stop. 문장은 피리오드로 구획된다. (4) 폭발시키다, (불꽃 등)을 쏴올리다: A gang of boys were ~*ting off* fireworks in the street. 길에서 한 무리의 아이들이 폭죽을 터뜨리고 있었다. (5) (일)을 일으키다, 유발하다; 와 웃기다; (아무)에게 …시키다: His jokes ~ everyone *off* laughing. 그의 조크가 모두를 웃겼다. (6) (기계·장치 등)을 시동시키다, 시작하다: His angry words ~ her *off* crying. 그의 성난 말에 그녀는 울기 시작했다 / ~ *off* fire alarm 화재 경보기를 울리다. (7) 유행하다, 습관으로 굳다. **~ *on*** 〔***upon***〕 (1) …을 덮치다, …을 공격하다: He ~ *on* me with a knife. 그는 칼을 들고 내게 대들었다. (2) (개)를 공격시키다. (3) 부추기다: ~ *on* a crew to mutiny 선원을 부추겨 반란을 일으키게 하다. **~ *out*** (1) 출발하다; 착수하다: ~ *out for* home 집으로 떠나다 / ~ *out in* business 일에 착수하다 / I'm going to ~ *out on* a trip tomorrow. 내일 여행을 떠날 생각이다. (2) 말하다, 상설(詳說)하다, 명백히 하다: He ~ *out* his reasons for what he had done. 그는 그가 취한 행동에 대한 이유를 말하기 시작했다 / The reasons for my decision are not ~ *out in* my report. 내 결심에 대한 이유가 보고서에는 없다. (3) …하기 시작〔착수〕하다《*to* do》: He ~ *out to* educate the public. 그는 대중의 교육에 나섰다. (4) 구분짓다. (5) 진열하다; (음식)을 늘어놓다: The market was full of brightly colored vegitables ~ *out on* stalls. 시장은 진열대에 늘어놓은 여러 물색 좋은 야채로 풍성했다. (6) (묘목 등)을 사이를 두고 심다. **~ *. . . straight*** …에게 사태의 실상을 전하다. **~ *to*** (1) 〔to는 前置詞〕 (어떤 방향)으로 향하다; (스퀘어 댄스에서) 상대와 마주 보다: ~ *to* one's partner 춤상대와 마주서다. (2) 〔to는 副詞〕 본격적으로〔열심히〕 시작하다; 싸움〔논쟁〕을 시작하다; 먹기 시작하다: The two boys ~ *to* with their fists. 두 아이는 서로 때리기 시작했다 / They were all hungry and at once ~ *to*. 그들은 모두 시장했으므로 곧 먹기 시작했다. **~ *up*** (1) 독립하다, 장사를 시작하다: He ~ *up* as a baker. 그는 독립해서 빵집을 냈다 / He left his parent's home and ~ *up on* his own business. 그는 부모 곁을 떠나 따로 장사를 시작했다. (2) 자처하다, 거드름 피우다《*as*》: He ~ *up as* a scholar. 그는 학자티를 내고 있다. **~ *. . . up*** (1) …을 세우다; (간판 등)을 내걸다: ~ *up* a pole 기둥을 세우다 / ~ *up* a tent 텐트를 치다. (2) …을 설립하다, 일으키다: ~ *up* a hospital 병원을 세우다 / ~ *up* housekeeping 살림을 차리다. (3) …을 독립시키다, (장

사)를 시키다 : He ~ *up* his son *in* business. 그는 아들에게 장사를 시켰다 / He ~ *up* himself *as* a baker. 그는 빵가게를 냈다. (4) (소리)를 지르다, (소동 따위)를 일으키다 : ~ *up* a cry 비명을 지르다 / ~ *up* a protest 항의를 제기하다. (5) 《口》 (휴가·식사 등이) …의 원기를 회복시키다 : A few week's stay at the country will ~ him *up*. 시골에 2·3주만 있으면 그는 기운을 되찾을 것이다. (6) 〔종종 受動으로〕 …에게 (필요한 것을) 공급하다《*with* ; *for*》: He's well ~ *up*. 그에게 자금은 넉넉히 지급되었다 / The refugees *are* ~ *up with* 〔*for*〕 enough food. 난민들에게는 충분한 식량이 지급되고 있다. (7) 《美》 …에게 한턱내다 : He ~ *up* the next turn. 그가 이차를 냈다. (8) 《口》 …을 (계략으로) 곤경에 빠뜨리다 : He denied the charges, saying the police had ~ him *up*. 그는 경찰의 함정에 빠졌었다며 혐의 사실을 부인했다. (9) 『印』 (활자)를 짜다. (10) 『컴』 (체계)를 (어느 형태로) 설정하다.

── *n.* ① Ⓒ (도구·식기 등의) 한 벌, 한 조, 일습, 한 세트 : a ~ of dishes 접시 한 세트 / a ~ of false teeth 틀니 한벌 / a ~ *of* twins 쌍둥이 한 쌍 / a complete ~ of Tolstoi 톨스토이 전집 한 질 / a ~ of lectures 일련의 강의. ② 〔集合的 ; 單·複數 취급〕 한패(거리), 동아리, 사람들, 사회 : a fine ~ of men 훌륭한 사람들 / the 〔a〕 smart ~ 유행의 첨단을 자임하는 사람들 / She's in the top biology ~. 그녀는 생물 과목이 반에서 최상위권에 든다 / a literary ~ 문인 사회 / the best ~ 상류 사회 / His friends are a nice ~ of people. 그의 친구들은 괜찮은 사람들이다. ③ Ⓒ (라디오) 수신기, (TV) 수상기. ④ (the ~) 모양(새), 체격, 자세 ; (옷 따위의) 맞음새, 입음새 《*of*》: From *the* ~ *of* her shoulders it was clear that she was tired. 어깨 모양을 보아 그녀는 피곤한 것이 완연했다. ⑤ (*sing.*) (조류·바람 등의) 흐름, 방향 ; (여론의) 경향, 추세 ; (성격의) 경향, 면《*toward*》; 휨, 경사, 물매 ; 『心』 (자극에 대한) 반응 자세 : It depends on the ~ of your mind. 네 마음가짐 여하에 달렸다 / give a ~ to the right 오른쪽으로 약간 휘게 하다 / the ~ of public opinion 여론의 추세. ⑥ (*sing.*) 응고, 응결 : hard ~ (시멘트의) 응결 / the ~ of the white of an egg 흰자의 응고. ⑦ 『園藝』 Ⓒ 꺾꽂이 나무, 묘목. ⑧ Ⓤ 《詩》 (해·달의) 짐 ; 그 시각 : at ~ of sun 해질녘에. ⑨ 『土』 포석(鋪石), 까는 돌(sett). ⑩ Ⓤ (사냥감을 발견한 사냥개의) 부동 자세. ⑪ Ⓒ 『劇·映』 무대 장치 : an open ~ 야외 세트. ⑫ Ⓒ **a**) 『競』 (테니스 등의) 세트 : win the first ~ 첫 세트를 이기다. **b**) 『數』 집합(集合) : an infinite 〔an empty〕 ~ 무한〔공(空)〕집합. ⑬ Ⓒ (*sing.*) (머리의) 세트 : give one's hair a ~ 머리를 세트하다.

── (***more*** ~ ; ***most*** ~) *a.* ① 고정된, 움직이지 않는 : ~ eyes 시선이 고정된〔응시하는〕 눈 / a ~ smile 딱딱한〔억지〕 웃음. ② 결심한, 단호한 ; 완고한《*in* ; *on*》: a ~ mind 결심 / Old people are usually too ~ *in* their ways to change. 노인들은 흔히 자기 방식에 굳어 있어 변화가 어렵다. ③ (미리) 정해진, 규정〔결정〕된, 소정의 ; 관습적인 : a ~ meal 정식(定食) / ~ rules 정해진 규칙 / at the ~ time 규정된 시간에 / There's a ~ procedure for making formal complaints. 정식 항고를 함에 있어서는 정해진 절차가 있다 / The restaurant does a ~ lunch on Sunday. 그 식당의 점심이 일요일엔 정식(定食)이다. ④ 〔敍述的〕 (종종 all ~) 준비가 된(ready) : *All* ~? 《口》 준비 다 됐나 / get ~ 준비를 갖추다.

set·back [sétbæ̀k] *n.* Ⓒ ① **a**) (진보 등의) 방해, 역전 : His resignation is a serious ~ to the firm. 그의 사임은 회사에 심각한 타격이다. **b**) (병의) 재발. ② 정체, 좌절, 실패 : He had 〔suffered〕 a ~ in his business. 그는 장사에 실패했다. ③ 『建』 세트백《일조(日照)·통풍 등을 위해 고층건물의 상부를 단계적으로 좁힌 것》.

set-in [sétìn] *a.* 끼워 넣는, 삽입식의 : a ~ bookcase 붙박이 책장.

set·off [sétɔ̀(:)f, -ɑ̀f] *n.* Ⓒ ① (부채의) 탕감 ; 상쇄. ② 돋보이게 하는 것 ; 장식, 꾸밈.

set·out [sétàut] *n.* ① Ⓤ 개시, 출발(start) : at the first ~ 최초에. ② Ⓒ (여행 등의) 준비 ; 복장. ③ Ⓒ (식기 등의) 한 벌 ; 상 차리기 ; 진열(display).

sét pìece ① (틀에 박힌) 예술〔문학〕 작품. ② 특수 조작된 꽃불.

sét pòint 『테니스』 세트 포인트《그 세트의 승리를 결정하는 득점》.

sét scène 『劇』 무대 장치 ; 『映』 촬영용 장치.

set·screw [sétskrù:] *n.* Ⓒ (톱니바퀴 등의) 멈춤나사 ; 스프링 조정 나사.

sét scrùm 『럭비』 세트 스크럼《심판의 지시에 의해 짜는》.

sét squàre (제도용) 삼각자. 「(set).

sett [set] *n.* Ⓒ (도로 포장용 네모진) 포석(鋪石)

set·tee [setí:] *n.* Ⓒ (등널이 있는) 긴 의자.

set·ter [sétər] *n.* Ⓒ ① 〔흔히 複合語로〕 set 하는 사람〔물건〕 ; 상감자(象嵌者) ; 식자공. ② 세터《사냥감을 발견하면 멈춰서서 그 소재를 알리도록 훈련된 사냥개》.

sét thèory 『數』 집합론.

***set·ting** [sétiŋ] *n.* ① Ⓤ 놓기, 붙박아 두기, 고정시킴, 설치, 설정. ② Ⓤ (해·달의) 지기 : the ~ *of* the sun 지는 해, 일몰. ③ (흔히 *sing.*) **a**) 환경, 주위(surroundings) : the geographic ~ of Korea 한국의 지리적 환경 / The village stands in a beautiful mountain ~. 마을은 아름다운 산을 배경으로 하고 있다. **b**) (소설·영화·극 등의) 배경 : The ~ of the play is Venice in the 1630. 극의 배경은 1630년대의 베네치아다. **c**) 무대 장치. ④ Ⓒ (보석 따위의) 박아 끼우기, 상감(inlaying) ; 거미발, 상감물. ⑤ Ⓒ (기계·기구의) 조절 ; 조절점 : The cooker has several temperature ~*s*. 조리 기구에는 몇 가지의 온도 조절기가 있다. ⑥ Ⓤ 『樂』 (시 따위에 붙인) 곡, 작곡, 곡조 붙이기 : He sang Schubert's ~ of a Goethe poem. 그는 괴테시의 슈베르트 곡을 불렀다. ⑦ Ⓒ (한 사람분의) 식기(류).

†set·tle[1] [sétl] *vt.* ① …에 놓다, 두다, …을 안치〔설치〕하다, 앉히다 ; 안정시키다 : ~ a gun 포를 설치하다 / ~ a camera on a tripod 카메라를 삼각가에 설치하다 / He ~*d* his hat on the back of his head. 그는 모자를 뒷머리에 얹었다. ② 〔再歸的〕 …에 앉다, 자리 잡다 : He ~*d himself* down with a newspaper, and waited for the train to arrive. 그는 신문 한 장을 들고 앉아서는 기차올 때를 기다렸다. ③ 《+목+전+명》 (취직·결혼 따위)로 안정시키다, (직업)을 잡게 하다(establish) : ~ one's son *in* business 아들에게 장사를 하게 하다 / He is ~*d in* his new job. 그는 새 일자리에 자리잡았다. ④ 《+목+전+명》 (주거)에 자리잡게 하다, 살게 하다, 정착〔거류〕시키다 : ~ immigrants *in* rural areas 이민을 지방에 정착시키다. ⑤ 《+목+전+명》 …에 식민〔이주〕하다(colonize) ; (아무를) …에 식민〔이주〕시키다 : Their grandparents ~*d* the land in 1856. 그들의 조상들은 1856년 그 땅에 이주하였다. ⑥ (마음)

을 진정시키다, (차분히) 가라앉히다(pacify): This drug will ~ your nerves. 이 약을 먹으면 신경이 안정될 것이다 / Some brandy would ~ his spirits. 브랜디를 좀 마시면 기분이 안정될 거다. ⑦ (부유물 따위)를 가라앉히다, 침전시키다; (액체)를 맑게 하다(clarify): The rain will ~ that dust. 비가 왔으니 먼지가 일지 않을 테지. ⑧ (문제·분쟁 등)을 결말을 짓다, 해결하다: ~ a dispute 분쟁을 해결하다 / That ~s the matter [it]! 《口》 그것으로 일은 결정됐다 / The question [problem] is not ~*d* yet. 그 문제는 아직 미해결이다 / It's all ~*d*. 만사가 해결됐다. ⑨ 《~+목 / +*wh. to* do / +*to* do》 (날짜·조건 등)을 결정하다, 정하다(decide): ~ a date for the conference 회의 날짜를 정하다 / Have you ~*d what to* do? 무엇을 하기로 결정했나. ⑩ 《~+목 / +목+부 / +목+전+명》 (셈)을 청산[지불]하다, 가리다《*up*; *with*》: ~ (*up*) a bill 셈을 치르다 / I have a debt to ~ *with* him. 그에게 빚이 있다. ⑪ 《+목+전+명》 (권리 따위)를 양도하다; (유산 등)을 물려주다《*on, upon*》: He has ~*d* his estate *on* his son. 그는 아들에게 재산을 물려주었다.

— *vi.* ① 《+전+명》(새 따위가) 앉다, 내려앉다; (비행기가) 착륙하다; (시선 따위가) 멈추다, 못 박히다: My eyes ~*d on* a stranger in the company. 나의 눈길은 일행 중의 한 낯선 인물에 멎었다 / A bird ~*d on* the branch. 새 한 마리가 나뭇가지에 앉았다. ② 《+전+명 / +부》 자리잡다, 살다, 정착[정주]하다; 식민하다《*down*》: They were married and ~*d in* their new house. 그들은 결혼해서 새집에 들어가 살았다. ③ 《+전+명》 안정하다; 마음을 붙이다; (…한 상태에) 빠지다《*into*》; (일 따위를) 하다, 익숙해지다《*down*; *to*》: ~ *into* sleep 잠에 빠지다 / I could ~ *to* nothing. 일이 손에 안 잡힌다. ④ 《+전+명》 결심하다, 결정하다; 동의(同意)하다《*on, upon*; *with*》: ~ *upon* a plan 방안을 정하다 / Have you ~*d on*[*upon*] a name for the baby? 애기 이름을 정했소. ⑤ 《+부》 (사건·정세·마음 따위가) 가라앉다, 진정되다: The excitement has ~*d down*. 흥분이 가라앉았다. ⑥ (문제가) 해결되다; 처리되다, 결말나다: We're very busy this week, but things would ~ (*down*) a bit after the weekend. 이번 주에 우린 몹시 바빴다. 그러나 주말이 지나면 문제들이 좀 해결될 것이다. ⑦ 침전하다; (액체가) 맑아지다: Dust ~*d on* the furniture. 가구에 먼지가 앉았다 / The water will soon ~. 그 물은 잠시 후면 맑아진다. ⑧ (토지 따위가) 내려[주저]앉다, 빠져들다; (배가) 가라앉다, 기울다: The car ~*d* in the mud. 차가 진창에 빠져버렸다. ⑨ 《+전+명》 청산하다, 지불하다: Will you ~ *for* me? 셈 좀 끝내 주시오 / I promise to ~ (up) as soon as payday comes around. 월급날이 되면 곧 갚으리다. ⑩ 《+전+명》 (안개 따위가) 내리다, 끼다; (침묵·우울 따위가) 지배하다: Silence ~*d on* the lake. 호수는 잠잠해졌다 / A calm ~*d over* the village. 고요가 (온) 마을을 덮었다.

~ ***down*** ⑴ 편히 앉다: She ~*d down* in an armchair with the newspaper. 그녀는 신문을 들고 느긋하게 안락의자에 앉았다. ⑵ 정주[이주]하다. ⑶ 안정하다: It is about time he ~*d down*. 그도 이제 자리가 잡혀야 할 때다 / When are you going to marry and ~ *down?* 넌 언제 결혼해서 자립 잡을거냐. ⑷ (…을) 본격적으로 착수하다, 몰두하다《*to*》: I must ~ *down* and do my homework. 본격적으로 숙제를 해야겠다. ⑸ 진정되다, 가라앉다: It took her sometime to ~ *down*. 그녀가 진정될 때까지 좀 시간이 걸렸다 / Take it easy, she'll be all right soon, ~ *down*. 걱정할 것 없다. 그녀가 곧 괜찮아질 터이니 진정하여라. ⑹ 침전하다, 맑아지다. ⑺ 기울다. ~ ***in*** ⑴ 거처를 정하다, 이사하다: Once we've ~*d in*, you must come round for dinner. 일단 우리가 거처를 정했으니 와서 저녁이라도 먹어야 되네. ⑵ 집에서 편히 쉬다; (새 집 따위)에 자리잡게 하다: And how are you *settling in*, Mr. Kim? 김선생 그래 새 집에 지내기가 어떻소. ~ one***'s affairs*** 신변 정리를 하다; (특히 유언 따위로) 사후의 일을 정리해 두다: Three officials in the US Embassy were told they had a week to ~ *their affairs* and leave. 세 미대사관 관리는 1주일 내에 신변정리를 하고 떠나라는 말을 들었다. ~ ***up*** …의 빚을 청산하다: I'll ~ *up* (with) the waiter after meal. 식사 끝나고 내가 대금을 치르마.

set·tle² *n.* Ⓒ 등널이 높은 긴 나무 의자《팔걸이가 있고 좌석 밑이 물건 넣는 상자로 됨》.

***set·tled** [sétld] *a.* ① **a**) 정해진, 일정한; 고정된, 확고한: a ~ income 고정 수입 / ~ convictions 확고한 신념. **b**) (기후 따위가) 안정된: We had a long periods of ~ weather last autumn. 지난 가을은 한동안 날씨가 안정됐었다. **c**) (생활 등이) 안정된: lead a quiet, ~ life 조용한 안정된 생활을 하다. **d**) (슬픔 등이) 뿌리 깊은. ② 한 곳에 정주하는; 거주민이 있는: The desert has no ~ population. 사막에는 거주민이 없다. ③ 결말이 난; 청산된: a ~ account 청산된 셈 / The matter is ~. 그 문제는 결말이 났다.

‡**set·tle·ment** [sétlmənt] *n.* ① Ⓤ **a**) 정착, 정주(定住). **b**) (결혼·취직 등에 의한) 생활의 안정, 자리잡기, 일정한 직업을 갖기. ② **a**) Ⓤ 이민, 식민(colonization). **b**) Ⓒ 거류지, 개척지, 식민한 땅(colony): Dutch and English established ~*s* in North America. 네덜란드와 영국은 북아메리카에 식민지를 만들었다. **c**) Ⓒ 취락(聚落), 촌락: a fishing ~ 어촌. ③ **a**) Ⓤ 세틀먼트[인보] 사업, (사회) 복지 사업《빈민들의 생활 개선을 꾀하는》. **b**) Ⓒ 세틀먼트 사업 시설. ④ Ⓒ (사건 등의) 해결, (소송의) 화해: come to a ~ 화해하다 / The strikers have reached a ~ with the employers. 파업자들은 고용자측과 화해에 이르렀다. ⑤ Ⓒ 청산, 결산; 지불: The ~ of his debts took him several months. 그는 빚 청산에 여러 달 걸렸다. ⑥ Ⓤ (액체의) 침전(물); 침하, (바닥 따위의) 내려앉음. ⑦ Ⓒ 【法】 (재산) 증여; 증여재산《*on, upon*》: make a ~ *on* …에게 재산을 증여하다. ***in ~ of*** …의 결제로서.

séttlement dày (거래소에서) 결산[결제]일.

séttlement wòrker 사회 복지 사업원.

‡**set·tler** [sétlər] *n.* Ⓒ ① (초기의) 식민자, 이주민; 개척자: The first white ~*s* in South Africa were Dutch. 남아프리카의 첫 백인 식민자는 네덜란드인이었다. ② 문제를 해결하는 사람: a ~ of disputes 분쟁 해결사. ③ 끝장내는 것; (꼼짝 못하게 하는) 최후의 일격, 결정적 타격.

sét·tling dày [sétliŋ-] 청산일, 결산일.

set·tlings [sétliŋz] *n. pl.* 침전물, 찌끼, 앙금.

set-to [séttù] *n.* (a ~) 《口》 치고받는 싸움; 언쟁《*with*》.

***set·up** [sétʌ̀p] *n.* Ⓒ ① (흔히 *sing.*) **a**) 조직의 편제, 기구; 구성. **b**) (기계 등의) 조립; 장치, 설비. ② 《美》 자세, 몸가짐, 거동; 입장. ③ (기호에 맞는 술을 만드는 데 필요한) 소다수·얼음·잔 등의 일습. ④ 《美口》 짬짜미 경기; (미리 짜놓고 하는) 손쉬운 일. ⑤ (흔히 *sing.*) 세트업《배구

에서 스파이커가 때리기 좋게 공을 올려주는 일》. ⑥〖컴〗 준비, 세트업.

†sev·en [sévən] *a.* ①〔限定的〕 일곱의, 일곱 개〔사람〕의 : There are ~ days in a week. / He's ~ years old 〔of age〕. 그는 일곱살이다. ②〔敍述的〕 일곱 살인 : He's ~. ***the City of*** (***the***) ***Seven Hills*** 로마《별칭》. ***the ~ deadly sins*** ⇨ DEADLY. ***the Seven Hills*** (***of Rome***) 로마의 일곱 언덕《고대 로마가 일곱 언덕 위 및 그 주변에 건설되어, Rome이 the City of Seven Hills 라 불림》. ***the Seven Wonders of the World*** 세계의 7 대 불가사의. ── *n.* ① **a**) Ⓤ,Ⓒ 〔흔히 無冠詞〕 일곱, 7 : Two from ~ leaves five. 7 빼기 2는 5다. **b**) Ⓒ 기호의 7《7, vii, VII》. ② Ⓤ 일곱 살 ; 일곱 시 ; 7달러〔파운드, 센트, 펜스 (등)〕: a child of ~ 일곱살의 아이 / It's ~ sharp. 정각 일곱시다 / Most shops and businesses will close at ~ pm. 대개의 상점이나 상사는 오후 일곱 시에 문을 닫는다. ③〔複數취급〕 일곱 사람〔개〕: There were ~ of us. 우린 일곱명이었다.

sev·en·fold [sévənfòuld] *a., ad.* 일곱 부분으로 되는 ; 일곱 배의〔로〕; 일곱 겹〔접이〕인〔으로〕.

séven séas (the ~) ① 7 대양《남북 태평양 · 남북 대서양 · 인도양 · 남북 빙양(氷洋)》. ② 세계의 바다.

†sev·en·teen [sévəntíːn] *a.* 열 일곱의, 17 의, 열 일곱 개〔사람〕의 ; 열 일곱 살인.
── *n.* ① **a**) Ⓤ,Ⓒ 〔흔히 無冠詞〕 열 일곱, 17. **b**) Ⓒ 17의 기호《17, xvii, XVII》. ② 17세 ; 17달러〔파운드, 센트, 펜스 (등)〕: a boy of 17 / I was ~ years old when I enlisted. 입대 당시 나는 17세였다. ③〔複數취급〕 17일 ; 17개.

‡sev·en·teenth [sévəntíːnθ] *a.* ① (흔히 the ~) 제17 의, 열일곱(번) 째의. ② 17 분의 1 의. ── *n.* Ⓒ ① (흔히 the ~) 제 열일곱번째(의 사람, 물건). ② 17 분의 1(a ~ part) ; (달의) 17 일.

†sev·enth [sévənθ] *a.* ① (흔히 the ~) 제7 의, 일곱(번) 째의. ② 7 분의 1 의 : a ~ part, 7분의 1. ── *n.* ① Ⓤ (흔히 the ~) 제 7, 일곱 번째, (달의) 7 일. ② Ⓒ 7 분의 1. ③ Ⓒ〖樂〗 7 도(음정) ; 제 7 음. ***in the ~ heaven*** ⇨ SEVENTH HEAVEN. ㊕ **~·ly** *ad.* 일곱 (번) 째로.

Séventh Dày (the ~) 주(週)의 제 7 일《유대교에서는 토요일이 안식일》; 토요일《퀘이커 교도의 용어》.

sev·enth-day [sévənθdèi] *a.* 주(週)의 제7 일인 토요일의 ; (흔히 Seventh-Day) 토요일을 안식일로 하는.

Séventh-Day Ádventist (the ~s) 제 7일 안식일 재림파(의 신도).

séventh héaven (the ~) 제 7 천국《신과 천사가 사는 최상천(最上天)》, 하늘나라 ; 최고의 행복. ***in the ~*** 그지없는 환희〔행복〕 속에 ; 미칠 듯이 기뻐하여〔황홀하여〕.

sev·en·ti·eth [sévəntiiθ] *a.* ① (흔히 the ~) 제 70 의, 일흔 번째의. ② 70 분의 1 의. ── *n.* ① Ⓤ (흔히 the ~) 제 70, 일흔째. ② Ⓒ 70 분의 1.

†sev·en·ty [sévənti] *a.* 70 의 ; 70 개〔명〕의, 70세의 : He's ~ years old〔of age〕. = He's ~. 그는 일흔살이다. ── *n.* ① **a**) Ⓤ,Ⓒ 〔흔히 無冠詞〕 70. **b**) 70 의 기호《70, lxx, LXX》. ② Ⓤ 70, 일흔 ; 일흔 살, 70 세 ; 70 달러〔파운드, 센트, 펜스 (등)〕: an old man of ~ 일흔살의 노인.

sev·en·ty-eight, 78 [sévəntiéit] *n.* Ⓒ《口》(구식의) 78회전 레코드판.

sév·en-year ítch [sévənjìər-] (종종 the ~)《口》(결혼 7 년째의) 바람기, 권태기.

***sev·er** [sévər] *vt.* ①《~+목 / +목+전+명》…을 절단하다, 끊다《*from*》: ~ a rope 로프를 끊다 / ~ the meat *from* the bone 뼈에서 살을 발라내다 / Her left leg was ~*ed* in the accident. 그 사고로 그녀의 왼쪽 다리가 절단됐다. ②《~+목 / +목+전+명》…을 떼다, 가르다 : The world was ~*ed into* two blocs. 세계는 두 진영으로 갈렸다. ③《~+목 / +목+전+명》…의 사이를 떼다, 이간시키다《A *and* B, A *from* B》: ~ wife *from* husband 처를 남편에게서 갈라 놓다 / She had to ~ all ties with her parents. 그녀는 양친과 모든 유대를 끊어야 했다. ── *vi.* ① 절단하다 ; 둘로 갈라지다 ; 끊어지다 : The rope ~*ed* under the heavy strain. 로프는 너무 켕겨서 끊어졌다. ② 단절되다 ; 분열하다.

†sev·er·al [sévərəl] *a.* 〔限定的 ; 흔히 複數名詞를 수식〕 ① 몇몇의, 몇 개의 ; 몇 사람〔명〕의 ; 몇 번의 : I have been there ~ times. 몇 번인가 거기 가 본 적이 있다 / *Several* more people than usual came to the dinner party. 평소보다 몇몇 더많은 사람이 만찬회에 왔다. ★ 보통 대여섯 정도를 말하며, a few 보다 많고 many 보다는 적은 일정치 않은 수를 가리킴. ② 각각〔각자〕의, 각기의 ; 여러 가지의 ; 따로따로의 : Each has his ~ ideal. 사람은 각기 이상이 있다 / *Several* men, ~ minds. 《俗談》 각인 각색.
── *pron.* 〔複數취급〕 몇몇, 몇 개 ; 몇 사람 ; 몇 마리 : I have ~. 몇 개 가지고 있다 / *Several* (of them) were absent. (그들 중) 몇 사람은 결석했다 / I have heard it from ~. 몇 사람에게서 그 말을 들었다. ㊕ **-ly** *ad.* 따로따로 ; 각자.

sev·er·ance [sévərəns] *n.* ① Ⓤ,Ⓒ 절단, 끊음, 단절 : the ~ of diplomatic relations 외교관계의 단절 / The minister announced the ~ of aid to the country. 장관은 그 나라에 대한 원조를 단절한다고 발표했다. ② Ⓤ 고용 계약의 해제, 해고.

séverance pày 해직〔퇴직〕 수당.

‡se·vere [səvíər] (***se·ver·er, more ~ ; -est, most ~***) *a.* ① 엄한, 엄밀한 ; 엄정한(exact) : a ~ teacher 엄격한〔무서운〕 선생님 / He is ~ with his children. 그는 아이들에게 엄하다 / Don't be too ~ on another's errors. 남의 과실에 대해 지나치게 엄해서는 못 쓴다. ② 호된, 모진 ; 용서 없는, 통렬한, (벌 따위가) 가혹한(harsh) : a ~ punishment 엄벌 / ~ criticism 혹평 / He's ~ in his literary criticism. 그의 문학 비평은 신랄하다. ③ (아픔 · 폭풍 따위가) 맹렬한, 격심한, (병세가) 심한, 위중한(grave) : a ~ ache 격심한 아픔 / ~ heat 혹서(酷暑) / suffer a ~ illness 중병에 걸리다. ④ (일 따위가) 힘드는, 어려운 : ~ competition 격렬한 경쟁 / a ~ task 힘든 일. ⑤ (복장, 건축, 문체 등이) 수수한(plain) ; 간결한(terse), 꾸밈없는 : a ~ style 간결한 문체 / He dressed in a ~ style. 그의 옷 스타일은 수수했다.

‡se·vere·ly [səvíərli] *ad.* ① 호되게 ; 격심하게 ; 엄격하게 : be ~ punished 엄벌에 처해지다 / He's ~ ill in bed. 그는 중병으로 누워 있다. ② 수수하게, 간소하게.

***se·ver·i·ty** [səvérəti] *n.* Ⓤ ① 엄격(rigor), 가혹(harshness) ; 엄중 ; 격렬함 ; 통렬함. ② 간소, 수수함(plainness). ③ (*pl.*) 가혹한 처사〔경험〕.

‡sew [sou] (***sewed ; sewed, sewn*** [soun]) *vt.* ①《~+목 / +목+부 / +목+전+명》…을 꿰매다, 깁다 ; 꿰매어 붙이다〔달다〕, 박다 : ~ pieces of cloth *together* 헝겊 조각을 꿰매어 잇다 / Would you ~ this button *onto* my shirt? 내 셔츠에 이 단추를 달아 주겠소. ②〖製本〗 (책)을 매다, 철하다. ── *vi.* 바느질하다 ; 재봉틀로 박다. ~ ***up*** (1) …을 꿰매어 잇다 ; 기워서 막다 ; (상처)

를 꿰매다; 속에 넣고 꿰매다《*in*; *inside*》: A nurse will come and ~ *up* that wound for you soon. 간호사가 와서 곧 상처를 꿰매 줄 거요. (2)《美》 독점하다, 지배권을 쥐다: They have the computer magazine market all *sewn up*. 그들은 컴퓨터 잡지 시장을 완전히 휘어잡았다. (3)《口》(거래·계약 등)을 잘 마무리짓다, …로 잘 귀결〔결말〕짓다: It will take another week or two to ~ *up* this deal. 이 거래를 마무리하자면 한두 주일 더 걸리겠다.

sew·age [sú:idʒ] *n.* [U] 하수 오물, 오수(汚水): If properly treated, ~ can be used as fertilizer. 잘만 처리하면 오수를 비료로 쓸 수 있다.

séwage dispòsal 하수 처리: a ~ plant 하수 처리 시설.

séwage fàrm =SEWAGE WORKS.

séwage wòrks 하수 처리장《하수를 처리하여 비료를 만듦》.

sew·er[1] [sóuər] *n.* [C] 바느질하는 사람, 재봉사; 재봉틀.

*__sew·er__[2] [sjú:ər] *n.* [C] 하수구(下水溝), 하수도: the city's ~ system 시의 하수처리 체계.

sew·er·age [sjú:əridʒ] *n.* [U] ① 하수 설비, 하수도: maintaining and repairing ~ pipes 하수관의 유지 및 수리. ② 하수 처리: a town with a modern ~ system 최신식 하수처리 체계를 갖춘 시. ③ =SEWAGE.

séwer ràt 〖動〗 시궁쥐.

*__sew·ing__ [sóuiŋ] *n.* [U] ① 재봉(裁縫), 바느질. ② 바느질감: My aunt put aside her ~. 아주머니는 (잠시) 바느질감을 치우셨다.

séwing còtton (무명의) 재봉실.

séwing machìne 재봉틀, 미싱: a hand 〔an electric〕 ~ 수동〔전동〕 재봉틀.

*__sewn__ [soun] SEW 의 과거분사.

‡**sex** [seks] *n.* ① [U] 성(性), 성별: a member of the opposite 〔same〕 ~ 이성〔동성〕인 사람 / without distinction of race, age, or ~ 인종, 연령, 남녀의 구별없이 / In the space marked "sex", put an "M" for male or an "F" for female. '성별'란에 남성이면 'M', 여성이면 'F'라고 기입하시오. ② 〔集合的〕 (흔히 the ~) 남성, 여성: the equality of *the* ~*es* 남녀 평등 / a school for both ~*es* 남녀 공학의 학교. ③ [U] 성욕; 《口》 성교: have ~ *with*… 《口》 …와 성교하다 / Nowadays there's too much ~ on television. 근래 텔레비전에는 섹스물(物)이 너무 많다. ◇ sexual *a.*
— *a.* 〔限定的〕 《口》 성의, 성에 관한: ~ education 〔instruction〕 성교육 / ~ impulse 〔instinct〕 성적 충동〔본능〕 / a ~ crime 성범죄 / one's ~ life 성생활 / a ~ change 성전환.
— *vt.* ① (짐승, 특히 병아리)의 자웅을 감별하다: How do you ~ these fish? 이들 물고기의 성별을 어떻게 아나. ② …을 성적으로 흥분시키다; …의 성적 매력을 더하다.

séx àct (the ~) 성행위, 성교.

sex·a·ge·nar·i·an [sèksədʒənέəriən] *a.* (사람이) 60 세〔대〕의. — *n.* [C] 60 대의 사람.

séx appèal 성적 매력, 섹스어필.

séx chròmosome 〖生〗 성염색체.

sexed [sekst] *a.* ① 성욕이 있는; 성적 매력이 있는. ② 〔흔히 複合語로〕 …하는 성욕이 있는, 성욕이 …인: highly-~ 성욕이 강한.

séx hòrmone 〖生化〗 성호르몬.

sex·ism [séksizəm] *n.* [U] (흔히 여성에 대한) 성차별(주의); 여성 멸시.

sex·ist [séksist] *n.* [C] 성차별〔남성 우위〕주의자. — *a.* 성차별의, 여성 멸시의.

séx kìtten 《口》 성적 매력이 있는 젊은 여자.

sex·less [sékslis] *a.* ① 성별이 없는, 무성의. ② 성적 매력이 없는.

sex-linked [séksliŋkt] *a.* 〖生〗 반성(伴性)의, 염색체에 위치한 유전 인자에 의해 결정되는《치사(致死)·유전》.

séx màniac 색광(色狂): He's a real ~. 그 자는 색이라면 사족을 못 쓴다.

séx òbject 성적 대상(이 되기만 하는 사람): I think he just regards me as a ~. 그는 나를 단지 성적 대상으로만 여기는 모양이다.

sex·ol·o·gy [seksálədʒi / -ɔ́l-] *n.* [U] 성과학(性科學), 성학(性學).

sex·ploi·ta·tion [sèksplɔitéiʃən] *n.* [U] (영화, 잡지 등에서) 성을 이용해 먹기.

sex·pot [sékspàt / -pɔ̀t] *n.* [C] 《口》 섹시한 여성.

sex-starved [ˊ-stá:rvd] *a.* 성에 굶주린.

séx sỳmbol 성적 매력으로 유명한 사람, 섹스 심벌.

sex·tant [sékstənt] *n.* [C] 육분의(六分儀).

sex·tet(te) [sekstét] *n.* [C] 〖樂〗 6 중창(단), 6 중주(단).

séx thèrapy (심리적인) 성장애 치료.

sex·ton [sékstən] *n.* [C] 교회지기, 교회 관리인.

sex·tu·ple [sekstjú:pəl, sékstju-] *a.* ① 6 배의; 여섯겹의. ② 〖樂〗 6 박자의. — *n.* [C] 6 배(의 것). — *vt., vi.* 6 배하다〔가 되다〕.

sex·tu·plet [sekstjú:plit, -tʌ́p-, sékstju-] *n.* [C] ① 여섯 쌍둥이 중의 하나. ② 여섯 개 한 벌.

‡**sex·u·al** [sékʃuəl] (***more*** ~; ***most*** ~) *a.* 성(性)의; 성적인; 성에 관심이 많은: ~ excitement 성적 흥분 / ~ organs 성기, 생식기 / They were not having a ~ relationship. 그들은 성관계는 않고 있었다. [파] ~·**ly** *ad.*

séxual haràssment (직장 등에서의) 성희롱.

séxual íntercourse 성교(coitus).

*__sex·u·al·i·ty__ [sèkʃuǽləti] *n.* [U] ① (남녀·암수의) 성별. ② 성행위, 성욕: Freud thought that many psychological problems were caused by repressed ~. 프로이트는 심리학상의 많은 문제들이 성의 억제에서 기인한다고 생각했다.

séxually transmítted disèase 성행위를 매개로 하는 병, 성병《매독·에이즈 등; 略: STD》.

sexy [séksi] (***sex·i·er***; ***-i·est***) *a.* ① 성적 매력이 있는, 섹시한: She was one of the *sexiest* woman I had seen. 그녀는 내가 본 중의 가장 섹시한 여성의 하나였다. ② 성적인, (옷 따위가) 도발적인: a ~ film / a ~ novel 포르노 소설. [파] **séx·i·ly** *ad.* 섹시하게. **séx·i·ness** *n.*

Sey·chelles [seiʃél, -ʃélz] *n.* (the ~) 세이셸《인도양 서부의 92 개 섬으로 된 공화국》.

sez [seʒ] 〖발음철자〗 says. ***Sez you*** 〔***he***〕***!*** 《口》 글쎄요; 정말이냐, 설마.

SF, sf science fiction. **Sf.** 〖樂〗 sforzando.

sfor·zan·do [sfɔ:rtsá:ndou / -tsǽn-] *a., ad.* 《It.》 〖樂〗 스포르찬도의〔로〕, 강음의〔으로〕; 특히 센〔세게〕, 힘을 준〔주어〕.

Sfz, Sfz. 〖樂〗 sforzando. **S.G.** Solicitor General. **s.g.** specific gravity. **sgd.** signed. **Sgt.** Sergeant. **Sh** shilling(s).

sh, shh [ʃ:] *int.* 쉬《조용히 하라는 소리》.

‡**shab·by** [ʃǽbi] (***-bi·er***; ***-bi·est***) *a.* ① 초라한(seedy); 누더기를 걸친: You look pretty ~ in these clothes. 이런 차림의 너는 꽤 초라해보인다. ② 닳아 해진, 입어서 낡은, 누더기의(worn). ③ (길·집이) 지저분한, 더러운, 누추한: a ~ house with worn carpeting on the floor 마루에 닳아 해

진 카펫을 깐 누추한 집. ④ 비열한, 인색한, 다랍게 구는: He played a ~ trick on me. 내게 비열한 수를 썼다. ㉤ **-bi·ly** *ad.* **-bi·ness** *n.*

shab·by-gen·teel [ʃǽbidʒentíːl] *a.* 《英》 영락했으면서도 위신을 지키려드는.

shack [ʃæk] *n.* Ⓒ (초라한) 오두막, 판잣집: These families live in one-room *~s* which they made out of cardboard, wood and tin. 이들 가족은 마분지와 나무때기 그리고 양철로 된 단칸 방집에 살고 있다. — *vi.* 《口》 동서(同棲) 생활하다《*up* ; *together*》: He has *~ed up* with his girl friend. 그는 여자 친구와 동거생활을 하고 있다.

***shack·le** [ʃǽkəl] *n.* ① Ⓒ (흔히 *pl.*) **a**) 쇠고랑, 수갑, 족쇄, 차꼬(fetters) : Wardens bound Mr. Wang with handcuffs and *~s*. 감시인들은 왕씨에게 수갑과 차꼬를 채웠다. **b**) 구속, 속박, 굴레 (impediment). ② Ⓒ (자물통의) U자형 고리. — *vt.* ① …에 쇠고랑〔수갑〕을 채우다, 차꼬〔족쇄〕를 채우다: The prisoner was *~d* his wrists and ankles. 죄수들은 수갑과 족쇄를 차고 있었다. ② 〔흔히 受動으로〕 구속하다, 속박하다《*with*》: He *is ~d by* his own debts. 그는 빚으로 옴쭉 못하고 있다 / I'*m ~d by* domestic responsibilities. 나는 집안살림에 매여 있다.

shad [ʃæd] (*pl.* *~*(*s*)) *n.* Ⓒ 〚魚〛 청어류.

†**shade** [ʃeid] *n.* ① Ⓤ,Ⓒ (종종 the ~) 그늘, 응달, 그늘진 곳: There are no trees or bushes to give ~. 거기는 그늘이 될만한 나무나 숲이 없다 / The air is cool in *the* ~. 그늘에서의 공기는 시원하다. ② (*pl.*) 땅거미, 어스름, (저녁때의) 어둠. ⓒⓕ shadow. ¶ The *~s* of evening soon fell. 이윽고 땅거미가 졌다. ③ Ⓒ (의미 등의) 근소한 차이, 뉘앙스《*of*》: appreciate delicate *~s of* meaning 뜻의 미묘한 차이를 느끼다. ④ (얼굴의) 어두운 기색(cloud) : a ~ of disappointment on his face 그의 얼굴에 나타난 실망의 빛. ⑤ **a**) Ⓒ 차양(blind), 차일 ; 남포의 갓: He pulled down the thick green *~s* and darkness fell on the store. 두꺼운 초록빛 차일을 내리니 가게는 어두워졌다. **b**) (*pl.*) 《美口》 선글라스. ⑥ **a**) Ⓒ 〔흔히 修飾語와 함께〕 (색조의) 미묘한 차이, (같은 색채의) 농담(濃淡) : a lighter ~ of green 좀 엷은 색조의 초록 / all *~s* of green 다양한 색조의 초록. **b**) Ⓤ (또는 *pl.*) (그림·사진 등의) 그늘(부분), 음영(陰影) : This artist uses ~ to good effect. 이 화가는 음영을 적절히 쓰고 있다. ⑦ (a ~) 극히 조금, 기미, 약간: He sang *a* ~ too loud. 그의 노래는 목소리가 좀 강했다 / There was *a ~ of* humor in his remarks. 그의 말에는 어딘가 약간의 익살기가 있었다. ⑧ **a**) Ⓒ 망령, 유령. **b**) 《詩》 (the *~s*) 저승 ; 황천. ***in the*** ~ ⑴ (나무) 그늘에서. ⑵ 눈에 띄지 않게, 잊혀져서. ***throw* 〔*put, cast*〕 . . . *in* 〔*into*〕 *the*** ~ …로 하여금 빛을 잃게〔무색게〕 하다: He's *put in the* ~ by his more brilliant younger brother. 그도 머리가 더 좋은 동생과 비교하면 빛을 잃었다. ***Shades of . . . !*** …을 생각나게 하다: *Shades of* Hitler! How terrible! 히틀러를 방불케 하는군, 끔찍하다.

— *vt.* ① …을 그늘지게 하다: The trees ~ the house nicely. 나무들로 집은 시원하게 그늘이 져 있다. ②《~+목 / +목+전+명》 …을 덮다 (cover), 가리다(conceal), …에 차양을 달다 ; (남포 등)에 갓을 달다: a *~d* lamp 갓을 단 전등 / She *~d* her eyes *from* the sun *with* her hand. 그녀는 한 손으로 눈을 가려 직사광선을 피했다. ③《~+목 / +목+전+명》 …을 어둡게 하다, 흐리게 하다(darken) : a face *~d with* melancholy 우울한〔어두운〕 얼굴. ④ …에 그늘을 만들다, …에 명암〔농담〕이 지게 하다《*in*》: When you have mastered the art of drawing outlines, you proceed to learn to ~ them properly. 윤곽을 그리는 기술을 익혔으면 다음은 거기에다 적절히 명암이 지게하는 것을 배워라. ⑤ (의견·방법 등)을 점차 변화시키다. ⑥〚商〛 …의 값을 조금 내리다: He *~d* the price (for me). 그는 값을 조금 깎아 주었다.

— *vi.* 《+부 / +전+명》 (색채, 의견, 방법, 의미 따위가) 조금씩 변해 가다《*away* ; *off* ; *into*》: The color of the cloth *~d from* blue *into* purple. 천 색깔이 파랑에서 서서히 보랏빛으로 변했다. ㉤ **∠·less** *a.* 그늘이 없는.

sháde trèe 그늘을 주는 나무《가로수 따위》.

shad·ing [ʃéidiŋ] *n.* ① Ⓤ 그늘지게 하기, 차광(遮光), 차일(遮日). ② Ⓤ 〚畫〛 (그림의) 명암법 ; 농담(濃淡) ; Ⓒ (빛깔·성질 등의) 미세한〔점차적인〕 변화.

‡**shad·ow** [ʃǽdou] *n.* ① Ⓒ 그림자: The *~s* lengthened as the sun went down. 해가 짐에 따라 그림자가 길어졌다. ② (the *~s*) 어둠 ; 저녁의 어둠, 컴컴함: Someone was lurking in *the ~s*. 누군가가 어둑한 데에 잠복하고 있었다. ③ Ⓒ (불행 등의) 어두운 그림자 ; 음울: cast a ~ on a person's reputation 아무의 명성에 어두운 그림자를 던지다 / A ~ *of* disappointment passed over her face. 그녀 얼굴에 실망의 어두운 그림자가 스쳐갔다. ④ Ⓒ (거울 따위에 비친) 영상(映像), 그림자 ; 《詩》 모습: one's ~ in the mirror 거울에 비친 자기 모습 / The soldier looked into his ~ in the water. 군인은 물에 비친 자기의 모습을 들여다보았다. ⑤ Ⓒ 유령, 망령(ghost) ; 곡두, 환영(幻影), 실체가 없는 것 ; 이름뿐인 것 ; (쇠약하여) 뼈와 가죽뿐인 사람 ; 희미한 것: give the ~ of a smile 희미한 미소를 띄우다 / They had only the ~ of freedom. 그들의 자유란 이름뿐이었다. ⑥ (*sing.*) 〔흔히 否定·疑問文을 수반〕 조금, 극히 조금《*of*》: There is *not* a ~ *of* (a) hope that he would succeed. 그가 성공하리라는 한가닥의 희망도 없었다. ⑦ Ⓤ 볕이 미치지 않는 곳, 그늘: The back part of the room is still in ~. 방의 뒤쪽은 아직도 그늘이 져 있다. ⑧ Ⓒ (그림자처럼) 따라다니는 사람 ; 미행자《밀정·탐정·형사 따위》: Sorrow is ~ to life. 비애는 인생에 붙어 다니는 것이다 / Put a ~ on him. 놈에게 미행을 붙여라. ⑨ (종종 *pl.*) (나쁜) 조짐, 전조(foreshadowing) : *~s* of war 전쟁의 조짐 / Coming events cast their ~(*s*) before. (나쁜) 일이 일어나려면 조짐이 있는 법(이다). ***be afraid of*** one***'s own*** ~ 제 그림자에 놀라다 ; 몹시 겁을 내다: Our dog's so nervous, it's *afraid of its own* ~. 우리 개는 너무 소심해서 제 그림자에도 놀랜다. ***in the ~ of*** ⑴ …의 그늘에: lie down *in the ~ of* a tree. ⑵ …의 바로 근처에: He grew up *in the ~ of* museum. 그는 박물관 바로 근처에서 컸다. ***under the ~ of*** ⑴ =in the ~ of ⑴. ⑵ …의 위험에 직면하여, …의 운명을 지고. ⑶ …의 가호 밑에: *under the ~ of* the Almighty 전능하신 하느님의 가호 밑에.

— *a.* 〔限定的〕 ① 그림자의, 그늘진: a ~ play 그림자놀이. ② **a**) 거죽만의. **b**) 《英》 그림자(내각)의: ⇨ SHADOW CABINET.

— *vt.* ① …을 어둡게 하다, 그늘지게 하다: a house *~ed* by tall building 높은 건물로 해서 그늘진 집 / Sudden gloom *~ed* her face. 갑자기 그녀 표정이 어두워졌다. ②《+목+전+명》 …을 덮다, 가리다: ~ the heat *from* one's face 얼굴에

열이 닿지 않게 가리다. ③…을 미행하다 : A detective ~*ed* the suspect. 형사가 용의자를 미행했다. ④…의 전조가 되다(prefigure) ; …의 개요를 나타내다《*forth* ; *out*》.

shad·ow·box [ʃǽdoubɑ̀ks / -bɔ̀ks] *vi.* 혼자서 권투 연습을 하다, 섀도복싱하다.

shad·ow·box·ing [-iŋ] *n.* [U] 섀도복싱.

shádow cábinet 《英》 섀도캐비닛《집권을 예상하고 만든 야당의 각료 후보자들》.

shad·ow·graph [ʃǽdougræ̀f, -grɑ̀:f] *n.* [C] ① 그림자. ② 뢴트겐 사진(radiograph).

shad·ow·less [ʃǽdoulis] *a.* 그림자 없는.

shad·owy** [ʃǽdoui] (-ow·i·er*** ; ***-i·est***) *a.* ① 그늘 있는〔많은〕, 어두운(shady) : I watched him from a ~ corner. 나는 어두한 구석에서 그를 지켜봤다. ② 그림자 같은 ; 아련〔희미〕한(faint) ; 어렴풋한(vague) : a ~ outline 희미한 모습 / a ~ hope 허망한 희망.

shady** [ʃéidi] (shad·i·er*** ; ***-i·est***) *a.* ① 그늘의, 그늘이 많은, 그늘진([opp] *sunny*) ; (나무 따위가) 그늘을 이루는 : We had a long walk under ~ trees. 우리는 장시간 나무그늘 밑을 산책했다. ② 《口》 뒤가 구린, 의심스러운, 수상한(questionable) : a ~ transaction 암거래 / be engaged in a rather ~ occupation 좀 수상한 직업을 갖고 있다 / He's a rather ~ character—I don't trust him. 그는 좀 수상한 인물이다. 믿을 사람이 못된다. ***on the ~ side of*** (forty), (40)의 고개를 넘어, (마흔) 살 이상이 되어. [파] **shád·i·ly** *ad.* **shád·i·ness** *n.*

‡**shaft** [ʃæft, ʃɑ:ft] *n.* [C] ① (창·망치·도끼·골프채 등의) 자루, 손잡이(handle) ; 화살대 ; 《古·文語》 화살, 창 : the ~ of an arrow 살대. ② 한 줄기 광선 : She was awaken by a ~ of sunlight coming through the curtain. 그녀는 커튼을 통해 들어오는 한줄기의 햇살에 잠을 깼다. ③ (*pl.*) (수레의) 채, 끌채(thill). ④〔흔히 複合語로〕〖機〗 샤프트, 굴대(axle) : a crank~ 크랭크 샤프트. ⑤ 엘리베이터의 통로〔수직 공간〕. ⑥《比》 사람을 찌르는 듯한 냉소, 가시 돋친 말 : ~*s* of sarcasm 〔wit〕 날카로운 풍자〔위트〕. ⑦〖植〗 줄기(trunk) ; 〖動〗 깃촉(scape).

get the ~ 《美俗》 혼줄나다. ***give*** a person ***the*** ~ 《美俗》 아무를 혼내주다.

— *vt.* 〔종종 受動으로〕 …을 혼내주다 : I *got* ~*ed* in that deal ; they tricked me into paying too much. 그 거래에서 나는 되게 당했다. 놈들이 내게 바가지를 씌웠거든.

shag[1] [ʃæg] *n.* [U] ① (짐승의) 거친〔덥수룩한〕 털, 조모(粗毛). ② (천의) 보풀. ③ 거친 살담배.

shag[2] *vt.* 《英俗》 …와 섹스하다.

shagged [ʃægd] *a.* 〔敍述的〕 《英俗》 지친, 기진맥진한《*out*》: I'm too ~ *out* to go out tonight. 오늘 밤 외출하기엔 너무 피곤하다.

shag·gy** [ʃǽgi] (-gi·er*** ; ***-gi·est***) *a.* ① 털북숭이의, 털이 텁수룩한 ; 털〔숱〕이 많은. [opp] *smooth*. ¶ ~ eyebrows 숱이 많은 눈썹 / a ~ dog 털북숭이 개. ② (피륙이) 보풀이 인. [파] **-gi·ly** *ad.* **-gi·ness** *n.*

shág·gy-dóg stòry [-dɔ́(:)g-, -dɑ́g-] 따분하고 지루한 이야기.

sha·green [ʃəgrí:n, ʃæg-] *n.* [U] ① 새그린 가죽《말·낙타 따위의 우툴두툴한 가죽》. ② 상어 가죽《연마용》.

shah [ʃɑ:] *n.* [C] 《Per.》 (종종 S-) 샤《왕조 시절, 이란 왕의 칭호》.

Shak. Shakespeare.

shak·a·ble [ʃéikəbəl] *a.* 휘두를〔흔들〕 수 있는 ; 진동할〔뒤흔들〕 수 있는.

‡**shake** [ʃeik] (***shook*** [ʃuk] ; ***shak·en*** [ʃéikən]) *vt.* ①《~+[목] / +[목]+[전]+[명]》 **a**) (상하 좌우로) …을 흔들다 : He *shook* his head at the plan. 그는 그 계획에 대해 머리를 옆으로 흔들었다《반대》/ He took her by the shoulders and *shook* her violently. 그는 그녀의 양 어깨를 잡고 세게 흔들었다. **b**) 〔再歸的〕 몸을 흔들다 : The wet dog *shook itself*. 젖은 개가 몸을 마구 흔들었다. ② …을 흔들어 움직이다, 휘두르다 : The nurse took the thermometer, *shook* it, and put it under my armpit. 간호사는 체온계를 집어들더니 흔들어서는 내 겨드랑에 꽂았다. ③《~+[목] / +[목]+[전]+[명] / +[목]+[부]》 …을 흔들어 (…의 상태로) 되게 하다 : ~ a person *out of* sleep 아무를 흔들어 깨우다 / She removed her jacket and *shook* the snow *off*. 그녀는 재킷을 벗어서 눈을 털었다. ④《~+[목] / +[목]+[전]+[명]》〔종종 受動으로〕 (자신·신뢰 등)을 흔들리게 하다, (용기·결심 등)을 꺾다, 좌절시키다 : ~ one's faith 신념이 흔들리다 / ~ one's self-esteem 자존심을 뒤흔들다 / The lecture did little to ~ his conviction. 그 훈계도 그의 소신을 꺾지는 못했다 / She has *been shaken out of* all reason. 그녀는 완전히 이성을 잃었다. ⑤ …의 마음을 동요시키다, …의 용기를 꺾다 : She *was* badly *shaken* by the news. 그 소식에 몹시 마음이 흔들렸다. ⑥〖樂〗 (목소리)를 떨다. ⑦ (주사위)를 흔들어 굴리다. ⑧《美俗》 (뒤쫓는 사람 따위)를 떨어〔떼어〕 버리다, …으로부터 도망치다 : The man *shook off* reporters. 그 남자는 기자들을 따돌렸다. — *vi.* ① 흔들리다 ; 진동(震動)하다 : Every time one of these big trucks goes through the village, all the houses ~. 이들 대형 트럭의 하나가 마을을 지나갈 때마다 모든 집이 흔들린다. ②《~ / +[전]+[명]》 **a**) (추위·공포 따위로) 떨다, 덜덜〔벌벌〕 떨다 : ~ *with* cold 〔fear〕 / The child's body was *shaking with* sobs. 흐느끼면서 아이 몸은 떨고 있었다. **b**) 배꼽이 빠지게 웃다 : He 〔His belly〕 *shook with* laughter. 그는 배를 쥐고 웃었다. ③ (신념 따위가) 흔들리다 : His courage began to ~. 그는 용기가 흔들리기 시작했다. ④《口》 악수하다《*with*》: Let's ~ and make up. 악수하고 사이좋게 지내자 / If you agree, let's ~ (on it). 동의하신다면 우리 악수합시다.

~ ***a foot*** 〔***leg***〕 바삐 걷다, 서두르다 ; 댄스를 하다. ~ ***down*** (*vi.*) (1) (환경 등에) 익숙해지다, 자리 잡히다 : She'll soon ~ *down* in her new job. 그녀는 새 일자리에 곧 익숙해질 것이다. (2) 임시 잠자리에서 자다. ~ . . . ***down*** (*vt.*) (1) (열매)를 흔들어 떨어뜨리다. (2) 흔들어 채우다〔고르다〕 ; (여분)을 통합 정리하여 줄이다. (3)《美口》 (배·비행기 등)을 시운전하다. (4)《美俗》 (속이거나 해서) …에게서 돈을 빼앗다. (5)《美口》 철저히 조사하다 ; 《美俗》 …의 몸수색을 하다(frisk). ~ ***in*** one***'s shoes*** (무서워서) 흠칫흠칫하다. ~ ***out*** (1) (기 따위를) 펼치다. (2) (먼지 따위)를 털다 ; (그릇)을 흔들어 속을 비우다 ; (군대가) 산개 대형을 취하다《적의 포격을 피해》. ~ ***up*** (1) (술 따위)를 흔들어 섞다. (2) (베개 따위)를 흔들어 모양을 바로잡다. (3) (아무)를 움찔하게 하다, 당황하게 만들다. (4) (아무)를 분기시키다, 분발하게 하다. (5) 《口》 (조직 등)을 크게 개편하다, 혁신하다.

— *n.* ① [C] (흔히 *sing.*) **a**) (한 번) 흔들기 : with a ~ of one's 〔the〕 head 머리를 가로 저어《'No'의 표시》/ Give the jar a good ~. 항아리를 잘 흔들어라. **b**) 악수. ② [C] **a**) 진동(振動), 동요, 흔들림. **b**) 《美口》 지진(earthquake). ③ [C] **a**) (몸

을) 떪, 전율, 덜덜 떪 : a ~ in the voice 음성의 떨림 / He was all of a ~. 그는 온몸을 떨고 있었다. **b**) (the ~s)《口》 오한 : have *the* ~*s* 오한이 나다. ④Ⓒ《美》 흔들어 만드는 음료수, 밀크 셰이크(milk ~). ⑤Ⓒ〖樂〗 전음(顫音)(trill). ⑥ (a ~) 〔形容詞와 함께〕《美》 …한 처사, 대우 : get *a* fair ~ 공정한 대우를 받다. ***in the ~s*** (***of a lamb's***〔***dog's***〕 ***tail***) = ***in*** (***half***) ***a*** ~ 곧, 즉시 : I'll be with you *in a* ~. 곧 찾아뵙겠습니다. ***no great ~s*** 대수롭지 않은, 평범한 : She is *no great* ~*s* as a pianist. 그녀는 피아니스트로는 대단치 않다.

shake·down [ʃéikdàun] *n.* Ⓒ ① (임시 변통의) 침상, 잠자리. ② (선박·비행기 등의) 성능 테스트, 시운전 : a ~ voyage〔flight〕 항행(航行)〔비행〕 테스트. ③《美俗》 등쳐먹기(extortion), 수회(收賄). ④《美口》 철저한 (몸)수색 : a ~ of drug dealer 마약상(商)의 철저한 검색. ── *a.* 〔限定的〕 시운전의, 성능 시험의《항해·비행 따위》.

‡**shak·en** [ʃéikən] SHAKE 의 과거분사.

shake-out [ʃéikàut] *n.* Ⓒ (인원 감원 등에 의한) 조직의 쇄신, 기업 합리화 : The merger of the two companies is likely to produce a ~ of staft. 두 회사의 합병으로 임원진에 대대적 재편성이 있을 것 같다.

shak·er [ʃéikər] *n.* ① 흔드는 사람〔물건〕; 교반기(攪拌器). ② 칵테일 셰이커 ; 《美》 (식탁용의) 소금·후추 뿌리개《병》: a salt〔pepper〕 ~ / mix a drink in a coctail ~ 칵테일 셰이커로 음료를 섞다. ③ (S-) 셰이커 교도(敎徒). ⓒⓕ Quaker.

‡**Shake·speare** [ʃéikspiər] *n.* **William** ~ 셰익스피어《영국의 시인·극작가 ; 1564-1616》. ★ **Shake·spere, Shak·speare, Shak·spere** 라고도 씀.

***Shake·spear·e·an, -i·an** [ʃeikspíəriən] *a.* 셰익스피어(시대)의 ; 셰익스피어류의.
── *n.* Ⓒ 셰익스피어 학자〔연구가〕.

shake-up [ʃéikʌ̀p] *n.* Ⓒ《口》 (내각·회사 따위의) 일대 쇄신, 대개혁 : a cabinet ~ 대폭 개각.

shak·o [ʃǽkou, ʃéi, ʃáː-] (*pl.* ~(**e**)**s**) *n.* 샤코《깃털이 앞에 달린 통 모양의 군모》.

shaky** [ʃéiki] (shak·i·er*** ; ***-i·est***) *a.* ① 흔들리는 : a ~ table〔chair〕. ② (음성, 필적 등이) 떨리는 ; (사람이) 비틀거리는 : in a ~ voice 떨리는 음성으로 / I was nervous and a bit ~ when he called me. 그가 불렀을 때 나는 불안했고 좀 비틀거렸다. ③ 불안정한, 믿을 수 없는 : Their marriage looks pretty ~ to me. 내가 보기에 그들의 결혼은 꽤 불안정하다. ㊘ **shák·i·ly** *ad.* **shák·i·ness** *n.* 동요, 진동 ; 불안정.

shale [ʃeil] *n.* Ⓤ〖地質〗 혈암(頁岩), 셰일, 이판암(泥板岩).

shále òil 혈암유(頁岩油).

†**shall** [ʃæl ; 弱ʃəl] (***should*** [ʃud ; 弱ʃəd]) ; 2인칭·단수《古》 **shalt** [ʃælt ; 弱ʃəlt] ; shall not 의 간약형 ***shan't*** [ʃænt / ʃɑːnt], should not 의 간약형 ***shouldn't*** [ʃúdnt]) *aux. v.* ① 〔I〔We〕 ~〕 **a**) 〔單純未來〕 …일〔할〕 것이다 ; …하게 되다 : I hope I ~ succeed this time. 이번엔 잘 될 테지요 / I ~ be 20 in August. 8월이면 스무 살이 됩니다 / I'm sure we ~ miss you. 당신이 안 계시면 쓸쓸해집니다 / I ~ have come home by seven. 7시까지는 집에 돌아와 있을 테죠《未來完了를 나타냄》. ★《美》에서는 보통 will을 쓰며, 《英》에서도 구어에서는 will을 많이 씀. **b**) 〔결의의 객관적인 표현〕 꼭 …한다 : I ~ do everything I can. 할 수 있는 일은 무엇이든지 하겠다 / I ~ 〔I'll〕 be at home at nine. 9시에는 집에 돌아와 있습니다《a) 의 단순미래로도 볼 수가 있음》/ I ~ go, come what may. 무슨 일이 있어도 나는 꼭 가련다. ★ 결의를 강하게 나타낼 때에는 간약형을 사용하지 않음.

② 〔Shall I〔we〕…?〕 **a**) 〔單純未來〕 …일〔…할〕까요, …하게 될까요 : *Shall* I succeed? 성공할까요 / *Shall* I be in time for the train? 열차 시간에 댈 수 있을까요 / When ~ we see you again? 우리는 언제 또 당신을 뵐 수 있을까요. ★《美》에서는 일반적으로 will을 쓰며, 《英》에서도 구어에서는 종종 will을 씀. **b**) 〔상대의 의사·결단을 물음〕 …할〔일〕까요, …하면 좋을까요 : *Shall* I help you? 도와 드릴까요《대답으로서 '네, 부탁드립니다'는 Yes, please. '아뇨, 괜찮습니다'는 No, thank you. 따위》/ *Shall* I call you again later? 나중에 다시 전화 드릴까요 / *Shall* we go out for a walk? 산책(하러) 나가지 않으시렵니까《≒Let's go out for a walk.》/ What ~ I do next? 다음엔 뭘 하면 될까요.

> 參考 (1) 일상어로서는 *Shall* I do…? 대신 흔히 Do you want 〔《주로 美》 Would you like〕 me to do…? 를 씀.
> (2) shall we? 는 Let's…의 附加疑問에 사용됨 : *Let's* do that, *shall* we? 그렇게 하십시다.
> (3) What *shall* I do?는 '어떻게 하면 좋은가' 라는 곤혹스러운 기분을 나타냄 : I've lost my wallet, what *shall* I do? 돈지갑을 잃어버렸네, 어쩐다지. 비교 : What *shall* I do if I finish my work? 일이 끝나면 무얼 한다지《단순한 자기 의문》.

③ 〔You ~〕 **a**) 〔文語的 문맥에서 명령·금지〕 …할지니라, …할지어다 : Thou *shalt* not kill. 사람을 죽이지 말지어다 / Thou *shalt* love thy neighbor as thyself. 이웃을 네 몸같이 사랑하라. **b**) 〔말하는 이의 결의·약속·협박〕 …하게〔하도록〕 하겠다, …해 주겠다, …할 테다 : You ~ have my answer tomorrow. 내일 대답을 드리지요(=I will give you…) / If you are late again, you ~ be dismissed. 또다시 지각을 하면 해고다(=If…, I'll dismiss you.) / You ~ not do so. 그렇게 하면 안 돼.

④ 〔Shall you…? 單純未來〕 …할〔일〕 겁니까 : *Shall* you be home tomorrow? 내일은 댁에 계십니까 / *Shall* you go to the meeting on Sunday? 일요일에 회합에 나갑니까. ★ I shall …의 대답을 기대하는 질문이나 지금은 보통 will을 씀.

⑤ 〔He〔She, It, They〕 ~〕 **a**) 〔文語的 문맥에서 운명적인 필연·예언을 나타냄〕 …하리라, …이리라 : All men ~ die. 모든 사람은 죽으리라 / Heaven and earth ~ pass away, but my words ~ not pass away. 천지는 없어지겠으나 내 말은 없어지지 아니하리라《마태복음 24 : 35》. **b**) 〔말하는 이의 결의·약속·협박〕 …하게 하겠다, …하게 할 테다 : He ~ not die. 그를 죽게 하진 않겠다 / He says he won't go, but I say he ~. 그는 안 간다지만 난 가게 하겠다 / He ~ pay for that. 그 보복은 하고 말 테다.

⑥ 〔Shall he〔she, it, they〕…? ; 말을 거는 상대방의 의향·의지를 물음〕 …에게〔…로 하여금〕 —하게 할까요 : *Shall* he wait? 그를 기다리게 할까요 / What ~ Tom do next? 다음엔 톰에게 무엇을 시킬까요. ★ 지금은 이 형식을 거의 쓰지 않고 Do you want him to wait? 따위와 같은 표현을 씀.

⑦ 〔Who shall…? 수사적 疑問文〕《文語》 누구라서 …할 수 있을 것인가, 아무도 …않다〔못하다〕 : *Who* ~ ever unravel the mysteries of the sea? 바다의 신비를 누가 풀 수 있을 것인가.

⑧ **a)** 〔명령·규정을 나타내어〕 …하여〔이어〕야 한다(cf. shalt) : The fine ~ not exceed $400. 벌금은 4백 달러를 넘지 않는 것으로 한다. **b)** 〔명령·요구·협정 따위를 나타내는 動詞에 따르는 that 節 속에서〕: Our civilization demands *that* we ~ be social creatures. 문명은 우리에게 사회적 동물이기를 요구한다.

> 語法 **shall** 과 간접화법 (1) 직접화법에서 단순미래인 shall 은 간접화법에서도 shall 로 받는 것이 원칙이나 오늘날에 와서는 主語의 인칭에 관계 없이 종종(특히 《美》에서) will 로 됨: He says, "I *shall* be away from home." → He says that he *will* 〔*shall*〕 be away from home. He says, "I *shall* never succeed." → He says that he will 〔*shall*〕 never succeed.
> (2) 직접화법에서 단순미래인 you 〔he〕 will 이 간접화법의 從屬節에서 1인칭 主語로 나타내게 될 때 《美》에서는 will 을 쓰지만, 《英》에서는 흔히 shall 이 사용됨: Ask the doctor If I *will*〔《英》 *shall*〕 recover. 내가 회복할 수 있는지 의사에게 물어 보시오.

shal·lot [ʃəlát / -lɔ́t] *n.* Ⓒ 〖植〗 골파류(類).

‡shal·low [ʃǽlou] (*~·er* ; *~·est*) *a.* ① 얕은. opp *deep.* ¶ a ~ stream 얕은 시냇물 / The river is *~est* here. 강은 여기가 가장 얕다 / Fry the onions in a ~ pan. 양파를 얕은 번철에 튀겨라. ② (사람·생각 등이) 천박한, 피상적인 : a ~ mind 천박한 생각 / The better I got to know her, the more ~ I realized she was. 그녀를 사귀면 사귈수록 천박한 여인임을 알게 됐다. ── *n.* (종종 *pl.* ; 흔히 the ~) 〔單·複數취급〕 얕은 곳, 여울: Thousands of little fish swim in *the ~s.* 수천마리의 잔챙이 물고기들이 얕은 물에서 놀고 있다.
── *vt., vi.* 얕게 하다, 얕아지다.

sha·lom [ʃɑːlóum] *int.* 《Heb.》 샬롬, 안녕하세요, 안녕히 가십시오〔계십시오〕《유대인의 인사》.

shalt [ʃælt ; 흔히 弱 ʃəlt] *aux. v.* 《古》 SHALL 의 2 인칭 단수·직설법 현재《주어가 thou 일 때 씀》: Thou ~ not steal. 도적질하지 말지어다.

sham [ʃæm] *n.* ① Ⓤ (또는 a ~) 거짓, 속임, 위선: What she said was all ~. 그녀 말은 모두 거짓이었다 / Her headache was *a* mere ~. 그녀의 두통은 순 꾀병이었다. ② Ⓒ 속이는 사람 ; 사기꾼 (fraud). ── *a.* 〔限定的〕 모조의, 가짜의, 허위의 : a ~ battle〔《英》 fight〕 모의전, 군사 연습 / a ~ examination 모의 시험 / a ~ doctor 가짜 의사. ── (*-mm-*) *vt.* …인 체하다, …을 가장하다 : ~ sleep〔madness〕 잠든〔미친〕 척하다 / She *~med* interest in her husband's talk. 그녀는 남편의 이야기가 재미있는 척했다.
── *vi.* 《~ / +보》 …하는 체하다, 시늉〔가장〕하다 : He isn't really so disappointed ; he's only *~ming.* 그가 그렇게까지 실망하고 있지는 않다. 그저 그런 체할 뿐이다.

sha·man [ʃáːmən, ʃǽm-, ʃéi-] (*pl.* *~s*) *n.* Ⓒ 샤먼 ; 주술사(呪術師), 마술사, 무당.

sha·man·ism [ʃáːmənìzəm, ʃǽm-, ʃéi-] *n.* Ⓤ 샤머니즘《샤먼을 중심한 원시 종교의 하나》.

sham·a·teur [ʃǽmətʃùər, -tər] *n.* Ⓒ 《英口》 사이비 아마 선수, 세미 프로《아마추어이면서 돈을 버는 선수》.

sham·ble [ʃǽmbəl] *vi.* 비슬비슬 걷다, 비틀거리다, 허청거리다 : A drunken man *~d along* the street. 한 취객이 비틀거리며 걸어갔다. ── *n.* Ⓒ 비틀거림, 비틀걸음.

sham·bles [ʃǽmbəlz] (*pl.* ~) *n.* ① Ⓒ 도살장 (slaughterhouse). ② (a ~) 살육장, 수라장《싸움터 따위》. ③ (a ~) 난장판 ; 일대 혼란 : Your room is (in) *a* ~. Tidy it up! 네 방은 엉망이구나. 정돈해라.

sham·bol·ic [ʃæmbálik / -bɔ́l-] *a.* 《英口》 (극도로) 난잡한.

‡shame [ʃeim] *n.* ① Ⓤ 부끄럼, 부끄러워하는 마음, 수치심 : I can't do that for (very) ~. 부끄러워 (정말) 그건 못하겠다. ② **a)** Ⓤ 수치, 창피, 치욕, 불명예. cf. disgrace. ¶ There's no ~ in being poor. 가난은 수치가 아니다. **b)** (a ~) 창피스러운 일〔사람〕: His misconduct was *a* ~ *to* our family. 그의 나쁜 행실은 우리 가문의 수치다. ③ (a ~) 《口》 심한〔너무한〕 일 ; 유감된 일 : It's *a* ~ to eat this beautiful cake. 이 고운 케이크를 먹어버리다니 아깝다 / What *a* ~! 유감이다, 참 안됐구나. ***put*** 〔***bring***〕 a person ***to*** ~ (1) 아무에게 창피를〔모욕·무안을〕 주다, 아무의 면목〔체면〕을 잃게 하다 : His son's crimes *put* the old man *to* ~. 자식의 죄로 그 노인은 낯을 못들게 됐다. (2) (기량·질적으로) …을 압도〔능가〕하다 : Your beautiful garden *put* my few little flowers *to* ~. 아름다운 댁의 정원은 우리의 얼마 안되는 작은 꽃들을 무색하게 했소. ***Shame !*** = ***For ~ !*** = ***Fie for ~ !*** = ***Shame on you !*** 수치를 좀 알아라, 부끄럽지도 않으냐, 꼴도 보기 싫다 : *For* ~, let me go. 부끄럽게 왜 이래요, 놓으세요.
── *vt.* ① …을 창피 주다, 망신시키다 ; 모욕하다 : ~ one's family 가문을 더럽히다. ② …을 부끄러워하게 하다 : It *~d* him to know that his brother had behaved in such a way. 형이 그렇게 처신했다는 것을 알고 그는 부끄러워했다. ③ 《+목+전+명》 부끄러워 … 하게 하다 : He *~d* her *into* going. 그녀가 부끄러워서 더는 못 있게 만들었다.

shame·faced [ʃéimfèist] *a.* ① 쑥쓰러〔멋적어〕하는 : He looked somewhat ~ when he realized his mistake. 자기 실수를 알고 그는 약간 멋적은 듯했다. ② 부끄러운 듯한 (bashful), 부끄러워〔수줍어〕하는 (shy) ; 숫기 없는 : Ann stared at him with slightly ~ look. 앤은 조금 수줍은 표정으로 그를 응시했다.
㊕ **-fàc·ed·ly** [-sidli] *ad.* **-fàc·ed·ness** *n.*

shame·ful** [ʃéimfəl] (more ~ ; most ~***) *a.* ① 부끄러운, 창피스러운 : a ~ conduct 부끄러운 행위 / The family have kept their ~ secret for years. 그 집은 그들의 수치스러운 비밀을 여러 해 숨겨왔다. ② 괘씸한, 못된 (scandalous) : It's ~ that he behaves that way. 그가 그따위로 놀다니 괘씸하다. ㊕ **~·ly** [-fəli] *ad.*

***shame·less** [ʃéimlis] *a.* 부끄럼을 모르는, 파렴치한, 뻔뻔스러운 : You are absolutely ~! 넌 정말 파렴치한 놈이다. ㊕ **~·ly** *ad.* **~·ness** *n.*

sham·mer [ʃǽmər] *n.* Ⓒ 속이는 사람, 사기꾼, 거짓말쟁이.

sham·my [ʃǽmi] *n.* 《口》 = CHAMOIS ②.

***sham·poo** [ʃæmpúː] *vt.* (머리)를 감다 ; (세제로 카펫 따위)를 클리닝하다 : I had to ~ the sofa because I spilled a cup of coffee on it. 소파에 커피를 엎질러 세제로 씻어야 했다.
── (*pl.* *~s*) *n.* ① Ⓒ 세발 : give oneself a ~ 머리를 감다 / have a ~ and set at the hairdresser's 미장원에서 샴푸와 세트를 하다. ② Ⓤ,Ⓒ 세발제(劑), 샴푸 : a dry ~ 알코올성 세발액.

sham·rock [ʃǽmrɑk / -rɔk] *n.* Ⓤ,Ⓒ 〖植〗 토끼풀, 클로버《아일랜드의 국화(國花)》.

sha·mus [ʃáːməs, ʃéi-] *n.* Ⓒ 《美俗》 경관 ; 사립 「탐정.

shan·dy [ʃǽndi] *n.* Ⓤ,Ⓒ 섄디《맥주와 진저 에일의 혼합주》.

Shang·hai [ʃæŋhái / ⌐⌐] *n.* 상하이(上海)《중국의 항구 도시》.

shang·hai [ʃǽŋhai, ⌐⌐] (*p., pp.* **~ed** ; **~·ing**) *vt.* ①《海俗》(마취제·술 따위로 의식을 잃게 하고 배에 납치하여) …을 선원으로 만들다; 유괴〔납치〕하다. ②《俗》…을 속여서〔강제로〕 시키다《*into*》: She ~*ed* him *into* taking her mother to a film. 그녀는 싫어하는 그에게 자기 어머니를 영화 구경에 데려가게 했다.

Shan·gri-la, Shan·gri-La [ʃǽŋgrilɑ́ː] *n.* 샹그릴라《James Hilton의 소설 *Lost Horizon* 속에 나오는 가공의 지상낙원》.

shank [ʃæŋk] *n.* ① Ⓒ (사람·동물의) 정강이《knee에서 ankle까지》. ② Ⓤ,Ⓒ (양·소 따위의) 정강이살. ③ Ⓒ (연장의) 손잡이, 자루, (못·징의) 몸대, 긴 축《열쇠·닻·숟가락·낚시 등의》: the ~ of a key〔nail〕. ④ Ⓒ 구두창의 땅이 닿지 않는 부분.

***shan't** [ʃænt, ʃɑːnt] shall not의 간약형. ★《美》에서는 별로 안 쓰임.

shan·ty[1] [ʃǽnti] *n.* (초라한) 오두막, 판잣집.

shan·ty[2] *n.* =CHANTEY.

shan·ty·town [-tàun] *n.* Ⓒ 판자촌, 빈민가.

†**shape** [ʃeip] *n.* ① Ⓤ,Ⓒ 모양, 형상, 외형: houses of all ~*s* and sizes 가지각색의 모양과 크기의 가옥들. ② Ⓤ (또는 a ~) (사람의) 모습, 생김새, 외양(guise): an angel in human ~ 인간의 모습을 한 천사 / He is a beast in human ~. 그는 사람 모습을 한 짐승이다. ③ Ⓒ (어렴풋〔기괴〕한) 모습, 유령, 곡두(phantom). ④ Ⓤ (계획 등의) 정리〔구체화〕된 형태: the whole ~ of economics 경제의 전체상 / Put your thoughts into ~. 생각한 바를 정리〔구체화〕해라. ⑤ Ⓤ (추상적인) 형태, (어떤 것의) 본디의 모양: This T-shirt has been washed so many times that it's lost its ~. 이 티셔츠는 너무 많이 빨아서 본디 모양이 없어졌다. ⑥ Ⓤ《口》(건강·경영·기계 등의) 상태, 컨디션: That company is in pretty bad ~. 그 회사 경영은 퍽 좋지 않다 / I want to get into good ~ for the exam. 시험에 대비해 몸의 컨디션을 좋게 하고 싶다. ⑦ Ⓒ〖建·金型〗형강(形鋼), 형(型), 모형틀; 〖料〗(젤리·우무 따위의) 판; (모자 따위의) 골. ***in any ~ or form*** 〔否定文으로〕 어떤 형태로라도, 아무리 해도, 어떠한 … 이라도: I'm *not* looking for trouble *in any ~ or form.* 어떤 형태이건 나는 트러블을 원치 않는다. ***in*** ~ 본래의 상태로; 몸의 컨디션이 좋아, 건강하여: *in* good〔poor〕 ~ 컨디션이 좋은〔좋지 않은〕 / Physical exercise keeps you *in* ~. 체조를 하면 건강이 유지된다. ***in the ~ of*** …형식으로, …으로서의: a reward *in the ~ of* $200, 200 달러의 사례. ***out of*** ~ (1) 모양이 엉망이 되어: The box was crushed *out of* ~. 상자는 엉망으로 찌그러졌다. (2) 몸이 불편하여: I am rather *out of* ~ these days. 요즘 몸의 컨디션이 좋지 않다.

— (**~d** ; **~d,**《古》**shap·en** [ʃéipən]) *vt.* ①《~+목 / +목+전+명》…을 모양짓다, 형체를 이루다(form), 만들다: ~ a pot on a wheel 녹로로 단지를 만들다 / ~ clay *into* an urn 진흙으로 독을 만들다 / A person's character is said to be ~*d* in childhood. 사람의 성격은 어릴 적에 형성된다고 한다. ②《~+목 / +목+전+명》…을 형체짓다, 구체화하다, 실현하다; 구상하다, 고안하다《*up*》; 정리하다, 말로 나타내다(express): ~ one's plan 계획을 구체화하다 / ~ one's ideas *into* a book 자기 생각을 책으로 정리하다. ③《+목+전+명》…을 적합시키다《*to*》; (몸에 옷)을 맞추다: ~ one's living *to* the times 생활 방식을 시대에 맞추다 / She wears a dress ~*d to* her figure. 그녀는 몸매에 맞는 옷을 입고있다. ④ (진로·방침·행동·태도)를 정하다: He early ~*d* his course in life, 그는 일찍이 제 나아갈 길을 정했다. — *vi.*《+부》① 모양을〔모습을, 형태를〕 취하다, 형태가〔모양이〕 되다《*into*》. ② 다 되다, 구체화되다《*up*》: The plan is *shaping up.* 계획이 이루어져 가고 있다. ③ 발전하다, 잘 되어 가다《*up*》: Everything is *shaping up* well〔satisfactorily, properly〕. 만사가 잘 돼 간다 / It ~*s well.* 그것은 유망하다. **~ up**〔**out**〕(1) 구체화하다, 성립되다. (2) 발전〔발달〕하다. (3) 행실(등)을 고치다: I've been told that if I don't ~ *up* I'll lose my job. 태도를 고치지 않으면 해고당할 것이란 말을 들어왔다.

shaped [ʃeipt] *a.* 〔종종 複合語로〕 …의 모양을 한: shell-~ insects 조가비 모양의 곤충 / a squared-~ design 네모난 디자인.

***shape·less** [ʃéiplis] *a.* ① 형태가〔모양이〕 없는: a ~ old coat 모양이 우그러진 낡은 코트. ② 볼품없는, 엉성한: a fat ~ figure 뚱뚱하고 볼품없는 모습. ⊕ **~·ly** *ad.* **~·ness** *n.*

shape·ly [ʃéipli] (**shape·li·er** ; **-li·est**) *a.* (특히 여성이) 맵시 있는, 균형 잡힌: She had a slim waist and ~ legs. 그녀는 허리가 가늘고 다리가 늘씬하다. ⊕ **-li·ness** *n.*

shápe-mém·o·ry álloy [⌐méməri-] 형상 기억 합금.

shap·er [ʃéipər] *n.* Ⓒ ① 모양을〔형태를〕 만드는 사람〔것〕. ②〖機〗형삭반(形削盤), 셰이퍼.

shard [ʃɑːrd] *n.* Ⓒ 사금파리 파편(fragments).

†**share** [ʃɛər] *n.* ① (*sing.*) 몫; 배당몫, 일부분《*of* ; *in*》: a fair ~ 정당한〔당연한〕 몫 / If you want a ~ *of*〔*in*〕 the pay, you'll have to do your ~ of the work. 네가 네 몫의 보수를 받으려면 그 몫의 일을 해야 한다. ② (*sing.*) 분담, 부담; 출자(비율)《*of* ; *in*》: Do your ~ *of* work. 할당된 일은 해라 / take a ~ *in* the fund 자금을 부담하다. ③ Ⓤ (또는 a ~) 역할, 진력, 공헌, 참가《*in*》: I had no ~ *in* this trick. 나는 이 범행에 관여한 바 없다 / What ~ had he *in* your success? 그는 자네 성공에 얼마나 이바지했나. ④ Ⓒ **a**) 주(株); 증권, 주권(株券)(~ certificate); (*pl.*)《英》주식(《美》stock): prefered〔《英》preference〕 ~*s* 우선주 / I wonder how many companies he has ~*s* in? 그가 몇 개 회사의 주를 소유하고 있을까. **b**) (회사 등에의) 출자(분): He has a ~ in the bank. 그는 그 은행에 출자하고 있다. ⑤ Ⓤ,Ⓒ 셰어, 시장 점유율(market ~). ***go ~s*** 분담하다《*with*》: I *went ~s with* him for the taxi fare. 택시 요금을 그와 분담했다 / Why don't we *go ~s* on lunch? 점심값을 각자 부담하는게 어떠냐. ***~ and ~ alike with*** a person 아무와 같은 몫으로 (나누다). ***take the lion's*** ~ 최대의 몫을〔가장 좋은 부분을〕 갖다.

— *vt.* ①《~+목 / +목+부 / +목+전+명》…을 분배하다, 나누다: ~ (*out*) $100 *among* five men, 100 달러를 다섯 사람에게 분배하다. ②《~+목 / +목+전+명》(물건)을 공유하다, (연장·방 따위)를 함께 쓰다《*with*》: ~ a hotel room *with* a stranger 남과 호텔에서 한방에 들다. ③《~+목 / +목+전+명》(비용·책임 등)을 공동 부담하다, 함께 나누다: Let me ~ the cost *with* you. 비용을 공동으로 부담하자 / The teacher ~*d* the task *among* the pupils. 선생은 그 일을 학생들에게 할당했다. — *vi.*《+전+명》① 분배를〔몫을〕 받다: All must ~ alike. 모두 똑같이 할당받

아야 한다 / ~ *in* profit 이익 분배에 한몫 끼다. ② 함께 나누다, 공동 부담하다《*in* ; *with*》: I'll ~ *with* you *in* the undertaking. 당신과 일을 함께 합시다 / He ~*d in* my sorrows as well as my joys. 그는 기쁨만이 아니라 슬픔도 나와 함께 했다. ~ ***and*** ~ ***alike*** 등분하다, 평등하게 나누다: Don't be so selfish — we must ~ *and* ~ *alike* in this house. 네 생각만 해선 안된다. 이 집에서는 똑같이 나누어야 한다.

share·crop [ʃέərkrɑ̀p / ⌐krɔ̀p] (***-pp-***) *vt., vi.* 《美》 소작하다. ㊖ **~·per** *n.* Ⓒ 《美》 소작인.

share·hold·er [⌐hòuldər] *n.* Ⓒ 《英》 주주(株主) (《美》 stockholder).

share-out [ʃέəràut] *n.* (*sing.*) 분배《*of*》: a ~ *of* the profits 이익 분배.

share·ware [⌐wὲər] *n.* 〖컴〗 맛보기(쏠모), 나눠쏠모《저작권이 있는 소프트웨어로 무료 혹은 명목적 요금으로 사용할 수 있으나 계속 사용할 때는 유료로 하는 것》.

‡**shark** [ʃɑːrk] *n.* Ⓒ ①〖魚〗 상어. ② 탐욕스러운 사람, 고리 대금업자(loan shark) ; 사기꾼(swindler). ③《美俗》 능수, 달인 : a card ~.

shark·skin [ʃάːrkskìn] *n.* Ⓤ ① 상어 가죽. ② 샤크스킨《상어 가죽 같은 양털·화학 섬유 직물》.

†**sharp** [ʃɑːrp] *a.* ① **a**) (칼 따위가) 날카로운, 잘 드는, 예리한 ; 뾰족한(pointed). opp *dull, blunt.* ¶ a ~ point 〔summit〕 뾰족한 끝〔산봉우리〕/ a ~ knife / a ~ pencil (끝이) 뾰족한 연필《★ 흔히 말하는 샤프펜슬은 mechanical 〔《英》 propelling〕 pencil 이라 함》. **b**) (비탈 등이) 가파른, 험준한(steep) ; (길 따위가) 갑자기 꺾이는 : a ~ turn in the road 도로의 급커브 / make a ~ turn 급커브를 돌다 / There's a ~ drop over the cliff. 벼랑 너머는 가파른 비탈이다. ② **a**) (기질·말·목소리 따위가) 날카로운, 격렬한 ; (아픔·맛·추위·경험 따위가) 격심한, 모진, 매서운, 쓰라린, 신랄한(bitter), 얼얼한 ; 《美》 (치즈) 냄새가 강렬한 : a ~ temper 날카로운 성미 / a ~ wind 살을 에는 듯한 찬바람 / ~ words 신랄한 말 / a ~ contest 격심한 경쟁 / a ~ flavor 〔taste〕 얼얼〔짜릿〕한 맛 / Don't be so ~ with your brother. 동생한테 그렇게 심한 말을 쓰는게 아니다. **b**) (눈·코·귀 따위가) 예민한 : have a ~ ear〔nose〕 귀가 밝다〔후각이 예민하다〕/ His ~ eyes would never miss it. 그의 날카로운 눈이 그걸 놓칠 리가 없다. ③ (머리 등이) 예민한(acute) ; 빈틈이 없는(vigilant), 약삭빠른(shrewd), 교활한(crafty) : ~ wits 날카로운 재치 / a ~ gambler〔lawyer〕 교활한 도박사〔변호사〕. ④ 명확한(distinct), 뚜렷한(clear) : a ~ outline 뚜렷한 윤곽 / a ~ impression 선명한 인상. ⑤ (행동이) 날쌘, 재빠른, 민첩한 ; (변화 등이) 심한 : ~ work 날랜 솜씨 / There was a ~ rise〔fall〕 in prices last year. 지난 해 물가가 급격히 상승〔하락〕했다. ⑥《口》 멋진 옷차림을 한, 스마트한, 얼굴이 잘생긴 : a ~ dresser 옷차림이 멋있는 사람. ⑦〖樂〗 반음 높은, 올림표(#)가 붙은. opp *flat*[1]. ~ ***as a needle*** 〔***tack***〕 아주 약은, 머리가 좋은, 빈틈없는. ***Sharp's the word !*** 자아 빨리빨리, 서둘러라.
— (***⌐·er, more ~ ; ⌐·est, most ~***) *ad.* ① 갑자기, 돌연(abruptly), 급속히 : The train pulled up ~. 갑자기 기차가 멎었다 / turn ~ to the right 갑자기 오른쪽으로 꺾다〔돌다〕. ② 꼭, 정각(exactly) : He arrived at five o'clock ~. 그는 정각 다섯시에 왔다. ③ 높은 음조로 : You're singing ~. 자네 노래는 음조가 높네.
— *n.* Ⓒ ① 사기꾼(sharper). ②《美口》 전문가, 엑스퍼트(expert). ③〖樂〗 올림표, 샤프(#).
~***s and flats*** (피아노·오르간의) 검은 키.
— *vt., vi.* 〖樂〗 (음)을 반음 올리다 ; 반음 높게 노래〔연주〕하다(《英》 sharpen).

***sharp·en** [ʃάːrpən] *vt.* ① …을 날카롭게 하다 ; 뾰족하게 하다〔깎다〕: ~ a knife 칼을 갈다 / ~ a pencil 연필을 뾰족하게 깎다. ② **a**) (식욕·통증 등)을 격심하게〔강하게〕 하다 : Exercise ~*s* your appetite. 운동은 식욕을 증진시킨다. **b**) (감각 등)을 예민하게 하다 : Cold weather ~*s* the pain in my knee. 날씨가 추우니 무릎의 통증이 심해진다. ③ (말 따위)를 신랄하게 하다. ④〖樂〗 반음 올리다. — *vi.* 날카로워지다, 격해지다 : "Who told you?" Her voice had ~*ed* a little. '누가 그러던' 그녀 음성이 좀 매서워졌다 / The debate ~*ed* considerably. 논쟁이 매우 격해졌다. ㊖ **~·er** *n.* Ⓒ 가는〔깎는〕 사람〔기구〕: a pencil ~*er* 연필깎이 / a knife-~*er* 칼 가는 숫돌.

shárp ènd (the ~) (일 따위의) 가장 어려운 부분〔고비〕.

sharp·er [ʃάːrpər] *n.* Ⓒ 사기꾼, 직업적인 도박꾼.

sharp-eyed [ʃάːrpáid] *a.* ① 눈이 날카로운, 눈치 빠른 : a ~ detective 눈이 매서운 형사. ② 관찰력이 예리한.

sharp·ie [ʃάːrpi] *n.* Ⓒ 《美》 ① 빈틈없는 사람. ② 사기꾼.

sharp·ish [ʃάːrpiʃ] *a.* 《口》 다소 예민한〔날카로운〕. — *ad.* 급하게, 빨리, 즉시 : I want this room tidy up ~! 이 방을 빨리 치워 주시오.

‡**sharp·ly** [ʃάːrpli] *ad.* ① 날카롭게(keenly). ② 세게, 격렬하게, 호되게, 몹시 : She rebuked me ~. 그녀는 나를 사정없이 비난했다. ③ 급격하게 ; 날쌔게 : Birds turned their heads ~ at the sound. 새들은 재빨리 소리나는 쪽에 고개를 돌렸다. ④ 빈틈 없이. ⑤ 뚜렷이 : Her clothes contrast ~ with mine. 그녀 옷과 내 옷은 뚜렷하게 대비된다.

sharp-nosed [⌐nóuzd] *a.* ① 뾰족한 코를 한. ② 후각이 예민한 : a ~ dog.

sharp-set [⌐sèt] *a.* ① 몹시 시장한〔굶주린〕. ② 끝이 날카로운.

sharp·shoot·er [⌐ʃùːtər] *n.* Ⓒ 사격의 명수 ; 저격병.

sharp-sight·ed [⌐sáitid] *a.* 눈이 날카로운, 눈치 빠른 ; 빈틈 없는.

sharp-tongued [⌐tʌ́ŋd] *a.* 입정이 사나운, 말이 신랄한, 독설을 내뱉는 : Julia was a very tough, ~ woman. 줄리아는 아주 억세고 입정사나운 여인이었다.

sharp-wit·ted [⌐wítid] *a.* 빈틈없는 ; 머리가 예민한.

sharpy [ʃάːrpi] = SHARPIE.

shat [ʃæt] SHIT 의 과거·과거 분사.

‡**shat·ter** [ʃǽtər] *vt.* ① …을 산산이 부수다, 박살내다 : A stone ~*ed* the window. 돌 하나가 유리창을 박살냈다. ② (건강·신경 따위)를 해치다, 못쓰게 만들다 ; (희망 따위)를 꺾다, 좌절시키다 : The dream was ~*ed*. 그 꿈은 깨져 버렸다 / The noise is ~*ing* my nerve. 저 소음이 사람을 미치게 만든다. ③ 〔종종 受動으로〕《口》 …을 지치게 하다 : We *were* completely ~*ed* after an hour's running. 우리는 한 시간의 구보로 몹시 지쳤다.
— *vi.* 부서지다, 산산조각이 나다, 깨지다.
— *n.* (흔히 *pl.*) 파편, 깨진 조각 : break into ~*s* 분쇄하다.

shat·tered [ʃǽtərd] *a.* ① 산산조각이 된 : a ~ cup. ② 손상된, 망가진 : ~ nerves 손상된 신경. ③ 기겁을 한, 놀란 : He was ~ by the news. 그 소식에 그는 충격을 받았다. ④《英》 기진맥진한 : I'm ~ after a day's hard work. 나는 하루의 고된 일로 지쳐 있다.

shat·ter·proof [⌐prùːf] *a.* (유리 따위가) 깨져도

산산조각이 나지 않는.

ː shave [ʃeiv] (*~d* ; *~d, shav·en* [ʃéivən]) *vt.* ① (수염)을 깎다, 면도하다 ; (잔디 따위)를 짧게 깎다 : ~ one's face = ~ oneself 면도하다 / I had a barber ~ me. 이발소에 가서 면도했다 / Buddhist priests with *~d* head 머리를 민 승려들. ② **a**) …을 대패질하다, 깎다 ; 밀다 ; 깎아내다 《*off*》: ~ (*off*) thin slices 얇은 조각으로 깎아내다. **b**) (치즈 등)을 얇게 뜨다 : *Shave* the cheese *off* in thin slices. 치즈를 얇게 몇 쪽으로 떠라. ③ (자동차 등이) …을 스칠 듯 지나가다, 스치다 (graze) : The car just *~d* the wall. 자동차는 담벽을 스칠 듯이 지나갔다. ④ (값)을 조금 깎다.
— *vi.* 수염을 깎다, 면도하다 : He does not ~ every day. 그는 매일 면도하지는 않는다.
— *n.* ① Ⓒ (흔히 *sing.*) 면도하기, 수염깎기 (shaving) : have a ~ 수염을 깎(아 달래)다 / You need a ~. 네 수염을 깎아야 하겠다. ② (a close ~로) 간신히 모면하기, 위기 일발 : I had *a close* ~ with death. 자칫 잘못하면 죽을 뻔했다. ③ Ⓒ 깎아낸 조각〔부스러기〕, 대팻밥 : beef *~s* 얇게 저민 쇠고기.

shav·en [ʃéivən] SHAVE 의 과거분사.
— *a.* 〔종종 複合語로〕 ① 수염을〔머리를〕 깎은 : a ~ chin 수염을 민 턱. ② 짧게 깎은《잔디 따위》.

shav·er [ʃéivər] *n.* Ⓒ ① 깎는〔면도하는〕 사람 ; 이발사. ② 깎는 도구 ; 전기 면도기(electric razor). ③《稀》《口》애송이, 사내아이(boy).

Sha·vi·an [ʃéiviən] *a.* (Bernard) Shaw(류, 식)의. — *n.* Ⓒ Shaw 숭배자〔연구가〕.

***shav·ing** [ʃéiviŋ] *n.* ① Ⓤ 깎음, 면도 ; 깎아냄. ② (*pl.*) 깎아낸 부스러기, 대팻밥 : The floor of the work shop was covered in wood *~s*. 작업장 바닥은 대팻밥투성이었다.

sháving brùsh 면도솔.

sháving crèam 면도용 크림.

Shaw [ʃɔː] *n.* **George Bernard** ~ 쇼《영국의 극작가 · 비평가 ; 1856-1950 ; 略 : G.B.S.》.

***shawl** [ʃɔːl] *n.* Ⓒ 숄 : wear a ~ 숄을 두르다〔걸치다〕.

sháwl còllar 숄칼라《숄 모양으로 목에서 늘어진 깃》.

Shaw·nee [ʃɔːníː] (*pl.* *~, ~s*) *n.* ① (the ~s) (미국 중동(中東)부에 살았던) 쇼니족(族) 《Algonquin 족의 하나》. ② Ⓤ 쇼니어(語).

†she [ʃiː ; 보통 弱 ʃi] (*pl.* ***they***) *pron.* 그녀는〔가〕《3인칭 여성 단수 주격의 인칭대명사 ; 소유격·목적격은 her ; 소유대명사는 hers》: My sister says ~ likes to read. 누이는 독서를 좋아한다고 말한다 / What a beautiful ship! What is ~ called? 정말 아름다운 배다. 이름이 뭐지. 《★ 국가 · 도시 · 선박 · (기)차 · 달 등 여성으로 취급되는 것에도 쓰임》.

> 參考 (1) 사람 이외의 동물의 암컷에도 she 를 쓸 때가 있음.
> (2) 남성 · 여성을 다 나타내는 teacher 나 everybody 따위를 받는 경우 *he* or *she* 와 같은 표현이 사용되는데, 쓸 때에는 he / she, s / he, (s)he 처럼 하기도 함.

— (*pl.* ***~s*** [-z]) *n.* Ⓒ 여자 ; 암컷 : Is your baby a he or a ~? 아기는 사내냐 계집애냐.
— *a.* 〔限定的 ; 複合語〕 암컷의 : a ~-rabbit 암토끼 / a ~-cat 암고양이 ; 짓궂은〔앙칼진〕 여자.

s / he [ʃíːhìː] *pron.* 그(녀)는, 그(녀)가《he or she, she or he ; nonsexist의 사용어(使用語)》.

sheaf** [ʃiːf] (*pl.* ***sheaves [ʃiːvz]) *n.* Ⓒ (곡식 · 서류 등의) 단, 묶음, 다발《*of*》: a ~ *of* papers 서류 한 묶음 / a ~ *of* wheat 밀 한 다발 / The corn was cut, tied in *sheaves* and left to dry. 옥수수는 베어서 다발지어 마르게 그냥 두었다.

shear** [ʃiər] (*~ed*, 《方 · 古》 ***shore [ʃɔːr] ; ***~ed, shorn*** [ʃɔːrn]) *vt.* ①《~+목 / +목+전+명》(큰 가위로 양털 따위)를 베다, 잘라내다, 치다 ; 깎다 ; 《Sc.》(낫)으로 베어 내다 ; 《古》(사람의 머리털)을 깎다 : ~ (wool *from*) sheep 양(털)을 깎다 / the lawn closely *shorn* 짧게 깎은 잔디 / He looked strange with his closely *shorn* head. 짧게 깎은 머리로 그는 이상하게 보였다. ② (모직물 따위의 보풀)을 베어 내다. ③《+목+전+명》〔흔히 受動으로〕 (권력 따위를) …에게서 빼앗다, …로부터 박탈〔탈취〕하다《*of*》: *be shorn of* one's authority 권한을 빼앗기다. ④〖機〗(케이블 등)을 절단하다. — *vi.* (케이블 따위가) 잘리다.
— *n.* ① (*pl.*) 큰 가위《흔히 a pair of ~s》; 전정가위 ; 전단기(剪斷機). ② Ⓒ (양의) 털 깎은 횟수 : (양의) 나이 : a sheep of one ~ 〔two ~s〕 한〔두〕 살짜리 양. 派 **∠·er** [ʃíərər] *n.* Ⓒ 베는〔깎는〕 사람 ; 양털 깎는 사람 ; 전단기.

sheath** [ʃiːθ] (*pl.* ***~s [ʃiːðz, ʃiːθs]) *n.* Ⓒ ① 칼집 ; (연장의) 집, 덮개. ② 콘돔(condom).

sheathe [ʃiːð] *vt.* ① …을 칼집에 넣다〔꽂다〕. ② (보호를 위해) …을 덮다, 싸다.

sheath·ing [ʃíːðiŋ] *n.* Ⓤ ① 칼집에 꽂기. ② (보호용의) 덮개 ; 피복(被服) 재료.

shéath knìfe 칼집이 있는 나이프.

sheave [ʃiːv] *n.* Ⓒ 활차〔고패〕 바퀴 ; 도르래.

sheaves [ʃiːvz] SHEAF, SHEAVE의 복수.

She·ba [ʃíːbə] *n.* 〖聖〗 시바《아라비아 남부의 옛 왕국》. ***the Queen of ~*** 〖聖〗 시바의 여왕 《Solomon 왕의 슬기와 위대함에 감복했다 함 ; 열왕기 上》.

she·bang [ʃibǽŋ] *n.* (the whole ~으로) 《美口》 모조리, 깡그리 : blow up *the whole* ~ 깡그리 망치다.

ː shed[1] [ʃed] (*p., pp.* *~* ; ***∠·ding***) *vt.* ① (눈물 · 피 등)을 흘리다 : ~ tears 〔sweat〕 눈물〔땀〕을 흘리다 / ~ blood 피를 흘리다, 유혈의 참사를 빚다. ② (잎 · 씨 따위)를 떨어뜨리다 ; (뿔 · 껍질 · 깃털 · 잎 따위)를 갈다 ; (옷)을 벗다, 벗어 버리다(leave off) : Trees ~ their leaves in fall. 나무는 가을에 잎이 떨어진다 / Some snakes ~ their skin each year. 어떤 뱀은 해마다 허물을 벗는다 / He ~ his clothes and jumped into the river. 그는 옷을 벗자 강으로 뛰어들었다. ③《~+목 / +목+전+명 / +목+부》(빛·열·향기 등)을 발(산)하다, 퍼뜨리다, 풍기다(diffuse) : These lilacs ~ sweet perfume. 이 라일락은 향기가 좋다 / Roses ~ their fragrance *around*. 장미는 주위에 향기를 풍긴다. ④《英》(트럭 따위가 잘못해 짐)을 떨어뜨리다. ⑤ (천 따위가 물)이 스며들지 않다, (물)을 튀기다(repel) : A duck's back *~s* water. 오리 잔등엔 물이 묻지 않는다. ⑥ (영향 따위)를 주위에 미치게 하다, 주다(impact)《*on*》: He *~s* confidence wherever he goes. 그는 어디를 가나 남에게 신뢰감을 준다.
— *vi.* 탈모(脫毛)〔탈피〕하다, 털갈이하다 ; 껍질〔허물〕을 벗다 ; (잎 · 씨 등이) 떨어지다 : My dog is *~ding* badly. 우리 집 개는 털갈이가 심하다.

***shed**[2] *n.* Ⓒ ① 헛간, 광 ; 가축 우리 : a cattle ~ 가축 우리. ② 차고, 격납고 : a bicycle ~ / a train ~ 열차 차고.

sheen [ʃiːn] *n.* Ⓤ (또는 a ~) 번쩍임, 광채 (brightness) ; 광택, 윤(luster) : Her hair has *a* silver ~. 그녀 머리는 은빛으로 빛난다.

sheeny [ʃíːni] (***sheen·i·er*** ; ***-i·est***) *a.* 광택 있

는, 윤나는; 빛나는.

†sheep [ʃi:p] (*pl.* ~) *n.* ① Ⓒ 양, 면양 : a flock of ~ 한 떼의 양 / As well be hanged (hung) for a ~ as (for) a lamb. 《俗談》 바늘 도둑도 소도둑이나 마찬가지, 기왕 내친걸음이면 끝까지 / *Sheep* bleat. 양이 음매하고 울다 / follow like ~ 맹종하다. ② Ⓤ 양가죽, 양피(羊皮). ③ 겁쟁이, 마음 약한 사람; 어리석은 사람. ④ 〔集合的〕 교구민, 신자(cf. shepherd). ***a lost* 〔*stray*〕 ~** 〖聖〗 길 잃은 양, 정도(正道)를 벗어난 사람《예레미야 L : 6》. ***a wolf in ~'s clothing*** 〖聖〗 양의 가죽을 쓴 이리, 착한 사람의 가면을 쓴 악인《마태복음 Ⅶ : 15》. ***separate the ~ from the goats*** 〖聖〗 선인과 악인을 구별하다《마태복음 XXV : 32》.

sheep-dip [∠dìp] *n.* ① Ⓤ 세양액(洗羊液)《기생충 구제(驅除)용》. ② Ⓒ 세양조(洗羊槽).

shéep dòg 양지기 개, 목양견(牧羊犬).

sheep·fold [∠fòuld] *n.* Ⓒ 양우리.

sheep·herd·er [∠hə̀:rdər] *n.* Ⓒ 《美》 양 치는 사람(shepherd).

sheep·ish [ʃí:piʃ] *a.* (양처럼) 마음이 약한, 수줍어하는, 겁 많은 : He gave me a ~ grin. 그는 수줍은 듯 씩 웃었다.

㊉ **~·ly** *ad.* **~·ness** *n.*

shéep's èyes 《口》 곁눈질, 추파 : cast 〔make〕 ~ at ... 《口》 …에(게) 추파를 던지다〔곁눈질하다〕.

sheep·shear·er [∠ʃìərər] *n.* Ⓒ 양털깎는 사람 「〔기계〕.

sheep·shear·ing [∠ʃìəriŋ] *n.* ① Ⓤ 양털 깎기. ② Ⓒ 양털 깎는 시기〔축제〕.

sheep·skin [∠skìn] *n.* ① Ⓤ 양가죽, 무두질한 양가죽. ② Ⓒ 양가죽 제품《외투·모자 따위》. ③ Ⓤ 양피지. ④ Ⓒ 《美口》 졸업 증서(diploma).

‡sheer¹ [ʃiər] (**∠·er ; ∠·est**) *a.* ① (천·피륙이) 얇은; (내)비치는(diaphanous). ② 〔限定的〕 순전한, 단순한(mere), 전적인 : a ~ waste of time 순전한 시간 낭비 / talk ~ nonsense 실로 터무니없는 소리를 하다 / The guy was a ~ crazy that we met. 우리가 만난 그 자는 완전히 미쳤다 / by ~ luck 순전히 운이 좋아서. ③ 깎아지른 듯한(perpendicular), 험준한, 수직의 : a ~ drop of 100 feet to the water 수면까지 100피트의 수직 낙하 거리. ── *ad.* ① 완전히, 순전히, 아주; 정면〔정통〕으로 : He ran ~ into the wall. 그는 벽에 정면으로 부딪쳤다. ② 수직으로, 곧바로 : fall ~ down 300 feet, 300피트 아래로 곤두박질하다 / The cliff descends ~ to the sea. 그 벼랑은 바다에 깎아지른 듯이 서 있다. ── *n.* ① Ⓤ 얇고 비치는 피륙. ② Ⓒ 그 옷.

sheer² *vi.* ① (배 따위가 충돌을 피해) 갑자기 방향을 바꾸다《*away ; off*》: The car ~*ed away*, missing the lorry by inches. 차는 트럭과 몇인치 거리에서 방향을 틀었다. ② (싫은 사람·화제 등을) 기피하다《*away ; off*》: She always ~*s away* from this topics. 그녀는 늘 이 화제를 피한다.

‡sheet¹ [ʃi:t] *n.* Ⓒ ① 시트, (침구 따위의) 커버, 홑이불 : put clean ~*s* on the bed 침대에 깨끗한 시트를 깔다 / Once a week, a maid changes the ~*s.* 일주일에 한번 하녀가 시트를 간다. ② (플레이트(plate)보다 얇은 유리·쇠·베니어판 따위의) 얇은 판, 박판 : a ~ of glass〔iron〕 판유리〔철판〕 한 장. ③ …장〔매〕; 한 장의 종이; (서적·인쇄물·편지·신문 따위의) 한 장 : two ~*s* of paper 종이 두 장 / He handed a typewritten ~ to Mary. 그는 메리에게 타이프한 종이 한 장을 건넸다. ④ (눈·물·불·색(色) 따위의) 넓게 퍼진 면, 질펀함, 온통…, 일대(一帶) : a ~ of water 질펀한 물 / a ~ of fire 불바다 / A thick ~ of ice had formed all over river. 강은 온통 두껍게 결빙되어 있었다. ⑤ (암석·흙·얼음 따위의) 얇은 층〔켜〕. ⑥ (흔히 *pl.*) 매엽지(枚葉紙)《인쇄용 사이즈로 된 종이》; (설계 따위의) 도면; (우표의) 시트; 인쇄물; 《口》 신문, 정기 간행물《따위》: a proof ~ 교정쇄 / tear a ~ from a pad 메모장을 한 장 떼다 / a penny ~, 1페니 신문 / ⇨ FLY SHEET. ***a clean* ~** 전과가 없는〔선량한〕 사람. **(*as*) *pale* 〔*white*〕 *as a* ~** 새파랗게 질리어, 백지장같이 되어. ***in ~s*** (1) 〖製本〗 제본하지 않고, 인쇄한 채로. (2) (비·안개가) 몹시 : The rain was coming down *in* ~*s.* 비가 억수로 온다.

── *a.* 〔限定的〕 박판(薄板) 모양의 : ~ glass 박판유리. ── *vt.* ① …에 시트를 깔다, 시트〔홑이불〕로 덮다. ② 〔종종 受動으로〕 …을 온통 (뒤)덮다 : The path *was ~ed with* snow 〔leaves〕. 길은 온통 눈〔낙엽〕으로 덮여 있었다. ── *vi.* (비가) 몹시 내리다.

sheet² *n.* Ⓒ 〖海〗 ① 아딧줄, 시트. ② (*pl.*) (이물〔고물〕의) 공간, 자리. ***three ~s in the wind*** 《口》 고주망태가 되어.

shéet ànchor ① 〖海〗 비상용 큰 닻. ② 일단 유사시에 의지가 되는 사람〔것〕. 「판금.

sheet·ing [ʃí:tiŋ] *n.* Ⓤ ① 시트감. ② (피복용)

shéet lìghtning 〖氣〗 시트 방전(放電), 판(板) 번개.

shéet mètal 판금, 금속 박판(薄板).

shéet mùsic 낱장으로 된 악보.

she-goat [ʃí:gòut] *n.* Ⓒ 암염소. cf. he-goat.

sheik, sheikh [ʃi:k, ʃeik] *n.* Ⓒ (아라비아인·이슬람교도의) 가장, 족장, 수장《경칭으로도 씀》.

㊉ **∠·dom** *n.* Ⓒ ~의 영지(領地).

shek·el [ʃékəl] *n.* Ⓒ ① 셰켈《(1) 옛 유대의 무게·은화의 단위. (2) 이스라엘의 통화 단위; 기호 IS》. ② (*pl.*) 《口》 금전(money), 부(富).

shel·drake [ʃéldrèik] (*pl.* **~s,** 〔集合的〕 ~; *fem.* ***shel·duck*** [-dʌ̀k], *fem. pl.* **~s,** 〔集合的〕 ~) *n.* Ⓒ 〖鳥〗 혹부리오리, 황오리.

‡shelf [ʃelf] (*pl.* ***shelves*** [ʃelvz]) *n.* Ⓒ ① 선반, 시렁 : Put this book on the ~. 이 책을 선반에 얹어라. ② 선반 하나 분량의 책 : a ~ of books. ③ **a**) (벼랑의) 바위턱(edge). **b**) 암초, 모래톱, (sand bank), 여울목; 대륙붕(continental ~). ***off the* ~** (재고가 있어) 언제든 살 수 있어. ***on the* ~** 《口》 (1) (사람이) 일이 없어, 놀고 있어 : I was afraid of getting left *on the* ~. 나는 일자리에서 밀려날 것이 두려웠다. (2) (여자가) 혼기를 놓쳐 : Women used to think they were *on the* ~ at 30. 여성들은 전에 나이 30이면 혼기를 놓쳤다고 생각했었다. 「장 수명.

shélf lìfe (약·식품 등의) 재고 가능 기간, 저

shélf màrk (도서관의) 서가(書架) 기호.

‡shell [ʃel] *n.* ① Ⓤ,Ⓒ **a**) (달걀·조개 따위의) 껍질, 조가비(sea ~) : an egg ~ 달걀 껍질 / a snail ~ 달팽이 껍데기 / buttons made of ~ 조가비로 만든 단추. **b**) (거북의) 등딱지(tortoise ~). **c**) (과일·씨 따위의) 딱딱한 외피〔겉껍데기〕, 껍질, 깍지 : a nut ~ 호두 껍질. ② Ⓒ **a**) 포탄, 유탄(榴彈). **b**) 《美》 약협(藥莢), 탄피; 포탄의 파편 : a tear ~ 최루탄. ③ Ⓒ (내실이 없는) 외관, 겉보기 : a ~ of religion 종교의 허울, 외관뿐인 종교. ④ Ⓒ **a**) (건물·탈것 등의) 뼈대, 외곽(틀); 선체; 차체 : the ~ of a house 집의 뼈대 / After the fire the building was a mere ~. 화재로 건물은 뼈대만 남았다. **b**) (혼백이 나간 인간의) 껍데기 : a mere ~ of a man 의욕을 상실한 껍데기만의 남자 / My life has been an empty ~ since she died. 그녀가 죽고나서 내 인생은 그저

빈 껍데기다. ⑤Ⓒ (셸형(shell 型)의) 경주용 보트. ⑥〖物〗 (전자의) 껍질. ***come out of*** one'***s*** ~ 마음을 터놓다. ***draw***〔***go, retire***〕 ***into*** one'***s*** ~《口》자기의 조가비 속으로 들어가 버리다, 입을 다물다. ― *vt.* ①…에서 껍데기〔깍지·꼬투리〕를 벗기다; 껍데기〔깍지〕에서 끄집어 내다: ~ eggs 달걀 껍질을 벗기다 / ~ peas 콩깍지를 까다. ②…을 포격하다(bombard): They continued to ~ towns on the northern coast. 그들은 북쪽 해안에 있는 마을들을 계속 포격했다. ― *vi.* ①(껍질·껍데기 따위가) 벗어지다, 벗겨지다. ②포격하다.

†**she'll** [ʃi:l, 弱 ʃil] she will〔shall〕의 간약형.

shel·lac [ʃəlǽk] *n.* Ⓤ 셸락 (도료). ― (*p., pp.* ***-lacked ; -lack·ing***) *vt.* ①…에 셸락을 바르다. ②《美俗》…을 묵사발이 되도록 패주다.

shel·lack·ing [-kiŋ] *n.* Ⓒ (흔히 *sing.*)《美》구타; 참패: His dad gave him a ~ for stealing the money. 돈을 훔쳤다고 아버지는 그를 두들겨 팼다.

shell·back [ʃélbæ̀k] *n.* Ⓒ ①늙은〔노련한〕선원. ②《口》배로 적도를 횡단한 사람.

shelled [ʃeld] *a.* ①〔複合語로〕 껍질이 있는: a hard-~ crab. ②껍데기〔깍지〕를 벗긴: ~ beans.

shell·er [ʃélər] *n.* Ⓒ ①껍질〔깍지〕벗기는〔까는〕 사람; 탈곡기. ②조가비 수집가.

Shel·ley [ʃéli] *n.* **Percy Bysshe** [biʃ] ~ 셸리《영국의 낭만파 서정 시인; 1792-1822》.

shell·fire [ˊ-fàiər] *n.* Ⓤ,Ⓒ 〖軍〗 포화(砲火): The town came under regular ~. 마을은 본격적인 포화 세례를 받았다.

*__shell·fish__ [ˊ-fiʃ] *n.* Ⓤ,Ⓒ 조개; 갑각류(甲殼類)《새우·게 따위》.

shell·proof [ʃélprù:f] *a.* 방탄(성)의, 포격에 견디는.

shéll shòck 〖醫〗 포탄(砲彈) 충격, 전쟁 신경증, 전투 치매증(combat fatigue).

shell-shocked [ˊ-ʃɑ̀kt / ˊ-ʃɔ̀kt] *a.* 〖醫〗 포탄 충격의, 전쟁 노이로제의.

shell·work [ˊ-wə̀:rk] *n.* Ⓤ 조개〔자개〕 세공.

shelly [ʃéli] (***shell·i·er ; -i·est***) *a.* (조개) 껍질이 많은〔로 덮인〕; (조개) 껍질 같은.

‡**shel·ter** [ʃéltər] *n.* ①Ⓒ 피난 장소, 은신처; 대합실; 〖軍〗 대피호, 방공호(air-raid ~): a bus ~ (차양 있는) 버스 정류장 / find a ~ from the rain 비를 피할 곳을 만나다 / a wooden ~ in a public garden 공원의 정자 / The hut provided a ~ from the storm. 그 오두막은 폭풍우를 피하게 해주었다. ②Ⓒ 차폐물, 엄호물: a ~ from the sun 해가리개, 차양. ③Ⓤ 보호, 비호, 옹호(protection): give〔provide, offer〕 a person ~ 아무를 보호해 주다. ④Ⓤ 차폐; 피난(refuge): get under ~ 대피하다. ⑤Ⓤ (비바람을 피하는) 오두막, 숙소, 집: food, clothing and ~ 의식주《★ 우리와 순서가 다르나 영어는 이 순서로 말함》/ We took ~ for the night in an abandoned house. 우리는 그날 밤을 어느 빈집에서 지냈다. ― *vt.*《~+목 / +목+전+명》…을 숨기다, 감추다; 비호〔보호〕하다(shield): ~ a person for the night 아무를 하룻밤 재워주다 / The wood ~*s* the house *from* cold winds. 숲이 찬바람으로부터 그 집을 막아 준다 / We can't ~ the children *from* real life forever. 언제까지나 아이들을 세파로부터 보호할 수는 없다. ― *vi.* ①《~ / +전+명》숨다, 피난하다; (해·바람·비 따위를) 피하다《*from ; in ; under*》: ~ *from* the rain (under a tree) (나무 밑에서) 비를 피하다 / In the rain people were ~*ing in* the doorways of shops. 비 오는 가운데 사람들이 여러 가게 문간에서 비를 피하고 있었다. ②(부모·윗사람 등의) 비호에 의지하다《*under ; behind*》: He always ~*s behind* his boss. 그는 항상 상사의 비호에 의지한다. 파 **~·less** *a.* 숨을 데가 없는, 피난할 곳이 없는; 보호〔의지〕할 데 없는.

shel·ter·belt [-bèlt] *n.* Ⓒ 방풍림(防風林).

shel·tered [ʃéltərd] *a.* ①(장소가) 비바람에서 지켜주는: find a ~ spot from the rain 비를 피할 자리를 찾다. ②(사람·생활이 위험 등에서) 보호받는, 보호된: lead a ~ life 보호받는 생활을 하다. ③(장애자·노인에게) 사회복귀의 장소·기회를 주는.

shélter tènt 《美》 (2 인용의) 개인 천막.

*__shelve__[1] [ʃelv] *vt.* ①**a**) …을 시렁〔선반〕에 얹다. **b**) …에 선반을 달다: I'm going to ~ the garage to have more space for storing things. 물건 둘 자리를 더 넓히기 위해 차고에 선반을 달까 한다. ②(해결 따위)를 미루다, 깔아 뭉개다, (의안 따위)를 묵살하다: Sadly, the project has now been ~*d*. 유감이지만 그 계획은 현재 보류다. ③…을 퇴직〔해임〕시키다(dismiss). ◇ shelf *n.*

shelve[2] *vi.* (토지가) 완만하게 경사를 이루다《*up ; down*》.

*__shelves__ [ʃelvz] SHELF 의 복수.

shelv·ing [ʃélviŋ] *n.* Ⓤ ①선반의 재료. ②〔集合的〕 선반, 시렁.

she·moz·zle [ʃimɑ́zəl / -mɔ́zəl] *n.* Ⓒ (흔히 *sing.*)《英俗》①소동, 난장판. ②뒤죽박죽, 혼란.

she·nan·i·gan [ʃinǽnigən] *n.* Ⓒ《口》(흔히 *pl.*) ①장난. ②사기, 속임수.

She·ol [ʃí:oul] *n.* Ⓒ《Heb.》저승, 황천(Hades).

‡**shep·herd** [ʃépərd] (*fem.* ***~·ess*** [-is]) *n.* Ⓒ ①양치는 사람, 양치기. ②**a**) 목사(pastor). **b**) (정신적) 지도자, 교사. **c**) (the (Good) S-) 착한 목자, 예수 그리스도. ― *vt.* ①(양)을 지키다, 보살피다, 기르다. ②《~+목 / +목+전+명》…을 이끌다, 안내하다(guide): ~ a crowd *into* a train 여러 사람을 안내해 열차에 태우다 / The teacher was ~*ing* the group of children into the bus. 선생이 아이들을 버스에 태우고 있었다 / I ~*ed* them towards the lobby. 내가 그들을 로비에 안내했다.

shépherd dòg =SHEEP DOG.

shépherd's chéck〔**pláid**〕 ①흑백 격자 무늬. ②그런 천.

shépherd's cróok (끝이 굽은) 목양자의 지팡이.

shépherd's píe 셰퍼드 파이《파이의 일종; 다진 고기와 양파를 으깬 감자에 싸서 구운 것》.

Sher·a·ton [ʃérətən] *n.* Ⓤ 셰라턴 양식《영국의 가구 설계사 T. Sheraton(1751-1806) 이름에서》.

sher·bet [ʃɔ́:rbit] *n.* Ⓤ,Ⓒ 셔벗《과즙을 주로 한 빙과》; 《英》 찬 과즙 음료; 소다수류.

sherd [ʃə:rd] *n.* =SHARD.

‡**sher·iff** [ʃérif] *n.* Ⓒ ①《美》군(郡) 보안관《선출되며 county 의 치안을 맡아 봄》. ②《英》주(州) 장관《county 또는 shire 의 치안과 행정을 집행하는 행정관; 현재는 high sheriff 라 하며 명예직》.

sher·lock [ʃɔ́:rlɑk / -lɔk] *n.* (종종 S-) (명) 탐정, 명추리〔해결〕자《Conan Doyle의 추리 소설의 주인공 Sherlock Holmes에서》.

Sher·pa [ʃέərpə, ʃə́:r-] (*pl.* ***~, ~s***) *n.* Ⓒ 셰르파 사람《티베트의 한 종족; 등산인의 포터로 많이 활약》.

sher·ry [ʃéri] *n.* Ⓤ,Ⓒ 셰리《스페인산 백포도주》; 그와 비슷한 백포도주.

†**she's** [ʃi:z, 弱 ʃiz] she is 〔has〕의 간약형.

S.H.F., SHF, s.h.f. superhigh frequency (초고주파).

shib·bo·leth [ʃíbəliθ, -lèθ] *n.* Ⓒ ①〖聖〗 시볼렛《적대하던 두 종족이 Sh [ʃ] 음의 발음을 할 수 있는지 없는지를 시험해 적을 식별하던 말》. ②**a**) (출생국·계급 등을 알아보기 위한) 변말. **b**) (어면 계급 특유의) 은어 ; 관습, 말투. ③ 진부한 문구, 관습.

‡shield [ʃi:ld] *n.* Ⓒ ① 방패. ② 보호물, 방어물, 차폐물 ; 후원자, 보호〔옹호〕자 : The virus forms a sort of protective ~ against infection. 그 바이러스는 전염에 대한 어떤 방어 물질을 만든다. ③ 보호, 보장 : The air force is our ~ against invasion. 공군은 타국의 침략에 대한 나라의 방패다. ④ 원자로를 싸는 차폐물. ⑤ 방패 모양의 것 ; (기계 따위의) 호신판(護身板) ; 방패꼴의 트로피 ; 〖工〗 (터널 등을 팔 때 갱부를 보호하는) 실드, 받침대. ⑥ 〖紋章〗 (방패 모양의) 바탕 ; 《美》 경찰관의 기장(記章). ── *vt.* ① 《~+목 / +목+전+명》 …을 감싸다, 보호하다(protect) ; 수호하다, 막다 《*from*》 : ~ a person *from* danger 아무를 위험에서 지키다 / ~ one's daughter with one's own body 자기 몸을 방패삼아 딸을 보호하다. ② …을 가리다, 차폐하다, 숨기다.

‡shift [ʃift] *vi.* ① 《~ / +부 / +전+명》 이동하다, 자리를 옮기다〔바꾸다, 뜨다〕 : She ~*ed about* for many years. 그녀는 여러 해 동안 여기저기 옮겨 살았다 / The immigrants ~*ed from* one place *to* another. 이민자들은 이곳저곳을 전전(轉轉)하였다. ② 《+전+명》 (방향이) 바뀌다 : The wind ~*ed to* the east. 바람이 동풍으로 바뀌었다. ③ (장면·상황·성격 따위가) 바뀌다, 변화하다. ④ 《美》 (자동차의) 기어를 바꿔 넣다, 변속하다 ; (타자기의) 시프트 키를 누르다. ⑤ 더럼이 없어지다. ⑥ 《~ / +전+명》 이리저리 변통하다〔둘러대다〕, 꾸려나가다(manage) : ~ *through* life 이럭저럭 살아가다 / ~ *with* little money 적은 돈으로 그럭저럭 꾸려가다.

── *vt.* ① 《~+목 / +목+전+명 / +목+부》 …을 이동시키다, 옮기다, 전위(轉位)하다 : ~ a burden *to* the other shoulder 짐을 다른 어깨로 옮기다 / He ~*ed* the chair closer to the bed. 그는 의자를 침대에 더 가깝게 옮겼다. ② (방향·위치·장면 등)을 바꾸다, 변경하다, 변화시키다 : ~ one's opinion 의견을 바꾸다 / ~ the scene 장면을 바꾸다 / The center fielder ~*ed* his position for next batter. 중견수는 다음 타자에 대비하여 수비위치를 바꾸었다 / The wind ~*ed* from east to north. 풍향은 동에서 북쪽으로 바뀌었다. ③ 《+목+전+명》 (책임 등)을 …에게 전가하다 : Don't try to ~ the blame *onto* me! 내게 책임을 떠넘기려 하지 마라. ④ 《美》 (자동차의 기어)를 바꿔 넣다 : In cars that are automatics, you don't have to bother with ~*ing* gears. 자동식 차량에서는 기어 바꾸는 데 신경쓸 필요가 없다. ⑤ 《~+목 / +목+전+명》 (더럼 등)을 제거하다, 없애다(remove) : ~ the dirt 먼지를 치우다 / ~ obstacles *out of* the way 장애물을 제거하다. **~ *for* one*self*** 자기 힘으로 꾸려 나가다, 자활하다 : He had to ~ *for himself* since his father died. 부친 사망 후 그는 자력으로 살아가야 했다. **~ *off*** (책임 따위)를 남에게 전가하다, 회피하다 ; (의무)를 미루다. ── *n.* Ⓒ ① 변천, 추이 ; 변화, 변동 ; (장면·태도·견해의) 변경, 전환 : ~*s* in fashion 유행의 변천 / a ~ of interest from history to science 역사에서 과학으로의 흥미 전환 / ~*s* in policy 정책의 변화. ② (근무의) 교체, 교대(시간) ; 교대조(組) : work in three ~*s*, 3 교대제로 일하다 / an eight-hour ~, 8시간 근무(제) / graveyard ~ (3 교대제 조업의) 야간 교대(조) 《0시부터 8시까지》. ③ (종종 *pl.*) 임시 변통〔방편〕, 둘러대는 수단(expedient) ; 속임수, 술책(trick) : The villagers were living by ~(*s*). 마을 사람들은 그럭저럭 살고 있었다 / a ~ to avoid the draft 징병 기피 수단. ④ 〖言〗 음성의 추이. ⑤ (농작물의) 윤작, 돌려짓기 : ~ of crops. ⑥ 시프트 드레스(~ dress)《어깨에서 직선으로 내려오는 여성복》; (바이올린 켤 때의) 왼손 놀림〔이동〕. ⑦ 〖野〗 수비 위치의 이동. ⑧ 〖컴〗 밀기, 시프트《데이터를 우 또는 좌로 이동시킴》. ***make* (*a*) ~** 그럭저럭 꾸려 나가다 ; 변통하다 : We had no chairs so we had to *made* ~ with old boxes. 우리는 의자가 없어서 헌 상자로 대신해야 했다.

shíft kèy (타자기·컴퓨터 따위의) 시프트 키, 윗(글)쇠.

shift·less [ʃíftlis] *a.* 속수 무책의 ; 변변치 못한, 주변머리 없는, 무능한 ; 게으른(lazy).
㊕ **~·ly** *ad.* **~·ness** *n.*

shifty [ʃífti] (***shift·i·er* ; *-i·est***) *a.* 책략이〔재치가〕 풍부한 ; 교활한, 못믿을 : a ~ look 교활한 시선 / He had a ~ face and previous convictions. 그는 생김새가 교활했고 전과가 있었다.
㊕ **shíft·i·ly** *ad.* **-i·ness** *n.*

Shi·ite, Shi'·ite [ʃí:ait] *n.* Ⓒ 〖回敎〗 시아파 신도.

shill [ʃil] *n.* Ⓒ 《美俗》 (도박장 등의) 야바위꾼, 한통속. ── *vi.* (…의) 바람잡이 노릇을 하다.

‡shil·ling [ʃíliŋ] *n.* Ⓒ ① 실링《영국의 화폐 단위 ; 1/20 pound=12 pence 에 상당 ; 略 : s. ; 1971년 2월 15일 폐지됨》; 1 실링의 백통전. ② 실링《영국령 동아프리카의 화폐 단위 ; 略 : Sh.》.

shil·ly-shal·ly [ʃíliʃæli] *a.* 《口》 결단을 못 내리는(irresolute), 망설이는, 우유부단한.
── *n.* Ⓤ 주저, 망설임, 우유부단. ── *vi.* 망설이다, 결단을 못내리고 우물쭈물하다 : Stop ~, and make a decision now! 그만 망설이고 지금 결정을 해라.

shi·ly [ʃáili] *ad.* =SHYLY.

shim [ʃim] *n.* Ⓒ 틈새를 메우는 나무〔쇠〕, 쐐기. ── (***-mm-***) *vt.* …에 쐐기를 박다.

***shim·mer** [ʃímər] *n.* Ⓤ (또는 a ~) 어렴풋한 빛, 가물거리는 (불)빛, 미광(微光) : the blue ~ of smoke rising from a distant chimney 저 멀리 굴뚝에서 오르는 연기의 일렁이는 어렴풋한 파란 빛. ── *vi.* ① 희미하게 반짝이다, 가물거리다 : I sat looking at the sea ~*ing* in the moonlight. 나는 달빛에 반짝이는 바다를 보며 앉아있었다. ② 아른거리다 : Waves of heat ~*ed* from the pavement. 차도에서 아지랑이가 아른거리고 있었다.

shim·my [ʃími] *n.* Ⓒ 《美》 ① (자동차 앞바퀴의) 이상 진동. ② 시미《제1차 세계대전 후에 유행한 몸을 떨며 추는 재즈 춤의 일종》.
── *vi.* ① 몹시 흔들리다. ② 시미춤을 추다.

shin** [ʃin] *n.* Ⓒ 정강이 : She kicked him on the ~. 그녀는 그의 정강이를 걷어찼다 / get kicked on the ~ 정강이를 차이다. ── (-nn-***) *vi.* ① 《+전+명》 기어오르다《*up*》 : ~ *up* a tree to get a better view 더 잘 보려고 나무에 기어 오르다. ② 《+전+명 / +부》 부여잡고 내려오다《*down*》 : ~ *down* the drainpipe 홈통을 붙들고 내려오다.

shin·bone [ʃínbòun] *n.* Ⓒ 〖解〗 정강이뼈.

shin·dig [ʃíndìg] *n.* Ⓒ 《口》 ① 떠들썩하고 흥겨운 모임〔파티〕 ; 무도회 : Are you going to that ~ at the Town Hall tonight? 오늘 밤 공회당의 파티에 가려나. ② =SHINDY.

shin·dy [ʃíndi] *n.* Ⓒ 《英口》 소동 ; 싸움, 옥신각신.

†shine [ʃain] (*p., pp.* ***shone***) *vt.* ① 《~+목 / +목+전+명》 …을 빛나게〔번쩍이게〕 하다 ; 비추다 ; (불빛·거울 등)을 어떤 방향으로 돌리다 : *Shine* your flashlight on my steps. 회중전등으로 발 밑을 비추어 주게 / I *shone* my torch into the dark room. 어두운 방에 회중전등을 비추었다. ② (*p., pp.* ~***d***) (구두·쇠장식·거울 따위)를 닦다(polish), 광을 내다 : I had my boots ~*d*. 구두를

닦아 달랬다. ── *vi.* ①《~ / +전+명 / +부》 빛나다, 번쩍이다, 비치다; (홍분·기쁨으로 얼굴이) 밝다: The moon ~*s* bright(ly). 달이 환하게 비친다 / Their bodies were *shining* with sweat. 그들의 몸은 땀으로 빛나고 있었다 / Happiness ~*s* on her face. = Her face ~*s* with happiness. 그녀의 얼굴은 행복에 빛나고 있다 / The sun *shone* on the water. 해가 수면을 비쳤다 / Wax makes the floor ~. 왁스를 칠하면 마루가 빛난다. ②《+전+명 / +*as* 보》 이채를 띠다, 눈에 띄다, 두드러지다, 빼어나다(excel); 반짝 띄다, 돋보이다: ~ in speech 연설을 뛰어나게 잘하다 / He didn't ~ at games. 그는 경기에는 시원찮았다 / He ~*s as* a scholar. 그는 학자로서 뛰어난 사람이다. ③ (성질·감정 등이) 확연히 나타나다, 완연하다. ~ ***up to*** = ~ ***round*** 《美俗》 …의 환심을 사려 들다, (여자)에게 추파를 보내다. ── *n.* ① Ⓤ (또는 a ~) **a)** 빛(남), 광휘(brightness). **b)** 찬란〔화려〕함. ② (a ~) **a)** 윤, 광(택): Silk has *a* ~ 비단에는 광택이 있다. **b)** 구두에 광내기: give one's shoes *a* ~ 구두에 광을 내다. ***come rain or*** ~ = (***in***) ***rain or*** ~ = RAIN. ***take a*** ~ ***to*** 〔***for***〕《口》 …에 한눈에 반하다: Seems to me you've *taken* quite *a* ~ *to* her. 내 보기에 네가 그녀에 홀딱 반한 모양이다. ***take the*** ~ ***out of*** 〔***off***〕 (1) …의 광택을 지우다. (2) …을 무색하게 하다, 볼품 없게 만들다.

shin·er [ʃáinər] *n.* Ⓒ ① 빛나는 물건; 번쩍 띄는 인물. ②《口》 시퍼렇게 멍든 눈.

***shin·gle**[1] [ʃíŋgəl] *n.* Ⓒ ① 지붕널, 지붕 이는 판자: That roofs had ~*s* missing. 지붕에 널이 몇 장 빠져있다. ②《美口》 (의사·변호사 등의) 작은 간판: hang out〔up〕 one's ~ 의사〔변호사〕 간판을 내걸다, 개업하다. ③ (여성 머리의) 싱글커트, 치켜 깎기. ── *vt.* ① …을 지붕널로 이다. ② (머리)를 싱글커트하다.

shin·gle[2] *n.* Ⓤ 〔集合的〕 (해안·강기슭의) 조약돌《자갈(gravel)보다 큰》; (*pl.*) 조약돌이 깔린 해변.

shin·gles [ʃíŋgəlz] *n.* Ⓤ 〖醫〗 대상 포진(帶狀疱疹).

shin·gly [ʃíŋgli] *a.* 자갈〔조약돌〕이 많은: a ~ beach 자갈이 많은 해변.

shín guàrd (흔히 *pl.*) 정강이받이《하키·야구 캐처용의》.

shin·ing [ʃáiniŋ] *a.* 〔限定的〕 ① 빛나는, 번쩍이는: ~ eyes 반짝이는 눈 / the ~ sun 빛나는 태양. ② 화려한, 뛰어난: She is a ~ example to us all. 그녀는 우리 모두에게 훌륭한 본보기다. ***improve each*** 〔***the***〕 ~ ***hour*** = HOUR.

shin·ny[1] [ʃíni] *n.* Ⓤ 시니《하키 비슷한 경기》; Ⓒ 그것에 쓰는 클럽〔타구봉〕.

shin·ny[2] *vi.* 《美口》 (나무 등에) 기어오르다《*up*》.

shiny** [ʃáini] (shin·i·er***; ***-i·est***) *a.* ① **a)** 빛나는; 번쩍이는, 윤나는: His face is always ~ and bright. 그의 얼굴은 늘 밝게 빛나고 있다. **b)** 날씨가 좋은: It's warm and ~. 날씨가 좋아 따뜻하다. ② 오래 입어 반들반들한, 번들거리는《옷 따위》: The seat of his pants is ~. 바지 엉덩이가 닳아서 번들거린다.

†**ship** [ʃip] *n.* Ⓒ ① 배, 선박《흔히 돛·동력으로 움직이는 항해·수송용의 대형 선박을 이름; 광의로는 일반적인 배도 가리킴》: a cargo ~ 화물선 / a merchant ~ 상선 / the ~*'s* journal 항해 일지 / the ~ of the desert 사막의 배《낙타》/ a ~*'s* doctor 선의(船醫). ② (레이스용) 보트. ③ 항공기, 비행선; 우주선(spaceship). ④ 〔集合的; 單·複數 취급〕 (배의) 승무원 전체. ***jump*** ~ (선원이) 배에서 도망치다. ***run a tight*** ~ 완전히 (잡고) 지배하다. ***when*** one***'s*** ~ ***comes home*** 〔***in***〕 돈이 생기면, 돈을 벌면, 운이 트이면. ── (***-pp-***) *vt.* ①《~ +목 / +목+전+명》 …을 배로 보내다; 배에 싣다《*off*; *out*》: The corn was ~*ped to* Africa. 곡물은 배로 아프리카에 수송됐다 / I'm flying to America but my car is being ~*ped*. 나는 미국에 비행기로 가고 차는 지금 배로 보내고 있다. ②《美》 (철도·트럭 따위로) …을 수송〔발송〕하다: ~ cattle by rail 소를 철도로 수송하다. ③ (사람)을 …에 전속시키다; 쫓아버리다《*off*》. ④ (파도)를 덮어 쓰다: The boat ~*ped* water in a storm. 배는 폭풍을 만나 파도를 덮어 썼다. ── *vi.* ① 배를 타다, 승선하다(embark): ~ from San Francisco 샌프란시스코에서 승선하다. ②《+전+명》 선원으로 일하다: ~ as purser *on* an ocean liner 외항 정기선의 사무장이 되다.

-ship *suf.* ① 형용사에 붙여 추상명사를 만듦: hard*ship*. ② 명사에 붙여 '상태, 신분, 직, 수완' 등을 나타내는 추상명사를 만듦: scholar*ship*.

shíp bìscuit 〖海〗 (선원용) 건빵(hardtack).

ship·board [ˊbɔ̀ːrd] *n.* Ⓤ 배. 〔다음 成句로만〕 ***on*** ~ 배 위〔안〕에(서): go *on* ~ 승선하다. ── *a.* 〔限定的〕 배에서의: ~ life 선상 생활.

shíp brèad = SHIP BISCUIT.

shíp brèaker 폐선 해체업자.

ship·build·er [ˊbìldər] *n.* Ⓒ 조선업자, 조선 기사.

ship·build·ing [ˊbìldiŋ] *n.* Ⓤ 조선학〔술〕; 조선업.

shíp canàl 선박용 운하.

shíp chàndler 선구상(船具商).

ship·load [ˊlòud] *n.* Ⓒ (한 배분의) 적하량《*of*》.

ship·mas·ter [ˊmæ̀stər, ˊmɑ̀ːs-] *n.* Ⓒ 선장.

ship·mate [ˊmèit] *n.* Ⓒ (같은 배) 동료 선원.

ship·ment [ʃípmənt] *n.* ① Ⓤ,Ⓒ 배에 싣기, 선적; 출하, 수송, 발송: urgent ~ of the products by air 항공편에 의한 제품의 긴급 발송 / articles ready for ~ 출하 준비가 된 물품. ② Ⓒ 적하(積荷), 뱃짐.

ship·own·er [ˊòunər] *n.* Ⓒ 선박 소유자, 선주.

ship·per [ʃípər] *n.* Ⓒ ① 화주. ② 운송업자.

‡**ship·ping** [ʃípiŋ] *n.* Ⓤ ① 해운업, 해상 운송업. ② 선적(船積); 운송, 수송: the ~ of oil from the middle East 중동으로부터의 석유 수송. ③ 〔集合的〕 (한 나라·한 항구의) 선박; 선박톤수.

shípping àgent 해운업자, 선박 회사 대리점.

shípping àrticles = SHIP'S ARTICLES.

shípping màster 《英》 (선원의 고용 계약 따위에 입회하는) 선원 감독관.

shíp's àrticles 선원 고용 계약(서).

shíp's bóat 배에 실는 구명정(艇).

ship·shape [ˊʃèip] *a.* 〔敍述的〕 정돈된, (질서) 정연한: keep everything ~ 모든 것을 말끔히 정리해두다 / I get the house all ~ while I was free. 한가할 때 집을 모두 정리해 두었다. ── *ad.* 정연하게, 깔끔하게.

shíp's pápers 선박 서류.

ship-to-ship [ʃíptəʃíp] *a.* (미사일 등) 함대함(艦對艦)의: a ~ missile.

ship·worm [ˊwə̀ːrm] *n.* Ⓒ 〖貝〗 좀조개《목조 선박에 붙어 큰 피해를 줌》.

***ship·wreck** [ˊrèk] *n.* ① Ⓤ,Ⓒ 난선(難船), 난파: suffer ~ 난파하다 / He was drowned in a ~ off the coast of Spain. 그는 난파로 스페인 난바다에서 익사했다. ② Ⓒ 난파선: Treasure has sometimes been found in ~*s*. 난파선에서 이따금 보물이 발견되었다. ③ Ⓤ 파멸; 실패: All our hopes were ~*ed* by the bad news. 그 흉보로 우리의 모든 희망은 물거품이 됐다. ── *vt.* ① 〔흔히 受動으로〕 …을 조난〔난선〕시키다〔하다〕: a ~*ed* vessel 난파선 / They *were* ~*ed off* the coast of the Cape of Good Hope. 그들은 희망봉 앞바다에서 조난당했다. ② 〔흔히 受動으로〕 (사람·희망 등)을 파멸시키다〔하다〕(destroy) : Their hopes *were* ~*ed by* the war. 그 전쟁으로 그들의 희망은 좌절됐다. 「(船工), 선장(船匠).

ship·wright [ˊ-ràit] *n.* Ⓒ 조선공(造船工), 선공

ship·yard [ˊ-jàːrd] *n.* Ⓒ 조선소.

shire [ʃáiər] *n.* ① Ⓒ (영국의) 주(州)(county) ; =SHIRE HORSE. ② (the S-s) 영국 중부 지방《shire 로 끝나는 이름을 가진 여러 주(州), 특히 여우 사냥으로 유명한 Leicester*shire* 따위》.

-shire *suf.* 《英》 '…주(州), …지방'의 뜻.

shíre hòrse 샤이어《영국 중부 지방산의 크고 힘센 짐마차 말》.

shirk [ʃəːrk] *vt.* 《~+목/+-*ing*》 (책임·의무 등)을 회피하다 ; 기피하다 : ~ military service 징병을 기피하다 / ~ go*ing* to school 학업을 게을리하다 / Stop ~*ing* and get on your work. 농땡이 부리지 말고 일이나 계속해라. ── *vi.* 《~/+부/+전+명》 책임을 피하다 ; 뺀들거리다 : You shall not ~ from your obligation. 네가 책임을 회피할 수는 없을 게다. ㊕ ˊ**-er** *n.* Ⓒ 책임 회피자, 뺀들거리는 사람.

shirr [ʃəːr] *n.* =SHIRRING. ── *vt.* 〖服飾〗 …에 셔링을 달다, 주름잡아 꿰매다 ; 〖料〗 달걀을 깨어 버터 바른 얇은 접시에 고르게 담아 익히다. ㊕ ˊ**-ing** [ʃə́ːriŋ] *n.* Ⓒ 〖服飾〗 셔링《폭이 좁은 장식 주름》.

†shirt [ʃəːrt] *n.* Ⓒ ① 와이셔츠《★ 와이셔츠는 white shirt 에서 온 말이며 영어로는 그냥 shirt 라 함》: He was wearing a ~ and tie. 그는 와이셔츠에 넥타이를 매고 있었다. ② 칼라 및 커프스가 달린 블라우스. ③ 내의. ***bet*** one*'s* ~ 확신하다, 꼭 …이라고 생각하다《*on*》. ***give*** (***away***) ***the*** ~ ***off*** one*'s* ***back*** 《口》 (가진 것을) 다 주어 버리다. ***keep*** one*'s* ~ ***on*** 《俗》 〔흔히 命令法으로〕 냉정을 유지하다 *: **Keep your*** ~ ***on !*** It was only a joke. 화내지 마. 그저 농담이었다. ***lose*** one*'s* ~ 《口》 (경마·투자 등으로) 무일푼이 되다. ***put*** 〔***bet***〕 one*'s* ~ ***on*** … 《口》 (경마 따위)에 돈을 몽땅 걸다.

shírt blòuse (여성용) 셔츠 블라우스.

shírt frònt 와이셔츠의 앞가슴, (떼었다 붙였다 하는) 셔츠의 가슴판(dickey).

shirt·ing [ʃə́ːrtiŋ] *n.* Ⓤ,Ⓒ 셔츠〔와이셔츠〕감.

shirt·sleeve [ʃə́ːrtslìːv] *n.* Ⓒ 와이셔츠 소매. ***in*** (one*'s*) ~***s*** 상의를 벗고, 와이셔츠 바람으로.

shirt-sleeve(s) [ˊ-slìːv(z)] *a.* ① **a**) 상의를 입지 않은, 와이셔츠 바람의 : ~ spectators 와이셔츠 바람의 관중. **b**) (상의를 벗어도 좋을 만큼) 따뜻한. ② 비공식의, 형식에 매이지 않는(informal) : ~ diplomacy (격식에 구애되지 않는) 비공식 외교. ③ 실제적인 일을 하는, 실무를 보는.

shirt·tail [ˊ-tèil] *n.* Ⓒ 셔츠 자락 : He tucked his ~*s* into his trousers. 그는 셔츠자락을 바지 속에 밀어넣었다.

shirt·waist [ˊ-wèist] *n.* Ⓒ 《美》 ① (여성용의 와이셔츠식) 블라우스. ② 앞으로 열리는 원피스.

shirty [ʃə́ːrti] (***shirt·i·er*** ; ***-i·est***) *a.* 《英口》 기분이 언짢은, 시무룩한, 성난.

shish ke·bab [ʃí(ː)ʃkəbɑ̀b / ˊ-bæ̀b] 〖料〗 시시커밥《양념한 양고기 조각을 꼬챙이에 꿰워 구운 중동지역의 요리》.

shit [ʃit] (*p., pp.* ˊ**-ted,** ~, ***shat*** [ʃæt] ; ˊ**-ting**) *vi.* 똥을 누다 : The dog has *shat* in the living room again ! 저 개가 또 거실에 똥을 쌌다. ── *vt.* ① …에 대변을 보다, 똥누다. ② **a**) 〔再歸的〕 무의식 중에 똥을 지리다. **b**) (똥을 지릴만큼) 전전긍긍하다 : We were all ~*ting* bricks as the truck missed our car by inches. 트럭이 우리 차를 아슬아슬하게 피했을 때 우리모두는 기겁을 했다. ── *n.* ① **a**) Ⓤ 똥(dung), 대변. **b**) Ⓤ (또는 a ~) 똥을 눔 : have〔take〕 *a* ~ 대변을 보다 / I need a ~. 뒤가 마렵다. **c**) (the ~s) 설사. ② Ⓤ 허튼 소리, 되잖은 짓거리. ③ Ⓒ 똥쌀 놈. ④ (a ~) 〔흔히 否定·疑問文으로〕 하찮은 것 : *not* worth *a* ~ 아무짝에 못 쓰다 / I do*n't* give *a* ~ about politics. 정치 따위 알게 뭐야 / Who gives *a* ~ if somebody overhears ? 누가 듣건 무슨 상관이야. ***beat*** 〔***kick, knock***〕 ***the*** ~ ***out of*** a person 《俗·卑》 (아무)를 때려누이다, 두들겨 패다. ***in the*** ~ 《俗·卑》 몹시 곤란해, 난처해. ── *int.* (노여움·초조함을 나타내어) 빌어먹을, 제기랄.

shit·ty [ʃíti] (***shit·ti·er*** ; ***-ti·est***) *a.* 《卑》 싫은, 불쾌한 : I feel ~. 불쾌하다 / Don't get ~ with me — this is your fault, not mine. 날 보고 화내지 마. 이건 네 잘못이지 내가 아니다.

shiv [ʃiv] *n.* Ⓒ 《美俗》 잭 나이프.

Shi·va [ʃíːvə] *n.* =SIVA.

‡shiv·er[1] [ʃívər] *vi.* 《~/+전+명》 (추위·흥분·공포 따위로) 와들와들〔후들후들〕 떨리다 (tremble) : ~ *with* cold 추위로 덜덜 떨다 / She ~*ed* in horror (at the thought). 그녀는 (그 생각에) 무서워 떨었다. ── *n.* ① Ⓒ 몸서리 ; 떨림 : A ~ ran down my back. 등골이 오싹했다. ② (the ~s) 오한, 전율 : have *the* ~*s* 오한이 나다 / The thought of it gives me *the* ~*s*. 그걸 생각만 해도 오싹해진다.

shiv·er[2] *n.* Ⓒ (흔히 *pl.*) 조각, 파편. ***in*** ~***s*** 산산조각이 나서. ── *vt., vi.* 산산이 부수다 ; 부서지다, 깨지다.

shiv·er·ing·ly [ʃívəriŋli] *ad.* 떨면서.

shiv·ery [ʃívəri] *a.* ① (사람이 추위·공포로) 떠는, 오싹하는 : I feel ~. 오한이 난다. ② (날씨가) 오슬오슬 추운 : a ~ winter day 추운 겨울날.

***shoal**[1] [ʃoul] *n.* Ⓒ 얕은 곳, 여울목 ; 모래톱.

shoal[2] *n.* Ⓒ ① (물고기 따위의) 떼《*of*》: a ~ *of* salmon 연어 떼. ② 다량, 다수《*of*》: ~*s of* people 많은 사람들. ***in*** ~***s*** 떼를 지어 : The refugees come *in* ~*s*. 피난민들이 떼지어 몰려온다.

shoal·y [ʃóuli] *a.* 얕은 곳〔여울〕이 많은.

shoat [ʃout] *n.* Ⓒ 젖 뗀 새끼돼지(shote).

‡shock[1] [ʃɑk / ʃɔk] *n.* ① Ⓤ,Ⓒ (충돌·폭발·지진 등의) 충격 ; 진동(concussion) : the ~ of an earthquake 지진의 진동 / The ~ of the explosion was felt far away. 폭발의 충격은 멀리에서도 감지되었다. ② Ⓤ,Ⓒ (정신적인) 충격, 쇼크, 타격 : die of ~ 충격으로 죽다 / give a terrible ~ to a person 아무에게 큰 타격을 주다 / I'm still in a state of ~. 나는 아직도 충격에서 벗어나지 못하고 있다 / Ellen was white with ~. 엘런은 쇼크로 하얗게 질려 있었다. ③ Ⓤ 〖醫〗 쇼크, 진탕증(震盪症). ④ Ⓤ,Ⓒ 전기 충격, 감전 : You'll get a ~ if you touch it. 거기에 닿으면 감전된다. ⑤ (*pl.*) 《口》 =SHOCK ABSORBER.

── *vt.* ① 《~+목/+*to* do/+목+전+명/+*that* 절》 〔흔히 受動으로〕 …에 충격을〔쇼크를〕 주다〔일으키다〕 ; 깜짝 놀라게 하다 : I *am* ~*ed to* hear of his death. 그의 죽음을 듣고 충격을 받았다 / I *was* ~*ed at* his conduct. 그의 행동에 놀랐다. ② 《+목+전+명》 충격을 주어 …하게 하다 ; …을 어이없게 만들다, 화나게 하다 : Everybody was ~*ed by*〔*at*〕 the scandal. 그 독직 사건에 모두가 분개했다 / His behavior ~*s* me. 그의 행동에는 질린다. ③ …을 감전(感電)시키다 : get

~*ed* 감전되다.

shock² *n.* 〔흔히 a ~ of hairs 로〕 터부룩한 머리털 : a boy with *a* ~ *of* red *hairs.*

shock³ *n.* Ⓒ 낟가리《벼·옥수수 따위의》. ── *vt.* …을 낟가리로 하다.

shóck absòrber 〖機〗 (자동차·비행기 따위의) 완충기, 쇼크앱소버.

shock·er [ʃákər / ʃɔ́k-] *n.* Ⓒ 《口》 ① 오싹 놀라게 하는 사람〔것〕. ② 선정적인 소설〔극, 영화〕.

shock·head·ed [ʃákhèdid / ʃɔ́k-] *a.* 머리털이 부스스한, 봉두 난발의.

***shock·ing** [ʃákiŋ / ʃɔ́k-] *a.* ① 충격적인, 소름끼치는, 쇼킹한 : a ~ accident 충격적인 사고 / What they did was so ~ that I can hardly describe. 그들이 한 짓은 얼마나 끔찍했는지 이루 말할 수가 없다. ② 망측한, 발칙한 : ~ conduct 망측한 행동 / The play was considered too ~ to be stage at the time it was written. 극은 그것이 쓰일 당시 상연하기엔 너무 망측하다고 생각되었었다. ③ 지독한, 형편없는 : a ~ dinner 형편없는 식사 / I've got a ~ cold. 지독한 감기에 걸렸다. ④ 〔副詞的〕 몹시, 지독히 (shockingly).

shock·ing·ly [-li] *ad.* ① 놀랄정도로, 몹시 : ~ rude behavior 발칙할 정도로 버릇없는 행동 / Horror stories of abused and battered children are ~ familiar. 혹사당하고 학대받는 아이들에 대한 끔찍한 이야기가 놀랄 정도로 흔하다. ② 《口》 말도 안되게, 지독하게 : It's ~ expensive. 그건 엄청나게 비싸다 / The service was ~ bad. 서비스는 형편없었다.

shock·proof [ʃákprùːf / ʃɔ́k-] *a.* (시계·기계가) 내진(耐震)(성)의.

shóck stàll 〖空〗 충격파(波) 실속(失速).

shóck tàctics ① 〖軍〗 집단 기병대(騎兵隊) 공격. ② 급격한 행동〔동작〕.

shóck thèrapy 〔**trèatment**〕 〖醫〗 충격요법 「《정신병 치료법》.

shóck tròops 〖軍〗 기습 부대, 돌격대.

shóck wàve ① 〖物〗 충격파(波). ② (대사건 등의) 여파 : The crime sent ~*s* throughout the country. 그 범죄는 온 나라에 충격을 주었다.

shod [ʃad / ʃɔd] SHOE 의 과거·과거분사. ── *a.* 《見》 신을 신은 : badly-~ children 조잡한 신을 신은 아이들.

shod·dy [ʃádi / ʃɔ́di] *n.* Ⓤ ① 재생 털실 ; 재생 모직물(로 만든 것). ② 겉만 번드레한 것, 모조품. ── (*-di·er* ; *-di·est*) *a.* ① 재생 털실〔모직물〕의. ② 겉만 번드레한, 날림의 : ~ merchandise 모조품, 가짜. ⊕ **shód·di·ly** *ad.* **-di·ness** *n.*

†shoe [ʃuː] *n.* Ⓒ ① (흔히 ~*s*) 신, 구두 ; 《英》 단화(《美》 low ~s). ⓒⓕ boot¹. ¶ this ~ 이 구두 한 짝 / a pair 〔this pair〕 of ~*s* 구두〔이 구두〕 한 켤레 / put on〔take off〕 one's ~*s* 구두를 신다〔벗다〕 / polish ~*s* 구두를 닦다 / She has her new ~*s* on. 새 신을 신고 있다. ② 편자(horseshoe). ③ 소켓, 끼우는 쇠. ④ (브레이크의) 바퀴멈추개, 브레이크슈. ⑤ (자동차의) 타이어(의 외피) ; 썰매 밑의 쇠띠. ⑥ (전동차의) 집전(集電) 장치. ⑦ (지팡이 따위의) 물미. ***die with*** one***'s ~s on*** = ***die in*** one***'s*** ~ 횡사하다 ; 교수형에 처해지다. ***fill*** 〔***stand***〕 a person***'s ~s*** 아무를 대신하다. ***in*** a person***'s ~s*** 아무의 입장이 되어, 아무를 대신하여. ***put*** one***self in*** 〔***into***〕 a person***'s ~s*** 아무의 입장이 되어 생각하다. ***shake*** 〔***shiver***〕 ***in*** one***'s ~s*** 벌벌 떨다, 흠칫거리다. ***step into*** a person***'s ~s*** 아무의 후임자로 들어앉다 : Who do you think will *step into* boss*'s* ~*s* when he retires? 보스가 은퇴하면 누가 후임이 될 것 같나. ***where the ~ pinches*** 어려운〔난처한〕 일.
── (*p., pp.* ***shod*** [ʃad / ʃɔd], ***shoed***) *vt.* ① **a**) …에 구두를 신기다. **b**) (말)에 편자를 박다 : A blacksmith ~*s* horses. 편자공(工)이 말에 편자를 박는다. ② …에 쇠테〔쇠굴레〕를 끼우다 ; 물미〔마구리〕를 달다〔붙이다〕《*with*》 : a stick *shod with* iron 끝에 물미를 댄 지팡이.

shoe·black [-blæ̀k] *n.* Ⓒ (거리의) 구두닦이.

shoe·horn [-hɔ̀ːrn] *n.* Ⓒ 구둣주걱.

shoe·lace [-lèis] *n.* Ⓒ 구두끈(shoestring).

***shoe·mak·er** [-mèikər] *n.* Ⓒ 구두 만드는〔고치는〕 사람, 제화공.

shoe·mak·ing [-mèikiŋ] *n.* Ⓤ 구두 만들기〔고치기〕.

shoe·shine [-ʃàin] *n.* Ⓒ 《美》 구두닦기 : a ~ boy 구두닦이 소년.

shoe·string [-strìŋ] *n.* Ⓒ 구두끈(shoelace). ***on a*** ~ 《口》 적은 자본으로 : live *on a* ~ 근근히 살(아 가)다. ── *a.* 〔限定的〕 ① 길고 가느다란. ② (돈·자금 등이) 적은, 가까스로의 : a ~ budget 궁핍 예산.

shoe·tree [-trìː] *n.* Ⓒ 구둣골.

‡shone [ʃoun / ʃɔn] SHINE의 과거·과거분사.

shoo [ʃuː] *int.* 쉬이!, 쉿!《새 따위를 쫓는 소리》. ── *vt.* …을 쉬이하며 쫓다《*away* ; *out*》 : The mother ~*ed* the children *out of* the kitchen *into* the garden. 어머니는 쉬이 하며 아이들을 부엌에서 마당으로 내몰았다.

shoo-in [ʃúːìn] *n.* Ⓒ 《美口》 당선〔우승〕이 확실한 후보자〔경기, 선수〕.

‡shook SHAKE 의 과거.

†shoot¹ [ʃuːt] (*p., pp.* ***shot*** [ʃat / ʃɔt]) *vt.* ① 《~+목 / +목+전+명 / +목+부》 (총·화살)을 쏘다, 발사하다 : ~ a rifle 발포하다 / ~ an arrow *into* the air〔*at* the target〕 공중〔과녁〕을 향해 활을 쏘다. ② 《~+목 / +목+전+명》 (빛 따위)를 발하다, 내(쏘)다, 향하다 ; (시선·미소 등)을 던지다, 돌리다 : ~ a light *on* the stage 무대에 조명을 비추다 / ~ a glance *at* a person 아무를 흘끗 보다 / The sun *shot* its beams *through* the cloud. 해가 구름 사이로 햇살을 내쏘았다. ③ 《+목+전+명》 (질문·말 따위)를 연거푸 퍼붓다, 연발하다 : He *shot* one question after another *at* me. 그는 계속 내게 질문을 퍼부었다. ④ (구슬치기에서 구슬)을 튀기다, 던지다 ; (축구·농구 따위에서 공)을 차〔던져〕 넣다 ; (득점)을 올리다. ⑤ 《~+목 / +목+전+명》 (주사위)를 던지다 ; (팽이)를 던지다 ; (짐 따위)를 들어 던지다, 내(어)던지다 ; (쓰레기 따위)를 (왈칵) 버리다, 비우다 : ~ an anchor 닻을 내리다 / ~ a fishing net 투망(投網)하다 / We *shot* a line to the drowning man. 우리는 물에 빠진 남자에게 밧줄을 던졌다 / The rider was *shot over* the horse's head. 기수는 말 머리 너머로 내던져졌다. ⑥ 《~+목 / +목+부 / +목+전+명》 (새싹·가지)를 뻗게 하다《*out* ; *forth*》 ; (혀·입술·팔 등)을 내밀다《*out*》 ; (셔츠의 소매 등)을 쑥 잡아 빼다 : ~ one's cuffs / ~ *out* buds 싹이 나다 / He *shot* his finger *at* my nose. 그는 내 코끝에 손가락을 들이댔다 / He *shot out* his tongue at me. 그는 내게 혀를 쑥 내밀었다. ⑦ (빗장 따위)를 지르다 : ~ a bolt to shut a door 문을 닫으려고 빗장을 지르다〔꽂다〕. ⑧ 《~+목 / +목+보 / +목+전+명 / +목+부》 …을 사살하다, 총살하다 ; (사냥감)을 쏴 죽이다 ; (비행기)를 격추하다 《*down*》 : ~ a bird 새를 쏘(아 죽이)다 / ~ a person *to* death 아무를 사살하다 / He was killed when his plane was *shot down.* 그는 비행기가 격추당했을 때 사망했다. ⑨ 총알〔화살〕로 상처를 입히다. ⑩ …의 사진을 찍다(photograph), 촬영하다 : ~ a western 서부극을 촬영하다 / This film was *shot* in California. 이 영화는 캘리포니아에서

촬영됐다 / He *shot* the children springing into the sky from a trampoline. 그는 아이들이 트램펄린에서 뛰어오르고 있는 것을 찍었다. ⑪ (어느 지역)을 사냥하다 : They're ~*ting* the woods behind the farm. 그들은 농장 뒤의 숲에서 사냥을 하고 있었다. ⑫ (급류)를 쏜살같이 내려가다, 재빨리 지나가다 ; 《俗》 (신호)를 무시하고 내달리다 : The boat *shot* the rapids. 배는 쏜살같이 급류를 내려갔다. ⑬ 《俗》 (마약을 정맥)에 주사하다 《*up*》.

— *vi.* ① 《~ / +전+명》 사격하다, 쏘다《*at*》 : ~ *at* a target 표적을 향해 쏘다 / Don't ~! 쏘지 마 / The troops had been given orders to ~ to kill. 군은 사살하라는 명령을 받았다 / The police *shot at* him but he escaped. 경찰이 그에게 발사했으나 그는 도망치고 말았다. ② 총사냥하다 : He went ~*ting*. 그는 사냥하러 갔다. ③ 《~+부》(총 따위가) 발사되다, 탄알이 날다 : Can you ~ a bow? 활 쏠 줄 아니 / This gun doesn't ~ straight. 이 총은 명중이 잘 안된다. ④ 《~ / +부 / +전+명》 분출하다, 세차게 나오다〔흐르다〕; 화살같이 …하다, 질주하다, 힘차게 움직이다 ; (빛이) 번쩍하고 빛나다 ; (통증·쾌감 등이) 찌릿하고 지나다 : Flames *shot up from* the burning house. 불타는 집에서 불길이 확 치솟아 올랐다 / The girl *shot* out of the room. 소녀는 방에서 튀어나갔다 / Blood *shot from* the wound. 상처에서 피가 흘렀다 / A car *shot* by us. 자동차 한 대가 우리 곁을 휙 지나갔다. ⑤ 사진을 찍다 ; 촬영하다, 촬영을 개시하다. ⑥ 《+부》 (초목이) 싹트다, 싹이 나오다 ; 아이들이 무럭무럭 자라다 ; (물가 등이) 급등하다《*out* ; *forth*》 : Buds ~ *forth* in (the) spring. 봄엔 싹이 난다 / You've *shot up*, haven't you? 너 많이 컸구나 / The price of gasoline *shot up* overnight. 밤새 가솔린 값이 급등했다. ⑦ 《+부 / +전+명》 돌출하다, 내밀다, 튀어 나오다 《*out*》; 우뚝 솟다《*up*》 : a cape that ~*s out into* the sea 바다에 돌출한 곶(岬) / He ~ *out* his hands and stopped the child from falling. 그는 손을 내밀어 아이가 떨어지는 것을 막았다. ⑧ (빗장이) 걸리다, (자물쇠가) 채워지다. ⑨ (골을 향해 공을) 차다, 던지다, 슛하다 : He missed a great opportunity to ~ at goal. 그는 슛을 날릴 절호의 기회를 놓쳤다. ⑩ 《~ / +전+명》 욱신욱신 쑤시다〔아프다〕: A sharp pain *shot through* 〔*up*〕 me. 격통이 온몸에 퍼졌다. ⑪ 《口》〔命令形〕 (할 말을) 거침없이 하다 : "May I ask a question?" "Certainly. *Shoot*!" '질문 하나 있는데요.' '좋아, 해봐'. ***I'll be shot if ....*** 〔강한 否定·否認〕 …이면 내 목을 쳐라, 절대로 아니다. 그게 사실이라면 내 목을 주마. ~ ***down*** (1) (사람)을 쏴 죽이다 ; 쏘아 떨어뜨리다 : Rebels said they have *shot down* a cargo plane. 반군은 화물 수송기 한대를 격추했다고 말했다. (2) (토론 등에서) (상대)를 철저히 논파하다 ; (제안 등)을 단호히 거절하다 ; 찍소리 못하게 하다. ~ ***from the hip*** 성급히〔지레 짐작으로〕 말하다〔행동하다〕. ~ ***it out*** 총격으로 결말을 짓다 : The gang decided to ~ *it out* with police. 갱단은 경찰과 총격을 벌여 결판을 내기로 결정했다. ~ one***'s bolt*** ⇨ BOLT. ~ one***'s mouth off*** 《口》 (1) 함부로 지껄이다. (2) 지껄이다가 비밀을 말해버리다. ~ ***the breeze*** 〔***bull***〕 잡담을 하다(chat) : We sat out on the porch until late at night, just ~*ing the breeze*. 우리는 그저 잡담을 하면서 밤늦도록 대문밖에 앉아 있었다. ~ ***the works*** 철저하게 하다. ~ ***up*** (1) 마구 쏘아대다, 위협 사격하다 : The gangsters ran into the bar and started ~*ing* it *up*. 갱들은 바에 난입해서 마구 총질을 시작했다. (2) 싹이 트다 ; (어린이·초목 등이) 쑥쑥 자라다 ; (물가가) 급등하다 : The inflation rate *shot up* from 38% to 48%. 인플레가 38%에서 48%로 급등했다. (3) 우뚝 솟다. — *n.* Ⓒ ① **a)** 사격, 발사, 발포. **b)** 《美》 (우주선·로켓 등의) 발사. ② 사격 대회 ; 《英》 유렵회(遊獵會). ③ 어린 가지, 새싹 : the tender ~*s* in spring 초봄의 새싹. ④ =CHUTE. ***the whole*** ~ 《俗》 이것 저것 다, 모두.

shoot² *int.* (놀람·후회 등을 나타내어) 쳇.

shoot-'em-up [ʃúːtəmʌ̀p] *n.* Ⓒ 《美口》 총격전 ; 유혈 장면이 많은 영화〔TV〕.

shoot·er [ʃúːtər] *n.* Ⓒ ① 사수, 포수 ; 사냥꾼. ② 연발총 ; 권총(revolver) : a six ~, 6연발 총.

‡**shoot·ing** [ʃúːtiŋ] *n.* ① Ⓤ 사격, 발사 ; 총사냥, 총렵(권). ② Ⓤ,Ⓒ 욱신거리는 아픔. ③ Ⓤ (영화) 촬영(shot) : outdoor ~ 야외 촬영.

shóoting bòx 〔**lòdge**〕 《英》 사냥막.

shóoting gàllery (실내) 사격 연습장.

shóoting ìron 《俗》 총, 권총.

shóoting màtch ① 사격 대회. ② (the whole ~로) 《口》 무엇이건 모두, 모조리.

shóoting rànge (표적이 있는) 사격장.

shóoting scrìpt 〖映〗 촬영 대본.

shóoting stàr 유성(流星). 「럽용 단장.

shóoting stìck (위가 열려져 걸터 앉게 된) 수

shóoting wár 무력 전쟁, 열전. ⓒⓕ cold war.

shoot·out [⌐àut] *n.* Ⓒ ① 《口》 (결판을 내는) 총격전 ; 결전 : He was wounded during a ~ with the police. 그는 경찰과의 총격전에서 부상했다. ② 《美》 〖蹴〗 승부차기.

†**shop** [ʃap / ʃɔp] *n.* ① Ⓒ **a)** 가게, 상점 ; 소매점. 《★ 주로 《英》에서 쓰임 ; 《美》에서는 store가 일반적이나 flower ~, gift ~, curiosity ~ 등으로 한정된 고급품을 파는 가게에 쓰임》 : open a ~ 가게를 열다〔시작하다〕 / keep〔run〕 a ~ 가게를 하다 / a grocer's (~) 식료품점 / a stationer's (~) 문방구점. **b)** 전문점 ; (백화점 등의) 특선 상품 매장. ② Ⓒ 공장, 일터 ; 작업장, 제작소 : a barber ~ 이발소(《英》 barber's ~) / a repair ~ 수리 공장 / a carpenter's ~ 목수의 일터. ③ Ⓤ 자기의 전문 ; 직업상 일 ; 전문 분야의 이야기 : Cut the ~! 일 이야기는 집어쳐. ④ 《英俗》 (자기의) 직장, 일터, 근무처. ⑤ 《美》 **a)** Ⓒ (초등·중학교의) 공작실. **b)** Ⓤ (교과목으로서의) 공작 : do well in ~ 공작성적이 좋다. ***all over the*** ~ 《英口》 (1) 여기저기, 도처에〔를〕 : He looked for a key *all over the* ~. 열쇠를 찾아 사방을 뒤졌다. (2) 난잡하게 : Don't leave your things *all over the* ~. 네 물건을 아무데나 흩어놓으면 안된다. ***close*** ~ =shut up ~ (1) 문을 닫다. (2) 가게를 걷어 치우다. (3) 《口》 활동을 그만두다. ***come*** 〔***go***〕 ***to the wrong*** ~ 《口》 엉뚱한 사람에게 부탁하러 오다〔가다〕. ***keep*** ~ 가게를 지키다. ***set up*** ~ 개업하다, 가게를 내다. ***shut up*** ~ (1) (밤에) 가게 문을 닫다. (2) 가게를 그만두다, 폐점하다. (3) 일(따위)을 그만 두다. — (**-pp-**) *vi.* 물건을 사다, 장보러 가다 : go ~*ping* 장보러 가다, 쇼핑가다. — *vt.* ① 《英俗》 …을 밀고하다, 찌르다. ② 《美口》 (물건 사러 가게)를 찾다. ~ ***around*** (1) (사기 전에) 몇 가게를 돌아다니다 : You'd better ~ *around* before deciding what to buy. 살 것을 정하기 전에 몇 가게를 가보는 것이 좋다. (2) (싼 물건·투자 대상 등)을 물색하다, 찾아다니다 《*for*》.

shóp assìstant 《英》 (소매점의) 점원(《美》 salesclerk).

shop·boy [⌐bɔ̀i] *n.* Ⓒ 점원.

shóp flòor 《英》 (the ~) (경영자와 구별하여)

노동자의 작업장〔일터〕.
shop·girl [ˊ-gə̀ːrl] *n.* Ⓒ 여점원.
‡**shop·keep·er** [ˊ-kìːpər] *n.* Ⓒ 《英》 가게 주인 ; 소매 상인(《美》 storekeeper).
shop·keep·ing [ˊ-kìːpiŋ] *n.* Ⓤ 소매업, 소매상.
shop·lift [ˊ-lìft] *vt., vi.* (가게 물건을) 후무리다, 슬쩍하다 : In department stores, the technology used to discourage *~ing.* 백화점에서는 들치기를 못하게 과학기술이 이용되었다. 파 **~·er** *n.* Ⓒ (가게에서) 물건 후무리는 사람, 들치기.
shop·per [ʃάpər / ʃɔ́pər] *n.* Ⓒ ① (물건) 사는 손님 : We tried to make our way through the crowds of Christmas *~s.* 우리는 크리스마스 쇼핑을 나온 군중 속을 다니느라 애를 먹었다. ② 《英》 큰 쇼핑백. ③ 《英俗》 밀고자.
†**shop·ping** [ʃάpiŋ / ʃɔ́p-] *n.* ① Ⓤ 쇼핑, 물건사기, 장보기 : do one's ~ 쇼핑하다, 물건을 사다 / a ~ street 상점가. ② 〔集合的〕 산 물건 : She put her ~ away in the kitchen. 그녀는 장봐온 것을 부엌에 두었다.
shóp·ping-bag làdy [-bæ̀g-] 《美》 전재산을 쇼핑 백에 넣고 떠돌아다니는 여성. 「의 손수레.
shópping càrt 《美》 (슈퍼 마켓 등의) 손님용
shópping cènter 쇼핑 센터《교외 등에 형성된 상점 밀집 지역》.
shópping màll 《美》 쇼핑몰《보행자 전용 상가 ; 차량이 출입 못하는 광장 등에 있음》.
shop-soiled [ˊ-sɔ̀ild] *a.* 《英》 =SHOPWORN.
shóp stèward (노동 조합의) 직장 대표.
shop·talk [ˊ-tɔ̀ːk] *n.* Ⓤ ① (직장 밖에서의) 장사〔직업〕 얘기. ② 장사〔직업〕 용어.
shop·walk·er [ˊ-wɔ̀ːkər] *n.* Ⓒ 《英》 (백화점 등에서) 판매장 감독(《美》 floorwalker).
shop·win·dow [ˊ-wìndou] *n.* Ⓒ 점포의 진열창 (show window).
shop·worn [ˊ-wɔ̀ːrn] *a.* 《美》 ① 상품이 오랫동안 진열되어 찌든(《英》 shop-soiled) : a sale of ~ goods at half price 재고품의 반액 세일. ② 신선미를 잃은, 진부한 : ~ phrases that don't persuade anyone any longer 더는 설득력이 없는 (진부한) 어구.
sho·ran [ʃɔ́ːræn] *n.* Ⓒ (*or* S-) 〖空〗 쇼랜《단거리 무선 항법 장치》. ⓒⓕ loran.
†**shore**[1] [ʃɔːr] *n.* ① Ⓒ (바다·강·호수의) 기슭, 해안(지방), 해변 : the ~ of the sea 해안 / walk along ~ of a lake 호숫가를 거닐다. ② Ⓤ (바다에 대하여) 육지. ③ Ⓒ (흔히 *pl.*) 나라, (특정한) 토지 : return to one's native *~s* 고국에 돌아가다 / foreign *~s* 외국 / one's native ~ 고향. ***off ~*** 난바다에. ***on ~*** 육지에, 상륙해. ⓞⓟⓟ *on the water, on board.* ¶ go〔come〕 *on* ~ 상륙하다.
shore[2] *n.* Ⓒ 지주(支柱), 버팀대 (prop)《건조·수리 때의 건물·선체 등의》. ── *vt.* ① …을 지주로 받치다. ② (통화·가격·체제 등)을 유지하다, 강화하다《*up*》.
shóre dìnner 《美》 해산물 요리.
shóre lèave (선원 등의) 상륙 허가 (시간).
shore·less [ˊ-lis] *a.* ① (상륙할) 해안이 없는. ② 끝없는 : ~ waters 끝없는 바다.
shore·line [ˊ-làin] *n.* Ⓒ 해안선 : The road follows the ~. 그 길은 해안선을 따라 나있다.
shóre patròl 《美》 해군 헌병(대)《略 : SP》.
shore·ward [ʃɔ́ːrwərd] *ad.* 해안〔육지〕 쪽으로. ── *a.* 해안쪽〔으로〕의.
shorn [ʃɔːrn] SHEAR 의 과거분사.
── *a.* ① (낫 따위로) 베어낸, 잘라〔깎아〕낸 ; 빼앗긴. ② 〔敍述的〕 …을 빼앗긴《*of*》 : a dictator ~ *of* his power 권력을 박탈당한 독재자.

†**short** [ʃɔːrt] (*ˊ·er* ; *ˊ·est*) *a.* ① 짧은《길이·거리·시간 등이》(ⓞⓟⓟ *long*) : a ~ time〔distance〕 단시간〔거리〕 / a ~ walk〔trip〕 단거리의 보행〔여행〕 / at a ~ distance 가까이에 / a ~ time ago 조금 전에 / in his ~ life 그의 짧은 생애에 / The coat is too ~ on me〔in the sleeves〕. 이 코트는 내게〔소매가〕 너무 짧다 / This novel is two pages *~er* than that one. 이 소설은 저 소설보다 2페이지 적다. ② 간결한, 간단한 : ~ terms 간결한 말 / to make a long story ~ 간단히 말하면. ③ (키 등이) 작은(ⓞⓟⓟ *tall*) : a ~ man 키 작은 사람 / She is ~ and plump. 그녀는 작은 키에 살이 쪘다. ④ 불충분〔부족〕한, 모자라는(insufficient) ; 주머니 사정이 나쁜 : a ~ ten miles 약간 빠지는 10마일 / I'm one dollar ~. 1 달러가 모자란다 / The weight is ~ by 30 pound. 무게가 30 파운드 부족하다. ⑤ 성마른, 퉁명스러운, 무뚝뚝한《*with*》 : a ~ answer 무뚝뚝한 대답 / I'm sorry I was so ~ *with* you. 말이 퉁명스러워 죄송합니다. ⑥ (숨결·맥박이) 빠른 : ~ of breath 숨이 차서. ⑦ (지식·견해·시력 등이) 얕은, 좁은, 약한 : a ~ view 얕은 생각 / be ~ on brains 머리가 모자라다 / have a ~ memory 잘 잊다 / take a ~ view 식견이 좁다 / He's ~ on tact. 그는 요령이 없다. ⑧ 〔限定的〕 (술 따위에) 물을 타지 않은 ; 작은 글라스에 따른 : a ~ drink (작은 잔에 따른) 독한 술 / Let's have something ~. 한잔 쭉 들이켤까. ⑨ 〖商〗 (어음 등이) 단기의 ; 〖證〗 공매(空賣)의 : a ~ contract 〖證〗 공매 계약 / ~ credit 단기 신용 대부. ⑩ 〖音聲〗 단음의 : a ~ vowel 단모음.
in the ~ run 간단히 말하면. ***make ~ work of*** …을 후닥닥 해치우다. ***nothing***〔***little***〕 ***~ of*** 아주〔거의〕 …한 : *nothing ~ of* marvelous 아주 기적적인 / His conduct is *nothing ~ of* madness. 하는 짓이 미친거나 다름없다. ***~ and sweet*** 《口》 간결하고 요령 있는 : Keep it ~ *and sweet*, please. (말씀) 간결하게 부탁합니다. ***~ of . . .*** (1) …이하의, …에 못 미치는. (2) …에 부족한. (3) …까지는 안 가고, …하지 못하고 ; …을 제하고, 따로치고.
── (*ˊ·er* ; *ˊ·est*) *ad.* ① 간단히, 짤막하게 (briefly) : speak ~ / cut a rope ~. ② 냉담하게, 무뚝뚝하게 : He answered me ~. ③ 갑자기, 별안간(suddenly) : The driver stopped ~ when a child ran into the street. 한 아이가 거리로 뛰어들자 운전자는 급히 차를 세웠다. ④ 미치지 않아, 바로 앞에 : The arrow landed ~. 화살이 미치지 못했다. ***be taken ~*** 갑자기 뒤가 마렵다. ***come***〔***fall***〕 ***~ of*** …에 미치지〔달하지〕 못하다 ; (기대 따위)에 어긋나다 : The arrow *fell ~ of* the target. 화살은 표적에 못미쳤다. ***cut ~*** (1) …을 줄이다, 단축하다 : to *cut* a long story ~ 간단히 말하면 / *Cut* it ~! 간단히 말해. (2) …을 중단하다 : The war *cut ~* of his education. 전쟁으로 그의 교육은 중단됐다. ***go ~*** (***of***) …없이 해나가다. ***run ~*** (1) 없어지다 : We've *run ~* of oil. 기름이 떨어졌다. (2) 바닥나다, 부족하다《*of*》 : The supply of food is *running ~ of* (what we need). 식량 보급이 줄어들고 있다. ***sell ~*** (1) 〖證〗 공매(空賣)하다. (2) …을 얕보다. ***~ of*** (1) …을 제외하고, …을 별문제로 하고 : *Short of* theft, I'll do anything for you. 도둑질 빼고는 널 위해 무엇이든 하겠다. (2) …하지 않는 한. (3) …의 이쪽〔못미처〕에 : It lies somewhere ~ *of* the station. 그건 어딘가 역 바로 부근에 있다.
── *n.* ① Ⓒ 단편 영화〔소설〕 ; (신문·잡지의) 짧은 기사. ② Ⓒ 〖商〗 공(空)거래 ; 공거래하는 사람

〔투기꾼〕. ③ Ⓒ 〖音聲〗 단음절(short syllable), 단음(short sound). ④ (*pl.*) 짧은 바지. ⑤ Ⓒ 〖野〗 유격수. ⑥ Ⓒ 〖電〗 단락(短絡)(~ circuit). ⑦ Ⓒ (위스키 등) 화주(火酒)(의 한 잔): He only takes ~*s.* 그는 독한 술만 마신다. ***for*** ~ 약하여: His name is William and he is called Will *for* ~. 그의 이름은 윌리엄인데 줄여서 윌이라고 부른다. ***in*** ~ 요컨대, 한마디로 말하자면: *In* ~, it was a failure. 한마디로 말해, 그것은 실패였다. ***the*** ~ ***and*** (***the***) ***long*** 요점, 결국.

— *vt., vi.* 《口》 ① = SHORT-CIRCUIT. ② 《美》 = SHORTCHANGE.

‡short·age [ʃɔ́ːrtidʒ] *n.* Ⓤ,Ⓒ 부족(不足), 결핍(deficiency), 부족량〔액〕: a food ~ 식량난 / a housing ~ 주택난 / *Shortage* of skilled workers is our main difficulty. 숙련공의 부족이 우리의 주된 어려움이다. 「쿠키 같은 과자.

short·bread [ˊ-brèd] *n.* Ⓤ,Ⓒ (버터를 잔뜩 넣은)

short·cake [ˊ-kèik] *n.* Ⓤ,Ⓒ ① 《英》 = SHORTBREAD. ② 《美》 쇼트케이크《과일 따위를 카스텔라 사이에 끼우고 크림을 얹은 양과자》.

short·change [ˊ-tʃéindʒ] *vt.* …에게 거스름돈을 덜 주다; 속이다: That's the second time I've been ~*d* in that shop. 그 가게에서 거스름돈 덜 받은 게 두번째다.

shórt círcuit 〖電〗 단락, 쇼트.

short-cir·cuit [ˊ-sə́ːrkit] *vt.* 〖電〗 ① …을 단락(短絡)〔쇼트〕시키다. ② (복잡한 것)을 짧게〔간단히〕하다: I ~*ed* the usual procedures by a simple telephone call. 나는 통상적 절차를 전화 한마디로 간단히 때웠다. ③ …을 방해하다, 망치다.

***short·com·ing** [ˊ-kʌ̀miŋ] *n.* Ⓒ (흔히 *pl.*) 결점, 단점, 모자라는 점; 결핍, 부족 《★ fail과 같고 fault보다는 가벼움》: make up for one's ~*s* 단점을 보완하다 / Whatever his ~*s,* I think he was a good father to his children. 그의 결점이 무엇이든 자식들에겐 훌륭한 아버지였다.

short·cut [ˊ-kʌ̀t] *n.* Ⓒ ① 지름길: by a ~ 지름길로 / I took a ~ across the field to get to school. 들을 가로질러 지름길로 학교에 갔다. ② 손쉬운 방법: There is no ~ to success.

short-dat·ed [ˊ-déitid] *a.* 단기의.

***short·en** [ʃɔ́ːrtn] *vt.* ① …을 짧게 하다, 줄이다: ~ trousers / ~ step 보폭을 줄이다 / ~ a story / ~ trousers by an inch 바지를 1인치 줄이다. ② (쇼트닝을 넣어 과자 따위)를 바삭바삭하게 굽다. ③ 〖海〗 (돛)을 줄이다, 감다(reef): ~ sail.

— *vi.* 짧아지다, 줄다, 감소〔축소〕하다: I felt the days were ~*ing* considerably. 해가 상당히 짧아진다고 느꼈다.

short·en·ing [ʃɔ́ːrtniŋ] *n.* Ⓤ ① 짧게 함, 단축. ② 〖言〗 생략(법). ③ 쇼트닝. 「(deficit).

short·fall [ʃɔ́ːrtfɔ̀ːl] *n.* Ⓒ 부족액(不足額), 적자

‡short·hand [ˊ-hæ̀nd] *n.* Ⓤ ① 속기: take ~ 속기하다 / The secretary took down in ~ what was said. 비서는 들은 바를 속기해 두었다. ② 간략 기호법. — *a.* 〔限定的〕 속기의〔에 의한〕: a ~ writer 속기사.

short-hand·ed [ˊ-hǽndid] *a.* 일손〔사람〕이 부족한: We're actually a bit ~ at the moment. 그때 우리는 사실 일손이 좀 부족했다.

shórt-haul [ʃɔ́ːrthɔ̀ːl] *a.* 〔限定的〕 (특히 항공편의) 단거리 수송의. 「Durham 종의 소.

short·horn [ˊ-hɔ̀ːrn] *n.* Ⓒ 뿔이 짧은 소;

short·ie [ʃɔ́ːrti] = SHORTY.

short·ish [ʃɔ́ːrtiʃ] *a.* 약간〔좀〕 짧은; 키가 좀 작은.

shórt lìst 《英》 선발 후보자 명단.

short-list [ˊ-lìst] *vt.* …을 선발 후보자 명단에 올리다: His novel has been ~*ed* for the Booker Prize. 그의 소설이 부커상 후보자 명단에 올랐다.

***short-lived** [ˊ-lívd, ˊ-láivd] *a.* ① 단명의: ~ insects. ② 일시적인, 덧없는: His joy and relief were ~. 그의 기쁨과 위안은 일시적이었다.

‡short·ly [ʃɔ́ːrtli] (***more*** ~; ***most*** ~) *ad.* ① 곧, 이내, 즉시, 머지않아: He will ~ arrive in Korea. 그는 머지않아 한국에 도착할 예정이다 / ~ before 〔after〕 three o'clock, 3시 조금 전〔후〕에 / He'll be back ~. 곧 돌아올게다. ② 간략하게, 간단히: to put it ~ 간단히 말하면, 요컨대. ③ 냉랭하게, 무뚝뚝하게: answer ~. ④ 가까이에(서): Turn left ~ beyond the bus stop. 버스 정류장을 조금 지나서 좌회전하시오.

shórt ódds 거의 반반〔5대 5〕의 확률.

shórt òrder 《美》 (식당에서의) 즉석 요리(의 주문). ***in*** ~ 즉시, 재빨리.

short-range [ˊ-réindʒ] *a.* ① 사정 거리가 짧은; 단거리의: a ~ missile. ② 단기의: a ~ plan 〔project〕 단기 계획 / a ~ weather forecast 단기 일기예보.

shorts [ʃɔːrts] *n. pl.* ① 반바지, 쇼츠: a pair of ~ / Women in ~ will not be allowed into the hall. 반바지차림의 여성은 홀 입장을 못한다. ② 《美》 (남성용) 팬츠(underpants).

***shórt shórt stòry** 장편(掌篇) 소설.

shórt shríft ① (사형집행 직전에) 참회와 사죄를 위해 주는 짧은 시간. ② (사람·일을) 매정하게〔아무렇게나〕 다룸: give ~ to …을 대수롭지 않게 취급〔처리〕하다.

‡short·sight·ed [ˊ-sáitid] *a.* ① 근시(안)의: He's very ~. 그는 심한 근시다. ② 근시적인; 선견지명이 없는: Unless this ~ policy is reversed we shall never make any progress. 이 단견의 정책이 바뀌지 않는 한 우리에겐 전진도 없다. ⓞⓟⓟ *long-*〔*far-*〕*sighted.* ⓜ ~**·ly** *ad.* ~**·ness** *n.*

short-spo·ken [ˊ-spóukən] *a.* (말이) 무뚝뚝한, 퉁명스런.

short-staffed [ˊ-stǽft, ˊ-stɑ́ːft] *a.* 직원〔요원〕 부족의: The hospital is desperately ~. 그 병원의 의료진 부족은 아주 심각하다.

short·stop [ˊ-stɑ̀p / ˊ-stɔ̀p] *n.* ① Ⓒ 〖野〗 유격수, 쇼트. ② Ⓤ 쇼트의 위치: play ~ 쇼트의 위치를 지키다.

shórt stóry 단편 소설. ⓒⓕ novel[2].

short-tem·pered [ˊ-témpərd] *a.* 성마른, 불끈거리는: I'm a bit ~ sometimes. 난 이따금 좀 욱할 때가 있다 / Mr. Kim has a reputation for being ~. 김선생은 잘 불끈거린다는 평이 나있다.

short-term [ˊ-tə̀ːrm] *a.* 단기의: a ~ loan / The artificial heart is designed only ~ use. 인공 심장은 단기 사용만을 위해 설계되고 있다.

shórt tíme 〖經〗 조업 단축.

shórt tón 미(美)톤《2,000 파운드; 907.2kg》.

short-waist·ed [ˊ-wéistid] *a.* 허리선이 높은《옷이 어깨와 웨이스트 사이가 짧은 옷》.

short·wave [ˊ-wéiv] *n.* ① Ⓤ 〖電〗 단파. ② Ⓒ 단파 라디오〔송신기〕: I used the ~ to get latest news then. 당시 나는 최신 뉴스를 알기 위해 단파 라디오를 썼다. 「다.

short-weight [ˊ-wéit] *vt.* …의 무게를 속여 팔

short-wind·ed [ˊ-wíndid] *a.* ① 숨이 찬. ② (문장·이야기 따위가) 간결(簡潔)한, 짧은.

shorty [ʃɔ́ːrti] *n.* Ⓒ 《口》 ① 《蔑》 키 작은 사람, 꼬마. ② 짧은 옷《나이트 가운 따위》. — *a.* 〔限定的〕 (의복이) 기장이 짧은.

‡shot[1] [ʃɑt / ʃɔt] (*pl.* ~, ~***s***) *n.* ① Ⓒ **a**) 발포, 발사: take a ~ at …에게 발사하다 / One of them fired several ~*s* toward the sentry post. 그 중

의 한명이 초소를 향해 수발을 발사했다. **b**) 총성, 포성 : I heard a ~ just now. 방금 총성이 들렸다. **c**) (우주선·로켓 등의) 발사. ② **a**) Ⓤ 〔集合的〕 산탄(散彈) : Several piece of ~ still remain in his leg. 그의 다리에는 아직 총탄 몇이 남아 있다. **b**) Ⓤ.Ⓒ (옛날의) 포탄《shell 과 달라 폭발 않음》; (경기용) 포환 : put the ~ 포환 던지기 하다. ③ Ⓤ 착탄 거리, 사정 : out of〔within〕 ~ 사정 밖에〔안에〕. ④ Ⓒ (흔히 *sing.*) 추측, 어림짐작 ; 시도(attempt) ; 빗댐 : have〔take, make〕 a ~ *at* …을 어림짐작하다 / make a bad〔good〕 ~ 헛짚다〔바로 맞히다〕 / have a ~ at …을 한번 해보다 / It's a long ~, but I should say she's about forty. 어림짐작이긴 하지만 그녀는 40 안팎일 것이다. ⑤ Ⓒ (운동에서) 차기, 던지기, 치기 : a penalty ~ 페널티 샷(숏) / practice golf ~ 골프 샷 연습을 하다. ⑥ Ⓒ 총수(銃手), 사(격)수 (marksman) : ⇨DEAD SHOT / He's a good〔poor〕 ~. 그는 사격을 잘한다〔못한다〕. ⑦ Ⓒ 〖映·寫〗 (영화·TV의) 쇼트《연속된 한 장면》: ⇨CLOSE〔LONG〕 SHOT. ⑧ Ⓒ (술의) 한 잔 ; (주사 따위의) 한 대 (dose) : swallow a ~ of whisky 위스키 한잔을 쭉 들이켜다 / a ~ glass 쇼트 글래스《술을 조금 마시기 위한 작은 잔》. ⑨ Ⓒ 《英》 (술집의) 술값. 〔다음 구(句)로〕 : pay one's ~ 술값을 치르다. ◇ shoot *v.* ***a ~ across the bows*** (계획 중지의) 경고. ***a ~ in the arm*** 팔뚝 주사 ; 자극물〔제〕 ; 《口》 '활력소'. ***a ~ in the dark*** 막연한 추측 : It was *a* complete ~ *in the dark*, but it turned out to be the right answer. 그건 진짜 마구잡이 추측이었으나 그게 옳은 대답이었음이 밝혀졌다. ***call the ~s*** 명하다 ; 좌지우지하다 : The directors *call the ~s* and nothing happens without their say-so. 지휘자들이 좌지우지하기 때문에 그들의 말없이는 아무일도 일어나지 않는다. ***like a ~*** 번개 같은 동작으로, 총알처럼 재빠르게 ; 즉시. ***not by a long ~*** 조금도 …않다 : In spite of their effort, the arm race is*n't* over *by a long ~*. 그들의 노력에도 불구하고 군비경쟁은 조금도 멈추지 않았다.

shot² SHOOT의 과거·과거분사. — (***more ~ ; most ~***) *a.* ① (보기에 따라 색이 변하게 짠) 양색(兩色) 직물의. ② 〔敍述的〕 《口》 닳아서 낡은 ; 몹시 지친 : After the ordeal her nerves were completly *shot* to piece. 그 호된 시련으로 그녀는 완전히 지칠대로 지쳤다. ③ 〔敍述的〕 (~ through로) …이 가득한, 충만한 : a sad story ~ *through* with humor 해학이 가득한 슬픈 이야기.

shot·gun [-gʌ̀n] *n.* Ⓒ 산탄총, 엽총.

shótgun márriage 〔**wédding**〕 《口》 상대 처녀의 임신으로 마지못해 하는 결혼.

shót pùt (the ~) 〖競〗 포환 던지기.

shot-put·ter [-pùtər] *n.* Ⓒ 포환 던지기 선수.

†**should** [ʃud ; 弱 ʃəd] (should not의 간약형 ***should·n't*** [ʃúdnt] ; 2인칭·단수《古》 ***shouldst*** [ʃudst ; 弱ʃədst], ***should·est*** [ʃúdist]) *aux. v.* ① 〔시제 일치에 따른 shall의 과거 ; 과거의 어느 시점에서 본 미래를 나타냄〕 : I was afraid I ~ be late. 지각할까봐 걱정했다 / The day was near when I ~ be twenty years old. 내가 20살이 될 날이 가까웠다 / We said we ~ win. 우리는 이기리라고 말했다(=We said, "We shall win".) / He said he ~ never forget it. 그는 그것을 결코 잊지 않겠다고 말했다(=He said, "I shall never forget it.") / He asked me if he ~ call a taxi. 그는 '택시를 부를까요' 하고 나에게 물었다(=He said to me, "Shall I call a taxi?"). 《★ 이 should의 용법은 전통적인 용법이며, 오늘날에는 《美》와 《英口》에서는 would를 일반적으로 씀》. ② 〔條件文의 歸結節에서〕 **a**) 〔I〔we〕 ~로 현재 또는 미래의 일에 관한 상상을 나타냄〕 …할〔일〕 텐데 : I ~ be grateful if you could do it by tomorrow. 내일까지 해주신다면 고맙겠는데요 / If I had a thousand dollars, I ~ take a long holiday. 만일 1천 달러가 있으면 장기 휴가를 얻어서 즐길 텐데. 《★ 《美》와 《英口》에서는 흔히 would를 씀》. **b**) 〔I〔we〕 ~ have+過去分詞로 과거의 일에 관한 상상을 나타냄〕 …했을〔이었을〕 텐데 : I ~ *have been* at a loss without your advice. 당신의 조언이 없었다면 나는 어찌할 바를 몰랐을 것이다. 《★ 《美》와 《英口》에서는 흔히 would를 씀》. ③ 〔條件節에서 실현 가능성이 적은 일에 대한 가정·양보를 나타냄〕 만일 …하면 ; 설사 …하더라도 : *If* you ~ see John, give him my best wishes. 만일 존을 만나게 되면 안부를 전하여 주게 / *If* I ~ live to be a hundred, I will〔would〕 never understand Picasso. 설사 백 살까지 산다고 하더라도, 나는 피카소를 이해 못할 것이다(=*Should* I live to be a hundred, I will…). ④ 〔의무·당연〕 **a**) …하여야 한다, …하는 것이 당연하다〔좋다〕《ought to, must보다 뜻이 약하고, 흔히 권고에 가까움》: You ~ love your neighbor. 사람은 (마땅히) 이웃을 사랑해야 한다 / You ~ try. 해보는 것이 좋다 / You ~*n't* speak so loud. 그렇게 큰 소리로 이야기하는 게 아니다. **b**) 〔~ have+過去分詞로〕 … 했어야 했는데 《실제와 반대였음을 나타냄》: You ~ really *have been* more careful. 자넨 좀더 조심했어야 했어 / I ~*n't have come*. 오지 말았어야 했는데. ⑤ 〔기대·가능성·추측〕 **a**) …임〔함〕에 틀림없다, 틀림없이 …일 것이다 : I guess it ~ *be* Mr. Brown. 틀림없이 브라운씨일 것으로 생각한다 / Our plane ~ *be* landing right on schedule. 비행기는 예정대로 착륙할 것입니다. **b**) 〔should have+過去分詞〕 …했음〔었음〕에 틀림없다, …해 버렸을 거다 : He ~ *have arrived* at the office by now. 그는 지금쯤 회사에 도착해 있을 것이다. ⑥ **a**) 〔why, how 따위와 함께 쓰여, 당연의 뜻을 강조하여〕 대체(어떻게, 어째서, 어디서 따위) …인가 ; …해야(만) 하나 : *Why* ~ you stay in Seoul in this hot weather? 이런 더위에 왜 서울에 남아 있는가 / *How* on earth ~ I know? 내가 알게 뭐야. **b**) 〔who〔what〕 ~ …but _의 형식으로, 놀라움·우스움을 나타내어〕 (대체 一말고 누가〔무엇이〕) …이었을까 : *Who* ~ be there *but* Tom? 톰 말고 누가 거기에 있었겠나 / *What* ~ happen *but* (that) my elevator stopped halfway. 글쎄 내가 탄 엘리베이터가 도중에서 멈추어 버린거야. **c**) 〔흔히 ~ worry 형태로 ; 反語的〕 (걱정할) 필요가 있을까 : With his riches, he ~ *worry* about a penny! 그 사람 정도의 부(富)를 갖고서도 1페니를 걱정할 필요가 있을까. ⑦ **a**) 〔놀라움·유감 따위를 나타내는 主節에 계속되는 that-節에서〕 … 하다니, …이라니 : It is surprising *that* he ~ do a thing like that. 그가 그런 일을 하다니 놀라운 일이다 / I'm sorry you ~ think I spoke ill of you. 내가 자네를 중상한 줄로 생각하고 있다니 유감이다. 《★ 지금은 흔히 should를 쓰지 않고 直說法을 씀》. **b**) 〔필요·당연 등을 나타내는 主節에 계속되는 名詞節에서〕 …하다, …하는 것은〔이〕 : It is important *that* she ~ learn to control her temper. 그녀는 자신의 감정을 억누를 수 있게 하는 것이 중요하다 / It is not necessary *that* I ~ go there. 내가 거기로 갈 필요는 없다 / It is (quite) natural *that* he ~ have refused our request. 그가 우리의 요구를 거절한 것은(지극히) 당연하다. **c**) 〔요구·제안·의향·주장·결정 따

위를 나타내는 主節에 계속되는 名詞節에서〕 …하는 것, …하도록 : I suggest *that* you ~ join us. 당신도 가담하실 것을 권하는 바입니다 / It was agreed *that* we ~ follow the decision. 우리는 그 결정에 따를 것에 의견이 일치되었다 / It was his wish *that* it ~ be kept secret. 그것을 비밀로 해뒀으면 하는 것이 그의 희망이었다. 《★ 이 should는 가정법이므로, 主節의 시제의 영향을 받지 않음. 또 《口》에서는 흔히 should를 생략함》. ⑧ **a)** 〔lest에 계속되는 從屬節에서〕 …하지 않도록 : He jotted the name down *lest* he ~ forget it. 잊지 않도록 이름을 적었다 / We hid behind the trees *lest* they ~ see us. 그들에게 발견되지 않게 우리는 나무 뒤에 숨었다. 《★ 흔히 should를 생략함》. **b)** 〔목적의 副詞節에 사용되어서〕 …하도록 : He lent her the book so *that* she ~ study the subject. 그는 그녀가 그 주제를 연구할 수 있도록 책을 빌려 주었다. ⑨ 〔I ~로 말하는 사람의 의견·감정을 완곡하게 나타내어〕 (나로서는) …하고 싶지만, …합니다만, (나라면) …하(겠)는데 : *I* ~ say he is over fifty. 50세는 더 됐을 테죠 / He is a fool, *I* ~ think. 아무래도 그 자는 바보야 / *I* ~ refuse a bribe. 나라면 뇌물을 사절하겠네《조언을 나타냄》. 《★ '만일 내가 당신이라면', '만일 누가 묻는다면', '만일 권고를 받는다면' 따위 조건을 언외(言外)에 함축한 표현으로서, would를 쓸 때가 있음》.

†shoul·der [ʃóuldər] *n.* ① Ⓒ 어깨 : He patted me on the ~. 내 어깨를 툭 쳤다 / He stopped and looked over his ~. 그는 서더니 뒤돌아 보았다 / He dislocated his ~ in a rugby match. 럭비하다가 어깨뼈를 삐었다. ② (*pl.*) 견부(肩部), 어깨 부분; (책임을 짊어지는) 어깨 : bear a burden on one's ~*s* 〔비유적으로도〕 무거운 짐〔부담〕을 짊어지다 / take the responsibility on one's ~*s* 자기가 책임을 지다. ③ Ⓤ,Ⓒ 어깨살〔고기〕《육식수(獸)의 앞다리 또는 전반부》: a ~ of mutton 양의 어깨살 고기. ④ Ⓒ 어깨에 해당하는 부분; (옷·병·도구·현악기 따위의) 어깨; 어깨 모양의 것; 산마루의 아랫 부분; 갓길《길 양옆 가장자리》: the soft ~ (of a road) (도로의 포장이 안된) 갓길. ⑤ Ⓒ 〖軍〗 (the ~) 어깨총의 자세 : come to *the* ~ 어깨총하다. ***a ~ to cry on*** 고민을 들어줄 사람 : He was deeply unhappy and needed *a* ~ *to cry on.* 그는 몹시 불행했고 하소연을 들어줄 사람이 필요했다. ***give*** 〔***show, turn***〕 ***the cold ~ to*** …을 냉대하다; …을 피하다. ***have broad ~s*** (1) 어깨폭이 넓다. (2) 무거운 책임을 감당하다, 믿음직하다. ***old head on young ~s*** ⇨ OLD. ***put*** 〔***set***〕 one***'s ~ to the wheel*** 한몫 거들다, 발벗고 나서다, 크게 애〔힘〕쓰다. ***rub ~s with*** (명사 등)과 교제하다. ***~ to ~*** 어깨를 나란히 하여; 협력하여; 밀집하여 : The refugees were packed ~ *to* ~ on the boat. 난민들은 보트에 꽉 들어찼다. ***stand head and ~s above*** (***one's colleagues***) (동료)보다 한층 뛰어나다 : This book *stands head and ~s above* all others on the subject. 이 책은 그 내용에 있어 다른 모든 것보다 뛰어나다. ── *vt.* ① …을 짊어지다, 메다 : *Shouldering* her pack, she strode off up the road. 보따리를 메고 그녀는 한길로 성큼성큼 걸어갔다. ② (책임 따위)를 떠맡다, 짊어지다 : ~ the responsibility〔expense〕. ③ **a)** 《+명+전+명》 …을 어깨로 밀다〔밀어헤치고 나아가다〕: He ~*ed* his way to the front. 그는 앞쪽으로 비집고 나아갔다 / ~ a person aside 〔out of the way〕 남을 어깨로 밀어제치다. **b)** 《+명+보》 …을 어깨로 밀어 …하게 하다 : He ~*ed* the swing door open. 어깨로 회전문을 밀어 열었다.

shóulder bàg 어깨에 메는 백.

shóulder bèlt (자동차 좌석의) 안전 벨트.

shóulder blàde 〔**bòne**〕 〖解〗 어깨뼈, 견갑골.

shóulder bòard =SHOULDER MARK.

shóulder hàrness =SHOULDER BELT.(의).

shoul·der-high [ˊ-hái] *ad., a.* 어깨 높이까지

shóulder hòlster 권총 장착용 견대(肩帶).

shóulder knòt (리본 또는 레이스의) 어깨 장식; 〖軍〗 정장(正裝) 견장.

shoul·der-length [ˊ-léŋkθ] *a.* (머리 따위가) 어깨까지 내려오는 (길이의).

shóulder màrk 〖美海軍〗 (장교의) 견장.

shóulder pàd (여성복의) 어깨심, 패드.

shóulder stràp ① (스커트·슬립·바지 등의) 멜빵. ② 〖軍〗 견장(肩章).

†should·n't [ʃúdnt] should not 의 간약형.

shouldst [ʃudst, 약 ʃədst], [ʃúdist] *aux. v.* 《古》 shall의 제 2 인칭 단수형《주어가 thou 일 때》.

†shout [ʃaut] *vi.* ① 《~ / +전+명 / +*to* do》 외치다, 소리〔고함〕치다, 큰 소리로 이야기하다 : ~ at the top of one's voice 목청껏 소리치다 / ~ at a person 아무에게 큰 소리〔야단〕치다 / He ~*ed for* help. =He ~*ed* to us *to* help him. 그는 도와 달라고 외쳤다. ② 《+전+명》 호통치다, 떠들어대다《*at*; *for*》: You must not ~ *at* him. 그를 야단쳐서는 안된다 / ~ *for*〔*with*〕 joy 환성을 지르다 / The couples were constantly ~ *at* each other. 그들 부부는 항상 서로 으르렁거렸다. ── *vt.* ① 《~+명 / +명+부 / +*that* 절》 …을 큰 소리로 말하다《*out*》: ~ approbation 큰 소리로 찬성하다 / I can hear you all right. There's no need to ~. 네 말은 잘 들린다. 소리지를 것 없다 / Someone is ~*ing* my name. 누군가 내 이름을 크게 부르고 있다. ② (기쁨 따위)를 큰 소리로 나타내다 : The audience ~*ed* its〔their〕 pleasure. 관객은 와하고 환성을 질렀다. ~ ***down*** 소리쳐 반대하다, 고함쳐 물리치다. ── *n.* ① Ⓒ 외침, 부르짖음, 큰 소리 : a ~ for help. ② Ⓒ 환호, 환성 : a ~ of triumph / give〔let out〕 a ~ of joy 환성을 지르다. ③ (*sing.*; 흔히 one's ~로) 한턱할 차례 : It is *my* ~. 내가 낼 차례다.

shout·ing [ʃáutiŋ] *n.* Ⓤ 환성, 환호. ***be all over bar***〔***but***〕 ***the ~*** (경기·경쟁에서) 승패는 결정되었다. ***within ~ distance*** 큰 소리로 부르면 들릴 곳에.

shove** [ʃʌv] *vt.* 《~ +명 / +명+전+명 / +명+부》 ① …을 (난폭하게) 밀(치)다, 떠밀다, 밀고 나아가다, 냅다 밀다, 밀어 제치다 : ~ a person over a cliff 아무를 벼랑에서 밀어뜨리다 / ~ each other about 서로 밀치락거리다. ② 《口》 (아무렇게나) …을 찔러넣다; 밀어넣다, 처넣다; (난폭하게) 놓다, 두다《*up*; *down*; *in, into*》: ~ something *down* on paper 종이에 무언가 휘갈겨 쓰다 / She ~*d* as hard as she could. 그녀는 힘껏 밀어넣었다 / "Where should I put this suitcase?" "*Shove* it *down* there for the moment." '이 가방 어디에 둘까' '우선 거기 내려 놓게.' ── *vi.* 《+부 / +전+명》 밀다, (떠)밀고 나아가다, 밀고 가다 : *Shove* over, would you? (자리를) 좀 다가 앉아 주세요 / They ~ *up* to the counter. 그들은 카운터로 밀어닥쳤다 / Just wait your turn — there's no need to ~. 차례를 좀 기다려라. 밀지 않아도 된다. ~ ***around 《口》 마구 부리다, 혹사하다. ~ ***off*** 〔***out***〕 (1) (배를 장대로) 밀어 내다; 저어 나가다. (2) 〔命令形〕 가다, 떠나다 : *Shove off!* 저리 꺼져. ── *n.* Ⓒ (흔히 *sing.*) 밂, 떠밂; 밀어 제침 : give it a ~ 그것을 냅다 밀다 / I gave him a ~ in the direction of the road. 나는 그를 길쪽으로 밀어냈다.

‡shov·el [ʃʌ́vəl] *n.* Ⓒ ① 삽, 부삽. ② = SHOVELFUL. ── (*-l-*, 《英》 *-ll-*) *vt.* ① 《~+目/+目+副/+目+前+名》 …을 삽〔부삽〕으로 푸다: ~ up coal 석탄을 삽으로 푸다 / He helped us ~ the snow off the front path. 그는 집 앞길의 눈을 치우는 우리를 도와 주었다 / I ~*ed* up the broken glass into a bucket. 깨진 유리를 양동이에 삽으로 퍼담았다. ②《~+目/+目+前+名》 (길·도랑 등)을 삽으로 파다〔만들다〕: ~ a path through the snow 눈밭에 삽으로 길을 내다. ③《+目+前+名》 …을 마구 퍼넣다: ~ sugar into one's coffee 커피에 설탕을 많이 넣다 / He was ~*ing* food into his mouth. 음식을 입에 퍼넣고 있었다.

shov·el·board [ʃʌ́vəlbɔ̀ːrd] *n.* =SHUFFLEBOARD.

shov·el·er, 《英》 **-el·ler** [ʃʌ́vələr] *n.* Ⓒ ① 삽질하는 사람〔기구〕. ②〖鳥〗 넓적부리(= **shóv·el·bill**).

shov·el·ful [ʃʌ́vəlfùl] (*pl.* **~s, shov·els·ful**) *n.* Ⓒ 한 삽 가득(한 양).

shóvel hàt (영국 국교회의 성직자가 쓰는) 챙 넓은 모자.

†show [ʃou] (**~ed** ; **shown,** 《稀》 **~ed**) *vt.* ① 《~+目/+目+目/+目+前+名》 …을 보이다; 제시하다; 지적〔지시〕하다: ~ one's teeth 이빨을 드러내다 / *Show* your driver's license, please. 운전 면허증 좀 보여주시겠습니까 / *Show* me the difference. 차이점을 지적해 주시오 / She ~*ed* her new car *to* all her friends. 그녀는 친구 전부에게 새 차를 보여 주었다. ②《~+目/+目+補/+*that* 節/+目+*to be* 補/+目+*that*節/+*wh.* 節》 …임을 보이다, 나타내다; …을 표시하다; …을 증명하다, 밝히다, 설명(說明)하다: As the statement ~*ed*, a great deal of pressure is being put on us. 성명에서 밝혔듯이 지금 우리에게 엄청난 압력이 가해지고 있다 / He ~*ed* me *that* it was true. 그는 그것이 진실임을 가르쳐 주었다 / The sketch ~*s* a lot of talent. 이 스케치는 대단한 재능을 말해주고 있다 / He has ~*n* himself (to be) completely useless at his job. 그가 그의 일에 아무짝에도 쓸모없다는 것이 드러났다 / This letter ~*s what* he is. 이 편지는 그가 어떤 사람임을 말해 주고 있다. ③《+目+目/+目+*wh.*節/+目+*wh. to* do》 …을 해 보이다, 설명하다, 가르치다(explain): Would you ~ me the way to handle this computer? 이 컴퓨터 조작법을 알려 주겠나 / The painting ~*s* some athletes bathing. 그림은 몇몇 운동선수들의 목욕하는 것을 그린 것이다 / She ~*ed* me where to park the car. 그녀가 내게 차세울 데를 가리켜 주었다. ④ …을 진열〔전시, 출품〕하다(exhibit); 달다; (연극 따위)를 상연하다: ~ one's dogs for prizes 상금을 목표로 (품평회에) 개를 내놓다 / ~ colors 기를 달다 / The play will be ~*n* next week〔is being ~*n* now〕. 그 극은 내주 상연된다〔지금 상연되고 있다〕. ⑤ …을 눈에 띄게〔두드러지게〕 하다: A light-colored coat ~*s* soil readily. 밝은 색의 상의는 눈에 잘 띈다. ⑥《+目+前+名/+目+副》 …을 안내하다, 보이다(guide): ~ a person *around* the city 시내를 두루 안내하다 / ~ a guest *in* 〔*out*〕 손님을 안내〔전송〕하다 / She ~*ed* me *to* the bus stop. 그녀는 나를 버스 정류장에 데려다 주었다. ⑦《~+目/+目+前+名/+目+目》 (감정 따위)를 나타내다; (호의 따위)를 보이다, 베풀다: ~ one's pleasure *at* the news 소식을 듣고 얼굴에 기쁜 빛을 나타내다 / She never ~*s* her feeling. 그녀는 감정을 내색하는 일이 없다. ⑧ (계기 등이) …을 나타내다: The thermometer ~*ed* 10 below zero. 온도계는 영하 10도를 가리키고 있었다. ⑨〖法〗 …을 주장〔말〕하다(allege): ~ cause 이유를 말하다.

── *vi.* ①《~/+前+名》 나타나다, 보이다(appear): The summit ~*ed* awhile. 산봉우리가 잠시 나타났다 / Anger ~*ed* on his face. 얼굴에 노여움이 드러났다 / Your scar doesn't ~ as much as it used to. 흉터가 그전만큼은 보이지 않는다. ②《+前+名》《口》 출석하다; 등장〔참가〕하다: He seldom ~*s* at his daughter's at-homes. 그는 딸의 가정 초대회에 좀처럼 나타나지 않는다 / Did she ~ at the party? 그녀가 파티에 왔었니. ③《~+前+名/+補》 (어떤 상태로) 보이다: ~ to advantage 두드러져 보이다 / The mountain ~*s* purple from here. 그 산이 여기서는 자줏빛으로 보인다. ④ (극·영화)가 흥행되다, 상연〔상영〕중이다. ***go to* ~** (1) (…이라는) 증명이 되다. (2) (It just〔only〕 *goes to* ~로) (말하려는 것이) 잘 이해되다, 바로 잘 증명되어 있다. ***have nothing to* ~ *for*** …의 노력의 흔적이 되는 아무것도 없다. **~ *a clean pair of heels*** ⇨HEEL[1]. **~ *off*** (1) …을 자랑해 보이다: Everyone ~ *off* their talent. 각자가 재능을 과시했다 / He's always ~*ing off*. 그는 시종 자기과시만 하고 있다. (2) 드러내다, 돋보이게 하다: The white dress ~*ed off* her dark skin. 흰 드레스가 그녀의 검은 피부를 돋보이게 했다. **~ one*'s teeth*** 이를 드러내다, 성내다. **~ a person *the door*** 아무를 밖으로 내쫓다: When I told my bank manager to borrow $100,000, he ~*ed* me the door. 거래은행 지점장에게 10만달러를 빌리자 했더니 그는 나를 내쫓았다. **~ *up*** (*vt.*) (1) …의 본색〔결점〕을 드러내다(reveal), 폭로하다: I ~*ed* him *up* for what he was. 놈이 어떤 자였나를 폭로해줬다. (2)《口》 …을 무안하게 하다: When we got to parties my husband always ~*s* me *up* by telling rude joke. 우리가 파티에 가면 남편은 상스러운 농담을 해서 늘 나를 무안하게 만든다. (*vi.*) (1) (저절로) 나타나다, 눈에 띄다, 두드러지다: Dark colors will not ~ *up* against a similar background. 어두운 색이 비슷한 배경에서는 눈에 띄지 않을 것이다. (2)《口》 (회합 따위에) 얼굴을 내밀다, 나타나다, 나오다, 나가다. ── *n.* ① (a ~) 보이기, 나타내기, 표시: *a* ~ of hands (찬반 표결의) 거수의 표시 / The army put on *a* ~ of force. 군은 무력을 과시했다. ② Ⓤ (또는 a ~) 과시(ostentation), 성장(盛裝), 허식(display): He's fond of ~. 그는 허영을 좋아한다 / His penitence was (*a*) mere ~. 그의 참회는 겉뿐이다. ③ Ⓤ (또는 a ~) 시늉, 짓(pretense); 외관, 표면, 겉꾸밈, 겉치레(appearance): put on *a* ~ 거짓 꾸미다, 연극을 하다 / His public expressions of grief are nothing but ~. 그의 공개적인 애도 표시는 쇼에 불과하다. ④ Ⓒ 구경거리, (극장·나이트클럽·TV 등의) 흥행, 쇼: What ~*s* are on tonight? 오늘 밤에는 무슨 쇼가 있습니까 / a road ~ 특별 흥행 / go to a ~ 연극〔영화〕구경 가다 / ⇨ DUMB SHOW. ⑤ Ⓒ 전시회, 전람회(exhibition): Many new computers are on ~ at the exhibition. 많은 신형 컴퓨터가 전람회에 진열돼 있다. ⑥ Ⓒ 볼만한 것; 웃음거리: make a ~ of oneself 웃음거리가 되다. ⑦ Ⓒ (출산의) 징후《출혈》. ⑧ Ⓤ (또는 a ~) (수완을 보일) 호기, 기회(chance): Give him *a* (fair) ~. 그에게 정당한 기회를 줘라. ⑨ Ⓤ 《美》 (경마 따위의) 3위. ***get the* ~ *on the road*** 《口》 (일·행동 등)을 시작하다, 활동을 개

시하다. ***give the*** (***whole***) ~ ***away*** =***give away the*** (***whole***) ~ 내막을 폭로하다; 마각을 드러내다. ***Good*** ~***!*** 《英口》 (1) 잘 했다. (2) 거 참 다행이다, 잘 됐군. ***in*** ~ 자랑삼아. ***on*** ~ 진열되어, 구경거리가 되어. ***Poor*** 〔***Bad***〕 ~***!*** 《英口》 (1) 형편없었다. (2) 유감천만이었다. ***run*** 〔***boss***〕 ***the*** ~ 주도권을 쥐다; 운영하다. ***steal the*** ~ (조연이 주연의) 인기를 가로채다.

shów bìll 포스터; 광고 쪽지.

shów·bìz [-bìz] *n.* 《口》 =SHOW BUSINESS.

show·boat [ˊ-bòut] *n.* Ⓒ 연예선(船), 쇼보트.

shów bùsiness 연예업, 흥행업.

shów càrd 광고 쪽지; 상품견본이 붙은 카드.

show·case [ˊ-kèis] *n.* Ⓒ (유리로 된) 진열 상자, 쇼케이스.

show·down [ˊ-dàun] *n.* Ⓒ (흔히 *sing.*) ① (포커에서) 쇼다운《손에 든 패 전부를 보이기; 이로써 승자를 가림》. ② 《口》 (논쟁·대결 등의) 최종단계, 막판: a ~ vote 결선 투표 / have a ~ with …와 결판을 내다.

show·er[1] [ʃóuər] *n.* Ⓒ 보이는 사람〔물건〕.

‡**show·er**[2] [ʃáuər] *n.* Ⓒ ① 소나기: We was caught in a ~ on our way home. 귀가 길에 우리는 소나기를 만났다 / Scattered ~*s* are expected this afternoon. 오늘 오후 산발적인 소나기가 온다고 한다. ② (탄알·편지 등의) 빗발, 홍수: a ~ of bullets 빗발치는 총알 / Letters came in ~*s*. 편지가 쇄도했다. ③ 샤워: take〔have〕 a ~ 샤워하다 / I prefer a ~ to a bath. 난 목욕보다 샤워가 좋다. ④ 《美》 (신부 등에의) 선물 파티: have a bridal〔stork〕 ~ 머지 않아 신부〔어머니〕가 될 사람에게 선물 파티를 베풀다. ⑤ 〔集合的〕 지저분한 사람, 꼴보기 싫은 자들. — *vi.* ① 〔흔히 it를 主語로〕 소나기가 오다: *It* ~*ed* off and on all afternoon. 오후 내내 소나기가 오다말다 했다. ② 《+전+명》 빗발치듯 쏟아지다: Nuts ~*ed* down when the tree was shaken. 나무가 흔들리자 우수수하고 도토리가 떨어졌다. ③ 샤워를 하다. — *vt.* ① 《+목+전+명》 (칭찬 등)을 빗발처럼 퍼붓다, 뿌리다 《*on, upon*》: Questions were ~*ed on* him. 그에게 질문이 빗발치듯 했다 / He was ~*ed with* applause. 요란한 박수갈채를 받다. ② 〔再歸的〕 …을 샤워하다.

shówer bàth 샤워; 샤워 기구, 샤워실(室).

show·er·proof [ˊ-prùːp] *a.* (천·옷이) 방수의. — *vt.* …을 방수처리하다.

show·ery [ʃáuəri] *a.* 소나기(가 올 것) 같은; 소나기가 잦은.

shów gìrl 쇼걸《뮤지컬 등의 가수 겸 무용수》.

***show·ing** [ʃóuiŋ] *n.* ① Ⓒ 전시(회), 전람(회); (영화·연극 등의) 상영, 상연: a ~ of new fashions. ② (a ~) 외관, 겉보기. ③ (*sing.*; 흔히 on ~) **a)** 정세, 형세: *on* any ~ 정세가 어떻든, 아무리 보아도. **b)** 주장; 진술(statement): *On* the government's own ~ they won't win by many votes. 정부 주장에 의하면 그들이 많은 표차로 이기지는 못할 것이라 한다. ④ (a ~) 성적; 성과: He made *a* good ~ in the finals. 그는 결승에서 훌륭한 성적을 올렸다.

shów jùmping 〖馬〗 장애물 뛰어넘기《경기》.

show·man [ʃóumən] (*pl.* ***-men*** [-mən]) *n.* Ⓒ ① 흥행사. ② 연출이 능한 사람, 쇼맨.

show-man·ship [ˊ-ʃip] *n.* Ⓤ 흥행술, 흥행 수완; 관객을 끄는 수완: This was a piece of a calculated ~. 이것은 계산된 흥행술의 일면이었다.

‡**shown** [ʃoun] SHOW의 과거분사.

show-off [ʃóuɔ̀(ː)f, -àf] *n.* ① Ⓤ 자랑, 과시. ② Ⓒ 자랑꾼, 쇼맨십이 있는 사람: Some people are apt to regard him as something of a ~. 혹자는 그를 어떤 과시욕이 있는 사람으로 보는 경향이 있다. ⓟ **~·ish** *a.*

show·piece [ˊ-pìːs] *n.* Ⓒ 전시용 우수 견본, 특별품; 자랑거리: The hospital will be the new ~ of the health service when it opens next year. 그 병원이 내년에 개원되면 공공 의료시설로서의 새로운 자랑거리가 될 것이다.

show·place [ˊ-plèis] *n.* Ⓒ (여행자들의 흥미를 끄는) 명승지, 고적.

show·room [ˊ-rù(ː)m] *n.* Ⓒ 상품 진열실, 전시실: You are welcome to browse in our ~. 우리 전시실에 구경오신 것을 환영합니다.

show-stop·per [ˊ-stàpər / ˊ-stɔ̀p-] *n.* Ⓒ 기막힐 정도의 명연기〔명연주〕.

shów wìndow 상품 진열창, 쇼윈도.

showy** [ʃóui] (show·i·er*** ; ***-i·est***) *a.* ① 화려한, 눈에 띄는(striking): a ~ flower. ② 현란한, 야단스러운; 겉멋을 부리는. ⓟ **shów·i·ly** *ad.* **-i·ness** *n.*

shpt. shipment.

***shrank** [ʃræŋk] SHRINK의 과거.

shrap·nel [ʃrǽpnəl] (*pl.* ~) *n.* Ⓤ 〔集合的〕 유산탄(榴散彈); 포탄〔총탄〕의 파편.

shred** [ʃred] *n.* ① Ⓒ (종종 *pl.*) 끄트러기(strip), (갸름한) 조각, 파편: in ~*s* 갈기갈기 찢겨〔찢긴〕 / Cut the cabbage, into fine long ~*s*. 그 양배추를 가늘고 길게 채쳐라. ② (a ~) 〔흔히 否定·疑問文으로〕 약간, 소량(bit), 극히 조금《*of*》. ⓒⓕ scrap[1]. ¶ There is *not a* ~ *of* evidence 〔doubt〕. 쥐꼬리만한 증거〔의심〕도 없다. — (*p., pp.* ***~·ded ; ***ˊ-·ding***) *vt.* …을 조각내다; 갈가리 찢다: ~ the cloth into little pieces 천을 잘게 찢다. ⓟ **ˊ-·der** [-ər] *n.* Ⓒ 문서 절단기.

shrew [ʃruː] *n.* Ⓒ ① 잔소리 심한 여자. ② 〖動〗 뾰족뒤쥐.

‡**shrewd** [ʃruːd] (***ˊ-·er, more*** ~ ; ***ˊ-·est, most*** ~) *a.* ① 빈틈없는, 약빠른, 재빠른, 기민한(astute): ~ in business 장사에 빈틈없는 / a ~ lawyer〔politician〕 빈틈없는 변호사〔정치가〕. ② 예민한, 날카로운, 현명한: a ~ observer / He has a reputation for ~ management decision. 그는 현명한 경영 결정으로 정평이 나 있다. ⓟ **ˊ-·ly** *ad.* 기민하게; 현명하게. **ˊ-·ness** *n.*

shrew·ish [ʃrúːiʃ] *a.* 잔소리가 심한, 앙알거리는; 심술궂은(malicious). ⓟ **~·ly** *ad.*

‡**shriek** [ʃriːk] *n.* Ⓒ 날카로운 소리〔웃음 소리〕, 부르짖음; 비명: give 〔utter〕 a ~ 비명을 지르다. — *vi.* 《+전+명》 날카로운〔새된〕 소리를 지르다, 비명을 지르다: ~ with laughter 깔깔거리며 웃다 / The man was ~*ing* in pain clutching his arm he'd broken. 그 남자는 부러진 팔을 부여잡고 아파서 비명을 지르고 있었다. — *vt.* 《~+목 / +목+전+명 / +목+부》 …을 날카로운 소리로 말하다: She ~*ed* oath at me. 그녀는 소리소리 지르며 나를 저주했다.

shrike [ʃraik] *n.* Ⓒ 〖鳥〗 때까치.

‡**shrill** [ʃril] (***ˊ-·er, more*** ~ ; ***ˊ-·est, most*** ~) *a.* ① (소리가) 날카로운: a ~ whistle 날카로운 기적(소리) / I heard the ~ voice of a woman in the next room. 나는 옆방에서 한 여인의 날카로운 비명 소리가 나는 것을 들었다. ② (요구·항의 등이) 격렬한, 집요한, 신랄한: We use quiet persuasion rather than ~ denunciation. 우리는 신랄한 비난보다는 조용하게 설득을 한다 / The mass media became ~*er* in criticizing the recent corruption cases. 최근의 독직사건에 대한 매스미디어의 비판이 가일층 심해졌다. — *n.* Ⓒ 날카로운 (목)소리. — *vt.* 《~+목 / +목+부》 …을 날카로운 소리로 말하다〔노래하다〕: ~ a song.

— *vi.* 날카로운 소리를 내다: The wind ~*ed* around the house. 바람이 집 주위를 쌩쌩거리며 불었다. [파] **shril·ly** [ʃrílli] *ad.* **∠·ness** *n.*

***shrimp** [ʃrimp] (*pl.* **~s,** 〔集合的〕 ~) *n.* [C] ① 작은 새우. ②《口·蔑》왜소한 사람, 난쟁이, 꼬마, 하찮은 놈. — *vi.* 작은 새우를 잡다: go ~*ing.*

‡shrine [ʃrain] *n.* [C] ① (성인의 유골·유물을 담은) 성골함(聖骨函). ② (성인들의 유물·유골을 모신) 사당, 묘(廟). ③ 전당, 성지(聖地), 영역(靈域): a ~ of art〔learning〕 예술〔학문〕의 전당. — *vt.* 《詩》 …을 사당에 모시다(enshrine).

‡shrink [ʃriŋk] (***shrank*** [ʃræŋk], ***shrunk*** [ʃrʌŋk]; ***shrunk, shrunk·en*** [ʃrʌ́ŋkən]) *vi.* ① 《~ / +[전]+[명] / +[부]》 **a**) (천 따위가) 오그라들다, (수량·가치 등이) 줄다《*up*; *away*》: Wool ~*s* when washed. 양모는 빨면 준다 / You should dry-clean the curtains if possible, as they are likely to ~. 줄어들지 모르니 그 커튼은 되도록 드라이클리닝 해야 한다. **b**) 줄다, 작아지다: My earnings *shrank away.* 벌이는 줄어들었다 / The number of tourists *shrunk* owing to the bad weather. 악천후 때문에 관광객이 줄었다. ②《+[전]+[명] / +[부]》 움츠리다《*up*》, 위축되다《*at*》; 주춤하다《*from*》; 망서리다, 꺼리다: ~ back 물러서다, 뒤로 움츠리다 / She ~*s from* meeting strangers. 그녀는 낯선 사람 만나기를 싫어한다 / The boys *shrank away* in horror. 소년들은 두려움에 기가 꺾였다. — *vt.* ① …을 오그라뜨리다, 수축시키다; 줄어들게 하다: ~ the office to the holder's ability 회사를 관리자의 능력에 맞추어 축소하다 / Summer has *shrunk* the stream. 여름철이라 냇물이 줄어들었다. ② (천 따위)를 방축 가공하다. — *n.* [C] ① 뒷걸음질, 무르춤하기(recoil). ② 수축(shrinking). ③《俗》 정신과 의사. [파] **∠·a·ble** [-əbəl] *a.* 오그라들기 쉬운; 수축할 수 있는.

shrink·age [ʃríŋkidʒ] *n.* [U] (또는 a ~) 수축, 축소, 감소: Synthetic fabrics are less susceptible to ~ than natural ones. 합성섬유는 자연섬유보다 수축율이 덜하다.

shrínk·ing víolet [ʃríŋkiŋ-] 수줍음 타는 내성적인 사람.

shrink-wrap [∠ræ̀p] *vt.* …을 수축 포장하다. — *n.* [U] 수축 포장용 필름.

shriv·el [ʃrívəl] (**-*l*-,** 《英》 **-*ll*-**) *vi.* 시들다(wither): Leaves ~ in autumn. 나뭇잎은 가을에 시든다. — *vt.* …을 주름(살)지게 하다; 시들게 하다: The lack of rain has ~*ed* the crops. 비가 부족해 작물이 시들었다 / The heatwave is ~*ing* the potato stocks. 오랜 혹서로 감자 뿌리가 시들고 있다.

shroud [ʃraud] *n.* [C] ① 수의(壽衣). ② 덮개, 가리개, 장막(veil): a ~ of mist〔darkness〕 안개〔어둠의〕 장막. ③ (*pl.*) 〖海〗 돛대 줄《돛대 꼭대기에서 양쪽 뱃전으로 뻗치는》. — *vt.* 〔흔히 受動으로〕 …을 싸다, 가리다, 감추다《*in*; *by*》: The airport *was* ~*ed in* a heavy mist. 공항은 짙은 안개에 싸여 있었다.

Shrove·tide [ʃróuvtàid] *n.* '재의 수요일' 바로 「전의 사흘간.

‡shrub [ʃrʌb] *n.* [C] 키 작은 나무, 관목(灌木). [cf.] bush[1]. ¶ a ~ zone 관목 지대.

shrub·bery [ʃrʌ́bəri] *n.* ① [U] 〔集合的〕 관목(림). ② [C] (정원 등의) 관목을 많이 심은 곳.

shrub·by [ʃrʌ́bi] (**-*bi·er*; -*bi·est***) *a.* 관목의; 관목 같은; 관목이 무성한.

shrug** [ʃrʌg] (**-*gg*-**) *vt., vi.* (어깨를) 으쓱하다《의심·당혹·무관심 등을 나타냄》: I asked her where he was, but she simply ~*ged* and said nothing. 그가 어디 있었느냐 물었더니 그녀는 그저 어깨만 으쓱하고 아무말이 없었다 / Don't just ~ your shoulders. Say something. 어깨만 으쓱거리지 말고 뭔가 말을 해라. **~ *off (1) …을 아무렇게나 처내버려두다, 무시하다: I can't just ~ *off* such a protest. 그런 항의를 그냥 무시만 할 수는 없다. (2) …을 떨쳐버리다: ~ *off* sleep.
— *n.* [C] (흔히 *sing.*) 어깨를 으쓱하기.

***shrunk** [ʃrʌŋk] SHRINK의 과거·과거분사.

shrunk·en [ʃrʌ́ŋkən] SHRINK의 과거분사.
— *a.* 〔限定的〕 쪼그라든, 주름이 잡힌: a ~ old woman 쪼그라든 노파.

shtick [ʃtik] *n.* [C] 《美俗》 ① (쇼 등의) 상투적인 익살스런 장면〔동작〕. ② (이목을 끄는) 특기, 특징, 특수한 재능.

shuck [ʃʌk] *n.* ① [C] (옥수수·땅콩 등의) 껍질, 겉껍데기, 깍지. ② [C] (굴·대합 등의) 껍데기, 조가비. ③ (*pl.*) 하찮은 것. — *vt.* ① …의 껍데기〔꼬투리〕를 까다, 벗기다. ②《口》 (옷 따위)를 벗다: She ~*ed off* her jacket and ran upstairs. 재킷을 벗더니 이층으로 뛰어올라갔다.

shucks [ʃʌks] *int.* 《美口》 쳇, 빌어먹을, 아뿔싸《불쾌·후회 따위를 나타냄》: "*Shucks,* I wish I could have gone to the party with Sherie." '쳇, 그 파티에 셰리와 함께 갔으면 좋았을걸.'

‡shud·der [ʃʌ́dər] *vi.* ①《~ / +[전]+[명] / +*to* do》(공포·추위 따위로) 떨다, 전율하다(shiver, tremble): He ~*ed with* dread. 그는 무서워 몸을 떨었다. ② (+[전]+[명] / +*to* do) 진저리치다《*at*》: ~ *at* the thought of = ~ *to* think of …을 생각만 해도 몸서리나다. — *n.* ① [C] (몸을) 떪, 전율: with a ~ 벌벌 떨면서 / The very thought of it sends ~*s* up my spines. 그건 생각만 해도 등골이 오싹해진다. ② (the ~s) 《口》 몸서리 치는 발작: It gave her *the* ~*s.* 그녀는 그것 때문에 오싹했다. ★ shiver보다 뜻이 강함.

shud·der·ing [ʃʌ́dəriŋ] *a.* 떠는; 몸서리치는; 오싹하는, 쭈뼛해지는. [파] **~·ly** *ad.*

***shuf·fle** [ʃʌ́fəl] *vi.* ①《~ / +[부] / +[전]+[명]》 발을 질질 끌다; 발을 끌다《춤에서》: ~ *along* (a street) 발을 끌며 (길을) 걷다 / He ~*d out of* the room. 발을 끌면서 방을 나갔다. ②〖트럼프〗 카드를 섞어 떼다. ★ cut (떼어 나누다)와 비교. ③ (옷을) 아무렇게나 입다, 되는 대로 걸치다《*into*》; 벗다《*out of*》: He ~*d into*〔*out of*〕 his clothes. 그는 아무렇게나 옷을 입었다〔벗었다〕. ④《+[전]+[명]》 속이다, 얼버무리다《*on*》; 핑계대다, 교묘하게 …하다〔해내다〕《*through*》; 교묘하게 빠져나가다《*out of*》: I'd to ~ *on* that point. 나는 그 점을 어물어물 넘겨야 했다 / He ~*d through* his task. 그는 용케 일을 해냈다.
— *vt.* ① (발)을 질질 끌다; (발을) 끌며 걷다: The old man ~*d along* the sidewalk. 노인은 발을 끌며 보도를 걸어갔다. ②《~+[목] / +[목]+[부]》 …을 섞다, (카드)를 섞어 떼다; 뒤섞다《*together*》: *Shuffle* the cards before the deal. 카드를 도르기 전에 잘 섞어라. ③ (초조해서 발 따위)를 이리저리 흔들다: When I asked him where he'd been he just looked down at the ground and ~*d* his feet. 어디갔다 왔느냐고 물었더니 그는 땅만 내려다보고 발로 바닥을 비비대고 있었다. ④《+[목]+[부]》 (옷)을 아무렇게나 입다〔벗다〕《*on*; *off*》: She ~*d* her clothes *off.* 그녀는 옷을 아무렇게나 벗어던졌다. ⑤ (책임 등)을 전가하다《*off*; *onto*》: He ~*d off* his responsibility *onto* his brother. 그는 책임을 동생한테 전가했다.
— *n.* ① (a ~) 발을 질질 끌기, 지척거리기; (댄

스의) 발을 끄는 동작 : walk with *a* ~ 발을 질질 끌며 걷다. ② Ⓒ 뒤섞음, 혼합 ; 카드를 쳐서 떼기 〔떼는 차례〕: Is it my turn to ~? 내가 뗄 차례냐. ③ Ⓒ 장소를〔인원을〕 바꾸기, 재편성 : a Cabinet ~ = a ~ of the Cabinet 내각 개편. ④ Ⓒ 조작, 술책 ; 핑계.

shuf·fle·board [-bɔ̀ːrd] *n.* Ⓤ 셔플보드《긴 막대로 원반을 밀어서 점수를 나타낸 구획〔테두리〕 안에 넣는 놀이 ; 주로 배의 갑판에서 함》.

shuf·fler [ʃʌ́flər] *n.* Ⓒ ① 카드를 쳐서 떼는 사람. ② 속이는 사람, 사기꾼.

shuf·ty, -ti [ʃʌ́fti] *n.* (a ~) 《英俗》 흘긋 보기, 한번 봄 : Just take〔have〕 *a* ~ at this flower. 이 꽃을 한번 보게나.

shun** [ʃʌn] (-nn-***) *vt.* …을 피하다, 비키다, 가까이 않다. cf. avoid. ¶ ~ society 남과의 접촉을 피하다 / ~ meeting people 사람을 만나지 않도록 하다.

shunt [ʃʌnt] *vt.* ① **a**) (화제 등)을 바꾸다《*to* ; *onto*》; (문제 등)을 회피하다 ; (계획 등)을 보류하다 : We ~*ed* the conversation *onto*〔*toward*〕 a more interesting subject. 우리는 대화를 더 재미있는 화제로 바꿨다. **b**) (아무)를 좌천하다《*off* ; *away*》: He's been ~*ed off* to a regional office. 그는 지점으로 밀려났다. ② 〔흔히 受動으로〕 『鐵』 (차량)을 측선(側線)에 넣다, 전철(轉轍)하다《*to* ; *onto*》. ③ (물건)의 위치를 옮기다 : Will you help me ~ this desk *into* the next room? 이 책상을 옆 방으로 옮기는 걸 도와 주겠나. ④ 『醫』 (혈액)을 다른 혈관에 흘리다. ── *vi.* ① 한쪽으로 비키다. ② 『鐵』 옆선로로 들어가다, 대피하다.
── *n.* Ⓒ ① 한 옆으로 비켜섬. ② 『鐵』 전철(기) (switch) ; 『電』 분로, 분류기(分流器). ③ 『醫』 (혈액의) 측로(側路). ④ 《俗》 (자동차 경주 중의) 충돌 사고.

shunt·er [ʃʌ́ntər] *n.* Ⓒ shunt 하는 사람 ; 『鐵』 전철원(轉轍員), 입환용 기관차.

shush [ʃʌʃ] *int.* 쉬잇, 조용히 해. ── *vt.* 쉬잇하여 (아무)의 말을 막다 : *Shush,* now. Don't cry. 쉿, 울지 마.

†**shut** [ʃʌt] (*p., pp.* ~ ; **∠·ting**) *vt.* ① 《~+목 / +목+전+명 / +목+부》 **a**) (문 따위)를 닫다《*up* ; *down*》. opp. *open.* ¶ ~ the gate〔lid〕 문〔뚜껑〕을 닫다〔덮다〕/ *Shut* all the windows *down.* 모든 창문을 닫아라. **b**) (눈·귀·마음 따위)를 닫다 《*to* ; *on* ; *against*》: We ~ the door *against*〔*on*〕 him. 우리는 그를 문전축객했다. ★ 과거분사는 흔히 결과를 나타내는 보어로서 쓰임 : The door banged ~. 문이 쾅하고 닫혔다. ② 《~+목 / +목+부》 (점포·공장 따위)를 일시 폐쇄하다, 폐점〔휴업〕하다《*up* ; *down*》: Heavy snow caused the airport to be ~ *down.* 폭설로 공항은 (일시) 폐쇄되었다. ③ …을 (…에 대하여) 막다 : The road is ~ *to* all traffic. 그 도로는 전면 폐쇄되어 있다. ④ 《+목+부 / +목+전+명》 가두다, 에워싸다 ; 가로막다 : The area is ~ *in* by a bamboo fence. 그 장소는 대울타리로 둘러싸여 있다. ⑤ 《+목+전+명》 (문 따위)에 끼우다 : ~ one's clothes *in* a door 문틈에 옷이 끼다.
── *vi.* ① 닫히다 : The window ~*s* easily. ② 휴업〔폐점〕하다《*down* ; *up*》: Many people will lose their jobs if the factory ~*s* (*down*). 공장이 문을 닫으면 많은 사람들이 일자리를 잃게 된다. ***be*〔*get*〕 ~ *of*** … 《俗》 …을 내쫓다 ; …와 인연을 끊다. **~ *away*** 격리하다 ; 들어박히다 ; 잠시 보류하다 : He was six years old when he was ~ *away in* an asylum for stealing an apple. 그가 사과 하나를 훔친 죄과로 감호시설에 갇힌 때는 그가 여섯살 때였다 / The jury was ~ *away* for a week to consider its verdict. 배심원은 평결을 숙고하기 위해 일주간 들어박혔다. **~ *down*** (상점·공장 등을) 닫다 ; 폐쇄하다 ; 가두다. **~ *in*** (1) …을 가두다, 감금하다 : I ~ myself *in.* 나는 집에서 두문불출했다. (2) …을 에워싸다 : The house is ~ *in* by trees. 집은 나무에 둘러싸여 있다. **~ *off*** (1) (교통)을 차단하다 ; (물·가스·기계 따위)를 잠그다 : Gas supplies were ~ *off for* four hours. 가스 공급이 네 시간 동안 중단됐다. (2) …을 격리하다 : She ~ herself *off* from all the aspects of life. 그녀는 일체의 사회생활과 담을 쌓았다. **~ *out*** (1) …을 들이지 않다, 내쫓다 : ~ a person *out* 아무를 내쫓다. (2) 보이지 않게 하다 : Those trees ~ *out* the view. 저 나무들이 전망을 가리고 있다. (3) 『美競』 …을 영패시키다 **~ *the door upon*** …에 대하여 문호를 닫다. **~ *to*** (문 따위)를 꼭 닫다, 걸어 잠그다 : *Shut* the door *to.* 문을 닫아라 / The door ~ *to.* 문이 닫혔다. **~ *up*** (1) (집 따위)를 잠가〔닫아〕 두다 ; (가게 문)을 닫다, 폐업하다. (2) …을 챙겨넣다 : The money was ~ *up* in the safe. 돈은 금고 안에 보관돼 있었다. (3) 《口》 …을 침묵시키다, (말)을 못 하게 하다 : *Shut up* and listen to me! 입다물고 내 말 듣기나 해라. (4) 〔再歸的〕 …에 들어 박히다《*in*》: She ~ *herself up in* her room. 그녀는 방안에 들어박혀 두문불출했다.

shut·down [∠dàun] *n.* Ⓒ (공장 등의) 일시 휴업, 조업 정지 : an emergency ~ 긴급 조업 정지.

shut-eye [∠ài] *n.* Ⓤ 《口》 (한숨) 잠 : catch 〔get〕 a little〔some〕 ~ 한숨 자다

shut-in [∠ìn] *a.* 《美》 ① (병 따위로) 집안〔병원〕에 갇힌, 몸져누운. ② 소극적인, 비사교적인.
── *n.* Ⓒ 몸져누운 병자.

shut·off [∠ɔ̀(ː)f, ∠ɑ̀f] *n.* Ⓒ 막는 것, 차단기 ; Ⓤ 멈춤, 차단.

shut·out [∠àut] *n.* Ⓒ ① 공장 폐쇄 (lockout). ② 『野』 셧아웃, 완봉 (경기), 영봉 : pitch a ~ (투수가) 완봉하다.

‡**shut·ter** [ʃʌ́tər] *n.* Ⓒ ① 덧문, 겉문, (널)빈지 (blind). ② (사진기의) 셔터. ***put up the ~s*** (1) 덧문을 내리다, 가게를 닫다. (2) (영구히) 가게를 닫다, 폐업하다.
── *vt.* 〔흔히 受動으로〕 덧문을 닫다 : All the windows *were* ~*ed* before the storm. 폭풍우가 닥치기 전에 창의 빈지문을 모두 닫았다.

shut·ter·bug [-bʌ̀g] *n.* Ⓒ 《美俗》 사진광(狂), 아마추어 카메라맨.

***shut·tle** [ʃʌ́tl] *n.* Ⓒ ① (직조기의) 북 ; (재봉틀의 밑실이 든) 북. ② (근거리) 왕복 운행(열차·버스·항공기 등) ; 우주 왕복선(space ~) ; = SHUTTLECOCK.
── *vt.* ① …을 (정기) 왕복편으로 수송하다 : Passengers were ~*d* by bus from the bus stop to the airport. 승객들은 버스 정거장에서 공항까지 셔틀버스로 수송되었다. ② …을 이리저리 움직이게 하다.
── *vi.* 앞뒤로〔이리저리〕 움직이다 ; 왕복하다.

shúttle bús 셔틀 버스.

shut·tle·cock [-kɑ̀k / -kɔ̀k] *n.* Ⓒ (배드민턴의) 셔틀콕.

shúttle diplómacy 왕복 외교《제 3 국의 중개자가 대립하는 두 나라 사이를 오가는》.

shúttle sérvice (근거리) 왕복 운행, 셔틀 편.

shúttle tráin 근거리 왕복 열차(편).

‡**shy**[1] [ʃai] (***shý·er*** ; **∠·*est*** ; or ***shí·er*** ; ***shí·est***) *a.* ① **a**) 소심한, 부끄럼타는(bashful), 수줍어하는, 암띤 : He's very ~ *with* women. 그는 여인들 앞에선 아주 수줍어한다. **b**) 조심성 많은(wary) ;

조심하여 …하지 않는《*of*〔*about*〕do*ing*》: Don't be ~ *of* tell*ing* me. 내게 사양 말고 얘기해라. **c)** (새·짐승·물고기가) 잘 놀라는, 겁많은(timid). ② 〔敍述的〕 (…이) 부족한, 없는《*of* ; *on*》: The house is ~ *of* a bathroom. 그 집에는 욕실이 없다 / an inch ~ *of* being six feet, 6 피트에 1 인치 모자라는.

fight ~ of …을 피하다〔싫어하다〕, …을 경원하다: He *fought* ~ *of* an open quarrel. 그는 남 앞에서 다투는 것을 꺼렸다.

— *vi.* (***shied*** ; ***shý·ing***) (말이 놀라서) 뛰며 물러나다; 뒷걸음치다, 주춤하다《*at* ; *from*》; (사람이) 꽁무니 빼다《*away* ; *off*》: Her eyes ~ *away from* mine. 그녀는 눈을 내게서 피하고 있다. — *n.* [C] (말의) 뒷걸음질, 뒤로 물러섬.

[파] **shý·er** *n.* [C] 겁많은 사람〔말〕, 잘 놀라는 말. ***shý·ly** *ad.* 부끄러워서, 수줍어하여; 겁을 내어. ***∠·ness** *n.* [U] 수줍음, 스스러움; 소심, 겁.

shy² (***shied, ∠·ing***) *vt., vi.* (…을) 던지다, 내던지다《*at* ; *over*》: ~ stones *at* a dog.

— *n.* [C] ① 던지기, 내던짐. ②《口》 시도. ③《口》 조소, 비웃음(gibe). ***have*〔*take*〕*a ~ at*** (1) …을 향해 던지다. (2) …을 놀리다. ***have*〔*take, make*〕*a ~ at*** do*ing* (something) 《口》 시험 삼아 …을 해보다.

-shy 'shy¹ *a.*' 의 뜻의 결합사: gun-~ 총을〔대포를〕 겁내는 / work-~ 일을 싫어하는.

Shy·lock [ʃáilɑk / -lɔk] *n.* ① 샤일록《Shakespeare작 *The Merchant of Venice* 에 나오는 유대인 고리 대금업자》. ② [C] (때로 s-) 냉혹한 고리 대금업자.

shy·ly [ʃáili] *ad.* 수줍게; 겁내어.

shy·ster [ʃáistər] *n.* [C] 《美口》 협잡 변호사; 사기꾼.

si [si:] *n.* 〖樂〗 시《장음계의 제7음》, 나 음.

Si 〖化〗 silicon. **SI** Système International (d'Unités) (=International System of Units 국제 단위) (⇨SI unit).

Si·am [saiǽm, ∠-] *n.* 샴《Thailand 의 옛 이름》.

Si·a·mese [sàiəmí:z, -mí:s] *a.* 샴의; 샴어(語)〔사람〕의. — (*pl.* ~) *n.* [C] 샴 사람; [U] 샴어(語).

Síamese cát 샴고양이《파란 눈, 짧은 털》.

Síamese twíns 샴 쌍둥이《허리가 붙었음; 1811-74》.

sib [sib] *n.* [C] 혈연자, 친척되는 사람; 〔集合的〕 친척.

***Si·be·ria** [saibíəriə] *n.* 시베리아.

[파] **-ri·an** *a., n.* 시베리아의, 시베리아인(의).

sib·i·lant [síbələnt] *a.* 쉬쉬 소리를 내는(hissing); 〖音聲〗 마찰음의. — *n.* [C] 〖音聲〗 마찰음《[s, z, ʃ, ʒ] 등》.

sib·ling [síbliŋ] *n.* [C] (남녀 구별 없이) 형제《형·제·자(姉)·매(妹)의 어느 한 사람》.

sib·yl [síbil] *n.* [C] ① (고대 그리스·로마의) 무당. ② 여자 점쟁이〔예언자〕; 마녀.

si·byl·line [síbəli(:)n, -làin] *a.* sibyl 의; sibyl 적인; 예언적인; 신비적인.

sic [sik] (***sicced*** ; ***síc·cing***) *vt.* =SICK².

sic [sik] *ad.* 《L.》 원문 그대로(thus, so)《틀리거나 불확실한 원문을 인용할 때 그런 부분 다음에 (*sic*) 또는 [*sic*] 라고 부기(附記)함》.

Si·cil·i·an [sisíliən, -ljən] *a.* 시칠리아 섬〔왕국, 사람, 방언〕의. — *n.* [C] 시칠리아 사람; [U] 시칠리아 방언.

***Sic·i·ly** [sísəli] *n.* 시칠리아 섬, 시칠리아.

†sick¹ [sik] (***∠·er*** ; ***∠·est***) *a.* ① **a)** 병의, 병에 걸린: a ~ man 환자 / be ~ 앓고 있다 / be taken ~ 병에 걸리다 / be ~ with a fever〔a cold〕 열이 있다〔감기에 걸려 있다〕. ★ 서술적 용법인 경우 《美》에서는 보통 sick 을 쓰며 《英》에서는 흔히 限定的으로만 쓰이며 補語로는 ill 또는 unwell 을 씀. **b)** 〔the ~ ; 名詞的〕 환자들. ② 〔限定的〕 환자(용)의: a ~ chair 환자용 의자 / ~ ward 7 제7병동(病棟). ③ (얼굴빛 따위가) 핼쑥〔파리〕한, 병적인(pale); 기운이 없는: a ~ look 창백한 얼굴 / You look ~. 안색이 좋지 않구나. ④《英》 느글거리는, 메스꺼운(nauseated): a ~ smell 메스꺼운 냄새 / I'm going to be ~. 토할 것 같다 / He was ~ *to* his stomach. 그는 속이 느글거렸다. ⑤ 〔敍述的〕 실망한《*about* ; *at*》; 울화가 치미는《*at*》: It makes me ~ to think of it. 그것을 생각만 해도 기분이 나빠진다. ⑥ 〔종종 ~ and tired 의 형태로〕 지긋지긋한, 진절머리가 나는《*of*》: We are ~ *and tired of* her sermons. 그녀 잔소리엔 물렸다. ⑦ 그리워〔사모〕하는《*for* ; *of*》: They were ~ *for* home. 그들은 고향〔집〕을 그리워했다. ⑧ (농담 등이) 병적인, 저질의: He made a rather ~ joke. 그의 농담은 좀 쌍스러웠다. ⑨ (기계 등이) 고장난; (술 등이) 변질된: ~ wine 신포도주. ⑩ 〔複合語를 이루어〕 (…에) 취한: ⇨AIRSICK, CARSICK, SEASICK. ***go*** 〔***report***〕 ~ 병으로 결근하다, 병결근 신고를 내다. ***~ at heart*** 고민하여, 슬퍼하여. ***worried*** ~ (걱정으로) 병이 날 지경인: Why didn't you tell me you were coming home late? I've been *worried* ~! 왜 집에 돌아오는 것이 늦는다는 말을 안했나. 내가 얼마나 걱정했는지 모른다.

— *n.* [U] 《英口》 구토.

— *vt.* 《英口》 (먹은 것)을 토하다, 게우다《*up*》.

sick² *vt.* ① (개)를 부추겨 …에 덤벼들게 하다《*on, upon*》. ② 〔흔히 개를 부추기는 命令文에서〕 …을 공격하다: *Sick* him! 덤벼들어, 쉭쉭.

síck bày (함선내의) 병실, (학교의) 양호실.

sick·bed [síkbèd] *n.* [C] 병상.

síck bènefit (건강 보험의) 질병 수당.

síck càll 〖軍〗 진료 소집(의 시간·장소).

***sick·en** [síkən] *vt.* ① …에 구역질나게 하다(nauseate): What he saw there ~*ed* him. 거기서 목격한 일에 그는 구역질이 났다. ② 물리게〔신물나게〕 하다(disgust). ③ 병나게 하다.

— *vi.* ①《~ / +[전]+[명] / +*to* do》 구역질나다, 느글거리다《*at*》: I ~*ed at* the mere sight of the lice. 이를 보기만 하여도 구역질이 났다. ②《+[전]+[명]》 물리다, 신물〔넌더리〕나다《*of*》: I am ~*ing of* my daily routine. 매일매일의 판에 박힌 일에 신물이 난다. ③《~ / +[전]+[명]》 병이 나다: He is ~*ing for* measles. 그는 홍역의 증세를 보이고 있다.

sick·en·ing [síkəniŋ] *a.* ① 구역질나게 하는, 느글거리게 하는: a ~ smell. ② 신물나게 하는, 넌더리나게 하는. ③ 병들게 하는: It's ~ that I can't go to the party. 파티에 못 가니 병날 것 같다. [파] **~·ly** *ad.*

síck héadache 구토성 두통; 편두통.

sick·ie [síki] *n.* [C] 《美俗》 정신병자.

sick·ish [síkiʃ] *a.* 토할 것 같은; 느글거리는.

[파] **~·ly** *ad.* **~·ness** *n.*

***sick·le** [síkəl] *n.* [C] (한 손으로 쓰는) 낫, 작은 낫. ★ 양손을 쓰는 큰 낫은 scythe.

síck lèave 병가(病暇)(기간): be on the ~ list 《口》 병가 중이다.

síckle cèll anémia 〔**diséase**〕 〖醫〗 시클〔겸상(鎌狀)〕 (적)혈구성 빈혈《흑인의 유전병》.

síck lìst (흔히 the ~) (군대·선박 등의) 환자 명부: be on the ~ 앓고 있다.

sick·ly** [síkli] (-li·er*** ; ***-li·est***) *a.* ① 병약한, 허약한: a ~ child 병약한 어린이. ② (얼굴 따위가) 창백한, 핼쑥한; 약하디 약한: a ~ smile 힘없는

미소. ③ (기후・풍토 따위가) 건강에 좋지 않은. ④ (냄새 등이) 역겨운 : There was a musty, ~ smell. 퀴퀴하고 역겨운 냄새가 났다. ⑤ 감상적인.

‡**sick·ness** [síknis] *n.* ① Ⓒ Ⓤ 병(disease) ; 건강치 못함 : a slight〔serious〕~ 가벼운〔무거운〕 병 / in ~ and in health 병든 때나 건강한 때나《결혼식의 선서말 중에서》. ② Ⓤ 욕지기, 구역질(nausea).

sick·o [síkou] (*pl.* **sick·os**) *n.* 《美俗》 =SICKIE.

sick·out [síkàut] *n.* Ⓒ 《美》 병을 구실로 하는 파업.

síck paràde 〖軍〗 =SICK CALL.

síck pày 병가(病暇) 중의 수당.

sick·room [síkrù(:)m] *n.* Ⓒ 병실.

†**side** [said] *n.* ① Ⓒ 쪽, 측, 측면, 면《앞뒤・좌우・상하・안팎・동서 등의 점・선・면의 어느 뜻으로도 쓰임》: the left ~ 좌측 / on the east ~ of the town 시 동쪽에 / the landward ~ 뭍쪽, 육지쪽 / You have your socks on wrong ~ out. 양말을 뒤집어 신었구나.

② Ⓒ 산중턱 ; 사면, 비탈 : on the ~*s* of a mountain 산중턱에.

③ Ⓒ 가장자리, 가《도로・강 따위의》: by the ~ of a road〔river〕 길 옆에〔강기슭에〕.

④ Ⓒ (흔히 *sing.*) (사람・물건의) 옆, 곁 : Come and sit by〔at〕 my ~. 이리 와서 내옆에 앉아라 / "Get out of my way", she cried, pushing me to one ~. '길을 비켜' 하고 소리치며 그녀는 나를 옆으로 밀쳤다.

⑤ Ⓒ 옆구리 : I have a slight pain in my left ~. 왼쪽 옆구리가 좀 결린다 / She lay on her ~ with her back to me. 그녀는 내게 등을 돌리고 옆으로 누웠다.

⑥ Ⓒ (소 따위의) 허구리살, 몸의 한쪽 : a ~ of beef 소의 허릿고기.

⑦ Ⓒ (문제 따위의) 측면, (관찰)면, 관점 : There are two ~*s* to every question. 모든 문제에는 양면이 있다.

⑧ Ⓒ (혈통의) …쪽〔계(系)〕 : the maternal ~ 모계 / He is my uncle on my mother's ~. 그분은 내 외삼촌이다.

⑨ Ⓒ (적과 자기편의) …쪽, …편, 당파 : pick〔choose〕 ~*s* (경기 전에) 편을 가르다 / Whose ~ are you *on*? 너는 누구 편이냐.

⑩ Ⓒ 〖數〗 변, 면.

⑪ Ⓒ **a**) (종이・피륙 따위의) 한 쪽 면, (책・기록의) 1쪽 ; (레코드의) 한 쪽 면(에 녹음되어 있는 곡) : I've already written four ~*s* for my essay. 나는 벌써 에세이 4페이지를 썼다. **b**) 《英口》 (텔레비전의) 채널.

⑫ Ⓤ 《英俗》 짐짓 젠체하기, 난 체하기, 거만함.

⑬ Ⓤ 거리낌〔스스럼〕없음, 뻔뻔스러움 : He has too much ~. 너무 건방지다.

by*〔*at*〕** a person's ~ =by*〔*at*〕 *the* ~ *of*** a person (1) 아무의 곁〔옆〕에. (2) …에 비하여 : She looks young *by the* ~ *of* her friends. 친구들보다 젊어보인다. ***from all ~s*〔*every* ~〕** 온갖 방면에(서) ; 빈틈없이. ***from* ~ *to* ~** 옆으로, 좌우로 : Look *from* ~ *to* ~ before you cross the road. 길 건너기 전에 길 좌우를 보아라. ***get on the right*〔*wrong*〕 ~ *of*** a person …의 마음에 들다〔눈 밖에 나다〕 : Be careful not to *get on the wrong* ~ *of* her. 그녀 눈 밖에 안 나도록 조심해라. ***hold*〔*shake, split, burst*〕 *one's ~s with*〔*for*〕 *laughter*〔*laughing*〕** 배를 잡고 웃다. ***let the* ~ *down*** 자기 편을 불리하게 하다〔배신하다〕, 동료(등)에 폐를 끼치다 : You can always rely on her — she'll never *let the* ~ *down*. 그녀는 언제나 믿을 수 있다. 결코 배신할 사람이 아니다. ***No ~!*** 〖럭비〗 경기 끝, 타임 아웃. ***on all ~s*〔*every side*〕** 도처에. ***on the right*〔*wrong, far, shady, other, thither,* etc.〕 ~ *of*** (70), (70)의 고개를 넘기지 않고〔넘어〕. ***on the* ~** 본제를 떠나〔와 별도로〕, 덤으로 ; 《英》 부업(副業)으로 ; 《美》 곁들이는 요리로 : I took a night job *on the* ~. 나는 부업으로 밤에 하는 일을 가졌다. ***on the* . . . ~** 얼마간 …한 편인 : I like the house but I think the price *on the* high ~. 그 집이 마음에 들긴 하나 좀 비싸다. ***put*〔*leave*〕. . . *on*〔*to*〕 *one* ~** 옆으로 치우다 ; 따로 간직하다 ; 《比》 (문제・일 따위를) 일시 중단하다 ; 보류하다 : Let's *leave* that question *to one* ~ now. 그 문제는 일단 보류하자. **~ *by* ~** 나란히, 병행하여 ; …와 밀접한 관계를 가지고 : We've worked ~ *by* ~ for years. 우리는 의좋게 수년 동안을 함께 일해왔다. ***take ~s*〔*a* ~〕 *with*** a person =***take*** a person***'s*** ~ (토론 등에서) 아무의 편을 들다 : I wouldn't want anyone to *take my* ~ against Tom. 나는 누구든 톰을 적대하며 내 편에 서기를 원하지 않는다. ***this* ~ *of*** … 《口》 (1) …에 까지 가지 않고 : It's the best Chinese food *this* ~ *of* Peking. 그것은 굳이 베이징까지 가지 않더라도 먹을 수 있는 최고의 중국 요리다. (2) …의 일보 직전의 : He's barely (on) *this* ~ *of* madness. 그는 거의 미치기 일보 직전이다.

— *a.* ① 한쪽의. ② 〔限定的〕 곁의, 옆의 ; 측면의, 옆으로(부터)의 : Please use the ~ entrance. 옆의 출입문을 이용해 주십시오. ③ 부(副)의, 버금 가는, 종속적인 ; 부업의 : a ~ job 부업 / a ~ issue 지엽 문제.

— *vi.* 찬성〔지지〕하다, 편들다《*with*》; 반대편에 편들다《*against*》: My mother always ~*d with* me. 어머니는 늘 내 편을 드셨다.

side·arm [sáidà:*r*m] *a., ad.* 〖野〗 옆으로 던지는〔던져〕

síde àrms 허리에 차는 무기《권총・대검 등》.

*__side·board__ [sáidbɔ̀:*r*d] *n.* Ⓒ ① (식당 벽면의) 식기 찬장. ② (*pl.*) 《英》 =SIDEBURNS.

side·burns [-bə̀:*r*nz] *n.* Ⓒ *pl.* 짧은 구레나룻 ; 살쩍.

side·car [-kà:*r*] *n.* ① Ⓒ 사이드카《오토바이의》. ② Ⓤ,Ⓒ 사이드카《칵테일의 일종 ; 브랜디에 레몬주스・밀감주를 섞은 것》.

sid·ed [sáidid] *a.* 〔흔히 複合語를 이루어〕 측(側)〔면, 변〕이 있는 : one-~, many-~ / a steep-~ hill 급사면의 산.

síde dìsh (주(主)요리에) 곁들여 내는 요리.

síde drùm =SNARE DRUM.

síde effèct (약물 따위의) 부작용.

side-glance [sáidglæ̀ns, -glɑ̀:ns] *n.* Ⓒ 곁눈(질) : take a ~ at …을 곁눈질하다.

síde hòrse (the ~) 〖體操〗 안마(鞍馬)(《英》 pommel).

side·kick [sáidkìk] *n.* Ⓒ 《美口》 짝패, 동료, 「친구.

side·light [-làit] *n.* ① Ⓤ 측면광(光) ; Ⓒ (흔히 ~*s*) (자동차의) 차폭등. ② Ⓒ 〖海〗 현등(舷燈). ③ Ⓒ (큰 창 따위의 옆의) 옆들창. ④ Ⓒ 간접적〔부수적〕 정보・지식《*on, upon*》: The study of uniforms threw some interesting ~*s on* military history. 제복에 관한 연구가 군의 역사에 관한 재미있는 부수적 몇 가지 정보를 밝혀 주었다.

side·line [-làin] *n.* Ⓒ ① **a**) 측선(側線) ; 〖球技〗 사이드라인. **b**) (*pl.*) 사이드라인의 바깥쪽(의 선수 대기 장소). ② 부업 : Jane's a doctor, but she does a bit of writing as a ~. 제인은 의사지만 부업으로 글을 좀 쓴다. ***on the ~s*** 방관자로서 : I prefer to stand *on the* ~*s* and watch. 나는 제3자의 입장에서 지켜보는 것이 좋다.

side·long [-lɔ̀ːŋ / -lɔ̀ŋ] *ad.* 옆으로, (엇)비스듬히. — *a.* 옆으로의, 비스듬한 ; 간접적인, 완곡한 : She gave him a quick ~ glance. 그녀는 그를 흘긋 곁눈으로 보았다.

side·man [-mæ̀n, -mən] (*pl.* **-men** [-mèn, -mən]) *n.* [C] (특히 재즈·스윙의) 반주 악기 연주자.

side·piece [-pìːs] *n.* [C] (흔히 the ~) (물건의) 측면부.

si·de·re·al [saidíəriəl] *a.* 〔限定的〕 ① 별의, 항성(恒星)의, 별자리의. ② 항성〔별자리〕의 운행에 근거한 : a ~ hour 항성시《항성일의 1/24》/ a ~ day 항성일《태양일보다 약 4분 짧음》/ a ~ month 항성월(月)《27일 7시간 43분 남짓》/ a ~ year 항성년(年)《365일 6시간 9분 남짓》/ a ~ revolution 〔period〕 항성주기.

sid·er·ite [sídəràit] *n.* [U] 능철광(鑛).

side·sad·dle [sáidsæ̀dl] *n.* [C] 여성용 안장《양 발을 나란히 한 옆으로 드리우고 앉게 돼 있음》. — *ad.* ~에 앉아 ; ~처럼《앉다 따위》: ride ~.

síde shòw ① (서커스 따위의) 여흥, 촌극. ② 지엽 문제, (부수되는) 소사건.

side·slip [sáidslìp] *n.* [C] (자동차·비행기 등이 급커브·급선회할 때) 한옆으로 미끄러지는 일. — *vi.* (*-pp-*) 옆으로 미끄러지다.

sides·man [sáidzmən] (*pl.* **-men** [-mən]) *n.* [C] 〖英國國教〗 교구(敎區) 위원《교회의 헌금 거두는 사람》.

side-split·ting [-splìtiŋ] *a.* 우스워 견딜 수 없는, 포복 절도할 : a ~ joke.

side·step [-stèp] (*-pp-*) *vt.* ① (권투·축구 등에서 공격)을 한옆으로 비켜서 피하다. ② (성가신 질문 등)을 피하다 : He ~*ped* the issue by saying it was not his responsibility. 그는 그것이 자기 책임이 아니라면서 문제를 회피했다. — *vi.* ① 옆으로 비켜서다. ② 회피하다.

síde·stream smóke [-strìːm-] = SECOND-HAND SMOKE.

side·stroke [sáidstròuk] *n.* [U] (흔히 the ~) 모재비헤엄, 사이드스트로크.

side·swipe [-swàip] *n.* [C] ① 옆을 스치듯 치기. ② (…하는 김에 잇따라서 하는) 비난 : At the end of the speech he couldn't resist taking a ~ at his former boss. 이야기 끝에 그는 전임 상관을 공격하지 않을 수 없었다. — *vt.* ① …을 스치듯 옆을 때리다. ② …을 스치다

síde tàble 사이드테이블《식당 등의 벽에 붙이거나 메인테이블 옆에 놓는 탁자》.

side·track [sáidtræ̀k] *n.* [C] ① 〖鐵道〗 측선(側線), 대피선. ② 주제에서 벗어나기. — *vt.* ① (열차)를 대피선에 넣다. ② 〔흔히 受動으로〕 (이야기 등)을 옆길로 새게 하다, 얼버무리다 : Don't get too ~*ed by* the audience's questions. 청중들의 질문 때문에 너무 (주제에서) 벗어나지 않도록 하시오.

síde vìew 측면도 ; 측면관, 옆얼굴.

síde·view mìrror [sáidvjùː-] (자동차의) 사이드미러.

‡**side·walk** [-wɔ̀ːk] *n.* [C] 《美》 (특히 포장된) 보도, 인도(《英》 pavement).

sídewalk àrtist = PAVEMENT ARTIST.

sídewalk superinténdent 《美口·戲》 건축 현장의 구경꾼.

side·ward [sáidwərd] *a.* 옆〔곁〕의, 비스듬한. — *ad.* 옆으로, 비스듬히.

side·way [-wèi] *ad., a.* = SIDEWAYS.

***side·ways** [-wèiz] *ad.* 옆으로, 비스듬히, 옆에서 : They brought the piano ~ through the front door. 그들은 피아노를 옆으로 비스듬히 누이고 현관문을 통과했다. ***knock* 〔*throw*〕 . . . ~** 《口》 쇼크를 주다 ; …을 어리둥절하게 만들다. — *a.* 옆으로 향한, 비스듬한 : a ~ glance 곁눈질.

side·wheel [-hwìːl] *n.* [C], *a.* 외륜(外輪)(식의) 《기선 따위의》. [파] **~·er** *n.* [C] 외륜선(外輪船) (paddle steamer).

síde whìskers 긴 구레나룻.

síde wìnd 옆바람 ; 간접적인 영향.

side·wind·er [sáidwàindər] *n.* [C] ① 방울뱀의 일종《몸을 S자 모양으로 해 옆으로 나아감》. ② (S-) 〖美軍〗 사이드와인더《공대공(空對空) 미사일의 하나》. ③ 《美口》 옆으로부터 후려치기.

side·wise [-wàiz] *ad.* = SIDEWAYS.

sid·ing [sáidiŋ] *n.* ① [C] 〖鐵〗 측선(側線), 대피선. ② [U] 〖美建〗 (건물 외벽의) 벽널 ; 판자벽.

si·dle [sáidl] *vi.* (가만히) 옆걸음질하다 ; (가만가만) 다가가다〔다가서다〕《*along* ; *up*》: She ~*d away* 〔*up to* him〕. 그녀는 가만히 자리를 떠났다〔그의 곁으로 다가갔다〕.

SIDS sudden infant death syndrome(유아 돌연사 증후군).

‡**siege** [siːdʒ] *n.* ① [U.C] 포위 공격 ; (경찰 등의) 포위 작전 ; 포위 공격 기간 : raise〔lift〕 the ~ of 포위를 풀다 ; 포위 공격을 중지하다. ② [C] 끈덕진 권유〔조름〕 ; 《美》 끈질긴 병. ***lay* ~ *to*** …을 포위 공격하다 : When the scandal broke, dozens of journalists *laid* ~ *to* her apartment. 그 스캔들이 터지자 수십명의 기자들이 그녀의 아파트를 에워쌌다.

Sieg·fried [síːgfriːd] *n.* 지크프리트《거대한 용을 퇴치한 독일 전설의 영웅》.

si·en·na [siénə] *n.* [U] 시에나토(土)《황갈색 또는 적갈색의 그림 물감 원료》.

si·er·ra [siéərə] *n.* [C] ① (종종 *pl.*) 톱니처럼 뾰족뾰족한 연산〔산맥〕 《스페인·라틴 아메리카의》. ② 〖魚〗 삼치류(類).

Siérra Leóne [-lióun] *n.* 시에라레온《아프리카 서부의 독립국으로 영연방의 하나 ; 수도 : Freetown》.

si·es·ta [siéstə] *n.* [C] 《Sp.》 시에스타《스페인·남미 등 더운 나라에서의 점심 후의 낮잠》: have 〔take〕 a ~.

***sieve** [siv] *n.* [C] (고운) 체 ; 조리 : pass flour through a ~ 밀가루를 체로 치다. ***have a head* 〔*mind, memory*〕 *like a* ~** 《口》 머리가 아주 나쁘다. — *vt.* …을 체질하다, 거르다.

sie·vert [síːvərt] *n.* [C] 〖物〗 시버트《인체가 방사선을 쐬었을 때 받는 영향의 정도를 나타내는 국제 단위 ; 기호 Sv》.

‡**sift** [sift] *vt.* ① 《~+[목]/+[목]+[전]+[명]》 …을 체질하다 : ~ the wheat *from* the chaff 밀을 체질해서 겨를 가려내다. ② 《~+[목]/+[목]+[부]/+[목]+[전]+[명]》 …을 가려내다《*out*》: ~ *out* the fact *from* testimonies 여러 증언에서 사실을 가려내다. ③ …을 면밀히 조사하다, 심문하다 : Police are ~*ing through* the evidence in the hope of finding more clues. 경찰이 새로운 단서를 찾을까 해서 증거를 조사하고 있다. — *vi.* ① 체를 통해 떨어지다. ② 《+[전]+[명]》 (눈 따위가) 날아들다, 새어들다《*into* ; *through*》: Light ~*ed through* a chink in the wall. 불빛이 벽틈으로 새어들어왔다. ③ 가려내다 ; 정사(精査)하다 : ~ *through* all the information offered by the public 일반인이 제공한 정보를 모두 정사하다. [파] **-·er** *n.* [C] 체 ; 체질하는 사람 ; 상세히 조사하는 사람.

sig. signal ; signature ; signor(s) ; signora.

‡**sigh** [sai] *vi.* ① 《~/+[전]+[명]》 한숨 쉬다〔짓다〕, 탄식하다《*with*》; 한탄〔슬퍼〕하다《*over*》; 그리워

찾다, 그리워 한탄하다《for》: ~ with relief〔vexation〕 한시름 놓다〔괴로워 한숨짓다〕/ ~ over one's misfortune〔one's lost youth〕 불운〔잃어버린 청춘〕을 한탄하다. ② (바람이) 살랑거리다; 한숨 같은 소리를 내다: reeds ~ing in the wind 바람에 살랑대는 갈대. ── vt. 《~+目/+目+副》 탄식하여〔한숨지으며〕 말하다《out》: "I'm tired out". he ~ed (out). '피곤하구나'라고 그는 한숨지으며 말을 했다. ── n. Ⓒ ① 한숨, 탄식, 탄식 소리: with a ~ of relief 안도의 한숨을 쉬며. ② (바람의) 산들거리는 소리. ***give*〔*heave, let out*〕 *a ~ of relief*** 안도의 한숨을 쉬다, 한시름 놓다.

†sight [sait] n. ① **a)** Ⓤ 시각(視覺), 시력(vision): long〔near, short〕 ~ 원시〔근시〕/ lose one's ~ 시력을 잃다, 실명하다 / Bill has good〔poor〕 ~. 빌은 시력이 좋다〔나쁘다〕. **b)** Ⓤ (또는 a ~) 봄, 한번 보기, 일견, 일별, 목격《of》: They waited for *a* ~ of the popular actress. 그들은 그 인기 여배우를 한번 보려고 기다렸다. **c)** Ⓤ 시계, 눈길 닿는 범위, 시야: The ship came *into* ~. 배가 시야에 들어왔다〔보였다〕/ We came *within* ~ *of* the mountains. 우리는 산이 보이는 곳까지 왔다 / The shore went *out of* ~. 육지는 시야에서 사라졌다. **d)** Ⓤ 관점, 견해(opinion), 판단(judgment): in the ~ of the law 법률적 관점에서. ② Ⓒ **a)** 조망, 광경; 풍경, 경치(view). cf. landscape, scene, scenery. ¶ The ~ of the mountain was worth to see. 그 산의 경치는 볼 만했다. **b)** (the ~s) 명소, 명승지: I am going to show you *the* ~s of our land. 우리 고장의 명소를 구경시켜 드릴까 하오. **c)** (a ~) 《口》 진풍스런〔놀라운, 충격적인, 비참한〕 것: You must get some sleep, you look *a* ~. 자네, 조금 자야겠군. 얼굴이 말이 아니다. ③ Ⓒ (종종 *pl.*) (총의) 겨냥, 조준(기); 가늠쇠〔자〕: take a (careful) ~ (조심스럽게) 조준을 맞추다 / raise〔lower〕 one's ~ 조준을 〔목표를〕 올리다〔내리다〕. ④ (a ~) 《英口》 많음, 다수, 다량(a lot of): *a* ~ *of* money 산더미 같은 돈. ⑤ 〔副詞的〕 훨씬: This is a (long) ~ better than that. 이건 저것보다 훨씬 좋다. ⑥ 〔形容詞的〕 처음으로 본, 즉석의: a ~ translation 《英》 즉석 번역 / ⇨SIGHT DRAFT.

a ~ for sore eyes ⇨EYE. ***at first ~*** 언뜻 본 바로는; 첫눈에〔의〕: The results of the tests were, *at first* ~, surprising. 실험 결과는 언뜻 보기에는 놀라웠다. ***at ~*** ⑴ 보자마자: Soldiers were ordered to shoot *at* ~ anybody trying to enter the building. 군인들은 건물에 들어오려는 자는 누구든 즉각 사살하라는 명령을 받았다. ⑵ 〖商〗 일람 출급의: a bill payable *at* ~ 일람 출급 어음. ***in ~*** ⑴ 보여, 보이는 거리에: The mountain is still *in* ~. 산은 아직 보이고 있다. ⑵ 아주 가까이에: The building was *in*〔*within*〕 ~ of being finished. 그 건물은 거의 완공 단계에 있었다. ***keep ~ of*** ... =***keep*** ... ***in ~*** …을 놓치지 않으려고 지켜보다. ***know*** a person ***by ~*** 아무의 얼굴만은 알고 있다: I *knew* him *by* ~ but had never spoken with him. 그와 안면은 있었지만 이야기를 나눈 적은 없었다. ***lose ~ of*** ⑴ …을 (시야에서) 놓치다: We *lost* ~ *of* our child in the crowd. 인파 속에 아이를 잃어버렸다. ⑵ …을 잊다. ⑶ …의 소식이 끊기다. ***not by a long*** 〔***darned, considerable***〕 ~ 《口》 결코〔절대로〕 …아닌. ***on*** 〔***upon***〕 ~ =at ~. ***Out of my ~!*** 썩 꺼져라. ***out of ~*** ⑴ 보이지 않는 곳에: *Out of* ~, out of mind. 《俗談》 헤어지면 마음도 멀어진다. ⑵ 《口》 (값이) 엄청나게 비싼: The price is *out of* ~. 값이 터무니없이 비싸다. ⑶ 《美口》 멋있는, 근사한: That's *out of* ~. 그거 끝내 준다. ***~ unseen*** 〖商〗 현물을 보지 않고《사다》: I never buy anything ~ *unseen*. 나는 물건을 보지 않고 사는 일이 없다.

── vt. ① …을 찾아내다, 목격하다, 보다: After several days at sea, the sailors finally ~ed land. 바다 위에서 며칠을 지낸 후에야 마침내 선원들은 육지를 발견했다. ② (별 따위)를 관측하다: ~ a star. ③ …을 겨냥하다, 조준하다. ④ …에 조준기〔가늠자〕를 맞추다《on》: ~ a rifle (*on* a rabit) 총의 가늠자를 (토끼에) 맞추다. ── vi. ① 겨냥〔조준〕하다. ② (어떤 방향을) 주의깊게 바라보다 《*on*; *along*》.

síght dràft 〔《英》 **bìll**〕 일람 출급 어음.

(-)sight·ed [-sáitid] a. ① 〔複合語로〕 시력이 …한, …한 시력의: weak-~ 시력이 약한 / short-~ 근시의. ② 눈이 보이는.

sight·ing [sáitiŋ] n. ① Ⓤ 조준 맞추기. ② Ⓒ (UFO 나 항공기 따위의) 관찰〔목격〕례(例)《of》: Several people in the area have reported ~s *of* UFOs. 그 지역의 몇몇 주민들이 UFO 를 목격했다고 한다.

sight·less [⌐lis] a. ① 보지 못하는, 소경의. ② 《詩》 보이지 않는.

sight·line [⌐làin] n. Ⓒ (관객의 눈과 무대를 잇는) 시선(=**síght lìne**): Some of the ~s are blocked by columns. 기둥들 때문에 몇 사람의 관객의 시선은 차단된다.

sight·ly [⌐li] (***-li·er; -li·est***) a. ① 보아서 기분이 좋은, 보기 좋은(comely), 아름다운: a ~ house 아름다운 집. ② 《美》 전망이 좋은.
㊞ **-li·ness** n.

sight-read [⌐rìːd] vt., vi. ① (외국어 따위를) 즉석에서 읽다. ② (악보 등을) 보고 (연습 없이) 즉석에서 연주〔노래〕하다.
㊞ **~·er** n. Ⓒ 악보를 처음 보고 즉석에서 연주〔노래〕하는 사람. **~·ing** n. Ⓤ 초견(初見)《악보를 처음 보고 연주〔노래〕하기》; 즉독즉해(卽讀卽解).

sight·see [⌐sìː] vi. ① 〔흔히 go ~ing 의 꼴로〕 관광 여행하다, 유람하다《★ 이 말의 과거·과거분사 꼴은 쓰이지 않으므로 흔히 went ~ing, have been ~ing 이 쓰임》: *go ~ing* in Rome 로마로 관광 여행을 가다. ② 유람하다, 관광하다.

‡sight·see·ing [⌐sìːiŋ] n. Ⓤ 관광, 유람: do some ~ 관광하다. ── a. 관광〔유람〕의: a ~ party 관광단 / a ~ trip 〔tour〕 관광 여행.

***sight·se·er** [⌐sìːər] n. Ⓒ 관광객, 유람객.

sight-sing [⌐sìŋ] vt, vi. (악보를) 처음 보고 노래하다.

sight·wor·thy [⌐wə̀ːrði] a. 볼 만한, 볼 가치가 있는.

sig·ma [sígmə] n. 시그마《그리스어(語) 알파벳의 열여덟째 글자; Σ, σ, ς; 로마자의 s 에 해당》.

†sign [sain] n. Ⓒ ① (수학·음악 등의) 기호, 표시, 부호《★ '서명'의 뜻인 '사인'은 signature 또는 autograph》. cf. mark[1], symbol. ¶ the negative 〔minus〕 ~ 마이너스 부호(−) / the positive 〔plus〕 ~ 플러스 부호(+) / the equal(s) ~ 등호(=). ② 〔흔히 複合語로〕 **a)** 신호, 손짓, 몸짓: a traffic ~ 교통 신호 / a call ~ 호출 부호 / a ~ to walk 가라는 신호 / She put her finger to her lips as a ~ to be quiet. 그녀는 조용히 하라는 신호로 손가락을 입에다 댔다. **b)** 표지, 길잡이, 도표; 간판(signboard): street ~s 도로 표지 / a drugstore's ~ 약국 간판. ② **a)** 기미, 징후; 조짐(indication), 전조; 모습, 기색; 〖醫〗 증후, 증세《of》: There were ~s *of* suffering on her face. 그녀 얼굴에는 고통스러운 기색이 보였다. **b)** 〔흔

히 否定語와 더불어) 흔적, 자취, 형적(vestige); (들짐승의) 자귀, 똥: There's no ~*s of* human habitation. 사람이 살고 있는 흔적은 없다. **c)** 〖宗〗 기적(miracle): pray for a ~ 기적이 나타나기를 빌다. ③〖天·占星〗 궁(宮)《12궁의》.

make*〔*give*〕 *a* ~ *to …에 신호하다: The man *made a* ~ *to* me that he was ready to leave. 그 남자는 나에게 출발 준비가 됐다는 신호를 했다. ***make no*** ~ (혼절해서) 의식의 낌새가 없다; 아무 의사 표시를 하지 않다.

— *vt.* ①《~+목/+목+전+명》 …에 사인〔서명〕하다: ~ a check〔contract〕 수표〔계약서〕에 서명하다 / ~ a legislative bill *into* law 법안에 서명하여 법률로서 발효시키다. ②《+목+부/+목+전+명》 …에 서명하여 양도〔처분〕하다《*away*; *off*; *over*》: They ~*ed away* all claims to the house. 그들은 가옥에 대한 모든 권리를 양도했다. ③《~+목/+목+*to* do》(손짓·발짓 따위)로 신호하다, 알리다, 나타내다: He ~*ed* us *to* enter the room. 그는 우리에게 방으로 들어오라고 손짓했다. ④ …을 서명하여 고용하다: The major league has ~*ed* (*on*) two new players yesterday. 메이저리그는 어제 2명의 새 선수를 고용 계약했다. — *vi.* ① 서명하다, 서명하여 승인〔계약〕하다《*for*》: ~ *for* a package 소포 수령의 사인을 하다. ②《+전+명+*to* do》(손짓·몸짓 따위로) 알리다, 신호하다: The police ~*ed to* the truck *to* stop. 경관은 트럭에게 정지하라는 신호를 했다. ~ ***in*〔*out*〕** (*vi.*) 서명하여 도착〔출발〕을 기록하다: For safety reasons, please ~ *in* when you arrive at the building, and ~ *out* when you leave. 안전을 위하여 이 건물에 도착할 때 기록 서명하고 출발할 때도 그렇게 해 주십시오. (*vt.*) (사람)의 도착〔출발〕을 서명 기록하다, (책 등)을 반납〔대출〕하며 기록하다. ~ ***off*** (1)〖라디오·TV〗 (그날의) 방송〔방영〕 종료 신호를 하다, 방송〔방영〕을 마치다(opp. *sign on*): The broadcaster ~*ed off* the radio program by wishing all the listeners good night. 아나운서는 모든 청취자에게 안녕히 주무세요라는 말로 방송을 마쳤다. (2) (사인하고) 편지를 끝내다: Her letter ended: "I'd better ~ *off* now, Love Tom." '이제 각필하겠소. 사랑하는 톰'하고 그녀의 편지는 끝나 있었다. (3) 일을 끝내다. ~ ***on*** (1) (고용 계약서에 서명하고) 취업 계약을 하다. (2)〖라디오·TV〗 방송〔방영〕 개시를 알리다(opp. *sign off*). ⇨sign in *vt.* ~ ***up*** (1) = ~ on (1); 군에 입대하다《*for*》. (2) (…와) 계약하다《*for*》: He ~*ed up for* a new production. 그는 새 프러덕션과 계약했다. (3) (…에) 등록을 신청하다《*for*》: He ~*ed up for* the advanced class. 그는 상급반에 등록을 신청했다.

‡sig·nal [sígnəl] *n.* Ⓒ ① 신호, 군호; 암호; (야구의) 사인: a traffic ~ 교통 신호 / send smoke ~*s* 봉화를 올리다 / by ~ 신호로(★ 無冠詞). ② 신호기(機), (철도의) 시그널. ③ 계기, 도화선, 동기《*for*》: the ~ *for* revolt 폭동의 도화선 / The wage cut was the ~ *for* the workers to strike. 임금의 삭감이 노동자들이 파업을 하는 도화선이 되었다.

— *a.* 〔限定的〕 ① 신호의, 암호의; 신호용의: a ~ lamp 신호등 / a ~ fire 봉화 / a ~ flag 신호기. ② 두드러진, 현저한, 주목할 만한; 뛰어난, 훌륭한: a ~ achievement 괄목할 업적.

— (*-l-*, 《英》 *-ll-*) *vi.* 《~/+전+명/+전+명+*to* do》 신호하다, 눈짓하다: ~ *for* a rescue boat 구조선을 부르는 신호를 하다 / ~ *to* a person *to* move on 아무에게 앞으로 나아가라고 신호하다. — *vt.* ①《~+목/+목+*to* do/+목+전+명/+목+*that* 절》 …에게 신호하다〔를 보내다〕; …을 신호로 알리다: He ~*ed* me *to* stop talking. 그는 내게 이야기를 하지 말라고 신호했다 / He ~*ed* the bartender *for* another drink. 그는 바텐더에게 한 잔 더 달라고 신호했다. ② …의 전조가〔조짐이〕 되다.

sígnal bòx〔**càbin**〕《英》 (철도의) 신호소.

sig·nal·er, 《英》 **-nal·ler** [sígnələr] *n.* Ⓒ ① (육·해군의) 신호병〔수〕. ② 신호기(機).

sig·nal·ize [sígnəlàiz] *vt.* ①《~+목/+목+전+명》〔흔히 再歸的 또는 受動으로〕 …을 유명하게 하다; 두드러지게 하다(distinguish): He ~*d himself by* discovering a new comet. 그는 새 혜성의 발견으로 유명해졌다 / This century *is* ~*d by* man's conquests in space. 인류의 우주 정복이 금세기를 두드러지게 했다. ② …을 명확히 지적하다.

sig·nal·ly [sígnəli] *ad.* 두드러지게, 현저히.

sig·nal·man [sígnəlmən, -mæ̀n] (*pl.* ***-men*** [-mən, -mèn]) *n.* Ⓒ ①《英》 (철도의) 신호원〔수〕. ②〖軍〗 통신대원.

sígnal tòwer 〖美鐵〗 신호탑(塔)(《英》 signal box).

sig·na·to·ry [sígnətɔ̀:ri/-təri] *a.* 서명한, 참가〔가맹〕 조인한: the ~ powers *to* a treaty 조약 가맹국. — *n.* Ⓒ 서명인; 조인자; 조인국(國), (조약의) 가맹국.

‡sig·na·ture [sígnətʃər] *n.* ① **a)** Ⓒ 서명(★ '사인'이 서명의 뜻에선 signature; 작가·연예인 등의 '사인'은 autograph): write one's ~ 서명하다 / put one's ~ on〔to〕 …에 서명하다. **b)** Ⓤ 서명하기: The budget requires no Presidential ~. 그 예산은 대통령이 서명할 필요가 없다. ② Ⓒ 〖樂〗 =KEY〔TIME〕 SIGNATURE. ③ =SIGNATURE TUNE. ④ Ⓤ 〖醫〗 (약의 용기·처방에 쓰는) 용법 주의(略: S. 또는 Sig.). ⑤ Ⓒ 〖印〗 접지 순서〔번호〕, 쪽지 표시; 겨냥 접장(摺帳); 번호 매긴 전지. ⑥ Ⓒ 《라디오·TV》 (라디오) 테마 음악.

sígnature tùne 《英》 (방송 프로의) 테마 음악(theme song).

sign·board [sáinbɔ̀:rd] *n.* Ⓒ 간판; 게시판.

signed [saind] *a.* 서명된, 서명이 있는: a ~ first edition (저자의) 서명이 있는 초판(본).

sign·er [sáinər] *n.* Ⓒ 서명자.

sig·net [sígnət] *n.* ① Ⓒ (반지 따위에 새긴) 도장, 인장. ② (the ~) (옛 영국왕의) 옥새.

sígnet rìng 도장이 새겨진 반지.

‡sig·nif·i·cance [signífikəns] *n.* Ⓤ (또는 a ~) ① 중요성, 중대성(importance)《장래에의 중요성에 무게를 둠》. opp. *insignificance*. ¶ a matter of little〔no〕 ~ 그리〔전혀〕 중요치 않은 문제. ② 의의, 의미(meaning), 취지(import): It was only later that we realized the ~ of his remark. 나중에야 겨우 우리는 그의 말뜻을 알았다. ③ 의미 심장, 뜻 있음: with a look〔word〕 of great ~ 매우 의미 심장한 표정으로〔말로〕.

‡sig·nif·i·cant [signífikənt] *a.* ① 중대한, 중요한, 뜻(이) 깊은(important). opp. *insignificant*. ¶ His alibi is weak and, more ~, his fingerprints have been found there. 그의 알리바이는 약하고, 더 중요한 것은 그 곳에서 그의 지문이 몇 개 발견됐다는 것이다. ② 뜻있는, 의의 깊은: a ~ phrase 뜻이 깊은 어구. ③ 함축성 있는, 암시적인: a ~ wink 함축성 있는 눈짓. ④ 나타내는(expressive), (…을) 표시하는(indicative), 뜻하는《*of*》: Smiles are ~ *of* pleasure. 미소는 기쁨의 표시이다. ⑤ 상당한, 두드러진: a ~ increase in the trade surplus 무역 흑자의 상당한 증가.

sig·nif·i·cant·ly [-li] *ad.* ① 의미(가) 있는 듯

이 : give a cough ~ 일부러 기침하다. ② 꽤, 상당히. ③〔文章修飾〕 의미심장하게(도) : *Significantly,* no newspaper has dared to print the shocking scandal. 의미심장하게도 그 충격적인 스캔들을 어느 신문도 게재하지 않았다.

signifícant óther ① 중요한 타자(他者)《영향력 있는 부모·친구》. ②《美口》 소중한 사람《배우자, 애인》.

sig·ni·fi·ca·tion [sìgnəfikéiʃən] *n.* ① Ⓤ 의미 ; Ⓒ 의의, 말뜻. ② Ⓤ,Ⓒ 표시, 표의(表意) ; (정식) 통보.

*__sig·ni·fy__ [sígnəfài] *vt.* ① …을 의미하다, 뜻하다(mean) : Red often *signifies* danger. 적색은 종종 위험을 의미한다. ②《~+목 / +*that* 절》 (기호·몸짓 등이) …을 표시하다 ; 나타내다(represent) : He *signified that* he consented by rising his hand. 그는 손을 들어 동의를 표시했다《★ by 뒤에는 doing》. ③ …의 전조가〔조짐이〕 되다 : A red sunset *signifies* fine weather. 저녁놀은 맑은 날씨의 전조다. ── *vi.* 《~ / +부》〔주로 否定 ; 종종 much, little 을 수반〕 중대하다, 문제가 되다(matter) : It does *not* ~ (*much*). =It *signifies little.* 대단한 일이 아니다 / What does it ~ if you're rich or poor, as long as you're happy? 네가 행복하기만 하다면 가난하건 부자건 그게 무슨 문제냐.

sígn lànguage ① 손짓〔몸짓〕으로 하는 말. ② (농아자의) 지화법(指話法), 수화(手話)(dactylology).

si·gnor [sí:njɔ:r, si(:)njɔ́:r] (*pl.* ~**s**, ***si·gno·ri*** [-ri:]) *n.* 《It.》 ① (S-) (이름 앞에 두어) …각하, …씨, …님, …선생《Mr., Sir 에 해당》. ② Ⓒ (이탈리아의) 귀족, 신사.

si·gno·ra [si:njɔ́:rə] (*pl.* ~**s,** ***-re*** [-rei]) *n.* 《It.》(S-) (이름 앞에 두어) …부인, 아씨, 여사《Mrs., Madam 에 해당》; Ⓒ (특히 이탈리아의) 귀부인.

si·gno·ri·na [sì:njɔ:rí:nə] (*pl.* ***-ne*** [-ne]) *n.* 《It.》(S-) (이름 앞에 두어) …양(孃)《Miss에 해당》; Ⓒ (특히 이탈리아의) 영애(令愛), 아가씨.

sígn pàinter〔**wrìter**〕 간판장이.

sign·post [sáinpòust] *n.* Ⓒ ① 푯말, 이정표(guidepost) ; 안내 표지. ②《比》 명확한 길잡이. ── *vt.* ①〔흔히 受動으로〕 (도로)에 안내 푯말을 세우다. ② 방향을 지시〔표시〕하다.

Sikh [si:k] *n.* Ⓒ 《Ind.》 시크 교도.
  파 **∠·ism** *n.* Ⓤ 시크교(敎).

si·lage [sáilidʒ] *n.* Ⓒ 사일로(silo)에 저장한 꼴.

†**si·lence** [sáiləns] *n.* ① **a)** Ⓤ 침묵, 무언 ; 소리를 내지 않음, 정숙 : a man of ~ 말이 없는 사람 / *Silence* gives consent. 《俗談》 침묵은 승낙의 표시. **b)** Ⓒ 침묵의 시간 : a breathless ~ 숨막히는 침묵. ② Ⓤ 비밀 엄수(secrecy) ; 묵살 ; 언급하지 않음 : the law's ~ as to the problem 이 문제에 관해서는 아무런 법조문이 없음. ③ Ⓤ,Ⓒ 격조, 소식 두절 ; 격조 기간. ④ Ⓤ 고요함, 정적 : deathlike ~ 죽음과 같은 고요 / the ~ of midnight 한밤의 정적. ⑤ Ⓤ,Ⓒ 묵도 : observe (a) two minutes' ~, 2 분간 묵념을 하다. ***buy*** a person***'s*** ~ 아무에게 돈을 주어 입을 막다.
── *vt.* ① …을 침묵시키다, 잠잠하게 하다 : "Can you ~ the children so that I can work?" '나 좀 일하게 아이들을 조용하게 해주겠나.' ② (적의 반대·포화 등)을 침묵시키다 : The enemy's guns were completely ~*d* by repeated bombings. 잇다른 폭격으로 적의 포화는 완전히 잠잠해졌다.
── *int.* 조용히, 쉬.
  파 **sí·lenc·er** *n.* Ⓒ ① 침묵시키는 사람〔것〕. ②《英》 (발동기의) 소음기(消音器), 머플러(《英》 muffler). ③ (총포 등의) 소음 장치, 사일렌서.

†**si·lent** [sáilənt] (***more*** ~ ; ***most*** ~) *a.* ① 침묵하는, 무언의(mute) ; 말없는, 침묵을 지키는 : ~ reading 묵독(默讀) / a ~ protest 무언의 항의 / fall ~ 잠잠해지다, 입을 다물다 / keep ~ 잠자코 있다. ② 조용한, 고요한 ; (기계 등이) 소리 없는 : a ~ engine (소음이 거의 없는) 조용한 엔진 / ~ laughter 조용한 웃음. ③〔敍述的〕 (…에 대해) 아무 말〔언급〕이 없는(unmentioned)《*on* ; *about*》: History is ~ *on* 〔*upon*〕 the event. 역사는 그 사건에 아무런 언급도 없다. ④ 소식 없는, 무소식의 : I have been ~ for a long time. 오랫동안 소식을 알리지 못했다. ⑤ 활동하지 않는, 쉬고 있는(inactive) : a ~ volcano 휴화산. ⑥〖音聲〗 발음되지 않는, 묵음(默音)의《cake, knife의 e, k 따위》; 〖映〗 무성의 : a ~ film 무성 영화 / the ~ drama 무언극. (***as***) ~ ***as the grave*** ⇨ GRAVE[1]. ── *n.* 《口》 (*pl.*) 무성 영화.

‡**si·lent·ly** [sáiləntli] *ad.* 조용히, 소리 없이, 잠자코.

sílent majórity (흔히 the ~) 말없는 다수 ; 일반 대중.

sílent pártner 《美》 익명 사원(《英》 sleeping partner)《출자만 하고 업무에 관여 않는 사원》.

*__sil·hou·ette__ [sìlu:ét] *n.* Ⓒ ① 실루엣, 그림자. (옆얼굴의) 흑색의 반면 영상(半面映像). ② **a)** 윤곽 : give a fine ~ against the sky 하늘을 배경으로 뚜렷한 윤곽을 나타내다. **b)** (유행 여성복·신형차 등의) 윤곽(선), 실루엣. ***in*** ~ 실루엣으로 ; 윤곽만으로. ── *vt.* 《~+목 / +목+전+명》〔보통 受動으로〕 …을 실루엣으로 그리다, …의 윤곽만을 보이다《*against*》: a tree ~*d against* the evening sky 저녁 하늘을 배경으로 검은 윤곽을 드리운 한 그루의 나무.

sil·i·ca [sílikə] *n.* Ⓤ 실리카.

sílica gèl〖化〗 실리카 겔《방습제》.

sil·i·cate [síləkèit] *n.* Ⓤ,Ⓒ〖化〗 규산염(塩).

sil·i·con [sílikən] *n.* Ⓤ〖化〗 규소《비금속 원소 ; 기호 Si ; 번호 14》: ~ oil 실리콘 유 / ~ resin 실리콘 수지.

sílicon chíp〖電子〗 실리콘칩《집적회로가 프린트된 반도체 조각 ; 그냥 chip 이라고도 함》.

sil·i·cone [síləkòun] *n.* Ⓤ,Ⓒ〖化〗 실리콘, 규소수지《합성 수지·합성 고무 따위의 유기 화합물》.

Sílicon Válley 실리콘 밸리《고도의 반도체 소자 업체가 밀집해 있는 미국 샌프란시스코만 남쪽의 Santa Clara 지구의 속칭》.

sil·i·co·sis [sìləkóusis] *n.* Ⓤ〖醫〗 규폐증(珪肺症)《규토의 가루를 마셔 걸리는 폐질환》.

†**silk** [silk] *n.* ① **a)** Ⓤ 비단 ; 명주실, 생사 ; 깁, 견직물. **b)** (*pl.*) 비단옷 ; (경마의 기수 등이 입는) 색색으로 된 비단 제복 : be dressed in ~*s* and satins 사치스러운 옷차림을 하고 있다 / *Silks* and satins put out the fire in the kitchen. 《俗談》 옷치레가 심하면 끼니가 없다. ② Ⓒ《英》 (비단 법복을 입는) 왕실 변호사, 칙선(勅選) 변호사. ③ Ⓤ (거미의) 줄 ; (옥수수의) 수염 (corn ~). ***take*** (***the***) ~ 《英》 왕실 변호사가 되다.
── *a.* 비단의, 비단으로 만든 ; 생사의 : ~ stockings 실크 양말 / a ~ gown 비단 법복《왕실 변호사의》/ a ~ handkerchief 실크 손수건.

sílk còtton =KAPOK.

*__silk·en__ [sílkən] *a.* ① 비단의, 비단으로 만든 : a ~ dress 비단 드레스. ② 비단 같은, 보드라운, 매끄러운 : The princess in the fairy story had long ~ hair. 동화 속의 공주는 비단 같은 긴 머리를 하고 있었다.

sílk hát 실크해트.

sílk scrèen 실크 스크린《날염용(用) 공판(孔版)》.

silk-stock·ing [sílkstɑ́kiŋ / ˊstɔ̀k-] *a.* 《美》 ① 사치스러운 복장을 한. ② 상류의, 유복한, 귀족적인.

silk·worm [ˊwə̀ːrm] *n.* [C] 누에.

silky [sílki] (***silk·i·er*** ; ***-i·est***) *a.* ① (피부·머리카락 등이) 비단 같은 ; 보드라운(soft) : ~ skin 비단 같은 피부 / a dress of some ~ material 비단 같은 감으로 된 드레스. ② (음성·태도 등이) 나긋나긋한, 은근한(suave) : a ~ smile 교태 어린 웃음. [파] **-i·ness** *n.*

sill [sil] *n.* [C] 하인방(下引枋) ; 문지방, 문턱(threshold), 창턱(window ~).

sil·la·bub [síləbʌ̀b] *n.* [U,C] 실러버브(우유·크림을 거품이 일게 하여 포도주 등을 섞은 음료).

‡**sil·ly** [síli] (***sil·li·er*** ; ***-li·est***) *a.* ① 어리석은(stupid), 바보 같은(absurd) : a ~ fellow 바보 / Don't be so ~. 그런 바보 같은 소리〔짓〕 마라. ② 《口》 (얻어맞거나 해서) 기절한, 어찔해진 : He was knocked ~ by the news. 그 소식에 그는 정신이 멍해졌다. ── *n.* [C] 《口》 바보(흔히 아이들끼리 또는 아이들에 대한 악의 없는 호칭으로 쓰임) : No, ~, I didn't mean that! 아니, 이런 바보, 그런 말이 아니었어.

sílly sèason (the ~) (신문의) 불황기(期) (8·9월의 신문 기삿거리가 동날 때).

si·lo [sáilou] (*pl.* ***~s***) *n.* [C] ① 사일로(사료·곡물 등을 넣어 저장하는 원탑 모양의 건조물 또는 지하 저장고). ② 〖軍〗 사일로(미사일의 지하 격납고 겸 발사대).

silt [silt] *n.* [U] 침니(沈泥)(모래보다 곱고 진흙보다 거친 침적토(沈積土)). ── *vt., vi.* (하구 등을) 〔이〕) 침니로 막다〔막히다〕(*up*). [파] **ˊ·y** *a.* 침니의 〔같은〕 ; 침니로 꽉 막힌.

sil·van [sílvən] *a.* =SYLVAN.

Sil·va·nus [silvéinəs] *n.* 〖로神〗 실바누스(숲의 신 ; 후에 농목(農牧)의 신). [cf] Pan.

†**sil·ver** [sílvər] *n.* [U] ① 은(금속 원소 ; 기호 Ag ; 번호 47) : pure〔solid〕 ~ 순은. ② 〔集合的〕 은그릇, 은식기, 은제품(silverware) ; 은세공(품) ; 은박(箔), 은실 : table ~ 은 (도금한) 식기(스푼·나이프·접시 따위) / Burglars stole all our ~. 빈집털이가 은제품을 모조리 훔쳐갔다. ③ 은화 ; 금전, 화폐 : I have some copper but no ~ with 〔on〕 me. 동전은 좀 있으나 은화는 없다. ④ 은백, 은빛, 은의 광택. ── *a.* ① 은의, 은으로 만든 : a ~ coin 은화. ② 은 같은 ; 은빛으로 빛나는 ; (머리 따위가) 은백색의 : the ~ moon 은빛으로 빛나는 달. ③ 은방울을 굴리는 듯한, (소리가) 맑은(silvery) ; (말이) 유창한(eloquent) : He has a ~ tongue. 그는 웅변가다. ④ 〔限定的〕 (기념일 등의) 25주년의 : It's their ~ wedding on Friday. 금요일은 그들의 결혼 25주년 기념이다.

── *vt.* ① …을 은도금하다 ; …에 은을 입히다, 은빛으로 하다 : ~ copper articles 구리 용기에 은을 입히다. ② …을 은빛이 되게 하다 : Age has ~*ed* her hair. 나이를 먹어 머리가 은백이 되었다.

── *vi.* ① 은빛이 되다, 은빛으로 빛나다. ② (머리가) 은백색이 되다.

Sílver Áge (the ~ ; 때로 the s~ a~) 〖그·로神〗 (황금시대 다음의) 은(銀)시대. [cf] Golden-Age.

sílver bírch =PAPER BIRCH.

sil·ver·fish [-fìʃ] (*pl.* ***-fish***(***·es***)) *n.* [C] 은빛 물고기 ; 〖蟲〗 반대좀(bookworm).

sílver fòil 은박.

sílver fóx 은빛 여우(의 털가죽).

sil·ver-gray [sílvərgréi] *a.* 은백색의.

sílver íodide 〖化〗 요오드화은(銀).

sílver júbilee (즉위) 25주년 축전(祝典).

sílver líning (a ~) (어떤 불행에도 있게 마련인) 희망의 빛(‘Every cloud has a ~. 어떠한 구름도 그 안쪽은 은빛으로 빛나고 있다’라는 俗談에서).

sílver médal 은메달(2등상).

sílver nítrate 〖化〗 질산은.

sílver páper 은박지 ; 은종이. 「기.

sílver pláte (식탁 또는 장식용) 은그릇, 은식

sil·ver-plate [sílvərpléit] *vt.* …에 은도금하다.

sil·ver-plat·ed [-pléitid] *a.* 은도금한, 은을 입힌.

sílver scréen ① (화면을 비추는) 영사막 ; 은막. ② (the ~) 영화(계) : stars of *the*~.

silver·side [sílvərsaid] *n.* [U] 《英》 소의 넓적다리 살의 윗부분.

sil·ver·smith [-smìθ] *n.* [C] 은장이, 은세공사.

sílver stàndard (the ~) 〖經〗 은(銀)본위제.

sil·ver-tongued [-tʌ́ŋd] *a.* 《文語》 웅변의, 구변이 좋은, 설득력이 있는.

sil·ver·ware [-wɛ̀ər] *n.* [U] 〔集合的〕 식탁용 은제품 ; 은그릇(silver plate).

sílver wédding 은혼식(결혼 25주년 기념).

***sil·very** [sílvəri] *a.* ① 은과 같은 ; 은빛의 : ~ hair / the ~ light of the moon = ~ moonbeams 은백색의 달빛. ② (음성·소리 등) 은방울 같은, 맑은, 낭랑한 : the peal of ~ bells 맑고 아름다운 종소리.

sim·i·an [símiən] *a.* 원숭이의 ; 유인원(類人猿)의 ; 원숭이 같은(apelike). ── *n.* [C] 원숭이(monkey) ; 《특히》 유인원(ape).

‡**sim·i·lar** [símələr] (***more*** *~* ; ***most*** *~*) *a.* ① 유사한, 비슷한, 닮은, 같은(*to*) : ~ tastes 같은 취미. ② 〖數〗 닮은꼴의, 상사(相似)의 : ~ figures 닮은꼴.

***sim·i·lar·i·ty** [sìməlǽrəti] *n.* ① [U] 유사, 상사 : points of ~ 유사점. ② [C] 유사〔상사〕점 : There were some *similarities* between them. 그들 사이에는 몇 가지 유사점이 있었다.

***sim·i·lar·ly** [símələrli] *ad.* ① 유사하여, 비슷하여. ② 〔文章修飾〕 같게, 마찬가지로 : I am wrong. *Similarly*, you are to blame. 내가 나쁘다. 마찬가지로 너도 잘못이다.

sim·i·le [síməlìː] *n.* [U,C] 〖修〗 직유(直喩), 명유(明喩)(like, as 따위를 써서 하나를 직접 다른 것에 비유하기 : a heart like stone / A is as ... as B 따위). [cf] metaphor.

si·mil·i·tude [simílətjùːd] *n.* ① [U] 유사, 상사, 비슷함. ② [U] 외모, 모습 : in the ~ of …의 모습으로 ; …을 본떠서. ③ [C] 유사한〔닮은〕 물건·사람. ④ [C] 비유 : Jesus often spoke in ~*s*. 예수는 자주 비유로 말씀하셨다.

sim·mer** [símər] *vi.* ① (약한 불에) 부글부글〔지글지글〕 끓다, (주전자물 등이) 픽픽하고 끓다. [cf] boil[1]. ¶ The soup was left to ~. 국이 부글부글 끓게 내버려두었다. ② (끓는 물 등이) 폭폭 소리를 내다. ③ 《+[전]+[명]》 (감정이) 당장이라도 터질 것 같다, 부글부글 끓어오르다(*with*) : He was ~*ing with* anger. 당장에라도 분노가 터질 것 같았다. ── *vt.* 뭉근히 끓게 하다〔익히다〕, 약한 불로 끓이다. ~ ***down (1) 졸아서 잦아들다, 바특해지다. (2) (흥분 따위가) 가라앉다 ; 마음이 진정되다 : Things have ~*ed down* since the riots last week. 지난 주 소요가 있고 나서 사태가 진정됐다.

── *n.* (*sing.*) 끓어오르려는〔폭발하려는〕 상태 : at a 〔on the〕 ~ 푹푹〔부글부글〕 끓어 (올라) ; 당장이라도 폭발할 것 같은 상태에서.

[파] **~·ing·ly** *ad.*

Si·mon [sáimən] *n.* ① 사이먼《남자 이름》. ② (St. ~) 〖聖〗 시몬《예수의 열 두 사도 중 한 사람》.
si·mon-pure [sáimənpjúər] *a.* 진짜의《영국 작가 S. Centlivre 작의 희극 중의 인물명에서》.
si·moom, si·moon [simú:m, sai-], [-mú:n] *n.* Ⓒ 시뭄《아라비아 사막의 모래열풍〔폭풍〕》.
simp [simp] *n.* 《美俗》 =SIMPLETON.
sim·per [símpər] *n.* Ⓒ (바보 같은) 선웃음. ── *vi.* 바보같이 선웃음치다: She ~*ed* coyly at him as she spoke. 그에게 말을 걸면서 그녀는 히죽히죽 웃었다. ㊞ ~**·ing·ly** [-riŋli] *ad.*
†**sim·ple** [símpəl] (**-*pler*; -*plest***) *a.* ① 단일의, 분해할 수 없는; 〔각종 술어에 붙어〕 단(單)···. opp. *compound*[1], *complex.* ② 단순한, 간단한; 쉬운, 수월한: a ~ problem 수월한 문제 / a ~ design 단순한 디자인. ③ 간소한, 검소한, 꾸밈 없는(unadorned), 수수한(plain); (식사 등이) 담백한: ~ beauty 수수한 아름다움 / Nature, the ~ life, that's what I need. 자연, 그리고 간소한 생활, 그것이 내 바라는 바다. ④ 성실하고 정직한(sincere), 순박〔소박〕한: ~ manners 순박한 태도. ⑤ 죄 없는, 순진한, 티없는(innocent): with a ~ heart 순진하게. ⑥ 사람 좋은, 어리석은; 무지한, 경험〔지식〕이 부족한: You may be joking but she's ~ enough to believe you. 너는 농담일지 모르나 그녀는 어수룩해서 네 말을 곧이듣는다. ⑦ 순연한, 순전한(sheer): His motive was ~ greed, nothing else. 그의 동기는 순전한 탐욕 외엔 아무것도 아니었다. ⑧ 무조건〔무제한〕의(unconditional): ~ obligation 절대적인 의무. ⑨ 하찮은, 대단치 않은; 《文語》 천한; 평민(출신)의(humble): ~ people 서민 / a ~ farmer 일개 농민. ***pure and*** ~ 순전한, 섞이는 것이 없는. ── *n.* Ⓒ 무지한〔어리석은〕 사람.
㊞ ~**·ness** *n.* 《古》 =SIMPLICITY.
sim·ple-heart·ed [-há:rtid] *a.* 순진〔천진〕한; 티없는; 성실한, 곧은 성격의.
símple ínterest 단리(單利): at ~ 단리로. opp. *compound interest.*
símple machíne 단순 기계《모든 기계의 기초가 되는 lever(지레), wedge(쐐기), pulley(도르레), wheel and axle(바퀴와 굴대), inclined plane(사면), screw(나사)의 6 종》.
sim·ple-mind·ed [símpəlmáindid] *a.* ① 잘 속는, 어리석은. ② 우둔한, 저능의: He thinks I'm ~ enough to believe him. 그는 내가 자기 말을 곧이듣는 아둔패기로 안다. ③ 단순한, 순진한: ~ country folks 순진한 시골 사람들.
㊞ ~**·ly** *ad.* ~**·ness** *n.*
símple séntence 〖文法〗 단문(單文).
sim·ple·ton [símpəltən] *n.* Ⓒ 숙맥, 바보.
sim·plex [símpleks] *a.* ① 단순한, 단일의(opp. *complex*). ② 〖通信〗 단신(單信) 방식의(cf. duplex): ~ telegraphy 단신법(單信法).
‡**sim·plic·i·ty** [simplísəti] *n.* Ⓤ ① 단순; 단일; 간단, 평이: The advantage of the idea was its ~. 그 구상의 장점은 단순함에 있었다. ② 간소, 검소; 수수함, 담박: I like the ~ of her dress. 그녀의 심플한 드레스가 마음에 든다. ③ 순박함, 순진, 천진난만함; 실직(實直), 성실함(sincerity): with ~ 순진하게. ④ 우직, 무지(silliness). ***be ~ itself*** 《口》 아주 간단하다: The work *was ~ itself*—how he have failed? 그 일은 식은죽 먹기였는데 어째서 그가 못했을까.
sim·pli·fi·ca·tion [sìmpləfikéiʃən] *n.* ① Ⓤ 단순〔간소〕화. ② Ⓒ 단순〔간소〕하게 된 것.
sim·pli·fied [símpləfàid] *a.* 간이화한.
***sim·pli·fy** [símpləfài] *vt.* ···을 단순〔간단〕하게 하다, 쉽게 하다: Try to ~ your explanation for the children. 아이들에게 맞게 설명을 간단히 하도록 해보시오. ◇ simplification *n.*
sim·plis·tic [simplístik] *a.* 극단적으로 단순화〔평이화, 간이화〕한: a ~ explanation 너무 쉬운 설명. ㊞ **-ti·cal·ly** *ad.*
‡**sim·ply** [símpli] (***more*** ~; ***most*** ~) *ad.* ① 솔직히, 순진〔천진〕하게; 소박하게. ② 알기 쉽게, 평이하게(clearly): Explain it as ~ as you can. 그걸 되도록 알기 쉽게 설명해라 / to put it ~ 간단히 말해서. ③ 간소〔검소〕하게, 꾸밈없이, 수수하게(plainly): be ~ dressed 수수하게 옷을 입다. ④ 단순히, 단지(merely): They ~ did as they were ordered. 그들은 다만 시키는 대로 했을 뿐이다. ⑤ 〔強調〕 실로, 아주, 정말(very); 〔否定文에서〕 전혀, 절대로: She is ~ lovely. 그녀는 정말 귀엽다 / I ~ do*n't* believe it. 나는 도저히 그것을 믿을 수 없다.
sim·u·la·crum [sìmjəléikrəm] (*pl.* ***-cra*** [-krə], ~***s***) *n.* Ⓒ ① 상(像), 모습(image). ② 그림자, 환영(幻影). ③ 가짜(sham)《*of*》.
***sim·u·late** [símjəlèit] *vt.* ① ···을 가장하다, (짐짓) ···체하다〔시늉하다〕: I am merely *simulating* pleasure. 나는 즐거운 체하고 있을 뿐이다. ② **a**) ···을 흉내내다; ···로 분장하다. **b**) 〖生〗 ···의 의태(擬態)를 하다(mimic): Some butterflies ~ the appearance of a flower. 나비 중에는 꽃 모양으로 의태하는 것이 있다. ③ ···의 모의 실험〔연습〕을 하다.
sim·u·lat·ed [símjəlèitid] *a.* ① ···과 같이 보이는, 가장한, 흉내낸; (가죽·보석 등이) 모조의: ~ pearls 모조 진주. ② 모의〔실험(훈련)〕의: a ~ moon landing 달 착륙의 모의 실험.
sim·u·la·tion [sìmjəléiʃən] *n.* Ⓤ,Ⓒ ① 가장, 흉내내기, ···처럼 보이기. ② 모의 실험; 시뮬레이션. ③ 〖生〗 의태.
sim·u·la·tive [símjəlèitiv] *a.* 흉내내는, 시늉〔가장〕하는. ㊞ ~**·ly** *ad.*
sim·u·la·tor [símjəlèitər] *n.* Ⓒ 〖機〗 시뮬레이터《훈련·실험용에 실제와 똑같은 상황을 만들어 내는 모의 조정〔실험〕 장치》.
si·mul·cast [sáiməlkæ̀st, sím-, -kà:st] *n.* Ⓒ (라디오와 TV 또는 AM 과 FM 과의) 동시 방송. ── (*p., pp.* ***-cast***) *vt.* ···을 라디오·TV로 동시 방송하다.
si·mul·ta·ne·i·ty [sàiməltəní:əti, sìm-] *n.* Ⓤ 동시(발생), 동시성.
***si·mul·ta·ne·ous** [sàiməltéiniəs, sìm-] *a.* 동시의, 동시에 일어나는, 동시에 존재하는《*with*》: ~ interpretation 〔translation〕 동시 통역 / The explosion was almost ~ *with* the announcement. 폭발은 통고와 거의 동시에 일어났다.
㊞ ~**·ness** *n.*
simultáneous equátions 〖數〗 연립 방정식.
‡**si·mul·ta·ne·ous·ly** [sàiməltéiniəsli, sìm-] *ad.* ···와 동시에; 일제히: His fear and his hate grew ~. 공포와 증오가 그에게 동시에 일어났다.
‡**sin**[1] [sin] *n.* ① Ⓤ,Ⓒ (종교상·도덕상의) 죄, 죄악(transgression): ⇨ ACTUAL SIN, ORIGINAL SIN / commit a ~ 죄를 범하다. ② Ⓒ 과실, 잘못; 위반(offense)《*against*》: ~*s against* propriety 예의에 벗어남. ③ Ⓒ 어리석은 일, 바보 같은 짓. ***as*** ~ 《口》 실로, 참으로: (as) ugly *as* ~ 참으로 못생긴. ***for*** **one's ~*s*** 《英口·戲》 무슨 팔자인지: I am in the garment industry *for my ~s.* 내가 무슨 팔자인지 옷장사를 하고 있네. ***like*** ~ 《俗》 정색〔발끈〕하여; 몹시, 맹렬히(furiously). ***live in*** ~ 《口》 (결혼을 하지 않고) (···와) 동서(同棲)하

다(*with*). **the (seven) deadly ~s** ⇨DEADLY.
── (**-nn-**) *vi.* ((~ / +전+명)) (흔히 의식적으로 종교적·도덕적) 죄를 범하다, 나쁜 짓을 하다 (*against*); (예절 따위에) 어긋나다(*against*): He had ~*ned* and repented. 그는 죄를 짓고는 뉘우쳤다. ***be more sinned against than sinning*** 저지른 죄 이상으로 비난받다.

sin² 〖數〗 sine.

Si·nai [sáinai, -niài] *n.* ①〖舊約聖書〗 (Mount ~) 시내산(山)((모세가 십계명을 받은 산)). ② 시나이 반도(=the ∠ **Península**).

Sin·bad [sínbæd] *n.* =SINDBAD.

since [sins] *ad.* (비교 없음) ① 〔보통 完了形動詞와 함께〕 **a)** 그 후 (지금까지), 그 이래 (지금〔그 때〕까지): They have ~ become more friendly. 그들은 그 후 더욱 친해졌다 / He has remained abroad ~. 그는 그 후 죽 외국에 있었다. **b)** 〔종종 ever ~의 형태로〕 (그 때) 이래 (죽), 그 후 내내, 그 이후(죽 지금까지): I came here in 1995 and I have lived here *ever* ~. 나는 1995년에 이곳에 와 그 후 내내 여기에 살고 있다.
② 〔흔히 long ~ 로〕 (지금부터) …전에((ago 가 일반적임)): a moment ~ 조금 전에 / He went away a little while ~. 그는 바로 조금 전에 떠나갔다.
── *prep.* ① **a)** 〔흔히 계속·경험의 完了動詞와 더불어〕 …이래〔이후〕, …로부터(지금〔그 때〕에 이르기까지): She has changed a good deal ~ her sickness. 그녀는 병을 앓은 이래 많이 변했다 / He has written twice ~ his departure. 그는 떠난 이래 편지를 두 번 보내 왔다. **b)** ((口)) …(발명〔발견〕된) 시대 이래: the greatest invention ~ 1960, 1960 년 이래의 최대의 발명.
② 〔It is〔has been〕... ~ __의 구문으로〕 —이래 (…가 되다): *It's*〔*It has been*〕 a long time ~ her death. 그녀가 죽은 지도 꽤 오래 된다.
── *conj.* ① 〔동작·상태가 시작된 과거의 시점을 나타내어〕 **a)** 〔完了形動詞를 가진 主節과 함께〕 …한 이래, …한 후(지금〔그 때〕까지)((since 節 속의 동사는 보통 과거형)): I have known her ever ~ she was a child. 아이 때부터 그녀를 잘 알고 있다((ever 는 since 의 의미를 세게 함)) / The city has changed a lot ~ I have lived here. 내가 여기 살면서부터 도시가 많이 변했다((since 절중 완료형은 지금도 살고 있음을 나타냄)). **b)** 〔It is 〔((口)) has been〕 …~ — 의 구문으로〕 —한 이래 〔—한지〕 …이 된다((since 節 속의 동사는 過去形)): *It's*〔*It has been*〕 two years ~ I saw Jane. 내가 제인을 본 지 2년이 된다(=Two years *have passed* ~ I saw Jane=I saw Jane two years ago.).
② 〔이유를 나타내어〕 **a)** …하〔이〕므로, …까닭에; …인〔한〕 이상: *Since* she wants to go, I'd let her. 그녀가 가고 싶어하니 그렇게 해 주지 / He must have shut the door ~ he was the last one to leave. 그가 마지막으로 떠났으니 그가 문을 닫았을 것이다. **b)** …하므로〔이기에〕 말하지만 ((Since..., I say __의 생략임)): She's all right ~ you want to know. 자네가 알고 싶어하기에 말하지만, 그녀는 여느 때처럼 건강하다네.

> 參考 (1) because 는 직접적인 인과관계를 말할 때 쓰고, since 는 사실을 전제로 하거나 이미 자명한 이유를 들 때 씀. (2) because 가 뜻이 가장 세고 다음은 since, as, for 의 순임. (3) because 와는 달리 simply, partly, only 따위로 수식할 수 없음.

‡**sin·cere** [sinsíər] (**more ~, sin·cer·er ; most ~, sin·cer·est**) *a.* ① (사람이) 성실한, 진실한; 정직한: a ~ man 정직한 사람 / He is ~ *in* his political beliefs. 그는 자신의 정치적 신념에 충실하다. ② (감정·행동이) 충심으로의; 성심 성의의, 진정한, 거짓 없는(honest): ~ thanks 진심에서 나온 감사 / I think his offer of help was ~. 그의 돕겠다는 말은 진심에서였다고 생각한다.

‡**sin·cere·ly** [sinsíərli] (**more ~; most ~**) *ad.* 성실〔진실〕하게; 충심(衷心)으로, 진심에서: I ~ hope (that) you'll success. 진심으로 성공을 바랍니다. ***Yours*** ~ =((美)) ***Sincerely*** (***yours***) 불비(不備), 경구(敬具)((친구 등 개인에게 보내는 편지의 끝맺음말)).

sin·cer·i·ty** [sinsérəti] *n.* Ⓤ 성실, 성의, 진실, 진심; 순수함: a man of ~ 성실한 사람. ***in all ~ 거짓없이: I may say *in all* ~ that you've been my most loyal friend. 거짓 없이 말하건데 당신은 내 가장 성실한 친구요((지금까지 내내)).

Sin·clair [sinkléər, síŋklεər] *n.* ① 싱클레어((남자 이름)). ② **Upton** (**Beall**) ~ 싱클레어((미국의 사회주의 작가; 1878-1968)).

Sind·bad [síndbæd] *n.* 신드바드((*Arabian Nights* 에 나오는 뱃사람)).

sine [sain] *n.* Ⓒ〖數〗 사인, 정현(正弦) ((略: sin)): ~ curve 사인 곡선.

si·ne·cure [sáinikjùər, síni-] *n.* Ⓒ (명예 또는 수입이 있는) 한직(閑職); 쉽고 수입이 많은 일, ((특히)) 명목뿐인 목사직(職). ***hardly a*** 〔***not a, no***〕 ~ 좀처럼 수월치 않은 일.

si·ne die [sáini-dáii:] ((L.)) 무기한의〔으로〕: The meeting was adjourned ~. 회합은 무기한 연기됐다.

si·ne qua non [-kwei-nán / -nɔ́n] ((L.)) 필요 불가결의 것; 필수 조건: The control of inflation is a ~ for economic stability. 인플레이션 통제는 경제 안정의 필수조건이다.

***sin·ew** [sínju:] *n.* ① Ⓤ,Ⓒ〖解〗 힘줄; (*pl.*) 근육, 체력, 정력: a man of ~*s* 근골이 늠름한 사람, 힘센 사람, 장사. ② (흔히 *pl.*) 지지자〔물〕, 원동력, 자력(資力): the ~*s* of war 군자금, 군비.

sin·ewy [sínju:i] *a.* ① 근골이 억센, 튼튼한: a strong, ~ frame 건장한 체격 / ~ arms 우람한 팔. ② 힘찬((문체 따위)).

sin·ful [sínfəl] *a.* ① 죄 있는, 죄 많은: a ~ life 죄많은 생활. ② 죄스러운, 죄받을: a ~ waste of taxpayers' money 납세자 돈의 죄받을 낭비. 파 ~·**ly** [-fəli] *ad.* ~·**ness** *n.*

†**sing** [siŋ] (**sang** [sæŋ], ((稀)) **sung** [sʌŋ]; **sung**) *vi.* ① ((~ / +전+명)) 노래하다: You are not ~*ing* in tune. 네 노래는 가락이 안 맞는다 / ~ *to* the piano 피아노에 맞추어 노래하다. ② (새가) 울다, 지저귀다; (시냇물 따위가) 졸졸거리다, (탄알·바람 소리가) 퓽퓽 〔씽씽, 쏴아쏴아〕 울리다, (주전자의 물 끓는 소리가) 부글부글〔픽픽〕하다; (벌레가) 윙윙거리다: The bullet *sang* past his ear. 총알이 쌩하고 그의 귓가를 스치고 날아갔다 / The kettle is ~*ing*. 주전자 물이 픽픽 끓고 있다. ③ ((+전+명)) (기뻐서) 가슴이 마구 뛰다(*with*). ④ ((~ / +전+명)) 노래를 읊조리다; 시를 짓다(*of*); (시·노래로) 찬미〔예찬〕하다, 구가하다(*of*): Homer *sang of* the Trojan War in his *Iliad*. 호머는 '일리어드'에서 트로이 전쟁을 시로 읊었다. ⑤ ((+부)) 노래가 되다; (가사가) 노래로 부를 수 있다: The text of the song may ~ *well*. 그 가사는 노래로 부르기에 좋을 것이다. ⑥ (귀가) 울리다: The cold makes my ears ~. 감

기로 귀가 울린다. ⑦《美俗》(범죄자가) 고자질하다, 밀고하다.
── *vt.* ①《~+목/+목+목/+목+전+명》 …을 노래하다: Please ~ us a song. =Please ~ a song *for* us. 우리에게 노래를 들려 주시오/The children *sang* songs by Schubert at the school concert. 아이들은 학교 음악회에서 슈베르트의 노래를 불렀다. ②(새가) 지저귀다. ③노래로 읊다; 노래하여 축하하다, 구가하다: ~ Mass 노래 미사를 드리다. ④《+목+전+명/+목+부》 노래하여 …시키다; 노래로 보내다〔맞이하다〕《*out*; *in*》: ~ *away* one's trouble 노래로 괴로움을 달래다/Let's ~ the old year *out* and the new year *in.* 노래를 불러 묵은해를 보내고 새해를 맞읍시다. **~ another** 〔**a different**〕 **song** 〔**tune**〕 가락〔논조, 태도, 생각〕을 (싹) 바꾸다. **~ for** one**'s supper** 응분의 답례를〔갚음을〕 하다. **~ out** 《口》 소리치다, 고함치다: She *sang out* at me. 그녀는 나를 향해 소리쳤다. **~ the praises of** …을 찬양〔칭찬〕하다: I understand that she's now *~ing the praises of* his husband. 나는 그녀가 지금 자기 남편을 찬양하고 있는 것을 이해한다. **~ up** 목소리를 더 크게 하여 노래하다: *Sing up*, so that we all can hear you. 모두가 들을 수 있도록 큰 소리로 노래하라.
── *n.* Ⓒ ①노래 부르기. ②《美》 합창회.

sing·a·ble [-əbəl] *a.* 노래할 수 있는, 노래 부르기 쉬운.

sing. single; singular.

sing-a-long [síŋəlɔ̀ːŋ, -lɑ̀ŋ] *n.* Ⓒ《美》①노래부르기 위한 모임(songfest). ②(관객 등에 의한) 합창.

Sin·ga·pore [síŋgəpɔ̀ːr/ ⌐-⌐] *n.* 싱가포르《말레이 반도 남단의 섬; 영연방 자치령으로서 1965년 말레이시아에서 독립; 그 수도》.

singe [sindʒ] (*⌐·ing*) *vt.* ①…의 겉을 약간 태우다, 그스르다. ②(돼지·새 등의) 털을 그스르다; (천의) 보풀을 태우다《제조 과정에서》.
── *vi.* 눋다: My beard *~d* when I leaned over a burning candle. 촛불 위로 허리를 구부렸을 때 수염이 조금 그슬렸다. ~ one**'s feathers** 〔**wings**〕(투기나 위험한 사업 등에서) 혼이 나다, 실패하다; 명성에 흠집이 나다. ── *n.* Ⓒ 그슬림, 탄〔눋은〕 자국.

‡sing·er [síŋər] *n.* Ⓒ ①노래하는 사람, 《특히》 가수, 성악가(vocalist). ②〖鳥〗 우는 새, 명금(鳴禽)(songbird). ③시인.

sing·er-song·writ·er [síŋərsɔ́ŋːràitər] *n.* Ⓒ 싱어송라이터《가수 겸 작곡가》.

‡sing·ing [síŋiŋ] *n.* ①Ⓤ,Ⓒ 노래하기, 창가; 노랫소리. ②Ⓤ 지저귐. ③〔形容詞的으로〕 노래의, 노래하는: a ~ voice 노래하는 목소리/a ~ lesson 노래 연습. ④(a ~) 귀울림, 이명(耳鳴): I have *a* ~ in my ears. 귀가 울린다.

†sin·gle [síŋgəl] *a.* 〔限定的〕 ①단 하나의, 단 한 개의, 단지 홀로의: I heard a ~ shot. 한 방의 총성이 울렸다/Not a ~ person offered to help her. 누구 한 사람 그녀를 도우려고 하지 않았다. ②1인용의; 한 가족용의; 외톨로 서 있는: a ~ room 독방/a ~ bed 일인용 침대. ③혼자〔독신〕의: a ~ life 독신 생활/a ~ woman 독신녀/a ~ mother 편모. ④1대 1의: engage in ~ combat, 1대 1로 싸우다; 결투하다. ⑤개개의, 따로따로의: every ~ person 각 개인, 각자/write down every ~ word 한 자 한 자 적다. ⑥(꽃 따위가) 외겹〔홑겹〕의, 홑의, 단일의: a ~ rose 홑겹 장미. ⑦《英》 편도의《차표 등》: a ~ ticket (《美》 one-way ticket)/a ~ fare 편도 요금. ⑧한결같은; 성실한(honest, sincere), 성심성의의: with a ~ eye〔heart, mind〕 성심성의껏, 일편단심으로. ⑨(숫자가) 한자릿수의: in ~ figures 한 자릿수 숫자로. ⑩(위스키 등) 싱글의《다른 술을 섞지 않은》. ⑪일치된, 단결된: with a ~ purpose 마음을 하나로 하여/We're ~ in our aim. 목적을 향해 일치단결하고 있다.
── *n.* Ⓒ ① **a)** 한 사람; 《美》 독신자: a *~s* bar 독신 남녀가 찾는 바. **b)** 1인용의 방, 독방《호텔 등의》. ②(~s) 〖테니스〗 단식(경기), 싱글즈. ③〖野·크리켓〗 단타(單打)(one-base hit). ④(흔히 *pl.*) 〖골프〗 싱글, 2인 경기. ⑤《英》 편도 차표(~ ticket): May I have a ~ to Seoul, please. 서울까지 편도표 하나 주십시오. ⑥(흔히 *pl.*) 《口》 1달러〔파운드〕 지폐: Please could I have 20 in *~s.* 20달러 지폐 부탁합니다. ⑦(레코드의) 싱글 음반. OPP *LP, album.* **in ~s** 한 사람 한 사람, 하나하나.
── *vt.* ①《+목+전+명/+목+부》 …을 뽑다, 선발〔발탁〕하다《*out*; *out of*》: The boss *~d* Mr. Smith *out for* promotion. 상사는 스미스를 승진의 대상으로 발탁했다. ②〖野〗 (주자)를 단타(單打)로 진루시키다, (1타점)을 단타로 올리다.
── *vi.* 〖野〗 단타를 치다.

sin·gle-breast·ed [-bréstid] *a.* (양복이) 싱글의. cf. double-breasted.

síngle créam 《英》 싱글크림《18%의 저지방 크림; 커피용 크림》.

síngle cúrrency (수개국 공통의) 단일 통화.

sin·gle-deck·er [síŋgəldékər] *n.* Ⓒ 《英》 2층 없는〔단층〕 전차〔버스〕. cf. double-decker.

síngle éntry 단식 부기〔기장법〕. cf. double entry.

sin·gle-eyed [síŋgəláid] *a.* ①홑눈의, 단안의. ②한눈 팔지 않는, 외곬의.

síngle fíle 일렬 종대. ★ 副詞的으로도 쓰임. ¶ form a ~ 일렬 종대가 되다/We marched (in) ~ along the narrow passage. 좁은 샛길을 일렬 종대로 행진했다.

sin·gle-hand·ed [síŋgəlhǽndid] *a.* ①외손의, 외손용의. ②단독의, 독력의: a ~ sailing voyage 단독 항해. ── *ad.* 외손으로; 단독으로: I brought up my seven children ~. 내 혼자서 일곱 자식을 길렀다. 파 **~·ly** *ad.*

sin·gle-heart·ed [-hɑ́ːrtid] *a.* 일편단심의, 진심의, 성실한(sincere), 헌신적인.
파 **~·ly** *ad.* **~·ness** *n.*

sín·gle-lens réflex [-lènz-] 일안(一眼) 리플렉스 (카메라)《略: SLR》.

sin·gle-line [-láin] *a.* 일방 통행의.

sin·gle-mind·ed [-máindid] *a.* =SINGLE-HEARTED; 목적이 단 하나의, 오로지 한마음의: admire her ~ determination to succeed 오로지 성공하려는 그녀의 결단에 감복하다.
파 **~·ly** *ad.* **~·ness** *n.*

sin·gle·ness [-nis] *n.* Ⓤ ①단일, 단독; 독신. ②성의, 전심: with ~ of purpose〔mind, heart〕 오로지 한마음으로, 성심성의로.

síngle párent 편친(偏親): a ~ family 편친 가정.

sin·gles [síŋgəlz] *n.* Ⓒ (테니스 등의) 싱글즈, 단식 경기. cf. doubles.

síngles bàr =DATING BAR.

sin·gle-seat·er [síŋgəlsíːtər] *n.* Ⓒ 1인승 자동차〔비행기·오토바이〕.

sin·gle-sex [-sèks] *a.* (남·녀) 한 쪽의 성만을 위한.

sin·gle·stick [-stìk] *n.* ①Ⓤ (한 손) 목검술, 봉술(棒術). ②Ⓒ 목검.

sin·glet [síŋgəlit] *n.* Ⓒ 《英》 (팔 없는) 속셔츠,

내의《스포츠용》.

síngle tícket 《英》 편도표(片道票)(《美》 one-way ticket). cf. return ticket.

sin·gle·ton [síŋgəltən] *n.* Ⓒ ①〖카드놀이〗(손에 남은 마지막) 한 장(패). ② 외동이.

sin·gle-track [-træ̀k] *a.* ①〖鐵〗단선의. ② 하나밖에 모르는, 융통성이 없는 : a ~ mind 편협한 마음〔사람〕.

***sin·gly** [síŋgəli] *ad.* ① 하나씩, 따로따로(separately). ② 단독으로, 홀로 : ~ or in pairs 혼자 또는 둘이서 / Misfortunes never come ~. 《俗談》 화불단행(禍不單行).

sing·song [síŋsɔ̀ːŋ / -sɔ̀ŋ] *n.* ① Ⓤ (또는 a ~) 억양없는 단조로운 말투 : She talked in *a* strange ~. 그녀는 단조로운 이상한 말투로 이야기했다. ② Ⓒ 단조로운 시〔노래〕. ③ Ⓒ 《英》 합창회(《美》 sing, sing-along). — *a.* 〔限定的〕 억양이 없는 : in a ~ voice 억양이 없는 목소리로.

‡sin·gu·lar [síŋgjələr] (***more*** **~ ;** ***most*** **~**) *a.* ① 드물게 보는, 뛰어난, 비범한(unusual) : a woman of ~ beauty 드물게 보는 미인. ② 야릇한, 기묘한, 이상한(strange) : ~ clothes 야릇한 복장 / the ~ events leading up to the murder 살인으로 이어지는 기묘한 사건들. ③〖文法〗단수의. opp *plural*. ¶ the ~ noun 단수 명사. — *n.* Ⓒ〖文法〗(흔히 the ~) 단수(형) ; 단수형의 말 : use a noun in *the* ~ 명사를 단수꼴로 사용하다.

sin·gu·lar·i·ty [sìŋgjəlǽrəti] *n.* ① Ⓤ 기이(奇異), 유례가 드묾 ; 희유(稀有) ; 비범. ② Ⓒ 기이한 물건 ; 특이성 ; 특이점(singular point). ③ Ⓤ 단일, 단독.

sin·gu·lar·ize [síŋgjələràiz] *vt.* ① …을 단수(꼴)로 하다. ② …을 두드러지게 하다.

sin·gu·lar·ly [-lərli] *ad.* ① 유별나게, 몹시 : She was a ~ beautiful woman. 그녀는 뛰어나게 아름다운 여자였다. ② 기묘하게, 색다르게 : be ~ dressed 기묘한 복장을 하(고 있)다.

sin·is·ter** [sínistər] (more*** **~ ;** ***most*** **~**) *a.* ① 불길한 : a ~ omen 불길한 징조. ② 악의있는, 기분나쁜, 못된(wicked) : a ~ look 인상 나쁜 얼굴 / He dismissed allegations of a ~ conspiracy against him. 그는 자신에게 대한 못된 음모가 있다는 근거없는 주장을 염두에서 씻어 버렸다. ③〖紋章〗(방패의) 왼쪽의《마주 보아 오른쪽》. opp *dexter*. 파 **~·ly** *ad.* 불길하게 ; 사악하게.

sin·is·tral [sínistrəl] *a.* ① 왼쪽의 ; 왼손잡이의. ② (고둥 따위가) 왼쪽으로 말린. opp *dextral*. 파 **~·ly** *ad.*

‡sink [siŋk] (***sank*** [sæŋk], 《美·英古》 ***sunk*** [sʌŋk] ; ***sunk, sunk·en*** [sʌ́ŋkən]) *vi.* ①《~ / +전+명》 (무거운 것이) 가라앉다, 침몰하다 : The Titanic *sank* after hitting an iceberg. 타이타닉호(號)는 빙산을 들이받고 침몰했다.
②《~ / +전+명》 (해·달 따위가) 지다, 떨어지다 : The sun was *~ing in* the west. 해는 서쪽으로 지고 있었다.
③ (구름 따위가) 내려오다 ; 기울다 ; (어둠이) 깔리다 : Darkness *sank upon* the scene. 어둠이 주변에 깔렸다.
④《~ / +전+명》 (건물·지반 따위가) 내려앉다, 주저앉다, 함몰〔침하〕하다(subside) : The foundations of the building are beginning to ~. 건물의 지반이 내려앉기 시작하고 있다.
⑤《~ / +부 / +전+명》 **a)** (고개·팔 따위가) 숙다, 수그러지다(droop) ; (눈이) 밑을 향하다 : Her shoulders *sank* in shame. 그녀는 부끄러워 어깨를 축 내려뜨렸다 / His head *sank forward* on his breast. 그는 푹 고개를 떨궜다. **b)** (사람이) 비실비실〔맥없이〕 쓰러지다, 풀썩 주저앉다(fall) : She *sank to* her knees in exhaustion. 그녀는 기진하여 털썩 무릎을 꿇었다 / He *sank into* the chair. 그는 의자에 털썩 주저앉았다.
⑥《+부》 (눈 따위가) 우묵해지다, 쑥 들어가다, (볼이) 홀쭉해지다《*in*》 : Her cheeks have *sunk in*. 그녀의 볼이 홀쭉해졌다.
⑦《~ / +전+명》 녹초가 되다 ; (환자가) 쇠약〔위독〕해지다 : ~ *from* exhaustion 탈진으로 쇠약해지다.
⑧ (의기(意氣)가) 꺾이다, 풀이 죽다 : a *~ing* heart 무거운 마음 / His heart *sank* at the thought that the exams were a week away. 시험이 1 주일 앞으로 다가왔다는 생각에 마음이 무거웠다.
⑨《~ / +전+명》 망하다, 영락〔몰락〕하다 ; 타락하다(degenerate) : My father *sank* further *into* debt. 아버지는 더욱더 빚에 빠져들었다.
⑩《~ / +부 / +전+명》 (물·수량 등이) 줄다 ; (불길·바람 따위가) 약해지다《*down*》 ; (물가 따위가) 내리다, 떨어지다 : The stock *sank to* nothing. 재고가 바닥났다 / The shares *sank to* a quarter of their value. 그 주식은 값이 4 분의 1 로 떨어졌다.
⑪《+전+명》 (물 따위가) 스며들다, 침투하다(penetrate) : This dye *~s in* well. 이 물감은 물이 잘 든다 / The ink *~s* quickly *in* the blotting paper. 잉크는 압지에 곧 스며든다.
⑫《+부 / +전+명》 (말·교훈 따위가) 마음에 새겨지다, 명심되다《*in, into*》 : Their warning *sank into* my heart. 그들의 경고가 가슴에 와 닿았다.
⑬《+전+명》 (잠에) 빠지다 ; (침묵·망각 따위에) 잠기다 : ~ *into* sleep 잠에 빠지다.
⑭ (평가·평판 따위가) 하락하다, 저하하다 : He *sank in* the opinion of his girlfriends. 그는 여자친구들 사이에서 평판이 떨어졌다.
— *vt.* ① …을 가라앉히다, 침몰〔격침〕시키다.
②《~+목 / +목+전+명》 (말뚝 따위)를 (파)묻다, 박아 넣다 ; 침하시키다 : ~ a post *into* the ground 땅에 말뚝을 박아 넣다.
③ (우물 따위)를 파내리다, 파다 : ~ a well.
④《~+목 / +목+전+명》 …을 새기다, 파다, 조각하다(engrave) ; …을 꽉 물다 : ~ a die 철인(鐵印)〔주형(鑄型)〕을 파다 / The dog *sank* her teeth *into* the ball and ran off with it. 개는 공을 꽉 물고는 달아났다.
⑤《~+목 / +목+전+명》 (목소리·음 따위)를 낮추다, 내리다(lower) : She *sank* her voice *to* a whisper. 그녀는 음성을 낮춰 속삭였다.
⑥《~+목 / +목+전+명》 (고개 따위)를 수그리다, 숙이다 ; (눈을) 내리깔다 : ~ one's head *on* one's chest 고개를 푹 숙이다.
⑦ (명예 따위)를 손상하다 ; 몰락시키다, 쇠〔망〕하게 하다 : Your conduct will ~ you *in* their esteem. 자네는 품행 때문에 그들의 존경을 잃게 될 것이다.
⑧ (재산)을 잃다, 결딴〔거덜〕내다 : The greater part of his property had been *sunk in* speculation. 그의 재산의 태반은 투기로 결딴났다.
⑨《~+목 / +목+전+명》 …을 파괴〔파멸〕시키다 ; 망치다 : Their crime has *sunk* them *to* the dust. 죄악이 그들을 멸망시켰다 / Now I'm *sunk*. 이젠 틀렸다.
⑩《~+목 / +목+전+명》 (안 되는 사업 등에 자본)을 투자〔투입〕하다 ; (자본을) 고정시키다 ; (부채)를 상환하다 : I've *sunk* all my money *into* buying a new house. 새 집사는데 돈을 몽땅 털어

넣었다.
⑪ (신분·이름 따위)를 숨기다, 감추다 : ~ one's identify 신원을 밝히지 않다.
⑫ …을 덮어 두다, 불문에 부치다, 무시하다 : Can't we ~ our disagreements and work together? 의견 불일치는 묻어 두고 함께 일하는 게 어떠냐.
⑬ 〔再歸的 또는 受動으로〕…에 몰두하다《*in, into*》: ~ *oneself in* one's work 일에 몰두하다 / He *was sunk in* thought. 그는 생각에 잠겨 있었다. ~ ***or swim*** 성패를 하늘에 맡기고, 흥하든 망하든.
— *n.* Ⓒ ① **a**) (부엌의) 싱크대 : a stainless steel ~ 스테인리스 스틸 싱크대. **b**) 《美》 세면대. ② 하수구(sewer), 시궁창, 구정물받이 : Civilization has made ~*s* of our rivers. 문명은 강물을 더럽히고 말았다. ③ (…의) 소굴 : a ~ of iniquity 〔wickedness〕 악의 소굴.

sink·a·ble [síŋkəbəl] *a.* 가라앉힐 수 있는 ; 침몰할 우려가 있는.

sink·er [síŋkər] *n.* Ⓒ ① 가라앉히는 사람〔것〕. ② (낚싯줄의) 봉돌. ③ 우물 파는 사람. ④ 《美俗》 도넛. ⑤ 〖野〗 싱커(=∠·**bàll**)《타자 앞에서 갑자기 낮아지는 공》.

sink·hole [síŋkhòul] *n.* Ⓒ ① 배수구 ; 하수구. ② 〖地質〗 함락공(孔).

sínking féeling (a ~) 《口》 (공포·불안·허기 등으로 인한) 무력감, 허탈감.

sínking fùnd 감채(減債) 기금.

sin·less [sínlis] *a.* 죄 없는, 결백한 ; 순결〔순진〕한. ㊞ ~·**ness** *n.*

***sin·ner** [sínər] *n.* Ⓒ ① (종교상·도덕상의) 죄인. ② 《口》 (천)벌받을 놈.

Sinn Fein [ʃínféin] 신페인당(黨)《아일랜드의 완전 독립을 위해 1905년에 결성》.

Sino- '중국'의 뜻의 결합사.

Si·no-Ko·re·an [sàinoukəríːən, sìnou-] *a.* 한중(韓中)의, 한국과 중국에 관한.

Si·nol·o·gist [sainálədʒist, si- / -nɔ́l-] *n.* Ⓒ 중국학 학자.

Si·nol·o·gy [sainálədʒi, si- / -nɔ́l-] *n.* (*or* s-) Ⓤ 중국학《중국의 언어·역사·문화·풍속 따위의 연구》.

sin·ter [síntər] *n.* Ⓤ (온천의) 탕화(湯花), 버캐.

sin·u·ate [sínjuit, -èit] *a.* 꾸불꾸불한(sinuous) ; 〖植〗 (잎 가장자리가) 물결 모양의.

sin·u·os·i·ty [sìnjuásəti / -ɔ́s-] *n.* ① Ⓤ 꾸불꾸불함, 굴곡, 만곡. ② Ⓒ (강·길 등의) 굽이진 곳.

sin·u·ous [sínjuəs] *a.* ① (강 따위가) 꾸불꾸불한, 굽이진(winding) ; 물결 모양의 : I drove along ~ mountain roads. 나는 구불구불한 산길을 따라 차를 몰았다. ② (동작 등이) 부드러운, 유연한 : He enjoyed watching the ~ bodies of the dancers. 그는 무희들의 유연한 몸놀림을 즐겁게 관람했다.

si·nus [sáinəs] (*pl.* ~, ~·***es***) *n.* Ⓒ ① 〖解〗 (신체의) 강(腔), 공동(空洞)(cavity). ② 굽이진 데, 만곡(부).

-sion ⇨ -TION.

Siou·an [súːən] *n., a.* Sioux 족(族)《북아메리카 원주민의 한 종족》〔말〕(의).

Sioux [suː] (*pl.* ~ [suː(z)]) *n.* Ⓒ 수 족(族)의 사람 ; Ⓤ 수 말. — *a.* 수 족〔말〕의.

‡**sip** [sip] *n.* Ⓒ (마실 것의) 한 모금, 한 번 마심, 한 번 홀짝임 : take a ~ of brandy 브랜디를 홀짝이다〔한 모금 마시다〕. — (***-pp-***) *vt.* …을 조금씩 마시다, 홀짝이다 : He ~*ped* his brandy. 브랜디를 홀짝홀짝 마셨다. — *vi.* 조금씩 마시다《*at*》: He slowly ~*ped at* his whisky. 그는 천천히 위스키를 홀짝이며 마셨다. ㊞ ~·**per** *n.* Ⓒ 홀짝거리며 마시는 사람.

***si·phon, sy-** [sáifən] *n.* Ⓒ ① 사이펀, 빨아올리는 관(管). ② (소다수용의 압축 탄산수를 채운) 사이펀 병(=∠ **bòttle**). ③ 〖動〗 수관(水管), 흡관.
— *vt.* ① 《~+목 / +목+전+명》 …을 사이펀으로 빨아 올리다〔옮기다〕: ~ gasoline (*out*) *from* a tank 탱크에서 가솔린을 사이펀으로 빨아 올리다. ② (수입·이익 따위)를 흡수하다, 빨아올리다 《*off*》: Heavy taxes ~ *off* the huge profits. 무거운 세금이 막대한 이익을 흡수한다. ③ (자금 등)을 유용하다《*off*》: Corrupt officials had been ~*ing off* public funds for private business. 부패 관료들이 공금을 개인 일에 유용해 왔다. — *vi.* 《~ / +전+명》 사이펀을 통하다, 사이펀에서(처럼) 흘러나오다.

†**sir** [səːr, 弱 sər] *n.* ① 《호칭》 님, 선생(님), 귀하, 각하, 나리《손윗사람·미지(未知)의 남성 또는 의장에 대한 경칭 ; 구태여 번역할 것 없이 글 전체를 정중히 표현하면 되는 경우가 많음》: Good morning, ~. 안녕히 주무셨습니까 / You, ~. 예 / May I help you, ~? (어서 오세요). 무엇을 (도와) 드릴까요《점원의 말》/ Are you ready to order, ~? (손님) 뭘 드시겠는지요《식당에서》. ② 〔強勢를 두어〕 이봐, 이놈아《꾸짖거나 빈정거릴 때》: Keep still, ~! 이 녀석아 좀 조용히 해 / My dear ~! 얘, 내 할말이 있다《잔소리의 허두》. ③ (S-) 근계(謹啓), 여불비례(餘不備禮)《보통 상용문의 서두, 또 옛날에는 끝맺는 인사말》; (Sirs) 제위(諸位), 귀중 : I am, ~, yours truly. 여불비례 / (Dear) *Sir* 근계(謹啓)《개인인 경우》/ (Dear) *Sirs* 근계《회사 또는 단체에의 경우 ; 《美》에서는 흔히 Gentleman을 씀》. ④ 《美口》 《성(性)에 관계 없이 Yes나 No를 강조함 ; sir에 강세》 (…)고 말고요 : Yes, ~! 그렇고말고요 / No, ~! 천만에요 / Yes ~, he sure is rich. 아무렴, 그는 아주 부자지. ⑤ (S-) …경(卿), 써《《英》에서는 준(準)남작(baronet), 또는 나이트(knight) 앞에 두는 경칭. 이 경우 *Sir* Laurence Olivier, *Sir* Laurence 라고 하며 *Sir* Olivier 라고는 하지 않음》. ⓒⓕ Lord. ¶ *Sir* knight 기사님 / ~ judge 재판관님 / ~ critic 논평가〔비평가〕선생.

***sire** [saiər] *n.* Ⓒ 네발짐승《특히 가축의 아비》.
— *vt.* (씨말이 새끼)를 낳게 하다.

sir·ee [səríː] *n.* =SIRREE.

***si·ren** [sáiərən] *n.* Ⓒ ① 사이렌, 경적 : blow 〔sound〕 a ~ 경적을 울리다 / It sounds like an air raid ~. 공습 경보 같다. ② (S-) 〖그神〗 사이렌《아름다운 노랫소리로 근처를 지나는 뱃사람을 유혹하여 난파시켰다는 바다의 요정》. ③ 아름다운 목소리의 여가수 ; 남자를 호리는 요부 : That woman is a real ~. 저 여자는 정말 위험하다.

Sir·i·us [síriəs] *n.* 〖天〗 시리우스, 천랑성(天狼星)(the Dog Star).

sir·loin [sɔ́ːrlɔin] *n.* ⒸⓊ 서로인《소 허릿고기의 윗부분》: (a) ~ steak.

si·roc·co [sirákou / -rɔ́k-] (*pl.* ~***s***) *n.* Ⓒ 시로코 《북아프리카에서 남유럽으로 몰아쳐 부는 열풍》.

sir·ree [səríː] *int.* (*or* S-) 《美口》 〔성별에 관계 없이 yes 또는 no의 뒤에 붙여 강조하는 말〕 =SIR : Yes, ~. 그렇고 말고 / No, ~. 천만의 말씀 ; 당치도 않소.

***sir·up** [sírəp, sɔ́ːr-] *n.,vt.* 《美》 =SYRUP.

sir·upy [sírəpi, sɔ́ːr-] *a.* 《美》=SYRUPY.

sis [sis] *n.* 《口》 =SISTER ; 《호칭》 아가씨.

SIS Secret Intelligence Service.

si·sal [sáisəl, sís-] *n.* Ⓒ 〖植〗 사이잘초(草)《용설

란의 일종》; Ⓤ (그 잎에서 얻은) 사이잘삼(=∠ **hèmp**)《밧줄의 원료》.

sis·sy [sísi] *n.* Ⓒ《口》① 계집애 같은 소년: The other boys call me a ~ because I don't like games. 게임을 싫어한다고 다른 아이들은 나를 계집애 같다고 한다. ②《美俗》동성애자, 호모.
— *a.* 계집애 같은, 유약한.

†**sis·ter** [sístər] *n.* Ⓒ ① 여자 형제, 자매, 언니, 누이(동생); 의붓〔배다른〕 자매; 처제, 처형, 올케, 형수, 계수. ★ 영어에서는 자매와 구별이 없고 서로를 부를 때도 이름(first name)으로 부름. ¶ an elder 〔a younger〕 ~ 누나〔누이동생〕; 언니〔여동생〕. ② 여자 친구; 동종(同宗)〔동지〕의 여자; 같은 학급의 여학생; 여성 회원, 여성 사우(社友): dear brethren and ~*s* 교우 여러분, 형제 자매들. ③ 젊은 여성; 《美口》(여성을 친숙하게 불러) 아주머니, 아가씨. ④ **a**) 〖가톨릭〗 수녀, 시스터: *Sister* Maria (Theresa) 마리아 (테레사) 수녀《칭호일 때는 Sister 라 철자함》. **b**) 《英》 간호사, 《특히》 수(首)간호사. ⑤《比》자매《배·나라·도시 따위》: The two school are ~*s.* 그 두 학교는 자매 학교다.
—*a.* 자매의〔관계와 같은〕: a ~ language(같은 조어(祖語)의) 자매어《영어와 독일어 등》/ a ~ ship 자매함(艦).

sis·ter·hood [sístərhùd] *n.* Ⓤ 자매임, 자매 관계; 자매의 도리〔의리〕; 자매간의 정; Ⓒ (종교·자선 등의) 여성 단체, 부인회; (the ~) 여성 해방 운동가들; 여성 해방 동지 관계〔공동 생활체〕.

sis·ter-in-law** [sístərinlɔ̀:] (*pl.* ***sis·ters-) *n.* 형수, 계수, 동서, 시누이, 올케, 처형, 처제《따위》.

sis·ter·ly [sístərli] *a.* 자매 같은〔다운〕; 정다운; 친밀한. — *ad.* 자매같이. ㊕ **-li·ness** [-linis] *n.*

Sis·y·phus [sísəfəs] *n.* 〖그神〗 시시포스《코린토스의 못된 왕으로, 죽은 후 지옥에서 돌을 산꼭대기에 굴려 올리면 되굴러 떨어져 이를 영원히 되풀이해야 하는 벌을 받음》.

†**sit** [sit] (*p., pp.* ***sat*** [sæt], 《古》 ***sate*** [seit, sæt]; ***sít·ting***) *vi.* ①《~/+전+명/+보/+부》 앉다, 걸터앉다; 앉아 있다《★ 흔히 sit는 '앉아있다'는 상태를, sit down은 '앉다'는 동작을 나타냄》: ~ *on* 〔*in*〕 a chair / ~ still 가만히 앉아 있다 / Please ~ *down.* 앉으십시오.
②《~/+전+명》(개 따위가) 앉다, 쭈그리다; (새가) 앉다(perch)《*on*》: I saw a strange bird ~*ting in*〔*on*〕 a tree. 나무 위에 낯선 새 한 마리가 앉아 있는 게 보였다.
③《~/+전+명》(새가) 보금자리에 들다, 알을 품다(brood): ~ *on* eggs 알을 품다 / The hen is ~*ting* now. 암탉은 지금 알을 품고 있다.
④《+전+명》(의회·위원회의) 일원이다, 일원이 되다《*on; in*》; (선거구를) 대표하다《*for*》: ~ *on* a jury〔committee〕 배심원〔위원〕이 되다 / ~ *in* Congress 국회 의원이다 / ~ *for* a constituency (의회에서)선거구를 대표하다.
⑤ (의회·법정이) 개회하다, 개원〔개정(開廷)〕하다; 의사(議事)를 진행하다: Parliament was ~*ting.* 의회는 개회 중이었다 / The court will ~ next week. 법정은 다음 주 개정 예정이다.
⑥《+전+명》(사진·초상화 따위를 위해) 자세〔포즈〕를 취하다《*for*》; 《英》 (시험을) 치르다《*for*》: ~ *for* a portrait 초상화의 모델이 되다 / ~ *for* an examination 시험을 치르다.
⑦《+전+명》(손해·책임·근심 따위가) …에 걸려 있다(rest); 짓누르다, 부담〔고통〕이 되다; (먹은 것이) 얹히다《*on, upon*》: ~ *on* one's mind 마음에 걸리다 / The responsibility *sat* heavily *on* him. 책임이 그에게 무거운 부담이 되었다 / The pie *sat* heavily *on* the stomach. 먹은 파이가 얹혔다.
⑧ (사물이) 방치되어 있다; (움직이지 않고) 그대로 있다: The book *sat on* my shelf for years. 그 책은 서가에 몇 해를 그대로 꽂혀 있었다.
⑨《+전+명》(고정되어) 위치〔존재〕하다; (바람 방향이) …쪽이다, (바람이) …에서 불어오다《*in*》: The wind ~*s in* the north. 바람이 북쪽에서 불어온다 / The village ~*s at*〔*in*〕 the bottom of the valley. 마을은 그 계곡의 기슭에 있다.
⑩《+부/+전+명》(옷·지위 따위가) 어울리다, 몸에 맞다《*on; with*》: The coat doesn't ~ well *on* you. 상의가 너에게 잘 맞지 않는다.
⑪ 간호하다, 시중들다, 아이를 보다(baby-~).
— *vt.* ①《+목+부/+목+전+명》 **a**) …를 (…에) 앉히다: He *sat* the child *at* the table. 그 아이를 식탁에 앉혔다. **b**) 〔再歸的〕 …에 앉다: *Sit yourself* down and have a cup of tea. 앉아서 차나 한 잔 드시오. ②《+목+부》(말 따위)를 타다: She ~*s* her horse *well.* 그녀는 말을 잘 탄다. ③《英》(필기 시험)을 치르다.
~ ***around*** 〔***about***〕 빈둥거리다, 방관하고 있다. ~ ***back*** (1) (의자에) 깊숙이 앉다. (2) 팔짱끼고 기다리다. (3) (한 가지 일을 마치고) 편히 쉬다. ~ ***by*** 소극적인〔무관심한〕 태도를 취하다. ~ ***down*** (***hard***) ***on*** (a plan) 《美》 (계획)에 강경하게 반대하다. ~ ***down to*** (1) (식탁)에 앉다. (2) …을 열심히 시작하다. ~ ***down under*** (모욕 따위)를 감수하다, 참다. ~ ***in*** (1) (경기·회의 따위에) 참가하다. (2) 대리로 출석하다, 대행하다《*for*》. (3)《英口》(빈집을 지키며) 아이를 보다(baby-sit). (4) 연좌데모를 하다. ~ ***in on*** . . . …을 방청〔참관, 견학〕하다: ~ *in on* a class 수업을 참관하다. ~ ***on*** 〔***upon***〕 (1) (위원회 따위)의 일원이다(Ⓒⓕ *vi.* ④). (2) (사건 따위)를 심리〔조사〕하다: *sit* in judgment *on* a case 사건을 심리〔재판〕하다. (3)《口》(아랫 사람)을 억누르다〔억압하다〕. (4) …을 제쳐두다, 묵살하다: They have been ~*ting on* my application for a month. 그들은 내 그 신청서를 한 달째 깔아 뭉개고 있다. ~ ***on** one**'s hands*** ⇨HAND. ~ ***on the bench*** 재판관이 되다. ~ ***on the fence*** (형세)를 관망하다. ~ ***out*** (1) 옥외에〔양지에〕 나가 앉다: He *sat out* until it began to rain. 비가 내릴 때까지 그는 집 밖에 앉아 있었다. (2) (댄스·경기 따위에) 참가하지 않다; I'm feeling rather tired, so I think I'll ~ *out* the next dance. 좀 피곤해서 다음 차례의 춤에는 안 나갈 생각이다. (3) (음악회·연극 따위)를 끝까지 듣다〔보다〕: He decided to ~ the lecture *out* until the end. 그는 그 강연을 끝까지 듣기로 했다. ~ ***through*** = *sit out* (3). ~ ***tight*** 《口》 주장을 굽히지 않다; 꼼짝 않고 앉아 있다. ~***ting pretty*** ⇨PRETTY. ~ ***up*** (1) 단정히 앉다; 일어나(앉)다: ~ *up* in bed (환자가) 침대에서 일어나 앉다 / ~ *up* (straight) 똑바로 단정히 앉다. (2) 자지 않고 일어나 있다: ~ *up* late〔all night〕 밤 늦도록 안 자고 있다〔철야하다〕. (3)《口》 깜짝 놀라다; 정신 차리다, 제정신이 들다: The bell made me ~ *up*. 종소리에 나는 제정신이 들었다. ~ ***up and take notice*** 《口》 (환자가) 차도를 보이다; (갑자기) 관심을 나타내다, 주목하다.

si·tar [sitά:r] *n.* Ⓒ 시타르《인도의 현악기》.

sit·com [sítkὰm/-kɔ̀m] *n.* ⓊⒸ 《美口》 = SITUATION COMEDY.

sit-down [sítdàun] *n.* Ⓒ 연좌〔농성〕 파업(=∠ **stríke** 〔**demonstrátion**〕).
— *a.* (식사 따위가) 자리에 앉아서 먹는.

ː**site** [sait] *n.* Ⓒ ① (사건 따위가 있었던) 장소,

현장, 유적《*of*》: the ~ *of* the Battle of Waterloo 워털루의 격전지 / historic ~*s* 사적. ② (건물 따위의) 용지, 집터, 부지 : a building ~ 건축 부지.

— *vt.* 〔종종 受動으로〕 …의 용지〔부지〕를 정하다, …을 자리잡게 하다.

sit-in [sítìn] *n.* [C] =SIT-DOWN ; (인종 차별 등에 대한) 연좌 항의.

***sit·ter** [sítər] *n.* [C] ① (초상화·사진의) 모델(이 되는 사람). ② 알을 품고 있는 새. ③ **a**) =BABY-SITTER. **b**) 《口》 쉽게 명중할 수 있는 사냥감. **c**) 《俗》 수월한 일.

sit·ter-in [sítərín] (*pl.* ***sit·ters-***) *n.* [C] ① 《英》 =BABY-SITTER. ② 연좌 데모에 참가하는 사람.

sit·ting** [sítiŋ] *n.* ① **a**) [U] 착석, 앉음. **b**) [C] 개회, 개정(開廷) ; 회기, 개정 기간. ② [C] 초상화〔사진〕의 모델이 되기 : give a ~ to an artist 화가를 위해 한 번 포즈를 취해 주다. ③ **a**) [U] 알품기. **b**) [C] 한 번의 포란수(抱卵數). ④ [C] (앉아서 쉬지 않고) 한 차례 해내는 일〔승부〕: win thousands dollars in a〔one〕 ~ 한판 승부에 몇 천 달러 벌다 / read a book at a ~ 책을 단참에 다 읽다. ⑤ [C] (선내 식당 등에서, 일단의 사람들에게 할당된) 식사 시간 ; (교대제로 배식하는 식당에서) 함께 식사하는 한 팀 : Dinner is served in two ~*s*. 저녁 식사는 두 교대로 제공됐다. ***at a 〔***one***〕 ~ 한번에, 단번에, 단숨에《읽기 따위》.

— *a.* ① (국회 의원 등이) 현직의 : the ~ members (총선거시의) 현직 의원. ② 《英》 지금 거주하고 있는 : a ~ tenant 현재 세들어 있는 사람. ③ (새가) 알을 품고 있는.

sítting dúck 《口》 봉, 쉬운 일, 손쉬운 목표(= **sítting tárget**).

†sítting ròom 《英》 거실, 거처방(living room).

‡sit·u·ate [sítʃuèit] *vt.* (어떤 장소·처지에) …을 놓다, 놓이게 하다, 두다, …의 위치를 정하다.

‡sit·u·at·ed [sítʃuèitid] *a.* ① 위치하고 있는 (located), 있는《*at* ; *on*》: be ~ *on* a hill / My house is conveniently ~. 나의 집은 편리한 곳에 위치해 있다. ② (사람이 어떤 환경·입장)에 놓여 있는, 처해 있는 : She was awkwardly ~. 그녀는 곤경에 처해 있었다.

‡sit·u·a·tion [sìtʃuéiʃən] *n.* [C] ① 위치, 장소 ; 입지조건 : The store is in ideal ~ to draw customers. 그 상점은 손님을 끄는데 있어서 이상적인 장소에 있다. ② 입장, 경우, 사정 : We are in a difficult ~. 우리는 어려운 입장에 있다. ③ 정세, 형세, 상태, 상황 : the political ~ 정국 / The current economic ~ shows little sign of improving. 현 경제 실정은 좋아질 조짐이 거의 보이지 않는다. ④ (연극·소설 따위의) 중대한 국면〔장면〕. ⑤ 일자리(post) : *Situations* Vacant 〔Wanted〕. 구인〔구직〕《광고문》/ the ~*s*-vacant column(신문 따위의) 구인란.

[파] ~·**al** [-ʃənəl] *a.* 상황의〔에 의한, 에 알맞은〕.

situátion còmedy 〖라디오·TV〗 (같은 배우가 매일 바뀐 상황에서 연기하는) 연속 홈코미디 (sitcom). [cf.] soap opera.

sit-up [sítʌ̀p] *n.* [C] (누운 자세에서) 윗몸 일으키기《복근(複筋) 운동》.

sit-up·on [sítəpán / -pɔ́n] *n.* [C] 《英口》 엉덩이 「(buttocks).

Si·va [síːvə, ʃíː-] *n.* 〖힌두敎〗 시바 3대 신격(神格)의 하나로 파괴의 상징》. [cf.] Brahma, Vishne.

†six [siks] *a.* 여섯〔6〕의, 여섯 개〔명〕의 : He's ~ years old〔of age〕. 그는 여섯 살이다.

— *n.* ① [U.C] 〔흔히 無冠詞〕 (기수(基數)의)여섯, 6 ; 여섯 개〔명〕(한 벌〔조〕) ; 6의 기호《6, vi, VI》. ② [U] 여섯 시〔살〕, 6분 ; 6달러〔파운드, 센트, 펜스(등)〕: at ~ 여섯 시에 / a boy of 6. 여섯 살난 아이. ③ [C] 〖카드놀이〗 6점의 패 ; 6의 눈이 나온 주사위. ***at ~es and sevens*** 《口》 (완전히) 혼란하여 ; (의견 등이) 제각각으로. (***It is***) ~ ***of one and half a dozen of the other.*** 오십보 백보, 비슷비슷하다.

six·er [síksər] *n.* [C] 〖크리켓〗 6점타(6點打).

six·fold [síksfòuld] *a., ad.* 6배의〔로〕, 여섯 겹의〔으로〕.

six-foot·er [-fútər] *n.* [C] 《口》 키가 6피트(이상이나) 되는 사람〔것〕.

six-pack [-pæ̀k] *n.* (깡통·병 따위의 6개들이) 종이 상자《특히 맥주》.

***six·pence** [-pəns] *n.* 《英》 ① [C] 6펜스 은화 《1971년 폐지》. ② [U] 6펜스의 가치, 6펜스어치.

six·pen·ny [-pəni, -pèni] *a.* 《英》 ① (예전의) 6펜스의. ② 하찮은, 싸구려의.

six-shoot·er [-ʃúːtər] *n.* [C] 《美口》 6연발 권총.

†six·teen [sìkstíːn] *a.* ① 열여섯〔16〕의, 열여섯 개〔명〕의 : She's ~ years old〔of age〕. 그녀는 16세다. ② 16세의 : He's ~ . 그는 16세다. — *n.* ① **a**) [U.C] 〔흔히 無冠詞〕 (기수(基數)의) 16. **b**) [C] 16의 기호《16, xvi, XVI》. ② [U] 16달러〔파운드, 센트, 펜스(등)〕. ③ [C] 16인〔개〕(한 조〔벌〕).

‡six·teenth [sìkstíːnθ] *a.* ① (흔히 the ~) 열여섯 번째의. ② 16분의 1의. — *n.* ① [U] (흔히 the ~) **a**) (서수의) 열여섯 번째《略 : 16th》. **b**) (달의) 16일. ② [C] 16분의 1. [파] ~·**ly** *ad.*

síxtéenth nòte 《美》 〖樂〗 16분 음표.

†sixth [siksθ] *a.* ① (흔히 the ~) 여섯째의. ② 6분의 1의 : a ~ part, 6분의 1.

— *n.* ① [U] (흔히 the ~) **a**) (서수의) 제 6, 여섯 번째《略 : 6th》. **b**) (달의) 6일. ② [C] 6분의 1. ③ [C] 〖樂〗 6도 음정. ④ (the ~) 《英》 =SIXTH FORM. [파] ∠·**ly** *ad.*

síxth fórm 《英》 제 6 학년《16세 이상 학생으로 된 영국 중학교의 최상급 학년 ; 대학 진학 준비 학급》. [파] **síxth-fórm·er** *n.*

síxth sénse (때로 a ~) 제 6 감, 직감.

***six·ti·eth** [síkstiiθ] *a.* (60th로도) ① (흔히 the ~) 60(번째)의. ② 60분의 1의. — *n.* [C] ① (흔히 the ~) 60번째의 사람〔것〕. ② 60분의 1.

†six·ty [síksti] *a.* 60의 ; 60명〔개〕의. — *n.* ① **a**) [U.C] 〔흔히 無冠詞〕 (기수의) 60. **b**) [C] 60의 기호《60, lx, LX》. ② [U] 60세 ; 60달러〔파운드, 센트, 페니(등)〕. ③ 〔單·複數〕 60명, 60개. ④ **a**) (one's sixties) 60대 : She is in *her sixties.* 그녀는 60대다. **b**) (the sixties) (세기의) 60년대.

siz·a·ble [sáizəbəl] *a.* ① 꽤 큰 : a ~ house. ② 상당한, 꽤 많은 : a ~ salary 상당한 급료.

†size[1] [saiz] *n.* ① [U.C] (사람·물건의) 크기, 치수 (dimension) : a full〔life〕 ~ 실물 크기, 등신대 / It's about the ~ of a matchbox. 그건 성냥갑 크기만 하다. ② [C] (옷·모자·신발 따위의) 사이즈, 치수 : What ~ shoes do you wear? 무슨 사이즈의 구두를 신느냐 / I tried the suit on for ~. 그 옷의 치수가 맞는지 어떤지 입어보다. ③ [U] (양·규모 따위가) 큼, (상당한) 크기, 스케일, 규모 ; (사람의) 역량, 기량 : a man of ~ 스케일이 큰 〔기량이 있는〕 사람. ④ 《口》 실정, 진상 : That's about the ~ of it. 실정은 대체로 그런 정도다. ***cut*** 〔***chop***〕. . . ***down to*** ~ (과대 평가된 사람·문제 등)을 실력〔실상〕에 맞게 평가하다. ***of a*** ~ 같은 크기의 : children all *of a* ~ 모두가 같은 크기의 아이들.

— *vt.* ①《~+[목] / +[목]+[전]+[명]》 …을 크기에 따라 배열〔분류〕하다 : ~ the clothes *into* three classes 의복을 크기에 따라 3 단계로 분류하다. ② 《+目+前+名》 …의 치수〔크기〕로 만들다: ~ a hat *to* one's head 모자를 머리에 맞추어서 만들다. ~ . . . ***up*** (1) …의 치수를 재다. (2) 《口》 (인물·가치 따위)를 평가하다; (정세 따위)를 판단하다: We ~ each other *up* at our first meeting. 우리는 첫 만남에서 서로를 평가한다.

size² *n.* Ⓤ 사이즈, 반수(礬水)《종이·피륙의 흡수성(吸水性)을 줄이려고 겉에 칠하는 도료; 흔히 젤라틴 용액》 칠하는 니스. — *vt.* …에 반수를 바르다; (직물)에 녹말풀을 먹이다.

(-) sized [saizd] *a.* 〔흔히 複合語로〕 크기가 …인: small-〔large-〕~ 소〔대〕형의 / middle-〔medium-〕~ 중형의 / ⇨LIFE-~.

siz·zle [sízəl] *vi.* ① (튀김이나 고기 구울 때) 지글거리다. ② 《口》 찌는 듯이 덥다: It's a *sizzling* hot day. 푹푹 찌는 날이다. ③ 《美口》 화가 나서 속이 부글부글 끓다《*over*》. — *n.* Ⓤ ① 지글지글 하는 소리. ② 대단한 열기〔흥분〕.

siz·zler [sízələr] *n.* Ⓒ 《口》 찌는 듯이 더운 날.

siz·zling [sízəliŋ] *a.* ① 지글지글 소리 내는. ② 몹시 더운〔뜨거운〕: ~ hot 《口》 몹시 더운〔뜨거운〕.

†skate¹ [skeit] *n.* Ⓒ (흔히 *pl.*) 스케이트(화(靴)); 롤러스케이트(roller ~): She is on ~*s*. 그녀는 스케이트를 신고 있다. ***get*** 〔***put***〕 one***'s*** ~ ***on*** 《口》 서두르다(hurry).

— *vi.* 스케이트를 타다: The ice on the river is thick enough to ~ *on.* 강의 얼음이 두꺼워 스케이트타기 좋다. ~ ***over*** 〔***around, round***〕 (문제 따위)에 깊이 개입하지 않다, …을 대충대충 다루다; (화제 따위)를 피하다. ~ ***over*** 〔***on***〕 ***thin ice*** 아슬아슬한 짓을 하다.

skate² *n.* Ⓒ 〖魚〗 홍어.

skate·board [-bɔ̀:rd] *n.* Ⓒ 스케이트보드《롤러스케이트 위에 널을 댄 놀이 기구》.

— *vi.* 스케이트보드를 타다.

***skat·er** [skéitər] *n.* Ⓒ 스케이트를 타는 사람.

†skat·ing [skéitiŋ] *n.* Ⓤ 얼음지치기, 스케이트: go ~ 스케이트 타러 가다 / a ~ rink 스케이트장.

ske·dad·dle [skidǽdl] *vi.* 《口》 〔흔히 命令文으로〕 허둥지둥 달아나다: The teacher's coming, let's ~! 선생님 오신다, 도망 가자.

skeet [ski:t] *n.* 스키트 사격(=∠ **shòoting**) 《clay 사격의 하나. 좌우에서 날리는 클레이를 쏨》.

skein [skein] *n.* Ⓒ ① 실타래: a ~ of yarn 실 한 타래. ② (기러기 등) 날짐승의 떼(flight). ③ 엉클어짐, 혼란.

skel·e·tal [skélətl] *a.* ① 골격의; 해골의. ② (굶주림·질병 등으로) 피골이 상접한.

‡skel·e·ton [skélətn] *n.* Ⓒ ① (사람·동물의) 골격; 해골(표본); 뼈만 앙상한 사람〔동물〕: a mere 〔living, walking〕 ~ 피골이 상접한 사람. ② (집·배 등의) 뼈대, 골조; 타고 남은 잔해: the steel ~ of a building 건물의 철골 뼈대. ③ (계획·사건 따위의) 골자, 윤곽, 개략(outline): It's just a ~ of the plan. 그것은 그 계획의 윤곽에 불과하다. ***a*** 〔***the***〕 ~ ***at the feast*** 〔***banquet***〕 흥을 깨뜨리는 사람〔것〕. ***a*** 〔***the***〕 ~ ***in the closet*** 〔《英》 ***cupboard***〕 (세상에 알려지는 것을 꺼리는) 집안의 비밀.

— *a.* ① 해골의; 말라빠진. ② (계획 등이) 뼈대뿐인, 윤곽만의. ③ (인원이) 최소 한도의; 기간(基幹)의: a ~ regiment 〔company〕 (최소한의 인원만 있는) 기간 연대〔중대〕 / a ~ crew 〖海軍〗 기간 승무원 / a ~ staff 최소한의 필요 인원.

skel·e·ton·ize [skélətənàiz] *vt.* ① …을 해골로 만들다. ② …의 개요를 적다, 요약하다. ③ (인원)을 대폭 정리하다.

skéleton kèy (여러 자물쇠에 맞는) 곁쇠.

skep·tic, 《英》 **scep-** [sképtik] *n.* Ⓒ ① 회의론자. ② 무신론자. — *a.* =SKEPTICAL.

***skep·ti·cal,** 《英》 **scep-** [sképtikəl] *a.* ① 의심 많은, 회의적인《*about* ; *of*》: He is ~ *about* everything. 그는 무엇에나 회의적이다. ② (신을) 믿지 않는, 무신론적인. 파 ~**·ly** *ad.* ~**·ness** *n.*

skep·ti·cism, 《英》 **scep-** [sképtəsìzəm] *n.* 회의(론); 무신론.

‡sketch [sketʃ] *n.* Ⓒ ① 스케치, 사생화; 밑그림, 약도, 겨냥도: make a ~ of …을 스케치하다, 겨냥도를 그리다. ② (사건 등의) 대략, 개요; (인물 등의) 소묘(素描): a biographical ~ 약전. ③ (소설·연극 등의) 소품, 단편; 토막극, (풍자적인) 촌극; 〖樂〗 소품〔소묘〕곡《스케치풍의 피아노 소곡》.

— *vt.* ① …을 스케치〔사생〕하다, …의 약도를 그리다. ② 《~+目 / +目+副》 …의 개략을 진술하다〔적다〕, …을 개설하다《*out*》: ~ *out* a plan 〔scheme〕 계획을 개설(槪說)하다. — *vi.* 《~+前+名》 스케치〔사생〕하다; 약도를 그리다: go ~*ing*=go out to ~ 사생하러 가다.

sketch·book [skétʃbùk] *n.* Ⓒ ① 사생첩, 스케치북. ② 소품〔단편〕집.

skétch màp 약도, 겨냥도.

sketch·pad [-pæ̀d] *n.* =SKETCHBOOK.

sketchy [skétʃi] (***sketch·i·er*** ; ***-i·est***) *a.* ① 사생〔스케치풍〕의. ② 《口》 불완전〔불충분〕한, 피상적인; 빈약한: a very ~ knowledge of business 사업에 관한 피상적인〔불충분한〕 지식.
파 **skétch·i·ly** *ad.* **-i·ness** *n.*

skew [skju:] *a.* ① 비스듬한, 기운(slanting), 굽은: a ~ bridge 사교(斜橋) / That picture is ~ 〔is hanging ~ 〕. 저 그림은 삐딱하게 걸려 있다. ② 〖數·統〗 불균제(不均齊)의, (분포 따위가) 비대칭의(unsymmetrical): a ~ curve 〖數〗 빗곡선; 공간〔3차원〕 곡선. — *n.* Ⓤ,Ⓒ 휨, 비뚤어짐, 비스듬함. ***on the*** 〔***a***〕 ~ 비스듬히, 비뚤어져.

— *vt.* …을 비뚤어지게 하다, 구부리다(slant); …을 휘(게 하)다(distort); (사실 등)을 왜곡하다.

— *vi.* 굽다; 빗나가다.

skew·bald [-bɔ̀:ld] *a.* (말이 흰색과 갈색으로) 얼룩진, 얼룩덜룩한. cf. piebald.

skew·er [skjú:ər] *n.* Ⓒ 꼬챙이, 꼬치, 구이 꼬치. — *vt.* (고기 따위)를 꼬챙이에 꿰다: *Skewer* the meat before cooking. 굽기 전에 고기를 꼬챙이에 꿰어라.

†ski [ski:] (*pl.* ~, ~*s*) *n.* 스키; 수상 스키(water ~): on ~*s* 스키로《★ 운동구로서의 스키이며, 스포츠의 스키(skiing)가 아님》: a pair of ~*s* / put on one's ~*s* 스키를 신다.

— (*p., pp.* ***skied, ski'd*** ; ***skí·ing***) *vi.* 스키를 타다: go ~*ing* 스키 타러 가다 / We ~*ed* down to the village. 스키를 타고 마을로 내려갔다.

ski·bob [skí:bɑ̀b / -bɔ̀b] *n.* Ⓒ 스키밥《바퀴 대신 스키가 달린 자전거 비슷한 탈것》.

skid [skid] *n.* ① (a ~) (자동차·차바퀴 등의), 옆으로 미끄러지기: The car went into *a* ~. 차가 옆으로 미끄러졌다. ② Ⓒ (비탈길에 쓰는) 미끄럼막이. ③ Ⓒ (흔히 *pl.*) (무거운 짐을 굴려 내릴 때의) 활재(滑材). ④ 〖空〗 (헬리콥터의 착륙용) 활주부(滑走部). ***on the*** ~***s*** 《美口》 (명성 따위)가 내리막길로 접어든: Their marriage seems to be *on the* ~*s*. 그들의 결혼 생활이 끝장 날 모양이다. ***put the*** ~***s on*** 〔***under***〕 . . . 《口》 (1) …을 재촉하다, …을 재촉해서 파멸의 길로 몰아가다. (2) (계획 등)을 좌절시키다.

— (***-dd-***) *vi.* (자동차·차륜 등이) 옆으로 미끄러

지다: The car ~*ded into* ours〔*over* the cliff〕. 그 차는 옆으로 미끄러지면서 우리차와 충돌했다〔벼랑에서 떨어졌다〕. — *vt.* (바퀴)에 미끄럼막이를 대다.

skíd lìd 《口》 (오토바이용) 안전 헬멧.

skíd rów 《美口》 우범 지대, 슬럼가(街).

***ski·er** [skíːər] *n.* Ⓒ 스키를 타는 사람, 스키어.

skiff [skif] *n.* Ⓒ 스키프《혼자 젓는 작은 배》.

skif·fle [skífəl] *n.* 《英》 스키플《재즈와 포크송을 혼합한 음악의 일종: 1950년대 후반에 유행》.

†**ski·ing** [skíːiŋ] *n.* Ⓤ (스포츠로서의) 스키(타기) 《★ ski는 기구를 말함》: a ~ ground 스키장.

skí jùmp 스키점프(대); 그 경기.

‡**skil·ful** [skílfəl] *a.* =SKILLFUL.

skí lìft (skier를 나르는) 리프트, 스키리프트.

†**skill** [skil] *n.* Ⓤ ① 숙련, 노련, 능숙함, 솜씨, (우수한) 기량《*in*; *to* do》: one's ~ *in* music 음악의 기량 / political ~ = ~ *in* politics 정치적 수완 / a man of ~ 숙련자, 명인. ② (훈련·숙련이 필요한 특수한) 기능, 기술《*in*; *of*》.

‡**skilled** [skild] (**more** ~; **most** ~) *a.* ① 숙련된, 능숙한(proficient)《*at*; *in*》: a ~ worker 숙련 노동자 / My mother is very ~ *in*〔*at*〕 dressmaking. 어머니는 양재를 아주 잘 하신다. ② 숙련을 요하는.

skil·let [skílit] *n.* Ⓒ ① 《美》 프라이팬. ② 《英》 (손잡이가 길고 발이 있는) 스튜 냄비.

‡**skill·ful**, 《英》 **skil·ful** [skílfəl] *a.* 능숙〔능란〕한, 숙련된《*at*; *in*; *of*》: Nowadays children are not ~ *at*〔*in*〕 using chopsticks. 요즘 아이들은 젓가락질이 서툴다.

㊞ *~·**ly** *ad.* 솜씨 있게. ~·**ness** *n.*

‡**skim** [skim] (-**mm**-) *vt.* ①《~+목/+목+부/+목+전+명》 …의 위에 뜬 것을 걷어내다《*off*》: ~ *off* the grease (from soup) (수프에서) 뜬 기름을 걷어내다. ②《~+목/+목+전+명》 (수면 등)을 스쳐 지나가다, 미끄러지듯 가다; (수면 따위)를 스치듯 날리다: ~ a flat stone *over* the water 납작한 돌로 물수제비뜨다. ③ (책 따위)를 대충 훑어 읽다〔보다〕. — *vi.* ①《~/+부》 웃더껑이가〔피막이〕 생기다, 살얼음이 덮이다《*over*》. ② 스쳐 지나가다, 미끄러지듯 지나가다《*along*; *over*; *through*》: The motorboat ~*med over* the water. 모터보트는 수면을 미끄러지듯 지나갔다. ③《+전+명》 대강 훑어 읽다〔보다〕《*over*; *through*》: ~ *over* a paper 신문을 대강 훑어보다. ~ (**the cream**) **off** (1) 더껑이를 걷어내다. (2) 가장 좋은 것〔유능한 사람〕을 취하다〔뽑다〕: I've ~*med off* the five people who seem to be most suitable for the job. 나는 그 일에 가장 적임일 듯 싶은 다섯 사람을 골랐다.

— *n.* Ⓤ ① 더껑이를 걷어내기. ② 스치듯이 지나가기. ③ 걷어낸 더껑이.

skim·board [skímbɔ̀ːrd] *n.* Ⓒ 스킴보드《물가에서 파도타는 원반형 널》.

skím(med) mílk [skím(d)-] 탈지유(脫脂乳), 스킴 밀크《우유에서 생크림을 제거한 것》.

skim·mer [skímər] *n.* Ⓒ ① (더껑이 걷어내는) 석자〔그물국자〕; 스키머《수면 유출유(油)를 그러모으는 기구》. ②〖鳥〗 제비갈매기류(類). ③ 스키머《챙이 넓고 위가 평평한 (밀짚) 모자》.

skim·ming [skímiŋ] *n.* ① Ⓤ 더껑이를 걷어 냄. ② (*pl.*) 걷어낸 크림. ③ (탈세를 목적으로) 소득을 숨기는 일.

skimp [skimp] *vt.* ①《~+목/+목+전+명》 (돈·음식 따위)를 찔름찔름〔감질나게〕 주다; 인색하게 굴다, 아끼다: ~ a dog *with*〔*in*, *for*〕 food 개에게 먹이 주기를 아까워하다. ② (일 따위)를 날림으로 하다. — *vi.* 절약하다, 바싹 줄이다. — *a.* 빈약한, 인색한. — *n.* Ⓒ 《口》 작은 것; 끼어서 갑갑한 옷.

skimpy [skímpi] (**skimp·i·er**; **-i·est**) *a.* ① 다라운; 부족한(scanty), 빈약한(meager): a ~ meal 빈약한 식사. ② (옷이) 꽉 낀: ~ underwear 꼭 끼는 내의.

‡**skin** [skin] *n.* ① Ⓤ,Ⓒ (사람의) 피부, 살갗: a fair〔dark〕 ~ 흰〔검은〕 피부. ② **a)** Ⓤ,Ⓒ (동물의) 가죽, 피혁. **b)** Ⓒ 가죽 제품, 모피, 수피(獸皮)《깔개로 쓰는》. **c)** Ⓒ (술을 담는) 가죽 부대. ③ Ⓤ,Ⓒ (과일 따위의) 껍질, (곡물의) 겉껍질(rind); (소시지의) 껍데기; (진주의) 외피: an apple ~ 사과 껍질. ④ Ⓤ (선체·비행기의) 외판(外板)(planking), 장갑; (건물의) 외장: the mostly glass ~ of an office building 대부분 유리로 된 사무실 건물. ⑤ Ⓒ (스튜, 데운 우유 등의 표면에 생기는) 얇은 막. ⑥ (*pl.*) 악단의 드럼. ⑦ 《美俗》 = SKINFLINT. ⑧ Ⓒ 《美俗》 사기꾼. ⑨ Ⓒ 《美俗》 달러 지폐. ⑩ 《英俗》 = SKINHEAD. **be no ~ off** a person**'s nose**〔**back**〕 《口》 …와는 전연 관계가 없다, …의 알 바가 아니다, …에게는 아무렇지도 않다. **by the ~ of** one**'s teeth** 《口》 겨우, 가까스로, 간신히: I caught the train *by the ~ of my teeth.* 가까스로 열차 시간에 댔다. **fly**〔**jump**, **leap**〕 **out of** one**'s** ~ (놀람·기쁨 따위로) 펄쩍 뛰다: She nearly *jumped out of her* ~ when she saw a big rat. 그녀는 큰 쥐 한마리를 보고는 기겁을 했다. **get under**〔**beneath**〕 a person**'s** ~ 《口》 …을 성나게 하다; 흥분시키다, 열중하게 하다. **have a thick**〔**thin**〕 ~ (남의 말·비판에) 둔감〔민감〕하다. **in** one**'s** ~ 벌거벗고, 알몸으로. **keep a whole** ~ =**save** one**'s** ~ 《口》 (자기만) 무사히 도망하다. **risk** one**'s** ~ 목숨에 관계되는 일을 하다. ~ **and bone**(**s**) (바짝 말라) 뼈와 가죽뿐인, 피골(皮骨)이 상접한. **under the** ~ 한 꺼풀 벗기면, 내심〔심중〕은. **with a whole** ~ 무사히, 다친 데 없이.

— *a.* ① 살갗〔피부〕의〔에 관한〕: ~ care 피부 관리. ② 《美俗》 나체의, 누드〔섹스〕를 다루는, 포르노의: a ~ magazine 도색 잡지.

— (-**nn**-) *vt.* ① …의 껍질〔가죽〕을 벗기다(flay, peel); 피부를 까지게 하다, 스쳐 허물이 벗어지게 하다: ~ an onion〔potatoes〕 양파〔감자〕 껍질을 벗기다 / I ~*ned* my elbow against the wall. 벽에 부딪쳐 팔꿈치를 벗어지게 했다. ② …을 (가죽 따위로) 덮다《*over*》. ③《~+목/+목+전+명》《俗》 (…에게서 돈 따위)를 뜯어내다, 빼앗다, 사취하다(fleece)《*out of*; *of*》: ~ a person *of* every shilling 아무에게서 한푼 남기지 않고 빼앗다.

— *vi.* ①《+부》 (상처 따위가) 가죽으로〔껍질로〕 덮이다; 아물다《*over*》: The wound has ~*ned over.* 상처는 아물었다. ② 《美》 (좁은 곳을) 가까스로 빠져나오다, 통과하다; (시험 따위에서) 겨우 합격하다《*by*; *through*》. **keep** one**'s eyes ~ned** 《口》 눈을 크게 뜨고 지켜보다, 방심하지 않다. ~ a person **alive** …의 날가죽을 벗기다; 《美口》 호되게 꾸짖다〔벌주다〕.

skin-deep [-díːp] *a.* ① (상처 등이) 깊지 않은, 가죽 한꺼풀의: a ~ wound 찰과상. ② 겉만의; 피상적인: Beauty is but ~. 《俗談》 미모는 그저 거죽 한 꺼풀《외모보다 마음씨》.

skin-dive [-dàiv] *vi.* 스킨다이빙을 하다.

㊞ **skín dìver** 스킨다이버.

skín dìving 스킨다이빙《안경·물갈퀴·잠수용 수중 호흡기(aqualung) 따위의 장비를 갖추고 하는 잠수법》. ⓒⓕ scuba diving.

skin·flint [∠flìnt] *n.* Ⓒ 《蔑》 매우 인색한 사람.
skin·ful [skínfùl] *n.* (a ~) 《口》 취할 만큼의 주량 ; 배불리 잔뜩 : have *a* ~ 술에 취하다.
skín gàme 《口》 사기 게임〔도박〕, 야바위.
skín gràft 【外科】 피부 이식용의 피부 조각.
skín gràfting 【外科】 피부 이식(술).
skin·head [∠hèd] *n.* Ⓒ ① 머리를 민〔짧게 깎은〕 남자. ② 《英》 스킨헤드족《집단으로 몰려다니는 까까머리의 불량 청소년.
skin·less [skínlis] *a.* 껍질이 없는.
skinned [skind] *a.* ① 껍질이 벗겨진. ② 〔複合語로〕 …한 피부의 : fair-〔dark-〕~ 피부가 흰〔거뭇한〕.
skin·ner [skínər] *n.* Ⓒ ① 가죽〔모피〕 상인 ; 가죽을 벗기는〔무두질하는〕 사람. ② 《口》 사기꾼. ③ 《美口》 노새〔말〕 모는 사람, 마부.
skin·ny [skíni] (*-ni·er ; -ni·est*) *a.* (사람이) 뼈와 가죽뿐인, 바싹 마른.
skin·ny-dip [-dìp] *vi., n.* 《口》 알몸으로 헤엄치다〔헤엄치기〕. ⓟ **-dìp·per** *n.*
skint [skint] *a.* 《英俗》 무일푼의, 거덜난.
skin·tight [skíntàit] *a.* (옷 따위가) 살에 착 붙는, 몸에 꼭 맞는 : ~ jeans 살에 딱 붙는 청바지.
‡skip[1] [skip] (*-pp-*) *vi.* ① 《~ / +副 / +前+名》 가볍게 뛰다, 깡충깡충 뛰(놀)다, 까불다《*about*》 : ~ *about* for joy 기뻐서 깡충깡충 뛰어다니다. ② 《+前+名》 (돌 따위가) …의 표면을 스치며 날아가다 : ~ *along* the surface of the water. ③ 《英》 줄넘기하다 : Let's play with the ~*ping* rope. 줄넘기하고 놀자. ④ 《~ / +前+名》 (일·화제 등이) 이리저리 바뀌다《*around*》 ; (말하는 사람이) 화제를 마구 바꾸다 ; (이야기 따위가) 급전(急轉)하다《*from*… *to*_》 : The speaker ~*ped* *from* dance *to* mathematics. 강연자는 화제를 춤에서 갑자기 수학으로 바꿨다. ⑤ 《~ / +前+名》 **a**) 빠뜨리다《*over*》 ; 건너뛰며 읽다 ; 《口》 대충 훑어보다《*through*》 : ~ *over* some chapters 몇 장(章)인가를 건너뛰어서 읽다. **b**) (식 등)을 거르다. ⑥ 《美》 월반(越班)하다. ⑦ 《~ / +副 / +前+名》 《口》 (치를 돈이 없거나 처벌을 면하려고) 허둥지둥 도망치다《*out*; 《英》 *off*》 : He ~*ped off* 〔*out*〕 without paying his bill. 그는 셈을 치르지 않고 도망쳤다.
— *vt.* ① (가볍게) …을 뛰어넘다 : ~ a brook 개울을 뛰어넘다. ② 《~+目 / +目+前+名》 (돌)을 물수제비뜨다 : ~ a stone *on* the river 강에서 물수제비뜨다. ③ …을 거르다, 빠뜨리다 ; (군데군데) 건너뛰어 읽다 : ~ large cities (관광 등에서) 큰 도시 몇 개를 빠뜨리다 / ~ breakfast 아침을 거르다. ④ 《口》 …에서 급히〔허겁지겁〕 떠나다 ; 셈을 치르지 않고 도망치다 : He ~*ped* town. 그는 읍에서 도망쳤다. ⑤ 《口》 (학교 등)을 빼먹다, 결석하다 / Students shouldn't ~ lectures. 학생은 강의를 빼먹으면 안 된다. ***Skip it !*** 《口》 (1) 그 얘기는 이제 그만. (2) 신경쓰지 마. (3) 튀어라, 도망쳐라.
— *n.* Ⓒ ① 뜀, 도약 ; 줄넘기. ② 거르기, 건너뜀, 빠뜨림 ; 건너뛰어 읽은 부분 : read a book without a ~ 책을 빠뜨린 부분 없이 모두 읽다.
skip[2] *n.* Ⓒ ① (사람·광석을 나르는) 광차(鑛車). ② 《英》 (건설 현장 등에서 폐기물을 나르는) 대형 철제 용기〔버킷〕.
skip·jack [∠dʒæ̀k] (*pl.* **~s,** 〔集合的〕 ~) *n.* Ⓒ ① 물 위로 뛰어오르는 물고기, 《특히》 가다랑어 (=∠ **tùna**). ② 【蟲】 방아벌레류.
ski-plane [skíːplèin] *n.* Ⓒ 【空】 설상기(雪上機).
skip·per[1] [skípər] *n.* Ⓒ ① (작은 상선·어선 따위의) 선장. ② (운동 팀의) 주장. ③ (항공기의) 기장(機長).
— *vt.* …의 주장〔선장〕 노릇을 맡아 보다 : He ~*ed* his team to victory. 그는 주장을 맡아 팀을 승리로 이끌었다.
***skip·per**[2] *n.* Ⓒ 가볍게 뛰는〔춤추는〕 사람 ; 튀는 물건.
skíp(·ping) ròpe [skíp(iŋ)-] (줄넘기의) 줄.
skirl [skəːrl] (*sing.*) *n.* 높고 날카로운 소리 ; 백파이프의 소리. — *vi.* (백파이프처럼) 날카로운 소리를 내다(shriek).
***skir·mish** [skə́ːrmiʃ] *n.* Ⓒ ① (부대간의) 작은 접전, (소규모의) 조우전. ② (일반적인) 작은 충돌〔논쟁〕. — *vi.* 작은 충돌을〔승강이를〕 하다《*with*》. ⓟ **~·er** *n.* 사소한 충돌을 하는 사람.
‡skirt [skəːrt] *n.* ① Ⓒ 스커트, 치마 ; (일반적으로 옷의) 자락. ② Ⓒ (기계·차량 따위의) 철판 덮개. ③ (*pl.*) 교외, 변두리(outskirts) : on the ~*s* of a town 도시 교외에. ④ Ⓤ 〔集合的〕 (흔히 a bit〔piece〕 of ~ 로) 《俗》 (성적 대상으로서의) 여자 : a loose ~ 헤픈 계집 / *a* nice *bit of* ~ 괜찮은 색시. ⑤ Ⓒ 《英》 (소의) 옆구리 살.
— *vt.* ① …을 둘러싸다, 두르다 ; …와 접경하다(border) ; …의 가〔변두리〕를 지나다 : The highway ~*s* the city. 간선도로가 그 도시 주변을 지나고 있다. ② …을 피해 가다 ; (문제·어려움 따위)를 회피하다 : You can't ~ this matter. 너는 이 문제를 피할 수 없다. — *vi.* ① 《+前+名》 **a**) (길·강 따위가 …을) 따라 나 있다《*along*》 : a road ~*ing along* the town 도시 주변을 따라 나 있는 도로. **b**) (…을) 따라 가다《*along*》 : ~ *along* the edge of a cliff 벼랑의 가장자리를 따라 가다. ② (문제·어려움 등을) 피하다, 회피하다《*round* : *around*》.
skírting bòard 《英》 【建】 굽도리널, 걸레받이 (《美》 baseboard).
skí rùn (스키를 타는) 활주로, 겔렌데.
skit [skit] *n.* Ⓒ (풍자적인) 촌극, 짧은 희극 ; 가벼운 풍자(문).
skit·ter [skítər] *vi.* ① (작은 동물이) 경쾌하게〔잽싸게〕 나아가다〔달리다〕 : A rabbit ~*ed* across the road. 토끼가 도로를 잽싸게 가로질러 지나갔다. ② (물새 등이) 수면을 스치듯 날다. ③ 흘림 낚시를 하다. — *vt.* 《+目+前+名》 (낚싯바늘)을 수면에 스칠 듯이 까닥까닥 움직이다.
skit·tish [skítiʃ] *a.* ① (말 등이) 겁 많은, 놀라기 잘하는 ; (사람이) 내성적인. ② (특히 여성이) 수다스러운, 경망스러운 ; 말괄량이의 : a charming but ~ young woman 매력적이나 경망스러운 젊은 여성. ⓟ **~·ly** *ad.* **~·ness** *n.*
skit·tle [skítl] *n.* (*pl.*) 〔單數취급〕 (볼링 비슷한) 구주희(九柱戲)용의 작은 핀(=∠ **pìn**) ; 그 놀이. ***Life is not all beer and ~s.*** 인생은 즐겁기만 한 것은 아니다. — *vt.* 〔다음 成句로〕 ~ ***out*** 【크리켓】 (타자)를 간단히 아웃시키다.
skive [skaiv] *vi.* 《英俗》 (일을) 게을리하다, 멋대로 일찍 가다.
skiv·vy[1] [skívi] *n.* 《美俗》 ① (*pl.*) (남성용) 내의, 속셔츠. ② =SKIVVY SHIRT.
skiv·vy[2] *n.* 《英口·蔑》 하녀. — *vi.* 하녀로 일하다《*for*》.
skivvy shirt 스키비티셔츠(소매가 긴 티셔츠).
skoal [skoul] *int.* 《Dan.》 건배.
skua [skjúːə] *n.* Ⓒ 【鳥】 도둑갈매기(=∠ **gùll**).
skul·dug·gery [skʌldʌ́gəri] *n.* Ⓤ.Ⓒ 《口·戲》 야바위, 속임수(trickery) ; 부정 행위.
skulk [skʌlk] — *vi.* ① 살금살금 행동하다〔걷다〕, 몰래〔슬그머니〕 숨다〔도망치다〕《*about* ; *around*》. ② 《英》 일〔위험, 책임〕을 기피하다(shirk) ; 빈둥거리다. ⓟ **∠·er** *n.*
***skull** [skʌl] *n.* Ⓒ 두개골(cranium) ; 《口·蔑》

머리(head), 두뇌(brain) : have a thick ~ 머리가 둔하다.

skúll and cróssbones 해골 밑에 대퇴골(大腿骨)을 X자형으로 엇걸은 그림《죽음의 상징 ; 해적기나 독약 병의 표지》.

skull·cap [skʌ́lkæ̀p] *n.* Ⓒ 사발을 엎은 모양의 챙이 없는 모자《노인·성직자용》.

***skunk** [skʌŋk] (*pl.* ~(*s*)) *n.* ① Ⓒ〖動〗스컹크《북아메리카산》; Ⓤ 스컹크 모피. ② Ⓒ《口》밉살맞은 놈. ── *vt.* 《美俗》(상대)를 영패〔참패〕시키다.

skúnk càbbage〖植〗앉은부채.

†sky [skai] *n.* ① (the ~ ; 종종 *pl.*) 하늘, 창공《★《文語·詩》에서는 종종 the skies를 씀. 또 형용사가 앞에 붙으면 a … sky라고 함》: a clear, blue ~ 맑고 푸른 하늘 / high up in *the* ~ 하늘 높이. ② (*pl.*) 날씨 ; 기후, 풍토(climate) : a foreign ~ 타향(他鄕)(의 하늘) / stormy *skies* 폭풍우가 있을 것 같은 날씨 / forecast clear *skies* tomorrow 내일 맑겠다는 예보를 하다. ③ (the ~, the skies) 천국, 천계(天界)(heaven) ; 신 : He is in *the* ~ 〔*skies*〕. 그는 천국에 있다. ***out of a clear (blue) ~*** (청천의 벽력처럼) 갑자기, 느닷없이. ***The ~ is the limit.*** 《口》(돈·비용 따위가) 무제한이다, 상한(上限)이 없다. ***under the open ~*** 야외〔한데〕에서.

── (***skied, ~ed ; ∠·ing***) *vt.* ① (그림)을 높직한 곳에 걸다. ② (공)을 높이 쳐올리다.

ský blúe 하늘빛(azure).

sky·borne [∠bɔ̀ːrn] *a.* 공수의(airborne) : ~ troops 공수 부대.

sky·bridge [∠brìdʒ] *n.* Ⓒ 두 빌딩 사이를 잇는 구름다리(=**ský·wàlk**).

sky·cap [∠kæ̀p] *n.* 공항 포터.

sky·dive [∠dàiv] *vi.* 스카이다이빙하다. ㊥ **-dìv·er** [-ər] *n.* **-div·ing** [-iŋ] *n.*

sky-high [∠hái] *ad.* ① 하늘처럼 높이, 아주 높이 : Prices have gone ~. 물가는 천정부지로 올랐다. ② 산산조각으로, 산산히 : We blew his argument ~. 우리는 그의 주장을 논파했다. ── *a.* 하늘에 닿는, 아주 높은 : ~ inflation 천정부지의 통화 팽창.

sky·jack [∠dʒæ̀k] *vt.* (비행기)를 탈취하다, 하이잭하다. ㊥ **~·er** *n.* 비행기 탈취범. **~·ing** *n.*

Sky·lab [∠læ̀b] *n.* 스카이랩《미국의 유인(有人) 우주 실험실》. [◂ *sky* + *lab*oratory]

‡sky·lark [∠lὰːrk] *n.* Ⓒ〖鳥〗종다리. ── *vi.* 법석을 떨다.

sky·light [∠làit] *n.* Ⓒ〖建〗천장에 낸 채광창, 천창(天窓).

***sky·line** [∠làin] *n.* Ⓒ ① 지평선(horizon). ② 스카이라인《산·고층 건물 등이 하늘을 배경으로 하는 윤곽선》: the impressive Manhattan ~ 인상적인 맨해튼 스카이라인.

ský màrshal 《美》(하이재킹 방지를 임무로 하는) 기내(機內) 보안관.

sky·rock·et [∠rὰkit / ∠rɔ̀k-] *n.* 유성(流星) 꽃불, 봉화. ── *vi.* 급상승하다, 급등하다 : The trade deficit has ~*ed.* 무역 적자가 급상승했다.

***sky·scrap·er** [∠skrèipər] *n.* 마천루, 초고층 건물.

ský sìgn (전광) 공중 광고, 옥상 광고.

sky·ward [∠wərd] *ad.* 하늘쪽으로, 위쪽으로. ── *a.* 하늘로 향한.

sky·wards [∠wərdz] *ad.* =SKYWARD.

ský wàve〖通信〗공간파(波), 상공파(上空波)《전리층이나 인공 위성에 반사되어 전해지는》.

sky·way [∠wèi] *n.* Ⓒ 항공로(airway) ; 《美》고가식(高架式) 고속도로.

sky·writ·ing [∠ràitiŋ] *n.* (비행기가 연기 따위로 공중에 그리는) 공중 문자〔광고〕.

‡slab [slæb] *n.* Ⓒ ① **a**) (돌·나무·금속 등의 네모진) 두꺼운 평판(平板) : a stone ~ 석판. **b**) (고기·빵·치즈 등의) 두꺼운 조각 : a ~ of meat 두껍고 넓은 고기 조각. ②《英口》(the ~) (병원의) 석제 시체 안치대.

slab·ber [slǽbər] *n.* =SLOBBER.

slack**[1] [slæk] *a.* ① (밧줄·나사 등이) 느슨한 (loose). OPP *tight.* ¶ a ~ rope / The cable hung ~. 케이블이 늘어져 있었다. ② (사람이) 느즈러진, 꾸물거리는, 태만한 ; 되는 대로의《*in; at; about*》; (규율 따위가) 해이된 : He is ~ *in*〔*at*〕 his duties. 그는 근무에 태만하다 / He's always ~ *in*〔*at*〕 finishing his work. 일 마무리에 늘 꾸물거린다. ③ (장사가) 불경기의, 한산한, 침체된 : ~ time(차·식당 등이) 텅텅비는 시간(대) / Business is ~ these days. 요즘은 장사가 잘 안 된다. ***keep a ~ hand 〔***rein***〕 고삐를 늦추다 ; 관대하게 다루다.

── *n.* Ⓤ ① 느슨함, 느즈러짐 ; (the ~) (밧줄·띠 등의) 느즈러진 부분 : There's too much ~ in *the* rope. 로프가 너무 늘어져 있다. ② 불황(기), 불경기 : a ~ in business. ***take up*** 〔***take in, pull in***〕 ***the ~*** (1) (로프의) 느슨함을 죄다《*on ; in*》. (2) (부진한 사업 등에) 활력을 주다.

── *vt.* ①《~+目 / +目+副》(의무·경계 등)을 게을리하다《*away ; off*》: ~ *off* one's vigilance 〔effort〕 주의를〔노력을〕 게을리하다. ② (속도·밧줄 등)을 늦추다 : ~ *off* a rope / *Slack off* speed as you approach the corner. 코너가 가까워지면 속도를 늦추어라.

── *vi.* ① 느슨해지다. ② (풍속·경기 등이) 약해지다, 활기가 줄다《*off ; up*》: The rain has ~ *up.* 빗발이 약해졌다. ③ 게을리하다, 적당히 하다《*off; up*》: He's been ~*ing off* on the job. 그는 일을 게을리하여 왔다. ㊥ **∠·ly** *ad.* **∠·ness** *n.*

slack[2] *n.* Ⓤ〖鑛〗분탄(粉炭), 지스러기탄.

***slack·en** [slǽkən] *vt.* ① …을 늦추다《*off*》: ~ (*off*) a rope 로프를 늦추다. ② (노력·속도 등)을 줄이다, 떨어뜨리다《*up*》: ~ (*up*) speed for a corner 커브에서 속도를 줄이다. ── *vi.* ① (밧줄 등이) 느즈러지다《*off*》. ② **a**) (사람이) 게을러지다, 느려지다《*off; up*》: Most people ~ *off*〔*up*〕 at the end of a day's work. 대개의 사람은 일과가 끝날 즈음엔 행동이 느려진다. **b**) (속도 등이) 떨어지다 ; (경기 등이) 한산〔침체〕해지다《*off*》: The train suddenly ~*ed.* 갑자기 기차 속도가 떨어졌다.

slack·er [slǽkər] *n.* Ⓒ ① 태만한 사람 ; 일을 날리는 사람. ② 병역 기피자.

slacks [slæks] *n.* (*pl.*) 슬랙스《보통 웃옷과 한 벌이 아닌 헐거운 평상복 바지 ; 남녀 공용》.

sláck wáter 정지 상태의 조수(潮水), 게조(憩潮)(시(時))(=∠ **tíde**) ; (강 따위의) 정체된 물.

slag [slæg] *n.* ① Ⓤ (광석의) 용재(鎔滓), 광재(dross), 슬래그. ② Ⓤ 화산암재(滓). ③ Ⓒ《英俗·蔑》음란한 여자, 매춘부. ── (***-gg-***) *vt.* 《英俗》…을 헐뜯다, 혹평하다《*off*》. ── *vi.* 광재가 생기다.

slag·heap [slǽghìːp] *n.* Ⓒ《주로 英》광재〔버력〕 더미.

‡slain SLAY 의 과거분사.

slake [sleik] *vt.* ① (갈증·굶주림·욕망 따위)를 풀다, 채우다, 만족시키다(satisfy) ; (노염 등)을 누그러뜨리다(assuage) ; (원한 등)을 풀다. ② (불)을 끄다. ③ (석회)를 소화(消和)〔비화(沸化)〕하다. ── *vi.* (석회가)소화〔비화〕되다.

sla·lom [slάːləm, -loum] *n.* (흔히 the ~) 슬랄롬《스키·오토바이·카누 등의 회전 경기〔활강〕》.

— *vi.* 슬랄롬〔회전 활강〕을 하다.

***slam**[1] [slæm] (**-mm-**) *vt.* ①《~+목/+목+부》(문 따위)를 탕〔쾅〕 닫다: He ~*med* the door shut. 그는 문을 쾅하고 닫았다. ②《~+목/+목+전+명》 **a**) (무엇)을 털썩〔탁〕 놓다〔던지다〕, 냅다 팽개치다: ~ a book *on* a desk 책상 위에 책을 털썩 내려놓다. **b**) (브레이크 등)을 급히 밟다: ~ *on* the brakes=~ the brakes *on* 급브레이크를 밟다. ③ …을 세게 치다〔부딪다〕: ~ one's head against a wall 머리를 벽에 부딪다. ④ …을 혹평하다《신문 용어》: The critics ~*med* the play as childish. 비평가들은 극이 유치하다고 혹평했다. — *vi.* 쾅〔탁〕 닫히다; 쾅 떨어지다〔부딪다〕: The door ~*med* (shut) in the wind. 바람에 문이 쾅 닫혔다.

— *n.* ① (a ~) 난폭하게 닫기〔치기, 부딪기〕; 쾅, 탁, 쿵: with *a* ~ 쾅하고; 난폭하게. ② Ⓒ 《口》 혹평.

slam[2] *n.* Ⓒ 〖카드놀이〗 전승, 완승.

slam-bang [-bǽŋ] *ad.* 쾅, 탕(하고). — *a.* ① 통탕거리는, 성가신. ② 기운찬, 정력적인. ③ 굉장한, 뛰어난.

slám dùnk 〖籠〗 슬램덩크《강력한 덩크슛》.

slam·mer [slǽmər] *n.* (흔히 the ~) 《美俗》 감방, 빵깐, 교도소.

***slan·der** [slǽndər / slɑ́ːn-] *n.* Ⓤ,Ⓒ 중상, 비방; 〖法〗 구두(口頭) 명예 훼손. cf libel.

— *vt.* …을 중상〔비방〕하다, 명예를 훼손하다. ㊕ **~·er** [-rər] *n.*

slan·der·ous [slǽndərəs / slɑ́ːn-] *a.* 중상적인; 헐뜯는, 비방하는; (사람이) 입이 험한: a ~ tongue 독설. ㊕ **~·ly** *ad.*

‡**slang** [slæŋ] *n.* Ⓤ ① 속어, 슬랭《표준적인 어법으로 인정되어 있지 않은 구어》. ★ 단수로 표시할 때는 a slang word〔expression〕이라고 함. ¶ "Pot" is ~ for "marijuana." 'pot'은 마리화나의 속어이다. ② (어떤 계급·사회의) 통용어, 전문어, 술어: students' ~ 학생어 / doctors' ~ 의사끼리의 전문어. ③ (도적 따위의) 은어. — *vt.* 《英口》 …의 욕을 하다, …를 험담〔매도〕하다(abuse).

slangy [slǽŋi] (**slang·i·er; -i·est**) *a.* 속어적인, 속어가 많은; 속어를 쓰는. ㊕ **-i·ness** *n.*

‡**slant** [slænt / slɑːnt] *n.* ① (*sing.*) 경사, 비탈; 사면(斜面), 빗면; 〖印〗 사선《/》: the ~ of a roof 지붕의 물매. ② Ⓒ (마음 따위의) 경향; 관점, 견해《*on*》: have the wrong ~ *on* the problem 문제에 관해 잘못된 견해를 갖고 있다. ③ Ⓒ 《美口》 슬쩍〔언뜻〕 봄, 곁눈질(glance): give 〔take〕 a ~ at …을 흘끗보다. ***on*** 〔***at***〕 ***the*** 〔***a***〕 ~ 비스듬히: sit *at a* ~ 비스듬히 앉다.

— *a.* 기운, 비스듬한: a ~ ray of light 비스듬히 비추는 한 줄기 광선.

— *vt.* ① …을 비스듬히 하다; 기울이다: ~ a line 선을 비스듬히 긋다. ②《~+목/+목+전+명》〔흔히 受動으로〕 (기사·사실 등)을 왜곡(歪曲)하다; (기사 등)을 어느 특정 계층에 맞게 쓰다〔편집하다〕: ~ one's testimony 증언을 왜곡하다 / a magazine ~*ed* for rural readers 농촌 독자들에게 맞게 편집한 잡지.

— *vi.* 《~/+전+명》 기울다, 경사지다《*on, upon; against*》: ~ *to* the right 우로 기울다.

slant-eyed [-àid] *a.* 눈꼬리가 올라간; 《蔑》 극동 출신인.

slant·ing [slǽntiŋ / slɑ́ːnt-] *a.* 경사진, 비스듬한: the ~ rays of the sun 석양의 빛, 사양(斜陽). ㊕ **~·ly** *ad.*

slant·ways, -wise [slǽntwèiz / slɑ́ːnt-], [-wàiz] *ad., a.* 비스듬히〔한〕, 기울게, 기운.

‡**slap** [slæp] *n.* Ⓒ ① (손바닥 같은 것으로) 철썩 때리기: She gave him a ~ across〔on〕 the face. 그녀는 그의 따귀를 철썩 갈겼다. ② 모욕(insult), 비난; 거절(rebuff). ***a ~ in the face*** (1) 따귀를 때리기. (2) 퇴짜; (면전에서의) 거절; 모욕. ***a ~ on the wrist*** 《口》 가벼운 벌〔경고〕.

— (**-pp-**) *vt.* ①《~+목/+목+전+명》 …을 철썩 때리다: ~ a person *in*〔*on*〕 the face =~ a person's face 아무의 빰을 철썩 때리다. ②《+목+전+명》 …을 세게 〔탁, 털썩〕 놓다《*down; on*》: ~ a book (*down*) *on* the desk 책상 위에 책을 털썩 놓다. ③ (페인트·버터 따위)를 …에 (아무렇게) 바르다《*on; onto*》: ~ paint *on* the wall 벽에 페인트를 마구 바르다. **~ *down*** (1) = *vt.*②. (2) …을 거칠게 억누르다, 제지하다; 호되게 나무라다; 딱 잘라 거절하다.

— *ad.* ① 철썩: hit a person ~ in the face …의 따귀를 철썩 갈기다. ② 정면으로: run ~ into the wall 벽에 정면으로 충돌하다.

slap-bang [-bǽŋ] *ad.* 《口》 격렬하게; 갑자기, 느닷없이; 정면으로.

slap·dash [-dæ̀ʃ] *ad.* 함부로, 무모하게, 되는 대로. — *a.* 날림의, 되는 대로의: My cooking is rather ~. 내 요리 솜씨는 좀 엉터리다.

slap·hap·py [-hæ̀pi] (**-pi·er; -pi·est**) *a.* 《口》 ① (얻어 맞고) 비틀거리는(groggy), 휘청거리는. ② 《英》 =SLAPDASH. ③ 너무 들떠 있는, 매우 기분이 좋은.

slap·stick [-stìk] *n.* ① Ⓒ (어릿광대의) 끝이 갈라진 타봉(打棒). ② Ⓤ 공연히 요란만 떠는 희극.

slap-up [-ʌ̀p] *a.* 《英口》 (호텔·식사 따위가) 일류의, 최고급의(excellent).

***slash** [slæʃ] *vt.* ① (검·나이프 따위로) …을 휙 〔썩〕 베다, 내리쳐 베다; 난도질하다; 깊숙이 베다: ~ a car seat 차의 시트를 마구 베다. ② …을 채찍으로 치다(lash): ~ a person with a whip 아무를 채찍으로 때리다. ③ (옷의 일부)를 터 놓다《안감이 보이게》, 옷에 슬릿(slit)을 내다: a ~*ed* dress. ④ (가격·예산 등)을 대폭 깎아내리다〔삭감하다〕; (책의 내용 등)을 삭제하다, 크게 개정(改訂)하다: ~ prices〔taxes〕 가격〔세금〕을 대폭 삭감하다. ⑤ …을 혹평하다, 깎아내리다.

— *vi.* 《+전+명》 ① (…을 향해) 마구 칼질〔매질〕하다《*at*》: ~ *at* the vines with a machete 큰 낫으로 덩굴을 마구 자르다. ② (비 따위가) 내리 퍼붓다.

— *n.* ① Ⓒ 휙〔썩〕 벰, 한 번 내리침, 일격; 난도질; 깊은 상처; 한번의 채찍질. ② Ⓒ (옷의) 터놓음, 슬릿(slit). ③ Ⓒ 삭감, 절하. ④ Ⓒ 〖印〗 사선《/》. ⑤ (a ~) 《英俗》 방뇨.

slash-and-burn [slǽʃəndbə́ːrn] *a.* (농사가) 화전식(火田式)의.

slash·ing [slǽʃiŋ] *a.* ① 맹렬한, 신랄한: (a) ~ rain 억수. ② 《口》 굉장한, 훌륭한.

slat [slæt] *n.* (블라인드 등의) 슬랫《금속제·목제·플라스틱제의 가늘고 긴 얇은 조각》.

‡**slate**[1] [sleit] *n.* ① Ⓒ (지붕을 이는) 슬레이트; Ⓤ 점판암(粘板岩): a ~ quarry 점판암〔슬레이트〕 채석장 / roofing ~ 지붕용 슬레이트. ② Ⓒ (옛날에 필기용으로 쓰던) 석판(石板). ③ Ⓒ 《美》 (지명) 후보자 명부. ***a clean ~*** 깨끗한〔훌륭한〕 경력〔기록〕. ***clean*** 〔***wipe off***〕 ***the ~ =wipe the ~ clean*** 과거를 청산하다〔불문에 붙이다〕.

— *vt.* ① (지붕)을 슬레이트로 이다: The roof was ~*d*, not thatched. 지붕은 짚이 아니고 슬레이트로 이어져 있었다. ②《~+목》〔흔히 受動으로〕 …을 (…의) 후보로 세우다: He *was* ~*d for* the next chairman. 그가 차기 의장 후보로 정해져

있었다. ③《~+목/+목+전+명》〔受動으로〕《美》예정하다 : The meeting *is* ~*d for* August. 그 회합은 8월에 열릴 예정이다.
— *a.* 석판질(質)의, 석판의〔같은〕; 석판색〔쥐색〕의.

slate² [sleit] *vt.* 《英口》 …을 혹평하다, 깎아내리다.

sláte pèncil 석필.

slat·er [sléitər] *n.* Ⓒ 슬레이트공(工), 지붕이는 사람.

slat·tern [slǽtərn] *n.* Ⓒ 단정치 못한 여자; 허튼 계집, 매춘부. — *a.* =SLATTERNLY.

slat·tern·ly [slǽtərnli] *a.* 단정〔칠칠〕치 못한, 몸가짐이 헤픈. — *ad.* 단정치 않게, 흘게 늦게.

slaty [sléiti] (***slat·i·er*** ; ***-i·est***) *a.* ① 슬레이트색의; 암회색의. ② 슬레이트 같은.

‡**slaugh·ter** [slɔ́ːtər] *n.* ①Ⓤ (식용 동물의) 도살(butchering). ②Ⓤ,Ⓒ (흔히 대규모의) 학살, 대량 살인(massacre). ③Ⓒ (흔히 *sing.*) 《口》 (스포츠의) 완패. — *vt.* ① …을 도살하다(butcher). ② (전쟁 따위로) …을 대량 학살하다 : Many people were ~*ed* by the occupation army. 다수의 민간인이 점령군에 의해 학살되었다. ③《口》…을 완패시키다. ㊫ **~·er** [-tərər] *n.*

slaugh·ter·house [-hàus] *n.* Ⓒ 도살장.

slaugh·ter·ous [slɔ́ːtərəs] *a.* 살육을 즐기는, 잔인한. ㊫ **~·ly** *ad.*

Slav [slɑːv, slæv] *n.* ① (the ~s) 슬라브 민족 《Russians, Bulgarians, Czechs, Poles 등의 인종》. ②Ⓒ 슬라브인. — *a.* =SLAVIC.

‡**slave** [sleiv] *n.* ① 노예; 노예처럼 일하는 사람 : free ~*s* 노예를 해방하다. ②《比》…에 빠진〔사로잡힌〕 사람; 헌신하는 사람《*of* ; *to*》: a ~ *of* 〔*to*〕 alcohol 술에 빠진 사람.
— *vi.* 《~+뷔/+전+명》 노예처럼〔고되게〕 일하다《*away*》: ~ *away* for a living 생활비를 벌기 위해 고되게 일하다.

sláve drìver ①노예 감독. ②무자비하게 일을 시키는 주인〔고용주〕.

slave·hold·er [ˊ-hòuldər] *n.* Ⓒ 노예 소유자.

sláve lábor 노예의 노동; 강제〔저임금〕 노동; 《戱》 저임금의 고된 일.

slav·er¹ [sléivər] *n.* Ⓒ 〖史〗 노예 상인; 노예선(船).

slav·er² [slǽvər, sléivər] *vi.* 침을 흘리다(slobber)《*over*》. — *n.* Ⓤ 침, 군침(saliva).

‡**slav·ery** [sléivəri] *n.* Ⓤ ① 노예의 신분; 노예의 몸〔신세, 상태〕: be sold into ~ 노예로 팔리다. ②노예 제도; 노예 소유 : Lincoln abolished ~. 링컨은 노예 제도를 폐지시켰다. ③굴종, 예속; (욕망·악습 등의) 노예《*to* ; *of*》: ~ *to* drink 술에 빠짐. ④혹심한 노동〔일〕.

sláve shìp 노예(무역)선.

Sláve Stàte 〖美史〗 (종종 the ~s) 노예주(州) 《남북 전쟁 때까지 노예 제도가 인정되던 미국 남부의 15개 주》.

sláve tràde〔**tràffic**〕 〖史〗 노예 매매.

Slav·ic [slɑ́ːvik, slǽv-] *a.* 슬라브족의; 슬라브 어(語)의. — *n.* Ⓤ 슬라브 어(Slavonic).

slav·ish [sléiviʃ] *a.* ①노예의; 노예적인; 노예 근성의. ②독창성이 없는, 똑같이 모방하는, 맹종하는 : a ~ follower of fashion 유행에 맹종하는 사람. ㊫ **~·ly** *ad.* **~·ness** *n.*

Sla·von·ic [sləvɑ́nik/-vɔ́n-] *a.* =SLAVIC.

slaw [slɔː] *n.* Ⓤ 양배추 샐러드(coleslaw).

‡**slay** [slei] (***slew*** [sluː]; ***slain*** [slein]) *vt.* ① …을 살해하다《★《英》에서는 주로《文語·戱》,《美》에서는 보통 저널리즘 용어》: He was *slain* by his enemy. 그는 적에게 살해되었다. ②《美俗》(관객 따위)를 크게 웃기다, 포복절도케 하다. ㊫ **ˊ·er** *n.* Ⓒ 살해자.

slea·zy [slíːzi, sléi-] (***-zi·er*** ; ***-zi·est***) *a.* ① (건물 따위가) 너절한, 초라한 : a ~ hotel in a dirty dark street 어둡고 지저분한 거리에 있는 너절한 호텔. ② (옷·천 따위가) 얄팍한, 흐르르한 (flimsy). ㊫ **-zi·ly** *ad.* **-zi·ness** *n.*

***sled** [sled] *n.* Ⓒ 《주로 美》 ① (놀이용의 작은) 썰매. ② (말이나 개가 끄는) 대형 썰매. ⓒⓕ sleigh.
— (*-dd-*) *vt.* …을 썰매로 나르다. — *vi.* 썰매를 타다, 썰매로 가다.

sled·ding [slédiŋ] *n.* Ⓤ ① 썰매 이용; 썰매 타기; (썰매 이용에 알맞은) 눈의 상태. ②《美》(일 등의) 진행 상태 : The work was hard ~. 그 일은 꽤나 진척이 어려웠다.

sléd〔**slédge**〕 **dòg** 썰매 끄는 개.

***sledge¹** [sledʒ] *n.* Ⓒ ①《美》(승용·하물 운반용의) 대형 썰매. ②《英》=SLED ①.
— *vi.* 《英》 썰매로 가다, 썰매타기하다 : ~ down a hill 썰매를 타고 언덕을 내려가다. — *vt.* 《美》 …을 썰매로 나르다.

sledge² *n., v.* =SLEDGEHAMMER.

sledge·ham·mer [slédʒhæ̀mər] *n.* Ⓒ 대형 쇠망치〔해머〕. — *a.* 강력한, 압도〔괴멸〕적인 : a ~ blow 치명적 타격.

***sleek** [sliːk] *a.* ① (모발·모피 따위가) 매끄러운(smooth), 윤기 있는(glossy) : ~ hair 윤기 있는 머리털. ② (옷차림 따위가) 단정〔말쑥〕한, 맵시있는, 스마트한. ③ 말주변이 좋은; 대인 관계가 부드러운. — *vt.* …을 매끄럽게〔반드럽게〕 하다, 윤을 내다; 매만지다《down》.
㊫ **ˊ·ly** *ad.* **ˊ·ness** *n.*

†**sleep** [sliːp] (*p., pp.* ***slept*** [slept]) *vi.* ① 잠자다, 자다 : Did you ~ well last night? 어젯밤에 잘 잤느냐 / I normally ~ on my back. 나는 평소 반듯이 누워서 잔다. ② (…에서) 자다, 유숙하다, 묵다《*at* ; *in*》; (이성과) 동침하다《*together* ; *with*》: I *slept* at his house last night. 나는 어젯밤 그의 집에서 잤다〔묵었다〕. ③ 영원히 잠들어 있다, 묻혀 있다 : He ~*s* in this grave. 그는 이 무덤에 잠들어 있다. ④ (기능 따위가) 활동하지 않다, (제자리에) 가만히〔조용히〕 있다; (동물이) 동면하다 : His sword now ~*s* in its sheath. 그의 칼은 지금 칼집에 들어 있다 / The town slept. 도시는 잠든 것처럼 조용했다. ⑤ (팽이가) 서 있다《빨리 돌아 움직이지 않는 것처럼 보임》.
— *vt.* ①〔흔히 修飾語가 따른 同族目的語를 수반하여〕 잠자다, …한 잠을 자다 : ~ a calm *sleep* 숙면하다 / ~ one's last *sleep* 영면하다, 죽다. ②〔~ oneself〕 잠을 자서 자신을 …상태로 하다; 잠을 자서 …을 고치다〔없애다〕: ~ *oneself* sober 잠을 자서 술을 깨다 / I *slept off* my headache. 잠을 자서 두통을 없애다. ③투숙시키다, …만큼의 침실이 있다 : The lodging house ~*s* 30 men. 그 여인숙엔 30명을 수용할 방이 있다 / Each apartment ~*s up* to five adults. 각 방에 성인 다섯은 잘 수 있다. ④ 자서 (시간)을 보내다《*away* ; *through*》: I *slept* the night *through*. 그 밤을 깨지 않고 내처 잤다. ~ ***in*** ⑴ (주인집에서) 숙식하다《고용인이》. ⑵ 늦잠자다. ~ ***like a log*** 〔***top***〕 푹 자다. ~ ***it off*** 《口》 잠을 자서 술을 깨다. ~ ***on*** 〔***upon***〕 〔종종 it을 수반하여〕《口》 (문제 따위)를 하룻밤 자고 생각하다; …의 결정을 다음날〔뒤〕로 미루다. ~ ***out*** 외박하다; (근무처에서 숙식하던 사람이) 통근하다(ⓞⓟⓟ sleep in); 《口》 옥외에서 자다. ~ ***over*** (남의 집에) 외박하다, 하룻밤 자다. ~ ***through*** … (소음 따위)에 깨지 않고 계속 자다 : ~ *through* a noise.
— *n.* ① 잠; 졸음; (a ~) 수면 (시간) : get some ~ 잠을 좀 자다 / talk in one's ~ 잠꼬대하

다 / *a* short ~ 짧은 수면. ② Ⓤ 활동 정지, 정지(靜止); (감각의) 마비; (식물의) 수면; 동면. ③ Ⓤ《婉》영면, 죽음: one's last ~ 죽음, 최후의 잠. ④ Ⓤ《口》눈곱. ***get to*** ~ 〔흔히 疑問文·否定文으로〕 잠들다: I can*'t get to* ~ this night. 오늘밤은 잠을 잘 수 없다. ***go to*** ~ (1) 잠자리에 들다. (2)《口》(팔·다리가) 저리다. ***lose*** ~ ***over*** 〔***about***〕〔흔히 否定文으로〕《口》…에 관해 잠잘 수 없을 정도로 걱정〔염려〕하다. ***put*** 〔***send***〕 … ***to*** ~ (1) …을 재우다: *put*〔*send*〕 a child *to* ~ 아기를 재우다. (2) …을 마취시키다《수술 등을 위해》. (3) (짐승 따위)를 안락사시키다.

***sleep·er** [slíːpər] *n.* Ⓒ ① 잠자는〔자고 있는〕 사람; 잠꾸러기; 동면 동물: a good〔bad〕 ~ 잘 자는〔잠 못 이루는〕 사람. ②《英》(철도의) 침목(《美》 tie); (건축용으로) 땅 위에 눕혀 놓은 목재. ③《美》침대차. ④ (흔히 *pl.*)《美》(특히 어린이용) 잠옷《발이 안 나오게 되어 있음》. ⑤《美口》예상 외로 성공한 사람〔것〕, 우연히 얻은 진귀한 것. ⑥ 슬리퍼《오랫동안 한 지방에 살며 거기 동화된 간첩》.

sleep-in [⌐ìn] *a., n.* 근무처에서 숙식하는 (사람)《가정부·간호사 등》.

sleep·ing [slíːpiŋ] *n.* Ⓤ ① 잠, 수면. ② 휴지(休止), 활발치 않음. ── *a.* ① 자고 있는: She looked lovingly at the ~ child. 잠자고 있는 아이를 사랑스러운 듯이 들여다보았다. ② 최면용의. ③ (손발이) 마비되, 저린.

sléeping bàg 〔**sàck**〕 침낭(寢囊), 슬리핑 「백.

sléeping càr 〔《英》 **càrriage**〕 (철도의) 침대차(sleeper).

sléeping pártner 《英》(경영에 참여치 않는) 익명 사원(《美》 silent partner).

sléeping pìll 〔**tàblet**〕 수면제.

sléeping polícemen 《英》 과속(過速) 방지턱. Ⓒⓕ speed bump, rumble strip.

sléeping sìckness 〖醫〗 ① 수면병《열대의 전염병》. ② 기면성(嗜眠性) 뇌염.

sleep·less [slíːplis] *a.* ① 잠 못 자는, 잠들〔안면할〕 수 없는: spend〔pass〕 a ~ night 잠못이루는 밤을 보내다. ② 쉬지 않는, 끊임없는; 방심하지 않는: ~ care 부단한 주의.
㊕ **~·ly** *ad.* **~·ness** *n.*

sleep·walk·er [⌐wɔ̀ːkər] *n.* Ⓒ 몽유병자.

sleep·walk·ing [⌐wɔ̀ːkiŋ] *n.* Ⓤ 몽유병.

‡sleepy [slíːpi] (***sleep·i·er*** ; ***-i·est***) *a.* ① 졸린, 졸음이 오는; 졸린 듯한: I feel very ~. 몹시 졸립다 / She suddenly started to feel very ~. 그녀는 갑자기 잠이 쏟아지는 듯했다. ② 자고 있는 듯한; 활기가 없는: a ~ fishing village 조용한 어촌. ③ (과일이 곯아서) 물컹거리는.
㊕ **sléep·i·ly** *ad.* **-i·ness** *n.*

***sleep·y·head** [-hèd] *n.* Ⓒ 잠꾸러기《특히 아이》.

***sleet** [sliːt] *n.* Ⓤ 진눈깨비: The rain turned to ~. 비는 진눈깨비로 변했다.

sleety [slíːti] (***sleet·i·er*** ; ***-i·est***) *a.* 진눈깨비의, 진눈깨비가 오는.

‡sleeve [sliːv] *n.* Ⓒ ① 소매, 소맷자락: She pulled me by the ~. = She pulled my ~. 그녀는 내 소맷자락을 당겼다. ②《주로 英》(레코드의) 재킷 (《美》 jacket). ③ 〖機〗 슬리브《축(軸) 따위를 끼우는 통·관(管)》. ***have***〔***keep***〕 ***up*** one***'s*** ~ 만일에 대비해 몰래 …을 준비하고 있다. ***laugh in*** 〔***up***〕 one***'s*** ~《口》가만히〔뒷전에서〕 웃다, 득의의 미소를 짓다. ***roll*** 〔***turn***〕 ***up*** one***'s*** **~s**《口》소매를 걷어붙이다; (큰 일의) 준비를 하다, 본격적으로 달라붙다.

sleeved [sliːvd] *a.* ① 소매 있는〔달린〕. ② 〔複合語로〕 …한 소매의: short-〔long-, half-〕~ 짧은〔긴, 반〕 소매의.

sleeve·less [slíːvlis] *a.* 소매 없는.

sléeve nòte 《英》 레코드 재킷에 인쇄된 해설 (《美》 liner notes).

***sleigh** [slei] *n.* Ⓒ 썰매《흔히 말이 끌고 사람이 탐》. ★《英》에서는 sledge가 일반적임. ¶ Santa Claus in his ~ 썰매를 탄 산타클로스.
── *vi.* 썰매로 가다, 썰매를 타다.

sleight [slait] *n.* Ⓤ,Ⓒ 능숙한 솜씨, 재빠르고 재치있는 솜씨(skill); 술책, 기계(奇計); 교활; 속임수(trick), 요술. ~ ***of hand*** (1) 날랜 손재주. (2) 요술, 기술(奇術). (3) 속임수.

‡slen·der [sléndər] (**~·*er*** ; **~·*est***) *a.* ① 홀쭉한, 가느다란, 가냘픈, 날씬한. Ⓒⓕ slim. ¶ a ~ woman 날씬한 여자. ② 얼마 안 되는, 적은, 빈약한(meager): a ~ income 얼마 안 되는 수입. ③ (가능성·근거 등이) 희박한: a ~ possibility 희박한 가능성. ㊕ **~·ly** *ad.* **~·ness** *n.*

slen·der·ize [sléndəràiz] *vt.* ① …을 가늘게 하다. ② (운동·다이어트 등으로) 몸을 날씬하게 하다: No dessert for me, Kelly. I'm trying to ~. 켈리야, 후식은 그만두어(라). 살 빼는 중이니까.

†slept SLEEP의 과거·과거분사.

sleuth [sluːθ] *n.* Ⓒ ①《口·보통 戲》형사, 탐정(detective). ② = SLEUTHHOUND. ── *vi., vt.*《口》추적하다, 뒤를 밟다(track).

sleuth·hound [⌐hàund] *n.* Ⓒ 경찰견(犬), (특히) 블러드하운드(bloodhound).

Ś lèvel 〖英教育〗 대학 장학금 과정《GCE의 최고 수준》. [◂ *S*cholarship *level*].

slew[1] [sluː] *n.* Ⓤ《美·Can.》습지; 늪.

slew[2] *vt.* …을 돌리다. ── *vi.* 돌다, 피하다.
── *n.* Ⓤ (수평적인) 회전.

slew[3] *n.* (a ~)《美口》다수, 대량, 많음(*of*): *a* ~ *of* relatives〔people〕 많은 친척〔사람〕.

***slew**[4] SLAY의 과거.

slewed [sluːd] *a.*《俗》술 취한.

‡slice [slais] *n.* Ⓒ ① (빵·햄 따위의) 얇은 조각, (베어낸) 한 조각, 단편(斷片): a ~ *of* bread〔meat〕 / a ~ *of* life 인생의 한 단면. ② 한 부분(part), 몫(share)(*of*): a ~ *of* the work 일의 일부분 / a ~ *of* the profits 이익의 몫. ③ 얇은 식칼; 생선 써는 나이프(fish ~)《식탁용》; (부침 따위의) 뒤집개. ④ (골프 등에서 오른손잡이의) 우곡구(右曲球), 슬라이스. Ⓒⓕ hook.
── *vt.* ① (~+목 / +목+부) …을 얇게 베다〔썰다〕(*up*); 얇게 베어〔저며〕내다(*off*): ~ an apple (*up*) 사과를 얇게 썰다 / ~ *off* a piece of meat 고기 한 조각을 얇게 베어내다. ② (~+목 / +목+부 / +목+전+명) …을 나누다, 자르다, 분할하다: ~ a watermelon *in* four 수박을 넷으로 자르다 / ~ the beef thin 소고기를 얇게 썰다〔자르다〕. ③ (손가락 따위)를 베다: ~ one's finger by accident 실수로 손가락을 베다. ④ (배 따위가) …을 가르듯이 나아가다. ⑤ (골프 등에서 공)을 곡타(曲打)하다, 깎아치다.
── *vi.* ① (골프 등에서) 공을 깎아치다, 곡타하다. ② 얇게 싹 베다(*through*). ③ (물·공기 등을) 가르듯이 나아가다(*into* ; *through*).
any way you **~ *it*** 《美口》 어찌 생각하든.
㊕ **⌐·a·ble** *a.*

slic·er [sláisər] *n.* Ⓒ (빵·햄 따위를) 얇게 써는 기계, 슬라이서.

slick** [slik] (**⌐·*er ; **⌐·*est***) *a.* ① 매끄러운(smooth), 미끈거리는(slippery): a ~ icy road 얼어서 미끄러운 길. ② 교묘한, 능란한(clever); 교

활한. ③ (잡지가) 광나는 고급지를 쓴 : a ~ magazine. ④ (태도가) 빈틈없는, 눈치빠른, 말솜씨가 좋은(plausible) : a ~ talker 구변 좋은 사람.
— *ad.* ① 매끄럽게 ; 교묘하게(cleverly). ② 정통으로(directly), 바로(exactly) : hit him ~ in the face 얼굴을 정통으로 때리다 / run ~ into …와 정면 충돌하다 / go ~ 매끄럽게 운전하다.
— *n.* Ⓒ ① 수면의 유막(油膜) (oil slick) ; 미끄러운 부분. ② (흔히 *pl.*) 《美口》 (광택지의 호화판) 고급 잡지《흔히 내용은 평범》.
— *vt.* ① …을 매끄럽게 하다 ; 《美口》 깨끗〔말쑥, 말끔〕하게 하다《*up* ; *off*》. ② (머리)를 기름을 발라 매끈하게 다듬다《*down*》.
㊕ **∠·ly** *ad.* **∠·ness** *n.*

slick·er [slíkər] *n.* Ⓒ ① 《美》 슬리커《길고 풍신한 레인코트》. ② 《美口》 협잡〔사기〕꾼 ; (잘 차려입고 약아빠진) 도시인.

***slid** SLIDE의 과거·과거분사.

‡slide [slaid] (***slid*** [slid] ; ***slid,*** 《古》 ***slid·den*** [slídn]) *vi.* ① 《~ / +副 / +前+名》 미끄러지다 《*on, upon ; over*》 ; 미끄러져 내리다《*down*》 ; 활주하다《*down ; off*》 : The snow *slid off* the roof. 눈이 지붕에서 미끄러져 내렸다. ② 《+前+名》 미끄럼타다 ; 〖野〗 슬라이딩하다 : ~ *on* ice 얼음을 지치다 / ~ *down* a banister 계단 난간을 미끄럼타다. ③ 《+副 / +前+名》 (부지중 악습 따위에) 빠지다《*into, to*》 : ~ *into* bad habits 부지중에 악습에 빠져들다. ④ 《+副 / +前+名》 (시간 등이) 어느새 지나가다 ; 살짝〔가만히〕 빠져 달아나다〔움직이다〕 : The boy *slid out of* the room. 소년은 몰래 방을 빠져나갔다 / The years ~ *away* swiftly. 세월이 덧없이 흘러간다.
— *vt.* ① 《~+目 / +目+前+名》 …을 미끄러지게 하다, 활주시키다《*down ; up ; on, upon*》 : ~ the car *to* the curb 자동차를 연석(緣石)까지 미끄러지듯이 대다. ② 《+目+前+名》 …을 미끄러져 들어가게 하다, 슬그머니〔가만히〕 넣다《*in, into*》 : He *slid* a letter *into* her pocket. 그는 편지를 그녀의 주머니에 슬그머니 집어 넣었다.
let (things) ~ (…을) 되어가는 대로 내버려 두다, 방치해 두다 : *Let* it ~ ! 《口》 내버려 둬. ~ ***over***〔***around***〕 (문제 등)을 (정면에서 맞붙지 않고) 피해 가다 ; 자세히 다루지 않고 처리하다 : ~ *over* a delicate subject 미묘한 문제를 비켜가다.
— *n.* Ⓒ ① 미끄러짐, 활주 ; 〖野〗 슬라이딩 : have a ~ on the ice 얼음 지치기를 하다. ② 비탈길 ; 미끄럼틀〔판〕 ; (물건을 떨어뜨리는) 활송(滑送) 장치(chute). ③ 〔흔히 複合語로〕 사태, 눈〔산〕사태 : ⇨ LANDSLIDE, SNOWSLIDE. ④ (가격·분량 등의) 하락, 저하. ⑤ 〖寫〗 (환등기·현미경의) 슬라이드. ⑥ 〖樂〗 (트롬본 따위의 U 자형) 활주관(滑奏管), 슬라이드 : the ~ in trombone 트롬본의 활주관.

slíde fàstener 지퍼(zipper).

slid·er [sláidər] *n.* Ⓒ 미끄러지는 사람〔물건〕 ; 〖機〗 (기계 따위의) 활동부(滑動部) ; 〖野〗 슬라이더《타자 근처에서 외각으로 빠지는 공》.

slíde rùle 계산자, 계산척.

slid·ing [sláidiŋ] *n.* Ⓤ,Ⓒ 미끄러짐, 활주 ; 〖野〗 「슬라이딩.

slíding dóor 미닫이(문).

slíding róof (자동차 따위의) 여닫는 지붕.

slíding scále 〖經〗 슬라이드제(制) 《임금 따위를 생계비 지수에 따라 조절하는》.

‡slight [slait] *a.* ① **a**) (수·양·정도 따위가) 약간의, 적은, 근소한(inconsiderable) : a ~ difference 근소한 차이 / a ~ increase 얼마 안 되는 증가. **b**) 〔最上級으로 否定文에〕 조금도(않은) : I have*n't* the ~*est* idea what you're talking about. 네가 무슨 말을 하고 있는지 도무지 모르겠다. ② 가벼운 ; 사소한, 대수롭지 않은, 하찮은(trivial) : a ~ cold〔wound〕 가벼운 감기〔상처〕. ③ (몸체 따위가) 가는, 홀쭉한, 가냘픈(slender) : a ~ girl 몸매가 가냘픈 소녀. ***make ~ of*** 《古》 …을 경시하다〔얕보다〕. ***not . . . in the ~est*** 조금도 …않는 : I'm *not* worried *in the ~est*. 나는 조금도 염려치 않는다. — *vt.* ① …을 경멸〔경시〕하다, 얕보다 ; 무시하다(disregard) : feel ~*ed* 무시당한 느낌이 들다 / They ~*ed* me by not inviting me. 그들은 나를 초대하지 않음으로써 나를 무시했다. ② (일 따위)를 등한(等閑)히 하다(neglect).
— *n.* Ⓒ 경멸, 얕봄 ; 모욕 ; 등한시 ; 냉대《*to ; on*》 : suffer ~*s* 경멸을 당하다. ***put a ~ upon*** …을 경시〔모욕〕하다.

slight·ing [sláitiŋ] *a.* 깔보는, 경멸하는, 모욕하는. ㊕ **~·ly** *ad.*

‡slight·ly [sláitli] (***more ~ ; most ~***) *ad.* ① 약간, 조금 : It's ~ colder. 조금 춥다 / The patient is ~ better today. 환자는 오늘 좀 괜찮다. ② 약하게, 홀쭉하게, 가냘프게 : a ~-built boy (몸매가) 가냘픈 소년.

sli·ly [sláili] *ad.* =SLYLY.

slim** [slim] (slím·mer ; slím·mest***) *a.* ① 호리호리한, 날씬한, 가냘픈(slender) : She has a ~ figure. 그녀는 몸매가 날씬하다. ② 얼마 안 되는, 불충분한(scanty) ; 빈약한 : endure a ~ income 박봉을 참고 견디다.
— (**-*mm*-**) *vi.* (감식·운동 따위로) 체중을 줄이다 : She ought to ~ (down). 그녀는 체중을 줄여야 한다. — *vt.* …을 가늘게〔마르게〕 하다 ; (규모)를 줄이다, 삭감하다《*down*》 : The company recently ~*med* its product line. 회사는 최근 제품 라인을 줄였다. ㊕ **∠·ly** *ad.* 호리호리하게 ; 불충분하게. **∠·ness** *n.*

slime [slaim] *n.* Ⓤ ① (하저 등의) 차진 흙, 연니(軟泥), 이사(泥砂). ② (달팽이·미꾸라지 따위의) 점액.

slimy [sláimi] (***slim·i·er ; -i·est***) *a.* ① 진흙(투성이)의 ; 끈적끈적한 ; 점액성의. ② (사람·말이) 불쾌한 ; 혐오감을 주는(disgusting).
㊕ **slím·i·ly** *ad.* **-i·ness** *n.*

***sling** [sliŋ] *n.* Ⓒ ① **a**) 투석기(投石器)《예전의 무기》. **b**) Y자 모양의 새총《어린이 장난감》. ② (투석기에 의한) 투석 ; 휘둘러 던지기 ; 일격. ③ (무거운 것을) 달아 올리는 밧줄·사슬 ; 〖醫〗 팔걸이 붕대, 삼각건(巾) ; (총 따위의) 멜빵.
— (*p., pp.* ***slung*** [slʌŋ]) *vt.* ① …을 던지다 ; (돌)을 투석기로 날리다 : ~ stones *at* a dog. ② **a**) …을 매달다, 달아 올리다 ; (어깨)에 걸머지다, 메다 : ~ a gun *over* one's shoulder 총을 어깨에 메다. **b**) …을 걸치다《*over*》 : She *slung* her coat *over* the sofa. 코트를 벗어 소파에 걸쳐 놓았다.

sling·shot [slíŋʃàt / -ʃɔ̀t] *n.* Ⓒ 《美》 (Y자형의 고무줄) 새총(《英》 catapult).

slink [sliŋk] (***slunk*** [slʌŋk], 《古》 ***slank*** [slæŋk] ; ***slunk***) *vi.* 살금살금 걷다〔도망치다〕 《*away; off*》.

slink·ing·ly [slíŋkiŋli] *ad.* 몰래, 가만히, 살며시.

slinky [slíŋki] (***slink·i·er ; -i·est***) *a.* ① (행동이) 은밀한, 남의 눈에 안띄는. ② 《口》 (동작·자태 등이) 우아한. ③ 《口》 (여성복이) 우아하고 체형을 살린, 섹시한. ㊕ **~·i·ness** *n.*

‡slip[1] [slip] (*p., pp.* ***slipped*** [-t], 《古》 ***slipt*** [-t] ; ***slíp·ping***) *vi.* ① 《~ / +前+名》 (쩍) 미끄러지다, 미끄러져 넘어지다(trip) ; 미끄러져 내리다〔떨

어지다], 벗겨지다《*down; off*》(★ slip은 실수·사고로, slide는 의도적으로 미끄러지는 일): ~ *on* the ice / Be carefull not to ~. 미끄러질라, 조심해라 / I ~*ped* on the snow and sprained my ankle. 눈에 미끄러져 발목을 삐었다. ②《~ / +副 / +前+名》 슬그머니[가만히] 떠나다《*away; off*》; 미끄러져[몰래] 들어가다[나오다]《*in, into; out; out of*》: She ~*ped away* (*from* the doorway). 그녀는 살며시 (문으로) 빠져나갔다 / He ~*ped into* the room. 몰래 방으로 들어갔다. ③《~ / +副》 미끄러지듯 달리다[움직이다, 흐르다]; (때가) 어느덧 지나가다《*along; by*》: Time [The hours] ~*ped by*. 어느덧 세월이 지나갔다. ④《~ / +前+名》 **a**) (기회 등이) 사라지다《*away; by*》: let an opportunity ~ (*by*) 기회를 놓치다. **b**) (기억 등이) 없어지다, 사라지다《*from; out of*》: His name has ~*ped from* my mind. 그의 이름을 잊어버렸다. ⑤《+前+名》(비밀·이야기를) 무심코 입 밖에 내다《*from*》; 얼결에 틀리다[실수하다]《*in*》: The secret ~*ped* from her lips. 그 비밀이 그녀 입에서 무심결에 새어나갔다. ⑥《+前+名》 후딱[훌렁] 입다[벗다]《*into; off; out of*》: The child ~*ped into* [*out of*] his pajamas. 아이는 잠옷을 후딱 입었다[벗었다]. ⑦ (자동차·비행기가) 옆으로 미끄러지다(sideslip), 슬립하다.

— *vt.* ①《~+目 / +目+前+名》…을 미끄러뜨리다; …을 스르르[살짝] 넣다[꺼내다]《*into; out of*》: ~ a letter *into* [*out of*] a person's bag 아무의 가방에[가방에서] 편지를 살짝 넣다[꺼내다]. ②《+目+前+名 / +目+副》…을 쑥 끼우다[입다, 신다]《*on*》; 쑥 벗기다[빼다]《*off*》: ~ a ring *on* [*off*] one's finger 반지를 손가락에 끼우다[손가락에서 빼다] / ~ one's clothes *on* [*off*] 옷을 후딱 입다[벗다]. ③ …을 풀다, 풀어 놓다, 놓아 주다; (닻 따위)를 내리다: ~ a hound from the leash 사냥개를 사슬에서 풀어주다 / ~ anchor 닻을 내리다. ④ (기억)에서 사라지다, 없어지다: The appointment ~*ped* my memory [mind]. 약속 시간을 깜박 잊었다.

let . . . ~ (1) (비밀 따위)를 무심코 입밖에 내다, 실언하다. (2) (기회 등)을 놓치다. **~ *one* [*something, it*] *over on*** a person 《美口》 아무를 속이다, 아무에게 속임수를 쓰다. **~ *through*** a person***'s fingers*** ⇨FINGER. **~ *up*** 미끄러져 넘어지다; 헛디디다; 《口》 실수하다.

— *n.* ① **a**) 미끄러짐, 미끄러져 넘어짐, 헛디딤: a ~ on the ice 얼음 위에서 미끄러져 넘어지기. **b**) (비행기 따위의) 슬립, 옆으로 미끄러짐(sideslip). ② (무심결에 범하는) 오류, 실수(error): a ~ of the tongue 실언 / a ~ of the writing 오기(誤記). ③ 슬립《여성용 속옷》; 베갯잇. ④ (경사진) 조선대(造船臺). ⑤ (*pl.*) 〖劇〗 무대 측면의 출입구. ***give*** a person ***the*** ~ 《口》 (추적자·미행자)를 따돌리다.

slip² *n.* Ⓒ ① (천·종이 따위의) 가늘고 긴 조각, 종잇조각; 전표, 슬립: issue a ~ 전표를 떼다 / a sales ~ 매출 전표. ② 〖園藝〗 접지(椄枝), 꺾꽂이용 가지. ③ (흔히 *sing.*) 호리호리한 아이: a mere ~ of a boy[girl] 꺽다리 소년[소녀].

slip·case [ˊkèis] *n.* Ⓒ 책 케이스, 책갑.

slip·cov·er [ˊkʌ̀vər] *n.* Ⓒ《美》(긴 의자 따위의) 커버, 덮개.

slip·knot [ˊnɑ̀t / ˊnɔ̀t] *n.* Ⓒ 풀매듭.

slip-on [slípɑ̀n, -ɔ̀ːn / -ɔ̀n] *a., n.* (매거나 채우지 않고) 손쉽게 입고 벗을 수 있는 (옷·스웨터·신발(등)).

slip·over [slípòuvər] *n., a.* 머리를 꿰어 입는 (스웨터 따위), =PULLOVER.

slip·page [slípidʒ] *n.* Ⓤ ① 미끄러짐. ② (가치·가격의) 저하, 하락. ③ (목표·계획 등의) 지지부진, 지연.

slípped dísk [slípt-] 〖醫〗 추간판(椎間板) 헤르니아, '디스크': get a ~ 디스크에 걸리다.

‡slip·per [slípər] *n.* (*pl.*) 슬리퍼, 실내화: a pair of ~*s* 슬리퍼 한 켤레.

slip·pery** [slípəri] (-per·i·er; -i·est***) *a.* ① (길 따위가) 미끄러운: a ~ path 미끄러운 작은 길. ② (물건이) 미끈거리는, 붙잡기 힘든: a ~ eel. ③《口》(사람·사물이) 믿을 수 없는; 애매한; 교활한: a ~ customer 믿을 수 없는 사람. ***the*** ~ ***slope*** 《英口》 (쉽사리 곤경에 빠질 것 같은) 위험한 상황.

slip·py [slípi] (***-pi·er; -pi·est***) *a.* 《口》 ① =SLIPPERY. ②《주로 英》 재빠른, 기민한(nimble). ***Look*** ~ ! 서둘러라; 꾸물거리지 마라.

slip-road [slípròud] *n.* 《英》 고속 도로에의 진입로.

slip·shod [ˊʃɑ̀d / ˊʃɔ̀d] *a.* ①《古》 뒤축이 닳아빠진 구두[슬리퍼]를 신은. ② (입은 옷 따위가) 단정치 못한, 흘게 늦은(slovenly). ③ (일 따위가) 거친, 철저하지 못한, 엉터리의: a ~ report 적당히 만든 엉터리 보고서.

slip·stream [ˊstriːm] *n.* ① 〖空〗 (프로펠러의) 후류. ② 슬립스트림《고속 주행 중인 레이싱카 뒤에 생기는 저압(低壓) 기류; 후속 차가 이 부분에 들어오면 스피드 유지가 잘 됨》.

slip-up [slípʌ̀p] *n.* Ⓒ 《口》 (사소한) 잘못; 못 보고 빠뜨린 것.

slip·way [ˊwèi] *n.* Ⓒ (경사진) 조선대(造船臺), 선가(船架).

***slit** [slit] *n.* ① 길게 베어진 상처[자국]; 아귀; 갈라진 틈새. ② (스커트 따위의) 슬릿, 아귀. ③ (공중 전화·자동 판매기 등의) 동전 넣는 구멍.

— (*p., pp.* ~ ; ***ˊ·ting***) *vt.* ①《~+目 / +目+前+名》 (세로로) …을 가느다랗게 쪼개다[자르다, 째다, 찢다]: ~ wood *into* strips 나무를 가늘고 길게 쪼개다. ② (옷)에 슬릿을 내다. ③ (눈 따위)를 가늘게 뜨다.

slith·er [slíðər] *vi.* 주르르 미끄러지다; 미끄러져 가다[내리다].

— *n.* Ⓒ 주르르 미끄러짐.

slith·ery [slíðəri] *a.* 주르르 미끄러지는.

sliv·er [slívər] *n.* Ⓒ ① (목재·유리 등의) 쪼개진 가늘고 긴 조각《*of*》. ② (베이컨 등의) 조각; (낚시 미끼로서의) 물고기 살점《*of*》.

— *vt.* …을 가늘고 길게 자르다[쪼개다]. — *vi.* (세로로) 갈라지다, 쪼개지다.

slob [slɑb / slɔb] *n.* Ⓒ 《蔑》 게으르고 무례하거나 옷이 단정치 못한 사람.

slob·ber [slɑ́bər / slɔ́b-] *vi.* ① 침을 흘리다(drivel). ②《蔑》(…에게) 지나친 애정을 보이다; (…에 관해) 너무 감정을 넣어[감상적으로] 말하다《*over*》. — *vt.* (침 따위로) …을 더럽히다.

— *n.* ① Ⓤ 침. ② Ⓤ,Ⓒ 지나치게 감상적인 이야기; 우는 소리.

slob·bery [slɑ́bəri / slɔ́b-] (***-ber·i·er; -i·est***) *a.* ① 침흘리는, 침에 젖은[더러워진]. ② 몹시 감상적인, 우는 소리를 하는.

slog [slɑg / slɔg] (***-gg-***) *vt.* (복싱·크리켓 등에서) …을 강타하다: ~ a ball.

— *vi.* ① (…에) 쉬지 않고[열심히] 일하다《*at*》; 오랜 시간 걷다[행군하다]; 터벅터벅 걷다: ~ through the snow 눈 속을 터벅터벅 걷다. ② (…을) 강타하다《*at*》. — *n.* ① Ⓒ 강타, 난타. ② Ⓤ (또는 a ~) 장시간의 중노동[행군]. ~ ***it out*** 《口》 결말이 날 때까지 싸우다.

***slo·gan** [slóugən] *n.* Ⓒ (정당·단체 따위의) 슬

로건, 표어 ; (상품의) 선전 문구, 모토.

slog·ger [slágər / slɔ́gər] *n.* Ⓒ ① (권투·크리켓 등의) 강타자. ② 부지런한 사람.

sloop [slu:p] *n.* Ⓒ 슬루프형 돛배《외대박이의》.

slop [slap / slɔp] *n.* ① Ⓤ 엎지른 물 ; 흙탕물, 진창(slush). ② Ⓤ (또는 ~s) 구정물, 개숫물 ; 먹다 남은 찌꺼기《가축 사료》; (*pl.*) 똥오줌. ③ Ⓤ (또는 ~s) (환자용의) 반유동식《죽 따위》.
— (**-pp-**) *vt.* ① …을 엎지르다 ; …을 엎질러 더럽히다. ② (돼지 따위)에게 음식 찌꺼기를 주다.
— *vi.* ① (액체가) 엎질러지다, 넘치다《*over* ; *out*》. ② 진창길을 걷다《*about* ; *around*》.
~ ***around*** 〔***about***〕 (1) (액체가 그릇 안에서) 출렁거리다. (2) (물웅덩이 속을) 철버덕거리면서 돌아다니다. ~ ***out*** (교도소 수감자가) 방의 오물을 내다 버리다. ~ ***over*** (1) 넘치다. (2)《口》 마구 지껄이다 ; 푸념을 늘어놓다 ; 지나치게 감상적이되다.

slóp bàsin 〔《英》 **bòwl**〕 (식탁의) 찻잔 가신 물을 받는 그릇.

‡**slope** [sloup] *n.* ① Ⓒ 경사면, 비탈 ; (종종 *pl.*) 경사지 : walk slowly up a steep〔gentle〕 ~ 천천히 가파른〔완만한〕 비탈을 걸어올라가다. ② Ⓤ,Ⓒ 경사(도), 물매 : give a ~ to a roof 지붕을 물매지게 하다. ③ Ⓤ 〖軍〗 어깨총 자세 : at 〔come to〕 the ~ 어깨총 자세로〔자세를 취하다〕.
— *vt.* …을 물매〔경사〕지게 하다 : ~ the roof of a house 지붕에 물매를 지게 하다.
— *vi.* 《~ / +副 / +前+名》 경사지다, 비탈이 되다《*up; down*》: The land ~*s down* to the sea. 땅은 바다로 경사져 있다. ***Slope arms !*** 《口令》 어깨총(銃). ~ ***off*** 《英俗》 (일을 안 하려고) 몰래 달아나다. 「㊊ **~·ly** *ad.*

slop·ing [slóupiŋ] *a.* 경사진, 물매진, 비탈진.

***slop·py** [slápi / slɔ́pi] (**-pi·er** ; **-pi·est**) *a.* ① (음식이) 묽은, 물기〔수분이〕 많은, 맛 없는. ② (길 따위가) 질척거리는(muddy) ; 흙탕물을 튀기는 : a ~ road 질척한 길. ③ (옷차림·일 따위가) 단정치 못한(slovenly) ; 엉성한, 되는 대로의 (careless). ④《口》 감상적인, 계집애 같은 : ~ self-pity 나약한 자기연민.
㊊ **slóp·pi·ly** *ad.* **-pi·ness** *n.*

slop·shop [-ʃàp / -ʃɔ̀p] *n.* Ⓒ (싸구려) 기성복점.

slosh [slaʃ / slɔʃ] *n.* Ⓤ ① =SLUSH ①. ② (또는 a ~) (액체의) 철벅거리는〔튀기는〕 소리.
— *vt.* ① **a**) (흙탕물 따위)를 튀기다 ; (물 속에서) …을 마구 휘젓다, 마구 흔들다《*about; around*》. **b**) (페인트 따위)를 뒤바르다《*about; around*》. ② (아무)를 세게 때리다《*on* ; *in*》: He ~*ed* me *on* the chin. 그는 내 턱을 세게 갈겼다. — *vi.* 물〔흙탕〕 속을 절벅거리며 가다〔돌아다니다〕; 물을 튀기다《*about* ; *around*》; (액체 따위가) 출렁거리다《*about* ; *around*》: ~ *around* in a puddle 웅덩이에 철벙거리며 돌아다니다. 「(drunk).

sloshed [slaʃt / slɔʃt] *a.* 〔敍述的〕《口》 술 취한

slot [slat / slɔt] *n.* ① (기계의) 홈, 가늘고 긴 구멍 ; (공중전화·자동 판매기 따위의) 요금 삽입구 : insert coins into the ~ 삽입구에 동전을 넣다. ② **a**) (조직·계획·표 등에서의) 위치, 지위, 자리 : find〔make〕 a ~ in one's schedule (무엇을 끼워 넣기 위해) 스케줄을 비워 놓다. **b**) (TV·라디오의) 시간대. ③ 〖컴〗 슬롯.
— (**-tt-**) *vt.* ① …에 홈〔갸름한 구멍〕을 내다. ② …을 끼워넣다《*in* , *into*》: She ~*ted in* a fresh filter. 그녀는 새 필터를 끼워 넣었다.

***sloth** [slouθ, slɔ:θ] *n.* ① Ⓤ 게으름, 나태. ② Ⓒ 〖動〗 나무늘보.

sloth·ful [slóuθfəl, slɔ́:θ-] *a.* 나태한, 게으른 (indolent) ; 굼뜬. ㊊ **~·ly** [-li] *ad.* **~·ness** *n.*

slót machìne ①《英》 (표·과자 등의) 자동 판매기 (《美》 vending machine). ②《美》 슬롯 머신, 자동 도박기.

slouch [slautʃ] *n.* ① (a ~) 구부정한 걸음걸이 〔앉음새, 서 있는 자세〕: walk with *a* ~ 구부정한 자세로 걷다. ② Ⓒ 〔흔히 否定文으로〕《口》 재주가 없는〔무능한〕 사람《*at*》: He is *no* ~ *at* chess. 그는 체스에서는 여간내기가 아니다.
— *vi.* ① (모자 차양 따위가) 아래로 처지다 : a hat with a brim that ~*es* 차양이 아래로 처진 모자. ② **a**) 구부정하게 앉다〔서다〕. **b**) 구부정하게 걷다《*along* ; *about*》: The exhausted man ~*ed along*〔*about*〕. 지친 사람이 어깨를 축 늘어뜨리고 걷고〔돌아다니고〕 있었다. — *vt.* ① (모자 차양)을 한쪽으로 처지게 하다, (모자)를 깊숙이 눌러쓰다 : He ~*ed* his hat over his eyes. 그는 모자를 푹 눌러쓰고 있었다. ② (어깨 따위)를 구부리다 : with ~*ed* shoulders 어깨를 구부정하게 하고.

slóuch hát 챙이 늘어진 중절모.

slouchy [sláutʃi] (**slouch·i·er** ; **-i·est**) *a.* ① 앞으로 구부정한. ② 단정치 못한.

slough[1] [slau] *n.* Ⓒ ① 진창길, 질퍽한 데. ② [slu:] 《美·Can.》 저습지, 늪지대, 진구렁. ③ (타락·절망 등의) 수렁, 구렁텅이.
the ~ of despond 절망의 구렁텅이《Bunyan 작 *Pilgrim's Progress* 에서》.

slough[2] [slʌf] *n.* Ⓒ ① (뱀 따위의) 벗은 허물. ② 버린 습관〔편견〕. ③ 〖醫〗 딱지(scab).
— *vi.* ① (뱀 따위가) 허물을 벗다, 딱지가 떨어지다《*off* ; *away*》. ② 탈피하다. — *vt.* ① (껍질)을 벗(어버리)다《*off*》. ② 《~+目 / +目+副》 (편견 따위)를 버리다《*off*》: ~ *off* old habits 묵은 습관에서 벗어나다.

sloughy [sláui, slú:i] (**slough·i·er** ; **-i·est**) *a.* 질퍽거리는, 진창의 ; 진구렁 같은.

Slo·vak [slóuvæk] *n.* Ⓒ 슬로바키아 사람《서(西) 슬라브족의 하나》; Ⓤ 슬로바키아 말.
— *a.* 슬로바키아 민족〔말〕의.

Slo·va·kia [slouvά:kiə, -vǽ-] *n.* 슬로바키아 공화국《유럽 중부의 구 체코슬로바키아 동부를 점하고 있음 ; 수도 : Bratislava》.
㊊ **Slo·va·ki·an** [-n] =SLOVAK.

slov·en [slʌ́vən] *n.* Ⓒ 꾀죄죄한 사람, 게으름쟁이 ; 깔끔하지 못한 사람.

Slo·vene [slóuvi:n, -ˊ] *n.* Ⓒ Slovenia 사람 ; Ⓤ Slovenia 말. — *a.* 슬로베니아 인〔말〕의.

Slo·ve·nia [slouví:niə, -njə] *n.* 슬로베니아 공화국《1991년 Yugoslavia 에서 분리 독립함 ; 수도 : Ljubljana》. ㊊ **-ni·an** [-n] *n., a.* =SLOVENE.

***slov·en·ly** [slʌ́vənli] (**-li·er** ; **-li·est**) *a.* 단정치 못한 ; 꾀죄죄한, 초라한(untidy). — *ad.* 단정치 못하게, 되는 대로. ㊊ **-li·ness** *n.*

‡**slow** [slou] (**ˊ·er** ; **ˊ·est**) *a.* ① (동작·속도가) 느린, 더딘 ; 느릿느릿한. OPP *fast, quick, swift.* ¶ a ~ train 완행 열차(cf. express) / a ~ growth 더딘 성장〔발육〕/ *Slow* and steady wins the race. 《俗談》 느려도 착실하면 결국에는 이긴다. ② (약 따위의) 효과가〔효력이〕 더딘 : (필름의) 감광도가 낮은 : a ~ medicine 효력이 더딘 약 / a ~ film 감광도가 낮은 필름. ③ 〔限定的〕 (도로·코스 따위가) 속도를 떨어뜨리게 하는, 빨리 달릴 수 없는 : a ~ track 빨리 달릴 수 없는 경주로. ④ (난로 따위의) 화력이 약한 : Cook the fish on a ~ fire. 생선을 뭉근 불에 구워라. ⑤ (시계가) 늦은, 더디 가는. OPP *fast*. ¶ Your watch is five minutes ~. 네 시계는 5분 더디 간다. ⑥ (경기 따위가) 침체한(slack), 활기 없는(slug-

gish), 불경기의 : a ~ town 활기 없는 거리 / Business is ~ in summer. 여름에는 장사가 잘 안 된다. ⑦ (머리가) 둔한, 이해가 더딘 ; 둔감한 : He is ~ *at* accounts. 그는 계산에 둔하다. ⑧ (변화 따위가 없어) 따분한, 지루한, 시시한 (uninteresting) : The game was very ~. 그 시합은 아주 시시했다. ⑨ 좀처럼 …않는《*to* ; *of* ; *to* do ; in do*ing*》: ~ *to* take offense 좀처럼 화내지 않는 / He was ~ *to* come. 그는 좀처럼 오지 않았다.

— *ad.* 늦게, 느리게, 천천히(slowly). ★ 감탄문에서 how의 다음 또는 복합어를 이룰 때 외에는 동사 뒤에 쓰이며 slowly 보다 구어적이고 강세임. ¶ Drive ~. 서행(徐行). ***go*** ~ 천천히 가다〔하다〕; 태업(怠業)하다 ; 조심하다. ***Take it*** ~. 《美俗》 당황하지 말고 천천히 해라.

— *vt.* (+目(+副)) …을 더디게 하다, 늦어지게 하다 ; (자동차 등의 속력)을 낮추다《*down* ; *up*》: *Slow down* your car. 차 속도를 줄이시오. — *vi.* (~ (+副)) 속도가 떨어지다, 늦어지다, 속도를 낮추다 : The runner ~*ed down*〔*up*〕 at the rotary. 주자는 로터리에서 속력을 낮췄다. ~ ***down*** 《美》 노동자가 사보타주하다〔태업하다〕(《英》 go ~). 派 ∠·**ish** *a.* ∠·**ness** *n.*

slow·coach [∠kòutʃ] *n.* Ⓒ (동작이) 굼뜬 사람 (《美》 slowpoke) : Come on ~, hurry up! 자, 이 굼벵이야 서둘러라.

slow·down [∠dàun] Ⓒ *n.* ① 속력을 늦춤, 감속 ; 경기의 침체. ② 《美》 (공장의) 조업 단축 ; 《美》 태업(=∠ **strike**).

slow-foot·ed [∠fútid] *a.* 걸음이 느린, 굼뜬.

†**slow·ly** [slóuli] (***more*** ~ ; ***most*** ~) *ad.* 느릿느릿, 천천히 ; 느리게. ~ ***but surely*** 느리지만 착실하게.

slów mótion (영화·TV 등의) 슬로모션 : a scene in ~ 슬로모션의 장면.

slow-mo·tion [∠móuʃən] *a.* ① 스로모션의, 고속도 촬영의 : a ~ picture 슬로모션 영화 / a ~ (video) replay 슬로모션(비디오) 재생. ② 느린.

slow-mov·ing [∠mú:viŋ] *a.* ① 느리게 움직이는, 동작이 둔한. ② (상품 따위가) 잘 팔리지 않는, 거래가 뜬.

slow·poke [∠pòuk] *n.* Ⓒ 《美口》 굼뜬 사람, 굼벵이 (《英》 slowcoach).

slów-wáve slèep [slóuwéiv-] 〖生理〗 서파(徐波) 수면《뇌파가 완만한 5-6시간 동안의 거의 꿈 없는 숙면》.

slow-wit·ted [∠wítid] *a.* 이해가 더딘, 머리가 둔한(dull-witted).

slow·worm [∠wə̀:rm] *n.* Ⓒ 〖動〗 뱀도마뱀.

sludge [slʌdʒ] *n.* Ⓤ ① 진흙, 진창, 질척질척한 눈. ② (하수 등의) 침전물. ③ 슬러지《탱크·보일러 따위 바닥에 괴는 침전물》.

派 **slúdgy** *a.* 진창의 ; 질척거리는, 질척눈의.

slue [slu:] *vt., vi., n.* =SLEW[2].

•**slug**[1] [slʌg] *n.* Ⓒ ① 〖動〗 민달팽이, 괄태충. ② 《美》 느림보. ③ 작은 금속 덩어리 ; (공기총 따위의) 산탄(散彈). ④ 《美》 (자동 판매기용의) 대용 경화(硬貨). ⑤ 〖印〗 대형의 공목〔인테르〕《두께 6 포인트 정도》; (라이노타이프의) 활자의 행. ⑥ 《美俗》 (위스키 따위의) 한 잔, 한 번 마시는 양 (draught).

— (***-gg-***) *vi.* 게으름 피우다, 빈둥거리다.

slug[2] (***-gg-***) 《美》 *vt.* (주먹으로) …을 후려갈기다, (야구 따위에서) …을 강타하다 : ~ a home run 홈런을 날리다. ~ ***it out*** (1) 끝까지 맹렬히 싸우다. (2) 버티다. — *n.* Ⓒ 강타(slog).

slug·gard [slʌ́gərd] *n.* Ⓒ 게으름뱅이, 농땡이. — *a.* 게으른(lazy), 빈둥거리는(idle).

slug·ger [slʌ́gər] *n.* Ⓒ 《美口》 (야구·복싱 따위의) 강타자, 슬러거.

•**slug·gish** [slʌ́giʃ] *a.* ① (사람이) 게으른, 나태한 ; 동작이 느린, 굼뜬. ② (흐름 따위가) 완만한. ③ 부진(不振)한, 불경기의 : The economy remains ~. 경제는 여전히 불황이다.

派 ~·**ly** *ad.* ~·**ness** *n.*

sluice [slu:s] *n.* Ⓒ ① 수문(~ gate), 보(洑). ② 수문으로 갇힌 물, 봇물. ③ (통나무를 띄어 보내는) 인공 수로, 방수로(drain), 용수로.

— *vt.* ①《~+目 / +目+前+名》 (수문을 열어 물)을 일시에 내보내다《*out* ; *off* ; *down*》. ② (흐르는 물로) …을 씻다, 씻어내리다《*out* ; *down*》. ③ (통나무 따위)를 수로로 나르다. — *vi.* (물이) 수문에서 흘러나오다, (수로를) 세차게 흐르다 : Water ~*d* out. 물이 수문에서 흘러나왔다.

slúice gàte 수문.

sluice·way [slú:swèi] *n.* Ⓒ (수문이 있는) 인공 수로, 방수로.

•**slum** [slʌm] *n.* ① (종종 *pl.*) 빈민굴, 슬럼가(街) : turn into a ~ 슬럼화하다. ② 《口》 불결한 장소.

— (***-mm-***) *vi.* (자선·호기심 등으로) 빈민굴을 찾다《흔히 go ~*ming*의 형태로》. ~ ***it*** 《口》 생활수준을 바싹 낮추다, 최소한의 생활비로 살다.

‡**slum·ber** [slʌ́mbər] *n.* Ⓤ,Ⓒ 《文語》 (종종 *pl.*) ① 잠, (특히) 선잠, 겉잠 : fall into a deep ~ 깊은 잠에 빠져들다. ② 무기력 상태, 침체. — *vi.* ① (편안하게) 잠자다, 선잠 자다(sleep). ② (화산 따위가) 활동을 멈추다〔휴지하다〕. — *vt.* ①《+目+副》 잠자며 시간〔세월〕을 보내다, 무위하게 살다《*away* ; *out* ; *through*》: ~ one's life *away* 일생을 헛되게 보내다. ② (불안 따위)를 잠으로 떨어버리다《*away*》: ~ one's trouble *away* 잠으로 시름을 잊다. 派 ~·**er** [-rər] *n.*

slum·ber·ous, -brous [slʌ́mbərəs], [-brəs] 《文語》 *a.* ① 졸린(듯한) ; 졸음이 오게 하는 ; 잠자고 있는(것 같은). ② 나태한, 활기없는(inactive, sluggish). ③ 조용〔고요〕한(quiet).

slúmber pàrty 《英》 =PAJAMA PARTY.

slum·lord [slʌ́mlɔ̀:rd] *n.* Ⓒ 《美》 (허름한 아파트에 터무니없는 집세를 받는) 악덕 (부재(不在)) 집주인.

slum·my [slʌ́mi] (***-mi·er*** ; ***-i·est***) *a.* 《口》 빈민굴의〔같은〕; 불결한, 더럽고 누추한.

slump [slʌmp] *n.* Ⓒ ① **a**) 푹〔쑥〕 떨어짐. **b**) (물가·증권 시세 따위의) 폭락, 불황. OPP. *boom*[1]. ¶ a ~ in prices 물가의 폭락 / The ~ set in during the summer of 1921. 불황은 1921년 여름에 시작됐다. ② (인기 따위의) 뚝 떨어짐. ③ 《美》 (운동 선수 등의) 부진, 슬럼프 : get〔fall〕 into a ~ 슬럼프에 빠지다.

— *vi.* ① 털썩 떨어지다〔주저 앉다〕, 푹 빠지다, 쿵 넘어지다〔쓰러지다〕: He ~*ed* (*down*) to the floor. 그는 마루에 쿵하고 쓰러졌다. ② (물가 따위가) 폭락하다 ; (매상이) 뚝 떨어지다 ; (경기가) 침체하다 ; (인기·열의 따위가) 갑자기 식다 : Sales ~*ed* badly. 매상이 뚝 떨어졌다 / a seriously ~*ing* economy 심각한 침체에 빠져 있는 경제.

slung SLING[1]의 과거·과거분사.

slung·shot [slʌ́ŋʃɑ̀t] *n.* Ⓒ 쇠사슬·가죽끈 따위의 끝에 쇠뭉치를 단 무기〔흉기〕.

slunk SLINK[1,2]의 과거·과거분사.

slur [slə:r] (***-rr-***) *vt.* ① …을 알아듣기 어렵게 빨리 말하다 ; 판독하기 어렵게 글자를 흘려〔붙여〕 쓰다 : You could feel from his ~*red* speech that he was drunk. 그의 혀꼬부라진 소리로 그가 술에 취해 있다는 것을 알 수 있을 것이다. ② 〖樂〗 (음표)를

잇대어 연주하다〔노래하다〕; (음표)에 연결선을〔슬러를〕붙이다. cf. legato. ③ …을 묵인하다, 보고도 못 본 체하다; 가볍게〔되는대로〕처리하다《over》: ~ *over* his faults 그의 결점을 보고도 못 본 체하다. ④ …을 헐뜯다; 중상〔비방〕하다.
— *vi.* ① 불분명하게 말하다, 글씨를 흘려 쓰다. ②〖樂〗음표를 잇대어 노래〔연주〕하다; 슬러를 붙이다.
— *n.* ① U 똑똑지 않은 잇따른 발음; C 쓰기〔인쇄, 발음, 노래〕의 똑똑지 않은 부분. ②〖樂〗슬러, 이음줄(⌒ 또는 ⌣). ③ C 중상, 비방(reproach); 오명, 치욕(stain).

slurp [slə:rp] 《口》 ① *vi., vt.* (음식을)소리를 내며 먹다〔마시다〕: Don't ~ your soup. 국을 소리내서 마시는 게 아니다. ② C 그 마시〔먹〕는 소리.

slur·ry [slə́:ri] *n.* U 슬러리《진흙·시멘트 따위에 물을 섞어 만든 현탁액(懸濁液)》.

slush [slʌʃ] *n.* U ① 진창눈; 진창(길). ②《口》너절한 감상적인 글〔푸념〕; 저속한 애정 소설〔영화〕. ③ 윤활유.

slúsh fùnd 《美》(선거 등 정치 운동의) 뇌물, 매수자금.

slushy [slʌ́ʃi] (*slush·i·er; -i·est*) *a.* ① 진창눈의; 질척거리는. ② 데데한, 감상적인.

slut [slʌt] *n.* C ① 홀게 늦은 여자, 허튼 계집. ② 매춘부.

slut·tish [slʌ́tiʃ] *a.* 홀게 늦은, 방탕한; 몸가짐이 헤픈; 더러운. 파 **~·ly** *ad.* **~·ness** *n.*

‡**sly** [slai] (*slý·er, slí·er* [-ər]; *slý·est, slí·est* [-ist]) *a.* ① 교활한(cunning), 음흉한(insidious), 비열한, 계략을 쓰는: He is as ~ as a fox. 그는 여우처럼 아주 교활하다. ② 장난기가 있는(mischievous), 익살맞은: ~ humor 장난스런 익살. ***on* 〔*upon*〕 *the* ~** 은밀히, 가만히, 몰래. 파 **∠·ly** *ad.* 교활하게. **∠·ness** *n.* U

Sm 〖化〗 samarium. **S.M.** *Scientiae Magister* 《L.》(=Master of Science); Sergeant Major.

***smack¹** [smæk] *n.* ① C 맛, 풍미, 향기; 독특한 맛《*of*》: The stew has a ~ *of* rosemary in it. 그 스튜에는 로즈메리 향기가 난다. ② (a ~) **a)** …낌새, 기미, …한 데《*of*》: His behavior has *a* ~ *of* insanity about it. 그의 행동에는 미치광이 같은 데가 있다. **b)** 조금, 약간《*of*》: Add *a* ~ *of* pepper to the dish. 요리에 후추를 좀 쳐라.
— *vi.* ① 맛이 나다《*of*》: This meat ~*s of* garlic. 이 고기는 마늘 냄새가 난다. ②《+전+명》낌새가〔…한 데가〕있다《*of*》: He ~*s of* the stage. 그는 무대 배우 같은 데가 있다.

***smack²** *vt.* ①《+목+전+명》…을 세게 때리다, 손바닥으로 (철썩) 치다(slap): She ~*ed* him *across* the face. 그녀는 그의 따귀를 갈겼다. ② …을 쳐 날리다: ~ a ball *over* the fence 공을 울 너머로 날려 보내다. ③《+목+전+명》(입맛)을 다시다《*over*》: ~ one's lips *over* the soup 수프에 입맛을 다시다. ④ …에 쪽 소리를 내며 키스하다. ⑤ (회초리·채찍)을 휙휙 소리내다(crack).
— *vi.* ① …한 맛이〔향기가〕있다《*of*》. ② 쩍쩍 입맛을 다시다. **~ *down*** (1) …을 탁 소리나게 놓다. (2) …을 호되게 야단치다.
— *n.* C ① (손바닥으로) 철썩 때리기〔때리는 소리〕. ② (쩍쩍) 입맛 다시기. ③《口》쪽 소리 나는 키스: give a ~ on the cheek. ④ 딱〔휙휙〕하는 소리《채찍 등의》. ***a* ~ *in the eye* 〔*face*〕**《比》 핀잔, 호통, 퇴짜, 거절: get *a* ~ *in the eye* 일언지하에 거절당하다, 퇴짜맞다. ***have a* ~ *at*** 《口》…을 시험삼아 해 보다. — *ad.* 《口》 정면〔정통〕으로(directly); 느닷없이: run ~ into a brick wall 벽돌 담에 정면 충돌하다.

smack³ *n.* ① C 《美》(활어조(活魚槽)의 설비를 갖춘) 소형 어선. ② U 《美俗》 헤로인.

smack-dab [∠dǽb] *ad.* 《美口》 정통으로, 세차게.

smack·er [smǽkər] *n.* C ① (쩍쩍) 입맛다시는 사람. ②《口》쪽 소리가 나는 키스. ③《美俗》(흔히 *pl.*) 1 달러(dollar); 《英俗》 1 파운드.

smack·ing [smǽkiŋ] *n.* U.C 입맛을 다심; 찰싹 때림. — *a.* ① (키스 따위) 쪽 소리가 나는. ② 빠른: at a ~ pace 빠른 페이스로. ③ (바람 따위가) 세찬(brisk). ④《口》〔副詞的으로; big, good 등을 修飾하여〕 유별나게: a ~ *big* boat.

†**small** [smɔːl] *a.* ① 작은, 소형의, 비좁은《★ little이 지니는 「귀여운」이란 감정적 요소는 없음》. opp. *big, large.* ¶ a ~ house 작은〔좁은〕 집. ② 소규모의: a ~ business 소기업《흔히 종업원 50인 이하의》/ on a ~ scale 소규모로. ③ (양·수(數)·정도·기간 등이) 얼마 안 되는, 적은, 거의 없는: ~ hope of success 적은 성공률. ④ 하찮은, 시시한, 사소한(trivial): ~ errors 사소한 잘못. ⑤ 도량이 좁은(illiberal), 인색한(stingy), 비열한(mean): a man with a ~ mind 도량이 좁은 사람. ⑥〔補語的〕 떳떳지 못한, 부끄러운. ⑦ (목소리 따위가) 작은, 낮은(low): in a ~ voice 작은 목소리로. ⑧ 소문자의. ***feel* ~** 풀이 죽다, 부끄럽게 여기다. ***in a* ~ *way*** ⇨WAY¹. ***It's a* ~ *world.*** 《口》 세상이란 좁은 것이다. ***look* ~** 기가 죽다, 부끄럽게 여기다, 주눅들다. ***Small is beautiful.*** 작은 것은 아름답다《특히 기업, 조직, 정부는 소규모가 좋다는 견해》.
— *ad.* ① 잘게, 가늘게. ② 작게. ③ (목소리 따위가) 약하게, 낮게. — *n.* ① (the ~) 작은〔가는〕 부분: *the* ~ of the back 허리의 잘록한 데. ② (*pl.*) 《英口》 자질구레한 빨랫감. 파 **~·ness** *n.* 작음; 협량(狹量); 비열.

smáll ád 《英》 =CLASSIFIED AD.

smáll árms 〖軍〗 휴대 병기, 소(小)화기《소총·권총 따위》. opp. *artillery.*

smáll béer ① 싱거운 맥주. ②《口》하찮은 사람〔물건, 일〕: think no ~ *of* oneself 자만하다.

smáll cápital 〔**cáp**〕 〖印〗 소형 대문자.

smáll chánge ① 잔돈: I need some ~ to make a phone call. 전화 거는데 잔돈이 좀 필요하다. ②《比》시시한 것〔일〕.

smáll-cláims còurt [smɔ́:lkléimz-] 〖法〗 소액(少額) 재판소(=**smáll-débts còurt**).

smáll frỳ (흔히 *pl.*) ① 어린 물고기. ② 어린이들, 꼬마들. ③ 잡배(雜輩), '송사리'.

smáll gáme 〔集合的〕 〖獵〗 작은 사냥감《토끼·비둘기 등》. cf. big game.

smáll hólder 《英》 소(小)자작농.

smáll hólding 《英》 소(小)자작 농지《흔히, 50 에이커 미만》.

smáll hóurs (the ~) 깊은 밤, 사경(四更)《새벽 1 시부터 3 시까지》.

smáll intéstine 〖解〗 (the ~) 작은창자, 소「장.

small·ish [smɔ́:liʃ] *a.* 좀 작은(듯싶은): He was a ~ man. 체구가 좀 작은 사람이었다.

small-mind·ed [∠máindid] *a.* 도량이 좁은; 야비한, 쩨쩨한. 파 **~·ness** *n.*

smáll potátoes 《美口》〔종종 單數취급〕 하찮은 것〔사람들〕; 돈.

***small·pox** [∠pὰks / ∠pɔ̀ks] *n.* U 〖醫〗 천연두.

small-scale [smɔ́:lskéil] *a.* 소규모의; 소비율의; 소축척의《지도》. cf. large-scale.

smáll tàlk 잡담: We stood around making ~. 우리는 할 일 없이 서서 잡담을 하고 있었다.

small-time [∠táim] *a.* 《口》 소규모의, 시시한,

보잘것 없는: a ~ gambler 쩨쩨한 도박사.

small-town [⌐táun] *a.* ① 지방 도시의. ② 소박한; 촌스러운, 시골티가 나는.

smarmy [smá:rmi] (*smarm·i·er* ; *-i·est*) *a.* 《口》 빌붙는; 알밉도록 아첨하는(fulsome).

‡**smart** [smɑ:rt] *a.* ① 쿡쿡 쑤시는, 욱신욱신 아픈: I feel a ~ pain in the side. 옆구리가 쑤시고 아프다. ② (타격 따위가) 센, 심한, 날카로운, 호된: a ~ rebuke from the teacher 선생님의 호된 꾸중. ③ 날렵한, 활발한, 재빠른《*at* ; *in*》: She walks at a ~ pace. 그녀는 날렵하게 걷는다 / He's ~ *at*〔*in*〕 his work. 그는 일에 재빠르다. ④ 빈틈없는, 약삭빠른, 영리한, 재치있는: make a ~ job of it 일을 재치있게 해치우다. ⑤ 교활한, 약아빠진: a ~ dealing 교활한 수법. ⑥ 스마트한, 맵시 있는, 말쑥한: The boys look ~ in their uniform. 아이들이 교복을 입으니 말쑥해 보인다. ⑦ 건방진: You always give ~ answers. 넌 언제나 대답이 건방지다. ⑧ (건물 등이) 정보처리 기능을 가진; 인텔리전트한: ⇨ SMART BUILDING. ⑨ (미사일 등) 고성능의: ⇨ SMART BOMB.

── *n.* ① Ⓒ 아픔, 쑤심, 동통, 고통. ② (the ~) 고뇌, 상심; 분개, 분노. ③ (흔히 *pl.*) 《美口》 지능, 지성: You gotta have some ~*s*. 머리를 좀 써라. ── *ad.* =SMARTLY. ***play it*** ~ 《주로 美口》 눈치있게 굴다, 잘 생각해서 하다: You ought to *play it* ~ and stop smoking. 잘 생각해서 담배를 끊도록 해라. ***Look*** ~*!* 〔命令形으로〕 조심해라; 정신차려, 빨리 해.

── *vi.* ① 《~+전+명》 욱신욱신 쑤시다, 쓰리다《*with* ; *from*》: My eyes ~ *with* tear gas. 최루가스로 눈이 아프다. ② (말 따위로) 감정이 상하다, 분개하다《*from* ; *at*》; 상심하다, 양심의 가책을 받다《*under* ; *over*》: ~ *at* a person's remarks 아무의 말에 분개하다 / ~ *under* a guilty conscience 양심의 가책에 번민하다 / She ~*ed under* their criticism. 그들의 비판에 그녀는 상처를 입었다. ③ 벌을 받다, 혼나다《*for*》: I'll make you ~ *for* this. 이런 짓을 했으니 그냥 두지 않겠다. ⓜ ⌐·**ly** *ad.* ⌐·**ness** *n.*

smárt àlec(k) 〔**àlick**〕 [-ælik] (종종 s- A-) 《口》 건방진 놈; 잘난〔똑똑한〕 체하는 놈.

smárt àss〔**àrse**〕 《俗》 수완가; 아는체〔난체〕하는 사람.

smárt bómb 《美軍俗》 스마트 폭탄《비행기 등에서 레이저 광선으로 유도되는 폭탄·미사일》.

smárt bùilding 스마트 빌딩《승강기·냉난방·조명·방화 장치 등이 모두 자동화된 빌딩》.

smárt càrd 스마트 카드《마이크로 프로세서나 메모리 등의 반도체 칩을 내장한 카드》.

smart·en [smá:rtn] *vt.* 《~+목/+목+부》 (복장·건물 등)을 말쑥〔깨끗〕하게 하다, 산뜻하게 하다《*up*》: ~ oneself *up* 몸차림을 깔끔하게 하다 / The hotel has been ~*ed up* by the new owner. 새 주인은 호텔을 말끔하게 단장했다. ── *vi.* (사람이) 말쑥해지다, 멋을 내다《*up*》.

smárt móney 《美》 ① (경험있는 투자가 등의) 투자금. ② 〖法〗 징벌적 손해 배상금.

smárt tèrminal 〖컴〗 스마트 단말《대형 host computer와의 접속시에 독자적으로 계산함으로써 host의 부담을 덜어 주는 단말》.

smarty [smá:rti] *n.* 《口》 =SMART ALEC(K).
── *a.* 아는 체하는, 자만의.

*__smash__ [smæʃ] *vt.* ① 《~+목/+목+부/+목+전+명/+목+보》 …을 분쇄하다, 박살내다《*up*》; 부딪다, 충돌시키다: He ~*ed* the door open. 그는 문을 부수고 열었다. ② (희망 따위)를 무너지게 하다: The error ~*ed* all hope of success. 그 실수로 모든 성공의 희망은 사라졌다. ③ (적·이론 등)을 격파하다, 깨뜨리다; (인습·기록 등)을 타파하다, 깨다: ~ the enemy 적을 격파하다 / ~ a record 기록을 크게 깨다 / ~ all tradition 모든 인습을 타파하다. ④ 《~+목/+목+전+명》 …을 세차게 내리치다〔후려치다〕《*down* ; *into* ; *with*》: He ~*ed* me *with* his fist. 그는 주먹으로 나를 후려쳤다. ⑤ 〖球技〗 (공·깃털공)을 스매시하다. ⑥ …을 파산〔도산〕시키다: The depression ~*ed* our company. 불경기로 회사는 도산했다.

── *vi.* ① 《~/+부/+전+명》 박살이 나다; 찌부러지다《*up*》: The maid let the dishes ~ (*up*) *on* the floor. 하녀는 접시를 마루에 떨어뜨려 깨뜨렸다. ② 《~+전+명》 세게 충돌하다《*against* ; *into*》: The car ~*ed into* a guardrail. 차가 가드레일을 들이받았다. ③ (회사 따위가) 파산하다. ④ 〖球技〗 스매시하다. ~ ***to pieces*** 산산이 깨지다.

── *n.* Ⓒ ① (흔히 *sing.*) 부서짐, 산산조각이 남; 쨍그렁하고 부서지는 소리: the ~ of breaking glass 유리 깨지는 소리. ② 대패; 큰 실패; 파멸; 파산. ③ (기차 따위의) 격돌, 충돌. ④ 《口》 세찬 일격; 〖球技〗 스매시. ⑤ 《口》 =SMASH HIT. ***go*** 〔***come***〕 ***to*** ~ (1) 산산조각이 되다. (2) 파산〔도산〕하다.

── *ad.* 철썩, 쨍그렁, 탕; 정면〔정통〕으로. Ⓒf bang. ***go*** 〔***run***〕 ~ ***into*** (1) …에 정면 충돌하다: The two cars *ran*〔*went*〕 ~ *into* each other. 두 차는 정면으로 충돌했다. (2) 파산하다.

── *a.* 《口》 대단한, 굉장한(smashing): the ~ best seller of the year 연간 최고의 베스트 셀러.

smash-and-grab [smǽʃəngrǽb] *a.* 《英》 가게의 진열창을 깨고 비싼 진열품을 삽시에 탈취하는.

smashed [smæʃt] *a.* 《俗》 술에 취한: I feel like going out and getting really ~ tonight. 오늘밤은 밖에 나가서 진짜로 취해보고 싶다.

smash·er [smǽʃər] *n.* Ⓒ ① 격렬한 타격; 추락. ② 《英口》 굉장한 사람〔것〕. ③ 부수는 사람, 분쇄기. ④ 〖테니스〗 스매시에 능한 선수.

smásh hìt 《口》 대성공〔히트〕《영화 따위》: The show was a ~. 쇼는 대성공이었다.

smash·ing [smǽʃiŋ] *a.* ① 격렬한《타격 따위》: a ~ blow 격렬한 일격. ② 《英口》 굉장한, 대단한: It was ~, I really enjoyed it. 그것 굉장했다. 정말 즐거웠다.

smash-up [⌐̀ʌp] *n.* Ⓒ ① (열차 따위의) 대충돌; 전복: a 5-car ~ 차량 다섯 대의 대충돌. ② 큰 패배; 대실패. ③ 파산; 파멸.

smat·ter·ing [smǽtəriŋ] *n.* Ⓒ (흔히 *sing.*) 천박한〔수박 겉핥기의〕 지식《*of*》: have *a* ~ *of* Latin 라틴어를 조금 알고 있다 / I've only got *a* ~ *of* experience with computers. 컴퓨터를 만져본 경험이 아주 조금이다.

smaze [smeiz] *n.* Ⓤ 스메이즈《smog 보다 엷은 대기 중의 연무(煙霧)》. [◂*sm*oke+h*aze*]

*__smear__ [smiər] *vt.* ① 《~+목/+목+전+명》 (기름 따위)를 바르다; 문대다; (표면을 기름 따위)로 더럽히다《*on* ; *with*》: ~ butter *on* bread 빵에 버터를 바르다 / Soot ~*ed* our faces. 검댕으로 우리 얼굴이 더러워졌다. ② …을 문질러 더럽히다, 흐리게 하다: Don't ~ the glasses. I've just polished them. 유리잔을 더럽히지 마라. 내가 방금 닦았다. ③ …을 중상하다, 깎아내리다. ④ 《美俗》 …을 결정적으로 해치우다, 압도하다; 〖拳〗 녹아웃시키다. ── *vi.* 더러워지다, 흐려지다《페인트·잉크 따위로》: Wet paint ~*s* easily. 갓 칠한 페인트는 더러워지기 쉽다.

— *n.* Ⓒ ① 얼룩, 오점《*of*》. ②《口》중상, 비방. ③〖醫〗도포(塗布) 표본《현미경 슬라이드에 바른》: a ~ test 도포 표본 검사.

sméar wòrd (중상을 하기 위해 붙인) 별명.

smeary [smíəri] (***smear·i·er*** ; ***-i·est***) *a.* 더러워진 ; 기름이 밴(greasy) ; 들러붙는, 끈적이는(sticky). ⓜ **sméar·i·ness** *n.*

‡**smell** [smel] (*p., pp.* ***smelt*** [smelt], ~***ed*** [-d] ; ***smél·ling***) *vt.* ① …을 냄새맡다 : He ~*ed* the wine and made a wry. 그는 와인 냄새를 맡더니 상을 찡그렸다. ②《~+目 / +目+*-ing*》〔종종 can 을 수반하여〕…하는 냄새를 맡다〔느끼다〕: I *can* ~ something burn*ing*. 무엇인가 타는 냄새가 난다. ③《~+目 / +目+副》《比》…을 알아채다, 눈치채다《*out*》: ~ *out* a plot 음모를 눈치채다. ④《~+目 / +目+副》…의 냄새가 나다 ; …을 냄새로 채우다《*up*》: The burnt toast ~*ed up* the room. 탄 토스트 냄새가 온 방안에 가득 찼다.

— *vi.* ①《~+前+名》냄새를 맡다《*at*》: ~ *at* a flower. ②《+前+名 / +補》냄새가 나다《*of* ; *like*》: The air ~*s of* the sea. 공기에서 바다 냄새가 난다 / ~ good 좋은 냄새가 나다 / His breath ~*s* (strongly) *of* tobacco. 그의 숨결에는 (심하게) 담배 냄새가 난다. ③《~+前+名》《比》…냄새를 풍기다《*of*》: I don't like anything ~*ing of* politics. 정치 냄새를 풍기는 것은 싫다 / His proposals ~ *of* trickery. 그의 제안은 어딘가 속임수 냄새가 난다. ④ 악취를 풍기다 ; 구리다. ⑤ 냄새를 알다, 후각이 있다 : Not all animals can ~. 짐승이 다 후각이 있는 것은 아니다. ~ ***a rat*** 수상쩍게 여기다, 낌새채다. ~ ***of the lamp*** 밤중까지 공부한 흔적이 보이다 ; 애쓴 흔적이 보이다. ~ ***out*** …을 맡아내다, 찾아내다 : The hounds *smelt out* a fox. 사냥개들이 여우 냄새를 맡아냈다.

— *n.* ① Ⓤ 후각. ② Ⓤ,Ⓒ 냄새, 향기 : a sweet ~ 달콤한 향기. ③ Ⓒ (흔히 a ~) 악취 ; 구린내 : What *a* ~! Do you mind if I open the window? 아이 구려, 창문 열어도 되겠나. ④ Ⓤ (또는 a ~) …하는 티〔풍〕, 낌새, 기미《*of*》. ⑤ Ⓒ (한번) 냄새맡음《*of*》: Have a ~ *of* this meat. 이 고기 냄새 좀 맡아봐라.

smélling sàlts 〔單·複數취급〕후자극제(嗅刺戟劑)《탄산 암모늄이 주제(主劑)의 각성제》.

smelly [sméli] (***smell·i·er*** ; ***-i·est***) *a.* 구린내가 나는 ; 냄새가 코를 찌르는. ⓜ **sméll·i·ness** *n.*

***smelt**[1] [smelt] SMELL 의 과거·과거분사.

smelt[2] *vt.* 〖治〗…을 용해하다 ; 제련하다 : a ~*ing* furnace 용광로.

smelt·er [sméltər] *n.* Ⓒ ① 제련업자 ; 제련공. ② 제련소(=**smélt·ery**) ; 용광로.

†**smile** [smail] *vi.* ①《~ / +前+名 / +*to* do》미소짓다, 생글〔방긋〕거리다 ; 미소를 보내다《*at* ; *on, upon*》: The infant ~*d at* 〔*on*〕 his mother. 아기는 엄마에게 방글거렸다 / She ~*d to* see the sight. 그녀는 그 광경을 보고 미소지었다《★ smile at 은 냉소할 때도 호의를 보일 때도 쓰이지만, smile on 〔upon〕은 호의를 보일 때 사용되는 것이 보통》. ② (경치 등이) 환하다 : a *smiling* landscape 환한 경치 / All nature ~*d* in the sunlight. 모든 자연이 햇빛에 밝게 빛나고 있었다. ③《+前+名》(운 따위가) 트이다, 열리다《*on*》: Fortune ~*d on* her. 그녀에게 운이 트였다. — *vt.* ①〔同族目的語를 수반하여〕…에서 미소하다, …한 웃음을 웃다 : ~ an ironical *smile* 빈정대는 웃음을 웃다. ② …을 미소로써 나타내다 : ~ welcome 미소로 환영하다. ③《+目+前+名 / +目+副》…을 미소로써 …하게 하다《*away*》: *Smile* your grief *away*. 웃고 슬픔을 잊어라. ***come up smiling*** 굴하지 않고 다시 일어서다. ~ ***away*** 웃어 넘기다, 일소에 부치다.

— *n.* Ⓒ ① 미소 ; 웃는 얼굴 : give a person a broad ~ 아무에게 활짝 웃어보이다. ② (자연 등의) 밝은 모양 ; 운명 등의 미소〔은혜〕: the ~*s* of fortune 운명의 미소. ***be all ~s*** 생글생글 웃고 있다 : She *was all* ~*s*. 그녀는 희색만면이었다. ***with a*** ~ 방긋〔생긋〕 웃으며.

***smil·ing** [smáiliŋ] *a.* 방글〔벙긋〕거리는, 미소하는, 명랑한 : I really miss seeing their happy ~ faces. 그들의 웃는 얼굴이 정말 보고 싶구나. ⓜ **~·ly** *ad.*

smirch [sməːrtʃ] *vt.* (명성 따위)를 더럽히다. — *n.* Ⓒ 더럼, 오점《*on, upon*》.

smirk [sməːrk] *vi.* (만족한 듯이) 히죽거리다, (남을) 깔보듯이 히죽히죽 웃다《*at* ; *on, upon*》. — *n.* Ⓒ 능글맞은〔억지〕 웃음.

smite** [smait] (smote*** [smout] ; ***smit·ten*** [smítn], 《古》***smit*** [smit]) *vt.* ①《~+目 / +目+補》《古·文語》…을 세게 때리다〔치다〕, 강타하다 ; 쳐부수다 ; 죽이다 : ~ a person dead 아무를 때려 죽이다 / The knight *smote* his enemy with his sword. 그 기사는 칼로 적을 강타했다. ②〔흔히 受動으로〕(병·재난 등이) …을 덮치다 ; (양심이) …을 찌르다《*with* ; *by*》: I *was smitten by* remorse. 나는 회한의 정에 잠겼다. ③〔受動으로〕…을 매혹시키다, 감동을 주다《*with* ; *by*》: We *were* all *smitten by* 〔*with*〕 the landscape. 우리는 모두 그 경치에 넋을 잃었다.

***smith** [smiθ] *n.* Ⓒ 대장장이(blacksmith) ; 금속세공장(匠)《★ 흔히 複合語로서 씀》: gold*smith*, tin*smith*.

smith·er·eens [smìðəríːnz] *n. pl.*《口》작은 파편, 산산조각.

Smith·só·ni·an Institútion [smiθsóuniən-] (the ~) 스미스소니언 협회《Washington, D.C.에 있는 미국 국립 박물관 ; 1846년 창립》.

smithy [smíθi, smíði] *n.* Ⓒ 대장간.

smit·ten [smítn] SMITE의 과거분사.

***smock** [smɑk / smɔk] *n.* Ⓒ ① (옷 위에 덧걸치는) 작업복 ; 덧입는 겉옷《주로 어린이용》, 스목. ② 임신부복(服). — *vt.* …에 스목을 입히다 ; …에 장식 주름을 붙이다.

smock·ing [smɑ́kiŋ / smɔ́k-] *n.* Ⓤ (옷 따위의) 장식 주름.

***smog** [smɑg, smɔ(ː)g] *n.* Ⓤ,Ⓒ 스모그, 연무(煙霧) : Cars cause pollution, both ~ and acid rain. 차량이 스모그와 산성비의 공해를 일으킨다.

smog·gy [smɑ́gi, smɔ́(ː)gi] *a.* 스모그가 많은.

smog·bound [-bàund] *a.* 스모그에 뒤덮인.

†**smoke** [smouk] *n.* ① **a)** Ⓤ,Ⓒ 연기 : (There is) no ~ without fire.《俗談》아니 땐 굴뚝에 연기 날까. **b)** Ⓤ 연기 비슷한 것《김·안개·물보라 따위》. ② Ⓤ,Ⓒ 허무한〔덧없는〕 것, 꿈 : His hope proved to be ~. 그의 희망은 꿈으로 끝났다. ③ Ⓒ (담배의) 한 대 피우기, 끽연(喫煙) ;《口》엽궐련, 궐련 : I haven't had a ~ all day. 종일 담배 한 대 못피웠다. ***end*** 〔***go***〕 ***up in*** ~ (1) (집 따위가) 타 없어지다 : The house *went up in* ~. 그 집은 전소됐다. (2) (계획·희망 등이) 연기처럼(덧없이) 사라지다 : Our plans *went up in* ~ when we ran out of money. 우리 계획은 자금이 떨어졌을 때 물거품이 되었다.

— *vi.* ① 연기를 내다 ; 연기를 내뿜다 : The volcano is *smoking*. 화산이 연기를 내뿜고 있다. ② 담배를 피우다, 흡연하다 : Do you ~? 담배 피우느냐. ③ 김을 내다 ; (땀에서) 김이 무럭무럭 나다. — *vt.* ① …에서 연기나게 하다, 그을리게 하

다 : ~ the wall 벽을 그을리게 하다. ② …을 훈제(燻製)로 하다 : ~*d* salmon 훈제한 연어. ③ (연기로) …을 소독하다 ; (벌레 등)을 연기로 없애다《*out*》. ④《~+목 / +목+부 / +목+전+명》 (담배·아편)을 피우다 ; 흡연하여 …하다 : It's not easy to quit *smoking* cigarettes. 담배 끊는 것은 쉽지가 않다 / ~ oneself *into* composure 담배를 피워 기분을 가라앉히다. ~ ***out*** ⑴ (연기를 피워) …을 나오게 하다, 몰아내다. ⑵ (범인 따위)를 조사해서 찾아내다 ; (계략 따위)를 알아내다.

smóke alàrm = SMOKE DETECTOR.

smóke bòmb 연막탄, 발연(發煙)탄.

smoked [smoukt] *a.* ① 훈제한 : ~ ham 훈제 햄. ② (검댕으로) 그을린 : ~ glass 검게 그을린 유리《태양 관찰용》.

smóke detèctor 연기 탐지기《화재 경보기의 하나》.

smoke-dried [ˊ-dràid] *a.* 훈제의.

smóke-filled róom [ˊ-fìld-] (정치적 협상을 하는) 막후 협상실《호텔 등의》.

smoke·house [ˊ-hàus] *n.* Ⓒ 훈제소〔실〕.

smoke·less [smóuklis] *a.* 연기 없는, 무연의 : ~ coal〔powder〕 무연탄〔화약〕.

***smok·er** [smóukər] *n.* Ⓒ ① 흡연자 : a heavy 〔chain〕 ~ 골초, 용고뚜리. ② (남자들만의) 소탈한 모임. ③《口》 = SMOKING CAR〔CARRIAGE〕, SMOKING COMPARTMENT.

smóke scrèen ①〖軍〗 연막. ② (진의(眞意)를 감추기 위한) 위장, 연막.

smoke·stack [ˊ-stæ̀k] *n.* Ⓒ ① 굴뚝. ②《美》 (증기 기관차의) 굴뚝. ── *a.* 중공업의.

Smok·ey [smóuki] *n.* Ⓒ《美》① 산림 화재방지 마크《산림 소방대원 옷을 입은 곰의 그림》. ② (종종 s-)《俗》 고속 도로상의 경찰관.

smok·ing [smóukiŋ] *n.* Ⓤ 흡연 : a ~ room 흡연실 / *Smoking* prohibited. 금연《게시》. ***No*** ~ (within these walls). (구내) 금연《게시》. ── *a.* 연기나는, 그을리는 ; 담배 피우는 ; 김이 서리는 : a ~ horse 땀 흘리고 있는 말. ~ ***hot*** 김이 서릴 정도로 뜨거운〔더운〕《부사적 용법》: ~ *hot* bread 김이 무럭무럭 나는 빵.

smóking càr 〔《英》 **càrriage**〕 (열차의) 흡연 찻간.

smóking compàrtment (열차의) 흡연 칸.

smóking gún 〔**pístol**〕 (범죄 등) 현장에 남겨진 결정적 증거.

smóking jàcket 스모킹 재킷《집에서 입는 남성용 웃도리》.

smoky, smok·ey** [smóuki] (smok·i·er*** ; ***-i·est***) *a.* ① 연기나는 ; 내운 ; 연기가 자욱한 : a ~ room 연기가 자욱한 방. ② 연기 같은 ; 그을은, 거무칙칙한 : a ~ haze 연기 같은 안개.

smóky quártz 연수정(煙水晶).

smol·der, 《英》 **smoul-** [smóuldər] *vi.* ① (장작 등이 잘 안타고) 연기만 내다 : The wood was ~*ing* in the fireplace. 장작이 난로 안에서 연기만 내고 있었다. ② (분노·불만 등이) 곪다. ── *n.* Ⓒ (흔히 *sing.*) ① 연기나는 불, 연기남. ② (감정이) 삭지 않음, 맺힘.

smooch [smu:tʃ] 《口》 *vi.* 키스하다 ; 애무하다 (pet). ── *n.* Ⓤ (또는 a ~) 키스 ; 애무.

:smooth [smu:ð] *a.* ① (표면이) 매끄러운, 매끈매끈〔반질반질〕한, 반드러운 ; 평탄〔반반〕한(flat). opp *rough.* ¶ (as) ~ as marble 대리석처럼 아주 매끄러운 / a ~ road 평탄한 길. ② (움직임이) 부드러운, 유연한 : The car came to a ~ stop. 차는 조용히 섰다. ③ (일이) 순조로운(easy), 원활히 진행되는 ; 평온한 : a ~ voyage 평온한 항해. ④ (목소리·문체 따위가) 막힘〔거침〕이 없는, 유창한(fluent). ⑤ 윤이 나는, 함치르르한《머리칼 따위》: ~ hair. ⑥ **a)** (반죽·풀 따위가) 고루 잘 섞인, 잘 이겨진 : Beat until ~. 반죽을 잘 이겨라. **b)** (음식물 따위가) 입에 당기는, 감칠맛이 도는 : ~ salad dressing 부드러운 샐러드 드레싱. ⑦ (남에게) 호감(好感)을 주는, (태도 따위가) 사근사근한, 나긋나긋한(suave) : say very ~ things 아주 듣기 좋은 말을 하다. ⑧ (털·수염이) 없는, 민숭민숭한 : a hairy man and a ~ man 털보와 민숭민숭한 사람. ⑨《口》 스텝이 경쾌한 《댄서》, 세련된. ***in*** ~ ***water*** 《英》 평온하게 ; 순조롭게, 원활하게.

── *vt.* ①《~+목 / +목+부》 …을 매끄럽게〔반반하게〕 하다 ; (주름)을 펴다, 다리다 ; (땅)을 고르다《*away* ; *down* ; *out*》: ~ one's brow 이마의 주름살을 펴다 / ~ *down* the boards before painting 페인트를 칠하기 전에 판자를 반반하게 하다. ②《~+목 / +목+부》 …을 수월하게〔편하게〕 하다, (곤란 따위)를 제거하다《*out*》: ~ one's way (for ...) …의 앞길의 장애를 제거하다 / One by one, he ~*ed out* the problems facing him. 하나하나 자신이 직면하고 있는 문제를 처리하였다. ③ (노여움·동요 등)을 가라앉히다, 진정시키다《*down*》. ④ (크림 따위)를 바르다. ── *vi.* ① 매끈해〔반드러워, 반반해〕지다. ②《+부》 평온해지다, 원활해지다, 가라앉다《*down*》: Things are gradually ~*ing down.* 사태는 점차 수습되고 있다. ~ ***away*** 〔***off***〕 ⑴ (주름)을 펴다 : ~ *away* wrinkles 주름을 펴다. ⑵ (장애 등)을 제거하다. ~ ***over*** (어려운 사태·불화 등)을 가라앉히다, 원만히 수습하다 ; (결점 따위)를 잘 보완하다, 감싸다 : ~ *over* faults 결점을 잘 보완하다. ── *n.* ① (a ~) 매끈〔반반〕하게 하기, 고르기, 매만지기 : give *a* ~ to one's hair 머리를 매만지다. ② Ⓒ 평면, 평지. ***take the rough with the*** ~ 인생의 부침에 무관심하다, 느긋하게 행동하다. ── *ad.* = SMOOTHLY. ㊕ ˊ·**ness** *n.* ~함 ; 감언(甘言), 교언(巧言).

smooth·faced [ˊ-féist] *a.* ① (얼굴에) 수염이 없는, 수염을 깎은. ② (천의) 표면이 매끈매끈한. ③ (겉은) 온화한 ; 위선적인, 양의 탈을 쓴.

smooth·ie [smú:ði] *n.* Ⓒ《口·蔑》 사근사근한 사람, 구변 좋은 사람.

:smooth·ly [smú:ðli] *ad.* ① 매끈하게, 순조롭게, 수월하게. ② (말을) 유창하게.

smóoth múscle 〖解〗 평활근(平滑筋).

smote [smout] SMITE의 과거.

***smoth·er** [smʌ́ðər] *vt.* ①《~+목 / +목+전+명》 …을 숨막히게 하다《*with*》; 질식(사)시키다 ; …의 성장〔발전〕을 저지하다 : be ~*ed with* smoke 연기로 숨이 막히다. ②《~+목 / +목+전+명》 (불)을 덮어 끄다, (불)을 묻다《*with*》: ~ a fire *with* ashes 재를 덮어 불을 끄다. ③《~+목 / +목+부》 …을 덮어버리다, 은폐하다, 묵살하다《*up*》: ~ *up* a crime 범죄를 은폐하다. ④ (안개 따위로) …을 푹 싸다, 휩〔감〕싸다《*in*》: The town is ~*ed in* fog. 읍내는 안개로 감싸여 있다. ⑤ (감정·충동 따위)를 억누르다 ; (하품)을 삼키다 : ~ a yawn 하품을 삼키다 / ~ one's grief 슬픔을 억누르다. ⑥《+목+전+명》 (키스·선물·친절 따위로) …을 압도하다, 숨막히게 하다《*with*》: ~ a person *with* kisses 아무에게 키스를 퍼붓다. ⑦ …을 찌다, 찜으로 하다. ⑧ …에 뒤바르다, …에 듬뿍 칠하다《*with*》: ~ a salad *with* dressing 샐러드에 드레싱을 듬뿍 치다.

── *vi.* 숨이 답답해지다, 질식(사)하다《*in*》.

── *n.* Ⓤ (또는 a ~) (숨막히는 듯한) 연기, 먼지(등) ; 짙은 안개.

smudge [smʌdʒ] *n.* Ⓒ ① 오점, 얼룩, 더러움 :

The wallpaper had ~*s* all over it. 벽지는 얼룩투성이었다. ② 《美》 모깃불(=∠ **fire**), 모닥불《구충·서리 방지용》. ── *vt.* ① …을 더럽히다, 얼룩지게 하다; …에 오염을 남기다. ② (텐트·과수원 등)에 모깃불을 놓다. ── *vi.* 더러워지다, (잉크 등이) 배다.

smudgy [smʌ́dʒi] (***smudg·i·er*** ; ***-i·est***) *a.* 더러워진, 얼룩투성이의; 화장이 진; 선명치 않은. ㊞ **smúdg·i·ly** *ad.* 더러워져. **-i·ness** *n.*

smug [smʌg] (***-gg-***) *a.* 독선적인, 점잔빼는. ㊞ **∠·ly** *ad.* **∠·ness** *n.* 젠체함; 독선.

***smug·gle** [smʌ́gəl] *vt.* ① 《~+목/+목+부》 …을 밀수입〔밀수출〕하다, 밀수〔밀매매〕하다《*in*; *out*; *over*》; 밀항〔밀입국〕하다: ~*d* goods 밀수품 / ~ watches *abroad* 시계를 밀수출하다. ② 《+목+전+명》 …을 몰래 들여오다〔반입하다〕《*into*》; 몰래 내가다〔반출하다〕《*out of*》: ~ a pistol *into* a jail 교도소에 권총을 몰래 들여오다. ── *vi.* 밀수입〔밀수출〕하다.

***smug·gler** [smʌ́gələr] *n.* Ⓒ ① 밀수입〔밀수출〕자, 밀수업자. ② 밀수선.

smut [smʌt] *n.* ① Ⓤ,Ⓒ (검댕·연기 따위의) 덩어리; 얼룩, 더럼; Ⓤ 〖植〗 흑수병, (보리 등의) 깜부기. ② Ⓤ 음탕한 말〔이야기, 소설〕. ── (***-tt-***) *vt.* ① (그을음 따위로) …을 더럽히다, 꺼멓게 하다. ② 〖植〗 …을 깜부기병에 걸리게 하다. ── *vi.* 〖植〗 깜부기병에 걸리다.

smut·ty [smʌ́ti] (***-ti·er*** ; ***-ti·est***) *a.* ① 더러워진, 그을은, 거무스름한. ② 흑수병에 걸린. ③ 음란〔외설〕한(obscene). ㊞ **-ti·ly** *ad.* **-ti·ness** *n.*

Sn 〖化〗 *stannum* 《L.》 (=tin).

snack [snæk] *n.* Ⓒ ① (식간에 먹는) 가벼운 식사; 간식. ② (음식 등의) 한입; 소량. ── *vi.* 《美》 가벼운 식사를 하다.

snáck bàr 〔《英》 **cóunter, stánd**〕 간이식당, 스낵바.

snaf·fle [snǽfəl] *n.* Ⓒ (말에 물리는) 작은 재갈. ── *vt.* ① (말)에 작은 재갈을 물리다. ② 《英口》 …을 후무리다, 훔치다.

sna·fu [snæfúː, ∠-] 《美俗》 *a.* 와글와글 들끓는, 대혼란의. ── *vt.* …을 혼란시키다. ── *n.* Ⓤ 대혼란.

snag [snæg] *n.* Ⓒ ① (잘리거나 꺾인) 나뭇가지의 그루터기. ② 부러진 이뿌리, 이촉; 뻐드렁니. ③ (물 속에 잠겨 배의 통행을 방해하는) 나무, 잠긴 나무. ④ 뜻하지 않은 장애. ⑤ 옷·양말 따위의 긁혀 찢긴 데.
── (***-gg-***) *vt.* ① (배)를 물에 잠긴 나무에 걸리게 하다. ② …을 방해하다: Commerce was ~*ged* by the lack of foreign exchange. 외국환 부족으로 거래가 정체됐다. ── *vi.* 《美》 (물 속에) 잠긴 나무에 얹히다〔부딪치다〕; 장애가 되다; 걸리다.

snag·gle·tooth [snǽgəltùːθ] (*pl.* ***-teeth*** [-tìːθ]) *n.* Ⓒ 고르지 못한 이; 덧니, 뻐드렁니.

snag·gy [snǽgi] (***-gi·er*** ; ***-gi·est***) *a.* ① (물 속에) 쓰러진 나무가 많은. ② 뾰족하게 튀어나온.

‡**snail** [sneil] *n.* Ⓒ ① 〖動〗 달팽이: an edible ~ 식용 달팽이. ② 굼뜬거리는 사람; 늘보.
(*as*) *slow as a* ~ 매우 느린. ***at a ~'s pace*** 〔***gallop***〕 매우 느릿느릿.

‡**snake** [sneik] *n.* Ⓒ ① 뱀. ② 뱀처럼 음흉〔냉혹, 교활〕한 사람, 마음놓을 수 없는 사람; 《美學生俗》 난봉꾼. ③ 굽은 도관(導管) 청소용 철선. ***a ~ in the grass*** 숨은 적, 눈에 보이지 않는 적〔위험〕; 신용할 수 없는 사람〔친구〕. ***raise*** 〔***wake***〕 ***~s*** (1) 소동을 일으키다. (2) 재빨리 도망치다. ***see ~s*** =《美口》 ***have ~s in*** one***'s boots*** 알코올 중독에 걸려 있다. ── *vi.* (뱀처럼) 꿈틀꿈틀 움직이다; 꾸불꾸불 나아가다; 《美俗》 몰래〔살며시〕 가버리다: The road ~*s* among the mountains. 길이 산속에 꾸불꾸불 나있다. ── *vt.* 《美》 …을 (홱) 잡아당기다《*out*》; (체인이나 로프로 통나무 등)을 끌다: ~ *out* a tooth 이를 잡아빼다.
~ one***'s way*** 꿈틀거리며 나아가다: A long train ~*s its way* along the slope. 긴 열차가 경사면을 꾸불꾸불 달리고 있다. ㊞ **∠·lìke** *a.*

snake·bite [∠bàit] *n.* ① Ⓒ 뱀에게 물린 상처. ② Ⓤ 뱀에게 물린 상처의 통증.

snáke chàrmer 뱀 부리는 사람.

snáke dànce (종교 의식의) 뱀춤; (승리 축하·데모의) 사행(蛇行)〔지그재그〕 행렬〔행진〕.

snáke pìt ① 뱀 넣어 두는 우리〔구멍〕. ② (환자를 거칠게 다루는) 정신 병원.

snákes and ládders 〔單數취급〕 뱀과 사다리《주사위를 던져 말을 나아가게 하는 게임》.

snake·skin [∠skìn] *n.* ① Ⓒ 뱀의 표피(表皮). ② Ⓤ 무두질한 뱀 가죽.

snaky, snak·ey [snéiki] (***snak·i·er*** ; ***-i·est***) *a.* ① 뱀의; 뱀 같은; 뱀이 많은. ② 꾸불꾸불한 (winding). ③ 교활〔음흉〕한; 잔학〔냉혹〕한.

‡**snap** [snæp] (***-pp-***) *vi.* ① 《~/+전+명》 덥석 물다, 물어뜯다《*at*》: ~ *at* the bait (물고기가) 미끼를 덥석 물다. ② 《~/+전+명》 (기뻐서) 달려들다, 움켜쥐다: He ~*ped at* the invitation. 초대에 당장 응했다. ③ 《~/+전+명》 닦아세우다《*at*》: There is no need to ~ *at* me like that. 내게 그렇게 딱딱거릴 것 없다. ④ 《~/+부》 찰깍〔딱〕하고 소리를 내다; (문·자물쇠가) 찰깍〔탕〕하고 닫히다《*to*》: The door ~*ped to.* 문이 탕하고 닫혔다. ⑤ 딱〔뚝〕 부러지다, 딱 하고 꺾이다〔망그러지다〕: The rope ~*ped.* 로프가 뚝 하고 끊겼다. ⑥ (신경 따위가) (긴장으로) 갑자기 견딜 수 없게 되다. ⑦ (채찍·권총 등이) 딱〔짤깍〕 소리를 내다, 불발이 되다. ⑧ (눈이) 번쩍 빛나다. ⑨ 날쌔게 행동하다, 민첩하게 움직이다. ⑩ 〖寫〗 스냅 사진을 찍다.
── *vt.* ① 《~+목/+목+부》 …을 물다, 물어뜯다《*up*》; 잘라먹다《*off*》: The shark ~*ped* the man's leg *off.* 상어가 그 남자의 다리를 덥석 물어뜯었다. ② 《~+목+부/+목+전+명》 …을 움켜잡다, 긁어모으다《*up*》; 앞을 다투어 잡다〔빼앗다〕; 낚아채다《*up*; *off*》: The bargains were ~*ped up* immediately. 특매품은 순식간에 팔렸다. ③ …을 급히〔서둘러〕 처리하다: ~ a bill through congress 법안을 서둘러 통과시키다. ④ 《~+목/+목+보》 …을 짤깍 소리나게 하다; (손가락으로) 딱 소리를 내다; (권총 따위)를 쏘다; (문)을 탕 닫다〔열다〕; (채찍 따위)로 휙 소리내다: ~ a whip / ~ open a watch 시계 딱지를 짤깍 열다. ⑤ 《~+목/+목+부/+목+전+명》 …을 뚝〔딱〕 부러뜨리다〔꺾다〕《*off*》; …을 싹독 잘라내다, 뚝 끊다: ~ *off* a twig 잔가지를 치다. ⑥ 《~+목/+목+부》 …에게 딱딱거리며〔날카롭게〕 말하다, 고함치다《*out*》; 되쏘아붙이다《*back*》: ~ *out* orders 날카롭게 명령하다 / ~ *out* one's criticisms 딱딱거리며 비난하다. ⑦ …의 스냅 사진을 찍다. ⑧ 《~+목+전+명》 …을 급히 움직이다, 휙 던지다: ~ a ball *to* the second 공을 2루에 재빨리 던지다. ~ ***back*** 《口》 (1) 급속히 회복하다. (2) 탄력있게 되돌아가다. (3) 되쏘아붙이다. ~ (***in***)***to it*** 《口》 신이 나서〔본격적으로〕 시작하다, 서두르다. ~ ***it up*** 《口》 = ~ into it. ~ ***out of it*** 《口》 기운을 내다; (…한 기분·병에서) 결연히 벗어나다; 떨쳐버리고 기운을 되찾다: Come on, ~ *out of it!* 자, 어서 힘을 내라! ~ one***'s cap*** 《美俗》 몹시 흥분하다, 갈팡질팡하다.

~ one's **fingers at** ⇨FINGER. ~ **short** 딱 부러지다, 뚝 끊어지다. ~ a person's **nose** [**head**] **off** (아무 일도 아닌데) 싸움조로 대들다, 딱딱거리다. ~ **up** (1) 덥석 물다, 달려들다. (2) 잡아채다.
— *n.* ① Ⓒ 덥석 물기〔잡기〕: a ~ at a bait 먹이를 덥석 묾. ② Ⓒ 뚝 부러짐〔쪼개짐〕; (채찍 등의) 휙〔딱, 철썩〕 하는 소리. ③ Ⓒ 스냅, (찰깍 하고 채워지는) 죔쇠, 걸쇠. ④ Ⓒ 훌닦음, 퉁명스러움. ⑤ Ⓒ (날씨의) 급변, 《특히》 갑작스러운 추위. ⑥ Ⓒ 스냅 사진. ⑦ Ⓒ 《英》 생강이 든 과자. ⑧ Ⓤ 《口》 정력, 활기. ⑨ (a ~) 《美口》 편한〔수월한〕 일; 《美俗》 무골 호인, 점수가 후한 선생: a soft ~ 《美口》 쉬운 일. ⑩ Ⓒ 《英方》 급히 서둘러 먹는 식사, 스낵, (노동자의) 도시락. ⑪ Ⓤ 《英》 스냅《카드놀이의 일종》. **in a** ~ 곧, 즉시. **not (care) a** ~ 조금도 (개의치) 않다. **not worth a** ~ 아무런 가치도 없는. **with a** ~ 딱〔찰깍〕하고.
— *a.* 〔限定的〕 ① 찰깍 채워지는: a ~ bolt 자동식 빗장. ② 황급한: a ~ decision 황급한 결정 / take a ~ vote 예고 없는 투표를〔표결을〕 하다. ③ 《美口》 간단한, 쉬운: a ~ job 쉬운 일 / a ~ course 《美學生俗》 (대학의) 학점을 따기 쉬운 학과. — *ad.* 딱, 뚝, 찰깍.

snáp bèan 《美》 꼬투리째 먹는 각종 콩과 식물.

snap·drag·on [-drӕgən] *n.* Ⓒ ① 〖植〗 금어초(金魚草). ② 불붙인 브랜디 속에 든 건포도 등을 집어먹는 놀이(flapdragon).

snáp fàstener 〖洋裝〗 스냅, 똑딱단추.

snáp lòck 용수철식 자물쇠《문이 닫히면 저절로 걸림》.

snap·per [snǽpər] *n.* Ⓒ ① 스냅 (파스너), 똑딱단추; 짤깍하는 것. ② 앙알〔딱딱〕거리는 사람. ③ =SNAPPING TURTLE. ④ 〖魚〗 도미의 일종.

snáp·ping tùrtle [snǽpiŋ-] 〖動〗 (북아메리카 하천에 있는) 자라 비슷한 거북.

snap·pish [snǽpiʃ] *a.* (개 따위가) 무는 버릇이 있는; 딱딱거리는; 퉁명스러운(curt), 성마른(testy). ⊕ ~**·ly** *ad.* ~**·ness** *n.*

snap·py [snǽpi] (**-pi·er ; -pi·est**) *a.* ① = SNAPPISH. ② (장작불 따위가) 탁탁거리며 타는. ③ 기운찬, 활기 있는. ④ 즉석의; 재빠른. ⑤ 《口》 멋진, 스마트한. ⑥ (바람·추위가) 살을 에는 듯한. **look** ~ 《英口》 서두르다. **Make it** ~**!** 《口》 빨리 하라, 서둘러라.

snap·shot [-ʃɑ̀t / -ʃɔ̀t] *n.* Ⓒ 속사(速寫), 스냅(사진). **take a** ~ **of** …을 속사(速寫)하다, …의 스냅(사진)을 찍다.

snápshot dùmp 〖컴〗 스냅샷 덤프《프로그램 실행 중인 여러 시점에서 기억 장치의 특정 부분을 인쇄 출력함》.

***snare** [snɛər] *n.* ① Ⓒ 덫, 올가미. ② Ⓒ (흔히 *pl.*) 속임수, 함정, (사람이 빠지기 쉬운) 유혹: fall into a ~ 함정에 빠지다. ③ (*pl.*) 향현(響絃)《북 한가운데에 댄 줄》. **set** [**lay**] **a** ~ 덫을 (만들어) 놓다. — *vt.* …을 덫으로〔올가미로〕 잡다; 《比》 (함정에) 빠뜨리다, 유혹하다; 약삭빠르게 손을 써 손에 넣다.

snáre drùm 군용(軍用) 작은 북《뒷면에 향「현을 댄 것》.

***snarl**[1] [snɑːrl] *vi.* 《~ / +전+명》 (개가 이빨을 드러내고) 으르렁거리다; 고함치다, 호통치다《*at*》: The dogs started to ~ *at* each other. 개는 서로 으르렁거리기 시작했다 / "Go to hell !" he ~*ed*. "뒈져라 !" 하며 그는 고함쳤다. — *vt.* 《~+목+부》 …에게 호통치다, (버럭버럭) 소리 지르며 말하다《*out*》. cf. growl. ¶ He ~*ed out* his answer. 그는 고함치듯 대답했다.
— *n.* Ⓒ (흔히 *sing.*) 으르렁거리는 소리; 서로 으르렁거리기; 홀닦음.

snarl[2] *n.* Ⓒ (흔히 *sing.*) 뒤얽힘, (머리·실 등의) 엉클어짐; 혼란: a traffic ~ 교통 체증〔마비〕. — *vt.* …을 엉클어지게 하다; (교통·통신 등)을 혼란시키다; 갈피를 못 잡게 하다.

snarl-up [snɑ́ːrlʌ̀p] *n.* Ⓒ 《口》 혼란; 교통 마비.

:snatch [snætʃ] *vt.* ① 《~+목 / +목+전+명 / +목+부》 …을 와락 붙잡다, 움켜쥐다, 잡아채다, 강탈하다《*up* ; *away* ; *off* ; *from*》: ~ one's rifle 총을 움켜쥐다 / ~ a purse *from* [*out of*] a woman's hand 여자의 손에서 핸드백을 잡아채다. ② 《~+목+부 / +목+전+명》 (이 세상에서)…을 앗아가다, 갑자기 모습을 감추게 하다, 죽이다: Sudden death ~*ed* him *away from* his family. 갑작스러운 죽음이 가족으로부터 그를 앗아갔다. ③ (기회를 잡아) 재빨리 …을 먹다〔취하다, 얻다〕: ~ a hurried meal 급히 식사를 하다. ④ 《~+목+전+명》 (화재·위험 등에서) …을 구해내다, 구출하다《*from*》: He ~*ed* the baby *from* the fire. 아기를 불 속에서 구출했다. ⑤ 《美俗》 …을 체포하다, 납치하다, 유괴하다(kidnap).
— *vi.* 《+전+명》 낚아채려 하다, 움켜잡으려 하다, 달려들다《*at*》: ~ *at* a handbag 핸드백을 낚아채려 하다.
— *n.* Ⓒ ① 잡아챔, 날치기, 강탈. ② 와락 움켜잡음; 달려듦, 덤벼듦. ③ (흔히 *pl.*) 한차례의 일〔쉼〕, 짧은 시간, 한바탕: get a ~ of sleep 한잠 자다. ④ (흔히 *pl.*) 단편(斷片) (fragments); 한입, 소량(bits): hear ~*es* of the story 이야기를 단편적으로 듣다. ⑤ 급히 먹는 식사. ⑥ 《美俗》 유괴, 납치; 체포. **make a** ~ (**at . . .**) (…을) 낚아채려 하다, …에게 와락 달려들다.

snatch·er [snǽtʃər] *n.* Ⓒ 치기배; 분묘 도굴꾼, 시체 도둑; 유괴 범인.

snatchy [snǽtʃi] (**snatch·i·er ; -i·est**) *a.* 이따금씩의, 때때로의, 단속적인, 불규칙한.

snaz·zy [snǽzi] (**-zi·er ; -zi·est**) *a.* 《口》 멋을 낸, 멋진, 매력적인.

***sneak** [sniːk] *vi.* ① 《~+전+명 / +부》 몰래〔살금살금〕 움직이다, 몰래〔가만히〕 내빼다《*away* ; *off*》; 가만히〔몰래〕 들어가다〔나오다〕《*in, into* ; *out*》: ~ *into* a room 몰래 방으로 들어가다. ② 비열하게 굴다. ③ 《英學俗》 (선생에게) 고자질하다(peach).
— *vt.* ① 《~+목+전+명》 …을 몰래 가지고 가다〔넣다, 꺼내다〕: The man ~*ed* the puppy *under* his coat. 그 남자는 몰래 강아지를 코트 속에 숨겼다. ② 《口》 …을 후무리다〔훔치다〕. ~ **out of** …로부터 슬쩍 피하다〔면하다〕: ~ *out of* danger 위험을 잘 피하다.
— *n.* Ⓒ ① 몰래하기〔하는 사람〕, 몰래 빠져나감〔가 버림〕; 좀도둑. ② 《英學俗》 (선생에게) 고자질하는 학생(telltale).

sneak·er [sníːkər] *n.* ① Ⓒ 몰래〔가만히〕 행동하는 사람, 비겁자. ② (*pl.*) 《美》 스니커《고무 바닥의 즈크화》(《英》 plimsoll).

sneak·ing [sníːkiŋ] *a.* ① 살금살금 걷는, 몰래〔가만히〕 하는(furtive). ② 소심한, 겁 많은; 비열한(mean); (감정 따위가) 비밀의, 내심의: You ~ liar ! 이 비열한 거짓말쟁이.

snéak préview 《美口》 (관객의 반응을 보기 위해 예고 없이 시행되는) 영화 시사회.

snéak thìef 좀도둑, 빈집털이.

sneaky [sníːki] (**sneak·i·er ; -i·est**) *a.* ① 몰래〔가만히〕 하는. ② 비열한, 남을 속이는: a ~ attack 기습. ⊕ **snéak·i·ly** *ad.* **-i·ness** *n.*

***sneer** [sniər] *n.* Ⓒ 냉소; 비웃음, 경멸《*at*》; 남을 깔보는 듯한 표정〔빈정댐〕.
— *vi.* 《~ / +전+명》 냉소〔조소〕하다《*at*》; 비

웃다, 비꼬다《*at*》: He ~*s at* religion. 그는 종교를 냉소하고 있다. ── *vt.* 《+목+부 / +목+전+명》 …을 조롱하여 말하다《*down*》; 조소하여 …하게 하다 : ~ a person *down* 아무를 몹시 비웃다. ⓟ **∠·ing·ly** [-riŋli] *ad.* 냉소하여.

sneeze** [sni:z] *n.* Ⓒ 재채기 (소리). ── *vi.* 재채기하다. ***not to be ~d at 《口》 깔볼 수 없는, 상당한 : It's *not to be ~d at*. 그것은 깔볼 수 없다. ⓟ **snéez·er** [-ər] *n.* Ⓒ 재채기하는 사람.

snick [snik] *vt.* …에 새김금을 내다(nick), 칼자국을 내다. ── *n.* Ⓒ 벰; 가느다란 칼자국.

snick·er [sníkər] *vi.* ①《美》(멸시하여) 킬킬거리다. ② (말이) 울다(whinny). ── *n.* Ⓒ ①《美》 킬킬거리는 웃음. ②《주로 英》 (말의) 울음소리.

snide [snaid] *a.* (말 따위가) 짓궂은, 빈정대는, 헐뜯는(derogatory) ; 비열한 : make ~ remarks 짓궂은 말을 하다. ⓟ **∠·ly** *ad.* **∠·ness** *n.*

‡sniff [snif] *vi.* ①《~ / +전+명》 코를 킁킁거리다, 냄새를 맡다《*at*》: ~ *at* roses 장미 냄새를 맡다. ②《+전+명》 코방귀 뀌다《*at*》: You shouldn't ~ *at* that offer. 그 제안을 얕봐서는 안 된다. ── *vt.* ①《~+목 / +목+부》 …을 코로 들이쉬다 : ~ the fresh morning air 신선한 아침 공기를 들이마시다. ② …의 냄새를 맡다, …의 냄새를 알아차리다 : ~ something burning 뭔가 타는 내가 나다. ③ …을 낌새〔눈치〕채다(suspect)《*out*》: ~ (*out*) a plot 음모를 눈치채다. ④ 비웃는 투로 말하다. ── *n.* Ⓒ 냄새 맡음 : give a ~ 냄새를 맡아 보다.

sniff·er [snífər] *n.* Ⓒ ① 냄새 맡는 사람 : a glue ~ 시너 냄새를 맡는 사람. ② 냄새 탐지기.

sníffer dòg (마약·폭발물 등을) 냄새로 알아내는 개.

snif·fle [snífəl] *vi.* =SNUFFLE.

sniffy [snífi] (***sniff·i·er*** ; ***-i·est***) *a.* ①《口》 코방귀 뀌는, 오만한, 고자세를 취하는. ②《英》 구린, 악취 나는(malodorous).

snif·ter [sníftər] *n.* Ⓒ ① 주둥이가 조붓한 술잔. ②《口》 (술의) 한 모금, 한잔.

snig·ger [snígər] *vi., n.* =SNICKER.

snip [snip] (**-pp-**) *vt.* 《~+목 / +목+부》 …을 가위로 자르다, 싹독 자르다《*off* ; *away* ; *from*》: *Snip* the ends *off*. 끝을 잘라라. ── *vi.* 싹독 베다《*at*》: ~ *at* a hedge. ── *n.* ① Ⓒ **a)** 싹독 자름, 그 소리 ; 가위질 : with a ~ 싹독하고. **b)** 끄트러기(shred), 단편 ; 조금. ② (*pl.*) 쇠 자르는 가위. ③ (a ~) 《英口》 싸게 산 물건. ④ Ⓒ 《美口》 하찮은 놈 ; 건방진 사람.

snipe [snaip] (*pl.* **~s,** 〔集合的〕 ~) *n.* Ⓒ 〖鳥〗 도요새. ── *vi.* ① 도요새잡이를 하다. ②〖軍〗 (잠복해서 …을) 저격하다《*at*》. ③ (익명으로) 비난 공격하다《*at* ; *away*》: The politician was often ~*d at* in the newspapers. 그 정치가는 종종 신문에서 공격의 대상이 되었다.

snip·er [snáipər] *n.* Ⓒ 도요새 사냥꾼 ; 저격병.

snip·pet [snípit] *n.* ① Ⓒ (베어 낸) 끄트러기, 조각, 단편. ② (*pl.*) (문학 작품 등의) 발췌 ; 단편적 지식〔보도〕. ③ Ⓒ 《美口》 하찮은 인물.

snitch[1] [snitʃ] *vt.* 《俗》 (대단찮은 것)을 몰래 훔치다, 후무리다(pilfer). ── *n.* Ⓒ 절도.

snitch[2] 《俗》 *vt., vi.* (…을) 고자질〔밀고〕하다. ── *n.* Ⓒ 통보자, 밀고자 ; 《英·戲》 코.

sniv·el [snívəl] (**-l-**, 《英》 **-ll-**) *vi.* ① 콧물을 흘리다 ; 코를 훌쩍이다(snuffle). ② 훌쩍훌쩍 울다 ; 슬픈 체하다, 훌쩍이며 우는 소리〔넋두리〕하다. ── *n.* Ⓤ ① 콧물(을 흘림). ② 훌쩍임, 우는 소리, 넋두리. ⓟ **sniv·el·(l)er** *n.* **sniv·el(·l)y** *a.*

snob [snɑb / snɔb] *n.* Ⓒ ① (지위·재산만을 존중하여) 윗사람에게 아첨하고 아랫사람에게 교만한 사람. ②〔修飾語와 함께〕(자기의 학문·취미 등이 최고라고 내세우는) 사이비 인텔리, 신사연하는 속물.

snob·bery [snábəri/snɔ́b-] *n.* ① 신사연함, 속물 근성, 속물적 언동. ② 윗사람에게 아첨하고 아랫사람에게 뻐김.

***snob·bish** [snábiʃ / snɔ́b-] *a.* 속물의, 신사연하는 ; (지식〔지위〕 등으로) 거드름 피우는. ⓟ **~·ly** *ad.* **~·ness** *n.* 속물 근성.

snob·bism [snábizəm/snɔ́b-] *n.* =SNOBBERY.

snob·by [snábi / snɔ́bi] (***-bi·er*** ; ***-bi·est***) *a.* =SNOBBISH.

SNOBOL [snóubɔ̀ul] *n.* 〖컴〗 스노볼《문자열(文字列)을 취급하기 위한 언어》. [◂ *String Oriented Symbolic Language*]

snog [snɑg / snɔg] (**-gg-**) *vi.* 《英口》 키스하고 껴안다. ── *n.* Ⓒ 키스하고 껴안기.

snood [snu:d] *n.* Ⓒ 머리를 동이는 리본 ; 자루 모양의 헤어네트, 네트모(帽).

snook [snu(:)k] *n.* Ⓒ 《英口》 엄지손가락을 코끝에 대고 다른 네 손가락을 펴 보이는 경멸의 동작. ***cock a ~ at*** 《口》 …에게 snook의 동작으로 멸시하다. ***Snooks !*** 뭐야 시시하게.

snook·er [snú(:)kər] *n.* Ⓤ 스누커《흰 큐볼 하나로 21개의 공을 포켓에 떨어뜨리는 당구》. ── *vt.* 〔종종 受動으로〕 (사람·계획 등)을 궁지에 빠뜨리다 ; 속이다 ; 방해하다 ; 꼭뒤 지르다.

snoop [snu:p] *vi.* 《口》 기웃거리며 돌아다니다 ; 어정거리다 ; 탐색하다, 스파이 노릇하다. ── *n.* Ⓒ 《口》 어정거리고 다니는 사람 ; 탐정, 스파이.

snoop·er [snú:pər] *n.* 《口》 =SNOOP.

snoopy [snú:pi] (***snoop·i·er*** ; ***-i·est***) *a.* 《口》 엿보며 돌아다니는 ; 캐기 좋아하는.

snoot [snu:t] *n.* Ⓒ ①《口》 코. ② 찡그린 얼굴.

snooty [snú:ti] (***snoot·i·er*** ; ***-i·est***) *a.* 《口》 속물적인, 젠체하는 ; 건방진, 자만하는. ⓟ **snóot·i·ly** *ad.* **-i·ness** *n.*

snooze [snu:z] 《口》 *vi.* 수잠 자다(nap), 꾸벅꾸벅 졸다(doze). ── *n.* Ⓒ (흔히 a ~) 수잠, 꾸벅꾸벅 졺.

snore [snɔ:r] *n.* Ⓒ 코골기. ── *vi.* 코를 골다 : He was *snoring* heavily. 그는 크게 코를 골고 있었다. ── *vt.* ①《+목+부》 코골며 (시간)을 보내다《*away* ; *out*》: I've ~*d* the whole weekend *away*. 나는 주말을 쿨쿨 자면서 지냈다. ②《+목+보 / +목+전+명》〔再歸的〕 코를 골아 어떤 상태로 되게 하다 : ~ *oneself* awake 자기의 코고는 소리에 잠을 깨다. ⓟ **snór·er** [-rər] *n.* Ⓒ 코고는 사람.

***snor·kel** [snɔ́:rkəl] *n.* Ⓒ 스노클《(1) 잠수함의 환기용 튜브. (2) 잠수자가 입에 무는 호흡용 관》. ── *vi.* 스노클로 잠수하다.

***snort** [snɔ:rt] *vi.* ① (말이) 콧김을 내뿜다. ② (경멸·놀라움·불찬성 등으로) 코방귀 뀌다, 코웃음 치다《*at*》. ── *vt.* ① 코를 씨근거리며 말하다《*out*》: ~ *out* a curt reply 코를 씨근거리며 거칠게 대답하다. ②《美俗》 (마약, 특히 코카인)을 코로 흡입하다. ── *n.* Ⓒ ① 거센 콧바람 ; 기관의 배기음. ②《口》 (독한 술을) 쭉 들이켬. ③《美俗》 (마약, 특히 코카인의) 흡입 ; 《英》 =SNORKEL.

snort·er [snɔ́:rtər] *n.* Ⓒ ① 거친 콧숨을 쉬는 사람〔동물〕. ② (흔히 a ~) 《口》 엄청난〔굉장한〕 것 ; 맹렬한〔위험한, 어려운〕 것.

snot [snɑt / snɔt] *n.* Ⓤ 《俗》 ① 콧물, 누런 콧물 ;

코딱지. ② 역겨운 녀석, 건방진 놈.

snot·ty [snáti / snɔ́ti] (**-ti·er ; -ti·est**) *a.* 《俗》 콧물투성이의, 추저분한(dirty) ; 경멸할(contemptible) ; 《口》 건방진, 예의를 모르는.

snout [snaut] *n.* ① Ⓒ (돼지·개·악어 등의) 삐죽한 코, 주둥이(muzzle) ; 《口》 코, (특히 못생긴) 큰 코. ② Ⓒ (호스 등의) 끝(nozzle). ③ Ⓤ,Ⓒ 《英俗》 담배. ④ Ⓒ 《英俗》 경찰에의 밀고자.

†snow [snou] *n.* ① Ⓤ 눈 ; Ⓒ 강설(降雪) ; (*pl.*) 적설(積雪). ② Ⓤ 눈 모양의 것. ③ Ⓤ 《詩》 설백(雪白), 순백 ; (*pl.*) 백발 : the ~*s* of 80th years, 80세 노인의 백발. ④ Ⓤ 〖TV〗 스노노이즈 《전파가 약해서 생기는 화면의 흰 반점》. ⑤ Ⓤ 《俗》 분말 코카인, 헤로인(heroin).
— *vi.* ① 〔it를 主語로 하여〕 눈이 내리다 : *It's* ~*ing*, mummy! 엄마, 눈이 내리고 있어. ② 《+副》 눈처럼 내리다〔쏟아지다〕《*in*》: Presents came ~*ing in*. 선물이 쏟아져 들어왔다. — *vt.* ① …을 눈으로 덮다〔가두다〕《*under ; up ; in*》〔흔히 受動으로〕: We *were* ~*ed up* in the valley. 우리는 골짜기에서 눈에 갇히고 말았다. ② 《+目+前+名》 …을 눈처럼 쏟아지게 하다〔뿌리다〕: The cherry tree ~*ed* its blossoms on the ground. 벚나무가 꽃잎을 땅위에 눈처럼 뿌렸다. ③ 《美俗》 …을 감언이설로 속이다.
~ ***under*** (1) 눈으로 덮다. (2) 〔흔히 受動으로〕 《口》 압도하다《*by; with*》: I *am* ~*ed under with* work at the moment. 나는 지금 산더미 같은 일로 꼼짝 못하고 있다.

snow·ball** [ˊbɔ̀:l] *n.* Ⓒ 눈뭉치, 눈덩이 : a ~ fight 눈 싸움. ② 〖植〗 =GUELDER ROSE. ***not have 〔***stand***〕 ***a ~'s chance in hell*** 《口》 (성공 따위의) 찬스가 전무하다. — *vt., vi.* ① (…에) 눈뭉치〔덩이〕를 던지다, 눈싸움하다. ② (…을〔…이〕) 눈덩이처럼 점점 증대시키다〔되다〕: Her debts ~*ed*. 그녀의 빚은 눈덩이처럼 커졌다.

snow·bank [ˊbæ̀ŋk] *n.* Ⓒ 크게 쌓인 눈더미.

snow·ber·ry [ˊbèri / ˊbəri] *n.* Ⓒ 〖植〗 인동덩굴과의 관목《북아메리카산》.

snow·bird [ˊbə̀:rd] *n.* Ⓒ ① 〖鳥〗 흰멧새. ② 《美俗》 코카인〔헤로인〕 중독자.

snow-blind [ˊblàind] *a.* 설맹(雪盲)의.

snów blìndness 설맹(雪盲).

snow·blow·er [ˊblòuər] *n.* Ⓒ 《美》 분사식 제설기.

snow·bound [ˊbàund] *a.* 눈에 갇힌〔발이 묶인〕.

snow-capped [ˊkæ̀pt] *a.* (산꼭대기가) 눈으로 덮인.

snow-clad [ˊklæ̀d] *a.* 《文語》 눈으로 덮인.

***snow-cov·ered** [ˊkʌ̀vərd] *a.* 눈으로 덮인.

snow·drift [ˊdrìft] *n.* Ⓒ 쌓인 눈더미, 휘몰아쳐 쌓인 눈.

snow·drop [ˊdràp / ˊdrɔ̀p] *n.* Ⓒ 〖植〗 갈란투스, 스노드롭 ; 아네모네.

***snow·fall** [ˊfɔ̀:l] *n.* ① Ⓒ 강설 : the first ~ of the season 초설. ② Ⓤ (또는 a ~) 강설량 : *an* average ~ of 10 centimeters per year 연간 10 cm의 평균 강설량.

snow·field [ˊfì:ld] *n.* Ⓒ 설원(雪原).

snow·flake [ˊflèik] *n.* Ⓒ ① 눈송이. ② 〖鳥〗 흰멧새. ③ 〖植〗 snowdrop 류.

snów gòose 〖鳥〗 흰기러기.

snów gràins 싸락눈.

snów jòb 《美俗》 (그럴 듯하나) 기만적인 진술, 감언이설, 교묘한 거짓말.

snów lèopard 〖動〗 애엽표(艾葉豹) (ounce).

snów lìne 〔**lìmit**〕 (the ~) 〖氣〗 설선(雪線) 《만년설의 최저 경계선》.

***snow·man** [ˊmæ̀n] (*pl.* **-men** [-mèn]) *n.* Ⓒ ① 눈사람. ② (히말라야의) 설인(雪人) (Abominable Snowman). cf. yeti.

snow·mo·bile [ˊməbì:l] *n.* Ⓒ 《美》 설상차.

snow·plow, 《英》 **-plough** [ˊplàu] *n.* Ⓒ (눈치는) 넉가래, 제설기, 제설 장치.

snow·shed [ˊʃèd] *n.* Ⓒ 눈사태 방지 설비《선로변의》.

***snow·shoe** [ˊʃù:] *n.* Ⓒ (흔히 *pl.*) 동철 박은 눈신, 설상화(雪上靴).

snow·slide, -slip [ˊslàid], [ˊslìp] *n.* Ⓒ 눈사태.

***snow·storm** [ˊstɔ̀:rm] *n.* Ⓒ 눈보라 ; 눈보라 같은 것.

snow·suit [ˊsù:t] *n.* Ⓒ 눈옷《유아용 방한복》.

snów tìre (자동차의) 스노 타이어.

***snow-white** [ˊhwáit] *a.* 눈같이 흰 ; 새하얀.

‡snowy [snóui] (***snow·i·er, more*** ~ ; ***-i·est, most*** ~) *a.* ① 눈의 ; 눈으로 덮인 ; 눈이 내리는 : Today it will be ~ in many areas. 오늘 많은 지역에 눈이 내릴 것이다. ② 눈처럼 흰 ; 깨끗한, 더럽혀지지 않은. ㊞ **-i·ness** *n.*

Snr. Senior.

snub [snʌb] (**-bb-**) *vt.* 《~+目 / +目+前+名》 ① 〔흔히 受動으로〕 …을 타박하다, 욱박지르다 ; 냉대〔무시〕하다. ② (사람의 발언 따위)를 급히 멈추게 하다 ; (제안·신청 등)을 매정하게 거절하다 : His suggestions were ~*bed*. 그의 제의는 매정하게 거절당했다.
— *n.* Ⓒ 욱박지름 ; 타박 ; 냉대 : He accepted every unjust rebuke and ~ as part of the day's routine. 그는 부당한 잔소리와 냉대를 그날그날의 일과의 한 부분으로 받아들였다.
— *a.* 사자코〔들창코〕의 : a ~ nose 사자코.

snub·ber [snʌ́bər] *n.* Ⓒ 닦아세우는 사람 ; 《美》 (자동차의) 완충기.

snub·by [snʌ́bi] (**-bi·er ; -bi·est**) *a.* =SNUB.

snub-nosed [snʌ́bnóuzd] *a.* 사자코의.

snuff[1] [snʌf] *n.* Ⓤ 초 심지가 타서 까맣게 된 부분 ; 남은 찌끼, 하찮은 것.
— *vt.* (양초 따위)의 심지를 자르다 ; (촛불 따위)를 끄다. ~ ***it*** 《英俗》 죽다. ~ ***out*** (촛불 따위)를 (심지를 손끝으로 잡아) 끄다 ; (희망 따위)를 꺾다 ; 멸하다; 소멸시키다 ; 진압하다 ; 《口》 (아무)를 없애 버리다《*out*》: Many lives were ~*ed out* during the epidemic. 유행병으로 많은 생명이 목숨을 잃었다.

***snuff**[2] *vt.* 《~+目 / +目+副》 (담배 따위)를 코로 들이쉬다 ; 흥흥거리며 냄새를 맡다 ; 낌새채다 : ~ the fresh air 신선한 공기를 들이마시다.
— *vi.* 코로 들이쉬다 ; 코담배를 맡다 ; 코를 킁킁거리다 ; 흥흥 냄새 맡다《*at*》.
— *n.* Ⓤ 코로 들이쉼 ; 코담배 ; 냄새 맡는 약 ; 향기, 냄새. cf. sniff.
up to ~ (건강·품질 등이) 어느 기준에 이른, 양호한 ; 《英口》 빈틈없는, 속여 넘기기 어려운.

snuff·box [ˊbàks / ˊbɔ̀ks] *n.* Ⓒ 코담뱃갑.

snuff·er [snʌ́fər] *n.* Ⓒ ① 촛불끄개《자루 끝에 종 모양의 쇠붙이가 달린》. ② (흔히 (a pair of) ~s) 심지 (자르는) 가위.

snuf·fle [snʌ́fəl] *n.* ① Ⓒ 콧소리. ② (the ~s) 코감기 ; 코가 멤. — *vi., vt.* ① 코가 메다 ; (감기 따위로) 코를 킁킁거리다. ② (…을) 콧소리로 말하다〔노래하다〕. ③ 냄새를 맡다.

snug** [snʌg] (snúg·ger ; -gest***) *a.* ① (장소 따위가) 아늑한, 편안한, 포근하고 따스한, 안락한. ② 아담한, 깔끔한, 조촐한, 편리한 : a ~ little cottage 아담한 작은 별장. ③ (옷 따위가) 꼭 맞는(closely fitting). ④ (수입이) 상당한, 넉넉한. ⑤ 숨기에 안전한 ; 숨은, 비밀의 : a ~ hideout 비밀의 은신처. (***as***) ~ ***as a bug in a rug*** 매우

편안하게, 포근히. ── *n.* Ⓒ《英·Ir.》(여관 따위의) 술 파는 곳; (특히) 술집의 구석진 방.
㊕ ∠·**ly** *ad.* 있기 편하게; 조촐하게. ∠·**ness** *n.*

snug·gery [snʌ́gəri] *n.* Ⓒ《英》① 아늑한 방〔장소〕;《특히》서재. ② (특히, 술집의) 작은 방, 사실(私室).

snug·gle [snʌ́gəl] *vi.* 《(+전+명 / +부》① (애정·아늑함을 찾아) 다가들다, 다가붙다《*up*; *to*》: The children ~*d up* to their mother to get warm. 어린이들은 몸을 녹이려고 어머니에게로 다가들었다. ② (기분 좋게) 드러눕다. ── *vt.* 《+목+전+명》…을 바싹 당기다, 끌어안다, 껴안다 (cuddle)《*in*; *to*》: She ~*d* her baby *in* 〔*to*〕 her arms. 어린애를 두 팔로 끌어안았다.

†**so**[1] [sou] *ad.* (비교 없음) ①〔양태·방법〕그〔이〕와 같이, 그〔이〕렇게, 이〔그〕대로: Stand just *so.* 그렇게 서 있어라 / Hold the bat *so.* 배트를 이렇게 잡아라 / Why did she laugh *so?* 그녀는 뭣 때문에 그렇게 웃었나 / *So* it was (that) I became a salesman. 이렇게 해서 나는 외판원이 되었다 / As it *so* happened, he was not at home. 마침 그때 그는 집에 없었다《이때의 so는 생략할 수 있음》.

② **a)** 〔정도〕그〔이〕 정도로, 이쯤: Don't walk *so* fast. 그렇게 빨리 걷지 마라 / Excuse me for having been silent *so* long. 이렇게 오랫동안 소식을 못 드려(서) 죄송합니다 / Don't get *so* worried. =Don't worry *so.* 그렇게 걱정하지 마시오 / I have never seen *so* beautiful a sunset. 그렇게 아름다운 일몰을 본 적이 없다. **b)** 〔일정한 한계·한도〕고작 그〔이〕 정도까지는, 이〔그〕쯤까지는: I can eat only *so* much and no more. 그 정도까지는 먹을 수 있지만 그 이상은 무리다 / She is about *so* tall. 그녀의 키는 대체로 그쯤 된다. **c)** 〔強意的으로〕《口》매우, 무척, 대단히: I am *so* pleased. 매우 기쁘다 / I'm *so* sorry. 정말(이지) 미안해; 정말 딱하군 / My head aches *so.* 머리가 몹시 아프다 / My husband *so* wants to meet you. 저의 남편이 당신을 꼭 만나 뵙고 싶어합니다.

③ 〔代名詞的으로〕 **a)** 〔動詞 say, think, hope, expect, guess, believe 따위의 目的語로서〕그렇게《that 節의 대용》: I don't believe *so.* 그렇게는 생각지 않는다 / You don't *say so?* 설마, 저런, 그렇습니까《놀라움》/ I don't *think so.* 그렇게는 생각지 않는다《I think not.이라고도 하나 격식을 차린 말투》/ I *suppose so.* =*So* I *suppose.* 아마 그렇다고 생각한다 / Susie is getting married.— *So* I *heard.* 수지가 결혼한대 — 그렇다더군. **b)** 〔代動詞 do의 목적어로서〕그렇게, 그처럼: I hoped he would reserve the room before my arrival but he didn't *do so.* 내가 도착하기 전에 방을 예약해 놓을 것으로 생각했으나 그는 그렇게 하지 않았다《do so는 reserve 이하 arrival 까지의 대용》.

④ **a)** 〔앞에 나오거나 문맥상 자명한 사항을 가리켜〕그러하여, 정말로: Is that *so?* 그러냐, 정말이냐 / Why *so?* 왜 그래 / Have you got a job? If *so,* tell me where you'll work. 일자리를 얻었느냐. 그렇다면 근무처를 알려다오 / "Things will remain like this for some time." "Quite〔Just〕 *so.*" '당분간 사태는 계속 이럴거야.' '바로 그래.' **b)** 〔앞에 나온 名詞·形容詞 따위를 대신하여〕그렇게: He became a clergyman and remained *so.* 그는 목사가 되었는데 그 후에도 내내 목사일을 보았다《so는 clergyman의 대용》/ Everybody calls Bill a genius, but he doesn't like to be *so* called. 모두 빌을 천재라고 부르지만 그러나 그는 그렇게 불리는 것을 좋아하지 않는다 / Are they ready? —It appears *so.* 그들은 채비가 다 되었나 — 그런 것 같다《so는 ready의 대용》/ She was sad, and rightly *so.* 그녀는 슬퍼했는데 그것도 무리가 아니었다.

⑤ 〔be, have, do 따위의 (助)動詞를 수반하여〕 **a)** 〔so+(助)動詞+主語의 어순으로〕…도 (또한) 그렇다(too)《肯定文을 받아 先行節과 다른 主語에 관한 진술을 부가하여》: She *likes* wine. — *So do* I. 그녀는 포도주를 좋아한다 — 나도 그렇다(=I like it, too.) / My father was a Tory, and *so am* I. 아버지는 보수당원이었는데 나도 그렇다 / Mary can speak English, and *so* can her brother. 메리는 영어를 할 줄 아는데 그녀의 오빠도 할 줄 안다《★ 否定文을 받아서 '…도 또한 그렇지 않다'는 'Nor〔Neither〕+(助)動詞+主語'》. **b)** 〔so+主語+(助)動詞의 어순으로〕(정말) 그렇다, 그렇고말고, 정말이야《yes의 센 뜻으로, 동일 主語에 관한 진술의 되풀이》: It is raining outside. — *So* it is. 밖은 비가 내리고 있군 — 그렇군 / Jack likes music very much. — *So* he does. 잭은 음악을 무척 좋아하는군 — 정말 그래 / You've spilled your coffee. — Oh dear, *so* I have. 커피를 엎질렀군 — 어머(나) 정말 그렇군 / You promised to buy me a ring! — *So* I did! 반지를 사 주시겠다고 약속하지 않으셨어요 — 그랬었구나《잊고 있었다》.

and so (1) 그래서(opp *and yet*): It was late, (*and*) *so* I went home. 늦었으므로 집으로 향했다《and는 종종 생략됨》. (2) 그리고 나서(then): Say "Good-bye" *and so* be off. '안녕히 계십시오'라고 말하고 나가라. ***and so forth on*** ⇨AND. ***as . . . , so_*** …하는 것과 마찬가지로 —하다: *As* 〔Just *as*〕 the bees love sweetness, *so* (do) the flies love rottenness. (바로) 벌이 단 것을 좋아하듯이 파리는 썩은 것을 좋아한다《★ so는 as에 포함되는 비례 기능을 강조함. 또 so 다음의 주어와 동사는 도치되는 일이 많음》. ***even so*** ⇨ EVEN.[1] ***ever so*** (***much***) ⇨EVER. ***How so?*** ⇨ HOW. ***in so far as*** = INSOFAR AS. ***just so*** ⇨ JUST. ***like so*** ⇨LIKE[1]. ***not so*** 〔***as***〕***. . . as_*** 《as… as_의 否定形》—만큼(은) …하지 않다: John is *not so* tall *as* you. 존은 너만큼 키가 크지 않다《★ 최근에는 not as… as의 형태가 자주 쓰임》. ***not so much as . . .*** …조차〔까지도〕 하지(를) 않다, …조차 없다〔못 하다〕(=not even): They could *not* get *so much as* their daily bread. 그들은 매일매일의 빵조차 살 수 없었다. ***not so much. . . as _*** …라기보다는 오히려—: He is *not so much* a scholar *as* a poet. 그는 학자라기보다는 오히려 시인이다 / I was *not so much* angry *as* disappointed. 성났다기보다는 오히려 실망했다. ***or so*** 〔수량·기간을 나타내는 말 뒤에서〕…나 그 정도, …쯤: a mile *or so,* 1마일쯤 / He must be thirty *or so.* 그는 30세 정도임에 틀림없다. ***so . . . as to*** do —할 만큼 …한〔하게〕; …하게도 —하다: He is not *so* foolish *as to* believe it. 그는 그것을 믿을 만큼 어리석지(는) 않다 / He was *so* fortunate *as to* pass the examination. 그는 운좋게 시험에 합격했다. ***So be it.*** = ***Be it so.*** =***Let it be so.*** 그러할지어다; 그렇다면 좋다; 그렇게 말한다면 그럴 테지. ***so called*** ⇨SO-CALLED. ***so far*** ⇨FAR. ***so*** 〔***as***〕 ***far as . . .*** ⇨FAR. ***so far from*** ***do****ing* …은〔는〕커녕(도리어): *So far from* prais*ing* him, I must blame him. 그를 칭찬하기는커녕 비난해야겠다. ***so long as . . .*** ⇨ LONG[1]. ***so many*** ⇨ MANY. ***so much*** (1) 그만큼의; 그쯤〔그 정도〕의〔까지〕. (2) 순전한, …에 지나지 않는(nothing but): It is only *so much* rubbish. 그것은 한낱 쓰레기에 지나지 않는다. (3) 〔일정량〔액〕을 가리켜〕 얼마, 얼마의〔로〕: at *so much* a week 〔a head〕 1주(週) 〔1인(人), 한 마리〕 당(當) 얼마(씩으)로 / *so much* brandy and *so much* water 브랜디 얼마에 물 얼마. (4) 〔the＋比較級을 수식하여〕 그만큼 더, 그럴수록 더욱〔점점 더〕: It's begun to rain. —*So much the better* 〔*worse*〕 (for us)! 비가 오기 시작했다 —그렇다면 더욱더〔도리어〕 좋다〔나쁘다〕. ***so much as***⇨AS[1] 및 not so much as. ***so much for...*** (1) …은 이만: *So much for* today 〔my story〕. 오늘은〔내 이야기는〕 이만. (2) …란 그런 것《언행 불일치 등을 비꼬는 말투》: He arrived late again—*so much for* his punctuality! 그는 또 늦게 왔다, 녀석의 시간 엄수란 이런 것이지. ***so that...*** (1) 〔목적의 副詞節을 이끌어〕 …하기 위해(서), …하도록《구어에서는 that이 종종 생략됨》: Talk louder *so that* I *may* hear you. 들을 수 있도록 더 큰 소리로 말해라. (2) 〔결과의 副詞節을 이끌어〕 그래서, 그 때문에, …하여(서)《口語에서는 that이 종종 생략됨》: They were short of fresh water, *so that* they drank as little as possible. 그들은 깨끗한 물이 부족했으므로 될 수 있는 대로 절약해 마셨다. ***so... that*** — (1) 〔목적〕 —하도록 …하다: We have *so* arranged matters *that* one of us is always on duty. 우리들 중 하나는 늘 근무할 수 있게 정했다. (2) 〔정도·결과〕 —할 만큼 …; 몹시 …해서 —하다《口語에서는 that이 종종 생략됨》: I was *so* hungry *that* I could not walk. 걸을 수 없을 만큼 배가 고팠다 → 몹시 배가 고파 걸을 수가 없었다. (3) 〔양태〕 《(過去分詞形의) 動詞 앞에서》 …하게《구어에서는 that이 종종 생략됨》: The article is *so written that* it gives a wrong idea of the facts. 그 기사는 사실과 다른 생각을 가지게끔 쓰여 있다. ***so to speak*** 〔***say***〕 말하자면(as it were).

— *conj.* ① 〔결과〕 그러므로, 그래서, …해서 《and so로도 씀》: She told me to go, *so* I went. 그녀가 내게 가라고 해서 갔지. ② 〔문장 첫머리에 서 써서, 결론·요약〕 그럼, 그러면, 역시, 드디어, 바로: *So* you've lost your job, have you? 그럼 실직했다 그 말인가 / *So* you're back again! 역시 돌아왔군 그래 / *So* there you are! = *So* that's how things are! = *So* that's the situation! 바로 그런 사정이란 말일세. ③ 〔목적〕 《口》 …하도록, …하기 위하여《so that 의 that 이 생략된 것임》: Check the list carefully *so* there will be no mistakes. 틀림이 없도록 리스트를 잘 조사하시오 / Speak a little louder *so* we can all hear you. 모두가 들을 수 있도록 좀 더 큰 소리로 말하시오. ④ 〔just so 로서〕 《口》 …하기만 한다면, …인 한은: *Just so* it is done, it doesn't matter how. 되기만 하면 방법은 문제가 아니다. ***so what?*** ⇨ WHAT.

— *int.* ① 〔시인 따위를 나타내어〕 그렇습니다, 됐다: A little more left, *so!* 좀더 왼쪽으로, 됐다. ② 〔놀람·불쾌함 따위를 나타내어〕 그랬었던가, 역시, 그래: *So*, I broke it. 그래 내가 그걸 부쉈지.

so² [sou] *n.* 〖樂〗 = SOL[1].

So. south, 《美》 South; southern.

‡soak [souk] *vi.* ① 《～ / ＋前＋名》 (물 따위에) 잠기다《*in*》; 흠뻑 젖다; 젖다: Let the fruit ～ *in* water for a while. 그 과일을 잠시 물에 담가 놓아라 / His shirt was ～*ing* wet. 셔츠는 흠뻑 젖어 있었다. ② 《＋前＋名》 (물 등이) 스미다, 스며나오다, 스며들다《*through; in; out*》: Blood from the wound has ～*ed through* the bandages. 상처에서 나온 피가 붕대에 스며나왔다. ③ 《＋名＋前》 마음속에 스며들다, 알게 되다《*in, into*》: The idea gradually ～*ed into* his head. 그는 그 생각이 점점 이해되어 갔다. ④ 《口》 술을 진탕 마시다.

— *vt.* ① 《～＋目 / ＋目＋前＋名 / ＋目＋副》 …을 적시다, 담그다, 흠뻑 젖게 하다《*in*》: ～ bread *in* milk 빵을 밀크에 적시다. ② 《＋目＋副》 …을 물〔액체〕에 담가 스며나오게 하다《*out*》: ～ a stain *out of* a napkin (물 따위에 담가) 냅킨의 얼룩을 빼다. ③ (물·습기 따위가) …에 스며들다. ④ 《＋目＋副》 (물기)를 빨아들이다; 《比》 (지식 따위)를 흡수하다, 이해하다《*in; up*》: ～ *up* ink (압지가) 잉크를 빨아들이다 / ～ *up* the sun 일광욕을 하다 / ～ *up* information 지식을 흡수하다. ⑤ 《口》 (술)을 퍼마시다, 통음하다; 《口》 술취하게 만들다. ⑥ 《美俗》 …을 때리다; 혼내주다; 《俗》 …에 엄청난 값을 부르다, 바가지 씌우다, 등쳐먹다. ～ ***off*** (우표·벽지 등을) 물에 불려 벗기다. ～ one***self in*** …에 전념하다: He ～*ed* him*self in* music. 그는 음악에 몰두했다.

— *n.* Ⓒ ① 담그기; 적시기; 흠뻑 젖음: Give the clothes a good ～. 의류를 잘 물에 담가 두어라. ② 《口》 술고래, 주정뱅이.

soaked [soukt] *a.* 〔敍述的〕 ① 함빡 젖은; 배어든: His T-shirt was ～*ed in* sweat. 그의 T셔츠는 땀에 함빡 젖었다. ② 《美俗》 술취한.

soak·ing [sóukiŋ] *a.* 흠뻑 젖은. — *ad.* 흠뻑 젖어: get ～ wet 흠뻑 젖다.

so-and-so** [sóuənsòu] (*pl.* ～s***, ～***'s***) *n.* ① Ⓤ 아무개; 무엇무엇: Mr. *So-and-so* 아무개씨, 모씨(某氏) / say ～ 여차여차 말하다. ② Ⓒ 나쁜 놈, 밉살맞은 놈《★ bastard 따위의 완곡어》: He really is a ～. 그는 참 나쁜 놈이다.

‡soap [soup] *n.* ① Ⓤ 비누: a cake 〔bar, cube〕 of ～ 비누 하나 / toilet 〔washing〕 ～ 세수〔세탁〕 비누. ② Ⓒ 《口》 = SOAP OPERA. ***no*** ～ 《美俗》 (제안·신청에 대해) 수락 불가(not agreed).

— *vt.* …을 비누로 씻다.

soap·box [ˊbɑ̀ks / ˊbɔ̀ks] *n.* Ⓒ ① 비누 상자《포장용》. ② (임시로 만든) 약식 연단. ***get on*** 〔***off***〕 one***'s*** ～ 자기 의견을 주장하다〔하지 않다〕.

— *a.* 〔限定的〕 가두 연설의: a ～ orator 가두 연설자 / ～ oratory 가두 연설.

sóap bùbble 비눗방울; 《比》 덧없는 것; 실속 없는 것.

sóap òpera (주부들을 위한 주간의) 연속 라디오〔TV〕 (멜로) 드라마《★ 본디 주로 비누 회사가 스폰서였던 데서; 그냥 soap 라고도 함》.

sóap pòwder 가루 비누.

soap·stone [ˊstòun] *n.* Ⓤ 동석(凍石)《비누 비슷한 부드러운 돌》.

soap·suds [ˊsʌ̀dz] *n. pl.* 비누 거품; 비눗물.

soapy [sóupi] (***soap·i·er; -i·est***) *a.* ① 비누 같은〔질(質)의〕; 비누투성이의: ～ water 비눗물. ② 《口》 알랑거리는, 듣기좋은. ③ soap opera 같은.

‡soar [sɔːr] *vi.* ① (새·비행기 따위가) 높이 날다〔오르다〕, 날아 오르다. ② 〖空〗 (엔진을 끄고) 기류를 타고 날다, 활공하다: The glider was ～*ing* above the mountain. 그 글라이더는 산 위를 활공하고 있었다. ③ (물가 따위가) 급등하다, 치솟다: Prices have ～*ed*. 물가가 폭등했다. ④ (희망·기운 등이) 부풀다, 고양(高揚)하다: a ～*ing* ambition 원대한 포부, 웅지. ⑤ (산·고층 건물 따위가) 솟다.

soar·ing [sɔ́ːriŋ] *a.* ① 날아오르는: a ～ eagle 하늘 높이 날아오르는 독수리. ② 치솟은: a ～ spire of the church 교회의 치솟은 첨탑. ③ 급상

승하는, 폭등하는. ④ 원대한, 숭고한.

‡sob [sɑb / sɔb] (**-bb-**) *vi.* ① 흐느껴 울다, 흐느끼다. ② (바람·파도 따위가) 쏴쏴 소리내다; (기관이) 쉭쉭 소리내다; 숨을 헐떡이다.
— *vt.* ①《~+[목] / +[목]+[부]》…을 흐느끼며 말하다《*out*》: He ~*bed out* the whole sad story. 그는 흐느끼면서 모든 슬픈 이야기를 말하였다. ②《+[목]+[부] / +[목]+[전]+[명]》〔再歸的〕 흐느껴 …을 …로 하다《*into*; *to*》: She ~*bed herself to* sleep the night that you left. 자네가 떠난 그날 밤, 그녀는 울다가 잠들었다. ~ one*'s heart out* 가슴이 메어질 정도로 흐느껴 울다.
— *n.* [C] 흐느낌, 목메어 울기.

S.O.B., SOB, s.o.b. [èsòubíː] (*pl.* **~s, ~'s**) *n.* [C] 《美俗》 염병할 놈, 개새끼(son of a bitch).

sob·bing·ly [sábiŋli/sɔ́b-] *ad.* 흐느끼면서.

‡so·ber [sóubər] (**~·er; ~·est**) *a.* ① 술 취하지 않은, 맑은 정신의; 절주하고 있는: become 〔get〕 ~ 술이 깨다. ② 착실한, 침착한; 냉정한, 진지한; 건전한: a ~ face 진지한 얼굴. ③ (옷·색깔이) 수수한, 소박한: ~ colors 수수한 빛깔. ④ 과장되지 않은, 있는 그대로의: the ~ truth 〔fact〕. ◇ sobriety *n.* (**as**) ~ **as a judge** (**on Friday**) 매우 진지한.
— *vt.* ① …의 술을 깨게 하다《*up*》: Have a black coffee — that should ~ you *up*. 블랙 커피를 한잔 들게 — 그것이 술을 깨게 할 것일세. ② …을 침착하게 하다; 진지하게 하다《*down*; *up*》.
— *vi.* ① 술이 깨다《*off*; *up*》. ② 진지〔엄숙〕해지다, (마음이) 가라앉다《*down*》.
[파] **~·ly** *ad.* **~·ness** *n.*

so·ber-mind·ed [-máindid] *a.* 침착한, 자제심이 있는.

so·ber·sides [-sàidz] *n.* [C] 〔單·複數취급〕 근엄〔냉정, 진실〕한 사람.

so·bri·e·ty [soubráiəti, sə-] *n.* [U] ① 절주(節酒); 절제(temperance). ② 제정신; 근엄; 냉정, 침착. ◇ sober *a.*

so·bri·quet [sóubrikèi] *n.* [C] 《F.》 별명; 가명.

sób stòry 《美口》 눈물나게 하는 얘기《구차한 변명을 비웃는 말》.

Soc. Socialist; Society; Sociology.

‡so-called [sóukɔ́ːld] *a.* 〔限定的〕 소위, 이른바: He is a ~ liberal. 그는 이른바 자유주의자다《★ 종종 불신·경멸의 뜻으로 씀》.

‡soc·cer [sákər / sɔ́k-] *n.* [U] 사커, 축구(association football). [cf.] rugger.

so·cia·bil·i·ty [sòuʃəbíləti] *n.* [U] 사교성; 교제를 좋아함, 붙임성 있음, 사교에 능란함.

***so·cia·ble** [sóuʃəbəl] *a.* ① 사교적인, 사교를 좋아하는, 붙임성 있는. ② 마음을 탁 터놓은, 친목적인《모임 따위》: a ~ party 친목회. — *n.* [C] 《美》 친목회. [파] **-bly** *ad.*

‡so·cial [sóuʃəl] (***more*** **~**; ***most*** **~**) *a.* ① 사회의, 사회적인; 사회 생활을 하는; 사회에 관한: Man is a ~ animal. 인간은 사회적 동물이다 / ~ environment 사회적 환경. ② 사교적인, 친목적인: a ~ gathering 친목회. ③ 사교계의, 상류 사회의. ④ 교제를 좋아하는; 사교에 능란한: have too little ~ life 남과의 교제가 거의 없다. ⑤ **a)** 〖動〗 군거하는. **b)** 〖植〗 군생(群生)하는. ⑥ 사회주의적인. ◇ socialize. *v.* — *n.* [C] 친목회, 사교 클럽. [파] **~·ly** [-ʃəli] *ad.*

sócial anthropólogy 사회 인류학.

sócial clímber (입신 출세를 노리는) 야심가; 출세주의자.

sócial cóntract (the ~) 사회 계약설.

Sócial Demócracy 사회 민주주의.

Sócial Démocrat 사회 민주당원.

sócial disèase 성병(性病).

sócial insúrance 사회 보험.

so·cial·ism** [sóuʃəlìzəm] *n.* [U] 사회주의(운동). ***state ~ 국가 사회주의.

***so·cial·ist** [sóuʃəlist] *n.* [C] 사회주의자.
— *a.* ＝SOCIALISTIC.

so·cial·is·tic [sòuʃəlístik] *a.* 사회주의(자)의; 사회주의적인. [파] **-ti·cal·ly** *ad.*

Sócialist Párty (the ~) 《英口》 (영국의) 노동당.

so·cial·ite [sóuʃəlàit] *n.* [C] 사교계의 명사.

so·ci·al·i·ty [sòuʃiǽləti] *n.* ① [U] 사회성, 교제를 좋아함. ② [C] (흔히 *pl.*) 사회적인 활동. ③ [U] 군거성(群居性), 군거적 경향.

***so·cial·i·za·tion** [sòuʃəlizéiʃən] *n.* [U] ① 사회화. ② 사회주의화.

***so·cial·ize** [sóuʃəlàiz] *vt.* ① (사람)을 사회적〔사교적〕으로 하다. ② …을 사회화하다. ③ …을 사회주의화하다; 국영화하다《흔히 受動으로》.
— *vi.* 교제하다; 사교적 모임에 참석하다.

só·cial·ized médicine [sóuʃəlàizd-] 《美》 의료 사회화 제도《공영·국고 보조 따위》.

sócial scíence 사회 과학; 사회학.

sócial scíentist 사회 과학자.

sócial secúrity (종종 S- S-) 《美》 사회 보장 제도《양로 연금·실업 보험 등》; 《英》 생활 보호.

sócial sérvice ① (단체 조직에 의한) 사회 봉사. ② (흔히 *pl.*) 《英》 사회복지 사업.

sócial stúdies (초·중등 학교의) 사회과(科).

sócial wélfare 사회 복지; 사회 사업.

sócial wòrk 사회(복지 관련) 사업.

sócial wòrker 사회 사업가; 사회 복지 지도원.

so·ci·e·tal [səsáiətl] *a.* 사회의〔에 관한〕.

‡so·ci·e·ty [səsáiəti] *n.* ① [U,C] 사회, 사회 집단; (생활) 공동체; 세상: a member of ~ 사회의 일원 / a primitive ~ 원시 사회. ② [C] (사회의) 층, …계: the literary ~ 문학계. ③ [U] 사교계; 상류사회(의 사람들). ④ [U] 사교, 교제: seek 〔avoid〕 the ~ of rich people 부자와의 교제를 원하다〔피하다〕. ⑤ [C] 회, 협회, 단체, 학회, 조합: a scientific ~ 과학 협회 / a cooperative ~ 협동조합. ***the Society for the Propagation of the Gospel*** 복음 전도회《略: S.P.G.》. ***the Society of Jesus*** 예수회《가톨릭 교회의 남성 수도회; 略: S.J.》.
— *a.* 〔限定的〕 상류사회〔사교계〕의: ~ column 《美》 (신문의) 사교란.

socio- '사회의, 사회학의'란 뜻의 결합사.

so·ci·o·log·i·cal [sòusiəládʒikəl, -ʃi- / -lɔ́dʒ-] *a.* 사회학의, 사회학상의; 사회 문제의.
[파] **~·ly** [-kəli] *ad.*

***so·ci·ol·o·gy** [sòusiálədʒi, -ʃi- / -ɔ́l-] *n.* [U] 사회학. [파] **-gist** *n.* [C] 사회학자.

‡sock[1] [sɑk / sɔk] (*pl.* **~s,** 《美》 ①에서 ***sox*** [sɑks / sɔks]) *n.* ① [C] (흔히 *pl.*) 속스, 짧은 양말: a pair of ~*s* 양말 한 켤레. ② [C] (흔히 *pl.*) (고대 그리스·로마의) 희극 배우용(用) 단화. ③ (the ~) 희극(comedy). ***Pull your ~s up!*** ＝ ***Pull up your ~s!*** 《英口》 기운을 내라, 분발해라. ***Put a ~ in*** 〔***into***〕 ***it!*** 《英口·戲》 입 닥쳐, 조용히 해.

sock[2] 《口》 *vt.* (주먹으로) …을 치다. ~ ***it to*** 《美口》 …을 세게 치다; …을 압도하다, …에 강렬한 인상을 주다. — *n.* [C] (주먹으로) 타격, 강타: give him a ~ on the jaw 그의 턱을 세게 한방 먹이다.

***sock·et** [sákit / sɔ́k-] *n.* [C] ① 꽂는〔끼우는〕 구멍, (전구 따위를 끼우는) 소켓. ② 〖解〗 (눈 따위

의) 와(窩), 강(腔): the ~ of the eye 안와. — *vt.* …을 소켓에 끼우다.

Soc·ra·tes [sɑ́krətiːz / sɔ́k-] *n.* 소크라테스《옛 그리스의 철학자; 470?-399 B.C.》.

So·crat·ic [səkrǽtik / sɔ-] *a.* 소크라테스(철학)의: the ~ method 소크라테스의 문답 교수법. — *n.* Ⓒ 소크라테스 문하〔학도〕.

Socrátic írony 소크라테스식 반어법《상대방에게 가르침을 청하는 체하면서 그의 잘못을 폭로하는 논법》.

sod**[1] [sɑd / sɔd] *n.* ① Ⓤ 떼, 잔디. ② Ⓒ (이식용의 네모진) 뗏장. cf. lawn[1], turf. ***under the ~ 땅 속에 묻혀, 지하에서.

sod[2] *n.* Ⓒ《英俗》놈, 녀석, 얼간이; 말썽꾸러기; 매우 귀찮은 것. ***not give*** 〔***care***〕 ***a ~***《英俗》전혀 개의치 않는. — *vt.* =DAMN. ***Sod off!*** 나가, 꺼져.

‡so·da [sóudə] *n.* Ⓤ ① 소다《특히 탄산소다·중탄산소다》; 중조(重曹); 수산화 나트륨. ② 탄산수; 《美》소다수(~ water). 「먹음》.

sóda cràcker 비스킷의 일종《치즈 등과 함께

sóda fòuntain《美》① (주둥이가 달린) 소다수 그릇. ② 소다수 판매점《가벼운 식사도 팖》.

sóda jèrk(er)《美俗》soda fountain ② 의 점원.

so·dal·i·ty [soudǽləti] *n.* ① Ⓤ 우호, 동지애. ② Ⓒ 조합(association). ③ Ⓒ 〖가톨릭〗 (신앙 및 자선 활동을 목적으로 하는) 신도회.

sóda pòp《美》소다수(水).

sod·den [sɑ́dn / sɔ́dn] *a.* ① 흠뻑 젖은, (물에) 불은《*with*》: His clothes were ~ *with* rain. 그 의 옷은 비로 흠뻑 젖었다. ② 잔뜩 취한, 술에 젖은 《사람》.

so·di·um [sóudiəm] *n.* Ⓤ 〖化〗 나트륨《금속 원소; 기호 Na; 번호 11》: ~ bicarbonate 중탄산 나트륨, 중조(重曹) / ~ carbonate 탄산 나트륨.

Sod·om [sɑ́dəm / sɔ́d-] *n.* 〖聖〗 소돔《사해 남안(死海南岸)에 있던 옛 도시; 창세기 XVIII: 20-21; XIX: 24-28》.

sod·om·ite [sɑ́dəmàit / sɔ́d-] *n.* Ⓒ ①《稀》남색자(男色者), 수간자(獸姦者). ② (S-) 소돔 사람.

sod·omy [sɑ́dəmi / sɔ́d-] *n.* Ⓤ 비역, 남색; 수간(獸姦).

so·ev·er [souévər] *ad.* 〔how+形容詞 뒤에서〕 아무리 …이라도〔하더라도〕; 〔否定語를 강조하여〕 조금도〔전연〕 (…않다): *how* great ~ he may be 그가 아무리 위대할지라도 / She has *no* sense of humor ~. 그녀에겐 유머 감각이 전연 없다.

‡so·fa [sóufə] *n.* Ⓒ 소파, 긴 의자.

†soft [sɔ(ː)ft, sɑft] (**∠·*er***; **∠·*est***) *a.* ① 부드러운, 유연한, 폭신한: a ~ pillow 폭신한 베개 / *Soft* and fair goes far.《格言》유능제강(柔能制剛)《부드러운 것이 능히 굳센 것을 이김》. ② 매끄러운, 보들보들한, 촉감이 좋은: ~ clothes 촉감이 좋은 옷. ③ (빛·색이) 부드러운, 차분한; (음성이) 낮은(low), 조용한: a ~ light / speak in ~ tones 차분한 어조로 말하다. ④ (윤곽이) 또렷하지 않은, 아련한: ~ shadows 〔outlines〕 아련한 그림자〔윤곽〕. ⑤ (기후 등이) 온화한, 따스한(mild), (바람 따위가) 상쾌한(balmy): a ~ winter 따뜻한 겨울. ⑥ (태도 따위가) 온화한; 관대한, 너그러운(tolerant): A ~ answer turns away wrath. 부드러운 대답이 화를 가라앉힌다. ⑦ 연약〔나약〕한, 계집애 같은; 《口》머리가 좀 모자라는: Bill's gone ~. 빌은 머리가 좀 돌았다. ⑧《俗》수월한, 안이한(easy): a ~ way to make money 손쉬운 돈벌이. ⑨ 알코올〔무기물〕이 들어 있지 않은; (마약이) 해(害)가 적은, 습관성이 아닌; 〖化〗 연성의, 단물의: ~ drinks 청량 음료 (cf. minerals) / ~ water 단물, 연수. ⑩ 〖音聲〗 연음(軟音)의《city의 [s], gem의 [dʒ]》; 유성(有聲)의《[k]에 대한 [g]》. ⑪ (충격이) 가벼운; 연착륙의; 다루기 쉬운; 부동적인: ~ voters 부동표(票). ⑫ (계산·수치 등이) 불확실한, 믿지 못할, 잘 변하는. ***be ~ on*** 〔《英》 ***about***〕 (아무)를 부드럽게 대하다; …에게 관대하다; 《口》…을 사랑하고 있다: He *is* ~ *on* her. 그는 그녀를 사랑하고 있다. ***the ~(er) sex*** 여성. opp. *the rougher sex.* — *ad.* 부드럽게, 연하게(softly), 상냥하게; 조용히, 가만히(quietly). 파 **∠·ness** *n.*

soft·ball [∠bɔ̀ːl] *n.* ① Ⓤ《美》소프트볼《야구 비슷한 구기》. ② Ⓒ 그 공.

soft-boiled [∠bɔ́ild] *a.* 반숙(半熟)의《달걀 따위》. opp. *hard-boiled.*

sóft cóal 연질탄(軟質炭); 유연탄.

sóft còpy 〖컴〗 화면 출력《인쇄용지에 기록한 것을 hard copy라고 하는 데 대해 기록으로 남지 않는 화면 표시 장치에의 출력을 이름》. opp. *hard copy.*

soft·cov·er [∠kʌ̀vər] *a., n.* Ⓒ 종이 표지의 (책).

sóft cúrrency 〖經〗 연화(軟貨)《금·외화로 바꿀 수 없는 통화》. cf. hard currency.

sóft drínk 청량 음료.

‡sof·ten [sɔ́(ː)fən, sɑ́fən] *vt.* ① …을 부드럽게〔연하게〕 하다. ② …의 마음을 누그러지게 하다; (나)약하게 하다. ③ (소리·빛깔 등)을 부드럽게〔온화하게〕 하다.
— *vi.* ① 부드러워지다, 유연해지다. ② (마음이) 누그러지다, 온화해지다; 누그러져 〔약해져〕 …이 되다. **~ *up*** (적의) 저항력을〔사기를〕 약화시키다; (설득 따위로) …의 기분을 누그러뜨리다.

sof·ten·er [sɔ́(ː)fənər, sɑ́fən-] *n.* Ⓒ ① 부드럽게 〔누그러지게〕 하는 사람〔것〕. ② (경수(硬水)를 연수(軟水)로 만드는) 연화제〔장치〕(water ~).

soft·en·ing [sɔ́(ː)fəniŋ, sɑ́f-] *n.* Ⓤ 연화(軟化); 연수법(軟水法). **~ *of the brain*** 〖醫〗 뇌(腦)연화증(症).

sóft frúit 말랑말랑한 과일《딸기처럼 껍질과 씨가 단단하지 않은 과일》. 「goods).

sóft gòods 섬유 제품; 직물과 의류(dry

soft-head·ed [∠hédid] *a.*《口》투미한, 멍청한.

soft-heart·ed [∠hɑ́ːrtid] *a.* 마음이 상냥한, 온화〔다정〕한. 파 **~·ly** *ad.* **~·ness** *n.*

softie ⇨SOFTY.

soft-land [∠lǽnd] *vi., vt.* (우주선 따위가〔를〕) 연(軟)착륙하다〔시키다〕.

sóft lánding (천체에의) 연(軟)착륙.

‡soft·ly [sɔ́(ː)ftli, sɑ́ft-] *ad.* ① 부드럽게; 상냥하게: She bent forward and kissed him ~. 그녀는 몸을 굽혀 부드럽게 그에게 키스했다. ② 조심스럽게; 살며시; 조용하게.

sóft pálate 〖解〗 연구개(軟口蓋)(velum).

sóft óption 편안한 방법(의 선택).

sóft pèdal (피아노·하프의) 약음 페달.

soft-ped·al [∠pédl] (*-l-*, 《英》 *-ll-*) *vi.* 약음 페달을 밟다. — *vt.* ① (피아노 등의) 소리를 약음 페달을 밟아 약하게 하다. ② (어조 등)을 부드럽게 하다. ③ (어떤 일)을 두드러지지 않게 하다.

sóft scíence 소프트사이언스《정치학·경제학·사회학·심리학 등의 사회과학, 행동과학의 학문》.

sóft séll (종종 the ~)《美口》조용한 설득에 의한 광고·판매 방법. cf. hard sell.

sóft-shèlled túrtle [∠èld∠] 〖動〗 자라.

sóft shóulder 포장하지 않은 갓길.

sóft sóap 연성(軟性) 비누; 《比》아첨, 아부.

soft-soap [∠sóup] *vt.*《口》…에게 아첨하다. cf. soap.

soft-spo·ken [-spóukən] *a.* ① 말씨가 상냥한〔온화한〕. ② 표현이 부드러운.
sóft spòt (a ~) (…에 대한) 특별한 애착, 선호, 편애《*for*》: He has *a* ~ *for* her. 그는 그녀를 아주 좋아한다.
sóft tóuch 《口》 다루기 쉬운 상대; 쉽게 돈을 빌려주는〔내놓는〕 사람; 봉.
soft·ware [-wɛ̀ər] *n.* [U] 〖컴〗 무른모, 소프트웨어《컴퓨터의 프로그램 체계의 총칭》. [cf] hardware.
sóftware pàckage 〖컴〗 무른모〔소프트웨어〕 꾸러미《많은 기업들이 공통으로 이용할 수 있도록 제작된 프로그램》. 「한 목재》.
soft·wood [-wùd] *n.* [U] 연재(軟材) 《재질이 연
softy, soft·ie [sɔ́(:)fti, sάfti] *n.* [C] 《口》 ① 몹시 감상적인 사람. ② 속기 쉬운 사람; 물컹이, 바보, 얼간이. ③ 유약한 사람.
sog·gy [sάgi, sɔ́(:)gi] (*-gi·er ; -gi·est*) *a.* ① 흠뻑 젖은, 물에 잠긴(soaked). ② (빵 따위가) 설구워진. ③ 무기력한, 침체된.
[파] **-gi·ly** *ad.* **-gi·ness** *n.*
soi·gné [swɑːnjéi] (*fem.* **-gnée** [—]) *a.* 《F.》 ① 공〔정성〕들인, 잘 매만진. ② 몸차림이 단정한.
‡**soil**[1] [sɔil] *n.* ① [U] 흙, 토양: rich〔poor〕 ~ 기름진〔메마른〕 땅. ② [U,C] 땅, 국토, 나라: one's native〔parent〕 ~ 고국, 고향. ③ (the ~) 농지, 농업 (생활): a man of *the* ~ 농부.
***soil**[2] *n.* [U] ① 더럼; 얼룩. ② 오물; 분뇨; 거름 (night ~). — *vt.* ① (…의 표면)을 더럽히다; …에 얼룩을 묻히다. ② (가명 등)을 더럽히다; 타락시키다(corrupt). — *vi.* ① 더러워지다, 얼룩이 묻다: White cloth ~*s* easily. 흰 천은 쉽게 더럽을 탄다. ② 타락하다.
sóil pìpe (수세식 변소 등의) 오수관(汚水管).
soi·ree, -rée [swɑːréi / ∸-] *n.* [C] 《F.》 야회(夜會), …의 밤. [cf] matinée. ¶ a musical ~ 음악의 밤.
***so·journ** [sóudʒəːrn, -∸ / sɔ́dʒ-] 《文語》 *vi.* 머무르다, 체류하다《*at ; in*》: (…의 집에 일시) 묵다, 기류(寄留)하다《*with*》: He ~*ed with* his uncle. 그는 숙부댁에 일시 기류했다.
— [sóudʒəːrn / sɔ́dʒ-] *n.* [C] 머무름, 체재, 기류.
[파] **~·er** [-ər] *n.*
Sol [sɑl / sɔl] *n.* ① 〖로神〗 솔《태양의 신》([cf] Helios). ② 《戲》 해, 태양(old〔big〕 ~).
sol[1] [soul, sɑl / sɔl] *n.* [U,C] 〖樂〗 솔《장음계의 다섯째 음》. 「〔콜로이드〕 용액.
sol[2] [sɔ(:)l, soul, sɑl] *n.* [U] 〖化〗 졸, 교질(膠質)
Sol. Solicitor ; Solomon.
***sol·ace** [sάləs / sɔ́l-] *n.* ① [U] 위안, 위로: find 〔take〕 ~ in …을 위안으로 삼다. ② [C] 위안이 되는 것, 즐거움, 오락. [cf] comfort. — *vt.* 《~+[목] / +[목]+[전]+[명]》 …을 위안〔위로〕하다; …에게 위안을 주다; (고통·슬픔 따위)를 덜어 주다: I don't know how to ~ his grief. 그의 슬픔을 덜어줄 방법을 모르겠다. ~ one*self with* …으로 마음을 달래다〔자위하다〕.
‡**so·lar** [sóulər] *a.* ① 태양의, 태양에 관한. [cf] lunar. ¶ ~ spots 태양 흑점. ② 태양에서 나오는〔일어나는〕: ~ light 햇빛. ③ 태양 광선을 이용한: ~ heating 태양열 난방.
sólar báttery 태양 전지. 「endar.
sólar cálendar 태양력(曆). [cf] lunar cal-
sólar céll 태양(광) 전지《한 개》.
sólar colléctor 태양열 집열기.
sólar eclípse 일식(日蝕).
sólar enérgy 태양 에너지〔열〕.
sólar hòuse 태양열 주택.
so·lar·i·um [souléəriəm] (*pl.* **-ia** [-riə]) *n.* [C] (병원 등의) 일광욕실.
sólar pánel (우주선 등의) 태양 전지판(板).
sólar pléxus ① 〖解〗 태양 신경총(叢)《위(胃) 뒤쪽의 신경 마디의 중심》. ② 《口》 명치.
sólar pówer sàtellite 태양 발전 위성.
sólar sỳstem (the ~) 〖天〗 태양계.
sólar yéar 〖天〗 태양년(tropical year)《365 일 5 시간 48 분 46 초》.
†**sold** [sould] SELL의 과거 · 과거분사.
sol·der [sάdər / sɔ́ldər] *n.* ① [U] 땜납. ② [C] 결합물, 꺾쇠, 하나로 묶는 것, 유대(bond).
— *vt.* ① …을 땜납으로 때우다〔수선하다〕. ② …을 결합하다.
sól·der·ing ìron [sάdəriŋ- / sɔ́l-] 납땜 인두.
†**sol·dier** [sóuldʒər] *n.* [C] ① (육군) 군인《장교·병사를 포함》: a career ~ 직업 군인 / serve as a ~ 군복무를 하다. ② (장교에 대해) 병사, 하사관. [cf] officer. ¶ a private〔common〕 ~ 졸병. ③ (주의(主義)를 위해 노력하는) 투사, 전사. ④ 〖蟲〗 병정개미(~ ant). ***a ~ of fortune*** (이익·모험이라면 어디건 가는) 용병(傭兵); (혈기 왕성한) 모험가. ***play at ~s*** 병정놀이하다.
— *vi.* ① 《~ / +[전]+[명]》 군인이 되다, 병역에 복무하다: He ~*ed in* two wars. 그는 두 전쟁에 종군했다. ② 《口》 바쁜 체하다; 꾀병을 앓다. ***go ~ing*** 군인이 되다. ~ ***on*** 《英》 (곤란 등에) 굴하지 않고 버텨 나가다〔분투하다〕.
sóldier ánt 〖蟲〗 병정개미.
sol·dier·ing [sóuldʒəriŋ] *n.* [U] 군인 생활; 군무.
sol·dier·like, -dier·ly [sóuldʒərlàik], [-li] *a.* 군인다운, 용감한.
sol·diery [sóuldʒəri] *n.* [U] 〔集合的; 單·複數 취급〕 (흔히, 나쁜 상태의) 군인, 군대; 군사 교련〔지식〕.
‡**sole**[1] [soul] *a.* 〔限定的〕 ① 오직 하나〔혼자〕의, 유일한(only): the ~ living relative 생존하고 있는 유일한 친척. ② 〖法〗 독신〔미혼〕의. ③ 단독의, 독점적인(exclusive): the ~ agent 총대리점〔인〕.
***sole**[2] *n.* [C] ① 발바닥; (말)굽바닥; 신바닥; 구두의 창(가죽). ② 바닥판, (스키·골프채 등의) 밑 부분; (오븐·다리미 등의) 바닥.
— *vt.* 〔흔히 受動으로〕 구두창을 대다〔갈다〕.
sole[3] *n.* [C] 〖魚〗 혀가자미, 혀넙치.
sol·e·cism [sάləsizəm / sɔ́l-] *n.* [C] ① 어법〔문법〕 위반, 파격 어법. ② 예법에 어긋남, 결례.
‡**sole·ly** [sóulli] *ad.* ① 혼자서, 단독으로: I am ~ responsible for causing the accident. 그 사고를 일으킨 데 대한 책임은 나에게만 있다. ② 오로지, 전혀, 단지, 다만. [cf] entirely, wholly. ¶ I went there ~ to see it. 오직 그것을 보기 위해서 거기에 갔다.
‡**sol·emn** [sάləm / sɔ́l-] (~***·er, more ~ ; ~·est, most ~***) *a.* ① 엄숙한, 근엄한: a ~ speech 엄숙한 말 / put on a ~ look 근엄한 표정을 짓다. ② 장엄한, 장중한: a ~ sight 장엄한 광경 / a ~ ceremony 장엄한 의식. ③ 엄연한, 중대한: a ~ truth. ④ 진지한: a ~ promise 성의 있는 약속. ⑤ 〖宗〗 의식에 맞는; 종교상의, 신성한; 격식 차린. ⑥ 〖法〗 정식(正式)의. ◇ solemnity *n.*
[파] ***~·ly** *ad.* **~·ness** *n.*
***so·lem·ni·ty** [səlémnəti] *n.* ① [U] 장엄, 엄숙; 근엄, 장중. ② [U] 진지한 체함. ③ [C] (종종 *pl.*) 의식, 제전. ④ [U] 정식 절차.
sol·em·ni·za·tion [sὰləmnizéiʃən / sɔ̀ləm-] *n.* [U] ① (결혼 따위의) 식을 올림. ② 장엄화(化).
sol·em·nize [sάləmnàiz / sɔ́l-] *vt.* ① (경축일

등)을 엄숙히 축하하다; (결혼식 등)을 엄숙히 올리다. ② …을 장엄하게 하다.

sol-fa [sòulfá:/sɔ̀l-] *n.* 〖樂〗 계명(階名)부르기, 도레미파 창법 : sing ~ 도레미파를 부르다.

so·li [sóuli:] SOLO의 복수.

***so·lic·it** [səlísit] *vt.* ① 《~+목 / +목+전+명》 (…에게) …을 (간)청하다, 졸라대다; …에게 부탁하다《*for*》; (…에게) …을 구하다, 조르다 《*from* ; *of*》: ~ advice 충고를 청하다 / ~ a person *for* help 아무에게 도움을 청하다 / ~ the government *for* relief = ~ relief *from* 〔*of*〕 the government 정부의 구제를 간청하다 / We ~ favors 〔custom〕 *of* 〔*from*〕 you. 애호해 주시기를 바랍니다《상용문》. ② 《~+목 / +목+전+명》 (나쁜 목적으로) (사람 등)에 접근〔가까이〕하다; (뇌물을 써서) 나쁜 일에 꼬드기다 : ~ judges 재판관을 구슬리다 / ~ a person *to* evil. ③ (매춘부 등이, 손님)을 유혹하다, 끌다.
— *vi.* ① 《~ / +전+명》 간청하다; 권유하다 《*for*》. ② (매춘부가) 손님을 끌다.

so·lic·i·ta·tion [səlìsətéiʃən] *n.* U.C 간원(懇願), 간청(entreaty); 권유; 유도; 유혹.

***so·lic·i·tor** [səlísətər] *n.* C ① 《美》 (시·읍 따위의) 법무관. ② 《英》 사무 변호사《법정 변호사와 소송 의뢰인 사이에서 주로 사무만을 취급하는 법률가》. cf. barrister. ③ 《美》〖商〗 주문받는 사람, 권유원; 선거 운동원 : an insurance ~ 보험 권유원.

solícitor géneral (*pl.* ***solícitors géneral***) ① 《英》 법무 차관(次官). ② (또는 S- G-) 《美》 (연방 정부의) 법무국장.

so·lic·i·tous [səlísətəs] *a.* ① 열심인; 간절히 …하려 하는, 갈망하는《*to* do ; *of*》: be ~ *of* praise 칭찬을 받으려고 애쓰다. ② 걱정〔염려〕하는《*for* ; *about*》: be ~ *about* 〔*for*〕 a person's health 아무의 건강을 걱정하다 / a ~ parent 자식들을 걱정하는 부모. 파 **~·ly** *ad.* **~·ness** *n.*

so·lic·i·tude [səlísətjù:d] *n.* ① U 근심, 우려(care), 염려(concern)《*about*》: show great ~ *about* his wife's health 아내의 건강에 대해 크게 우려하다. ② (*pl.*) 걱정거리.

‡sol·id [sálid / sɔ́l-] (**~·er ; ~·est**) *a.* ① 고체의, 고형체의; 단단한 : ~ food 고체형 식품 / a ~ body 고체 / ~ fuel 고체 연료. ② 견고한(firm), 튼튼한(massive) : a ~ building 견고한 건물 / a man of ~ build 체격이 튼튼한 사람. ③ 속까지 단단한; 옹골진, 속이 꽉 찬(opp. *hollow*); 속까지 동질인, 도금한 것이 아닌, 순수한 : a ~ tire 통타이어(cf. pneumatic tire) / ~ silver 순은. ④ 충실한, 실질적인(substantial) : a ~ meal 실속 있는 식사. ⑤ (사업·재정 등이) 견실한, (근거 따위가) 확실한(sound); 믿을 수 있는 : a ~ bank〔business〕 견실한 은행〔사업〕/ a ~ friend 믿을 수 있는 친구 / ~ reasoning 근거가 충분한 논증 / a ~ fact 근거가 확실한 사실. ⑥ 단결〔결속〕한, 만장 일치의(unanimous) : a ~ vote 만장일치의 투표. ⑦ (빛깔에) 농담이 없는, 한결같은 : a ~ black dress 검정 일색의 드레스. ⑧ 연속된(continuous), 끊긴 데 없는; 정미(正味), 알속 : a ~ hour 꼬박 한 시간. ⑨〖數〗 입체의 : a ~ angle 입체각. ⑩ (복합어가) 하이픈 없이 이어진. ⑪〖印〗 행간을 띄지 않은, 빽빽이 짠.
— *n.* C ① 고체(=∠ **bódy**); 고형물(固形物). ② (흔히 *pl.*) 고형식(食). ③〖數〗 입체.
파 **~·ly** *ad.* **~·ness** *n.*

sol·i·dar·i·ty [sɑ̀lədǽrəti / sɔ̀l-] *n.* U 결속, 단결, 공동 일치;〖法〗 연대 책임.

sólid geómetry 입체 기하학.

so·lid·i·fy [səlídəfài] *vt.* ① …을 응고〔응결, 결정(結晶)〕시키다; 굳히다 : ~ concrete 콘크리트를 굳히다. ② …을 단결〔결속〕시키다. — *vi.* ① 응고하다, 굳다《*into*》. ② 단결〔결속〕하다. 파 **so·lìd·i·fi·cá·tion** [-fikéiʃən] *n.* U 단결; 응고.

so·lid·i·ty [səlídəti] *n.* U ① 고체성, 고형성; 단단함. opp. *fluidity*. ② 속이 참, 충실. ③ 견고, 튼튼함, 견실(성).

sol·id-state [-stéit] *a.* ①〖電子〗 (트랜지스터 따위의) 반도체를 이용한, 솔리드 스테이트의. ②〖物〗 고체(물리)의.

sol·i·dus [sálidəs / sɔ́l-] (*pl.* ***-di*** [-dài]) *n.* C 사선(斜線)《실링과 펜스, 달러와 센트 등의 사이, 또는 날짜·분수를 나타냄; 보기 : 3/7》. ★ 2/6은 2실링 6펜스; 날짜의 경우, 3/7은 미국에서는 3월 7일, 영국에서는 7월 3일을 나타냄.

so·lil·o·quize [səlíləkwàiz] *vi.* ① 혼자말하다. ②〖劇〗 독백하다.

so·lil·o·quy [səlíləkwi] *n.* ① U.C 혼자말. ② C 〖劇〗 독백. cf. monologue.

sol·ip·sism [sálipsizəm, sóul- / sɔ́l-] *n.* U〖哲〗 유아론(唯我論). 파 **-sist** *n.* C 유아론자.

sol·i·taire [sálitɛ̀ər / sɔ́l-] *n.* ① C (반지 따위에) 한 개 박은 보석; 보석 하나 박은 장신구(裝身具). ② U 솔리테르(《美》 혼자서 하는 카드놀이(《英》 patience)).

‡sol·i·tary [sálitèri / sɔ́litəri] (***more*** **~;** ***most*** ~) *a.* ①〔限定的〕 고독한, 외톨의, 외로운, 혼자의(alone) : a ~ traveler 홀로 여행하는 사람 / lead a ~ life 고독한 생활을 하다. ② (장소 따위가) 쓸쓸한, 고립한, 외진(secluded) : a ~ valley 외진 골짜기 / a ~ lighthouse 외딴곳에 있는 등대. ③〔限定的〕 (흔히 부정·의문문에서) 유일한(only), 단 하나의(sole) : be *not* a ~ instance 유일한 예는 아니다. — *n.* ① C 혼자 사는 사람; 은자(隱者). ② = SOLITARY CONFINEMENT.
파 **-ri·ly** *ad.*

sólitary confínement 독방 감금.

‡sol·i·tude [sálitjù:d / sɔ́li-] *n.* ① U 고독, 홀로 삶; 외로움. ② C 쓸쓸한 곳, 벽지; 황야.

so·lo** [sóulou] (*pl.* **~s, *-li [-li]) *n.* C ①〖樂〗 독주(곡); 독창(곡) : a piano ~ 피아노 독주. ★ 2중창〔중주〕에서 9중창〔중주〕까지는 다음과 같음. (2) duet, (3) trio, (4) quartet, (5) quintet, (6) sextet *or* sestet, (7) septet, (8) octet, (9) nonet. ②〖空〗 단독 비행. ③ 일인극(一人劇); 독무(獨舞).
— *a.* 혼자 하는; 독창〔독주〕의; 단독의 : a ~ flight 단독 비행. — *ad.* 단독으로, 혼자서(alone).
— *vi.* 혼자 하다; 단독 비행하다.
파 **~·ist** [-ist] *n.* C 독주자; 독창자.

Sol·o·mon [sáləmən / sɔ́l-] *n.* ①〖舊約〗 솔로몬 《Israel 의 왕; David 의 아들》. ② C (s-) 어진 사람 : (as) wise as ~ 매우 현명한 / He is no ~. 아주 숙맥이다. ***the Song of*** ~ ⇨SONG.

Sólomon Íslands (the ~) *pl.* 솔로몬 제도 《New Guinea 섬 동쪽에 위치; 1978년 영연방내의 독립국이 됨; 수도는 호니아라(Honiara)》.

so long, so-long [sòulɔ́:ŋ] *int.* 《口》 안녕(good-bye).

sol·stice [sálstis / sɔ́l-] *n.* C ①〖天〗 지(至), 지일(至日), 지점(至點) : ⇨SUMMER 〔WINTER〕 SOLSTICE. ② 《比》 최고점, 극점, 전환점.

sol·u·bil·i·ty [sɑ̀ljəbíləti / sɔ̀l-] *n.* U ① 녹음, 가용성, 용해성; 용해도. ② (문제·의문 등의) 해결〔해석〕 가능성.

***sol·u·ble** [sáljəbəl / sɔ́l-] *a.* ① 녹는, 녹기 쉬운 《*in*》: Salt and sugar are ~ *in* water. 소금과 설탕은 물에 녹는다. ② (문제 등이) 해결될 수 있는.

‡so·lu·tion [səlúːʃən] *n.* ① Ⓤ 용해, 용해 상태 ; 용해법〔술〕: salt in ~ in sea water 바닷물에 용해되어 있는 소금. ② Ⓤ,Ⓒ 용액, 용제(溶劑) : a strong〔weak〕 ~ 진한〔묽은〕 용액. ③ Ⓤ,Ⓒ (문제 등의) 해결(책) ; 해명(explanation) ; 해답 : The mistery is approaching ~. 수수께끼는 해결의 실마리가 잡혀가고 있다.

solv·a·ble [sálvəbəl / sɔ́l-] *a.* ① 풀 수 있는, 해결〔해석, 설명〕할 수 있는. ② 분해할 수 있는.

‡solve [salv / sɔlv] *vt.* ① (문제·수수께끼 따위)를 풀다, 해답하다, 설명하다 : ~ a problem 문제를 풀다. ② (곤란 따위)를 해결하다, …에 결말을 짓다 : attempt to ~ the trade issue 무역 문제를 해결하려고 하다. ◇ solution *n.*

***sol·vent** [sálvənt / sɔ́l-] *a.* ①〖法〗 지급 능력이 있는. ② 용해력이 있는. ── *n.* Ⓒ ① 용제(溶劑), 용매(menstruum) 《*for* ; *of*》. ② 해결책 : find a ~ *for* unemployment problems 실업 문제에 대한 해결책을 찾아내다. ㊞ **sól·ven·cy** *n.* Ⓤ (부채에 대한) 지급 능력(이 있음).

So·ma·li [soumáːli] *n.* ① Ⓒ 소말리인(人). ② Ⓤ 소말리어(語).

So·ma·lia [soumáːliə, -ljə] *n.* 소말리아《아프리카 동부(東部)의 Aden 만과 인도양에 면한 공화국 ; 수도는 모가디슈(Mogadishu)》.

So·ma·li·land [soumáːlilæ̀nd] *n.* 소말릴란드《아프리카 동부의 연해(沿海) 지방》.

so·mat·ic [soumǽtik] *a.* 신체의 ; 육체의(physical). ㊞ **-i·cal·ly** *ad.*

som·ber,** 《英》 **-bre** [sámbər / sɔ́m-](more*** ~ ; ***most*** ~) *a.* ① 어둠침침한, 흐린 ; 거무스름한 ; (빛깔 따위가) 칙칙한 ; 수수한 : a ~ sky 찌푸린 하늘 / a ~ dress 빛깔이 칙칙한 드레스. ② 우울〔음울〕한. ㊞ **~·ly** *ad.* **~·ness** *n.*

som·bre·ro [sambrέərou / sɔm-] (*pl.* **~s**) *n.* Ⓒ 솜브레로《챙이 넓은 미국 남서부·멕시코의 중절모〔밀짚 모자〕》.

†some [sʌm, 弱səm] *a.* ①〔肯定文에서 複數名詞 또는 不可算名詞와 함께〕 얼만가의, 몇 개(인가)의, 다소(多少)의, 약간〔조금〕의《의미가 약해서 우리말로 새길 필요가 없을 경우도 있음》: There are ~ strange animals in the zoo. 그 동물원에는 기이한 동물이 있다 / Give me ~ milk, sugar, and bread. 우유, 설탕, 그리고 빵을 좀 주시오《명사가 연속될 때 흔히 처음에만 some을 붙임》/ The operation requires ~ skill. 그 수술에는 다소의 기술이 요구된다.

> 語法 의문문·부정문·조건절에는 일반적으로 any를 쓰나, 다음과 같은 경우에는 예외적으로 some을 씀.
> (1) 긍정의 대답을 기대하거나 권유·의뢰를 나타내는 의문문 : Don't you need *some* pencils? 연필이 필요하지요 / Will you have *some* tea? 차를 (좀) 드시지 않겠습니까〔드릴까요〕.
> (2) 긍정이 기대되거나 예상되는 경우의 부정문 : It is surprising that you have not paid *some* attention to this fact. 네가 이 사실에 다소라도 주의를 하지 않은 것은 의외다《You ought to have paid *some* attention to this fact. 란 뜻을 함축함》.
> (3) 조건의 가능성이 높음을 암시하는 조건절 : If you have *some* money, you should buy the book. 돈이 있으면 그 책을 사렴《any를 쓴 경우보다 돈이 있을 가능성이 높음을 암시함》.

② [sʌm]〔單數可算名詞와 함께, 불확실하거나 불특정한 것·사람을 가리켜서〕 어떤, 무언가의, 누군가의, 어딘가의《종종 명사 뒤에 or other를 곁들여 뜻을 강조함》: in ~ way (*or other*) 어떻게든 해서, 이럭저럭 / for ~ reason (*or other*) 웬일인지, 무슨 이유인지 / She is living in ~ village in India. 그녀는 인도 어딘가의 마을에 살고 있다 / I saw him talking with ~ woman. 나는 그가 어떤 부인과 얘기하고 있는 것을 보았다.
③ [흔히 sʌm]〔複數可算名詞 또는 不可算名詞와 함께〕 (어떤) 일부의, 개중에는 …(도 있다)《종종 뒤에 대조적으로 (the) other(s), the rest 또는 some이 따름》: His speech did not please ~ people. 일부의 사람들은 그의 연설에 만족하지 못했다 / *Some* fruit is sour. 과일중에는 신 것도 있다 / *Some* books are interesting ; *others* are boring. 재미있는 책도 있고 지루한 책도 있다 / *Some* days I stay home, but ~ days I don't. 어떤 날엔 집에 있기도 하고 어떤 날엔 집에 없기도 하다.
④ [sʌm] **a)** 《口》 상당한, 어지간한, 꽤(≒ considerable) : I stayed there for ~ days〔time〕. 며칠이나〔상당기간〕 그곳에 머물렀다 / The airport is (at) ~ distance from here. 공항은 여기서 상당한 거리에 있다. **b)** 《口》 대단한, 굉장한, 훌륭한 ; 격렬한 : That was quite ~ party! 그건 아주 대단한 파티였어 / You're ~ boy, Jack! 넌 대단한 놈이야, 잭 / That was ~ storm! 대단한 폭풍우였다. **c)**〔종종 文頭에 some+名詞가 와서 ; 빈정거리는 투로〕《口》 대단한 (…이다)《전혀 …아니다》: *Some* friend you were! 자넨 참 대단한 친구였지《참 지독한 친구였었다》/ *Some* weather for a picnic! 소풍가기는 참 좋기도 한 날씨군《지독한 날씨다》/ Can you finish it by Wednesday? —*Some* chance! 수요일까지는 끝낼 수가 있습니까 — 도무지 가망이 없군요.

~ day 〔副詞的으로〕 언젠가 (후에), 훗날(someday). ***~ one*** (1) (…중의) 어느 하나(의), 누군가 한 사람(의), 누군가, 어떤 사람 : ~ *one* of the boxes 상자 중의 어느 것 한 개. (2) = SOMEONE. ***~ other time*** 〔***day***〕 언젠가 다시. ***~ time*** (1) 언젠가 (뒷날), 머지 않아《★ 보통 sometime》. (2) 잠시 (동안), 얼마 동안 : It will be ~ *time* before the plane arrives. 비행기가 도착하기까지는 시간이 꽤〔좀〕 걸릴 테죠.

── *pron.* 《可算名詞의 대용일 때는 복수 취급, 不可算名詞의 대용일 때는 단수 취급 ; 용법은 形容詞에 준함》. ① 다소, 얼마간〔쯤〕, 좀, 약간, 일부 : Do you want any tea?—Yes, give me ~. 당신 차를 마시고 싶습니까—네, 좀 주시오《量的》/ Are there any apples?—Yes, there are ~. 아직 사과가 남아 있습니까—네, 아직(도) 남아 있습니다 / *Some* of these books are quite interesting. 이 책 중에는 매우 재미있는 것도 있다.
② 어떤 사람들, 어떤 것 ; 사람〔사물〕에 따라 (…한 사람〔사물〕도 있다)《종종 뒤에 대조적으로 others 또는 some을 사용》: *Some* say it is true, ~ not. 그게 정말이라고 하는 사람도 있고, 그렇지 않다고 하는 사람도 있다 / *Some* agree with her, *others* disagree. 그녀에게 찬성하는 사람도 있고 찬성하지 않는 사람도 있다 / Not all labor is hard ; ~ is pleasant. 노동은 모두가 괴롭다고 할 수 없다, 즐거운 것도 있다.

and then ~ 《美口》 그 위에 듬뿍, 더욱 많이 : He paid a thousand dollars *and then* ~. 그는 천 달러하고도 거기에 많은 돈을 더 지급하였다.

── *ad.* (비교 없음) ①〔數詞 앞에 쓰여서〕 약《about 가 보다 구어적임》: ~ thirty books 약 30권의 책. ② 《口》 얼마쯤, 어느 정도, 조금은, 좀(≒somewhat) : I slept ~. 조금 잤다 / I'm feeling ~ better now. 기분이 좀 나아졌습니다. ③

《美口》 꽤, 어지간히, 상당히 (considerably) : Do you like it ?—*Some !* 좋아하나—어지간히 (Rather !) / How do you feel ?—I hurt ~. 어떤가—꽤 아프다 / That's going ~ ! 꽤나 좋군〔빠르군〕. ~ ***few*** ⇨FEW. ~ ***little*** ⇨LITTLE.

-some *suf.* ① '…에 적합한, …을 낳는〔가져오는〕, …하게 하는'의 뜻. **a)** 〔名詞에 붙여〕: hand*some*. **b)** 〔形容詞에 붙여〕: blithe*some*. ② '…하기 쉬운, …경향이 있는, …하는'의 뜻: tire*some*. ③ 〔數詞에 붙여〕 '…사람으로〔…개로〕 이루어진 무리〔조(組)〕'의 뜻: two*some*.

†**some·body** [sʌ́mbɑ̀di, -bʌ̀di, -bədi / -bɔ̀di] *pron.* 어떤 사람, 누군가 : *Somebody* is looking for you. 누군가가 너를 찾고 있다 / General *Somebody* 아무개 장군 / There should be ~ at the entrance hall. 현관 입구에는 누군가가 있어야 한다(★ 흔히 긍정문에 쓰임). ~ ***or other*** 누군지 모르지만.

— *n.* (아무개라는) 어엿한〔훌륭한〕 사람, 상당한 인물, 대단한 사람 : He acts as if he were ~. 그는 마치 자기가 뭐나 되는 듯이 행동한다(★ someone은 이 뜻으론 쓰지 않음).

***some·day** [sʌ́mdèi] *ad.* 언젠가 (훗날에)(미래에 대해서만 쓰이며 과거에는 one day를 씀): *Someday* you'll understand. 언젠가 너도 알게 될 것이다.

‡**some·how** [sʌ́mhàu] *ad.* ① 어떻게든지 하여, 여하튼, 어쨌든 : It must be done ~. 어떻게든지 그것은 해야 한다. ② 어쩐지, 웬일인지, 아무래도 : *Somehow* I don't like him. 어쩐지 그이가 싫다. ~ ***or other*** 이럭저럭, 어떻게든지 하여 ; 웬 일인지(somehow의 강조형): She was determined to finish college ~ *or other.* 어떻게든 대학을 끝마치려고 마음 먹었다.

†**some·one** [sʌ́mwʌ̀n, -wən] *pron.* 누군가, 어떤 사람(somebody) : *Someone* called me. 누군가가 나를 불렀다 / Ask ~ else. 누군가 딴 사람에게 물으시오.

some·place [sʌ́mplèis] *ad.* 《美口》 어딘가에〔로, 에서〕(somewhere).

***som·er·sault** [sʌ́mərsɔ̀:lt] *n.* Ⓒ 재주넘기, 공중제비 : turn 〔cut, make, execute〕 a ~ 재주넘다. — *vi.* 재주넘다, 공중제비하다.

som·er·set [sʌ́mərsèt] *n., vi.* =SOMERSAULT.

Som·er·set(·shire) [sʌ́mərsèt(ʃiər, -ʃər)] *n.* 서머싯(잉글랜드 남서부의 주).

†**some·thing** [sʌ́mθiŋ] *pron.* ① 무언가, 어떤 것〔일〕: I have ~ to tell you. 너에게 말해주고 싶은 것이 있다 / I want ~ to eat 〔drink〕. 무엇 좀 먹을〔마실〕 것을 주었으면 좋겠다 / I prefer ~ cold. 뭐 좀 찬 것이 있으면 좋겠다 / You know ~? 저 말이야, 자네 알고 있나.

> 語法 (1) something은 긍정문 중에, anything은 의문문·부정문 중에 쓰는 것이 보통이지만, 긍정의 답을 기대하거나 남에게 무엇을 권하는 경우, 또는 Will 〔Could〕 you… 등으로 시작되는 의뢰문 따위에서도 something을 쓰는 일이 있음. (2) anything, nothing과 마찬가지로 something을 수식하는 형용사는 뒤에 옴 : ~ *hot to drink* 뭔가 뜨거운 마실 것.

② 얼마간〔쯤〕, 어느 정도, 다소 : *Something* yet of doubt remains. 아직 다소의 의심이 남아 있다. ③ 〔數詞 뒤에 붙여 副詞的으로〕 …조금 : at two ~, 2시 조금 지나서 / the four ~ train, 4시 몇 분인가의 기차. ***be ~ of a . . .*** 조금 …이다, 퍽, …한 데가 있다 : Einstein *was* ~ *of a* violinist. 아인슈타인은 바이올린을 제법 잘 켰다. ***be*** 〔***have***〕 ***~ to do with*** …와 관계가 있다. ***or ~*** 《口》 …인지 무언지 : He is a lawyer *or* ~. 그는 변호사인가 뭔가이다. ~ ***else*** (1) 무엇인가 다른 것. (2) 《口》 특별나게 굉장한〔훌륭한〕 사람〔것〕: His new movie is ~*else.* 그의 이번 영화는 정말로 걸작이다. ***You know*** ~? 알려주고 싶은 일이 있는데, 잠깐 할 얘기가 있는데.

— *n.* Ⓤ ① 《口》 꽤 가치 있는 사람〔물건〕, 대단한 사람〔물건, 일〕, 다행스런 일 : He is ~ in the department. 그는 부내(部內)에서 중요 인물이다 / It's ~ to be safe home again. 무사히 귀가할 수 있어 다행이다. ② 실재물, 무언가 실질이 있는 것 : *Something* is better than nothing. 무어라도 있으면 없는 것보다는 낫다. ③ (a ~) 어떤 것, 약간의 것〔돈〕: *an* indeterminate ~ 어느 막연한 것 / *a* wonderful ~ 무언가 놀라운 것 / Here is *a* little ~ for your children. 약소한 것이지만 자녀들에게 주십시오(★ 이것은 무언가 선물을 할 때에 겸손한 기분을 나타내는 표현임. 보통은 I hope you'll like this. 따위를 씀). ④ 《口》 〔the ~ 의 형식으로 놀람·노여움·강의(強意) 따위를 나타내는 관용구에 사용〕 도대체(the devil) : What *the* ~ are you doing here? 도대체 여기서 무엇을 하고 있느냐. ***make ~ of*** …을 중요시하다 ; …을 이용하다 ; …을 문제〔싸움의 구실〕로 삼다. ***Something tells me . . . .*** 《口》 아마 …이 아닐까 생각한다.

— *ad.* ① 얼마쯤〔간〕, 다소(somewhat) : Jack was ~ stouter than Jim. 잭은 짐보다 다소 뚱뚱했다. ② 《口》 꽤 상당히(very). ~ ***like*** ⇨LIKE² *a.*

†**some·time** [sʌ́mtàim] *ad.* ① 언젠가 ; 언젠가 후일, 후에 : Come and see me ~. 일간 놀러 오게 / ~ in 1991, 1991년 중에. ② 일찍이, 이전에, 언젠가. ~ ***or other*** 머지 않아, 조만간. — *a.* 〔限定的〕 이전의 ; 《美口·英口》 한때의 : the ~ leader of the group 그 그룹의 이전의 지도자 / Mr. Y, ~ professor at... …의 전 교수 Y씨.

†**some·times** [sʌ́mtàimz, səmtáimz] *ad.* 때때로, 때로는, 이따금 : I usually walk, but ~ I take a taxi. 평소에는 걷지만 택시를 탈 때도 있다 / *Sometimes* they sang, (and) ~ they danced. 그들은 노래 부를 때도 있었고 춤출 때도 있었다.

> 參考 빈도 부사 sometimes, always, usually, often 따위는 문장 중의 위치가 꽤 자유로워서, 문장〔절〕의 앞에도, 가운데에도, 끝에도 올 수 있음. 빈도를 보이는 다른 부사의 위치는 이것만큼 자유롭지는 못하지만, 다음과 같은 위치는 이들과 공통적으로 자주 쓰임.
> (1) 일반 정동사(定動詞)의 앞 : He *sometimes* 〔*always, usually, often*〕 *gets* up early. 그는 이따금〔언제나, 대개, 종종〕 일찍 일어난다 / She *never* 〔*seldom, rarely*〕 *breaks* her word. 그녀는 결코〔좀처럼〕 약속을 어기지 않는다.
> (2) be 동사 정형(定形) 또는 조동사의 바로 뒤 : We *were sometimes* at a loss. 때로는 어찌할 바를 모를 때도 있었다 / They *will seldom* complain. 좀처럼 불평은 없을 테죠 / I *have often* seen him. 그를 자주 만났다.
> (3) 빈도를 나타내는 부사들을 그 정도가 높은 것으로 부터 순서적으로 나열해 보면 대체로 다음과 같다. always → usually → often → *sometimes* → seldom 〔rarely〕 → never.

some·way(s) [sʌ́mwèi(z)] *ad.* 어떻게든 하여, 그럭저럭 ; 웬일인지 ; 조금 떨어져.

‡**some·what** [sʌ́m*h*wɑ̀t, -*h*wʌ̀t / -*h*wɔ̀t] *ad.* 얼마간, 얼마쯤, 어느 정도, 약간(slightly) : look ~

disturbed 약간 근심스러워 보이다. ***more than*** ~ 《口》 대단히, 매우. ~ ***of*** 얼마간, 다소: He neglected ~ *of* his duty. 직무를 다소 소홀히 했다. ── *n.* 어느 정도; 다소(something).

‡**some·where** [sʌ́mhwὲər] *ad.* ① **a**) 어딘가에(서), 어디론가: ~ in Seoul 서울 어딘가에〔로〕/ ~ about 〔around〕 here 이 근처 어디에〔에서, 로〕. **b**) 〔명사적으로; 전치사·타동사의 목적어로〕 어딘가: He needed ~ to stay. 그는 유숙할 장소가 필요했다. ② 〔시간·연령·분량 따위가〕 대략, 정도, 쯤, 가량, 약《*about*; *near*; *between*; *in*》: ~ *about* forty, 40세 가량〔전후〕. 《★ 흔히 긍정문에 쓰임》. ***get*** ~ ⇨GET[1].

som·me·lier [sʌ̀məljéi] *n.* [C] 《F.》 (레스토랑 등의) 포도주 담당 웨이터.

som·nam·bu·lism [sɑmnǽmbjəlìzəm / sɔm-] *n.* [U] 몽유병. ㊕ **-list** *n.* [C] 몽유병자.

som·nam·bu·lis·tic [sɑmnæ̀mbjəlístik / sɔm-] *a.* 몽유병의; 잠결에 걸어다니는.

som·nif·er·ous [sɑmnífərəs / sɔm-] *a.* 최면의, 졸리게〔잠이 오게〕 하는(soporific).

som·no·lent [sɑ́mnələnt / sɔ́m-] *a.* ① 졸린. ② 잠이 오게 하는, 최면의. ㊕ **-lence**, **-len·cy** [-ləns], [-i] *n.* [U] 졸림; 비몽사몽. ~·**ly** *ad.*

Som·nus [sɑ́mnəs / sɔ́m-] *n.* 〖로神〗 잠의 신.

†**son** [sʌn] *n.* ① [C] 아들, 자식; 사위, 의붓아들; 수양아들, 양자(adopted ~). [cf] daughter. ② [C] (흔히 *pl.*) (남자) 자손: the ~*s* of Abraham 아브라함의 자손, 유대인. ③ [C] …나라 사람; 일원; (특정 직업의) 종사자《*of*》: a ~ *of* toil 노동자 / a faithful ~ *of* England 충성스러운 영국 사람 / a ~ *of* Mars 〔the Muses〕 군인〔시인〕. ④ 《호칭》 자네, 젊은이, 군: Listen, ~. 이봐 젊은이 / old ~ 자네《친근한 호칭》. ◇ filial *a.* ***a ~ of a bitch*** 〔***a gun***〕 《俗》 개자식, 개새끼, 치사한 놈. ***the Son of Man*** 인자(人子), 예수. ***the ~s of men*** 인류.

so·nance [sóunəns] *n.* [U] ① 〖音聲〗 유성(有聲). ② 울림.

so·nant [sóunənt] *a.* ① 〖音聲〗 유성(有聲)의, 울리는 소리의; 소리〔음〕의. ② 울리는(sounding). ── *n.* [C] 유성음《b, d, g 등》. [opp] *surd*.

so·nar [sóunɑːr] *n.* [C] 소나, 수중 음파탐지기. [◂ *so*und *na*vigation (and) *r*anging]

***so·na·ta** [sənɑ́ːtə] *n.* [C] 〖樂〗 소나타, 주명곡.

so·na·ti·na [sɑ̀nətíːnə / sɔ̀n-] (*pl.* ***-ne*** [-nei]) *n.* [C] 《It.》〖樂〗 소나티나, 소나티네, 소(小)주명곡.

sonde [sɑnd / sɔnd] *n.* [C] 존데《(1) 고공(高空) 기상 측정기. (2) 〖醫〗 체내 검사용 소식자(消息子)》.

†**song** [sɔ(ː)ŋ, sɑŋ] *n.* ① [C,U] 노래, 창가, 성악(singing); 가곡: a marching ~ 행진〔진군〕가 / No ~, no supper. 《格言》 일하지 않는 자는 먹지를 마라. ② [U] 시, 시가(poetry). ③ [U] 우는〔지저귀는〕 소리: be in full ~(*s*) 소리높여 울다〔지저귀다〕. ④ [U,C] (주전자의 물 끓는) 소리, (시냇물 등의) 졸졸거리는 소리. ⑤ [U] 노래하기: the gift of ~ 노래하는 재능. ***a ~ and dance*** (1) 구차한 변명, 지어낸 이야기; 《英口》 (쓸데 없는) 소란, 소동: make *a ~ and dance* about the news 그 뉴스에 큰 소란을 피우다. ***for a*** ~ 헐값으로, 싸구려로. ***the Song of Songs*** 〔***Solomon***〕 〖聖〗 아가(雅歌)《구약의 한 편》.

song·bird [-bəːrd] *n.* [C] ① 우는 새, 명금(鳴禽). ② 여가수.

song·book [-bùk] *n.* [C] 가요집(集), 노래 책.

song·fest [-fèst] *n.* [C] 함께 노래를 부르는 모임.

song·less [sɔ́(ː)ŋlis, sɑ́ŋ-] *a.* ① 노래가 없는; 노래를 못 하는. ② (새가) 지저귀지 못하는.

song·ster** [sɔ́(ː)ŋstər, sɑ́ŋ-] (*fem.* ***-stress [-stris]) *n.* [C] ① 가수; 시인. ② 명금(songbird).

sóng thrùsh 〖鳥〗 (유럽산) 지빠귀.

song·writ·er [-ràitər] *n.* [C] (유행 가곡의) 작사〔작곡〕가, 작사 작곡가.

son·ic [sɑ́nik / sɔ́n-] *a.* ① 소리의, 음(파)의. ② 음속의. [cf] subsonic, supersonic, transonic. ¶ at ~ speed 음속으로.

sónic bárrier 〔**wáll**〕 =SOUND BARRIER.

sónic bóom 〔《英》 **báng**〕 〖空〗 소닉 붐《초음속 비행기에 의한 충격파가 내는 폭발음》.

son-in-law [sʌ́ninlɔ̀ː] (*pl.* ***sons-***) *n.* [C] 사위; 양자(養子).

***son·net** [sɑ́nət / sɔ́n-] *n.* [C] 14 행시(行詩), 소네트; 단시(短詩).

son·ny [sʌ́ni] *n.* 《口》 아가야, 얘《소년·연소자에 대한 친근한 호칭》.

***so·no·rous** [sənɔ́ːrəs, sɑ́nə-] *a.* ① 낭랑한, 울려퍼지는. ② (문체·연설 등이) 격조높은, 당당한.

†**soon** [suːn] (***∠·er***; ***∠·est***) *ad.* ① 이윽고, 곧, 이내: ~ after four o'clock, 4 시 조금 지나(서) / He ~ came home. 이윽고 집에 돌아왔다. ② 빨리, 이르게(early), 급히; 쉽게: an hour too ~ (정각·예정보다) 한 시간이나 이르게 / Must you leave so ~? 그렇게 급히 돌아가셔야만 합니까 / (The) least said, (the) ~*est* mended. 《格言》 말은 적을수록 좋다 / *Soon* got〔gotten〕, ~ gone〔spent〕. 《俗談》 쉽게 얻은 것은 쉽게 없어진다. ③ 〔비교급으로 would, had 등과 더불어〕 자진하여, 쾌히, 기꺼이; 오히려, 차라리: I *would* 〔*had*〕 ~*er* die. 차라리 죽는 게 낫다.

as 〔***so***〕 ***~ as*** ... …하자마자, …하자 곧: I will tell him so *as* ~ *as* he comes. 그가 오면 곧 그렇게 전하겠다. ***as ~ as possible*** 되도록 빨리, 한시라도 빨리. ***no ~er than*** ... …이 끝나기가 무섭게…, …하자마자…, …한 순간에…: I had *no* ~*er* 〔*No* ~*er* had I〕 left home *than* it began to rain. 집을 나서자마자 비가 오기 시작했다《★ no ~er 가 글머리에 오면 도치됨》. ~(***er***) ***or late***(***r***) 머지 않아, 조만간. ***would as ~ ... as*** __ ―하느니 (차라리) …하겠다: I *would as* ~ die *as* live in slavery. 노예로 사느니 차라리 죽는 것이 낫다 / I *would* stay here *as* ~ (*as not*). 차라리 여기 있겠다. ***would*** 〔***should, had***〕 ***~er ... than*** __ ―하기보다는 차라리 …하고 싶다: I *would* ~*er* die *than* consent. 승낙하느니 죽는 게 낫다.

***soot** [sut, suːt] *n.* [U] 검댕, 매연. ── *vt.* …을 검댕으로 더럽히다.

‡**soothe** [suːð] *vt.* ① (사람·감정)을 달래다(comfort), 위로하다; 진정시키다(calm), 가라앉히다. ② (고통 따위)를 덜다(relieve), 완화하다, 누그러지게 하다: ~ a toothache 치통을 완화시키다.

sooth·ing [súːðiŋ] *a.* 달래는 듯한, 위로하는, 마음을 진정시키는; 누그러뜨리는: in a ~ voice 달래는 듯한 목소리로. ㊕ ~·**ly** *ad.* 진정시키듯이.

sooth·say·er [súːθsèiər] *n.* [C] 예언자, 점쟁이.

sooty** [súti, súːti] (soot·i·er***; ***-i·est***) *a.* ① 그을은, 검댕투성이의. ② 거무스름한.

㊕ **sóot·i·ness** *n.* 검댕투성이.

sop [sɑp / sɔp] *n.* [C] ① (우유·스프 등에 적신) 빵 조각. ② 환심사기 위한 선물, 뇌물. ***throw a ~ to Cerberus*** ⇨ CERBERUS.

──(***-pp-***) *vt.* 《~+[목] / +[목]+[전]+[명] / +[목]+[부]》 ① (빵 조각 등)을 적시다(soak)《*in* milk》: ~ some bread in one's soup 빵을 수프에 적시다. ② (스펀지 따위로, 액체)를 빨아들이다《*up*》: ~ *up* the spilt milk with a cloth 흘린 우유를 걸레로 훔쳐내다. ── *vi.* 흠뻑 젖다, 스며들다.

soph·ism [sɑ́fizəm / sɔ́f-] *n.* ① [C] 궤변. ② [U] 궤변법.

soph·ist [sáfist / sɔ́f-] *n.* Ⓒ ① 궤변가. ② (S-) 소피스트《옛 그리스의 철학·수사(修辭) 학자》.

so·phis·tic, -cal [səfístik], [-kəl] *a.* 궤변의 ; 궤변같은, 궤변을 부리는 ; 소피스트의.

so·phis·ti·cate [səfístəkèit] *vt.* ① 세파에 닳고 닳게〔물들게〕 하다 ; (도시적·지적(知的)으로) 세련되게 하다 : Travel tends to ~ a person. 여행은 사람을 세련되게 하는 경향이 있다. ② (기계를) 복잡〔정교〕하게 하다. — [-kit, -kèit] *n.* Ⓒ 굴러먹은〔약아빠진〕 사람 ; 세련된 사람.

***so·phis·ti·cat·ed** [səfístəkèitid] *a.* ① 순진하지 않은, 굴러먹은 : a ~ boy. ② (기계·기술 따위가) 정교한, 고성능의 ; 복잡한 : a ~ computer 정교한 컴퓨터 / a ~ fighter plane 고성능 전투기. ③ (지적·도시적(都市的)으로) 세련된 ; (높은) 교양이 있는 : a ~ style 세련된 문체 / a ~ reader 지적 수준이 높은 독자. ⓜ ~·**ly** *ad.*

so·phis·ti·ca·tion [səfìstəkéiʃən] *n.* Ⓤ ① (고도의) 지적 교양, 세련. ② (기계 등의) 복잡〔정교〕화. ③ 세속화(世俗化) ; (세상사에) 빈틈이 없음.

soph·ist·ry [sáfistri / sɔ́fi-] *n.* ① Ⓒ 궤변. ② Ⓤ 궤변법.

Soph·o·cles [sáfəklìːz / sɔ́f-] *n.* 소포클레스《옛 그리스의 비극 시인 ; 496 ? -406 ? B.C.》.

***soph·o·more** [sáfəmɔ̀ːr / sɔ́f-] *n.* Ⓒ《美》① (4 년제 대학·고등학교의) 2년생(cf. freshman, junior, senior). ② (실무·운동 등의 경험이) 2 년인 사람. — *a.* 〔限定的〕 2년생의.

soph·o·mo·ric [sàfəmɔ́ːrik / sɔ̀f-] *a.* 《美》 ① 2 년생의. ② 젠체하나 미숙한, 건방진.

sop·o·rif·ic [sàpərífik, sòupə-] *a.* ① 최면(성)의. ② 졸린. — *n.* Ⓒ 수면제, 마취제.

sop·ping [sápiŋ / sɔ́p-] *a., ad.* 흠뻑 젖은〔젖어서〕 : be ~ wet 흠뻑 젖어 있다.

sop·py [sápi / sɔ́pi] (***-pi·er ; -pi·est***) *a.* ① 흠뻑 젖은 ; 질퍽거리는(sloppy). ② (날씨가) 구질구질한, 비 오는 : ~ weather. ③《口》몹시 감상적인.

***so·pra·no** [səprǽnou, -práːn-] (*pl.* **~s, -ni** [-ni(ː)]) *n.* ① **a)** Ⓤ 〖樂〗 소프라노《여성·소년 등의 최고 음역》: sing ~ 소프라노(가수)이다 / in ~ 소프라노로. **b)** Ⓒ 소프라노 목소리. ② Ⓒ 소프라노 가수〔악기〕. — *a.* 소프라노의.

sor·bet [sɔ́ːrbit] *n.* Ⓤ,Ⓒ 셔벗(sherbet).

Sor·bonne [sɔːrbán, -bʌ́n / -bɔ́n] *n.* 《F.》 (the ~) 소르본 대학《구(舊)파리 대학 문리학부 ; 지금은 파리 제 1·4 대학의 통칭》.

sor·cer·er [sɔ́ːrsərər] (*fem.* ***-cer·ess*** [-ris]) *n.* Ⓒ 마법사(wizard), 마술사(magician).

sor·cery [sɔ́ːrsəri] *n.* Ⓤ 마법, 마술, 요술.

***sor·did** [sɔ́ːrdid] *a.* ① (환경·장소 등이) 더러운, 지저분한(dirty) : ~ surroundings 더러운 환경. ② (사람·행위 등이) 치사스러운 ; 야비한, 천한 : ~ motives 야비한 동기. ⓜ ~·**ly** *ad.* ~·**ness** *n.*

‡**sore** [sɔːr] (***sór·er ; ∠·est***) *a.* ① (상처가) 아픈(painful), 욱신욱신〔따끔따끔〕 쑤시는, 피부가 까진 ; 염증을 일으킨 : have a ~ throat 목이 아프다 / I'm ~ all over. 온몸이 쑤신다. ② 슬픈, 비탄에 잠긴, 슬픔을 느끼게 하는 : ~ hearts 슬픈 마음 / He is ~ at heart. 그는 비탄에 잠겨 있다. ③ 지독한, 매우 심한 : The refugees are in ~ need. 피난민들은 매우 궁핍한 상태에 있다. ④ 감정을 해치는, 불유쾌한 : a ~ subject 불유쾌한〔듣기 언짢은〕 화제. ⑤《口》성마른, 성내고 있는, 분해하는. ***a sight for ~ eyes*** ⇨SIGHT.

— *n.* Ⓒ ① 건드리면 아픈 곳 ; 헌데, 상처, 종기(boil). ②《比》옛 상처, 언짢은 추억, 옛 원한 : old ~*s* (마음의) 옛 상처. ⓜ ∠·**ness** *n.*

sore·head [∠hèd] 《美口》 *n.* Ⓒ 화를 잘 내는 사람 ; 불평가 ; (지고 나서) 분해하는 사람.

***sore·ly** [sɔ́ːrli] *ad.* ① 아파서, 견디기 어려워. ② 심히, 몹시 : They're ~ in need of support. 그들은 절실하게 지원을 필요로 하고 있다.

sor·ghum [sɔ́ːrgəm] *n.* Ⓤ ①〖植〗 (S-) 수수속(屬)의 식물. ② 사탕수수로 만든 시럽〔당밀〕.

so·ror·i·ty [sərɔ́ːrəti, -rár-] *n.* Ⓒ 〔集合的 ; 單·複數 취급〕《美》(대학내의) 여학생 사교 클럽 ; 여성 클럽. cf. fraternity. ¶ a ~ house (대학의) 여학생 클럽 회관.

sor·rel [sɔ́ːrəl-, sár-] *a.* 밤색의, (특히 말이) 밤색 털인. — *n.* ① Ⓤ 밤색. ② Ⓒ 구렁말.

‡**sor·row** [sárou, sɔ́ːr-] *n.* ① Ⓤ 슬픔, 비애(sadness), 비통, 비탄(grief)《*at ; for ; over*》: the ~ of parting 이별의 슬픔 / feel ~ *at* one's friend's death 벗의 죽음을 슬퍼하다 / in ~ and in joy 슬프거나 즐겁거나 / Words cannot express my ~. 말로는 이 슬픔을 표현할 수 없다. ② Ⓤ (잘못·실패 등에 대한) 유감, 후회(regret), 아쉬움《*for*》: express one's ~ *for* having made the mistake 과오를 범한 것에 대해 유감을 표시하다. ③ Ⓒ (종종 *pl.*) 슬픔, 불행 ; 슬픔〔불행〕의 원인 ; 고생, 고통 : He has had many ~*s*. 그는 여러 가지 불행을 겪었다. ***drown*** one***'s ~s*** 《口》 술로 슬픔을 달래다. ***more in ~ than in anger*** 노엽기보다는 슬퍼서. — *vi.* 《文語》슬퍼하다, 유감으로 생각하다《*at ; for ; over*》: ~ *for* a lost person 돌아가신 이를 애도하다.

‡**sor·row·ful** [sároufəl, sɔ́ːr-] (***more ~ ; most ~***) *a.* ① 슬픈, 비탄에 잠긴(grieved). ② 슬픈 듯한(mournful), 슬픔을 나타낸 : a ~ look 비통한 표정. ③ 슬픔을 자아내는, 불행한 : a ~ news 슬픈 소식. ⓜ ~·**ly** *ad.*

†**sor·ry** [sári, sɔ́ːri] (***-ri·er ; -ri·est***) *a.* ① 〔敍述的〕 슬픈, 유감스러운, 가엾은, 딱한《*about ; for ; to* do ; *that*》: I am 〔feel〕 ~ *for* him in his trouble. 그가 곤란에 처해 있는 것이 딱하다 / I'm ~ *for* that remark. 그런 말을 하여 후회하고 있습니다 / I'm ~ *to* hear of your father's death. 춘부장의 별세를 애도합니다. ② 〔敍述的〕 〔사죄·변명〕 미안합니다(만), 죄송합니다만 : I'm ~. = *Sorry.* 미안〔죄송〕합니다 ; 실례했습니다 / I'm ~ I'm late. 늦어서 미안합니다 / I'm ~ *to* trouble you but.... 수고를 끼쳐 죄송합니다만… / *Sorry,* did I hurt you? 미안합니다, 아프셨습니까. ③《文語》〔限定的〕 한심한, 넌더리나는 ; 비참한 ; 빈약한 ; 서투른 : a ~ fellow 시시〔한심〕한 친구 / the ~ routine 지긋지긋한 일과 / a ~ excuse 서투른 변명. ④ (S- ?)《英口》뭐라고 말씀하셨지요(I beg your pardon.)《되물을 때》.

†**sort** [sɔːrt] *n.* Ⓒ ① 종류(kind), 부류 : a new ~ of game 새로운 종류의 놀이 / of every ~ (and kind) 온갖 종류의 / all ~*s* and conditions of men 각계 각층의 사람들 / It takes all ~*s* (to make a world). 《俗談》세상엔 별 사람이 다 있다, 십인 십색 / That's the ~ of thing I want. 그러한 것이 필요하다. ② 성질, 품질(quality), 품등(品等) : a girl of a nice ~ 마음씨 고운 아가씨. ③《古》…식, 양식, 방법, 모양, 정도 : He talked along in this ~. 그는 이런 식으로 장광설을 늘어놓았다. ④《口》〔흔히 單數形으로 修飾語를 수반하여〕 인품 : He is a good 〔bad〕 ~ (of a man). 그는 좋은〔나쁜〕 사람이다 / He is not the ~ (of man) to do that. 그런 일을 할 만한 사람이 못 된다. ⑤〖印〗 활자의 한 벌(font[2]). ⑥〖컴〗 차례짓기, 정렬. ***after a ~*** 약간, 어느 정도, 그럭저럭. ***all ~(s) of*** 온갖 종류의, 각 종류의. ***a ~ of***

(***a***) . . . 일종의; …와 같은 것: He is *a* ~ *of* pedant. 그는 학식을 내세우는 그런 사람이다 / *a* ~ *of* politician (그런대로) 정치가라고 할 수 있는 사람(cf. *of a* ~). ***in a* ~ (*of way*)** =after a ~. ***in some* ~** 어느 정도(까지), 약간. ***nothing of the* ~** 〔강한 否定〕 그런 것은 … 아니다; 전연 …하지 않다: I said *nothing of the* ~. 그런 것은 전연 얘기하지 않았다. ***of a* ~** 신통치 않은, 이름뿐인, 서투른, 2류의: a scholar *of a* ~ 사이비 학자. ***out of ~s*** 기운이 없는; 기분이 언짢은. **~ *of*** 《口》〔副詞的〕 다소, 얼마간, 말하자면: He is ~ *of* angry. 성이 좀 나 있다. ★ ~o', ~er, ~a 라고도 씀. cf. kind of.

— *vt.* ①《~+목 / +목+부》 …을 분류하다(classify); (우편물)을 구분하다: ~ mail 우편물을 구분하다. ②〖컴〗 차례짓다《수치의 대소, 알파벳순 등에 의해》. **~ *out*** (1) …을 가려내다, 구분하다《*from*》: ~ *out* the sheep *from* the goats 양과 염소를 구분하다《선인과 악인을 구별하다》. (2)《英》…을 정리하다, (분쟁·문제 등)을 해결하다. (3)《英》(집단 등)의 체제를 정비하다.

sort·er[1] [sɔ́ːrtər] *n.* Ⓒ ① 분류하는 사람〔기계〕; 선별기(機); (우체국의) 우편물 분류계. ②〖컴〗 정렬기(機)《특정 자료 항목의 대소순(大小順)으로 카드를 고쳐 정렬함》.

sort·er[2] *ad.* 《俗》 어느 정도, 조금, 약간(sort of).

sor·tie [sɔ́ːrti] *n.* Ⓒ ①〖軍〗 (포위당한 진지로부터의) 출격, 돌격(sally): make a ~ 출격하다. ② (낯선 곳으로의) 짧은 여행.

SOS [ésòués] (*pl.* ~*'s*) *n.* Ⓒ (무전의) 조난신호; 구원 요청: pick up 〔send〕 an ~ (call) 조난신호를 수신〔송신〕하다《★ 모스 부호에서 옴. Save Our Souls 〔Ships〕의 약어라 함은 속설임》.

so-so [sóusòu] 《口》 *a.* 〔後置〕 그저 그렇고 그런 (정도의), 좋지도 나쁘지도 않은: "How are you getting?" — "*So-so*". '어떻게 지내는가.' '그럭저럭 지내네'.

— *ad.* 그저 그만하게, 그럭저럭.

sos·te·nu·to [sɑ̀stənúːtou / sɔ̀s-] 〖樂〗 *ad., a.* 《It.》 (음을) 계속하여〔끌어서〕, 연장하여, 소스테누토로(의).

sot [sɑt / sɔt] *n.* Ⓒ 주정뱅이, 모주(drunkard).

sot·tish [sɑ́tiʃ / sɔ́t-] *a.* ① 주정뱅이의. ② 바보의. 파 **~·ly** *ad.* **~·ness** *n.*

sot·to vo·ce [sɑ́touvóutʃi / sɔ́t-] 《It.》 저음(低音)으로; 작은 소리로; 방백(傍白)으로(aside).

sou [suː] *n.* 《F.》 ① Ⓒ 프랑스의 옛 5〔10〕 상팀 동화. ② (a ~) 〔否定文에서〕《口》 잔돈: I haven*'t* *a* ~. 땡전 한푼 없다.

sou·bri·quet [súːbrikèi] *n.* =SOBRIQUET.

souf·flé [suːfléi, ⌐-] *n.* ⒸⓊ 《F.》 수플레《달걀의 흰자위에 우유를 섞어 거품이 일게 하여 구운 것》.

sough [sau, sʌf] *n.* Ⓤ 윙윙《바람 소리 등》.

— *vi.* (바람이) 윙윙거리다, 쏴쏴 불다.

‡**sought** [sɔːt] SEEK 의 과거·과거분사.

sought-af·ter [sɔ́ːtæ̀ftər, -ɑ̀ːf-] *a.* 필요로 하고 있는, 수요가 많은; 귀중히 여겨지는, 다투어 끌어갈려고 하는.

‡**soul** [soul] *n.* ① Ⓒ (영)혼, 넋; 정신, 마음. opp. *body, flesh.* ¶ the immortality of the ~ 영혼 불멸 / His ~ is above material pleasures. 그의 정신은 물질적 쾌락을 초월하고 있다. ② Ⓤ 생기, 기백, 감정, 열정: He has no ~. 그는 기백〔정열〕이 없는 사람이다. ③ (the ~) 정수, 생명《*of*》: Brevity is *the* ~ *of* wit. ⇨BREVITY. ④ (the ~) 전형, 화신(embodiment)《*of*》: *the* ~ *of* honesty 정직의 화신. ⑤ (the ~) 중심 인물, 지도자《*of*》: *the* ~ *of* the party 일행 중의 중심 인물. ⑥ Ⓒ 사람(person), 〔形容詞를 수반하여〕 (…한) 인물: Not a ~ was to be seen. 사람 그림자 하나 안 보였다 / a jolly ~ 유쾌한 사람. ⑦ =SOUL MUSIC. ***for the* ~ *of me*** = ***for my* ~** = ***to save my* ~** 〔否定文에서〕 아무리 해도(…할 수 없다). ***keep body and* ~ *together*** 겨우 살아가다, 연명하다. ***sell* one's ~ (*to the devil*)** (악마에게) 영혼을 팔다; (금전·권력 따위를 위해) 양심에 부끄러운 짓을 하다《*for*》. ***upon my* ~** 맹세코, 진정으로.

— *a.* 《美》〔限定的〕 흑인(특유)의, 흑인 문화의.

sóul bròther 《美》 흑인 남성, 동포. cf. soul sister.

soul-de·stroy·ing [sóuldistrɔ̀iiŋ] *a.* (일 따위가) 매우 단조로운, 지겨운, 정말 시시한.

soul·ful [sóulfəl] *a.* ① 정성어린, 혼〔감정〕이 담긴. ②《口》 대단히 감상적인.

파 **~·ly** *ad.* **~·ness** *n.*

soul·less [sóullis] *a.* 정신이 없는; 영혼이 없는; 맥이 빠진, 기백이 없는; 무정한; 비열한.

파 **~·ly** *ad.* **~·ness** *n.*

sóul màte 마음이 맞는 사람, 애인.

sóul mùsic 〖樂〗 솔뮤직《리듬 앤드 블루스와 현대적인 흑인 영가인 gospel song 이 섞인 미국의 흑인 음악》.

soul-search·ing [⌐-sə̀ːrtʃiŋ] *n.* Ⓤ 자기 성찰, 진지한 자기 반성. — *a.* 자기 성찰의.

sóul sìster 《美》 (흑인의 동아리로서의) 흑인 여성. cf. soul brother.

†**sound**[1] [saund] *n.* ① ⓊⒸ 소리, 음, 음향, 울림: a dull ~ 둔한 소리 / make a ~ 소리를 내다 / Not a ~ was heard. 아무 소리도 들리지 않았다. ② Ⓤ 떠드는〔시끄러운〕 소리, 소음; 법석: ~ pollution 소음 공해. ③ (*sing.*) 〔흔히 修飾語(句)와 함께〕 (말·목소리 따위의) 인상, 느낌, 들림새, 어감: The report has a false ~. 날조한 듯한 느낌의 보고이다. ④ Ⓤ 들리는 범위(earshot): within ~ of …이 들리는 곳에서.

— *vi.* ① 소리가 나다, 울리다, 소리를 내다: The trumpets are ~*ing.* 트럼펫이 울리고 있다. ②《+보 / +전+명》 …하게 들리다, …하게 생각되다《*like*》: The report ~*s* true. 그 보고는 사실같이 들린다. ③ 전해지다, 퍼지다. ④ …로 발음되다, …로 읽히다. ⑤《+전+명》〖法〗 …에 관계하다《*in*》: an action ~*ing in* damages 손해 배상에 관한 소송.

— *vt.* ① …을 소리나게 하다, 울리다, 불다: ~ a bell 벨을 울리다. ② (나팔·북·종 따위로) …을 알리다, 신호하다; (찬사)를 크게 말하다, (평판)을 퍼뜨리다: ~ the retreat 퇴각 신호를 하다 / ~ a warning 경고를 발(發)하다 / He ~*ed* her praises. 그녀를 극구 칭찬하였다. ③ (벽·레일 따위)를 두드려 조사하다, 타진〔청진〕하다. ④ (글자)를 발음하다(pronounce), 읽다: The h of hour is not ~*ed.* hour 의 h는 발음되지 않는다. **~ *off*** 《口》 (의견 따위)를 분명하게 말하다; 자랑스레 이야기하다; 마구 떠들어 대다《*about; on*》.

‡**sound**[2] (*⌐·er*; *⌐·est*) *a.* ① 건전한, 정상적인; 상하지〔썩지〕 않은(uninjured): a man of ~ body and mind 심신이 모두 건전한 사람 / ~ fruit 〔timbers〕 썩지 않은 과일〔목재〕 / A ~ mind in a ~ body. 《格言》 건전한 몸에 건전한 정신(이 깃들인다). ② 확실한, 착실〔견실〕한, 안전한(secure): a ~ friend 믿을 만한 친구 / ~ finance 건전 재정 / a ~ investment 〔bank〕 안전한 투자〔은행〕. ③ (건물 등이) 견고한, 단단한, 튼튼한(solid). ④ 철저한, 충분한: a ~ sleep 숙면(熟眠). ⑤〖法〗 유효한. **(*as*) ~ *as a bell*** 〔***colt, roach***〕 매우

건강하여. ***safe and*** ~ 무사 안전한. — *ad.* 충분히, 잘: sleep ~ 숙면하다 / ~ asleep 푹 잠들어. ㉠ ∠·**ness** *n.*

‡**sound**[3] *vt.* ① (물 깊이)를 측량하다; (대기·우주)를 조사하다. ②〖醫〗 (소식자(消息子)를 넣어) …을 진찰하다: ~ a patient's bladder 환자의 방광을 진찰하다. ③ 《+목 / +목+부 / +목+전+명》 …의 의중〔속〕을 떠보다, …을 타진하다《*out*》: They tried to ~ me *out.* 그들은 내 의중을 떠보려고 하였다 / We ~*ed out* his receptiveness *to* the plan. 그 계획을 그가 수용하는지의 여부를 알아보았다. — *vi.* ① 물 깊이를 재다. ② (고래 따위가) 깊이 잠수하다.
— *n.* Ⓒ 〖醫〗 (외과용) 소식자, 탐침(探針).

sound[4] *n.* Ⓒ ① 해협, 좁은 해협《★ strait 보다 큼》. ② 후미, 내포(內浦).

sóund bàrrier (the ~) 소리〔음속〕의 장벽 (sonic barrier)《항공기 따위의 속도가 음속에 가까워졌을 때 일어나는 공기 저항》.

sóund effècts 〖放送·劇〗 음향 효과.

sound·er[1] [sáundə*r*] *n.* Ⓒ ① 울리는 사람〔것〕, 소리나는 것. ②〖通信〗 음향기《수신기의 일부》.

sound·er[2] *n.* Ⓒ ① 측심원(測深員); 측심기. ②〖醫〗 소식자.

sound·ing[1] [sáundiŋ] *n.* ① Ⓤ,Ⓒ 수심 측량. ② (*pl.*) 측연선(線)으로 잴 수 있는 수심《깊이 600 피트 이내》: in〔on〕 ~*s* 측연이 도달하는 곳에. ③ Ⓤ (종종 *pl.*) (여론 등의) (신중한) 조사.

sound·ing[2] *a.* 〔限定的〕 ① 소리가 나는, 울려 퍼지는(resonant). ② 어마어마하게 들리는, 과장된, 당당한: a ~ title 어마어마한 직함.

sóunding bòard ①〖樂〗 공명판; (연단의 위·뒤 따위의) 반향판《목소리를 잘 전하기 위한》. ② 의견 등을 알리는 수단《신문의 투고란 따위》.

sóunding lìne 측연선(測鉛線) (lead line).

sound·less[1] [sáundlis] *a.* 소리가 나지 않는, 아주 고요한. ㉠ ~·**ly**[1] *ad.*

sound·less[2] *a.* 대단히 깊은. ㉠ ~·**ly**[2] *ad.*

sound·ly [sáundli] *ad.* ① 건전하게; 견실히; 바르게: train students ~ 학생을 바르게 훈련시키다. ② (잠자는 상태가) 깊이: The baby slept ~ all night. 아기는 밤새 잘 잤다. ③ (타격 등이) 심하게, 철저히: He was ~ beaten. 그는 되게 얻어맞았다.

sound·proof [∸prúːf] *a.* 방음의: a ~ wall 방음벽. — *vt.* …에 방음 장치를 하다.

sóund tràck ①〖映〗 사운드 트랙, (필름 가장자리의) 녹음대(帶). ② 사운드 트랙 음악.

sóund trùck 《美》 (스피커를 장치한) 선전용 트럭〔차〕(《英》 loudspeaker van)《선거 때 등의》.

sóund wàve 〖物〗 음파.

‡**soup** [suːp] *n.* Ⓤ,Ⓒ 수프, 고깃국(물). cf broth. ¶ chicken ~ 치킨 수프 / eat ~ (스푼으로) 수프를 먹다. ***from ~ to nuts*** 《美》 처음부터 끝까지. ***in the*** ~ 《口》 곤경에 빠져, 꼼짝 못 하게 되어.
— *a.* 〔限定的〕 수프용의: a ~ plate 수프 접시.
— *vt.* 《俗》 ① (엔진·모터 따위의) 마력〔출력, 성능〕을 증대시키다, 튠업하다《*up*》. ② 《口》 (이야기 따위)를 한층 자극적〔매력적〕으로 하다.

soup·çon [suːpsɔ́ːŋ, ∸-] *n.* (a ~) 《F.》 소량, 조금《*of*》; 기미(氣味)《*of*》: It needs *a* ~ *of* garlic. 마늘이 약간 필요하다.

sóup kìtchen (영세민을 위한) 무료 급식 시설 《그 식권은 soup ticket》.

soupy [súːpi] (***soup·i·er*** ; ***-i·est***) *a.* ① 수프 같은; 걸쭉한. ② 《美口》 감상적인. ③ 안개가 짙은, 흐린.

‡**sour** [sauə*r*] *a.* ① 시큼한, 신: a ~ apple 시큼한 사과. ② 산패(酸敗)한; 시큼한 냄새가 나는: ~ milk 산패한 우유. ③ (사물이) 불쾌한, 싫은 (disagreeable): a ~ job 불쾌한 일 / He's ~ on me. 그는 나를 싫어한다. ④ 찌무룩한, 심술궂은: look ~ 부루퉁한 얼굴을 하다. ***go*** 〔***turn***〕 ~ (1) 시어지다. (2) 싫어지다. (3) 소원해지다《*on*》.
— *n.* ① Ⓤ,Ⓒ 시큼한 것; 신맛, 산미(酸味). ② (the ~) 싫은〔불쾌한〕 것〔일〕, 괴로운 일: *the* sweet and ~ of life 인생의 고락. ③ Ⓤ,Ⓒ 《美》 사워, 산성 음료수《레몬수·설탕을 탄 위스키 따위》.
— *vt.* ① …을 시게 하다: Hot weather will ~ milk. 더운 날씨는 우유를 쉬게 한다. ② 〔종종 受動으로〕 (사람)을 뒤까다롭게 하다: *be* ~*ed* by misfortune 불행으로 성격이 비뚤어지다. ③ …을 싫증나게〔싫어지게〕 하다. — *vi.* ① 시어지다. ② 뒤까다로워지다. ㉠ ∠·**ly** *ad.* ∠·**ness** *n.*

sóur bàll ① 사워 볼《새콤하고 둥근 캔디》. ② 《美俗》 불평가.

‡**source** [sɔːrs] *n.* Ⓒ ① (하천의) 수원(지), 원천 (fountainhead): the ~*s* of the Han River 한강의 수원지(대). ② (일·사물의) 근원(origin), 근본, 원천, 원인, …원(源): a ~ of political unrest 정치 불안의 원인 / ~*s* of pollution 오염원(源) / the ~ of revenue 재원(財源). ③ (종종 *pl.*) (정보 등의) 출처, 전거(典據), 자료; 관계 당국, 소식통: historical ~*s* 사료(史料) / a news ~ 뉴스의 출처 / a reliable ~ 믿을만한 소식통 / trace a thing to its ~*s* 출처를 규명하다. ④〖컴〗 바탕, 소스《파일의 복사 바탕》. ***at*** ~ 근원에서.

sóurce bòok ① (역사·과학 등의 지식의 근원이 되는) 원전(原典). ② 사료집(史料集).

sóurce còde 〖컴〗 바탕〔원천〕 부호, 소스코드 《컴파일러나 어셈블러를 써서 기계어로 바꾸는 바탕이 되는 꼴의 프로그램》.

sóurce dàta 〖컴〗 바탕 자료, 소스 데이터《전산기 처리를 위해 준비된 으뜸 자료》.

sóurce dìsk 〖컴〗 바탕(저장)판, 소스 디스크 《복사될 파일이나 프로그램을 가진 디스크》.

sóurce file 〖컴〗 바탕(기록)철, 소스 파일《바탕 프로그램 코드가 들어 있는 파일》.

sóurce prògram 〖컴〗 바탕〔소스〕 프로그램 《바탕 언어로 나타낸 프로그램》.

sóur crèam 산패유(酸敗乳), 사워 크림.

sour·dough [sáuə*r*dòu] *n.* ① Ⓤ 효모(酵母), 이스트. ② Ⓒ 《美·Can.》 (캐나다 북서부·알래스카 등지에서 월동 경험이 있는) 개척자, 탐광자.

sóur grápes 억지, 지기 싫어함, 오기(傲氣)《이솝 우화의 '여우와 포도'에서》.

sou·sa·phone [súːzəfòun, -sə-] *n.* Ⓒ 〖樂〗 수자폰《tuba 종류의 관악기》.

souse [saus] *n.* ① Ⓤ a) 간국, 소금물. b) 《美》 소금에 절인 것《돼지의 머리·발·귀, 또는 청어 따위》. ② Ⓒ 물에 담금〔흠뻑 젖음〕. ③ Ⓒ 《俗》 술고래(drunkard).
— *vt.* ① …을 소금에 절이다(pickle). ② 《~+목 / +목+전+명》 …을 물에 담그다; (물 따위)를 뿌리다: ~ water *over* a thing 무엇에 물을 뿌리다. ③ …을 흠뻑 젖게 하다(drench). ④ 《俗》 (사람)을 취하게 하다(intoxicate).

soused [saust] *a.* ① 소금에 절인. ② 《俗》 몹시 취한: get ~ 몹시 취하다.

sou·tane [suːtáːn] *n.* Ⓒ 〖가톨릭〗 수단《사제(司祭)의 평상시의 정복》.

†**south** [sauθ] *n.* ① Ⓤ (흔히 the ~) 남쪽; 남부 《略: S, S., s.》: in *the* ~ of …의 남부에 / to *the* ~ of …의 남쪽으로. ② a) (the ~) 남부 지방. b) (the S-) 《美》 남부 여러 주(州). ③ (the S-) 남반구; (특히) 남극 지방. ~ ***by east*** 〔***west***〕

남미동(南微東)〔남미서(西)〕《略 : SbE〔SbW〕》. ── a. 〔限定的〕 ① 남(쪽)의, 남쪽에 있는 ; 남쪽을 향한 : a ~ window 남향창. ② (종종 S-) 남부의 ; 남쪽 나라의 ; 남부 주민의. ③ 남으로부터의〔부는〕 : a ~ wind 남풍. ── ad. 남방〔남부〕에〔(으)로〕.

Sòuth África 남아프리카 공화국《수도 Pretoria》.

Sòuth Áfrican a. 남아프리카 공화국의. ── n. Ⓒ 남아프리카 공화국의 주민.

‡**Sóuth América** 남아메리카(대륙).

Sóuth Américan a. 남아메리카(사람)의. ── n. Ⓒ 남아메리카 사람.

Sóuth Ásia 남아시아.

Sóuth Austrália 사우스오스트레일리아《오스트레일리아 남부의 주(州)》.

south·bound [⌐bàund] a. 남행(南行)의.

***Sóuth Carolína** 사우스캐롤라이나《미국 남동부 대서양 연안의 주 ; 略 : S.C.》.

Sóuth Carolínian a., n. 사우스캐롤라이나의 「(사람).

Sóuth Chína Séa (the ~) 남중국해.

***Sóuth Dakóta** 사우스다코타《미국 중앙 북부의 주 ; 略 : S.D(ak).》. ⊞ **~n** a., n. ~의 (사람).

‡**south·east** [sàuθíːst ; 《海》 sauíːst] n. ① (the ~) 남동《略 : S.E.》; 남동부(지방). ② (the S-) 미국 남동부. **~ *by east*** 〔***south***〕 남동미(微)동〔남〕《略 : SEbE〔SEbS〕》.
── a. 〔限定的〕 ① 남동에 있는, 남동의 ; 남동향의. ② 남동으로(부터)의 : a ~ wind 남동풍.
── ad. 남동에, 남동으로(부터).

Sóutheast Ásia 동남 아시아.

south·east·er [sàuθíːstər ; 《海》 sàuíː-] n. Ⓒ 남동풍 ; 남동의 강풍〔폭풍〕. ⊞ **~·ly** a. 남동의 ; 남동에서의. ── ad. 남동으로(부터).

***south·east·ern** [sàuθíːstərn ; 《海》 sàuíː-] a. ① 남동의, 남동쪽에 있는〔으로의〕; 남동에서의. ② (S-) 미국 남동부(지방)의.

south·east·ward [sàuθíːstwərd ; 《海》 sàuíː-] ad. 남동쪽으로. ── a. 남동(쪽)의. ── n. (the ~) 남동(부). ⊞ **~·ly** a., ad. =SOUTHEASTERLY.

south·east·wards [sàuθíːstwərdz ; 《海》 sàuíː-] ad. =SOUTHEASTWARD.

south·er [sáuðər] n. Ⓒ 남풍, 남쪽의 강풍.

south·er·ly [sʌ́ðərli] a. ① 남쪽의, 남쪽에 있는. ② 남쪽으로의 ; 남쪽으로부터의.
── ad. 남쪽으로 ; 남쪽에서. ── n. Ⓒ 남풍.

‡**south·ern** [sʌ́ðərn] a. ① 남쪽의, 남쪽에 있는 ; 남쪽으로의, 남향의 : a ~ course 남방 항로. ② 남쪽으로부터의 : a ~ wind. ③ (종종 S-) 남부지방의, 《美》 남부 여러 주(州)(에서)의 ; 《美》 남부 방언의 : the *Southern* States (미국의) 남부 제주(諸州). ── n. (흔히 S-) ① =SOUTHERNER. ② (미국 영어의) 남부 방언(=**Sóuthern díalect**).

Sóuthern Cróss (the ~) 〖天〗 남(南)십자성.

Sóuthern Énglish 남부 영어《잉글랜드 남부의, 특히 교양 있는 사람들의 영어》.

south·ern·er [sʌ́ðərnər] n. Ⓒ ① 남부지방 사람. ② 《美》 (S-) 남부 여러 주 사람.

Sóuthern Hémisphere (the ~) 남반구.

sóuthern líghts (the ~) 남극광.

south·ern·most [sʌ́ðərnmòust / -məst] a. 가장 남쪽〔남단〕의, (최)남단의.

Sóuth Koréa 대한 민국, 한국.

south·land [sáuθlənd, -lǽnd] n. Ⓒ (종종 S-) 남쪽 나라 ; (한 나라의) 남부 지방.

south·paw [sáuθpɔ̀ː] 《口》 n. Ⓒ 왼손잡이 ; 〖野·拳〗 왼손잡이 투수〔선수〕. ── a. 왼손잡이의.

Sóuth Póle (the ~) (지구의) 남극(南極) ; (the s- p-) (하늘의) 남극 ; (자석의) 남극.

Sóuth Sèa Íslands (the ~) 남양 제도(諸島)《남태평양의》. ⊞ **Sóuth Sèa Íslànd·er** n.

Sóuth Séas (the ~) 남양, 《특히》 남태평양.

south-south·east [sáuθsàuθíːst ; 《海》 sáusàu-] n. (the ~) 남남동《略 : SSE》. ── a. 남남동에 (있는), 남남동으로(부터의). ── ad. 남남동에, 남남동으로(부터).

south-south·west [sáuθsàuθwést ; 《海》 sáusaù-] n. (the ~) 남남서《略 : SSW》. ── a. 남남서에 (있는), 남남서로부터의. ── ad. 남남서에, 남남서로(부터).

***south·ward** [sáuθwərd] ad. 남쪽으로, 남쪽으로 향해. ── a. 남으로 향한, 남쪽의.
── n. (the ~) 남부, 남방. ⊞ **~·ly** a., ad.

south·wards [sáuθwərdz] ad. =SOUTHWARD.

south·west** [sàuθwést ; 《海》 sàuwést] n. Ⓤ (the ~) 남서(南西)《略 : SW, S. W.》; 남서 지방. ② (the S-) 《美》 미국 남서부《멕시코에 인접하는 여러 주》. **~ *by south 〔***west***〕 남서미(微)남〔서〕《略 : SWbS〔SWbW〕》. ── a. 〔限定的〕 남서의 ; 남서쪽으로의 ; 남서로부터의. ── ad. 남서쪽으로 ; 남서로부터.

south·west·er [sàuθwéstər ; 《海》 sàuw-] n. Ⓒ ① 남서(강)풍. ② 폭풍우용(用) 방수모(帽)《뒤쪽 양태가 넓음》. ⊞ **~·ly** a. 남서쪽의 ; 남서쪽에서 부는. ── ad. 남서쪽으로〔에서〕.

‡**south·west·ern** [sàuθwéstərn ; 《海》 sàuw-] a. ① 남서의, 남서에 있는, 남서로(부터)의 ; 남서로 향한. ② (종종 S-) 미국 남서부 지방(특유)의.

south·west·ward [sàuθwéstwərd ; 《海》 sàuwést-] ad. 남서로. ── a. 남서의, 남서에 있는. ── n. (the ~) 남서(부). ⊞ **~·ly** a., ad. =SOUTHWESTERLY.

south·west·wards [sàuθwéstwərdz ; 《海》 sàuwést-] ad. =SOUTHWESTWARD.

Sóuth Yórkshire 사우스요크셔《잉글랜드 북부의 주》.

***sou·ve·nir** [sùːvəníər, ⌐-⌐] n. Ⓒ 기념품, 선물 ; 유물《*of*》: a ~ shop 기념품 가게 / a ~ *of* my trip to Paris 나의 파리 여행 기념품.

sou'·west·er [sàuwéstər] n. =SOUTHWESTER.

***sov·er·eign** [sɑ́vərin, sʌ́v-] n. Ⓒ ① 주권자, 군주(monarch), 지배자 : reestablish a ~ on the throne 군주를 왕위에 복위시키다. ② (옛 영국의) 1파운드 금화《略 : sov.》. ── a. ① 주권이 있는, 군주인, 군림하는 : a ~ prince 군주 / ~ authority 〔power〕 주권. ② 독립한, 자주적인 : a ~ state 독립국, 주권 국가. ③ 최상의(supreme), 지고(至高)의 : the ~ good 〖倫〗 지고선(至高善). ④ (약이) 특효가 있는(efficacious) : a ~ remedy 영약, 특효약. ⊞ **~·ly** ad.

***sov·er·eign·ty** [sɑ́vərinti, sʌ́v-] n. ① Ⓤ 주권, 종주권 ; 통치권. ② Ⓒ 독립국.

‡**So·vi·et** [sóuvièt, ⌐-⌐, sóuviit] n. 《Russ.》 ① (the ~s) 구 소련 정부〔인민, 군〕. ② (s-) (소련의) 회의, 평의회. ── a. 소련(인)의 : ~ weapons 소련제 무기. ⊞ **~·ism** [-ìzəm] n. Ⓤ (종종 s-) 소비에트식 정치 조직.

Sóviet Únion (the ~) 소비에트 연방《공식명 : the Union of Soviet Socialist Republics(소비에트 사회주의 공화국 연방) ; 1991년 12월 소멸》.

‡**sow**[1] [sou] (***~ed*** ; ***~ed***, ***~n*** [soun]) vt. ① 《~+目 / +目+前+名》 (…의 씨)를 뿌리다 ; …에 씨를 뿌리다(scatter) : ~ a crop 작물의 씨를 뿌리다 / ~ barley in the field= ~ the field with barley 밭에 보리씨를 뿌리다. ② (소문·분쟁 따위의 씨)를 뿌리다, …을 퍼뜨리다(disseminate) : ~ distrust 불신의 씨를 뿌리다 / ~ the seeds of hatred 증오의 씨를 뿌리다. ── vi. 씨를 뿌리다 :

As a man ~s, so shall he reap. 《俗談》 제가 뿌린 씨는 제가 거둔다, 인과응보. ~ one's ***wild oats*** ⇨ OAT.
sow² [sau] *n.* Ⓒ 암퇘지.
sow·er [sóuər] *n.* Ⓒ ① 씨 뿌리는 사람〔기계〕. ②《比》 유포자, 선동자, 제창자.
sown [soun] sow¹의 과거분사.
sox [sɑks/sɔks] *n. pl.* 《口》 짧은 양말(socks).
soy, soya [sɔi], [sɔ́iə] *n.* ① Ⓤ 간장(醬) (soy sauce). ② =SOYBEAN.
soy·bean [sɔ́ibìːn] *n.* Ⓒ 콩(=**sóya bèan**).
sóy sàuce 간장.
So·yuz [sɔjúːz] *n.* 소유즈《구소련의 유인 우주선 ; 우주 정거장 조립을 목적으로 함》.
soz·zled [sɑ́zəld/sɔ́z-] *a.* 《口》 억병으로 취한.
SP, S.P., s.p. shore patrol(man). **Sp.** Spain ; Spaniard ; Spanish. **sp.** special ; species ; specific ; specimen ; spelling.
spa [spɑː] *n.* Ⓒ ① 광천(鑛泉), 온천. ② 온천이 있는 휴양지, 온천장. ③ (체육 시설·사우나 등을 갖춘) 헬스 센터.
‡**space** [speis] *n.* ① Ⓤ (시간에 대한) 공간, 허공 : time and ~ 시간과 공간 / vanish into ~ 허공으로 사라지다. ② Ⓤ (대기권 밖의) 우주(공간) (outer ~) : creatures from outer ~ 외계인. ③ Ⓤ,Ⓒ (일정한 넓이의) 공간, 빈곳, 여백, 여지(餘地) (room) ; (신문·잡지의) 지면 : an open ~ 공지(空地) / a blank ~ 여백, 공란 / sell ~ for a paper (광고용으로) 신문의 지면을 팔다. ④ Ⓒ (특정 목적의) 장소(place), 용지(用地), 구역 ; (탈것의) (빈) 좌석(seat) : a parking ~ 주차하기 위한 장소 / reserve one's ~ 좌석을 예약하다. ⑤ (a ~, the ~) (시간적인) 사이, 동안 ; (특정 길이의) 시간, 잠시 ; Ⓤ (라디오·텔레비전에서) 스폰서에게 파는 시간 ; 간격(interval) ; 거리(distance), 구간(區間) : live in Paris (for) *a* ~ 잠시 동안 파리에 살다. ⑥ Ⓒ 〖樂〗 (악보의) 선간(線間) ; 〖印〗 행간(行間). ⑦ 〖컴〗 사이. ◇ spacious *a.*
— *a.* 〔限定的〕 우주의 : ~ travel 우주 여행.
— *vt.* 《~+目/+目+副》 ① …에 일정한 간격〔거리, 시간〕을 두다《*out*》 ; 구분하다 : The farms were ~*d out* three or four miles apart. 농장은 3·4 마일(의) 간격으로 떨어져 있었다. ② …의 행간〔어간〕을 띄우다 ; …의 스페이스를 정하다 : *Space out* types more. 활자 행간을 더 띄워라.
spáce àge (때로 S- A- ; the ~) 우주 시대.
space-age [∸èidʒ] *a.* ① 우주 시대의. ② 최신식의.
spáce bàr ① 타자기의 어간을 떼는 가로막대. ② 〖컴〗 사이띄(우)개, 스페이스 바.
spáce càpsule 우주 캡슐《우주선의 기밀실》.
spáce chàracter 〖컴〗 사이 문자《space bar 〔key〕에 의하여 입력되는 문자 사이의 공백》.
space·craft [∸kræ̀ft, ∸krɑ̀ːft] *n.* Ⓒ 우주선 (spaceship) : a manned ~ 유인 우주선.
spaced(-out) [spéist(áut)] *a.* 《俗》 (마약·술·피로 등으로) 멍해진.
spáce flìght 우주 비행 ; 우주 여행.
spáce hèater 실내 난방기.
space·lab [spéislæ̀b] *n.* Ⓒ 유인 우주 실험실.
space·less [spéislis] *a.* ① 무한한, 끝없는. ② 자리를 차지하지 않는.
‡**space·man** [∸mæ̀n, ∸mən] (*pl.* ***-men*** [∸mèn, ∸mən]) *n.* Ⓒ 우주 비행사.
spáce mèdicine 우주 의학.
space·port [∸pɔ̀ːrt] *n.* Ⓒ 우주선 기지.
spáce pròbe 우주 탐사용〔관측〕 로켓.
spáce ròcket 우주선 발사 로켓.
spáce scìence 우주 과학.
‡**space·ship** [∸ʃìp] *n.* Ⓒ 우주선.
spáce shùttle 우주 왕복〔연락〕선.
***spáce stàtion** 우주 정류장(= **Spáce plàtform**).
space·suit [∸sùːt] *n.* Ⓒ 우주복 ; =G-SUIT.
space-time [∸táim] *n.* Ⓤ 시공(時空) 4차원의 세계 : ~ continuum 시공 연속체.
spáce vèhicle =SPACECRAFT.
space·walk [∸wɔ̀ːk] *n.* Ⓒ 우주 유영. — *vi.* 우주 유영을 하다.
spacial ⇨SPATIAL.
spac·ing [spéisiŋ] *n.* Ⓤ ① 간격을 띄우기. ② 〖印〗 어간·행간의 배열 상태 ; 어간, 행간.
‡**spa·cious** [spéiʃəs] *a.* 넓은(roomy), 넓은 범위의. ㊞ **~·ly** *ad.* **~·ness** *n.*
‡**spade¹** [speid] *n.* ① Ⓒ 가래, 삽. ⓒⓕ shovel. ② =SPADEFULL. ***call a ~ a ~*** 《口·戲》 사실 그대로〔까놓고〕 말하다, 직언하다. — *vt.* 《~+目/+目+副》 …을 가래로〔삽으로〕 파다 : ~ *up* the garden 정원을 파다. — *vi.* 가래로 파다.
***spade²** *n.* ① Ⓒ 〖카드놀이〗 스페이드. ② (*pl.*) 스페이드 한 벌 : the five 〔Queen〕 of ~*s* 스페이드의 5〔퀸〕.
spade·ful [spéidfùl] *n.* Ⓒ 가래로 하나 가득, 한 삽.
spáde màshie 〖골프〗 스페이드 매시《6번 아이언》.
spade·work [∸wə̀ːrk] *n.* Ⓤ (힘드는) 기초 작업 ; 사전 준비.
spa·ghet·ti [spəgéti] *n.* 《It.》 Ⓤ 스파게티.
spaghétti wèstern (종종 s- W-) 《俗》 마카로니 웨스턴《이탈리아제 서부극》.
†**Spain** [spein] *n.* 스페인, 에스파냐《수도 Madrid》. ⓒⓕ Spanish, Spaniard. ***a castle in*** ~ ⇨CASTLE.
‡**span¹** [spæn] *n.* Ⓒ ① 한 뼘《엄지손가락과 새끼손가락을 편 사이의 길이 ; 보통 9 인치》. ② (어느 한정된) 기간, 짧은 시간〔거리〕, 잠시 동안 : within the ~ of two weeks, 2주 이내에 / Our life is but a ~ 〔one brief ~〕. 인생이란 덧없는 것. ③ (한 끝에서 끝까지의) 길이, 전장(全長), 전폭(全幅) ; 전범위 : the ~ of one's arms 양팔을 벌린 길이 / the ~ of a bridge 다리의 전장. ④ 〖建〗 경간(徑間) ; 지점(支點)간의 거리, 지간(支間) : a bridge of four ~*s* 지주 사이가 넷 있는 다리. ⑤ 〖空〗 (비행기의) 날개 길이, 날개폭. ⑥ 〖컴〗 범위《어떤 값의 최대값과 최소값의 차》.
— (***-nn-***) *vt.* ① …을 손가락〔뼘〕으로 재다 : ~ one's wrist 손목의 굵기를 뼘으로 재다. ② (교량이) … 걸리다 : A bridge ~*s* the river. 강에 다리가 걸려 있다. ③ 《~+目/+目+前+名》 …에 다리를 놓다《*with*》 : ~ a river *with* a bridge 강에 다리를 놓다. ④ (시간적으로) …에 걸치다〔미치다〕 ; (기억·상상 등이) …에 미치다, 확대되다.
span² *a.* 아주 새로운 ; 깨끗하고 산뜻한.
span·drel, span·dril [spǽndrəl], [-dril] *n.* Ⓒ 〖建〗 스팬드럴《인접한 두 아치 사이의 삼각형 모양의 빈 부분》.
***span·gle** [spǽŋgəl] *n.* Ⓒ ① 번쩍이는 금속 조각《특히 무대의상 등의》. ② 번쩍번쩍 빛나는 것.
— *vt.* 《+目+前+名》 〔주로 過去分詞形으로〕 금속 조각으로 장식하다, 번쩍이게 하다, (보석 따위)를 박아 넣다 : The sky was ~*d with* stars. 하늘엔 별이 반짝이고 있었다.
***Span·iard** [spǽnjərd] *n.* Ⓒ 스페인 사람.
***span·iel** [spǽnjəl] *n.* ① 스패니얼《털의 결이 곱고 귀가 긴 개》. ② 《比》 알랑쇠, 빌붙는 사람.
‡**Span·ish** [spǽniʃ] *n.* ① Ⓤ 스페인 말. ② (the ~) 〔集合的〕 스페인 사람. ⓒⓕ Spaniard. — *a.* 스페인의 ; 스페인 사람〔말〕의 ; 스페인풍〔식〕의.

Spánish América 스페인어권(語圈) 아메리카((브라질 등을 제외한 라틴 아메리카)).

Span·ish-A·mer·i·can [-əmérikən] *a.* ① Spanish America (주민)의. ② 스페인과 미국(간)의. ── *n.* Ⓒ 스페인계 미국인. ***the ~ War*** 〖史〗 미서(美西) 전쟁(1898).

Spánish Armáda (the ~) = INVINCIBLE ARMADA.

Spánish Cívil Wár (the ~) 스페인 내란(內亂)(1936-39).

Spánish Máin (the ~) ① 카리브 해(海) 연안지방((파나마 지협에서 베네수엘라의 오리노코(Orinoco) 강에 이르는 구역)). ② (해적이 출몰하던 당시의) 카리브 해.

Spánish ónion 〖植〗 스페인 양파((크고 연함)).

***spank** [spæŋk] *vt.* (손바닥·슬리퍼 따위로) …을 찰싹 때리다((벌로 엉덩이 등을)). ── *vi.* (말·배가) 질주하다((*along*)). ── *n.* Ⓒ 찰싹 때리기.

spank·er [spǽŋkər] *n.* Ⓒ ① 재치있는 사람. ②((口)) 날랜 말, 준마(駿馬). ③〖海〗 후장 세로돛((범선의 맨 뒤 마스트에 다는)).

spank·ing [spǽŋkiŋ] *a.* 〔限定的〕 ① 위세가 당당한, 활발한. ② 윙윙〔세차게〕 부는((바람 따위)): a ~ breeze 세차게 부는 바람. ③((口)) 멋진, 훌륭한. ── *ad.* ((口)) 몹시, 매우, 대단히.

span·ner [spǽnər] *n.* Ⓒ ((英))〖機〗 스패너(((美)) wrench)((너트를 죄는 공구)). ***throw*** 〔***put***〕 ***a ~ in***(***to***) ***the works*** ((英口)) (계획이나 일의 진행을) 방해하다.

spán ròof 〖建〗 (양쪽이 같은 경사의) 맞배지붕.

spar[1] [spɑːr] *n.* Ⓒ ①〖船〗 원재(圓材)((돛대·활대 등)). ②〖空〗 익형(翼桁)((비행기 날개의 주요 골조)).

spar[2] (*-rr-*) *vi.* ①〖拳〗 스파링하다((*with*)); (가볍게) 치고 덤비다((*at*)): He once ~*red with* Mike Tyson. 그는 전에 마이크 타이슨과 스파링을 한 적이 있다. ②((比)) 말다툼하다.
── *n.* Ⓒ ① 스파링. ② 언쟁.

‡spare [spɛər] *vt.* ① 〔종종 否定文으로〕 …을 절약하다, 아끼다: *Spare no* butter. 버터를 아끼지 마시오 / ~ *no* expense 〔*no* pains〕 비용을〔수고를〕 아끼지 않다. ②((~+목)) …을 아껴서 사용치 않다: *Spare* the rod and spoil the child. ((格言)) 매를 아끼면 자식을 버린다, 귀한 자식은 고생을 시켜라. ③((+목+전+명)) (특수한 목적으로) …을 잡아두다: We can't ~ land *for* parking. 주차용으로 땅을 놀릴 수는 없다. ④((~+목/+목+목/+목+전+명)) (여유가 있어서) …을 떼어 두다; (충분해서) 나누어 주다, 빌려 주다; (시간 따위)를 할애하다: I have no time to ~. 할애할 시간이 없다 / If you can ~ this book, do lend it to me. 이 책을 안 보시면 빌려 주십시오 / Can you ~ me a few moments? 잠깐 뵐 수 있겠습니까. ⑤ (사람·사물)이 없이 지내다: I can't ~ him 〔the car〕 today. 오늘은 그〔자동차〕가 꼭 필요하다. ⑥((~+목/+목+목)) …을 용서해 주다, …에게서 빼앗지 않다; …에게 인정을〔자비를〕 베풀다, …의 목숨을 살려 주다: *Spare* (me) my life! 목숨만은 살려 주시오 / ~ one's enemy 적에게 인정을 베풀다 / Death ~*s* no one. 죽음은 아무도 피할 수 없다 / We'll meet again, if we are ~*d*. 죽지 않으면 또 만나게 될거다. ⑦ …을 소중히 다루다; (…한 변)을 당하지 않게 하다, 면하게 하다: ~ ancient monuments 옛 유적을 잘 보존하다 / ~ a person's feelings 아무의 감정을 상하지 않게 하다. ⑧((+목+목/+목+전+명)) (불행·수고 따위)를 끼치지 않다, 덜다: This machine will ~ you a lot of trouble. 이 기계는 당신의 수고를 많이 덜어 줄것이다 / I can ~ you *for* tomorrow. 내일은 당신을 번거롭게 안 해도 된다. ⑨((+목+ 목/+*to* do/+*ing*)) …을 삼가다, 사양하다: ~ *to* speak 말을 삼가다 / He ~*d* com*ing* here. 그는 사양하고 오지 않았다 / *Spare* us the boring details! 따분하고 자잘한 이야기는 삼가 주시오. ***enough and to ~*** 남아 돌아갈 만큼의: He has *enough and to* ~ of money. 그는 남아 돌아갈 만큼의 돈이 있다. ***to ~*** 여분의.
── (*spár·er ; spár·est*) *a.* ① 여분의, 남아 돌아가는; 예비의, 따로 남겨 둔; 한가한: ~ money 여유 자금 / ~ parts 예비 부속품 / a ~ bedroom (손님용) 예비 침실. ② 부족한, 빈약한(scanty), 인색한, 검소한, 조리차하는(frugal): a ~ diet 검소한 식사. ③ 여윈(lean), 마른, 홀쭉한: a man of ~ frame 몸이 홀쭉한 사람. ***go ~*** ((英俗)) 크게 노하다〔걱정하다〕. ── *n.* Ⓒ ① **a)** 여분(의 것); 예비품〔금, 실〕. **b)** (종종 *pl.*) (기계 따위의) 예비 부품(=∠ **pàrts**), 스페어; 스페어 타이어. ②〖볼링〗 스페어((2구(球)로써 10주(柱) 전부를 쓰러뜨리기)); 그 득점. ⊕ **∠·ly** *ad.* **∠·ness** *n.*

spáre-part súrgery [spέərpɑ̀ːrt-] ((口)) (죽은 사람의 장기를 이용하는) 장기 이식(외과).

spare·rib [∠rìb] *n.* (흔히 *pl.*) 돼지나 소 갈비((살을 거의 발라낸)).

spáre tíre ① 스페어 타이어. ②((英口·戲)) 허리의 군살.

spar·ing [spέəriŋ] *a.* 절약하는, 검소한, 알뜰한; 검약하는, 아끼는((*in* ; *of*)): a ~ use of fuel 연료의 절약 / He is ~ *of* 〔*in* giving〕 praise. 그는 남을 칭찬하는 법이 없다 / He is not ~ *of* himself. 그는 몸을 아끼지 않는다. ⊕ **~·ly** *ad.*

‡spark [spɑːrk] *n.* ① Ⓒ 불꽃, 불똥: throw (off) ~*s* 불꽃을 튀기다 / A ~ ignited the gas. 불똥이 가스에 점화됐다. ② Ⓒ 섬광, (보석의) 광채; (보석 따위의) 자잘한 조각, (유리칼 등의) 작은 다이아몬드: a ~ of light 섬광. ③ Ⓒ ((比)) (재치 따위의) 번득임: a ~ of wit 재치의 번득임. ④ Ⓒ 생기, 활기를 더하는 것: ⇨ VITAL SPARK. ⑤ (a ~) 〔종종 否定文으로〕 아주 조금((*of*)): have *not a ~ of* interest 〔conscience〕 흥미가〔양심이〕 조금도 없다. ⑥ (*pl.*) 〔單數취급〕 ((口)) (배·항공기의) 무전〔전신〕 기사. ── *vi.* ① 불꽃이 (되어) 튀다. ②〖電〗 스파크하다. ── *vt.* ① …을 발화시키다((*off*)). ② (흥미·기운 따위)를 갑자기 불러일으키다, 북돋다, 고무하다((*to, into*)): He ~*ed* her *into* greater efforts. 그는 그녀를 고무해서 한층 더 노력하게 했다.

spárking plùg ((英)) = SPARK PLUG.

‡spar·kle [spɑ́ːrkəl] *n.* Ⓤ,Ⓒ ① 불꽃, 불똥, 섬광. ② 번쩍임, 광채, 광택. ③((比)) 생기, 재치. ④ (포도주 따위의) 거품. ── *vi.* ① 불꽃을 튀기다: Fireworks ~*d* in the distance. 불꽃이 멀리서 확 퍼졌다. ② 번쩍이다: The diamond ring ~*d* in the sunlight. 다이아몬드 반지가 햇빛에 번쩍였다. ③ 생기〔활기〕가 있다; (재치가) 뛰어나다〔번득이다〕: *sparkling* with wits 재기 발랄한. ④ (포도주 따위가) 거품이 일다.

spar·kler [spɑ́ːrklər] *n.* Ⓒ ① (번쩍) 빛나는 것〔사람〕; 불꽃. ②((口)) 보석, 다이아몬드 (반지). ③ 재사(才士), 가인(佳人).

***spar·kling** [spɑ́ːrkliŋ] *a.* ① 불꽃을 튀기는; 스파크하는, 번쩍하는. ② 번쩍이는, 번득이는; 생기에 찬(lively); 재기가 넘쳐 흐르는. ③ 거품이 이는((포도주 따위))(opp. *still*). ⊕ **~·ly** *ad.*

spárkling wíne 발포(포도)주((알코올분 12%)).

spárk plùg ① 스파크 플러그, (내연 기관의) 점화전. ②((美口)) 주동 역할, 중심적 인물; 지도자.

spár·ring pàrtner [spɑ́ːriŋ-] 〖拳〗 스파링 파트너.

‡spar·row [spǽrou] *n.* Ⓒ 참새 : a ~ hawk 새매.

***sparse** [spɑːrs] *a.* ① 성긴(opp *dense*), 드문드문한, (털 등이) 숱이 적은(thin) : a ~ beard 엉성하게 난 턱수염. ② (인구 따위가) 희박한 : a ~ population 희박한 인구. 㖈 **∠·ly** *ad.* **∠·ness** *n.* **spár·si·ty** *n.* Ⓤ 성김, 희박 ; 빈약.

***Spar·ta** [spɑ́ːrtə] *n.* 스파르타《그리스의 옛 도시 국가》.

***Spar·tan** [spɑ́ːrtən] *a.* ① 스파르타의 ; 스파르타 사람의. ② 스파르타식의, 검소하고 엄격한.
— *n.* Ⓒ ① 스파르타 사람. ② 굳세고 용맹스런〔검소하고 엄격한〕사람.
㖈 **~·ism** [-ìzəm] *n.* 스파르타주의〔정신, 교육〕.

spasm [spǽzəm] *n.* ① Ⓤ,Ⓒ 〖醫〗 경련, 쥐 : a tonic ~ 강직성 경련 / If your leg goes into ~, take one of these pills immediately. 다리에 쥐가 나면 즉각 이 알약 하나를 드세요. ② Ⓒ 발작 ; 발작적 감정〔활동〕 ; (일시적) 충동《*of*》: have a ~ *of* coughing 기침을 발작적으로 심하게 하다.

spas·mod·ic, -i·cal [spæzmɑ́dik / -mɔ́d-], [-əl] *a.* ①〖醫〗 경련(성)의. ②〔一般的〕 발작적〔돌발적〕인. 㖈 **-i·cal·ly** [-kəli] *ad.*

spas·tic [spǽstik] *a.* 〖醫〗 ① 경련(성)의. ②《俗》 무능한, 바보의. — *n.* Ⓒ ① 경련성 마비 환자. ②《俗·蔑》 바보.

spat¹ [spæt] *n.* ① Ⓒ 굴의 알(spawn). ② Ⓤ〔集合的〕 새끼굴.

spat² *n.* Ⓒ (흔히 *pl.*) 스패츠《발등과 발목을 덮는 짧은 각반(脚絆)》. [◂ *spat*terdash]

spat³ *n.* Ⓒ 《美》 승강이, 말다툼.

***spat⁴** SPIT¹ 의 과거·과거분사.

spate [speit] *n.* ① Ⓤ《英》 큰물, 홍수(flood) : a river in ~ 범람하고 있는 강. ② (a ~)《比》(말 등이) 잇달아 터져 나옴, (감정 따위의) 폭발 ; 대량, 다수《*of*》: *a* ~ *of* words 잇달아 나오는 말.

***spa·tial** [spéiʃəl] *a.* ① 공간의 ; 공간적인 ; 공간에 존재하는. ② 장소의. ◇ space *n.* 㖈 **~·ly** *ad.* 공간적으로.

spa·ti·al·i·ty [spèiʃiǽləti] *n.* Ⓤ 공간성, (공간적) 넓이.

spa·ti·o·tem·po·ral [spèiʃioutémpərəl] *a.* 공간과 시간상의, 시공(時空)의〔에 관한〕.

***spat·ter** [spǽtər] *vt.* 《~+목/+목+전+명》 ① (물·진창 따위)를 튀기다(splash) ; …에 뿌리다(scatter)《*over*》; 튀겨 묻히다(spot) ; …을 끼얹다《*with*》: The car ~*ed* mud *on* my dress. 자동차가 내 옷에 흙탕물을 튀겼다 / ~ the ground *with* water 땅바닥에 물을 뿌리다. ② (욕설)을 퍼붓다《*with*》: ~ a person *with* slanders 아무를 중상하다. — *vi.* (물이) 튀다 ; (비가) 후두두 떨어지다 : The rain is ~*ing on* my umbrella. 비가 우산에 후두두 내리고 있다. — *n.* Ⓒ ① 튀김, 튄 것. ② (흔히 *sing.*) (비 따위가) 후두두하는 소리 ; 소량, 소수 : a ~ of rain 후두두 떨어지는 비.

spat·ter·dash [-dæ̀ʃ] *n.* Ⓒ (흔히 *pl.*) 진흙막이 각반(spat²)《승마용》.

spat·u·la [spǽtʃulə] *n.* Ⓒ 《L.》 ① (고약 따위를 펴는) 주걱. ②〖醫〗 압설자(壓舌子). 㖈 **-lar** *a.*

***spawn** [spɔːn] *n.* Ⓤ ①〔集合的〕 알《물고기·개구리·조개 따위의》; 이리. ②〖植〗 균사(菌絲).
— *vt.* ① (물고기·개구리 따위가 알)을 낳다. ② …을 대량으로 낳다〔생산하다〕.
— *vi.* (개구리·물고기가) 알을 낳다.

spay [spei] *vt.* 〖獸醫〗 (동물)의 난소를 떼다.

S.P.C.A. Society for the Prevention of Cruelty to Animals 동물 학대 방지 협회《현재는 R.S.P.C.A.》. **S.P.C.C.** Society for the Prevention of Cruelty to Children 아동 학대 방지 협회《현재는 N.S.P.C.C.》.

†speak [spiːk] (***spoke*** [spouk], 《古》 ***spake*** [speik] ; ***spo·ken*** [spóukən], 《古》 ***spoke***) *vi.* ① 이야기〔말〕하다(talk) ; 지껄이다 : I was so shocked I couldn't ~. 나는 너무 놀라서 말을 할 수 없었다. ② 《~/+전+명》 (…에 관하여) 이야기를 하다《*about* ; *of*》; 이야기를 걸다《*to* ; 《稀》 *with*》: This is Tom ~*ing*. (전화로) 톰입니다 / I'll ~ *to* her *about* it. 그것에 관해 그녀에게 이야기를 하겠다. ③ 《+전+명》 연설하다, 강연하다 ; 의견을 말하다, 논하다《*about* ; *on* ; *to*》: ~ *in* public 공중 앞에서 연설하다 / ~ *to* a large audience 많은 청중에게 연설하다 / He *spoke about* urban life. 그는 도시 생활에 관한 강연을 했다. ④ (표정·행위·사실 따위가) 진실〔감정, 의견〕을 나타내다, 전달하다(communicate) : He said nothing, but his eyes *spoke* to us. 그는 아무 말도 하지 않았으나, 그의 눈이 감정을〔의사를〕 나타내고 있었다. ⑤ (악기·시계·바람 따위가) 소리를 내다, (대포 소리 따위가) 울리다 : The cannon *spoke*. 대포소리가 울렸다. ⑥ (개가) 짖다《*for*》: The dog *spoke for* a biscuit. 개가 비스킷을 달라고 짖었다. cf say, tell. — *vt.* ① …을 말하다, 얘기하다(tell) : ~ a word 한 마디 하다 / ~ the truth 진실을 말하다. ② 《~+목/+목+보》 …을 전하다 ; 나타내다 : eyes that ~ affection 애정을 호소하는 눈 / His conduct ~*s* him a small person 〔a rogue〕. 하는 짓이 그가 작은 인물〔악인〕임을 말해주고 있다. ③ (어느 국어)를 말하다, 쓰다(use) : English (is) *spoken* (here). 폐점(弊店)에서는 영어가 통합니다. ***not to ~ of*** …은 말할 것도 없고, …은 물론 : He knows French and Spanish, *not to ~ of* English. 그는 영어는 말할 것도 없고 불어와 스페인어도 한다. ***so to ~*** ⇨SO¹. ~ ***against*** …에 반대하다. ~ ***for*** (1) …을 대변〔변호, 대표〕하다. (2)〔흔히 受動으로〕 …을 (미리) 예약〔청구, 주문〕하다. (3) …을 증명하다 ; …을 나타내다. ~ ***for oneself*** (1) 자기를 위해 변명하다. (2) 자기 생각을 말하다. ~***ing of*** …에 대하여 말하자면, …라고 하면 : *Speaking of* music, do you play any instrument? 음악에 대한 말인데, 너는 무슨 악기를 다룰 수 있느냐. ~ ***out*** (의견 따위를) 용기를 내어〔거리낌 없이〕 말하다. ~ one***'s mind*** 털어 놓고 이야기하다. ~ ***to*** (1) …에게 이야기를 걸다, …와 이야기하다. (2) …에 언급하다. (3)《口》 …을 꾸짖다(chide). (4) …을 증명하다. (5)《口》 (사물이) …의 마음을〔흥미를〕 끌다 : The music ~*s* to me. 그 음악은 내 마음을 끌고 있다. ~ ***up*** (1)〔종종 命令法으로〕 더 큰 소리로 말하다. (2) 자기 의견을 자유롭게 말하다. ~ ***volumes*** 《美》 말 이상으로 표현하다 ; 충분한 뜻이 있다. ~ ***well for*** …(행위 등이) …에게 유리한 증거가 되다 : His work ~*s well for* him. 그의 일로서 그의 우수함을 알 수 있다. ~ ***well*** 〔***ill***〕 ***of*** …을 좋게〔나쁘게〕 말하다, …을 칭찬하다〔헐뜯다〕. ***to ~ of*** 〔주로 否定文에서〕 언급할 만한 …(이 아니다) : This book is*n't* much *to ~ of*. 이 책은 별로 대단한 게 아니다.

speak·easy [spíːkiːzi] *n.* Ⓒ《美俗》 (금주법 시대(1920–33)의) 무허가 술집, 주류 밀매점.

‡speak·er [spíːkər] *n.* Ⓒ ① 말〔이야기〕하는 사람 ; 강연자, 연설자, 변사(辯士) ; 웅변가 : a good 〔poor〕 ~ 말 솜씨 좋은〔서툰〕 사람 / Our ~ tonight is Mr. Jonson. 오늘 밤에 연설해 주실 분은 존슨씨입니다. ② (흔히 S-) (영·미 등 하원의) 의장 : Mr. *Speaker*! 의장《호칭》. ③ 스피커, 확성기(loudspeaker).
㖈 **~·ship** [-ʃip] *n.* Ⓒ 의장의 직〔임기〕.

speak·ing** [spíːkiŋ] *n.* Ⓤ 말하기(talking) ; 담화, 연설. ***in a manner of ~ 말하자면 ; 어떤 의

미로는. — *a.* ① 말〔이야기〕하는 ; 말할 수 있는 정도의 ; 말이라도 할 듯한, 살아 있는 것 같은 (lifelike) : a ~ acquaintance 만나면 말이나 나눌 정도의 사이〔사람〕/ a ~ portrait 〔likeness〕 살아 있는 듯한 초상 / the ~ voice 말하는 소리. ② 〔複合語를 만들어〕 …을 말하는 : English-~ nations 영어를 말하는 나라들. ***be not on ~ terms*** 말을 건넬 정도의 사이는 아니다 ; 사이가 틀어져 서로 말하지 않다《*with*》.

spéaking clóck (the ~) 《英》 전화에 의한 시간 안내. 「전성관.

spéaking tùbe (건물·배 따위의) 통화관(管),

‡spear [spiər] *n.* Ⓒ ① 창(槍), 투창(投槍) ; (고기잡는) 작살. ② (식물의) 새싹, 어린 가지〔잎, 줄기〕. — *vt.* ① …을 창으로 찌르다. ② (물고기)를 작살로 잡다.

spear·head [ˊ-hèd] *n.* Ⓒ ① 창끝. ② (흔히 *sing.*) 선봉, 돌격대의 선두, 공격 최전선, 선두에 서는 사람. — *vt.* (공격)의 선두에 서다 ; 선봉을 맡다 : He ~*ed* a campaign to improve sale. 그는 판촉 캠페인의 선봉을 맡았다.

spear·mint [ˊ-mìnt] *n.* Ⓤ 〖植〗 양박하.

spec [spek] *n.* Ⓤ,Ⓒ 《口》 투기(speculation). ***on ~*** 《口》 투기적으로, 요행수를 바라고.

spec. special ; specifical(ly) ; specification.

†spe·cial [spéʃəl] (***more ~ ; most ~***) *a.* ① 특별한(particular), 특수한 ; 독특한, 특유의(peculiar) : a ~ kind of key 특수한 열쇠 / ~ occasions 특별한 경우 / a ~ agency 특별 대리점 / a ~ case 특례 ; 〖法〗 특별 사건 / one's ~ duty 특별한 임무. ② 전용의, 개인용의 ; 특별히 맞춘 ; 특히 친한 : one's ~ chair 개인용 의자 / not a ~ friend of mine 특별히 친한 친구가 아닌. ③ 전문〔전공〕의(specialized) : a person's ~ field 아무의 전문 분야 / a ~ hospital 전문 병원 / make a ~ study *of* …을 전공하다. ④ 임시의(extra), 특정한(specific) : a ~ session 임시〔특별〕 의회. ⑤ 유다른, 유별난, 이례(異例)의, 특이한(exceptional), 예외적인 : a matter of ~ importance 특별히 중요한 사항. — *n.* Ⓒ ① 특별한 사람〔것〕 ; 특파원(=ˊ~ **correspóndent**), 특사. ② 특별〔임시〕 열차〔버스〕 ; 특전(特電), 호외, 임시 증간(增刊). ③ 특별 제공〔봉사, 할인〕품. opp *regular.* ***on ~*** 《美口》 특매의 ; 특가(特價)의.

spécial delívery 《美》 (우편의) 속달.

spécial effécts 〖映·TV〗 특수 효과 ; 특수 촬영. 「전문 분야.

spe·cial·ism [spéʃəlìzəm] *n.* ① Ⓤ 전문. ② Ⓒ

‡spe·cial·ist [spéʃəlist] *n.* Ⓒ ① 전문가《*in*》. ② 전문의(醫)《*in*》 : an eye ~ 안과의사 / see a ~ 전문의의 진찰을 받다. — *a.* 〔限定的〕 전문가의, 전문적인 : ~ knowledge 전문 지식.

***spe·ci·al·i·ty** [spèʃiǽləti] *n.* 《英》 =SPECIALTY.

spe·cial·i·za·tion [spèʃəlizéiʃən] *n.* ① Ⓤ 특수화. ② Ⓤ 전문화. ③ Ⓤ,Ⓒ 전문 과목〔분야〕.

‡spe·cial·ize [spéʃəlàiz] *vi.* 《~ / +전+명》 전문으로 다루다〔하다〕, 전공하다《*in*》 : He ~*s in* chemistry. 그는 화학 전공이다 / This restaurant ~*s in* French cuisine. 이 레스토랑은 프랑스 요리가 전문입니다. — *vt.* …을 특수〔전문〕화하다 : ~*d* knowledge 전문 지식.

spécial júry 〖法〗 특별 배심.

spe·cial·ly [spéʃəli] (***more ~ ; most ~***) *ad.* ① 특(별)히, 각별히 ; 일부러 : I had this dress made ~ for the wedding. 이 드레스를 결혼식용으로 특별히 만들었다 / I came here ~ to see you. 나는 너를 만나기 위해 일부러 여기 왔다. ② 특별〔유별〕나게, 눈에 띄게, 두드러지게 : She is not ~ talented in music. 그녀는 음악에 특별나게 재능이 있는 것은 아니다.

spécial pléading 〖法〗 ① 특별 변론《상대방 진술에 반증을 듦》. ② 《口》 (자기에게 유리한 것만 말하는) 제멋대로의 진술〔의론〕.

spécial púrpose compúter 〖컴〗 특수(목적) 전산기《한정된 분야의 문제만을 처리하는》.

***spe·cial·ty** [spéʃəlti] *n.* Ⓒ ① 전문, 전공, 본직 ; 특히 잘하는 것, 장기(長技) : His ~ is Medieval European history. 그의 전공은 중세 유럽사이다. ② (지역이나 요리점의) 특제품 ; 명물 ; 특선품 ; 특산품 : the ~ of this restaurant 레스토랑의 특별 요리《★ 영국에서는 speciality 를 씀》.

spe·cie [spíːʃi(ː)] *n.* Ⓤ 정금(正金), 정화(正貨) 《지폐에 대하여》 : ~ reserve 정화 준비 / a ~ bank 정금 은행 / in ~ 정화로, 정금으로.

‡spe·cies [spíːʃi(ː)z] (*pl.* ~) *n.* Ⓒ ① 《口》 종류 : a new ~ of watch 새로운 종류의 시계. ② 〖生〗 종(種) : the human ~ 인류 / an endangered ~ 절멸 위기에 있는 종 / *The Origin of Species* '종의 기원' 《다윈의 저서명》.

specif. specific ; specifically.

spe·cif·ic** [spisífik] (more ~ ; most ~***) *a.* ① 특유한〔의〕, 독특한(peculiar)《*to*》. opp *general.* ② 일정한, 특정한(specified) : a ~ sum of money 일정한 금액 / for a ~ purpose 특정한 목적으로. ③ (진술 따위가) 명확한(definite), 상세한, 구체적인 : a ~ statement 명확한 진술 / with no ~ aim 이렇다 할 목적도 없이. ④ 〔限定的〕 (약이) 특효가 있는 : a ~ medicine 특효약. — *n.* ① (*pl.*) 명세 ; 세목 : get down to〔into〕 ~*s* 각론으로 들어가다. ② Ⓒ (…에 대한) 특효약〔요법〕 《*for*》 : a ~ *for* malaria 말라리아 특효약.

spe·cif·i·cal·ly** [ˊ-əli] (more ~ ; most ~***) *ad.* ① 명확히, 분명히 : The bottle was ~ labeled "poison." 그 병에는 명확히 '독물'이라는 딱지가 붙어 있었다. ② 〔形容詞 앞에서〕 특히, 특별히 : the book ~ for teenagers 특히 10대 소년들을 위한 책. ③ 구체적으로 말하자면, 즉.

spec·i·fi·ca·tion [spèsəfikéiʃən] *n.* ① Ⓤ 상술, 상기《*of*》. ② Ⓒ (흔히 *pl.*) 설계 명세서, 시방서.

specífic grávity 〖物〗 비중《略 : sp. gr.》.

specífic héat 〖物〗 비열(比熱)《略 : s. h.》.

***spec·i·fy** [spésəfài] *vt.* ① 《~+목》 …을 일일이 이름을 들어 말하다 ; 명시하다, 명기하다 : ~ the persons concerned 관련자의 이름을 명기하다. ② 《~+*that* 절》 …라고 상술하다〔명기하다〕 : The regulations ~ *that* a penalty must be paid. 규정에는 벌금을 내도록 명기되어 있다.

‡spec·i·men [spésəmən] *n.* Ⓒ ① 견본 ; (동식물의) 표본 ; 실례(實例), 전형(典型) : zoological ~*s* 동물 표본 / ~*s* preserved in spirits 알코올에 담근 표본 / a fine ~ of manhood 사내다움의 한 전형 / Could I see a ~ of the material? 그 천의 견본을 보여다오. ② 〔修飾語와 함께〕 《口》 …한 사람, 괴짜 : a weird female ~ 괴상한 여자 / What a ~! 참 별난 녀석이군. — *a.* 〔限定的〕 견본의.

spe·cious [spíːʃəs] *a.* (사실과는 달리) 진실 같은 ; 그럴 듯한(plausible) : a ~ plea 그럴 듯한 구실. 파 **~·ly** *ad.* **~·ness** *n.*

‡speck [spek] *n.* Ⓒ ① 작은 반점(spot), 얼룩(stain) ; 《특히》 (과일 따위의) 썩은 흠 : ~*s* of soot 검댕에 의한 얼룩. ② 〔흔히 否定文으로〕 적은 양(量), 소량《*of*》 : There's *not* a ~ *of* dust in the room. 방에는 먼지 하나 없다.

specked [spekt] *a.* 점〔흠〕이 있는.

***speck·le** [spékəl] *n.* Ⓒ 작은 반점, 얼룩, 반문.

speck·led [-d] *a.* 얼룩덜룩한, 반점이 있는.

specs [speks] *n. pl.* 《口》 안경.

‡**spec·ta·cle** [spéktəkəl] *n.* ① Ⓒ (뛰어난, 인상적인) 광경, 장관 : a charming ~ 아름다운 광경. ② Ⓒ (호화로운) 구경거리, 쇼 ; 스펙터클 영화. ③ (*pl.*) 안경 : a pair of ~*s* 안경 하나. ***make a ~ of oneself*** 남의 웃음거리가 되다 ; 창피한 꼴을 보이다.

spec·ta·cled [-d] *a.* 안경을 쓴.

‡**spec·tac·u·lar** [spektǽkjələr] *a.* ① 구경거리의. ② 장관의, 볼 만한 ; 호화로운 ; 극적인 : The race ended in a ~ finish. 레이스의 마지막 장면은 참으로 볼 만했다〔극적이었다〕. ── *n.* Ⓒ 호화판 텔레비전 쇼, 초대작(超大作). ㊞ **~·ly** *ad.*

‡**spec·ta·tor** [spékteitər, ˊ-ˊ-] (*fem.* ***-tress*** [-tris]) *n.* Ⓒ 구경꾼, 관객 : a crowd of ~*s* at a football game 축구 시합의 많은 관객들.

spéctator spórt 관객 동원력이 있는 스포츠.

*__spec·ter__, 《英》 **-tre** [spéktər] *n.* Ⓒ ① 유령, 요괴. ② 무서운 것〔환영(幻影)〕.

spec·tra [spéktrə] SPECTRUM의 복수.

*__spec·tral__ [spéktrəl] *a.* ① 유령의〔과 같은〕, 괴기한(ghostly). ②【物】 스펙트럼의 : ~ colors 무지개의 7가지 색.

spec·tro·scope [spéktrəskòup] *n.* Ⓒ 【光】 분광기(分光器).

spec·tros·co·py [spektrάskəpi / -trɔ́s-] *n.* Ⓤ 「분광학.

*__spec·trum__ [spéktrəm] (*pl.* ***-tra*** [-trə], ~***s***) *n.* Ⓒ ①【物】 스펙트럼. ② (어떤 것에 관한) 전(全)영역 ; (변동하는) 범위, 폭 : a wide ~ of intellectual activities 광범위한 지적 활동.

spec·u·la [spékjələ] SPECULUM의 복수.

*__spec·u·late__ [spékjəlèit] *vi.* 《~ / +전+명》 ① (확실한 근거·지식 없이) 여러가지로 생각하다, 추측하다《*about* ; *on*》 : ~ *about* one's future 장래에 관해 여러가지로 생각하다. ② 투기를 하다, 요행수를 노리다《*in*》 : ~ *in* stocks 증권에 손을 대다 / ~ *on* a rise 〔fall〕 등귀를〔하락을〕 예상하고 투기를 하다. ── *vt.* 《~ + *that*절》 …라고 추측하다 : He ~*d that* this might lead to success. 그는 이것을 하면 성공을 할지도 모른다고 생각했다. ◇ speculation *n.*

‡**spec·u·la·tion** [spèkjəléiʃən] *n.* Ⓤ,Ⓒ ① (사실에 근거를 안 둔) 추측, 추론 ; 사색, 이리저리 생각함 : His idea is only ~. 그의 생각은 단지 추측에 지나지 않는다. ② 투기, 사행 : on ~ 투기적으로, 요행을 걸고 / buy land as a ~ 투기로 땅을 사다.

*__spec·u·la·tive__ [spékjəlèitiv, -lə-] *a.* ①〔限定的〕 추측의, 추론에 의한 ; 사색적인, 공론의, 실제적이 아닌 ; (학문 등이) 순이론적인, 사변(思辨)적인 : ~ philosophy 사변 철학. ② 투기의, 투기적인 ; 불확실한 : a ~ market 투기 시장 / ~ buying 투기적 구매 / a ~ stock 투기주. ㊞ **~·ly** *ad.* **~·ness** *n.*

*__spec·u·la·tor__ [spékjəlèitər] *n.* Ⓒ ① 투기꾼. ② 사색가, 공론가.

spec·u·lum [spékjələm] (*pl.* ***-la*** [-lə], ~***s***) *n.* Ⓒ ① 금속 거울, 반사경. ②【醫】 검경(檢鏡)《자궁·입·코·질 등의》 : an eye ~ 검안경.

‡**sped** [sped] SPEED의 과거·과거분사.

†**speech** [spiːtʃ] *n.* ① Ⓤ 말, 언어(language) ; 방언(dialect) : the ~ of the common people 일반 민중의 말. ② Ⓤ 표현력, 언어 능력 : lose one's ~ 말을 못하게 되다 / Man alone has the gift of ~. 인간만이 언어 능력을 가지고 있다. ③ Ⓤ 말하기, 발언, 언론 : freedom of ~ 언론의 자유 / give ~ to ... …에게 말하다 / *Speech* is silver, silence is golden. 《格言》 웅변은 은, 침묵은 금. ④ Ⓤ (흔히 one's ~) 말투, 말하는 식 : *His* ~ is indistinct. 그의 말투는 똑똑지가 않다 / a man of rapid ~ 말씨가 빠른 사람. ⑤ Ⓒ 연설(address), 강연 ; 담화 : make 〔deliver〕 a ~ 연설하다. ⑥ Ⓤ【文法】 화법(話法) ; Ⓒ (배우의) 대사 ; Ⓤ (학문으로서의) 변론(술), 스피치. ***figure of ~*** ⇨FIGURE. ***part(s) of ~***【文法】 품사.

spéech dày 《英》 (학교의) 스피치 데이《종업식 날, 부모도 출석하여 암송·연설을 들으며 학생들에게는 상품도 수여됨》.

speech·i·fy [spíːtʃəfài] *vi.* 《口·戲·蔑》 연설하다, 장광설을 늘어놓다 ; 지껄여대다(harangue).

*__speech·less__ [spíːtʃlis] *a.* ① 말을 못 하는, 벙어리의(dumb). ② 입을 열지 않는(silent), 무언의 ;〔敍述的〕 (격분·충격 따위로) 말을 못 하는, 말이 안 나오는《*with*》 : He was ~ *with* anger. 그는 노여움으로 말도 하지 못했다. ③〔限定的〕 말로 표현할 수 없을 정도의 : ~ grief 이루 형언할 수 없는 슬픔. ㊞ **~·ly** *ad.* **~·ness** *n.*

spéech recognìtion【컴】 음성 인식.

spéech thèrapy 언어 장애 교정.

㊞ **spéech thèrapist** 언어 장애 교정의 전문가.

spéech wrìter 연설 초고 작성자《특히 정치가를 위해 쓰는 사람》.

†**speed** [spiːd] *n.* ① Ⓤ (행동·동작의) 빠르기, 신속함 : make ~ 서두르다 / More haste, less ~. 급할수록 천천히 하라. ② Ⓤ,Ⓒ 속도, 속력, 스피드 : the ~ of sound 음속 / at full〔top〕 ~ 전속력으로 / drive at a ~ of 30miles an hour 시속 30마일로 운전하다. ③ Ⓒ (자동차 따위의) 변속 장치〔기어〕 : shift to low ~ 저속 기어로 전환하다 / a sedan with five forward ~*s* (전진) 5단 변속의 세단차. ④ Ⓤ 《俗》 각성제, 《특히》 히로뽕. ⑤ Ⓤ【寫】 (필름·감광지의) 감도 ; 셔터스피드. ***with all ~*** 크게 서둘러, 매우 빠르게. ── (*p., pp.* ***sped*** [sped], ˊ***·ed***) *vt.* ① …을 서두르게 하다, 질주시키다 : Mother ~ us off to school. 어머니는 우리를 서둘러 학교에 보내셨다. ② (사업 따위)를 진척시키다(promote), 촉진하다 : ~ the building program 건설 계획을 촉진하다. ③ 《+목+부》 (기계 따위)의 속도를 빠르게 하다(accelerate). ── *vi.* ① 《+전+명》 급히 가다, 질주하다《*along* ; *down*》 : ~ *down* the street 거리를 질주하다. ② 《~ / +부》 (자동차가) 속도를 늘리다, 스피드를 내다 ; 속도 위반을 하다 : be arrested for ~*ing* 속도 위반으로 잡히다 / The car ~*ed up*. 그 자동차는 속도를 냈다. ***~ up*** 속도를 늘리다〔올리다〕 ; …을 서두르게 하다 ; 촉진하다 : ~ *up* the engine 엔진의 속도를 빠르게 하다 / *Speed up* the work. 일의 능률을 올려라.

speed·boat [ˊbòut] *n.* Ⓒ 고속 모터 보트.

spéed bùmp (주택 지구나 학교 주변의) 과속방지턱《감속시키기 위한》.

speed·er [spíːdər] *n.* Ⓒ 고속 운전자 ; 속도 위「반자.

*__speed·i·ly__ [spíːdəli] *ad.* 빨리, 즉각, 급히.

spéed lìmit 제한 속도.

speed·om·e·ter [spiːdάmitər / -dɔ́-] *n.* Ⓒ (자동차 따위의) 속도계.

speed-read·ing [ˊrìːdiŋ] *n.* Ⓤ 속독(법).

spéed skàting 스피드 스케이팅.

speed·ster [spíːdstər] *n.* Ⓒ 고속으로 달리는 운전자〔차〕 ; 속도 위반자.

spéed tràp 속도 위반 단속 구간〔장치〕.

*__speed·up__ [spíːdʌ̀p] *n.* Ⓤ,Ⓒ ① (기계·생산 따위의) 능률 촉진. ② (열차 등의) 운전 시간 단축.

speed·way [ˊwèi] *n.* ① **a)** Ⓒ 오토바이·자동차 따위의 경주장, 스피드웨이. **b)** Ⓤ (스피드웨이에서의) 오토바이 경주. ② Ⓒ 《美》 고속 도로.

speed·well [ˊwèl] *n.* Ⓤ【植】 꼬리풀의 일종.

speedy** [spíːdi] (speed·i·er*** ; ***-i·est***) *a.* ① 빠른(quick) ; 급속한, 신속한(prompt) : a ~ recovery 빠른 회복. ② 즉시의, 즉석의 ; 재빠른(rapid) : a ~ answer 즉답. ㊕ **-i·ness** *n.* Ⓤ

†spell[1] [spel] (*p., pp.* ***spelt*** [spelt], ***~ed*** [spelt, -ld]) *vt.* ① (낱말)을 …라고 철자하다 ; …의 철자를 말하다〔쓰다〕: How do you ~ "ski?" '스키'는 어떻게 쓰느냐. ② …라고 철자하면 ―이 되다, …라고 읽다 : D-O-G ~*s* a dog. D-O-G로 쓰면 dog가 된다. ③《口》(사물이) …을 의미하다, …한 결과가 되다, 가져오다, 따르다, 이끌다《*for*》: Failure ~*s* death. 실패하면 파멸이다. ― *vi.* 철자하다, 철자를 쓰다. ~ ***out*** (1) 한 자 한 자 읽다〔쓰다, 철자하다〕. (2) …을 생략하지 않고 전부 쓰다 ; 똑똑히〔상세히〕 설명하다.

‡spell[2] *n.* Ⓒ ① 한 동안, 한 차례 ; 잠시 동안 : a ~ of bad luck 한 동안의 불운 / a hot ~ 한 동안 내리 계속되는 더위 / for a ~ 잠시 동안. ② 한 바탕의 일 ; (일의) 교대(차례), 순번 : give a person a ~ 아무를 교대해 주다 / by ~*s* 교대로. ③《美口》(병의) 발작 : have a ~ of coughing 한바탕 기침이 나다.
― (*p., pp.* ***~ed*** [spelt, -ld]) *vt., vi.*《口》(…와) 교대하다(relieve) ; 대신해서 일하다.

‡spell[3] *n.* Ⓒ ① 주문(呪文) (incantation). ② (흔히 *sing.*) 마력, 마법 ; 매력 : put 〔cast〕 a ~ on her 그녀에게 마법을 걸다 ; 그녀를 매혹시키다.

spell·bind [∸bàind] (*p., pp.* ***-bound***) *vt.* …을 주문을 걸다 ; 마술을 걸다 ; 매혹하다.

spell·bind·er [∸bàindər] *n.* Ⓒ《口》청중을 매료시키는 웅변가《특히, 정치가》.

spell·bound [∸bàund] *a.* ① 주문에 걸린. ② 홀린 ; 넋을 잃은(entranced, enchanted) : hold the audience ~ 청중을 매혹하다.

spell·er [spélər] *n.* Ⓒ ① 철자하는 사람 : a good ~ 철자가 정확한 사람. ② ＝SPELLING BOOK.

‡spell·ing [spéliŋ] *n.* ① Ⓤ (낱말의) 철자법, 정서법. ② Ⓒ (단어의) 철자, 스펠.

spélling bèe 〔**màtch**〕 철자 시합.

spélling bòok 철자 교본.

spélling chècker 〖컴〗 맞춤법 검사기《입력된 단어의 철자법을 검사하는 프로그램》.

spélling pronunciàtion 철자 발음《boatswain [bóusən]을 [bóutswèin]으로 발음하는 따위》.

spelt [spelt] SPELL[1,3]의 과거 · 과거분사.

†spend [spend] (*p., pp.* ***spent*** [spent]) *vt.* ①《～+목 / +목+전+명》(돈)을 쓰다, 소비하다(expend) : ~ much money *on* clothes 옷에 많은 돈을 들이다 / Ill gotten 〔got〕, ill *spent.*《俗談》부정하게 번 돈은 오래 가지 않는다. ②《～+목 / +목+전+명》(노력 · 시간 · 힘 따위)를 들이다, 소비하다(consume) : ~ one's energy 〔strength〕 *to* no purpose 힘을 무익하게 소모하다 / Don't ~ much time *on* it. 그것에 너무 시간을 소비하지 마라. ③《～+목 / +목+전+명》(때 · 휴가 따위)를 보내다, 지내다(pass) : How did you ~ the vacation? 휴가는 어떻게 지내셨습니까 / ~ a week *in* New York 뉴욕에서 한 주일을 보내다. ④〔再歸的 또는 受動으로〕 (기운 · 힘 따위)를 다 써 버리다〔없애다〕 ; 약하게〔쇠하게〕 하다, 지치게 하다(exhaust) : He *was spent out*. 그는 녹초가 되었다 / The storm soon *spent itself.* ＝The storm *was spent*. 폭풍은 곧 가라앉았다.
― *vi.* 낭비하다, 돈을 (다) 쓰다 : ~ freely 아낌없이 돈을 쓰다.

spend·er [spéndər] *n.* Ⓒ 〔흔히 수식어를 동반하여〕 돈 씀씀이가 …한 사람 ; 낭비가 : a lavish 〔good〕 ~ 돈을 헤프게〔규모있게 잘〕 쓰는 사람.

spénding mòney ＝POCKET MONEY.

spend·thrift [spénd*θ*rìft] *n.* Ⓒ 돈 씀씀이가 헤픈 사람, 낭비가. ― *a.* 돈을 헤프게 쓰는, 낭비하는.

Spen·ser [spénsər] *n.* **Edmund** ~ 스펜서《영국의 시인 ; 1552?-99》.

†spent [spent] SPEND의 과거 · 과거분사.
― (***more*** ~ ; ***most*** ~) *a.* 힘이 빠진, 지쳐버린 ; 다 써버린, 힘〔영향력〕이 없어진 : a ~ horse 지쳐버린 말 / ~ nuclear fuel 사용이 끝난 핵 연료.

sperm [spəːrm] (*pl.* ~, ***~s***) *n.* ① Ⓤ 정액(精液) (semen). ② Ⓒ 정자, 정충.

sper·ma·ce·ti [spə̀ːrməséti, -síːti] *n.* Ⓤ 경랍(鯨蠟)《향유고래의 머리에서 채취》.

spérm òil 〖化〗 고래 기름, 향유고래 기름.

spérm whàle 〖動〗 향유고래.

spew [spjuː] *vt.* ①《俗》(먹은 것)을 토해내다《*out*》. ② …을 내뿜다, 뿜어내다《*out*》. ― *vi.* ① 토하다《*up*》. ② 뿜어나오다 ; 분출하다《*out*》.

sp. gr. specific gravity.

sphag·num [sfǽgnəm] (*pl.* ***-na*** [-nə]) *n.* Ⓤ 〖植〗 물이끼.

‡sphere [sfiər] *n.* Ⓒ ① 구체(球體), 구(球), 구형, 구면 : The Earth is not a perfect ~. 지구는 완전한 구형은 아니다. ②〖天〗 천체 ; 지구의(地球儀). ③ (세력 · 활동 · 지식 따위의) 영역, 범위《*of*》; (사회적인) 지위, 신분, 계층 : the ~ *of* science 과학의 분야 / a ~ *of* activity〔influence〕 활동〔세력〕 범위 / He's active in many ~*s*. 그는 많은 분야에서 활약하고 있다.

***spher·i·cal** [sférikəl] *a.* 구(球)의, 구면의 ; 천체〔천구〕의.

sphe·roid [sfíərɔid] *n.* Ⓒ 〖數〗 회전 타원체〔면〕. ㊕ **sphe·roi·dal** [sfiərɔ́idl] *a.*

sphinc·ter [sfíŋ*k*tər] *n.* Ⓒ 〖解〗 괄약근(括約筋), 늘옴치근(筋).

‡sphinx [sfiŋks] (*pl.* ***∠·es, sphin·ges*** [sfíndʒiːz]) *n.* ① **a)** Ⓒ 스핑크스 상(像). **b)** (the S-) 대(大)스핑크스 상(像)《이집트의 Giza 부근의 거상(巨像)》. ② Ⓒ 수수께끼의 인물, 불가해한 사람. ③ (the S-) 〖그神〗 스핑크스.

‡spice [spais] *n.* ① Ⓤ,Ⓒ 〔集合的〕 양념(류), 향신료(香辛料). ② Ⓤ **a)** 정취, 취향 ; (짜릿한) 맛(을 주는 것), 묘미《*of*》. **b)** (a ~) 기미(氣味), …한 데《*of*》: There was *a* ~ *of* malice in his words. 그의 말에는 약간 심술궂은 데가 있었다.
― *vt.*《～+목 / +목+전+명》① …에 양념을〔향료를〕 치다 ; …에 맛을 내다(season)《*with*》: ~ food *with* ginger 음식에 생강으로 맛을 내다. ②《比》…에 풍취를〔멋을〕 곁들이다《*with*》.

spic·ery [spáisəri] *n.* Ⓤ ①〔集合的〕 향신료. ② 방향(芳香), 짜릿한 맛.

spick-and-span [spíkənspǽn] *a.* 아주 새로운, 갓 맞춘《옷 따위》; (집 · 방 따위가) 산뜻한.

spicy [spáisi] (***spic·i·er*** ; ***-i·est***) *a.* ① 향(신)료를 넣은, 향긋한 : a ~ flower 향기로운 꽃. ② 짜릿한, 통쾌한. ③ 음란한, 음외한 : ~ conversation 음담. ㊕ **spíc·i·ly** *ad.* **-i·ness** *n.*

‡spi·der [spáidər] *n.* Ⓒ ①〖動〗 거미 ; 거미류에 속하는 절지 동물 : a ~('s) web 거미집. ② 삼발이. ③《美》(다리 달린) 프라이팬.

spi·der·man [-mən] (*pl.* ***-men*** [-mən]) *n.* Ⓒ 빌딩 건축 현장 고소(高所) 작업원.

spi·dery [spáidəri] *a.* ① 거미의〔같은〕, 거미가 많은. ② 가늘고 긴.

spiel [spiːl] *n.* Ⓤ,Ⓒ《俗》(손님을 끌기 위해 늘어놓는) 장광설, 흥감스럽게 떠벌림(harangue).

spig·ot [spígət] *n.* Ⓒ ① (수도 · 통 등의) 마개.

②《美》(액체를 따르는) 주둥이, 물꼭지(faucet).

***spike**¹ [spaik] *n.* [C] ① 긴 대못; 담장 못《뾰족한 끝을 위나 밖으로 향하게 담 따위에 박음》; 철도용 대못. ② (경기화의) 스파이크; (*pl.*) 스파이크 슈즈. ③ (파형(波形) 그래프의) 표족한 끝. ④《俗》피하 주사 바늘. ⑤〖排球〗스파이크. ⑥《英俗》싸구려 여인숙.
— *vt.* ① …을 대못으로 박다; (침입자를 막기 위해) …에 담장 못을 박다. ② (선수)에게 스파이크로 상처를 입히다. ③ (계획 따위)를 망쳐놓다, 방해하다: ~ a person's chances for promotion 아무의 승진 기회를 망치다. ④〖排球〗…을 스파이크하다. ⑤《美俗》(음료)에 독한 술을 타다.

spike² *n.* [C] ① (보리 따위의) 이삭. ②〖植〗수상(穗狀) 꽃차례. 「고 높은 뒷굽).

spíke héel 스파이크힐《여자 구두의 끝이 가늘

spike·nard [ˊnɑːrd, ˊnərd] *n.* [U] ①〖植〗감송(甘松). ② 감송향(香)《뿌리에서 채취한 향유》.

spiky [spáiki] (***spik·i·er*** ; ***-i·est***) *a.* ① 대못과 같은, 끝이 뾰족한. ②《口》성마른.

‡**spill**¹ [spil] (*p., pp.* ***~ed*** [-t, -d], ***spilt*** [spilt]) *vt.* ① (액체·가루 따위)를 엎지르다, 흩뜨리다: ~ milk〔salt〕우유를〔소금을〕엎지르다 / It is no use crying over *spilt* milk.《俗談》엎지른 우유를 놓고 울어도 소용없다《엎지른 물은 다시 담을 수 없다》. ② (피)를 흘리다(shed): ~ the blood of … …을 죽이다. ③《~+[목] / +[목]+[전]+[명]》《口》(말·차에서 사람)을 내동댕이치다, 떨어뜨리다《*from*》: The horse *~ed* him. 말이 그를 내동댕이쳤다. ④《口》(정보·비밀)을 누설하다, 폭로하다: ~ the secret. — *vi.*《~ / +[전]+[명]》엎질러지다; 넘치다: Milk *spilt from* the glass. 우유가 컵에서 엎질러졌다 / Tears *~ed from* her eyes. 그녀의 눈에서 눈물이 넘쳐 흘렀다. ~ ***the beans***《口》(얼떨결에) 비밀을 누설하다. — *n.* ① [C] 엎지름, 엎질러짐(spilling); [U] 엎지른〔흘린〕양. ② [C]《口》(탈것에서) 내던져짐, 떨어짐.

spill² *n.* [C] 점화용 심지; 불쏘시개.

spill·o·ver [spílòuvər] *n.* ① [U] 넘쳐흐름, 유출. ② [C] 넘친 양; 과잉.

spill·way [ˊwèi] *n.* [C] (저수지·댐·호수 따위의) 방수구(放水口), 배수구〔로〕.

***spilt** [spilt] SPILL¹ 의 과거·과거분사.

‡**spin** [spin] (***spun*** [spʌn], 《古》 ***span*** [spæn]; ***spun*** ; ***ˊ·ning***) *vt.* ①《~+[목] / +[목]+[전]+[명]》(실)을 잣다, 방적하다, 실(모양으)로 만들다: ~ thread *out of* cotton 솜에서 실을 잣다. ② (누에·거미 따위가 실)을 내다, 토하다; (거미줄)을 치다. ③《~+[목]》(이야기 따위)를 (장황하게) 늘어놓다, 이야기하다(tell): ~ a tale of bygone days 지난날들의 일을 장황하게 늘어놓다. ④ (팽이 따위)를 돌리다, 회전시키다;〖크리켓·테니스〗(공에 스핀)을 주다; (세탁물)을 탈수기로 탈수하다: ~ a swivel chair 회전 의자를 빙그르르 돌리다. — *vi.* ① 잣다; (누에·거미 따위가) 실을 내다, 고치를〔거미집을〕짓다. ② (팽이 따위가) 돌다, 뱅뱅 돌다《*round*》. ③ 어지럽다, 눈이 핑 돌다; 나선식 강하를 하다: One's head *~s.* ④ (차 바퀴가) 헛〔겉〕돌다. ⑤《+[부]》질주하다《*along*》; 빨리 지나다: Time *~s away.* ~ ***off*** (1) (원심력으로) 흔들어 떨어뜨리다. (2) …을 부산물로 낳다; (회사 따위)를 분리 신설하다. ~ ***out*** (1) (이야기·토론 등)을 질질 끌다; (돈을) 오래 간직하게 하다. (2) (세월)을 보내다, 어정버정 지내다.
— *n.* ① [U] (또는 a ~) 회전(whirl); (탁구·골프공 등의) 스핀: give a ball (*a*) ~ =put ~ on a ball 볼에 회전을 주다. ② (a ~) (차 따위의) 한바탕 달리기, 드라이브: have *a* ~ in a car 자동차로 드라이브하다. ③ (a ~)《口》(가격 따위의) 급락. ④ [C]〖空〗나선식 강하. ***in a*** (***flat***) ~《口》(마음 등이) 혼란 상태에서, 허둥지둥.

***spin·ach** [spínitʃ / -nidʒ, -nitʃ] *n.* [U] 시금치.

spi·nal [spáinl] *a.*〖解〗등뼈(spin)의, 척추의: a ~ column 척주 / ~ nerves 척수 신경.

***spin·dle** [spíndl] *n.* [C] ① 물레 가락; (방적 기계의) 방추(紡錘). ② 축, 굴대(axle).

spin·dle-leg·ged [-lègid] *a.* 다리가 가늘고 긴.

spin·dle·legs [-lègz] *n. pl.* ① 가늘고 긴 다리. ②〔單數취급〕《口》다리가 가늘고 긴 사람.

spíndle trèe〖植〗화살나무. 「긴, 호리호리한.

spin·dly [spíndli] (***-dli·er*** ; ***-dli·est***) *a.* 가늘고

spín dríer 〔**drýer**〕 (원심 분리식) 탈수기.

spin-dry [spíndrài] *vt.* (세탁물)을 원심력으로 탈수(脫水)하다.

***spine** [spain] *n.* [C] ①〖解〗등뼈, 척주. ②〖植〗(선인장 따위의) 가시; 가시 모양의 돌기. ③〖製本〗(책의) 등.

spine-chill·ing [ˊtʃìliŋ] *a.* 등골이 오싹해지는, 무서운.

spine·less [spáinlis] *a.* ① 척주가 없는; 무척주의. ② 줏대가 없는, 무골충의; 결단력 없는. ③〖植〗가시가 없는.

spin·et [spínit, spinét] *n.* [C] ① 스피넷《16-18세기의 소형 쳄발로》. ②《美》소형 업라이트 피아노; 소형 전자 오르간.

spin·na·ker [spínikər, 《海》 spǽŋkər] *n.* [C]〖海〗(이물의) 큰 삼각돛《경조용 요트의 대장범(大檣帆) 반대쪽에 순풍일 때 침》.

***spin·ner** [spínər] *n.* [C] ① 실 잣는 사람, 방적공; 방적기. ②〖낚시〗꾐 미끼의 일종《뱅뱅 돎》. ③〖野·크리켓〗스핀을 건 공(을 잘 던지는 투수). ④〖서핑〗스피너《직진하는 서프보드에서 1회전하기》. 「목숲.

spin·ney [spíni] (*pl.* ***~s***) *n.* [C]《英》덤불, 잡

***spin·ning** [spíniŋ] *n.* [U] ① 방적, 방적업. ②〔形容詞的〕방적(용)의: a ~ mill 방적 공장.

spínning whèel 물레.

spin-off [spínɔ̀(ː)f, -ɑ̀f] *n.* ① [U]《美》스핀오프《모회사가 주주에게 자회사의 주를 배분하는 일》. ② [U.C] (산업·기술 개발 등의) 부산물, 파생물. ③ [C]《美》(TV 연속극 따위의) 속편, 개작품(改作品).

***spin·ster** [spínstər] *n.* [C] ① 미혼 여자, 노처녀(oldmaid). [cf.] bachelor. ②《古》실 잣는 여자.

spin·ster·hood [-hud] *n.* [U] (여자의) 독신, 미혼(상태).

spiny [spáini] (***spin·i·er*** ; ***-i·est***) *a.* ① 가시로 덮힌, 가시투성이의. ② (문제 따위가) 어려운(difficult), 귀찮은, 성가신.

spíny lóbster〖動〗대하(大蝦).

***spi·ral** [spáiərəl] *a.* 나선〔나사〕모양의; 소용돌이 곡선의, 와선(渦線)의: a ~ staircase 나선 계단.
— *n.* [C] ① 나선; 와선. ② 나선형의 것; 나선 용수철; 고둥. ③〖經〗(물가 등의) 연속적 변동; 악순환: an inflationary ~ 악성 인플레이션.
— (***-l-***, 《英》 ***-ll-***) *vi.* ① 나선상으로 움직이다; (연기 따위가) 나선 모양으로 피어 오르다;〔空〕나선 강하하다. ② (물가 따위가) 급속히 변동〔상승, 하강〕하다《*up* ; *down*》: The prices began to ~ (*up*). 물가가 한없이 오르기 시작했다. [파] ~·**ly** *ad.*

spi·rant [spáiərənt] *n.* [C]〖音聲〗마찰음《[f, v, θ, ð] 따위》. — *a.* 마찰음의.

‡**spire**¹ [spaiər] *n.* [C] ① 뾰족탑; (탑의) 뾰족한 꼭대기. ② 원추형〔원뿔 모양〕의 것, (산의) 정상; 뾰족한 우듬지.

spire[2] *n.* Ⓒ ① 나선(의 한 둘레), 소용돌이. ② 〖動〗 나탑(螺塔)《권패(卷貝)의 껍데기가 말린 부분》.

spired [spaiərd] *a.* 탑의 지붕이 뾰족한.

‡spir·it [spírit] *n.* ① Ⓤ 정신, 영(靈) (soul), 마음, (육체를 떠난) 영혼. OPP *body, flesh, matter*. ¶ Blessed are the poor in ~. 〖聖〗 마음이 가난한 자는 복이 있나니《마태복음 Ⅴ: 3》. ② Ⓤ 신령: the Holy *Spirit* 성령(聖靈), 신(God) / the world of ~ 영계(靈界). ③ Ⓒ 유령, 망령; 악마, 요정 (sprite, elf) : the work of ~*s* 망령의 소행. ④ Ⓒ 〔形容詞를 수반하여〕 (…성격·기질을 가진) 사람, 인물 : a noble 〔generous〕 ~ 고결한〔관대한〕 사람. ⑤ Ⓤ 활기, 기백, 의기; 용기(courage), 열심 : fighting ~ 투지 / a man of ~ 용기가〔기백이〕 있는 사람. ⑥ (*pl.*) 기분(mood) : be in good ~*s* 기분이 좋다. ⑦ Ⓤ 성품, 기질, 심지 (temper) ; (시대 따위의) 정신, 풍조, 시세(時勢) 《*of*》: the ~ *of* the age 〔times〕 시대 정신. ⑧ (*sing*; 흔히 the ~) (법 따위의) 정신, 참뜻 (intent)《자의(字義) (letter)에 대해》: *the* ~ of the law 법의 정신. ⑨ Ⓤ (소속 단체에 대한) 충성심(loyalty) : school 〔college〕 ~ 애교심. ⑩ **a)** Ⓤ 알코올, 주정(酒精). **b)** (*pl.*) 독한 술《위스키 따위의 증류주》.

── *a.* 〔限定的〕 ① 정령(精靈)의; 심령술의: a ~ rapper 영매(靈媒). ② 알코올의.

── *vt.* ①《+目+副》 (어린애 등)을 유괴〔납치〕하다, 감쪽같이 채가다〔감추다〕《*away*; *off*》: ~ *away* a girl 소녀를 유괴하다. ②《+目+副》 …을 북돋다, 분발시키다; 선동하다《*up*》: ~ the mob *up to* revolt 군중을 선동하여 반란을 일으키게 하다 / ~ him *up* with whisky 그를 위스키로 기운을 북돋우다.

***spir·it·ed** [spíritid] *a.* ① 기운찬, 활발한, 용기 있는; 맹렬한: a ~ horse 한마(悍馬) / a ~ attack 맹렬한 공격. ② 〔複合語의 요소로서〕 정신이 …한, 원기가〔기분이〕 …한 : high-~ 원기가 좋은 / low-~ 의기 소침한.

spírit làmp 알코올 램프.

spir·it·less [spíritlis] *a.* ① 생기〔정력, 원기, 용기〕가 없는. ② 마음이 내키지 않는, 열의가〔기력이〕 없는.

spírit lèvel 알코올 수준기(器).

‡spir·it·u·al [spíritʃuəl] (***more*** ~; ***most*** ~) *a.* ① 정신(상)의, 정신적인; 영적인. OPP *material, physical*. ¶ ~ life 정신 생활 / one's ~ home 마음의 고향 / ~ beings 영적 존재. ② 숭고한, 탈속적(脫俗的)인; 고상한. OPP *earthy*. ③ 신의, 신성한(sacred); 종교상의; 교회의. ── *n.* Ⓒ 흑인 영가(Negro ~). ㊞ **~·ly** [-əli] *ad.*

spir·it·u·al·ism [spíritʃuəlìzəm] *n.* Ⓤ ① 강신술, 교령술(交靈術). ② 〖哲〗 유심론, 관념론. cf. materialism. ㊞ **spìr·i·tu·al·ís·tic** [-ístik] *a.*

spir·it·u·al·ist [spíritʃuəlist] *n.* Ⓒ ① 심령술사; 심령주의자. ② 유심론자.

spir·it·u·al·i·ty [spìritʃuǽləti] *n.* Ⓤ 정신적임, 영성(靈性); 신성; 고상, 탈속.

spir·it·u·al·i·za·tion [spìritʃuəlizéiʃən] *n.* Ⓤ 영화(靈化), 정화(淨化).

spir·it·u·al·ize [spíritʃuəlàiz] *vt.* ① (사람·마음 따위)를 정신적〔영적〕으로 하다; 영화(靈化)〔정화〕하다. ② …에게 정신적 의미를 부여하다, 정신적으로 해석하다.

spir·it·u·ous [spíritʃuəs] *a.* ① (다량의) 알코올을 함유한, 알코올 성분이 강한. ② (술이) 증류한 (distilled).

spirt ⇨ SPURT.

‡spit[1] [spit] (*p.*, *pp.* ***spat*** [spæt], ***spit***; ***spít·ting***) *vt.* ① (침·음식·피 따위)를 뱉다, 토해내다《*out*》: He *spat out* the broken tooth. 그는 부러진 이를 뱉어 버렸다. ②《~+目/+目+副/+目+前+名》 (욕·폭언 따위)를 내뱉다, 내뱉듯이 말하다《*out*》; (…에게 욕설)을 퍼붓다《*at*》: ~ *out* an oath 욕설을 내뱉다 / He *spat* (*out*) curses *at* me. 내게 욕설을 퍼부었다.

── *vi.* ①《~/+前+名》 침을 뱉다〔내뱉다〕《*at*; *in*; *on, upon*》. ②《~/+前+名》 (비·눈 따위가) 후두두〔조금〕 내리다. ③ (양초 따위가) 지그르르 타다; (끓는 기름 등이) 툭툭 튀다. ④ (성난 고양이가) 야옹거리다《*at*》. ~ ***it out*** 《口》 서슴지 않고 말하다; 나쁜 짓을 자백하다.

── *n.* ① Ⓤ 침. ② Ⓤ (곤충의) 내뿜는 거품. ③ (the ~) 《口》 꼭 닮은 것(likeness)《*of*》: *the* (very) ~ and image *of* …을 빼쏨. ~ ***and polish*** ① (군대 등에서) 닦아서 광내는 작업. ② (지나친) 청결 정돈.

spit[2] *n.* Ⓒ ① (고기 굽는) 쇠꼬챙이, 꼬치. ② 갑(岬), 곶, (바다에 길게 돌출한) 모래톱. ── (*-tt-*) *vt.* (고기)를 구이용 꼬치에 꿰다; 막대기에 꿰다.

spit[3] *n.* Ⓒ 《英》 가래(spade)의 날만큼의 깊이.

spit·ball [∸bɔ̀:l] *n.* Ⓒ ① 종이를 씹어 둥글게 뭉친 것. ② 〖野〗 스피트볼《공에 침〔땀〕을 발라서 베이스 가까이에서 떨어지게 던지는 변화구; 반칙》.

‡spite [spait] *n.* Ⓤ 악의(malice), 심술. ***in ~ of*** =《稀》 ~ ***of*** …에도 불구하고, …을 무릅쓰고: *In* ~ *of* all our efforts, the enterprise ended in failure. 우리의 온갖 노력에도 불구하고 그 일은 실패로 끝났다. ***in ~ of*** one***self*** 저도 모르게, 무심코: She smiled *in* ~ *of herself*. 그녀는 무심코 미소를 지었다. ── *vt.* 《~+目》 …에 심술부리다, 괴롭히다(annoy) : He did it just to ~ me. 그는 그저 내게 심술을 부려 그렇게 했다.

spite·ful [spáitfəl] *a.* 악의에 찬, 짓궂은, 앙심을 품은: It was ~ of you to tell him that. 그에게 그걸 말하다니 너도 어지간히 짓궂다.
㊞ **~·ly** *ad.* **~·ness** *n.*

spit·fire [spítfàiər] *n.* Ⓒ 성마른 사람, 불뚱이.

spítting ímage (흔히 the ~) 《口》 빼쏨, 꼭 닮음(spit and image)《*of*》.

spit·tle [spítl] *n.* Ⓤ 침(spit, saliva).

spit·toon [spitú:n] *n.* Ⓒ 타구(唾具).

spitz [spits] *n.* Ⓒ 스피츠《포메라니아종의 작은 개》.

‡splash [splæʃ] *vt.* ①《~+目/+目+副/+目+前+名》 (물·흙탕 따위)를 튀기다《*about*; *over*》: ~ water *about* 물을 주위에 튀기다. ②《~+目/+目+前+名》 (물 따위)를 튀겨 더럽히다〔적시다〕; …에 튀기다《*with*》: ~ a page *with* ink = ~ ink *on* (*to*) a page / The car ~*ed* me *with* mud. 자동차가 내게 흙탕을 튀겼다. ③ (물이) …에 튀다: The filthy water ~*ed* her dress. 더러운 물이 그녀의 드레스에 튀었다. ④《+目+前+名》 …을 첨벙첨벙거리며 나아가다; (…으로 물 따위)를 튀기다: They ~*ed* their way *up* the brook. 그들은 철벅거리며 개울을 따라 올라갔다 / ~ an oar 노로 물을 튀기다. ⑤《英口》 (돈 따위)를 호기있게 뿌리듯 쓰다《*about*; *out* (*on*)》; 《口》 (신문 등이 뉴스 따위)를 크게 써대다.

── *vi.* ①《~/+副/+前+名》 튀(어 오르)다, 튀기다《*on*》: The mud ~*ed up to* the windshield. 흙탕물이 차 앞유리창까지 튀었다. ② 풍덩하고 빠지다〔떨어지다〕《*into*》: The stone ~*ed into* the water. 돌이 물 속으로 풍덩하고 빠졌다. ③《+副/+前+名》 첨벙첨벙 소리를 내며 …하다〔나아가다〕《*across*; *along*; *through*》: ~ *across* a stream 시내를 텀벙텀벙 건너다. ④ 돈을 호기있게 뿌리듯 쓰다. ~ ***down*** (우주선이) 물위에 착륙〔착수(着水)〕하다.

— *n.* Ⓒ ① 튀김 ; 튄 물 ; 튀기는 소리. ② (잉크·흙탕물 따위의) 튄 것, 얼룩, 반점 : a white dog with black ~*es* 바둑이. ③《英口》(위스키에 타는) 소량의 소다수 : a Scotch and ~ 소다수를 탄 스카치 위스키. ④ (신문·잡지 등에서) 크게 〔요란하게〕 다룬 기사 : ~ headlines. ***make* 〔*cut*〕 *a* ~** 첨벙하고 소리를 내다 ;《口》크게 평판이 나다 : His new show *made a* big ~ in New York. 그의 신작 쇼는 뉴욕에서 크게 평판이 났다.
— *ad.* 첨벙〔철벅〕하고.

splash·down [-dàun] *n.* Ⓒ (우주선 따위의) 착「수(着水).

splashy [splǽʃi] (***splash·i·er*** ; ***-i·est***) *a.* ① 튀기 쉬운, 질퍽질퍽한 ; 튄 흙〔얼룩〕투성이의. ②《口》화려한 ; 평판이 자자한.

splat [splæt] *n.* (a ~) 철벅, 철썩《물 따위가 튀거나 젖은 것이 바닥에 떨어질 때의 소리》.

splat·ter [splǽtər] *vt.* (물 따위)를 튀기다, 철벅거리다. — *vi.* (물 따위가) 튀다. — *n.* Ⓒ 튀기기 ; 철벅철벅〔첨벙첨벙〕하는 소리.

splay [splei] *vt.* ① …을 바깥쪽으로 넓히다, 벌리다《*out*》. ② (창틀 따위의 가장자리)를 바깥쪽으로 비스듬히 벌어지게 하다. — *vi.* 밖으로 비스듬히 벌어지다《*out*》. — *a.* 바깥쪽으로 벌어진.
— *n.* Ⓒ 〖建〗 (창틀 따위의 가장자리를) 안쪽에서 바깥쪽으로 비스듬히 넓게 벌어지게 한 것.

splay·foot [-fùt] (*pl.* ***-feet***) *n.* Ⓒ 편평족(扁平足), 평발(flatfoot). ㊞ **~·ed** *a.* 편평족인.

spleen [spli:n] *n.* ① Ⓒ 〖解〗 비장(脾臟), 지라. ② Ⓤ 울화, 기분이 언짢음 ; 심술, 악의(malice) : in a fit of (the) ~ 홧김에.

spleen·ful [splí:nfəl] *a.* 성마른(fiery) ; 기분이 언짢은(ill-humored).

:splen·did [spléndid] (***more*** ~ ; ***most*** ~) *a.* ① 빛나는(glorious), 훌륭한, 장한 : a ~ achievement 위대한 업적. ② 화려한(gorgeous), 호사한 ; 아름다운 : a ~ view of the port 항구의 아름다운 광경. ③《口》(착상 따위가) 멋진, 근사한 (excellent), 더할 나위 없는(satisfactory) : a ~ idea 멋진 착상 / have a ~ time 퍽 즐거운 시간을 보내다. ◇ splendor *n.* ㊞ **~·ly** *ad.* **~·ness** *n.*

:splen·dor,《英》**-dour** [spléndər] *n.* Ⓤ (종종 *pl.*) ① 빛남, 광휘, 광채(brilliance) : in full ~ 번쩍번쩍 빛나서. ② 호화, 장려, 장대(壯大) : the ~ of the palace 궁전의 장려함. ③ 현저함, 훌륭함, 뛰어남 ; (명성·업적 따위의) 화려함, 탁월.

sple·net·ic [splinétik] *a.* ① 비장〔지라〕의. ② 성을 잘 내는. — *n.* Ⓒ 비장병 환자, 성미가 까다로운 사람.

splen·ic [splí:nik, splén-] *a.* 비장〔지라〕의.

splice [splais] *vt.* ① (두 가닥의 밧줄 따위)를 끝을 풀어 꼬아 잇다 ; (재목·필름 따위)를 겹쳐 잇다. ②《口》…을 결혼시키다 : get ~*d* 결혼하다.
— *n.* Ⓒ 가닥을 꼬아 잇기, 이어 맞추기, 겹쳐 잇기 ; 이음매.

splic·er [spláisər] *n.* Ⓒ 스플라이서《필름·테이프 따위를 연결하는 도구》.

splint [splint] *n.* Ⓒ ① 얇은 널조각. ② (접골 치료용) 부목(副木). — *vt.* …에 부목을 대다.

splínt bòne 〖解〗 비골(腓骨), 종아리뼈.

***splin·ter** [splíntər] *n.* Ⓒ ① 부서진〔쪼개진〕 조각 ; 파편 : ~*s* of glass 유리 파편. ② 지저깨비 ; (나무·대나무 따위의) 가시. — *a.* 〔限定的〕 분리〔분열〕한 : a ~ group 〔party〕 (정당에서 갈라진) 분파. — *vt.* …을 쪼개다, 가르다. — *vi.* 쪼개(지)다, 찢(어지)다 ; (조직 등이) 분열되다.

splin·tery [splíntəri] *a.* ① 파편의 ; 열편(裂片) 같은. ② 쪼개〔찢어〕지기 쉬운. ③ (나무·광석의 표면이) 깔쭉깔쭉한.

:split [split] (*p., pp.* ~ ; **~·ting**) *vt.* ① 《~+목/+목+전+명》 …을 (세로로) 쪼개다(cleave), 찢다, 째다(rive) ; 분할하다 : ~ wood 나무를 쪼개다 / ~ a log *into* two 통나무를 둘로 쪼개다 / The river ~*s* the city *in* two. 강이 도시를 2분하고 있다. ② 《~+목/+목+전+명》 …을 분담하다(share) ; 나누다(divide), 《美》(주식을) 분배하다 : ~ profits 이익을 서로 나누다 / ~ a job *with* him 그와 일을 분담하다. ③ 《~+목/+목+전+명/+목+부》 …을 분열시키다, 이간시키다, 불화하게 하다《*up*》 : ~ a party *into* three factions 당을 셋으로 분열시키다. ④ 《+목+전+명》 …을 떼어내다, 벗기다《*from*》 : ~ a piece *from* a rock 바위에서 한 조각을 떼어내다. — *vi.* ① 《~/+전+명》 (세로로) 쪼개지다, 갈라지다, 찢어지다《*off* ; *up*》; 《~+보》 (…상태로) 갈라지다〔쪼개지다〕 : ~ *in* 〔*into*〕 two 둘로 쪼개지다 / This wood ~*s* easily. 이 나무는 쉽게 갈라진다 / The chestnut ~ open. 밤이 입을 벌린 듯 갈라졌다. ② 《~/+전+명/+부》 분열하다《*up* ; *into*》 사이가 틀어지다, 헤어지다, 별거하다 ; 이혼하다《*up* ; *with*》 : The committee ~ *up into* two groups on the question. 위원회는 그 문제로 두 그룹으로 분열되었다 / The couple ~ *up* sometime ago. 그 부부는 얼마 전에 이혼했다. ③《口》(서로) 나누어 갖다《*with*》; (비용 따위를) 나누다, 나눠 내다《*on*》 : Let's ~ (*with* them). (그들과) 나누어 갖자 / Let's ~ *on* the gas. 기름값을 나눠 내자. ④《英俗》(…을) 배신하다, (…에게) 밀고하다《*on, upon*》. ⑤《俗》(서둘러) 떠나다, 도망가다. **~ *hairs* 〔*straws, words*〕** 사소한 것을 크게 떠들어대다 ; 지나치게 세세히 구별하다. **~ *one's sides*** 포복 절도하다. **~ *the difference*** 접근〔타협〕하다. — *n.* ① Ⓒ 쪼개(지)기, 찢(어지)기. ② Ⓒ 쪼개진〔갈라진〕 금〔틈〕 ; 흠. ③ Ⓒ 분열 ; 불화《*in*》. ④ 불화의 원인, 입장의 상위(相違) : a major ~ between the two countries 양국간의 불화의 주된 원인. ⑤ Ⓒ 〖證〗 주식 분할 ; (이익 따위의) 몫. ⑥ Ⓤ,Ⓒ 〖料〗 아이스크림을 친 얇게 썬 과일《특히 바나나》. ⑦ (종종 the ~s) 〔單數취급〕 두 다리를 일직선으로 벌리고 앉는 곡예 연기. ⑧ 〖볼링〗 스플릿《제1투(投)에서 핀 사이가 벌어진 채 남은 상태》. ⓒⓕ spare.

splít decísion 〖복싱〗 심판 전원 일치가 아닌「판정.

splít infínitive 〖文法〗 분리 부정사《to 부정사 사이에 부사(구)가 끼어 있는 꼴 ; 보기 : He decided *to fully prove* the fact.》.

split-lev·el [splítlévəl] *a.* 〖建〗 같은 층의 일부의 방이 딴 방보다 바닥이 높게 된.

splít péa 말려 쪼갠 완두콩《수프용》.

splít personálity 〖心〗 이중 인격.

splít sécond (a ~) 한 순간.

splít tícket 〖美政〗 분할 투표《두 당 이상의 후보를 연기(連記)한 표》: vote a ~ 분할 투표하다.

split·ting [splítiŋ] *a.* ① (두통으로 머리가) 빠개지는 듯한 ; 고막이 째지는 듯한 ; 격렬한. ②《美口》 우스워 견딜 수 없는(sidesplitting).

splotch [splɑtʃ / splɔtʃ] *n.* Ⓒ 오점, 반점(斑點), 얼룩(stain). — *vt.* …을 얼룩지게 하다.
㊞ **splótchy** *a.* 더럽혀진, 얼룩진.

splurge [splə:rdʒ] *n.* Ⓒ《口》① 과시, 자랑. ② 낭비, 산재(散財) : go on 〔have〕 a ~ 마구 돈을 쓰다. — *vi.* ① 돈을 마구 쓰다《*on*》 : ~ *on* a movie 큰 마음 먹고 영화 구경가다. ② 자랑해 보이다, 과시하다. — *vt.* (돈)을 마구 쓰다《*on*》.

splut·ter [splʌ́tər] *vt., vi., n.* = SPUTTER.

:spoil [spɔil] (*p., pp.* ***spoilt*** [spɔilt], ~***ed*** [-t, -d]) *vt.* ① …을 망쳐놓다(destroy), 결딴내다, 못

쓰게 만들다, 손상하다; (흥미 따위)를 깨다; (식욕)을 가시게 하다: ~ one's appetite 식욕을 가시게 하다 / ~ one's pleasure 흥을 깨뜨리다 / Too many cooks ~ the broth. 《俗談》 요리사가 많으면 국맛이 없어진다《사공이 많으면 배가 산으로 올라간다》. ② 《~+목 / +목+전+명》 (아무의 성격·성질)을 못되게 만들다(ruin), (아이들 따위)를 버릇없게〔응석받이로〕 만들다: a *spoilt* child 버릇없는〔응석부리는〕 아이, 떼쟁이 / ~ a person *with* praise 칭찬하여 아무를 우쭐거리게 하다. ③ (신선한 음식물 따위)를 썩게〔상하게〕 하다. ④ 《~+목 / +목+전+명》 《古·文語》 …을 약탈〔강탈〕하다; (…에게서) …을 빼앗다(plunder) 《*of*》: ~ a city 도시를 약탈하다 / ~ a person *of* goods 아무에게서 물건을 빼앗다. — *vi.* 결딴나다, 못쓰게 되다, 나빠지다; 상하다, 부패하다: Fruit ~*s* if kept too long. 과일은 너무 오래 놔두면 썩는다. ***be ~ing for*** 《口》 …을 하고 싶어서 못 견디다; …을 열망하다.

— *n.* ① Ⓤ (종종 *pl.*) 전리품, 약탈품, 탈취한 물건(booty). ② (*pl.*) 《美》 이권《선거에 이긴 정당이 임명할 수 있는 관직·지위 따위》. ③ (*pl.*) 상품; 수집품, 헐값으로 산 좋은 물건.

spoil·age [spɔ́ilidʒ] *n.* Ⓤ 망치기; 망쳐진 것; 손상(물(物)), 손상액(額); (부패·손상된) 폐기물(의 양).

spoil·er [spɔ́ilər] *n.* Ⓒ ① 약탈자; 망쳐 놓는 사람〔것〕. ② 〖空〗 스포일러《하강 선회 능률을 좋게 하기 위하여 날개에 다는》. ③ 《美》 방해 입후보자.

spoils·man [spɔ́ilzmən] (*pl.* ***-men*** [-mən]) *n.* Ⓒ 《美》 (이익을 위해 정당을 지지하는) 이권 운동자, (금전의 이득을 도모하는) 엽관 운동자.

spoil·sport [spɔ́ilspɔ̀ːrt] *n.* Ⓒ 남의 흥을 깨는 사람, 남의 즐거움을 방해하는 사람, 불쾌한 사람.

spóils sỳstem (the ~) 《美》 엽관 제도《정권을 잡은 정당이 관직·이권을 차지하는 제도》. Ⓒⓕ merit system.

spoilt [spɔilt] SPOIL의 과거·과거분사.

spoke**[1] [spouk] *n.* Ⓒ ① (수레바퀴의) 살, 스포크. ② 〖船〗 (타륜(舵輪) 둘레의) 손잡이. ***put 〔***thrust***〕 ***a ~ in*** a person***'s wheel*** 아무의 (계획 등을) 훼방놓다.

†**spoke**[2] SPEAK의 과거.

†**spo·ken** [spóukən] SPEAK의 과거분사.

— *a.* ① 말로 하는, 구두의(ⓞⓟⓟ *written*), 구어의 (ⓞⓟⓟ *literary*). ② 〔複合語〕 말솜씨가 …한: soft-~ 말이 부드러운 / free-~ 솔직히 말하는.

spokes·man** [spóuksmən] (*pl.* ***-men [-mən]) *n.* Ⓒ 대변인.

spokes·per·son [ˊ-pə̀ːrsən] (*pl.* ***~s, -people***) *n.* 대변인 (spokesman, spokeswoman).

spokes·wom·an [ˊ-wùmən] (*pl.* ***-wom·en*** [-wìmin]) *n.* Ⓒ 여성 대변인.

spo·li·a·tion [spòuliéiʃən] *n.* Ⓤ 강탈(robbery), 약탈(plundering)《특히 교전국이 중립국 선박에 가하는》.

‡**sponge** [spʌndʒ] *n.* ① Ⓒ 〖動〗 해면 (동물). ② Ⓤ,Ⓒ (목욕·세탁용의) 스펀지. ③ Ⓤ,Ⓒ 해면 모양의 것; 스펀지 케이크. ④ Ⓒ 《口》 기식자, 식객 (parasite). ⑤ Ⓒ 《口》 술고래. ***throw*** 〔***toss***〕 ***up*** 〔***in***〕 ***the*** ~ 《比》 패배를 인정하다; 항복하다.

— *vt.* ① 《~+목 / +목+부》 …을 해면으로 닦(아내)다〔씻다〕《*off*; *out*; *down*》; …을 해면으로 빨아들이다: ~ *down* one's body 스펀지로 몸을 닦다 / ~ *up* water 물을 해면으로 빨아들이다. ② 《口》 (아무의 친절 따위를 기회로) …을 우려내다, 졸라서 손에 넣다《*from*; *off*》: ~ a dinner *from*〔*off*〕 him 그에게서 저녁 식사를 우려 먹다.

— *vi.* ① (해면 따위가 액체를) 흡수하다; 해면을 채취하다. ② 《口》 기식(寄食)하다, 식객이 되다 《*on*; *off*》: ~ *on* one's relatives 친척들에게 빌붙어 살다.

spónge bàg 《英》 (방수(防水)의) 세면도구 주머니, 화장품 주머니.

spónge càke 스펀지 케이크《카스텔라류》.

spong·er [spʌ́ndʒər] *n.* Ⓒ ① 해면으로 닦는 사람〔것〕; 해면 채취자〔선〕. ② 《口》 기식자, 식객 (parasite)《*on*》.

spon·gy** [spʌ́ndʒi] (-gi·er***; ***-gi·est***) *a.* ① 해면 모양의, 해면질(質)의. ② 작은 구멍이 많은 (porous); 푹신푹신한; 흡수성의(absorbent).

***spon·sor** [spánsər / spɔ́n-] *n.* Ⓒ ① 보증인 (surety), 신원 보증인; (사람·사물 따위에) 책임을 지는 사람《*for*; *of*》: stand ~ *for* him 그의 보증인이 되다. ② (행사·선거 입후보자 따위의) 후원자, (법안의) 발기인, (자선 사업 등의) 자금 제공자: the ~ of the project 그 계획의 후원자. ③ 《美》 (상업 방송의) 스폰서, 프로 제공자, 광고주《*to*》: a ~ program 스폰서 제공 프로그램. ④ 〖宗〗 대부〔모〕(代父〔母〕) (godparent); (진수선(船)의) 명명자《*for*》: stand ~ *for* a person 아무의 대부가 되다. — *vt.* ① …을 후원하다, 발기〔주최〕하다. ② …의 보증인이 되다. ③ (상업 방송의) 광고주〔스폰서〕가 되다: ~ a television program, TV 프로그램의 스폰서가 되다.

㊎ **spon·so·ri·al** [spansɔ́ːriəl / spɔn-] *a.* **~·shìp** [-ʃip] *n.* Ⓤ ① 보증인〔스폰서〕임; 후원, 발기. ② (스폰서의) 출자금; (후원자로부터의) 조성금.

spon·ta·ne·i·ty [spɑ̀ntəníːəti / spɔ̀n-] *n.* Ⓤ ① 자발(성). ② 자연스러움.

spon·ta·ne·ous** [spɑntéiniəs / spɔn-] (more ~; most ~***) *a.* ① 자발적인, 자진해서 하는, 임의의(voluntary): a ~ action 자발적인 행동. ② (행동 따위가) 저절로 나오는, 무의식적인; (현상 따위가) 자연 발생의, 자연의: a ~ expression of joy 무의식으로〔저절로〕 나오는 기쁨의 소리 / ~ combustion 자연 발화. ③ (문체 따위가) 자연스러운, 시원스러운; (사람이) 솔직한, 생각을 있는 그대로 표현하는. ㊎ ***~·ly** *ad.* **~·ness** *n.*

spoof [spuːf] *n.* Ⓒ 《口》 ① 속여 넘김, 눈속임, 야바위(hoax). ② 희문(戱文). — *vt.* …을 장난으로 속이다, 속여 넘기다(hoax); 조롱하다.

spook [spuːk] *n.* Ⓒ ① 《口》 유령, 도깨비(ghost, specter). ② 《俗》 스파이, 정보원. — *vt.* 《美口》 (동물 따위)를 놀라게(하여 떠나게) 하다.

spooky [spúːki] (***spook·i·er***; ***-i·est***) *a.* 《口》 ① 유령 같은; 유령이 나올 것 같은, 무시무시한. ② 《美》 (말 따위가) 겁많은, 신경질적인.

Spool [spuːl] *n.* 〖컴〗 스풀《얼레치기(spooling)에 의한 처리, 복수 프로그램의 동시처리》.

spool [spuːl] *n.* Ⓒ ① 실패(bobbin), 실꾸릿대 (reel); (필름 따위의) 릴, 스풀. ② 한 릴의 분량 《*of*》: a ~ *of* tape 테이프 한 개.

— *vt.* …을 릴〔스풀〕에 감다.

spool·er [spúːlər] *n.* 〖컴〗 얼레, 순간 작동《얼레치기(spooling)를 행하는 프로그램》.

spool·ing [spúːliŋ] *n.* 〖컴〗 얼레치기, 순간작동(하기)《출력 데이터를 일시적으로 파일 등에 모으면서 순차 처리를 행하기》.

†**spoon** [spuːn] *n.* Ⓒ ① 숟가락, 스푼; 한 숟가락의 양: two ~*s* of sugar 설탕 두 스푼. ② 숟가락 모양의 물건; 숟가락 모양의 노; 〖골프〗 숟가락 모양의 클럽. ***be born with a silver*** 〔***gold***〕 ***~ in*** one***'s mouth*** 유복한 집에 태어나다.

— *vt.* ① …을 숟가락으로 뜨다〔푸다〕《*out*; *up*》: ~ *up* one's soup 수프를 스푼으로 뜨다. ② 〖골프〗

(공)을 떠올리듯 (가볍게) 치다《*up*》. ── *vi.* 《俗》 서로 애무하다(neck)《*with*》.

spoon-fed [ˊfèd] *a.* ① (어린애·환자 따위가) 숟가락으로 떠먹여 주는 것을 받아 먹는. ② 지나치게 응석부리게 한; (산업 따위가) 과보호의.

spoon-feed [ˊfìːd] (*p., pp.* ***-fed***) *vt.* ① (어린애 따위)에게 숟가락으로 떠먹이다. ② …을 어하다; (산업을) 지나치게 보호하다. ③ (학생에게 필요 이상으로) 자상하게 가르치다.

spoon·ful** [spúːnfùl] (*pl.* ~*s*, ***spóons·ful) *n.* Ⓒ 한 숟갈(분)《*of*》: Two ~*s of* sugar, please. 설탕 두 숟갈 넣어 주세요.

spoony, spoon·ey [spúːni] (***spoon·i·er; -i·est***) *a.* 《口》 여자에게 무른; 바보같은, 우매한. ── *n.* Ⓒ 《口》 여자에게 무른 남자; 바보.

spoor [spuər] *n.* Ⓤ 자국, 배설물《야수가 남긴》.

spo·rad·ic, -i·cal [spərǽdik], [-ikəl] *a.* ① 때때로 일어나는, 산발적인(occasional); (질병이) 산발[돌발]성의. ② (식물 따위가) 산재하는, 드문드문한(scattered). ㊞ **-i·cal·ly** *ad.* 이따금, 산발적으로; 드문드문.

***spore** [spɔːr] *n.* Ⓒ 【生】 (균류(菌類)·식물의) 포자(胞子), 아포(芽胞): a ~ case 포자낭.

†**sport** [spɔːrt] *n.* Ⓤ,Ⓒ (또는 *pl.*) ① 스포츠, 운동, (운동)경기《hunting, fishing 을 포함하여》: a national ~ 국기(國技) / an organized ~ 단체 경기 / outdoor ~*s* 야외 스포츠《수렵·낚시·경마 따위》/ be fond of ~*s* 운동(경기)를 좋아하다 / spend the afternoon in ~*s* 오후를 스포츠를 하며 보내다. ② (*pl.*) 《英》 운동회, 경기회: the school ~*s* 학교 운동회. ③ Ⓤ 후련한 기분풀이, 소창(消暢), 즐거움, 위안, 오락(fun): take a walk just for the ~ of it 단지 기분풀이로 산책을 하다 / What ~! 정말 재미있군. ④ Ⓤ 농담, 장난, 희롱(jest), 놀림. ⑤ Ⓒ 웃음[조롱]거리(laughing-stock); (the ~) Ⓤ 농락당하는 것, 놀림[장난]감: *the* ~ of fortune 운명에 희롱당하는 사람. ⑥ Ⓒ (스포츠맨답게) 공명 정대한 사람; (성품이) 소탈한 사람. ⑦ (호칭으로) 자네: Old ~! 자네. ⑧ Ⓒ 【生】 변종, 돌연변이(mutation). ***make ~ of*** …을 놀리다, …을 조롱하다. ── *a.* =SPORTS.
── *vi.* ① (어린애·동물 등이) 놀다, 장난치다(play). ② 농락하다, 놀리다(wanton): The cat ~*ed with* the mouse. 고양이가 쥐를 가지고 놀았다. ③【生】 돌연변이를 일으키다(mutate). ── *vt.* ①《口》 …을 과시하다, 자랑해 보이다(display): ~ one's learning in public 남 앞에서 학문을 자랑하다. ②【生】 돌연변이를 일으키게 하다.

***sport·ing** [spɔ́ːrtiŋ] *a.* ① 〔限定的〕 경기를[사냥을] 좋아하는; 운동[경기]용의: the ~ world 스포츠계 / a ~ news 스포츠 뉴스 / ~ goods 스포츠 용품 / a ~ gun 엽총. ② 운동가다운, 정정당당한: That wasn't very ~ of you. 그것은 도저히 스포츠맨다운 태도가 아니었다. ③ 모험적인; 도박적인: have a ~ chance of winning 승리할 가능성이 있다. ── *n.* Ⓤ 스포츠; 유렵(遊獵).

spor·tive [spɔ́ːrtiv] *a.* 장난하며 노는; 까부는; 장난[농담]의. ㊞ ~**·ly** *ad.* ~**·ness** *n.*

sports [spɔːrts] *a.* 〔限定的〕 스포츠용의, 스포츠에 관한; (복장 등이) 스포츠에 적합한. cf sport. ¶ ~ goods 운동 기구 / a ~ commentator 스포츠 실황 해설자 / a ~ counter 스포츠용품 매장 / the ~ page(s) (신문 등의) 스포츠 난.

spórts càr 스포츠카《보통 2인승; 차체가 낮은 무개(無蓋) 쾌속 자동차》.

sports·cast [spɔ́ːrtskæ̀st, -kɑ̀ːst] *n.* Ⓒ 《美口》 스포츠 방송[뉴스]. ㊞ ~**·er** *n.* Ⓒ 스포츠 담당 아나운서[해설자]. ~**·ing** *n.*

‡**sports·man** [ˊmən] (*pl.* ***-men*** [ˊmən]) *n.* Ⓒ ① 운동가, 스포츠맨《★ 사냥·낚시질 따위를 즐기는 사람도 포함됨. 우리 개념의 스포츠맨은 athlete에 해당되는 경우가 더 많음》. ② 스포츠맨다운 사람, 무슨 일이나 정정당당하게 하는 사람.
㊞ ~**·like** *a.* 운동가다운; 경기 정신에 어긋나지 않는, 정정당당한.

‡**sports·man·ship** [spɔ́ːrtsmənʃìp] *n.* Ⓤ 스포츠맨십, 운동가 정신[기질], 정정당당함(fair play).

sports·wear [spɔ́ːrtswὲər] *n.* Ⓤ 〔集合的〕 운동복; 간이복.

sports·wom·an [ˊwùmən] (*pl.* ***-wom·en*** [ˊwìmin]) *n.* Ⓒ 여자 운동가.

sports·writ·er [ˊràitər] *n.* Ⓒ 스포츠 기자.

sporty [spɔ́ːrti] (***sport·i·er; -i·est***) *a.* 《口》 (복장이) 화려한(gay), 스포티한. cf dressy.
㊞ **-i·ness** *n.*

‡**spot** [spɑt / spɔt] *n.* ① Ⓒ 반점(speck), 점, 얼룩(stain): a black dog with white ~*s* 흰 반점이 있는 검정개. ② Ⓒ 【醫】 사마귀, 점; 《婉》 발진(發疹), 부스럼, 여드름(pimple): a face covered with ~*s* 여드름투성이의 얼굴. ③ Ⓒ (인격·명성 따위의) 흠, 오점; 오명《*on, upon*》: a ~ *on* one's honor 명성에 대한 오점. ④ Ⓒ (특정의) 지점, 장소(place); (사건 따위의) 현장; 개소, 곳: a fishing ~ 낚시터 / a scenic ~ 경치 좋은 곳 / a sightseeing ~ 관광지 / a good ~ for a picnic 소풍에 알맞은 장소 / a sore ~ (타인으로부터) 건드림을 당하고 싶지 않은 아픈 곳. ⑤ 《口》 지위(position), 직(職): a top ~ in the company 회사에서의 최고 지위. ⑥ (*pl.*) 【商】 (상품 거래에서의) 현금 매물(賣物), 현물(~ goods); 《美俗》 〔數詞를 수반하여〕 (소액의) 달러 지폐; (트럼프에서 2~10까지의) 패: a five ~ 5달러 지폐 / the five ~*s* of hearts 하트의 5. ⑦ (a ~) 《英口》 조금, 소량: *a* ~ *of* lunch 가벼운 점심 식사. ⑧ 【TV·라디오】 《口》 (프로 사이에 넣는) 짧은 광고[뉴스]; (프로그램 등에서의) 순번, 차례; (TV 프로 등의) 짧은 출현: a 30-second ~ on the radio station 라디오 방송국의 30초 광고 / the second ~ on the program 프로그램에서 두 번째로 나올 차례.
change one***'s ~s*** 〔흔히 否定文〕 타고난 성격을 바꾸다. ***in a*** (***bad***) ~ 《口》 매우 곤란하여, 궁지에 빠져. ***in ~s*** 《美》 어떤 점에서는; 곳곳에; 때때로. ***knock*** (***the***) ***~s off*** 〔***out of***〕 《英口》 …을 완전히 굴복시키다; …을 훨씬 능가하다. ***on*** 〔***upon***〕 ***the*** ~ (1) (바로) 그 자리에서, 즉석에서. (2) 현장에서. (3) =in a spot.
── *a.* ① 즉석의(on hand): a ~ answer 즉답. ② 현장에서의: ~ regulation of traffic 요소(要所) 교통 정리. ③【商】 현금 지불[거래]의, 현물의: a ~ transaction 현금 거래 / a ~ sale 현금 판매. ④ 【放送】 현지의: ~ broadcasting 현지 방송.
── *ad.* 《英口》 꼭, 정확히: He came ~ on time. 그는 시간에 꼭 맞춰 왔다.
── (**-tt-**) *vt.* ①《~+목/~+목+전+명》 …에 반점을 찍다, 얼룩지게 하다(stain); (얼룩지게 해서) …을 더럽히다《*with*》: ~ one's dress *with* ink 드레스를 잉크로 더럽히다. ② (인격 따위)를 손상시키다, 더럽히다: ~ one's reputation 명성을 더럽히다. ③《+목+부》《美》 …에서 얼룩을 빼다《*out*》: ~ *out* the stain 얼룩을 빼다. ④ **a**) 《~+목》: …을 발견하다, 찾아내다: ~ an error 잘못을 발견하다 / I ~*ted* her in the crowd. 나는 사람들 틈에서 그녀를 찾아냈다. **b**) 《~+목+*as* 〔*for*〕보》 …을 (…라고) 알아보다, 간파하다: I ~*ted* him at once *as* 〔*for*〕 an American. 그가 미

국인이라는 것을 곧 알아 보았다. ⑤《+목+전+명》(어느 위치)에 두다; 배치하다, 점재(點在)시키다: Lookouts are ~*ted along* the coast. 감시원이 연안 여기저기에 배치되어 있다. ⑥《+목+목》《美口》(시합 등에서) …에게 핸디캡을 주다: I ~*ted* him two points. 그에게 2점의 핸디캡을 주었다. ― *vi.* ① 얼룩〔오점〕이 생기다; 더러워지다: White shirts ~ easily. 흰 셔츠는 더러움을 잘 탄다. ② 빗방울이 조금씩 떨어지다.

spót chèck 임의 추출 조사; 불시 점검.

spot-check [spáttʃèk/spɔ́t-] *vt.* …을 무작위(추출) 조사하다.

***spot·less** [spátlis/spɔ́t-] *a.* ① 더럽혀지지 않은, 얼룩이 없는. ② 무구(無垢)의; 결점이 없는, 완벽한; 결백한. ㊞ ~**·ly** *ad.* ~**·ness** *n.*

***spot·light** [-làit] *n.* ① Ⓒ 《劇》 스포트라이트, 각광(脚光). ② Ⓒ (자동차 따위의) 조사등(照射燈). ③ (the ~) (세인의) 주시, 관심: He wanted to be constantly in *the* ~. 그는 늘 세인의 주목을 받고 싶어했다. ― *vt.* 스포트라이트로 비추다; 돋보이게 하다.

spot·ted [spátid/spɔ́t-] *a.* ① 반점이 있는, 얼룩덜룩한: blue and white ~ pyjamas 푸르고 흰 반점이 있는 파자마. ② (명예 따위가) 손상된.

spot·ter [spátər/spɔ́t-] *n.* Ⓒ ①〔修飾語와 함께〕《美》(피고용인 등의) 감시자; 《美》(전시 따위의) 민간 대공(對空) 감시원; 사립 탐정. ② 《美》(세탁소의) 얼룩 빼는 사람.

spot·ty [spáti/spɔ́ti] (*-ti·er ; -ti·est*) *a.* ① 얼룩〔반점〕투성이의. ② 여드름이 있는. ③ 한결같지 않은, 부조화의.

***spouse** [spaus, spauz] *n.* Ⓒ 배우자.

***spout** [spaut] *vt.* ①《~+목/+목+부》(액체·연기 따위)를 내뿜다; 분출하다《*out*》: ~ *out* smokes 연기를 내뿜다. ②《口》도도(滔滔)히〔막힘 없이〕 말하다; 음송(吟誦)하다.

― *vi.* ①《~/+부/+전+명》 분출하다, 내뿜다: Blood ~*ed from* his wound. 그의 상처에서 피가 내솟았다. ②《口》 도도히〔막힘 없이〕 말하다, 낭송하다《*off*》. ― *n.* Ⓒ ① (주전자 따위의) 주둥이; 물꼭지. ② (고래의) 분수공(噴水孔). ③ 분수, 분출; 물기둥(waterspout). ***up the*** ~ (1)《英口》 전당잡혀. (2)《口》 곤경에 빠져, 영락하여. (3)《俗》 임신하여.

***sprain** [sprein] *vt.* (발목·손목 따위)를 삐다(wrench). ― *n.* Ⓒ 삠, 접질림.

‡**sprang** [spræŋ] SPRING의 과거.

sprat [spræt] *n.* Ⓒ 청어속(屬)의 작은 물고기. ***throw a ~ to catch a whale*** 적은 밑천으로 큰 것을 바라다.

***sprawl** [sprɔːl] *vi.* ①《~/+전+명》 손발을 쭉 뻗고 앉다〔눕다〕, 큰대자로 드러눕다; 배를 깔고 엎디다: ~ *on* the bed 침대에 큰대자로 드러눕다. ②《+부/+전+명》(도시·식물 따위가) 무계획적으로〔보기 흉하게〕 퍼지다〔뻗어나가다〕《*out*》; (필적 따위가) 구렁이 기어가 듯하다: The city is ~*ing out into* suburbs. 그 도시는 교외로 무계획적으로 뻗어나가고 있다. ― *vt.* ① (손발)을 큰대자로 뻗다. ② (몸)을 큰대자로 눕히다〔내던지다〕.

― *n.* ① Ⓒ (흔히 *sing.*) 큰대자로 드러눕기, 배를 깔고 엎드리기. ② Ⓤ (또는 a ~) 불규칙하게〔모양없이〕 퍼짐; (도시 등의) 스프롤 현상.

sprawl·ing [sprɔ́ːliŋ] *a.* ① 아무렇게나 손발을 뻗은. ② (도시 등이) 불규칙적으로 뻗어나간. ③ (필적이) 걸날린, 휘갈겨 쓴. ㊞ ~**·ly** *ad.*

‡**spray**[1] [sprei] *n.* ① Ⓤ 물보라, 비말(飛沫), 물안개. ② Ⓤ,Ⓒ (향수·소독약·페인트 등의) 스프레이, 분무; 그 액(液). ③ Ⓒ 흡입기; 소독기; 분무기, 향수 뿌리개. ― *vt.* ①《~+목》 물보라를〔비말을〕 날리다. ②《+목+전+명》(…에게) …을 뿌리다《*on*》: ~ insecticide *upon* flies 파리에 살충제를 뿌리다 / She ~*ed* herself *with* perfume. 그녀는 몸에 향수를 뿌렸다. ③《+목+전+명》(…을) …에 끼얹다《*with*》: ~ a mob *with* tear gas 군중에게 최루가스를 퍼붓다. ― *vi.* ① 물을 뿜다〔뿌리다〕. ② 물보라가 되어 튀다. ㊞ **∠·er** [-ər] *n.* Ⓒ ① 물보라를 뿜는 사람〔장치〕. ② 분무기, 스프레이.

spray[2] *n.* Ⓒ ① 작은 가지. ② (보석 따위의) 가지 무늬 (모양의 장식), 꽃무늬.

spráy càn 에어로졸〔스프레이〕 통.

spráy gùn (페인트·방부제·살충제 등의) 분무기.

†**spread** [spred] (*p., pp.* ~) *vt.* ①《~+목/+목+전+명/+목+부》(접은 것)을 펴다, 펼치다(unfold); (날개·양팔 따위)를 펴다, 벌리다, 뻗다《*out*》: ~ a map 지도를 펴다 / ~ wings 날개를 펴다 / ~ *out* one's arms 양팔을 벌리다 / ~ one's hands *to* the fire 두 손을 펴고 불을 쬐다 / He ~ the newspaper (*out*) *on* his bed. 그는 침대 위에 신문을 펼쳤다. ②《~+목/+목+전+명》(빵 따위에 버터)를 (얇게) 바르다; (페인트 따위)를 (고르게) 칠하다; (담요·테이블보 따위로) …을 덮다, 씌우다; (카펫 따위)를 깔다: ~ butter *on* toast 토스트에 버터를 바르다 / ~ paint / ~ a cloth *on* the table=~ the table *with* a cloth 식탁에 테이블보를 씌우다 / the floor ~ *with* carpet 카펫을 깐 마루. ③《+목+전+명》…을 —에 흩뿌리다, …에 살포하다; 뒤덮다《*with*》: ~ manure *over* the field 밭에 비료를 흩뿌리다 / a meadow ~ *with* flowers 온통 꽃으로 덮인 초원. ④《~+목/+목+부/+목+전+명》(시간적으로) …을 미루다, 연기하다; (지불)을 …에 걸쳐 나눠 내도록 하다《*over*》; (위험 따위)를 분산하다: ~ *out* the payments *over* several months 지불을 몇 달에 걸쳐 나눠 내도록 하다. ⑤ (빛·소리·향기 따위)를 발산(發散)하다; (소문·보도 따위)를 퍼뜨리다, 유포하다, (지식 따위)를 보급시키다; (병·불평 따위)를 만연케 하다: Some diseases are ~ by flies. 어떤 병은 파리에 의해 만연된다 / Somebody has ~ the news. 누군가가 그 소식을 퍼뜨렸다. ⑥《~+목/+목+전+명》(식탁)을 준비하다; (식탁)에 차려 놓다(serve)《*with*》: ~ the table (*with* dishes) 식탁에 요리를 차려놓다, 식사 준비를 하다. ⑦〔再歸的〕 허세를 부리다.

― *vi.* ①《~/+부》 퍼지다, (낙하산·돛 따위가) 펼쳐지다, (꽃 따위가) 피다; (덩굴·나뭇가지 따위가) 벋다: ~*ing* branches 벋은 가지 / The roots of the tree ~ *wide.* 나무의 뿌리가 넓게 뻗어 있다. ② (공간적으로) 퍼지다, 펼쳐지다, 멀리 미치다; (시계·경치가) 전개되다: a desert ~*ing* for miles 수마일에 걸쳐 펼쳐져 있는 사막. ③ (어떤 기간·범위에) 걸치다, 미치다, 계속하다《*over*》: Our trip ~ *over* two weeks. 우리의 여행은 2주간이나 계속되었다. ④《~/+부》(명성·소문·유행 따위가) 퍼지다, 전해지다; (병이) 만연되다: His fame ~ *far* and *wide.* 그의 명성은 널리 퍼졌다 / The sickness ~ rapidly. 그 병은 급속히 만연되었다. ⑤ (페인트·버터 따위가) 잘 발라지다, 칠해지다: ~ well〔evenly〕 잘〔고르게〕 발라지다. ~ one***self*** (***too***) ***thin*** 《美》 한꺼번에 많은 것을 하려고〔얻으려고〕 하다.

― *n.* ① Ⓒ (흔히 *sing.*) 퍼짐; 폭, 넓이(extent). ② (*sing.*, 흔히 the ~) 뻗음; 보급, 전파; 만연(diffusion); Ⓒ 전개; 확장: *the* ~ of knowledge 지식의 보급. ③ [C] 《口》 식탁에 차려 놓은 맛있는 음식. ④ [C] 〔흔히 複合語로〕 …덮개, …보, …시트 : a bed*spread*. ⑤ [U,C] 빵에 바르는 것《버터·잼 따위》. ⑥ [C] (두 페이지에 걸치는 신문·잡지 등의) 큰 광고, 특집 기사 : a two-page ~ 좌우 두 페이지 광고〔기사〕. [파] **∠·a·ble** *a.*

spréad éagle 날개를 편 독수리《미국의 문장(紋章)》.

spread-ea·gle [sprédìːgl] *a.* ① 날개를 편 독수리 형태의. ② 《美口》 (미국인이) 자기 나라 일변도의 ; 과장적 애국주의의. ── *vi.* 큰 대자로 눕다. ── *vt.* 〔再歸的〕 큰 대자로 눕다《★ 과거 분사로 형용사적으로 쓰이기도 함》: He lie ~*d* on the bed. 그는 침대에 큰 대자로 누워 있다.

spread·er [sprédər] *n.* [C] ① 퍼뜨리는 사람, 전파자. ② 버터 (바르는) 나이프 ; 흩뿌리는 기구·기계《비료 살포기 등》.

spread·sheet [∠ʃìːt] *n.* [C] 〖컴〗 스프레드시트, (펼친) 셈판, 표 계산(表計算)《(1) 자료를 가로 세로의 표 모양으로 나열해 놓은 것. (2) 그런 자료를 편집·입력·조직하고 다루어 데이터 처리를 할 수 있게 된 프로그램 ; 회계용의 계산 처리 등을 하는 소프트웨어》.

spree [spriː] *n.* [C] 《口》 흥청거림, 법석댐 ; 주연(酒宴) (carousal) : a drinking ~ 주연(酒宴) / go on a drinking ~ 실컷 마시다.

sprig [sprig] *n.* ① 잔가지, 어린 가지(shoot) ; (직물·도기·벽지 따위의) 잔가지 모양의 무늬. [cf.] branch. ② 《口》 풋내기, 젊은 녀석.

sprigged [sprigd] *a.* 잔가지 무늬의.

***spright·ly** [spráitli] (**-li·er ; -li·est**) *a.* 활발한, 쾌활한, 명랑한. ── *ad.* 활발하게, 쾌활하게. [파] **-li·ness** *n.*

†**spring** [spriŋ] *n.* ① [U,C] (또는 the ~) 봄 : bloom in (*the*) ~ 봄에 꽃이 피다 / They got married last ~. 그들은 지난 봄 결혼했다. ② [U] (인생의) 청춘기, 초기 : in the ~ of life 인생의 봄에 ; 청춘기에. ③ [C] 튀어오름, 도약(leap), 비약. ④ [U] 용솟음치는 기운, 활력, 생기. ⑤ [C] 용수철, 스프링, 태엽. ⑥ [C] (종종 *pl.*) 샘. ⑦ [C] 원천, 근원, 본원. ⑧ [U] 되튀기, 반동(recoil) ; 탄성, 탄력 : There is no ~ left in this rubber band. 이 고무 밴드는 탄력이 없어졌다. ⑨ [U] (또는 a ~) (발걸음의) 경쾌함 : She walks with *a* ~ in her step. 그녀는 발걸음도 가볍게 걷는다. ⑩ [C] 《俗》 출옥 ; 탈옥. ⑪ 〔形容詞的〕 **a**) 탄력이 있는, 용수철〔스프링〕에 지탱된 : a ~ balance 용수철 저울. **b**) 봄의 ; 봄철용의《모자 따위》: ~ flowers 봄꽃 / a ~ coat 스프링 코트.

── (***sprang*** [spræŋ], ***sprung*** [sprʌŋ] ; ***sprung***) *vi.* ① 《+[부]/+[전]+[명]》 튀다(leap), 도약하다, 뛰어넘다, 뛰어오르다(jump) : ~ *into* the air 공중으로 뛰어오르다 / ~ *over* a ditch 도랑을 뛰어넘다 / ~ *out of* bed 잠자리에서 벌떡 일어나다 / ~ *to* one's feet 벌떡 일어서다 / ~ *up* 튀어〔뛰어〕오르다. ② 《+[부]/+[보]/+[전]+[명]》 갑자기 움직이다, 갑자기 …하다 : The doors *sprang* open. 문이 확 열렸다. ③ 《+[전]+[명]/+[부]》 (물·눈물·피 등이) 솟다 ; (불꽃·불이) 튀어 오르다, 타오르다 《*forth ; out ; up*》: The tears of joy *sprang into* 〔*from*〕 her eyes. 너무 기뻐서 그녀의 눈에 눈물이 어렸다 / Water *sprang up.* 물이 솟아나왔다. ④ 《+[부]/+[전]+[명]》 (바람이) 불기 시작하다 ; (갑자기) 나타나다 ; (마음에) 떠오르다, (의심·생각 따위가) 일어나다, 생기다《*up*》: A breeze has *sprung up.* 산들바람이 불기 시작했다 / A suspicion *sprang up* in her mind. 그녀의 마음에 의심이 생겼다 / A new town has *sprung up* in the desert. 사막 한가운데에 새로운 도시가 출현했다. ⑤ 《+[전]+[명]》 (아무가) …출신이다 : ~ *from* a noble family 명문 출신이다. ⑥ 《+[부]》 (식물이) 싹트다, 돋아나다(shoot) : The rice is beginning to ~ *up.* 벼가 싹트기 시작한다. ⑦ (탑 따위가) 솟아오르다《*above ; from*》. ⑧ (재목 등이) 휘다(warp), 뒤틀리다 ; 터지다, 갈라지다(crack).

── *vt.* ① 《~+[목]/~+[목]+[보]》 (용수철·덫 따위)를 되튀게〔튀게〕 하다 ; …을 (용수철 장치로) 튀어 …하게 하다 : ~ a trap 덫을 탁 튀도록 작용시키다 / ~ a lid open 뚜껑을 탁 튀어 열리게 하다. ② 《~+[목]/+[목]+[부]》 (숲속에서 새 따위)를 날아오르게 하다 ; (말 따위)를 뛰어오르게 하다, 내닫게 하다 : ~ a horse *ahead* 말을 내닫게 하다. ③ (기뢰 따위)를 폭파시키다(explode). ④ 《~+[목]/+[목]+[전]+[명]》 (의견·새 학설·질문·요구 따위)를 느닷없이 내놓다, 갑자기 꺼내다〔말하다〕: ~ a joke 느닷없이 농담을 하다 / ~ a new proposal *upon* a person 돌연 아무에게 새 제안(提案)을 내놓다. ⑤ (나무 따위)를 휘게 하다(warp), 굽히다 ; (너무 구부려) 부러지게〔갈라지게〕 하다(crack) : ~ a bat 배트를 부러뜨리다. ⑥ 《口》 …을 출옥〔탈옥〕시키다. ~ ***a leak*** (배·지붕 따위가) 물이 새기 시작하다.

spring·board [spríŋbɔ̀ːrd] *n.* [C] ① (수영의) 뜀판, (체조 따위의) 도약판. ② (…으로의) 동기〔계기〕를 주는 것, 출발점《*to; for*》.

spring·bok, -buck [∠bàk / ∠bɔ̀k], [-bʌ̀k] (*pl.* **~s,** 〔集合的〕 ~) *n.* [C] 스프링복《영양(羚羊)의 일종 ; 남아프리카산(產)》.

spríng chícken ① (튀김 요리용) 햇닭. ② 〔흔히 no ~ 으로〕 《俗》 젊은이 ; 풋내기 : I'm *no* ~. 풋내기가 아니다, 어리지 않다.

spring-clean [∠klíːn] *vt.* …을 (춘계) 대청소를 하다. ── *n.* (a ~) 《英》 (춘계) 대청소. [파] **~·ing** *n.* 《美》 (a ~) (춘계) 대청소.

spring·er [spríŋər] *n.* [C] ① 뛰〔튀〕는 사람〔것〕. ② = SPRINGER SPANIEL.

spríṇger spániel 스프링어 스파니엘《사냥개의 일종》.

spríng féver 초봄의 우울증〔나른한 기분〕.

spring·head [∠hèd] *n.* 수원(水源), 원천.

spríng ónion 〖植〗 파(Welsh onion).

spríng róll 얇게 구운 밀전병에 소를 넣고 기름에 튀긴 중국 요리.

spríng tíde ① (초승·보름께에 일어나는) 한사리. ② 《比》 분류(奔流), 급류.

‡**spring·time** [∠tàim] *n.* [U] (종종 the ~) ① 봄(철). ② 청춘(기). ③ 초기.

springy [spríŋi] (***spring·i·er ; -i·est***) *a.* ① 탄력〔탄성〕이 있는(elastic). ② 경쾌한《걸음걸이》, 발걸음이 빠른 : a ~ step 경쾌한 발걸음.

‡**sprin·kle** [spríŋkəl] *vt.* ① 《~+[목]》 (액체·분말 따위)를 뿌리다 ; 끼얹다 ; 흩(뿌리)다 : ~ the garden 정원에 물을 뿌리다. ② 《+[목]+[전]+[명]》 (장소·물체)에 …을 뿌리다《*with*》; …을 살짝 적시다 ; (꽃 등에) 물을 주다 : ~ water on the street 거리에 물을 뿌리다 / ~ flowers *with* water = ~ water *on* 〔*over*〕 flowers 꽃에 물을 뿌리다. ③ 《+[목]+[전]+[명]》 …을 점재(點在)〔산재〕시키다, …을 드문드문〔여기저기〕 섞다《*with*》: villages ~*d over* the plain 평원에 점재하는 촌락 / Her face is ~*d with* tiny freckles. 그녀의 얼굴에는 여기저기 주근깨가 있다. ── *vi.* 〔it 을 主語로 하여〕 가랑비가 내리다 : *It* began to ~. 가랑비가 내리기 시작했다. ── *n.* ① 소량 ; 조금 《*of*》: a ~ *of* salt 극소량의 소금. ② 가랑비.

sprin·kler [spríŋklər] *n.* [C] 자동 살수 장치, 스프링클러《방화 및 살수용》; 살수차 ; 물뿌리개 : a

~ system 스프링클러 장치《화재 방지용 또는 잔디 따위에의 자동 살수 장치》.

***sprin·kling** [spríŋkliŋ] *n.* Ⓒ ① (흔히 *sing.*) (비 따위가) 부슬부슬 내림 ; (손님 등이) 드문드문함〔옴〕; 조금, 소량, 소수《*of*》: a ~ *of* visitors 드문드문 오는 손님들. ② Ⓤ 흩뿌림, 살포.

sprint [sprint] *vt., vi.* (단거리를) 전력 질주하다. ― *n.* Ⓒ 단거리 경주 ; 전력 질주, 스프린트 : the 100 meter ~, 100 미터 단거리 경주. ㊖ ∠·**er** [-ər] *n.* Ⓒ 단거리 선수, 스프린터. 「다는 활대).

sprit [sprit] *n.* Ⓒ 〖船〗 사형(斜桁)《돛을 펼쳐 매

sprite [sprait] *n.* Ⓒ ① (작은) 요정(妖精). ② 〖컴〗 쪽화면《도형 패턴을 화면에 표시한 것 ; 고속 이동이 가능》.

sprit·sail [sprítsèil, 《海》 -səl] *n.* Ⓒ 〖船〗 사형(斜桁) 돛.

sprock·et [sprákit / sprɔ́k-] *n.* Ⓒ ① 사슬톱니 ; (자전거의 체인이 걸리는) 사슬톱니바퀴. ② 〖寫〗 스프로킷《사진기의 필름 감는 톱니》.

sprócket whèel (자전거의) 사슬톱니바퀴.

‡sprout [spraut] *vi.* ①《~ / +副》 싹이 트다, 발아하다 : The new leaves ~*ed up.* 새 잎이 나왔다. ②《+前+名》 빠르게 자라다〔성장하다〕; 갑자기 나타나다《*up*》: He ~*ed up* five inches in one year. 그는 1년에 5인치나 자랐다.
― *vt.* ① …에 싹을 트게〔나게〕 하다. ② (뿔 따위)를 내다, (수염 따위)를 기르다 : ~ a mustache 콧수염을 기르다 / The deer are beginning to ~ horns. 사슴이 뿔을 내기 시작한다.
― *n.* ① Ⓒ 싹, 눈, 움(bud). ② (*pl.*) 《口》 겨잣과의 다년생 초본《양배추의 일종》(=**Brússels spróuts**). ③ 《口》 젊은이, 청년.

***spruce**[1] [spru:s] *n.* Ⓤ,Ⓒ 가문비나무속(屬)의 식물《갯솔·전나무 등》.

spruce[2] *a.* (복장 등이) 말쑥한, 멋진, 맵시 있는, 스마트한. ― *vt.* 《+目+副》 …을 말쑥하게〔맵시 있게〕 하다《*up*》: ~ oneself *up* for dinner 만찬에 나가기 위해 복장을 단정히 하다. ― *vi.* 모양을 내다, 멋을 부리다《*up*》. ㊖ ∠·**ly** *ad.* ∠·**ness** *n.*

***sprung** [sprʌŋ] SPRING 의 과거·과거분사.
― *a.* 스프링〔용수철〕이 달린.

spry [sprai] (∠·*er, sprí·er* ; ∠·*est, sprí·est*) *a.* (노인 등이) 기운찬 ; 활발한, 민첩한. ㊖ ∠·**ly** *ad.* ∠·**ness** *n.*

spud [spʌd] *n.* Ⓒ ① 작은 가래《제초용》. ②《口》 감자(potato). 「(foam).

spume [spju:m] *n.* Ⓤ (파도 따위의) 거품

***spun** [spʌn] SPIN의 과거·과거분사.
― *a.* (실을) 자은, 섬유로 만든 ; 잡아 늘인 : ~ gold〔silver〕 금〔은〕실 / ~ silk 방적 견사, 견방.

spunk [spʌŋk] *n.* Ⓤ ①《口》 원기(mettle), 용기(courage). ② 부싯깃(tinder). ③《英卑》 정액.

spunky [spʌ́ŋki] (*spunk·i·er ; -i·est*) *a.* 《口》 씩씩한(spirited), 용감한(plucky). ㊖ **-i·ness** *n.*

spún súgar 《美》 솜사탕(《英》 candy floss).

‡spur [spəːr] *n.* Ⓒ ① 박차 : put〔set〕 ~*s* to a horse 말에 박차를 가하다. ②《比》 자극(stimulus), 격려 : put〔set〕 ~*s* to a person 아무에게 자극을 주다. ③ (새의) 며느리발톱 ; (등산용 구두의) 아이젠(climbing iron), 동철(冬鐵) ; (싸움닭 발톱에 끼우는) 쇠발톱 ; (산의) 돌출부, (산맥의) 지맥 ; 〖鐵〗 (철도의) 지선. ***on the ~ of the moment*** 얼떨결에, 앞뒤 생각 없이 ; 충동적으로. ***win*** 〔***gain***〕 ***one's ~s*** 《比》 이름을 떨치다.
― (*-rr-*) *vt.* ①《~+目 / +目+副》 (말)에 박차를 가하다 ; 질주하게 하다《*on*》: ~ a horse *on* 말에 박차를 가하다. ②《+目+副 / +目+前+名 / +目+*to* do》 (아무)를 자극〔격려〕하다 ; (아무)를 …으로〔하도록〕 내몰다〔자극하다〕《(*on*) *to* ; *into*》: ~ a person *on to* 〔*into*〕 action 아무를 격려하여 활동시키다. ― *vi.* 《+副 / +前+名》 (박차를 가하여) 말을 달리다 ; 서두르다.

spu·ri·ous [spjúəriəs] *a.* ① 가짜의, 위조의 : a ~ coin 위조 화폐. ② 겉치레의, 그럴 듯한. ③ 〖生〗 의사(擬似)의 : ~ pregnancy 상상 임신. ㊖ ~·**ly** *ad.* ~·**ness** *n.*

‡spurn [spəːrn] *vt.* ① (제의·충고 등)을 **퇴짜놓다**. ② …을 쫓아버리다.
― *n.* Ⓒ ① 일축, 문전 축객. ② 멸시.

***spurt**[1], **spirt** [spəːrt] *vi.* 《~ / +副 / +前+名》 뿜어나오다, 분출하다《*out* ; *up* ; *down*》: ~ *out* in stream 분류(奔流)하다. ― *n.* Ⓒ ① 분출, 뿜어나옴《*of*》. ② (감정 등의) 격발《*of*》.

***spurt**[2] *vi.* (전력을 다하여) 역주〔역영〕하다 ; 질주하다. ― *n.* Ⓒ (한바탕의) 분발 ; (경주에서의) 역주, 스퍼트 : make a ~ 역주하다 / last 〔the finishing〕 ~ 라스트 스퍼트.

sput·nik [spú:tnik, spʌ́t-] *n.* Ⓒ ①《Russ.》 (종종 S-) 스푸트니크《옛 소련의 인공 위성 ; 1호는 1957년 발사》. ② 인공 위성.

***sput·ter** [spʌ́tər] *vi.* ①《~ / +副》 침을 튀기며 지껄이다. ② 탁탁〔지글지글〕 소리를 내다 : The candle ~*ed out.* 초가 바지지하며 꺼졌다.
― *vt.* ① (침 따위)를 튀기다. ②《+目+副》 (흥분·혼란으로) 빠르게 지껄이다《*out*》: "Who… who are you?" he ~*ed* in surprise. '누 … 누구지요?' 하고 그는 놀라서 말했다.
― *n.* Ⓤ (또는 a ~) ① 탁탁, 지글지글. ② (흥분·혼란으로) 급히 하는 말.

spu·tum [spjú:təm] (*pl.* ***-ta*** [-tə], ~***s***) *n.* Ⓤ,Ⓒ 침, 타액 ; 가래(expectoration).

‡spy [spai] *n.* Ⓒ 스파이, 밀정, 간첩 : an industrial ~ 산업 스파이 / be a ~ for …을 위해 스파이짓을 하다. ― *vi.* 《~ / +前+名》 (몰래) 감시하다《*on, upon*》; (몰래) 조사하다《*into*》: ~ *on* the enemy 적정을 정찰하다 / ~ *into* a secret 몰래 비밀을 탐지하다. ― *vt.* ①《~+目》 …을 스파이질하다 ; 감시하다 ; ~ 탐지하다, 조사하다《*out*》: ~ *out* natural resources 천연 자원을 몰래 조사하다. ②《~+目 / +目+*-ing*》 발견하다 ; 찾아내다(discover)《*out*》: I *spied* a stranger enter*ing* the yard. 나는 낯선 사람이 마당 안으로 들어오는 것을 발견했다.

spy·glass [∠glæ̀s, ∠glɑ̀:s] *n.* Ⓒ 작은 망원경.

spy·hole [∠hòul] *n.* Ⓒ (방문자 확인용의) 내다보는 구멍(peephole).

Sq. Squadron ; Square. **sq.** square. **sq. ft.** square foot 〔feet〕. **sq. in.** square inch(es).

SQL [sí:kwəl] 〖컴〗 structured query language (표준 질문 언어).

sq. mi. square mile(s).

squab [skwɑb / skwɔb] *a.* ① 땅딸막한. ② (새가) 털이 아직 안 난, 갓 부화된. ― *n.* Ⓒ ① 비둘기 새끼. ② 땅딸보 ; 소파 ; 《英》 푹신한 쿠션.

squab·ble [skwɑ́bəl / skwɔ́bəl] *n.* Ⓒ 시시한 언쟁, 말다툼. ― *vi.* 시시한 일로 말다툼하다《*over* ; *about*》.

***squad** [skwɑd / skwɔd] *n.* Ⓒ〔集合的〕 ①〖美軍〗 분대. ② (같은 일에 종사하는) 한 무리, 한 대(隊)〔조〕, 팀 : a ~ of policemen 경관대.

squád càr (경찰의) 순찰차(patrol car).

‡squad·ron [skwɑ́drən / skwɔ́d-] *n.* Ⓒ〔集合的〕 ①〖陸軍〗 기병〔전차〕대대. ②〖海軍〗 소함대, 전대《함대(fleet)의 일부》. ③〖美空軍〗 비행(대)대 ; 〖英空軍〗 비행 중대《10-18 대로 편성됨》.

squádron lèader 〚英空軍〛 비행 중대장, 공군 소령(《美》 major).

squal·id [skwálid / skwɔ́l-] *a.* 더러운, 누추한, 지저분한 ; 《比》 비참한 ; 비열한 : lead a ~ life 비참한 생활을 하다. ㊕ **~·ly** *ad.*

***squall**[1] [skwɔːl] *n.* ① 돌풍, 스콜《단시간에 내리는 많은 비나 눈을 동반》. ② (*pl.*) 《口》 (짧은) 소동 ; 혼란.

squall[2] *vi.* 비명〔고함〕을 지르다. ── *vt.* 《+목+부》 …을 큰 소리로 말하다, 고함을 지르며 …라고 말하다. ── *n.* Ⓒ 비명, 울부짖는 소리.

squally [skwɔ́ːli] (***squall·i·er ; -i·est***) *a.* 스콜의 ; 폭풍이 일 것 같은 : ~ showers 강풍을 동반한 소나기.

squal·or [skwálər, skwɔ́ːl- / skwɔ́lər] *n.* Ⓤ ① 불결함 ; 누추함. ② 비열, 야비함. ◇ squalid *a.*

squan·der [skwándər / skwɔ́n-] *vt.* (시간·돈 따위)를 낭비하다, 헛되이 쓰다(waste)《*in ; on*》 : ~ money *in* gambling 도박에 돈을 낭비하다.

†**square** [skwɛər] *n.* Ⓒ ① 정사각형 ; 네모난 것. ② (장기판 따위의) 네모진 칸. ③ (시가의 네모진) 광장 ; 《美》 (길로 둘러싸인) 시가의 한 구획(block) ; 그 구획의 길이 : Madison *Square* (뉴욕의) 매디슨 광장(廣場). ④ 《美》 (신문 광고란 따위의) 한 칸. ⑤ (옛 군대의) 방진(方陣). ⑥ 직각자, 곱자 : a T ~, T자. ⑦ 〚數〛 평방, 제곱 : bring to a ~ 제곱하다. ⑧ (*pl.*) 《美俗》 충분한 식사. ⑨ 《口》 구식 〔고지식한〕 사람. ***on the*** ~ (1) 직각으로. (2) 《口》 정직하게, 공정히. ***out of*** ~ (1) 직각이 아닌. (2) 부정한〔하게〕.

── (***squár·er ; -est***) *a.* ① 정사각형의, 사각의 ; 직각의, 직각을 이루는《*with ; to*》 : a ~ flower bed 사각의 화단 / a ~ jaw 모가 진 턱 / ~ *with* the ground 지면과 직각으로. ② 잘 정돈된, 가지런한 ; 똑바른 ; 수평의, 같은 높이의《*with*》 : get things ~ 물건을 정돈하다 / The photo isn't ~ in its frame. 사진틀의 사진이 똑바로 되어 있지 않다. ③ 〔敍述的〕 (…와) 동등〔대등〕한, 호각의 ; 대차 없는, 셈이 끝난 : make accounts ~ 결제하다 / Let's get these accounts ~. 이 계정을 청산합시다 / Their scores are ~. 그들의 득점은 동점이다. ④ 공명 정대한, 올바른 ; 정직한 : ~ deal 공정한 거래. ⑤ 단호한, 딱 잘라 말하는 : a ~ denial 단호한 부정〔부인〕. ⑥ 〚數〛 평방의, 제곱의 : eight ~ miles, 8평방 마일. ⑦ 《口》 실속있는, 알찬, 충분한《식사 따위》 : ~ meal (양적으로나 내용적으로) 푸짐한〔알찬〕 식사. ⑧ 《口》 (생각·취미가) 구식인, 고지식한, 소박한. ***all*** ~ (1) (골프 등에서) 호각의. (2) 잘 정돈된. (3) 대차(貸借)가 없는. ***a ~ peg in a round hole*** 《口》 (일·지위에) 부적임자. ***fair and*** ~ 공명정대한, 올바른. ***get ~ with*** (1) …와 동등해지다. (2) …와 대차가 없어지다〔비기다〕. (3) …에게 앙갚음〔보복〕하다.

── (***sqúar·er, more ~ ; -est, most ~***) *ad.* ① 직각으로, 사각으로. ② 《口》 정면으로, 정통으로 : look a person ~ in the face 아무의 얼굴을 바로 보다. ③ 《口》 공평하게(fairly), 정정당당하게, 정직하게(honestly).

── *vt.* ① 《~+목 / +목+부》 …을 정사각형으로 하다 ; (재목 따위)를 네모지게〔직각으로〕 하다 《*off*》. ② (어깨·팔꿈치)를 펴다, 똑바로 하다 : ~ one's shoulders 어깨에 힘을 주고 떡 펴다. ③ 《+목+전+명》 …을 …와 맞추다, 적응시키다, 일치시키다 《*with ; to*》 : ~ one's conduct *with* one's principles 행동을 주의에 맞추다. ④ …을 청산〔결제〕하다 : ~ a debt 빚을 청산하다. ⑤ 〚競〛 (시합·득점)을 동점으로〔비기게〕 하다 : ~ the score 스코어를 동점으로 하다. ⑥ 〚數〛 …을 제곱하다, …의 면적을 구하다 : Three ~*d* is nine. 3의 제곱은 9. ⑦ 《口》 (아무)를 매수하다(bribe) ; 뇌물을 주어 해결하다 : ~ the police 경찰을 매수하다.

── *vi.* ① 《+전+명》 맞다(conform), 적합하다(suit), 일치하다, 조화하다(agree)《*with*》 : His statement does not ~ with the facts. 그의 진술은 사실과 일치하지 않는다. ② 《+전+명 / +부》 청산〔결제〕하다《*for ; up*》. ③ 《+부 / +전+명》 〚拳〛 자세를 취하다 ; (곤란 등과) 진지하게 맞서다 《*off ; up*》. ~ ***away*** 《美口》 (…을) 준비하다 ; 정리하다. ~ one***self*** 《口》 과실〔잘못〕을 보상하다, 청산하다 ; 화해하다. ~ ***the circle*** 원을 네모지게 하다 ; 불가능한 일을 꾀하다.

㊕ ∠**·ness** *n.* 네모짐 ; 정직, 성실 ; 공정 거래.

squáre brácket (흔히 *pl.*) 꺾쇠괄호([ ]).

square-built [-bílt] *a.* 어깨가 떡 벌어진.

squáre dànce 스퀘어댄스《둘씩 짝지어 4쌍이 한 단위로 춤》.

squáre déal ① 공평한 조처〔거래〕. ② 공평한 대우〔취급〕 : give a person a ~ 아무를 공평하게 대우하다.

squáred páper 모눈종이.

squáre knòt 옭매듭(reef knot).

‡**square·ly** [skwɛ́ərli] *ad.* ① 네모꼴로, 네모지게 ; 직각으로. ② 정면으로(directly), 곧바로 : face a problem ~ 문제에 정면으로 대하다. ③ 정직하게 ; 공평〔공정〕히.

squáre méasure 〚數〛 제곱적(積), 면적.

square-rigged [skwɛ́ərrígd] *a.* 〚海〛 (배가) 가로돛 장치의.

square-rig·ger [-rígər] *n.* Ⓒ 가로돛(의) 배.

squáre róot 〚數〛 제곱근 : The ~ of nine is three. 9의 제곱근은 3이다.

squáre sàil 〚海〛 가로돛.

squáre shóoter 《美口》 정직〔공정〕한 사람.

square-shoul·dered [-ʃóuldərd] *a.* 어깨가 딱 벌어진.

***squash**[1] [skwaʃ / skwɔʃ] *vt.* ① 《~+목》 …을 짓이기다 ; 으깨다 : He ~*ed* my hat flat. 그는 내 모자를 납작하게 짓눌렀다. ② 《~+목+전+명》 …을 밀어넣다, 쑤셔 넣다《*into*》 : ~ many people *into* a bus 버스 안에 많은 사람을 밀어 넣다. ③ (반대·폭동 따위)를 억누르다(suppress), 진압하다 ; 《口》 (아무)를 윽박질러 찍소리 못하게 하다 : ~ the riot 폭동을 진압하다 / She always ~*es* me. 그녀는 늘 나를 찍소리 못하게 윽박지른다. ── *vi.* ① 으스러지다, 으깨지다 : Strawberries ~ easily. 딸기는 으깨기 쉽다. ② 《+전+명》 억지로 헤치고〔비집고〕 들어가다《*in ; into ; out*》 : ~ *into* a crowded bus 혼잡한 버스에 억지로 올라타다. ── *n.* ① 으깨진 것〔상태〕 ; 철썩, 털썩《무겁고 부드러운 것이 떨어지는 소리》 : go to ~ 철썩하고 으깨지다. ② (a ~) 붐빔 ; 군중. ③ Ⓤ 《英》 스쿼시《과즙을 넣은 소다수》 : lemon ~ 레몬 스쿼시. ④ 스쿼시《벽으로 둘러싸인 코트에서 두 사람이 라켓으로 공을 치는 운동》(=∠ **tènnis**).

squash[2] (*pl.* ∠**·es,** ~) *n.* ⒸⓊ 《美》 〚植〛 호박.

squashy [skwáʃi / skwɔ́ʃi] (***squash·i·er ; -i·est***) *a.* ① 찌부러지기 쉬운. ② 물컹거리는 ; 질퍽질퍽한. ㊕ **squásh·i·ly** *ad.* **-i·ness** *n.*

squat** [skwat / skwɔt] (*p., pp.* ***squát·ted, ~ ; ***squát·ting***) *vi.* ① 웅크리다, 쭈그리고 앉다 《*down*》 : ~ around the fire 불 주위에 쭈그리고 앉다. ② 《美》 남의 땅〔집〕에 무단히 정주하다《*in ; on*》. ③ (동물이) 땅에 엎드리다 ; 숨다. ── *vt.* 《~+목 / +목+부》 〔再歸的〕 …을 웅크리다 : She ~*ted herself* down. 그녀는 쭈그리고 앉았다.

— (∠·*ter* ; ∠·*test*) *a.* ①〔敍述的〕 웅크린, 쭈그린(crouching). ② 땅딸막한 ; 낮고 폭이 넓은.
— *n.* ① (a ~) 웅크리기, 쭈그린 자세. ② Ⓒ《英俗》 불법 거주에 적합한 빈 집 ; 불법 점거 건물〔지〕.

squat·ter [skwátər / skwɔ́t-] *n.* Ⓒ ① 웅크리는 사람〔동물〕. ② (미개지·국유지·건물의) 무단 거주자, 불법 거주〔점거〕자. 「땅딸막한.

squat·ty [skwáti / skwɔ́ti] (*-ti·er* ; *-ti·est*) *a.*

squaw [skwɔ:] *n.* Ⓒ ① 북아메리카 인디언 여자〔아내〕. ②《美俗·戲》 아내, 처.

squawk [skwɔ:k] *n.* Ⓒ ① 꽥꽥, 깍깍《오리·갈매기 따위의 울음소리》. ②《口》 시끄러운 불평.
— *vi.* (물오리 따위가) 꽥꽥〔깍깍〕 울다 ;《口》 시끄럽게 불평하다, 투덜거리다. 「피커.

squáwk bòx《口》 사내〔구내, 기내〕 방송용 스

***squeak** [skwi:k] *vi.* ① (쥐 따위가) 찍찍〔끽끽〕 울다 ; 새된 소리로 말하다〔를 지르다〕 ; (차륜·구두 등이) 삐걱삐걱 소리내다 ; 삐걱거리다 : *~ing* hinge 삐걱거리는 돌쩌귀. ②《口》 밀고하다, 고자질하다. ③ 간신히 성공하다〔이기다, 패스하다〕《*through* ; *by*》. — *vt.* 새된 소리로 말하다.
— *n.* ① Ⓒ 찍찍하는 소리 ; 삐걱거리는 소리. ② (a ~) 아슬아슬한 탈출, 위기 일발 : have *a* narrow〔near〕~ 아슬아슬하게 탈출하다.

squeak·er [skwí:kər] *n.* Ⓒ ① 찍찍〔끽끽〕거리는 것. ②《口》 (경기·선거 등에서) 간신히 이김.

squeaky [skwí:ki] (*squeak·i·er* ; *-i·est*) *a.* 찍찍〔끽끽〕하는, 삐걱거리는 ; 새된 목소리의 : a ~ door 삐걱거리는 문 / a ~ voice 새된 목소리. ~ ***clean***《美口》 참으로 깨끗한, 청결한.

squeal [skwi:l] *vi.* ① (기쁨·공포 따위로) 끽끽〔꽥꽥〕거리다, 비명〔환성〕을 지르다 : ~ with delight 기뻐서 끽끽거리다 / The bus *~ed* to a halt. 버스가 끼익하고 정지했다. ②《俗》〔밀고〕하다《*on*》. — *vt.* …을 길고 새된 소리로 말하다《*out*》. — *n.* Ⓒ 끽끽 (우는 소리), (어린이·돼지 등의) 비명. ㊞ ∠·**er** *n.*

squeam·ish [skwí:miʃ] *a.* ① (하찮은 일로) 충격을 잘 받는 ; 결벽한 ; 뢰까다로운(fastidious). ② 토하기 잘 하는. ㊞ ~·**ly** *ad.* ~·**ness** *n.*

squee·gee [skwí:dʒi:, -∠] *n.* Ⓒ T 자 모양의 유리닦개《막대 끝에 직각으로 고무판을 단 것》.
— *vt.* …을 유리닦개로 닦다〔청소하다〕.

‡**squeeze** [skwi:z] *vt.* ①《~+목/+목+부》 …을 죄다, 압착하다 ; 꽉 쥐다, 꼭 껴안다 : ~ an orange (dry) 오렌지를 (완전히) 짜다 / She *~d* the kitten. 그녀는 새끼고양이를 꼭 껴안았다. ②《~+목/+목+부/+목+전+명》 (…의 수분)을 짜내다 ; (자백 따위)를 억지로 받아내다《*from* ; *out*》: ~ the water *from* the clothes 옷에서 물을 짜내다 / ~ a confession *out of* 〔*from*〕 a person 아무에게서 억지로 자백을 받아내다. ③《~+목+전+명》 …을 억지로 밀어〔쑤셔〕 넣다《*into*》 ; …을 헤치고 나아가다《*through*》 ;〔再歸的으로〕 …에 억지로 끼어들다 : ~ clothes *into* a small bag 작은 가방에 양복을 쑤셔 넣다 / ~ one's way *through* a crowd 인파를 헤치며 나아가다 / ~ *oneself into* the crowded bus 만원 버스에 억지로 끼어들어가다. ④《+목+전+명》 (아무에게서 돈 따위)를 착취하다, 우려 먹다 : ~ money *from* a person 아무에게서 돈을 착취하다. ⑤〖野〗 (주자)를 스퀴즈플레이로 생환시키다 ; (득점)을 스퀴즈로 올리다《*in*》. — *vi.* ① 죄어지다, 압착되다 ; 짜지다 : Sponges ~ easily. 스폰지는 쉽게 짜진다. ②《+전+명/+부》 비집고 나아가다〔들어가다, 나오다〕, 억지로 지나가다《*through* ; *in* ; *into* ; *out*》: He tried to ~ *in*. 그는 비집고 들어오려 했다. — *n.* ① Ⓒ 압착 ; 짜기 ; 한 번 짠 양 : a ~ of lemon. 레몬을 짜낸 즙. ② 굳은 악수 ; 꼭 껴안기, 포옹. ③ (a ~) 서로 밀치기, 꽉 참 ; 붐빔, 혼잡. ④ Ⓤ《口》 협박, 뇌물의 강요《*on*》: put the ~ *on* a person 아무에게 뇌물을 강요하다. ⑤ (흔히 *sing.*)《口》 곤경, 진퇴 양난. ⑥〖野〗 =SQUEEZE PLAY.

squéeze bòttle (플라스틱제의) 눌러 짜내는 그릇《마요네즈 따위의》.

squeeze·box [∠bàks / -bɔ̀ks] *n.*《口》 =CONCERTINA, ACCORDION.

squéeze plày〖野〗 스퀴즈 플레이.

squeez·er [skwí:zər] *n.* Ⓒ ① (과즙) 압착기, 스퀴저. ② 착취자.

squelch [skweltʃ] *vt.* ① …을 짓눌러 짜부라뜨리다. ②《口》 …을 윽박지르다, 입다물게 하다 ; (제안·계획 등)을 묵살하다, 억압하다. — *vi.* 철벅 소리를 내다 ; (진창 따위를) 철벅거리며 걷다.
— *n.* ① (흔히 *sing.*) 철벅거리는 소리 ; 철벅철벅 걷는 소리. ②《口》 끽소리 못하게 하는 말 ; 짓누름 ; 진압.

squib [skwib] *n.* Ⓒ ① 폭죽《일종의 작은 불꽃》 ; (탄알·고체 연료 로켓을 발사시키는) 도화 폭관(導火爆管). ② 풍자적인 이야기, 풍자문(文).

squid [skwid] (*pl.* ~(***s***)) *n.* Ⓒ,Ⓤ〖動〗 오징어《cuttlefish 의 일종》. 「겨쓰기.

squig·gle [skwígəl] *n.* Ⓒ ① 구부러진 선. ② 갈

***squint** [skwint] *a.* 눈을 가늘게 뜨고 보는, 사시(斜視)의, 사팔눈의. — *n.* Ⓒ ① (눈부시거나 총을 겨냥할 때처럼) 눈을 가늘게 뜨고 보기 :《英口》 한번 봄, 일별《*at*》: Let's have a ~ *at* it. 그것을 어디 한번 보자. ② 사팔눈, 사시.
— *vi.* ① 눈을 가늘게 뜨고 보다 ; 곁눈질로 보다. ② 사팔뜨기이다. ㊞ ∠·**er** *n.*

squint-eyed [∠àid] *a.* 사팔눈의 ; 곁눈질하는 ;《比》 심술궂은, 편견을 가진.

***squire** [skwaiər] *n.* ① Ⓒ (옛날 영국의) 지방 대지주. ②《英口》 손님, 나리《점원 등이 손님을 부르는 호칭》. ③ Ⓒ〖史〗 기사의 종자(從者). ④ Ⓒ《美》 치안 판사, 재판관. — *vt.* (여성)을 에스코트하다(escort).

squir(e)·archy [skwáiərɑ:rki] *n.* Ⓒ (the ~)〔集合的〕 (옛날 영국의) 지방 지주 계급.

squirm [skwə:rm] *vi.* (고통·초조·불쾌 따위로) 꿈틀거리다, 몸부림치다.
— *n.* Ⓒ 꿈틀거림 ; 몸부림.

‡**squir·rel** [skwə́:rəl / skwír-] (*pl.* **~s**, ~) *n.* ① Ⓒ〖動〗 다람쥐. ② Ⓤ 다람쥐 가죽.
— *vt.* (돈·물건)을 저장하다《*away*》.

squírrel càge ① (쳇바퀴가 달린) 다람쥐 집. ② 단조롭고 헛된 일〔생활〕.

squirt [skwə:rt] *vi.*《~/+전+명》 분출하다 ; 뿜어〔솟아〕 나오다《*from*》: Water *~ed from* the hose. 물이 호스에서 뿜어 나왔다. — *vt.* ① (액체)를 분출시키다《*out*》, 뿜어내다《*into*》: ~ soda water *into* a glass 유리잔에다 소다수를 뿜다. ② (물 따위)를 …에 퍼붓다〔내뿜다〕 ; 젖게 하다《*with*》: The boy *~ed* me *with* a water pistol. 소년은 나에게 물총으로 물을 내뿜었다. — *n.* Ⓒ ① 물총(= ∠ **gùn**) ; 주사기. ② 분출, 뿜어 나옴. ③《口》 건방진 젊은이. ㊞ ∠·**er** *n.* Ⓒ 분출 장치.

squ. yd. square yard(s). **Sr**〖化〗 strontium. **sr.**, **Sr**, **Sr.** Senior. **Sr.** *Señor* ; Sister. **Sra.** *Señora.* 「RAM.

SRAM, **S-RAM** [ésræ̀(:)m]〖컴〗 =STATIC

Sri Lan·ka [srì:lá:ŋkə, -lǽŋkə] 스리랑카《인도 남동부의 Ceylon섬으로 이루어진 나라 ; 수도 Colombo》. ㊞ ~**n** *a., n.*

S.R.O. standing room only(입석뿐임). **Srta.** *Senõrita.* **SS.** Saints. **S.S.** Secretary of State; steamship; Sunday School. **SSE, S.S.E.** south-southeast(남남동).
ssh ⇨SH.
S sléep [és-] 〖生理〗 =SLOW-WAVE SLEEP.
SST supersonic transport(초음속 수송기). **SSW, S.S.W.** south-southwest(남남서).
:St.[1] [seint, sənt / sənt, snt] (*pl.* ***Sts., SS.***) *n.* 성(聖)…, 세인트(Saint)…(★ St. 의 복합어는 Saint로 시작되는 표제어로 실었음). 「mer time.
St.[2] Saturday; Strait; Street. **S.T.** 《英》 sum-
-st 숫자 1 뒤에 붙여 서수를 나타냄: 1*st*, 51*st*.
Sta. Station.
:stab [stæb] (**-bb-**) *vt.* ① 《~+목/+목+전+명》 (칼 따위로) …을 찌르다(thrust)《*in*; *into*; *to*》: ~ a person *to* death 아무를 찔러 죽이다/~ a person *in* the arm 아무의 팔을 찌르다/~ a person *with* a knife 칼로 아무를 찌르다. ② 《~+목/+목+전+명》 《口》 (마음·몸 등)을 찌르듯이 아프게 하다; (명성 등)을 중상하다: She was ~*bed* to the heart by the scandal. 그녀는 그 스캔들로 심한 상처를 입었다/His words ~*bed* me to the heart. 그의 말이 내 폐부를 찔렀다. ── *vi.* 《~/+전+명》 찌르다, 찌르며 덤비다《*at*》: ~ *at* her with a knife 나이프로 그녀를 찌르며 덤비다. ~ a person ***in the back*** (1) 아무의 등을 찌르다. (2) 아무를 중상〔배신〕하다.
── *n.* Ⓒ ① 찌르기; 찔린 상처. ② 찌르는 듯한 아픔. ③ 기도(企圖): have〔take〕 a ~ *at* …을 꾀하다, …을 해보다. ***a ~ in the back*** 배신 행위.
stab·ber [stǽbər] *n.* Ⓒ 찌르는 사람〔것〕; 자객(刺客), 암살자.
stab·bing [stǽbiŋ] *a.* ① (아픔 따위가) 찌르는 듯한: ~ headaches. ② (언사 따위가) 신랄한.
:sta·bil·i·ty [stəbíləti] *n.* Ⓤ (또는 a ~) ① 안정(성), 부동(不動), 확고: mental〔emotional〕 ~ 정신〔정서〕의 안정. ② 착실, 견실, 견고: a man of ~ 견실한 사람. ③ (선박·항공기의) 복원성(復原性)〔력〕; 안정성. ◇ stable *a.*
***sta·bi·li·za·tion** [stèibəlizéiʃən] *n.* Ⓤ 안정(시킴); (물가·통화·정치 따위의) 안정(화).
***sta·bi·lize** [stéibəlàiz] *vt.* …을 안정시키다, 고정시키다: ~ prices 물가를 안정시키다. ── *vi.* 안정하다, 고정하다: The patient's condition has now ~*d*. 환자의 상태가 이제야 안정되었다.
sta·bi·liz·er [stéibəlàizər] *n.* Ⓒ ① 안정시키는 사람〔것〕. ② (배·비행기의) 안정 장치, (비행기의) 수평 미익(水平尾翼), 안정판(板). ③ (화약 따위의 자연 분해를 막는) 안정제(劑).
:sta·ble[1] [stéibl] (***sta·bler, more ~; -blest, most ~***) *a.* ① 안정된(firm), 견고한; 영속적인(permanent): ~ foundations 견고한 토대/emotionally ~ 정신적으로 안정된. ② 착실한, 의지가〔신념이〕 굳은: a man of ~ character 착실한 성격의 남자. ③〖機〗 복원력(復原力)〔성〕이 있는. ④〖化〗 분해하기 어려운;〖物〗 안정한《원자핵·소립자 등》. ◇ stability *n.* ㊞ **-bly** *ad.*
:sta·ble[2] *n.* ① (종종 *pl.*) 마구간; 가축의 우리. ② (종종 *pl.*) (경마말의) 마사(馬舍); 〔集合的〕 (한 마구간 소속의) 경주마. ③ (흔히 *sing.*) 같은 조직 안〔감독 밑〕에서 일하는 사람들《기수(騎手)·권투 선수 등》. ── *vt.* (말)을 마구간에 넣다.
sta·ble·boy, -làd [-bɔ̀i], [-læ̀d] *n.* Ⓒ 마부《특히 소년》.
sta·ble·man [-mən, -mæ̀n] (*pl.* ***-men*** [-mən, -mèn]) *n.* Ⓒ 마부.
sta·bling [stéibliŋ] *n.* Ⓤ ① 마구간 설비. ② 〔集合的〕 마구간(stables).
stac·ca·to [stəkɑ́ːtou] 《It.》〖樂〗 *ad.* 스타카토로, 끊음음으로, 단음(斷音)으로. ── *a.* 스타카토의, 끊음음의. ── (*pl.* ***~s, -ti*** [-tiː]) *n.* Ⓒ 스타카토, 끊음음〔표〕《略: stacc.》
stack** [stæk] *n.* ① Ⓒ 더미, 퇴적: a ~ of books 책더미. ② Ⓒ 볏가리, 건초 더미. ③ (흔히 *pl.*) (도서관의) 서가(rack), 서고. ④ Ⓒ〖軍〗 걸어총(~ of arms). ⑤ Ⓒ (기차·기선 따위의) 굴뚝(funnel), 옥상에 죽 늘어선 굴뚝(=**chimney** ~). ⑥ (a ~, 또는 *pl.*) 《口》 다량, 많음《*of*》: ~*s* of work 많은 분량의 일. ⑦〖컴〗 스택《일시 기억용 컴퓨터의 기억 장치》. ***blow one***'s ~*** 《口》 발끈 화내다. ── *vt.* ① …을 쌓다, 산더미처럼 쌓아올리다: ~ hay〔firewood〕 건초를〔장작을〕 쌓아올리다. ② (총)을 걸다. ③ (카드)를 부정한 방법으로 치다. ④ (착륙하려는 비행기들)에게 고도차를 주어 선회토록 대기시키다. ── *vi.* ① 산더미처럼 쌓이다《*up*》. ② (비행기가 선회하며) 착륙을 위해 대기하다. ~ ***up*** (1) …을 매점하다, 사재기하다《*with*》. (2) (자동차가) 정체하다. (3) 《口》 비교할 만하다, 필적하다《*to*; *against*》. (4) 《美口》 합계 …이 되다; (형세 따위가) …이 되다〔되어 가다〕: That's how things ~ *up* now. 그것이 지금의 정세다. ***have the cards ~ed against*** one 아주 불리한 상황에 처해 있다.
stacked [stækt] *a.* 《俗》 (특히 여성이) 매력적인 몸매의, 유방이 큰.
:sta·di·um [stéidiəm] (*pl.* ***~s, -dia*** [-diə]) *n.* Ⓒ (야외) 경기장, 스타디움, 야구장.
:staff [stæf, stɑːf] (*pl.* ①, ②, ③, ⑦은 ***staves*** [steivz], ***staffs***; 기타는 ***staffs***) *n.* ① Ⓒ 막대기, 지팡이(stick), 장대(pole), 곤봉. ② Ⓒ 지휘봉, (직권의 상징인) 권표(權標). ③ Ⓒ 깃대. ④ Ⓒ 《比》 버팀대, 의지(가 되는 것)《*of*》: the ~ *of* a person's old age 노후에 의지가 되는 사람/the ~ *of* life 생명의 양식. ⑤ Ⓒ〖軍〗 참모, 막료: the general ~ 참모 본부《略: G.S.》/a ~ officer 참모 장교. ⑥ 〔集合的〕 〔흔히, 단수형으로 複數 취급〕 부원, (사무국) 직원, 사원, 간부《*of*》: the editorial ~ 편집부〔원〕/the teaching ~ 교수〔교사〕진. ⑦〖樂〗 오선(五線), 보표(譜表)(stave).
── *vt.* …에 직원〔부원〕을 두다: The office is not sufficiently ~*ed*. 그 사무실은 직원이 부족하다.
staff·er [stǽfər, stɑ́ːfər] *n.* Ⓒ 《美》 직원, 종업원; (신문·잡지의) 편집부원, 기자.
stáff nùrse 《英》 수간호사 아래의 간호사.
Staf·ford·shire [stǽfərdʃiər, -ʃər] *n.* 스태퍼드셔《잉글랜드 중서부의 주; 略: Staffs.》.
stáff sérgeant ①〖美空軍〗 airman first class와 technical sergeant 사이의 계급. ②〖美陸軍〗 하사《sergeant와 sergeant first class 사이의 계급》. ③〖美海兵隊〗 sergeant와 gunnery sergeant 사이의 계급. ④〖英陸軍〗 sergeant와 warrant officer 사이의 계급.
***stag** [stæg] *n.* ① 수사슴《특히 5살 이상의》(cf. hart, hind[2]). ②〖英證〗 단기 매매 차익(差益)을 노리는 신주 청약자. ③ 《口》 (파티 등에) 여성을 동반치 않고 온 남성; 《口》=STAG PARTY: No *Stags* Allowed. 부부 동반이 아니면 사절. ── *a.* 〔限定的〕 남자만의, 여성을 뺀《파티 등》; 남성 취향의, 포르노의: a ~ magazine 포르노 잡지. ── *ad.* 《口》 여성 동반자 없이.
stág bèetle 〖蟲〗 사슴벌레.
:stage [steidʒ] *n.* ① Ⓒ 스테이지, 무대, 연단, 마루, 대(臺)(platform): a revolving ~ 회전 무대/bring on 〔to〕 the ~ 상연하다. ② (the ~) 극(문학), 연극(drama); 배우업(業): go on〔take

to] *the* ~ 배우가 되다 / tread the ~ 무대에 서다; 배우이다; 배우가 되다. ③ Ⓒ (흔히 the ~) 활동 무대, 활동 범위《*of*》; (사건 등의) 장소. ④ Ⓒ (옛날, 역마차의) 역(station), 역참; 여정(旅程); 역마차, 승합 마차(stagecoach); 《英》 (버스의 동일 운임) 구간. ⑤ Ⓒ (발달의) 단계, 시기(period): the early ~ of civilization 문명의 초기 단계 / *at* this ~ 이 단계에서. ⑥ Ⓒ (다단식 로켓의) 단(段). ***by* (*in*) *easy* ~*s*** (여행 따위를) 서두르지 않고, 쉬엄쉬엄. ***hold the* ~** (1) 주목의 대상이 되다. (2) (극이) 상연을 계속하다, 호평을 받다. ***set the* ~ *for*** (1) …의 무대 장치를 하다. (2) …의 준비를 하다; …의 계기가 되다.
— *vt.* ① (연극)을 상연하다, 각색하다; (시합 따위)를 행하다[개최하다]: We are going to ~ Hamlet. 햄릿을 상연할 예정이다. ② (폭동·파업 따위)를 계획하다, 감행하다: ~ a strike 파업을 감행하다. — *vi.* 《+副》 (작품이) 무대에 오르다, 상연할 만하다: The script will not ~ well. 그 대본으로는 좋은 연극이 안 될 것이다.

***stage·coach** [⌐kòutʃ] *n.* Ⓒ (예전의) 역마차.

stage·craft [⌐kræ̀ft, ⌐krɑ̀:ft] *n.* Ⓤ 극작의 재능; 상연 기술, 연출 솜씨.

stáge dirèction ① (배우의 동작을 지시하는) 무대 지시(서). ② 연출(기술).

stáge dirèctor 《美》 연출가; 《英》 무대감독.

stáge dóor 무대 출입구, (배우·관계자들이 출입하는) 극장 후문.

stáge effèct 무대 효과.

stáge frìght (특히 첫무대의) 무대 공포증.

stage·hand [⌐hæ̀nd] *n.* Ⓒ (장치·조명 따위의) 무대 담당.

stáge léft (관객을 향해) 왼쪽.

stage-man·age [⌐mæ̀nidʒ] *vt.* …의 연출[무대감독]을 하다; …을 그늘에서 조종하다.

stáge mànager 무대 감독.

stáge nàme 예명(藝名).

stáge rìght (관객을 향해) 무대 오른쪽.

stage-struck [⌐strʌ̀k] *a.* 배우열에 들뜬, 무대 생활을 동경하는.

stáge whìsper ① 【劇】 (관객에게 들리도록) 크게 말하는 방백(傍白). ② 《比》 일부러 들으라고 하는 혼잣말.

stag·fla·tion [stæ̀gfléiʃən] *n.* Ⓤ 【經】 스태그플레이션《불황하(不況下)의 물가고》.

‡stag·ger [stǽgər] *vi.* ① 《~ / +副 / +前+名》 [副詞(句)를 수반하여] 비틀거리다, 비틀거리며 걷다[나아가다]: ~ *along* 비틀거리며 나아가다 / ~ to one's feet 비틀거리며 일어서다. ② 《~ / +前+名》 망설이다, 주저하다(hesitate), 마음이 흔들리다: He ~*ed at* the news. 그 소식을 듣고 그는 마음이 흔들렸다. — *vt.* ① (아무)를 비틀거리게 하다: The blow ~*ed* him. 그 일격으로 그는 비틀거렸다. ② (결심 따위)를 흔들리게 하다: The news ~*ed* his resolution. 그 소식으로 그의 결심이 흔들렸다. ③ (아무)를 깜짝 놀라게 하다: I was ~*ed* by the news. 나는 그 소식을 듣고 깜짝 놀랐다. ④ 《俗》 …을 서로 엇갈리게[겹치지 않게] 하다; (출근 시간 따위에) 시차를 두다: ~ office hours 시차 출근[근무]제로 하다. — *n.* ① Ⓒ 비틀거림; 갈짓자 걸음. ② (the ~s) (소·말·양 등의) 훈도병(暈倒病)(=**blínd ⌐s**). ㊎ **~·er** *n.*

***stag·ger·ing** [stǽgəriŋ] *a.* ① 비틀거리는[게 하는]: a ~ blow 비틀거리게 하는 강편치. ② 혼비백산케 하는, 어마어마한, 경이적인: a ~ sum 어마어마한 거액의 돈. ㊎ **~·ly** *ad.*

stag·ing [stéidʒiŋ] *n.* ① Ⓤ [集合的] 발판, 비계(scaffolding). ② Ⓤ.Ⓒ 상연. ③ Ⓤ 【로켓】 스테이징, 다단화(多段化).

stáging àrea (새로운 임무·작전에 앞서 체제 정비를 하기 위한) 집결지.

stáging pòst 【空】 (장거리 항공 여객기 따위의) 정기 기항지.

***stag·nant** [stǽgnənt] *a.* (물·공기 따위가) 흐르지 않는, 괴어 있는; (활동·일 따위가) 정체된, 부진한(sluggish); 불경기의: Trade is ~. 장사는 불경기이다. ㊎ **-nan·cy, -nance** *n.* Ⓤ ① 정체; 침체. ② 불경기, 부진. **~·ly** *ad.*

stag·nate [stǽgneit] *vi.* ① (물이) 흐르지 않다, 괴다. ② (일 따위가) 침체하다, 정체하다: a *stagnating* economy 침체된 경제. — *vt.* (물 따위)를 괴게 하다; 침체시키다. ㊎ **stag·ná·tion** [-ʃən] *n.* Ⓤ 침체, 정체; 부진, 불경기.

stág pàrty 남자들만의 파티. OPP *hen party.*

stagy, 《美》 **stag·ey** [stéidʒi] (***stag·i·er; -i·est***) *a.* ① 무대의. ② 연극조의, 과장된. ㊎ **stág·i·ly** *ad.* **-i·ness** *n.*

staid [steid] 《古》 STAY[1]의 과거·과거분사. — *a.* 착실한; 차분한, 침착한. ㊎ **⌐·ly** *ad.* **⌐·ness** *n.*

‡stain [stein] *n.* ① Ⓒ 더럼, 얼룩, 반점: an ink ~ 잉크의 얼룩. ② Ⓒ (인격·명성 따위에 대한) 오점, 흠《*on, upon*》: a ~ *on* one's reputation 명성의 흠. ③ Ⓤ.Ⓒ 착색제; (현미경 검사용) 염료. — *vt.* ① 《~+目 / +目+前+名》 …을 더럽히다, 얼룩지게 하다《*with*》: a kettle ~*ed with* soot 검댕으로 더러워진 주전자. ② 《~+目 / +目+補》 (유리·재목·벽지 따위)에 착색하다; (직물)을 염색하다; …을 (…색으로) 착색[염색]하다: ~ the wood brown 재목을 갈색으로 착색하다. ③ 《比》 (명성·인격)을 더럽히다, 상처내다: ~ a person's reputation 아무의 명성에 먹칠을 하다. — *vi.* 더러워지다, 얼룩이 지다; 녹슬다: Coffee ~*s.* 커피는 얼룩이 진다 / White cloth ~*s* easily. 흰 천은 쉬 더러워진다.

stáined gláss [stéind-] (착)색 유리, 스테인드 글라스.

stain·less [stéinlis] *a.* ① 더럽혀지지 않은; 흠이 없는. ② 녹슬지 않는; 스테인리스(제)의: ~ steel 스테인리스강(鋼). ③ 결백한.
— *n.* Ⓤ [集合的] 스테인리스 식기류.

‡stair [stɛər] *n.* Ⓒ ① (계단의) 한 단: the top [bottom] ~ 계단의 맨 윗단[아랫단]. ② (종종 ~s) [單·複數취급] 계단: a flight of ~*s* 한줄로 이어진 계단 / go up the ~*s* two at a time 한번에 두 계단씩 뛰어 올라가다. — *a.* [限定的] 계단(용)의: a ~ carpet 계단용 카펫.

***stair·case** [⌐kèis] *n.* Ⓒ (난간 등을 포함한) 계단, (건물의) 계단 부분: a corkscrew[spiral] ~ 나선 계단.

stáir ròd 계단의 융단 누르개.

***stair·way** [⌐wèi] *n.* =STAIRCASE.

stair·well [⌐wèl] *n.* Ⓒ 【建】 계단통《층층대를 중심으로 아래층에서 위층으로 트인 공간》.

‡stake[1] [steik] *n.* ① Ⓒ 말뚝, 막대기(stick): drive a ~ into the ground 말뚝을 지면에 박다. ② Ⓒ 화형주(火刑柱); (the ~) 화형: be burned at *the* ~ 화형에 처해지다. — *vt.* ① 《+目+副》 (말뚝을 박아) …의 경계를 표시하다[구획하다] 《*off; out*》: ~ *off* the boundary 말뚝을 박아 경계를 정하다. ② 《~+目 / +目+前+名》 (동물)을 말뚝에 매다; (나무 따위)를 말뚝으로 받쳐주다: ~ a horse 말을 말뚝에 매다. **~ *out*** (1) 말뚝을 박아 구획하다. (2) 《美口》 …에 경찰관을 배치하다; (경관이) …에 잠복 근무하다. **~ (*out*) *a* [*one's*] *claim*** (…에 대한) 권리를 주장하다《*to; on*》.

ː stake² *n.* ①Ⓒ (종종 *pl.*) 내기 : play for high ~*s* 큰 도박을 하다. ②(종종 *pl.*) 내기에 건 돈, 상금 ; 〔單數취급〕 특별 상금 경마. ③Ⓒ (사업 따위에의) 출자금 ; 이해 관계 ; 관심(interest)《*in*》 : have a 60 percent ~ *in* the joint venture 공동 사업에 60% 출자하고 있다. ***at*** ~ (돈·목숨·운명이) 걸리어 ; 위태로워져서 : My honor is *at* ~. 내 명예가 걸려 있다. ── *vt.* ①《~+목/+목+전+명》 (생명·돈 따위)를 …에 걸다(wager)《*on*》 : He ~*d* his whole fortune *on* the race. 그는 경마에 전 재산을 걸었다. ②《口》《+목+전+명》 (아무)에게 융통해〔제공해〕 주다 ; 한턱 내다《*to*》 : He ~*d* me *to* a good meal. 그는 맛있는 음식을 대접해 주었다.

stake·hold·er [ˊhòuldər] *n.* Ⓒ 내깃돈을 보관하는 사람. 「(장소)《*on*》.

stake·out [stéikàut] *n.* Ⓒ 《口》 (경찰의) 잠복

stal·ac·tite [stəlǽktait, stǽləktàit] *n.* Ⓒ 〖鑛〗 종유석(鍾乳石). 「〖鑛〗 석순(石筍).

sta·lag·mite [stəlǽgmait, stǽləgmàit] *n.* Ⓒ

˙stale [steil] (***stál·er ; -est***) *a.* ①(음식 따위가) 상한 ; 신선하지 않은, 상해가는(opp. *fresh*) ; (공기·빵 따위가) 곰팡내 나는(musty) ; (술 따위가) 김빠진 : ~ bread 곰팡내 나는 빵 / ~ beer 김빠진 맥주. ②(말·농담 따위가) 진부한, 케케묵은, 흔해빠진(trite) : a ~ joke 진부한 농담. ③(과로 따위로) 생기가 없는, 지친, 맥빠진. ㊞ **ˊ·ly** *ad.* **ˊ·ness** *n.*

˙stale·mate [ˊmèit] *n.* U,C ①〖체스〗 수의 막힘 《쌍방이 다 둘 만한 수가 없는 상태》. ②막다름 ; 교착 상태. ── *vt.* ①〖체스〗 수가 막히게 하다. ②막다르게 하다, 정돈(停頓)시키다.

Sta·lin [stáːlin] *n.* **Joseph V.** ~ 스탈린《옛 소련의 정치가 ; 1879-1953》. ㊞ **~·ìsm** *n.* 스탈린주의. **~·ist** *n., a.* 스탈린주의자(의).

ː stalk¹ [stɔːk] *n.* Ⓒ ①〖植〗 줄기, 대, 잎자루(petiole), 화경(花梗), 꽃자루(peduncle). ②가늘고 긴 버팀(대) ; 술잔의 길쭉한 굽 ; (공장의) 높은 굴뚝. ㊞ **ˊy** *a.*

˙stalk² *vi.* ①(천천히) 성큼성큼 걷다, 활보하다(stride)《*along*》 : ~ *out of* the room 방에서 성큼성큼 걸어 나가다. ②(역병 따위가) 만연하다, 퍼지다(spread) : Cholera ~*ed through* the land. 콜레라가 전국으로 퍼졌다. ── *vt.* ①(적·사냥감)에 살그머니 접근하다 ; 살그머니 …의 뒤를 쫓다 : The hunter ~*ed* the bear. 사냥꾼은 곰에게 살그머니 다가갔다. ②(병 따위가) …에 퍼지다 : Panic ~*ed* the streets. 공포감이 온' 거리에 퍼졌다.
── *n.* Ⓒ ①성큼성큼 걷기. ②살그머니 다가감〔뒤를 쫓기〕.

stalk·ing-horse [stɔ́ːkiŋhɔ̀ːrs] *n.* Ⓒ ①은신마(隱身馬)《사냥꾼이 몸을 숨기어 사냥감에 다가가기 위한 말 (모양의 것)》. ②《比》 구실(pretext) ; 위장.

ː stall¹ [stɔːl] *n.* ①Ⓒ 마구간, 외양간〔마구간〕의 한 칸〔구획〕, 마방(馬房)《한 마리씩 넣는》. ②Ⓒ 매점, 노점 ; 상품 진열대 : a news ~ 신문 판매대 / a street ~ 노점 / a flower-~ 꽃가게. ③(the ~s) 《英》 (극장의) 1층 특등석 ; Ⓒ (교회의) 성직자석, 성가대석. ④Ⓒ (개인용으로) 작게 구획된 장소〔방〕《샤워실·화장실 따위》. ── *vt.* ①(마소)를 마구간〔외양간〕에 넣다. ②(축사)에 칸막이를 하다. ── *a.* 〔限定的〕《英》 (극장의) 일등석의.

stall² *n.* Ⓒ 〔空〕 (비행기의) 실속(失速) ; (자동차 따위의) 엔진 정지. ── *vt.* ①(엔진·자동차 따위)를 움직이지 않게 하다 ; (비행기)를 실속시키다. ②(마차 따위)를 진창〔눈〕 속에서 꼼짝 못하게 하다 ; (교통 정체 따위로 자동차)를 꼼짝 못하게 하다 : His car was ~*ed* in a traffic jam. 그의 차는 교통 정체로 꼼짝하지 못했다. ── *vi.* ①(비행기가) 실속하여 불안정해지다. ②(마차 따위가) 진창에 갇히다.

stall³ *n.* Ⓒ 《口》 (시간을 벌기 위한) 구실, 핑계(pretext). ── *vt.* 《口》 교묘하게 핑계를 대어〔속여〕 지연시키다, 발뺌하다(evade)《*off*》 : He could no longer ~ *off* his creditors. 그는 더 이상 채권자들을 속여 지불을 연기할 수 없었다. ── *vi.* 《口》 교묘하게 시간을 벌다 : ~ for time 시간을 벌다.

stall·hold·er [ˊhòuldər] *n.* Ⓒ 《英》 (시장의) 좌판 장수, 노점상.

stal·lion [stǽljən] *n.* Ⓒ 종마, 씨말.

˙stal·wart [stɔ́ːlwərt] *a.* ①(키가 크고) 건장한〔튼튼한〕, 다부진, 억센 ; 신뢰할 수 있는 : my ~ friend 나의 신뢰할 수 있는 친구. ②(정치적으로) 신념이 확고한, 애당심이 강한.
── *n.* Ⓒ ①억센〔다부진〕 사람. ②(정치적으로) 신념이 확고한 사람.

˙sta·men [stéimən / -men] (*pl.* ***~s, stam·i·na*** [stǽmənə]) *n.* Ⓒ 〖植〗 수술, 웅예.

stam·i·na [stǽmənə] *n.* Ⓤ 지구력, 끈기, 원기, 스태미너 : build up ~ 스태미너를 기르다.

ː stam·mer [stǽmər] *vi.* 《~ / +전+명》 말을 더듬다 : He ~*s* badly. 그는 몹시 말을 더듬는다. ── *vt.* 《~+목 / +목+부》 더듬으며 말하다《*out*》 : He ~*ed out* an apology. 그는 말을 더듬으며 사과했다. ── *n.* Ⓒ (흔히 *sing.*) 말더듬기. cf. stutter. ㊞ **~·er** [-rər] *n.* Ⓒ 말더듬이. **~·ing·ly** *ad.*

† stamp [stæmp] *n.* Ⓒ ①스탬프, 타인기(打印器) ; 인(印), (고무) 도장, 소인(消印)《단, 우표에 찍힌 '소인'은 postmark》 : a rubber ~ 고무도장. ②인지, 우표(postage ~) : a 29-cent ~, 29센트 짜리 우표 / a trading ~ 《美》 경품권. ③(흔히 *sing.*) 특징, 성질 : bear the ~ of …한 특징이 있다. ④(흔히 *sing.*) 종류, 형(type) : Men of this ~ are rare. 이런 타입의 사람은 좀체 없다. ⑤발구르기, 짓밟기 ; 발구르는 소리.
── *vt.* ①…에 인지를 붙이다, …에 우표를 붙이다 : ~ a letter 편지에 우표를 붙이다. ②《+목+전+명》 …에 날인하다, …에 도장을 찍다 ; …에 ─을 누르다《*with*》 : ~ a document *with* a seal 서류에 도장을 찍다 / ~ initials in leather 가죽에 이니셜을 박아 넣다. ③《+목+전+명》 (인상·추억 등)을 (마음에) 깊이 새기다, 명기(銘記)시키다《*on, upon*》 ; (사건 따위)를 (기억에) 새겨 두다《*in*》 ; (슬픔·고뇌 따위)를 (마음·얼굴에) 새겨지게 하다, 나타나게 하다 : The sad event was ~*ed on* her memory. 그 슬픈 사건은 그녀가 평생 잊을 수 없는 기억이 되었다 / The mother's face was ~*ed with* deep grief. 어머니의 얼굴에는 깊은 슬픔이 새겨져 있었다. ④《~+목 / +목+*as* 보》 (사람·사물 따위가) …임을 분명하게 나타내다 ; …라고 특징지우다 : His manners ~ him *as* a gentleman. 태도를 보니 그는 확실히 신사다. ⑤…에 품질 보증의 도장을 찍다 : ~ a person's reputation 아무의 명성을 뒷받침하다. ⑥《+목+부》 …을 틀로 찍어내다《*out*》 : ~ *out* a coin 틀로 동전을 찍어내다. ⑦《~+목 / +목+전+명》 …을 짓밟다, 발을 구르다, 발을 굴러 소리내다 : ~ one's foot *on* the stage 무대 위에서 발을 구르다. ⑧《~+목+부》 밟아 끄다〔뭉개다〕《*out*》 ; ~ *out* a cigarette 담뱃불을 짓밟아 끄다. ⑨《~+목+보》 짓밟아 …하게 하다 : ~ one's

hat flat 모자를 밟아 납작하게 찌그러뜨리다.
— *vi.* 《+뮈/+전+명》 찧다(pound); 발을 (동동) 구르다; 쿵쿵 걷다; 밟아 뭉개다, 짓밟다《*on* a beetle, book, etc.》: He ~*ed downstairs.* 이층에서 동동거리며 내려왔다. ~ ***out*** (1) (불)을 밟아 끄다. (2) (폭동 따위)를 진압하다. (3) 틀에 맞추어 자르다〔박다〕. (4) (병·버릇 따위)를 근절하다.

stámp collècting 우표수집 (=**stámp collèction**).

stámp collèctor 우표 수집가(philatelist).

stámp dùty 〔**tàx**〕 인지세.

***stam·pede** [stæmpíːd] *n.* Ⓒ ① 놀라서 우르르 도망침《야수·가축 떼 따위가》. ② (군대의) 대패주(大敗走), 궤주(潰走); (군중의) 쇄도. ③ 충동적인 대중 행동. — *vi.* ① (동물 등이) 우르르 도망치다. ② 군중이 앞다투어 도망하다; 쇄도하다. ③ 충동적으로 행동하다. — *vt.* ① (동물 등)을 우르르 도망치게 하다. ② 충동적 행동을 하게 하다.

stamp·er [stǽmpər] *n.* Ⓒ ① stamp하는 사람〔것〕; 《英》 (우체국의) 소인을 찍는 사람. ② 자동압인기(押印器). ③ 절굿공이(pestle).

stámp·ing gròund [stǽmpiŋ-] (사람·짐승이) 잘 가는 곳, 한데 모이는 곳.

***stance** [stæns] *n.* Ⓒ (흔히 *sing.*) ①〖스포츠〗 (골퍼·타자의) 발의 위치, 스탠스; 자세: the batting ~ 타격 자세. ② (사회 문제 등에 대한) 자세, 태도《*on*》: take an anti-war ~ 반전적(反戰的) 태도를 취하다.

***stanch**[1] [staːntʃ, stɔːntʃ] *vt.* 《美》 (피)를 멈추게 하다; (상처)를 지혈하다.

***stanch**[2] *a.* =STAUNCH².

stan·chion [stǽnʃən, -tʃən / stáːnʃən] *n.* Ⓒ ① 기둥, 지주(支柱). ② (축사에서) 소머리 둘레에 친 금속제의 틀《소의 움직임을 억제하기 위해 씀》. — *vt.* ① …에 기둥을 설치하다. ② (소의 머리)를 금속제 틀에 끼우다.

†stand [stænd] (*p., pp.* ***stood*** [stud]) *vi.* ① 《~/+보/+전+명/+-*ing*》 서다, 계속해서 서 있다: ~ still 가만히 서 있다/~ upright 똑바로 서다/~ in (a) line 나란히 줄지어 서다/an umbrella ~*ing against* the wall 벽에 세워 놓은 우산/Can you ~ *on* your hands? 너 물구나무설 수 있느냐/~ at ease〔attention〕 쉬어〔차려〕 자세를 취하다. ② 《~/+뮈》 일어서다, 기립하다《*up*》: Please ~ *up.* 일어서 주십시오. ③ 《~/+전+명》 멈춰 서다, 정지해 있다; 《美》(차가) 일시 정차〔주차〕하다: *Stand* and be identified! 정지, 누구냐/The car was ~*ing by* the parking lot. 차가 주차장 근처에 정차해 있었다/No ~*ing.* 《게시》 (노상) 주차 금지. ④ 《+전+명/+뮈》 (어떤 곳에) 위치하다, (…에) 있다, (어떤 위치에) 서다: London ~*s on* the Thames. 런던은 템스 강가에 있다/The bicycle *stood in* the basement all the winter. 자전거는 겨우내 지하실에 있었다/His name ~*s* first in the list. 그의 이름은 명단 첫머리에 있다/*Stand aside!* 옆으로 비켜라. ⑤ 《+보/+*done*/+전+명》 (상태·의견·입장 따위가) …이다; …의 상태〔관계〕에 있다: ~ a person's friend 아무의 친구가 되다/~ *at* bay 궁지에 빠져 있다/The boy ~*s* first *in* the class. 이 아이가 반에서 제일 잘한다/The door *stood* open. 문은 열려 있었다/He ~*s in* need of money. 그는 돈을 필요로 하고 있다/She ~*s opposed* to the plan. 그녀는 그 계획에 반대하고 있다. ⑥ 《+보/+전+명》 높이가 …이다, 값이 …이다, 온도계가 (…도)를 가리키다: He ~*s* six feet three. 키가 6피트 3인치이다/The thermometer ~*s at* zero. 온도계는 0도를 가리키고 있다/The price of pearls ~*s* a little higher than last month. 진주 값이 지난달보다 약간 올랐다. ⑦ 《~/+뮈/+보》 오래 가다, 지속하다; 유효하다: The clothes will ~ another year. 그 옷은 1년 더 입을 수 있겠다/The regulation still ~*s.* 그 규정은 지금도 유효하다/The agreement ~*s* as signed. 협정은 조인 당시와 변함 없다/The military government will not ~ long. 군사 정권은 오래 가지 못할 것이다. ⑧ 《~/+전+명》 (물 따위가) 괴어 있다, 정체되어 있다, 흐르지 않다: ~*ing* water 괸 물/The sweat ~*s on* his forehead. 그의 이마엔 땀이 배어 있다. ⑨ 《+뮈/+전+명》〖海〗 (배가) 어떤 방향으로 나아가다: The ship *stood out to* sea. 배는 난바다로 진로를 잡았다.
— *vt.* ① 《~+목/+목+전+명》 …을 세우다, 서게 하다, (세워) 놓다《*in*》: ~ the table *in* a corner 모퉁이에 테이블을 놓다/~ a ladder *against* a wall 벽에 사다리를 기대어 세우다. ② 《~+목/+-*ing*》 …에 견디다, 참다: Can you ~ the pain? 고통을 참을 수 있겠느냐/My wife can't ~ my smok*ing.* 아내는 나의 흡연을 참지 못한다. ③ …와 맞서다, …에 대항하다: ~ an enemy 적에 대항하다/~ an assault 공격에 맞서다. ④ 고수〔고집〕하다: *Stand* your ground. Don't retreat. 입장을 고수해 물러서지 마라. ⑤ 《~+목/+목+목》《口》 …에게 한턱 내다(treat), …의 비용을 부담하다: ~ treat 한턱 내다/I'll ~ you a round of drinks. 내가 자네들에게 술을 한 잔씩 내지. ⑥ (검사 따위)에 합격하다, 통과하다; (재판)을 받다: ~ trial for murder 살인죄로 재판을 받다/This wine will not ~ the test. 이 포도주는 검사에 합격하지 못할 것이다. ⑦ (당번·의무 따위)를 맡(아 보)다: ~ watch aboard ship 배에서 감시(監視)를 서다.

as affairs 〔***matters***〕 ~ =***as it ~s*** ⇨AFFAIR. ***as the case ~s*** 그런 이유로. ~ ***alone*** 고립하다; 비길 자가 없다. ~ ***by*** (1) 곁에 (서)있다, 방관하다. cf bystander. (2) …을 지원〔원조, 지지〕하다: She *stood by* him whenever he was in trouble. 그가 곤경에 처했을 때 그녀는 언제나 그를 도왔다. (3) (약속 따위)를 지키다: ~ *by* an agreement 협정을 지키다. (4)〖海·空〗 대기〔준비〕하다;〖通信·라디오 등〗 다음 통신〔방송 (등)〕을 기다리다. (5)〖海〗〔命令形〕 준비! ~ ***clear of*** …에서 멀리 떨어지다, …을 피하다: *Stand clear of* the gate. 문에서 비켜라. ~ ***corrected*** ⇨CORRECT. ~ ***down*** (1)〖法〗 증인석에서 내려오다. (2) (공직에서) 물러나다; 입후보를 사퇴하다. ***Stand easy!*** 《口令》 쉬엇. ~ ***for*** (1) …을 나타내다, 대표〔대리〕하다, …을 상징하다: White ~*s for* purity. 백(白)은 청정(淸淨)을 나타낸다. (2) …에(게) 찬성하다, …을 지지하다: I ~ *for* Free Trade. 무역의 자유화에 찬성이다. (3) …을 위하여 싸우다: We ~ *for* liberty. 우리는 자유를 위해 싸운다. (4) 《英》 …에 입후보하다. (5)〔否定文으로〕《口》 …을 참고 견디다: I wo*n't* ~ for such rude behavior. 이런 무례한 행동을 참을 수가 없다. ~ ***in*** (아무의) 대역을〔대리를〕 맡다《*for*》: I asked him to ~ *in for* me. 나의 대역을 맡아달라고 그에게 부탁했다. ~ a person ***in good stead*** ⇨STEAD. ~ ***in with*** (1) …을 나눠 갖다; 비용을 서로 부담하다: Nobody *stood in with* me in distress. 아무도 나와 괴로움을 함께 나누는 사람은 없었다. (2) 《美口》 …와 사이가 좋다, 친하다. ~ ***off*** 멀리 떨어져 있다; …에 응치〔동의하지〕 않다, …을 멀리하다〔경원하다〕; (적)을 물리치다; 《英》 (종업원)을 일시 해고하다; (채권자 등)을 피하다, (지불 등)

을 교묘하게 늦추다. ~ ***on*** (1) …위에 서다, …에 의거하다 : This plan ~*s on* a hypothesis. 이 계획은 가정에 의거하고 있다. (2) …을 고수〔고집〕하다, …에 까다롭다 : ~ *on* etiquette 예절에 까다롭다. ~ ***out*** (1) 끝까지 저항하다, 버티다《*against ; for*》. (2) 튀어나오다 ; 두드러지다《*against ; from*》: She ~*s out in* a crowd. 그녀는 군중들 속에서 한층 돋보인다. (3) 관여치 않다, 개입하지 않다 : ~ *out* of a quarrel 싸움에 끼어들지 않다. ~ ***over*** (1) 연기하다〔되다〕. (2) …을 감독하다, …에 입회하다. ~ ***to*** (1) (조건·약속 등을) 지키다 ; (진술 등의) 진실을 고집〔주장〕하다 : She *stood to* her resolution. 그녀는 결심을 굽히지 않았다. (2) 〔軍〕 경계 태세를 취하게 하다〔취하다〕; (적의 공격에) 대비하다. ~ ***treat*** 《美口》 한턱내다. ~ ***up*** 일어서다〔나다〕; 오래 가다, 지속하다, 유효하다, (의론 따위가) 설득력이 있다. ~ a person ***up*** 아무를 서게 하다 ; 《口》 (약속 시간에 나타나지 않아) 아무를 기다리게 하다, 바람맞히다. ~ ***up against*** …에 저항하다. ~ ***up for*** …을 옹호〔변호〕하다, …의 편을 들다. ~ ***up to*** (1) …에 (용감히) 맞서다. (2) (물건이) …에 견디다. ~ ***up with*** (신랑·신부의) 들러리를 서다. ~ ***well with*** …와 사이가 좋다, …에게 평판이〔인기가〕 좋다.

— *n.* Ⓒ ① **a**) 섬, 서 있음, 일어섬, 기립 ; 정지(停止) ; 정체, 막다름 : be at a ~ 정지〔정체〕해 있다. **b**) 저항, 반항, 고수(固守) : make a ~ against aggression 침략에 저항하다. **c**) (순회 극단 등의) 흥행(지) : a one-night ~ 하룻밤의 흥행. ② **a**) 〔종종 複合語로〕 (물건을 꽂거나 올려 놓는) 대(臺), …걸이, …꽂이 : a music ~ 악보대 / an umbrella ~ 우산 꽂이. **b**) 노점, (신문·잡지 등의) 매점 : a news ~ 신문 판매점. ③ **a**) (종종 *pl.*) (경기장 등의) 스탠드, 관람석. **b**) 《美》 (법정의) 증인석(《英》 witness-box) : take the ~ 증인석에 서다. ④ **a**) (서는) 위치, 장소 : take a ~ at the gate 대문이 있는 곳에 자리를 잡다. **b**) (문제에 대한) 입장, 견해, 태도 : What is your ~ on this issue? 이 문제에 대한 너의 입장은 무엇이냐. ⑤ (택시 등의) 주차장, 승객 대기소 : a bus ~ 버스 정류장 / a taxicab ~ 택시 승차장. ⑥ (일정 지역에 군생(群生)하는) 입목(立木)〔풀〕; (일정 면적의 밭에 자라고 있는) 농작물 : a ~ of clovers 군생하고 있는 클로버.

stand-a·lone [stǽndəlóun] *a.* 〖컴〗 (주변장치가) 독립(형)의 : ~ system 독립 체계.

ː**stand·ard** [stǽndərd] *n.* Ⓒ ① (종종 *pl.*) 표준, 기준, 규격 ; 규범, 모범 : below ~ 표준 이하로 / selection ~*s* 선택 기준 / the ~ of living 〔life〕 =the living ~ 생활 수준 / safety ~ 안전 기준 / up to (the) ~ 표준에 달하여, 합격하여. ② 〖經〗 (화폐 제도로서의) 본위 : the gold ~ 금본위제. ③ (도량형의) 기본 단위, 원기(原器). ④ 〖樂〗 《美》 스탠더드넘버《표준적인 연주 곡목이 된 곡》. ⑤ 기(旗) ; 군기 ; 기병 연대기 : join the ~ (of) …(의) 깃발 아래 모이다. ⑥ 지주(支柱), 전주 ; 램프대, 촛대. ⑦ 〖園藝〗 (관목(灌木)을 접목하는) 대목(臺木), 접본(椄本).

— (***more*** ~ ; ***most*** ~) *a.* ① 표준의, 보통의 ; 규격에 맞는 : the ~ size〔unit〕 표준 사이즈, 〔단위〕 / ~ English 표준 영어. ② 〔限定的〕 모범이 되는, 권위 있는, 일류의 : ~ authors 권위 있는 작가. ③ 《美》 (쇠고기 등) 중(中)이하 품질의, 열등한.

stand·ard-bear·er [-bɛ̀ərər] *n.* Ⓒ ① 〖軍〗 기수. ② 《比》 (정당 따위의) 주창〔창도〕자, 당수.

stándard gáuge 〖鐵〗 표준 궤간《레일의 간격이 약 1.435 m의 것》.

stándard I/O devíces 〖컴〗 표준 입출력 장치.

stan·dard·i·za·tion [stæ̀ndərdizéiʃən / -daiz-] *n.* Ⓤ,Ⓒ 표준화, 규격화 ; 획일, 통일.

***stand·ard·ize** [stǽndərdàiz] *vt.* 표준〔규격〕에 맞추다, 표준화〔규격화〕하다 : ~*d* articles〔goods, products〕 규격품.

stándard làmp 《英》 플로어 스탠드《바닥에 놓는 전기 스탠드》.

stándard tìme 표준시. ⓒⓕ local time.

stand·by** [stǽndbài] (*pl.* ~s***) *n.* Ⓒ ① (급할 때) 의지가 되는 사람〔것〕. ② (비상시) 교체요원 ; 비상시용 물자, 예비물 ; 예비〔대기〕자, (비행기 따위의) 예약 취소 승객을 기다리는 사람 ; 대역. ③ (예정된 방송 프로그램이 취소될 때의) 예비 프로그램. ***on*** ~ (1) 대기하고 있는. (2) 공석이 나기를 기다리는. — *a.* 〔限定的〕 긴급시 곧 쓸 수 있는, 대역의 : a ~ player 예비〔대기〕 선수. — *ad.* 공석이 나길 기다리어.

stand·ee [stændíː] *n.* Ⓒ 《口》 (극장·버스·열차 등의) 입석(立席) 손님.

***stand-in** [stǽndìn] *n.* Ⓒ ① (배우의) 대역. ② 대리인.

***stand·ing** [stǽndiŋ] *a.* 〔限定的〕 ① 서 있는, 선 채로의 ; 선 자세로〔위치에서〕 행하는 : ~ audience 서 있는 관객 / a ~ vote 기립 표결 / a ~ jump 제자리멀리뛰기. ② (기계 따위가) 멈춰 서 있는, 움직이지 않는 ; 괴어 있는《물 따위》: ~ water 괴어 있는 물. ③ 지속〔영속〕적인, 변치 않는 ; 상설의, 상임 의《위원 등》; 상비의 : a ~ committee 상임 위원회 / a ~ army 상비군 / a ~ color 변치 않는 색깔. ④ 고정된, 정해진《주문 따위》; 일정한, 늘 나오는《요리 따위》; 〖印〗 짜놓은《활자 따위》: a ~ problem 오랜 미해결 문제 / a ~ dish 일정한 요리 / a ~ joke 판에 박은 농담. ⑤ 관습적〔법적〕으로 확립된 ; 현행의.

— *n.* Ⓤ ① 기립. ② 지속, 존속 : a custom of long ~ 오랜 관습 / a friend of long ~ 오래 사귄 친구. ③ 지위, 신분 ; 명성, 평판 : men of high 〔good〕 ~ 신분이 높은 사람들.

stánding órder ① Ⓒ (취소할 때까지의) 계속 주문. ② 〖議會〗 (the ~s) 의사 규칙. ③ 《英》(은행에 대한) 자동 대체(對替) 의뢰.

stánding róom ① (열차 따위의) 서 있을 만한 여지. ② (극장의) 입석 : ~ only '입석 뿐임'《흔히 S.R.O.로 생략》.

stand·off [stǽndɔ̀(ː)f, -ɑ̀f] *a.* ① 떨어져〔고립되어〕 있는. ② 냉담한, 무관심한. — *n.* ① Ⓤ 《美口》 떨어져 있음, 고립. ② Ⓤ 격의를 둠, 쌀쌀함. ③ Ⓒ (경기 등의) 동점, 무승부. ④ Ⓒ 벌충.

stand·off·ish [stæ̀ndɔ́(ː)fiʃ, -ɑ́f-] *a.* 쌀쌀한, 냉담한 ; 불친절한 : She was cold and ~. 그녀는 냉정하고 불친절했다. ㊎ ~·**ly** *ad.* ~·**ness** *n.*

stand·out [stǽndàut] *n.* Ⓒ 훌륭한〔걸출〕한 사람〔것〕. — *a.* 훌륭한, 뛰어난.

stand·pat [stǽndpæ̀t] *a.* 《口》 현상 유지를 주장하는, 보수적인. ㊎ ~·**ter** [-ər] *n.*

stand·pipe [stǽndpàip] *n.* Ⓒ 저수〔급수〕탑(塔).

ː**stand·point** [stǽndpɔ̀int] *n.* Ⓒ 입장, 견지 ; 관점 : consider the matter from a commercial ~ 문제를 상업적인 관점에서 생각해 보다.

***stand·still** [stǽndstil] *n.* (a ~) 막힘, 정돈(停頓) ; 정지, 휴지 : be at *a* ~ 막혀 있다, 정체하고 있다 / The train came to *a* ~. 열차는 정지했다.

stand-up [stǽndʌ̀p] *a.* 〔限定的〕 ① (옷깃이) 서 있는. ② 선 채로 하는《식사 따위》. ③ 〖拳〗 서로 치고 받는, 정정당당한. ④ 연기보다 익살을 떠는 : a ~ comedian (화술로 사람을 웃기는) 만담가.

stank [stæŋk] STINK 의 과거.

Stan·ley [stǽnli] *n.* 남자 이름《★ Stanleigh라

고도 씀》.

***stan·za** [stǽnzə] *n.* Ⓒ 〖韻〗 (시의) 연(聯)《흔히 4행 이상의 각운이 있는 시구》, 스탠저.

㊕ **stan·za·ic** [stænzéiik] *a.*

***sta·ple**[1] [stéipəl] *n.* ① Ⓒ (흔히 *pl.*) **a)** 주요 산물〔상품〕: the ~*s* of the country 그 나라의 주요 산물. **b)** 주요〔기본〕 식품: ~*s* like flour and rice 밀가루와 쌀 같은 주요 식품. **c)** 주요소, 주성분; 주된 화제《*of*》. ② Ⓤ 섬유의 털; 섬유, 실: wool of fine ~ 상질의 양모. ── *a.* 〔限定的〕 중요한, 주요한: a ~ diet 주식(主食) / the ~ industries of Korea 한국의 중요 산업.

sta·ple[2] *n.* Ⓒ (U자 모양의) 꺾쇠; (스테이플러의) 철(綴)쇠, 철침, 스테이플; 거멀못.

── *vt.* …을 꺾쇠〔철쇠〕로 박다〔고정시키다〕.

sta·pler[1] [stéiplər] *n.* Ⓒ ① 주산물 상인. ② 양털 선별인〔선별기〕.

sta·pler[2] *n.* Ⓒ 스테이플러《호치키스》.

†**star** [stɑːr] *n.* ① Ⓒ 별: a falling ~ 별똥별, 유성 / a fixed ~ 항성. ② Ⓒ 별모양의 것, 〖印〗 별표(*): a five-~ hotel 특급 호텔. ③ (종종 *pl.*) 운, 운수: be born under a lucky ~ 행운(의 별)을 타고나다 / one's waning ~ 기우는 운수. ④ Ⓒ 스타, 인기 배우, 인기인: a movie ~ 인기 영화배우. ⑤ (*sing.*) 성공, 행운. ***see ~s*** (얻어 맞아서) 눈에서 불꽃이 번쩍 튀다, 눈앞이 아찔하다. ***~s in** one**'s eyes*** 낙관적인 안이한 기분, 몽상. ***the Stars and Stripes*** 성조기.

── *a.* 〔限定的〕 ① 스타의, 인기배우의: a ~ player 스타 플레이어. ② 별에 관한, 별의: a ~ map 별자리표.

── (**-rr-**) *vt.* ①《~+목 / +목+전+명》 (흔히 *pp.*로) …을 별(모양의 것으)로 장식하다, …에 별을 점점이 박다《*with*》; …에 별표를 붙이다: a crown ~*red with* diamonds 온통 다이아몬드를 박아 넣은 왕관 / the ~*red* questions 별표가 붙은 질문. ② …을 주역으로 하다: a movie ~*ring* Robert Redford 로버트 레드포드 주연 영화.

── *vi.* 주연하다《*in*》: Audrey Hepburn ~*red in My Fair Lady.* 오드리 헵번은 '마이 페어 레이디'에서 주연했다.

star·board [stɑ́ːrbɔ̀ːrd] *n.* Ⓤ 〖海〗 (이물을 향해) 우현(右舷)(opp. *larboard, port*[3]); 〖空〗 (기수를 향해) 우측. ── *a.* 〔限定的〕 우현의. ── *vt., vi.* (배의) 진로를 오른쪽으로 잡다, 우현으로 돌리다: *Starboard* (the helm)! 우현으로, 키를 우로《구령》.

***starch** [stɑːrtʃ] *n.* ① Ⓤ.Ⓒ 녹말, 전분; (*pl.*) 녹말이 많은 식품. ② Ⓤ (의류용의) 풀. ③ Ⓤ 딱딱함, 꼼꼼함, 형식을 차리기. ④ Ⓤ 《美俗》 용기.

── *vt.* (의류)에 풀을 먹이다: ~ sheets.

starchy [stɑ́ːrtʃi] (***starch·i·er*** ; ***-i·est***) *a.* ① 녹말의; 녹말이 많은: ~ foods 녹말이 많이 든 음식. ② 풀먹인(것 같은). ③ 딱딱한; 《口》 형식을 차리는. ㊕ **stárch·i·ly** *ad.*

star-crossed [⌐-krɔ̀(ː)st] *a.* 《文語》 운수 나쁜, 복 없는, 불운한: ~ lovers 불운한 연인들.

star·dom [stɑ́ːrdəm] *n.* Ⓤ ① 주역〔스타〕의 지위〔신분〕: rise to ~ 스타덤에 오르다. ② 〔集合的〕 스타들.

star·dust [⌐-dʌ̀st] *n.* Ⓤ ① 소성단(小星團), 우주진(塵). ② 《口》 황홀한 기분; 매혹적인 느낌.

‡**stare** [stɛər] *vt.* ①《+목+부 / +목+전+명》 …을 응시하다, 빤히 보다: ~ a person *up* and *down* 아무를 위아래로 자세히 훑어보다. ②《+목+부 / +목+전+명 / +목+보》 (아무)를 노려보아 …하게 하다《*into*》: I ~*d* her *into* silence. 나는 그녀를 노려보아서 침묵하게 했다.

── *vi.* 《~ / +전+명》 눈을 동그랗게 뜨고 보다; 빤히 보다; 응시하다《*at*》: He ~*d at* me in surprise. 그는 놀라서 나를 응시했다 / It's rude to ~. 사람을 빤히 쳐다 보는 것은 실례이다. ~ a person ***down*** 〔***out of countenance***〕 아무를 빤히 쳐다보아 무안케 하다. ~ a person ***in the face*** (1) 아무의 얼굴을 빤히 쳐다보다. (2) (사실 따위가) 아무에게 명백해지다.

── *n.* Ⓒ 응시, 빤히 쳐다보기: give a person a cold ~ 아무를 차가운 눈으로 바라보다.

star·fish [stɑ́ːrfìʃ] *n.* Ⓒ 〖動〗 불가사리.

star·gaze [⌐-gèiz] *vi.* ① 별을 쳐다보다. ② 공상에 빠지다. ㊕ **-gàz·er** *n.* Ⓒ ① 《戱》 점성가, 천문학자. ② 몽상가.

***stark** [stɑːrk] *a.* ① (시체 따위가) 굳어진, 빳빳해진: ~ and stiff 경직한; 경직되어. ② 〔限定的〕 순전한, 완전한; 진짜의: ~ madness 완전한 정신 착란 / ~ horror 진짜로 무시무시한 공포 / in ~ contrast 전혀 다르게, 정반대로. ③ (묘사 따위가) 있는 그대로의, 적나라한: ~ facts 있는 그대로의 사실. ④ (전망 등이) 삭막〔황량〕한; 텅 빈《방 따위》. ── *ad.* 아주, 순전히, 전혀: ~ naked 《口》 전라(全裸)의, 발가벗은. ㊕ ⌐·**ly** *ad.*

star·less [stɑ́ːrlis] *a.* 별(빛)이 없는.

star·let [stɑ́ːrlit] *n.* Ⓒ ① 작은 별. ② (각광을 받기 시작한) 신진 여배우, 신출내기 스타.

***star·light** [⌐-làit] *n.* Ⓤ 별빛.

── *a.* 〔限定的〕 별빛의, 별빛이 밝은 (밤의).

star·like [⌐-làik] *a.* 별 모양의; 별처럼 빛나는.

star·ling [stɑ́ːrliŋ] *n.* Ⓒ 〖鳥〗 찌르레기.

star·lit [stɑ́ːrlìt] *a.* 《文語》 별빛의.

star·ry** [stɑ́ːri] (-ri·er*** ; ***-ri·est***) *a.* ① 별의. ② 별이 많은, 별을 총총히 박은. ③ 빛나는; 별 모양의: ~ eyes 별처럼 반짝이는 눈.

star·ry-eyed [stɑ́ːriàid] *a.* 《口》 공상적인, 비현실적인: a ~ optimist 비현실적인 낙천가.

stár shèll 조명탄, 예광탄.

star-span·gled [stɑ́ːrspæ̀ŋgəld] *a.* 별이 촘촘히 박힌, 별이 총총한.

Stár-Spangled Bánner (the ~) ① 성조기《미국 국기》. ② 미국 국가.

star-stud·ded [⌐-stʌ̀did] *a.* 인기 배우들이 많이 출연한: a ~ cast 올스타 캐스트, 인기 배우 총출연.

†**start** [stɑːrt] *vi.* ①《~ / +전+명》 출발하다, 떠나다(leave)《*from* ; *for* ; *on*》: He ~*ed on* a journey. 그는 여행을 떠났다. ②《~ / +전+명》 시작하다, 시작되다; 개시하다, 착수하다《*on* ; *with*》: The show ~*s* at eight. 쇼는 여덟 시에 시작된다 / ~ *on* a new enterprise 새 사업을 시작하다. ③《~ / +전+명》 돌발하다, 생기다, 일어나다《*up*》: How did the war ~? 전쟁은 어떻게 일어났는가. ④《~ / +전+명 / +부》 (놀라서) 펄쩍 뛰다, 소스라치다, 움찔하다; 재빨리 움직이다; 물러서다《*away* ; *aside*》; (기계 따위가) 움직이기 시작하다; 시동이 걸리다: I ~*ed to* my feet. 나는 벌떡 일어섰다 / *Start aside!* 비켜라 / This engine won't ~. 이 엔진은 도무지 시동이 안 걸린다. ⑤《~ / +전+명 / +부》 (눈알 따위가) 튀어나오다; (눈물·피 따위가) 콱 쏟아지다: Tears ~*ed* from her eyes. 그녀의 눈에서 눈물이 콱 쏟아졌다. ⑥ (선재(船材)·못 따위가) 느슨해지다, 휘다, 빠지다: The planks have ~*ed.* 판자가 휘어졌다.

── *vt.* ① …을 출발시키다; (여행)을 떠나게 하다; (인생 행로)로 내어보내다: The book ~*ed* him on the road to a popular writer. 이 책으로 그는 인기 작가의 길을 걷기 시작했다. ②《+목+

전+명/+목+-*ing*》 …을 시작하게 하다: He ~*ed* me *in* business. 그는 나에게 장사를 시작하게 했다. ③(일 따위)를 시작하다: ~ work. ④《~+목/+-*ing*/+*to* do》 …하기 시작하다: ~ a book 책을 읽기 시작하다/~ cry*ing*=~ *to* cry 울기 시작하다. ⑤《~+목/+목+부》(기계 따위)를 시동하다, 움직이게 하다; (사업 따위)를 일으키다: He ~*ed* a newspaper. 신문사업을 시작했다/I could not ~ (*up*) the engine. 엔진을 가동시킬 수 없었다. ⑥(사냥감)을 튀어 달아나게 하다, 몰아내다. ⑦《古》깜짝〔흠칫〕 놀라게 하다. ⑧(말 따위)를 꺼내다, (불평 따위)를 말하다. ⑨…을 앞장서서 하다, 선도하다, 주창하다. ⑩(화재 따위)를 일으키다. ⑪(술 따위)를 통에서 따르다; (통 따위)를 비우다. ⑫(못 따위)를 휘게 하다, 빠지게 하다.

~ ***in*** (1)(일 따위)를 시작하다《*on*; *to* do》: ~ *in on* a work 일을 시작하다/He ~*ed in to* write a novel. 그는 소설을 쓰기 시작했다. (2)《口》(아무)를 비난하기 시작하다《*on*》. ~ ***out*** (1) 출발하다. (2)…하기 시작하다, (…에) 착수하다《*to* do》. (3)《美》여행을 떠나다. (4) 인생〔일〕을 시작하다《*as*》. ~ ***over*** 《美》(처음부터) 다시 하다. ~ ***something*** 《口》사건〔소동〕을 일으키다: Are you trying to ~ *something?* 소동을 일으키겠다는 거냐. ~ ***up*** (*vi.*) (1)(놀라서) 일어서다. (2) 갑자기 나타나다. (3)(일·연주 따위)를 시작하다. (4)(마음에) 떠오르다. (*vt.*) (자동차 등)을 움직이게 하다. ***to ~ with*** (1) 우선 첫째로(to begin with): *To ~ with,* I think I must explain the aim of this meeting. 우선 첫째로, 나는 이 회합의 목적을 설명하지 않으면 안 된다고 생각한다. (2) 처음에(는).

── *n.* ①Ⓒ 출발, 스타트; 출발점; 출발 신호: a ~ in life 인생의 첫 출발. ②Ⓒ(흔히 *sing.*) 펄쩍 뜀; 깜짝 놀람; 《口》놀랄 만한 일: with a ~ 흠칫 놀라. ③Ⓒ 시동; (사업 등의) 개시, 착수: make a ~ (on...) (…을) 착수하다. ④Ⓤ(또는 a ~) 선발(先發)(권); 기선(機先), 유리(한 위치); (경주의) 출발(점): line up at the ~ 출발선에 서다/I gave her seven meter's ~. 나는 그녀가 7m 앞서 출발하도록 했다. ⑤(*pl.*) 발작. ***for a ~*** 《口》우선, 시작으로. ***from ~ to finish*** 처음부터 끝까지, 철두철미.

START [stɑːrt] Strategic Arms Reduction Talks(전략 무기 감축 회담).

start·er** [stɑ́ːrtər] *n.* Ⓒ ①출발자, 개시자; 경주 참가자; 출전하는 말. ②(경주 등의) 출발 신호원(員), (기차 등의) 발차계. ③〖機〗(내연기관의) 시동 장치. ④(과정의) 첫 단계, 시초, 개시: His speech was the party ~. 그의 연설이 파티의 시작이었다. ⑤(식사의) 제 1 코스. ⑥〖電子〗시동기, (형광등의) 스타터. ***as 〔***for***〕 ***a ~*** =***for ~s*** 《口》처음에, 우선 먼저.

stárt·ing blòck [stɑ́ːrtiŋ-] (단거리 경주용의) 스타팅 블록, 출발대(臺).

stárting gàte (경마·스키 경기 따위의) 출발문, 발마문(發馬門).

stárting pòint 기점(起點), 출발점.

‡star·tle [stɑ́ːrtl] *vt.* 《~+목/+목+전+명》 ①…을 깜짝 놀라게 하다; 펄쩍 뛰게 하다. ②놀라서 …하게 하다《*into*; *out of*》: The noise ~*d* me *out of* my sleep. 그 소리에 놀라 잠을 깼다.

── *n.* Ⓒ 깜짝 놀람.

star·tled [´-d] ①(깜짝) 놀란: He gave me a ~ look. 그는 놀란 듯이 나를 보았다. ②〔敍述的〕…에 놀란《*at*; *by*》; …하여 놀란《*to* do》: I was ~ *to* see him. 그를 보고 놀랐다/I was ~ *at* the sound. 그 소리에 깜짝 놀랐다.

***star·tling** [stɑ́ːrtliŋ] *a.* 놀라운, 깜짝 놀라게 하는: ~ news 놀라운 뉴스. 파 **~·ly** *ad.*

***star·va·tion** [stɑːrvéiʃən] *n.* Ⓤ 굶주림, 기아; 아사: ~ diet 단식 요법/die of ~ 굶어죽다.

── *a.* 〔限定的〕 기아의; 박봉의: ~ wages 박봉.

‡starve [stɑːrv] *vi.* ①굶어 죽다, 아사하다: The dog ~*d* to death. 그 개는 굶어 죽었다. ②〔進行形으로〕 굶주리다, 배고프다: I'm simply *starving.* 나는 배고파 죽을 지경이다. ③《+전+명》…을 간절히 바라다《*for*》: The motherless children ~ *for* affection. 어머니가 없는 아이들은 애정에 굶주려 있다.

── *vt.* ①《~+목/+목+전+명》…을 굶기다, 굶겨 죽이다: be ~*d to* death 굶어 죽다/~ a person to death 아무를 굶겨 죽이다. ②《+목+전+명/+목+부》 굶겨서 …시키다: ~ the enemy *into* surrender(ing) 보급로를 끊어 적을 항복시키다. ③(…의) 부족〔결핍〕을 느끼게 하다.

starved [stɑːrvd] *a.* ①굶주린, 배고픈; 굶어 죽은: a ~ cat 굶주린 고양이. ②〔敍述的〕 결핍한《*of*; *for*》: The orphans are ~ *of* affection. 고아들은 사랑에 굶주리고 있다.

starve·ling [stɑ́ːrvliŋ] 《古·文語》 *n.* Ⓒ 굶주려서 여윈 사람〔동물〕. ── *a.* 굶주린; 수척한.

Stár Wàrs 《美》별들의 전쟁《적의 핵미사일이 미국 상공에 이르기 전에 격추시키려는 전술, SDI의 속칭》. cf Strategic Defense Initiative.

stash [stæʃ] *vt.* 《口》(돈·귀중품 따위)를 간수하다〔챙겨두다〕; 은닉하다, 숨기다.

── *n.* Ⓒ ①숨는 곳. ②은닉물, 숨긴 것.

sta·sis [stéisis] (*pl.* ***-ses*** [-siːz]) *n.* Ⓤ,Ⓒ ①〖生理〗 혈행(血行) 정지, 울혈(鬱血). ②정체, 침체.

stat. statics; statuary; statue; statute(s).

†state [steit] *n.* ①Ⓒ(흔히 *sing.*) 상태, 형편, 사정, 형세: the ~ of the world 세계 정세/be in a poor ~ of health 건강 상태가 나쁘다/a solid ~ 고체 상태. ②Ⓒ〔흔히 in〔into〕 a ~로〕《口》 흥분〔불안〕 상태: Don't get *into* such a ~. 그렇게 흥분하지 마라. ③Ⓤ 위엄, 당당한 모습, 공식: a visit of ~ 공식 방문/in ~ 당당히; 정식으로. ④Ⓒ(흔히 the S-) 국가, 나라; Ⓤ(church에 대한) 정부: a welfare ~ 복지 국가/an independent ~ 독립 국가/separation of church and ~ 교회와 국가의 분리; 정교(政敎) 분리. ⑤Ⓤ 국사, 국무, 국정; (S-)《美口》 국무부(the Department of S-): a head of ~ 국가 원수/affairs〔matters〕 of ~ 국사, 국무. ⑥Ⓒ(S-) (미국·오스트레일리아 등의) 주(州); (the S-s)《口》 미국《미국인이 국외(國外)에서 씀》. ⑦〖컴〗(컴퓨터를 포함한 automation의) 상태: ~ table 상태표. ***the ~ of the art*** (과학 기술 등의) 현재의 도달 수준〔발달 상태〕. cf state-of-the-art. ***the State of the Union Address*** 〔***Message***〕 《美》 대통령의 연두 교서.

── *a.* 〔限定的〕 ①(종종 S-) 국가의, 국사에 관한: ~ affairs 국사(國事)/~ service 국무/a ~ funeral 국장(國葬)/a ~ guest 국빈. ②《美》 주(州)의; 주립의: a ~ highway 《美》 주 관할 고속도로/a ~ university 주립 대학. ③의식용의, 공식의: ~ ceremonies 공식 행사/~ chambers (궁전 등의) 의전실/a ~ dinner 〔call〕 공식 만찬회〔방문〕.

── *vt.* 《~+목/+*that*절/+*wh.*절/+목+*to* do》(명확히 의견 따위)를 진술하다, 주장하다, 말하다. cf speak. ¶ He ~*d* his own opinion. 그는 자기 의견을 진술하였다/The minister ~*d that* he would visit Japan soon. 장관은 곧 일본

을 방문할 의향이라고 말했다 / The contract doesn't ~ clearly *whether* a travel allowance will be paid. 계약서에는 여비 지급 여부가 명확히 진술되어 있지 않다 / *State* your name and address. 성명과 주소를 말하시오 / as ~*d* above 〔below〕 상기〔하기〕와 같이.

state·craft [-kræ̀ft, -krɑ̀:ft] *n.* Ⓤ 치국책(治國策), 국가 통치 능력 ; 정치적 수완.

stat·ed [stéitid] *a.* 정하여진, 정기(定期)의 : 규정된 ; 공표된 : a ~ price 〔fee〕 규정 가격〔요금〕 / Meetings are held at ~ times. 모임은 정각에 열린다. ㊫ **~·ly** *ad.* 정기적으로.

Státe Depàrtment (the ~) 《美》 국무부 (the Department of State).

státe fáir 《美》 주(州)의 농산물〔가축〕 품평회.

Státe flówer 《美》 주화(州花).

state·hood [stéithud] *n.* Ⓤ ① 국가로서의 지위. ② (종종 S-) 《美》 주(州)로서의 지위.

state·house [-hàus] *n.* Ⓒ (종종 S-) 《美》 주의 사당.

state·less [stéitlis] *a.* ① 국적 없는. ② 시민권 없는. ㊫ **~·ness** *n.*

‡state·ly [stéitli] (**-li·er** ; **-li·est**) *a.* 당당한 ; 위엄 있는, 장중한 ; 품위 있는 : He always walked with a ~ bearing. 그는 항상 품위있게 걸었다. ⓒⓕ grand. ㊫ **-li·ness** *n.*

státely hóme 《英》 (유서 깊은 시골의) 대저택 《일반에게 공개되는 것이 많음》.

‡state·ment [stéitmənt] *n.* ① Ⓒ (정부 등의) 성명 ; 성명서 : a joint ~ 공동 성명 / make an official ~ 공식 성명을 발표하다. ② Ⓤ (아무의) 말, 설, 말한 것 : require clearer ~ 좀더 분명히 말할 필요가 있다. ③ Ⓒ (문서·구두에 의한) 진술 ; 〖法〗 공술(供述) : make a false ~ 허위 진술을 하다 / a written ~ 진술서. ④ Ⓒ 〖商〗 (회사 따위의) 대차 대조표, 사업보고서, 결산서 ; (은행의) 구좌 수지 계산서(bank ~). ⑤ 〖컴〗 문(장), 명령문《고급 프로그램 언어에 의한 실행명령 등의 프로그램 기술(記述)상 필요한 기본적 표현》.

Stát·en Ísland [stǽtn-] 스태튼 아일랜드《뉴욕만 안의 섬 ; 뉴욕시의 한 행정구(區) (borough)를 이룸》.

state-of-the-art [-əvðiɑ́:rt] *a.* (기기 따위가) 최신식의, 최신 기술을 구사한, 최첨단의 : ~ technology 최첨단 과학 기술.

státe políce (미국의) 주(州) 경찰.

Státe Régistered Núrse 《英》 국가 공인 간호사《略 : S.R.N.》.

state·room [stéitrù:m] *n.* Ⓒ ① (궁중 따위의) 알현실, 대접견실. ② (열차·여객기·미국 열차 따위의) 특별〔전용〕실.

state·side [-sàid] *a.* 《美口》 (해외에서 보아) 미국(본토)의. ── *ad.* (해외에서 보아) 미국으로〔에〕.

‡states·man [stéitsmən] (*pl.* **-men** [-mən]) *n.* Ⓒ (공정하고 훌륭한) 정치가 : There are many politicians, but few *statesmen.* 정치꾼은 많으나 정치가는 드물다.
㊫ **~·lìke, ~·ly** *a.* **~·shìp** *n.* Ⓤ,Ⓒ 정치적 수완.

státe sócialism 국가 사회주의.

státe univérsity (미국의) 주립 대학.

states·wom·an [stéitswùmən] (*pl.* **-wom·en** [-wìmin]) *n.* Ⓒ 여성 정치가.

státe táble 〖컴〗 상태표《입력과 그 이전의 출력을 기초로 한 논리 회로의 출력 목록》.

state·wide [stéitwáid] *a.* (때로 S-) 《美》 주(州) 전체의〔에 걸친〕. ── *ad.* 주 전체로, 주 전체에 걸쳐.

***stat·ic** [stǽtik] *a.* ① 정적(靜的)인 ; 활기가 없는 : ~ sensation 정적〔평형〕 감각. ② 정지(靜止) 상태의 ; 정역학(靜力學)의 : ⓞⓟⓟ dynamic. ③ 〖電〗 공전(空電)〔정전(靜電)〕의 : ~ electricity 정전기 / ~ pressure 정압(靜壓). ④ 〖컴〗 정적(靜的)《재생하지 않아도 기억 내용이 유지되는》.
── *n.* Ⓤ ① 〖電〗 공전(空電) ; 전파 방해. ② 정전기. ③ 《美口》 격렬한 반대, 요란한 비평.
㊫ **-i·cal** [-ikəl] *a.* **-i·cal·ly** [-ikəli] *ad.*

státic mémory 〖컴〗 정적(靜的) 기억 장치《기억 내용이 공간적으로 고정되어 있고, 시간에 대하여 이동이나 변화가 없는 기억 장치》.

státic RAM [-rǽm] 〖電子〗 정적(靜的) 램〔막기억 장치〕《전원만 끊지 않으면 속의 정보가 꺼지지 않고 보존되는 IC 기억장치》.

stat·ics [stǽtiks] *n.* Ⓤ 정역학(靜力學).

†sta·tion [stéiʃən] *n.* ① Ⓒ 정거장, 역(railroad ~), 정류장 ; 역사(驛舍) : a freight ~ 화물역 / a subway〔《英》 tube〕 ~ 지하철 역. ② Ⓒ (관청·시설 따위의) 소(所), 서(署), 국(局), 부(部) : a fire ~ 소방서 / a broadcasting ~ 방송국 / a police ~ 경찰서 / a power ~ 발전소. ③ Ⓒ (군대의 소규모) 주둔지, 근거지, 요항(要港) : a frontier ~ 국경 주둔지. ④ Ⓒ 위치, 장소 ; (담당) 부서(部署) : take up one's ~ 담당 부서에 앉다 / be action ~*s* 전투 배치에 임하다. ⑤ Ⓒ 지위, 신분 : a woman of high ~ 지체 높은 여성 / a ~ in life 사회적 지위 ; 신분. ⑥ 《Austral.》 (건물·토지를 포함한) 대목장, 농장. ⑦ 〖컴〗 국《네트워크를 구성하는 각 컴퓨터》. ***be on*** ~ 지위에 올라 있다. ***the ~s of the Cross*** 〖가톨릭〗 십자가의 길《예수의 수난을 14 장면으로 나타낸 것 ; 그 앞에서 순차적으로 기도함》.
── *vt.* 《~+목 / +목+전+명》 ① …을 부서에 앉히다, 배치하다, 주재시키다《*at* ; *on*》 : Two guards were ~*ed at* the back of the building. 두 경비원은 건물 후면에 배치되었다. ② 〔再歸的〕 …에 위치하다, 서다 : He ~*ed himself* behind a tree. 그는 나무 그늘에 섰다. ㊫ **~·al** *a.*

***sta·tion·ary** [stéiʃənèri / -nəri] *a.* ① 움직이지 않는, 정지(靜止)된 : a ~ front (기상의) 정체 전선 / Remain ~ ! 움직이지 마. ② 변화하지 않는 《온도 등》 ; 증감하지 않는《인구 등》 : a ~ population 증감이 없는 인구. ③ 움직일 수 없게 장치한, 고정시킨《기계 등》 : a ~ engine 붙박이 엔진. ④ 정주의 ; 상비의《군대 등》 : ~ troops 주둔군.

státionary sátellite 정지(靜止) 위성.

státion brèak 《美》 〖라디오·TV〗 스테이션 브레이크《프로와 프로 사이의 토막 시간 ; 그 사이의 공지 사항이나 광고》.

sta·tio·ner [stéiʃənər] *n.* Ⓒ 문방구상〔점〕.

***sta·tio·nery** [stéiʃənèri / -nəri] *n.* Ⓤ ① 〔集合的〕 문방구, 문구. ② (봉투가 딸린) 편지지 : a letter on hotel ~ 호텔 편지지에 쓴 편지.

státion hòuse 《美》 경찰서〔소방서〕(의 건물).

sta·tion·mas·ter [stéiʃənmæ̀stər, -mɑ̀:s-] *n.* Ⓒ (철도의) 역장.

sta·tion-to-sta·tion [-tə-] *a.* (장거리 전화가) 번호 통화의. ⓒⓕ person-to-person. ¶ a ~ call 번호 통화. ── *ad.* 번호 통화로 : call a person ~ 번호 통화로 아무에게 전화하다.

státion wàgon 《美》 스테이션 왜건(《英》 estate car)《뒤에 접는식 좌석이 있는 대형 승용차》.

stat·ism [stéitizəm] *n.* Ⓤ ① 국가 주권주의. ② (경제·행정의) 국가 통제(주의).

sta·tis·tic [stətístik] *n.* Ⓒ 통계치, 통계량.

***sta·tis·ti·cal** [stətístikəl] *a.* 통계(상)의 ; 통계학

의 : ~ inference 통계적 추론 / ~ probability 통계적 확률. 파 ~·ly [-kəli] *ad.*

stat·is·ti·cian [stæ̀tistíʃən] *n.* Ⓒ 통계가〔학자〕.

:sta·tis·tics [stətístiks] *n.* ①〔複數취급〕 통계(표) : collect ~ 통계를 잡다 / These ~ do not tell the whole story. 이들 통계 수치만으로는 전체 상황을 알 수 없다. ② Ⓤ 통계학.

stat·u·ary [stǽtʃuèri / -əri] *n.* Ⓤ ①〔集合的〕 조상(彫像), 조각(statues). ② 조상술.

:stat·ue [stǽtʃuː] *n.* Ⓒ 상(像), 조상(彫像) : set up a bronze ~ 동상을 세우다. ***Statue of Liberty*** (the ~) 자유의 여신상《New York 항의 Liberty Island 에 있는 청동상》.

stat·u·esque [stæ̀tʃuésk] *a.* 조상(彫像) 같은; 균형 잡힌; 윤곽이 뚜렷한; 아름다운; (여성이) 위엄 있는 : a tall ~ woman 키가 크고 아름다운 여자.

stat·u·ette [stæ̀tʃuét] *n.* Ⓒ 작은 조상(彫像).

:stat·ure [stǽtʃər] *n.* Ⓤ ① (특히 사람의) 키, 신장. ②《比》(지적·도덕적인) 성장(도), 발달 정도, 수준; 능력; 고매함; 명성 : moral ~ 도덕 수준 / a man of ~ 명사.

***sta·tus** [stéitəs, stǽtəs] *n.* 《L.》 ① Ⓤ 지위, 신분《*of* ; *in*》: the ~ *of* a wife 아내의 신분. ② Ⓤ 높은 사회적 지위, 명성, 신망 : seek ~. ③ Ⓤ 상태, 사정, 형세 : economic ~ 경제 사정 / the present ~ of affairs 현재의 상태.

státus quó [-kwóu] (the ~) 현상(現狀)(=**stá·tus in quó**) : maintain *the* ~ 현상을 유지하다.

státus sỳmbol 지위의 상징, 높은 사회적 신분의 상징《고급 승용차나 별장 따위》.

***stat·ute** [stǽtʃuːt] *n.* Ⓒ 법령, 성문법, 법규; 정관(定款), 규칙 : ~*s* at large 법령집 / by ~ 법령에 따라〔의해〕.

státute bòok (흔히 *pl.*) 법령집(集).

státute làw 성문법.

státute mìle 법정 마일《5,280 피트; 1,609.3m》.

stat·u·to·ry [stǽtʃutɔ̀ːri / -təri] *a.* 법령의; 법정의; 법령에 의한 : a ~ tariff 법정 세율.

***staunch¹** [stɔːntʃ, stɑːntʃ] =STANCH¹.

***staunch²** [stɑːntʃ, stɔːntʃ] *a.* ① (사람이) 믿음직한, 신뢰할 만한, 충실한 : a ~ friend 충실한 친구. ② (건물 따위가) 견고한, 튼튼한; (배 따위가) 방수(防水)가 된. 파 ∠·ly *ad.* ∠·ness *n.*

***stave** [steiv] *n.* ① 통(桶)널. ② (사닥다리의) 단(段), 디딤대《가로장》. ③ 시의 일절, 시구; (시행(詩行)의) 두운(頭韻). ④〖樂〗 보표(譜表)(staff).
— (*p., pp.* ***~d, stove*** [stouv]) *vt.* ① …에 통널을 붙이다. ② (통)에 구멍을 뚫다; (상자·모자 따위)를 찌그러뜨리다《*in*》.
— *vi.* (보트 등이) 구멍이 뚫리다《*in*》. ~ ***off*** (위험·파괴 등을) 막다, 피하다.

†stay¹ [stei] (*p., pp.* ***~ed*** [-d], 《古》 ***staid*** [steid]) *vi.* ①《~ / +副 / +前+名》 (장소·위치 등에) 머무르다, (오래) 있다; 체재하다, (…에) 묵다《*at* ; *in*》: ~ *outside* 밖에 있다 / Shall I go or ~? 자리를 뜰까요 그대로 있을까요 / ~ overnight 일박(一泊)하다 / He ~*ed at* the hotel〔*in* Tokyo〕. 그는 그 호텔에 숙박했다〔도쿄에 체재했다〕. ②《+補》…인 채로 있다(remain) : ~ young 늙지 않다 / ~ neutral 중립을 유지하다 / ~ in tune (악기가) 가락을 유지하다. ③《~ / +前+名》《口》 지탱〔지속〕하다, 견디다 : ~ *to* the end of a race 경주의 최후까지 버티다. ④ 호각〔백중〕이다, …와 겨루다《*with*》: ~ *with* the leaders 선도자들에게 지지 않다. ⑤《古》〔종종 命令形〕 기다리다; 멈추다.
— *vt.* 《~+名》 ①《文語》 …을 멈추(게 하)다, 막(아 내)다 : ~ the spread of a disease 병의 전염을 멈추게 하다. ②《文語》 일시적으로 (욕망)을 채우다, (굶주림)을 일시 때우다〔면하게 하다〕: ~ one's hunger〔thirst〕 공복〔갈증〕을 일시 면하게 하다. ③《口》 …동안 지속하다, 지탱하다, …의 최후까지 버티다 : I could not ~ the whole course. 전 코스를 끝까지 뛰지 못했다. ④《古》 (분쟁·반란 등)을 가라앉히다, 진압하다. ⑤ …동안 (쭉) 머무르다〔체재하다〕《*out*》: ~ the summer (*out*) in Hawaii 여름 내내 하와이에 머무르다. ⑥ (판결 따위)를 연기하다, 유예하다 : ~ a punishment (선고된) 형의 집행을 유예하다. ***be here to*** ~ (유행·관습 따위가) 정착하다. ~ ***after*** = ~ in. ~ ***away from*** (1) …에서 떨어져 있다. (2) 결석하다 : ~ *away from* work〔school〕 결근〔결석〕하다. ~ ***in*** (1) 집에 있다 : I had to ~ *in* because of the fever. 열이 있어 외출할 수 없었다. (2) (학교 따위에 벌로) 남아 있다. ~ ***on*** (임무·기한 등이 지난 후에도) 계속 남아 있다, 유임하다. ~ ***out*** (*vi.*) (1) 밖에 있다, 외출해 있다. (2) 파업을 계속하다. ~ ***over*** (집에서 떨어진 곳에) 묵다. ~ ***put*** 그대로 있다 : *Stay put* until I come and pick you up. 차로 태우러 갈 때까지 그 자리에 그대로 있어라. ~ ***the course*** 끝까지 버티다. ~ ***up*** (1) 머물러 있다. (2) 밤새우다, 밤샘하다 : ~ *up* reading all night 독서로 밤을 새우다.
— *n.* ① Ⓒ (흔히 *sing.*) 머무름, 체재 (기간) : make a long ~ 장기 체류하다. ② Ⓤ,Ⓒ〖法〗 연기, 유예 : a ~ of execution 형의 집행 유예.

stay² *n.*〖船〗 Ⓒ (돛대를 지탱해 주는) 지삭(支索).

stay³ *n.* ① Ⓒ 지주, 버팀. ②《比》 의지가 되는 것〔사람〕《*of*》: He is the ~ *of* my old age. 그는 나의 노후에 의지가 될 사람이다. — *vt.* ① …을 지주로 버티다《*up*》. ②《文語》 (아무)의 심적인 의지가 되다; 안정시키다; (정신적)으로 격려하다.

stay-at-home [stéiəthòum] *a.* 《口》 집에 틀어박혀 있는; 외출을 싫어하는. — *n.* Ⓒ 《口》 집에 틀어박혀 있는 사람, 외출을 싫어하는 사람.

stay·er¹ [stéiər] *n.* Ⓒ ① 체재자. ② 끈기 있는 사람〔동물〕. ③〖競馬〗 장거리 경주마.

stay·er² *n.* Ⓒ 지지〔옹호〕자.

stáy·ing pòwer [stéiiŋ-] 지구력, 내구력.

stáy-in (strìke) [stéiìn(-)] 연좌 파업.

STD sexually transmitted disease(성적 감염증); 《英》 subscriber trunk dialling (장거리 다이얼 직통 전화).

stead** [sted] *n.* 《文語》 Ⓤ ① 대신, 대리. ② 도움, 이익. ***in a person***'s*** ~ = ***in the*** ~ ***of*** a person 아무의 대신에. ***stand*** a person ***in good*** ~ 아무에게 크게 도움〔이익〕이 되다.

:stead·fast [stédfæ̀st, -fəst] *a.* 확고 부동한, 고정된, (신념 등) 불변의, 부동의 : ~ friendship 변치 않는 우정 / He is ~ *in* his faith. 그는 신념을 굽히지 않는다. 파 **~·ly** *ad.* **~·ness** *n.*

:stead·i·ly [stédili] (***more*** ~, ***most***~) *ad.* 착실하게; 꾸준히, 착착 : His health is getting ~ worse. 그의 건강은 점점 악화되고 있다.

:steady [stédi] (***stead·i·er*** ; ***-i·est***) *a.* ① 고정된, 확고한, 흔들리지 않는 : a ~ ladder 고정된 사다리 / ~ as a rock 바위같이 흔들리지 않는. ② 안정된; 견고한, 한결같은, 착실한, 절도 있는 : a ~ job 안정된 직업 / a ~ player 안정된 기술을 가진 경기자. ③ 불변의, 끊임없는; 상습의; 정상(定常)의. ***go*** ~ 《口》 한 사람하고만 데이트하다《*with*》; 애인 사이가 되다.
— *n.* Ⓒ 《美口》 정해진 상대〔애인〕.
— *vt.* …을 견고하게 하다; 침착하게 하다; …을

안정시키다, 흔들리지 않게 하다: ~ a ladder 사다리를 고정시키다. ── *vi.* 견고해지다; 안정되다, 침착해지다. ⓟ **stéad·i·ness** *n.*

‡**steak** [steik] *n.* Ⓤ,Ⓒ (비프) 스테이크(beefsteak): "How would you like your steak, madam?" "Rare, please". '부인, 스테이크는 어떻게 해드릴까요.' '덜 구워진 것으로 주세요.'

steak·house [ˊ-hàus] *n.* Ⓒ 스테이크 전문점.

stéak knìfe (톱니 있는) 스테이크 나이프.

†**steal** [sti:l] (***stole*** [stoul]; ***sto·len*** [stóulən]) *vt.* ①《~+목/+목+전+명》(몰래) …을 훔치다, 절취하다《*from*》: ~ a watch 시계를 훔치다 / a *stolen* car 도난당한 차 / I had my purse *stolen.* 지갑을 도둑맞았다. ②《~+목/+목+전+명》…을 무단 차용하다; 몰래 가지다; 교묘히 손에 넣다;〖競〗교활한 수단으로 득점하다;〖野〗도루를 하다: ~ a kiss (상대가 모르는 사이에) 슬쩍 키스하다 / ~ a person's heart ⇨HEART / ~ a glance at …을 몰래 훔쳐보다 / ~ second base, 2루로 도루(盜壘)하다 / ~ a ride *on* a train 기차를 공짜로 타다.

── *vi.* ①《~/+부》훔치다, 도둑질하다: It is wrong to ~. 훔치는 짓은 옳지 않다 / Thou shalt not ~. 도둑질하지 마라《구약 성서 10계명의 하나》. ②《+부/+전+명》몰래〔가만히〕…가다〔오다〕《*along; by; up; through*》, 숨어들어가다《*in, into*》: He softly *stole out of*〔*into*〕the room. 그는 몰래 방을 빠져 나왔다〔방으로 들어갔다〕. ③《+부/+전+명》(졸음·안개 따위가) 어느새 엄습하다〔뒤덮다〕《*on; over*》: Mist *stole over* the valley. 어느 새 안개가 계곡을 뒤덮었다. ④〖野〗도루하다. ◇ stealth *n.*

── *n.* ①Ⓒ《美口》도둑질, 훔침, 절도; 훔친 물건, 장물. ② (a ~)《美口》염가품: It's *a* ~ at that price. 그 값이라면 거저나 진배 없다. ③〖野〗도루(盜壘). ⓟ **ˊ·er** *n.*

*__stealth__ [stelθ] *n.* Ⓤ 몰래 하기, 비밀. ***by*** ~ 몰래, 비밀히. ── *a.* (종종 S-) 레이더로 포착하기 어려운《비행기 따위》: a ~ jet.

*__stealthy__ [stélθi] (***stealth·i·er; -i·est***) *a.* 비밀의, 남의 눈을 피하는, 살금살금 하는: a ~ glance 훔쳐보기. ⓟ **stéalth·i·ly** *ad.* **-i·ness** *n.*

‡**steam** [sti:m] *n.* Ⓤ ① (수)증기, 스팀; 증기력: rooms heated by ~ 스팀 난방을 한 방. ② 김: mirrors clouded with ~ 김으로 흐려진 거울. ③《口》힘, 원기, 정력: run out of ~ 기력을 잃다, 숨차다. ***at full*** ~ =***full*** ~ ***ahead*** 전속력으로 전진하여. ***let***〔***blow, work***〕***off*** ~《口》울분을 풀다〔터뜨리다〕. ***under*** one***'s own*** ~ 혼자 힘으로, 자력으로.

── *a.* 〔限定的〕증기의〔에 의한〕; 증기로 움직이는: a ~ locomotive 증기 기관차.

── *vi.* 《~/+부》① 김을 내다; 증기를 발생하다: The kettle is ~*ing* on the stove. 주전자가 난로 위에서 김을 내고 있다. ② 증기의 힘으로 나아가다〔움직이다〕: The ship ~*ed away*〔*off*〕. 증기선이 떠나갔다. ③ (말 따위가) 땀을 흘리다; (유리가) 김으로 흐려지다《*up; away*》: My glasses ~*ed up*. 안경이 김으로 뿌옇게 되었다. ④《口》화내다(boil). ── *vt.* ①《~+목》(감자·빵 따위)를 찌다: ~ potatoes. ②《~+목/+목+보》…을 김에 쐬다: He ~*ed* open an envelope. 그는 김을 쐬어 봉투를 열었다.

stéam bàth 증기탕.

‡**steam·boat** [stí:mbòut] *n.* Ⓒ (주로 하천용·연안용의 작은) 기선.

stéam bòiler 증기 보일러.

‡**steam·er** [stí:mər] *n.* Ⓒ ① 기선. ② 찌는 기구〔사람〕, 찜통, 시루.

steam·ing [ˊ-iŋ] *a.* ① 김을 폭폭 내뿜는: ~ (hot) coffee 김이 나는 (따끈한) 커피. ②〔副詞的〕김이 날 정도로: It was a ~ hot day. 아주 더운 날이었다.

stéam ìron 증기 다리미.

steam·roll·er [stí:mròulər] *n.* Ⓤ ① 증기 롤러《도로 공사용》. ②《比》(반대를 억압하는) 강압(수단). ── *vt.* ① 증기 롤러로 (땅을) 고르다. ②《口》(반대 따위)를 깔아뭉개다, 진압하다; 끝까지 밀고 나아가다.

‡**steam·ship** [ˊ-ʃip] *n.* Ⓒ 기선, 증기선, 상선《略: S.S.》.

stéam shòvel (굴착용의) 증기삽.

steamy [stí:mi] (***steam·i·er; -i·est***) *a.* ① 증기의〔같은〕; 증기를 내는; 김이 자욱한; 고온 다습의. ②《口》에로틱한: a ~ love affair 정사(情事). ⓟ **stéam·i·ly** *ad.* **-i·ness** *n.*

ste·a·rin [stí:ərin] *n.* Ⓤ〖化〗스테아린《지방소(素)》, 경지(硬脂) 스테아르산《양초 제조용》.

*__steed__ [sti:d] *n.* Ⓒ《古·文語》(승마용의) 말.

†**steel** [sti:l] *n.* Ⓤ ① 강철, 강(鋼), 스틸: hard〔soft, mild〕~ 경강(硬鋼)〔연강(軟鋼)〕. ②〔集合的〕《文語》검(劍), 칼(sword): cold ~ 도검류. ③ (강철 같이) 단단함, 강함; 냉혹함: muscles of ~ 강철 같은 단단한 근육 / a heart of ~ 냉혹한 마음.

── *a.* 〔限定的〕① 강철(제)의; (강철같이) 단단한: a ~ bar 강철봉 / a ~ helmet 철모. ② 무감각한.

── *vt.* ① …에 강철을 입히다. ②《~+목/+목+전+명/~+목+*to* do》(…에 대해 마음)을 냉혹〔비정〕하게 먹다, 단단히 먹다《*against; to*》; (마음)을 독하게 먹고 …하다: I ~*ed* my heart *against* their sufferings. 나는 마음을 단단히 먹고 그들의 고통에 눈을 감았다 / He ~*ed* himself *to* undergo the pain. 그는 마음을 독하게 먹고 그 고통을 참았다.

stéel bánd〖樂〗스틸 밴드《드럼통 등을 타악기로 한 서(西)인도 제도의 밴드》.

steel-blue [stí:lblú:] *a.* 강철색의.

steel-clad [ˊ-klǽd] *a.* 장갑(裝甲)의; 갑옷으로 「무장한.

stéel guitár〖樂〗스틸기타(Hawaiian guitar).

stéel mìll 제강(製鋼) 공장.

stéel wóol 강모(鋼毛)《연마용》.

steel·work [stí:lwə̀:rk] *n.* Ⓤ〔集合的〕강철 제품.

steel·work·er [ˊ-wə̀:rkər] *n.* Ⓒ 철강 노동자.

steel·works [ˊ-wə̀:rks] *n.* Ⓒ 제강소.

steely [stí:li] (***steel·i·er; -i·est***) *a.* ① 강철의; 강철로 만든; 강철 같은; 강철빛의. ② 견고한; 엄격한, 완고한; 무정한. ⓟ **stéel·i·ness** [-inis] *n.*

steel·yard [stí:ljà:rd, stíljəd] *n.* Ⓒ 큰 저울.

†**steep**¹ [sti:p] *a.* ① 가파른, 깎아지른 듯한, 급경사진, 험한: a ~ cliff 절벽. ②《口》(요구·값 따위가) 터무니없는, 무리한; (이야기 따위가) 과장된: ~ prices 터무니없이 비싼 값 / a ~ story 과장된 이야기. ③ (상승·하락이) 급격한. ── *n.* Ⓒ 가파른 언덕, 가풀막; 절벽. ⓟ *__ˊ·ly__ *ad.* 가파르게. **ˊ·ness** *n.* 가파름, 험준함.

‡**steep**² *vt.* ①《~+목/+목+전+명》(액체에) …을 담그다, 함빡 젖게 하다《*in*》: ~ seeds *in* water before sowing 씨를 뿌리기 전에 물에 담그다. ②《+목+전+명》〔흔히 受動으로〕…에 빠져들게 하다, 몰두〔열중〕하게 하다《*in*》: *be* ~*ed in* crime 악에 물들어 있다 / ~ oneself *in* learning 학문에 몰두하다. ③《+목+전+명》…을 뒤덮다, 싸다《*in*》: the hillsides ~*ed in* darkness 어

둠에 휩싸인 산허리. ── *vi.* (물 따위에) 잠기다: This tea ~*s* well. 이 차는 잘 우러난다. ── *n.* ① Ⓤ,Ⓒ 담금, 담김. ② Ⓤ(종자 등을) 담그는 액체.

steep·en [stíːpən] *vt.* …을 가파르게〔험준하게〕 하다. ── *vi.* 가파르게 되다, 험준하게 되다.

steep·ish [stíːpiʃ] *a.* 물매가 좀 가파른.

***stee·ple** [stíːpəl] *n.* Ⓒ (교회 따위의) 뾰족탑《그 끝은 spire》. 「〔경주〕.

stee·ple·chase [-tʃèis] *n.* Ⓒ 장애물 경마

stee·ple·jack [-dʒæ̀k] *n.* Ⓒ (뾰족탑·높은 굴뚝 따위의) 수리공.

‡steer[1] [stiər] *vt.* ①《~+목/+목+부/+목+전+명》…의 키를 잡다, …을 조종하다; (어떤 방향으로) 돌리다: *Steer* the ship *westward*. 배를 서쪽으로 돌려라. ②《~+목/+목+전+명》(진로·방향)을 …으로 나아가게 하다〔이끌다〕: ~ a course *for* a harbor 진로를 항구 쪽으로 나아가게 하다. ③〔~ one's way 로〕…로 향해 나아가다《*to*; *for*》. ── *vi.* ①《~/+전+명》(배의) 키를 〔핸들을〕 잡다〔조종하다〕, 향하다, 나아가다《*for*; *to*》: The pilot ~*ed for* the harbor. 도선사는 항구를 향해 키를 잡았다. ②《+전+명》처신하다, 행동하다: ~ *between* two extremes 중용의 길을 택하다. ③《+부》키가 듣다; 조종되다: The car ~*s badly*. 이 차는 운전하기 어렵다. ~ ***clear of*** 《口》…을 피하다, …와 관계하지 않다.

── *n.* Ⓒ《美口》조언, 충고; 지시; 《俗》(도박 따위의) 정보.

steer[2] *n.* Ⓒ 불깐 수소《식용》. 「(性)〕, 조종.

steer·age [stíəridʒ] *n.* Ⓤ 〖海〗 조타(성)(操舵

steer·age·way [-wèi] *n.* Ⓤ 〖海〗 키 효율 속도 《키를 조종하는 데 필요한 최저 속도》.

steer·ing [stíəriŋ] *n.* Ⓤ 조타(操舵), 조종, 스티어링; =STEERING GEAR.

stéering commìttee 운영 위원회.

stéering gèar 〔集合的〕 조타 장치; (자동차 등의) 스티어링 기어.

stéering whèel (배의) 조타륜(操舵輪); (자동차의) 핸들.

steers·man [stíərzmən] (*pl.* ***-men*** [-mən]) *n.* Ⓒ 조타수(helmsman). 「들이》.

stein [stain] *n.* Ⓒ (오지로 만든) 맥주 컵《약 1 pint

Stein·beck [stáinbek] *n.* **John Ernst** ~ 스타인벡《미국의 소설가; 노벨 문학상 수상(1963); 1902-68》.

ste·le [stíːli] (*pl.* ***-lae*** [-liː], ~***s***) *n.* Ⓒ 〖考古〗 비문을 새긴 돌기둥, 돌비.

stel·lar [stélər] *a.* ① 별의; 별 같은〔모양의〕; 별빛 밝은: a ~ night 별이 빛나는 밤. ② 주요한; 일류의, 우수한: a ~ player 우수한 선수.

St. Él·mo's fíre 〔líght〕 성 엘모의 불《배의 돛대 끝이나 비행기 날개에 나타나는 방전 현상》.

‡stem[1] [stem] *n.* Ⓒ ① (풀·나무의) 줄기, 대. ② 꽃자루, 잎자루〔꼭지〕, 열매 꼭지. ③ (특히 성서에서) 종족, 혈통, 계통. ④〖文法〗 어간. ⓒⓕ ending, root, base[1]. ⑤ 줄기〔대〕 모양의 것; 〖機〗 굴대, 회전축; (공구(工具)의) 자루; 담배 설대; (온도계의) 유리관; (컵의) 굽; (시계의) 용두의 축. ⑥〖樂〗(음표의) 대《수직선 부분》. ⑦〖海〗 이물, 선수(船首). ***from ~ to stern*** (1) 이물에서 고물까지. (2) 여기저기 빠짐없이.

── (***-mm-***) *vt.* (과일의 꼭지 따위)를 떼어내다.

── *vi.* 《+전+명》《美》(…에서) 유래하다, 일어나다, 생기다《*from*; *out of*》: The plan ~*s from* his idea. 그 계획은 그의 착상이다.

‡stem[2] (***-mm-***) *vt.* ① (…의 흐름 따위)를 막아내다, 저지하다, 막다: ~ a torrent 급류를 막다. ② (시류 따위)에 저항하다; 역행하다. ③〖스키〗(스키)를 제동 회전시키다. ── *vi.* 〖스키〗 제동 (회전)하다.

stemmed [stemd] *a.* 〔複合語로서〕 …한 줄기가 〔굽이〕 있는: short-~ wine glass 굽이 낮은 와인 글래스.

stench [stentʃ] *n.* Ⓒ (흔히 *sing.*) 고약한 냄새, 악취: a ~ trap 방취(防臭) 밸브. ⓒⓕ stink.

sten·cil [sténsəl] *n.* Ⓒ ① 스텐실, 형판(型板)《금속판·종이 따위에 무늬〔글자〕를 오려 내어, 그 위에 잉크를 발라 인쇄하는》; 스텐실로 찍은 문자〔그림 무늬〕. ② 등사 원지. ── (***-l-***, 《英》***-ll-***) *vt.* …에 스텐실〔형판〕을 대고 찍다; 등사하다.

Sten·dhal [stændáːl, sten-] *n.* 스탕달《프랑스의 소설가; 1783-1842; 본명 Marie Henri Beyle》.

sten·o·graph [sténəgræ̀f, -gràːf] *vt.* …을 속기하다.

***ste·nog·ra·pher, -phist** [stənágrəfər / -nɔ́g-], [-fist] *n.* Ⓒ 《美》 속기사; 속기 타자수(《英》 shorthand typist).

***ste·nog·ra·phy** [stənágrəfi / -nɔ́g-] *n.* Ⓤ 속기; 속기술.

Sten·o·type [sténətàip] *n.* Ⓒ 스테노타이프《속기용 타자기의 일종; 商標名》; (s-) 속기용 문자.

***sten·o·typy** [sténətàipi] *n.* Ⓤ 스테노타이프 속기《보통의 알파벳 문자를 쓰는 속기술》.

sten·to·ri·an [stentɔ́ːriən] *a.* 큰 목소리의: a ~ voice 큰 음성.

†step [step] (***-pp-***) *vi.* ①《~/+전+명/+부》(몇 걸음 또는 조금) 걷다, 발을 내딛다; (독특한) 걸음걸이를 하다; (한 걸음씩) 나아가다, 가다: ~ foward〔backward〕 (한 걸음) 전진〔후퇴〕하다 / ~ high (말이) 발을 높이 올리다 / *Step* this way, please. 어서 이쪽으로 오십시오. ②《口》 급히 서두르다《*along*》: ~ *along* 급히〔서둘러〕 나아가다. ③ (…을) 밟다《*on*》: Don't ~ *on* the flowers. 꽃을 밟지 마라.

── *vt.* ①《~+목/+목+전+명》 걷다, (발)을 …에 들여놓다; …을 밟다, 디디다: ~ foot *on* 〔*in*〕 a place 어떤 장소에 발을 들여놓다. ②《~+목/+목+부》…을 보측(步測)하다《*off*; *out*》. ③ 춤추다, (댄스의 스텝)을 밟다. ④ …을 계단처럼 만들다: ~ a hill 산에 층계를 내다. ⑤〖海〗(돛대)를 장좌(檣座)에 세우다, (마스트)를 세우다. ~ ***aside*** (1) 옆으로 비키다. (2) 양보하다; =~ down(2). ~ ***back*** 뒤로 물러서다; 거리를 두고 생각하다. ~ ***down*** (1) (차 따위에서) 내리다. (2)《口》(일·지위에서) 사직〔사임, 은퇴〕하다. ~ ***in*** (1) 들르다, 들어가다. (2)《比》 간섭〔개입〕하다; 끼어들다: ~ *in* with some good advice (이야기 따위에) 끼어들어 좋은 충고를 하다. ~ ***on it*** 《口》(자동차의) 액셀을 밟다; 스피드를 내다; 급히 서두르다; =~ on the GAS. ~ ***out*** (1) 성큼성큼〔큰 보폭으로〕 걷다, 빠르게 걷다. (2) (잠시) 자리를 뜨다〔밖으로 나가다〕. (3)《口》 놀러〔파티에〕 나가다, 《특히》 데이트하러 가다. ~ ***out of line*** 개별 행동을 하다; 예상 밖의 행동을 하다. ~ ***out on*** 《口》(아내·남편)을 배반하여 바람을 피우다; 부정(不貞)한 짓을 하다. ~ ***up*** (1) (계단을) 올라가다; 《美》 승진하다. (2) 가까이 (다가) 가다《*to*》. (3)《口》…을 촉진하다, (생산·속도 따위)를 올리다〔늘리다〕, (전압)을 올리다.

── *n.* ① Ⓒ 걸음; (*pl.*) (걷는) 방향: turn one's ~*s* toward〔to〕 …쪽으로 발(걸음)을 돌리다. ② Ⓤ,Ⓒ 걸음걸이, 보조; (댄스의) 스텝: a heavy ~ 무거운 걸음. ③ Ⓒ 발소리; 발자국: know a person's ~ 아무의 발소리를 알다. ④ Ⓒ 한 걸음, 일보, 보폭(步幅), 근거리: at every ~ 한 걸음마다 / It's only a ~ to the store. 그 가게

는 바로 코 앞에 있다. ⑤ Ⓒ 단(段); 디딤판, (탈것의) 발판, 스텝; (*pl.*) 계단: He went down the ~*s*. 그는 계단을 내려 갔다. ⑥ Ⓒ 단계, 계층, 계급; 《比》 승급, 승진: He has taken〔moved〕 a ~ up in the hierarchy. 그는 일계급 승진하였다. ⑦ Ⓒ 조치, 수단, 방법: a ~ in the right direction 올바른 조치; 유효한 대책. ⑧ Ⓒ 〖樂〗 음정. ⑨ 〖컴〗 스텝《단일한 계산기 명령〔조작〕》.
in ~ 보조를 맞추어《*with*》; 《比》 일치〔조화, 협조〕하여《*with*》: march *in* ~ 보조를 맞추어 행진하다 / be not *in* ~ *with* the times 시류에 맞지 않다. ***follow in*** a person***'s*** **~*s*** 아무의 뒤를 따라가다. ***make*** 〔***take***〕 ***a false*** ~ (1) 발을 헛디디다. (2) 잘못하다, 틀리다. ***out of*** ~ 보조를 흩뜨려; 조화되지 않아《*with*》. **~ *by*** ~ 한 걸음 한 걸음; 착실히. ***take*** **~*s*** 수단을 강구하다, 조치를 취하다: *take* ~*s* to avoid troubles 골치 아픈 문제들을 피하기 위해 수단을 강구하다. ***watch*** 〔***mind***〕 one***'s*** ~ ⇨WATCH.

step- *pref.* '의붓…, 계(繼)…, 아버지〔어머니〕가 「다른'의 뜻.

step·broth·er [stépbrʌ̀ðər] *n.* Ⓒ 아버지〔어머니〕가 다른 형제, 배다른 형제, 이복 형제.

step-by-step [ˊbəˊ, ˊbaiˊ] *a.* 일보일보의, 단계적〔점진적〕인, 서서히 나아가는.

step·child [ˊtʃàild] (*pl.* ***-child·ren*** [-tʃìldrən]) *n.* Ⓒ 의붓자식.

step·daugh·ter [ˊdɔ̀ːtər] *n.* Ⓒ 의붓딸.

step-down [ˊdàun] *a.* ① 단계적으로 감소하는, 체감하는. ② 전압을 낮추는. opp. *step-up*. ¶ a ~ transformer 강압(降壓) 변압기.

step·fa·ther [ˊfɑ̀ːðər] *n.* Ⓒ 의붓아버지, 계부.

Ste·phen·son [stíːvənsən] *n.* **George** ~ 스티븐슨《증기 기관차를 완성한 영국인; 1781-1848》.

step-in [stépìn] *a.* 〔限定的〕 발을 꿰어 그냥 입을 수 있는. ── *n.* Ⓒ 발을 꿰어 입을 수 있는 의상.

step·lad·der [stéplæ̀dər] *n.* Ⓒ 발판 사닥다리.

***step·moth·er** [ˊmʌ̀ðər] *n.* Ⓒ 의붓어머니, 계모, 서모.

step·par·ent [ˊpέərənt] *n.* Ⓒ 의붓어버이.

***steppe** [step] *n.* ① Ⓒ 스텝 지대《수목이 없는 대초원》. ② (the S-(s)) 대초원 지대《시베리아·아시아 남서부 등지의》.

stepped-up [stéptʌ̀p] *a.* 증가된, 증강〔증대〕된.

step·ping-stone [stépiŋstòun] *n.* Ⓒ ① 디딤돌, 징검돌. ② 《比》 (출세 따위를 위한) 수단, 방법, 발판: a ~ to success.

step·sis·ter [stépsìstər] *n.* Ⓒ 아버지〔어머니〕가 다른 자매, 배다른 자매.

***step·son** [ˊsʌ̀n] *n.* Ⓒ 의붓아들〔자식〕.

step-up [ˊʌ̀p] *a.* ① 단계적으로 증가하는; 체증하는. ② 전압을 높이는. opp. *step-down*. ¶ a ~ transformer 승압(昇壓) 변압기.

step·wise [ˊwàiz] *ad.* 서서히, 계단식으로; 한 걸음씩.

-ster '…하는 사람, …한 사람'의 뜻의 결합사: young*ster*, gang*ster*, song*ster*. ★ 종종 경멸의 뜻을 풍김.

ster·eo** [stériòu, stíər-] (*pl.* ***ster·e·os) *n.* ① Ⓤ 입체 음향: record in ~ 입체 음향으로 녹음하다. ② Ⓒ 스테레오 장치〔테이프, 레코드〕. ── *a.* 스테레오의, 입체 음향(장치)의.

stereo- *pref.* '단단한; 3차원의, 실체적인, 입체의'란 뜻.

ster·e·o·graph [stériəgræ̀f, stíər-, -grɑ̀ːf] *n.* Ⓒ 실체화(畫), 입체화; 실체 사진.

ster·e·o·phon·ic [stèriəfɑ́nik, stìər- / -fɔ́n-] *a.* 입체 음향(효과)의, 스테레오의: a ~ broadcast 스테레오〔입체〕 방송 / ~ sound 입체음.

ster·e·oph·o·ny [stèriɑ́fəni, stìər- / -ɔ́f-] *n.* Ⓤ 입체 음향(효과).

ster·e·o·scope [stériəskòup, stíər-] *n.* Ⓒ 실체경(實體鏡), 입체경(鏡), 입체 사진경.

ster·e·o·scop·ic [stèriəskɑ́pik, stìər- / -kɔ́p-] *a.* 입체적인, 실체경(鏡)〔입체경〕의.

***ster·e·o·type** [stériətàip, stíər-] *n.* Ⓒ ① 〖印〗 연판(鉛版)(stereo), 스테로판. ② (신선미·독창성 없는) 전형; 고정 관념, 판에 박힌 문구; 상투 수단. ── *vt.* ① …을 연판〔스테로판〕으로 하다; 연판으로 인쇄하다. ② …을 정형화〔유형화〕하다, 판에 박다. ㊐ **~d** [-t] *a.* 연판의; 《比》 판에 박은, 진부한: ~*d* phrases 상투 문구.

ster·ile** [stéril / -rail] (more*** **~*;*** ***most*** ~) *a.* ① 메마른, 불모의《땅 따위》. ② 자식을 못 낳는, 불임의. ③ 살균한, 무균의: Milk is rendered ~ by heating. 우유는 가열로 살균된다. ④ 내용이 빈약한《강연·문장 등》, 단조로운, 함축성 없는《문체 따위》; (사상·창작력이) 빈곤한: a ~ lecture 빈약한 강의 / have a ~ hope 헛된 희망을 가지다. ㊐ **~·ly** *ad.*

ste·ril·i·ty [stəríləti] *n.* ① Ⓤ 생식(生殖)〔번식〕 불능(증), 불임(증). ② Ⓤ (토지의) 불모. ③ Ⓤ 무균(상태). ④ Ⓤ,Ⓒ (흔히 *pl.*) (내용·사상의) 빈약, 무미 건조.

ster·i·li·za·tion [stèrəlizéiʃən] *n.* ① Ⓤ,Ⓒ 불임케 하기; 단종(斷種)(수술). ② Ⓤ (땅을) 척박하게 함. ③ Ⓤ 살균(법), 소독(법).

ster·i·lize [stérəlàiz] *vt.* ① (토질)을 불모로 되게 하다. ② …을 불임케 하다; 단종(斷種)하다. ③ …을 살균하다, 소독하다. ㊐ **stér·i·lìzed** *a.* (1) 살균한, 소독한: ~ milks 살균유. (2) 단종한. **-lìz·er** *n.* Ⓒ 살균〔소독〕하는 사람〔장치〕.

***ster·ling** [stə́ːrliŋ] *a.* ① 영화(英貨)의《금액의 뒤에 부기하며 보통 stg. 로 생략함: £ 500 *stg.*》; 파운드의: ~ exchange 파운드환(換) / the ~ area 〔bloc〕 스털링〔파운드 통용〕 지역. ② 순은(純銀)의; 순은으로 만든: ~ silver 법정 순은 / a ~ teapot 순은제 홍차 포트. ③ 〔限定的〕 진정한, 순수한; 훌륭한: a ~ fellow (신뢰할 만한) 훌륭한 사나이 / ~ worth 진가(眞價). ── *n.* Ⓤ 영화(英貨); 순은; 순은 제품.

stérling sílver 법정 순은《은 함유율이 92.5% 이상》.

‡**stern**[1] [stəːrn] (ˊ***·er*** ***;*** ˊ***·est***) *a.* ① **a)** 엄격한《사람 등》, 단호한: a ~ father 엄격한 아버지. **b)** 〔敍述的〕 엄한: He's ~ with his pupils. 그는 학생들에게 엄하다. ② (외모 따위가) 무서운; 험상스러운: a ~ face 무서운 얼굴. ③ 용서 없는; 가혹한: ~ reality 가혹한〔엄한〕 현실. ㊐ *ˊ**·ly** *ad.*, ˊ**·ness** *n.*

‡**stern**[2] *n.* Ⓒ ① 고물, 선미(船尾). opp. *bow*[3], cf. stem[1]. ② 〔一般的〕 뒷부분. ***Stern all !*** = ***Stern hard !*** 〖海〗 뒤로!

ster·na [stə́ːrnə] STERNUM의 복수.

stern·most [stə́ːrnmòust / -məst] *a.* 고물에 가장 가까운; 최후방의.

ster·num [stə́ːrnəm] (*pl.* ***-na*** [-nə], **~*s***) *n.* Ⓒ 〖解〗 흉골(breastbone).

ster·nu·ta·tion [stə̀ːrnjətéiʃən] *n.* Ⓤ 재채기(하기)(sneezing).

stern·ward [stə́ːrnwərd] *a.* 고물의, 후부의. ── *ad.* 고물로, 후부로.

stern·way [ˊwèi] *n.* Ⓤ 배의 후진(後進).

stern·wheel·er [ˊhwìːlər] *n.* Ⓒ 선미 외륜(外輪) 기선.

ster·oid [stérɔid] *n.* Ⓤ 〖生化〗 스테로이드《스테롤·담즙산·성호르몬 등 체내에 있는 지방 용해성 화합물의 총칭). ― *a.* 스테로이드의.

ster·tor·ous [stə́:rtərəs] *a.* ① 코고는. ② 숨결이 거치른. ㊞ ~·**ly** *ad.*

stet [stet] (-tt-) *vi.* 《L.》 (=let it stand) 〖校正〗 (지운 것을) 살리다. ― *vt.* (지운 곳)에 '生'이라고 쓰다, (지운 곳)을 살리다.

steth·o·scope [stéθəskòup] *n.* Ⓒ 〖醫〗 청진기.

steth·o·scop·ic, -i·cal [stèθəskɑ́pik / -skɔ́p-], [-əl] *a.* 청진기의 ; 청진기에 의한.

Stet·son [stétsn] *n.* Ⓒ (종종 s-) 스테슨《챠양이 넓은 소프트 모자 ; 카우보이 모자 ; 商標名》.

Steve [sti:v] *n.* 스티브《남자 이름 ; Stephen 의 애칭》.

ste·ve·dore [stí:vədɔ̀:r] *n.* Ⓒ (뱃짐을) 싣고 부리는 인부, 하역 인부, 항만 노동자, 부두 일꾼.

Ste·ven·son [stí:vənsən] *n.* **Robert Louis** ~ 스티븐슨《스코틀랜드 태생의 영국의 소설가·시인 ; 1850-94》.

stew** [stju:] *vt.* …을 뭉근한 불로 끓이다, 스튜 요리로 하다 : ~ meat 고기를 뭉근한 불에 끓이다. ― *vi.* ① 뭉근한 불에 끓다. ②《口》 더워서 땀을 흘리다. ③《+전+명》《口》 마음 졸이다, 안달하다, 애태우다《*over ; about*》: ~ *over* a matter 어떤 문제로 조바심하다. ~ ***in one***'s own juice*** 자업 자득으로 고통을 당하게 하다.

― *n.* ① ⒸⓊ 스튜(요리) : (a) beef ~ 비프 스튜. ② (a ~) 《口》 근심, 당황, 초조 : He was in *a* ~. 그는 초조해하고 있었다. ③ (a ~) (사람·사물의) 뒤섞임《*of*》.

***stew·ard** [stjú:ərd] *n.* Ⓒ ① 가령(家令), 집사, 청지기《식탁 및 재산의 관리 책임자》; =SHOP STEWARD. ② (클럽·병원 등의) 용도〔조달〕계. ③ (객선·여객기·버스 따위의) 여객 접대 계원, 스튜어드. ④ (전람회·무도회·경마 따위의) 접대역, 간사. ― *vi.* (…의) ~의 일을 보다.

‡stew·ard·ess [stjú:ərdis] *n.* Ⓒ 여성 steward ; 스튜어디스《여객선·여객기 등의 여자 안내원》.

stew·ard·ship [-ʃip] *n.* Ⓤ steward의 직.

stewed [stju:d] *a.* ① 뭉근한 불로 끓인 ; 스튜로 한. ②《英》 (차가) 너무 진해진. ③ 〔敍述的〕《俗》 억병으로 취한 : get ~ 억병으로 취하다.

stew·pan [stjú:pæ̀n] *n.* Ⓒ 스튜 냄비.

St. Ex. Stock Exchange. **stg.** sterling.

†stick[1] [stik] *n.* ① Ⓒ 막대기, 나무 토막, 잘라낸 나뭇가지 : Get some ~*s* for the fire. 불을 피우게 나뭇가지 좀 가져 오세요. ② Ⓒ 단장(短杖), 지팡이. ㊟ cane. ¶ walk with a ~ 지팡이를 짚고 걷다. ③ Ⓒ 막대 모양의 것《초콜릿·캔디·입술연지 따위》; 바이올린의 활 ; 북채 ; 지휘봉 ; 하키 스틱 ; 골프 클럽 ; 당구 큐 ; 비행기 조종간 따위. ④ Ⓤ 《英》 매질〔채찍질〕하기 ;《比》 엄벌 ; 비난 : give a person ~ 아무를 징계하다. ⑤ Ⓒ (흔히 *pl.*) (가구의) 한 점 : a few ~*s* of furniture 약간의 가구류. ⑥ 〔흔히 dull, dry 따위 修飾語와 함께〕 쓸모 없는 사람 : a *dull*〔*dry*〕 ~. ⑦ (the ~s) 《口》 삼림지 ; 오지, 벽지. (***as***) ***cross as two ~s*** ⇨ CROSS *a.* ***get*** (***hold of***) ***the wrong end of the*** ~ 상황 판단 따위를 잘못하다, 잘못 알다. ***in a cleft*** ~ 《英》 진퇴 유곡에 빠져.

‡stick[2] (*p., pp.* **stuck** [stʌk]) *vt.* ①《~+목 / +목+전+명》 (뾰족한 것으로) …을 찌르다《*with*》; 꿰찌르다《*in, into*》; 꿰뚫다《*through*》; 찔러 죽이다 : ~ a fork *into* thick meat 두꺼운 고기에 포크를 쿡 찌르다 / This cloth is too thick to ~ a pin *through.* 이 천은 너무 두터워 핀이 들어가지 못한다 / ~ a pig 돼지를 찔러 죽이다. ②《~+목+부 / +목+전+명》 …을 찔러〔끼워〕 넣다, 꽂다 ; …을 내밀다《*out ; up*》; 들이밀다, 집어넣다《*in, into*》: ~ a rose *in* one's buttonhole 단춧구멍에 장미꽃 한 송이를 꽂다 / ~ the letter *under* the door 편지를 문밑으로 밀어넣다 / ~ *out* one's tongue 혀를 내밀다. ③《~+목 / +목+전+명 / +목+부》 …을 (핀으로) 고정하다, 들러붙게 하다 ; 붙이다 : ~ a painting *on* the wall 그림을 벽에 붙이다 / *Stick* no bills.《英》 전단 부착 금지. ④《+목+전+명 / +목+부》 (아무렇게나) …을 놓다(put) : ~ a chair *in* the corner 의자를 구석에 놓다. ⑤《~+목 / +목+전+명》 〔주로 受動으로〕 …을 꼼짝 못 하게 하다 ;《口》 (아무)를 당혹케 하다 : *be stuck* in traffic 교통 정체로 꼼짝 못 하다 / He *was stuck* with the problem. 그는 그 문제로 어찌할 바를 몰라 했다. ⑥《~+목+전+명》《口》 …에게 (귀찮은 일 따위)를 떠맡기다, 강요하다 ;《俗》 …을 속이다, 야바위치다 : ~ a person *with* a bill 계산을 아무에게 떠맡기다 / be *stuck* by a fraudulent advertisement 속임수 광고에 걸려들다. ⑦《~+목 / +목+부》 〔흔히 否定文·疑問文으로〕《口》 …을 참다, 견디다 : I cannot ~ this job any longer. 이 일도 이젠 더 못 참겠다.

― *vi.* ①《+전+명 / +부》 찔리다, 꽂히다《*in*》: The arrow *stuck in* the tree. 화살이 나무에 꽂혔다. ②《~ / +전+명 / +부》 달라붙다, 들러붙다《*on ; to*》, 떨어지지 않다, 교착하다《*together*》: Glue *stuck to* my fingers. 아교가 손가락에 들러붙었다. ③《~ / +전+명 / +부》 움직이지 않게〔꼼짝 못 하게〕 되다 : Her zipper *stuck* halfway *up.* 그녀의 지퍼가 중도에서 꼭 끼어 꼼짝하지 않았다. ④《+전+명 / +부》 (생각 따위가) 마음에서 사라지지〔떠나지〕 않다 : The event ~*s in* my mind. 그 사건은 잊혀지지 않는다. ⑤《+전+명》 (…에) 충실하다 ; (…을) 고집하다《*to ; by*》; (일 따위)를 착실〔꾸준〕히 하다《*with ; at ; to*》: ~ *to* one's friend〔promise〕 친구〔약속〕에 충실하다 / ~ *to* a job 일을 쉬지 않고 꾸준히 하다. ⑥ 〔흔히 否定文·疑問文에서〕 주저하다《*at*》: He ~*s at* nothing (to succeed). 그는 (성공하기 위해서는) 어떤 일도 주저하지 않는다. ⑦ (…에서) 튀어나오다, 비어져 나오다《*up ; out*》: A comb *stuck out of* his pocket. 빗이 그의 주머니 밖으로 비어져 나와 있었다.

~ ***around***〔***about***〕《口》 근처에 있다 ; 가까이에서 기다리고 있다. ~ ***down*** (1)《口》 …을 적어 두다. (2) …을 붙이다. (3) …을 내려 놓다. ~ ***in*** one***'s throat*** ⇨THROAT. ~ ***it out*** 《口》 꾹 참고 해내다 ; 끝까지 버티다. ~ ***it to*** 《口》 …을 가혹〔부당〕하게 다루다. ~ one***'s neck***〔***chin***〕 ***out*** 《口》 위험을 자초하다. ~ ***out*** (*vi.*) (1) 튀어나오다. (2)《口》 (사람·물건이) 두드러지다, (사물이) 명료하다. (*vt.*) (1) …을 내밀다. (2) …을 끝까지 참아내다 ; …을 해내다. ~ ***out a mile*** =~ ***out like a sore thumb*** 《口》 (어울리지 않게) 두드러지다. ~ ***out for*** (임금 따위)를 끈질기게 요구하다. ~ ***to it*** 버티다, 끝내 해내다. ~ ***to*** one***'s guns*** ⇨ GUN. ~ ***to*** one***'s last*** ⇨LAST[3]. ~ ***up*** (1) 튀어나와 있다, 곤추서다. (2)《口》 (흉기를 들고) (은행 따위)를 습격하다(hold up) : ~ *up* a bank 은행 강도질을 하다 / *Stick* 'em *up !* 손을 들어라('강도가 손을 들게 하다'의 뜻에서). ~ ***up for*** 《口》 …을 변호〔지지〕하다.

― *n.* ① Ⓒ (한번) 찌르기. ② Ⓤ 점착력〔성〕; 풀. ③ Ⓒ 막다름, 막힘.

stick·ball [-bɔ̀:l] *n.* Ⓤ 《美》 막대기〔빗자루〕와 고무공으로 하는 어린이 노상 야구, 스틱볼.

stick·er [stíkər] *n.* Ⓒ ① 찌르는 사람 ; 찌르는 연장. ② 끈질긴〔집요한〕 사람. ③ 풀 묻힌 레테르,

스티커; (자동차의) 주차 위반 딱지.
stícking plàster [stíkiŋ-] 반창고.
stick-in-the-mud [stíkinðəmʌ̀d] *n.* Ⓒ《口》《蔑》고루한 사람, 새로운 것을 싫어하는 사람.
stick·le [stíkəl] *vi.* ① (하찮은 일을) 끈덕지게 주장하다《*for*》. ② 이의를 제기하다; 망설이다《*at*; *about*》.
stick·le·back [-bæ̀k] *n.* Ⓒ 〖魚〗 큰가시고기.
stick·ler [stíklər] *n.* Ⓒ ① 잔소리가 심한 사람, 꾀까다로운 사람《*for*》. ② 곤란한 문제.
stick-on [ˊ-ɑ̀n/ˊ-ɔ̀n] *a.* 〔限定的〕 (뒷면에 접착제가 묻어 있어) 착 달라붙는《스티커 따위》.
stick·pin [ˊ-pìn] *n.* Ⓒ《美》넥타이핀, 장식핀.
stíck shìft《美》(자동차의) 수동 변속기.
stick-to-it-ive [stìktúːitiv] *a.*《美口》끈덕진, 끈기 있는. ㊔ ~·**ness** *n.*
stick·up [stíkʌ̀p] *n.* Ⓒ《口》권총 강도《행위》.
‡sticky [stíki] (***stick·i·er*** ; ***-i·est***) *a.* ① 끈적끈적〔끈끈〕한, 들러붙는, 점착성의. ②《口》(날씨 따위가) 무더운: a hot ~ day in August, 8월의 어느 무더운 날. ③〔敍述的〕너그럽지 못한; 꾀까다로운《*about*》. ④《口》골치 아픈, 곤란한: a ~ problem 골치 아픈 문제.
㊔ **stíck·i·ly** *ad.* **-i·ness** *n.*
stícky físngers《美俗》손버릇이 나쁨, 도벽.
‡stiff [stif] (*ˊ·**er*** ; *ˊ·**est***) *a.* ① 뻣뻣한, 딱딱한, 경직된, 굳은. ⓒⓕ firm. ¶ a ~ collar 뻣뻣한 칼라 / ~ paper 갱지. ② (목·어깨 따위가) 뻐근한; (몸의 근육이) 땅기는: have a ~ neck 목이 (굳어) 뻐근하다. ③ (줄 따위가) 팽팽한. ④ (문·기계 따위가) 잘 움직이지 않는, 고착된, 움직임이 둔한: ~ hinges 잘 움직이지 않는 경첩. ⑤ (점토·반죽 따위가) 된; 응고한, 딱딱해진, 끈적이는: a ~ grease 점성(粘性)이 있는 윤활유. ⑥ 완강한, 완고한; 무리한, 부자연스러운, 딱딱한: a ~ style of writing 딱딱한 문체 / turn ~ toward …에 대한 태도를 경직시키다. ⑦ 단호한, 불굴의, (저항 따위가) 강경한; (바람·비 따위가) 맹렬한; (술 따위가) 독한: a ~ drink 독한 술 / ~ gale 강풍 / take a ~ line 강경한 태도를 취하다. ⑧ 어려운, 힘드는: a ~ work 힘드는 일 / This book is ~ reading. 이 책은 읽기에 힘이 든다. ⑨ (조건·벌 따위가) 엄한, (경쟁 따위가) 심한; 《口》(가격 따위가) 엄청난, 터무니없는: a ~ price 엄청난 가격 / It's a bit ~. 다소 지나치다. ⑩〔敍述的〕…이 가득한: The place was ~ *with* police. 그 자리는 경찰로 가득했다. ***keep a ~ upper lip*** ⇨LIP.
── *ad.* 터무니없이; 크게, 아주: I was scared ~. 나는 아주 겁이 났었다.
── *n.* Ⓒ《俗》① 딱딱한 사람, 융통성 없는 사람. ②《美》팁 주기를 아까워하는 사람; 구두쇠. ③ 술취한 사람. ④ 시체. ⑤ (…한) 인간〔사람〕: a poor ~ 가련한 놈. ㊔ *ˊ·**ly** *ad.* ˊ·**ness** *n.*
***stiff·en** [stífən] *vt.* ①《~+목/+목+전+명》(…으로) …을 뻣뻣하게 하다, 딱딱하게 하다; 경직시키다《*with*》: ~ cloth *with* starch 풀먹여 천을 빳빳하게 하다. ② (사람의 몸)을 경직시키다, 굳어지게 하다《*up*》. ③ (태도 따위)를 경화시키다, 완고하게 하다; 딱딱〔어색〕하게 하다: ~ one's attitude 태도를 경화시키다. ④ (풀 따위)를 진하게 하다, …을 걸쭉하게 하다: ~ paste.
── *vi.* ①《~/+전+명》뻣뻣해지다, 딱딱해지다; (긴장 따위로 몸이) 굳어지다: ~ to attention 차렷 자세를 취하다 / She ~*ed*, expecting to hear the worst. 그녀는 최악의 소식을 예상하며 몸을 굳혔다. ② (바람 따위가) 거세지다: The breeze ~*ed to* a gale. 산들바람은 강풍으로 변했다. ③ 어색해지다; 데면데면해지다. ④ (풀 따위가) 굳다, 진해지다. ㊔ ~·**er** *n.*
stiff·en·ing [stífəniŋ] *n.* Ⓤ 천 따위를 빳빳하게 하는 재료《풀 따위》; (양복 따위에) 심(芯)으로 쓰이는 재료.
stiff-necked [stífnékt] *a.* ① 완고한, 고집센. ② 목이 뻣뻣해진.
***sti·fle** [stáifəl] *vt.* ①《~+목/+목+전+명》…을 숨막히게 하다, 질식시키다《*by*; *with*》: ~ a person *with* smoke 연기로 아무를 질식시키다. ② (불 따위)를 끄다; (숨·소리·감정 따위)를 억누르다; (하품)을 억지로 참다; (폭동·반란 따위)를 진압하다, (자유)를 억압하다: ~ a noise 소리를 죽이다 / ~ a yawn 나오는 하품을 꾹 참다 / ~ a riot 폭동을 진압하다. ── *vi.* 숨막히다; 질식하다. ⓒⓕ choke, smother. ¶ I'm *stifling* in this small room. 이런 작은 방에서는 숨이 막힐 것 같다.
sti·fling [stáifliŋ] *a.* 숨막힐 듯한, 질식할 것 같은; 답답한, 갑갑한: ~ heat 숨막히는 듯한 더위. ㊔ ~·**ly** *ad.*
***stig·ma** [stígmə] (*pl.* ~**s**, ~·**ta** [-tə]) *n.* ① Ⓒ 치욕, 오명, 오점, 불명예: a ~ on the entire family 전 가문의 치욕. ② Ⓒ 〖植〗 암술머리. ③ Ⓒ (*pl.* ~·**ta**) 〖가톨릭〗 성흔(聖痕)《십자가에 못박힌 예수의 것과 비슷한 상처 자국》. ④ 〖醫〗 (특정한 병의 증상으로 나타나는) 징후, 반점.
stig·mat·ic [stigmǽtik] *a.* 불명예스러운.
stig·ma·tize [stígmətàiz] *vt.*《+목+*as* 보》…의 오명을 씌우다, …라고 비난하다: ~ a person *as* a liar 아무를 거짓말쟁이라고 비난하다.
㊔ **stìg·ma·ti·zá·tion** [-tizéiʃən] *n.*
***stile** [stail] *n.* Ⓒ ① (목장의 울타리 등에 사람만이 넘어다닐 수 있게 만든) 디딤판, 계단. ② 회전(식 나무)문(turnstile).
sti·let·to [stilétou] (*pl.* ~(**e**)**s**) *n.* Ⓒ ①《It.》(송곳 모양의) 단검. ② (자수용·재봉용의) 구멍뚫는 바늘〔송곳〕. ③ (흔히 *pl.*)《英口》스틸레토 힐의 구두.
stilétto héel《英》스틸레토 힐《여자 구두의 가늘고 높은 굽》.
†still[1] [stil] (*ˊ·**er*** ; *ˊ·**est***) *a.* ① 정지(靜止)한, 움직이지 않는; (수면 따위가) 잔잔한; 바람이 없는: a ~ lake 잔잔한 호수면 / The air is ~. 바람이 전연 없다. ② 소리가 없는, 조용〔고요〕한; 말이 없는: a ~ night 고요한 밤. ③ (소리·음성이) 낮은, 조용한, 부드러운: the ~ small voice 〖聖〗 조용하고 작은 목소리《양심의 소리》. ④ 평온무사한, 평화로운. ⑤ (술이) 거품이 일지 않는. ⑥ 〖映·寫〗 스틸 사진의《영화에 대하여》.
── *ad.* ① 아직(도), 상금, 여전히: He is ~ poor 〔alive〕. 그는 아직도 가난하다〔살아 있다〕. ②〔接續詞的으로〕그럼에도, …하지만, 그러나: She has her faults. *Still*, I love her. 그녀는 결점이 있지만, 그래도 나는 그녀가 좋다. ★ but, however 보다 센 뜻을 나타냄. ③〔比較級과 더불어〕더욱, 더, 더한층: That's ~ *better*. 그 편이 한층 좋다. ④〔another, other와 함께〕그 위에, 또한: I've found ~ *another* mistake. 또하나의 잘못을 발견했다. ~ ***less***〔否定을 받아〕하물며 (…않다), 더군다나 (…아니니다). ⓒⓕ less. ¶ If you don't know, ~ *less* do I. 네가 모른다면 더군다나 나 따위는 알 리 없지. ~ ***more***〔肯定을 받아〕하물며, 황차, 더군다나.
── *n.* ① (the ~) 고요, 정적, 침묵: *the* ~ of the night 밤의 정적. ② Ⓒ 〖映·寫〗 스틸; 보통 사진《영화에 대하여》.
── *vt.* ① …을 고요하게 하다, 가라앉히다; 달래

다 : Mother ~*ed* her crying baby with milk. 어머니는 우유로 아기의 울음을 달랬다. ② (식욕·양심·공포 따위)를 누그러뜨리다 : ~ one's thirst 갈증을 풀다. ③ (소리·움직임 따위)를 그치게(멎게) 하다.

still² *n.* Ⓒ 증류기(器) ; =DISTILLERY.

still·birth [stílbə̀:rθ] *n.* Ⓤ,Ⓒ 사산(死産) ; Ⓒ 사산아(兒).

still·born [´-bɔ̀:rn] *a.* ① 사산의, 사산한 : ~ baby 사산된 아기. ② 처음부터 성공하지 못한 : ~ romance 이루지 못한 로맨스.

stíll hùnt (사냥감·적 등에게) 몰래 다가감 ; (정치적인) 이면 공작.

stíll lífe 정물(화)(靜物(畫)).

still-life [stílláif] *a.* 정물(화)의.

***still·ness** [´-nis] *n.* Ⓤ 고요, 정적 ; 정지(靜止) ; 침묵 : the ~ of the night 밤의 정적.

stilly [stíli] (***still·i·er*** ; ***-i·est***) *a.* 《詩》 조용한, 고요한. ── *ad.* 《古·文語》 고요히 ; 소리 없이.

stilt [stilt] *n.* Ⓒ (흔히 *pl.*) 대말, 죽마(竹馬) : walk *on* ~*s* 죽마를 타고 걷다.

stilt·ed [stíltid] *a.* ① 죽마를 탄. ② 《蔑》 (문체·말투 따위가) 과장된, 격식을 차린 : ~ expression (language) 과장된 표현(말투). ⊕ ~·**ly** *ad.*

Stíl·ton (chéese) [stíltn(-)] 고급 치즈의 일종《영국 Stilton 산(産)》.

***stim·u·lant** [stímjələnt] *a.* ① 흥분성의 ; 자극성의 : a ~ drug 흥분제. ② 격려하는, 고무하는. ── *n.* Ⓒ ①〖醫〗 흥분제 ; 자극제 ; 흥분성 음료 《술·커피·차 따위》: Coffee and tea are mild ~*s.* 커피와 차는 순한 흥분제이다. ② 자극(물) ; 격려.

‡stim·u·late [stímjəlèit] *vt.* ① 《~+목/+목+*to* do/+목+전+명》 …을 자극하다, 활기차게 하다 ; 북돋우다(incite), 격려하다 ; …을 자극하여 …하게 하다 : Praise ~*d* students *to* work harder. 칭찬에 자극되어 학생들은 더 열심히 공부하게 됐다 / ~ a person into activity 아무를 자극하여 활동케 하다. ② (커피·주류 따위)로 흥분시키다 ;〖醫·生理〗 (기관(器官) 따위)를 자극하다 : Coffee ~*s* the heart. 커피는 심장을 흥분시킨다.

***stim·u·la·tion** [stìmjəléiʃən] *n.* Ⓤ,Ⓒ ① 자극 ; 흥분. ⓞⓟⓟ *response.* ② 격려, 고무.

stim·u·la·tive [stímjəlèitiv] *a.* 자극적인 ; 격려하는 ; 고무하는.

stim·u·lus** [stímjələs] (*pl.* ***-li [-lài]) *n.* Ⓤ,Ⓒ ① 자극 ; 격려, 고무《*to*》: under the ~ of …에 자극되어. ② 자극물, 흥분제.

‡sting [stiŋ] (*p., pp.* ***stung*** [stʌŋ], 《美古》 ***stang*** [stæŋ]) *vt.* ① 《~+목/+목+전+명》 (침 따위로) …을 찌르다 : A bee *stung* my arm.=A bee *stung* me *on* the arm. 벌이 팔을 쏘았다. ② …을 얼얼(따끔따끔)하게 하다 : The smoke is ~*ing* my eyes. 연기로 눈이 따끔거린다. ③ …을 괴롭히다, 고민하게 하다 ; (감정)을 해치다 : My conscience *stung* me. 나는 양심의 가책을 받았다. ④ (혀 등)을 자극하다, 톡 쏘다 : Pepper ~*s* the tongue. 후추는 혀를 자극한다. ⑤ 《~+목/+목+전+명》 …을 자극해서(부추겨서) …하게 하다《*to, into*》: Anger *stung* him *to*(*into*) action. 그는 화가 나서 행동을 개시했다. ⑥ 《口》 (주로 受動으로) …을 속이다, 속여 빼앗다 : He *got stung* on the deal. 그는 그 거래에서 속았다 / How much did they ~ you *for?* 얼마나 빼앗겼느냐. ── *vi.* ① (침·가시를 가진 동식물이) 쏘다, 찌르다 ; 침이(가시가) 있다. ② 얼얼(따끔따끔)하다 ; 톡 쏘는 맛이(향기가) 있다 : My tongue ~*s.* 혀가 얼얼하다 / Ginger ~*s.* 생강은 톡 쏘는 맛이 있다. ③ (정신적으로) 괴로움을 주다 : Her sense of guilt *stung* badly. 그녀는 죄책감으로 마음이 매우 괴로웠다.
── *n.* Ⓒ ① 찌르기, 쏘기 ; 찔린 상처 : be hurt by a ~ 찔리어 상처를 입다. ② 쑤시는(찌르는) 듯한 아픔, 격통 ; (정신적인) 고통, 괴로움 : feel a sharp ~ in my hand 손에 찌르는 듯한 아픔을 느끼다. ③ 자극 ; 신랄함, 비꼼, 빈정댐 : the ~ of a person's tongue 독설. ④〖動〗 침, 독아(毒牙), 독침 ;〖植〗 가시. ⑤ 《口》 함정 수사 : work a ~ 함정 수사를 하다. ***have a ~ in the tail*** (말·편지 따위에) 빈정거림이(가시가) 있다.

sting·er [stíŋər] *n.* Ⓒ ① 쏘는 동물(식물) ; 빈정거리는 사람 ; (동·식물의) 침, 가시. ② 《口》 통격(痛擊) ; 빗댐, 빈정거림. ③ (S-)〖軍〗 스팅어 《어깨에 놓고 사격하는 휴대용 방공 미사일》.

sting·ing [stíŋiŋ] *a.* ① 침이 있는, 찌르는, 쏘는. ② 쑤시 듯이 아픈, 따끔따끔한. ③ 고통을 주는, 괴롭히는. ④ 신랄한《풍자 등》. ⊕ ~·**ly** *ad.*

stin·go [stíŋgou] *n.* Ⓤ,Ⓒ 《英》 독한 맥주의 하나.

sting·ray [stíŋrèi] *n.* Ⓒ〖魚〗 노랑가오리《꼬리에 맹독 있는 가시가 있음》.

stin·gy [stíndʒi] (***-gi·er*** ; ***-gi·est***) *a.* ① 인색한, 쩨쩨한《*with*》: a ~ tip 단작스럽게 적은 액수의 팁. ② (수입·식사 따위가) 빈약한, 부족한, 적은. ⊕ **-gi·ly** *ad.* **-gi·ness** *n.*

stink** [stiŋk] (stank*** [stæŋk], ***stunk*** [stʌŋk] ; ***stunk***) *vi.* ① 《~/+전+명》 고약한 냄새가 나다 ; …냄새가 코를 찌르다《*of*》: This fish ~*s.* 이 생선은 악취가 난다 / He ~*s of* wine. 그는 술 냄새를 풍기고 있다. ② 평판이 매우 나쁘다 ; 불쾌하다 ; 역겹다. ③ 《俗》 서투르다, (솜씨가) 형편 없다 《*at*》: He ~*s at* tennis. 그는 테니스가 매우 서투르다. ④ 《~/+전+명》 《俗》 (…을) 굉장히 많이 갖고 있다《*of* ; *with*》: He ~*s of*(*with*) money. 그는 주체하지 못할 만큼 많은 돈을 가지고 있다.
── *vt.* ① 《+목+부》 …을 악취(연기)를 뿜어 내몰다《*out*》: ~ *out* a fox 연기를 피워 여우를 굴에서 내몰다. ② (장소)를 악취로 가득 채우다《*out*》: Those onions are ~*ing* the whole house *out.* 온 집 안에 양파 냄새가 가득하다.
── *n.* ① Ⓒ 악취, 고약한 냄새. ② (a ~) 소동, 논쟁, 물의 : His comments caused *a* ~ . 그의 코멘트가 물의를 빚었다. ***like*** ~ 《口》 맹렬히, 열심히《일하다 따위》. ***raise*** (***create, kick up, make***) ***a big*** ~ 《口》 (불만 따위를 터뜨리며) 물의를(소동을) 일으키다《*about*》.

stínk bòmb 악취탄《폭발하면 악취를 냄》.

stínk bùg〖蟲〗 노린재류(類) ; 악취를 풍기는 곤충.

stink·er [stíŋkər] *n.* Ⓒ ① 냄새나는 사람(동물). ② 《俗》 불쾌한 놈. ③ 귀찮은 문제, 골칫거리 ; 《英俗》 불쾌한 편지(비평(따위)).

stink·ing [stíŋkiŋ] *a.* 〔限定的〕 ① 악취를 풍기는. ② 《俗》 역겨운, 지독한 ; 불유쾌한. ③ 〔副詞的〕 매우, 대단히 : ~ rich 엄청나게 돈 많은.

***stint** [stint] *vt.* ① 《~+목/+목+전+명》 (비용·식사 등)을 바싹 줄이다 : Don't ~ the sugar. 설탕을 너무 아끼지 마라. ② …을 내기 아까워하다《*of* ; *in*》: ~ a person *in*(*of*) food 아무에게 음식 주기를 아까워하다. ③ 〔再歸的〕 …을 바싹 줄이다, 쩨쩨하게 굴다《*of*》: ~ *oneself of* food 음식을 바싹 줄이다(제한하다).
── *n.* ① Ⓒ (일에) 할당된 기간 ; 할당된 일(양) : a two-year ~ in the army, 2 년의 복무 기간. ② Ⓤ (특히 양의) 제한, 한정 ; 내기를 아낌 : give without (with no) ~ 아낌없이 주다.

sti·pend [stáipend] *n.* Ⓒ 수당, 급료 ; 연금 ; (목

사·교사 등의) 봉급; (학생·연구원이 정기적으로 받는) 장학금, 급비. cf. salary.

sti·pen·di·ary [staipéndièri / -diəri] *a.* 봉급을 받는, 유급의. ── *n.* Ⓒ 유급자.

stip·ple [stípəl] *n.* Ⓤ,Ⓒ 점각법(點刻法); 점화(點畫)(법), 점채(點彩)(법).
── *vt.* …을 점각하다; …을 점채하다.

stip·u·late [stípjəlèit] *vt.* (계약서·조항 등이) …을 규정하다, 명기하다; …을 조건으로서 요구하다: The material is not of the ~*d* quality. 그 재료는 계약대로의 품질의 것이 아니다.
── *vi.* (조건으로서) 요구하다, 명기하다(*for*): We ~*d for* inclusion of these terms in the agreement. 우리는 협정에 이들 조건을 포함시키도록 요구했다. ㊞ **-la·tor** [-lèitər] *n.*

stip·u·la·tion [stìpjəléiʃən] *n.* ① Ⓤ 규정화, 명문화. ② Ⓒ (계약) 조항, 조건: on〔under〕 the ~ that …이라는 조건으로.

‡stir[1] [stəːr] (*-rr-*) *vt.* ①《~+목》 …을 움직이다, (억지로, 약간) 움직이다: The wind ~*s* the leaves. 바람이 나뭇잎을 살랑거리게 한다. ②《~+목/+목+전+명》 (액체 따위)를 휘젓다, 뒤섞다: ~ vinegar *into* salad oil 식초를 샐러드 오일에 뒤섞다. ③《~+목》 …을 분발시키다; 각성시키다(*up*): ~ a person's blood 아무의 피를 끓게 하다. ④《~+목/+목+부/+목+전+명/+목+*to* do》 …을 감동〔흥분〕시키다(*up*); 선동〔자극〕하여 …하게 하다(*to*): It ~*red* him *to write* a novel. 그것이 계기가 되어 그는 소설을 쓰기 시작했다. ⑤ (감정)을 움직이다, 일으키다: ~ a person's imagination〔curiosity〕 아무의 상상〔호기심〕을 불러일으키다.
── *vi.* ① 움직이다; 꿈틀거리다: Something ~*red* in the water. 무엇이 물속에서 움직였다. ② 일어나다; 활동하다: No one was ~*ring* in the house. 그 집에서는 아무도 일어나 있지 않았다. ③ (감정이) 일다, 솟아나다: Love ~*red* in her heart. 애정이 그녀의 마음에 일었다. ***Stir your stumps.*** 서둘러라, 빨리 해라.
── *n.* ① Ⓒ 움직임, 휘젓기: Give it a ~. 좀 휘저어라. ② Ⓒ 움직임, (바람의) 살랑거림: There was a ~ in the leaves. 나뭇가지가 살랑거렸다. ③ (흔히 a ~) 대소동, 법석; 물의, 평판: The news created〔caused, made〕 (quite) *a* ~. 그 뉴스는 큰 물의를 일으켰다.

stir[2] *n.* Ⓒ《俗》 교도소.

stir·rer [stə́ːrər] *n.* Ⓒ ① 휘젓는〔뒤섞는〕 사람; 교반기(器). ② 활동가; 《俗》 선동자.

***stir·ring** [stə́ːriŋ] *a.* ① 마음을 동요시키는; 감동시키는; 고무하는: a ~ speech 감동적인 연설. ② 활발한, 활동적인, 바쁜; 번화한, (거리 따위가) 붐비는: We live in ~ times. 우리들은 바쁜 시대에 살고 있다. ㊞ ~·**ly** *ad.*

***stir·rup** [stə́ːrəp, stír-, stʌ́r-] *n.* Ⓒ ① 등자(鐙子). ②〖解〗 등골(鐙骨)(=∠ **bòne**).

stírrup cùp (옛날 말 타고 떠나는 사람에게 권한) 작별의 잔; 이별주.

stírrup pùmp (소화용의) 수동식 펌프.

‡stitch [stitʃ] *n.* ① Ⓒ 한 바늘, 한 땀, 한 코, 한 뜸: put a ~ in a garment 의복을 한 바늘 꿰매다 / A ~ in time saves nine. 《俗談》 제때의 한 바늘이 뒤의 아홉 바늘을 던다. ② **a)** Ⓒ 바늘땀〔코〕, 바느질 자리; 한 번 바느질할 길이의 실; 솔기. **b)** (흔히 *pl.*)〖醫〗 (상처를 꿰매는) 한 바늘: put three ~*es* in a person's forehead 아무의 이마를 세 바늘 꿰매다. ③ Ⓤ (또는 a ~) 바느질〔뜨개질〕 방식: *a* buttonhole ~ 단춧구멍의 사뜨기. ④ Ⓒ 〔흔히 否定文〕 (a ~) 헝겊〔천〕 조각: be without *a* ~ of clothing =have *not a* ~ on 몸에 실오라기 하나 걸치지 않다. ⑤ (a ~) (돌연한) 통증, 쑤심: *a* ~ in the side 옆구리의 통증. ***be in ~es*** 《口》 포복 절도하다.
── *vt.* ①《~+목/+목+부》 …을 바느질하다; 꿰매다, 깁다; …에 자수하다(embroider): ~ *together* …을 꿰매어 합치다 / ~ *up* a rent 터진 곳을 꿰매다. ②《英》 (사람)을 속이다(*up*).
── *vi.* 꿰매다; 바느질하다, 뜨개질하다.

stoat [stout] *n.* Ⓒ〖動〗 담비(특히 여름의).

‡stock [stɑk / stɔk] *n.* ① **a)** Ⓒ (나무·풀 등의) 줄기, 그루터기; 뿌리줄기. **b)** Ⓒ (접목의) 대목(臺木), 접본(椄本), 어미그루. **c)** Ⓤ 혈통, 가계(家系), 가문(★ 흔히 수식어를 수반): a man of Jewish ~ 유대계의 사람. **d)** Ⓤ 어족(語族);〖生〗 군체(群體), 군서(群棲). **e)** Ⓤ〖言〗 어계(語系). ② **a)** Ⓒ 받침 나무, 총 개머리; (가래·채찍 등의) 자루; (낚싯대 따위의) 기부(基部);〖海〗 닻장. **b)** (*pl.*) 조선대〔가〕(造船臺〔架〕); 포가(砲架). **c)** (the ~s)〖史〗 차꼬(옛 형구의 하나). cf. pillory. **d)** Ⓒ 한 마리만 넣는 동물우리. ③ Ⓒ〖植〗 스톡, 자라난화(紫羅欄花). ④ 스톡카(~ car). ⑤ **a)** Ⓒ,Ⓤ 《美》 주식, 증권, 주(株)(《英》 share). **b)** Ⓒ (사람의) 평가, 평판, 신용; 지위. **c)** (the ~s) 《英》 공채, 국채: ⇨ COMMON STOCK / one's ~ rises〔falls〕 주가가 올라가다〔내려가다〕(비유적으로도 씀). **d)** Ⓒ,Ⓤ 주식 자본. ⑥ **a)** Ⓒ,Ⓤ 저장, 비축; (지식 따위의) 축적: a ~ of food 식량의 비축 / have a good ~ of information 풍부한 정보를 갖고 있다. **b)** Ⓒ 재고(품); 사들인 물건: The book is not in ~. 그 책은 매진되었다 / lay in a ~ of flour 밀가루를 사들이다 / have〔keep〕 ... in ~ …의 재고품이 있다. ⑦ **a)** Ⓤ 자원; 원료: paper ~ 제지의 원료. **b)** Ⓒ,Ⓤ 국거리, (고기·물고기 따위의) 삶아낸 국물. ⑧ Ⓤ **a)** 가축(livestock); 사육용 동물: fat ~ 식육용의 가축 / ~ raising 가축 사육. **b)**〖鐵〗 =ROLLING STOCK. ***in*〔*out of*〕 ~** 재고가 있는〔품절이 된〕: goods *in* ~ 재고품. ***put ~ in*** =take ~ in (3). ***~ in trade*** (1) 재고품. (2) 장사 도구; 상투적 수단. ***~s and stones*** 목석 같은 사람, 무정한 사람. ***take ~*** 재고 조사를 하다; 평가〔음미〕하다. ***take ~ in*** (1) …의 주(株)를 사다. (2) 《比》 …에 관심을 가지다. (3) 《口》 …을 신뢰하다, …을 중히 여기다. ***take ~ of*** 《比》 (정세 따위)를 판단하다; 잘 조사하다.
── *a.* 〔限定的〕 ① 수중에 있는, 재고의. ② 표준의; 평범한, 진부한, 보통의: ~ sizes in hats 표준 치수의 모자 / a ~ comparison 진부한 비유. ③ 《美》 주(식)의; 《英》 공채의. ④ 가축 사육의.
── *vt.* ①《~+목》 …에 자루〔대(臺)〕를 달다: ~ a rifle 총에 개머리판을 달다. ② **a)** 《~+목/+목+전+명》 …에 씨를 뿌리다(*with*); (농장)에 가축을 넣다(*with*); (강 따위)에 물고기를 방류하다: ~ land *with* clover 땅에 클로버 씨를 뿌리다. **b)** 《+목+전+명》 (가게)에 (상품)을 사들이다, 구입하다(*with*); (가게에 물품)을 놓다; 비축하다, 갖추다(*with*); …에 보충〔보급〕하다(*with*): ~ one's store (*up*) *with* summer goods 가게에 여름철 물건을 들여놓다.
── *vi.* 사들이다, 구입하다, 들여놓다(*up*): We must ~ *up* (*with* food) *for* the winter. 겨울에 대비해서 식품을 구입해야 한다.

***stock·ade** [stɑkéid / stɔk-] *n.* Ⓒ ① 방책; 말뚝으로 둘러친 장소. ②〖美軍〗 영창.

stock·breed·er [stɑ́kbrìːdər / stɔ́k-] *n.* Ⓒ 목축〔축산〕업자.

stock·bro·ker [∠bròukər] *n.* Ⓒ 증권 중개인.

stock·brok·ing, -brok·er·age [∠bròukiŋ],

[⌐brõukəridʒ] *n.* Ⓤ 주식 중개(업).
stóck càr ① 스톡카《승용차를 개조한 경주용 자동차》. ②《美》(철도의) 가축 운반차.
stóck certìficate 《美》주권; 《英》공채 증서.
stóck còmpany 《美》① 주식 회사. ② 레퍼토리 극단《전용의 극장과 전속 배우와 일정한 상연 목록(repertoire)을 가짐》.
stóck exchànge ① (종종 S- E-) 증권 거래소: the New York *Stock Exchange* 뉴욕 증권 거래소. ② (종종 the ~) 증권 거래: on *the* ~ 증권 거래로.
stóck fàrm 목축장.
㊞ **~·er** *n.* Ⓒ 목축업자. **~·ing** *n.* Ⓤ 목축업.
stock·fish [stákfìʃ/stɔ́k-] (*pl.* ~, **~·es**) *n.* Ⓒ 어물(魚物), 건어(乾魚).
***stock·hold·er** [⌐hòuldər] *n.* Ⓒ 《美》 주주(《英》 shareholder).
Stock·holm [stákhoulm / stɔ́k-] *n.* 스톡홀름《스웨덴의 수도》.
stock·i·net(te) [stàkənét / stɔ̀k-] *n.* Ⓤ 메리야스《유아복·속내의 등에 씀》.
†**stock·ing** [stákiŋ / stɔ́k-] *n.* Ⓒ (흔히 *pl.*) 스타킹, 긴 양말. ⓒⓕ sock¹. ¶ a pair of ~*s* 한 켤레의 스타킹 / pull on〔off〕 ~*s* 스타킹을 신다〔벗다〕. ***in** one′**s ~s*** 〔~ ***feet***〕 양말만 신고, 신발을 벗고: He stands six feet *in his ~s.* 신을 벗고 키가 6 피트다.
stócking càp 꼭대기에 술이 달린 겨울 스포츠용 털모자.
stock·inged [stákiŋd/stɔ́k-] *a.* ① 양말을 신은: in one's ~ feet 양말 바람으로. ②〔複合語로〕(…의) 양말을 신은.
stock-in-trade [stákintréid / stɔ́k-] *n.* = STOCK in trade.
stock·ist [stákist / stɔ́k-] *n.* Ⓒ 《英》 (특정 상품의) 구매업자〔상점〕; 특약점 (주인).
stock·job·ber [⌐dʒàbər / ⌐dʒɔ̀b-] *n.* Ⓒ ①《美》증권 거래인. ②《英》투기꾼.
stock·man [stákmən, -mæ̀n / stɔ́k-] (*pl.* **-men** [-mən]) *n.* Ⓒ ①《주로 美》목축업〔축산업〕자; 《주로 Aurstral.》목동. ②《美》창고계원, 재고 관리원.
stóck màrket (종종 the ~) 증권 거래소〔시장〕; 증권 매매.
stock·pile [stákpàil/stɔ́k-] *n.* Ⓒ (자재 따위의 비상용) 비축〔축적〕(량), 재고; (군수품 따위의) 저장. ── *vt.* …을 (대량으로) 비축〔저장〕하다.
stock·pot [⌐pàt / ⌐pɔ̀t] *n.* Ⓒ 수프 냄비.
stóck ràising 목축, 축산.
stock·room [stákrù(ː)m/stɔ́k-] *n.* Ⓒ (물자·상품 따위의) 저장실; 《美》 (호텔 등의) 상품 전시실.
stock-still [⌐stíl] *ad.* 전혀 움직이지 않고, 꼼짝 않고, 부동으로: stand ~ 꼼짝 않고 서 있다.
stock·tak·ing [⌐tèikiŋ] *n.* Ⓤ (또는 a ~) 재고 조사; 실적 평가, 현상 파악.
stocky [stáki / stɔ́ki] (***stock·i·er*** ; ***-i·est***) *a.* (체격이) 땅땅막한, 탄탄한.
㊞ **stóck·i·ly** *ad.* **-i·ness** *n.*
stock·yard [stákjɑ̀ːrd/stɔ́k-] *n.* Ⓒ 임시 가축 수용장; (농장의) 가축 방목장.
stodge [stadʒ / stɔdʒ] *n.* Ⓤ 《口》 ① (소화가 잘 안 되는) 기름진 음식. ② 지루한 읽을거리; 난해한 것〔책〕.
stodgy [stádʒi / stɔ́dʒi] (***stodg·i·er*** ; ***-i·est***) *a.* ① (음식이) 기름진, 소화가 잘 안 되는. ② (책·문체 따위가) 지루한, 딱딱한, 난해한. ③ (사람이) 재미 없는, 지루한. ㊞ **stódg·i·ly** *ad.*
sto·gy, sto·gie [stóugi] (*pl.* ***sto·gis***) *n.* Ⓒ 《美》 ① (튼튼하고 싼) 장화의 일종. ② (긴) 싸구려 여송연.
Sto·ic [stóuik] *n.* Ⓒ ① 스토아 학파의 철학자. ② (s-) 금욕〔극기〕주의자. ── *a.* (s-) = STOICAL.
sto·i·cal [stóuikəl] *a.* 스토아 학파의; 금욕주의의, 자제심〔극기(克己)심〕이 강한; 냉철한.
㊞ **~·ly** *ad.*
Sto·i·cism [stóuəsìzəm] *n.* Ⓤ ① 스토아 철학. ② (s-) 금욕, 극기, 금욕주의; 냉철.
stoke [stouk] *vt.* 《~+目+副》 (기관차·난로 따위)에 불을 지피다〔피우다〕《*up*》: ~ (*up*) a furnace 아궁이에 땔감을 지피다. ── *vi.* ① 불을 때다《*up*》. ②《口》 실컷 먹다.
stoke·hold [stóukhòuld] *n.* Ⓒ (배의) 보일러실.
stoke·hole [⌐hòul] *n.* = STOKEHOLD.
stok·er [stóukər] *n.* Ⓒ ① (기관의) 화부. ② 급탄기(給炭機), 자동 급탄 장치.
STOL [stoul, stɔ́ːl] *n.* Ⓒ 〖空〗 스톨《단거리 이착륙(기)》: a ~ plane 단거리 이착륙기. [◂ *s*hort *t*ake-*o*ff and *l*anding]
stole¹ [stoul] *n.* Ⓒ ① 스톨《좁고 긴 여성용 목도리》. ② 〖가톨릭〗 영대(領帶).
‡**stole**² STEAL 의 과거.
‡**sto·len** [stóulən] STEAL 의 과거분사.
── *a.* 〔限定的〕 훔친: ~ goods 도둑 맞은 물건 / a ~ base 〖野〗 도루(盜壘) / a ~ car 도난차.
stol·id [stálid / stɔ́l-] (**~·er** ; **~·est**) *a.* ① 둔감한, 신경이 무딘. ② 감정을 드러내지 않는.
㊞ **~·ly** *ad.* **~·ness** *n.*
sto·lid·i·ty [stalídəti / stɔl-] *n.* Ⓤ 둔감, 무신경.
‡**stom·ach** [stʌ́mək] *n.* ① Ⓒ 위(胃): on a full 〔an empty〕 ~ 만복〔공복〕 때 / lie (heavy) on one's ~ (먹은 것이) 얹히다 / be sick at one's ~ 《美》메스껍다. ② Ⓒ 복부, 배, 아랫배: the pit of the ~ 명치 / lie on one's ~ 배를 깔고 엎드리다. ③ Ⓤ 〔흔히 否定文으로〕 식욕; 욕망, …하고 싶은 마음〔기분〕《*for*》: I have *no* ~ *for* the party. 그 파티에 갈 마음이 없다. ── *vt.* ① 《~+目》 〔흔히 否定文·疑問文으로〕 …을 먹다, 마시다: I can*not* ~ sweets. 나는 단 것을 먹지 못한다. ② (모욕 따위)를 참다, 견디다: Who could ~ such insults? 누가 이따위 모욕을 참을 수 있겠는가.
***stom·ach·ache** [stʌ́məkèik] *n.* Ⓤ,Ⓒ 위통, 복통: suffer from ~ 위통으로 고생하다.
stom·ach·er [stʌ́məkər] *n.* Ⓒ (15-16 세기에 유행한) 부인용 삼각형 가슴 장식, 가슴받이.
stom·ach·ful [stʌ́məkfùl] *n.* Ⓒ 배〔위〕 가득함〔한 양〕; 한껏 참음, 그 한도《*of*》: I've had my ~ *of* insults. 이 이상의 모욕은 참을 수 없다.
sto·mach·ic [stəmǽkik] *a.* 위의; 건위(健胃)의, 식욕을 증진하는. ── *n.* Ⓒ 건위제(劑).
stómach pùmp 〖醫〗 위 세척기.
stomp [stamp / stɔmp] *n.* Ⓒ 곡에 맞춰 발을 세게 구르는 춤; 《口》 발구르기(stamp).
── *vi.* 《口》 발을 구르다; 발을 구르며 춤추다.
†**stone** [stoun] *n.* ① **a)** Ⓒ 돌, 돌멩이: throw a ~ 돌을 던지다. **b)** Ⓤ 바위; 석재, 돌: building ~ 건축용 석재 / a heart of ~ 돌 같은 마음, 무정, 냉혹. ② Ⓒ 비석, 기념비, 묘비; 맷돌; 숫돌; 바닥에 까는 돌. ③ Ⓒ 보석; 우박, 싸락눈(hailstone). ④ Ⓒ 〖醫〗 결석(結石). ⑤ Ⓒ 〖植〗 핵(核), 씨: a peach ~ 복숭아 씨. ⑥ (흔히 *pl.*) 《古·卑》 불알. (***as***) ***cold*** 〔***hard***〕 ***as*** (***a***) ~ 돌처럼 차가운〔단단한, 무정한〕. ***cast the first*** ~ 〖聖〗 먼저 돌을 던지다; 먼저 비난하다《요한복음 Ⅷ: 7》. ***kill two birds with one*** ~ 일석 이조, 일거양득. ***throw ~s*** …을 비난하다《*of*》.

— *a.* 〔限定的〕 돌의, 석조의 : a ~ building 석조 건물 / a ~ wall 돌담.
— *vt.* ① …에(게) 돌을 던지다 : ~ a person to death 아무를 돌로 쳐죽이다. ② (과일)에서 씨를 바르다.

Stóne Àge (the ~) 석기 시대.

stone-blind [stóunbláind] *a.* 눈이 아주 먼, 전맹(全盲)의.

stone·break·er [ˊ-brèikər] *n.* Ⓒ (도로 포장에 쓰이는) 돌을 깨는 사람, 쇄석기.

stone-broke [ˊ-bróuk] *a.* 〔敍述的〕 《俗》 무일푼이 된, 파산한.

stone-cold [ˊ-kóuld] *a.* 돌처럼〔매우〕 차가운.
— *ad.* 완전히 : ~ sober 맨정신의, 말똥말똥한.

stone·cut·ter [ˊ-kʌ̀tər] *n.* Ⓒ 석수 ; 돌을 자르는 기계.

stoned [stound] *a.* ① (과일 따위가) 씨를 발라낸. ② 〔敍述的〕 《俗》 (마약·술 따위에) 취한 : get ~ 취하다.

stone-dead [stóundéd] *a.* 완전히 죽은.

stone-deaf [ˊ-déf] *a.* 전혀 못 듣는.

stóne frùit 핵과(核果).

stone-ground [stóungráund] *a.* 돌절구로 빻은.

Stone·henge [ˊ-hèndʒ / ˊˊ] *n.* 〖考古〗 영국 Wiltshire 의 Salisbury 평원에 있는 선사시대의 환상(環狀) 거석주군(巨石柱群).

stone·less [ˊ-lis] *a.* ① 돌〔보석〕이 없는. ② (과일이) 씨 없는.

stone·ma·son [ˊ-mèisən] *n.* Ⓒ 석수, 석공.

stóne pìt 채석장.

stóne's thrów 〔**cást**〕 (a ~) 돌을 던지면 닿을 만한 거리, 가까운 거리(약 50-150 야드) : at *a* ~ 가까운 거리에 / within *a* ~ of …의 바로 가까이에, 지척에.

stone·wall [stóunwɔ̀ːl] *vi.* ① 《英》 (의사(議事) 진행을) 방해하다(《美》 filibuster). ② 〖크리켓〗 신중히 타구하다. ㊞ **~·er** *n.*

stone·ware [ˊ-wɛ̀ər] *n.* Ⓤ 〔集合的〕 석기(고온 처리된 도자기의 일종).

stone·work [ˊ-wə̀ːrk] *n.* Ⓤ 돌〔보석〕 세공 ; 석조(건축)물 : a piece of ~ 돌 세공품.

‡**stony** [stóuni] (***ston·i·er*** ; ***-i·est***) *a.* ① 돌의 ; 돌 같은 ; 돌이 많은(땅·길 등) : a ~ path 돌투성이의 길. ② 돌처럼 단단한. ③ 돌처럼 차가운, 무정한, 냉혹한(마음 따위) ; 무표정한, 움직이지 않는(시선 따위) : a ~ heart 무정한 마음 / ~ faces 무표정한 얼굴. ㊞ **stón·i·ly** *ad.*

ston·y-broke [-bróuk] *a.* 〔敍述的〕 《英俗》 = STONE-BROKE.

ston·y-heart·ed [-háːrtid] *a.* 무정한, 냉혹한.

†**stood** STAND 의 과거·과거분사.

stooge [stuːdʒ] *n.* Ⓒ ① 《口》 희극의 조연역. ② 《口》 꼭두각시, 끄나풀. — *vi.* ① 《口》 조연역을 하다(*for*). ② 어슬렁거리다.

‡**stool** [stuːl] *n.* ① Ⓒ **a**) (등 없는) 걸상. **b**) (바닥에 있는) 다리 하나만 있는 높은 의자. **c**) (발·무릎을 올려 놓는) 발판. ② **a**) Ⓤ,Ⓒ 대변. **b**) Ⓒ 변기 ; 변소 : go to ~ 변소에 가다 ; 용변하다. ***fall between two ~s*** 토끼 둘 잡으려다가 하나도 못 잡다.

stóol pìgeon ① 후림 비둘기. ② 손님을 끄는 사람. ③ 밀고자, 끄나풀.

‡**stoop**[1] [stuːp] *vi.* ① 《~ / +副 / +前+名》 몸을 꾸부리다, 허리를 굽히다, 웅크리다(*down*) ; 허리가 굽어 있다, 새우등이다 : He ~*ed down* suddenly. 그는 급히 몸을 굽혔다 / ~ *over* a desk 책상 위에 몸을 굽히다. ② 《+前+名 / +*to* do》 자신을 낮춰 …짓을 하다, …할 정도로 자신〔인격〕을 떨어뜨리다 ; 《稀》 굴복하다 : ~ *to* cheating 비루하게도 남을 속이기까지 하다 / He'd never ~ *to* steal. 그는 어떤 상황에서도 도둑질할 사람은 아니다. ③ (매 따위가 먹이를) 덮치다(*at* ; *on*, *upon*). — *vt.* (머리·목 등)을 굽히다, 꾸부리다 : ~ oneself 몸을 굽히다.
— *n.* (a ~) 앞으로 몸이 굽음, 새우등 : He has *a* bad ~. 그는 등이 심하게 굽었다.

stoop[2] *n.* Ⓒ 《美·Can.》 현관 입구(의 계단).

†**stop** [stap / stɔp] (*p.*, *pp.* ***~ped*** [-t], 《古·詩》 ***~t*** ; ***ˊ·ping***) *vt.* ① 《~+目》 (움직이는 것)을 멈추다, 정지시키다, 세우다 : ~ a train 열차를 세우다 / ~ a factory 공장의 조업을 정지시키다. ② **a**) 《~+目 / +目+前+名》 …을 막다, 방해하다, 중단하다 ; 그만두게 하다 : ~ a speaker 연사의 말을 중지시키다 / Who can ~ her *from* behaving like that? 누가 그녀의 그런 행동을 막을 수 있으랴(아무도 못한다). **b**) 〔再歸的〕 자제하다 : The word slipped out before I could ~ *myself*. 나도 모르게 그 말이 입밖으로 나왔다. ③ 《~+目 / +-*ing*》 …을 그치다, 중지하다 ; 그만두다 : It has ~*ped* rain*ing*. 비가 멎었다. ★ stop+gerund (~ing)는 '…하는 것을 〔것이〕 그만두다〔멎다〕', stop+infinitive (to ~)는 '…하기 위하여 멈추다〔그만두다〕 : He *stopped* smoking 〔to smoke〕. 그는 담배피우기를 그만두었다〔담배 피기 위하여 섰다〕.
④ (통로 따위)를 막다, 차단하다 : ~ a passage 통로를 막다 / ~ the way 길을 막다.
⑤ 《~+目 / +目+副 / +目+前+名》 (구멍 등)을 막다, 메우다(*up*) : ~ (*up*) a tooth 이의 구멍을 메우다 / ~ one's ears *to*〔*against*〕 귀를 막고 …을 들으려고 하지 않다.
⑥ (흐르는 것)을 막다, 잠그다 : ~ water〔gas〕 수도〔가스〕를 잠그다.
⑦ (지급·공급 따위)를 정지〔중지〕시키다 ; (봉급·적립금 따위에서) …을 공제하다(*out of*) : ~ (payment of) a check 은행에 수표의 지급을 정지시키다 / The cost must be ~*ped out of* his salary. 그 비용은 그의 봉급에서 공제되어야 한다.
⑧ 〖競〗 패배시키다(defeat) ; 〖拳〗 때려눕히다 : ~ an opposing team 상대 팀을 이기다.
⑨ 〖樂〗 (관악기의 구멍, 현악기의 현)을 손가락으로 누르다.
— *vi.* ① 《~ / +*to* do》 멈추다, 멈춰 서다 ; 그치다 ; 중지하다, 쉬다 : ~ still 딱 멈추다 / We ~*ped to* talk. 이야기하기 위해 멈춰 섰다(★ We ~*ped* talk*ing*. 이야기를 그쳤다).
② 《+前+名》 들르다 ; 《口》 묵다, 체재하다 ; (교통 기관이) 서다 : ~ *at* a hotel 호텔에 묵다 / ~ away 외박하다 / Does this bus ~ *at* the city hall? 이 버스는 시청에 섭니까.
③ 〔흔히 否定文에서〕 **a**) 〔will, would 를 수반하여〕 주저하다, 단념하다(*at*) : He *will* ~ *at nothing* to gain his ends. 그는 목적을 위해서는 무슨 일이나 서슴없이 한다. **b**) 곰곰이 …하다(*to* do). (★ 흔히 don't〔rarely, never, etc.〕 ~ think 〔consider, ask, etc.〕의 형태로 씀) : We do*n't* ~ *to think* how different these two worlds are. 우리는 이들 두 세계가 얼마나 다른가를 곰곰이 생각하려 하지 않는다.
~ (***a***)***round*** (잠깐) 들르다. ~ ***by*** 《美》 (아무의 집에) 잠시 들르다. ~ ***dead*** 〔《美俗》 ***cold***〕 갑자기 (딱) 멈춰서다〔멈추다〕. ~ ***down*** 〖寫〗 렌즈를 조르다. ~ ***in*** (1) 《口》 집에 있다. (2) 잠시 들르다. ~ ***off*** …에서 도중 하차하다, 도중에 들르다(*at* ; ~ ***over*** (1) (경유지에서) 잠시 머무르다(*at* ; *in*).

(2) 도중 하차〔하선〕하다. ~ ***short*** (1) (남의 얘기를) 가로막다, 중지시키다. (2) 갑자기 멈추어 서다〔그만두다〕. ~ ***short at*** …까지는 이르지 않다, …직전에 멈추다. ~ ***short of*** do***ing*** …하기까지는 이르지 않았다, …하기 직전에 멈추다. ~ ***up*** (1) (구멍 등을) 틀어막다, 메우다. (2) 일어나 있다.
— *n.* Ⓒ ① 멈춤, 중지, 휴지(休止), 끝을 냄: There'll be no ~ to our efforts. 우리는 계속 노력할 것이다. ② **a**) 정지; (단기간의) 머무름〔체재〕; 정거, 착륙, 기항: No ~ is permitted on the road. 노상 정차 금지. **b**) 정거〔정류〕장, 착륙장: a bus ~ 버스 정류소 / the last ~ 종점. ③ **a**) 방해(물), 장애(물); 방지, 저지. **b**) 〖光·寫〗 조리개, F넘버. **c**) 〖音聲〗 (숨의) 폐쇄; 폐쇄음《[p, t, k, b, d, g] 따위》. ④ (흔히 *pl.*) 〖建〗 (문짝이 걸리게 문턱이나 바닥에 박은) 원산(遠山), 걸리개, 멈추개, 멈춤턱《doorstop 따위》; 〖機〗 억제〔제어〕 장치. ⑤ 틀어막음, 마개; (풍금의) 음전(音栓), 스톱, (관악기의) 지공(指孔). ⑥《英》 구두점, 《특히》 피리어드(full ~).
pull out all (***the***) ***~s*** 최대한의 노력을 하다. ***with all the ~s out*** 전력을 기울여.

stop-and-go [-əngóu] *a.* ① 조금 가다가는 서는: ~ traffic 교통 정체. ② (교통이) 신호 규제의.

stop·cock [stάpkὰk / stɔ́pkɔ̀k] *n.* Ⓒ (수도 따위의) 꼭지, 고동, 조절판.

stóp èlement 〖컴〗 멈춤 요소(비동기(非同期)식(asynchronous) 직렬 전송에 있어서 문자의 끝에 놓이는 요소).

stop·gap [stάpgæ̀p / stɔ́p-] *n.* Ⓒ ① 구멍 메우개; 빈곳 메우기. ② 임시 변통, 미봉책. — *a.* 〔限定的〕 임시 변통의, 미봉의: a ~ cabinet 잠정 내각 / ~ measures 임기 응변의 수단.

stop-go [-góu] *n.* Ⓤ ① 〖經〗 인플레이션과 디플레이션이 섞바꾸어 나타나는 시기. ② 《英》 스톱고 정책《경제의 긴축과 완화를 섞바꾸어 행하는》.
— *a.* 〔限定的〕 스톱고의.

stóp làmp (자동차의) 정지등《브레이크를 밟을 때 켜짐》.

stop·light [-làit] *n.* Ⓒ ① (교통의) 정지 신호. ② = STOP LAMP.

stop·out [-àut] *n.* Ⓒ 《美學》 일시 휴학의 대학생.

stop·o·ver [-òuvər] *n.* Ⓒ 도중 하차; (여행 경유지에서의) 단기 체재; 잠깐 들름.

stop·pa·ble [-əbəl] *a.* 멈출 수 있는, 중지 가능「한.

stop·page [stάpidʒ / stɔ́p-] *n.* ① Ⓒ (활동을) 멈추기, 정지. ② Ⓒ 장애, 고장, 지장. ③ Ⓒ 파업, 휴업. ④ Ⓤ.Ⓒ 지불 정지; (임금의) 공제 지급.

stop·per [stάpər / stɔ́p-] *n.* Ⓒ ① 멈추는 사람〔물건〕, 방해자〔물〕, (기계 따위의) 정지 장치. ② 〖野〗 (효과적인) 구원 투수. ③ (병·통 따위의) 마개; (관의) 막는 꼭지, 스토퍼. ***put a*** ~ 〔***the ~s***〕 ***on*** 《口》 …에 마개를 하다; …을 누르다; 방지하다. — *vt.* …에 마개를 하다; 막다.

stop·ping [stάpiŋ / stɔ́p-] *n.* ① Ⓤ 중지, 정지. ② Ⓤ.Ⓒ (구멍·이 따위의) 충전물, 충전제.

stop·ple [stάpəl / stɔ́pəl] *n.* Ⓒ 마개.
— *vt.* …에 마개를 하다.

stóp prèss 《英》 신문 인쇄 중에 추가〔정정〕된 최신 기사(란), 마감 후의 중대 기사.

***stor·age** [stɔ́:ridʒ] *n.* ① Ⓤ 저장, 보관: in cold ~ 냉장되어. ② Ⓒ 창고, 저장소: in ~ 입고 중 / put… in ~ …을 창고에 보관하다. ③ Ⓤ 보관〔창고〕료. ④ Ⓤ (창고·저수지의) 수용력. ⑤ Ⓤ 〖컴〗 기억 (장치)《기억된 정보량》.

stórage bàttery 축전지.

stórage capàcity 〖컴〗 기억 용량.

stórage cèll 〖電〗 축전지; 〖컴〗 기억 소자.

stórage devìce 《英》 〖컴〗 기억 장치(memory).

stórage hèater 축열기(蓄熱器), 저장식 온수 가열기.

†store [stɔ:r] *n.* ① **a**) Ⓒ (종종 *pl.*) (식료품·의류 따위 필수품의) 저장, 비축: have a great ~ 〔have great ~*s*〕 of wine 포도주를 많이 저장하고 있다. **b**) Ⓒ (지식 등의) 축적; 온축; 많음: have a great ~ of knowledge 학식이 풍부하다. **c**) (흔히 *pl.*) (육군·해군 등의) 의류·식료품의 비축, 용품, 비품. ② **a**) Ⓒ 《美》 가게, 상점(《英》 shop); (흔히 ~s) 〔單·複數 취급〕《英》 백화점 (department ~), 잡화점; 《美俗》 (축제 따위의) 간이 매점: a general ~ 잡화점. **b**) 〔形容詞的〕 《美》 기성품의, 대량 생산품의: ~ clothes 기성복. ③ Ⓒ 《주로 英》 창고, 저장소. ④ (*pl.*) 필수품, 용품, 비품; 스페어 부품: household ~*s* 가정 용품 / ship's ~*s* 선박 용품. ⑤ Ⓤ 〖컴〗 기억장치(memory). ***in*** ~ (1) 비축하여: She keeps plenty of food *in* ~. 그녀는 많은 식량을 비축해 두고 있다. (2) (미래·운명 등이) …에게 덮치려고, 기다리고: You never know what's *in* ~ *for* you. 앞으로 네게 어떤 일이 닥칠지 너는 결코 모른다. ***set*** 〔***put, lay***〕 ~ ***by*** 〔***on***〕 …을 중히 여기다: *lay* great 〔much〕 ~ *on* …을 크게 중요시하다 / *set* no 〔little〕 ~ *by* …을 조금도〔그리〕 중시하지 않다.
— *vt.* ① 《+目+副 / +目+前+名》 …을 비축〔저장〕하다《*up*》: ~ *up* fuel for the winter 겨울에 대비하여 연료를 비축하다. ② 《+目+前+名》 …을 마련하다, …에 공급하다《*with*》: ~ the mind *with* knowledge 머리 속에 지식을 축적하다 / ~ a ship *with* provisions 배에 식량을 싣다. ③ 창고에 보관하다. ④ 〖컴〗 기억시키다. — *vi.* 〔樣態의 副詞를 수반하여〕 (식품 등) 저장이 가능하다: This food ~*s well*. 이 식품은 저장이 잘 된다.

store·front [-frʌ̀nt] *n.* Ⓒ ① (거리에 면한) 가게의 정면. ② (물건이 전시되어 있는) 점두(店頭).

store·house [-hàus] *n.* Ⓒ ① 창고. ② (지식 따위의) 보고.

store·keep·er [-kì:pər] *n.* Ⓒ ① 《美》 가게 주인(《英》 shopkeeper). ② (특히 군수품의) 창고 관리인.

store·room [-rù(:)m] *n.* Ⓒ 저장실, 광.

store·wide [-wàid] *a.* 전점포의: a ~ sale 전점포 대매출.

‡storey ⇨ STORY².

sto·ried[1] [stɔ́:rid] *a.* 〔限定的〕 ① 이야기〔역사, 전설 등〕에서 유명한. ② 역사화(畫)로 장식한.

sto·ried[2], 《英》 **sto·reyed** [stɔ́:rid] *a.* 〔複合語를 이루어〕 …층으로 지은: a five-~ pagoda, 5층탑 / a two-~ house. 2층 집.

stork** [stɔ:rk] *n.* Ⓒ 황새《갓난아기는 이 새가 갖다주는 것이라고 아이들은 배움》: The ~ came (to our house) last night. 지난밤 (우리 집에) 아기가 태어났다 / ⇨KING STORK. ***a visit from the ~ 아기의 출생.

†storm [stɔ:rm] *n.* Ⓒ ① 폭풍(우), 모진 비바람: A ~ caught us. 폭풍우를 만났다 / After a ~ comes a calm. 《俗談》 고진감래(苦盡甘來). ② 큰비, 세찬 비〔눈〕: a ~ of snow 폭설. ③ (탄알 등의) 빗발; (우레 같은) 박수: a ~ of applause 우레 같은 박수 갈채. ④ 격정: a ~ of tears 쏟아지는 눈물. ⑤ 〖軍〗 습격, 급습. ***a ~ in a teacup*** 《英》 '찻잔 속의 태풍', 헛소동. ***take . . . by*** ~ (1) 〖軍〗 강습하여 …을 빼앗다: *take* a fort *by* ~ 요새를 급습하여 빼앗다. (2)

(청중 등을) 금새 매료〔황홀케〕하다. ***up a*** ~《口》 극도로, 잔뜩.

— *vi.* ① 〔it를 主語로 하여〕 (날씨가) 사나워지다: *It* ~*s.* 《美》 폭풍우가 인다 / *It* ~*ed* last night. 지난 밤은 사나운 날씨였다. ② 《+[전]+[명]》 호통치다, 휼닦다《*at*》: ~ *at* a person 아무에게 호통치다. ③ 《+[부] / +[전]+[명]》 돌격하다; 돌진하다; 사납게 날뛰다: ~ *out* 뛰쳐나가다 / The tanks ~*ed toward* the city. 탱크가 그 도시를 향해 돌진해 왔다 / ~ *into* an office 사무실에 난입하다. — *vt.* 《~+[목] / +[목]+[전]+[명]》 강습하다: The enemy ~*ed* the fort. 적이 요새를 강습했다.

storm·bound [-bàund] *a.* (배 따위가) 폭풍우에 발이 묶인.

stórm cènter 폭풍우의 중심; 《比》 소동의 중심 인물〔문제〕.

stórm clòud ① 폭풍우를 실은 구름. ② (*pl.*) 동란의 전조.

storm coat 스톰 코트《두터운 안감을 받치고 깃에 모피를 댐; 대개 방수가 됨》.

stórm dòor (출입문 밖에 덧대는) 유리 끼운 덧문, 방풍(防風) 문.

stórm dràin =STORM SEWER.

stórm·ing pàrty [stɔ́ːrmiŋ-] 〖軍〗 습격대, 공격부대.

stórm làntern 〔làmp〕 《英》 방풍등(防風燈), 칸델라(hurricane lamp).

stórm pétrel 〖鳥〗 바다제비《폭풍우를 예보한다고 함》.

stórm sèwer 빗물 배수관.

stórm tròoper (나치스) 돌격대원.

stórm wìndow (눈·찬바람을 막기 위한) 빈지문, 덧문.

‡storm·y [stɔ́ːrmi] (***storm·i·er*** ; ***-i·est***) *a.* ① 폭풍우의, 폭풍의; 날씨가 험악한. ② 격렬한《정열 따위》; 사나운, 논쟁하기 좋아하는: a man of ~ passion 격정적인 사람 / a ~ life 파란 만장한 생애.

stórmy pétrel ① =STORM PETREL. ② 분쟁을 일으키는 사람.

†sto·ry¹ [stɔ́ːri] (*pl.* ***sto·ries***) *n.* ① [C] 이야기, 설화; 실화; 동화; (단편)소설: the ~ of the French Revolution 프랑스 혁명 이야기 / a true ~ 실화 / a detective ~ 탐정 소설. ② [U.C] 줄거리, 구상: a novel with very little ~ 줄거리가 거의 없는 소설. ③ [C] (하나의) 역사, 연혁《*of*》; 전기, 신상 이야기; 내력, 일화: the ~ *of* her life 그녀의 신상 이야기 / a woman with a ~ 과거가 있는 여자. ④ [C] 소문: The ~ goes that…. …하다는 소문이다. ⑤ [C] 《兒·口》 거짓말, 꾸며댄 이야기; 거짓말쟁이: a tall ~ 허풍. ⑥ 〖新聞·放送〗 기사, 뉴스. ***A likely ~!*** 믿을 수 없다, 설마. ***but that is another*** ~ 그러나 그것은 전혀 다른 이야기다. ***to make a long ~ short*** =***to make short of a long*** ~ 한마디로 말하면.

‡sto·ry², 《英》 sto·rey [stɔ́ːri] (*pl.* ***sto·ries,*** 《英》 ***-reys***) *n.* [C] 층, 계층: the second ~, 2층 《《英》에서는 the first stor(e)y 라고 함》 / a house of one ~ 단층집 / a building of three *stories* 〔*storeys*〕, 3층 건물《★ floor는 1층과 2층, 2층과 3층 사이의 공간을 말함》.

sto·ry·book [-bùk] *n.* [C] (특히 어린이를 위한) 이야기〔동화〕책. — *a.* 〔限定的〕 ① 동화의, 동화 같은; 비현실적인. ② 해피엔딩으로 끝나는.

stóry lìne 〖文藝〗 줄거리(plot).

***sto·ry·tell·er** [-tèlər] *n.* [C] ① 이야기를 (잘) 하는〔쓰는〕 사람, (단편) 작가. ② 《口》 거짓말쟁이.

sto·ry·writ·er [-ràitər] *n.* [C] (단편) 소설가.

stoup [stuːp] *n.* [C] ① 잔, 큰 컵; 잔에 하나 가득한 분량. ② 〖敎會〗 성수반(聖水盤).

‡stout [staut] (*∠·****er*** ; *∠·****est***) *a.* ① 단단한, 억센; 튼튼한, 견고한: a ~ wall 견고한 벽 / a ~ cord 튼튼한 끈. ② 굳센, 단호한; 용감한; 완강한; 세찬: a ~ heart 용기. ③ 살찐, 뚱뚱한: a short, ~ man 키가 작고 뚱뚱한 사람. ④ (술 따위가) 독한. [cf.] strong, sturdy¹, tough.

— *n.* [U.C] 스타우트, 흑맥주. [cf.] ale, beer, lager, porter². ㊀ *∠*·**ly** *ad.* *∠*·**ness** *n.*

stout-heart·ed [-háːrtid] *a.* 용감한, 어기찬, 대담한. ㊀ ~·**ly** *ad.* ~·**ness** *n.*

‡stove¹ [stouv] *n.* [C] ① 스토브, 난로. ② 풍로 (cooking ~). ③ 《英》 〖園藝〗 온실(溫室).

stove² STAVE 의 과거·과거분사.

stove·pipe [stóuvpàip] *n.* [C] ① 난로 연통〔굴뚝〕. ② 《口》 (우뚝한) 실크 해트(~ hat).

stóvepipe hát 실크 해트.

stow [stou] *vt.* ① 《~+[목] / +[목]+[전]+[명]》 …을 집어 넣다, 틀어넣다《*away* ; *in*》; 가득 채워 넣다 《*with*》; 싣다, 실어 넣다: ~ a ship's hold *with* cargo 선창에 짐을 싣다 / *Stow* your bags under the seats. 백은 좌석 아래 넣어 주세요 / He ~*ed* those papers *away* in the drawer. 그는 그 서류들을 서랍속에 집어 넣었다. ② 〔흔히 命令形〕 (법석·농담 따위)를 그치다: *Stow* it! 입닥쳐, 그만해. — *vi.* (배·비행기 등으로) 밀항하다, 몰래 무임 승차〔승선〕하다. ㊀ *∠*·**age** [stóuidʒ] *n.* [U] ① 실어〔쌓아〕 넣기, 짐싣기, 적하(積荷) 작업. ② 적하료.

stow·a·way [-əwèi] *n.* [C] ① 밀항자. ② 무임승객.

STP standard temperature and pressure(표준 온도와 기압).

Str. steamer; strait; 〖樂〗 string(s).

stra·bis·mus [strəbízməs] *n.* [U] 〖醫〗 사팔눈, 사시(斜視): cross-eyed ~ 내(內)사시, 모들뜨기 / wall-eyed ~ 외(外)사시.

㊀ ~·**mal**, ~·**mic** *a.*

Strad [stræd] *n.* 《口》 =STRADIVARIUS.

strad·dle [strǽdl] *vi.* ① 두 다리를 벌리다, 다리를 벌리고 서다〔앉다, 걷다〕. ② 기회를 엿보다, 찬부를 분명히 하지않다《*on*》. — *vt.* ① …에 가랑이를 벌리고 서다〔앉다〕, …에 걸터앉다; (다리)를 벌리다: ~ a horse 말에 걸터앉다. ② 《比》 (대립 의견)에 대한 거취를 분명히 하지 않다.

— *n.* [C] ① 걸터 앉기〔앉음〕; 두 다리를 벌린 거리. ② 기회주의적인 태도.

Strad·i·var·i·us [strӕdivέəriəs, -váːr-] *n.* [C] 스트라디바리우스《이탈리아의 Stradivari(1644?-1737) 또는 그 일가(一家)가 만든 바이올린 등의 현악기》.

strafe [streif, strɑːf] *vt.* ① (저공 비행)으로 기총 소사하다. ② …를 몹시 꾸짖다〔벌주다〕.

strag·gle [strǽgəl] *vi.* ① 《~ / +[부] / +[전]+[명]》 (뿔뿔이) 흩어지다; 무질서하게 가다〔오다〕; 일행에서 뒤떨어지다. ② 《+[전]+[명]》 산재〔점재〕하다: Houses ~ *at* the foot of the mountain. 인가가 산기슭에 산재해 있다. ③ 《+[전]+[명]》 무질서하게 퍼지다; (복장 등이) 단정치 못하다, (머리카락이) 헝클어지다《*over*》: ivies *straggling over* the fences 담장 위에 뻗어 있는 담쟁이덩굴.

strag·gler [strǽglər] *n.* [C] ① 낙오자〔병〕. ② 우거져 퍼지는 초목〔나뭇가지〕.

strag·gling [strǽgliŋ] *a.* ① 대열을 떠난, 낙오한. ② 뿔뿔이 흩어져 나아가는. ③ 볼품없이 퍼진, 우거져 퍼진《나뭇가지 따위》. ④ (머리 따위가) 헝클어진; (수염이) 멋대로 난. ⑤ 산재한《집 따위》, 드문드문한. ㊀ ~·**ly** *ad.*

strag·gly [strǽgli] (***-gli·er*** ; ***-gli·est***) *a.* = STRAGGLING.

†straight [streit] (*∠·er* ; *∠·est*) *a.* ① **a**) 곧은, 일직선의; 수직의, 곧추 선; 수평의, 평탄한; (스커트가) 플레어가 아닌; (모발 따위가) 곱슬하지 않은; 〖拳〗 스트레이트의 : a ~ line 일직선 / a ~ back 곧은 등 / Keep your legs ~. 다리를 곧게 펴라 / a ~ table 편편한 테이블. **b**) 연속한, 끊이지 않는《열(列) 따위》: in ~ succession 끊이지 않고 연속하여 / for seven ~ days 7일간 계속하여 / get ~ A's 《美》 (학교에서) 모두 수(秀)〔A〕를 받다. ② 정돈〔정리〕한 : Things are ~ now. 이제 만사는 깨끗이 정돈되었다. ③ **a**) (목적을 향해) 외곬으로 나가는; 직접의, 솔직한《말 따위》, 태도가 분명한; 《美》 순수한, 철저한 : a ~ talk 솔직한 이야기 / a ~ Democrat 순수〔철저〕한 민주당원 / I'll be ~ *with* you. 솔직히 말하겠다. **b**) 〖劇〗 (극·연기가) 솔직한, 진지한, 춤·음악을 수반하지 않은. **c**) 《俗》 온전한, 정상인, 《특히》 마약을 하지 않는, 호모〔동성애〕가 아닌(cf. bent[1]). ④ **a**) 정직한, 공명정대한; (논리 등이) 조리가 선, 정확한; 《口》 (정보 따위가) 확실한, 신뢰할 수 있는 : ~ dealings 공정한 거래 / ~ thinking 조리가 선 사고 방식 / a ~ report 믿을 수 있는 보고 / a ~ tip (경마·투기 따위의) 확실한 소식통으로부터의 정보〔예상〕/ I'm trying to keep ~. 성실한 생활을 지키도록 노력하고 있다 / set〔put〕 a person ~ 아무의 잘못을 바로잡다 / Let's get this ~. 이 일은 제대로 해두자〔고쳐놓자〕. **b**) 변경을 가하지 않는, 개변하지 않은; 《美》 순수한, 물타지 않은 : ~ whiskey = whiskey ~ 물타지 않은 위스키. ⑤ 《卑》 〔感歎詞的〕 맞다, 그렇고 말고. ***keep*** one***'s face*** ~ 진지한 표정을 하다; 웃음을 참다. ***put*** 〔***set***〕 ***a room***〔***things***〕 ~ 방〔물건〕을 정돈하다. ***vote a*** ~ ***ticket*** 〖美政〗 자기 당 공천 후보에게 투표하다.

── *ad.* ① 곧장, 똑바로, 일직선으로 : walk ~ (on) 곧장 걷다 / shoot 〔hit〕 ~ 명중시키다. ② 곧추 서서, 바른 위치에 : stand up ~ 꼿꼿이 서다. ③ 직접(으로) : Come ~ home after school. 학교가 끝나면 곧장 돌아와라. ④ 솔직하게, 정직하게 : talk ~ 솔직히 이야기하다 / live ~ 바르게 살다. ⑤ 객관적으로, 꾸밈없이. ⑥ 계속해서. ⑦ (수량에 관계 없이) 할인 않고. ~ ***away*** 즉시, 척척. ~ ***from the shoulder*** ⇨ SHOULDER. ~ ***off*** 《口》 솔직하게, 깊이 생각하지 않고. ~ ***out*** 솔직히. ~ ***up*** (1) 《英俗》 정말로《질문이나 답변에 사용》. (2) 《美口》 물을 타지 않은 : whiskey ~ *up* 물타지 않은 위스키.

── *n.* ① (the ~) 곧음, 일직선; 직선 코스 : on *the* ~ 쭉 바르게 / be out of *the* ~ 굽어 있다. ② Ⓒ (흔히 *sing.*) 직선인 부분. ③ Ⓒ 〖카드놀이〗 (포커의) 스트레이트. ④ Ⓒ 《口》 (호모가 아니고) 정상적인 사람. ***the*** ~ ***and narrow*** 도덕적으로 바른 생활, 정도(正道) : keep to *the* ~ *and narrow* 정도를 지키다. ㊕ **∠·ly** *ad.*

stráight A [∠éi] 전과목 수(秀)의.

stráight àngle 평각(180°).

straight·a·way [∠əwèi] 《美》 *a.* 일직선의.
── *ad.* 곧, 즉시.
── *n.* Ⓒ 직선 코스; 직선 주로.

straight·bred [∠brèd] *a.* 순종의.

straight·edge [∠èdʒ] *n.* Ⓒ 직선(直線)자.

‡straight·en [stréitn] *vt.* 《~ +목 / +목+부》 ① 똑바르게 하다 : ~ oneself *out* 몸을 똑바로 펴다 / ~ one's tie 넥타이를 바로 매다. ② **a**) 정리〔정돈〕하다; 해결하다《*up* ; *out*》: ~ *out* difficulties 어려운 일을 해결하다 / ~ *up* one's room 방을 정리하다. **b**) …을 청산하다《*up* ; *out*》: ~ *out* one's account 셈을 청산하다. **c**) 바로잡다, 교정(矯正)하다. ── *vi.* 《+부》 ① (몸을) 똑바르게 하다《*out* ; *up*》. ② 정돈되다, 해결되다《*out*》.

stráight fáce (a ~) 진지한 체하는 얼굴 : keep *a* ~ 진지한 얼굴을 하고 있다.

straight-faced [stréitféist] *a.* 진지한 얼굴을 한.

stráight fíght 《英》 (선거에서 두 후보의) 맞대결.

stráight flúsh 〖포커〗 스트레이트 플러시《같은 짝 패의 다섯장 연속》.

˚straight·for·ward [strèitfɔ́ːrwərd] *a.* ① 똑바른. ② 정직한; 솔직한. ③ (일이) 간단한.
── *ad.* = STRAIGHTFORWARDS.
㊕ ~**·ly** *ad.* ~**·ness** *n.*

straight·for·wards [∠fɔ́ːrwərdz] *ad.* 똑바로; 솔직하게.

straight·jack·et [∠dʒæ̀kit] *n.* = STRAITJACKET.

straight-laced [∠léist] *a.* = STRAIT-LACED.

stráight màn 희극 배우의 조연역(役).

straight·ness [∠nis] *n.* Ⓤ ① 똑 바름, 일직선. ② 솔직함, 정직; 공명 정대.

straight-out [∠áut] *a.* ① 솔직한, 노골적인. ② 《美口》 철저한; 공명한.

stráight rázor 면도칼《칼집에 날을 접어 넣을 수 있는》.

‡strain[1] [strein] *vt.* ① **a**) (로프)를 잡아당기다. **b**) 긴장시키다, (귀)를 쫑그리다, (목소리)를 짜내다 : ~ one's voice 목소리를 짜내다 / ~ one's eyes 눈을 똑바로 뜨다 / ~ one's ears 귀를 쫑그리다. ② **a**) 너무 긴장시키다, 무리하게 사용하다, 혹사하다 : He has ~*ed* his eyes by reading too much. 그는 지나치게 독서를 하여 눈을 상했다 / Don't ~ yourself. 무리를 하지 마라. **b**) (근육 따위가) 접질리게 하다, 뒤틀리게 하다, (발목 따위)를 삐다. ③ **a**) (법 등)을 억지 해석하다, 곡해하다; (권력 따위)를 남용하다. **b**) …에게 무리한 요구를 하다; …을 기회로 삼다; 허점을 이용하다 : ~ one's luck 행운을 너무 기대하다 / ~ a person's friendship 아무의 우정을 이용하다. ④ 《~ +목 / +목+전+명》 껴안다《*to*》: She ~*ed* her baby *to* her breast. 아기를 품에 껴안았다. ⑤ 《~ +목 / +목+전+명》 거르다, 걸러 내다《*out* ; *off* ; *from*》: ~ gravy 고깃국물을 거르다 / ~ seeds *from* orange juice 오렌지 주스를 걸러 씨를 제거하다. ── *vi.* ① 《+전+명》 잡아당기다《*at*》: ~ *at* a rope 밧줄을 잡아당기다. ② 긴장하다. ③ 《~ / + *to* do / +전+명》 열심히 수고하다, 분투하다 : He ~*ed to* reach the shore. 그는 해안에 닿기 위해 필사적이었다 / ~ *after* happiness 행복을 찾아서 노력하다. ④ 《+전+명》 반발하다; 난색을 표하다, 물러서다; 참다《*at*》: ~ *at* accepting an unpleasant fact 불쾌한 사실을 받아들이려 하지 않다 / The porter was ~*ing under* his load. 짐꾼은 무거운 짐을 참고 지고 있었다. ⑤ 모양이 뙤다, 뒤틀리다. ⑥ 《~ / +전+명》 걸러지다, 스며 나오다〔들다〕: ~ *through* a sandy soil (물이) 모래땅에 스며 들다. ~ ***every nerve*** ⇨ NERVE.
── *n.* ① Ⓒ,Ⓤ 긴장, 팽팽함; 당기는 힘〔무게〕: Too much ~ broke the rope. 너무 당겨서 밧줄이 끊어졌다. ② Ⓤ 피로, 피곤; 정신적 긴장. ③ Ⓤ,Ⓒ (무리해 몸 따위를) 상하게 함, 삠, 접질림 (muscular ~). ④ Ⓒ,Ⓤ (…에 대한) 부담, 중압; 압력《*on*》. ***at*** (***full***) ~ 전력을 다하여.

strain[2] *n.* ① Ⓒ 종족, 혈통, 가계(家系); 계통 : He comes of a good ~. 그는 명문 출신이다. ② (a ~) 유전질, 소질; 기질, 기풍; 경향. ③ 〔*sing.*, 修飾語와 함께〕 어조, 말씨 : speak in *a* solemn ~ 진지한 어조로 말하다. ④ Ⓒ (종종 *pl.*) 가락, 선율(旋律), 곡(曲), 노래《*of*》: distant ~*s of* music 멀리서 들려오는 노랫소리.

strained [streind] *a.* ① 긴박한, 긴장된 : ~ relations 긴장한 관계. ② 부자연한, 일부러 꾸민 ; 억지의 : a ~ laugh 억지웃음 / a ~ interpretation 억지 해석.

strain·er [stréinər] *n.* [C] 여과기, 체.

‡**strait** [streit] *n.* ① [C] 해협(★ 고유명사에 붙일 때는 보통 복수로서 단수 취급) : the *Straits* of Dover 도버 해협. ② (흔히 *pl.*) 궁상, 곤란, 궁핍. ── (*∠·er* ; *∠·est*) *a.* 《古》 좁은, 답답한 : the ~ gate 〖聖〗 좁은 문(마태복음 Ⅶ : 13).

strait·ened [stréitnd] *a.* 금전적으로 곤궁한 : in ~ circumstances 궁핍하여.

strait·jack·et [∠dʒæ̀kit] *n.* [C] ① (미친 사람, 광포한 죄수에게 입히는) 구속복. ② 구속, 속박.

strait-laced [∠léist] *a.* (예의 범절에) 엄격한, 사람이 딱딱한. ⓟ **~·ly** *ad.* **~·ness** *n.*

***strand**[1] [strænd] *n.* [C] 《詩》 물가, 바닷가, 해안. ── *vt.* ① (배)를 좌초시키다. ② 〔흔히 受動으로〕 이러지도 저러지도 못하다, 궁지에 몰다 ; 빈털터리가 되다.

strand[2] *n.* [C] ① (밧줄의) 가닥 ; 한 가닥의 실. ② 요소, 성분(*of*).

†**strange** [streindʒ] (*stráng·er* ; *stráng·est*) *a.* ① 이상한, 야릇한, 기묘한 : a ~ accident 기묘한 사건 / Something is ~. 어딘가 좀 이상하다 / Truth is ~*r* than fiction. 사실은 소설보다 (더) 기묘하다. ② (사람 · 장소 · 물건 따위가) 낯선, 눈〔귀〕에 익숙지 않은, 생소한, 알지 못하는 : a ~ voice 듣지 못하던 목소리 / ~ customs 생소한 관습 / In Teheran I *felt* quite ~. 테헤란에선 아주 생소한 감을 느꼈다. ③ (사람이) (…에) 생무지여서, 익숙지 않아, 경험이 없어 : I am ~ *to* this job. 이 일에 익숙지 않다. ④ 서먹서먹한, 스스러워하는, 부끄러워하는(shy) : make oneself ~ 서먹서먹한 태도를 취하다. ***feel*** ~ (몸이) 찌뿌드드하다. ~ ***to say*** 〔***tell***〕 이상한 이야기지만.
── *ad.* 〔흔히 複合語〕 《口》 이상하게, 묘하게 ; 스스러워 : act ~ 이상한 행동을 하다 / ~-clad 풍채가 이상한 / ~-fashioned 묘하게 만든.

‡**strange·ly** [stréindʒli] (***more*** ~ ; ***most*** ~) *ad.* 별스럽게, 이상〔기묘, 불가사의〕하게, 이상할 만큼 ; 진기하게 ; 이상하게도 : He was acting ~. 그의 태도가 묘했다 / *Strangely* (enough), she said nothing about it. 이상하게도 그녀는 그것에 대해 한마디도 안했다.

†**stran·ger** [stréindʒər] *n.* [C] ① 모르는〔낯선〕 사람([opp.] *acquaintance*), 남 ; 방문자, 손님 : He is a total ~ to me. 그를 전혀 모른다 / You are quite a ~. 참으로 오래간만이군요 / make a ~ of …를 서먹서먹하게〔냉담하게〕 대하다. ② 경험 없는 사람, 문외한, 생무지 ; 생소한 사람, 처음 보는 사람(*to*) : I'm quite a ~ *to* 〔*in*〕 London. 런던은 전혀 모릅니다(*to* 는 런던 밖에, *in* 은 안에 있으면서 말할 때).

***stran·gle** [strǽŋgəl] *vt.* ① (~+[목] / +[목]+[전]+[명]) …을 교살하다 ; 질식(사)시키다 : ~ a person *to* death 아무를 교살하다. ② (칼라 따위가 목에) 꼭 끼다. ③ (발전 · 활동 따위)를 억제〔억압〕하다 ; (의안 따위)를 묵살하다. ⓟ **strán·gler** [-ər] *n.*

stran·gle·hold [-hòuld] *n.* [C] ① 〖레슬링〗 목조르기. ② 《比》 자유를〔발전을〕 억누르는〔저해하는〕 것.

stran·gu·late [strǽŋgjəlèit] *vt.* 〖醫〗 압박하여 혈행(血行)을 멈추게 하다, …을 괄약(括約)하다. ⓟ **stràn·gu·lá·tion** [-ʃən] *n.* ① 교살, 질식. ② 〖醫〗 감돈(嵌頓), 교액.

‡**strap** [stræp] *n.* ① [C] 가죽 끈, 혁대. ② [C] (전동차 등의) (가죽) 손잡이 : hold on to a ~ 손잡이를 잡다. ③ [C] 가죽 숫돌(strop). ④ (the ~) (가죽 끈으로 하는) 매질, 고문. ── (*-pp-*) *vt.* ① …을 끈으로 매다〔묶다〕. ② …을 가죽끈으로 때리다. ③ …을 가죽 숫돌에 갈다. ④ 〖醫〗 …에 반창고를 붙이다(*up* ; *down*).

strap·hang·er [∠hæ̀ŋər] *n.* [C] 가죽 손잡이에 매달려 있는 승객.

strap·hang·ing [∠hæ̀ŋiŋ] *n.* [U] 가죽손잡이에 「매달려 감.

strap·less [∠lis] *a.* (여성복 등의) 어깨끈이 없는.

strapped [stræpt] *a.* ① 가죽끈으로 붙들어 맨. ② 〔敍述的〕 《美口》 빈털터리인, 돈에 궁한(*for*) : I'm a little ~ *for* cash. 약간 돈에 쪼들리고 있다.

strap·per [strǽpər] *n.* [C] ① 가죽끈으로 묶는 사람〔것〕. ② 《美口》 몸집 큰 사람.

strap·ping [strǽpiŋ] *a.* 〔限定的〕 《口》 건장한 체격을 한, 다부진 ; 터무니없이 큰, 큼직한 : a big, ~ boy 크고 건장한 소년.

stra·ta [stréitə, strǽtə] STRATUM 의 복수.

***strat·a·gem** [strǽtədʒəm] *n.* [C] ① 전략, 군략. ② 책략(trick), 계략, 술책, 모략.

***stra·te·gic, -gi·cal** [strətíːdʒik], [-əl] *a.* 전략(상)의 ; 전략상 중요〔필요〕한. [cf.] tactical. ¶ *strategic* arms 전략 무기 / *strategic* bombing 전략 폭격. ⓟ **-gi·cal·ly** *ad.*

Stratégic Áir Commànd 미국 전략 공군 사령부(略 : SAC).

Stratégic Defénse Inìtiative 〖軍〗 전략 방위 구상(略 : SDI). [cf.] Star Wars.

stra·te·gics [strətíːdʒiks] *n.* [U] 병법, 용병학, 전략(strategy).

strat·e·gist [strǽtədʒist] *n.* [C] 전략가 ; 모사.

***strat·e·gy** [strǽtədʒi] *n.* ① [U] (대규모의) 전략. [cf.] tactics. ② [U,C] 계략, 책략 ; 계획, 방책.

stra·ti [stréitai, strǽ-] STRATUS 의 복수.

strat·i·fi·ca·tion [strӕtəfikéiʃən] *n.* [U] 층화(層化) ; 〖統〗 층별(화) ; 〖地質〗 층리(層理), 성층(成層) ; (지층 중의) 단층(stratum) ; 〖社〗 사회 성층 ; 계층화, 계급화. ⓟ **~·al** *a.* ~의 : ~*al* grammar 〖文法〗 성층 문법.

strat·i·fy [strǽtəfài] *vt.* ① 층을 이루게 하다 : *stratified* rock 성층암. ② 〖社〗 (사람)을 계층별로 분류하다, 계급으로 나누다 : a *stratified* society 계급 사회. ── *vi.* ① 층을 이루다. ② 〖社〗 …을 계층화하다.

strato- '층운(層雲), 성층권' 의 뜻의 결합사.

stra·to·cu·mu·lus [strèitoukjúːmjələs, strӕt-] (*pl.* *-li* [-lai]) *n.* [C] 층적운(層積雲), 층쎈구름, 두루마리구름(略 : Sc.).

strat·o·sphere [strǽtəsfiər] *n.* (the ~) 〖氣〗 성층권.
ⓟ **strat·o·spher·ic** [strӕtəsférik] *a.* 성층권의.

stra·tum** [stréitəm, strǽt-] (*pl.* ***-ta [-tə], ~***s***) *n.* [C] ① 〖地質〗 지층 ; 단층 ; (고고학상의) 유적이 있는 층. ② 〖社〗 계층, 계급 : the *strata* of society 사회 계층.

stra·tus [stréitəs, strǽ-] (*pl.* ***-ti*** [-tai]) *n.* [C] 층운(層雲), 층구름, 안개구름(기호 St.).

Strauss [straus, ʃt-] *n.* **Johann** ~ 슈트라우스 (오스트리아의 작곡가 ; 1825-99).

‡**straw** [strɔː] *n.* ① [U] 〔集合的〕 짚, 밀짚 : made of ~ (밀)짚으로 만든. ② [C] 짚 한 오라기 ; (음료용의) 빨대 : A ~ shows which way the wind blows. 지푸라기 하나로 풍향을 나타낸다, 오동잎 하나 떨어져 천하의 가을을 알다. ③ [C] 〔否定文으로〕 지푸라기 같은 것, 하찮은 물건 : do *not* care a ~ 조금도 상관없다 / *not* worth a ~ 한푼의 가치도 없는. ***a man of*** ~ 짚 인형 ; 가공의 인물 ; 재산 없는 사람. ***a*** ~ ***in the wind*** 바람의 방향

〔여론의 동향〕을 나타내는 것 ; 조짐. ***catch*** 〔***clutch, grab, grasp***〕 ***at a*** ~ 〔***~s, any ~(s)***〕 《口》 짚이라도 잡으려 하다, 의지가 안 되는 것을 의지하다. ***make bricks without*** ~ ⇨ BRICK.
— *a.* 〔限定的〕 ① (밀)짚의, (밀)짚으로 만든 : a ~ hat 밀짚 모자. ② 밀짚 빛깔의, 담황색의.

‡straw·ber·ry [strɔ́:bèri / -bəri] *n.* ① Ⓒ Ⓤ 딸기, 양딸기 : ~ jam 딸기 잼. ② Ⓤ 딸기 빛깔, 심홍색.

stráwberry blónde 불그레한 금발머리(의 여인).

stráwberry màrk 〖醫〗 딸기 모양의 혈관종(血管腫) ; 딸기 반점.

stráw bòss 《美口》 (일터의) 감독 조수.

straw-col·ored [ˊ-kʌ̀lərd] *a.* (밀)짚 빛깔의, 담황색의.

stráw màn ① (허수아비로 쓰는) 짚 인형. ② 보잘것 없는 사람〔것〕. ③ (간단히 처리할 수 있게 일부러 고른) 형편 없는 문제〔대립의견〕. ④ 허수아비로 내세우는 사람.

stráw vòte 〔**pòll**〕 《美》 (투표전에 하는) 비공식 여론 조사〔투표〕.

‡stray [strei] *vi.* ① 《~ / +전+명 / +부》 옆길로 빗나가다, 딴길로 들어서다 ; 무리에서 떨어지다 《*from*》 : ~ *off into* a wood 숲속으로 잘못 들어가다. ② 탈선하다, (주제(主題) 등에서) 빗나가다《*from*》 : Try not to ~ *from* the point in your answers. 대답이 포인트에서 빗나가지 않도록 하라. ③ 《+전+명》 타락하다 : ~ *from* the right path 정도(正道)에서 벗어나다. ④ 헤매다, 떠돌다.
— *a.* 〔限定的〕 ① 처진, 길을 잃은 ; 코스에서 벗어난(탄환 따위) : a ~ bullet 유탄 / a ~ sheep 〔child〕 길 잃은 양〔미아〕. ② 이따금 나타나는《실례(實例) 등》, 불쑥 찾아오는《손님 등》 : a ~ visitor 불쑥 찾아온 손님.
— *n.* ① Ⓒ 길잃은 사람〔가축〕. ② Ⓒ 무숙자, 부랑자 ; 미아. ③ (*pl.*) 〖電氣〗 표유(漂遊)전기.

‡streak [stri:k] *n.* Ⓒ ① 줄, 선, 줄무늬 ; 광선, 번개 : the first ~*s* of dawn 서광(曙光) / ~*s* of lightning 번개 / ⇨SILVER STREAK. ② 《口》 연속 : a winning ~ 연승 / We had a ~ of good〔bad〕 luck, 우리들에게 행운〔불운〕이 계속되었다. ③ 《比》 경향, 티, 기미《*of*》. ④ 《口》 기간, 단기간 (spell). ***like a ~ of lightning*** 전광석화 같이 ; 전속력으로. — *vt.* 《~+목 / +목+전+명》 〔흔히 過去分詞 ; 受動으로〕 …에 줄을 긋다, 줄무늬를 넣다《*with*》 : a necktie ~*ed with* blue 푸른 줄무늬가 있는 넥타이 / His hair *was* ~*ed with* gray. 그의 머리에는 백발이 성성했다.
— *vi.* ① 《+부》 번개처럼 달리다, 질주하다 : When I opened the door, the cat ~*ed in.* 문을 열었더니 고양이가 번개같이 들어왔다. ② 《口》 스트리킹하다. ㊞ ˊ**·er** *n.* Ⓒ 스트리커.

streak·ing [strí:kiŋ] *n.* Ⓤ 스트리킹《벌거벗고 대중 앞을 달리기》.

streaky [strí:ki] (***streak·i·er; -i·est***) *a.* ① 줄이〔줄무늬가〕 있는. ② (고기 따위가) 층이 있는 : ~ bacon 지방층이 있는 베이컨. ③ (성질 따위가) 한결 같지 않은, 변덕스러운 ; (색이) 한결 같지 않은, 채가 진. ㊞ **stréak·i·ly** *ad.* **-i·ness** *n.*

‡stream [stri:m] *n.* Ⓒ ① 시내, 개울. ② 흐름, 조류 : the Gulf *Stream* 멕시코 만류. ③ (액체·기체·광선·사람·차량·물자 등의) 흐름《*of*》 ; (…의) 홍수 : a ~ *of* cold air 찬공기의 흐름 / The street had a ~ *of* cars. 거리에는 자동차의 물결이 그치지 않았다. ④ 《주로 英》 〖敎〗 능력별 클래스〔코스〕. ⑤ (흔히 *sing.* 또는 the ~) (때·역사·여론 등의) 흐름 ; 동향, 경향, 추세, 풍조. ***on*** ~ (공장이) 가동되어, 조업 중에. ***the ~ of consciousness*** 〖心·文〗 의식의 흐름.
— *vi.* 《~ / +전+명》 ① 흐르다, 흘러나오다 ; (빛 따위가) 흘러들다 : A brook ~*s by* our house. 시내가 우리집 옆을 흐르고 있다. ② 끊임없이 계속되다, 세차게 나아가다 : ~ *out of* 〔*into*〕... …에서 속속 나오다〔…에 속속 들어가다〕. ③ (눈물·땀·비 등이) 흘러내리다, 듣다 《*down*》 ; 젖다《*with* tears》 : Tears were ~*ing down* her cheeks. 눈물이 그녀의 뺨을 흘러내리고 있었다 / eyes ~*ing with* tears 눈물 젖은 눈. ④ (기 등이) 펄럭이다 ; (머리칼 등이) 나부끼다 : Her long hair ~*ed over* her shoulders. 긴 머리가 어깨 위로 치렁거렸다.
— *vt.* ① (눈물 따위)를 흘리다 ; 유출시키다 ; 붓다, 따르다. ② 《英》 (학생)을 능력별로 가르다.

stream·er [strí:mər] *n.* ① Ⓒ 기(旗)드림 ; 장식리본 ; (기선이 떠날 때 쓰는) 색 테이프(=**páper** ˊ-). ② Ⓒ (극광(極光) 따위의) 유광(流光), 사광(射光). ③ (*pl.*) (개기 일식 때의) corona의 광채. ④ Ⓒ 〖新聞〗 =BANNER.

stream·let [strí:mlit] *n.* Ⓒ 작은 시내, 실개천.

stream·line [ˊ-làin] *n.* Ⓒ 유선(형). — *a.* 〔限定的〕 유선형(의). — *vt.* ① …을 유선형으로 하다. ② 《比》 …을 능률적으로 하다. ㊞ ***~d** [-d] *a.* ① 유선형의. ② 능률화한. ③ 최신식의.

†street [stri:t] *n.* ① Ⓒ 거리, 가로 ; 가(街), …거리《略 : St.》 : Downing *Street* 다우닝가(街) / a high 〔《美》 main〕 ~ 큰거리, 중심가. cf. avenue. ② Ⓒ (인도와 구별하여) 차도, 가도. ③ (the ~) 〔集合的〕 동네사람들 : *the* whole ~ 동네의 전주민. ***live*** 〔***go***〕 ***on the ~s*** 매춘부 생활을 하다〔매춘부가 되다〕 ; 떠돌이 생활을 하다〔떠돌이 신세가 되다〕. ***not in the same ~ with*** 〔***as***〕 《口》 …와 겨룰 수 없는, …에는 도저히 미칠 수 없는. (***right*** 〔***just, bang***〕) ***up*** 〔***down***〕 a person'***s ~*** 〔***alley***〕 ⇨ ALLEY. ***the man in*** 〔《美》 ***on***〕 ***the*** ~ 보통 사람, 풋내기. ***~s ahead of*** 《英口》 …보다는 훨씬 뛰어난《★ 이 때의 streets는 부사로 "훨씬"의 뜻》. ***walk the ~(s)*** ⇨WALK *v.*
— *a.* 〔限定的〕 ① 거리의, 거리에서 일하는〔연주하는〕 ; 가로에 면한〔있는〕 : ~ fight 시가전 / a ~ peddler 거리의 행상인. ② 거리에 어울리는 : a ~ dress 외출복.

stréet Àrab 〔**àrab**〕 집없는 아이, 부랑아.

‡street·car [ˊ-kà:r] *n.* Ⓒ 《美》 시가〔노면〕 전차 (《英》 tram(car)).

stréet credibílity 젊은이들 사이의 신용〔인기〕.

stréet críes 《英》 행상인의 외치는 소리.

stréet dòor 가로에 접한 문. cf. front door.

stéet musìcian 거리의 음악가.

street-smart [ˊ-smɑ́rt] *a.* 《美俗》 = STREET-WISE.

stréet smàrts 《美俗》 (빈민가에서의 생활로 익힌) 어떤 처지에서도 살아갈 수 있는 요령〔지혜〕.

stréet ùrchin =STREET ARAB.

stréet vàlue 시가(市價) ; 암거래 값, (마약의) 말단 가격.

street·walk·er [ˊ-wɔ̀:kər] *n.* Ⓒ 매춘부.

street·wise [ˊ-wàiz] *a.* 세상 물정에 밝은, 서민생활에 통한.

‡strength [streŋkθ] *n.* Ⓤ ① 세기, 힘 ; 체력 : a man of great ~ 장사 / with all one's ~ 온 힘을 다해 / have the ~ to do …할 만한 힘을 갖고 있다. ② 정신력, 지력 ; 도의심, 용기 : have the ~ of character 강한 성격을 갖고 있다. ③ 강한 점, 장점, 이점. ④ 힘이〔의지가〕 되는 것. ⑤ 저항력,

내구력, 견고성. ⑥ 세력; 병력, 인원수, 정원: What is your ~? 그 쪽의 인원은 얼마요 / national ~ 국력 / at full ~ 전원 모두. ⑦ (약·술·색깔·소리·향기 등의) 농도, 강도. ⑧ (의론 따위의) 효과, 설득력. ⑨《英口》 진의, 참뜻. ◇ strong *a.* **from ~ to ~** 더욱더 유명(강)해지는. **Give me ~!** 《口》 더는 못 참겠다. **on the ~ of** …을 의지하여, …의 힘(도움)으로.

‡strength·en [stréŋkθən] *vt.* ① 강하게(튼튼하게) 하다, 강화하다; 증강하다: ~ one's body 몸을 튼튼하게 하다. ── *vi.* 강해지다, 튼튼해지다; 기운이 나다: The wind had ~*ed* during the night. 바람은 밤새 더 거세졌다.

***stren·u·ous** [strénjuəs] *a.* 정력적인, 열심인; 노력을 요하는, 격렬한: make ~ efforts 무척 노력하다. ㊞ **~·ly** *ad.* **~·ness** *n.*

strep·to·coc·cus [strèptəkákəs / -kɔ́k-] (*pl.* ***-coc·ci*** [-sai]) *n.* Ⓒ 연쇄구균(球菌).

strep·to·my·cin [strèptoumáisən] *n.* Ⓤ 〖藥〗 스트렙토마이신《결핵 등에 듣는 항생물질》.

‡stress [stres] *n.* ① Ⓤ,Ⓒ (정신적) 압박감, 스트레스: suffer from the ~ of city life 도시 생활의 스트레스에 고생을 하다. ② Ⓤ,Ⓒ 압박, 강제; 긴장, 긴박: in times of ~ 긴박한 때에 / under the ~ of poverty 가난 때문에. ③ Ⓤ,Ⓒ 〖音聲〗 강세, 악센트: Where do you place the ~ on this word? 이 낱말에는 어디에 악센트가 붙습니까? ④ Ⓤ (중요성의) 강조, 역설: lay(put, place) ~ on …을 역설(강조)하다. ⑤ 압력, 중압.

── *vt.* ① …을 강조하다; 역설하다: I can't ~ enough the need for cooperation. 협동의 필요성은 아무리 강조해도 지나치지 않다. ②〖音聲〗 …에 강세(악센트)를 붙이다(두다). ③ …을 긴장시키다.

stréss àccent 〖音聲〗 (영어 등의) 강약의 악센트, 강세. ㊟ pitch (tonic) accent.

stréss disèase 스트레스 병.

stress·ful [strésfəl] *a.* (작업 등이) 긴장이(스트레스가) 많은, 정신적으로 피로한. ㊞ **~·ly** *ad.* **~·ness** *n.*

stréss màrk 〖音聲〗 강세 기호.

‡stretch [stretʃ] *vt.* ①《~+목 / +목+전+명 / +목+보》 …을 늘이다, 펴다, 잡아당기다: These exercises are designed to ~ the muscles around your stomach. 이 운동들은 복부의 근육을 신장시키기 위해 고안되었다 / He ~*ed* the rope tight. 밧줄을 팽팽히 잡아당겼다. ② (시트 따위)를 깔다. ③《~+목 / +목+부 / +목+전+명》 (손 따위)를 내밀다, 내뻗다《*out*》: She ~*ed out* her hand *for* the hat. 모자를 집으려고 손을 뻗었다. ④ (신경 등)을 극도로 긴장시키다, 과로시키다; 모든 정력을 쏟다《oneself》: ~ one's nerves 신경을 곤두세우다 / ~ one's patience to the limit 끝까지 참다 / He ~*ed himself* (He was fully ~*ed*) to provide for the family. 가족을 부양하기 위해 그는 온 힘을 쏟아 일했다. ⑤《口》 (법·주의·진실 따위)를 왜곡하다, 확대 해석하다; 《口》 과장하다. ⑥ (음식물·마약·그림 물감 등)을 (…로) 묽게 하여 양을 늘리다《*with*; *by*》: They caught the bartender ~*ing* the gin *with* water. 그들은 바텐더가 진에 물을 타서 불리는 것을 보았다. ⑦《口》 …를 뻗게 하다, 때려눕히다《*out*》; 《美俗》 죽이다. ⑧ (프로그램·이야기 등)을 질질 끌다, 늘리다.

── *vi.* ①《+전+명》 (시간적·공간적으로) 뻗다, 퍼지다: The forest ~*es to* the river. 숲은 강까지 펼쳐져 있다. ②《+부》 기지개를 켜다; 큰대자로 눕다《*out*》: ~ *out* on a bed 침대 위에 팔다리를 뻗고 눕다. ③《+전+명》 손을 내밀다. ④ (시간이) 계속되다, 미치다. ⑤《~ / +부》 늘어나다, 신축성이 있다: Rubber ~*es easily.* **~ a point** ⇨ POINT(成句).

── *n.* ① Ⓒ 뻗기, 질펀함: a wide ~ of land 광활한 땅. ② Ⓒ 한 연속, 단숨; 한 연속의 시간(일, 노력): do a ~ of service 일정 기간의 병역을 치르다. ③ Ⓒ 신장(伸張), 팽팽함; 무리한 사용. ④ Ⓒ (흔히 *sing.*) **a)** 〖競〗 직선코스; 《특히》 최후의 직선코스. **b)** (야구·선거 따위의) 최후의 접전(분발). **at a ~** (1) 단숨에. (2) 전력을 다하여. **at full ~** (1) (설비 등을) 최대한으로 이용(활용)하여. (2) 몸을 한껏 뻗고. **by any ~ of the imagination** (否定文으로) 아무리 상상하여도.

***stretch·er** [strétʃər] *n.* Ⓒ ① 뻗는(펴는, 펼치는) 사람; 신장구(伸張具), 구두(모자)의 골. ② 들것: on a ~ 들것에 실려서.

stretch·er-bear·er [-bɛ̀ərər] *n.* Ⓒ 들것 드는 사람.

strétcher pàrty 들것 구조대.

strétch màrks (경산부(經産婦) 하복부의) 임신선.

stretchy [strétʃi] (***stretch·i·er***; ***-i·est***) *a.* (잘) 늘어나는, 신축성 있는(elastic).

***strew** [struː] (*~ed*; *~ed, ~n* [struːn]) *vt.* 《~+목 / +목+전+명》 (모래·꽃 따위)를 흩뿌리다 《*on*; *over*》; …(의 표면)을 온통 뒤덮다《*with*》: ~ sand *on* a slippery road 미끄러운 길에 모래를 뿌리다 / The alley was ~*n with* garbage. 골목길에는 온통 쓰레기가 흩어져 있었다.

strewn [struːn] STREW의 과거 분사.

'strewth ⇨'STRUTH.

stri·ate [stráieit] *vt.* …에 줄무늬를(선, 홈을) 넣다. ── [stráiit, -eit] *a.* 줄(선, 줄무늬, 홈)이 있는; 선 모양의.

㊞ **stri·at·ed** [stráieitid / -ˊ-ˊ-] *a.* 평행으로 달리는 줄(홈)이 있는: *striated* muscle 가로무늬근, 횡문근(㊟ smooth muscle).

stri·a·tion [straiéiʃən] *n.* ① Ⓤ 줄무늬 넣기. ② Ⓒ 줄 자국, 줄 무늬, 가는 홈.

***strick·en** [stríkən] 《古》 STRIKE의 과거분사.

── *a.* ① (限定的) (탄환 등에) 맞은; 다친: a ~ deer 총맞은 사슴. ② 불행(공포)에 휩쓸린: a ~ expression(look) 비탄에 젖은 표정(얼굴). ③ **a)** (敍述的) 병에 걸려, (불운 따위로) 큰 타격을 받아《*with*》: be ~ *with* measles 홍역에 걸려 있다. **b)** (종종 複合語) (병에) 걸린; (불행을) 당한: a ~ area 피해 지구 / drought-~ regions 한발 지역.

strick·le [stríkəl] *n.* Ⓒ ① 평미레. ② (낫 가는) 숫돌.

‡strict [strikt] (*ˊ·er*; *ˊ·est*) *a.* ① (사람·규칙 등이) 엄격한, 엄한: a ~ order 엄명 / She's ~ *with* her pupils. 그녀는 학생들에게 엄격하다 / He's ~ *in* observing the Sabbath. 그는 안식일을 지키는 데 몹시 엄격하다. ② 엄밀한, 정밀한: in the ~ sense 엄밀히 말하자면. ③ 진정한, 순전한; 완전한: in ~ secrecy 극비로. ㊞ **ˊ·ness** *n.*

‡strict·ly [stríktli] (***more*** ~; ***most*** ~) *ad.* ① 엄격히; 엄하게. ② (文章修飾) 엄밀히 말하자면.

stric·ture [stríktʃər] *n.* Ⓒ ①〖醫〗 협착(狹搾). ② (흔히 *pl.*) 혹평, 비난, 탄핵《*on, upon*》.

strid·den [stridn] stride의 과거 분사.

‡stride [straid] (***strode*** [stroud]; ***strid·den*** [strídn], 《古》 ***strid*** [strid]) *vi.* ①《+부 / +전+명》 큰 걸음으로 걷다, 활보하다: ~ *away* 성큼성큼 가버리다. ②《+전+명》 넘(어서)다: The boy *strode over* (*across*) the brook. 소년은 개울을 건넜다. ── *vt.* ① …을 큰 걸음으로 걷다, 활보하다: ~ the street 거리를 활보하다. ② …을 넘어서

다. ③ …에 걸터앉다〔서다〕.
— *n.* Ⓒ ① 큰 걸음, 활보 : walk with rapid ~*s* 빨리 성큼성큼 걸어가다. ② (흔히 *sing.*) 보폭, 페이스. ③ 한 걸음 : at〔in〕a ~ 한 걸음에. ④ (흔히 *pl.*) 진보, 발달, 전진 : make great〔rapid〕~*s* 장족의 발전을 하다. ***get into*** one*'s* ~ 본궤도에 오르다, 제가락이 나다. ***take . . . in*** one*'s* ~ 쉽게 뛰어넘다 ; (어려운 일을) 무난히 해결해 나가다.

stri·dent [stráidənt] *a.* 귀에 거슬리는, 새된 : a ~ voice 귀에 거슬리는 소리.
㊕ **~·ly** *ad.* **-dence, -den·cy** *n.*

strid·u·late [strídjulèit] *vi.* (곤충이) 찍찍 울다.
㊕ **strìd·u·lá·tion** [-ʃən] *n.* (곤충의) 울음 소리.

‡strife [straif] *n.* Ⓤ 투쟁, 다툼 ; 싸움 ; 경쟁 (contest) ; 분쟁 : be at ~ with …와 사이가 나쁘다〔다투고 있다〕.

†strike [straik] (***struck*** [strʌk]; ***struck***, 《古》 ***strick·en*** [stríkən]) *vt.* ①《+목+전+명》 …을 치다, 두드리다, 때리다《*up ; down ; aside*》; 쳐서 떨어뜨리다《*from*》. ㉢ hit, smite. ¶ ~ a person *on* the head〔*in* the face〕아무의 머리를〔얼굴을〕 때리다 / ~ fruits *from* the tree 나무에서 과일을 쳐서 떨어뜨리다.
② …을 두들겨 만들다〔…하다〕; 주조하다 : ~ a medal 메달을 두들겨 만들다.
③ (시계가 시각)을 치다, 쳐서 알리다.
④ (부싯돌)을 치다 ; (성냥)을 긋다 ; (불꽃)을 튀게 하다.
⑤ (되에 담은 곡물)을 평미레로 밀다(strickle).
⑥《~+목 / +목+전+명》 …에 부딪다, 들이받다 : ~ one's head *against* a post.
⑦ (우연히) 도로 따위에 나오다 ; (지하자원)을 발견하다 : ~ the main road 큰 길에 나오다.
⑧ 결제 · 결산하다, (평균)을 산출하다, (결론 · 타협 따위)에 이르다, (거래 · 예약 · 조약)을 맺다, 확정하다.
⑨《~+목 / +목+전+명》 …의 마음을 울리다〔찌르다〕, …에 감명을 주다 : The news of his father's death *struck* him *to* the heart. 부친 사망 통보로 그의 마음은 몹시 슬펐다.
⑩《~+목 / +목+*as* 보》 …이 갑자기 떠오르다, …의 마음이 생기다, …에게 인상을 주다 : A fine idea *struck* him. 그에게 멋진 생각이 떠올랐다 / They ~ me *as* abnormal. 나는 그들이 이상하게 여겨진다.
⑪《~+목 / +목+목》 일격을 가하다, (타격)을 가하다, 주다 : ~ a person a blow.
⑫《+목+전+명》 …을 꿰뚫다, (칼 따위)를 찌르다 : ~ a dagger *into* a person 아무를 단도로 푹 찌르다.
⑬〖낚시〗 (물고기가 미끼)를 덥석 물다, (물고기)를 걸려들게 하다 ; (미끼를 무는 물고기)를 낚아채다 ; 고래에 작살을 명중시키다.
⑭《+목+전+명》 (공포 따위)를 불어 넣다《*into*》: It *struck* terror *into* my heart. 그것은 내 마음에 공포심을 불어 넣었다.
⑮ 습격〔공격〕하다 ; (병 · 불행 등이) 닥치다 ; 습격하여 …하다 : She was *struck by* breast cancer. 그녀는 유방암에 걸렸다.
⑯ …을 잘라 내다《*off*》.
⑰ (글자 따위)를 지우다 ; (표 · 기록)에서 삭제하다《*out ; from*》: ~ *out* a page that seems useless 쓸모없다고 생각되는 한 페이지를 삭제하다.
⑱〖野〗 삼진(三振)으로 아웃시키다《*out*》.
⑲ …에 대해 파업을 하다, …에게 파업을 선언하다, (일을) 파업으로 포기하다.
⑳ 해체하다, 철거하다 ; (조명)을 어둡게 하다, 끄다 : ~ a stage set 무대장치를 치우다.
㉑ (돛 · 기 등)을 내리다, 걷다 : ~ one's〔the〕 flag 기를 내리다《항복 · 인사의 뜻으로》.
㉒ 갑자기 …하기 시작하다 ; (어떤 태도)를 취하다 ; 《口》 (남에게) 맹렬하게 호소〔읍소〕하다, 조르다《*for*》; (식물이 뿌리)를 내리다 : ~ a gallop 갑자기 내닫다 / ~ a polite attitude 갑자기 공손한 태도를 취하다.
㉓ (포즈)를 취하다 : ~ a pose.
— *vi.* ①《~ / +전+명》 치다, 때리다 ; 공격하다《*at*》; (뱀 · 호랑이가) 급습하다 ; (고기가) 미끼를 물다 : *Strike* while the iron is hot. 《俗談》 쇠는 뜨거울 때 쳐라 / ~ *at* a person 아무를 향해 달려들다. ②《+전+명》 타격을 가하다 ; …의 근본을 찌르다《*at*》: ~ *at* the root of the evil 악폐를 근절하다. ③《~ / +전+명》 부딪다, 충돌하다 ; 좌초하다《*against ; on*》: The ship *struck on* a rock. 그 배는 바위에 좌초했다. ④ 점화〔발화〕하다 : The match wouldn't ~. 성냥이 암만해도 켜지지 않았다. ⑤《+부 / +전+명》 향하다, 가다, 지나다, 꿰뚫다 : ~ northward 북쪽으로 가다. ⑥ (식물이) 뿌리박다, 붙다 ; (안료가) 달라붙다. ⑦ (시계가) 울리다, 치다 ; (때가) 오다 : The hour has *struck.* 바야흐로 때는 왔다. ⑧《~ / +전+명》 동맹 파업을 하다 : ~ *for* higher wages〔*against* longer hours〕 임금인상을 요구〔노동시간 연장에 반대〕하여 파업을 하다. ⑨ 퍼뜩 (…에) 떠오르다 ; (…을) 생각해내다《*on, upon*》.
be struck on …에 열중하다. ~ ***a blow for*** ⇨ BLOW². ~ ***a note of*** …을 표명하다. ~ ***back*** 되받아 치다 ; (버너의 불이) 역류(逆流)하다. ~ ***home*** 치명상을 입히다 ; (말 따위가) 핵심을 찌르다. ~ ***in*** (1) (회화 따위에) 갑자기 끼어들다 ; 훼방놓다. (2) (통풍(痛風) 등이) 내공(內攻)하다. ~ ***it rich*** 좋은 광맥〔유맥〕을 찾아 내다 ; 《比》 뜻밖의 횡재를 하다. ~ ***lucky*** 잘 돼가다, 잠깐 재미를 보다. ***Strike me dead!*** 아이구 놀래라! 거짓말! ~ ***off*** (1) (목 · 나뭇가지 따위를) 베어 버리다 ; 이름을 명부에서 삭제하다 ; 인쇄하다. (2) (…을 향해)나아가다 ; 출발하다. ~ ***out*** (1) (힘차게) 전진하다《*for ; toward*》. (2) 새로운 길을 가기 시작하다, (독립하여) 활동을 시작하다. (3) 치려고 덤비다《*at*》. (4)〖野〗 삼진하다〔시키다〕. (5)〖泳〗 물을 헤쳐 헤엄치다. (6)《美口》 실패하다(fail) ; 삭제하다. ~ ***through*** 선을 그어 지우다. ~ ***up*** (1) (협정 · 친교 등을) 맺다. (2) (노래를) 부르기 시작하다, (악곡을) 타기 시작하다 ; (대화를) 시작하다.
— *n.* Ⓒ ① 타격, 치기, 때리기. ② 스트라이크, 파업, (노동) 쟁의. ③〖野〗 스트라이크. ㊀ *ball.* ④ (유전 · 금광 따위의) 노다지의 발견 ; 《口》 (사업의) 대성공. ⑤〖볼링〗 스트라이크 《제1투로 전부 쓰러뜨리는 일》; 그 득점.

strike·bound [stráikbàund] *a.* 파업으로 기능이 정지된《공장 등》, 파업으로 고민하는.

strike·break·er [-brèikər] *n.* Ⓒ 파업 파괴자.

strike·break·ing [-brèikiŋ] *n.* Ⓤ 파업 파괴 (행위).

strike-out [-àut] *n.* Ⓒ〖野〗 삼진 ; 《美口》 실패.

stríke pày〔bènefit〕 (노조로부터의) 파업 수당.

strik·er [stráikər] *n.* Ⓒ ① 치는 사람. ② 파업 참가자. ③ (포경선의) 작살 사수(射手) ; (총의) 공이 ; 자명종. ④《口》 (축구의) (센터)포워드.

stríke zòne (the ~)〖野〗 스트라이크 존〔범위〕.

‡strik·ing [stráikiŋ] (***more*** ~; ***most*** ~) *a.* ① 현저한, 두드러진 ; 인상적인, 멋있는. ② 치는, 시간을 울리는《시계》: a ~ clock 자명종. ③ 파업중

인. ***within ~ distance*** 치면 손이 닿을 곳에, 아주 가까이에. ⊞ **~·ly** *ad.* 현저하게.

stríking prìce 〖金融〗선택권〔옵션〕 행사 가격.

‡**string** [striŋ] *n.* ① U.C 끈, 줄, 실, 노끈 : a piece of ~ 한 가닥의 끈; (꼭두각시 인형의) 줄(★ cord 보다 가늘고 thread보다 굵은 끈). ② C 끈으로〔실로〕 꿴 것; 연이어서 꿴 것 : a ~ of dried fish 한 꿰미의 건어물(乾魚物). ③ C 일련(一連), 한 줄, (사람 따위의) 일렬, 일대(一隊). ④ C (악기의) 현(絃), (활의) 시위; (the ~s) 〖樂〗 현악기(연주자) : the G ~ (바이올린의) G 선. ⑤ (*pl.*) 《比·口》 부대 조건, 단서(但書) : without (any) ~*s* 조건부가 아닌《원조 등》. ⑥ C (능력별) 경기자 명단 : the first〔second〕 ~ 일군(一軍)〔이군〕. ***a second ~ to*** one***'s bow*** 다른 수단, 제 2 의 수단〔방법〕. ***harp on one*** 〔***the same***〕 ~ 같은 것을 되풀이하다. ***have*** a person ***on a*** ~ (아무를) 조종하다. ***have two ~s*** 〔***another ~, an extra ~, a second ~, more than one ~***〕 ***to*** one***'s bow*** 제 2 의 방책이 있다, 만일의 대비가 있다. ***play second*** ~ (1) 후보 노릇을 하다. (2) 보조역할을 하다. ***pull*** (***the***) ***~s*** (인형극에서) 줄을 조종하다; 배후에서 조종하다. ── *a.* 〔限定的〕 ① 끈으로 엮은 : ⇨ STRING BAG. ② 현악의 : ⇨ STRING QUARTET.

── (*p., pp.* ***strung***) *vt.* ① 끈으로〔실로〕 묶다. ② 실을 꿰다, 연속으로 꿰다 : ~ beads 구슬을 실에 꿰다. ③ 《~+목/+목+부》 (악기·활)의 현을〔시위를〕 팽팽히 하다〔고르다〕; (악기 등)에 현을 끼우다 : have one's tennis racket *strung* 테니스 라켓의 거트를 팽팽하게 해 달래다. ④ 《+목+전+명/+목+부》 치다; 매달다 : *I strung* electric light wires from tree to tree on the lawn. 잔디 위의 나무와 나무를 연결하여 전등줄을 쳤다. ⑤ 《~+목/+목+부/+목+*to* do》 〔흔히 受動 또는 再歸用法으로〕 (신경 등)을 긴장시키다; 흥분시키다《*up*》 : *be* highly *strung* 몹시 긴장하고 있다. ⑥ 일렬로 세우다, 배열하다《*out*》. ⑦ 교수형에 처하다《*up*》.

── *vi.* ① 실같이 되다; (아교 등이) 실처럼 늘어나다. ② 퍼지다, 흩어지다. ~ a person ***along*** (1) 《口》 아무를 기다리게 해두다. (2) 《口》 (시간을 벌기 위해) (아무를) 속이다.

stríng bàg 망태기.

stríng bànd 현악단.

stríng bèan ① 《美》 꼬투리째 먹는 콩(꼬투리) 《강낭콩·완두 따위》; 그 꼬투리. ② 《口·比》 키가 크고 마른 사람.

stringed [striŋd] *a.* ① 현이 있는 : a ~ instrument 현악기. ② 현악기에 의한. ③ 〔複合語를 이루어〕 현이, 현이 …한 : four-~ 현이 네개인.

strin·gen·cy [stríndʒənsi] *n.* U ① (규칙 등의) 엄중함. ② (상황(商況) 등의) 절박, 자금 핍박. ③ (학설 등의) 설득력.

strin·gen·do [strindʒéndou] *ad.* 《It.》 〖樂〗 점점 빠르게.

strin·gent [stríndʒənt] *a.* ① 절박한; 자금이 핍박한(tight). ② 엄중한《규칙 따위》. ③ (학설 등의) 설득력 있는. ⊞ **~·ly** *ad.*

string·er [stríŋər] *n.* C ① (활)시위를 메우는 장색(匠色); (악기의) 현(絃)을 매는 기술자〔도구〕. ② 〖建〗 세로 보; 〖船〗 종통재(縱通材), 종재(縱材). ③ 〖新聞〗 비상근(非常勤) 통신원, 〔一般的〕 특파원.

stríng órchestra 현악 합주단.

stríng quartét 현악 사중주(단, 곡).

stríng tíe 가늘고 짧은 넥타이《보통 나비매듭으로 맴》.

stringy [stríŋi] (***string·i·er***; ***-i·est***) *a.* ① 실의, 끈의. ② 섬유질의; (고기가) 힘줄투성이의; (액체 등이) 점질(粘質)인.

‡**strip**[1] [strip] (*p., pp.* ***~ped*** [stript], 《稀》 ***~t***; ***~·ping***) *vt.* ① 《~+목/+목+전+명/+목+부》 (겉껍질 따위)를 벗기다, 까다; 떼어내다, 발기다《*off*》; (낡은 페인트·벽지 따위)를 벗기다 《*off*; *away*》 : ~ the bark *off*〔*from*〕 a log 통나무에서 껍질을 벗기다 / ~ *off* the skin of a banana 바나나 껍질을 벗기다. ② 《+목+전+명》 …로부터 빼앗다《*of*》; …로부터 (외피 따위)를 벗기다, 제거하다《*of*》 : ~ a person *of* his money 아무에게서 돈을 빼앗다. ③ 《~+목/+목+보/+목+부/+목+전+명》 (사람)의 옷을 벗기다 : ~ a person naked = ~ a person completely 〔*down to* the skin〕 아무를 벌거벗기다. ④ (차 따위)를 해체하다; (엔진 등)을 분해하다《*down*》.

── *vi.* ① 옷을 벗다, 벌거벗다 : She ~*ped* and ran into the sea. 그녀는 옷을 벗고 바다로 뛰어들었다. ② 춤을 추며 옷을 하나하나 벗다, 스트립을 하다. ── *n.* C 스트립(쇼).

‡**strip**[2] *n.* C ① (헝겊·종이·널빤지 따위의) 길고 가느다란 조각, 작은 조각 : in ~*s* 길고 가느다란 조각이 되어 / a ~ of wood 조붓한 나뭇조각. ② 좁고 긴 땅; 〖空〗 가설(假設) 활주로(airstrip). ③ =COMIC STRIP. ④ (the ~) 각종 가게가 즐비한 거리; (the S-) 《美俗》 (Las Vegas 등지의) 환락가. ***tear a*** ~ 〔***~s***〕 ***off*** a person =***tear*** a person ***off a*** ~ 《英口》 아무를 호통치다.

stríp àrtist 스트리퍼(stripteaser).

stríp cartòon =COMIC STRIP.

‡**stripe** [straip] *n.* C ① 줄무늬, 줄, 선조(線條); 줄무늬 있는 천. ② 〖軍〗 수장(袖章), 계급 : ⇨ SERVICE STRIPE. ③ 채찍질, 매질. ⊞ **~d** [-t] *a.* 줄무늬가 있는 : ~*d* bass 〖魚〗 줄무늬농어.

stríp lìghting (막대꼴 형광등에 의한) 조명.

strip·ling [strípliŋ] *n.* C 풋내기, 애송이, 소녀.

stríp màp 진로를 표시한 지도.

stripped [stript] *a.* ① 옷을 벗은, 벌거벗은 : He was ~ to the waist. 그는 웃통을 벗고 있었다. ② 거죽이 벗겨진, 껍데기가 까진.

strip·per [strípər] *n.* C ① strip하는 사람〔기구·도구〕. ② 《口》 =STRIPTEASER. ③ 표면에서 바니시·페인트 따위를 벗기는 약품.

strip·tease [strípti:z] *n.* U.C 스트립(쇼). ⊞ **-tèas·er** *n.* C 스트리퍼, 스트립쇼의 무희.

stripy [stráipi] (***strip·i·er***; ***-i·est***) *a.* 줄무늬 있는.

‡**strive** [straiv] (***strove*** [strouv]; ***striv·en*** [strívən]) *vi.* ① 《~/+*to* do》 노력하다 : He *strove to* overcome his bad habits. 나쁜 버릇을 없애려고 노력했다. ② 《+전+명》 얻으려고 애쓰다《*after*; *for*》 : We have to ~ *for* what we want. 원하는 것을 얻기 위해 노력해야만 한다 / He strove *after* honor. 그는 영예를 얻으려고 노력했다. ③ 《+전+명》 싸우다, 항쟁〔분투〕하다, 겨루다《*against*; *with*》 : ~ *against* fate 〔oppression〕 운명과〔압제와〕 싸우다.

striv·en [strívən] STRIVE 의 과거분사.

strobe [stroub] *n.* =STROBE LIGHT.

stróbe lìght 〖寫〗 스트로보, 섬광 전구(flash lamp).

stro·bo·scope [stróubəskòup] *n.* C ① 스트로보스코프《급속히 움직이는 물체를 정지한 것처럼 관측·촬영하는 장치》. ② 〖寫〗 스트로보.

strode [stroud] STRIDE 의 과거.

‡**stroke**[1] [strouk] *n.* ① C 한번 치기〔찌르기〕, 일격, 타격 : a ~ of lightning 낙뢰 / Little ~*s* fell great oaks. 《俗談》 열번 찍어 안 넘어가는 나무 없

다. ② Ⓒ (보트를) 한번 젓기; 젓는 법; (구기에서의) 공을 한번 치기, 타격법. ③ Ⓒ (수영의) 한번 손발을 놀리기, 수영법; (새의) 한번 날개치기. ④ Ⓒ 일필(一筆), 필법; 한 획, (한자(漢字)의) 자획; 사선(斜線) (virgule); 〖機〗 전후〔상하〕 왕복운동〔거리〕, 행정(行程): with a ~ of the pen 일필휘지하여. ⑤ Ⓒ 한 칼, 한번 새김. ⑥ Ⓒ 치는 소리《시계·종 따위》; (심장의) 한 고동, 맥박: on the ~ of two, 2시를 치면. ⑦ Ⓒ (병의) 발작, 《특히》 뇌졸중. ⑧ (a ~) 한바탕 일하기, 한바탕의 일; 수완, 솜씨, 공로, 성공: I did *a* fine ~ of business. 수지맞는 거래를 했다. ⑨〖컴〗 자획; (키보드 상의 키) 누르기, 치기 (자판). ***at* 〔*in*〕 *a* 〔*one*〕 ~** 일격으로; 단번에, 단숨에. ***off* one's ~** 능률〔가락〕이 여느 때와 달라. ***on* 〔*at*〕 *the* ~** 정각에《도착하다 등》.

— *vt.* ① (보트의) 피치를 정하다, (보트의〔경조(競漕)에서〕) 정조수(整調手) 노릇을 하다. ②〖球技〗 (공)을 겨냥하여 치다, 확실하게 치다.

‡**stroke**[2] *vt.* 《~+목/+목+부》 …을 쓰다듬다, 어루 만지다: ~ one's hair 머리를 쓰다듬다. ~ a person ***down*** 아무를 달래다. ~ a person 〔a person***'s hair***〕 ***up*** 〔***the wrong way***〕 아무를 성나게 하다, 짜증나게 하다. — *n.* Ⓒ (한 번) 쓰다듬기.

stróke òar 〖보트〗 정조수(整調手)가 젓는 노; 정조수.

stróke plày 〖골프〗 타수 경기 (medal play).

‡**stroll** [stroul] *n.* Ⓒ 어슬렁어슬렁 거닐기, 산책: go for 〔take〕 a ~ 산책하다. — *vi.* ① 《~/+부/+전+명》 산책하다: ~ *around* the park 공원을 산책하다 / ~ *along* the beach 해안을 거닐다. ② 방랑하다.

㊞ ∠·**er** [-ər] *n.* Ⓒ ① 산책하는 사람; 방랑자. ② 《美》 걸상식으로 된 유모차.

stroll·ing [stróuliŋ] *a.* 〔限定的〕 떠돌아다니는, 순회공연하는《배우 등》.

stro·mat·o·lite [stroumǽtəlàit] *n.* Ⓤ 〖古生〗 스트로마톨라이트《녹조류(綠藻類) 화석을 포함하는 층상(層狀) 석회석》.

†**strong** [strɔ(:)ŋ, strɑŋ] (∠·***er*** [-gər]; ∠·***est*** [-gist]) *a.* ① 강한, 강대한, 유력한. opp *weak.* ¶ a ~ nation 강국 / a ~ wind 강풍.

② 굳센, 완강한, (몸이) 튼튼한; (천이) 질긴; 딱딱한, 소화가 안되는《음식》: the ~*er* sex 남성.

③ (정신적으로) 튼튼한, 움직이지 않는, 확고한, 완고한: a ~ conviction 확신.

④ 강렬한, 힘찬, 세찬: a ~ blow 강력한 일격 / a ~ handshake 힘찬 악수 / a ~ attack 맹공격.

⑤ (의론·증거 등이) 설득력 있는; 효과적인, 유력한; (극·이야기의 장면이) 감동적인, (말 따위가) 격렬한, 난폭한: a ~ situation (극·이야기 등의) 감동적인 장면 / The prosecutor has ~ evidence against him. 검사는 그에게 불리한 유력한 증거를 잡고 있다.

⑥ 뛰어난, 잘하는: He is ~ *in* physics. 물리학을 잘한다 / a ~ point 장점 / I'm not ~ *on* literature. 문학에는 소질이 없다.

⑦ (정도가) 강한〔큰〕: a ~ possibility 큰 가능성 / bear a ~ resemblance 매우 비슷하다 / a president ~ in the affection of the people 국민으로부터 크게 경애받고 있는 대통령.

⑧ **a**) (감정 등이) 격렬한; 열심인, 열렬한; 철저한: ~ affection 〔hatred〕 강한 애정〔증오〕 / a ~ sense of dislike 강한 혐오감. **b**) (활동·노력 등이) 분투〔정력〕적인, 맹렬한: ~ efforts 맹렬한 노력.

⑨ (경제력이) 튼튼한; 견실〔건전〕한; (카드놀이의 패 등이) 센: a ~ economy 건전한 경제.

⑩ (인원·수효가) 많은, 강대한; 〔數詞 뒤에서〕 총 … 명의, …에 달하는.

⑪ (소리·빛·맛·냄새 따위가) 강한, 강렬한; 선명한; 악취가 풍기는: a ~ flavor 강렬한 맛〔냄새〕 / a ~ voice 큰 목소리.

⑫ (차(茶) 등이) 진한; (술이) 독한, 알코올분이 센; (약효가) 센, 잘 듣는. opp *weak, soft.* ¶ ~ tea 진한 차 / ⇨STRONG DRINK.

⑬〖商〗 오름김새〔기미〕의, 강세의; 《美俗》 부당한 이익을 올리는: Prices are ~. 시세는 오름세다.

⑭〖文法〗 강변화의: ~ verbs 강변화 동사《sing, sang, sung 의 경우 따위》.

⑮〖音聲〗 강세가 있는. cf. weak.

◇ strength *n.*

***be* (*still*) *going* ~** 《口》 기운차게 하고 있다; 《口》 아직 튼튼하다: He's eighty and *still going* ~. 그는 나이 80인데 아직 정정하다. ***come* 〔*go*〕 *it* ~** 《口》 정도가〔말이〕 지나치다 (cf. DRAW it mild): That's *coming it* rather 〔a bit〕 ~. 그건 조금 지나치다《무리한 요구이다》. ***come on* ~** 《口》 강인한〔개성이 강한〕 인상을 주다, (너무) 강하게 자기 주장을 하다.

strong-arm [∠ɑ̀:rm] *a.* 《口》 〔限定的〕 완력적인; 힘센: a ~ man 폭력단원. — *vt.* ① …에 폭력을 쓰다. ② …을 강탈하다.

strong·box [∠bɑ̀ks / ∠bɔ̀ks] *n.* Ⓒ 금고, 귀중품 상자.

stróng bréeze 〖氣〗 된바람.

stróng drínk 주류(酒類), 증류주. 「마일》.

stróng gále 〖氣〗 큰센바람, 대강풍《시속 47-54

strong·heart·ed [∠hɑ́:rtid] *a.* 용감한.

*__strong·hold__ [∠hòuld] *n.* Ⓒ ① 요새, 성채. ② (어떤 사상 등의) 중심점, 본거지.

‡**strong·ly** [strɔ́(:)ŋli, strɑ́ŋ-] *ad.* 강하게, 공고히; 격심하게, 맹렬히; 튼튼하게; 열심히, 강경히.

strong·man [∠mæ̀n] (*pl.* ***-men***) *n.* Ⓒ ① (서커스 등의) 괴력사. ② 독재자; 실력자.

strong-mind·ed [∠máindid] *a.* 심지가 굳은, 과단성 있는; 오기 있는《여성 등》. ㊞ ~·**ly** *ad.*

strong·point [∠pɔ̀int] *n.* Ⓒ ① 장기(長技), 강점. ②〖軍〗 방어 거점.

strong·room [∠rù(:)m] *n.* Ⓒ 《주로 英》 금고실, 귀중품실; 중증 정신병 환자를 가두는 특별실.

stróng súit ①〖카드놀이〗 높은 끗수의 패. ② 《比》 장점, 장기(長技) (long suit).

strong-willed [∠wíld] *a.* 의지가 굳센; 완고한.

stron·ti·um [strɑ́nʃiəm, -tiəm / strɔ́n-] *n.* Ⓤ 〖化〗 스트론튬《금속 원소; 기호 Sr; 번호 38》.

strop [strɑp / strɔp] *n.* Ⓒ 가죽 숫돌 (strap). — (*-pp-*) *vt.* …을 가죽 숫돌에 갈다.

stro·phe [stróufi] *n.* Ⓒ ① (옛 그리스 합창 무용단의) 왼쪽으로의 이동; 그때 노래하는 가장(歌章). ②〖韻〗 절(節) (stanza).

strop·py [strɑ́pi / strɔ́pi] (***-pi·er*** ; ***-pi·est***) *a.* 《英口》 반항적인; 심술사나운, 곧잘 화를 내는.

*__strove__ [strouv] STRIVE 의 과거.

‡**struck** [strʌk] STRIKE 의 과거·과거분사. — *a.* 〔限定的〕 《美》 파업 중인: a ~ factory 파업 중인 공장.

*__struc·tur·al__ [strʌ́ktʃərəl] *a.* 구조(상) 의, 조직상의: a ~ defect 구조상의 결함. ㊞ ~·**ly** [-i] *ad.* 구조상, 구조적으로.

strúctural fórmula 〖化〗 구조식.

struc·tur·al·ism [strʌ́ktʃərəlìzəm] *n.* Ⓤ 구조주의《언어학·인간 과학의》.

㊞ **-ist** *n.* Ⓒ 구조주의자. 「학.

strúctural linguístics 〔單數취급〕 구조언어

‡**struc·ture** [strʌ́ktʃər] *n.* ① Ⓤ 구조, 구성, 조

립(組立); 기구: the economic ~ of Korea 한국의 경제 구조 / the ~ of the human body 인체의 구조. ② Ⓒ 구조물, 건조물, 건축물: an old wooden ~ 낡은 목조 건축물. ◇ structural *a.*
── *vt.* (생각·계획 등)을 구축〔조직〕하다, 조직화〔체계화〕하다.

stru·del [strú:dl] *n.* Ⓤ.Ⓒ 과일·치즈 따위를 반죽한 밀가루로 얇게 싸서 화덕에 구운 과자.

‡strug·gle [strʌ́gəl] *vi.* ①《~ / +*to* do》 버둥〔허우적〕거리다: ~ *to* escape 도망치려고 버둥거리다. ②《+전+명》 애쓰며 가다〔나아가다〕, 그럭저럭 해나가다《*along; through; in; up*》: ~ *through* the snow 눈을 헤치고 나아가다 / ~ *to* one's feet 가까스로 일어서다. ③《+전+명》 노력〔분투〕하다; 싸우다《*against; with; for*》: ~ *for* existence 생존을 위해 분투하다 / ~ *with* many problems 많은 문제와 분투하다 / They had to ~ *against* weather and wild animals. 그들은 날씨와 야수를 상대로 싸워야만 했다.
── *vt.*《+목+전+명》 노력해서 …을 해내다: He ~*d* the heavy box *into* a corner. 무거운 상자를 간신히 구석으로 옮겼다. ~ one***self to*** do 간신히〔애써〕…하다. ~ one's ***way*** (*through* a crowd) (군중을) 헤치고 나아가다.
── *n.* Ⓒ ① 버둥질, 몸부림: a violent ~ to escape 도망치려는 격심한 몸부림. ② (흔히 *sing.*) 노력, 고투: with a ~ 노력하여. ③ 싸움, 전투, 투쟁. Ⓒf fight.

strum [strʌm] (**-mm-**) *vt., vi.* 《~+목 / ~ / +전+명》 (악기를) 서투르게 치다〔타다, 켜다〕: ~ (*on*) a guitar 기타를 서투르게〔아무렇게나〕 치다.
── *n.* Ⓒ 서투르게 켜기〔탄주하기〕; 그 소리.

stru·ma [strú:mə] (*pl.* **~*e*** [-mi:]) *n.* 《L.》 ①〖醫〗 연주창(scrofula); 갑상선종. ②〖植〗 혹 모양의 돌기, 소엽절(小葉節).

strum·pet [strʌ́mpit] *n.* Ⓒ〖古〗 매춘부.

***strung** [strʌŋ] STRING 의 과거·과거분사.
── *a.* ①〔흔히 highly ~ 으로〕 흥분하기 쉬운, 신경질적인: a *highly* ~ person 매우 신경질적인 사람. ②〔敍述的〕《英》 긴장한《*up*》: Relax; you're too ~ *up*. 긴장을 푸세요, 당신은 너무 긴장하고 있어요.

strung-out [ˊ-áut] *a.* 《俗》 ① 마약을 상용하는 《*on*》. ② 몸이 쇠약한, 피로한.

***strut** [strʌt] (**-tt-**) *vi.* 《~ / +부 / +전+명》 뽐내며〔점잔빼며〕 걷다: He was ~*ting around* the office, issuing orders. 그는 명령을 내리며 으쓱해서 사무실을 돌아다녔다. ── *vt.* …을 자랑하다, 과시하다.
── *n.* Ⓒ ① (흔히 *sing.*) 점잔뺀 걸음걸이, 활보; 과시, 자만. ②〖建〗 버팀목.
㊕ ˊ-·**ter** [-ər] *n.*

strych·nine [stríkni(:)n, -nain] *n.* Ⓤ〖化〗 스트리크닌《유기염기의 일종; 신경 흥분제》.

Stu·art [stjú:ərt] *n.* ① 스튜어트《남자 이름》. ② Ⓒ〖英史〗 스튜어트 왕가의 사람.

***stub** [stʌb] *n.* Ⓒ ① (나무의) 그루터기. ② 쓰다 남은 토막《연필 따위의》; 꽁초; 짧고 몽톡한 것. ③ (입장권 등의) 한쪽을 떼어 주고 남은 쪽.
── (**-bb-**) *vt.* ① 그루터기를 파내다《*up*》; 뿌리째 뽑다《*up*》. ② (담배)를 비벼 끄다《*out*》. ③ (발부리)를 그루터기·돌 따위에 채다.

***stub·ble** [stʌ́bəl] *n.* Ⓤ ① (보리 따위의) 그루터기. ② 다박나룻.

stub·bly [stʌ́bli] (**-bli·er, more ~; -bli·est, most ~**) *a.* ① 그루터기투성이의; 그루터기 같은. ② 짧고 억센《수염 따위》.

‡stub·born [stʌ́bərn] (**more ~; most ~**) *a.* ① 완고한, 고집센. ② 완강한, 불굴의《저항 따위》: put up (a) ~ resistance 완강히 저항하다. ③ 다루기 어려운, 말을 안 듣는; (병 따위가) 고치기 어려운. ④ 단단한《목재·돌 따위》, 잘 녹지 않는《금속 따위》. Ⓒf headstrong, obstinate. (***as***) **~ *as a mule*** ⇨ MULE[1].

stub·by [stʌ́bi] (**-bi·er; -bi·est**) *a.* ① 그루터기투성이의. ② 땅딸막한; 짧고 억센《털 따위》.

stuc·co [stʌ́kou] (*pl.* **~(*e*)*s***) *n.* Ⓤ 치장 벽토 (세공). ── (**~*es*, ~*s*; ~*ed*; ~·*ing***) *vt.* 치장 벽토를 바르다.

‡stuck[1] [stʌk] STICK[2]의 과거·과거분사.
── *a.* ① 움직이지 않는: a ~ window 움직이지 않는 창문. ②〔敍述的〕 (…에) 들러 붙은《*on; to*》: A piece of candy is ~ *on* his jeans. 사탕이 그의 진바지에 붙어 있다. ③〔敍述的〕 막힌, 막다른: We're ~. 우리는 꼼짝 못하게 되었다 / We're ~ *for* money. 우리는 돈에 쪼들리고 있다. ④〔敍述的〕 강요당한: I'm〔I got〕 ~ *with* the work. 그 일을 어쩔 수 없이 떠 맡았다. ⑤〔敍述的〕《口》 열중한《*on*》: He is〔has got〕 ~ *on* her. 그녀에게 홀딱 반했다. ***get ~ in*** 열심히 하다. ***get ~ into*** 열심히 하다〔시작하다〕.

stuck-up [stʌ́kʌ́p] *a.* 《口》 거만한, 거드름 피우는.

***stud**[1] [stʌd] *n.* Ⓒ ① (가죽 따위에 박는) 장식못, 징; 스파이크. ② 커프스 버튼, 장식 단추(《美》collar button).
── (**-dd-**) *vt.* ①〔흔히 受動으로〕 장식용 못을 박다; 장식 단추를 달다. ② …에 온통 박다, 흩뿌리다; …에 산재해 있다.

stud[2] *n.* Ⓒ ①〔集合的으로〕 (번식·사냥·경마용으로 기르는) 말떼. ② 종마. ③《俗》 호색한(漢).

stud·book [ˊ-bùk] *n.* Ⓒ (말·개의) 혈통 기록, 마적부(馬籍簿).

stud·ded [stʌ́did] *a.* ①〔종종 複合語를 이루어〕 점재하는, 흩뿌린: a star-~ sky 별이 총총한 하늘. ②〔敍述的〕 …이 점재하는, 흩뿌린《*with*》.

stud·ding·sail [stʌ́diŋsèil, 《海》 stʌnsəl] *n.* Ⓒ〖海〗 보조돛, 스턴슬.

†stu·dent [stjú:dənt] *n.* Ⓒ ① 학생《미국에서는 고교 이상, 영국에서는 대학생》: a first year ~ at the University of Oslo 오슬로 대학교의 1학년 학생. ② 학자, 연구자; (대학·연구소 따위의) 연구생; (종종 S-) (Oxford 대학 Christ Church 등의) 급비생, 장학생: a ~ of insects 곤충 연구가.

stu·dent·ship [stjú:dəntʃip] *n.* ① Ⓤ 학생 신분. ② Ⓒ 《英》 대학 장학금.

stúdent(s') ùnion 학우회; (대학 구내의) 학생 회관.

stúdent téacher 교육 실습생.

stúd fàrm 종마(種馬) 사육장.

stud·horse [stʌ́dhɔ̀:rs] *n.* Ⓒ 종마.

stud·ied [stʌ́did] *a.* ① 고의의; 부자연스러운: a ~ smile 억지웃음. ② 충분히 고려한, 의도적인.

‡stu·dio [stjú:diòu] (*pl.* **-di·òs**) *n.* Ⓒ ① (예술가의) 작업장, 아틀리에. ② (흔히*pl.*) 스튜디오, (영화) 촬영소; (방송국의) 방송실. ③ (레코드의) 녹음실.

stúdio apàrtment 원룸 아파트, 일실형(一室型) 주거.

stúdio àudience (라디오·TV의) 방송 프로 참가자〔방청객〕.

stúdio còuch 침대 겸용의 소파.

***stu·di·ous** [stjú:diəs] *a.* ① 학문을 좋아하는, 면학가(勉學家)의. ② 애써 …하는, 몹시 …하고 싶어하는《*to* do; *of*》; 열심인, 고심하는. ③ 신중한, 주의 깊은, 꼼꼼한: with ~ attention 신중하게 주의를 기울여. ④ 고의의. ㊕ **~·ly** *ad.* **~·ness** *n.*

†study [stʌ́di] *n.* ① Ⓤ 공부, 면학(勉學), 학습:

He likes ~ better than sport(s). 그는 운동보다 공부를 더 좋아한다. ② Ⓒ 학과, 과목(subject): graduate *studies* 대학원 연구 과목 / The proper ~ of mankind is man. 인간의 진정한 연구 대상은 인간이다. ③ (종종 *pl.*) 연구, 학문《*of*》: linguistic *studies* 언어(학) 연구 / Korean *studies* 한국학(學), 한국 연구 / He is devoted to his ~ 〔*studies*〕. 연구에 여념이 없다. ④ ⓊⒸ 검토, 조사: under ~ 검토중 / on further ~ 더욱 연구한 결과〔해 보면〕/ make a ~ of …을 연구하다. ⑤ (a ~) 연구할〔해볼〕 만한 것: The picture was *a* real ~. 그 그림은 정말로 볼만한 것이었다. ⑥ Ⓤ (끊임없는) 노력; 배려〔노력〕의 대상. ⑦ Ⓒ 서재, 연구실. ⑧ Ⓒ (문학·예술 등의) 스케치, 시작(試作), 습작; 〖樂〗 연습곡(étude). ⑨ Ⓒ 〖劇〗 대사의 암송; 대사를 외는 배우: a slow 〔quick〕 ~ 대사 암송이 느린〔빠른〕 배우.

— *vt.* ① …을 배우다, 공부하다: I've been ~*ing* English for 3 years. 나는 3년 동안 영어를 공부하고 있다. ② 연구하다, 고찰하다; (지도 등)을 조사하다; 숙독하다. ③ 눈여겨〔유심히〕 보다: ~ a person's face 아무의 얼굴을 주시하다. ④ (대사 등)을 외다. ⑤ (남의 희망·감정 등)을 고려하다, …을 위해 애쓰다; 뜻하다, 목적하다: She always *studies* the wishes of her parents. 그녀는 늘 양친의 희망을 염두에 두고 있다.

— *vi.* ① 《~ / +전+명》 공부하다, 학습하다, 연구하다《*at*; *for*》: ~ abroad 해외 유학하다 / ~ *for* the bar 변호사가 되려고 공부하다. ② 《+*to* do》 《古》 …하려고 노력하다: The salesman *studied to* please his customers. 그 판매원은 손님을 기쁘게 해 주려고 노력하였다. ③ 명상하다.

~ *up on* . . . 《美口》 …을 상세히 조사하다.

stúdy gròup (정기적인) 연구회.

stúdy hàll (넓고 감독이 딸린) 학교의 자습실; (수업 시간표의 일부로서의) 자습 시간.

:stuff [stʌf] *n.* Ⓤ ① 재료, 원료; 자료: building ~ 건축 자재 / green〔garden〕 ~ 야채류. ② 《比》 요소; 《口》 소질, 재능: Tom has good ~ in him. 톰에겐 뛰어난 소질이 있다. ③ 《口》 (one's ~) 소지품: Leave *your* ~ here. 소지품은 여기에 두세요. ④ 자기의 장기, 특기; 전문: show one's ~ 진가를 발휘하다. ⑤ 음식물, 음료; 약; 《俗》 마약; (the (good 〔hard〕) ~) (밀조) 위스키: a drop of *the hard* ~ 약간의 위스키 / be on 〔off〕 *the* ~ 마약을 상용하고 있다〔끊고 있다〕. ⑥ (막연히) 물건, 것: kid ~ 아동용품 / soft ~ 부드러운 것. ⑦ 잡동사니, 폐품; 잠꼬대, 부질없는 소리〔행동〕, 시시한 이야기〔작품〕: Do you call this ~ beer? 이것도 맥주냐 / *Stuff!* 시시한 소리!, 어처구니 없군! / poor ~ 졸작(拙作). ⑧ 직물; 《특히》 모직물, 나사. ⑨ (흔히 a bit of ~로) 《俗, 卑》 (성적 대상으로서) 젊은 여자. ⑩ (the ~) 《俗》 돈. ***do** one's ~* 《口》 (기대한 대로의) 솜씨를 보이다, 잘 해내다. ***That's the ~!*** 《口》 맞다, 좋아, 그거야말로 학수 고대하던 거다.

— *vt.* ① 《~+목 / +목+전+명》 …에 채우다〔채워 넣다〕《*with*》: ~ the bag *with* clothes 백에 옷을 넣다 / ~ the mattress 매트리스에 속을 채우다. ② 《+목+부 / +목+전+명》 (관·구멍)을 메우다, 틀어막다《*up*》: ~ (*up*) one's ears *with* cotton wool 귀를 솜으로 틀어막다 / My nose is ~*ed up.* 코가 막혔다. ③ 《~+목 / +목+전+명》 실컷 먹이다《*with*》: ~ a child *with* cake 아이에게 과자를 듬뿍 주다 / The kids ~*ed themselves with* candy. 아이들은 사탕을 실컷 먹었다. ④ 《~+목 / +목+전+명》 (요리할 조류에) 소를 넣다; (새 따위에 솜을 채워넣어) 박제(剝製)로 하다; (사람에게) 지식을 주입하다: a ~*ed* bird 박제한 새. ⑤ 《美》 (투표함에) 부정표를 넣다. ⑥ 《卑》 …와 성교하다. — *vi.* 배불리 먹다.

Get ~ed! = ***Stuff it!*** 《俗》 저리 가, 꺼져, 그만 해, 귀찮아《분노·경멸의 말》.

stúffed shírt [stʌ́ft-] 《口》 젠 체하는 사람.

stuff·ing [stʌ́fiŋ] *n.* Ⓤ ① 채워 넣기. ② (의자·이불 따위에 채우는) 깃털〔솜, 짚〕; 박제; 〖料〗 소《조류의 배에 채워 넣는》; (신문의) 빈자리 메우는 기사. ***knock*** 〔***beat, take***〕 ***the ~ out of...*** 《口》 …을 혼내주다; (병이) …을 애먹이다.

stuffy [stʌ́fi] (***stuff·i·er***; ***-i·est***) *a.* ① 통풍이 나쁜, 숨막힐 듯한. ② 코가 막힌. ③ 따분한, 무미 건조한. ④ 《口》 딱딱한; 거북한. ㊕ **stúff·i·ly** *ad.* **-i·ness** *n.*

stul·ti·fy [stʌ́ltəfài] *vt.* ① …을 어리석어 보이게 하다. ② 망쳐 버리다, …을 무효로 만들다; 무기력하게 만들다.

:stum·ble [stʌ́mbəl] *vi.* ① 《+전+명》 (실족하여) 넘어지다, 곱드러지다《*at*; *over*》: ~ *over* 〔*on*〕 a stone 돌에 걸려 넘어지다. ② 《+전+명》 마주치다, 우연히 만나다《*across*; *on, upon*》: ~ *across* a clue 우연히 단서를 발견하다 / I ~*d on* a misprint in my dictionary. 사전에서 우연히 오식을 발견했다. ③ 《~ / +부 / +전+명》 비틀거리다, 비틀거리며 걷다《*along*》: The old man ~*d along.* 노인은 비틀거리며 걸어갔다 / He ~*d into* the room. 비틀거리며 그는 방으로 들어갔다. ④ 실수하다, 잘못하다; (도덕상의) 죄를 범하다. ⑤ 《+전+명》 말을 더듬다: He often ~*d over* his words. 그는 가끔 말을 더듬었다.

— *n.* Ⓤ 비틀거림, 비트적거림; 실책, 과오.

stum·ble·bum [-bʌ̀m] *n.* Ⓒ 《俗》 ① 서투른 권투선수. ② 무능한 놈; 《美》 낙오자, 거지.

stúmbling blòck 방해물, 장애물; 걱정의 원인, 걱정거리.

stum·bling·ly [stʌ́mbəliŋli] *ad.* ① 넘어지면서, 비틀거리며. ② 더듬더듬하며.

stu·mer [stjúːmər] *n.* Ⓒ 《英俗》 ① 가짜, 위폐(僞幣). ② 실패, 실수. — *a.* 〔限定的〕 가짜의.

:stump [stʌmp] *n.* ① Ⓒ (나무의) 그루터기. ② Ⓒ (부러진 이의) 뿌리, (손이나 발의) 잘리고 남은 부분, (연필 따위의) 토막, 쓰다 남은 몽당이, (담배의) 꽁초, (잎을 따낸) 줄기. ③ (*pl.*) 《戱》 다리. ④ Ⓒ 〖크리켓〗 3주문의 기둥: pitch〔draw〕 ~*s* 크리켓을 시작하다〔마치다〕. ***on the ~*** 정치 운동에 종사하여, 유세하러 돌아다니는. ***stir** one's **~s*** 《口》 걷다; 급히 가다: *Stir your ~s!* 서둘러라. ***up a ~*** 《美口》 답변에 궁하여; 곤경에 빠져; 당황하여.

— *vt.* ① (나무의 윗부분을 잘라) 그루터기로 하다, 베다; 그루터기를 없애다〔태워버리다〕. ② 《口》 (질문 따위로) 쩔쩔매게 하다, 난처하게 하다: Nobody knows; even the experts are ~*ed.* 아무도 아는 사람이 없고, 전문가조차도 쩔쩔매고 있다. ③ 유세(遊說)하다: ~ the country 전국을 유세하다. ④ 〖크리켓〗 3주문의 기둥을 넘어뜨려 아웃시키다. — *vi.* ① 《+부》 (무거운 걸음걸이로) 터벅터벅 걷다: ~ *along* 터벅터벅 걸어가다. ② 《美》 유세하다. **~ *up*** 《英口》 (마지못해) 지불하다; (돈을) 내다.

stump·er [stʌ́mpər] *n.* Ⓒ ① 《美口》 선거 유세자. ② 《美口》 난문(難問), 난제(難題). ③ 〖크리켓〗 3주문을 수비하는 사람(포수).

stumpy [stʌ́mpi] (***stump·i·er***; ***-i·est***) *a.* ① 그루터기가 많은; 그루터기 모양의. ② 땅딸막한; (연필·꼬리 등이) 몽톡한.

stun** [stʌn] (-nn-***) *vt.* ① 기절〔실신〕시키다, 아

찔하게 하다: They ~*ned* him with a blow on the head. 그들은 그의 머리를 쳐서 실신시켰다. ② 〔종종 受動으로〕 어리벙벙하게 하다, 간담을 서늘케 하다, 깜짝 놀라게 하다. ③ (소리가) …의 귀를 멍멍하게 하다.

***stung** [stʌŋ] STING 의 과거·과거분사.

stún gùn 스턴총《폭동 진압용으로서 전기 쇼크로 마비시킴》.

***stunk** [stʌŋk] STINK의 과거·과거분사.

stun·ner [stʌ́nər] *n.* Ⓒ ① 기절시키는 사람〔것〕. ②《口》 근사한 것〔말〕, 굉장한 미인.

***stun·ning** [stʌ́niŋ] *a.* ① 기절할 만큼의; 귀가 멍멍할 정도의. ②《口》 근사한, 멋진, 굉장히 예쁜: You look absolutely ~ in that dress. 그 드레스를 입으니 정말 예쁘다.

stun·sail, stun·s'l [stʌ́nsəl] *n.* =STUDDING-SAIL.

stunt[1] [stʌnt] *vt.* 성장〔발육〕을 방해하다, 주접들게〔지지러지게〕 하다; 저지하다: Lack of sunlight will ~ the plant's growth. 일광 부족은 식물의 성장을 저해할 것이다 / ~*ed* trees 왜소 수목. — *n.* Ⓒ 발육〔발전〕 저해; 발육이 저해된 식물〔동물〕; 성장을 방해하는 것.

stunt**[2] *n.* Ⓒ ① 묘기, 곡예 (비행), (차의) 곡예 운전, 스턴트: do〔perform〕 a ~ 스턴트를 하다. ② 이목을 끌기 위한 행위. ***pull a ~ (어리석은) 짓을 하다: Don't ever *pull a* ~ like that again. 그런 어리석은 짓은 두 번 다시 하지 마라. — *vi.* 재주 부리다; 곡예 비행〔운전〕을 하다.

stúnt màn (*fem.* ***stúnt wòman*** 〔***gìrl***〕) 위험한 장면의 대역(代役), 스턴트맨.

stu·pa [stúːpə] *n.* Ⓒ 〖佛教〗 사리탑, 불탑.

stupe[1] [stjuːp] *n.* Ⓒ 〖醫〗 더운 찜질.
— *vt.* …에 더운 찜질을 하다.

stupe[2] *n.* Ⓒ 《俗》 바보, 얼간이.

stu·pe·fa·cient [stjùːpəféiʃənt] *a.* 마취시키는, 혼수 상태에 빠뜨리는. — *n.* Ⓒ 〖醫〗 마취제.

stu·pe·fac·tion [stjùːpəfǽkʃən] *n.* Ⓤ ① 마취 (상태); 혼수. ② 망연(자실); 깜짝 놀람.

***stu·pe·fy** [stjúːpəfài] *vt.* ① …을 마취시키다; 지각을 잃게 하다. ② 망연케 하다《종종 受動》: He *was stupefied with* drink. 그는 술에 취해 머리가 멍했다. ③〔종종 受動으로〕 놀라게 하다: He *was stupefied at* the news. 그는 그 소식을 듣고 깜짝 놀랐다.

stu·pe·fy·ing [stjúːpəfàiiŋ] *a.* ① 무감각하게 하는, 마비시키는: a ~ drug 마취약. ② 놀랄만한.

***stu·pen·dous** [stjuːpéndəs] *a.* 엄청난, 굉장한; 거대한: a ~ success 대성공. ㊕ **~·ly** *ad.*

‡**stu·pid** [stjúːpid](***~·er, more ~; ~·est, most ~***) *a.* ① 어리석은, 우둔한, 바보 같은: a ~ fellow 바보 자식/Don't be ~! 바보 같은 짓 작작해라 / It was ~ *of* me to behave like that. 그렇게 행동하다니 나도 어리석었어. ② 시시한, 하찮은: a ~ joke 시시한 농담. ③ 무감각한, 마비된: He is ~ *with* drink. 그는 술에 취해 정신이 없다.
— *n.* Ⓒ 《口》 바보, 얼간이.
㊕ **~·ly** *ad.* 어리석게도.

***stu·pid·i·ty** [stjuːpídəti] *n.* ① Ⓤ 우둔, 어리석음. ②(흔히 *pl.*) 어리석은 짓〔소리〕, 우행(愚行).

stu·por [stjúːpər] *n.* Ⓤ (또는 a ~) 무감각, 인사불성, 마비; 혼수; 망연 자실: in *a* ~ 망연 자실하여.

stur·dy**[1] [stə́ːrdi] (stur·di·er; -di·est***) *a.* ① 억센, 튼튼한, 건장한: a ~ wall 튼튼한 벽. ② 완강한; 불굴의; (성격 따위가) 건전한: ~ common sense 건전한 상식. cf. stout, strong.

stur·geon [stə́ːrdʒən] *n.* Ⓤ,Ⓒ 〖魚〗 철갑상어.

stut·ter [stʌ́tər] *vi., vt.* 말을 더듬다, 떠듬적거리다《*out*》: "I'm D-d-david," he ~*ed*. '나는 데데데이빗이야'하고 그는 더듬거리며 말했다. — *n.* Ⓒ 말더듬기(버릇). ㊕ **~·er** [-rər] *n.* **~·ing·ly** *ad.*

St. Válentines' Dày 발렌타인 데이《2월 14일; 연인·친구·가족에게 선물이나 카드를 보내는 습관이 있음》.

sty[1] [stai] *n.* Ⓒ ① 돼지우리(pigsty). ② (더러운) 돼지우리 같은 집〔방〕.

sty[2] *n.* Ⓒ 맥립종(麥粒腫), 다래끼: have a ~ in one's eye 눈에 다래끼가 나다.

stye [stai] *n.* =STY[2].

Styg·i·an [stídʒiən] *a.* ① 삼도(三途)내(Styx)의. ② (종종 s-) 지옥의; 죽은 듯한; 어두운, 음침한: ~ gloom〔darkness〕 캄캄한 어둠.

‡**style** [stail] *n.* ① Ⓒ,Ⓤ 문체; 필체; 말씨, 어조; 독자적인 표현법. ② Ⓤ,Ⓒ (문예·예술 따위의) 유파, 양식, 풍(風), …류(流): the ~ of Wagner 와그너풍. ③ Ⓤ,Ⓒ (특수한) 방법, 방식: ~*s* of swimming 여러가지 수영 방식. ④ Ⓤ,Ⓒ 사는 법; 호화로운〔사치스러운〕 생활; 품격, 품위: have no ~ 품위가 없다. ⑤ Ⓤ,Ⓒ 스타일, 모양; 유행(형): the latest Paris ~ in hats 모자의 최신 파리 유행형. ⑥ Ⓒ 종류, 유형(類型), 형태: Car ~*s* have changed radically in the past 20 years. 자동차의 형태가 지난 20 년간에 급격히 변했다. ⑦ Ⓒ 역법(曆法). ⑧ Ⓒ 첨필(尖筆)《옛날, 납판에 글씨를 쓰는 데 썼음》; 철필; (문필가의 상징으로서) 펜, 붓, 연필. cf. stylus. ⑨ Ⓒ 칭호, 명칭: under the ~ of …의 칭호로. ⑩ Ⓒ 〖植〗 암술대, 화주(花柱). ***cramp*** a person***'s*** ~ 《口》 아무의 행동을 방해하다.
— *vt.* ①《+목+보》 …을 …라 칭하다, 부르다, 이름짓다: ~ oneself a countess 백작 부인이라고 자칭하다 / Jesus Christ is ~*d* the Savior. 예수 그리스도는 구세주라고 불린다. ②《~+목/+목+전+명》 유행〔일정한 양식〕에 따라 디자인하다; (원고 따위)를 특정한 양식에 맞추다《*in*》: clothes ~*d for* young men 젊은이에 맞게 디자인된 옷.

-style *suf.* …스타일의, …양식의 : American-~ 미국식의.

style·book [-bùk] *n.* Ⓒ (복장의 유행형을 수록한) 스타일북.

sty·li [stáilai] STYLUS의 복수.

styl·ish [stáiliʃ] *a.* 현대식의, 유행의; 스마트한. ㊕ **~·ly** *ad.* **~·ness** *n.*

styl·ist [stáilist] *n.* Ⓒ ① 문장가, 명문가(名文家). ② (의복·실내 장식의) 의장가, 디자이너, 스타일리스트.

sty·lis·tic, -ti·cal [stailístik], [-kəl] *a.* 문체〔양식〕의; 문체에 공들이는; 문체론(상)의.
㊕ **-ti·cal·ly** [-kəli] *ad.* 문체〔양식〕상.

sty·lis·tics [stailístiks] *n.* Ⓤ 문체론.

styl·ize [stáilaiz] *vt.* 〔흔히 受動으로〕 인습적으로 하다; 〖美術〗 (도안 등)을 일정한 양식에 맞추다, 양식화(様式化)하다.

sty·lo·graph [stáiləgrӕf, -grɑ̀ːf] *n.* Ⓒ 첨필(尖筆)만년필《촉 끝에 핀이 나와 있어, 쓸 때에는 이것이 밀려들어가 잉크가 나옴》. ㊕ **sty·lo·graph·ic** [stàiləgrǽfik] *a.* 첨필(서법(書法))의.

sty·lus [stáiləs] (*pl.* ***~·es, -li*** [-lai]) *n.* Ⓒ ① 철필, 첨필(尖筆). ② (축음기의) 바늘.

sty·mie, sty·my [stáimi] *n.* Ⓒ ①〖골프〗 방해구, 스타이미《자기의 공과 홀 사이에 다른 공이 있는 상태》. ②《比》 난처한 상태〔입장〕.
— *vt.* ①〖골프〗 방해구로 방해하다. ②〔흔히 受動으로〕《比》 …을 방해하다, …을 어려운 상황으

로 몰아넣다 : Their plans have *been stymied* by lack of funds. 그들의 계획은 자금 부족으로 좌절되었다.

styp·tic [stíptik] *a.* 수렴성(收斂性)의 ; 지혈(성)의. — *n.* 〖醫〗 Ⓒ 수렴제 ; 지혈약.

sty·rene [stáiəri(:)n, stír-] *n.* Ⓤ 〖化〗 스티렌 《합성 수지 · 합성 고무의 원료》.

Sty·ro·foam [stáiərəfòum] *n.* Ⓤ 스티로폼《발포(發泡) 폴리스티렌 ; 商標名》.

Styx [stiks] *n.* (the ~) 〖그神〗 지옥(Hades)의 강, 삼도(三途)내.

sua·sion [swéiʒən] *n.* Ⓤ 설득, 권고.

suave [swɑ:v] *a.* 기분 좋은, 유쾌한 ; 유순한, 온화한 ; 입에 순한《술 · 약 따위》. ㊞ ~·**ly** *ad.*

suav·i·ty [swɑ́:vəti, swǽv-] *n.* ① Ⓤ 유화(柔和), 온화. ② (흔히 *pl.*) 상냥한 언동, 정중한 태도. ◇ suave *a.*

sub [sʌb] *n.* Ⓒ 《口》 ① 대리자 ; 〖野〗 후보 선수. ② =SUBMARINE. ③ (클럽 등의) 회비. ④ 《英》 (급료 등의) 선불. ⑤ 부(副)주필 ; 편집 차장.
— (*-bb-*) *vi.* 《口》 (…의) 대리를 하다《*for*》; 《英》 (급료 따위를) 선불하다, 가불받다. — *vt.* ① 《英》 선불하다, 가불받다《급료 따위를》. ② (신문 · 잡지의) 부주필을 하다.

sub- *pref.* '아래 ; 아(亞), 하위, 부(副) ; 조금, 반'의 뜻 : *sub*class, *sub*marine.

sub. subaltern ; subject ; submarine ; subscription ; substitute ; suburb(an) ; subway.

sub·ac·id [sʌbǽsid] *a.* ① 약간 신. ② 《比》 (말 등이) 조금 신랄한 ; 좀 빈정대는 듯한.

sub·a·gent [sʌ̀béidʒənt] *n.* Ⓒ 부(副)대리인.

sub·al·tern [səbɔ́:ltərn / sʌ́bltən] *n.* Ⓒ 〖英軍〗 중위, 소위.

sub·ant·arc·tic [sʌ̀bæntɑ́:rktik] *a.* 남극권에 접한, 아(亞)남극의 (지대).

sub·aq·ua [sʌ̀bǽkwə] *a.* 수중의, 잠수의.

sub·arc·tic [sʌbɑ́:rktik] *a.* 북극권에 접한, 아(亞)북극의 (지대).

sub·at·om [sʌbǽtəm] *n.* Ⓒ 〖物〗 원자 구성 요소《양자 · 전자 따위》.

sub·a·tom·ic [sʌ̀bətɑ́mik / -tɔ́m-] *a.* 원자내에서 생기는 ; 원자 구성 요소의.

sub·class [sʌ́bklæ̀s, -klɑ̀:s] *n.* Ⓒ 〖生〗 아강(亞綱)《class의 하위 분류》.

sub·com·mit·tee [sʌ́bkəmìti:] *n.* Ⓒ 분과 위원회, 소(小)위원회.

sub·com·pact [sʌbkɑ́mpekt / -kɔ́m-] *n.* Ⓒ compact[1] 보다 소형의 자동차.
— [ㅗㅡ] *a.* compact[1] 보다 소형의.

sub·con·scious [sʌbkɑ́nʃəs / -kɔ́n-] *a.* 잠재 의식의, 어렴풋이 의식하고 있는. — *n.* (the ~) 잠재 의식. ㊞ ~·**ly** *ad.* ~·**ness** *n.*

sub·con·ti·nent [sʌbkɑ́ntənənt / -kɔ́n-] *n.* Ⓒ 아(亞)대륙《인도 · 그린란드 등》. 「아대륙의.

sub·con·ti·nen·tal [sʌ̀bkɑntənéntl / -kɔn-] *a.*

sub·con·tract [sʌbkɑ́ntrækt / -kɔ́n-] *n.* Ⓒ 도급(계약). —[sʌ̀bkəntrǽkt] *vt., vi.* 도급 (계약)하다 ; 도급 계약에 내다 : We will be ~*ing* most of the electrical work. 우리는 전기 공사의 대부분을 도급 줄 예정이다. ㊞ **sub·con·trac·tor** [sʌ̀bkɑ́ntræktər / -kɔntrǽk-] *n.* Ⓒ 도급인, 도급 업자〔회사, 공장〕.

sub·cul·ture [sʌbkʌ́ltʃər] *n.* Ⓤ,Ⓒ (하나의 문화권 안에서) 하위 문화.

sub·cu·ta·ne·ous [sʌ̀bkju:téiniəs] *a.* ① 피하의 : a ~ injection 피하 주사 / ~ fat 피하 지방. ② (기생충 등이) 피하에서 사는. ㊞ ~·**ly** *ad.*

sub·dea·con [sʌbdí:kən] *n.* Ⓒ 〖가톨릭〗 차부제(次副祭).

sub·deb·u·tante [sʌbdébjutɑ̀:nt] *n.* Ⓒ 《美》 사교계에 나가기 전의 15-16 세의 처녀.

sub·di·vide [sʌ̀bdiváid] *vt.* …을 …로 다시 나누다, 세분하다 ; 《美》 (토지)를 분필(分筆)하다 《*into*》: He ~*d* the farm *into* building lots. 그는 그 농장을 몇개의 건축 대지로 세분했다.
— *vi.* 세분되다.

***sub·di·vi·sion** [sʌ́bdivìʒən] *n.* ① Ⓤ 잘게 나눔, 세분 ; 《美》 (토지의) 분필(分筆). ② Ⓒ 일부분, 일구분 ; 《美》 분양지.

sub·du·al [səbdjú:əl] *n.* Ⓤ 정복 ; 억제 ; 완화. ◇ subdue *v.*

‡**sub·due** [səbdjú:] *vt.* ① (적 · 나라)를 정복하다, 진압하다 : Julius Caesar ~*d* Gaul in 50 B.C. 카이사르는 기원전 50년에 골을 정복했다. ② (분노 따위)를 억제하다 ; (염증 따위)를 가라앉히다 : John ~*d* his grief in order to comfort Mary. 존은 메리를 위로하기 위해 자신의 슬픔을 억눌렀다. ③ (목소리 따위)를 낮추다, 나직하게 하다 ; (빛깔 따위)를 차분하게 하다.

sub·dued [səbdjú:d] *a.* 정복당한, 복종하게 된 ; 억제된 ; 부드러워진, 낮아진, 차분해진 : a ~ color 〔voice〕 부드러운〔낮은〕 색〔음성〕 / ~ light 잔잔한 빛 / Frank seems very ~ tonight. 프랭크는 오늘 밤 퍽 풀죽어 보인다. ㊞ ~·**ly** *ad.*

sub·ed·it [sʌbédit] *vt.* (신문 · 잡지 따위의) 부주필 일을 하다, …의 편집을 돕다 ; 《英》 (원고)를 정리하다.

sub·ed·i·tor [sʌbéditər] *n.* Ⓒ 부주필, 편집 차장 ; 편집 조수 ; 《英》 원고 정리부원, 편집부원.

sub·fam·i·ly [sʌbfǽməli] *n.* Ⓒ ① 〖生〗 아과(亞科)《과와 속(屬)의 중간》. ② 〖言〗 어파(語派)《어족(語族)의 하위 구분》.

sub·floor [sʌ́bflɔ̀:r] *n.* Ⓒ 마루의 마감 바닥재 밑에 애벌로 깔아놓은 바닥.

sub·freez·ing [sʌ̀bfrí:ziŋ] *a.* 어는점 아래의.

sub·fusc [sʌ́bfʌsk / ㅡㅗ] *a.* (빛깔이) 거무스름한 ; 어두운. — *n.* Ⓒ 《英》 (대학의) 예복.

sub·ge·nus [sʌbdʒí:nəs] (*pl.* ***-gen·e·ra*** [-dʒénərə], ~·***es***) *n.* Ⓒ 〖生〗 아속(亞屬).

sub·group [sʌ́bgrù:p] *n.* Ⓒ (집단을 분할한) 소집단, 하위(下位) 집단.

sub·head [sʌ́bhèd] *n.* Ⓒ 작은 표제, 부표제.

sub·head·ing [sʌ́bhèdiŋ] *n.* =SUBHEAD.

sub·hu·man [sʌbhjú:mən] *a.* ① 인간에 가까운, 유인(類人)의. ② (지능 · 행동이) 인간 이하의.

subj. subject ; subjective(ly) ; subjunctive.

sub·ja·cent [sʌbdʒéisənt] *a.* 밑에 있는, 하위(下位)의.

†**sub·ject** [sʌ́bdʒikt] (***more*** ~; ***most*** ~) *a.* ① 지배를 받는, 복종하는, 종속하는《*to*》: a ~ province 속령 / We are ~ *to* our country's laws. 우리는 국법에 복종해야 한다. ② 〔敍述的〕 (…을) 받기 쉬운, 입기〔걸리기〕 쉬운《*to*》: He's ~ *to* colds. 그는 감기에 걸리기 쉽다 / This region is ~ *to* frequent earthquakes. 이 지방에는 지진이 자주 일어난다. ③ 〔敍述的〕 …조건으로 하는, (…을) 받지 않으면 안되는《*to*》: This treaty is ~ *to* ratification. 이 조약은 비준을 받아야 한다. ~ ***to*** …을 (얻는 것을) 조건으로 하여, …을 가정하여.
— *n.* Ⓒ ① (국왕 · 군주 아래의) 국민, 신민 : a British ~ 영국 국민 / rulers and ~*s* 지배자와 피지배자. ② 주제, 문제, 제목, 연제, 화제(話題) : Stop trying to change the ~ ! 화제를 바꾸려고 하지마. ③ 학과, 과목 : required〔elective〕 ~*s* 필수〔선택〕 과목 / My favorite ~ at school was English. 내가 좋아한 학과는 영어였다. ④ 〖文法〗

주어, 주부(主部). ⑤〖論〗 주사(主辭). ⑥〖哲〗 주관, 자아. opp object. ⑦주체, 실체. cf. attribute. ⑧〖樂〗 주제, 테마, 주악상(主樂想). ⑨주인(主因), 원인 : a ~ for complaint 불평의 원인. ⑩환자 ; …질(質)의 사람 ; 본인. ⑪피(被)실험자, 실험 재료 ; (최면술의) 실험 대상자 : a ~ for dissection 해부용 시체 / a ~ for ridicule 조롱의 대상. ***on the ~ of*** …에 관하여. ── [səbdʒékt] *vt.* 《+목+전+명》 ① …을 복종〔종속〕시키다《*to*》: King Alfred *~ed* all England *to* his rule. 앨프레드 왕은 영국 전체를 그의 지배하에 두었다. ② (좋지 않은 일)을 당하게〔받게〕 하다, 입히다《*to*》: ~ a person *to* torture 아무를 고문하다 / All our products are *~ed* to rigorous testing. 우리 제품은 모두 엄격한 검사를 받는다. ③ (…을) …에 맡기다, 넘겨주다 : ~ new policies *to* public discussion 새 정책을 대중의 토의에 부치다.

súbject càtalog (도서관의) 주제별 목록, 건명(件名) 목록.

sub·jec·tion** [səbdʒékʃən] *n.* U 정복 ; 복종, 종속《*to*》. ***in ~ to …에 종속〔복종〕하여.

***sub·jec·tive** [səbdʒéktiv, sʌb-] *a.* ①주관의, 주관적인 ; 사적인. opp *objective.* ¶ a ~ test 주관식 테스트. ②〖文法〗 주격의 : the ~ case 주격(主格) / the ~ complement 주격 보어《보기: He lies dead. 의 dead》.
파 **~·ly** *ad.*

sub·jec·tiv·ism [səbdʒéktəvìzəm] *n.* U 주관론, 주관주의(opp *objectivism*). 파 **-ist** *n.* C 주관론자.

sub·jec·tiv·i·ty [sʌ̀bdʒektívəti] *n.* U 주관성, 자기 본위 ; 주관(주의).

súbject màtter 제재(題材), 테마, 내용, 주제, 제목.

sub·join [səbdʒɔ́in] *vt.* (끝에) …을 증보〔추가〕하다, …에 보유(補遺)를 붙이다《*to*》: ~ a postscript *to* a letter 편지에 추신을 쓰다.

sub ju·di·ce [sʌb-dʒú:disì:] 〔敍述的〕《L.》(= under a judge) 심리중인, 미결의.

sub·ju·gate [sʌ́bdʒugèit] *vt.* …을 정복하다, 복종〔예속〕시키다 ; (격정 따위)를 가라앉히다.
파 **sùb·ju·gá·tion** [-ʃən] *n.* U 정복, 진압 ; 종속. **súb·ju·gà·tor** [-ər] *n.* C 정복자.

***sub·junc·tive** [səbdʒʌ́ŋktiv] 〖文法〗 *a.* 가정법의 : the ~ mood 가정법. cf. indicative, imperative. ── *n.* ① (the ~) 가정법. ②C 가정법의 동사. 파 **~·ly** *ad.*

sub·king·dom [sʌ́bkìŋdəm] *n.* C 〖生〗 아계(亞界).

sub·lease [sʌ́blì:s] *n.* C 전대(轉貸), 다시 빌려줌. ── [sʌblí:s] *vt.* (빌린 가옥·토지)를 전대하다 ; …을 다시 빌려 주다.

sub·let [sʌ̀blét] (*p., pp.* ~ ; ~·***ting***) *vt.* …을 전대하다 ; (도급맡은 일)을 다시 도급주다.

sub·lieu·ten·ant [sʌ̀blu:ténənt / -lət-] *n.* C 《英》 해군 중위.

sub·li·mate [sʌ́bləmèit] *vt.* ①〖化·心〗 …을 승화(昇華)시키다 : Sport is ~*d* war. 스포츠는 전쟁을 승화시킨 것이다. ②《比》 …을 고상하게 하다, 순화(純化)하다.
── [-mit, -mèit] *n.* C〖化〗 승화물 ; 승홍(昇汞).
파 **sùb·li·má·tion** [-méiʃən] *n.* U 고상하게 함, 순화 ;〖化〗 승화.

‡**sub·lime** [səbláim] (***-lim·er*** ; ***-est***) *a.* ①장대한, 웅대한, 장엄한 ; 숭고한 : ~ scenery 장엄한 경치. ②최고의, 탁월한, 빼어난. ③《口》 터무니없는 : ~ ignorance 형편 없는 무지. ── *n.* (the ~ ; 單數취급) 숭고한 것 ; 장엄미 : from *the* ~ to the ridiculous 숭고한 것으로부터 우스꽝스러운 것까지. ── *vt.* ① …을 고상하게 하다, 정화하다. ②〖化·物〗 …을 승화시키다《*into*》.
── *vi.* ①고상해지다, 정화되다. ②〖化·物〗 승화하다《*into*》. 파 **~·ly** *ad.* **~·ness** *n.*

sub·lim·i·nal [sʌblímənəl] *a.* 〖心〗 식역하(識閾下)의, 잠재 의식의 : the ~ self 잠재 자아.

sublíminal ádvertising (잠재 의식에의 작용을 노리는 TV 따위의) 식역하 광고, 서브리머널 광고.

sub·lim·i·ty [səblímәti] *n.* ①U 장엄, 숭고, 고상 ; 절정, 극치. ②C 숭고한 사람〔물건〕.

sub·lu·nar, sub·lu·nary [sʌblú:nər], [sʌ́blu:nèri / sʌblú:nəri] *a.* 월하(月下)의 ; 지상의, 이 세상의. opp *superlunar(y).*

sub·ma·chíne gùn [sʌ̀bməʃí:n-] 기관단총《略 : 「S.M.G.」》.

sub·mar·gin·al [sʌbmá:rdʒənəl] *a.* 한계 이하의 ; 수익 표준〔생산력〕 이하의 ; (농지가) 경작 한계에 가까운.

***sub·ma·rine** [sʌ́bmərì:n, ---] *n.* C ①잠수함(sub). ②해중〔해저〕 동〔식〕물. ③《美俗》 서브머린 샌드위치(=∠ **sàndwich**)《긴 롤빵에 냉육·치즈·야채를 끼운 큰 샌드위치》.
── *a.* 바다 속의, 해저의, 바다 속에 사는 ; 바다 속에서 쓰는 : a ~ armor 잠수복 / a ~ cable 해저 전선 / a ~ volcano 해저 화산.

súbmarine chàser 구잠정(驅潛艇)《잠수함 「추격용」》.

sub·ma·rin·er [sʌ̀bmərí:nər] *n.* C 잠수함 승무원.

sub·max·il·lary [sʌbmǽksəlèri / -ləri] *a.* 〖解〗 아래턱의, 하악골의 ; 턱밑샘의.

‡**sub·merge** [səbmə́:rdʒ] *vt.* ① …을 물 속에 잠그다〔가라앉히다〕; 물에 담그다 ; 물에 빠지게 하다 : The tunnel entrance was ~*d* by rising sea water. 터널 입구는 밀물로 물에 잠겼다. ② …을 덮어 가리다《*in*》; 몰두〔열중〕하게 하다《*by* ; *in* ; *with* ; *under*》〔종종 再歸的 또는 受動으로〕: She *was* ~*d* under the bedding. 그녀는 침구 밑에 꼭꼭 숨어 있었다 / I'*m* completely ~*d by*〔*with, under*〕all this work. 이 일에 완전히 몰두하고 있다 / Mary ~*d herself in* work to try and forget about John. 메리는 존을 잊기 위해 일에 몰두했다.
── *vi.* ①물속에 가라앉다, 침몰하다. ② (잠수함 따위가 물 속에) 잠기다, 잠수〔잠항〕하다. opp *emerge.*

sub·merged [səbmə́:rdʒd] *a.* ①수중에 가라앉은, 침수한 : ~ plants 수중식물. ②최저 생활을 하는, 극빈의. ***the ~ tenth*** 〔***class***〕 (빈궁의) 밑바닥 계층, 극빈자층《사회의 약 10분의 1이라는 뜻에서》 (opp *the upper ten*).

sub·mer·gence [səbmə́:rdʒəns] *n.* U 물속에 가라앉음 ; 침수, 관수(冠水), 침몰 ; 잠수.

sub·mer·gi·ble [səbmə́:rdʒəbəl] *a.* =SUBMERSIBLE.

sub·merse [səbmə́:rs] *vt.* =SUBMERGE.

sub·mers·i·ble [səbmə́:rsəbəl] *a.* 물 속에 잠길 수 있는, 잠수〔잠항〕할 수 있는. ── *n.* C 잠수정《특히 과학 측정용》.

sub·mer·sion [səbmə́:rʒən, -ʃən] *n.* =SUBMERGENCE.

sub·min·i·a·ture [sʌbmíniətʃər, -tʃùər] *a.* (카메라·전기 부품 등이) 초소형의.

sub·min·i·a·tur·ize [sʌbmíniətʃəraiz] *vt.* (전자 장치)를 초소형화하다.

***sub·mis·sion** [səbmíʃən] *n.* ①U,C 복종 ; 항복《*to*》: I offer my resignation in ~ *to* your request. 당신 요구에 복종하여 사표를 낸다. ②U 순종 ; 유순《*to*》. ③C (의견의) 개진, 구신 ; 제안 : We rejected his ~ that this (should) be done at once. 우리는 이것을 즉각 끝내라는 그의 제안을 거절했다. ◇ submit *v.*

sub·mis·sive [səbmísiv] *a.* 복종하는, 순종하는, 유순한, 온순한(meek).
㊞ ~·**ly** *ad.* ~·**ness** *n.*

‡**sub·mit** [səbmít] (*-tt-*) *vt.* ①《+목+전+명》〔再歸的〕 복종시키다, 따르게 하다《*to*》: We must ~ *ourselves to* God's will. 우리들은 신의 뜻에 따르지 않으면 안된다. ②《~+목/+목+전+명》(재결을 받기 위하여) (계획·서류 따위)를 제출하다; 맡기다, 일임시키다: ~ a plan *to* the committee 위원회에 계획을 제출하다. ③《+*that* 절》 공손히 아뢰다, 의견으로서 진술하다: I ~ *that* you are mistaken. 실례지만 당신이 잘못 생각하고 있다고 말씀드리고 싶습니다. ── *vi.*《+전+명》…에 복종하다; 굴복하다; 감수하다《*to*》: He was too proud to ~ *to* such treatment. 그는 자존심이 강해서 그런 처우를 감수하지 않았다. ◇ submission *n.*

sub·nor·mal [sʌbnɔ́ːrməl] *a.* 정상〔보통〕 이하의; 저능의《IQ 70 이하》.

sub·or·bi·tal [sʌbɔ́ːrbitl] *a.* ①〖解〗 눈구멍 밑의. ② 궤도에 오르지 않은.

sub·or·der [sʌ́bɔ̀ːrdər] *n.* Ⓒ〖生〗 아목(亞目).

***sub·or·di·nate** [səbɔ́ːrdənit] *a.* ① 예하의, 차위〔하위〕의: a ~ officer 하급장교 / a ~ position 하위(下位). ② 부수〔종속〕하는《*to*》: a ~ task 부수적(인) 업무 / Pleasure should be ~ *to* duty. 의무는 오락에 우선해야 한다. ③〖文法〗 종속의 (opp *coordinate*). ── *n.* Ⓒ 하위(의 사람), 속관(屬官), 부하; 〖文法〗 종속절, 종속어〔구〕.
── [-nèit] *vt.*《~+목/+목+전+명》① …을 하위에 두다; 종속시키다《*to*》: ~ passion *to* reason 정욕을 이성에 종속시키다. ② …을 경시하다, 얕보다《*to*》: He ~*s* work *to* pleasure. 그는 일을 오락보다 가볍게 생각하고 있다. ㊞ ~·**ly** *ad.*

sub·or·di·na·tion [səbɔ̀ːrdənéiʃən] *n.* Ⓤ 예속시킴; 종속시키기; 경시; 하위; 〖文法〗 종속 (관계): in ~ to …에 종속하여.

sub·or·di·na·tive [səbɔ́ːrdənèitiv, -dnə-] *a.* 종속적인, 종속 관계를 나타내는; 하위〔차위〕의; 〖文法〗 =SUBORDINATE.

sub·orn [səbɔ́ːrn] *vt.* 〖法〗 (돈 등을 주어) 거짓맹세〔위증〕시키다; (나쁜 일)을 교사(敎唆)하다.

sub·or·na·tion [sʌ̀bɔːrnéiʃən] *n.* Ⓤ〖法〗 거짓맹세〔위증〕시킴: ~ of perjury 위증 교사죄.

sub·plot [sʌ́bplɑ̀t / -plɔ̀t] *n.* Ⓒ (연극·소설의) 부차적 줄거리.

sub·poe·na, -pe- [səbpíːnə] 〖法〗 *n.* Ⓒ (증인 등의) 소환장. ── (*~ed, ~'d*) *vt.* …를 소환〔호출〕하다, …에게 소환장을 발부하다.

sub·ro·gate [sʌ́brəgèit] *vt.* (사람)에게 …의 대리 노릇을 시키다.
㊞ **sùb·ro·gá·tion** [-ʃən] *n.* 대신(함).

sub ro·sa [sʌb-róuzə] 《L.》 비밀히, 몰래.

sub·rou·tine [sʌ́bruːtìːn] *n.* Ⓒ〖컴〗 아랫경로, 서브루틴《특정 또는 다수의 프로그램 중에서 반복 사용할 수 있는 독립된 명령군(群)》.

***sub·scribe** [səbskráib] *vt.*《~+목/+목+전+명》① (금전을) …에 기부하다: He ~*d* 3,000 dollars *to* the earthquake relief fund. 그는 지진 구제 기금에 3천 달러를 기부했다. ② (증서 따위)에 서명하다; (청원서 따위)에 서명하여 동의를 나타내다: ~ a petition 청원서에 서명하다 / ~ oneself (as) Smith 스미스라고 서명하다 / President ~*d* his name *to* the document. 대통령은 그 문서에 서명하였다. ── *vi.* ①《~/+전+명》 기부〔출자〕(를 약속)하다《*to*; *for*》: ~ *for* ten dollars, 10 달러 기부하다 / She ~*s to* an environmental action group. 그녀는 환경 운동 단체에 기부를 하고 있다. ②《+전+명》〔종종 否定文에서〕 찬동〔동의〕하다《*to*》: I can*not* ~ *to* that opinion. 그 의견에는 찬성할 수 없다. ③《+전+명》 구독을 예약하다, 구독하다《*to*; *for*》; (주식 등을) 매입 신청하다《*for*》: ~ *to* a magazine 잡지를 예약(구독)하다 / I have ~*d for* the encyclopedia. 그 백과 사전의 구입 신청을 했다 / I ~*d for* 1000 shares in the new company. 새 회사의 주식을 1,000주 매입 신청했다. ④《+전+명》 서명〔기명〕하다《*to*》.

***sub·scrib·er** [səbskráibər] *n.* Ⓒ ① 기부자《*to*》. ② 예약자, 응모자, 신청자; 가입자《*for*; *to*》; 구독자; 전화 가입자. ③ 기명자, 서명자.

subscríber trúnk dìalling 《英》 다이얼 직통 장거리 전화(《美》 direct distance dialing).

sub·script [sʌ́bskript] *a.* 밑에 쓴; 밑에 붙는.
── *n.* Ⓒ 아래 쪽에 쓴 기호·숫자·문자(H_2SO_4의 2, 4 따위)(cf. superscript).

***sub·scrip·tion** [səbskrípʃən] *n.* ① **a)** Ⓤ 기부(신청). **b)** Ⓒ 기부금: raise a ~ 기부금을 모으다. ② **a)** Ⓤ 예약 구독: by ~ 예약으로. **b)** Ⓒ 예약금; 납입금. ③ Ⓒ 서명. ④ Ⓤ 동의, 찬성. ⑤ Ⓒ 《英》 회비.

subscríption cóncert 《美》 예약 연주회.

subscríption télevision 유료 TV 서비스.

sub·sec·tion [sʌ́bsèkʃən, -ˊ-] *n.* Ⓒ 일부, 분과(分課), 소부(小部), 세분.

sub·se·quence [sʌ́bsikwəns] *n.* Ⓤ 버금(감); 뒤이어 일어남; 계속하여 일어남.

***sub·se·quent** [sʌ́bsikwənt] *a.* 뒤의, 차후의; 계속해서 일어나는: ~ events 그 후의 사건 / events that happened ~ *to* the accident 그 사고에 잇따라 일어난 사건.

***sub·se·quent·ly** [sʌ́bsikwəntli] *ad.* ① 그 후, 뒤에. ② …에 이어서《*to*》: ~ *to* his death 그의 죽음에 이어서.

sub·serve [səbsə́ːrv] *vt.* …을 돕다, 보조하다, …에 공헌하다.

sub·ser·vi·ent [səbsə́ːrviənt] *a.* ① 도움〔공헌〕이 되는《*to*》: Experience is ~ *to* knowledge. 경험은 지식에 도움이 된다. ② 아첨하는; 비굴한; 굽실거리는: He's ~ *to* his boss. 그는 상사에게 굽실굽실한다. ㊞ ~·**ly** *ad.* **-vi·ence** *n.*

sub·set [sʌ́bsèt] *n.* Ⓒ〖數〗 부분 집합.

***sub·side** [səbsáid] *vi.* ① 가라앉다, (홍수·부기 따위가) 빠지다: The floods have not yet ~*d.* 홍수가 아직 빠지지 않았다. ② 움푹 들어가다, (땅이) 꺼지다; (건물이 땅 속으로) 내려앉다: After heavy rains, part of the road ~*d.* 큰비가 온 뒤로 도로가 일부 꺼졌다. ③《~/+전+명》《口·戲》 앉다, 주저앉다: He ~*d into* his armchair. 그는 털썩 안락 의자에 주저 앉았다. ④ 잠잠해지다, (비바람·소동·격정 따위가) 진정되다.
㊞ **sub·si·dence** [səbsáidəns, sʌ́bsə-] *n.* Ⓤ,Ⓒ ① 침하, 함몰. ② 감퇴; 가라앉음.

***sub·sid·i·ary** [səbsídièri] *a.* ① 보조의; 부차적인; 종속적인, 보충적인《*to*》: ~ business 부업 / This function is ~ *to* the others. 이 기능은 다른 기능들을 돕고 있다. ② 타국에 고용된《군대 따위》. ③ 지주 회사의 보조를 받는: a ~ company 자회사. ── *n.* Ⓒ ① 자회사. ② 부가〔부속〕물; 보조자〔물〕. ③〖樂〗 부주제(副主題).

sub·si·dize [sʌ́bsidàiz] *vt.* ① …에 보조〔장려〕금을 주다: ~*d* industries 조성(助成) 산업. ② 보수를 주고 원조를 받다. ㊞ **sub·si·di·zá·tion** *n.* **súb·si·dìz·er** *n.*

sub·si·dy [sʌ́bsidi] *n.* Ⓒ (국가의 민간에 대한) 보조〔장려〕금, 조성금 : a ~ for agriculture 농업 보조금 / housing *subsidies* 주택 보조금.

***sub·sist** [səbsíst] *vi.* ①《~ / +전+명》 살아가다, 생명을 보존하다, 연명하다 ; 생활해 가다《*on* ; *by*》: They *~ed by* begging. 그들은 걸식으로 연명했다. ② 존재하다, 존속하다 : A club cannot ~ without members. 클럽은 회원 없이 존속할 수 없다. ── *vt.* …에게 음식물을 주다.

***sub·sist·ence** [səbsístəns] *n.* Ⓤ 생존 ; 연명 ; 생활, 호구지책, 생계 : Not even ~ is possible in such conditions. 이런 조건 아래서는 생존마저도 불가능하다.

subsístence allòwance 〔mòney〕 (신입 사원의) 생계 가불금 ; 특별 수당.

subsístence fàrming 〔àgriculture〕 자급적 농업.

subsístence lèvel (the ~) 최저 생활 수준.

subsístence wàges 최저 (생활) 임금.

sub·sist·ent [səbsístənt] *a.* 실재하는 ; 현실적인 ; 고유의.

sub·soil [sʌ́bsɔ̀il] *n.* Ⓤ (흔히 the ~) 하층토(土), 심토(心土), 밑흙.

sub·son·ic [sʌbsɑ́nik / -sɔ́n-] *a.* 음속보다 느린, 아(亞)음속의《시속 700-750 마일 이하》. opp. *supersonic*.

sub·spe·cies [sʌbspíːʃi(ː)z, ⌐⌐-] *n.* Ⓒ 〔單·複數 동형〕〖生〗 아종(亞種).

sub·spe·cif·ic [sʌbspicífik] *a.* 〖生〗 아종의.

‡sub·stance [sʌ́bstəns] *n.* ① Ⓒ 물질(material), 물체: a radioactive ~ 방사성(放射性) 물질. ② Ⓤ 실질, 내용 : ~ and form 내용과 형식 / an argument without ~ 실질이 없는〔공허한〕 논의. ③ (the ~) 요지, 요점, 대의, 골자 : *the* ~ of his lecture 그의 강연의 요지. ④ Ⓤ 자산, 재산 : a person of ~ 자산가. ◇ substantial *a.* ***in*** ~ 본질적으로, 실질적으로, 사실상, 실제로 ; 대체로.

sub·stand·ard [sʌbstǽndərd] *a.* 표준 이하의 ; 규격에서 벗어난.

‡sub·stan·tial [səbstǽnʃəl] ***(more ~; most ~)*** *a.* ①〔限定的〕 본질적인 ; 사실상의 : a ~ victory 사실상의 승리. ② (음식 등이) 실속 있는 : a ~ meal 실속 있는 식사. ③ 많은, 다대한, 대폭적인 : make a ~ contribution 크게 공헌을 하다. ④ (자산이) 풍부한 ; 재산이 있는 : a person of ~ means 상당한 자산가. ⑤ (금전상의) 신용이 있는 ; (학자로서의) 실력있는. ⑥ 견고한, 튼튼한 ; 중요한, 가치 있는 : a ~ building 튼튼한 건물. ◇ substance *n.* ㊞ **~·ism** [-ìzəm] *n.* Ⓤ 〖哲〗 실체론. **~·ist** *n.* Ⓒ 실체론자. **sub·stan·ti·al·i·ty** [səbstæ̀nʃiǽləti] *n.* Ⓤ 실재성 ; 실체 ; 견고 ; 실질.

***sub·stan·tial·ly** [səbstǽnʃəli] *ad.* ① 실체상, 본질상 ; 대체로 ; 사실상 : This criticism is ~ correct. 이 비평은 대체로 정확하다. ② 충분히 ; 크게.

sub·stan·ti·ate [səbstǽnʃièit] *vt.* ① …을 실체〔구체〕화하다. ② …을 실증하다, 입증하다 : Can you ~ your claim in a court of law? 법정에서 당신 주장의 정당성을 실증할 수 있겠습니까.
㊞ **sub·stàn·ti·á·tion** [-ʃən] *n.* Ⓤ 실증, 입증 ; 실체화 ; 증거.

sub·stan·ti·val [sʌ̀bstəntáivəl] *a.* 〖文法〗 실(명)사(實(名)詞)의, 명사의.
㊞ **~·ly** *ad.* 실사(實詞)로서.

sub·stan·tive [sʌ́bstəntiv] *a.* ①〖文法〗 실명사의; 명사처럼 쓰이는 ; (동사가) 존재를 나타내는 : a ~ adjective 명사적 형용사 / a ~ clause 명사절 / a ~ verb 존재동사. ② 실재를 나타내는, 실재적인 ; 실질이 있는 ; 본질적인 ; 현실의 ; 〖法〗 실체의, 명문화된 ; 견고한. ③ 독립의, 자립의 : a ~ nation 독립국. ── *n.* Ⓒ 〖文法〗 실사, 실명사, 명사(상당 어구). ㊞ **~·ly** *ad.* 실질상 ; 〖文法〗 실(명)사로서.

sub·sta·tion [sʌ́bstèiʃən] *n.* Ⓒ ① 변전소 ; (파이프 수송 등의) 중간 가압기지. ② (우체국·방송국 등의) 분국, 지서(支署). 「한.

sub·sti·tut·a·ble [sʌ́bstitjùːtəbl] *a.* 대용가능

‡sub·sti·tute [sʌ́bstitjùːt] *vt.* ①《+목+전+명》 …을 대용(代用)하다, 대체하다《*for*》: ~ a new technique *for* the old one 낡은 기술을 새로운 기술로 대체하다 / ~ margarine *for* butter 버터 대신 마가린을 쓰다. ②〖化〗 …을 치환하다. ◇ substitution *n.* ── *vi.* 《+전+명》 대신하다, 대리하다《*for*》; 〖化〗 치환하다 : He *~d for* the president who was in hospital. 그는 입원중인 사장의 대리 노릇을 하였다. ── *n.* Ⓒ ① 대리(인) ; 보결(자) ; 대역《사람》, 대체물. ② 대용물〔품〕: a good ~ *for* silk 명주의 훌륭한 대용품. ③〖文法〗 대용어《보기 : I run faster than he does. 의 does (＝runs)》. ── *a.* 〔限定的〕 대리〔대용(代用), 대체〕의 : a ~ food 대용식 / ~ fuel 대체 연료.

***sub·sti·tu·tion** [sʌ̀bstitjúːʃən] *n.* U,C 대리, 대용, 대체 ; 〖文法〗 대용. ㊞ **~·al** *a.* **~·al·ly** *ad.*

sub·sti·tu·tive [sʌ́bstitjùːtiv] *a.* 대리가〔대용이〕 되는, 대체할 수 있는 ; 치환의. ㊞ **~·ly** *ad.*

sub·strato·sphere [sʌbstrǽtousfìər] *n.* (the ~) 아(亞)성층권《성층권의 바로 아래》.

sub·stra·tum [sʌ́bstrèitəm, -stræ̀t-] (*pl.* **-ta** [-tə]) *n.* Ⓒ 하층 ; 〖農〗 하층토(土) ; 토대, 기초, 근저(根底).

sub·struc·ture [sʌ́bstrʌ̀ktʃər] *n.* Ⓒ ① 하부구조. ② 기초 공사 ; 기초, 토대.

sub·sume [sʌbsúːm] *vt.* (규칙·범주 등)에 포섭〔포함〕하다《*under*》: ~ an instance *under* a rule 실례(實例)를 규칙에 포함하다.

sub·teen [sʌ́btíːn] *n.* Ⓒ 《口》 ① 13 세 이하 사춘기 이전의 어린이(＝**sùbtéen-áger**), 서브틴. ② 서브틴 사이즈의 옷.

sub·ten·ant [sʌbténənt] *n.* Ⓒ 빌린 것을 또 빌리는 사람, (가옥·토지의) 전차인(轉借人).
㊞ **-tén·an·cy** *n.* U,C 전차(轉借).

sub·tend [səbténd, sʌb-] *vt.* 〖數〗 대(對)하다《현(弦)·변(邊)이 호(弧)·각(角)에》: The side *XZ* *~s* the angle *XYZ*. 변 *XZ*는 각 *XYZ*에 대한다.

sub·ter·fuge [sʌ́btərfjùːdʒ] *n.* ① Ⓒ 둔사(遁辭), 구실, 핑계. ② Ⓤ 속임수 : She was lured to Moscow by ~. 그녀는 속임수에 넘어가 모스크바로 유인되었다.

sub·ter·ra·ne·an, sub·ter·ra·ne·ous [sʌ̀btəréiniən], [sʌ̀btəréiniəs] *a.* 지하의, 지중의 ; 숨은 : ~ water 지하수 / a ~ maneuver 지하 공작 / a ~ railway 〔railroad〕 지하철. ── *n.* Ⓒ 지하에서 사는〔일하는〕 사람.

sub·text [sʌ́btèkst] *n.* Ⓒ 서브텍스트《문학 작품의 텍스트 배후의 의미》; 언외의 의미.

sub·til·ize [sʌ́tәlàiz, sʌ́btə-] *vt.* ① …을 희박하게 하다. ② …을 섬세하게〔세련되게〕 하다. ③ (감각 따위)를 예민하게 하다 ; 미세하게 하다. ④ …을 상세히 논하다. ── *vi.* 세밀하게 구별짓다.

sub·ti·tle [sʌ́btàitl] *n.* Ⓒ ① (책 따위의) 부제. ② (흔히 *pl.*) 〖映〗 (화면의) 설명 자막, 대사 자막.

‡sub·tle [sʌ́tl] ***(sub·tler ; -tlest)*** *a.* ① 미묘한 ; 무어라 표현하기 어려운 : a ~ charm 묘한 매력 / a ~ delight 무어라 말로 표현하기 어려운 기쁨. ② 미세한 : The pictures are similar, but there are ~ differences between them. 그 그림들은 비슷하다. 그러나 둘 사이엔 미세한 차이가 있다. ③ 엷은, 희박한, 희미한 : a ~ smile 엷은 미소. ④ (지각·감각 등이) 예민한, 명민한 ; (두뇌 등이) 명석한 : a ~ intelligence 예민한 지성. ⑤ 교활한, 음흉한 : a ~ trick 교활한 수단. ⑥ 솜씨 있는, 교묘한 : a ~ craftsman 솜씨 좋은 장인. ◇ subtlety *n.* [파] **súb·tly** *ad.*

***sub·tle·ty** [sʌ́tlti] *n.* ① [U] 예민, 민감 ; 정교 ; 교묘. ② [C] (종종 *pl.*) 세밀한 구별. ◇ subtle *a.*

sub·to·pia [sʌbtóupiə, -pjə] *n.* [U.C] 《英·蔑》 교외의 신흥 주택지(건물이 잡다하게 들어찬).

sub·to·tal [sʌ́btòutl, -ˊ-] *n.* [C] 소계(小計).

***sub·tract** [səbtrǽkt] *vt.* (…에서) …을 빼다, 감하다 ; 공제하다(*from*) : If you ~ 5 *from* 20 you get 15. 20에서 5를 빼면 15가 남는다. ── *vi.* 뺄셈을 하다. [opp] *add.* ◇ subtraction *n.*

***sub·trac·tion** [səbtrǽkʃən] *n.* [U.C] 빼기, 공제 ; 뺄셈.

sub·trac·tive [səbtrǽktiv] *a.* 감하는, 빼는.

sub·trop·i·cal [sʌ̀btrápikəl / -trɔ́p-] *a.* 아열대의 : ~ vegetation 아열대 식물.

sub·trop·ics [sʌbtrápiks / -trɔ́p-] *n.* (the ~) 아열대 지방.

‡sub·urb [sʌ́bəːrb] *n.* ① [C] (주택지로서) 교외, 시외 : They live in a ~ of Seoul. 그들은 서울 교외에 살고 있다. ② (the ~s) 근교, 도시 주변의 지역(특히 주택 지구) : in *the* ~*s* of Seoul 서울 교외에.

***sub·ur·ban** [səbə́ːrbən] *a.* ① [限定的] 도시 주변의, 교외에서 사는, 시외[교외]의. ② 《蔑》 시골티가 나는, 교양이 없는, 세련되지 않은. 「자.

sub·ur·ban·ite [səbə́ːrbənàit] *n.* [C] 교외 거주

sub·ur·bia [səbə́ːrbiə] *n.* [U] ① 교외 ; [集合的] 교외 거주자. ② 교외의 풍속[문화 수준].

sub·ven·tion [səbvénʃən] *n.* [C] (정부가 지급하는 특별 용도의) 조성금, 보조금.

sub·ver·sion [səbvə́ːrʒən, -ʃən] *n.* [U] 전복, 타도, 파괴.

sub·ver·sive [səbvə́ːrsiv] *a.* 전복하는, 파괴적인. ── *n.* [C] 파괴 분자, 위험 인물. [파] **~·ly** *ad.* **~·ness** *n.*

sub·vert [səbvə́ːrt] *vt.* ① …을 뒤엎다, 멸망시키다, 파괴하다 : Democracy can easily be ~*ed* from within. 민주주의는 내부로부터 쉽게 붕괴되는 수가 있다. ② (신념·충성 등)을 점차 잃게하다, 부패케 하다.

‡sub·way [sʌ́bwèi] *n.* [C] ① (흔히 the ~) 《美》 지하철(《英》 tube, underground) : on *the* ~ 지하철로 / go by ~ 지하철로 가다(★ by ~ 는 무관사). ② 《英》 (횡단용) 지하 보도.

sub-ze·ro [sʌbzíərou] *a.* (화씨) 영하의.

†suc·ceed [səksíːd] *vi.* ① (~ / +[전]+[명]) …에 성공하다, 출세하다(*in*) ; (일이) 잘 되어가다 ; 일이 …에게 있어 잘 되어 가다(*with*). [opp] *fail.* ¶ ~ *in* business 장사에 성공하다 / ~ *in* solv*ing* a problem 문제를 푸는 데 성공하다 / The experiment ~*ed* beyond all expectations. 실험은 기대 이상으로 잘 되어 갔다 / Things are beginning to ~ *with* him. 만사가 그에게 있어 순조롭게 되어가기 시작했다. ◇ success *n.* successful *a.*
② 계속되다, 잇달아 일어나다 : Nothing ~*s* like success. 《俗談》 성공처럼 계속되는 것은 없다 ; 한가지 일을 이루면 만사가 잘 되어 간다. ③ (~ / +[전]+[명]) 상속인[후임]이 되다 ; 상속[계승]하다(*to*) : ~ *to* an estate 재산을 상속하다 / ~ *to* the crown 왕위를 계승하다 / Upon the death of the president the vice-president would ~. 대통령이 작고하면 부통령이 그 뒤를 잇게 될 것이다. ◇ ②, ③ 에서 succession *n.* successive *a.* ── *vt.* ① …에 계속되다 : One exciting event ~*ed* another. 재미있는 일이 잇달아 일어났다. ② (~+[목] / +[목]+*as* [보]) …의 뒤를 잇다, …의 상속자가 되다, …에 갈마들다 : Nixon ~*ed* Johnson *as* President. 닉슨이 존슨의 뒤를 이어 대통령이 되었다.

***suc·ceed·ing** [səksíːdiŋ] *a.* 계속되는, 다음의, 계속 일어나는. [파] **~·ly** *ad.*

‡suc·cess [səksés] *n.* ① [U] 성공, 성취 ; 좋은 결과 ; 입신, 출세 : with great ~ 크게 성공하여 / meet with ~ 성공하다 / drink ~ to …의 성공을 축하하여 건배하다. ② [C] [흔히 補語] 성공자 ; 히트 : The show was a (great) ~. 쇼는 크게 히트하였다 / She was a ~ as an actress. 여배우로서 성공했다. ◇ succeed *v.* ***make a ~ of*** …을 성공으로 이끌다, …을 훌륭하게 해내다 : He *made a ~ of* his business. 그는 사업을 성공시켰다.

‡suc·cess·ful [səksésfəl] (***more ~ ; most ~***) *a.* 성공한, 좋은 결과의, 잘된 ; 번창하는 ; (시험에) 합격한 ; 크게 히트한, 출세한, (회합 따위가) 성대한 : a ~ candidate 당선자 ; 합격자 / a ~ business 번창하고 있는 사업 / Were you ~ *in* persuading her to change her mind? 마음을 바꾸도록 그녀를 설득하는 데 성공했어요? / The show's had a pretty ~ run. 그 쇼는 크게 히트했다.

‡suc·cess·ful·ly [səksésfəli] (***more ~ ; most ~***) *ad.* 성공적으로, 훌륭하게 ; 다행히.

‡suc·ces·sion [səkséʃən] *n.* ① [U] 연속 : She won the championship three time in ~. 그녀는 연속 세번 선수권을 획득했다. ② (a ~) 연속하는 것, 연속물(*of*) : *a ~ of* victories 연승. ③ [U] 상속(권), 계승(권), 왕위 계승권, 상속[계승] 순위 : the ~ *to* the throne 왕위 계승 / by ~ 세습으로 / in ~ *to* …을 계승[상속]하여. ④ [集合的] 상속인들 ; 계승 순위의 사람들. ◇ succeed *v.* successive *a.*

suc·ces·sion·al [səkséʃənəl] *a.* ① 연달은, 연속적인. ② 계승하는, 상속의.

‡suc·ces·sive [səksésiv] *a.* ① [限定的] 잇따른, 연면한, 계속되는, 연속하는 : It rained (for) five ~ days. 5 일간 계속 비가 왔다. ② 상속[계승]의. [파] **~·ly** *ad.*

‡suc·ces·sor [səksésər] *n.* [C] ① 상속[계승]자 ; 후계[후임]자 ; 대신하는 것(*to*). [opp] *predecessor.* ¶ the ~ *to* the throne 왕위 계승자. ② 뒤에 오는 것[사람].

suc·cinct [səksíŋkt] *a.* 간결한. [파] **~·ly** *ad.* 간결히 : to put it ~*ly* 간결히 말하면. **~·ness** *n.*

suc·cor, 《英》 **suc·cour** [sʌ́kər] *n.* [U] 구조, 구원. ── *vt.* …을 돕다, 구제하다, 구원하다.

suc·cu·bus [sʌ́kjəbəs] (*pl.* ***-bi*** [-bài]) *n.* [C] 마녀(잠자는 남자와 정을 통한다는). [cf.] incubus.

suc·cu·lent [sʌ́kjələnt] *a.* 즙[수분]이 많은 ; 〖植〗 다즙의, 다장(多漿)의. ── *n.* [C] 〖植〗 다육 다즙식물(사보텐 등). [파] **~·ly** *ad.*

***suc·cumb** [səkʌ́m] *vi.* (+[전]+[명]) ① (유혹 따위에) 굴복하다, 압도되다, 굽히다, 지다(*to*) : ~ *to* temptation 유혹에 지다 / After an intense artillery bombardment the town finally ~*ed.* 격렬한 포격이 있은 후 그 도시는 끝내 항복했다. ② (…때문에) 죽다(*to*) : ~ *to* cancer 암으로 죽다.

†such [sʌtʃ, 弱 sətʃ] *a.* ① [限定的] 그러한, 그런, 그[이]와 같은 : all ~ men 그런 남자는 모두 / ~ *a* person 그런 사람 / many ~ buildings 그러한 많은 빌딩 / No ~ place exists. 그런 장소는 존재

하지 않는다(★ 방금 말한 사람·물건·수·양(量)·성질·상태 따위를 가리키며, 명사가 가산명사 단수일 때에는 a, an 을 앞에 붙임). ② 그와 비슷한, 같은, 그런 종류의, 위에 말한 바와 같은 : Tigers eat meat ; ~ animals are dangerous. 호랑이는 고기를 먹는다, 그런 동물은 위험하다. ③ 〔敍述的〕 (앞에서 말한) 그러한 모양으로, 이런〔그런〕 식으로 : *Such* is life 〔the world〕! 인생〔세상〕은 이런 것이다(체념의 말) / She is not kind, only she seems ~. 그녀는 친절하지 않다, 다만 그렇게 보일 뿐이다. ④ 〔such＿as..., such as...로서〕 …와 같은 : *Such* scientists *as* Newton are rare. 뉴턴과 같은 과학자는 드물다 / a plan ~ *as* he proposes 그의 제안과 같은 계획. ⑤ …하리만큼, …할 정도로 그런(such＿as to (do), such ＿ that으로 쓰일 때가 많음) : I am not ~ a fool *as to* believe it. 나는 그것을 믿을 정도로 바보는 아니다 / Her change was ~ *that* even her father could not recognize her. 그녀는 아주 변모해 버려서 그녀의 아버지조차도 그녀가 누군지 알아보지 못할 정도였다. ⑥ 저만한, 저토록, 저렇게 ; 대단한, 훌륭한 : I have never seen ~ a liar. 저렇게 지독한 거짓말쟁이를 본 일이 없다. ⑦ (법률문 따위에서) 상기의, 전술한. ⑧ 〔不定의 뜻〕 이러이러〔여차여차〕한(~ and ~). **~ *and* ~** 〔不定의 뜻〕 이러이러한 : on ~ *and* ~ a day 이러이러한 날에 / ~ *and* ~ a street 아무아무 거리. **~ *as it is* 〔*was*〕 = ~ *as they are* 〔*were*〕** …할 정도의 것은 아니지만〔아니었지만〕, 대단한 것은 못되지만, 변변치 못하지만 : You may use my car, ~ *as it is.* 좋은 차는 아닙니다만 제 차를 사용하십시오 / He told his father his grades, ~ *as they were.* 대단한 것은 못됐지만, 그는 성적을 아버지에게 말씀드렸다. **~ *...but* (*that* 〔*what*〕)** ⇨ BUT B③. **~ *other* 〔*another*〕** 이런 다른(것) : I hope never to have ~ *another* experience. 이런 경험은 두번 다시 하고 싶지 않다. **~ *. . . ,* ~ *. . .*** 그 …에 그 … : *Such* master, ~ servant. 그 주인에 그 머슴.

── *pron.* ① 〔흔히 複數의 뜻을 나타냄〕 그와 같은 사람〔물건〕 : *Such* were the results. 결과는 그와 같았다. ② 《俗》 지금 말한 사물 ; 〖商〗 상기(上記)의 물건. ***as* ~** (1) 그 자체로, 그것만으로. (2) 그 자격으로 : He was a student and was treated *as* ~. 그는 학생이며 학생으로서 취급을 받았다. **~ *and* ~** 이러이러한 일〔사람〕, 여차여차한 일〔사람〕 : You always have to know what to do if ~ *and* ~ should happen. 여차여차한 일이 일어나면 어떻게 하겠다는 것을 항상 알고 있어야 한다.

such·like [sʌ́tʃlàik] *a.* 〔限定的〕 《口》 이와 같은, 그러한 : We played baseball and ~ games. 우리는 야구 따위 그런 게임을 하고 놀았다. ── *pron.* 〔複數 취급〕 그런 것, 이런 종류의 것 : Do you enjoy plays, films and ~ ? 연극, 영화 그런 종류의 것들을 좋아하십니까?

‡**suck** [sʌk] *vt.* ① 《~+목 / +목+전+명 / +목+보》 (액체)를 빨다, 빨아들이다(*in* ; *down*) : ~ the breast 젖을 빨다 / A sponge ~*s in* water. 해면은 물을 빨아들인다 / She ~*ed* (*up*) the last bit of milkshake *through* a straw. 그녀는 빨대로 마지막 남은 약간의 밀크셰이크를 빨았다 / She ~*ed* the orange dry. 그녀는 오렌지즙을 한방울 남기지 않고 빨아 먹었다. ② …을 핥다, 빨아 먹다 : That child still ~*s* his thumb. 저 애는 아직도 엄지를 빤다. ③ 《~+목 / +목+부 / +목+전+명》 《比》 (지식 따위)를 흡수하다(*in*) ; (이익 등)을 짜내다(*from* ; *out of*) : ~ *in* knowledge 지식을 흡수하다 / ~ every possible profit *out of* a deal 거래에서 가능한 한의 모든 이익을 짜내다. ④ 《+목+부》 (소용돌이 따위가 배)를 휩쓸어 넣다(*down*) : The whirlpool ~*ed down* the wreck. 소용돌이가 난파선을 삼켜버렸다. ⑤ 〔흔히 受動으로〕 (강제로 또는 속여서) …에 끌어들이다, 말려들이다 : He was 〔got〕 ~*ed into* the plot. 그는 그 음모에 감쪽같이 말려 들었다. ── *vi.* ① 《+전+명 / +부》 (젖 따위를) 빨다, 마시다, 홀짝이다 ; (곰방대 등을) 빨다 ; (파도 등이) 핥듯이 씻다 : ~ (*away*) *at* one's cigar 여송연을 (계속) 피우다 / The baby is ~*ing away at* a feeding bottle. 아기는 젖병을 계속 빨고 있다. ② (펌프가) 빨아들이는 소리를 내다. ③ 《美俗》 아첨하다, 알랑거리다(*around*) : politicians ~*ing around* for votes 표를 얻으려고 아첨떨고 있는 정치인들. ④ 《美俗》 (일이) 마음에 안들다, 불유쾌하다. ◇ suction *n.* **~ *up to*** 《口》 …에게 알랑거리다.

── *n.* ① Ⓒ 한 번 빨기, 한 모금, 한 번 핥기, 한 번 홀짝하기 : have a ~ *of* a drink 음료수를 한 모금 마시다 / have〔take〕 a ~ *at* …을 홀짝이며 한모금 마시다. ② Ⓤ 젖빨기, 빨아들이기 : give ~ to …에게 젖을 빨리다. ③ Ⓒ 빨리는 것, 모유. ***What a ~! = Sucks* (*to you*)*!*** 꼴 좋다, 아이구 시원해라.

***suck·er** [sʌ́kər] *n.* Ⓒ ① 빠는 사람〔것〕 ; 젖먹이. ② 흡관(吸管) ; 〖動〗 흡반(吸盤), 빨판 ; 〖植〗 흡지(吸枝), 흡근(吸根) ; (펌프의) 흡입관(吸入管). ③ 《口》 호인, 잘 속는 사람 ; …에 열중하는 사람(*for*) : She's a real ~ *for* old movies. 그녀는 흘러간 옛 영화에 흠뻑 빠져 있다. ④ 《美口》 막대기에 붙인 사탕.

suck·le [sʌ́kəl] *vt.* …에게 젖을 먹이다 ; 양육하다. ── *vi.* 젖을 먹다.

suck·ling [sʌ́kliŋ] *n.* Ⓒ 젖먹이, 유아 ; 젖떨어지지 않은 짐승 새끼 ; 풋내기, 신출내기. 「위).

su·cre [sú:krei] *n.* Ⓒ 수크레(에콰도르의 화폐 단

su·crose [sú:krous] *n.* Ⓤ 〖化〗 수크로오스.

suc·tion [sʌ́kʃən] *n.* ① Ⓤ 빨기 ; 빨아들이기, 빨아올리기 ; 빨아들이는 힘 ; 흡인 통풍(吸引通風). ② Ⓒ 흡입〔흡수〕관(=⌐ **pìpe**).

súction pùmp 빨펌프(lift pump).

suc·to·ri·al [sʌktɔ́:riəl] *a.* ① 흡착하는 ; 빨기에 알맞은 ; 빨판이 있는. ② 〖動〗 피를 빨아 사는.

Su·dan [su:dǽn, -dɑ́:n] *n.* (the ~) 수단(아프리카 동북부의 공화국 ; 수도는 하르툼(Khartoum)).

Su·da·nese [sù:dəní:z, -ní:s] *a.* Sudan 의. ── *n.* Ⓒ (*pl.* ~) Sudan 사람.

su·da·to·ri·um [sù:dətɔ́:riəm] (*pl.* ***-ria*** [-riə]) *n.* Ⓒ 한증막, 증기탕.

su·da·to·ry [sú:dətɔ̀:ri / -təri] *a.* 발한(發汗)을 촉진하는.

‡**sud·den** [sʌ́dn] (***more ~ ; most ~***) *a.* 돌연한, 갑작스러운, 불시의, 별안간의 : a ~ accident 돌발사고 / a ~ stop 급정거 / a ~ change 급변. ── *n.* 〔다음 慣用句로만〕. **(*all*) *of a* ~ = (*all*) *on a* 〔*the*〕 ~** 돌연, 갑자기, 느닷없이. ⊕ **~·ness** *n.*

súdden déath ① 급사 : die a ~ 급사하다. ② 〖競〗 서든 데스(연장전에서, 어느 쪽에서나 먼저 득점하는 시점에서 경기가 끝나는 일).

súdden ínfant déath sỳndrome 〖醫〗 유아 급사 증후군(略 : SIDS).

†**sud·den·ly** [sʌ́dnli] (***more ~ ; most ~***) *ad.* 갑자기, 불시에, 느닷없이 : *Suddenly* there was a huge bang. 갑자기 쾅하는 소리가 났다 / She ~ stood up and left. 그녀는 갑자기 일어나서 떠났다.

Su·dra [sú:drə] *n.* 수드라(인도 사성(四姓)의 제 4계급 ; 노예 계급). cf. caste.

suds [sʌdz] *n. pl.* ① 비눗물, 비누거품. ②《美俗》맥주(거품).

sudsy [sʌ́dzi] (*suds·i·er ; -i·est*) *a.* (비누) 거품투성이인, 거품을 내는〔포함한〕; 거품 같은.

***sue** [su: / sju:] *vt.* 《~+목 / +목+전+명》 …을 고소하다, (…을 상대로) 소송을 제기하다《*for*》: She ~*d* the paper *for* libel. 명예 훼손으로 그 신문을 고소했다 / He ~*d* his neighbor *for* damages. 그는 이웃에 대해 손해 배상 청구 소송을 냈다. ── *vi.* 《+전+명》 ① 소송을 제기하다《*to* ; *for*》: ~ *for* a divorce 이혼 소송을 제기하다. ② 간원하다, 청구하다《*to* ; *for*》: ~ *for* peace 화평을 원하다. ◇ suit *n.*

suede, suède [sweid] *n.* Ⓤ 스웨드《안쪽에 보풀이 있는, 부드럽게 무두질한 양가죽》; 스웨드 클로스(=∠ **clòth**)《스웨드와 비슷한 천》.
── *a.* 〔限定的〕 스웨이드 가죽의.

su·et [sú:ət] *n.* Ⓤ 쇠기름, 양기름.
㊎ **sú·ety** *a.* 쇠〔양〕기름 같은〔이 많은〕.

súet púdding suet로 만든 푸딩.

Su·ez [su:éz, ∠-] *n.* 수에즈 지협 ; 수에즈 운하 남단의 항구.

Súez Canál (the ~) 수에즈 운하《1869년 완성》.

suf- *pref.* =SUB-《f 앞에서》.

Suff. Suffolk.

†suf·fer [sʌ́fər] *vt.* ①《~+목 / +목+전+명》 (고통·형벌 따위)를 경험하다, 입다, 받다: ~ the worst setbacks 엄청난 좌절을 맛보다 / Are you ~*ing* any pain? 어디가 아프세요? / The Democrats have just ~*ed* a huge defeat in the polls. 민주당은 투표에서 크게 패배했다 / He ~*ed* the capital punishment *for* his murder. 살인죄로 극형을 당했다 / Jesus Christ ~*ed* death *upon* the cross. 예수 그리스도는 십자가 위에서 수난당했다. ② 〔종종 否定文·疑問文에서〕《文語》 …에 견디다, 참다. cf. bear[1]. ¶ I can*not* ~ such insults. 그런 모욕은 참을 수가 없다 / How can you ~ his insolence? 어떻게 자네는 그의 무례함을 참을 수 있는가? ③ **a)** 《+목+*to* do》《古·文語》 (굳이) …하게 하다, (묵묵히) …하게 내버려 두다: ~ one's beard *to* grow long 수염이 자라는 대로 내버려 두다 / *Suffer* me *to* tell you the truth. 진실을 말하게 해 주시오. **b)** 〔종종 否定文에서〕 …을 방치하다, 묵인하다《흔히 다음 成句로》: *not*〔*never*〕 ~ fools gladly 어리석은 자는 용서치 않다.
── *vi.* 《~ / +전+명》 ① (…로) 괴로워하다, 고민하다, 고생하다 ; 상처입다《*for* ; *from*》: ~ *for* one's mistake 잘못을 고민하다 / ~ *from* the lack of funds 자금 부족으로 고민하다. ② 앓다, 병 들 다《*from*》: She's ~*ing from* rheumatism. 그녀는 관절통을 앓고 있다. ③ 손해를 입다 ; 손상하다 : Small business have ~*ed* financially during the recession. 영세 기업은 불경기 중에 재정적으로 악화하였다 / His reputation will ~ if he does that. 그런 짓을 하면, 그의 명성에 금이 갈 것이다. ④ 벌을 받다 : ~ *for* one's sins 저지른 죄값을 받다 / You'll ~ *for* this! 이런 짓을 하다니, 벌 받을 거야. ◇ sufferance, suffering *n.*
㊎ **~·a·ble** [-rəbəl] *a.* 참을 수 있는, 견딜 만한.
~·a·bly *ad.*

suf·fer·ance [sʌ́fərəns] *n.* Ⓤ 관용, 허용, 묵인, 묵허(默許). ◇ suffer *v.* ***on*** 〔***by, through***〕 ~ 눈감아 주어, 덕분에.

***suf·fer·er** [sʌ́fərər] *n.* Ⓒ 괴로워하는〔고민하는〕 사람 ; 수난자 ; 이재민, 조난자, 피해자 ; 환자 : war ~*s* 전쟁 이재민 / asthma ~*s* 천식 환자.

‡suf·fer·ing [sʌ́fəriŋ] *n.* Ⓤ ① 괴로움, 고통 ; 고생. ② (종종 *pl.*) 피해, 재해 ; 수난 ; 손해 : the ~*s* of the Jews 유대 민족의 수난.

‡suf·fice [səfáis, -fáiz] *vi.* 《~ / +전+명》《文語》 족하다, 충분하다 : Three hundred dollars a month ~*d for* my need. 월 300달러로 내 욕구를 충족시키기에 충분했다. ── *vt.* 《文語》 …에 충분하다, 만족시키다 : Two meals a day ~ an old man. 1일 2식이면 노인에게 충분하다. ◇ sufficient *a.* ***Suffice it*** (***to say***) ***that*** .... (지금은) …이라고만 말해 두자 ; …이라고 말하면 충분하다.

suf·fi·cien·cy [səfíʃənsi] *n.* ① Ⓤ 충분(한 상태), 충족. ② (a ~) 충분한 수량〔역량〕; 자부(自負) ;《古》 능력 : *a* ~ of food 충분한 음식.

‡suf·fi·cient [səfíʃənt] *a.* 충분한, 족한《*for*》. cf. deficient. ¶ The child has ~ courage *for* it 〔*to* do it〕. 그 아이는 그것을 할 만한 용기가 있다. ◇ sufficiency *n.* ㊎ **‡~·ly** *ad.* 충분히.

***suf·fix** [sʌ́fiks] *n.* Ⓒ 〖文法〗 접미사. cf. prefix.

***suf·fo·cate** [sʌ́fəkèit] *vt.* ① …의 숨을 막다 ; 질식(사)시키다. cf. smother, stifle[1]. ② 〔종종 受動으로〕 호흡을 곤란하게 하다, 숨이 막히게 하다 ; …의 목소리가 안 나오게 하다 : He *was* ~*d* by heavy smoke. 그는 짙은 연기로 숨이 막혔다. ── *vi.* 숨이 막히다, 질식(사)하다 ; 헐떡이다, 숨이 차다 : Can you open a window? I'm *suffocating.* 창문 좀 열어 주세요. 질식할 것 같습니다.
㊎ **sùf·fo·cá·tion** [-ʃən] *n.* Ⓤ 질식. **súf·fo·cà·tive** [-tiv] *a.* 숨막히는, 호흡을 곤란케 하는.

suf·fra·gan [sʌ́frəgən] 〖宗〗 *n.* Ⓒ 부감독, 부주교.

***suf·frage** [sʌ́fridʒ] *n.* ① Ⓒ (찬성)투표. ② Ⓤ 투표권, 선거권, 참정권 : ⇨MANHOOD SUFFRAGE, UNIVERSAL SUFFRAGE, WOMAN 〔FEMALE〕 SUFFRAGE.

suf·fra·gette [sʌ̀frədʒét] *n.* Ⓒ 여성 참정권론자 《특히 여성을 말함》.

suf·fra·gist [sʌ́frədʒist] *n.* Ⓒ 여성 참정권론자.

suf·fuse [səfjú:z] *vt.* 〔종종 受動으로〕 (액체·눈물·빛 따위가) 뒤덮다, 확 퍼지다, 채우다《*with* ; *by*》: The light of the setting sun ~*d* the clouds. 석양빛이 구름을 붉게 물들였다.

suf·fu·sion [səfjú:ʒən] *n.* Ⓤ,Ⓒ ① 넘칠 듯 가득함, 뒤덮음. ② (얼굴 등이) 확 달아오름, 홍조.

Su·fi [sú:fi] (*pl.* **~s**) *n.* Ⓒ 〖回教〗 수피교도《이슬람교의 신비주의자》. ㊎ **Sú·fism** [-fizəm] *n.* Ⓤ 수피교 ; 범신론적 신비설.

sug- *pref.* =SUB-《g 앞에서의 꼴》.

†sug·ar [ʃúgər] *n.* ① Ⓤ 설탕 ; 〖化〗 당(糖) ; 당질. ② Ⓒ 각설탕 한 개 ; 설탕 한 숟가락 : How many ~*s* (shall I put) in your tea? 차에 설탕을 얼마나 넣을까요. ③ Ⓤ 《比》 감언, 달콤한 말, 겉치레 말. ④《호칭으로》 여보, 당신(darling, honey).
── *vt.* …에 설탕을 넣다〔뿌리다, 입히다〕, …을 (설탕으로) 달게 하다 : Did you ~ my coffee? 내 커피에 설탕 넣었어요. ── *vi.* ① 설탕이 되다, 당화하다. ②《美》 (사탕단풍의 수액으로) 단풍당(糖)을 만들다.

súgar bèet 〖植〗 사탕무. cf. beet sugar.

Súgar Bòwl (the ~) 슈거볼《(1) Louisiana 주 New Orleans에 있는 미식 축구 경기장. (2) 그 곳에서 매년 1월 1일 열리는 초청 대학 팀의 미식 축구 경기》.

súgar cándy (고급) 캔디 ;《英》 얼음사탕.

súgar càne 사탕수수.

sug·ar·coat [ʃúgərkòut] *vt.* ① (알약 따위)에 당의(糖衣)를 입히다. ② …을 감미롭게 보이게 하다 ; …의 겉모양을 꾸미다《★ 종종 과거 분사로 형용사적으로 쓰임》. ㊎ **~·ed** *a.* ① 당의를 입힌. ② 겉을 꾸민 : I'm tired of hearing John's ~*ed* promises. 존의 달콤한 약속을 듣는 데도 지쳤다.

súgar dàddy 《口》 (금품 따위를 뿌리며) 젊은 여자를 후리는 돈 많은 중년 남자.

sug·ar-free [ʃúgərfríː] *a.* 설탕이 들어 있지 않은, 무당의.

sug·ar·less [-lis] *a.* ① 설탕이 들어 있지 않은, 무당의. ② 인공 감미료를 사용한.

súgar lòaf ① 막대 설탕 ; 원뿔꼴의 모자. ② 원뿔꼴의 산(山).

súgar màple 〖植〗 사탕단풍《북아메리카》.

sug·ar·plum [ʃúgərplʌ̀m] *n.* Ⓒ 눈깔 사탕, 봉봉(bonbon).

sug·ary [ʃúgəri] *a.* ① 설탕이 든 ; 설탕 같은, 단. ② 달콤한《말 따위》; (시·음악 등) 달콤하고 감상적인, 감미로운 : in a ~ voice 감미로운 목소리로.

†**sug·gest** [səgdʒést] *vt.* ①《~+목 / +*that* 절》 …을 암시하다, 비추다, 시사하다, 넌지시 말하다 : I didn't tell him to leave. I only ~*ed* it. 그에게 떠나라고는 안 했다. 단지 암시만 주었을 뿐이다. ②《~+목 / +목+전+명 / (+전+명)+*that* 절 / +*wh.*절 / +*wh. to* do / +*-ing*》 제안하다, 제창하다, 말을 꺼내다, 권하다 : He has been ~*ed for* the post of director. 그는 교장의 자리를 제안 받았다 / He ~*ed which* way I should take. =He ~*ed which* way *to* take. 그는 내가 취할 방법을 가르쳐 주었다 / Father ~*ed going* on a picnic. 아버지는 피크닉을 가면 어떻겠느냐고 말씀하셨다. ③《~+목 / +목+전+명》 …을 연상시키다, 생각나게 하다 : What does the shape ~ *to* you? 그 모습은 자네에게 무엇을 연상하게 하는가. ◇ suggestion *n.* ~ ***itself*** (***to***) (…의) 마음[머리]에 떠오르다, 생각이 나다 : A good idea ~*ed itself to* me. 좋은 생각이 떠올랐다.

sug·gest·i·ble [-əbəl] *a.* ① 시사할 수 있는 ; 제의할 수 있는. ② (최면술의) 암시에 걸리기 쉬운. ㊞ **sug·gèst·i·bíl·i·ty** [-əbíləti] *n.* Ⓤ 시사할 수 있음 ; 피(被)암시성, 암시 감응성.

‡**sug·ges·tion** [-tʃən] *n.* ① Ⓤ,Ⓒ 암시, 시사, 넌지시 비춤. ② Ⓤ,Ⓒ 연상, 생각남, 착상 : by ~ 연상하여 / call up ~*s* of a moonlit garden 달빛 어린 정원을 연상시키다. ③ Ⓤ,Ⓒ 제안, 제의, 제언 : at a person's ~ 아무의 제안으로 / make [offer] a ~ 제안하다. ④ Ⓤ 〖催眠術〗 암시 ; Ⓒ 암시된 사물. ⑤ (*sing.*) 투, 기색, 모양 : a ~ of blue in the gray 잿빛 바탕에 청색이 감도는 푸르스름한 빛. ◇ suggest *v.*

***sug·ges·tive** [-tiv] *a.* ① 시사하는, 암시하는, 넌지시 비추는 : a ~ comment 시사하는 것이 많은 논평. ② (…을) 연상시키는, 암시가 많은 ; …을 생각나게 하는《*of*》: an abstract painting ~ *of* a desert landscape 사막과 같은 황량한 풍경을 연상케 하는 추상화. ③ 외설한. ④ (최면술적) 암시의. ㊞ **~·ly** *ad.* **~·ness** *n.* Ⓤ

su·i·cid·al [sùːəsáidl] *a.* 자살의, 자살적인 ; 자살하고 싶은 충동에 사로잡히는 ; 《比》 자멸적인 : After his wife left him he was ~. 그는 아내가 나가 버린 후 삶을 포기했다. ㊞ **~·ly** *ad.* 자살하고 싶을 만큼.

‡**su·i·cide** [súːəsàid] *n.* ① Ⓤ,Ⓒ 자살 ; Ⓤ 자살 행위 ; 자멸. ② Ⓒ 자살자.

súicide pàct 정사(情死)[동반 자살](의 약속) 《두 사람 이상의》.

sui ge·ne·ris [súːai-dʒénəris] 《L.》 독특하여, 독특한, 특수한, 독자적(으로).

‡**suit** [suːt] *n.* ① Ⓒ 소송(lawsuit) : bring [file] a ~ against a person 아무를 상대로 소송을 제기하다. ◇ sue *v.* ② Ⓤ,Ⓒ 청원, 탄원, 간원 : pay [make] (one's) ~ to a person 아무에게 청원하다. ③ Ⓤ,Ⓒ 《文語》 구혼(wooing), 구애. ④ Ⓒ **a)** (복장의) 한 벌, 일습, (남자 옷의) 셋 갖춤《저고리·조끼·바지》; 상하 한 벌의 여성복. **b)** [수식어가 따라] …옷[복(服)] : a gym ~ 운동복 / a business ~ 신사복. ⑤ Ⓒ (마구·갑옷 따위의) 한 벌《*of*》. ⑥ Ⓒ 〖카드놀이〗 짝패 한 벌《hearts, diamonds, clubs, spades 로 각 13 장》: ⇨ LONG (STRONG) SUIT. ***follow*** ~ 카드놀이에서 남이 내놓은 패와 같은 패를 내다 ; 남이 하는 대로 하다, 선례에 따르다 : The chairman rose and we *followed* ~. 의장이 일어섰기 때문에 우리도 따라 일어섰다.

── *vt.* ①《+목+전+명》 (…을) …에 적합하게 하다, 일치시키다《*to*》: ~ the punishment *to* the crime 범죄에 맞는 벌을 가하다. ② (복장 등이) …에 적합하다, …에 어울리다 : Blue ~*s* you very well. 푸른 색이 네게는 잘 어울린다. ③ …의 마음에 들다 ; (목적·조건 등에) 맞다 : That doesn't quite ~ me. 그것은 과히 내 마음에 들지 않는다. ④ …에 편리하다, …에 형편이 좋다 : Would ten o'clock ~ you? 열 시면 (형편이) 괜찮으시겠습니까. ⑤ [ill, little 등의 부사를 수반하여] …에 어울리다, 적합하다 : It *ill* ~*s* you to criticize me. 자네는 나를 비난할 입장이 못된다.

── *vi.* ①《~ / +전+명》 어울리다, 적합하다《*with* ; *to*》: Yellow does not ~ *with* her. 황색은 그녀에게 어울리지 않는다. ② 형편이 좋다 : What date ~*s* best? 어느 날이 가장 형편이 좋겠습니까. ~ one***self*** 생각[마음]대로 하다, 제멋대로 하다 : *Suit yourself!* 마음대로 해라, 싫으면 그만둬라.

‡**suit·a·ble** [súːtəbəl] (***more*** ~, ***most*** ~) *a.* (…에) 적당한, 상당한 ; 어울리는, 알맞은《*to* ; *for*》: ~ *to* the occasion 시기에 적합한 / This present is ~ *for* a girl of ten. 이 선물은 10 세 소녀에게 알맞다. ㊞ **-bly** *ad.* **suit·a·bil·i·ty** [sùːtəbíləti] *n.* Ⓤ 적합, 적당 ; 적부 ; 어울림. **~·ness** *n.*

suit·case** [ˊ-kèis] *n.* Ⓒ 여행 가방, 슈트케이스. ***live out of a ~ 정처 없는[떠돌이] 생활을 하다.

***suite** [swiːt] *n.* Ⓒ ① (가구 등의) 한 벌, 세트 ; 스위트 룸《호텔에서 거실·침실·화장실이 한 세트로 되어 있는 것》; 한 세트의 가구 : a ~ of software 소프트웨어 한 벌 / a dining-room ~ 식당 세트 한 벌《식탁·의자·찬장 등》. ② [集合的] 일행, 수행원 : in the ~ of …에 수행하여. ③ 〖樂〗 모음곡.

suit·ed [súːtid] *a.* ① [敍述的] 적당한, 적절한 ; 적합한 ; 어울리는《*to* ; *for*》: His speech was ~ *to* the occasion. 그의 연설은 그 경우에 적절한 것이었다 / He is ~ *for*[*to* be] a teacher. 그는 선생(노릇)이 적격이다. ② [複合語] …슈트를 입은 : gray-~ 회색 슈트를 입은.

suit·ing [súːtiŋ] *n.* Ⓤ 양복지.

***suit·or** [súːtər] *n.* Ⓒ ① 제소인, 원고(plaintiff). ② (남자의) 구혼자.

sulf- =SULFO-.

sul·fa, sul·pha [sʌ́lfə] *a.* 〖化·藥〗 술파기(基)의 : a ~ drug 술파제.

sul·fate, -phate [sʌ́lfeit] *n.* Ⓤ,Ⓒ 〖化〗 황산염 : calcium ~ 황산 칼슘, 석고.

sul·fide, -phide [sʌ́lfaid] *n.* Ⓤ,Ⓒ 〖化〗 황화물 : ~ of copper 황화구리.

sulfo-, sulpho- SULFUR 의 뜻의 결합사.

‡**sul·fur, -phur** [sʌ́lfər] *n.* Ⓤ 〖化〗 황《비금속 원소 ; 기호 S ; 번호 16》; 유황빛.

sul·fu·rate, -phu- [sʌ́lfjurèit] *vt.* 황과 화합시키다, 황을 함유시키다, 황화시키다 ; 황으로 훈증

하다〔그슬리다, 표백하다〕.

súlfur dióxide 〖化〗 이산화황, 아황산 가스.

sul·fu·re·ous, -phu- [sʌlfjúəriəs] *a.* 황의〔과 같은〕, 황을 함유한, 유황빛의.

***sul·fu·ric, -phu-** [sʌlfjúərik] *a.* 〖化〗 황의 ; 《특히》 6가의 황을 함유한 : ~ acid 황산.

sul·fur·ous, -phur- [sʌ́lfərəs] *a.* 〖化〗 황의〔과 같은〕; 《특히》 4가의 황을 함유한. ⓒⓕ sulfuric.

sulk [sʌlk] *n.* (the ~s) 실쭉하기, 부루퉁함. ***in the ~s*** 실쭉하여, 부루퉁하여 : She's *in* (a fit of) *the ~s.* 그녀는 토라져 있다.
— *vi.* 실쭉거리다, 골나다, 부루퉁해지다 : Why is Mary *~ing*? 왜 메리는 토라져 있지요.

sulky** [sʌ́lki] (sulk·i·er*** ; ***-i·est***) *a.* ① 실쭉한, 뚱한, 골난, 부루퉁한 : a ~ face 부루퉁한 얼굴. ② 음침한, 음산한《날씨 따위》. ㊘ **súlk·i·ly** *ad.* 심술나서, 골나서, 부루퉁해서. **sulk·i·ness** [sʌ́lkinis] *n.*

sulky[2] *n.* Ⓒ 말 한 필이 끄는 1인승 2륜 마차.

‡**sul·len** [sʌ́lən] (***more*** ~ ; ***most*** ~) *a.* ① 찌무룩한, 무뚝뚝〔부루퉁, 실쭉〕한 : She was ~ with me. 그녀는 내게 화를 내고 찌무룩해 있었다. ② 음침한, 음울한(gloomy) ; (빛·소리 등이) 가라앉은, 맑지 못한. ㊘ ~·**ly** *ad.* ~·**ness** *n.* Ⓤ

sul·ly [sʌ́li] *vt.* 《文語》 …을 더럽히다, 오손하다 ; 망쳐놓다 ; (명예 따위)를 훼손하다.

sulph-, sulpho- ⇨SULF-.

***sul·tan** [sʌ́ltən] *n.* ① Ⓒ 술탄, 이슬람교국 군주. ② (the S-) (옛날의) 터키 황제《1922년 이전의》.

sul·tana [sʌltǽnə, -tɑ́:nə] *n.* Ⓒ ① 이슬람교국 왕비〔왕녀, 왕의 자매, 황태후〕. ② 왕족의 후궁. ③ 《주로 英》 씨 없는 (건)포도의 일종.

sul·tan·ate [sʌ́ltənit] *n.* Ⓒ sultan이 지배하는 나라 ; Ⓤ sultan의 지위〔통치〕.

sul·try** [sʌ́ltri] (-tri·er*** ; ***-tri·est***) *a.* ① 무더운, 찌는 듯이 더운 ; 몹시 뜨거운. ② 난폭한《성질·말씨 등》; 무시무시한 ; 몹시 불쾌한. ③ 정열적인, 관능적인 : a ~ look 관능적 표정.
㊘ **súl·tri·ly** *ad.* **súl·tri·ness** *n.*

‡**sum** [sʌm] *n.* ① (the ~) 총계, 총액, 합계 ; (추상적인 사실의) 집합, 총량. ⓒⓕ total. ¶ History is not merely a ~ of events. 역사는 사실의 단순한 집합이 아니다. ② 총체 ; 전체 : the ~ of one's knowledge 지식 전체. ③ (the ~) 개요, 개략, 대의 : *the* ~ of an argument 의론의 요지. ④ Ⓒ (종종 *pl.*) 금액 : a ~ of one thousand won 일금 천원정 / a good〔large, round〕 ~ 꽤 많은 돈, 목돈. ⑤ Ⓒ (*pl.*) (학교의) 산수, 계산 : I'm good〔bad〕 at *~s.* 나는 계산을 잘한다〔잘 못한다〕. ***do ~s*** 〔***a*** ~〕 계산하다. ***in*** ~ 요컨대, 말하자면, 결국.
— (***-mm-***) *vt.* ① …을 총계하다, 합계하다《*up*》: He *~med up* the bills from the grocery. 그는 식료품점에서 온 계산서를 합계했다. ② …을 요약하다《*up*》: His opinion may be *~med up* in the following few words. 그의 의견은 다음 몇 마디로 요약할 수 있을 것이다. ③ …의 대세를 판단하다, 재빨리 평가〔판단〕하다《*up*》: I *~med* the girl *up* at a glance. 나는 한 눈에 그 소녀의 인품을 알아챘다.
— *vi.* ① 《+副》 요약〔개설〕하다 ; (판사가 원고·피고의 진술을 들은 후) 진술을 요약하다 : The judge *~med up.* 판사는 진술을 요약했다. ② 《+前+名》 합계 …가 되다《*to; into*》: The expense *~s to*〔*into*〕 500 dollars. 비용은 합계 500 달러가 된다. ***to ~ up*** 요약하면.

sum- *pref.* =SUB-《m 앞에서 쓰이는 꼴》.

su·mac(h) [ʃú:mæk, sjú:-] *n.* Ⓒ 〖植〗 슈막《옻나무·거망옻나무·북나무 무리》; Ⓤ 슈막의 마른 잎《무두질 및 염료용》.

Su·ma·tra [sumɑ́:trə] *n.* ① 수마트라섬. ② (종종 s-) 말라카 해협의 돌풍.

Su·mer [su:mər] *n.* 수메르《유프라테스 강 어귀의 옛 지명》.

Su·me·ri·an [su:míəriən] *a.* Sumer 사람〔말〕의.
— *n.* Ⓒ 수메르 사람 ; Ⓤ 수메르말.

sum·ma cum lau·de [sʌ́mə-kʌm-lɔ́:di, súmə-kum-láudi] 《L.》 (=with highest praise) 《美》 최우등으로 ; 수석으로. ⓒⓕ cum laude.

***sum·ma·rize** [sʌ́məràiz] *vt.* …을 요약하여 말하다, 요약하다, 개괄하다 : He quickly *~d* the main points of his plan. 그는 재빨리 자기 계획의 주안점을 요약해 말했다.
㊘ **sùm·ma·ri·zá·tion** [-rizéiʃən] *n.*

‡**sum·ma·ry** [sʌ́məri] *n.* Ⓒ 요약, 개요, 대략 ; 적요(서), 일람 : give a brief ~ of... …의 간단한 개요를 말하다. — *a.* ① 요약한, 개략의 ; 간결한, 간략한 : a ~ account 약술(略述), 약설. ② 즉석의, 재빠른, 약식의 : make a ~ job of …을 잽싸게 처리하다. ③ 〖法〗 약식의(ⓞⓟⓟ *plenary*) ; 즉결의《판결 따위》: ~ justice 즉결 재판. ㊘ **-ri·ly** *ad.* 약식으로, 즉결로 ; 즉석에서.

sum·mat [sʌ́mət] *ad.* 《口·方》 =SOMEWHAT.

sum·ma·tion [sʌméiʃən] *n.* ① Ⓤ 합계하는 일 ; Ⓒ 합계. ② Ⓒ 요약. ③ Ⓒ 〖法〗 (쌍방 변호인의) 최종 변론.

†**sum·mer**[1] [sʌ́mər] *n.* ① ⓊⒸ (특정한 때에는 the ~) 여름, 여름철 : in *the* ~ of 1996, 1996년 여름에《★ 보통 무관사이나 in, during 뒤에 올 때에는 the를 붙임》.

> 參考 미국에서는 6월에서 8월까지 ; 영국에서는 5월부터 7월까지 ; 천문학적으로는 하지부터 추분까지.

② Ⓤ 더운 철〔계절〕: We have had no ~ yet. 금년 들어 아직 더운 날이 없었다. ③ Ⓤ (the ~) 《比》 전성기, 절정, (인생의) 청춘 : *the* ~ of (one's) life 장년기. ④ 〔흔히 數詞를 수반〕 (*pl.*) 《詩》 (젊은이의) 나이, …살〔세〕: a girl of twenty *~s* 스무 살의 처녀《노인의 경우에는 winters를 씀》. ⑤ 〔形容詞的으로〕 〔限定的〕 여름(철)의, 여름철에 알맞은 ; 여름같은 : a ~ resort 피서지 / the ~ vacation 〔holidays〕 여름 휴가.
— *vi.* (…에서) 여름을 지내다, 피서하다《*at* ; *in*》: ~ *at* the seashore 〔*in* Switzerland〕 해변에서 〔스위스에서〕 여름을 보내다. — *vt.* 여름철에 (가축)을 방목하다. ~ ***and winter*** (…에서) 꼬박 한 해를 보내다.

súmmer hòuse 《美》 여름〔피서지의〕 별장.

sum·mer·house [sʌ́mərhàus] *n.* Ⓒ (정원·공원 따위의) 정자.

súmmer púdding 《英》 서머푸딩《삶은 과일 등을 속에 넣은 카스텔라》.

sum·mer·sault, -set [sʌ́mərsɔ̀:lt], [-sèt] *n.*, *vi.* =SOMERSAULT.

súmmer schòol 하기 강습회, 여름 학교.

súmmer sólstice (the ~) 〖天〗 하지(점). ⓞⓟⓟ *winter solstice.*

súmmer tìme 《英》 일광 절약 시간, 서머타임 (《美》 daylight-saving time)《略 : S.T.》: double ~ 《英》 2중 서머 타임《2시간 빠르게 함》.

***sum·mer·time** [sʌ́mərtàim] *n.* Ⓤ (종종 the ~) 여름(철), 하절.

sum·mer-weight [-wéit] *a.* (옷·신 등이) 여

름용의, 가벼운.

sum·mery [sʌ́məri] *a.* 여름의, 여름 같은, 여름철에 알맞은 : a light ~ dress 가벼운 여름 의상.

sum·ming-up [sʌ́miŋʌ́p] (*pl.* **-mings-up**) *n.* Ⓒ 요약, 적요 ; 약술 ; (특히 판사가 배심원에게 하는) 사건 요지의 설명.

‡**sum·mit** [sʌ́mit] *n.* ① Ⓒ 정상, 꼭대기. ② (the ~) 절정, 극치, 극점 : reach *the* ~ of one's fame 명성의 절정에 이르다. ③ (the ~) 수뇌급(級) : a ~ conference〔meeting〕= ~ talks 수뇌〔정상〕회담. ④ Ⓒ 수뇌 회의. ⑤ (the S-) 선진국 수뇌회의《매년 개최하며 선진 7개국 수뇌가 모임》.

sum·mit·eer [sʌ̀mitíər] *n.* Ⓒ 《口》 수뇌 회담 참가자〔국〕.

‡**sum·mon** [sʌ́mən] *vt.* ①《~+目/+目+前+名/+目+*to* do》 …을 소환하다, 호출하다(call)《*to*》; (피고 등)에게 출두를 명하다《*to; into*》: The committee ~*ed* him *to* appear in court. 위원회는 그의 법정 출두를 명하였다. ② (의회·배심원 등)을 소집하다 : ~ parliament 의회를 소집하다. ③《+目+*to* do》(…하도록) 요구하다, 권하다 : ~ the enemy *to* surrender 적에게 항복할 것을 요구하다. ④《~+目/+目+副》(용기 따위)를 불러일으키다《*up*》: ~ *up* all one's strength 있는 힘을 다 내다. ｢자.

㊥ **~·er** *n.* Ⓒ 소환자 ; 〖史〗 (법정의) 소환 담당

***sum·mons** [sʌ́mənz] (*pl.* **~·es**) *n.* Ⓒ 소환, 호출(장) ; 〖法〗 (법원에의) 출두 명령, 소환장 ; (의회 등의) 소집 : serve a ~ on a person 아무에게 소환장을 내다. ── *vt.* 〔종종 受動으로〕 …을 법정에 소환하다, 호출하다 : I *was* ~*ed* to appear as a witness. 증인으로 법정에 소환당했다.

sum·mum bo·num [sʌ́məm-bóunəm] 《L.》 (=the highest good) (the ~) 〖倫〗 최고〔지고〕선(善).

sump [sʌmp] *n.* Ⓒ 오수(汚水) 모으는 웅덩이 ; 〖鑛山〗 (갱저(坑底)의) 물웅덩이 ; (엔진의) 기름통.

sump·tu·ary [sʌ́mptʃuèri / -əri] *a.* 비용 절감의, 지출을 규제하는, 사치를 금지하는《법령 따위》.

súmptuary láw ① 사회기강에 반하는 개인적 습관을 단속하는 윤리 규제 법령. ② (특히 13-15 세기에 개인적 소비를 제한한) 사치금지법.

***sump·tu·ous** [sʌ́mptʃuəs] *a.* 사치스러운, 호화로운, 값진. ⓒⓕ luxurious.

㊥ **~·ly** *ad.* **~·ness** *n.*

súm tótal ① (the ~) 총계 ; 총액, 총수 : *the* ~ of one's savings 저금의 총액. ② 요지.

†**sun** [sʌn] *n.* ① Ⓤ (일반적으로 the ~) 태양, 해 : heat from *the* ~ 태양열. ② Ⓤ (또한 the ~) 햇빛, 일광 ; 햇볕: bathe in〔take〕*the* ~ 일광욕을 하다 / He sat in *the* ~, reading a book. 그는 양지에 앉아서 책을 읽고 있었다 / get out of *the* ~ 그늘로 들어가다. ③ Ⓒ 항성(恒星). ***against the*** ~ 〖海〗 태양의 움직임과 반대로 ; 왼쪽으로 도는. ⓞⓟⓟ *with the sun.* ***catch the*** ~ (1) 볕에 타다〔그을다〕. (2) 볕이 들다. ***on which the ~ never sets*** 세계 어느 곳이고. ***place in the*** ~ ⇨PLACE. ***under*** 〔***beneath***〕 ***the*** ~ 이 세상에(in the world), 하늘 아래 ; 〔強調句로서〕 도대체(on earth) : There is nothing new *under the* ~. 《俗談》 하늘 아래 새로운 것은 하나도 없다. ***with the*** ~ (1) 〖海〗 태양의 움직임과 같은 방향으로 ; 오른쪽으로 돌아. ⓞⓟⓟ *against the sun.* (2) 해가 뜰 때 ; 해가 질 때 : get up〔rise〕 *with the* ~ 일찍 일어나다 / go to bed *with the* ~ 일찍 자다.

── (**-nn-**) *vt.* ① …을 햇볕에 쬐다, 볕에 말리다. ② 〔再歸的〕 햇볕을 쬐다, 일광욕하다.

── *vi.* 햇볕을 쬐다, 일광욕하다 : We were *sunning* in the yard. 마당에서 일광욕을 하고 있었다.

***Sun.** Sunday.

sun·baked [sʌ́nbèikt] *a.* ① 햇볕에 말린 ; 햇볕에 구운〔탄〕. ② 햇볕이 쨍쨍 내리 쬐는.

sun·bath [⁓bæ̀θ, ⁓bɑ̀ːθ] *n.* Ⓒ 일광욕.

sun·bathe [⁓bèið] *vi.* 일광욕을 하다.

㊥ **-bàth·er** *n.* Ⓒ

‡**sun·beam** [⁓bìːm] *n.* Ⓒ 일광, 광선, 햇살.

sun·bed [⁓bèd] *n.* Ⓒ ① (일광욕을 위한) 접의자. ② 태양등을 쬐기 위한 침대.

Sún·belt (Zòne) [⁓bèlt(-)] (the ~) 선벨트, 태양 지대《미국 남부를 동서로 뻗은 온난 지대》. ⓒⓕ Snowbelt. ｢TIAN BLIND.

sun·blind [⁓blàind] *n.* 《英》 =AWNING ; VENE-

sún blòck 자외선 방지 (크림, 로션).

sun·bon·net [sʌ́nbɑ̀nit / ⁓bɔ̀n-] *n.* Ⓒ (어린애·여성용) 차일(遮日) 모자.

***sun·burn** [⁓bə̀ːrn] *n.* Ⓤ 볕에 탐, 볕에 탄 곳.

── (*p., pp.* **-burnt** [-t], **burned** [-d]) *vi.* 햇볕에 타다 : My skin ~*s* quickly. 내 피부는 금방 볕에 탄다. ── *vt.* …을 햇볕에 태우다〔그을리다〕.

sun·burned [⁓bə̀ːrnd] *a.* 볕에 그을린〔탄〕.

sun·burnt [⁓bə̀ːrnt] SUNBURN 의 과거·과거분사. ── *a.* =SUNBURNED.

sun·burst [⁓bə̀ːrst] *n.* Ⓒ ① 구름 사이로 비치는 강렬한 햇살. ② (보석을 박은) 해 모양의 브로치. ③ 해같이 반짝이는 불꽃.

sun·dae [sʌ́ndei, -di] *n.* ⒸⓊ 아이스크림선디《시럽·과일 등을 얹은 아이스크림》.

†**Sun·day** [sʌ́ndi, -dei] *n.* ① 〔원칙적으로 無冠詞로 Ⓤ. 의미에 따라 冠詞를 붙이기도 하고 Ⓒ도 됨〕 일요일, (기독교회의) 안식일(Sabbath) : on ~ 일요일에 / on ~*s* 일요일마다, 언제나 일요일에 / on a ~ (과거·미래의) 어느 일요일에. ② 〔形容詞的으로〕 일요일의 ; 일요일에 하는 : on ~ afternoon 일요일 오후에. ③ 〔副詞的〕 《口》 일요일(같은 날)에(on ~) : See you ~. 그럼 일요일 다시 뵈어요.

Súnday bést 〔**clóthes**〕 《口》 나들이 옷 : in one's ~ 차려 입고.

Sun·day-go-to-meet·ing [sʌ́ndigòutəmíːtiŋ, -dei-] *a.* 〔限定的〕 《口·戲》 나들이(옷)의, 가장 좋은 : ~ clothes 나들이 옷.

Súnday púnch 《美口》 (권투의) 강타(hard blow), 녹아웃 펀치.

Sun·days [sʌ́ndiz, -dèiz] *ad.* 일요일마다〔에는 언제나〕(on ~).

Súnday Schòol 〔**schòol**〕 주일 학교 ; 그 직원〔학생〕《略 : S.S.》.

sún dèck 〖海〗 (여객선 등의) 상(上)갑판 ; 일광욕용(用) 옥상〔테라스〕.

sun·der [sʌ́ndər] *vt.* 《古·文語》 …을 가르다, 자르다. ── *n.* 〔다음 成句로만〕 ***in*** ~ 떨어져서, 따로따로 : break *in* ~ 산산이 부수다.

sun·dew [sʌ́ndjùː] *n.* Ⓒ 〖植〗 끈끈이주걱《식충(食蟲) 식물》.

sun·di·al [⁓dàiəl] *n.* Ⓒ 해시계.

sun·dog [⁓dɔ̀(ː)g, ⁓dɑ̀g] *n.* Ⓒ ① =PARHELION. ② 작은〔부분〕 무지개《지평선 근처에 나타남》.

***sun·down** [⁓dàun] *n.* Ⓤ 일몰(sunset). ⓞⓟⓟ *sunup.*

㊥ **~·er** *n.* Ⓒ 《주로 英口》 저녁때의 한 잔 (술).

sun-drenched [⁓drèntʃt] *a.* (해안 따위가) 강렬한 햇빛을 받는, 볕이 잘 드는.

sun·dress [⁓drès] *n.* Ⓒ (목·어깨 따위가 노출된) 여름용 드레스.

sun-dried [⁓dràid] *a.* 볕에 말린.

sun·dries [sʌ́ndriz] *n. pl.* 잡화, 잡동사니 ; 잡건(雜件) ; 잡비.
*__sun·dry__ [-dri] *a.* 〔限定的〕 갖가지의, 잡다한 : ~ goods 잡화. ── *n.* 〔다음 成句로〕 ***all and*** ~《口》〔複數취급〕 모든 사람, 누구나 모두 : Free samples were given to *all and* ~. 무료 견본이 아무에게나 주어졌다. 「지 않는.
sun·fast [-fæ̀st, -fɑ̀:st] *a.* 《美》 햇볕에 색이 바래
sun·fish [-fìʃ] *n.* Ⓒ 〖魚〗 개복치.
sun·flow·er [-flàuər] *n.* Ⓒ 〖植〗 해바라기.
†**sung** SING 의 과거·과거분사.
sun·glass [sʌ́nglæ̀s, -glɑ̀:s] *n.* ① Ⓒ 화경(火鏡) (burning glass). ② (*pl.*) 색안경, 선글라스.
sun·glow [-glòu] *n.* (*sing.*) 아침놀, 저녁놀.
sun-god [-gɑ̀d / -gɔ̀d] *n.* Ⓒ 해의 신(神), 태양신.
sún hàt 볕 가리는 (밀짚)모자《챙이 넓은》.
sún hèlmet (챙 넓은) 볕 가리는 헬멧.
‡**sunk** [sʌŋk] SINK 의 과거·과거분사.
── *a.* ① 가라앉은, 침몰〔매몰〕된(sunken). ② 〔敍述的〕《口》 패배한(subdued) : Now we are ~! 이젠 끝장이다〔글렀다〕. ③ 〔敍述的〕 (생각에) 잠긴, (절망에) 빠진 : She was ~ *in* thought 〔gloom〕. 그녀는 생각에 잠겨〔우울한 기분에 젖어〕 있었다.
*__sunk·en__ [sʌ́ŋkən] SINK 의 과거분사.
── *a.* ① 〔限定的〕 가라앉은 ; 물 속의, 물 밑의 ; 파묻힌, 땅속의 : ~ rocks 암초. ② 움푹 들어간, 살 빠진 : ~ cheeks 홀쭉한 볼 / ~ eyes 움푹 들어간 눈. ③ (길 따위가) 내려 앉은, 침하한.
súnken gárden 침상원(沈床園)(= **súnk gárden**)《주위보다 한층 낮게 만든 정원》.
súnk fénce 은장(隱墻) (ha-ha)《토지를 경계짓기 위하여 땅속에 만든 담》.
sun·lamp [sʌ́nlæ̀mp] *n.* Ⓒ 〖醫〗 태양등《피부병 치료·미용용(用)》. 「음산한.
sun·less [-lis] *a.* ① 볕이 들지 않는. ② 어두운 ;
‡**sun·light** [-làit] *n.* Ⓤ 햇빛, 일광.
sun·lit [-lìt] *a.* 햇볕에 쬐인, 볕이 드는.
sún lòunge 《英》 일광욕실(《美》 sun parlor).
Sun·ni [súni] *n.* Ⓒ 수니파(派), 수나파《회교의 2대 분파의 하나》. Ⓒⓕ Shi'a.
Sun·nite [súnait] *n.* (회교의) 수니파 교도《코란과 더불어 전통적 구전(口傳)을 신봉함》.
‡**sun·ny** [sʌ́ni] (***-ni·er*** ; ***-ni·est***) *a.* ① 양지 바른, 밝게 비치는, 햇볕이 잘 드는(opp *shady*) : a ~ day 햇빛이 쨍쨍한 날. ② 태양의〔같은〕 ; 맑게 갠. ③ 명랑한, 쾌활한 : a ~ smile 쾌활한 미소 / a ~ disposition 쾌활한 기질. ㊞ **sún·ni·ly** *ad.* 햇볕이 들어 ; 명랑〔쾌활〕하게. **-ni·ness** *n.*
súnny sìde (the ~) ① 볕이 드는 쪽. ② 밝은 면. ***look on the*** ~ ***of the things*** 일을 낙관하다.
sún·ny-side úp [-sàid-] *a.* (달걀이) 한 쪽만 프라이한 : fry an egg ~ 달걀을 한쪽만 지지다.
sún pàrlor 《美》 일광욕실.
sún pòrch 《美》 (특히 유리를 두른) 베란다.
sun·proof [sʌ́nprù:f] *a.* 〔限定的〕 햇빛이 통하지 않는 ; 내광성(耐光性)의, 색이 바래지 않는.
sun·ray [-rèi] *n.* Ⓒ 태양 광선 ; (*pl.*) 인공 태양 광선《의료용 자외선》 : ~ treatment 일광 요법.
‡**sun·rise** [-ràiz] *n.* Ⓤ,Ⓒ 해돋이, 일출, 해뜨는 시각(sunup) ; 동틀녘 : We got up at ~. 동틀녘에 일어났다. Ⓒⓕ sunset.
súnrise ìndustry (특히 전자 공업 등의) 신흥 산업. Ⓒⓕ sunset industry.
sun·roof [sʌ́nrù:f] *n.* Ⓒ ① 일광욕용 옥상〔지붕〕. ② (자동차의) 개폐식 유리창이 달린 지붕 (sunshine roof).
sun·room [-rù(:)m] *n.* = SUN PARLOR.
‡**sun·set** [-sèt] *n.* Ⓤ,Ⓒ 해넘이, 일몰 ; 해질녘 : at ~ 해질녘에 / after ~ 일몰 후에. Ⓒⓕ sunrise.
súnset ìndustry 사양 산업. Ⓒⓕ sunrise industry.
sun·shade [sʌ́nʃèid] *n.* Ⓒ ① (대형) 양산 ; (창 따위의) 차양 ; (여성 모자의) 챙.
‡**sun·shine** [-ʃàin] *n.* Ⓤ ① 햇빛, 일광. ② (the ~) 양지. ③ 《比》 쾌활, 명랑, 쾌활〔명랑〕한 사람 ; 행복의 근원 : You are my ~. 당신은 나의 행복의 근원. ④ 《英口》 날씨 좋군요, 안녕하세요. ***a ray of*** ~ (1) (불행하거나 따분한 때의) 기쁨, 즐거움. (2) 《口》 쾌활한 사람.
súnshine ròof = SUNROOF ②.
sun·shiny [sʌ́nʃàini] *a.* ① 햇볕이 잘 드는, 양지 바른 ; 청명한. ② 명랑한, 쾌활한.
sun·spot [-spɑ̀t / -spɔ̀t] *n.* Ⓒ 태양의 흑점.
sun·stroke [-stròuk] *n.* Ⓤ 일사병 : have〔be affected by〕 ~ 일사병에 걸리다.
sun·struck [-strʌ̀k] *a.* 일사병에 걸린.
sun·suit [-sù:t] *n.* Ⓒ (일광욕이나 놀이 때 입는 간단한) 옷《흔히 halter 와 반바지》.
sun·tan [-tæ̀n] *n.* Ⓒ 볕에 그을음《살갗을 적갈색으로 태우는 일》. ㊞ **~ned** *a.*
sún tràp (집안의) 양지 바른 곳.
sun·up [sʌ́nʌ̀p] *n.* Ⓒ 《美》 = SUNRISE.
sún vìsor 차양판《자동차의 직사 광선을 막는》.
sun·ward [sʌ́nwərd] *ad.* 태양 쪽으로, 태양을 향하여. ── *a.* 태양 쪽의, 태양을 향한.
sun·wards [-wərdz] *ad.* = SUNWARD.
sún wòrship 태양(신) 숭배.
sup[1] [sʌp] (***-pp-***) *vi.* ① 저녁을 먹다. ② (…을) 저녁으로 먹다《*on* ; *of*》.
*__sup__[2] (***-pp-***) *vt.* …을 조금씩 먹다, 홀짝이다, 홀짝홀짝 마시다(sip). ── *vi.* 《方》 홀짝이다, 숟가락으로 조금씩 떠먹다.
── *n.* Ⓒ 《Sc.》 (음료의) 한 모금, 한 번 마시기.
sup- *pref.* = SUB-《p 앞에서의 꼴》.
sup. superior ; superlative ; supplement(ary) ; supreme.
su·per [sú:pər] *n.* Ⓒ 《口》 ① 단역(端役), 엑스트라(배우)(supernumerary) ; 여분. ② 감독, 관리자(superintendent). ③ 〖商〗 특등〔특대〕품. ④ 《英》 총경(總警) ; 《美》 경찰본부장.
── *a.* ① 《口》 최고(급)의, 극상의, 훌륭한 : We had a ~ time. 아주 즐거웠습니다. ② 특대의.
── *ad.* 매우 : Sorry, I'm ~ tired, I have to turn in. 실례합니다, 너무 피곤해서 자야겠습니다.
super- *pref.* 〔形容詞·名詞·動詞에 붙여서〕 '…의 위에, 더욱 …하는, 뛰어나게 …한, 과도하게 …한, 초(超)…, 〖化〗 과(過)…'의 뜻. 「는.
su·per·a·ble [sú:pərəbəl] *a.* 이길〔정복할〕 수 있
su·per·a·bun·dant [sù:pərəbʌ́ndənt] *a.* 과다한 ; 남아돌아가는. ㊞ **-dance** [-dəns] *n.* Ⓤ (또는 a ~) 여분으로 있음 ; 과다, 여분《*of*》 : *a superabundance of* food 남아도는 음식 / in *superabundance* 남아 돌아갈 만큼 충분한〔히〕. 「이다.
su·per·add [sù:pərǽd] *vt.* …을 더 보태다, 덧붙
su·per·an·nu·ate [-ǽnjuèit] *vt.* …을 고령〔병약〕 때문에 퇴직시키다, 연금을 주어 퇴직시키다 ; 시대에 뒤진다 하여 제거하다. ── *vi.* 정년 퇴직하다 ; 노후하다, 시대에 뒤지다. ㊞ **-àt·ed** [-id] *a.* 구식의, 뒤떨어진 : a ~*d* factory 구식 공장. **sù·per·àn·nu·á·tion** [-ʃən] *n.* Ⓤ 노년〔정년〕 퇴직 ; 노령 퇴직금〔연금〕.
*__su·perb__ [supə́:rb] *a.* 훌륭한, 멋진 ; (건물 등이) 당당한, 장려한, 화려한 ; 뛰어난 : a ~ performance 훌륭한 공연 / a ~ view 절경 / The dinner

was ~. 만찬은 훌륭했다. cf. majestic, splendid. ㊞ ~·ly *ad.*

Súper Bówl (the ~) 슈퍼볼《1967 년에 시작된, 미국 프로 미식 축구의 왕좌 결정전》.

su·per·car·go [sú:pərkὰ:rgou] (*pl.* ~(*e*)*s*) *n.* Ⓒ〖商〗(상선의) 화물 관리인.

su·per·charge [-tʃὰ:rdʒ] *vt.* (엔진 따위)에 과급(過給)하다 ; (감정・긴장・에너지 등)을 지나치게 들이다.
㊞ **-chàrg·er** *n.* Ⓒ (엔진 등의) 과급기.

su·per·cil·i·ous [sù:pərsíliəs] *a.* 거만한, 젠체하는, 사람을 깔보는, 거드름피우는.
㊞ ~·**ly** *ad.* ~·**ness** *n.*

su·per·city [sú:pərsìti] *n.* Ⓒ 거대 도시, 대도시권(megalopolis).

su·per·com·put·er [sù:pərkəmpjú:tər] *n.* Ⓒ 슈퍼컴퓨터, 초고속 컴퓨터.

su·per·con·duc·tiv·i·ty [-kὰndəktívəti / -kɔ̀n-] *n.* Ⓤ〖物〗초전도성(超傳導性).
㊞ **-con·dúc·tion** *n.* **-con·dúc·tive, -ting** *a.*

su·per·con·duc·tor [-kəndʌ́ktər] *n.* Ⓒ 초전도체(超傳導體).

su·per·cool [-kú:l] *vt., vi.*〖化〗(액체를 동결시키지 않고) 빙점 이하로 냉각하다, 과냉(過冷)하다〔되다〕. ㊞ ~**ed** [-d] *a.*

su·per-du·per [-djú:pər] *a.*《口》훌륭한, 월등히 좋은 ; 거대한, 초대형의.

su·per·e·go [sù:pərí:gou, -égou] *n.* Ⓒ (흔히 the ~)〖精神分析〗초자아(超自我).

su·per·em·i·nent [-émənənt] *a.* 탁월한 ; 빼어난. ㊞ **-nence** *n.*

su·per·e·rog·a·to·ry [-ərάgətɔ̀:ri / -rərɔ́gətəri] *a.* ① 직무 이상의 일을 하는. ② 여분의.

su·per·ex·cel·lent [-éksələnt] *a.* 극히 우수한, 탁월한, 무상(無上)의, 절묘한.

‡**su·per·fi·cial** [sù:pərfíʃəl] (*more* ~ ; *most* ~) *a.* ① 표면(상)의, 외면의 : their ~ air of tranquility 그들의 표면상의 평온한 태도 / a ~ wound 가벼운 상처. ② 피상적인, 천박한 : She has a certain ~ charm, but no real depth. 그녀는 어떤 피상적인 매력은 있으나 진정한 깊이는 없다 / ~ knowledge 천박한 지식.
㊞ ~·**ly** *ad.* 외면적〔피상적〕으로, 천박하게. **-fi·ci·ál·i·ty** [-fìʃiǽləti] *n.* Ⓤ 표면적〔피상적〕임, 천박 ; Ⓒ 천박한 것.

su·per·fi·ci·es [-fíʃiì:z, -fíʃi:z] (*pl.* ~) *n.* Ⓒ ① 표면, 외면. ② (본질에 대해) 외관, 외모.

su·per·fine [-fáin] *a.* ① 지나치게 세밀한 ; 미세한. ② 극상의, 월등한. ③ 지나치게 꼼꼼한.

su·per·flu·i·ty [-flú:əti] *n.* ① Ⓤ,Ⓒ 여분 ; 과다《*of*》: a ~ *of* food 남아도는 식량. ② Ⓒ 여분, 지나치게 많은 것.

***su·per·flu·ous** [supə́:rfluəs] *a.* ① 남는, 여분의. ② 불필요한. ㊞ ~·**ly** *ad.* ~·**ness** *n.*

su·per·heat [-hí:t] *vt.*〖化〗(액체)를 끓이지 않고 끓는점 이상으로 가열하다, 과열하다.

sú·per·high fréquency [sú:pərhài-]〖電〗센티미터파(波), 초고주파《略 : SHF》.

su·per·high·way [sù:pərháiwei] *n.* Ⓒ《美》(폭이 넓은) 초고속 도로.

su·per·hu·man [-hjú:mən] *a.* 초인적인 : make 〔require〕a ~ effort 초인적 노력을 기울이다〔요하다〕.

su·per·im·pose [sù:pərimpóuz] *vt.* ① 위에 놓다, 겹쳐 놓다《*on*》. ②〖映・TV〗2 중으로 인화하다《두 화상을 겹쳐 인화하여 새 화면 만들기》.
㊞ **-ìm·po·sí·tion** [-ìmpəzíʃən] *n.*

su·per·in·duce [-indjú:s] *vt.* ① …을 덧붙이다, 첨가하다 ; 다시 야기시키다. ② (병 따위)를 병발(併發)시키다. ㊞ **-dúc·tion** [-indʌ́kʃən] *n.* Ⓤ 덧붙이기, 부가, 첨가 ; 여병 병발(餘病併發).

***su·per·in·tend** [-inténd] *vt., vi.* 지휘〔관리, 감독〕하다, 지배하다.
㊞ ~·**ence** [-əns] *n.* Ⓤ 지휘, 관리 ; 감독 : under the ~*ence* of …의 감독 아래.

***su·per·in·tend·ent** [-inténdənt] *n.* Ⓒ 감독자, 지휘〔관리〕자 ; 소장, 원장, 교장 ; 장관 ; 국장 ; 부장 ;《美》경찰 본부장, 경찰서장 ;《英》총경 ; (신교의) 감독 ;《美》(건물의) 관리인.

‡**su·pe·ri·or** [səpíəriər, su-] (*more* ~ ; *most* ~) *a.* ① (보다) 위의, 보다 높은, 보다 고위〔상위〕의, 상급의《*to*》: She is socially ~ *to* her husband. 그녀가 사회적으로 볼 때는 남편보다 높다. ② (소질・품질 따위가) 우수한, 보다 나은, 뛰어난《*to*》; 양질의, 우량한. opp. *inferior*. ¶ Their computer is ~ *to* ours. 그들의 컴퓨터가 우리 것보다 성능이 좋다. ③ (수량적으로) 우세한 : the ~ numbers 우세, 다수 / escape by ~ speed 상대방보다 빠른 속도로 달아나다. ④ …을 초월한, …에 좌우되지 않는《*to*》: I'm ~ *to* that fear. 그러한 무서움쯤은 아무 것도 아니다. ⑤ 거만한, 잘난 체하는 : with ~ airs 거만하게. ⑥ (장소・위치가) 위의, 상부의, 위쪽의 : the ~ strata 상층 지층. ⑦〖植〗위에 나는, (꽃받침이) 씨방의 위에 있는. ⑧〖印〗어깨 글자의, 글자가 위에 붙은 : a ~ figure 〔letter〕어깨 숫자〔글자〕《보기 : shock², x^n 따위의 2, *n*》.
── *n.* Ⓒ ① 윗사람, 좌상, 상관, 선배 : one's immediate ~ 직속 상관. ② 뛰어난 사람, 상수, 우월한 사람 : have no ~ 견줄 만한 사람이 없다. ③ (S-, 종종 the Father 〔Mother, Lady〕 S-) 수도원장. ④〖印〗어깨 숫자〔글자〕. ㊞ ~·**ly** *ad.*

supérior cóurt《美》상급 법원 ;《英》고등〔항소〕법원.

***su·pe·ri·or·i·ty** [səpìəriɔ́(:)rəti, su-, -άr-] *n.* Ⓤ ① 우월, 우위, 탁월, 우수, 우세《*to* ; *over*》. opp. *inferiority*. ¶ the intellectual ~ of humans *over* other animals 인간의 다른 동물에 대한 지적 우월성. ② 거만. ◇ superior *a.*

superióri̇ty còmplex〖精神分析〗우월 콤플렉스《무의식적(的) 우월감》(opp. *inferiority complex*) ;《口》우월감.

supérior pèrsons (비꼬아서) 높은 사람들〔양반들〕.

su·per·jet [sú:pərdʒèt] *n.* Ⓒ 초음속 제트기.

superl. superlative.

***su·per·la·tive** [səpə́:rlətiv, su:-] *a.* ① 최상의, 최고(도)의 ; 무비의(supreme) : ~ goodness 최고선. ② 과도한, 과장된, 떠벌린. ③〖文法〗최상급의.
── *n.* (the ~)〖文法〗최상급(~ degree) ; (흔히 *pl.*) 최상급의 말〔찬사〕; 극치, 완벽한 것〔사람〕: speak〔talk〕in ~*s* 과장해서 말하다 ; 절찬하다.
㊞ ~·**ly** *ad.*

su·per·man [sú:pərmæ̀n] (*pl.* **-men** [-mèn]) *n.* Ⓒ 슈퍼맨, 초인.

***su·per·mar·ket** [-mὰ:rkit] *n.* Ⓒ 슈퍼마켓.

su·per·nal [supə́:rnl] *a.*《詩・文語》① 하늘의, 천상의, 신의(divine). opp. *infernal*. ② 고매한 ; 높은, 위에 있는, 이 세상 것이 아닌.

***su·per·nat·u·ral** [sù:pərnǽtʃərəl] *a.* 초자연의, 불가사의한 ; 신의 조화의 : ~ beings 초자연적 존재 / ~ forces 초자연적 힘. ── *n.* (the ~) 초자연적 작용〔현상〕, 불가사의 ; 신의 조화 ; 신통력.
㊞ ~·**ìsm** *n.* Ⓤ 초자연성, 초자연(론) ; 초자연력 숭배. ~·**ly** *ad.* 초자연적으로.

su·per·no·va [-nóuvə] (*pl.* **-vae** [-viː], **~s**) *n.* Ⓒ 〖天〗 초신성(超新星).

su·per·nu·mer·ary [-njúːmərèri / -əri] *a.* ① 정수(定數) 외의, 여분의. ② (배우가) 단역의, 엑스트라의.
—— *n.* Ⓒ ① 정원 외의 사람, 임시 고용인; 여분의 사람(물건). ②〖劇〗 단역(端役), 엑스트라.

su·per·nu·tri·tion [-njuːtríʃən] *n.* Ⓤ 영양 과다, 자양 과다.

su·per·or·di·nate [sùːpərɔ́ːrdənit] *a.* (격·지위 등이) 상위의《*to*》; 〖論〗 상위의《개념》. —— *n.* Ⓒ 상위의 사람(것).

su·per·pa·tri·ot [sùːpərpéitriət, -at] *n.* Ⓒ 극단적(광신적) 애국자.

su·per·phos·phate [-fásfeit / -fɔ́s-] *n.* ⓊⒸ 〖化〗 과인산염; 과인산 석회.

su·per·pose [-póuz] *vt.* …을 위에 놓다, 겹쳐 놓다《*on, upon*》. ㊞ **-po·sí·tion** [-pəzíʃən] *n.* Ⓤ 포갬, 포개짐, 중첩(重疊).

su·per·pow·er [súːpərpàuər] *n.* ① Ⓤ 초강력; 〖電〗 초(超)출력《몇 개의 발전소를 연결하여 얻음》. ② Ⓒ 초강대국.

su·per·sat·u·rate [sùːpərsǽtʃərèit] *vt.* …을 과포화(過飽和)시키다. ㊞ **sù·per·sàt·u·rá·tion** [-ʃən] *n.* Ⓤ 과포화.

su·per·scribe [-skráib] *vt.* …의 위에 쓰다(적다, 새기다); (편지)에 수취인 주소를 쓰다.

su·per·script [súːpərskrìpt] *a.* 어깨글자의.
—— *n.* Ⓒ 어깨 글자(기호), 어깨 숫자(H^2, C^n의 2, *n* 따위). cf. subscript.

su·per·scrip·tion [sùːpərskrípʃən] *n.* Ⓒ 위에 쓰기; 수취인 주소·성명.

***su·per·sede** [-síːd] *vt.* ① …에 대신하다, …의 지위를 빼앗다: The radio has been ~*d* by the TV. 라디오는 텔레비전으로 대치되었다. ②《~+목/+목+전+명》(사람)을 바꾸다, 경질하다, 면직시키다: ~ Mr. A *with* Mr. B, A 씨를 바꾸어 B 씨를 취임시키다. ③ …을 소용 없게 하다, 폐지시키다.

su·per·sen·si·tive [-sénsətiv] *a.* ① =HYPERSENSITIVE. ② (감광 유제·신관(信管) 등이) 고감도의. ㊞ **~·ly** *ad.* **-sen·si·tív·i·ty** *n.*

su·per·ses·sion [-séʃən] *n.* Ⓤ 대신 들어서기; 교체, 경질; 폐기, 폐지.

su·per·son·ic [-sánik / -sɔ́n-] *a.* 〖物·空〗 초음파의《주파수가 20,000 이상인》; 초음속의《음속의 1-5 배》. cf. hypersonic. opp. *subsonic.* ¶ ~ speed 초음속 / ~ waves 초음파 / a ~ plane 초음속기. ㊞ **-i·cal·ly** *ad.* **~s** [-s] *n.* Ⓤ 초음파(초음속)학; 초음속 항공기 산업.

supersónic trànsport 초음속 수송기《略: SST》.

su·per·star [súːpərstàːr] *n.* Ⓒ (스포츠·예능의) 「슈퍼스타.

su·per·state [-stèit] *n.* Ⓒ (가맹국들을 지배하는) 초(超)대국; 전체주의 국가.

‡**su·per·sti·tion** [sùːpərstíʃən] *n.* ⓊⒸ 미신; 미신적 관습(행위): That's just (a) ~. 그것은 미신에 지나지 않는다.

***su·per·sti·tious** [-stíʃəs] *a.* 미신적인, 미신에 사로잡힌; 미신에 의한.
㊞ **~·ly** *ad.* 미신에 사로잡혀. **~·ness** *n.*

su·per·store [súːpərstɔ̀ːr] *n.* Ⓒ《英》 대형 슈퍼(마켓), 슈퍼스토어.

su·per·struc·ture [-strʌ̀ktʃər] *n.* Ⓒ ① 상부 구조(공사); 건조물; 〖海〗 (함선의) 상부 구조《중갑판 이상의》. ② (사회·사상 등의) 상부 구조.

su·per·tank·er [-tæ̀ŋkər] *n.* Ⓒ 초대형 유조선(油槽船), 매머드 탱커.

su·per·tax [-tæ̀ks] *n.* ⓊⒸ《美》 부가세; 《英》 소득세의 누진부가세(surtax).

su·per·vene [sùːpərvíːn] *vi.* (사건 등이) 예상 밖의 형태로 일어나다, 부수하여 일어나다; 결과로서 일어나다.

su·per·ven·tion [-vénʃən] *n.* ⓊⒸ 속발(續發), 병발; 부가, 첨가.

***su·per·vise** [súːpərvàiz] *vt.* …을 관리(감독)하다, 지휘(지도)하다.

su·per·vi·sion** [sùːpərvíʒən] *n.* Ⓤ 관리, 감독, 지휘, 감시. ◇ supervise *v.* ***under the ~ of … 의 관리 아래(밑에).

***su·per·vi·sor** [súːpərvàizər] *n.* Ⓒ 관리(감독)자; (학교의) 지도 주임; 《英》 (대학의) 개인 지도 교수.

su·per·vi·so·ry [sùːpərváizəri] *a.* 관리(인)의, 감독(자)의, 감시하는: He works here in a ~ capacity. 그는 관리자의 자격으로 여기서 일한다.

su·per·wom·an [súːpərwùmən] (*pl.* **-wom·en** [-wìmin]) *n.* Ⓒ 슈퍼우먼, 초인적 여성.

su·pine [suːpáin] *a.* ① 뒤로 누운, 반듯이 누운. opp. *prone.* ② 게으른, 태만한. ㊞ **~·ly** *ad.*

supp. supplement(ary).

†**sup·per** [sʌ́pər] *n.* ⓊⒸ ① 만찬, 저녁 식사《특히 dinner보다 가벼운 식사》, 서퍼: ⇨ LAST (LORD'S) SUPPER / It was a good ~. 훌륭한 저녁 (식사)이었다 / What is there for ~? 저녁으로 무엇이 있습니까. ② 저녁 식사 모임. ***sing for one's ~*** ⇨SING. ㊞ **~·less** *a.* 저녁 식사를 하지 않은; 저녁식사가 없는.

súpper clùb 《美》 (식사·음료를 제공하는) 고급 나이트클럽.

sup·plant [səplǽnt, -plɑ́ːnt] *vt.* (책략 따위를 써서) …을 밀어내다; 대신 들어앉다; …에 대신하다: The duke plotted to ~ the king. 공작은 국왕을 밀어낼 음모를 세웠다. cf. replace.
㊞ **~·er** *n.*

sup·ple [sʌ́pəl] (**-pler; -plest**) *a.* 나긋나긋한, 유연한; 온순한; 순응성이 있는: She exercises every day to keep herself ~. 몸을 유연하게 유지하도록 매일 운동한다. —— *vt.* …을 유연하게 하다; 유순하게 하다. —— *vi.* 유연하게 되다.
㊞ **~·ly** *ad.* 유연(유순)하게. **~·ness** *n.*

‡**sup·ple·ment** [sʌ́pləmənt] *n.* Ⓒ ① 보충, 추가, 보유(補遺), 부록《*to*》: the Sunday ~*s* 일요 증보판 / an annual ~ *to* an encyclopedia 백과사전의 연간 보유편. ② 〖數〗 보각(補角). cf. appendix. —— [-mènt] *vt.* …을 보충하다, 보족하다; …에 보태다, 추가하다; 메우다《*with; by*》: He ~*s* his regular salary *by* tutoring in the evenings. 그는 매일 저녁 가정 교사를 해서 정규 급료를 보충하고 있다.

***sup·ple·men·ta·ry** [sʌ̀pləméntəri] *a.* ① 보충의, 보족의, 보유(補遺)의, 추가(부록)의, 증보(增補)의《*to*》: ~ readings 보조 독본 / This lecture is ~ *to* the main curriculum. 이 강의는 주된 커리큘럼의 보충입니다. ② 〖數〗 보각의: ~ angles 보각. ㊞ **-ri·ly** [-rili] *ad.*

suppleméntary bénefit 《英》 보조 급부(給付)《사회 보장 제도에 따른 급여액이 적은 경우에 국가에서 보충해 주는 급부금》.

***sup·pli·ant** [sʌ́pliənt] *a.* 탄원하는, 간청하는, 애원적인. —— *n.* Ⓒ 탄원자, 애원자.
㊞ **~·ly** *ad.* 탄원(애원)하여.

sup·pli·cant [sʌ́plikənt] *n.* Ⓒ 탄원자, 애원자.

***sup·pli·cate** [sʌ́pləkèit] *vt.* 《~+목/+목+전+명/+목+*to* do》 …을 탄원하다, 간곡히 부탁하다; (신)에게 기원하다: ~ God *for* mercy

신의 자비를 기원하다. — *vi.* 《+[전]+[명]》 탄원하다, 애원하다《*for*》: ~ *for* mercy 자비를 애원하다. ◇ supplication *n.*

***sup·pli·ca·tion** [sʌ̀pləkéiʃən] *n.* [U] 탄원, 애원; [U.C] 〖宗〗 기원.

sup·pli·er [səpláiər] *n.* [C] 공급〔보충〕하는 사람〔것〕; 원료 공급국〔지〕; 제품 제조업자.

†**sup·ply**[1] [səplái] *vt.* ① 《~+[목]/+[목]+[전]+[명]/+[목]+[목]》 …을 공급하다, 지급하다; 배급하다; 배달하다: The tourist office can ~ information about accommodation in the area.그 여행사는 그 지역의 숙박 시설에 대한 정보를 제공할 수 있다 / Our school *supplies* food *for* 〔*to*〕 the children. 우리 학교에서는 아동에게 급식한다 / ~ people clothing 《주로 美》 사람들에게 옷을 주다. ② 《+[목]+[전]+[명]》 …에 공급〔지급, 배급, 배달, 조달〕하다《*with; to; for*》: Our school *supplies* the children *with* food. 우리 학교에서는 아동에게 급식한다. ③ …을 보완하다, 보충하다, 채우다; (수요)에 응하다: ~ a want 부족을 보충하다 / ~ the demand 수요에 응하다 / ~ a person's needs 아무의 요구를 채우다. ④ (지위·자리 등)을 대신하다: No one can ~ the place of Mr. A. A 씨의 지위를 대신할 사람은 없다. — *vi.* 대리하다, (목사·선생 등의) 대리를 맡아 하다.

— *n.* ① [U] 공급(opp. *demand*), 지급; 배급; 보급: The storm cut off the water ~. 폭풍우로 물의 공급이 끊겼다. ② [C] (종종 *pl.*) 공급품, 지급품, 공급량: relief *supplies* 구호 물자. ③ (흔히 *sing.*) 재고품, 비축 물자: have a large ~ of food 많은 식량이 준비되어 있다. ④ (종종 *pl.*) 양식; 〖軍〗 군수품; 병참; 군량. — *a.* 〔限定的〕 ① 공급용의: a ~ pipe 공급 파이프. ② (군대의) 보급 담당의: a ~ depot 보급 부대. ③ 대리〔대용〕의: a ~ teacher 《英》 대용 교원.

sup·ply-side [səpláisàid] *a.* 〖經〗 공급측 중시의《감세 등의 정책을 통하여 재화·용역 공급의 증가를 꾀하고 고용을 확대하려는》.

†**sup·port** [səpɔ́:rt] *vt.* ① (주의·정책 등)을 지지하다, 지원하다: The bill was ~*ed* by a large majority in the Senate. 그 법안은 상원에서 큰 표차로 지지를 받았다. ② 《~+[목] / +[목]+[전]+[명]》 …을 쓰러지지 않게 지탱하다; 의지하다: ~ oneself *with* a stick 몸을 지팡이에 의지하다 / She came in, ~*ed* by her son. 그녀는 아들의 부축을 받고 들어왔다 / The middle part of the bridge is ~*ed* by two huge towers. 그 다리의 중간 부분은 거대한 두 개의 탑으로 지탱되고 있다. ③ (가족)을 부양하다, 먹여 살리다; (시설 등)을 원조하다; 〔再歸的〕 자활하다: He needs a high income to ~ such a large family. 그는 그렇게 많은 가족을 부양하기 위해 고소득이 필요하다 / Please ~ your local theater. 부디 당신 고향의 극장을 도와주십시오 / He's old enough to ~ *himself.* 그는 이제 자립할 나이가 되었다. ④ …의 힘을 돋우다, 기운을 북돋우다; (생명 등)을 유지하다, 지속시키다: Hope ~*ed* him when he was in trouble. 그가 곤경에 빠졌을 때 희망이 그를 분기시켰다 / The planet cannot ~ life. 그 행성에서는 생명을 유지할 수 없다. ⑤ (진술 등)을 입증하다, 뒷받침하다: The theory is ~*ed* by facts. 그 이론은 사실에 의하여 뒷받침되어 있다. ⑥ 〔can, cannot을 수반해〕 견디다, 참다: I *cannot* ~ his insolence. 그의 무례는 참을 수 없다. ⑦ 〖劇〗 (맡은 역)을 충분히 연기하다; 조연하다, (스타)의 조역을 하다.

— *n.* ① [U.C] 버팀(대), 지지(대), 유지: She leaned against the door for ~. 그녀는 몸을 지탱하기 위해 문에 기댔다 / The roof may need extra ~. 지붕은 여분의 버팀목이 필요할 것 같다. ② [U] 원조, 후원, 고무, 옹호; 찬성: get〔receive〕 ~ from …에서 지원〔후원〕을 받다 / speak *in* ~ of a motion 동의(動議)에 찬성 연설을 하다. ③ [U] 양육, 부양; 생활비; [C] 생활을 지탱하는 사람: a means of ~ 생활 수단 / Tom is his mother's sole ~. 톰이 자기 어머니의 유일한 부양자이다. ④ [C] 〖軍〗 지원 부대; 예비대(troops in ~). ⑤ (the ~) [C] 〖劇〗 조연자, 공연자(共演者).

sup·port·a·ble [səpɔ́:rtəbəl] *a.* 지탱〔지지〕할 수 있는; 찬성〔지지〕할 수 있는; 부양할 수 있는; 〔흔히 否定文에서〕 참을 수 있는. [파] **-bly** *ad.*

***sup·port·er** [səpɔ́:rtər] *n.* [C] ① 지지자; 원조자, 옹호자, 찬성자, 후원자, 패트런; 시중드는 사람; 부양자. ② 지지물, 버팀. ③ (운동 경기용의) 서포터(athletic ~)《남자용》. ④ 〖紋章〗 문장(紋章)·방패를 받드는 좌우의 동물 중의 한 쪽.

sup·port·ing [səpɔ́:rtiŋ] *a.* 〔限定的〕 ① 지탱하는, 지지〔원조, 후원〕하는. ② 조연의, 보조 역할의: a ~ actor 조연자 / a ~ part 〔role〕 조역 / a ~ film〔picture〕 보조〔동시 상영〕 영화.

sup·port·ive [səpɔ́:rtiv] *a.* ① 〔限定的〕 지탱하는, 지지가 되는: ~ evidence 뒷받침이 되는 증거. ② (병자 등에게) 온순하게 대하는; 협력적인.

sup·pos·a·ble [səpóuzəbl] *a.* 상상할 수 있는.

†**sup·pose** [səpóuz] *vt.* ① 《~+[목] / +(*that*) [절]》 …을 가정하다(assume), 상정하다: Let us ~ (*that*) the news is true. 그 뉴스가 사실이라고 가정하자. ② 《+[목]+*to* do / +[목]+(*to be*) [보] / +(*that*) [절]》 …을 추측하다, 헤아리다, 생각하다: Nobody ~*d* him *to* have done such a thing. 그가 설마 그런 일을 했으리라고는 아무도 생각지 않았다 / He ~*s* me (*to be*) rich. 그는 날 부자로 알고 있다 / I ~ (*that*) he is right. 그의 말이 맞을 테죠. ③ …을 전제로 하다, 필요조건으로 하다: Purpose ~*s* foresight. 목적은 선견(先見)을 전제로 한다/Your theory ~*s* God. 신의 존재를 생각지 않고는 네 이론은 성립되지 않네. ④ 《+(*that*)[절]》 〔現在分詞 또는 命令形으로〕 만약 …하다면(if); 〔命令形으로〕 …하면 어떤가, …하세그려, …하십시다: *Suppose* 〔*Supposing*〕 (*that*) we are late, what will he say? 우리가 늦으면 그가 뭐라고 할까 / *Suppose* we go to the station? 정거장에 나가는 게 어때.

***sup·posed** [səpóuzd] *a.* ① 〔限定的〕 상상된, 가정의, 가상의: His ~ illness didn't exist. 그는 와병중이라고 생각되고 있었으나 사실은 꾀병이었다. ② 〔敍述的〕 (…하도록) 되어 있는: We're not ~ to smoke in the classroom. 교실에서는 담배를 피우지 않도록 되어 있다 / Everybody is ~ to know the law. 법률은 누구나 다 알고 있는 것으로 되어 있다《몰랐다 해도 면할 수 없다》. [파] **-pós·ed·ly** [-idli] *ad.* 〔文章修飾〕 상상〔추정〕상, 아마, 필경; 소문으로는: He's ~*ly* 90 years old. 그는 90세쯤으로 추정되고 있다.

sup·pos·ing [səpóuziŋ] *conj.* 〔假定을 나타내어〕 만약 …이라면: *Supposing* your father know it, what would he say? 당신 아버지가 그걸 아신다면 무엇이라고 말씀하실까요.

sup·po·si·tion** [sʌ̀pəzíʃən] *n.* ① [U] 상상, 추측, 추찰: The theory is based on mere ~. 그 이론은 추측에 바탕을 두고 있을 뿐이다. ② [C] 가정, 가설: That's a very likely ~. 그것은 아주 그럴 듯하다는 생각이 든다. ◇ suppose *v.* ***on the* ~ *that . . . …이라 가정하고, …이라 간주하고. [파] **~·al** [-ʃənəl] *a.* **~·al·ly** *ad.*

sup·po·si·tious [sʌ̀pəzíʃəs] *a.* =SUPPOSITI-

TIOUS.

sup·pos·i·ti·tious [səpὰzətíʃəs / -pɔ̀z-] *a.* 가짜의, 몰래 바꿔친 ; 상상의, 가정의 : a ~ child 슬쩍 바꿔친 아이. ㊞ **~·ly** *ad.*

sup·pos·i·tive [səpázətiv / -pɔ́z-] *a.* 상상의, 가정의 ; 〖文法〗 가정을 나타내는. ── *n.* Ⓒ 〖文法〗 가정을 나타내는 말《if, assuming 따위》.

sup·pos·i·to·ry [səpázətɔ̀:ri / -pɔ́zətəri] *n.* Ⓒ 〖醫〗 좌약(坐藥).

ː**sup·press** [səprés] *vt.* ① …을 억압하다 ; (반란 등)을 가라앉히다, 진압하다 : The Hungarian uprising was ruthlessly *~ed* by the Red Army. 헝가리 봉기는 소련군에 의해 무자비하게 진압되었다. ② …을 억누르다, 참다, (웃음·감정 따위)를 나타내지 않다 : ~ a yawn 하품을 꾹 참다. ③ (증거·사실·성명 따위)를 감추다, 발표하지 않다 ; (책 따위)의 발매를〔발행을〕 금지하다 ; (책의 일부)를 삭제〔커트〕하다, (기사)를 금하다 : All the newspapers *~ed* the news. 신문이 모두 그 기사를 발표하지 않았다. ◇ suppression *n.* ㊞ **-pres·sant** [-ənt] *n.* Ⓒ 억제하는 것 ; 반응 억제 물질〔약〕. **~·i·ble** [-əbəl] *a.* ~할 수 있는.

***sup·pres·sion** [səpréʃən] *n.* Ⓤ ① 억압, 진압. ② 감추기, 은폐. ③ 제지, 금지 ; 발매〔발행〕 금지 ; 삭제. ④ (충동 따위의) 억제. ◇ suppress *v.*

sup·pres·sive [səprésiv] *a.* ① 진압하는 ; 억압〔억제〕하는. ② (약 따위가) 진통력이 있는. ③ 은폐하는. ④ (공표를) 제지〔금지〕하는 ; 말살〔삭제〕하는. ㊞ **~·ly** *ad.* **~·ness** *n.*

sup·pres·sor [səprésər] *n.* Ⓒ ① 진압자, 금지자, 억제자. ② 〖電〗 억제기(器)《잡음 따위를 감소시키는》.

sup·pu·rate [sʌ́pjərèit] *vi.* 곪다, 화농하다 (fester). ㊞ **sup·pu·ra·tion** [sʌ̀pjəréiʃən] *n.* Ⓤ ① 화농. ② 고름(pus).

sup·pu·ra·tive [sʌ́pjərèitiv] *a.* 화농시키는, 화농성의 ; 화농을 촉진하는.

su·pra [sú:prə] *ad.* 《L.》 위에 ; 앞에. opp *infra.* ***vide*** ~ [váidi-] 상기 참조(see above)《略 : v.s.》.

supra- *pref.* '위에〔의〕, 초월하여, 앞에'의 뜻.

su·pra·na·tion·al [sù:prənǽʃənəl] *a.* 초(超)국가(적)인 : a ~ organization 초국가적 조직.

su·pra·or·bit·al [sù:prəɔ́:rbitl] *a.* 안와(眼窩)〔눈구멍〕 위의.

su·pra·re·nal [sù:prərí:nəl] *a.* 〖解〗 신장(腎臟) 위의 ; 부신(副腎)의. ── *n.* Ⓒ 신상체(腎上體), 《특히》 부신(=∠ **glánd**).

su·prem·a·cist [səpréməsist] *n.* Ⓒ 지상(至上)주의자 : a white ~ 백인 지상주의자.

***su·prem·a·cy** [səpréməsi, su(:)-] *n.* Ⓤ ① 지고(至高), 최고 ; 최상위. ② 주권, 지상권(至上權) ; 패권 ; 우위 : the ~ of the Pope 교황의 지상권 / gain military ~ 군사적 지배권을 쥐다.

ː**su·preme** [səprí:m, su(:)-] *a.* ① (종종 S-) 최고의, 최상의 : the ~ good 최고선(最高善) / the *Supreme* Court 《美》 (연방) 최고 재판소. ② 가장 중요한 ; 극상의 ; 궁극의, 최후의 : at the ~ moment〔hour〕 가장 중요한 고비에. ◇ supremacy *n.* ㊞ **~·ly** *ad.* **~·ness** *n.*

Supréme Béing (the ~) 《文語》 하느님, 신.

su·pre·mo [səprí:mou, su(:)-] (*pl.* **~*s***) *n.* Ⓒ 《英》 최고 지도자〔지배자〕 ; 최고 사령관 ; 총통.

Supt., supt. superintendent.

sur-[1] *pref.* =SUB-《r 앞에서》.

sur-[2] *pref.* =SUPER-.

sur·charge [sə́:rtʃὰ:rdʒ] *n.* Ⓤ ① 과적(過積), 과중 ; 과충전(過充電). ② (대금 따위의) 부당〔초과〕 청구 ; 추가요금. ③ (과세 재산 따위의 부정 신고에 대한) 추징금 ; 부족세(稅). ④ (우표 따위의) 가격〔날짜〕 정정인(訂正印)《略 : sur.》.
── [sə:rtʃά:rdʒ, ∠∠] *vt.* ① …을 지나치게 쌓다〔얹다〕 ; …에 지나치게 충전하다. ② …에 부당 대금〔추가 요금〕을 청구하다 ; (부정 신고에 대한) 추징금을 부과하다. ③ …에 가격〔날짜〕 정정인을 찍다.

sur·cin·gle [sə́:rsiŋgəl] *n.* Ⓒ (말의) 뱃대끈.

sur·coat [sə́:rkòut] *n.* Ⓒ 갑옷 위에 덧입는 겉옷, 서코트《중세 기사가 입었으며 가문이 그려짐》.

surd [sə:rd] *a.* 〖數〗 무리수(無理數)의, 부진근(不盡根)의, 부진근수의 : a ~ number 부진근수.

†**sure** [ʃuər] *a.* ① 틀림없는, 확실한 : There's only one ~ way to success. 성공에의 확실한 길은 하나밖에 없다. ② 믿을 수 있는, 기대할 수 있는, 반드시 효과가 있는 : a ~ remedy 확실한 치료법 / At that hotel you're ~ of a good dinner. 저 호텔에서는 틀림없이 멋진 저녁 식사를 할 수 있다. ③ 확신하고 있는, 자신이 있는, 믿고 있는《*of* ; *that*》 : I'm ~ *of* his success. 그의 성공을 확신한다. ④ 꼭〔반드시〕 …하는《*to* do》 : He is ~ *to* come. 그는 꼭 온다. ⑤ 〔挿入句적으로〕 …라고 확신하다 : That old woman there is her mother, I'm ~. 저기 있는 저 노부인은 그녀의 어머니임이 틀림없다. ***be ~ and*** do 〔흔히 命令法으로〕 《口》 반드시 …하다 : *Be ~ and* remember what I told you. 내가 말한 것을 잊지 않도록 하세요. ***be*** 〔***feel***〕 ***~ of oneself*** 자신(自信)이 있다 : I'*m* never ~ *of myself* among so many people. 많은 사람들 속에서는 꼭 자신을 잃고 만다. ***for ~*** 《口》 확실히(for certain), 틀림없는 : That's *for* ~. 그것은 확실하다 / I saw it *for* ~. 틀림없이 그것을 보았다. ***make ~*** 확인〔다짐〕하다 ; 확신하다. ***make ~ of*** …을 확인하다 ; …을 손에 넣다. ***to be ~*** (1) 〔讓步句〕 알겠어, 과연, 그렇군, 아무렴. (2) 참말, 어머나, 저런《놀라는 말》. ***Well, I'm ~!*** 원 이런《놀랄 때》.
── *ad.* 《美口》 확실히, 틀림없이, 꼭(《英》 certainly) : It ~ is hot. 확실히 덥다 / Are you coming? — *Sure.* 오겠는가 — 꼭(가겠다). (***as***) ~ ***as death*** 〔***fate, hell***〕 확실히, 틀림없이 : I'm (*as*) ~ *as hell* not climbing up all those steps. 틀림없이 이들 계단을 전부 오르지 못할 것이다. ***as ~ as eggs is eggs*** 《美》 확실히. ~ ***enough*** 《口》 정말이지, 참말로, 아니나 다를까, 과연. ㊞ **∠·ness** *n.* Ⓤ 확실(함) ; 안전.

sure-fire [ʃúərfàiər] *a.* 〔限定的〕 《美口》 확실한, 틀림없는, 실패 없는.

sure-foot·ed [∠fútid] *a.* 발을 단단히 딛고 선, 자빠지지 않는 ; 틀림없는, 실수 없는, 믿음직한, 착실한. ㊞ **~·ly** *ad.* **~·ness** *n.*

†**sure·ly** [ʃúərli] (***more ~ ; most ~***) *ad.* ① 확실히, 반드시, 틀림없이 : work slowly but ~ 천천히 틀림없이 일하다 / He will ~ succeed. 그는 꼭 성공할 게다. ② 〔對答〕 물론, 네, 그럼요 : Will you go with us? — *Surely!* 함께 가시겠습니까 — 가고 말고요. ③ 〔否定文에서〕 설마 : *Surely*, you do*n't* mean to go. 설마 가시려고 하는 것은 아닐 테죠. ④ 《古》 안전하게, 튼튼히.

súre thíng ① (a ~) 틀림없는 것, 확실한 것. ② 〔副詞的 또는 感歎詞的으로〕 《美》 틀림없이.

***sure·ty** [ʃúərti, ʃúərəti] *n.* Ⓤ,Ⓒ ① 보증, 담보(물건). ② (보석) 보증인, 인수인 : stand〔go〕 ~ for …의 보증인이 되다.

***surf** [sə:rf] *n.* Ⓤ (해안으로) 밀려드는 파도, 밀려와서 부서지는 파도. ── *vi.* 서핑을〔파도타기를〕 하다. ㊞ **∠·er** *n.* Ⓒ 파도타기하는 사람, 서퍼.

ː**sur·face** [sə́:rfis] *n.* ① Ⓒ 표면, 외면, 외부 :

come〔rise〕 to the ~ (수면 따위에) 떠오르다 ; 표면화하다. ② (the ~) 외관, 겉보기, 외양: scratch *the* ~ of …을 겉핥기하다 / look beneath 〔below〕 *the* ~ (of things) (사물의) 내면을 보다. ③〖數〗 면(面) : a plane 〔curved〕 ~ 평면〔곡면〕.
— *a.* 〔限定的〕 ① 표면의, 피상의 : a ~ view 피상적인 관찰. ② 지상의 ; 물위의 ; 갱외의 : ~ troops 육상부대 / a ~ boat 수상정. ③ (항공 우편에 대해서) 육〔해〕상우편의 : by ~ mail 보통우편으로.
— *vt.* ① 《~+목 / +목+전+명》 (노면)을 포장하다 : ~ a road *with* asphalt 길을 아스팔트로 포장하다. ② (잠수함 따위)를 떠오르게 하다.
— *vi.* ① (잠수함 등이) 떠오르다. ② (진실 등이) 명백해지다 ; 《口》 (문제 등이) 표면화하다 : Their differences began to ~. 그들의 견해차가 드러나기 시작했다. ③ 《口》 (사람이) 일어나다.

súrface sòil 표층토, 표토(表土).

súrface ténsion 〖物〗 표면 장력(張力).

sur·face-to-air [-təέər] *a.* 〔限定的〕 지〔함〕대공의 : a ~ missile 지대공 미사일《略 : SAM》.

sur·face-to-sur·face [-təsə́ːrfis] *a.* 〔限定的〕 지대지의 : a ~ missile 지대지 미사일《略 : SSM》.

surf·board [sə́ːrfbɔ̀ːrd] *n.* Ⓒ 파도타기 널.

surf·boat [∸bòut] *n.* Ⓒ 거친 파도를 헤치고 나아가는 데 쓰는 보트〔구명용 보트〕.

súrf càsting 해안에서 하는 던질낚시.

***sur·feit** [sə́ːrfit] *n.* ① (*sing.*) 폭음 ; 폭식(*of*). ② (a ~) 과도 ; 범람(*of*) : *a* ~ *of* commercials 상업 광고의 범람. ***to* (*a*)** ~ 넌더리가 나게〔날 만큼〕. — *vt.* 《~+목 / +목+전+명》 …에게 과식〔과음〕하게 하다 ; 물리게 하다 : ~ one*self with* sweets 단것을 물리도록 먹다.

surf·ing [sə́ːrfiŋ] *n.* Ⓤ 서핑, 파도타기.

surf·rid·ing [∸ràidiŋ] *n.* Ⓤ =SURFING.

surf·y [sə́ːrfi] (***surf·i·er ; -fi·est***) *a.* ① 파도가 많은 ; 부딪쳐 부서지는 물결의. ② 밀어닥치는 파도 같은.

surg. surgeon ; surgery ; surgical.

***surge** [səːrdʒ] *n.* ① Ⓒ 큰 파도, 놀. ② (a ~) **a)** 인파, 쇄도(*of*) : *a* ~ *of* refugees 난민의 쇄도. **b)** (감정의) 동요, 요동(*of*). ③ 급상승 : a ~ in the price of living 생활비의 급등. — *vi.* ① (감정이) 복받치다(*up*) : Strong emotions ~*d up* within her. 격정이 그녀의 가슴 속에서 복받쳐올랐다. ② 《~ / +전+명 / +부》 파동치다 ; 밀어닥치다, 들끓다 ; (물가가) 급등하다 : An angry crowd ~*d into* the theater. 성난 군중이 극장으로 몰려들어갔다 / Lately prices are *surging up.* 최근에는 물가가 계속 급등하고 있다.

‡sur·geon [sə́ːrdʒən] *n.* Ⓒ ① 외과 의사. cf. physician. ② 군의관 ; 선의(船醫).

súrgeon géneral (*pl.* ***surgeons general***) 《美》 의무감(監) ; (S- G-) 공중(公衆) 위생국장.

***sur·gery** [sə́ːrdʒəri] *n.* ① Ⓤ 외과 (의술), 수술. cf. medicine. ② Ⓒ 외과(수술)실 ; 《英》 외과 의원, 진찰실. ③ Ⓤ.Ⓒ 진료시간.

***sur·gi·cal** [sə́ːrdʒikəl] *a.* ① 외과(술(術))의 ; 외과적인 ; 외과 의사의 ; 외과용의 ; 수술(상)의. ② (의복 · 신발 등이) 교정〔정형〕용의.
㊎ **~·ly** [-i] *ad.* 외과적으로.

súrgical spírit 《英》 외과용 알코올《피부 세척용 ; 《美》 rubbing alcohol》.

surg·ing [sə́ːrdʒiŋ] *a.* 밀어닥치는 ; 밀려오는 : ~ crowds 밀려오는 인파.

Su·ri·na·me, -nam [sùːrənάːm, -nǽm] *n.* 수리남《남아메리카 북동안의 독립국 ; 구(舊) 네덜란드 자치령 ; 수도 Paramaribo》.

sur·ly** [sə́ːrli] (-li·er ; -li·est***) *a.* ① 지르퉁한, 무뚝뚝한 ; 통명스러운. ② 험악한《날씨 따위》. ㊎ **súr·li·ly** *ad.* **-li·ness** *n.*

‡sur·mise [sərmáiz, sə́ːrmaiz] *n.* Ⓒ 추측, 추량. — [sərmáiz] *vt.* 《~+목 / +*that* 절》 …을 추측〔짐작〕하다 ; …라고 추측〔생각〕하다 : I ~*d* from his looks *that* he was very poor then. 그의 외양으로 보아 그때 그는 매우 가난했던 것으로 짐작했다. — *vi.* 추측하다(conjecture, guess).

***sur·mount** [sərmáunt] *vt.* ① (산 · 울타리 등)을 넘다 ; 타고 넘다. ② (곤란 등)을 이겨내다 ; 극복하다 : ~ many difficulties 많은 어려움을 극복하다. ③ 〔흔히 受動으로〕 …의 위에 놓다, 얹다 《*by* ; *with*》 : The hill *was* ~*ed with* a large castle. 그 언덕에는 큰 성이 있었다. ㊎ **~·a·ble** [-əbəl] *a.* 이겨낼〔타파할〕 수 있는 ; 극복할〔넘을〕 수 있는.

***sur·name** [sə́ːrnèim] *n.* Ⓒ 성(姓) (family name) 《Christian name 에 대한》 ; 별명, 이명.
— *vt.* 《~+목 / +목+보》 〔흔히 受動으로〕 성을 붙이다 ; …에 별명을 붙이다 ; 성〔별명〕으로 부르다 : King Richard *was* ~*d* 'the Lion-hearted'. 리처드 왕은 '사자왕'이라는 별명으로 불리었다.

‡sur·pass [sərpǽs, -pάːs] *vt.* 《~+목 / +목+전+명》 …보다 낫다, 뛰어나다, …을 능가하다 : ~ description 필설로 이루 다할 수 없다 / He ~*ed* his father *in* sports. 그는 운동에 있어서는 아버지를 능가했다. ㊎ **~·a·ble** *a.*

sur·pass·ing [sərpǽsiŋ, -pάːs-] *a.* 뛰어난, 빼어난, 우수〔탁월〕한 : the ~ beauty of the mountain 그 산의 절경. ㊎ **~·ly** *ad.*

sur·plice [sə́ːrplis] *n.* Ⓒ 〖가톨릭 · 英國敎〗 중백의(中白衣). ㊎ **~d** [-t] *a.* 중백의를 입은.

‡sur·plus [sə́ːrplʌs, -pləs] *n.* Ⓤ.Ⓒ ① 나머지, 잔여(殘餘), 과잉: (a) trade ~ 무역 흑자 / a ~ of births over deaths 사망자 수에 대한 출생자 수의 초과. ② 〖會計〗 잉여(금) ; 흑자(opp. *deficit*).
— *a.* 나머지의, 과잉의 : a ~ population 과잉 인구 / ~ to one's needs 필요 이상인.

súrplus válue 〖經〗 잉여 가치.

†sur·prise [sərpráiz] *vt.* ① 《~+목 / +목+전+명》 …을 (깜짝) 놀라게 하다 : They ~*d* her *with* a magnificent birthday present. 그들은 훌륭한 생일 선물로 그녀를 깜짝 놀라게 했다. ② 《+목+전+명》 놀래주어 …하게 하다, (얼떨결에) …시키다 : We ~*d* him *into* admitting. 우리는 그가 얼떨결에 자백하게 만들었다. ③ …을 불시에 (덮)치다, 기습 점령하다 : Our army ~*d* the enemy's camp. 아군은 적의 야영지를 기습했다. ④ 《+목+전+명》 …하는 현장을 잡다 : The students were ~*d in* the act of smoking. 학생들은 담배 피우는 현장을 들켰다. ⑤ …을 알아〔눈치〕채다 : I ~*d* a flush on his face. 그의 얼굴이 붉어지는 것을 보았다.
— *n.* ① Ⓤ 놀람, 경악 : to a person's ~ 놀랍게도 / in ~ 놀라서. ② Ⓒ 놀라운 일〔물건〕 ; 뜻밖의 일〔것〕 : I have a ~ for you. 자네를 깜짝 놀래줄 것이 있네《소식 · 선물 등》 / What a ~ ! 아이구 깜짝이야. ③ Ⓤ 기습. ***take ... by*** ~ (1) …에 불의의 습격을 하다, 허를 찌르다 : Their sudden visit *took* me *by* ~. 그들의 돌연한 방문으로 어리둥절했다. (2) …을 기습하여 함락하다.
— *a.* 〔限定的〕 불시의, 기습의, 뜻하지 않은 : a ~ attack 기습 / a ~ ending (소설 · 연극 등의) 반전(反轉).

sur·prised [sərpráizd] (***more*** ~ ; ***most*** ~) *a.*

놀란 : He looked a little ~. 그는 조금 놀란 것 같았다 / You will be ~ *at* his progress. 그의 (예상 밖의) 발전에 놀랄 것이다 / We were ~ *to* find 〔*at* finding〕 the house empty. 그 집이 비어 있는 것을 보고 놀랐다 / He was ~ that I did not look tired at all. 내가 조금도 지친 기색을 보이지 않았으므로 그는 아연했다 / I am not ~ if he knows. 그가 알고 있다 해도 이상할 것은 없다. ㊞ **sur·prís·ed·ly** [-idli] *ad.* 놀라서.

:sur·pris·ing [sərpráiziŋ] (*more* ~ ; *most* ~) *a.* 놀랄 만한, 불가사의한, 의외의 : make ~ progress 눈부신 발전을 이룩하다. ㊞ ***~·ly** *ad.* 놀랄 정도로, 의외로 ; 놀랍게도 : *Surprisingly* (enough), we won. 놀랍게도 우리가 이겼다.

sur·re·al [sərí:əl] *a.* =SURREALISTIC.

sur·re·al·ism [sərí:əlizəm] *n.* Ⓤ 〖美術·文〗 초현실주의.

sur·re·al·ist [sərí:əlist] *n.* Ⓒ 초현실주의자. ── *a.* 초현실주의(자)의 : a ~ painting 초현실주의 회화.

sur·re·al·is·tic [sərì:əlístik] *a.* 초현실 (주 의) 「적인.

:sur·ren·der [səréndər] *vt.* ①《~+목/+목+전+명》 …을 내어 주다, 넘겨 주다, 양도〔명도〕하다 : ~ a fort *to* the enemy 적에게 요새를 넘겨주다. ② …을 포기하다, 내던지다 : ~ all hopes 모든 희망을 버리다. ③《+목+전+명》〔再歸用法〕 (감정·습관 따위)에 빠지다 ; 항복하다《*to*》: ~ one*self to* despair 자포자기에 빠지다 / ~ one*self to* the police 경찰에 자수하다. ④ …을 (건네) 주다 ; 양보하다 : ~ a ticket at the entrance 입구에서 표를 내다 / He ~*ed* his seat *to* the old man. 그 노인에게 자리를 양보했다.

── *vi.* ①《~/+전+명》 항복〔굴복〕하다 : ~ *to* the enemy 적군에 항복하다 / ~ *to* the police 자수하다. ② (감정·습관 등에) 빠지다, 골몰하다, 몸을 내맡기다.

── *n.* Ⓤ,Ⓒ ① 인도 ; 양도 : ~ of a fugitive 〖國際法〗 탈주범의 인도. ② 항복, 굴복, 함락 ; 자수 : make an unconditional ~ 무조건 항복하다. ③ (신념·주의의) 포기.

surrénder vàlue 〖保險〗 중도 해약 환급금(還給金).

sur·rep·ti·tious [sə̀:rəptíʃəs / sʌ̀r-] *a.* 내밀한, 비밀의, 은밀한 ; 뒤가 구린, 부정한 ; 간교한. ㊞ **~·ly** *ad.* **~·ness** *n.*

sur·rey [sə́:ri, sʌ́ri] *n.* Ⓒ《美》 서리《2 석 4 인승 4 륜 마차〔자동차〕》.

sur·ro·gate [sə́:rəgèit, -git, sʌ́r-] *n.* Ⓒ ① 대리, 대리인. ②〖英國敎〗 감독 대리《banns 없이 결혼허가를 할 수 있음》. ③《美》 유언 검증〔유산 처리〕 판사 ;〖精神分析〗 대리《무의식 속에서 부모를 대신하는 권위자》. ④ 대신, 대용물《*for* ; *of*》.

── *a.* 〔限定的〕 대리의, 대용의.

súrrogate mòther 대리모《다른 부부를 위해 자궁을 빌려주고 아기를 낳는 여성》.

:sur·round [səráund] *vt.* ① …을 에워싸다, 둘러싸다 : The town is ~*ed by* 〔*with*〕 walls. 그 도시는 성벽으로 둘러싸여 있다. ②〖軍〗 …을 포위하다 ; 에두르다, 에우다 : We've got the building ~*ed*. Come out with your hands up. 빌딩을 완전 포위했으니, 손들고 나오너라. Ⓒf encircle. ── *n.* Ⓒ 둘러싸는 것, 경계가 되는 것 ;〖建〗 (창 따위의) 가장자리 테 ;《英》 (벽과 카펫 사이의) 마루 ; 거기에 까는 깔개.

:sur·round·ing [səráundiŋ] *n.* (흔히 *pl.*) (주위) 환경, 주위의 상황 ; 주위의 사물〔사람〕, 측근자들. Ⓒf environment. ¶ social ~*s* 사회 환경.

── *a.* 〔限定的〕 주위의, 둘레〔부근〕의.

sur·tax [sə́:rtæ̀ks] *n.* Ⓤ,Ⓒ 부가세, 가산세 ; 소득세 특별 부과세《영국에서는 supertax 대신 1929-30년 이후 실시》.

sur·veil·lance [sərvéiləns, -ljəns] *n.* Ⓤ 감시 ; 감독 : Police are keeping the area under constant ~. 경찰이 그 지역을 항시 감시하고 있다.

sur·veil·lant [sərvéilənt, -ljənt] *a.* 감시〔감독〕하는. ── *n.* Ⓒ 감시〔감독〕자.

:sur·vey [sə:rvéi] *vt.* ① …을 내려다보다, 전망하다 : He ~*ed* the beautiful summer landscape below him. 그는 눈 아래 펼쳐진 여름 경치를 바라보았다. ② …을 개관하다 ; 개설하다 : ~ the world situation 세계 정세를 개관하다. ③ …을 측량하다. ④ …을 조사하다, 검사〔감정〕하다 : We had the house ~*ed* before buying it. 그 집을 사기 전에 감정을 했다.

── *vi.* 측량하다. ── [sə́:rvei, sərvéi] *n.* Ⓒ ① 바라다〔내다〕봄 : take a ~ of the scene 그 경치를 바라보다. ② 개관 : make a ~ of the situation 정세를 개관하다. ③ 측량, 실지답사 : make a ~ of the land 토지를 측량하다. ④ 조사, 감정 ; 조사표, 조사서 ;〖統〗 표본조사 : make a ~ of a house 가옥을 감정하다. ㊞ **~·ing** [-iŋ] *n.* Ⓤ 측량(술).

***sur·vey·or** [sərvéiər] *n.* Ⓒ ① 측량사〔기사〕; (부동산 따위의) 감정사. ②《美》 조세 사정(査定)관 ;《美》 (세관의) 수입품 검사관(*of*).

sur·viv·al** [sərváivəl] *n.* ① Ⓤ 살아 남음, 생존, 잔존 : A lot of small companies are having to fight for ~. 많은 군소 회사들은 살아남기 위해 싸워 나가야만 한다. ② Ⓒ 생존자, 잔존물 ; 유물, 유풍 : The custom is a ~ from the past. 그 관습은 과거의 유물이다. ◇ survive *v.* ***the ~ of the fittest 적자(適者) 생존.

sur·viv·al·ism [sərváivəlìzəm] *n.* Ⓤ 생존주의《전쟁·재해 등에서 살아남기 위해 대비하는 일》. ㊞ **-ist** *n.* Ⓒ 생존주의자.

survíval kìt (비상용) 구명대(袋)《최소한의 식량·약품이 든》.

:sur·vive [sərváiv] *vt.* ① …의 후까지 생존하다〔살아남다〕, (남)보다 오래 살다 : He ~*d* his children. 자식들보다 오래 살았다 / He is ~*d* by his wife and children. 유족에는 처와 자식들이 있다. ② (재해)로부터 헤어나다, 면하다 : The crops ~*d* the drought. 농작물은 한발을 면했다 / He ~*d* the war. 전쟁에서 죽지 않고 살아남았다.

── *vi.* 살아남다 ; 목숨을 부지하다, 잔존하다 : This custom still ~*s*. 이 관습은 아직도 남아 있다. ◇ survival *n.*

sur·viv·ing [sərváiviŋ] *a.* 〔限定的〕 (살아) 남아 있는 : one's only ~ brother 단 하나 살아 있는 형〔아우〕.

***sur·vi·vor** [sərváivər] *n.* Ⓒ ① 살아 남은 사람, 생존자, 잔존자 ; 유족. ② 잔존물, 유물.

sus [sʌs] *vt.* =SUSS.

sus- *pref.* =SUB-《c, p, t 앞에서》.

sus·cep·ti·bil·i·ty [səsèptəbíləti] *n.* ① Ⓤ **a**) 다감함, 감수성(性), 민감(*to*) : ~ *to* emotion 정에 약함. **b**) (병 등에) 감염되기〔걸리기〕 쉬움 (*to*) : ~ *to* colds 감기에 걸리기 쉬움. ② (*pl.*) 감정 : wound 〔offend〕 a person's *susceptibilities* 아무의 감정을 해치다.

***sus·cep·ti·ble** [səséptəbəl] *a.* ① 느끼기 쉬운, (다정) 다감한, 민감한 ; 움직이기 쉬운, 정(情)에 무른(*to*) ; (…에) 걸리기〔영향받기〕 쉬운(*to*) : a ~ youth 다감한 청년 / She's ~ *to* colds. 그녀는 감기에 잘 걸린다. ② …을 할 수 있는〔허락하는〕 (*of* ; *to*) : a problem ~ *to* solution 해결 가능한 문제 / ~ *of* various interpretations 여러 가지로

해석할 수 있는. 㐃 **-bly** *ad.*

sus·cep·tive [səséptiv] *a.* =SUSCEPTIBLE.

Su·sie [sú:zi] *n.* 여자 이름《Susan, Susanna(h) 등의 애칭》.

‡**sus·pect** [səspékt] *vt.* ①《+목+*to be* 보/+(*that*)절》…이 아닌가 의심하다, (위험·음모 따위)를 어렴풋이 느끼다〔알아채다〕: I ~ him *to be* a liar. 그는 거짓말쟁이가 아닌가 생각된다/a ~*ed* case 의사(擬似) 환자/I ~ (*that*) he is a spy. 그는 간첩이 아닌가 생각된다.

> 參考 suspect는 '…일 것이다'를 의미하며, doubt는 '…은 아니겠지, …임을 의심하다'를 뜻하는 것으로 대립되는 말: I *doubt* that 〔if〕 he is a spy. 그는 첩자〔스파이〕는 아닐 것이다.

②《+목+전+명/+목+*as* 보》…을 의심하다, 혐의를 두다, 의혹의 눈으로 보다: ~ a person *of* murder 아무에게 살인 혐의를 두다. ③ (부정·위험 등)의 낌새를 느끼다: ~ danger 〔intrigue〕 위험을〔음모를〕 눈치채다/He ~*ed* a perforated ulcer. 그는 천공성 궤양임을 감지했다.
— *vi.* 혐의를 두다; 느끼다. ◇suspicion *n.*
— [sʌ́spekt] (***more*** ~; ***most*** ~) *a.* 의심스러운, 수상한〔쩍은〕: *Suspect* drugs are removed from the market. 의심스런 약품은 판매가 금지되어 있다/These statements are ~. 이 진술들은 신용할 수 없다.
— [sʌ́spekt] *n.* Ⓒ 혐의자, 용의자, 주의 인물: a murder ~ 살인 용의자/a cholera ~ 콜레라 감염이 의심스러운 사람.

sus·pect·ed [səspéktid] *a.* ① 의심스러운, 수상쩍은: a ~ terrorist 테러 용의자/~ bribery 증〔수〕회의 혐의. ②〔敍述的〕(…의) 혐의를 받고 있는《*of*》.

‡**sus·pend** [səspénd] *vt.* ①《~+목/+목+전+명》…을 (매)달다, 걸다: ~ a ball *by* a thread 공을 실로 매달다. ② …을 중지하다, 일시 정지하다, 보류하다: Sales of the drug will be ~*ed* until more tests are completed. 그 약의 판매는 더 많은 실험이 완결될 때까지 보류될 것이다. ③《~+목/+목+전+명》〔흔히 受動으로〕(선수)의 출장을 정지하다; …을 정직〔정학〕시키다: He was ~*ed from* school for a week. 그는 일주일 간 정학당했다. ④ (액체·공기 속에) …을 뜨게 하다: dust ~*ed* in the air 공기 중에 떠도는 먼지. ◇ suspense, suspension *n.*

sus·pend·ed [səspéndid] *a.* ① 매단, 매달린. ② 떠 있는, 표류〔부유〕하는: After the explosion dust was ~ in the air. 폭발 후 먼지가 공중에 떠 있었다. ③ 일시 정지의; 정직〔정학〕당한; 집행 유예의.

suspénded animátion 가사(假死) 상태, 인사 불성; 생명 활동의 일시중단.

suspénded séntence 〖法〗 집행 유예.

***sus·pend·er** [səspéndər] *n.* Ⓒ (매)다는 사람〔물건〕; (*pl.*)《英》양말대님; (*pl.*)《美》바지 멜빵(《英》braces).

suspénder bèlt 《英》 =GARTER BELT.

***sus·pense** [səspéns] *n.* Ⓤ ① 미결정, 미정; 허공에 떠 있는 상태. ② 걱정, 불안: We were kept in ~ waiting for the results of the contest. 우리는 경연의 결과를 마음 졸이며 기다리고 있었다. ③ (소설·영화 등에 의한) 지속적 불안감, 긴장감, 서스펜스: a film full of ~ 서스펜스가 넘치는 영화. 㐃 **~·ful** [-fəl] *a.* 서스펜스가 넘치는.

suspénse accòunt 〖簿記〗 가(假)계정.

***sus·pen·sion** [səspénʃən] *n.* Ⓤ ① 매달기; 매달려 축 늘어짐; 걸림; 부유(상태). ② 이도 저도 아님, 미결정. ③ 중지, 정지; 정직, 정학. ④ (자동차 따위의) 현가(懸架) 장치, 서스펜션. ⑤ 현탁(懸濁)(액). ◇ suspend *v.*

suspénsion brìdge 현수교, 적교(吊橋).

suspénsion pèriods 〔pòints〕 《美》〖印〗 생략부호《글의 생략을 나타내며, 글 안에서는 3 점 (...), 글 끝에서는 보통 4 점(....)을 찍음》.

sus·pen·sive [səspénsiv] *a.* ① 미결정의; 의심스러운, 불안〔불확실〕한. ② 중지〔휴지〕하는, 정지의. ③ 서스펜스가 넘치는. 㐃 **~·ly** *ad.*

sus·pen·so·ry [səspénsəri] *a.* 매다는, 매달아 늘어뜨린, 버티는; 일시 중지의. — *n.* Ⓒ〖醫〗현수대(懸垂帶); 멜빵붕대.

‡**sus·pi·cion** [səspíʃən] *n.* ① Ⓤ,Ⓒ 혐의, 의심(쩍음): throw ~ on a person 아무에게 혐의를 두다/arouse ~ 의혹을 사다/There was a slight ~ that he was a spy. 그가 간첩이라는 혐의가 조금 있었다. ② Ⓒ 낌새챔, 막연한 느낌: I hadn't the slightest ~ of his presence. 그가 있는 것을 전혀 알지 못했다. ③ (a ~) 극소량, 기미《*of*》: She had *a* ~ *of* sadness in her voice. 그녀의 목소리엔 약간 슬픔이 깃들어 있었다. ◇ suspect *v.*
above ~ 의심할 여지가 없이 (아주 잘). ***on*** (***the***) ~ ***of*** . . . …한 혐의로: He was arrested *on* ~ *of* fraud. 그는 사기혐의로 구속되었다.
under ~ 혐의를 받고: He is *under* ~ of murder. 그는 살인혐의를 받고 있다.

‡**sus·pi·cious** [səspíʃəs] (***more*** ~; ***most*** ~) *a.* ① 의심스러운, 괴이쩍은, 미심한, (거동이) 수상쩍은: ~ behavior〔characters〕 수상쩍은 행동〔사람들〕. ② 의심많은, 공연히 의심하는《*of*; *that*》: a ~ nature 의심 많은 성질〔사람〕/He is ~ *of* me 〔my intentions〕. 나〔내 의도〕를 의심하고 있다. ③ 의심쩍은, 의심을 나타내는: a ~ look 의심쩍은 눈초리. ◇ suspect *v.* 㐃 **~·ly** *ad.*

suss [sʌs] *vt.* 《英俗》 ① …에게 범죄 혐의를 두다. ② …을 조사하다; 밝혀 내다《*out*》: He's bound to ~ *out* the truth sooner or later. 그는 조만간 진실을 밝혀야 할 의무가 있다.

Sus·sex [sʌ́siks] *n.* 서섹스《잉글랜드 남동부의 옛 주; 1974년 East ~, West ~의 두 주(州)로 분할됨; 略: Suss.》.

‡**sus·tain** [səstéin] *vt.* ① (아래서) …을 떠받치다: These columns ~ the arches. 이들 기둥이 아치를 받치고 있다. ② …을 유지하다, 계속하다: The teacher tried hard to ~ the children's interest. 선생은 아이들이 계속 흥미를 갖게 하는 데 무척 애썼다. ③ …을 부양하다, 기르다. ④ (손해 따위)를 받다, 입다: ~ severe injuries 심한 상처를 입다/~ a defeat 패배하다. ⑤ (무게·압력·어려움)에 견디다: The floor wouldn't ~ the weight of a piano. 그 마루는 피아노의 무게를 견딜 수 없을 것 같다. ⑥《~+목/+목+전+명》…을 확증〔확인〕하다, 승인하다; 입증하다: The court ~*ed* his suit. =The court ~*ed* him *in* his suit. 법정은 그의 소송을 인정했다. ⑦ …을 지지〔지원〕하다; 격려하다, 기운내게 하다: ~ a person's spirits 아무의 원기를 북돋우다. ⑧ (진술·학설 등)을 뒷받침하다, 확증하다. ◇ sustenance *n.*
㐃 **~·a·ble** [-əbəl] *a.* ① 지지할 수 있는. ② 지속할 수 있는; 견딜 수 있는: ~*able* development 지속할 수 있는 개발.

sus·tained [səstéind] *a.* 지속된, 한결 같은: ~ logic 일관된 논리/~ efforts 부단한 노력.

sus·tain·ing [səstéiniŋ] *a.* 떠받치는; 버티는; 몸에 좋은, 체력을 북돋우는: ~ food 몸에 좋은 음식/~ power 지구력.

sustáining prògram 《美》 자주(自主) 프로《스폰서 없이 방송국 자체가 하는 비(非)상업적 프로》.

***sus·te·nance** [sʌ́stənəns] *n.* Ⓤ ① 생계 ; 생활. ② 생명(력)을 유지하는 물건 ; 음식, 먹을 것 ; 자양물 : The children were thin badly in need of ~. 아이들은 영양 부족으로 몹시 여위어 있었다. ③ 지지, 유지 ; 내구(耐久), 지속. ◇ sustain *v.*

su·tra [sú:trə] *n.* Ⓒ 《Sans.》 (종종 S-) (베다 문학의) 계율 금언(집) ; 〖佛敎〗 경(經), 경전.

sut·tee, sa·ti [sʌtí:, ⌐–] *n.* 《Sans.》 ① Ⓤ 아내의 순사(殉死)《옛날 인도에서 아내가 죽은 남편과 함께 산 채로 화장되던 풍습》. ② Ⓒ 순사한 아내.

su·ture [sú:tʃər] *n.* Ⓒ ① 〖醫〗 봉합 ; 봉합선 ; 봉합사(絲). ② 〖解〗 (두개골의) 봉합선.
— *vt.* (상처 따위)를 봉합하다, 합쳐 꿰매다.

su·ze·rain [sú:zərin, -rèin] *n.* Ⓒ 영주, 종주(宗主) ; (속국에 대한) 종주국. ㊐ **~·ty** [-ti] *n.* Ⓤ 종주권 ; 영주의 지위〔권력〕.

svelte [svelt] *a.* 《F.》 날씬한, 몸매 좋은, 미끈한《여성의 자태 따위》. ㊐ **∠·ly** *ad.* **∠·ness** *n.*

SW, S.W., s.w. southwest(ern). **Sw.** Sweden ; Swedish.

swab [swɑb / swɔb] *n.* Ⓒ ① (갑판 따위를 닦는) 자루걸레, 몹. ② 〖醫〗 면봉(綿棒) ; 면봉으로 모은 표본《세균 검사용의 분비물 따위》. ③ 《俗》 데퉁바리, 얼간이. — (**-bb-**) *vt.* ① (자루걸레로 갑판)을 훔치다《종종 *down*》; …에서 물기를 닦다, 훔치다《*up*》. ② (약물)을 면봉으로 바르다.

swad·dle [swɑ́dl / swɔ́dl] *vt.* (갓난 아이)를 포대기로 폭 싸다 ; 헝겊으로〔붕대로〕 둘둘 감다.

swád·dling clòthes 〔**bànds**〕 [swɑ́dliŋ- / swɔ́d-] ① (옛날 갓난애를 둘둘 감은) 천. ② (미성년자에 대한) 속박, 엄한 감시.

swag [swæg] *n.* Ⓤ 〔集合的〕 ① 《俗》 훔친 물건, 장물. ② 《Austral.》 (삼림지대 여행자 등의) 휴대품 보따리.

***swag·ger** [swǽgər] *vi.* ① 《~ / +副 / +前+名》 뽐내며 걷다, 활보하다《*about* ; *in* ; *out*》: He ~*ed about* 〔*into* the room〕. 그는 뽐내며 돌아다녔다〔방에 들어왔다〕. ② 《~ / +前+名》 으스대다, 뻐기다 ; 흰소리치다《*about*》: He ~*s about* his boldness. 그는 자신의 대담성을 호언장담한다. — *n.* Ⓤ (또는 a ~) 으쓱거리며 걷기, 활보. — *a.* 《口》 멋진, 맵시 있는. ㊐ **~·er** *n.*

swag·ger·ing [swǽgəriŋ] *a.* 뽐내며 걷는 ; 뻐기는. ㊐ **~·ly** [-li] *ad.* 뽐내어, 뻐기며.

swágger stìck 〔**càne**〕 (장교 등이 산책 따위를 할 때 들고 다니는) 단장(短杖).

Swa·hi·li [swɑ:hí:li] (*pl.* **~, ~s**) *n.* ① Ⓒ 스와힐리 사람《아프리카 Zanzibar 및 부근의 연안에 사는 Bantu 족 사람》. ② Ⓤ 스와힐리 어《동부 아프리카·콩고의 공용어》.

swain [swein] *n.* Ⓒ 《詩》 열애하고 있는 시골 젊은이《남자》.

SWAK, S.W.A.K., swak [swæk] sealed with a kiss(키스로 봉함 ; 연애편지에 쓰는 말).

swale [sweil] *n.* Ⓒ 《美》 풀이 무성한 저습지 ; 저지(低地).

‡swal·low¹ [swɑ́lou / swɔ́l-] *vt.* ① 《~+目 / +目+副》 …을 들이켜다, 삼키다, 꿀꺽 삼키다《*down* ; *in* ; *up*》: *Swallow* it *down* and have another. 그걸 들이켜고 한 잔 더 해라. ② 《+目+副》 (수익 따위)를 (써)없애다, 다 써버리다《*up*》: The expenses ~*ed up* the earning. 지출이 수입을 몽땅 삼켜버렸다. ③ 《口》 …을 그대로 받아들이다, 경솔히 믿다 : Don't ~ everything people tell you. 사람들이 말하는 것을 모두 곧이 듣지는 마라. ④ …을 참다, 받아들이다 ; (웃음·노여움 따위)를 억누르다 : ~ a smile 웃음을 참다 / ~ an unfavorable condition 불리한 조건을 받아들이다. ⑤ (파도·군중 따위가) …을 삼키다, 안보이게 하다《*up*》: Her figure was ~*ed up in* the mist. 그녀의 모습은 안개 속으로 사라졌다. ⑥ (말한 것)을 취소하다 : ~ one's words 말한 것을 취소하다.
— *vi.* ① 마시다, 들이켜다. ② (감정을 억제하여 침을 꿀꺽) 삼키다. **~ . . . *whole*** (1) 통째로 꿀꺽 삼키다. (2) (남의 말을) 곧이듣다.
— *n.* Ⓒ ① 삼킴, 마심 : at 〔in〕 one ~ 한 입에. ② 한 모금(의 양) : take a ~ of water 물을 한모금 마시다.

‡swal·low² *n.* Ⓒ 제비 : One ~ does not make a summer. 《俗談》 제비 한 마리 왔다고 여름이 온 것은 아니다《지레짐작은 금물》.

swállow dìve 〖水泳〗 《英》 =SWAN DIVE.

swal·low·tail [swɑ́loutèil / swɔ́l-] *n.* Ⓒ ① 제비 꼬리(모양의 것). ② 〖蟲〗 산호랑나비. ㊐ **~ed** *a.* 제비 꼬리 모양의 : a ~*ed* coat 연미복.

†swam [swæm] SWIM 의 과거.

swa·mi, -my [swɑ́:mi] *n.* Ⓒ 《Hind.》 스와미《인도에서의 종교가·학자의 존칭》.

‡swamp [swɑmp / swɔmp] *n.* Ⓤ,Ⓒ 늪, 습지.
— *vt.* ① 《~+目 / +目+前+名》 …을 물에 잠기게하다 ; 침수하다 : Some houses were ~*ed in* the stream by the storm. 몇몇 집은 폭풍우로 강물에 잠겨 버렸다. ② 〔흔히 受動으로〕 (편지·일 따위가) 밀어닥치다 ; 압도하다《*with* ; *in*》; 바빠서 정신 못차리게 하다《*with*》: I *was* ~*ed with* work. 일에 몰려 정신이 없었다 / Hundreds of letters ~*ed* the newspaper office. 수백 통의 편지가 그 신문사에 쇄도했다.

swamp·land [⌐læ̀nd] *n.* Ⓤ 소택지.

swampy [swɑ́mpi / swɔ́mpi] (***swamp·i·er*** ; ***-i·est***) *a.* 늪〔수렁〕의 ; 늪이 많은 ; 질퍽 질퍽한.

‡swan [swɑn / swɔn] *n.* ① Ⓒ 백조. ② Ⓒ 《詩》 시인 ; 가수. ③ (the S-) 〖天〗 백조자리(Cygnus).
— (**-nn-**) *vi.* 《英口》 정처없이 헤매다《*about* ; *around*》.

swán dìve 〖水泳〗 《美》 제비식 다이빙.

swank [swæŋk] 《口》 *n.* Ⓤ 허세(虛勢) ; 허풍 ; 《美》 (복장·태도 등의) 스마트함, 화사함. — *a.* 화사한, 멋부린, 스마트한. — *vi.* ① 자랑하다. ② 거드름 피우며 걷다.

swanky [swǽŋki] (***swank·i·er*** ; ***-i·est***) *a.* 《口》 허세부리는 ; 젠체하는 ; 화사한, 스마트한. ㊐ **swank·i·ness** *n.*

swans·down [swɑ́nzdàun / swɔ́nz-] *n.* Ⓤ 백조의 솜털《의상(衣裳)의 가장자리 장식이나 분첩 따위에 쓰임》; 유아복(服) 따위에 쓰이는 부드러운 천《한 쪽 면이 보풀보풀함》.

swán sòng 백조의 노래《백조가 죽을 때 부른다는》; 《比》 (시인·음악가 등의) 마지막 작품, 절필(絶筆) ; 최후의 업적.

swap [swɑp / swɔp] (**-pp-**) *vt.* 《~+目 / +目+前+名》 《口》 …을 교환하다, 바꾸다 : ~ A *for* B, A를 B와 바꾸다 / I ~*ped* seats *with* him. 그와 자리를 바꾸었다 / Never ~ horses while crossing the 〔a〕 stream. 《俗談》 개울을 건너다 말을 갈아 타지 마라 ; 난국에 처하여 조직을〔지도자를〕 바꾸지 마라. — *vi.* 물물 교환하다.
— *n.* Ⓒ ① (*sing.*) 《口》 (물물) 교환 : do 〔make〕 a ~ 교환하다. ② 교환품〔물〕.

swáp mèet 《美》 중고품 교환회〔시장〕.

sward [swɔ:rd] *n.* Ⓤ 《文語》 초지(草地) ; 잔디.

swarf [swɔ:rf] *n.* Ⓤ 〔集合的〕 (나무·쇠붙이 등의) 지스러기.

‡swarm¹ [swɔ:rm] *n.* Ⓒ 〔集合的〕 ① 떼, 무리 :

a ~ of butterflies 나비 떼. ② (종종 *pl.*) 대군(大群), 군중; 다수, 많음: ~*s* 〔a ~〕 of tourists 다수의 관광객. ── *vi.* ①《~/+副/+前+名》 떼(를) 짓다; 떼지어 이동하다; 많이 모여들다《*around; about; over*》: Children ~*ed around* the ice cream stand. 아이들이 아이스크림 판매대로 몰려들었다. ②《+前+名》(장소가) 충만하다, 꽉 차다《*with*》: Every place ~*ed with* people on Sundays. 일요일에는 어디를 가나 사람들로 꽉 찼다. ③ (벌 따위가) 분봉하다.

swarm[2] *vt.* (나무 따위)에 기어오르다《*up*》.

swarthy** [swɔ́:rði, -θi] (swarth·i·er; -i·est***) *a.* (피부 등이) 거무스레한, 가무잡잡한. ⊕ **swárth·i·ly** *ad.* 거무스름하게. **-i·ness** *n.*

swash [swɑʃ/swɔʃ] *vi.* 첨벙소리를 내다. ── *vt.* (물)을 튀기다. ── *n.* Ⓒ 첨벙하는〔철썩거리는〕 소리.

swash·buck·ler [⌐bʌ̀klər] *n.* Ⓒ 허세부리는 사람; 부랑배.

swash·buck·ling [⌐bʌ̀kliŋ] *n.* Ⓤ 허세. ── *a.* 허세를〔만용을〕 부리는.

swas·ti·ka [swɑ́stikə/swɔ́s-] *n.* Ⓒ ①《Sans.》 만자(卍)《십자가의 변형》. ② 옛 나치스의 기장(記章)《卐》. ⓒⓕ gammadion.

SWAT, S.W.A.T. [swɑt/swɔt] *n.* 《美》 스와트《(FBI 등의) 특수 공격대, 특별 기동대》. [◂ *S*pecial *W*eapons *a*nd *T*actics, *S*pecial *W*eapons *A*ttack *T*eam]

swat [swɑt/swɔt] (**-tt-**) *vt.* (파리 따위)를 찰싹 치다. ── *n.* Ⓒ ① 찰싹 때림. ② 파리채.

swatch [swɑtʃ/swɔtʃ] *n.* Ⓒ (직물·피혁 등의) 견본(조각), 천조각《*of*》.

swath [swɑθ, swɔ:θ/swɔ:θ] (*pl.* ~***s*** [-θs, -ðz]) *n.* ① 한 번 낫질한 넓이, 한 번 낫질한 자취; 한 번 벤 풀〔보리〕. ② (보리·목초 따위) 한 번 벤 자국. ***cut a ~ through*** …을 광범하게 파괴하다. ***cut a wide ~*** (1) 넓게 파괴하다. (2)《美》 허세를 부리다.

swathe[1] [sweið, swɑð] *vt.* …을 싸다, 감다; 동이다; …을 붕대로 감다《*in*》: with his arm ~*d in* bandages 팔에 붕대를 감고/women ~*d in* expensive furs 비싼 모피옷을 두른 여인들.

swathe[2] *n.* =SWATH.

swat·ter [swɑ́tər/swɔ́tər] *n.* Ⓒ 철썩 때리는 사람〔물건〕; 파리채.

‡sway [swei] *vi.* ① 흔들리다, 흔들흔들하다, 동요하다: The branches are ~*ing* in the wind. 바람에 나뭇가지가 흔들리고 있다. ② (판단·의견 등이) 동요하다; (차 따위가 한쪽으로) 기울다: His ideas ~*ed* this way and that. 그의 생각이 갈팡질팡했다/The car ~*ed to* the left when it turned. 자동차는 돌 때 왼쪽으로 기울었다. ── *vt.* ① …을 흔들다: She ~*ed* her hips in time with the music. 그녀는 이윽고 음악에 맞추어 엉덩이를 흔들었다. ② …을 기울이다, 기울게 하다. ③ (사람·의견 따위)를 움직이다, 좌우하다: His speech ~*ed* the audience. 그의 연설이 청중의 마음을 움직였다. ④ …을 지배하다: ~ the realm 영토를 지배하다. ~ one***self*** 몸을 흔들다. ── *n.* Ⓤ ① 동요, 흔들림. ②《古·文語》 지배(력), 영향(력), 통치: Tom has great ~ with the boss. 톰은 두목에 대해 커다란 영향력을 가지고 있다. ***hold ~ (over ...)*** …을 지배하다, …을 마음대로 하다. ***under the ~ of*** …에 지배되어.

sway-back [⌐bæ̀k] *n.* Ⓒ 【獸醫】 (말의) 척주만곡증.

sway·backed [⌐bæ̀kt] *a.* (말이) 척주가 굽은.

Swa·zi·land [swɑ́:zilæ̀nd] *n.* 스와질란드《아프리카 남부의 왕국; 수도는 음바바네(Mbabane)》.

SWbS, S.W.bS. southwest by south(남서(南西) 미남(微南)). **SWbW, S.W.bW.** southwest by west(남서 미서(微西)).

‡swear [swɛər] (***swore*** [swɔ:r], 《古》 ***sware*** [swɛər]; ***sworn*** [swɔ:rn]) *vi.* ①《~/+前+名》 맹세하다, 선서하다《★ swear 는 신이나 성서, 기타 신성한 것을 걸고 하는 선서》: Will you ~? 너 맹세하겠나/~ *by* 〔*on*〕 the Bible 성서에 손을 얹고 선서하다/~ *by* God 하느님께 맹세하다. ② 함부로 하느님의 이름을 부르다, (저주·분노·강조 때문에) 벌받을 소리를 하다(by God!, God damn!, Jesus Christ! 등 하느님의 이름을 함부로 불러 욕하거나 하는 일). ③《+前+名》(하느님의 이름을 내대며) 욕설하다《*at*》: He *swore at* me. 그는 지독한 말로 나를 욕했다〔욕을 퍼부었다〕. ④ **a**) …라고 맹세하다, 단언하다《*to*》: He *swore to* having returned the jewel. 그는 보석을 돌려주었다고 단언했다. **b**) 〔흔히 否定文·疑問文에서〕 단언하다, 맹세코 말하다: I *cannot* ~ *to* his having done it. 그가 그것을 했다고는 단언할 수 없다. ── *vt.* ① …을 선서하다: ~ a solemn oath 엄숙히 선서하다. ②《~+目/+*to* do/+*that* 節》 …을 맹세하다, …할 것을 맹세하다〔보증하다〕: He *swore to* tell the truth. 그는 진실을 말할 것을 맹세했다/He *swore that* he would be revenged on her. 그는 그녀에 대한 복수를 맹세하였다. ③ (선서하고) …을 증언하다. ④《~+(*that*)節》 …라고 단언하다: I could have *sworn* (*that*) she was there. 그녀는 분명히 거기에 있었다(=I was sure that she was there.). ⑤《~+目/+目+前+名》(법정의 증인에게) …을 선서시키다; 맹세시키다, 맹세코 …한 상태로 하다: ~ a person *to* secrecy 〔*off* smoking〕 아무에게 비밀을 지킬 것〔금연〕을 맹세시키다. ⑥《+目+前+名》(선서하여) …을 고발하다: ~ treason *against* a person 아무를 반역죄로 고발하다. ⑦ 〔再歸的〕 큰 소리로 떠들어 (…한) 상태가 되다: They *swore themselves* hoarse. 그들은 서로 욕설을 퍼붓더니 목이 쉬었다. ~ ***blind*** 《口》 주장하다, 강조하다. ~ ***by*** (1) …을 두고 맹세하다. (2)《口》 …을 깊이 신뢰하다. ~ ***in*** 선서하고 취임시키다〔하다〕《증인·배심원·공무원 등에》. ~ ***off*** (술 따위)를 끊겠다고 맹세하다. ~ ***out a warrant*** 《美》 선서하고 구속영장을 발부받다.

⊕ ⌐·**er** *n.* Ⓒ ① 선서자. ② 욕설하는 사람.

swear·ing [swɛ́əriŋ] *n.* Ⓤ ① 맹세(하는 일). ② 욕설(하는 일).

swear·word [⌐wə̀:rd] *n.* Ⓒ 욕, 욕설(하는 「말).

‡sweat [swet] *n.* ① Ⓤ 땀: wipe the ~ off one's brow 이마의 땀을 닦다. ② (종종 *pl.*) (운동 후 등의) 심한 발한(發汗); (a ~) 발한 상태: in *a* (cold) ~ (식은)땀을 흘리고/*A* good ~ sometimes cures a cold. 땀을 많이 흘리면 감기가 낫는 수가 있다. ③ Ⓤ 습기, (벽·유리 표면의) 물기. ④ (a ~) **a**) 《口》 힘드는〔어려운〕 일, 고역. **b**) 《口》 식은땀, 불안, 초조, 걱정: He's in *a* (terrible) ~ about the exam. 그는 시험을 (몹시) 걱정하고 있다. ***all of a ~*** 《口》 (1) 땀투성이가 되어. (2) 근심하여, 두려워서. ***in*** 〔***by***〕 ***the ~ of*** one***'s brow*** 〔***face***〕 이마에 땀을 흘려, 열심히 일하여. ***no ~*** 《美俗》 (1) 간단히. (2) 〔感歎詞的〕 걱정〔염려〕 마라, 힘든 일은 아니야.

── (*p., pp.* ~, ⌐·***ed***) *vi.* ① 땀〔식은땀〕을 흘리다, 땀이 배다: ~ with fear 무서운 나머지 식은땀을 흘리다/The long exercise made me ~. 운동을 오래 해서 땀이 났다. ② (벽 따위에) 물기가

서리다, 습기가 차다 : The kettle of ice water ~s on a hot day. 더운 날에는 얼음물을 담은 주전자에 물기가 서린다. ③《~/+副/+前+名》 땀 흘리며 일하다; 저임금으로 장시간 노동에 종사하다 : ~ (*away*) *at* one's job 땀 흘리며 일하다. ④《古》 호된 벌을 받다. — *vt.* ①…에게 땀을 흘리게 하다; 땀나게 하다《약이나 운동 따위로》. ② (땀이 날 정도로) …을 혹사하다 : ~ one's workers 노동자를 혹사하다. ③《美口》 (장시간의 심문으로) …에게 입을 열게 하다, …을 고문하다. ④《+名+前+名/+名+副》 …을 땀흘려 제거하다〔쫓아내다〕《*away* ; *out* ; *off*》: The hard work ~ five pounds *off* him. 그는 심한 노동으로 체중이 5파운드 줄었다 / ~ *out* a cold 땀을 흘려 감기를 몰아내다. ~ ***blood***《口》(1) 열심히 일하다, 큰 노력을 들이다. (2) 몹시 마음을 쓰다, 마음 졸이다, 안절부절 못하다. ~ ***it***《美口》 속태우다, 시달리다; = ~ it out. ~ ***it out***《口》(1) 심한 운동을 하다. (2) 끝까지 견디다. ~ ***out*** (1) 땀을 내어 (감기를) 고치다. (2)《美俗》 끝까지 견뎌내다, 지루하게 기다리다. (3) (목표·해결)을 위해 힘쓰다.

sweat·band [⌐bæ̀nd] *n.* Ⓒ ① (모자의) 속테. ② (이마·팔의) 땀 받는 띠.

sweat·ed [swétid] *a.* 〔限定的〕 ① 저임금 노동으로 만들어진. ② 저임금으로〔악조건하에〕 혹사〔착취〕당하는 : ~ labor 착취 노동.

***sweat·er** [swétər] *n.* Ⓒ ① 스웨터. ② (심하게) 땀흘리는 사람; 발한제(劑). ③ 노동 착취자.

swéater gìrl (몸에 꼭 끼는 스웨터를 입고) 버스트를 강조하는 여자.

swéat glànd 〖解〗 땀샘, 한선(汗腺).

swéat pànts 〔**shìrt**〕 경기자가 보온용으로 경기 전후에 입는 헐렁한 바지〔스웨터〕.

sweat·shop [⌐ʃàp / ⌐ʃɔ̀p] *n.* Ⓒ (저임금으로 노동자를 장시간 혹사시키는) 착취 공장.

swéat sùit 스웨트 슈트《sweat pants 와 sweat shirt 를 갖춘 것》.

sweaty [swéti] (***sweat·i·er*** ; ***-i·est***) *a.* ① 땀에 젖은; 땀내 나는 : a ~ face 온통 땀에 젖은 얼굴. ② (날씨 등이) 땀이 나는, 몹시 더운. ③ (일 등이) 힘드는. ㊀ **swéat·i·ly** *ad.* **-i·ness** *n.*

Swed. Sweden; Swedish.

***Swede** [swi:d] *n.* ① Ⓒ 스웨덴 사람《개인》. ② Ⓤ,Ⓒ (s-) 〖植〗 스웨덴 순무(rutabaga).

***Swe·den** [swí:dn] *n.* 스웨덴《왕국; 수도는 스톡홀름(Stockholm)》.

***Swe·dish** [swí:diʃ] *a.* 스웨덴의; 스웨덴식〔풍〕의; 스웨덴 사람〔말〕의. — *n.* ① (the ~) 〔集合的〕 스웨덴 사람. ② Ⓤ 스웨덴 말.

Swédish túrnip (종종 s-) 〖植〗 =RUTABAGA.

‡**sweep** [swi:p] (*p., pp.* ***swept*** [swept]) *vt.* ①《~+名/+名+副/+名+前+名》 …을 청소하다; (먼지 따위)를 쓸다, 털다《*away* ; *up* ; *off*》: ~ *up* the dead leaves 낙엽을 쓸어 내다 / He *swept* the dust *out of* the window. 그는 창의 먼지를 털어냈다. ②《~+名/+名+補/+名+副》 (방·마루 따위)를 깨끗이 하다, 쓸다, 걸레질하다《*off*》: ~ (*out*) a chimney 굴뚝을 청소하다. ③《~+名/+名+副/+名+前+名》 (말끔히) …을 몰아가다〔가져가다〕; 일소하다; 휩쓸다 : A puff of wind *swept* his hat *off* (his head). 일진의 돌풍이 그의 모자를 (그의 머리에서) 날려 보냈다. ④ …을 스쳐〔스칠 듯이〕 지나가다, 휙 지나가다 : The searchlight *swept* the sky. 탐조등이 하늘을 쓸고 지나갔다. ⑤ …을 멀리 내다보다 : He *swept* the horizon with a telescope. 그는 망원경으로 멀리 수평선을 바라보았다. ⑥ …을 소사(掃射)하다; 소해(掃海)하다. ⑦ (경기 등에서) …에 연승하다; (토너먼트에서) 이겨 승자전에 진출하다; (선거 따위)에 압승하다 : Our team *swept* the three-game series. 우리 팀은 내리 3연승했다 / Labour *swept* the country. 노동당이 전국에서 압승했다. ⑧ (옷자락 등이) …의 위에 끌리다 : Her dress *swept* the floor. 그녀의 드레스가 마루에 끌렸다. ⑨ (현악기)를 타다. ⑩《+名+名》 얼른 (절)을 하다 : She *swept* me a bow. 그녀는 내게 얼른 절을 했다.

— *vi.* ① 청소하다, 쓸다; 솔로 털다. ②《+副/+前+名》 휙 지나가다, 휩쓸다 : A flock of birds *swept by*. 한 떼의 새들이 휙 지나갔다 / A car *swept past* (us). 자동차가 한 대 휙 (우리를) 지나갔다. ③《+副/+前+名》 내습하다, 휘몰아치다《*over* ; *through* ; *down*》: A deadly fear *swept over* me. 심한 공포감이 나를 엄습하였다 / Wind and snow ~*ed down upon* him. 바람과 눈이 그에게 휘몰아쳤다. ④《+副/+前+名》 당당히〔조용조용히〕 나아가다; 옷자락을 끌며 가다 : The lady *swept in* (*into* the room). 그 부인은 조용히 들어왔다〔방으로 들어왔다〕. ⑤《+補/+副》 (도로 따위가) 완만한 커브를 그리며 계속되다, 멀리 저쪽까지 잇따르다〔뻗치다〕: The plain ~*s away to* the sea. 평야는 멀리 바다까지 뻗쳐 있다. ⑥《+前+名》 휙 둘러보다 : His eyes *swept about* the room. 그는 방안을 휙 둘러 보았다. ⑦ 바라보다, 전망하다. ⑧《美俗》 도망치다.

~ ***all*** 〔***everything***〕 ***before*** one 파죽지세로 나아가다. ~ ***aside*** (비판 등을) 일축(一蹴)하다. ~ ***away*** (1) 일소하다, 휩쓸어 가다. (2) 〔흔히 受動으로〕 감동시키다, 마음을 빼앗다 : He was *swept away* by her beauty. 그녀의 아름다움에 넋을 잃었다. ~ a person ***off*** his ***feet*** (1) (파도 따위가) 아무의 발을 채다. (2)《口》 아무를 열중케 하다; 한눈에 반하게 하다. ~ ***the board*** 〔***table***〕 ⇨ BOARD. ~ ... ***under the carpet*** 〔《美》***rug***〕 ⇨ CARPET.

— *n.* Ⓒ ① 청소, 쓸기; 일소; 소탕 : give it a through ~ 그것을 일소〔전폐(全廢)〕하다. ② (칼 따위의) 한번 휘두르기; 베어 넘기기; 소사(掃射) : With one ~ of his sword, he cut through the rope. 그는 단칼에 밧줄을 잘라냈다. ③ 흐르는 듯한 선(線), 크게 굽이진 길〔강의 흐름〕, 만곡, 굴곡. ④ 해안선. ⑤ 시계, (땅의) 뻗침; 범위, 영역 : within the ~ of the eye 보이는 곳에. ⑥ 진전, 발전, 진보. ⑦ 연승, 압승. ⑧ (흔히 *pl.*) 쓸어 모은 것, 쓰레기. ⑨《英》 (굴뚝) 청소부 (chimney ~), 〔一般的〕 청소부. ⑩ 〖海〗 길고 큰 노. ⑪ 두레박(의 장대). ⑫ =SWEEPSTAKE(S). ⑬ 〖放送〗 (흔히 *pl.*) 스위프《광고 산정(算定)을 위하여 방송의 시청률을 연속적으로 수주간 조사하는 일》.

sweep·er [swí:pər] *n.* Ⓒ ① 청소부〔기〕. ② (특히 융단의) 청소기 : a carpet ~ 융단 청소기. ③ 〖蹴〗 스위퍼(=⌐ **bàck**), 골키퍼 앞의 수비수.

***sweep·ing** [swí:piŋ] *a.* ① 일소하는; 파죽지세로 나가는; 큰 곡선을 그리며 움직이는〔뻗는〕. ② 광범위한, 포괄적인 : ~ changes 〔reforms〕 전면적인 변경〔개혁〕. ③ 넓게 바라보는, 넓게 뻗쳐 있는. — *n.* ① Ⓤ 청소; 일소; 소탕. ② (*pl.*) 쓸어 모은 것, 쓰레기, 먼지. ㊀ **~·ly** *ad.*

sweep·stake(s) [swí:pstèik(s)] *n. pl.* 〔單·複數취급〕 ① (건 돈을 혼자 또는 몇 사람만이 휩쓰는) 독점 내기〔경마〕. ② 복권.

†**sweet** [swi:t] (⌐***·er*** ; ⌐***·est***) *a.* ① 단, 달콤한, 당분이 있는. opp *bitter*. ¶ ~ stuff 단것《과자류》/ This cake tastes too ~. 이 케이크는 너무 달다. ② 맛좋은, 맛있는. ③ 향기로운, 방향이 있

는: The park was ~ with roses. 공원은 장미꽃 향기로 가득했다. ④ (음의) 가락이 고운, 듣기 좋은: ~ sounds of music 신묘한 음악 소리. ⑤ 감미로운, 유쾌한, 즐거운, 기분 좋은: words ~ to one's ears 듣기 좋은 말. ⑥ 상냥〔다정〕한, 친절한: It's very ~ of you to let me know it. 그것을 알려주어 정말 고맙다 / He was very ~ to me. 그는 내게 매우 친절했다. ⑦《口》〔특히 女性 用語〕 예쁜, 멋진, 애교있는, 귀여운: a ~ character 매력 있는 성격 / ~ seventeen 〔sixteen〕 꽃다운 나이. ⑧〔反語的〕 지독한. ⑨ (술이) 달짝지근한: ~ wine 단맛나는 와인. ⑩ 염분이 없는, 짜지 않은: ~ water 담수, 단물, 음료수 / ~ butter 무염(無塩) 버터. ***clean and*** ~ 산뜻한, 말쑥한.

— *n.* ① Ⓤ 단맛. ② Ⓒ (흔히 *pl.*) 사탕, 사탕절임; Ⓒ,Ⓤ《英》 식후에 먹는 단 것: What are we having for ~? 디저트는 뭘로 할까요. ③ (the ~s) 즐거움; 유쾌, 쾌락: taste *the* ~*s* of success 성공의 기쁨을 만끽하다. ④ **a**) 〔주로 호칭〕 귀여운〔사랑하는〕 당신: Yes, *my* ~(*est*). 그래요 여보. **b**) 애인, 연인. — *ad.* =SWEETLY.

sweet-and-sour [ˊənsáuər] *a.* 새콤달콤하게 양념한: ~ pork 탕수육《중국 요리》.

sweet·bread [ˊbrèd] *n.* Ⓒ (주로 송아지의) 췌장 또는 흉선(胸腺)《식용으로서 애용됨》.

sweet·bri·er, -bri·ar [ˊbràiər] *n.* Ⓒ 〖植〗 들장미의 일종.

swéet córn 〖植〗 사탕옥수수; 덜 익은 말랑말랑한 옥수수(green corn).

***sweet·en** [swíːtn] *vt.* ① …을 달게 하다: *Sweeten* the mixture with a little honey. 꿀을 약간 타서 조제약을 달게 하여라. ② …을 유쾌하게 하다. ③ …을 온화하게〔상냥하게〕 하다; 누그러지게 하다. ④ (거래 조건 등)을 완화하다. ⑤《俗》 …의 환심을 사다, …에게 증회(贈賄)하다《*up*》. — *vi.* 달아지다. ㊞ ~·**er** [-ər] *n.* ① Ⓤ,Ⓒ 감미료. ② Ⓒ《口》 뇌물. ~·**ing** [-iŋ] *n.* ① Ⓤ 달게 함. ② Ⓤ,Ⓒ 감미료.

***sweet·heart** [ˊhàːrt] *n.* ① Ⓒ 연인, 애인《특히 여성에 대해서》. ⓒⓕ lover. ②《호칭》 여보, 당신 (darling, sweet (one)).

swéetheart agrèement 〔《美》 **còntract**〕 직공에게 낮은 임금을 주도록 회사와 노조가 공모하는 일.

sweet·ie [swíːti] *n.* Ⓒ ①《口》 연인, 애인 (sweetheart). ②《英口》 단 과자, 사탕.

swéetie pìe =SWEETIE ①.

sweet·ish [swíːtiʃ] *a.* 약간〔몹시〕 단.

‡**sweet·ly** [swíːtli] *ad.* ① 달게, 맛있게, 향기롭게. ② 제대로, 순조롭게. ③ 상냥하게, 친절하게, 싹싹하게. ④ 사랑스럽게, 아름답게.

sweet·meat [ˊmìːt] *n.* Ⓒ 사탕 과자《초콜릿, 봉봉, 캔디, 캐러멜 따위》; (과일의) 설탕절임.

sweet·ness** [swíːtnis] *n.* Ⓤ ① 단맛, 달콤함. ② 맛있음, 맛좋음. ③ 신선; 방향(芳香). ④ (목소리·음의) 아름다움; 사랑스러움. ⑤ 유쾌. ⑥ 상냥함, 친절. ~ ***and light 《종종 戲》 기분 좋은.

swéet órange 〖植〗 스위트 오렌지, 그 열매《가장 흔한 식용 오렌지》.

swéet pèa 〖植〗 스위트피《콩과의 원예 식물》.

swéet pépper 〖植〗 피망(green pepper).

swéet potàto ① 고구마. ②《口》 =OCARINA.

sweet-shop [ˊʃɑ̀p / ˊʃɔ̀p] *n.* Ⓒ《英》 =CANDY-STORE.

swéet tàlk《口》 감언(甘言), 아첨.

sweet-talk [ˊtɔ̀ːk] *vt.* 《美口》 …을 감언으로 꾀다; 꾀어 …시키다《*into*》: I managed to ~ her *into* driv*ing* me home. 그녀를 구슬렀더니 나를 집까지 태워다 주었다. — *vi.* 치켜세우다.

sweet-tem·pered [ˊtémpərd] *a.* 상냥한, 얌전한, 사랑스러운.

swéet tòoth (a ~) 단것을 좋아함.

swèet wílliam 〖植〗 아메리카패랭이꽃.

‡**swell** [swel] (~***ed*** ; ***swol·len*** [swóulən], 《古》 ***swoln*** [swouln], 《稀》 ~***ed***) *vi.* ①《~/+副》 부풀다, 팽창하다; 부어오르다《*up*; *out*》: The sails ~*ed out* (in the strong wind). 돛이 (강풍으로) 잔뜩 부풀었다 / His face ~*ed up* 〔*out*〕. 그의 얼굴은 부어 올랐다. ②《~/+副/+前+名》 (땅이) 솟아오르다, 융기하다: The hills ~ gradually (*up*) *from* the plain. 작은 산들이 평지에서 서서히 솟아오르고 있다. ③ (강이) 증수하다, (물의 양이) 붇다, 늘다; (밀물이) 들다, 차다; (샘·눈물이) 솟아나오다: The river has *swollen*. 강물이 불었다. ④《~/+前+名》 (수량이) 증대하다; 커지다; (소리가) 높아지다, 격해지다: ~ *into* a roar (목소리가) 높아져 고함 소리가 되다. ⑤ (울화 따위가) 치밀어 오르다, 부글부글 끓다《*up*》. ⑥《~/+前+名》 (감정이) 끓어오르다《*in*》; (가슴이) 벅차지다, 부풀다《*with*》: Her heart ~*ed with* indignation. 그녀의 마음은 분노로 끓어올랐다. ⑦ 의기양양해 하다, 뽐내다《*up*》; 오만하게 거동하다〔말하다〕: ~ like a turkey cock 거만하게 행동하다, 거들먹거리다.

— *vt.* ① …을 부풀리다, 팽창시키다; 부어오르게 하다: The wind has *swollen* the sails. 바람으로 돛이 부풀었다. ② (수량 따위)를 늘리다, 불리다, 크게 하다: The baby boom ~*ed* the population. 베이비 붐으로 인구가 증가했다. ③〔주로 過去分詞形으로〕 가슴 벅차게 하다《*with*》; 으스대게 하다.

— *n.* ① Ⓤ (또는 a ~) 팽창; 종창(腫脹), 부어오름; 부풂. ② (*sing.*; 종종 the ~) **a**) 큰 파도, 놀, (파도의) 굽이침. **b**) (토지의) 기복. **c**) (가슴 등의) 융기. ③ Ⓤ (또는 a ~) (수량·정도 따위의) 증대, 증가, 확대: *a* ~ in population 인구의 증대〔증가〕. ④ Ⓤ (또는 a ~) (소리의) 증대, (감정의) 높아짐; 〖樂〗 (음의) 증감, 억양; Ⓒ 증감기호(<, >). — *a.* ①《美口》 일류의, 훌륭한, 굉장한: a ~ hotel 일류 호텔 / Have a ~ time! 실컷 즐겨라. ②《口》 멋진; 맵시있는: look ~ 맵시있다, 날씬하다.

swelled [sweld] *a.* =SWOLLEN.

swélled héad 《口》 자만; =SWELLHEAD: have 〔suffer from〕 a ~ 몹시 자만하다.

swell·head [swélhèd] *n.* Ⓒ 자만하고 있는 사람. ㊞ ~·**ed** *a.* 자만하는.

***swell·ing** [swéliŋ] *n.* ① Ⓤ 증대; 팽창; 팽윤(膨潤). ② Ⓒ 혹; 종기; 융기(부), 돌출부.

swel·ter [swéltər] *vi.* 무더위에 지치다; 더위먹다; 땀투성이가 되다. — *n.* Ⓒ (흔히 *sing.*) 무더위.

swel·ter·ing [swéltəriŋ] *a.* 찌는 듯이 더운; 땀투성이의: a ~ hot day 찌는 듯이 무더운날. ㊞ ~·**ly** *ad.*

‡**swept** [swept] SWEEP의 과거·과거분사.

swept·back [ˊbæ̀k] *a.* ①〖空〗 (날개가) 후퇴각을 가진; (비행기·미사일 등이) 후퇴익(後退翼)이 있는. ② (머리가) 올백의.

***swerve** [swəːrv] *vi.* 《~/+前+名》 ① 빗나가다, 벗어나다, 갑자기 방향을 바꾸다: The bullet ~*d from* the mark. 탄환은 표적을 빗나갔다. ② 〔흔히 否定文에서〕 …에서 벗어난 일을 하다 《*from*》: She vowed she would *not* ~ *from* her aims. 그녀는 자기 목표에서 벗어나지 않겠다고 맹

세했다. ── *vt.* …을 벗어나게〔빗나가게〕 하다 : He ~*d* the car over to the side of the road. 그는 급히 차를 꺾어 길가로 붙였다. ── *n.* Ⓒ 벗어남, 빗나감 : The car made a ~ to one side. 차는 한쪽으로 벗어났다. ⓒⓕ veer.

Swift [swift] *n.* **Jonathan** ~ 스위프트《영국의 풍자 작가 ; *Gulliver's Travels* (1726) 의 작자 ; 1667~1745》.

‡swift [swift] (**∠·er ; ∠·est**) *a.* ① 날랜, 빠른, 신속한 : a ~ runner 발 빠른 주자. ② 순식간의. ③ 즉석의, 즉각적인 : a ~ reply 즉답. ④ 곧 …하는, …하기 쉬운《*to* do》: They were ~ *to* deny the accusations. 그들은 즉각 고발을 취하했다. ── *ad.* 신속하게, 빨리 (swiftly). ── *n.* Ⓒ 〖鳥〗 칼새. ⓟ **‡∠·ly** *ad.* 신속히, 즉각. **∠·ness** *n.*

swift-foot·ed [∠fútid] *a.* 발이 빠른, 날듯이 달리는.

swig [swig] *n.* Ⓒ 《口》 통음(痛飮), 꿀꺽꿀꺽 들이켬 : He took a large ~ from the bottle. 그는 병 째로 들이켰다. ── (**-gg-**) *vt.* …을 꿀꺽꿀꺽〔벌컥벌컥〕 들이켜다, 통음하다, 퍼마시다. ── *vi.* 들이키다.

swill [swil] *vt.* ① …을 꿀꺽꿀꺽 들이켜다 ; 과음하다 : ~ beer 맥주를 들이켜다 / ~ oneself *with* wine 술을 실컷 마시다. ② 《~+목 / +목+부》 …을 씻가시다(rinse), 물로 씻어내다《*out*》: The dentist handed me a glass of water to ~ my mouth *out* with. 치과의사는 입을 가시도록 물 한 잔을 내게 주었다. ── *vi.* 꿀꺽꿀꺽 마시다 ; 걸신 들린 듯이 먹다.
── *n.* ① Ⓤ 부엌의 음식 찌끼《돼지 사료》. ② Ⓒ 통음, 경음(鯨飮). ③ (a ~ ; 또는 a ~ down 〔out〕) 물로 씻어내기 : Give the pail *a* good ~ (*out*). 그 들통을 잘 씻어내라.

†swim [swim] (**swam** [swæm], 《古》 **swum** [swʌm] ; **swum ; ∠·ming**) *vi.* ① 헤엄치다 : Let's go ~*ming*. 헤엄치러 가자. ② 《~/+부/+전+명》 뜨다, 부유하다 ; (미끄러지듯) 움직이다 ; (둥둥) 떠서 움직이다 : ~ *into* the room 방으로 쑥 들어서다 / Fat *swam on* the surface of the soup. 수프의 표면에 기름이 떠 있었다. ③ 《+전+명》 (물에) 잠기다《*in*》; 넘치다, 가득하다《*with ; in*》: eyes ~*ming with* tears 눈물이 넘쳐 흐르는 눈. ④ 현기증이 나다, (머리가) 어찔어찔하다 : My mind *swam.* 머리가 어찔어찔했다. ⑤ (물건이) 빙빙 도는 것같이 보이다 : The room *swam* before his eyes. 그의 눈에는 방이 빙빙 도는 것같이 보였다. ── *vt.* ① …을 헤엄쳐 건너다 ; …한 영법(泳法)으로 헤엄치다 : ~ a breaststroke 평영(平泳)을 하다 / ~ the English Channel 영국 해협을 헤엄쳐 건너다. ② (경영(競泳))에 참가하다, 나가다 : Let's ~ the race. ③ (개·말 따위)를 헤엄치게 하다 : ~ a horse.
── *n.* Ⓒ (*sing.*) 수영 ; 한차례의 헤엄 : have a ~ 헤엄을 치다 / go for a ~ 헤엄치러 가다. ***be in* 〔*out of*〕 *the*** ~ 《口》 사정에 밝다〔어둡다〕; 시세에 뒤지지 않다〔뒤지다〕.

swím blàdder (물고기의) 부레(bladder).

‡swim·mer [swímər] *n.* Ⓒ 헤엄치는 사람〔동물〕.

‡swim·ming [swímiŋ] *n.* Ⓤ 수영, 경영(競泳) ; 유영(遊泳).

swímming bàth 《英》 (보통 실내의) 수영장.

swímming còstume 《英》 수영복.

swim·ming·ly [swímiŋli] *ad.* 거침없이, 손쉽게, 일사천리로 : go 〔get〕 on 〔along〕 ~ 일사천리로 일이 진척되다.

swímming pòol 수영 풀.

swímming sùit 수영복.

swímming trùnks 수영 팬츠.

swim·suit [swímsù:t] *n.* Ⓒ 수영복, 《특히》 어깨끈이 없는 여성용 수영복(maillot).

***swin·dle** [swíndl] *vt.* 《~ / ~+목 / +목+전+명》 …을 사취(詐取)하다, 속이다, 속여 빼앗다 《*out of*》; 야바위치다 : ~ a person *out of* his money = ~ money *out of* a person 아무에게서 돈을 사취하다. ── *vi.* 사기치다. ── *n.* Ⓒ 사취 ; 사기, 협잡. ⓟ **~r** *n.* Ⓒ 사기꾼.

***swine** [swain] *n.* Ⓒ ① (*pl.* ~) **a)** 《美》 돼지. **b)** 멧돼지. ② (*pl.* **~s**, ~) 《俗》 야비한 녀석, 비열한 놈 : You ~ ! 이새끼.

swine·herd [∠hə̀:rd] *n.* Ⓒ 양돈가.

‡swing [swiŋ] (**swung** [swʌŋ], 《稀》 **swang** [swæŋ] ; **swung**) *vi.* ① 흔들리다, 흔들거리다 ; 진동하다 : The lamp 〔door〕 *swung* in the wind. 등잔〔문〕이 바람에 흔들렸다. ② 《~ / +전+명》 매달리다 ; 그네를 뛰다 ; 《口》 교수형을 받다 : A lamp *swung from* the ceiling. 램프가 천장에 매달려 있었다 / The girl *swung* higher and higher. 소녀는 더욱 높이 그네를 뛰었다 / He *swung for* the murder. 그는 살인죄로 교수형을 받았다. ③ **a)** 《+전+명 / +부 / +보》 (한 점을 축으로 하여) 빙 돌다, 회전하다《*(a)round*》: The knight *swung round* and faced the enemy. 그 기사는 휙 돌아서서 적을 마주 보았다 / The door *swung* open. 문이 휙 열렸다. **b)** (팔을 크게 휘둘러) 때리다, 한방 먹이다《*at*》: ~ *at* a ball 볼을 스윙하다. ④ 《~ / +전+명 / +부》 대오정연하게 나아가다, 몸을 흔들며 힘차게 행진하다 ; 흔들거리며 나아가다《*along ; past ; by*》: The troop went ~*ing along.* 군대는 힘차게 행진해 갔다. ⑤ (밴드가) 스윙을 연주하다.
── *vt.* ① …을 흔들다, 흔들어 움직이다 : ~ a child (그네 따위에 태워서) 아이를 흔들다. ② 《~+목 / +목+전+명》 (주먹·무기 등)을 휘두르다, 휙 치켜올리다《*up*》: ~ a club *around* one's head 곤봉을 머리 위로 휘두르다. ③ 《+목+보 / +목+부 / +목+전+명》 …을 빙〔휙〕 돌리다, 회전시키다 ; …에게 커브를 틀게 하다 ; …의 방향을 바꾸다 : He *swung* the car *around* 〔*around* the corner〕. 그는 자동차의 방향을 휙 돌렸다〔돌려 모퉁이를 돌았다〕. ④ 《~+목 / +목+전+명》 …을 매달다 : ~ a hammock *between* two trees 두 나무 사이에 해먹을 매달다. ⑤ (의견·입장·취미 따위)를 바꾸다, (관심)을 돌리다 ; 《口》 (여론 따위)를 좌우하다 : ~ an election 선거를 (생각대로) 좌우하다. ⑥ 《美口》 …을 잘 처리하다〔취급하다〕(manage) : ~ a business deal 상거래를 잘 처리하다. ⑦ …을 스윙(음악)식으로 연주하다〔지휘하다, 춤추다, 노래하다〕.
── *n.* ① Ⓒ 휘두름 ; 〖테니스·골프·野〗 휘두르기, 스윙 : a short ~ 짧게 휘두르기. ② Ⓤ 흔들림, 진동 ; 빙 돎 ; 전후 운동 ; Ⓒ 진폭. ③ Ⓤ (시·음악 등의) 율동, 음률, 가락. ④ Ⓒ 그네, 그네 타기 : have (a ride *on*) a ~ 그네 타다. ⑤ Ⓒ 격렬한 일격 ; 〖拳〗 스윙. ⑥ Ⓒ 활기 차게 걸음, 위세 당당한 움직임 : walk with a ~ 몸을 흔들며 걷다. ⑦ Ⓤ 자유 활동, 행동의 자유 : Give him full ~. 그를 자유롭게 내버려 둬라. ⑧ Ⓤ 〖樂〗 스윙음악 (~ music). ⑨ Ⓒ 《美》 일주 여행 ; 《美俗》 바쁜 여행 : a ~ around the country 국내 일주 여행. ⑩ Ⓒ (경기·여론 따위의) 변동, 동요 ; 변경, 전적(轉籍) : a ~ in public opinion 여론의 변동. ***go with a*** ~ 《口》 순조롭게 진행되다 ; (집회 따위가) 성황을 이루다 ; (시·음악 따위가) 가락이 좋다. ***in full*** ~ 《口》 한창(진행 중)인, 한창 신나서 : The party was *in full* ~ when the police

burst in. 경찰이 안으로 뛰어들었을 때 파티는 한창이었다.

swing·boat [∠-bòut] *n.* Ⓒ (유원지 등의) 배모양의 그네.

swíng brìdge 선회교, 선개교(旋開橋).

swíng dòor =SWINGING DOOR.

swinge·ing [swíndʒiŋ] *a.* 〔限定的〕《英》 격렬한《타격 따위》, 강력한; 엄청난, 굉장한.

swing·er [swíŋər] *n.* Ⓒ ① swing하는 사람. ②《俗》 활동적이고 세련된 사람, 유행의 첨단을 걷는 사람. ③ 쾌락의 탐닉자; 프리 섹스를 하는 사람.

***swing·ing** [swíŋiŋ] *a.* ① 흔들리는; 진동하는. ②《俗》(걸음걸이가) 당당한, 활발한. ③ (노래·걸음걸이 따위가) 경쾌한, 박자가 빠른. ④《俗》 훌륭한, 일류의, 최고의, 활동적이고 현대적인, 유행의 첨단을 걷는; 성적으로 자유 분방한.
㊀ **~·ly** *ad.* 흔들려서;《俗》 활발하게.

swínging dóor (안팎으로 열리는) 자동식 문, 스윙 도어(swing door).

swíng mùsic 스윙 음악.

swíng shìft 《美》 야근〔야반〕 교대《보통 16–24시》; 〔集合的〕 야간교대 작업원들.

swing-wing [swíŋwìŋ] 〖空〗 *a.* 가변 후퇴익(可變後退翼)의. ── *n.* Ⓒ 가변 후퇴익(기).

swingy [swíŋi] (***swing·i·er*; *-i·est***) *a.* ① (음악이) 스윙 형태의. ② 흔들리는, 요동하는.

swin·ish [swáiniʃ] *a.* ① 돼지의; 돼지 같은; 욕심 많은. ② 불결한; 천박한.
㊀ **~·ly** *ad.* 돼지같이; 상스럽게. **~·ness** *n.*

swipe [swaip] *n.* Ⓒ ① (크리켓 따위에서) 강타, 맹타, 세게 휘두르기. ② 신랄한 말〔비평〕; 비난; 욕설. ── *vt.* 《口》 ① …을 강타하다. ② …을 훔치다. ── *vi.* 힘껏 치다《*at*》: The woman *~d* at the child. 여인은 그 애를 힘껏 때렸다.

swipes [swaips] *n. pl.* 《英口》 싱거운 싸구려 맥주.

***swirl** [swəːrl] *vi.* ①《~/+副/+前+名》 소용돌이치다《*about*》; 소용돌이에 휩쓸리다: The stream *~s over* the rock. 개울이 소용돌이치면서 바위 위를 흐르고 있다. ② (머리가) 어찔어찔하다. ── *vt.* …을 소용돌이치게 하다《*about*》.
── *n.* Ⓒ 소용돌이; (물고기·보트가 일으키는) 작은 소용돌이; 소용돌이꼴《장식 따위》.

***swish** [swiʃ] *n.* Ⓒ ① (날개·채찍 등의) 휙휙하는 소리, 워석워석하는 소리: the steady ~ of (the) wind 끊임없이 쌩쌩 부는 바람 소리. ②《美俗》 동성애자, 호모.
── *vi.* 《~/+副/+前+名》 ① (채찍이나 나는 새가) 휙 소리를 내다, 휙 움직이다〔때리다, 날다〕: The whip *~ed past* his ear. 채찍이 그의 귀를 휙 스쳤다. ② 옷이 스치는 소리가 나다: Her skirt *~ed* as she walked. 그녀가 걸을 때 스커트 스치는 소리가 났다. ── *vt.* (채찍 따위)를 휘두르다, 휙 소리 내다: The cow *~ed* her tail. 소가 휙 꼬리를 휘둘렀다.
── *a.* ①《英口》 멋있는, 스마트한, 맵시 있는《옷 따위》. ②《美俗》 여성적 동성 연애를 하는 사람의.

‡Swiss [swis] (*pl.* ~) *n.* ① Ⓒ 스위스 사람. ② (the ~) 〔集合的〕 스위스 사람《전체》. ── *a.* 스위스의, 스위스식의; 스위스 사람의.

Swíss chárd 〖植〗 근대《식용》.

Swíss chéese 스위스 치즈《딴딴하고 구멍이 많은》.

Swíss róll (잼을 넣은) 롤카스텔라.

‡switch [switʃ] *n.* ① Ⓒ 〖電〗 스위치, 개폐기: an on-off ~ ⇨ ON-OFF. ② (*pl.*) 〖鐵〗 전철기(轉轍機), 포인트(《英》 points). ③ Ⓒ 바꿈, 전환, 변경, 교환: a ~ in policy 정책의 전환. ④ Ⓒ 휘청휘청한 나뭇가지《회초리 따위에 씀》. ⑤ Ⓒ (여자 머리의) 다리꼭지.
── *vt.* ①《+名+副》 (전류)를 통하다; (전등·라디오 따위)를 켜다; (전화)를 연결하다《*on*》: ~ the radio *on*. ②《+名+副》 (전류·전화 따위)를 끊다, (전등·라디오 따위)를 끄다《*off*》: ~ a light *off*. ③《~+名/+名+前+名》〖鐵〗 …을 전철하다, (다른 선로)에 바꾸어넣다: The train was *~ed into* the siding. 열차를 측선으로 전철했다. ④《+名+前+名》 (생각·화제 따위)를 바꾸다, 전환하다, 돌리다: ~ the conversation *to* another subject 이야기를 다른 화제로 돌리다. ⑤ (의견·자리 등)을 바꿔치다, 교환하다: ~ seats 자리를 바꾸다 / ~ ideas *with* a person 아무와 의견을 교환하다. ⑥《~+名/+名+前+名》 …을 잡아채다; (짐승이 꼬리)를 흔들다〔치다〕, (지팡이·낚싯줄 따위)를 휘두르다: a cow *~ing* its tail 꼬리를 흔들고 있는 소 / He *~ed* the letter *out of* my hand. 그는 그 편지를 내 손에서 잡아챘다. ⑦《~+名/+名+前+名》 …을 회초리〔매〕로 때리다(whip): The man *~ed* the slave *with* a birch. 그 남자는 노예를 회초리로 매질했다.
── *vi.* ① 대체하다, 바꾸다: ~ *from* coal *to* oil 석탄에서 석유로 대체하다. ② (…와) 교대하다, 교체하다《*with*》: Will you ~ *with* me? 나와 교대해 주겠어요. **~ *off*** 《口》 …에게 흥미를 주지 못하다; …가 흥미를 잃다, 이야기를 못하게 하다; 스위치를 끄다. **~ *on*** 《口》〔종종 *pp.*〕《口》 (감정적 또는 성적으로) 흥분시키다〔하다〕; (태도 등)을 갑자기 보이다, 나타내다; 스위치를 넣다; 흥미를 일으키게하다〔일으키다〕. **~ *over*** (다른 채널 따위로) 바꾸다《*to*》, (다른 방식·연료 등으로) 전환하다〔시키다〕, (다른 직(職)·입장 등으로) 바뀌다, 바꾸다《*to*》.

switch·back [∠-bæ̀k] *n.* Ⓒ ① 스위치 백《가파른 고개를 올라가기 위한 지그재그의 길·철도》. ②《英》 =ROLLER COASTER.

swítch·blade (knífe) [∠-blèid(-)] 《美》 날이 튀어나오게 된 나이프(《英》 flick-knife).

***switch·board** [∠-bɔ̀ːrd] *n.* Ⓒ (전기의) 배전반(配電盤); (전화의) 교환대.

switched-on [swítʃtɔ́ːn / ∠ɔ́n] *a.* ①《口》 활기찬, 민감한. ②《口》 극히 현대적인, 유행의 첨단을 가는. ③《俗》 (마약으로) 환각상태에 빠진.

switch·gear [swítʃgìər] *n.* Ⓤ 〔集合的〕〖電〗 (고압용) 개폐기〔장치〕.

switch-hit·ter [∠hítər] *n.* Ⓒ 〖野〗 스위치 히터《좌우 어느 타석에서나 타격할 수 있는 타자》.

switch·man [∠mən] (*pl.* ***-men*** [∠mən]) *n.* Ⓒ (철도의) 전철수(轉轍手)(《英》 pointsman).

switch·o·ver [∠òuvər] *n.* Ⓒ =CHANGEOVER.

switch·yard [∠jàːrd] *n.* Ⓒ 〖美鐵〗 조차장.

‡Switz·er·land [-lənd] *n.* 스위스《수도 Bern》.
◇ Swiss *a.*

swiv·el [swívəl] *n.* Ⓒ 전환(轉鐶), 회전 고리; 회전의자의 받침. ──(*-l-*, 《英》 *-ll-*) *vt., vi* 회전〔선회〕시키다〔하다〕: He *~ed* his chair around and looked at me. 그는 의자를 빙 돌려서 나를 보았다.

swível chàir 회전 의자.

swiz(z) [swiz] (*pl.* ***swízz·es***) *n.* (a ~) 《英口》 기대에 어긋남, 실망.

swiz·zle [swízəl] *n.* Ⓒ ① 혼합주(酒)《칵테일의 일종》. ②《英口》 =SWIZZ.

swízzle stìck (칵테일용의) 휘젓는 막대.

‡swol·len [swóulən] SWELL의 과거분사.
── *a.* ① 부어오른; 부푼; 물이 불은: Her eyes were ~ *with* weeping. 그녀의 눈은 울어서 부어 있었다. ② …한 감정으로 가슴이 벅찬: one's ~

heart 벅찬 가슴. ③ 으스대는, 뽐내는 : He's ~ *with* his own importance. 그는 잘난 체 뽐내고 있다.

swóllen héad =SWELLED HEAD.

***swoon** [swu:n] *n.* Ⓒ 기절, 졸도 ; 황홀한 상태 : He fell to the floor in a ~. 그는 의식을 잃고 마루에 쓰러졌다. ── *vi.* ① 기절〔졸도〕하다. ②《文語·戲》 황홀해지다《*with*》.

‡swoop [swu:p] *vi.* ①《+뮈/+전+명》(매 따위가) 위로부터 와락 덤벼들다 ; 급습하다《*down ; on, upon*》: The hawk ~*ed* (*down*) *on* its prey. 매는 먹이를 향해 쏜살같이 덮쳤다. ②《+전+명》단숨에 내리다, 급강하하다 : The elevator ~*ed down* the forty stories. 엘리베이터는 40층을 단숨에 내려갔다.
── *n.* Ⓒ 위로부터 덮침 ; 급강하 ; 급습 ; (휙) 잡아챔. ***at* 〔*in*〕 *one fell*** ~ 갑자기 ; 단번에, 일거에. ***make a ~ at*〔*on*〕** …을 급습하다.

swop [swap/swɔp] *n.*, (***-pp-***) *vt.*, *vi.* =SWAP.

‡sword [sɔ:rd] *n.* ① Ⓒ 검(劍), 칼, 사벨 : a dress ~ 예장용 검. ② (the ~) 무력, 군사력 : The pen is mightier than *the* ~. 《俗談》 문(文)은 무(武)보다 강하다. ***at the point of the ~ =at ~ point*** 검〔무력〕으로 협박하여. ***cross ~s with*** …와 싸우다 ; …와 다투다 ; 《比》 …와 논쟁하다. ***fire and*** ~ ⇨ FIRE. ***put*** a person ***to*** (***the edge of***) ***the*** ~ 아무를 베어 죽이다. ***the ~ of justice*** 사법권.

swórd dànce 칼춤, 검무(劍舞).

sword·fish [⌐fiʃ] *n.* 〖魚〗 황새치 ; (the S-) 〖天〗 황새치자리(Dorado).

sword·play [⌐plèi] *n.* Ⓤ 펜싱, 검술.

swords·man [sɔ́:rdzmən] (*pl.* ***-men*** [-mən]) *n.* Ⓒ 검술가 ; 검객 : be a good〔bad〕 ~ 검술에 능하다〔서툴다〕. ⓜ **~·shìp** *n.* Ⓤ 검술, 검도.

swórd stìck 속에 칼이 든 지팡이.

sword·tail [⌐tèil] *n.* Ⓒ 〖魚〗 검상(劍狀)꼬리송사리《멕시코 지방산의 담수 감상어(鑑賞魚)》; 〖動〗 참게(king crab).

***swore** [swɔ:r] SWEAR의 과거.

***sworn** [swɔ:rn] SWEAR의 과거분사.
── *a.* 〔限定的〕 맹세한, 선서를 마친, 언약한 ; 공공연한 : ~ brothers〔friends〕 의(義)형제〔맹우(盟友)〕/ ~ enemies〔foes〕 불공 대천의 원수 / ~ evidence 선서를 하고 제출한 증거.

swot[1] [swat / swɔt] (***-tt-***) 《英口》 *vi.* (시험을 위해) 들입다 공부하다. ── *vt.* …을 기를 쓰고〔열심히〕 공부하다《*up*》. ── *n.* Ⓒ 기를 쓰고 하는 공부 ; 기를 쓰고 공부하는 사람. ⓜ **~·ter** *n.*

swot[2] *n.*, (***-tt-***) *vt.* 《美》 =SWAT.

‡swum [swʌm] SWIM 의 과거분사 ; 《古》 SWIM의 과거.

‡swung [swʌŋ] SWING의 과거·과거분사.

swúng dàsh 〖印〗 파형(波形) 대시, 물결표 (~).

syb·a·rite [síbəràit] *n.* Ⓒ 사치·방탕을 일삼는 무리.

syb·a·rit·ic [sìbərítik] *a.* 사치 향락에 빠지는, 나약한.

***syc·a·more** [síkəmɔ̀:r] *n.* 〖植〗 ① Ⓒ 〖聖〗 (이집트·소(小)아시아산(産)의) 무화과(=⌐ **fíg**). ② Ⓒ 단풍나무의 일종(=⌐ **máple**) ; Ⓤ 그 목재 《현악기에 씀》. ③ Ⓒ 《美》 플라타너스(buttonwood).

syc·o·phan·cy [síkəfənsi] *n.* Ⓤ 아첨, 아부.

syc·o·phant [síkəfənt] *n.* Ⓒ 알랑쇠, 아첨꾼.

syc·o·phan·tic [sìkəfǽntik] *a.* 알랑대는, 아첨하는.

***Syd·ney** [sídni] *n.* 〖地〗 시드니《오스트레일리아 최대의 도시로 항구도시》.

syl- *pref.* =SYN-[1]《l 앞에 올 때의 꼴》.

syl·la·bary [síləbèri / -bəri] *n.* Ⓒ 자음표(字音表) ; 음절 문자표《한글의 가나다 음표 따위》.

syl·la·bi [síləbài] SYLLABUS 의 복수형.

syl·lab·ic [silǽbik] *a.* ① 음절의, 철자의 ; 음절을 나타내는. ② 각 음절을 발음하는 ; 발음이 매우 명료한. ③ 〖音聲〗 음절(의 중핵)을 이루는. ── *n.* Ⓒ 음절 문자 ; 음절 주음(主音)《각 모음 외에, double [dʌ́bl]의 [l], rhythm [ríðəm]의 [m], hidden [hídn]의 [n] 따위》; (*pl.*) 음절시.
ⓜ **-i·cal·ly** [-əli] *ad.*

syl·lab·i·cate [silǽbəkèit] *vt.* …을 음절로 나누다, 분철(分綴)하다. ⓜ **syl·làb·i·cá·tion** [-ʃən] *n.* Ⓤ 음절 구분 ; 분철법.

syl·lab·i·fy [silǽbəfài] *vt.* =SYLLABICATE.
ⓜ **syl·làb·i·fi·cá·tion** [-fikéiʃən] *n.*

syl·la·bize [síləbàiz] *vt.* =SYLLABICATE.

‡syl·la·ble [síləbəl] *n.* Ⓒ ① 음절, 실러블 : '*Syllable*' is a word of three ~*s*. 'syllable'은 세 음절로 된 낱말이다. ② 〔흔히 否定文으로〕 한마디, 일언 반구 : *Not* a ~ ! 한마디도 말하지 마라. ***in words of one*** ~ 간단히〔솔직히〕 말해서.

syl·la·bled [síləbəld] *a.* 〔複合語를 이루어〕 … 철자의, …음절의 : a three-~ word 세 음절의 단어.

syl·la·bub [síləbʌ̀b] *n.* =SILLABUB.

syl·la·bus [síləbəs] (*pl.* **~·*es***, ***-bi*** [-bài]) *n.* Ⓒ 적요(摘要), (강의 따위의) 요목.

syl·lep·sis [silépsis] (*pl.* ***-ses*** [-si:z]) *n.* Ⓤ ① 〖修〗 일필 쌍서법(一筆雙敍法)《구체(具體)·추상의 양쪽을 겸하는 표현 : He *lost* his temper and his hat.》. ② 〖文法〗 겸용법《보기 : Either they or I *am* wrong.》.

syl·lo·gism [sílədʒìzəm] *n.* Ⓒ ① 〖論〗 삼단 논법. ② 연역(법). ⓒⓕ deduction, induction. ③ 그럴 듯한 논법, 궤변.

syl·lo·gis·tic [sìlədʒístik] *a.* 삼단 논법〔연역법〕의.

sylph [silf] *n.* Ⓒ ① 공기〔바람〕의 요정(妖精). ⓒⓕ gnome[1], nymph, salamander. ② 날씬하고 우아한 여자〔소녀〕. ⓜ **⌐·lìke** [-làik] *a.* 공기〔바람〕의 요정 같은 ; 가냘픈.

syl·van, sil·van [sílvən] *a.* 숲의 ; 숲 속의 ; 숲이 있는 ; 나무가 무성한 ; 목가적(牧歌的)인.

sym- *pref.* =SYN-[1]《b, m, p 의 앞에 올 때의 꼴》.

sym. symbol ; 〖化〗 symmetrical ; symphony ; symptom.

sym·bi·o·sis [sìmbaióusis, -bi-] (*pl.* ***-ses*** [-si:z]) *n.* Ⓤ,Ⓒ 〖生〗 ① 공생(共生). ② 공존, 공동생활.

sym·bi·ot·ic [sìmbaiátik, -bi- / -biɔ́t-] *a.* 〖生〗 공생의〔하는〕 : a ~ relationship 공생 관계.

‡sym·bol [símbəl] *n.* Ⓒ ① 상징, 표상, 심벌 : The cross is the ~ of Christianity. 십자가는 기독교의 상징이다. ② 기호, 부호 : chemical ~*s* 화학 기호 / a phonetic ~ 발음〔음성〕기호.

***sym·bol·ic, -i·cal** [simbálik / -bɔ́l-], [-əl] *a.* ① 상징하는《*of*》: The dove is *symbolic of* peace. 비둘기는 평화를 상징한다. ② 상징주의적인. ③ 기호의, 부호의 : *symbolic* language 기호 언어.
ⓜ **-i·cal·ly** *ad.*

symbólic lógic 기호 논리학.

sym·bol·ism [símbəlìzəm] *n.* Ⓤ ① 상징〔기호〕의 사용 ; 부호 체계. ② 상징적 의미, 상징성. ③ (종종 S-) (문학·미술 등의) 상징주의. ⓜ **-ist** *n.* Ⓒ 기호〔부호〕사용자〔학자〕, 상징주의자.

***sym·bol·ize** [símbəlàiz] *vt.* …을 상징하다, …의 상징이다 ; …을 상징〔표상〕화하다 ; 기호〔부호〕로 나타내다, …의 기호〔부호〕이다 : In Europe, the color white ~*s* purity. 유럽에서 흰색은 청순을

상징한다. ── *vi.* 상징하다; 상징을〔기호를〕 쓰다. [파] **sỳm·bol·i·zá·tion** [-lizéiʃən] *n.* [U] 상징〔기호〕화.

sym·bol·o·gy [simbɑ́lədʒi / -bɔ́l-] *n.* [U] 상징〔기호〕학; 상징〔기호〕의 사용. [파] **-gist** *n.*

***sym·met·ric, -ri·cal** [simétrik], [-əl] *a.* (좌우) 상칭적(相稱的)인, 균형잡힌: The leaves of most trees are *symmetrical.* 대개의 나뭇잎들은 좌우 대칭이다. [파] **-ri·cal·ly** [-kəli] *ad.*

sym·me·trize [símətràiz] *vt.* …을 상칭〔대칭〕적으로 하다; 균형을 이루게 하다, 조화시키다.

sym·me·try [símətri] *n.* [U] 좌우 상칭(相稱)〔대칭〕, 좌우 균정(均整); 조화, 균정미(美).

‡sym·pa·thet·ic [sìmpəθétik] (***more*** ~; ***most*** ~) *a.* ① 동정적인, 인정 있는, 공감을 나타내는: ~ tears 동정의 눈물. ② 동정〔공감〕에서 우러나오는. ③ 호의적인, 찬성하는: He was ~ *to* our plan. 그는 우리 계획에 찬성이었다. ④ 마음에 맞는, 서로 마음이 통하는: ~ friends 마음 맞는 친구들. ⑤〖物〗 공명(共鳴)〔공진(共振)〕하는: ~ vibrations 공진 / ~ resonance 공명. ◇ sympathy *n.* [파] ***-i·cal·ly** [-ikəli] *ad.* 동정하여; 가엾이 여겨; 감응하여; 찬성하여.

‡sym·pa·thize [símpəθàiz] *vi.* 《~ / +[전]+[명]》 ① 동정하다, 위로하다《*with*》: She ~*d with* me in my troubles. 그녀는 어려움에 처한 내게 동정해 주었다. ② 공감하다, 찬성〔동의〕하다《*with*》: His parents did not ~ *with* his desire to become a journalist. 그의 부모는 저널리스트가 되고자 하는 그의 바람에 찬성하지 않았다. ③ 감응〔동조〕하다; 일치하다. [파] **-thìz·er** [-ər] *n.* [C] ① 동정자, 인정있는 사람. ② 동조자, 공명자, 지지자, 동지.

sym·pa·thiz·ing·ly [símpəθàiziŋli] *ad.* 동정하여; 찬성하여.

‡sym·pa·thy [símpəθi] *n.* ① [U] 동정, 헤아림; (종종 *pl.*) 조위(弔慰), 문상, 위문. [opp] *antipathy.* ¶ have 〔feel (a)〕 ~ *for* the poor 가난한 사람들에게 동정하다 / a letter of ~ 조의의 편지 / express ~ *for* …에게 조의를 표하다, …을 위문하다. ② (종종 *pl.*) 호의, 찬성, 공명; 〖心〗 공감: I have no ~ *with* his foolish idea. 그의 어리석은 생각에는 찬성할 수 없다. ③ (*pl.*) 동정심: a man of wide *sympathies* 포용력 있는 사람 / You have my *sympathies.* =My *sympathies* are *with* you. 당신에게 동정〔찬성〕합니다. ④ [U] 감응(성); 〖生理〗 교감. ⑤ [U] 〖物〗 공명(共鳴), 공진(共振). ◇ sympathetic *a.* sympathize *v.* ***come out in*** ~ 동정 파업을 하다: The miners were on strike and the railwaymen *came out in* ~. =The railwaymen *came out in* ~ *with* the miners. 광부들이 파업하고 있었는데 철도 종업원들이 이에 동정 파업을 했다.

sýmpathy strìke 동정 파업.

sym·phon·ic [simfɑ́nik / -fɔ́n-] *a.* 〖樂〗 심포니(식)의, 교향악의, 교향적인: a ~ suite 교향 모음곡 / a ~ poem 교향시. [파] **-i·cal·ly** *ad.*

‡sym·pho·ny [símfəni] *n.* [C] ① 교향곡, 심포니. ② 합창곡〔가곡〕 중의 기악부. ③《美》 교향악단(의 콘서트).

sýmphony órchestra 교향악단.

sym·po·si·um [simpóuziəm] (*pl.* ***~s, -sia*** [-ziə]) *n.* [C] ① 주연(酒宴), (본디 옛 그리스의) 향연. ② 토론회, 좌담회, 심포지엄, 연찬회(硏鑽會). ③ 논집(論集), (같은 문제에 대한 여러 사람의) 평론집.

***symp·tom** [símptəm] *n.* [C] ① 징후, 조짐, 전조《*of*》: premonitory ~*s of* an earthquake 지진의 전조. ②〖醫〗 증상, 증후.

symp·to·mat·ic, -i·cal [sìmptəmǽtik], [-əl] *a.* ① 징후〔증후〕인《*of*》; 전조가 되는; 징후에 관한: a *symptomatic* fever 징후적 고열. ②〔敍述的〕 (…을) 나타내는《*of*》: This fever is *symptomatic of* malaria. 이 열은 말라리아의 징후다. [파] **-i·cal·ly** *ad.*

syn-[1] *pref.* '더불어, 동시에, 유사한'의 뜻《★ l 앞에서는 동화되어 syl-; b, m, p 앞에서는 sym-; s 앞에서는 sys-; sc, sp, st, z 앞에서는 sy-로 됨》.

syn-[2] '합성'의 뜻의 결합사.

syn. synonym; synonymous; synonymy.

***syn·a·gogue** [sínəgɔ̀ːg, -gɑ̀g / -gɔ̀g] *n.* ① [C] 유대인 교회. ② (the ~) 시나고그《예배식의 유대인 집회》.

syn·apse [sinǽps, sáinæps] *n.* [C] 〖解〗 시냅스《신경세포의 자극 전달부》; 〖生〗 염색체 접합.

sync, synch [siŋk] *n.* [U] 《口》 동조(同調), 동시성: in ~ 동조하여, 일치해 / out of ~ 동조〔일치〕하지 않아.

syn·chro·mesh [síŋkrəmèʃ] *n.* [U] 〖自動車〗 싱크로메시《톱니바퀴를 동시에 맞물리게 한 장치》.

syn·chron·ic [siŋkrɑ́nik / -krɔ́n-] *a.* =SYNCHRONOUS; 〖言〗 공시(共時)적인《언어를 시대마다 구분하여 사적(史的) 배경을 배제하여 연구하는》. [opp] *diachronic.*

syn·chro·nism [síŋkrənìzəm] *n.* ① [U] 동시 발생, 동시성; 영상과 음성의 일치. ② [C] 대조역사 연표(年表). ③ [U] 〖物·電〗 동기(同期)(성).

***syn·chro·nize** [síŋkrənàiz] *vi.* ① 《+[전]+[명]》 동시에 발생〔진행, 반복〕하다, 동시성을 가지다《*with*》: One event ~*s with* another. 한 사건이 다른 사건과 함께 일어난다. ② (여러 개의 시계가) 같은 시간을 가리키다. ③〖映·TV〗 화면과 발성이 일치하다, 동조(同調)하다. ── *vt.* 《~+[목] / +[목]+[전]+[명]》 ① …에 동시성을 지니게 하다, …을 동시에 진행〔작동〕시키다; (시계·행동 따위)의 시간을 맞추다; (사건 따위가) 동시〔동시대〕임을 나타내다: We ~*d* our steps. 우리는 보조를 맞추었다. ②〖映·TV〗 (음성)을 화면과 일치시키다; 〖寫〗 (셔터의 개방)을 플래시의 섬광과 동조시키다: The sound track of a film should be ~*d with* the scenes. 필름의 사운드트랙은 화면과 일치시켜야 한다.
[파] **sỳn·chro·ni·zá·tion** *n.* **sýn·chro·nìz·er** *n.* [C] 동기 장치.

sýn·chro·nized swímming [síŋkrənàizd-] 〖泳〗 싱크로나이즈드 스위밍, 수중 발레.

syn·chro·nous [síŋkrənəs] *a.* ① 동시(성)의; 동시 발생〔반복, 작동〕하는. ②〖物·電〗 동기식〔동위상(同位相)〕의. ③〖宇宙〗 (인공위성이) 정지(靜止) 궤도를 도는, 정지 위성의.
[파] **~·ly** *ad.* 동시에; 동기에. **~·ness** *n.*

syn·chro·tron [síŋkrətrɑ̀n / -trɔ̀n] *n.* [C] 싱크로트론《사이클로트론을 개량한 하전 입자 가속 장치》. [cf] bevatron.

syn·co·pate [síŋkəpèit] *vt.* ①〖文法〗 (말)을 중략(中略)하다《never를 ne'er로 하는 따위》. ②〖樂〗 당김음으로 하다. [파] **sỳn·co·pá·tion** [-ʃən] *n.* [U] ①〖文法〗 어중음(語中音) 소실, 중략(中略). ②〖樂〗 당김음.

syn·co·pe [síŋkəpi] *n.* [U] ①〖文法〗 어중음(語中音) 소실, 중략; [C] 중략어. [cf] apocope. ②〖樂〗 당김음법.

syn·dic [síndik] *n.* [C] ①《英》 (대학 등의) 평의원, 이사(理事). ② (Cambridge 대학의) 특별 평의원. ③ (Andorra 등지의) 장관; 지방 행정 장관.

syn·di·cal·ism [síndikəlìzəm] *n.* [U] 〖社〗 노동조합주의, 신디칼리즘《직접 행동으로 생산·분배

를 수중에 넣으려는 투쟁적인 노동조합 운동). ㊞ **-ist** [-ist] *n.* Ⓒ 그 주의자.

***syn·di·cate** [síndikit] *n.* Ⓒ 〔集合的〕 ① 기업 연합, 신디케이트. Ⓒf cartel, trust. ② 공사채(公社債)〔주식〕 인수 조합〔은행단〕. ③ 신문 잡지용 기사〔사진·만화〕 배급자 기업. ④ (동일 경영하의) 신문 연합. ⑤ (대학 등의) 이사회, 평의원회. ⑥《美》조직 폭력 연합. ── [-dikèit] *vt.* …을 신디케이트 조직으로 하다 ; (기사 따위)를 신디케이트를 통하여 발표〔관리, 배급〕하다. ── *vi.* 신디케이트를 만들다. ㊞ **sỳn·di·cá·tion** [-dikéiʃən] *n.* Ⓤ 신디케이트를 조직하기 ; 신디케이트 조직.

syn·drome [síndroum, -drəm] *n.* Ⓒ ①【醫】증후군, 신드롬 ; 병적 현상. ② (어떤 감정·행동이 일어나는) 일련의 징후, 일정한 행동 양식.

syne [sain] *ad., prep., conj.* 《Sc.》 이전에, 전에 (since). Ⓒf auld lang syne.

syn·ec·do·che [sinékdəki] *n.* Ⓤ,Ⓒ【修】제유(提喩)《일부로써 전체를, 특수로써 일반을 나타내는 표현법, 또는 그 반대를 뜻하기도 함 ; *sail, keel* 이 ship, a *creature* 가 a man 을 나타내는 따위》. Ⓒf metonymy.

syn·er·gy [sínərdʒi] *n.* Ⓤ (기관(器官)의) 공동〔협동〕 작용 ; (약품 따위의) 공동〔상승〕 작용.

syn·od [sínəd] *n.* Ⓒ 종교〔교회〕 회의.

***syn·o·nym** [sínənim] *n.* Ⓒ ① 동의어, 유의어(類義語), 비슷한 말. opp. *antonym.*

syn·on·y·mous [sinánəməs / -nɔ́n-] *a.* 동의어의, 유의어의, 같은 뜻의《*with*》: 'Upon' is ~ *with* 'on'. 'upon'은 'on'과 뜻이 같다. ㊞ **~·ly** *ad.*

syn·on·y·my [sinánəmi / -nɔ́n-] *n.* Ⓤ ① 유의(類義)〔동의〕(성). ② 유어 반복《뜻을 강조하기 위함 : in any *shape* or *form*》. ③ 유어의 비교 연구.

syn·op·sis [sinápsis / -nɔ́p-] (*pl.* **-ses** [-siːz]) *n.* Ⓒ ① 개관, 적요, 대의. ② 대조표, 일람(표).

syn·op·tic [sináptik / -nɔ́p-] *a.* 개관의, 대의의. ㊞ **-ti·cal·ly** [-tikəli] *ad.*

synóptic Góspels (the ~, 종종 the S-) 공관 복음서《마태 복음·마가 복음·누가 복음의 3편》.

syn·tac·tic, -ti·cal [sintǽktik], [-əl] *a.* 구문론의 ; 구문론적인 ; 통어법(統語法)에 따른. ㊞ **-ti·cal·ly** [-tikəli] *ad.* 「론.

syn·tac·tics [sintǽktiks] *n.* Ⓤ【論】기호 통합

ːsyn·tax [síntæks] *n.* Ⓤ ①【文法】통어법〔론〕, 구문(론). ② =SYNTACTICS.

synth [sínθ] *n.* 《口》 =SYNTHESIZER ②.

***syn·the·sis** [sínθəsis] (*pl.* **-ses** [-sìːz]) *n.* ① Ⓤ 종합, 통합, 조립. opp. *analysis.* ② Ⓒ 종합〔통합〕체. ③ Ⓤ【化】합성, 인조.

syn·the·size [sínθəsàiz] *vt.* ① …을 종합하다. ②【化】…을 합성하다, 합성하여 만들다 : Many minerals have been ~*d* chemically. 많은 무기물이 화학적으로 합성하여 만들어졌다.

syn·the·siz·er [sínθəsàizər] *n.* Ⓒ ① 합성하는 사람〔물건〕. ② 신시사이저《전자 공학의 기술을 써서 소리를 합성하는 장치〔악기〕》.

***syn·thet·ic** [sinθétik] *a.* ① 종합적인, 종합의 : Latin is a ~ language, while English is analytic. 라틴어는 종합언어이고, 영어는 분석 언어이다. ②【化】합성의, 인조의 : ~ resin 합성 수지. ③ 대용의, 진짜가 아닌 ; 인공의 : ~ sympathy 거짓 동정. ── *n.* Ⓒ【化】합성 물질, 《특히》 합성〔화학〕 섬유. ㊞ **-i·cal** [-əl] *a.* =SYNTHETIC. **-i·cal·ly** [-ikəli] *ad.* 종합하여, 합성적으로.

syn·the·tize [sínθətàiz] *vt.* =SYNTHESIZE.

syph·i·lis [sífəlis] *n.* Ⓤ【醫】매독.

syph·i·lit·ic [sìfəlítik] *a.* 매독(성)의, 매독에 걸린. ── *n.* Ⓒ 매독 환자.

syphon ⇨SIPHON.

***Syr·ia** [síriə] *n.* 시리아《정식명 Syrian Arab Republic ; 수도 Damascus》.

Syr·i·an [síriən] *a.* 시리아의 ; 시리아인의. ── *n.* Ⓒ 시리아 사람.

sy·ringe [sərínd3, síríndʒ] *n.* Ⓒ ① 주사기 : a hypodermic ~ 피하 주사. ② 세척기(洗滌器) ; 관장기(灌腸器). ── *vt.* ① …을주사하다. ② …을 세척하다, (귀 등)을 씻다.

syr·up, 《美》 **sir-** [sírəp, sə́ːr-] *n.* Ⓤ ① 시럽. ② 당밀(糖蜜). ③ 시럽제(劑) : cough ~ 코프 시럽, 진해제.

syr·upy, 《美》 **sir-** [sírəpi, sə́ːr-] *a.* ① 시럽의 ; 시럽 같은. ② 달콤한 : Her voice was ~. 그녀의 목소리는 달콤했다. ③ 진득진득한.

sys- *pref.* ⇨SYN-[1]《s 앞에 올 때의 꼴》.

sys·gen [sísdʒèn] *n.*【컴】시스템 생성(生成). [◂ *sys*tem *gen*eration]

syst. system ; systematic.

ːsys·tem [sístəm] *n.* ① Ⓒ 체계, 시스템 : a ~ of grammar 문법 체계 / They have an alarm ~ in the house. 그들은 집 안에 경보 체계를 갖추고 있다. ② (the ~) 신체. ③ Ⓒ (사회적·정치적) 조직(망), 제도, 체제 : the postal ~ 우편 제도 / a telephone ~ 전화망(網). ④ (the ~, 종종 the S-) (지배) 체제 (the establishment). ⑤ Ⓒ (조직적인) 방식, 방법 ; (도량형의) 법 ; 분류법 : the conveyor ~ 컨베이어 작업 방식, 유동 작업 / a new ~ of teaching 새 교수 방식 / the Linnaean ~ 린네식(동·식물) 분류법. ⑥ Ⓒ 학문 체계 ; 가설(假說) : the Ptolemaic ~ 프톨레마이오스설, 천동설 / the Copernican ~ 코페르니쿠스의 지동설. ⑦ Ⓤ 질서 ; 정연(성), 순서, 규칙 : Every part works with ~. 각 부분이 정연하게 작동한다 / He has no ~ in his thinking. 그는 조리있게 생각하지 않는다. ⑧ Ⓒ【天·化·物·地質·結晶】계(系) ; 계통, 기관(器官) : the ~*s* of crystalization 결정계(結晶系) / the nervous ~ 신경 계통〔기관〕/ ⇨SOLAR SYSTEM. ⑨ Ⓒ 복합적인 기계 장치 ; 오디오의 시스템 : a suspension ~ (자동차의) 현가(懸架)장치. ◇ systematic *a.* ***all ~s go*** 《口》 만사 준비 완료《우주 용어에서》. ***get . . . out of one's ~*** 《口》 (생각·걱정 등)을 버리다, (감정을 솔직히 털어놓든가 하여) …에서 홀가분해지다.

ːsys·tem·at·ic, -i·cal [sìstəmǽtik], [-əl] (***more ~; most ~***) *a.* ① 체계〔조직, 계통〕적인 : a *systematic* course of study 조직적 학습과정. ② 질서 있는〔잡힌〕, 조리가 정연한 ; 규칙적인, 규칙 바른. ③ 고의의, 계획적인. ④【生】분류(법)의, 분류상의 : *systematic* botany 〔zoology〕 식물〔동물〕 분류학. ㊞ **-i·cal·ly** [-ikəli] *ad.*

sys·tem·a·ti·za·tion [sìstəmətizéiʃən] *n.* Ⓤ ① 조직화, 체계화 ; 계통화. ② 분류.

sys·tem·a·tize [sístəmətàiz] *vt.* ① …을 조직화하다, 체계화하다 ; 계통적으로 하다. ② …을 분류하다. ㊞ **-tìz·er** [-ər] *n.* Ⓒ 조직자.

sys·tem·ic [sistémik] *a.*【生理】온 몸의 ; 전신에 영향을 주는 : the ~ arteries 전신 동맥.

sýstems anàlysis 시스템 분석.

sýstems ànalyst 시스템 분석자.

sýstems àudit【會計】컴퓨터화된 회계 시스템의 감사.

sýstems desìgn 시스템 설계《컴퓨터 처리를 하기 쉽게 문제를 분석 체계화하는 일 ; 일련의 정보처리 시스템이 기능을 다하도록 조직화하는 일》.

sýstems enginèer【컴】체계 기술자.

sýstems enginèering 시스템〔조직〕 공학.

T

T, t [ti:] (*pl.* **T's, *Ts*, t's, *ts*** [-z]) ① U,C 티 《영어 알파벳의 스무 째 글자》. ② C T자 모양의 물건 : a *T* bandage 〔pipe, square〕, T자형 붕대 〔파이프, 자〕. ③ C (흔히 T) =T-SHIRT. ④ U (연속된 것의) 제20 번째의 것《j 를 빼면 19 번째》. ***cross** one's* 〔***the***〕 ***t's***, ('t 자의 횡선을 긋다'란 뜻에서) 사소한 일에까지 주의하다. ***to a T*** 〔***tee***〕 정확히, 딱 : This job suits me *to a T*. 이 일은 내게 딱 들어맞는다.

't [t] 〔古·詩〕 it 의 간약형(동사의 앞뒤에서) : '*t*is =it is / '*t*was =it was / do'*t* =do it.

T. tablespoon ; Territory ; Testament ; Tuesday ; Turkish. **t.** teaspoon(s) ; telephone ; temperature ; 〖樂〗 tenor ; 〖文法〗 tense ; territory ; time ; ton(s) ; town ; township ; transitive ; troy.

ta [tɑ:] *int.* 《英》 thank you 의 아기 말 : *Ta* muchly. 정말 고맙습니다 / You must say *ta.* 고맙습니다 해야지.

Ta 〖化〗 tantalum. **TA** 〖心〗 transactional analysis(교류 분석) ; 《英》 Territorial Army.

tab [tæb] *n.* U ① 태브. **a)** (옷·모자 따위에 붙은) 드림, 장식. **b)** (웃도리를 걸기 위한) 고리 끈. ② 태브, (깡통 맥주·주스 따위의) 마개를 따는 손잡이 : a pull ~ 잡아 당겨 떼게 된 마개(손잡이) / a stay-on ~ 깡통에서 떨어지지 않는 마개 손잡이. ③ **a)** (장부나 카드 따위의 가장자리에 붙인) 색인표. **b)** 물표, 꼬리표, 부전(tag, label). ④ = TABULATOR. ***keep ~(s)*** 〔***a ~***〕 ***on*** 《口》 (1) …에 주의하다, 감시하다, 눈을 떼지 않다 : Keep ~*s* on the man ! 저 사람을 (잘) 감시해라. (2) …을 장부에 기장(記帳)하다. ***pick up the ~*** 《口》 셈을 치르다.

── **(-bb-)** *vt.* …에 ~을 달다, ~으로 장식하다.

tab·ard [tǽbərd] *n.* C 〖史〗 태버드. ① 중세 기사가 갑옷 위에 입었던 소매없는 옷. ② 전령사(傳令使)가 입던 문장(紋章)박은 관복.

Ta·bas·co [təbǽskou] *n.* U,C 타바스코 소스《고추로 만든 매운 소스의 일종 ; 商標名》.

tab·by [tǽbi] *n.* C ① (회색·갈색의) 얼룩 고양이, 도둑고양이 (=↗ **càt**). ② 암고양이.

tab·er·nac·le** [tǽbərnæ̀kəl] *n.* ① C **a)** 큰 예배당. **b)** 《英》《종종 蔑》(비국교파의) 예배소. ② C 유대 신전. ③ C 닫집 달린 감실(龕室). ④ (the T-) 장막(帳幕)《옛 유대의 이동식 신전(神殿)》. ⑤ C 〖基〗 성합(聖盒). ***the Feast of Tabernacles (조상의 황야 방랑을 기념하는 유대인의) 초막절(草幕節), 수장절(收藏節).

táb kèy 〖컴〗 징검(글)쇠, 태브 키《tab character를 입력하기 위한 글쇠(key)》.

†ta·ble [téibəl] *n.* ① C 테이블, 탁자 ; 식탁 ; (일이나 유희를 위한) 대(臺) : a dining ~ 식탁 / a tea ~ / a billiard ~ 당구대 / a card ~ 카드놀이 탁자 / a work〔gambling〕 ~ 작업〔도박〕대. ② (*sing.* ; 종종 U) (식탁 위의) 요리, 음식 : lay〔set, spread〕 the ~ 식탁〔밥상〕을 차리다 / rise from ~ =leave the ~ (식사를 마치고) 자리에서 일어나다 / They keep a good ~. 그들이 내는 음식은 늘 훌륭하다 / pleasure of the ~ 식도락 / a good ~ 성찬(盛饌). ③ C 〔集合的 ; 單·複數 취급〕 식탁〔탁자〕에 둘러앉은 사람들, 자리를 같이 한 사람들, 동석자 : The whole ~ was looking at the speaker. 테이블에 둘러앉은 모든 사람들은 연사를 주시하고 있었다 / a ~ of card players 탁자에 둘러앉은 카드놀이꾼 / jokes that amused the whole ~ 온 좌중을 흥겹게 한 농담 / set the ~ laughing 좌중을 웃기다. ④ C 대지(臺地), 고원. ⑤ C (명문(銘文) 따위를 새긴) 평판(平板) ; (평판에 새긴) 명문 : ⇨ TWELVE TABLES. ⑥ C 표, 리스트, 목록 : a ~ of contents 목차 / a time ~ 시간〔시각〕표 / a multiplication ~ 구구표 / a ~ of weights and measures 도량형표.

a ~ of descent 계보도(系譜圖). ***at ~*** 식사 중에〔의〕, 식탁에 앉아 (있는). ***be on the ~*** 검토 중이다 ; 널리 알려져 있다. ***clear the ~*** 식탁을 치우다. ***get round the ~*** (노사(勞使)가〔를〕) 타협의 자리에 앉다〔앉히다〕. ***keep an open ~*** (식탁을 개방해) 손님을 환영하다. ***lay . . . on the ~*** (1) (의안 따위의) 심의를 일시 중지하다〔무기연기하다〕. (2) 《英》 (의안을) 상정(上程)하다, 토의에 부치다. ***learn** one's **~s*** 구구단을 외다. ***on*** 〔***upon***〕 ***the ~*** 똑똑히 보이는 곳에, 공개적으로. ***set the ~ in a roar*** 좌중을 와 웃기다. ***the two ~s =the ~s of the law*** 모세의 십계명. ***turn the ~s*** 국면을〔형세를〕 일변〔역전〕시키다 ; (아무의) 입장을 역으로 바꾸다. ***under the ~*** (1) 곤드레만드레 취하여 : drink a person *under the ~* 아무를 곤드레만드레 취하게 하다. (2) 몰래 ; 뇌물로서. ***wait on ~*** =《英》 ***wait at ~*** 식사의 시중을 들다.

── *a.* 〔限定的〕 ① 테이블의, 탁상의 : a ~ lamp 탁상 전기 스탠드. ② 식사의, 식탁용의 : ~ manners 식사 예법 / ⇨ TABLESALT. ── *vt.* ① (주로 《美》) (의안)을 묵살〔무기 연기〕하다 : ~ a motion 〔bill〕. ② (의안)을 상정하다. ③ …을 표로〔목록으로〕 만들다.

tab·leau [tǽblou, -↗] (*pl.* **~x** [-z], **~s** [-z]) *n.* C 《F.》 ① 그림, 그림 같은 묘사. ② 극적〔인상적〕인 장면. ③ =TABLEAU VIVANT.

ta·bleau vi·vant [*F.* tablovivɑ̃] (*pl.* ***tableaux vivants*** [─]) 《F.》 활인화(活人畫).

***ta·ble·cloth** [téibəlklɔ̀(:)θ, -klɑ̀θ] (*pl.* **~s** [-ðz, -θs]) *n.* C 식탁〔테이블〕보.

ta·ble d'hôte [tɑ́:bəldóut, tǽb-] (*pl.* ***ta·bles d'-*** [-bəlz-]) 《F.》 정식(定食). cf. à la carte.

ta·ble·land [téibəllæ̀nd] *n.* C 대지(plateau), 고원(高原).

táble lìnen 식탁용 흰 천《식탁보·냅킨 따위》.

táble mànners 식사 예절, 테이블 매너.

táble màt 테이블매트《식탁의 뜨거운 요리 접시 따위 밑에 까는 깔개》.

táble sàlt 식탁용 소금.

‡ta·ble·spoon [-spù:n] *n.* C ① 테이블스푼《식탁용의 큰 스푼》. ② =TABLESPOONFUL.

ta·ble·spoon·ful** [-spu:nfùl] (*pl.* ***~s, -spoons·fùl) *n.* C 식탁용 큰 스푼 하나 가득한 분량.

‡tab·let [tǽblit] *n.* C ① (나무·돌·금속 따위의) 평판(平板), 명판(銘板) ; 현판(懸板), 패(牌) : a memorial ~ 기념패, 위패(位牌) / a bronze ~ 청동패. ② 작고 납작한 조각《비누·캔디 등》: a ~ of chocolate 판 초콜릿 하나. ③ 정제(錠劑) :

sugar-coated ~*s* 당의정 / three aspirin ~*s* 아스피린 정제 세 알. ④ (떼어 쓰게 된) 편지지첩. ⑤ 서판(書板)《옛 로마인이 종이 대신 쓰던》. ⑥ 타블렛《단선 구간(單線區間) 따위에서 기관사에게 건네주는 열차 운행표》.

táble tàlk 식탁에서의 잡담〔화제〕.

táble tènnis 탁구. cf. ping-pong.

ta·ble·top [téibəltɑ̀p / -tɔ̀p] *n.* Ⓒ 테이블의 윗면. ── *a.* 탁상용의; 테이블 모양의.

ta·ble·ware [-wɛ̀ər] *n.* Ⓤ 〔集合的〕 식탁용 식기류.

táble wìne 식탁용 포도주《알코올분 8-13%》.

tab·loid [tǽblɔid] *n.* Ⓒ ① 타블로이드판 신문《보통 신문의 반 페이지 크기로 사진이 많이 있는 신문》. ② 요약, 적요(摘要). ── *a.* 〔限定的〕 ① 요약한, 압축된: in ~ form 요약하여 / a ~ play 촌극, 토막극 / read the novel in a ~ form 소설의 요약판을 읽다. ② 선정적인.

ta·boo, ta·bu** [təbúː, tæ-] (*pl.* **~s** [-búːz]) *n.* U.C ① (종교상의) 터부, 금기(禁忌); 기(忌)하는 말〔물건〕: be under (a) ~ 터부로 되어 있다. ② 〔一般的〕 금제(禁制), 금령(禁令). ***put* 〔*place*〕 *a ~ on = put . . . under (a) ~ …을 엄금하다. ── *a.* 금기의; 금제의; 피해야 할: a ~ word 금기어 / The topic is ~. 그 화제는 터부다. ── *vt.* …을 금기하다; 금제〔금단〕하다; 터부로 여기다: The subject is ~*ed.* 그 화제는 금기다.

ta·bor [téibər] *n.* Ⓒ 테이버《피리를 불면서 한 손으로 치는 작은 북》.

tab·o·ret, -ou- [tǽbərit, tæ̀bərét] *n.* Ⓒ 《美》 (앉는 데가 둥근) 작은 걸상, 스툴.

tab·u·lar [tǽbjələr] *a.* ① 표(表)의, 표로 만든, 표에 의해 계산한, 표를 사용한: in ~ form 표로 하여〔되어〕, 표의 형식으로. ② 평판(모양)의; 얇은 판의.

tab·u·late [tǽbjəlèit] *vt.* (정보·숫자 따위)를 (일람)표로 만들다.

tab·u·la·tion [tæ̀bjəléiʃən] *n.* ① Ⓤ 표의 작성. ② Ⓒ 표, 목록.

tab·u·la·tor [tǽbjəlèitər] *n.* Ⓒ ① 도표 작성자. ② (타자기·컴퓨터 등의) 도표 작성 장치.

T

tach [tæk] *n.* = TACHOMETER.

tacho [tǽkou] *n.* 《美口》 = TACHOMETER.

tach·o·graph [tǽkəgræ̀f, -grɑ̀ːf] *n.* Ⓒ 태코그래프《자동차 따위의 자기(自記) 회전 속도계》.

ta·chom·e·ter [tækɑ́mətər, tə- / tækɔ́m-] *n.* Ⓒ 태코미터《자동차 엔진 따위의 회전 속도계》.

tach·y·on [tǽkiɑ̀n / -ɔ̀n] *n.* Ⓒ 〖物〗 타키온《빛보다 빠른 가상의 소립자(素粒子)》.

tac·it [tǽsit] *a.* 〔限定的〕 무언의; 잠잠한《관중 등》, 침묵의; 암묵(暗默)의: a ~ consent 무언의 승낙〔동의〕/ a ~ understanding 말없는 양해, 묵계 / a ~ prayer 묵도 / ~ approval 묵인 / a ~ agreement 암묵의 합의, 묵계. 㽕 **~·ly** *ad.*

tac·i·turn [tǽsətə̀ːrn] *a.* 말없는, 무언의, 입이 무거운, 말수가 적은: He is not unfriendly; merely ~ by nature. 그는 불친절한 것이 아니고 천성이 말이 적을 뿐이다 / "Did you enjoy your holiday?" "Yes", came the ~ reply. '휴일은 즐거웠습니까?'라고 물었더니 대답은 '네'하는 간단한 것이었다. 㽕 **~·ly** *ad.*

tac·i·tur·ni·ty [tæ̀sətə́ːrnəti] *n.* Ⓤ 말이 없음, 무언, 과묵.

Tac·i·tus [tǽsətəs] *n.* **Publius Cornelius** ~ 타키투스《로마의 역사가; 55?-120?》.

tack** [tæk] *n.* Ⓒ ① 납작한 못, 압정: a carpet ~ 양탄자 따위를 고정시키는 압정 / ⇨ THUMBTACK. ② Ⓒ 〖裁縫〗 주름; 시침질, 가봉. ③ U.C 〖海〗 (돛의 위치에 따라 정해지는) 배의 침로; 맞바람을 비스듬히 받고 지그재그 항법으로 나아가기. ④ U.C 방침, 정책: change ~ 방침을 바꾸다 / try another ~ 다른 방침을 시도하다 / be on the right 〔wrong〕 ~ 방침을 제대로〔잘못〕 취하고 있다. ***(as) sharp as a ~ (1) 옷차림이 매우 단정하여. (2) 머리가 아주 좋은, 이해가 매우 빠른. ***come down to brass ~s*** ⇨ BRASS TACKS.
── *vt.* ① 《+목+부 / +목+전+명》 …을 압정으로 고정시키다《*up*; *down*; *together*》: The carpet needs to be ~*ed down.* 깔개를 압정으로 고정시켜 놓아야겠다 / She ~*ed* a notice *to* the board. 그녀는 공고를 게시판에 핀으로 붙여놓았다. ② 《+목+부 / +목+전+명》 〖裁縫〗 …에 시침질〔가봉(假縫)〕하다《*up*; *on*; *together*》: *Tack up* the hem and I'll sew it later. 가두리를 시쳐놓으면 뒤에 내가 박겠다 / ~ the pleat in position *at* the hemline 옷단에 주름을 잡아서 시치다. ③ 《+목+전+명 / +목+부》 …을 부가〔첨가〕하다, 덧붙이다(add) 《*to*; *onto*》: ~ an amendment *to* the bill 법안에 수정문을 첨가하다 / He ended his speech by ~*ing* an appeal for help *onto* it. 그는 마지막으로 원조를 호소한다는 말을 덧붙이며 강연을 마쳤다. ④ 〖海〗 돛의 바람받이 방향에 따라 침로를 (좌우현으로) 돌리다, 갈지자로 나아가게 하다.
── *vi.* 《~ / +부 / +전+명》 ① 방침〔정책〕을 바꾸다. ② 〖海〗 (지그재그로 자주) 침로를 바꾸다 《*about*》: The boat ~*ed about against* the wind. 배는 바람을 안고 지그재그로 나아갔다.

‡tack·le [tǽkəl] *n.* ① Ⓤ 연장, 도구, 기구; 장치: fishing ~ 낚시 도구 / writing ~ 필기구. ② [téikəl] U.C 〖海〗 삭구(索具), (돛 조종용의) 고패〔활차〕 장치. ③ U.C 도르래 장치, 자아틀, 윈치. ④ Ⓒ 〖球技〗 태클. ⑤ Ⓒ 〖美蹴〗 end와 guard 사이의 전위.
── *vt.* ① (일·문제 따위)에 달려들다, 달라붙다: He ~*d* the problem of racial equality with energy. 그는 인종 평등 문제에 정력적으로 달라붙었다. ② …와 맞붙다, 붙잡다; 태클하다: He ~*d* the thief fearlessly. 그는 용감히 도둑에게 달려들어 붙잡았다. ③ 《~+목 / +목+전+명》 (아무)와 논쟁하다, 맞싸우다: ~ a person *on* the question of free trade 자유 무역에 관한 문제로 아무와 논쟁하다. ── *vi.* 〖美蹴〗 태클하다.

tacky[1] [tǽki] (***tack·i·er*; *-i·est***) *a.* 끈적거리는, 들러붙는(sticky).

tacky[2] (***tack·i·er*; *-i·est***) *a.* 《口》 ① (외양·옷차림이) 초라한, 볼품 없는. cf. shabby. ② 쌍스러운, 악취미의, 품위없는, 천한: a ~ joke 천한 농담. ③ 질이 나쁜〔낮은〕, 싸구려의, 날림으로 만든: a ~ house 날림 집.

ta·co [tɑ́ːkou] (*pl.* **~s**) *n.* Ⓒ 고기·치즈·양상추 등을 넣고 튀긴 옥수수빵《멕시코 요리》.

***tact** [tækt] *n.* ① Ⓤ 재치, 기지(機智), 요령: He lacks ~. 그는 요령이 없다 / handle a situation with ~ 사태를 재치있게 처리하다. ② Ⓒ 〖樂〗 택트, 박자.

***tact·ful** [tǽktfəl] *a.* 재치 있는, 꾀바른, 눈치빠른; 솜씨 좋은; 적절한: It wasn't very ~ of you to tell him in front of other people. 남들 앞에서 그에게 말하다니 너도 어지간히 눈치가 없군. 㽕 **~·ly** *ad.* **~·ness** *n.*

tac·tic [tǽktik] *n.* ① Ⓒ 전법, 병법. ② = TACTICS.

tac·ti·cal [tǽktikəl] *a.* 전술상의, 전술적인, 용병(用兵)상의. cf. strategic. ¶ a ~ point 전술상의 요점 / a ~ target 전술 목표 / ~ nuclear weapons 전술 핵무기 / make a ~ error 전술적

과오를 범하다. ⊞ ~·ly *ad.*

tac·ti·cian [tæktíʃən] *n.* Ⓒ 전술〔책략가〕, 모사(謀士).

***tac·tics** [tǽktiks] *n.* Ⓤ ①〔單·複數 취급〕전술(학), 병법, 용병(술): the ~ of surrounding the enemy 적 포위 전술 / *Tactics* differs from strategy. 전술은 전략과는 다르다. ★ 대국적, 전체적인 작전 계획은 strategy. tactics는 개개 전투의 작전 및 용병. ②〔複數취급〕(전술 응용으로서의) 작전; 책략, 방책, (임기응변의) 술책: change one's ~ 전술〔작전〕을 바꾸다 / They employed delaying ~. 그들은 지연 전술을 썼다.

tac·tile [tǽktil, -tail] *a.* ① 촉각의: ~ hairs 〖動〗 촉모(觸毛) / a ~ organ 촉각 기관. ② 감촉할〔만져서 알〕 수 있는: a ~ impression〔sensation〕 촉감.

tact·less [tǽktlis] *a.* 재치〔요령〕 없는, 분별〔눈치〕 없는; 서투른: Your remarks about her appearance were extremely ~. 그녀의 외모에 대한 네 말은 정말로 분별 없는 것이었다. ⊞ ~·ly *ad.* ~·**ness** *n.*

tac·tu·al [tǽktʃuəl] *a.* 촉각(기관)의, 촉각에 의한. ⊞ ~·ly *ad.* 촉감으로.

tad [tæd] *n.* Ⓒ《美口》① 사내아이, 소년. ②〔副詞的으로도〕조금(bit)《양·정도》: It's a ~ difficult. 그것은 좀 어렵다.

***tad·pole** [tǽdpòul] *n.* Ⓒ 올챙이.

Ta·dzhik·i·stan [tɑːdʒìkistǽn, -stɑ́ːn] *n.* 타지키스탄《중앙 아시아의 공화국; 수도 Dushanbe》.

tael [teil] *n.* Ⓒ 냥, 테일《중국 등지의 중량 단위, 보통 37.7g; 중국의 옛 화폐 단위》.

taf·fe·ta [tǽfitə] *n.* Ⓤ 태피터, 호박단(緞)《광택이 있는 좀 톡톡한 평직견(平織絹)》.

taff·rail [tǽfrèil, -rəl] *n.* Ⓒ 〖船〗 선미(船尾)의 난간.

taf·fy *n.* ① Ⓤ,Ⓒ 태피(《英》 toffee, toffy)《땅콩 넣은 버터볼》. ② Ⓤ《口》 아첨, 아부, 따리.

Taft [tæft] *n.* **William Howard** ~ 태프트《미국 제 27 대 대통령; 1857-1930》.

***tag**[1] [tæg] *n.* Ⓒ ① 태그, 표, 꼬리표, 물표; 정가표; 부전, 찌지: a name ~ 명패, 명찰 / a number〔price〕 ~ 번호〔가격〕표. ② 늘어뜨린 끝 부분〔장식〕, 드리워진 것; (지퍼의) 손잡이; (구두 끈 따위) 끝의 쇠붙이. ③ (동물의) 꼬리(의 끝); (양의) 엉클린 털. ④ (특히, 라틴어 등의) 판에 박은 인용 어구.

── (**-gg-**) *vt.* ①《~+목/+목+전+명》…에 표〔정가표, 찌지〕를 붙이다; (끈 끝 따위)에 쇠붙이를 달다《*with*》; …에 늘어뜨린 장식물을 붙이다《*to*; *onto*》: ~ one's trunk *with* one's name 트렁크에 이름표를 달다. ②《~+목+(*as*)보》…에게 별명을 붙이다: We ~*ged* him "Sissy"〔(*as*) a sissy〕. 우리는 그에게 계집애같은 사내라는 별명을 붙여 줬다. ③《~+목/+목+전+명/+목+부》(연설·이야기 따위)를 인용구로 맺다《*with*; *together*》: He ~*ged* his speech *with* a quotation from a book. 그는 어떤 책에서의 한 인용구를 끝으로 연설을 마쳤다. ④《~+목/+목+부》《口》…을 붙어다니다, 좇아다니다: The boy ~*ged* his brother *around.* 소년은 형을 졸졸 좇아다녔다. ⑤《美口》(차)에 교통위반 딱지〔스티커〕를 붙이다.

── *vi.*《~/+전+명/+부》붙어다니다, 뒤를 좇다〔따르다〕《*after*; *at*》: ~ *at* a person's heels 아무의 뒤를 좇아다니다 / I went first and the children ~*ged along*〔*after*〕. 내가 앞서 가고 아이들이 뒤를 따랐다.

tag[2] *n.* ① Ⓤ 술래잡기. ⓒⓕ tagger[2]. ¶ play ~ 술래잡기 놀이를 하다. ② Ⓒ 〖野〗 터치아웃, 척살.

── (**-gg-**) *vt.* ① (술래가 사람)을 붙잡다. ② 〖野〗 (주자)를 터치아웃시키다: ~ the runner out 주자를 터치아웃시키다. ~ **up** 〖野〗 (주자가) 베이스에 이르다, 터치업하다.

Ta·ga·log [təgɑ́ːləg, -lɔ(ː)g, -lɑg, tɑː-] (*pl.* ~(**s**)) *n.* ① **a**) (the ~(s)) 타갈로그 족《필리핀 루손 섬의 원주민》. **b**) Ⓒ 타갈로그 족 사람. ② Ⓤ 타갈로그 말《필리핀의 공용어》.

tág dày《美》 가두 모금일《기부한 사람의 옷에 tag를 달아주는 데서》.

tág énd ① (흔히 the ~) (경과·진행하고 있는 것의) 마지막 부분〔대목〕, 종말, 말기: at the ~ of the nineteenth century, 19세기 말기에. ② Ⓒ (흔히 ~s) 끝토막, 자투리.

tág màtch (프로레슬링의) 태그매치.

Ta·gore [təgɔ́ːr] *n.* Sir **Rabindranath** ~ 타고르《인도의 시인; 1861-1941; 1913년 Nobel문학상 수상》.

tág quèstion 〖文法〗 부가의문(문)《보기: It is beautiful, *isn't it?* / It isn't true, *is it?*》.

Ta·hi·ti [təhíːti, tɑː-] *n.* 타히티 섬《남태평양 상의 섬; 프랑스령(領)》.

Ta·hi·tian [təhíːʃən, -tiən, tɑː-] *a.* 타히티섬〔사람·말〕의. ── *n.* ① Ⓒ 타히티섬 사람. ② Ⓤ 타히티어.

t'ai chi (ch'uan) [táidʒíː(tʃwɑ́ːn), -tʃíː-] 태극권(太極拳)《중국의 체조식 권법》.

tai·ga [táigə, taigɑ́ː] *n.* Ⓒ《Russ.》 타이가《시베리아·북아메리카 등지의 침엽수림 지대》.

‡**tail** [teil] *n.* ① Ⓒ (짐승의) 꼬리. ② Ⓒ 꼬리 모양의 물건. **a**) 땋아늘인 머리, 변발. **b**) (의복·셔츠 등의) 느림, 연미(燕尾); 자락; 연의 꼬리; 혜성의 꼬리. **c**) 〖樂〗 음표의 꼬리. ③ (*pl.*)《口》 모닝 코트, 연미복. ④ Ⓒ (흔히 *sing.*) 끄트머리, 말미, 후부; 마지막; (비행기·미사일 등의), 미부(尾部): the ~ of a procession 행렬의 후미 / at the ~ of …의 맨 뒤에. ⑤ Ⓒ **a**) 동행자, 수행원: a ~ of attendants 수행원 일행. **b**)《口》 미행자〔차(車)〕: put a ~ on the suspect 용의자에게 미행을 붙이다. ⑥ Ⓒ (흔히 *pl.*)〔單數 취급〕화폐의 뒷면. ⓞⓟⓟ *head*. ⑦ Ⓒ《俗》 궁둥이. ⑧ Ⓤ《俗·卑》 **a**) (성의 대상으로서의) 여자: a bit〔piece〕 of ~ 여자. **b**) 성교. ***cannot make head or ~ of*** (it) (그것은) 무슨 말인지 전혀 알 수 없다. ***close on*** a person***'s ~*** 아무의 바로 뒤에(바짝 붙어서). ***get*** 〔***have***〕 one***'s ~ down*** 〔***up***〕 풀이 죽다〔기운이 나다〕, 자신을 잃다〔자신만만하다〕. ***on*** a person***'s ~*** 아무를 미행〔추적〕하여, 바싹 붙어서. ***out of the ~ of*** one***'s eye*** 곁눈질로. ***~(s) up*** (1) 기분이 좋아서. (2)《比》 싸울 마음가짐으로. ***the ~ wagging the dog*** 〔흔히 It is (a case of) 뒤에서〕 주객 전도〔하극상〕(의 상황). ***tuck*** one***'s ~*** 창피당하다. ***turn ~*** (***and run***) 꽁무니를 빼다, 달아나다. ***twist the ~s of*** …의 비위에 거슬리는 짓을 하다, …을 괴롭히다. ***with the*** 〔one***'s***〕 ***~ between the*** 〔one***'s***〕 ***legs*** 기가 죽어서, 겁에 질려.

── *vt.* ① …을 미행하다: ~ a suspect 용의자를 미행하다. ② (과실 따위)의 꼭지를 잘라내다; (식물 등)의 끝을〔가장자리를〕 자르다.

── *vi.* ①《+전+명》뒤를 따르다, 줄줄 따라가다《*on*; *along*; *after*》: A lot of children ~*ed after* the circus parade. 많은 아이들이 서커스의 행렬을 뒤따라갔다. ②《+부》점점 작아〔희미해, 드문드문해, 적어〕지다《*away*; *off*》: The clap of thunder ~*ed away.* 우렛소리가 차츰 사라져 갔다 / Sales are beginning to ~*off.* 매상이 떨어지

T

기 시작했다 / ~ *back* 《英》 (교통이) 정체하다. ── *a.* 〔限定的〕 ① 뒤에서 오는 : a ~ wind 순풍. ② 맨 꽁무니의, 후미의 : ⇨TAIL END.

tail·back [-bæ̀k] *n.* Ⓒ ① (축구의) 후위. ② 《英》 (사고 등으로) 밀린 자동차의 열.

tail·board [-bɔ̀ːrd] *n.* Ⓒ (특히 트럭·짐마차 따위의) 떼어낼〔여닫을〕 수 있는 뒤의 판자〔뒷문〕.

táil còat 연미복, 모닝 코트(=**tails**).

tailed [teild] *a.* 〔흔히 複合語로〕 꼬리가 …한, 꼬리 있는 : a long-~ bird 꽁지가 긴 새.

táil énd (흔히 the ~) 후미, 말단 ; 최종 단계, 말기 : at the ~ of the year 연말에.

tail·end·er [téiléndər] *n.* Ⓒ 《口》 (경주 등의) 최하위, 꼴찌.

tail·gate [-gèit] *n.* Ⓒ ① (수문의) 아랫문. ② (트럭·마차·왜건 등의) 후미의 문. ── *vi.* 앞차에 바싹 붙여 차를 몰다. ── *vt.* (앞차)에 바싹 붙어서 가다.

táil làmp 《주로 英》 =TAILLIGHT.

tail·less [téillis] *a.* 꼬리〔미부(尾部)〕가 없는.

tail·light [téillàit] *n.* Ⓒ (자동차·열차 따위의) 테일라이트, 미등(尾燈). ⓒⓕ headlight.

***tai·lor** [téilər] (*fem.* ~·*ess* [-ris]) *n.* Ⓒ 재봉사, (주로 남성복의) 재단사《여성복 재단사는 dressmaker》 : a ~ 〔《英》 ~'*s*〕 shop 맞춤 양복점 / The ~ makes the man. 《俗談》 옷이 날개 / My father used the same ~ for his suits for fifteen years. 아버지는 15년 동안 같은 양복점을 이용했다. ── *vi.* 양복을 짓다 ; 양복점을 경영하다. ── *vt.* ① (양복)을 짓다 : He ~*ed* me a tweed suit. 그는 나에게 트위드 옷을 지어주었다 / The suit is well ~*ed*. 이 양복은 잘 지어졌다 / He is well ~*ed*. 그는 잘 맞는 옷을 입고 있다. ② (요구·조건·필요에) 맞추어 만들다〔고치다〕, 맞게 하다 《*to*》 : His stories are well ~*ed to* popular tastes. 그의 소설은 대중의 구미에 잘 맞는다.

tai·lored [téilərd] *a.* =TAILOR-MADE.

tai·lor·ing [téiləriŋ] *n.* Ⓤ ① 재봉업, 양복점업. ② 양복짓는 법〔기술〕.

tai·lor-made [téilərméid] *a.* ① 양복점에서 지은, 맞춤인 : a ~ suit 맞춤 옷. ② 남자옷처럼 지은《여자옷》. ③ 잘 맞는, 꼭 맞는《*for* ; *to*》 : furniture ~ *for* a small room 작은 방에 잘 맞는 가구 / This job is ~ *for* Jim. 이 일은 짐에게 안성맞춤이다.

tail·piece [téilpìːs] *n.* Ⓒ ① 말단의 부속물 ; 말미의 한 부분. ② (현악기 맨 끝의) 줄걸이. ③〖印〗 책의 장(章)끝〔권말〕의 여백에 넣는 장식 컷. ⓒⓕ headpiece.

tail·pipe [-pàip] *n.* Ⓒ ① (자동차 뒤쪽의) 배기관(排氣管). ② (제트 엔진의) 미관(尾管).

tail·race [-rèis] *n.* Ⓒ (물방아의) 방수로(放水路).

tail·spin [téilspìn] *n.* Ⓒ ①〖空〗 (비행기의) 나선식 급강하. ②《口》 (경제적) 혼란, 불경기 ; 의기소침 : Her report threw them into a ~. 그녀의 보고로 그들은 대혼란에 빠졌다.

***taint** [teint] *n.* Ⓤ (또는 a ~) ① 더럼 ; 얼룩, 오점《*of* ; *on*》 : *a* ~ *on* one's honor 명예를 얼룩지게 한 오점. ⓒⓕ soil², stain. ② 오명 ; 치욕《*of*》 : the ~ *of* scandal 추문이라는 오명. ③ 부패 ; 도덕적 타락 : meat free from ~ 부패되지 않은 고기 / be free from moral ~ (도덕적으로) 타락되어 있지 않다. ④Ⓒ 기미, 흔적 : A ~ *of* madness runs in the family. 그 가문에는 정신 이상의 내력이 있다. ── *vt.* ① 〔종종 受動으로〕 …을 더럽히다, 오염시키다《*with* ; *by*》 : the air ~*ed by* 〔*with*〕 smog 스모그로 오염된 공기 / He *is* ~*ed with* skepticism. 그는 회의주의에 물들어 있다. ② 〔종종 受動으로〕 …을 썩이다, 부패시키다 ; 타락시키다《*with* ; *by*》 : The meat *is* ~*ed*. 고기는 썩어 있다 / Pornography ~*s* the young mind. 포르노는 젊은이의 마음에 해독을 끼친다. ── *vi.* 더러워지다 ; 썩다, 부패하다 ; 타락하다 : Meat will soon ~ in warm weather. 고기는 더운 날씨에는 곧 부패한다.

taint·less [téintlis] *a.* 오점이 없는 ; 순결〔깨끗〕한 ; 부패하지 않은 ; 병독이 없는.

Tai·peh, -pei [táipéi] *n.* 타이페이, 대북(臺北).

Tai·wan [táiwáːn] *n.* 타이완, 대만(Formosa).

Tai·wan·ese [tàiwɑːníːz, -níːs] *a.* 타이완(사람·말)의. ── *n.* (*pl.* ~) Ⓒ 타이완.

Taj Ma·hal [tάːdʒməhάːl, tάːʒ-] (the ~) 타지 마할《인도 Agra의 백(白)대리석 영묘(靈廟)》.

†take [teik] (***took*** [tuk] ; ***tak·en*** [téikən]) *vt.* ① 《~+목 / +목+전+명 / +목+부》 …을 손에 잡다, 쥐다(seize, grasp)《*up*》 : ~ a book *in* one's hand 책을 손에 들다 / He *took* me *by* the hand. 내 손을 잡았다《He took my hand. 보다 감정적인 표현》 / ~ something *up* with one's fingers 손가락으로 물건을 집어올리다.

②《~+목 / +목+보 / +목+전+명》 (덫 따위로 짐승)을 잡다, 포획하다 ; (범인 따위)를 붙잡다, 체포하다 ; 포로로 하다 : ~ a wild animal 야생동물을 포획하다 / The thief was *taken in* the act. 도둑은 현행범으로 체포됐다 / ~ a rabbit *in* a trap 토끼를 덫으로 잡다 / I was *taken* prisoner. 나는 포로가 되었다.

③《~+목 / +목+전+명》 (우격다짐으로) …을 뺏다, 탈취하다 ; 점령〔점거〕하다 : ~ a bag *from* a person's hand 아무의 손에서 가방을 빼앗다 / ~ a fort 성을 점령하다.

④ (노력하여) …을 획득하다, 벌다, 손에 넣다 ; (시합)에 이기다 : ~ a degree 학위를 얻다 / Who *took* the first prize? 누가 1등상을 탔느냐 / He ~*s* 100 dollars a week. 그는 주급 100 달러를 받는다.

⑤《~+목 / +목+전+명》 (아무)를 불시에 습격하다, 기습하다《*by* ; *at*》 : ~ a person *by* surprise 아무의 허를 찌르다 ; 아무를 기습하다.

⑥《+목+부 / +목+전+명 / +목+목》 …을 가지고 가다, 휴대하다 : *Take* these things *home*. 이 것들을 집으로 가져가거라 / *Take* an umbrella *with* you. 우산을 가지고 가거라 / *Take* her some flowers. = *Take* some flowers *to* her. 그녀에게 꽃을 좀 가지고 가거라.

⑦《+목+전+명 / +목+부》 …을 데리고 가다, 동반하다, 안내하다 : ~ a person *out of* a room 아무를 방 밖으로 데리고 나가다 / He *took* me *home* in his car. 그는 나를 차로 집까지 바래다 주었다.

⑧〖文法〗 (어미·목적어·악센트 등)을 취하다 : Ordinary nouns ~ -s in the plural. 보통의 명사는 복수형에서 어미에 s가 붙는다.

⑨《~+목 / +목+전+명》 (주는 것)을 받다 (receive), 받아들이다(accept) ; (대가(代價)·보수 따위)를 받다《*for*》 : ~ a bribe 뇌물을 받다 / He won't ~ a single cent. 그는 단 한 푼도 받지 않을 것이다 / What will you ~ *for* this watch? 이 시계를 얼마에 팔겠소.

⑩ (체내에) …을 섭취하다, 먹다, 마시다, 흡수하다 ; (일광·신선한 공기)를 쐬다 : Don't ~ too much. 과식하지 마라 / ~ a medicine 약을 먹다 / ~ a deep breath 심호흡하다 / ~ tea 〔coffee〕 차〔커피〕를 마시다《구어로는 have가 보통》 / ~ the

sun on the lawn 잔디 위에서 일광욕을 하다.
⑪ (기장(記章)·상징으로서) …을 몸에 지니다〔걸치다〕, (익명·가명 따위)를 사용하다(adopt); (성직·왕위 등)에 앉다, 오르다: ~ an assumed name 가명을 사용하다 / ~ the throne 〔crown〕 왕위에 오르다 / ~ the chair 의장석에 앉다 / ~ the gown 성직자〔변호사〕가 되다.
⑫ (외부의 힘·영향)을 받다; (색)에 물들다; (냄새)를 지니게 되다; (불이) 붙다: a stone which ~s high polish 닦으면 광택이 잘 나는 돌 / ~ the color 물들다 / Paper ~s fire easily. 종이는 불이 잘 붙는다.
⑬ (비난·충고 등)을 받아들이다, …에 따르다, 감수하다: ~ punishment 벌을 받다 / ~ criticism 비판을 받아들이다 / I shall ~ none of your advice. 충고 따위는 듣지 않겠다.
⑭ …을 선택하다, 고르다; (좌석·위치 따위)를 점하다, 차지하다: I'll ~ this one. 이것을 주십시오 / *Take* any book you want. 원하는 책을 골라 가져라 / ~ a seat 자리에 앉다 / ~ the place of him 그의 자리를 이어 차지하다.
⑮《~+목 / +목+*as* 보》 (문제·사태)를 거론하다, 초들다, 다루다(treat); 고려하다; 예로 들다: ~ the problems one by one 문제를 하나하나 초들다 / Let's ~ Greece. 그리스의 경우를 생각해 보자 / *Take* the following sentence *as* an example. 다음 문장을 예로서 생각해 보자.
⑯ (길)을 가다, 취하다: *Take* the next road to the right. 다음 길을 오른쪽으로 돌아 가시오.
⑰《~+목 / +목+전+명 / +목+*to be*》 …을 채용하다, 맞이하다; (제자·하숙인)을 두다: ~ pupils 〔lodgers〕 제자〔하숙인〕을 두다 / He *took* a wife. 그는 아내를 맞이하였다 / ~ a new member *into* the club 클럽에 신회원을 가입시키다 / She decided to ~ him *for* 〔*to be*〕 her husband. 그녀는 그를 남편으로 맞을 결심을 했다.
⑱《~+목 / +목+전+명》 …을 예약하다, 빌리다, 확보하다: ~ a cottage *for* the summer 여름 휴가를 위해 작은 별장을 빌리다 / ~ a box *at* a theater 극장의 지정석을 예약하다.
⑲ (책임·의무 등)을 지다, 떠맡다(undertake); (직무·역할·소임 등)을 맡다, 다하다, 행하다, 담당하다(perform): ~ duty 의무를 지다 / ~ a class 학급을 맡다 / ~ responsibility 책임을 지다 / ~ (the role of) the villain 악역을 맡다.
⑳ (눈길·관심)을 끌다(attract); 〔흔히 受動으로〕 (아무의) 마음을 끌다, 마음을 빼앗다: ~ a person's eye 아무의 눈길을 끌다 / He *was* much *taken with* her beauty. 그는 그녀의 아름다움에 넋을 잃었다.
㉑《~+목 / +목+전+명》 (방침·수단)을 취하다; (본)을 따르다; (말)을 인용하다: ~ measures 조처를 취하다 / ~ example *by* another 남의 본을 따르다 / ~ a line *from* Keats 키츠(의 시)에서 한 줄 인용하다.
㉒《~+목 / +목+전+명》 (시간·기회 따위)를 이용하다: ~ advantage *of* …를 이용하다, …를 기화로 삼다 / He *took* the opportunity *to* leave. 그는 기회를 보아 떠나갔다.
㉓ …을 사다, 구매하다(buy); (잡지·신문)을 구독하다; (수업)을 받다, (학과)를 배우다: ~ a magazine 잡지를 구독하다 / I'll ~ this hat. 이 모자를 사겠다 / We ~ the Tong-a. 우리는 '동아'를 보고 있다《영국식으로는 이럴 때 take in을 씀》/ ~ ballet 발레를 배우다.
㉔《~+명 / +목+*to* do / +목+목》 〔it를 主語로 하는 경우가 많음〕 (시간·노력 따위)를 필요로 하다, (용적·넓이)를 차지하다, (시간)이 걸리다: It *took* (me) an hour *to* do the work. 그 일을 하는 데 한 시간 걸렸다 / It *took* longer than we expected. 생각보다는 시간이 더 걸렸다 / It ~*s* three men *to* do the job. 그 일에는 세 사람이 필요하다 / Don't ~ too long over it. 그것에 너무 시간을 들이지 마라.
㉕《+목+전+명》 (어느 장소에서) …을 가지고 오다; (근원)에서 캐내다, 따오다: ~ an orange *out of* the box 귤을 상자에서 꺼내다 / The river ~*s* its rise *from* a lake. 그 강은 호수로부터 발원한다.
㉖《+목+부 / +목+전+명》 …을 치우다, 제거하다; 빼다, 감하다; (생명)을 빼앗다, 살해하다: *Take* this chair *away*. 이 의자를 치워라 / ~ 2 *from* 5, 5에서 2를 빼다 / ~ one's own life 자살하다.
㉗《~+목 / +목+전+명》 (탈것)에 타다: ~ a car 차를 타다 / ~ horse 말을 타다 / ~ ship 배를 타다 / ~ the subway *to* work 지하철로 통근하다.
㉘ …을 (뛰어)넘다: The horse *took* the hedge with an easy jump. 말은 쉽게 산울타리를 뛰어넘었다.
㉙ …로 도망쳐 들어가다, 숨다: The fox *took* earth. 여우는 굴로 도망쳤다 / The birds *took* cover. 새들이 숲속으로 숨었다.
㉚ (어떤 행동)을 취하다, 하다, 행하다; 맹세하다: ~ a walk 산책하다 / ~ a flight 하늘을 날다 / ~ a trip 여행하다 / ~ action 행동을 취하다 / ~ pains 수고를 하다 / ~ vengeance 복수하다 / ~ a rest 휴식하다 / ~ comfort 위안삼다, 만족하다.
㉛《~+목 / +목+전+명》 (견해·주의·태도)를 가지다, 취하다; (항쟁·쟁의 따위에서) …측에 편들다: ~ a gloomy view 비관적 견해를 가지다 / ~ one's stand *on*… …을 주장하다 / ~ a person's side 아무에게 편들다 / ~ liberties *with* a person 아무에게 허물〔버릇〕없이 대하다.
㉜《~+목 / +목+전+명》 (호감·나쁜 감정)을 일으키다, 느끼다, 품다: ~ a dislike 싫어지다 / ~ a fancy 좋아지다《*to*》/ ~ offense 화내다 / ~ pride in …을 자랑하다.
㉝《~+목+부 / +목+보 / +목+*to be* 보 / +목+전+명 / +목+*as* 보》 (좋게 또는 나쁘게) 받아들이다, 이해하다, …라고 생각〔간주〕하다, 믿다: Don't ~ it *ill*. 악의로 해석하지 마라 / ~ it *seriously* 일을 진지하게 생각하다 / All *took* him *for* a fool. 모두들 그를 바보로 생각했다 / I *took* her *to be* an actress. 나는 그녀를 여배우라고 생각했다 / He *took* my remark *as* an insult. 그는 나의 말을 모욕으로 받아들였다 / *Take* things as they are. 사물을 있는 그대로 받아들여라.
㉞《~+목 / +목+전+명 / +목+부》 …을 쓰다, 적다, 녹음하다; (사진)을 찍다, 사진으로 찍다; (초상)을 그리다: They *took* notes of his speech. 그들은 그의 연설을 노트했다 / ~ a picture 사진을 찍다 / I *took* his broadcast *down* in shorthand. 그의 방송을 속기했다 / ~ a speech *on* 〔*in*〕 tape 연설을 테이프에 녹음하다.
㉟ …을 재다, 측정치를 내다; 조사하다, 사정(査定)하다: ~ a poll 여론 조사를 하다 / ~ stock 재고를 조사하다 / The tailor *took* the customer's measures. 재단사는 손님의 치수를 쟀다 / When you do not feel yourself, ~ your temperature first of all. 몸이 불편할 때는 우선 체온을 재라.
㊱《俗》 …을 속이다(cheat); 속여서 …을 빼앗다: No one shall ~ me. 누구에게도 속지 않는다 / I was badly *taken*. 감쪽같이 속았다.

㊲《~+목 / +목+전+명 / +목+보》 (병 등)에 걸리다; 〔受動으로〕 (병 따위)가 침범하다; (불이) 붙다, 타다: Plague ~ him! 염병할 놈! / *be taken with* illness 병에 걸리다 / *be taken* ill 병이 나다, 병들다.

— *vi.* ① (불이) 붙다: The fire is beginning to ~. 불이 붙기 시작하고 있다 / The fire took quickly. 불은 곧 붙었다.

②《+전+명》 (효과·가치 따위를) 감하다, 덜다; (명성 따위를) 해치다《*from*》: Such weaknesses do not ~ *from* the value of the book. 그런 결함들이 있다고 해서 그 책의 가치가 덜해지는 것은 아니다 / Nothing *took from* the scene's beauty. 그 경치의 미관을 해치는 것은 아무 것도 없었다.

③《~/+부》 (뿌리가) 내리다; (색깔이) 잘 들다; (효과가) 나다, (약이) 듣다, (우두 따위가) 잘 되다: The vaccination did not ~. 백신 주사는 효력이 없었다 / The medicine ~*s* instantly. 이 약은 즉효가 있다 / This dye ~*s well.* 이 물감은 염색이 잘 된다.

④《~ / +전+명》 인기를 얻다, 받다: The play *took from* its first performance. 연극은 첫 공연부터 인기를 얻었다 / The magazine ~*s* well *with* highbrows. 이 잡지는 지식인에게 인기가 있다.

⑤《+전+명》 나아가다, 진행하다, 가다《*across; down; over; after; to*》: ~ *across* the field 들을 가다 / The horse *took to* the roadside. 말은 길가로 나갔다 / With a cry she *took to* the door. 외마디소리와 함께 그녀는 문 쪽으로 달려갔다.

⑥《+부》《口》 (사진으로) 찍히다: She always ~*s well* 〔*badly*〕. 그녀는 늘 사진이 잘〔잘못〕 찍힌다.

⑦《+보》《口》 (병에) 걸리다: He *took* sick 〔ill〕. 그는 병에 걸렸다.

be taken aback 어안이 벙벙해지다; 허를 찔리다. ***have what it ~s*** 성공에 필요한 소질이 갖추어져 있다. ~ ***a backseat*** ⇨BACKSEAT. ~ ***after*** (1) …을 닮다: He ~*s after* his father. 그는 아버지를 닮았다. (2) …을 본받다, 흉내내다. (3) …을 뒤쫓다, …을 추적〔미행〕하다. ~ ***against*** …에 반대〔반항〕하다, …에 반감을 품다. ~ ***along with*** …을 같이 데리고 가다, 휴대하다. ~ ***apart*** (기계 따위를) 분해하다; 분석하다; 혹평하다; 홀닦다. ~ ***at*** a person***'s word*** 아무의 말대로 받아들이다. ~ ***away*** (1) 나르다, 옮기다: Not to be *taken away.* 지출(持出)을 금함《도서관 등에서》. (2) 줄이다, 덜다; 제거하다: ~ *away* from …의 효과〔가치〕를 줄이다. (3) 식탁을 치우다. (4) 물러가다. ~ ***back*** (1) 도로 찾다. (2) (약속 따위)를 취소하다, 철회하다: ~ *back* what one said 말을 취소하다. (3) (옛날)을 회상시키다. ~ a person ***before*** 아무를 …에 출두시키다. ~ ***captive*** ⇨CAPTIVE. ~ ***down*** (1) 내리다, 낮추다: ~ *down* a baggage from the shelf 선반에서 가방을 내리다. (2) 콧대를 꺾어주다, 비난〔욕〕하다: I'll ~ him *down* a notch or two. 그의 교만한 콧대를 좀 꺾어 주겠다. (3) (집 따위)를 헐다. (4) (머리)를 풀다: She *took down* her hair before she shampooed it. 머리를 감기 전에 머리를 풀었다. (5) 적어 놓다, 써 두다, 녹음하다(record). (6) (겨우) 삼키다: Don't chew. Only ~ it *down.* 씹지 말고 삼키시오. (7) 분해〔해체〕하다, 해판(解版)하다. (8) 〔受動으로〕 (병 따위로) 쓰러지다《*with*》: He *was taken down with* the flu. 그는 독감으로 쓰러졌다. ~ ***for*** (1) …로 잘못 알다, …라고 생각하다: They *took* my story *for* a lie. 그들은 내 얘기를 거짓말이라고 생각했다. (2)《稀》 …을 편들다, …을 지지하다. ~ ***from*** (1) …을 줄이다, (무게·가치 따위)를 덜다, 떨어뜨리다; (흥미 따위)를 잡치다: It *took* greatly *from* the pleasure. 그건 몹시 기분을 잡치게 했다. (2) …에게서 이어받다; …에서 끌어내다: ~ one's good looks *from* one's mother 어머니의 미모를 이어받다 / ~ one's subject *from* one's own experience 자기의 경험을 논제로 삼다. ~ ***in*** (1) 받아들이다, 끌어들이다: The pipe ~*s in* 3,000 gallons of water per minute. 이 파이프는 매분 3,000 갈론의 물을 끌어들인다. (2) (짐·손님을) 싣다, 적재하다; 수용하다. (3) 묵게 하다, (하숙인을) 치다. (4) (빨래·바느질감 등을) 내직으로서 맡다. (5)《英》 (신문 등을) 받아보다, 구독하다: ~ *in* the weekly 주간지를 보다. (6) (여성을) 객실에서 식당으로 안내하다; 경찰에 연행하다. (7) 납득하다, 이해하다: ~ *in* a lecture 강연의 내용을 이해하다. (8) (옷의) 기장을 줄이다: ~ *in* a dress 옷을 줄이다. (9) (돛을) 접다. (10) 뚫어지게 보다, 눈여겨보다, 잘 관찰하다: Her eyes *took in* everything. 샅샅이 관찰하였다. (11) 〔종종 受動으로〕 …을 기만하다, 속이다: I *was* nicely *taken in.* 나는 감쪽같이 속았다. ~ ***it*** (1) 믿다; 받아들이다; …로 이해하다; 생각하다《*that*》: You can ~ *it* from me. 내가 한 말이니 정말로 믿어도 좋다. (2) 〔흔히 can (not)과 함께〕《口》 벌〔고생, 공격〕을 견디다, 벌을 받다. ~ ***it easy*** ⇨ EASY. ~ ***it hard*** 걱정하다, 신경을 쓰다, 비관하다, 기가 죽다. ~ ***it on*** 《美俗》 게걸스럽게 먹다. ~ ***it on*** 〔***upon***〕 ***oneself to*** do 결단을 내리고 …하다; …할 책임을 떠맡다. ~ ***it or leave it*** 그대로 받아들이든지 말든지 하다. ~ ***it out of*** a person 아무를 못살게 굴다, 괴롭히다; 지치게 하다; 아무에게 분풀이하다. ~ ***it out on*** …에게 마구 호통치다《분풀이의 대상으로서》: Look, ~ *it out on* me. 이봐, 분풀이하려거든 내게 해라. ~ ***it that . . .*** …라고 믿다〔생각하다〕: I ~ *it that* we are to come early. 우리는 일찍 오지 않으면 안 된다고 생각합니다. ~ ***. . . lying down*** (모욕 따위를) 감수하다. ***Take my word for it.*** 내 말은 정말이야. ***taken*** (***it***) ***altogether*** 전체적으로 보면, 대체로. ~ ***off*** (1) (모자·옷 따위를) 벗다. opp. *put on.* ¶ ~ *off* one's hat 모자를 벗다. (2) …에서 떼어내다〔벗기다〕; (손발 따위를) 절단하다; …에서 제거하다, (체중·무게를) 줄이다; (근무 등에서) 빼다; (주의를) 딴 데로 돌리다. (3) 옮기다, 이송하다, 데리고 가다《*to*》. (4) (…의 상연을) 중지하다; (손·브레이크를) 놓다; (휴가로서) 일을 쉬다. (5) (값 따위를) 깎다, 할인하다: ~ a dollar *off* the price 가격에서 1달러 깎다. (6) 베끼다, 박아〔찍어〕내다, 카피하다. (7)《口》 흉내내다, 놀려 주다. (8) 마셔버리다. (9) (병이) …의 생명을 빼앗다, (자객이) 죽이다. (10) 날아오르다, 이륙하다: The plane *took off* from the Oregon airport. 비행기는 오리건 비행장을 이륙했다. (11) 떠나가다, 출발하다; 물러나다. (12) (조수가) 빠지다; (바람이) 자다, 잔잔해지다, (비가) 그치다. (13) (경기 따위가) 상승하기 시작하다, (상품이) 잘 팔리다. (14) 쫓아가다《*after*》. (15) (가치 따위를) 감하다. (16) (본류·간선 따위에서) 갈라지다; …에 유래하다《*from*》. ~ ***on*** (1) …을 고용하다(hire); 한패로 끼우다: ~ *on* extra workers 임시채용하다. (2) (일 등)을 떠맡다; (책임을) 지다. (3) …에 도전하다, 덤벼들다, (경기 따위에서) 다투다《*at*》. (4) (성질·형태·모양 따위를) 몸에 익히다〔지니다〕, (성질을) 띠다(assume); 흉내내다; (뜻을) 갖게 되다(acquire); 《美口》 뻐기다, 으스대다. (5) (살이) 오르다. (6)《口》 흥분하다; 비탄에 잠기다: There is no need to ~ *on* so. 그렇게 애태울〔슬퍼할〕 필요는 없다. (7) (인기)를 얻다. (8) (손님)을 태우다, (짐)을 싣다. ~ ***or leave*** (즉석의 판단·기호로) …을 인정하거나 말거나의 태도를 정하다 ; 다소의 차이는〔과부족은〕 있는 것으로 치고(give or take) : He left one million, ~ *or leave* a few won. 약간의 차이는 있겠으나 100 만 원을 남겼다. ~ ***out*** (1) …을 꺼내다, 끄집어내다, 공제하다, 제외하다. (2) 《美》 (음식을 식당)에서 사 갖고 가다 ; (산책·영화 등)에 데리고 나가다 ; (경기 따위)에 불러내다. (3) (이·얼룩 따위)를 빼다, 제거하다 : ~ *out* a stain 얼룩을 빼다. (4) (전매권·보험·면허장 따위)를 획득하다, 받다, (보험)에 들다. (5) (서적 따위)를 대출하다 ; 베끼다, 발췌하다. (6) 《口》 (여성)을 식당으로〔무도실로〕 안내하다. (7) …을 파괴하다, …의 기능을 마비시키다. (8) 나가다 ; 달려가다, 쫓아가다《*after*》. ~ ... ***out of*** …을 …에서 빼내다, 제거하다 ; 데리고 나오다 ; …에서 …를 빌려오다. ~ a person ***out of*** him***self*** 아무에게 기분전환을 시키다〔근심을 잊게 하다〕. ~ ***over*** (*vt.*) (1) …을 이어〔인계〕받다, 양도받다 ; 접수하다, 점거하다 : The occupation army *took over* my house. 점령군이 나의 집을 접수했다. (2) …을 차용〔채용, 모방〕하다. (*vi.*) 뒤를 이어 받다《*from*》. ~ ***place*** 일어나다. ~ one***self away*** 〔***off***〕 물러가다, 떠나가다. ~ ***shape*** 모양을 갖추다, 윤곽이 잡히다 ; 실현되다. ~ one***'s life in*** one***'s hands*** 생명의 위험을 무릅쓰다. ~ one***'s life upon*** …에 목숨을 걸고 덤벼들다, 생명을 바쳐서 …을 하다. ~ one***'s time*** 시간을 들이다, 서두르지 않다. ~ ***the fifth*** 〔***Fifth***〕 《美口》 (1) (법정에서) 자신에게 불리한 증언을 거부하다. (2) 〔一般的〕 대답을 거부(拒否)하다. cf. Fifth Amendment. ~ ***to*** (1) …이 좋아지다, …을 따르다, …에 순응〔적응〕하다 ; …의 습관이 붙다 ; …에 몰두하다 : The baby has *taken to* her new nursemaid. 아기가 새 유모를 따랐다 / The tree ~*s* well *to* this soil. 그 나무는 이 토양에 잘 적응한다 / ~ *to* drink 〔smoke〕 음주〔흡연〕의 습관이 붙다 / ~ *to* study 연구에 전념하다. (2) …에 가다 : ~ *to* one's bed 자리에 눕다. (3) …에 의지하다, …에 호소하다 : ~ *to* violence 폭력에 호소하다. ~ ***up*** (1) 집어 올리다, 손에 쥐다, 주워 올리다 ; (화제·주제 따위로) 채택하다 : ~ *up* a thing for a topic 어떤 일을 화제로 삼다. (2) (시간·장소 따위)를 잡다, 차지하다, (마음·주의 등)을 끌다 : It'll ~ *up* a lot of time. 그것은 많은 시간을 잡아먹을 것이다. (3) (손님)을 잡다, 태우다, (배가 짐)을 싣다. (4) 보호〔비호〕하다 ; 후원〔원조〕하다. (5) …을 체포하다, 구인(拘引)하다, 연행하다. (6) 흡수하다 : A sponge ~*s up* water. 스펀지는 물을 흡수한다. (7) …의 말을 가로막다 ; …에게 질문하다, 꾸짖다, 비난하다 : ~ a person *up* soundly 아무를 몹시 꾸짖다. (8) (주문·도전·내기에) 응하다 ; (어음을) 인수〔지급〕하다, 다 갚다 : Not one of the shares was *taken up*. 그 주(株)는 하나도 응모가 없었다. (9) (옷을) 줄이다, (실패·릴 등이 실·테이프 따위)를 감다 ; 줄다, 줄어들다. (10) (꿀벌을) 그을려 죽이다《꿀 채취를 위해》. (11) …을 용해하다. (12) (기부금 따위)를 모금하다 : ~ *up* a collection 헌금을 모으다. (13) (문제 따위)를 취급하다, 처리하다 ; (태도를) 취하다. (14) (익살 등)을 이해하다. (15) (날씨)가 회복되다. (16) 재개하다 ; (수업 따위)가 시작되다. ~ ***up for*** …의 편을 들다. ~ ***upon*** 〔***on***〕 one***self*** (1) (책임 따위)를 지다, 떠맡다. (2) (~ (it) upon 〔on〕 oneself to *do*로) …함을 자기 책임으로〔의무로〕 하다 ; …하기를 스스로 정하다〔시작하다〕 : She has *taken it upon herself to* support the family. 그녀는 가족의 부양을 떠맡기로 했다. (3) (모습·성질 등)을 가장하다, 꾸며 보이다. ~ ***up with*** (1) (아무)와 친해지다, 친밀해지다. (2) …에 흥미를〔관심을〕 갖다. ***You can ~ that*** 〔***your*** . . .〕 ***and*** . . . . 그런 것〔…〕 따위는 멋대로 해라〔똥이나 먹어라〕.

— *n.* Ⓒ ① (흔히 *sing.*) 포획량, 고기잡이, 사냥 : the day's ~ 그날의 포획고. ② (흔히 *sing.*) 매상고, (입장권의) 판매액 ; 총징수액 : the tax ~ last year 작년의 세수액(稅收額). ③ (흔히 *sing.*) (수익이나, (내기로) 건 돈에 대한) 분배 몫, 배당. ④ 『映·TV』 한 장면, 한 샷 : The director spends a whole week for several ~*s*. 그 감독은 몇 장면을 찍는 데 온 1 주일을 소비한다. ***on the*** ~ 《美俗》 (뇌물 따위를 받을) 기회를 노리고.

take·a·way [´-əwèi] *n.* 《英》 =TAKEOUT.
— *a.* =TAKEOUT.

táke-home pày [´-hòum-] (세금 따위를 뺀) 실제 손에 들어오는 급료.

take-in [´-ìn] *n.* U,C 《口》 사기, 협잡 ; 엉터리 ; 사기꾼.

†tak·en [téikən] TAKE의 과거분사.

take·off [téikɔ̀(ː)f, -àf] *n.* ① U,C 『空』 (비행기 등의) 이륙 : Preparations have now been made for ~. 이륙 준비는 완료됐다. ② Ⓒ 《口》 (풍자적인) 흉내 ; 만화, 희화화(戲畫化)《*on* ; *of*》 : She did a marvelous ~ *of* the Queen. 그녀는 기막히게 여왕 흉내를 해냈다..

take·out [´-àut] *n.* Ⓒ 《美》 집에 사가지고 가는 요리(를 파는 가게)(《英》 takeaway).
— *a.* 〔限定的〕 《美》 (요리 따위) 가지고 가는 : two ~ coffees 사 가지고 가는 두 잔의 커피《뚜껑 있는 종이컵을 이용함》.

take·o·ver [´-òuvər] *n.* U,C 인수, 인계, (관리·지배·소유 등의) 인수, 매수.

táke(-)over bíd 《英》 (주식의) 공개매입《회사의 지배권 취득을 목적으로, 불특정 다수의 주주들로부터 주식을 매입하는 일 ; 略 : TOB》.

tak·er [téikər] *n.* Ⓒ ① 잡는 사람, 포획자. ② 수취인. ③ 구독자. ④ 내기〔도전〕에 응하는 사람.

***tak·ing** [téikiŋ] *a.* ① 매력〔애교〕 있는 : a ~ girl 〔smile〕 매력 있는 아가씨〔미소〕. ② 《英口》 옮는, 전염하는 : a ~ disease 전염병. — *n.* ① Ⓤ 획득. ② Ⓒ 어획고, 포획고. ③ (*pl.*) 매상고, 소득, 수입 : the day's ~*s* 그날의 매상고.

talc [tælk] *n.* Ⓤ ① 탤크, 활석. ② =TALCUM POWDER.

tal·cum [tǽlkəm] *n.* =TALC.

tálcum pòwder 탤컴 파우더《활석 가루에 붕산(硼酸)·향료를 넣은 화장품 ; 면도 후 사용》.

‡tale [teil] *n.* Ⓒ ① 이야기, 설화. cf. narrative. ¶ a fairy ~ 옛 이야기 / ~*s* of adventure 모험담 / tell a sad ~ 슬픈 이야기를 하다 / tell one's ~ 자기의 신상 이야기를 하다 / The statistics tell their own ~. 그 통계는 설명이 필요없다〔자명하다〕 / A ~ never loses in the telling. 《俗談》 말은 되풀이되면 커지게 마련이다. ② 꾸민 이야기, 거짓말 : a tall ~ 허풍. ③ (종종 *pl.*) 소문 ; 중상, 고자질 : tell〔carry〕 ~*s* 고자질하다 ; 남의 소문을 퍼뜨리다 ; 비밀을 누설하다 / If ~*s* be true ..., 세상 소문이 사실이라면…, 사실인지 아닌지 모르지만… 《소문 얘기를 시작할 때의 말》 / Dead men tell no ~*s*. 《俗談》 죽은 자는 말이 없다. ◇ tell *v.* (***and***) ***thereby hangs a*** ~ (그래서) 거기엔 좀 재미있는 이야기가〔까닭이〕 있다.

tale·bear·er [téilbὲərər] *n.* Ⓒ 남의 나쁜 소문을 퍼뜨리는 사람 ; 고자질 잘하는 사람.

‡tal·ent [tǽlənt] *n.* ① Ⓤ (또는 a ~) (타고난) 재주, 재능 ; 재간, 수완, 솜씨《*for*》 : have *a* ~

for music 음악의 재능이 있다 / a man of ~ 재사 / a man of no ~ 무능한 사람 / I have not much ~ *for* foreign languges. 나는 외국어의 재능은 별로 없다 / She has *a* ~ *for* mak*ing* people relax. 그녀는 사람을 편하게 하는 재능이 있다. ② Ⓤ 〔集合的; 單·複數 취급〕 재주있는 사람(들), 인재; Ⓒ (개인으로서의) 탤런트, 예능인: scout musical ~ 유능한 음악가를 스카우트하다 / look for local ~ 지방의 인재를 찾다 / an exhibition of local ~ 그 고장 사람들의 작품 전람회 / stage ~(*s*) 무대배우. ③ Ⓒ 탤런트《옛 그리스·로마·헤브라이의 무게·화폐의 단위》. ④ Ⓤ 〔集合的; 單·複數 취급〕 성적 매력이 있는 여성(들). ***hide one's ~s in a napkin***〖聖〗 자기의 재능을 썩이다《마태복음 XXV: 15》.

tal·ent·ed [tǽləntid] *a.* 재주있는; 유능한.

tal·ent·less [tǽləntlis] *a.* 무능한.

tálent scòut 〔spòtter〕 탤런트 스카우트, (운동·예능계 따위의) 신인발굴 담당자.

tálent shòw (아마추어의) 장기 자랑 대회.

tales·man [téilzmən, -li:z-] (*pl.* ***-men*** [-mən]) *n.* Ⓒ 보결 배심원《방청인 중에서 선출》.

tale·tell·er [téiltèlər] *n.* Ⓒ 이야기하는 사람.

ta·li [téilai] TALUS의 복수.

tal·is·man [tǽlismən, -iz-] (*pl.* ***~s***) *n.* Ⓒ ① 호부(護符), 부적. ② 불가사의한 힘이 있는 것.

†talk [tɔ:k] *vi.* ① 《~ / +전+명》 말하다; (…와) 이야기하다《*to*; *with*; *on*》; 강연하다《*on*; *to*》: Our child is learning to ~. 우리 아이는 (요즘) 말을 하기 시작했다 / He was ~*ing to* 〔*with*〕 a friend. 그는 친구와 이야기하고 있었다 / He doesn't ~ much. 그는 말수가 적다 / It's been good ~*ing*〔~〕 *to* you. 당신과 이야기하여 즐겁게 지냈습니다《작별시의 말》.

② 《+전+명 / +부》 (…와) 이야기를 나누다, 의논하다, 상담하다《*together*; *with*; *to*》: I'll ~ *to* you later. 나중 이야기 해주마 / *Talk with* your adviser. 조언자와 의논하세요 / We have ~*ed together* about it. 그것에 대해 이야기를 나누었다.

③ 《~ / +전+명》 객쩍은 소리를〔소문을, 험담을, 비밀을〕 지껄이다《*of*》: She ~*s* too much. 그녀는 쓸데없는 말을 너무 한다 / *Talk of* the devil, and he is sure to appear. 《俗談》 호랑이도 제 말하면 온다.

④ 《+전+명》 훈계〔충고〕하다, 불평을 말하다《*to*》: I shall have to ~ *to* my tailor; this suit fits very badly. 양복장이한테 한 마디 해야겠어, 이 양복이 도무지 몸에 안 맞아.

⑤ 《~ / +전+명》 (몸짓 따위로) 의사를 소통하다《*by*》; (무선으로) 교신하다《*with*》: ~ *by* signs 손짓으로 이야기하다 / ~ *with* a shore station 연안 무선국과 통신하다.

⑥ 자백하다, 입을 열다: How did the police make him ~? 경찰은 어떻게 해서 그의 자백을 받아냈을까.

— *vt.* ① **a**) …을 말하다, 이야기하다; 논하다: ~ rubbish 〔nonsense〕 쓸데없는〔바보 같은〕 말을 하다 / ~ politics 정치를 논(論)하다. **b**) (외국어 등)을 말하다: Do you ~ German? 독일어를 할 수 있습니까. ② 《+목+부 / +목+보 / +목+전+명》 …에게 말하여 …시키다《*into* do*ing*; *away*》; …에게 말하여 …되게 하다; 말하여 …하지 않도록 하다《*out of* do*ing*》: I ~*ed* myself hoarse. 너무 지껄여 목이 쉬었다 / ~ one's father *into* buy*ing* a bicycle 아버지에게 말하여 자전거를 사게 하다 / ~ the workers *out of* walk*ing* out 노동자에게 직장을 떠나지 않도록 설득하다. ③ 이야기하여 (시간)을 보내다.

be* 〔*get* oneself〕 *~ed about 소문거리가 되다: You'll *get yourself ~ed about* if you behave badly. 행동을 조심하지 않으면 평판이 나빠진다. ***know what* one *is ~ing about*** …에 정통해 있다, 전문적이다. ***Now you're ~ing!*** 《口》 그렇다면 말이 통한다. ~ ***about*** (1) …에 대하여 말하다, …을 논하다. (2) 〔命令形〕《口》 …란 (바로) 이거야, 〔反語的〕 …라니 (말도 안 돼): *Talk about* good film! 참 훌륭한 영화로군《터무니없는 영화다》. ~ ***against*** a person 아무의 욕을 하다. ~ ***around*** (1) …을 에둘러 말하다. (2) …을 설득하다. ~ a person ***around*** 아무를 설득하다, 설득시켜 (…에) 동조케 하다《*to*》. ~ ***at*** a person 아무에게 빗대어 말하다; …에게 일방적으로 말하다. ~ ***away*** (1) 이야기로 시간을 보내다: ~ *away* an evening 저녁을 이야기로 보내다. (2) 지껄이다, 수다떨다. ~ ***baby*** 아기의 말투로 말하다; 아기에게 하듯이 말하다. ~ ***back*** 말대꾸하다《*to*》: Don't ~ *back to* me. 말대꾸하지 마. ~ ***big*** 《口》 큰소리치다, 허풍떨다: He's always ~*ing big* about all his powerful connections. 그는 늘 자기의 강력한 배경을 들먹인다. ~ ***down*** (1) (상대를) 말로 꼼짝 못하게 하다, 큰 목소리로 압도하다. (2) 대수롭지 않은 일이라고 말하다(belittle): ~ *down* the importance of a person's visit here 아무의 이곳 방문은 별 뜻이 없다고 말하다. (3)〖空〗 (야간이나 안개가 짙을 때 무전으로) …의 착륙을 유도하다. ~ ***from the point*** 빗나간 이야기를 하다, 탈선하다. ~***ing*** 〔***speaking***〕 ***of*** …으로 말하자면, …의 이야기가 났으니 말인데: *Talking of* travel, have you been to Athens yet? 여행 이야기가 났으니 말인데 아테네에 갔다 온 일이 있나. ~ ***of*** …에 관하여 이야기하다, …의 소문을 이야기하다, …할 생각이라고 말하다: He ~*s of* going abroad. 그는 외국에 갈 생각이라고 말한다. ~ ***out*** (1) 끝까지 이야기하다. (2) 《英》 (의안을) 폐회시간까지 토의를 끌어서 의안을 폐기시키다. ~ ***over*** (1) …을 설득하다. (2) …에 관해서 상담〔이야기〕하다《*with*》: There's something important I must ~ *over with* you. 너와 상의해야할 중요한 일이 있다. ~ ***over*** a person***'s head*** 아무가 이해하기 힘든 말로 이야기하다. ~ ***round*** = ~ around. ~ one***self out of breath*** 너무 지껄여서 숨이 차다. ~ ***sense*** 지당한 말을 하다. ~ ***shop*** 남이 좋아하건 말건 자기 장사〔직업〕 얘기만하다. ~ ***tall*** 흰소리치다, 허풍떨다. ~ ***through*** one***'s hat*** ⇨ HAT. ~ ***to*** (1) …에게 말을 걸다, …와 말하다. (2) 《口》 …에게 따지다, …을 꾸짖다(reprove). (3) …을 훈계하다, …에게 충고하다. ~ ***to death*** (1) 《口》 쉴새 없이 지껄이다. (2) = ~ out (2). ~ ***to*** one***self*** 혼잣말을 하다. cf. SAY to oneself. ~ ***turkey*** 《美》 있는 그대로의 사실을 말하다. ~ ***up*** 《口》 (1) 큰소리로 말하다, 똑똑히〔거리낌없이〕 말하다. (2) …을 흥미를 갖도록 이야기하다. ~ a person ***up to*** 아무에게 이야기해서 …시키다, 설득하다. ~ ***with*** …와 이야기〔의논〕하다; …을 설득시키려고 하다. ***You can ~.*** 《口》 너라면 그렇게 말할 수 있다, 그건 걱정 없다. ***You can't* 〔*can*〕 ~.** 《口》 너도 큰소리칠 수는 없다.

— *n.* ① Ⓒ 이야기, 담화, 좌담, 회화: I want to have a long ~ with you. 너와 찬찬히 이야기를 좀 하고싶다 / He sometimes rambles in his ~. 그의 이야기에는 때때로 두서가 없다. ② Ⓒ (종종 *pl.*) 협의, 의논; 회담, 담판: preliminary ~*s* on a peace treaty 평화조약에 관한 예비회담. ③ Ⓒ (짧은) 강연, 강의: He gave a ~ on fire prevention. 그는 방화에 대한 이야기를 했다. ④

T

Ⓤ 풍설, 소문, 알림: There's a ~ of his going abroad. 그가 외국에 간다더라. ⑤ (the ~) 화제, 얘깃거리《*of*》: She's *the* ~ *of* the town. 그녀는 온 마을의 화제이다. ⑥ Ⓤ 공론, 객담: He's all ~. 그는 말뿐이다. ⑦ Ⓤ (또는 a ~) 말투, 말씨; (특수사회의) 말, 용어; 사람의 말 비슷한 (울음)소리: a halting ~ 떠듬거리는 말투 / campus ~ 학생용어. **big** 〔**tall**〕 ~《俗》 허풍.

talk·a·thon [tɔ́:kəθàn / -θɔ̀n] *n.* Ⓒ《美》(TV·의회 등에서의) 장시간의 토론(회)〔연설〕. [◂ *talk*+mar*athon*]

***talk·a·tive** [tɔ́:kətiv] *a.* 이야기하기 좋아하는, 수다스러운, 말많은: He suddenly became very ~, his face slightly flushed, his eyes much brighter. 그는 갑자기 수다스러워졌는데 얼굴은 약간 상기되었고 눈은 더욱 빛났다. opp *taciturn.* ㊞ ~·**ly** *ad.* ~·**ness** *n.*

***talk·er** [tɔ́:kər] *n.* Ⓒ ① 이야기하는 사람: a good ~ 말 잘하는 사람 / I'm a poor ~. 나는 말 솜씨가 없다. ② 말하는 새《구관조·앵무새 따위》.

***talk·ie** [tɔ́:ki] *n.* Ⓒ《美口》 발성영화, 토키(talking film).

‡**talk·ing** [tɔ́:kiŋ] *a.* 말을 하는; 표정이 있는《눈 따위》: a ~ doll 말하는 인형 / ~ eyes 표정이 있는〔으로 말하는〕 눈. ── *n.* Ⓤ 담화, 말하기: do the ~ 대변(代辯)하다.

tálking bóok 맹인용의 녹음책.

tálking fílm 〔**pícture**〕《美古》 =TALKIE.

tálking hèad (텔레비전·영화에서 화면에 등장하여) 말하는 사람.

tálking pòint ① (논의·토론 따위에서) 한 쪽에 유리한 점〔사실〕, 논점(論點). ② 화제(topic).

talk·ing-to [tɔ́:kiŋtù:] (*pl.* ~**s**) *n.* Ⓒ《口》 꾸지람, 잔소리.

tálk shòw 『라디오·TV』 토크쇼《유명인과의 인터뷰 프로》.

talky [tɔ́:ki] (***talk·i·er*** ; ***talk·i·est***) *a.* ① 수다스러운. ② (소설·극 등이) 대화가 너무 많은.

†**tall** [tɔ:l] (**∠·er** ; **∠·est**) *a.* ① 키 큰. opp *short.* ¶ a ~ man / He's ~*er* than I. 그는 나보다 키가 크다 / a ~ tree 키가 큰 나무 / a ~ building 고층건물. ②〔흔히 數詞를 동반하여〕 높이〔키〕가 …인: He is 6 feet ~. 그는 신장이 6 피트다. ③《口》 터무니없는; 과장된, 믿어지지 않는: a ~ order 터무니없는 요구 / a ~ price 터무니없는 값 / tell a ~ story 흰소리치다.
── (**∠·er** ; **∠·est**) *ad.*《口》 ① 의기양양하게: walk ~ 의기양양하게 걷다. ② 과장하여: talk ~ 허풍(을) 떨다.

tall·boy [tɔ́:lbɔ̀i] *n.* Ⓒ《英》(침실용의) 다리가 높은 옷장(《美》 highboy).

táll drínk 톨드링크《운두가 높은 컵에 넣어 마시는 칵테일〔음료〕》.

táll hát 실크해트(top hat).

tall·ish [tɔ́:liʃ] *a.* 키가 좀 큰, 키가 큰 편인.

***tal·low** [tǽlou] *n.* Ⓤ 쇠〔양〕기름, 수지(獸脂): a ~ candle 수지양초 / beef ~ 쇠기름.

tal·lowy [tǽloui] *a.* ① 수지(獸脂)(질)의, 기름기의; 수지 같은. ② 창백한.

tal·ly [tǽli] *n.* Ⓒ ① 부절(符節), 부신(符信). ② 계산서, 장부, 득점표〔판〕. ③ **a**) 계정, 계산; (금액 등의) 기록. **b**)《口》 득점, 스코어; 득표: make 〔earn〕 a ~ in a game 경기에서 득점하다. ④ (물건이름을 쓴) 이름표, 명찰. ⑤ 짝의 한 쪽; 일치, 부합. ⑥ (물품을 주고받는) 계산 단위《한 타·한 묶음·20개 등》; (계산 단위의) 정(整)《20을 단위로 하는 경우 '18, 19, tally'라고 하면 tally는 20 을 말함》: buy goods by the ~ 물건을 한 타〔묶음〕 얼마에 사다.
── *vt.* ① …을 계산하다. ② …을 득점하다: Our team *tallied* three runs in that inning. 우리팀은 그 회에 3점 득점했다. ── *vi.* ①《~ / +전+명》 일치하다《*with*》: His story *tallies with* Tom's. 그의 얘기는 톰의 얘기와 같다. ② (경기에서) 득점하다.

tal·ly·ho [tæ̀lihóu] *int.* 쉭쉭《사냥개를 부추기는 소리》. ── (*pl.* ~**s**) *n.* Ⓒ 쉭쉭(소리).
── (*p., pp.* **-hoed** ; **-ho'd** ; **-ho·ing**) *vi.* (사냥개를) 쉭쉭하고 부추기다.

tal·ly·man [tǽlimən] (*pl.* **-men**[-mən]) *n.* Ⓒ ①《英》 할부 판매인. ② (하역 등의) 계수원.

tálly shèet 점수〔계산〕 기록 용지.

Tal·mud [tá:lmud, tǽl-] *n.* (the ~) 탈무드《해설을 붙인 유대교의 율법 및 전설집》.

tal·on [tǽlən] *n.* Ⓒ (독수리 같은 맹금(猛禽)의) 「발톱.

ta·lus [téiləs] (*pl.* **-li** [-lai]) *n.* Ⓒ 『解』 거골(距骨); 복사뼈(ankle).

tam [tæm] *n.* =TAM-O'-SHANTER.

TAM television audience measurement(텔레비전 시청자수(측정)).

tam·a·ble [téiməbəl] *a.* 길들일 수 있는.

tam·a·rack [tǽməræ̀k] *n.* ① Ⓒ 『植』 미국낙엽송(=**Américan lárch**). ② Ⓤ 그 재목.

tam·a·rin [tǽmərin, -ræ̀n] *n.* Ⓒ 『動』 타마린《엄니가 긴 명주원숭이의 일종; 남아메리카산》.

tam·a·rind [tǽmərind] *n.* ① Ⓒ 『植』 타마린드《열대산 콩과의 상록수》. ② Ⓤ 그 열매《약용·요리용》.

tam·a·risk [tǽmərisk] *n.* Ⓒ 『植』 위성류(渭城「柳).

tam·bour [tǽmbuər] *n.* Ⓒ ① (저음의) 큰 북. ② (둥근) 수틀; 수놓은 물건. ③ (캐비닛 등의) 사슬문(門).

tam·bou·rine [tæ̀mbəríːn] *n.* Ⓒ 『樂』 탬버린.

‡**tame** [teim] *a.* ① 길든, 길러 길들인. opp *wild.* ¶ a ~ porpoise〔animal〕 길든 돌고래〔동물〕. ② (사람·성격 등이) 온순한, 유순한; 패기 없는, 무기력한: He is too ~ for his wife. 그는 너무 아내에게 쥐어 산다 / ~ submission 무기력한 복종. ③ 재미가 없는, 단조로운, 생기가 없는: a ~ baseball match 박력 없는 야구경기 / a ~ resort 보잘것없는 피서지〔피한지〕 / a ~ book〔story〕 따분한 책〔이야기〕. ④《美》 **a**) (식물이, 야생이 아니고) 재배된. **b**) (토지 따위가, 자연 그대로가 아니고) 경작된, 기경(起耕)된.
── *vt.* ① (짐승)을 길들이다: ~ a lion 사자를 길들이다. ② (사람)을 복종시키다, 따르게 하다. ③ (사람의 용기·정열 등)을 꺾다, 약화시키다: ~ one's temper 성질을 죽이다〔억누르다〕 / Severe discipline in childhood had ~*d* him and broken his will. 유년 시절의 심한 훈육으로 그는 기백이 없고 의지력을 상실했다. ④ (자연·자원 등)을 이용할 수 있도록 관리〔통제〕하다.
㊞ **∠·a·ble** *a.* =TAMABLE. **∠·ly** *ad.* **∠·ness** *n.*

tam·er [téimər] *n.* Ⓒ (야수(野獸) 등을) 길들이는 사람, 조련사: a lion-~ 사자 조련사.

Tam·il [tǽmil] (*pl.* ~, ~**s**) *n.* ① **a**) (the ~(s)) 타밀족. **b**) Ⓒ 타밀족 사람. ② Ⓤ 타밀 말. ── *a.* 타밀 사람〔말〕의.

Tam·ma·ny [tǽməni] *n.* (the ~) 태머니파(派)《1789 년에 조직된 New York 시의 Tammany Hall을 본거로 한 민주당의 일파; 종종 정치적 부패·추문을 암시함》.

tam·my [tǽmi] *n.*《英》 =TAM-O'-SHANTER.

tam-o'-shan·ter [tǽməʃæ̀ntər, ⌐-⌐-] *n.* Ⓒ 태머섄터《스코틀랜드 사람이 쓰는 베레모》. [◂R. Burns의 시(詩)의 주인공 이름에서]

T

tamp [tæmp] *vt.* ① (화약을 재고 그 발파공 입구)를 진흙〔모래 따위〕로 틀어막다《폭발력을 세게 하기 위해》. ② (담뱃대에 담배)를 재다《*down*》: He ~*ed down* the tobacco *in*(*to*) his pipe. 파이프에 담배를 눌러 담았다.

tam·per [tǽmpər] *vi.* ① (원문·서류 등을) 함부로 고치다《*with*》: ~ *with* a document 문서를 멋대로 고치다. ② 함부로 만지작거리다; 멋대로 개봉하다《*with*》: The lock has been ~*ed with.* 그 자물쇠는 (누군가가) 만진〔손댄〕 흔적이 있다.

tam·per-ev·i·dent [tǽmpərèvidənt] *a.* 손댄〔조작된, 개봉한〕 흔적이 역력히 알 수 있게 고안된.

tam·per·proof [tǽmpərprù:f] *a.* (용기·포장 등이) 함부로 만지작거리거나 개봉할 수 없게 된.

tam·pi·on, tom- [tǽmpiən], [tɑ́m- / tɔ́m-] *n.* [C] (총구·포구의) 나무마개. 「血)마개, 탐폰.

tam·pon [tǽmpɑn / -pɔn] *n.* [C] 〖外科〗 지혈(止

tam-tam [tʌ́mtʌ̀m, tǽmtæ̀m] *n.* [C] ① = TOM-TOM. ② 〖樂〗 징(gong).

***tan**[1] [tæn] (*-nn-*) *vt.* ① (가죽)을 무두질하다: ~*ned* leather 무두질한 가죽. ② (피부)를 햇볕에 태우다: ~ the skin on the beach 물가에서 피부를 태우다. ③《口》…을 후려갈기다, 때리다; 매질하다. ── *vi.* 볕에 타다: She ~*s* easily. 그녀는 쉽게 볕에 탄다 / She has very pale skin that never ~*s.* 그녀는 햇빛에 탄 적이 없는 흰 피부를 하고 있다.
~ a person*'s* ***hide*** 아무를 호되게 갈기다.
── *n.* ① [C] (피부가) 햇볕에 탐, 햇볕에 탄 빛깔: get a ~ 피부가 햇볕에 타다. ② [U] 황갈색. ── *a.* 황갈색의: ~ shoes 황갈색 구두.

tan[2] 〖數〗 tangent. 「카산).

tan·a·ger [tǽnidʒər] *n.* [C] 〖鳥〗 풍금조《아메리

tan·bark [tǽnbɑ̀:rk] *n.* [U] 탠 껍질《무두질용의 타닌(tannin)이 있는 수피(樹皮); 떡갈나무·솔송나무 등》.

tan·dem [tǽndəm] *ad.* ① (말 두 필이) 세로로 나란히 서서: drive ~ 두 필의 마차 말을 세로 매어 몰다. ② (자전거가) 두 개(이상)의 좌석이 세로로 나란히 되어 있어: ride ~ (자전거에) 두 사람(이상)이 앞뒤에 타다.
── *a.* 세로 나란히 선; 두 개(이상)의 좌석이 세로로 늘어선: a ~ bicycle 탠덤식 〔2인승〕 자전거. ── *n.* [C] ① 세로 나란히 마차에 맨 두 필의 말; 그 마차. ② (세로 나란히 앉는) 2인승 자전거(=∠ **bícycle**).
in ~ (1) 세로로 1 렬이 되어. (2) 협력하여《*with*》.

Tang [tæŋ] *n.* 당(唐)나라(618-907).

tang [tæŋ] *n.* (*sing.*) ① 싸한〔톡 쏘는〕 맛; 톡 쏘는 냄새《*of*》: the ~ *of* the sea air 바닷 바람의 싸한 냄새. ② 기미, 풍미《*of*》: There was a ~ *of* irony in his praise. 그의 칭찬은 비꼬는 것처럼 들렸다.

Tan·gan·yi·ka [tæ̀ŋgənjí:kə] *n.* ① 탕가니카《아프리카 중동부에 있던 구 영국령; 1964년 Zanzibar와 합병 Tanzania가 됨》. ② **Lake** ~ 탕가니카 호.

tan·gen·cy [tǽndʒənsi] *n.* [U] 접촉.

tan·gent [tǽndʒənt] *a.* (한 점에서) 접촉하는; 접선의, 접하는; 정접(正接)하는《*to*》: a straight line ~ *to* a curve 곡선에 접하는 직선. ── *n.* [C] 〖數〗 접선; 정접(正接), 탄젠트《略: tan》. ***fly*** 〔***go***〕 ***off at*** 〔***on***〕 ***a*** ~《口》 갑자기 옆길로 새다, 방침〔생각〕을 느닷없이 바꾸다.

tan·gen·tial [tændʒénʃəl] *a.* ① 〖數〗 접선의, 접하는; 정접(正接)의. ② (이야기 등이) 옆길로 새는, 탈선적인. [파] ~**·ly** [-ʃəli] *ad.*

tan·ge·rine [tæ̀ndʒərí:n] *n.* ① [C] 〖植〗 탄제린(나무)《미국·남부 아프리카에 흔히 나는 귤》. ② [U] 진한 등색(橙色), 오렌지색.

tan·gi·bil·i·ty [tæ̀ndʒəbíləti] *n.* [U] ① 만져서 감지할 수 있음. ② 명백, 확실; 현실성.

***tan·gi·ble** [tǽndʒəbəl] *a.* ① 만져서 알 수 있는; 실체적인, 유형의: ~ assets (회사의) 유체 자산. ② 확실한, 명백한, 현실의: produce no ~ evidence 확실한 증거 하나도 제시하지 않다〔못하다〕. [파] **-bly** [-bli] *ad.* 만져 알 수 있게; 명백히. ~**·ness** *n.*

tan·gle**[1] [tǽŋgəl] *vt.* ①《~+[목]/+[목]+[전]+[명]》〔종종 受動으로〕 …을 엉키게 하다, 얽히게 하다《*with*》: The hedge is ~*d with* morning-glories. 울타리에는 나팔꽃 덩굴이 엉켜 있다. ② (일)을 꼬이게 하다, 혼란시키다. ③《~+[목]+[전]+[명]》(함정)에 빠뜨리다, (사람을 논쟁·혼란 등)에 말려들게 하다《*in*》: He got ~*d* (*up*) *in* the affair. 그는 그 사건에 말려들었다. ── *vi.* ① 엉키다, 얽히다: The fishing line ~*d* every time he cast. 던질 때마다 낚시줄이 엉켰다. ② 혼란에 빠지다; 연루되다, 언걸먹다. ③《口》…와 다투다, 티격태격하다《*with*》: Don't ~ *with* him. 그 사람과 다투지 마라. ── *n.* [C] ① 엉킴, 얽힘: This string is all in a ~. 이 실은 완전히 얽혀 있다. ② 혼란, 혼잡, 분규: The traffic was in a frightful ~. 교통은 완전히 혼잡상태였다. ③《口》 말다툼, 격론, 다툼. ***in a ~ 혼란하여; 뒤얽혀.

tan·gle[2] *n.* [C] 다시마류(類).

tan·gly [tǽŋgli] *a.* 엉킨, 뒤얽힌; 혼란한.

tan·go [tǽŋgou] (*pl.* ~*s*) *n.* ① [C] 탱고《남아메리카의 춤》: dance 〔do〕 the ~ 탱고를 추다. ② [U,C] 탱고 곡〔음악〕. ── *vi.* 탱고를 추다.

tangy [tǽŋi] (***tang·i·er*** ; ***-i·est***) *a.* (맛이) 싸한; (냄새가) 코를 쏘는. [파] **táng·i·ness** *n.*

†**tank** [tæŋk] *n.* [C] ① (물·기름·가스 등의) 탱크, 수조(水槽); 유조(油槽): ~*s* for storing oil 석유 저장 탱크 / a gas ~ 가스 탱크 / a water ~ 수조 / an oil ~ 유조. ② 전차(戰車), 탱크: a female 〔male〕 ~ = a light 〔heavy〕 ~ 경〔중〕전차. ③《美俗》 (교도소의) 혼거(混居) 감방.
── *vt.* ① …을 탱크에 넣다〔저장하다〕. ②《口》〔흔히 受動으로〕 몹시 취하다《*up*》: get ~*ed up* 잔뜩 취하다.
── *vi.*《口》 술을 진탕 마시다, 폭음하다.

tan·kard [tǽŋkərd] *n.* [C] ① 탠카드《뚜껑 및 손잡이가 달린 큰 맥주컵》. ② 탠카드 하나에 가득한 양.

tánk càr 탱크차《액체·기체의 수송용 차량》.

***tank·er** [tǽŋkər] *n.* [C] ① 유조선, 탱커. ② (휘발유 등 수송용) 탱크차. ③ 〖空〗 (공중) 급유기.

tánk fàrm 석유 저장〔탱크 집합〕 지역.

tánk fàrming 수경 재배, 수경법(水耕法)(hydroponics).

tánk tòp 탱크톱《소매 없는 T셔츠》.

tánk tòwn《美》 (보잘것 없는) 작은 마을《전에 증기 기관차가 급수를 위해 정차한 데서》.

tánk tràiler (석유·가스 수송용) 탱크 트레일러.

tánk tràp 대전차 장애물〔호(壕)〕.

tánk trùck《美》 (휘발유 등 수송용) 탱크차.

tan·ner [tǽnər] *n.* [C] 제혁(製革)업자.

tan·nery [tǽnəri] *n.* [C] 무두질 공장.

tan·nic [tǽnik] *a.* 타닌(성)의; 타닌에서 얻은: ~ acid 〖化〗 타닌산(酸).

tan·nin [tǽnin] *n.* [U] 〖化〗 타닌(산).

tan·ning [tǽniŋ] *n.* ① [U] 무두질, 제혁(법). ② [U] 볕에 탐. ③ [C]《口》 매질: give〔get〕 a ~ 매를 때리다〔맞다〕.

tan·sy [tǽnzi] *n.* ① Ⓒ 〖植〗 쑥국화. ② Ⓤ 그 잎 《약용·요리용》.

tan·ta·lize [tǽntəlàiz] *vt.* (보여 주거나 헛된 기대를 갖게 하여) …을 감질나게 해서 괴롭히다. ⓒⓕ Tantalus. [◂ *Tantal*us+*ize*] ㊕ **-lìz·er** *n.* **tàn·ta·li·zá·tion** [-lizéiʃən] *n.*

tan·ta·liz·ing [tǽntəlàiziŋ] *a.* 안타까운, 감질나게 하는 : a ~ smell of food 군침이 돌게 하는 음식 냄새. ㊕ **~·ly** *ad.*

tan·ta·lum [tǽntələm] *n.* Ⓤ 〖化〗 탄탈《희유 금속 원소; 기호 Ta; 번호 73; 백금 대용품》.

Tan·ta·lus [tǽntələs] *n.* ① 〖그神〗 탄탈루스 《Zeus 의 아들; 신들의 비밀을 누설한 벌로 호수에 턱까지 잠겨 물을 마시려 하면 물이 빠지고, 머리 위의 나무열매를 따려 하면 가지가 뒤로 물러났다 함》. ② Ⓒ (t-) 탄탈루스스탠드《술병 진열대의 일종; 열쇠 없이는 술병을 꺼낼 수 없음》.

tan·ta·mount [tǽntəmàunt] *a.* 〔補語로서〕 동등한, 같은, 상당하는(equal)《*to*》.

tan·ta·ra [tǽntərə, tæntɑ́:rə, tæntǽrə] *n.* Ⓒ ① 나팔〔뿔피리〕의 취주(소리). ② 〔一般的〕 ①과 같은 소리. [imit.]

tan·trum [tǽntrəm] *n.* Ⓒ 불끈하기, 울화 : go 〔fly, get〕 into a ~ = throw a ~ 불끈하다 / He's in one of his ~*s*. 그는 또 잔뜩 화나 있다.

Tan·za·nia [tæ̀nzəní:ə] *n.* 탄자니아《아프리카 동부의 공화국; 수도 Dar es Salaam》.

Ta·o·ism [tɑ́:ouìzəm, táuizəm, dáu-] *n.* Ⓤ (노자가 제창한) 도교(道教). [◂중국어 '道'+*ism*]

Ta·o·ist [tɑ́:ouist, táu-, dáu-] *n.* Ⓒ 도교 신봉자, 도사. ── *a.* 도교의; 도교 신(봉)자의, 도사의.

tap**[1] [tæp] (-pp-***) *vt.* ① 《~+목/+목+전+명》 …을 가볍게 두드리다〔치다〕, 똑똑 두드리다《*on*》: Someone ~*ped* me *on* the shoulder. 누군가가 내 어깨를 툭 쳤다 / Rain ~*ped* the windows. 비가 타닥타닥 창을 때렸다 / ~ one's foot to the piano 피아노에 맞춰 발장단을 치다. ② 《~+목/+목+전+명》 …을 가볍게 두드려서 …하다 : ~ ashes *out of* a pipe 파이프의 재를 탁탁 털어내다. ③ 《~+목/+목+부》 …을 가볍게 쳐서 만들다, (무전·타자기 등)을 치다《*out*》; 박자를 맞추다 : The reporter ~*ped out* an article on his typewriter. 기자는 타자기로 기사를 작성했다 / ~ a time 박자를 맞추다. ④ 《美》 (클럽 멤버로) …을 뽑다〔임명하다〕.

── *vi.* ① 《~/+전+명》 똑똑 두드리다〔치다〕 《*at*; *on*》: ~ *on* 〔*at*〕 the door 문을 똑똑 두드리다. ② 탭댄스를 추다. ~ ***up*** 문을 두드려 깨우다.

── *n.* Ⓒ ① 가볍게 두드리기; 그 소리 : There was a ~ on the door. 문 두드리는 소리가 났다. ② =TAP DANCE.

tap**[2] *n.* Ⓒ ① (통에 달린) 주둥이, (수도 등의) 꼭지(《美》 faucet), (급수)전(栓), 마개 : turn the ~ on 〔off〕 꼭지를 틀어서 열다〔잠그다〕 / The ~ leaks. 수도 꼭지가 샌다 / The honey runs out of a ~ at the bottom of the drum. 벌꿀은 벌통 밑바닥의 꼭지에서 흘러나온다. ② =TAPROOM. ③ 〖電〗 탭《전류를 따내는 중간 접점》. ④ 방수(傍受), 도청; 도청 장치 : Someone put a ~ on his telephone. 누군가가 그의 전화에 도청 장치를 했다. ***on ~ (1) (맥주 통이) 주둥이가 달려, 꼭지가 열려. (2) 언제든지 쓸 수 있도록 준비되어.

── (***-pp-***) *vt.* ① (통·관)에 꼭지를 달다, …의 꼭지를 따다, 용기의 꼭지를 따고 (술 따위)를 따르다 : ~ a cask of wine 포도주통의 꼭지를 따다. ② (나무 줄기에 칼자국을 내서) …의 수액을 받다 : ~ a rubber tree 고무나무에 칼자국을 내서 진을 받다. ③ (토지·지하자원)을 개발하다 : ~ an oil field 유전을 개발하다 / The railway ~*ped* the district. 철도가 이 지방을 개발했다. ④ (전화선 등)에 탭을 만들고 도청하다 : Our phone is being ~*ped*. 우리 전화는 도청당하고 있다. ⑤ 《+목+전+명》 (아무에게 돈·정보 등)을 청하다; (아무)에게서 돈을 뜯다, 조르다 : ~ a person *for* money 〔a tip, information〕 아무에게서 돈을〔팁을, 정보를〕 얻어내려 하다.

táp dànce 탭댄스.

tap-dance [tǽpdæ̀ns, -dɑ̀:ns] *vi.* 탭댄스를 추다.

táp dàncer 탭댄서.

táp dàncing =TAP DANCE.

†**tape** [teip] *n.* ① Ⓤ,Ⓒ 테이프, (납작한) 끈《짐꾸리기·양재에 쓰임》: three yards of linen ~ 리넨 끈 3야드 / do up the ~*s* of an apron into bows 앞치마 끈을 나비 모양으로 매다 / fancy ~ 장식용의 끈. ② Ⓤ,Ⓒ 각종 테이프《녹음·비디오·접착·절연 등》: insulating ~ 절연 테이프 / magnetic ~ 자기(磁氣) 테이프 / adhesive ~ 접착 테이프. ③ Ⓒ 〖競〗 (결승선용) 테이프 : breast the ~ 테이프를 끊다, 1착〔등〕이 되다. ④ Ⓒ 줄자(~ measure). ⑤ Ⓒ 천공 테이프《컴퓨터·전신 수신용》.

── *vt.* ① …을 테이프로 묶다 〔감다〕《*up*》; 테이프로 붙이다 : All the papers were ~*d up* and kept in the safe. 서류는 모두 테이프로 묶어 금고에 넣어 두었다. ② 《美》 …에 반창고를 붙이다 《*up*》: The doctor ~*d up* the wound. ③ …을 테이프에 기록하다; 녹음〔녹화〕하다 : ~ the President's speech 대통령의 연설을 녹음〔녹화〕하다. ***have*** 〔***get***〕. . . ~***d*** 《英口》 (사람·문제 등)을 간파하다, 충분히 이해하다 : His wife *has* him ~*d*. 그의 아내는 그를 다루는 법을 잘 알고 있다.

tápe dèck 테이프 덱《앰프·스피커가 없는 테이프 리코더》.

tape·line [téiplàin] *n.* =TAPE MEASURE.

tápe machìne ① 《英》 =TICKER. ② =TAPE RECORDER.

tápe mèasure 줄자.

***ta·per** [téipər] *n.* Ⓒ ① 양초. ② 초 먹인 심지 《점화용》. ③ 끝이 점점 가늘어지는 일 : pants with a slight ~ 가랑이 끝이 좁아진 바지.

── *vi.* 《~/+부/+전+명》 점점 가늘어지다〔뾰족해지다〕《*off*; *away*; *down*》; 점점 줄다, 적어지다《*off*》: ~ 〔be ~*ed*〕 (*off*) *to* a point 점차 가늘어져 끝이 뾰족해지다, 끝이 빨다 / His passion soon ~*ed off*. 그의 정열은 얼마 안가서 시들해졌다.

── *vt.* (끝)을 가늘게 하다 : ~ a stake to a fine point 말뚝 끝을 뾰족하게 하다.

tápe rèader 〖컴〗 테이프 판독기(判讀機).

tape-re·cord [tèiprikɔ́:rd] *vt.* …을 녹음〔녹화〕하다.

‡**tápe recòrder** 테이프 리코더, 녹음기.

tápe recòrding ① 테이프 녹음 : make a ~ of …을 테이프에 녹음하다. ② 녹음〔녹화〕된 곡(曲)〔화상(畫像)〕.

tápe rèel 〖컴〗 테이프릴《자기(磁氣) 테이프를 감기 위한 얼레》.

tap·es·tried [tǽpistrid] *a.* ① 태피스트리(tapestry)로 장식한. ② 태피스트리로 그려진〔짜인〕.

***tap·es·try** [tǽpistri] *n.* Ⓒ,Ⓤ ① 태피스트리《색색의 실로 수놓은 벽걸이나 실내장식용 비단》. ② 그런 직물의 무늬.

tápe ùnit 〖컴〗 테이프 장치.

tape·worm [téipwə̀:rm] *n.* Ⓒ 〖動〗 촌충.

tap·i·o·ca [tæ̀pióukə] *n.* Ⓤ 태피오카《cassava 뿌리에서 채취한 식용 녹말》.

T

ta·pir [téipər] (*pl.* ~, ~*s*) *n.* Ⓒ 〖動〗 맥(貘).
ta·pis [tǽpi:, -⌐, tǽpis] *n.* Ⓒ 《F.》 ★ 다음 성구(成句)로. ***on the*** ~ 심의〔고려〕 중인〔에〕.
tap·pet [tǽpit] *n.* Ⓒ 〖機〗 태핏《내연 기관의 밸브를 움직이는 장치의 하나》.
tap·ping [tǽpiŋ] *n.* ⓊⒸ (전화 등의) 도청.
tap·room [tǽprù(:)m] *n.* Ⓒ 《英》 (호텔 등의) 바.
tap·root [tǽprù:t, -rùt] *n.* Ⓒ 〖植〗 주근(主根), 「원뿌리.
tap·ster [tǽpstər] *n.* Ⓒ (술집의) 바텐더.
tap-tap [tǽptǽp] *n.* Ⓒ 똑똑 두드리는 소리.
táp wàter (수도꼭지에서 받은) 수돗물. Ⓒf. rainwater.
tar**[1] [tɑ:r] *n.* Ⓤ ① 타르 ; 콜타르 피치. ② 담뱃진. ── (-*rr*-) *vt.* …에 타르를 칠하다《*with*》. ***be ~red with the same brush 〔***stick***〕 남과 같은 결점이 있다, 죄는 같다. ***~ and feather*** a person 아무를 온 몸에 타르를 칠하고 새 털을 씌워 놓다《린치의 일종》.
tar[2] *n.* Ⓒ 《口》 선원, 뱃사람(jack-~).
tar·a·did·dle, tar·ra- [tǽrədìdl, ⌐-⌐-] *n.* ⓊⒸ 《口》 거짓말, 허풍, 허튼 소리.
tar·an·tel·la, -telle [tæ̀rəntélə], [-tél] *n.* Ⓒ 타란텔라《남이탈리아의 활발한 춤》; 그 곡.
tar·an·tism [tǽrəntìzəm] *n.* Ⓤ 〖醫〗 무도병(舞蹈病).
ta·ran·tu·la [tərǽntʃələ] (*pl.* ~*s*, -*lae* [-lì:]) *n.* Ⓒ 독거미의 일종《남이탈리아의 Taranto 지방산 ; 물리면 무도병에 걸린다 했음》.
tar·boosh, -bush [tɑ:rbú:ʃ] *n.* Ⓒ 타부시《이슬람교도 남자의 술 달린 양태 없는 빨간 모자》.
tar·brush [tɑ́:rbrʌ̀ʃ] *n.* Ⓒ 타르 칠하는 솔.
***tar·dy** [tɑ́:rdi] (-*di·er* ; -*di·est*) *a.* ① 느린, 완만한 ; 늦은, 더딘, 뒤늦은, 뒤늦게 하는 ; 마지못해 하는 : be ~ in one's payment 지불이 늦어지다 / a ~ repentance 때늦은 뉘우침 / They were heavily criticised for its ~ response to the hurricane. 그들은 허리케인에 대한 뒤늦은 대응으로 신랄한 비난을 받았다 / a ~ consent 마지못해 하는 승낙. ② 지각한 : a ~ student 지각생 / He was ~ for supper. 그는 저녁 식사에 늦었다. ── *n.* Ⓒ (학교 등에의) 지각.
Ⓜ **-di·ly** *ad.* **-di·ness** *n.*
tare[1] [tɛər] *n.* ① Ⓒ 〖植〗 살갈퀴. ② (*pl.*) **a**) 〖聖〗 가라지, 독(毒)보리《마태복음 XIII : 25, 36》. **b**) 탐탁지 않은 것.
tare[2] *n.* (*sing.*) ① (화물의) 포장 중량 ; (짐·승객 등을 제외한) 차체(車體) 중량. ② 〖化〗 (중량을 잴 때의) 용기(容器) 중량.
‡tar·get [tɑ́:rgit] *n.* Ⓒ ① 과녁, 표적 : shoot at the ~ 표적을 쏘다 / a ~ area (폭격의) 목표 지구. ② (모금·생산 등의) 목표액 : an export ~ 수출 목표액 / The novelist decided on a ~ of 10 pages a day. 그 소설가는 하루에 10페이지 쓰는 것을 목표로 정했다. ③ (웃음·분노·비판·비난 등의) 대상, 목표《*for* ; *of*》: a ~ *for*〔*of*〕 criticism 비판의 대상 / He was the ~ *of* their jokes. 그는 그들의 웃음가머리였다. ***hit a*** ~ 과녁에 맞(히)다 ; 목표액에 이르다. ***miss the*** ~ 과녁을 빗맞히다 ; 예상이 어긋나다. ***off*** ~ 과녁을〔목표를〕 벗어난, 빗나간. ***on*** ~ 정확한, 정곡을 찌른. ── *vt.* ① …을 목표로 정하다《일》: The bombing was ~*ed* precisely *on* the enemy's military bases. 폭격은 정확하게 적의 군사 기지를 겨누었다. ② (미사일 등을) …에 조준하다.
tárget compúter 〖컴〗 대상 전산기《(1) 특정 목적 프로그램 실행을 위한 체계의 컴퓨터. (2) 컴퓨터 통신망 내에서 자료 전송의 대상이 되는 컴퓨터》.
tárget dàte (계획 따위의) 목표 기일.
tárget dìsk 〖컴〗 대상(저장)판《복사 대상이 되는 저장판(disk)》.
‡tar·iff [tǽrif, -rəf] *n.* Ⓒ ① 관세표(關稅表)〔율〕: preferential ~ 특혜 관세 / ~ rates 세율 ; (보험 등의) 협정률 / the ~ system 관세제도 / retaliatory ~ 보복관세 / protective ~ 보호 관세. ② (철도·전신 등의) 요금표, 운임표 ; (여관·음식점 등의) 요금표 : a hotel ~ 호텔 숙박 요금표.
táriff wàll 관세 장벽.
tar·mac [tɑ́:rmæk] *n.* ① Ⓤ 타맥《쇄석과 콜타르를 섞은 도로 포장 재료》. ② (the ~) 타르머캐덤 포장 활주로. ── *vt.* (도로·활주로)를 타르머캐덤으로 포장하다.
tar·mac·ad·am [tɑ́:rməkǽdəm] *n.*, *vt.* = TARMAC.
tarn [tɑ:rn] *n.* Ⓒ 산 속의 작은 호수《특히, 잉글랜드 북부에 있는 것을 말함》.
tar·nish [tɑ́:rniʃ] *vt.* ① (금속 등)의 광택을 흐리게 하다 ; 녹슬게 하다 ; 변색시키다 : Salt ~*es* silver. 소금은 은을 변색시킨다. ② (명예 등)을 더럽히다, 손상시키다 : The sex scandal ~*ed* his reputation. 성 추문이 그의 명성을 손상시켰다. ── *vi.* 흐려지다 ; 녹슬다 ; 변색하다 : This metal ~*es* easily. 이 금속은 녹슬기 쉽다.
── *n.* Ⓤ (또는 a ~) ① 흐림, 녹 ; 변색. ② 오점, 흠.
ta·ro [tɑ́:rou] (*pl.* ~*s*) *n.* ⓊⒸ 〖植〗 타로토란.
ta·rot [tǽrou] *n.* Ⓒ 태로 카드《22 매 한 벌의 트럼프 ; 점복(占卜)에 쓰임》.
tarp [tɑ:rp] *n.* 《美口》 = TARPAULIN.
tar·pau·lin [tɑ:rpɔ́:lin] *n.* ⓊⒸ 타르칠한 방수포〔범포(帆布)〕.
tar·ra·gon [tǽrəgən] *n.* Ⓒ ① 〖植〗 사철쑥류(類). ② 〔集合的〕 그 잎《샐러드 등의 조미료》.
tar·ry[1] [tǽri] *vi.* ① 체재하다, 묵다《*at* ; *in* ; *on*》: ~ a few days *in* Venice 베니스에 며칠 체류하다. ② 시간이 걸리다, 늦어지다 : Don't ~ on the way. 도중에 지정거리지 마라.
tar·ry[2] [tɑ́:ri] (-*ri·er* ; -*ri·est*) *a.* ① 타르의 ; 타르질(質)의. ② 타르를 칠한, 타르로 더럽혀진.
tar·sal [tɑ́:rsəl] 〖解〗 *a.* 발목뼈의. ── *n.* Ⓒ 발목뼈.
tar·si·er [tɑ́:rsiər] *n.* Ⓒ 〖動〗 안경원숭이《동남 아시아산》.
tar·sus [tɑ́:rsəs] (*pl.* -*si* [-sai]) *n.* Ⓒ 〖解〗 발목뼈, 부골(跗骨).
***tart**[1] [tɑ:rt] *a.* ① (음식이) 시큼한. ② 《比》(말·태도가) 신랄한, 날카로운 : a ~ reply 가시 돋친 대답 / The words were more ~ than she had intended. 그 말은 그녀가 의도했었던 것보다 더욱 신랄한 것이었다. Ⓜ ⌐·**ly** *ad.* ⌐·**ness** *n.*
tart[2] *n.* ① ⓊⒸ 타트《영국서는 과일 파이, 미국서는 속이 보이는 작은 파이》. ② Ⓒ 《口》 행실이 나쁜 여자, 매춘부. ③ 여자, 여인. ── *vt.* 《英口》 …을 야하게 꾸미다 ; 야하게 차려 입다《*up*》: ~ oneself *up* = get ~*ed up* 천하게 차려 입다.
tar·tan [tɑ́:rtn] *n.* ① Ⓤ (스코틀랜드의 각 씨족 특유의) 격자무늬의 모직물, 타탄. ② Ⓒ 격자무늬, 타탄 체크 무늬(의 의복). ── *a.* 〔限定的〕 타탄(체크 무늬)의 : a ~ scarf 타탄 스카프.
Tar·tar [tɑ́:rtər] *n.* ① **a**) (the ~s) 타타르 족(族). **b**) Ⓒ 타타르족 사람. ② Ⓤ 타타르말. ③ (종종 t-) Ⓒ 다루기 힘든〔집념이 강한, 감사나운〕 사람 : a young ~. ***catch a*** ~ 몹시 애먹이는 상대를 만나다 ; 애먹다. ── *a.* 타타르(사람〔풍〕)의 ; 사나운.
tar·tar *n.* Ⓤ ① 〖化〗 주석(酒石)《포도주 양조통 바

닥에 침전하는 물질 ; 주석산 원료》: cream of ~ 주석영(酒石英). ② 치석(齒石), 이똥.

tar·tar·ic [tɑːrtǽrik, -tάːr-] *a.* 〖化〗 주석(酒石)의〔같은〕; 주석을 함유하는 : ~ acid 타르타르산.

tártar sàuce 타르타르 소스《생선요리용 마요네즈 소스의 하나》.

Tar·ta·rus [tάːrtərəs] *n.* ①〖그神〗 타르타로스《지옥 아래의 끝없는 구렁》. ② Ⓒ 〔一般的〕 지옥.

Tar·zan [tάːrzæn, -zən] *n.* ① 타잔《미국의 작가 E.R. Burroughs(1875-1950) 작 정글 모험소설의 주인공》. ② Ⓒ (종종 t-) 힘이 세고 날랜 사람.

Tash·kent [tɑːʃként / tæʃ-] *n.* 타슈켄트《Uzbekistan 공화국의 수도》.

‡**task** [tæsk, tɑːsk] *n.* Ⓒ (힘들고) 고된 일〔노역(勞役)〕, 힘든 일〔사업〕: It's a real ~ for me. 그것은 나에게 정말 힘든 일이다 / a difficult ~ 어려운 일 / take a ~ upon oneself 일을 (떠)맡다.
— *vt.* ① …에 일을 과하다. ② …에게 무거운 짐을 지우다, 혹사하다, 피로케 하다 : Mathematics ~*s* that boy's brain. 수학은 저 아이의 머리로는 무리다 / ~ one's energies 전력을 기울이다.

tásk fòrce 〔集合的〕 ①〖軍〗 (특수임무를 띤) 기동 부대. ② 특별 전문 위원회〔조사단〕.

task·mas·ter [-mæ̀stər, -mὰːs-] (*fem.* ***-mis·tress***) *n.* Ⓒ ① 일을 할당하는 사람, 십장. ② 엄한 주인〔선생〕: a hard ~ 엄격한 교사.

Tas·ma·nia [tæzméiniə] *n.* 태즈메이니아《오스트레일리아 남동의 섬 ; 오스트레일리아 연방의 한 주 ; 수도 Hobart ; 略 : Tas., Tasm.》.
㊕ **-ni·an** *a., n.* 태즈메이니아의 (사람).

Tasmánian dévil 〖動〗 (태즈메이니아산의 죽은 고기를 즐기는) 주머니곰.

Tasmánian wólf 〖動〗 (태즈메이니아산의) 주머니늑대《절멸되었다 함》.

Tass, TASS [tæs] *n.* (옛 소련의) 타스 통신사《1992년 러시아 통신사와 통합하여 'ITAR-TASS'로 개명됨》.

***tas·sel** [tǽsəl] *n.* Ⓒ ① 술 ; 장식술《의복·기(旗)·커튼·구두 등의》. ② (옥수수의) 수염.
㊕ **-seled,** 《英》 **-selled** [-d] *a.* 술 달린.

†**taste** [teist] *n.* ① (the ~) 미각 : sweet 〔bitter〕 to *the* ~ 맛이 단〔쓴〕.
② Ⓤ (또는 a ~) 맛, 풍미《*of*》: There was *a* ~ *of* almond in the cake. 그 케이크는 좀 아몬드 맛이 났다.
③ (a ~) 시식, 맛보기, 시음, 한 입, 소량《*of*》; 《美俗》 (이익의) 몫 : Won't you have *a* ~ *of* this wine? 이 포도주를 한 모금 맛보시지 않겠습니까.
④ (a ~) (약간의) 경험, 맛 : *a* ~ of poverty 가난의 맛 / get 〔have〕 one's first ~ of …을 처음으로 경험하다.
⑤ (a ~) 기색, 기미, 눈치 : *a* ~ of sadness in her eyes 그녀의 눈에 어린 일말의 슬픈 기색.
⑥ Ⓒ,Ⓤ 취미, 좋아함, 기호《*for* ; *in*》: a ~ *for* music 음악취미 / It's not in the best of ~. 그것은 그다지 좋은 취미가 아니다 / Which one to choose is purely a matter of ~. 어느 것을 선택하느냐 하는 것은 전적으로 취미 나름이다 / *Tastes* differ. 《俗談》 각인각색, 오이를 거꾸로 먹어도 제 멋.
⑦ Ⓤ 감식력, 심미안 ; 풍취 : She has excellent ~ in music. 그녀는 음악에 대한 뛰어난 센스가 있다 / a house small but with a ~ 작으나마 풍취가 있는 집 / His speech was in excellent ~. 그의 연설은 대단히 세련되어 있었다. ◇ tasty *a.*
a man of ~ (미술·문학 따위의) 취미를 이해하는 사람, 멋을 아는 사람, 풍류인. ***have a*** ~ ***for*** …을 좋아하다 ; …에 대해서 심미안이 있다, …에 취미가 있다 : He *has a* ~ *for* traveling〔music〕. 그는 여행을 좋아한다〔음악을 안다〕. ***leave a nasty*** 〔***bitter, bad***〕 ~ ***in the mouth*** 뒷맛이 쓰다 ; 나쁜 인상을 남기다. ***out of*** ~ 맛을 모르는 ; 멋없는, 풍취가 없는. ***to the*** 〔***a***〕 ***king's*** 〔***queen's***〕 ~ 더할 나위 없이, 완전히.
— *vt.* ① …의 맛을 보다, 시식하다 : The cook ~*d* the soup to see whether he had enough salt in it. 간을 보기 위해서 요리사는 수프 맛을 보았다. ② …의 맛을 느끼다〔알다〕: Can you ~ anything strange in this soup? 이 수프엔 뭔가 이상한 맛이 나지 않습니까. ③ 〔주로 否定構文〕 (조금) 먹다, 마시다 : I haven't ~*d* food for two days. 이틀 동안 아무 것도 먹지 않았다. ④ …을 경험하다, 맛보다 : ~ the sweets and bitters of life 인생의 쓴맛 단맛을 다 보다. — *vi.* ①《+보/+전+명/+*done*》 맛이 나다 ; 풍미가 있다《*of*》: It ~*s* bitter. 맛이 쓰다 / It ~*s* too much *of* garlic. 마늘 맛이 너무 강하다 / This coffee ~*s* burnt. 이 커피는 단내가 난다. ② (맛)을 알다 : I have a cold ; I cannot ~. 감기가 들어서 맛을 모르겠다. ③《+전+명》 (…을) 경험하다, 맛보다《*of*》: ~ *of* the joys of life 생의 즐거움을 맛보다. ~ ***blood*** ⇨BLOOD.

táste bùd 〖解〗 미뢰(味蕾)《혀의 미각 기관》.

taste·ful [téistfəl] *a.* ① 취미를〔멋을〕 아는, 풍류가 있는 ; 심미안이 있는, 눈이 높은. ② 취미가 풍부한, 멋있는, 우아한. ㊕ **~·ly** *ad.* **~·ness** *n.*

taste·less [téistlis] *a.* ① 맛없는 : a ~ meal 맛없는 식사. ② 취미 없는, 멋없는 ; (연기·문장 따위가) 무미건조한 : a ~ performance 따분한 연기. ③ 풍류가 없는 ; 품위 없는, 비속한 : a ~ remark 품위없는 말 / It was ~ of you to say that. 그런 말을 하다니 너도 눈치깨나 없구나.
㊕ **~·ly** *ad.* **~·ness** *n.*

tast·er [téistər] *n.* Ⓒ ① **a)** 맛보는 사람, 맛〔술맛〕을 감정하는 사람. **b)** 〖史〗 독의 유무(有無)를 맛보는 사람. ② 맛보기용 소량의 음식물.

tasty [téisti] (***tast·i·er*** ; ***-i·est***) *a.* ① 맛있는, 풍미 있는 : a ~ beef stew 맛있는 비프스튜. ② (뉴스 등) 재미있는, 흥미를 끄는 : a ~ bit of gossip 재미있는 가십 이야기. ③ 《英口》 (여성이) 매력있는. ㊕ **tást·i·ly** *ad.* 《口》 맛있게 ; 운치 있게, 고상하게. **-i·ness** *n.*

tat[1] [tæt] (*-tt-*) *vt.* (레이스·가장자리 장식 따위)를 사뜨서 만들다, 태팅(tatting)으로 만들다.
— *vi.* 태팅하다.

tat[2] *n.* Ⓒ 가볍게 치기. ***tit for*** ~ 맞받아 쏘아주기.

tat[3] *n.* ① Ⓤ 〔集合的〕 《英口》 너절한 옷〔물건〕. ② Ⓒ 추레한 사람.

ta-ta [tάːtά / tǽtάː] *int.* 《英兒·口》 안녕!, 빠이빠이.

Ta·tar [tάːtər] *n.* ① Ⓒ 타타르 사람. ② Ⓤ 타타르 말. — *a.* 타타르 사람〔말〕의. ***the*** ~ ***Republic*** 타타르 공화국《러시아 연방의 자치 공화국의 하나 ; 수도 Kazan》.

Táte Gállery [téit-] (the ~) 테이트 미술관 《런던의 Westminster에 있는 국립 미술관 ; 기증자는 Sir Henry Tate ; 1897년 개설》.

ta·ter, 'ta- [téitər] *n.* 《方·俗》 =POTATO.

tat·tered [tǽtərd] *a.* ① (옷이) 넝마같은. ② (사람이) 누더기 옷을 입은.

tat·ters [tǽtərz] *n.* Ⓒ (천·종이 따위의) 찢어진 것, 넝마(조각) ; 누더기 옷 : tear ... to ~ …을 갈기갈기 찢다. ***in*** ~ (1) 넝마가 되어 ; 누더기옷을 입고. (2) (계획·자신 등이) 여지 없이 무너져.

tat·ting [tǽtiŋ] *n.* Ⓤ ① 태팅《레이스 모양의 뜨개질의 일종》. ② 태팅으로 뜬 레이스.

tat·tle [tǽtl] *vi.* ① 잡담하다, 수다떨다《*about* ;

over). ② 비밀을 누설하다, 고자질하다《*on*》.
— *vt.* …을 지껄이다, (비밀 등)을 누설시키다.
— *n.* Ⓤ 객담, 수다, 잡담 ; 소문 이야기.

tat·tler [tǽtlər] *n.* Ⓒ ① 수다쟁이, 잡담을 늘어놓는 사람. ②〖鳥〗 노랑발도요.

tat·tle·tale [tǽtltèil] *n.* Ⓒ 고자쟁이《어린아이》.

tat·too[1] [tætúː] (*pl.* **~s**) *n.* Ⓒ ① 귀영 나팔〔북〕《보통 오후 10시의》. ② (경계(警戒) 따위의) 둥둥거리는 북소리 : He beat a ~ with his fingers on the table. 그는 손가락으로 테이블을 똑똑 두드렸다. ③《英》(흔히 야간에, 여흥으로 군악에 맞추어서 행하는) 군대의 퍼레이드 : the world-famous Edinburgh ~ 세계적으로 유명한 에딘버러의 군악대 퍼레이드. — *vi.* 똑똑〔둥둥〕두드리다. — *vt.* (북 따위)를 둥둥거리다.

tat·too[2] *vt.* …에 문신(文身)을 하다《*on*》: ~ a rose *on* one's arm 팔에 장미의 문신을 하다 / The man had a butterfly ~*ed on* his back. 그 남자는 등에 나비 문신을 하고 있었다.
— (*pl.* **~s**) *n.* Ⓒ 문신(文身).
㊞ **~·er, ~·ist** *n.* Ⓒ 문신사(師).

tat·ty [tǽti] (**-ti·er ; -ti·est**) *a.*《英》초라한 ; 추레한.

tau [tɔː, tau] *n.* ⓊⒸ ① 그리스 자모의 열 아홉째 글자(T, τ ; 영어의 T, t 에 해당). ② T자형(字形), T표(標).

táu cròss T자형 십자가.

†**taught** [tɔːt] TEACH 의 과거·과거분사.

taunt [tɔːnt, tɑːnt] *n.* Ⓒ (종종 *pl.*) 비웃음, 모욕, 조롱 ; 조롱거리. — *vt.* ① …을 비웃다 ; 조롱하다《*for* ; *with*》: They ~*ed* him with his accent. 그들은 그의 사투리를 놀렸다. ② …을 조롱하여 …시키다《*into*》: They ~*ed* him *into* losing his temper. 그들은 그를 조롱하여 울화를 터뜨리게 했다. ㊞ **∠·ing·ly** *ad.* 조롱〔우롱〕하여, 입정사납게.

tau·rine [tɔ́ːrain, -rin] *a.* 황소의, 황소 같은.
— *n.* Ⓤ〖生化〗타우린《담즙에서 얻어지는 중성의 결정 물질》.

Tau·rus [tɔ́ːrəs] *n.* ①〖天〗황소자리. ②〖占星〗**a**) 황소자리, 금우궁(金牛宮). **b**) Ⓒ 황소자리 태생의 사람.

taut [tɔːt] *a.* ①〖海〗팽팽하게 친《밧줄·돛 따위》: a ~ rope 팽팽하게 친〔한〕 밧줄. ② 잘 정비된《배 따위》. ③ 단정한《옷차림 따위》. ④ 긴장된《신경·근육 따위》. ㊞ **∠·ly** *ad.* **∠·ness** *n.*

taut·en [tɔ́ːtn] *vt.* (밧줄 따위)를 팽팽하게 하다.

tau·to·log·i·cal, -ic [tɔ̀ːtəlɑ́dʒikəl / -lɔ́dʒ-], [-lɑ́dʒik / -lɔ́dʒ-] *a.* 같은 말을 거듭하는 ; 용장(冗長)한. ㊞ **-i·cal·ly** *ad.*

tau·tol·o·gy [tɔːtɑ́lədʒi / -tɔ́l-] *n.* ⒸⓊ〖修〗유어(類語) 반복, 같은 말의 불필요한 반복《the modern college life of today에 있어서의 modern과 of today 따위》.

***tav·ern** [tǽvərn] *n.* Ⓒ ① 선술집. ② 여인숙(inn) : stay at a ~ 여인숙에 묵다.

taw [tɔː] *n.* ① Ⓒ (맞혀서 튀겨내는) 튀김돌. ② Ⓤ 돌 튀기기놀이.

taw·dry [tɔ́ːdri] (**-dri·er ; -dri·est**) *a.* ① 야한 ; 값싸고 번지르르한 : ~ jewelry〔garments〕값싸고 야한 보석〔옷〕. ② 품위없는, 천한, 비속한 : a ~ woman.
㊞ **táw·dri·ly** *ad.* **-dri·ness** *n.*

***taw·ny** [tɔ́ːni] (**-ni·er ; -ni·est**) *a.* 황갈색의 : the lion's ~ coat 사자의 황갈색 모피.

‡**tax** [tæks] *n.* ① ⒸⓊ 세(稅), 세금, 조세 : after ~ 세금을 공제하고, 실수령으로 / before ~ 세금을 포함하여 / impose〔put〕a ~ on a fat income 고소득에 과세하다 / He paid $ 500 in ~*es*. 500 달러의 세금을 냈다 / national〔local〕~*es* 국세〔지방세〕/ the business ~ 영업세 / ⇨INCOME〔PROPERTY〕TAX. ② (a ~) (과중한) 부담, 무리한 일, 가혹한 요구 : Climbing is *a* ~ on a weak heart. 등산은 약한 심장에는 무리다 / *a* heavy ~ *upon* the boy's health 어린이의 건강에 무리한 일 / *a* great ~ *upon* one's time 시간이 아주 많이 걸리는 일. ***free of*** ~ 세금 없이.
— *vt.* ① …에 과세하다 : ~ imported goods 수입품에 과세하다 / be ~*ed* at source 세금을 원천 징수하다. ② …에게 (무거운) 부담을 주다, …을 혹사하다 : Reading in a poor light ~*es* the eyes. 어두운 데서 독서하면 눈이 피로해진다 / ~ one's patience 더 이상 참을 수 없게 하다. ③ (+목+전+명) …을 비난하다, 책망하다《*with*》: ~ a person *with* laziness 태만하다고 아무를 나무라다. ◇ taxation *n.* ~ ***away*** 세금으로 거두다. ~ one***'s brains*** 머리를 짜내다. ~ one***'s ingenuity*** 궁리해내다. ~ a person***'s strength*** 아무를 혹사하다.

tax·a·ble [tǽksəbəl] *a.* 과세할 수 있는, 과세 대상이 되는, 세금이 붙는 : ~ articles 과세품.

‡**tax·a·tion** [tækséiʃən] *n.* Ⓤ ① 과세, 징세 : progressive ~ 누진세 / heavy ~ 중세(重稅) / a ~ office 세무서 / ~ at the source 원천 과세 / impose high ~ 중세를 과하다. ② 조세(액), 세수(입). ◇ tax *v.* ***be subject to*** ~ 과세(대상이) 되다.

táx avòidance (합법적인) 과세 회피, 절세(節稅).

táx collèctor 수세(收稅) 관리(=**táx·gàth·er·er**).

tax-de·duct·i·ble [-didʌ́ktəbəl] *a.* 소득에서 공제할 수 있는.

táx evàsion (부정 신고에 의한) 탈세.

tax-ex·empt [-igzémpt] *a.* ① 면세의, 비과세의. ② 세금을 공제한《배당금 따위》.

tax-free [-fríː] *a.* 면세의. — *ad.* 면세로.

táx hàven 조세 회피지〔국〕《저(低)과세나 무세여서 외국 투자가가 모이는 곳》.

†**taxi** [tǽksi] (*pl.* **tax·i(e)s**) *n.* Ⓒ 택시(taxicab) : pick up a ~ 택시를 잡다 / He took a ~ to the hotel. 그는 택시로 호텔에 갔다 / get out of a ~ 택시에서 내리다. ★ 영국의 택시는 일반적으로 검은색의 상자형이었으나 최근에 색도 모양도 다양해졌음 ; 미국에서는 cab이라고도 하며, 그 대표적인 것은 노란 색깔의 Yellow Cab.
— (*p., pp.* **tax·ied ; taxi·ing, taxy·ing**) *vi.* ① 택시로 가다(★ take a ~ 나 go by ~가 일반적) : ~ to the station. ② (비행기가) 육상〔수상〕에서 이동하다《자체의 동력으로》. — *vt.* ① …을 택시로 운송하다. ② (비행기)를 육상〔수상〕에서 이동하게 하다.

tax·i·cab [-kæ̀b] *n.* Ⓒ 택시.

táxi dàncer 직업 댄서.

tax·i·der·my [tǽksidə̀ːrmi] *n.* Ⓤ 박제술.
㊞ **tàx·i·dér·mal, -dér·mic** [-də́ːrməl], [-mik] *a.* 박제술의. **-mist** *n.* 박제사(師).

táxi drìver 택시 운전 기사.

tax·i·man [tǽksimən] (*pl.* **-men** [-mən]) *n.*《英》=TAXI DRIVER.

tax·i·me·ter [-mìːtər] *n.* Ⓒ (택시의) 미터, 요금 표시기.

tax·ing [tǽksiŋ] *a.* 힘든, 성가신 : It's unlikely that you'll be asked to do anything too ~. 너무 힘든 일을 하게 될 것 같지는 않다. ㊞ **~·ly** *ad.*

táxi rànk =TAXI STAND.

-taxis *suf.* '배열, 주성(走性)'의 뜻을 나타내는 명사를 만듦 : para*taxis*.

táxi stànd《美》택시 승차장(《英》taxi rank).

tax·i·way [tǽksiwèi] *n.* Ⓒ〖空〗(공항의) 유도(활주)로.

tax·man [tǽksmən] *n.*《口》=TAX COLLECTOR.

tax·o·nom·ic, -i·cal [tæ̀ksənɑ́mik / -nɔ́m-],

[-əl] *a.* 분류학〔법〕의. [파] **-i·cal·ly** *ad.*

tax·on·o·my [tæksάnəmi / -sɔ́n-] *n.* [U] 분류학, 분류 ; 분류법. [파] **-mist** *n.* [C] 분류학자.

***tax·pay·er** [tǽkspèiər] *n.* [C] 납세자(納稅者).

táx retùrn (납세를 위한) 소득신고.

táx shèlter 세금 회피 수단, 절세(節稅)수단.

táx stàmp 징세 검인, 납세필 증지.

táx yèar 세제 연도《미국에서는 1월 1일부터 1년간, 영국에서는 4월 6일부터 1년간》.

TB, T.B., tb, t.b. tuberculosis. **Tb** 〖化〗 terbium.

T-Bar líft [tíːbὰːr-] 티바 리프트《T자형 가로대로 2명씩 운반하는 스키 리프트》.

Tbi·li·si [təbílәsi] *n.* 트빌리시《독립국가 연합 그루지야(Gruziya) 공화국의 수도》.

T-bone [tíːbòun] *n.* [C] 티본 스테이크(=∠ **stéak**)《소의 허리 부분의 뼈가 붙은 T자형 스테이크》.

tbs., tbsp. tablespoon(s). **Tc** 〖化〗 technetium. **T.C., TC** Teachers College.

T cèll [tíː-] 〖醫〗 T세포《흉선(胸腺)에서 분화한 림프구(球)》. [◂*t*hymus-derived *cell*]

Tchai·kov·sky, Tschai- [tʃaikɔ́ːfski, -kάf-] *n.* **Peter Ilych** ~ 차이코프스키《러시아의 작곡가 ; 1840-93》.

TD touchdown(s). **Te** 〖化〗 tellurium.

†tea [tiː] *n.* ① **a)** [U] (홍)차 : a cup of ~ 차 한잔 / the first fusion of ~ 첫번째로 우려낸 차 / She gave〔served〕 her guests some ~. 그녀는 손님에게 차를 냈다. **b)** [C] (흔히 *pl.*) 한잔의 차 : Three ~*s*, please. 홍차 석잔 부탁합니다. ② [U] 〔集合的〕 **a)** 〖植〗 차(나무). **b)** 찻잎, 차 : black〔green〕 ~ 홍〔녹〕차 / a pound of ~ 차 1 파운드. ③ **a)** [U,C] 《英》 티, 오후의 차《★ 오후 늦게 먹는 샌드위치 등을 포함한 경식으로, afternoon tea 또는 five o'clock tea라고도 하며, 음료로는 홍차를 마심. 고기 요리가 딸린 것은 high tea라고 함》: ask a person to ~ 아무를 티에 초대하다. **b)** [U] (오후의) 다과회(~ party). ④ [U] (차 비슷한) 달인 물〔국〕: herb ~ 허브 티, 약초탕 / beef ~ (환자용의) 진한 쇠고기 수프. ⑤ [U] 《俗》 마리화나, 마약. ***coarse*** ~ 엽차. ***have*** 〔***take***〕 ~ 차를 마시다. ***make*** ~ 차를 끓이다. ***over*** ~ 차를 마시며(이야기하다). one***'s cup of*** ~ ⇨CUP.

téa and sýmpathy 《口》 차와 동정《불행한 사람에 대한 호의적인 대접》.

téa bàg (1인분의) 차봉지.

téa bàll 티 볼《차 우리는 그릇, 작은 구멍이 뚫린 공 모양의 쇠그릇》.

téa brèak 《英》 차 마시는 (휴게) 시간《오전·오후 중간의 휴식》. [cf] coffee break.

téa càddy 차통, 차관(罐)(caddy).

tea·cake [tíːkèik] *n.* [C,U] ① 《英》 차 마실 때 먹는 건포도 과자. ② 《美》 차 마실 때 먹는 쿠키.

téa càrt 《美》 =TEA WAGON.

†teach [tiːtʃ] (*p., pp.* ***taught*** [tɔːt]) *vt.* ① 《~+[목] / +[목]+[목] / +[목]+[전]+[명] / +*that* [절]》 …을 가르치다 : ~ children 아이들을 가르치다 / ~ a person English =~ English *to* a person 아무에게 영어를 가르치다 / She has *taught* us (*that*) reading poetry is fun. 그녀는 우리에게 시를 읽는 즐거움을 가르쳐 주었다 / The computer has simplified the difficult task of ~*ing* reading to the deaf. 컴퓨터는 귀먹이들에게 읽기를 가르치는 어려운 과업을 단순화했다. ② 《+[목]+*to* do / +[목]+*wh. to* do / +[목]+*wh.* [절]》 (사람·짐승에게) (…의 방법)을 가르치다, 훈련하다, 길들이다 : Who *taught* you *to* play the piano? 누가 피아노를 가르쳐 주었느냐 / ~ a dog *how to* beg 개에게 뒷발로 서는 재롱을 가르치다 / He *taught* them *how* a canoe was built. 그들에게 카누 만드는 방법을 가르쳤다. ③ 《+[목]+[목] / +[목]+*to* do / +[목]+*that* [절]》 (경험·사건 등이) …을 가르쳐 주다 : The sufferings *taught* them the worth of liberty. 그 고난은 그들에게 자유의 가치를 깨닫게 했다 / This will ~ you *to* speak the truth. 거짓말을 하면 안 된다는 걸 알았지《벌을 주면서》/ Experience ~*es* us *that* our powers are limited. 경험에 의해서 우리 힘에는 한계가 있음을 알게 된다. ④ 《+[목]+[목] / +[목]+*to* do》 《口》 (협박적으로) …을 깨닫게 하다, 혼내 주다.

— *vi.* 《~ / +[전]+[명]》 가르치다, 선생 노릇을 하다 : Prof. Smith ~*es at* Oxford. 스미스 교수는 옥스퍼드에서 교편을 잡고 있다. ***I will*** ~ you 〔him, etc.〕 ***to*** do .... 《戱》 …하면 혼내줄 테다. ~ a person ***manners*** 〔***a lesson***〕 아무의 버릇을 고쳐 주다, 혼내 주다. ~ ***school*** 《美》 교편을 잡다. ~ one***self*** 독학하다. ~ one***'s grandmother*** 〔***granny***〕 (***to suck eggs***) 부처님한테 설법을 하다.

teach·a·ble [tíːtʃəbəl] *a.* ① (학과 등) 가르칠 수 있는, 가르치기 쉬운. ② (학생이) 가르침을 잘 듣는, 학습력〔의욕〕이 있는. [파] **~·ness** *n.*

†teach·er [tíːtʃər] *n.* [C] 선생, 교사《★ 선생에 대한 호칭으로는 Teacher Smith라 하지않고 Mr. 〔Miss, Mrs., Ms.〕 Smith라 부름》: a ~ of English 영어 선생 / an English ~ 영어 선생 ; 영국인 교사 / a ~s' room 교무실 / Experience is the best ~. 경험은 가장 좋은 선생이다.

téachers cὸllege 《美》 교육대학, 교원(양성) 대학, 종합 대학내의 교원 양성 학부.

téacher's pèt 선생의 마음에 드는 학생.

téa chèst 차(茶)상자.

teach-in [tíːtʃìn] *n.* [C] 티치인《정치문제 등에 대한 교수와 대학생의 토론회》.

‡teach·ing [tíːtʃiŋ] *n.* ① [U] 가르치는 일, 수업 : He always wanted to go into ~. 그는 항상 교직을 원했다. ② [C] (종종 *pl.*) 가르침, 교훈 : the ~(*s*) of Christ 그리스도의 가르침.

téaching àid 보조교재, 교구(教具).

téaching hὸspital 의과대학 부속병원.

téaching machìne 〖教〗 티칭 머신, 교수 기기(機器).

téa clὸth 작은 식탁보《차탁자용》; (찻그릇) 행주.

téa cὸzy 찻주전자 덮개《차 보온용의 솜 둔 주머니〔커버〕》.

tea·cup** [tíːkʌ̀p] *n.* [C] ① (홍차) 찻잔. ② 찻잔 한잔(의 양). ***a storm in a ~ ⇨STORM.

tea·cup·ful [∸kʌpfùl] (*pl.* **~s, *-cups·ful***) *n.* [C] 찻잔 한잔(의 양).

téa dànce 오후의 티파티의 댄스.

téa gàrden 다원(茶園), 차밭 ; 다방 설비가 있는 공원〔정원〕.

tea·house [tíːhàus] *n.* [C] (동양의) 찻집, 다방.

teak [tiːk] *n.* ① [C] 〖植〗 티크나무. ② [U] 티크재(材).

tea·ket·tle [tíːkètl] *n.* [C] 차탕관.

teal [tiːl] (*pl.* **~s,** 〔集合的〕 ~) *n.* [C] 〖鳥〗 상오리.

tea-leaf [tíːlìːf] (*pl.* ***-leaves*** [-lìːvz]) *n.* [C] ① 차잎사귀. ② (*pl.*) (차를 따르고 난 뒤의) 차 찌끼.

†team [tiːm] *n.* [C] 〔集合的 ; 單·複數 취급〕 ① 〖競〗 조, 팀 ; 작업조 ; 한 패 : a baseball ~ 야구팀 / The U.S. ~ were mostly blacks. 미국 팀은 대부분 흑인이었다. ② (수레·썰매 등을 끄는) 두 마리 이상의 말〔소 따위〕의 한 조〔떼〕: a ~ of four horses 함께 끄는 4 마리의 말. ***be on a*** ~ 팀

T

에 속해 있다. ── *vi.* 팀이 되다, 팀을 짜다〔만들다〕, 협력하다《*up* ; *together*》: ~ *up with* …와 협력하다 ; 팀을 만들다. 「료.

team·mate [tíːmmèit] *n.* Ⓒ 팀메이트, 팀 동

téam spírit 단체 정신《개인 이익보다 팀의 이익을 우선시키는》.

team·ster [tíːmstər] *n.* Ⓒ ① 일련(一連)의 말을〔소를〕 부리는 사람. ②《美》 트럭 운전사.

téam tèaching 팀 티칭《수명의 교사가 협동하여 지도계획을 세우고 협력·분담하여 행하는 학습 지도법》.

***team·work** [tíːmwɔ̀ːrk] *n.* Ⓤ 팀워크, 협력 ; (통제하에 있는) 협동작업 : We can only win the game by ~. 팀워크가 잘 돼야 시합에 이길 수 있다.

tea·pot [tíːpɑ̀t / -pɔ̀t] *n.* Ⓒ 찻병, 찻주전자. ***a tempest in a*** ~ 《美》 내분, 집안 싸움, 헛소동.

†tear[1] [tiər] *n.* Ⓒ ① (흔히 *pl.*) 눈물 : melt into ~*s* 울음에 잠기다 / *Tears* stood in her eyes. 그녀 눈에는 눈물이 어렸다 / shed ~*s* of gratitude 〔joy〕 감사〔기쁨〕의 눈물을 흘리다 / The ~*s* rolled down her cheeks. 눈물이 그녀의 볼을 흘러내렸다. ② 눈물 비슷한 것, 물방울.

be moved to ~s 감동해서 울다. ***burst*** 〔***break***〕 ***into ~s*** 울음을 터뜨리다. ***dry*** one***'s ~s*** 눈물을 닦다. ***in ~s*** 눈물을 흘리며 : I found her *in* ~*s.* 보니 그녀는 울고 있었다. ***squeeze out a*** ~ 억지로 눈물을 짜다. ***with ~s*** 울면서 : She told the story of her husband's death *with* ~*s.* 그녀는 남편의 죽음을 울면서 이야기했다.

‡tear[2] [tɛər] (***tore*** [tɔːr] ; ***torn*** [tɔːrn]) *vt.* ① 《~+目 / +目+前+名 / +目+補 / +目+副》 (천·종이·옷 따위)를 찢다, 째다(cf. cut), 잡아뜯다 : I've torn the letter. 나는 그 편지를 찢어버렸다 / ~ the envelope open 봉투를 뜯다 / ~ the shirt *into* bandages 셔츠를 찢어 붕대를 만들다. ② 《+目+副 / +目+前+名》 …을 잡아채다 ; 우격으로 떼어 놓다, 홱 채어 빼앗다〔벗기다〕 ; 잡아 뽑다 : ~ one's pajamas *off* 파자마를 후딱 벗어버리다 / ~ a page *out of* a book 책에서 한 페이지를 뜯어내다 / ~ a book *from* a person's hands 아무의 손에서 책을 낚아채다 / I couldn't ~ myself *away from* the television set. 나는 텔레비전에서 떨어질 수가 없었다. ③ 《~+目 / +目+前+名》 (구멍 따위)를 째서 내다 ; …에 찢긴 구멍을 내다 ; 상처 내다 : ~ a hole *in* one's jacket 재킷에 구멍을 내다 / ~ one's dress *on* a nail 못에 걸려 옷을 찢다. ④ (분노·슬픔 따위로 머리카락)을 쥐어뜯다, 할퀴다 : ~ one's hair (out) ⇨(成句). ⑤ 《~+目 / +目+前+名》〔흔히 受動으로〕 **a**) (마음)을 괴롭히다, 몹시 어지럽히다 : be *torn with* jealousy 질투로 괴로워하다 / Her heart was *torn by* grief. 그녀의 가슴은 슬픔으로 찢어질 듯이 아팠다. **b**) (나라 따위)를 분열시키다 : The country had been *torn apart by* civil war. 그 나라는 내란으로 분열되어 있었다.

── *vi.* ① 째〔찢어〕지다 : The sheet *tore* as he pulled it out of the typewriter. 그가 타자기에서 종이를 뺐을 때 찢어지고 말았다. ② 《+前+名》 찢으려 하다 ; 쥐어뜯다《*at*》: ~ *at* the wrappings 포장지를 찢으려고 하다. ③ 《+副 / +前+名》 질주하다, 돌진하다 ; 날뛰다 : A car came ~*ing along.* 자동차가 질주해 오고 있었다 / The children *tore out of* the school gates. 아이들이 교문밖으로 뛰어나갔다 / The brothers were ~*ing about* in the house. 형제들이 집 안을 뛰어돌아다니고 있었다. ***be torn between*** …의 사이에 끼어〔어느 쪽을 할까 하고〕 망설이다, 괴로워하다. ~ *. . .* ***apart*** (1) (집 등)을 부수다, 해체하다. (2) (나라 따위)를 분열시키다. (3) 《口》 …을 혹평하다, 꾸짖다. ~ ***at*** (1) …을 덥석 물다. (2) (마음 등)을 괴롭히다. ~ ***down*** (건물 등)을 헐다, 부수다 ; 분해〔해체〕하다. ~ ***it*** 《英俗》 (계획·희망·목적 등)을 망쳐 놓다. ~ ***off*** (1) …을 잡아 떼다 ; (옷)을 급히 벗다. (2) (일 따위)를 제꺽 해치우다. ~ ***out*** 찢어〔뜯어〕 내다 : ~ *out* a weed. ~ one***self away*** (몸)을 뿌리치고 떠나다《*from*》: She could scarcely ~ her*self* away *from* the scene. 그녀는 차마 그 곳을 떠날 수가 없었다. ~ one***'s hair*** (***out***) 머리를 쥐어뜯다《슬프거나 분해서》. ~ one***'s way*** 마구 나아가다. ~ ***to pieces*** 〔***bits, ribbons, shreds***〕 갈기갈기 찢다 ; (적을) 분쇄하다 ; 여지없이 혹평하다. ***That's torn it !*** 《英口》 (계획 등이) 이젠 틀렸다.

── *n.* ① Ⓒ 째진 틈, 찢어진 곳, 해진 데 : a big ~ in one's coat 상의의 크게 해진 자리. ② Ⓤ 잡아찢기, 쥐어뜯기. ***at*** 〔***in***〕 ***a*** ~ 냅다, 황급히. ~ ***and wear*** = ***wear and*** ~ 소모, 닳아 없어짐 : take a lot of *wear and* ~ (물건이) 꽤 오래가다, 내구성이 있다.

tear·a·way [tɛ́ərəwèi] *n.* Ⓒ 《英》 ① 난폭한 젊은이, 폭주족(暴走族). ② 불량 소년, 불량배 : He was a real ~ at school. 그는 학생 시절에 정말 말썽꾸러기였다. ── *a.* ①《英》 난폭한, 맹렬한. ② 《美》 간단히 벗겨지는〔열리는〕 : a ~ seal 쉽게 벗겨지는 실.

tear·drop [tíərdrɑ̀p / -drɔ̀p] *n.* Ⓒ 눈물 (방울) : The ~*s* ran down her cheeks. 눈물이 그녀의 뺨을 흘러내렸다.

téar dùct 〖解〗 누관(淚管).

***tear·ful** [tíərfəl] *a.* ① 울먹이는, 울고 있는 : in a ~ voice 울먹이는 목소리로 / ~ eyes 눈물어린 눈. ② 슬픈《소식 따위》: ~ news 비보. ㊞ ~**·ly** [-fəli] *ad.*

téar gàs [tíər-] 최루 가스.

tear·ing [tɛ́əriŋ] *a.* ① 잡아찢는, 쥐어뜯는. ② 《口》 격렬한, 맹렬한 : He's in a ~ hurry. 그는 몹시 서두르고 있다.

tear·jerk·er [tíərdʒəːrkər] *n.* Ⓒ 《口》 눈물나게 하는 영화·연극 따위 : I'd recommend that you take a pile of tissues with you when you see that film — it's a real ~ ! 그 영화를 볼 때는 휴지 뭉치깨나 갖고 가거라. ─ 그건 정말 눈물나게 하는 영화란 말이다.

tear·less [tíərlis] *a.* 눈물 없는 ; 눈물도 나오지 않는 : ~ grief 눈물도 나오지 않는 (깊은) 슬픔. ㊞ ~**·ly** *ad.* ~**·ness** *n.*

tea·room [tíːrù(ː)m] *n.* Ⓒ 다방.

téar shèet [tɛ́ər-] (신문·잡지 따위의) 뜯어낼 수 있는 페이지. 「게 두른」 개봉띠.

téar strìp [tɛ́ər-] (깡통이나 포장지를 뜯기 쉽

teary [tíəri] (***tear·i·er*** ; ***-i·est***) *a.* ① 눈물의(같은) : 눈물 어린, 눈물에 젖은 : bid a ~ farewell 눈물의 작별을 하다. ② 눈물을 자아내는, 슬픈 : a ~ letter 슬픈 편지.

‡tease [tiːz] *vt.* ① 《~+目 / +目+前+名》 …을 지분〔집적〕거리다, 괴롭히다 ; 애타게 만들다 : Stop *teasing* the dog. 개를 지분거리지 마 / The child was *teasing* the cat *by* pulling its tail. 아이는 꼬리를 잡아당기어 고양이를 못살게 굴었다 / I used to hate being ~*d* about my red hair when I was at school. 나는 학교시절에 내 빨간 머리를 놀려대는 것을 싫어했다. ② 《+目+前+名》 …을 희롱하다, 놀리다 : Don't ~ him *about* his peculiar habit(s). 묘한 버릇이 있다고 그를 놀려서는 안된다. ③ 《+目+前+名 / +目+*to* do》 …을 몹

T

시 조르다, 치근대다 : ~ one's mother *for* chocolate 초콜릿을 달라고 어머니에게 보채다 / ~ a person *to* marry 아무에게 결혼하자고 귀찮게 조르다. ④ (삼·양털 따위)를 빗다. ⑤ (머리털)을 부풀리다 ; (모직물)의 보풀을 세우다.
— *vi.* ① 집적거리다, 놀리다, 애먹이다 : Don't take it seriously—he was only *teasing*. 심각하게 생각할 것 없다. 그저 놀리느라고 그랬을 뿐이다. ② 양털·삼 따위를 빗다. ③《美》 모직물의 보풀을 세우다(《英》 backcomb).
— *n.* Ⓒ ① 괴롭히는〔놀려대는, 조르는〕 사람 : He's a terrible ~. 그는 지독하게 남을 못살게 구는 사람이다. ② 지분거림, 놀림, 귀찮게 조름〔졸림〕.

tea·sel, teazle [tízəl] *n.* Ⓒ 산토끼꽃의 일종 ; 그 꽃의 구과(毬果)《모직물의 보풀세우는 데 씀》.

teas·er [tí:zər] *n.* Ⓒ ① 지분거리는〔괴롭히는〕 사람〔것〕, 놀려대는 사람. ②《口》 문제, 곤란한 일. ③《美》〖商〗 살 마음이 내키게 하는 광고.

téa sèrvice 〔**sèt**〕 찻그릇 한 벌, 티세트.

teas·ing [tí:ziŋ] *a.* 지분거리는, 못살게 구는. ㊞ ~·**ly** *ad.*

***tea·spoon** [tí:spù:n] *n.* Ⓒ ① 찻숟가락, 티스푼. ② = TEASPOONFUL.

tea·spoon·ful [tí:spu:nfùl] (*pl.* **~s, tea·spoons·ful**) *n.* Ⓒ 찻숟갈 하나 가득(한 양) 《tablespoon 의 1/3 ; 略 : tsp》; 소량.

téa stràiner 차 거르는 조리.

teat [ti:t, tit] *n.* Ⓒ ① (짐승의) 젖꼭지《★ 사람의 것은 nipple》. ②《英》 우유병의 젖꼭지(《美》 nipple).

téa tàble 차탁자.

tea-things [tí:θiŋz] *n. pl.*《口》 = TEA SERVICE.

tea·time [-tàim] *n.* Ⓤ (오후의) 차 마시는 시간.

téa tòwel 《英》 (접시 닦는) 행주(《美》 dish towel).

téa tràỳ 찻쟁반.

téa tròlley 《英》 = TEA WAGON.

téa wàgon 《美》 (바퀴 달린) 차도구 운반대.

teazle ⇨ TEASEL.

tec [tek] *n.* Ⓒ《俗》 형사. [◂ de*tec*tive]

tech [tek] *n.* ① Ⓤ,Ⓒ 《英口》 = TECHNICAL COLLEGE. ② Ⓒ《口》 기술자. ③ Ⓤ《口》 과학 기술. — *a.* (과학) 기술의.

tech. technical(ly) ; technician ; technology.

tech·ne·ti·um [tekní:ʃiəm] *n.* Ⓤ〖化〗 테크네튬 《방사성 원소 ; 기호 Tc ; 번호 43》.

***tech·nic** [téknik] *n.* ① [+tekní:k] = TECHNIQUE. ② (*pl.*) 〔單·複數취급〕 과학기술, 공예(학), 테크놀러지.

‡tech·ni·cal [téknikəl] (**more ~ ; most ~**) *a.* ① 기술적, (과학) 기술의 : a ~ adviser 기술 고문 / ~ skill 기교 / a ~ expert 전문 기술자 / ~ aid 〔assistance〕 기술 원조 / a ~ director〖映〗 기술 감독. ② 전문의 ; 특수한《학문·직업·기술 등》: ~ knowledge 전문적 지식 / ~ terms 술어, 전문어 / She knows more about the ~ aspects of the business than I do. 그녀는 사업 경영의 전문적인 면에 대해 나보다 더 많이 알고 있다. ③ 공업〔공예〕의 : ~ analysis 공업 분석 / ~ school 〔institute〕 공업 학교. ④ 법률〔기술〕상 성립되는 ; 절차상의. ◇ technique *n.*

téchnical cóllege 《英》 실업〔공예〕 전문대학.

téchnical hítch (기계의) 일시적 고장.

tech·ni·cal·i·ty [tèknəkǽləti] *n.* ① Ⓤ 전문〔학술〕적임. ② Ⓒ 전문적 사항〔방법〕: the *technicalities* of stagecraft 극 연출의 전문적 사항. ③ Ⓒ 전문어, 학술어.

téchnical knóckout 〖拳〗 테크니컬 녹아웃, 티케이오《略 : TKO.》.

***tech·ni·cal·ly** [téknikəli] *ad.* ① 기술적으로, 전문적으로. ② 법률〔규칙〕상으로는.

téchnical schòol 《英》 = SECONDARY TECHNICAL SCHOOL.

***tech·ni·cian** [tekníʃən] *n.* Ⓒ ① 기술자 ; 전문가. ② (음악·그림 등의) 기교가.

Tech·ni·col·or [téknikÀlər] *n.* Ⓤ〖映〗 테크니컬러《천연색 영화〔사진〕 촬영법 ; 商標名》.

‡tech·nique [tekní:k] *n.* ① Ⓤ (전문) 기술《학문·과학연구 따위의》. ② Ⓒ (예술·스포츠 등의) 수법, 기법, 기교, 테크닉 : a piano player's finger ~ 피아노 주자의 운지법 / If you're looking for a new job you'd better brush up your interview ~. 새 직장을 구하려면 면접 기법을 다시 공부하는 것이 좋을 것이다. ◇ technical *a.*

techno- '기술, 공예, 응용'의 뜻의 결합사.

tech·noc·ra·cy [teknákrəsi / -nɔ́k-] *n.* ① Ⓤ,Ⓒ 기술자 정치, 테크노크라시《경제·정치를 전문 기술자에게 맡기는 방식》. ② Ⓒ 기술우선주의 국가.

tech·no·crat [téknəkræ̀t] *n.* Ⓒ 테크노크라트, 기술자 출신의 고급 관료. ㊞ **tech·no·crat·ic** [tèknəkrǽtik] *a.*

***tech·no·log·ic, -i·cal** [tèknəládʒik / -lɔ́dʒ-], [-əl] *a.* 과학 기술의, 과학기술(의 발달)에 의한 : a great ~ advance 과학기술의 커다란 진보 / ~ unemployment 기술 혁신에 의해 발생하는 실업. ㊞ **-i·cal·ly** *ad.*

tech·nol·o·gist [teknálədʒist / -nɔ́l-] *n.* Ⓒ 과학 기술자, 공학자.

***tech·nol·o·gy** [teknálədʒi / -nɔ́l-] *n.* ① Ⓤ,Ⓒ 과학 기술, 테크놀러지 : industrial ~ 생산 기술. ② Ⓤ 응용 과학 : an institute of ~ 《美》 이공 대학, 공과 대학. ③ Ⓤ 〔集合的〕 전문 용어, 술어.

tech·no·stress [téknoustrès] *n.* Ⓤ〖心〗 테크노스트레스《컴퓨터 기술을 중심으로 한 사회에의 적응에 실패했을 때 일어나는 증상》.

techy ⇨ TETCHY.

tec·ton·ics [tektániks / -tɔ́n-] *n.* Ⓤ ①〖建〗 구조학. ②〖地學〗 구조 지질학.

Ted [ted] *n.* ① 테드《남자의 이름 ; Edward, Theodore 의 애칭》. ② (종종 t-) 《英口》 = TEDDY BOY.

Ted·dy [tédi] *n.* ① 테디《남자 이름 ; Theodore, Edward의 애칭》. ②《口》 = TEDDY BEAR.

téddy bèar (봉제의) 장난감 곰.

Téddy bòy 《英口》 (종종 t-) 테디보이《1950년대의 Edward 7 세 시대의 복장을 즐겨 입던 영국의 소년》.

Te De·um [ti:-dí:əm, tei-déiəm] 《L.》〖가톨릭〗 ① 테데움《Te Deum으로 시작되는 하느님을 찬양하는 노래》. ② 테데움의 곡. ③ 테데움을 노래하는 감사예배.

‡te·di·ous [tí:diəs, -dʒəs] *a.* 지루한, 질력나는 ; 시시한. ⓒⓕ dull, tiresome, wearisome. ¶ a ~ lecture〔speech〕 지루한 강의〔연설〕/ a ~ work 따분한 일. ◇ tedium *n.* ㊞ ~·**ly** *ad.* ~·**ness** *n.*

te·di·um [tí:diəm] *n.* Ⓤ 싫증(남), 지루함.

tee[1] [ti:] *n.* Ⓒ ① T자(字). ② T자형의 물건 ; (특히) T자관(管) ; T형강(形鋼). ③ = T-SHIRT. ***to a*** ~ 정확히, 딱 들어맞게.

tee[2] *n.* Ⓒ〖골프〗 ① 구좌(球座), 티《공을 올려놓는 받침》. ② 티 (그라운드)《각 홀의 출발점》.
— *vt.* 〖골프〗 (공)을 티 위에 올려놓다《*up*》.
~ ***off*** (1)〖골프〗 티에서 제1타를 치다. (2) 시작〔개시〕하다. (3)《美俗》 (사람을) 화나게 하다.

tee-hee ⇨ TEHEE.

***teem**[1] [ti:m] *vi.* 《+전+명》 (장소가 사람·동물 등으로) 충만〔풍부〕하다, 많이 있다《*with*》: The river ~s *with* fish. =Fish ~ *in* the river. 그 강에는 물고기가 많다.

teem² *vi.* (비가) 억수로 쏟아지다《*down*》: It's ~*ing* (*down*) (with rain). =The rain is ~*ing* (*down*). 비가 억수로 쏟아지고 있다.

teem·ing [tíːmiŋ] *a.* 생물이 많이 사는; 떼지어 있는, 우글거리는: a ~ forest 동물이 많은 삼림 / a river ~ with fish 물고기가 우글대는 강 / We elbowed our way *through* the ~ station. 우리는 사람이 북적거리는 역을 헤치며 나아갔다. ㊔ ~·**ly** *ad.* ~·**ness** *n.*

teen *a.* =TEEN-AGE. ── *n.* =TEEN-AGER.

-teen *suf.* '십(十)'의 뜻《13-19 의 수의 어미에 씀》.

teen-age(d) [tíːnèidʒ(d)] *a.* 〔限定的〕 10 대의.

***teen-ag·er** [-èidʒər] *n.* Ⓒ 10 대의 소년〔소녀〕, 틴에이저《13-19 살까지의》. ⓒⓕ teens.

teen·er [tíːnər] *n.* 《美》 =TEEN-AGER.

***teens** [tiːnz] *n. pl.* 10 대(代) (의 소년 소녀)《흔히 13-19 세》: She is *in her* early 〔late〕 ~. 그녀는 로〔하이〕 틴이다《★ low, high도 쓰이나 early, late가 일반적》. ***in** one's **last** ~,* 19세 때에. ***out of** one's ~,* 10 대를 넘어서.

teen·sy [tíːnsi] *a.* 《口》 =TEENY.

teen·sy-ween·sy [-wíːnsi] *a.* 《口》 =TEENY-WEENY.

tee·ny [tíːni] (*-ni·er* ; *-ni·est*) *a.* 《口》 조그만 (tiny): a ~ bit 조금.

tee·ny·bop·per [-bɑ̀pər / -bɔ̀p-] *n.* Ⓒ 《口》 티니보퍼《히피의 행동을 흉내내거나 일시적 유행을 좇는 10대 소녀》.

tee·ny-wee·ny [tíːni-wíːni] *a.* 《口》 조그만.

tee·pee [tíːpiː] *n.* =TEPEE.

tée shìrt =T-SHIRT.

tee·ter [tíːtər] *vi.* ① 《美》 시소를 타다. ② **a)** 동요하다, 흔들리다. **b)** 주저하다《*between*》: ~ *between* the choices 선택을 망설이다. ── *n.* Ⓒ 시소(를 함); 동요.

tee·ter-tot·ter [-tɑ̀tər / -tɔ̀t-] *n.* Ⓒ 《美》 = SEESAW.

†**teeth** [tiːθ] TOOTH 의 복수.

teethe [tiːð] *vi.* (아기가) 이가 나다.

téething rìng [tíːðiŋ-] (이가 날 시기에 아기에게 물리는) 고무〔상아, 플라스틱〕 고리.

téething tròubles〔pàins〕 (사업 따위의) 초기의 곤란, 발족〔창업〕시의 고생.

tee·to·tal [tiːtóutl] *a.* ① 절대 금주(주의)의《略: TT》: the ~ movement 금주 운동. ② 《美口》 순전한, 전적(全的)인, 절대적인. ㊔ ~·**er**, 《英》 ~·**ler** [-tələr] *n.* Ⓒ 절대 금주(주의)자. ~·**ism** [-təlìzəm] *n.* Ⓤ 절대 금주(주의). ~·**ly** [-təli] *ad.* ① 금주주의상. ② 《口》 전혀.

tee·to·tum [tiːtóutəm] *n.* Ⓒ 네모팽이; 손가락으로 돌리는 팽이. ***like a** ~* 뱅글뱅글 돌아서.

TEFL [téfəl] 외국어로서의 영어 교수(법). [◂ *t*eaching *E*nglish as a *f*oreign *l*anguage]

Tef·lon [téflɑn / -lɔn] *n.* Ⓤ 테플론《열에 강한 수지; 商標名》: ~ factor 테플론 효과〔요인〕《실언·실책 따위를 유머 등으로 돌려서 심한 타격을 받지 않음의 비유》.

teg·u·ment [tégjəmənt] *n.* Ⓒ (동식물의) 외피; 「포피(包皮).

te·hee, tee-hee [tiːhíː] *int., n.* Ⓒ 히히〔낄낄〕(거리는 웃음). ── *vi.* 낄낄 웃다.

Te·he·ran, Teh·ran [tìːərɑ́ːn, -rǽn, tèhə-] *n.* 테헤란《이란의 수도》.

tel-, tele-, telo- '원거리의, 전신, 텔레비전, 전송'의 뜻의 결합사.

tel. telegram; telegraph(ic); telephone.

Tel Aviv [télәvíːv] *n.* 〖地〗 텔아비브《이스라엘의 최대 도시》.

tele [téli] *n.* 《口》 =TELEVISION; TELLY.

tele- ⇨TEL-.

tel·e·cam·e·ra [téləkæ̀mərə] *n.* Ⓒ 텔레비전〔망원〕 카메라.

***tel·e·cast** [téləkæ̀st, -kɑ̀ːst] (*p., pp.* ~, ~·**ed**) *vt.* …을 텔레비전으로 방송하다. ── *n.* Ⓒ 텔레비전 방송. [◂ *tele*vision+broad*cast*]

tel·e·com·mu·ni·ca·tion [tèləkəmjùːnəkéiʃən] *n.* Ⓤ (또는 *pl.*) 〔單數취급〕 (라디오·TV 등에 의한) 원(遠)거리 통신(술): a ~s satellite 통신 위성.

tel·e·com·put·er [téləkəmpjùːtər] *n.* Ⓒ 〖컴〗 텔레컴퓨터《전화선이나 원거리 통신 체계를 이용하여 정보를 송수신하는 컴퓨터》.

tel·e·con·fer·ence [téləkɑ̀nfərəns / -ikɔ̀n-] *n.* Ⓒ (장거리 전화·텔레비전 등을 이용한) 원격지간의 회의.

tel·e·course [téləkɔ̀ːrs] *n.* Ⓒ 《美》 텔레비전 교육 과정《대학 따위의 텔레비전에 의한 강의 과정》.

tel·e·di·ag·no·sis [tèlədàiəgnóusis] *n.* Ⓤ 텔레비전〔원격〕 진단.

tel·e·fac·sim·i·le [tèləfæksíməli] *n.* Ⓤ 텔레팩스, 전화 팩스, 모사 전송(模寫電送).

tel·e·film [téləfilm] *n.* Ⓒ 텔레비전용 영화(필름).

teleg. telegram; telegraphy.

tel·e·gen·ic [tèlədʒénik] *a.* 텔레비전 방송에 알맞은; 텔레비전에 깨끗이 비치는: a ~ actress 텔레비전 방송에 적합한 여배우.

‡**tel·e·gram** [téləgræ̀m] *n.* Ⓒ 전보, 전신: an urgent ~ 지급(至急)전보 / send a ~ 전보를 치다 / by ~ 전보로《★ 無冠詞》/ a ~ in cipher 암호 전보.

‡**tel·e·graph** [téləgræ̀f, -grɑ̀ːf] *n.* ① **a)** Ⓤ 전신, 전보: a ~ office 전신국 / a ~ operator 전신 기사 / a ~ slip 〔form, 《美》 blank〕 전보 용지 / by ~ 전보로. **b)** Ⓒ 전신기: a duplex 〔quadruple〕 ~, 2 중〔4중〕 전신기. ② (T-) …통신《The Daily *Telegraph* 따위처럼 신문 이름에 씀》. ── *vt.* ① 《~+목 / +목+전+명 / +목+목 / +목+*that* 절 / +목+*to* do》 …을 타전하다, 전신으로 알리다; 전송하다: ~ one's departure *to* one's friends 출발을 친구들에게 전보로 알리다 / Please ~ me the result. 결과를 전보로 알려 주시오 / The office ~*ed* me *that* they had not received my application. 사무국은 내 원서를 접수하지 않았다고 전보로 알려 왔다 / He ~*ed* his men *to* sell. 그는 사원들에게 (주식을) 팔도록 타전했다. ② (몸짓·눈짓 따위로) 느끼게 하다: He ~*ed* his distress with his eyebrows. 그는 눈썹을 찌푸려 고민을 알렸다. ── *vi.* 《~ / +전+명 / +전+명+*to* do》 전보를 치다, 타전하다: ~ *to* a person 아무에게 전보를 치다 / He ~*ed to* me *to* come up at once. 나에게 곧 오라고 타전해 왔다. ㊔ **te·leg·ra·pher,** 《英》 **-phist** [təlégrəfər], [-fist] *n.* 전신계원, 전신기사.

télegraph bòard (경마장 등의) 속보(速報) 게시판.

tel·e·graph·ese [tèləgræfíːz, -grɑːf-] *n.* Ⓤ 《口·戲》 전문체(電文體); 극단적으로 간결한 문체〔말투〕.

tel·e·graph·ic [tèləgrǽfik] *a.* ① 전신의, 전보의; 전송의: a ~ address (전보의) 수신인 약호, 전략(電略) / a ~ code 전신부호《특히 Morse식의》/ ~ instructions 전보 훈령 / a ~ message 전보, 전문 / a ~ picture 전송 사진. ② 전문체(電文體)의, 간결한. ㊔ **-i·cal·ly** *ad.*

telegráphic tránsfer 《英》 전신환(換)(《美》 cable transfer)《略: TT》.

télegraph pòle 〔**pòst**〕 《英》 전(신)주.
***te·leg·ra·phy** [təlégrəfi] *n.* Ⓤ 전신술.
tel·e·ki·ne·sis [tèləkiní:sis, -kai-] *n.* 〖心靈〗 = PSYCHOKINESIS.
tel·e·mark [téləmà:rk] *n.* Ⓤ 〖스키〗 텔레마크식 회전법《노르웨이의 지명에서 유래》.
tel·e·mar·ket·ing [téləmà:rkətiŋ] *n.* Ⓤ 텔레마케팅《전화에 의한 상품 판매법》.
tel·e·me·chan·ics [tèləmikǽniks] *n.* Ⓤ (기계의) 원격〔무선〕 조작(법).
tel·e·me·ter [téləmì:tər, təlémətər] *n.* Ⓒ 텔레미터, 원격 계측기(計測器), (로켓 등의) 자동계측 전송장치.
te·lem·et·ry [təlémətri] *n.* Ⓤ 원격 측정법.
tel·e·o·log·ic, -i·cal [tèliəládʒik / -lɔ́dʒ-], [-ikəl] *a.* 〖哲〗 목적론의〔적인〕.
㊕ **-i·cal·ly** [-ikəli] *ad.*
tel·e·ol·o·gy [tèliálədʒi / -ɔ́l-] *n.* Ⓤ 〖哲〗 목적론.
㊕ **-gist** *n.* 목적론자.
tel·e·path [téləpæ̀θ] *n.* Ⓒ 텔레파시 능력자 (telepathist).
tel·e·path·ic [tèləpǽθik] *a.* 정신 감응의, 이심전심의. ㊕ **-i·cal·ly** [-əli] *ad.*
te·lep·a·thist [təlépəθist] *n.* Ⓒ 텔레파시 능력자.
te·lep·a·thy [təlépəθi] *n.* Ⓤ 텔레파시, 정신감응(술) : There existed between them a sort of ~ which made words sometimes unnecessary. 그들 사이에는 때때로 말이 필요없는 텔레파시 같은 것이 있었다.
†**tel·e·phone** [téləfòun] *n.* ① Ⓤ (종종 the ~) 전화 : a ~ line 전화선 / a ~ message 통화 / a ~ subscriber 전화 가입자 / contact a person by ~ 전화로 아무와 연락을 취하다 / You're wanted on *the* ~. 전화입니다, 전화가 (걸려) 왔습니다 / We're not on *the* ~. 우리집에는 전화가 없습니다. ② Ⓒ 전화기 : a public ~ 공중 전화 / May I use your ~? 전화 좀 쓸 수 있을까요. ***answer the*** ~ 전화를 받다. ***call*** a person ***on*** 〔***to***〕 ***the*** ~ 아무를 전화통에 불러 내다. ***speak to*** a person ***over*** 〔***on***〕 ***the*** ~ 아무와 전화로 이야기하다.
── *vt.* 《~+목 / +목+전+명 / +목+목 / +목+*to* do / +목+*that* 절》 …에게 전화를 걸다, …을 전화로 불러내다〔전하다〕 : ~ a person by long distance 아무에게 장거리 전화를 걸다 / ~ a message *to* a person = ~ a person a message 전화로 아무에게 말을 전하다 / I ~*d* him *to* come at once. 나는 그에게 곧 오도록 전화했다 / He ~*d* me *that* he would come to see me. 그가 나를 만나러 오겠다고 전화를 했다.
── *vi.* 《~ / +전+명 / +*to* do》 전화를 걸다〔하다〕; 전화로 이야기하다 : ~ *to* one's friend 친구에게 전화하다 / ~ *for* a doctor 전화로 의사를 부르다 / I ~*d to* say that I wanted to see him. 나는 전화로 그를 만나고 싶다고 말했다. ★ 특히 《口》에서는 종종 *n., v.* 공히 단순히 phone을 씀.
㊕ **tél·e·phòn·er** *n.* 전화거는 사람.
télephone bòok 전화 번호부.
télephone bòoth 〔《英》 **bòx**〕 공중전화 박스.
télephone exchànge 전화 교환국.
télephone òperator 교환원.
télephone pòle 전화선 전주, 전봇대.
tel·e·phon·ic [tèləfánik / -lifɔ́n-] *a.* Ⓒ 전화의; 전화에 의한. ㊕ **-i·cal·ly** *ad.*
te·leph·o·nist [təléfənist] *n.* Ⓒ 《英》 전화 교환원.
te·leph·o·ny [təléfəni] *n.* Ⓤ (전화) 통화법; 전화통신 : wireless ~ 무선 전화.
tel·e·pho·to [téləfòutou] *a.* 〔限定的〕 망원〔전송〕 사진술의 : a ~ lens 망원 렌즈.
── *n.* = TELEPHOTOGRAPH.
tel·e·pho·to·graph [tèləfóutəgræ̀f, -təgrà:f] *n.* Ⓒ ① 망원사진. ② 전송사진. ── *vt.* ① …을 망원 렌즈로 촬영하다. ② (사진)을 전송하다. ── *vi.* ① 망원 렌즈로 촬영하다. ② 사진 전송하다.
tel·e·pho·tog·ra·phy [tèləfoutágrəfi / -tɔ́g-] *n.* Ⓤ ① 망원 사진술. ② 사진 전송술.
㊕ **tèl·e·pho·to·gráph·ic** [-fòutəgrǽfik] *a.*
tel·e·port[1] [téləpɔ̀:rt] *vt.* 〖心靈〗 (물체·사람)을 염력(念力)으로 움직이다〔이동시키다〕.
tel·e·port[2] *n.* Ⓒ 〖通信〗 텔레포트《통신위성으로 세계에 통신을 송수신하는 지상 센터》.
tel·e·print·er [téləprìntər] *n.* = TELETYPEWRITER.
Tel·e·Promp·Ter [téləpràmptər / -prɔ̀mp-] *n.* Ⓒ 텔레비전용 프롬프터 기계《극본의 대사 따위가 보이는 장치; 商標名》.
Tel·e·put·er [téləpjù:tər] *n.* Ⓒ 《英》 텔레퓨터《퍼스널 컴퓨터와 비디오텍스를 결합한 것》.
tel·e·ran [télərӕn] *n.* Ⓤ 〖空〗 텔레랜《지상 레이더로 얻은 정보를 진입(進入)하는 항공기에 텔레비전으로 전달하는 시스템》. [◂ *tele*vision *r*adar *a*ir *n*avigation]
‡**tel·e·scope** [téləskòup] *n.* Ⓒ 망원경 : an equatorial ~ 적도의(儀) / a sighting ~ (총포의) 조준 망원경 / a binocular ~ 쌍안경 / look at stars through 〔with〕 a ~ 망원경으로 별을 보다.
── *vi.* (망원경의 통처럼) 끼워넣어지다, 자유롭게 신축하다; (열차 따위가) 충돌하여 포개지다.
── *vt.* ① (망원경의 통처럼) …을 끼워넣다; (열차 따위가 충돌하여) 서로 겹치게 하다. ② …을 짧게 하다, 단축하다《*into*》.
tel·e·scop·ic [tèləskápik / -skɔ́p-] *a.* ① 망원경의, 망원경 같은 : a ~ lens 망원경의 렌즈 / an almost ~ eye 마치 망원경처럼 멀리 보는 눈. ② 망원경으로 본, 망원경으로 보아야 보이는, 육안으로는 보이지 않는 : a ~ image of Mars 망원경으로 본 화성의 모습 / These stars are ~. 이 별들은 육안으로는 보이지 않는다. ③ 끼워넣을 수 있는; 신축 자재의 : a ~ antenna 신축 자재 안테나.
㊕ **-i·cal·ly** *ad.*
tel·e·shop·ping [tèləʃápiŋ / -ʃɔ́p-] *n.* Ⓤ = TELEMARKETING.
tel·e·text [télətèkst] *n.* Ⓤ ① 텔레텍스트, 문자다중(多重) 방송. ② 〖컴〗 글자방송.
tel·e·thon [téləθàn / -θɔ̀n] *n.* Ⓒ 텔레손《모금 따위를 위한 장시간의 텔레비전 방송》. [◂ *tele*vision + mara*thon*]
***Tel·e·type** [télətàip] *n.* Ⓒ 텔레타이프《텔레타이프라이터의 商標名》.
── *vt., vi.* (종종 t-) (…을) ~로 송신하다.
tel·e·type·writ·er [tèlətáipràitər] *n.* Ⓒ 《美》 텔레타이프(라이터), 전신 타자기.
tel·e·view [téləvjù:] *vt., vi.* (…을) 텔레비전으로 보다. ㊕ **~·er** [-ər] *n.* 텔레비전 시청자.
tel·e·vise [téləvàiz] *vt.* …을 텔레비전으로 방송〔방영〕하다. ── *vi.* 텔레비전 방송을 하다.
†**tel·e·vi·sion** [téləvìʒən] *n.* ① Ⓤ 텔레비전《略 : TV》 : He was watching ~. 그는 텔레비전을 보고 있었다 / She often appears on (the) ~. 그녀는 자주 텔레비전에 나온다. ② Ⓒ 텔레비전 수상기(=∠ **sèt**). ③ Ⓤ 텔레비전 (방송) 산업, 텔레비전 관계(의 일) : He is in ~. 그는 텔레비전 관계의 일에 종사하고 있다. ── *a.* 〔限定的〕 텔레비전의〔에 의한〕 : a ~ camera / a ~ station 텔레비전 방송국.
㊕ **tèl·e·ví·sion·al, tèl·e·ví·sion·ary** [-ʒənəl], [-ʒənèri / -nəri] *a.* 텔레비전의〔에 의한〕.

tel·e·vi·sor [téləvàizər] *n.* Ⓒ ① 텔레비전 송〔수〕신 장치. ② 텔레비전 방송자.

tel·e·vi·su·al [tèləvídʒuəl] *a.* 텔레비전의, 텔레비전 방송에 알맞은.

tel·ex [téleks] *n.* ①Ⓤ 텔렉스《teletypewriter로 교신하는 통신방식》. ②Ⓒ 텔렉스 통신(문). — *vt.* …을 텔렉스로 송신하다 ; …와 텔렉스로 교신하다. — *vi.* 텔렉스로 보내다〔송신하다〕. [◂ *tel*etypewriter 〔*tele*printer〕+*ex*change]

Tell [tel] *n.* **William** ~ 텔《스위스의 전설적 영웅》.

†**tell** [tel] (*p., pp.* ***told*** [tould]) *vt.* ①《~+목/+목+목/+목+전+명/+목+*that* 절》…을 말하다, 이야기하다 : ~ one's experience / He *told* the story *to* everybody he met. 그는 만나는 사람마다 그 이야기를 했다 / She *told* me *that* she had been to America. 그녀는 미국에 간 적이 있다고 말했다 / He *told* me (*that*) he would be right back. 그는 곧 돌아오마고 말했다.
②《~+목/+*wh.* 절/+목+*wh.* 절/+목+전+명/+목+*that* 절/+목+목/+목+*wh. to* do》(아무에게) …을 들려주다, 알리다《*about*》; (길 따위)를 가르쳐 주다 : ~ news 뉴스를 알리다 / I can't ~ (you) *how* happy I am. 얼마나 기쁜지 말로 표현할 수가 없다 / *Tell* me (all) *about* it. 그것에 대하여 죄다 얘기해 주시오 / I am *told* (*that*) you were ill. 편찮으셨다면서요 / *Tell* me *how to* make it. 그것 만드는 방법을 가르쳐 주시오.
③《~+목/+목+목/+*wh.* 절》(거짓말·비밀 따위)를 말하다 ; 누설하다, 털어놓고 이야기하다 : Don't ~ (me) a lie. (내게) 거짓말을 하지 마라 / Don't ~ *where* the money is. 돈 있는 곳을 대지 마라 / Many of the chicldren know *who* they are but are not ~*ing*. 많은 어린이들이 그들이 누구인지를 알고 있으나 털어놓고 이야기하지 않는다.
④《~+목/+목+전+명》〔主語가 사람 이외의 경우〕…을 증명하다, 증거가 되다, (스스로) 말하다 : The smashed automobile *told* a sad story. 엉망이 된 자동차는 사고가 비참하였음을 말해 주었다 / A room ~*s* a lot *about* its occupant. 방을 보면 그곳에 살고 있는 사람에 대해 잘 알 수 있다.
⑤《+목+*to* do》…을 명하다, 분부하다 : I *told* him *to* go on. 계속하라고 그에게 일렀다.
⑥《~+목/+목+전+명/+*wh.* 절/+목+부》〔흔히 can, could, be able to 를 수반하여〕…을 분간하다, 식별하다, 구별하다 ; …을 알다, 납득하다 : Can you ~ the difference? 차이를 알겠느냐 / I can't ~ the reason. 나는 이유를 모르겠다 / ~ wheat *from* barley 밀과 보리를 식별하다 / There is no ~*ing what* will happen in future. 장차 무슨 일이 일어날지 전혀 모른다 / I might have learned to ~ a few of them apart. 그들 중 몇 사람은 구별할 수 있게 됐는지도 모르겠다.
— *vi.* ①《~/+전+명》말하다, 얘기하다, 보고하다, 예언하다《*about* ; *of*》: Her tears *told of* the sorrow in her heart. 그녀의 눈물은 그녀의 슬픔을 말해주었다 / There is no ~*ing about* the weather. 날씨라는 것은 알 수 없다. ②《~/+전+명》고자질하다, 밀고하다《*on*》: He promised not to ~. 그는 남에게 말하지 않겠다고 약속했다 / Don't ~ *on* me. 나를 밀고하지 마라 / John *told on* his brother. 존은 형〔동생〕을 고자질했다. ③《~/+전+명》효과가 있다, 듣다, 답하다 ; 명중하다 : It is men, not method, that really ~ in education. 교육 효과를 좌우하는 것은 방법이 아니고 사람이다 / The strain will ~ *on* you. 그렇게 무리하면 몸에 해롭다 / Every shot *told*. 백발백중이었다. ④《+전+명》(명확히〔잘라〕) 말하다 : No one can ~ *about* his destiny. 자신의 운명은 아무도 모른다. ⑤〔흔히 can, could, be able to 등을 수반하여〕분별하다, 식별하다 : How can I ~ ? 어찌 내가 알 수 있겠는가 / I can ~ at a glance. 한 눈에 알겠다.
all told 합계(해서), 통틀어, 전체적으로 보아 : There were 90 passengers, *all told*. 모두 90 명의 승객이 있었다. ***Don't*** 〔***Never***〕 ~ ***me !*** 설마. ***Do*** ~ ***!*** 《口》무슨 말씀, 설마. ***I am told*** …인 것 같다, …라는 이야기다 : *I am told* he is rich. 그는 부자라더라. ***I*** 〔***can***〕 ~ ***you.*** = ***I*** ~ ***you.*** = ***Let me*** ~ ***you.*** 사실, 참으로, 정말 …이다, 정말이지 : It isn't easy, *I can* ~ *you.* 그렇게 쉬운 일이 아니라네. ***I'll*** ~ ***you what*** (***it is***). 좋은 이야기가 있으니 들어 보게나, 이야기하고 싶은 것이 있다네 ; 결국 이렇단 말야. ***I'm not*** ~***ing !*** 말하고 싶지 않다. ***I'm*** ~***ing you*** 《口》(먼저 말을 강조하여) 정말이야 ; (뒷말을 강조하여) 여기가 중요한 대목인데, 잘 들어봐. ***I told you so !*** 그러게 내가 뭐라던가. ~ ***a tale*** 얘기를 하다 ; 무슨 까닭이 있다. ~ ***it like*** 〔***how***〕 ***it is*** 〔***was***〕《美俗》(언짢은 일도) 사실대로 말하다. ***Tell me another.*** 믿을 수 없는데, 그건 농담이겠지. ~ ***off*** (1)〖軍〗(세어 갈라서 일)을 할당하다《*for* ; *to* do》: Some of the soldiers were *told* off *for* guard duty. 병사들의 몇명은 경비 임무가 맡겨졌다. (2) 야단치다, 책망하다《*for*》: That fellow needs to be *told off*. 저 놈은 야단 좀 맞아야겠다. ~ ***the time*** 시간을 알리다. ~ a person ***where to get off*** 아무를 꾸짖다, 아무에게 호통치다. ***Who can*** ~ ***?*** 누가 알 수 있겠는가, 아무도 모른다. ***You can't*** ~ ***him anything.*** (1) 그에게는 아무것도 말할 수 없다《곧 남에게 옮기니까》. (2) 그는 무엇이나 알고 있다. ***You never can*** 〔***can never***〕 ~. 아무도 모르는 일이라네. ***You're*** ~***ing me !*** 《口》(안 들어도) 다 안다. ***You*** ~ ***me.*** 나는 모르겠다.

tell·a·ble [téləbəl] *a.* ① 이야기할 수 있는. ② 이야기한 보람이 있는, 이야기할 가치가 있는.

*__tell·er__ [télər] *n.* Ⓒ ① 이야기하는 사람, 말하는 사람 : a clever joke ~ 농담 잘하는 사람. ② (은행의) 금전 출납원 (《英》 bank clerk).

tell·ing [téliŋ] *a.* ① 효력이 있는 ; 반응이 있는 ; a ~ argument (크게) 설득력있는 의론 / deliver a ~ blow to …에게 효과적인 일격을 가하다. ② (저도 모르게) 감정〔속사정〕을 밖으로 나타내는 : Her eyes are very ~. 그녀의 눈은 감정을 잘 말하고 있다. ㊞ ~·**ly** *ad.* 유효하게.

tell·ing-off [-ɔ́:f] *n.* Ⓒ 《口》잔소리, 꾸지람.

tell·tale [téltèil] *n.* Ⓒ ① 고자쟁이 ; 남의 말을 하고 싶어하는 사람. ② 내막을 폭로하는 것, 증거. ③〖機〗자동 표시기 ; 타임 리코더 ; 등록기.
— *a.* 〔限定的〕비밀〔내막 등〕을 폭로하는, 숨기려 해도 숨길 수 없는 : the ~ blood stains on the floor 증거가 되는 마루바닥의 피묻은 흔적.

tel·lu·ri·um [telúəriəm] *n.* Ⓤ〖化〗텔루르《비금속 원소 ; 기호 Te ; 번호 52》.

tel·ly [téli] (*pl.* ~***s,*** -***lies***) *n.* 《英口》①Ⓤ (종종 the ~) 텔레비전 : I saw it on *the* ~. 나는 그것을 텔레비전으로 보았다. ②Ⓒ 텔레비전 수상기. [◂ *tele*vision]

tel·pher, -fer [télfər] *n.* Ⓒ 텔퍼《화물 등을 운반하는 공중 케이블(카)》.

Tel·star [télstɑ̀:r] *n.* Ⓒ 텔스타(위성)《미국의 통신위성》.

tem·blor [témblɔ:r, -blər] *n.* Ⓒ 《美》지진.

te·mer·i·ty [təmérəti] *n.* Ⓤ 무모(한 행위), 만

용, 낯 두꺼움 : He had the ~ to ask for more. 그는 염치없게도 더 달라고 했다.

temp [temp] *n.* Ⓒ 《口》 임시 직원《비서·타자수》. ── *vi.* 임시 직원으로 일하다.

temp. temperature ; temporal ; temporary.

‡**tem·per** [témpər] *n.* ① Ⓒ **a)** 〔흔히 修飾語와 함께〕 기질, 천성, 성질. cf. disposition. ¶ an equal 〔even〕 ~ 차분한 성미 / a hot 〔quick, short〕 ~ 성마름. **b)** 기분 : in a bad 〔good〕 ~ 기분 나쁘게〔좋게〕. ② Ⓤ.Ⓒ 화, 짜증, 노기 : be in a ~ 화내고 있다 / What a ~ he is in! 몹시 화내고 있구나 / He broke off his engagement in a fit of ~. 그는 홧김에 약혼을 파기하고 말았다. ③ Ⓤ 침착, 평정 ; 참음 : hold onto one's ~ 평정을 유지하다 / lose one's ~ with a person 아무에게 화를 내다. ④ Ⓤ (강철의) 다시 불림, 또, 그 경도(硬度), 탄성(彈性). ***get*** 〔***go***〕 ***into*** 〔***in***〕 ***a*** ~ 화를 내다. ***have a*** ~ 성미가 급하다. ***put*** a person ***out of*** ~ 아무를 화나게 하다. ***recover*** 〔***regain***〕 one***'s*** ~ 냉정을 되찾다.
── *vt.* ①《~+목/+목+전+명》…을 부드럽게 하다, 진정시키다, 조절하다, 경감하다 : ~ one's grief 슬픔을 진정시키다 / ~ whiskey *with* water 위스키를 물로 희석하다. ② (강철 따위)를 불리다 ; a ~*ed* sword 담금질한 칼. ③〖樂〗(악기)를 조율하다.

tem·pera [témpərə] *n.* Ⓤ〖畫〗① 템페라 그림물감. ② 템페라화법《계란 흰자·아교로 녹여 그림》.

***tem·per·a·ment** [témpərəmənt] *n.* ① Ⓒ.Ⓤ 기질, 성질, 성미 : 체질. cf. disposition. ¶ an artistic ~ 예술가적 기질 / He's excitable by ~. = He has an excitable ~. 그는 흥분하기 쉬운 기질이다 / choleric 〔sanguine〕 ~ 담즙〔다혈〕질. ② Ⓤ 과격한 기질, 흥분하기 쉬운 성미.

tem·per·a·men·tal [tèmpərəméntl] *a.* ① 기질〔성정〕의, 타고난 : I have a ~ dislike for jazz. 재즈는 내 성미에 맞지 않는다. ② 성마른 ; 신경질〔감정〕적인 ; 변덕스러운 : a ~ person.

tem·per·a·men·tal·ly [-təli] *ad.* 기질적으로, 기질상 ; 변덕스럽게 : He's ~ unsuited to this work. 그는 기질적으로 이 일에는 맞지 않는다.

***tem·per·ance** [témpərəns] *n.* Ⓤ ① 절제 ; 자제 : ~ in speech and conduct 언행의 절제. ② 절주, 금주 : a ~ hotel 술을 내지 않는 호텔 / a ~ movement 금주운동 / ~ drinks 알코올 성분이 없는 음료 / a ~ pledge 금주의 맹세.

tem·per·ate** [témpərit] (more*** ~ ; ***most*** ~) *a.* ① (기후·계절 등이) 온화한 ; (지역 따위) 온대성의 : a ~ climate 온화한 기후 / a ~ region 따스한 지방 / ~ low pressure〖氣〗온대성 저기압. ② 삼가는, 중용의, 온건한, 적당한 : Be more ~ in your language, please. 말 좀 삼가시오. ③ 절제하는 ; 금주의 : a man of ~ habits 절제가.
㊕ *~·**ly** *ad.* 알맞게. ~·**ness** *n.*

Témperate Zóne (the ~) 온대 : *the* north 〔south〕 ~ 북〔남〕반구 온대.

‡**tem·per·a·ture** [témpərətʃər] *n.* Ⓒ.Ⓤ ① 온도 ; 기온 : the mean ~ of the month of May, 5 월의 평균기온. ② 체온 ; 신열, 고열 : the normal ~ 평열 / The nurse took my ~. 간호사는 내 체온을 쟀다 / The normal body ~ of an adult is about 37℃. 어른의 정상적인 체온은 섭씨 37도다 / I have 〔I'm running〕 a ~. (지금) 열이 있다〔오르고 있다〕.

tém·per·a·ture-hu·míd·i·ty índex [témpərətʃərhju:mídəti-] 온습(溫濕) 지수《discomfort index (불쾌 지수)라고도 함 ; 略 : THI》.

tem·pered [témpərd] *a.* ① 조절된 ; 완화된 ; (강철이) 불린, 담금질된 ; (점토·회반죽 따위가) 알맞게 개어진 : ~ steel 단강(鍛鋼). ② 〔흔히 複合語를 이루어〕 (…한) 성질의 : good-~ 성질이 좋은 / short-~ 성급한.

‡**tem·pest** [témpist] *n.* Ⓒ ① 사나운 비바람, 폭풍우〔설〕. ② 대혼란, 대소동 : a ~ of weeping 큰 소리로 울부짖음 / I hadn't foreseen the ~ my request would cause 나는 내 요구가 야기할 대소동을 예기하지 못했었다.

tem·pes·tu·ous [tempéstʃuəs] *a.* ① 사나운 비바람의, 폭풍우의, 폭풍설의 : a ~ sea 사나운 비바람이 몰아치는 바다. ② 소란스러운, 광포한 ; 맹렬한 : ~ rage 격노(激怒) / the most ~ periods in history 역사상 최대의 격동기. ◇ tempest *n.*
㊕ ~·**ly** *ad.* ~·**ness** *n.*

tem·pi [témpi] TEMPO의 복수.

Tem·plar [témplər] *n.* Ⓒ (때로 t-) 《英》 법학생, 법률가, 변호사《법학원 Inner Temple 또는 Middle Temple에 사무소를 두고 있는》.

tem·plate [témplit] *n.* Ⓒ ① (수지(樹脂) 등의) 형판(型板), 본뜨는 자. ②〖生化〗(유전자 복제의) 주형(鑄型).

‡**tem·ple**[1] [témpəl] *n.* Ⓒ ① (기독교 이외의 불교·힌두교·유대교 등의) 신전 ; 절, 사원. ② (모르몬교의) 회당. ③ 전당(殿堂) : a ~ of art 예술의 전당.

***tem·ple**[2] *n.* Ⓒ (흔히 *pl.*) ①〖解〗관자놀이. ②「《美》안경다리.

templet ⇨TEMPLATE.

tem·po [témpou] (*pl.* ~***s***, -***pi*** [-pi:]) *n.* Ⓒ 《It.》 ①〖樂〗빠르기, 박자, 템포《略 : t.》. ② (활동·운동 등의) 속도 : the fast ~ of modern life 현대 생활의 빠른 템포.

***tem·po·ral**[1] [témpərəl] *a.* ① (공간에 대하여) 시간적인. opp. *spatial.* ¶ a ~ restriction 시간적인 제약. ② 일시적인 (temporary), 잠시의. opp. *eternal.* ¶ ~ prosperity 잠깐 동안의 번영. ③ 현세의, 속세의. opp. *spiritual.* ¶ ~ affairs 속사(俗事) / ~ powers (교황 등의) 세속적 권력 / the lords ~ = the ~ peers 《英》 성직(聖職) 이외의 상원 의원. ④〖文法〗때를 나타내는, 시제의 : a ~ clause 때를 나타내는 (부사)절.
㊕ ~·**ly** *ad.* 일시적으로, 속사에 관하여.

tem·po·ral[2] *a.*〖解〗관자놀이의, 측두(側頭)의 : the ~ bone 관자놀이뼈, 측두골.

tem·po·ral·i·ty [tèmpərǽləti] *n.* ① Ⓤ 일시적임, 덧없음. opp. *perpetuity.* ② Ⓒ (흔히 *pl.*) 교회〔종교 단체〕의 재산〔수입〕. cf. spiritualit.

tem·po·rar·i·ly [témpərérəli, témp(ə)rərəli] *ad.* 일시적으로, 임시로 ; 한 때.

***tem·po·rary** [témpərèri / -rəri] *a.* ① 일시의, 잠깐 동안의, 순간의, 덧없는. opp. *lasting, permanent.* ¶ a ~ star 신성(新星) / ~ pleasures 일시적인 쾌락. ② 임시의, 당장의, 임시변통의 : ~ measures 임시 조처 / a ~ account 가계정 / ~ average 〔mean〕〖數〗가평균 / ~ planting〖農〗가식(假植), 한때심기. ◇ temporize *v.*
── *n.* Ⓒ 임시 고용인. ㊕ -**rar·i·ness** *n.*

tem·po·rize [témpəràiz] *vi.* ① 고식적인 수단을 취하다, 미봉책을 쓰다. ② (시간을 벌기 위해) 우물쭈물하다. ③ 세상 풍조에 따르다, 여론에 영합하다 ; 타협하다.
㊕ **tèm·po·ri·zá·tion** [-rizéiʃən / -raiz-] *n.*

‡**tempt** [tempt] *vt.* ①《~+목/+목+전+명/+목+*to* do》…의 마음을 끌다, 유혹하다, 부추기다 《*to* ; *into*》: Nothing could ~ him *to* evil. 무엇이거나 그를 나쁜 일에 끌어들일 수 없다 / His friends ~*ed* him *to* steal 〔*into* stealing〕 the

money. 친구들이 그에게 돈을 훔치도록 부추겼다. ②《+목+*to* do》 …할 기분이 나게 하다, 꾀다: the fine weather that *~ed* me *to* go for a drive 드라이브할 생각이 들게 한 좋은 날씨 / She *~ed* the child *to* have a little more soup. 어떻게 해서든지 아이에게 조금 더 수프를 먹이려고 했다. ③ (마음·식욕 따위가) 당기게 하다, 돋우다: The cake *~s* my appetite. 그 케이크를 보니 식욕이 난다. ***be* 〔*feel*〕 *~ed to*** do …하고 싶어지다: I *am ~ed to* question that. 그것을 의심하고 싶어진다. **~ *fate* 〔*providence*〕** 신의(神意)를 거스르다, 위험을 무릅쓰다: It's *~ing providence* to go out in this heavy snow. 이 폭설에 외출은 무모한 짓이다 / Don't ~ *fate!* 엉뚱한 짓을 그만 둬.

tempt·a·ble [témptəbəl] *a.* 유혹할 수 있는, 유혹당하기 쉬운, 유혹에 약한.

‡temp·ta·tion [temptéiʃən] *n.* ①Ⓤ 유혹: fall into ~ 유혹에 빠지다 / yield to ~ 유혹에 지다 / He could not resist the ~ to steal. 그는 훔치고 싶은 유혹을 뿌리칠 수가 없었다. ②Ⓒ 유혹물, 마음을 끄는 것: a great ~ 크게 마음을 끄는 것 / A big city provides many *~s.* 대도시에는 유혹하는 것이 많다 / Money was no ~ to him. 그는 돈에는 유혹되지 않았다. ◇ tempt *v.* ***lead*** a person ***into*** ~ 아무를 유혹에 빠뜨리다.

tempt·er [témptər] *n.* ①Ⓒ 유혹자〔물〕. ② (the T-) 악마, 사탄(Satan).

tempt·ing [témptiŋ] *a.* 유혹하는, 부추기는, 사람의 마음을 끄는: a ~ offer 솔깃해지는 제안 / a ~ bit of meat 먹고 싶어 군침이 도는 살코기. 「부.
㊞ **~·ly** *ad.*

tempt·ress [témptris] *n.* Ⓒ 유혹하는 여자, 요

†ten [ten] *a.* ① 10 의; 10 인〔개〕의: ~ cats 열마리의 고양이 / ~ times as big, 10 배나 큰 / The students were only ~ in number. 학생수는 열명뿐이었다. ② (막연히) 많은: I'd ~ times rather stay here. 여기에 있는 편이 훨씬 낫다 / *Ten* men, ~ colors. 《俗談》 십인십색. ── *pron.* 〔複數취급〕 ① 10 인. ② 10 개: There're ~. 열 개가〔사람이〕 있다. ── *n.* ① **a)** Ⓤ,Ⓒ (수의) 10: Five *~s* are fifty. 10 의 5 배는 50. **b)** Ⓒ 10의 기호〔숫자〕(10, x, X). ②Ⓤ 10 시; 10 세; 10 달러〔파운드·센트 등〕: at ~ 열 시에 / a child of ~ 10 세의 아이. ③Ⓒ 열 개〔사람〕 한 조(組)로 된 것. ④Ⓒ 10 달러〔파운드〕 지폐. ⑤Ⓒ (카드놀이의) 10 끗자리 카드. ***in ~s*** 10 씩, 10 명씩. ***take* ~** 《美》 10 분간 휴식하다. ***~ to one*** 십중팔구, 틀림없이: *Ten to one* he will arrive late. 십중팔구 그는 늦을 것이다. ***the best* ~** 십걸, 베스트 텐.

ten·a·ble [ténəbəl] *a.* ① (요새·진지 따위가) 공격에 견딜 수 있는. ② (학술·의론 등) 주장할 수 있는, 지지〔변호〕할 수 있는, 조리있는: The theory of laissez-faire is no longer ~. 자유 방임주의 이론은 이제는 더이상 주장할 수 없다. ③ 〔敍述的〕 (지위·관직 등) 유지〔계속〕할 수 있는 《*for*》: a scholarship ~ *for* three years 3년간 받을 수 있는 장학금. ㊞ **-bly** *ad.* **ten·a·bil·i·ty** [tènəbíləti] *n.* **~·ness** *n.*

te·na·cious [tənéiʃəs] *a.* ① 고집이 센, 완강한, 집요한, 끈질긴; 달라붙어 놓지〔떨어지지〕 않는 《*of*》: He's ~ *of* his opinions. 그는 자기의 의견을 고집한다 / The tribe is ~ *of* its traditions. 그 부족은 자기들의 전통을 굳게 지키고 있다. ② (기억력이) 강한, 좀처럼 잊지 않는: have a ~ memory 기억력이 비상하게 강하다.
㊞ **~·ly** *ad.* **~·ness** *n.*

te·nac·i·ty [tənǽsəti] *n.* Ⓤ ① 고집; 끈기; 완강, 불굴: ~ of purpose 불굴의 의지, 목적 의식의 견고함. ② (기억력의) 강함.

ten·an·cy [ténənsi] *n.* ①Ⓤ (땅·집의) 차용, 임차. ②Ⓒ 차용〔소작〕 기간.

‡ten·ant [ténənt] *n.* Ⓒ ① 차가인(借家人); 차지인(借地人), 소작인. opp *landlord.* ¶ evict *~s* for non-payment of rent 집세를 내지 않아 세든 사람을 내보내다 / the ~ system 소작제도. ② 거주자: *~s* of the house 그 집의 거주자 / *~s* of the woods〔trees〕 조류(鳥類). ── *vt.* 〔흔히 受動으로〕 (토지·가옥)을 빌리다, 임차하여 살다: buildings *~ed* by railway workers 철도원들이 임차하여 살고 있는 건물.

ténant fàrmer 소작농, 소작인.

ténant fàrming 소작.

ténant ríght 《英》 차용〔차지〕권, 소작권.

ten·ant·ry [ténəntri] *n.* ① (the ~) 〔集合的〕 차지인, 차가인, 소작인. ②Ⓤ 차지〔소작〕인의 신분.

tén-cent stòre [ténsènt-] 《美》 10 센트 균일 상점. cf. five-and-ten(-cent store). 「명.

Tén Commándments (the ~) 〖聖〗 십계

‡tend[1] [tend] *vi.* ①《+부/+전+명》 (…방향으로) 향하다, 가다, 도달하다《*to*; *toward*》: Prices are *~ing upward.* 물가는 상승하고 있다 / Crime figures continue *to* ~ *upward.* 범죄수는 증가 일로에 있다 / The road *~s to* the south here. 길은 여기서 남으로 뻗어 있다. ②《+전+명/+*to* do》 (…한) 경향이 있다《*to*; *toward*》; …하기(가) 쉽다: One *~s to* shout when excited. 사람은 흥분하면 소리를 지르는 경향이 있다 / Old men ~ *toward* conservatism. 노인은 보수적인 경향이 있다 / Fruits ~ *to* decay. 과일은 자칫 썩기가 쉽다. ③《+전+명/+*to* do》 이바지하다, 공헌하다, 도움이 되다: Education *~s to* improve human relations. 교육은 인간 관계 개선에 이바지한다 / Good health *~s to* make people cheerful. 건강하면 사람은 쾌활해지게 마련이다.

‡tend[2] *vt.* ① …을 돌보다, 간호하다; (가축 등)을 지키다; (식물 등)을 기르다, 재배하다; (기계 따위)를 손질하다: A nurse *~s* the sick. 간호사는 환자를 돌본다 / The shepherd *~s* his flock. 양치는 사람은 자기 양떼를 지킨다 / ~ the flowers 화초를 손질하다 / ~ a bridge 〔tollgate〕 다리〔톨게이트〕를 지키다. ② (가게·바 등)의 손님을 접대하다, (가게·바 등)을 지키다: ~ shop 〔store〕 가게를 지키다〔보다〕. ── *vi.* 《+전+명》 ① 돌보다; 시중들다《*on*; *upon*》: She *~ed on* the patient. 그녀는 환자를 돌보았다. ② 배려하다, 마음〔신경〕을 쓰다《*to*》: *Tend to* your own affairs. 네 일에나 마음을 써라. [◂at*tend*]

‡tend·en·cy [téndənsi] *n.* Ⓒ ① 경향, 풍조, 추세《*to*; *towards*; *to* do》: Juvenile crimes are showing a ~ *to* increase. 소년 범죄는 증가하는 경향을 보이고 있다 / an upward ~ in business 경기의 상승 추세. ② 버릇, 성벽, 성향《*to*; *toward*; *to* do》: a ~ *to* talk too much 말을 많이 하는 버릇〔성향〕 / He has a strong ~ *toward* violence. 그는 곧 폭력에 호소하는 성벽이 있다. ③ (작품·발언 등의) 특정한 경향, 의도: a ~ novel 경향 소설. ◇ tend[1] *v.*

ten·den·tious [tendénʃəs] *a.* (작품·발언 등이) …경향적인, 선전적인; 편향(偏向)된.

‡ten·der[1] [téndər] *a.* ① **a)** (고기 따위가) 부드러운, 연한. opp *tough.* ¶ ~ meat / The steak was ~. 그 스테이크는 연했다. **b)** (색채·빛 따위가) 부드러운, 약한: ~ colors 연한 빛깔 / ~ green 연한 녹색, 신록(新綠) / a ~ shoot 가냘픈 애가지. ② **a)** 어린, 미숙한, 유약한: ~ buds 새

싹. **b**) 무른, 부서지기〔상하기, 손상되기〕 쉬운; 허약한; (추위에) 상하기 쉬운: a ~ constitution 허약한 체질 / a ~ blossom 서리의 해를 입기 쉬운 꽃 / a ~ skin 상하기 쉬운 피부. ③ **a**) 만지면 아픈, 촉각이 예민한; 모욕에 민감한, 상처받기 쉬운; 민감한: a ~ conscience 민감한 양심 / My bruise is still ~. 타박 상처를 만지면 아직도 아프다. **b**) (사태·문제 따위) 미묘한, 다루기 까다로운: a ~ subject 미묘한 문제 / a ~ question 까다로운〔어려운〕 질문. ④ **a**) 상냥한, 친절한, 애정이 깃든; 동정심 많은, 남을 사랑하는: a ~ heart 다정한 마음 / the ~ emotions 애정; 동정심 / the ~ passion 〔sentiment〕 애정; 연애. **b**) 〔敍述的〕 마음을 쓰는, 조심하는, (…)하려 하지 않는《*of*》: He is too ~ *of* his honor. 명예가 손상될까 많이 신경을 쓴다. ***be ~ of** do**ing*** …하지 않도록 주의하다: *be ~ of* hurt*ing* another's feelings 남의 감정을 상하지 않도록 주의하다.

tend·er² *n.* Ⓒ ① 돌보는 사람, 간호사; 망꾼, 감시인, 감독: a baby ~ 아이 보는 사람. ② (모선(母船)의) 부속선, 거룻배. ③ (증기 기관차의) 탄수차(炭水車).

‡**ten·der**³ *vt.* ①《~+목/+목+목/+목+전+명》…을 제출하다; 신청〔제공〕하다: ~ one's apologies 〔thanks〕 사과〔사례〕하다 / ~ one's services 지원하다 / ~ a person a reception 아무에게 환영회를 열다 / He ~*ed* his resignation *to* the President. 그는 대통령에게 사표를 제출했다. ② 〖法〗 (금전·물품을, 채무의 변제 등으로서) 지급하다, 건네주다. ── *vi.* 〖商〗 입찰하다《*for*》: ~ *for* the construction of a new bridge 새 다리의 건설에 입찰하다.

── *n.* Ⓒ ① 제출, 신청《*of*》: accept a ~ 신청을 수락하다 / put work out to ~ 사업의 입찰을 모집하다. ② 제공물; 변제금〔물〕. ③ 화폐, 통화. ***invite ~ for*** …의 입찰을 모집하다.

ten·der-eyed [téndəráid] *a.* ① 눈매가 부드러운. ② 시력이 약한.

ten·der·foot [-fùt] (*pl.* **-foots, -feet**) *n.* Ⓒ ① 《美》 (개척지 등의) 신참자. ② 초심자, 풋내기.

ten·der·heart·ed [-há:rtid] *a.* 다정한, 다감한, 상냥한, 인정 많은. ⊞ **~·ly** *ad.* **~·ness** *n.*

ten·der·ize [téndəràiz] *vt.* (고기 등)을 연하게 하다. ⊞ **tèn·der·iz·er** *n.* 식육 연화제(軟化劑).

ten·der·loin [téndərlɔ̀in] *n.* Ⓤ,Ⓒ ① (소·돼지고기의) 안심, 필레 살. ② 《美俗》 (T-) 퇴폐적인 환락가.

ten·don [téndən] *n.* Ⓒ 힘줄, 건(腱). ***the ~ of Achilles*** = ***Achilles'*** ~ 아킬레스 건.

ten·dril [téndril] *n.* Ⓒ 〖植〗 덩굴손 (모양의 것).

ten·e·brous [ténəbrəs] *a.* 《文語》 어두운, 음침한.

*__ten·e·ment__ [ténəmənt] *n.* Ⓒ ① = TENEMENT HOUSE. ② (차용자가 보유하는) 차지(借地), 차가(借家).

ténement hòuse (슬럼가(街) 등의) 값싼 아파트, 공동 주택.

ten·et [ténət, tí:-] *n.* Ⓒ (특히 집단의) 주의(主義); 교의(教義) (doctrine).

ten·fold [ténfòuld, ⌐⌐] *a.* 10 배〔겹〕의. ── *ad.* 10 배〔겹으〕로.

tén-gal·lon hát [téngæ̀lən-] 텐갈론 해트《챙이 넓은 카우보이의 모자》.

Tenn. Tennessee.

ten·ner [ténər] *n.* Ⓒ 《口》 ① 《美》 10 달러 지폐. ② 《英》 10 파운드 지폐.

*__Ten·nes·see__ [tènəsí:] *n.* ① 테네시《미국 남동부의 주; 略: Tenn., 〖郵〗 TN》. ② (the ~) 테네시 강.

Ténnessee Válley Authòrity (the ~) 테네시 강 유역 개발공사《테네시 강 유역의 발전·치수·산업을 개발함; 略: TVA》.

†**ten·nis** [ténis] *n.* Ⓤ 테니스: play ~ 테니스를 치다.

ténnis bàll 테니스 공.

ténnis còurt 테니스 코트.

ténnis èlbow 테니스가 원인이 되어 생긴 팔꿈치의 관절염.

ténnis ràcket 테니스 라켓.

ténnis shòe (흔히 *pl.*) 테니스화(sneaker).

Ten·ny·son [ténisən] *n.* **Alfred** ~ 테니슨《영국의 계관시인; 1809-92》.

ten·on [ténən] *n.* Ⓒ 〖木工〗 장부.

*__ten·or__ [ténər] *n.* ① (the ~) (인생의) 방침, 방향, 행정(行程), 진로: *the* even ~ of one's life 평탄한 인생 행로. ② (the ~) 취지, 대의. ③ 〖樂〗 **a**) Ⓤ 테너. **b**) Ⓒ 테너 악기《viola 등》; 테너 가수. ── *a.* 〖樂〗 테너의: a ~ voice 테너 목소리.

ténor clèf 〖樂〗 테너 기호.

ten·pen·ny [ténpèni, -pəni] *a.* 《英》 10 펜스의.

ten·pin [ténpìn] *n.* ① Ⓒ 십주희(十柱戲)용 핀. ② (~s) 〔單數취급〕 텐핀즈(=⌐ **bòwling**)《열 개의 핀을 사용하는 볼링》. ⓒⓕ ninepin.

*__tense__¹ [tens] *a.* ① 팽팽한, 켕긴: a ~ rope 팽팽한〔하게 당겨진〕 밧줄 / ~ muscles 팽팽하게 켕긴 근육. ② (신경·감정이) 긴장한; 긴박〔절박〕한; (너무 긴장하여) 딱딱한, 부자연한: a face ~ with worry 근심으로 긴장된 얼굴 / There was a ~ atmosphere in the room. 방안에는 긴장된 분위기가 감돌았다. ③ 〖音聲〗 혀 근육이 긴장된《주로 모음에 대해서 쓰임》. OPP. *lax.*

── *vt.* (사람·근육·신경 등)을 긴장시키다《*up*》: He ~*d* (*up*) all his muscles for the jump. 그는 도약하려고 온 근육을 긴장시켰다. ── *vi.* 긴장하다《*up*》: "Don't ~ *up*," said the coach. '긴장하지 마라'하고 코치는 말했다. ⊞ ⌐**·ness** *n.*

‡**tense**² *n.* 〖文法〗 Ⓤ,Ⓒ (동사의) 시제: the present〔past〕 ~ 현제〔과거〕 시제.

tense·ly [⌐li] *ad.* 긴장하여; 신경질적으로: He bit his lip ~. 그는 긴장하여 입술을 깨물었다.

ten·sile [ténsl / -sail] *a.* 신장성 있는; 장력(張力)의, 긴장의: ~ force 〖物〗 인장력.

ten·sil·i·ty [tensíləti] *n.* Ⓤ 인장력, 장력; 신장성(伸張性).

*__ten·sion__ [ténʃən] *n.* ① Ⓤ 팽팽함; 켕김, 긴장; 신장(伸張): ~ of the muscles 근육의 긴장. ② Ⓤ,Ⓒ (정신적인) 긴장, 텐션: ease the ~ 긴장을 풀다. ③ Ⓤ (또는 *pl.*) (국제 정세 따위의) 긴장상태; (힘의) 균형, 길항(拮抗): at 〔on〕 ~ 긴장상태에〔로〕 / the ~*s* between labor and management 노사간의 긴장(상태). ④ Ⓤ **a**) 〖物〗 장력, 응력(應力); (기체의) 팽창력, 압력: ⇨ SURFACE TENSION. **b**) 〖電〗 전압: a high ~ current 고압전류. ⊞ **~·less** *a.*

ten·sion·al [ténʃənəl] *a.* 긴장의, 장력의. ⊞ **~·ly** *ad.*

ten·si·ty [ténsəti] *n.* Ⓤ 긴장 (상태), 긴장도.

ten-spot [ténspɑ̀t / -spɔ̀t] *n.* Ⓒ ① (카드의) 10 끗짜리 카드. ② 《美口》 10 달러 지폐.

†**tent** [tent] *n.* Ⓒ ① 텐트, 천막: pitch 〔strike, lower〕 a ~ 텐트를 치다〔걷다〕 / a bell ~ 종 모양〔원추형〕의 텐트 / ~ bottom 천막용 마루널. ② 텐트 모양의 것《특히, 의료용》: an oxygen ~ 산소 텐트. ── *vt.* …을 천막으로 덮다, 천막에서 재우다: All the honor guests were ~*ed.* 내빈은 모두 천막에 수용되었다. ── *vi.* 천막생활을 하다; 야영하다; 임시로 거처하다. ~ ***it*** 야영하다.

ten·ta·cle [téntəkəl] *n.* Ⓒ ① 〖動〗 (하등동물의)

촉수, 촉각. ②〖植〗 촉사(觸絲), 촉모(觸毛). ㊕ ~**d** [-d] *a.* 촉수〔촉모〕가 있는. 「양〕의.

ten·tac·u·lar [tentǽkjələr] *a.* 촉수〔촉사〕(모

***ten·ta·tive** [téntətiv] *a.* ① 시험적인 ; 임시의 : a ~ plan 시안(試案) / a ~ theory 가설(假說). ② 주저하는, 모호한 : give a ~ nod 모호하게 수긍하다 / a ~ smile 망설이는 듯한 미소. ㊕ ~·**ly** *ad.* 시험적으로, 시험삼아 ; 임시로.

ten·ter·hook [téntərhùk] *n.* Ⓒ 재양틀의 갈고리. ***be on ~s*** 조바심〔걱정〕하다.

†**tenth** [tenθ] *a.* ① (흔히 the ~) 제10의, 10번째의. ② 10분의 1의 : a ~ part, 10분의 1. —— *n.* ① Ⓤ 10번째, 제10. ② Ⓒ 10분의 1 : a 〔one〕 ~ / three ~*s* 10분의 3. ③ (흔히 the ~) (달의) 10일 : on *the* ~ of April, 4월 10일에. ④ Ⓒ〖樂〗 10도 음정, 제10음. ㊕ ∠·**ly** *ad.*

tenth-rate [ténθrèit] *a.* (질이) 최저의.

ténT pèg 〔**pìn**〕 천막 말뚝.

te·nu·i·ty [tenjú:əti] *n.* Ⓤ ① 가늚 ; 엷음 ; (공기·액체 등의) 희박. ② (빛·소리 등의) 미약 ; (증거 등의) 빈약, 박약.

ten·u·ous [ténjuəs] *a.* ① 가는 ; (공기 등이) 희박한 : a ~ thread 가는 실. ② (근거 등이) 박약한, 빈약한. ㊕ ~·**ly** *ad.* ~·**ness** *n.*

ten·ure [ténjuər] *n.* Ⓤ,Ⓒ ① (부동산·지위·직분 등의) 보유 ; 보유권 ; 보유기간 ; 보유조건〔형태〕 : one's ~ of life 수명 / ~ for life 종신(토지) 보유권 / hold one's life on a precarious ~ 오늘 내일 하는 목숨이다. ②《美》 **a)** (재직기간 후에 부여되는) 신분 보장권. **b)** (대학교수 등의) 종신 재직권 : during one's ~ of office 재직 중에.

ten·ured [ténjərd] *a.* (특히 대학교수가) 종신 재직권을 가진, 신분 보장이 되어 있는 : a ~ professor 종신 재직권이 있는 교수.

te·nu·to [tənú:tou] *a.* 《It.》〖樂〗 음을 제 길이대로 충분히 지속한. —— *ad.* 음을 충분히 지속하며, 테누토로. ⓒⓕ staccato. —— (*pl.* **~*s*, *-ti*** [-ti:]) *n.* Ⓒ 지속음, 테누토 기호.

te·pee, ti·pi [tí:pi:] *n.* Ⓒ 티피《모피로 만든 아메리카인디언의 원뿔형 천막》.

tep·id [tépid] *a.* ① 미지근한《차(茶) 따위》 : ~ water〔tea〕 미지근한 물〔차〕 / a ~ bath 미지근한 목욕물. ② (반응·대우·환영 등이) 열의없는, 시들한 : the government's ~ response to our appeal 우리들의 호소에 대한 정부의 열의없는 반응 / a ~ smile 시들한 미소. ㊕ ~·**ly** *ad.* ~·**ness** *n.* 「가 없음.

te·pid·i·ty [tipídəti] *n.* Ⓤ ① 미지근함. ② 열의

te·qui·la [təkí:lə] *n.* ① Ⓒ〖植〗 테킬라 용설《멕시코산》. ② Ⓤ 테킬라《그 줄기의 즙을 발효시켜 증류한 술》.

ter. terrace ; territory.

tera- '10의 12제곱'의 뜻의 결합사 : *tera*bit (1조 비트에 해당하는 정보량의 단위).

ter·a·tol·o·gy [tèrətáləd3i / -tɔ́l-] *n.* Ⓤ〖生〗 (동식물의) 기형학.

ter·bi·um [tə́:rbiəm] *n.* Ⓤ〖化〗 테르븀《희토류(稀土類) 원소 ; 기호 Tb ; 번호 65》.

ter·cel [tə́:rsəl] *n.* Ⓒ〖鳥〗 (훈련된) 매의 수컷.

ter·cen·ten·ary [tə̀:rsenténəri, tə:rsénténəri / tə̀:rsentí:nəri] *n.* Ⓤ ① 300년. ② 300년제(祭). ⓒⓕ centenary. —— *a.* 300년(간)의.

ter·cen·ten·ni·al [tə̀:rsenténiəl] *n., a.* = TERCENTENARY.

ter·cet [tə́:rsit, tə:rsét] *n.* Ⓒ ①〖韻〗 3행(압운) 연구(聯句) (triplet). ②〖樂〗 셋잇단음표.

Ter·ence [térəns] *n.* 테렌스《남자 이름 ; 애칭 : Terry》.

Te·re·sa [tərí:zə, -sə] *n.* ① 테리사《여자 이름 (Theresa)》. ② (Mother ~) 마더 테레사《알바니아 출생의 가톨릭 수녀 ; 빈민구제에 헌신함, 노벨 평화상 수상(1979) ; 1910– 》.

ter·gi·ver·sate [tə́:rd3ivərsèit] *vi.* ① 변절〔전향, 탈당〕하다. ② 속이다, 핑계대다. ㊕ **tèr·gi·ver·sá·tion** [-ʃən] *n.* **tér·gi·ver·sà·tor** [-tər] *n.*

†**term** [tə:rm] *n.* ① Ⓒ 기간 ; 임기 ; 학기 ; 형기(刑期) ; (의회의) 회기, (법정 따위의) 개정기간 ;〖法〗 권리의 존속 기간 ; 임대차 기간 : the first ~ 제1학기 / a long ~ of imprisonment 장기 금고형 / a ~ of office 〔service〕 임기 / a ~ of two years, 2년의 임기 / the spring 〔fall〕 ~ 봄〔가을〕 학기 / for ~*s* of life 종신, 평생. ② Ⓒ (의무·계약의) 기한, (만료)기일 ; (종종 full ~) 출산 예정일, 해산일 : The ~ of the loan is five years. 대부 기간은 5년이다 / children born at *full* ~ 달이 차서 난 아이들. ③ (*pl.*) (계약·지급·요금 등의) 조건《*of*》 ; 약정, 협정 ; 요구액 ; 값 ; 요금, 임금《*for*》 : the ~*s* *of* payment 지급 조건 / On what ~*s*? 어떤 조건으로 / ~*s* *for* a stay at a hotel 호텔 체류비. ④ (*pl.*) (친한) 사이, (교제) 관계 : ~*s* of intimacy 친한 사이 / We are on good 〔bad〕 ~*s* with them. 우리는 그들과 사이가 좋다〔나쁘다〕. ⑤ Ⓒ **a)** 말 ; 《특히》 술어, 용어, 전문어 : accept a ~ in its literal sense 말을 글자 그대로 받아들이다 / contradiction in ~*s* 말의 모순 / an abstract ~ 추상어 / technical 〔legal〕 ~*s* 전문〔법률〕 용어. **b)**〖論〗 명사(名辭) : a general ~ 전칭(全稱)〔일반〕 명사 / the major〔minor〕 ~ 대〔소〕명사. ⑥ (*pl.*) 말투, 말씨, 표현 : in plain ~*s* 평이한 말로 / speak in high ~*s of* …을 극구 칭찬하다. ⑦ Ⓒ **a)**〖數〗 항(項) ; 분수의 분자〔분모〕. **b)** 한계점〔선, 면〕. ***be in ~s*** 교섭〔상담, 담판〕중이다. ***come to ~s with . . .*** (고난 등)을 감수하다, (체념해서) …에 길이 들다. ***eat one's ~s*** 법학을 공부하다. ***fill one's ~ of life*** 천명을 다하다. ***in no uncertain ~s*** ⇨ UNCERTAIN. ***in ~s*** 명확히. ***in ~s of*** ⑴ …의 말로, …에 특유한 말로 ;〖數〗 …항〔식〕으로. ⑵ …에 의해 ; …로 환산하여 ; …에 관해, …의 점에서(보아) : Don't see all life *in* ~*s of* money. 인생의 전부를 금전면에서 보지 마라. ***in the long*** 〔***short***〕 ~ 장〔단〕기적으로는: *In the long* 〔*short*〕 ~ it won't make much difference. 장〔단〕기적으로 보아 그건 대단한 문제가 아니다. ***keep a ~*** 1 학기 동안 출석하다. ***keep ~s*** 규정된 학기 동안 재학하다 ; 교섭〔담판〕을 계속하다《*with*》. ***on good*** 〔***friendly***〕 ***~s*** 친근한 사이로, 친밀하게《*with*》. ***on one's own ~s*** 자기 생각대로, 자기 방식으로 : He does nothing unless it is *on* his *own* ~*s*. 그는 자기 생각대로가 아니면 아무것도 안 한다. ***on writing ~s*** 편지를 주고받는 사이로《*with*》. ***sell on better ~s*** 더 나은 값으로 팔다. ***set ~s*** 조건을 붙이다. ***~s of reference*** 《英》 위임 사항.

—— *a.* 〔限定的〕 ① 학기말의 : ~ examinations 《美》 학기말 시험. ② 기간의, 정기의 : a ~ insurance 정기 보험.

—— *vt.* 《+目+補》 …을 (…라고) 이름짓다, 칭하다, 부르다(call, name) : The dog is ~*ed* John. 그 개는 존이라고 불린다 / The drama may be ~*ed* a comedy. 그 희곡은 희극이라해도 괜찮을 게다. ~ one***self . . .*** …라고 자칭하다 : He has no right to ~ him*self* a professor. 자신을 교수라고 일컬을 자격이 없다.

ter·ma·gant [tə́:rməgənt] *n.* Ⓒ 잔소리가 심한 여자. —— *a.* (특히, 여자가) 잔소리가 심한, 사나운. ㊕ ~·**ly** *ad.*

ter·mi·na·ble [tə́:rmənəbəl] *a.* ① (일정기간에)

끝마칠 수 있는. ② (계약 따위) 기한부의, 기한이 있는: a ~ annuity 기한부 연금.

***ter·mi·nal** [tə́:rmənəl] *a.* ① 말단(末端)의, 종말의, 경계의: the ~ part 〔section〕 말단부 / a 〔the〕 ~ stage 말기. ② 종점의, 종착역(驛)의: a ~ station 종착역 / a ~ building 공항(空港) 빌딩 / ~ charge 하역료(荷役料). ③ 매기(每期)의; 학기말의, 정기의: ~ accounts 기말청산 / a ~ fee 한 학기분 수업료 / a ~ examination 학기말 시험. ④〖醫〗(병이) 말기의, (환자가) 말기 증상의: ~ cancer 말기암. ── *n.* Ⓒ ① 끝, 말단; 어미(의 음절·글자). ② 종점(終點), 터미널, 종착역; 에어터미널: a bus ~ 버스 종점. ③〖電〗전극, 단자(端子). ④〖컴〗단말 (장치기), 터미널.

ter·mi·nal·ly [-nəli] *ad.* ① 기(期)마다, 정기에; 매(每) 학기에. ② (병이) 말기적으로: a ~ ill patient 병이 말기적인 환자.

‡**ter·mi·nate** [tə́:rmənèit] *vt.* ① …을 끝내다, 종결시키다; …의 끝을 이루다: The two countries ~*d* diplomatic relations. 양국은 외교 관계를 단절했다 / The hero's return home ~*s* the story. 주인공의 귀향으로 그 이야기는 끝이 난다. ② …을 한정하다, 경계를 짓다: The mountain ~*s* the view. 그 산이 시계를 가로막고 있다. ── *vi.* ① 끝나다, 그치다, 종결하다《*in*》: The contract ~*s* *in* June. 그 계약은 6월에 만료된다. ②《+전+명》(…으로) 끝나다《*in; at; with*》; (어미·노력 따위) 끝나다《*in*》: Many adverbs ~ *in* -ly. -ly로 끝나는 부사가 많다. ③ (열차·버스 등이) (…에서) 종점이 되다. ◇ termination *n.*

***ter·mi·na·tion** [tə̀:rmənéiʃən] *n.* ① Ⓤ,Ⓒ 종결, 종료; 만기; 결말, 종국: bring ... to a ~ =put a ~ to …을 종결시키다. ② Ⓒ〖文法〗접미사(suffix), 어미(ending). ◇ terminate *v.*

ter·mi·na·tive [tə́:rmənèitiv / -nə-] *a.* 종결의; 끝내는; 결정적인(conclusive).

ter·mi·na·tor [tə́:rmənèitər] *n.* Ⓒ ① 종결시키는 사람〔물건〕. ②〖天〗(달·별의) 명암(明暗) 경계선. ③〖컴〗종료기(終了器).

ter·mi·ni [tə́:rmənài] TERMINUS 의 복수.

ter·mi·no·log·i·cal [tə̀:rmənəlɑ́dʒikəl / -lɔ́dʒ-] *a.* 술어학(상)의; 술어〔용어〕(상)의: ~ inexactitude 용어의 부정확. ㊞ **~·ly** [-kəli] *ad.*

ter·mi·nol·o·gy [tə̀:rmənɑ́lədʒi / -nɔ́l-] *n.* Ⓤ ①〔集合的〕전문용어, 술어: technical ~ 전문어 / legal ~ 법률 용어. ② (특수한) 용어법〔론〕.

ter·mi·nus** [tə́:rmənəs] (*pl.* ***-ni [-nài], **~·*es***) *n.* Ⓒ ① (철도·버스의) 종점, 종착〔시발〕역(terminal). ② 종말, 말단.

ter·mite [tə́:rmait] *n.* Ⓒ〖蟲〗흰개미.

term·less [tə́:rmlis] *a.* ① 기한이 없는. ② 무조건의.

térm lífe insùrance〖保險〗정기보험《5년, 10년 등 일정 보험기간 내에 피보험자가 사망해야 보험금이 지급됨》.

term·ly [tə́:rmli]《英》*a.* 매 학기〔임기〕의. ── *ad.* 〔임기〕마다.

ter·mor [tə́:rmər] *n.* Ⓒ〖法〗정기〔종신〕부동산 소유권자.

térm páper 학기말 리포트〔논문〕.

térms of tráde〖經〗교역 조건(交易條件)《수출품과 수입품의 교환 비율》.

tern [təːrn] *n.* Ⓒ〖鳥〗제비갈매기.

ter·na·ry [tə́:rnəri] *a.* ① 셋의, 세 개 한 벌의. ② 제3위의, 세 번째의. ③〖數〗삼원(三元)의, 삼진(三進)의.

Terp·sich·o·re [tə:rpsíkəri] *n.*〖그神〗테르프시코레《노래·춤의 여신; nine Muses 의 하나》.

terp·si·cho·re·an [tə̀:rpsikəríːən] *a.* ① 무도(舞踏)의, 무용의. ② (T-) Terpsichore 의: the ~ art 무도. ── *n.* Ⓒ 댄서, 무희.

terr. terrace; territory.

‡**ter·race** [térəs] *n.* Ⓒ ① **a**) 단지(段地)《경사지를 계단 모양으로 깎은》; 계단 모양의 뜰; 대지(臺地), 고대(高臺). **b**)〖地質〗해안〔하안〕단구(段丘). ② **a**) 고지대에 늘어선 집들. **b**) 연립 주택. ③ (집에 붙여 달아낸 식사·휴식용의 돌을 깐) 테라스, 주랑(柱廊); 넓은 베란다. ── *vt.* (토지 등)을 계단식으로 정비하다: ~*d* fields 계단식 밭.

tér·race(d) hóuse [térəs(t)-] 테라스 하우스《美》row house)《연립 주택 중의 한 채》.

tér·ra cót·ta [térəkɑ́tə / -kɔ́tə] ① 테라코타《점토를 구워 만든 질그릇》. ② 테라코타색, 적갈색. [It. =baked earth]

tér·ra fír·ma [-fə́:rmə] (물·대기(大氣)에 대하여) 육지, 대지(大地).

ter·rain [təréin] *n.* Ⓤ,Ⓒ (자연적 특징으로 본) 지대, 지역; 지형, 지세: hilly ~ 구릉 지대.

Ter·ra·my·cin [tèrəmáisin] *n.* Ⓤ〖藥〗테라마이신《oxytetracycline 의 商標名》.

ter·ra·pin [térəpin] *n.* Ⓒ,Ⓤ〖動〗테라핀《식용 거북; 북아메리카 민물산》.

ter·raz·zo [tərǽzou, -rɑ́:tsou] *n.* Ⓤ,Ⓒ《It.》테라초《대리석 부스러기를 박은 다음 갈아서 윤을 낸 시멘트 바닥》.

***ter·res·tri·al** [təréstriəl] *a.* ① 지구(상)의. opp. *celestial.* ¶ the ~ ball 〔globe〕 지구 / a ~ globe 지구의(儀) / ~ heat 지열 / ~ magnetism 지자기(地磁氣). ②〖生〗육생(陸生)의, 육서(陸棲)생물의: a ~ animal 육생 동물. ③ 이 세상의, 세속〔현실〕적인, 현세의: ~ interests 명리심(名利心). ㊞ **~·ly** *ad.*

†**ter·ri·ble** [térəbəl] (***more*** ~; ***most*** ~) *a.* ① 무서운, 가공할, 소름끼치는. cf. fearful. ¶ a ~ crime 〔sight〕 무서운 범죄〔광경〕 / a ~ crash of thunder 무서운 우레소리. ②《口》심한, 대단한: a ~ winter 엄동 / ~ heat 혹서(酷暑) / ~ cold 혹한. ③《口》아주 나쁜, 지독한, 형편없는, 서투른: ~ weather 고약한 날씨 / She has ~ manners 그녀의 매너는 정말 형편없다 / He is in a ~ hurry. 몹시 서두르고 있다 / His performance is ~. 그의 연기는 엉망이다. ***a ~ man to drink***《口》술고래. ~ ***in anger*** 화나면 무서운.

‡**ter·ri·bly** [térəbli] (***more*** ~; ***most*** ~) *ad.* ① 무섭게, 지독하게: They were ~ shocked. 그들은 지독한 충격을 받았다. ②《口》몹시, 굉장히, 대단히: They were ~ tired. 그들은 몹시 지쳐 있었다.

***ter·ri·er** [tériər] *n.* Ⓒ 테리어개《사냥개·애완견》.

ter·rif·ic** [tərífik] (more*** ~; ***most*** ~) *a.* ①《口》**a**) 굉장한, 대단한; ~ speed 맹렬한 속도. **b**) 아주 좋은, 멋진: a ~ party 아주 멋진 파티. ② 무시무시한, 소름 끼치는: a ~ spectacle 소름 끼치는 광경. ㊞ **-i·cal·ly** [-əli] *ad.*

‡**ter·ri·fy** [térəfài] *vt.*《~+목 / +목+전+명》…을 겁나게 하다, 놀래다(frighten): The possibility of nuclear war *terrifies* everyone. 핵전쟁의 가능성에 모든 사람이 떨고 있다 / The police *terrified* him into confessing to the crime. 경찰은 그를 위협하여 죄를 자백하게 했다. ***be terrified out of one's senses*** 〔***wits***〕 놀라서 혼비 백산하다. ***You ~ me !*** 놀랐다.

ter·ri·fy·ing [-iŋ] *a.* 무서운, 무시무시한, 소름끼치는: a ~ storm 무서운 폭풍. ㊞ **~·ly** *ad.*

ter·rine [təríːn] *n.*《F.》① Ⓒ 테린 용기〔단지〕《요리를 담아서 파는 뚜껑과 다리가 있는 단지》. ②

[C,U] 테린 요리.

†**ter·ri·to·ri·al** [tèrətɔ́:riəl] *a.* ① 영토의; 사유[점유지]의; 토지의: ~ integrity 영토 보전 / a ~ issue 영토문제 / ~ sovereignty 영토주권 / ~ air [seas, waters] 영공[영해] / ~ expansion 영토확장 / ~ principle 속지(屬地)주의. ② [限定的] (종종 T-) 《美·Can.》 준주(準州)의. ── *n.* Ⓒ (종종 T-) 【軍】 지방 수비대원; 《英》 국방 의용군의 병사. ㊕ **~·ly** *ad.* 영토적으로; 지역적으로.

‡**ter·ri·to·ry** [térətɔ̀:ri / -təri] *n.* ① [U,C] (영해를 포함한) 영토, 영지; (본토에서 떨어져 있는) 속령, 보호[자치]령: Portuguese ~ in Africa 아프리카의 포르투갈 영토 / the ex-English ~ 영국의 구(舊)영토 / a leased ~ 조차지(租借地). ② [U,C] 지역, 지방: Much ~ in Africa is desert. 아프리카는 넓은 지역이 사막으로 되어 있다. ③ [C,U] **a)** (동물의) 세력권. **b)** (학문·예술 등의) 영역, 분야: the ~ of biochemistry 생화학의 분야. **c)** (외판원 등의) 판매 담당 구역: The new salesman cut into my ~. 새 세일즈맨이 내 판매구역에 파고 들어 왔다. ④ Ⓒ (T-) 《美·Can·Austral.》 준주(準州).

‡**ter·ror** [térər] *n.* ① Ⓤ 공포, 두려움: look up with ~ 겁을 집어먹고 쳐다보다 / run away in ~ 무서워서 도망치다 / I was overcome with ~. 나는 공포에 떨고 있었다 《★ fear 보다 강한 뜻. Ⓤ의 성질이나, a[an]을 붙이는 경우도 있음》. ② Ⓒ (사물의) 무서운 측면; 공포의 원인, 가공할 일; 무서운 사람[것]: This added to our ~*s*. 이것으로 무서움이 더해졌다 / He's a ~ to his students. 그는 학생들에게 공포의 대상이다. ③ Ⓒ 《口》 대단한 골칫거리, 성가신 녀석[아이]: This child is a perfect [holy] ~. 이 아이는 정말 골칫거리다. ④ (the T-) 【프史】 공포시대(=the Reign of Terror): *the* Red *Terror* (혁명파의) 적색 테러, 공포 정치 / *the* White *Terror* (혁명파에 대한 반혁명파의) 백색 테러. ⑤ Ⓤ 테러, 테러 계획. ***be a ~ to*** …에게 두려움이 되다. ***be in ~ of*** …을 두려워하다. ***in ~ of*** one***'s life*** 죽지나 않을까 겁내어. ***strike ~ into*** a person***'s heart*** 아무를 공포에 몰아넣다. ***the king of ~s*** 【聖】 죽음, 사신(死神)《욥기(記) XVIII: 14》.

ter·ror·ism [térərìzəm] *n.* Ⓤ 테러리즘, 공포정치; 테러[폭력] 행위; 폭력주의.

ter·ror·ist [térərist] *n.* Ⓒ 테러리스트. ㊕ **tèr·ror·ís·tic** [-ik] *a.* 테러리스트의, 폭력주의의.

ter·ror·i·za·tion [tèrərizéiʃən] *n.* Ⓤ 위협; 테러 수단에 의한 억압[탄압].

ter·ror·ize [térəràiz] *vt.* …을 무서워하게 하다; 위협하다, 위협[협박]해서 …시키다《*into*》.

ter·ror-strick·en, -struck [térərstrìkən], [-strʌ̀k] *a.* 공포에 사로잡힌, 겁에 질린.

ter·ry [téri] *n.* Ⓤ 테리천, 타월천《보풀을 고리지게 짠 두꺼운 직물》(=∠ **clòth**): ~ velvet 보풀을 자르지 않은 우단.

terse [təːrs] *a.* ① (문체·표현 따위가) 간결한: The reply was ~ and to the point. 대답은 간결하고 적절했다. ② 무뚝뚝한, 쌀쌀한: He was a ~ speaker. 그는 말씨가 무뚝뚝한 사람이었다. ㊕ **∠·ly** *ad.* **∠·ness** *n.*

ter·tian [tə́:rʃən] *a.* (열(熱)이) 사흘마다 [하루걸러] 일어나는. ── *n.* Ⓤ 【醫】 3일열(熱).

ter·ti·ary [tə́:rʃièri, -ʃəri] *a.* ① 제 3(차, 위, 급)의: a ~ industry 제 3 차 산업. ② 【醫】 제 3기의《매독 등》; 제 3 도의《화상 등》. ③ (T-) 【地質】 제 3기(紀)의: the *Tertiary* period 제 3 기. ── *n.* 【地質】 (the T-) 제 3 기(층).

Ter·y·lene [térəlì:n] *n.* Ⓤ 《英》 테릴렌《폴리에스테르 섬유; 商標名》.

ter·za ri·ma [tέərtsə-rí:mə] 【韻律】 3 운구법(韻句法)《Dante 의 '신곡(神曲)'의 시형식》. [It. = third rhyme]

TESL [tesəl] *t*eaching *E*nglish as a *s*econd *l*anguage (제 2외국어로서의 영어 교수(법)).

TESOL [tí:sɔ:l, tésɔ:l] *T*eachers of *E*nglish to *S*peakers of *O*ther *L*anguages《다른 언어를 쓰는 사람들에게 영어를 가르치는 교사의 모임》; *t*eaching (of) *E*nglish to *s*peakers of *o*ther *l*anguages《다른 언어를 사용하는 사람들에 대한 영어 교수(법)》.

Tess [tes] *n.* 테스《여자 이름; Theresa 의 애칭》.

tes·sel·late [tésəlèit] *vt.* (마루·포장도로 등)을 쪽매붙임[모자이크식]으로 만들다[꾸미다]. ── [-lit] *a.* =TESSELLATED.

tes·sel·lat·ed [-lèitid] *a.* 바둑판 무늬의, 모자이크(식)의: a ~ floor 모자이크 무늬의 마루.

tes·sel·la·tion [tèsəléiʃən] *n.* Ⓤ 쪽매붙임 세공; 모자이크 세공[무늬].

†**test** [test] *n.* Ⓒ ① 테스트, 시험, 검사, 고사(考査), 실험: a ~ in arithmetic 산수 시험 / a ~ for AIDS 에이즈 검사 / ⇨ ACHIEVEMENT [APTITUDE, INTELLIGENCE] TEST. ② 시험의 수단[방법]; 시험하는 것, 시금석: Poverty is sometimes a ~ of character. 가난은 때로 인격의 시금석이 된다. ③ 【化】 분석(시험); 감식(鑑識). ④ 《英口》 =TEST MATCH.

an oral ~ ⇨ ORAL. ***by all ~s*** 어느 점으로 보아도. ***stand [bear, pass] the ~*** 시험에 합격하다, 시련에 견디다. ***undergo a ~*** 테스트를 받다.

── *vt.* ① (순도·성능·정도 따위)를 검사[시험]하다, 테스트하다: He ~*ed* the product for defects. 그는 그 제품의 결함 여부를 조사했다. ② 【化】 (시약으로) …을 검출[시험, 분석]하다: ~ the ore for gold 금의 유무를 알기 위해 광석을 분석하다. ③ (가치·진위 등)을 시험하다, …의 (호된) 시련이 되다: Misfortunes ~ a person's character. 불행을 당했을 때 사람의 성격[인격]을 알 수 있다 / ~ a person's courage.

── *vi.* ① 검사하다[받다], 테스트하다[받다] 《*for*》: ~ *for* color blindness 색맹 검사를 하다. ~ ***out*** (이론 등)을 실지로 시험해 보다.

Test. Testament.

***tes·ta·ment** [téstəmənt] *n.* ① Ⓒ 유언(장), 유서《★ 흔히 one's last will and ~ 라 함》: make one's ~ 유언장을 작성하다 / a military ~ (구두의) 군인 유언. ② (the T-) 성서: ⇨OLD [NEW] TESTAMENT. ③ Ⓒ **a)** 증좌. **b)** 신앙[신조]의 표명.

tes·ta·men·ta·ry [tèstəméntəri] *a.* 유언의; 유언(장)에 의한; 유언에 지정된.

tes·tate [tésteit] *a.* 유언(장)을 남기고 죽은: die ~ 유언을 남기고 죽다.

tes·ta·tor [tésteitər, -∠-] *n.* Ⓒ 유언자.

tést bàn (대기권) 핵실험 금지 협정.

tést càse ① 【法】 시소(試訴)《그 판결이 다른 유사 사건의 선례가 되는 사건》. ② 선례가 되는 사례, 테스트 케이스.

tést drìve (차의) 시운전, 시승(試乘).

test-drive [∠-dràiv] *vt.* (차)를 시운전하다.

test·ee [testí:] *n.* Ⓒ 수험자.

test·er[1] [téstər] *n.* Ⓒ ① 시험[검사]자. ② 시험[검사] 장치, 테스터.

tes·ter[2] *n.* Ⓒ 침대 위를 가려 덮는 천개(天蓋).

tes·tes [tésti:z] TESTIS 의 복수.

tést flìght 시험 비행.

test-fly [-flài] *vt.* …을 시험 비행하다.
tes·ti·cle [téstikəl] *n.* Ⓒ 고환.
‡tes·ti·fy [téstəfài] *vi.* ①《~/+전+명》 증명하다, 입증하다; 증언하다《*to*》; 증인이 되다: ~ *to* a fact 사실을 증명하다. ②《+전+명》 (언동·사실이 …의) 증거가 되다《*to*》; 〖法〗 선서 증언을 하다; 자기의 신념을 표명하다: ~ before court 법정에서 증언하다.
— *vt.* ①《+*that* 절》 …을 증언하다, 입증하다; …을 확언하다: He *testified that* he had not been there. 그는 그 곳에 있지 않았다고 증언했다. ② …을 증명하다: ~ a person's honesty 아무의 정직을 증명하다. ③ …을 표명하다: ~ one's regret 유감의 뜻을 나타내다. ④ (사물이) …의 증거가 되다: Her tears *testified* her grief. 눈물이 그녀의 슬픔을 말해 주고 있었다. ~ ***against*** 〔***for, to***〕 …에게 불리〔유리〕한 증언을 하다.
tes·ti·mo·ni·al [tèstəmóuniəl] *n.* Ⓒ ① (인물·자격 등의) 증명서; 추천장; 상장. ② 감사장, 표창장; (감사·공로 표창의) 선물, 기념품.
‡tes·ti·mo·ny [téstəmòuni / -məni] *n.* ① Ⓤ,Ⓒ 증언: give false ~ 위증(僞證)하다. ② Ⓤ (또는 a ~) 증거, 증명, 입증: produce ~ of 〔to〕 his innocence 그가 무죄하다는 증거를 들다.
call a person ***in*** ~ 아무를 증인으로 세우다: Those people were *called in* ~. 그들이 증인으로 세워졌다.
tes·tis [téstis] (*pl.* ***-tes*** [-tiːz]) *n.* =TESTICLE.
tést màtch (크리켓 등의) 국제 결승전.
tes·tos·ter·one [testástəròun / -tɔ́s-] *n.* Ⓤ 〖生化〗 테스토스테론《남성 호르몬의 일종》.
tést pàper ① 시험 문제〔답안〕지. ②〖化〗 (리트머스 시험지 따위의) 시험지.
tést pàttern 〖TV〗 테스트 패턴《화면 조정용 도형》.
tést pìlot 테스트 파일럿, 시험 조종사.
tést prògram 〖컴〗 테스트 프로그램《부호화가 끝난 프로그램을 시험하기 위한 프로그램》.
tést tùbe 시험관.
test-tube [tésttjùːb] *a.* 시험관 속에서 만들어낸; 체외 인공수정의: a ~ baby 시험관 아기.
tes·ty [tésti] (***-ti·er*** ; ***-ti·est***) *a.* ① 성급한, 걸핏하면 화내는. ② (언행이) 퉁명스러운.
te·tan·ic [tətǽnik] *a.* 〖醫〗 파상풍의.
tet·a·nus [tétənəs] *n.* Ⓤ 〖醫〗 파상풍.
tetchy, techy [tétʃi] (***te***(***t***)***ch·i·er*** ; ***-i·est***) *a.* 성 잘 내는; 안달하는.
tête-à-tête [téitətéit, tétətét] *ad., a.* 《F.》 단 둘이서〔의〕, 마주앉아서〔앉은〕. — *n.* Ⓒ ① 터놓고 하는 이야기; 밀담; 대담. ② S 자형의 2인용 의자.
have a ~ talk 마주앉아 이야기하다《*with*》.
teth·er [téðər] *n.* Ⓒ ① (마소를) 매는 밧줄〔사슬〕. ②《比》 (능력·재력·인내 등의) 한계, 범위, 극한. ***at the end of*** one***'s*** ~ 궁지에 빠져, 한계에 이르러. ***the matrimonial*** ~ 부부의 인연.
— *vt.* (말·소)를 밧줄·사슬로 매다: He ~*ed* his horse *to* a tree. 그는 말을 나무에 맸다.
tet·ra- '넷; 〖化〗 4원자〔기(基), 원자단〕을 갖는'의 뜻의 결합사: *tetra*chord, *tetr*oxide. ★ 모음 앞에서는 tetr-가 붙음.
tet·ra·gon [tétrəgàn / -gən] *n.* Ⓒ 〖數〗 4 각형; 4 변형: a regular ~ 정 4 각형.
tet·ra·he·dron [tètrəhíːdrən / -héd-] (*pl.* ***~s, -dra*** [-drə]) *n.* Ⓒ 〖數〗 4 면체.
te·tram·e·ter [tetrǽmitər] *n., a.* 〖韻〗 4보격(步格)(의).
tet·ra·pod [tétrəpàd / -pɔ̀d] *n.* Ⓒ ①〖工〗 테트라포드《네 다리가 있는 호안용(護岸用) 콘크리트 블록》. ②〖動〗 사지(四肢) 동물, 네발짐승.
Teu·ton [tjúːtən] *n.* ① **a**) (the ~s) 튜턴족(族)《B.C. 4 세기경부터 유럽 중부에 산 민족으로, 지금의 독일·네덜란드 등지의 북유럽 민족; 略: Teut.》. **b**) Ⓒ 튜턴인(人). ② Ⓒ 독일인.
Teu·ton·ic [tjuːtánik / -tɔ́n-] *a.* ① 튜턴〔게르만〕인〔민족, 어〕의. ② 독일(민족)의. — *n.* 튜턴어, 게르만어.
Tex. Texan; Texas.
Tex·an [téksən] *a.* 텍사스 주(사람)의.
— *n.* Ⓒ 텍사스 사람〔주민〕.
***Tex·as** [téksəs] *n.* 텍사스《미국 남서부의 주; 주도 Austin; 略: Tex, 〖郵〗 TX》.
Téxas léaguer 〖野〗 텍사스 리거《내야수와 외야수 사이에 떨어지는 안타》.
‡text [tekst] *n.* ① Ⓤ,Ⓒ (서문·부록 등에 대하여) 본문: The book has 350 pages of ~ and 15 pages of maps. 그 책엔 350페이지의 본문과 15페이지의 지도가 있다. ② Ⓤ,Ⓒ (요약·번역에 대하여) 원문, 원전(原典). cf. paraphrase. ¶ The newspaper published the whole ~ of the speech. 신문은 그 연설 전문을 실었다/a full ~ 전문(全文), 본문(本文). ③ Ⓒ (설교 등에 인용되는) 성서의 구절, 성구(聖句): The minister preached on the ~ "Judge not, that ye be not judged". 목사는 "비판을 받지 아니하려거든 비판하지 말라" 라는 성구에 대하여 설교했다. ④ =TEXTBOOK.
text·book [-bùk] *n.* Ⓒ 교과서: an English ~ 영어 교과서/Open your ~ to page 45. 교과서 45페이지를 펴시오. — *a.* 〔限定的〕 ① 교과서의. ② **a**) 교과서적인, 모범적인: a ~ soldier 모범적인 병사. **b**) (교육적으로) 전형적인.
téxt èditing 〖컴〗 문서〔글월〕 편집.
téxt èditor 〖컴〗 문서〔글월〕 편집기.
***tex·tile** [tékstail, -til] *n.* Ⓒ ① 직물, 옷감. ② 직물의 원료: Glass can be used as a ~. 유리는 섬유 재료로서 쓰일 수 있다. — *a.* 〔限定的〕 ① 직물의: ~ art 직물 공예/the ~ industry 섬유 산업, 직물 공업. ② 방직된, 방직할 수 있는.
tex·tu·al [tékstʃuəl] *a.* ① 본문의; 원문의; (성서의) 본문에 의한: a ~ error 원문의 오류. ② 원문 대로의, (원문의) 문자 그대로의: a ~ quotation 원문 그대로의 인용문. 파 **~·ly** *ad.*
téxtual críticism (성서의) 원문 대조 비평; (작품의 독자성을 평가하는) 작품 분석 비평.
tex·tu·al·ism [tékstʃuəlìzəm] *n.* Ⓤ (특히 성서의) 원문 고집〔존중〕; (성서의) 원문 연구〔비판〕.
tex·tu·al·ist [tékstʃuəlist] *n.* Ⓒ (특히 성서의) 원문 주의자〔연구가〕, 원문 학자〔비평자〕.
***tex·ture** [tékstʃər] *n.* Ⓤ,Ⓒ ① 직물, 피륙, 천; (피륙의) 짜임새, 바탕: The ~ of this cloth is too rough. 이 천은 짜임새가 너무 거칠다. ② **a**) (피부·목재·암석 등의) 결, (손에 닿는) 감촉: Her skin has the ~ of silk. 그녀의 살결은 비단결 같다. **b**) 기질, 성격. **c**) (음식물의) 씹히는 맛, 씹을 때의 느낌: I don't like the ~ of octopus. 낙지 씹히는 감촉을 좋아하지 않는다. ③ 〖컴〗 그물짜기《밝기나 색의 공간적 변화가 고른 모양》.
téx·tured végetable prótein [tékstʃərd-] 식물성 단백질《콩으로 만드는 고기 대용품; 略: TVP》.
TGIF, T.G.I.F. 《美》 Thank God it's Friday《금요일은 고마운 날이다; 1주일의 일이 끝나는데서》.
T-group [tíːgrùːp] *n.* Ⓒ 〖心〗 훈련 그룹, T그룹《소외감을 극복, 인간 관계의 원활을 기하려는 심리학적 훈련 그룹》.
TGV train à grande vitesse((프랑스 국철의) 초고속 열차, 테제베). **Th** 〖化〗 thorium. **Th.** Theodore; Thomas; Thursday.
-th[1] *suf.* 형용사·동사로부터 추상명사를 만듦:

truth, growth.

-th² *suf.* 4이상의 기수(基數)에 붙여 서수(序數) 및 분모(分母)를 만듦: fourth. ★ -ty로 끝나는 수사에는 -eth가 붙음: thirtieth.

-th³ *suf.* 《古》 동사의 직설법·현재·3인칭·단수를 만듦《오늘날의 -s, -es에 해당》: doth(=does), hath(=has).

Thack·er·ay [θǽkəri] *n.* **William Makepeace** ~ 새커리《영국의 소설가; 1811-63》.

Thai [tai, tɑ́:i] (*pl.* ~, ~s) *n.* ① **a**) Ⓒ 타이 사람. **b**) (the ~(s)) 타이 국민. ② Ⓤ 타이어(語), 샴어. — *a.* 타이어〔사람〕의.

Thai·land [táilæ̀nd, -lənd] *n.* 타이.

Tha·les [θéili:z] *n.* 탈레스《그리스의 철학자(640?-546 B.C.); 일곱 현인(賢人) 중의 한 사람》.

Tha·lia [θəláiə] *n.* 〖그神〗 탈레이아《(1) 희극·목가를 주관하는 여신; Nine Muses의 하나. (2) 미의 3여신(Graces)의 하나》.

tha·lid·o·mide [θəlídəmàid] *n.* Ⓤ 〖藥〗 탈리도마이드《진정·수면제의 일종》: a ~ baby 임산부의 탈리도마이드 복용으로 출산한 기형아.

thal·li·um [θǽliəm] *n.* Ⓤ 〖化〗 탈륨.

‡Thames [temz] *n.* (the ~) 템스 강《런던을 흐르는 강》. ***set the ~ on fire*** ⇨FIRE.

†than [ðæn, 弱 ðən] *conj.* ① 〔形容詞·副詞의 比較級과 함께〕 …에 비하여, …와 비교하여, …보다: You will get there earlier ~ he (will). 그보다 자네가 거기 먼저 도착할 것이네 / He loves you more ~ I (do). 나보다 그가 더 너를 사랑한다 《than 다음에 오는 (대)명사가 주격임을 명시하고자 할 때에는 代動詞 do를 씀》/ He is taller ~ *any other* boy in his class. 그는 반에서 누구보다도 키가 크다 / It is easier to persuade him ~ forcing 〔(to) force〕 him. 그 사람을 강제하기보다 설득하는 편이 쉽다 / Easier 〔Sooner〕 said ~ done. 《俗談》 말하기는 쉽고 행하기는 어렵다.
② 〔關係代名詞的으로〕 …보다, …이상으로《目的語·主語·補語의 역할을 겸해서 갖는 용법임》: There is more money ~ is needed. 필요 이상의 돈이 있다 / Don't use more words ~ are necessary(=... ~ *those which* are necessary). 필요 이상의 말은 쓰지 마라.
③ 〔rather, sooner 따위의 뒤에 와서〕 (…하느니) 보다는 (오히려), …할 바에는 (차라리): He is a businessman *rather* 〔*rather* a businessman〕 ~ a scholar. 그는 학자라기보다는 (오히려) 실업가이다 / I would *rather* 〔*sooner*〕 die ~ surrender. 항복하느니 차라리 죽겠다.
④ **a**) 〔else, other, otherwise, another 따위와 함께; 흔히 否定文에서〕 …밖에는 (다른), …이외에(는): She did *nothing else* ~ smile. 그녀는 그저 미소만 지을 뿐이었다 / I can*not* do *otherwise* ~ obey you. 당신을 따르는 것 밖에는 별 도리가 없습니다 / The fact is *not* known *elsewhere* ~ in America. 그 사실은 미국 이외의 다른 곳에는 알려져 있지 않다. **b**) 〔different, differently와 함께〕 《美口》 …와는 (다른, 달리): He took a *different* approach to it ~ I did. 그는 나와는 다른 방법으로 그것에 착수했다.
⑤ 〔Scarcely 〔Hardly, Barely〕+had+主語+過去分詞의 형식으로〕 《口》 =when 《no sooner... than 과의 혼동에 의한 오용에서》: *Hardly* had I got home ~ it began to rain. 집에 돌아오자마자 비가 오기 시작했다.
***no sooner* — ~ ...** ⇨SOON.
— *prep.* ① **a**) 〔目的格의 人稱代名詞를 수반하여〕 《口》 …보다도, …에 비하여: Paul is taller ~ me. 폴은 나보다 키가 크다《... than I (am). 으로 하면 than은 접속사》/ He is much wealthier ~ us all 〔both〕. 그는 우리 모두〔둘〕보다 훨씬 부유하다. **b**) 〔ever, before, usual 따위의 앞에 와서〕 …보다도: He came earlier ~ *usual*. 그는 여느 때보다도 일찍 왔다 / The park has become cleaner ~ *before*. 그 공원은 전보다 깨끗해졌다.
② 〔different, differently의 뒤에 쓰여〕 《美口》 …와는 (다른, 달리): His way of living is *different* ~ ours. 그의 생활 방식은 우리와는 다르다.
③ 〔關係代名詞 whom, which의 앞에서〕 《文語》 …보다도, …이상으로: He is a person ~ *whom* I can imagine no one more courteous. 그와 같이 예절 바른 사람은 달리 없다고 생각되는 인물이다.

than·a·tol·o·gy [θæ̀nətɑ́lədʒi / -tɔ́l-] *n.* Ⓤ 사망학(死亡學), 사망심리 연구, 태너털러지.
㉺ **than·a·to·log·i·cal** [-təlɑ́dʒikəl / -lɔ́dʒ] *a.*

than·a·to·pho·bia [θæ̀nətoufóubiə] *n.* Ⓤ 〖精神醫〗 사망 공포(증).

Than·a·tos [θǽnətɑ̀s / -tɔ̀s] *n.* ① 〖그神〗 타나토스《죽음의 신》. ② 〖精神醫〗 죽음의 본능.

thane [θein] *n.* Ⓒ ① (영국 앵글로색슨 시대의) 왕의 근위 무사, (귀족과 자유민 중간의) 향사(鄕士). ② 〖Sc. 史〗 족장, 호족(豪族).

†thank [θæŋk] *vt.* ① 《~+목/+목+전+명》 …에게 감사〔사례〕하다, …에게 사의를 표하다: She ~*ed* him *for* his advice. 그의 충고에 그녀는 감사했다 / *Thank* you for having me 〔us〕. 잘 먹었습니다《파티 등의 헤어질 때 인사말》(⇨관용구 Thank you.). ② 《+목+전+명/+목+*to* do》 〔흔히 I will, I'll 형식으로 강한 요망·의뢰 또는 반어·비꼬는 데 쓰임〕 …을 부탁하다, 요구하다 (*for*): I'll ~ you *for* the return of my money. 내 돈 돌려 주시오. ③ 〔再歸的〕 …은 제탓이다, 자업자득이다: You may ~ *yourself for* that. 그건 네 자업자득이다. ***No, ~ you.*** 아니, 괜찮습니다 《사절의 인사》. ***Thank God*** 〔***Heaven***〕***!*** 고마워라, 이런; 고맙게도: *Thank Heaven* you've come. 잘 오셨소 / *Thank God* she's safe. 고맙게도 그녀는 구조되었다. ***Thank you.*** (1) 고맙소; 수고했소; 미안합니다《감사의 뜻으로》: *Thank you* very much. 고맙습니다. (2) 부탁드립니다, 제발. ★¹ '*Thank* you.'는 'Yes, please.'의 뜻으로 흔히 쓰임. (3) 〔상대방의 Thank you. 에 답하여, you에 강세를 두고〕 천만에, 별 말씀을, 제가 오히려. ★² I와 you에 강세를 두고 I must *thank* you. 라고도 함. (4) (강연의 마지막 등에) (들어 주셔서) 감사합니다; (훈시·무전연락 등의 끝에) 이상. ***Thanks*** 〔***Thank you***〕 ***for nothing.*** 걱정도 팔자다, 쓸데없는 간섭이다. ***You have only yourself to ~ for that.*** 그건 네 자업자득이다.
— *n.* (*pl.*) 감사, 사의, 치사, 사례: a letter of ~*s* 감사의 편지 / express 〔extend〕 one's ~*s* 사의를 표하다 / bow 〔smile〕 one's ~*s* 절하며〔미소지어〕 사의를 표하다 / He returned my umbrella with ~*s*. 그는 고맙다면서 우산을 돌려 주었다.
— *int.* (*pl.*) 《口》 고맙소.
give 〔***return***〕 ***~s to*** …에게 감사하다; (건배에 대해) 답사를 하다; (식사 전후에) 감사기도를 드리다. ***No ~s!*** 달갑지 않다. ***No, ~s.*** 《口》 아니 괜찮습니다(No, ~ you). ***no*** 〔***small***〕 ***~s to ...*** 《口》 …의 덕분은 아니고〔아니지만〕, …에게는 아무런 도움도 받지 않고: We pushed through somehow, (but) *small* 〔*no*〕 ~*s to* you. 이럭저럭 됐지만 네 덕은 아니다. ***~s to ...*** …의 덕택에, …때문에(owing to)《★ 나쁜 뜻으로도 씀》: *Thanks to* her help, I was able to finish it in time. 그녀가 도와준 덕분에 그것을 시간내에 끝낼 수 있

었다.

‡thank·ful [θǽŋkfəl] (*more* ~; *most* ~) *a.* ① 〔敍述的〕 감사하고 있는, 고마워하는 : I am ~ *to* you *for* your encouraging words. 격려해 주셔서 감사합니다. ② 사의를 표하는, 감사의.

thank·ful·ly [-fəli] *ad.* ① 감사하여, 고맙게 생각하여. ② 〔文章修飾〕 감사하게도.

***thank·less** [θǽŋklis] *a.* ① 감사하지 않는, 은혜를 모르는, 배은망덕의 : a ~ fellow 배은망덕한 놈. ② (일이) 감사받지 못하는, 수지가 안맞는 : a ~ job 〔task〕 빛이 나지 않는 일 / Trying to help them proved to be a ~ task. 그들을 도우려 했으나 달가워하지 않았다.

‡thanks·giv·ing [θæ̀ŋksgíviŋ / ⌐-⌐] *n.* ① (T-) = THANKSGIVING DAY. ② **a)** Ⓤ 감사하기 ; (특히 하느님에 대한) 감사. **b)** Ⓒ 감사의 기도.

Thanksgíving Dày 감사절《미국은 11월의 제 4 목요일 ; 캐나다는 10월의 제2 월요일》.

thank-you [θǽŋkjù:] *a.* 〔限定的〕 감사의 : a ~ letter 〔note〕 사례 편지. —— *n.* Ⓒ 감사의 말.

†that [ðæt, 弱 ðət, ðt] 《용법 A), B)에 의한 발음의 차이에 주의. A)의 복수형 those는 별항에서 설명》.

A) 《指示詞》 [ðæt] (*pl.* ***those*** [ðouz]) *a.* 〔指示形容詞〕 ① **a)** 〔떨어져 있는 것·사람을 가리켜〕 : ~ man over there 저 쪽의 저 사람 / Who is ~ boy over there? 저기 있는 (저) 소년은 누구냐 / What is ~ noise? 저 소리가 무슨 소리냐. **b)** 〔먼 곳·때를 가리켜〕 그, 저 쪽의, 저 : at ~ time 그 때 / in ~ country 그 나라에서 / ~ day 〔night〕 그날〔그날 밤〕《종종 副詞的으로 사용됨》. **c)** 〔this와 상관적으로 쓰이어〕 저 : He walked *this* way and ~ way. 그는 여기저기를 걸었다. **d)** 〔친근·칭찬·혐오 등의 감정을 담아〕 그, 저, 예의 : ~ dear (of my wife) 나의 사랑하는 아내 / Here comes ~ smile! 예의 그 미소가 떠오른다 / We're getting tired of ~ Bill. 저 빌 녀석에겐 진절머리 난다.

② 〔앞에 말했거나 이미 서로 알고 있는 것을 가리켜〕 저, 그 : ~ sweet voice of hers 그 여자의 그 고운 목소리 / *those* shoes of yours 자네의 그 구두 / Mr. Brown? I don't know any man of ~ name. 브라운씨라고? 그런 이름을 가진 사람은 모른다.

③ 〔關係詞의 선행사에 붙여〕 그《the 보다 뜻이 강하며 선행사임을 명시함》: ~ amusing fellow *who* often comes here 여기에 자주 오는 그 재미있는 친구.

—— (*pl.* ***those***) *pron.* 〔指示代名詞〕 ① **a)** 〔떨어져 있는 것·사람을 가리켜〕 저것, 그것 ; 저〔그〕 사람 : *That*'s my book ; this is yours. 저것은 내 책이야, 이것이 네 것이고 / What's ~? 저〔그〕것은 무엇인가 / *That*'s my uncle coming along. 저 쪽에서 오는 사람은 나의 삼촌이다 / Who's ~, please? 《英》 (전화에서) 누구시지요《《美》에서는 this를 씀》. **b)** 〔앞에 말했거나 이미 서로 알고 있는 것을 가리켜〕 그것, 저것 : After ~, things changed. 그후 사정이 바뀌었다 / *That* will do. 그것이면 된다《됐다》; 이제 그만해라, 작작 해 두어라 / (Is) ~ so? 그러냐 / *That*'s not what I mean. 제가 말씀드린 건 그런 뜻이 아닙니다 / It is ~. = *That* it is. 바로 그렇다 / *That*'s how it is. 그게 사실이다 / *That*'ll be 〔*That* comes to〕 ten dollars. 10달러 입니다《상인이 대금 따위를 청구하는 말》.

② **a)** 〔앞에 나온 名詞의 반복을 피하여〕 (…의, …한) 그것《보통 제한적 관계사절을 수반하거나 that of (복수형은 those of)의 꼴로 쓰임 ; 사람에 대하여는 안 씀》: The temperature here is higher than ~ of Seoul. 이곳의 기온은 서울(의 기온)보다 높다. **b)** 〔앞선 진술을〔의 일부를〕 강조적으로 반복하여〕 (바로) 그렇다, 맞다 ; 좋다 : Is he happy?—He is ~. 그는 행복한가—그렇고말고 / Is John capable?—He's ~. 존은 유능한가—그렇고말고《Yes, he is. 나 So he is. 보다도 강조적임》/ Will you take this to her?—*That* I will. 이것을 그 여자에게 갖다 주겠나—응, 그렇게 하지.

③ 〔關係代名詞 which의 先行詞로서〕《文語》 (…하는) 것 : There is ~ about him *which* mystifies one. 그에게는 어딘가 사람을 어리둥절케 하는 데가 있다 / *That which* is bought cheaply is the dearest. 《俗談》 싼게 비지떡.

④ 〔this '후자'와 호응하여〕 전자(the former) : Industry and ability are both important, but sometimes ~ does more than *this*. 근면과 재능은 둘 다 중요한데, 때로는 전자가 후자보다도 더 큰 구실을 할 때가 있다 / Virtue and vice are before you ; *this* leads you to misery, ~ to peace. 선과 악이 있다 하자. 후자는 사람을 불행으로, 전자는 평화로 인도한다.

and all ~ ⇨ALL 成句. ***and*** ~ . . . (1) 〔앞엣말 전체를 받아〕 게다가, 그것도 : Get out of here, *and* ~ quick! 여기서 꺼져, 냉큼. (2) 《英俗》 = and all that (⇨ ALL 成句). ***at*** ~ (1) 〔흔히 文·節의 끝에서〕 그 위에, 게다가 (as well) : He bought a car, and a Cadillac *at* ~. 그는 차를 샀다, 그것도 캐딜락으로. (2) 그대로 ; 거기까지, 그쯤에서 《'그 이상은 …하지 않다'의 뜻》: Let's leave *at* ~. 그쯤 해 두자. (3) 《美口》 (그 점에 관해) 여러모로 생각해보니 : You may be right, *at* ~. 생각해보니 네 말이 옳은 것 같다. (4) = with that. ***be*** ~ ***as it may*** 어떻든, 아무튼. ***for all*** ~ 그럼에도 불구하고. ***like*** ~ 그렇게, 그런 식으로 : Do you always study *like* ~? 언제나 그렇게 공부하나. ***So*** ~***'s*** ~. = That's ~. ***Take*** ~ ***!*** (사람을 때릴 때) 이거나 먹어라, 이래도 덤빌 테냐. ***That does it !*** (1) 이제 그만 ; 이걸로 됐다. (2) 그건 너무하다, 더는 참을 수 없다. ~ ***is*** (***to say***) 즉, 좀더 정확히 말하면 : He will leave Korea in five days, ~ *is to say* next Saturday. 그는 닷새 후 즉 다음 토요일에 한국을 떠난다. ***That's . . . for you.*** ⇨ FOR. ***That's it.*** 《口》 (1) 그것이 문제다. (2) 아 바로 그것〔그 점〕이다, 맞아. (3) 그것으로 끝장이다, 이제 틀렸다. ***That's done it !*** ⇨ DO[1]. ***That's more like it !*** ⇨LIKE[2] 成句. ***That's right !*** = ***That's so.*** 그래, 맞아, 맞았어 ; 《口》 찬성이요 찬성, 옳소《강연회·의회 등에서》. ***That's*** ~. 《口》 그것으로 끝〔결정됐다〕 ; 이것으로 폐회합니다 ; 자〔이제〕 끝났다《일 따위가 끝났을 때》; 끝장이다《단념·포기》; 더 이상 얘기해 보았자 소용없다 : I won't go and *that's* ~. 안 간다면 안 가는 거야. ***That's the last straw !*** ⇨LAST STRAW. ***That's what it is.*** ⇨WHAT. ***That's why . . . .*** 그것이 …하는 이유다 : *That's why* I don't like it. 그래서 그것이 싫단 말이야〔다〕. ***this*** (. . .) ***and*** 〔***or***〕 ~ ⇨THIS. ***this,*** ~, ***and the other*** ⇨ THIS. ***upon*** ~ 이에, 그래서 곧. ***with*** ~ 그리하여, 그렇게 말하고 : "I will never see you again," he said, and *with* ~ he left. '다시는 못만나겠군' 이라고 말하고나서 그는 떠났다.

—— *ad.* (비교 없음) 〔指示副詞〕 ① 《口》 그렇게, 그 정도로 (to that extent) 《수량·정도를 나타내는 形容詞·副詞를 수식함》: Has she been away from home ~ long? 그녀는 그렇게 오래도록 집을 비우고 있나요 / He only knows ~ much. 그는 그 정도밖에 모른다. ② 〔흔히 not all that…으로〕 그

다지 (…아니다), 그렇게 (…아니다)《否定을 약화시킴》: He is*n't all* ~ rich. 그는 그렇게 부자는 아니다.

B) ≪連結詞≫ [ðət, 《稀》 ðæt] *rel. pron.* 〔제한적 용법의 關係代名詞〕 ① 〔先行詞가 사람이나 사물일 때〕 …하는, …인. **a)** 〔主語로서〕: Give it to the girl ~ 〔who〕 came here yesterday. 어제 여기 왔던 소녀에게 그것을 주시오 / Look at the house ~ 〔which〕 stands on the hill. 언덕 위에 있는 집을 보아라. **b)** 〔補語로서〕《先行詞가 사람이더라도 who로 대용할 수 없으며, 종종 that은 생략됨》: Like the artist ~ he is, he does everything neatly. 그는 역시 예술가답게 무엇이든 솜씨있게 잘 한다. **c)** 〔他動詞·前置詞의 目的語로서〕《흔히 that은 생략됨》: This is the man (~ 〔whom〕) I met yesterday. 이분이 내가 어제 만난 사람이다. ② 〔주로 that을 쓰는 경우〕 **a)** 〔先行詞가 形容詞의 최상급 서수사, all the, the only, the same, the very 따위의 말로 수식된 때〕: *the first* man ~ came here 여기에 온 최초의 사람《who 도 많이 사용됨》. **b)** 〔先行詞가 疑問代名詞나 all, much, little, everything, nothing 따위일 때〕: *Who* ~ has common sense can believe such a thing? 상식이 있는 사람이라면 누가 그런 것을 믿을 것인가. **c)** 〔先行詞가 사람·사물을 함께 포함할 때〕: The *pedestrians* and *vehicles* ~ cross this bridge are counted automatically. 이 다리를 건너는 사람과 차량수는 자동적으로 계산된다.

③ 〔때·방법·이유 따위를 나타내는 名詞를 先行詞로 하여 關係副詞的으로 쓰여〕 …하는, …인《that은 흔히 생략되며, 특히 the way 뒤의 that은 보통 쓰지 않음》: That was the second time (~) we met. 그것이 우리가 만난 두 번째 기회였다.

④ 〔It is ... that— 의 형식으로 名詞(어구)를 강조하여〕 —하는 것은(…이다)《구어에서는 종종 that을 생략함》: *It was* a book ~ I bought yesterday. 내가 어제 산 것은 책이었다. ~ ***is* 〔*was, is to be*〕** 현재〔본디, 장차〕의: Mrs. Brown, Miss Nixon ~ *was* 본디 닉슨 양이었던 브라운 부인.

— [ðət, 《稀》 ðæt] *conj.* 〔從位接續詞〕 ① 〔名詞節을 이끌어〕 …하다는〔이라는〕 것. **a)** 〔主語節을 이끌어〕: *It's* a pity (~) he doesn't speak English. 그가 영어를 못한다는 것은 유감이다. **b)** 〔補語節을 이끌어〕《that이 종종 생략되거나 콤마로 될 때가 있음》: My opinion is (~) he really doesn't understand you. 제 의견은, 그가 실제로는 선생의 말씀을 못 알아듣는다는 것입니다《이런 문형이 가능한 주요 명사들: chance, fact, problem, reason, rumor, trouble, truth》/ It seems (~) the baby is asleep. 아기는 잠을 자는 것 같다. **c)** 〔目的語節을 이끌어〕《종종 that은 생략됨》: I knew (~) he was alive. 나는 그가 살아있다는 것을 알았다 / Do you consider it fair ~ he should treat me thus? 그가 나를 이렇게 취급하는 것이 당연하다고 생각하느냐《it은 that절의 형식 목적어》. **d)** 〔同格節을 이끌어〕: The belief ~ the world was round was not peculiar to Columbus. 이 세상이 둥글다는 신념은 콜럼버스만의 것은 아니었다 / The chances are very good ~ she'll be promoted. 그 여자가 승진할 가능성은 매우 높다. **e)** 〔形容詞·自動詞 등에 계속되는 節을 이끌어〕《종종 that은 생략되며, 副詞節로 보기도 함》: I'm afraid (~) he will not come. 그가 오지 않을지도 모르겠구나 / He complained ~ I was lazy. 그는 내가 게으르다고 불평했다.

② 〔副詞節을 이끌어〕 **a)** 〔(so) that… may do, in order that… may do의 형식으로 목적을 나타내어〕 …하기 위해, …하도록《that-節 속에서 may 〔might〕를 쓰는 것은 딱딱한 표현이며, can, will 〔could, would〕가 쓰임; 또 구어에서는 종종 that 가 생략됨》: Speak louder *so* (~) everybody *can* hear you. 모두에게 들리도록 더 큰 소리로 말하세요 / He sacrificed his life (*so*) ~ 〔*in order* ~〕 his friends *might* live happily. 그는 친구들이 행복하게 살 수 있도록 자기 생명을 희생했다 / I tried to walk quietly, *so* ~ they *would* not hear me. 나는 그들이 발소리를 못 듣도록 가만히 걸으려고 애썼다. **b)** 〔so 〔such〕 ... that —의 형식으로 결과·정도를 나타내어〕 매우 …해서, —할 정도로 …《구어에서는 종종 that을 생략함》: I remember *so* much (~) I often think I ought to write a book. 기억나는 것이 아주 많아서 책이라도 써야겠다고 가끔 생각한다 / He is *such* a nice man (~) everybody likes him. 사람이 좋으므로 모든 사람들이 그를 좋아한다 / I'm not *so* poor ~ I cannot lend you a few dollars. 나는 너한테 몇 달러 빌려줄 수 없을 만큼 가난하지는 않다. **c)** 〔원인·이유를 나타내어〕 …이므로, …때문에, …해서《종종 that 은 생략됨》: I'm glad 〔happy, pleased〕 (~) you (should) like it. 그것이 마음에 든다니 기쁘다 / I agreed. Not *that* I am satisfied. 나는 동의했다. 그렇다고 내가 만족해 하고 있는 건 아니다. **d)** 〔판단의 근거를 나타내어〕 …을 보니〔보면〕, …하다니《that-節(속)에서 종종 should가 쓰임》: He must be hurt ~ he *should* react like that. 저런 태도로 나오는 것을 보니 감정을 상했음이 틀림없다 / Are you mad ~ you *should* do such a thing? 그런 짓을 하다니 자네 미쳤나 / Who is he, ~ he *should* come at such an hour? 이런 시각에 오다니 도대체 그 자는 어떤 놈이냐《발칙하다》. **e)** 〔흔히 否定語 뒤에서〕 …하는 한에서는: Any calls for me? — *Not* ~ I know of. 내게 전화 있었나? — 내가 아는 한 없었어 / He *never* read it, ~ I saw. 내가 본 바로는 그는 한 번도 그것을 읽지 않았다. **f)** 〔양보·사정을 나타내어〕 《文語》 …이지만, …하지만; …이〔하〕므로, …하여서 (as) 《주격 보어가 that 앞에 옴》: Naked ~ I was, I braved the storm. 비록 알몸이었지만 나는 폭풍우에 굴하지 않았다 (= Though I was ...) / Jim, fool ~ he was, completely ruined the dinner. 짐은 바보였으므로 저녁 식사를 완전히 잡쳐 놓았다《that 앞의 단수 명사에는 관사가 붙지 않음》.

③ 〔It is ... that —의 형식으로 副詞(어구)를 강조하여〕 —하는 것은 (…이다): *It was* yesterday 〔here〕 (~) it happened. 그것이 일어난 것은 어제〔여기〕였다 / When *was it* ~ this meeting took place? 이 회합이 열린 것은 언제였나.

④ 〔假定法을 수반하여 바람·기원·놀람·분개 따위를 나타내는 節을 이끌어〕 《文語》 …하다니; …면 좋을텐데: *That* he *should* betray us! 그가 우리를 배반하다니 / O ~ 〔Would ~〕 I *knew* the truth! 진상을 알면 좋을 텐데.

***but* ~ . . .** ⇨ BUT *conj.* B) ② ④. ***in* ~. . .** ⇨ IN. ***not* ~ . . .** ⇨NOT. ***now* ~ . . .** ⇨NOW *conj.* ***so* ~ . . .** ⇨SO[1].

***thatch** [θætʃ] *n.* ① Ⓤ (지붕 따위를 이기 위한) 짚, 억새, 풀. ② Ⓒ 초가지붕. ③ Ⓒ 《口》 숱이 많은 머리털. — *vt.* (지붕)을 이다: ~ a roof with straw 짚으로 지붕을 이다 / a ~*ed* roof 초가지붕 / a ~*ed* cottage 초가지붕의 시골집.

Thatch·er [θǽtʃər] *n.* **Margaret Hilda** ~ 대처 (1925-)《영국의 정치가; 수상(1979-90)》.

that'll [ðætl] that will의 간약형.

that's [ðæts] that is, that has 의 간약형.

***thaw** [θɔː] *vi.* ① 〔it를 主語로〕 (눈·서리·얼음 따위가) 녹다; 눈·서리가 녹는 철이 되다: The snow 〔river〕 began to ~. 눈〔강의 얼음〕이 녹기 시작했다 / It ~*ed* early last spring. 작년 봄엔 눈이 일찍 녹았다. ② 《~ / +圓》 (냉동식품이) 녹은 상태가 되다《*out*》; (얼었던 몸이) 차차로 녹다 《*out*》: This meat will take at least an hour to ~ (*out*). 이 고기 녹이는데 적어도 한 시간은 걸릴 것이다 / I'm ~*ing*. 겨우 몸이 풀렸다 / Come up to the fire, and you will ~ *out*. 난로 가까이 오시오. 그러면 몸이 풀릴 것이오. ③ (감정·태도 따위가) 누그러지다, 풀리다《*out*》: She began to ~ as we talked. 이야기를 하는 동안에 그녀는 마음을 터놓기 시작했다 / His shyness ~*ed* under her kindness. 그녀의 호의로 그의 수줍음은 누그러졌다. ── *vt.* ① (눈·얼음·언〔얼린〕것 등)을 녹이다: The sun ~*ed* the snow. 햇볕에 눈이 녹았다. ② (얼었던 몸)을 따뜻하게 하다: The warmth of the room gradually ~*ed out* my fingers. 방안의 따스한 기운이 조금씩 내 손가락을 녹여주었다. ③ …을 풀리게 하다: Some kind words will ~ him out. 몇마디 친절한 말을 하면 그는 누그러질 것이다.

── *n.* Ⓒ ① 눈석임, 해동, 해빙기: spring ~ 봄의 해동 / The frost resolved into a trickling ~. 서리가 녹아 물이 되어 떨어졌다. ② (국제 관계 등의) 긴장 완화, 해빙: a diplomatic ~ 외교상의 긴장 완화 / a ~ in U.S.·Chinese relations 미·중 관계의 해빙.

Th. D. *Theologiae Doctor* 《L.》(=Doctor of Theology 신학 박사).

†**the** [보통은 弱 ðə 《자음 앞》, ði 《모음 앞》; 強 ðiː] *def. art.* ① 〔限定〕 그, 이, 예의. **a)** 〔이미 나온 名詞에 붙여〕: Once there was *an* old man. *The* old man had three sons. 옛날에 한 노인이 살고 있었다. 그 노인에게는 아들이 셋 있었다. **b)** 〔수식어에 의해서 한정되는 名詞에 붙여〕: ~ house we live in now 지금 우리들이 살고 있는 집 / *the* principal of our school 우리 학교의 교장《비교: a teacher of our school 우리 학교의 (어느 한) 선생님》. **c)** 〔이미 나온 것과 관계가 있는 것; 그 일부〕: He built a house and painted ~ roof red. 집을 짓고 지붕을 빨갛게 칠했다. **d)** 〔주위의 정황으로 보아 듣는이가 알 수 있는 것에 붙여〕: Shut ~ door, please. 문을 닫아 주시오《가까이 있는》/ Please pass ~ salt. 그 소금그릇 좀 건네 주세요. **e)** 〔유일물·자연 현상·방위·계절 따위에 붙여〕: ~ Bible 성서 / ~ Almighty 전능한 신.

> 語法 (1) 형용사와 함께 쓰일 때는 종종 a, an을 붙임: *a* calm sea 잔잔한 바다 / *a* cloudy sky 흐린 하늘 / *a* full moon 보름달, 만월.
> (2) 태양계의 지구 이외의 떠돌이별은 고유명사로서 the가 붙지 않음: Mars 화성 / Mercury 수성.
> (3) 사철의 이름은 특정한 해의 철이면 the를 붙이고, 비특정이면 붙이지 않는 것이 원칙인데, *Spring* has come. 과 같은 경우에는 보통 붙지 않으며 또 전치사 in을 수반할 경우, 비특정인 때에는 the가 있는 것과 없는 것 두 가지가 있음: in (*the*) summer 여름에.

② 〔대표 단수에 붙여〕 …라는 것《동식물·발명품·악기 따위에 붙여 같은 종류의 것을 대표함》: play ~ piano 피아노를 치다 / *The* gramophone was invented by Thomas Edison. 축음기는 토머스 에디슨에 의해 발명되었다 / *The* dog is a quadruped. 개는 네발 짐승이다. ★ man과 woman은 child, boy, girl 등과 대조적으로 쓰이는 경우 외에는 관사 없이 인간 일반을 의미함: *Man* is mortal. 사람은 언젠가는 죽는다.

③ 〔같은 부류의 총괄〕 모든 …, 전(全)…. **a)** 〔the+複數普通名詞〕: ~ teachers of our school 우리 학교의 (모든) 선생님들《비교: teachers of our school 우리 학교의 (일부) 선생님들》. **b)** 〔the+複數固有名詞〕: ~ Koreans 〔~ British, ~ Americans〕 한국인 〔영국인, 미국인〕《민족 전체》/ ~ Kims 김씨 가문《전원》. ★ 단수형 the *American*은 특정의 한 미국인, 또는 '미국 사람이란 것'이라는 총칭적인 표현. **c)** 〔the+集合名詞〕: ~ multitude 대중 / ~ elite 엘리트족(族) / ~ people (전)국민《비교: people 사람들》. **d)** 〔the+직업 이름〕 ~ bench 법관 전부 / ~ bar 법조계《변호사들의》/ ~ pulpit 종교계.

④ 〔소유격 대신으로〕 **a)** 〔신체나 의복의 일부 등에 붙여〕: She caught me by ~ sleeve. 나의 소매를 잡아 당겼다 / She took him by ~ hand. 그녀는 그의 손을 잡았다. **b)** 《口》 〔가족이나 소유물에 붙여〕: consult ~ wife 아내와 의논하다 / *The* car broke down on my way to school. 학교에 가는 도중 차가 고장이 났다《*My car*의 뜻》.

⑤ 〔單數名詞 앞에 붙여, 그 특성·성질 따위를 나타내어〕: ~ brute in man 인간의 야수성 / ~ heart 애정 / ~ cradle 유아〔요람〕기 / *The* pen is mightier than ~ sword. 문(文)은 무(武)보다 강하다 / When one is poor, ~ beggar will come out. 가난하면 거지 근성이 나온다.

⑥ 〔形容詞·分詞 앞에 붙어〕 **a)** 〔추상명사의 대용으로서, 단수 취급〕: ~ beautiful 아름다움, 미(美) / ~ sublime 숭고(함) / *The* unexpected is bound to happen. 예기치 않은 일은 반드시 일어나게 마련이다. **b)** 〔보통명사의 대용으로서, 보통 복수 취급〕: ~ poor 가난한 사람들 / ~ blind 시각 장애자들 / ~ deceased 고인(들).

⑦ 〔특수한 병명에 붙여〕: ~ measles 홍역 / ~ 이하선염(耳下腺炎) / ~ jitters 신경과민. ★ 병명에는 보통 관사를 안 씀. measles, mumps에도 관사를 쓰지 않을 때가 있음.

⑧ 〔단위를 나타내는 名詞에 붙여서〕《전치사 뒤에 올 때가 많음》: Tea is sold by ~ pound. 차는 파운드 단위로 판다.

⑨ 〔강조적으로 쓰여〕 진짜, 일류의, 대표〔전형〕적인, 그 유명한《[ðíː]로 발음하며, 인쇄에서는 이탤릭체로 씀》: Caesar was *the* general of Rome. 카이사르는 로마 유일의 명장이었다.

⑩ 〔때를 나타내는 말 앞에 붙여서〕 현재의: books of ~ month 이 달의 책 / a match of ~ day 오늘의 경기.

⑪ 〔twenties, thirties, forties 등의 복수형 앞에서〕 …년대; …대(臺): from ~ thir*ties* to ~ six*ties* of the nineteenth century, 19세기의 30년대에서 60년대까지 / Your grade was in ~ nine*ties*. 네 점수는 90점대였다. ★ 사람의 나이에 쓰면 '…대(代)'의 뜻이 되는데, 개인적인 경우에는 the 대신 보통 소유격을 씀: Father changed jobs in *his* fift*ies*. 아버지는 50대에 직업을 바꾸셨다.

⑫ 〔the를 상습적으로 수반하는 形容詞: 비교급과 최상급〕 **a)** (i) 〔最上級〕: ~ *best* thing 최상의 것. (ii) 〔둘에 관해 쓰인 比較級〕: ~ *better* dancer (보다) 더 잘 추는 댄서 / ~ *younger* of the two 두 사람 중 젊은 쪽. ★ 다만, 명사도 of the two도 붙지 않은 Which is *better* 〔*longer*, etc.〕? 의 형태에서는 흔히 관사를 안 붙임. **b)** 〔동일함을 나타내는 것〕: ~ *same* thing 동일물 / ~ *very* book I lost 잃어버린 바로 그 책 / ~ *identical* person 본인. **c)** 〔유일·전체를 가리키는

것): ~ *only* hope 유일한 희망 / ~ *one* thing necessary 유일한 필요물 / ~ *sole* agent 총대리점 / ~ *whole* town 온 읍내 / ~ *entire* building 전(全)건물 / *all* ~ world 전세계 / ~ *total* amount 총계. **d)** 〔바르고 그름과 適·不適 따위의 구별을 나타내는 것에〕: ~ *right* man in ~ *right* place 적재적소 / choose ~ *proper* time 적당한 때를 가리다. **e)** 〔'주된'을 뜻하는 것에〕: ~ *chief* topic 주요한 화제 / ~ *principal* products 주요 생산물 / ~ *main* thing 가장 중요한 것〔일〕/ ~ *leading* article 사설, 주(主)논문. ★ 다만, *a* principal product 주생산물의 하나. *a* leading newspaper 한 유명 신문. **f)** 〔둘 중 하나를 나타냄; 둘 또는 둘 이상의 것 중 어떤 수를 제외한 나머지를 나타냄〕: (~) one..., ~ other; one 〔some, two, etc.〕..., ~ other(s)〔~ rest〕; ~ former, ~ latter 등. **g)** (i) 〔序數〕: ~ 2nd (day) of January, 1월 2일 / *The* second man succeeded, but ~ third man failed. 두 번째 사람은 성공했으나 세 번째 사람은 실패했다. ★ 다만, There is *a* third man working behind the scenes. (두 사람 이외에) 배후에서 활동하고 있는 또 한 사람이 있다. (ii) 〔順序形容詞〕: ~ *preceding* chapter 앞장(章) / ~ *previous* night 전날 밤. ⑬ 〔the를 상습적으로 수반하는 固有名詞〕 **a)** 〔군도·산맥은 the+複數꼴〕: ~ Hawaiian Islands 하와이 제도 / ~ Alps 알프스(산맥). ★ 산 개개의 명칭은 관사가 없음. 예외: *the* Matterhorn, *the* Jungfrau. **b)** 〔해양·만·해협·갑(岬)·강·운하·사막·고개·반도 등〕: ~ Mississippi (River) 미시시피 강(江)《~ River Thames와 같은 어순은 주로 영국》/ ~ Panama Canal 파나마 운하. **c)** 〔국명·지명의 일부〕: ~ United States of America 미합중국《약어에도 the를 붙임; 보기: ~ U.S.》/ ~ Sudan 수단 / ~ Netherlands 네덜란드 / *The* Hague 헤이그《네덜란드의 수도; 이 The는 언제나 대문자》. **d)** 〔배·함대·철도·항공로〕: ~ Cleveland 클리블랜드호 / ~ Atlantic Fleet 대서양 함대. ★ 복수형일 때는 관사 없음: American President Lines 프레지던트 항로 / Northwest Airlines 서북 항공. **e)** 〔공공 건물·시설·협회 따위〕: ~ White House 백악관 / ~ Shilla Hotel 신라 호텔 / ~ Municipal Hall 시민 회관 / ~ British Museum 대영 박물관 / ~ Royal Academy of Arts 영국 미술 협회. ★ 공원·역·공항·거리·사원·궁전·대학 따위에는 보통 관사를 안 붙임: Hydepark 하이드파크 / Seoul station 서울역 / Oxford street 옥스퍼드 거리 / Buckingham Palace 버킹엄 궁전 / Yale university 예일 대학교. **f)** 〔신문·서적〕: *The* New York Times 뉴욕타임스지(紙) / *The* American College Dictionary 아메리칸 칼리지 사전 / a copy of ~ Iliad 일리어드 1부. ★ 출판물에서는 여러 가지 경우가 있음: Life 라이프지(誌). *An* Anglo-Saxon Dictionary 앵글로색슨 사전. **g)** 〔칭호·작위 따위〕: ~ Queen 여왕《현재는 Elizabeth 2세를 가리킴》/ ~ President 대통령 / ~ Pope 로마 교황. ★ 바로 뒤에 성이나 이름이 오면 관사 안 붙임: Queen Elizabeth 엘리자베스 여왕 / President Clinton 클린턴 대통령. **h)** 〔인명에 수반되는 形容詞·同格名詞〕: ~ poet Byron 시인 바이런 / William ~ Conqueror 정복왕 윌리엄 / ~ ambitious Napoleon 야심 만만한 나폴레옹. ★ 形容詞가 good, great, old, little, young, poor와 같은 감정적인 말일 때에는 관사 안 붙임: little Emily 어린 에밀리 / poor John 가엾은 존. **i)** 〔... language 형식의 국어명〕: ~ English *language* 영어《보통은 단순히 English라고 함》.

— *ad.* ① 〔指示副詞: 형용사·부사의 비교급 앞에 붙여서〕 (그 때문에) 더욱(더), 그만큼 (더), 오히려 더: I like him all ~ *better* for his faults. 그에게 결점이 있기에 그만큼 더 좋아한다 / She began to work ~ *harder*, because her salary was raised. 급료가 올랐으므로 그녀는 더욱 열심히 일하기 시작했다 / She is none ~ *better* for taking those pills. 그 약을 먹어도 조금도 좋아지지 않았다. ② 〔關係副詞: 指示副詞節에 호응하여〕 ...하면 할수록〔이면 일수록〕 그만큼〔점점〕: *The sooner, the better.* 빠르면 빠를수록 좋다.

> 參考 (1) 위 예문에서 앞의 the는 관계부사, 뒤의 the는 지시부사. 다만, 때로는 종절《관계부사가 이끄는 절》이 뒤에 올 때도 있음. 이때 종종 주절의 the가 빠짐: She played (~) better, ~ more she practiced. 연습하면 할수록 잘하게 되었다.
> (2) 주절《지시부사가 이끄는 절》의 주어와 동사는 종종 도치되는 수가 있음: The higher one goes, the rarer *becomes the air.* 높이 오르면 오를수록 공기가 희박해진다.

‡the·a·ter, 《英》 **-tre** [θí(:)ətər] *n.* ① Ⓒ 극장: a movie 〔picture〕 ~ 영화관 / a drive-in ~ 드라이브인 영화관 / We often go to the ~. 우리는 자주 연극〔영화〕 구경을 간다. ② (the ~) 연극; 연극계: the modern ~ 현대극 / ~ people 연극계의 사람들 / go into the ~ 연극계에 들어가다. ③ Ⓤ 〔無冠詞로〕 극의 상연 성과〔효과〕: good〔bad, pure〕 ~ 잘〔나쁘게, 완벽하게〕 만들어진 연극. ④ Ⓒ (사건 등의) 현장, 무대; 전역(戰域): the ~ of earthquakes 지진의 현장 / the Pacific ~ of World War Ⅱ, 제2차 대전의 태평양 전역. ⑤ Ⓒ **a)** 계단식 강당〔교실〕. **b)** 《英》 수술실(주로 《美》 operating room): a ~ sister〔nurse〕 수술실 간호사 / in ~ 수술실에서《★ 無冠詞》. — *a.* 〔限定的〕 전역(戰域)의: NATO-*theater* nuclear forces, NATO 지역 핵군사력. (The play will) ***be*** 〔***make***〕 ***good*** ~. (그 연극은) 상연에 적합하다〔상연하면 성공한다〕.

the·a·ter·go·er [θí:ətərgòuər] *n.* Ⓒ 연극 관람을 자주 가는 사람, 연극을 좋아하는 사람.

the·a·ter·go·ing [θí:ətərgòuiŋ] *n.* Ⓤ 연극 관람, 관극(觀劇).

the·a·ter-in-the-round [θí:ətərinðəráund] *n.* Ⓒ 원형 극장.

the·at·ric [θiǽtrik] *a.* =THEATRICAL.

***the·at·ri·cal** [θiǽtrikəl] *a.* ① 극장의; 연극의: a ~ company 극단 / ~ effect 극적 효과. ② (언행이) 연극 같은, 과장된, 부자연스러운: ~ gestures 연극조의 몸짓.

— *n.* ① (*pl.*) 연극, 《특히》 소인(素人)극, 아마추어 연극; 연극조의 짓: amateur 〔private〕 ~*s* 소인극. ② Ⓒ 무대 배우, 연극 배우.

㊞ **~·ly** *ad.* 연극처럼, 연극조로.

the·at·ri·cal·ize [-kəlàiz] *vt.* ① ...을 과장하여〔연극조로〕 표현하다. ② ...을 연극하다, 각색하다《★ dramatize가 일반적》.

The·ban [θí:bən] *a.* Thebes (사람)의. — *n.* Ⓒ (특히 그리스의) Thebes 사람.

Thebes [θi:bz] *n.* 테베《(1) 고대 그리스의 도시국가. (2) 고대 이집트의 도시》.

thee [ði:, 弱 ði] *pron.* 〔thou의 目的格〕《古·詩》 그대에게, 그대를.

‡theft [θeft] *n.* ① ⒸⓊ 도둑질, 절도; 절도죄: be accused of the ~ of a car 자동차 절도 혐의로 고발되다. ② Ⓒ 【野】 도루(盜壘).

thegn ⇨ THANE.

†**their** [強 ðɛər, 弱《흔히 모음 앞》ðər] *pron.* ① 〔they 의 所有格〕그들의, 저 사람들의 ; 그것들의 : The boys like ~ school. 소년들은 자기들의 학교를 좋아한다. ② 《口》〔one, everybody 따위 單數의 不定代名詞를 받아서〕 =HIS, HER : No *one* in ~ senses would say such a thing. 올바른 정신으로 그런 말을 할 사람은 없겠지.

†**theirs** [ðɛərz] *pron.* 〔they의 所有代名詞〕① 그들의 것 ; 그것들의 것. cf. mine. ¶ Our school is larger than ~. 우리 학교는 그들의 것보다 크다 / The reward is ~. 보수는 그들의 것이다 / that peculiar custom of ~ 그들의 저 독특한 풍습 / *Theirs* is 〔are〕 good. 그들의 것은 좋다. ② 〔of ~의 꼴로〕 그〔그녀〕들의《★ their는 a, an, this, that, no 등과 나란히 名詞 앞에 놓을 수 없으므로 their를 of theirs로 하여 名詞 뒤에 놓음》: *this* plan *of* ~ 그들의 이 계획 / *that* car *of* ~ 그들의 저 차.

the·ism [θíːizəm] *n.* Ⓤ 유신론(有神論) ; 일신론(一神論). opp. atheism.

the·ist [θíːist] *n.* Ⓒ 유신〔일신〕론자.

the·ist·ic, -i·cal [θiːístik], [-əl] *a.* 유신론(자)의 ; 일신론(자)의. ㊞ **-ti·cal·ly** *ad.*

†**them** [強 ðem, 弱 ðəm] *pron.* ① 〔they 의 目的格 ; 《口》 'em [əm]〕 그들을〔에게〕; 그것들을〔에게〕: I will visit ~ tomorrow. 나는 내일 그들을 방문하겠다. ② 〔單數의 不定代名詞를 받아서〕 = HIM, HER : If anybody wants to see Tom, tell ~ he has gone to America. 누구든 톰을 만나고 싶어하면 톰은 미국에 갔다고 말하시오. ③ 《口》 = THEY. **a**) 〔It's의 뒤에서〕: *It's* ~. 그것은 그들입니다. **b**) 〔as, than의 뒤에서〕: He's taller *than* ~. 그는 그들보다 키가 크다. ④ 〔動名詞의 의미상의 主語로서〕 =THEIR : I don't like ~ *going* out at night. 나는 그들이 밤에 외출하는 것을 좋아하지 않는다. ── *a.* 《方·俗》 =THOSE : ~ (there) friends 저 친구들.

the·mat·ic [θiːmǽtik] *a.* ① 주제〔논제〕의. ② 〖樂〗 주제〔주선율〕의. ㊞ **-i·cal·ly** *ad.*

‡**theme** [θiːm] *n.* Ⓒ ① 주제, 제목, 테마. ② 《美》(학교 과제의) 작문 : the weekly ~*s* 매주의 과제 작문. ③ 〖樂〗 테마, 주제, 주선율.

théme pàrk 테마 공원.

théme sòng 〔**tùne**〕 (라디오·텔레비전 프로의) 테마곡 ; (오페레타·영화 등의) 주제가.

The·mis [θíːmis] *n.* 〖그神〗 테미스《법률·재판·정의를 주관하는 여신》.

†**them·selves** [ðəmsélvz, ðèm-] *pron. pl.* ① 〔強意的 ; 흔히 they 와 동격〕 **a**) 그들 자신 : They ~ have made mistake. 그들 자신이 잘못을 저질렀다. **b**) 〔獨立構文의 主語關係를 특별히 나타내기 위한 용법〕: *Themselves* happy, they make their friends happy, too. 그들은 행복했기 때문에 친구들까지 행복하게 했다. ② 〔再歸的용법〕 그들 자신을〔에게〕: The children hid ~ behind the door. 아이들은 출입문 뒤에 몸을 숨겼다 / They killed ~ by taking poison. 그들은 독약을 먹고 자살했다. cf. oneself. ③ 〔名詞的〕 본래의 〔정상적인〕 그들 자신 : They are not ~ today. 그들이 오늘은 좀 이상하다 / They were ~ again. 그들은 본래의 자신으로 돌아왔다. ***in*** ~ 〔複數名詞를 받아서〕 그 자체로(는), 본래(는). cf. in ITSELF.

†**then** [ðen] *ad., conj.* ① 〔過去·未來에도 씀〕 그때(에〔는〕), 그 당시(에〔는〕), 당시 : I was still unmarried ~. 당시 나는 아직 독신이었다.
② 〔종종 and를 수반〕 그리고, 그 다음에, 다음에(는) : First came the band *and* ~ the dancers. 선두에 악대가 오고, 이어서 댄서들이 왔다 / They had a week in Seoul *and* ~ went to Pusan. 그들은 서울에 1주일 머물렀다가 부산으로 갔다.
③ 〔종종 and를 수반〕 그 위에, 게다가 : I like my job, *and* ~ it pays well. 일이 마음에도 들고, 게다가 돈벌이도 된다.
④ 〔흔히 文章 첫머리나 文尾, 또는 條件節을 받아 主節 첫머리에 써서〕 그렇다면, 그러면 : "It isn't here." "It must be in the next room, ~." '이 방에는 없다' '그렇다면 다음 방에 있을 것이 틀림없다' / So you're not going to visit the doctor. What are you going to do, ~? 의사에게 안가겠다니. 그럼 어쩌겠다는 거냐.
and ~ some 그 이상의 것이, 적어도 : You need luck *and* ~ *some.* 적어도 행운은 필요하다. ***but*** ~ (***again***) 그러나 한편, 그렇게는 말하지만 (또) : I failed, *but* ~ I never expected to succeed. 실패는 했으나 한편 성공은 기대도 안했다. ***even*** ~ 그렇다 해도. (***every***) ***now and*** ~ 때때로, 가끔. ***now . . .*** ~ 어떤 때는 … 또 어떤 때는. ~ ***again*** ⇨AGAIN. ~ ***and not till*** ~ 그때 비로소. ~ ***and there***=***there and*** ~ 그때 그 자리에서, 즉시, 즉석에서 : I decided to refuse his proposal ~ *and there.* 나는 즉석에서 그의 제안을 거절하기로 결심했다.
── *n.* 〔주로 前置詞의 目的語〕 그때, 당시. ***by then*** 그때까지(는). ***since*** ~ =***from*** ~ ***on*** 그(때) 이래.
── *a.* 〔限定的〕 (the ~) 그 당시의 : *the* ~ government 그 당시의 정부. ***the*** ~ ***existing*** (system) 그 당시 있었던 (조직).

‡**thence** [ðens] *ad.* 《文語》 ① 거기서부터 : We went to New York and ~ to Washington. 우리는 뉴욕에 갔고, 거기서 워싱턴으로 갔다. ② 그때부터 (from that time) : a year ~ 그때부터 1년. ③ 그렇기 때문에, 그래서 (therefore) : He was rich, ~ an attractive suitor. 그는 부자였기에 매력있는 구혼자였다. ***from*** ~ 《文語》 거기에서, 거기서부터.

thence·forth [ˊfɔ́ːrθ] *ad.* 《文語》 그때부터, 그 이후, 거기서부터. ***from*** ~ 《文語》 그때 이후.

thence·for·ward(s) [ˊfɔ́ːrwərd(z)] *ad.* 《文語》 =THENCEFORTH.

the·o- '신(神)'의 뜻의 결합사 : *theo*logist.

the·oc·ra·cy [θiːɑ́krəsi / -ɔ́k-] *n.* ① Ⓤ 신권 정치, 신정(神政)《신탁(神託)에 의한 정치》. ② Ⓒ 신정 국가.

the·od·o·lite [θiːɑ́dəlàit / -ɔ́d-] *n.* Ⓒ 세오돌라이트, 경위의(經緯儀).

The·o·do·ra [θìːədɔ́ːrə] *n.* 시어도라《여자 이름 : 「애칭 Dora》.

The·o·dore [θíːədɔ̀ːr] *n.* 시어도어《남자 이름 ; 애칭 Tad, Ted, Teddy》.

theol. theologian ; theological ; theology.

the·o·lo·gi·an [θìːəlóudʒiən] *n.* Ⓒ 신학자.

***the·o·log·i·cal, -log·ic** [θìːəlɑ́dʒikəl / -lɔ́dʒi-], [-ik] *a.* ① 신학(상)의, 신학적인. ② 성서(聖書)에 기초한.

theológical vírtues 신학적인 덕, 대신덕(對神德)《faith, hope, charity의 3 덕》. cf. cardinal virtues.

the·ol·o·gy** [θiːɑ́lədʒi / -ɔ́l-] *n.* ① Ⓤ (기독교) 신학. ② Ⓤ,Ⓒ (특정한) 신학 체계〔이론〕, 종교 이론 : Luther's ~ shocked the Church authorities. 루터의 신학 이론은 교회 당국에 충격을 주었다. ***speculative ~ 사변(思辨)신학. ㊞ **-gist** *n.*

the·o·rem [θíːərəm] *n.* Ⓒ ① (일반) 원리, 법칙. ② 〖數·論〗 정리(定理). cf. axiom.

‡**the·o·ret·ic, -i·cal** [θìːərétik], [-əl] *a.* ① 이론(상)의 ; 학리(學理)〔순리(純理)〕적인 : ~ physics

이론 물리학. ② 사색적인 ; 이론뿐인, 공론의 ; 이론을 좋아하는.

the·o·re·ti·cian [θìːəritíʃən] *n.* ＝THEORIST.

the·o·ret·ics [θìːərétiks] *n.* Ⓤ (어떤 과학·주제의) 순리(純理)적 측면, 이론.

the·o·rist [θíːərist] *n.* Ⓒ 이론가 ; 공론가.

the·o·rize [θíːəràiz] *vi.* 이론〔학설〕을 세우다 《*about*》. ── *vt.* …을 이론화하다.

:the·o·ry [θíːəri] *n.* ① Ⓒ 학설, 설(說), 논(論), (학문상의) 법칙 : the Copernican ～ 코페르니쿠스의 지동설 / Einsteins ～ of relativity 아인슈타인의 상대성 이론 / the ～ of evolution 진화론. ② Ⓤ (예술·과학의) 이론, 학리(學理), 원리. cf. practice. ¶ economic ～ 경제 이론. ③ Ⓒ 의견, 사견(私見). ④ Ⓤ 이치 ; 공론 : The plan is well in ～, but would it succeed in practice? 그 계획이 이치로는 좋으나 실제로 성공할까. ⑤ Ⓒ 추측, 억측. ～ ***of games*** ＝GAME THEORY.

the·os·o·phist [θiːásəfist / -ɔ́s-] *n.* Ⓒ 견신론자(見神論者), 신지학자(神知學者).

the·os·o·phy [θiːásəfi / -ɔ́s-] *n.* Ⓤ 견신론(見神論), 접신(接神)론, 접신학, 신지학(神知學).

ther·a·peu·tic, -ti·cal [θèrəpjúːtik], [-əl] *a.* ① 치료(상)의, 치료법의. ② 건강유지에 도움이 되는. ⊞ **-ti·cal·ly** *ad.*

ther·a·peu·tics [θèrəpjúːtiks] *n.* Ⓤ 치료학, 요법.

ther·a·peu·tist [θèrəpjúːtist] *n.* Ⓒ 요법학자 ; 「임상 의사 ; 치료사.

ther·a·pist [θérəpist] *n.* ＝THERAPEUTIST.

(-)ther·a·py [θérəpi] *n.* Ⓤ,Ⓒ 치료, (…) 요법 : hydro*therapy*.

†there [ðɛər, ðər] **A)** ＜虛辭 이외의 용법＞ [ðɛər] *ad.* (비교 없음) ①〔장소·방향을 나타내어〕 거기〔그곳〕에 ; 거기로, 그곳으로 : I saw nobody ～. 거기에는 아무도 보이지 않았다 / Hello, is Mr. Smith ～? (전화에서) 여보세요, 스미스씨입니까(＝Is that you, Mr. Smith?) 《there는 over the phone의 뜻임》 / I was on my way ～ then. 그때 나는 그곳으로 가는 도중이었다 / Have you ever been to Puyŏ? —Yes, I have been ～ twice. 부여에 가 보신 적이 있습니까—네 (그곳에는) 두 차례 간 일이 있습니다.

> 參考 **here**에 대응하는 **there**의 용법 (1) 명사 뒤에 와서 형용사적으로 쓸 수가 있음 : The boys ～ want to see you. 거기 소년들이 당신을 만나 보고 싶어합니다 / Take that book 〔those books〕 ～. 《口》 거기 그 책을 집으시오.
> (2) 대충의 위치를 보이고, 뒤에 동격적으로 정확한 위치를 보일 때가 있음 : The bag is ～(,) on the table. 백은 거기 테이블 위에 있다.
> (3) 종종 장소를 나타내는 副詞 뒤에 사용됨 : It's cold *up* ～. 거기《고지 따위》는 춥다 / The school is *over* ～. 학교는 저쪽에 있다.

②〔文頭·文尾에서〕 그 점에서, 거기서 ; 그때 : *There* she paused. 거기서 그녀는 이야기를 멈췄다 / His anger was justified ～. 그 일로 그가 화낸 것은 무리도 아니었다 / *There* you misunderstand me. 그점에서 자넨 나를 오해하고 있네.
③〔be ～의 형식으로〕 있다, 존재하다 : The government *is* ～ to promote the people's welfare. 정부는 국민의 복지 향상을 위해 존재한다 / I climb mountains because they *are* ～. 산이 있으니까 오른다. ★ 이 경우 there는 존재 장소가 자명하여 '거기에'란 뜻은 거의 없음.
④〔주의를 촉구하는 强調표현〕 저(것) 봐, 자아 (저기)《다음의 B)와 어순이 같지만 언제나 강세가 온다는 점에서 구별됨. 또 보통, 주어가 명사일 때 동사와의 사이에 도치를 일으키며, 대명사일 때엔 도치가 되지 않음》: *There* goes the last bus! 저봐 막차가 떠난다 / *There* goes the bell! ＝ *There*'s the bell ringing! 자 종이 울린다 / *There* they come. 이(것)봐 그들이 왔다 / *There* it is! 이거다, 있다 / Hi! You ～! 여, 자네《인사로 부를 때》.

Are you ～? (통화가 중단되었을 때 등) 여보세요. ***be all*** ～ (1)〔흔히 否定·疑問文에서〕《口》 정신이 말짱하다, 제 정신이다 : I do*n't* think she'*s all* ～. 그녀의 머리가 어떻게 된 것 같다. (2) 방심하지 않다, 빈틈이 없다. ***get*** ～ ⇨GET. ***have been*** ～ (***before***) 《俗》 경험하여 다 알고 있다. ***here and*** ～ ⇨HERE. ***then and*** ～ ＝～ ***and then*** ⇨THEN. ～ ***and back*** 왕복으로 : It took us four days to get ～ *and back.* 그 곳에 다녀오는 데 나흘 걸렸다. ***There it is.*** (1) ⇨ A) ④. (2) 《口》 (안됐지만) 일이 그렇다. ***There's a good fellow*** 〔***boy, girl***〕***!*** 〔命令形 뒤에서〕 착하지, 부탁해《상대가 꼭 어린애는 아님》. ***There's . . . for you.*** ⇨FOR. ***There we are.*** 《口》＝There you are(4). ***There you are.*** (1) 자 봐(라), 자 어때 (됐지) : You have only to turn the switch, and ～ *you are!* 그저 스위치를 넣기만 하면 돼, 자 됐다〔자 움직이기 시작했다〕《비교 : Here you are. 옜습니다. Here we are. 자아 여기다 ; 다 왔다》. (2) 자 어서(집으세요 ; 드세요). (3)〔흔히 but, still 따위의 뒤에서〕《口》 자 어때 맞았지〔내 말대로지〕. (4)《口》 진상은 그렇단다《할 수 없다》. ***There you go.*** 《口》 (1) ＝There you are. (2) 저봐 또하고 있네 : *There you go,* saying such things again. 저봐 또 그런 소릴하는 군. ***You have*** 〔***have got***〕 ***me*** ～. 이거 손들었는데, 내가 졌다. ***You ～!*** 이봐 자네.

── *n.* 〔前置詞·他動詞의 목적어로서〕 거기, 그곳 : from here *to* ～ 여기서 거기까지 / live *near* ～ 그 근처에 살다 / pass *by* ～ 그 옆을 지나다 / We agreed up *to* ～. 그점까지는 동의하였다.

── *int.* ①〔승리·만족·반항 따위를 나타내어〕 자(봐라), 그봐, 저봐 : *There!* It's done. 어이구 끝났다 / *There!* Didn't I tell you so? ＝ *There!* It's just as I told you. 그봐, 내가 뭐라고 했지〔그러기에 뭐라든〕 / *There,* ～, Ted! 자 자 테드! / Hello ～! 여러분 안녕하십니까《방송의 시작 따위에 하는 인사》. ②〔위로·격려·동정·단념 따위를 나타내〕 자 자, 그래그래, 좋아좋아 : *There!* ～! 자 자 걱정 마. ③〔곤혹·비통함을 나타내어〕 저런, 아 : *There!* You've waked the baby! 저런! 아기를 깨워 놓았구나. ***so*** ～***!*** 〔거절·도전 따위를 나타내어〕 (뭐라해도) 그렇다니까《결심은 변하지 않는다》; 자 어떠냐, 알았지.

B) ＜虛辭로서의 용법＞ [ðər, ðɛər] (is와의 간약형(形) ***there's*** [-z]) *pron.* ①〔there is, there can be 등의 형태로 be 동사를 수반하여〕 …이 있다 : *There's* someone at the door. 문에 누군가(가 와) 있다 / *There* [ðər] *was* nobody there [ðέər]. 거기엔 아무도 없었다 / *There is* no rule without an exception. 예외 없는 규칙이란 없다 / What more *is* ～ to say? 이 이상 더 말할 것이 무엇 있는가 / *There was* a breeze stirring the trees. 산들바람이 나무를 가볍게 흔들고 있었다 / I don't want ～ *to be* any conflict of opinions. 나는 의견상의 충돌이 있기를 바라지 않는다 / *There's* someone (who) wants to see you. 당신을 만나고자 하는 사람이 있습니다 / That's all ～ *is* to it. 얘긴 그걸로 다야. ★ 마지막 두 예에서처럼 主節이나 關係詞節이 there is ..의 구분일 경우에는 주

격이라도 흔히 관계대명사를 생략함.
② 〔there+존재·출현 따위의 動詞+主語〕 …이 ―하다, …이 일어나다: Once ~ *lived* 〔*There* once *lived*〕 a kind-hearted farmer. 옛날에 마음씨 착한 한 농부가 살고 있었다 / *There* never *arose* any problem. 아무 문제도 일어나지 않았다 《didn't를 쓸 수는 없음》 / *There appeared* to be no one in the house. 집엔 아무도 없는 것 같았다.

> 語法 (1) *There are* 〔*is*〕 a book, a pen and a few pencils on the desk. 따위의 경우, 동사는 복수 are가 되어야 할 것이나 실제로는 최초의 단수에 끌려 흔히 There is … , There's …로 됨.
> (2) 간약형 there's는 특히 is를 강조하든가 또는 Yes, *there is*. 나 That's all *there is* to it. 처럼 위치 관계로부터 자연히 is에 강세가 요구될 때에는 쓰이지 않음.
> (3) there is, there are 따위는 소개적으로 쓰이므로 보통 뒤에 불특정한 사물이나 사람이 오지만, 새로 화제에 오르거나 수식어구 따위가 따를 경우에는 특정한 사물이나 사람이 올 때도 있음: *There's the* 〔*that*〕 party. 그 파티가 있다 / *There is*, however, *the* problem of housing. 그러나 주택 문제가 있다.

***There is no** doing* . . . . 《口》 …할 수는 없다: *There is no* go*ing* back. 이젠 돌아갈 수 없다 / *There is no* know*ing* what he will do. 그 사람이 무슨 일을 저지를지 모른다.

there·a·bout(s) [ðέərəbàut(s)] *ad.* ① 그 근처에(서): He was from Texas or ~. 그는 텍사스인가 그 근처 출신이었다. ② (시간·수량·정도 등) 그 무렵에, 그 때쯤; 대략, …정도, …쯤: 5 o'clock or ~ 다섯시 쯤 / The project will cost five million dollars or ~. 이 사업에는 약 5백만 달러 가량 들 것이다.

‡**there·af·ter** [ðεərǽftər, ðεərɑ́:f-] *ad.* 그 후, 그로부터: *Thereafter* we heard no more from him. 그 후 그로부터는 아무 소식이 없었다.

‡**there·by** [ðὲərbái] *ad.* ① 그것에 의해서, 그것으로: He signed the document, ~ gaining control of the firm. 그는 서류에 서명함으로써 그 회사의 지배권을 장악했다. ② 그에 대해서〔관해서〕.

there'd [強 ðεərd, 弱 ðərd] there had, there would의 간약형.

†**there·fore** [ðέərfɔ̀:r] *ad., conj.* 그런 까닭에, 따라서; 그 결과(로서): The police found him, ~ he killed himself. 그는 경찰에 발견됐다, 그래서 자살하고 말았다 / He ran out of money, and (~) had to look for a job. 그는 돈이 떨어져서 일자리를 찾아야 했다.

***there·in** [ðὲərín] *ad.* 《文語》 그 속에; 거기에; 그 점에서: *Therein* lies our problem. 거기에 우리들의 문제가 있다.

there·in·af·ter [ðὲərinǽftər, ðὲərinɑ́:f-] *ad.* 〖法〗 후문(後文)에, 이하에.

‡**there'll** [強 ðεərl, 弱 ðərl] there will, there shall의 간약형.

there·of [ðεərɑ́v, -ʌ́v / ðεərɔ́v, -ɔ́f] *ad.* 《文語》 그것에 관하여; 그것을; 그것의: A new certificate is granted in lieu ~. 그것을 대신하는 새로운 증명서가 교부된다 / these projects and the costs ~ 이들 사업과 그 비용.

there·on [ðεərɑ́n, -ɔ́:n / -rɔ́n] *ad.* 《文語》 ① (위치가) 그 위에. ② (동작이) 그 바로 후에, 그 후 즉시 (thereupon).

there're [強 ðεərə, 弱 ðərə] there are의 간약형.

†**there's** [強 ðεərz, 弱 ðərz] there is 또는 there has의 간약형.

The·re·sa [tərí:sə, -zə] *n.* 테레사《여자 이름; Teresa의 별칭; 애칭은 Tess, Tessd, Terry》.

there·to [ðὲərtú:] *ad.* 《文語》 ① 거기〔그것〕에. ② 또 그 위에, 게다가.

there·un·der [ðὲərʌ́ndər] *ad.* 《文語》 ① (권위·항목의) 그 밑에 (under that). ② (연령 등이) 그 미만에.

there·up·on [ðὲərəpɑ́n, -pɔ́:n / -pɔ́n] *ad.* ① 그래서 즉시; 그 (후) 즉시. ② 그 결과로서 (as a result of that); 그 문제에 대하여 (about that matter): They reached an agreement ~. 그들은 그 문제에 관하여 합의에 도달했다.

there·with [ðὲərwíθ, -wíð] *ad.* 《文語》 ① 그와 함께, 그것으로써. ② 《古》 그래서, 그래서 즉시.

therm [θə:rm] *n.* Ⓒ ① 〖物〗 섬《열량 단위》. ② 《英》 가스 사용량〔요금〕 단위.

therm- =THERMO-.

***ther·mal** [θə́:rməl] *a.* ① 열의, 열량의, 온도의. ② 온천의: a ~ bath 온욕(溫浴) / ~ regions 온천 지대. ③ (내의 등) 보온성이 좋은, 방한의: ~ underwear. ── *n.* Ⓒ 상승 온난기류.

thérmal bárrier 〖空·로켓〗 초고속에 대한 고열 한계, 열장벽 (heat barrier).

thérmal capácity 〖物〗 열용량 (heat capacity).

thérmal néutron 〖物〗 열중성자.

thérmal pollútion (원자력 발전소의 폐수 따위에 의한) 열오염〔공해〕.

thérmal prínter 〖컴〗 열(熱)인쇄기.

thérmal reáctor 〖物〗 열중성자 증식로.

thérmal spríng 온천.

ther·mic [θə́:rmik] *a.* 열의, 열에 의한; 열량의.

therm·i·on [θə́:rmiən, -mài-] *n.* Ⓒ 〖物〗 열전자 (熱電子), 열이온.

therm·i·on·ic [θə̀:rmiɑ́nik, -mai- / -miɔ́n-] *a.* 열전자의, 열이온의: a ~ tube 〔valve〕 열이온관.

therm·i·on·ics [θə̀:rmiɑ́niks, -mai- / -miɔ́n-] *n.* Ⓤ 〖物〗 열이온학, 열전자학.

thermo- '열'의 뜻의 결합사《모음 앞에서는 therm-》: *thermo*chemistry.

ther·mo·dy·nam·ic [θə̀:rmoudainǽmik] *a.* 열역학의; 열량을 동력으로 이용하는.

ther·mo·dy·nam·ics [θə̀:rmoudainǽmiks] *n.* Ⓤ 열역학.

ther·mo·e·lec·tric [θə̀:rmouiléktrik] *a.* 열전기의: ~ current 열전류(熱電流).

ther·mo·graph [θə́:rməgræ̀f, -grɑ̀:f] *n.* 〖醫〗 온도 기록계.

ther·mog·ra·phy [θərmɑ́grəfi / -mɔ́g-] *n.* Ⓤ 〖醫〗 온도기록(법), 서모그래피.

‡**ther·mom·e·ter** [θərmɑ́mətər / -mɔ́m-] *n.* Ⓒ 온도계, 한란계: a clinical ~ 체온계, 검온계 / a Centigrade 〔Fahrenheit〕 ~ 섭〔화〕씨 온도계 / a maximum 〔minimum〕 ~ 최고〔최저〕 온도계 / The ~ registers 〔reads, records, stands at〕 30°C. 온도계는 30°C를 가리키고 있다.

ther·mom·e·try [θərmɑ́mətri / -mɔ́m-] *n.* Ⓤ 검온(檢溫); 온도 측정(법).

ther·mo·nu·cle·ar [θə̀:rmənjú:kliər] *a.* 열핵(熱核)의, 원자핵 융합 반응의: a ~ bomb 열핵〔수소〕 폭탄 / a ~ explosion (수소 폭탄 등의) 열핵폭발 / a ~ warhead 열핵 탄두.

ther·mo·plas·tic [θə̀:rməplǽstik] *a.* 열가소성(熱可塑性)의. ── *n.* Ⓤ 열가소성 물질《폴리에틸렌 따위》.

ther·mo·reg·u·la·tion [θə̀:rmouregjəléiʃən] *n.* Ⓤ (사람·동물의) 체온 조절.

ther·mos [θə́ːrməs / -mɔs] *n.* (또는 T-) = THERMOS BOTTLE [FLASK]. [◂商標名]

thérmos bòttle [flàsk] 보온병.

ther·mo·set·ting [θəːrmousétiŋ] *a.* (수지(樹脂) 등이) 열경화성(熱硬化性)의. opp. *thermoplastic.* ¶ ~ resin 열경화성 수지.

ther·mo·sphere [θə́ːrməsfìər] *n.* (the ~) 열권(熱圈), 온도권《지상 80 km 이상》.

ther·mo·stat [θə́ːrməstæ̀t] *n.* 서모스탯, 자동 온도 조절 장치.

ther·mo·sta·tic [-ik] *a.* 자동 온도 조절 장치의. ㊞ **-i·cal·ly** *ad.* 온도 조절 장치에 의하여.

the·sau·rus [θisɔ́ːrəs] (*pl.* **~·es, -ri** [-rai]) *n.* Ⓒ (동의어·반의어 등을 모은) 사전; 분류 어휘 사전; 백과사전; 〖컴〗 관련어집, 시소러스《정보 검색 등을 위한 용어 사전》.

†**these** [ðiːz] [this의 複數꼴] *a.* 이것들(의): *These* books are all mine. 이 책들은 다 내 것이다 / (in) ~ days 요즈음(은), 최근 / one of ~ days 일간 / Most of ~ traffic accidents occurred through careless driving. 이들 교통사고의 대부분은 부주의한 운전으로 발생했다. ── *pron.* 이것들, 이 사람들: *These* are all my books. 이것들은 다 내 책이다.

the·ses [θíːsiːz] THESIS의 복수.

The·seus [θíːsjuːs, -siəs] *n.* 〖그神〗 테세우스. 《괴물 Minotaur를 퇴치한 영웅》.

†**the·sis** [θíːsis] (*pl.* **-ses** [-siːz]) *n.* Ⓒ ① 논제, 주제; (작문 따위의) 제목. ② 〖論·哲〗 정립(定立), (논증되어야 할) 명제, 테제. cf. antithesis. ③ 논문, 작문; 졸업 논문, 학위 논문: a graduation [a master's, a doctoral] ~ 졸업[석사, 박사] 논문 / write a ~ on Victorian novels 빅토리아조(朝) 시대의 소설에 관한 논문을 쓰다.

Thes·pi·an [θéspiən] *a.* (종종 t-) 비극의; 비극적인; 극적인. ── *n.* Ⓒ (비극) 배우.

Thess. Thessalonians.

Thes·sa·lo·ni·ans [θèsəlóuniənz] *n. pl.* [單數취급] 〖聖〗 데살로니가 전서[후서]《신약성서의》.

the·ta [θéitə, θíː-] *n.* Ⓤ,Ⓒ 그리스 알파벳의 여덟째 글자(Θ, θ; 로마자의 th에 해당).

thews [θjuːz] *n. pl.* 《文語》 ① 근육. ② 체력.

†**they** [強 ðei, 《특히 모음 앞》 弱 ðe] *pron. pl.* [人稱代名詞 he, she, it의 複數꼴; 어형변화는 主格 **they**; 所有格 **their**; 目的格 **them**; 所有代名詞 **theirs**] ① 그들; 그들은[이]; 그것들, 그것들은[이]: It is ~. 그것은 그들이다(《口》 It's them.) / Do your brothers like baseball?—Yes, ~ like it very much. 당신 형제는 야구를 좋아합니까—예, 아주 좋아합니다 / Those two bags are yours, aren't ~? 저 두 가방은 당신 것이지요. ② [關係代名詞 who, that의 先行詞] …하는 사람들: *They* do least *who* talk most. 말이 많은 사람은 실행이 적다. ★ 오늘날에는 They who… 대신에 Those who…가 보통임. ③ [막연하게] (세상) 사람들(people); 《口》 관계자들, 당국자: *They* sell dear at that shop. 저 가게는 비싸다. ④ 《口》 [不定의 單數(代)名詞를 받아] =he or she: Nobody ever admits that ~ are to blame. 아무도 자기가 나쁘다고 말하는 사람은 없다. ★ 이 용법에 반대하는 사람도 있음.

‡**they'd** [ðeid] they had [would]의 간약형.

‡**they'll** [ðeil] they will [shall]의 간약형.

†**they're** [ðέər 弱 ðər] they are의 간약형.

†**they've** [ðeiv] they have의 간약형.

T.H.I., THI temperature-humidity index.

†**thick** [θik] (**∠·er; ∠·est**) *a.* ① 두꺼운; 두께가 …인: a ~ slice of bread 두꺼운 빵조각 / ice three inches ~, 3인치 두께의 얼음 / a ~ and heavy dictionary 두껍고 무거운 사전 / We need a ~*er* board. 좀 더 두꺼운 판자가 필요하다. ② 굵은, 뚱뚱한: a ~ line [rod] 굵은 선[장대] / a ~ pipe [rope] 굵은 관[밧줄] / ~ fingers 굵은 손가락. ③ (액체 따위가) 진한, 걸쭉한; (안개·연기 등이) 짙은; 안개가 자욱한: ~ soup 걸쭉한 수프 / Blood is ~*er* than water. 피는 물보다 진하다 / ~ fog 짙은 안개 / The weather is still ~. 아직 안개가 걷히지 않았다 / a ~ day 안개가 자욱한 날 / The smoke was so ~ we couldn't see. 연기가 너무 짙어서 아무것도 보이지 않았다. ④ (밤·어둠이) 깊은, 짙은, 쥐죽은 듯 고요한: ~ darkness 짙은 암흑. ⑤ 빽빽한, 우거진; 털이 많은: ~ hair 숱이 많은 머리칼 / a ~ forest 울창한 숲. ⑥ **a)** (목소리가) 불명료한, 쉰, 탁한: a ~ voice 쉰[탁한] 목소리. **b)** (사투리가) 심한. ⑦ 혼잡한, 많은, 끊임없는; (…로) 가득한 《*with*》: in the ~*est* part of the crowd 사람들이 가장 붐비는 곳에. opp. *thin*. ⑧ 《口》 우둔한; 미련한, 둔한. cf. dense. ¶ be ~ of hearing 귀가 어둡다 / He's ~. =He has a ~ skull. 그 녀석은 머리가 나쁘다. ⑨ 《口》 친밀한《*with*》: They are very ~ together. 그들은 매우 친한 사이이다. ⑩ 《口》 너무 지독한, 견딜 수 없는.

(as) ~ as thieves ⇨ THIEF. ***(as) ~ as two (short) planks*** 《俗》 머리가 아주 나쁜. ***get a ~ ear*** 맞아서 귀[따귀]가 부어오르다. ***give*** a person ***a ~ ear*** 아무를 귀가 붓도록 때리다. ***have a ~ head*** 머리가 나쁘다. ***have a ~ skin*** (남의 말·비평 따위에) 둔감하다. ***~ on the ground*** ⇨GROUND[1].

── *n.* (*sing.* 흔히 the ~) ① (팔·장딴지·배트 등의) 가장 굵은[두꺼운] 부분: *the* ~ of a handle 손잡이의 굵은 부분 / *the* ~ of the thigh 넓적다리의 제일 굵은 부분. ② **a)** 가장 밀집된 부분; 사람이 가장 많이 모이는 곳: *the* ~ of the town 거리의 가장 번화한 곳. **b)** 한창 때; (활동이) 가장 심한 곳, 한가운데《*of*》: in *the* ~ *of* the fight 가장 치열히 싸울 때에. ***through ~ and thin*** 좋을 때나 궂은 때나, 무슨 일이 있어도: He stuck with her *through* ~ *and thin*. 그는 어떤 일이 있어도 그녀를 버리지 않았다.

── (**∠·er; ∠·est**) *ad.* ① 두껍게, 짙게: The snow lay ~ upon the glacier. 빙하에는 눈이 두껍게 쌓여 있었다 / The roses grew ~ along the path. 장미가 작은 길을 따라 밀생해 있었다. ② 술하게, 자주, 빈번히; 심하게: The heart beats ~. 가슴이 두근거린다 / Misfortunes came ~ and fast. 재난이 잇따라 밀어 닥쳤다. ***lay it on*** (~) 너무 과장하다, 지나치게 간살 떨다; 몹시 꾸짖다.

˙**thick·en** [θíkən] *vt.* ① …을 두껍게[굵게, 진하게] 하다: ~ the soup 수프를 진하게 하다 / ~*ed* oil 농화유(濃化油) (stand oil). ② …을 복잡하게 하다; 불명료하게 하다. ── *vi.* ① 두꺼워지다, 굵어지다; 짙어지다, 진하게 되다: The clouds are ~*ing*. 구름이 두꺼워지고 있다. ② 복잡해지다, 불명료해지다: The plot ~*ed*. 이야기(의 줄거리)가 (점점) 복잡해졌다.

thick·en·er [θíkənər] *n.* Ⓤ,Ⓒ 농후제(濃厚劑).

thick·en·ing [θíkəniŋ] *n.* ① Ⓤ 두껍게[굵게] 하기; 두꺼워짐; 굵어짐; 두꺼워진[굵어진] 부분. ② Ⓤ,Ⓒ 농후제(劑).

‡**thick·et** [θíkit] *n.* Ⓒ (우거진) 수풀, 덤불, 총림, 잡목 숲: hide in the ~ 우거진 숲 속에 숨다.

thick·head [θíkhèd] *n.* Ⓒ 머리가 둔한 사람.

thick·head·ed [ˊ-hédid] *a.* 머리가 나쁜, 둔한. ㊞ **~·ly** *ad.* **~·ness** *n.*

***thick·ly** [θíkli] *ad.* =THICK.

thick-necked [θíknékt] *a.* 목이 굵은.

***thick·ness** [θíknis] *n.* ① **a)** Ⓤ.Ⓒ 두께 ; 굵기 : the ~ of a wall 벽의 두께 / It's five inches in ~. 두께가 5인치다. **b)** (the ~) 두꺼운 부분. ② Ⓒ **a)** 농후 ; 농도. **b)** 조밀 ; 무성, 밀생(密生). ③ Ⓤ 불명료 ; 혼탁 ; 우둔. ④ Ⓒ (일정한 두께를 가진 물건의) 한 장 : wrap the article in two ~*es* of newspaper 신문지를 두 장 포개서 물건을 싸다.

thick·set [θíksét] *a.* ① 땅딸막한, 굵고 짧은. ② 울창한, 무성한, 조밀한.
— [θíksèt] *n.* Ⓒ 덤불, 무성한 수풀.

thick-skinned [-skínd] *a.* ① 가죽이〔피부가〕 두꺼운. ② (비난·모욕 등에) 둔감한, 무신경(無神經)한 ; 뻔뻔스러운.

thick-skulled [-skʌ́ld] *a.* 머리가 나쁜, 우둔한 (thickheaded).

thick-wit·ted [-wítid] *a.* 머리가 둔한, 어리석은(stupid).

‡thief [θi:f] (*pl.* ***thieves*** [θi:vz]) *n.* Ⓒ (흔히 폭력을 안 쓰는) 도둑, 좀도둑 ; 절도범《사람》. ⓒⓕ robber. ¶ Set a ~ to catch a ~. 《俗談》 도둑으로 하여금 도둑을 잡게 해라, 같은 사람끼리는 서로 사정을 잘 안다 / All are not *thieves* that dogs bark at. 《俗談》 개가 보고 짖는다고 다 도둑은 아니다. ***Stop, ~!*** 도둑이야.

thieve [θi:v] *vi.* 도둑질하다. — *vt.* …을 훔치다.

thiev·ery [θí:vəri] *n.* Ⓤ 도둑질, 절도.

***thieves** [θi:vz] THIEF 의 복수.

thiev·ing [θí:viŋ] *n.* Ⓤ 도둑질. — *a.* 도둑의.

thiev·ish [θí:viʃ] *a.* ① 도벽이 있는 ; 도둑〔절도〕의. ② 도둑 같은, 남몰래 하는.
㊕ **~·ly** *ad.* **~·ness** *n.*

‡thigh [θai] *n.* Ⓒ ① 넓적다리. ② (동물 뒷다리의) 넓적 다리, (새의) 넓적다리.

thigh·bone [θáibòun] *n.* Ⓒ 【解】 대퇴골.

thill [θil] *n.* Ⓒ (수레의) 채, 끌채.

thim·ble [θímbəl] *n.* Ⓒ 골무《재봉용》: I always use a ~ when I sew. 나는 바느질을 할 때는 언제나 골무를 사용한다.

thim·ble·ful [-fùl] *n.* Ⓒ 《口》 (술 따위의) 극소량.

†thin [θin] (***-nn-***) *a.* ① 얇은 : ~ paper 얇은 종이 / a ~ blanket 얇은 담요 / a ~ summer dress 얇은 여름옷 / The walls of the cabin were too ~ to keep out the cold. 그 오두막의 벽은 너무 얇아서 추위를 막아낼 수 없었다. ② 가는, 굵지 않은. ⓞⓟⓟ *fat.* ¶ ~ thread 〔chain〕 가는 실〔사슬〕 / a ~ wire 가는 철사. ③ 홀쭉한, 야윈, 마른 : a ~ person (몸이) 마른 사람 / Girls like looking ~. 소녀들은 호리호리해 보이기를 좋아한다. ④ (액체·기체 등이) 희박한, 묽은, 엷은, 진하지 않은 : The air is ~ at this high altitude. 이 고도에서는 공기가 희박하다. ⑤ 약한, 힘없는, 가날픈 ; 활기 없는《시장 따위》. ⓞⓟⓟ *thick.* ⑥ 내용이 빈약한, 천박한, 하찮은 : a ~ story 재미없는 이야기. ⑦ (공급 따위) 부족한, 적은, 얼마 안 되는 ; 작물이 잘 안 된 : a ~ supply 적은 공급 / a ~ diet 부족한 식품〔음식물〕 / a ~ purse 가벼운 지갑 / a ~ year 흉년. **(*as*)** ~ ***as a rake*** 〔***lath, stick***〕 (사람이) 깡마른. ***have a*** ~ ***time*** **(*of it*)** 《口》 언짢은〔불쾌한〕 일을 당하다. ***out of*** ~ ***air*** ⇨ AIR. ***the*** ~ ***and of . . .*** 《英口》 대체로, 거의. ~ ***on the ground*** ⇨ GROUND[1]. ***vanish*** 〔***melt***〕 ***into*** ~ ***air*** 완전히 사라지다, 흔적도 없어지다. ***wear*** ~ ⇨WEAR[1].
— *ad.* =THINLY.
— (***-nn-***) *vt.* 《~+목 / +목+전+명 / +목+부》 ① …을 얇게〔가늘게〕 하다 ; 묽게〔희박하게〕 하다 : ~ *down* sauce 〔paint〕 소스〔페인트〕를 묽게 하다 / This wine has been ~*ned with* water. 이 포도주는 물로 희석되어 있다. ② …을 성기게 하다, 적게 하다 ; 솎다 : He ~*ned out* the flowers. 그는 꽃을 솎아냈다.
— *vi.* 《~ / +부》 얇아지다 ; 가늘어지다 ; 야위다 ; 약해지다 ; 희박해지다 ; 적어지다《*away ; down ; out ; off*》: His hair is ~*ning* (*out*). 머리숱이 적어지고 있다 / The crowd ~*ned away.* 군중은 점점 적어져 갔다 / one's face ~*s down* 얼굴이 야위다.

thine [ðain] *pron.* 《詩·古》 ①〔thou의 所有代名詞〕 너의 것, 그대의 것. ②〔母音 또는 h 로 시작되는 名詞 앞에서〕 너의, 그대의(thy).

†thing [θiŋ] *n.* ① Ⓒ (유형의) 물건, 물체 : A book is a ~. 책은 물체다 / What are those ~*s* on the table? 책상 위에 있는 것들은 뭐냐 / There isn't a ~ to eat. 먹을 것이라곤 없다.
② Ⓒ 생물, 동물, 사람, 여자, 아이, 놈, 녀석《애정·연민·칭찬·경멸 따위를 나타냄》: a young ~ 아이 ; 젊은 여자 / She's a sweet little ~. 그녀는 귀여운 아이이다 / They're no great ~*s*. 놈들은 대단치 않다.
③ (*pl.*) 소지품, 휴대품 ; 도구, 용구 : Bring your swimming ~*s* with you. 수영복 등을 가지고 오시오 / I haven't a ~ for the winter. 겨울에 입을 것이 없다 / Have you packed your ~*s* for the journey? 여행 중에 쓸 물건들을 챙겼나 / tea ~*s* 차도구.
④ (*pl.*) 재산, 물건 : ~*s* real 부동산 / ~*s* personal 동산.
⑤ (*pl.*) 풍물, 문물 : have a liking for ~*s* Korean 한국의 풍물을 좋아하다.
⑥ Ⓒ (무형(無形)의) 일, 사항, 사물 : spiritual ~*s* 정신적 사물 / ~*s* political 정치에 관한 사항 / the next ~ to do 다음에 할 일 / It's a sure ~. 그것은 확실한 일이다 / It's a strange ~ that he doesn't write to me. 그가 내게 편지를 보내지 않는 것이 이상하다.
⑦ (*pl.*) 사정, 사태 : *Things* are getting worse. 사태가 악화되어 가고 있다.
⑧ (the ~) 지당한 일, 해야 할 일, 필요〔중요〕한 일 ; 유행하는 것 ; 정상적인 건강상태 : It is just *the* ~. 바라던 바로 그것이다, 그것이야말로 안성맞춤이다 / *The* (great) ~ is to make a start. 중요한 것은 시작이다.
⑨ Ⓒ (예술상의) 작품, 곡 : a little ~ of mine 졸작 / He has composed a number of ~*s* worth listening to. 그는 들을 만한 작품을 몇 곡 작곡했다.
⑩ Ⓒ 《口》 마음에 드는 일, 취미 : History is my ~. 역사는 마음에 드는 과목이다.
all ~s considered ⇨ CONSIDER. ***and another*** ~ 그 위에, 더우기 (moreover). ***. . . and ~s*** 《口》 …따위 : I held on to ropes *and* ~*s* and went down to the saloon. 나는 밧줄 따위를 잡고 (배의) 식당으로 내려갔다. ***a ~ or two*** 꽤 많은 것, 상당한 지식〔기량, 재능〕. ***be all ~s to all men*** 누구에게나 마음에 들도록 행동하다. ***be no great ~s*** 《俗》 대단한 것은 아니다. ***be seeing ~s*** 환상을 보다, 환각 상태에 있다. ***do great ~s*** 엄청난 짓을 하다. ***do one's own*** ~ 《美俗》 자기가 좋아하는 일을 하다. **(*Do*)** ***take off your ~s.*** (어서) 외투 같은 것을 벗으시오. ***do ~s to*** …에 많은 영향을 끼치다, …을 훌륭하게 하다. ***every*** ~ 모든 것. ***for one ~. . .*** **(*, for another* —)** (이유를 들어) 한 가지는 … (또 한 가지는 —), 첫째로는 … (다음으로는 —) : *For one* ~ I haven't the money,

for another I'm busy. 첫째로는 돈도 없고 또 바쁘기도 하다. ***have* 〔*get*〕 *a* 〔*this*〕 ~ *about*** 《口》 …에 대해 특별한《좋은〔나쁜〕》 감정을 갖고 있다, …을 몹시 좋아〔싫어〕하다. ***How are* 〔*How's*〕 ~*s* ?** 《口》 안녕하십니까(How are you?). ***It's a good* ~ (*that*)** ... (you are here 〔he doesn't know〕). 《口》 (네가 여기 있어서〔그가 알지 못해〕) 다행이다. **(*just*) *one of those* ~*s*** 《口》 어쩔 수 없는〔피할 수 없는〕 것. ***look quite the* ~** (몸 따위) 아주 상태가 좋아 보이다. ***make a good* ~ (*out*) *of*** 《口》 …로 크게 벌다, …로 이익을 보다. ***make a* ~ *of* . . .** 《口》 …을 중대시하다, 문제 삼다, …에 대해서 법석을 떨다. ***of all* ~*s*** 놀랍게도, 하필이면. ***one* ~. . . *another*** _ (…과 ―과는) 별개다, 다르다: It is *one* ~ to know, and it is *another* to teach. 아는 것과 가르치는 것은 다르다. ***other* ~*s being equal*** ⇨ EQUAL. ***Poor* ~*!*** 가엾어라. ***taking one* ~ *with another*** 이것저것 생각해보고. **(*the*) *first* 〔*next, last*〕 ~** 우선 먼저〔다음에, 최후에〕. ***the good* ~*s of life*** 이 세상의 좋은 것, 인생에 행복을 가져다 주는 것. ***the latest* ~ *in*** (ties) 최신 유행의 (넥타이). ***the state of* ~*s*** ⇨STATE. ***the very* ~** 안성맞춤인 것. **~*s that go bump in the night*** 밤중에 나는〔일어나는〕 묘한 소리〔일〕. ***think* ~*s over*** 사물을 숙고하다.

thing·um·bob [θíŋəmbàb / -bɔ̀b], **thing·a·ma·bob** [θíŋəməbàb / -bɔ̀b], **-a·ma·jig** [ˊ-ə-mədʒig], **-um·a·jig** [ˊ-əmədʒig], **-um·my** [ˊ-əmi] *n.* Ⓒ 《口》 거 뭐라던가 하는 것〔사람〕: Mr. ~ 아무개 씨.

†**think** [θiŋk] (*p., pp.* **thought** [θɔːt]) *vt.* ① 《+(*that*)절》 …라고 여기다, …라고 생각하다, …라고 믿다: Do you ~ (*that*) he'll come? 그가 오리라고 생각하나.

② 《+*wh.*〔*how*〕절》 …라고 생각하다, 상상하다: *What* do you ~ has happened? 무엇이 일어났다고 생각하나. ★ 구문이 복합된 의문에 사용된 경우, do you *think* 는 의문사 바로 뒤에 옴.

③ 《~+목 / +*wh. to* do》 …라고 생각하다, 생각나다, 마음에 그리다, 상상하다: Don't ~ such unjust things of your friend. 친구의 일을 그렇게 나쁘게 생각하지 마라 / He was ~*ing what to* do next. 그는 다음에 무엇을 할 것인가를 생각하고 있었다.

④ 《+목+(*to be*) 보 / +목+*to* do / +목+전+명》 …을 ―로 생각하다, …이 ―라고 여기다〔믿다〕: if you ~ him your kind of man ... 만약 그와 마음이 맞는다면… / We all *thought* him (*to be*) an honest man. 우리 모두는 그가 정직한 인물이라고 생각했다.

⑤ 《+목+전+명 / +(*that*) 절 / +*to* do》 …을 기대하다; 꾀하다, …할 작정이다: ~ harm *to* a person 아무를 해치려고 하다 / I never *thought to* see you here! 여기서 만나리라고는 생각지 않았다 / He ~*s to* deceive us. 그는 우리를 속이려 하고 있다 / He *thought to* have fled and yet stood still. 그는 도망치려고도 생각했으나 그대로 머물러 있었다. ★ "thought+to+완료형 부정사"는 생각한 일, 꾀한 일이 '불가능했거나, 실행하지 않았음'을 의미함.

⑥ 《+목+부 / +목+보 / +목+전+명》 생각해서 …하다, 생각에 빠져 …이 되다: You can't ~ *away* your toothache. 뭘 생각한다고 해서 치통을 잊을 수는 없다.

— *vi.* ① 《~ / +전+명》 생각하다, 사색하다: ~ deeply 깊이 생각하다 / Learn to ~ clearly. 정연하게 생각하는 것을 배워라.

② 예상하다, 예기하다; 판단하다, 평가하다《*of*》: It may happen when you least ~. 생각지도 않을 때 일어날지도 모른다. ◇ thought *n.*

I don't* ~.** 《俗》 그래, 내 참 원《빈정대는 말을 한 다음에》: You're a fine man, *I don't* ~. 그래 당신이 훌륭한 사람이야, 내 참 원. ***I should* ~ (*not*).** 《口》 (상대방의 말을 받아) (당연히) 그렇겠지《not은 상대방의 말이 부정문일 때》. ***I* ~ ...** 이겠지요《삽입구·문미구(文尾句)로서》. ***I* ~ *I'll do …할까 생각하다: *I* ~ *I'll* go and see him. 그를 만나고 올까 한다. ***I* ~ *so* 〔*not*〕.** 그렇다고〔그렇지 않다고〕 생각한다. ⓒⓕ I HOPE not; I am AFRAID not. ***Just* ~ *!* = *Only* ~ *!* = (*Just* 〔*To*〕) ~ *of it !*** 좀 생각해 봐요. ***let me* ~** 글쎄, 가만 있자(생각 좀 해보고). **~ *about*** (1) (계획 따위가 실행 가능한지 어떤지) 고려하다: I'm ~*ing about* moving to the country. 시골로 이사할 것을 생각하고 있다 / I'll ~ *about* it. 어디 생각해 보지요《종종 정중한 사절》. (2) …에 대하여 생각하다; 회상하다: What are you ~*ing about?* 너는 무엇을 생각하고 있느냐. **~ *again*** 다시 생각하다, 재고하다. **~ *ahead*** 앞일을 생각하다, (…의 일을) 미리 생각하다《*to*》. **~ *aloud*** (생각하던 것을) 말해 버리다; 혼잣말하다. **~ *and* ~** 곰곰 생각하다. **~ *away*** (신앙 따위를) 깊이 생각한 나머지 잃다; (치통 등을) 딴 일을 생각하며 잊다. **~ *back to*** 생각해 내다, 상기하다. **~ *better of*** (1) 재고해서 그만두다; 다시 생각하다: What a foolish idea! I hope you'll ~ *better of* it. 참 어리석은 생각이군. 다시 생각해 주기 바란다. (2) …의 인식을 새롭게 하다, 다시 보다; 더 낫다고 생각하다: Now I ~ *better of* you. 자넬 다시 보겠네《잘못보고 있었어》. **~ *fit* 〔*good, proper, right*〕 *to*** do …하는 편이 좋다고 생각하다: If our teacher ~*s fit* 〔*proper*〕 *to* join the club, I'll do so. 선생님이 클럽 가입을 좋다고 생각하신다면 그렇게 하겠다. **~ *for* one*self*** (1) 자기를 위하여 생각하다. (2) 스스로〔혼자서〕 생각하다, 자기 마음대로 생각〔판단〕하다. **~ *hard*** 골똘히 생각하다. **~ *highly of*** …을 높이 평가하다, …을 중요시하다, 소중히 하다; …을 존경하다. **~ *ill of*** …을 나쁘게 생각하다, …을 좋게 생각지 않다. **~ *little* 〔*nothing*〕 *of*** do*ing* (…하는 것을) 대수롭지 않게 여기다, 경시하다: He ~*s nothing of* walk*ing* thirty miles. 30 마일을 걷는 것쯤은 예사로 여긴다. **~ *much of*** …을 존중하다, 높이 평가하다: They didn't ~ *much of* my new novel. 내 신간 소설은 호평을 못 받았다. **~ *no end of*** …을 한없이 존경하다, …을 높이 평가하다 : He ~*s no end of* himself. 그는 자신을 대단한 사람으로 생각하고 있다. **~ *nothing of*** …을 대수롭게 여기지 않다: She ~*s nothing of* lying. 그녀는 예사로 거짓말을 한다. **~ *of*** (1) …에 마음을 쓰다, …에 관심을 보이다; 숙고하다: *Think of* those poor children. 그 가엾은 애들에게 관심을 보이시오 / You shouldn't ~ only *of* yourself. 자기 일만 생각하면 안 된다. (2) …을 상상하다: Just ~ *of* the cost! 그 비용만이라도 상상해 보시오. (3) 생각나다: I can't ~ *of* his name. 그의 이름이 생각나지 않는다. (4) …을 생각해 내다: I can't ~ *of* the right word. 적절한 말이 떠오르지 않는다. (5) …을 제안하다: Who first *thought of* the idea? 누가 최초로 그 생각을 제안했느냐 / Can you ~ *of* a good place for a weekend holiday? 주말 휴일을 보낼 좋은 장소를 가르쳐 주시겠습니까. (6) …을 (…이라고) 생각하다, 간주하다《*as*》: ~ *of* himself *as* a poet. (7) 〔흔히 否定文으로〕 …을 예상〔몽상〕하다: In those days a welfare state had *not* been *thought of.* 당시에는 복지국가가 따위 생각지도 못했었다. ~ ***on*** one***'s feet*** 재빨리 생각하다, 즉시 결단을 내리다. ~ ***out*** …을 생각해 내다, 안출하다; 숙고하여 해결하다: We've got to ~ *out* a plan. 계획을 생각해 내야 한다 / That wants ~*ing out.* 그것은 잘 생각할 필요가 있다. ~ ***over*** (…에 대해서) 다시 생각하다, (…을) 숙고하다: *Think over* what I've said. 내가 한 말을 잘 생각해라 / I must ~ the matter *over* before giving an answer. 회답을 주기에 앞서 그 문제를 곰곰이 생각해야 하겠다. ~ ***poorly of . . .*** ⇨ POORLY. ~ ***the world of*** …을 높이 평가하다: He ~*s the world of* her. 그는 그녀가 멋있다고 생각하고 있다. ~ ***through*** 끝까지 생각하다, 충분히 생각하다: ~ the problems *through* 문제가 해결될 때까지 충분히 생각하다. ~ ***twice*** 재고하다; 잘 생각해보다: You will certainly ~ *twice* about it. 당신은 그것에 대하여 쉽게는 결심이 서지 않을 것이다. ~ ***up*** (신안·구실 따위를) 생각해내다, 발견하다. ~ ***well of*** …을 좋게 생각하다. ***To ~ that . . . !*** …이라니 놀랍다〔슬프다, 안됐다〕: *To ~ that* he's single! 그가 독신이라니 안됐다. ***what*** 〔***who***〕 ***do you ~?*** 그게 뭐〔누구〕라고 생각하니《뜻밖의 말을 꺼낼 때》.

— *n.* (*sing.*) 《口》 생각(하기), 일고(一考)(하기), 안(案): Have a ~ about it. 그것에 대해 생각해 주시오 / have a hard ~ = ~ hard / Give it a good ~. 그것은 잘 생각해라 / If you think I'm going to help you again, you've got another ~ coming. 내가 또 도와주리라고 생각한다면 그것은 큰 오산이다.

think·a·ble [θíŋkəbəl] *a.* 생각할 수 있는, 있을 법한; 믿을 수 있는. opp. *unthinkable.*

***think·er** [θíŋkər] *n.* Ⓒ 생각하는 사람; 사상가, 사색가: a great〔deep〕 ~ 위대한 사상가〔생각이 깊은 사람〕.

‡think·ing [θíŋkiŋ] *a.* 〔限定的〕 생각하는, 사고력이 있는, 분별있는: all ~ men 분별있는 사람은 모두 / a ~ reed 생각하는 갈대《인간; Pascal의 말》/ Man is a ~ animal. 사람은 생각하는 동물이다. ***put on*** one***'s ~ cap*** ⇨ CAP.

— *n.* Ⓤ ① 사고, 사색: philosophical ~ 철학적 사고 / plain living and high ~ 검소한 생활과 고매한 사색. ② 생각, 의견, 판단, 사상: He is of my way of ~. 그는 나와 같은 생각이다 / What's your ~ on this question? 이 문제에 대한 자네 의견은 어떤가. ***to my*** (***way of***) ~ 내 생각으로는: She is, *to my* ~, a very clever woman. 내 생각으로는 그녀는 아주 영리한 여자다.

thínk pìece 〖新聞〗 논설 기사, 해설 기사.

thínk tànk 《口》 싱크탱크, 두뇌 집단.

thin·ner [θínər] *n.* Ⓤ,Ⓒ (페인트 등의) 희석제, 용제(溶劑), 시너.

thin·nish [θíniʃ] *a.* 좀 얇은, 약간 가는〔드문드문한〕, 조금 약한〔야윈〕.

thin-skinned [θínskínd] *a.* ① 가죽이〔피부가〕 얇은. ② 민감한; 화를 잘 내는.

†third [θəːrd] *a.* ① (흔히 the ~) 제 3 의; 세(번)째의; 3위〔등〕의: be in *the* ~ grade 3학년생이다 / *the* ~ man from the left 왼쪽에서 세 번째 사람 / ~ party risks 〖保險〗 제3자 위험 / *Third* time does the trick. = *Third* time is lucky 〔pays for all〕. 《俗談》 세 번째는 성공한다 / win (*the*) ~ prize 3등상을 타다. ② 3분의 1의《略: 3rd, 3d》: The ~ part of this work is research. 이 일의 3분의 1은 조사이다. — *n.* ① Ⓤ (the ~) **a**) 제 3, 셋째; 세 번째(의 것, 의 인물): Henry *the Third* 헨리 3세. **b**) (달의) 3일, 초사흗날: *the* ~ of April = April (*the*) ~ 4월 3일《★ 흔히 3rd를 씀》. ② **a**) Ⓒ 3분의 1: one ~ 〔two ~*s*〕 of the total 전체의 3분의 1〔2〕/ cut the number of employees by a ~ 종업원 수를 3분의 1 만큼 줄이다. **b**) (*pl.*) 〖法〗 망부(亡夫)의 유산의 3분의 1《미망인의 몫》. ③ Ⓤ 〔冠詞없이〕 〖野〗 3루. ④ Ⓒ 〖樂〗 셋째 음, 3도 음정, 제 3도. ⑤ (*pl.*) 〖商〗 3등〔3급〕품. ⑥ Ⓤ (자동차의) 제 3단 기어. ⑦ Ⓒ **a**) (경기의) 3등(상), 3위. **b**) 《英》 (대학의) 우등 학위 3급《우등 학위 중 제일 낮음》: get a ~ in history 역사에서 3급 우등학위를 따다. — *ad.* 셋째로; 3등으로: The horse finished ~. 그 말은 3등이었다 / Chicago is the ~ largest city in the United States. 시카고는 미국에서 세 번째로 큰 도시다.

thírd báse 〔冠詞없이〕 〖野〗 3루.

thírd báseman 〖野〗 3루수.

thírd cláss ① (제)3급; 삼류. ② (탈것의) 3등. ③ 《美·Can.》 〖郵〗 제 3종《중량 16 oz. 이하의 상품이나 광고 인쇄물 등 요금이 싼 별납 우편》.

third-class [-klǽs, -klɑ́ːs] *a.* ① 3등의; 3급의; 삼류의, 하등의. ② 제 3종의《우편 따위》: ~ matter 〔mail〕 제 3종 우편물. — *ad.* 3등으로: travel ~ 3등으로 여행하다.

thírd degrée (the ~) (경찰의) 고문(拷問).

third-de·gree [-digríː] *a.* ① (화상(火傷)이) 제 3도의: ~ burn 3도 화상. ② (범죄가) 제 3급의: ~ murder 3급 살인《모살(謀殺)》.

thírd fínger 무명지, 약손가락.

thírd fórce (the ~) 제 3세력.

***third·ly** [θə́ːrdli] *ad.* 셋째로, 세 번째로.

thírd mán 〖크리켓〗 제 3수《3주문(柱門)에서 비스듬히 후방에 서는 야수(野手)》.

thírd márket 《美》 제 3시장《상장주의 장외 거래 시장》.

thírd párty ① (the ~) 제 3당; 소수당. ② Ⓒ 〖法〗 (당사자 이외의) 제삼자.

thírd pérson (the ~) 〖文法〗 3인칭.

thírd ráil 〖鐵〗 제 3레일《송전용(送電用)》.

third-rate [θə́ːrdréit] *a.* 3등의, 3급의; 3류의, 열등한.

third-rat·er [θə́ːrdréitər] *n.* Ⓒ 3류의 사람, 시시한 사람.

Thírd Wórld (the ~) 제 3세계《특히 아프리카·아시아 등지의 개발 도상국》.

‡thirst [θəːrst] *n.* ① Ⓤ (또는 a ~) 갈증, 목마름: quench〔relieve, satisfy〕 one's ~ 갈증을 풀다. ② (*sing.*) 갈망, 열망《*after*; *for*》: He has a great ~ *for* knowledge. 그의 지식욕은 대단하다 / satisfy one's ~ *to* know the truth 진리탐구의 갈망을 만족시키다 / His ~ *after* power was insatiable. 그의 권력욕은 만족할 줄을 몰랐다. ***I have a ~.*** 《口》 한잔 하고 싶다.

— *vi.* 《~ / +전+명》 갈망하다, 강한 희망을 갖다《*after; for*》: ~ *after* power 권력을 추구하다 / ~ *for* revenge 복수를 갈망하다.

‡thirsty [θə́ːrsti] (***thirst·i·er*** ; ***-i·est***) *a.* ① 목마른: I am〔feel〕 ~. 목이 마르다. ② 술을 마시고 싶어하는, 술을 좋아하는: a ~ soul 술꾼. ③ 갈망하는, 절망하는《*for*》. cf. hungry. ¶ ~ *for* knowledge 지식에 굶주리고 있는 / He was ~ *for* news. 그는 뉴스를 몹시 기다리고 있었다. ④ (토지 따위가) 마른, 건조한: a ~ season 건조기. ⑤ (일·음식 등이) 목이 마르(게 하)는: Weeding the garden is a ~ job. 정원의 잡초를 뽑는 일은 갈증나게 하는 일이다 / ~ food 갈증나게 하는 음식물. 파 **thírst·i·ly** *ad.* **-i·ness** *n.*

†thir·teen [θəːrtíːn] *a.* ① 〔限定的〕 13의, 13개

의, 13 인의 : ~ girls 13 명의 소녀 / He's ~ years old. 그는 열세 살이다. ②〔敍述的〕13 세인 : I'm ~. 나는 열세 살이다. ── *n.* ① U.C 〔흔히 無冠詞〕(기수의) 13. ②〔複數 취급〕13 인 ; 13 개 : There're ~. 열세 개〔사람〕 있다.

‡thir·teenth [θə̀:rtí:nθ] *a.* ① (흔히 the ~) 제 13 의 ; 열세 번째의. ② 13 분의 1 의. ── *n.* U (흔히 the ~) **a**) (서수(序數)의) 제13《略 : 13th》. **b**) 열세 번째의 사람〔것〕.

‡thir·ti·eth [θə́:rtiəθ] *a.* ① (흔히 the ~) 제30의 ; 30 번째의. ② 30 분의 1 의. ── *n.* ① U (흔히 the ~) **a**) (서수인) 제 30《略 : 30th》. **b**) (달의) 30 일. ② C 30 분의 1. ③ (흔히 the ~) 30 번째의 사람〔것〕.

†thir·ty [θə́:rti] *a.* 〔限定的〕30의, 30개〔인〕의 ; 30 세의. ── *n.* ① **a**) U.C 〔흔히 無冠詞〕(기수의) 30. **b**) C 30의 기호《XXX》. ② **a**) U (나이의) 30 세 ; 30달러〔파운드, 센트 (등)〕. **b**) (the thirties) (세기의) 30년대. **c**) (one's thirties) (나이의) 30 대 : die in one's *thirties*, 30대에 죽다. ③ U 〖테니스〗 서티《2점의 득점》.

Thír·ty-nìne Árticles [-nàin-] (the ~) 영국 국교의 39 개 신조《성직에 오를 적에 이에 동의함》.

thír·ty-séc·ond nòte [-sékənd-]《美》〖樂〗 32 분 음표(《英》 demisemiquaver).

Thírty Yéars' Wár (the ~) 30년 전쟁《유럽에서 행해진 종교 전쟁 ; 1618-48》.

†this [ðis] (*pl.* ***these*** [ði:z]) *pron.* 〔指示代名詞〕① 이것, 이 물건〔사람, 일〕(that보다 자기에게 가까운 것을 가리킴》: What's ~ ? 이것은 무엇이냐 / What are *these* ? 이것들은 무엇이냐 / Is ~ what you want? 이것이 네가 원하는 것이냐 / I don't like ~ at all. 나는 이것을 전혀 좋아하지 않는다 / Answer me ~. 여기에 대답해 / *This* is Mr. Han. 이 분이 한씨입니다《★ 이 경우에 *He* is Mr. Han. 이라고는 안 함》. ② 후자(the latter). cf. that. ③ 지금, 바로 지금《종종 *after, before, by* 따위를 수반하여 숙어적으로》: *This* is the 20th century. 지금은 20세기다 / What day is ~ ? 오늘은 무슨 요일이냐 / *This* is 1997. 금년은 1997년이다. ④ 여기, 이곳(~ place) : *This* is a school, not a park. 이곳은 학교지 공원이 아니다 / Get out of ~. 여기서 나가라. ⑤ (전화·무선에서) 여기, 나 ; 거기, 당신 : *This* is (Mr.) Smith (speaking). (나는) 스미스입니다 / *This* is Radio X. 여기는 X 방송국입니다. ⑥ 지금 말한 것 ; 다음 말할 것 : *This* is widely known. 이상 말한 것은 주지의 사실이다 / The question is ~, that.... 문제는 이렇다, 즉…. ***~ and*** 〔***or***〕 ***that*** 이것저것, 여러가지 : put ~ *and that* together 이것저것 종합해서 생각하다. ***This is how it is.*** 실은 이렇다《설명에 앞서 하는 말》. ***~, that, and the other*** 이것저것 잡다한 것, 가지 각색의 것 : She spent about an hour talking about ~, *that, and the other*. 그녀는 이것저것 이야기하면서 한 시간 정도를 보냈다.
── *a.* 〔指示形容詞〕① 이 : Look at ~ box 〔*these* boxes〕. 이〔이들〕 상자를 보라 / (Come) ~ way, please. 자아, 이리로 오십시오 / I haven't seen him ~ 〔*these*〕 two weeks. 지난 2 주 동안 그를 보지 못했다. ② 지금의, 현재의 ; 오늘〔금주, 이번〕의 : (all) ~ week 금주(내내) / (all) ~ year 금년(내내) / ~ Saturday 금주 토요일 / ~ morning 〔afternoon, evening〕 오늘 아침〔오후, 저녁〕 / ~ time 이번 / on the 29th (of) ~ month 이 달 29일에.
── *ad.* 《口》 이렇게, 이만큼 : It was about ~ high. 이 정도의 높이였다 / ~ early 이렇게 일찍 / Now that we have read ~ far, let's have tea. 여기까지 읽었으니 차나 마십시다. ~ ***much*** 이만큼, 이 정도까지 : Can you spare me ~ *much ?* 이만큼 가져도 좋겠나 / I know ~ *much*, that he is not liked by them. 내가 아는 바는 그들이 그를 좋아하지 않고 있다는 것 정도다 / *This much* is certain. 이 정도까지는 확실하다.

This·be [θízbi] *n.* 〖그神〗 티스베《Pyramus 와 사랑한 바빌론의 소녀 ; Thisbe 가 사자에게 잡아 먹힌 줄 알고 자살한 Pyramus 를 따라 자살함》.

·this·tle [θísl] *n.* C 〖植〗 엉겅퀴《스코틀랜드의 국화》.

this·tle·down [-dàun] *n.* U 엉겅퀴의 관모(冠毛).

this·tly [θísəli] *a.* ① 엉겅퀴가 무성한. ② 엉겅퀴 같은 ; 가시가 있는, 찌르는.

·thith·er [θíðər, ðíð-] *ad.* 《古》 저쪽에, 저쪽으로 ; 그쪽에. ***hither and*** ~ ⇨HITHER.

tho, tho' [ðou] *conj., ad.* =THOUGH.

thole [θoul] *n.* C (뱃전의) 놋좆.

thole·pin [θóulpìn] *n.* =THOLE.

Thom·as [táməs / tɔ́m-] *n.* ① 토머스《남자 이름 ; 애칭 Tom, Tommy》. ② 〖聖〗 도마《예수의 12 사도의 한 사람 ; 요한 복음 XX : 24-29》 : ⇨ DOUBTING THOMAS.

Tho·mism [tóumizəm] *n.* U 토미즘, 토머스설《Thomas Aquinas 신학설》. ㊞ **-mist** *n., a.*

thong [θɔ(:)ŋ, θaŋ] *n.* C 끈, 가죽끈《무엇을 동여매거나 채찍으로 사용하는 것》.

Thor [θɔ:r] *n.* 〖北유럽神〗 토르《천둥·전쟁·농업을 맡은 뇌신(雷神)》; 지대지 중거리 탄도 미사일.

tho·rac·ic [θɔ:rǽsik] *a.* 가슴의, 흉부의.

tho·rax [θɔ́:ræks] (*pl.* **~·*es***, ***-ra·ces*** [-rəsì:z]) *n.* C ① 〖解·動〗 가슴, 흉부, 흉곽, 흉강(胸腔). ② (옛 그리스의) 흉갑, 갑옷.

tho·ri·um [θɔ́:riəm] *n.* U 〖化〗 토륨《악티늄족 원소의 하나 ; 기호 Th ; 번호 90》.

‡thorn [θɔ:rn] *n.* C ① (식물의) 가시 : There's no rose without a ~. =Roses have ~*s*. 《俗談》 장미에는 가시가 있다《항상 좋은 일만 있는 것은 아니다》. ② U.C (hawthorn, whitethorn 따위의) 가시나무, 《특히》 산사나무 ; 그 재목. ③ (*pl.*) 고통〔근심〕거리 : be 〔sit, stand, walk〕 on 〔upon〕 ~*s* 늘 불안에 떨다. ④ C 고대 영어의 *þ*자《지금의 th 에 해당》. ***a ~ in*** one***'s side*** 〔***flesh***〕 걱정거리.

thórn àpple 〖植〗 ① 산사나무 열매. ② 흰독말풀류.

·thorny [θɔ́:rni] (***thorn·i·er*** ; ***-i·est***) *a.* ① 가시가 많은 ; 가시 같은. ② 고통스러운 ; 곤란한 : tread a ~ path 가시밭길을 걷다 / a ~ problem 곤란한 문제. ㊞ **thórn·i·ly** *ad.* **-i·ness** *n.*

thoro [θə́:rou, θʌ́r-] *a.* 《美》 =THOROUGH.

tho·ron [θɔ́:ran / -rɔn] *n.* U 〖化〗 토론《radon 의 방사성 동위 원소 ; 기호 Tn》.

‡thor·ough [θə́:rou, θʌ́r-] (***more*** ~ ; ***most*** ~) *a.* ① 철저한, 충분한, 완벽(完璧)한, 완전한, 면밀한 : give a room ~ cleaning 방을 완전히 청소하다 / a ~ reform 〔search〕 철저한 개혁〔수색〕 / Be ~ in your work. 일은 철저하게 하라 / He is ~ in everything. 그는 무슨 일이나 철저하다 / His knowledge is extensive and ~. 그의 지식은 넓고 면밀하다. ② 〔限定的〕 순전한, 전적인, 철저한 : a ~ fool 순전한〔철저한〕 바보 / a ~ rascal 철저한 악당. ㊞ **~·ness** *n.*

·thor·ough·bred [-brèd] *n.* C ① **a**) 순종의 동물 ; 순종의 말. **b**) (T-) 서러브레드(의 말). ② 출신이 좋은 사람, 기품〔교양〕 있는 사람.
── *a.* ① (동물이) 순종의. ② (사람이) 출신이 좋은. ③ 우수한, 일류의, 고급의.

·thor·ough·fare [-fɛ̀ər] *n.* ① C 통로, 가로 ; 주

요 도로, 공도 : a busy ~ 사람의 통행이 많은 가로. ② Ⓤ 통행, 통과 : No ~. 통행 금지《게시》.

thor·ough·go·ing [θə́:rougòuiŋ, θʌ́r-] *a.* ① 철저한, 완전한, 충분한 : ~ cooperation 완전한 협력. ② 〔限定的〕 순전한, 전적인 : a ~ fool.

‡**thor·ough·ly** [θə́:rouli, θʌr-] (***more*** ~ ; ***most*** ~) *ad.* ① 완전히, 철저히 : search ~ 철저히 수사〔수색〕하다. ② 아주, 전적으로 : be ~ annoying 아주 귀찮다.

thor·ough·paced [-pèist] *a.* ① (말이) 모든 보조를 훈련받은. ② 〔限定的〕 철저한, 전적인 : a ~ villain 대악인(大惡人).

Thos. Thomas.

†**those** [ðouz] 〔that의 複數形〕 *pron.* ① 그것들, 그 사람들, 그 사물들 : These are better than ~. 이것들이 그것들보다 낫다. ② 〔the+複數名詞의 반복 대신〕 : The pencils in this box are just as good as ~ in the other. 이 상자의 연필은 다른 상자의 연필에 못지 않게 좋다. ③ 사람들 : *Those* (who were) present were all surprised at this. 참석했던 사람들은 모두 이에 놀랐다 / There are ~ who say so. 그렇게 말하는 사람들도 있다.

— *a.* ① 그것들의, 저, 그 : ~ students 그 학생들. ② 〔關係詞 따위와 함께〕 : *Those* (of our) pupils *who* won were given prizes. (우리 학교의 학생들 중에) 이긴 학생들은 상을 탔다 / This is one of ~ stories *which* 〔*that*〕 are known all over the world. 이것은 온 세계에 알려져 있는 얘기 중의 하나다. (***in***) ~ ***days*** 그 당시는. cf. (in) THESE days. ★ 관련 사항 ⇨THAT.

thou**[1] [ðau] (*pl.* ***you [ju:], ***ye*** [ji:]) *pron.* 〔人稱代名詞 2인칭·單數·主格. 所有格 **thy** [ðai], **thine** [ðain]; 目的格 **thee** [ði:]; 所有代名詞 **thine**〕《古·詩》너(는), 그대(는), 당신(은).

> 語法 현재는 종교《특히 신에게 기도드릴 때》·시·방언·고아(古雅)한 글·퀘이커 교도간 등에만 한정되며, 일반적으로는 you를 씀. 주어 thou에 수반되는 동사는 are가 art, have가 hast로 되는 외에는 어미에 -st, -est를 붙임.

thou[2] [θau] (*pl.* ~***s***) *n.* Ⓒ《口》1000(개), 1000 달러〔파운드, 원〕《따위》. [◂ *thou*sand]

†**though** [ðou] *conj.* <從屬接續詞> ① **a)** 〔종종 even ~ 꼴로〕 …하지만, …함에도 불구하고(⇨ALTHOUGH) : I went out yesterday ~ I had a little fever. = *Though* I had a little fever, I went out yesterday. 미열은 있었지만 어제 외출을 했다 / Late ~ 〔as〕 it is, we'll stay a little longer. 시간이 늦었지만 좀 더 있겠습니다《강조하기 위해 어순이 바뀜》/ She had to take care of her younger brothers, *even* ~ she was only ten. 그녀는 겨우 열 살이었지만 남동생들을 돌봐야만 했다 / *Though* (it is) cold, it is a fine day for soccer. 춥기는 하나, 축구를 하기에는 좋은 날씨다《though 節과 主節의 주어가 같을 때에는 主語와 be 동사는 생략할 수 있음》/ He finished it somehow, ~ clumsily. 서툴긴 하지만 그런 대로 그것을 마쳤다. **b)** 〔文尾에서; 等位接續詞的으로〕 하긴 …(이기는) 하지만 : I have no doubt our team will win, ~ no one thinks so. 우리 팀이 틀림없이 이긴다, 하긴 아무도 그렇게 생각하지 않지만 / I wouldn't like to go, ~ I know I must. 가고 싶지가 않다. 가야만 되는 것은 알고 있지만. **c)** 〔yet와 상관적으로〕 : *Though* the problem is very difficult, *yet* there must be some way to solve it. 문제는 매우 어렵지만 그래도 어떤 해결의 길이 있을 것이 틀림없다.

② 〔종종 even ~로〕 비록 …(한다) 하더라도〔할지라도〕 : It is worth attempting *even* ~ we may fail. 비록 실패할지라도 해볼 만한 가치는 있다 / *Though* we fail, we shall not regret. 실패하더라도 후회는 하지 않을 것이다. ★ even if 에 가깝지만 文語적임. ***as*** ~ ⇨AS. ***What*** ~ . . . ? ⇨WHAT.

— *ad.* 《口》 〔흔히 문장 끝에 와서〕 그러나, 그래도(however, nevertheless) : I wish you had told me, ~. 그렇더라도 나에게 말을 했으면 좋았을것을 / After a while, ~, she heard the same voice calling her. 그러나 잠시 후 그녀에게는 먼저와 같은 자기를 부르는 소리가 들렸다.

†**thought**[1] [θɔ:t] *n.* ① Ⓤ 생각하기, 사고, 사색, 숙고 : act without ~ 생각없이 행동하다 / He shuddered at the mere ~ of it. 그는 그것을 생각만 해도 몸서리가 났다 / He spends hours in ~. 그는 사색에 몇 시간이나 보낸다. ② Ⓤ,Ⓒ 사려, 배려, 고려 : Show some ~ for others. 다른 사람의 일도 좀 생각〔고려〕하시오 / She takes no ~ for her appearance. 그녀는 옷차림에 신경을 쓰지 않는다 / Thank you for your kind ~. 친절한 배려에 감사합니다. ③ Ⓤ 사고력, 지력, 판단(력), 상상력 : Apply some ~ to the problem. 그 문제를 좀 생각해 보십시오 / beauty beyond ~ 상상을 초월하는 아름다움. ④ (*pl.*) 생각, 견해 : Let me have your ~*s* on the matter. 이 문제에 대한 의견을 들려 주시오 / He always keeps his ~*s* to himself. 그는 자기 생각을 결코 남에게 이야기하지 않는다. ⑤ Ⓤ,Ⓒ 떠오르는 생각, 착상 : a happy 〔striking〕 ~ 묘안 / an essay full of original ~(*s*) 독창적인 생각으로 가득찬 논문 / I suddenly had a ~. 갑자기 어떤 생각이 떠올랐다. ⑥ Ⓤ 의도, 작정 : I had no ~ of seeing you here. 여기서 만나리라곤 생각도 못했다 / He had no ~ of hurting your feelings. 그는 네 감정을 상하게 하려는 의도는 전혀 없었다. ⑦ Ⓤ 〔흔히 수식어를 동반하여〕 사상, 사조 : modern ~ in child education 현대의 아동(兒童)교육 사상 / Greek 〔Eastern〕 ~ 그리스 〔동양〕 사상. ⑧ (a ~) 〔副詞的으로〕《口》 조금, 약간(a little) : Please be *a* ~ more careful. 더 좀 조심해 주십시오 / The color is *a* ~ too dark. 이 색깔은 좀 지나치게 어둡다 / Be *a* ~ more polite. 좀더 예의를 갖춰라. ◇ think *v.* ***A penny for your*** ~***s***. 《口》 (생각에 잠긴 사람에게) 뭘 그리 생각하고 있느냐. ***Perish the*** ~ ***!*** ⇨PERISH. ***take*** ~ 걱정하다, 배려하다, 마음에 두다《*for*》: *Take* no ~ *for* the future. 장래의 일은 조금도 걱정 마라.

‡**thought**[2] [θɔ:t] THINK의 과거·과거분사.

‡**thought·ful** [θɔ́:tfəl] (***more*** ~ ; ***most*** ~) *a.* ① 생각이 깊은, 신중한 ; 상상이 풍부한 : a ~ person 생각이 깊은 사람 / a ~ book 사상이 풍부한 책. ② 주의 깊은, 조심하는 : I was not ~ enough of my own safety. 나는 자신의 안전에 대한 주의가 부족했다 / become ~ about one's words 발언에 주의하게 되다. ③ 인정〔동정심〕 있는, 친절한 : a ~ gift 정성어린 선물 / It is very ~ of you to say so. 그렇게 말씀해 주시니 정말 친절하십니다. ④ 생각에 잠기는 : She remained ~ for a while. 그녀는 잠시 생각에 잠겼다. 파 ~·**ly** [-fəli] *ad.* ~·**ness** *n.*

***thought·less** [θɔ́:tlis] *a.* ① 생각이 없는, 생각하지 않는 ; 부주의〔경솔〕한《*of*》: a ~ driver 부주의한 운전수 / ~ behavior 경솔한 행동 / be ~ *of* one's health 자기 건강에 주의하지 않다 / He was utterly ~ *of* its consequences. 그는 그 결과를 전혀 생각하지 않았다. ② 인정〔동정심〕이 없

는, 불친절한《*of*》: a ~ remark 박정한 말 / It's ~ *of* him to say such things. 그런 말을 하다니 그 사람도 인정머리없군. ㊞ ~·**ly** *ad.* ~·**ness** *n.*

thought-out [θɔ́ːtáut] *a.* 〔흔히 well 등의 副詞를 동반하여〕 깊이 생각하고 난, 잘 생각한, 주도한 : a well ~ scheme (용의) 주도한 계획.

thought-pro·vok·ing [θɔ́ːtprəvòukiŋ] *a.* 생각게 하는 ; 시사하는 바가 많은.

thóught rèader 독심술(讀心術)을 하는 사람.

thóught rèading 독심술(讀心術).

thóught transfèrence 직각(直覺)적 사고전달, 이심전심, 텔레파시(telepathy).

†**thou·sand** [θáuzənd] *a.* 〔限定的〕 ① 1,000의 ; 1,000 개〔사람〕의 : more than a ~ applicants 천 명 이상의 지원자. ② (흔히 a ~) 수천의, 다수의, 무수한 : *a* ~ times easier 천 배나 쉬운 / *A* ~ thanks〔pardons, apologies〕. 대단히 고맙습니다〔죄송합니다〕.

— (*pl.* **~s** [-z]) *n.* ① 1,000(의 기호) ; 1,000 개〔사람〕 ; 1,000 달러〔파운드 (따위)〕. ② (*pl.*) 수천, 다수, 무수 ; 여러 번 : many ~*s* of times 몇 천 번이고 / ~*s* of books 몇 천의〔무수한〕 책 / *Thousands* of people were killed in the earthquake. 수천 명의 사람이 그 지진으로 죽었다 / (many) ~*s* of people 수천 명의 사람 / ~*s* and ~*s* (*of* ...) 무수(한…). ***a ~ to one*** 반드시, 틀림없이, 꼭 : It's *a* ~ *to one* that he won't keep the promise. 틀림없이 그는 약속을 지키지 않을 것이다. ***by the*** **~(*s*)** 1,000 의 단위로, 수천의, 무수히 : Bricks are sold *by the* ~. 벽돌은 1,000 개 단위로 매매된다.

thou·sand·fold [-fòuld] *a., ad.* 1,000 배의〔로〕.

Thóusand Ísland dréssing 사우전드 아일랜드드레싱《마요네즈에 파슬리·피클·삶은 달걀·케첩 등을 가한 드레싱》.

thou·sandth [θáuzəndθ, -zəntθ] *a.* ① (흔히 the ~) 제1,000 의, 1,000 번째의. ② 1,000 분의 1 의. — *n.* ① Ⓤ (흔히 the ~) (서수의) 제 1,000《略 1000th》. ② Ⓒ 1,000 분의 1. — *pron.* 1000 번째의 사람〔것〕.

***thrall** [θrɔːl] *n.* 《文語》 ① Ⓒ **a**) 노예《*of* ; *to*》 : He is (a) ~ *to* drink. 그는 술의 노예다. **b**) (악습 등의) 포로《*of* ; *to*》 : He is already in the ~ *of* numerous vices. 그는 이미 수많은 악덕에 빠져 있다. ② Ⓤ 노예 상태《*to*》 : in ~ *to* …에 사로잡혀.

thral(l)·dom [-dəm] *n.* Ⓤ 노예의 신분〔처지〕; 「속박.

thrash** [θræʃ] *vt.* ① …을 때리다, 채찍질하다 : ~ a person soundly 아무개를 몹시 때리다. ② …을 패배시키다 : The home team ~*ed* the visiting team. 홈팀이 원정팀을 패배시켰다. — *vi.* ①《~ / +부 / +전+명》 몸부림치다, 뒹굴다《*about*》 : ~ *about* in bed with pain 아파서 침대에서 몸부림치다. ② (배가) 파도를〔바람을〕 거슬러 나아가다. ~ ***out (문제 등)을 철저하게 논의하다〔검토하다〕; 논의 끝에 (답·결론)에 이르다.

— *n.* ① (a ~) 몹시 때리기. ② Ⓒ 〖泳〗 (크롤 따위의) 물장구질. ③ Ⓒ 《英口》 호화스러운 파티(《美》 bust, blast).

thrash·er [θrǽʃər] *n.* Ⓒ 〖鳥〗 지빠귀 비슷한 앵무새의 일종《북아메리카산》.

thrash·ing [θrǽʃiŋ] *n.* Ⓒ ① 매질 : Give him a good ~. 그를 흠씬 패줘라. ② (경기 등에서의) 대패 : get a ~ 대패하다.

:**thread** [θred] *n.* ① Ⓤ,Ⓒ 실, 바느질 실, 꼰실 《★ 관사 없이 집합명사로 쓰이는 일이 많음》 : use black ~ 검정실을 쓰다 / sew with ~ 실로 꿰매다 / a spool of ~ 실패에 감은 한 꾸리의 실 / a needle and ~ 실을 꿴 바늘《★ 單數 취급》. ② Ⓒ 실처럼 가는 줄《털·거미줄·비 등》《*of*》 : the ~*s* *of* a spider web 거미줄 / a ~ *of* light 한 줄기의 빛 / a little ~ *of* unfrozen water 얼지 않은 작은 시내 / A ~ *of* white smoke climbed up the sky. 한 줄기의 흰 연기가 하늘로 피어올랐다. ③ Ⓒ (이야기 따위의) 줄거리, 맥락《*of*》 : resume〔take up〕 the ~ *of* a story 이야기의 맥락을 이어가다. ④ 나사(螺絲)산, 나삿니. ⑤ (the ~, one's ~) 생명의 줄, 인간의 수명 : *the* ~ of life 목숨. ⑥ (*pl.*) 《俗》 옷, 의복. ***hang by*** 〔***on, upon***〕 ***a*** ~ 매우 위태롭다, 풍전등화이다.

— *vt.* ① (바늘·재봉틀 따위)에 실을 꿰다 : ~ a needle 바늘에 실을 꿰다. ② 《+목+전+명》 …에 꿰다《*with*》 : ~ a pipe *with* wire 파이프에 철사를 꿰다. ③ (필름·테이프 등)을 (카메라·리코더 등에) 장착하다《*up* ; *into, onto*》. ④ …을 실에 꿰다, (실로) 잇다 : ~ pearls 진주를 실에 꿰다. ⑤ 〔~ one's way로〕 (…의 사이를) 헤치고 나아가다 : She ~*ed her way through* the crowd. 그녀는 군중 속을 헤치고 나아갔다. ⑥《~+목 / +목+전+명》 …에 줄을 내다 : dark hair ~*ed with* silver 백발이 섞인 검은 머리.

thread·bare [θrédbὲər] *a.* ① (옷 따위가 닳아서) 실이 드러나 보이는, 입어서 떨어진, 오래 입은 : a ~ overcoat 닳아 떨어진 코트. ② 누더기를 입은 ; 초라한. ③ (농담 등이) 진부한, 케케묵은.

thread·er [θrédər] *n.* Ⓒ 실 꿰는 기구.

thread·like [-làik] *a.* 실 같은 ; 홀쭉한.

thréad màrk (지폐의) 섬조(纖條) 무늬《위조를 방지하기 위한》.

thread·worm [-wə̀ːrm] *n.* Ⓒ 선충(線蟲), 《특히》 요충(蟯蟲).

thready [θrédi] (***thread·i·er*** ; ***-i·est***) *a.* ① 실의, 실 같은, 실 모양의 ; 섬유(질)의. ② (액체 따위가) 끈적끈적한, 실처럼 늘어지는. ③ (맥박·목소리 따위가) 가냘픈, 약한.

:**threat** [θret] *n.* Ⓒ ① 으름, 위협, 협박 : make ~*s* 협박하다 / utter ~*s of* violence 폭력을 쓰겠다고 위협하다. ② (흔히 *sing.*) (…의) 우려《*of*》, 징조 : There is a ~ *of* rain in the clouds. 이 구름으로 봐서 비가 올 것 같다.

:**threat·en** [θrétn] *vt.* ①《+목+전+명》 …을 협박하다, 위협하다, 으르다 : ~ an employee *with* dismissal 종업원을 해고시킨다고 으르다 / The mugger ~*ed* me, so I gave him my money. 강도가 위협해 돈을 주었다. ②《~+목 / +*to* do / +*that* 절》 …하겠다고 으르대다 : They ~*ed* retaliation. 그들은 복수하겠다고 을렀다 / He ~*ed to* ruin my life. 그는 나의 일생을 망쳐 놓겠다고 위협했다 / He ~*ed that* he would make it public. 그는 그것을 공개하겠다고 위협하였다. ③《~+목 / +목+전+명》 (위해·위험 등이) …을 위협하다, …에 임박해 있다 ; (…로) 위협을 주다《*with*》 : A flood ~*ed* the city. 홍수가 도시를 위협하고 있었다 / Bankruptcy ~*s* the company. =The company is ~*ed with* bankruptcy. 회사는 도산의 위기에 처해 있다. ④《~+목 / +*to* do》 (재해·위험 따위)의 징후를 보이다 ; …의 우려가 있음을 보여 주다 : The clouds ~*ed* rain. 비가 올 것 같은 구름이었다 / The new scheme ~*s to* be an expensive undertaking. 새 계획은 대단히 많은 돈이 들게 될 것 같다. — *vi.* ① 협박하다 : I don't mean to ~. 나는 협박할 생각은 없다. ② (나쁜 일이) 일어날 것 같다, (위협 등이) 임박하다 : You've got to know that danger ~*s*. 위험이 임박해 있음을 알아야 한다.

㊞ ~·**er** *n.* 협박자, 위협하는 사람〔것〕.

thréat·ened spécies [θrétnd-] (동·식물 등) 절멸 위기에 있는 종(種).

***threat·en·ing** [θrétniŋ] *a.* ① 협박하는: a ~ letter 협박장. ② (날씨 등이) 험악한; 찌푸린: ~ clouds 비가 올 것 같은 먹구름 / The sky looks ~. 날씨가 수상하다. ㊕ **~·ly** *ad.*

†**three** [θri:] *a.* ①〔限定的〕3의, 3개〔인〕의: ~ children 세 아이 / the *Three* Wise Men 〖聖〗 동방의 3박사(the Magi) / *Three* times two is six. 3 곱하기 2는 6 / He's ~ years old〔of age〕. 그는 세 살이다. ②〔敍述的〕3세인: He's ~. 그는 세 살이다. ── *n.* ① Ⓤ,Ⓒ 〔흔히 無冠詞〕 (기수의) 3. ②〔複數취급〕3개, 3인. ③ Ⓤ 3시; 3세; 3달러〔파운드 등〕. ④ Ⓒ 3의 기호; 카드〔주사위〕의 3끗. ⑤ Ⓒ 3개〔인〕 한 조의 것. ***the rule of ~*** ⇨ RULE. ***the Three in One*** 삼위 일체(the Trinity).

three-bag·ger [-bǽgər] *n.* 《野球俗》 =THREE-BASE HIT.

thrée-bàse hít [-bèis-] 〖野〗 3루타.

thrée chéers 만세 삼창(Hip, hip, hurray〔hurrah〕! 를 세 번 반복함).

three-col·or [-kʌ̀lər] *a.* ① 3색의. ②〖印〗 3색판의, 3색 인쇄의: ~ printing 3색판.

three-cor·nered [-kɔ́:rnərd] *a.* ① 모가 셋 있는, 삼각의: a ~ hat 삼각모. ② 삼각관계의; (경기 따위에서) 삼파전의: a ~ fight 삼파전 / a ~ relationship 삼각 관계.

three-D, 3-D [-dí:] *n.* Ⓤ 삼차원, 입체. ── *a.* (사진·영화 등) 입체의, 입체적인: *3-D* movies〔television〕 입체 영화〔텔레비전〕.

three-deck·er [-dékər] *n.* Ⓒ ① 3층 갑판선 《각 갑판에 대포를 갖춘 옛 군함》. ② (소설 따위의) 3부작. ③ 빵 세 조각을 겹친 샌드위치.

three-di·men·sion·al [-diménʃənəl, -dai-] *a.* ① 3차원의: ~ space 3차원. ② =THREE-D.

***three·fold** [-fòuld] *a.* ① 3배의, 세 겹의. ② 세 부분〔요소〕으로 된. ── *ad.* 3배로; 세 겹으로.

three-half·pence, -ha'pence [-héipəns] *n.* Ⓤ 《英》 1펜스 반(略: 11/2 d.). ⓒⓕ halfpenny.

three-hand·ed [-hǽndid] *a.* 셋이 하는(경기 따위).

three-leg·ged [-légid, -légd] *a.* 다리가 셋인, 3각의: a ~ race, 2인 3각 경주.

thrée-lìne whíp [-làin-] 〖英議會〗 긴급 등원(登院)명령《긴급함을 강조하기 위해 밑줄을 셋그은 데서》.

thrée-mìle límit [-màil-] 〖國際法〗 (해안에서 3해리 이내의) 영해폭.

three-part [-pɑ̀:rt] *a.* 3부의, 3부로 된.

three·pence [θrépəns, θríp-] *n.* 《英》 ① Ⓤ 3펜스(의 금액). ② Ⓒ 3펜스 짜리 경화《1971년 이전의 구화폐 제도하의》.

three·pen·ny [θrépəni, θrí-] *a.* ① 3펜스의: a ~ stamp, 3펜스짜리 우표. ② 보잘것 없는, 값싼.

three-phase [-fèiz, ⌐⌐] *a.* 〖電〗 3상(相)의: a ~ motor.

three-piece [-pí:s] *a.* 〔限定的〕 셋갖춤〔스리피스〕《남자: a suit of jacket, vest, pair of trousers; 여자: an ensemble of coat, skirt, blouse 따위》의; 3점이 한 세트인《가구 등》: a ~ suit 스리피스 / a ~ set of furniture 3점이 한 세트로 된 가구.

three-ply [-plái] *a., n.* ① 세 겹(의); 석 장 붙임의 (판자). ② (실·밧줄 등) 세 가닥으로 꼰.

thrée-pòint túrn [-pɔ̀int-] 3점 방향전환《전진·후퇴·전진으로 좁은 곳에서 차를 돌리는》.

three-quar·ter [-kwɔ́:rtər] *a.* 〔限定的〕 ① 4분의 3의. ② (초상화·사진의) 칠분신(七分身)의 《무릎 위까지》; 얼굴의 4분의 3이 보이는; (코트 따위가) 보통 기장의 4분의 3인, 칠분(길이)의: ~ sleeves 칠분 소매. ── *n.* Ⓒ ① 칠분신의 초상화〔사진〕. ②〖럭비〗 스리쿼터백《halfback과 full-back 사이의 공격수》.

thrée-rìng círcus [θrí:rìŋ-] ①〖서커스〗 세 장소〔링〕에서 동시에 하는 연기. ② 현란하고 호화로운 것.

thrée R's [-ɑ́:rz] (the ~) (아이들의 기초학과로서의) 읽기·쓰기·산수(*r*eading, w*r*iting, and a*r*ithmetic); (각 영역의) 기본적인 기술.

***three·score** [-skɔ́:r] *n.* Ⓒ, *a.* 60(의), 60세(의): ~ and ten 〖聖〗 70세《인간의 수명》.

three·some [-səm] *n.* Ⓒ ① 3인조(組). ②〖골프〗 **a**) 스리섬《1인 대 2인의 경기》. **b**) 스리섬의 경기자들. ── *a.* 3인조의, 세 사람이 하는.

thrée stár (호텔·레스토랑 등이) 별 셋의, 중급의.

three-wheel·er [-*h*wí:lər] *n.* Ⓒ 삼륜차; 사이드카.

thre·no·dy [θrénədi] *n.* Ⓒ 비가(悲歌), 애가; 《특히》 만가(挽歌).

thresh [θreʃ] *vt., vi.* (곡식을) 도리깨질하다; 타작〔탈곡〕하다.

thresh·er [θréʃər] *n.* Ⓒ ① **a**) 타작하는 사람. **b**) 탈곡기. ②〖魚〗 환도상어.

thrésh·ing machìne [θréʃiŋ-] 탈곡기.

‡**thresh·old** [θréʃ*h*ould] *n.* Ⓒ ① 문지방, 입구: on the ~ 문 입구에서 / cross the ~ 문지방을 넘다, 집에 들어가다. ② (흔히 *sing.*) 발단, 시초, 출발점: He's on the ~ of adulthood. 그는 어른이 다 돼 간다. ③〖心·生〗 역(閾)《자극에 대해 반응이 시작되는 분계점》, 역치(閾值): the ~ of consciousness 식역(識閾) / the ~ of sensation〔stimulus〕 감각〔자극〕역.

‡**threw** [θru:] THROW의 과거.

‡**thrice** [θrais] *ad.* 《文語》 ① 3회, 세 번; 3배로. ②〔흔히 複合語를 이루어〕 몇 번이고; 대단히, 매우: ~-blessed〔-favored〕 매우 축복받은.

***thrift** [θrift] *n.* ① Ⓤ 검약, 검소: She had to practice ~. 그녀는 검약하여야만 했다. ② Ⓒ =THRIFT INSTITUTION. ③ Ⓤ 〖植〗 아르메리아.

thríft institùtion 저축 기관.

thrift·less [θríftlis] *a.* 절약하지 않는, 돈을 헤피 쓰는, 낭비하는. ㊕ **~·ly** *ad.* **~·ness** *n.*

thríft shòp 중고품 할인 상점.

thrifty** [θrífti] (thrift·i·er; -i·est***) *a.* ① 검소한, 절약하는, 알뜰한(*with*): be ~ *with* one's money 돈을 절약하다. ② 무성하는, 잘 자라는; 번성하는. ㊕ **thríft·i·ly** *ad.* **-i·ness** *n.*

‡**thrill** [θril] *n.* Ⓒ ① (기쁨·공포·흥분 따위로) 짜릿한〔설레는, 떨리는〕 느낌, 스릴, 전율: a ~ of joy 짜릿짜릿한 기쁨 / feel a pleasant ~ go through one 기쁨에 (몸이) 짜릿해지다 / a story full of ~*s* 스릴에 가득찬 이야기 / the ~ of speed 스피드의 쾌감(스릴) / feel a ~ of terror 공포로 몸이 떨리다. ② 진동(震動)(음); 가슴이 두근거림, 맥박.

── *vt.* 《~+목/+목+전+명》 …을 몸이 떨리게 하다, 오싹하게 하다; 감격〔감동〕시키다: His words ~*ed* the audience. 그의 얘기는 청중을 깊이 감동시켰다 / She was ~*ed* that he would escort her. 그녀는 그가 바래다 준다고 해서 가슴이 울렁거렸다. ── *vi.* 《~/+전+명》 ① (사람이 …에) 가슴이 떨리다〔설레다〕, 오싹해지다; 감동하다; 감격하다: We ~*ed at* the good news. 우리는 희소식에 감격했다 / I ~*ed at* the thought of home. 고향에 돌아간다고 생각하니 가슴이 설

레었다 / We were *~ed to* see Korea beat Japan in soccer. 우리는 축구에서 한국이 일본에 이기는 것을 보고 감격했다. ② (강한 감정이 온몸에) 스며들다, (몸에) 전해 퍼지다 : Fear *~ed* through my veins. 두려움이 온몸을 휩쓸었다. ③ 떨리다 : His voice *~ed* with terror 〔joy〕. 그의 목소리는 공포〔기쁨〕에 떨렸다. ***be ~ed to bits*** 《口》 몹시 흥분〔기뻐〕하다.

thrill·er [θrílər] *n.* Ⓒ ① 스릴을 주는 사람〔것〕. ② 스릴 있는 소설〔영화, 극〕, 스릴러.

***thrill·ing** [θríliŋ] *a.* 오싹하게〔두근거리게〕 하는, 머리끝이 곤두서는 (것 같은) ; 감격적인 : a ~ experience 스릴 만점의 체험 / a ~ romance 두근거리게 하는 로맨스. ㊕ **~·ly** *ad.*

:thrive [θraiv] (***throve*** [θrouv], ***~d*** ; ***thriv·en*** [θrívən], ***~d***) *vi.* ① 번창하다, 번영하다 ; 성공하다 : Bank business is *thriving.* 은행업은 번창하고 있다 / ~ *in* trade 장사가 잘 되다 / The town *~s* primarily on tourism. 그 소도시는 주로 관광으로 번영하고 있다. ② (사람·동식물이) 잘 자라다, 무성하다《*on*》 : Healthy children ~ *on* good food. 건강한 아이들은 좋은 음식을 먹고 쑥쑥 자란다 / Begonias do not ~ in a cold climate. 베고니아는 추운 풍토에서는 잘 자라지 않는다.

***thriv·en** [θrívən] THRIVE 의 과거분사.

thriv·ing [θráiviŋ] *a.* 번영하는, 점점 커가는, 왕성하게 성장하는 : ~ business 번창하는 장사, 호황(好況) 사업. ㊕ **~·ly** *ad.*

:throat [θrout] *n.* Ⓒ ① 목(구멍), 인후 : have a sore ~ 목이 아프다 / pour〔send〕 ... down one's ~ …을 삼키다 / The collar is too tight around my ~. 그 칼라는 목에 너무 낀다. ② 목구멍 모양의 것〔부분〕 ; (기물의) 주둥이, 목 ; 좁은 통로 : the ~ of a bottle 병목 / the ~ of a chimney 굴뚝의 아귀. ***be at each other's ~s*** 서로 심하게 다투고 있다. ***cut*** 〔***slit***〕 one***'s*** (***own***) ~ 《口》 목을 찌르다 ; 자살하다 ; 자멸을 초래하다. ***jump down*** a person***'s*** ~ 아무를 몹시 꾸짖다 ; 아무에게 느닷없이 화를 내다. ***stick in*** one***'s*** ~ 〔***gullet***〕 (뼈 따위가) 목구멍에 걸리다 ; (말 따위가) 여간해서 안 나오다 ; (제안 등이) 받아들이기 어렵다, 마음에 들지 않다. ***thrust*** 〔***cram, force, push, ram, shove***〕 ***down*** a person***'s*** ~ 《口》 (자기의 의견 등을) 아무에게 강요하다 : He tried to *cram* his ideas *down my* ~. 그는 자기의 생각을 나에게 강요하려고 했다.

throat·ed [θróutid] *a.* 〔複合語를 이루어〕 …한 목을 가진, 목이 …한 : a white-~ bird 목이 흰 새.

throaty [θróuti] (***throat·i·er*** ; ***-i·est***) *a.* ① 후음(喉音)의. ② 목이 쉰, 쉰 목소리의 : a ~ voice 쉰 목소리. ③ (특히 소·개 따위가) 목이 축 늘어진. ㊕ **thróat·i·ly** *ad.* **-i·ness** *n.*

***throb** [θrab / θrɔb] *n.* Ⓒ 동계(動悸), 고동 ; 맥박 ; 감동, 흥분 : a ~ of the heart 심장의 고동〔동계〕 / the ~ of an engine 엔진의 진동.

— (***-bb-***) *vi.* ① 《~ / +전+명》 **a**) 가슴이 고동치다, 두근거리다, 맥박치다《*with*》 ; 떨다, 율동적으로 진동하다 : My heart is *~bing* heavily. 심장은 몹시 두근거리고 있다 / Her temples *~bed with* rage. 그녀의 관자놀이는 노여움으로 심하게 떨렸다 / cease to ~ 죽다. **b**) (머리·상처 등이) 지끈거리다, 욱신거리다 : That sound made my head ~. 그 소리를 들으면 머리가 지끈거린다 / My finger was *~bing with* pain. 손가락이 아파서 욱신욱신 했다. ② 《~ / +전+명》 감동하다, 흥분하다 : He *~bed* at the sight. 그는 그 광경에 감동했다 / He was *~bing with* expectation. 그는 기대감에 가슴이 울렁거리고 있었다.

throb·bing [θrábiŋ / θrɔ́biŋ] *a.* 〔限定的〕 ① 두근거리는 ; 지끈지끈한, 욱신거리는 : a ~ wound 욱신거리는 상처. ② 활기찬, 번화한 : London is a ~ city. 런던은 활기찬 도시다. ㊕ **~·ly** *ad.*

throes [θrouz] *n.* (*pl.*) ① 격통, 고민 : one's 〔the〕 death ~ 죽음의 고통, 단말마. ② 진통, 산고(産苦). ③ 과도기〔시련기〕의 혼란〔갈등〕 : in the ~ of a revolution 혁명이 한창일 때에.

throm·bo·sis [θrambóusis / θrɔm-] (*pl.* ***-ses*** [-siːz]) *n.* Ⓤ,Ⓒ 〖醫〗 혈전증(血栓症) : cerebral ~ 뇌혈전증.

:throne [θroun] *n.* ① Ⓒ 왕좌, 옥좌. ② (the ~) 왕위, 제위 ; 제권, 왕권 : ascend 〔come to, mount, sit on〕 *the* ~ 즉위하다 / succeed to *the* ~ 왕위를 계승하다 / He came to *the* ~ by succession. 그는 세습에 의해 왕위에 올랐다. ③ (*pl.*) 좌품(座品)천사《9 천사 중의 제 3 위》.

:throng [θrɔ(ː)ŋ, θraŋ] *n.* Ⓒ 〔集合的 ; 單·複數취급〕 군중 ; 다수(의 사람들 따위) : a vulgar ~ 일반 대중 / a ~ of seagulls 갈매기 떼.

— *vi.* 《~ / +전+명 / +*to* do》 떼지어 모이다, 밀려〔모여〕들다 : ~ *into* a room 방 안으로 우루루 들어가다 / Crowds of people *~ed to* see the game. 그 경기를 보려고 사람들이 몰려들었다.

— *vt.* 《~+목 / +목+전+명》 〔흔히 受動으로〕 …에 모여들다, 밀려들다, 쇄도하다《*with*》 : Shoppers *~ed* the department store. 쇼핑객이 백화점에 몰려 들었다 / The streets *were ~ed with* shoppers. 거리는 쇼핑객으로 들끓었다.

thros·tle [θrásl / θrɔ́sl] *n.* Ⓒ 《英》 〖鳥〗 노래지빠귀.

throt·tle [θrátl / θrɔ́tl] *n.* Ⓒ 〖機〗 =THROTTLE VALVE, THROTTLE LEVER. — *vt.* ① …의 목을 조르다, …을 질식시키다, 교살하다. ② …을 억누르다, 억압하다 : They tried to ~ the freedom of the press in the country. 그들은 나라의 출판의 자유를 억압하려 했다. ③ 〖機〗 (차·엔진 등) 의 속도를 떨어뜨리다《*back* ; *down*》.

— *vi.* 감속하다《*back* ; *down*》.

thróttle lèver 〖機〗 스로틀 레버.

thróttle vàlve 〖機〗 스로틀 밸브《엔진내의 연료 유량(流量)을 조절하는 밸브》.

†through [θruː] *prep.* ① 〔통과·관통〕 **a**) …을 통하여, 꿰뚫어 : see ~ a glass 유리를 통해서 보다 / hammer 〔drive〕 a nail ~ a board 판자에 못을 쳐(서) 박다 / march ~ a town 시내를 행진하다 / push one's way ~ the crowd 군중(속)을 헤치고〔헤집고〕 나아가다 / The River Thames flows ~ London. 템스강은 런던을 관류(貫流)한다. **b**) (통로·경로 따위를) 통과하여〔지나서〕, …에서, …으로 : go ~ the room to the kitchen 방을 지나 주방으로 가다《방바닥의 평면을 의식할 때에는 go across the room…》 / go out ~ the door 문으로 나가다 / ~ a pipe 파이프를 통하여 / She got into the house ~ the window. 그녀는 창문을 통해 집 안으로 들어갔다. **c**) (소음 따위) 속에서(도), (지진 따위)에도 불구하고 : The building stood ~ the earthquake. 그 빌딩은 지진에도 넘어가지 않았다. **d**) (신호 따위를) 지나쳐, 무시하고 : He went ~ a stop sign without stopping. 그는 일단 정지의 표지를 무시하여 서지 않고 통과했다. **e**) (마음 따위를) 꿰뚫어(보아) ; (거짓 따위를) 간파하여 : She saw ~ the trick. 그녀는 그 속임수를 간파하였다 / An idea flashed ~ her mind. 어떤 생각이 문뜩 그녀의 머릿속을 스쳤다. **f**) (의회 따위를) 통과하여 ; (남의 관리 따위를) 벗어나, 떠나 : The new tax bill finally got

~ Congress. 새로운 세제(稅制) 법안은 드디어 의회를 통과하였다.
② 〔장소〕 **a**) …의 여기저기(를), …의 도처에(를), 온 …을(에) : travel ~ China 중국 각지를 여행하다 / stroll ~ the streets of a city 도시의 거리를 이리저리 누비다. **b**) …사이를 (여기저기) : The monkeys swung ~ the branches of the trees. 원숭이들이 나뭇가지 사이를 이리저리 뛰며 오갔다.
③ 〔처음부터 끝까지〕《강조형은 all (right) ~》 **a**) 〔시간·기간〕 …중 내내, …동안 (줄곧) : We camped there ~ the summer. 우리는 여름 내내 거기에서 야영을 하였다 / We walked ~ the night. 우리는 밤새껏 걸었다 / She lived in the house *all* ~ her life. 그녀는 한평생 내내 그 집에서 살았다. **b**) 《美》 〔(from) *A* ~ *B*〕 A 부터(에서) B 까지 (포함시켜) : The trade fair will be open (*from*) Monday ~ Friday. 무역 박람회는 월요일에서 금요일까지 열린다《★ 'from A to (till, until) B' 에서는 B가 포함되는지 어떤지 애매하나, to나 till 대신 through를 쓰면 B도 포함함. 이 뜻으로 《英》에서는 보통 from A to B inclusive 등을 씀》.
④ 〔과정·경험·종료 따위〕 **a**) …을 끝마쳐, …을 벗어나(넘기어, 헤어나) ; …을 거쳐(겪어, 치러) : pass ~ adversity 역경을 벗어나다(넘기다) / go ~ war (an operation) 전쟁을 체험하다(수술을 받다) / I am halfway ~ the book. 그 책을 반 읽었다 / When will you be ~ school today? 오늘은 몇 시에 학교가 파하느냐 / Is she ~ college yet? 그녀는 이미 대학을 졸업했나요. **b**) …을 다 써버려 : He went (got) ~ a fortune in a year. 그는 1 년 내에 거금을 탕진했다.
⑤ 〔수단·매체〕 …에 의하여, …을 통하여, …으로 ; …덕택으로 : It was ~ him they found out. 진상이 밝혀진 것은 그의 덕분이었다 / I've got the information ~ my friend. 친구를 통해서(친구에게서) 그 정보를 얻었다.
⑥ 〔원인·이유〕 …으로 인하여, …때문에 : run away ~ fear 무서워져서 도망치다 / I got lost ~ not knowing the way. 길을 몰라서 길을 잃고 헤맸다 / She conceals the fact ~ shame. 그녀는 창피해서 그 사실을 숨기고 있다.
— *ad.* 《be 동사와 결합한 경우에는 형용사로 볼 수도 있음》 ① 통하여, 통과하여, 지나서 ; 꿰뚫어 : They opened the gate and let the procession ~. 그들은 대문을 열어 그 행렬을 (안으로) 통과시켰다 / The arrow pierced it ~. 화살은 그것을 꿰뚫었다 / Let me ~. 지나가게 해주세요 / ⇨ BREAK through (成句).
② 처음부터 끝까지 : read a book ~ 책을 끝까지 다 읽다 / I heard him ~. 나는 그의 말을 끝까지 들었다.
③ (어디까지) 직행으로《*to*》 : This train goes ~ *to* London. 이 열차는 런던까지 직행한다 / Get tickets ~ *to* Boston. 보스턴까지의 직행표를 사게.
④ 〔때·시간〕 …동안 죽(내내, 계속하여) : I slept the whole night ~. 밤새 내처 잤다 / She cried all the night ~. 그녀는 밤새 울고 있었다.
⑤ 아주, 완전히, 철저하게 : be wet (soaked) ~ 흠뻑 젖다 / The apple was rotten right ~. 그 사과는 속까지 푹 썩었다.
⑥ **a**) (잘, 순조롭게) 끝나, 마치어 : I'll be ~ in a few minutes. 조금 있으면 끝납니다 / He got ~ this year. 그는 금년에 (시험에) 합격했다. **b**) (일 따위를) 끝내 ; (…와의) 관계가 끊어져, (…을) 끊고《*with*》 : Are you ~ *with* the work? 일을 끝냈습니까《with는 생략할 수도 있음》 / I'm ~ *with* Jane. 제인과의 관계가 끊어졌다 / He is ~ *with* alcohol. 그는 술을 끊었다. **c**) (…을) 마치어 《do*ing*》 : I'll be ~ talk*ing* to him in a minute. 그와의 이야기는 곧 끝난다.
⑦ (사람이) 쓸모가(가망이) 없게 되어, 끝장이 나서, 틀리어 : You are ~. 자네는 이제 틀렸어 / She's ~ financially. 그녀는 파산했다 / As a boxer he is ~. 권투 선수로서 그는 끝장이다.
⑧ **a**) 《美》 전화가 끝나 : I'm ~. 통화 끝났습니다 ; 끊습니다 / Are you ~? 통화가 끝났습니까《교환원의 말》. **b**) 《英》 (전화의 상대와) 연결되어《*to*》 : Could you put me ~ *to* the manager? — You are ~ now. 지배인에게 이 전화를 연결해 주십시오. — 예, 연결됐습니다.
go ~ ⇨GO. ***see*** ~ ⇨SEE. ~ ***and*** ~ 완전히 ; 철저히, 철두철미, 어디까지나 : He's a gentleman ~ *and* ~. 그는 철두철미 신사다 / The policeman looked me ~ *and* ~. 경찰관은 나를 뚫어지게 보았다.
— *a.* ① (열차 따위가) 직행의 ; (차표 따위가) 갈아타지 않고 직행하는 : a ~ ticket (passenger) 직행 차표(여객) / a ~ train to Paris 파리 직행 열차. ② (도로 따위가) 빠져 나갈 수 있는, 관통한, 직통의 : a ~ road 직통 도로 / No ~ road. = No THOROUGHFARE.

‡**through·out** [θru:áut] *prep.* ① 〔시간〕 …을 통하여, …동안 죽 : ~ one's life 일생을 통하여 / ~ the day 종일 / ~ the night 밤새 / ~ the winter 겨우내 / The crowd shouted ~ the game. 관중은 경기 중 내내 함성을 질렀다. ② 〔장소〕 …의 전체에 걸쳐서, …의 도처에, …에 널리 : ~ the country 전국 방방곡곡에, 전국에 / His name is famous ~ the world. 그의 이름은 온 세계에 알려져 있다. — *ad.* ① 처음부터 끝까지, 시종, 최후까지, 철두철미 : I know the case ~. 나는 그 사건을 처음부터 끝까지 알고 있다 / She has been a good friend ~. 그녀는 일관되게 좋은 친구였다. ② 도처에, 어디든지, 전체 : The laboratory is painted white ~. 연구소는 어디고 없이 희게 칠해져 있다.

through·put [θrú:pùt] *n.* Ⓤ,Ⓒ 처리량《(1) 일정 시간 내에 가공되는 원료의 양. (2) 〖컴〗 일정시간 내에 처리되는 일의 양》.

thróugh strèet 직진 우선(優先) 도로.

through·way [θrú:wèi] *n.* Ⓒ 《美》 고속 도로.

***throve** [θrouv] THRIVE의 과거.

†**throw** [θrou] (***threw*** [θru:]; ***thrown*** [θroun]) *vt.* ① 《+목+전+명 / +목+목 / +목+부》 …을 (내)던지다, 팽개치다 : He *threw* the ball (*up*). 그는 공을 (위로) 던졌다 / Don't ~ stones *at* my dog! 우리 개에게 돌을 던지지 마라 / ~ a bone *to* a dog 개에게 뼈다귀를 던져 주다 / Please ~ me that book. 그 책을 이리 던져 주시오 / They were *thrown out of* the hall. 그들은 홀에서 내쫓겼다.
② …을 내동댕이치다 ; (말이 기수)를 뒤흔들어 떨어뜨리다 : He *threw* his opponent to the mat. 그는 그의 상대를 매트에 내동댕이쳤다 / The horse *threw* the rider. 말은 기수를 뒤흔들어 떨어뜨렸다.
③ 《+목+부 / +목+전+명》 (몸·수족)을 움직이다 ; 〔再歸的〕 몸을 휙 내던지다 : ~ *up* one's hands 손을 번쩍 치켜 올리다 / She *threw* her arms *around* her husband's neck. 그녀는 남편의 목을 와락 껴안았다 / He *threw himself* in the river. 그는 강에 풍덩 뛰어 들었다.
④ 《~+목 / +목+전+명 / +목+부》 (옷 따위)를 급히 입다 ; 벗어던지다《*on; off; over; round*》 :

Snakes ~ their skins. 뱀은 허물을 벗는다 / He *threw on*〔*off*〕 his bathrobe. 그는 후딱 목욕옷을 입었다〔벗어던졌다〕/ ~ a scarf *over* one's shoulders 어깨에 스카프를 걸치다 / ~ *off* one's disguise 변장을 급히 벗다.
⑤ …을 발사하다, 사출〔분출〕하다 : A pump ~*s* water. 펌프는 물을 뿜어낸다 / ~ a missile 미사일을 발사하다.
⑥《+목+전+명》(돈·정력·군대 따위)를 배치하다, 파견〔투입〕하다 ; (교량 따위)를 서둘러 놓다 : ~ a regiment *across* a river, 1개 연대를 강 건너에 배치하다 / ~ an army *into* battle 군대를 전투에 투입하다 / ~ a bridge *across* a river 강에 다리를 놓다.
⑦《+목+보 / +목+전+명》…을 (어떤 상태로) 되게 하다, 빠뜨리다, (감옥 따위)에 처넣다, 던지다《*into*》: ~ a door open 문을 획 열어 젖히다 / ~ a meeting *into* confusion 모임을 혼란에 빠뜨리다 / He was *thrown into* prison. 그는 감옥에 처넣어졌다.
⑧《~+목 / +목+전+명》《比》(빛·그림자·시선 따위)를 던지다, 향하게 하다, (비난·질문 따위)를 퍼붓다, (타격)을 가하다 ; (죄 따위)를 씌우다 : ~ some light *on* the subject 그 문제에 다소의 밝은 빛을 던지다 / ~ her a kiss 입술에 손을 대었다가 그녀에게 던지는 시늉으로 키스를 보내다 / ~ the blame *on* a person 아무에게 죄를 씌우다 / ~ obstacles *before* a person 아무에게 방해를 놓다.
⑨ (목소리)를 크게 내다, (목소리)를 다른 곳에서 내다《복화술(腹話術)에서》.
⑩ (가축이 새끼)를 낳다.
⑪ (도자기)를 녹로에 걸어서 모양을 만들다.
⑫ (생사(生絲))를 꼬다.
⑬《口》(파티 등)을 개최하다, 열다 : ~ a cocktail party 칵테일 파티를 열다.
⑭ (심하게) …을 들이받다 ; (암초에 배)를 얹히게 하다 : The ship was *thrown* on the rock. 배는 바위에 좌초했다.
⑮ (기계의 스위치)를 넣다〔끄다〕; (작동 레버 따위)를 움직이다 : ~ a machine out of gear 기계의 기어를 풀어 동력의 전달을 끊다 / The car was *thrown* into reverse. 차의 후진 기어가 들어갔다.
⑯ (표)를 던지다 ; (주사위·카드 등)을 던져서 끗수가 나오게 하다 : ~ a vote 투표하다 / ~ a six 주사위를 던져서 6이 나오게 하다.
— *vi.* ① 던지다, 투구(投球)하다 : How well can you ~? 얼마나 잘 던질 수 있느냐. ② (가축이) 새끼를 낳다.
~ ***about*** 〔***around***〕 (*vt.*) (1) …을 던져 흩뜨리다. (2) (돈)을 낭비하다. (3)…을 휘두르다. ~ ***away*** (1) (물건)을 내다버리다, 폐기하다. (2) (충고·친절 등)을 헛되이 하다《*on*》. (3) (기회·제의)를 날려버리다, 잃다. ~ . . . ***back*** (1) (공 따위)를 되던지다 ; …을 반사하다 : ~ the ball *back*. (2)《흔히 受動으로》(아무)를 의존케 하다《*on, upon*》: He *was thrown back on* his own resources. 그는 오직 자기 자신의 능력만을 믿지 않으면 안되게 되었다. (3) …을 지연시키다, …의 진보를 방해하다 (delay). (4) …을 격퇴하다. (5) (동식물이) 격세 유전하다. ~ ***down*** …을 내던지다, 내던져 버리다 : *Throw down* your weapons and come out. 무기를 버리고 나와. ~ ***in*** (*vt.*) (1)…을 던져 넣다, 주입하다 : The window ~*s* the light *in*. 창문으로 빛이 들어온다. (2) (말)을 끼워 넣다, 삽입하다 : The speaker *threw in* a few jokes to reduce the tension. 연사는 긴장을 덜려고 몇 마디 농담을 곁들였다. (3)《口》덤으로 주다 : We'll ~ *in* another copy. 1부 더 덤으로 드립니다. ~ ***in with***《美口》…와 협력하다, 한패〔동료〕가 되다. ~ ***off*** (*vt.*) (1) (생각·습관 따위)를 떨쳐버리다, 버리다. (2) (옷 따위)를 급히 벗어던지다. (3) 관계를 끊다. (4) (시 따위)를 단숨에〔즉석에서〕 짓다. (5) (병 따위)를 고치다, …에서 회복하다. (6) (추적자·귀찮은 것 따위)를 떼어버리다, 떨어버리다. ~ ***on*** …을 급히 〔서둘러〕 입다. ~ ***open*** (1) (문 따위)를 열어 젖히다. (2) …을 공개하다, 개방하다《*to*》. ~ ***open*** one***'s door to*** …를 빈객으로 맞이하다, 환영하다. ~ ***out*** (1)…을 내던지다 ; 밖으로 버리다, 처분〔제거〕하다 : ~ *out* of work 실직시키다, (직장에서) 내쫓다. (2) (건물)을 증축하다. (3) (제안·의안)을 부결〔부인〕하다. (4) …을 (실수로) 입밖에 내다 ; 아무렇지도 않은 듯이 말하다, 암시하다 : ~ *out* a hint 슬쩍 힌트를 주다. (5) …을 당혹하게 하다 ; 혼란시키다 : ~ *out* one's calculations 계산을 잘못하게 하다. (6)〖野〗(타자·주자)를 송구하여 죽이다. (7) 가슴을 펴다. ~ ***over*** (벗·애인 등)을 저버리다 : ~ *over* a friend 친구를 저버리다. ~ one***self down*** 벌렁 드러눕다 ; 몸을 내던지다. ~ one***'s eyes*** …을 홀끗 보다《*at*》. ~ ***stones at*** …을 비난하다. ~ one***'s weight around*** 〔***about***〕 권력을 휘두르다. ~ ***the book at*** …에게 가장 중한 벌을 가하다. ~ ***together*** (1) (아무)를 우연히 만나게 하다. (2) 서둘러 그러모아 …을 만들다. ~ ***up*** (1) …을 던져올리다. (2) (창문)을 밀어올리다. (3) …을 사직하다 ; 포기하다 : ~ *up* a plan 계획을 포기하다. (4)《口》(먹은 것)을 토하다 : ~ *up* one's dinner. (5) …을 서둘러 짓다, 급조하다 : ~ *up* a hut.
— *n.* Ⓒ ① 던짐, 던지기, 투구 : a straight ~ 직구 / a ~ of the hammer 해머던지기. ②〖레슬링·유도〗메다 꽂는 기술. ③ 던져 닿는 거리, 투척 거리 : a ~ of 100 meters 백미터의 투척 거리. ④ 주사위를 던짐 ; 던져 나온 주사위의 끗수 : He lost two dollars on a ~ of dice. 그는 주사위던지기에서 2달러를 잃었다 / It's your ~. 이번은 네 차례다. ⑤ (a ~)《美口》하나, 한 잔, 1회 : at $5 *a* ~ 한 개〔1회〕 5달러로.
at 〔***within***〕 ***a stone's*** ~ 돌을 던지면 닿을 거리에, 가까운 곳에.

throw·a·way [-əwèi] *n.* Ⓒ ① 쓰고〔읽고〕 나서 버리는 것. ②《口》광고용 삐라, 선전용 쪽지.
— *a.* 〔限定的〕 ① 쓰고 버리는 : a ~ paper cup 쓰고 버리는 종이 컵. ② 아무렇지도 않게 말한《대사 따위》.

throw·back [-bæ̀k] *n.* Ⓒ ① 되던지기. ② 후퇴, 역전(逆轉). ③ (생물의) 격세유전(隔世遺傳)(한 것)《*to*》.

throw·er [θróuər] *n.* Ⓒ 던지는 사람〔것〕: a discus ~ 원반 던지기 선수.

throw-in [θróuìn] *n.* Ⓒ ①〖競〗스로인. ②《俗》덤, 개평.

†**thrown** [θroun] THROW의 과거분사.

***throw-off** [θróuɔ̀(:)f, -ɑ̀f] *n.* Ⓤ (사냥·경주 등의) 개시 ; 출발 : at the first ~ 처음부터, 당초에.

thrów wèight (핵미사일의) 투사 중력(投射重力)《핵탄두의 파괴력을 나타냄》.

thru [θru:] *prep., ad., a.*《美》=THROUGH.

thrum [θrʌm] *n.* Ⓒ (방직기에서 직물을 끊어 낼 때에 남는) 실나부랭이, 실보무라지.

***thrush**[1] [θrʌʃ] *n.* Ⓒ〖鳥〗개똥지빠귀.

thrush[2] *n.* Ⓤ〖醫〗① 아구창(鵝口瘡). ②《口》질(膣)칸디다증(症).

‡**thrust** [θrʌst] (*p., pp.* ***thrust***) *vt.* ①《~+목 / +목+부 / +목+전+명》…을 세차게 확 밀다 ; 밀어 넣다, 찔러 넣다《*in ; into*》: ~ the chair *for-*

ward 의자를 앞으로 확 밀다 / He ~ his fist *before* my face. 그는 주먹을 내 얼굴 앞에 확 내밀었다 / ~ one's hands *into* one's pockets 양손을 주머니에 찔러 넣다. ② ((~+목 / +목+전+명 / +목+부)) …을 푹 찌르다, 꿰찌르다((*into*)): ~ a knife *into* an apple 칼을 사과에 푹 찌르다 / He ~ a dagger *into* her back. 그는 그녀의 등에다 단도를 푹 찔렀다. ③ ((+목+전+명)) (책임·일 따위)를 떠맡기다, 강제로 안기다〔시키다〕((*on, upon*)): He ~ the extra work *upon* me. 그는 추가적인 일을 나에게 떠맡겼다 / ~ a person *into* a high position 아무를 억지로 높은 지위에 앉히다. ④ ((+목+전+명 / +목+부)) 〔再歸用法〕 주제넘게 나서다, 억지로 끼어들다((*into*)): He ~ *himself* rudely *into* the conversation. 그는 버릇없이 이야기에 끼어들었다 / She always ~*s herself forward.* 그녀는 언제나 중뿔나게 나선다.
— *vi.* ① (…을) 세차게 밀다, 찌르다. ② ((+전+명)) (찌르려고) 덤벼들다((*at*)): ~ *at* a person with a spear 창으로 찌르려고 덤벼들다. ③ ((+전+명)) 밀어젖히고 나아가다, 돌진하다((*through ; into ; past*)); 끼어들다((*in*)): He ~ *past* me *in* a rude way. 그는 난폭하게 나를 밀어젖히고 지나갔다 / He ~ *in* between them. 그는 그들 사이를 헤치고 끼어들었다. ~ ***aside*** 밀어젖히다. ~ ***back*** 되찌르다. ~ one'***s nose*** 〔one***self***〕 ***in*** …에 쓸데없이 간섭하다〔끼어들다〕. ~ one'***s way*** 뚫고〔헤치고〕 나아가다.
— *n.* ① Ⓒ 확 밀기: with one ~ 한번 확 밀어서. ② Ⓒ 찌르기: a home ~ 명중〔급소〕 찌르기. ③ Ⓒ 공격, 돌격: a big ~ from the air 대공습. ④ Ⓒ 혹평, 날카로운 비꼼: a shrewd ~ (비평·공격 따위의) 예봉(銳鋒). ⑤ Ⓤ 〖空·機〗 추력(推力). ⑥ (the ~) (말·발언 등의) 요점, 취지((*of*)).

thrust·er [θrʌ́stər] *n.* Ⓒ ① 미는〔찌르는〕 사람. ② 중뿔난 사람. ③ (궤도 수정용의) 소형 로켓 엔진.

thrúst stàge 앞으로 돌출한 무대.

thru·way [θrúːwèi] *n.* Ⓒ ((美)) 고속 도로.

***thud** [θʌd] *n.* Ⓒ 펑, 쿵, 쾅; 퍽, 털썩((무거운 것이 떨어지는 소리)): the ~ of an explosion 펑하는 폭발음 / fall with a ~ 쿵하고 떨어지다〔쓰러지다〕. — (*-dd-*) *vi.* 털썩 떨어지다; 쿵 울리다; 탁하고 부딪치다.

thug [θʌg] *n.* Ⓒ 흉한(凶漢).

thug·gery [θʌ́gəri] *n.* Ⓤ 폭력 행위, 폭행.

thu·li·um [θjúːliəm] *n.* Ⓤ 〖化〗 툴륨((희토류 원소; 기호 Tm; 번호 69)).

‡**thumb** [θʌm] *n.* Ⓒ 엄지손가락; 장갑의 엄지손가락: raise one's ~ 엄지손가락을 세우다((승리·성공을 나타내는 모양)). ***be all ~s*** 손재주가 없다: His fingers *are* 〔He *is*〕 *all ~s.* 그는 도무지 손재주가 없다. ***by*** (***a***) ***rule of*** ~ 눈대중으로, 경험으로. ***stick out like a sore*** ~ ((口)) (장소·분위기 따위에) 전혀 어울리지 않다, 매우 부적절하다; 곧 남의 눈에 띄다. ***~s down*** 거부〔불만족〕(의 신호): get 〔receive〕 the ~*s down* 거부당하다, 받아들여지지 않다 / *Thumbs down!* ((口)) 안 돼; 반대한다; 실망했다. ***~s up*** 동의〔만족〕(의 신호): give a person the ~*s up on* his new design 아무의 새 기획에 찬성하다 / *Thumbs up!* ((口)) 좋아; 잘했다. ***twirl*** 〔***twiddle***〕 one'***s ~s*** 양손의 네 손가락을 끼고 좌우 엄지손가락을 빙빙 돌리다((무료해하다)); 편둥편둥 놀다. ***under the ~ of*** a person=***under*** a person'***s*** ~ 아무가 시키는 대로 하여: He is completely *under* his wife's ~. 그는 전적으로 아내가 하라는 대로 한다.
— *vt.* ① (책 따위)를 엄지손가락으로 넘기다; 대충 훑어보며 후딱후딱 넘기다((*through*)): He ~*ed through* the book. 그는 책을 대충대충 훑어 보았다. ② ((~+목 / +목+전+명)) ((口)) (지나가는 차에게) 엄지손가락을 세워 편승시켜달라고 신호하다(hitchhike): She ~*ed* her way *to* Chicago. 그녀는 시카고까지 히치하이크했다. — *vi.* ① (책장을) 슬쩍슬쩍〔급히〕 넘기다, 훑어보다((*through*)). ② ((口)) 편승(便乘)을 부탁하다, 편승하다, 히치하이크하다(hitchhike). ~ one'***s nose at*** ⇨NOSE.

thúmb ìndex 〖製本〗 (사전 따위의) 반달 색인.

thumb·nail [∸nèil] *n.* Ⓒ 엄지손톱; (손톱같이) 작은 것. — *a.* 〔限定的〕 간결한: a ~ sketch 간략한 기술(記述).

thumb·print [∸prìnt] *n.* Ⓒ 엄지손가락의 지문, 무인(拇印).

thumb·screw [∸skrùː] *n.* Ⓒ 〖機〗 나비나사.

thumbs-down [θʌ́mzdàun] *n.* (the ~) 거절, 반대. opp. *thumbs-up.*

thumb·stall [θʌ́mstɔ̀ːl] *n.* Ⓒ (가죽) 골무.

thumbs-up [θʌ́mzʌ̀p] *n.* (the ~) 승인, 찬성.

thumb·tack [θʌ́mtæ̀k] *n.* Ⓒ ((美)) 압(押)핀 (((英)) drawing pin).

***thump** [θʌmp] *n.* Ⓒ ① 탁, 쿵(소리): She sat on the sofa with a ~. 그녀는 소파에 쿵하고 앉았다. ② (특히 주먹으로) 탁 치기: give a ~ 탁 치다. — *vt.* ① ((~+목 / +목+전+명 / +목+보)) (주먹 따위로) …을 쾅〔탁〕하고 치다〔때리다〕; …을 탁탁 쳐서 …하게 하다: ~ a table *with* one's fist 주먹으로 테이블을 쾅 치다 / She ~*ed* the cushion flat. 쿠션을 펑펑 쳐서 납작하게 만들었다. ② (물건이) …에 쿵 부딪치다: The shutters ~*ed* the wall in the wind. 덧문이 바람 때문에 벽에 쾅 부딪혔다. ③ ((~+목 / +목+부 / +목+전+명)) (악기)를 쾅쾅 치다〔울리다〕; (악기로 곡)을 쾅쾅 연주하다((*out*)): ~ a drum 북을 둥둥 울리다 / He ~*ed out* a lively march *on* the old piano. 그는 그 낡은 피아노를 쾅쾅 두드리며 기운찬 행진곡을 연주했다. — *vi.* ① ((~ / +전+명)) (탁) 치다〔부딪치다, 때리다, 넘어지다〕: He ~*ed on* the table. 그는 탁탁〔탕탕〕 테이블을 쳤다 / They began to ~ one another. 그들은 서로 주먹다짐을 시작했다 / The drunk ~*ed against* a lamppost. 주정꾼이 가로등 기둥에 탁하고 부딪혔다. ② ((+전+명)) 쿵쿵거리며 걷다. ③ ((~ / +전+명)) (심장·맥이) 두근두근〔팔딱팔딱〕 뛰다: Her heart was ~*ing with* excitement. 흥분으로 그녀의 가슴은 두근거리고 있었다.
— *ad.* 탁(하고), 탕(하고): The workman fell ~ on the ground. 일꾼은 털석하고 땅에 떨어졌다.

thump·ing [θʌ́mpiŋ] *a.* ① 탁〔탕〕하고 치는. ② ((口)) 놀랄 만한; 터무니없는((거짓말 따위)): a ~ majority 〔victory〕 압도적 다수〔승리〕 / a ~ lie 터무니없는 거짓말. ㊞ **~·ly** *ad.*

‡**thun·der** [θʌ́ndər] *n.* ① Ⓤ 우레; 천둥(소리); ((詩)) 벼락: a crash〔peal〕 of ~ 천둥 소리 / The ~ crashes and rumbles. 천둥이 우르릉 쾅쾅 울린다 / The ~ rolls. 천둥이 울린다. ② Ⓤ,Ⓒ 우레 같은 소리: ~*s* of applause 우레와 같은 박수갈채 / ~*s* of guns 대포의 울림. ③ Ⓤ 위협; 호통, 노호; 비난. ***By ~!*** =***Thunder!*** (놀람·만족을 나타내어) ((口)) 참말로, 참으로, 그것 참, 이런이런! ***like*** 〔***as black as***〕 ~ 몹시 화가 나서. ***steal*** 〔***run away with***〕 a person'***s*** ~ 아무의 고안〔방법〕을 도용하다〔가로채다〕. ***the*** 〔***in***〕 ~ 〔疑問詞를 강조하여〕 대체: *Who the* 〔*in*〕 ~ are you? 도대체 넌 누구냐. ~ ***and lightning*** (1) 천둥과 번갯불. (2) 비난 공격, 탄핵.

— *vi.* ①〔it를 主語로〕 천둥치다 : It ~*ed* last night. ②《+전+명》 큰 소리를 내다 ; (천둥처럼) 울려퍼지다 : ~ *at* the door 문을 쾅쾅 두드리다 / Artillery ~*ed* in the distance. 멀리서 대포 소리가 울렸다. ③《+전+명》 몹시 비난하다, 공격하다, 탄핵하다《*against*》; 호통치다《*at*》: The reformers ~*ed against* the policy. 개혁자들은 그 정책을 탄핵했다. — *vt.* ① …을 큰소리로〔소리쳐〕 말하다《*out*》: ~ *out* a reply 큰소리로 대답하다 / The crowd ~*ed* its approval. 군중들은 큰소리로 찬의를 표했다. ②《~+목 / +목+부》 (큰소리를 내며) …을 치다, 발사하다 : ~ a drum 북을 세게 치다 / ~ *out* a salute of twenty-one guns, 21 발의 예포를 쏘다.

thun·der·bird [θʌ́ndərbə̀ːrd] *n.* Ⓒ 뇌신조(雷神鳥)《북아메리카 인디언이 천둥을 일으킨다고 믿었던 큰 새》.

***thun·der·bolt** [-bòult] *n.* Ⓒ ① 천둥번개, 벼락, 낙뢰(落雷). ② (전혀) 뜻밖의 일〔사건〕, 청천 벽력 : This information was a ~ to her. 이 소식은 그녀에게 청천의 벽력이었다.

thun·der·clap [-klæ̀p] *n.* Ⓒ ① 천둥소리. ② 청천벽력 (같은 사건).

thun·der·cloud [-klàud] *n.* Ⓒ 뇌운(雷雲) ; 《比》 암운(暗雲), 위협을 느끼게 하는 것.

thun·der·head [θʌ́ndərhèd] *n.* Ⓒ 쎈비구름, 소나기구름, 적란운.

thun·der·ing [θʌ́ndəriŋ] *a.* 〔限定的〕 ① 천둥치는 ; 우렛소리같이 울리는 ; 큰 소리를 내는. ② 《口》 굉장한, 엄청난 : a ~ fool〔mistake〕 (이만저만이 아닌) 큰 바보〔잘못〕. 파 **~·ly** *ad.*

thun·der·ous [θʌ́ndərəs] *a.* ① **a)** (구름 따위가) 천둥치게 하는. **b)** (날씨 따위가) 천둥칠 듯한. ② 우레 같은, 우레같이 울려퍼지는 : ~ applause 우레 같은 박수. 파 **~·ly** *ad.*

thun·der·show·er [-ʃàuər] *n.* Ⓒ 천둥을 수반한 소나기, 뇌우(雷雨).

thun·der·storm [-stɔ̀ːrm] *n.* Ⓒ 천둥을 수반한 일시적 폭풍우, (심한) 뇌우.

thun·der·struck [-strʌ̀k] *a.* 〔敍述的〕 깜짝 놀란, 기절초풍할 정도의 : She was ~ by the news. 그녀는 그 소식에 깜짝 놀랐다.

thun·dery [θʌ́ndəri] *a.* 천둥 같은 ; 천둥치는, 천둥칠 듯한 : ~ rain〔showers〕 뇌우(雷雨).

thu·ri·ble [θúərəbəl] *n.* Ⓒ 【가톨릭】 향로(香爐)〔(censer).

Thur(s). Thursday.

†**Thurs·day** [θə́ːrzdi, -dei] *n.* 〔원칙적으로 冠詞 없이 Ⓤ ; 단, 뜻에 따라 冠詞가 붙고 Ⓒ가 되기도 함〕 목요일《略 : Thur., Thurs.》: Today's ~. 오늘은 목요일이다 / on ~ 목욕일에 / on ~*s* 목요일마다 / on (《英》 the) ~ of next week 내주 목요일에. — *a.* 《英》 목요일의 : on ~ afternoon 목요일 오후에. — *ad.* 《美》 목요일에 (⇨THURSDAYS) : See you ~. 자, 목요일에 (또) 만나자.

Thurs·days [θə́ːrzdiz, -deiz] *ad.* 목요일마다, 목요일에는 언제나.

†**thus** [ðʌs] *ad.* ① 이렇게, 이런 식으로 : He spoke ~. 그는 이렇게 말했다 / Push the button ~. 이렇게 버튼을 누르세요 / *Thus* he lost all he had. 이렇게 해서 그는 가진 것을 다 잃었다. ② 따라서, 그래서, 그런 까닭에 : *Thus* they decided that I was innocent. 이래서 그들은 내가 무죄라고〔결백하다고〕 결론을 내렸다 / It is late, and ~ you must go. 늦었으니 돌아가시오. ③ 〔形容詞·副詞를 수식하여〕 이만큼, 이 정도까지 : Why ~ sad? 왜 이다지 슬픈가.

~ ***and*** ~ =《美》 ~ ***and so*** 이러이러하게, 여차여차하게. ~ ***far*** 여태〔여기〕까지는(so far)《흔히 動詞의 完了形과 함께 쓰임》: *Thus far* there have been no changes. 여태〔지금〕까지는 변화가 없다. ~ ***much*** 이것만〔만큼〕은 : *Thus much* is certain. 이것만은 확실하다.

***thwart** [θwɔːrt] *vt.* …을 훼방놓다, 방해하다 ; 좌절시키다, 꺾다 : ~ a person's plans 아무의 계획을 방해하다 / He has been ~*ed* in his ambition. 그의 야심은 좌절되었다.

— *n.* Ⓒ (노잡이가 앉는) 보트의 널빤지〔가로장〕.

***thy** [ðai] *pron.* 〔thou 의 所有格 ; 모음 또는 h 음으로 시작되는 말 앞에서는 thine〕《古·詩》 너의, 그대의 : for ~ sake 그대를 위해서.

thyme [taim] *n.* Ⓤ 타임《꿀풀과의 백리향속(白里香屬) 식물 ; 정원용, 잎·줄기는 향신료》.

thy·mol [θáimoul, -mɔ(ː)l, -mɑl] *n.* Ⓤ 【化】 티몰《강력 방부제》.

thy·roid [θáirɔid] *a.* 【解】 갑상선(甲狀腺)의.

— *n.* 갑상선(=∠ glànd).

thy·rox·in, -ine [θairɑ́ksiːn / -rɔ́k-] *n.* Ⓤ 【生化】 티록신《갑상선 호르몬의 하나》.

***thy·self** [ðaisélf] *pron.* 〔thou, thee의 再歸·強調형〕《古·詩》 너 자신, 그대 자신.

ti [tiː] *n.* Ⓤ,Ⓒ 【樂】 시, 나음(si)《장음계의 제7음》.

Ti 【化】 titanium.

Tián·an·men Squáre [tiɑ́ːnɑ́ːnmén-] (베이징(北京)의) 톈안먼(天安門) 광장.

Tian·jin, Tien·tsin [tiɑ́ːndʒín], [tiéntsín, tín-] *n.* 톈진(天津)《중국 허베이(河北)성의 도시》.

ti·a·ra [tiέərə, -ɑ́ːrə] *n.* Ⓒ ① 로마 교황의 삼중관(三重冠). ② (여자용) 보석 박은 관.

Ti·ber [táibər] *n.* (the ~) (로마의) 테베레 강《이탈리아명 Tevere》.

Ti·bet [tibét] *n.* 티베트《수도는 라사(Lhasa)》.

Ti·bet·an [tibétən] *a.* 티베트의, 티베트 사람〔말〕의.

— *n.* ①Ⓒ 티베트 사람. ②Ⓤ 티베트 말.

tib·ia [tíbiə] (*pl.* ***-i·ae*** [tíbiiː], ~***s***) *n.* 【解】 경골(脛骨), 정강이뼈.

tic [tik] *n.* Ⓒ 【醫】 틱《급격한 안면 경련》.

***tick**[1] [tik] *n.* Ⓒ ① (시계 등의) 똑딱똑딱 소리. ② 점검이나 대조필의 표시(✓), 꺾자. ③《英口》 순간(instant) : I'll be back in a ~. 곧 돌아오겠다 / in two 〔a couple of〕 ~*s* 순식간에, 눈 깜짝할 사이에.

— *vi.* ①《~ / +부》 (시계 따위가) 똑딱거리다 ; (시간이) 지나가다《*away* ; *by*》: listen to the clock ~*ing* 시계가 똑딱똑딱 하는 것을 듣다. ② (기계 따위가 시계처럼) 작동하다 ; 행동하다 : The engine is old but it's still ~*ing*. 엔진은 낡았지만 아직도 돌아가고 있다.

— *vt.* ①《~+목 / +목+부》 (시간)을 똑딱똑딱 가리키다〔알리다〕: The clock ~*ed* the seconds. 시계는 똑딱똑딱 초를 가리켰다. ②《~+목+부》 (장부 따위)에 (점검·대조필의) 표시를 하다 ; 체크하다《*off*》: ~ *off* items in a list 표의 항목을 체크하다. ~ ***off*** (1) …에 대조표를 하다. (2) ⇨*vt.* ②. (3)《口》 …을 나무라다, …을 꾸짖다. (4)《美》 …을 성나게 하다. ~ ***out*** (수신기가 통신을) 똑똑쳐내다. ~ ***over*** (1) (엔진이) 느린 속도로 회전〔공전〕하다. (2) (일·영업 등이) 시원찮은 상태로 진행되다. ***what makes a*** person ~《口》 아무가 행동하는 동기〔이유〕: *What makes him* ~ ? 그는 무슨 동기로 그런 행동을 하느냐.

tick[2] *n.* Ⓤ《英口》 신용 거래〔대부(貸付)〕, 외상(매출). ***give*** ~ 외상으로 팔다. ***go*** 〔***get***〕 (***on***) ~ 외상으로 사다. ***on*** 〔***upon***〕 ~ 신용으로, 외상으로.

tick[3] *n.* Ⓒ 이불잇, 베갯잇.

tick⁴ *n.* Ⓒ ①【蟲】 진드기 : ~ fever 진드기열(熱). ②《英口》 싫은 놈, 귀찮은 녀석.

tick·er [tíkər] *n.* Ⓒ ① 똑딱거리는 물건. ② (전신의) 수신기. ③ 증권 시세 표시기. ④《俗》 시계, 괘종. ⑤《俗》 심장.

tícker tàpe ① ticker에서 자동적으로 나오는 수신용 테이프. ② (환영을 위해 빌딩 창문 등에서 던지는) 색종이 테이프.

tíck·er-tape paràde [-tèip-] (주로 뉴욕시의 전통적인) 색종이 테이프가 뿌려지는 퍼레이드.

†**tick·et** [tíkit] *n.* ① Ⓒ 표, 권(券), 입장〔승차〕권 : Admission by ~ only. 표 지참자에 한해서 입장가 / a one-way 〔《英》 single〕 ~ 편도표 / a round-trip 〔《英》 return〕 ~ 왕복표 / a through ~ 직행표 / a circular ~ 순회권 / an excursion ~ 할인 (단체) 유람권 / a commutation 〔《英》 season〕 ~ 정기권 / a ~ collector (역의) 집표원. ② Ⓒ (상품 등에 붙인) 정가표, 정찰(正札) ; (창에 내붙인) 셋집〔임대〕 광고 ; 전당표 : a price ~ 정가표 / a lottery ~ 복권. ③ Ⓒ (교통 위반자에 대한) 호출장, 빨간〔위반〕 딱지 : get a parking ~ 주차 위반 딱지를 받다 / The policeman gave me a ~ for speeding. 경찰관은 내게 속도 위반 딱지를 발행했다. ④ Ⓒ (선장·비행사 따위) 자격 증명서, 면허증. ⑤ Ⓒ 《英》 제대증 : get one's ~ 제대가 되다. ⑥ Ⓒ 《美》 (정당의) 공천 후보자(명단) : a straight 〔mixed〕 ~ 《美》 전(全)공천〔혼합〕 후보자 명단 / run on the Republican ~ 공화당의 공천 후보자로 출마하다 / The whole Republican ~ was returned. 공화당 후보는 전원 당선되었다. ⑦ (the ~) 《口》 정당〔당연〕한 일 ; 진짜, 안성맞춤의 일 : That's (just) *the* ~. 바로 그거다, 안성맞춤이다 / That's not quite *the* ~. 그다지 적절하지 않다.

— *vt.* ① 《美》 …에게 표를 발행하다〔팔다〕 ; …에 교통〔주차〕 위반의 딱지를 붙이다 ; (교통 위반자)에게 소환장을 내다. ② 《~+目 / +目+*as* 補》 …에 표〔딱지〕를 붙이다, (상품)에 정찰을 달다 : ~ a person *as* a boaster 아무에게 허풍선이라는 딱지를 붙이다. ③ (어떤 용도로) …을 충당〔할당〕하다, 지정하다《*for*》 : These cars are *~ed for* sales abroad. 이 자동차들은 수출용〔해외 판매용〕이다.

tícket àgent 입장권〔승차권〕 판매 대행업자.

tícket òffice 《美》 매표소(《英》 booking office).

tick·ing [tíkiŋ] *n.* Ⓤ 이불잇, 베갯잇《아마포·면포 따위》.

*__tick·le__ [tíkəl] *vt.* ① 《~+目 / +目+前+名》 …을 간질이다 : ~ a person *under* the arms 아무의 겨드랑이를 간질이다 / I don't like to be *~d.* 나는 간지럼 당하는 것이 싫다. ② 《~+目》 따끔거리게 하다 ; 자극하다 : The new blanket *~s* me. 새 담요가 따끔거린다. ③ 《~+目 / +目+前+名》 …을 기쁘게〔즐겁게〕 하다, 웃기다 : The story *~d* the students. 그 이야기를 듣고 학생들은 즐거워했다 / I was greatly *~d at* the idea. 나는 그 착상이 재미있어서 견딜 수 없었다. ④ (물고기 등)을 손으로 잡다. — *vi.* ① 간지럽다, 간질간질하다 : My throat *~s.* 목이 간질간질하다 / My nose *~s.* 코가 간질간질하다. ② (자극물 따위가) 간질간질하게 하다. ***be ~d to death*** 포복절도하다 ; 《口》 대단히 기쁘다 : I *was ~d to death* at the scene. 그 장면이 못견디게 우스웠다. ~ a person ***in the palm*** 아무에게 팁을 주(어 즐겁게 하)다. ~ a person ***pink*** 《口》 아무를 무척 기쁘게 해주다. ~ a person***'s fancy*** 아무를 웃기다. ~ a person***'s vanity*** 아무의 허영심을 만족시키다. ~ ***the ivories*** 《戱》 피아노를 치다.

— *n.* Ⓤ,Ⓒ ① 간지럼 ; 간지러운 느낌, 근질근질함 : give a ~ 간질이다 / have ~*s* 〔a ~〕 in … …이 근질근질하다. ② 즐겁게 하는 것 : The dinner was a ~ of the palate. 디너는 맛이 좋았다.

tick·ler [tíklər] *n.* Ⓒ ① 간질이는 사람〔것〕. ② 《英口》 어려운 문제〔사태, 사정〕 ; 신중을 요하는 문제〔사태〕. ③ 《美》 수첩, 비망록 ; 메모장(帳) (= ∠ **file**).

tick·lish, tick·ly [tíkliʃ], [tíkli] *a.* ① (몸의 일부가) 간지러운 ; (사람이) 간지럼타는. ② (배가) 흔들리는, 뒤집히기 쉬운, 불안정한(unsteady). ③ (문제 등이) 다루기 어려운, 미묘한 : a *ticklish* problem〔situation〕 미묘한 문제〔신중을 요하는 사태〕. ④ (사람이) 퍼까다로운, 성마른.
㊕ **tíck·lish·ly** *ad.* **tíck·lish·ness** *n.*

tick·tack [tíktæ̀k] *n.* Ⓒ ① (시계의) 똑딱똑딱 소리. ② 심장의 고동, 동계(動悸). ③ (창문 따위를 똑똑 두드리는 어린이 장난용의) 소리내는 장치. ④ 《英》 (경마에서) 사설 마권업자들끼리 주고받는 신호〔암호〕.
— *vi.* 똑딱똑딱 소리를 내다.

tick-tack-toe [tìktæktóu] *n.* Ⓤ 삼목(三目) 놓기 (《英》 noughts-and-crosses)《한 사람은 동그라미를, 또 한 사람은 가위표를 각각 놓아 가는 오목(五目) 비슷한 놀이》.

tic(k)·toc(k) [tíktɑ̀k / -tɔ̀k] *n.* Ⓒ (특히 큰 시계의) 똑딱똑딱 (소리).

*__tid·al__ [táidl] *a.* ① 조수(潮水)의, 조수 같은 ; 조수의 작용에 의한 ; 간만이 있는 : a ~ current 조류 / a ~ harbor 조항(潮港)《만조 때만 사용 가능한》 / a ~ power plant 조력(潮力) 발전소 / ~ power generation 조력 발전. ② 만조 때에 출범하는 : a ~ steamer〔ferry〕 만조 때 입출항하는 기선〔연락선〕. ㊕ **~·ly** *ad.*

tídal flòw (사람·자동차의) 시간에 따라 바뀌는 흐름.

tídal ríver 감조 하천(感潮河川)《조수의 영향을 멀리까지 받는 하천》.

tídal wàve ① (태양 또는 달의 인력에 의해 일어나는) 조파(潮波). ② (지진 등에 의한) 큰 해일, 높은 파도. ③ (인심·인사의) 대변동, 격동, 큰 동요 ; (군중 따위가) 대규모로 몰려오기 : a ~ of public indignation 노도와 같은 대중의 분노.

tid·bit [tídbìt] *n.* Ⓒ 《美》 ① (맛있는 음식의) 한 입, 한 조각(《英》 titbit). ② 재미있는 뉴스 한 토막, 토막 기사.

tid·dle·dy·winks, tid·dly·winks [tídəldiwìŋks], [tídliwìŋks] *n.* Ⓤ 작은 원반을 튕겨서 종지 속에 넣는 놀이의 하나.

tid·dler [tídlər] *n.* Ⓒ 《英》 ① 작은 물고기, 잡살뱅이 물고기. ② 꼬마(둥이).

tid·dly, -dley [tídli] *a.* 《英口》 ① 아주 작은. ② 거나하게 취한.

‡**tide** [taid] *n.* ① Ⓒ 조수, 조류, 조수의 간만 : ⇨ EBB TIDE / FLOOD 〔HIGH〕 TIDE / SPRING TIDE / The ship departed on the ~. 배는 밀물을 타고 떠났다 / The ~ is going out 〔coming in〕. 지금은 썰물〔밀물〕이다. ② Ⓒ 흥망, 영고 성쇠(榮枯盛衰) (rise and fall) ; (행운·병 따위의) 절정기 ; 호기(好機) : a full ~ of pleasure 환락의 절정 / at the high〔low〕 ~ of fortune 행운〔운세〕의 상향〔하향〕기에. ③ (흔히 *sing.*) (한 시대의) 풍조(風潮), 경향(傾向), 형세(trend) : go with〔against〕 the ~ 시류에 따르다〔거스르다〕 / the ~ of public opinion 여론의 대세 / The ~ turned against us 〔in our favor〕. 형세는 우리에게 불리〔유리〕하게 되었다. ④ 〔複合語·俗談 이외에는《古》〕 계절, 때 ; (교회의) 축제(祝祭), …절(節) : noon*tide* 한

낮 / spring*tide* 봄 / Christmas*tide* 크리스마스 계절 / Time and ~ wait for no man. 《俗談》 세월은 사람을 기다려 주지 않는다.

save the ~ 조수(潮水)가 있는 동안에 입항〔출항〕하다 ; 호기를 놓치지 않다. ***take fortune at the*** ~ =***take the*** ~ ***at the flood*** 호기에 편승하다. ***the*** ~ ***turns*** 형세가 일변하다. ***the turn of the*** ~ 조수가 바뀌는 때 ; 형세 일변. ***turn the*** ~ 형세를 일변시키다. ***work double*** ~***s*** 주야로〔전력을 기울여〕 일하다. — *vi.* 조류처럼 흐르다.

— *vt.* …이 조류를 타게 하다 ; …을 조류에 태워〔실어〕 나르다. ~ ***over*** (곤란 따위를) 헤쳐나가다, 이겨내다, 극복하다(overcome) : ~ *over* a hard times 어려운 시기〔불경기〕를 극복하다 / ~ a person *over* a crisis 아무가 위기를 헤어나게 하다. ~ one***'s way*** 조류를 타고 나아가다.

tide·land [-læ̀nd] *n.* Ⓤ 《美》 (조수의 간만의 영향을 받는) 낮은 해안 지대, 간석지, 개펄.

tide·mark [-mὰːrk] *n.* Ⓒ ① (조수의 간만을 표시하는) 조석점(潮汐點) ; 조수표(潮水標). ② 《英口》 **a**) (욕조의) 수위(水位)의 흔적. **b**) 몸의 씻은 부분과 씻지 않은 부분의 경계선.

tide·wa·ter [-wɔ̀ːtər, -wὰt-] *n.* Ⓤ ① **a**) (조수의 영향을 받는) 하구(河口)의 물. **b**) 만조 때 해안을 덮는 물. ② 《美》 낮은 연안 지대《특히, Virginia 주(州)의》.

tide·way [-wèi] *n.* Ⓒ ① (조류의 좁은) 유로(流路), 조로(潮路). ② (좁은 유로를 흐르는) 강한 조류.

*__ti·dings__ [táidiŋz] *n.* 〔때로 單數취급〕 《文語》 통지, 기별, 소식 : glad 〔sad, evil〕 ~ 희소식〔비보, 흉보〕.

‡**ti·dy** [táidi] (***-di·er*** ; ***-di·est***) *a.* ① **a**) (방 따위가) 말끔히 정돈된, 정연한, 산뜻한 : a ~ room 〔desk〕 잘 정돈된 방〔책상〕 / a ~ apartment 산뜻한 아파트. **b**) (사람이) 깨끗한 것을 좋아하는, 깔끔한 : a ~ boy 산뜻〔깔끔〕한 차림의 소년. ② 《口》 (양·정도가) 꽤 많은, 상당한 : a ~ income 상당한 수입 / a ~ sum of money 꽤 많은 액수의 돈.

— *vt.* ① 《~+目 / +目+副》 …을 정돈하다, 말끔하게 치우다, 깨끗하게 하다《*up*》 : ~ (*up*) a room 방을 치우다. ② 〔再歸的〕 옷차림을 단정하게〔깔끔하게〕 하다 : ~ (*up*) one*self*. — *vi.* 《~ / +副》 깨끗이 하다, 정리하다, 치우다《*up*》 : ~ *up* after dinner 저녁 설거지를 하다.

— *n.* Ⓒ ① (개수통의 세모진) 찌꺼기통. ② 《美》 (의자·소파용) 등 커버.

㊞ **tí·di·ly** *ad.* **-di·ness** *n.* Ⓤ

†**tie** [tai] (*p., pp.* ~***d***; ***tý·ing***) *vt.* ① 《~+目 / +目+副 / +目+前+名》 (끈·새끼로) …을 묶다, 매다 ; (끈)을 묶다〔매다, 잇다〕, (매듭)을 짓다《*up* ; *together*》 : ~ *up* a package 꾸러미를 묶다 / ~ one's shoes 구두끈을 매다 / ~ a person's hands *together* 아무의 두 손을 함께 묶다 / ~ a dog *to* a post 개를 기둥에 매다 / ~ a knot 매듭을 짓다 / *Tie* my apron, please. 내 앞치마의 끈을 매어 다오 / Shall I ~ all these things *together* with this string? 이것들을 이 끈으로 모두 묶을까요. ② 《~+目 / +目+前+名 / +目+副》 (넥타이·리본 따위)를 매다 ; (끈으로) …을 매어 달다 : ~ one's necktie 넥타이를 매다 / There was a ribbon ~*d in* her hair. 그녀는 머리에 리본을 달고 있었다. ③ 《~+目 / +目+副 / +目+*to* do / +目+前+名》 …을 구속〔속박〕하다 ; 의무를 지우다 ; …의 사용을 제한하다 : ~ a person *to* do something 아무에게 어떤 일을 하도록 의무를 지우다 / He is ~*d to* the job. 그는 그 일에 매여 있다. ④ …을 결합하다 ; 들보로〔가로장으로〕 잇다 ; 〖樂〗 (음표를 붙임줄)로 연결하다 : ~ two power systems 두 개의 송전 계통을 연결하다. ⑤ 《~+目 / +目+前+名》 〖競〗 …와 동점이 되다, …와 타이를 이루다 : ~ a record 타이〔동점〕 기록이 되다 / Harvard ~*d* Yale *in* the match. 그 경기에서 하버드 대학과 예일 대학은 비겼다.

— *vi.* ① 《~ / +副》 매이다, 묶이다 : The rope won't ~ *well.* 이 새끼는 잘 매지지 않는다. ② 《~ / +前+名》 〖競〗 동점이〔타이가〕 되다 ; 비기다《*with*》 : The two teams ~*d*. 양팀은 동점이 되었다 / I ~*d with* him for first place. 나는 그와 동점으로 1 위가 되었다.

be much ~***d*** 바빠서 잠시도 짬이 없다. ~ ***down*** (1) …을 꼭 묶다, 매다 : ~ a branch *down* 가지를 꼭 묶다. (2) …을 구속〔속박〕하다 ; 제한하다, 의무를 지우다《*to*》 : ~ a person *down to* a contract 아무에게 계약 의무를 지우다 / be ~*d down to* a responsible position 책임있는 직책에 꼼짝할 수 없이 묶이다. ~ ***in*** (1) …을 붙들어매다《*with*》 ; 연결하다, 관계를 맺다《*with* ; *to*》 : ~ *in* one's arguments *to* the previous discussion 자기의 의론을 앞서의 토론과 결부시키다. (2) …와 일치시키다〔하다〕 ; 조화시키다, 적합하게 하다《*with*》. ~ ***into*** (1) (일 따위)에 적극적으로 달려들다. (2) (아무)를 맹렬히 공격하다. ~ a person***'s tongue*** 입막음을 하다. ~ ***together*** (1) …을 붙들어매다. (2) (이야기 등의) 앞뒤를 맞추다. (3) (이야기 등의) 내용이 일치하다. ~ ***up*** (1) …을 단단히 묶다 ; …을 포장하다 ; (상처)를 싸매다 ; …에 붕대를 감다 : ~ *up* with ropes 밧줄로 단단히 묶다. (2) …을 방해하다 ; (영업 따위)를 정지시키다 ; 〔종종 受動으로〕 (교통 따위)를 불통이 되게 하다 : Traffic was ~*d up* for two hours. 교통이 2 시간 불통이 되었다. (3) 〔흔히 受動으로〕 《口》 (아무)를 몹시 바쁘게 하다, 꼼짝 못하게 하다 : I am now ~*d up.* 지금은 바빠서 딴 일을 할 수 없다 / I'm afraid I'm ~*d up* this afternoon. 미안하지만 오늘 오후는 조금도 틈이 없다. (4) (자금)을 마음대로 유용할 수 없게 하다《투자 따위로》 ; (처분할 수 없도록 재산의 유증)에 조건을 붙이다. (5) (기업 따위)를 연합〔제휴〕시키다《*with*》.

— *n.* Ⓒ ① (물건을 묶기 위한) 끈, 새끼. ② **a**) 매어서 사용하는 것 ; 넥타이 ; 구두 끈. **b**) (흔히 *pl.*) 《美》 끈이 달린 바닥이 얇은 단화. ③ (장식) 매듭 : a dress with many ~*s* around the waist 허리 둘레에 장식 매듭이 많은 드레스. ④ (흔히 *pl.*) 연분 ; 인연, 기반, 의리 : matrimonial ~*s* 부부의 연분 / the ~*s* of friendship 우정의 유대. ⑤ (흔히 *pl.*) 속박, 거추장스러운〔귀찮은〕 것, 무거운 짐 : be bound by the ~*s* of habit 습관에 얽매이다. ⑥ (경기 등의) 동점, 호각(互角), 동수 득표, 무승부, 비기기 ; 《英》 비긴 후의 재시합 ; 승자 진출 시합 : The game ended in a ~ 2-2. 시합의 결과는 2 대 2 로 비겼다 / The ~ will be played off on Saturday. 무승부의 재시합은 토요일에 열린다. ⑦ **a**) 〖建〗 이음나무. **b**) 〖鐵道〗 침목(枕木) (《英》 sleeper). ⑧ 〖樂〗 붙임줄, 타이 (⌒, ⌣).

tie·back [táibæ̀k] *n.* Ⓒ (커튼을 한쪽으로 몰아 붙여서 매는) 장식끈 ; (*pl.*) 그 커튼.

tíe bèam 〖建〗 이음보, 지붕들보.

tie·break(·er) [táibrèik(ər)] *n.* Ⓒ 〖競〗 동점 결승전 ; 동점 때 결말을 짓는 일《십지뽑기 따위》.

tíe clàsp 〔**clìp, bàr**〕 넥타이 핀《집게식의》.

tíed cóttage [táid-] 《英》 (농장주가 고용인에게 임대하는) 고용인용 임대 가옥.

tíed hóuse 《英》 타이드하우스《어떤 특정 회사의 술만 파는 특약 술집》. cf. free house.
tie-dye [táidài] *n.* Ⓤ 홀치기 염색. ── *vt.* …을 홀치기 염색하다.
tie-dyeing [-iŋ] *n.* Ⓤ 홀치기 염색
tie-in [táiìn] *a.* 〔限定的〕《美》 딴 것과 끼워 파는 : a ~ sale.
── *n.* Ⓒ 함께 끼워 팔기〔파는 상품〕(=∠ **sàle**).
tie-on [táiàn / -ɔ̀n] *a.* 〔限定的〕 (표찰·라벨 등을) 끈으로 동여맨 : a ~ label.
tie·pin [táipìn] *n.* Ⓒ 넥타이핀(《美》 stickpin).
tier[1] [tiər] *n.* Ⓒ (상하로 나란히 있는) 줄, 단, 층 (row, range) ; (계단식 관람석 등의) 한 단〔줄〕 : a classroom in ~*s* 계단식 교실 / be arranged in ~*s* 층층으로 줄지어 있다. ── *vt.* …을 층층이 쌓다〔포개다〕《*up*》.
ti·er[2] [táiər] *n.* Ⓒ 매는 사람〔것〕.
tíe tàck 타이택《넥타이(와 샤쓰)를 꿰 찔러 고정시키는 장식 달린 핀》.
***tie-up** [táiʌ̀p] *n.* Ⓒ ①《美》 (파업·악천후·사고 등에 의한 교통·업무 등의) 불통, 마비, 휴업 ; 교통 정체. ②《口》 (기업 따위의)제휴, 협력 ; 합동 : a technical ~ 기술 제휴. ③ 결합, 결부, 관계《*between* ; *with*》.
tiff *n.* Ⓒ ① (애인·친구간의) 사소한 말다툼, 승강이 : have a ~ with …와 사소한 언쟁을 하다. ② 기분이 언짢음, 불끈 화를 냄 : be in a ~ 버럭 화를 내고 있다. ── *vi.* 말다툼하다, 승강이 하다.
tig [tig] *n.* Ⓒ 《英》 술래잡기(tag[2]).
†ti·ger [táigər] *n.* Ⓒ ① 범, 호랑이 : ⇨PAPER TIGER. ★ 암컷은 tigress, 새끼는 cub, whelp. ¶ an American ~ =JAGUAR. ② 포악한〔잔인한〕 사람. ***ride a* 〔*the*〕 ~** 《口》 위태로운 생활 방식을 취하다. ***work like a* ~** 맹렬히 일하다.
tíger bèetle 〖蟲〗 가뢰.
tíger càt 〖動〗 살쾡이.
ti·ger·eye, ti·ger's-eye [táigəràì], [-gərz-] *n.* Ⓤ,Ⓒ 〖鑛〗 호안석(虎眼石)《빛깔은 황갈색 ; 장식돌로 이용》.
ti·ger·ish [táigəriʃ] *a.* 호랑이 같은 ; 사나운, 잔인한.
tíger lìly 〖植〗 참나리.
tíger mòth 〖蟲〗 불나방.
tíger swèat 《美俗》 밀조 위스키 ; 맥주.
‡tight [tait] (∠·***er*** ; ∠·***est***) *a.* ① 단단한, 단단히 맨, 꽉 죄인, 단단히 고정된, (매듭 따위가) 잘 풀리지 않는 : a ~ knot 단단한 매듭 / a ~ drawer 빡빡해서 열리지 않는 서랍 / Is this joint ~ ? 이 이음매는 단단히 죄어져 있느냐. ② (줄 따위가) 팽팽히 켕긴, 바짝 죈 : a ~ belt 팽팽한 벨트 / a ~ sail 팽팽하게 펼친 돛 / Pull this string ~. 이 끈을 팽팽하게 당겨라. ③ (미소 등이) 어색한, 딱딱한 : a ~ smile 딱딱한 웃음. ④ (관리·단속 등이) 엄한, 엄격한 : keep a ~ hand on a person 아무를 엄하게 다루다 / She kept ~ control over the children. 그녀는 아이들을 엄격히 통제했다. ⑤ 빈틈없는 ; (피륙이) 톡톡〔쫀쫀〕한 ; 물이〔공기가〕 새지 않는. cf. water*tight*, air*tight*. ¶ a ~ cask 물이 새지 않는 통 / a ~ weave 톡톡하게 짜기 / The boat is ~. 이 보트는 물이 새지 않는다. ⑥ (옷·신발 따위가) 갑갑한, 몸에 꼭 맞는, 꼭 끼는〔째는〕 ; (가슴의 느낌 따위가) 답답한, 꽉 죄는 듯한 : a ~ skirt 타이트 스커트 / a ~ boot 〔coat〕 꼭 끼는 신〔저고리〕 / a ~ feeling 답답한 느낌 / The ~ feeling in the chest has gone. 가슴을 꽉 죄는 듯한 불쾌감이 사라졌다. ⑦ (내용물·예정 등이) 꽉 찬 : a ~ schedule 꽉 차 있는 예정 / a ~ bale 꽉 찬 포대. ⑧ (입장 따위가) 어찌〔꼼짝〕할 수 없는, 곤란한, 빠져 나오기〔타개하기〕 어려운 : He's in a ~ corner now. 그는 지금 진퇴 양난의 궁지에 있다. ⑨ 돈이 딸리는, (금융이) 핍박한 ; 이익이 신통치 않은 : Money is ~. 돈 사정이 좋지 않다 / a ~ money policy 금융 긴축 정책 / The money market is very ~. 금융 시장이 매우 핍박하다. ⑩《口》 노랑이의, 인색한 : He is ~ about money. 그는 돈에 인색하다. ⑪ (경기 따위가) 접전의, 막상막하의 : a ~ game 팽팽한 경기. ⑫《口》 술취한(drunk) : get ~ 취하다. ⑬ 〖商〗 (상품이) 품귀한, (시장이) 수요에 비해 공급이 적은 : Lumber is very ~. 목재가 품귀 상태다. ***be in a* ~ *place* 〔*corner, spot, squeeze, situation*〕** 진퇴유곡이 되다, 움쭉을 못 하다. ***keep a* ~ *rein* 〔*hand*〕 *on*** …을 엄격히 다루다〔바짝 다잡이하다〕.
── (∠·***er*** ; ∠·***est***) *ad.* ① 단단히, 굳게 ; 꼭, 꽉 : close one's eyes ~ 눈을 꼭 감다 / Hold it ~. 꼭 붙들고 있어라, 꼭 누르고 있거라. ② 충분히, 푹 《자는 모양》 : sleep ~ 푹 자다. ***sit* ~** (1) (말의) 안장에 정좌하다. (2) 주장〔방침〕을 굽히지 않다.
── *n.* (*pl.*) ① (무용·체조용의) 타이츠. ② 팬티스타킹.
㊕ **‡**∠·**ly** [-li] *ad.* 단단히, 꼭, 굳게.
-tight *suf.* '…이 통하지 않는, …이 새지 않는, …을 막는'의 뜻 : air*tight*, water*tight*.
‡tight·en [táitn] *vt.* 《~+目 / +目+副》 …을 (바짝) 죄다, 팽팽하게 치다, 단단하게 하다 ; (경제적으로) …을 어렵게 만들다 ; (통제·규칙)을 엄하게 하다, 강화하다《*up*》 : ~ a screw a little more 나사를 좀더 죄다 / ~ *up* rules 규칙을 엄하게 하다. ── *vi.* 죄이다, 팽팽하게 되다, 단단해지다 ; 핍박하다 ; (규칙·사람이) 엄해지다 : The market ~*s*. (금융) 시장이 핍박하다. **~ one's belt** 《口》 허리띠를 졸라매다, 내핍생활을 하다.
tight-fist·ed [táitfístid] *a.* 《口》 인색한 ; 검소한.
tight·fit·ting [∠fítiŋ] *a.* (옷이) 몸에 착 달라붙는, 꼭 끼는 ; 꼭 끼어 갑갑한.
tight-knit [∠nít] *a.* (조직 등) 야무지게 짜인, 긴밀한 : a ~ group 긴밀한〔폐쇄적인〕 집단.
tight-lipped [∠lípt] *a.* 입을 꼭 다문《*about* ; *on*》 ; 말이 없는, 입이 무거운.
tight·rope [∠ròup] *n.* Ⓒ ① (줄타기용의) 팽팽하게 맨 줄 : a ~ walker 〔dancer〕 줄타기 곡예사 / perform on the ~ (곡예사가) 줄타기 곡예를 하다. ② 위태로운 입장〔상황〕.
tights [taits] *n. pl.* =TIGHT *n.*
tight·wad [táitwàd / -wɔ̀d] *n.* Ⓒ 《美》 구두쇠, 노랑이.
ti·glon [táiglən] *n.* =TIGON. [◂ *tiger*+*lion*]
ti·gon [táigən] *n.* Ⓒ 타이곤《수범과 암사자와의 튀기》. [◂ *tiger*+*lion*]
ti·gress [táigris] *n.* Ⓒ ① 암범. ② 잔인한 여자.
Ti·gris [táigris] *n.* (the ~) (메소포타미아의) 티그리스 강.
T.I.H. Their Imperial Highnesses.
tike [taik] *n.* =TYKE.
til·de [tíldə] *n.* Ⓒ 《Sp.》 ① 틸더《스페인어 등의 n자 위에 붙이는 발음부호 ; *señor*의 ˜》. ② 생략을 나타내는 기호《~》.
‡tile [tail] *n.* Ⓒ ① (화장) 타일 ; 기와 : a ceramic ~ 사기 타일 / a roofing ~ 지붕 기와 / a plain ~ 암키와. ② (하수·배수의) 토관(土管). ③ (마작의) 패. ***be* (*out*) *on the* ~*s*** 《俗》 방탕하다. ***have a* ~ *loose*** 《俗》 좀 돌았다. ── *vt.* …에 타일을 붙이다 ; 기와를 이다 ; …에 토관을 부설하다.
til·er [táilər] *n.* Ⓒ 기와〔타일〕장이〔제조공〕.
til·ing [táiliŋ] *n.* Ⓒ ① 기와 이기 ; 타일붙이기〔공사〕. ② 〔集合的〕 기와〔타일〕류(類).
†till[1] [til] 《★ until 과 같은 뜻인데, until 은 前置

詞·接續詞로서 널리 쓰이는 데 대하여, till은 주로 대화체에서 前置詞로 쓰이는 일이 많음. 용법·용례 등 until 항을 참조》.

— *prep.* ① 〔時間的〕 …까지 : ~ dawn 새벽까지 / from morning ~ night 아침부터 밤까지 / ~ after dark 일몰 후까지 / Goodby ~ tomorrow. 내일까지 안녕. ② 〔否定語와 함께〕 …까지 …않다 ; …에 이르러 …하다 : I had not eaten anything ~ late in the afternoon. 오후 늦게까지 아무것도 안 먹었다 / It was not ~ evening that we got the news. 저녁이 되어서야 겨우 그 소식을 받았다. ③ 경(頃), …가까이 : ~ evening 저녁 무렵, 저녁 때 가까이. ④ …분 전 : It's ten (minutes) ~ six. 6시 10분 전이다. ~ ***then*** 그때까지.

— *conj.* ① 〔時間的〕 …할 때까지 : Wait ~ called for. 부를 때까지 기다리시오 / Walk straight ahead ~ you come to a bus stop. 버스 정류장이 나올 때까지 곧장 가시오. ② 〔否定語와 함께〕 …할 때까지 (… 않다) ; …하여 비로소 …하다 : I wo*n't* start ~ he returns. 그가 돌아올 때까지는 출발하지 않겠다 / People do *not* know the value of health ~ they lose it. 사람들은 건강을 잃고서야 비로소 그 가치를 안다. ③ 〔정도·결과를 나타내어〕 …할 정도까지, …하여 드디어 : The girl ran ~ she was out of breath. 소녀는 숨이 찰 때까지 달렸다.

‡**till**² *vt., vi.* (밭을) 갈다, 경작하다(cultivate).

till³ *n.* Ⓒ (은행·상점 등의) 돈궤, 카운터의 돈 서랍. ***have** one'**s fingers** 〔**hand**〕 **in the** ~* 《口》 자기가 일하고 있는 점포의 돈을 훔치다.

till·able [tíləbəl] *a.* 경작에 알맞은.

till·age [tílidʒ] *n.* Ⓤ ① 경작. ② 경작지, 경지.

till·er¹ [tílər] *n.* Ⓒ 경작자, 농부.

till·er² *n.* Ⓒ 〖船〗 키의 손잡이.

tilt** [tilt] *n.* Ⓒ ① 기울기, 경사(slant) : give a ~ to a cask 통을 기울이다 / have a ~ to the left 〔west〕 왼쪽〔서쪽〕으로 기울어져 있다 / on the ~ 기울어져서. ② (창으로) 찌르기 ; (중세 기사의) 마상 창시합. ③ 비난 공격, 논쟁《*at*》: have a ~ *at* a person (의론·풍자 따위로) 사람을 공박하다〔논박〕하다. ***(at) full ~ 전속력으로, 쏜살같이, 전력을 다해 : come〔run〕 *full* ~ against …에 전속력으로〔힘껏〕 부닥치다 / run *full* ~ into 〔at〕 …에 정면으로 부딪다〔달려들다〕.

— *vi.* ① 《~/+副/+전+명》 기울다《*up*》: The desk is apt to ~ *over*. 그 책상은 잘 기운다 / a tree ~*ing to* the south 남쪽으로 기울어진 나무. ② (중세 기사가) 마상 창시합을 하다《*at*》. ③ 《~/+전+명》 공격하다, 돌진하다 ; 비난〔풍자〕하다《*against* ; *at*》: ~ *at* social injustices 사회의 부정을 규탄하다. — *vt.* ① 《~+목/+목+부/+목+전+명》 **a**) …을 기울이다 : ~ one's hat 모자를 비스듬히 쓰다 / ~ a chair *back against* the wall 의자를 벽에 기대놓다 / She ~*ed* her head *to* one side. 그녀는 고개를 한쪽으로 기울였다. **b**) (그릇·짐차 등)을 기울여 속〔짐〕을 비우다《*out* ; *up*》: ~ *out* coal (그릇을 기울여) 석탄을 비우다. ② 《~+목/+목+전+명》 (창)을 쑥 내밀다, (창으로) 찌르다 : ~ a lance / ~ a person *out of* his saddle (창으로) 찔러 아무를 말에서 떨어뜨리다. ~ ***at windmills*** ⇨ WINDMILL.

tilt·yard [tíltjɑ̀ːrd] *n.* Ⓒ (중세의) 마상 창시합장.

Tim [tim] *n.* 팀《남자 이름 ; Timothy의 애칭》.

Tim. 〖聖〗 Timothy.

‡**tim·ber** [tímbər] *n.* ① Ⓤ (제재한) 재목, 목재, 용재, 큰 각재 ; 판재(《美》 lumber) : a log of ~ 통나무 / seasoned ~ 말린 목재. ② Ⓒ 〔集合的〕 (목재가 되는) 수목, 입목(立木) ; 삼림(지) : standing ~ 입목 / cut down 〔fell〕 ~ 벌채하다 / The fire destroyed thousands of acres of ~. 산불로 수천 에이커의 삼림이 탔다. ③ **a**) Ⓒ 대들보, 가로장. **b**) (*pl.*) 〖船〗 늑재(肋材) ; 선재(船材). ④ Ⓤ 인품, 인물, 소질 : a man of real presidential ~ 진정한 회장감.

— *int.* 나무가 쓰러진다《벌채 때의 위험신호》.

tim·bered [tímbərd] *a.* ① 목재로 만든, 목조의 : ⇨HALF-TIMBERED. ② 입목(立木)이 있는, 수목이 울창한.

tim·ber·ing [tímbəriŋ] *n.* Ⓤ ① 〔集合的〕 목재, 건축 용재. ② =TIMBERWORK.

tim·ber·land [tímbərlæ̀nd] *n.* Ⓤ 《美》 목재용 삼림지.

tímber lìne (the ~) (고산·극지의) 수목 한계선.

tímber wòlf 〖動〗 (북아메리카산) 이리.

tim·ber·work [tímbərwə̀ːrk] *n.* Ⓤ 나무로 짜기.

tímber yàrd 재목 두는 곳, 목재 저장소(《美》 lumberyard). 「질.

tim·bre [tǽmbər, tím-] *n.* 《F.》 Ⓤ,Ⓒ 음색, 음

Tim·buk·tu, -buc·too [tìmbʌktúː, -ˊ-ˋ] *n.* ① 팀북투《Africa 서부, Mali 중부에 있는 도시》. ② 멀리 떨어진 곳, 원격지.

†**time** [taim] *n.* ① 〔冠詞 없이〕 Ⓤ (과거·현재·미래로 계속되는) 시간, 때 ; 시일, 세월, 시간의 경과 : *Time* is money. 《俗談》 시간은 돈이다 / *Time* flies. 《俗談》 세월은 유수와 같다 / *Time* will show who is right. 때가 지나면 누가 옳은지 알게 될 것이다 / *Time* and tide wait for no man. 《俗談》 세월은 사람을 기다리지 않는다.

② 〔冠詞 없이 또는 no, any, much, not much, little, a lot of, one's 따위가 붙는 수가 있음〕 Ⓤ (소요) 시간, 쓸 수 있는 시간, 틈, 여가 : have *not much* 〔have *no*〕 ~ for reading 독서할 시간이 별로〔전혀〕 없다 / spend *a lot of* ~ (in) getting ready 준비에 많은 시간이 걸리다 / if I had ~ 시간〔틈〕이 있다면 / There is *no* ~ to lose. 일각의 여유도 없다.

③ 〔a, some이 붙어서〕 Ⓤ 기간, 동안, 잠시 : in *a* short ~ 이윽고 / after *a* ~ 잠시 후에 / for *a* ~ 한때(는), 당분간(은) / I had *a* ~ to see your intention. 네 의향을 아는 데는 시간이 조금 걸렸다 / It was *some* ~ before he turned up. 그가 모습을 나타낼 때까지 잠시 시간이 있었다.

④ (the ~) (한정된) 시간, 기간, 기일 : We've got to finish the work within *the* ~. 정해진 시간내에 일을 끝내지 않으면 안 된다 / They were laughing all *the* ~. 그 동안 내내 웃고 있었다.

⑤ Ⓒ,Ⓤ (때의 한 점인) 시각, 시간 ; 기일 ; 때, 시절, 계절 ; …한 때, …할 때《*at* ; *by* ; *around* ; (*at*) *about*》: What ~ is it (now)? (지금) 몇 시냐《★ What's the ~?, Can you tell me the ~? 이라고 할 때가 있음. 또 《美》에서는 Have you got the ~? 이라고도 함》 / *at* blossom ~ 꽃필 적에 / *at* 〔*around*〕 Christmas ~ 크리스마스 때에〔경에〕 / *by* the ~ we reached home 집에 도착할 때까지는 / every ~ I think of it 그 생각을 할 때마다.

⑥ Ⓒ,Ⓤ 시기, 기회, 때, 순번, 차례(turn) : next ~ 다음 기회 / watch one's ~ 기회를 엿보다 / another ~ 다른 때 / by this ~ 이 때까지(는) / at a convenient ~ of day 형편이 좋을 때에.

⑦ Ⓒ (종종 *pl.*) (지낸) 시간 ; 경험《혼났던 일, 유쾌했던 기억 따위》: have a good〔a nice, a lovely, quite a〕 ~ 즐거운 한때를 보내다.

⑧ Ⓒ (흔히 *pl.*) (역사상의) 시대, 연대; (the ~) 당시; 현대: ancient 〔medieval, modern〕 ~*s* 고대〔중세, 현대〕/ in *the* ~*s* of Stuart = in Stuart ~*s* 스튜어트 왕조 시대에 / the noted people of *the* ~ 당대의 명사들.
⑨ (종종 *pl.*) 시대의 추세, 경기(景氣): keep up 〔pace〕 with the ~*s* 시세에 따르다, 시세에 보조를 맞추다 / good ~*s* 호경기 / hard ~*s* 불경기.
⑩ Ⓤ 일생, 평생, 생존중: The house will last my ~. 이 집은 내 평생 쓸 수 있을 것이다 / He was no longer teaching there in my ~. 내가 있었을 때에는 그는 이미 거기서는 가르치고 있지 않았다.
⑪ (*pl.*) (몇) 번, 회; 배, 곱: ten ~*s* a day 하루에 10회 / five ~*s* as big (as...) (…의) 5배의 크기로 / 3 ~*s* 6 is 18. 3×6=18 / This is the fifth ~. 이번으로 다섯 번째다.
⑫ Ⓤ (머슴살이 등의) 연한; 근무시간; 시간급: serve (out) one's ~ 정해진 기간의 머슴〔고용〕살이를 하다 / work full〔part〕 ~ 상근〔파트 타임〕으로 일하다.
⑬ Ⓤ 죽을 때, 임종; 분만기; 형기: His ~ has come. 드디어 그가 죽을 때가 왔다 / Her ~ is near. 머지 않아 아이를 낳는다.
⑭ Ⓤ 〖競〗 **a**) 소요 시간: He ran the mile in record ~. 그는 1마일을 신기록으로 달렸다. **b**) 타임《게임의 일시 중단》: 그만, 타임: call ~ (심판이) 타임을 선언하다.
⑮ Ⓤ 〖樂〗 박자; 속도: waltz ~ 왈츠의 템포 / in slow ~ 느린 템포로.
⑯ Ⓤ 표준시: Greenwich ~ 그리니치 표준시 / summer ~ 서머 타임, 일광절약 시간 / solar ~ 태양시.
⑰ Ⓤ 〖軍〗 보조; 보행속도: double〔quick, slow〕 ~ 구보〔빠른 걸음, 보통 걸음〕/ at double-quick ~ 대단히 빨리, 급히.
against ~ 시간을 다투어, 전속력으로: work *against* ~ 시간을 다투어 일하다 / run *against* ~ 기록을 깨기 위해 달리다 / talk *against* ~ 시간을 벌기 위해 이야기하다. ***ahead of*** ~ 약속〔정해진〕 시간보다 빠르게: arrive a little *ahead of* ~ 정각보다 조금 빨리 도착하다. ***all the*** ~ (1) 그간 줄곧, 그 동안 내내. (2) 언제나, 아무 때라도: He's a businessman *all the* ~. 그는 언제나 철저한 사업가다. ***at a*** ~ 한꺼번에; 동시에. ***at odd ~s*** 이따금, 틈틈이. ***at one*** ~ (1) 한때는, 일찍이: *At one* ~ I used to go fishing on weekends. 한때는 주말에 낚시질을 가곤 했다. (2) 동시에. ***at the same*** ~ (1) 동시에. (2) 하지만(however). ***at ~s*** 때때로. ***behind*** ~ (1) (예정보다) 늦어서, 지각하여: The train is ten minutes *behind* ~. 기차는 10분 늦었다. (2) (지불이) 늦어서, 밀려서: He's always *behind* ~ with his payments. 그는 언제나 지급이 늦다. ***by the*** ~ …할 때까지는. ***for*** (***the***) ~ being = ***for the*** ~ 당분간. ***from*** ~ ***to*** ~ 때때로. (***from***) ~ ***out of mind*** 태고적부터. ***gain*** ~ (1) (시계가) 가다. (2) 시간을 벌다; 여유를 얻다. (3) 수고를 덜다. ***get*** one***'s*** ~ 《美俗》 해고당하다. ***half the*** ~ (1) 절반의 시간: I could have done it in *half the* ~. 나라면 그 반의 시간으로 할 수 있었을 거야. (2) 그 태반은, 거의 언제나: He says he works hard, but he's daydreaming *half the* ~. 그는 열심히 일한다지만 실제는 거의 언제나 멍하고 있을 뿐이다. ***have a devil of a*** ~ ⇨DEVIL. ***have an easy*** ~ (***of it***) 《口》 돈·직업 등을 힘들이지 않고 얻다. ***have no ~ for*** 《口》 아무를 싫어하다(dislike): I *have no* ~ *for* him. 그가 싫다. ***have*** ~ ***on*** one***'s hands*** 시간이 남아 돌다. ***in bad*** ~ (1) 때를 어겨서. (2) 늦어서. ***in due*** ~ 머지 않아, 곧. ***in good*** ~ (1) 꼭 좋을 때에, 시간에 맞게. (2) 여유를 두고, 일찌감치. ***in no*** ~ 당장에, 지체없이. ***in*** one***'s own*** ~ 여가에, 자유 시간에. ***in the mean*** ~ 머지 않아(서), 이럭저럭할 사이에. ***in*** ~ (1) 때를 맞춰: He will be there *in* ~. 그는 늦지 않게 거기 도착할 것이다 / be *in* ~ *for* the train 기차 시간에 대다. Ⓞⓟⓟ *late*. (2) 머지 않아, 조만간: *In* ~ he'll see what is right. 머지 않아 그는 무엇이 옳은가 알게 될 것이다. (3) 가락을〔박자를〕 맞추어《*with*》. ***in*** . . . ~ …후에: *in* a week's ~ 1주일 후에 / *in* a couple of hours' ~ 두세 시간 후에. ***keep good*** 〔***bad***〕 ~ 시계가 정확하다〔하지 않다〕. ***keep*** ~ (발)장단을 맞추다《*with*》; 옳은 박자로 노래하다〔춤추다〕. ***kill*** ~ 시간을 보내다, 심심풀이하다. ***know the*** ~ ***of day*** 잘 알고 있다. ***last*** a person***'s*** ~ 일생 동안 가다. ***lose no*** ~ (***in***) do***ing*** 재빨리 …하다. ***lose*** ~ (1) 시계가 늦다. (2) 시간을 낭비하다, 꾸물거리다. ***make good*** 〔***poor***〕 ~ (일·속도가) 빠르다〔느리다〕. ***make*** ~ (1) 시간을 내다: Can you *make* ~ to interview her? 그녀를 면접할 시간이 있겠소. (2) 나아가다, 서두르다. ***mark*** ~ (1) 제자리 걸음하다. (2) (기회가 올 때까지) 대기하다; (일이) 진척되지 않다, 제자리 걸음하다. ***no*** ~ 《口》 매우 짧은 시간(에), 곧. ***on*** one***'s own*** ~ (근무 시간 외의) 한가한 시간에. ***on*** ~ (1) 시간대로, 시간을 어기지 않고: The train came in *on* ~. 열차는 정각에 들어왔다. (2) 후불로, 할부로: buy a bed *on* ~ 침대를 할부로 사다. ***out of*** ~ (1) 박자가 틀리는. (2) 제철이 아닌. (3) 늦어서. ***play for*** ~ 시간을 벌다, 신중히 생각하다. ***some*** ~ (***or other***) 언젠가는. ***take*** a person ***all*** one***'s*** ~ 《口》 아무를 몹시 힘들게 만들다: This work has *taken* me *all my* ~. 이 일에 몹시 힘이 들었다. ***take*** one***'s*** ~ 천천히 하다. ***take*** ~ ***by the forelock*** ⇨FORELOCK. ***take*** ~ ***out*** 〔***off***〕 (일하는 시간 중에) 잠시 쉬다, 짬을 내다. (***the***) ~ ***of day*** 시각, 시간: What ~ *of day* was it when he came? 그가 온 것은 몇 시였는가. (***the***) ***first*** ~ 처음 …했을 때는. ~ ***after*** ~ = ~ ***and*** (~) ***again*** 몇 번이고, 재삼재사. ***Time is up.*** 이제 시간이 다 됐다. ***Time was when*** . . . 전에는 …한 일이 있었다. ***to*** ~ 《英》 정각에: The buses run *to* ~. 버스의 운행 시간은 정확하다. ***with*** ~ 때가 지남에 따라, 머지않아.
— *vt.* ① 《~+목 / +목+부 / +목+*to* do》 …의 시기를 정하다, 때를 잘 맞추어 …하다, 시기에 맞추다: He ~*d* his journey so that he arrived before dark. 어둡기 전에 도착하도록 여행 일정을 짰다 / The remark was *well* ~*d*. 그 발언은 시의 적절했다 / You should ~ your visit *to* fit his convenience. 그의 형편에 맞게 방문하는 것이 좋겠다. ② 《~+목 / +목+*to* do》 …의 시간을 (지)정하다: The train is ~*d to* leave at 7 : 30. 열차는 7시 반에 출발하게 돼 있다. ③ (경주 따위)의 시간을 재다〔기록하다〕: ~ a race〔runner〕 레이스〔러너〕의 타임을 재다. ④ 《~+목 / +목+전+명》 …의 박자에 맞추다; (속도·시간 등)을 조절하다《*to*》: ~ one's steps *to* the music 음악에 맞추어 스텝을 밟다 / ~ the speed of a machine 기계의 운전 속도를 조절하다.
— *a.* ① 〔限定的〕 **a**) 때의, 시간의: ⇨TIME LAG. **b**) 시간〔시각〕을 기록하는: a ~ register 시간 기록기. ② 시한장치가 붙은: ⇨TIME BOMB.

tíme and a hálf (시간 외 노동에 대한) 50% 할증 임금(지급): receive 〔get〕 ~ for overtime

work 시간외 근무에 대한 50 % 할증 임금을 받다.
tíme and mótion stùdy 시간 동작 연구《시간과 작업 능률과의 상관 조사》.
tíme bòmb ① 시한 폭탄. ② (후일의) 위험을 내포한 정세.
tíme càpsule 타임 캡슐.
time(·)card [táimkɑ̀:*r*d] *n.* Ⓒ 타임카드, 근무〔작업〕 시간 기록표.
tíme clòck 시간 기록계, 타임 리코더.
time-con·sum·ing [táimkənsù:miŋ] *a.* 시간이 걸리는, 품이 드는.
tíme depòsit 정기예금.
tíme dràft 시한부 환어음.
tíme expòsure 〖寫〗 (순간노출에 대하여 1/2초를 넘는) 타임 노출(에 의한 사진).
tíme fàctor 시간적 요인〔제약〕.
tíme fùse 시한 신관(信管).
time·hon·ored [táimɑ̀nə*r*d / -ɔ̀n-] *a.* 옛날부터의 ; 전통 있는, 유서 깊은.
tíme immemórial 아득한 옛날, 태고 : from ~ 태곳적부터. ── *ad.* 태곳적부터.
time·keep·er [táimkì:pə*r*] *n.* Ⓒ ① 타임키퍼, (경기·작업 따위의) 시간 기록원. ② 시계 : a good 〔bad〕 ~ 시간이 정확〔부정확〕한 시계.
tíme kìller ① 심심풀이로 시간을 보내는 사람. ② 오락, 심심풀이가 되는 것, 소일거리.
time-lag [táimlæ̀g] *n.* (두 관련된 일의) 시간적 차, 시차.
time-lapse [´-læ̀ps] *a.* 저속도 촬영의.
time·less [´-lis] *a.* ① 초(超)시간적인, 영원한. ② 시대를 초월한. ㊞ **~·ly** *ad.* **~·ness** *n.*
tíme lìmit 제한 시간, 기한, 시한.
tíme lòck (시간이 돼야 열리는) 시한 자물쇠.
:time·ly [táimli] (*-li·er ; -li·est*) *a.* 타임리, 적시(適時)의, 때에 알맞은, 때맞춘(seasonable) : a ~ hit 〖野〗 적시(안)타 / a ~ warning 적시의 경고 / (a) ~ help 시의적절한 원조. ── *ad.* 알맞게, 때맞춰. ㊞ **tíme·li·ness** *n.*
tíme machìne 타임 머신《과거나 미래를 여행하기 위한 상상의 기계》.
tíme nòte 약속 어음.
time-off [táimɔ̀(:)f, -ɑ̀f] *n.* 일을 쉰 시간(수).
time-out [´-áut] *n.* Ⓒ ①〖競〗 타임아웃《협의 등을 위한 경기의 일시 중지》. ② 〔흔히 time out〕 (작업 중의) 중간휴식(⇨take TIME out).
tim·er [´-ə*r*] *n.* Ⓒ ① (경기·작업 등의) 시간 기록원(timekeeper). ② 스톱워치. ③ 시간제 노동자 : ⇨PART-TIMER. ④ (내연기관의) 자동점화〔점화 시기 조절〕 장치. ⑤ 타임 스위치, 타이머.
tíme recòrder ＝TIME CLOCK.
Times [taimz] *n.* (The ~) 타임스《(1) 영국의 신문 이름, 별칭 '런던 타임스' ; 1785 년 창간. (2) *The New York Times* ; 1851 년 창간》. ***write to The ~*** 타임스지에 기고하여 세상에 호소하다.
time·sav·ing [táimsèiviŋ] *a.* 시간 절약의.
tíme scàle 시간의 척도.
time·serv·er [táimsə̀:*r*və*r*] *n.* Ⓒ 시류에 편승하는 사람, 기회주의자.
time·serv·ing [´-sə̀:*r*viŋ] *a.* 시류에 편승하는, 기회주의적인 ; 무절조한 : ~ politicians 편의주의적〔기회주의적〕인 정치가들. ── *n.* Ⓤ 기회주의, 편의주의, 무절조.
time-share [´-ʃὲə*r*] *vi.* (시스템·프로그램이) 시분할하다. ── *vt.* (컴퓨터·프로그램)을 시분할 방식으로 사용하다. ── *n.* 《美》 ＝TIME-SHARING.
time-shar·ing [´-ʃὲəriŋ] *n.* Ⓤ 〖컴〗 시간나눠쓰기, 시분할《한 대의 컴퓨터를 동시에 몇 대의 단말기(端末機)로 사용하는 방식》: ~ system 시간나눠쓰기〔시분할〕 체계.
tíme shèet 출퇴근 시간 기록용지, 타임카드(timecard).
tíme sìgnal (라디오·TV의) 시보(時報).
tíme sìgnature 〖樂〗 박자표.
tíme spàce ＝SPACE-TIME.
tímes sìgn 곱셈기호(×).
Tímes Squáre 타임스 스퀘어《New York 시의 중심부에 있는 광장 ; 부근에 극장이 많음》.
tíme swìtch 〖電〗 (자동적으로 작동하는) 타임 스위치, 시한(時限) 스위치.
***time·ta·ble** [táimtèibl] *n.* Ⓒ ① (학교·열차·비행기 따위의) 시간표. ② (계획·행사 따위의) 예정표 : The project is going according to the ~. 계획은 예정표대로 진행되고 있다.
tíme trìal 타임 트라이얼《개별 스타트로 개인마다 타임을 재는 레이스》.
time·work [táimwə̀:*r*k] *n.* 시간급제의 일. ⓒⓕ piecework.
time·worn [´-wɔ̀:*r*n] *a.* ① 오래되어 손상된, 낡아 빠진. ② 케케묵은, 진부한.
tíme zòne 시간대(帶)《동일 표준시를 쓰는 지대 ; 대체로 경선(經線)에 따라 15°씩 24 시간대로 나뉘어 있음》.
:tim·id [tímid] (*~·er ; ~·est*) *a.* 겁많은, 소심한, 마음이 약한 ; 내성적인《*with*》: a ~ child 소심한 아이 / He's very ~ *with* girls. 여자들에겐 아주 내성적이다. ***as ~ as a rabbit*** 몹시 겁이 많은. ㊞ ***~·ly** *ad.* **~·ness** *n.*
ti·mid·i·ty [timídəti] *n.* Ⓤ 겁, 소심, 수줍음.
***tim·ing** [táimiŋ] *n.* Ⓒ 타이밍, 시간 조정 ; (스톱워치에 의한) 시간측정.
ti·moc·ra·cy [taimɑ́krəsi / -mɔ́k-] *n.* Ⓒ ① 돈 주고 공직을 사는 정치. ② 명예지상(至上) 정치.
Ti·mor [tí:mɔ:*r*, -´] *n.* 티모르 섬.
tim·or·ous [tímərəs] *a.* 마음이 약한, 소심한, 겁많은. ㊞ **~·ly** *ad.* **~·ness** *n.*
Tim·o·thy [tíməθi] *n.* ① 남자 이름《애칭 Tim》. ② 〖聖〗 디모데《성Paul 의 제자》; 디모데서(書)《신약성서의 한 편》.
tim·o·thy *n.* Ⓤ 〖植〗 큰조아재비《목초》.
tim·pa·ni [tímpəni] (*sing.* **-no** [-nòu]) *n.* Ⓤ 〔集合的 ; 單·複數취급〕 〖樂〗 팀파니.
tim·pa·nist [-nist] *n.* Ⓒ 팀파니 연주자.
:tin [tin] *n.* ① Ⓤ 주석《금속원소 ; 기호 Sn ; 번호 50》: coated with ~ 주석으로 도금한 / a cry of ~ 주석을 구부릴 때 나는 소리. ② Ⓤ 함석(tinplate). ③ Ⓒ 주석 그릇 ; 양철 깡통〔냄비〕 : a ~ for biscuits 비스킷 깡통. ④ Ⓒ 《英》 통조림(《美》 can) ; 깡통 하나 가득, 한 깡통 : eat a whole ~ of sardines 정어리 한 깡통을 다 먹다. ⑤ Ⓤ 《英俗》 현금, 돈. ── (**-nn-**) *vt.* ① …에 주석〔양철〕을 입히다. ② 《英》 (식품)을 통조림으로 하다(《美》 can).
tín cán (통조림) 깡통 ; (특히) 빈 깡통.
tinc·ture [tíŋ*k*tʃə*r*] *n.* ① (a ~) 색, 색조 ; 김새, 티, 약간 …한 점 ; (교양 따위의) 겉바름 : *a* ~ of red 〔blue〕 붉은〔푸른〕 기미 / have *a* ~ of learning 학문을 조금은 알고 있다. ② Ⓤ,Ⓒ 〖藥〗 팅크(제) : ~ of iodine 요오드팅크.
── *vt.* …을 물들이다 ; 풍미가〔맛을〕 나게 하다, (…의) 기미〔냄새〕를 띠게 하다《*with*》: views ~*d with* prejudice 편견의 김새가 있는 견해.
tin·der [tíndə*r*] *n.* Ⓤ 부싯깃, 불이 잘 붙는 물건. ***burn like ~*** 맹렬히 불타다.
tin·der·box [-bɑ̀ks / -bɔ̀ks] *n.* Ⓒ ① 부싯깃 통. ② (일촉 즉발의) 위험한 장소(사람, 상태), (분쟁의) 불씨 : The Middle East is a ~. 중동은 언제

폭발할지 알 수 없는 지역이다.

tine [tain] *n.* Ⓒ (포크·빗 등의) 살 ; (사슴뿔의) 가지.

tín éar (a ~) 《美口》 음치 : have *a* ~ 음치다.

tin·foil [tínfɔ̀il] *n.* Ⓤ 은박지, 은종이.

ting [tiŋ] *n.* (a ~) 따르릉〔딸랑딸랑〕(하고 울리는 소리). ── *vi.* (방울 따위가) 딸랑딸랑 울리다. ── *vt.* (방울 따위)를 딸랑딸랑 울리다. [imit.]

ting-a-ling [tíŋəlìŋ] *n.* Ⓤ 방울소리 ; 딸랑딸랑, 따르릉. [imit.]

***tinge** [tindʒ] *n.* (a ~) ① 엷은 색조《*of*》: *a* ~ *of* blue 푸르스름한 색조. ② 낌새, …기, …티《*of*》: *a* ~ *of* irony 빈정대는 티.

── *vt.* 《~+목/+목+전+명》 ① …을 엷게 물들이다, 착색하다《*with*》: The sky was ~*d with* pink near the horizon. 지평선 언저리의 하늘은 엷은 핑크색으로 물들어 있었다. ② …을 가미하다, (기미)를 띠게 하다《*with*》: ~ ... *with* blue … 에 남빛을 띠게 하다 / Her memory was ~*d with* sorrow. 그녀의 추억은 비애를 띤 것이었다.

***tin·gle** [tíŋgəl] *n.* (a ~) 따끔거림, 쑤심 ; 설렘, 흥분. ── *vi.* 《~/+전+명》 따끔따끔 아프다, 얼얼하다, 쑤시다 ; (귀 따위가) 왱왱 울리다 ; 설레다, 흥분하다, 안절부절 못 하다《*with*》: fingers *tingling with* cold 추위로 얼얼한 손가락 / The cold made my ears ~. 추위로 귀가 얼얼했다 / I was *tingling with* eagerness to meet her. 나는 빨리 그녀를 만나고 싶어 안절부절 못 했다.

tín gód 《口》 실력도 없이 뽐내는 사람, 굴퉁이.

tín hát 《口》 헬멧, 철모, 안전모.

tin·horn [tínhɔ̀ːrn] *a.* 《美俗》 보잘것 없는, 쓸모없는. ── *n.* Ⓒ 큰소리치는 도박꾼.

tink·er** [tíŋkər] *n.* Ⓒ ① (떠돌이) 땜장이. ② 서투른 장색〔직공〕. ③《口》 개구쟁이, 골치 아픈 아이. ***have a ~ at …을 만지작거리다.

── *vi.* ① 땜장이 노릇을 하다. ②《~/+부/+전+명》 서투르게 수선하다《*at*》; (수선한답시고) 어설프게 만지작거리다《*at* ; *with* ; *away*》: ~ (*away*) *at*〔*with*〕 a broken machine 망그러진 기계를 수리한답시고 어설프게 만지작거리다. ── *vt.* 《~+목/+목+전+명/+목+부》 (냄비 따위)를 수선하다《*up*》: ~ an old car *into* shape 낡은 차를 고쳐 형체를 갖추다 / ~ *up* a broken radio 망그러진 라디오를 임시로 고치다.

***tin·kle** [tíŋkəl] *n.* Ⓒ (흔히 *sing.*) ① 딸랑딸랑〔따르릉〕(하는 소리). ②《英口》 전화 : give a person a ~ 아무에게 전화를 걸다 / Give me a ~ when you want me to come. 내가 오기를 원할 때에는 전화해 주세요. ③《英口》 쉬《오줌》: go for a ~ 쉬하러 가다.

── *vi.* 《~/+전+명》 ① 딸랑딸랑〔따르릉〕 울리다 : The sheep's bells ~*d through* the hills. 양의 방울소리가 산으로 울려 퍼졌다. ②《英口》 쉬하다, 오줌 누다. ── *vt.* 《~+목/+목+부》 …을 딸랑딸랑〔따르릉〕 울리다, 딸랑딸랑〔울려서 알리다〕: The clock was *tinkling out* the hour of nine. 시계가 따르릉거리면서 아홉 시를 알리고 있었다.

tin·kling [tíŋkliŋ] *n.* Ⓒ (흔히 *sing.*) 따르릉, 딸랑딸랑. ── *a.* 따르릉〔딸랑딸랑〕 울리는.

tinned [tind] *a.* ① 주석도금을 입힌. ②《英》 통조림으로 한(《美》 canned) : ~ fruit〔sardines〕 과일〔정어리〕 통조림.

tin·ny [tíni] (***-ni·er*** ; ***-ni·est***) *a.* ① 주석의 ; 주석이 많은 ; 주석 같은 . ② (소리가) 양철 소리 같은, 금속성의. ③ (금속 제품이) 싸구려의.

tín òpener 《英》 깡통따개(《美》 can opener).

tin·plate [tínplèit, ⌐⌐] *n.* Ⓤ 양철(판).

tin-plate *vt.* (철판 등)에 주석도금을 하다.

tin-pot [⌐pát/-pɔ̀t] *a.* 《英》 값싼, 열등한.

tin·sel [tínsəl] *n.* Ⓤ ① (의상 장식용의) 번쩍거리는 금속조각〔실〕. ② 번드르르하고 값싼 물건. ── *a.* 〔限定的〕 번쩍거리는 ; 야한, 값싸고 번드르르한. ── (**-l-**, 《英》 **-ll-**) *vt.* …을 번쩍거리는 것으로 꾸미다.

tin·sel·ly [tínsəli] *a.* 번쩍번쩍하고〔번드르르하고〕 값싼. 「속칭》.

Tínsel Tówn 번쩍거리는 도시《Hollywood 의

tin·smith [tínsmìθ] *n.* Ⓒ 주석 세공사 ; 양철공.

tín sóldier (양철로 만든) 장난감 병정.

‡tint [tint] *n.* Ⓒ ① 엷은 빛깔, 담색. ② 색의 농담 ; 색채의 배합, 색조 : in all ~*s* of red 진하고 연한 가지가지 붉은 빛으로 / green of〔with〕 a blue ~ 청색이 도는 초록빛 / autumnal ~*s* 가을빛, 추색(秋色), 단풍. ③ 머리 염색약. ④ (흔히 *sing.*) 머리 염색(하기). ── *vt.* ① …에 (엷게) 색칠하다 : paper ~*ed* with cream 크림색을 띤 종이. ② (머리)를 염색하다 : have one's hair ~*ed* 머리를 염색하다.

tin·tack [tíntæ̀k] *n.* Ⓒ 《英》 주석을 입힌 작은 못.

tin·tin·nab·u·la·tion [tìntənæ̀bjəléiʃən] *n.* Ⓤ,Ⓒ 딸랑딸랑〔따르릉〕(울리는 소리).

tin·ware [tínwɛ̀ər] *n.* Ⓤ 〔集合的〕 양철〔주석〕 제품.

tín wédding 석혼식(錫婚式)《결혼 10 주년》.

tin·work [tínwə̀ːrk] *n.* Ⓤ 주석〔생철〕 제품.

‡ti·ny [táini] (***ti·ni·er*** ; ***-ni·est***) *a.* 작은, 조그마한 : a ~ little〔little ~〕 boy 아주 작은 꼬마 아이 / a ~ chance (of success) 근소한 (성공) 가능성. ㊞ **tí·ni·ly** *ad.* **-ni·ness** *n.*

tíny BÁSIC 〖컴〗 컴퓨터 언어의 일종《BASIC 기능을 축소 간략화하여 메모리 용량이 적어도 쓸 수 있게 한 것》.

-tion *suf.* '행위·상태·결과' 등의 뜻의 명사를 만듦(-ion) : condi*tion* ; destruc*tion*.

-tious *suf.* '…가 있는, …을 가진'의 뜻으로, -tion 으로 끝나는 명사에서 형용사를 만듦 : ambi*tious*.

‡tip¹ [tip] *n.* Ⓒ ① 끝, 첨단 : the ~ of one's nose 코끝 / asparagus ~*s* 아스파라거스의 (연한) 끝 / walk on the ~*s* of one's toes 발끝으로 걷다. ② 첨단에 대는〔씌우는〕 것〔쇠붙이〕, 금(金)고리 ; (구두의) 앞닫이, 콧등 가죽 ; 물미, 칼집 끝 ; (장식용의) 모피〔깃털〕의 끝 ; (낚싯대의) 끝머리 ; (비행기의) 날개 끝(wing ~) ; (프로펠러의) 끝 ; (담배의) 필터 : a ~ for an alpenstock 등산용 지팡이 물미 / a cigarette with a (filter) ~ 필터가 달린 담배. ③ 꼭대기, 정상, 정점 : a mountain ~ 산꼭대기. ***from ~ to ~*** (날개 따위의) 끝에서 끝까지. ***from ~ to toe*** 머리끝에서 발끝까지, 철두철미. ***on*** 〔***at***〕 ***the ~ of*** one's 〔***the***〕 ***tongue*** (1) 하마터면 말이 나올 뻔하여. (2) 말이 혀끝에서 돌 뿐 생각나지 않아서.

── (**-pp-**) *vt.* ①《~+목/+목+전+명》 …에 끝을 달다〔붙이다〕; …의 끄트머리에 씌우다 : a filter-~*ped* cigarette 필터 담배 / a church spire ~*ped with* a weathercock 꼭대기에 바람개비가 있는 교회의 뾰족탑. ② …의 끝을 자르다 : ~ raspberries 나무딸기의 꼭지를 따다.

***tip²** [tip] (**-pp-**) *vt.* ①《~+목/+목+부》 …을 기울이다《*up*》; 뒤집어엎다, 쓰러뜨리다《*over* ; *up*》: She ~*ped* her head to the side. 그녀는 고개를 갸우뚱했다 / ~ *over*〔*up*〕 a pot 단지를 뒤집어 엎다. ②《~+목/+목+부/+목+전+명》《英》 (뒤엎어 내용물)을 비우다 ; (쓰레기)를 버리다《*off* ; *out* ; *up*》: ~ (*out*) rubbish 쓰레기를 비

우다 / He ~*ped* the water *out of* the bucket *into* the ditch. 그는 양동이의 물을 도랑에 버렸다. ③ 《+목+전+명》 (인사하기 위해 모자에) 가볍게 손을 대다 : He ~*ped* his hat *to* me. 모자를 살짝 들어 나에게 인사했다. ── *vi.* 《~ / +부 / +전+명》 기울다 ; 뒤집히다 : The table ~*ped up.* 테이블이 기울어졌다〔쓰러졌다〕 / The boat ~*ped over.* 보트가 뒤집혔다 / The car ~*ped into* the ditch. 차는 도랑에 빠졌다. ~ ***the balance*** ⇨BALANCE. ~ ***the scale(s)*** ⇨SCALE².
── *n.* ① Ⓤ 기울기, 기울이기 ; 경사 ; 뒤집어엎기. ② Ⓒ 《英》 쓰레기 버리는 곳.

***tip³** *n.* Ⓒ ① 팁, 행하, 사례금 : give a ~ to a servant 하인에게 팁을 주다. ② (경마·시세 따위의) 비밀 정보, 내보(內報) ; (유익한) 조언 ; 예상 : a ~ for the Derby 더비 경마의 예상 / a straight ~ on the race 경마에 관한 믿을 수 있는 정보. ③ 비결, 묘책 : a ~ for baking crispy biscuits 바삭바삭한 비스킷을 굽는 비결.
── (**-pp-**) *vt.* ① 《~+목 / +목+목 / +목+전+명》 …에게 팁을 주다 ; 팁으로서 주다 : ~ the porter ten thousand won 짐꾼에게 만 원의 팁을 주다 / He ~*ped* the servant *into* telling the secret. 그는 하인에게 팁을 주어 비밀을 이야기하게 했다. ② 《口》 …에게 살짝 알리다, …에게 비밀 정보를 제공하다, (비밀·음모 따위)를 누설하다 : ~ the winner (레이스 전(前)에) 이길 말의 이름을 알리다. ③ …을 예상하다 : I'm ~*ping* Mr. Anderson as the next president. 차기 대통령은 앤더슨씨라고 예상한다 / He ~*ped* the horse *to* win the race. 그는 그 말이 레이스에서 이긴다고 예상했다. ── *vi.* 팁을 주다. ***give*** 〔***get***〕 ***the ~ to*** do …하라고 몰래 알리다〔통지를 받다〕. ~ ***off*** (1) (경찰 등)에 밀고하다. (2) (아무)에게 몰래 알리다. ~ a person ***the*** 〔***a***〕 ***wink*** ⇨WINK.

tip⁴ *n.* Ⓒ ① 가볍게 침. ② 〖野·크리켓〗 팁 : hit a foul ~ 팁하다. ── (**-pp-**) *vt.* ① …을 가볍게 치다. ② 〖野·크리켓〗 (공)을 팁하다.

tip·cart [⌐kɑ̀ːrt] *n.* Ⓒ 덤프차. ⓒⓕ dumpcart.

tip·cat [⌐kæ̀t] *n.* ① Ⓤ 자치기. ② Ⓒ 자치기의 나뭇조각(cat).

tip-off [⌐ɔ̀ːf / ⌐ɔ̀f] *n.* Ⓒ 《口》 비밀 정보 ; 조언.

típper trùck 〔**lòrry**〕 덤프차.

tip·pet [típit] *n.* Ⓒ ① (여성의) 스카프 따위의 길게 늘어진 부분. ② (재판관 등의) 어깨걸이.

tip·ple [típəl] *vi.* 술을 상습적으로 마시다, 술에 젖어 살다. ── *vt.* (술)을 상습적으로 마시다.
── *n.* Ⓒ (흔히 *sing.*) 술, 독한 술 : have a ~ 한잔하다.

tip·pler [-ər] *n.* Ⓒ 술고래.

tip·staff [típstæ̀f, -stɑ̀ːf] (*pl.* **~s** [-s], **-staves** [-stèivz]) *n.* Ⓒ ① 끝에 쇠가 달린 지팡이. ② 그것을 휴대한 옛날의 집달관·순라군.

tip·ster [típstər] *n.* Ⓒ 《口》 (경마·시세 따위의) 예상가, 정보 전문가〔제공자〕.

tip·sy [típsi] (**-si·er ; -si·est**) *a.* 술 취한 ; 비틀거리는 : walk with ~ steps 비틀거리며 걷다 / get ~ 취하다 / a ~ lurch 비틀걸음, 갈지자걸음. ⓜ **-si·ly** *ad.* **-si·ness** *n.*

‡**tip·toe** [típtòu] *n.* Ⓒ 발끝. ***on*** ~ (1) 발끝으로 ; 발소리를 죽이고 : walk *on* ~ 발소리를 죽이고 걷다. (2) 크게 기대하여 : be *on* ~ of expectation for …을 학수고대하다. ── *ad.* 발끝으로, 살금살금 걸어 ; 살그머니 조심스레. ── *vi.* 발끝으로 걷다《*about* ; *into*》 ; 발돋움하다.

tip·top [⌐tɑ̀p / ⌐tɔ̀p] *n.* (the ~) ① 정상(頂上). ② 《口》 절정, 최고. ***at the ~ of*** one's ***profession*** 한창 번성하여, 장사가 번창하여. ── *a.* 최고의 ; 극상의, 일류의 : be in ~ health 최고로 건강하다. ── *ad.* 《口》 더할 나위 없이, 최고로 : We're getting along ~. (일은) 정말 잘 돼가고 있다.

tip-up séat [⌐ʌ̀p-] (극장 따위의) 등받이를 세웠다접었다하는 의자.

ti·rade [táireid, tiréid] *n.* Ⓒ 긴 연설, (비난·공격 등의) 장광설, 격론 : a ~ against political corruption 정계의 부패에 대한 비난 연설.

‡**tire¹** [taiər] *vt.* 《~+목 / +목+부 / +목+전+명》 ① …을 피로하게 하다 : They were ~*d* from the long trip. 그들은 긴 여행으로 지쳐 있었다 / I walked so fast that I ~*d* her *out.* 내가 너무 빨리 걸어 그녀는 지쳐 버렸다. ② (사람)을 싫증나게〔질력나게〕 하다 : He ~*d* us *with* his long congratulations. 그의 긴 축사에 우리는 질력이 났다. ── *vi.* 《~ / +전+명》 ① 피곤해지다, 지치다 《*with*》 : He soon ~*s* (*with* study). 그는 곧 (공부에) 지친다. ★ 이 의미로는 흔히 get 〔be〕 tired 를 씀. ② 물리다, 싫증나다《*of*》 : The children soon ~*d of* playing. 아이들은 곧 노는 데 싫증이 났다 / I shall never ~ *of* your company. 너하고 같이라면 언제까지라도 싫증이 안 난다. ~ ***out*** 기진맥진하다 : I'm ~*d out.* 나는 지쳤다. ~ . . ***out*** …을 지치게 만들다 : The long hike had ~*d* us all *out.* 긴 등반으로 우린 모두 기진맥진했다.

‡**tire²**, 《英》 **tyre** [taiər] *n.* Ⓒ 타이어, 바퀴 : a pneumatic ~ (공기가 든) 고무 타이어 / inflate a ~ 타이어에 공기를 넣다 / The ~ went flat. 타이어가 펑크났다.

tíre chàin 타이어 체인.

†**tired** [taiərd] (***more*** **~,** ⌐**·er, ;** ***most*** **~,** ⌐**·est**) *a.* ① 〔敍述的〕 피로한, 지친 : I'm 〔I feel〕 very ~. 나는 몹시 피곤하다 / I'm ~ *from* 〔*by, with*〕 work〔walking〕. 일로〔걸어서〕 피곤하다 / a ~ child〔voice〕 피곤한 아이〔목소리〕. ② 〔敍述的〕 물린, 넌더리 난, 싫증난《*of*》 : I'm ~ *of* boiled eggs. 삶은 달걀에 물렸다 / get ~ of life 세상이 싫어지다 / You make me ~*!* 네겐 정나미가 떨어졌다. ③ (물건이) 낡은, 진부한 : a ~ hat 낡은 모자. ***sick and ~ of*** …에 아주 진저리가 나서. ~ ***out*** =~ ***to death*** 몹시 피곤한〔지친〕 : You look ~ *out.* 자넨 몹시 피곤해 보이네.
ⓜ ⌐**·ly** *ad.* ⌐**·ness** *n.*

***tire·less** [táiərlis] *a.* 지칠 줄 모르는 ; 정력적인, 꾸준한 : a ~ worker 정력적으로 일하는 사람 / ~ industry〔zeal〕 한결 같은 근면〔열의〕.
ⓜ **~·ly** *ad.* **~·ness** *n.*

tire·some** [⌐səm] (more*** **~ ;** ***most*** **~**) *a.* ① 지치는 ; 지루한, 싫증이 오는 : a ~ speech 지루한 연설 / a ~ ceremony 지루한 의식. ② 성가신, 귀찮은, 속상한 : a ~ child 성가신 아이 / ~ work 귀찮은 일. ***How ~ !*** (I have left my watch behind.) 에이 속상해(시계를 두고 왔어).
ⓜ **~·ly** *ad.* **~·ness** *n.*

tir·ing [táiəriŋ] *a.* 지치게 하는 ; 지루한.

tiro ⇨TYRO.

Tir·ol [tírəl, tiróul], **etc.** =TYROL, etc.

'tis [tiz] 《古·詩》 it is 의 간약형.

‡**tis·sue** [tíʃuː] *n.* ① Ⓤ.Ⓒ (얇은) 직물《특히 얇은 명주 따위》, 사(紗). ② Ⓤ.Ⓒ 〖生理〗 (세포) 조직 : muscular 〔nervous〕 ~ 근육〔신경〕 조직. ③ Ⓒ (어리석은 짓, 거짓말 등의) 뒤범벅, 연속, 투성이 : a ~ of lies 〔falsehoods〕 거짓말의 연속, 거짓말투성이. ④ **a)** Ⓒ 얇은 화장지. **b)** =TISSUE PAPER.

tíssue pàper 박엽지(薄葉紙), 티슈페이퍼.

tit¹ [tit] *n.* Ⓒ 박새류(類)의 새.

tit² *n.* Ⓒ 경타(輕打)〔다음 成句로〕. ~ ***for tat*** 맞받아 쏘아붙이기, 오는 말에 가는 말 : give〔pay〕 ~ *for tat* 맞받아 쏘아붙이다.

tit³ *n.* Ⓒ 《口》 ① **a)** 젖꼭지(teat). **b)** (흔히 *pl.*) 《俗》 젖통. ② 《英俗》 바보, 얼간이. ***get on*** a person***'s*** **~*s*** 《口》 아무의 신경을 건드리다, 짜증나게 하다.

Tit. Titus. **tit.** title.

Ti·tan** [táitən] *n.* ① 〖그神〗 타이탄《Uranus(하늘)와 Gaea(땅)와의 아들인 거인족(의 한 사람); Atlas, Prometheus 등》. ② (t-) 거인, 장사, 괴력(怪力)을 가진 사람. ③ 〖天〗 타이탄《토성의 제 6 위성》. ***the weary ~ 지친 Atlas 신; 노대국(老大國)《영국 따위》.

Ti·tan·ic [taitǽnik] *a.* ① 타이탄의〔같은〕. ② (t-) 거대한, 힘센. ── *n.* (the ~) 타이타닉호《1912 년 Newfoundland 남쪽에서 침몰한 영국 호화 여객선》.

ti·ta·ni·um [taitéiniəm] *n.* Ⓤ 〖化〗 티탄, 티타늄《금속 원소; 기호 Ti; 번호 22》.

tit·bit [títbìt] *n.* =TIDBIT.

tichy [títʃi] *a.* 《英口》 아주 작은, 조그마한.

tit·fer [títfər] *n.* Ⓒ 《英俗》 모자(hat).

tith·a·ble [táiðəbəl] *a.* 십일조가 붙는.

***tithe** [taið] *n.* Ⓒ ① 십일조; 10 분의 1 교구세(敎區稅). ② 10 분의 1; 작은 부분; 조금《*of*》: I haven't a ~ *of* his talent. 나는 그의 재능의 10 분의 1 에도 못미친다 / I cannot remember a ~ *of* it. 조금도 생각이 나지 않는다.

tith·ing [táiðiŋ] *n.* ① Ⓤ 십일조 징수〔납입〕. ② Ⓒ 십일조.

Ti·tho·nus [tiθóunəs] *n.* 〖그神〗 새벽의 여신 Eos 의 애인《늙어서 매미가 됨》.

Ti·tian [tíʃən] *n.* ① 티치아노《이탈리아의 베네치아파 화가; 1477 ? -1576》. ② (t-) Ⓤ 금갈색(金褐色).

tit·il·late [títəlèit] *vt.* ① …을 간질이다. ② (사람)을 기분좋게〔성적으로〕 자극하다, 흥을 돋우다.
㊞ **tìt·il·lá·tion** [-ʃən] *n.* Ⓤ 간질임; 간지러움; 기분좋은 자극, 감흥.

tit·i·vate [títəvèit] *vt.* 《口》〔再歸的〕(외출 전에 잠깐) …을 몸치장시키다. ── *vi.* 몸치장하다, 모양을 내다. ㊞ **tìt·i·vá·tion** [-ʃən] *n.*

‡**ti·tle** [táitl] *n.* ① Ⓒ (책·영화·그림 등의) 표제, 제목, 제명(題名), 책 이름 : the ~ of a poem〔book〕 시〔책〕 제목 / What's the play's ~? 그 극의 제명은 무엇입니까 / under the ~ of …이라는 표제로. ② Ⓤ,Ⓒ 직함《칭호·관직명·학위·작위·경칭 등 포함; Lord, Prince, Professor, Dr., General, Sir, Mr., Miss, Esquire 등》: a man of ~ 직함이 있는 사람, 귀족 / He was given a ~ by the king. 그는 왕으로부터 작위를 받았다. ③ Ⓤ (*sing.*) (정당한) 권리, 주장할 수 있는 자격《*to* do; *to*; *in*; *of*》; (토지·재산의) 소유권 : one's ~ *to* a house 가옥의 소유권 / as far as a ~ *to* land goes 토지소유의 권리에 관한 한 / the ~ *to* the throne 왕위에 오를 권리. ④ Ⓒ 〖스포츠〗 선수권, 타이틀; a ~ fight (복싱의) 타이틀전 / win the tennis ~ 테니스의 선수권을 획득하다 / defend〔lose〕 one's ~ 선수권을 방어〔상실〕하다.
── *a.* 표제의; 선수권이 걸린.
── *vt.* ① …에 표제를 달다, …라고 이름을 붙이다(entitle) : a book ~*d* "Life" '인생'이라는 제목의 책. ② …에 직함을〔칭호를, 작위를〕 주다; 칭호로〔경칭으로〕 부르다. ㊞ **~·less** *a.*

ti·tled [táitld] *a.* 직함이〔작위가〕 있는 : a ~ lady 귀족 부인 / ~ members 작위가 있는 의원 / belong to the ~ class 귀족 계급에 속하다.

títle dèed 〖法〗 (부동산) 권리 증서.

title·hold·er [táitlhòuldər] *n.* Ⓒ 선수권 보유자.

títle pàge (책의) 속표지.

títle párt 〔**róle**〕 주(제)역(主(題)役) (name part) : *Hamlet*, Laurence Olivie in the ~ 로렌스 올리비에 주연의 '햄릿'.

tit·mouse [títmàus] (*pl.* ***-mice***) *n.* Ⓒ 〖鳥〗 박새과의 작은 새.

tit·ter [títər] *n.* Ⓒ 킥킥 웃음, 소리를 죽여 웃음. ── *vi.* 킥킥거리다, 소리를 죽이고 웃다.

tit·tle [títl] *n.* ① Ⓒ 글자 위의 작은 점《i 의 점 따위》. ② (a ~, one ~) 〔否定文으로〕 조금도 …않다〔없다〕, 털끝만큼도 …않다〔없다〕: There's *not a* ~ of doubt. 의심〔의혹〕은 조금도 없다. ***not one jot or one*** ~ 일점 일획이라도 …아니한《마태복음 Ⅴ : 18》. ***to a*** ~ 틀림없이, 정확히.

tit·tle-tat·tle [-tæ̀tl] *n.* Ⓒ, *vi.* 객쩍은 이야기(를 하다), 잡담(하다) (gossip).

tit·ty [títi] *n.* 《英俗》 ① Ⓒ 젖꼭지. ② (*pl.*) 젖(통이), 유방.

tit·u·lar [títʃulər] *a.* ① 이름뿐인, 유명 무실한 : a ~ sovereign 명의뿐인 주권자. ② 자격이 있는, 정당한 권리가 있는〔에 의한〕: ~ possessions 유권 소유물. ③ 직함의〔이 있는〕, 위계(位階)의〔가 있는〕: a ~ rank 작위. ④ 표제의, 제목의 : ~ character (소설 등의) 주제 인물. ⑤ 〖가톨릭〗 성인(聖人)의 이름을 따온 : a ~ saint 교회의 수호성인. ㊞ **~·ly** *ad.* 명의만; 표제상.

títular sáint 이름의 유래가 된 성인.

Ti·tus [táitəs] *n.* 〖聖〗 ① 디도《사도 Paul 의 친구》. ② 디도서(書)《신약 성서 중의 한 편》.

tizz, tiz·zy [tiz], [tízi] *n.* Ⓒ (흔히 *sing.*) 《口》 (사소한 일에) 흥분한 상태, (이성을 잃고) 흐트러진 상태 : in a ~ 당황해서.

T-junc·tion [tí:dʒʌ̀ŋkʃən] *n.* Ⓒ ① (T 자형) 삼거리. ② (파이프 따위의) T 자형 접합부.

TKO, T.K.O. technical knockout. **Tl** 〖化〗 thulium.

T́ lỳmphocyte =T CELL.

T. M. Their Majesties.

T-man [tí:mæ̀n] (*pl.* ***-men*** [-mèn]) *n.* Ⓒ 《美口》 (재무부의) 특별 세무 조사관, 탈세 감시관(treasuryman).

TN 〖美郵〗 Tennessee. **Tn** 〖化〗 thoron. **tn.** ton; train. **TNT, T.N.T.** trinitrotoluene. **TO, T. O.** turn over(다음 면 참조, 뒷면을 보라. ⓒⓕ P.T.O.).

†**to** [《문장 또는 절의 끝》 tu:, 《자음 앞》 tə, 《모음 앞》 tu] *prep.* **A)** ≪일반적 용법≫ ① **a)** 〔단순한 방향〕 …(쪽)으로; …을 향하여 : turn *to* the right 오른쪽으로 돌다 / with one's back *to* the fire 등을 불(있는) 쪽으로 돌리고 / The town lies *to* the north of Paris. 그 읍은 파리 북쪽에 위치해 있다 《비교 : The lake lies *in* the north of Paris. 그 호수는 파리(안)의 북부에 있다》. **b)** 〔도착의 뜻을 함축시킨 방향〕 …까지, …로, …에 : go *to* the office 회사에 출근하다 / sail from Europe *to* Canada 유럽에서 캐나다까지 배로 가다 / go *to* and from the office by bus 버스로 회사에 통근하다 / a trip *to* the moon 달에 가는 여행.

> 參考 **to** 와 **toward** 의 차이 (1) He ran *to* 〔*toward, for*〕 the door. 그는 방문쪽으로 달려갔다《to 는 방향의 뜻에 더하여 도어에 도달했음을 암시함. toward 는 방향 '문쪽을 향해', for 는 목적인 '문을 목표로 하여서'》.
> (2) '거기까지 걸었다'는 ×We walked to it. / ×We walked toward it. 라고는 하지 않으며, '…

walked there'로 함.
(3) We walked *toward* each other. 는 우리들은 서로 다가갔다(×We walked *to* each other.) 《to는 도착점의 뜻을 함축하고 있으므로, 서로 다가간다는 뜻은 나타낼 수 없음》.

② 〔행위·작용의 대상〕 **a)** …에(게), …로; …에 대하여: appeal *to* public opinion 여론에 호소하다 / I'd like to talk *to* you. 당신과 이야기를 하고 싶습니다 / No one did any harm *to* him. 아무도 그에게 해를 가하지 않았다. **b)** 〔뒤에 오는 間接目的語의 앞에서〕 …에게: He gave the book *to* me. = He gave me the book. 그는 나에게 책을 주었다. **c)** …에(게) 있어서는, …에게는: *To* me this seems silly. 이건 나에게는 우습게 생각된다 / *To* my mind, he is very clever. 내 생각으론, 그는 매우 영리하다. **d)** …을 위하여: Let's drink *to* his health. 그의 건강을 위해 건배합시다.
③ 〔변화의 방향〕 …(으)로: He rose *to* fame. 그는 유명해졌다 / The traffic light changed *to* green. 교통 신호는 파랑으로 바뀌었다 / Things went from bad *to* worse. 사태는 더욱 악화되었다.
④ 〔한계〕 **a)** 〔도달점〕 …까지, …에 이르기까지: from beginning *to* end 처음부터 끝까지 / count (up) *to* sixty, 60까지 세다 / all wet *to* the skin 흠뻑 젖어 / be rotten *to* the core 속속들이 썩다. **b)** 〔기한·시각〕 …까지(until); (…분) 전(《美》 of, before): work from Monday *to* Friday 월요일부터 금요일까지 일하다 / put the meeting off *to* next Friday 모임을 다음 금요일까지 연기하다 / from two *to* five o'clock, 2시에서 5시까지 / The game lasted *to* 10 : 30. 경기는 10시 30분까지 계속되었다 / It's an hour *to* 〔till〕 dinner. 저녁식사까지 한 시간(은) 있다 / It's five (minutes) *to* 〔of, before〕 six. 여섯 시 5분 전이다(=《口》 It's five fifty-five.).
⑤ 〔정도·범위〕 …에(이르기)까지: *to* a degree 다소 / *to* some extent 어느 정도까지 / tear a letter *to* pieces 편지를 갈가리 찢다 / *To* the best for my knowledge, he is honest and reliable. 내가 알고 있는 한 그는 성실하고 믿을 수 있다 / I enjoyed *to* the full. 실컷 즐겼다.
⑥ 〔목적〕 …을 위하여, …하러: go *to* work 일하러 가다 / sit down *to* dinner 저녁식사를 위해 자리에 앉다 / He came *to* my rescue. 그는 나를 구하러 왔다.
⑦ 〔결과·효과〕 **a)** 〔흔히 to a person's에 감정을 나타내는 名詞가 와서〕 …하게도, …한 것은: much *to* the delight of the children 아이들이 무척 좋아한 것은 / *To* my surprise, she objected to the plan. 놀랍게도 그녀는 그 계획에 반대했다. **b)** …하게 되기까지, 그 결과…: be starved *to* death 굶어 죽다 / be moved *to* tears 감동하여 울다 / sing a baby *to* sleep 노래를 불러 아기를 잠재우다.
⑧ 〔접촉·결합·부착·부가〕 …에, …위에, …에 붙이어: apply paint *to* the wall 벽에 페인트를 칠하다 / stick 〔hold〕 *to* one's opinion 자기 의견을 고집〔고수〕하다 / Add 23 *to* 42. 42에 23을 더해라.
⑨ 〔부속·연관·관계〕 …의, …에: a key *to* the door 문 열쇠 / brother *to* the King 왕의 아우 / They have no right *to* the use of the land. 그들에게는 그 땅을 사용할 권리가 없다.
⑩ **a)** 〔적합·일치〕 …에 맞추어, …에 맞아; …대로(의): made *to* order 주문에 따라 만든, 맞춤의 / correspond *to*… …에〔과〕 일치하다, 부합하다 / adapt oneself *to* circumstances 환경에 순응하다 / It is not *to* my liking. 이것은 내 취향에 맞지 않는다 / The picture is true *to* life. 이 그림은 실물 그대로다. **b)** 〔호응〕 …에 답하여, …에 응하여: The dog came *to* my whistle. 휘파람을 불자 개가 왔다. **c)** 〔수반(隨伴)〕 …에 맞추어, …에 따라(서): dance *to* (the accompaniment of) the music 음악에 따라 춤추다.
⑪ **a)** 〔비교〕 …에 비해, …보다: He's quite rich now *to* what he used to be. 그는 예전에 비하면 지금은 대단한 부자이다 / This is nothing *to* what you've done. 이것은 당신이 한 것에 비하면 아무 것도 아니오 / He is three years senior *to* me. 그 사람은 나보다 세 살 위다 / My car is inferior 〔superior〕 *to* yours. 내 차는 자네 차보다 못하다〔낫다〕. **b)** 〔대비〕 …에 대하여, …대(對); 매(每) …에, …당: Reading is *to* the mind what food is *to* the body. 독서의 정신에 대한 관계는 음식의 몸에 대한 관계와 같다 / Two is *to* four as three is *to* six. 2 : 4=3 : 6 / The score was nine *to* five. 득점은 9대 5였다.
⑫ 〔대향(對向)·대립〕 …을 마주 보고, …에 상대하여: sit face *to* face 서로 마주 대하여 앉다 / stand back *to* back 서로 등을 맞대고 서다 / fight hand *to* hand 백병전을 벌이다.
B) 《不定詞를 이끌어서》

語法 (1) 이 용법의 to는 본디 전치사이지만, 현재에 와서는 'to+動詞의 원형'으로 不定詞를 보이는 기호처럼 되었음.
(2) 否定形은 否定語(not, never 따위)를 to의 바로 앞에 가져옴: Try *not to* be late. 늦지 않도록 해라.
(3) 不定詞의 되풀이를 피하여 to만을 쓸 경우가 있음(代不定詞): I went there because I wanted *to*. 가고 싶었기에 거기(로) 갔다. ★ be 동사일 때에는 be를 생략하지 않는 것이 보통: The examination was easier than I imagined it *to* be.
(4) 의미상의 주어는 for…을 to 바로 앞에 가져옴: I am glad *for* you *to* join us. 네가 참가해 주어 반갑다.
(5) 完了不定詞인 'to have+過去分詞'는 문장의 술어동사보다 이전의 일을 나타냄: He seems *to have been* ill. 그는 아팠던 것 같다.
(6) to와 原形動詞 사이에 副詞(句)가 들어갈 때가 있음(分離不定詞): Try *to entirely* forget your fault. 네 과실을 완전히 잊도록 해라.

① 〔名詞的 용법〕 …하는 것〔일〕, …하기. **a)** 〔主語로서〕: *To* walk is healthy exercise. 걷기는 건강에 좋은 운동이다 / *To* steal is a crime. 도둑질은 범죄이다 / It is foolish *to* read such a book. 그런 책을 읽는 것은 바보 같은 짓이다. **b)** 〔目的語로〕: I like *to* read. 나는 독서(하기)를 좋아한다 / I found it difficult *to* live with him. 그와의 동거 생활이 힘듦을 알았다. **c)** 〔補語로서〕: The best way is (for you) *to* make efforts. 최선의 방법은 (네가) 노력하는 일이다.
② 〔形容詞的 용법〕 …(해야)할, …하는, …하기 위한: I have 〔There is〕 nothing *to do*. 아무것도 할 일이 없다 / He was the first *to come*. 그 사람이 첫 번째로 왔다 / There is no need *to be* in a hurry. 서두를 필요는 없다 / Autumn is the best season *to study*. 가을은 공부하기 제일 좋은 계절이다.
③ 〔副詞的 용법〕 **a)** 〔목적〕 …하기 위해, …하도록: We eat *to* live. 우리는 살기 위하여 먹는다 /

I got up early so as not *to* be late for the train. 열차 시간에 늦지 않도록 일찍 일어났다《목적을 나타내는 부정에는 so as 〔in order〕 not to do를 씀》. **b)** 〔원인·이유·판단의 근거〕 …하고, …하니〔으니〕, …하다니: I'm glad *to* see you. 당신을 만나 뵈어 기쁩니다 / I am sorry *to* hear that. 그것을 들으니 슬프다 / She must be a fool *to* say so. 그런 말을 하다니 그 여자는 바보임에 틀림없다. **c)** 〔정도의 기준〕: You are not old enough *to* go to school. 너는 아직 학교에 갈 나이가 아니다 / The stone was too heavy for me *to* lift. 그 돌은 너무 무거워서 나로서는 들어올릴 수가 없었다《= The stone was so heavy that I could not lift it.》. **d)** 〔적응범위를 한정하여〕 …하기에, …하는데: He is free *to* go there. 그는 자유로이 그곳에 갈 수 있다 / I'm ready *to* help them. 곧 그들을 도와줄 생각이다. **e)** 〔결과〕 …하게 되기까지; …해 보니: He grew up *to* be a great man. 그는 자라서 위대한 사람이 되었다 / He awoke *to* find himself in a strange room. 깨어보니 그는 낯선 방에 있었다 / He lived *to* be eighty. 그는 여든 살까지 살았다. **f)** 〔獨立副詞句〕 …하면: *To* hear you sing, people might take you for a girl. 네가 노래하는 것을 들으면 사람들은 너를 계집애로 잘못 알지도 모른다 / *To* tell the truth, I don't like it. 사실을 말하면 나는 그것이 마음에 안 든다. ④ 〔그 밖의 용법〕 **a)** 〔疑問詞+*to* do〕 …야 좋을지〔할지〕: I don't know *what to* do. 어떻게 해야 좋을지 모르겠다. **b)** 〔連結詞로서〕: He seems *to* be 〔have been〕 innocent. 그자는 결백한〔결백했던〕 것 같다. **c)** 〔be+*to* do 로서〕 (⇨BE ⑤): He *is to* attend. 그는 참석하기로 되어 있다. **d)** 〔+目+*to* do로〕: I'll ask him *to* help me. 그에게 도와달라고 부탁하겠다. ★ 감각동사(feel, hear, notice, see, watch 따위), 사역동사 (let, make, have 따위) 및 종종 help, know, find 뒤에서는 to를 붙이지 않음(原形不定詞). 다만, 수동인 때에는 to가 필요: I saw him *come* in. →He *was seen to* come in.

—[tuː] *ad.* 《be 動詞와 결합한 때에는 形容詞로 볼 수도 있음》 ① 본디 상태〔위치〕로, 제자리에; 닫히어; 멈추어; 제정신이 들어, 의식을 차리어: draw the curtains *to* 커튼을 치다 / Shut the door *to.* 문을 꼭 닫아라 / bring a ship *to* 배를 멈추게 하다 / He came *to.* 그는 제정신이 들었다 《'제정신이 들게 하다'는 bring him *to*》 / The gate shut *to* with a crash. 문은 쾅 소리를 내며 닫혔다. ② 활동을〔일 따위를〕 시작하고, 착수하고: We turned *to* gladly. 기꺼이 일에 착수하였다 / We sat down for lunch and fell *to.* 우리는 점심을 먹기 위해 자리에 앉아 식사를 시작했다. ③ 앞쪽에〔으로〕: He wore his cap wrong side *to.* 그는 모자를 뒤쪽을 앞으로 하여 쓰고 있었다. ④ 가까이: I saw him close *to.* 바로 코 앞에서 그를 보았다. ⑤ 부착되어; (말이) 마차에 매어져: I ordered the horses *to.* 말을 마차에 매라고 일렀다. ***to and fro*** 여기저기(에), 이리저리(로), 왔다갔다: He was walking *to and fro* in the room. 그는 방안을 왔다갔다 하고 있었다.

toad** [toud] *n.* Ⓒ ① 두꺼비. ② 징그러운 놈, 싫은 녀석, 무가치한 것. ***eat a person***'s*** ~***s*** 아무에게 아첨하다.

toad·eat·er [⌐ìːtər] *n.* Ⓒ 아첨쟁이, 알랑쇠.

toad·fish [⌐fìʃ] (*pl.* ~, ~·***es***) *n.* Ⓒ 아귀과(科)의 물고기.

toad·flax [⌐flæ̀ks] *n.* Ⓒ 해란초속(屬)의 식물.

toad-in-the-hole [⌐inðəhòul] *n.* ⓊⒸ 토드인더홀《butter를 입혀서 구운 쇠고기 요리》.

toad·stool [⌐stùːl] *n.* Ⓒ 독버섯의 하나.

toady [tóudi] *n.* Ⓒ 알랑쇠, 아첨꾼. — *vi.* 아첨하다; 알랑거리다《(*up*) *to*》: Stop ~*ing up to* him. 그에게 그만 알랑거려라.
㊞ **~·ìsm** *n.* Ⓤ 아첨, 아부.

to-and-fro [túːənfróu] *a.* 〔限定的〕 이리저리 움직이는, 전후〔좌우〕로 움직이는, 동요하는: The ~ motion was hypnotic. 그 전후 운동에는 최면술과 같은 힘이 있었다. — *n.* Ⓤ (the ~) 이리저리 움직임, 동요.

‡**toast**[1] [toust] *n.* ⓊⒸ 토스트: buttered 〔dry〕 ~ 버터를 바른〔안 바른〕 토스트 / two slices of ~ 토스트 두 조각 / a poached egg on ~ 수란(水卵)을 얹은 토스트. ***as warm as*** (***a***) ~ 따뜻한, 훈훈한. — *vt.* ① (빵 따위)를 누르스름하게〔알맞게〕 굽다. ② **a)** …을 불에 쬐다, 불로 따뜻하게 하다: ~ one's toes 발가락을 불에 쬐다. **b)** 〔再歸的〕 불을 쬐다: ~ *oneself* before the fire 불을 쬐다. — *vi.* ① 노르스름하게〔알맞게〕 구워지다: This bread ~*s* well. 이 빵은 노르스름하게 잘 구워진다. ② 불을 쬐다.

***toast**[2] *n.* ① Ⓒ 건배, 축배, 건배의 (인사)말《★ '건배'의 발성(發聲)에는 "Toast" 외에 "To your health!" (건강을 위하여), "To our happiness!" (행복을 위하여) 등이 있음. 또 단순히 "Cheers!" 라고도 함》: drink〔propose〕 a ~ to a person 아무를 위하여 건배하다〔건배를 제안하다〕 / have 〔raise〕 a champagne ~ 샴페인으로 축배를 하다〔들다〕 / We drank a ~ to him. 우리는 그를 위해 건배했다. ② (the ~) 축배를 받는 사람; 인기 있는 사람: The singer was *the* ~ of Broadway. 그 가수는 브로드웨이의 인기인이었다. — *vt.* …를 위해 축배를 들다, …에게 건배하다: We ~*ed* the newly married couple. 우리는 신혼 부부를 위해 건배했다. — *vi.* (…에게) 건배하다《*to*》.

toast·er [tóustər] *n.* Ⓒ 토스터, 빵 굽는 사람〔기구〕.

tóaster òven 오븐 겸용 토스터.

tóasting fòrk 빵 굽는 기다란 포크.

toast·mas·ter [tóustmæ̀stər, -mɑ̀ːs-] (*fem.* ***-mis·tress***) [-mìstris]) *n.* Ⓒ 축배의 말을 하는〔축배를 제창하는〕 사람; (연회의) 사회자.

tóast ràck 토스트를 세워 놓는 기구.

toasty [tóusti] (***toast·i·er*** ; ***-i·est***) *a.* ① 토스트 같은. ② (방 따위가) 따뜻하고 쾌적한.

TOB takeover bid.

‡**to·bac·co** [təbǽkou] (*pl.* ~(***e***)***s***) *n.* ① ⓊⒸ 담배, 살담배. ② Ⓤ 〖植〗 담배(=⌐ **plànt**). ③ Ⓤ 흡연: give up ~ 담배를 끊다.

to·bac·co·nist [təbǽkənist] *n.* Ⓒ 담배 장수〔가게〕: a ~*'s* (shop) 담배 가게.

to-be [təbíː] *a.* 〔흔히 複合語로〕 미래의, …이 될《사람》: a bride-*to-be* 신부될 사람 / a mother-*to-be* 어머니가 될 사람, 임신부.
— *n.* (the ~) 미래.

to·bog·gan [təbɑ́gən / -bɔ́g-] *n.* Ⓒ 터보건《바닥이 평평한 썰매의 일종》. — *vi.* ① 터보건으로 미끄럼타고 내려가다. ② (시세가) 폭락하다, (운수가) 갑자기 기울다.

to·by [tóubi] *n.* Ⓒ (종종 T-) 땅딸보 노인 모양의 맥주컵(toby jug).

toc·ca·ta [təkɑ́ːtə] *n.* Ⓒ 《It.》 〖樂〗 토카타《건반악기를 위한 화려하고 급속한 연주를 주안으로 하는 전주곡》.

toc·sin [tɑ́ksin / tɔ́k-] *n.* Ⓒ 경종(소리), 경보.

tod *n.* 〔다음 成句〕 ***on*** one***'s*** ~ 《英俗》 홀로.

†**to·day** [tədéi, tu-] *ad.* ① 오늘, 오늘은, 오늘 중에: The ship leaves ~. 배는 오늘 출범한다 / It

is Monday ~. 오늘은 월요일이다 / I'll do it ~. 오늘 중에 하겠다. ② 현재〔현대, 오늘날〕(에는) : More women have jobs ~ than their mothers did. 오늘날의 여성은 그들 어머니 세대의 여성들보다 직업을 많이 가지고 있다 / *Today* you seldom see airships. 오늘날에 비행선은 좀처럼 볼 수 없다. — *n.* Ⓤ 〔冠詞없이〕 ① 오늘 : *Today* is Saturday〔my birthday〕. 오늘은 토요일〔내 생일〕이다 / Have you seen ~*'s* paper? 오늘 신문을 보았습니까. ② 현대, 현재, 오늘날 : the world of ~ 현대〔오늘날〕의 세계. ★ this day 는 today 보다도 강의적임.

tod·dle [tádl / tɔ́dl] *vi.* ① 아장아장 걷다 : The child is just learning to ~. 아이는 이제 막 아장아장 걸을 수 있게 되었다. ② 《~ / +副 / +전+명》 어정거리다, 거닐다《*round* ; *to*》; 가다, 출발하다 : I ~*d round to* my friend's house. 산책삼아 친구 집에 놀러 갔다. — *n.* Ⓒ ① 아장아장 걷기. ② 《口》 어슬렁어슬렁〔슬슬〕 걷기, 산책.

tod·dler [tádlər / tɔ́d-] *n.* Ⓒ 아장아장 걷는 사람; 《특히》 걸음마 타는 유아.

tod·dy [tádi / tɔ́di] *n.* ① Ⓤ,Ⓒ 토디《위스키·럼 따위에 더운 물을 타고 설탕 등을 넣은 음료》. ② Ⓤ 야자즙; 야자술.

to-do [tədúː, tu-] (*pl.* ~**s**) *n.* Ⓒ (흔히 *sing.*) 《口》 법석, 소동(ado) : make a great ~ about …에 법석 떨다 / What a ~! 이 무슨 소동이냐.

‡**toe** [tou] *n.* Ⓒ ① 발가락(cf. finger) ; 발끝 : a big〔great〕~ 엄지발가락 / a little ~ 새끼발가락. ② (신·양말 등의) 발끝 부분(cf. heel[1]) : I have a hole in the ~ of my sock. 양말 발가락에 구멍이 났다. ③ **a**) 도구의 선단. **b**) 〖골프·하키〗 토《헤드의 끝》. ***dig*** one***'s*** ~***s in*** ⇨HEEL[1]. ***from top***〔***tip***〕 ***to*** ~ 머리끝에서 발끝까지; 철두철미. ***keep*** a person ***on*** his ~***s*** 아무에게 방심하지 않도록하다; 신중히 도스르게 하다. ***turn up*** one***'s*** ~***s*** 《口》 죽다. — *vt.* ① …을 발끝으로 건드리다〔차다〕. ② …에 앞부리를 대다; …의 앞부리를 수선하다. ③ 〖골프〗 (공)을 토《클럽의 끝》로 치다. — *vi.* 발끝으로 걷다〔서다〕; 발끝을 (안쪽으로) 돌리다〔향하게 하다〕《*in*》; 발끝을 (바깥쪽으로) 돌리다《*out*》. ~ ***the line***〔***mark, scratch***〕 ⑴ (경주에서) 발 끝을 출발선에 나란히 하다. ⑵ 규칙〔명령, 교조 등〕에 따르다.

toe·cap [⌐kæ̀p] *n.* Ⓒ (구두의) 앞닫이.

tóe dànce (발레 따위의) 토댄스.

TOEFL [tóufəl] Test(ing) of English as a Foreign Language (토플; 미국에의 대학 유학생에게 실시되는 영어 학력 테스트).

tóe hòld ① 〖登山〗 발끝 디딜 홈. ② 발판. ③ 〖레슬링〗 상대방의 발을 비트는 수.

TOEIC Test of English for International Communication(토익; 외국어로서의 영어 능력 평가 시험).

toe·nail [⌐nèil] *n.* Ⓒ 발톱.

toff [tɔ(ː)f, taf] *n.* Ⓒ 《英俗》 상류 사회〔계급〕의 사람, 신사; 멋쟁이; (the ~s) 상류 사회.

tof·fee [tɔ́ːfi, táfi] *n.* Ⓤ,Ⓒ 태피(《美》 taffy)《설탕·버터 따위로 만든 과자》. ***can't do for*** ~ 《英口》 …을 전혀 못하다.

tof·fee-nosed [-nòuzd] *a.* 《英俗》 상류 사회인인 체하는, 젠 체하는, 속물 근성의.

Tof·fler [táflər / tɔ́f-] *n.* **Alvin** ~ 토플러《미국의 문명 비평가·미래학자; 1928- 》.

tog [tag / tɔg] 《口》 *n.* ① Ⓒ 상의. ② (*pl.*) 옷, (특정 용도의) 의복과 부속품 : golf ~*s* 골프복. — (**-gg-**) *vt.* …에게 좋은 옷을 입히다, 차려 입히다《*out* ; *up*》: ~ oneself *out*〔*up*〕 성장하다 / get (oneself) ~*ged up* (예복을) 차려 입다.

to·ga [tóugə] (*pl.* ~**s**, **-gae** [-dʒiː]) *n.* Ⓒ ① 토가《고대 로마 시민의 겉옷》. ② (재판관·교수 등의) 직복(職服), 제복 : a judge's ~ 재판관 법복. 파 **~'d, ~ed** *a.* ~를 입은.

†**to·geth·er** [təgéðər] *ad.* ① 함께, 같이, 동반해서 : They were standing ~. 그들은 나란히 서 있었다 / Are they living ~? 그들은 같이 살고 있느냐《암암리에 부부인가를 물음》. ② 〔動詞와 함께 動詞의 동작의 결과를 나타냄〕 합쳐져서, 이어져서, 모여져서, 함께 되어서 : The cars came ~ with a crash. 차와 차가 쾅하고 부딪쳤다 / nail the boards ~ and make a crate 널빤지를 못질해서 나무 상자를 만들다. ③ 〔名詞 뒤에서〕 계속하여, 중단없이; 전부 통틀어, 모두 : He worked for hours〔weeks〕 ~. 그는 몇 시간〔주간〕이나 계속 일했다 / This one costs more than all the others ~. 이건 다른 모든 것을 합친 것보다도 비싸다. ④ 동시에 : You cannot have both ~. 두 개를 동시에 가질 수는 없다 / All his troubles seemed to come ~. 모든 재난이 일시에 덮친 것 같았다. ⑤ 협력〔협조〕하여 : We are ~ in the enterprise. 우리는 협력해서 사업을 하고 있다 / Faculty and students ~ opposed the reform. 교직원과 학생이 연대하여 그 개혁에 반대했다. ⑥ 서로 …하여 : fight ~ 서로 싸우다 / confer ~ 서로 의논하다, 협의하다. ***all*** ~ ⑴ 다 함께. ⑵ 전부, 합계 : We are nine *all* ~. / There are 200 books *all* ~. ★ in all 보다 구어적. ***hang*** ~ ⑴ (의견이 달라도) 서로 돕다〔결합하다〕: We have argued. But we have in the end *hung* ~. 우리는 논쟁을 했으나 결국 협조하기로 했다. ⑵ (생각 등이) 조화를 이루다, 일치하다. ***put*** ~ 합치다, 맞추다, 나란히 놓다 : *Put* them ~ and see which is larger. 나란히 놓고 크기를 비교하라. ~ ***with*** …와 함께, …와 더불어 : The professor, ~ *with* his students, is dining here tonight. 교수는 학생들과 오늘 밤 여기서 식사하기로 돼있다. — (***more*** ~; ***most*** ~) *a.* 《美口》 (정신적·정서적으로) 착실한, 침착한; (사람의) 제대로 된, 분별이 있는 : She's a ~ person. 그녀는 착실한 사람이다.

to·geth·er·ness [-nis] *n.* Ⓤ ① 연대감〔의식〕, 일체감 : They have a feeling of ~. 그들은 연대감이 있다. ② 공동, 협력, 협조.

tog·gery [tágəri / tɔ́g-] *n.* Ⓤ 〔集合的〕 《口》 의류(衣類).

tog·gle [tágəl / tɔ́gəl] *n.* Ⓒ ① 토글《스포츠웨어 따위에서 앞자락을 여미는 장식용 막대 모양의 단추》. ② 〖컴〗 똑딱, 토글《on과 off처럼 두 상태를 가진 장치》. — *vt.* …에 토글을 달다. — *vi.* 〖컴〗 (두 상태를) 토글로 번갈아 바꾸다《between》.

tóggle kèy 〖컴〗 똑딱(글)쇠.

tóggle swìtch ① 〖電〗 토글 스위치《손잡이를 위아래로 움직여 여닫는 스위치》. ② 〖컴〗 똑딱엇바꾸개〔스위치〕, 토글 스위치.

To·go [tóugou] *n.* 토고《서아프리카의 공화국; 수도 Lomé》.

To·go·lese [tòugouliːz, -s] *a.* 토고(인)의. — (*pl.* ~) *n.* Ⓒ 토고인.

‡**toil**[1] [tɔil] *n.* Ⓤ 힘드는 일, 수고, 노고, 고생 : after long ~ 오랜 고생 끝에 / He finished the work after years of ~. 그는 몇 년이나 고생한 끝에 그 작품을 완성했다 / Many a ~ we must bear. 많은 고생을 참지 않으면 안 된다. — *vi.* 《~ / +전+명 / +副》 ① 수고하다, 고생하다, 애써〔힘써〕 일하다 : ~ *for* livelihood 땀 흘려 생활비를 벌다 / He ~*ed on* till he was past eighty. 80 고개를 넘을 때까지 계속 일했다. ② 애써 나아가다 : ~ *up* a steep hill 험한 언덕을 애써 올라가다. ◇ toilful, toilsome *a.* ~ ***away*** = ~ ***and moil***

열심히 일하다.

toil² *n.* (*pl.*) (법률 등의) 망, 법망 : be caught in the ~*s* of the law 법망에 걸리다.

‡toi·let [tɔ́ilit] *n.* ① Ⓒ 화장실, 세면소, 변소 ; 변기. ② Ⓤ 화장, 몸단장 : make [do] one's ~ 화장하다, 몸단장하다. ③ Ⓤ (분만·수술 후의) 세척. ***at** one's* ~ 화장 중인 ; 몸차림하고 있는 : be busy *at her* ~ 화장하고 치장하느라고 바쁘다.
— *a.* [限定的] 화장(용)의 ; 화장실용의 : ~ articles 화장품.

tóilet pàper [tìssue] 뒤지, 휴지.

tóilet pòwder (목욕 후에 쓰는) 화장분.

tóilet ròll 두루마리 화장지.

toi·let·ry [tɔ́ilitri] (*pl.* ***-ries***) *n.* (*pl.*) 화장품류 《비누·치약 등의 세면 용구도 포함》.

tóilet sèt 화장·몸단장용구《빗·솔 따위》.

tóilet sòap 화장 비누.

tóilet tàble 화장대.

toilet·train [ˊ-trèin] *vt.* (어린아이)가 똥오줌을 가리게 하다.

toilet-trained [ˊ-trèind] *a.* (어린아이가) 똥오줌을 가릴 줄 아는.

tóilet tràining (어린이의) 용변 교육.

tóilet wàter (목욕·면도 등을 하고 난 뒤에 사용하는) 화장수.

toil·ful [tɔ́ilfəl] *a.* 힘드는, 고된, 고생스러운.

toil·less [ˊ-lis] *a.* 힘들지 않는, 편한.

toil·some [ˊ-səm] *a.* 힘이 드는, 고된(toilful). ㊞ ~**·ly** *ad.* ~**·ness** *n.*

toil·worn [ˊ-wɔ̀ːrn] *a.* 일하여 지친 ; 고생하여 수척해진.

to·ing and fro·ing [túːiŋənfróuiŋ] (*pl.* ***tó·ings and fró·ings***) 《口》 실속없이 바쁘게 왔다갔다 함. ⓒⓕ TO and fro.

To·kay [toukéi] *n.* Ⓤ.Ⓒ 토케이《헝가리 Tokay 지방산(産) 포도주》.

toke [touk] *n.* Ⓒ 《俗》 마리화나 담배(의 한 모금).

‡to·ken [tóukən] *n.* Ⓒ ① 표 ; 상징, 증거 : as a ~ of my appreciation 나의 감사의 표시로 / A white flag is a ~ of surrender. 백기는 항복의 표(시)다. ② 기념품[물] ; 선물 : He gave Mary a ring as a ~. 그는 메리에게 기념물로 반지를 주었다 / receive birthday ~*s* 생일 선물을 받다. ③ (버스 요금 등으로 이용되는) 대용 경화, 토큰. ④ 《英》 상품 교환권 : a $10 book ~, 10달러의 도서권. ⑤ 〖컴〗 징표《(1) 원시 프로그램 중의 최소 문법 단위. (2) LAN의 토큰 패싱 방식에 있어 제어의 목적으로 ring상의 통신로를 따라 수수되는 frame》. ***by the same*** ~ = ***by this*** [***that***] ~ (1) 그 증거로는. (2) 이것으로 보면, 그것으로 생각났지만. (3) 마찬가지로 ; 게다가. ***in*** [***as a***] ~ ***of*** …의 표시로서, …의 증거로서, …의 기념으로 : *in* ~ *of* gratitude 감사의 표시로서.
— *a.* [限定的] ① 표(시)가 되는, 증거로서 주어진[행해진] ; 내입금으로서의 : a ~ ring 약혼 반지 / ⇨ TOKEN PAYMENT. ② 형식뿐인, 명목(상)의 : a ~ resistance 명목상의 저항.

to·ken·ism [tóukənìzəm] *n.* Ⓤ 명목상의 인종차별 폐지 ; 명목상의 시책.

tóken mòney 명목 화폐 : 대용 화폐.

tóken páyment (차용금 변제의) 내입금(內入金), 일부 지급.

tóken stríke (형식뿐인) 경고적 스트라이크.

To·kyo [tóukiou] *n.* 도쿄《일본의 수도》.

†told [tould] TELL 의 과거·과거분사.

To·le·do [təlíːdou] *n.* ① 톨레도《스페인 중부의 도시》. ② Toledo 칼《잘 벼린 것으로 유명》.

***tol·er·a·ble** [tálərəbəl / tɔ́l-] *a.* ① 참을 수 있는 : The heat is ~ if you don't work. 일하지 않는다면 이 더위는 참을 만하다. ② 웬만한, 꽤 좋은 : a ~ income 괜찮은 수입. ㊞ **-a·bly** *ad.* ~**·ness** *n.*

tol·er·a·bly [-bəli] *ad.* ① 참을 수 있을 정도로. ② 꽤, 어지간히 : The patient is ~ well this morning. 환자는 오늘 아침은 상태가 꽤 좋다.

***tol·er·ance** [tálərəns / tɔ́l-] *n.* ① Ⓤ 관용 ; 아량, 포용력, 도량《*for*》: She doesn't have much ~ *for* fools. 그녀는 어리석은 사람들에게 별로 관대하지 않다. ② Ⓤ.Ⓒ **a)** 〖醫〗 내성(耐性), 내약력(耐藥力) : I have low alcohol ~. 나는 알코올 내성이 낮다. **b)** 〖機〗 공차(公差) ; 허용 오차[한도]. **c)** 〖食品〗 (식품 중의 살충제의) 잔류 허용 한계량 : set ~ levels on residue PCB in foodstuffs 식품 중의 잔류 PCB 레벨을 정하다.

tólerance lìmits 〖統〗 공차[오차] 허용 한도.

***tol·er·ant** [tálərənt / tɔ́l-] *a.* ① 관대한, 아량 있는《*of* ; *toward*》: be ~ *of* mistakes 잘못을 묵인하다 / He is ~ *toward* his son. 그는 아들에게 관대하다. ② 〖醫〗 내성(耐性)이 있는. ㊞ ~**·ly** *ad.*

***tol·er·ate** [tálərèit / tɔ́l-] *vt.* ① …을 관대히 다루다, 너그럽게 보아주다, 묵인하다 : I won't ~ anyone bullying the smaller boys. 나는 누구든 나이 어린 아이를 괴롭히는 것은 용납하지 않는다. ② …을 참다, 견디다. ③ 〖醫〗 …에 내성(耐性)이 있다.

tol·er·a·tion [tὰləréiʃən / tɔ̀l-] *n.* Ⓤ ① 관용, 묵인. ② (국가가 허용하는) 신앙의 자유.

toll¹** [toul] *n.* ① 통행세, (다리·유료 도로의) 통행료, 나룻배 삯 ; (시장 따위의) 사용료, 시장세, 텃세 ; (항만의) 하역료 ; (철도·운하의) 운임 : We must pay a ~ when we cross the bridge. 그 다리를 건널 때는 통행료를 내야 한다. ② 《美》 장거리 전화료. ③ (흔히 *sing.*) (세금처럼 뜯기는) 대가, 손실, 희생 ; 희생자《특히 교통 사고의》: a death ~ 사망자 수 / last week's traffic ~ 지난 주의 교통 사고 사상자 수. ***take (***a***) ~ ***of*** …으로 희생자[사상자]를 내다 ; …에서 일부분을 떼어내다. ***take its*** ~ …에 손실을 가져오다 ; (생명 등)을 잃게 하다.

***toll²** *vt.* ① (만종·조종 등)을 울리다《천천히 규칙적으로》: ~ a funeral knell 조종을 울리다. ② 《~+目 / +目+副 / +目+前+名》 (시계·종 따위)를 울려서 알리다[불러 모으다] : ~ a person's death 종을 울려서 아무의 죽음을 알리다 / ~ *in* people 종을 울려 사람을 교회에 모으다. — *vi.* 종을 울리다 ; (종이) 느린 가락으로 울리다 : The bells were ~*ing* for the dead. 죽은 이를 애도하는 종이 울리고 있었다. — *n.* (*sing.*) (느린 간격으로 울리는) 종소리 ; 종을 울리기.

tóll bàr (통행세 징수를 위해 설치한) 차단봉(遮斷棒).

tol(l)·booth [tóulbùːθ, tál-, -bùːð / tɔ́l-] *n.* Ⓒ (고속 도로 등의) 통행세 징수소.

tóll brìdge 유료 다리.

tóll càll 시외 전화, 장거리 통화(《英》 trunk call).

tóll collèctor = TOLLKEEPER.

***toll·gate** [tóulgèit] *n.* Ⓒ 통행료 징수소, 톨게이트.

toll·house [ˊ-hàus] *n.* (유료 도로[교량]의) 요금 징수소.

toll·keep·er [ˊ-kìːpər] *n.* Ⓒ 통행료 징수인.

tóll ròad 유료 도로.

toll·way [tóulwèi] *n.* = TOLL ROAD.

Tol·stoi, -stoy [tálstɔi / tɔ́l-] *n.* **Leo Nikolaevich** ~ 톨스토이《러시아의 소설가·사상가 ; 1828-1910》.

tol·u·ene [táljuìːn / tɔ́l-] *n.* Ⓤ 〖化〗 톨루엔《방향족(芳香族) 화합물로 염료·화약의 원료》.

Tom [tam / tɔm] *n.* ① 톰《Thomas 의 애칭》. ② Ⓒ (t-) 수컷, (특히) 수고양이. ***Blind*** ~ 술래잡

기. ***every ~, Dick, and Harry*** 《口》 너나할 것 없이, 어중이떠중이.

tom·a·hawk [tάməhɔ̀ːk / tɔ́m-] *n.* Ⓒ (북아메리카 원주민의) 전부(戰斧). ***bury*** 〔***lay***〕 ***the*** ~ 화친하다. ***dig up*** 〔***raise, take up***〕 ***the*** ~ 싸움을 시작하다.

‡**to·ma·to** [təméitou / -mάː-] (*pl.* ~***es***) *n.* ① Ⓒ,Ⓤ 토마토: Most people think of a ~ as a kind of vegetable. 대부분의 사람들은 토마토를 야채의 일종으로 생각한다. ② Ⓤ 토마토색, 적색.

‡**tomb** [tuːm] *n.* Ⓒ (흔히, 묘비가 있는 훌륭한) 무덤, 묘(墓).

tom·bo·la [tάmbələ / tɔ́m-] *n.* Ⓒ 《英》 일종의 복권.

tom·boy [tάmbɔ̀i / tɔ́m-] *n.* Ⓒ 말괄량이.

tom·boy·ish [-bɔ̀iiʃ] *a.* 말괄량이 같은.

***tomb·stone** [túːmstòun] *n.* 묘석, 묘비.

tom·cat [tάmkæ̀t / tɔ́m-] *n.* Ⓒ 수고양이.

tome [toum] *n.* Ⓒ (내용이 방대한) 큰 책.

tom·fool [tάmfúːl / tɔ́m-] *n.* Ⓒ 바보, 멍텅구리. — *a.* 〔限定的〕 어리석은; 분별 없는.

tom·fool·ery [-əri] *n.* ① Ⓤ 바보짓, 어릿광대. ② (흔히 *pl.*) 시시한 농담; 하찮은 것.

Tom·my [tάmi / tɔ́mi] *n.* ① 토미《남자 이름; Thomas 의 애칭》. ② (때로 t-) Ⓒ 《英口》 육군병사.

tómmy gùn 소형 경(輕)기관총.

tom·my·rot [tάmirὰt / tɔ́mirɔ̀t] *n.* Ⓤ 《口》 허튼 소리, 난센스.

to·mo·gram [tóuməgræ̀m] *n.* Ⓒ 〖醫〗 (뢴트겐에 의한) 단층 사진.

to·mo·graph [tóuməgræ̀f, -grὰːf] *n.* Ⓒ 〖醫〗 단층 사진 촬영 장치.

to·mog·ra·phy [təmάgrəfi / -mɔ́g-] *n.* Ⓤ 단층 사진 촬영(법).

†**to·mor·row** [təmɔ́ːrou, -mάr-, tu- / -mɔ́r-] *ad.* ① 내일(은): I'm leaving ~. 내일 떠날 예정이다 / I'll be free ~. 내일은 한가할 것이다. ② (가까운) 장래에는: People ~ will think differently. 장래 사람들은 생각이 다를 것이다. — *n.* ① Ⓤ 〔無冠詞〕 내일: I'll see you at nine ~ morning. 내일 아침 아홉 시에 만납시다 / *Tomorrow* never comes. 《格言》 내일은 결코 오지 않는다; 오늘 할 일을 내일로 미루지 마라. ② Ⓤ (또는 a ~) (가까운) 장래, 내일: Korea's ~ 한국의 장래 / a bright ~ 밝은 미래 / the world of ~ 내일의 세계. — *a.* 〔限定的〕 내일의: ~ morning〔afternoon, night〕 내일 아침〔오후, 저녁〕.

Tóm Thúmb ① (동화의) 난쟁이. ② 작은 사람〔식물, 동물〕.

tom·tit [tάmtit / tɔ́m-] *n.* Ⓒ 《英》 곤줄박이류(類); 〔一般的〕 작은 새.

tom-tom [tάmtὰm / tɔ́mtɔ̀m] *n.* Ⓒ ① 톰톰《인도 등지의 큰 북; 개량형이 재즈에 쓰임》. ② 둥둥 《톰톰 따위의 소리》, 단조로운 리듬.

‡**ton**[1] [tʌn] *n.* ① Ⓒ **a**) 〔重量單位〕 톤《1 ton =20 hundredweight》; 영톤, 적재톤(long〔gross〕~, shipping ~) 《1 ton =2240 lbs. ≒1016.1 kg》; 미톤, 소(小)톤(short〔net〕~)《1 ton=2000 lbs, ≒ 907.2 kg》; 미터톤(metric ~)《1 ton =1000 kg》; 〔容積單位〕 용적톤(measurement 〔freight〕~) 《석재(石材)는 16 입방 피트, 나무는 40 입방 피트, 소금은 42 bushels 따위》. **b**) (선박의 크기·적재(積載) 능력의 단위) 톤; 총(總)톤(gross ~, register ~)《1ton=100입방 피트》; 순(純)톤(net ~) 《총톤에서 화물·여객의 적재에 이용할 수 없는 방의 용적을 제외한 것》; 용적톤 《순(純)톤 산출용》; 중량톤(deadweight ~)《1 ton =35 입방 피트, 2240 lbs; 화물선용》; 배수톤(displacement ~) 《1ton =35 입방 피트, 2240 lbs; 군함용》. ② Ⓒ (흔히 *pl.*) 《口》 다수, 다량: ~*s* 〔a ~〕 of books 아주 많은 책. ③ (the 〔a〕 ~) 《俗》 매시 100 마일의 속도; (크리켓 등의) 100점; 《英》 100 파운드《돈의》.

ton[2] [tɔːŋ] *n.* 《F.》 유행. ***in the*** ~ 유행하여.

ton·al [tóunəl] *a.* ①〖樂〗 음조의, 음색의. ②〖畫〗 색조의.

to·nal·i·ty [tounæ̀ləti] *n.* 〖樂〗 ① Ⓤ,Ⓒ **a**) 조성(調性). opp *atonality*. **b**) 〖畫〗 색조. ② Ⓒ 〖樂〗 조.

‡**tone** [toun] *n.* ① Ⓒ 음질, 음색, 음조, 울림: a high〔low〕 ~ 높은〔낮은〕 음조 / the sweet ~(*s*) of a violin 바이올린의 감미로운 울림. ② Ⓒ 어조, 말씨; 논조: in an angry ~ 화난 어조로 / the ~ of the Press 신문의 논조. ③ Ⓒ 색조, 농담(濃淡), 배색; 명암: a carpet in three ~*s* of brown 갈색의 세 가지 농담으로 짠 양탄자. ④ Ⓒ 기풍, 풍조, 분위기, 기미; 품격; 경기: The ~ of the school is excellent. 이 학교의 교풍은 훌륭하다. ⑤ Ⓤ (정신의) 정상적인 상태: His mind has recovered its ~. 그는 정상적인 마음의 상태를 되찾았다. ⑥ Ⓒ 〖樂〗 악음(樂音); 전음(全音), 전음정(step). ⑦ Ⓒ 〖音聲〗 (음의) 고저, 억양: the four ~*s* (중국어의) 사성(四聲). ⑧ Ⓤ 〖生理〗 (신체·기관·조직의) 활동할 수 있는〔정상적인〕 상태, 강건, 건강: muscle ~ 근육의 정상적인 긴장(상태) / Her mind has lost its ~. 그녀의 마음은 정상적인 상태를 잃고 있다. ⑨ 〖컴〗 음조, 톤《(1) 그래픽 아트·컴퓨터 그래픽에서의 명도(明度). (2) 오디오에서는 특정 주파수의 소리·신호》. ***a fundamental*** ~ 원음. ***heart*** ~***s*** 〖醫〗 심음(心音). ***in a*** ~ 일치하여. ***take a high*** ~ 큰소리치다.

— *vt.* ① …에 어떤 가락을 붙이다〔색조를 띠게 하다〕. ②〖寫〗 (약품으로 사진)을 조색(調色)하다. ~ ***down*** 가락을 떨어뜨리다〔누그러뜨리다〕: ~ *down* the radio 라디오의 음량을 낮추다 / The excitement ~*d down*. 흥분이 가라앉았다. ~ ***in*** …와 조화되다《*with*》. ~ ***up*** 높아지다, 높이다; 강해지다, 강하게 하다: ~ *up* the radio 라디오의 음량을 높이다 / Exercise ~*s up* the muscles. 운동은 근육을 강하게 한다.

— *vi.* ① 가락을〔색조를〕 띠다. ② 색이 바래다: The wall paper will not ~ readily. 벽지는 이내 바래지는 않을 것이다. ③ 조화하다《*with*》.

tóne còlor 〔《英》 **còlour**〕 음색.

toned [tound] *a.* 〔흔히 複合語로〕 (…한) tone 을 지닌: shrill-~ (목소리가) 날카로운 데가 있는.

tone-deaf [tóundèf] *a.* 음치의.

tóne dèafness 음치.

tóne lànguage 〖言〗 음조〔성조(聲調)〕 언어 《중국어 따위에서 말의 뜻을 음조의 변화에 의해서 구별하는》.

tone·less [tóunlis] *a.* 음조가〔억양이〕 없는; 색조가 없는; 단조로운. 파 ~·**ly** *ad.* ~·**ness** *n.*

tóne pòem 〖樂〗 음시(音詩)《시적(詩的) 테마를 표현하려는 관현악곡》.

ton·er [tóunər] *n.* Ⓤ,Ⓒ ①〖寫〗 조색액(調色液). ② (전자 복사의) 현상재(材). ③ 토너《유기안료(有機顔料)로 만 안료의 조색에 쓰임》.

tong[1] [tɔ(ː)ŋ, tɑŋ] *n.* Ⓒ 《Chin.》 ① (중국의) 당(黨), 조합, 결사. ② 《美》 (미국에 있어서의) 중국인의 비밀 결사.

tong[2] *vt.* …을 집게로 집다〔그러모으다, 조작하다, 처리하다〕. — *vi.* 집게를 쓰다.

Ton·ga [tάŋgə / tɔ́ŋ-] *n.* 통가 왕국《남태평양에 있는 독립국; 수도 Nukualofa》.

tongs** [tɔ(ː)ŋz, tɑŋz] *n. pl.* (또는 a pair of ~) 집게; 부젓가락: coal〔ice〕 ~ 석탄〔얼음〕 집게. ***hammer and ~ 맹렬히, 열심히.

‡tongue [tʌŋ] *n.* ① Ⓒ 혀 : put〔stick〕 out one's ~ 혀를 내밀다《진찰을 받을 때, 경멸할 때 등》. ② U,C (동물의 식용) 혓바닥 (고기), 텅 : stewed ~ 텅 스튜 / boil an ox-~ 소의 혓바닥 고기를 삶다. ③ Ⓒ **a**) (말하는) 혀, 입 ; 언어 능력 : His ~ failed him. 그는 아무것도 말하지 못했다. **b**) 말 ; 변설 ; 말씨, 말투 : a long ~ 장광설, 수다 / a gentle ~ 부드러운 말씨. **c**) 언어, 국어 ; 외국어 : ancient ~*s* 고전어 / the Chinese ~ 중국어 / one's mother ~ 모국어. ④ Ⓒ 혀 모양의 물건《종의 불알 ; 구두혀 ; 관악기의 혀〔청〕 ; 저울의 바늘 ; (브로치·혁대·장식 따위의) 핀 ; (자물쇠의) 날름쇠 ; (널름거리는) 불길 ; 갑(岬) 따위》 : a ~ of water (해안의) 후미 / ~*s* of fire 불길, 불꽃 / a ~ of land 갑. ***bite*** one***'s*** **~ *off*** 《口》 〔흔히 could have bitten ... 등의 假定法으로〕 실언을 후회하다, 말하고 나서 후회하다. ***find*** one***'s*** ~ (깜짝 놀란 다음에) 겨우 말문이 열리다. opp. *lose one's tongue.* ***get*** one***'s*** ~ (***a***)***round*** (몹시 놀랐다가) 겨우 말문이 열리다. ***give*** a person ***the rough edge of*** one***'s*** ~ (아무)를 호되게 꾸짖다. ***have a spiteful*** 〔***venomous, bitter***〕 ~ 입이 걸다. ***hold*** one***'s*** ~ 입을 다물다 : *Hold your ~!* 입 닥쳐. ***keep a civil*** ~ (***in*** one***'s head***) 말을 조심하다, 공손(恭遜)한 말씨를 쓰다. ***keep a quiet*** 〔***still***〕 ~ 〔보통 命令形〕 침묵하다, 말을 삼가다. ***keep*** one***'s*** **~ *off*** …에 말참견을 않다. ***lose*** one***'s*** ~ (놀라거나 해서) 말을 못하다. ***oil*** one***'s*** ~ 아첨하다, 알랑거리다. ***on*** 〔***at***〕 ***the tip of*** one***'s*** 〔***the***〕 ~ 말이 목구멍까지 나와 : I have it *on the tip of my ~*, but can't exactly recall it. 그 말이 혀끝에서 돌 뿐 정확히 생각이 안 난다. ***on the ~s of men*** 사람들의 입에 올라, 소문이 나서. ***set ~s wagging*** 소문을 불러일으키다. ***tie*** a person***'s*** ~ 아무를 입막음하다. ***~s wag*** 사람들이 쑥덕거리다. ***with*** one***'s ~ hanging out*** 목이 말라 ; 갈망하여. (***with*** one***'s***) ~ ***in*** (one***'s***) ***cheek*** 《口》 농담으로 ; 비꼬아, 빈정대며.
— (***tóngu·ing***) *vi.* 혀로 음정을 조정하면서〔끊으면서〕 악기를 불다.
— *vt.* (악기)를 혀로 음조를 조정하면서 불다.

tongued [tʌŋd] *a.* 〔複合語로〕 ① (…한) 혀가 있는 ; …혀의 : double-~ 일구이언하는. ② 말씨가 …인 : foul-~ 입정 사나운 / silver-~ 웅변의.

tongue-in-cheek [tʌ́ŋintʃiːk] *a.* 놀림조의, 빈정거리는. — *ad.* 농담으로 ; 비꼬며.

tongue-lash [tʌ́ŋlæʃ] *vt.* (사람)을 야단치다.

tongue-lashing [-ʃiŋ] *n.* Ⓤ 심한 질책.

tongue-tied [tʌ́ŋtàid] *a.* (놀라거나, 당황하거나 해서) 말을 제대로 못하는 ; 잠자코 있는.

tóngue twìster 혀가 잘 안 도는〔어려운 말 빨리 말하기 놀이의〕 어구《보기 : Peter Piper picked a peck of pickled pepper. 따위》.

***ton·ic** [tánik / tɔ́n-] *a.* ① 튼튼하게 하는《약제 따위》; 원기를 돋우는 : ~ medicine 강장제. ② 〖醫〗 긴장성의 : ~ spasm 긴장성 경련. ③〖樂〗 으뜸음의 : the ~ sol-fa 문자 기보법(記譜法). ④ 〖音聲〗 음조(音調)의 ; 강세가 있는 : Chinese is a ~ language. 중국어는 음조 언어다.
— *n.* ① Ⓒ **a**) 강장제 : a hair ~ 양모제(養毛劑). **b**) (정신적으로) 기운을 돋우는 것(*for*) : Her visit was a real ~ *for* me. 그녀의 위문은 정말 나의 기운을 돋우었다. ② Ⓒ 〖樂〗 으뜸음, 바탕음. ③ =TONIC WATER.

to·nic·i·ty [tounísəti] *n.* Ⓤ ① (심신의) 건강, 강장(強壯). ②〖生理〗 (근육의) 탄력성, 긴장력.

tónic wàter 탄산수(炭酸水) (quinine water).

†to·night [tənáit, tu-] *ad.* 오늘밤(에, 은) : It's cold ~. 오늘밤은 춥다 / I shall be free ~. 오늘밤은 한가하다. — *n.* Ⓤ 오늘밤.

***ton·nage** [tʌ́nidʒ] *n.* U,C ① (선박의) 용적 톤수. cf. ton[1]. ② (한 나라의 상선 등의) 총톤수. ③ (배·뱃짐에 과하는) 톤세(稅).

tonne [tʌn] *n.* =METRIC TON《略 : t.》.

to·nom·e·ter [tounámətər / -nɔ́m-] *n.* Ⓒ ① 토노미터, 음(音)진동 측정기. ②〖醫〗 혈압계 ; 안압계(眼壓計).

ton·sil [tánsil / tɔ́n-] *n.* Ⓒ 〖解〗 편도선.

ton·sil·lar [-lər] *a.* 편도선의.

ton·sil·lec·to·my [tànsəléktəmi / tɔ̀n-] *n.* U,C 〖醫〗 편도선 절제술.

ton·sil·li·tis [tànsəláitis / tɔ̀n-] *n.* Ⓤ 〖醫〗 편도선염.

ton·so·ri·al [tansɔ́ːriəl / tɔn-] *a.* 이발(사)의 : a ~ artist 〔parlor〕 이발사〔관〕.

ton·sure [tánʃər / tɔ́n-] *n.* ① Ⓤ **a**) 삭발. **b**) 〖基〗 삭발식(式)《성직에 들어가는 사람이 정수리를 미는》. ② Ⓒ (정수리의 둥글게) 삭발한 부분.
— *vt.* …의 머리를 밀다, 삭발식을 거행하다.

ton·tine [tántiːn, -́-́ / tɔntíːn, -́-́] *n.* Ⓤ 톤틴식 연금법《가입자가 죽을 때마다 남은 가입자의 배당이 늚》.

ton-up [tʌ́nʌ̀p / tɔ́n-] *a.* 《英口》 시속 100 마일로 오토바이를 모는, 폭주족(暴走族)의 : ~ boys 폭주족. — *n.* Ⓒ 폭주족.

To·ny [tóuni] *n.* 토니《남자 이름 ; Antony, Anthony 의 애칭》.

†too [tuː] *ad.* ① 〔흔히 文尾에 쓰여〕 **a**) …도 (또한) ; 그 위에, 게다가 : He is coming ~. 그도 옵니다 / Bill is ready. —I am ~. 빌은 준비가 돼 있다. —나도다《I'm ~. 라고는 안 함》/ I like opera. —I do ~. 〔《口》 Me ~.〕 나는 오페라를 좋아해 —나도 그래 / He's clever, and good ~. 그는 영리하고, 게다가 착하다.

> 語法 (1) too는 also 보다 구어적이며 감정적 색채를 띰.
> (2) 구어에서는 強勢의 위치에 따라서 의미가 달라짐 : Bén teaches skàting ~́. 는 '벤도 스케이트를 가르친다'(=Ben ~ teaches skating.), skáting 일 때는 '스케이트도', téaches는 '가르치는 일도 한다'의 뜻이 됨.
> (3) 否定文에서는 either 를 쓰는데, 다음 경우에는 too 를 사용함 : (a) 否定語보다 앞에 오는 경우 : I, ~, didn't read the book. 나도 그 책을 읽지 않았다(=I didn't read the book, *either.*). (b) 권유를 나타내는 疑問文 : Won't you come, ~*?* 자네도 오지 않겠나 / Why don't you sit down, ~*?* 자네도 앉는게 어떤가.

b) 《美口》 〔否定的 발언을 반박하여〕 그런데, 실은 (indeed), (그래도) 틀림없이 : You do*n't* look like twins. —We are ~. 너희들은 쌍둥이 같지가 않구나—아니, 정말 쌍둥이입니다 / I don't go there often. —You do ~. 나는 그곳에 잘 가지 않는다—(무슨 소릴) 자주 가는 주제에.
② 〔形容詞·副詞 앞에 쓰여〕 **a**) 너무, 지나치게 《흔히 뒤에 for句가 따름》 : eat ~ much 너무 먹다 / There are far ~ many people here. 여긴 사람이 너무 많다 / This jacket is ~ big *for* me. 이 상의는 내게는 너무 크다 / It's much 〔far〕 ~ cold *for* swimming. 헤엄치기엔 너무 춥다 / It is ~ hot a day *for* work. 오늘은 일을 하기엔 너무 덥다《형용사는 too와 함께 不定冠詞 앞에 오는 것이 원칙이나 a ~ hot day라고도 함》. **b**) 〔too... (for X) to do의 형태로〕 (X가) — 하기에는 너무 …하다, 대단히 …하여 (X가) — 할 수 없다《X는 不定詞 to

do의 의미상의 주어》: The report is ~ good *to* be true. 소문이 너무 좋아서 믿어지지 않는다 / He was ~ much frightened 〔~ tired〕 *to* speak. 너무 놀라서〔지쳐서〕 말도 할 수 없었다《과거분사에는 too much가 붙는 것이 원칙이나, tired처럼 형용사화한 것의 앞에는 too가 직접 옴》/ He's ~ old not *to* see the reason. 그는 나이가 들었으니까 그 이유를 알 수 있다(=He's not ~ young *to* see the reason.) / This stone is ~ heavy *for* me *to* lift. 이 돌은 너무 무거워서 들어 올릴 수가 없다(=This stone is so heavy that I cannot lift.). ③《口》대단히, 매우, 무척, 너무나(very); 〔否定文에서〕 그다지, 그리(…하지 않다): That's ~ bad. 그거 안됐구나 / It's ~ kind of you. 친절에 정말 감사드립니다 / He was really ~ good to me. 그는 나에게 매우 다정했다 / I do*n't* like it ~ much. 그다지 마음에 들지 않는다 / This is *not* ~ good. 이것은 그다지 좋지 않다. ***all ~ . . .*** 《口》〔때에 관해서〕 정말이지〔유감스럽게도〕 너무 …하다: The party ended *all* ~ soon. 파티는 정말이지〔어이없게도〕 너무 일찍 끝났다《only too... 보다는 유감의 뜻이 엷음》. ***but ~*** =only ~. ***cannot . . . ~ —*** 아무리 …하여도 지나치단 법은 없다〔오히려 부족할 정도다〕: You *cannot* be ~ careful in handling this machine. 이 기계는 다루는 데 있어 신중에 신중을 기해야 한다 / I *cannot* thank you ~ much. 아무리 감사해도 오히려 부족합니다. ***none ~ . . .*** 조금도 …하지 않다, …하기는커녕—: I was *none* ~ early for the meeting. 회합에 (가는 것이) 조금도 이르지 않았다《이르기는커녕 겨우 시간에 대었을 정도》. ***only ~*** (1) 유감이지만: It's *only* ~ true. 유감이지만 그건 사실이다. (2) 더없이, 참으로: I was *only* ~ glad to be able to help. 도울 수 있어 참으로 기쁘다. ***quite ~*** =~ too. ***~ much*** (1) (처사 따위가) 너무(심)하다, 너무 지독하다, 못 견디다: This is ~ *much*, really! 이거 정말 너무 심하군. (2) 〔흔히 for one과 함께〕 (…에게는) 힘에 겨운〔벅찬〕: The book is ~ *much* (*for* me). 그 책은 (나에게는) 벅차다. ***~ much of a good thing*** 《口》도가 지나쳐 지겨운 것, 고맙지만 달갑지 않은 것: One 〔You〕 can have ~ *much of a good thing.* 아무리 좋은 것도 지나치면 지겨울 때가 있다. ***~ too*** 너무나; 《口》무척 훌륭한: This is ~ *too.* 이거 정말 훌륭〔근사〕하군.

†took [tuk] TAKE의 과거.

†tool [tu:l] *n.* Ⓒ ① 도구, 공구, 연장: gardener's 〔joiner's, mason's, smith's〕 ~*s* 정원사〔소목, 석공, 대장장이〕의 도구〔연장〕/ a broad ~ 날이 넓은 정 / A bad workman (always) blames his ~*s.* 《俗談》서투른 숙수가 안반만 나무란다. ② 도구의 구실을 하는 것, 수단: a ~ of communication (의사) 전달 수단 / ~*s* of the trade 장사 도구 / Words are the most important ~*s* of a politician. 말은 정치가의 가장 중요한 수단이다. ③ (남의) 앞잡이, 끄나풀: He is a ~ of the party boss. 그는 당수의 앞잡이다. ④〖製本〗압형기(押型器). ⑤《卑》음경. ***be a ~ in*** a person***'s hand*** 아무의 앞잡이로 쓰이다. ***down ~s*** = ***throw down*** one***'s ~s*** 《英》일을 그만두다, 파업하다.

— *vt.* ① …을 도구로 만들다〔세공하다〕: ~ a metal rod (선반으로) 금속 막대를 깎다〔마무르다〕. ② …에 (새로운) 기계를 설비하다《*up*》: ~ *up* a factory 공장에 기계를 설비하다.

— *vi.* ① 도구로 세공하다. ② (공장에) 기계를 설비하다《*up*》. ③《口》탈것으로 가다; 차를 몰고 다니다《*along*》: ~ *along* 마차로 달리다. ④《英俗》총기로 무장하다.

tool·box [-bàks/-bɔ̀ks] *n.* Ⓒ 연장통.

tool·house [-hàus] *n.* Ⓒ 공구실(toolshed).

tool·ing [tú:liŋ] *n.* Ⓤ ① 연장으로 세공〔마무리〕하기. ② (공장 등의) 기계 설비. ***a blind*** 〔***gold, gilt***〕 ~ 민〔금박〕 압형.

tool·kit [tú:lkìt] *n.* Ⓒ (자동차·자전거 등에 비치한) 공구 세트.

tool·shed [-ʃèd] *n.* =TOOLHOUSE.

toot [tu:t] *n.* Ⓒ 뚜우뚜우, 삐익삐익《기적·나팔·피리 따위의 소리》. — *vt.* …을 불다, (나팔·피리 따위)를 뚜우뚜우〔삐익삐익〕 울리다. — *vi.* ① 나팔을〔피리를〕 불다; 뚜우뚜우〔삐익삐익〕 울리다. ② (코끼리·나귀 등이) 울다. ~ one***'s own horn*** =BLOW[1] one's own trumpet. ***~ the ringer*** 〔***dingdong***〕《美俗》현관의 벨을 울리다.

†tooth [tu:θ] (*pl.* ***teeth*** [ti:θ]) *n.* Ⓒ ① 이: a milk ~ 젖니 / a canine ~ 송곳니 / have a ~ pulled (out) (치과에서) 이를 뽑다 / a decayed ~ 충치. ② 이 모양의 것《빗살, 톱니, 줄·포크·갈퀴 등의 이 따위》: the *teeth* of a comb 빗살 / the *teeth* of a saw 톱니; (식물의 잎 따위의) 이 모양의 돌기. ③ 취미, 기호. ④ (흔히 *pl.*) 맹위, 위력; the sharp *teeth* of the wind 살을 에는 듯한 바람 / These regulations have no *teeth.* 이 규칙들은 효력이 없다. ***between the teeth*** 목소리를 죽이고. ***by*** 〔***with***〕 ***the skin of*** one***'s teeth*** ⇨ SKIN. ***cast*** 〔***fling, throw***〕 ***. . . in*** a person***'s teeth*** (과실로) 남을 책망하다. ***chop*** one***'s teeth*** 《俗》쓸데없는 말을 지껄이다. ***cut a ~*** 이가 나다. ***cut*** one***'s teeth on*** …을 어릴 적부터 익히다; …로 첫 경험을 쌓다. ***get*** 〔***sink***〕 one***'s teeth into*** (일 따위) …에 본격적으로 달려들다, 전심〔몰두〕하다: After dinner, John *got his teeth into* the algebra lesson. 저녁을 마치고 본격적으로 존은 기하 공부에 몰두했다. ***give teeth to*** = ***put teeth*** 〔***tooth***〕 ***in*** 〔***into***〕 …을 강화하다, (법률 따위)의 효력을 높이다. ***in spite of*** a person***'s teeth*** 아무의 반대(反對)를 무릅쓰고. ***in the*** 〔a person***'s***〕 ***teeth*** 맞대놓고, 공공연히. ***in the teeth of*** …에도 불구하고; …을 무릅쓰고; …의 면전에서: He maintained his stand *in the teeth of* public opinion. 여론에 굽히지 않고 자기의 주장을 견지했다. ***kick*** a person ***in the teeth*** ⇨KICK. ***lie in*** 〔***through***〕 one***'s teeth*** ⇨ LIE[2]. ***long in the ~*** 늙어서. ***pull*** a person***'s teeth*** (아무의) 무기를 빼앗다, 무력하게 하다. ***put teeth in*** 〔***into***〕 ***. . .*** (법률·조직)에 권위를 주다, …을 강화하다. ***set*** 〔***clench***〕 one***'s teeth*** (난관 등)에 이를 악물다; 굳게 결심하다. ***set*** 〔***put***〕 one***'s*** 〔***the***〕 ***teeth on edge*** …에 불쾌감을 갖게 하다, 남을 신경질나게 하다. ***show*** one***'s teeth*** ⇨ SHOW. ***~ and nail*** 〔***claw***〕 필사적으로, 모든 힘을 다하여: They fought ~ *and nail*. 그들은 필사적으로 싸웠다. ***to the teeth*** 충분히, 완전히: be armed *to the teeth* 완전 무장하고 있다.

— *vt.* …에 이를 달다〔내다〕, …의 날을 세우다, 깔쭉깔쭉하게〔껄끄럽게〕 하다: ~ a saw 톱날을 세우다. — *vi.* (톱니바퀴 따위가) 맞물다《*into*》.

‡tooth·ache [-èik] *n.* Ⓒ Ⓤ 치통: have 〔get〕 (a) ~ 이가 아프다 / I had (a) ~ and went to the dentist. 이가 아파서 치과에 갔다《★ a를 붙이는 것은 《美》》.

***tooth·brush** [-brʌ̀ʃ] *n.* Ⓒ 칫솔.

tooth·comb [-kòum] *n.* Ⓒ《英》참빗, 빗살이 가늘고 촘촘한 빗.

toothed [tu:θt, tu:ðd] *a.* ① 이가 있는; 톱니 모

양의. ②〔複合語로〕 이가 …인 : buck-~ 뻐드렁니의. 「위력이〔효과가〕 없는.
tooth·less [tú:θlis] *a.* ① 이가 없는. ② 무력한,
tooth·paste [tú:θpèist] *n.* U.C 크림 치약.
tooth·pick [-pìk] *n.* C 이쑤시개.
tóoth pòwder 가루 치약, 치분.
tooth·some [tú:θsəm] *a.* (음식이) 맛있는, 맛좋은. ㊕ **~·ly** *ad.* **~·ness** *n.*
toothy [tú:θi, tú:ði] (*tooth·i·er, -i·est*) *a.* 이가 드러난, 이를 드러낸 : a ~ smile 〔grin〕 이를 드러내고 웃음〔씩 웃음〕.
too·tle [tú:tl] *vi.* ① (피리 따위를) 가볍게 불다, 계속해서 삐이삐이 불다. ② (자동차 따위가) 천천히 가다. ── *vt.* (피리 따위)를 삐이삐이 불다. ── *n.* U 피리 따위를 부는 소리.
too-too [tú:tú:] *a.* 지나친, 극단적인. ── *ad.* 몹시, 극단적으로.
toots [tuts] *n.* =TOOTSY.
toot·sie [tútsi] *n.* C 《美口》 ① 아가씨. ② 매춘부. ③ =TOOTSY.
toot·sy [tútsi] *n.* C 《兒·口》 발(foot).
†top[1] [tɑp/tɔp] *n.* ① C (흔히 the ~) 톱, 정상, 꼭대기, 절정, 끝 : *the* ~ of a mountain 산꼭대기 / at *the* ~ of staircase 계단 꼭대기에서 / *the* ~ of a finger 손가락 끝.
② (*pl.* ; 종종 the ~s) 《口》 (능력·인기 등에서) 최고, 최고의 인물〔물건〕 : As a friend she's *the* ~*s.* 친구로서 그녀는 최고다 / He's (*the*) ~*s* in this field. 그는 이 분야에서 최고다.
③ C (흔히 the ~) (식탁·방 등의) 상석, 상좌 ; (길 따위의) 끝 : sit at *the* ~ of the table 테이블의 상석에 앉다 / *the* ~ of the street 거리의 끝.
④ C (흔히 the ~) 최고〔최상〕위, 수석 : come (out) at *the* ~ of the class 석차가 반에서 1 등이 되다.
⑤ (the ~) 한창 때, 최성기, 절정, (능력·힘의) 최고점, 극도, 극치 : *the* ~ of the morning 아침의 제일 기분 좋은 때 / at *the* ~ of (one's) speed 전속력으로 / shout at *the* ~ of one's voice 목청껏 외치다.
⑥ C (흔히 the ~) 윗면, 표면 ; (자동차 따위의) 지붕, 포장 ; (깡통 따위의) 뚜껑, 마개 ; 페이지의 위쪽, 상단 ; (*pl.*) (투피스·파자마 따위의) 윗도리 : *the* ~ of the ground 지표, 지면 / *the* ~ of a table 테이블의 윗면 / a hard ~ 금속 지붕의 자동차 / remove *the* ~ of the bottle 병 마개를 따다.
⑦ C (흔히 *pl.*) (무·당근 따위의) 땅 위로 나온 부분, 어린 잎.
⑧ C (승마화(乘馬靴) 등의) 최상부(最上部).
⑨ C 〖野〗 (한 회의) 초(初). opp. *bottom.*
⑩ U 〖自動車〗 변속기의 상단〔톱〕 기어.
blow** one's* ~ 《口》 (더 못참고) 분통을 터뜨리다. ***come out* (*at the*)** ~ 첫째가〔1번이〕 되다. ***come to the ~ 나타나다 ; 빼어나다, 유명하게 되다, 성공하다. ***from ~ to bottom*** 머리끝에서 발끝까지, 완전히, 몽땅. ***get on ~ of . . .*** (1) …을 정복하다. (2) …을 감당 못하게 되다. ***in* 〔*into*〕 ~ (*gear*)** 톱기어로, 최고 속력으로. ***off** one's* ~ 정신이 돌아 ; 흥분하여. ***off the ~ of** one's head* 준비 없이, 즉석에서. ***on* (*the*) ~ (*of*)** (…의) 위에 ; (…에) 더하여, 게다가 (또), (…) 외에 : *on* ~ *of* everything 게다가 또 / *on* ~ *of* the stair 계단의 상부에. ***on ~ (of)*** (상대보다) 우위에 서서, (…을) 숙지하여 ; 성공하여 : keep 〔stay〕 *on* ~ *of* …보다 계속 우위에 서다 / come out *on* ~ 승리를〔성공을〕 거두다 / Stay *on* ~ ! 늘 건강하시도록. ***on ~ of the world*** 《口》 득의 양양하여 : feel (as if one is sitting) *on* ~ *of the world* 하늘에라도 올라갈 듯한 기분이다. ***over the*** ~ 〖軍〗 참호에서 공세로 바꾸어 ; 과감하게 ; 한계〔목표〕를 넘어 ; 목표〔규정〕 이상으로 : go *over the* ~ 참호에서 나와 공격으로 전환하다 ; 《口》 (어리석을 정도로) 대담한 일을 하다. ***reach* 〔*get to*〕 *the ~ of the tree* 〔*ladder*〕** 최고의 지위에 오르다, 제일인자가 되다. ***take the ~ of the table*** 윗자리에 앉다, 좌상이 되다. ***the ~ of the market*** 최고 가격. ***~ and tail*** 전체, 전부 ; 실질 ; 결국 ; 온통, 전혀. ***~ or tail*** 〔否定文〕 전혀 : I can*not* make ~ *or* tail of it. 그것을 도무지 알 수 없다.
── *a.* 최고의, 첫째의, 가장 위의(uppermost) ; 수석의 ; 일류의, 주요한 ; (기어가) 톱인 : the ~ stair 최상단 / on the ~ shelf 제일 윗 선반에 / ~ price(s) 최고 가격. ***at ~ speed*** 전속력으로.
── (*-pp-*) *vt.* ① …의 정상〔표면〕을 덮다《*with*》 ; …에 씌우다 ; …에 씌우고〔올려놓고〕 마무르다 : a church ~*ped by* 〔*with*〕 a steeple 뾰족탑이 있는 교회 / *Top* each chop *with* an orange slice and a lemon wedge. 썬 고깃점 위에 각기 귤 조각과 쐐기 모양으로 자른 레몬을 얹어라. ② …의 꼭대기에 이르다 ; …의 정상에 있다 ; …의 수석을 차지하다 ; …의 선두에 서다 : ~ a hill 언덕 꼭대기에 닿다 / He ~*s* the list. 그는 필두이다. ③ 《~+목 / +목+전+명》 …보다 크다〔높다〕 ; …이상이다 : He ~*s* his father *by* a head. 그는 아버지보다 머리 하나만큼 크다 / He ~*s* six feet. 키가 6 피트 이상이다. ④ …의 위에 오르다 : The sun ~*ped* the horizon. 태양이 수평선 위에 떠올랐다. ⑤ …을 뛰어넘다 : ~ a fence 울타리를 뛰어넘다. ⑥ …을 능가〔초과〕하다, 넘다 ; …보다 낫다 : ~ one's expectation 예상을 넘다 / ~ everything of the kind 같은 종류의 모든 물건을 능가하다. ⑦ (식물 따위의) 꼭대기를 자르다, 순을 치다 ; 잎사귀 부분을 잘라내다 : ~ a tree 나무의 순을 치다〔자르다〕 / ~ beets 사탕무의 잎사귀를 잘라 버리다. ⑧ 〖골프·테니스〗 (공의) 위쪽을 치다 : ~ a ball 공의 위쪽을 치다. ⑨ 《英俗》 **a**) …을 교수형으로 죽이다. **b**) 〔再歸的〕 목매어 자살하다.
~ off (1) 마무르다, …로 끝내다《*with*》 : ~ *off* one's dinner *with* coffee 커피를 마시고 식사를 마치다. (2) …의 낙성을 축하하다. (3) (탱크) 꼭대기까지 가솔린을 채우다. ***~ out*** (돌 건축)의 꼭대기를 마무르다, (빌딩)의 골조를 완성하다 ; (…의) 낙성을 축하하다 ; …을 완성하다. ***~ one's part*** 최고의 연기를 하다 ; 《比》 역할을 훌륭히 해내다. ***~ up*** 《英》 (액체·마실 것 등을) 가득 부어 넣다 ; …의 잔을 채우다 : ~ *up* a battery 배터리액(液)을 보충하다 / Let me ~ you *up.* (제가) 한잔 따르겠습니다. ***to ~ it all*** 더욱이, 게다가 (또).
‡top[2] [tɑp/tɔp] *n.* C 팽이 : spin a ~ 팽이를 돌리다 / whip a ~ 팽이를 팽이채로 쳐서 돌리다 / sleep as sound as 〔like〕 a ~ 푹 자다 / The ~ sleeps. 팽이가 서다.
to·paz [tóupæz] *n.* U.C 〖鑛〗 토파즈, 황옥(黃玉).
tóp banána 《俗》 ① (뮤지컬의) 주연 배우. ② (그룹·조직의) 제 1 인자, 우두머리.
tóp bòots (일종의) 장화, 승마 구두《무릎까지 오며 위쪽에는 보통 밝은 빛깔의 가죽을 씀》.
tóp bráss (the ~) 〔集合的〕 《口》 고급 장교들.
top·coat [-kòut] *n.* ① C 톱코트, 토퍼, 가벼운 외투. ② U.C (페인트 따위의) 마무리 칠.
tóp dóg 《口》 승자, 지배자.
top-down [-dáun] *a.* ① 상의 하달 방식의. opp. *bottom-up.* ② 전체에서 세부에 이르는, 모든 것을 커버하는.

tóp dráwer (the ~) ① (장농의) 맨 윗서랍. ② 《口》 (사회·권위 등의) 최상층, 상류 계급 : be 〔come〕 out of *the* ~ 상류 계급 출신이다.

top-draw·er [-drɔ́ːər] *a.* 〔限定的〕《口》 (계급·중요성 따위가) 최고(급)의, 최상층의.

top-dress [-drès] *vt.* (밭)에 비료를 주다, 추비(追肥)하다.

top-dress·ing [-drèsiŋ] *n.* [U] (또는 a ~) ① 추비(追肥), 시비(施肥). ② 피상적임.

tope [toup] *n.* [C] 작은 상어의 일종.

to·pee, to·pi [toupíː, --] *n.* [C] (인도의) 토피 《sola 나무 심으로 만든 가벼운 헬멧》.

top·flight [tápfláit / tɔ́p-] *a.* 《口》 최고의, 일류의(first-rate) : a ~ pianist 일류 피아니스트.

top·gal·lant [-gǽlənt] *n.* [C] 〚海〛 (횡범선(橫帆船)에서) 밑에서 세번째 돛대 ; 여기에 단 돛. — *a.* 밑에서 세번째 돛(대)의.

tóp géar 《英》〚機〛 (자동차의) 톱 기어(《美》 high gear).

tóp hàt 실크 해트.

top-heavy [-hèvi] *a.* 〔敍述的〕 머리〔위〕 부분이 큰〔무거운〕 ; 불안정한 : That wheelbarrow is ~ ; it'll tip over. 그 손수레는 불안정하여 뒤집히겠다.

To·phet(h) [tóufit, -fet] *n.* ①〚聖〛 도벳《옛날 유대인이 이교(異敎)의 신 Moloch에게 산 제물로서 어린아이를 불태워 바치던 Jerusalem 근처의 땅 ; 열왕기 XXIII : 10》. ② [U] (종종 t-) 지옥, 초열(焦熱) 지옥.

top-hole [táphóul / tɔ́p-] *a.* 《英口》 일류의, 최고의(first-rate).

to·pi·ary [tóupièri / -əri] *a.* 장식적으로 가지를 친《산울타리, 정원수 따위》. — *n.* [U,C] 장식적 전정법(剪定法).

‡top·ic [tápik / tɔ́p-] *n.* [C] 화제, 토픽, 이야깃거리 : current ~*s* 오늘의 화제 / the main ~ of a lecture 강연〔강의〕의 주제.

***top·i·cal** [tápikəl / tɔ́p-] *a.* ① 화제의 ; 시사 문제의 : a ~ allusion 시사 문제에 대한 언급 / a ~ novel 시사 문제를 다룬 소설. ② 국부적인 ; 국소(局所)의. [파] **~·ly** [-kəli] *ad.*

top·i·cal·i·ty [tàpəkǽləti / tɔ̀p-] *n.* ① [U] 시사성 ; 화제성. ② [C] (흔히 *pl.*) 시사 문제.

top·knot [tápnàt / tɔ́pnɔ̀t] *n.* [C] ① 새의 도가머리, 볏. ② (머리 꼭대기의) 다발 ; 상투. ③ (여자 머리의) 나비 매듭의 리본.

top·less [táplis / tɔ́p-] *a.* ① **a**) 상부가 없는, (수영복이) 흉부를 드러낸, 토플리스의 ; 토플리스를 입은. **b**) 토플리스를 입은 여자가 있는 : a ~ bar 토플리스 바. ② (산 따위가) 매우 높은.

top-lev·el [-lévl] *a.* 최고급〔레벨〕의 ; 수뇌의 : a ~ conference 수뇌 회담.

top·lofty [táplɔ̀ːfti / tɔ́plɔ̀fti] *a.* 《美口》 (태도 등이) 거만한, 뽐내는, 거들먹거리는.

top·mast [tápmæ̀st, 《海》 -məst / tɔ́pmɑ̀ːst, 《海》 -məst] *n.* [C] 〚海〛 톱 마스트, 중간 돛대.

top·most [tápmòust / tɔ́p-, -məst] *a.* 최고〔최상〕의 : the ~ floor of the building 건물 맨 위층.

top·notch [tápnátʃ / tɔ́pnɔ́tʃ] *n.* [C] 《口》 (도달할 수 있는) 최고점, 최고도 : That restaurant's really ~. 저 식당은 정말 훌륭하다.

top-notch *a.* 《口》 일류〔최고〕의, 최우수의 : a ~ show. [파] **~·er** *n.*

topo- '장소, 위치, 국소'의 뜻의 결합사《모음 앞에서는 top-》 : *topo*logy.

topog. topographical ; topography.

to·pog·ra·pher [toupágrəfər / -pɔ́g-] *n.* [C] 지지(地誌)학자, 지형학자 ; 지형도 작성자.

top·o·graph·ic, -i·cal [tàpəgrǽfik / tɔ̀p-], [-əl] *a.* 지형학의 ; 지형상의 : a *topographic* map 지형도, 지세도. [파] **-i·cal·ly** [-əli] *ad.*

to·pog·ra·phy [toupágrəfi / -pɔ́g-] *n.* ① [U] 지형, 지세 ; 지형학. ② [U,C] (한 지방의) 지세(도).

to·pol·o·gy [təpálədʒi / -pɔ́l-] *n.* [U] ① 지세학 ; 지지(地誌)〔풍토기(風土記)〕 연구. ②〚數〛 위상수학, 토폴로지. [파] **to·pól·o·gist** [-dʒist] *n.*

top·per [tápər / tɔ́p-] *n.* [C] ① (여성용의) 짧은 오버, 토퍼(topcoat). ② 《口》 = TOP HAT. ③ 《英俗》 우량품 ; 뛰어난 인물.

top·ping [tápiŋ / tɔ́p-] *a.* 최고위의 ; 최고급의, 멋진. — *n.* [U,C] (요리·과자 위에 얹은) 크림·소스 등(의 장식) : put chocolate ~ on a cake 케이크 위에 초콜릿을 얹다.

top·ple [tápəl / tɔ́pəl] *vi.* ① 《~ / +[副]》 (위가 무거워서) 흔들리다, 쓰러지다《*down* ; *over*》 : The pile of logs ~*d down* 〔*over*〕. 통나무 더미가 무너졌다. ② (쓰러질 듯이) 앞으로 기울다. — *vt.* 《~+[목] / +[목]+[전]+[명]》 …을 쓰러뜨리다 ; 흔들리게 하다 ; 전복시키다 : The coup d'état ~*d* the dictator *from* his position. 쿠데타에 의해 그 독재자는 그 지위에서 쫓겨났다.

top-rank·ing [tápræ̀ŋkiŋ / tɔ́p-] *a.* 《美口》 최고위의 ; 일류의.

tops [taps / tɔps] (*pl.* ~) *n.* [C] (the ~) 최고《사람, 물건》. — *a.* 〔敍述的〕 일류의〔인〕, 최고인 : He is ~ in mathematics. 수학에선 그가 톱이다.

top·sail [tápsèil, 《海》 -səl / tɔ́psəl, -seil] *n.* [C] 〚海〛 톱 세일, 중간 돛대의 돛.

tóp sécret 1급 비밀, 극비 : These papers are ~. 이 문서들은 1급 비밀이다.

top-se·cret [-síːkrit] *a.* (서류 따위가) 극비의, 1급 비밀의. [cf.] classified.

tóp sérgeant 《美軍俗》 고참 상사.

top·side [-sàid] *n.* ① [C] (흔히 *pl.*) 〚海〛 건현(乾舷)《흘수선 위의 현측(舷側)》 ; (군함의) 상갑판. ② [U] 《英》 톱사이드《허리 부위의 상질의 (쇠)고기》. — *a.* ① 건현〔상갑판〕의. ② 톱클래스의, 수뇌부의.

top·soil [-sɔ̀il] *n.* [U] 상층토, 표토(表土).

tóp spìn 〚球技〛 톱스핀《공이 나는 방향으로 회전하도록 공 위를 때려서 주는 스핀》.

***top·sy-tur·vy** [tápsitə́ːrvi / tɔ́p-] *ad.* ① 거꾸로, 뒤집혀 : fall ~ 거꾸로 떨어지다. ② 뒤죽박죽으로 ; 혼란되어 : Everything has turned ~. 만사가 뒤죽박죽이 됐다. — *a.* ① 거꾸로 된 : the ~ values of the younger generation 젊은 세대의 전도된 가치관. ② 뒤죽박죽의, 혼란된. — *n.* [U] ① 뒤집힘, 전도. ② 뒤죽박죽, 혼란. [파] **-túr·vi·ly** *ad.* **-túr·vi·ness** *n.*

toque [touk] *n.* [C] 토크《양태가 좁은 조그마한 여성 모자》.

tor [tɔːr] *n.* [C] (정상이 뾰족한) 바위산.

-tor *suf* '…하는 사람'의 뜻. [cf.] -or¹.

To·ra(h) [tɔ́ːrə] (*pl.* ***-roth*** [-rouθ], **~*s***) *n.* (the ~) ①〚유대敎〛 율법. ② 모세 오경(五經)《구약 성서 권두의 5편》.

‡torch [tɔːrtʃ] *n.* [C] ① 횃불. ② 《英》 회중 전등(《美》 flashlight). ③ 《比》 빛이 되는 것《지식·문화·자유 등》 : the ~ of learning 학문의 빛 / hand on the ~ 지식의 빛을 후세에 전하다. ④ 발염(發炎) 남포, 토치 램프《납땜에 씀》. ***carry a* 〔*the*〕 ~ *for*** …에게 사랑의 불길을 태우다《특히 짝사랑》. ***put . . . to the*** ~ (…을) 불태우다.

torch·bear·er [tɔ́ːrtʃbɛ̀ərər] *n.* [C] ① 횃불 드는 사람. ② 계몽가, (정치·사회운동 등의) 지도자 ; 문화의 선구자.

torch·light [-làit] *n.* [U] 횃불(의 빛) : a ~ procession 횃불 행렬.

tórch sìnger torch song 의 가수.

tórch sòng 토치송《짝사랑·비련 등을 다룬 감상적인 노래》.

:tore [tɔːr] TEAR²의 과거. 「마 투우사.
tor·e·a·dor [tɔ́ːriədɔ̀ːr, tάr- / tɔ́r-] *n.* Ⓒ 《Sp.》 기
tóreador pànts 투우복 모양의 여자용 바지.
:tor·ment [tɔ́ːrment] *n.* ① Ⓤ (또는 *pl.*) 고통, 고뇌 : be in ~ 고통 받고 있다 / suffer ~(*s*) 괴로워하다, 고민하다. ② Ⓒ 골칫거리《사람·물건》: He's a real ~ to me. 그는 정말 골칫거리다.
── [-ˊ] *vt.* 《~+목 / +목+전+명》 …을 괴롭히다《*with*》: He was ~*ed with* remorse. 그는 양심의 가책으로 괴로워했다 / ~ a person *with* harsh noises 귀따가운 소리로 아무를 괴롭히다 / ~ a person *with* questions 아무에게 질문 공세를 펴다.
tor·men·tor [tɔːrméntər] (*fem.* ***-tress*** [-tris]) *n.* Ⓒ ① 괴롭히는 사람〔것〕. ②〖映〗(토키 촬영용) 반향(反響) 방지 스크린. ③〖劇〗무대의 양옆 칸막이 막.
:torn [tɔːrn] TEAR² 의 과거분사.
tor·na·do [tɔːrnéidou] (*pl.* ~*(e)s*) *n.* Ⓒ ①〖氣〗토네이도《미국 Mississipi 강 유역 및 서부 아프리카에 일어나는 무서운 파괴력을 지닌 선풍(旋風)》. ② 맹렬한 폭풍, 선풍.
To·ron·to [tərάntou / -rɔ́n-] *n.* 토론토《캐나다 Ontario주의 주도》.
tor·pe·do** [tɔːrpíːdou] (*pl.* ~es*** [-z]) *n.* Ⓒ ① 어뢰, 수뢰 ; 공중 어뢰(=**áerial** ˊ), 공뢰. ②〖美鐵〗신호 뇌관《경보용》. ③〖魚〗시끈가오리(=ˊ **fish**). ── *vt.* ① (함선)을 어뢰〔수뢰, 공뢰〕로 파괴〔공격〕하다. ② (정책·제도 등)을 무력하게 만들다 : Their ridiculous demands ~*ed* the negotiations. 그들의 엉뚱한 요구로 교섭은 깨졌다.
torpédo bòat 어뢰〔수뢰〕정.
torpédo tùbe 어뢰 발사관(發射管).
tor·pid [tɔ́ːrpid] (~***·er*** ; ~***·est***) *a.* ① 움직이지 않는, 마비된, 무감각한 ; 둔한, 활기없는. ② 동면중인, 혼수상태의. ㊞ ~**·ly** *ad.* ~**·ness** *n.*
tor·pid·i·ty [tɔːrpídəti] *n.* =TORPOR.
tor·por [tɔ́ːrpər] *n.* Ⓤ (또는 a ~) 무기력, 무감각 ; 마비 상태.
torque¹ [tɔːrk] *n.* Ⓤ〖物〗토크, 회전 모멘트, 염력(捻力). 「장식》.
torque² *n.* Ⓒ 목걸이(torc)《옛 갈리아 사람의 목
:tor·rent [tɔ́ːrənt, tάr- / tɔ́r-] *n.* ① Ⓒ 급류, 여울 : a mountain ~ 산골짝 계곡의 급류. ② (*pl.*) 억수 : ~*s* of lava 분출하는 용암 / The rain is falling in ~*s*. 비가 억수로 쏟아지고 있다. ③ Ⓒ (질문·욕 따위의) 연발 ; (감정 따위의) 분출 : a ~ of abuse 〔eloquence〕 마구 퍼붓는 욕설〔청산유수 같은 변설〕.
tor·ren·tial [tɔːrénʃəl, tər- / tɔr-] *a.* ① **a**) 급류의〔같은〕; 억수 같은 : ~ rain 호우. **b**) 급류 작용으로 생긴 : ~ gravel 급류로 생긴 자갈. ② (감정·변설 등이) 격렬한, 맹렬한 ; (언동·능력 등이) 압도적인. ㊞ ~**·ly** *ad.*
tor·rid** [tɔ́ːrid, tάr- / tɔ́r-] (~·er*** ; ~***·est***) *a.* ① (햇볕에) 탄, 뙤약볕에 드러낸 ; 바짝 마른 : a ~ desert 불타듯 뜨거운 사막. ② (기후 등이) 타는 듯이 뜨거운, 염열(炎熱)의 : ~ heat 염열, 작열(灼熱). ③ 열정적인, 열렬한 : a ~ love letter 열렬한〔뜨거운〕 연애 편지. ㊞ ~**·ly** *ad.* ~**·ness** *n.*
tor·ríd·i·ty [-əti] *n.* Ⓤ 뙤약볕.
Tórrid Zòne (the ~) 열대(the tropics).
tor·sion [tɔ́ːrʃən] *n.* Ⓤ ① 비틂, 비틀림. ②〖機〗비트는 힘, 염력(捻力). ③〖醫〗염전(捻轉).
㊞ ~**·al** [-əl] *a.* 비트는, 비틀림의.
tórsion bàlance〖機〗비틀림 저울《비틀림을 이용해서 미소한 힘을 잼》.
tor·so [tɔ́ːrsou] (*pl.* ~***s***, ***-si*** [-siː]) *n.* Ⓒ 《It.》 ① 토르소《머리·손발이 없는 나체 조상(彫像)》. ② (인체의) 몸통(trunk). ③ 미완성〔불완전한〕 작품.
tort [tɔːrt] *n.* Ⓒ〖法〗(피해자에게 배상 청구권이 생기게 되는) 불법 행위.
torte [tɔ́ːrt] (*pl.* ***tor·ten*** [tɔːrtn], ~***s***) *n.* Ⓤ,Ⓒ 밀가루에 계란·설탕·호도 따위를 넣어 만든 과자.
tor·til·la [tɔːrtíːjə] *n.* Ⓤ,Ⓒ 《Sp.》 토르티야《납작하게 구운 옥수수빵 ; 멕시코인의 주식》.
:tor·toise [tɔ́ːrtəs] *n.* Ⓒ (육상·민물에 사는) 거북. ⓒⓕ turtle¹.
tor·toise·shell [tɔ́ːrtəʃèl, -təsʃèl] *n.* ① Ⓤ 거북딱지, 별갑(鼈甲). ② Ⓒ 삼색털 얼룩고양이.
── *a.* 〔限定的〕 ① 별갑의, 별갑제(製)의. ② 별갑색〔무늬〕의 : a ~ cat 삼색털 얼룩고양이.
tor·to·ni [tɔːrtóuni] *n.* Ⓤ,Ⓒ 토토니《버찌·아몬드가 든 아이스크림》.
tor·tu·os·i·ty [tɔ̀ːrtʃuάsəti / -ɔ́s-] *n.* Ⓤ,Ⓒ 꼬부라짐, 비〔뒤〕틀림 ; 곡절 ; 부정(不正).
tor·tu·ous [tɔ́ːrtʃuəs] *a.* ① (길·흐름 따위의) 구불구불한 ; 비틀린, 뒤틀린, 비꼬인 : a ~ path 꼬불꼬불한 소로. ② (마음·방법 등이) 솔직하지 못한, 남을 속이는 (것 같은), 부정한, 불성실한 : a ~ argument 빙빙 둘러대는〔솔직하지 못한〕 의론 / ~ means 부정한 수단.
㊞ ~**·ly** *ad.* ~**·ness** *n.*
:tor·ture [tɔ́ːrtʃər] *n.* ① **a**) Ⓤ 고문 : instruments of ~ 형구(刑具), 고문구(具) / make a person talk by ~ 아무를 고문하여 불게 하다. **b**) Ⓒ 고문방법. ② Ⓤ,Ⓒ (종종 *pl.*) 심한 고통, 고뇌, 고민 : suffer ~ from toothache 이앓이로 고생하다.
── *vt.* ① (사람)을 고문하다 : ~ a man to make him confess his crime 고문하여 죄를 자백시키다. ②《~+목 / +목+전+명》〔종종 受動으로〕(사람·동물)을 (몹시) 괴롭히다《*with* ; *by*》: My arm ~*s* me. 팔이 아프다 / *be* ~*d with* anxiety 불안에 떨다 / She *was* ~*d by* her tight boots. 그녀는 꼭 끼는 작은 신발에 시달렸다. ③ (나무 따위)를 억지로 비틀다, 구부리다《*into* ; *out of*》: the trees ~*d* by the wind 바람에 휜 나무. ④《~+목 / +목+전+명》견강 부회하다, 곱새기다《*into*》: He ~*d* the text for proof of his point. 자기 주장을 증명하려고 원문을 견강부회했다.
㊞ **-tur·er** [-tʃərər] *n.* Ⓒ 괴롭히는 사람〔것〕; 고문하는 사람. **-tur·ous** [-tʃərəs] *a.* 고문과 같은.
***To·ry** [tɔ́ːri] *n.* ①〖英史〗**a**) Ⓒ 토리당원, 왕당원. **b**) (the Tories) 토리당(the Tory Party)《19세기에 지금의 Conservative Party (보수당)로 됨》. ⓒⓕ Whig. ② Ⓒ〖美史〗영국〔왕당〕파《독립 전쟁 당시 영국에 가담한 자》. ③ Ⓒ (종종 t-) 보수주의자, 보수당원. ── *a.* ① 왕당〔토리당〕(원)의. ② (종종 t-) 보수주의(자)의, 보수당(원)의.
To·ry·ism [tɔ́ːriìzəm] *n.* Ⓤ (종종 t-) 왕당주의, 보수주의.
Tos·ca·ni·ni [tὰskəníːni / tɔ̀s-] *n.* **Arturo** ~ 토스카니니《이탈리아 태생의 미국 관현악 지휘자 ; 1867-1957》.
tosh [tαʃ / tɔʃ] *n.* Ⓤ 《英俗》 허튼〔객쩍은〕 소리.
:toss [tɔːs, tαs / tɔs] (*p.*, *pp.* ~***ed*** [-t], 《古·詩》 ***tost*** [-t]) *vt.* ①《~+목 / +목+부 / +목+목 / +목+전+명》(가볍게·아무렇게나) …을 던지다, (공)을 토스하다 ; 급히 던져 올리다 : ~ a ball 공을 토스하다 / ~ a question 질문을 던지다 / The horse ~*ed* its rider. 말이 탄 사람을 내동댕이쳤다 / ~ *away* 〔*down, off*〕 a thing 물건을 내던져버리다 / ~ a dog a bone= ~ a bone *to* a dog 개에게 뼈다귀를 던져주다. ②《~+목 / +목+부》(머리 따위)를 갑자기 쳐들다, 뒤

로 젖히다《경멸·초조 따위로》《*up*》: She ~*ed* her head (back) disdainfully. 그녀는 경멸하는 듯 머리를 빨딱 잦혔다 / The girl ~*ed* back her hair. 그 소녀는 머리카락을 뒤로 젖혔다. ③《~+목 / +목+부》 (배 따위)를 흔들다, 들까불다 《*about*》; (마음)을 뒤흔들다: The ship was ~*ed* by (the) 〔in the〕 waves. 배는 파도에 들까불렸다 / be ~*ed about* in the storms of life 거센 세파에 시달리다. ④〖料〗…을 버무리다, 뒤섞다: ~*ed* green salads 잘 버무린 야채 샐러드. ⑤《~+목 / +목+부 / +목+전+명 / +부+*wh*.+*to* do / +부+*wh*. 절》 (승부·어떤 결정 따위)를 동전을 던져서 정하다《*up*; *for*》: ~ *up whether to* go or not 갈지 말지를 동전을 던져 정하다 / Let's ~ *up who* plays first. 누가 먼저 할지 동전 던지기로 정하자.

── *vi*. ①《~ / +부 / +전+명》 뒹굴다, 뒤치락거리다《*about*》: ~ *about in* one's sleep 자면서 몸을 뒤치다. ②《+전+명》 침착성 없이〔성급하게, 떠들썩하게〕 움직이다; (경멸·초조·분노 따위로) 퉁명스럽게 굴다; 책하고 기운차게〔급히〕 가다: ~ *out of* the room 총알처럼 방에서 뛰쳐나가다. ③《~ / +전+명》 (배 따위가 전후·좌우로) 흔들리다, (몹시) 들까불다: ~*ing* banners 펄럭이는 깃발들 / Our ship ~*ed* perilously *in* the stormy sea. 우리 배는 폭풍우에 까불려 당장에라도 침몰할 것 같았다. ④ **a**)《~ / +부 / +전+명》 동전 던지기를 하다; 동전 던지기로 정하다《*up*; *for*》: ~ (*up*) to decide who goes first 누가 먼저 갈건지를 정하기 위해 동전 던지기를 하다. **b**) 던지다, 토스하다. ~ ***in*** (1) (개평으로) 얹다, 첨가하다. (2) (말을) 끼워 넣다. ~ a person ***in a blanket*** 아무를 담요에 눕혀 헹가래치다. ~ ***oars*** 보트의 노를 세워 경례하다. ~ ***off*** (1) (말이 기수)를 흔들어 떨어뜨리다. (2) 단숨에 마시다: ~ *off* a cocktail before dinner 식사 전에 칵테일을 단숨에 들이켜다. (3) (손)쉽게〔단숨에〕 해치우다: ~ *off* a newspaper article 신문 기사를 단숨에 써 버리다.

── *n*. ① Ⓒ ~하는 동작; ~하기; 머리를 쳐듦 (⇨ *vt*. ②); 내동댕이쳐짐: with a contemptuous ~ of one's head …를 업신여기는 듯이 머리를 쳐들고. ② (*sing*.; 종종 the ~) (물결 등의) 흔들림, 동요; 흥분: endure *the* constant ~ of the ship 배의 끊임없는 흔들림을 참다 / be in a great ~ 몹시 흥분해 있다. ③ (the ~) 동전 던지기; 던진〔던져서 닿는〕 거리: win 〔lose〕 *the* ~ 동전 던지기에서 이기다〔지다〕 / within *the* ~ of a ball 공을 던지면 닿는 거리에, 아주 가까이. ④ (a ~) 〔否定文으로〕《英口》 조금도 (개의치 않다): I do*n't* give *a* ~ whether you like it. 네가 그걸 좋아 하건 말건 상관없다. ***argue the*** ~《口》 일단 결정된 것을 가지고 트집을 잡다.

tóssed sálad [tɔ́ːst-, tɑ́st- / tɔ́st-]〖料〗 토스트 샐러드《드레싱을 치고 버무린 샐러드》.

toss·up [-ʌ̀p] *n*. ① Ⓒ (흔히 *sing*.) (승부를 가리는) 동전 던지기. ② (a ~)《口》 반반의 가능성 (even chance): It's quite *a* ~ whether he'll come or not. 그가 올지 안 올지 잘라 말할 수 없다.

tost [tɔːst, tɑst / tɔst]《詩》 TOSS의 과거·과거분사.

tot[1] [tɑt / tɔt] *n*. Ⓒ ① 소아(小兒), 어린아이: a tiny ~ 꼬마. ②《口》(특히 독한 술) 한잔;《口》 한 모금: a ~ of whiskey 위스키 한잔.

tot[2] *n*. Ⓒ 덧셈(의 답); 합계. ── (*-tt-*) *vt*. …을 더하다, 합계하다《*up*》: The waiter ~*ted up* the bill. 웨이터는 계산서를 합계했다. ── *vi*. (수·비용이) 합계 …이 되다《*up to*…》: The account ~*ted up to* an enormous amount. 계산서는 모두 합해서 막대한 금액에 달했다.

tot. total.

‡to·tal [tóutl] *a*. ① 전체의 (whole), 합계의, 총계의, 총(總)…: a ~ output 총생산고 / the ~ amount expended 지출 총계 / a continent with a ~ population of more than 200 million 총인구 2억을 넘는 대륙. ② 완전한, 전적인, 절대적인: a ~ failure 완전한 실패 / ~ indifference 전적인 무관심 / ~ abstinence 절대 금주 / a ~ loss〖保險〗 전손(全損) / I'm in ~ ignorance of the affair. 나는 그 사건에 관해서는 아무것도 모른다. ③ 총력적인: a ~ war 〔warfare〕 총력전. ◇ totality *n*.

── *ad*.《口》 = TOTALLY.

── *n*. Ⓒ 합계, 총계, 총액, 총수, 총량: the grand ~ 합계, 총계《특히 '소계'에 대한》 / in ~ 합계하여, 전부 / A ~ of 70 persons applied for the job. 그 일자리에 총 70명이 응모했다.

── (*-l-*,《英》*-ll-*) *vt*. ① …을 합계하다, 합치다, …의 합계를 내다《*up*》: ~*up* the expenses 비용을 합계하다. ② 합계 …이 되다: The casualties ~*ed* 150. 사상자는 합계 150명이었다.

── *vi*.《+부 / +전+명》 합계 …이 되다《*to*; *up to*》: The visitors ~*ed* (*up*) *to* 350. 방문자는 총 350명이었다.

tótal eclípse〖天〗 개기식(皆旣蝕). ⓒⓕ partial eclipse.

to·tal·i·tar·i·an [toutæ̀lətɛ́əriən] *a*. 전체주의의; 일국일당(一國一黨)주의의: a ~ state 전체주의 국가 / adopt ~ measures 전체주의 정책을 채택하다. ── *n*. Ⓒ 전체주의자. 파 ~**·ìsm** *n*. Ⓤ 전체주의.

to·tal·i·ty [toutǽləti] *n*. Ⓒ ① 완전함〔한 상태〕, 전체성. ② 전체; 총계, 총액. ③〖天〗 개기식(皆旣蝕) (의 시간).

to·tal·i·za·tor, to·tal·i·zer [tóutəlizèitər], [tóutəlàizər] *n*. Ⓒ〖競馬〗 총액 계산기; 경마에 건 돈 표시기 (pari-mutuel machine).

to·tal·ize [tóutəlàiz] *vt*. …을 합계하다, 합하다 (add up): ~*d* war 국가 총력전.

***to·tal·ly** [tóutəli] *ad*. 완전히, 모조리, 전혀: We oppose these proposals ~. 우리는 전적으로 이들 제안에 반대한다.

tote[1] [tout]《口》*vt*. …을 나르다; 짊어지다: ~ a gun 총을 메다. ── *n*. ① Ⓤ 나르기. ② Ⓒ 짐.

tote[2] *n*.《口》〖競馬〗 = TOTALIZATOR.

── *vt*. …을 합계하다, 합치다《*up*》.

tóte bàg (여성용) 대형 핸드백.

tóte bòard〖競馬〗 배당금 따위의 전광 표시판.

to·tem [tóutəm] *n*. Ⓒ ① 토템《북아메리카 원주민 등이 가족·종족의 상징으로 숭배하는 자연물, 특히 동물》. ② (나무에 조각한) 토템상(像).

to·tem·ic [toutémik] *a*. 토템(신앙)의.

to·tem·ism [tóutəmìzəm] *n*. Ⓤ 토템 신앙〔숭배〕; 토템 제도.

to·tem·ist [tóutəmist] *n*. Ⓒ ① 토템 제도의 사회에 속하는 사람. ② 토템제〔신앙〕 연구가.

tótem pòle 〔pòst〕 토템폴《북아메리카 원주민이 집 앞에 세우는 토템상(像)을 그리거나 조각한 기둥》.

tot·ter [tɑ́tər / tɔ́tər] *vi*. ① 비트적거리다, 비틀〔비슬〕거리다: The old man ~*ed* down the stairs. 노인은 계단을 비틀거리며 내려갔다. ② (건물 따위가) 기우뚱거리다; (국가·제도 등이) 붕괴될 위기에 놓이다: The building began to ~ in the quake. 지진으로 건물이 기우뚱거리기 시작했다. ── *n*. Ⓒ 비틀거림, 뒤뚱거림, 기우뚱거림.

tot·ter·ing·ly [-riŋli] *ad*. 비틀비틀, 비틀거리며,

쓰러질 듯이. 「리는; 불안정한.
tot·ter·y [tátəri / tɔ́təri] *a.* 비틀거리는, 흔들거
tot·ting-up [tátiŋʌ́p / tɔ́t-] *n.* Ⓤ ① 합계. ②《英口》 교통 위반 점수의 누계.
tou·can [tú:kæn, -kɑ:n, -ˊ] *n.* Ⓒ 〖鳥〗 큰부리새《열대 아메리카산》.
†touch [tʌtʃ] *vt.* ① (무엇이) …에 닿다, 접촉하다: Your sleeve is *~ing* the butter. 네 소매가 버터에 닿고 있다.
②《~+목/+목+전+명》 (사람이) …에 (손·손가락 따위)를 대다, …을 만지다: Don't ~ the exhibits. 진열품에 손대지 마시오 / Can you ~ the top of the door? 문 꼭대기에 손이 닿느냐 / I *~ed* her *on* the shoulder. 그녀의 어깨에 손을 댔다.
③《+목+전+명》 …을 어루만지다, 《특히》 치료를 위해 손으로 만지다(ⓒⓕ king's evil); 〖醫〗 촉진(觸診)하다: ~ a person *for* the king's evil 연주창을 고치기 위해 아무에게 손을 대다.
④ …에 인접하다; …와 경계를 접하다, …에 연하다: A part of the road *~ed* the river. 길의 일부는 강에 연해 있었다.
⑤ …에 달하다〔이르다〕, …에 미치다: ~ 6 feet, 6 피트에 달하다 / The thermometer *~ed* 40℃ yesterday. 온도계는 어제 섭씨 40 도에 달했다.
⑥《~+목/+목+전+명》 …에 가볍게 힘을 주다, …을 가볍게 치다, (벨 따위)를 누르다: ~ the bell 초인종을 누르다 / ~ the keys of a piano 피아노 건반을 가볍게 두드리다 / ~ a horse *with* a whip 말에 가볍게 채찍을 가하다.
⑦《古》 (악기)를 타다, 켜다, 연주하다.
⑧ (물질적으로) …에 영향을 주다; …을 해치다, 손상하다, 다치다, 망치다: The flowers were *~ed* by the frost. 꽃이 서리를 맞았다.
⑨ …에 관계하다, …의 관심사이다, …에게 중대하다: The matter *~es* your interests. 그 문제는 너의 이해(利害)에 관계가 있다.
⑩〔흔히 否定文〕 (음식물)에 입을 대다; (사업 따위)에 손을 대다; …에 간섭하다: He *hardly ~ed* his dinner. 식사에는 거의 입을 대지 않았다 / He *never ~es* wine 〔tobacco〕. 그는 절대로 술을 안 마신다〔담배를 안 피운다〕 / I refused to ~ the affair. 이 일에 관여하기를 거절했다.
⑪ …의 마음을 움직이다, …을 감동시키다; 성나게 하다, 욱하게 만들다: The story *~ed* us. 그 이야기는 우리를 감동시켰다 / You ~ me there. 그런 말은 내 신경을 건드린다.
⑫《+목+전+명/+목+부》 (무엇을 딴 것)에 접촉시키다, …을 붙이다《*to*》; (럭비공 따위)를 터치다운하다; (두 개의 물건)을 서로 스치게 하다, 접촉하다《*together*》: ~ a match *to* one's cigar 시가에 성냥을 그어 대다 / ~ two wires *together* 두 개의 전선을 접촉시키다.
⑬ (붓·연필로) …을 상세히〔가볍게〕 그리다; (그림·문장)에 가필하다; 수정하다《*up*》.
⑭《+목+전+명》 …에 색조를 띠게 하다, …에 ─한 기운을 띠게 하다《*with*》: a gray dress *~ed with* blue 약간 청색을 띤 회색 옷.
⑮《+목+전+명》《俗》 (돈)을 뜯어내다; …에게 조르다, …에게서 꾸다《*for*》: He *~ed* me *for* five dollars. 그는 내게서 5달러를 빌렸다.
⑯〖海〗 (배가) …에 기항하다, (육지)에 닿다: ~ port 기항하다.
⑰《~+목/+목+전+명》〔흔히 過去分詞〕 약간 미치게〔돌게〕 하다: He's a little *~ed in* the head. 머리가 좀 돌았다.
⑱ …에 관해 가볍게 언급하다, …을 논하다.
⑲〔흔히 否定文〕 …에 작용하다: *Nothing* will ~ these stains. 무엇을 써도 이 얼룩은 없어지지 않는다.

── *vi.* ① 닿다, 접촉하다: Don't ~. 손대지 마 / Their hands *~ed.* 그들의 손이 서로 닿았다 / The two countries ~. 두 나라는 경계를 같이 한다. ②《+전+명》 (문제를) 간단히 보다〔취급하다〕《*on*; *upon*》: He just *~ed on* 〔*upon*〕 that question. 그는 그 문제를 좀 다루었을 뿐이다. ③《+전+명》〖海〗 기항하다《*at*》: Cargo boats do not ~ *at* this port. 화물선은 이 항구에 들르지 않는다.
~ a* (*raw*) *nerve 아픈 데를〔약점을〕 건드리다. ***~ down*** (1)〖美蹴·럭비〗 터치다운하다. (2) (비행기·우주선이) 착륙〔착지〕하다. ***~ in*** (그림의 세부(細部)에) 가필(加筆)하다. ***~ off*** (1) 발화(發火)〔폭발〕시키다; 발포〔발사〕하다. (2) …의 발단이 되다, 큰 일을 유발하다: The arrest of some leaders *~ed off* the student riots. 몇몇 지도자의 검거가 학생 폭동을 유발했다. ***~ on*** 〔***upon***〕 …에 간단히 언급하다; …에 관계하다. ***~ out*** 〖野〗 터치아웃시키다, 척살(刺殺)하다. ***~ the spot*** 효과적이다, 효능이 있다; 바라던 것을 찾아내다: A glass of iced coke *~es the spot* on a hot day. 냉(冷)콜라 한 컵은 더운 날에 제격이다. ***~ up*** (1) (사진 따위를) 수정하다, 가필하다; 마무리하다. (2)《英俗》 (설득하려고 이성)의 몸을 어루만지다, 애무하다.

── *n.* ① Ⓒ 접촉, 만지기, 스치기: give a person a ~ 아무를 건드리다〔만지다〕 / feel a ~ on one's shoulder 어깨에 무엇이 닿는 것을 느끼다. ② Ⓤ (정신적인) 접촉, 연락: I've lost ~ *with* her. 그녀와 연락이 끊겼다. ③ Ⓤ 촉각, 감촉, 촉감: the cold ~ of marble 대리석의 차가운 감촉. ④ Ⓤ (또는 a ~) 〖樂〗 탄주(彈奏)법, 터치; 건반의 탄주감: a light ~ 가벼운 터치 / a piano with a stiff ~ 건반이 빡빡한 피아노. ⑤ Ⓒ 필치, 일필(一筆): a novel with poetic *~es* 시적인 필치로 쓰여진 소설. ⑥ Ⓒ 가필(加筆); 마무리: add a few finishing *~es* 마지막 마무리를 하다. ⑦ Ⓤ,Ⓒ 수법, …류(流), 솜씨; 특색, 특성; 요령: the Nelson ~ (난국에 대처하는) 넬슨류의 수법 / personal ~ 개인의 방식〔수법〕 / the ~ of a master 거장(巨匠)의 솜씨 / This room needs a woman's ~. 이 방에는 여자 손이 가야 한다. ⑧ (a ~) 기운, …기; 조금《*of*》; 약간의 차: by *a* mere ~ 근소한 차로, 겨우《이기다 따위》 / *a* ~ *of* irony 약간의 빈정댐 / It wants *a* ~ *of* salt. 소금기가 좀 부족하다. ⑨ (a ~) (병의) 기미, 가벼운 이상《*of*》: have *a* light ~ *of* rheumatism 류머티즘기가 있다 / He has *a* ~ *of* fever. 열이 좀 있다. ⑩ Ⓒ 〖球技〗 터치《터치라인 바깥쪽》. ⑪ Ⓒ《俗》 (돈을) 졸라댐, 차용, 빚; 절취. ***come in ~ with*** …와 접촉〔교제〕하다. ***in ~ of*** = ***within ~ of*** …(의) 가까이에. ***in ~ with*** …와 접촉〔교제〕하여: I'll be *in* ~ *with* her. 그녀와 연락을 취하겠다. ***keep in ~ with*** …와 접촉〔연락〕을 유지하다. ***lose*** one***'s ~*** 기량이〔솜씨가〕 떨어지다. ***lose ~ with*** …와의 접촉〔연락〕이 없다: I've *lost* ~ *with* her since. 그 이후 그녀와 연락이 없다. ***make a ~*** 돈을 조르다. ***out of ~ with*** …와 멀어져서: be *out of* ~ *with* the political situation 정치 정세에 어둡다. ***put*** a person ***in ~ with . . .*** 아무에게 …와 연락하게 하다. ***~ and go*** 불안정한 처지〔상황〕, 위태로운 상태.
㊕ **∠·a·ble** [-əbəl] *a.* 만질〔감촉할〕 수 있는; 감동시킬 수 있는.
touch-and-go [tʌ́tʃəngóu] *a.* 아슬아슬한, 위태로운(risky), 일촉 즉발의: a ~ business 위험한 줄타기(같은 일) / a highly ~ situation 일촉 즉발의 상황.

touch·back [ˊ-bæ̀k] *n.* Ⓒ 〖美蹴〗 터치백《골라인(goalline)을 넘어서 공이 데드(dead) 되었을 때의 판정, 어느쪽도 득점이 되지 않음》.
touch·down [ˊ-dàun] *n.* Ⓤ,Ⓒ ① 〖美蹴〗 터치다운; 그 득점. ⓒⓕ touch. ② 〖럭비〗 수비측이 자기편의 인골에서 공을 땅에 댐. ③ 〖空〗 (단시간의) 착륙.
tou·ché [tu:ʃéi] *int.* 《F.》 ① 〖펜싱〗 투셰《찔렸다는 선고》. ② (토론회 등에서) 내가 졌다!
touched [tʌtʃt] *a.* 〔敍述的〕 ① 감동된. ② 《口》 정신이 좀 돈: We thought she was a bit ~. 우리는 그녀가 좀 돈 것으로 생각했다.
tóuch fóotball 터치 풋볼《미식 축구의 일종》.
‡touch·ing [tʌ́tʃiŋ] *a.* 감동시키는, 감동적인; 애처로운(pathetic): a ~ scene 감동적인 장면 / a ~ story 〔sight〕 눈물겨운 이야기〔광경〕.
— *prep.* 《文語》 …에 관하여(concerning).
㊞ ~·**ly** *ad.* 비장하게, 애처롭게. ~·**ness** *n.*
tóuch jùdge 〖럭비〗 선심(線審), 터치 저지.
touch·line [ˊ-làin] *n.* Ⓒ 〖럭비·蹴〗 옆줄, 터치라인.
tóuch pàper (불꽃 등의) 도화지(導火紙).
tóuch scrèen 〖컴〗 만지기 화면《손가락으로 만지면 컴퓨터에 입력이 되는 표시장치 화면》.
touch·stone [ˊ-stòun] *n.* Ⓒ (금의 순도를 판정하는) 시금석; 표준, 기준.
Touch-Tone [ˊ-tòun] *n.* Ⓒ 누름단추식 전화기《商標名》. — *a.* (touch-tone) (전화기 따위가) 누름단추〔푸시 버튼〕식(式)의.
touch-type [ˊ-tàip] *vi.* (키를 안 보고) 타이프를 치다. ㊞ **-tỳp·ist** *n.*
touch·wood [ˊ-wùd] *n.* Ⓤ 부싯깃.
touchy [tʌ́tʃi] (***touch·i·er; -i·est***) *a.* ① 성마른(irritable); 성미 까다로운; 과민한. ② (문제·일 따위가) 다루기 힘든: a ~ issue 골치아픈 문제. ㊞ **tóuch·i·ly** *ad.* **-i·ness** *n.*
‡tough [tʌf] *a.* ① (고기·나무·철강 등이) 질긴, 단단한, 강한. ⓒⓕ tender. ¶ Leather is ~. 가죽은 질기다 / ~ meat 질긴 고기 / ~ wood 단단한 나무. ② 튼튼한, 병에 걸리지 않는; 불굴의: a ~ constitution 튼튼한 체격 / a ~ worker 피로를 모르는 일꾼 / a ~ guy 《口》 굳센〔지칠줄 모르는〕 사나이, 무법자. ③ 끈기 있는, 점착력이 있는: ~ clay 찰흙. ④ 곤란한, 고된, 고달픈; 다루기 힘든, 집요한: a ~ enemy 강적 / a ~ work 곤란한 일 / a ~ customer 《口》 다루기 힘든 상대. ⑤ 《口》 불쾌한, 지독한, 불운한: a ~ experience 지독한 경험 / ~ luck 불운, 악운 / have a ~ time (of it) 혼나다. ⑥ (싸움 등이) 맹렬한, 격렬한, 치열한: a ~ contest. ⑦ (범인 따위가) 흉악한, 무법의; 무뢰한들이 많은: a ~ neighborhood 무법자들이 많은 지역. ◇ toughen *v.*
(***as***) ~ ***as nails*** (사람이) 완강한; 냉혹한, 비정한. (***as***) ~ ***as old boots*** (고기 따위가) 아주 질긴. ***get*** ~ ***with*** a person 아무에게 심하게 대하다. ***Things are*** ~. 세상은 각박한 것이다.
— *n.* Ⓒ 악한, 불량배, 깡패(ruffian). ⓒⓕ rough.
— *vt.* 《美口》 (곤란)을 참고 견디다《*out*》: He managed to ~ it *out* under unfavorable conditions. 그는 불리한 조건하에서도 이럭저럭 잘 이겨냈다. ㊞ ˊ·**ly** *ad.* ˊ·**ness** *n.* 강인함.
tough·en [tʌ́fn] *vt.* ① …을 강(인)하게 하다, 단단하게 하다. ② …을 튼튼하게 하다. — *vi.* ① 강(인)해지다. ② 튼튼해지다.
tough·ie, toughy [tʌ́fi] (*pl.* ***-ies***) *n.* Ⓒ 《美口》 ① = TOUGH. ② 난문제, 어려운 정세, 난국.
tough-mind·ed [tʌ́fmáindid] *a.* ① 현실적인, 감상적이 아닌. ② 마음이 굳센, 굳건한.

㊞ ~·**ly** *ad.* ~·**ness** *n.*
tou·pee [tu:péi, -pí:] *n.* Ⓒ 《F.》 (남자용) 가발《대머리용》, 다리《여성용 가발》.
‡tour [tuər] *n.* Ⓒ ① 관광 여행, 만유(漫遊), 유람 여행: go on a ~ 관광 여행을 떠나다 / a European 〔foreign〕 ~ 유럽〔외국〕 여행 / a motor 〔motoring〕 ~ 자동차 여행 / a wedding ~ 신혼 여행 / a ~ of inspection 시찰 여행 / a ~ around the world 세계 일주 여행 / I made a two-month ~ of India. 나는 2개월간의 인도 여행을 했다. ② 일순(一巡), (짧은 거리를) 한 바퀴 돌기〔돎〕: make a ~ through a big factory 큰 공장을 한 바퀴 돌다. ③ (극단의) 순회(巡廻) 공연: actors on ~ 순회 공연중인 배우들 / a ~ of the country = a provincial ~ 지방 순회 흥행. ④ 〖주로 軍〗 (외국 등에서의) 근무 기간(~ of duty). ⑤ (공장 따위에서의 교대제 근무의) 당번; 근무 교대(shift): two ~*s* a day 하루 2교대. ***make a*** ~ ***of*** 〔(***a***)***round, in, through***〕 (Europe) (유럽)을 한 바퀴 돌다. ***on*** ~ 여행 중에; 순회 공연하여: He is *on* ~ in Europe. 그는 유럽을 여행 중이다.
— *vt.* ① …을 주유하다, 여행하다: Last year they ~*ed* Europe. 작년에 그들은 유럽을 여행했다. ② …을 보고 돌아다니다: ~ the museum 박물관을 견학하다. ③ (극단이, 지방 등)을 순회공연하다. — *vi.* ① 주유하다, 여행하다: ~ in 〔round〕 Italy 이탈리아를 여행하다. ② 지방 순회 공연을 하다.
tour de force [tùərdəfɔ́:rs] (*pl.* ***tours de force***) *n.* 《F.》 ① (*sing.*) 힘을 쓰는 재주, 절묘한 기술, 묘기. ② Ⓒ (예술상의) 역작, 대걸작.
tour·ism [túərizəm] *n.* Ⓤ ① 관광 여행. ② 관광 사업: *Tourism* has become a big industry. 관광 사업은 하나의 큰 산업이 되었다.
‡tour·ist [túərist] *n.* Ⓒ ① (관광) 여행자, 관광객: Many Japanese ~*s* are coming to Korea. 많은 일본인 관광객이 한국에 오고 있다. ② 순회〔원정〕 중의 스포츠 선수.
— *a.* 〔限定的〕 ① 여행자의〔를 위한, 에게 알맞은〕: a ~ party 관광단 / a ~ city 관광 도시 / the ~ industry 관광 산업. ② 투어리스트 클래스의.
— *ad.* (항공기·기선의) 투어리스트 클래스로: travel ~ 투어리스트 클래스로 여행하다.
tóurist àgency 여행사, 관광〔여행〕 안내소.
tóurist bùreau (정부의) 관광국; 여행사.
tóurist clàss (항공기·기선 따위의) 가장 요금이 싼 등급: The airline was only able to offer us seats in ~ at the back of the aircraft. 그 항공사는 비행기 뒷쪽의 하등 좌석만을 우리에게 제공할 수 있었다. ⓒⓕ cabin class.
tóurist hòme 여행자에게 돈받고 재워주는 민가, 민박 숙소(《英》 guest house).
tour·is·tic [tuərístik] *a.* (관광) 여행의; 관광객의.
***tour·na·ment** [túərnəmənt, tə́:r-] *n.* Ⓒ ① 선수권 대회; 승자 진출전, 토너먼트. ② (두 패로 나뉘는) 마상(馬上) 시합《중세 기사의》.
tour·ney [túərni, tə́:r-] *n.* = TOURNAMENT.
— *vi.* 마상 시합〔무술 시합〕에 참가하다.
tour·ni·quet [túərnikit, tə́:r-] *n.* Ⓒ 〖醫〗 지혈대(止血帶), 교압기(絞壓器).
tou·sle [táuzəl] *vt.* ① …을 거칠게 다루다. ② (머리)를 헝클다: ~*d* hair 헝클어진 머리.
— *n.* (*sing.*) 헝클어진 머리.
tout [taut] 《口》 *vi.* ① 《~ / +전+명》 손님을 끌다; 강매하다, 성가시도록 권유하다《*for*》: ~ *for* orders 귀찮게 주문을 권유하다. ② 《英》 (경마말·마굿간 등의) 상태를 염탐하다《*round*》, 정보를 제공하다. ③ 표를 웃돈을 붙여서 팔다, 암표상(노릇)을 하다. ── *vt.* ① …에게 끈덕지게 권하다, 졸라대다. ② …을 극구 칭찬〔선전〕하다. ③ 《英》 (경마 말 등의 정보)를 염탐〔제공〕하다. ④ (표)를 웃돈을 붙여서 팔다.
── *n.* Ⓒ ① (여관 따위의) 유객꾼. ② (경마의) 예상가. ③ 암표상.

tout en·sem·ble [tu:ta:nsa:mbl] 《F.》 ① (예술 작품 등의) 전체적 효과. ② 총체(總體), 전체, 전부.

tow [tou] *vt.* ① (배·자동차)를 밧줄〔사슬〕로 끌다, 견인하다 : ~ a wrecked car to a garage 고장차를 수리 공장으로 끌고가다. ② (어린애·개 따위)를 끌고 가다. ◇ towage *n.* ── *n.* Ⓒ.Ⓤ 밧줄로 끌기〔끌려가기〕, 견인(牽引). ***take*** 〔***have***〕 ***in*** 〔***on***〕 ~ (1) 밧줄로 끌다, (배를) 예인하다, 예항하다. (2) 지배하다 ; 거느리다. (3) (아무를) 맡다, 돌봐주다.

tow·age [tóuidʒ] *n.* Ⓤ ① 배끌(리)기, 예선(曳船). ② 배끄는 삯, 예선〔견인(牽引)〕료.

†**to·ward** [t(w)ɔ:rd, təwɔ́:rd] *prep.* ① 〔위치·방향〕 …쪽으로, …로 향하여, …에 면하여, …의 쪽을 향하여 : go ~ the river 강 쪽으로 가다 / walk ~ the hill 언덕을 향해 걷다 / turn ~ home (발길을 돌려서) 귀로에 오르다 / The house faces ~ the south. 그 집은 남향이다. ② 〔경향〕 …의 편으로, …을 향하여 : be drawn ~ new ideas 새 사상에 끌리다 / tend ~ the other extreme 정반대의 극단으로 향하다 / drift ~ war 점점 전쟁쪽으로 기울다. ③ 〔시간적·수량적 접근〕 …가까이, …경〔무렵, 쯤〕 : ~ noon 〔evening〕 정오〔저녁〕 무렵 / ~ the end of the century 그 세기도 끝날 무렵이 되어서 / He is ~ fifty. 그는 50 세에 가깝다. ④ 〔목적·기여·준비〕 …을 위해서, …의 일조(一助)로 ; …을 생각하여 : do much ~ it 그것을 위하여 크게 진력하다 / save money ~ the children's education 〔one's old age〕 아이들의 교육비를 위하여〔자기의 노후를 생각하여〕 저금하다. ⑤ 〔관계〕 …에 대하여, …에 관하여 : his attitude ~ us 우리에 대한 그의 태도 / cruelty ~ a lady 여성 학대 / feel kindly ~ a person 아무에 대하여 호의를 갖다.

‡**to·wards** [tɔ:rdz, təwɔ́:rdz] *prep.* ＝TOWARD.

tow·a·way [tóuəwèi] *n.* ① Ⓤ.Ⓒ 주차 위반 차량의 견인 철거. ② Ⓒ 주차 위반으로 견인되는 차. ── *a.* 〔限定的〕 주차 위반 차량을 끌어가는 : a ~ zone 주차 금지 구역《주차 위반 차량을 레커차로 견인해 감》.

tow·bar [tóubà:r] *n.* Ⓒ 견인봉(棒)《자동차 견인용 철봉》.

tow·boat [tóubòut] *n.* Ⓒ 예인선(tugboat).

‡**tow·el** [táuəl] *n.* Ⓒ 타월, 세수 수건 : a bath ~ 목욕 수건 / a dish ~ 행주 / Dry your hands with this ~. 이 수건으로 손을 닦으시오. ***throw*** 〔***toss***〕 ***in the*** ~ (1) 『拳』 (패배의 자인으로서) 타월을 (링 안에) 던지다. (2) 《口》 패배를 인정하다.
── (**-l-**, 《英》 **-ll-**) *vt.* …을 타월로 닦다〔훔치다〕 : ~ one's face 수건으로 얼굴을 닦다 / He ~*ed* himself dry. 그는 수건으로 몸을 닦았다.
── *vi.* 수건을 사용하다.

tow·el·ing, 《英》 **-el·ling** [táuəliŋ] *n.* Ⓤ 타월천.

†**tow·er** [táuər] *n.* Ⓒ ① 탑, 망루 : a bell ~ 종루(鐘樓) / a clock ~ 시계탑 / a keep ~ 본성(本城)의 망루. ② (공장 설비 등의) 탑 ; 고압선용 철탑 ; 철도 신호소 : a water ~ 급수탑. ③ 고층 건물(~ block) : new ~*s* in the downtown 도심지의 새 빌딩들. ④ 요새, 성채, 탑 모양의 감옥 ; 안전한 장소 ; 옹호자 ; 『史』 (바퀴 달린) 공성(攻城)탑. ***a*** ~ ***of ivory*** ＝ ***an ivory*** ~ 상아탑. ***a*** ~ ***of strength*** 크게 의지가 되는 사람, 간성, 옹호자. ***the Tower*** (***of London***) 런던탑.
── *vi.* ① 《＋前＋名 / ＋副》 우뚝 솟다《*above; over ; up*》 : ~ *against* the sky 공중에 우뚝솟다 / a spire ~*ing up to* the heavens 하늘 높이 치솟은 뾰족탑. ② 《＋前＋名》《比》 (한층) 뛰어나다《*above; over*》 : He ~*ed above* his contemporaries in intellect. 그는 지적으로 동시대의 사람들보다 훨씬 뛰어났었다.

tówer blòck 《英》 고층 빌딩, 고층 건축.

Tówer Brídge (흔히 the ~) 타워브리지《런던 Thames 강의 개폐교(開閉橋) ; 1894년 준공》.

***tow·er·ing** [táuəriŋ] *a.* 〔限定的〕 ① 높이 솟은(lofty) : a ~ mountain 높이 솟은 산. ② 큰, 고원(高遠)한 : a man of ~ ambitions 큰 야심을 품은 사람. ③ 심한, 격심한 : in a ~ rage 격노하여.

tow·hee [táuhi:, tóu-] *n.* Ⓒ 피리새류《북아메리카산》.

tow·line [tóulàin] *n.* Ⓒ (배·자동차 등을) 끄는 밧줄〔쇠사슬〕, 견인삭(索).

†**town** [taun] *n.* ① Ⓒ 읍《village 보다 크고 city 의 공칭이 없는 것》 : a ~ marshal 《美》 (읍의) 경찰서장 / ⇨ MARKET TOWN. ② (the ~) 도회지《country와 대조해서》 : leave *the* ~ for the country 도회지를 떠나서 시골로 가다 / Many people go into ~ from New Jersey on weekends. 많은 사람들이 주말에는 뉴저지에서 도회지로 간다. ③ 〔冠詞 없이〕 **a**) 수도 ; (종종 T-) 《英》 《특히》 런던 ; 살고 있는 도시, 근처의 도시 : out of ~ 도시를〔서울로〕 떠나, 시골로 가 / come to ~ 도시로 가다, 상경하다 / be 〔live〕 in ~ 도시에 있다〔살고 있다〕. **b**) 시내의 지구 ; 《특히》 상가 ; 지방의 중심지 : live up ~ 주택 지대에 살다 / I've been ~ all the morning. 오전 내내 시내에 있었다. ④ (the ~) 〔集合的 ; 單·複數취급〕 시민, 읍민 : *The* whole ~ knows of it. 읍내 사람치고 그걸 모르는 사람은 없다 / It's the talk of *the* ~. 온 읍내에서 화젯거리다. ***go to*** ~ (1) 읍〔런던〕에 가다. (2) 《口》 큰 돈을 쓰다《*on ; over*》 ; 흥청거리다. (3) 《口》 …을 열심히 논(論)하다. ***in*** ~ 상경〔재경〕하여. (***out***) ***on the*** ~ 《口》 (특히) 밤에 흥청거리며, 환락에 빠져. ***paint the*** ~ (***red***) ⇨ PAINT. ── *a.* 〔限定的〕 읍의, 도회의 : ~ life 도회 생활.

tówn clérk 읍〔시〕사무소 서기.

tówn cóuncil 〔集合的〕 《英》 읍〔시〕의회.

tówn cóuncil(l)or 읍의회〔시의회〕 의원《略 : TC》.

tówn críer 『史』 포고 사항을 알리고 다니던 고을의 관원.

town·ee [tauní:] *n.* Ⓒ 《蔑》 도시 사람.

tówn gàs 《英》 도시 가스.

tówn háll 읍사무소, 시청 ; 시공회당.

tówn hòuse ① (시골에 country house 를 가진 귀족 등의) 도회지의 딴 저택(cf. country seat). ② 연립〔공동〕 주택《한 벽으로 연결된 2-3 층의 주택》. ③ 《英》 ＝TOWN HALL.

town·ie [táuni] *n.* ＝TOWNEE.

town·i·fy [táunəfài] *vt.* …을 도시풍으로 하다 ; 도시화하다.

town·ish [táuniʃ] *a.* 도시 같은, 도시풍의.

tówn méeting ① 시민 대회. ② 《美》 읍〔시〕 대표자회.

tówn plánning 도시 계획(city planning).

town·scape [táunskèip] *n.* Ⓒ 도시 풍경(화)).

towns·folk [táunzfòuk] *n. pl.* =TOWNSPEOPLE.

***town·ship** [táunʃip] *n.* Ⓒ ① 《美·Can.》 군구(郡區) 《county 의 일부》. ② 〖英史〗 읍구《parish 속의 한 소구획》. ③ 《南아》 (도시의) 비(非)백인 거주구.

towns·man** [táunzmən] (*pl.* ***-men [-mən]; *fem.* ***-wòm·an,*** *fem. pl.* ***-wòm·en***) *n.* Ⓒ ① 도회지 사람. ② 읍민, 같은 읍내 사람.

towns·peo·ple [táunzpìːpl] *n.* 〔集合的; 複數 취급〕 도시 사람; (특정한 도시의) 시민, 읍민: Increasing number of ~ are moving to live in the countryside. 증가하는 도시 인구가 시골에 거주하기 위해 이주하고 있다.

tówn tàlk 읍내의 소문; 동네〔거리〕의 화제, 가십거리.

towny [táuni] *n.* 《美口》 =TOWNEE.

tow·path [tóupæ̀θ, ˊpɑ̀ːθ] *n.* Ⓒ (강·운하 연안의) 배끄는 길.

tow·rope [tóuròup] *n.* =TOWLINE.

tów trùck =WRECKER ③.

tox·e·mia, (英) **tox·ae·mia** [tɑksíːmiə / tɔk-] *n.* Ⓤ 〖醫〗 ① 독혈증. ② 임신 중독증.

tox·e·mic [tɑksíːmik / tɔk-] *a.* 독혈증〔임신 중독증〕의 징후가 있는.

tox·ic [tάksik / tɔ́k-] *a.* ① 독(성)의; 유독한: a highly ~ substance 맹독 물질. ② 중독(성)의: ~ epilepsy 중독성 간질병 / ~ anemia 중독성 빈혈증.

tox·i·col·o·gist [tὰksikάlədʒist / tɔ̀ksikɔ́l-] *n.* Ⓒ 독물(毒物)학자.

tox·i·col·o·gy [tὰksikάlədʒi / tɔ̀ksikɔ́l-] *n.* Ⓤ 독물학.

tox·in [tάksin / tɔ́k-] *n.* Ⓒ 독소(毒素).

†**toy** [tɔi] *n.* Ⓒ ① 장난감, 완구: play with ~*s* 장난감을 가지고 놀다 / Jayne is so pleased with her new car, she's like a child with a new ~. 제인은 새 차로 인해 무척 즐거워하는데 새 장난감을 가진 어린아이 같다. ② 시시한 것, 싸구려 물건. ***make a ~ of*** …을 가지고 놀다; 장난하다: He *makes a ~ of* his car. 그는 차를 장난감으로 알고 있다.

— *vi.* ① 《+전+명》 장난하다, 가지고 놀다; (…을) 적당히 생각하다《*with*》: I'm ~*ing with* the idea of buying a car. 차나 한 대 살까 생각하고 있다 / She was ~*ing with* her rings. 그녀는 반지를 만지작거리고 있었다. ② (…을 갖고) 놀다《*with*》: He ~*ed with* his lead soldiers all morning. 그는 아침내내 납으로 된 장난감 병정을 갖고 놀았다.

tóy bòy 《英口》 (연장인 여자의) 젊은 연인〔애인〕, 제비족. 「점.

toy·shop [tɔ́iʃὰp / -ʃɔ̀p] *n.* Ⓒ 장난감 가게, 완구

tóy sóldier ① 장난감 병정. ② 평화시의 군인.

†**trace**[1] [treis] *vt.* ① 《~+목 / +목+전+명 / +목+부》 …의 자국을 밟다〔쫓아가다〕, 추적하다《*out*》; …의 행방을 찾아 내다《*to*》: ~ deer 사슴을 추적하다 / ~ the footprints of the thief 도둑의 발자취를 추적해 가다 / The criminal was ~*d to* Chicago. 범인은 시카고까지 추적당했다 / ~ a person *out* 아무를 찾아내다. ② 《+목+전+명 / +목+부》 …의 출처를〔유래를, 기원을〕 조사하다, 더듬어 올라가 (원인)을 조사하다《*back*》: ~ a river to its source 강을 그 수원까지 더듬어 올라가다 / ~ an evil *to* its source 악의 근원을 캐다 / ~ one's family *back* 족보를 더듬어 올라가 조사하다. ③ 《+목+전+명》 …의 흔적을 발견하다, (조사에 의해서) 알다: ~ one's ancestry *to* the Pilgrim Fathers 선조를 조사하여 필그림 파더스였음을 알다. ④ (길)을 따라가다: ~ a track 오솔길을 따라가다. ⑤ 《~+목 / +목+부》 (선)을 긋다, (윤곽·지도 등)을 그리다, …의 도면을 그리다; 계획하다, 획책하다《*out*》: ~ *out* a rough map 약도를 그리다 / ~ *out* the plan of a house 가옥의 도면을 그리다 / ~ *out* a basic policy 기본 정책을 입안하다. ⑥ …을 공을 들여(천천히) 쓰다: He ~*d* his name with a shaking hand. 그는 떨리는 손으로 자기의 이름을 간신히 썼다. ⑦ …을 투사하다, 트레이스하다, 복사하다, 베끼다(copy): make a copy of the drawing by *tracing* it 도면을 트레이스하여 복사를 만들다.

— *n.* ① Ⓤ.Ⓒ (흔히 *pl.*) **a)** 발자국, 바퀴자국, 쟁기 자국《따위》: the ~*s* of ski in the snow 눈 위에 남은 스키 자국 / We saw ~*s* of a bear in the snow. 우리는 눈에서 곰의 발자국을 발견했다. **b)** 자취, 흔적; 영향, 결과: ~*s* of an ancient civilization 옛 문명의 자취 / The war has left its ~(*s*). 전쟁은 그 자취를 남기고 있다 / He attempted to cover up all the ~*s* of his crimes. 그는 그의 범죄의 흔적을 모두 은폐하려고 시도했다. ② Ⓒ (흔히 *sing.*) 기운, 기색, 조금: a mere ~ of a smile 엷은 미소 / He betrayed not a ~ of fear. 조금도 무서워하는 기색을 보이지 않았다. ③ Ⓒ 선(線), 도형; (군사 시설 등의) 배치도, 겨냥도. ④ Ⓒ 자동 기록 장치의 기록. ⑤ Ⓤ.Ⓒ 〖컴〗 뒤쫓기, 추적《(1) 프로그램의 실행 상황을 자세히 추적함. (2) 추적 정보. (3) 추적하는 프로그램(tracer)》. (***hot***) ***on the ~s of*** …에 바싹 뒤따라 붙어, …을 추적 중. ***lose*** (***all***) ***~ of*** …의 발자취를 (완전히) 놓치다; …의 거처를 (전혀) 모르게 되다.

trace[2] *n.* Ⓒ (마소가 수레를 끌기 위한) 끌잇줄: in the ~*s* 끌잇줄에 매어서. ***kick*** 〔***jump***〕 ***over the ~***(***s***) (사람이) 지배에서 벗어나다, 말을 듣지 않다, 반항하기 시작하다.

trace·a·ble [tréisəbəl] *a.* trace[1] 할 수 있는.
㊎ **tràce·a·bíl·i·ty** [-əbíləti] *n.*

tráce èlement 〖生化〗 미량(微量) 원소.

trac·er [tréisər] *n.* Ⓒ ① 추적자(者). ② 모사자(模寫者), 등사공. ③ 줄 긋는 펜, 철필; 사도기(寫圖器), 투사기. ④ 분실물 수색계원; 《美》 분실 우편물〔화물〕 수색 조회장(照會狀). ⑤ 〖軍〗 = TRACER BULLET. ⑥ 〖物·化·醫〗 추적자(子), 트레이서《물질의 행방·변화를 추적하는 데 쓰는 방사성 동위 원소》.

trácer bùllet 예광탄.

trac·ery [tréisəri] *n.* Ⓒ.Ⓤ ① 〖建〗 트레이서리《고딕식 창 위쪽의 장식적 뼈대》. ② 트레이서리 무늬《조각·자수 등의 그물코 무늬》.

tra·chea [tréikiə / trəkíːə] (*pl.* ***~s, -cheae*** [-kiìː, -kíːiː]) *n.* Ⓒ 〖解〗 기관, 호흡관(windpipe).
㊎ **-che·al** [-l] *a.*

tra·cho·ma [trəkóumə] *n.* Ⓤ 〖醫〗 트라코마, 트라홈, 과립성 결막염《눈병의 하나》.

***trac·ing** [tréisiŋ] *n.* ① **a)** Ⓤ 투사, 복사, 트레이싱. **b)** Ⓒ 투사물. ② Ⓤ 추적; 근원캐기, 소원(溯源), 천착(穿鑿). ③ Ⓒ 자동 기록장치의 기록《지진계의 그래프 따위》.

trácing pàper 트레이싱 페이퍼, 투사지.

‡**track** [træk] *n.* ① Ⓒ (종종 *pl.*) **a)** (차·배 등이) 지나간 자국, 흔적; 바퀴 자국; 항적(航跡); (사냥개가 좇는 짐승의) 냄새 자국: There was a pair of clear car ~*s* on the road. 도로에는 자동차 바퀴 자국이 두 줄로 뚜렷이 나 있었다. **b)** (사람·동물의) 발자국: the ~*s* of a rabbit 토끼의 발자국 / leave one's ~*s* 발자국을 남기다 / The police are on the ~ of the killer. 경찰은 살인자

가 지나간 흔적을 추적하고 있다. ② Ⓒ 통로, 밟아 다져져 생긴 길, 소로 : a ~ through the forest 숲의 오솔길. ③ Ⓒ (인생의) 행로, 진로 ; 상도(常道) ; 방식 : the beaten ~ 정해진 방식 ; 상도(常道), 관례 / go along in the same ~ year after year 해마다 같은 행로를 걸어가다. ④ Ⓒ 진로, 항로 : the ~ of a comet 혜성의 진로 / the ~ of the storm 폭풍의 진로. ⑤ Ⓒ 증거 ; 단서 : get on the ~ of …의 실마리를 잡다. ⑥ Ⓒ《美》선로, 궤도 : a single 〔double〕 ~ 단선〔복선〕/ The train left the ~(*s*). 열차가 탈선했다. ⑦ **a)** Ⓒ (경마의) 주로(走路), 경주로, 트랙(OPP. *field*) : a ~ meeting 육상 경기회 / a cycling ~ 자전거 경주로. **b)** Ⓤ 〔集合的〕 (필드 경기에 대하여) 트랙 경기 : ⇨INSIDE TRACK. ⑧ Ⓒ (자동차 등의) 양쪽 바퀴의 간격, 윤거(輪距) ; 《美》(철도의) 궤간(軌間). ⑨ Ⓒ (전차·트랙터의) 무한 궤도, 캐터필러. ⑩ Ⓒ **a)** (자기(磁氣)테이프의) 음대(音帶) ; (레코드의) 홈(band) ; 테이프에 녹음된 곡 : I like the first ~ on this side. 나는 이 면의 맨 처음의 곡을 좋아한다. **b)** (영화 필름의) 녹음대, 사운드 트랙(sound track). ⑪ Ⓒ 〖컴〗(저장)테,(디스크의) 트랙 ***clear the*** ~ 길을 트다 ; 〔명령〕 비켜. ***cover*** (***up***) one***'s*** ~***s*** (부정 행위 등의) 증거를 감추다 ; 자기 의도 (따위)를 숨기다. ***in*** one*'s* ~*s* 《口》 즉석에서 ; 즉시. ***in the*** ~ ***of*** …의 예에 따라서 ; …의 도중에 ; …을 좇아가서. ***keep*** ~ ***of*** …을 놓치지 않고 따라가다 ; …을 주의해 지켜보다 : You must *keep* ~ *of* where you put things. 물건 놓은 자리를 늘 기억하고 있어라. ***lose*** ~ ***of*** …의 소식이 끊어지다 ; …을 놓치다. ***off the beaten*** ~ (1) (장소 등) 잘 알려져 있지 않은, 인적이 드문. (2) 상도를 벗어나 ; 익숙지 않아. ***on the right*** 〔***wrong***〕 ~ (생각 따위가) 타당하여 〔그릇되어〕. ***on the*** ~ (1) 추적하여, 단서를 잡아서《*of*》. (2) 궤도에 올라. ***throw . . . off the*** ~ (추적자를) 따돌리다.

— *vt.* ①《~+目 / +目+前+名 / +目+副》 …의 뒤를 좇다, 추적하다 ; 추적하여 잡다《*down*》: ~ a bear 곰을 추적하다 / ~ a lion *to* its covert 사자를 숨은 곳까지 추적하다 / The police ~*ed down* the criminal. 경찰은 범인을 추적 체포했다. ②《~+目 / +目+副 / +目+前+名》《美》(마루 등)에 발자국을 내다 ; (진흙·눈 따위)를 발에 묻혀 오다 : Don't ~ *up* the new rug. 새 융단을 더럽히지 마라 / ~ mud *into* the house 집안으로 진흙을 묻혀 들이다. ③ (레이더 등 계기로 미사일·우주선 등)의 진로〔궤도〕를 관찰〔기록〕하다.

— *vi.* ① (바늘이) 레코드의 홈을 따라가다. ② (양쪽 바퀴가) 일정 간격을 유지하다, 궤도에 맞다. ③〖映·TV〗(카메라맨이) 이동하며 촬영하다.

tráck and fíeld 〔集合的〕 육상 경기.

tráck bàll 〖컴〗(저장) 테공《공(ball)을 손가락으로 회전시켜 CRT 화면상의 cursor를 이동시키는 위치지시 장치》.

track·er [trǽkər] *n.* Ⓒ ① 추적자〔하는 것〕. ② (냄새로 추적하는) 경찰견(tracker dog).

tráck evènts 트랙 종목〔경기〕《러닝·허들 따위》. OPP. *field event.*

track·ing [trǽkiŋ] *n.* Ⓤ ①〖宇宙〗(레이더에 의한 로켓·미사일의) 추적. ②〖美教〗 능력〔적성〕별 학급 편성(《英》 streaming).

trácking stàtion (우주선 등의) 추적 기지.

track·lay·er [trǽklèiər] *n.* Ⓒ ①《美》 선로 부설공, 보선원(《英》 platelayer). ② 무한 궤도차.

track·less [trǽklis] *a.* ① 길이 없는 ; 인적 미답(人跡未踏)의 : a ~ jungle 인적미답의 정글. ② 무궤도의 : a ~ trolley 《美》 트롤리 버스.

tráck mèet 《美》 육상 경기 대회.

tráck rècord ① 트랙 경기의 성적. ② (회사의) 현재까지의 업적, 실적.

tráck shòe (흔히 *pl.*) (육상 선수의) 운동화〔스파이크〕.

tráck sùit 트랙슈트《운동 선수의 보온복》.

tráck sỳstem 〖美教〗 능력〔적성〕별 학급편성 방식.

‡tract[1] [trækt] *n.* Ⓒ ① (지면·하늘·바다 등의) 넓이 ; 넓은 지면, 토지 ; 지역 ; 지방 : a ~ of land 넓은 토지 / a wooded ~ 넓은 삼림 지대 / large ~*s* for settlement 광대한 이주지. ② 〖醫·解〗 **a)** 관(管), 도(道), 계통 : the digestive ~ 소화관. **b)** (신경 섬유의) 다발, 속(束).

***tract**[2] *n.* Ⓒ (소)논문, (특히 종교·정치 관계의) 팸플릿, 소책자. ◇ tractate *n.*

trac·ta·ble [trǽktəbəl] *a.* 유순한, 온순한 ; 다루기 쉬운, 세공하기 쉬운.

㊞ **-bly** *ad.* **trac·ta·bil·i·ty** [-bíləti] *n.*

trac·tate [trǽkteit] *n.* Ⓒ 논문 ; 소책자.

trac·tion [trǽkʃən] *n.* Ⓤ ① 끌기, 견인(력). ② (차 바퀴의 선로에 대한) 정지(靜止) 마찰. ③〖生理〗(근육의) 수축. ④ 공공 수송 업무. ⑤〖醫〗(골절 치료 등의) 견인.

tráction èngine 견인 기관차.

trac·tive [trǽktiv] *a.* 끄는, 견인하는.

***trac·tor** [trǽktər] *n.* Ⓒ ① 트랙터, 견인(자동)차 : a farm ~ 경작용 트랙터. ② 견인 기관차.

trac·tor-trail·er [-tréilər] *n.* Ⓒ 트레일러 트럭《트레일러를 연결한 큰 트럭》.

trad [træd] 《英口》 *a.* (재즈가) 트래드한.

— *n.* Ⓒ 트래드, 전통적 재즈(스타일)《1950 년대에 리바이벌된 1920-30 년대의 영국 재즈》.

†trade [treid] *n.* ① **a)** Ⓤ 매매, 상업, 장사, 거래, 무역, 교역 ; (commerce 에 대하여) 소매업. cf. business. ¶ home 〔domestic〕 ~ 국내 거래 / foreign ~ 외국 무역 / He is in ~. 장사를 하고 있다 / *Trade* was good last year. 작년은 거래가 활발했었다 / get into ~ 장사를〔사업을〕 시작하다. **b)** Ⓤ,Ⓒ 《美》 (물물) 교환(exchange). **c)** Ⓒ 〖野〗(선수의) 트레이드. ② Ⓒ 직업(cf. occupation) ; 직(職), 《특히》 손일 : He is a mason by ~. 그의 직업은 석공이다 / furniture ~ 가구업 / Every man for his own ~. =Everyone to his ~. 《俗談》 사람은 제각기 장기가 있는 법 / Two of a ~ never 〔seldom〕 agree. 《俗談》 장삿샘이 시앗샘. ③ Ⓤ 〔集合的〕 (흔히 the ~) **a)** 동업자, 소매업자 ; …업, …업계 : *the* tourist ~ 관광업 / *the* publishing ~ 출판업계〔업자들〕/ *The* automobile ~ will welcome the measure. 자동차업자들은 그 조치를 환영할 것이다 / discount to *the* ~ 동업자 할인. **b)** 《英》 주류 판매업자. ④ Ⓤ 《美》 고객, 거래처 : The store has a lot of ~. 그 가게에는 손님이 많다. ⑤ (the ~s) 무역풍(~ wind). ***be in*** ~ 장사하고 있다, 가게를 가지고 있다. ***carry on*** 〔***follow***〕 ***a*** ~ 직업에 종사하다, 장사를 하다. ***do a busy*** ~ =***drive*** 〔***do, make***〕 ***a roaring*** ~ 장사가 번창하다.

— *vi.* ①《~ / +前+名》 장사하다, 매매하다《*in*》; 거래〔무역〕하다《*with*》: ~ *in* rice 쌀 장사를 하다 / He ~*s in* cotton. 그는 면직물 장사를 하고 있다 / Our company ~*s with* Great Britain. 우리 회사는 영국과 무역을 하고 있다. ②《+前+名》 (배가) 화물을 운송하다, 다니다《*to*》: The ship ~*s between* London and Lisbon. 그 배는 런던과 리스본 사이를 물품을 싣고 다닌다. ③《+前+名》 물건을 사다 : She ~*s at* my shop when she is in town. 그녀는 시내에 나오면 우리

가게에서 물건을 산다. ④《+전+명》 교환하다, 바꾸다: If he doesn't like it, I will ~ *with* him. 그가 그것을 안 좋아한다면 내것과 교환하겠소. ⑤《+전+명》 (…을 나쁘게) 이용하다, 기화로 삼다: It's not good to ~ *on*〔*upon*〕 other people's ignorance. 남의 무지를 악용하는 것은 좋지 않다.
— *vt.* ①《+목+부》 …을 팔아버리다《*away; off*》: ~ *off*〔*away*〕 one's furniture 가구를 팔아버리다. ②《~+목/+목+전+명》 …을 서로 교환하다: ~ seats *with* a person 아무와 자리를 바꾸다 / They were standing in the middle of the yard *trading* insults. 그들은 광장 한가운데 서서 욕설을 주고받고 있었다. ~ ***in*** …을 웃돈을 얹어주고 신품과 바꾸다《*for*》: He ~*d in* his car *for* a new car. 그는 웃돈을 얹어주고 새 차를 샀다. ~ ***off*** …을 다른것과 교환하다 ~ ***on***〔***upon***〕…을 이용〔악용〕하다: He ~*s on* his past reputation. 자기의 과거의 명성을 이용하고 있다. ~ ***up*** 고급품으로 바꾸어 사다; (차액을 중고차 등으로 주고) 고급품을 사다.

tráde assoċiàtion 동업 조합, 동업자 단체.
tráde cỳcle 《英》 경기 순환(《美》 business cycle).
tráde dèficit 무역 적자.
tráde edìtion (호화판·교과서판 등에 대하여) 시중판(版), 보급판.
tráde fàir (산업〔무역〕) 박람회.
tráde frìction 무역 마찰.
tráde gàp (한 나라의) 무역 결손〔적자〕.
tráde jòurnal 업계 잡지, 업계지(誌).
***trade·mark** [ˊ-mɑ̀ːrk] *n.* Ⓒ ① (등록) 상표, 트레이드마크《略: TM》. ② (사람·행동 등의 특징이 되는) 트레이드마크.
tráde nàme ① 상표〔상품〕명. ② 상호, 옥호.
trade-off [ˊ-ɔ̀ːf / -ɔ̀f] *n.* Ⓒ (보다 유리한 것을 얻기 위해 무언가를 내놓고 하는) 거래, 흥정.
tráde pàper 업계 신문, 업계지(紙).
tráde prìce 도매 가격, 업자간의 가격.
‡**trad·er** [tréidər] *n.* Ⓒ ① 상인, 무역업자: a fur ~ 모피 상인. ② 상선, 무역선.
tráde sécret 기업 비밀.
trades·man** [ˊ-zmən] (*pl.* ***-men [ˊ-zmən]) *n.* Ⓒ ① 상인; (특히) 소매 상인. ② 점원, (상품) 배달원.
trades·peo·ple [ˊ-zpìːpl] *n. pl.* 〔集合的〕 상인; (특히) 소매상인.
tráde súrplus 무역 수지의 흑자.
tráde ùnion 노동 조합(《美》 labor union).
tráde únionism 노동 조합주의〔조직〕.
tráde únionist 노동 조합원, 노동 조합주의자.
tráde wàr 무역 전쟁.
tráde wìnd 무역풍.
***trad·ing** [tréidiŋ] *n.* Ⓤ ① 상거래, 무역. ②《美》 (정당간 따위의) 타협, 담합.
tráding estáte 《英》 ⇨ INDUSTRIAL PARK.
tráding pòst (미개지 주민과의) 교역소.
‡**tra·di·tion** [trədíʃən] *n.* Ⓒ,Ⓤ ① 전설; 구비(口碑), 구전, 전승(傳承): The stories of Robin Hood are based mainly on ~(*s*). 로빈후드의 이야기는 주로 구전에 근거를 두고 있다. ② 전통, 관습, 인습: keep up the family ~ 가문의 전통〔관습〕을 지키다 / It is a ~ in my family for the youngest son to live with the parents. 막내 아들이 양친과 동거하는 것이 우리 집안의 관습이다. ***be handed down by*** ~ 말로 전해 내려오다: a story *handed down by* (popular) ~ (민간) 전승에 의해 전해 내려온 이야기. ***Tradition runs***〔***says***〕 ***that . . . .*** …라고 전해지고 있다.

tra·di·tion·al** [trədíʃənəl] (more*** ~; ***most*** ~) *a.* ① 전통의, 전통적인; 관습의, 인습의: The school uses a combination of modern and ~ methods for teaching reading. 학교에서는 읽기를 가르치는 데 있어 현대적 방법과 전통적 방법을 겸용한다. ② 전설의, 전승의〔에 의한〕: a ~ fairy story 전해 오는 옛이야기. ③ (재즈가) 전통적인《1900-20년경의 New Orleans에서 연주된 양식의》.
tra·di·tion·al·ism [trədíʃənəlìzəm] *n.* Ⓤ 전통〔인습〕 고수; 전통주의. ⊞ **-ist** *n.* 전통주의자.
tra·di·tion·al·ly [trədíʃənəli] *ad.* ① 전통적으로, 전통에 따라: *Traditionally* the Korean worship their ancestors. 전통적으로 한국인은 조상을 숭배한다. ② 관례〔전승〕에 따라, 관례상.
tra·duce [trədjúːs] *vt.* (남)을 비방〔중상〕하다.
Tra·fal·gar [trəfǽlgər] *n.* (Cape ~) 트라팔가 곶《스페인 남서의 곶; 여기서 Nelson이 1805년 10월 스페인·프랑스 연합 함대를 격파》.
Trafálgar Squáre (런던의) 트라팔가 광장《중앙에 Nelson상(像)을 올려놓은 기념주(記念柱)가 있음》.
†**traf·fic** [trǽfik] *n.* Ⓤ ① 교통(량), (사람·차의) 왕래, 사람의 통행: ~ regulations 교통 규칙 / ~ violation 교통 (규칙) 위반 / ~ volume 교통량 / heavy ~ 격심한 교통량 / block the ~ 교통 방해를 하다 / control〔regulate〕 ~ 교통을 정리〔규제〕하다 / The ~ was entirely crippled for the day. 교통은 그날 하루 완전히 마비되었다. ② 운수업, 수송(량): passenger ~ 여객 운수업 / The ~ on the railroad lines was interrupted for several hours. 철도 수송은 몇 시간 동안 정지되었다. ③ 장사, 매매, (종종, 부정한) 거래, 교역, 무역《*in*》: ~ *in* pearls 진주 장사〔의 매매〕/ human ~ 인신 매매 / ~ *in* slaves 노예 매매 / the ~ *in* votes 투표의 부정 거래. ④ (정보·의견 등의) 교환: Free ~ *in* ideas is essential in a democracy. 민주 국가에서는 자유로운 의견 교환이 필수적이다. ***be open to***〔***for***〕 ~ …을 개통하다.
— *a.* 〔限定的〕 교통의: a ~ accident 교통 사고.
— (*p., pp.* ***-ficked*** [-t]; ***-fick·ing*** [-iŋ]) *vi.* ①《+전+명》 장사하다, (특히 부정한) 매매를〔거래, 무역을〕 하다: ~ *in* goods〔jewelry〕 상품을〔보석류를〕 매매하다 / ~ *with* the natives *for* opium 현지인과 아편 거래를 하다. ②《+전+명》 교섭을 갖다, 교제하다: I refuse to ~ *with* such a liar. 이런 거짓말쟁이와의 교제는 싫다.
traf·fi·ca·tor [trǽfəkèitər] *n.* Ⓒ 《英》 (자동차의) 방향 지시기. [◂ *traffic* indic*ator*]
tráffic cìrcle 《美》 로터리(《英》 roundabout).
tráffic contról sỳstem 〖컴〗 소통 제어체계《차량 주행이 구역(block) 신호에 따라 제어되는 체계》.
tráffic còp 《美口》 교통 순경.
tráffic còurt 교통 위반 즉결 재판소.
tráffic ìndicator 《英》 = TRAFFICATOR.
tráffic ìsland 교통섬《큰 길 위에 섬처럼 마련된 보행자 보호 구역》. ⓒⓕ safety island.
tráffic jàm 교통 체증〔마비〕.
traf·fick·er [trǽfikər] *n.* Ⓒ (악덕) 상인: a drug ~ 마약 매매인 / a ~ in slaves 노예 상인.
***tráffic lìght** (교차점의) 교통 신호등.
tráffic sìgn 교통 표지.
tráffic sìgnal = TRAFIC LIGHT.
tráffic wàrden 《英》 교통 단속원《주차 위반 단속, 아동 교통지도 등을 하는 경찰 보조자》.
‡**trag·e·dy** [trǽdʒədi] *n.* Ⓤ,Ⓒ ① 비극. ⓞⓟⓟ. *comedy*. ¶ *Hamlet* is one of Shakespeare's

greatest *tragedies.* 햄릿은 셰익스피어의 가장 위대한 비극의 하나다 / a ~ king〔queen〕 비극 배우〔여배우〕/ The ~ of it! 이 무슨 비극인가 / She acted brilliantly in Greek ~. 그녀는 그리스 비극을 훌륭하게 연기했다. ② 비극적 장면〔사건〕, 참사, 참극 ; 불운(한 일) : It is a ~ that thousands of children die of hunger every year. 해마다 수천명의 아이들이 굶어 죽는다는 것은 참혹한 일이다.

‡trag·ic [trǽdʒik] (***more*** ~ ; ***most*** ~) *a.* ① 비극의(opp *comic*), 비극적인 : a ~ actor〔poet〕 비극 배우〔시인〕. ② 비참한, 비통한 : a ~ death 비참한 죽음 / a ~ cry 비통한 울부짖음.
— *n.* (the ~) 비극적 요소〔표현〕.

trag·i·cal [trǽdʒikəl] *a.* =TRAGIC.
㊞ **~·ly** [-əli] *ad.* 비극적으로, 비참하게.

trag·i·com·e·dy [trӕdʒəkɑ́mədi / -dʒikɔ́m-] *n.* U,C 희비극《비유적으로도 씀》.

trag·i·com·ic, -i·cal [trӕdʒəkɑ́mik / -dʒikɔ́m-], [-kəl] *a.* 희비극의, 희비극적인.
㊞ **-i·cal·ly** [-ikəli] *ad.*

‡trail [treil] *vt.* ①《~+목 / +목+전+명 / +목+부》…을 (질질) 끌다, 끌고 가다 : ~ one's skirt 스커트를 질질 끌(며 가)다 / ~ a toy cart *by*〔*on*〕 a piece of string 장난감 자동차를 끈으로 질질 끌다 / He ~*ed along* his wounded leg. 그는 다친 다리를 질질 끌며 걸었다. ②《~+목 / +목+전+명》…의 뒤를 밟다, …을 추적하다 : ~ a wild animal 야수를 뒤쫓다 / ~ a person *to* his house 집까지 아무의 뒤를 밟아가다. ③ (예고편에서 영화·TV 등)을 선전하다.
— *vi.* ①《+부 / +전+명》(질질) 끌리다 ; (머리카락이) 늘어지다 : Her long dress was ~*ing along*〔*on* the floor〕. 그녀의 긴 드레스가 (마루에) 질질 끌렸다. ②《+전+명》(덩굴이) 붙어서 뻗어가다 : vines ~*ing over* the walls 벽 위로 뻗어가는 덩굴. ③《+전+명》꼬리를 끌다 ; (구름·안개 따위가) 길게 뻗치다 : Smoke ~*ed from* the chimney. 연기가 굴뚝에서 길게 피어 올랐다. ④《+부 / +전+명》발을 질질 끌며 가다, 천천히 나아가다 : The tired children ~*ed along behind* their father. 지친 아이들은 아버지 뒤에서 발을 질질 끌며 걸었다. ⑤《+부 / +전+명》(소리 따위가) 점차 사라지다〔약해지다〕《*away* ; *off*》: Her voice ~*ed away into* silence. 그녀의 목소리는 점점 작아지면서 스러졌다.
— *n.* C ① **a**) 뒤로 길게 늘어진 것 ; (혜성 따위의) 꼬리 ; (구름·연기 따위의) 길게 뻗침 : a ~ of smoke 길게 뻗은 연기 / vapor ~*s* 비행기 구름. **b**) (사람·차 따위의) 줄, 열. **c**) 긴 옷자락. **d**) 늘어뜨린 머리카락. ② **a**) 자국, 발자국, 지나간 흔적, 밟은 자국, 질질 끌린 자국 ; 선적(船跡), 항적(航跡) : a ~ of destruction 파괴의 자취 / The wounded criminal left a ~ of blood. 부상한 범인은 핏자국을 점점이 남겼다. **b**) (짐승의) 냄새 자국〔자취〕; (수색 등의) 실마리 : lose the ~ 냄새자국을 잃다. ③ (황야나 미개지의) 오솔길 : He followed a narrow ~ over the mountain. 그는 좁은 오솔길을 따라가 산을 넘었다. ***off the*** ~ (사냥개가) 냄새 자국을 잃고, 쫓다가 놓쳐 : put pursuers *off the* ~ 추적자를 따돌리다.

tráil bìke 트레일 바이크《험로(險路)용 소형 오토바이》.

***trail·er** [tréilər] *n.* C ① (땅 위로) 끄는 사람〔것〕; 추적자. ② **a**) 트레일러, (트랙터 등에 의해 끌리는) 부수차(附隨車). **b**) (자동차로 끄는) 이동주택 : The car was pulling a ~, which carried a racing motorcycle. 그 차는 트레일러를 끌고 있었는데 거기에는 경주용 모터 사이클을 싣고 있었다. ③〖映〗 예고편 : I saw a ~ for the latest Spielberg film and thought it looked quite interesting. 나는 최근 스필버그 영화의 예고편을 보았는데 아주 재미 있을 것 같았다. ④ 만초(蔓草).

tráiler càmp〔**còurt, pàrk**〕(삼림(森林)·공원 등의) house trailer 주차 지정구역.

†train [trein] *n.* C ① 열차, 기차, 전동차《2량 이상 연결되어 달리는 것》: a local〔an accommodation〕~ 보통 열차 / an express ~ 급행 열차 / a passenger〔a freight,《英》goods〕~ 여객〔화물〕 열차 / a down〔an up〕~ 하행〔상행〕 열차 / take the 9 a.m. ~ for Washington 오전 9시 발 워싱턴행 열차를 타다 / I missed〔just caught〕 my ~. 나는 열차를 놓쳤다〔간신히 탔다〕/ travel〔go〕 by ~ 열차로 여행하다〔가다〕/ get into〔out of〕 a ~ =get on〔off〕 a ~ 열차를 타다〔에서 내리다〕. ② (흔히 *sing.*) (사람·동물·차 따위의) 열, 행렬 : a ~ of covered wagons 포장 마차의 행렬 / a funeral ~ 장례 행렬 / a long ~ of sightseers 관광객의 긴 행렬. ③ 연속, 연관 ; (사고의) 맥락 : a ~ of events 일련의 사건 / a ~ of thought 생각의 맥락 / An unlucky ~ of events prevented this. 불행한 사건의 연속으로 이것은 실현되지 않았다. ④ 뒤에 끌리는 것 ; 옷자락 ; (별똥별·새 따위의 긴) 꼬리 : a wedding dress with a long ~ 긴 옷자락의 웨딩 드레스.
in (***good***) ~ 준비가 잘 갖추어져 : All is now *in* (*good*) ~. 만반의 준비가 됐다.
— *vt.* ①《~+목 / +목+부 / +목+*to* do / +목+*as* 보 / +목+전+명》…을 가르치다, 교육하다《*up* ; *over*》; 훈련하다, 양성하다《*for*》: ~ *up* one's a child 아이를 가르치다 / ~ *up* a person *to* good habits 아무에게 좋은 습관을 가르치다 / ~ a dog *to* obey 개를 말 잘 듣도록 훈련하다 / ~ a person *as*〔*for* ; *to* be〕 a doctor 아무를 의사로 양성하다 / I've ~*ed* myself *for* this type of work. 이런 유의 일에는 익숙해 있다 / They still teach Latin because they believe it ~*s* the mind. 그들은 라틴어가 심성을 교육한다고 믿기 때문에 아직도 라틴어를 가르친다. ②《~+목 / +목+전+명》…의 몸을 단련시키다 ; 길들이다 : ~ a long-distance runner 장거리 러너〔선수〕를 양성하다 / ~ a person *for* a marathon 마라톤에 대비하여 아무를 트레이닝하다. ③《~+목 / +목+부 / +목+전+명》〖園藝〗 (나뭇가지 따위)를 취미에 맞는 모양으로 가꾸다《*over; up*》, 정지(整枝)하다 : ~ (*up*) vines *over* the gate 대문 위로 포도나무를 벋어오르게 하다. ④《~+목 / +목+전+명》(망원경·카메라·포 따위)를 …에 돌리다, 가늠〔조준〕하다《*on; upon*》: ~ a cannon *upon* a fort 대포를 요새 쪽으로 조준하다.
— *vi.* ①《~ / +전+명》연습하다, 실습하다 ; 훈련하다, 교육하다 : ~ *for* a contest 경기 연습을 하다 / They are ~*ing for* the boat race. 그들은 보트 경주에 대비하여 연습하고 있다. ②《~ / +전+명》 기차로 여행하다 : We ~*ed to* Boston. 우리는 보스턴까지 기차로 갔다.
~ ***down*** 트레이닝 등으로 체중을 줄이다.
㊞ **ˊ·a·ble** *a.* 훈련〔교육〕할 수 있는.

train·bear·er [ˊbɛ̀ərər] *n.* C (의식, 특히 결혼식 때 신부의) 옷자락을 드는 사람.

train·ee [treiní:] *n.* C 훈련을 받는 사람〔동물〕; 군사〔직업〕 훈련을 받는 사람.

‡train·er [tréinər] *n.* C ① 훈련자, 코치, 길들이는 사람 ; 트레이너 : a dog ~ 개의 조련사. ② 연습용 기구. ③〖空〗 (비행사) 연습기. ④ (흔히 *pl.*)《英》 스크제(製) 운동화.

tráin fèrry 열차를 그대로 싣고 건너는 연락선, 열차 페리.

‡**train·ing** [tréiniŋ] *n.* ① **a)** [U] (또는 a ~) 훈련, 트레이닝, 교육, 단련, 교련, 조교(調敎), 연습; 양성 : go into ~ 연습을 시작하다 / The players went into ~. 선수들은 훈련에 들어갔다 / The job requires technical ~. 이 일은 전문 교육을 필요로 한다. **b)** [U] 훈련〔양성〕 과정. ② [U] (경기의) 컨디션.
be in 〔*out of*〕 ~ 컨디션이 좋다〔나쁘다〕.

tráining còllege 《英》 = TEACHERS COLLEGE.

tráining schòol (직업·기술)훈련〔양성〕소 : a ~ for nurses 간호사 양성소.

tráining shìp 연습함〔선〕.

train·man [tréinmən] (*pl.* **-men** [-mən]) *n.* [C] 《美》 열차 승무원《제동수·신호수 따위》.

train·sick [tréinsìk] *a.* 기차 멀미가 난.

tráin sìckness 기차 멀미.

traipse [treips] 《口》 *vi.* 정처없이 걷다, 어슬렁거리다, 터벅터벅 걷다《*across* ; *along*》.

***trait** [treit] *n.* [C] 특색, 특성, 특징 : English ~*s* 영국 국민성 / culture ~*s* 문화 특성.

***trai·tor** [tréitər] *n.* [C] 배반자, 반역자《*to*》; 역적 : The leaders of the rebellion were hanged as ~*s*. 반란의 괴수들은 반역자로서 교수형에 처해졌다 / turn ~ *to* …을 배반하다.

trai·tor·ous [tréitərəs] *a.* 배반하는, 불충한 ; 딴마음 있는 ; 반역(죄)의. [파] ~·**ly** *ad.*

tra·jec·to·ry [trədʒéktəri] *n.* [C] ① (탄환·로켓 등의) 탄도, 곡선. ②〖天〗 (혜성·행성 등의) 궤도.

‡**tram** [træm] *n.* [C] ① 《英》 시가(市街) 전차(《美》 streetcar, trolley car) : by ~ (시가) 전차로 《冠詞없음》. ② 광차, 석탄 운반차. ③ (*pl.*) 《英》 전차 궤도.

‡**tram·car** [trǽmkɑ̀ːr] *n.* [C] 《英》 시가 전차 (tram) : ~ stop 전차 정류장.

tram·line [-làin] *n.* [C] (흔히 *pl.*) ① 《英》 시가 전차 궤도〔선로〕. ② 《口》 (테니스 코트의) 측선.

tram·mel [trǽməl] *n.* [C] ① (훈련 때 쓰이는) 말의 족쇄. ② (흔히 *pl.*) 구속, 속박, 장애물《습관·예의 등의》: the ~*s* of custom 인습의 속박. ③ (새·물고기 등을 잡는) 그물, 《특히》 3중 자망(刺網) (=∠ **nèt**). ── (**-l-**, 《英》 **-ll-**) *vt.* (자유)를 구속〔방해〕하다.

‡**tramp** [træmp] *vi.* ① 《~ / +[부] / +[전]+[명]》 짓밟다《*on, upon*》; 쿵쿵거리며 걷다《*about*》: I heard him ~*ing about* overhead. 머리 위에서 그가 쿵쿵거리며 걷는 소리가 들렸다 / Someone ~*ed on* my toes on the train. 전차 안에서 누군가가 내 발가락을 밟았다. ② 《~ / +[전]+[명]》 터벅터벅 걷다, 걸어 다니다 ; 방랑하다 ; 도보 여행하다 : ~ all the way 줄곧 걸어가다 / I've ~*ed up* and *down* all day looking for you. 너를 찾느라고 하루 종일 여기저기 돌아다녔다 / He ~*ed* all over the country. 그는 전국을 도보로 여행했다. ── *vt.* ① 《~+[목] / +[목]+[전]+[명]》 …을 쿵쿵거리며 걷다 ; 짓밟다 : ~ grapes *for* wine 포도주를 담그기 위해 포도를 밟아 으깨다. ② 도보 여행하다 ; 도보로 가다 : ~ the fields 들을 거닐다. ~ **it** 걸어가다 : I missed the train and had to ~ *it*. 열차를 놓쳐 걸어가야 했다. ── *n.* ① (*sing.* ; 흔히 the ~) 뚜벅뚜벅 걷는 소리 : *the* ~ of marching soldiers 행군하는 병사들의 무거운 걸음걸이. ② [C] 방랑자, 뜨내기, 룸펜. ③ [C] (긴) 도보 여행 : take a long ~ 먼 길을 도보로 가다. ④ [C] 부정기 화물선(~ steamer) : an ocean ~ 외양(外洋) 부정기 화물선. ⑤ [C] 《俗》 음탕한 여자 ; 매춘부. ***look like a*** ~ 추레한 몸가짐을 하고 있다. ***on*** (***the***) ~ 방랑하여 ; (구직차) 떠돌아다니는. [파] ∠·**er** *n.*

‡**tram·ple** [trǽmpəl] *vt.* ① 《~+[목] / +[목]+[부] / +[목]+[전]+[명]》 …을 짓밟다 ; 밟아 뭉개다 : ~ *out* a fire 불을 밟아 끄다 / The elephant ~*d* him *to* death. 코끼리가 그를 밟아 죽였다 / Don't ~ (*down*) the flowers in the garden. 뜰의 꽃을 밟아 뭉개지 마라. ② 《+[목]+[부] / +[목]+[전]+[명]》 (감정 따위)를 짓밟다, 무시하다 : He ~*d down* her feelings. 그는 그녀의 감정을 무시했다 / ~ law and order 법과 질서를 파괴하다. ── *vi.* ① 쿵쿵거리며 걷다 ; 짓밟다《*on, upon*》: They ~*d on* my cabbages. 그들은 나의 양배추를 짓밟았다. ② 《+[전]+[명]》《比》 (감정·정의 따위를) 짓밟다, 유린하다, 학대하다《*on, upon* ; *over*》: ~ *on* law and justice 법과 정의를 무시하다 / Tyrants ~ *on* the rights of the people. 폭군은 백성들의 권리를 유린한다. ~ . . . ***under foot*** …을 마구 짓밟다 ; 무시하다, 업신여기다. ── *n.* [C] 쿵쿵거리며 걸음〔걷는 소리〕, 짓밟음 ; 짓밟는 소리.

tram·po·line [trǽmpəlìːn, ⌐-⌐] *n.* [C] 트램펄린 《쇠틀 안에 스프링을 단 즈크의 탄성을 이용하는 도약용 운동구》.

trámp stèamer 부정기(不定期) 화물선.

tram·way [trǽmwèi] *n.* [C] ① 《英》 = TRAMLINE. ② 광차 선로. ③ (케이블카의) 삭도.

trance** [træns, trɑːns] *n.* [C] ① 몽환(夢幻)의 경지, 황홀 ; 열중 ; 망연(茫然) 자실 : in a ~ 망연자실하여. ②〖醫〗 혼수 상태, 인사 불성. ***fall into 〔***come out of***〕 ***a*** ~ 혼수 상태에 빠지다〔에서 깨어나다〕.

tran·ny [trǽni] *n.* [C] 《英口》 트랜지스터 라디오.

tran·quil** [trǽŋkwil] (~·(l***)***er***; ~·(***l***)***est***) *a.* 조용한, 고요한, 평온한, (마음·바다 등이) 차분한, 편안한, 평화로운 : It's a beautiful hotel in a ~ rural setting. 그것은 조용한 시골에 있는 아름다운 호텔이었다. [파] ~·**ly** *ad.*

tran·quil·(l)i·ty** [træŋkwíləti] *n.* [U] 평정, 고요함, 평온, 차분함. ***the Sea of Tranquility 〖天〗 (달의) 고요의 바다.

tran·quil·(l)ize [trǽŋkwəlàiz] *vt.* …을 조용하게〔고요하게〕 하다, 진정시키다 ; (마음)을 가라앉히다.

tran·quil·(l)iz·er [trǽŋkwəlàizər] *n.* [C] 〖藥〗 트랭퀼라이저, 진정제, 신경 안정제.

trans- *pref.* ① '횡단, 관통'의 의미. [opp] *cis-*. ¶ *trans*atlantic ; *trans*fix. ② '초월'의 뜻 : *tran*scend. ③ '변화, 이전'의 뜻 : *trans*form ; *trans*late. ④ '건너편'의 뜻 : *trans*pontine.

trans. transaction(s) ; transitive ; translated ; translation ; transport ; transportation.

***trans·act** [trænsǽkt, trænz-] *vt.* (사무 등)을 처리〔집행〕하다 ; (무역 등)을 하다 : He ~*s* business with a large number of stores. 그는 많은 상점과 거래를 하고 있다.

***trans·ac·tion** [trænsǽkʃən, trænz-] *n.* ① [C] (업무의) 처리, 취급 : the ~ of business 사무 처리. ② [C] (종종 *pl.*) 업무, 거래, 매매 : commercial ~*s* 상거래 / a shady ~ 암거래 / ~*s* in real estate 부동산의 매매 / cash ~*s* 현금 거래. ③ (*pl.*) 의사록, 회보, 보고서

trans·ác·tion·al análysis [trænsǽkʃənəl-, trænz-] 〖心〗 교류 분석《略 : TA》.

trans·al·pine [trænsǽlpain, trænz-, -pin] *a.* 알프스 저편의《흔히 이탈리아 쪽에서 보아》. [opp] *cisalpine*.

trans·at·lan·tic [træ̀nsətlǽntik, træ̀nz-] *a.* ① 대서양 횡단의 : a ~ flight 대서양 횡단 비행. ②

대서양 건너편의 ; (유럽에서 보아) 미국의 ; (미국에서 보아) 유럽의. ③ 대서양 양안의 나라들의 : a ~ agreement 대서양 연안국 협정.

trans·ceiv·er [trænssí:vər] *n.* Ⓒ 무선전화기, 트랜스시버. [◂ *trans*mitter + re*ceiver*]

tran·scend [trænsénd] *vt.* ① (경험·이해력 등의 범위·한계)를 넘다, 초월〔초절(超絶)〕하다 : ~ the limits of human knowledge 인지(人知)의 한계를 넘다. ② …을 능가하다, …보다 낫다 : The genius of Shakespeare ~*s* that of all other English poets. 셰익스피어의 재능은 다른 모든 영국 시인보다 낫다.

tran·scend·ence, -en·cy [trænséndəns], [-i] *n.* Ⓤ 초월, 초절(超絶), 탁월.

tran·scend·ent [trænséndənt] *a.* 뛰어난, 탁월한 ; 보통의 경험의 범위를 넘은 ; 풀기 어려운, 불분명한 ; 〖스콜라哲〗 초월적인 ; 〖칸트 哲〗 초절적(超絶的)인 ; 〖神學〗 (신이) 물질계를 초월한 ; 초연적인. cf. immanent.

tran·scen·den·tal [trӕnsendéntl] *a.* ①〖칸트哲〗 선험적인. opp. *empirical.* ¶ ~ cognition 〔object〕 선험적 인식〔객관〕. ② 탁월한, 뛰어난. ③ 초자연적인, 초절적인.
㊕ **~·ly** [-təli] *ad.*

tran·scen·den·tal·ism [trӕnsendéntəlìzəm] *n.* Ⓤ ①〖哲〗 **a**) (칸트의) 선험론. **b**) (Emerson 등의) 초절(超絶)주의. ② (난해한) 추상적인 사상. ㊕ **-ist** [-təlist] *n.* 〖哲〗 선험론자 ; 초절론자.

transcendéntal meditátion 초월 명상법 《진언(眞言)의 암송 등으로 심신의 긴장을 풀 수 있는 명상법 ; 略 : TM》.

trans·con·ti·nen·tal [trӕnskɑntənéntl, trӕnz- / -kɔnt-] *a.* 대륙 횡단의 : a ~ railroad 대륙 횡단 철도. ㊕ **~·ly** *ad.*

***tran·scribe** [trænskráib] *vt.* ① …을 베끼다, 복사하다 : The minutes of their meeting were fully ~*ed* in the bulletin. 그들의 의사록은 그대로 회보에 실렸다. ② (속기·녹음 따위)를 다른 글자로 옮겨 쓰다, 전사(轉寫)하다 ; 문자화하다 : The stenographer ~*d* her notes of the speech. 속기사는 연설의 (속기) 노트를 보통 문자로 옮겨썼다. ③ (발음)을 음성〔음소(音素)〕 기호로 나타내다, 표기하다 : Tape recordings of conversations are ~*d* by typists and entered into the database. 좌담의 테이프 녹음은 타자수에 의해 재생·문자화되어 데이터베이스에 수록됐다. ④ …을 (다른 언어·문자로) 고쳐쓰다, 번역하다 《*into*》 : ~ a book *into* Braille 책을 점자로 번역하다. ⑤〖放送〗 녹음〔녹화〕 (방송)하다. ⑥〖樂〗 (다른 악기를 위해) (곡)을 편곡하다《*for*》. ◇ transcription *n.* ㊕ **-scríb·er** [-ər] *n.* Ⓒ ① 필사생, 등사자. ② 편곡자. ③ 전사기(機).

***tran·script** [trǽnskript] *n.* Ⓒ ① 베낀 것 ; 사본, 등본(謄本) ; 전사(轉寫). ② (학교) 성적 증명서.

tran·scrip·tion** [trænskrípʃən] *n.* ① Ⓤ 필사(筆寫), 전사. ② Ⓒ 베낀 것, 사본, 등본. ③ Ⓒ,Ⓤ 〖樂〗 편곡, 녹음. ④ Ⓤ,Ⓒ 〖라디오·TV〗 녹음〔녹화〕(방송). ◇ transcribe *v.* ***a phonetic ~ 음성 표기.

trans·duce [trænsdjú:s] *vt.* 〖物〗 (에너지 등)을 변환(變換)하다.

trans·duc·er [trænsdjú:sər] *n.* Ⓒ 〖物·電〗 (에너지) 변환기(變換器)《전파를 음파로 변환하는 라디오 수신기 같은 것》.

tran·sept [trǽnsept] *n.* Ⓒ 〖建〗 트랜셉트, 익랑(翼廊), 수랑(袖廊)《십자형의 교회당 좌우의 날개 부분》.

‡**trans·fer** [trænsfə́:r] (*-rr-*) *vt.* ① 《~+目 / +目+前+名》 …을 옮기다, 이동〔운반〕하다 ; …으로 전임〔전속, 전학〕시키다《*from* ; *to*》 : ~ a book *from* a table *to* a shelf 책을 책상에서 책꽂이에 옮기다 / He has been ~*red from* the branch office *to* the head office. 그는 지사에서 본사로 전임되었다. ② 《+目+前+名》 (재산·권리)를 양도하다, 명의 변경하다 : ~ property〔a piece of land〕 *to* a person 아무에게 재산을〔토지를〕 양도하다. ③ 《+目+前+名》 (애정 등)을 옮기다 ; (책임 등)을 전가하다 : He ~*red* the blame *from* his shoulders *to* mine. 그는 그 죄를 내게 전가했다. ④ (원도(原圖) 따위)를 전사하다, (벽화)를 모사하다.

── *vi.* ① 《~ / +前+名》 옮아가다, 이동하다 《*from* ; *to*》 ; 전임〔전학, 전과(轉科)〕하다 : He has ~*red to* the London branch. 런던 출장소로 전임했다. ② 《+前+名》 (탈 것을) 갈아타다 : I took the streetcar and ~*red to* the subway. 전차로 가서 지하철로 갈아탔다.

── [trǽnsfər] *n.* ① Ⓤ,Ⓒ 이동, 이전 ; 이적(移籍) ; 전임(轉任) : ask for a ~ out of this area 이 지역 밖으로의 전근 희망을 신청하다. ② Ⓤ,Ⓒ (재산·권리 등의) 양도 ; 양도 증서. ③ Ⓒ 전사도〔화〕(轉寫圖〔畫〕). ④ Ⓒ 갈아타는 지점 ; 갈아타는 표(~ ticket). ⑤ Ⓒ 〖商〗 환(換), 대체(對替) : a ~ slip 대체 전표 / ⇨ TELEGRAPHIC TRANSFER. ⑥ Ⓤ (증권 따위의) 명의 변경. ⑦ Ⓒ (다른 대학·부서·부대로의) 이적자, 전임〔전속〕자.

trans·fer·a·ble [trænsfə́:rəbəl] *a.* ① 옮길 수 있는. ② 전사할 수 있는. ③ 양도할 수 있는.
㊕ **trans·fèr·a·bíl·i·ty** [-rəbíləti] *n.*

trans·fer·ee [trӕnsfərí:] *n.* Ⓒ ① 양수인(讓受人), 양도받은 사람. ② 전임〔전학〕하는 사람.

trans·fer·ence [trænsfə́:rəns, trǽnsfər-] *n.* Ⓤ ① 이전, 옮김 ; 이동 ; 양도 ; 전사(轉寫) ; 전임, 전근. ② 〖精神醫〗 (감정) 전이.

tránsfer fèe (프로 축구 선수 등의) 이적료.

tránsfer lìst (프로 축구 선수 등의) 이적 가능 선수 명단.

trans·fer·(r)er, -fer·or [trænsfə́:rər] *n.* Ⓒ 〖法〗 (재산) 양도인.

tránsfer RNA [-ɑ̀:rènéi] 〖生化〗 운반〔이전〕 RNA 《略 : tRNA》.

trans·fig·u·ra·tion [trӕnsfìgjəréiʃən] *n.* ① Ⓤ,Ⓒ 변형, 변모. ② (the T-) 〖聖〗 (산상에서의 예수의) 현성용(顯聖容)《마태 복음 XVII : 2》 ; 현성용 축일《8월 6일》.

trans·fig·ure [trænsfígjər, -fígər] *vt.* ① …의 형상〔모양〕을 바꾸다, …을 변형〔변모〕시키다 : Her face was ~*d* with joy. 그녀의 얼굴은 기쁨으로 변했다. ② …을 거룩하게 하다, 신화(神化)하다, 미화(美化)〔이상화(理想化)〕하다.

trans·fix [trænsfíks] *vt.* ① 《~+目 / +目+前+名》 …을 찌르다, 꿰찌르다 : ~ a tiger *with* a spear 호랑이를 창으로 찌르다 / ~ a bird *with* an arrow 화살로 새를 쏘아 맞추다. ② (공포 따위로 사람)을 그 자리에 선 채 꼼짝 못 하게 하다《*by* ; *with*》 : He was ~*ed at* its sight. 그는 그 광경을 보고 못박힌 듯 꼼짝 않고 서 있었다.

trans·fix·ion [trænsfíkʃən] *n.* Ⓤ ① 찌름, 꿰찌름. ② 꼼짝 못 하게 하기.

‡**trans·form** [trænsfɔ́:rm] *vt.* 《~+目 / +目+前+名》 ① **a**) (외형·모양)을 일변시키다, 변형시키다《*into*》 : A silkworm is ~*ed into* a cocoon. 누에가 고치로 된다. **b**) (성질·기능·구조 등)을 (완전히) 변화시키다, 바꾸다 : Wealth has ~*ed* his character. 부(富)가 그의 성격을 일변시켰다 / ~ a criminal *into* a decent member of society 범죄자를 훌륭한 사회인으로 바로잡다. ②〖數·言〗

…을 변환[변형] 하다. ③ 〖電〗 (전류)를 변압하다. ④ 〖物〗 (에너지)를 변환하다 : Heat is ~*ed into* energy. 열은 에너지로 바뀐다. ⑤ 〖生〗 …을 변태시키다. ◇ transformation *n.* [파] ~**·a·ble** *a.*

***trans·for·ma·tion** [trænsfərméiʃən] *n.* [C.U] ① 변형, 변화, 변질 : an economic ~ 경제적 변화 / I'd never seen Susan in smart evening clothes before — it was quite a ~. 나는 수잔이 멋진 야회복을 입은 것을 본 적이 없었다. 그것은 굉장한 변화였다. ② **a)** 〖動〗 (특히 곤충의) 탈바꿈, 변태. **b)** 〖生〗 형질 전환《유전 교잡(交雜)의 한 형태》. ③ 〖物〗 변환. ④ 〖數·言〗 변환, 변형. ⑤ 〖電〗 변류, 변압. [파] ~**·al** *a.* 변형의.

transformátional (génerative) grámmar 〖言〗 변형(생성)문법.

trans·for·ma·tive [trænsfɔ́ːrmətiv] *a.* 변화시키는, 변형시킬 힘이 있는.

trans·form·er [trænsfɔ́ːrmər] *n.* [C] ① 변화시키는 사람[것]. ② 〖電〗 변압기, 트랜스 : a step-down[step-up] ~ 체강(遞降)[체승] 변압기.

trans·fuse [trænsfjúːz] *vt.* ① **a)** (액체)를 옮겨 따르다[붓다]. **b)** (혈액)을 수혈하다, …에게 주입(注入)하다. ② (액체·색깔 등)을 스며들게 하다 ; 《比》 (사상 등)을 불어넣다.

trans·fu·sion [trænsfjúːʒən] *n.* [C.U] 주입(注入) ; 수혈 : receive a blood ~ 수혈을 받다.

***trans·gress** [trænsgrés, trænz-] *vt.* ① (제한·범위)를 넘다, 일탈(逸脫)하다. ② (법률·계율 등)을 어기다, 범하다. — *vi.* 법을 어기다 《*against*》 ; (종교·도덕적 죄를) 범하다.

trans·gres·sion [-gréʃən] *n.* [C.U] 위반, 범죄 ; (종교·도덕상의) 죄.

trans·gres·sor [-grésər] *n.* [C] 위반자, 범칙자 ; (특히 종교·도덕상의) 죄인.

tran·ship [trænʃíp] (*-pp-*) *vt.* = TRANSSHIP.

tran·sience, -sien·cy [trǽnʃəns, -ʒəns, -ziəns], [-si] *n.* [U] 일시적인 것, 덧없음, 무상(無常) : the ~ of human life 인생의 덧없음.

***tran·sient** [trǽnʃənt, -ʒənt, -ziənt] *a.* ① 일시적인 (passing) ; 순간적인 ; 변하기 쉬운, 덧없는, 무상한 : a ~ emotion 일시적인 감정 / ~ affairs of this life 덧없는 인생사. ② 일시 머무르는《손님 등》: a ~ guest at a hotel 호텔의 단기 체류객. — *n.* [C] 단기 체류객, 일시 체류자[노동자, 여행자]. [opp] *resident.* [파] ~**·ly** *ad.*

tránsient prógram 〖컴〗 비상주 풀그림[프로그램].

‡tran·sis·tor [trænzístər, -sís-] *n.* [C] ① 〖電子〗 트랜지스터. ② 《口》 트랜지스터 라디오(=∠ **rádio**). [파] ~**·ize** [-təràiz] *vt.* (기구)에 트랜지스터를 사용하다. [◂ *trans*fer+re*sister*]

tran·sit** [trǽnsit, -zit] *n.* ① [U] 통과, 통행 ; 횡단 ; 변천 : They granted us safe ~ across the country. 그들은 국내를 안전하게 통과시켜 주었다. ② [U] 《美口》 수송, 운반 ; 수송 기관, 교통 기관 : My letter was lost in ~. 나의 편지는 수송중에 없어졌다 / the ~ system of a city 도시의 교통 기관. ③ [U.C] 〖天〗 (천체의) 자오선 통과 ; 망원경 시야 통과 ; (소천체의) 다른 천체면 통과. ④ [C] 〖測〗 트랜싯, 전경의(轉鏡儀). ⑤ 〖컴〗 거쳐보냄. ***in ~ 통과[수송, 이동] 중 ; 단기 체재의. — *vt.* …을 가로질러 가다. — *vi.* 통과하다.

tránsit càmp (난민·군대를 위한) 일시 수용소[체재용 캠프].

tránsit dùty (화물의) 통과세.

tránsit ìnstrument ① (천체 관측용) 자오의(子午儀). ② (측량용) 전경의(轉鏡儀), 트랜싯.

***tran·si·tion** [trænzíʃən, -síʃən] *n.* [C.U] ① 변이(變移), 변천, 추이 ; 이행 : the ~ from a feudal society to a modern society 봉건 사회에서 근대 사회에로의 변천[이행]. ② 과도기, 변천기 : a ~ period[stage] 과도기 / in ~ 과도기에 있는.

tran·si·tion·al [trænzíʃənəl, -síʃ-] *a.* 변하는 시기의, 과도적인 : a ~ government 과도 정부. [파] ~**·ly** *ad.*

‡tran·si·tive [trǽnsətiv, -zə-] *a.* 〖文法〗 타동(사)의. [opp] *intransitive.* ¶ a ~ verb 타동사《略 : *vt., v.t.*》. — *n.* [C] 타동사(=∠ **vérb**). [파] ~**·ly** *ad.* 타동(사)적으로. ~**·ness** *n.*

tran·si·to·ry [trǽnsətɔ̀ːri, -zə- / -təri] *a.* 일시적인, 덧없는, 무상한. [파] **-tò·ri·ly** *ad.* **-ri·ness** *n.*

tránsit vìsa 통과 사증.

‡trans·late [trænsléit, trænz-, ∠-] *vt.* ① 《~+[목] / +[목]+[전]+[명]》 …을 번역하다 : ~ an English book *into* Korean 영어 책을 한국 말로 번역하다 / an article ~*d from* the French 프랑스 말을 번역한 기사. ② 《+[목]+*as* [보] / +[목]+*to* do》 (행동·말 따위)를 (…로) 해석하다 : I ~ this *as* a protest. 이를 항의로 나는 해석한다 / I ~*d* his gestures *to* mean approval. 그의 몸짓은 승인을 나타내는 것으로 해석하였다. ③ …을 환언하다, 쉬운 말로 다시 표현하다《*into*》: ~ unfamiliar terms *into* everyday words 귀에 선 말을 일상어로 고쳐 말하다. ④ 《+[목]+[전]+[명]》 …을 다른 형식으로 바꾸다 : ~ promises [emotion] *into* actions 약속[감정]을 행동으로 옮기다 / I could hardly ~ my thoughts *into* words. 나는 나의 생각을 좀처럼 말로 표현할 수가 없었다. ⑤ **a)** …을 옮기다, 나르다, 이동시키다. **b)** 〖教會〗 (bishop)을 전임시키다. ◇ translation *n.* — *vi.* ① 번역하다. ② 《+[부] / +[전]+[명]》 번역할 수 있다 : This phrase is hard to ~ precisely. 이 구절은 정확한 번역이 힘든다 / This verse can't ~ *into* Korean. 이 시는 국역이 어렵다. [파] **-lát·a·ble** *a.*

‡trans·la·tion [trænsléiʃən, trænz-] *n.* ① [U.C] 번역 : errors in ~ 오역 / read Milton in ~ 밀턴의 작품을 번역서로 읽다 / free[literal] ~ 의역[직역] / ⇨ MACHINE TRANSLATION / do[make] a ~ into (English) (영어)로 번역하다. ② [C] 번역문, 번역서 : Chapman's ~ of Homer 채프먼 역 호머. ③ [U.C] **a)** 해석, 설명. **b)** 환언 : the ~ of words into action 말을 행동으로 옮김. ◇ translate *v.* [파] ~**·al** *a.*

***trans·la·tor** [trænsléitər, trænz-, ∠--] *n.* [C] 역자, 번역자.

trans·lit·er·ate [trænslítərèit, trænz-] *vt.* …을 (타국어 문자 등으로) 자역(字譯)하다, 음역(音譯)하다, 고쳐쓰다《*into*》《'上海'를 Shanghai로 쓰는 따위》.

trans·lit·er·a·tion [trænslìtəréiʃən] *n.* [C.U] 자역 ; 음역(音譯).

trans·lu·cence, -cen·cy [trænslúːsəns, trænz-], [-si] *n.* [U] 반투명.

trans·lu·cent [trænslúːsənt, trænz-] *a.* 반투명의(=**trans·lú·cid**) : a ~ body 반투명체. [파] ~**·ly** *ad.*

trans·lu·nar [trӕnslúːnər, trӕnz-, -∠-] *a.* = TRANSLUNARY.

trans·lu·na·ry [trǽnsluːnèri, trǽnz- / trænslúːnəri, trænz-] *a.* ① 달 저편의. ② 《文語》 천상(天上)의, 공상적인, 비현실적인, 환상적인.

trans·ma·rine [trӕnsməríːn, trӕnz-] *a.* ① 해외의, 바다 건너의. ② 바다를 건너는[횡단하는].

trans·mi·grate [trænsmáigreit, trænz-] *vi.* ① 이주[이동]하다. ② 윤회[환생]하다.

trans·mi·gra·tion [trӕnsmaigréiʃən, trӕnz-]

n. Ⓤ ① 이주. ② 환생, 윤회(輪廻) : the ~ of souls 윤회.

trans·mis·si·ble [trænsmísəbəl, trænz-] *a.* 전할[보낼] 수 있는 ; 전염성(性)의 : a ~ disease 전염병.

***trans·mis·sion** [trænsmíʃən, trænz-] *n.* ① Ⓤ 송달, 회송 ; 전달 ; 매개, 전염《*of*》: the ~ *of* electricity 송전(送電) / the ~ *of* disease 병의 전염. ② Ⓤ 〖物〗 (열·빛 등의) 전도(傳導). ③ Ⓒ 〖通信〗 전송, 송신 ; 전신(문). ④ Ⓒ 〖機〗 전동(傳動) (장치), (특히 자동차의) 변속기[장치], 트랜스미션(gearbox) : an automatic [a manual] ~ 자동[수동] 변속장치. ⑤ Ⓤ,Ⓒ ◇ transmit *v.*

transmíssion spèed 〖컴〗 전송 속도.

***trans·mit** [trænsmít, trænz-] (*-tt-*) *vt.* ① (화물 등)을 보내다, 발송하다 : ~ a parcel by rail 소포를 철도로 보내다 / ~ a letter by hand 편지를 건네주다. ② (지식·보도 따위)를 전하다, 전파[보급]시키다 : ~ news by wire 뉴스를 전보로 알리다 / ~ a tradition *to* the younger generation 젊은 세대에 전통을 전하다. ③ (빛·열 따위)를 전도하다, (빛)을 투과시키다 : Iron ~*s* electricity. 쇠는 전기를 전도한다 / a medium which ~*s* sound 소리를 전하는 매체. ④ (성질 등)을 유전하다 ; 후세에 전하다. ⑤《~+목/+목+전+명》 (병)을 옮기다, 전염시키다 : ~ a disease *to* others. ⑥《+목+전+명》…을 전달하다 : be ~*ted from* mouth *to* mouth 입에서 입으로 전해지다. ⑦ **a**)〖機〗…을 전동(傳動)하다. **b**) (신호)를 발신하다. ── *vi.* 송신하다 ; 방송하다. ◇ transmission *n.*

***trans·mit·ter** [trænsmítər, trænz-] *n.*Ⓒ ① 송달자 ; 전달자. ②〖通信〗 송신기[장치], 송화기 opp. *receiver.*

trans·mog·ri·fy [trænsmágrəfài, trænz- / -mɔ́g-] *vt.* 《戱》 (마법으로 모습·성격)을 완전히 바꾸다. ⓜ **trans·mòg·ri·fi·cá·tion** [-fikéiʃən] *n.*

trans·mut·a·ble [trænsmjúːtəbəl, trænz-] *a.* 변형[변질·변화]시킬 수 있는. ⓜ **-bly** *ad.*

trans·mu·ta·tion [trænsmjuːtéiʃən, trænz-] *n.* Ⓤ,Ⓒ ① 변형, 변용(變容), 변성, 변질, 변화 : the ~ of fortune 영고(榮枯) 성쇠. ②〖鍊金術〗 변성(變成)《비금속을 귀금속으로 변화시키기》.

trans·mute [trænsmjúːt, trænz-] *vt.* (성질·외관 등)을 (…로) 바꾸다, …을 변형[변질, 변화]시키다.

trans·na·tion·al [trænsnǽʃənəl] *a.* (기업 등이) 초국적(超國籍)의, 다국적(多國籍)의. ── *n.* = MULTINATIONAL.

trans·oce·an·ic [trænsouʃiǽnik, trænz-] *a.* ① 해외의, 대양 건너편의. ② 대양 횡단의 : ~ operations 도양(渡洋) 작전.

tran·som [trǽnsəm] *n.* Ⓒ ①〖建〗 중간틀, 민홈대, 트랜섬《교창 아래의 상인방》. ②《美》 (문 위쪽의) 광창(光窓) (=∠ **window**).

tran·son·ic [trænsánik / -sɔ́n-] *a.* 음속에 가까운 《시속 970-1450km 정도의》.

trans·pa·cif·ic [trænspəsífik] *a.* ① 태평양 횡단의. ② 태평양 건너편의.

trans·par·ence [trænspέərəns] *n.* =TRANSPARENCY ①.

trans·par·en·cy [trænspέərənsi] *n.* ① Ⓤ 투명(성) ; 투명도. ② Ⓒ 투명화(畵)[문자] ; (컬러 사진의) 슬라이드 ; (사기 그릇의) 투명 무늬.

‡trans·par·ent [trænspέərənt] (***more*** ~ ; ***most*** ~) *a.* ① 투명한, 비치는. opp. *opaque.* ¶ ~ colors 투명 그림 물감 / ~ soap 투명 비누 / ~ glass 투명 유리. ② (천이) 비쳐 보이는 : Her dress is almost ~. 그녀의 옷은 거의 비쳐 보인다. ③ 명료한 ; 평이한《문체 등》: works of ~ simplicity 알기 쉬운 단순한 작품. ④ 솔직한, 공명한 《성격·생애 등》. ⑤ 빤히 들여다보이는《변명 등》: I won't be deceived by those ~ excuses. 그런 빤히 들여다보이는 구실에는 속지 않는다. ⓜ ~·**ly** *ad.* ~·**ness** *n.*

tran·spi·ra·tion [trænspəréiʃən] *n.* ① Ⓤ,Ⓒ 증발(물), 발산(작용). ② Ⓤ (비밀의) 누설.

tran·spire [trænspáiər] *vi.* ① 증발[발산]하다 ; 배출(排出)하다 : Moisture ~*s* through the skin. 수분이 피부를 통하여 증발한다. ② [it ~s that ... 의 꼴로] (일이) 드러나다, 밝혀지다 ; (비밀 등이) 새다 : *It* ~*d that* he had been receiving bribes. 그가 뇌물을 받아 왔다는 사실이 드러났다. ③《口》 (일이) 일어나다, 발생하다 : What has ~*d* since I left? 내가 떠난 후로 어떤 일이 있었나. ── *vt.* …을 증발시키다, (기체)를 발산시키다 ; (액체)를 배출하다.

***trans·plant** [trænsplǽnt, -plάːnt] *vt.* ①《~+목/+목+전+명》 (식물)을 옮겨 심다 : ~ flowers *to* a garden 뜰에 화초를 이식하다. ② (제도 등)을 …에서 …로 이입(移入)하다 ; …을 이주시키다 ; 식민하다《*from* ; *to*》: Many institutions were ~*ed from* Europe. 많은 제도가 유럽으로부터 이입되었다 / Many Chinese were ~*ed to* Malaya. 많은 중국인이 말라야로 이주했다. ③〖醫〗 (기관·조직 따위)를 이식하다. ── *vi.* (쉽게) 이식이 되다, 이식에 견디다. ── [trǽnsplæ̀nt, -plὰːnt] *n.* Ⓒ ① **a**) 이식. **b**)〖外科〗 이식(수술) : a heart ~ 심장 이식 / an organ ~ 장기 이식. ② 이식물[기관, 조직]. ⓜ ~·**er** *n.*Ⓒ이식기(機).

trans·plan·ta·tion [trænsplæntéiʃən, -plaːnt-] *n.* Ⓤ ① **a**) 이식. **b**)〖外科〗 이식법. ② 이주, 이민.

trans·po·lar [trænspóulər] *a.* 남극[북극]을 넘는, 극지 횡단의.

‡trans·port [trænspɔ́ːrt] *vt.* ① …을 수송하다, 운반하다《*from*; *to*》: ~ goods 화물을 운송하다 / The products were ~*ed from* the factory *to* the station. 제품은 공장에서 역으로 운반되었다. ② [흔히 受動으로] 황홀하게[정신없게] 만들다 : *be* ~*ed with* joy 기쁨에 도취되다 / He *was* ~*ed with* grief to hear those words. 그는 그 말을 듣고 슬픈 나머지 망연 자실했다. ③〖史〗 (죄인)을 유형(流刑)에 처하다, 추방하다. ◇ transportation *n.* ── [∠–] *n.* ① Ⓤ 수송, 운송 ; 수송 기관 : the ~ of medical supplies by air 의료품의 공수 / a ~ company 운송 회사 / public ~ 공공 운수 기관. ② Ⓒ (군용) 수송선, 수송기. ③ (a ~ ; 또는 *pl.*) 황홀, 도취, 열중 : He was in *a* ~ [in ~*s*] of joy. 그는 기뻐서 어쩔 줄을 몰라했다. ***in a ~ of rage*** 미칠 듯이 성이 나서.

ⓜ **trans·pórt·a·ble** *a.* 가지고 다닐[운송]할 수 있는. **trans·pòrt·a·bíl·i·ty** [-əbíləti] *n.*

‡trans·por·ta·tion [trænspərtéiʃən / -pɔːrt-] *n.* ① Ⓤ (주로 《美》) 운송, 수송 ; 교통[수송]기관 (《英》 transport) : the ~ of farm products to market 농산물의 시장으로의 수송 / a ~ company 운송 회사. ② Ⓤ 《美》 운송료, 운임, 교통비, 여비 : The company paid for his ~. 회사는 그의 교통비를 지불했다. ③ Ⓤ〖史〗 유형, 추방 : ~ for life 종신 유형. ◇ transport *v.*

tránsport càfe 《英》 (장거리 트럭 운전사 등이 이용하는) 드라이브인[간이] 식당.

trans·port·er [trænspɔ́ːrtər] *n.* Ⓒ ① 운송(업)자. ② **a**) 운반기[장치]. **b**) 대형 트럭.

transpórter brìdge 운반교(橋)《트롤리에서 드리운 대(臺)에 사람·차를 나르는 장치》.

trans·pose [trænspóuz] *vt.* ① (…의 위치·순서)를 바꾸어 놓다 ; (문자·낱말)을 전치(轉置)하다 ; 바꾸어 말하다[쓰다] : He ～*d* the numbers and mistakenly wrote 19 for 91. 그는 숫자를 바꾸어 91을 19로 잘못 썼다. ②【樂】조옮김하다, 조바꿈하다. ③ 【數】(수 등)을 이항하다, 변환하다.

trans·po·si·tion [trænspəzíʃən] *n.* [U,C] ① 치환(置換), 전위(轉位). ②【數】이항(移項). ③【樂】조옮김, 조바꿈.

trans·put·er [trænspjúːtər] *n.* [C]【컴】트랜스퓨터《고성능 마이크로프로세서》. [◂ *trans*ister+com*puter*]

trans·sex·u·al [trænssékʃuəl] *n.* [C] 성도착자 ; 성전환자. ── *a.* 성전환의.

trans·ship [trænsʃíp] (**-pp-**) *vt.* (승객·화물)을 다른 배[열차]에 옮겨 싣다. [파] ～**·ment** *n.*

trans·son·ic [trænssánik / -sɔ́n-] *a.* ＝TRANSONIC.

tran·sub·stan·ti·a·tion [trænsəbstænʃiéiʃən] *n.* [U]【神學】전질 변화(全質變化)《빵과 포도주를 예수의 피와 살로 변화시키는 일》.

trans·u·ran·ic [trænsjurǽnik, trænz-, ╌╌╌] *a.*【物·化】초우라늄의 : the ～ elements 초우라늄 원소(元素).

Trans·vaal [trænsvɑ́ːl, trænz-] *n.* (the ～) 트란스발《남아프리카 공화국 동북부의 한 주 ; 세계 제1의 금(金)산지 ; 略 : Tvl.》.

trans·ver·sal [trænsvə́ːrsəl, trænz-] *a.* 횡단하는, 횡단선의. ── *n.*【數】횡단선.

***trans·verse** [trænsvə́ːrs, trænz- / ╌] *a.* 가로의, 횡단하는 : a ～ artery【解】횡동맥 / a ～ section 횡단면. [파] ～**·ly** *ad.* 가로로, 가로질러, 횡단하여.

trans·ves·tism [trænsvéstizəm, trænz-] *n.* [U]【心】복장 도착(服裝倒錯)《이성의 옷을 입고 싶어하는 경향》.

trans·ves·tite [trænsvéstait, trænz-] *n.* [C] 복장 도착자. ── *a.* 복장 도착(자)의.

‡**trap**[1] [træp] *n.* [C] ① (특히 용수철식의) 올가미, 함정 ; 덫, …잡는 기구 : a fly ～ 파리 잡는 기구 / a mouse ～ 쥐덫 / catch an animal in a ～ 덫으로 동물을 잡다. ② 함정, 계략 : be caught in a ～ ＝fall into a ～ 함정[술책]에 빠지다[걸리다] / set[lay] a ～ for …에게 올가미를 씌우다, …에 덫을 놓다. ③ 트랩, 방취(防臭) U자관(管). ④ ＝TRAPDOOR. ⑤《英》2륜 경마차. ⑥【射擊】표적(標的) 사출기. ⑦ (개 경주에서) 출발 지점에서 그레이하운드를 대기시키는 우리. ⑧ ＝SPEED TRAP. ⑨《俗》(특히 발음 기관으로서의) 입 : shut one's ～ 입 다물다, 묵비권을 행사하다(shut one's mouth). ⑩ (*pl.*) 【樂】 (재즈밴드의) 타악기류《cymbal, drum, maracas 등》. ⑪【골프】＝SAND TRAP. ***be caught in*** one***'s own*** ～ ＝ ***fall*** [***walk***] ***into*** one***'s own*** ～ 자승 자박이 되다.
── (**-pp-**) *vt.* ① …을 덫으로 잡다, …에 덫을 놓다《*into*》: ～ a fox 여우를 덫으로 잡다 / ～ a wood 숲에 (여기저기) 덫을 놓다. ② (아무)를 함정에 빠뜨리다, 속이다 ; 곤궁한 처지로 몰다 : He was ～*ped into* giving away the secret. 그는 계략에 넘어가 비밀을 토설했다. ③ (배수관 따위)에 방취판(瓣)[U자관]을 설치하다 ; (물·가스 따위)의 흐름을 막다. ── *vi.* 《(+[전]+[명])》 덫을 놓다《*for*》: ～ *for* a beaver 비버잡이 덫을 놓다.

trap[2] *n.* (*pl.*)《口》휴대품, 짐 ; 세간. ── (**-pp-**) *vt.* (말)에 장식을 달다 ; 성장(盛裝)시키다.

trap·door [trǽpdɔ̀ːr] *n.* [C] (지붕·마루·무대 등의) 뚜껑문, 함정문, 들창.

tra·peze [træpíːz / trə-] *n.* [C] 트래피즈《체조·곡예용 그네》: a ～ artist 트래피즈 곡예사.

tra·pe·zi·um [trəpíːziəm] (*pl.* **～s, -zia** [-ziə, -ziə]) *n.* [C]【數】①《美》부등변 사각형. ②《英》사다리꼴.

trap·e·zoid [trǽpəzɔ̀id] *n.* [C]【數】①《美》사다리꼴. ②《英》부등변 사각형.

trap·per [trǽpər] *n.* [C]《특히》모피를 얻기 위해 덫 사냥을 하는 사냥꾼(a fur ～).

trap·pings [trǽpiŋz] *n. pl.* ① (관등(官等) 등을 나타내는) 장식, 부속물 : the ～ of success 성공[출세]에 따르는 허식. ② 장식적인 마구.

Trap·pist [trǽpist] *n.*【가톨릭】① (the ～s) 트라피스트회《1664년 프랑스의 La Trappe에 창립》. ② [C] 트라피스트(수도)회의 수사(修士). ── *a.* 트라피스트(수도) 회의.

trap·shoot·er [trǽpʃùːtər] *n.* [C] clay pigeon [트랩] 사격의 사수.

trap·shoot·ing [trǽpʃùːtiŋ] *n.* [U] clay pigeon [트랩] 사격.

***trash** [træʃ] *n.* [U] ①《美》쓰레기, 폐물 : Take out the ～. 쓰레기를 밖에다 내놓으시오. ② (문학·예술상의) 졸작(拙作) : He wrote twelve novels, all ～. 그는 소설 열 두 편을 썼는데, 모두 졸작이다. ③《美》[集合的으로도 ; 單·複數 취급] 인간 쓰레기.

trásh càn《美》(문 밖에 두는) 쓰레기통(《英》dustbin).

trashy [trǽʃi] (***trash·i·er ; -i·est***) *a.* 쓰레기의, 쓰레기 같은 : a ～ novel 삼류 소설.

trau·ma [trɔ́ːmə, tráu-] (*pl.* ***-ma·ta*** [-mətə], **～s**) *n.* [U,C] ①【醫】외상(外傷)(성 증상). ②【精神醫】정신적 외상, 마음의 상처, 쇼크.

trau·mat·ic [trɔːmǽtik, trə-, trau-] *a.* ① 외상(外傷)의 ; 외상 치료(용)의. ② 정신적 상처를 주는 : a ～ experience 충격적인 경험. [파] **-i·cal·ly** *ad.*

trau·ma·tize [trɔ́ːmətàiz, tráu-] *vt.* ① …에 외상을 입히다. ② 마음에 상처를 주다.

***trav·ail** [trəvéil, trǽveil] *n.* [U] ① 산고(産苦), 진통 : a woman in ～ 진통이[산기(産氣)가] 있는 여자. ② 고생, 노고 ; 곤란.

†**trav·el** [trǽvəl] (**-l-**,《英》**-ll-**) *vi.* ① (멀리 또는 외국에) 여행하다 ; (탈 것으로) 다니다 : ～ abroad 해외를 여행하다 / ～ to work by car 차로 통근하다 / ～ by land [air] 육로[공로]로 여행하다. ②《～ / +[전]+[명]》이동하다, 나아가다 ; 걷다, 달리다 ; (빛·소리 등이) 전해지다 ; (기억·시선 등이) 연해 옮겨지다《*over* a scene, topic》: Light ～*s* faster than sound. 빛은 소리보다 빠르다 / News ～*ed from* mouth *to* mouth. 소식은 입에서 입으로 전해졌다 / His eyes ～*ed over* the landscape. 그는 경치를 죽 둘러보았다. ③《+[전]+[명]》팔면서 돌아다니다, 외교원으로[주문받으러] 다니다《*in ; for*》: He ～*s for* a publishing firm. 그는 출판사의 외판원이다 / ～ *in* cars 자동차를 팔러 다니다. ④《+[전]+[명]》《口》교제가 있다, 사귀고 있다《*with ; in*》: He ～*s in* [*with*] a wealthy crowd. 그는 부자 패들과 사귀고 있다. ⑤《美口》빨리 움직이다 ; (차 등이) 고속으로 달리다 ; 급히 걷다 : The ball really ～*s* when he throws it. 그가 던지는 공은 정말 빠르다. ── *vt.* ① …을 여행하다 : My father ～*ed* the whole world. 나의 아버지는 전세계를 여행했다. ② (어느 일정 거리)를 답파하다 : ～ 500 miles, 500 마일을 답파하다. ～ ***it*** (도보) 여행을 하다. ～ ***the road*** 노상 강도질을 하다.
── *n.* ① **a)** [U] 여행 : I like ～ / *Travel* broadens the mind. 여행은 견문을 넓혀 준다. **b)** [C] (흔히

pl.) 장거리〔외국〕 여행 : foreign ~ 해외 여행, 외유 / start on one's ~*s* 여행을 떠나다 / Did you enjoy your ~*s* in Europe? 유럽 여행은 즐거웠느냐. ② (*pl.*) 여행담, 여행기 : *Gulliver's Travels* 걸리버 여행기 / He wrote a number of ~*s*. 그는 여러 권의 여행기를 썼다. 「소.

trável àgency 〔**bùreau**〕 여행사, 여행 안내

trável àgent 여행 안내업자, 여행사 직원.

trav·eled, 《英》 **-elled** [trǽvld] *a.* ① 여행에 익숙한 ; 견문이 넓은 : a ~ person 여행을 많이 한 사람 ; 견문이 넓은 사람. ② (도로 등) 여행자가 많은, 여행자가 이용하는 : a much ~ road 많은 여행자가 다니는 도로.

ˈtrav·el·er, 《英》 **-el·ler** [trǽvlər] *n.* Ⓒ ① 여행자, 여객 ; 여행에 익숙한 사람 : a born ~ 천생의 여행가. ② (주로 《英》) (지방 판매) 외판〔외무〕원, 세일즈맨 (《美》 traveling salesman, 《英》 commercial traveller라고도 함). ③ 《英》 (또는 T-) 집시(Gypsy).

tráveler(')s chèck 〔《英》 **chèque**〕 트래블러스 체크, 여행자 수표.

traveler's tale (여행에서 돌아온 사람이, 남이 모른다고 생각하고 지껄이는) 허풍.

ˈtrav·el·ing, 《英》 **-el·ling** [trǽvliŋ] *a.* ① 여행(용)의 ; 여행하는 : ~ expenses 여비 / a ~ bag 여행 가방(Ⓒf trunk). ② 순회 영업하는 : a ~ salesman (지방 판매) 외판원, 세일즈맨.

── *n.* Ⓤ 여행 ; 순업(巡業).

trav·e·log(ue) [trǽvəlɔ̀(:)g, -lɑ̀g] *n.* Ⓒ ① (슬라이드·영화 등을 이용해서 하는) 여행담. ② 기행(紀行) 영화, 관광 영화.

travel·sick [trǽvlsik] *a.* 멀미가 난 : get〔feel〕 ~ 멀미가 나다.

trável sìckness 멀미.

tra·vers·a·ble [trævə́:rsəbəl, trǽvə:-] *a.* 횡단할〔넘을〕 수 있는, 통과할 수 있는.

ˈtrav·erse [trævə́:rs, trəvə́:rs] *vt.* ① …을 가로지르다, 횡단하다 : the highway *traversing* the desert 사막을 가로지른 하이웨이 / A bridge ~*s* the rivulet. 다리가 개울에 놓여 있다 / thoughts which ~*d* my mind 마음에 떠오른 갖가지 생각 / a country ~*d with* mountains 여러 산맥이 가로지르고 있는 지방 / The searchlights ~*d* the sky. 탐조등이 하늘을 끝에서 끝까지 비치고 있었다. ② …의 여기 저기를 걷다, 구석구석을 걷다 : The policeman ~*d* his beat. 그 경관은 순찰 구역을 한 바퀴 돌았다. ③ …을 주의깊게 자세히 고찰〔검토〕하다 : ~ a subject. ④ (의견·계획 등)에 반대하다, 방해하다 : ~ a project 〔a person's design〕 계획〔아무의 구상〕을 방해하다. ⑤ (법정에서) 부인〔반박〕하다 : ~ an indictment 기소장을 부인하다. ── *vi.* ① 가로질러 가다, 횡단하다. ② 좌우로〔여기저기〕 이동하다. ③ 〖登山·스키〗 지그재그로 올라가다 ; 트래버스하다.

── *n.* Ⓒ ① 횡단, 통과 ; 횡단 거리. ② 가로지르고 있는 것 ; 가로대, 가로장. ③ 〖登山〗 지그재그로 오름〔오르는 장소〕, 트래버스.

㊞ **tra·vérs·er** *n.* 가로질러 가는 사람〔물건〕.

trav·er·tine [trǽvə:rtin, -tì:n] *n.* Ⓤ 〖鑛〗 용천(湧泉) 침전물 ; 석회화(石灰華)《건축용》.

trav·es·ty [trǽvəsti] *n.* Ⓒ (작품 등을) 익살맞게 고친 것 ; 졸렬한 모조품〔작품〕.

── *vt.* …을 희화화하다, 익살맞은 모방으로 조롱하다, 농으로 돌리다.

Trav·o·la·tor [trǽvəlèitər] *n.* Ⓤ 트래벌레이터 《움직이는 보도(步道) ; 商標名》.

trawl [trɔ:l] *n.* Ⓒ ① 트롤망(網), 저인망(底引網). ② 《美》 주낙(~ line). ── *vi.* 트롤망을 끌다, 트롤 어업을 하다. ── *vt.* ① (그물)을 바다에 대고 끌다. ② (물고기)를 트롤망으로 잡다. ③ …에서 적당한 후보자를 찾다 : ~ through a book for an apt quotation 적절한 인용구는 없나 하고 책을 여기저기 찾아보다. 「트론선.

trawl·er [trɔ́:lər] *n.* Ⓒ ① 트롤 어업자〔어부〕. ②

trawl·er·man [trɔ́:lərmən] (*pl.* ***-men*** [-mən] *n.* Ⓒ 트롤 어업을 하는 사람, 트롤 어선의 선원.

tráwl lìne 《美》 주낙.

trawl·net [trɔ́:lnèt] *n.* Ⓒ 트롤망, 저인망.

ˈtray [trei] *n.* Ⓒ ① 푼주, 쟁반 ; 음식 접시 ; 거기에 담은 것 : a tea ~ 찻잔을 놓은 쟁반 / a developing ~ 〖寫〗 현상 접시 / an ash ~ 재떨이. ② (책상 위의) 사무 서류 정리함.

tray·ful [tréifùl] *n.* Ⓒ 쟁반 하나 가득한 양《*of*》.

ˑtreach·er·ous [trétʃərəs] *a.* ① 불충(不忠)한, 배반하는《*to*》 : a ~ disciple 배반하는 제자 / He was ~ *to* his friends. 그는 친구들에게는 성실하지 못했다, 그는 친구를 배반했다. ② 믿을 수 없는, 방심할 수 없는 ; (안전한 것 같으면서도) 위험한 : ~ ice 견고한 것 같지만 깨지기 쉬운 얼음 / ~ weather 믿을 수 없는 날씨 / a ~ memory 분명치 않은 기억. ◇ treachery *n.* ㊞ **~·ly** *ad.* **~-ness** *n.*

ˑtreach·ery [trétʃəri] *n.* ① Ⓤ 배반, 반역 ; 변절. ② Ⓒ 반역〔불신〕 행위. ◇ treacherous *a.*

trea·cle [trí:kəl] *n.* Ⓤ 《英》 당밀(糖蜜) (《美》 molasses).

trea·cly [trí:kli] (***trea·cli·er ; -cli·est***) *a.* ① 당밀의, 당밀 같은 ; 진득거리는. ② (말·목소리·웃음 따위) 달콤한, 아첨하는 듯한 ; (노래 따위) 감상적인.

ˈtread [tred] (***trod*** [trɑd / trɔd] ; ***trod·den*** [trɑ́dn / trɔ́dn], ***trod***) *vt.* ① (길·장소 따위)를 밟다, 걷다, 가다, 지나다 : ~ a perilous path 위험한 길을 가다〔걷다〕. ② 《~+목/ +목+전+명》 …을 짓밟다, 밟아 으깨다 ; 밟아 끄다 ; (길·구덩이 따위)를 밟아서 만들다《*out*》 ; 《英》 (진흙 따위)를 묻혀 오다(《美》 track) : ~ grapes (포도주 만들려고) 포도를 밟아 으깨다 / He *trod out* his cigarette. 그는 담뱃불을 밟아 껐다 / ~ a path *through* the snow 눈을 밟아 길을 내다 / ~ mud *into* a carpet 흙묻은 신으로 융단을 더럽히다. ③ 《+목+부》 (권리 등)을 유린하다, (감정)을 짓밟다《*down*》 : ~ *down* a person's feelings 남의 감정을 짓밟다. ④ (수새가) …와 붙다, 교미하다.

── *vi.* ① 걷다, 가다(walk) : *Tread* lightly, or you will wake the baby. 가만히 걸어요. 안 그러면 아기가 깰거요 / Fools rush in where angels fear to ~. 《俗談》 하룻강아지 범 무서운 줄 모른다. ② 《+전+명》 밟다, (잘못해서) 밟아 뭉개다《*on, upon*》 : ~ *on* the accelerator 액셀러레이터를 밟다 / She was afraid he would ~ *on* her feet. 그녀는 그에게 발을 밟히지 않을까 걱정했다. ③ (수새가) 교미하다(copulate)《*with*》.

~ ***in*** 땅 속에 밟아 넣다. ~ ***on air*** 마음이 들뜨다, 기뻐 어쩔 줄 모르다. ~ ***on*** one***'s own tail*** 아무를 치려다 도리어 자신이 상처 입다. ~ ***on the gas*** ⇨ GAS. ~ ***on the heels of*** …의 바로 뒤를 따르다. ~ ***under foot*** 짓밟다, 밟아 뭉개다 ; 《比》 압박하다 ; 경멸하다. ~ ***warily*** 신중히 행동하다. ~ ***water*** 선헤엄을 치다《★ 이 경우의 과거형은 흔히 treaded》.

── *n.* ① (*sing.*) 밟음 ; 발걸음, 걸음걸이, 보행 ; 밟는 소리, 발소리 : walk with a heavy 〔cautious〕 ~ 무거운〔조심스러운〕 발걸음으로 걷다 / an airy ~ 경쾌한 발걸음. ② Ⓒ (계단의) 디딤판 ; (사닥다리의) 가로장. ③ Ⓤ,Ⓒ 타이어의 접지면,

트레드; (타이어의) 트레드에 새겨진 무늬: The tire ~*s* are worn. 타이어의 트레드가 닳았다. ④ Ⓒ (자동차·항공기의) 좌우 양 바퀴 사이의 폭[나비], 윤거(輪距). ⑤ Ⓤ.Ⓒ (신의) 바닥; 구두창의 무늬. ⑥ Ⓒ (수새의 암컷과의) 교접.

trea·dle [trédl] *n.* Ⓒ (선반·재봉틀 등)의 발판, 디딤판, 페달. — *vi.* 디딤판[페달]을 밟다.

tread·mill [trédmìl] *n.* ① Ⓒ 밟아 돌리는 바퀴 《옛날 감옥에서 죄수에게 징벌로 밟게 한》. ② (the ~) (쳇바퀴 돌 듯하는) 단조로운[따분한] 일: get off *the* ~ 단조로운 일을 그만하다, 봉급생활을 그만하다.

treas. treasurer; treasury.

***trea·son** [trí:zən] *n.* Ⓤ 반역(죄); 이적 행위: high ~ 대역죄 / It is an act of ~. 그것은 반역[이적, 매국] 행위다.

trea·son·a·ble, trea·son·ous [trí:znəbəl], [trí:znəs] *a.* 반역의, 국사범의; 반역심이 있는.

†treas·ure [tréʒər] *n.* ① Ⓤ 〔集合的〕 보배, 재보, 금은, 보물; 비장품: dig for buried ~ 묻힌 보물을 찾기 위해 땅을 파다. ② Ⓒ 귀중품, 소중한 물건, 보물: art ~*s* 귀중한 미술품 / The brooch was her greatest ~. 그 브로치가 그녀에게는 가장 소중한 보물이었다. ③ Ⓒ 《口》 귀중한 사람; 가장 사랑하는[아끼는] 사람: My ~! 나의 가장 사랑하는 사람이여 / Our cook is a perfect ~. 우리 요리사는 정말 보배 같은 사람이다.

— *vt.* 《~+目/+目+副》 ① (안전·장래를 위하여) …을 비축해 두다, (귀중품)을 비장하다《*up*》; 소중히 하다: *Treasure* friendship. 우정을 소중히 해라 / ~ *up* money and jewels 돈과 보석을 모으다 / It's really nice of you to give me such a wonderful present. I'll ~ it. 이렇게 훌륭한 선물을 주셔서 정말 감사합니다. 소중히 (간직)하겠습니다. ② (교훈 등)을 마음에 새기다《*up*》, 명기하다: ~ those beautiful days in one's memory 그 아름다웠던 나날을 잊지 않다 / I'll ~ (*up*) your words forever. 말씀을 늘 명심하겠습니다.

tréasure hòuse ① 보고, 보물 창고. ② (지식 등의) 보고《*of*》.

tréasure hùnt ① 보물 찾기. ② 보물찾기 놀이.

***treas·ur·er** [tréʒərər] *n.* Ⓒ 회계원, 출납관[원], 회계 담당자: the *Treasurer* of the Household 《英》 왕실 회계국 장관 / the *Treasurer* of the United States 미국 재무부 출납국장.

treas·ure-trove [tréʒərtròuv] *n.* ① Ⓤ 〔法〕 매장물《소유주 불명의 금은 등 고가의 발굴물》. ② Ⓒ 〔一般的〕 귀중한 발굴[수집]물; 귀중한 발견.

‡treas·ury [tréʒəri] *n.* ① Ⓒ 보고《재보를 보관하는 건물·방·상자 등》; (국가·지방 자치단체·기업·기타 각종 단체의) 금고(에 보관된 자금·재원). ② Ⓒ (공공 단체 등의) 기금, 자금. ③ (the T-) (영국의) 재무성; (미국의) 재무부《정식으로는 the Department of the Treasury》. ④ Ⓒ (지식 등의) 보고(寶庫), 박식한 사람; (특히 책 이름으로) 보전(寶典); 명시문집: The book is a ~ of information. 그 책은 지식의 보고다 / *The Golden Treasury (of the Best Songs and Lyrical Poems)* 영시 보전(英詩寶典)《F. T. Palgrave 의》.

Tréasury Bénch (the ~) 《英》 (하원의) 각료석(閣僚席). ⓒⓕ front bench.

tréasury bìll (the ~) 《英》 재무성 채권; 《美》 재무부 단기 채권《할인채》.

Tréasury Bòard (the ~) 《英》 국가 재정 위원회.

tréasury bònd 《美》 (재무부 발행) 장기 채권, 국채.

tréasury wàrrant 국고 지급[수납] 명령서.

‡treat [tri:t] *vt.* ① 《+目+副/+目+前+名/+目+*as* 補》 (사람·짐승)을 다루다, 대우하다: He ~*ed* me *badly.* 그는 나를 구박했다 / They ~*ed* him *with* respect. 그들은 그를 존경심을 갖고 대했다 / Don't ~ me *as* a child. 나를 어린애 취급하지 마라. ② 《+目+*as* 補》 (…으로) 간주[생각]하다: ~ it *as* a joke 그것을 농담으로 간주하다. ③ …을 논하다; (문학·미술 따위에서) 다루다, 표현하다: This article ~*s* the problem thoroughly. 이 기사는 그 문제를 철저히 다루고 있다. ④ 《~+目/+目+前+名》 …을 치료하다: I had my decayed teeth ~*ed*. 나는 충치를 치료받았다 / The doctor ~*ed* him *for* pneumonia. 의사는 그의 폐렴을 치료해 주었다. ⑤ 《+目+前+名》 (화학적으로) 처리하다; (약)을 바르다: ~ a substance *with* (an) acid 어떤 물질을 산으로 처리하다 / ~ dry leather *with* grease 마른 가죽에 그리스를 바르다. ⑥ 《~+目/+目+前+名》 …을 대접하다; …에게 음식을 대접하다, …에게 한턱내다《*to*》: I will ~ you all. 모두에게 한턱내지 / ~ a person *to* a drink 아무에게 한잔 내다.

— *vi.* ① 《+前+名》 (글·담화로) 다루다, 논하다, 언급하다《*of*》: The book ~*s of* the progress of medicine. 그 책은 의학의 진보를 다루고 있다. ② 《+前+名》 교섭하다, 거래[흥정]하다《*with*》: ~ *with* the enemy for peace 적과 화평 교섭을 하다. ③ 한턱하다, 음식을 대접하다: Is it my turn to ~? 내가 한턱낼 차례인가.

~ one***self to*** (큰마음 먹고) …을 즐기다, …을 사다: I ~*ed myself to* the best room in the hotel. 큰마음 먹고 그 호텔에서 제일 좋은 방에 들었다.

— *n.* ① (one's ~) 한턱, 한턱 냄[낼 차례]: Of course this is *my* ~. 물론 이건 내가 내는 거야 / ⇨ DUTCH TREAT. ② Ⓒ 큰 기쁨, 예기치 않은 멋진 경험; 아주 좋은 것[일]: It is a ~ to see you. 만나 뵙게 되어 매우 기쁩니다 / I've got a ~ for you after supper. 저녁 식사가 끝나고 아주 좋은 것을 하나 주지 / a school ~ 학교의 위안회《교외 소풍, 운동회 등》. ③ (a ~) 〔副詞的〕 만족하게, 더 없이: work *a* ~ 잘 돼가다. ***be** a person′**s*** ~ 아무가 내는 턱이다: This is to *be my* ~. 이것은 내가 내기로 하지. ***stand*** ~ 《美口》 한턱 내다.

㊕ ∠·**er** *n.*

treat·a·ble [trí:təbəl] *a.* ① (특히 병 따위) 치료할 수 있는. ② 처리할 수 있는.

***trea·tise** [trí:tis, -tiz] *n.* Ⓒ (학술) 논문, 보고서《*on*》: a ~ *on* chemistry 화학에 관한 논문.

‡treat·ment [trí:tmənt] *n.* ① Ⓤ 취급; 대우: The teacher gave each student fair ~. 교사는 학생 한 사람 한 사람을 공평하게 다루었다. ② Ⓤ 처리(법): the problem of sewage ~ 오수(汚水) 처리의 문제. ③ Ⓤ 다루는 법, 논법: Her ~ of plot is quite innovative. 그녀의 줄거리를 다루는 법은 아주 혁신적이다. ④ Ⓤ.Ⓒ 치료; 치료법[약]: a new ~ for cancer 암의 새 요법 / be under (medical) ~ 치료중이다. ***give the silent*** ~ 《俗》 묵살[무시]하다.

‡trea·ty [trí:ti] *n.* ① Ⓒ 조약, 협정, 맹약; 조약 문서: a peace [commercial] ~ 평화[통상] 조약 / a nuclear non-proliferation ~ 핵확산 방지 조약 / enter into a ~ (with…) (…과) 조약을 맺다. ② Ⓤ (개인간의) 약정, 계약; 약속. ***be in ~ with*** …와 교섭 중이다.

***tre·ble** [trébəl] *a.* ① 3 배[겹, 중]의, 3 단의, 세 부분으로[요소로] 되는, 세 가지의 (용도가 있는). ⓒⓕ single, double. ¶ He earns ~ my salary. 그

는 내 급료의 3배나 번다 / ~ figures 세 자리 숫자 / ~ gear, 3단 기어. ②〖樂〗 최고음부의.
── *n.* ①Ⓒ 3배, 3중(重)〔세 겹〕의 것. ②〖樂〗 **a)** Ⓤ 최고 성부(聲部). **b)** Ⓒ 최고 성부의 목소리〔가수, 악기〕.
── *vt.* …을 3배로 하다. ── *vi.* 3배가 되다.
㊕ **-bly** *ad.* 3배로; 3중으로.

tréble cléf 〖樂〗 '사' 음자리표, 높은음자리표.

†tree [triː] *n.* Ⓒ ① 나무, 수목, 교목(喬木)《낮은 것은 shrub》. ⓒⓕ bush. ¶ an apple ~ 사과 나무 / cut down a ~ for lumber 〔《英》 timber〕 재목용으로 나무를 베다. ②〔흔히 複合語를 이루어〕 목제 물건〔기둥, 말뚝, 대들보〕. ⓒⓕ axletree, clothes tree, rooftree. ¶ a boot 〔shoe〕 ~ 구두〔신〕골. ③ 나무 모양의 것〔도표〕; 계도(系圖), 계보: the family ~ 가계(家系)(도). ***at the top of the*** ~ 최고〔지도자〕의 지위에. ***be up a*** ~ 《口》 진퇴 양난에 빠지다, 궁지에 몰려 있다. ***grow on ~s*** 〔흔히 否定文으로〕 쉽게 손에 넣다: Money does*n't grow on ~s.* 돈이 열리는 나무는 없다. ***in the dry*** ~ 역경에서, 불행하여. ***the ~ of Buddha*** 보리수. ***the ~ of knowledge*** (***of good and evil***) 〖聖〗 지혜의 나무《창세기 Ⅱ: 9》. ***the ~ of life*** 〖聖〗 생명의 나무《창세기 Ⅱ: 9》.
── *vt.* ① (짐승)을 나무 위로 쫓아 버리다: The dog ~*d* the cat. 개는 고양이를 나무 위로 쫓아버렸다. ② (사람)을 궁지에 몰아넣다.
㊕ ∠·**less** *a.*

trée fèrn 〖植〗 목생(木生) 양치류.

trée fròg 〔**tòad**〕 〖動〗 청개구리.

trée hòuse 나무 위의 오두막《아이들 놀이터》.

trée lìne = TIMBER LINE.

tree-lined [∠làind] *a.* (길 따위의) 한 줄로 나무를 심은: a ~ road 가로수길.

tree·nail, tre- [tríːnèil, trénl] *n.* Ⓒ 나무못.

trée rìng 〖植〗 = ANNUAL RING.

trée sùrgeon 수목 외과(外科) 전문가.

trée sùrgery 수목 외과술(外科術).

***tree·top** [∠tàp / ∠tɔ̀p] *n.* Ⓒ 우듬지.

tre·foil [tríːfɔil, tréf-] *n.* Ⓒ ①〖植〗 토끼풀속(屬)의 식물; 잔개자리《콩과》. ②〖建〗 세잎 쇠시리, 삼판(三瓣).

trek [trek] (**-kk-**) *vi.* 느릿느릿〔고난을 견디며〕 여행하다. ── *n.* Ⓒ (오래고 힘든) 여행; (특히) 도보 여행; 이주.

trel·lis [trélis] *n.* Ⓒ ① (마름모꼴) 격자(格子) 울타리. ② 덩굴이 오르는 격자 구조물; 격자 구조의 정자.
── *vt.* (덩굴 식물)에 격자울타리를 달다; (덩굴 식물)을 격자 울타리에 휘감기게 하다: ~*ed* roses 격자 울타리를 타고 올라간 장미.

trel·lis·work [-wə̀ːrk] *n.* = LATTICEWORK.

trem·a·tode [trémətòud, tríː-] *n.* Ⓒ 〖動〗 흡충(吸蟲)《기생충의 일종》.

‡trem·ble [trémbəl] *vi.* ①《~/+전+명》 (몸·손발·목소리 등이) 떨리다; 부들부들 떨다《*with*》; (건물·땅이) 진동하다; (나무·잎·빛 등이) 흔들리다: She ~*d with* fear 〔*at* the sight〕. 그녀는 무서워서 〔그 광경을 보고〕 부들부들 떨었다 / His voice ~*d with* anger. 그의 목소리는 노기로 떨렸다 / The wooden bridge ~*d* as we crossed it. 우리가 건너니까 그 나무다리가 흔들렸다. ②《~/+*to* do/+전+명》 몹시 불안해하다, 조바심하다《*at*; *for*; *to* do》: ~ *at* the thought of 〔*to* think〕 …을 생각하면 오싹해지다 / ~ *for* his safety 그의 안부를 염려하다 / I ~ *to* think what may happen. 무엇이 일어날까 생각하니 몹시 불안하다. ── *n.* (a ~) 떨림, 몸을 떪: There was *a* ~ in her voice. 그녀의 목소리는 떨리고 있었다. (***all***) ***in*** 〔***of***〕 ***a*** ~ 벌벌 떨며.
㊕ **-bler** *n.* Ⓒ 떠는 사람〔것〕; (벨 등의) 진동판.

trem·bling** [trémbliŋ] *n.* Ⓤ 떨기. ***in fear and ~ ⇨FEAR.
── *a.* 떠는: in a ~ voice 떨리는 목소리로.
㊕ ~·**ly** *ad.*

trémbling póplar 사시나무.

trem·bly [trémbli] (**-bli·er**; **-bli·est**) *a.* 《口》 떠는, 전율하는.

‡tre·men·dous [triméndəs] (***more*** ~; ***most*** ~) *a.* ① 무서운, 무시무시한: a ~ explosion 무서운 폭발 / a ~ fact 가공할 사실. ② (크기·양·정도 따위가) 굉장한, 거대한, 엄청난, 터무니없는: a ~ earthquake 대지진 / a ~ castle 거대한 성 / a ~ difference 엄청난 차이 / a ~ talker 굉장한 수다쟁이 / at a ~ speed 무서운 속도로. ③《口》 멋진, 근사한: a ~ singer 아주 멋진〔훌륭한〕 가수 / We had a ~ time last night. 어젯밤은 정말 즐거웠다. ㊕ ~·**ness** *n.*

trem·o·lo [tréməlòu] (*pl.* **~s**) *n.* Ⓒ 《It.》〖樂〗 트레몰로, 전음(顫音).

***trem·or** [trémər] *n.* Ⓒ ① 전율, 떨림; 겁; 떨리는 목소리: The ~ in his hands was due to old age. 그의 손이 떨리는 것은 노령 때문이었다 / There was a ~ in his voice. 그의 목소리는 떨리고 있었다. ② (나뭇잎·물 따위의) 미동(微動), 살랑거림. ③ 작은 지진, 미진(微震): ⇨ EARTH TREMOR. ④ **a)** (흥분으로 인한) 설레이는〔떨리는〕 마음; 불안감: a ~ of delight 환희의 떨림. **b)** 공포심, 축기(縮氣): face death without a ~ 죽음에 직면하고도 태연하다. ◇ tremulous, tremulant.

trem·u·lant [trémjələnt] *a.* = TREMULOUS.

***trem·u·lous** [trémjələs] *a.* ① 떠는, 전율하는; (필적 등이) 떨린: in a ~ voice 떨리는 목소리로 / ~ handwriting 떨린 필적. ② (사람이) 겁이 많은, 마음이 약한: a pale, ~ young man. ◇ tremor *n.* ㊕ ~·**ly** *ad.* ~·**ness** *n.*

‡trench [trentʃ] *n.* Ⓒ ① 트렌치, 도랑, 해자, 호(壕): dig ~*es* for drainage 배수용 도랑을 파다. ②〖軍〗 참호: mount the ~*es* 참호 근무를 하다 / open the ~*es* 참호를 파기 시작하다 / a cover ~ 엄폐호(掩蔽壕) / a fire ~ 산병호(散兵壕).
── *vt.* ① …에 도랑을 〔호를〕 파다. ② (거점)을 참호로 지키다. ── *vi.* ① 도랑을〔참호를〕 파다 《*down*; *along*》. ②《+전+명》 (권리·토지 따위를) 침해하다, 잠식하다《*on, upon*》; …에 접근하다, …에 가깝다《*on, upon*》: Visitors ~*ed upon* my spare time. 손님이 와서 여가를 빼앗겼다 / Your remarks are ~*ing on* nonsense. 네 말은 잠꼬대 같다.

trench·an·cy [tréntʃənsi] *n.* Ⓤ 통렬함, 신랄함.

trench·ant [tréntʃənt] *a.* ① (말 따위가) 통렬한, 신랄한: ~ satire 신랄한 풍자. ② (정책 등이) 강력한, 철저한, 엄격한. ③ (무늬·윤곽 등이) 명확한, 뚜렷한. ㊕ ~·**ly** *ad.*

trénch còat 트렌치코트《벨트 있는 레인코트》.

trench·er[1] [tréntʃər] *n.* Ⓒ ① 참호를 파는 사람. ② 참호병.

trench·er[2] *n.* Ⓒ 큰 나무접시; 목판《식탁에서 빵을 썰어 도르는》.

trench·er·man [-mən] (*pl.* **-men** [-mən]) *n.* Ⓒ 먹는 사람; (특히) 대식가: a good 〔poor〕 ~ 대〔소〕식가.

trénch gùn 〔**mòrtar**〕 박격포.

trénch wárfare 참호전.

***trend** [trend] *n.* Ⓒ ① 방향; 경향, 동향, 추세; 시대 풍조, 유행의 양식〔형〕: the ~ of public opinion 여론의 동향 / Prices are on the upward 〔downward〕 ~. 물가는 상승〔하강〕 추세다 / set a ~ 유행을 만들어내다 / follow a〔the〕 ~ 유행을 따르다 / a new ~ in women's hairdo 여성 머리형의 새로운 스타일. ② (길·강·해안선 따위의) 방향, 기울기. — *vi.* ① 《+부/+전+명》 (특정한 방향으로) 향하다, 기울다: The wind is *~ing east* 〔*toward* the east〕. 바람은 동쪽으로 불고 있다 / Interest rates are *~ing lower*. 이자율은 내림세다. ② 《+전+명》 (사태·여론 따위가 특정 방향으로) 기울다, 향하다《*toward*》. cf. tend[1]. ¶ Which way are things *~ing?* 정세는 어느쪽으로 기울고 있나.

trend·set·ter [tréndsètər] *n.* Ⓒ 유행을 선도하는 사람. 㲲 **-sèt·ting** *a.*

trendy [tréndi] (***trend·i·er*; *-i·est***) *a.* 《종종 蔑》 최신 유행의; 유행을 따르는. — *n.* Ⓒ 유행을 좇는〔유행의 첨단을 걷는〕 사람.
㲲 **trénd·i·ly** *ad.* **-i·ness** *n.*

tre·pan [tripǽn] *n.* Ⓒ 〖外科〗 (옛날, 머리에 둥근 구멍을 뚫었던) 천두기(穿頭器). — (*-nn-*) *vt.* 〖外科〗 (두개)에 천두기로 구멍을 내다.

tre·phine [trifáin, -fí:n] *n.* Ⓒ 〖外科〗 관상거(冠狀鋸)《자루 달린 둥근 톱; trepan의 개량된 것》. — *vt.* …을 관상거로 수술하다.

trep·i·da·tion [trèpədéiʃən] *n.* Ⓤ ① 공포, 전율; 당황; 걱정, 불안: be in ~ 공포에 떨고 있다. ② (손발의) 떨림.

tres·pass** [tréspəs, -pæ̀s] *vi.* ① 《~/+전+명》 〖法〗 (남의 토지·가택에) 침입하다; (남의 권리를) 침해하다《*on, upon*》: ~ *upon* a person's land 〔privacy〕 아무의 토지에 침입하다〔프라이버시를 침해하다〕. ② 《+전+명》 끼어들다, 방해〔훼방〕하다《*on, upon*》: I don't want to ~*on*〔*upon*〕 your time any longer. 이제 더 이상 폐를 끼치고 싶지 않습니다. ③ 《+전+명》 (남의 호의를 기화로) 염치 없이 굴다: I shall ~ *on* your hospitality, then. 그럼 호의를 염치 없이 받겠습니다. ④ 《古·文語》 (신(神)·법도 등에) 위반하다, 죄를 범하다《*against*》: ~ *against* the law 법을 어기다. ***May I ~ on you for (that book) ***?*** 미안하지만 (그 책)을 좀 집어주겠소. ***No ~ing!*** 출입금지《게시》. ~ ***on*** a person***'s preserves*** 아무의 영역을 침범하다; 주제넘게 나서다.
— [tréspəs] *n.* ① ⒸⓊ (남의 토지·가옥에의) 불법 침입; (남의 권리·재산에 대한) 불법 침해, 권리 침해: commit a ~ 불법 침입하다. ② ⒸⓊ (남의 시간·호의·인내 등에 대한) 폐, 누; 방해: make a ~ on a person's time 남의 시간을 방해하다. ③ Ⓒ 《古》 범죄; (종교·도덕상의) 죄: Forgive us our ~*es*. 우리의 죄를 사하여 주옵소서.

tres·pass·er [-sər] *n.* Ⓒ 불법 침입자, 침해자; 위반자: *Trespassers* will be prosecuted. 침입자는 고발당합니다《게시》.

tress [tres] *n.* ① Ⓒ (여자의) 긴 머리털 한 다발, 땋은 머리. ② (*pl.*) 삼단 같은 머리: golden ~*es* 치렁치렁한 금발 머리.

tres·tle [trésəl] *n.* Ⓒ ① **a)** 가대(架臺). **b)** 〖土〗 트레슬, 구각(構脚). ② = TRESTLE BRIDGE.

tréstle brìdge 〖土〗 구각교(構脚橋).

tréstle tàble 가대식 식탁《2-3 개의 trestles 위에 판을 얹은》.

tres·tle·work [-wə̀:rk] *n.* Ⓤ 〖土〗 (다리의) 구각(構脚) 구조《교각(橋脚) 등의 조립》.

trews [tru:z] *n.* 트루스《스코틀랜드의 병사가 입는 격자무늬의 통 좁은 모직 바지》.

tri- '3 의, 3 배의, 3 중의, 세 겹의' 의 뜻의 결합사.

tri·a·ble [tráiəbəl] *a.* 〖法〗 공판에 부칠 수 있는.

‡tri·al [tráiəl] *n.* ① ⒸⓊ 〖法〗 공판, 재판, 심리: go to ~ 재판에 회부되다 / a preliminary ~ 예심 / the first ~ 제 1 심 / a criminal ~ 형사 재판 / ~ by jury 배심 심리. ② ⓊⒸ 시도, 시험; 시용, 시운전: ~ boring 시굴(試掘) / a ~ order 시험 주문 / by way of ~ 시험삼아 / give a person〔thing〕 a ~ 사람〔물건〕을 시험삼아 써 보다 / have〔make〕 a ~ of strength with a new car 새 차의 강도 시험을 하다. ③ Ⓒ 시련, 고난, 재난: Life is full of little ~*s*. 인생에는 작은 시련들이 많다 / the hour of ~ 시련의 때. ④ Ⓒ 골칫거리, 귀찮은 사람: The boy is a ~ to his teachers. 그 소년은 선생들의 골칫거리다. ◇ try *v.*
bring a person ***to*** ~ = ***put*** a person ***on*** (his) ~ 아무를 공판에 부치다. ***on*** ~ (1) 심리중인, 재판에 회부되어: He was *on* ~ for theft. 그는 절도죄로 재판 중이었다. (2) 시험해보니: He was found *on* ~ to be unqualified. 시험해 본 즉 부적격이라고 판정이 났다. (3) 시험적으로: take a person for a month *on* ~ 시험적으로 아무를 한 달 써보다. ~ ***and error*** 시행(試行) 착오: learn by ~ *and error* 시행착오로 배우다.

tríal ballóon ① 관측 기구. ② (여론의 반응을 보기 위한) 예비적 타진(*ballon d'essai*).

tríal márriage 시험적 결혼(기간)《companionate marriage 와는 달리 법률상의 절차를 밟음》.

tríal rún 〔**tríp**〕 시운전, 시승(試乘).

tri·an·gle** [tráiæ̀ŋgəl] *n.* Ⓒ ① 〖數〗 삼각형: a right-angled ~ 직각 삼각형 / a plane〔spherical〕 ~ 평면〔구면〕 삼각형. ② 삼각형의 물건; 삼각자: a ~ of land 삼각형의 토지. ③ 〖樂〗 트라이앵글《타악기의 일종》. ④ 3 인조, 《특히》 삼각 관계(의 남녀). ***a red ~ 적색 삼각형《Y.M.C.A.의 표장》. ***the eternal*** ~ (남녀의) 삼각 관계.

***tri·an·gu·lar** [traiǽŋgjələr] *a.* ① 삼각(형)의: a ~ bandage 삼각건(巾)(붕대). ② 3 자(간)의 《다툼 따위》; 삼각 관계의: a ~ situation 삼각 관계 / a ~ love affair 남녀의 삼각 관계 / a ~ treaty, 3 국 조약 / a ~ trade 삼각 무역.

tri·an·gu·late [traiǽŋgjəlèit] *vt.* ① …을 삼각이 되게 하다; 삼각형으로 나누다. ② (토지)를 삼각법으로 측량하다. — [-lit] *a.* 삼각형의; 삼각형으로 된; 삼각무늬의.

tri·an·gu·la·tion [traiæ̀ŋgjəléiʃən] *n.* Ⓤ 삼각 측량.

tri·ar·chy [tráiɑ:rki] *n.* ① Ⓤ 삼두정치(三頭政治). ② Ⓒ 삼두정치의 나라.

Tri·as·sic [traiǽsik] *a.* 〖地質〗 삼첩기(三疊紀)의. — *n.* (the ~) 트라이아스기, 삼첩기〔계(系)〕.

tri·ath·lon [traiǽθlɑn / -lɔn] *n.* Ⓒ 3 종 경기, 트라이애슬론《하루에 장거리 수영·자전거 경주·마라톤 세 가지를 계속 행하는》.

***trib·al** [tráibəl] *a.* 부족의, 종족의: the ~ leader of Zulus 줄루족의 부족장.
㲲 **~·ly** [-bəli] *ad.*

trib·al·ism [tráibəlìzəm] *n.* Ⓤ 부족 제도〔조직〕; 부족 중심주의; 부족의 특징; 부족 근성.

‡tribe [traib] *n.* Ⓒ 〔集合的; 單·複數 취급〕 ① 부족, 종족, …족, 야만족. cf. race[2]. ¶ the Arab 〔Mongol〕 ~*s* 아랍〔몽고〕족 / the chief of a ~ 종족의 족장. ② 〖動·植〗 족(族), 유(類): the dog 〔rose〕 ~ 개〔장미〕족. ③ 〔集合的〕 《蔑》 패, 동아리, 패거리《*of*》: the ~ *of* politicians 정상배 족속 / the ~ *of* players (직업) 선수들 / the scribbling ~ 문인들 / ~s *of* baseball spectators 야구 관객의 큰 무리. ④〖史〗 (옛 이스라엘의) 12 지족(支族)〔지파(支派)〕의 하나 : the ~s of Israel 이스라엘의 12 지족〔지파〕.

tribes·man [tráibzmən] (*pl.* ***-men*** [-mən]) *n.* Ⓒ (남성) 부족〔종족〕의 일원.

trib·u·la·tion [trìbjəléiʃən] *n.* Ⓤ,Ⓒ 고난, 고생, 시련 : a time of ~ 고난의 시기 / Life is full of ~s. 인생은 시련〔고난〕으로 가득차 있다.

***tri·bu·nal** [traibjúːnl, tri-] *n.* Ⓒ ① 재판소, 법정(★ 정규 사법 체계의 밖에서 사법적 기능을 행사하는 기관에 쓰이는 일이 많음) : the Hague *Tribunal* 헤이그 국제 사법 재판소 / A special ~ was set up to try the traitors. 반역자들을 재판하기 위해 특별 법정이 마련되었다. ②〔集合的 ; 單·複數 취급〕 판사석, 법관석. ③《比》 여론의 비판, 심판《*of*》 : before the ~ *of* public opinion 여론의 비판을 받고. [◂tribune]

trib·une[1] [tríbjuːn, -ˊ] *n.* Ⓒ ①〖古로〗 호민관《평민의 권리를 보호하기 위해 평민에 의해 선거된 관원》. ② 민중의 보호자〔지도자〕《*the Tribune*처럼 신문 이름으로도 쓰임》.

trib·une[2] *n.* Ⓒ ① 단(壇), 연단《특히 프랑스 하원의》. ② (교회의) 설교단, 주교좌(座).

***trib·u·ta·ry** [tríbjətèri / -təri] *a.* ① 공물을 바치는 ; 종속하는《나라 따위》 : a ~ nation 속국. ② 지류(支流)의, 지류를 이루는《*to*》 : a ~ river 지류 / a stream ~ *to* the Ohio 오하이오강 지류.
── *n.* Ⓒ ① 공물을 바치는 사람〔나라〕, (종)속국. ② (강의) 지류 : a ~ of the Amazon River 아마존강의 지류.

‡**trib·ute** [tríbjuːt] *n.* ① Ⓤ,Ⓒ 공물, 조세 ; 과도한 세 : pay ~ to a ruler 통치자에게 공물을 바치다. ② Ⓒ 찬사, 칭찬〔감사, 존경〕을 나타내는 말〔행위, 선물, 표시〕《*of* ; *to*》 : a ~ *of* praise 찬사 / floral ~s (여배우에의) 꽃선물 ; 조화(弔花) / pay (a) ~ *to* …에게 찬사를 보내다 ; 경의를 표하다. ③ (a ~) 가치를〔유효성을〕 입증하는 것, 증거《*to*》 : His Nobel Prize is *a* ~ *to* the originality of his research. 그의 노벨상은 그의 연구의 독창성을 나타내는 증거다.

trice [trais] *n.* 〔다음 成句〕 ***in a*** ~ 순식간에, 곧.

tri·ceps [tráiseps] (*pl.* ~, ~·***es***) *n.* Ⓒ〖解〗 삼두근(三頭筋). ⓒⓕ biceps.

trich·i·no·sis [trìkənóusis] *n.* Ⓤ〖醫〗 선모충병「(旋毛蟲病).

tri·chol·o·gy [trikálədʒi / -kɔ́l-] *n.* Ⓤ 모발학(毛髮學). ⊕ **-gist** *n.* Ⓒ 모발학자.

trich·o·mo·ni·a·sis [trìkəmənáiəsis] (*pl.* ***-ses*** [-siːz]) *n.* Ⓤ 〖醫·獸醫〗 트리코모나스증(症), 질염(膣炎).

tri·chro·mat·ic [tràikroumǽtik] *a.* 3 원색(原色)(사용)의 : ~ photography, 3 색 사진(술).

‡**trick** [trik] *n.* Ⓒ ① 묘기(妙技), 재주, 곡예 ; 요술 : a juggler's ~ 요술 / teach one's dog several ~s 개에게 재주를 몇 가지 가르치다. ② 비결, 요령 : He knows all the ~s of the trade. 장사의 온갖 수법을 알고 있다. ③ 책략, 계교, 속임수 : He got the money from me by a ~. 그는 나를 속여 돈을 가져갔다 / I suspect some ~. 나는 어쩐지 속고 있는 것 같다. ④ 장난, 농담 : He is at his ~s again. 또 그 장난이다 / the ~ of fortune 운명의 장난. ⑤ 환각, 착각 : a ~ of senses 의식의 착각 / a ~ of the eye 눈의 착각 / a ~ of the memory 불확실한 기억, 기억의 착오. ⑥〖카드놀이〗 한 판(에 얻는 득점), 한 판에 돌리는 패《보통 4매》 : take〔win〕 a ~ 그 판에 이기다 / lose a ~ 그 판에 지다. ⑦ 버릇, 특징《*of*》 : a horse with the ~ *of* shying 잘 놀라는 버릇이 있는 말 / a ~ *of* scratching one's head 머리를 긁적이는 버릇. ⑧ (키잡이·운전사의) 1회 교대 근무 시간《보통 2시간》 : the night ~ 야근. ***do the*** ~ (일이) 잘 돼가다 ; (약 따위가) 효험(効驗)이 있다 : A plier and a wire *do the* ~. 펜치와 철사만 있으면 일은 된다. ***How's ~s ?*** 《口》 잘 있나, 경기는 어때. ***know a ~ or two*** 보통내기가 아니다. ***not*** 〔***never***〕 ***miss a*** ~ 《口》 호기를 놓치지 않다, 약다, 빈틈없다. ***the*** (***whole***) ***bag of ~s*** 《口》 (1) (써도 좋은) 갖은 술책〔수단〕. (2) 온갖 것, 모조리. ***turn the*** ~ 《口》 목적을 달성하다, 잘 해내다. ***up to*** a person***'s*** ~ 남이 장난치려는 것을 알아차리고. ***up to*** one***'s ~s*** 《口》 장난치려고. ***use ~s*** 잔재주를 부리다.
── *vt.* ①《~+목 / +목+전+명》 (사람)을 속이다 ; 속여서 빼앗다 ; 속여서 …하게 하다 : I found I had been ~*ed*. 나는 속았음을 깨달았다 / The boy was ~*ed out of* all his money. 소년은 속아서 돈을 몽땅 빼앗겼다. ②《+목+부》 장식〔치장〕하다《*out* ; *up*》 : She ~*ed* herself *up* for the party. 그녀는 파티를 위해 치장을 했다. ~ a person ***into*** 〔***out of***〕 아무를 속여서 …을 시키다〔빼앗다〕 : They ~*ed* him *into* approval of their fraud. 그들은 그를 속여서 자기들의 협잡에 찬성케 했다. ── *a.* 〔限定的〕 ① 곡예(용)의 ; 남의 눈을 속이는 : ~ cycling 자전거 곡예 / ~ candies made of wax 밀랍으로 만든 가짜 캔디. ② (문제 등이) 의외로 어려운, 헷갈리게 하는 : a ~ question 함정이 있는 문제〔질문〕. ③ (관절이) 잘 움직이지 않는, 갑자기 걸리는.

tríck cỳclist ① 자전거 곡예사. ②《英俗》 정신과 의사(psychiatrist).

trick·ery [tríkəri] *n.* Ⓤ 속임수, 사기, 책략.

trick·i·ly [tríkili] *ad.* 교활하게, 속임수로.

***trick·le** [tríkəl] *vi.* ①《~ / +전+명》 (액체가) 똑똑 듣다〔떨어지다〕 ; 졸졸 흐르다《*down* ; *out* ; *along*》 : Water ~*d down* his raincoat. 물이 그의 레인코트에서 똑똑 떨어졌다. ②《+부 / +전+명》 (사람 등이) 드문드문〔하나 둘 씩〕 오다〔가다〕《*away* ; *out* ; *in*》 : The workers were *trickling out of* the building. 노동자가 건물에서 하나 둘씩 나오고 있었다.
── *vt.* …을 똑똑 떨어뜨리다 ; 졸졸 흐르게 하다.
── *n.* (a ~) 방울져 떨어짐, 점적(點滴), 물방울 ; 가는 흐름《*of*》 : *A* ~ *of* blood ran down his neck. 피가 그의 목덜미를 흘러내렸다.

tríckle chàrger 〖電〗 세류(細流) 충전기.

trick·ster [tríkstər] *n.* Ⓒ ① 사기꾼, 협잡꾼. ② 트릭스터《원시 민족의 민화·신화에 등장하는, 요술이나 장난으로 질서를 어지럽히는 신화적 형상(形象)》.

trick·sy [tríksi] (***-si·er*** ; ***-si·est***) *a.* 장난 좋아하는. ⊕ **trícks·i·ly** *ad.* **-i·ness** *n.*

tricky [tríki] (***trick·i·er*** ; ***-i·est***) *a.* ① (사람·행동이) 교활한, 방심할 수 없는 : a ~ politician 교활한 정치가 / a ~ salesman 믿을 수 없는 세일즈맨. ② 솜씨를 필요로 하는《일 따위》, 다루기 힘든 ; 미묘한 ; (의외로) 까다로운 : a ~ job 솜씨를 요하는 일 / a ~ lock 요령이 있어야 열 수 있는 자물쇠 / a ~ problem 미묘한 문제.
⊕ **tríck·i·ness** *n.*

tri·col·or [tráikʌ̀lər / tríkələr] *a.* 3 색의. ── *n.* ① Ⓒ 3 색기. ② (the T-) 프랑스 국기.

tri·cot [tríkou, tráikət] *n.* Ⓤ《F.》 손으로 짠 편물 ; (기계로 짠) 그 모조품 ; 트리코.

tri·cus·pid [traikʌ́spid] *a.* ① (치아가) 세 개의 돌기(突起)가 있는. ②〖解〗 삼첨판(三尖瓣)의 : the ~ valve (심장의) 삼첨판.

— *n.* Ⓒ 세 돌기가 있는 치아.

tri·cy·cle [tráisikəl] *n.* Ⓒ 세발 자전거; 삼륜차, 삼륜 오토바이: ride (on) a ~ 삼륜차를 타다.

tri·dent [tráidənt] *n.* Ⓒ ①〖그神·로神〗삼지창《로마〔그리스〕의 바다의 신 Neptune〔Poseidon〕이 가진》. ② (물고기 찌르는) 세 갈래진 작살.
— *a.* 삼차(三叉)의, 세 갈래진.

tri·den·tate [tràidénteit, -tit] *a.* 이가 셋 있는; 세 갈래 진, 삼차(三叉)의.

:tried [traid] TRY의 과거·과거 분사.
— *a.* ① 시험필(畢)의: ~ and true 절대 확실한. ② (친구 등) 믿을 수 있는: a ~ friend / old and ~ 완전히 신용할 수 있는.

tri·en·ni·al [traiéniəl] *a.* ① 3년 계속하는. ② 3년마다의. — *n.* Ⓒ 3년마다의 축제〔행사〕; 3년제(祭). ㊕ **~·ly** *ad.* 3년마다.

tri·er [tráiər] *n.* Ⓒ ① try 하는 사람〔것〕; 시험관〔자〕; (식품 등의) 검사원. ② 노력가.

:tri·fle [tráifəl] *n.* ① Ⓒ 하찮은 것〔일〕: stick at ~*s* 하찮은 일에 구애되다 / quarrel over ~*s* 하찮은 일로 싸우다 / waste time on ~*s* 하찮은 일에 시간을 낭비하다. ② Ⓒ 소량, 약간; 푼돈; (a ~)〖副詞的〗조금: It cost me *a* ~. 공짜나 다름없었다 / *a* ~ sad〔too long〕 좀 슬픈〔약간 더 긴〕/ He seems *a* ~ angry. 화가 좀 난 것 같다. ③ Ⓒ.Ⓤ 《주로 英》트라이플《포도주로 적신 스펀지 케이크에 거품 크림을 바른 과자》: make a ~ 트라이플을 만들다.
— *vi.* ①《+전+명》가지고 놀다, 만지작거리다 《*with*》: ~ *with* a pen 펜을 가지고 장난하다. ②《+전+명》가벼이 다루다, 소홀히 다루다, 우습게 보다《*with*》: It's wrong of you to ~ *with* a girl's affection. 처녀의 순정을 농락하는 것은 나쁘다 / He's not a man to be ~*d with*. 그는 우습게 볼 사람이 아니다.
— *vt.* 《+목+부》(시간·돈 등)을 낭비하다 《*away*》: ~ *away* money 돈을 낭비하다.

tri·fler [tráiflər] *n.* Ⓒ 경박한 사람; 실떡거리는 사람.

:tri·fling [tráifliŋ] *a.* ① 하찮은, 시시한, 사소한: a ~ matter〔error〕 사소한 일〔잘못〕. ② 약간의, 얼마 안 되는: a ~ sum 소액. ③ 경박한, 진실〔진지〕하지 못한: ~ talk 농담. cf. petty, trivial. ㊕ **~·ly** *ad.* **~·ness** *n.*

tri·fo·li·ate [traifóuliit, -èit] *a.*〖植〗삼엽(三葉)의.

tri·fo·ri·um [traifɔ́:riəm] (*pl.* ***-ria*** [-riə]) *n.* Ⓒ〖建〗교회의 신자석 및 성가대석 측벽(側壁)의 아치와 지붕과의 사이 부분.

trig [trig] (*∠·ger* ; *∠·gest*) *a.* 《英》① 말쑥한, 멋진. ② 튼튼한, 건강한.

trig. trigonometric(al) ; trigonometry.

trig·ger** [trígər] *n.* Ⓒ ① (총의) 방아쇠; = HAIR TRIGGER: pull〔press〕 the ~ at〔on〕 …을 겨냥하여 방아쇠를 당기다, …을 쏘다. ② (분쟁 등의) 계기, 발단. ***in the drawing of a ~ 즉시. ***quick on the*** ~ (1) 사격이 빠른. (2) 재빠른, 빈틈이 없는.
— *vt.* ① …의 방아쇠를 당기다. ② (사건 등이) …의 계기가 되다《*off*》: That ~*ed off* a revolution. 그것이 계기가 되어 혁명이 일어났다.

trígger finger 오른손의 집게손가락.

trig·ger-hap·py [-hæ̀pi] *a.* 《口》① 덮어놓고 총질 하고 싶어하는. ② 호전적〔공격적〕인.

tri·glyph [tráiglìf] *n.* Ⓒ〖建〗트라이글리프《도리스식 건축에서 세 줄기 세로홈 장식》.

trig·o·no·met·ric, -ri·cal [trìgənəmétrik], [-əl] *a.* 삼각법의, 삼각법에 의한. ㊕ **-ri·cal·ly** *ad.*

trig·o·nom·e·try [trìgənámətri / -nɔ́m-] *n.* Ⓤ〖數〗삼각법.

tri·graph [tráigræ̀f, -grὰ:f] *n.* Ⓒ〖音聲〗석자 일음(一音), 삼중음자(三重音字)《Sa*pph*ic, *sch*ism 등의 이탤릭체부》.

tri·he·dral [traihí:drəl / -héd-] *a.*〖幾〗3면(面)이 있는; 3면체의.

tri·hed·ron [traihí:drən / -héd-] (*pl.* ***~s, -ra*** [-rə]) *n.* Ⓒ〖幾〗삼면체.

trike [traik] *n.* 《英口》삼륜차(tricycle).

tri·lat·er·al [trailǽtərəl] *a.* ① 세 변(邊)이 있는. ② 3자간의. — *n.* Ⓒ 삼각형, 삼변형.

tril·by [trílbi] *n.* Ⓒ《英》트릴비 (=∠ **hát**)《챙이 좁은 중절모》.

tri·lin·gual [trailíŋgwəl] *a.* 세 나라 말의, 세 나라 말을 하는.

tri·li·thon [tráiləθὰn / -θɔ̀n] *n.* Ⓒ〖考古〗삼석탑(三石塔)《직립한 두 돌 위에 한 돌을 얹은 거석 기념물》.

***trill** [tril] *n.* Ⓒ ① **a)** 떨리는 목소리. **b)**〖樂〗트릴, 떤꾸밈음《기호 *tr.*, *tr*》; =VIBRATO. ② (새의) 지저귐. ③〖音聲〗전동음(顫動音)《기호 [R]》.
— *vt.* …을 떨리는 목소리로 노래하다, 트레몰로로 연주하다. — *vi.* ① 떨리는 목소리로 노래하다, 트레몰로로 연주하다. ② (새 등이) 떨리는 소리로 지저귀다.

***tril·lion** [tríljən] *n.* Ⓒ ①《美》1조(兆)(10^{12}). ②《英·獨·프》100만조(10^{18}).

tri·lo·bate [trailóubeit] *a.*〖植〗(잎이) 세 갈래진.

tri·lo·bite [tráiləbàit] *n.* Ⓒ〖古生〗삼엽충.

tril·o·gy [trílədʒi] *n.* Ⓒ (극·가극·소설 등의) 3부작, 3부곡.

:trim [trim] (***-mm-***) *vt.* ① …을 손질하다; (잔디·산울타리 등)을 치다, 깎아 다듬다, …의 끝을 자르다〔깎다〕: ~ a hedge 산울타리의 가지를 치다 / ~ one's beard 턱수염을 가지런히 깎다 / ~ one's nails 손톱〔발톱〕을 깎다. ② **a)**《+목+부 / +목+전+명》…을 잘라내다, 잘라 없애다; (사진)을 트리밍하다《*away* ; *off*》: ~ *off* loose threads 실보푸라기를 잘라〔뜯어〕 내다 / ~ *away* the edges of a picture 사진의 끝을 잘라내다. **b)** (예산·인원)을 삭감하다: ~ a budget 예산을 삭감하다. ③《~+목 / +목+전+명 / +목+부》…을 장식하다, …에 장식(물)을 달아 꾸미다: ~ a Christmas tree 크리스마스 트리를 장식하다 / ~ a dress *with* lace 드레스에 레이스를 달아서 꾸미다. ④ (의견·견해)를 형편에 맞게 바꾸다. ⑤〖海〗(화물을 정리하여 선체)의 균형을 잡다. ⑥ (돛)을 (바람을 잘 받도록) 조절하다. ⑦《口》**a)** (사람)을 꾸짖다, 책(망)하다, 매질하다. **b)** (경기에서, 상대)를 완패시키다.
— *vi.* ①《~ / +전+명》중도〔중립〕 정책을 취하다; (형편에 따라) 의견〔방침〕을 바꾸다: He is always ~*ming between* two parties. 그는 언제나 두 당파의 어느 쪽에도 가담하지 않는 입장을 취하고 있다. ② (배·비행기 등이) 균형을 잡다, 균형이 잡히다: The boat ~*s* well. 배가 균형이 잘 잡힌다. ③〖海〗돛이 바람을 잘 받을 수 있도록 조절하다. ***get*** one***'s hair ~med*** 조발(調髮)하(게 하)다. ~ ***up*** 잘라서 잘 다듬다: ~ *up* one's beard.
— *n.* ① Ⓤ 정돈, 정비; 정돈된 상태, 정비; 준비 상태; (건강 등의) 상태, 컨디션: in (good, proper) ~ 잘 정돈되어(있는); (몸의) 컨디션이 좋아〔좋은〕/ in fighting ~ 전투 준비가 되어(있는) / The ship was in good sailing ~. 배는 출범 준비가 되어 있었다. ② (a ~) 깎기, (가지 등을) 치기, 손질, 컷; 조발(調髮).
into ~ 적절한〔정돈〕 상태에〔로〕. ***out of*** ~ 정돈이 안 되어〔된〕; 상태가 나빠〔나쁜〕: The car was *out of* ~. 차는 상태가 나빴다.

—— (**∠·mer ; ∠·mest**) *a.* ① 말쑥한, 정연한, 정돈된, 손질이 잘 된 : a ~ garden 손질이 잘된 정원 / a ~ house 잘 정돈된 집 / a ~ mustache 잘 손질한 콧수염. ② 날씬한, 호리호리한 : She cuts a ~ figure. 그녀는 날씬해 보인다. ③ (몸의) 컨디션이 좋은. ㊀ **∠·ly** *ad.* **∠·ness** *n.*

tri·mes·ter [traiméstər] *n.* Ⓒ ① 3 개월(동안)《특히, 임신 기간에 대하여 말함》. ②《美》(3 학기제의) 1 학기.

trim·e·ter [trímətər] 〖韻〗 *n.* Ⓒ 삼보격(三步格)(의 시행(詩行)). —— *a.* 삼보격의.

trim·mer [trímər] *n.* Ⓒ ① 정돈하는 사람 ; 손질〔장식〕하는 사람. ② 깎아〔잘라〕 손질하는 도구《손도끼·가위 따위》. ③ (정치적) 기회주의자.

***trim·ming** [trímiŋ] *n.* ① Ⓤ 정돈, 정리, 깔끔하게 함. ② Ⓤ,Ⓒ 깎아 다듬기, 손질. ③ (*pl.*) (옷·모자 등에 붙이는) 장식. ④ (*pl.*) 곁들인 음식, (요리의) 고명. ⑤ (*pl.*) 깎아 다듬은 것 ; 깎아〔잘라, 베어〕 낸 부스러기, 가윗밥. ⑥〖寫〗 트리밍.

tri·month·ly [traimʌ́nθli] *a.* 3 개월마다의.

tri·nal, tri·na·ry [tráinl], [tráinəri] *a.* 3 배〔3 겹, 3 중〕의 ; 3 부로 된.

trine [train] *a.* 3 배의 ; 3 중〔세 겹〕의.

Trin·i·dad and To·ba·go [trínədæ̀dəndtəbéigou] 트리니다드토바고《서인도 제도에 있는 영연방내의 독립국 ; 수도는 Port-of-Spain》.

Trin·i·tar·i·an [trìnitέəriən] *a.* 〖基〗 삼위 일체(설)의 ; 삼위 일체를 믿는.

—— *n.* Ⓒ 삼위 일체의 교리를 믿는 사람.

㊀ **~·ìsm** *n.* Ⓤ 삼위 일체설〔신앙〕.

tri·ni·tro·tol·u·ene, -tol·u·ol [trainàitroutáljuìːn / -tɔ́l-], [-táljuòul / -tɔ́l-] *n.* Ⓤ 트리니트로톨루엔《강력 폭약 ; 略 : TNT, T.N.T.》.

***Trin·i·ty** [trínəti] *n.* ① (the ~) 〖基〗 삼위 일체《성부·성자·성령을 일체로 봄》. ② =TRINITY SUNDAY. ③ (t-) Ⓒ 〔集合的 ; 單·複數취급〕 3 인조 ; 세 개 한 조의 것 ; 3 부분으로 된 것.

Trínity Súnday 삼위 일체의 축일《Whitsunday 다음의 일요일》.

Trínity tèrm (흔히 the ~)《英》 대학의 제3학기《4 월 중순부터 6 월말까지》.

trin·ket [tríŋkit] *n.* Ⓒ ① (값싼 보석·반지 따위) 자질구레한 장신구(裝身具). ② 하찮은 것.

tri·no·mi·al [trainóumiəl] *a.* ① 삼항(三項) (식)의. ②〖動·植〗 삼명법(三名法)《속(屬)·종(種)·아종(亞種)을 표시하는》의. —— *n.* Ⓒ ①〖數〗 3 항식. ②〖動·植〗 삼명법에 의한 학명(學名).

trio** [tríːou] (*pl.* ***tri·os [-z]) *n.* Ⓒ ①〖樂〗 트리오, 삼중주(곡, 단(團)) ; 삼중창(곡, 단). ②〔集合的 ; 單·複數취급〕 3 인조, 세 개 한 벌, 세 개 한 쌍, 세 폭짜리.

tri·ode [tráioud] *n.* Ⓒ〖電子〗 3 극 진공관.

tri·o·let [tráiəlit] *n.* Ⓒ〖韻〗 트리올렛, 2 운각(韻脚) 8 행(行)의 시《ab, aa, abab 로 압운(押韻)하고, 제 1 행을 제 4 행과 제 7 행에서, 제 2 행을 제 8 행에서 반복함》.

tri·ox·ide [traiɑ́ksaid / -ɔ́k-] *n.* Ⓒ〖化〗 3 산화물「(酸化物).

†**trip** [trip] *n.* Ⓒ ① (짧은) 여행, 출장 여행 ; 소풍 ; 유람 ; (짧은) 배편 여행 : a weekend ~ 주말의 짧은 여행 / take a ~ to Hawaii 하와이로 (관광) 여행하다 / a ~ (a)round the world 세계 일주 여행 / a four-day three-night ~ 3 박 4 일의 여행 / make a business ~ to Hong Kong 홍콩에 출장가다. ② (용건·일 따위로) 찾아감, 다녀옴, 통근, 통학 : make a ~ to the park 공원까지 잠깐 갔다오다 / his daily ~ to the bank 매일의 은행 통근. ③ 곱드러짐, 곱드러지게 함, 헛디딤 : a ~ over a step 실족. ④ 실수, 실책, 과실, 실언 : a ~ of the tongue 실언 / make a ~ in etiquette 실례하다. ⑤〖機〗 시동 장치 ; 스위치. ⑥《口》(마약·LSD 에 의한) 환각(기간).

—— (**-pp-**) *vi.* ① 《~ / +前+名》 곱드러지다, 헛디디다, 발이 걸려 넘어지다《*on* ; *over*》: ~ *over* the root of a tree 나무 뿌리에 걸려 곱드러지다. ②《~ / +副 / +前+名》 과실을 저지르다 ; 실수하다, 잘못하다 : He *~ped up* at the job interview. 그는 취직 면접에서 실수를 했다 / I *~ped on* the mathematic problem. 나는 그 수학 문제에서 틀렸다 / My tongue *~ped.* 나는 실언을 했다, 말이 잘못 나왔다. ③《~ / +前+名》 경쾌한 발걸음으로 걷다〔춤추다〕: She came *~ping down* the garden path. 그녀는 정원의 작은 길을 발걸음도 가볍게 걸어왔다. ④《俗》(LSD 등에 의한) 환각 증상에 빠지다, 환각을 경험하다《*out*》.

—— *vt.* ①《~+目 / +目+副》 …을 곱드러지게 하다 ; …을 딴죽걸다《*up*》: The wrestler *~ped* (*up*) his opponent. 레슬러는 상대의 다리를 걸어 넘어뜨렸다. ②《~+目 / +目+副》 …을 실패하게 하다 ; 잘못 말하게 하다 ; …의 잘못〔약점〕을 찾다, …의 뒷다리를 잡다《*up*》: The clever lawyer *~ped* the witness. 능갈친 변호사는 증인의 모순을 찔렀다 / He was *~ped up* by artful questions. 그는 교묘한 심문에 이치에 닿지 않는 말을 해 버렸다. ③〖機〗 (기계·장치)를 시동시키다.

catch a person ***~ping*** 아무의 뒷다리를 잡다 ; 약점을 잡다.

tri·par·tite [traipɑ́ːrtait] *a.* ① 셋으로〔3 부로〕 나뉘어진. ② 3 자간의 ; 3 자 구성의 : a ~ treaty, 3(개)국 조약 / a ~ agreement, 3 자간의 협정. ③〖植〗 삼심렬(三深裂)의《잎》. ④ (같은 문서) 세 통의, 세 통으로 작성한. cf. bipartite.

tripe [traip] *n.* Ⓤ ① 반추 동물(특히 소)의 위(胃)《식용(食用)으로서의》. ②《口》 시시한 것〔말, 생각, 읽을거리 따위〕; 허튼 소리.

triph·thong [trífθɔ(ː)ŋ, -θɑŋ] *n.* Ⓒ 3 중모음《예컨대 power의 [auər] 등의 단음절적인 발음》.

‡**tri·ple** [trípəl] *a.* 3 배〔3 중〕의, 세 겹의, 세 부분으로 된 : a ~ mirror, 3 면경 / demand ~ pay, 3 배의 임금을 요구하다. —— *n.* Ⓒ ① 3 배의 수〔양〕. ②〖野〗 3 루타. cf. single, double.

—— *vt.* ① …을 3 배로〔3 중으로〕 하다 : We must ~ our efforts. 우리는 3 배의 노력을 해야 한다. ②〖野〗 3 루타로 (주자)를 생환시키다. —— *vi.* ① 3 배가 되다. ②〖野〗 3 루타를 치다.

tri·ple-deck·er [trípəldékər] *n.* Ⓒ 《美》 빵 세 조각을 겹친 샌드위치(three-decker).

tríple júmp 〖스포츠〗 (the ~) 3 단〔세단〕 뛰기.

tríple pláy 〖野〗 3 중살(重殺), 트리플 플레이.

trip·let [tríplit] *n.* ① Ⓒ 세 개 한벌〔조〕(가 되는 것). ② Ⓒ〖韻〗 삼행 연구(三行聯句). ③ Ⓒ〖樂〗 셋잇단 음표. ④ **a)** Ⓒ 세 쌍둥이 중의 하나. **b)** (*pl.*) 세 쌍둥이.

tríple tìme 〖樂〗 3 박자.

trip·lex [trípleks] *a.* ① 세겹〔3 중〕의, 3 배의 ; 세 부분으로 된 : ~ glass, 3 중 유리. ② 세 가지 효과를 내는.

—— *n.* ① Ⓒ 셋 한 벌〔조〕. ②《美》 3 층 아파트. ③ (T-) Ⓤ〖商標〗 트리플렉스(=**Tríplex glàss**)《자동차 창 유리 등으로 쓰이는 3 중 유리》.

trip·li·cate [tríplәkit] *a.* ① 3 중의, 세 겹의. ② (서류를) 세 통 작성하는. cf. duplicate. ¶ a ~ certificate 세 통으로 작성된 증명서.

—— *n.* Ⓒ 세 개〔폭〕 한 벌 중의 하나 ; 세 통 서류 중의 하나. ***in*** ~ 세 통으로 (작성된) : a document drawn up *in* ~ 세 통으로 작성된 서류.

—— [-kèit] *vt.* ① …을 3 배(로) 하다. ② (서류)를 세 통 작성하다. ㊀ **trìp·li·cá·tion** [-kéiʃən] *n.*

tri·ply [trípli] *ad.* 3배로, 3중〔세 겹〕으로.
tri·pod [tráipɑd / -pɔd] *n.* Ⓒ ① 삼각대, 세 다리 걸상〔탁자〕《따위》. ②【寫】삼각가(架).
trip·o·dal [trípədl] *a.* 3각(脚)(tripod)의〔모양의〕; 발이 셋 있는.
Trip·o·li [trípəli] *n.* 트리폴리《리비아의 수도》.
tri·pos [tráipɑs / -pɔs] *n.* Ⓒ (Cambridge 대학의) 우등 졸업 시험; 그 합격자 명부.
trip·per [trípər] *n.* Ⓒ ①《英》(단기의) 관광 여행자: a day-~ 당일치기의 행락객. ② 발에 걸려 넘어지는 사람; 딴죽 걸어 넘어뜨리는 사람. ③ 경쾌하게 걷는〔춤추는〕 사람. ④《俗》환각제 사용자.
trip·ping [trípiŋ] *a.* 발걸음이 가벼운, 경쾌한. ㊞ ~·**ly** *ad.*
trip·tych [tríptik] *n.* Ⓒ (삼면경(三面鏡)처럼 경첩으로 이어붙인) 세 폭짜리 그림《흔히 종교화》.
trip·wire [trípwàiər] *n.* Ⓒ ① 덫의 철사. ② 지뢰 장치가 된 줄.
tri·reme [tráiri:m] *n.* Ⓒ (고대 그리스·로마의) 3단(段) 노의 군선(軍船).
tri·sect [traisékt] *vt.* …을 삼분하다, 3등분하다.
tri·sec·tion [-ʃən] *n.* Ⓤ 삼분(三分); 3등분.
Tris·tan [trístən, -tɑ:n] *n.* = TRISTRAM.
Tris·tram [trístrəm] *n.* (아서왕 전설의) 트리스트럼《원탁의 기사의 한 사람》.
tri·syl·lab·ic [tràisilǽbik] *a.* 3음절(音節)의.
tri·syl·la·ble [traisíləbəl, ⌐⌐--] *n.* Ⓒ 3음절어(音節語). ⓒⓕ monosyllable, disyllable.
trite [trait] *a.* (말·생각 등이) 흔해빠진, 진부한, 케케묵은: a ~ expression 진부한 표현. ㊞ ⌐·**ly** *ad.* ⌐·**ness** *n.*
trit·i·um [trítiəm] *n.* Ⓤ【化】트리튬, 3중 수소《수소의 동위 원소; 기호 T, ^{3}H, H^3》.
Tri·ton [tráitn, -tɑn] *n.*【그神】트리톤《반인반어(半人半魚)의 바다의 신(神)》. ~ ***among the minnows*** 군계일학(群鷄一鶴).
‡**tri·umph** [tráiəmf] *n.* ① Ⓒ 승리: win a ~ over one's enemy 적을 누르고 승리를 거두다 / the ~ of right over might 힘에 대한 정의의 승리. ② Ⓒ 대성공; 성공한 예, 개가, 업적, 위업: the ~*s* of modern science 현대 과학의 수많은 업적 / This is a ~ of architecture. 이것은 건축술의 극치다. ③ Ⓤ 승리감, 성공의 기쁨, 의기 양양한 표정: a shout of ~ 승리의 환성 / in ~ 의기 양양하게 / ~ in his eyes 그의 눈에 나타난 득의의 기색. ④ Ⓒ (고대 로마의) 개선식. ◇ triumphant *a.*
—— *vi.* ①《~ / +전+명》승리를 거두다, 이기다, 이겨내다《*over*》: Our team ~*ed over* the visiting team. 우리 팀은 원정 팀에게 이겼다 / ~ *over* difficulties 곤란을 극복하다. ②《~ / +전+명》의기 양양해 하다: ~ *over* a defeated enemy 패한 적에게 의기 양양해 하다.
***tri·um·phal** [traiʌ́mfəl] *a.* ① 개선의: a ~ march 개선 행진(곡) / a ~ return 개선 / a ~ entry 입성식. ② 승리를 축하하는; 승리의《노래 따위》.
triúmphal árch 개선문.
***tri·um·phant** [traiʌ́mfənt] *a.* ① 승리를 거둔, 성공한: a ~ shout 승리의 함성 / We were ~ at the games. 우리는 그 시합에서 승리했다. ② 의기양양한: His expression was ~. 그의 표정은 의기양양했다. ㊞ ~·**ly** *ad.* 의기양양하게〔하여〕.
tri·um·vir [traiʌ́mvər] (*pl.* ~***s***, ***-vi·ri*** [-viràì]) *n.* Ⓒ【古로】세 집정관(執政官)의 한 사람.
tri·um·vi·rate [traiʌ́mvirit, -rèit] *n.* Ⓒ ①【古로】삼두(三頭)정치; 삼인 집정의 직〔임기〕. ②〔集合的; 單·複數 취급〕(지배층의) 3인조.
tri·une [tráiju:n] *a.* 삼위 일체의.
—— *n.* (the T-) = TRINITY.
tri·u·ni·ty [traijú:nəti] *n.* Ⓤ,Ⓒ 3자 일체(의 것); 삼위일체(trinity).
tri·va·lent [traivéilənt] *a.*【化·生】3가(價)의. ㊞ **-lence, -len·cy** *n.* Ⓤ【化】3가(價).
triv·et [trívit] *n.* Ⓒ ① (불에 냄비 등을 올려 놓을 때 쓰는) 삼발이. ② (식탁에서, 뜨거운 냄비 등을 올려 놓는) 삼각대(三脚臺).
(***as***) ***right as a*** ~《口》만사 순조로운, 매우 건강한, 극히 좋은.
triv·ia [tríviə] *n. pl.* 하찮은〔사소한〕 것〔일〕: the ~ of everyday life 일상 생활의 사소한 일.
‡**triv·i·al** [tríviəl] (***more*** ~; ***most*** ~) *a.* 하찮은, 사소한, 대단치 않은: a ~ problem 하찮은 문제 / a ~ matter 사소한 일 / a ~ offense 사소한 죄, 경범죄 / a ~ loss 작은 손실 / ~ objections against a proposal 제안에 대한 하찮은 반대 의견 / ~ expenses 적은 비용. ㊞ ~·**ly** *ad.*
***triv·i·al·i·ty** [trìviǽləti] *n.* ① Ⓤ 하찮음, 평범. ② Ⓒ 시시한〔평범한〕 것〔일, 생각, 작품〕.
triv·i·al·ize [tríviəlàiz] *vt.* …을 하찮게 만들다, 평범하게 만들다. ㊞ **triv·i·al·i·zá·tion** *n.*
tri·week·ly [traiwí:kli] *a., ad.* ① 3주(週)마다, 3주에 한 번(의). ② 1주 3회(의).
—— *n.* Ⓒ ① 3주에 1회 발행되는 간행물《신문·잡지 등》. ② 1주에 3회 발행되는 간행물.
tro·cha·ic [troukéiik]【韻】*a.* 강약격(強弱格)의; 장단(長短)격의.
—— *n.* (*pl.*) 강약격〔장단격〕의 시.
tro·che [tróuki] *n.* Ⓒ【藥】구중정(口中錠), 트로키(제)《입 안에서 녹여, 목의 통증 등을 완화시키는 정제》.
tro·chee [tróuki:] *n.* Ⓒ【韻】① (영시(英詩)의) 강약격(格)《⌐×》. ② (고전시의) 장단격《—⌣》.
***trod** [trɑd / trɔd] TREAD의 과거·과거분사.
***trod·den** [trɑ́dn / trɔ́dn] TREAD의 과거분사.
trog·lo·dyte [trɑ́glədàit / trɔ́g-] *n.* Ⓒ ① (선사시대 서유럽의) 혈거인(穴居人). ② 은자(隱者).
troi·ka [trɔ́ikə] *n.* Ⓒ《Russ.》① 트로이카《러시아의 3두 마차·썰매》. ②〔集合的; 單·複數 취급〕3두제; 3인조.
Troi·lus [trɔ́iləs, tróui-] *n.*【그神】트로일로스《트로이의 Priam 왕의 아들; Cressida의 애인》.
***Tro·jan** [tróudʒən] *a.* 트로이의; 트로이 사람의.
—— *n.* Ⓒ ① 트로이 사람. ② 용사, 분투가. ***work like a*** ~ 용감하게〔부지런히〕 일하다.
Trójan Hórse ① (the ~) 트로이의 목마. ② Ⓒ (적국에 잠입한) 파괴 공작(단·원).
Trójan Wár (the ~) 트로이 전쟁《Homer 작의 시 *Iliad*의 주제》.
troll[1] [troul] *n.* Ⓒ ① 윤창(輪唱); 윤창가(歌). ② 견지 낚시질; 견지 낚시질용 제물낚시.
—— *vt.* ① (노래)를 윤창하다: ~ a tune 노래를 윤창하다. ② 견지낚시를 하다. ③ (공·주사위 따위)를 굴리다. —— *vi.* ① 윤창하다. ②《+전+명》(제물낚시로) 견지낚시질하다《*for*》: ~ *for* bass 농어 낚시를 하다. ③ 걷다, 슬슬 걸어다니다.
troll[2] *n.* Ⓒ【北유럽神】트롤《동굴이나 동굴에 사는 초자연적 괴물로, 거인이나 난쟁이로 묘사됨》.
trol·ley** [trɑ́li / trɔ́li] (*pl.* ~s***) *n.* Ⓒ ①《英》**a**) 손수레 (《美》cart): a shopping ~ 쇼핑용 손수레; (슈퍼마켓의) 쇼핑 카트. **b**) 광차(鑛車) (《美》handcar). **c**) (요리 등을 나르는) 왜건(《美》wagon). ②【電】촉륜(觸輪)《전차의 폴 끝에 달려 있어 가공선(架空線)에 접하는》, 트롤리. ③ **a**)《美》= TROLLEY CAR. **b**)《英》TROLLEY BUS.
trólley bùs 트롤리 버스, 무궤도 버스.
trólley càr《美》(트롤리식의) 시내 전차.

trol·lop [trάləp / trɔ́l-] *n.* [C] ① 타락하여 방종한 여자. ② 매춘부.
trol·ly [trάli / trɔ́li] (*pl.* **-lies**) *n.* =TROLLEY.
trom·bone [trɑmbóun, ⌐-/ trɔmbóun] *n.* [C] 〖樂〗 트롬본《저음의 나팔》.
trom·bon·ist [-ist] *n.* [C] 트롬본 주자.
‡troop [tru:p] *n.* [C] ① (특히 이동중인 사람·동물의) 떼, 무리, 대(隊) : a ~ of elephants 코끼리의 한 떼 / a shock ~ 돌격대 / a ~ of schoolchildren 한 떼의 초등 학생. ② (흔히 *pl.*) 군대, 병력 : regular 〔land〕 ~*s* 상비〔지상〕군 / reserve ~*s* 예비군 / 10,000 ~*s*, 1만명의 병력. ③〖軍〗 기병 중대. ④ (보이 스카우트의) 분대《최소 5명》; (걸 스카우트의) 단(團)《8-32 명으로 구성됨》.
— *vi.* 《+[副]/+[前]+[名]》 ① 떼지어 모이다, 모이다 《*up* ; *together*》: The employees ~*ed together around* the gate of the works. 종업원들은 공장 문 주위에 모여들었다. ② 한무리가 되어 나아가다; 떼를 지어서〔우르르〕 몰려오다〔가다〕《*away* ; *into* ; *off*》: The students ~*ed into* the classroom. 학생들은 우르르 교실로 들어왔다. — *vt.* 《英》 국왕 생일에 군기를 선두로 분열 행진하다.
tróop càrrier 병원(兵員) 수송기〔선〕.
troop·er [trú:pər] *n.* [C] ① 기병. ② 《美》 기마 경관. ③ 《美》 주(州)경찰관. ④ 《주로 英》 (군대) 수송선. ***swear like a*** ~ 심한 욕설을 퍼붓다.
troop·ship [-ʃip] *n.* [C] 군(軍) 수송선(transport).
trope [troup] *n.* [C] 〖修〗 말의 수사(修辭) ; 비유적 용법 ; 수사 어구.
tro·phied [tróufid] *a.* 기념품〔전리품〕으로 장식한 : ~ walls 기념품으로 장식된 벽.
‡tro·phy [tróufi] *n.* [C] ① 전리품, 전승 기념품〔물〕; 노획품. ② (경기 등의) 트로피, 우승배. ③ (옛 그리스·로마의) 전승 기념비.
‡trop·ic [trάpik / trɔ́p-] *n.* ① [C] 〖天·地〗 회귀선. ② (the ~s) 열대(지방). ***the Tropic of Cancer*** 〔***Capricon***〕 북〔남〕회귀선. — *a.* 열대(지방)의.
‡trop·i·cal¹ [trάpikəl / trɔ́p-] *a.* ① 열대(지방)의, 열대산의 : ~ plants 열대식물. ② 열대성의 ; 몹시 더운 : the sticky ~ heat of Panama 파나마의 찌는 듯한 더위 / ~ climates 열대성 기후.
[파] **~·ly** [-kəli] *ad.*
trop·i·cal² *a.* 〖修〗 비유의, 비유적인.
trópical ráin fòrest 열대 다우림.
trópical yéar 〖天〗 태양년, 회귀년.
trópic bìrd 〖鳥〗 열대조《바닷새》.
tro·pism [tróupizəm] *n.* [U] 〖生〗 (자극에 대한) 향성(向性), 주성(走性), 굴성(屈性).
[파] **tro·pis·tic** [troupístik] *a.*
trop·o·sphere [trάpəsfìər, tróup- / trɔ́p-] *n.* (the ~) 〖氣〗 대류권(對流圈)《지구 표면에서 약 10-20km 높이의 대기층》. [cf] stratosphere.
[파] **tròp·o·sphér·ic** [-sférik] *a.*
trop·po [trάpou / trɔ́p-] *ad.* 《It.》〖樂〗 지나치게.
‡trot [trɑt / trɔt] (**-tt-**) *vi.* ① (말 따위가) 속보로 가다, 구보하다. ② 《~ / +[副]》 (사람이) 속보로 걷다 ; 총총걸음 치다《*along* ; *away* ; *off*》: Well, I must be ~*ting off* home. 이젠 빨리 집에 돌아가야지 / *Trot away !* 빨리 꺼져.
— *vt.* ① (말)을 속보로 달리게 하다. ② (어떤 거리)를 속보로 가다. ~ ***out*** 《口》 (1) (말·물건 등)을 자랑해보이다. (2) 다 아는 얘기를 되뇌다 : ~ *out* a song 한곡 불러제끼다.
— *n.* ① (a ~) (말의) 속보. [cf] gallop, canter, walk. ② (a ~) (사람의) 총총걸음, 빠른 걸음. ③ (a ~) 빠른 걸음의 산책 : go for *a* short ~ (운동을 위해) 잠깐 산책을 나가다. ④ [C] 《美俗》 (어학) 자습서, 번역서. [cf] crib, pony. ⑤ (the ~s) 《俗》 설사(함) (diarrhea) : have *the* ~*s* 배탈이 났다. ***on the*** ~ (1) 쉴새없이 뛰어다녀 : I was *on the* ~ from morning to night. 아침부터 밤까지 계속 바쁘게 쏘다녔다. (2) 내리 : He lost five game *on the* ~. 그는 내리 다섯 판을 졌다.
troth [trɔ:θ, trouθ] *n.* [U] 《古》 ① 진실, 성실 : in ~ 진실로, 참으로. ② 충실, 충성 : by〔upon〕 my ~ 맹세코, 단연코. ③ 약속 ; 약혼 : pledge 〔plight〕 one's ~ 서약하다 ; 부부의 약속을 하다.
Trot·sky, -ki [trάtski / trɔ́ts-] *n.* **Leon** ~ 트로츠키《러시아의 혁명 지도자 ; 1879-1940》.
trot·ter [trάtər / trɔ́tər] *n.* ① [C] 속보(速步) 훈련을 받은 말, 속보로 달리는 말. ② [C] 종종 걸음 치는 사람. ③ (흔히 *pl.*) **a)** 양·돼지 따위의 족(足)《식용》. **b)** 《戱》 (사람의) 발.
†trou·ble [trʌ́bəl] *n.* ① [U,C] 고생, 근심, 걱정, 고민 : Life is full of small ~*s*. 인생이란 사소한 고민으로 꽉 차 있다 / He has been through much ~ 〔has had many ~*s*〕. 그는 온갖 고생을 겪었다. ③ [C] 골칫거리, 성가신 놈 : I hate to be a ~ to you. 너의 골칫거리가 되고 싶진 않다 / His son is a great ~ to him. 아들이 그에겐 큰 두통거리다. ③ [U] 수고, 노고, 폐 : That's too much ~. 몹시 성가신데. ④ [C,U] 시끄러운 일, 불화, 사건, 트러블 ; 분쟁, 동란 : family ~*s* 가정 불화 / labor ~(s) 노동 쟁의 / *Troubles* never come singly. 《俗談》 화불단행(禍不單行). ⑤ [C] 고장 : an engine ~ 엔진의 고장. ⑥ [U,C] 병 : liver ~ 간장병 / mental ~ 정신병 / I am having ~ with my teeth. 이를 앓고 있다. ◇ troublesome *a.*
ask 〔***look***〕 ***for*** ~ 화를 자초하는 짓을 하다, 경솔한 짓을 하다 : It's *asking for* ~ to interfere in a country's domestic affairs. 남의 나라의 내정 문제 간섭은 화를 자초하는 일이나 다름없다.
be in ~ (1) …으로 애먹다, 고난에 처해있다 《*over*》: I *was in* ~ *over* money. 돈 때문에 애먹고 있었다. (2) …와 말썽을〔문제를〕 일으키다 《*with*》: He *was in* ~ *with* the union. 그는 노조 문제로 말썽을 일으키고 있었다. (3) …으로 욕먹을 〔처벌될〕 처지에 있다《*with*》: He *was in* ~ *with* the police. 그는 경찰의 조사를 받고 있었다. ***get into*** ~ (일이) 성가시게 되다 ; 분란〔말썽〕을 일으키다 ; 《口》 (미혼여성이) 임신하다. ***get . . . into*** ~ (1) (남에게) 폐를 끼치다. (2) 《口》(미혼 여성)을 임신시키다. ***go to the*** ~ ***of*** do***ing*** 일부러 …하다. ***make*** ~ 소란〔말썽〕을 일으키다 ; 세상을 시끄럽게 하다. ***put*** a person ***to*** ~ 아무에게 폐를 끼치다, 성가시게 하다. ***take*** ~ 수고하다 ; 노고를 아끼지 않다. ~ ***and strife*** 《英俗》 마누라, 여편네.
— *vt.* ① 《~+[目]/+[目]+[前]+[名]》 …을 괴롭히다, 난처하게 하다, 걱정시키다 : What ~*s* me is that… 내가 고민하고 있는 것은 …이다 / He was ~*d about* his son 〔*by* the news〕. 자식 일로〔그 소식을 듣고〕 걱정했다. ② …에게 폐〔수고〕를 끼치다, …를 번거롭게 하다 : I am sorry to ~ you. 폐를 끼쳐 죄송합니다. ③ 《~+[目]/+[目]+[前]+[名]》 (병 등)이 고통을 주다 ; 괴롭히다 : be ~*d with* 〔*by*〕 a nasty cough 악성 기침으로 고생하다. ④ 《+[目]+[前]+[名]/+[目]+*to* do》 …에게 폐가 됨을 돌보지 않고 간청하다 : May I ~ you *for* a match? 성냥 좀 얻을 수 있을까요. ⑤ …을 교란하다, 어지럽히다, 파란을 일으키다 : The wind ~*d* the waters. 바람이 바다에 파도를 일으켰다.
— *vi.* ① 《+[前]+[名]》 걱정하다《*over*》: ~ *over* trifles 사소한〔하찮은〕 일을 염려하다. ② 《~/+*to* do》〔주로 疑問·否定形으로〕 수고하다 ; 일부러〔애써〕 …하다 : Oh, don't ~, thanks. 아, 걱정

마십시오, 괜찮습니다 / Don't ~ *to* meet me at the airport. 수고스럽게 공항까지 마중나올 건 없다. ***be ~d about*** 〔***with***〕 (money matters) (금전 문제)로 고민하다.

trou·bled [trʌ́bld] *a.* ① 난처한, 곤란한, 걱정스러운《얼굴 따위》: a ~ expression 불안한 표정 / You look ~. 뭔가 걱정이 있는가 보군. ② 거친, 떠들썩한《바다·세상 따위》: ~ times 어지러운 시대. ***fish in ~ waters*** 혼란을 틈타서 한몫 보다.

trou·ble·mak·er [-mèikər] *n.* Ⓒ 말썽꾸러기.

trou·ble·shoot [-ʃùːt] (***~·ed, -shòt***) *vt.* ① (기계)를 수리하다. ② (분쟁)을 조정하다. — *vi.* 수리원으로서 일하다; 분쟁 조정자로서 일하다.

trou·ble·shoot·er [-ʃùːtər] *n.* Ⓒ ① (기계의) 수리원. ② 분쟁 해결자〔조정자〕.

‡trou·ble·some [trʌ́blsəm] (***more ~; most ~***) *a.* ① 골치아픈, 귀찮은: a ~ child 귀찮은 아이 / a ~ car 고장만 나는 차. ② 어려운, 다루기 힘든: a ~ problem 어려운 문제. ◇ trouble *n.* ㊀ **~·ly** *ad.* **~·ness** *n.*

tróuble spòt ① (국제 관계 등의) 분쟁 지역. ② 문제가〔고장이〕 잘 나는 데, 문제점.

***trough** [trɔ(ː)f, trɑf] *n.* Ⓒ ① (가축의 긴) 구유, 여물통. ② (빵 따위의) 반죽 그릇. ③ 홈통; 물받이. ④ (파도와 파도) 골 (cf. crest). ⑤〖氣〗 기압골.

trounce [trauns] *vt.* ① …을 흠씬 패주다; 혼내주다; 엄한 벌을 주다. ② (시합 등에서 상대)를 참패시키다.

troupe [truːp] *n.* Ⓒ (배우·곡예사 등의) 일단 「(一團), 한 패.

troup·er [-pər] *n.* Ⓒ 극단 등의 일원, 극단원.

trou·ser [tráuzər] *a.* 〔限定的〕 양복바지(용)의: a ~ pocket 바지 호주머니. ㊀ **~ed** *a.* 바지를 입은.

‡trou·sers [tráuzərz] *n. pl.* (남자의) 바지. ★ 수를 셀 때는 a pair 〔three pairs〕 of ~라 하고, 바지 한쪽 가랑이를 말할 때는 trouser. ***wear the ~*** ⇨WEAR[1].

tróuser sùit 《英》 =PANTSUIT.

trous·seau [trúːsou, -́] (*pl.* **~x** [-z], **~s**) *n.* Ⓒ 혼수 옷가지, 혼숫감.

***trout** [traut] (*pl.* **~s,** 〔集合的〕 ~) *n.* ① Ⓒ〖魚〗 송어. ② (요리한) 송어(살). ③ Ⓒ (old ~)《英俗·蔑》 미련하고 못생긴 할망구.

trove [trouv] *n.* =TREASURE-TROVE.

trow·el [tráuəl] *n.* Ⓒ ① (미장이의) 흙손. ② 모종삽. ***lay it on with a ~***《口》 과장하다.

***Troy** [trɔi] *n.* 트로이《소아시아 북서부의 옛 도시》.

tróy wèight 금형(金衡), 트로이형《금·은·보석의 무게를 다는 형량(衡量)》.

tru·an·cy [trúːənsi] *n.* Ⓤ,Ⓒ 무단 결석.

tru·ant** [trúːənt] *n.* Ⓒ ① 게으름쟁이. ② 무단 결석자《특히 학생》. ***play ~ (***from*** ...) (학교·근무처를) 무단 결석하다, 농땡이 부리다.

— *a.* 게으름피우는, 무단 결석하는, 게으른.

— *vi.* 빈들거리다, 무단 결석하다.

trúant òfficer 《美》 무단 결석생 지도원.

***truce** [truːs] *n.* Ⓒ,Ⓤ ① 정전〔휴전〕(협정): a flag of ~ 휴전의 백기 / make〔call〕 a ~ 휴전하다 / conclude a ~ with …와 정전 협정을 맺다. ② (고생·고통 따위의) 휴지(休止), 중단.

‡truck[1] [trʌk] *n.* Ⓒ ① 트럭(《英》 lorry): transport goods by ~ 트럭으로 화물을 수송하다. ②《英》 (철도의) 무개 화차. ③ (2 바퀴의) 손수레. ***fall off the back of a ~*** 물건이 도난당하다.

— *vt.* (물건)을 트럭〔화차〕에 싣다; 트럭으로 운반하다: ~ the fruits to the market 과일을 트럭으로 시장에 운반하다. — *vi.* 트럭을 운전하다: sustain one's family by ~*ing* 트럭 운전을 해서 가족을 부양하다.

truck[2] *n.* Ⓤ ① 〔集合的〕 (물물 교환의) 교역품. ② (임금의) 현물 지급. ③《美》 시장에 낼 야채 (garden ~). ***have no ~ with*** …와 거래하지 않다; …와 교제〔관계〕하지 않다.

— *vt.* 《~+목 / +목+전+명》 …을 (물물) 교환하다, 교역하다《*for*》: ~ a thing *for* another 어떤 물건을 다른 물건과 교환하다. — *vi.* 《~ / +전+명》 거래하다《*with; for*》: ~ *with* a person *for* a thing 아무와 어떤 물건을 거래하다.

truck·age [trʌ́kidʒ] *n.* Ⓤ 트럭 운송(료).

truck·er[1] [trʌ́kər] *n.* Ⓒ 트럭 운전사〔운송업자〕.

trucker[2] *n.* Ⓒ 《美》 =TRUCK FARMER.

trúck fàrm 〔**gàrden**〕《美》 시판용 채소 재배 농원(《英》 market garden).

trúck fàrmer 《美》 시판용 야채 재배업자.

trúckfàrming 《美》 시장 출하용 야채재배(업).

truck·ing[1] [trʌ́kiŋ] *n.* Ⓤ 《美》 트럭 운송(업): ~ company 운송 회사.

truck·ing[2] *n.* Ⓤ 《美》 시판용 야채 재배.

truck·le [trʌ́kəl] *n.* =TRUCKLE BED.

— *vi.* 굴종하다, 굽실거리다《*to; for*》.

trúckle bèd 바퀴 달린 침대 (trundle bed)《낮에는 큰 침대 밑에 밀어넣어 둠》.

truck·load [trʌ́klòud] *n.* Ⓒ 트럭 1 대분의 화물.

truck·man [trʌ́kmən] (*pl.* **-men** [-mən]) *n.* Ⓒ 《美》 ① 트럭 운전사. ② 트럭 운송업자.

trúck stòp 《美》 (고속도로변의) 트럭 기사식당.

trúck sỳstem (임금의) 현물 지급제.

truc·u·lence, -len·cy [trʌ́kjələns], [-lənsi] *n.* Ⓤ 영악함, 야만, 잔인.

truc·u·lent [trʌ́kjələnt, trúː-] *a.* ① 모질고 사나운; 잔인한: a ~ villain 잔인한 악당. ② (말·비판 등) 신랄한, 통렬한. ㊀ **~·ly** *ad.*

***trudge** [trʌdʒ] *vi.* 터벅터벅 걷다《*along; away*》: He ~*d* wearily *along* the path. 그는 작은 길을 터벅터벅 걸어갔다. — *n.* Ⓒ 무거운 걸음, 터벅터벅 걷기.

trudg·en [trʌ́dʒən] *n.* Ⓤ〖泳〗 양손으로 번갈아 물을 끌어당겨 치는 헤엄(=́ **stròke**).

†true [truː] *a.* ① 정말의, 진실한, 사실과 틀리지 않는. opp. *false.* ¶ a ~ story 실화 / Is that ~? 그거 정말이냐 / That is only too ~. 섭섭하지만 그것은 사실이다. ② 〔限定的〕 가짜가 아닌, 진짜의, 순수한, 진정한: ~ gold 순금 / The frog is not a ~ reptile. 개구리는 순수한 파충류가 아니다 / ~ friendship 진정한 우정. ③ 성실한, 충실한《*to*》: a ~ friend 성실한 친구 / be ~ to one's principles 주의에 충실하다 / Be ~ *to* your word. 약속을 지켜라. ④ 정확한, 틀림 없는: a ~ copy 정확한 복사 / a ~ pair of scales 정확한 천칭(天秤) / as ~ as I'm alive 틀림 없이, 정말로. ⑤ (실물) 그대로의, 박진의《*to*》: ~ *to* life 〔nature, the original〕 실물 그대로의〔원문에 충실한〕. ⑥ **a**) (목소리 따위가) 음조에 맞는; (기구·바퀴 따위가) 올바른 위치에 있는, 이상 없는: His voice is ~. 그의 목소리는 가락에 맞는다 / Is the wheel ~? 바퀴는 잘 끼워져 있느냐. **b**) (자극(磁極)이 아닌) 지축(地軸)을 따라 정한.

come ~ 희망 등이 실현되다; (예언 등이) 적중하다: His dream has *come* ~. 그의 꿈이 실현되었다. ***hold ~*** (…에 대해 규칙·말 따위가) 들어맞다, 유효하다《*of; for*》. (***It is***) ***~ that ..., but*** _ 과연 …은 사실이지만 (그러나)—: *It is ~ that* I saw him *but* we didn't talk. 그를 만난 것은 사실이나 우리는 말은 하지 않았다.

prove ~ 진실임이 판명되다; 들어맞다. ***Too ~! = How ~!*** 《口》〔강한 同意〕 과연 (그렇소). ***~ to type*** 전형적인; (동식물이) 순종의.
— *ad.* ① 참으로, 정확하게: Tell me ~. 바른대로 말해 주시오 / aim ~ 똑바로 겨누다. ②〖生〗 순수하게, 순종으로: breed ~ 순종을 낳다.
— *vt.* 《~+目 / +目+副》 (도구·차바퀴·엔진 등)을 바로 맞추다《*up*》: ~ *up* an engine cylinder 엔진 실린더를 바르게 조정〔정비〕하다.
— *n.* (the ~) 진실임; 진리: *the* ~, the good, and the beautiful 진선미. ***in*** 〔***out of***〕 (***the***) ~ 정확〔부정확〕하여, 맞아〔어긋나〕. 派 ∠·ness *n.*

trúe blúe ① (주의(主義)에) 충실한 사람. ② 《英》 충실한 보수당원.

true-blue [∠blúː] *a.* ① 아주 충실한. ② 《英》 충실한 보수당의.

true·born [∠bɔ́ːrn] *a.* 순수한: a ~ Londoner 런던 토박이.

true·bred [∠bréd] *a.* ① (동물이) 순종의. ② (사람이) 바르게 자란, 뱀뱀이가 있는.

trúe-fálse tèst [trúːfɔ́ːls-] 진위형 시험법(○× 식의 객관 테스트).

true·heart·ed [∠háːrtid] *a.* 성실〔충실〕한.

true-life [∠láif] *a.* 〔限定的〕 사실에 근거한, 실화의: a ~ story 실화(實話).

true·love [∠lʌ̀v] *n.* Ⓒ 연인, 애인.

trúelove 〔**trúe lóver's**〕 **knòt** (애정의 표시로서의) 나비 매듭(love knot).

truf·fle [trʌ́fəl] *n.* ① Ⓒ 〖植〗 송로(松露)의 일종 《버섯의 일종으로 조미용》. ② ⒸⓊ 트러플, 트뤼프《구형(球形)의 초콜릿 과자의 일종》.

trug [trʌg] *n.* Ⓒ 《英》 (원예용(園藝用)의) 얕으막한 타원형 바구니《꽃·도구 등을 넣음》.

tru·ism [trúːizəm] *n.* Ⓒ 자명한 이치, 명명백백한 일.

‡**tru·ly** [trúːli] (***more ~; most ~***) *ad.* ① 참으로, 진실로: report ~ 진실을 보도하다 / It is ~ said that time is money. 돈은 시간이라고 하는데, 지당한 말이다. ② 올바르게; 확실히; 정확히: Tell me ~. 사실대로 말해다오. ③ 진심으로, 정말로: I am ~ grateful. 진심으로 감사합니다. ④ 충실히, 성실하게; serve one's master ~ 주인을 성실하게 섬기다. ⑤〔文章修飾〕 사실을 말하자면, 사실은: *Truly*, I was surprised. 사실인즉 놀랐다. ***Yours ~***, = ***Truly yours***, 총총, 불비례 《편지의 맺는 말》.

Tru·man [trúːmən] *n.* **Harry S.** ~ 트루먼《미국 제 33 대 대통령(1945-53); 1884-1972》.

‡**trump** [trʌmp] *n.* ① **a)** Ⓒ (카드놀이의) 으뜸패. **b)** (*pl.*) 으뜸패의 한 벌. ⓒⓕ playing card. ② Ⓒ 비결, 최후〔필승〕의 수단. ③ Ⓒ 《口》 믿음직스런 사람, 호남아. ***no*** ~ 으뜸패 없는 승부. ***turn*** 〔***come***〕 ***up ~s*** (일이) 예상 외로 잘 돼 가다.
— *vt.* ① …을 으뜸패로 따다〔이기다〕. ② (아무)를 이기다. — *vi.* 으뜸패를 내놓다〔로 이기다〕. ~ ***up*** (이야기·구실 따위를) 꾸며내다, 조작하다, 날조하다: a ~*ed up* story 꾸며낸 이야기.

trúmp cárd ① 으뜸패. ② 비장의〔최후의〕 수, 비법: play one's ~ 비장의 수를 쓰다.

trumped-up [trʌ́mptʌ́p] *a.* 날조된.

trump·ery [trʌ́mpəri] *n.* ⒸⓊ 〔集合的〕 ① 겉만 번드레한 물건, 굴퉁이, 야하고 값싼 물건. ② 허튼 소리, 잠꼬대. — *a.* ① 겉만 번드르르한《장식품 등》. ② 시시한; 천박한《의견 등》.

‡**trum·pet** [trʌ́mpit] *n.* Ⓒ ①〖樂〗 트럼펫, 나팔. ② 나팔 모양의 것. **a)** (축음기·라디오 등의) 나팔 모양의 확성기. **b)** 나팔 모양의 보청기. ③ **a)** 나팔 소리, 나팔소리 같은 소리. **b)** (코끼리의) 나팔소리 같은 울음 소리. ④ 트럼펫 주자, 나팔수. ***blow*** one***'s own*** ~ 자랑하다, 자화자찬하다.
— *vi.* ① 나팔을 불다. ② (코끼리가) 나팔 같은 소리를 내다. — *vt.* ① …을 나팔로 알리다. ② 《~+目 / +目+副》 …을 큰소리로 알리다, 떠벌리다, 알리며 돌아다니다: She's always ~*ing* the cleverness of her son. 그녀는 늘 제 아들이 똑똑하다고 자랑하고 다닌다.

trúmpet càll 나팔 신호; (긴급) 출동 명령.

trúmpet crèeper 〔**flòwer, vìne**〕 〖植〗 능소화(凌霄花) 나무《미국산》.

trum·pet·er [trʌ́mpitər] *n.* Ⓒ ① 트럼펫 주자; 나팔수. ② 떠버리. ***be*** one***'s own*** ~ 제자랑하다.

trun·cate [trʌ́ŋkeit] *vt.* ① (원추 또는 나무 따위)의 꼭대기를〔끝을〕 자르다. ② (긴 인용구 등)을 잘라 줄이다. — *a.* = TRUNCATED.

trun·cat·ed [trʌ́ŋkeitid] *a.* ① 끝을 자른; 끝을 자른 모양의. ② (문장 등) 생략된, 불완전한. ③ 〖數〗 (기하 도형이) 절두(截頭)된: a ~ cone 절두 원추, 원뿔대 / a ~ pyramid 절두 각추, 각뿔대.

trun·ca·tion [trʌŋkéiʃən] *n.* Ⓤ 끝을 자름; 절두(截頭), 절단(截斷).

trun·cheon [trʌ́ntʃən] *n.* Ⓒ (경관 등의) 곤봉, 경찰봉.

***trun·dle** [trʌ́ndl] *n.* ① Ⓒ (침대, 피아노 등의 작은) 바퀴 롤러; (침대 따위의) 각륜(脚輪). ② = TRUCKLE BED.
— *vt.* 《~+目 / +目+前+名 / +目+副》 (무거운 것)을 굴려서〔데굴데굴 밀어서〕 나르다: ~ a hoop *along* the street 길에서 굴렁쇠를 굴리다.
— *vi.* 《~ / +副》 구르다, 회전하다; 구르며 나아가다, 드르르 움직이다: The truck ~*d away* along the street. 트럭이 드르르 달려가 버렸다.

trúndle bèd = TRUCKLE BED.

‡**trunk** [trʌŋk] *n.* Ⓒ ① (나무의) 줄기. ⓒⓕ branch. ② 몸통, 동체(부분). ⓒⓕ head, limb[1]. ③ 본체, 중앙 부분; 《比》 주요〔중요〕 부분: The ~ of the plan remained the same. 계획의 주요 부분은 변경되지 않았다. ④ 트렁크, 여행 가방《suitcase 보다 대형이며 견고한 것》. ⑤ 《美》 자동차의 짐칸, 트렁크(《英》 boot). ⑥ (철도·인공 수로·강 따위의) 간선(幹線), 본선: the Kyŏngbu ~ line 경부 간선. ⑦ (코끼리의) 코. ⑧ (*pl.*) 트렁크스《남자용 운동〔수영〕 팬츠》: bathing〔swimming〕 ~*s*. ⑨ 〖建〗 기둥줄기, 주신(柱身).

trúnk càll 《英》 장거리 전화(《美》 long-distance call).

trúnk hòse (16-17세기의 허벅다리까지의 길이의) 불룩한 반바지.

trúnk lìne (철도·도로·전신·전화·수도·가스 등의) 간선, 본선.

trúnk ròad 간선 도로.

truss [trʌs] *n.* Ⓒ ① 〖建〗 (지붕·다리 등의) 트러스, 형구(桁構). ② 《英》 (건초·짚 따위의) 단, 다발. ③ 〖醫〗 헤르니아〔탈장(脫腸)〕대. — *vt.* 《~+目 / +目+副》 ① …을 다발 짓다, …을 (로프 따위로) 묶다; (아무의) 두 팔을 몸통에 묶어 매다《*up*》: ~ hay 건초를 다발 짓다 / The policeman ~*ed up* the robber. 경관이 도둑을 포박했다. ② (요리 전에 새의) 날개와 다리를 몸통에 묶다. ③ (지붕·교량 따위)를 트러스로 떠받치다.

trúss brìdge 트러스교(橋), 결구교(結構橋).

‡**trust** [trʌst] *n.* ① **a)** Ⓤ 신뢰, 신용, 신임《*in*》: have〔put, place〕 ~ *in* a person 아무를 믿다 / She doesn't have much ~ *in* his word. 그녀는 그의 약속을 별로 믿지 않는다. **b)** Ⓒ 신용〔신뢰〕할 수 있는 사람. **c)** Ⓤ (또는 a ~) 확신, 기대, 소망: I have *a* ~ that he will finish the work by tomorrow. 나는 그가 내일까지는 그 일을 끝내리

라고 확신한다 / I have ~ in future. 나는 미래에 기대하고 있다. ② [U.C] (신뢰·위탁에 대한) 책임, 의무: be in a position of ~ 책임이 있는 지위에 있다 / fulfill one's ~ 책임을 다하다. ③ **a)** [U] 위탁, 보관, 보호: leave a thing in ~ with a person 물건을 아무에게 맡기다 / have (hold) a thing in ~ for a person 아무의 물건을 보관하고 있다. **b)** [C] 위탁물, 맡은 물건. ④〖法〗 **a)** [U] 신탁: a breach of ~ 배임. **b)** [C] 신탁 재산(물건): ⇨INVESTMENT TRUST. ⑤ [C]〖經〗 트러스트, 기업합동. ⑥ [U]〖商〗 외상 (판매), 신용 (대부). ***on*** ~ (1) 외상으로: buy (sell) things *on* ~ 외상으로 물건을 사다(팔다). (2) 신용하고, 그대로 믿고: take... *on* ~ …을 그대로 믿다. ***take . . . on*** ~ (확인도 않고) …을 그대로 믿다.

— *vt.* ① …을 신뢰하다, 신용(신임)하다: He is not a man to be ~*ed*. 그는 신용할 수 있는 사람이 아니다. ②《+[목]+*to* do / +[목]+[전]+[명]》 …을 안심하고 …시켜 두다; 능히 …하리라 생각하다: You may ~ him *to* do the work well. 그는 그 일을 잘 할 것이니 걱정마시오 / I can't ~ it *out of* my hands. 곁에 두지 않으면 안심이 되지 않는다. ③《+*to* do / +(*that*) [절]》 …을 기대하다, 희망하다, (…이라면 좋겠다고) 생각하다: I ~ *to* hear better news. 더 좋은 소식을 듣고 싶다 / I ~ (*that*) you're in good health. = You're quite well, I ~. 몸 건강하시길 빕니다. ④《+[목]+[전]+[명]》 (안심하고) …을 위탁하다, 맡기다《*to*》; …에 위탁하다, …에게 맡기다《*with*》: I ~ my solicitors *with* my affairs. 소송 사무는 일체 변호사에게 맡기고 있다. ⑤《+[목]+[전]+[명]》 …에게 털어놓다《*with*》: ~ a person *with* a secret 아무에게 비밀을 털어놓다. ⑥《~+[목] / +[목]+[전]+[명]》 …에게 외상판매(신용대부)하다: I wonder whether my tailor ~*s* me. 양복점에서 외상으로 양복을 지어 줄는지 / ~ a person *for* a camera 카메라를 외상으로 팔다.

— *vi.* ①《+[전]+[명]》 믿다, 신뢰하다《*in*》: ~ *in* God 하느님을 믿다. ②《+[전]+[명]》 (운수·기억 등에) 의존(의지)하다, 기대하다《*to*》: Don't ~ *to* chance. 운에 기대를 걸지 마라 / You ~ *to* your memory too much. 너는 너무 기억에 의존한다《메모를 하여라》. ③《~ / +[전]+[명]》 …을 기대하다《*for*》: I ~ *for* further inquiry. 좀더 조사가 있을 것으로 기대한다.

[파] ∠·**er** *n.*

trúst còmpany 신탁 회사(은행).

trust·ee [trʌstíː] *n.* [C] ① 피(被)신탁인, 수탁자; 보관인, 보관 위원, 관재인: a ~ in bankruptcy 파산 관재인(管財人) / the Public *Trustee*《英》 공인 수탁자. ② (대학 등의) 평의원, 이사.

trust·ee·ship [-ʃip] *n.* ① [U.C] 수탁인(관재인)의 직(지위, 임기). ② **a)** [U] (UN에 의해 어떤 나라에 위임되는 영토의) 신탁 통치: the *Trusteeship* Council (유엔) 신탁 통치 이사회. **b)** [C] 신탁 통치령(지역).

trust·ful [trʌ́stfəl] *a.* (쉽게, 잘) 믿는, 신뢰하는.
[파] ~·**ly** [-fəli] *ad.* ~·**ness** *n.*

trúst fùnd 신탁 자금(기금, 재산).

trust·ing [trʌ́stiŋ] *a.* 믿는, (신뢰하여) 사람을 의심치 않는, 신용하는(confiding, trustful): a ~ child 의심할 줄 모르는 아이.
[파] ~·**ly** *ad.* 믿고, 안심하고. ~·**ness** *n.*

trust·less [trʌ́stlis] *a.* ① 신용 없는, 신뢰할 수 없는. ② 신용하지 않는, 의심 많은.

trúst tèrritory (유엔) 신탁 통치령(지역).

trust·wor·thy** [trʌ́stwə̀ːrði] (-thi·er; -thi·est***) *a.* 신용(신뢰)할 수 있는, 믿을 수 있는.
[파] **-wòr·thi·ly** *ad.* **-wòr·thi·ness** *n.*

trusty** [trʌ́sti] (trust·i·er; -i·est***) *a.* 믿을 만한, 신뢰할 수 있는, 충실한.
— *n.* [C] ① 믿을 수 있는 사람. ② 모범수(囚).
[파] **trúst·i·ly** *ad.* **-i·ness** *n.*

‡**truth** [truːθ] (*pl.* ~***s*** [truːðz, -θs]) *n.* ① [U.C] 진리(眞理), 참: God's ~ 절대의 진리 / a universal ~ 보편적 진리 / Christian ~ 기독교의 진리 / scientific ~*s* 과학적 진리. ② [U] 진실성, 진실임: There's no shadow of ~ in what he says. 그의 말에는 눈곱만큼의 진실도 없다 / I doubt the ~ of it. 그 진위를 의심한다 / *Truth* is (lies) at the bottom of the decanter. 취하면 본심을 말하는 법이다. ③ [C.U] 사실, 진실, 진상: The ~ is that.... 사실은 …(이라는 것)이다 / *Truth* is stranger than fiction. 사실은 소설보다 기이하다 / *Truth* will out.《俗談》진실은 드러나게 마련이다. ④ [U] 성실, 정직: You may depend on his ~. 그의 성실을 믿어도 좋다. ***in*** ~ 참으로, 실제로; 사실은. ***tell the*** ~ ***and shame the devil*** 과감히 진실을 말하다. ***to tell*** (***speak***) ***the*** ~ = ~ ***to tell*** 실은, 사실을 말하자면.

trúth drùg = TRUTH SERUM.

***truth·ful** [trúːθfəl] *a.* ① (사람이) 정직한, 거짓말을 하지 않는: a ~ child 정직한 아이. ② (말 따위) 진실한, 정말의: a ~ story 진실된 이야기.
[파] ~·**ly** [-i] *ad.* ~·**ness** *n.*

trúth sèrum 자백약《신경증 환자·범죄자 등의 억압된 감정·생각 등을 드러내게 하는 최면약》.

†**try** [trai] (*p., pp.* ***tried; trý·ing***) *vt.* ①《~+[목] / +-*ing*》 …을 해보다, 시도하다《do*ing*》: ~ an experiment 실험하여 보다 / She *tried* writ*ing*. 그녀는 글쓰기를 해보았다. ★ try doing은 '시험삼아 해보다' '실제로 …해보다', try to do는 '…해보려고 시도하다' '…하려고 노력하다《아직 하고는 있지 않다》'의 뜻: She *tried to* write in pencil. 그녀는 연필로 써 보려고 했다. ⇨*vi*.②.
②《~+[목] / +[목]+[전]+[명] / +*wh*. [절]》 …을 시험하다, (알기 위해) …을 시험해 보다, 조사해 보다: ~ the brake 브레이크를 점검하다 / ~ a dish 요리를 맛보다 / ~ a door 문을 (자물쇠가 걸려 있는지) 열어보다 / ~ a person *for* a job 아무가 일에 적임인지 시험해 보다 / *Try how* far you can throw the ball. 얼마나 멀리까지 공을 던질 수 있는지 해보아라.
③《~+[목] / +[목]+[전]+[명]》〖法〗 …을 재판에 부치다, (사건)을 심리(심문)하다, (아무)를 재판하다: ~ a person *for* murder (theft) 아무를 살인(절도)죄로 심리하다 / ~ the accused *for* his life 피고인을 사형죄로 심문하다 / He was *tried* and found guilty. 재판에 회부되어 유죄가 되었다 / Which judge will ~ the case? 어느 재판관이 이 사건을 심리할 것인가.
④《~+[목] / +[목]+[전]+[명]》 …에게 시련을 겪게 하다, 고생하게(혹독한 일을 당하게) 하다, 괴롭히다, 혹사하다: That boy *tries* my patience. 저 아이는 정말 사람 미치게 만든다 / Don't ~ your eyes *with* that small print. 그런 작은 활자를 보아 눈을 혹사하지 마라.
— *vi.* ① 시험해 보다: I don't think I can do it, but I'll ~. 할 수 있을 것 같지는 않지만 해보겠소. ②《~ / +[전]+[명] / +*to* do》 (…하도록) 노력하다 (힘쓰다)《*for*》: ~ *for* a scholarship 장학금을 타려고 노력하다 / *Try to* behave better. 좀더 점잖게 행동하도록 해라. ~ ***it on***《口》(1) (허용한도가 얼만인지 알아보려고) 대담하게(뻔뻔하게) 행동해 보다. (2) …을 속이려 들다《*with*》: It's no use ~*ing it on with* me. 나를 속이려고 해봤자 소용

없다. ~ ***on*** 몸에 맞는지 입어 보다〔써 보다, 신어 보다〕: ~ a new coat *on* 새 코트를 입어 보다 / *Try* it *on.* 그것을 입어 보아라. ~ ***one's hand at*** ... ⇨ HAND. ~ ***out*** (1) (밀랍 등을) 가열하여 빼내다. (2) 시험해 보다: The idea seems good but it needs to be *tried out.* 좋은 착상인 듯하나 실지로 시험해볼 필요가 있다. (사람·물건)을 충분히 시험해보다. (3) (경기 등에) 출장하다《*for*》.
— *n.* Ⓒ ① 시험(해 보기), 시도, 노력: He had three *tries* and failed each time. 그는 세 번 해 보았으나 번번히 실패했다. ②〖럭비〗트라이.

‡**try·ing** [tráiiŋ] *a.* ① 견디기 어려운, 괴로운, 고된(painful) : a hot, ~ day 못견디게 더운 날 / a ~ experience 고통스러운 경험. ② 화가 나는, 참을 수 없는. ㉥ ~·**ly** *ad.*

try-on [tráiɑ̀n, -ɔ̀:n / -ɔ́n] *n.* Ⓒ《口》① (속이려는) 시도. ② (가봉한 옷을) 입어보기.

try·out [tráiàut] *n.* Ⓒ《口》① 적성 검사. ②〖劇〗시험 흥행, 시연(試演).

tryp·sin [trípsin] *n.* Ⓤ〖生化〗트립신《췌액(膵液) 중의 소화 효소》.

try·sail [tráisèil, 《海》-səl] *n.* Ⓒ〖船〗돛대 뒤쪽의 보조적인 작은 세로돛.

trý squàre (목수가 쓰는) 곱자, 곡척(曲尺).

tryst [trist, traist] *n.* Ⓒ《古》① (특히, 애인 등과의) 만날 약속; 약속한 회합, 데이트: keep 〔break〕 (a) ~ 만날 약속을 지키다〔어기다〕. ② 밀회〔회합〕의 장소〔시간〕.

tsar [zɑ:r, tsɑ:r] *n.* =CZAR.

Tschaikovsky ⇨ TCHAIKOVSKY.

tset·se [tsétsi, tét-, tsí:tsi] *n.* Ⓒ〖蟲〗체체파리 (=∠ **flỳ**)《가축의 전염병·수면병을 매개하는 아프리카 중남부의 집파리의 일종》.

T/Sgt, T. Sgt. Technical Sergeant.

T-shaped [-ʃèipt] *a.* T 자형(字形)의.

T-shirt [-ʃə̀rt] *n.* Ⓒ 티셔츠.

T squàre [tí:-] T 자.

‡**tub** [tʌb] *n.* Ⓒ ① 통, 물통: a wash ~ 세탁물통. ② 통 하나 가득(한 분량): a ~ of water. ③ 목욕통, 욕조(bathtub): fill the ~ 욕조에 물을 채우다 / empty the ~ 욕조의 물을 빼다. ④《口》목욕, 입욕(入浴): have 〔take〕 a (hot) ~ 목욕하다. ⑤《口》볼품 없고 느린 배. ⑥《俗》뚱뚱보.

tu·ba [tjú:bə] (*pl.* **~s, -bae** [-bi:]) *n.* Ⓒ〖樂〗튜바《최저음의 대형 금관 악기》.

tub·al [tjú:bəl] *a.* ① 관(모양)의. ②〖解·動〗수란관〔나팔관〕의: ~ pregnancy 수란관 임신.

tub·by [tʌ́bi] (***-bi·er ; -bi·est***) *a.* ① 통 모양의. ② (사람이) 땅딸막한. ㉥ **túb·bi·ness** *n.*

‡**tube** [tju:b] *n.* Ⓒ ① (금속·유리·고무 따위의) 관(管), 통; (관악기의) 관, 몸통: boiler ~*s* 보일러 관 / optic ~*s* 망원경 / a test ~ 시험관 / a tin ~ 주석관(管), 튜브 용기 / a torpedo ~ 어뢰 발사관. ② (그림물감·치약 등의) 튜브; (타이어의) 튜브: a ~ of toothpaste(튜브에 든) 치약. ③ **a**) (관상(管狀)의) 지하도. **b**)《英口》지하철(《美》subway): a ~ station《英》지하철역. ④ **a**)《美》진공관(《英》valve). **b**) (텔레비전의) 브라운관. **c**) (the ~)《美口》텔레비전. ⑤ **a**)〖植〗관, 통모양의 부분. **b**)〖解·動〗관, 관상 기관: bronchial ~*s* 기관지. ***go down the*** ~(***s***)《美口》폐물이 되다, 폐기되다.

tube·less [-lis] *a.* 튜브가 (필요) 없는: a ~ tire.

tu·ber [tjú:bər] *n.* Ⓒ ①〖植〗괴경(塊莖)《감자 따위》. ②〖解〗돌기, 결절.

tu·ber·cle [tjú:bərkəl] *n.* Ⓒ ①〖植〗소괴경(小塊莖). ②〖解〗소류(小瘤). ③〖醫〗결절(結節), 결핵 결절.

túbercle bacìllus 결핵균《略: T.B.》.

tu·ber·cu·lar [tjubə́:rkjələr] *a.* ① 결절(結節)의, 결절이 있는. ② 결핵(성)의; 결핵에 걸린. — *n.* Ⓒ 결핵 환자.

tu·ber·cu·lin [tjubə́:rkjəlin] *n.* Ⓤ 투베르쿨린《결핵 진단·검사용 주사액》: a ~ test 〔reaction〕.

tu·ber·cu·lin-test·ed [-tèstid] *a.* 투베르쿨린 반응 음성의 소에서 짜낸《우유》.

***tu·ber·cu·lo·sis** [tjubə̀:rkjəlóusis] (*pl.* **-ses** [-si:z]) *n.* Ⓤ〖醫〗결핵(병)《略: T.B., TB》; 폐결핵(pulmonary ~).

tu·be·rose [tjú:bəròuz] *n.* Ⓒ〖植〗월하향(月下香)《멕시코 원산》.

tu·ber·ous [tjú:bərəs] *a.* ① 결절이 있는. ② 괴경(塊莖) 모양의.

tub·ful [tʌ́bfùl] *n.* Ⓒ 한 통〔대야〕분, 통 하나 가득한 양《*of*》.

tub·ing [tjú:biŋ] *n.* Ⓤ ① 관(管)공사, 배관(配管): 관(管)재료. ② 〔集合的〕관류(管類).

tub-thump·er [tʌ́bθʌ̀mpər] *n.* Ⓒ《口》(탁자를 치며) 열변을 토하는 사람〔변사〕.

tu·bu·lar [tjú:bjələr] *a.* 관(管)의, 관상(管狀) 조직의; 파이프식의; 관 모양의, 관으로 된: a ~ boiler 관식(管式) 보일러 / a ~ railway 지하 철도.

tu·bu·late [tjú:bjəlit, -lèit] *a.* =TUBULAR.

T.U.C., TUC 《英》Trades Union Congress.

‡**tuck** [tʌk] *n.* ① Ⓒ (옷의) 단, 주름겹단, 접어 올려 시친 단: make a ~ in a dress 드레스에 주름을 잡다. ② Ⓤ《英俗》음식; 과자.
— *vt.* ①《+목+전+명》…을 챙겨넣다, 쑤셔 넣다: *Tuck* the money *into* your wallet. 그 돈을 지갑에 챙겨넣어라. ②《+목+전+명》(다리)를 구부려서 당기다; (머리 따위)를 움츠리다, 묻다《*in*》: The bird ~*ed* its head *under* its wing. 새는 날개 밑에 머리를 묻었다 / ~ one's knees *under* one's chin 턱을 무릎 위에 괴다. ③《+목+부 / +목+전+명》(냅킨·셔츠·담요 따위의 끝)을 밀어〔찔러〕넣다《*in ; up ; under*》: *Tuck* in your blouse. 블라우스 자락을 속에 밀어넣어라 / *Tuck* the edge of the sheet *under* the mattress. 시트 끝을 매트리스 밑으로 찔러넣어라. ④《+목+부 / +목+전+명》(아이·환자)에게 시트·담요 따위를 꼭 덮어 주다, (침구 따위로) …을 감싸다《*up*》: ~ the child *up in* bed 아이에게 이불을 덮어 주다. ⑤《+목+부》(옷자락 등)을 걷어〔치켜〕올리다《*up*》: She ~*ed up* her skirt and waded across the stream. 그녀는 치맛자락을 치켜들고 개울을 건넜다 / He ~*ed up* his shirt-sleeves. 그는 셔츠 소매를 걷어올렸다. ⑥ (옷)을 호아 올리다, 시쳐넣다, 접어올려 호다《*up ; in*》.
~ ***away*** (1) …을 챙겨넣다; …을 안전한 곳에 두다〔세우다〕. (2)《口》…을 배불리 먹다〔마시다〕. (3) (집 따위)를 세우다. ~ ***in*** …을 쑤셔〔밀어〕넣다. ~ ***up*** (1) (옷 단 등)을 걷(어 올리)다. (2) 〔受動으로〕(다리)를 꺾어 앉다: She sat with her legs ~*ed up.* 그녀는 다리를 옆으로 모아 앉았다. (3) (애기)를 포대기에 잘 감싸다《*in*》: ~ a child *up in* bed.

tuck·er[1] [tʌ́kər] *n.* Ⓒ ① **a**) 옷 단을 호아 올리는 사람. **b**) (재봉틀의) 주름잡는 장치. ② (17-18 세기 여성 복장의) 깃 장식. ***in one's best bib and*** ~ 나들이옷을 입고.

tuck·er[2] *vt.*《美口》…을 피곤하게〔지치게〕하다《*out*》: be ~*ed out* 몹시 지치다.

tuck-in [tʌ́kìn] *n.* Ⓒ (흔히 *sing.*)《英俗》진수성찬.

tuck-shop [tʌ́kʃɑ̀p / -ʃɔ̀p] *n.* Ⓒ《英俗》과자 가게《학교 구내 또는 부근의》.

-tude *suf.* 〔주로 라틴 계통의 形容詞에 붙여〕 '성질, 상태'란 뜻의 명사를 만듦 : atti*tude*.

Tu·dor [tjú:dər] *a.* ① 영국의 튜더 왕가〔왕조〕의. ② 〖建〗 튜더 양식의. ── *n.* ① 튜더《영국의 왕가(1485~1603)》. ② [C] 튜더 왕가의 사람. ***the ~s = the House of ~*** 튜더 왕가.

***Tues., Tue.** Tuesday.

†**Tues·day** [tjú:zdi, -dei] *n.* [U,C] 화요일《略 : Tue., Tues.》: on a ~ (과거·미래의) 어느 화요일에 / on ~*s* 화요일마다, 언제나 화요일에는.
── *ad.* 《美》 화요일에 (on Tuesday).

Tues·days [tjú:zdiz, -deiz] *ad.* 《口》 화요일에, 화요일마다 (on Tuesdays).

tu·fa [tjú:fə] *n.* [U] 〖鑛〗 석회화(石灰華)《용천(湧泉)」 침전물》.

***tuft** [tʌft] *n.* [C] ① (머리칼·깃털·실 따위의) 술, 타래. ② (풀이나 나무의) 덤불, 수풀. ── *vt.* …에 술을 달다, 술로 장식하다.

tuft·ed [-id] *a.* ① 술이 있는, 술로 장식한 ; 술 모양의. ② 총생(叢生)한.

tufty [tʌ́fti] (***tuft·i·er ; -i·est***) *a.* ① 술의 ; 술이 많은. ② 총생의. ⓟ **túft·i·ly** *ad.*

‡**tug** [tʌg] (*-gg-*) *vt.* ① 《~+[목] / +[목]+[전]+[명]》 …을 당기다, (세게) 잡아당기다 : ~ a car *out of* the mire 진창에서 차를 끌어내다 / She ~*ged* my ear. 그녀는 내 귀를 잡아 당겼다. ② (배)를 예인선으로 끌다 : ~ a boat.
── *vi.* 《~ / +[전]+[명]》 (힘껏) 당기다, 잡아당기다 《*at*》: Don't ~ so hard. It will break. 그렇게 세게 잡아당기지 마라. 끊어질라.
── *n.* [C] ① 세게 당김 ; 잡아당김 : I felt a ~ at my sleeve. 누군가가 소매를 잡아당기는 것을 느꼈다. ② 벅찬 노력, 분투 ; 투쟁, 치열한 다툼 : the ~ of young minds in a seminar 세미나에서의 청년들의 분분한 의견 충돌. ③ (마구의) 끄는 가죽. ④ 예인선(tugboat) ; (글라이더) 예항기. ***(a) ~ of war*** ⑴ 줄다리기. ⑵ 주도권 싸움. ***~ of love*** 《英口》(이혼한 부부의 아이에 대한) 친권자 싸움.

***tug·boat** [∸bòut] *n.* [C] 예인선, 터그보트.

***tu·i·tion** [tju:íʃən] *n.* [U] ① 교수, 수업 : give 〔have〕 private ~ in English 영어 개인 교수를 하다〔받다〕. ② 수업료(=∸ **fèe**).
ⓟ **~·al** [-əl] *a.* 교수(용)의 ; 수업료의.

†**tu·lip** [tjú:lip] *n.* [C] 튤립 ; 그 꽃〔구근〕.

túlip trèe 목련과의 나무(《美》 poplar ②).

tu·lip·wood [-wùd] *n.* [U] tulip tree의 목재《주로, 가구 제작용》.

tulle [tju:l] *n.* [U] 튤《그물 모양의 얇은 명주 ; 베일 등에 씀》.

tum [tʌm] *n.* [C] 《英口》 배 (tummy, stomach).

‡**tum·ble** [tʌ́mbəl] *vi.* ① 《~ / +[전]+[명]》 엎드러지다, 넘어지다《*off ; over*》; 굴러떨어지다《*down*》: ~ *down* the stairs 〔*off* a horse〕 계단〔말〕에서 굴러떨어지다. ② 《+[부]/+[전]+[명]》 굴러다니다, 몸부림치며 뒹굴다 ; 자면서 몸을 뒤치다《*about*》: The puppies ~*d about on* the floor. 강아지들이 마룻바닥에서 뒹굴었다. ③ (가격 따위가) 폭락하다 ; 갑자기 떨어지다. ④ 《~/+[부]/+[전]+[명]》 (건물 따위가) 무너지다, 붕괴 직전이다 : The old building seemed about to ~ *down.* 그 낡은 건물은 쓰러질 듯 했다. ⑤ 《+[부]/+[전]+[명]》 뒹굴다시피〔급하게〕 …하다 : *Tumble up.* 서둘러라 / I was so tired that I threw my clothes off and ~*d into* bed. 몹시 피곤하여 옷을 벗어던지고는 급히 잠자리에 기어들었다 / ~ *out of* a bus 버스에서 앞을 다투어 뛰어내리다. ⑥ 공중제비하다, 재주넘다. ⑦ 《+[전]+[명]》《口》 갑자기 생각이 미치다, 이해하다, 깨닫다《*to*》: At last he ~*d to* what I was hinting at. 그는 마침내 나의 암시를 알아차렸다.
── *vt.* ① 《~+[목] / +[목]+[부]》 …을 굴리다, 넘어뜨리다, 뒤집어 엎다《*down ; over*》: The wrestler ~*d* the opponent. 씨름꾼은 상대자를 넘어뜨렸다 / ~ *over* a barrel 통을 굴리다. ② 《~+[목] / +[목]+[전]+[명]》 …을 내던지다, 내팽개치다 : The accident ~*d* them all *out of* the bus. 사고 때문에 그들은 모두 버스 밖으로 나가떨어졌다. ③ 《~+[목] / +[목]+[전]+[명]》 …을 혼란시키다, 뒤범벅을 만들다, 엉클어뜨리다 : ~ a bed 잠자리를 흩뜨려 놓다 / ~ clothes *into* a box 상자에 옷을 마구 쑤셔 넣다.
── *n.* ① [C] 엎드러짐, 넘어짐, 뒹굶, 전락, 전도(轉倒). ② [C] (곡예의) 공중제비 (somersault). ③ (a ~) 혼란, 뒤범벅 : be all in *a* ~ 뒤범벅이 돼 있다. ***get a ~*** 《口》 관심을〔호의를〕 끌다. ***give a ~*** 《口》 관심을〔호의를〕 보이다.

tum·ble-down [-dàun] *a.* (건물 따위가) 찌부러질 듯한, 황폐한 : What a ~ shack you live in! 이렇게 쓰러져가는 집에 살고 있다니.

túmble drìer =TUMBLER DRIER.

tum·ble-dry [tʌ́mbldrài] *vt.* (세탁물)을 회전식 건조기로 말리다.

***tum·bler** [tʌ́mblər] *n.* [C] ① 텀블러《굽·손잡이가 없는 큰 컵》; 그 컵 한잔. ② 공중제비하는 사람, 곡예사 ; 오뚝이《장난감》. ③ (자물쇠의) 날름쇠.

túmbler drìer (세탁물의) 회전식 건조기.

tum·bler·ful [tʌ́mblərfùl] *n.* [C] 큰 컵 한잔의 분량.

tum·ble·weed [tʌ́mblwì:d] *n.* [C] 〖植〗 회전초《가을 바람에 쓰러지는 명아주·엉겅퀴 따위의 잡초》.

tum·bling [tʌ́mbliŋ] *n.* [U] 〖體操〗 텀블링《매트나 지상에서의 회전 운동》.

tum·brel, -bril [tʌ́mbrəl], [-bril] *n.* [C] ① 비료 운반차. ② (프랑스 혁명 시대의) 사형수 호송차.

tu·me·fac·tion [tjù:məfǽkʃən] *n.* ① [U] 부어오름. ② [C] 종창(腫脹), 종기.

tu·me·fy [tjú:məfài] *vt.* …을 붓게 하다. ── *vi.* 「붓다.

tu·mes·cence [tju:mésəns] *n.* [U] 부어오름.

tu·mes·cent [tju:mésənt] *a.* ① 부어오르는, 종창성(腫脹性)의. ② (성기가) 발기한.

tu·mid [tjú:mid] *a.* ① 부어오른 ; 융기한. ② 과장된《문장 따위》.

tu·mid·i·ty [tju:mídəti] *n.* [U] ① 부어오름, 종창(腫脹). ② 과장.

tum·my [tʌ́mi] *n.* [C] 《兒·口》 배 (stomach).

tu·mor, 《英》 **-mour** [tjú:mər] *n.* [C] ① 종창(腫脹), 종기. ② 〖醫〗 종양(腫瘍) : a fatty ~ 지방종(脂肪腫) / a benign 〔malignant〕 ~ 양성〔악성〕 종양.

tu·mor·ous [tjú:mərəs] *a.* 종양의, 종양 같은.

tu·mu·li [tjú:mjəlài] TUMULUS의 복수.

‡**tu·mult** [tjú:mʌlt, -məlt] *n.* [U,C] ① 법석, 소동; 소음 ; 폭동 : Presently the ~ died down. 이윽고 소동은 가라앉았다. ② 격정, (마음의) 산란, 흥분 : in a ~ of grief 비탄에 젖어.

***tu·mul·tu·ous** [tju:mʌ́ltʃuəs] *a.* ① 떠들썩한, 소란스러운 : a ~ meeting 〔crowd〕 소란스러운 회합〔군중〕. ② (마음이) 동요한, 격앙된 : ~ passions 폭풍과 같은 격정. ⓟ **~·ly** *ad.*

tu·mu·lus [tjú:mjələs] (*pl.* ***~·es, -li*** [-lài]) *n.* [C] 뫼, 무덤, 《특히》 봉분 ; 고분 (mound).

tun [tʌn] *n.* [C] ① 큰 통, 큰 술통 ; (양조용의) 발효통(醱酵桶). ② (술 등의) 용량 단위《252 갤런》.
── (*-nn-*) *vt.* (술)을 큰 통에 넣다〔저장하다〕.

tu·na [tjú:nə] (*pl.* ~(***s***)) *n.* ① [C] 〖魚〗 다랑어.

② [U] 다랑어〔참치〕의 살.

tun·a·ble [tjúːnəbəl] *a.* 조율〔조정(調整)〕할 수 있는. [파] **~·ness** *n.* **-bly** *ad.*

túna fìsh (식용의) 다랑어〔참치〕살.

tun·dra [tʌ́ndrə, tún-] *n.* [U.C] (북시베리아 등지의) 툰드라, 동토대(凍土帶).

‡tune [tjuːn] *n.* ① [C] 곡, 곡조, 멜로디; 가곡; 주(主)선율; 분명한 선율: whistle a popular ~ 휘파람으로 유행가를 부르다 / a ~ difficult to remember 외기 어려운 곡조. ② [U] (노래·음률의) 올바른 가락, 장단: He can't sing in ~. 그의 노래는 가락이 틀린다. ③ [U] 조화, 어우러짐. ***call the ~*** 결정권을 가지다, 좌지우지하다. ***change one's ~*** (의견·태도)를 싹 바꾸다: He soon *changed his* ~ and started working as hard as the others. 그는 이내 태도를 바꾸어 남들처럼 열심히 일하기 시작했다. ***sing another*** 〔***a different***〕 ~ =change one's ~. ***to the ~ of*** ($500), ($500) 상당액. ***turn a ~*** 《口》 한 곡 부르다〔연주하다〕.

— *vt.* ① …의 가락을 맞추다; (악기)를 조율〔조음〕하다《*to*》: ~ a piano 피아노를 조율하다. ② 《+[목]+[전]+[명]》 〖通信〗 (회로)를 동조시키다, …에 파장을 맞추다: ~ a television set *to* a local channel 텔레비전을 지방국에 맞추다. ③ …에 적합하게 하다; 조정〔조절〕하다; 일치〔조화〕시키다. **~ *down*** …의 음량을 낮추다. **~ *in*** (1) (*vt.*) (라디오·TV의) 다이얼〔채널〕을 …에 맞추다《*to*》; (2) (*vi.*) 수신기를 (방송국·프로에) 동조시키다《*to*》. **~ *out*** (1) (수신기의 다이얼을 조정하여 잡음 등이) 안 들리게 하다. (2) 《口》 남의 일에 신경〔마음〕을 안 쓰다, 무시하다.

tune·ful [tjúːnfəl] *a.* 음조가 좋은, 음악적인, 좋은 소리를 내는. [파] **~·ly** *ad.* **~·ness** *n.*

tune·less [⌐lis] *a.* ① 음조가 맞지 않는, 난조(亂調)의; 운율이 고르지 않은. ② 소리가 안 나는《악기 따위》. [파] **~·ly** *ad.*

tun·er [⌐ər] *n.* [C] ① 조율사(調律師): a piano ~. ② 정조기(整調器). ③ 〖電子〗 동조기(同調器).

tune-up [⌐ʌ̀p] *n.* [C] (엔진 등의) 조정.

tung·sten [tʌ́ŋstən] *n.* [U] 〖化〗 텅스텐《금속 원소; 기호 W; 번호 74》.

tu·nic [tjúːnik] *n.* [C] ① 튜닉. **a**) 고대 그리스·로마 사람의 소매가 짧고 무릎까지 내려오는 속옷. **b**) 스커트 등과 함께 입는 긴 여성용 상의. **c**) 《英》 (군인·경관 등의) 웃옷의 일종. ② 〖解〗 피막(被膜), 막(膜).

tun·ing [tjúːniŋ] *n.* [U] ① 조율. ② (무전기의) 파장 조정.

túning fòrk 〖樂〗 소리굽쇠, 음차(音叉).

Tu·ni·sia [tjuːníː(ː)ʒiə] *n.* 튀니지《북아프리카의 공화국; 수도 Tunis》.

Tu·ni·sian [tjuːníːʒiən] *n.* 튀니지〔튀니스〕 사람. — *a.* 튀니지〔튀니스〕 (사람)의.

‡tun·nel [tʌ́nl] *n.* [C] ① 터널, 굴; 지하도. ② (광산의) 갱도(坑道). ③ (동물이 사는) 굴. — (*-l-*, 《英》 *-ll-*) *vt.* 《~+[목] / +[목]+[전]+[명]》 ① …에 터널을 파다: ~ a hill〔river〕 산〔강 밑〕에 터널을 파다. ② 〔~ one's way로〕 터널을〔갱도를〕 파고 나아가다《*through*; *into*》: ~ *one's way through* 〔*into*〕… 터널을 파 …을 빠져 나가다〔…의 속으로 들어가다〕.

— *vi.* 터널을 만들다; 터널을 파 나아가다.

tun·ny [tʌ́ni] (*pl.* **-nies,** ~) *n.* =TUNA.

tup [tʌp] *n.* [C] 《英》 숫양(羊).

tup·pence [tʌ́pəns] *n.* 《英口》 =TWOPENCE.

***tur·ban** [tə́ːrbən] *n.* [C] ① 터번《이슬람교 남자가 머리에 감는 두건》. ② (여성용의) 터번식 모자. [파] **~ed** [-d] *a.* 터번을 감은.

tur·bid [tə́ːrbid] *a.* ① (액체가) 혼탁한: She gazed down at ~ waters of the Thames. 그녀는 혼탁한 테임즈 강을 지긋이 내려다 보았다. ② 짙은《구름·연기 따위》, 농밀한. ③ (생각·문체 등이) 어지러운, 혼란된. [파] **~·ly** *ad.* **~·ness** *n.*

tur·bid·i·ty [təːrbídəti] *n.* [U] ① 흐림, 혼탁. ② 혼란(상태).

tur·bi·nate [tə́ːrbənit, -nèit] *a.* ① 팽이 모양의. ② (조개 따위가) 소용돌이 모양의.

***tur·bine** [tə́ːrbin, -bain] *n.* [C] 〖機〗 터빈: a steam ~ 증기 터빈.

turbo- 'turbine(에 의해 운전되는)'의 뜻의 결합사: *turbo*generator.

tur·bo·charged [tə́ːrboutʃàːrdʒd] *a.* 터보차저가 달린: a ~ engine 터보차저 엔진.

tur·bo·charg·er [-ər] *n.* [C] 〖機〗 터보차저, 배기(排氣) 터빈 과급기《내연기관의 배기로 구동되는 터빈에 의해 회전되는 과급(過給) 장치》.

tur·bo·jet [tə́ːrboudʒèt] *n.* [C] ① 터보제트기. ② =TURBOJET ENGINE.

túrbojet èngine 터빈식 분사 추진 엔진, 터보제트 엔진.

tur·bo·prop [tə́ːrboupràp / -prɔ̀p] *n.* [C] ① = TURBOPROP ENGINE. ② 터보프롭 기(機).

túrboprop èngine 터보프롭엔진(=**túrbo-propèller** 〔**túrbo·pròp-jèt**〕 **èngine**).

tur·bu·lence [tə́ːrbjələns] *n.* [U] ① **a**) (바람·물결 등의) 거칠게 몰아침, 거칢. **b**) (사회·정치적인) 소란, 동란(disturbance). ② 〖氣〗 (대기의) 난기류(亂氣流).

***tur·bu·lent** [tə́ːrbjələnt] *a.* ① 몹시 거친, 사나운《바람·파도 따위》. ② 떠들썩한, 소란스러운; 광포한, 난폭한. [파] **~·ly** *ad.* 몹시 거칠게.

turd [təːrd] *n.* [C] 《卑》 ① 똥. ② 똥 같은 놈.

tu·reen [tjuríːn] *n.* [C] (수프 따위를 담는) 뚜껑 달린 움푹한 그릇.

turf [təːrf] (*pl.* **~s,** 《稀》 ***turves*** [təːrvz]) *n.* ① **a**) [U] 〔集合的〕 잔디. **b**) [C] 뗏장: make a lawn by laying ~ 뗏장을 심어서 잔디밭을 만들다. ② [U.C] 이토(泥土); 토탄(土炭). ③ (the ~) **a**) 경마: He ruined himself on *the* ~. 그는 경마로 신세를 망쳤다. **b**) 경마장. ④ 《美俗》 (폭력단 등의) 세력권. — *vt.* ① (땅)을 잔디로 덮다, …에 잔디를 심다. ② 《英口》 (사람·물건)을 내쫓다, 내던지다《*out*》.

túrf accòuntant 《英》 (사설) 마권(馬券) 업자.

turfy [tə́ːrfi] (***turf·i·er*** ; ***-i·est***) *a.* ① 잔디가 많은; 잔디로 덮인; 잔디 같은. ② 토탄이 많은; 토탄질의. ③ 경마(장)의.

tur·gid [tə́ːrdʒid] *a.* ① 부어오른. ② (말·글 따위가) 과장된. [파] **~·ly** *ad.* **~·ness** *n.*

tur·gid·i·ty [təːrdʒídəti] *n.* [U] ① 부어 오름, 부풀기, 팽창. ② (문체 따위의) 과장(誇張).

Turk** [təːrk] *n.* [C] 터키족의 사람, 터키사람; (특히) 오스만 제국의 사람. ***the Grand 〔***Great***〕 ~ (제정 시대의) 터키 황제.

Tur·ke·stan [tə̀ːrkistǽn, -stáːn] *n.* 투르키스탄《중앙 아시아의 광대한 지방》.

‡Tur·key [tə́ːrki] *n.* 터키《중동의 공화국; 수도 Ankara》.

‡tur·key [tə́ːrki] (*pl.* ~(***s***)) *n.* ① **a**) [C] 〖鳥〗 칠면조: *Turkeys* are raised for their meat. 칠면조는 고기를 먹으려고 사육된다. **b**) [U] 칠면조 고기. ② [C] 《美口》 (연극·영화 등의) 실패작. ③ [C] 《美口》 바보, 얼간이. ***talk*** (***cold***) ~ 《美口》 (상담(商談)등)을 솔직히 〔단도직입적으로〕 말하다.

túrkey còck ① 칠면조 수컷. ② 우쭐대는 자.

‡Turk·ish [tə́ːrkiʃ] *a.* 터키의; 터키 사람〔어〕의; 튀르크어(군)의. — *n.* [U] 터키 어.

Túrkish báth 터키식 목욕, 증기목욕(탕).
Túrkish cárpet 〔**rúg**〕 터키 융단.
Túrkish Émpire (the ~) 터키 제국(Ottoman Empire).
Túrkish tówel 보풀이 긴 타월(목욕용).
Tur·ki·stan [tə̀ːrkistǽn, -stáːn] *n.* = TURKESTAN.
tur·mer·ic [tə́ːrmərik] *n.* Ⓤ 〖植〗 심황(인도산); 심황 뿌리의 가루(물감·건위제·조미료).
*__tur·moil__ [tə́ːrmɔil] *n.* Ⓤ,Ⓒ 소란, 소동, 혼란 (tumult): The country is in a state of political ~. 그 나라는 정치적 혼란 상태에 있다.
†**turn** [təːrn] *vt.* ① (~+목/+목+부) …을 돌리다, 회전시키다: ~ the wheel of a car 자동차의 핸들을 돌리다 / She'd ~ her hat *around* so that the ribbons hung over her face. 그녀는 리본이 얼굴에 드리우도록 모자를 돌려 썼다.
② (~+목/+목+부) (스위치·고동·마개)를 틀다; (조명·라디오·가스·수도 따위)를 켜다, 틀다(*on*); 잠그다, 끄다(*off*): ~ the tap *on* 〔*off*〕 고동을 틀다〔잠그다〕 / ~ the lights *low* 불빛을 낮추다.
③ (모퉁이)를 돌다, …을 돌아가다, 구부러지다; (적의 측면)을 우회하다: The car ~*ed* the corner. 차는 모퉁이를 돌았다 / ~ an enemy's flank 적의 측면을 우회하다.
④ (연령·시각 등)을 넘다, 지나다: He has not yet ~*ed* sixty. 아직 60세 미만이다 / It has just ~*ed* five. 지금 막 5시가 지났다.
⑤ (~+목/+목+부) …을 감아〔걷어〕올리다(*up*): (옷의 깃)을 세우다; (책장)을 넘기다; 접다, 구부리다; 파헤치다; (날)을 무디게 하다: ~ *up* one's shirt sleeves 셔츠의 소매를 걷어 올리다; 활기 있게 일에 달려들다 / ~ (*over*) the pages 책장을 넘기다 / ~ the sheet *back* 시트를 개다 / Soil should be ~*ed* after the harvest. 추수 후에는 땅을 갈아 엎어야 한다 / ~ the edge of a blade 칼의 날을 무디게 하다 / ~ (*up*) a collar 칼라를 세우다.
⑥ (옷)을 뒤집다, (뒤집어) 고치다: have an old overcoat ~*ed* 헌 외투를 뒤집어 고치게 하다.
⑦ …을 뒤집다, 거꾸로 하다, 전도하다: ~ a cake on a gridiron 석쇠 위에서 과자를 뒤집다 / ~ a phonograph record 축음기 판을 뒤집다 / A great wave ~*ed* the boat upside down. 보트는 거센 물결에 휘말려 뒤집혔다.
⑧ (다른 그릇)에 거꾸로 기울여 붓다: ~ oil from the pan into a can 기름을 프라이팬에서 깡통으로 붓다.
⑨ (+목+전+명) (눈·얼굴·등 따위)를 …으로 돌리다(*to*; *on, upon*); (어떤 방향으로) 향하게 하다, …을 향해 나아가게 하다(direct)(*to*; *toward*; *on*); 적대하게 하다(*against*): He ~*ed* his back *to* the audience. 그는 청중에게 등을 돌렸다(★to 대신 on 을 쓰면 반발·무시 따위로 등을 돌리는 뜻이 됨: ~ one's back *on* a friend 친구를 짐짓 무시하다) / ~ the car *toward* downtown 중심가 쪽으로 차를 돌리다 / He ~*ed* all his friends *against* her. 그는 친구들을 모조리 그녀의 적으로 돌게 하였다.
⑩ (+목+전+명) (어떤 용도·목적)으로 쓰다, 충당하다, 돌려대다, (…의) 대상으로 만들다, 이용하다(*to*): ~ a thing *to* good use〔account〕 물건을 선용〔이용〕하다 / She ~*ed* his remarks *to* ridicule. 그녀는 그의 말을 웃음거리로 삼았다.
⑪ (~+목/+목+전+명) (타격·탄환 따위)를 빗나가게 하다; (사람의 마음 따위)를 딴 데로 돌리다, 변화시키다: ~ the blow 주먹을 피하다 / I ~*ed* her *to* 〔*toward*〕 progressive ideas. 나는 그녀가 진보적 생각을 갖도록 전향시켰다.
⑫ (~+목/+목+부/+목+전+명) …을 쫓아 버리다, 쫓아내다: ~ a mob 폭도를 몰아내다 / ~ a person *out* (*of* door) 아무를 (집)밖으로 내쫓다 / She ~*ed* (*away*) the beggar *from* her door. 그녀는 거지를 문간에서 쫓아 버렸다.
⑬ (~+목/+목+전+명/+목+보) (성질·외관 따위)를 …으로 변화시키다, 만들다〔바꾸다〕, 변질〔변색〕시키다(*into*; *to*): Warm weather has ~*ed* the milk. 더워서 우유가 변질하였다 / ~ cream *into* butter 크림을 버터로 만들다 / Worry ~*ed* his hair gray. 걱정으로 머리가 희어졌다.
⑭ (머리)를 돌게 만들다, 혼란시키다, (마음)을 뒤집히게 하다: Success has ~*ed* his head. 성공하자 머리가 돌았다 / Her mind was ~*ed* by grief. 그녀의 마음은 슬픔으로 뒤집혔다.
⑮ …의 관절이 삐다: ~ one's ankle 발목을 삐다.
⑯ (+목+전+명) (돈 따위)로 바꾸다, 교환하다 (*into*): ~ one's check *into* cash 수표를 현금으로 바꾸다.
⑰ (+목+전+명) …을 번역하다; 바꾸어 말하다 (*into*): Can you ~ this passage *into* Greek? 이 글을 그리스어로 번역할 수 있느냐.
⑱ (자금·상품)을 회전시키다; (주)를 처분하다 (딴 주를 사기 위해); (이익)을 올리다: He ~*s* his capital two or three times in a year. 그는 1년에 2-3회씩 자금을 회전시킨다.
⑲ (+목+부) (이것저것)을 생각하다, 숙고하다 (*over*): She ~*ed* the plan *over* in her mind. 그녀는 곰곰이 그 계획을 검토했다.
⑳ …을 녹로로〔선반으로〕 깎다〔만들다〕; 매끈하게 만들다; 둥그스름히 하다: ~ a candlestick out of brass 놋쇠로 촛대를 만들다.
㉑ …을 모양 좋게 만들다, (표현)을 멋있게 하다: a well-~*ed* phrase 명구(名句) / She ~*s* a pretty compliment. 그녀는 아첨을 잘한다.
㉒ (공중제비)를 하다, (재주)를 넘다: ~ a somersault 공중제비를 하다.
㉓ (위·속)을 구역질나게 하다(upset): His filthy smile ~*s* my stomach. 그의 야비한 미소를 보면 구역질이 난다.
— *vi.* ① (+전+명) (축(軸) 또는 물체의 주위를) 돌다, 회전하다(rotate), 선회하다(whirl around): ~ *on* one's heel(s) 발뒤꿈치로 돌다 / A wheel ~*s on* its axis. 바퀴는 축을 중심으로 회전한다 / The earth ~*s round* the sun. 지구는 태양의 주위를 돈다.
② (+전+명) 몸의 방향을 바꾸다; (잠자리에서) 몸을 뒤척거리다(*over*), 뒤치락거리다: ~ on one's side while sleeping 자면서 몸을 뒤치락거리다 / I ~*ed over* in my bed. 침대에서 몸을 뒤척거렸다.
③ (가는) 방향을 바꾸다(*to*), (배가) 진로를 바꾸다; (모퉁이를) 돌다, 구부러지다: ~ *to* the left 왼쪽으로 방향을 바꾸다 / ~ left *down* a side street 왼쪽 골목길로 들어가다 / The lane ~*ed to* the left hand *toward* the river. 작은 길은 왼쪽의 강 방향으로 구부러져 있다 / The wind ~*ed to* the south. 풍향은 남쪽으로 바뀌었다.
④ 눈(길)을 돌리다〔보내다〕; 뒤돌아보다, 얼굴을 돌리다: everywhere the eyes ~ 눈길이 가는 곳에는 어디에나 / All faces ~*ed toward* him as he rose. 그가 일어나자 모두 그를 향해 얼굴을 돌렸다 / He ~*ed* when I called him. 불렀더니 그는 이쪽을 돌아다보았다 / She ~*ed from* him. 그녀는 그에게서 눈길을 돌렸다.
⑤ (~/+전+명/+부) (마음·문제 따위가) 향

하다, 관심〔생각〕을 향하게 하다《*to* ; *toward*》; 주의를〔생각·관심 등을〕 다른 데로 돌리다, 옮기다《*away* ; *from*》: He ~*ed back to* his work. 그는 자기의 일로 되돌아갔다 / She ~*ed to* music. 그녀는 음악으로 뜻을 돌렸다 / Let us now ~ *from* the poem *to* the author's career. 자 그러면 시에서 작자의 경력으로 화제를 옮깁시다 / My thoughts often ~ *to* you. 나는 종종 너를 생각한다 / My hopes ~*ed to* my son. 내 희망은 아들에게로 향하였다.
⑥《+전+명》 의지하다, 도움을 구하다 ; (사전 등을) 참조하다《*to*》: ~ *to* God 하느님께 기도하다 / ~ *to* a dictionary / He ~*ed to* me *for* help. 그는 내게 도움을 청했다.
⑦《~+전+명 / +보》 (성질·외관 따위가) 변(화)하다, 변전(變轉)하다《*to; into*》; 〔冠詞 없는 名詞를 補語로 수반하여〕 (변하여) …이 되다, …으로 전직하다 ; (종교적으로) 개종하다 ; 변절하다 : Dusk was ~*ing into* night. 황혼이 저물어 가고 있었다 / Love can ~ *to* hate. 사랑이 미움으로 변할 수 있다 / The weather ~*ed* fine. 날씨가 활짝 개었다 / ~ Christian 〔politician〕 기독교인이〔정치가가〕 되다 / When young, he ~*ed to* Christianity. 젊을 때 그는 기독교로 개종하였다 / ~ *from* one's party 자기의 당을 배반하다.
⑧《+보》 (우유 등이) 시어지다, 산패(酸敗)하다 : The milk ~*ed* sour. 우유가 시어졌다.
⑨ (나뭇잎이) 단풍들다, 변색하다 : The leaves are beginning to ~. 나뭇잎이 단풍들기 시작하고 있다.
⑩ (페이지가) 젖혀지다 ; 페이지를 펼치다, (의복 따위가) 걷어지다 ; …이 뒤집히다《*inside out*》; (칼날이) 무디어지다 : His umbrella ~*ed inside out*. 그의 우산이 뒤집혔다 / Please ~ *to* page 15. (책의) 15 페이지를 펼치세요.
⑪ (형세 따위가) 역전하다, 크게 바뀌다 ; (조수가 밀물·썰물 등으로) 바뀌다 ; 되돌아오다〔가다〕: Things are ~*ing for* the worse〔better〕. 사태는 악화〔호전〕되고 있다 / The tide has ~*ed*. 조수가 바뀌었다〔정황이 일변했다〕.
⑫ (…을) 적대하다, 적의를 가지다 ; 배반하다 ; …에게 갑자기 덤벼들다, 반항하다《*against* ; *on*》: He ~*ed against* his friends. 그는 친구들을 배반했다 / The dog ~*ed on* it's owner. 개는 갑자기 주인에게 덤벼들었다.
⑬《+전+명》 (…에) 관계가 있다, …여하에 달려 있다, (…에) 의하다《*on, upon*》: Everything ~*s on* your answer. 만사는 너의 대답 여하에 달려 있다.
⑭ 현기증이 나다 ; (머리가) 이상해지다 ; 구역질나다 : My head ~*s*. 머리가 어찔어찔하다 / His head has ~*ed* with his troubles. 고민거리로 머리가 이상해졌다 / My stomach ~*ed* at the sight. 그 광경을 보니 구역질이 났다.
⑮ 선반을 돌리다 ; (녹로〔선반〕 세공이) 완성되다, …로 갈리어지다.
not know where 〔***which way***〕 ***to*** ~ 《口》 (머리가 혼란하여) 어찌할 바를 모르다. ~ ***about*** 빙돌다〔돌리다〕, 되돌아보다 ; 〖軍〗 '뒤로 돌아'를 하다〔시키다〕. ~ ***against*** (*vi.*) (1) …에 거역하다, …에 반항〔반발〕하다 ; …을 싫어하다. (2) (상황 따위가) 아무에게 불리해지다. (*vt.*) …에게 거역〔반항〕하게 하다, …에 대해 반감을 품게 하다. ~ ***around*** (1) 회전하다〔시키다〕. (2) 방향을 바꾸다〔바꾸게 하다〕, 뒤돌아보(게 하)다 : The children ~*ed around* at the top of the stairs and waved to us. 어린이들은 계단 꼭대기에서 우리를 뒤돌아보고 손을 흔들었다. (3)《美》 …이 호전되다, …을 호전시키다 : How did you ~ your company *around?* 어떻게 자네 회사를 호전시켰는가. (4) (태도 등을) 일변하다〔시키다〕: The students ~*ed around* and blamed him. 학생들은 태도를 바꾸어 그를 비난했다. (5) …으로 의견〔방침〕 따위를 바꾸다〔바꾸게 하다〕, 변절하다〔시키다〕: He ~*ed around* and voted for the Democrats. 그는 생각을 바꾸어 민주당에 투표했다. (6) (배 따위에) 손님〔짐〕을 바꿔 싣고 다시 출발시키다. ~ ***aside*** (1) 길을 잘못 들다. (2) 얼굴을 돌리다, 외면하다 ; 옆을 보다. (3) 슬쩍 받아넘기다, 비키다 ; (분노)를 가라앉히다 : That will ~ *aside* his temper. 그것으로 그의 신경질도 가라앉을 것이다. ~ ***away*** (*vi.*) 외면하다, 돌보지 않다《*from*》; 떠나다 : ~ *away from* one's friend 친구를 외면하다. (*vt.*) (1) …을 쫓아내다, (손님 등)을 거절하다 : ~ *away* a beggar 거지를 쫓아버리다 / We had to ~ *away* hundreds of people because all seats had been sold. 좌석이 완전 매진되어 수백 명의 손님을 돌려보내지 않을 수 없었다. (2) …을 돌보지 않다. (3) (얼굴)을 돌리다, 외면하다. ~ ***back*** (*vt.*) (1) …을 되돌아가게 하다 ; 퇴각시키다 ; (시계)를 늦추다 : ~ the clock *back*. (2) 되접다, 되접어서 꾸미다. (3) (책장 따위)를 되넘기다. (4) 〔흔히 否定文에서〕 (계획 따위)를 취소하다 ; 본래대로 돌리다. (*vi.*) 되돌아가다〔오다〕; 《比》 제자리로 돌아가다. ~ ***down*** (*vt.*) (1) …을 접다, 개다 : ~ *down* one's coat collar 저고리의 깃을 접다 / ~ *down* the bedclothes 이부자리를 개키다. (2) (카드)를 뒤집어놓다, 밑을 향하게 놓다. (3) (제안·후보자 따위)를 거절〔각하〕하다 : His claims were ~*ed down* flat. 그의 요구는 단호히 거절당했다. (4) (등불·가스 따위의) 심지를 내리다, 불을 작게 하다 ; (라디오 등의) 소리를 작게 하다 : ~ *down* the lights 불을 어둡게 하다. (*vi.*) 되접어지다 ; 내려가다 ; (시황(市況)·경기 등이) 하강하다 ; (길 따위가) 꼬불꼬불 내리막 길이다 ; (차 따위가) 돌아서 샛길로 들어가다 : The divorce rate ~*ed down* in the 1980s. 1980 년대에는 이혼율이 낮아졌다. ~ ***from*** . . . (사는 방식·연구 등)을 바꾸다 ; 버리다, 그만두다 ; (눈·주의 등)을 돌리다. ~ ***in*** (*vt.*) (1) (발가락 따위)를 안쪽으로 굽히다. (2) …을 안에 넣다, 몰아넣다 ; (비료 따위)를 땅속에 갈아 넣다. (3) …을 돌려주다, 반환하다 : You must ~ *in* your uniform when you leave the team. 팀을 떠날 때는 제복을 반환해야 한다. (4)《美》 (서류·사표 등)을 제출하다, 건네다 ; 작성하다 : ~ *in* one's resignation 사표를 내다. (5) (중고차 등)을 대금 일부로 내놓다. (6) (경찰)에 인도하다, 밀고하다 : She promptly ~*ed* him *in* to the police. 그는 곧장 그를 경찰에 인도했다. (7) 〔再歸的〕 자수하다. (8)《口》 (계획 등)을 그만두다, 단념하다. (9) (성적·기록 등)을 획득하다, 올리다, 성취하다 : ~ *in* large profits 큰 이익을 올리다. (*vi.*) (1) (방향을 바꾸어) …로 들어가다. (2)《口》 잠자리에 들다 : He ~*ed in* at 11 last night. 그는 어젯밤 11 시에 잤다. (3) 잠깐 들르다 : ~ *in* at a bar 바에 들르다. (4) (발·무릎 따위가) 안으로 굽다 : His toes ~ *in*. ~ ***in on oneself*** (*vi.*) 내향적이 되다, 소극적으로 되다. ~ ***inside out*** (안팎을) 뒤집다, 뒤집히다. ~ ***loose*** ⇨LOOSE. ~ ***off*** (*vt.*) (1)《英》 …을 쫓아버리다 ; 해고하다 : The maid was ~*ed off* for carelessness. 그 가정부는 조심성이 없어 쫓겨났다. (2) (수도)를 잠그다, (라디오·전등 따위)를 끄다 : ~ *off* the water〔lights, radio〕. (3) …을 만들어내다, 생산하다 : ~ *off* an epigram 경구(警句)를 멋지게 만들어내다. (4) …을 돌려서 빼내다 ; …을 돌려서 형체

를 만들다. (5)《口》…에게 (…에 대한) 흥미를 잃게 하다: His long talk *~ed* us *off*. 그의 장광설에 우리는 싫증이 났다. (6) (표정·웃음 등)을 갑자기 멈추다. (7) …을 피하다: ~ *off* the question 질문을 피하다. (*vi.*) (1) (간선 도로에서) 샛길로 들어서다; (길이) 갈라지다: Is this where we ~ [our road *~s*] *off* for Mokp'o? 여기가 목포로 가는 갈림길인가. (2)《口》흥미를 잃다;《俗》듣기를 그만두다;《英》나빠지다, 상하다; …이 되다 (become). ~ ***on*** **a**) [on 은 副詞] (1) (가스·수도 등)을 틀다; (전등·라디오·TV 등)을 켜다: ~ *on* the lights 불을 켜다. (2)《俗》…을 시작하게 하다《*to*》. (3)《俗》마약을 먹고[먹여] 기분좋게 취(하게)하다. (4)《口》(아무)를 흥분시키다, 성적으로 자극하다: …을 열중하게[빠져들게] 하다;《俗》…에게 마약맛을 들이게 하다, …에게 (새로운 경험·가치 등)을 가르치다《*to*》. (5)《口》(표정·기색·눈물 등)을 갑자기[저도 모르게] 나타내다: She *~ed on* the charm and won him over. 그녀는 갑자기 매력을 발휘하여 그를 사로잡았다. **b**) [on 은 前置詞] (1) (호스·조소 등)을 …에게 돌리다. (2) …에게 반항하(게 하)다, …을 갑자기 공격하다[시키다], …에게 대들다: The dog *~ed on* me and bit me in the leg. 개가 달려들어서 다리를 물었다. (3) …에 의하여 결정되다, …여하에 달리다: Everything *~s on* your consent. 만사는 너의 찬성 여하에 달려 있다. (4) …을 중심으로[주제로] 하다. ~ ***on the heat*** ⇨HEAT. ~ ***out*** (*vt.*) (1) (가스)를 잠그다, (전등)을 끄다: Please ~ *out* the lights before you go to bed. 자기 전에 불을 끄세요. (2) (용기에 든 것)을 비우다; 뒤엎다: I *~ed out* all my pockets but found no money. 주머니를 모두 뒤집어 보았으나 돈은 한푼도 없었다. (3) …을 쫓아내다[버리다], 해고하다; (가축)을 밖으로 내몰다: If you don't pay your rent, you'll be *~ed out* into the street. 집세를 내지 않으면 길거리로 내쫓길 것이다. (4) …을 만들어내다, 생산[제조]하다: The factory *~s out* 100,000 cars a month. 그 공장은 한 달에 10 만 대의 자동차를 생산한다. (5) [흔히 受動으로] 성장(盛裝)시키다: She *was* elegantly *~ed out*. 그녀는 우아하게 성장하고 있었다. (6)《口》(방·용기 따위)를 비우고 청소하다. (7)《比》(사람)을 양성하다, 배출하다: This college *~s out* hundreds of highly qualified engineers. 이 대학은 수많은 훌륭한 기술자를 배출하고 있다. (8) (발가락 등)을 밖으로 향하게 하다. (*vi.*) (1) (발가락·발 따위가) 바깥쪽으로 향하다. (2)《口》밖으로 나가다; 모여들다; 떼지어 나오다; 출동하다: The whole village *~ed out* to welcome us. 온 동네 사람이 우리를 환영하기 위해 떼지어 나왔다. (3) 결국 …임이 판명되다(prove); (사태 등이) …로 되다[끝나다]: Everything *~ed out* well. 만사가 잘 되었다 / The day *~ed out* wet. 그 날은 비로 끝났다 / As it *~ed out*, the rumor was false. 결국 그 소문은 낭설이었다. (4) (침대에서) 일어나다. ~ ***over*** (*vi.*) (1) 몸의 방향을 바꾸다; (자면서 몸을) 뒤척이다. (2) (엔진이) 걸리다, 시동하다. (3) (속이) 메슥하다; (심장이) 뛰다. (4) [흔히 進行形] (일 따위가) 순조로이 되고 있다. (5) 사직[전직]하다; (다음 사람에게) 교대[인도]하다《*to*》. (6) (…까지) 책장을 넘기다《*to*》. (7) (상품이) 회전하다. (8) 뒤집히다, 전복하다: The buggy *~ed over* and Nancy was thrown out. 마차가 뒤집혀서 낸시는 밖으로 내동댕이쳐졌다. (*vt.*) (1) …을 숙고하다, 검토하다. (2) …의 방향을 바꾸게 하다; 몸을 뒤치게 하다: *Turn* the patient *over* on his right side. 환자를 오른쪽으로 눕히시오. (3) …을 뒤집다, 넘어뜨리다; 갈아엎다; (책장)을 넘기며 읽다; (서류·옷 등)을 뒤집고 조사하다[찾다]: She *~ed over* the book to look for the price. 그녀는 책 값을 보려고 책을 뒤집어(뒷표지를) 보았다. (4) (재산 등)을 양도하다; (경찰·책임자 등에게) …을 인도하다; (아이 등)을 맡기다; (권한 등)을 위임하다《*to*》: They *~ed* the man *over to* the police. 그들은 그 남자를 경찰에 넘겼다. (5) (엔진 따위)를 시동시키다: He *~ed over* the car motor. 그는 차 엔진을 걸었다. (6)《口》(…의) 기분을 상케 하다, 구역질나게 하다. (7)〖商〗(상품)을 매매하다, 회전시키다; (어떤 액수의) 거래가[매상이] 있다; (자본·자금)을 운용하다: He *~s over* about $10,000 every month. 매월 약 만 달러의 매상을 올린다. ~ ***round*** = ~ around. ~ a person ***round*** one***'s little finger*** ⇨ FINGER. ~ one***'s hand to*** ⇨HAND. ~ ***to*** (1) (원조·정보 따위를) 구하다, …에 호소하다: The child *~ed to* its mother *for* help. 아이는 어머니에게 도움을 구했다. (2) 일에 착수하다(★ to 이하의 명사가 생략되는 수가 많음: It's time we *turned to* (our work). 일에 착수해야 할 시간이다). (3) …에 문의하다; …을 조사[참조]하다. (4) …로 방향을 바꾸다: 전향하다; 변심[변절]시키다[하다]. ~ ***up*** (*vt.*) (1) (소매 따위)를 걷어 붙이다; 뒤집다; 위로 향하게 하다; (얼굴)을 돌리게 만들다; 위로 구부리다; 젖히다: The cold wind made him ~ his collar *up*. 바람이 차서 그는 옷깃을 세웠다. (2) (패)를 뒤집다; …의 겉이 위가 되게 놓다. (3) (램프·가스 따위)를 밝게[세게] 하다, (라디오) 소리를 크게 하다: ~ *up* one's lamp 등잔의 심지를 돋우다 / Don't ~ *up* the radio. 라디오의 소리를 크게 하지 마라. (4) 파뒤집다, 발굴하다; 발견하다: The ploughman *~ed up* an ancient pitcher. 농부가 고대의 주전자를 파냈다. (5) …에게 구토증을 일으키게 하다, …의 속을 메스껍게 하다. (6) [흔히 命令形; ~ it [that] up 로서]《口》(싫은 언동을) 그만두다. (*vi.*) (1) 모습을 나타내다, (불쑥) 오다; (물건이) 우연히 나타나다[발견되다]: Richard had *~ed up* on Christmas Eve with Tony. 리처드가 크리스마스 이브에 토니와 함께 불쑥 나타났다. (2) 위로 굽다[향하다]. (3) (어떤 일이) 갑자기 일어나다, 생기다: Don't worry about it — something will ~ *up*. 걱정하지 말게 — 무슨 수가 생기겠지. (4) …임을 알다; 눈에 띄다, 보이다: His name has *~ed up* in several magazines recently. 최근 몇 개의 잡지에 그의 이름이 보였다. ~ ***upside down*** (1) 거꾸로 되다, 역전되다: My life *~ed upside down* since then. 그 이후 내 인생은 역전되었다[엉망이 되었다]. (2) (방안을) 어지럽히다. ~ ***up*** one***'s nose at*** ⇨ NOSE. ***Whatever ~s you on!***《俗》나에겐 전혀 흥미가 없구나.

—— *n.* ① Ⓒ **a**) 회전, 돌림, 돌아감; 선회, 회전운동; (댄스의) 턴; (스키의) 회전: Give the screw a couple of *~s* to make sure it's tight. 나사가 단단히 죄도록 두서너 번 돌려라. **b**) 감음, 감는[꼬는] 식; (로프 따위의) 한 사리(의 길이), (소용돌이의) 휘돎, (코일의) 감김. ② Ⓒ **a**) 굽음, 변환, 사태의 전환; 〖軍〗 우회, 방향 전환; 〖樂〗 돈꾸밈음, 회음(回音), 턴; 〖競〗 턴, 반환: make a ~ to the left 좌회전하다. **b**) 굽은 곳, 모퉁이, 만곡부: sudden *~s* in the road 도로의 급한 커브. **c**) 바뀌는 때, 전환점: the ~ of life 갱년기 / at the ~ of the century 세기의 변환기[초두]에, 《특히》 20 세기 초두에. ③ Ⓒ **a**) 뒤집음; (카드 따위를) 넘김, 엎음; 〖印〗 복자(伏字). **b**) (병·노여움 따위의) 발작; 《俗》 메스꺼움, 현기증; 《口》 놀람, 쇼크, 충격: get quite a ~ 몹시

질겁하다. ④ (흔히 a ~) (성질·사정 따위의) 변화, 일변, 역전; 전기(轉機); 《稀》 전화(轉化), 변경; 되어감, 경향(trend); (새로운) 견해〔사고방식〕: His illness took *a* favorable ~. 그의 병은 차차 나아지고 있다 / take *an* interesting ~ 재미있게 되다. ⑤ Ⓒ 순번, 차례, 기회: It's my ~ to pay the bill. 내가 계산을 치를 차례다 / Wait (until it is) your ~. 너의 순번까지 기다려라. ⑥ **a)** 한바탕의 일; 동작; 산책, 드라이브, 한 바퀴 돎; (직공의) 교대 시간〔근무〕: I'll take a few ~*s* round the deck before I go to bed. 자기 전에 갑판을 좀 돌아보겠다. **b)** (경기·내기 등의) 한번 승부; 《英》 연예 프로〔상연물〕의 일장(一場)〔한 차례〕; 연예인: a star ~ at the circus 서커스에서의 인기 프로. ⑦ Ⓒ **a)** (좋은〔나쁜〕) 행위, 처사: A 〔One〕 good ~ deserves another. 친절을 베풀면 친절을 받을 자격이 있다. **b)** 보복, 앙갚음: repay it with a bad ~ 앙갚음하다. ⑧ (a ~) **a)** 성향, 성질; 능력, 특수한 재능, 기질: a boy with *a* mechanical ~ 기계를 만지는 재능이 있는 아이. **b)** 형(型), 모양; 주형, 성형틀. **c)** 말솜씨; 표현 방법, 문체(文體), 말(투): *a* happy ~ of expression 멋진〔아름다운, 알맞은〕표현. ⑨ (특정한) 목적, 필요, 요구, 요망; 급할 때: I think this book will serve my ~. 이 책으로 족하리라고 생각한다. ⑩ 형세, 동향, 형편, 경향; (*pl.*) 월경. ⑪ 〖商〗 (자본의) 회전(율).
at every ~ 바뀔 때〔바뀌는 곳〕마다, 도처에; 언제나, 예외 없이: We met with kindness *at every* ~. 우리는 가는 데마다 친절한 대접을 받았다. ***by*** ~***s*** 번갈아; 차례로: They laughed and cried *by* ~*s*. 그들은 웃었다 울었다 하였다. ***in the*** ~ ***of a hand*** 손바닥 뒤집듯이; 금방. ***in*** ~ 번갈아; 차례차례; 《文語》 다음에는, 똑같이: The doctor saw them all *in* ~. 의사는 그들 모두를 차례로 진찰했다. ***in*** one's ~ ⑴ 자기 차례가 되어. ⑵ 이번에는 자신이: I was scolded *in my* ~. 이번에는 내가 꾸중들었다. ***on the*** ~ 바뀌기 시작하여, 바뀌는 고비에: The tide is *on the* ~. 물때가 되었다 / The milk is *on the* ~. 《口》 우유가 상하기 시작한다. ***out of*** ~ ⑴ 순서 없이; 순번이 뒤바뀌어. ⑵ 무분별하게: talk 〔speak〕 *out of* ~ 경솔히 말하다. ***serve*** a person***'s*** ~ 충족시키다; 소용이 되다, 이바지하다: ⇨*n.* ⑨. ***take it in*** ~(***s***) ***to*** do 교대로 …하다. ***take*** ~***s*** 교대로 하다, 서로 교대하다《*at*; *about*; *in*; *with*; *to* do》: They *took* ~*s* (*at*) driv*ing* the car. 그들은 교대로 차를 운전했다. ***to a*** ~ (특히 요리가) 나무랄 데 없이, 꼭 알맞게《조리되어》: done *to a* ~ (요리가) 꼭 알맞게 익은〔구워진〕. ~ (***and*** ~) ***about*** (둘 또는 여럿이) 번갈아: Mother and I do the dishes ~ *and* ~ *about*. 설거지는 어머니와 내가 교대로 한다. ㊞ ∠·a·ble *a.*

turn·a·bout [tə́ːrnəbàut] *n.* Ⓒ ① 방향 전환 (turnaround), 선회; (사상 따위의) 전향; 변절; 변절〔배신〕자. ② 회전 목마.

turn·a·round [∠əràund] *n.* Ⓒ ① 전회, 선회; (진로·방침·의견 등의) 180도 전환, 전향. ② (자동차 도로상의) 차 돌리는 장소. ③ Ⓒ,Ⓤ (배·비행기 따위의) 왕복 소요 시간; 도착에서 출발까지의 시간《화물의 탑재, 승객의 탑승, 정비 등의》; (처리를 위한) 소요 시간(=∠ **tíme**). ④ (판매 등의) 호전. 「쇠.

turn·buck·le [∠bʌ̀kl] *n.* Ⓒ 〖機·空〗 턴버클; 죔

turn·coat [∠kòut] *n.* Ⓒ 배반자, 변절자.

turn·cock [∠kɑ̀k / ∠kɔ̀k] *n.* Ⓒ (수도 따위의) 고동; 수도 급수전(栓) 담당자.

turn·down [∠dàun] *a.* 〔限定的〕 접어 젖힌, 접은 것의; 접는 방식의: a ~ bed 접침대. ── *n.* Ⓒ 배척, 거절; 각하; 하락; 하강.

turned [təːrnd] *a.* ① 돌린. ② 역전〔전도〕된, 거꾸로 된: ~ letters 거꾸로 된 활자; 복자(伏字). ③ 〔複合語로〕 맵시가 …한, 모양이 …한, 말 솜씨가 …한: a well-~ ankle 〔phrase〕 모양이 예쁜 발목〔멋있는 말 솜씨〕.

turn·er[1] [tə́ːrnər] *n.* Ⓒ ① 뒤집는〔돌리는〕 사람. ② 선반공(旋盤工), 녹로공(轆轤工). ③ 뒤집개 《요리 기구》.

turn·er[2] *n.* Ⓒ ① 공중제비하는 사람. ② 《美》 체조 협회원. ③ 《美俗》 독일인, 독일계 사람.

turn·ery [tə́ːrnəri] *n.* Ⓤ 선반〔녹로〕 세공〔기술〕; Ⓒ 선반 공장; 선반〔녹로〕 제품.

‡**turn·ing** [tə́ːrniŋ] *n.* ① Ⓤ,Ⓒ 회전, 선회; 전향: the ~ of the earth 지구의 회전. ② Ⓒ 굴곡; 구부러지는 곳, 모퉁이, 분기점, 갈랫길: a sharp ~ in〔of〕 the road. 길의 급커브 / Take the second ~ to 〔on〕 the left. 두 번째 모퉁이를 왼쪽으로 돌아가시오. ③ Ⓤ 선반〔녹로〕 세공.

túrning pòint 전환〔변환〕점, 전기(轉機), 위기, 고비: the ~ of a disease 병의 고비 / This is a ~ in history. 지금이 역사의 전환기다.

***tur·nip** [tə́ːrnip] *n.* Ⓒ ① 〖植〗 순무(의 뿌리). ② 《俗》 대형 은딱지 회중시계.

turn·key [tə́ːrnkìː] *n.* Ⓒ 《古》 옥지기, 교도관 (jailer). ── *a.* 〔限定的〕 (건축물 등) 완성품 인도〔턴키〕 방식의.

turn·off [∠ɔ̀(ː)f, -ɑ̀f] *n.* ① Ⓒ 옆길; (간선 도로의) 분기점, 지선 도로; (고속 도로의) 램프웨이; 대피로. ② Ⓒ 《美俗》 흥미를 잃게 하는 것.

turn·on [∠ɑ̀n, ∠ɔ̀(ː)n] *n.* Ⓒ 《俗》 (환각제 등에 의한) 도취 (상태); 흥분〔자극〕시키는 것.

***turn·out** [∠àut] *n.* ① (흔히 *sing.*) 〔修飾語를 수반하여〕 (구경·행렬 따위에) 나온 사람(수), (집회의) 출석자(수), 회중; 투표(자)수: There was a good ~ at the welcome party. 환영회에는 꽤 많은 참석자가 있었다. ② (흔히 *sing.*) 〔修飾語를 수반하여〕 생산액, 산출고: a large ~ 대량의 산출고. ③ Ⓒ 〖鐵〗 대피선(線); (고속도로의) 차 대피소; (도로 따위의) 분기점. ④ Ⓒ 의상; 준비, 채비. ⑤ Ⓒ (서랍 등의) 내용물을 끄집어 냄, 청소: give one's drawers a good ~ 서랍 안을 깨끗이 비우다.

turn·o·ver [∠òuvər] *n.* ① Ⓒ 반전, 전복. ② (*sing.*) 〔修飾語를 수반하여〕 (자금 등의) 회전율: ~ ratio of capital 〖商〗 자본 회전율. ③ (*sing.*) 《英》 전직률, 이직률; 이동, 출입: They've had a high ~ of staff in recent years. 그 회사는 최근 사원들의 이직률이 높았다. ④ (*sing.*) 일기(一期)의 총매상고, 거래액: make a profit of $300 on a ~ of $5,000, 총거래액 5,000 달러에 대해서 300 달러의 이익을 올리다.
── *a.* 〔限定的〕 반전하는; 접어 젖힌《칼라 따위》.

***turn·pike** [∠pàik] *n.* Ⓒ 《美》 유료 고속 도로; (옛날의) 유료 도로(tollroad); 통행료 징수소(tollgate); 〖史〗 턴파이크《⑴ 적의 진입을 막는 못박은 회전 틀. ⑵ 통행세 징수문》.

turn-round [∠ràund] *n.* Ⓒ ① 《英》 화물의 싣고 내림. ② (의견·정책 따위의) 전향〔변절〕 (turnaround).

túrn sìgnal (**lìght**) 방향 지시등.

turn·spit [tə́ːrnspìt] *n.* Ⓒ 고기 굽는 꼬챙이를 돌리는 사람〔회전기〕.

turn·stile [∠stàil] *n.* Ⓒ (한 사람씩 드나들게 되어 있는) 십자형 회전식 문.

turn·ta·ble [∠tèibəl] *n.* Ⓒ ① 〖鐵〗 전차대(轉車臺)《기관차 따위의 방향을 전환하는》. ② (레코드

플레이어의) 턴테이블, 회전반. ③ (라디오 방송용) 녹음 재생기 ; 《美》 =LAZY SUSAN.

turn·up [⁻ʌ̀p] *n.* Ⓒ ① (종종 *pl.*) 《英》 (바지의) 접어 올린 단(《美》 cuff). ② 《英口》 뜻밖의 일, 이례적인 일 : That's a ~ (for the book). 그건 생각〔예상〕 밖의 일이다.
— *a.* 접어올린 ; 들창코의.

***tur·pen·tine** [tə́:rpəntàin] *n.* Ⓤ 테레빈, 송진(松津)《소나뭇과 나무에서 채취한 수지(樹脂)》 ; 테레빈유(油) (=⁻ **òil**).

tur·pi·tude [tə́:rpitjù:d] *n.* Ⓤ 간악, 비열(한 행위), 배덕(背德).

turps [tə:rps] *n.* Ⓤ 《口》 테레빈유(油) (turpentine).

tur·quoise [tə́:rkwɔiz] *n.* Ⓤ,Ⓒ 〖鑛〗 터키석(石) ; 청록색(=⁻ **blúe**).

***tur·ret** [tə́:rit, tʌ́rit] *n.* Ⓒ 〖建〗 (본 건물에 붙여 세운) 작은 탑 ; 〖軍〗 (탱크·군함 따위의) 포탑, (전투기 등의) 돌출 총좌(銃座).

tur·ret·ed [tə́:ritid, tʌ́r-] *a.* 작은 탑이 있는 ; 탑 모양의 ; 포탑이 있는.

‡**tur·tle** [tə́:rtl] (*pl.* **~s,** ~) *n.* Ⓒ 《특히》 바다거북 ; Ⓤ 바다거북의 수프, (수프용의) 거북 살. ***turn*** ~ (배 따위가) 뒤집히다.

tur·tle·dove [-dʌ̀v] *n.* Ⓒ 〖鳥〗 호도애《암수가 사이 좋기로 유명》 ; 연인.

tur·tle·neck [-nèk] *n.* Ⓒ (스웨터 따위의) 터틀네크 ; 터틀네크의 스웨터〔셔츠〕.

turves 《稀》 TURF 의 복수.

Tus·can [tʌ́skən] *a.* Tuscany《이탈리아 중서부 지방》의 ; 〖建〗 토스카나식(式)(기둥 양식)의.
— *n.* Ⓒ 토스카나 사람 ; Ⓤ 토스카나어(語)《표준 이탈리아 문어》.

tush [tʌʃ] *int., n.* 《古》 체, 쳇《초조·경멸 등을 나타내는 소리》. — *vi.* 쳇 하고 소리 내다.

tusk [tʌsk] *n.* Ⓒ ① (코끼리 따위의) 엄니. ② 뻐드렁니·엄니 같은 것. ㊞ **~·ed** *a.* 엄니가 있는.

tusk·er [tʌ́skər] *n.* Ⓒ 큰 엄니가 있는 코끼리〔산돼지〕《따위》.

Tus·saud's [təsóuz, tu-] *n.* **Madame** ~ (London 의) 터소 납인형관.

tus·sle [tʌ́səl] *n.* Ⓒ 격투, 투쟁 ; 논쟁 ; 난투, 고전《*with*》 : have a ~ *with* a person 〔job〕 아무와 〔일과〕 맞붙어 씨름하다〔고투하다〕.
— *vi.* (…와) 격투하다, 맞붙어 싸우다 : The boys started to ~ in the corridor. 소년들은 복도에서 맞붙어 싸우기 시작했다.

tus·sock [tʌ́sək] *n.* Ⓒ 덤불, 풀숲, 총생(叢生) ; 더부룩한 털.

tut [tʌt, ɿ] *int.* 〔보통 Tut, tut ! 라고 반복〕 쯧, 체《초조·경멸·비난을 나타내는 소리》. ★ [ɿ] 는 치경(齒莖)에서 혀를 차는 소리임. ¶ You're late again ~ ~! 자넨 또 늦었군, 쯧쯧. — [tʌt] (**-tt-**) *vi.* 쯧 하고 혀를 차다.

Tut·ankh·a·men [tù:tɑ:ŋkɑ́:mən] *n.* 투탕카멘《기원전 14 세기의 이집트 왕》.

tu·te·lage [tjú:təlidʒ] *n.* Ⓤ 보호, 보호 감독, 후견 ; 교육, 지도 ; 보호〔지도〕 받기〔기간〕 : under the ~ of …의 지도 아래.

tu·te·lar, -lary [tjú:tələr], [-lèri / -ləri] *a.* 〔限定的〕 수호〔보호, 감독, 후견〕하는 ; 수호자〔보호자, 감독자, 후견인〕의〔인〕 : a *tutelary* god 수호신 / a *tutelary* saint 〔angel〕 수호 성인〔천사〕.
— *n.* Ⓒ 수호자, 수호신.

‡**tu·tor** [tjú:tər] (*fem.* **~·ess** [tjú:təris]) *n.* Ⓒ ① **a**) 가정교사(ⓒf. governess) ; 튜터《영국 대학의 개별 지도 교수 ; 미국 대학의 강사, instructor 의 아래》 ; (학교에는 적이 없는) 수험 지도교사. **b**) 《英》 교본 : a guitar ~. ② 〖法〗 (연소자의) 후견인 ; 보호자. — *vt.* ① …에게 가정교사로서 가르치다〔지도하다〕 ; 후견〔보호, 감독, 지도〕하다, …을 돌보다 : ~ a boy in mathematics 소년에게 수학을 개인지도하다. ② (감정 따위)를 억제하다 《*to* do》 : ~ one's passions 정욕을 누르다 / ~ oneself *to* be patient 자제하다, 날뛰는 마음을 누르다. — *vi.* tutor 로서의 일을 하다, 《특히》 가정교사를 하다 ; 가정교사로 임하다 : make a living by ~*ing* 가정교사를 해서 생계를 세우다.

tu·to·ri·al [tju:tɔ́:riəl] *a.* tutor 의〔에 의한〕 : a ~ class 개별지도 학급 / Students may decide to seek ~ guidence. 학생들은 지도 교수의 지도를 청할 것을 결정할 수 있다. — *n.* ① (대학에서 tutor 에 의한) 개별지도 시간〔학급〕 ; (tutor 에 의한) 개별지도. ② 《美》 지도서. 「별」 지도제.

tutórial sỳstem 〖敎〗 (특히 대학의) 개인〔개

tut·ti-frut·ti [tú:tifrú:ti] *n.* Ⓒ,Ⓤ 투티프루티《저민 여러 가지 과일을 넣어서 만든 과자 또는 아이스크림》.

tut-tut [tʌ́ttʌ́t, ɿɿ] *int., vi.* =TUT. 「트》.

tu·tu [tú:tu:] *n.* Ⓒ 《F.》 튀튀《발레용의 짧은 스커

Tu·va·lu [tuvɑ́:lu:] *n.* 투발루《태평양 중남부의 섬나라 ; 1978 년 영국 식민지로부터 독립 ; 수도는 Funafuti》.

tu-whit tu-whoo [tu*h*wít-tu*h*wú:] 부엉부엉 《올빼미의 우는 소리》(울다). [imit.]

tux [tʌks] *n.* 《美口》 =TUXEDO.

tux·e·do [tʌksí:dou] (*pl.* ~(**e**)**s**) *n.* 《美》 턱시도 (《英》 dinner jacket)《남자의 약식 야회복》 ; 《俗》 구속복.

‡**TV** [tí:ví:] (*pl.* **~s, ~'s**) *n.* Ⓤ 텔레비전 (방송) ; 텔레비전 (수상기) : watch a game on ~ 텔레비전으로 경기를 보다.

TVA Tennessee Valley Authority.

TV dìnner [tì:ví:-] 《美》 텔레비전 식품《은종이에 싼 냉동식품 ; 가열해서 먹음》.

TVP [tì:vì:pí:] *n.* 식물성 단백질(textured vegetable protein)의 상표명.

twad·dle [twɑ́dəl / twɔ́dəl] *n.* Ⓤ 실없는 소리, 허튼 소리 ; Ⓒ 객설을 농하는 자. — *vi.* 실없는 소리를 하다, 객담을 늘어놓다.

Twain [twein] ⇨MARK TWAIN.

twain *n., a.* 《古·詩》 둘(의), 두 사람(의), 쌍(의), 짝(의). ***in*** ~ 두 동강이로《자르다 등》.

twang [twæŋ] *n.* Ⓒ 현(絃) 소리, 팅〔윙〕 하고 울리는 소리 ; 콧소리, 비음(鼻音) : speak with a ~ 콧소리로 말하다. — *vt.* (현)을 퉁겨 팅하고 울리다〔소리내다〕 ; (화살)을 윙하고 쏘다. — *vi.* (악기의) 현을 뜯어 소리내다, 뜯다 ; (활의) 시위가 탕 울리다 ; 콧소리로 말하다 : The bow ~*ed* and the arrow shot away. 활의 시위가 탕소리를 내고 화살은 날아갔다.

'twas [twɑz, 弱 twəz / twɔz] it was 의 간약형.

twat [twɑt / twɔt] *n.* Ⓒ 《卑》 여자의 음부 (vagina), (특히 섹스의 대상으로서의) 여자, 성교 ; 《俗》 놈, 등신.

tweak [twi:k] *n.* Ⓒ 비틀기 ; 꼬집기, 홱 잡아당기기 ; (마음의) 동요. — *vt.* (사람의 귀·코 따위)를 비틀다, 꼬집(어 잡아당기)다 ; 홱 잡아당기다 : ~ a person's ear 아무의 귀를 잡아당기다.

twee [twi:] *a.* 《英口》 새침떠는.

***tweed** [twi:d] *n.* Ⓤ 트위드《스카치 나사(羅紗)의 일종》 ; (*pl.*) 트위드 옷.

tweedy [twí:di] (***tweed·i·er, -i·est***) *a.* ① 트위드의〔같은〕 ; 트위드를 즐겨 입는. ② 옥외 생활을 즐기는, 소탈한.

'tween [twi:n] *prep., ad.* 《詩》 =BETWEEN.

tweet [twiːt] *vi.* (작은 새가) 짹짹〔삑삑〕 울다. ── *n.* [C] 지저귀는 소리, 짹짹, 삑삑. [imit.]

tweet·er [ˊ-tər] *n.* [C] 트위터《고음(高音) 전용 스피커》.

tweez·ers [twíːzərz] *n. pl.* 핀셋, 족집게 : a pair of ~ 족집게 하나.

†**twelfth** [twelfθ] *a.* (흔히 the ~) ① 열두째의 《略 : 12 th》. ② 12 분의 1 의. ── *n.* [U] (흔히 the ~) ① 제12 ; (달의) 12 일. ② [C] 12 분의 1 ; 〖樂〗 제 12 음, 12 도 음정. ── *pron.* (the ~) 열두째의 사람〔것〕.

Twélfth Dày 주의 공현 축일(Epiphany)《크리스마스로부터 12 일째 되는 1 월 6 일》.

Twélfth Nìght 주의 공현 축일《1 월 6 일》의 전야.

†**twelve** [twelv] *a.* ①〔限定的〕12 의 ; 12 개〔사람〕의 : He is ~ years old〔of age〕. 그는 열두 살이다. ②〔敍述的〕열두 살의 : He's ~. 그는 열두 살이다. ── *n.* ① [U.C] 〔흔히 無冠詞〕(기수의) 12 ; [C] 열두 사람〔개, 시, 살〕. ② [C] 12 의 기호. ③ (*pl.*) 12 절판 ; 사륙(四六)판. ④ (the T-) 예수의 12 사도(=the Twelve Apostles).

twelve·mo, 12 mo [ˊ-mòu] (*pl.* **~s**) *n.* = DUODECIMO.

twelve-tone, -note [ˊ-tóun], [ˊ-nóut] *a.* 〖樂〗 12 음(조직)의 : *twelve-tone* music 12 음 음악.

‡**twen·ti·eth** [twéntiiθ] *a.* ① (흔히 the ~) 제 20 의. ② 20 분의 1 의. ── *n.* ① [U] (흔히 the ~) (서수의) 제 20 ; 스무 번째의 것〔사람〕. ② [C] 20 분의 1 ; (달의) 20일 : five ~*s* 20 분의 5.

twen·ty [twénti] *a.* ①〔限定的〕20 의, 20 개〔사람〕의 : He is ~ years old〔of age〕 그는 20 세이다. ② 다수의 : ~ and ~ 다수의. ③〔敍述的〕20 세인 : She's ~. 그녀는 20 세이다. **~ *times*** 20 회 ; 몇 번이고. ── *n.* ① [U] (또는 a ~)〔흔히 無冠詞〕(기수의) 20. ② [C] 20 의 기호《20 ; xx, XX》. ③ **a)** [U] 20 세 ; 20 달러〔파운드, 센트〕: a man of ~. **b)** (the twenties) 세기의 20 년대 : That was in the early *twenties*. 그것은 1920 년대 초의 일이었다. **c)** (one's twenties) (연령의) 20 대 : women in their late *twenties* 20 대 후반의 여성들. [파] **~·fold** [-fòuld] *a., ad.* 20 배의〔로〕.

twen·ty-one [-wʌ́n] *n.* [U] 〖카드놀이〗 21 (blackjack)《최고의 끗수》.

twen·ty-twen·ty, 20/20 [twéntitwénti] *a.* 〖眼〗 정상적인 시력(視力)의 : have ~ vision 정상 시력을 가지다.

'twere [twəːr, 弱 twər] 《詩·方》 it were 의 간약형.

twerp [twəːrp] *n.* [C] 《口》 너절한 놈.

twi- *pref.* '2, 2 중, 2 배, 두 번' 의 뜻 : *twi*bill.

‡**twice** [twais] *ad.* 2 회, 두 번 ; 2 배로 : once or ~ 한두 번 / *Twice* three is six. 3×2=6 / I phoned him ~. 그에게 재차 전화 걸었다 / I'm ~ your age. =I'm ~ as old as you are. 나는 네 나이의 두 배다. ***in*** ~ 두 번에 걸쳐서 : I did it *in* ~. ***think*** ~ 재고하다. **~ *as much*** 〔***many***〕 (양·수가) 두 배(의) : I have ~ *as much as* you. 너의 2 배나 갖고 있다.

twice-told [ˊ-tóuld] *a.* 몇 번이고 말한 ; (이야기 등이) 고리타분한.

twid·dle [twídl] *vt.* …을 회전시키다, 빙빙 돌리다 ; 만지작거리다 ;《해커俗》 (프로그램에) 작은 변경을 가하다 : She told a story, *twiddling* one of her earrings. 그녀는 한 쪽 귀고리를 만지작거리면서 얘기를 했다. ── *vi.* 빙빙 돌다 ; 만지작거리다, 가지고 놀다《*with* ; *at*》: He ~*d* a knob〔a dial〕 on a radio. 라디오의 다이얼을 돌렸다. **~ one's *thumbs*** ⇨THUMB(成句). ── *n.* (a ~) 빙빙 돌리기, 친친 감긴 표시〔기호〕: He gave the wheel a ~ to avoid a casual dog. 갑자기 나타난 개를 피하려고 (차의) 핸들을 돌렸다.

‡**twig**[1] [twig] *n.* [C] (나무의) 잔가지. [파] **ˊ·gy** *a.* 잔가지의〔같은〕; 연약한, 섬세한 ; 잔가지가 많은.

twig[2] (**-gg-**) *vt.* 《口》 …을 깨닫다 ; 간파하다 : Then I ~*ged* that they were illegal immigrants. 그때 나는 그들이 불법 입국자라는 것을 간파했다. ── *vi.* 알다, 이해하다, 인정하다.

‡**twi·light** [twáilàit] *n.* [U] ① (해뜨기 전·해질 무렵의) 박명(薄明), 땅거미, 황혼 : The ~ came on. 땅거미가 깔리기 시작했다. ② 황혼 때 ; (때로) 새벽녘 : take a walk in the ~ 해질녘에 산책하다. ③《比》(전성기 전후의) 여명기〔쇠퇴기〕: the ~ of life 인생의 황혼. ④ (의미·지식·평판 따위의) 몽롱〔불확실〕한 상태.
── *a.* 〔限定的〕 박명의〔같은〕; 몽롱한, 희미한 ; =CREPUSCULAR : the ~ hour 황혼기.

twílight zòne ① 빛이 닿을 수 있는 바다 최심층(最深層). ② 어느 쪽에도 붙지 않는 영역, 중간대(帶) : a ~ between fantasy and reality 공상과 현실 사이의 경계 영역.

twi·lit [twáilit] *a.* 어슴푸레한, 몽롱한 : a ~ street 희미한 거리 / the ~ state between waking and sleeping. 생시인지 꿈인지 알 수 없는 몽롱한 상태.

twill [twil] *n.* [U] 능직(綾織)(=ˊ **wèave**), 능직물. ── *vt.* 〔흔히 過去分詞꼴〕 능직으로 짜다.

t'will [twil, 弱 twəl] 《詩·方》 it will 의 간약형.

‡**twin** [twin] *n.* ① [C] 쌍둥이의 한 사람 ; (*pl.*) 쌍생아 : one of the ~*s* 쌍둥이의 한 쪽. ② [C] 꼭 닮은 사람〔것〕의 한 쪽 ; 한 쌍의 한 쪽 : His hat is the ~ of ours. 그의 모자는 우리 것과 똑같다. ③ (*pl.*) 한 쌍 : Love and hate are ~*s*. 사랑과 미움은 표리 일체다. ④ 〖結晶〗 쌍정(雙晶)(=ˊ **crỳstal**). ⑤ (the T-s) 〖天〗 쌍둥이자리, 쌍둥이궁(Gemini).
── *a.* 〔限定的〕 ① 쌍둥이의 : ~ brothers〔sisters〕 쌍둥이 형제〔자매〕. ② 〖動·植〗 쌍생(雙生)의 ; 한 쌍의 ; 꼭 닮은. ③ 〖結晶〗 쌍정(雙晶)의.
── (**-nn-**) *vt.* ① (…와) …을 한 쌍으로 하다 ; (두 개)를 밀접히 결합시키다. ② 〔受動으로〕 …을 자매 도시로 하다, …와 쌍을 이루다《*with*》: Cambridge is ~*ned with* Heidelberg. 케임브리지와 하이델베르크는 자매 도시이다. ③ 〖結晶〗 쌍정으로 하다.

twín béd 트윈 베드《쌍을 이루는 두 싱글베드의 한 쪽》.

Twín Cíties (the ~) (미국 Mississippi 강을 끼고 있는) St. Paul 과 Minneapolis 의 두 도시.

***twine** [twain] *n.* [U.C] ① 꼰 실 ; 삼실 ; 바느질 실. ② 꼬아〔짜〕 합친 것, 감긴 것〔부분〕; 물건에 감기는 덩굴〔가지, 줄기〕. ③ 꼬아〔짜〕 합침, 사리어 감김. ── *vt.* ① (실)을 꼬다, 비비꼬다. ②《~+[목]/+[목]+[전]+[명]》(화환·직물 따위)를 엮다, 짜다 ; 엮어서 장식하다 : ~ flowers *into* a wreath 꽃을 엮어서 화환을 만들다. ③《+[목]+[부]/+[목]+[전]+[명]》(덩굴·실 등)을 얽히게 하다, 감기게 하다《*round* ; *about*》: ~ a cord *around* a branch 가지에 새끼를 감다 / ~ strands *together* to make a rope (밧줄의) 가닥을 함께 꼬아 로프를 만들다.
── *vi.* 《~/+[전]+[명]》 얽히다, 감기다《*around* ; *about*》: The vine ~*d around* the tree. 덩굴풀이 그 나무에 감겨 있었다.

twin-en·gine(d) [twínéndʒin(d)] *a.* (비행기가) 쌍발의.

twinge [twindʒ] *n.* [C] 쑤시는 듯한 아픔, 동통,

자통(刺痛), 격통《*of*》; (마음의) 아픔, (양심의) 가책, 회한《*of*》: a ~ of toothache 국국 쑤시는 치통 / a ~ of conscience 양심의 가책.

twin·kle [twíŋkəl] *vi.* ① 반짝반짝 빛나다, 반짝이다: stars that ~ in the sky 하늘에서 반짝이는 별. ②《稀》(춤추는 발 등이) 경쾌히 움직이다; (기 등이) 펄럭이다; (나비 등이) 펄펄 날다. ③《~ / +전+명》(흥미·기쁨 따위로 눈이) 빛나다, 눈을 깜박이다: Her black shining eyes ~*d at* his words. 그녀의 반짝이는 검은 눈이 그의 말을 듣고 빛났다.
—*n.* (흔히 *sing.*) ① (the ~) 반짝임, 번뜩임, 섬광, 깜박임: She noticed a ~ in his eyes at the suggestion. 그녀는 그 제안에 그의 눈이 빛나는 것을 보았다. ② 경쾌한 운동, 어른거림. ③ (생기 있는) 눈빛: a ~ of amusement in one's eyes 흥미진진해 하는 눈빛. ④ 순간. ***in a ~*** =***in the ~ of an eye*** 눈 깜짝할 사이에. ***when you were just*** 〔***no more than***〕 ***a ~ in your father's eye***《口·종종戲》(네가 태어나기) 훨씬 전에, 아주 옛날에.

‡twin·kling [twíŋkliŋ] *a.* ① 반짝반짝하는, 빛나는, 번쩍이는《별·창끝 따위》. ② (발놀림이) 경쾌한. —*n.* (*sing.*) 반짝임; 깜박거림; 순간: (발 따위의) 경쾌한 움직임: with a ~ in one's eyes 눈을 깜박이면서. ***in a ~*** =***in the ~ of an eye*** 눈 깜박할 사이에, 순식간에: Microprocessors do the calculations *in the ~ of an eye*. 마이크로프로세서는 계산을 순식간에 해낸다.

twin-lens [ˊ-lènz] *a.*〖寫〗2 안(眼)의, 쌍안 렌즈의: a ~ reflex camera, 2 안 리플렉스 카메라.

twín sèt《英》cardigan 과 pullover 의 앙상블 └《여성용》.

twín tówn 자매 도시.

***twirl** [twəːrl] *vt.* ① …을 빙빙 돌리다, 휘두르다: She ~*ed* her baton high in the air as she led the parade. 퍼레이드를 지휘하면서 그녀는 지휘봉을 공중에서 높이 빙빙 돌렸다. ②《~+목 / +목+부》…을 비비 꼬다, 비틀다: ~ one's mustache (*up*) 콧수염을 배배 꼬다. ③〖野〗(공)을 던지다 (pitch). —*vi.* ① 빙빙 돌다, 휙 방향을 바꾸다《*around; about*》: The skirt ~*ed* and flared *around* her ankles. 스커트가 그녀의 발목을 빙빙 돌며 넓게 퍼졌다. ②〖野〗투구를 하다.
~ one**'*s thumbs*** ⇨THUMB.
—*n.* Ⓒ 회전, 빙빙 돎, 선회; 코일꼴〔나선형〕의 것; 소용돌이꼴: give a ~ 빙빙 돌리다.
㊕ **ˊ·er** *n.* Ⓒ ①《美口》투수(pitcher). ② 바통걸 (baton twirler)《고적대의 선두에서 지휘봉을 돌리면서 나아가는 소녀》. ③ 빙빙 돌리는 사람〔것〕.

twirp [twəːrp] *n.* =TWERP.

‡twist [twist] *vt.* ① …을 뒤틀다, 비틀(어 돌리)다: He ~*ed* his body around to look back. 그는 뒤돌아보려고 몸을 틀었다. ② …을 비틀어 —을 만들다; 비틀어서〔꼬아서〕(…) 모양으로 하다《*into*》: We ~*ed* the bed sheets *into* a rope and escaped by climbing down it. 침대 홑이불을 비틀어 꼬아 로프로 만들어 그것을 타고 내려가 도망쳤다. ③《~+목 / +목+전+명》…을 짜다, 엮다; 꼬다, 꼬아서 (…으로) 만들다《*into*》: ~ flowers *into* a wreath 꽃을 엮어 화환을 만들다. ④《+목+전+명》…을 얽히게 하다, 휘감다, 감아 붙이다: ~ a shawl *around* the neck 목에 숄을 두르다. ⑤《~+목 / +목+전+명》…을 비틀어 구부리다, 구부려 붙이다; (얼굴)을 찡그리다: a face ~*ed* with pain 고통으로 찡그린 얼굴. ⑥ (발목 따위)를 삐다, 접질리다: He fell and ~*ed* his ankle. 그는 넘어져서 발목을 삐었다. ⑦《+목+전+명》…을 비틀어 떼다, 비틀어 꺾다《*off*》: He ~*ed* the arm *off* the puppet. 인형의 팔을 비틀어 떼어내었다. ⑧ …의 뜻을 억지로 붙이다, 왜곡하다, 곡해하다: ~ a person's words 아무의 말을 곡해하다. ⑨ (공)을 틀어〔깎아〕 치다《야구·당구 등에서》. ⑩《+목+전+명》〔~ one's way 로〕 …을 누비며 나아가다《*through*》: ~ *one's way through* the crowd 군중 사이를 누비며 지나가다. ⑪《+목+전+명》…을 회전〔선회〕시키다; …의 방향을 바꾸게 하다: ~ one's chair *toward* a window 창쪽으로 의자를 돌리다. ⑫〔흔히 過去分詞로〕 (마음)을 비뚤어지게 하다: In those days I *was* bitter and ~*ed* — I hated everybody. 근자에 들어 더욱더 마음이 모질고 비뚤어져 누구나 미웠다.
—*vi.* ① 뒤틀리다, (비)꼬이다. ② 얽히다, 휘감기다, 감기어 붙다. ③《+전+명》나선상으로 돌다〔감다, 굽다〕, (길·내 따위가) (…을) 굽이쳐 가다, 사행(蛇行)하다《*around*》; 누비며 가다《*through; along*》: The winds ~*ed along* the ground. 바람이 소용돌이치며 지면을 스치고 지나갔다. ④ 몸을 뒤틀다, 몸부림치다: The patient ~*ed about* in pain. 환자는 고통으로 몸을 뒤틀었다. ⑤〖댄스〗트위스트를 추다.
~ ***and turn*** (길 등이) 구불구불하게 되어 있다: Although it looks direct on the map the path ~*s and turns* a lot. 그 길은 지도상으로는 곧은 것같이 보이지만 실은 상당히 구불구불하다. ~ a person ***round*** one**'*s*** (***little***) ***finger*** =***turn, ~, and wind*** a person 아무를 마음대로 부리다.
~ a person**'*s arm*** ⇨ARM[1].
—*n.* Ⓒ ① 비틂; 한 번 비틀기〔꼬기〕: give a ~ to the rope 밧줄을 비틀다. ② ⒸⓊ 실로 꼰 밧줄; (실 따위의) 꼬임, 꼰 것: a rope full of ~*s* 비꼬인 밧줄. ③ ⓊⒸ 꼬인 담배; 꼬인 빵: a ~ of bread. ④ Ⓒ 버릇; 기벽(奇癖), 묘한 성격: He has a criminal ~ in him. 그에게는 범죄적 성격이 있다. ⑤ ⒸⓊ 회전, 선회; 나선상의 운동〔만곡, 곡선〕; Ⓒ (야구·당구의) 커브, 틀어치기; Ⓒ (도로 따위의) 굴곡. ⑥ Ⓤ《英口》(왕성한) 식욕; ⓊⒸ《英俗》혼합 음료, 혼합주. ⑦ (the ~)〖댄스〗트위스트. ⑧ Ⓒ (사건·사태의) 예기치 않은 진전, 뜻밖의 전개: by an odd ~ of fate 운명의 얄궂은 장난으로. ⑨ Ⓒ (얼굴 등의) 찡그림; (발목 등의) 삠. ⑩ Ⓒ《英口》사기. (***after many***) ~***s and turns*** 우여 곡절(을 거쳐). ***round the ~***《英口》머리가 돌아; 미치어.

twist·ed [ˊ-id] *a.* ① 굽은, 꼬인: Your belt is ~ at the back. 허리 띠가 뒤에서 꼬여 있다. ② (성격이) 비꼬인, 비뚤어진. ③ (표정 등이) 일그러진《*with; by*》.

twist·er [ˊ-ər] *n.* Ⓒ ① (새끼 따위를) 꼬는 사람, 실 꼬는 기계. ② 곱새기는〔왜곡하는〕 사람. ③ 부정직한 사람; 사기꾼. ④〖球技〗틀어 치는 공, 곡구(曲球). ⑤ 어려운 일〔문제〕; 발음하기 어려운 말(tongue ~). ⑥《美》선풍, 회오리바람. ⑦ 트위스트 추는 사람.

twisty [twísti] (***twist·i·er; -i·est***) *a.* ① 꼬불꼬불한: a ~ mountain road 꼬불꼬불한 산길. ② 정직하지 않은, 사곡(邪曲)한, 교활한.

twit[1] [twit] (*-tt-*) *vt.*《~+목/+목+전+명》…을 야유하다, 비웃다, 조롱하다; 책망하다, 꾸짖다: ~ a person *with* 〔*about*〕 his carelessness 아무의 부주의를 나무라다. —*n.* Ⓒ 힐책, 힐문; 조롱.

twit[2] *n.* Ⓒ《英口》바보.

***twitch** [twitʃ] *vt.* ① …을 홱 잡아당기다; 잡아채다《*off; out of*》: She ~*ed* him by the sleeve. 그녀는 그의 소매를 잡아당겼다. ★ 신체·옷의 한 부분을 나타내는 명사 앞에는 the 를 붙임. ② (몸

의 일부)를 무의식적으로 씰룩씰룩 움직이다, 경련시키다 ; 꼬집다. ── *vi.* ① (손가락·근육 따위가) 씰룩거리다 : He tried to suppress a smile but felt the corner of his mouth ~. 그는 웃음을 참으려고 했으나 입가장자리가 씰룩거리는 것을 느꼈다. ②《+전+명》와락 잡아당기다《*at*》. ── *n.* Ⓒ ① (근육 따위의) 경련, 씰룩거림. ② 갑작스런 격통 ; 홱 잡아당김. ***at a*** ~ 곧, 금세.

twitchy [twítʃi] (*twitch·i·er ; -i·est*) *a.* ① 안달이 난, 들뜬, 침착하지 못한. ②《口》실룩거리는.

twit·ter** [twítər] *vi.* ① (새가) 지저귀다, 짹짹〔잭잭〕 울다. ② 재잘재잘 지껄이다《*on ; about*》: ~ *on about* trifles 하찮은 일에 대해 지껄이다. ③ 마음이 들떠서 침착하지 못하다, 흥분하여 가슴이 두근거리다, 떨다. ── *n.* ① Ⓤ (흔히 the ~) 지저귐 : *the* ~ of sparrows. ② (a ~)《口》가슴 설레임 ; 떨림. (all***) ***in*** 〔***of***〕 ***a*** ~ 흥분하여, 침착하지 못하여. ㊉ ~·**y** *a.* [imit.]

†two [tuː] (*pl.* ~***s***) *n.*, *a.* 2의, 2개의, 두 사람의 ; Ⓤ.Ⓒ 〔흔히 無冠詞〕 2 ; Ⓒ 한 쌍 ; 2의 기호 ; 두 살 ; 두 점 ; 2달러〔파운드〕. ***be of*** 〔***in***〕 ~ ***minds*** ⇨MIND. ***by*** 〔***in***〕 ~***s and threes*** 두세 사람씩, 삼삼 오오 (떼를 지어서). ***in*** ~ 둘로. ***in*** ~ ~***s***《英口》즉시, 순식간에 : She'll be here *in* ~ ~*s*. 그녀는 이 곳에 곧 올것이다. ***know a thing or*** ~ 다소 무엇을 알고 있다. ***put*** ~ ***and*** ~ ***together*** (추론하여) 올바른 결론을 내다 ; 이것저것 종합해서 생각해 보다 : *Putting* ~ *and* ~ *together*, I assume that this was the car he used. 이것저것 생각하니 이것은 그가 쓰던 차 같다. ***That makes*** ~ ***of us.***《口》그것은 나 자신에 대해서도 말할 수 있다, 나도 마찬가지다〔그렇게 생각한다〕. ~ ***and*** 〔***by***〕 ~ 둘〔두 사람〕씩. ***Two and*** ~ ***makes four.*** 2+2=4(는 자명한 이치). ***Two can play at that game.*** 그쪽에서 그러하면 이쪽에도 생각이 있다, 두고 보자. ***Two's company, three's none.*** 두 사람이면 좋은 짝이 되지만 세 사람이 되면 마음이 맞지 않아 갈라서게 된다.

two-bag·ger [ˊ-bæ̀gər] *n.* Ⓒ 〖野〗 2루타.

twó-base hít [ˊ-bèis-] 〖野〗 =TWO-BAGGER.

two-bit [ˊ-bìt] *a.* 〔限定的〕《美口》25센트의 ; 싸구려의, 가치 없는 : He plays a ~ Chicago gangster in the play. 그는 그 연극에서 시카고의 시시한 갱의 한 사람 역할을 맡고 있다.

two-by-four [ˊ-baifɔ̀ːr, ˊ-bə-] *a.* ① 투바이포 공법(工法)의《두께 2인치, 나비 4인치의 판자를 쓰는》. ②《美俗》(방 따위가) 좁은, 작은 ; 하찮은. ── *n.* Ⓒ 투바이포 재목.

twó cénts《美口》시시한 것 : feel like ~ 창피한 생각이 들다.

twó cénts wòrth (흔히 one's) 자기 소견 : put in *one's* ~ 자기 의견을 말하다.

twó cúltures (the ~) 인문·사회 과학과 자연 과학.

two-di·men·sion·al [túːdiménʃənəl] *a.* ① 2차원의 ; 평면적인. ② (작품 등이) 깊이가 없는.

two-edged [ˊ-édʒd] *a.* ① 양날의. ② (이론 따위가) 2개의 뜻을 가진, 애매한 : Their relationship is thus a ~ one, at once intimate and distant. 그들의 관계는 친하기도 하고 멀기도 한 애매한 사이이다.

two-faced [ˊ-fèist] *a.* ① 두 얼굴〔2면〕을 가진 ; 표리부동한 : I wouldn't trust her if I were you ── she can be really ~. 내가 너라면 그녀를 믿지 않겠다 ── 그녀는 실제는 일구이언을 하거든. ② 두 가지 뜻으로 이해되는, 뜻이 애매한.

two·fer [ˊ-fər] *n.* Ⓒ《美口》① (한 장 요금으로 2인분의 표를 살 수 있는) 우대권. ② (한 개 값으로 두 개 살 수 있는) 반액 쿠폰.

two-fist·ed [ˊ-fístid] *a.*《美口》① (싸우려고) 두 주먹을 움켜쥔. ② 힘센, 정력적인.

***two·fold** [ˊ-fòuld] *a.*, *ad.* 2중의〔으로〕, 두 배의〔로〕 ; 2개의 부분〔면〕을 가진.

two-four [ˊ-fɔ́ːr] *a.* 〖樂〗 4분의 2박자의.

two-hand·ed [ˊ-hǽndid] *a.* 양손이 있는 ; 양손으로 다루는 ; 〖테니스〗 양손으로 치는 ; 2인용의 ; 둘이서 행하는《게임 따위》; 양손잡이의.

twó-ín·come fàmily [-ínkʌm-, -kəm-] 맞벌이 부부 ; 두 사람이 버는 가정.

two·pence** [tʌ́pəns] (*pl.* ~, ***-penc·es) *n.*《英》① Ⓤ 2펜스(은화). ② Ⓒ 2펜스 동전. ③ Ⓤ《口》〔否定文 중에서 副詞的으로〕 조금도. ***do not care*** ~ 조금도 상관〔개의〕치 않다.

two·pen·ny [tʌ́pəni] *a.* 〔限定的〕 ① 2펜스의. ②《口》 보잘것 없는, 싸구려의. ③ (못 길이가) 1인치의.

two·pen·ny-half·pen·ny [tʌ́pənihéipəni, -pèni-] *a.* ① 2펜스 반의. ② 하찮은.

two-piece [túːpíːs] *a.* 〔限定的〕 두 부분으로 된, 《특히》 (옷이) 투피스의. ── *n.* Ⓒ 투피스 옷.

two-ply [ˊ-plái] *a.* ① 두 겹의, 두 겹으로 짠 ; 2장 겹친. ② (실 등이) 두 가닥의, 두가닥으로 짠.

two-seat·er [ˊ-síːtər] *n.* Ⓒ (자동차·비행기 따위의) 2인승.

two-sid·ed [ˊ-sáidid] *a.* ① 두 면〔변〕의 ; 양면이 있는. ② 두 마음이〔표리가〕 있는.

two·some [ˊ-səm] *a.* 한 쌍의, 두 사람의, 둘이서 하는. ── *n.* Ⓒ (흔히 *sing.*) 2인조 ; 두 사람이 하는 놀이〔경기, 댄스〕; 〖골프〗 두 사람이 하는 경기(single).

two-step [ˊ-stèp] *n.* Ⓒ 투스텝《사교 댄스의 일종》; 그 곡.

two-story〔**-storied**〕 [-stɔ́ːri〔-stɔ́ːrid〕] *a.* 2층의.

Twó Thòusand Guíneas (the ~)《英》투 사우전드 기니《나릅《4살》 말로 Newmarket 에서 행하는 경마 ; 5대 경마의 하나》. ⓒⓕ classic races.

two-time [túːtàim] *vt.*《俗》(남편·아내·애인)을 배반하다, 부정을 저지르다 : I finished with him when I found out he was *two-timing* me. 그가 나를 배신하고 있다는 것을 알았을 때 그와의 관계를 끊었다. ㊉ **twó-tìm·er** *n.* Ⓒ 배반자, 부정(不貞)한 사람.

two-tone(**d**) [ˊ-tóun(d)] *a.* 〔限定的〕 투톤 컬러의, 두 색을 배합한 : ~ shoes 두 색의 신발.

two-val·ued [túːvæljuːd] *a.* 〖哲〗 (진(眞)·위(僞)) 2가(價)의.

two-way [ˊ-wéi] *a.* ① 두 길의, 양면 교통의. ② (협력 등이) 상호적인. ③ 송수신 양용의 : a ~ radio 송수신 겸용 무전기.

twó-way stréet 양방향 도로 ; 쌍무적〔호혜적〕인 상황〔관계〕: Remember, friendships are a ~. 명심하라, 우정이란 호혜적 관계다.

TWX teletypewriter exchange (텔렉스).

TX 〖美郵〗 Texas.

-ty[1] *suf.* '십(10)의 배수'의 뜻 : twen*ty*.

-ty[2] *suf.* 라틴계의 형용사에서 그 성질·상태를 나타내는 명사를 만듦《*-ity, -ety* 로 되는 경우가 많음》: subtle*ty*, facili*ty*.

Tý·burn trèe [táibəːrn-]《英》교수대.

Ty·che [táiki] *n.* 〖그神〗 튀케《운명의 여신 ; 로마신화에서는 Fortuna》.

‡ty·ing [táiiŋ] TIE의 현재분사. ── *n.* Ⓒ.Ⓤ 매듭 ; 매기. ── *a.* 맺은, 구속적인.

tyke, tike [taik] *n.* Ⓒ ① 똥개. ②《口》개구쟁

이. ③《주로 英》 춘뜨기.
tym·pan·ic [timpǽnik] *a.* 북의 (가죽 같은); 〖解〗 고막의; 고실(鼓室)의; 중이(中耳)의.
tym·pa·ni·tis [tìmpənáitis] *n.* Ⓤ 〖醫〗 중이염.
tym·pa·num [tímpənəm] (*pl.* **~s, -na** [-nə]) *n.* Ⓒ ①〖解〗 고막; 고실(鼓室), 중이(中耳). ②《美》 (전화기의) 진동판.
tyne [tain] *n.* =TINE.
Týne and Wéar [táinənd*w*íə*r*] 타인 위어《잉글랜드 북동부의 주; 주도(州都)는 Newcastle upon Tyne; 1974 년 신설》.
†**type** [taip] *n.* ① **a)** Ⓒ 형(型), 타입, 유형: men of this ~ 이 형(型)의 사나이들 / whisky of the Scotch ~=《口》 Scotch ~ whisky 스카치 타입의 위스키 / She has a delicate ~ of beauty. 그녀는 날씬한 타입의 미인이다. **b)** ⒸⓊ 전형, 모범, 견본, 표본: a perfect ~ of English gentleman 전형적인 영국 신사. **c)** Ⓒ 〖生〗 형, 유형, 양식: variant ~*s* of pigeon 비둘기의 변종(變種). **d)** Ⓒ 〖生理〗 병형(病型), 균형(菌型); 혈액형; 〖畜産〗 체형(體型). ② Ⓒ **a)** 상징, 표상; 〖神學〗 예징(豫徵)《특히 후세의 것의 전조로서의 구약성서 중의 사건〔인물〕》. **b)** (경화·메달의) 의장, 무늬. ③〖印〗 ⒸⓊ 활자, 자체; 인쇄한 문자; 인쇄물: The words emphasized are in italic ~. 강조된 말은 이탤릭체로 되어 있다. ④《英俗》 = TYPEWRITER. ⑤〖컴〗 꼴, 유형, 타입《(1) 데이터의 형. (2) DOS 등의 OS 에서 파일의 내용을 화면에 나타나게 하는 명령》. ◇ typical *a.*, typify *v.* ***in*** ~ 활자로 조판되어〔된〕. ***revert to*** ~ 원래의 상태로〔형(形)으로〕 되돌아가다. ***true to*** ~ ⇨ TRUE. ***wooden*** ~ 목판.
── *vt.* ① …을 타이프라이터로 치다: ~ a letter 편지를 타자하다. ② …의 형(型)을 조사〔분류〕하다; 〖劇〗 =TYPECAST: ~ a person's blood 아무의 혈액형을 검출하다 / The laboratory was unable to ~ the virus. 그 연구소는 그 바이러스의 형을 판별하지 못했다. ── *vi.* 타자기를 치다: She ~*s* well. 타자를 잘 친다.
-type '형(型)·식(式)·판(版)'의 뜻의 결합사: anti*type*.
type·case [táipkèis] *n.* Ⓒ 활자 케이스.
type·cast [ˊkæ̀st, ˊkɑ̀:st] (*p.*, *pp.* ~) *vt.* 〔흔히 受動으로〕 (배우에게 같은 유형의) 역할만을 배역하다: He always gets ~ as the villain. 그는 언제나 악역만을 맡고 있다.
type·face [ˊfèis] *n.* Ⓒ 활자의 자면(字面); 인쇄면; (활자) 서체, 체.
type·script [ˊskrìpt] *n.* ⓊⒸ 타자기로 친 문서〔원고〕.
type·set [ˊsèt] *vt.* (기사 따위)를 활자로 짜다, 식자하다. ── *a.* 활자로 짠.
type·set·ter [ˊsètə*r*] *n.* Ⓒ 식자공.
***type·write** [ˊràit] (**-wrote** [-ròut]; **-writ·ten** [-rìtn]) *vt.* …을 타자기로 치다, 타이프하다《그냥 type 라고도 함》. ── *vi.* 타이프치다.
‡**type·writ·er** [ˊràitə*r*] *n.* Ⓒ 타자기.
***type·writ·ing** [ˊràitiŋ] *n.* Ⓤ 타자기를 치기; 타자술(術); ⓊⒸ 타이프라이터 인쇄물.
type·writ·ten [ˊrìtn] TYPEWRITE 의 과거분사. ── *a.* 타이프라이터로 친.
***ty·phoid** [táifɔid] *a.* 〖醫〗 (장)티푸스성(性)의: a ~ bacillus 장티푸스균 / ~ fever 장티푸스. ── *n.* Ⓤ 장티푸스.
‡**ty·phoon** [taifú:n] *n.* Ⓒ (특히 남중국해의) 태풍. ⓒⓕ cyclone, hurricane.
ty·phus [táifəs] *n.* Ⓤ 〖醫〗 발진티푸스(=ˊ **féver**).
‡**typ·i·cal** [típikəl] (***more*** ~; ***most*** ~) *a.* ① 전형적인, 모범적인, 대표적인, 표본이 되는: Her voice is ~ of her flamboyant personality. 그녀의 음성은 그녀의 화려한 성격을 잘 표현하고 있다. ② 특유의, 특징적《*of*》: This action is ~ *of* him. 이러한 행동은 그가 할직한 일이다. ③ 상징적인. ◇ type *n.*
㉺ **~·ly** [-i] *ad.* 〔문장 전체를 수식〕 전형적〔상징적〕으로; 정해 놓고, 일반적으로는, 대략.
typ·i·fi·ca·tion [tìpəfikéiʃən] *n.* ⓊⒸ 전형(이 됨); 모식(模式), 기형(基型); 특징 표시; 상징; 예표(豫表); 전조.
typ·i·fy [típəfài] *vt.* …을 대표하다, 전형이 되다; 상징하다; 특질을 나타내다; 유형화하다: The dove *typifies* peace. 비둘기는 평화를 상징한다.
týp·ing pàper [táipiŋ-] 타자 용지.
týping pòol (사무실내의) 타이피스트 집단.
‡**typ·ist** [táipist] *n.* Ⓒ 타이피스트, 타자수.
ty·po [táipou] (*pl.* **~s**) *n.* Ⓒ《口》 인쇄〔식자〕공; 오식(誤植).
typo- *pref.* 'type' 의 뜻: *typo*logy.
ty·pog·ra·pher [taipɑ́grəfə*r* / -pɔ́g-] *n.* Ⓒ 인쇄〔식자〕공.
ty·po·graph·ic, -i·cal [tàipəgrǽfik], [-əl] *a.* (활판) 인쇄(상)의; 인쇄술의: a ~ error 오식 / *typographic* design 인쇄 디자인. ㉺ **-i·cal·ly** *ad.*
ty·pog·ra·phy [taipɑ́grəfi / -pɔ́g-] *n.* Ⓤ ① 활판 인쇄술. ② 조판; 인쇄의 체재, 타이포그래피.
ty·pol·o·gy [taipɑ́lədʒi / -pɔ́l-] *n.* Ⓤ 유형론(類型論)〔학〕.
***ty·ran·ni·cal, -nic** [tirǽnikəl, tai-], [-nik] *a.* 폭군의, 폭군 같은; 압제적인, 전제적인, 포악한. ◇ tyranny *n.* ㉺ **-ni·cal·ly** *ad.*
ty·ran·ni·cide [tirǽnəsàid, tai-] *n.* Ⓤ 폭군 살해; Ⓒ 폭군 살해자. ㉺ **ty·ràn·ni·cí·dal** *a.*
tyr·an·nize [tírənàiz] *vi.*, *vt.* 학정을 행하다, 압제하다, 학대하다《*over*》.
ty·ran·no·saur [tirǽnəsɔ̀:*r*, tai-] *n.* Ⓒ 〖古生〗 폭군용, 티라노사우루스《육생(陸生) 동물 중 최대의 육식 공룡(恐龍)》.
tyr·an·nous [tírənəs] *a.* =TYRANNICAL. ㉺ **~·ly** *ad.*
‡**tyr·an·ny** [tírəni] *n.* ① ⒸⓊ 포학, 학대; 포학 행위. ② Ⓤ 폭정, 전제 정치. ③ Ⓤ 〖그史〗 참주(僭主) 정치. ◇ tyrannical *a.*
‡**ty·rant** [táiərənt] *n.* Ⓒ ① 폭군, 압제자; 전제군주. ②〖그史〗 참주(僭主). ③ 폭군과 같은 사람: a domestic ~ 가정의 폭군. ***The Thirty Tyrants*** 30 참주《기원전 404 년부터 403 년까지 Athens 를 지배한 독재적 집정관들》.
‡**tyre** ⇨TIRE².
Týr·i·an púrple 〔dýe〕 [tíriən-] 자줏빛이 나는 진홍색(물감).
ty·ro, ti- [táirou] (*pl.* **~s** [-z]) *n.* Ⓒ 초학자, 초「심자.
Tyr·ol [táiroul, tairóul, tiróul] *n.* (the ~) 티롤《알프스 산맥 중의 한 지방; 서부 오스트리아와 북부 이탈리아에 걸쳐 있음》.
㉺ **Ty·ro·lese** [tìrəlí:z, -s] *a.*, *n.*
Ty·ro·le·an, Ty·ro·li·an [tiróuliən] *a.* ① 티롤(주민)의. ② (모자가) 펠트제(製)로 앞이 좁고 깃털이 달린. ── *n.* Ⓒ 티롤의 주민.
ty·ro·sine [táiərəsì:n, -sin, tírə-] *n.* 〖生化〗 티로신《대사(代謝)에 중요한 phenol 성(性) α-아미노산》.
Tzar·i·na [zɑ:rí:nə, tsɑ:-] *n.* =CZARINA.
tzét·ze 〔flỳ〕 [tsétsi(-)] =TSETSE (FLY).
Tzi·gane, -ga·ny [tsigɑ́:n], [-gɑ́:ni] *n.*, *a.* 헝가리계(系) 집시(의).

U

U, u [ju:] (*pl.* ***U's, Us, u's, us*** [-z]) ① 유《영어 알파벳의 스물한째 글자》: *U* for Uncle, Uncle의 U《국제 통신 통화 용어 ; 지금은 Uniform을 흔히 씀》. ② U자 모양의 것 : a *U*-tube, U자관(管). ③ 제 21 번째(의 것)《J를 뺄 때는 20번째》.

U [ju:] *a.* 《口》 (특히 영국의) 상류 사회〔계급〕의〔에 어울리는〕(opp *non-U*). ── *pron.* =YOU : IO*U*, I.O.*U.* (=I owe you) 약식 차용 증서 / Keys made while *U* wait. 기다리는 동안에 열쇠가 됩니다《게시》.

U 〖化〗 uranium. **U.** Union(ist) ; 〖英映〗 Universal (대중(大衆) 상대) ; University. **UAE** United Arab Emirates. **UAW, U.A.W.** United Auto(mobile) Workers (전미국 자동차 노동 조합).

ubiq·ui·tous [ju:bíkwətəs] *a.* ① (동시에) 도처에 있는, (널리) 어디에나 있는. ② (사람이) 여기저기 모습을 나타내는. ㊕ **~·ly** *ad.* **~·ness** *n.*

ubiq·ui·ty [ju:bíkwəti] *n.* Ⓤ (동시에) 도처에 있음, 편재(遍在).

U-boat [jú:bòut] *n.* Ⓒ U 보트《제1차·제2차 세계 대전 중 활약한 독일의 잠수함》.

u.c. 〖印〗 upper case (대문자 활자 케이스).

UCCA [ʌ́kə] 《英》 Universities Central Council on Admissions(입학에 관한 대학 중앙 평의회). **UCLA** University of California at Los Angeles.

ud·der [ʌ́dər] *n.* Ⓒ (소·염소 따위의 늘어진) 젖통.

UFO [jú:èfóu, jú:fou] (*pl.* **~s, ~'s**) *n.* 미확인 비행 물체, 《특히》 비행 접시(flying saucer) : There's a woman in Manchester who claims her husband was abducted by aliens on board a ~. 맨체스터에는 남편이 비행접시를 탄 우주인들에게 유괴되었다고 주장하는 한 여인이 있다. [◂ *un*identified *f*lying *o*bject]

ufol·o·gy [ju:fálədʒi / -fɔ́l-] *n.* Ⓤ 미확인 비행물체(UFO) 연구. ㊕ **-gist** *n.*

Ugan·da [ju:gǽndə, u:gá:ndɑ:] *n.* 우간다《아프리카의 한 공화국 ; 수도는 Kampala》. ㊕ **~n** *a., n.*

ugh [u:x, ʌx, u:x, ʌ, u, ʌg] *int.* 우, 와, 오《혐오·경멸·공포 등을 나타냄》: *Ugh !* This medicine tastes nasty. 어, 이 약은 입에 역겨운데.

ug·li [ʌ́gli] (*pl.* **~s, ~es**) *n.* ⓊⒸ 어글리《grapefruit와 tangerine의 교배종》.

‡**ug·ly** [ʌ́gli] *a.* ① 추한, 보기 싫은, 못생긴 ; 보기 흉한, 꼴사나운 : an ~ sight 추한 광경 / an ~ old fellow 추한 노인 / an ~ scar on one's face 안면에 보기 흉한 흉터 / be ~ as a scarecrow 〔toad〕 되게 못생기다. ② 몹시 불쾌한, 추악한, 사악한 ; 염기(厭忌)할 : an ~ crime 추악한 범죄(犯罪) / an ~ sound 귀에 거슬리는 소리 / an ~ story 불쾌한 이야기 / an ~ tongue 독설(毒舌). ③ 험악한, 불온한 : The situation is ~. 사태는 험악하다 / The sky looks ~. 하늘이 잔뜩 찌푸리고 있다. ④ 위험한, 사나운 : an ~ sea (파도가) 사나운 바다. ⑤ 싫은, 귀찮은 : an ~ task 싫은 일. ⑥ 《口》 기분이 언짢은 ; 심술궂은 ; 싸우려고 하는, 성을 잘 내는 : feel ~ 화가 나다 ; 괘씸하다 / ask an ~ question 짓궂은 질문을 하다 / be ~ to a person 아무에게 심하게 굴다 / He has an ~ temper. 그는 성마른 기질이다. ㊕ **-li·ly** *ad.* **úg·li·ness** *n.*

úgly cústomer 귀찮은 녀석, 어찌할 도리가 없는 인간.

úgly dúckling 미운 오리 새끼《집안 식구에게 바보 취급을 받다가 나중에 훌륭하게 되는 아이 ; Andersen의 동화에서》.

uh [ʌ, ə] *int.* ① =HUH. ② =ER.

UHF, uhf 〖電·컴〗 ultrahigh frequency(극초단파).

uh-huh *int.* ① [ʌhʌ́] 응, 음, 허《찬성·동의·감사 따위의 감정을 나타냄》. ② [ʌ́ŋhʌ́ŋ] 아니, 응《부정을 나타냄》.

UHT ultra heat treated(초고온 처리된《장기 보존용 우유의》).

uh-uh [ʌ́ʌ́, ə́ə́] *int.* 아니《부정》.

U.K. United Kingdom (of Great Britain and Northern Ireland).

Ukraine [ju:kréin, -kráin] *n.* (the ~) 우크라이나《수도는 Kiev》.

Ukrain·i·an [ju:kréiniən, -krái-] *a.* 우크라이나의, 우크라이나 사람〔말〕의. ── *n.* ① Ⓒ 우크라이나 사람. ② Ⓤ 우크라이나 말.

uku·le·le [jù:kəléili] *n.* Ⓒ 우쿨렐레《기타 비슷한 소형의 4현 악기》.

Ulan Ba·tor [ú:lɑ:nbá:tɔ:r] 울란바토르《몽골 공화국의 수도》.

-ular *suf.* '(작은) …의, …비슷한'의 뜻 : glob*ular*, tub*ular*, valv*ular*.

ULCC [jù:élsì:sí:] ultra large crude carrier (초대형 유조선).

ul·cer [ʌ́lsər] *n.* Ⓒ ① 〖醫〗 궤양 ; 종기 : a mouth ~ 구내염(口內炎) / He's got a stomach ~ so he has to watch his diet. 그는 위궤양이 있어서 음식조절에 조심해야 한다. ② 병폐, 도덕적 부패(의 근원).

ul·cer·ate [ʌ́lsərèit] *vi.* 궤양이 생기다. ── *vt.* …에 궤양을 생기게 하다 : The damage to the skin ~*d* the leg. 피부의 손상은 다리에 궤양이 생기게 했다.

ul·cer·a·tion [ʌ̀lsəréiʃən] *n.* Ⓤ 궤양화〔형성〕.

ul·cer·ous [ʌ́lsərəs] *a.* 궤양성〔상태〕의.

-ule *suf.* '작은 것'의 뜻 : caps*ule*, glob*ule*.

ul·lage [ʌ́lidʒ] *n.* Ⓤ 누손(漏損)《통·병 따위에 담긴 액체의 누출·증발로 인해 생기는》.

ul·na [ʌ́lnə] (*pl.* **-nae** [-ni:], **~s**) *n.* Ⓒ 〖解〗 척골(尺骨). ㊕ **ul·nar** [ʌ́lnər] *a.*

-ulous *suf.* '…의 경향이 있는, 다소 …한'의 뜻 : cred*ulous*, fab*ulous*, trem*ulous*.

Ul·ster [ʌ́lstər] *n.* ① 얼스터《(1) 아일랜드 북부의 한 주(州)의 옛 이름. (2) 아일랜드 공화국 북부지방. (3) 《口》 북아일랜드》. ② (u-) Ⓒ 얼스터 외투《띠가 달린 품 넓은 긴 외투》.

ult. ultimate(ly) ; ultimo : your letter of the 10th *ult.* (=ultimo) 지난 달 10일자 당신의 편지.

ul·te·ri·or [ʌltíəriər] *a.* 〔限定的〕 ① (목적·의향 따위가) (의도적으로) 숨겨진, 감춘, 이면(裏面)의 ; (마음) 속의 : an ~ motive 숨은 동기, 저의(底意), 속셈 / for the sake of ~ ends 속셈이 있어서 / have an ~ object in view 딴 속셈이 있다. ② 저쪽의, 저쪽 멀리의. ③ 뒤에 오는, 앞으로의, 장래의《계획 등》.

ul·ti·ma [ʌ́ltəmə] *n.* Ⓒ 〖文法〗 최후의 음절, 미음절(尾音節).

:ul·ti·mate [ʌ́ltəmit] *a.* 〔限定的〕 ① 최후의, 최종의, 마지막의, 궁극의 : the ~ decision 최종 결정 / Our ~ goal is to establish world peace. 우리들의 궁극적인 목표는 세계평화를 수립하는 것이다. ② 근본적인, 본원적인 : ~ truths 〔principles〕 기본적 진리〔원칙〕 / the ~ cause 〖哲〗 제1〔근본〕 원리. ③ **a)** 최고의, 최대(한)의, 더없는 : the ~ effort 최대한의 노력 / the ~ luxury 더없는 사치 / Stealing a car and then driving it drunk was the ~ idiocy. 차를 훔치고 그 차를 음주운전하다니 더없이 어리석었다. **b)** 가장 중요한〔강력한〕 : Parliament retains the ~ authority to dismiss the government. 의회는 내각을 물러나게 할 강력한 권력을 보유하고 있다. ── *n.* (the ~) 궁극의 것, 최종의 결론〔결과, 단계, 수단〕 ; 근본원리. ㊞ **~·ness** *n.*

últimate constítuent 〖言〗 종극(終極) 구성요소《그 이상 세분할 수 없는 요소》.

***ul·ti·mate·ly** [ʌ́ltəmitli] *ad.* ① 최후로〔에는〕, 마침내, 결국 : They ~ decided not to go. 그들은 결국 가지 않기로 했다. ② 〔文章修飾〕 궁극적으로(는) : *Ultimately*, there's not much difference between these words. 결국 이 말들 사이에는 큰 차이가 없다.

últimate párticle 소립자(elementary particle).

última Thúle (the ~) 《L.》 ① 세계의 끝. ② 최북단(最北端). ③ **a)** 극한, 극점. **b)** 아득한 목표〔이상〕.

***ul·ti·ma·tum** [ʌ̀ltəméitəm] (*pl.* **~s, -ta** [-tə]) *n.* Ⓒ 최후의 말〔제언, 조건〕 ; 《특히》 최후 통첩 : issue 〔deliver〕 an ~ 최후 통첩을 하다〔보내다〕.

***ul·ti·mo** [ʌ́ltəmòu] *a.* 《L.》 지난달의《보통 ult.로 생략》. ⓒⓕ proximo, instant. ¶ on the 5th ~ 지난달 5일에.

ul·tra [ʌ́ltrə] *a.* (주의·사상 등이) 과도한, 과격한, 극단의. ── *n.* Ⓒ (종종 the ~s) 과격론자, 급진론자.

ultra- *pref.* '극단으로, 극도로, 초(超)…, 과(過)…, 한외(限外)…' 따위의 뜻 : *ultra*violet, *ultra*microscope, *ultra*-ambitious, *ultra*-cautious.

ul·tra·con·serv·a·tive [ʌ̀ltrəkənsə́ːrvətiv] *a., n.* Ⓒ 초(超)보수적인 (사람).

úl·tra·high fréquency [ʌ́ltrəhài-] 〖電〗 극초단파《略 : U.H.F., u.h.f.》.

ul·tra·ism [ʌ́ltrəìzəm] *n.* Ⓤ 과격주의 ; 극단〔과격〕론. ㊞ **-ist** *n., a.* 극단〔과격〕주의자(의).

ul·tra·ma·rine [ʌ̀ltrəməríːn] *a.* ① 해외의, 바다 저쪽의. ② 군청색(群青色)의. ── *n.* Ⓤ 군청색(의 채료), 울트라마린.

ul·tra·mi·cro·scope [ʌ̀ltrəmáikrəskòup] *n.* Ⓒ 한외(限外) 현미경. ㊞ **-mi·cro·scóp·ic** [-maikrəskápik / -skɔ́p-] *a.* 한외 현미경의 ; 초(超)현미경적인, 극히 미소한.

ul·tra·mod·ern [ʌ̀ltrəmádərn / -mɔ́d-] *a.* 초현대적인.

ul·tra·mon·tane [ʌ̀ltrəmantéin / -mɔntéin] *a.* ① 산〔알프스〕 저쪽의(opp. *cismontane*) ; 알프스 남쪽의, 이탈리아의. ② 교황권 지상론〔주의〕의. ── *n.* Ⓒ ① 알프스 이남 사람. ② 교황권 지상주의자.

ul·tra·na·tion·al [ʌ̀ltrənǽʃənəl] *a.* 초국가주의적〔국수주의적〕인. ㊞ **~·ism** [-ìzəm] *n.* Ⓤ 초국가주의, 국수주의. **~·ist** *n.*

ul·tra·short [ʌ̀ltrəʃɔ́ːrt] *a.* ① 극단으로 짧은. ② 〖物〗 초단파의《파장이 10 m 이하의》 : an ~ wave 초단파.

ul·tra·son·ic [ʌ̀ltrəsánik / -sɔ́n-] *a.* 초음파의 (supersonic) : Bats use ~ waves to locate flying insects at night. 박쥐들은 밤에 날아다니는 곤충의 위치를 알아내는데 초단파를 이용한다. ㊞ **-i·cal·ly** *ad.*

ul·tra·son·ics [ʌ̀ltrəsániks / -sɔ́n-] *n.* Ⓤ 초음파학(supersonics).

ul·tra·sound [ʌ́ltrəsàund] *n.* Ⓤ 〖物〗 초음파 : ~ image 초음파 영상(映像).

ul·tra·vi·o·let [ʌ̀ltrəváiəlit] *a.* 〖物〗 자외(선)의.

ultravíolet ráys 자외선.

ul·u·late [ʌ́ljəlèit, júːl-] *vi.* (개·이리 따위가) 짖다 ; (부엉이 따위가) 부엉부엉 울다 ; (사람이) 울부짖다. ㊞ **ùl·u·lá·tion** [-léiʃən] *n.*

Ulys·ses [juːlísiːz, júːləsìːz] *n.* 〖그神〗 율리시스 《Ithaca의 왕 ; Homer의 시 *Odyssey*의 주인공 ; Odysseus의 라틴명》.

um [əm, mː] *int.* 응, 아니《주저·의심 등을 나타냄》.

um·bel [ʌ́mbəl] *n.* Ⓒ 〖植〗 산형(繖形) 꽃차례.

um·ber [ʌ́mbər] *n.* Ⓤ ① 엄버《암갈색의 천연 안료(顔料)》. ② 암〔황〕갈색, 밤색, 적갈색《채료》. ── *a.* ~의.

um·bil·i·cal [ʌmbílikəl] *a.* ① 배꼽(모양)의. ② 배꼽 가까이의. ③ 밀접〔긴밀〕한 관계의〔가 있는〕. ── *n.* ＝UMBILICAL CORD ②.

umbílical còrd ① 〖解〗 탯줄. ② 〖宇宙〗 **a)** 공급선(線) 《발사 전의 로켓·우주선에 전기·냉각수 등을 공급함》. **b)** 생명줄《우주선 밖의 비행사에 대한 공기 보급·통신용》. ③ (잠수부의) 생명줄, 연락용 줄.

um·bil·i·cus [ʌmbílikəs, ʌ̀mbilái-] (*pl.* **-ci** [-sài], **~·es**) *n.* Ⓒ 〖解〗 배꼽.

um·bra [ʌ́mbrə] (*pl.* **-brae** [-briː]) *n.* Ⓒ ① 그림자. ② 〖天〗 본(本)그림자《일식·월식 때의 지구·달의 그림자》. ⓒⓕ penumbra. ③ (태양 흑점의) 중앙 암흑부.

um·brage [ʌ́mbridʒ] *n.* Ⓤ 불쾌, 노여움. ***take ~ (at …)*** …을 불쾌히 여기다, …에 성내다.

:um·brel·la [ʌmbrélə] *n.* Ⓒ ① 우산, 박쥐 우산 : open 〔unfurl〕 an ~ 우산을 펴다 / close 〔furl〕 an ~ 우산을 접다 / I felt a few spots of rain so I put my ~ up. 빗방울이 조금 떨어지는 것 같아 나는 우산을 받았다. ② 양산《보통 sunshade 또는 parasol이라고 함》. ③ **a)** 보호(하는 것), 비호, '우산', 산하 : a nuclear ~ 핵우산 / under the Conservative ~ 보수당 산하에 / under the ~ of the United Nations 유엔의 보호밑에. **b)** 포괄적 조직〔단체〕 : bring several companies under one ~ 몇개의 회사를 하나의 계열회사로 하다. ④ 〖動〗 해파리의 갓 ; 삿갓조개(~ shell). ── *a.* 〔限定的〕 우산의〔같은〕 ; 포괄적인 : an ~ organization 포괄적인 조직 / an ~ clause (불특정한 경우에 적용되는) 포괄적 조항.

umbrélla shèll 〖貝〗 삿갓조개.

umbrélla stànd 우산꽂이.

umbrélla tàlks 포괄 교섭〔협상, 회담〕.

umi·a(c)k [úːmiæ̀k] *n.* Ⓒ 우미애크《나무 뼈대에 바다표범 가죽을 씌워서 만든 에스키모의 작은 배》. ⓒⓕ kayak.

um·laut [úmlàut] *n.* 《G.》 〖言〗 ① Ⓤ 움라우트, 모음 변이(變異), 곡음(曲音)《후속(後續) 음절의 i, j 의 영향에 의한 모음 변화 ; 보기 : 《G.》 M*a*nn, M*ä*nner ; 《E.》 m*a*n, m*e*n》. ⓒⓕ mutation. ② Ⓒ (움라우트에 의해 생긴) 변모음《보기 : ä [e, ɛ], ö [ϕ], ü [y]》 ; 움라우트 기호(¨) : The German word 'Gebäude', which means 'building', has an ~ over the a. 독일말인 'Gebäude'는 '건물'이란 뜻인데 a 위에 움라우트가 있다.

ump [ʌmp] *n., vt., vi.* 《俗》 ＝UMPIRE.

:um·pire [ʌ́mpaiər] *n.* Ⓒ (경기의) 심판원, 엄

파이어 : a ball 〔field〕 ~ 『野』 구심〔누심(壘審)〕/ be (an) ~ at a match 경기의 심판을 하다 / act as ~ 심판 일을 보다《흔히 관사 없음》/ The ~s declared that play should start. 심판들은 경기 시작을 선언했다. ── *vt.* (경기·논쟁 따위)를 심판하다 ; 중재하다. ── *vi.* 《~ / +전+명》 심판원(의) 일을 보다 : ~ *for* the league 리그의 심판을 보다.

ump·teen [ʌ́mptíːn] *a.* 〔限定的〕《口》 많은, 다수의 : I have ~ things to do today. 오늘은 해야 할 일들이 많다. ── *pron.* 많음, 다수.
㊞ **~th** *a.* 《口》 몇 번째인지 모를 만큼의.

ump·ty [ʌ́mpti] 《口》 *a.* =UMPTEEN.

UN, U.N. [júːén] United Nations.

un- *pref.* ① 형용사 (동사의 분사형을 포함함) 및 부사에 붙여서 '부정(否定)'의 뜻을 나타냄. ② 동사에 붙여서 그 반대의 동작을 나타냄 : *un*bend / *un*cover. ③ 명사에 붙여서 그 명사가 나타내는 성질·상태를 '제거'하는 뜻을 나타내는 동사를 만듦 : *un*man.

un·a·bashed [ʌ̀nəbǽʃt] *a.* 얼굴을 붉히지 않는, 뻔뻔스러운 ; 겁내지 않는, 태연한 : They were completely ~ in praising themselves. 그들은 자기 자신을 칭찬하는 데 조금도 부끄러워하지 않았다.

un·a·bat·ed [ʌ̀nəbéitid] *a.* (힘 따위가) 줄지 않는, 가라앉지 않는, 약해지지 않는 : The popularity of his novels has continued almost ~. 그의 소설의 인기는 아직도 거의 줄지 않고 있다.
㊞ **~·ly** *ad.*

‡**un·a·ble** [ʌnéibəl] *a.* 〔敍述的〕 …할 수 없는《*to* do》. opp *able.* ¶ I am ~ *to* walk. 걸을 수 없다 (=I cannot walk.) / He was ~ *to* sleep at night because of his anxiety. 그는 걱정 때문에 밤에 잠을 이룰 수가 없었다. ◇ inability *n.*

un·a·bridged [ʌ̀nəbrídʒd] *a.* 생략하지 않은, 완전한, 완비된 : an ~ text / the ~ version of 'War and Peace' '전쟁과 평화'의 무삭제판(無削除版).

un·ac·a·dem·ic [ʌ̀nækədémik] *a.* 학구적〔학문적〕이 아닌 ; 형식을 차리지 않는, 인습적(因襲的)이 아닌.

un·ac·cent·ed [ʌnǽksentid] *a.* 악센트〔강세〕가 없는.

un·ac·cept·a·ble [ʌ̀nəkséptəbəl] *a.* 받아들일 수 없는 ; 용납〔용인〕할 수 없는 ; 마음에 안 드는 : That sort of behavior was completely ~. 그런 유(類)의 행동은 결코 용납할 수 없었다 / That pronunciation is ~ in the south of Britain. 그 발음은 영국 남부에서는 용인되지 않는다.

un·ac·com·pa·nied [ʌ̀nəkʌ́mpənid] *a.* ① 동행자〔동반자〕가 없는, (…이) 따르지〔함께 하지〕 않는《*by* ; *with*》: He traveled ~ *by* his parents. 그는 부모와 동행없이 혼자 여행했다. ② 『樂』 무반주(無伴奏)의 : an ~ song 반주없는 노래.

un·ac·com·plished [ʌ̀nəkɑ́mpliʃt / -kɔ́m-] *a.* ① 성취되지 않은, 미완성의 : The task remained ~. 그 일은 여전히 미완성인 채로 있었다. ② 재주없는, 무능한.

‡**un·ac·count·a·ble** [ʌ̀nəkáuntəbəl] *a.* ① 설명할 수 없는, 까닭을 알 수 없는, 불가해한, 이상한 : I suffer every now and then from ~ headaches. 나는 가끔 이유를 알 수 없는 두통으로 고통을 받는다. ② 〔敍述的〕 책임이 없는, (변명의) 책임을 지지 않는《*for*》.

un·ac·count·a·bly [-bli] *ad.* ① 설명할〔까닭을 알〕 수 없을 정도로 ; 기묘〔이상〕하게 : I felt ~ happy this morning as I left the house. 나는 오늘 아침 집을 나설 때 이상하리만큼 행복감을 느꼈다. ② 〔文章修飾〕 웬일인지, 불가해하게 : *Unaccountably* he never mentioned the accident. 웬일인지 그는 결코 그 사고에 관해서 말하지 않았다.

un·ac·count·ed-for [ʌ̀nəkáuntidfɔ̀ːr] *a.* 설명되어 있지 않은 ; (용도·원인) 불명의.

*__un·ac·cus·tomed__ [ʌ̀nəkʌ́stəmd] *a.* ① 〔敍述的〕 익숙지 않은, 숙달되지 않은《*to* ; *to* do*ing*》: I am ~ *to* public speak*ing*. 사람들 앞에서 말하는 데 익숙하지 않다. ② 〔限定的〕 보통이 아닌, 심상치 않은 ; 진기한, 별난 : his ~ silence 그의 심상치 않은 침묵. ㊞ **~·ly** *ad.* **~·ness** *n.*

un·ac·knowl·edged [ʌ̀nəknɑ́lidʒd / -nɔ́l-] *a.* 일반적〔정식〕으로 인정되어 있지 않은, 무시돼 있는 : Her contribution to the research went largely ~. 그 연구에 대한 그녀의 공헌은 대부분 정식으로 인정을 받지 못했다.

un·ac·quaint·ed [ʌ̀nəkwéintid] *a.* 모르는, 낯선, 면식이 없는 ; 사정에 어두운, 경험이 없는, 생소한《*with*》: visitors ~ *with* the local customs 그 지방 풍습에 생소한 방문객들.

un·a·dapt·a·ble [ʌ̀nədǽptəbəl] *a.* 적응〔적합〕할 수 없는, 맞출 수 없는, 융통성이 없는.

un·a·dopt·ed [ʌ̀nədɑ́ptid / -dɔ́pt-] *a.* ① 채용되지 않은 ; 양자로 되어 있지 않은. ② 《英》《특히》 (신설 도로가) 지방 당국에 의해 관리돼 있지 않은, 공도(公道)가 아닌.

un·a·dorned [ʌ̀nədɔ́ːrnd] *a.* 꾸밈〔장식〕이 없는, 있는 그대로의, 간소한.

un·a·dul·ter·at·ed [ʌ̀nədʌ́ltərèitid] *a.* 섞인 것이 없는, 다른 것이 섞이지 않은 ; 순수한 ; 진짜의 : ~ wool 순모(純毛) / Our life was ~ bliss. 우리들의 생활은 정말이지 행복 그것이었다.

un·ad·vis·a·ble [ʌ̀nədváizəbəl] *a.* 충고를〔조언을〕 받아들이지 않는 ; 권할 수 없는, 적당치 않은 ; 좋은 계책이 못 되는.

un·ad·vised [ʌ̀nədváizd] *a.* 분별 없는, 경솔한.
㊞ **-vis·ed·ly** [-váizidli] *ad.*

un·af·fect·ed [ʌ̀nəféktid] *a.* ① 있는 그대로의, 꾸밈없는 ; 마음으로부터의, 진실한 : He was simple and ~ and obviously sincere. 그는 순박하고도 꾸밈이 없었고 또한 두드러지게 성실했다. ② 〔敍述的〕 (사람·감정 따위가 …에) 변화를〔영향을〕 받지 않는, 변하지 않는 ; 움직여지지 않는《*by*》: This acid is ~ *by* heat. 이 산(酸)은 열에 영향을 받지 않는다 / The house was ~ *by* the strong wind. 집은 강풍에도 끄떡없었다 / He seemed ~ *by* his wife's death. 그는 아내의 죽음에도 동요하지 않는 것 같았다. ㊞ **~·ly** *ad.*

un·a·fraid [ʌ̀nəfréid] *a.* 〔敍述的〕 (…을) 두려워〔무서워〕하지 않는, (…에) 태연한, 놀라지 않는《*of*》.

un·aid·ed [ʌnéidid] *a.* 도움이 없는, 독립의, 혼자 힘의 : He did it ~. 혼자 힘으로 했다 / The baby was sitting up ~. 아기는 혼자 힘으로 앉아 있었다 / with the ~ eyes 육안〔맨눈〕으로.

un·al·ien·a·ble [ʌnéiljənəbəl] *a.* =INALIENABLE.

un·al·loyed [ʌ̀nəlɔ́id] *a.* ① 합금이 아닌, 섞인 것이 없는, 순수한. ② (감정 따위가) 진실한, 참된 : ~ happiness / ~ satisfaction.

un·al·ter·a·ble [ʌnɔ́ːltərəbəl] *a.* 변경할 수 없는, 불변(不變)의 : ~ decisions 단호한 결정.

un·al·tered [ʌnɔ́ːltərd] *a.* 변하지 않은, 불변의, 여전한, 본래대로의 : a practice that remained ~ for centuries 수세기 동안이나 바뀌지 않고 남아 있는 관습.

un-A·mer·i·can [ʌ̀nəmérikən] *a.* (가치관·주의 등이) 미국식이 아닌, 비(非)미국적인.

una·nim·i·ty [jùːnənímәti] *n.* Ⓤ 전원 이의 없

U

음, (전원) 합의, (만장) 일치 : with ~ 만장일치로, 이의 없이 / About this there is ~ among the sociologists. 이 점에 관해서는 사회학자들 사이에 의견이 일치되고 있다.

***unan·i·mous** [ju:nǽnəməs] *a.* ① 만장〔전원〕 일치의, 이의 없는 : with ~ applause 만장의 박수갈채로 / by a ~ show of hands (거수에 의한) 만장일치로 / He was elected chairman by a ~ vote. 그는 전원일치의 표결로 의장에 당선됐다. ② 〔敍述的〕 **a**) (…에) 합의한, 같은 의견인《*in* ; *for* ; *about*》: They're ~ *for* reform. 그들은 개혁에 관해 같은 의견이다〔모두 찬성이다〕. **b**) (…이라는 것에) 합의한《*that*》: They were ~ *that* the report should be approved. 그들은 전원일치로 그 보고가 승인되어야 한다는 것에 합의했다.
㊎ **~·ly** *ad.* 만장 일치로 : The union voted ~*ly* to boycott foreign imports. 노동조합은 외국 수입품을 배척할 것을 만장일치로 표결했다.

un·an·nounced [ʌ̀nənáunst] *a.* 공표〔발표〕되지 않은 ; 미리 알리지 않은 : enter ~ (방문객 등이) 안내도 받지 않고 들어오다 / arrive ~ 예고없이 오다 / Forgive me this ~ intrusion. 이 예고없는 침입을 용서하시오.

un·an·swer·a·ble [ʌnǽnsərəbəl, -ɑ́:n-] *a.* ① 대답〔답변〕할 수 없는 : The ~ question is how long this war is going to last. 대답할 수 없는 질문은, 이 전쟁이 얼마나 계속될 것인가이다. ② 반박할 수 없는, 다툴 여지가 없는, 결정적인 ; 책임없는《*for*》: ~ logic 반론할 수 없는 논리 / an ~ proof 반박의 여지가 없는 증거.

un·an·swered [ʌnǽnsərd, -ɑ́:n-] *a.* 대답없는 ; 반박되지 않은, 반론이 없는 ; 보답되지 않은 : ~ love 짝사랑 / The crucial question remains ~. 그 중대 질문엔 아직 대답이 나오지 않고 있다.

un·a·pol·o·get·ic [ʌ̀nəpɑ̀lədʒétik / -pɔ̀l-] *a.* 변명하지 않는, 사죄〔사과〕도 하지 않는.

un·ap·peal·ing [ʌ̀nəpí:liŋ] *a.* 호소력〔매력〕이 없는 : They have made the place as ~ as possible. 그들은 그 장소를 될 수 있는대로 매력없는 곳으로 만들었다.

un·ap·peas·a·ble [ʌ̀nəpí:zəbəl] *a.* ① 가라앉힐〔완화시킬〕 수 없는, 진정시킬 수 없는, 달랠 수 없는. ② 채울〔만족시킬〕 수 없는.

un·ap·pe·tiz·ing [ʌnǽpətàiziŋ] *a.* 식욕을 돋우지 않는 ; 맛이 없(어 보이)는 : If it is over cooked, the flesh becomes rubbery and ~. 너무 익히면 살이 질겨져서 맛이 없어진다.

un·ap·proach·a·ble [ʌ̀nəpróutʃəbəl] *a.* ① **a**) (장소 따위가) 접근하기 어려운, 도달할 수 없는 (inaccessible) : an ~ spot 접근할 수 없는 지점. **b**) (태도 따위가) 쌀쌀한, 가까이하기 어려운, 서먹서먹한 : He's an ~ sort of person. 그는 가까이하기 어려운 사람이다 / He was becoming as ~ and autocratic as his father. 그는 자기 아버지처럼 냉냉하고 독재적인 사람으로 되어가고 있었다. ② 비할 데 없는, 따를 수 없는, 무적의 : an ~ mastery of her art 아무도 따를 수 없을 만큼 숙달한 그녀의 기예.

un·apt [ʌnǽpt] *a.* ① **a**) 어울리지 않는, 부적당한 : an ~ quotation 부적절한 인용. **b**) 〔敍述的〕 (…에) 부적당한《*for*》: The place is ~ *for* study. 그곳은 공부하기에는 적당치가 않다. ② (학습 따위에) 머리가 둔한(dull), 잘 못하는, 서투른 《★ inapt 가 일반적임》: an ~ student 이해가 더딘 학생 / be ~ *to* learn 이해가 더디다. ③ 〔敍述的〕 (…하는) 경향이 없는, …하지 않는, …에 익숙지 않은 : She is ~ *to* waste what she has accumulated with such effort. 그토록 고생하면 모든 것을 낭비하는 일은 없을게다. ㊎ **~·ly** *ad.*

un·ar·gu·a·ble [ʌ̀nɑ́:rgjuəbl] *a.* 논의의 여지가 없는, 명백한 : ~ facts 의심할 여지가 없는 명백한 사실들. ㊎ **-bly** *ad.*

un·arm [ʌnɑ́:rm] *vt.* …을 무장 해제하다(disarm) ; 무력하게 하다《*of*》: ~ a criminal *of* his gun 범인으로부터 총을 빼앗다.

***un·armed** [ʌnɑ́:rmd] *a.* ① 무기를 가지지 않은, 무장하지 않은 : ~ neutrality 비무장 중립 / They were shooting ~ peasants. 그들은 비무장 농민들을 향해 사격을 가하고 있었다. ② 무기를 사용하지 않은, 맨손의.

un·a·shamed [ʌ̀nəʃéimd] *a.* 부끄러워하지 않는, 부끄러움을 모르는 ; 숨김없는 : He looked at her with ~ curiosity. 그는 솔직한 호기심을 드러내면서 그녀를 쳐다보았다. ㊎ **~·ly** *ad.*

un·asked [ʌnǽskt, -ɑ́:skt] *a.* 〔敍述的〕 부탁〔요청, 요구〕받지 않은《*for*》; 초대받지 않은 : He came to help her ~. 그는 부탁하지도 않았는데 그녀를 도와주려고 왔다.

un·asked-for [-fɔ̀:r] *a.* 〔限定的〕《口》 요청하지〔받지〕도 않은《충고 등》: too much ~ advice 지나치게 많은 불필요한 충고.

un·as·sail·a·ble [ʌ̀nəséiləbəl] *a.* ① 공격할 수 없는, 난공 불락의. ② 논쟁〔비판, 의심〕의 여지가 없는 ; 부정할 수 없는, 확고한 : ~ evidence 움직일 수 없는 증거 / This argument is logically ~. 이 논거는 논리적으로 빈틈이 없다. ㊎ **-bly** *ad.*

un·as·sum·ing [ʌ̀nəsjú:miŋ] *a.* 젠체하지 않는, 겸손한, 주제넘지 않은 : They heard him described as a gentle, kind, and ~ man. 그들은 그 사람에 대해 점잖고 친절하며 겸손한 사람으로 평하는 것을 들었다. ㊎ **~·ly** *ad.*

un·at·tached [ʌ̀nətǽtʃt] *a.* ① 떨어져 있는 ; 붙어 있지 않은. ② 무소속의, 부속되지 않은. ③ 약혼〔결혼〕하지 않은 ; 독신의 : He's thirty-two, he's gorgeous, he's got his own house and what's more, he's ~. 그는 32살에 멋지게 생겼으며 자기 집도 있고 게다가 독신이다.

un·at·tend·ed [ʌ̀nəténdid] *a.* ① 시중꾼을 거느리지 않은, 수행원이 없는 ; 동반〔수반〕하지 않은 《*with* ; *by*》. ② 보살핌을 받지 않는, 내버려 둔 《*to*》; 치료를 받지 않은 : leave one's child 〔baggage〕 ~ 자기의 아이를〔수화물을〕 내버려두다 / According to the report, most accidents occur when young children are left ~ in the home. 보고에 의하면 대부분의 사고는 어린아이들이 가정에서 방치될 때 일어나고 있다. ③ (집회 따위에) 참석자가 적은〔없는〕.

un·at·trac·tive [ʌ̀nətrǽktiv] *a.* ① 매력없는, 남의 눈을 끌지 않는, 아름답지 못한 : He was an ~ man with staring eyes and an oddly pale skin. 그는 노려보는 듯한 눈과 이상할 정도로 창백한 피부를 가진 매력없는 남자였다. ② 흥미가 없는, 시시한. ㊎ **~·ly** *ad.* **~·ness** *n.*

un·au·tho·rized [ʌnɔ́:θəràizd] *a.* 월권의, 권한이 없는 ; 공인〔승인, 인정〕되지 않은, 독단의 : She made several ~ visits to the laboratory. 그녀는 몇 차례 그 연구소에 비공인 방문을 했다.

un·a·vail·a·ble [ʌ̀nəvéiləbəl] *a.* ① 입수할 수 없는, 얻을 수 없는 ; 이용할 수 없는 ; 통용되지 않는《*for*》: Basic food products are frequently ~ in the state shops. 기본 식료품들은 국영 상점에서 입수할 수 없는 일이 잦다. ② (사람이) 손이 비어 있지 않은, 만나볼〔면회할〕 수 없는: I'm afraid Mr. Smith is ~ now. 스미스 씨는 지금 만나실 수 없습니다. ㊎ **~·ness** *n.*

un·a·vail·ing [ʌ̀nəvéiliŋ] *a.* 무익한, 무용의 ; 무

효의 ; 헛된 : Attempts to persuade him to come down were ~. 믿으로 내려오도록 설득시키려고 몇 차례 시도해 봤으나 헛일이었다. ㊎ ~·ly *ad.*

un·a·void·a·ble [ʌ̀nəvɔ́idəbəl] *a.* 피할[어쩔] 수 없는, 부득이한 : This delay was ~. 이번 지체는 부득이했다. ㊎ **-bly** *ad.*

***un·a·ware** [ʌ̀nəwέər] *a.* 〔叙述的〕 눈치채지 못하는, 알지 못하는, 모르는《*of* ; *that*》: be ~ *of* any change 어떤 변화도 눈치 못채다 / I was ~ *that* he had any complaints. 그가 어떤 불평이 있는지 나는 몰랐다. ── *ad.* ＝UNAWARES. ㊎ ~·ly *ad.* ~·ness *n.*

un·a·wares [ʌ̀nəwέərz] *ad.* ① 뜻밖에, 불의(不意)에, 갑자기 ; 뜻하지 않게 : come upon a person ~ 뜻하지 않게 아무를 만나다. ② 깨닫지 못하고, 저도 모르게, 무심결에 : He gave away the secret ~. 그는 무심코 그 비밀을 누설하고 말았다.

un·backed [ʌnbǽkt] *a.* ① 지지[후원]자가 없는. ② (경마 따위에서) 거는 사람이 없는. ③ (말이) 사람을 태워 본 적이 없는, 타서 길들여지지 않은. ④ (의자에) 등받이가 없는.

un·bal·ance [ʌnbǽləns] *vt.* ① …을 불균형하게 하다, …을 균형을 잃게 하다. ② (마음)의 평형을 깨뜨리다, …을 착란시키다. ── *n.* Ⓤ 불균형, 언밸런스.

un·bal·anced [ʌnbǽlənst] *a.* ① 균형이 잡히지 않은, 평형을 잃은. ② 정신[정서] 불안정에 빠진, 정신이 착란된. ③〖商〗 미결산의, 미청산의 : ~ accounts 미결산 계정.

un·ban [ʌ̀nbǽn] *vt.* …의 금지를 풀다, …을 합법화하다.

un·bar [ʌnbɑ́ːr] (-*rr*-) *vt.* …의 빗장을 빼다 ; …을 열다, 개방하다.

***un·bear·a·ble** [ʌnbέərəbəl] *a.* 참을 수 없는, 견딜 수 없는《*to*》: ~ sorrow 견딜 수 없는 슬픔 / This heat is quite ~ *to* me. 이 더위는 정말 못 견디겠다. ㊎ **-bly** *ad.* 참을 수 없이 : It was *unbearably* painful. 그것은 참을 수 없이 고통스러웠다.

un·beat·a·ble [ʌnbíːtəbəl] *a.* 패배시킬 수 없는, 맞겨룰 수 없는 ; 탁월한 : an ~ football team 무적의 축구팀 / The food here is absolutely ~. 이곳 음식은 정말 뛰어나게 좋다.

un·beat·en [ʌnbíːtn] *a.* ① 져본 일이 없는, 불패의, (기록 등이) 깨지지 않은 : the only ~ team in the league 리그전에서 유일한 무패의 팀 / Mike is ~ in his last ten matches. 마이크는 지난 10 경기에서 진 일이 없다. ② 매맞지 않은. ③ 사람이 다닌 일이 없는, 인적 미답의 (untrodden) : ~ paths 사람이 다니지 않은 길.

un·be·com·ing [ʌ̀nbikʌ́miŋ] *a.* 어울리지 않는, 부적당한, 격에 맞지 않는《*to* ; *for* ; *of*》, (옷 따위가) 맞지 않는, 보기 흉한, 점잖지 못한, 버릇없는, 무례한 : conduct ~ *to* an officer 경찰관에게 어울리지 않는 행동. ㊎ ~·ly *ad.*

un·be·known, -knownst [ʌ̀nbinóun], [-nóunst] *a.* 〔叙述的〕 알려지지 않은 ; 미지의 ; 알아[눈치]채이지 않은《*to*》: a woman ~ *to* them 그들이 모르는 여자 / He did it ~ *to* us. 그는 우리가 모르는 사이에 그것을 했다.

un·be·lief [ʌ̀nbilíːf] *n.* Ⓤ (특히 종교상의) 회의, 불신 ; 불신앙(★ disbelief 는 거짓이라고 하여 적극적으로 믿는 것을 거부하는 일).

***un·be·liev·a·ble** [ʌ̀nbilíːvəbəl] *a.* 믿을 수 없는, 거짓말 같은 : They work with ~ speed. 그들은 믿을 수 없을 정도의 속도로 일을 한다 / It's ~ that he did it for himself. 그가 혼자 힘으로 그걸 했다는 것이 믿어지지가 않는다. ㊎ **-bly** *ad.*

un·be·liev·er [ʌ̀nbilíːvər] *n.* Ⓒ 신앙이 없는 사람, 불(不)신앙자.

un·be·liev·ing [ʌ̀nbilíːviŋ] *a.* 믿으려 하지 않는 ; 의심 많은, 회의적인. ㊎ ~·ly *ad.*

un·bend [ʌnbénd] (*p.*, *pp.* **-bent** [-bént], **~·ed** [-id]) *vt.* ① (굽은 것)을 곧게 하다, 펴다. ② (심신)을 편안하게 하다 ; (긴장을) 누그러지게[풀리게] 하다 ; 쉬게 하다. ── *vi.* ① 펴지다. ② 누그러지다, (심신의) 긴장을 풀다, 릴랙스해지다.

un·bend·ing [ʌnbéndiŋ] *a.* 꺾이지 않는, 불굴의《정신 등》; 단호한, 흔들리지 않는 ; 고집센, 완고한 : He has earned a reputation as a stern and ~ politician. 그는 단호하고도 흔들림이 없는 정치인으로서의 명성을 얻고 있다. ㊎ ~·ly *ad.*

un·bi·as(s)ed [ʌnbáiəst] *a.* 선입관[편견]이 없는, 공평한 : an ~ report 공정한 보고(서) / a fair and ~ trial 공정하고도 편견없는 재판.

un·bid·den [ʌnbídn] *a.* ① 명령[지시]받지 않은, 요구되지 않은, 자발적인 : memories coming ~ to one's mind 마음에 저절로 떠오르는 생각. ② 초대받지 않은 : an ~ guest 불청객 / They arrived ~ at midnight. 그들은 초청되지도 않았는데 한밤중에 도착했다.

un·bind [ʌnbáind] (*p.*, *pp.* **-bound** [-báund]) *vt.* ① …의 밧줄을[붕대를] 풀다, …을 끄르다 : ~ a wound 상처의 붕대를 풀다 / My hands were *unbound* and my blindfold removed. 나의 묶인 손이 풀렸고 이어서 눈가리개도 제거되었다 / *Unbind* him, let him go free. 그의 결박을 풀어 석방해라. ② …을 석방하다 : ~ a prisoner.

un·blem·ished [ʌnblémiʃt] *a.* 흠[결점, 오점]이 없는, 결백한 : He has given 38 years to the prison service and has an ~ career. 그는 38년이나 교도관으로 복무했고 직장 경력도 깨끗하다.

un·blessed, un·blest [ʌnblést] *a.* 축복받지 못한, 은혜를 받지 못한 ; 저주받은.

un·blink·ing [ʌnblíŋkiŋ] *a.* 눈을 깜박이지 않는 ; 눈하나 깜짝 않는, 동하지 않는. ㊎ ~·ly *ad.*

un·blush·ing [ʌnblʌ́ʃiŋ] *a.* 부끄럼을 모르는, 뻔뻔스러운, 염치없는. ㊎ ~·ly *ad.*

un·bolt [ʌnbóult] *vt.* …의 빗장을 벗기다.

un·bolt·ed[1] [ʌnbóultid] *a.* 빗장이 벗겨진.

un·bolt·ed[2] *a.* 체질하지 않은, 거친.

un·born [ʌnbɔ́ːrn] *a.* ① 아직 태어나지 않은 : an ~ child [baby] 곧 태어날 아이[아기]. ② 장래[미래]의, 후대의 : ~ generation 미래 세대.

un·bos·om [ʌnbú(ː)zəm] *vt.* ① (속마음·비밀 따위)를 털어놓다, 밝히다, 고백하다《*to*》. ② 〔再歸的〕 (아무에게) 의중을 밝히다, 고백하다《*to*》.

un·bound [ʌnbáund] UNBIND의 과거(분사). ── *a.* ① (속박에서) 풀린, 해방된. ② (책·종이 따위가) 묶이지[철하지] 않은, 제본되지 않은.

un·bound·ed [ʌnbáundid] *a.* ① 한계가[끝이] 없는 ; 무한한 : the ~ ocean 끝없는 대양(大洋) / Literacy brings to the young ~ freedom. (받은) 교육의 힘은 젊은이들에게 무한한 자유를 가져다 준다. ② (기쁨 따위를) 억제할 수 없는.

un·bowed [ʌnbáud] *a.* ① (무릎 따위가) 굽지 않은. ② 굴복하지 않는[않은], 불굴의 : His body is hurt but his spirit is ~. 그의 육신은 상처를 입고 있으나 그의 정신은 꺾이지 않고 있다.

un·break·a·ble [ʌnbréikəbəl] *a.* 깨뜨릴 수 없는 ; (말이) 길들이기 어려운. ㊎ **-bly** *ad.* ~·ness *n.*

un·bri·dled [ʌnbráidld] *a.* ① 재갈을 물리지 않은, 고삐를 매지 않은. ② 구속이 없는, 억제할[억누를] 수 없는 ; 방일(放逸)한, 난폭한 : ~ passion [lust] 억제할 수 없는 욕정 / We need to campaign against the ~ use of the motor car.

우리는 자동차의 무제한적 사용에 반대하는 운동을 벌일 필요가 있다.

*__un·bro·ken__ [ʌnbróukən] *a.* ① 파손되지 않은, 완전한. ② 끊이지 않은, 계속되는, 중단되지 않는: ~ fine weather 계속되는 좋은 날씨 / The silence continued, ~. 침묵이 중단되지 않고 계속되었다. ③ 꺾이지 않은: His spirit was ~. 그의 정신은 꺾이지 않았다. ④ (기록 따위가) 깨지지 않은. ⑤ 미개간의. ㊞ **~·ly** *ad.*

__un·buck·le__ [ʌnbʌ́kəl] *vt.* …의 죔쇠를〔버클을〕 끄르다; (칼 등의) 죔쇠를 풀어 끄르다.

__un·bur·den__ [ʌnbə́ːrdn] *vt.* ① **a)** …의 짐을 부리다. **b)** …에서 (짐을) 내리다《*of*》: I ~*ed* the boy *of* his satchel. 나는 소년의 가방을 내려주었다. ② **a)** (털어놓아) (마음)의 무거운 짐을 덜다, (마음)을 홀가분하게 하다: ~ one's heart〔mind〕 마음의 무거운 짐을 덜다. **b)** 〔再歸的〕 (비밀 등을) 털어 놓고 홀가분해 하다《*of*》: She ~*ed herself of* her terrible secret. 그녀는 자신의 무서운 비밀을 털어놓아 마음의 짐을 덜었다. ③ (괴로움·비밀 등)을 털어놓다.

__un·but·ton__ [ʌnbʌ́tn] *vt.* …의 단추를 끄르다. ㊞ **~ed** *a.*

__un·called-for__ [ʌnkɔ́ːldfɔ̀ːr] *a.* ① 불필요한, 쓸데없는, 주제넘은, 건방진, 중뿔난: an ~ remark 불필요한 말 / The last remark was ~. 마지막 발언은 쓸데없는 것이었다. ② 까닭〔이유〕 없는: an ~ insult 당찮은 모욕.

__un·can·ny__ [ʌnkǽni] (***-ni·er*** ; ***-ni·est***) *a.* ① 기분 나쁜, 섬뜩한; 초인적〔초자연적〕인: an ~ silence 섬뜩한 고요. ② 불가해한, 괴기(怪奇)한, 신비스러운: The old guy has an ~ ability to pick the winning horse. 그 늙은이는 우승할 말을 가려내는 신비한 능력이 있다. ㊞ **-cán·ni·ly** *ad.*

__un·cap__ [ʌnkǽp] (***-pp-***) *vi., vt.* 모자를 벗(기)다; (병·만년필 따위의) 뚜껑을 벗기다, 마개를 뽑다.

__un·cared-for__ [ʌnkέərdfɔ̀ːr] *a.* 돌보는 사람이 없는, 돌보지 않는; 방임〔방치〕된; 황폐한: The old house had an ~ look. 그 고옥은 손질이 안 된 모습이었다 / She was left alone and ~ in her old age. 그녀는 홀로 남아 노년에 돌봐주는 사람도 없이 방치되었다.

__un·ceas·ing__ [ʌnsíːsiŋ] *a.* 끊임없는, 부단한, 간단없는: ~ efforts for world peace 세계 평화를 위한 끊임없는 노력. ㊞ **~·ly** *ad.*

__un·cen·sored__ [ʌ̀nsénsərd] *a.* 무검열의, (검열에서) 삭제〔수정〕되지 않은.

U

__un·cer·e·mo·ni·ous__ [ʌ̀nserəmóuniəs] *a.* 격식을 차리지 않는, 딱딱하지 않은, 허물없는; 예의〔버릇〕없는; 무뚝뚝한: He made an ~ departure in the middle of my speech. 내가 이야기하는 도중에 그는 불쑥 떠났다. ㊞ **~·ly** *ad.*

‡__un·cer·tain__ [ʌnsə́ːrtn] (***more*** ~; ***most*** ~) *a.* ① (시기·수량 등이) 불명확한, 분명치 않은, 확인할 수 없는, 미정의: a woman of ~ age 나이가 분명치 않은 여인《특히 중년 여성에 대하여》/ The date of her birth is ~. 그녀의 생년월일은 분명치 않다. ② 확실히 모르는, 단언할 수 없는; (…에 대해) 확신〔자신〕이 없는《*of* ; *about* ; *as to*》. ★ wh-절이〔구가〕 올 때에는 종종 전치사가 생략됨. ¶ I'm ~ (*about*) *what* to do next. 다음에는 무엇을 해야 좋을지 잘 모르겠다 / He was ~ *of* success. 성공할 확신을 못 가졌었다 / The cause of death remains ~. 사인(死因)은 아직도 확실히 모르고 있다. ③ 변덕스러운, 믿을 수 없는; (기후 등이) 변하기 쉬운, 일정치 않은: a person of ~ opinions 의견이 변하기 쉬운 사람 / a girl with an ~ temper 변덕스러운 소녀 / ~ weather 변덕스러운 날씨. ***in no*** ~ ***terms*** 분명하게, 딱 잘라서《말하다》. ㊞ **~·ly** *ad.* **~·ness** *n.*

*__un·cer·tain·ty__ [ʌnsə́ːrtnti] *n.* ① Ⓤ 불확실(성); 반신반의. ② Ⓤ 불안정; 부정(不定), 불확정; 변하기 쉬움; 믿을 수 없음: The trip was postponed due to the ~ of the weather. 날씨가 불안정해서 그 여행은 연기되었다 / The industry is still plagued by political *uncertainties.* 산업은 정치적인 불안정으로 아직도 어려움을 겪고 있다. ③ Ⓒ (종종 *pl.*) 확실히 알 수 없는 일〔것〕, 믿을 수 없는 일〔것〕: There are many *uncertainties* in life. 인생에는 불확실한 일이 많다.

__uncértainty prìnciple__ (흔히 the ~) 〖化〗 불확정성 원리.

__un·chain__ [ʌ̀ntʃéin] *vt.* …을 사슬에서 풀어주다, 「해방하다.

__un·chal·lenged__ [ʌntʃǽlindʒd] *a.* ① 도전받(고 있)지 않은, 확고한. ② 문제가 되지 않는, 문제가 되어 있지 않은, 논쟁되지〔의문시되(고 있)지〕 않는: His authority was secure and ~. 그의 권위는 확고했고 의문시되지 않았다.

__un·change·a·ble__ [ʌntʃéindʒəbəl] *a.* 변하지 않는, 일정 불변의: ~ facts 불변의 사실.

‡__un·changed__ [ʌntʃéindʒd] *a.* 불변의, 변하지 않은: The position of women remains basically ~. 여성의 지위는 근본적으로는 변하지 않고 있다 / The driving test has remained virtually ~ for fifty years. 운전면허 시험은 50년 동안 실질적으로 변하지 않은 채 있다.

__un·char·ac·ter·is·tic__ [ʌ̀nkæriktərístik] *a.* 특징〔특성, 특색〕이 없는; 독특하지 않은.

__un·char·i·ta·ble__ [ʌntʃǽrətəbəl] *a.* 무자비한, 무정한; 가차 없는, 가혹한. ㊞ **-bly** *ad.*

__un·chart·ed__ [ʌntʃáːrtid] *a.* 해도〔지도〕에 실려 있지 않은; 미답(未踏)의, 미지의: an ~ island 해도에 없는 섬.

__un·chaste__ [ʌntʃéist] *a.* 행실이 나쁜, 부정(不貞)한; 음탕한: a ~ woman. ㊞ **~·ly** *ad.*

__un·checked__ [ʌntʃékt] *a.* 저지〔억제〕되지 않은; 검사받지〔맞추어 보지〕 않은; 무검사의: the danger of ~ military expansion 억제되지 않은 군사 팽창의 위험.

__un·chris·tian__ [ʌnkrístʃən] *a.* ① **a)** 기독교 정신에 반하는, 비기독교적인. **b)** 〔敍述的〕 관대하지 못한, 인정 없는; 불친절한: It was ~ of him to refuse to help. 돕기를 거절하다니 그는 정말로 몰인정했다. ② 《口》 터무니없는: an ~ price 터무니없는 값. ㊞ **~·ly** *ad.*

__un·ci·al__ [ʌ́nʃiəl] *n.* Ⓒ 언셜 자체(字體)《3-8 세기에 그리스·라틴어의 필사(筆寫)에 쓰여졌던, 둥근 맛이 있는 옛 자체》. ── *a.* 언셜 자체의.

__un·cir·cum·cised__ [ʌnsə́ːrkəmsàizd] *a.* ① 할례(割禮)를 받지 않은, 유대인이 아닌. ② 이교(異敎)〔이단〕의; 죄많은.

__un·civ·il__ [ʌnsívəl] *a.* ① 버릇없는, 무례한《말씨 등》: He was ~ *to* other members of the household. 그는 집안 다른 식구들에게 무례한 짓〔말〕을 했다 / It is ~ *of* him to say such things to you. 당신에게 그런 말을 하다니 그 녀석 무례하군. ② 야만적인, 미개한. ㊞ **~·ly** *ad.* **~·ness** *n.*

__un·civ·i·lized__ [ʌnsívəlàizd] *a.* ① 미개한, 야만의: ~ tribes 미개 부족 / ~ behavior 야만스런 행위. ② 문명에서 멀리 떨어진, 황량한.

__un·clad__ [ʌnklǽd] *a.* 옷을 입지 않은, 벌거숭이의.

__un·claimed__ [ʌnkléimd] *a.* 요구〔청구〕되지 않은, 청구자가 없는: After 14 years the reward remained ~. 14년이 지난 후에도 그 현상금은 청구하는 이가 없이 그대로 있었다.

__un·clasp__ [ʌnklǽsp, -kláːsp] *vt.* ① …의 죔쇠를

벗기다. ② (쥐었던 손 따위)를 펴다 : He was clasping and ~*ing* his large freckled hands. 그는 커다란 검버섯이 있는 두 손을 쥐었다 폈다 하고 있었다.

un·clas·si·fied [ʌnklǽsəfàid] *a.* ① 분류〔구분〕하지 않은 : ~ waste 분류되지 않은 쓰레기 / They were simply labelled '*unclassified*'. 그것들에는 단지 '미분류'라는 딱지가 붙어 있었다. ② (문서 따위가) 기밀 취급을 받지 않은, 비밀이 아닌 : ~ information 기밀 취급을 안 받은 정보.

†**un·cle** [ʌ́ŋkəl] *n.* ① Ⓒ 아저씨, 백부, 숙부. cf. aunt. ¶ an ~ on one's father's 〔mother's〕 side 친〔외〕삼촌. ② 《口》 〔친밀어로서〕 (남의) 아저씨 《방송국의 아나운서, 미국에서는 흑인 노복(老僕) 등》. ***cry* 〔*say*〕** ~ 《美口》 졌다고 말하다, 항복하다. ***talk like a Dutch*** ~ 몹시 꾸짖다.

***un·clean** [ʌnklíːn] *a.* ① 불결한, 더러운 : an ~ shirt 더러운 셔츠 / A major cause of illness in the Third World is ~ water. 제3 세계에서 질병의 주된 원인은 불결한 물이다. ② (도덕적으로) 더럽혀진, 부정(不貞)한. ③ 〖宗〗 부정(不淨)한 : Pigs are considered ~ and must not be eaten. 돼지는 부정해서 먹어서는 안되는 것으로 생각되고 있다. ⊞ ~·**ness** *n.*

un·clear [ʌnklíər] *a.* 불분명한, 불확실한.

un·clench [ʌnkléntʃ] *vt.* 억지로〔비집어〕 열다 ; (억지로) 벌리다 ; (쥐었던) 손을 풀다. ── *vi.* (쥔) 손이 느슨해지다, 벌어지다.

Úncle Sám ① 미국 (정부). ② 전형적인 미국 사람《첫글자 U.S.로써 만든 말》.

Úncle Tóm 톰 아저씨《H.B. Stowe 작 *Uncle Tom's Cabin* 의 주인공》; 《美·蔑》 백인에게 굴종적인 흑인.

un·cloak [ʌnklóuk] *vt.* ① …에게 외투를 벗게 하다. ② **a)** (가면)을 벗기다, 폭로하다. **b)** (계획 따위)를 밝히다, 공표하다. ── *vi.* 외투를 벗다.

un·close [ʌnklóuz] *vt., vi.* 열(리)다 ; 나타내다, 나타나다 ; 드러나다, 드러내다.

un·closed [ʌnklóuzd] *a.* ① 닫(혀 있)지 않은, 열려있는 : an ~ door. ② 완결되지 않은.

un·clothe [ʌnklóuð] *vt.* …의 옷을 빼앗다, 옷을 벗기다 ; 발가벗기다.

un·clothed [ʌnklóuðd] *a.* 옷을 벗은, 벌거벗은.

un·cloud·ed [ʌnkláudid] *a.* ① 구름 없는, 갠 ; 밝은 : an ~ blue sky 구름 한 점 없는 푸른 하늘. ② 밝은, (어두운) 그늘이 없는 : ~ happiness 그늘지지 않은 밝은 행복.

un·clut·tered [ʌnklʌ́tərd] *a.* 어지러져 있지 않은, 정돈된 : an ~ room 잘 정돈된 방.

un·coil [ʌnkɔ́il] *vt., vi.* (감긴 것)을 풀다 ; 풀리다 : The snake slowly ~*ed*. 뱀이 천천히 서린 몸을 풀었다 / He ~*ed* two wires connected to the battery. 그는 배터리에 연결된 두 전선을 풀었다.

un·col·ored [ʌnkʌ́lərd] *a.* ① 채색하지 않은. ② 꾸밈〔과장〕이 없는, 있는 그대로의《*by*》: His account was ~ *by* his personal feelings. 그의 이야기는 자신의 개인적 감정에 의해 가감되지 않은 있는 그대로였다.

un·combed [ʌnkóumd] *a.* 빗질하지 않은, 헝클어진.

‡**un·com·fort·a·ble** [ʌnkʌ́mfərtəbəl] (***more*** ~ ; ***most*** ~) *a.* ① 불쾌감을 주는〔느끼게 하는〕, 쾌적감을 주지 않는, 거북한 : an ~ chair 편안치 않은 의자 / ~ shoes (신어서) 거북한 신발 / an ~ memory 불유쾌한 추억 / They found the place ~ to live in. 그들은 그곳이 살기에 쾌적하지 않다는 것을 알았다. ② (상황 따위가) 난처한, 거북한 : be in an ~ position 난처한 입장에 있다 / Her presence made him ~. 그녀가 있다는 것이 그를 거북하게 했다.

⊞ **-bly** *ad.* 불쾌하게 ; 거북하게. ~·**ness** *n.*

un·com·mer·cial [ʌ̀nkəmə́ːrʃəl] *a.* 상업에 종사하지 않는, 장사에 관계 없는 ; 상도의〔상업정신〕에 반하는 ; 채산이 맞지 않는 ; 비영리적인.

un·com·mit·ted [ʌ̀nkəmítid] *a.* ① (범죄 따위를) 저지르지 않은, 미수의 : an ~ crime 미수죄. ② 중립의, 이도 저도 아닌 : their ~ position in the war 전쟁에서 그들의 중립적인 입장 / remain ~ 중립적인 입장을 유지하다. ③ 〔敍述的〕 (언질 등에) 구애받지 않은, 약속〔예정〕이 없는 ; …와 혼약을 하지 않은《*to*》: ~ *to* any course of action 어떤 행동을 취할지 태도를 정하지 않은 / I'm still ~ *to* undertaking the work. 나는 아직 일을 떠맡겠다는 약속은 하지 않고 있다.

un·com·mon** [ʌnkɑ́mən / -kɔ́m-] (more*** ~ ; ***most*** ~) *a.* 흔하지 않은, 보기 드문 : It's not ~ to see snakes here. 이 지역에서 뱀은 흔히 볼 수 있다 / In Europe it is not ~ to find people who speak several languages. 유럽에서는 수개국어를 하는 사람을 만나는 것이 드문 일이 아니다.

⊞ ~·**ly** *ad.* 드물게 ; 진귀하게 ; 특별히 : not ~*ly* 흔히 / ~*ly* warm weather 드물게 따뜻한 날씨. ~·**ness** *n.*

un·com·mu·ni·ca·tive [ʌ̀nkəmjúːnəkèitiv, -nikətiv] *a.* 속을 터놓지 않는, 스스럼을 타는 ; 말 없는 : Roger, ~ by nature, said nothing. 원래 말이 없는 사람이라, 로저는 아무말도 하지 않았다.

un·com·pli·men·ta·ry [ʌ̀nkɑmpləméntəri / -kɔm-] *a.* 예의를 결한, 무례한.

un·com·pre·hend·ing [ʌ̀nkɑmprihéndiŋ / -kɔm-] *a.* 이해할 수 없는, 모르는 : He turned to his ~ wife and explained. 그는 이해 못하는 아내를 향해 설명했다. ⊞ ~·**ly** *ad.*

un·com·pro·mis·ing [ʌnkɑ́mprəmàiziŋ / -kɔ́m-] *a.* 양보〔타협〕하지 않는 ; 강경한, 단호한 : He took an ~ stand on the issue. 그는 그 문제에 관해 비타협적이었다. ⊞ ~·**ly** *ad.*

un·con·cern [ʌ̀nkənsə́ːrn] *n.* Ⓤ 태연, 무관심, 냉담 : with an air of ~ 무관심한 태도로.

un·con·cerned [ʌ̀nkənsə́ːrnd] *a.* ① 걱정하지 않는 ; 태평한《*about* ; *with*》: He is ~ *about* the future. 그는 장래의 일은 걱정하지 않는다. ② 관계치 않는, 상관 없는《*in*》; 관심을 가지지 않는, 개의치 않는《*with* ; *at*》: be ~ *with* 〔*at*〕 politics 정치에는 관심이 없다.

⊞ **-cérn·ed·ly** [-nidli] *ad.* **-ed·ness** *n.*

***un·con·di·tion·al** [ʌ̀nkəndíʃənəl] *a.* 무조건의, 무제한의, 절대적인 : ~ surrender 무조건 항복 / They offered ~ support. 그들은 절대적인 지지를 했다. ⊞ ~·**ly** *ad.* ~·**ness** *n.*

un·con·di·tioned [ʌ̀nkəndíʃənd] *a.* 무조건의, 절대적인 : an ~ reflex 〖心〗 무조건 반사.

un·con·firmed [ʌ̀nkənfə́ːrmd] *a.* 확인되지 않은 : an ~ report 미확인 보도.

un·con·nect·ed [ʌ̀nkənéktid] *a.* 연계되지 않은 ; 관계없는 ; 연고가 없는 : The two incidents were ~. 그 두 사건은 관련이 없었다.

un·con·quer·a·ble [ʌnkɑ́ŋkərəbəl / -kɔ́ŋ-] *a.* 정복할〔억누를〕 수 없는 : an ~ will 불굴의 의지.

un·con·scio·na·ble [ʌnkɑ́nʃənəbəl / -kɔ́n-] *a.* ① 비양심적인 ; 부당한 : an ~ bargain 부당 거래. ② 과도한 ; 터무니없는, 엄청난 : an ~ time to spend shopping 쇼핑에 소비되는 엄청난 시간 / an ~ error 터무니없는 잘못 / cost an ~ amount of money 엄청난 큰돈이 들다.

⊞ **-bly** *ad.* ~·**ness** *n.*

‡**un·con·scious** [ʌnkɑ́nʃəs / -kɔ́n-] *a.* ① 무의식

U

의, 부지중의 : ~ humor 무심코 한 유머 / ~ neglect 본의 아닌 태만〔무시〕. ② 〔敍述的〕 모르는, 깨닫지〔알아채지〕 못하는《*of*》: be ~ *of* danger 〔having done wrong〕 위험〔실수한 것〕을 깨닫지 못하다. ③ 의식을 잃은, 의식 불명의, 기절한 : fall 〔become〕 ~ 의식을 잃다 / drink oneself ~ 과음해서 제정신을 잃다 / The blow knocked him ~. 그 (주먹으로의) 강타는 그를 기절시켰다 / She lay ~ on the sofa. 그녀는 의식을 잃고 소파에 누워 있었다. ④ 〖心〗 무의식의.
── *n.* (the ~) 〖心〗 무의식.
[파] ~·**ly** *ad.* 무의식적으로, 부지중에. ~·**ness** *n.* [U] 무의식 (상태) ; 의식 불명, 인사 불성.

un·con·sid·ered [ʌ̀nkənsídərd] *a.* ① 고려되지 않은 ; 무시된. ② (언동 등이) 경솔한, 무분별한 : He takes ~ decisions which tend to land him in trouble. 그는 자칫 자신을 어려움에 빠뜨리기 쉬운 무분별한 결정들을 내린다.

un·con·sti·tu·tion·al [ʌ̀nkanstətjúːʃənəl / -kɔ̀n-] *a.* 헌법에 위배되는, 위헌(違憲)의 : Such a change in the law would be ~. 그러한 법률 개정은 헌법에 위배될 게다. [파] ~·**ly** *ad.*

un·con·trol·la·ble [ʌ̀nkəntróuləbəl] *a.* 제어할 수 없는, 억제하기 어려운 : ~ laughter 참을 수 없는 웃음. [파] **-bly** *ad.* 억제하지 못하고.

un·con·trolled [ʌ̀nkəntróuld] *a.* 억제〔제어, 통제〕되지 않은, 방치된, 자유스러운. [파] **-tról·led·ly** [-lidli] *ad.*

un·con·ven·tion·al [ʌ̀nkənvénʃənəl] *a.* ① 관습〔관례〕에 따르지 않는, 인습에 얽매이지 않는 : an ~ approach to a problem 문제에의 파격적인 접근법. ② (태도·복장 따위가) 판에 박히지 않은, 약식의, 자유로운 : her ~ dress.
[파] ~·**ly** *ad.* **ùn·con·vèn·tion·ál·i·ty** [-ʃənǽləti] *n.* ① [U] 비(非)인습적인 일〔행위〕 ; 자유로움. ② [C] 인습에 매이지 않은 언행.

un·cooked [ʌnkúkt] *a.* (열을 사용하여) 요리되지 않은, 날것의 : eat vegetables ~ 야채를 날로 먹다 / There were three ~ chops on the table. 식탁에는 세 토막의 날고기가 있었다.

un·co·op·er·a·tive [ʌ̀nkouɑ́pərətiv / -ɔ́p-] *a.* 비협력적인, 비협조적인 : He is deliberately being ~. 그는 일부러 협조를 않고 있다.

un·cork [ʌnkɔ́ːrk] *vt.* (병 따위의) 코르크 마개를 뽑다.

***un·count·a·ble** [ʌnkáuntəbəl] *a.* ① 무수한 : ~ difficulties 무수한 난제(難題). ② 셀 수 없는, 계산할 수 없는 : an ~ noun 불가산(不可算) 명사.
── *n.* [C] 〖文法〗 셀 수 없는〔불가산〕 명사《보기 : health, water 따위》. [opp] *countable.*

un·count·ed [ʌnkáuntid] *a.* 세지 않은 ; 무수한, 많은 : ~ millions (of people) 무려 수백만(의 사람들) / *Uncounted* generations of tiny creatures built the coral atolls. 작은 생물들이 무수한 세대를 거쳐서 산호초를 만들었다.

un·cou·ple [ʌnkʌ́pəl] *vt.* ① **a**) (열차의) 연결을 풀다 : ~ railway trucks 철도 무개화차의 연결을 풀다. **b**) (열차에서 화차 따위)를 떼다, 분리시키다《*from*》: ~ the engine *from* the carriage 객차로부터 기관차를 떼다. ② (두 마리 개의) 붙들어 맨 가죽 끈을 풀다.

***un·couth** [ʌnkúːθ] *a.* (사람·태도·말 따위가) 메부수수한, 촌스러운, 세련되지 않은 : They behave in a most ~ way. 그들의 행동은 아주 꼴불견이다. [파] ~·**ly** *ad.* ~·**ness** *n.*

‡**un·cov·er** [ʌnkʌ́vər] *vt.* ① (비밀·음모 따위)를 폭로하다, 적발하다, 들춰내다 : ~ a plot 음모를 폭로하다 / The police have ~*ed* a plan to rob the bank. 경찰은 은행을 털려는 계획을 적발했다. ② …의 덮개를 벗기다, 뚜껑을 열다 : ~ a box. ③ **a**) (경의를 표하여) 모자를 벗다 : ~ the head 모자를 벗다. **b**) 〔再歸的〕 모자를 벗다 ; 몸에 걸친 것을 벗다.
[파] **~ed** [-d] *a.* ① 덮개를 씌우지 않은 ; 모자를 쓰지 않은 ; 드러낸, 노출된 : ~*ed* legs. ② 보험에 들지 않은.

un·crit·i·cal [ʌnkrítikəl] *a.* ① 비판〔비평〕적이 아닌, 무비판의 : an ~ audience 비판력이 없는 청중. ② 〔敍述的〕 (…을) 비판하지 않은, (…에) 무비판인《*of*》: She is quite ~ *of* his behavior. 그녀는 그의 행동에 전혀 무비판적이다. [파] ~·**ly** *ad.*

un·cross [ʌnkrɔ́(ː)s, -krɑ́s] *vt.* …의 교차(交叉)를 풀다 : ~ one's arms 팔짱을 풀다.

un·crossed [ʌnkrɔ́(ː)st, -krɑ́st] *a.* (십자로) 교차하지 않는 ; 횡선을 긋지 않은《수표》, 방해받지 않는.

un·crowned [ʌnkráund] *a.* ① 아직 왕관을 쓰지 않은. ② 〔the ~ king 〔queen〕으로〕 (…계(界)에서 공인되지 않았지만) 제일인자로 간주되는 사람《*of*》: *the ~ king of* jazz 재즈계(界)의 무관의 제왕.

un·crush·a·ble [ʌnkrʌ́ʃəbəl] *a.* ① (천 등이) 구기지〔주름이 지지〕 않는. ② (사람·의지 등이) 꺾이지 않는, 불굴의 : ~ desire for success 성공하고 싶은 굽힐 줄 모르는 욕망.

UNCTAD [ʌ́ŋktæd] United Nations Conference on Trade and Development.

unc·tion [ʌ́ŋkʃən] *n.* [U] ① 〖가톨릭〗 (축성의 표지인) 도유(塗油). [cf] extreme unction. ② **a**) 사람을 감동〔감격〕시키는 어조(語調)〔태도 (따위)〕 ; (특히) 종교적 열정 : a sermon lacking in ~ 종교적 열정이 없는 설교. **b**) 겉으로만의 열정, 거짓 감동〔감격, 동정 (따위)〕.

unc·tu·ous [ʌ́ŋktʃuəs] *a.* ① 기름 같은, 유질(油質)의 ; 기름기가 도는 ; 매끄러운, 반드러운 : an ~ feel 매끄러운 감촉. ② 간살떠는 ; 자못 감동한 듯한 : in an ~ voice (비위를 맞추려는) 간사한 목소리로. [파] ~·**ly** *ad.* ~·**ness** *n.*

un·cul·ti·vat·ed [ʌnkʌ́ltəvèitid] *a.* ① 아직 경작되지 않은, 미개간의. ② 교양이 없는, 조야한.

un·cured [ʌnkjúərd] *a.* ① 치료되지 않은, 아직 낫지 않은. ② (고기 등이) 저장 처리되지 않은.

un·curl [ʌnkə́ːrl] *vt.* (곱슬곱슬한 것)을 펴다, 곧게 펴다. ── *vi.* 펴지다, 곧게 되다.

un·cut [ʌnkʌ́t] *a.* ① 자르지〔베지〕 않은. ② 아직 깎지 않은《보석 따위》. ③ 〖製本〗 도련하지 않은. ④ (영화 등) 삭제〔컷〕하지 않은 : the ~ version of "Lady Chatterley's Lover." '채털리 부인의 사랑'의 무삭제판(版).

un·dam·aged [ʌndǽmidʒd] *a.* 손해를 입지 않은, 손상〔파손〕되지 않은 : There was a slight collision but my car was ~. 경미한 접촉사고가 있었으나 내 차는 손상을 입지 않았다.

un·dat·ed [ʌndéitid] *a.* 날짜 표시가 없는, 기일을 정하지 않은 : The check was ~. 수표에는 날짜 표시가 되어 있지 않았다.

***un·daunt·ed** [ʌndɔ́ːntid, -dɑ́ːn-] *a.* 불굴의, 기가 죽지 않는 : He was ~ *by* his failure. 그는 실패에도 기가 죽지 않았다. [파] ~·**ly** *ad.*

un·de·ceive [ʌ̀ndisíːv] *vt.* …의 미망(迷妄)을 깨우쳐 주다, 진실을 깨닫게 하다.

un·de·cid·ed [ʌ̀ndisáidid] *a.* ① (사람이) 결심이 서지 않은 ; 아직 미(결)정의《*about*》: He's still ~. 그는 아직 결심을 못하고 있다 / an ~ character 우유부단한 인물 / She was ~ (*about*) when she would go there. 그녀는 언제 거기에 갈지 결정을 못하고 있었다. ② (문제 등이) 아직 결

정을 못본 : The problem is still ~. 그 문제는 아직 미결이다.
㊞ ~·**ly** *ad.* ~·**ness** *n.*

un·de·clared [ʌ̀ndikléərd] *a.* ① 과세 신고를 하지 않은. ② (전쟁이) 선전포고가 없는.

un·de·fend·ed [ʌ̀ndiféndid] *a.* ① 방비가 없는. ② 옹호〔변호〕되지 않은 ; 변호인이 없는.

un·de·liv·ered [ʌ̀ndilívərd] *a.* ① 배달되지 않은, 미배달의 : an ~ mail 미배달의 우편. ② 석방되지 않은 : an ~ prisoner 석방되지 않은 죄수. ③ (아이가) 아직 태어나지 않은.

un·de·mand·ing [ʌ̀ndimǽndiŋ / -mɑ́:nd-] *a.* (일·사람이) 과도하게 요구하지 않는, 힘들지 않은 : an ~ husband 마음 편하게 해주는 남편 / The pay was adequate, the job ~. 임금은 괜찮았고 일도 고되지 않았다.

un·dem·o·crat·ic [ʌ̀ndeməkrǽtik] *a.* 비민주적인. ㊞ **-i·cal·ly** *ad.*

un·de·mon·stra·tive [ʌ̀ndəmɑ́nstrətiv / -mɔ́n-] *a.* 감정을 나타내지 않는, 내색하지 않는, 조심스러운 ; 내성적인 : a man of ~ nature 조심스러운 성질의 남자. ㊞ ~·**ly** *ad.* ~·**ness** *n.*

***un·de·ni·a·ble** [ʌ̀ndináiəbəl] *a.* ① 부인〔부정〕할 수 없는, 명백한 : an ~ fact 명백한 사실 / The evidence is ~. 증거가 명백하다. ② 흠잡을 데〔더할 나위〕 없는 : ~ artistic talent 뛰어난 예술적 재능. ㊞ **-bly** *ad.* 부정할 수 없을 정도로, 틀림없이, 명백히 : He was a tall, dark, and *undeniably* handsome man. 그는 훤칠한 키에 거무스름한 피부 그리고 더할나위 없이 잘 생긴 남자였다.

un·de·pend·a·ble [ʌ̀ndipéndəbəl] *a.* 믿을 수 없는, 의지〔신뢰〕할 수 없는.

†**un·der** [ʌ́ndər] *prep.* ① 〔위치〕 **a**) …의 (바로) 아래에, …의 밑에 ; …기슭에 : ~ a tree 나무 밑에, 나무 그늘에 / ~ the bridge 다리 밑에 / ~ one's eyes 〔nose〕 바로 눈앞에서 / a village ~ the hill 산기슭의 마을 / He got out from ~ the car. 그는 차 밑에서 나왔다. **b**) …의 안〔속〕에, 안쪽에 ; …에 덮이어 : a field ~ grass 풀로 덮인 밭 / hide one's face ~ the blanket 담요 속에 얼굴을 숨기다 / inject ~ the skin 피하(皮下) 주사를 놓다 / Wear a sweater ~ the jacket. 상의(上衣) 속에 스웨터를 입어라.
② **a**) (수량(數量)·때·나이 등이) …미만인〔의〕 (less than) : children ~ 16 years of age, 16 세 미만의 어린이들《16세는 포함되지 않음》 / We've been here just ~ a week. 우린 여기 온 지 1주일도 채 안된다 / *Under* 50 people were present. 출석자는 50 명도 안 되었다. **b**) (지위·가치 따위가) …보다 하급의 ; …만 못한 : A captain is ~ a major. 대위는 소령보다 위계가 아래다.
③ 〔상태〕 **a**) (작업·고려·주목 따위)를 받고 ; …중인〔의〕 : ~ discussion 〔examination, consideration, investigation〕 토론〔시험, 고려, 수사〕 중(에) / land ~ the plow = land ~ cultivation 〔tillage〕 경지(耕地) / The road is ~ repair. 그 도로는 보수 중이다. **b**) (지배·감독·규제 따위)의 밑〔아래〕에 ; (지도·영향 따위)를 받아 : ~ the control of army 군의 지배하에 / ~ the impression of 〔that〕 …이라는 인상을 받아〔받고〕 / ~ the influence of alcohol 술기운으로 / ~ the authority of the law 법의 권위 아래, 법의 이름으로 / study ~ Prof. Schultz 슐츠 교수 지도밑에서 연구하다. **c**) (치료·공격·시련·형벌 따위를) 받고 : ~ fire 포화 세례를 받고 / go 〔be〕 ~ the knife 수술을 받다 / ~ (medical) treatment for ulcers 궤양(潰瘍)의 치료를 받고 / ~ torture 고문을 당하여 / ~ sentence of death 사형 선고를 받고. **d**) (조건·사정 따위)의 밑〔아래〕에 : ~ such conditions 이와 같은 조건(條件) 밑에서 / ~ a delusion 〔misapprehension〕 잘못 생각하여〔오해하여〕 / ~ 〔in〕 these circumstances 이러한 사정하에서. **e**) (의무·부담·맹세 등)의 밑〔아래〕에 : break down ~ the burden of sorrow 벅찬 슬픔으로 통곡하다 / ~ one's signature 서명하에〔하고서〕 / give evidence ~ oath 선서하(下)에 증언하다.
④ 〔가장(假裝)·빙자〕 …의 (이름)으로, …의 구실 아래, …에 숨어 : ~ pretense of ignorance 무지(無知)를 가장하여 / ~ the mask of friendship 우정의 탈〔가면〕을 쓰고(서) / escape ~ cover of darkness 어둠을 틈타 달아나다.
⑤ 〔분류·구분·소속〕 …에 속하는〔포함되는〕, … (항목) 속에 : Species fall ~ genera. 종(種)은 속(屬)의 밑에 든다 / Whales come ~ mammals. 고래는 포유동물에 속한다 / This topic can be dealt with ~ (the head of) "education". 이 논제는 '교육' 항목에서 다룰 수 있다 / You'll find it ~ O for Orwell. Orwell은 O 항에 있다.
⑥ (토지·밭 따위가) (작물)이 심어져 있는 : a field ~ wheat 밀이 심어져 있는 밭.
── *ad.* ① 밑에〔으로〕, 아래에〔로〕 ; 물속에 : *Under* you come. 내려오너라 / The number is made up as ~. 그 수의 내역은 아래와 같음 / The ship went ~. 배는 가라앉았다.
② 미만으로 ; (지위·신분이) 하위(下位)에〔로〕 : children of 18 or ~, 18세 이하의 아이들.
③ 종속되어 ; 억압되어, 지배되어 : bring 〔get〕 the fire ~ (화재의) 불을 끄다 / The rebels were quickly brought ~. 폭도들은 곧 진압되었다.
down ~ ⇨ DOWN. ***go*** ~ ⇨ GO. ***keep*** ~ ⇨ KEEP.
one degree ~ 《口》 (좀) 안색이〔상태가〕 나빠.
out from ~ 《口》 위험〔궁지〕에서 벗어나.
── (***un·der·most*** [-mòust]) *a.* 〔종종 複合語로〕 ① 아래〔밑〕의, 하부의 ; 보다 적은, 부족한 ; 하위의 ; 열등한 : the ~ jaw 아래턱 / the ~ 〔lower〕 lip 아랫입술 / ~ layers 밑층 / an ~ tenant 전차인(轉借人). ② 〔敍述的〕 (남에게) 지배된 ; (약 따위의) 작용을 받은.

under- *pref.* 명사·형용사·동사·부사 따위에 붙여서 '아래의〔에〕, 열등한, 차위(次位)의 ; 보다 조금〔작게, 싸게〕 ; 불충분하게' 등의 뜻을 나타냄.

un·der·a·chieve [ʌ̀ndərətʃí:v] *vi.* (학생이) 능력〔예상〕 이하의 성적을 얻다. ｢아.

un·der·a·chiev·er [-ətʃí:vər] *n.* Ⓒ 성적 부진

un·der·act [ʌ̀ndərǽkt] *vt., vi.* 소극적으로 연기하다. opp overact. ¶ In a play about strong feelings, it's a mistake to ~. 강한 감정을 나타내는 극에서 소극적인 연기는 잘못이다.

un·der·age [ʌ̀ndəréidʒ] *a.* 미(未)성년의 : ~ smokers 미성년 흡연자들.

un·der·arm [ʌ́ndərɑ̀:rm] *a.* ① 겨드랑 밑의《솔기 따위》 ; 겨드랑이에 끼는《가방 등》 ; 겨드랑이에 사용하는 : an ~ handbag / an ~ deodorant (겨드랑이의) 암내 방지제. ② 〚球技〛 = UNDERHAND.
── [ʌ́ndərɑ̀:rm, ⌐-⌐] *ad.* = UNDERHAND.
── *n.* Ⓒ 겨드랑이 밑.

un·der·bel·ly [ʌ́ndərbèli] *n.* Ⓒ ① (동물의) 하복부. ② (장소·계획 따위의) 약점, 공격에 약한 곳, 급소(*of*) : the soft ~ *of* the British economy 영국 경제의 약점.

un·der·bid [ʌ̀ndərbíd] (~ ; ~·***den*** [-bídn], ~ ; ~·***ding***) *vt.* ① …보다 싼 값을 매기다, (남보다) 싸게 입찰하다. ② 〚카드놀이〛 가지고 있는 패의 끗수보다 낮게 비드하다.

un·der·bred [ʌ̀ndərbréd] *a.* ① 본데없이 자란,

버릇없는. ② (말·개 등이) 순종이 아닌.

***un·der·brush, -bush** [ʌ́ndərbrʌ̀ʃ], [-bùʃ] *n.* Ⓤ《美》(큰 나무 밑에 자라는) 관목, 덤불.

un·der·car·riage [ʌ́ndərkæ̀ridʒ] *n.* Ⓒ ① (자동차 등의) 차대(車臺). ② (비행기의) 착륙 장치.

un·der·cart [ʌ̀ndərkɑ́ːrt] *n.* Ⓒ《英》=UNDERCARRIAGE ①.

un·der·charge [ʌ̀ndərtʃɑ́ːrdʒ] *vt.* ① 제값보다 싸게〔적게〕 청구하다: They forgot the prices had risen, and ~*d*. 그들은 가격이 오른 것을 잊고 값을 적게 청구했다. ② (총포에) 불충분하게 장약(裝藥)하다; (축전지에) 과소 충전을 하다.
—[ʌ́ndərtʃɑ̀ːrdʒ] *n.* Ⓒ 정당한 대금 이하의 청구.

un·der·class [ʌ́ndərklæ̀s, -klɑ̀ːs] *n.* (the ~(es))〔集合的; 單·複數 취급〕사회의 저변, 하층 계급(의 사람들).

un·der·class·man [ʌ̀ndərklǽsmən, -klɑ́ːs-] (*pl.* ***-men*** [-mən]) *n.* Ⓒ《美》(대학·고교의) 하급생《1·2 년생》. ⓒⓕ upperclassman.

un·der·clothes [ʌ́ndərklòuðz] *n. pl.* 속옷, 내의.

un·der·cloth·ing [ʌ́ndərklòuðiŋ] *n.* Ⓤ〔集合的〕속옷〔내의〕류(類).

un·der·coat [ʌ́ndərkòut] *n.* ① Ⓒ (개 따위의 긴 털 밑의) 짧은 털, 속털. ② Ⓤ,Ⓒ 밑칠.

un·der·cov·er [ʌ̀ndərkʌ́vər, ⌐-⌐-] *a.* 비밀리에 하는; (특히) 첩보 활동〔비밀 조사〕에 종사하는: an ~ agent〔man〕첩보원 / the US ~ agencies 미국의 첩보 기관《CIA, FBI 등》.

un·der·cur·rent [ʌ́ndərkə̀ːrənt, -kʌ̀r-] *n.* Ⓒ ① (해류 따위의) 저류(底流), 하층의 수류. ② (감정·의견 따위의) (표면에 드러나지 않은) 암류(暗流)《*of*》: Even in his most friendly remarks, one could sense an ~ *of* hostility. 그의 매우 우호적인 말에서 조차 어떤 적의를 느낄 수 있을 것이다.

un·der·cut [ʌ́ndərkʌ̀t] *n.* Ⓒ ① 밑 부분을 잘라〔도려〕 내기; 그 부분. ②《英》(소의) 텐더로인. ③〖골프〗공이 역회전하도록 쳐올리기;〖테니스〗밑에서 쳐올리기.
—[⌐-⌐] (*p., pp.* ~; ~·***ting***) *vt.* ① …의 하부를 잘라버리다〔도려내다〕. ② 남보다 싼 값으로 팔다; (경쟁자)보다 싼 임금으로 일하다: The large-scale producer can usually ~ smaller competitors. 대규모의 생산업자들은 보통 영세한 경쟁업자들보다 싼 값으로 팔 수가 있다. ③〖골프〗공을 역회전시켜 쳐올리다;〖테니스〗밑에서 위로 쳐서 커트하다.

un·der·de·vel·oped [ʌ̀ndərdivéləpt] *a.* ① 발달〔발육〕이 불충분한: an ~ child 발육부전(不全)의 어린이. ② 저개발의: an ~ country 개발도상국.

un·der·dog [ʌ́ndərdɔ̀(ː)g, -dɑ̀g] *n.* Ⓒ ① (시합 등에서) 질 것 같은 선수〔팀〕: We always root for the ~. 우리는 늘 승산이 없는 쪽을 응원한다. ② (사회적 부정·박해 등에 의한) 희생자, 약자: help the ~ in society 사회의 박해받는 사람을 구제하다.

un·der·done [ʌ̀ndərdʌ́n] UNDERDO의 과거분사.
—*a.* 설구운, 설익은: I like my steak ~. 나는 설익은 스테이크를 좋아한다.

un·der·dress [ʌ̀ndərdrés] *vi.* 너무 간소한〔허름한〕 옷을 입다.

un·der·em·ployed [ʌ̀ndəremplɔ́id] *a.* ① 불완전 고용〔취업〕의, 상시 고용이 아닌: Half the urban population is either unemployed, ~, or engaged in crime. 도시 인구의 절반은 일자리가 없거나 불완전취업 상태에 있거나 또는 범죄에 빠져 있거나이다. ② 능력 이하의 일에 종사하고 있는. ③ (기계·설비 따위가) 충분히 활용되어 있지 않은.

un·der·em·ploy·ment [ʌ̀ndəremplɔ́imənt] *n.* Ⓤ ① 불완전 고용〔취업〕. ② 능력 이하의 일에 종사〔고용〕하는 일.

***un·der·es·ti·mate** [ʌ̀ndəréstəmèit] *vt., vi.* 싸게 어림하다, 과소 평가하다; 얕보다: ~ a person's abilities 아무의 역량을 과소평가하다 / Don't ~ him. He looks stupid but he has great intelligence. 그를 얕보지 마라. 어수룩하게 보이지만 머리가 무척 좋은 사람이다. —[-mit] *n.* Ⓒ 싼 견적〔어림〕, 과소평가; 경시.

un·der·ex·pose [ʌ̀ndərekspóuz] *vt.*〖寫〗〔종종 受動으로〕노출을 부족하게 하다: The film *was* ~*d*. 사진은 노출 부족이었다. ⊕ **-ex·po·sure** [-póuʒər] *n.* Ⓤ,Ⓒ 노출 부족. ⓞⓟⓟ *overexposure.*

un·der·fed [ʌ̀ndərféd] *a.* 영양 부족의: ~ children 영양 부족의 어린이.

un·der·feed [ʌ̀ndərfíːd] (*p., pp.* ***-fed*** [-féd]) *vt.* ① …에게 충분한 음식〔영양〕을 주지 않다. ② [⌐-⌐] (난로 등에) 아래쪽에서 연료를 공급하다.

un·der·felt [ʌ́ndərfèlt] *n.* Ⓤ 양탄자 밑에 까는 펠트 천.

un·der·floor [ʌ́ndərflɔ̀ːr] *a.*〔限定的〕방바닥에 장치하는《난방 등》: ~ heating 바닥밑 난방.

un·der·foot [ʌ̀ndərfút] *ad.* ① 발 밑에〔은〕: It's damp ~. 땅이 질다. ② 짓밟아서: trample an earthworm ~ 지렁이를 짓밟아 뭉개다. ③ 방해가 되어, 거치적거려: In the workshop the children got ~. 일터에서 어린애들이 거치적거렸다.

un·der·gar·ment [ʌ́ndərgɑ̀ːrmənt] *n.* Ⓒ 속옷.

‡un·der·go [ʌ̀ndərgóu] (***-went*** [-wént]; ***-gone*** [-gɔ́ːn / -gɔ́n]) *vt.* ① (영향·변화·수술 따위)를 받다, 입다; (시련 등)을 경험하다, 겪다, 당하다: ~ a complete change 아주 일변하다 / ~ a loss 손해를 보다 / We must ~ an examination. 우리들은 시험을 치러야 한다 / She *underwent* an operation on a tumor in her left lung last year. 그녀는 작년에 왼쪽 폐의 종양 수술을 받았다. ② 견디다, 참다. ⓒⓕ suffer. ¶ ~ all sorts of hardships 온갖 곤란을 견디다.

un·der·gone [ʌ̀ndərgɔ́ːn / -gɔ́n] UNDERGO의 과거분사.

un·der·grad [ʌ́ndərgræ̀d] *n.* 《口》=UNDERGRADUATE.

***un·der·grad·u·ate** [ʌ̀ndərgrǽdʒuit, -èit] *n.* Ⓒ 대학(학부) 재학생, 대학생《졸업생·대학원생·연구원 따위와 구별해서》. ⓒⓕ postgraduate.
—*a.*〔限定的〕학부(학생)의, 대학생의: in my ~ days 대학 시절에.

‡un·der·ground [ʌ́ndərgràund] *a.* ① 지하의, 지하에 있는: an ~ passage 지하도 / an ~ parking lot〔car park〕지하 주차장 / an ~ nuclear test 지하 핵실험. ② (지하조직·활동 따위가) 잠행적인, 비밀의; 지하 (조직)의: an ~ movement 지하 운동 / an ~ newspaper 지하 신문 / the ~ government 지하 정부. ③ 전위(前衛)적인.
—*n.* ① Ⓒ **a)**《英》지하철(《美》subway): the *Underground* 런던의 지하철 / We went by *Underground* to Trafalgar Square. 우리는 지하철로 트라팔가르 광장에 갔다. **b)**《美》지하도(道)(《英》subway). ② (the ~)〔集合的; 單·複數 취급〕**a)**〖政〗지하조직, 지하 운동 단체. **b)** 전위(前衛)《단체·운동》: the ~ cinema〔theater〕전위 영화〔극장〕. —[⌐-⌐] *ad.* 지하에(서), 지하로; 비밀히, 몰래: go ~ 지하로 잠입하다〔숨다〕/ A lot of people who were leading the protest movement here had to go ~. 이곳에서 항의운동을 이끌던 많은 사람들이 지하로 숨어 들어야만 했었다.

U

un·der·growth [ʌ́ndərgròuθ] *n.* Ⓤ (큰 나무 밑의) 관목 ; 덤불 : push one's way through the ~ 덤불을 헤치고 나아가다.

un·der·hand [ʌ́ndərhæ̀nd] *a.* ① Ⓤ 〖크리켓·테니스〗 치던지는, 치켜 치는. opp *overhand*. ¶ an ~ pitcher 언더핸드의 투수. ② 비밀의; 몰래 하는: play a ~ game 부정 시합을 하다. ── *ad.* ① 〖크리켓·테니스〗 치던져, 치켜 쳐 (opp *overhand*). ② 내밀(內密)히, 몰래.

un·der·hand·ed [ʌ̀ndərhǽndid] *a.* ① 비밀리의, 불공정한. ② 사람〔일손〕이 부족한. ㊞ **~·ly** *ad.* **~·ness** *n.*

un·der·hung [ʌ̀ndərhʌ́ŋ] *a.* (아래턱이) 주걱턱의.

un·der·lay [ʌ̀ndərléi] (*p., pp.* **-laid** [-léid]) *vt.* 《+목+전+명》 …의 밑에 놓다〔깔다〕: ~ the Pacific *with* a cable 태평양에 해저 전선을 부설하다. ── [⌐-⌐] *n.* Ⓒ (마루청·카펫 등의) 밑깔개.

un·der·lie [ʌ̀ndərlái] (**-lay** [-léi] ; **-lain** [-léin] ; **-ly·ing**) *vt.* ① …의 밑에 있다〔가로 놓이다〕: Shale ~*s* coal. 혈암(頁岩)은 석탄의 밑에 있다. ② …의 기초가 되다, …의 밑바닥에 잠재하다 : It is this conviction that ~*s* his politics. 그의 정견(政見)의 저류(底流)를 이루는 것은 이 확신이다.

‡**un·der·line** [ʌ̀ndərláin] *vt.* ① …의 밑에 선을 긋다 : *Underline* important words. 중요한 말에는 밑줄을 그어라. ② …을 강조하다, 분명히 하다 : She ~*d* that he was in the wrong. 그녀는 그가 잘못이라고 강변했다. ──[⌐-⌐] *n.* Ⓒ 밑줄, 언더라인.

un·der·ling [ʌ́ndərliŋ] *n.* Ⓒ 《蔑》 아랫사람, 부하, 졸개 : He expected his ~*s* to stand respectfully when he entered the room. 그는 자신이 방에 들어설 때 부하들이 공손하게 일어서기를 기대했다.

*__un·der·ly·ing__ [ʌ̀ndərláiiŋ] *a.* ① 밑에 있는. ② 기초가 되는, 근본적인 : an ~ principle 근본 원칙. ③ 잠재적인 : an ~ motive 잠재적인 동기.

un·der·manned [ʌ̀ndərmǽnd] *a.* ① (공장 등이) 인원이 부족한, 손이 모자라는(shorthanded) : The steel industry is sadly ~. 제강업은 몹시 일손이 달린다. ② (선박 등이) 승무원 부족의.

un·der·men·tioned [ʌ̀ndərménʃənd] *a.* ① 〔限定的〕 하기(下記)의, 아래에 언급한. ② (the ~) 〔名詞的 ; 單·複數 취급〕 하기의 것〔사람〕.

*__un·der·mine__ [ʌ̀ndərmáin] *vt.* ① …의 밑을 파다, …의 밑에 갱도를 파다 : ~ a wall 성벽 밑에 갱도를 파다. ② …의 토대를 침식하다 : The sea has ~*d* the cliff. 바다가 절벽 밑을 침식했다. ③ **a**) (명성·권위 따위)를 음험한 수단으로 훼손시키다 : He has fatally ~*d* our authority. 그는 우리의 위신을 크게 손상시켰다. **b**) (건강 등)을 서서히 해치다 : Overwork is *undermining* his health. 과로가 그의 건강을 좀먹고 있다.

un·der·most [ʌ́ndərmòust] *a., ad.* 최하(위)의〔에〕, 최저의〔에〕.

‡**un·der·neath** [ʌ̀ndərníːθ] *prep.* …의 아래〔밑〕에〔를, 에서〕(under, beneath) : the river flowing ~ the bridge 다리 밑을 흐르는 강 / a cellar ~ the house 지하 저장고 / The dog was ~ the table. 개는 테이블 밑에 있었다. ── *ad.* 아래에(below) ; 밑에, 밑면에, 밑바닥에 ; 속으로 : put a stone ~ 돌을 밑에 놓다 / love one's parents deeply ~ 마음 속으로 부모를 깊이 사랑하고 있다 / He appears pompous but he's a good man ~. 그는 거만해 보이지만 마음은 착한 사람이다. ── *n.* (the ~) 아래쪽, 바닥 ; 하부, 바닥면(面) : *the* ~ of a cup 찻잔의 밑바닥.

un·der·nour·ished [ʌ̀ndərnə́ːriʃt, -nʌ́riʃt] *a.* 영양 부족〔불량〕의 : Many of the children are ~ and suffering from serious diseases. 많은 어린이들이 영양 부족이며 심한 질병에 걸려 있다.

un·der·nour·ish·ment [ʌ̀ndərnə́ːriʃmənt, -nʌ́riʃ-] *n.* Ⓤ 영양 부족〔불량〕.

un·der·pants [ʌ́ndərpæ̀nts] *n. pl.* (남성용) 속바지, 팬츠(drawers).

un·der·pass [ʌ́ndərpæ̀s, -pɑ̀ːs] *n.* Ⓒ 지하도 (undercrossing) 《철도·도로 밑을 입체로 교차하는》. opp *overpass*.

un·der·pay [ʌ̀ndərpéi] (*p., pp.* **-paid** [-péid]) *vt.* (임금·급료)를 충분히 지불하지 않다, 저임금을 지불하다. opp *overpay*. ¶ Those workers are *underpaid*. 저 노동자들은 충분한 임금을 받지 못하고 있다.

un·der·pin [ʌ̀ndərpín] (**-nn-**) *vt.* ① (건물 등)의 약한 토대를 갈다〔보강하다〕, …의 밑에 버팀을 대다 : ~ sagging building 내려앉은 건물을 보강하다. ② (주장 따위)를 지지하다(support) ; (사실을) 확증하다, 실증하다.

un·der·pin·ning [ʌ́ndərpìniŋ] *n.* U,C ① 받침, 버팀(물) ; 지주(支柱) ; 토대. ② 지지, 응원.

un·der·play [ʌ̀ndərpléi] *vt.* (역·장면)을 소극적으로〔두드러지지 않게〕 연기하다 ; 소극적으로 표현하다. ── *vi.* 소극적인 연기를 하다.

un·der·plot [ʌ́ndərplɑ̀t / -plɔ̀t] *n.* Ⓒ (소설·연극 따위의) 삽화(插話), 곁줄거리.

un·der·pop·u·lat·ed [ʌ̀ndərpɑ́pjəlèitid / -pɔ́p-] *a.* 인구가 적은, 과소(過疏)한.

un·der·pop·u·la·tion [ʌ̀ndərpɑ̀pjəléiʃən / -pɔ̀p-] *n.* Ⓤ 인구 부족, 과소(過疏).

un·der·priv·i·leged [ʌ̀ndərprívəlidʒd] *a.* ① (사회적·경제적으로) 혜택을 받지 못하는 : an ~ family 빈곤한 가족. ② (the ~) 〔名詞的 ; 複數취급〕 (사회·경제적) 혜택이 없는 사람들.

un·der·pro·duc·tion [ʌ̀ndərprədʌ́kʃən] *n.* Ⓤ 생산 부족, 저(低)생산. opp *overproduction*.

un·der·proof [ʌ̀ndərprúːf] *a.* (알코올 함유량이) 표준 도수 이하인(略 : u.p.). opp *overproof*.

un·der·quote [ʌ̀ndərkwóut] *vt.* ＝UNDERBID.

*__un·der·rate__ [ʌ̀ndəréit] *vt.* (사람·능력)을 낮게〔과소〕 평가하다(undervalue) ; 얕보다, 경시하다 (underestimate). opp *overrate*. ¶ He soon discovered that he had ~*d* Lucy. 그는 곧 루시를 과소평가했음을 알았다 / I ~*d* you! 알아뵙지 못했습니다.

un·der·score [(*vt.*) ʌ̀ndərskɔ́ːr ; (*n.*) ⌐-⌐] *vt.* ① …에 언더라인을 긋다. ② …을 강조하다. ③ (영화)에 배경음악을 깔다. ── *n.* ① Ⓒ 밑줄, 언더라인. ② Ⓤ 〖映·劇〗 배경음악.

un·der·sea [ʌ́ndərsìː] *a.* 바닷속의, 해저의 : an ~ tunnel 해저 터널 / ~ resources 해저 자원. ──[-síː] *ad.* 바닷속〔해저〕에(서). ㊞ **ùn·der·séas** [-síːz] *ad.* ＝UNDERSEA.

un·der·sec·re·tary [ʌ̀ndərsékrətèri / -təri] *n.* Ⓒ (종종 U-) 차관(次官) : a parliamentary 〔permanent〕 ~ 《英》 정무(政務)〔사무〕 차관.

un·der·sell [ʌ̀ndərsél] (*p., pp.* **-sold** [-sóuld]) *vt.* (남)보다도 싼값으로 팔다 ; (상품)을 실제〔시장〕 가격보다도 싸게 팔다, 투매하다.

un·der·sexed [ʌ̀ndərsékst] *a.* 성욕이 약한, 성적 관심이 낮은.

un·der·sher·iff [ʌ́ndərʃèrif] *n.* Ⓒ 《美》 sheriff의 대리(代理).

un·der·shirt [ʌ́ndərʃə̀ːrt] *n.* Ⓒ 《美》 (특히, 남성용의) 속셔츠, 내의(《英》 vest).

un·der·shoot [ʌ̀ndərʃúːt] (*p., pp.* **-shot** [-ʃɑ́t / -ʃɔ́t]) *vt.* ① (목표·과녁)에 미치지 못하다. ②

U

(비행기가) 활주로에 못미쳐 착지〔착륙〕하다.

un·der·shorts [ʌ́ndərʃɔ̀ːrts] *n. pl.* 《美》 (남자용) 팬츠.

un·der·shot [ʌ́ndərʃɑ̀t / -ʃɔ̀t] *a.* ① 하사(下射)(식)의《물레방아》. opp *overshot*. ¶ an ~ wheel 하사식 물레방아. ② 아래턱이 쑥 나온《개 따위》.

un·der·side [ʌ́ndərsàid] *n.* (the ~) 밑면(面), 아래쪽, 밑바닥; 이면, 내면.

un·der·sign [ʌ̀ndərsáin] *vt.* (편지·서류 등의) 아래에 서명하다: ~ a project 계획을 승인하다.

un·der·signed [ʌ̀ndərsáind] *a.* ① 아래에 기명한, 하기(下記)의: All of the ~ persons are bound by the contract. 서명자 전원은 계약에 의하여 구속을 받는다. ② (the ~) 〔名詞的; 單·複數 취급〕 문서의 서명자: I, *the* ~ 소생, 서명자(는).

un·der·sized [ʌ̀ndərsáizd] *a.* 보통보다 작은, 「소형의.

un·der·skirt [ʌ́ndərskə̀ːrt] *n.* =PETTICOAT ①.

un·der·slung [ʌ́ndərslʌ́ŋ] *a.* ① (자동차의 프레임 따위가) 차축(車軸) 밑에 달린; 중심(重心)이 낮은. ② 아래턱이 나온.

un·der·staffed [ʌ̀ndərstǽft, -stɑ́ːft] *a.* 인원이 부족되는, 손이 모자라는. opp *overstaffed*.

†**un·der·stand** [ʌ̀ndərstǽnd] (***-stood*** [-stúd]; ***-stood***, 《古》 ***-stand·ed***) *vt.* ①《~+目 / +*wh. to* do / +*wh.* 節 / +*-ing*》 (뜻·원인·성질·내용 따위)를 이해하다, 알아듣다; (기술·학문·법률 따위)에 정통하다: ~ English 영어를 이해하다〔알다〕/ ~ figures 〔a problem〕 계산을〔문제를〕 이해하다 / ~ *how to* deal with the matter 그 문제를 다루는 법을 알고 있다 / I don't ~ *what* you mean. 무슨 말인지 모르다 / I do not ~ *why* he came〔comes〕. =I don't ~ his com*ing*. 그가 왜 왔는지〔오는지〕 모르겠다 / Now, ~ me. 자 잘 들어《경고》.
② …의 말을 알아듣다: Please ~ me, I absolutely refuse. 내 말을 오해 마시오, 나는 단호히 거절하는 바이오.
③《~+目 / +*that* 節 / +目+*to* do / +目+*as* 補》 …의 뜻으로 해석〔이해, 생각〕하다, 추측하다, 미루어 알다; …을 들어서 알고 있다: as we ~ it 우리들이 생각〔이해〕하는 바로는 / They *understood* his words *as* a threat. 그들은 그의 말을 협박으로 해석했다 / We ~ *that* he is returning from abroad next week. 그는 내주에 외국에서 돌아온다네 / I ~ him *to* be satisfied. 물론 그는 만족한다고 생각한다.
④ 〔종종 受動으로〕 …을 마음속으로 보충하여 해석하다; (만)을 생략하다: He ~*s* this word in its legal sense. 그는 이 말을 법적 의미로 해석하고 있다 / The verb may *be* expressed or *understood*. 그 동사는 넣어도 좋고 생략해도 좋다.
— *vi.* 알다, 이해하다: Do you?—No, I don't ~. 알겠나 —아니, 모르겠는데요. ***give*** a person ***to ~ that...*** 아무에게 …라고 말하다〔알리다〕: I was *given to* ~ *that* you were coming. 당신이 오신다고 들었습니다. ***make*** one***self understood*** 자기의 말〔생각〕을 남에게 이해시키다: He failed to *make himself understood*. 그는 자기의 하고자 하는 말을 이해시킬 수 없었다. ~ ***one another*** 〔***each other***〕 서로 이해하다, 의사가 소통하다.

*__un·der·stand·a·ble__ [ʌndərstǽndəbəl] *a.* 이해할 수 있는, 아는: It's ~ that he is angry. 그가 화내는 것은 당연하다.

un·der·stand·a·bly [ʌndərstǽndəbəli] *ad.* ① 이해할 수 있게. ② 〔文章修飾〕 이해할 수 있지만; 당연한 일이지만: *Understandably*, he was frightened. 당연한 일이지만 그는 기겁을 했다.

‡**un·der·stand·ing** [ʌ̀ndərstǽndiŋ] *n.* ① **a)** Ⓤ (또는 an ~) 이해, 납득《*of*》: sharp〔slow〕 in ~ 이해가 빠른〔더딘〕/ He doesn't seem to have much ~ *of* the question. 그는 그 질문을 잘 모르는 것 같다 / He has some〔*a* good〕 ~ *of* finance. 재정을 조금은〔잘〕 알고 있다. **b)** Ⓤ 이해력, 지력(知力): beyond human ~ 인지(人知)가 미치지 않는 / a person of〔without〕 ~ 분별이 있는〔없는〕 사람 / The examination is designed to test ~. 이 시험은 이해력을 테스트하는 것이다 / It is beyond my daughter's ~. 그것은 내 딸의 머리로는 무리다. ② Ⓒ (흔히 *sing.*) **a)** (비형식적인) 합의, 양해: a tacit ~ 암묵(暗默)의 양해, 묵계. **b)** (…라는) 합의; 양해: We have an ~ that it will be held in strictest confidence. 우리들 사이에는 그것을 절대로 입밖에 내지 않는다는 합의가 돼 있다. ③ Ⓤ (또는 an ~) (타인에 대한) 이해심, 동정심; 공감: There was (*a*) deep ~ between us. 우리 사이에는 깊이 마음이 통해 있었다.
— *a.* 사려 분별이 있는; 사려 깊은: an ~ attitude 이해 있는 태도 / I have always thought you were an ~ person. 나는 늘 자네가 사려깊은 사람이라고 생각해 왔다. 㽕 **~·ly** *ad.*

un·der·state [ʌ̀ndərstéit] *vt.* ① (조심스럽게) 안틀어 말하다. ② (수 따위)를 실제보다 적게 말하다; 줄잡아 말하다: ~ the number of deaths 사망자의 수를 실제보다 적게 말하다.
㽕 **~·ment** *n.* ① Ⓤ 줄잡아 말함. ② Ⓒ 줄잡아 하는 말〔표현〕. opp *overstatement*.

un·der·steer [ʌ́ndərstìər] *n.* Ⓤ 언더스티어《핸들을 꺾은 각도에 비하여 차체의 선회 반경이 커지는 조종 특성》. opp *oversteer*.
— [⌐-⌐] *vi.* (차가) 언더스티어이다〔하다〕.

†**un·der·stood** [ʌ̀ndərstúd] UNDERSTAND의 과거·과거분사.

un·der·study [ʌ́ndərstʌ̀di] *vt.* …의 대역의 연습을 하다; …의 임시 대역을 하다: ~ (the role of) Hamlet 햄릿의 대역 연습을 하다 / ~ the leading actress in a movie 영화에서 주연 여배우의 대역을 맡아하다. — *vi.* (…의) 대역 연습을 하다; 대리를 하다《*for*》: ~ *for* a leading actor 주연 배우의 대역 연습을 하다.

‡**un·der·take** [ʌ̀ndərtéik] (***-took*** [-túk]; ***-taken*** [-téikən]) *vt.* ① (일·의무·책임 따위)를 떠맡다: He *undertook* a responsible post. 그는 책임 있는 지위(地位)를 떠맡았다. ②《~+目 / +*to* do / +*that* 節》 …할 의무를 지다, 약속하다; 보증하다, 책임지고 말하다, 장담(壯談)하다, 단언하다(affirm): He *undertook to* do the work. 일을 하겠다고 약속했다 / They have *undertaken to* accept the offer. 그들은 그 제의를 받아들이겠다고 약속했다 / The husband ~*s to* love his wife. 남편이란 아내를 사랑할 의무가 있다 / I can't ~ *that* you will succeed. 자네가 성공한다고는 보증 못하겠다. ③ …을 맡아서 돌보다: Who ~*s* the patient? 누가 환자의 간호를 맡나. ④ …에 착수하다, 손대다: ~ an enterprise 사업을 시작하다 / ~ a journey 여행을 떠나다

‡**un·der·tak·en** [ʌ̀ndərtéikən] UNDERTAKE의 과거분사.

un·der·tak·er [ʌ̀ndərtéikər] *n.* Ⓒ ① 떠맡는 사람; 도급인; 기업〔사업〕가. ② [⌐-⌐-] 장의사〔업자〕.

‡**un·der·tak·ing** [ʌ̀ndərtéikiŋ] *n.* ① Ⓒ (흔히 *sing.*) 사업, 기업(enterprise): a complex and expensive ~ 복잡하고도 돈이 드는 사업 / It's

quite an ~. 그것은 꽤 큰 사업이다. ② [C] **a**) (…한다는) 약속《*to* do》: Jenkins gave an ~ not *to* stand again for election. 젠킨스는 선거에 재출마하지 않겠다는 약속을 했다. **b**) (…라는) 약속, 보증(guarantee)《*that*》: on the ~ *that*… …라는 약속[조건]으로 / He gave her an ~ *that* he would pay the money back within a year. 그는 그녀에게 일년 이내에 그 돈을 갚겠다고 약속했다. ③ [⌐-⌐-] [U] 장의사업(業).

un·der-the-count·er [ʌ́ndərðəkáuntər] *a.* 〔限定的〕 비밀 거래의, 암거래의; 불법의: ~ payments (탈세 등을 위한) 내밀한 지급.

un·der-the-ta·ble [ʌ́ndərðətéibəl] *a.* 〔限定的〕 불법의, 비밀[부정] 거래되는.

un·der·tone [ʌ́ndərtòun] *n.* [C] ① 저음(低音), 작은 목소리: talk in ~*s* 작은 소리로 말하다. ② 잠재적 성질[요소], 저류(底流): The custom had religious ~*s*. 그 풍습에는 종교적인 요소가 있었다.

***un·der·took** [ʌ̀ndərtúk] UNDERTAKE의 과거.

un·der·tow [ʌ́ndərtòu] *n.* (*sing.*) 해안에서 되물러가는 물결; 수면 아래의 역류.

un·der·val·ue [ʌ̀ndərvǽlju:] *vt.* ① …을 싸게 어림하다. [opp] *overvalue*. ② …을 얕보다, 경시하다: We tend to overvalue money and ~ art. 우리는 돈을 지나치게 숭상하고 예술을 경시하는 경향이 있다. ㊖ **ùn·der·vàl·u·á·tion** [-éiʃən] *n.* [U] 싸게 견적함, 과소 평가.

un·der·vest [ʌ́ndərvèst] *n.* [C] 소매 없는 속셔츠, 내의(undershirt).

***un·der·wa·ter** [ʌ́ndərwɔ̀:tər, -wɑ́t-] *a.* ① 물속의[에서 쓰는]: ~ technology 해중[수중] 공학[기술]. ② 흘수선(吃水線) 밑의. ── *ad.* 물 속에(서); 수면 밑에. ── *n.* (the ~) ① 물 속. ② (*pl.*) (바다 따위의) 깊은 곳.

‡**un·der·wear** [ʌ́ndərwɛ̀ər] *n.* [U] 〔集合的〕 내의, 속옷.

un·der·weight [ʌ́ndərwèit] *n.* [U] 중량 부족. ── [⌐-⌐] *a.* 중량 부족의[인].

***un·der·went** [ʌ̀ndərwént] UNDERGO의 과거.

un·der·whelm [ʌ̀ndərhwélm] *vt.* …의 흥미를 못 갖게 하다.

***un·der·world** [ʌ́ndərwə̀:rld] *n.* [C] ① 범죄사회, 암흑가: keep in touch with the ~ 암흑가와 접촉을 갖다. ② (흔히 the U-) 〖그 神〗 저승, 황천.

un·der·write [ʌ̀ndəráit, ⌐-⌐] (-***wrote*** [-róut, ⌐-⌐]; -***writ·ten*** [-rítn, ⌐-⌐-]) *vt.* ① …의 보험을 계약하다, 보험을 인수하다《특히 해상 보험 따위를》. ② 〖商〗 (회사 발행의 새 주식·사채 따위)를 일괄 인수하다. ③ (금액 따위)의 지급을 보증하다. ㊖ **ún·der·wrìt·er** *n.* [C] ① 보험업자, 《특히》 해상 보험업자. ② (주식·공채 등의) 인수업자.

un·der·writ·ten [ʌ̀ndərítn, ⌐-⌐-] UNDERWRITE의 과거분사. ── *a.* 아래에 쓴[서명한].

un·de·served [ʌ̀ndizə́:rvd] *a.* (마땅히) 받을 가치가[자격이] 없는, 부당한: Their bitterness at Conway's ~ promotion was obvious. 콘웨이의 부당한 승진에 대한 그들의 적대감은 명백했다. ㊖ **ùn·de·sérv·ed·ly** [-vidli] *ad.* 부당하게(도): He was ~*ly* blamed for the accident. 부당하게도 그 사고의 책임이 그에게 지워졌다.

***un·de·sir·a·ble** [ʌ̀ndizáiərəbəl] *a.* 바람직하지 않은, 불쾌한: She expressed concern over the procedure for the arrest and expulsion of ~ alliens. 그녀는 바람직하지 않은 외국인들에 대해 체포 및 추방을 위한 조치에 우려를 표명했다. ── *n.* [C] (사회적으로) 탐탁지 않은 인물. ㊖ **ùn·de·sìr·a·bíl·i·ty** *n.* [U] 바람직하지 않은 것, 불쾌.

un·de·vel·oped [ʌ̀ndivéləpt] *a.* 발달하지 못한; 미개발의《땅·지역·나라 따위》.

un·did [ʌndíd] UNDO의 과거.

un·dies [ʌ́ndiz] *n. pl.* 《口》 (특히 여성·어린이용) 속옷류(類), 내의류.

un·dig·ni·fied [ʌndígnəfàid] *a.* 위엄이 없는; (볼)꼴 사나운: They had a somewhat ~ argument. 그들은 좀 볼썽사나운 논쟁을 벌였다.

un·di·lut·ed [ʌ̀ndilú:tid, -dai-] *a.* 묽게 하지 않은, 물을 타지 않은; (감정 따위가) 순수한: ~ orange squash 물 타지 않은 오렌지 즙(汁) / undying and ~ love 영원하고도 순수한 사랑.

un·di·min·ished [ʌ̀ndiminiʃt] *a.* (힘·질 따위가) 떨어지지 않은, 쇠퇴[저하]되지 않은.

un·dis·charged [ʌ̀ndistʃɑ́:rdʒd] *a.* ① 발사되지 않은. ② (짐이) 내려지지 않은. ③ **a**) (셈·부채가) 변제되(어 있)지 않은. **b**) (채무자가 법적으로) 면책되(어 있)지 않은.

un·dis·ci·plined [ʌndísəplind] *a.* 규율이 없는; 예절[가정교육]이 없는: People often complain that British children are ~. 사람들은 흔히 영국 어린이들이 예절이 없다고 불평한다.

un·dis·cov·ered [ʌ̀ndiskʌ́vərd] *a.* 발견되지 않은, 찾아내지 못한; 미지의.

un·dis·guised [ʌ̀ndisgáizd] *a.* 변장하지 않은; 공공연한, 숨김없는: He looked at her with ~ admiration. 그는 거짓없는 감탄의 눈으로 그녀를 바라보았다.

un·dis·mayed [ʌ̀ndisméid] *a.* 당황하지 않는, 겁내지 않는, 태연한: She appeared quite ~ and unrepentant over Amelia's reproaches. 그녀는 아멜리아의 비난에 대해서 아주 태연하고도 뉘우침이 없는 것처럼 보였다.

un·dis·put·ed [ʌ̀ndispjú:tid] *a.* 의심의 여지 없는, 이의없는, 확실한; 당연한.

un·dis·tin·guished [ʌ̀ndistíŋgwiʃt] *a.* 특별히 뛰어난[걸출한] 데가 없는; 평범한: an ~ writer 평범한 작가 / His political career had been ~. 그의 정치적인 경력은 특출한 데가 없었다.

***un·dis·turbed** [ʌ̀ndistə́:rbd] *a.* 방해받지 않은, (마음이) 흐트러지지[흔들리지] 않은, 조용한; 평정을 잃지 않은: have an ~ rest 조용한 휴식을 취하다 / sleep ~ 편안히 자다 / The ship's remains lay ~ until 1975. 그 배의 잔해는 1975년까지 고스란히 남아 있었다. ㊖ **-túrb·ed·ly** [-bidli] *ad.*

un·di·vid·ed [ʌ̀ndiváidid] *a.* 가르지[나뉘지] 않은; 완전한; 집중된: I was listening with ~ attention. 나는 정신을 집중하여 듣고 있었다.

un·do** [ʌndú:] (-did*** [-díd]; -***done*** [-dʌ́n]) *vt.* ① (일단 해버린 것)을 원상태로 돌리다, 원상태대로 하다; (노력 따위의) 결과를 망쳐놓다: What's done cannot be *undone*. 《俗談》 엎지른 물은 다시 주워담을 수 없다 / He has *undone* the good work of his predecessor. 그는 전임자가 해놓은 일을 망쳐놓았다. ② (매듭·꾸러미 따위)를 풀다; (단추 따위)를 끄르다: ~ a parcel 꾸러미를 풀다 / ~ a button 단추를 끄르다 / He bent down and *undid* the laces of his shoes. 그는 웅크려 앉아 구두끈을 끌렀다.

un·dock [ʌndɑ́k / -dɔ́k] *vt.* ① (배)를 선거(船渠)에서 내보내다. ② (도킹한 우주선)을 분리시키다. ── *vi.* ① (배가) 선거에서 나가다. ② (우주선이) 분리되다.

un·do·ing [ʌndú:iŋ] *n.* ① [U] 타락, 영락, 파멸. ② (one's ~) 파멸[영락]의 원인: He had a great fondness for women — some say it was *his*

U

~. 그는 여자를 무척 좋아했는데, 어떤 사람들은 이것이 그의 파멸의 원인이었다고 말하고 있다. ③ Ⓤ (소포 등을) 풀기, 끄르기.

un·do·mes·ti·cat·ed [ʌ̀ndəméstəkèitid] *a.* (동물이) 길들(여지)지 않은.

***un·done**[1] [ʌndʌ́n] UNDO 의 과거분사.
— *a.* 〔敍述的〕 풀어진, 끌러진 : Your fly is ~. 바지 앞이 열려 있어요 / He has got a button ~. 그의 단추 하나가 벗겨져 있다.

un·done[2] *a.* 하지 않은, 다 되지 않은, 미완성의 : leave (things) ~ (일을) 하지 않은 채 두다, 방치해 두다 / remain ~ 미완성인 채로 있다.

***un·doubt·ed** [ʌndáutid] *a.* 의심할 여지가 없는, 틀림없는, 확실한 : an ~ fact 틀림없는 사실.

‡un·doubt·ed·ly [ʌndáutidli] *ad.* ① 틀림없이, 확실히 : That's ~ wrong. 그것은 틀림없이 잘못되었다. ② 〔文章修飾〕 틀림없이 : *Undoubtedly* he did it. 틀림없이 그가 했다.

un·draw [ʌndrɔ́ː] (***-drew*** [-drúː]; ***-drawn*** [-drɔ́ːn]) *vt.* (커튼 따위)를 당겨서 열다.

un·dreamed-of, un·dreamt-of [ʌndríːmdɑ̀v, -ɔ̀v], [-drémt-] *a.* 생각지도 않은, 천만 뜻밖의, 의외의 : ~ happiness 전혀 뜻밖의 행복.

un·dress[1] [ʌndrés] *vt.* ① **a**) …의 옷을 벗기다 : ~ a child and put him to bed 어린애의 옷을 벗겨 재우다. **b**) 〔再歸的〕 옷을 벗다. ② (상처)의 붕대를 떼다. — *vi.* 옷을 벗다 : Tom ~*ed* in the dark. 톰은 어둠 속에서 옷을 벗었다.

un·dress[2] *n.* Ⓤ ① 약복(略服), 통상복, 평복. ② 〖軍〗 통상 군복(= ∠ **ùniform**). ③ 옷을 입지 않은〔알몸뚱이〕 상태 : in a state of ~ 알몸뚱이(나 다름없는 옷차림으)로.

un·dressed [ʌndrést] *a.* ① 옷을 벗은, 발가벗은 ; 잠옷 바람의 : get ~ 옷을 벗다. ② (상처에) 붕대를 감지 않은. ③ 〖料〗 소스〔양념 따위〕를 치지 않은, 조리하지 않은. ④ (가죽 따위를) 무두질하지 않은.

un·drink·a·ble [ʌndríŋkəbəl] *a.* 마실 수 없는, 마시기에 적당치 않은, (마시기에는) 맛이 없는 : This wine is completely ~. 이 포도주는 전혀 마실 수가 없다.

***un·due** [ʌndjúː / -djúː] *a.* 〔限定的〕 ① 지나친, 과도한 : with ~ haste 몹시〔지나치게〕 서둘러. ② 부당한, 부적당한 : ~ use of power 권력의 부당 행사 / have an ~ influence on … …에 부당한 영향을 주다. ③ 기한이 되지 않은, 지급 기한 미달의.

un·du·lant [ʌ́ndjulənt] *a.* 파도〔물결〕치는, 물결 모양의 : ~ fever 〖醫〗 파상열(波狀熱).

un·du·late [ʌ́ndʒəlèit, -djə-] *vi.* ① (수면 등에) 물결이 일다 ; 파동치다 : The sail ~*d* gently in the breeze. 돛은 미풍을 받고 조용히 요동했다. ② (땅이) 기복하다, 굽이치다 : an *undulating* surface 기복이 있는 지표(地表). — *vt.* …을 파동치게 하다, 물결치게〔굽이치게〕 하다.

un·du·la·tion [ʌ̀ndʒəléiʃən, -djə-] *n.* ① **a**) Ⓤ 파동, 굽이침. **b**) Ⓒ 파동하는〔굽이치는〕 것 : walk over the ~*s* of the downs 완만한 기복의 구릉(丘陵)을 걷다. ② Ⓤ,Ⓒ 〖物〗 파동, 진동 ; 음파, 광파(光波).

un·du·la·to·ry [ʌ́ndʒələtɔ̀ːri, -djə- / -təri] *a.* 파동치는, 기복이 있는, 굽이치는 ; 물결 모양의 : the ~ theory (of light) 〖物〗 (빛의) 파동설(說).

***un·du·ly** [ʌndjúːli] *ad.* 과도하게, 몹시 ; 부(적)당하게 : None of the women seemed ~ worried. 그 여자들은 어느 누구도 지나치게 걱정하는 것 같아 보이지 않았다.

un·dy·ing [ʌndáiiŋ] *a.* 〔限定的〕 죽지 않는, 불멸의, 불후의 ; 영원한 : ~ fame 불후의 명성.

un·earned [ʌnə́ːrnd] *a.* ① 노력하지 않고 얻은 : ~ income 불로 소득 / ~ increment (토지의) 자연적인 가치 증가 / ~ runs 〖野〗 실점(失)에 의한 득점. ② (상벌 따위가) 받기에 부(적)당한 : ~ praise 과분한 칭찬.

un·earth [ʌnə́ːrθ] *vt.* ① (땅 속에서) …을 발굴하다, 파내다 : ~ buried treasure 묻혀 있는 보물을 발굴하다. ② (여우 따위)를 굴에서 몰아내다. ③ (새로운 사실 따위)를 발견하다(discover) ; (음모 따위)를 밝혀내다, 폭로하다, 적발하다 : Fresh evidence has been ~*ed* suggesting that he did not in fact commit the crime. 그는 사실상 그 범죄를 저지르지 않았다는 것을 시사하는 새로운 증거가 드러났다.

un·earth·ly [ʌnə́ːrθli] *a.* ① 이 세상 것이라고는 생각되지 않는 ; 초자연적인 ; 섬뜩한, 쭈뼛해지는 : an ~ silence 섬뜩한 고요 / an ~ shriek of terror 소름이 끼치는 공포의 비명. ② 〔限定的〕 《口》 (시각 따위가) 터무니없이 이른〔늦은〕, 전혀 뜻〔상식〕밖의 : Who is calling me at this ~ hour. 이런 상식밖의 시간에 누가 전화를 걸었을까.

un·ease [ʌníːz] *n.* Ⓤ 불안, 걱정.

***un·eas·i·ly** [ʌníːzili] *ad.* ① 불안하게, 걱정스레 : The student looked at the examiners ~. 그 학생은 불안스레 시험관들을 바라보았다. ② 불쾌하게 ; 거북하게.

‡un·eas·i·ness [ʌníːzinis] *n.* Ⓤ 불안, 걱정, 근심, 침착하지 못함 : be under some ~ at …에 약간 불안감을 느끼고 있다 / sweep away ~ 불안을 떨쳐 버리다 / Nancy's ~ grew as each minute passed. 시간이 지남에 따라 낸시의 불안은 커졌다.

‡un·easy [ʌníːzi] (***-eas·i·er ; -i·est***) *a.* ① 불안한, 걱정되는, 근심스러운, 마음에 걸리는 : have an ~ feeling 불안한 마음을 갖다 / pass an ~ night 불안한〔잠 못 이루는〕 하룻밤을 보내다 / I felt ~ *at* my wife's absence. 아내가 없는 것이 마음에 걸렸다. ② 딱딱한, 어색한, 부자연스러운 : give an ~ laugh 어색한 웃음을 웃다.

un·eat·a·ble [ʌníːtəbəl] *a.* 먹을 수 없는.

un·ec·o·nom·ic, -i·cal [ʌ̀niːkənɑ́mik / -nɔ́m-], [-ikəl] *a.* 비경제적인, 채산이 맞지 않는 ; 낭비가 많은 : The minister maintained that the coalmines were *uneconomic* and would have to be closed. 장관은 탄광이 채산이 맞지 않아 폐쇄돼야 할 것이라고 주장했다. ㊕ **-i·cal·ly** [-ikəli] *ad.*

un·ed·u·cat·ed [ʌnédʒukèitid] *a.* 교육 받지 못한, 무학의 : ~ English 무학자의 영어.

un·e·mo·tion·al [ʌ̀nimóuʃənəl] *a.* 감정적〔정서적〕이 아닌 ; 냉정한, 비정한. ㊕ **~·ly** [-əli] *ad.*

un·em·ploy·a·ble [ʌ̀nemplɔ́iəbəl] *a.* (노령·병 따위로) 고용할 수 없는.

***un·em·ployed** [ʌ̀nemplɔ́id] *a.* ① 일이 없는, 실직한 : The government ought to create more job vacancies for ~ young people. 정부는 실직한 젊은이들을 위한 더 많은 일자리를 창출해야 한다. ② 이용〔활용〕되(고 있)지 않은《도구·방법 따위》; 잠자고〔놀려 두고〕 있는《자본 따위》: ~ capital 유휴 자본. ③ (the ~) 〔名詞的 ; 複數 취급〕 실업자.

‡un·em·ploy·ment [ʌ̀nemplɔ́imənt] *n.* Ⓤ 실업(률), 실직, 실직자수 ; 실업 상태 : push ~ down 실업률을 낮추다 / *Unemployment* is on the rise in this country. 우리나라의 실직자수는 증가일로에 있다. — *a.* 〔限定的〕 실직〔실업〕의 : ~ benefit 실업 수당 / ~ insurance 실업 보험.

un·end·ing [ʌnéndiŋ] *a.* 끝이 없는 ; 끊임〔간단〕없는 ; 영원한 : an ~ stretch of cliffs 끝없이 이

어지는 절벽 / I'm sick of your ~ grumbles. 너의 끊임없는 불평엔 신물이 난다. ㊞ ~·ly *ad.*

un·en·dur·a·ble [ʌ̀nendjúərəbəl] *a.* 견딜〔참을〕 수 없는 : an ~ insult 참을 수 없는 모욕 / In the last few months of his illness he suffered ~ pain. 병을 앓은 지난 몇 달 동안 그는 견딜 수 없는 고통을 겪었다. ㊞ **-bly** *ad.*

un-Eng·lish [ʌníŋgliʃ] *a.* ① 영국식이 아닌 ; 영국인답지 않은. ② 영어가 아닌, 영어답지 않은.

un·en·light·ened [ʌ̀ninláitnd] *a.* ① 진상을 모르는. ② 계몽되지 않은, 미개한, 무지한. ③ 완미(頑迷)한, 편견에 찬.

un·en·vi·a·ble [ʌnénviəbəl] *a.* 부럽지 않은, 부러워할 것이 없는 ; 곤혹스러운, 귀찮은 : an ~ reputation 고맙지 않은 명성 / ~ work 귀찮은 일.

***un·e·qual** [ʌní:kwəl] *a.* ① 같지 않은, 동등하지 않은, 고르지 못한, 균등하지 않은 : an ~ pulse 부정맥(不整脈) / Her feet are of ~ sizes. 그녀의 양쪽발은 크기가 같지 않다. ② 한결같지 않은, 균질(均質)이 아닌 ; 불평등한 ; (시합 등이) 일방적인. ③〔敍述的〕역부족인, 감당 못 하는《*to*》: He is ~ *to* the task. 그는 그 일을 감당 못한다. ㊞ ~·ly *ad.* ~·ness *n.*

un·e·qualed, 《英》 **-qualled** [ʌ̀ní:kwəld] *a.* 필적하는〔견줄〕 것이 없는, 무적의, 무비(無比)의 : ~ courage 비길 데 없는 용기.

un·e·quiv·o·cal [ʌ̀nikwívəkəl] *a.* 모호하지 않은, 명료〔명백〕한 ; 솔직한 : an ~ answer 명쾌한 대답 / an ~ refusal 단호한 거절. ㊞ ~·ly *ad.*

un·err·ing [ʌnə́:riŋ] *a.* 틀림없는 ; (판단 따위가) 적확한 : Sheila's ~ sense of direction helped them. 셰일라의 정확한 방향감각이 그들을 구했다. ㊞ ~·ly *ad.*

***UNESCO, Unes·co** [ju:néskou] *n.* 유네스코, 유엔 교육 과학 문화 기구. [◂ *U*nited *N*ations *E*ducational, *S*cientific and *C*ultural *O*rganization]

un·es·sen·tial [ʌ̀nisénʃəl] *a.* 본질적이 아닌 ; 중요하지 않은. ── *n.* 중요하지 않은 것.

un·eth·i·cal [ʌnéθikəl] *a.* 비윤리적인, 도의(道義)에 반하는, 파렴치한.

***un·e·ven** [ʌní:vən] *a.* ① 평탄하지 않은, 울퉁불퉁한 : an ~ surface 〔road〕 울퉁불퉁한 표면〔도로〕. ② 한결같지 않은, 불규칙한 ; 질이 고르지 못한 : ~ breathing 불규칙한 호흡 / ~ teeth 고르지 못한 이 / of ~ temper 〔disposition〕 성미가 변덕스러운, 성마른. ③ 걸맞지 않은, 균형이 맞지 않는 ; (경기가) 일방적인. ④ 홀수의(odd). ㊞ ~·ly *ad.* ~·ness *n.*

unéven (párallel) bàrs (the ~) 2단 평행봉《여자 체조 경기 종목〔용구〕》.

un·e·vent·ful [ʌ̀nivéntfəl] *a.* 사건이 없는, 평온무사한《해 · 생애 등》, 평범한 : an ~ life 평온〔평범〕한 생애. ㊞ ~·ly *ad.* ~·ness *n.*

un·ex·am·pled [ʌ̀nigzǽmpld, -zɑ́:m-] *a.* 유례〔전례〕없는 ; 비길 데 없는 : prosperity ~ in history 사상(史上) 유례없는 번영.

un·ex·cep·tion·a·ble [ʌ̀niksépʃənəbəl] *a.* 나무랄 데 없는, 더할 나위 없는, 완벽한 : an ~ record of achievement 아주 훌륭한 학업 성적. ㊞ **-bly** *ad.* ~·ness *n.*

un·ex·cep·tion·al [ʌ̀niksépʃənəl] *a.* ① 예외〔이례(異例)〕가 아닌, 보통의, 평범한 : He was a hard-working, if ~, student. 그는 평범하지만 열심히 공부하는 학생이었다. ② 예외를 인정하지 않는. ㊞ ~·ly *ad.* 예외없이, 모두.

‡un·ex·pect·ed [ʌ̀nikspéktid] (***more*** ~ ; ***most*** ~) *a.* ① 예기치 않은, 의외의, 뜻밖의, 돌연한 : an ~ visitor 뜻하지 않은 내객 / His reaction was quite ~. 그의 반응은 아주 뜻밖이었다. ② (the ~) 〔名詞的 ; 單數 취급〕 예기치 않은 일.
㊞ ~·ly *ad.* ~·ness *n.*

un·ex·pur·gat·ed [ʌnékspərgèitid] *a.* (좋지 않은 부분을) 삭제하지 않은, 삭제없이 출판한.

un·fail·ing [ʌnféiliŋ] *a.* ① 다함이〔끝이〕 없는, 무한한 ; 끊이지 않는 : ~ resources 무진장의 자원 / It gave him ~ pleasure. 그에게 무한한 기쁨을 주었다. ② 신뢰할 만한 ; 틀림없는, 확실한 : an ~ friend 신뢰할 수 있는 친구 / be ~ *in* one's duty 의무를 충실히 수행하다. ㊞ ~·ly *ad.*

un·fair [ʌnféər] (***-fair·er, more*** ~ ; ***-fair·est, most*** ~) *a.* 공정치 못한, 공명 정대하지 못한, 부정한, 교활한 : an ~ means 부정 수단 / an ~ advantage 부당 이익 / ~ punishment 불공평한 처벌 / It was ~ of her to praise only one of the children. 그녀가 한 아이만을 칭찬한 것은 불공평했다. ㊞ ~·ly *ad.*

un·faith·ful [ʌnféiθfəl] *a.* ① 부실한 ; 부정(不貞)한《*to*》: an ~ husband 바람피우는 남편 / I swear I've never been ~ *to* you. 저는 한번도 당신을 배신한 적이 없다는 것을 맹세해요. ② 성실〔충실〕하지 못한 : be ~ to one's word 약속을 지키지 않다. ㊞ ~·ly [-fəli] *ad.* ~·ness *n.*

un·fal·ter·ing [ʌnfɔ́:ltəriŋ] *a.* ① 비틀거리지〔흔들리지〕 않는, 확고한 : with ~ steps (흔들림 없는) 확실한 걸음걸이로. ② 주저하지 않는, 단호한 : ~ courage 단호한 용기. ㊞ ~·ly *ad.*

un·fa·mil·iar [ʌ̀nfəmíljər] *a.* ① 생소한, 낯익지 않은, 낯선, 안면이 없는 : ~ face 생소한 얼굴. ②〔敍述的〕(사람이 …을) 잘 모르는, 익숙지 못한, 정통〔통달〕하지 못한《*with*》: I am ~ *with* Latin. 라틴 말은 잘 모른다. ㊞ **un·fa·mil·i·ar·i·ty** [ʌ̀nfəmiliǽrəti] *n.*

un·fash·ion·a·ble [ʌnfǽʃənəbəl] *a.* 유행하지 않는, 유행〔시대〕에 뒤(떨어)진, 낡은, 진부한.

un·fast·en [ʌnfǽsn, -fɑ́:sn] *vt.* …을 풀다, 벗기다 : He ~*ed* the buttons of his shirt. 그는 셔츠의 단추를 끌렀다.

un·fath·om·a·ble [ʌnfǽðəməbəl] *a.* 잴 수 없는, 깊이를 헤아릴 수 없는〔알 수 없는〕; 불가해한(inexplicable) : an ~ mystery 불가해한 신비. ㊞ **-bly** *ad.* ~·ness *n.*

un·fath·omed [ʌnfǽðəmd] *a.* ① (바다 등이) 깊이를 알 수 없는 : the ~ depth of the sea 헤아려 알 수 없는 바다의 깊이. ② 충분히 탐구돼 있지 않은.

***un·fa·vor·a·ble,** 《英》 **-vour-** [ʌnféivərəbəl] *a.* ① 형편이 나쁜, 불리한, 좋지〔바람직하지〕 못한《*to* ; *for*》: the ~ balance of trade 수입초과, 무역 역조 / an ~ wind 역풍(逆風) / The weather is ~ *to* our plans. 날씨가 우리의 계획에 불리했다. ② (보고 · 비평 따위가) 호의적이 아닌, 비판적인 : an ~ comment 비판적인 논평. ㊞ **-bly** *ad.* ~·ness *n.*

un·fazed [ʌnféizd] *a.* 동하지〔당황하지〕 않는 ; 태연한 : He was ~ by his previous failures. 그는 이제까지의 실패에도 낙심치 않았다.

un·feel·ing [ʌnfí:liŋ] *a.* 느낌이 없는(insensible) ; 무정한, 냉혹한(cruel) : How stupid and ~ I have been! 이제까지 나는 얼마나 어리석고도 무감각했던가. ㊞ ~·ly *ad.* ~·ness *n.*

un·feigned [ʌnféind] *a.* 거짓 없는, 진실한, 성실한 : ~ praise 진심에서 우러나온 칭찬.
㊞ **un·féign·ed·ly** [-nidli] *ad.*

un·fet·ter [ʌnfétər] *vt.* ① …의 족쇄〔차꼬〕를 풀다. ②《~+목/+목+전+명》…을 석방하다, 자유롭게 하다: ~ a prisoner 죄수를 석방하다. ㊞ **~ed** [-d] *a.* 족쇄〔차꼬〕가 풀린; 속박〔구속〕을 받지 않는, 자유로운.

***un·fin·ished** [ʌnfíniʃt] *a.* ① 미완성의, 다 되지〔끝내지〕 않은: an ~ letter 쓰다가 만 편지 / I don't like to leave the work ~. 나는 그 일을 끝내지 않은채 두고 싶지 않다. ② (직물·페인트 등의) 마무리를 다하지 않은.

***un·fit** [ʌnfít] (*more* ~, *-fit·ter* ; *most* ~, *-fit·test*) *a.* 〔敍述的〕 ① 부적당한, 적임(適任)이 아닌(unqualified), 맞지〔어울리지〕 않는《*for*; *to*》: Adams is clearly ~ *to* hold an administrative post. 애덤스는 분명히 행정 직책을 맡기에는 적임이 아니다 / This land is ~ *for* farming. 이 땅은 농업에는 적합하지 않다. ② 건강하지 않은, (상태가) 좋지 않은: I'm too ~ *to* go mountain climbing. 나는 몸 상태가 좋지않아 등산에는 갈 수가 없다. ── (*-tt-*) *vt.* 《+목+전+명》〔종종 受動으로〕 …에 부적당하게 하다, 어울리지〔맞지〕 않게 하다, 자격을 잃게 하다: a profession *for* which nature has utterly ~*ted* me 선천적으로 나에게는 맞지 않는 직업.

un·fix [ʌnfíks] *vt.* ① …을 풀다, 끄르다, 벗기다, 빼다, 떼다, 늦추다: *Unfix* bayonets!〖軍〗 빼어 칼!《구령》. ② (마음 등)을 흔들리게 하다.

un·flag·ging [ʌnflǽgiŋ] *a.* 쇠하지 않는, 불요불굴의, 지칠 줄 모르는: ~ enthusiasm 한결같은 열의(熱意). ㊞ **~·ly** *ad.*

un·flap·pa·ble [ʌnflǽpəbəl] *a.*《口》(위기에 처해서도) 흔들리지 않는, 침착한. ㊞ **-bly** *ad.*

un·fledged [ʌnflédʒd] *a.* 아직 깃털이 다 나지 않은; 젖내 나는, 미숙한. opp. *fullfledged.*

un·flinch·ing [ʌnflíntʃiŋ] *a.* 굽히지 않는, 움츠리지 않는, 위축되지 않는, 단호한(firm): ~ fight 움츠러들지 않는 투지. ㊞ **~·ly** *ad.*

un·fo·cus(s)ed [ʌnfóukəst] *a.* ① 초점이 맞지 않은. ② (목표 따위가) 정해져 있지 않은.

***un·fold** [ʌ̀nfóuld] *vt.* ① **a)** (접은 것·잎·봉오리 따위)를 펼치다, 펴다: ~ a map 지도를 펼치다 / ~ one's arms 팔을 벌리다. **b)** 〔再歸的〕 (이야기·사태 따위가) 전개되다: The story gradually ~*ed itself.* 이야기는 서서히 전개되어 갔다. ②《~+목/+목+전+명》(의중·생각 등)을 밝히다, 표명하다, 털어놓다《*to*》: ~ one's thoughts / He ~*ed* his plan *to* me. 그는 계획을 내게 털어놓았다. ── *vi.* ① (잎·봉오리 따위가) 벌어지다. ② (풍경이) 펼쳐지다, (사태 따위가) 전개되다: Soon the landscape ~*ed* before them. 곧 질펀한 광경이 그들의 눈앞에 펼쳐졌다.

un·forced [ʌnfɔ́ːrst] *a.* 강제적이 아닌, 자발적인; 무리없는, 부자연스럽지 않은.

un·fore·seen [ʌ̀nfɔːrsíːn] *a.* 생각지〔예기치〕 않은, 뜻하지 않은, 의외의: ~ delays〔snags〕 예기치 않은 지체〔장애〕.

un·for·get·ta·ble [ʌ̀nfərgétəbəl] *a.* 잊을 수 없는, (언제까지나) 기억에 남는(memorable): It was an ~ experience. 그건 잊을 수 없는 경험이었다. ㊞ **-bly** *ad.*

un·for·giv·a·ble [ʌ̀nfərgívəbəl] *a.* 용서할 수 없는: an ~ error in judgment 용서할 수 없는 판단의 잘못. ㊞ **-bly** *ad.*

un·formed [ʌnfɔ́ːrmd] *a.* ① 아직 형체를 이루지 않은, 정형(定形)이 없는. ② 충분히 발달하지 못한; 미숙한: an ~ character 미숙한 인물.

‡un·for·tu·nate [ʌnfɔ́ːrtʃənit] (*more* ~, *most* ~) *a.* ① 불운한, 불행한: ~ lovers 불행한 연인들 / What an ~ situation! 이 무슨 불행한 사태인가 / He was ~ in losing his property. 그는 운 나쁘게도 재산을 잃었다 / She was ~ to lose her husband. 그녀는 불행히도 남편을 잃었다. ② 유감스러운, 한심스러운: an ~ personality 한심한 인물 / It is rather ~ that the Prime Minister should have said this. 수상이 이 말을 했다니 좀 유감스럽다. ③ 부적당한, 적절치 못한: He made an ~ remark at the interview. 그는 면접에서 실언을 했다. ④ 불행한 결과를 가져오는; 성공 못한, 잘못된: an ~ choice 잘못된 선택.
── *n.* Ⓒ 불행한〔불운한〕 사람.

‡un·for·tu·nate·ly [ʌnfɔ́ːrtʃənitli] (*more* ~; *most* ~) *ad.* ①〔文章修飾〕 불행하게도; 공교롭게도; 유감이지만: *Unfortunately,* I haven't (got) enough time to read your book. 유감스럽게도 나는 당신의 책을 읽을 시간이 없습니다. ② 운나쁘게.

un·found·ed [ʌnfáundid] *a.* 이유〔근거〕가 없는, 사실 무근의(groundless): an ~ rumor 헛소문 / Our fears have proved ~. 우리의 근심은 근거없는 것으로 판명되었다.

un·freeze [ʌnfríːz] *vt.* ① …을 녹이다. ②〖經〗 (자금 등)의 동결을 풀다, …의 제한을〔통제를〕 해제하다, 자유화하다. ── *vi.* (얼음 등이) 녹다.

un·fre·quent·ed [ʌnfríːkwəntid, ʌ̀nfri(ː)kwént-] *a.* 인적이 드문; 사람의 왕래가 적은, 좀처럼 사람이 드나들지〔다니지〕 않는.

***un·friend·ly** [ʌnfréndli] *a.* ① 불친절한(unkind), 박정한, 우정이 없는; 적의를 품은: an ~ waitress 불친절한 여급 / Don't be so ~. 그렇게 박정한 말은 하지 말게 / It was ~ *of* you not *to* help her. 그녀를 도와주지 않았다니 자네도 박정했군. ② 적의가 있는(hostile). ③ (기후 등이) 나쁜, 형편이 나쁜, 불리한(unfavorable).

un·frock [ʌnfrák/-frɔ́k] *vt.* (사제)에게서 성직을 박탈하다.

un·fruit·ful [ʌnfrúːtfəl] *a.* ① 효과가 없는, 보답〔보람〕없는, 헛된《노력 따위》. ② 열매를 맺지 않는; 불모의; 새끼를 낳지 않는《동물 따위》.

un·ful·filled [ʌ̀nfulfíld] *a.* 다하지 못한, 이행되지 않은; 실현〔성취〕하지 못한: an ~ dream 다 이루지 못한 꿈.

un·furl [ʌnfə́ːrl] *vt.* (우산 따위)를 펴다(spread); (기·돛 따위)를 올리다, 바람에 펄럭이게 하다. ── *vi.* 펴지다, 오르다, 펄럭이다: The sails ~*ed* and filled in the breeze. 돛이 펴지고 미풍에 바람을 잔뜩 받았다.

un·fur·nished [ʌnfə́ːrniʃt] *a.* 가구가 비치 안 된, 비품이 없는: rooms to let ~ 비품이 없는 셋방.

UNGA United Nations General Assembly(유엔 총회).

un·gain·ly [ʌngéinli] (*-li·er* ; *-li·est*) *a.* 보기 흉한, 볼품없는(clumsy), 몰골스러운, 어색한: I thought him terribly ~. 나는 그가 지독히도 꼴불견이라고 생각했다. ㊞ **-li·ness** *n.*

un·gen·er·ous [ʌndʒénərəs] *a.* 도량이 좁은; 인색한, 다랍게 아끼는: It was ~of him not to recognize all her hard work. 그녀의 결사적인 노력을 인정치 않았다니 그도 도량이 좁은 남자였다. ㊞ **~·ly** *ad.*

un·gird [ʌngə́ːrd] (*p., pp.* **~·ed, -girt** [-gə́ːrt]) *vt.* …의 띠를 끄르다; 띠를 끌러 늦추다.

un·glued [ʌnglúːd] *a.* 잡아 뗀. ***come*** 〔***get***〕 ~ (1) (산산이) 허물어지다. (2)《美俗》 흥분하여 냉정을 잃다, 격노하여 이성을 잃다.

un·god·ly [ʌngádli/-gɔ́d-] (*-li·er* ; *-li·est*) *a.*

①신앙심 없는, 신을 두려워[공경]하지 않는 ; 죄 많은(sinful). ②〔限定的〕《口》 지독한, 격렬한 : (시각이) 터무니 없는 : He called on me at an ~ hour. 그는 당치도 않은 (비상식적인) 시각에 나를 찾아왔다. ㊕ **-li·ness** *n.*

un·gov·ern·a·ble [ʌngʌ́vərnəbəl] *a.* 제어[억제]할 수 없는 ; 격심한 : ~ rage 억누를수 없는 분노. ㊕ **-bly** *ad.*

un·grace·ful [ʌngréisfəl] *a.* 우아하지 않은, 촌스러운 ; 예의가 없는 ; 보기 흉한, 몰골스러운. ㊕ **~·ly** [-fəli] *ad.* **~·ness** *n.*

un·gra·cious [ʌngréiʃəs] *a.* 공손치 않은, 불친절한, 무례한(rude) ; 무뚝뚝한, 상냥하지 않은 ; 불유쾌한(unpleasant) : an ~ reply 무뚝뚝한 대답 / an ~ remark 무례한 발언. ㊕ **~·ly** *ad.*

un·gram·mat·i·cal [ʌ̀ngrəmǽtikəl] *a.* 문법에 맞지 않는, 비문법적인. ㊕ **~·ly** *ad.*

***un·grate·ful** [ʌngréitfəl] *a.* ①은혜를 모르는 : an ~ person 은혜를 모르는 사람 / It's ~ of you to say that about him. 그에 관해서 그같이 말하다니 자넨 은혜를 모르는 사람일세. ②일한 보람이 없는, 헛수고의 ; 달갑지 않은, 불유쾌한. ㊕ **~·ly** [-fəli] *ad.* **~·ness** *n.*

un·ground·ed [ʌngráundid] *a.* 근거[이유] 없는, 사실 무근의 : an ~ charge 이유없는 비난.

un·grudg·ing [ʌngrʌ́dʒiŋ] *a.* 아끼지 않는, 활수한(generous) ; 진심으로의. ㊕ **~·ly** *ad.*

un·guard·ed [ʌngɑ́:rdid] *a.* ①부주의한, 방심하고 있는 : an ~ remark 부주의한 발언. ②탁 터놓은, 개방적인 : an ~ manner 개방적인 태도. ③방어가 없는, 무방비의 : leave a suitcase ~ 여행가방을 방치해 두다. ㊕ **~·ly** *ad.* **~·ness** *n.*

un·guent [ʌ́ŋgwənt] *n.* Ⓤ,Ⓒ 연고(軟膏).

un·gu·late [ʌ́ŋgjəlit, -lèit] *a.* 〖動〗 발굽이 있는 ; 유제류(有蹄類)의. ── *n.* Ⓒ 유제 동물.

un·hal·lowed [ʌnhǽloud] *a.* 신성치 않은, 더럽혀진, 부정(不淨)한, 죄가 많은.

un·hand [ʌnhǽnd] *vt.* 〔흔히 命令法으로〕 …을 손에서 놓다 ; …에서 손을 떼다.

***un·hap·pi·ly** [ʌnhǽpili] *ad.* ①불행[불운]하게 ; 비참하게 : live ~ 비참한 생활을 하다. ②〔文章修飾〕 불행하게도, 유감스럽게도, 운수 사납게도, 공교롭게도 : *Unhappily*, he was out. 마침 그는 집에 없었다.

‡un·hap·py [ʌnhǽpi] (***-hap·pi·er*** ; ***-pi·est***) *a.* ①**a**) 불행한, 불운한 ; 비참한 : I had an ~ time at school. 나는 불행한 학창 시절(學窓時節)을 보냈다. **b**) 〔敍述的〕 (…을) 슬프게[비참하게, 불만으로] 생각하는《*at; about*》: The residents of the area are ~ *about* the crowds and the noise. 그 지역의 주민들은 사람의 붐빔과 소음을 불만으로 여기고 있다. **c**) 〔敍述的〕 (…해서) 슬프게[가엾게, 유감으로] 생각하는《*to* do》: I'm ~ *to* hear that you can't attend. 당신이 참석 못한다는 것을 듣고 유감으로 생각합니다. **d**) …에 불만인, 화를 내는《*that*...》: The boss is very ~ *that* you were late. 네가 지각을 한 것을 상사는 몹시 화내고 있다. ②계제가 나쁜, 공교로운. ③(말씨 따위가) 적절치 않은, 서투른 : an ~ remark 부적절한 비평.

㊕ ***ùn·háp·pi·ness** [-nis] *n.*

un·harmed [ʌnhɑ́:rmd] *a.* 해를 입지 않은, 부상하지[손상되지] 않은 ; 무사한 : The four men managed to escape ~. 네 사람은 그럭저럭 무사히 도망쳤다.

un·har·ness [ʌnhɑ́:rnis] *vt.* ①(말)의 마구(馬具)를 풀다, 마구를 끄르다. ②…의 갑옷을 벗기다, 무장을 해제시키다(disarm).

un·health·ful [ʌnhélθfəl] *a.* 건강에 좋지 않은.

un·healthy** [ʌnhélθi] (-health·i·er*** ; ***-i·est***) *a.* ①건강하지 못한, 병든. ②**a**) (장소·기후 따위가) 건강에 좋지 않은, 건전치 못한, 유해한 : an ~ environment 불건전한 환경. **b**) (도덕적·정신적으로) 불건전한 ; 부자연한, 병적인 : an ~ interest in death 죽음에 대한 병적인 흥미. ③《俗》 (사태 따위가) 생명에 관계되는 위험한.
㊕ **ùn·héalth·i·ly** *ad.* **-i·ness** *n.*

un·heard [ʌnhə́:rd] *a.* ①들리지 않는 ; (부탁 따위를) 들어주지 않는 : The wishes of the minority go ~. 소수의 희망은 무시된다. ②(특히 법정에서) 변명이 허용되지 않는.

un·heard-of [ʌnhə́:rdɑ̀v / -ɔ̀v] *a.* ①전례가 없는, 전대 미문의 : This is an ~ scandal. 이것은 전대미문의 스캔들이다. ②무명의 : an ~ actress 무명의 여배우.

un·heed·ed [ʌnhí:did] *a.* 주의를 끌지 못하는, 무시된 : Their appeals for help went ~. 도움을 요청하는 그들의 호소는 무시되었다.

un·hes·i·tat·ing [ʌnhézətèitiŋ] *a.* 주저[우물쭈물]하지 않는, 민활한. ㊕ **~·ly** *ad.*

un·hinge [ʌnhíndʒ] *vt.* ①(문 등)의 돌쩌귀를 벗기다 ; 떼(어 놓)다(detach). ②〔종종 受動으로〕 (마음 따위)를 어지럽히다, 착란[혼란]시키다 ; (사람)을 미치게 하다 : She *was* mentally ~*d*. 그녀는 머리가 이상해져 있었다.

un·hitch [ʌnhítʃ] *vt.* (말 따위)를 풀어놓다[주다].

un·ho·ly [ʌnhóuli] (***-li·er*** ; ***-li·est***) *a.* ①신성하지 않은, 부정(不淨)한(profane) ; 신앙심이 없는, 사악한(wicked), 죄많은 : an ~ alliance 사악한 동맹, 야합. ②〔限定的〕《口》 지독한, 무서운 : an ~ price 엄청난 값 / an ~ mess 지독한 혼란.
㊕ **-hó·li·ness** *n.*

un·hook [ʌnhúk] *vt.* ①…을 갈고리에서 벗기다. ②(옷 따위)의 혹단추를 끄르다.

un·hoped-for [ʌnhóuptfɔ̀:r] *a.* 예기치 않은, 바라지도 않은, 의외의, 뜻밖의 : an ~ piece of good fortune 바라지도 않은 행운.

un·horse [ʌnhɔ́:rs] *vt.* (사람)을 말에서 떨어뜨리다, 낙마시키다.

un·hur·ried [ʌnhə́:rid, -hʌ́r-] *a.* 서두르지 않는, 느긋한 : He proceeded up the stairs at his usual ~ pace. 그는 여느때와 같은 느린 걸음으로 계단을 올라갔다. ㊕ **~·ly** *ad.*

un·hurt [ʌnhə́:rt] *a.* 해를 입지 않은, 손상되지 않은 ; 다치지 않은 : Two men crawled out ~. 두 사람이 다치지 않은채 기어나왔다.

uni- *pref.* '일(一), 단(일)'의 뜻.

uni·cam·er·al [jù:nəkǽmərəl] *a.* (의회가) 단원(單院)(제)의. cf. bicameral. ¶ the ~ legislature 단원 제도.

UNICEF [jú:nəsèf] United Nations Children's Fund (유니세프, 유엔 아동 기금).

uni·cel·lu·lar [jù:nəséljələr] *a.* 〖生〗 단세포의 : a ~ animal 단세포 동물.

uni·corn [jú:nəkɔ̀:rn] *n.* Ⓒ ①일각수(一角獸) 《말 비슷하며 이마에 뿔이 하나 있는 전설적인 동물》. ②〖紋章〗 일각수.

uni·cy·cle [jú:nəsàikəl] *n.* Ⓒ (곡예사 등이 타는) 외바퀴 자전거.

un·i·den·ti·fi·a·ble [ʌ̀naidéntəfàiəbəl] *a.* 확인할 수 없는, 정체불명의.

un·i·den·ti·fied [ʌ̀naidéntəfàid] *a.* 확인되지 않은, 미확인의, 신원(身元)[국적] 불명의 ; 정체 불명의 : an ~ flying object 미확인 비행물체.

un·id·i·o·mat·ic [ʌ̀nidiəmǽtik] *a.* (어법이) 관

용에 어긋나는, 관용적인 아닌.

uni·fi·ca·tion [jù:nəfikéiʃən] *n.* Ⓤ 통일, 단일화; 통합: the ~ of Korea 한국의 통일.

ː**uni·form** [jú:nəfɔ̀:rm] *a.* ① **a**) 한결같은, 균일한, 같은《형상·빛깔 따위》. OPP *multiform.* ¶ vases of ~ size and shape 크기와 모양이 같은 꽃병 / ~ motion 등속(等速) 운동 / The sky was a ~ gray. 하늘은 온통 잿빛이었다. **b**) 〔敍述的〕 (…와) 같은 모양〔형(型)〕의《*with*》: Yours stationery must be ~ *with* this. 당신의 편지지는 이것과 동형이어야 합니다. ② 동일 표준의, 획일적인; 일정 불변의: a ~ wage 획일적인 임금 / drive at a ~ speed 일정한 속도로 차를 몰다 / to be kept at a ~ temperature 일정한 온도에 보존할 것. ── *n.* Ⓤ,Ⓒ 제복, 유니폼: At our school we have to wear ~(*s*). 우리 학교에서는 교복을 입어야 한다.
㊎ **~ed** *a.* 제복을 입은. **~·ly** *ad.* 한결같이, 균등하게; 일률적으로.

˙**uni·form·i·ty** [jù:nəfɔ́:rməti] *n.* Ⓤ 한결같음, 획일, 일률; 균일: the dull ~ of the housing estate 주택 단지의 따분한 획일성.

uni·fy [jú:nəfài] *vt.* ① …을 하나로 하다, 통합하다; 통일하다, 단일화하다: a *unified* labor movement (하나로) 통합된 노동운동. ② …을 (한결)같게 하다.

uni·lat·er·al [jù:nəlǽtərəl] *a.* ① 한 쪽〔면·편〕만의, 단독적인, 일방적인: ~ disarmament 일방적인 무장해제. ②〚法〛편무적(片務的)인: a ~ contract 편무 계약. ㊎ **~·ìsm** *n.* 일방적 군비 폐기〔군축〕론. **~·ist** *n.* **~·ly** *ad.*

un·im·ag·in·a·ble [ʌ̀nimǽdʒənəbəl] *a.* 상상〔생각조차〕할 수 없는.

un·im·ag·i·na·tive [ʌ̀nimǽdʒənətiv] *a.* 상상력이 없는; 재미가 없는.

un·im·paired [ʌ̀nimpέərd] *a.* 손상되지 않은.

un·im·peach·a·ble [ʌ̀nimpí:tʃəbəl] *a.* 나무랄 데 없는(irreproachable), 더할 나위 없는; 의심할 점이 없는, 확실한: ~ evidence 뚜렷한 증거.
㊎ **-bly** *ad.*

un·im·ped·ed [ʌ̀nimpí:did] *a.* 방해 받지 않(고 있)는, 원활한.

˙**un·im·por·tant** [ʌ̀nimpɔ́:rtənt] (***more*** ~; ***most*** ~) *a.* 중요하지 않은, 대수롭지 않은, 하찮은.

un·im·pressed [ʌ̀nimprést] *a.* 〔敍述的〕 감동하지 않은, 감명을 받지 않은.

un·im·pres·sive [ʌ̀nimprésiv] *a.* 인상적이 아닌, 강한 감동을 주지 않는.

un·im·proved [ʌ̀nimprú:vd] *a.* ① 개선〔개량〕되지 않은. ② (토지가) 경작되지 않은; (기회·자원 등이) 활용〔이용〕되지 않은. ③ (건강 따위가) 좋아지지 않은.

un·in·formed [ʌ̀ninfɔ́:rmd] *a.* ① 충분한 지식이〔정보가〕 없(이 하)는: ~ criticism 충분한 지식 없이 하는 비평. ② (사람이) 모르는, 무지의.

un·in·hab·it·a·ble [ʌ̀ninhǽbitəbəl] *a.* 살〔거주할〕 수 없는, 주거에 부적당한.

un·in·hab·it·ed [ʌ̀ninhǽbitid] *a.* (섬 따위) 사람이 살지 않는, 무인의: an ~ island 무인도.

un·in·hib·it·ed [ʌ̀ninhíbitid] *a.* 제약받지 않은, 거리낌없는: a sound of ~ laughter 거리낌없는 웃음소리. ㊎ **~·ly** *ad.* **~·ness** *n.*

un·in·i·ti·at·ed [ʌ̀niníʃièitid] *a.* ① 기초를 밟지 않은, 충분한 경험〔지식〕이 없는, 풋내기의. ② (the ~) 〔名詞的; 複數 취급〕 미경험자; 초심자.

un·in·jured [ʌníndʒərd] *a.* 손상되지 않은, 상처를 받지〔상해를 입지〕 않은.

un·in·spired [ʌ̀ninspáiərd] *a.* 영감을 받지 않은, 독창성이 없는: an ~ performance 독창성이 없는 연기.

un·in·tel·li·gent [ʌ̀nintélədʒənt] *a.* 이해력〔지력〕이 없는; 총명하지 못한; 무지한: They were lazy and ~. 그들은 게으르고 무지했다.

un·in·tel·li·gi·ble [ʌ̀nintélədʒəbəl] *a.* 이해하기 어려운, 난해한, 뜻〔영문〕을 알 수 없는: He answered in words ~ to her. 그는 그녀에게 이해할 수 없는 말로 대답했다. ㊎ **-bly** *ad.*

un·in·tend·ed [ʌ̀ninténdid] *a.* 의도적이 아닌, 고의가 아닌, 우연의.

un·in·ten·tion·al [ʌ̀ninténʃənəl] *a.* 고의가 아닌, 무심코 한, 우연한. ㊎ **~·ly** *ad.*

un·in·ter·est·ed [ʌníntərəstid] *a.* 무관심한, …에 흥미를 느끼지〔관심을 갖지〕 않는《*in*》: an ~ attitude 무관심한 태도 / Nancy was ~ *in* marriage. 낸시는 결혼에는 흥미가 없었다.

˙**un·in·ter·est·ing** [ʌníntərəstiŋ] *a.* 흥미〔재미〕가 없는, 지루한(dull): I found the story ~. 그 이야기는 재미가 없었다. ㊎ **~·ly** *ad.*

un·in·ter·rupt·ed [ʌ̀nintərʌ́ptid] *a.* ① 중간에 끊어지지 않는, 연속된, 부단한. ② (경치 등) 아무것도 가리우는 것이 없는.
㊎ **~·ly** *ad.* **~·ness** *n.*

˙**un·in·vit·ed** [ʌ̀ninváitid] *a.* 〔限定的〕 ① 초대받지 않은: an ~ guest 불청객. ② 주제넘은.

ː**un·ion** [jú:njən] *n.* ① Ⓤ 결합(combination), 합일, 연합; 합동, 병합, 합체: the ~ of soul and body 영육(靈肉)의 합일 / effect the ~ between two countries 두 나라간의 연합을 달성하다. ② Ⓤ 융화, 융합; 화합; 일치, 단결: spiritual ~ 정신적 결합 / live in perfect ~ 완전히 융화되어 살다 / *Union* is 〔gives〕 strength. 《格言》 단결은 힘이다. ③ Ⓤ,Ⓒ 혼인, 결혼(marriage): a happy ~ 행복한 결혼. ④ Ⓒ 조합, 동맹, 협회; 노동 조합(trade ~): a craft ~ 직업별〔직능〕 조합《산업별 조합(industrial union)에 대하는》/ a labor ~ 《美》 노동조합. ⑤ Ⓒ (흔히 U-) 학생 클럽; 학생회관(student ~). ⑥ Ⓒ (흔히 U-) 연합 국가, 연방; (the U-) 아메리카 합중국: the President's address to *the Union* 미국민에 대한 대통령의 연설. ⑦ Ⓒ〚機〛접합관(管).

únion càtalog (여러 도서관의) 종합 도서 목록.

Únion Flàg (the ~) 영국 국기(Union Jack)《1801년에 잉글랜드의 St. George, 스코틀랜드의 St. Andrew, 아일랜드의 St. Patrick 의 3개의 십자를 합친 3국 연합의 표상》.

un·ion·ism [jú:njənìzəm] *n.* Ⓤ ① 노동 조합주의. ② (U-) 《英》 연합주의, 통일주의《Great Britain 과 전(全) Ireland 의 연합 통일을 도모한 정책》. ③ (U-) 〚美史〛 (남북전쟁 당시의) 연방주의.

un·ion·ist [jú:njənist] *n.* Ⓒ ① 노동 조합원; 노동 조합주의자. ② (U-) 〚美史〛 (남북 전쟁 당시의) 연방 합동주의자. ③ (U-) 〚英史〛 연합〔통일〕론자.

un·ion·ize [jú:njənàiz] *vt.* ① …을 노동 조합화하다; …에 노동조합을 조직하다: ~ a factory 공장에 노조를 결성하다. ② …을 노동 조합에 가입시키다. ── *vi.* 노동조합에 가입하다, 노동조합을 결성하다. ㊎ **un·ion·iza·tion** [jù:njənizéiʃən / -naiz-] *n.* Ⓤ 노동 조합으로의 조직화; 노조 가입.

Únion Jàck (the ~) = UNION FLAG.

únion shòp 유니언숍《비조합원을 고용해도 좋으나 일정 기간내에 조합에 가입시킬 것을 조건으로 하는 사업장》. cf. open shop, closed shop.

únion sùit 《美》 아래위가 한데 붙은 내의(《英》 combinations).

U

‡**unique** [ju:ní:k] (***more*** ~; ***most*** ~) *a.* ① 유일(무이)한, 하나밖에 없는(sole): For Christians God is a ~ being. 기독교인에게 하느님은 유일무이한 존재이다 / Getting money should not be your ~ goal in life. 돈 버는 것을 인생의 유일한 목표로 삼아서는 안된다. ② **a**) 유(類)가 없는, 독특한: Every individual is ~. 사람은 개인마다 다르다. **b**) 〔敍述的〕 (…에) 특유(特有)한, …만의《*to*》: These problems are not ~ *to* nuclear power. 이런 문제들은 핵 보유국만의 것은 아니다. ③《口》 색다른; 보통이 아닌: His style of singing is rather ~. 그의 노래부르는 스타일은 좀 색다르다. ㊀ **~·ly** *ad.* **~·ness** *n.*

uni·sex [jú:nəsèks] *a.* 남녀 공용〔양용〕의; 남녀의 구별이 없는: a ~ beauty parlor 남녀용의 미용원. ── *n.* Ⓤ (복장·머리형 등에서) 남녀 구별이 없는 상태; (일 따위에서) 남녀의 차별이 없음.

uni·sex·u·al [jù:nəsékʃuəl] *a.* 〖生〗 단성(單性)의; 암수 딴몸의, 자웅 이체의: a ~ flower 단성화(花). ㊀ **~·ly** *ad.*

uni·son** [jú:nəsən, -zən] *n.* Ⓤ ① 조화(harmony), 화합, 일치. ②〖樂〗 제창; 동음(同音), 유니슨. ***in ~ 제창〔동음〕으로; 일제히, 일치하여《행동하다 따위》: sing 〔recite〕 *in* ~ 제창하다 / act *in* ~ with the neighboring country 이웃 나라와 공동 보조를 취하다.

‡**unit** [jú:nit] *n.* Ⓒ ① 단위, 구성〔편성〕 단위: an administrative ~ 행정 단위 / a monetary ~ 화폐 단위 / The family is a ~ of society. 가족은 사회의 구성 단위이다. ② 단일체, 한 개, 한 사람, 일단. ③〖軍〗 (보급) 단위, 부대: a mechanized ~ 기계화 부대 / a tactical ~ 전술 단위. ④〖數〗 '1'의 수, 단위. ⑤〖物〗 (계량·측정의) 단위: the C.G.S. system of ~*s* 시지에스 단위계(系). ⑥〖美敎〗 (학과목의) 단위, 학점; (교재의) 단원. ⑦ (기계·장치의) 구성부분; (특정 기능을 가진) 장치〔설비, 기구〕 한 세트: a kitchen ~ 부엌 설비 한 세트. ── *a.* 〔限定的〕 단위의, 단위를 구성하는; 유닛 시스템의: ~ furniture 유닛식 가구.

Uni·tar·i·an [jù:nətέəriən] *n.* ① **a**) (the ~s) 유니테리언교파《삼위 일체를 인정하지 않음》. **b**) Ⓒ 유니테리언 교도. ② (u-) Ⓒ 단일 정부주의자, 중앙 집권론자. ── *a.* 유니테리언교의. ㊀ **~·ìsm** *n.* Ⓤ 유니테리언파의 교의(敎義).

uni·tary [jú:nətèri / -təri] *a.* ① 단위의, 단위로 사용하는; 〖數〗 일원(一元)의: ~ method 〖數〗 귀일법(歸一法). ② 중앙 집권제의.

‡**unite** [ju:náit] *vt.* ① **a**) 《~+目 / +目+前+名》 …을 결합하다, 하나로 묶다, 합하다, 접합하다《*with*》; 합병하다, 합동시키다: ~ neighboring villages 인접 마을들을 합병하다 / ~ one country to another 한 나라를 딴 나라와 병합시키다 / ~ bricks and stones *with* cement 시멘트로 벽돌과 돌을 접합하다. **b**) (나라·조직 따위)를 단결〔결속〕시키다: They must ~ to combat the enemy. 적과 싸우기 위하여 하나로 뭉쳐야 한다 / The tragedy ~*d* the family. 그 비극은 일가(一家)를 단결시켰다. ②《~+目 / +目+前+名》 결혼시키다; (정신적으로) 결합하다: ~ two families *by* marriage 양가를 혼인으로 맺다 / They were ~*d in* holy matrimony. 그들은 신성한 결혼에 의해 맺어졌다. ③ (성질·재능 따위)를 아울러 갖추다, 겸비하다: She ~*s* beauty and intelligence. 그녀는 미모와 지성을 갖추고 있다.

── *vi.* ①《~ / +前+名》 하나〔일체〕가 되다, 합체하다, 연합하다, 합병하다《*with*》: England and Scotland ~*d in* 1707. 잉글랜드와 스코틀랜드는 1707 년 합병했다 / Oil will not ~ *with* water. 기름과 물은 서로 겉돈다. ②《~ / +前+名 / +*to do*》 (행동·의견 따위가) 일치하다, 협력하다, 결속하다: ~ *against* a common enemy 공동의 적에 대(항)하여 협력해서 싸우다 / Let us ~ *in* fighting 〔*to* fight〕 poverty and disease. 빈곤과 질병에 맞서 결속합시다. ◇ union, unity *n.*

‡**unit·ed** [ju:náitid] (***more*** ~; ***most*** ~) *a.* ① 하나가 된, 결합된, 맺어진: *United* we stand, divided we fall. 《格言》 뭉치면 살고 분열하면 죽는다. ② 합병한, 연합한. ③ 〔限定的〕 (정신적으로) 화합한, 일심동체의, 일치한: a ~ family 화목한 가족. ㊀ **~·ly** *ad.*

Uníted Árab Emír·ates [-əmíərits] (the ~) 〔單·複數 취급〕 아랍 에미리트 연방《아라비아 반도 동북부, 페르시아만(灣)에 면한 공화국; 수도 Abu Dhabi; 略: U.A.E.》.

‡**Uníted Kíngdom** (the ~) 연합 왕국《대브리튼과 북아일랜드를 합친 왕국; 공식 명칭은 the United Kingdom of Great Britain and Northern Ireland; 수도는 London; 略: U.K.》.

‡**Uníted Nátions** (the ~) 〔흔히 單數취급〕 국제 연합, 유엔《略: UN, U.N.》.

Uníted Nátions Géneral Assémbly (the ~) 유엔 총회《略: UNGA》.

Uníted Nátions Secúrity Còuncil (the ~) 유엔 안전 보장 이사회《略: UNSC》.

Uníted Préss Internátional (the ~) 유피아이 통신사《略: UPI》.

†**Uníted Státes (of América)** (the ~) 〔單數취급〕 아메리카 합중국, 미국《略: the States, America, U.S., U.S.A., USA》.

unit·hold·er [jú:nithòuldər] *n.* unit trust 의 투자자〔수익자〕.

únit trùst 《英》 유닛형 투자 신탁; 계약형 투자 신탁 회사.

***uni·ty** [jú:nəti] *n.* ① Ⓤ 통일(성), 단일(성); 불변성, 일관성: racial ~ 민족적 통일 / The story lacks ~. 그 이야기는 통일성이 없다. ② Ⓤ 일치(단결), 협동, 화합: the family ~ 일가 화합〔단란〕 / national ~ 거국 일치 / He failed to preserve his party's ~. 그는 당의 화합을 유지하는데 실패했다. ③ Ⓒ 〖數〗 1(이라는 수). ④ 〔the (three) unities로〕 〖劇〗 삼일치(三一致)의 법칙.

Univ. University. **univ.** universal; university.

uni·va·lent [jù:nəvéilənt, ju:nívə-] *a.* 〖化〗 일가(一價)의; 〖遺〗 (염색체가) 일가인.

uni·valve [jú:nəvæ̀lv] *a.* 〖動〗 단판(單瓣)의, 단각(單殼)의. ── *n.* Ⓒ 단각 연체 동물.

‡**uni·ver·sal** [jù:nəvə́:rsəl] (***more*** ~; ***most*** ~) *a.* ① 우주의, 우주적인, 만물에 관한〔을 포함하는〕: ~ gravitation 〖物〗 만유 인력 / the ~ cause 조물주. ② 전세계의, 만국의, 전인류의, 만인(공통)의: ~ brotherhood 사해 동포(정신) / ~ salvation 전인류의 구제 / a ~ human weakness 인간 누구에게나 있는 약점. ③ 보편적인, 일반적인, 예외없이 적용되는: ~ rules 일반 법칙 / a ~ truth 보편적인 진리. ④ 세상 일반의, 누구나 다 (행)하는: a ~ practice 널리 행하여지고 있는 관습 / receive ~ applause 세상에서 널리 호평을 받다. ⑤ 만능의; 박식(博識)한: a book of ~ information 여러 가지 지식을 총망라한 책 / a ~ genius 만능의 천재. ⑥〖機〗 만능의, 자재(自在)의. ⑦〖論〗 전칭(全稱)의(opp *particular*): a ~ proposition 전칭 명제 / a ~ negative 전칭 부정.

uni·ver·sal·i·ty [jù:nəvə:rsǽləti] *n.* Ⓤ ① 보편(타당)성, 일반성. ② 다방면임〔성〕.

univérsal jóint 〔cóupling〕 〖機〗 자재 이음.

univérsal lánguage 세계(공통)어《에스페란

토 따위).

***uni·ver·sal·ly** [jù:nəvə́:rsəli] *ad.* 보편적〔일반적〕으로, 예외없이, 널리 : This explanation is not yet ~ accepted. 이 설명은 아직 보편적으로 널리 인정을 받지 못하고 있다.

Univérsal Póstal Ùnion (the ~) 만국 우편 연합(略 : UPU).

Univérsal Próduct Còde (the ~) 《美》 통일 상품 코드《슈퍼마켓 등에서 상품의 가격·종별 등을 전자 판독하기 위한 상품 코드; 略 : UPC》. cf. bar code.

univérsal súffrage 보통 선거권.

univérsal tìme 〖天〗 세계시(時)(略 : UT).

‡uni·verse [jú:nəvə̀:rs] *n.* ① (the ~) 우주, 만유(萬有), 만물, 삼라 만상 : They thought the earth was the center of *the* ~. 그들은 지구가 우주의 중심이라고 생각했다. ② (the ~) (전)세계, 전인류 : *The* whole ~ knows it. 세상에서 그걸 모르는 사람은 없다. ③ Ⓒ 분야, 영역.

‡uni·ver·si·ty [jù:nəvə́:rsəti] *n.* ① Ⓒ 대학(교) 《종합 대학; 미국에서는 대학원이 설치되어 있는 대학》: go to (a) ~ 대학에 가다〔다니다〕(★ 《英》에서는 흔히 무관사(無冠詞); 《美》에서는 go to the ~라고도 함; 일반적으로는 go to college). cf. college. ② (the ~) 〔集合的; 單·複數 취급〕 대학(교원·학생 등); 대학 당국 : *The* ~ has〔have〕 appointed a new professor of physics. 대학은 새로운 물리학교수를 임명했다. ③ Ⓒ 대학 선수단, 대학 팀. ── *a.* 〔限定的〕 대학의〔에 관계 있는〕: a ~ professor 〔student〕 대학 교수〔대학생〕/ a ~ scholarship 대학의 장학금.

‡un·just [ʌndʒʌ́st] (***more ~; most ~***) *a.* 부정한, 불의(불법)의, 부조리한; 불공평한, 부당한 : ~ enrichment 부당 이득 / ~ society 부조리한 사회 / an ~ trial 불공평한 재판 / It was ~ of them〔They were ~〕 not to hear my side of the story. 내쪽의 주장을 듣지 않다니 그들은 편파적이었다. ㊞ **~·ly** *ad.* **~·ness** *n.*

un·jus·ti·fi·a·ble [ʌndʒʌ́stəfàiəbəl] *a.* 정당하다고 인정할 수 없는, 변명할 수 없는 : What I had done was clearly ~. 내가 한 짓은 분명히 정당화될 수 없는 것이었다. ㊞ **-bly** *ad.*

un·jus·ti·fied [ʌndʒʌ́stəfaid] *a.* 부당한, 근거없는 : an ~ attack 부당한 공격.

un·kempt [ʌnkémpt] *a.* ① 단정하지 못한, 난잡한《복장 따위》: one's ~ appearance 단정치 못한 풍채. ② 빗질하지 않은, 텁수룩한《머리 따위》: ~ hair 흐트러진 머리(털). ㊞ **~·ness** *n.*

U

‡un·kind [ʌnkáind] (***more ~; most ~***) *a.* ① 불친절한, 몰인정한, 매정한, 냉혹한 : an ~ person 불친절한 사람 / a silly and ~ remark 양식없는 냉혹한 말 / It's very ~ of you to say that. = You're very ~ to say that. 그런 말을 하다니 자네도 너무하군. ② (날씨·기후 따위가) 지독한; 나쁜 : The weather proved ~. 날씨는 나빴다. ㊞ **~·ness** *n.*

un·kind·ly [ʌnkáindli] *ad.* 불친절하게; 몰인정하게 : look ~ at〔on〕 …에게 무서운 얼굴을 하다 / He took my remark ~. 그는 내 말을 나쁘게 받아들였다.

un·know·a·ble [ʌnnóuəbəl] *a.* 알 수 없는; 〖哲〗 불가지(不可知)의 : For him, God was wholly transcendent, ~. 그에게 있어 신(神)은 전적으로 초월적(超越的)인 불가지의 존재였다. ── *n.* ① Ⓒ 불가지물. ② (U-) 〖哲〗 절대, 제1 원인.

un·know·ing [ʌnnóuiŋ] *a.* 모르는, 알아채지 못하는. ㊞ **~·ly** *ad.* 모르고.

‡un·known [ʌnnóun] *a.* ① 알려지지 않은, 진기한, 미지의, 무명의 : an ~ region 사람에게 알려지지 않은 지역 / an ~ actress 무명의 여배우 / She wouldn't be alone with an ~ male visitor. 그녀는 알지 못하는 남자 방문객과 홀로 있지 않을 것이다. ② 알 수 없는, 분명하지 않은 : for some ~ reason 알 수 없는〔어떤〕 이유로. ③〖數〗 미지의 : an ~ quantity 미지수. ── *n.* ① Ⓒ 세상에 알려지지 않은 사람〔것〕, 무명인; 미지의 것. ② (the ~) 미지의 세계 : venture into *the* ~ 미지의 세계에 뛰어들다. ③〖數〗 미지수.

Únknown Sóldier 〔《英》 **Wárrior**〕 (the ~) 무명 용사《미국은 Arlington 국립 묘지에, 영국은 Westminster Abbey 에 묘가 있음》.

un·lace [ʌnléis] *vt.* (구두·코르셋 등)의 끈을 풀다〔늦추다〕.

un·lade [ʌnléid] *vt.* (배 등)에서 짐을 부리다.

un·latch [ʌnlǽtʃ] *vt.* …의 걸쇠〔죔쇠〕를 벗기다, 열다.

un·law·ful [ʌnlɔ́:fəl] *a.* ① 불법의, 비합법적인 : ~ measure 불법수단. ② 불의의, 패덕의. ㊞ **~·ly** *ad.* **~·ness** *n.*

un·lead·ed [ʌnlédid] *a.* 납(성분)을 제거한〔첨가하지 않은〕, 무연의 : ~ gasoline 무연 가솔린.

un·learn [ʌnlə́:rn] (*p., pp.* **~ed** [-d, -t], **~t** [-t]) *vt.* ① (배운 것)을 잊다(forget); 염두에서 없애다. ② (버릇·잘못 따위)를 버리다.

un·learn·ed[1] [ʌnlə́:rnid] *a.* ① **a**) 무식한, 교육을 받지 못한. **b**) (the ~) 〔名詞的; 複數취급〕 배우지 못한〔교육을 받지 못한〕 사람들. ② 〔敍述的〕 …에 숙달〔정통〕하지 못한(*in*) : He's ~ *in* politics. 그는 정치를 잘 모른다.

un·learned[2] [ʌnlə́:rnd, -t] *a.* 배운 것이 아닌; 배우지 않고 알고 있는.

un·leash [ʌnlí:ʃ] *vt.* ① …의 가죽끈을 풀다; …의 속박을 풀다; 해방하다 : ~ a hound 사냥개를 풀어주다. ② (…에게 감정·공격 따위)를 퍼붓다 (*on, upon*) : ~ one's temper 〔anger〕 *on* a person 아무에게 노여움을 폭발시키다.

un·leav·ened [ʌnlévənd] *a.* ① (빵이) 이스트를 넣지 않은. ② 〔敍述的〕 변화를〔영향을〕 받지 않은 (*by*) : a monotonous life ~ *by* any sort of amusement 오락 따위는 전혀 없는 단조로운 생활.

†un·less [ənlés] *conj.* …하지 않으면, …하지 않는 한, …한 경우 외에는 : I'll be there at six, ~ the train is late. 열차가 늦지 않으면 6시에 그곳에 가게 될 것이다 / We shall leave tomorrow ~ it rains. 비가 오지 않는 한 내일 떠난다 / He works late at night ~ (he's) too tired. 그는 지나치게 피곤하지 않으면 밤늦게까지 일한다 / *Unless* in uniform, he didn't look a policeman. 제복을 입지 않았으면 경찰관처럼 보이지는 않았었다.

> 語法 (1) 위의 마지막 두 예문에서처럼 unless 가 이끄는 부사절의 동사가 be 이고 그 주어가 주절(主節)의 주어와 일치할 때 부사절의 주어와 be 는 생략할 수 있음.
> (2) 보통 unless는 if... not으로 바꿀 수 있으나 가정법과 함께 쓰지는 못함. 따라서 If he had not helped me...의 뜻으로 *Unless* he had helped me...라고는 할 수 없음.
> (3) if, when 따위의 경우와 마찬가지로 부사절 중에서는 미래(완료)시제 대신 현재(완료)시제를 씀 : *Unless* he *has done* the work to my satisfaction, I shall not pay for it. 내가 만족할 만큼 일을 해놓지 않았으면 돈을 안 주겠다.

~ and until = UNTIL.

── *prep.* …을 제외하고(는), …외엔(except) :

Nothing, ~ a miracle, could save him. 기적이라도 없는 한 그는 살아날 수 없을 게다.

un·let·tered [ʌnlétərd] *a.* 배우지 못한, 무학〔문맹〕의, 일자무식의.

un·li·censed [ʌnláisənst] *a.* ① 무면허의, 감찰이 없는 : ~ driving 무면허 운전. ② 억제하지 못하는, 방종한 ; 무법의 : ~ lust〔mirth〕 억제할 수 없는 욕망〔웃음〕.

‡**un·like** [ʌnláik] (***more*** ~ ; ***most*** ~) *a.* 닮지〔같지〕 않은, 다른 : ~ signs 〖數〗 상이한 부호《+와 −》/ John was ~ his predecessor in every way. 존은 모든 면에서 그의 선임자와는 같지 않았다. ── *prep.* ① …을 닮지 않고 ; …와 달라서 : *Unlike* his father, he was no sissy. 아버지와 달리 그는 뱅충이는 아니었다. ② …답지 않게, …에게 어울리지 않게 : It is ~ him to be late. 시간에 늦다니 그 사람답지 않다 / It was ~ her to mention it. 그것을 말하다니 그녀답지 않았다. ㊕ ~·**ness** *n.*

un·like·ly** [ʌnláikli] (-li·er, more*** ~ ; ***-li·est, most*** ~) *a.* ① **a**) 있음직하지 않은, 정말같지 않은(improbable) : an ~ tale 믿기 어려운 이야기 / in the ~ event of 〔that〕... 만일 …인 경우에는. **b**) 〔敍述的〕 …할 것 같지 않은 : He is ~ to come. 그는 올것 같지가 않다 / It was ~ that he would win the race. 그가 레이스에서 이길 가망은 도무지 없었다. ② 가망 없는, 성공할 것 같지 않은 : an ~ enterprise 잘될 것 같지 않은〔전망이 흐린〕 기획 / Passage of the bill is ~. 그 법안은 통과될가망이없다. ③ 뜻밖의, 의외의. ㊕ **-li·hood, -li·ness** [-hùd], [-nis] *n.* Ⓤ 있을 법하지 않음《*of*》; 가망 없음.

***un·lim·it·ed** [ʌnlímitid] *a.* ① 한없는, 끝없는, 광대한 : an ~ expanse of sky 광대무변한 하늘. ② 제한없는, 무제한의 : ~ liabilitiy 〖商〗 무한 책임 / ~ company 무한 책임회사 / Our time is not ~. 우리들의 시간은 무제한이 아니다. ③ 월등히 큰, 과도한. ㊕ ~·**ly** *ad.* 무한히. ~·**ness** *n.*

un·lined[1] [ʌnláind] *a.* 안을 대지 않은.

un·lined[2] *a.* 선(線)이〔괘선이〕 없는 ; 주름이 없는《얼굴 따위》.

un·list·ed [ʌnlístid] *a.* ① 표면에 나와 있지 않은 ; (전화 번호부 따위에) 실려 있지 않은. ② 〖證〗 비상장(非上場)의 : ~ stock 비상장주(株).

un·lit [ʌnlít] *a.* 점화되지 않은 ; 불이 켜있지 않은.

***un·load** [ʌnlóud] *vt.* ① (배·차 따위)에서 짐을 부리다, …에서 짐을 풀다 : ~ a ship〔truck〕 배〔트럭〕에서 짐을 부리다 / We began to ~ the bricks from Philip's car. 우리는 필립의 차에서 벽돌을 부리기 시작했다. ②《+목+전+명》 **a**) …을 떠넘기다《*on, onto*》: He ~*ed* all that work *on* me. 그는 그 일을 전부 나에게 떠넘겼다. **b**) (걱정·고민·정보 따위)를 털어놓다《*on, onto*》: ~ one's heart's great burden 마음속의 무거운 짐을 덜다 / He wanted to ~ some of the anguish *onto* someone else. 그는 누군가 다른 사람에게 몇 가지 고민을 털어놓기를 원했다. ③ (총)에서 총알을 뽑다 ; (카메라)에서 필름을 빼내다. ── *vi.* ① 짐을 내리다〔풀다〕. ② 총알〔필름〕을 뽑다.

***un·lock** [ʌnlák / -lɔ́k] *vt.* ① 자물쇠를〔잠긴 것을〕 열다 : He ~*ed* the drawer and took out the money. 그는 잠긴 서랍을 열고 돈을 꺼냈다. ② (마음·비밀)을 털어놓다, 누설하다, 밝히다.

un·looked-for [ʌnlúktfɔ̀ːr] *a.* 예기〔뜻〕하지 않은(unexpected), 뜻밖의 : an ~ change in the weather 예기치 않은 날씨의 변화.

un·loose, un·loos·en [ʌnlúːs], [-ən] *vt.* …을 풀다, 늦추다 ; 풀어놓다(release), 해방하다.

un·lov·a·ble [ʌnlʌ́vəbəl] *a.* 귀엽지 않은, 애교가 없는 ; 곰살궂지 못한.

un·love·ly [ʌnlʌ́vli] *a.* 사랑스럽지 않은, 예쁘지 않은, 흉물스런, 추한 ; 불쾌한(unpleasant).

‡**un·lucky** [ʌnlʌ́ki] (***-luck·i·er*** ; ***-i·est***) *a.* ① 불운한, 불행한. ② 불길한, 재수없는 : an ~ day / 13 is a very ~ number. 13이란 수(數)는 매우 불길한 숫자이다. ③ 〔敍述的〕 (…에) 운이 없는〔다한〕; 잘 되지 않은, 성공 못 한《*in* ; *at*》: I'm ~ *at* cards. 카드놀이에 운이 없다〔자꾸 진다〕 / She was ~ *in* love. 그녀는 실연했다. ④ 공교로운, 계제가 나쁜 : in an ~ hour 공교롭게도.

㊕ **ùn·lúck·i·ly** *ad.* 불운〔불행〕하게도, 계제 나쁘게, 공교롭게도. **ùn·lúck·i·ness** *n.*

un·made [ʌnméid] UNMAKE 의 과거·과거분사. ── *a.* ① 만들어지지 않은. ② (침대가) 정돈되지 않은. ③ 파괴된.

un·make [ʌnméik] (*p., pp.* ***-made*** [-méid]) *vt.* ① …을 부수다, 파괴하다(destroy). ② …을 변형〔변질〕시키다. …의 지위를 빼앗다.

un·man [ʌnmǽn] (***-nn-***) *vt.* ① 〔종종 受動으로〕 …의 남자다움을 잃게 하다 ; …을 몹시 낙심케〔기죽게〕하다 : I *was unmanned* by the death of my father. 아버지의 죽음으로 크게 낙심했다. ② …을 거세하다.

un·man·age·a·ble [ʌnmǽnidʒəbəl] *a.* 다루기 힘든 ; 제어〔어거〕하기 어려운, 힘에 겨운 : an ~ horse 날뛰는 말 / an almost ~ economic crisis 거의 손을 쓸 수 없는 경제 위기〔공황〕.

un·man·ly [ʌnmǽnli] (***-li·er*** ; ***-li·est***) *a.* 남자답지 않은, 계집애 같은 ; 비겁한, 겁이 많은.

un·manned [ʌnmǽnd] *a.* 사람이 타지 않은 ; (인공 위성 등이) 무인 (조종)의 : an ~ spaceship 무인 우주선 / an ~ automatic wicket 무인 자동 개찰구.

un·man·ner·ly [ʌnmǽnərli] *a.* 버릇없는, 예의 「없는, 무무한.

un·marked [ʌnmάːrkt] *a.* ① 표시〔표지〕가 없는, 더러워지지 않은 : plain clothes police in an ~ car 표시없는 순찰차를 탄 평복의 경찰. ② 눈에 띄지〔알아채이지〕 않는 : go〔pass〕 ~ 눈치채이지 않고 지나가다. ③ 〖言〗 무표(無標)의. opp *marked.*

***un·mar·ried** [ʌnmǽrid] *a.* 미혼의, 독신의 : an ~ mother 미혼모(母).

un·mask [ʌnmǽsk, -mάːsk] *vt.* …의 가면을 벗기다 ; …의 정체를 폭로하다. ── *vi.* 가면을 벗다.

un·matched [ʌnmǽtʃt] *a.* ① 비길〔견줄〕 데 없는 ; 무적의. ② 균형이 맞지 않는, 부조화의.

un·mean·ing [ʌnmíːniŋ] *a.* ① 무의미한, 부질없는. ② 무표정한, 지적(知的)이 아닌.

un·meas·ured [ʌnméʒərd] *a.* ① 잴 수 없는 ; 측정되지 않은. ② 끝없는, 무한한.

un·men·tion·a·ble [ʌnménʃənəbəl] *a.* (지나치게 충격적이거나 천박하여) 입에 담을 수 없는 : an ~ word. ── *n.* ① 입에 담기조차 꺼리는 것〔사람〕. ② (*pl.*) 《戱》 속옷(underwears).

un·mer·ci·ful [ʌnmə́ːrsifəl] *a.* 무자비〔무정, 잔혹〕한 ; 심한, 엄청난 : make ~ demands on a person's time〔money〕 엄청난 시간〔돈〕이 들다. ㊕ ~·**ly** *ad.* ~·**ness** *n.*

un·mind·ful [ʌnmáindfəl] *a.* 〔敍述的〕 (…을) 마음에 두지 않는 ; 무심한, 부주의한, 무관심한 (regardless)《*of*》: He read on, ~ *of* the time. 그는 시간을 잊고 계속 읽었다. ㊕ ~·**ly** *ad.*

***un·mis·tak·a·ble** [ʌ̀nmistéikəbəl] *a.* 명백한, 틀림없는 : the ~ stench of rotting eggs 틀림없는 달걀 썩는 악취. ㊕ **-bly** *ad.* 틀림없이, 명백히 : He was *unmistakably* of Italian descent. 그는 명백히 이탈리아계 혈통이었다.

un·mit·i·gat·ed [ʌnmítəgèitid] *a.* 〔限定的〕 ① 누그러지지 않은, 경감되지 않은 : long years of ~ suffering 조금도 누그러지지 않는 고통의 긴 세월. ② 순전한, 완전한 : an ~ lie 새빨간 거짓말 / an ~ villain 영락없는 악당.

un·mixed [ʌnmíkst] *a.* 섞인 것이 없는, 순수한.

un·mo·lest·ed [ʌ̀nməléstid] *a.* 방해되지〔시달리지〕 않은, 괴로움을 당하지 않은 : Indeed, he could pursue his studies ~. 실제로 그는 지장없이 자신의 연구를 계속할 수 있었다.

un·moor [ʌnmúər] *vt.* 〖海〗 …의 닻을 올리다, 매었던 밧줄을 끄르다 ; 외닻으로 정박하다《쌍닻 정박 때 한쪽 닻을 올리고》.

un·mor·al [ʌnmɔ́(:)rəl, -már-] *a.* 초도덕적인 (amoral) ; 도덕과 관계 없는(nonmoral).

***un·moved** [ʌnmú:vd] *a.* ① 확고한《결심 따위》. ② 〔敍述的〕 마음이 흔들리지 않는, 냉정한, 태연한 : No one can remain ~ by this music. 이 음악에 감동되지 않는 사람은 아무도 없다.

un·mu·si·cal [ʌnmjú:zikəl] *a.* ① 비음악적인, 귀에 거슬리는. ② 음악을 모르는, 음악적 소양이 없는. ㊕ **~·ly** *ad.* **~·ness** *n.*

un·muz·zle [ʌnmʌ́zəl] *vt.* ① (개 등)의 부리망을 벗기다. ② …에게 언론의 자유를 주다 : ~ the press 신문에 보도의 자유를 주다.

un·named [ʌnnéimd] *a.* ① 이름 없는, 무명의. ② 이름이 공표되지〔밝혀지지〕 않는, 이름을 숨긴.

‡un·nat·u·ral [ʌnnǽtʃərəl] (*more* ~ ; *most* ~) *a.* ① **a)** 부자연스러운, 이상한 : the house's ~ silence 그 집의 이상할 정도의 고요 / die an ~ death 횡사〔변사〕를 하다. **b)** 변태적인, 기괴한. ② 인정에 반(反)하는, 인도(人道)에 어긋나는 ; 몰인정〔잔인〕한 : an ~ crime 극악무도한 범죄. ③ 일부러 꾸민 듯한, 짐짓 뺀 : an ~ smile 억지 웃음 / Her voice was a little ~. 그녀의 목소리는 어딘가 좀 어색했다. ㊕ **~·ness** *n.*

un·nat·u·ral·ly [-rəli] *ad.* ① 부자연스럽게 ; 이상하게 : an ~ large hand 비정상적으로 큰 손. ② 인정에 어긋나게. ***not*** ~ 당연한 일이지만 : His behavior had *not* ~ flustered her. 당연한 일이지만 그의 행동은 그녀를 당황케 했다.

‡un·nec·es·sary [ʌnnésəsèri / -səri] *a.* 불필요한, 쓸데없는, 무용의 ; 무익한(useless) : I will not cause you any ~ trouble. 당신에게 괜한 폐를 끼치고 싶지 않다.
㊕ **un·nec·es·sar·i·ly** [ʌnnèsəsérəli, ʌnnésəsè-] *ad.* 불필요하게, 헛되이.

un·nerve [ʌnnə́:rv] *vt.* ① …의 기력을〔용기를〕 잃게 하다. ② (사람)을 겁나게 하다 ; 당황하게 하다 ; 깜짝 놀라게 하다.

***un·no·ticed** [ʌnnóutist] *a.* 주목되지 않는, 주의를 끌지 않는, 무시된, 남의 눈에 띄지 않는 ; 알아채이지 않는 : We tried to get into the room ~. 우리는 눈에 띄지 않게 방에 들어가려고 했다.

un·num·bered [ʌnnʌ́mbərd] *a.* ① 헤아릴 수 없는, 무수한. ② (도로·페이지 등) 번호가 없는.

un·ob·served [ʌ̀nəbzə́:rvd] *a.* ① 눈치채이지 않는, 주목받지 않는 : She was able to slip past the guard ~. 그녀는 경비원에게 들키지 않고 살짝 빠져나갈 수 있었다. ② 지켜지지 않는《규칙 따위》 : a largely ~ traffic law 대부분 지켜지지 않는 도로 교통법.

un·ob·tain·a·ble [ʌ̀nəbtéinəbəl] *a.* 얻기〔입수하기〕 어려운.

un·ob·tru·sive [ʌ̀nəbtrú:siv] *a.* 주제넘지 않는, 중뿔나지 않는(modest), 겸손한, 삼가는 ; 남의 눈에 띄지 않는. ㊕ **~·ly** *ad.* **~·ness** *n.*

***un·oc·cu·pied** [ʌnákjəpàid / -ɔ́k-] *a.* ① (집·토지 따위가) 임자 없는, 사람이 살고 있지 않는 ; 점유(占有)되어 있지 않은 : ~ seat 빈 자리 / ~ ground 공한지(空閑地) / The house was left ~ for fifteen years. 그 집은 15년 동안이나 빈집으로 남아 있었다. ② 일을 하고 있지 않는(disengaged), 할 일이 없는, 한가한 : in my ~ hours = when I am ~ 한가한 때에.

***un·of·fi·cial** [ʌ̀nəfíʃəl] *a.* ① 비공식적인 ; 미확인의 : an ~ report 미확인 보도 / an ~ meeting 비공식 회합. ② 공인되지 않은《기록 따위》, (파업이) 조합 승인을 얻지 않은 : an ~ strike 비공인 파업. ㊕ **~·ly** [-ʃəli] *ad.*

un·opened [ʌnóupənd] *a.* 열려 있지 않은 ; 개방되지 않은 ; 개봉되지 않은 : an ~ letter.

un·or·gan·ized [ʌnɔ́:rgənàizd] *a.* ① 조직되(어 있)지 않은, 미조직〔편성〕의. ② 노동 조합에 가입하지 않은, 조직이 없는《노동자 등》.

un·or·tho·dox [ʌnɔ́:rθədàks / -dɔ̀ks] *a.* 정통이 아닌 ; 이단(異端)의.

un·pack [ʌnpǽk] *vt.* (꾸러미·짐)을 풀다, 끄르다 ; (속에 든 것)을 꺼내다 ; …에서 짐을 부리다〔내리다〕 : ~ a trunk 트렁크를 열다 / ~ a suitcase 여행가방을 열어 속에 든 것을 꺼내다.
— *vi.* 꾸러미를〔짐을〕 풀다.

un·paid [ʌnpéid] *a.* ① 지급되지 않은《빚 따위》, 미납의. ② 무급의, 무보수의 : ~ leave 무급휴가.

un·pal·at·a·ble [ʌnpǽlətəbəl] *a.* ① (음식 따위가) 입에 맞지 않는, 맛없는 : an ~ breakfast 맛없는 아침식사. ② (생각 따위가) 받아들이기 힘든, 불쾌한, 싫은 : the ~ truth 받아들이기 어려운 진실. ㊕ **-bly** *ad.*

un·par·al·leled [ʌnpǽrəlèld] *a.* 비할〔견줄〕 데 없는, 무비(無比)의 ; 전대 미문의, 미증유의 : an ~ achievement 공전(空前)의 위업.

un·par·don·a·ble [ʌnpá:rdənəbəl] *a.* 용서할 수 없는 : an ~ affront 용서할 수 없는 모욕 / Such attacks were utterly ~. 그러한 공격들은 전적으로 용서할 수 없는 것이었다. ㊕ **-bly** *ad.*

un·par·lia·men·ta·ry [ʌ̀npɑ:rləméntəri] *a.* 국회법에 어긋나는〔의하지 않는〕, 국회내에서는 허용되지 않는 : ~ language 무례한 말 ; 욕설.

un·pa·tri·ot·ic [ʌ̀npeitriátik / -pætriɔ́t-] *a.* 비애국적인, 애국심이 없는. ㊕ **-i·cal·ly** [-əli] *ad.*

un·per·son [ʌ́npə̀:rsən] *n.* Ⓒ (정치적·사상적으로) 존재를 완전히 무시당한 사람, 실각한〔좌천된〕 사람, 과거의 사람.

un·per·turbed [ʌ̀npərtə́:rbd] *a.* 흐트러지지 않은, 평정을 잃지 않은, 침착한(calm).

un·pick [ʌnpík] *vt.* (옷의 솔기 따위)를 뜯어풀다.

un·pin [ʌnpín] (**-nn-**) *vt.* …의 핀을 뽑다 ; 핀을 뽑아 벗기다〔열다〕 ; 고정 못을 빼다 : She ~*ned* her hair before going to bed. 그녀는 잠자리에 들기 전에 머리의 핀을 뽑았다.

un·placed [ʌnpléist] *a.* (경마·경기에서) 등외의, 3등 안에 들지 않는.

un·play·a·ble [ʌnpléiəbəl] *a.* play 할 수 없는 ; 연주할 수 없는 ; (운동장 등이) 경기할 수 없는.

‡un·pleas·ant [ʌnplézənt] (*more* ~ ; *most* ~) *a.* ① 불쾌한, 싫은 : an ~ noise / The smell was ~. 냄새가 불쾌했다. ② **a)** 짓궂은, 불친절한. **b)** 〔敍述的〕 짓궂은, 고약하게 구는《*to* ; *with*》 : He's very ~ *to* his employees. 그는 고용인에 대해 매우 짓궂다. ㊕ **~·ly** *ad.*

un·pleas·ant·ness [ʌnplézəntnis] *n.* ① Ⓤ 불쾌(감). ② Ⓒ 불쾌한 일〔사건·경험·관계〕 ; 불화, 다툼 : have a slight ~ *with* …와 사이가 조금 나쁘다.

un·plug [ʌnplʌ́g] (**-gg-**) *vt.* …의 마개를 뽑다 ; 〖電〗 플러그를 뽑다.

un·plumbed [ʌnplʌ́md] *a.* 측연(測鉛)으로 잴 수 없는; 깊이를 모르는.

un·po·lit·i·cal [ʌ̀npəlítikəl] *a.* 정치에 관심이 없는〔관계치 않는〕.

un·pol·lut·ed [ʌ̀npəlú:tid] *a.* 오염되지〔돼 있지〕 않은; 청정한.

***un·pop·u·lar** [ʌnpɑ́pjələr / -pɔ́p-] *a.* 인기없는; 평판이 나쁜, 유행하지 않는: an ~ minister 인기없는 장관 / He's ~ with his fellow workers. 그는 동료 일꾼들 사이에 평판이 나쁘다. [파] ~·ly *ad.* **ùn·pop·u·lár·i·ty** [-lǽrəti] *n.* [U] 평판이 나쁨, 인기가 없음.

un·prac·ti·cal [ʌnprǽktikəl] *a.* 비실용적인; (아무가) 실제적인 기능이 없는, 실무적이 아닌.

un·prac·ticed, 《英》 **-tised** [ʌnprǽktist] *a.* ① 미숙한, 서투른: with an ~ hand 서투른 솜씨로. ② 실행되지 않은.

***un·prec·e·dent·ed** [ʌnprésədèntid] *a.* ① 선례〔전례〕가 없는, 미증유(未曾有)의, 공전(空前)의: a period of ~ wealth and prosperity 이제까지 없던 부(富)와 번영의 시기. ② 신기한(novel), 새로운. [파] ~·ly *ad.* 선례〔전례〕없이: in ~*ly* long period 전례없이 오랜 기간. ~·ness *n.*

un·pre·dict·a·ble [ʌ̀npridíktəbəl] *a.* 예언〔예측〕할 수 없는: The weather here is totally ~. 이곳 날씨는 전혀 예상할 수가 없다. [파] **-bly** *ad.*

un·prej·u·diced [ʌnprédʒədist] *a.* 편견이 없는, 선입관이 없는, 공평한(impartial).

un·pre·med·i·tat·ed [ʌ̀nprimédətèitid] *a.* 미리 계획되지 않은, 고의〔계획〕적이 아닌; 우연한: ~ homicide 과실 치사(죄).

***un·pre·pared** [ʌ̀npripέərd] *a.* ① 준비가 없는, 즉석의: an ~ speech. ② 준비〔각오〕가 되어 있지 않은: We were pushed into battle ~. 우리는 준비도 돼 있지 않은 채 전쟁터로 내몰렸다 / I was ~ to answer. 대답할 준비가 돼 있지 않았다.

un·pre·pos·sess·ing [ʌ̀npri:pəzésiŋ] *a.* 호감을 주지 못하는, 매력이 없는: He was externally very ~. 그는 외견상으로는 전혀 호감을 주지 못했다.

un·pre·ten·tious [ʌ̀npriténʃəs] *a.* 허세부리지 않는, 겸손한. [파] ~·ly *ad.* ~·ness *n.*

un·prin·ci·pled [ʌnprínsəpəld] *a.* 절조가 없는; 부도덕한; 파렴치한, 방종한. [파] ~·ness *n.*

un·print·a·ble [ʌnpríntəbəl] *a.* (문장·그림 등이) 인쇄하기에 적당치 않은《외설 따위로》.

un·pro·duc·tive [ʌ̀nprədʌ́ktiv] *a.* 비생산적인; 산출물이 없는; 수익이 없는(unprofitable); 결과가 헛된. [파] ~·ly *ad.* ~·ness *n.*

un·pro·fes·sion·al [ʌ̀nprəféʃənəl] *a.* ① 전문가가 아닌, 본직이 아닌, 비직업적인. ② 직업상의 윤리〔습관〕에 어긋나는: indiscreet and ~ conduct 경솔하고 직업상의 윤리에 어긋나는 행위.

***un·prof·it·a·ble** [ʌnprɑ́fitəbəl / -prɔ́f-] *a.* 이익 없는, 수지 안 맞는; 무익한, 헛된, 불리한.

un·prom·is·ing [ʌnprɑ́məsiŋ / -prɔ́m-] *a.* 가망〔장래성〕이 없는, 유망하지 않은.

un·prompt·ed [ʌnprɑ́m*p*tid / -prɔ́m*p*t-] *a.* (행동·대답 따위가) 남의 재촉〔요청〕을 받은 것이 아닌; 자발적인.

un·pro·nounce·a·ble [ʌ̀nprənáunsəbəl] *a.* 발음할 수 없는, 발음하기 어려운.

un·pro·tect·ed [ʌ̀nprətéktid] *a.* ① 보호(자)가 없는: an ~ orphan 보호자가 없는 고아. ② 무방비의; 장갑(裝甲)되어 있지 않은: Beware of the sun beating on ~ fair skin. 무방비의 고운 살결에 내리쬐는 햇볕을 조심하시오. ③ (산업 따위가) 관세 보호를 받지 않는.

un·pro·voked [ʌ̀nprəvóukt] *a.* 자극〔도발〕되지 않은; 정당한 이유가〔동기가, 유인이〕 없는: ~ anger 이유없는 분노 / casual and ~ violence 우연한 이유없는 폭력.

un·pub·lished [ʌnpʌ́bliʃt] *a.* ① 공개되(어 있)지 않은, 숨은. ② 미출판〔미간행〕의: an ~ work (저작권법에서) 미공표 저작물.

un·punc·tu·al [ʌnpʌ́ŋktʃuəl] *a.* 시간〔기일, 약속〕을 지키지 않는, 차근하지 못한.

un·pun·ished [ʌnpʌ́niʃt] *a.* 벌받지 않은, 처벌되지 않은, 형벌을 면한: On this occasion the guilty should go ~. 이 경우 그 죄는 마땅히 처벌받지 말아야 할 것이다.

un·put·down·a·ble [ʌ̀nputdáunəbəl] *a.* 《口》 (책이) 재미있어 읽기를 그만둘 수 없는.

un·qual·i·fied [ʌnkwɑ́ləfàid / -kwɔ́l-] *a.* ① 자격이 없는, 무자격의; (…에) 부적당한, 적임이 아닌《*for; to* do》: an ~ practitioner 무자격 개업의(開業醫) / be ~ *for* the job 그 일엔 적임이 아니다. ② 무제한의, 무조건의: ~ praise 무조건의 칭찬 / I gave my ~ assent. 무조건으로 찬성했다.

un·quench·a·ble [ʌnkwéntʃəbəl] *a.* 끌 수 없는; (욕망 따위를) 누를 수 없는.

***un·ques·tion·a·ble** [ʌnkwéstʃənəbəl] *a.* ① 의심할 바 없는, 논의할 여지 없는, 확실한: These are ~ facts. 이것들은 의심할 여지없는 사실들이다. ② 나무랄〔험잡을〕 데 없는. [파] ***-bly** *ad.*

un·ques·tioned [ʌnkwéstʃənd] *a.* ① 문제되지 않는, 의심되지 않는(undoubted); 의문의〔의심할〕 여지가 없는, 틀림없는: an ~ masterpiece 확실한 걸작 / a system in which obedience and fortitude were ~ virtues 복종과 인내가 말할 여지없는 덕목이었던 조직. ② 조사〔심문〕받지 않는.

un·ques·tion·ing [ʌnkwéstʃəniŋ] *a.* ① 질문하지 않는. ② 의심하지 않는; 절대적인.

un·qui·et [ʌnkwáiət] *a.* 동요하는, 불온한; 침착하지 못한, 설레는, 불안한.

un·quote [ʌnkwóut] *vi.* 인용을 끝내다《다음 같은 독립용법이 보통》: Mr. Smith said quote I will not run for governor ~. 스미스씨는 '나는 지사에 입후보하지 않는다'고 말하였다.

un·rav·el [ʌnrǽvəl] (*-l-,* 《英》 *-ll-*) *vt.* (엉클어진 실, 짠 것 등)을 풀다; (의문·사태 따위)를 해명하다; 해결하다: ~ a sweater 스웨터를 풀다 / ~ a mystery 수수께끼를 풀다.
— *vi.* 풀어지다; 해명되다, 명백해지다.

un·read [ʌnréd] *a.* 읽혀지지 않는《책 따위》; 책을 읽지 않은, 무식한, 문맹의《*in*》.

un·read·a·ble [ʌnrí:dəbəl] *a.* ① 읽어서 재미없는; 읽을 가치가 없는. ② 판독하기 어려운; 읽기 어려운.

un·ready [ʌnrédi] *a.* ①〔敍述的〕 준비가 없는〔돼 있지 않은〕(unprepared)《*for; to* do》: This machine is still ~ *for* use. 이 기계는 아직 사용할 준비가 안 돼 있다. ② 민첩하지 않은, 재빨리 머리가 돌지 않는, 느린.

***un·re·al** [ʌnrí:əl] *a.* ① 실재하지 않는, 가공의, 비현실적인: an ~ world 상상의 세계. ② 진실이 아닌, 거짓의, 부자연스러운: ~ propaganda serving as news 뉴스가 된 과대 선전. ③ 《美俗》 믿을 수 없는, 놀라운.

un·re·al·is·tic [ʌ̀nri:əlístik] *a.* 비현실적인; 비현실주의의: This demand proved ~ and unworkable. 이 요구는 비현실적이고 실행할 수 없음을 알았다. [파] **-ti·cal·ly** *ad.*

un·re·al·i·ty [ʌ̀nri:ǽləti] *n.* ① [U] 비현실(성). ② [C] 실재하지 않는 것, 허구.

un·re·al·ized [ʌnrí:əlàizd] *a.* ① 실현〔달성〕되지 않은. ② 인식〔이해〕되지 않은, 알려지지 않은.

:un·rea·son·a·ble [ʌnríːzənəbəl] *a.* ① 비합리적인 ; 이치에 맞지 않는, 불합리한 : The request didn't seem ~. 그 요구는 불합리해 보이지 않았다. ② (값 따위가) 터무니없는, 부당한 : ~ demands 무리한 요구. ㊎ **-bly** *ad.* ~·**ness** *n.*

un·rea·son·ing [ʌnríːzəniŋ] *a.* 이성적으로 생각하지 않는 ; 사리를 모르는, 생각이 없는 ; 불합리한 : be roused to ~ fury 앞뒤 분별도 못할 정도의 분노에 이끌리다. ㊎ ~·**ly** *ad.*

un·rec·og·niz·a·ble [ʌnrékəgnàizəbəl] *a.* ① 인지(승인)할 수 없는. ② 분간(식별)을 할 수 없는 : His voice was almost ~. 그의 목소리는 거의 식별할 수 없었다.

un·rec·og·nized [ʌnrékəgnàizd] *a.* ① 인식(승인)되지 않은, 인정(평가)받지 못한. ② (누구라고) 분간(식별)되(어 있)지 않은.

un·re·cord·ed [ʌnrikɔ́ːrdid] *a.* 등록되어 있지 않은, 기록에 실리지 않은.

un·reel [ʌnríːl] *vt.* (얼레에 감은 것)을 풀다 ; 펴다 ; 펼치다. ── *vi.* (감긴 것이) 풀리다 ; 펼쳐지다.

un·re·fined [ʌnrifáind] *a.* ① (말·행동이) 세련되지 않은, 촌스러운 : Refined girls are often drawn to ~ men. 세련된 아가씨들이 세련되지 못한 남자들에게 끌리는 일이 종종 있다. ② 정제(정련) 되지 않은 : ~ sugar 정제되지 않은 설탕.

un·re·gard·ed [ʌnrigáːrdid] *a.* 주의되지 않는, 돌보아지지 않는, 무시된.

un·re·gen·er·ate [ʌnridʒénərit] *a.* (정신적으로) 갱생하지 못한 ; 죄 많은 ; 사악한 : an ~ sinner 구제할 수 없는 죄인.

un·re·lat·ed [ʌnriléitid] *a.* 관련이(관계) 없는 ; 친족(혈연)이 아닌《*to*》: a series of ~ incidents 상호 관련이 없는 일련의 사건.

un·re·lent·ing [ʌnriléntiŋ] *a.* ① 용서(가차) 없는, 엄한, 무자비한, 단호한 : He's ~ in handling his men. 그는 부하를 다루는 데 엄하다. ② (속도·노력·세력 등이) 끝까지 변함없는, 느즈러짐이 없는 ; 끊임없는 : ~ effort 불굴의 노력 / ~ mental pressure 끊임없는 정신적 압박. ㊎ ~·**ly** *ad.*

***un·re·li·a·ble** [ʌnriláiəbəl] *a.* 신뢰할(믿을) 수 없는, 의지할 수 없는 : an ~ second-hand car 믿을 수 없는 중고차 / a thoroughly ~ man 전혀 신뢰할 수 없는 사람. ㊎ **-bly** *ad.*

un·re·lieved [ʌnrilíːvd] *a.* ① 구제(경감, 완화)되지 않은. ② 변화 없는, 단조로운 : a broad plain ~ by the smallest hill 작은 언덕 하나 없는 광대한 평원.

un·re·li·gious [ʌnrilídʒəs] *a.* 종교와 관계 없는, 비종교적인 ; =IRRELIGIOUS.

un·re·mark·a·ble [ʌnrimáːrkəbl] *a.* 주의를 끌지 않는, 눈에 띄지 않는, 알아(눈치)채이지 않는 : She entered the room ~. 그녀는 누구에게도 들키지 않고 방에 들어갔다.

un·re·mit·ting [ʌnrimítiŋ] *a.* 간단 없는, 끊임(그칠 새) 없는 ; 끈질긴. ㊎ ~·**ly** *ad.*

un·re·pent·ant [ʌnripéntənt] *a.* 후회하지(뉘우치지) 않는 ; 완고한, 고집센.

un·rep·re·sent·a·tive [ʌnrèprizéntətiv] *a.* 대표되지 않는, 전형적이 아닌.

un·re·quit·ed [ʌnrikwáitid] *a.* ① (사랑이) 보답이 없는 ; 보수가 없는 ; 일방적인 : the miseries of ~ love 짝사랑의 고통 / an ~ labor 무료 봉사. ② 보복되지 않는.

un·re·served [ʌnrizɔ́ːrvd] *a.* ① 거리낌없는, 숨김없는, 솔직한 : He is ~ in manner. 그는 태도가 솔직하다. ② 제한이 없는, 무조건의, 충분한, 전적인 : express one's ~ approval 전적으로 찬성이라고 말하다. ③ 예약되지 않은《좌석 따위》. ㊎ **-sérv·ed·ly** [-vidli] *ad.*

un·re·spon·sive [ʌnrispánsiv / -pɔ́n-] *a.* 반응이 느린, (…에) 둔감한《*to*》.

***un·rest** [ʌnrést] *n.* Ⓤ (특히 사회적인) 불안, 불온(한 상태) ; 걱정 : social ~ 사회 불안.

un·re·strained [ʌnristréind] *a.* 억제(제어)되지 않은, 무제한의 : ~ anger 억제할 수 없는 분노 / the dangers of ~ growth 무제한 성장의 위험성. ㊎ **-stráin·ed·ly** [-nidli] *ad.* 억제되지 않고, 자유롭게.

un·re·strict·ed [ʌnristríktid] *a.* 제한(구속) 없는, 무제한의, 자유로운.

un·re·ward·ed [ʌnriwɔ́ːrdid] *a.* 보수(보답) 없는, 무보수의, 무상의 : His effort was ~. 그의 노력은 성과가 없었다.

un·re·ward·ing [ʌnriwɔ́ːrdiŋ] *a.* 하는 보람이 없는 : an ~ task 보람없는 일.

un·right·eous [ʌnráitʃəs] *a.* ① 불의(不義)의, 죄가 많은, 사악한. ② 공정하지 않은, 부당한, 그릇된. ㊎ ~·**ly** *ad.* ~·**ness** *n.*

un·rip [ʌnríp] (*-pp-*) *vt.* ① …을 절개하다, 잘라버리다. ② (솔기)를 잡아 찢다(뜯다).

un·ripe [ʌnráip] *a.* 익지 않은, 미숙한 ; 생것의.

***un·ri·valed,** 《英》 **-valled** [ʌnráivəld] *a.* 경쟁 상대가 없는, 무적의, 비할 데 없는.

***un·roll** [ʌnróul] *vt.* ① (만(감은) 것)을 풀다, 펴다, 펼치다 : ~ a map (둘둘 말린) 지도를 펼치다. ② 전개하다. ── *vi.* ① (만(감은) 것이) 풀리다, 펴지다. ② (풍경·시야 따위가) 전개되다, 펼쳐지다 : The landscape ~*ed* under the speeding plane. 경치가 날아가는 비행기 아래에 펼쳐졌다.

un·ruf·fled [ʌnrʌ́fəld] *a.* ① 조용한, 냉정한 : ~ waters 잔잔한 바다 / remain ~ 당황하지 않다, 침착을 잃지 않고 있다. ② 주름이 잡히지 않은.

un·ru·ly [ʌnrúːli] (*-ru·li·er* ; *-li·est*) *a.* ① 감당할 수 없는, 남의 말을 듣지 않는, 제멋대로의 : the ~ member ⇨MEMBER. ② (머리털 따위가) 흐트러지기 쉬운. ㊎ **ùnrú·li·ness** *n.*

UNRWA [ʌ́nrə, -rɑː] United Nations Relief and Works Agency(국제연합 난민 구제 기구).

un·sad·dle [ʌnsǽdl] *vt.* ① (말 따위)의 안장을 벗기다. ② (사람)을 안장에서 떨어뜨리다. ── *vi.* 말의 안장을 벗기다.

***un·safe** [ʌnséif] *a.* 안전하지 않은, 위험한.

un·said [ʌnséd] UNSAY의 과거·과거분사. ── *a.* 〔敍述的〕 말하지 않은, 입 밖에 내지 않은 : There was a lot that went ~. 말하지 않은 것이 많이 있었다 / Better(=You'd better) leave it ~. 그것은 말하지 않고 두는 것이 좋다.

un·sal·a·ble [ʌnséiləbəl] *a.* 팔 것이 못되는 ; 팔리지 않는.

un·san·i·tary [ʌnsǽnətèri / -təri] *a.* 비위생적인 ; 불결한.

un·sat·is·fac·to·ry** [ʌnsætisfǽktəri] (more** ~ ; **most*** ~) *a.* 마음에 차지 않는, 불충분한 (inadequate) : an ~ salary 만족스럽지 못한 급료. ㊎ **-ri·ly** *ad.*

un·sat·is·fied [ʌnsǽtisfàid] *a.* 불만스러운.

un·sat·is·fy·ing [ʌnsǽtisfàiiŋ] *a.* 만족시키지 못하는, 만족(충족)감을 주지 않는.

un·sa·vory, 《英》 **-voury** [ʌnséivəri] *a.* ① 고약한 냄새가 나는 ; 맛없는, 맛이(냄새가) 좋지 않은 : an ~ meal 맛없는 식사. ② (도덕적·사회적으로) 불미스러운 : an ~ past(reputation)좋지 않은 과거(평판).

un·say [ʌnséi] (*p., pp.* **-said** [-séd]) *vt.* (먼저 한 말)을 취소(철회)하다.

UNSC United Nations Security Council (유엔 안전 보장 이사회 ; [ʌ́nsk]로도 읽음).

un·scathed [ʌnskéiðd] *a.* (육체적·도덕적으로) 상처를 입지 않는, 상처가 없는, 다치지 않은 : We all escaped ~. 우리는 모두 무사히 탈출했다.

un·sched·uled [ʌnskédʒu:ld / -ʃédu:ld] *a.* 예정〔계획, 일정〕에 없는, 예정 밖의, 임시의.

un·schooled [ʌnskú:ld] *a.* 정식 교육〔훈련〕을 받지 않은 ; (…의) 경험이 없는《*in*》: She's ~ *in* the way of the world. 그녀는 세상물정을 모른다.

un·sci·en·tif·ic [ʌnsaiəntífik] *a.* 비과학적인 : an ~ method 비과학적인 방법.
㊕ **-i·cal·ly** *ad.*

un·scram·ble [ʌnskrǽmbəl] *vt.* ① (흐트러진 것)을 제대로 해놓다. ② (암호)를 해독하다.

un·screw [ʌnskrú:] *vt.* …의 나사를 돌려서 빼다 ; (병마개 등)을 돌려서 빼다〔열다〕: ~ a light bulb 전구를 돌려서 빼다.

un·script·ed [ʌnskríptid] *a.* (방송·연설 따위에서) 대본〔원고〕에 없는, 즉흥의.

***un·scru·pu·lous** [ʌnskrú:pjələs] *a.* 양심적이 아닌, 부도덕한 ; 무절조한.
㊕ **~·ly** *ad.* **~·ness** *n.*

un·seal [ʌnsí:l] *vt.* …을 개봉하다 ; (봉인한 것·닫힌 것)을 열다 ; (입)을 열게 하다 : ~ one's lips 입을 열다, 비밀을 털어놓다.

un·sea·son·a·ble [ʌnsí:zənəbəl] *a.* ① 철 아닌, (기후가) 불순한 : an ~ typhoon 철 아닌 태풍 / ~ weather 불순한 날씨. ② 시기가 나쁜, 계제 나쁜. ㊕ **-bly** *ad.* **~·ness** *n.*

un·sea·soned [ʌnsí:zənd] *a.* ① 양념을〔조미를〕 하지 않은. ② (재목이) 잘 마르지 않은 : ~ wood 생나무. ③ 경험 부족인, 익숙지 않은.

un·seat [ʌnsí:t] *vt.* ① …을 말등에서 떨어뜨리다. ② (선거 등에서 의원)의 의석을 빼앗다, 낙선시키다 : He was ~*ed* at the general election. 그는 총선에서 낙선했다.

un·seed·ed [ʌnsí:did] *a.* (선수가) 시드되지 않은.

un·see·ing [ʌnsí:iŋ] *a.* ① 잘 보(고 있)지 않는 ; 《특히》 보려고 하지 않는 : She was gazing with ~ eyes at the harbor. 그녀는 멍하니 항구를 응시하고 있었다. ② 눈이 보이지 않는.

un·seem·ly [ʌnsí:mli] *a.* ① 모양이〔보기〕 흉한, 꼴사나운 : ~ behavior 꼴불견의 행동. ② 어울리지 않는 : behave in a most ~ way 장소를 가리지 않고 행동하다. ── *ad.* 꼴사납게, 보기 흉하게 ; 부적당하게. ㊕ **-li·ness** *n.*

***un·seen** [ʌnsí:n] *a.* ① (눈에) 안 보이는 : the ~ hand of God 눈에 보이지 않는 신(神)의 손 / ~ dangers around us 우리 주위의 눈에 보이지 않는 위험. ② (과제·악보 등) 처음 보는〔대하는〕; 즉석에서 하는. ── *n.* ① (the ~) 보이지 않는 것 ; 영계(靈界). ② Ⓒ 《英》 즉석 번역 과제.

***un·self·ish** [ʌnsélfiʃ] *a.* 이기적이 아닌, 욕심〔사심〕이 없는 : from ~ motives 사심없는 동기에서. ㊕ **~·ly** *ad.* **~·ness** *n.*

un·ser·vice·a·ble [ʌnsə́:*r*visəbəl] *a.* 도움이 안 되는, 쓸모〔소용〕없는, 실용적이 아닌, 무용의.

un·set·tle [ʌnsétl] *vt.* ① **a**) …을 어지럽히다, 동요시키다 : Violence ~*d* the government. 폭동으로 정부는 동요했다. **b**) …의 마음을 어지럽히다, 침착성을 잃게 하다, 불안하게 하다. ② (위의) 상태를 고장나게 하다 : The oysters ~*d* my stomach. 그 굴을 먹어서 배탈이 났다. ── *vi.* 동요하다, 평정을 잃다.

***un·set·tled** [ʌnsétld] *a.* ① **a**) (날씨 따위가) 변하기 쉬운, 일정치 않은 : ~ weather 변하기 쉬운 날씨. **b**) (상태 따위가) 불안정한, 동요하는 ; 혼란된 : an ~ state of mind 불안정한〔동요하는〕 마음의 상태. ② 미결제의 : ~ debts 미결제의 부채. ③ 결심이 서지 않은 ; 미정의 ; 미해결의 : I'm ~ as to how to do it. 그것을 어떻게 하여야 할지 결심이 서지 않고 있다.

un·sex [ʌnséks] *vt.* 성적 불능이 되게 하다 ; 거세하다 ; …의 난소(卵巢)를 제거하다 ; 《특히》 (여자의) 여자다움을 없애다 ; 남성화하다.

un·sexed [ʌnsékst] *a.* (병아리가) 암수 선별이 안 된.

un·shack·le [ʌnʃǽkəl] *vt.* …의 속박을 풀다 ; 석방하다, 자유의 몸으로 하다.

un·shak·a·ble [ʌnʃéikəbəl] *a.* (신념 따위가) 흔들림이 없는, 굳은, 부동의. ㊕ **-bly** *ad.*

un·shak·en [ʌnʃéikən] *a.* 흔들리지 않는, 동요하지 않는 ; 확고한《결심 따위》.

un·shaven [ʌnʃéivn] *a.* 면도하지 않은.

un·sheathe [ʌnʃí:ð] *vt.* (칼 따위)를 칼집에서 뽑다.

un·ship [ʌnʃíp] (*-pp-*) *vt.* ① (뱃짐)을 배에서 부리다, 양륙하다 ; (선객 등)을 하선시키다. ② 〖海〗 (노·선구(船具) 따위)를 떼어내다.

un·shod [ʌnʃɑ́d / -ʃɔ́d] *a.* 신발을 신지 않은, 맨발의 ; (말이) 편자를 박지 않은.

un·sight·ly [ʌnsáitli] (*-li·er* ; *-li·est*) *a.* 추한, 볼품 없는, 꼴불견의, 꼴사나운, 눈에 거슬리는 : ~ advertisement 눈에 거슬리는 광고 / an ~ scar 흉한 상처. ㊕ **-li·ness** *n.*

un·signed [ʌnsáind] *a.* 서명 없는〔되지 않은〕.

***un·skilled** [ʌnskíld] *a.* ① 숙련〔숙달〕되지 않은, 미숙한, 서투른《*in*》: an ~ laborer 미숙련 노동자. ② 숙련을 요하지 않는 : ~ jobs 숙련을 요하지 않는 일.

un·skill·ful, 《英》 **-skil-** [ʌnskílfəl] *a.* 서투른, 어줍은. ㊕ **~·ly** [-fəli] *ad.* **~·ness** *n.*

un·so·cia·bil·i·ty [ʌnsouʃəbíləti] *n.* Ⓤ 교제를 싫어함, 무뚝뚝함.

un·so·cia·ble [ʌnsóuʃəbəl] *a.* 교제를 싫어하는, 비사교적인 ; 무뚝뚝한 : ~ behavior 무뚝뚝한 행동 / an ~ person 비사교적인 사람.

un·so·cial [ʌnsóuʃəl] *a.* ① 반사회적인. ② 비사교적인. ③ (시간이) 사교〔가정〕생활을 희생시키는 : work ~ hours 근무 시간 외에 일을 하다.

un·sold [ʌnsóuld] *a.* 팔리지 않는, 팔다 남은.

un·so·lic·it·ed [ʌnsəlísətid] *a.* 탄원〔간청〕되지 않은, 청탁〔부탁〕받지 않은 : ~ advice 부탁하지 않은 충고.

un·solved [ʌnsɑ́lvd / -sɔ́l-] *a.* 해결되지 않은, 미해결의 : an ~ problem 미해결의 문제.

un·so·phis·ti·cat·ed [ʌnsəfístəkèitid] *a.* ① **a**) (사람이) 세정(世情)에 때묻지 않은, 소박한, 순진한, 단순한. **b**) (사교적으로) 세련되지 않은, 고상하지 못한. ② 섞인 것이 없는, 순수한, 진짜의.
㊕ **~·ly** *ad.* **~·ness** *n.*

un·sought [ʌnsɔ́:t] *a.* 찾지〔구하지〕 않은, 원하지〔부탁하지〕 않은 : receive ~ praise 생각지 않은 칭찬을 받다.

un·sound [ʌnsáund] *a.* ① (심신이) 건전〔건강〕하지 못한 : He can do only light work because of an ~ heart. 그는 심장이 안 좋아서 가벼운 일밖엔 못한다. ② (학설 등이) 근거가 박약한 ; 불합리한 ; 잘못된 : an ~ theory 근거가 없는 이론. ③ (건물·기초 따위가) 견고하지 않은, 흔들거리는 : ~ pillar 금방이라도 넘어갈 것 같은 기둥. ④ (회사·계획 따위가) (경제적으로) 불안정한 ; 신용할 수 없는. ㊕ **~·ly** *ad.* **~·ness** *n.*

un·spar·ing [ʌnspέəriŋ] *a.* ① 가차없는, 엄한 : an ~ critic 가혹한 비평가. ② 아끼지 않는, 후한,

활수한, 인색하지 않은《*in* ; *of*》: be ~ *of* 〔*in*〕 praise 칭찬을 아끼지 않다 / give with ~ hand 아낌없이 주다 / He was ~ *in* his offers of help. 그는 원조 제의를 하는데 인색하지 않았다.
[파] **~·ly** *ad.* 용서없이 ; 아낌없이, 후하게.

***un·speak·a·ble** [ʌnspíːkəbəl] *a.* ① 이루 말할 수 없는, 말로 다할 수 없는《기쁨·손실 따위》: All I remember is the ~ pain. 기억나는 것은 이루 말할 수 없는 고통뿐이다. ② 언어도단의, 입에 담기도 싫은〔무서운〕, 몹시 나쁜.
[파] **-bly** *ad.* 말할 수 없이.

un·spec·i·fied [ʌnspésəfàid] *a.* 특히 지정하지 않은, 특기〔명기, 명시〕하지 않은, 불특정의.

un·spoiled, -spoilt [ʌnspɔ́ild], [-t] *a.* ① (가치·아름다움 등이) 손상되지 않은 : The wine's flavor was *unspoiled*. 포도주의 독특한 맛이 손상되어 있지 않았다. ② 응석받이로 망쳐지지〔버릇없게 되지〕 않은.

un·spo·ken [ʌ̀nspóukən] *a.* 암암리의, 이심전심의, 암묵의.

un·sports·man·like [ʌ̀nspɔ́ːrtsmənlàik] *a.* 스포츠 정신에 반(反)하는, 스포츠맨답지 않은.

un·spot·ted [ʌ̀nspátid / -spɔ́t-] *a.* ① 반점〔오점〕이 없는. ② (도덕적으로) 흠이 없는 ; 결백〔순결〕한. ③ 알아〔눈치〕채이지 않은.

***un·sta·ble** [ʌ̀nstéibəl] *a.* ① **a**) 불안정한, 곧 무너질 것 같은 : the ~ political situation. **b**) 변하기 쉬운. ② 침착하지 않은, 정서적으로 불안정한. [파] **-bly** *ad.* **~·ness** *n.*

un·stat·ed [ʌ̀nstéitid] *a.* 말하(여지)지 않은, 설명〔발표〕되지 않은.

un·steady** [ʌnstédi] (-stead·i·er*** ; ***-i·est***) *a.* ① 불안정한 ; 흔들거리는 : an ~ table 흔들흔들하는 테이블 / ~ on one's feet 다리가 휘청거려, (취해서) 비틀거려. ② 변하기 쉬운, 일정치 않은 ; 동요하는《시세 따위》. ③ 한결같지 않은, 불규칙한. [파] **-stéad·i·ly** *ad.* 불안정하게, 비틀거리는 발걸음으로. **-stéad·i·ness** *n.*

un·stick [ʌ̀nstík] (*p., pp.* ***-stuck*** [-stʌ́k]) *vt.* (붙어 있는 것)을 잡아떼다.

un·stint·ing [ʌ̀nstíntiŋ] *a.* ① 아낌없는 : I cannot speak too highly of the ~ help I received. 내가 받은 아낌없는 원조에 관해 아무리 감사해도 지나치지 않는다. ② 〔敍述的〕 (…을) 아낌없이 주는《*in*》: He's ~ *in* his encouragement. 그는 아낌없는 격려를 주고 있다. [파] **~·ly** *ad.*

un·stop [ʌ̀nstáp / -stɔ́p] (***-pp-***) *vt.* ① …의 마개를 뽑다, 아가리〔마개〕를 열다. ② …에서 장애를 제거하다 : ~ a drain 하수의 막힌 것을 치워 없애다.

un·stop·pa·ble [ʌ̀nstápəbəl / -stɔ́p-] *a.* 멈출〔막을〕 수 없는, 제지〔억지〕할 수 없는 : The advance of science is ~. 과학의 진보는 막을 수가 없다.

un·strap [ʌ̀nstrǽp] (***-pp-***) *vt.* …의 가죽끈을 끄르다〔풀다〕.

un·stressed [ʌ̀nstrést] *a.* 강세〔악센트〕가 없는, 강하게 발음하지 않는.

un·string [ʌnstríŋ] (*p., pp.* ***-strung*** [-strʌ́ŋ]) *vt.* ① (현악기 등)의 현(絃)을 풀다〔늦추다〕. ② (신경)을 약하게 하다, (사람의) 자제를 잃게 하다 ; (마음·머리)를 혼란시키다《★ 흔히 과거분사로 형용사적으로 쓰임 ; ⇨ UNSTRUNG》.

un·struc·tured [ʌ̀nstrʌ́ktʃərd] *a.* ① (사회가) 체계적으로 조직되지 않은. ② 정식이 아닌.

un·strung [ʌnstrʌ́ŋ] UNSTRING 의 과거·과거분사. ── *a.* ① (현(絃) 따위가) 느슨한〔벗겨진〕. ② 〔敍述的〕 (신경·기력이) 약해진 ; (사람이) (…에) 침착〔마음의 평정〕을 잃은《*by* ; *at*》: He was 〔His nerves were〕 ~ *by* the news. 그는 그 소식에 안정을 잃(고 있)었다.

un·stuck [ʌ̀nstʌ́k] *a.* 〔敍述的〕 느슨해진, (붙은 것이) 떨어진, 풀린 : When firmly pushed, the door became ~. 세게 미니까 문은 열렸다. ***come ~*** ⑴ (붙었던 것이) 떨어지다. ⑵ [口] (사람·계획이) 실패하다, 망쳐지다 : Their well-laid plans *came* ~ under pressure. 훌륭하게 입안된 계획도 압력에 눌려 무위가 되었다.

un·stud·ied [ʌ̀nstʌ́did] *a.* 꾸밈〔무리가〕 없는, 자연스러운《문체 따위》: her ~ amiability 그녀의 꾸밈없는 상냥함.

un·sub·stan·tial [ʌ̀nsəbstǽnʃəl] *a.* ① 실체가〔실질이〕 없는. ② (음식 따위가) 겉모양뿐인 ; 요기도 안 되는 : an ~ meal 요기도 안 되는 식사. ③ 비현실적인, 공상적인, 꿈 같은. [파] **~·ly** [-ʃəli] *ad.* **ùn·sub·stàn·ti·ál·i·ty** [-ʃiǽləti] *n.* [U]

un·sub·stan·ti·at·ed [ʌ̀nsəbstǽnʃièitid] *a.* 실증되지 않은, 근거없는 : ~ allegations 근거 없는 진술.

***un·suc·cess·ful** [ʌ̀nsəksésfəl] *a.* 성공하지 못한, 실패한, 불운의 : The attempt was ~. 그 기도는 성공하지 못했다. [파] **~·ly** [-fəli] *ad.*

***un·suit·a·ble** [ʌnsúːtəbəl] *a.* 부적당한, 부적절한, 어울리지 않는《*for* ; *to*》: an ~ job 부적당한 일 / areas that are entirely ~ *for* agriculture 전적으로 농업에 부적합한 지역. [파] **-bly** *ad.*

un·suit·ed [ʌ̀nsúːtid] *a.* ① 〔敍述的〕 적합하지 않은, 부적당한《*for* ; *to*》: vehicles that are clearly ~ *for* use in the desert 명백히 사막에서 사용하기엔 부적당한 차들. ② 어울리지 않는, 상충(相衝)되는.

un·sul·lied [ʌ̀nsʌ́lid] *a.* 더럽혀지지 않은, 순결한.

un·sung [ʌ̀nsʌ́ŋ] *a.* 시가(詩歌)로 읊어지지 않은 ; (시가로) 찬미할 수 없는.

un·sup·port·ed [ʌ̀nsəpɔ́ːrtid] *a.* ① 받쳐지지 않은, 지지를 못 받은, 입증〔실증〕되(어 있)지 않은. ② 부양해줄 사람이 없는.

un·sure [ʌnʃúər] *a.* ① 〔敍述的〕 **a**) (…에) 확신〔자신〕이 없는《*of* ; *about*》: I'm afraid I'm ~ *of* 〔*about*〕 the facts of the case. 유감이지만 그 사건의 사실에 관해서는 확신이 없다. **b**) (…하여야 할지) 자신이 없는, 확실치 않은《*wh. to* do》: I was ~ *what to* do. 무엇을 해야 좋을지 몰랐다. ② 불확실한 ; 불안정한 ; 믿을 수 없는 : with ~ steps 위태위태한 걸음으로.

un·sur·passed [ʌ̀nsərpǽst, -pɑ́ːst] *a.* 능가할 자 없는, 비길 데 없는, 탁월한.

un·sur·pris·ing [ʌ̀nsərpráiziŋ] *a.* 놀랄 정도가 못되는, 예상할 수 있는, 뜻밖이 아닌. [파] **~·ly** *ad.*

un·sus·pect·ed [ʌ̀nsəspéktid] *a.* 의심〔혐의〕 받지 않은 ; 생각지도 않은, 알아채지〔깨닫지〕 못한. [파] **~·ly** *ad.*

un·sus·pect·ing [ʌ̀nsəspéktiŋ] *a.* 의심하지 않는, 수상히 여기지 않는. [파] **∠·ly** *ad.*

un·sweet·ened [ʌ̀nswíːtnd] *a.* 단맛이 없는, 달게 하지 않은.

un·swerv·ing [ʌ̀nswə́ːrviŋ] *a.* 빗나가지〔벗어나지〕 않는 ; 헤매지〔흔들리지〕 않는, 변하지 않는, 확고한 : ~ loyalty 흔들리지 않는 충성심.

un·sym·met·ri·cal [ʌ̀nsimétrikəl] *a.* 비대칭적인. [파] **~·ly** *ad.*

un·sym·pa·thet·ic [ʌ̀nsimpəθétik] *a.* ① 동정〔이해〕심이 없는, 매정〔냉담〕한 : an ~ reply 냉담한 대답. ② 〔敍述的〕 (의견·제안 등에) 공감〔공명〕하지 않는《*to*》. [파] **-i·cal·ly** *ad.*

un·sys·tem·at·ic [ʌ̀nsistəmǽtik] *a.* 비체계〔비계통, 비조직〕적인. [파] **-i·cal·ly** *ad.*

un·tamed [ʌntéimd] *a.* ① 길들지 않은, 야성의, 거친. ② (사람이) 억제〔제어〕되(어 있)지 않은.

un·tan·gle [ʌntǽŋgəl] *vt.* ① …의 엉킨 것을 풀다, 끄르다. ② (분규 따위)를 해결하다.

un·tapped [ʌntǽpt] *a.* (자원 등이) 이용〔개발〕되지 않은, 미개발의.

un·tar·nished [ʌntá:rniʃt] *a.* 변색〔퇴색〕하지 않은 ; 더럽혀지지 않은. 「〔무지〕한.

un·taught [ʌntɔ́:t] *a.* 교육을 받지 못한, 무식

un·ten·a·ble [ʌnténəbəl] *a.* (진지 따위를) 지킬〔버틸〕 수 없는 ; (이론·입장 따위를) 지지〔주장, 옹호〕할 수 없는 ; 조리가 서지 않는, 박약한 : be in a completely ~ position 지탱할 수 없는 절대 절명의 궁지에 있다.

un·ten·ant·ed [ʌnténəntid] *a.* (토지·집이) 임대〔임차〕되어 있지 않은 ; 비어 있는.

un·thank·ful [ʌnθǽŋkfəl] *a.* 고마워〔감사〕하지 않는(ungrateful), 고맙지 않은, 달갑지 않은. ㊕ **~·ly** [-fəli] *ad.* **~·ness** *n.*

un·think·a·ble [ʌnθíŋkəbəl] *a.* 생각도〔상상도〕 할 수 없는 ; 터무니없는 ; 있을 법하지도 않은. ㊕ **-bly** *ad.*

un·think·ing [ʌnθíŋkiŋ] *a.* 생각이 없는, 조심하지 않는, 사려〔지각〕 없는 ; 경솔한 ; 얼빠진. ㊕ **~·ly** *ad.*

un·thread [ʌnθréd] *vt.* ① (바늘 따위)의 실을 빼다. ② (엉킨 것)을 풀다. ③ (미로(迷路) 따위)를 빠져나오다, 벗어나다.

un·ti·dy [ʌntáidi] (***-di·er ; -di·est***) *a.* ① 말끔〔말쑥〕하지 않은, 단정치 못한, 게으른 : a long ~ beard 자라는 대로 내버려둔 수염. ② 어질러진, 흐트러진, 어수선한, 난잡한. ㊕ **-di·ly** *ad.* **-di·ness** *n.*

un·tie** [ʌntái] (*p., pp.* ***-tied ; -ty·ing, -tie·ing) *vt.* ① 《~+목/+목+전+명》 …을 풀다, 끄르다 : ~ a knot 〔package, tie〕 매듭을〔소포를, 넥타이를〕 풀다 / ~ a dog *from* a fence 울에 매 둔 개를 풀어놓다. ② 《+목/+목+전+명》 …의 속박을 풀다, 해방하다《*from*》: I *untied* him *from* his promise. 그의 약속을 없었던 것으로 해주었다. ③ (곤란 따위)를 해결하다 : ~ riddles 수수께끼를 풀다.

†un·til [əntíl] *prep.* ① 〔때의 계속〕 …까지, …이 되기까지, …에 이르기까지 줄곧 : I shall wait ~ five o'clock. 5시까지 기다리겠습니다 / Good-by(e) ~ tomorrow! 그러면 내일 또 (봅시다). ② 〔否定語와 함께〕 …까지 …않다, …에 이르러(서) 비로소 (…하다) : He did not go ~ morning. 아침까지 출발하지 않았다 / Not ~ yesterday did I know the fact. 어제서야 그 사실을 알았다.

── *conj.* ① 〔때의 계속의 뜻으로〕 …할 때까지, …까지 : I shall stay here ~ I have finished the work. 일을 끝낼 때까지 여기 있겠다. ② 《내리 번역하여》 …하여 결국, …하고 그리고《종종 until 앞에 콤마가 오며, 또 그 직후에 at last가 오는 일이 있음》: He ran on and on ~ he was completely tired out. 그는 계속 달려서 드디어 녹초가 되었다. ③ 〔否定語를 수반하여〕 …까지 …않다, …이 되어 비로소 (…하다) : It was *not* ~ I came to Korea that I learned Chinese characters. 한국에 와서 처음 한자를 배우게 됐다 / He did*n't* start to read ~ he was ten years old. 그는 열 살이 되어 비로소 책을 읽기 시작했다. ***unless and*** ~ 《詩》 =UNTIL.

> 參考 (1) **until**과 **till**의 차이 until은 문장의 앞이나 긴 clause 앞에 쓰며, till은 명사나 짧은 clause의 앞에 오는 경향이 있음.
> (2) **until, till** 과 **by, before** 와의 차이 by는 '…까지'의 뜻으로 기한을 나타내며, before는 '…이전에, …하기 전에'의 뜻으로 till, until과 같이 계속의 뜻은 없음 : Can you finish your work *by* tomorrow? 내일까지 일을 끝낼 수 있겠습니까. Think well *before* you decide. 결정하기 전에 잘 생각해라.

***un·time·ly** [ʌntáimli] *a.* ① 때가 아닌〔이른〕; 철이 아닌《서리 따위》, 불시의 ; 시기 상조의, 미숙한 : an ~ snowfall in May 때아닌 5월달의 눈. ② 시의를 얻지 못한, 시기가 적절치 못한, 시기를 놓친 ; 계제가 나쁜 : an ~ remark 시기 부적절한 말. ㊕ **-li·ness** *n.*

un·tinged [ʌntíndʒd] *a.* ① 색(色)을 칠하지 않은, 착색되(어 있)지 않은. ② 〖敍述的〗 (…에) 물들지 않은, (…의) 영향을 받지 않은, …기색이 없는《*with ; by*》: His glance was not ~ *with* compassion. 쳐다보는 그의 눈에는 다소 연민의 기색이 있었다.

un·tir·ing [ʌntáiəriŋ] *a.* 지칠〔물릴〕 줄 모르는, 끊임없는, 불굴의. ㊕ **~·ly** *ad.*

***un·to** [《모음 앞》 ʌ́ntu, 《자음 앞》 ʌ́ntə, 《문장 끝》 ʌ́ntu:] *prep.* 《古·詩》 ① …에, …쪽에 : Verily I say ~ you. 진실로 진실로 너희에게 이르노니《요한복음 I : 51》. ② …까지《★ to와 같지만, 부정사 to의 대용은 안 됨》.

***un·told** [ʌntóuld] *a.* ① 언급되어 있지〔이야기가 되어 있지〕 않은 ; 밝혀지지 않은 : The secret remains ~. 그 비밀은 밝혀지지 않고 있다. ② 셀 수 없는, 무수한, 막대한 ; 헤아릴 수 없는 : an ~ number of people 무수한 사람들.

un·touch·a·ble [ʌntʌ́tʃəbəl] *a.* ① 만질〔건드릴〕 수 없는, 손을 대서는 안 되는 ; 금제(禁制)의 ; 손이 닿지 않는. ② 견줄 자 없는, 무적의. ③ 더러운 ; 불가촉 천민(不可觸賤民)의.

── *n.* Ⓒ ① 불가촉 천민《인도 최하층 계급의 사람》. ② (사회가) 따돌린 사람. ③ (정직·근면에서) 비난의 여지 없는 사람.

***un·touched** [ʌntʌ́tʃt] *a.* ① 손대지 않은, 만지지 않은 : She sent back her breakfast tray ~. 그녀는 아침식사 그릇에 손〔입〕도 대지 않은 채 돌려 보냈다. ② (건물 따위가) 손상되지 않은 ; 피해를 입지 않은. ③ 언〔논〕급되지 않은《*on*》. ④ 마음이 움직이지 않은, 감동되지 않은, 냉정한.

un·to·ward [ʌntɔ́:rd, ʌntóuərd] *a.* ① 좋지 않은 ; 귀찮은, 성가신 : ~ circumstances 역경(逆境) / Should any ~ side effects occur, consult a doctor. 어떤 좋지 않은 부작용이 있을 때엔 의사와 상의하십시오. ② 다루기 힘든 ; 고집이 센, 빙퉁그러진. ③ 추한, 못생긴. **~·ly** *ad.* **~·ness** *n.*

un·trained [ʌntréind] *a.* 훈련되지 않은, 연습을 쌓지 않은 ; 훈련〔지식, 경험〕이 없음을 나타내는.

un·tram·meled, 《英》 **-melled** [ʌntrǽməld] *a.* 구속받지 않은 ; 자유로운.

un·trav·eled, 《英》 **-elled** [ʌntrǽvəld] *a.* 여행한 일〔경험〕이 없는, 견문이 좁은 ; 인적이 끊어진, 여행자가 찾지 않는.

un·treat·ed [ʌntrí:tid] *a.* ① (사람·상처 등이) 치료되지 않은. ② (유독물 따위가) 처리되(어 있)지 않은, 미처리의 : ~ sewage 처리되지 않은 오수(汚水).

un·tried [ʌntráid] *a.* ① 해보지〔시도되지〕 않은, 아직 실험〔시험〕해 보지 않은 ; 경험해 본 일이 없는 : leave nothing ~ 온갖 일을 다 해보다. ② 〖法〗 미심리의, 공판에 회부되지 않은.

un·trod·den [ʌntrádn / -trɔ́dn] *a.* 밟히지 않은 ; 인적 미답(人跡未踏)의.

un·trou·bled [ʌntrʌ́bəld] *a.* 곤혹스럽지 않은,

시달리지 않는 ; 평화로운, 조용한.

***un·true** [ʌ̀ntrú:] *a.* ① 진실이 아닌, 거짓의 : ~ statement 거짓 진술〔언명〕. ② 불성실한, 충실하지 않은 ; 부정(不貞)한《*to*》: He's ~ *to* his wife. 그는 바람을 피우고 있다. ③ (치수 따위가) 부정확한《*to*》: ~ doors and windows 치수가 안 맞는 창호(窓戶).

un·trust·wor·thy [ʌ̀ntrʌ́stwə̀:*r*ði] *a.* 신뢰할 수 없는, 믿을 수 없는.

un·truth [ʌ̀ntrú:θ] (*pl.* ~**s** [-ðz, -θs]) *n.* ① Ⓤ 진실이 아님, 허위. ② Ⓒ 거짓말, 거짓.

un·truth·ful [ʌ̀ntrú:θfəl] *a.* 진실이 아닌, 거짓의, 거짓말하는. ㊕ ~**·ly** [-fəli] *ad.* ~**·ness** *n.*

un·turned [ʌ̀ntə́:*r*nd] *a.* 돌려지지 않은, 뒤집혀지지 않은. ***leave no stone*** ~ ⇨STONE.

un·tu·tored [ʌ̀ntjú:tə*r*d] *a.* ① 정식 교육〔훈련〕을 받지 않은 ; 무지한. ② 순박한, 소박한.

un·twine [ʌ̀ntwáin] *vt., vi.* =UNTWIST.

un·twist [ʌ̀ntwíst] *vt., vi.* (실의) 꼬인 것을 풀다 ; 꼬인〔비틀린〕 것이 풀리다.

***un·used** [ʌ̀njú:zd] *a.* ① 쓰지 않은, 사용하지 않는 : a pile of ~ fuel 사용치 않은 장작 더미. ② 쓴 적이 없는, (쓰고) 남은 : a set of ~ wine glasses 사용된 적이 없는 와인 글라스 한 세트. ③ [-jú:st ; 《to 가 오면》 -jú:s*t*tə] 〔敍述的〕 익숙지 않은, 경험이 없는, 손에 익숙지 않은《*to*》: hands ~ *to* toil 노동에 익숙지 않은 손 / She was ~ *to* hardship. 그녀는 고생에 익숙지가 않았다.

‡**un·usu·al** [ʌ̀njú:ʒuəl, -ʒwəl] (***more*** ~ ; ***most*** ~) *a.* ① **a**) 보통이 아닌, 이상한, 드문 ; 진기한 : He had an ~ name. 그는 드문 이름을 갖고 있었다. **b**) 〔敍述的〕 (…가 ―하는 것은) 이상한, 드문 《*for*》: It was not ~ *for* me *to* come home at two or three in the morning. 내가 새벽 두시나 세시에 귀가하는 것은 이상한 일이 아니었다. ② 유별난, 색다른 : an ~ hobby 색다른 취미.

un·usu·al·ly** [ʌ̀njú:ʒuəli, -ʒwəli] (more*** ~ ; ***most*** ~) *ad.* 전에 없이, 평소와는 달리 ; 이상하게, 보통과는 달리.

un·ut·ter·a·ble [ʌ̀nʌ́tərəbəl] *a.* ① 〔限定的〕 말로 표현할 수 없는 : ~ sadness 무어라 표현할 수 없는 슬픔. ② 철저한, 순전한. ㊕ **-bly** *ad.*

un·var·nished [ʌ̀nvá:*r*niʃt] *a.* ① 니스를 칠하지 않은. ② 꾸밈이 없는, 있는 그대로의 : the ~ truth 있는 그대로의 사실.

un·vary·ing [ʌ̀nvέəriiŋ] *a.* 불변의, 한결같은, 일정한.

un·veil [ʌ̀nvéil] *vt., vi.* ① **a**) (…의) 베일을〔덮개를〕 벗(기)다. **b**) (…의) 제막식을 행하다. **c**) 〔再歸的〕 정체를 드러내다, 가면을 벗다. ② **a**) (비밀 따위를) 밝히다, 털어놓다. **b**) (신제품 따위를) 첫 공개하다.

un·voiced [ʌ̀nvɔ́ist] *a.* 목소리로 내지 않은, 말하지 않은 ; 〖音聲〗 무성(음)의.

un·waged [ʌ̀nwéidʒd] *a.* 급여소득이 없는 ; 실직 중인.

un·want·ed [ʌnwántid, -wɔ́(:)nt-] *a.* 볼일이 없는, 요구되지 않은, 불필요한 : ~ clothes 불필요한 의류(衣類).

un·war·i·ly [ʌ̀nwέərəli] *ad.* 부주의하게, 방심하고 : He walked ~ into the trap. 그는 멍청하게도 덫에 걸려들고 말았다.

un·war·rant·a·ble [ʌnwɔ́(:)rəntəbəl, -wár-] *a.* 정당하다고 인정할 수 없는, 변호할 수 없는 ; 부당한, 무법의.

un·war·rant·ed [ʌnwɔ́(:)rəntid, -wár-] *a.* 정당하다고 인정되지 않은, 부당한 : an ~ attack 부당한 공격.

un·wary [ʌ̀nwέəri] *a.* 부주의한, 조심하지 않는, 방심하는 ; 경솔한. ㊕ **-wár·i·ness** *n.*

un·washed [ʌnwáʃt, -wɔ́(:)ʃt] *a.* 씻지〔빨지〕 않은 ; 불결한, 더러운. ― *n.* (the (great) ~) 〔集合的〕 하층민.

un·wa·ver·ing [ʌ̀nwéivəriŋ] *a.* 동요하지 않는 ; 확고한, 의연(毅然)한. ㊕ ~**·ly** *ad.*

un·wea·ried [ʌ̀nwíərid] *a.* 지치지 않는 ; 지칠 줄 모르는 ; 끈기있는, 불굴의.

un·wed [ʌ̀nwéd] *a.* 미혼의(unmarried), 독신의 : an ~ mother 미혼모《★ 현재는 unmarried 가 일반적임》.

***un·wel·come** [ʌ̀nwélkəm] *a.* 환영받지 못하는, 반기지 않는《손님 등》; 반갑지〔달갑지〕 않은 : an ~ guest 반갑지 않은 손님.

un·well [ʌ̀nwél] *a.* 〔敍述的〕 불쾌한, 기분이 좋지 않은, 찌뿌드드한 : He complained of feeling ~. 그는 몸이 찌뿌드드하다고 하소연했다.

un·wept [ʌ̀nwépt] *a.* 울어〔슬퍼해, 애도해〕 줄 사람도 없는 : die ~ 슬퍼해줄 사람도 없이 쓸쓸히 죽어가다.

***un·whole·some** [ʌ̀nhóulsəm] *a.* 몸〔건강〕에 나쁜 ; (정신적으로) 불건전한, 유해한, 해로운 : an ~ environment 건강에 좋지 않은 환경 / ~ amusement 불건전한 오락. ㊕ ~**·ly** *ad.*

un·wieldy [ʌ̀nwí:ldi] (**-*wield·i·er*** ; **-*i·est***) *a.* 다루기 힘드는 ; 부피가 큰 ; 너무 무거운 ; 귀찮은. ㊕ **-wield·i·ness** *n.*

‡**un·will·ing** [ʌnwíliŋ] (***more*** ~ ; ***most*** ~) *a.* ① 〔敍述的〕 …하고 싶어하지 않는, …할 마음이 없는《*for*》: He seemed ~ *to* answer. 그는 대답하고 싶지 않은 것 같았다 / He was ~ *for* his poems *to* be published. 그는 자신의 시가 출판되는 것을 달갑게 여기지 않았다. ② 본의(가) 아닌, 마지못한 : ~ consent〔obedience〕 마지못한 승낙〔복종〕. ㊕ ~**·ly** *ad.* 마지못해. ~**·ness** *n.*

un·wind [ʌnwáind] (*p., pp.* **-*wound*** [-wáund]) *vt.* (감은 것)을 풀다 ; (엉긴 것)을 풀다 ; …의 긴장을 풀게 하다. ― *vi.* (감은 것이) 풀리다 ; 긴장이 풀리다.

***un·wise** [ʌnwáiz] *a.* 지각〔분별〕 없는, 지혜가 없는, 어리석은, 천박한 ; 상책이 아닌 : an ~ choice 어리석은 선택 / It would be very ~ for the boy to marry her. 그 아이가 그 여자와 결혼한다는 것은 매우 무분별한 짓일 것이다. ㊕ ~**·ly** *ad.*

un·wit·ting [ʌ̀nwítiŋ] *a.* 〔限定的〕 모르는, 의식하지 않은, 부지불식간의 : an ~ offense against good manners 무심코 저지른 무례한 행동. ㊕ ~**·ly** *ad.* 무심코, 부지중에 : He ~*ly* entered the ladies' toilet. 그는 무심코 여성용 화장실에 들어갔다. ~**·ness** *n.*

un·wont·ed [ʌ̀nwóuntid, -wɔ́:nt-] *a.* 〔限定的〕 이례적인, 좀처럼 없는, 드문, 특이한 : with ~ candor 유례 없이 솔직하게. ㊕ ~**·ly** *ad.*

un·work·a·ble [ʌ̀nwə́:*r*kəbəl] *a.* 실행〔실시〕 불가능한 : an ~ plan 실행 불가능한 계획.

un·world·ly [ʌnwə́:*r*ldli] *a.* 세속을 떠난, 탈속한 ; 정신(심령)계의, 천상(天上)의 ; 세속에 물들지 않은, 순박한. ㊕ **-li·ness** *n.*

‡**un·wor·thy** [ʌnwə́:*r*ði] (**-*thi·er*** ; **-*thi·est***) *a.* ① 〔限定的〕 (도덕적으로) 가치 없는, 존경할 가치가 없는, 비열한 : an ~ motive 비열한 동기 / an ~ person 보잘것 없는 사람. ② 〔敍述的〕 (지위·명예 따위에) 어울리지 않는, (칭찬 따위를) 받을 가치가 없는, …에 부끄러운, (…하기에) 부족한 《*of*》: I felt I was ~ *of* her love. 나는 그녀의 사랑을 받을 가치가 없음을 느꼈다 / Such behavior is ~ *of* you. 그러한 행동은 (평상시의) 너답지가 않다. ㊕ **-thi·ness** *n.*

***un·wrap** [ʌnrǽp] (**-pp-**) *vt.* …의 포장을 풀다, (꾸러미 따위)를 끄르다.

un·writ·ten [ʌ̀nrítn] *a.* 씌어 있지 않은, 기록해 두지 않은; 구두(구전)의, 구비(口碑)에 의한.

unwrítten láw 관습법, 불문율.

un·yield·ing [ʌ̀njíːldiŋ] *a.* ① 굽히지〔양보하지〕 않는; 완고한, 단호한. ② 유연성〔탄력〕이 없는, 딱딱한. ㊞ **~·ly** *ad.* **~·ness** *n.*

un·yoke [ʌnjóuk] *vt.* ① (소 따위의) 멍에를 벗기다, 해방하다. ② …을 분리시키다.

un·zip [ʌ̀nzíp] (**-pp-**) *vt.* …의 지퍼(zipper)를 열다〔끄르다〕.

up [ʌp] *ad.* (비교 없음) 〔be 動詞와 결합한 때에는 形容詞로 볼 수도 있음〕. **opp.** *down.* ① 〔위로의 방향〕 **a)** (낮은 위치에서) 위쪽으로, 위로 : look *up* 올려다 보다 / pull *up* a weed 잡초를 뽑다 / lift one's head *up* 머리를 (쳐)들다 / take *up* a book 책을 집어들다 / The skylarks flew *up* in the sky. 종다리는 하늘 높이 날아 올랐다 / Hands *up!* 손들엇; 손을 들어 주십시오 / *Up* you come! 올라오너라 / Show her *up.* 그녀를 위로〔2층으로〕 안내하시오. **b)** (물속에서) 수면으로, 지상으로 : come *up* to the surface (of the water) 수면에 떠오르다 / The whale came *up* out of the water. 고래가 물속에서 나왔다. **c)** (먹은 것을) 토하여, 게워 : bring one's lunch *up* 점심 먹은 것을 게우다. **d)** 〔be의 補語로 쓰이어〕 올라가 : The flag *is up.* 기가 게양되어 있다.

② 〔위쪽의 위치〕 높은 곳에(서), 위에(서); 위쪽에(서) : The office is *up* on the top floor. 사무소는 최상층에 있다 / What are you doing *up* there? 거기서 무엇을 하고 있나《반드시 높은 곳을 의미하지는 않음》.

③ **a)** 몸을 일으켜, 일어서서 : (자리에서) 일어나 : stand *up* 일어서다 / stay 〔be〕 *up* late at night 밤늦게까지 자지 않고 일어나 있다 / Kate, are you *up?* 케이트, 일어났느냐? / Get *up!* 일어나, 일어서 / *Up* with you, you lazy boy! 일어나, 이 게으른 녀석아. **b)** (건물이) 세워져 : put *up* a house 집을 짓다.

④ **a)** (천체가) 하늘에 떠올라 : The moon rose *up* over the horizon. 달이 지평선 위에 떠올랐다. **b)** 〔be 의 補語로 쓰여〕 떠올라 : The sun is *up.* 해가 떠올랐다.

⑤ **a)** 《口》 (일·문제 등이) 일어나; (사람이) 나타나 : Is anything *up?* 무슨 일이 있는가 / She showed *up* at last. 그녀는 마침내 나타났다. **b)** (의론·화제 등에) 올라 : bring *up* the subject 그 화제를 꺼내다 / The matter came *up* for discussion again. 그 문제는 다시 논의〔의제〕에 올랐다. **c)** (범죄 따위로) 고소되어《*for*》; 판사〔법정〕 앞에 : He was had 〔brought〕 *up for* stealing. 그는 절도죄로 고소당했다.

⑥ 〔흔히 前置詞와 결합하여〕 **a)** (특정한 장소·말하는 이가 있는) 쪽으로, 접근(接近)하여 : She went straight *up* to the door. 그녀는 곧장 문 있는 곳으로 갔다 / I'll be *up* at your place by ten. 열 시까지 댁으로 가겠습니다 / Bring him *up* to my house. 그를 내 집에 데려오시오. **b)** 《英》 (수도·도시·대학 등을) 향해; 상경하여〔중에〕 : be *up* at 〔to〕 Oxford 옥스퍼드 대학에 재학 중이다〔진학하다〕 / go *up* to town 〔London〕 읍〔런던〕으로 나가다 / go *up* from the country 시골에서 상경하다.

⑦ **a)** (남쪽에서) 북(쪽)으로 : as far *up* as Alaska 북쪽은 알래스카까지 / *Up* in the north they live warmed by the fire. 북녘(지방)에서는 사람들이 난롯불로 온기를 취하며 산다. **b)** 고지(高地)로, (연안에서) 내륙으로〔에〕; (강의) 상류에 : sail *up* 배로 강을 거슬러 올라가다 / follow a stream *up* to its source 개울을 거슬러 올라 수원(水源)에 이르다.

⑧ **a)** (지위·성적·연령 따위가) 올라가, 높아져; 커져, 자라(서) : go 〔come〕 *up* in the world 출세하다 / move *up* in a firm 회사에서 승진〔출세〕하다 / grow *up* 성장하다, 자라다 / bring *up* a child 어린애를 기르다 / He is *up* at the head of his class. 그는 반의 톱이다. **b)** 〔종종 be 의 補語로 쓰여〕 (물가 따위가) 올라; (양이) 불어; (소리 따위가) 더 크게, (속도·온도 따위가) 더 올라〔높아져〕 : speed *up* 속도를 올리다 / speak *up* 목소리를 높이다 / Prices are *up.* 물가가 올라 있다 / The river is *up.* 강물이 불어났다 / The temperature is *up* 2 degrees today. 오늘은 온도가 2도 높다. **c)** (…에서) ─까지, (…부터) 이후에 걸쳐 : from childhood *up* 어린 시절부터 죽〔현재까지〕 / from sixpence *up,* 6펜스 이상 / from his youth *up* to his old age 그의 청년 시절부터 노년에 이르기까지. **d)** 〔be (well) up으로〕 《口》 (…에) 정통하여, 잘 알고《*in*; *on*》 : Prof. Kim *is well up on* Oriental art. 김교수는 동양 미술에 조예가 깊다.

⑨ 〔종종 be 의 補語로 쓰여〕 **a)** 세게, 기운차게; 활발하게; 시동을 걸어; 흥분하여 : cheer *up* 기운을 내다 / stir *up* trouble 분쟁〔말썽〕을 일으키다 / pluck *up* (one's) courage 용기를 내다 / His temper is *up.* 그는 잔뜩 화가〔성이〕 나 있다 / Blow the fire *up.* 불어서 불기운을 세게 해라 / All the village was *up.* 온 마을이 발칵 뒤집혔다. **b)** (싸우려고) 분발하여 : The team is *up* for the game. 팀은 경기를 앞두고 정신무장이 돼 있다.

⑩ **a)** 〔종결·완성·충만 따위를 나타내는 強意語로서 動詞와 결합하여〕 완전히, 아주; 다 …하다 : drink *up* 다 들이켜다 / pay *up* (빚을) 모두 갚다 / Finish it *up* now! 지금 그것을 모두 끝내라 / The house burned *up.* 집이 전소(全燒)되었다 / The money's all used *up.* 돈을 다 써버렸다 / The stream has dried *up.* 냇물이 바싹 말라붙었다 / He pumped *up* the tires. 그는 타이어에 공기를 가득 채워 넣었다. **b)** 〔be의 補語로 쓰이어〕 (시간이) 다 되어, 끝나; (사람이) 이젠 글러, 잘못되어 : Time's *up.* 시간이 다 됐다 / It's all *up* 〔《俗》 U.P. [júːpíː]〕 (with him). (그는) 이제 글렀다〔틀렸다〕, 끝장이다 / When is your leave *up?* 자네 휴가는 언제 끝나는가 / Parliament is *up.* 의회가 폐회되었다. **c)** 〔취합(聚合)을 나타내는 動詞와 함께〕 전부, 모두, 함께 : add *up* figures 그 수를 합계하다 / tally *up* the voting 투표수를 집계하다 / heap *up* the fallen leaves 낙엽을 쌓아올리다. **d)** 〔분할을 나타내는 動詞와 함께〕 잘게, 토막토막, 조각조각 : break *up* rocks 암석〔돌〕을 부수다 / divide *up* the money equally 돈을 똑같이 나누다 / tear *up* the newspaper 신문지를 갈가리 찢다. **e)** 〔접합·부착·폐쇄 등을 나타내는 動詞와 함께〕 단단히, 꽉 : nail *up* a door 문에 못을 지르다 / pack *up* (여행 등의) 짐을 꾸리다 / board *up* a window 창문을 판자로 막다 / stop *up* a hole 구멍을 막다.

⑪ 〔動詞와 결합하여〕 **a)** 무활동의 상태로; 정지하여 : be laid *up* with a cold 감기로 누워 있다 / The car pulled *up.* 차가 멈췄다. **b)** 따로 떼어, 저축〔저장〕하여; 보관하여 : store *up* food for the winter 겨울에 대비하여 식량을 저장하다.

⑫ 〔도달〕 (수준 따위에) 달하여, 미치어, 따라붙어; 뒤지지 않게 : catch *up* 따라잡다 / keep *up* with the times 시대에 뒤지지 않고 따라가다.

⑬ (be의 補語로 쓰이어) 《英》 (도로가) 공사 중에: The road is *up*. 그 도로는 공사 중이다 / "Road *Up*" 《揭示》 도로 공사 중《흔히, 통행 금지》.
⑭ 〖競〗 **a**) (…점) 이기어, (상대에게, 경기에서) 리드하여《*on* ; *in*》: Our football team is two goals *up*. 우리 축구팀이 2점 리드하고 있다. **b**) 《美》 (득점은 쌍방이) 각기: The score is 2 *up*. 스코어는 2대2다.
⑮ 〖野〗 (타자가) 타석에(으로); (팀이) 공격 중에: two hits three times *up*, 3타석 2안타 / You're *up* next. 다음 타석은 자네다 / Who is coming *up* next? 다음 타순은 누군가.
all up ⇨ ALL. ***be up against it*** 《口》 (경제적으로 몹시) 궁핍해 있다. ***be up and about*** (***around***) (환자가) 자리를 털고 일어나 있다; (건강해져서) 활동하다: She *is* now *up and about* again. 그녀는 이제 전처럼 다시 건강해졌다. ***be up and coming*** (***doing***) 《美》 활동적(적극적)이다, 크게 활약하고 있다. ***up against . . .*** (1) 《口》 (어려움·장애 따위)에 직면하여: I'm (I've come) *up against* a problem. 난문제에 부닥쳐 있다(부닥쳤다). (2) …에 접근하여; …에 접촉하여. ***up and down*** (1) 왔다갔다, 여기저기: look for it *up and down* 여기저기 그것을 찾다(⇨*prep.* up and down). (2) 아래위로: The float bobbed *up and down* on the water. (낚시) 찌는 물에 떴다 잠겼다 했다. (3) 《口》 (건강 상태가) 좋아졌다 나빠졌다. ***up close*** 《口》 바로 곁에(서), 접근하여. ***up for . . .*** (1) …의 후보로 올라, 입후보하여: His name is *up for* election. 선거의 후보로서 그의 이름이 나와 있다. (2) (재판을 위해) 출정(出廷)하여; (시험 등을) 치르고. (3) (팔려고) 내놓아져: The house was *up for* sale (auction). 그 집을 팔려고(경매에) 내놓았다. ***up front*** ⇨ FRONT. ***up to . . .*** (1) (최고) …까지, …에 이르기까지: count *up to* ten, 10까지 세다 / *up to* this time (now) 이 때까지, 지금까지 / This medicine must be taken *up to* 30 minutes before a meal. 이 약은 식사 30분 전까지 복용해야 합니다 / *Up to* four passengers may ride in a taxi. 택시에는 네 사람까지(는) 탈 수 있다《'up to +數詞'는 形容詞적으로도 쓰임》 / ⇨up to (one's) EARs, up to the (one's) NECK, up to DATE, up to the MINUTE (成句). (2) (흔히 否定·疑問文에서) …와 나란히, …에 필적하여(맞먹어) 《up with ...라고도 함》; (기대 따위)에 부응하여(미치어): keep *up to* her 그 여자에 뒤지지 않고 따라가다 / Was the film *up to* your expectations? 그 영화는 기대했던 것만큼 좋았습니까 / This new book of Green's is*n't up to* his last. 그린씨의 새 저서는 전작(前作)만 못하다. (3) (흔히 否定·疑問文에서) (일 따위)를 (감당)할 수 있어, …을 할 만하여: He is *not up to* his job. 그는 일을 (감당)할 수 없다 / I do*n't* feel *up to* going to work today. 오늘은 일하러 나갈 마음이 없다. (4) (좋지 않은 일)에 종사하고, (못된 일) 을 꾀하고(꾸미고): What's he *up to?* 그는 무엇을 하고 있나 / He's *up to* no good. 그는 못된 짓을 꾀하고 있다 / He is *up to* something. 그는 무언가 꾀하고 있다 / ⇨up to MISCHIEF (成句). (5) 《口》 (아무)의 의무(책임)인, (아무)가 해야 할, …에게 맡겨져(달려): It's *up to* you (to decide). (결정은) 너에게 달렸다 / It's *up to* him to support his mother. 어머니는 그가 부양해야 한다. (6) (계략 따위)를 깨닫고(알아채고), …을 잘 알고: I was *up to* her tricks. 그녀의 계략(수법)을 잘 알고 있었다. ***up untill*** (***till***) ***. . .*** 《口》 …(에 이르기) 까지는 《특히 그 시점까지의 동작·상태의 계속을 강조하기 위해 씀》: He was here *up untill* (*till*) yesterday. 그는 어제까지 계속 여기 있었다. ***What's up?*** ⇨ WHAT.

— *prep.* ① (낮은 위치·지위 따위에서) …의 위로(에), …을 올라가(서), …의 높은 쪽으로(에): live halfway *up* the mountain 산 중턱에 살고 있다 / My room is *up* the stairs. 내 방은 위층에 있다 / He is well *up* the social ladder. 그의 사회적 지위는 매우 높다.
② (강)의 상류로(에); (흐름)을 거슬러: row *up* the stream 배를 저어 강을 거슬러 올라가다 / be *up* (the) river 강 상류에 있다.
③ (어떤 방향을 향하여) …을 따라(끼고)(along); (말하는 이로부터) …의 위(저) 쪽에(으로): walk *up* the street (road, land) 길을 따라서 가다.
④ (어느 지역의) 내부(오지)로(에); (해안에서) 내륙으로(에); …의 북(부)에(으로): travel *up* (the) country 오지로(내륙으로) 여행하다 / live a few miles *up* the coast 해안에서 (내륙으로) 수마일 들어간 곳에 살다.
up and down . . . …을(를) 왔다갔다, 이리저리: walk *up and down* the station platform 플랫폼을 왔다갔다 하다(⇨*ad.* up and down). ***up there*** 저쪽에는; 천국에. ***Up yours!*** (感嘆詞的으로; 혐오·반항 따위를 나타내어) 《俗》 제기랄, 빌어먹을《상소리로, up your ass(arse)에서》.

— *a.* (限定的) 위로 향하는, 올라가는, 상행(上行)의: on the *up* grade 치받이에(의); 개선(개량)쪽을 향하여 / an *up* train 상행 열차 / the *up* line (철도의) 상행선(上行線).

— *n.* ① Ⓒ 상승, 상향; 오르막, 치받이. ② (the ~) (타구(打球)가 바운드하여) 튀어오르는 상태: hit a ball on *the up* 튀어오르는 공을 치다. ***on the up*** 《英口》 (사업·회사 따위가) 순조로워; 호조를 보여. ***on the up and up*** (1) 《美口》 정직한, 신뢰할 수 있는, 공정한. (2) =on the up. ***ups and downs*** (1) (길 따위의) 오르내림, 기복(起伏): a house full of *ups and downs* 작은 층계 따위가 많은 집. (2) 변동, 부침(浮沈), (영고) 성쇠: the *ups and downs* of fate (life) 운명(인생)의 부침.

— (**-pp-**) *vi.* 《口》 (흔히 ~ and+動詞의 형식으로) 갑자기 …하다(하기 시작하다): He ~*ped and* said. 갑자기 그는 입을 열었다《★이 뜻으로 up은 종종 무변화로 3人稱單數現在形으로도 쓰임: He *up and* left. 그는 갑자기 떠나갔다》.

— *vt.* 《口》 (노임·가격 따위)를 올리다; (생산 따위)를 늘리다.

up- *pref.* up의 뜻: ① 부사적 용법으로 동사 (특히 그 과거분사) 및 gerund에 붙임《주로 古·文語》: *up*lifted, *up*bringing. ② 전치사적 용법으로 부사·형용사·명사를 만듦: *up*stream. ③ 형용사적 용법: *up*land.

up-and-com·ing [ʌ́pənd*k*ʌ́miŋ] *a.* (限定的) 정력적인, 활동적인, 적극(진취)적인; 유망한.

up-and-down [ʌ́pəndáun] *a.* (限定的) ① 오르내리는, 기복이(고저가) 있는; 성쇠가 있는 《운명 따위》. ② 《美》 경사가 가파른, 수직의.

up·beat [ʌ́pbìːt] *n.* (the ~) 〖樂〗 ① 여린박. ② 여린박을 나타내는 지휘자의 동작. — *a.* 낙관적인, 명랑한.

up·braid [ʌ̀pbréid] *vt.* 《~+목/+목+전+명》 …을 비난(질책)하다《*for* ; *with*》: ~ a person *with* his ingratitude (*for* being ungrateful) 아무의 배은(背恩)을 비난하다.

up·bring·ing [ʌ́pbrìŋiŋ] *n.* Ⓤ (또는 an ~) (유년기의) 양육, 가정 교육: *a* strict ~ 엄격한 가정 교육.

UPC Universal Product Code.

up·chuck [ʌ́ptʃʌ̀k] *vi., vt.* 《美口》 (…을) 토하다,

게우다.

up·com·ing [ʌ́pkʌ̀miŋ] *a.* 〔限定的〕 다가오는, 곧 있을, 이번의(forthcoming) : the ~ election for the presidency 다가오는〔이번〕 대통령 선거.

up·coun·try [ʌ́pkʌ̀ntri] *n.* (the ~) 내륙, 오지(奧地). ── *a.* 〔⌐-⌐〕 내지〔오지〕의; 궁벽한, 시골의. ── *ad.* 내륙으로〔에〕, 오지로〔에〕; 시골의〔로〕: travel ~ 오지로 여행하다.

up·date [ʌ̀pdéit] *vt.* …을 새롭게 하다, 최신의 것으로 하다(bring up to date). ── [ʌ́pdèit] *n.* U,C 새롭게 하기; 최신 정보; 최신판.

up·draft [ʌ́pdræ̀ft] *n.* C 기류〔가스〕의 상승(운동), 상승 기류.

up·end [ʌ̀pénd] *vt.* (통 등)을 거꾸로 세우다; 뒤집(어 놓)다: I ~*ed* the crate and sat on it. 상자를 뒤집어 놓고 그 위에 앉았다.

up-front [ʌ̀pfrʌ́nt] *a.* ① 〔敍述的〕 (말·행동 등이) …에 솔직한《*with*》: He's ~ *with* me about politics. 그는 내게 정치에 관해 솔직히 이야기한다. ② 선불(先拂)의.

up·grade [ʌ́pgrèid] *n.* C ① 《美》 오르막. ② 증가, 향상. ***on the*** ~ 오르막에; 잘되어, 향상〔상승〕하고 있는, 개선되어.
── [⌐⌐] *a., ad.* 《美》 치받이의〔에〕.
── [⌐⌐] *vt.* ① …의 등급〔수준〕을 높이다. ② (직원 등)을 승격〔격상, 승진〕시키다. ③ (제품 따위)의 질을 높이다; (가축)의 품종을 개량하다.

up·growth [ʌ́pgròuθ] *n.* ① U 성장, 발육, 발달. ② C 성장〔발육〕한 것.

up·heav·al [ʌ̀phíːvəl] *n.* U,C ① **a**) 들어올림. **b**) 〖地質〗 (지각의) 융기. ② (사회 등의) 대변동, 동란, 격변.

up·heave [ʌphíːv] (*p., pp.* ***~d, -hove*** [-hóuv]) *vt.* …을 들어〔밀어〕올리다, 상승〔융기〕시키다.
── *vi.* 치오르다; 상승〔융기〕하다(rise).

***up·held** [ʌphéld] UPHOLD의 과거·과거분사.

***up·hill** [ʌ́phìl] *a.* ① 오르막의, 올라가는, 치받이의《길 따위》: The road is ~ all the way. 길은 내내 오르막이다. ② 힘드는, 어려운: This is hard, ~ work 이것은 어렵고도 힘이 드는 일이다.
── [⌐⌐] *ad.* 치받이를 올라, 고개 위로, 언덕 위로.
── [⌐⌐] *n.* C 치받이, 오르막(길).

‡up·hold [ʌphóuld] (*p., pp.* ***-held*** [-héld]) *vt.* ① …을 (들어)올리다: ~ one's eyes (하늘을) 올려다보다. ② 지지〔시인, 변호〕하다; 유지〔관리〕하다: He had sworn to ~ the law. 그는 그 법을 지지한다고 선서했다. ③ (결정·판결 따위)를 확인하다, 확정하다: His conviction was *upheld* on appeal. 그의 유죄 판결은 항소심에서 확정되었다. ㊕ **~·er** *n.* C 지지자, 옹호자, 후원자.

up·hol·ster [ʌphóulstər] *vt.* ① **a**) (집·방 등)에 가구를 비치하다《*with*》. **b**) (집·방 등)을 커튼·양탄자·가구 따위로 꾸미다. ② (의자 등)에 속을 넣어 천을 씌우다, 덮개를〔스프링을〕 대다《*in; with*》: ~ a chair *in*〔*with*〕 black leather 의자에 검은 가죽을 씌우다.

up·hol·ster·er [ʌphóulstərər] *n.* C 가구상, 실내 장식업자; (의자류의) 천갈이업자.

***up·hol·stery** [ʌphóulstəri] *n.* U ① 〔集合的〕 실내 장식 재료《특히 벽걸이·의자 커버·의자에 대는 천 따위의 직물 및 그것으로 만든 방석·소파 따위》. ② 가구 제조 판매업.

UPI United Press International.

***up·keep** [ʌ́pkìːp] *n.* U ① 유지《*of*》. ② (토지·가옥·자동차 따위의) 유지비《*of*》.

***up·land** [ʌ́plənd, -læ̀nd] *n.* C (흔히 *pl.*) 고지, 산지, 대지(臺地). ── *a.* 〔限定的〕 고지에 있는, 산지〔대지〕의.

***up·lift** [ʌ̀plíft] *vt.* ① …의 정신을〔의기를〕 앙양〔고양〕하다: be ~*ed* by the news. 그 소식으로 사기가 고양되다. ② …을 (사회적·도덕적으로) 향상시키다. ③ …을 올리다, 들어올리다.
── [⌐⌐] *n.* ① U **a**) 올림, 들어올림. **b**) 향상《지위 또는 도덕적인》; (정신의) 앙양: He devoted his life to their ~. 그는 그들의 지위향상을 위해 일생을 바쳤다. ② C 브래지어(= ~ **brassiere**).

up·link [ʌ́pliŋk] *n.* C 〖通信〗 업링크《지상에서 우주선〔위성〕으로의 정보 전송》.

up·man·ship [ʌ́pmənʃip] *n.* =ONE-UPMANSHIP.

up·mar·ket [ʌ́pmɑ́ːrkit] *a.* (상품 등이) 고급품 시장용의. ── *ad.* 고급품 시장(용)으로.

up·most [ʌ́pmòust / -məst] *a.* =UPPERMOST.

†up·on [強 əpɑ́n, 弱 əpən / 強 əpɔ́n] *prep.* =ON.

> 參考 **upon** 과 **on**: (1) on 쪽이 대체로 구어조. (2) 동사에 뒤따를 경우 upon은 특히 문미에 쓰이는 일이 많음: There was not a chair to sit *upon.* 앉을 의자 하나 없었다. (3) 관용구에서는 관용상의 용법에 따라 on 또는 upon 중 한 가지에 한정됨: Depend *upon* it, he will come. 틀림없이, 그는 온다 / once *upon* a time 옛날에 / *upon* my word 맹세코. 예외: *upon* 〔*on*〕 the whole 대체로.

‡up·per [ʌ́pər] 〔up 의 比較級〕 *a.* 〔限定的〕 ① 위쪽의, 상부의; (비교적) 높은〔위쪽의〕: The ~ arm 상박(上膊) / the ~ currents of air 상층 기류 / the ~ stories 위층. ② (등급·지위 따위가) 높은, 상위의, 상급의, 고등의: ~ freshmen 《美》 제2학기의 1학년생 / the ~ grades 〔《英》 years〕 in school 학교의 상급반. ③ **a**) 상류의, 고지의, 오지의, 내륙의: the ~ reaches of the Thames 템스강 상류 일대. **b**) 북부의: ~ New York State 뉴욕 주의 북부. ④ (U-) 〖地質〗 후기의, 신(新)…: the *Upper* Devonian 후기 데번기(紀). ── *n.* C ① 구두의 갑피《바닥을 제외한 윗부분의 총칭》. ② (선실·침대차의) 상단 침대. ③ 《俗》 각성제. ***be*** (***down***) ***on*** one***'s ~s*** 《口》 구두창이 닳아 버리다; 몹시 가난하다.

úpper cáse (흔히 the ~) 〖印〗 대문자 활자 상자. opp. *lower case.* ¶ in ~ 대문자로.

up·per·case [ʌ́pərkéis] *n.* U 대문자《略: uc, u.c.》. ── *a.* 〖印〗 대문자의, 대문자로 인쇄된.

Úpper Chámber (the ~) =UPPER HOUSE.

úpper círcle 어퍼 서클《극장 3층의 비교적 요금이 싼 좌석》.

up·per-class [ʌ́pərklǽs, -klɑ́ːs] *a.* 〔限定的〕 ① 상류 사회〔계급〕의, 상류 계급 특유의: an ~ accent 상류 계급 특유의 악센트. ② 《美》 (대학·고교의) 상급의《학생》.

up·per·class·man [ʌ́pərklǽsmən, -klɑ́ːs-] (*pl.* ***-men*** [-mən]) *n.* C 《美》 (대학·고교의) 상급생《junior 또는 senior》. cf. underclassman.

úpper crúst (the ~) 《口》 상류 사회, 귀족 계급.

up·per·cut [ʌ́pərkʌ̀t] *n.* C 〖拳〗 어퍼컷. ── (*p., pp.* ~ ; ***~·ting***) *vt.* …에게 어퍼컷을 먹이다.

úpper hánd (the ~) 우월, 우세, 지배《★ 주로 다음 성구(成句)로서만》. ***get*** 〔***gain, win***〕 ***the*** ~ (…보다) 우세해지다, (…에) 이기다《*of; over*》: The government was beginning to gain *the* ~. 정부가 우세해지기 시작했다.

Úpper Hóuse (the ~) 상원.

***up·per·most** [ʌ́pərmòust / -məst] *a.* ① 최상〔최고〕의; 최우위의. ② (생각 따위) 가장 중요한: He says whatever is ~ in his mind. 그는 무엇이건 가장 관심있는 것을 말한다.

—— *ad.* ① 가장 위에〔높이〕. ② 맨 먼저.

úpper régions (the ~) 하늘 ; 천국.

úpper stóry ① 2 층, 위층. ② (the ~) 《俗》 머리, 두뇌 : He's a bit weak in *the* ~. 녀석은 머리가 좀 모자란다. 「(乾舷).

up·per·works [ʌ́pərwə̀:rks] *n. pl.* 〖海〗 건현

up·pish [ʌ́piʃ] *a.* 《口》 우쭐한, 도도한, 건방진. ⊕ **~·ly** *ad.* **~·ness** *n.*

up·pi·ty [ʌ́pəti] *a.* 《口》 = UPPISH.

up·raise [ʌ̀préiz] *vt.* …을 들어 올리다 : The man just stood there with his arm ~*d*. 그 사나이는 팔을 들고 그저 거기 서 있었다.

up·rear [ʌpríər] *vt.* ① …을 들어올리다. ② (건물)을 세우다 ; …을 일으키다, 일으켜 세우다. ③ …을 고양하다, 높이다. ④ …을 기르다. —— *vi.* 오르다.

ː up·right [ʌ́pràit, ⌐⌐] *a.* ① 직립한, 똑바로〔곧추〕선, 수직의 : an ~ post 수직 기둥 / Keep the stick ~. 그 막대기를 똑바로 세워 두시오. ② (정신적으로) 곧은, 바른, 정직한 : an ~ man 고결한 사람 / He is ~ in his business dealings. 그는 상거래에서 속임수를 안 쓴다. —— *n.* ① **a)** Ⓤ 수직〔직립〕의 상태 : be out of ~ 기울어져 있다. **b)** Ⓒ 곧은 물건 ; 건축물의 직립재(材). ② Ⓒ = UPRIGHT PIANO. —— *ad.* 똑바로, 곧추 서서, 직립하여 : stand 〔hold oneself〕 ~ 곧바로 서다. ⊕ **~·ly** *ad.* 똑바로 ; 정직하게. ***~·ness** *n.*

úpright piáno 업라이트 피아노.

up·rise [ʌ̀práiz] (*-rose* [-róuz] ; *-ris·en* [-rízən]) *vi.* ① (태양이) 떠오르다. ② 일어서다 ; 기상하다. ③ (소리 따위가) 높아지다 ; 커지다. —— *n.* Ⓒ ① 해돋이. ② 기상, 기립.

up·ris·en [ʌprízən] UPRISE 의 과거분사.

***up·ris·ing** [ʌ́pràiziŋ, ⌐⌐⌐] *n.* Ⓒ ① 《美》 일어남, 기상. ② 반란, 폭동. ③ 오르막.

up·riv·er [ʌ́prívər] *a., ad.* 강의 상류의〔로〕.

***up·roar** [ʌ́prɔ̀:r] *n.* Ⓤ (또는 an ~) 소란, 소동 ; 소음 : in (*an*) ~ 큰 법석을 떨어.

up·roar·i·ous [ʌprɔ́:riəs] *a.* ① 소란한, 시끄러운. ② 아주 재미 있는, 크게 웃기는 : an ~ comedy. ⊕ **~·ly** *ad.* **~·ness** *n.*

***up·root** [ʌprú:t] *vt.* ① **a)** …을 뿌리째 뽑다 (root up) : Windows were smashed and large trees ~*ed*. 창문들이 박살나고 거목들이 뿌리째 뽑혔다. **b)** (악습)을 근절〔절멸〕시키다 : ~ a bad habit. ② 《~+목 / +목+전+명》 (정든 땅·집 등에서) …을 몰아내다, 떠나게 하다《*from*》: They decided to ~ themselves *from* their Seoul home. 그들은 서울 집을 떠나기로 결정했다.

ː up·set [ʌ̀psét] (*p., pp.* ~ ; *~·ting*) *vt.* ① **a)** …을 뒤집어엎다, 전복시키다 ; 뒤엎어서 흘리다 : Don't ~ the boat. 보트를 뒤엎지 마라 / The cat has ~ its saucer of milk. 고양이가 우유 접시를 뒤엎었다. **b)** (계획 따위)를 틀어지게 만들다, 망쳐버리다 : The schedule was ~ by her sudden visit. 스케줄은 그녀의 갑작스런 방문으로 틀어졌다. ② **a)** …의 마음을 뒤흔들다, …을 동요시키다, 당황하게 하다 ; …을 걱정〔고뇌〕하게 하다《★ 흔히 과거분사로 형용사적으로 씀》: The incident ~ her. 그 사건이 그녀를 당황하게 했다 / He is easily ~. 그는 어지간한 일에도 동요를 일으키곤 한다 / Please don't get ~ about being late. 늦은 것을 너무 걱정하지 마십시오. **b)** 〔再歸的〕 …을 걱정하다 : Don't ~ *yourself* about it. 그 일을 걱정하지 마라. ③ …의 몸을 해치다, 탈이 나게 하다 : The raw oysters ~ his stomach. 먹은 생굴이 그를 배탈나게 했다. —— *vi.* 뒤집히다, 전복하다.

—— [⌐⌐] *n.* ① Ⓤ,Ⓒ **a)** 전복, 전도(轉倒), 뒤집힘. **b)** 혼란(상태). ② Ⓒ 고장, 탈 : have a stomach ~ 배탈이 나다. ③ Ⓒ (마음의) 동요, 당황, 쇼크 : She has had a terrible ~. 그녀는 심한 정신적 쇼크를 받았다. ④ Ⓒ (시합·선거 따위에서의) 뜻밖의 패배. —— [⌐⌐] *a.* ① (위 따위가) 탈이 난. ② 〔敍述的〕 혼란한, 당황한, 걱정한 : be emotionally ~ 마음이 산란하다 / He was terribly ~ about something. 그는 어떤 일로 몹시 당황하고 있었다.

úpset price 〖商〗 (경매 개시 때의) 최저 가격.

up·set·ting [ʌ̀psétiŋ] *a.* 동요〔혼란〕시키는.

up·shot [ʌ́pʃɑ̀t / -ʃɔ̀t] *n.* (the ~) 결과, 결말, 결론 : *The* ~ was that the agreement had to be renegotiated. 결론은 그 계약은 다시 협의했어야 한다는 것이었다.

ː up·side [ʌ́psàid] *n.* Ⓒ 상부, 윗면, 위쪽 ; 상승 경향 ; 상행선(上行線) 플랫폼.

*~ **down*** (1) 거꾸로, 뒤집혀 : turn the table ~ *down* 식탁을 뒤엎다. (2) 난잡하게, 혼란스럽게 : I've turned the house ~ *down*, but I still can't find his watch. 온 집안을 들쑤셔 보았으나 아직 그의 시계를 찾을 수가 없다.

***up·side-down** [ʌ́psaiddáun] *a.* 〔限定的〕 거꾸로 된, 전도된 ; 엉망이 된, 혼란된.

up·sides [ʌ̀psáidz] *ad.* 《英口》 (보복 따위에서) 비등하여, 팽팽하게, 호각으로 : get 〔be〕 ~ with 《英》 …에게 복수하다, 역습하다.

up·si·lon [jú:psəlɑ̀n, ʌ́p- / ju:psáilən] *n.* Ⓤ,Ⓒ 그리스어 알파벳의 스무째 글자《γ, υ ; 로마자의 u 또는 y 에 해당》.

up·spring [ʌ́pspriŋ] *vi.* (*p.* ***-sprang***, *pp.* ***-sprung***) (식물 따위가) 움트다, 생겨나다 ; 나타나다, 발생하다.

up·stage [ʌ́pstéidʒ] *ad.* 무대 안쪽으로〔에서〕. —— *a.* 〔限定的〕 ① 무대 안쪽의. ② 《口》 도도한, 거만한. —— *n.* Ⓤ 무대 안쪽. —— *vt.* 무대 안쪽에 있어서 (다른 배우)를 불리한 입장에 놓이게 하다 《관객에게 등을 보이기 때문에》; 《比》 …의 인기를 가로채다 : The dog ~*d* the human actors. 개가 배우들보다 더 인기를 끌었다.

up·stair [ʌ́pstέər] *a.* = UPSTAIRS.

ː up·stairs [ʌ́pstέərz] *ad.* ① 2 층에〔으로, 에서〕; 위층에〔으로, 에서〕: go ~, 2 층〔위층〕으로 가다 / live ~, 2 층에 살다. ② 한층 높은 지위에. OPP *downstairs*. ***kick** a person* ~ ⇨ KICK[1]. —— *a.* 〔限定的〕 2 층의, 위층의 : an ~ room 2 층〔위층〕의 방. —— *n.* Ⓤ 〔單數취급〕 위층, 2 층.

up·stand·ing [ʌ̀pstǽndiŋ] *a.* ① (자세가) 직립한, 똑바로 서 있는. ② 몸이 늘씬한 ; 반듯한. ③ (인물이) 정직한, 고결한.

up·start [ʌ́pstɑ̀:rt] *n.* Ⓒ 어정뱅이, 벼락 부자. —— *a.* 〔限定的〕 벼락 출세한.

up·state [ʌ́pstéit] 《美》 *a., ad.* 주(州)의 대도시에서 먼〔멀리〕, 해안에서 먼〔멀리〕; 북쪽의〔에, 에서〕. —— *n.* Ⓤ 《특히》 New York 주의 북부 지방 ; (주(州)내의) 벽촌.

up·stream [ʌ́pstrí:m] *ad.* 상류로〔에〕, 흐름을 거슬러 올라가. —— *a.* 상류의, 흐름을 거슬러 올라가는 ; 상류에 있는. OPP *downstream.*

up·surge [ʌ́psə̀:rdʒ] *n.* Ⓒ 솟구쳐 오름 ; 고조(高潮) ; 급증 : an ~ in violence 폭력의 급증.

up·sweep [ʌ́pswì:p] *n.* Ⓒ ① 위쪽으로 (향해) 쓰다듬기〔솔질하기〕. ② 올린〔업스타일〕 머리《위로 빗어 올린 머리형》. —— [⌐⌐] (***-swept***) *vt.* …을 쓸어〔빗어〕올리다.

up·swept [ʌ́pswèpt] *a.* 위로 휜〔굽은〕; 위로 굽게 빗어 올린《머리털 따위》.

up·swing [ʌ́pswìŋ] *n.* Ⓒ (급)상승, 향상, 두드

러진 증대《*in*》: an ~ *in* stock prices 주가의 두드러진 상승 / be on the ~ 상승〔향상〕하고 있다.

up·take [ʌ́ptèik] *n.* ①《口》(the ~) (특히 새로운 것에 대한) 이해(력): quick〔slow〕on〔in, at〕*the* ~ 이해가 빠른〔더딘〕. ② U,C (생체(生體)로의) 흡수, 섭취《*of*》.

up·tick [ʌ́ptìk] *n.* (수요·공급의) 증대, 상향; (사업·경기·금리의) 상승 경향.

up·tight [ʌ́ptáit] *a.*《口》①〔敍述的〕(…의 일로) 몹시 긴장한; 초조해 하는; 걱정하는《*about*》: You get so ~ whenever I raise the subject. 자넨 내가 그 문제를 제기할 때면 언제나 신경을 곤두세우네그려. ②《美》몹시 보수적인.

‡**up-to-date** [ʌ́ptədéit] (*more* ~; *most* ~) *a.* 최신(식)의, 현대적인, 첨단의(opp. *out-of-date*). 파 ~·**ness** *n.*

up-to-the-min·ute [ʌ́ptəðəmínit] *a.* 최신 정보를〔사실을〕담고 있는; 최신식의: ~ news 최신 뉴스 / an ~ style 최신 스타일.

up·town [ʌ́ptáun] *ad.*《美》주택 지구에〔로〕: go 〔live〕~. —— *n.* C《美》주택지(구). —— *a.* 〔限定的〕《美》주택 지구의. opp. *downtown.*

up·turn [ʌ̀ptə́ːrn] *vt.* …을 위로 향하게 하다〔젖히다〕; 뒤집다. ——[ㅗㅗ] *n.* C (경기·물가 따위의) 상승, 호전《*in*》: the long-awaited ~ *in* the economy 대망하던 경제의 호전.

up·turned [ʌptə́ːrnd] *a.* ① 위로 향한《눈·코끝 따위》. ②〔限定的〕뒤집힌.

UPU Universal Postal Union (만국 우편 연합).

‡**up·ward** [ʌ́pwərd] *a.* ①〔限定的〕위로〔위쪽으로〕향한: cast〔take〕an ~ glance 치떠보다. ② 상승의; 향상하는: an ~ current of air 상승 기류 / Prices continued their ~ movement. 물가는 계속 올랐다. —— *ad.* ① 위를 향해서, 위쪽으로: fly ~ 높이 날아오르다 / look ~ 위쪽을 보다 / We had to climb farther ~. 우리들은 더 위쪽으로 올라가야만 했다. ② (…and ~로) …이상: fifty years *and* ~, 50 세 이상. ~(*s*) **of** …보다 많은, …이상의(more than): The typhoon killed ~*s of* 200 people. 태풍으로 200 명 이상의 사망자를 냈다.

***up·wards** [ʌ́pwərdz] *ad.* = UPWARD.

Ur- (종종 ur-) '원시의, 초기의, 원형의'의 뜻의 결합사: *ur*text 원문, 원본.

urae·mia [juəríːmiə] *n.* = UREMIA.

Ural [júərəl] *a.* 우랄 산맥〔강〕의. —— *n.* ① (the ~) 우랄 강. ② (the ~s) 우랄 산맥.

Ural-Al·ta·ic [júərəlæltéiik] *a.* 우랄알타이 지방(주민)의; 우랄알타이 어족(語族)의. cf. Altaic. —— *n.* U 우랄알타이 어족.

Ura·nia [juəréiniə, -njə] *n.* ① 여자이름. ②〖그神〗우라니아《천문(天文)의 여신; Nine Muses의 하나》; Aphrodite〔Venus〕의 별명.

uran·ic [juərǽnik] *a.*〖化〗우라늄의, 우라늄을 함유한.

***ura·ni·um** [juəréiniəm] *n.* U 우라늄《방사성 원소; 기호 U; 번호 92》.

Ura·nus [jùərənə / juəréinəs] *n.* ①〖그神〗우라노스《Gaea(지구)의 남편》. ②〖天〗천왕성.

***ur·ban** [ə́ːrbən] *a.*〔限定的〕도시의, 도회지에 있는; 도시 특유의(opp. *rural*). ¶ ~ problems 도시 문제 / ~ renewal 도시 재개발.

ur·bane [əːrbéin] *a.* 점잖은; 세련된(refined), 품위 있는. 파 ~·**ly** *ad.* ~·**ness** *n.*

ur·ban·ite [ə́ːrbənàit] *n.* C 도회 사람, 도시 생활자.

ur·ban·i·ty [əːrbǽnəti] *n.* ① U 품위 있음, 세련, 우아. ② (*pl.*) 예의바른 점잖은 태도〔행동〕, 세련된 언동.

ur·ban·ize [ə́ːrbənàiz] *vt.* …을 도시화하다; 도회풍으로 하다. 파 **ùr·ban·i·zá·tion** *n.*

ur·ban·ol·o·gy [əːrbənɑ́lədʒi / -nɔ́l-] *n.* U 도시학, 도시 문제 연구.

***ur·chin** [ə́ːrtʃin] *n.* C ① 장난꾸러기, 개구쟁이. ②〖動〗성게(sea urchin).

Ur·du [úərduː, -ㅗ, ə́ːr-, əːrㅗ] *n.* U 우르두 말《Hindustani 말의 한 어족으로, 주로 인도 이슬람교도간에 쓰임》.

-ure *suf.* 동사에 붙여서 그 '동작, 상태, 성질《보기: cens*ure*, pleas*ure*, cult*ure*》; 결과《보기: creat*ure*》; 집합체《보기: legislat*ure*》 따위'를 나타내는 명사를 만듦.

urea [juəríːə, júəriə] *n.* U〖化〗요소(尿素).

ure·mia [juəríːmiə] *n.* U〖醫〗요독증.

ure·ter [juəríːtər] *n.* C〖解〗요관(尿管), 수뇨관.

ure·thane [júərəθèin] *n.* U〖化〗우레탄.

ure·thra [juəríːθrə] (*pl.* **-thrae** [-θriː], ~**s**) *n.* C〖解〗요도(尿道).

‡**urge** [əːrdʒ] *vt.* ①《+目+副 / +目+前+名》…을 (— 방향으로) 몰(아대)다; 좨치다, 재촉하다: Tom ~*d* his horse *on.* 톰은 말을 급히 몰아댔다 / She ~*d* herself *on* in spite of her weariness. 그녀는 피로했으나 자신을 다그쳐 나갔다 / I ~*d* the people *into* another room. 나는 사람들을 다른 방으로 몰아 넣었다. ②《+目 / +目+副》(일)을 강력히 추진하다; …을 부지런히〔세게〕움직이다: ~ the cause *along* 운동을 강력히 추진하다 / ~ *on*〔*forward*〕one's work 일을 힘차게 추진하다. ③ **a**) …을 주장하다, 역설〔강조〕하다: US officials ~*ed* restraint. 미국 관리들은 자제할 것을 강조했다 / The doctor ~*d* a change of air. 의사는 전지요양을 권했다. **b**) (…에게) —을 역설하다《*on, upon*》: The teacher ~*d on*〔*upon*〕us the necessity of practice. 선생님은 우리에게 연습의 필요성을 역설했다. **c**)《+*that* 절》(…라고) 주장하다: He ~*d that* we (should) accept the offer. 우리는 그 제의를 받아들여야 한다고 그는 역설했다. **d**) (…라고) 주장하다: 'At least stay for Christmas,' Pam ~*d.* "크리스마스 동안만이라도 머물러 있어라"라고 팸은 촉구하듯 말했다. ④ **a**)《~+目+前+名 / ~+目+*to* do》(…에게— 하도록) 자꾸만 촉구하다〔권하다〕, 설복〔설득〕하다: ~ a person *to* greater caution 더욱 조심하도록 아무에게 권고하다 / We ~*d* them *to* stay overnight. 그들에게 하룻밤 묵고 가라고 강력히 권고했다. **b**)《+目+副》…을 자꾸만 촉구〔재촉〕하여 (—)하게 하다: She opened the door wide and ~*d* me *in.* 그녀는 문을 활짝 열고 자 어서 하고 나를 안으로 들였다.

—— *n.* ① C 몰아침; 몰아치는 힘, (강한) 충동: a sexual ~ 성적 충동. ② (an ~) (…하고 싶은) 충동《*to* do》: He had〔felt〕*an* ~ *to* travel. 여행하고 싶은 충동에 이끌렸다. ◇ urgent *a.*

***ur·gen·cy** [ə́ːrdʒənsi] *n.* U ① 긴급, 절박, 화급: a problem of great ~ 매우 긴급한 문제. ② 끈덕진 재촉, 강력한 주장, 역설, 집요. ◇ urgent *a.*

‡**ur·gent** [ə́ːrdʒənt] (*more* ~; *most* ~) *a.* ① 긴급한, 절박한, 매우 화급을 요하는: the ~ motion 긴급 동의 / an ~ telegram 지급 전보 / on ~ business 급한 일로 / He is in ~ need of money. 그는 돈이 다급히 필요하다. ② **a**) 좨치는, 재촉하는, 졸라대는, 강요하는: an ~ suitor 집요한 구혼자〔탄원자〕. **b**)〔敍述的〕《+前+名》(…을) 끈덕지게 요구하는《*for, in*》: They're ~ *for* pay-

ment of arrears of wages. 그들은 밀린 임금의 지급을 귀찮게 요구하고 있다 / He was ~ *with* me *for* 〔*to*〕 further particulars. 좀더 자세히 이야기해 달라고 내게 졸라댔다 / I was ~ *in* my demands. 나는 끈질기게 요구했다.
㊞ *~·ly *ad.* 긴급히, 다급하여 ; 억지로.

uric [júərik] *a.* 〔限定的〕 오줌의, 오줌에서 얻은 : ~ acid 〖化〗 요산(尿酸)

uri·nal [júərənəl] *n.* Ⓒ ① (남자용) 소변기 ; 소변소. ② (병실용) 요강.

uri·nal·y·sis [jùərənǽləsis] (*pl.* **-ses** [-sì:z]) *n.* U.C 〖醫〗 오줌 분석, 검뇨(檢尿).

uri·nary [júərənèri] *a.* 오줌의, 비뇨(기)의 : the ~ bladder 방광 / the ~ organs 비뇨기.

uri·nate [júərənèit] *vi.* 소변보다, 방뇨하다.
㊞ **ùri·ná·tion** [-néiʃən] *n.* Ⓤ 배뇨(排尿)(작용).

urine [júərin] *n.* Ⓤ 소변, 오줌 : pass 〔discharge〕 (one's) ~ 오줌이 나오다, 오줌을 누다.

***urn** [ə:rn] *n.* Ⓒ ① 항아리, 단지 ; 납골(納骨)〔유골〕 단지. ② (꼭지 달린) 커피 끓이는 기구.

uro·gen·i·tal [jùəroudʒénətl] *a.* 비뇨 생식기의.

urol·o·gy [juərálədʒi / -rɔ́l-] *n.* Ⓤ 비뇨기학, 비뇨기과(科).

Úrsa Májor 〖天〗 큰곰자리《略 : UMj》.

Úrsa Mínor 〖天〗 작은곰자리《略 : UMi》.

ur·sine [ə́:rsain, -sin] *a.* 곰의, 곰류(類)의 ; 곰 비슷한.

ur·ti·car·ia [ə̀:rtikέəriə] *n.* Ⓤ 〖醫〗 두드러기.

Uru·guay [júərəgwài, -wèi] *n.* 우루과이《남아메리카 남동부의 공화국, 수도 Montevideo ; 略 : Uru.》. ㊞ **~·an** [-ən] *n., a.* 우루과이 사람(의).

Úruguay Róund (the ~) 우루과이 라운드 《1986년 우루과이에서 개최된 GATT 각료 회의에서 선언된 15 개 분야의 다자간 무역 협상》.

†**us** [ʌs, 弱 əs, s] *pron.* 〔we 의 目的格〕 ① 우리들을 〔에게〕. ② 《古·文》 =OURSELVES. ③ (신문·논설 등에서) 우리(들). cf. we. ¶ Why didn't you tell *us*? 왜 우리에게 말을 하지 않았나. ④ 《英方·俗》 =ME, to ME : Give *us* a penny. 한 푼 주세요. ⑤ 〔動名詞 앞에서〕 《口》 =OUR : He didn't say anything against *us* buying it. 그는 우리가 그것을 사는 일에 아무런 말도 하지 않았다.

‡**US, U.S.** United States (of America).

‡**USA, U.S.A.** United States of America ; United States Army(미육군).

us·a·bil·i·ty [jù:zəbíləti] *n.* Ⓤ 유용성, 편리(함).

us·a·ble [jú:zəbəl] *a.* 사용할 수 있는, 사용 가능한 ; (쓰기에) 편리한, 쓸모 있는.

USAF United States Air Force(미공군).

‡**us·age** [jú:sidʒ, -zidʒ] *n.* ① Ⓤ 용법, 사용(법), 취급(법), 사용량 ; 처우, 대우 : Such delicate instruments will not stand rough ~. 이런 정교한 기계는 난폭하게 다루면 망가진다 / He complained of ill ~ at their hands. 그는 그들한테서 받는 대우가 나쁘다고 불평했다. ② U.C 관습, 관례, 습관 : keep an old ~ alive 오래된 관습을 보존하다. ③ U.C (언어의) 관용(법), 어법 : Fowler's Dictionary of Modern English *Usage* 파울러편 현대 영어 관용 사전.

us·ance [jú:zəns] *n.* Ⓤ ① 〖商〗 (관례에 의한) 외국환 어음 지급 유예 기간. ② 〖商〗 유전스, 기한부 어음. 「경비대).

USCG United States Coast Guard(미국 연안

†**use** [ju:s] *n.* ① Ⓤ (또는 a ~) 사용, 행사, 이용(법)《*of*》; (식품 등의) 소비 : learn the proper ~ *of* an instrument 도구의 적절한 사용법을 익히다 / a computer *for* ~ in office 사무용 컴퓨터. ② Ⓤ 사용 능력《*of*》; 사용의 자유〔허가〕, 사용권《*of*》; 사용의 필요〔기회, 경우〕《*for*》; 〖法〗 (토지 등의) 향유(권) : He has lost the ~ *of* his eyes. 그는 눈을 못 쓰게 되었다 / Will you give me the ~ *of* your library? 당신의 서재를 써도 좋습니까 / I have no ~ *for* his services. 그의 도움을 받을 필요는 없다.
③ Ⓒ 용도, 사용 목적 ; 효용, 효과, 유용 : be of (great) ~ (크게) 쓸모있다, (아주) 유익하다 / I wonder if we can find a ~ for the box. 이 상자를 어디에다 쓸 수 없을까 / We have no further ~ for the gadget. 이 기계는 이제 더 이상 소용없다.
④ Ⓤ 쓸모, 이익, 이득 : It is no ~ crying over spilt milk. 《俗談》 한번 엎지른 물은 다시 주워 담지 못한다 / What's the ~ of talking? 말해 봤자 무슨 소용이 있으랴.
⑤ Ⓤ 습관, 관습, 관용, 관행 : *Use* is (a) second nature. 《格言》 습관은 제 2 의 천성 / *Use* makes perfect. 《俗談》 배우기보다 익혀라.
have no ~ for (1) …의 필요는 없다. (2) …은 싫다, …은 못참겠다〔용납 못하겠다〕 : I *have no ~ for* new ideas. 신기축(新機軸)은 싫다. ***in*** 〔***out of***〕 ~ 쓰이고〔쓰이지 않고〕; 행해지고〔폐지되어〕 : Within the next decade industrial robots will be *in* widespread ~. 앞으로 10년 안에 산업로봇이 널리 보급사용될 게다. ***make ~ of*** …을 사용〔이용〕하다 : Industry is *making* increasing ~ *of* robots. 산업이 로봇의 사용을 증가시키고 있다. ***put . . . to ~*** …을 쓰다, 이용하다 : *put* it *to* (a) good ~ 그것을 크게 이용하다.
—— [ju:z] *vt.* ① **a**) …을 사용하다, 쓰다, 이용하다 : This noun is ~*d* attributively. 이 명사는 한정적으로 쓰인다 / Tell me how to ~ a saw. 톱의 사용법을 가르쳐 주십시오 / Don't ~ a knife *to* cut bread. 빵을 지르는 데 나이프를 써서는 안 된다. **b**) 《+目+前+名》 (…을 위해 ―을) 쓰다 : Gravel is often ~*d for* making roads. 자갈은 도로를 만드는 데 잘 쓰인다 / ~ soap *for* washing 세탁하는데 비누를 쓰다. ② (재능·폭력 따위)를 행사하다, 작용시키다, 쓰다 : ~ care 주의를 하다 / *Use* your imagination. 상상력을 발휘하시오 / No violence was ~*d.* 어떠한 폭력도 행사되지 않았다. ③ **a**) …을 소비하다 ; (돈)을 쓰다 : How much money did you ~? 돈을 얼마나 쓰셨습니까. **b**) (습관적으로) 쓰다, 마시다, 피우다 : ~ tobacco 담배를 피우다. ④ 《+目+副 / +目+前+名》 〔well 따위의 양태를 보이는 副詞를 수반하여〕 (아무를 …하게) 대(우)하다, 다루다 : She ~*d* her friend *well* 〔*ill*〕. 친구를 잘〔언짢게〕 대했다 / How is the world *using* you? 《俗》 요즘 어떻습니까. ⑤ (남)을 이기적 목적에 이용하다, (기회)를 잘 이용하다 : They are *using* your good will. 너의 선의를 이용하고 있는 것이다. ⑥ 〔could 〔can〕 ~로〕 《口》 …을 얻을 수 있으면 좋겠다, 필요하다 : I *could* ~ a good meal. 맛있는 식사가 먹고 싶다 / *Can* you ~ some extra money? 여분으로 돈이 필요하냐. ~ ***up*** (1) 다 써 버리다 : He ~*d up* all the coins he had. 그는 갖고 있던 주화를〔동전을〕 다 써버렸다. (2) 지치게 하다 : Don't ~ *up* your energy in fruitless efforts. 효과 없는 노력에 정력을 소모하지 마라.

use·a·ble [jú:zəbəl] *a.* =USABLE.

†**used**[1] [ju:st, 《to 의 앞》 ju:st] (***more ~ ; most ~***) *a.* 《+*to*+名》 〔敍述的〕 …에 익숙하여《★ (+*to* do)는 드묾》: We are ~ *to* drudgery. 힘든 일에 익숙해져 있다 / You'll soon get ~ *to* his way of bullying. 그의 위협적인 태도에 곧 익숙해질 것이다.

> [參考] (1) 다음의 차이점에 주의 : These men *are used* [ju:st] *to* paint*ing* big pictures. 큰 그림을 그리는 일에 익숙해져 있다. These brushes *are used* [ju:zd] *to* paint big pictures. 이 붓은 큰 그림을 그리는 데 쓰인다.
> (2) used (*a.*) 앞에는 be, get, become 등의 동사가 옴. 다음의 *vi.* 에서는 오지 않음.

— *vi.* 《+*to* do》 …하는 것이 예사였다, 늘 …했다, …하는 버릇〔습관〕이 있었다 ; 원래는〔이전에는〕 …했었다 : We live in town now, but we ~ *to* live in the country. 지금은 도회지에 살고 있지만 원래는 시골에 살았다 / He works harder than he ~ *to*. 그는 그 전보다 열심히 일한다 / The bell ~ always *to* ring at one. 전에는 언제나 한 시에 벨이 울렸다 / There ~ *to* be owls in the wood. 이 숲에는 (전에) 올빼미가 있었다.

> [參考] (1) 否定文 및 疑問文에서는 did를 쓰는 꼴과 쓰지 않는 꼴이 있다 : He ~*n't* 〔*didn't use* (*d*)〕 *to* answer. 그는 언제나 대답하지 않았다 / What ~ he 〔*did* he *use*(*d*)〕 *to* say? 언제나 무어라고 하셨습니까 / Brown ~ *to* live in Paris. — Oh, *did* he 〔~ he〕? 브라운은 파리에 살았었습니다. —아 그랬습니까 / He ~ *to* live in Paris, ~*n't* he 〔*didn't* he〕? 파리에 살지 않았었습니까.
> (2) 다음의 차이점(點)에 주의 : used to 다음은 부정사, be 〔get, become〕 used to 다음은 흔히 동명사가 오며 부정사는 드묾 : She ~ *to* sing before large audiences. 그녀는 많은 청중에게 늘 노래를 들려주곤 했었다. ≠She *was* ~ *to* sing*ing* before large audiences. 그녀는 많은 청중에게 노래를 들려주는 데 익숙하였다.

used² [ju:zd] (***more*** ~ ; ***most*** ~) *a.* ① 써서 낡은, 중고의 : ~ books 헌책, 고본 / a ~ car 중고차. ② (써서) 더러워진.

used·n't [jú:snt] used not의 단축형.

†**use·ful** [jú:sfəl] (***more*** ~ ; ***most*** ~) *a.* ① 쓸모 있는, 유용한, 유익한, 편리한, 도움이 되는 : A horse is a ~ animal. 말은 유용한 동물이다 / a book very ~ to me 나에게 아주 유익한 책 / Computers are ~ in processing data. 컴퓨터는 자료 처리에 도움이 된다. ② 《口》 훌륭한, 유능한 : a ~ member of the team 팀의 유능한 멤버. ***come in*** ~ 쓸모 있게 되다 : Don't throw that away ; it will *come in* ~ someday. 그것을 버리지 마라, 언젠가 도움이 될 것이다. ***make*** one***self*** ~ (남의) 도움이 되다, (남을) 돕다, 협력하다 : *make oneself* generally ~ 여러 가지로 도움이 되어주다〔돕다〕.
[파] ~**·ly** *ad.* ‡~**·ness** *n.* [U] 쓸모 있음, 유용성.

úseful lóad (항공기의) 적재량.

‡**use·less** [jú:slis] (***more*** ~ ; ***most*** ~) *a.* ① 쓸모 없는 ; 쓸데 없는, 무익한, 헛된 : It's ~ to argue with them. 그들과 논의해 봤자 헛일이다. ② 《口》 **a**) (사람이) 바보짓만 하는 : He's a ~ fellow. 그는 쓸모가 없는 녀석이다. **b**) 〔敍述的〕 (…에) 서투른, 무능한 : I was always ~ *at* maths. 나는 늘 수학을 못했다. [파] ‡~**·ly** *ad.* 무익하게, 쓸데없이, 소용없이, 헛되이. ~**·ness** *n.* [U] 무익, 무용.

‡**us·er** [jú:zər] *n.* [C] ① 사용〔이용〕자, 소비자 : telephone ~*s* 전화 이용자 / an end ~ 실수요자. ② 사용하는 것 : Industry is a heavy ~ of electric power. 산업은 전력을 엄청나게 사용한다.

us·er-friend·ly [-fréndli] *a.* 〖컴〗 (시스템이) 사용하기 쉬운.

U-shaped [jú:ʃèipt] *a.* U자 꼴〔형〕의.

***ush·er** [ʌ́ʃər] *n.* [C] ① 안내인. ② (법정 따위에서의) 수위, 정리(廷吏). ③ (교회·극장 등의) 좌석 안내원 ; 《美》 (결혼식장에서 내빈의) 안내원.
— *vt.* 《~+[目] / +[目]+[副] / +[目]+[前]+[名]》 (…을 —로) 안내(案內)하다, 선도(先導)하다《*in* ; *out* ; *into*》 : The maidservant ~*ed* me *into* the drawing room. 하녀가 나를 객실로 안내했다 / I ~*ed* him *out*〔*forth*〕. 나는 그를 배웅했다. ~ ***in*** 〔***into***〕 (1) (손님)을 안내해 들이다. (2) 《文語》 (날씨가 계절)을 미리 알리다 ; (사건·시대가 …의) 도래를 알리다 : the song of birds that ~*s in* the dawn 새벽을 알리는 새들의 노랫소리.

ush·er·ette [ʌ̀ʃərét] *n.* [C] (극장 등의) 안내양.

USIA United States Information Agency(미국 해외정보국). **USIS** United States Information Service(미국 (대사관의) 공보원). **U.S.M.** United States Mail 〔Marines, Mint〕. **USMC** United States Marine Corps. **USN, U.S.N.** United States Navy(미해군). **U.S.N.A., USNA** United States Naval Academy(미해군 사관 학교).

US Ópen [jú:és-] (the ~) 〖골프〗 전미(全美) 오픈《세계 4대 토너먼트의 하나 ; 미국에서 매년 6월에 열림》.

US PGA [-pí:dʒì:éi] (the ~) 〖골프〗 전미(全美) 프로《세계 4대 토너먼트의 하나》. [PGA=*P*rofessional *G*olf *A*ssociation]

U.S.S. United States Senate(미국 상원) ; United States Ship 〔Steamer, Steamship〕. **usu.** usual ; usually.

†**usu·al** [jú:ʒuəl, -ʒwəl] (***more*** ~ ; ***most*** ~) *a.* ① **a**) 여느때와 같은, 보통의, 일상의, 평소의, 흔히 있는 : Tea is the ~ drink of English people. 홍차는 영국 사람의 일상 음료이다 / He got up earlier than ~. 그는 여느때보다 일찍 일어났다. **b**) 흔히 있는, 보통인 : It is not ~ for shops to open on Sundays. 가게가 일요일에 문을 여는 일은 드문 일이다. ② 흔히 보는〔경험하는〕; 평범한. ***as is*** ~ ***with*** …이 언제나 하듯이, …에게는 언제나〔흔히〕 있는 일이지만 : *As is* ~ *with* picnickers, they left a lot of litter behind them. 소풍객들에게 언제나 있는 일이지만, 쓰레기를 잔뜩 흩뜨려 놓고 갔다. ***as per*** ~ 《口·戲》=***as*** (***is***) ~ 여느 때처럼 : behave *as* ~ 평소처럼 행동하다.
— *n.* (the 〔one's〕 ~) 《口》 평소의 것〔건강 상태〕, 늘 마시는 것〔요리〕 : "*The* ~, please." 늘 먹던 것으로 주시오.

†**usu·al·ly** [jú:ʒuəli, -ʒwəli] (***more*** ~ ; ***most*** ~) *ad.* 보통, 통례〔일반〕적으로, 일반적으로, 평소(에는) : What do you ~ do on Sundays? 일요일에는 보통 무엇을 합니까.

usu·fruct [jú:zjufrʌ̀kt, -sju-] *n.* [U] 〖로法〗 용익권(用益權), 사용권.

usu·rer [jú:ʒərər] *n.* [C] 고리 대금업자.

usu·ri·ous [ju:zúəriəs] *a.* 고리를 받는, 고리 대금의. [파] ~**·ly** *ad.* ~**·ness** *n.*

***usurp** [ju:sə́rp, -zə́:rp] *vt.* (권력·지위 등)을 빼앗다, 찬탈하다, 강탈〔횡령〕하다 : The king's bastard plotted to ~ the throne. 왕의 서자는 왕의 자리를 찬탈할 음모를 꾸몄다. [파] ~**·er** *n.*

usur·pa·tion [jù:sərpéiʃən, -zər-] *n.* [U,C] 권리 침해, 횡령.

usu·ry [jú:ʒəri] *n.* [U] 고리대금《행위》; (법정 이율을 넘는) 임청난 고리, 폭리.

UT 〖美郵〗 Utah. **Ut.** Utah.

*__Utah__ [jú:tɔ:, -tɑ:] *n.* 유타(미국 서부의 주 ; 略 : Ut.;〖美郵〗UT). ⊕ ~·**an** [-ən] *a.*, *n.* 유타주의 (사람).

‡**uten·sil** [ju:ténsəl] *n.* Ⓒ 가정 용품, 기구, 도구 : farming ~*s* 농기구 / kitchen ~*s* 부엌 세간.

uter·ine [jú:tərὰin, -rin] *a.* ①〖解〗자궁의, 자궁 안에 생기는 : ~ cancer 자궁암. ② 아비 다른 ; 어머니쪽의 : ~ brothers 아비〔씨〕다른 형제.

uter·us [jú:tərəs] (*pl.* **-ri** [-rài]) *n.* Ⓒ〖解〗자궁.

util·i·tar·i·an [ju:tìlətέəriən] *a.* 공리적인, 실리적〔실용적〕인 ; 실용성만을 중히 여기는 ; 공리주의의. ── *n.* Ⓒ 공리론자, 공리주의자.

util·i·tar·i·an·ism [-nìzəm] *n.* Ⓤ ①〖哲〗공리설, 공리주의(최대 다수의 최대 행복을 목적으로 하는 J. Bentham 및 J.S. Mill 의 학설). ② 공리적 성격〔정신, 성질〕.

‡**util·i·ty** [ju:tíləti] *n.* ① Ⓤ 쓸모가 있음(usefulness), 효용, 유용, 유익 ; 실용, 실익(實益), 실리(實利) : marginal ~ 한계 효용. ② Ⓒ (종종 *pl.*) 도움이〔소용〕이 되는 것, 실용품, 유용물. ③ Ⓒ (종종 *pl.*) (수도·전기·가스·교통 기관 등의) 공익 사업〔기업〕(체) : ⇨PUBLIC UTILITY.
── *a.* 〔限定的〕 ① 실용적인, 실용 본위의(가구·의류 따위) : a ~ model 실용 신안품 / ~ furniture 실용 본위 가구. ② 여러 가지로 쓸 수 있는 ; 다양한 용도의 : ~ truck 다(多)용도 트럭. ③ (야구 선수 등) 여러 포지션에 쓸 수 있는, 만능의 : a ~ infielder 어느 포지션이나 수비할 수 있는 내야수.

utílity pòle (美) 전봇대, 전신주.

utílity ròom 다용도실(室).

‡**uti·lize** [jú:təlàiz] *vt.* …을 이용〔활용(活用)〕하다 ; 소용되도록 하다 : ~ nuclear energy *for* peaceful purposes 핵에너지를 평화 목적을 위해 이용하다. ⊕ **-lìz·a·ble** [-əbəl] *a.* **uti·li·za·tion** [jù:təlizéiʃən] *n.* Ⓤ 이용. **úti·lìz·er** *n.*

‡**ut·most** [ʌ́tmòust / -məst] *a.* 〔限定的〕 ① 최대(한도)의, 최고(도)의, 극도의, 극단의 : in the ~ danger 극도로 위험한 상태에 / He had the ~ respect for his children. 그는 자식들을 최대한으로 존중했다. ② 가장 먼, 맨 끝의 : to the ~ ends of the earth 지구의 끝까지.
── *n.* (the ~, one's ~) (능력·노력·힘 따위의) 최대 한도, 최고도, 극한, 극도 : We will do our ~ to help these unfortunate people. 우리는 이 불행한 사람들을 돕기 위해 온 힘을 다하겠다.

*__Uto·pia__ [ju:tóupiə] *n.* ① 유토피아(Sir Thomas More 작의 *Utopia* 중에 묘사된 이상국). ② Ⓒ (종종 u-) 공상적〔실현 불가능한〕 사회. ③ Ⓒ (u-) 유토피아 이야기.

Uto·pi·an [ju:tóupiən] *a.* ① 유토피아의 ; 이상향의. ② (종종 u-) 유토피아적인 ; 공상적〔몽상적〕인 ; 실현불가능한 : ~ socialism 공상적 사회주의. ── *n.* Ⓒ ① 유토피아〔이상향〕의 주민. ② (종종 u-) 공상적 사회 개혁론자, 몽상가. ⊕ ~·**ìsm** *n.* Ⓤ ① 유토피아적 이상주의. ②〔集合的〕공상적 사회 개혁안 ; 유토피아적〔공상적〕 이념〔이론〕.

‡**ut·ter**[1] [ʌ́tər] *a.* 〔限定的〕 전적인, 완전한, 철저한 : an ~ stranger 생판 모르는 사람 / an ~ fool 지독한 바보 / ~ darkness 칠흑 같은 어둠.

‡**ut·ter**[2] *vt.* ① (목소리·말 따위)를 내다, 입밖에 내다, 발음하다 : ~ a groan〔sigh〕 신음소리를 내다〔한숨을 쉬다〕. ② (생각·마음 따위)를 말하다, 말로 나타내다, 털어놓다 : ~ one's thoughts 〔feelings, joy〕 생각〔느낌, 기쁨〕을 말하다. ③ (위조 지폐 따위)를 유통시키다, 사용하다. ◇ utterance[1] *n.* ⊕ ~·**er** [-rər] *n.* 발언〔발음〕하는 사람 ; (지폐의) 위조 행사자.

*__ut·ter·ance__ [ʌ́tərəns] *n.* ① Ⓤ **a**) 말함, 발언, 발성 : The dying man attempted ~ in vain. 죽어가는 사람은 무언가 말하려 했지만 목소리가 나오지 않았다. **b**) 말하기, 말〔이야기〕투, 표현, 말하는 능력, 발표력 ; 어조, 발음 : a rare gift of ~ 드물게 보는 변설의 재주 / defective ~ 부정확한 표현. ② Ⓒ (입밖에 낸·씌어진) 말 ; 이야기한 말 ; 의견 ;〖言〗발화(發話). ③ 유통시킴. ◇ utter[2] *v.*

*__ut·ter·ly__ [ʌ́tərli] *ad.* 아주, 전혀, 완전히 : She was ~ exhausted. 그녀는 완전히 지쳐 있었다.

*__ut·ter·most__ [ʌ́tərmòust / -məst] *a.*, *n.* = UTMOST.

U-turn [jú:tə̀:rn] *n.* Ⓒ ① U턴 : make〔do〕 a ~ U턴을 하다 / No ~*s*. U턴 금지(게시). ② (정책 등의) 180° 전환 : make an economic ~ 경제 정책을 일변하다.

UV ultraviolet.

uvu·la [jú:vjələ] (*pl.* ~**s**, **-lae** [-lì:]) *n.* Ⓒ〖解〗현옹수(懸壅垂), 목젖.
⊕ **úvu·lar** [-lər] *a.* 목젖의 ;〖音聲〗연구개의. ── *n.* Ⓒ 연구개음.

ux·o·ri·ous [ʌksɔ́:riəs, ʌgz-] *a.* 아내에게 무른, 애처가인. ⊕ ~·**ly** *ad.* ~·**ness** *n.*

Uz·beg, Uz·bek [úzbeg, ʌ́z-], [-bek] *n.* ① **a**) (the ~(s)) 우즈베크족(중앙 아시아의 터키 종족). **b**) Ⓒ 우즈베크족 사람. ② Ⓤ 우즈베크 말.

Uz·bek·i·stan [uzbékistæ̀n, ʌz-, -stɑ̀:n] *n.* (the ~) 우즈베키스탄(독립 국가 연합(CIS) 가맹 공화국의 하나로 1992년 독립함 ; 수도는 Tashkent).

V

V, v [vi:] (*pl.* **V's, Vs, v's, vs** [-z]) ① U.C 브이(영어 알파벳의 스물두째 글자). ② C V자형(의 것) ; (연속된 것의) 제 22 번째(의 것)《J를 빼면 21 번째》. ③ U 로마 숫자의 5 : IV=4 / VI=6 / XV=15.

V 〖化〗 vanadium ; vector ; victory ; 〖電〗 volt. **v** velocity ; volt. **V.** Venerable ; Vicar ; Vice ; Victoria ; Viscount ; Volunteer. **v.** valve ; 〖數〗 vector ; vein ; verb ; verse ; version ; versus ; very ; vicar ; vice- ; *vide* 《L.》 (=see) ; village ; vocative ; voice ; voltage ; volume

VA 〖美郵〗 Virginia. **VA, V.A.** Veterans' Administration ; Vicar Apostolic ; Vice-Admiral ; (Order of) Victoria & Albert(빅토리아 앨버트 훈장). **Va.** Virginia ; 〖樂〗 viola.

vac [væk] *n.* C 《英口》 (대학의) 휴가(vacation) : in〔during〕 the ~ 휴가에〔중에〕.

***va·can·cy** [véikənsi] *n.* ① U 공허, 빔, 공간 : look〔stare〕 into ~ 허공을 응시하다. ② C 틈, 사이, 간격. ③ C 공석, 결원, 공백 : a ~ on the staff 직원의 결원 / fill (up) a ~ 결원을 보충하다 / His retirement made a ~ in the company. 그의 은퇴로 회사에 공석이 생겼다. ④ C 공터, 빈 방, 빈 집 : "No *Vacancies*" '빈 방 없음'《호텔의 표찰》. ⑤ U 방심(상태), 마음의 공허〔허탈〕 ; 《稀》 무위 : an expression of ~ 멍한 표정.

‡va·cant [véikənt] (***more*** **~ ;** ***most*** **~**) *a.* ① 공허한, 빈 : ~ space 아무 것도 없는 공간. ② (토지·집·방 따위가) 비어 있는, 사는 사람이 없는, 세든 사람이 없는 : Have you a room ~ ? (호텔 따위에서) 빈 방 있습니까 / I sat down in a ~ chair. 나는 빈 의자에 앉았다. ③ (자리가) 비어 있는, 공석중인, 결원으로 된 : a ~ seat 공석 / a ~ job 공석중인 일자리 / situations ~ columns (신문의) 구인 광고란. ④ (시간이) 한가한, 무위한, 틈이 있는 : ~ time 한가한 시간. ⑤ (마음·머리가) 멍(청)한, 비어 있는, 맥빠진 : with a ~ stare 〔look〕 멍청한 눈〔표정〕으로 / give a ~ laugh 바보같이 웃다.

㊕ **~·ly** *ad.* 멍청하게, 멍하니 : look ~*ly* into a show window 진열창을 멍하니 들여다보다.

vácant posséssion 《英》 즉시 입주가(可) 《광고문》 ; 가옥·건물 매입자의 입주권.

va·cate [véikeit / vəkéit] *vt.* ① 《~+目 / +目+前+名》 …을 비우다, 퇴거하다, 떠나가다 : ~ a house 집을 비우다 / Hotel guests are requested to ~ their rooms by twelve noon. 호텔 투숙객들은 낮 열두시까지는 방을 비우도록 되어 있다. ② …에서 물러나다, (직 따위)를 사퇴하다, 공석으로 하다 : He recently ~*d* his post as KBS Personnel Director. 그는 최근 KBS 인사국장의 자리를 사퇴했다.

†va·ca·tion [veikéiʃən, və-] *n.* ① C 휴가《학기말이나 회사 따위의》 ; (법정의) 휴정기 : the summer ~ (학교의) 여름 방학 / the Christmas ~ 크리스마스 휴가 / take a ~ 휴가를 얻다 / be away on a ~ 휴가로 여행 중이다. ② U.C (가옥 등의) 명도, 퇴거. ③ U.C 사직 ; 사임.

── *vi.* 《~ / +前+名》 《美》 휴가를 얻다, 휴가를 보내다 : Where will you go ~*ing* ? 휴가는 어디서 지낼거요.

㊕ **~·al** [-ʃənəl] *a.* **~·er, ~·ist** *n.* C 《美》 휴가 여행자〔관광객〕, (휴일의) 행락객, 피서객.

va·ca·tion·land [-lænd] *n.* C 《美》 행락지.

vac·ci·nal [vǽksənəl] *a.* 백신〔접종〕의〔에 의한〕.

***vac·ci·nate** [vǽksənèit] *vt.* 《~+目 / +目+前+名》 …에게 예방 접종을 하다《*against*》, 《특히》 종두하다 : be ~*d against* typhus 티푸스의 예방 주사를 맞다.

***vac·ci·na·tion** [væ̀ksənéiʃən] *n.* C.U 종두(種痘) ; 백신 주사, 예방 접종 ; 우두 자국.

vac·cine [vǽksi(:)n, væksí(:)n] *a.* 〔限定的〕 우두의 ; 종두의 ; 백신의 : a ~ therapy 백신 요법. ── *n.* U.C 우두종 ; 백신.

vac·il·late [vǽsəlèit] *vi.* ① (사람·마음이) 망설이다, 생각이 흔들리다, 머뭇거리다 : His mood ~*d between* hope and fear. 그의 마음은 희망과 불안 사이에서 흔들렸다. ② (물건이) 흔들거리다 : ~ on one's feet 다리가 흔들거리다. ㊕ **-là·tor** *n.*

vac·il·la·tion [væ̀səléiʃən] *n.* U.C ① 흔들림, 동요. ② (마음·생각 등의) 망설임 ; 우유부단.

vac·ua [vǽkjuə] VACUUM 의 복수.

va·cu·i·ty [vækjú:əti, və-] *n.* ① U 공허, 텅 빔 ; 진공 ; 빈 곳. ② U 마음의 공허, 방심, 멍청함 ; 얼빠짐 ; 허무. ③ C (흔히 *pl.*) 얼빠진 말〔행위〕.

vac·u·ous [vǽkjuəs] *a.* ① 빈, 공허한. ② 마음이 공허한 ; 멍청한 ; 바보 같은, 얼빠진 : a ~ expression 멍한 표정. ③ 아무 일도 하지 않는 ; 무의미한, 무위의 : a ~ life 무위한 생활. ㊕ **~·ly** *ad.* 무위로. **~·ness** *n.*

‡vac·u·um [vǽkjuəm, -kjəm] (*pl.* **~*s*, *vac·ua*** [-ə]) *n.* C ① 진공 : produce a ~ 진공을 이루다〔만들다〕. ② (a ~) 공허(감), 공백. opp. *plenum.* ¶ His death left *a* ~ in the political world. 그의 사망으로 정계에는 공백이 생겼다. ③ =VACUUM CLEANER.

── *vt.* …을 진공 청소기로 청소하다 : ~ a room (*out*) (진공 청소기로) 방을 청소하다.

vácuum bòttle 〔**flàsk**〕 보온병.

vácuum bràke 진공 브레이크.

vácuum clèaner 전기〔진공〕 청소기.

vácuum gàuge 진공계(計).

vac·u·um-packed [vǽkjuəmpǽkt] *a.* (식품이) 진공 포장된.

vácuum pùmp 진공〔배기〕 펌프.

vácuum tùbe 〔《英》 **vàlve**〕 진공관.

va·de me·cum [véidi-mí:kəm, vá:di-] (*pl.* **~*s***) *n.* C 필휴(必携), 참고서, 편람, 핸드북.

***vag·a·bond** [vǽgəbɑ̀nd / -bɔ̀nd] *n.* C ① 부랑자, 방랑자. cf. hobo, tramp, vagrant. ② 무뢰한, 깡패. ── *a.* 〔限定的〕 부랑〔방랑〕하는 ; 방랑성의 ; 무뢰한의, 부랑자의 : lead a ~ life 방랑 생활을 보내다.

vag·a·bond·age [vǽgəbɑ̀ndidʒ / -bɔ̀nd-] *n.* U 방랑(생활) ; 방랑성(벽) ; 〔集合的〕 방랑자들.

va·gar·i·ous [vəgέəriəs] *a.* ① 엉뚱한, 기발한, 변덕스러운. ② 방랑하는, 편력하는.

va·gary [véigəri, vəgέəri] *n.* C (흔히 *pl.*) 기발한 행동, 엉뚱한 짓, 기행(奇行) ; 변덕 : the *vagaries* of weather 날씨의 변덕.

va·gi [véidʒai, -gai] VAGUS의 복수.

va·gi·na [vədʒáinə] (*pl.* **~s, -nae** [-ni:]) *n.* Ⓒ 〖解〗 질(膣). ㊕ **va·gi·nal** [vǽdʒənəl] *a.*

vag·i·ni·tis [væ̀dʒənáitis] *n.* Ⓤ 〖醫〗 질염(膣炎).

va·gran·cy [véigrənsi] *n.* Ⓤ 방랑, 유랑 ; 방랑생활 ; 방랑죄.

***va·grant** [véigrənt] *a.* 〔限定的〕 ① 방랑하는, 떠도는, 방랑성의 : the ~ tribes of the desert 사막을 방랑하는 종족 / a ~ life 방랑생활. ② (생각 등이) 종잡을 수 없는, 변덕스러운, 불안정한 : ~ thoughts 두서없는 생각. ── *n.* Ⓒ 방랑자, 부랑자. ㊕ **~·ly** *ad.*

***vague** [veig] (**vá·guer ; vá·guest**) *a.* ① 막연한, 애매한, 모호한. OPP *distinct*. ¶ make a ~ answer 애매한 대답을 하다 / with a ~ sense of uneasiness 막연한 불안감을 안은 채 / The description was pretty ~. 그 기술(記述)은 꽤 막연했다. ② 말〔생각 등〕이 분명치 않은《*about ; as ; to ; on*》: He was ~ *about* many of the details. 세세한 점들에 대해서는 말을 흐렸다. ③ (빛깔·모양 등이) 흐리멍덩한 ; 어렴풋한 ; 희미한 ; 흐린 : a ~ moon 희미한 달 / Everything looks ~ in the fog. 모든 것이 안갯 속에 아련하게 보인다. ④ **a**) 희미한 ; 미미한 ; 약간의 : There's a ~ possibility that I'll be there. 내가 그곳에 있을 가능성은 희박하다. **b**) 〔흔히 the ~st …로, 否定文·疑問文에 써서〕 (이해·생각 따위가) 극히 조금〔약간〕의 : I have*n't the ~st* idea what to do〔who she is〕. 도대체 어찌해야 좋을지〔그녀가 누군지〕 도무지 모르겠다 / Do you have *the ~st* notion (of) what you are asking me for? 당신이 내게 어떤 일을 부탁하고 있는 것인지 조금이라도 알기나 하오. ⑤ (표정 따위가) 멍청한, 넋나간. ㊕ **~·ly** [-li] *ad.* **~·ness** *n.*

va·gus [véigəs] (*pl.* **-gi** [-dʒai, -gai]) *n.* Ⓒ 〖解〗 미주(迷走) 신경(= ≺ **nérve**).

‡vain [vein] (**≺·er ; ≺·est**) *a.* ① 헛된, 보람 없는, 무익한 : ~ efforts 헛수고 / It is ~ to try. 해 보았자 소용 없다 / All their resistance was ~. 그들의 저항은 모조리 허사였다 / She made a ~ attempt to persuade him to lend her the money. 그녀는 돈을 꾸어주도록 그를 설득하려 했으나 허사였다. ② 공허한, 속이 빈, 시시한, 허울〔허식〕만의 : ~ promises 헛된 약속 / waste one's life in ~ pleasures 하찮은 쾌락에 일생을 낭비하다. ③ 허영심이 강한, 자만하는, 우쭐대는 : a ~ boast 허세 부리기 / a very ~ man 허영심이 대단한 사람. ***be ~ of*** 〔***about***〕 …을 자랑하다 : She *is ~ about* her clothes. 그녀는 옷이 자랑이다 / He *is* not ~ *of* himself. 그는 자만하지 않는다. ***in ~*** ⑴ 무위(無爲)로, 무익하게, 헛되이 : He tried *in ~* to solve the problem. 그는 그 문제를 풀려고 했으나 허사였다. ⑵ 경솔하게, 함부로 : take 〔use〕 the name of God *in ~* 하느님의 이름을 남용하다.

㊕ ***≺·ly** [-li] *ad.* ① 헛되이, 쓸데없이 : I hoped *~ly* for a suggestion from him. 그의 제안을 기대했으나 소용없었다. ② 자만하여, 우쭐하여. **≺·ness** *n.* Ⓤ ① 무익, 헛됨, 무효. ② 《稀》 자만, 허영.

vain·glo·ri·ous [vèinglɔ́:riəs] *a.* 자부심〔허영심〕이 강한 : a ~ display of erudition 학식(學識)의 과시. ㊕ **~·ly** *ad.*

vain·glo·ry [véinglɔ̀:ri, ≺≺-] *n.* Ⓤ 《文語》 자만, 자부(심) ; 허영(심), 허세 ; 허식.

val·ance [vǽləns, véil-] *n.* Ⓒ (침대·설교단 주위의) 휘장 ; (창문 위쪽의) 장식 커튼.

vale** [veil] *n.* Ⓒ ① 《詩》 골짜기, 계곡. ② 현세, 뜬세상, 속세. ***this ~ of tears 〔***misery, woe***〕 이 눈물〔불행, 비애〕의 골짜기《현세》.

val·e·dic·tion [væ̀lədíkʃən] *n.* Ⓤ,Ⓒ 고별(사).

val·e·dic·to·ri·an [væ̀lədiktɔ́:riən] *n.* Ⓒ 《美》 (졸업식에서) 고별사를 읽는 학생.

val·e·dic·to·ry [væ̀lədíktəri] *a.* 고별의 : a ~ speech 고별의 연설 / a ~ poem 고별의 시(詩). ── *n.* Ⓒ 고별 연설, 고별사 ; 《美》 졸업생 대표의 고별사(연설).

va·lence [véiləns] *n.* Ⓒ ① 〖化〗 원자가. ② 〖生〗 (항원 등의 반응·결합하는) 결합가.

va·len·cy [véilənsi] *n.* Ⓒ = VALENCE.

Val·en·tine [vǽləntàin] *n.* ① 성(聖) 발렌타인 《3세기 로마의 기독교 순교자》. ② Ⓒ (v-) **a**) 성발렌타인 축일에 택한 애인 ; 연인, 애인. **b**) 성발렌타인 축일에 이성에게 보내는 카드·편지·선물 《따위》: Saint *Valentine's* Day (2월 14일). ── *a.* 〔限定的〕 (v-) (성)발렌타인의〔에 보내는〕 : a ~ card 발렌타인 카드.

va·le·ri·an [vəlíəriən] *n.* Ⓒ 〖植〗 쥐오줌풀 ; Ⓤ 〖藥〗 그 뿌리에서 채취한 진정제.

val·et [vǽlət, vǽlei] *n.* Ⓒ 시종《주인의 시중을 드는 자》, 종자(從者) ; (호텔 등의) 보이. ── *vt., vi.* ① (…에게) 시종으로서 섬기다〔시중들다〕. ② (남의 옷의) 시중을 들다《솔질·세탁·수선 따위를 하다》. ③ (차를) 세차(洗車)하다.

val·e·tu·di·nar·i·an [væ̀lətjù:dənέəriən] *a.* 병약한, 허약한 ; 건강〔병〕에 지나치게 신경 쓰는. ── *n.* Ⓒ 병약자 ; 너무 지나치게 건강에 신경 쓰는 사람.

val·e·tu·di·nary [væ̀lətjú:dənèri / -nəri] *a., n.* = VALETUDINARIAN.

Val·hal·la, Val·hall [vælhǽlə], [vælhǽl] *n.* 〖北유럽神〗 발할라《Odin 신의 전당(殿堂) ; 전사한 국가적인 영웅을 모시는 기념당(記念堂)》.

***val·iant** [vǽljənt] *a.* ① 용감한, 씩씩한, 영웅적인 : a ~ soldier 〔deed〕. ② 훌륭한, 뛰어난, 가치 있는 : It was a ~ attempt. (성공은 못했지만) 해볼만한 시도였다. ㊕ **~·ly** *ad.*

***val·id** [vǽlid] (**~·er, more ~ ; ~·est, most ~**) *a.* ① (의론·이유 따위가) 근거가 확실한, 확실한, 정당한 ; 타당한 : Oversleeping is not a ~ excuse for being late for school. 늦잠을 자는 것이 학교에 지각하는 정당한 이유가 될 수는 없다. ② 유효한, 효력이 있는, 효과적인 : a ticket ~ for two days 이틀간 유효한 표 / This license is no longer ~. 이 면허증은 이제 무효다. ③ 〖法〗 (법적으로) 유효한, 정당한 절차를 밟은. OPP *invalid, void*. ㊕ **~·ly** *ad.* **~·ness** *n.*

val·i·date [vǽlədèit] *vt.* ① …을 (법률적으로) 유효하게 하다 ; 비준하다. OPP *invalidate*. ¶ ~ a treaty 조약을 비준하다. ② …을 확증하다 ; 확인하다 : True ideas are those that we can assimilate, ~, corroborate. 참다운 아이디어란 우리들이 이해하고 확증하고 뒷받침할 수 있는 것들이다. ㊕ **val·i·da·tion** [væ̀lədéiʃən] *n.* Ⓤ 비준 ; 확인.

***va·lid·i·ty** [vəlídəti] *n.* Ⓤ ① 정당성, 타당성 ; 확실성. ② 유효성, 효력 : the term of ~ 유효기간. ③ 합법성.

va·lise [vəlí:s / -lí:z] *n.* Ⓒ ① 《美》 여행용 손가방. ② 배낭(背囊).

Val·i·um [vǽliəm, véil-] *n.* Ⓤ 발륨《정신 안정제 ; 商標名》.

Val·ky·rie [vælkí:ri, -kái-, vǽlkəri] *n.* 〖北유럽神〗 Odin 신의 12시녀의 하나.

†val·ley [vǽli] *n.* Ⓒ ① 골짜기, 계곡 : the Nile ~ 나일 계곡. cf. dale, vale. ② (흔히 *sing.*) 〔종종 修飾語를 수반하여〕 (큰 강의) 유역(流域) ; 계

곡과 같은 분지 : a river ~ 강의 유역 / the Mississippi ~ 미시시피 강 유역. ③ 골짜기 모양(의 것) ; 〖建〗 (지붕의) 골. ***the ~ of the shadow of death*** 〖聖〗 죽음의 음침한 골짜기 ; 큰 고난(의 시기)《시편 XXIII : 4》.

***val·or, 《英》 -our** [vǽlər] *n.* Ⓤ 《詩·文語·戲》(특히 싸움터에서의) 용기, 무용(武勇) ; 강용(剛勇), 용맹. ◇ valiant, valorous *a.*

val·or·ize [vǽləràiz] *vt.* 〖經〗 (특히 정부가) 가격을 정하다〔올리다·안정시키다〕; 물가를 안정시키다. ㊞ **val·or·i·za·tion** [væ̀lərizéiʃən / -raiz-] *n.* Ⓤ (정부의)물가 안정정책.

val·or·ous [vǽlərəs] *a.* 용감한, 용맹한, 씩씩한. ㊞ **~·ly** *ad.* **~·ness** *n.*

†**val·u·a·ble** [vǽlju:əbəl, -ljəbəl] (***more ~ ; most ~***) *a.* ① 귀중한, 귀한, 소중한 ; (…에) 도움이 되는, 유익한《*for* ; *to*》: ~ information 귀중한 정보 / ~ advice 유익한 조언 / This book will be very ~ *to* you〔*for* studying French〕. 이 책은 네게〔프랑스어 공부에〕 매우 도움이 될게다. ② 값비싼 ; 금전적 가치가 있는 : ~ jewelry / ~ papers 유가 증권. ③ 평가할 수 있는 : goods not ~ in money 돈으로 따질 수 없는 물건.
── *n.* Ⓒ (흔히 *pl.*) 귀중품《보석·귀금속 등》: All ~*s* should be kept in the safe. 귀중품은 모두 금고에 보관하십시오《호텔 등에서의 게시》. ㊞ **-bly** *ad.*

val·u·ate [vǽljuèit] *vt.* 《美》 …을 평가〔견적〕하다.

***val·u·a·tion** [væ̀ljuéiʃən] *n.* ① Ⓤ 평가, 값을 매김, 가치 판단 ; Ⓒ 사정 가격. ② Ⓤ,Ⓒ (인물·재능 따위의) 평가 ; 품정 ; 판단 : accept〔take〕 a person at his own ~ 사람의 값어치를 본인이 말하는 대로 받아들이다.

†**val·ue** [vǽlju:] *n.* ① Ⓤ 가치 ; 값어치, 진가 ; 유용성 : the ~ of education〔sunlight〕 교육〔햇빛〕의 가치 / news〔propaganda〕 ~ 뉴스〔선전〕 가치 / Everyone realizes the ~ of sincerity. 모두 성실의 중요성을 깨닫고 있다. ② Ⓤ,Ⓒ 가격, 값 ; (통화의) 교환 가치 : buy a thing for more than its ~ 값 이상의 돈을 주고 사다 / The ~ of won changes every day. (달러에 대한) 원화(貨)의 가치는 매일 변동한다 / Stamps can be redeemed at face ~. 인지(印紙)는 액면가격에 현금으로 바꿀 수 있다 / This picture has no market ~. 이 그림은 시장 가치가 없다. ③ Ⓤ (흔히 good〔poor〕 ~ (for money)로) (돈을 지급한 만큼의) 값어치의 물건〔것〕; 가격에 합당한 물건 : get the ~ of one's money 돈을 지급한 만큼의 대가(代價)를〔물건을〕 얻다 / This coat was *good*〔*poor*〕 ~ (*for* the price). 이 코트는 (값에 비해) 괜찮은〔이득이 없는〕 물건이었다. ④ Ⓤ (또는 a ~) 평가 : set〔place, put〕 much〔*a* high〕 ~ on〔upon〕 …에 비싼 값을 매기다, …을 높이 평가하다, 소중히 여기다. ⑤ (*pl.*) (인생에 있어서의) 가치 기준 : social ~*s* 사회적 가치 기준 / the erosion of traditional ~*s* 전통적 가치관의 붕괴. ⑥ Ⓒ (어구 등의) 진의, 참뜻, 의의(意義)《*of*》. ⑦ Ⓒ 〖數〗 값 : the ~ of x, x의 값. ⑧ Ⓒ 〖樂〗 음표가 나타내는 길이, 시간적인 가치 ; 〖音〗 (문자가 나타내는) 음가(音價). ***of*** ~ 가치있는 ; 귀중한, 중요한, 값비싼 : articles *of* ~ 귀중품 / These old coins are now *of* no ~. 이 옛날 화폐들이 지금은 아무 가치도 없다 / This book will be *of* great ~ (to you) for〔in〕 your studies. 이 책은 네 연구에 큰 가치가 있을 것이다. ~ ***for money*** 금액 만큼의 가치가 있는 것 : Our store gives ~ *for money.* 당점은 값을 속이지 않습니다.
── *vt.* ① (+目 / +目+전+명) …을 (금전적으로) 평가하다, (물건)에 값을 매기다 ; 값을 치다 : ~ old books for an auctioin 경매를 위해 고서(古書)에 값을 매기다 / They ~*d* the jewel *at* $5,000. 그들은 그 보석을 5천 달러로 평가했다. ② …을 높이 평가하다, 존중하다 ; 소중히 여기다 : He ~*s* your friendship (highly). 그는 너의 우정을 (매우) 소중히 여기고 있다.

vál·ue-add·ed tàx [-æ̀did-] 부가 가치세《略 : VAT》.

val·ued [vǽlju:d] *a.* ① 귀중한, 소중한 ; 값진 : a ~ friend 소중한 친구. ② 〔複合語를 이루어〕 …의 가치가 있는 : two-~ logic 이가(二價) 논리 / many ~ 다원적(多元的) 가치의.

válue jùdgment 가치 판단.

val·ue·less [vǽlju:lis] *a.* 가치가〔값어치〕 없는, 시시한, 하찮은. cf. invaluable. ㊞ **~·ness** *n.*

val·u·er [vǽlju:ər] *n.* Ⓒ 평가자, 《英》 가격 사정인 ; 《美》 삼림(森林) 답사자.

‡**valve** [vælv] *n.* Ⓒ ① 〖機〗 판(瓣), 밸브 : ⇨ SAFETY VALVE / THERMIONIC VALVE. ② (수문 따위의) 막이판. ③ 〖醫·動〗 판, 판막(瓣膜). ④ 〖植〗 (꼬투리, 포(苞)) 한 조각 ; 〖動〗 (조개) 껍질, 조가비. ⑤ 《英》 진공관, 전자관 : a six-~ set, 6 진공관 수신기. ⑥ 〖樂〗 (금관악기의) 판(瓣). ㊞ **~d** *a.* 밸브가 있는.

val·vu·lar [vǽlvjulər] *a.* 판(瓣)의 ; 심장 판막의 ; 판 모양의 ; 판이 달린 ; 판으로 작용하는 : ~ disease of the heart 심장 판막증《略 : V. D. H.》.

va·moose [væmú:s, və-] *vi.* 〔종종 命令法으로〕 《美俗》 줄행랑치다, 달아나다, 도망치다 (decamp).

vamp[1] [væmp] *n.* Ⓒ ① 구두의 앞닫이(가죽). ② 〖樂〗 (재즈의) 즉석 반주(곡). ── *vt.* ① (구두)에 새 앞닫이를 대다 ; …을 새 것처럼 보이게 하다, 꾸미다《*up*》: The dress is simple and elegant, but you could ~ it *up* with some stunning jewellery. 그 드레스는 수수하고 우아하나 몇개의 멋진 보석류로 더 멋있게 꾸밀 수 있다. ② 〖樂〗 (노래 따위)에 즉흥적으로 반주〔전주〕를 넣다《*out* ; *up*》. ── *vi.* 〖樂〗 즉흥적으로 반주하다.

vamp[2] *n.* Ⓒ 요부(妖婦) ; 마성(魔性)의 여자 ; 요부역(役). ── *vt., vi.* (…을) 유혹하다, 사내를 호리다 ; 요부역(役)을 하다. [◂ *vamp*ire]

vam·pire [vǽmpaiər] *n.* Ⓒ ① 흡혈귀. ② 사람의 고혈 착취자 ; 요부(妖婦). ③ 〖動〗 (남아메리카의) 흡혈박쥐(=~ bàt).

‡**van**[1] [væn] *n.* Ⓒ ① (포장 달린) 큰 마차, 유개트럭 : a police ~ (호송용) 유개 경찰차. ② 《英》 (철도의) 수화물차, 유개 화차, 소형 짐마차〔트럭〕. ③ (집시의) 포장 마차《★ 무관사》.

van[2] *n.* (the ~) ① (군대·함대의) 선봉, 선진(先陣), 전위. opp. *rear*. ② 〔集合的〕 (정치 운동 따위의) 선두, 선구, 선도자. ***in the ~ of*** …의 선두에 서서, …의 선구자로서. [◂ *van*guard]

van[3] *n.* 《英口》 〖테니스〗 =ADVANTAGE.

va·na·di·um [vənéidiəm] *n.* Ⓤ 〖化〗 바나듐《금속 원소 ; 기호 V ; 번호 23》.

Van Ál·len (radiátion) bèlts [vænǽlən-] 〖物〗 밴앨런(방사)대《지구를 둘러싼 방사능대》.

Van·dal [vǽndəl] *n.* ①(the ~s) 반달 사람《5 세기에 로마를 휩쓴 게르만의 한 민족》. ② (v-) Ⓒ 문화·예술의 파괴자. ── *a.* =VANDALIC.

Van·dal·ic [vændǽlik] *a.* 반달 사람의 ; (*or* v-) 문화·예술을 파괴하는, 야만적인.

Van·dal·ism [vǽndəlizəm] *n.* Ⓤ 반달 사람 기질〔풍습〕; (v-) 문화·예술의 파괴 ; 만풍, 만행. ㊞ **vàn·dal·ís·tic, ván·dal·ish** *a.*

van·dal·ize [vǽndəlàiz] *vt.* (예술·문화·공공시설 등)을 고의적으로 파괴하다.

Vandýke béard [vǽndaik-] 반다이크 수염 《끝이 뾰족한 짧은 턱수염》.

***vane** [vein] *n.* Ⓒ ① 바람개비, 풍신기(風信旗). ② (풍차 · 추진기 · 터빈 따위의) 날개.

van Gogh ⇨GOGH.

van·guard [vǽngɑ̀:rd] *n.* ① Ⓒ 〔集合的〕 〖軍〗 전위, 선봉. opp *rear guard.* ② (the ~) (사회 · 정치운동 따위의) 선구〔지도〕자들 ; 전위 ; 지도적 지위 : be in *the* ~ of …의 진두〔선두〕에 서다.

***va·nil·la** [vənílə] *n.* ① Ⓒ 〖植〗 바닐라 ; 바닐라 빈(=∠ **bèan** 〔**pòd**〕)《바닐라의 열매》. ② Ⓤ 바닐라(에센스)(=∠ **èxtract**)《바닐라 열매에서 채취한 향료》.
── *a.* 〔限定的〕 바닐라로 맛을 돋군 : three ~ ice creams 바닐라 아이스크림 3개.

‡van·ish [vǽniʃ] *vi.* ①《~/+副/+前+名》 사라지다, 자취를 감추다(disappear) ; 없어지다 《*from* ; *out of* ; *into*》: ~ *from*〔*out of*〕 sight 시야에서 사라지다 / The car ~*ed* in the fog. 차는 안개 속에 모습이 사라졌다 / With a bow he ~*ed into* his room. 그는 꾸벅 절을 하고 방 안으로 사라졌다 / ~ *into* nothing 〔thin air〕 완전히 사라지다 / ~ like a bubble 거품처럼 사라지다. ② (이제까지 존재했던 것이) 없어지다 ; 소멸하다 : Our last hope has ~*ed.* 우리의 마지막 희망이 사라져 버렸다. ③ 〖數〗 영이 되다.

vánishing crèam 배니싱크림《화장 크림》.

vánishing pòint (*sing.*) ① (투시화법에서) 소점(消點). ② 물건이 다하는 최후의 한 점, 한계점 : Funds are approaching (《美》 the) ~. 재원(財源)이 바닥을 드러내 가고 있다.

‡van·i·ty [vǽnəti] *n.* ① Ⓤ 덧없음, 무상함 ; 허무 ; 공허, 헛됨, 무익 : the ~ of wealth 부(富)의 허무함 / *Vanity* of *vanities* ; all is ~. 〖聖〗 헛되고 헛되다, 모든 것이 헛되다《전도서 Ⅰ : 2》. ② Ⓒ 무익한〔헛된〕 일〔행위〕, 보잘것 없는 일 : the *vanities* of life 인생의 헛된 일들. ③ **a)** Ⓤ 허영(심), 자만 : tickle a person's ~ 아무의 허영심을 부추기다. **b)** Ⓒ 자랑거리, 허영의 근원. ④ Ⓒ 유행의 장식품 〔방물〕 ; (여성의) 콤팩트 ; = VANITY BAG 〔CASE, BOX〕 ; 경대. ◇ vain *a.*

vánity bàg〔**càse**, **bòx**〕 휴대용 화장품 상자.

Vánity Fáir ① 허영의 도시《Bunyan 작 *Pilgrim's Progress* 속의 시장의 이름 ; Thackeray 의 소설의 제목》. ② (종종 v- f-) 허영에 찬 속세《대도시 · 상류 사회 따위》.

vánity plàte (자동차의) 장식된 번호판.

vánity prèss 〔**pùblisher**〕 자비 출판 전문 출판사.

***van·quish** [vǽŋkwiʃ] *vt.* ① (적)을 이기다, 정복하다 : ~ the enemy 적을 무찌르다 / With knowledge and wisdom, evil could be ~*ed* on this earth. 지식과 슬기로써 이 땅 위의 악(惡)을 정복할 수 있을 것이다. ② (감정 · 유혹 따위)를 억누르다, 극복하다.

***van·tage** [vǽntidʒ, vɑ́:n-] *n.* Ⓤ ① 우월, 유리한 입장〔상태〕. ② 〖테니스〗 = ADVANTAGE.

vántage pòint 〔**gròund**〕 ① 유리한 지점 〔입장〕, 지리(地利). ② 견해, 관점 : from my ~ 내 관점으로는.

Va·nu·a·tu [vӕnuɑ́:tu:] *n.* 바누아투《태평양 남서부의 공화국 ; 수도 Vila》.

vap·id [vǽpid] (**~·er** ; **~·est**) *a.* ① (음료 따위가) 맛이 없는, 김빠진 : ~ beer 김빠진 맥주. ② (사람 · 이야기 따위가) 활기〔생기, 흥미〕가 없는, 따분한 : a ~ speech 따분한 연설. ***run***〔***go***〕 ~ 맥 빠지다. ㊕ **~·ly** *ad.* 활기 없게 ; 무기력하게 ; 지루하게. **~·ness** *n.* **va·pid·i·ty** [væpídəti] *n.*

‡va·por, 《英》 **-pour** [véipər] *n.* Ⓤ,Ⓒ 증기, 수증기, 김, 증발 기체《연무 · 아지랑이 · 안개 · 연기 따위》: water ~ 수증기 / alcohol ~ 알코올 증기 / emit ~ 증기를 내다 / escape in ~ 증발하다.

vápor bàth 증기탕, 한증.

va·por·ish [véipəriʃ] *a.* 증기 같은 ; 증기가 많은.

va·por·i·za·tion [vèipərizéiʃən / -raiz-] *n.* Ⓤ 증발 (작용), 기(체)화.

va·por·ize [véipəràiz] *vt.* …을 증발시키다, 기화시키다. ── *vi.* 증발〔기화〕하다.

va·por·iz·er [véipəràizər] *n.* Ⓒ 증발기, 기화기, 분무기.

va·por·ous [véipərəs] *a.* ① **a)** 증기를 내는. **b)** 증기가 많은〔충만한〕 ; 안개낀. **c)** 증기 같은. ② (사물 · 생각이) 공허한, 덧없는 ; 공상적인. ㊕ **~·ly** *ad.* **~·ness**

vápor prèssure 증기압(력).

vápor tràil 비행기운(雲).

vapour ⇨VAPOR.

var. variant ; variation ; variety ; various.

var·i·a·bil·i·ty [vɛ̀əriəbíləti] *n.* Ⓤ 변하기 쉬움, 변화성 ; 〖生〗 변이성(變異性).

var·i·a·ble** [vɛ́əriəbəl] (more*** **~** ; ***most*** **~**) *a.* ① 변하기 쉬운 ; 변덕스러운 : ~ winds 방향이 늘 바뀌는 바람 / His mood is ~. 그는 변덕스럽다. ② 변화 무쌍한 : Nature is infinitely ~. 자연은 변화 무궁하다. ③ 변할 수 있는, 가변성의 : shelves of ~ height 높이를 조정할 수 있는 선반. ④ 〖數〗 가변(可變)의, 부정(不定)의 : ~ quantities 〖數〗 변량. ⑤ 〖生〗 변이(變異)하는 : ~ species 변이종(變異種).
── *n.* Ⓒ ① 변화하는 것, 변하기 쉬운 것. ② 〖數〗 변수(變數). opp *constant.* ㊕ **-bly** *ad.*

váriable stár 〖天〗 변광성(變光星).

var·i·ance** [vɛ́əriəns] *n.* Ⓤ ① (의견 · 생각 따위의) 상위(相違), 불일치 ; 불화, 알력, 적대. ② 〖統 · 數〗 분산(分散). ***be at **~** (1) (의견 · 언행 따위가) (…와) 다르다, 일치하지 않다 ; 모순되다 《*with*》: I *am at* ~ *with* him on that point. 나는 그 점에서 그와 의견이 다르다. (2) (…와) 사이가 안좋다, 적대(敵對)하다 : The brothers have *been at* ~ for many years. 그들 형제는 여러 해 동안 사이가 좋지 않았다.

***var·i·ant** [vɛ́əriənt] *a.* 〔限定的〕 ① 다른, 상이한 《*from*》: a ~ pronunciation 상이한 발음 / "Moustache" is a ~ spelling of "mustache". 'moustache' 는 'mustache' 의 다른 철자다. ② 가지가지의.
── *n.* Ⓒ ① 변체, 변형, 별형. ② (철자 · 발음의) 이형(異形) ; (원전의) 이문(異文) ; 이본(異本).

‡var·i·a·tion [vɛ̀əriéiʃən] *n.* ① Ⓤ,Ⓒ 변화(change), 변동, 변이(變異) : an agreeable ~ in weather 기후의 기분좋은 변화 / ~(*s*) in popular taste 유행의 변화 / be liable to ~ 변하기 쉽다. ② Ⓒ 변화의 양〔정도〕. ③ Ⓒ 변형물, 이체(異體). ④ Ⓒ 〖樂〗 변주(곡) : ~*s* on a theme by Mozart 모차르트의 테마에 의한 변주곡. ⑤ 〖生〗 **a)** Ⓤ,Ⓒ 변이(變異). **b)** Ⓒ 변종. cf. mutation.

var·i·ces [vɛ́ərəsì:z, vǽərə-] VARIX 의 복수.

var·i·col·ored [vɛ́ərikʌ̀lərd] *a.* 잡색의, 가지각색의.

var·i·cose [vǽrəkòus] *a.* 〖醫〗 (특히, 다리의) 정맥류(瘤)의 : ~ veins 확장 사행 정맥(蛇行靜脈) 《정맥류》.

‡var·ied [vɛ́ərid] (***more*** **~** ; ***most*** **~**) *a.* ① 가지가지의, 가지각색의 : a man of ~ accomplish-

ments 갖가지 재능이 있는 사람 / ~ types of men 다양한 타입의 인간. ② 변화 있는, 다채로운 : ~ scenes 변화많은 풍경 / lead a full and ~ life 충실하고 다채로운 생활을 하다.
㊊ ~·ly *ad.* 여러가지로 ; 변화가 많이. ~·**ness** *n.*

var·i·e·gat·ed [vέəriəgèitid] *a.* ① (꽃·잎 따위) 잡색의, 얼룩덜룩한 : a ~ tulip 무늬가 섞인 튤립. ② 여러 종류로 된, 다양한.

var·i·e·ga·tion [vὲəriəgéiʃən] *n.* Ⓤ (꽃·잎 따위의) 잡색, 얼룩이 ; 다양성〔화〕.

‡**va·ri·e·ty** [vəráiəti] *n.* ① Ⓤ 변화(가 많음), 다양(성) : unity in ~ 다양한 가운데의 통일. ② 〔a ~ of …로〕 가지각색(의) ; 여러 가지(의)《★ of 다음의 名詞에는 複數形 또는 集合名詞가 옴》: *a ~ of* opinions 가지각색의 의견 / for *a ~ of* reasons 여러 가지 이유로 / *A ~ of* hooks are used, each for a different kind of fish. 물고기의 종류에 따라 사용되는 낚시는 여러가지이다. ③ **a)** 〔a ~ of … 또는 varieties of …로〕 (동종의 것 중의) 종류 : *a ~ of* cat 고양이의 일종. **b)** 〖生〗 (동식물 분류상의) 변종《★ of 다음의 명사는 흔히 단수형으로서 무관사》: *a* new *~ of* rose 장미의 신종. ④ =VARIETY SHOW.

varíety mèat 《美》 잡육(雜肉)《내장·혓바닥 따위》; 잡육 가공품.

varíety shòw 버라이어티 쇼. ⓒⓕ vaudeville.

varíety stòre 〔shòp〕 《美》 잡화상〔점〕.

var·i·form [vέərəfɔ̀ːrm] *a.* 가지가지의 모양의〔모양을 한〕, 모양이 다른. ㊊ ~·**ly** *ad.*

va·ri·o·la [vəráiələ] *n.* Ⓤ〖醫〗천연두(smallpox).

var·i·o·rum [vὲəriɔ́ːrəm] *a.* 여러 대가(大家)의 주(註)가 있는, 집주(集註)의 : a ~ Shakespeare 셰익스피어 집주판. ── *n.* Ⓒ 집주판(集註版).

†**var·i·ous** [vέəriəs] (***more*** *~;* ***most*** *~*) *a.* ① 〔複數名詞와 함께〕 가지가지의, 여러 가지의, 가지각색의 : for ~ reasons 여러가지 이유로 / known under ~ names 많은 이름으로 알려진. ② 〔單數名詞와 함께〕 여러 방면의, 다각적인 ; 변화가 많은. ⓒⓕ monotonous. ¶ a man of ~ talent 다재다능한 사람 / The story is lively and ~. 이야기는 생기와 변화에 넘쳐 있다.

var·i·ous·ly [vέəriəsli] *ad.* 여러가지로 : He worked ~ as a handyman, carpenter, and waiter. 그는 잡역부, 목수, 급사 등 갖가지 일을 했다.

var·ix [vέəriks] (*pl.* ***var·i·ces*** [vέərəsìːz, vǽərə-] *n.* Ⓒ 〖醫〗 정맥류(靜脈瘤).

var·let [vɑ́ːrlət] *n.* Ⓒ 〖古·戱〗 (기사(騎士) 등의) 종복, 수종(隨從) ; 시종 ; 악한, 무뢰한.

var·mint, -ment [vɑ́ːrmint] *n.* Ⓒ ① 《美》 해를 끼치는 들짐승; 해조(害鳥). ② 《俗·方》 장난꾸러기 ; 개구쟁이 : You little ~ ! 이 개구쟁이 녀석아. [◂varmin]

***var·nish** [vɑ́ːrniʃ] *n.* ① ⓊⒸ 매니큐어 에나멜. ② (*sing.*) (니스칠 한) 광택면. ③ Ⓤ (또는 a ~) 겉치레, 눈가림 : *a ~* of refinement 겉치레만의 교양. ── *vt.* ① 《+目+副》 **a)** …에 니스 칠하다 : ~ *over* a table. **b)** (손톱)에 매니큐어를 바르다, 매니큐어〔페디큐어〕를 하다. ② (보기 싫은 것)의 겉을 꾸미다, …을 가림하다《*over*》.

var·si·ty [vɑ́ːrsəti] *n.* ① Ⓒ 《美》 (대학 따위의) 대표팀. ② (the ~) 《英口》 대학《★ 특히 Oxford 대학 또는 Cambridge 대학을 가리킴》: He's at *the* ~. 그는 대학에 재학중이다. ── *a.* 〔限定的〕 ① 《美》 대학(따위)의 대표팀의 : a ~ player 대표팀의 선수. ② 《英口》 대학의 : a ~ team 대학팀 / the ~ boat race 대학 보트레이스. [◂uni*versity*]

‡**vary** [vέəri] *vt.* ① …에 변화를 주다〔가하다〕, …을 다양하게 하다 : ~ one's meals 식사에 변화를 주다. ② …을 (여러가지로) 바꾸다, 변경하다, 고치다(change) : ~ one's methods 방법을 바꾸다 / ~ the rules 규칙을 수정하다 / He *varied* the transmission frequency. 그는 송신 주파수를 변경했다. ── *vi.* ① 《~ / +前+名》 (여러가지로) 변하다 ; 변화하다 ; 바뀌다 : Prices ~ *with* the season. 값이 계절에 따라 변한다 / The temperature *varies* hour by hour. 기온은 시시각각으로 변한다. ② 《+前+名》 (…에서) 벗어나다, 일탈하다《*from*》: The translation *varies* a little *from* the original. 그 번역은 원문과 좀 다르다. ③ (+前+名) 가지각색이다, 다르다, 상위(相違)하다 : Opinions ~ widely on the point. 이에 관한 의견들이 크게 다르다 / The pupils ~ *in* ages from 10 to 15. 학생들의 나이는 10세에서 15세까지로 같지가 않다. ㊊ ~·**ing** *a.* (연속적으로) 바뀌는 ; (색깔이) 변화하는 : a constantly *~ing* sky 시시각각 변하는 하늘.

vas·cu·lar [vǽskjulər] *a.* 〖解·生〗 관〔도관(導管), 맥관(脈管), 혈관 등〕의 : the ~ system 맥관계(系), 혈관계, 림프관계.

vas·cu·lum [vǽskjuləm] (*pl.* ***-la*** [lə], *~s*) *n.* Ⓒ 식물 채집용 상자〔통〕.

†**vase** [veis, veiz, vɑːz] *n.* Ⓒ 꽃병(flower ~).

vas·ec·to·my [vəséktəmi] *n.* ⓊⒸ 정관 절제(수술).

Vas·e·line [vǽsəliːn, ˌ-ˈ-] *n.* Ⓤ 〖化〗 바셀린《商標名》.

***vas·sal** [vǽsəl] *n.* Ⓒ 〖史〗 봉신(封臣)《봉건 군주에게서 영지를 받은 제후(諸侯)·배신(陪臣)》, 가신(家臣) ; 예속자, 종자(從者), 수하 : a great 〔rear〕 ~ 직신(直臣)〔배신(陪臣)〕. ── *a.* 〔限定的〕 ① 가신의〔같은〕 : ~ homage〔fealty〕 신하의 예(禮). ② 예속하는 ; 노예적인 : a ~ state 속국.

vas·sal·age [vǽsəlidʒ] *n.* Ⓤ 〖史〗 가신(家臣)의 신분 ; 충근(忠勤)(의 서약) ; 예속.

‡**vast** [væst, vɑːst] (*ˊ·er ; ˊ·est*) *a.* ① **a)** 광대한, 광막한 : a ~ expanse of ocean〔desert〕 광막한 대양〔사막〕. **b)** 거대한, 방대한 ; 막대한, 거액의 : a ~ sum of money 거액의 돈 / the ~ majority of young people 수많은 젊은이. ② 《口》 대단한, 엄청난 ; 다대한 : with ~ exactness 대단히 정확하게 / a matter of ~ importance 대단히 중요한 일 / He has a ~ appetite. 그는 식욕이 왕성하다. ㊊ *ˊ*·**ly** *ad.* 광대하게, 광막하게 ; 방대하게 ; 《口》 매우, 굉장히. *ˊ*·**ness** *n.* ① Ⓤ 광대(함). ② (*pl.*) 광대한 퍼짐 : the *~nesses* of space 끝없는 대공간〔대우주〕.

vat [væt] *n.* Ⓒ (양조·염색용 따위의) 큰 통. ── (***-tt-***) *vt.* …을 큰 통에 넣다 ; 큰 통 안에서 처리하다〔숙성시키다〕.

VAT value-added tax. **Vat.** Vatican.

***Vat·i·can** [vǽtikən] *n.* (the ~) ① 바티칸 궁전. ② 로마 교황청.

Vátican Cíty (the ~) 바티칸 시《교황 지배하의 세계 최소의 독립 국가 ; 1929 년 설립》.

***vau·de·ville** [vɔ́ːdəvil, vóud-] *n.* Ⓤ 보드빌《노래·춤·만담·곡예 등을 섞은 대중 연예(《英》 variety show)》.

váudeville thèater 《美》 보드빌 극장 (《英》 music hall).

***vau·de·vil·lian** [vɔ̀ːdəvíljən, vòud-] *n.* Ⓒ 보드빌리언, 대중 연예인.

‡**vault**[1] [vɔːlt] *n.* ① **a)** Ⓒ 둥근 천장, 아치형 천장. **b)** (the ~) 둥근 천장 비슷한 것 : *the* ~ of heaven 푸른 하늘, 창공. ② Ⓒ 둥근 천장이 있는 방〔장소, 복도〕. ③ Ⓒ **a)** (식료품·주류(酒類) 따위의) 지하(저장)실. **b)** (교회·묘소(墓所)의) 지하 납골소 : a family ~ 가족 지하 납골실.

vault² *vi.* (막대기·손 따위를 짚고) 뛰어오르다, 도약하다 : ~ *into* the saddle 안장에 뛰어오르다 / ~ *over* a ditch 도랑을 뛰어넘다 / ~ *onto* the back of a horse 말등에 뛰어오르다 / ~ to a position of leadership 지도적 위치로 까지 비약하다. ── *vt.* (손·막대기를 짚고) …을 뛰어넘다 : ~ a fence 울타리를 뛰어 넘다. ── *n.* Ⓒ 뛰어넘음, 도약.

vault·ed [vɔ́:ltid] *a.* 둥근 천장의(이 있는) ; 아치형의 : a ~ roof 둥근 지붕 / a ~ chamber 천장이 둥근 방.

vault·ing¹ [vɔ́:ltiŋ] *n.* Ⓤ ①〖建〗둥근 천장공사, 둥근 천장의 건축물. ②〔集合的〕둥근 천장.

vault·ing² *a.* ① 뛰어넘는. ② 과대한, 지나치게 높은《야심 따위》: ~ ambition 지나친 야심.

váulting hòrse 뜀틀《체조 경기용》.

vaunt [vɔ:nt, vɑ:nt] *vi.* 자랑하다, 뽐내다, 떠벌리다《*of* ; *over* ; *about*》: ~ *of* one's ability 자기의 재능을 자랑하다. ── *vt.* …을 자랑하다 : ~ one's skill 자기의 솜씨를 자랑하다.
── *n.* Ⓒ 자랑, 허풍, 큰 소리 : make a ~ of … 을 자랑하다. ㊞ **∠·er** *n.*

vaunt·ed [vɔ́:ntid, vɑ́:n-] *a.* 과시되어 있는, 자랑의.

vaunt·ing·ly [vɔ́:ntiŋli] *ad.* 자랑스러운 듯이, 자랑하여.

v. aux(il). auxiliary verb. **vb.** verb(al).

V. C. Vice-Chairman ; Vice-Chancellor ; Vice-Consul ; Victoria Cross ; Volunteer Corps. **VCR** 〖컴〗videocassette recorder(카세트 녹화기). **Vd** 〖化〗vanadium. **VD, V.D.** venereal disease. **V.D.T., VDT** 〖컴〗video 〔주로《英》visual〕display terminal(영상 단말기). **VDU** 〖컴〗video display unit.

've [v]《口》I, we, you, they 에 따르는 have 의 간약형《I'*ve* ; you'*ve* 따위》.

veal [vi:l] *n.* Ⓤ 송아지 고기. ⓒⓕ calf¹.

vec·tor [véktər] *n.* Ⓒ ①〖數·物〗벡터, 방향량(方向量). ⓒⓕ scalar. ②〖天〗동경(動徑). ③〖醫〗(병균의) 매개 동물《주로 곤충》. ④〖空〗(무전에 의한) 유도(誘導) ; (비행기의) 진로, 방향. ── *vt.* (비행기·미사일 등)을 전파로 유도하다.

Ve·da [véidə, ví:də] (*pl.* ~, **~s**) *n.* (the ~(s))《Sans.》베다(吠陀)《옛 인도의 성전(聖典)》.

veep [vi:p] *n.*《美口》= VICE-PRESIDENT.

veer [viər] *vi.* 《~/+副/+前+名》① (바람·사람·차·도로가) 방향이 바뀌다 ; (급히 방향이) 꺾여 나아가다. ⓞⓟⓟ *back¹*. ¶ The car *~ed to* the left. 차는 왼쪽으로 꺾였다 / The wind *~ed* (*a*)*round to* the west. 바람이 서풍으로 바뀌었다. ②〖海〗(배가) 침로(針路)를 바꾸다, (특히) 바람불어 가는 쪽으로 돌다 : The ship *~ed off* 〔*from* its〕course. 배는 침로(針路)를 돌렸다. ③ (의견·이야기 등이) 바뀌다 ; (사람이) 갑자기 마음〔계획〕을 바꾸다 ; 전향하다《*about* ; *round*》: The topic *~ed round* to the world situation. 화제는 일변하여 세계 정세로 변했다 / Government's policy has *~ed* right *around*. 정부 정책은 180도로 바뀌었다. ── *vt.*〖海〗(배)의 침로를 바꾸다 ; (배)를 바람불어 가는 쪽으로 돌리다.

veg [vedʒ] (*pl.* ~) *n.* ⓊⒸ《英口》야채(요리) : meat and two ~ 고기와 두 종류의 야채 요리. [◂ *veg*etable]

Ve·ga [ví:gə, véigə] *n.*〖天〗베가, 직녀성《거문고 자리의 1등성》.

veg·an [védʒən, -æn / ví:gən] *n.* Ⓒ, *a.* 채식 주의자(의). [◂ *vegetarian*] ㊞ **~·ism** *n.* **~·ist** *n.*

veg·e·bur·ger [védʒəbə̀:rgər] *n.* ⒸⓊ 베지버거《야채와 식물성 단백질로 만드는 햄버거》.

†veg·e·ta·ble [védʒətəbəl] *n.* ① Ⓒ (흔히 *pl.*) 야채, 푸성귀 : green *~s* 푸성귀 ; 신선한 야채 요리 / You had better eat more fruit and *~s*. 좀 더 과일과 야채를 먹는 게 좋다. ② Ⓤ 식물 : animal, ~ and mineral 동물, 식물 및 광물. ③ Ⓒ《口》(의식·사고력을 잃은) 식물 인간 ; 무기력한 사람 : become a ~ 식물인간이 되다 ; 심신이 모두 무기력해지다. ***live on ~s*** 채식하다.
── *a.* 〔限定的〕① 야채의 : a ~ diet 채식 / ~ soup 야채 수프. ② 식물(성)의 : ~ fat 식물성 지방 / ~ life 〔集合的〕식물(plants) / the ~ kingdom 식물계. ③ **a)** 반응이 없는. **b)** 단조로운, 하잘것 없는 : live a ~ existence 단조로운 생활을 하다.

végetable gàrden 남새밭, 채원.

végetable spònge 수세미《접시 닦기용》.

veg·e·tar·i·an [vèdʒətέəriən] *a.* ① 채식주의(자)의 : a ~ restaurant 채식주의자용의 식당. ② 야채만의, 채식의 : ~ diet 채식 요리. ── *n.* Ⓒ ① 채식(주의)자 : a strict ~ 엄격한 채식주의자. ②〖動〗초식동물(herbivore).
㊞ **~·ism** [-ìzəm] *n.* Ⓤ 채식주의.

veg·e·tate [védʒətèit] *vi.* ① 식물처럼 생장〔증식〕하다 ; 무성하게 나다. ② 초목과 다름없는 (단조로운) 생활을 하다, 무위로 지내다.

***veg·e·ta·tion** [vèdʒətéiʃən] *n.* Ⓤ ①〔集合的〕식물, 초목 ; 한 지역 (특유)의 식물 : tropical ~ 열대의 식물 / The mountaintops were bare of any ~. 산꼭대기에는 초목이라고는 없었다. ② 무위(無爲)의 생활.

veg·e·ta·tive [védʒətèitiv / -tətiv] *a.* ① **a)** (식물처럼) 생장하는, 생장력이 있는 : a ~ stage 생장기. **b)** (식물의) 발육〔영양〕기능에 관한. ②〖生〗(생식이) 무성(無性)의. ③ (옥토 따위가) 식물을 생장시키는 힘이 있는. ④ 식물(계)의 : the ~ world 식물계. ⑤ 식물적인〔단조로운〕생활의, 무위(도식)의 : a ~ life 무위도식.
㊞ **~·ly** *ad.* **~·ness** *n.*

veg·gie, veg·ie [védʒi(:)] *n.* Ⓒ《口》, *a.* 채식주의자(의).

***ve·he·mence** [ví:əməns] *n.* Ⓤ 격렬(함), 맹렬(함) ; 힘, 열정 : with ~ 격렬하게, 열렬히.

ve·he·ment** [ví:əmənt] (more ~ ; most ~***) *a.* ① 격렬한, 맹렬한 : a ~ protest 격렬한 항의 / a ~ attack 맹렬한 공격 / have a ~ hatred of … 을 몹시 증오하다 / a ~ speech 열변. ② 열심인, 열렬한, 간절한, 열성적인 : a man of ~ character 열정적인 사람. ㊞ **~·ly** *ad.* 열렬히 ; 격렬하게 ; 맹렬히.

‡ve·hi·cle [ví:*h*ikəl] *n.* Ⓒ ① **a)** (육상의) 수송 수단, 탈것, 차량《자동차·버스·트럭·열차·선박·항공기·우주선 따위》. **b)** (우주 공간의) 탈것 : a space ~ 우주선. ② 매개물, 전달 수단 : Language is a ~ *for* communicating thought. 언어는 사상 전달 수단의 하나다 / Air is the ~ of sound. 공기는 소리의 매질(媒質)이다. ③ (재능 따위를) 발휘할 수단 ; 배출구《*for*》: Poetry was a ~ *for* his genius. 시작(詩作)은 그의 천재성을 발휘할 수단이었다.

ve·hic·u·lar [vi:hík jələr] *a.* 탈것의, 차의 ; 탈것에 의한〔관한〕; 매개(媒介)〔전달〕하는 : ~ deaths 교통〔차량〕사고사 / ~ traffic 차량 교통 / closed to ~ traffic (차량의) 통행 금지.

V-eight, V-8 [ví:éit] *n.* V형 8기통 엔진 ; 그런 엔진의 자동차.

‡veil [veil] *n.* ① Ⓒ 베일, 너울 ; (수녀가 쓰는) 베일 : drop〔raise〕one's ~ 베일을 내리다〔올리다〕.

② (*sing.*) **a**) 덮어 가리는 것, 덮개, 씌우개, 장막, 포장, 휘장 : the ~ of mystery 신비의 베일 / A ~ *of* mist obscured the view. 안개에 가려서 경치가 어렴풋했다. **b**) 구실, 가면, 핑계《*of*》: under the ~ *of* patriotism 애국심을 빙자하여 / The truth of the whole affair is hidden under 〔behind〕 a ~ *of* mystery. 그 사건 전체의 진실은 수수께끼의 장막에 가려져 있다. ***beyond the*** ~ 저세상에(서), 저승에(서). ***draw a ~ over*** (1) …을 베일로 가리다. (2) …을, …에 대해 입을 다물다 ; (불쾌한 것)을 불문에 부치다 : Let's *draw a* ~ *over* the rest of the episode. 나머지 에피소드는 말 않기로 하자. ***take the*** ~ 수녀가 되다.
— *vt.* ① …에 베일을 씌우다, 베일로 가리다 : ~ one's face. ② (감정 따위)를 숨기다, 감추다 : Her past *was ~ed in* secrecy. 그녀의 과거는 비밀에 싸여 있었다.

veiled [veild] *a.* ① 베일로 가린 : a ~ nun 베일을 쓴 수녀. ② 베일에 싸인, 가면을 쓴, 숨겨진 ; 분명치 않은 : make ~ threats 은근히 협박을 하다 / a fact ~ from public knowledge 세상에 숨겨져 있는 사실.

veil·ing [véiliŋ] *n.* Ⓤ ① 베일로 가림 ; 싸서 감춤. ② 베일용 천.

‡vein [vein] *n.* ① Ⓒ 〖解〗 정맥(靜脈) ; 혈관 : the main ~ 대정맥 / Blood goes from the ~*s* to the heart. 혈액은 정맥으로부터 심장으로 흐른다. ② Ⓒ 〖植〗 잎맥(脈) ; 〖動〗 (곤충의) 시맥(翅脈) ; 〖地質·鑛〗 맥, 암맥, 광맥 ; 지하수(맥) ; (대리석의) 돌결 ; 나뭇결. ③ Ⓤ (또는 a ~) **a**) (…한) 기미, 경향, 성질, 기질《*of*》: There is *a* ~ *of* humor in his essay. 그의 수필에는 해학 기가 있다 / She has *a* ~ *of* cruelty. 그녀에게는 어딘가 냉혹한 데가 있다. **b**) (일시적인) 기분《*in*》: *in a* serious 〔light-hearted〕 ~ 진지한〔가벼운〕 기분으로 / I like to study when I am *in* the ~. 마음이 내킬 때 공부하고 싶다 / I'm not *in* the ~ for work 〔for studying〕. 일할〔공부할〕 기분이 아니다.

veined [veind] *a.* 줄〔맥〕이 있는, 잎맥이 있는 ; 나뭇〔돌〕결이 있는 : ~ marble 결이 있는 대리석.

vein·ing [véiniŋ] *n.* Ⓤ (시맥(翅脈)·잎맥 등의) 줄무늬.

veiny [véini] (***vein·i·er*** ; ***-i·est***) *a.* 정맥이 드러나 보이는〔있는〕; 심줄이 많은《손 따위》; 줄무늬가 있는.

vela [víːlə] VELUM 의 복수.

ve·lar [víːlər] *a.* 〖解〗 막의, 개막(蓋膜)의 ; 〖音聲〗 연구개(음)의. — *n.* Ⓒ 연구개음《[k, g] 등》.

ve·lar·ize [víːləràiz] *vt.* 〖音聲〗 (음)을 연구개음화하다.
㊔ **ve·lar·i·za·tion** [vìːlərizéiʃən / -raiz-] *n.*

veld, veldt [velt, felt] *n.* Ⓒ (흔히 the ~) (남아프리카의) 초원(지대).

vel·lum [véləm] *n.* Ⓤ ① (송아지·새끼양 가죽의) 고급 피지(皮紙). ② = VELLUM PAPER.

véllum pàper 모조 피지.

***ve·loc·i·ty** [vəlásəti / -lɔ́s-] *n.* ① Ⓤ,Ⓒ 속력, 빠르기. ⓒⓕ speed. ¶ at (a) tremendous ~ 굉장한 속력으로 / fly with the ~ of a bird 새의 속도로 날다. ② Ⓤ 〖物〗 속도 : accelerated ~ 가속도 / initial 〔muzzle〕 ~ (포탄 따위의) 초속(初速) / uniform 〔variable〕 ~ 등〔가변〕속도 / at the ~ of sound 음(音)의 속도로, 음속으로.

ve·lo·drome [víːlədròum, vél-] *n.* Ⓒ 벨로드롬《경사진 트랙이 있는 자전거 경주장》.

ve·lour(s) [vəlúər] (*pl.* ***-lours***) *n.* Ⓤ,Ⓒ 벨루어, 플러시천(plush)의 일종.

ve·lum [víːləm] (*pl.* ***-la*** [-lə]) *n.* Ⓒ (흔히 the ~) 〖解〗 개막(蓋膜) ; 연구개.

‡vel·vet [vélvit] *n.* Ⓤ ① 벨벳, 우단 : cotton ~ 면비로드 / silk ~ 비단〔본견〕 벨벳. ② 벨벳 비슷한 것〔면(面)〕《복숭아 껍질·솜털이 난 뺨 따위》; (돌·나무 줄기 따위에 난) 이끼. ***(as) smooth as*** ~ 매우 매끄러운. ***be*** 〔***stand***〕 ***on*** ~ (1) 유복(裕福)하게 지내다. (2) (도박·투기 등에서) 유리한 입장에 있다.
— *a.* 〔限定的〕 ① 벨벳(제(製))의 : a ~ jacket 벨벳 재킷. ② 조용한 ; 부드러운 : with a ~ tread 발소리를 죽이고. ***have an iron hand in a ~ glove*** (사람이) 외유내강하다.

vel·vet·een [vèlvətíːn / vél-] *n.* ① Ⓤ 면비로드. ② (*pl.*) 면비로드의 옷〔바지〕.

***vel·vety** [vélvəti] *a.* ① 벨벳〔우단〕 같은, (촉감이) 부드러운 ; (음성·색이) 부드러운 : a ~ surface 부드러운 표면 / a ~ voice 부드러운 목소리. ② 맛이 순한, 입에 당기는《술 등》.

Ven. Venerable ; Venice.

ve·nal [víːnl] *a.* (사람이) 돈으로 좌우되는, 매수할 수 있는 ; 부패〔타락〕한 : a ~ politician 금전에 좌우되는 정치가 / a ~ motive 금전적 동기 / They are accused of being involved in ~ practices. 그들은 수회죄(收賄罪)에 연류되어 고발됐다. ㊔ ~·**ly** *ad.*

ve·nal·i·ty [vinǽləti] *n.* Ⓤ ① 돈에 좌우됨, 매수됨. ② (금전상의) 무절조(無節操).

vend [vend] *vt.* (작은 상품)을 팔다, 판매〔행상〕하다 ; 〖法〗 (소유물·토지)를 매각(처분)하다.
㊔ ∠·**a·ble** *a.* = VENDIBLE.

vend·ee [vendíː] *n.* Ⓒ 〖法〗 사는 사람, 매주(買主), 매수인. ⓞⓟⓟ *vendor.*

vend·er [véndər] *n.* = VENDOR.

ven·det·ta [vendétə] *n.* Ⓒ 피의 복수(blood feud)《Corsica, Sicily 섬 등에서 살상에 기인하여 대대(代代)로 이어지는》; 복수 ; 〔一般的〕 뿌리깊은 반목, 숙원(宿怨) ; 항쟁.

vend·i·bil·i·ty [vèndəbíləti] *n.* Ⓤ 팔림, 시장 가치.

vend·i·ble [véndəbəl] *a.* 판매 가능한, 잘 팔리는.
— *n.* (*pl.*) 판매 가능품.

vénd·ing machìne [véndiŋ-] 자동 판매기 (automat). ⓒⓕ slot machine.

ven·dor [véndər, vendɔ́ːr] *n.* Ⓒ ① 파는 사람, 〖法〗 매주(賣主). ⓞⓟⓟ *vendee.* ② 행상인, 도붓장수 ; 노점 상인. ③ = VENDING MACHINE.

ve·neer [vəníər] *n.* ① Ⓤ,Ⓒ (합판용의) 박판(薄板), (베니어) 단판(單板)《★ '베니어 합판'의 합쳐진 켜의 낱장을 veneer 라고 하며, 우리가 '베니어판'이라고 하는 것은 plywood》. ② Ⓒ (흔히 *sing.*) 겉발림, 겉치장, 허식《*of*》: a thin ~ *of* education 〔respectability〕 겉발림만의 교육〔체면〕 / Beneath the polished ~, he's a country bumpkin. 그는 자못 세련돼 보이지만 시골뜨기다.
— *vt.* ① …에 상질(上質)의 박판을 붙이다, (나무·돌 따위)에 미장 (덧)붙임을 하다《*with*》; (박판)을 마주붙여서 합판으로 만들다 : ~ a wooden table *with* mohogany 목재 테이블에 마호가니 미장 붙임을 하다. ② …의 겉을 꾸미다 , (결점 따위)를 감추다《*with*》.

ven·er·a·ble** [vénərəbəl] (more*** ~ ; ***most*** ~) *a.* ① **a**) (나이·인격·지위로 보아) 존경〔공경〕할 만한, 훌륭한, 덕망 있는. **b**) (토지·건물 따위가) 장엄한, 예스럽고 숭엄한. ② (the V-) …부주교님《영국 국교에서의 존칭 ; 略 : Ven.》; 가경자(可敬者)《가톨릭에서 시복(諡福)과정에 있는 사람에 대한 존칭》. ㊔ **-bly** *ad.* ~·**ness** *n.* **ven·er·a·bil·i·ty** [vènərəbíləti] *n.*

ven·er·ate [vénərèit] *vt.* …을 크게 존경하다 ; 공

경하다, 숭앙하다.

ven·e·ra·tion [vènəréiʃən] *n.* Ⓤ 존경, 숭앙; 숭배. ***hold*** a person ***in*** ~ 아무를 존경〔숭배〕하다.

ve·ne·re·al [vəníəriəl] *a.* 〔限定的〕 성교로 전염되는; 성병에 걸린: a ~ patient 성병 환자.

venéreal diséase 성병《略: VD》.

***Ve·ne·tian** [vəní:ʃən] *a.* 베네치아(사람)의, 베네치아풍(風)〔식〕의. ── *n.* Ⓒ 베네치아 사람.

venétian blínd 베니션 블라인드《끈으로 올리고 내리어 채광 조절을 하는 발》.

Venétian gláss (때로 v-) 베네치아산 유리그릇《고급품》.

Ven·e·zue·la [vènəzwéilə] *n.* 베네수엘라《남아메리카 북부의 공화국; 수도 Caracas》.
㊞ **-lan** *n., a.* 베네수엘라인〔문화〕(의).

‡ven·geance [véndʒəns] *n.* Ⓤ,Ⓒ 복수, 원수 갚기, 앙갚음: swear ~ against …에 대해 복수를 맹세하다. ◇ avenge, revenge *v.* ***take*** 〔***inflict, wreak***〕 ~ ***on*** 〔***upon***〕 a person ***for*** (a thing) 아무에게 (어떤 일)의 복수를 하다: I *took* ~ *on* him *for* his insult. 나는 그의 모욕에 대해 그에게 복수했다. ***with a*** ~ 격심하게, 몹시; 극단으로, 철저하게; 문자 그대로: It began to rain again *with a* ~. 비가 다시 퍼붓기 시작했다.

venge·ful [véndʒfəl] *a.* 복수심에 불타는〔이 있는〕; 앙심을 품은. ㊞ **~·ly** *ad.* **~·ness** *n.*

ve·ni·al [ví:niəl, -njəl] *a.* (죄·과실 따위가) 용서할 수 있는, 가벼운, 경미한. opp. *mortal.*
㊞ **~·ly** *ad.*

·Ven·ice [vénis] *n.* 베니스《베네치아의 영어명; 이탈리아 동북부의 항구도시》. [《It.》 Venezia]

***ven·i·son** [vénəzən, -sən] *n.* Ⓤ 사슴고기.

ve·ni, vi·di, vi·ci [ví:nai-váidai-váisai, véini:-ví:di:-ví:tʃi:] 《L.》 왔노라, 보았노라, 이겼노라(I came, I saw, I conquered)《원로원에 대한 Caesar의 전황 보고》.

***ven·om** [vénəm] *n.* Ⓤ ① (독사 따위의) 독액: a ~ fang 〔gland〕 독아(毒牙)〔독선〕/ snake ~ 뱀독. ② 악의, 원한, 격렬한 증오; 독설, 비방: She spoke with great ~. 그녀는 증오에 찬 소리로 말했다.

ven·om·ous [vénəməs] *a.* ① 독이 있는; 독액을 분비하는: a ~ snake 독사(毒蛇). ② 악의에 찬, 원한을 품고 있는. ③ 불쾌한, 형편 없는.

ve·nous [ví:nəs] *a.* ① 정맥의〔에 있는〕: ~ blood 정맥혈(血). ② 〖植〗 엽맥이 많은. ◇ vein *n.*
㊞ **~·ly** *ad.* **~·ness** *n.*

vent**[1] [vent] *n.* Ⓒ ① (공기·액체 따위를 뺐다 넣었다 하는) 구멍, 환기〔통풍〕구: There's an air ~ in the wall. 벽에 환기통이 있다. ② (새·벌레·어류 따위의) 항문. ***give ~ to (감정·욕구 따위)의 배출구를 찾다; 터뜨리다, …을 드러내다〔발산시키다〕: He *gave* ~ *to* his anger by kicking the chair. 그는 홧김에 의자를 걷어찼다.

── *vt.* ① …에 구멍을〔배출구를〕 내다; (통)에 구멍을 뚫다. ② 《~+목/+목+전+명》 (감정 따위)를 발산하다, (남에게) (분노 따위)를 터뜨리다《on, upon》: He ~*ed* his ill humor *on* his wife. 그는 불쾌한 나머지 아내에게 화풀이했다.

vent[2] *n.* Ⓒ 벤트, 슬릿《상의(上衣)의 등, 양쪽 겨드랑이, 스커트의 단 따위에 내는 아귀》.

vent·age [véntidʒ] *n.* Ⓒ (공기·가스·액체 등이) 나가는〔새는〕 구멍; (감정의) 배출구; (관악기의) 지공(指孔).

***ven·ti·late** [véntəlèit] *vt.* ① (방·건물·갱내 따위)에 공기가 통하게 하다, 통풍이 잘 되게 하다, 환기하다. ② **a**) (문제 따위)를 공론(公論)에 부치다, 자유롭게 토의하다, 여론에 묻다; 공표하다: Criticism of the leaders is seldom ~*d* in the press. 지도자들에 대한 비판이 지상에 발표되는 일은 좀처럼 없다. **b**) (의견)을 말하다; (감정 따위)를 나타내다: She used the meeting to ~ all her grievances. 그녀는 회의를 이용해 모든 불만을 털어놓았다.

‡ven·ti·la·tion [vèntəléiʃən] *n.* Ⓤ ① 통풍, 공기의 유통, 환기(법); 통풍〔환기〕 장치: a room with poor ~ 환기가 나쁜 방. ② **a**) 자유 토의, 검토; 여론에 물음. **b**) (의견·감정 따위의) 표출(expression).

ven·ti·la·tor [véntəlèitər] *n.* Ⓒ ① 통풍〔환기〕 장치, 통풍기, 송풍기; 환기팬(fan); 통풍 구멍, 환기통〔창〕. ② 여론에 호소하기 위해 문제를 제기하는 사람.

ven·tral [véntrəl] *a.* 〖解·動〗 배의, 복부의: a ~ fin (물고기의) 배지느러미.

ven·tri·cle [véntrikəl] *n.* Ⓒ 〖解〗 ① (뇌수·후두 따위의) 공동(空洞), 실(室), 뇌실(腦室). ② (심장의) 심실(心室): the left〔right〕 ~ 좌〔우〕 심실.

ven·tri·lo·qui·al [vèntrəlóukwiəl] *a.* 복화(술)(腹話(術))의, 복화술을 쓰는.
㊞ **~·ly** *ad.*

ven·tril·o·quism, -quy [ventríləkwìzəm], [-kwi] *n.* Ⓤ 복화(술).
㊞ **-quist** *n.* Ⓒ 복화술사(師).

ven·tril·o·quize [ventríləkwàiz] *vt.* 복화술로 이야기하다.

‡ven·ture [véntʃər] *vi.* ① 《+부/+전+명》 위험을 무릅쓰고 가다, 과감히 나아가다: She rarely ~*d outside,* except when she went to shop. 그녀는 상점에 가는 때 외에는 좀처럼 외출을 하지 않았다 / As we set off into the forest, we felt as though we were *venturing forth into* the unknown. 숲속으로 떠날 때 우리는 마치 미지의 세계로 모험하러가는 것처럼 느꼈다. ② 《+전+명》 위험을 무릅쓰고 (…에) 나서다, 과감히 (…을) 시도하다《on, upon》: ~ *on* an ambitious program of reform 의욕적인 개혁 계획을 시도하다 / He was too cautious to ~ *upon* such a dangerous expedition. 그는 매우 신중했으므로 그같은 위험한 탐험에 감히 나서지 못했다. ③ 《+*to* do》 과감히 …하다, 대담하게도 …하다: I ~ *to* write to you. 실례를 무릅쓰고 글을 올립니다 / I hardly ~ *to* say, but.... 말씀드리기 죄송하지만… / May I ~ *to* ask your opinion? 의견을 물어도 되겠습니까. ── *vt.* ① 《+목+전+명》 (생명·재산 등)을 위험에 내맡기다, 내걸다(risk)《*on, upon; in; for*》: ~ one's fortune *in* speculation 재산을 투기에 내걸다 / He ~*d* the company's reputation *on* his new invention. 그는 자신의 새로운 발명에 회사의 명성을 걸었다 / They ~*d* their lives *for* the cause. 대의(大義)를 위해 신명을 내걸었다. ② 《~+목/+*to* do》 위험을 무릅쓰고 …하다, 과감히 …해보다, …을 감행하다(brave): I can't ~ a step further. 더 이상 한 걸음도 나아갈 용기가 없다 / No one ~*d to* object to the plan. 아무도 감히 그 안에 반대하는 사람은 없었다 / Nothing ~, nothing have(=Nothing ~*d*, nothing gained). 《俗談》 호랑이 굴에 가야 호랑이 새끼를 잡는다.

── *n.* Ⓒ ① 모험, 모험적 사업. ② 투기 (사업), 사행: a business ~ 투기적 사업 / a joint ~ 합작회사. ③ 투기의 대상물《배·선하(船荷)·상품 등》; 건 물건〔돈〕. ***at a*** ~ 운에 맡기고, 모험적으로; 되는 대로.

vénture càpital 〖經〗 위험 부담 자본, 모험 자

본.

vénture càpitalist 〖經〗 투자 자본가.

ven·tur·er [véntʃərər] *n.* Ⓒ 모험자 ; 투기자 ; (예전의 투기적인) 무역 상인.

Vénture Scòut 《英》 (보이스카우트의) 연장(年長) 소년 단원《16-20세》.

ven·ture·some [véntʃərsəm] *a.* 모험을 좋아하는, 모험적인 ; 대담한, 무모한. ㊞ **~·ness** *n.*

ven·tur·ous [véntʃərəs] *a.* =VENTURESOME.

ven·ue [vénju:] *n.* ①〖法〗(배심 재판의) 재판지(地) : change the ~ (공평을 기하기 위해) 재판지를 변경하다. ② 회합 장소 ; 개최(예정)지 ; (일 따위의) 장소 : the ~ for the disarmament conference 군축회의의 개최지. ***a change of*** ~ 회합장소의 변경 ; 〖法〗 재판지의 변경.

***Ve·nus** [ví:nəs] *n.* ①〖로神〗비너스《사랑과 미의 여신 ;〖그神〗Aphrodite 에 상당》. ② 절세의 미인. ③〖天〗금성, 태백성《개밥바라기 (Hesperus), 샛별(Lucifer)로서 나타남 ; 무관사》. ⓒⓕ planet. ④ Ⓒ 비너스여신의 상(像)〔그림〕: the ~ of Milo 밀로의 비너스. ㊞ **Ve·nu·si·an** [vənjú:siən, -ʃiən] *a.* 금성의.

ve·ra·cious [vəréiʃəs] *a.* 《文語》① (사람이) 진실을 말하는, 성실한, 정직한. ② (진술·보고 등이) 진실한, 정확한. ㊞ **~·ly** *ad.*

ve·rac·i·ty [vərǽsəti] *n.* Ⓤ ① 진실을 말함, 정직(함), 성실. ② 진실임, 진실성 ; 정확(도).

‡**ve·ran·da(h)** [vərǽndə] *n.* Ⓒ〖建〗(흔히 지붕이 달린) 베란다, 툇마루(《美》 porch).

‡**verb** [və:rb] *n.* Ⓒ〖文法〗동사《略 : v., vb.》: an auxiliary ~ 조동사 / a causative 〔factitive〕 ~ 사역〔작위〕동사 / a dative ~ 여격동사 / a finite ~ 정형동사 / an intransitive 〔a transitive〕 ~ 자〔타〕동사 / a reflexive ~ 재귀 동사 / a strong 〔weak〕 ~ 강〔약〕변화 동사 / a regular 〔an irregular〕 ~ 규칙〔불규칙〕 동사 / a substantive ~ 존재 동사.

***ver·bal** [və́:rbəl] *a.* ① 말의, 말로 나타낸, 말에 관한, 어구(용어상)의 : a ~ promise〔report〕 구두 약속〔보고〕/ A ~ message will suffice. 말로 전해도 될 것이다 / The West must back up its ~ support with substantial economic aid. 서방측은 그 구두상의 원조를 실질적인 경제원조로 뒷받침해야 한다. ② 구두〔구술〕의 : ~ evidence 증언 / a ~ protest 항변 / a ~ contract 구두 계약 / a ~ message 전언, 전갈. ③ (번역 등이) 축어(逐語)적인, 문자대로의 : a ~ translation 축어역. ④〖文法〗동사의, 동사적인 : a ~ phrase 동사구. ── *n.* Ⓒ ①〖文法〗준(準)동사(꼴)《부정사·분사·동명사 따위》. ②《英》진술, 자백. ③《英俗》욕지거리.

ver·bal·ise [və́:rbəlàiz] *vt., vi.* =VERBALIZE.

ver·bal·ism [və́:rbəlizəm] *n.* ① **a)** Ⓒ 언어적 표현 ; 어구(語句). **b)** Ⓤ 어구의 사용〔선택〕. ② Ⓤ 자구에 구애됨, 자의(字義)를 캠 ; 언어 편중. ③ Ⓤ 말의 용장(冗長). ④ Ⓒ 형식적인 문구.

ver·bal·ist [-list] *n.* Ⓒ ① 언어 구사를 잘하는 사람. ② 자구(字句)에 구애받는 사람, 자구만을 따지는 사람.

ver·bal·ize [və́:rbəlàiz] *vt.* ① (사고·감정 따위)를 말로 나타내다, 언어화(化)하다 : She couldn't ~ her emotions. 그녀는 감정을 말로 나타낼 수 없었다. ② …을 동사적으로 쓰다 ; 동사화하다. ── *vi.* 어구가 장황해지다, 말이 너무 많다. ㊞ **vèr·bal·i·zá·tion** [-lizéiʃən] *n.*

ver·bal·ly [və́:rbəli] *ad.* ① 말로 ; 구두로 : I will communicate your views ~. 너의 견해를 말로 전하겠다. ② 축어적으로. ③ 동사로서.

ver·ba·tim [və:rbéitim] *a., ad.* 축어적(으로), 말대로(의) : a ~ translation 축어역(譯) / report a speech ~ 연설을 말 그대로 보도하다.

ver·be·na [və:rbí:nə] *n.* Ⓒ〖植〗마편초속(屬)의 식물, 《특히》 버베나.

ver·bi·age [və́:rbiidʒ] *n.* Ⓤ 군말이 많음, 말이 많음 : lose oneself in ~ 정신없이 마구 지껄이다 / eliminate irrelevant ~ 불필요한 어구를 지우다.

ver·bose [və:rbóus] *a.* 말이 많은, 다변의, 장황한 : a ~ speech 장황한 연설. ㊞ **~·ly** *ad.* **~·ness** *n.* **ver·bos·i·ty** [və:rbɑ́səti/-bɔ́s-] *n.*

ver·dan·cy [və́:rdənsi] *n.* Ⓤ ① 파릇파릇함, 신록(임). ② 미숙함, 초심, 순진.

ver·dant [və́:rdənt] *a.* ① 푸릇푸릇한, 푸른잎이 무성한, 신록의 : ~ hills 푸른 산들 / a ~ lawn 푸른 잔디. ② (사람이) 젊은, 경험 없는, 미숙한. ㊞ **~·ly** *ad.*

Ver·di [vέərdi] *n.* **Giuseppe** ~ 베르디《이탈리아의 오페라 작곡가 ; 1813-1901》.

ver·dict** [və́:rdikt] *n.* Ⓒ ①〖法〗(배심원의) 평결, 답신(答申) : The jury returned a ~ of guilty〔not guilty〕. 배심원은 유죄〔무죄〕평결을 내렸다. ② 판단, 의견, 견해 : What is your ~ *on* the coffee? 그 커피는 어떠냐. ***pass one***'s*** ~ ***upon*** …에 판단을 내리다〔소견을 말하다〕.

ver·di·gris [və́:rdəgrì:s, -gris] *n.* Ⓤ 녹청(綠靑), 푸른 녹.

ver·dure [və́:rdʒər] *n.* Ⓤ ① (초목의) 푸르름, 신록. ② 푸릇푸릇한 초목. ③《詩》신선함, 생기, 활력.

ver·dur·ous [və́:rdʒərəs] *a.* 푸릇푸릇한, 신록의 ; 신록에 덮인, 푸른 잎이 무성한.

verge** [və:rdʒ] *n.* Ⓒ ① 가, 가장자리, 모서리 ; 《英》(풀·잔디가 난) 도로변, 화단의 가장자리 : a grassy ~ 풀이 난 길섶. ② 권장(權杖), 권표(權標)《고관의 행렬 따위에 받드는》. ***on the ~ ***of*** … 하려고하여 ; 직전에(서) : The firm is *on the* ~ *of* bankruptcy. 그 회사는 파산 직전에 있다. ── *vi.* 《+전+명》 ① 가에 있다 ; (…에) 접하다, 인접〔근접〕하다《*on, upon*》: Our property ~*s on* theirs. 우리의 땅은 그들의 땅과 경계를 접하고 있다. ② (어떤 상태·성질 등에) 다가가다, (이제 막) …이 되려 하다, 거의 (…와) 같다《*on, upon*》: The American eagle is *verging on* extinction. 흰머리수리는 멸종 직전에 있다.

verg·er [və́:rdʒər] *n.* Ⓒ ①《英》(성당·대학 따위의) 권표(權標) 받드는 사람. ② 교회당 접대원〔안내인〕(usher).

Ver·gil, Vir- [və́:rdʒil] *n.* ① 버질《남자 이름》. ②《L.》 **Publius Vergilius Maro** 버질《고대 로마의 시인 ; 70-19 B.C.》. ⓒⓕ Aeneid. ㊞ **Ver·gil·i·an** [və:rdʒíliən] *a.* ~풍의.

ver·i·est [vériist] *a.* 〔very 의 最上級〕《美·英古》아주 …한, 순전한, 더할 나위 없는(utmost) : the ~ nonsense 순전한 넌센스 / the ~ rascal 아주 못된 악당 / The ~ girl could do it. 어린 소녀라도 마음만 먹으면 할 수 있다.

ver·i·fi·a·ble [vérəfàiəbəl] *a.* 입증〔검증, 증명〕할 수 있는, 증언할 수 있는 : ~ facts 입증할 수 있는 사실. ㊞ **-bly** *ad.* **~·ness** *n.*

ver·i·fi·ca·tion [vèrəfikéiʃən] *n.* Ⓤ ① 확인, 조회 ; 입증, 검증, 증명 : Hypotheses need ~. 가설은 증명이 필요하다. ② (특히 군비(軍備)관리 협정 준수 확인을 위한) 상호 검증.

***ver·i·fy** [vérəfài] *vt.* ① (사실·진술 따위)의 옳음〔진실임·정확함〕을 확인〔확증·입증〕하다 :

V

Experiments *verified* his theory. 실험에 의해서 그의 이론은 입증되었다 / Have you *verified* these facts? 당신은 이 사실들을 확인했습니까 / These figures are surprisingly high and they'll have to be *verified.* 이 수치들은 의외로 높아서 확인되어야 할 것이다. ② 〔종종 受動으로〕(사실·사건 등이) (예언·약속 따위)를 실증하다: My fears *were verified by* subsequent events. 나의 의구심은 그후에 일어난 일로 틀리지 않았음이 입증되었다. ③ 〖法〗 (증거·선서서 따위에 의해) (법정에 제출된 물건·증언 따위)를 입증하다: The allegations of the plaintiff were *verified* by the testimony of the witnesses. 원고의 주장은 증인의 증언에 의해 입증되었다.

ver·i·ly [vérəli] *ad.* 《古》 참으로, 진실로.

ver·i·sim·i·lar [vèrəsímələr] *a.* 진실〔사실, 정말〕 같은, 그럴싸한, 있을 법한.

ver·i·si·mil·i·tude [vèrəsimílətjù:d] *n.* ① Ⓤ 정말〔진실〕 같음, 있을 법함. ② Ⓒ 정말 같은 이야기·일.

***ver·i·ta·ble** [vérətəbəl] *a.* 〔限定的〕 진실의, 틀림없는, 참된, 진정한: a ~ mountain of garbage 실로 산더미 같은〔엄청난〕 쓰레기. ㊞ **-bly** [-bli] *ad.* **~·ness** *n.*

ver·i·ty [vérəti] *n.* ① Ⓤ 참, 진실(성). ② Ⓒ (흔히 *pl.*) 진실의 진술; 사실, 진리: the eternal *verities* 영원한 진리.

ver·juice [və́:rdʒù:s] *n.* Ⓤ ① (미숙한 사과 따위의) 신 과즙. ② 성미 까다로움.

ver·mi·cel·li [və̀:misέli, -tʃéli] *n.* Ⓤ 《It.》 버미첼리(spaghetti 보다 가는 국수류). 「충제.

ver·mi·cide [və́:rməsàid] *n.* Ⓤ,Ⓒ 구충제; 살

ver·mic·u·lar [və:rmíkjələr] *a.* ① 연충(蠕蟲)의; 연충 비슷한. ② 연동(蠕動)하는; 구불구불한.

ver·mic·u·lite [vərmíkjəlàit] *n.* Ⓤ 〖鑛〗 질석(蛭石)(풍화한 흑운모; 단열재 따위로 쓰임).

ver·mi·form [və́:rməfɔ̀:rm] *a.* 연충(蠕蟲) 모양의. 「cf. caecum.

vérmiform appéndix 〖解〗 충양(蟲樣) 돌기.

ver·mi·fuge [və́:rməfjù:dʒ] *n.* Ⓤ,Ⓒ 〖醫〗 구충제.

ver·mil·ion [vərmíljən] *n.* Ⓤ 주홍, 진사(辰砂); 주색(朱色) (안료). —*a.* 주홍색의, 주홍색 물을 들인〔으로 칠한〕.

ver·min [və́:rmin] *n.* Ⓤ 〔흔히 集合的; 複數취급〕 ① 해로운 작은 동물(쥐·족제비 등); 해충(벼룩·빈대·이·바퀴·모기 따위); 기생충; 해조(매·올빼미 따위): lice, fleas and other ~ 이, 벼룩 그밖의 해충들 / Wild cats were treated as ~, and were poisoned 들고양이는 해수(害獸)로 취급되어 독살되었다. ② 사회의 해충, 인간 쓰레기: She thinks all beggars are ~. 그녀는 거지라면 다 인간 쓰레기로 안다.

V

ver·min·ous [və́:rmənəs] *a.* ① 해충이〔벼룩이, 이가, 빈대가〕 꾄〔끓는〕. ② (병이 해충에) 의한. ③ (사람이) 비열한, 싫은. ㊞ **~·ly** *ad.*

Ver·mont [və:rmánt / -mɔ́nt] *n.* 버몬트 주(미국 북동부의 주; 略: Verm., Vt.; 〖郵〗 VT).

ver·mouth, -muth [vərmú:θ / -məθ] *n.* Ⓤ 베르무트(백 포도주에 향초 등으로 가미한 술).

***ver·nac·u·lar** [vərnǽkjələr] *n.* Ⓒ ① (종종 the ~) 제 나라 말, 국어; 지방어, 방언; 일상어: What do you call this flower in *the* ~? 당신 나라의 말로는 이 꽃을 뭐라고 합니까 / He speaks an incomprehensible ~. 그는 알아듣지 못할 사투리를 쓴다. ② (어떤 직업·집단의) 통용어, 직업어, 전문어; 변말: the ~ of the stage 연극 용어. ③ 그 지방의 독특한 건축 양식. —*a.* 제 나라의, 본국의; 지방의(말·어법 등); 지방의 말로 쓴, 방언을 쓴; 지방〔시대, 집단〕 (특유)의(말·병·건축 양식 따위); 풍토(병)의: the ~ languages of India 인도의 여러 지방어 / a ~ paper 자국어〔지방어〕 신문 / a ~ disease 〖醫〗 풍토병 / the ~ name 〖生〗 속명.

ver·nal [və́:rnl] *a.* ① 봄의, 봄 같은; 봄에 생기는, 봄에 피는(꽃 따위): ~ flowers 봄의 꽃 / the ~ equinox 〖天〗 춘분(점). ② 청춘의, (싱싱하게) 젊은. ㊞ **~·ly** [-nəli] *ad.*

ver·ni·er [və́:rniər] *n.* Ⓒ 아들자, 부척(副尺), 버니어(=∠ **scàle**).

vérnier éngine 소형 보조 엔진(로켓·미사일의 속도·진로 제어용의 것).

Ver·o·nal [vérənɔ̀:l, -nl] *n.* Ⓤ 베로날(진통·수면제; 商標名). cf. barbital.

ve·ron·i·ca [virάnikə / -rɔ́n-] *n.* ① Ⓤ,Ⓒ 〖植〗 현삼과의 식물(개불알풀류(類)). ② (때로 V-) 베로니카의 성백(聖帛)(형장으로 끌려가는 예수의 얼굴을 후에 성녀가 된 Veronica가 닦으니 예수의 얼굴 모습이 남았다는 천), 그 안면상; 〔一般的〕 예수의 얼굴을 그린 천조각. cf. sudarium ①.

ver·ru·ca [verú:kə] (*pl.* **-cae** [-rú:si:]) *n.* 〖醫〗 무사마귀(wart).

***Ver·sailles** [və:rsái, vεər-] *n.* 베르사유(파리 서남쪽의 도시).

***ver·sa·tile** [və́:rsətl / -tàil] *a.* ① 재주가 많은, 다재(多才)·다능(多能)한: ~ genius 만능의 천재 / a ~ writer 재주있는 작가. ② 다목적에 사용될 수 있는, 용도가 넓은: Nylon is a ~ material. 나일론은 다용도 물질이다. ㊞ **~·ly** [-i] *ad.*

ver·sa·til·i·ty [və̀:rsətíləti] *n.* Ⓤ 다예 다재(多才), 다능(多能).

‡verse [və:rs] *n.* ① Ⓤ **a)** (문학 형식으로서의) 운문, 시(詩). cf. prose. ¶ write in ~ 운문으로 쓰다 / She's good at ~. 그녀에게는 시재(詩才)가 있다. **b)** 〔集合的〕 (어떤 작가·시대·나라 따위의) 시가(詩歌): contemporary American ~ 현대 미국의 시 / Elizabethan ~ 엘리자베스 시대의 시. ② Ⓒ **a)** (특정의 격조를 지닌) 시의 한 행(行), 시구: quote a ~ 시의 한 행을 인용하다. **b)** (한편의) 시, 시편(詩編): an elegiac ~ 애가(哀歌) / a long ~ 장시(長詩). **c)** (노래의) 절(節): the first ~ of 'God Save the Queen' 영국 국가의 최초의 1절. ③ **a)** Ⓒ 시의 마디〔절(節)〕, 연(聯) (stanza)(refrain이나 chorus에 대한): a poem of five ~*s*, 5련의 시. **b)** Ⓤ 시형(詩形), 시격(詩格): free ~ 자유시 / blank ~ 무운시 / iambic〔trochaic〕 ~ 약강(弱强)〔강약(强弱)〕격의 시. ④ Ⓒ (성서·기도서의) 절. ***give chapter and ~ for*** (인용구 따위의) 출처를 밝히다.

versed [və:rst] *a.* 〔敍述的〕 (흔히 well ~로) (…에) 숙달한, 정통한, 조예가 깊은(acquainted) (*in*): He is *well* ~ *in* history. 그는 역사에 밝다.

ver·si·cle [və́:rsikəl] *n.* Ⓒ 단시(短詩); 〖教會〗 창화(唱和)의 단구(사제(司祭)를 따라 부름).

ver·si·fi·ca·tion [və̀:rsəfikéiʃən] *n.* Ⓤ 작시(법), 시작(詩作); (산문작품의) 운문화.

ver·si·fi·er [və́:rsəfàiər] *n.* Ⓒ ① 작시자; 산문(散文)을 운문(韻文)으로 고치는 사람. ② 3류 시인(poetaster).

ver·si·fy [və́:rsəfài] *vi.* 시를 짓다. —*vt.* …을 시로 짓다〔말하다〕; (산문)을 시로 고치다.

***ver·sion** [və́:rʒən, -ʃən] *n.* Ⓒ ① 번역; 번역문〔서〕; (소설 따위의) 각색, 번안(飜案); 편곡; (성서의) 역(譯). ② …화(化): a film ~ of a novel 소설의 영화화. ③ 변형, 이형(異形), …판(版): a simplified ~ of Shakespeare 셰익스피어의 간략

판. ④ (개인적 또는 특수한 입장에서의) 해석, 의견, 소견, 설명 ; 이설(異說) : an official ~ 공식 견해 / What is your ~ of the affair? 그 사건을 어떻게 생각하시오.

vers li·bre [vέərlíːbrə] (*pl.* ~**s** [—]) 《F.》 자유시(free verse).

ver·so [vɔ́ːrsou] (*pl.* ~**s**) *n.* [C] ① (펼친 책의) 왼쪽 페이지, 뒤 페이지. [opp] *recto.* ② (화폐·메달 등의) 이면(裏面). [opp] *obverse.* — *a.* 〔限定的〕 왼쪽〔뒤〕 페이지의 : the ~ side (책의) 왼쪽(의 페이지).

***ver·sus** [vɔ́ːrsəs] *prep.* 《L.》 ① (소송·경기 등에서) …대(對)《略 : v., vs.》 : Smith ~ Jones 〖法〗 존스 대 스미스의 소송 사건 / The New York Knicks ~ the Los Angeles Lakers 뉴욕 닉스 대 로스앤젤레스 레이커스. ② …와 대비하여, 비교하여(in contrast with) : form ~ function 기능과 대비된 형태.

ver·te·bra [vɔ́ːrtəbrə] (*pl.* **-brae** [-briː], ~**s**) *n.* 〖解〗 ① [C] 척추골, 추골(椎骨). ② (the ~e) 척주, 척추, 등뼈(spine).

ver·te·bral [vɔ́ːrtəbrəl] *a.* 〖解·動〗 척추골의, 척추의〔에 관한〕 ; 등뼈로 된, 척추골을 가진 : the ~ column 척주, 등뼈.

ver·te·brate [vɔ́ːrtəbrèit, -rit] *n.* [C] 척추 동물. — *a.* 척추〔등뼈〕가 있는 ; 척추 동물문(門)에 속하는, 척추 동물 특유의 : a ~ animal 척추 동물.

ver·tex [vɔ́ːrteks] (*pl.* ~·**es**, **-ti·ces** [-təsìːz]) *n.* [C] 정점, 절정 ; 산정(山頂) ; 〖解〗 두정(頭頂) ; 〖天〗 천정(天頂)(zenith) ; 〖數〗 정점.

‡**ver·ti·cal** [vɔ́ːrtikəl] *a.* ① 수직의, 연직의, 곧추선, 세로의. [cf] horizontal. ¶ a ~ line 수(직)선, 연직선 / a ~ section 종단면(縱斷面) / a ~ cliff 깎아지른 듯한 벼랑 / a ~ motion 상하 운동 / ~ take off 수직 이륙 / ~ fins 세로 지느러미《등지느러미·뒷지느러미 따위》 / His shirt was a brightly colored pattern of ~ and horizontal lines. 그의 셔츠는 밝은 색깔의 세로줄과 가로줄무늬였다. ② 정점〔절정〕의 ; 꼭대기의. ③ (조직·사회 기구 따위를) 세로로 연결한, 수직적〔종단적(縱斷的)〕인 : a ~ combination〔trust〕 수직적 결합〔트러스트〕 / a ~ union 산업별 노동조합. ④ 〖生〗 축(軸) 방향의. ⑤ 〖解〗 두정(頭頂)의.
— *n.* [C] (the ~) 수직선〔면, 권〕.
[파] ~·**ly** [-kəli] *ad.* 수직으로, 직립하여 : a ~*ly* structured society 종적(縱的) 구조의 사회.

vértical pláne 연직면, 수직면.

ver·ti·ces [vɔ́ːrtəsìːz] VERTEX의 복수.

ver·tig·i·nous [vəːrtídʒənəs] *a.* ① 어지러운(dizzy), 눈이 (핑핑) 도는 : a ~ height〔speed〕 눈이 핑핑 도는 고소(高所)〔속도〕. ② 빙빙 도는, 회전〔선회〕하는(whirling). ③ 어질어질하는, 변하기 쉬운, 불안정한. [파] ~·**ly** *ad.* ~·**ness** *n.*

ver·ti·go [vɔ́ːrtigòu] (*pl.* ~**es**, **-tig·i·nes** [vəːrtídʒəniːz]) *n.* [U] (높은 데서 내려다 보았을 때의) 현기증.

verve [vəːrv] *n.* [U] (예술 작품에서의) 열정, 기백 ; 〔一般的〕 힘, 활기, 정력 : with great ~ 대단한 기백〔열정〕으로.

†**very** [véri] *ad.* ① 대단히, 매우, 몹시, 무척. **a)** 〔原級의 形容詞·副詞를 수식하여〕 : I am ~ busy now. 나는 지금 대단히 바쁘다 / She worked ~ hard. 그녀는 매우 열심히 일했다 / They will arrive ~ soon. 그들은 곧 도착할 게다 / He is ~ fond of baseball. 그는 야구를 무척 좋아한다. **b)** 〔形容詞化한 現在分詞를 수식하여〕 : a ~ amusing story 대단히 재미있는 이야기 / a ~ interesting book 매우 재미있는 책. **c)** 〔形容詞化한 過去分詞를 수식하여〕 : a ~ complicated problem 몹시 복잡한 문제 / She's ~ tired. 그 여자는 몹시 지쳐 있다.

> [語法] (1) 비교급의 형용사·부사는 (very) much나 far로, 동사는 (very) much로 수식함 : I feel *much*〔*far*〕 better today. 나는 오늘 기분이 훨씬 더 좋다 / Thank you *very much.* 대단히 고맙다.
> (2) 서술 형용사인 afraid, alike, ashamed, aware 따위에는 very를 사용하는 일이 많으며 much를 쓰면 딱딱한 표현이 됨 : She is ~ 〔*much*〕 afraid to die. 그 여자는 죽는 것을 몹시 두려워하고 있다.
> (3) few, little, many, much 따위는 본래 형용사이기 때문에 대명사로 쓰인 경우에도 very로 수식함 : I see ~ little of him. 그와는 거의 만나지 않는다.
> (4) too 앞에서는 very를 쓸 수가 없음 : You are *much* 〔*far*〕 too nice. 자넨 정말 멋지다.
> [參考] **very** 와 과거분사 (1) 과거분사형의 형용사가 한정적으로 쓰일때, 특히 명사와의 의미상의 관계가 간접적인 때에는 very를 씀 : a ~ *valued* friend 매우 귀중한 친구 / He wore a ~ *worried* look. 그는 무척 당혹스러운 표정을 하고 있었다.
> (2) 과거분사가 명확히 수동형인 경우에는 (very) much를 쓰나, 감정이나 심리의 상태를 나타내는 amused, excited, pleased, surprised, worried 따위나 물건의 상태를 나타내는 changed, damaged 따위는 (very) much보다 very로 수식을 할 때가 많음 : I was ~ *surprised* at the news. 그 소식에 무척 놀랐다.
> (3) 충분히 형용사화 되지 않아서 한정적 용법에서만 very로 수식하는 과거분사도 있음 : a ~ damaged car 몹시 망가진 차 / The car is *much* damaged. 그 차는 몹시 망가졌다.

② 〔形容詞의 最上級, first, last, next, same, opposite, own 따위 限定語 앞에서〕 정말, 실로, 확실히, 바로 : the ~ *best* quality 정말 최고의 품질 / You are the ~ *first* person I've met today. 당신은 바로 내가 오늘 처음으로 만난 사람입니다 / This is the ~ *last* thing I expected. 이것은 정말이지 전혀 뜻밖의 일이다 / They arrived there the ~ *next* day. 그들은 바로 그 다음날 그곳에 도착했다 / You can keep this for your ~ *own.* 이것을 아주 네 것으로 생각하고 간직해 둬도 좋다 / He asked me the ~ *same* question as you had (asked). 그는 너와 바로 (똑)같은 질문을 했다. ③ 〔否定文에서〕 **a)** 그다지〔그리〕 (…않다) : This is *not* ~ good. 이것은 그다지 좋지 않다 / I am *not* a ~ good tennis player. 난 테니스는 그다지 잘 못한다 / Do you like fishing?—No, *not* ~. 낚시를 좋아하십니까—아뇨, 그다지. **b)** 〔정반대의 뜻을 완곡하게 나타내어〕 조금도〔전혀〕 (…않다) : I'm *not* feeling ~ good. 전혀 기분이 좋지 않다.
all ~ well 〔***fine***〕 《口》 〔흔히 but…을 수반하여〕 아주 좋은〔괜찮은〕 일이다(만), (…하는 것은) 상관없다(만) : I'll buy her a pearl necklace! —That's *all* ~ *well*〔It's *all* ~ *well* to say that〕, *but* where will you get the money? 그녀에게 진주 목걸이를 사 줄 작정이다—매우 좋은 일이다. 한데 돈은 어디서 구하려나. ***Very fine!*** (1) 훌륭하다, 멋지다. (2) 〔종종 反語的으로〕 훌륭하기도 해라! ***Very good.*** 〔명령·지시에 대해〕 좋습니다, 알았습니다 : *Very good,* sir〔ma'am〕. 나으리〔마님〕 알았습니다. ***Very well.*** 좋아, 알았어《★

흔히 마지못한 승낙》: Oh, ~ *well,* if you insist. 그렇게 우긴다면 할 수 없지.

— *a.* ① **a)** 〔this, that, the, one's 따위의 뒤에 와서 名詞를 강조하여〕 바로 그, 다름 아닌 : on *that* ~ day 바로 그 날(에) / at *the* ~ beginning of the party 파티가 시작된 바로 그 순간에 / He was *the* ~ man for the job. 그는 이 일에 아주 적격인 인물이었다 / This is *the* ~ thing for our purpose. 이것이야말로 원하던 바로 그것이다. **b)** (the ~) 단지 …만으로도(mere) ; …까지도, …조차도 (even) : *The* ~ thought of seeing it frightened him. 그것을 본다는 생각만 해도 그는 무서워졌다 / *Your* ~ presence will be enough. 당신이 계셔 준다는 것만으로도 충분합니다 / *His* ~ servants made fun of him. 하인들까지도 그를 놀렸다. ② (***ver·i·er*** ; ***ver·i·est***) 《文語》 참된, 정말의 ; 틀림없는, 순전한 : He has proved a ~ rogue. 그 사람은 결국 진짜 악당임을 보여 주었다 / He could not stay there for ~ shame. 그는 정말이지 부끄러워서 거기 있을 수가 없었다 / God is a ~ spirit. 신은 참된 영(靈)이다 / The Nile is the ~ life of Egypt. 나일강은 정말이지 이집트의 생명이다.

véry hìgh fréquency 초단파《30-300 메가헤르츠 ; 略 : VHF, v. h. f., vhf》.

véry lárge scàle integrátion 〖電子〗 초고밀도 집적 회로《略 : VLSI》.

Véry lìght 베리식(式) 신호광《야간의 비행기 착륙 및 구난용 색채 섬광》.

véry lòw fréquency 초장파《3-30 킬로 헤르츠 ; 略 : V. L. F., VLF, v. l. f., vlf》.

Véry pìstol 베리 신호 권총. ⓒⓕ Very light.

ve·si·ca [visáikə, vésikə] (*pl.* ***-cae*** [-siː]) *n.* Ⓒ 〖解〗 낭(囊), 《특히》 방광(膀胱).

ves·i·cal [vésikəl] *a.* 〖解〗 낭(囊)의, 《특히》 방광의.

ves·i·cle [vésikəl] *n.* Ⓒ ① 소낭(小囊), 소포(小胞). ② 〖醫〗 작은 수포(水疱).

ve·sic·u·lar [visíkjələr] *a.* 소포(小胞)(성)의, 소포가〔기공이〕 있는.

ves·per [véspər] *n.* ① 《詩》 (V-) 개밥바라기. ② (*pl.*) 〔單·複數 취급〕 〖가톨릭〗 저녁 기도, 만과(晩課) (evensong), 저녁 기도 시간. — *a.* 저녁의 ; 저녁 기도의.

Ves·puc·ci [vespúːtʃi] *n.* **Amerigo** ~ 베스푸치 《이탈리아의 탐험가·항해가 ; 1451-1512》.

‡**ves·sel** [vésəl] *n.* Ⓒ ① 용기(容器), 그릇《통·단지·대접·주발·잔·접시 따위》: buckets, bottles and similar ~*s* 버킷, 병 및 같은 유(類)의 용기. ② 배《흔히 보트보다도 큰 것》: a merchant ~ 상선. ③ 〖解·植〗 도관(導管), 맥관(脈管), 관(管) ; 혈관 : a blood ~ 혈관.

‡**vest** [vest] *n.* ① 조끼 (《英》 waistcoat) : a bullet-proof ~ 방탄조끼. ② 《英》 속옷, 셔츠 (underwear). ③ (여성복의) V 자형 앞장식.

— *vt.* ① 《+목+전+명》 〔흔히 受動으로〕 (권리·재산 따위)를 주다, 수여〔부여〕하다《*in*》; 〖法〗 …에게 소유권〔행사권〕을 귀속시키다《*with*》: Copyright *is ~ed in* the author. 저작권은 저자에게 있다 / Parliament *is ~ed with* the power of making laws. 법률 제정권은 의회에 귀속되어 있다. ② 《古》 **a)** …에게 옷을 입히다, 차려입히다《특히 제복(祭服)을》. **b)** 〔再歸的〕 옷을 입다 ; 《특히》 제복(祭服)을 입다.

— *vi.* ① 《+전+명》 (권리·재산 따위가) 속하다, 귀속하다《*in*》. ② 《古》 옷을 입다, 《특히》 제복(祭服)을 입다.

Ves·ta [véstə] *n.* ① 여자 이름. ② 〖로神〗 베스타 《벽난로와 불의 여신》.

ves·tal [véstl] *a.* ① Vesta 여신의〔을 섬기는〕; vestal virgin 의〔같은〕, 신녀(神女)의, 수녀의. ② 처녀의, 순결한. — *n.* = VESTAL VIRGIN.

véstal vírgin Vesta 여신을 섬긴 처녀《영원한 순결을 맹세하고 여신 제단의 꺼지지 않는 성화(聖火) (vestal fire)를 지킨 여섯의 처녀 중 한 사람》.

vésted ínterest ① 〖法〗 기득(이)권, 확정적 권리(vested right) ; 기득권자. ② (*pl.*) 현존 체제의 수익 계층〔단체〕《국가 경제를 조종하는 기업가(그룹) 따위》.

vésted ríght 〖法〗 기득권, 확정적 권리.

ves·tib·u·lar [vestíbjələr] *a.* ① 현관의, 문간방의. ② 〖解〗 (귀·코 따위의) 전정(前庭)〔전실(前室)〕의.

ves·ti·bule [véstəbjuːl] *n.* Ⓒ ① 현관, 문간방, 현관의 객실. ② 〖美鐵〗 (객차의 양끝에 있는) 승강구 또는 차량 사이의 통로. ③ 〖解〗 전정(前庭), (특히 내이(內耳)의) 미로(迷路) 전정.

véstibule tràin 《美》 각 객차의 복도가 서로 통하는 열차.

***ves·tige** [véstidʒ] *n.* Ⓒ ① (옛 것의) 자취, 흔적, 형적(形跡)《*of*》: These customs are ~*s of* an ancient religion. 이 관습들은 고대 종교의 잔재다 / His win removed the last ~ *of* doubt about his abilities. 그의 승리는 그의 능력에 대한 의심을 말끔히 없애주었다. ② 〖生〗 흔적 기관. ③ 〔흔히 否定語를 수반하여〕 아주 조금(도 …않다) 《*of*》: *without* a ~ *of* clothing 실오리 하나 걸치지 않고 / There was *not* a ~ *of* truth in what he said. 그가 한 말에는 조금도 진실성이 없었다.

ves·tig·i·al [vestídʒiəl] *a.* ① 흔적의, 남은 자취〔모습〕의. ② 〖生〗 퇴화한 : a ~ organ 흔적 기관. 파 ~·**ly** *ad.*

vest·ment [véstmənt] *n.* Ⓒ ① (종종 *pl.*) 옷, 의복, 의상. ② 정복, 예복. ③ 〖教會〗 (성직자·성가대원이 입는) 제의(祭衣), 가운.

vest-pock·et [véstpɑ̀kit / -pɔ̀k-] *a.* 〔限定的〕 《美》 회중용의, 아주 소형의《책·카메라 따위》; 아주 소규모의 : a ~ park (시내에 있는) 작은 공원 / a ~ computer 소형 컴퓨터.

ves·try [véstri] *n.* Ⓒ ① (교회의) 제의실(祭衣室), 제구실(祭具室). ② 교회 부속실《사무실·기도실·주일 학교 따위로 씀》. ③ 〔集合的〕 〖英國國教〗 교구회(教區會) ; 교구민 대표자회, 특별 교구회 ; 〖美國聖公會〗 교구위원회.

ves·try·man [-mən] (*pl.* ***-men*** [-mən]) *n.* Ⓒ 교구민 대표자, 교구 위원.

ves·ture [véstʃər] *n.* Ⓤ 《古·文語》 옷, 의복, 의류 ; (옷처럼) 감싸는 것, 가리개.

Ve·su·vi·an [vəsúːviən] *a.* Vesuvius 화산의〔같은〕; 화산의, 화산성의.

Ve·su·vi·us [vəsúːviəs] *n.* **Mount** ~ 베수비오산《이탈리아 나폴리만 동쪽의 활화산》.

vet[1] [vet] 《口》 *n.* Ⓒ 수의(獸醫)(사)《veterinarian 의 간약형》. — (***-tt-***) *vt.* ① (동물)을 진료하다 ; 《戲》 (사람)을 진찰〔치료〕하다. ② 《口》 (남의 이력·자격 따위)를 면밀히 조사〔점검〕하다, 심사하다 : All new staff are carefully ~*ed* for security reasons. 모든 신입 직원은 보안상의 이유로 면밀하게 (신원) 조사를 받았다.

vet[2] *n., a.* 《美口》 = VETERAN.

vetch [vetʃ] *n.* Ⓤ 〖植〗 살갈퀴(잠두속).

***vet·er·an** [vétərən] *n.* Ⓒ ① 고참병, 노병(老兵) ; 《美》 퇴역〔재향〕 군인(《英》 ex-serviceman) : The ceremony was attended by ~*s* of World War Ⅱ. 그 식전(式典)에는 2차대전 당시의 퇴역 군인들이 참석했다. ② 노련가, 베테랑, 경

험이 많은 사람. ── *a.* 〔限定的〕 ① 전투 경력을 쌓은, 역전의 : ~ troops 역전의 정예 부대. ② 노련한, 숙련된, 많은 경험을 쌓은. ③《美》퇴역 군인의 ; 장기에 걸친(prolonged) ; 오래 사용한 : a ~ service to the nation 국가에 대한 오랜 봉사 / 《英》 클래식 카《1916 년(특히 1905 년) 이전에 제조된 자동차 ; =**véteran càr**》.

Véterans Administràtion (the ~) 《美》 재향 군인 원호청《略 : VA, V.A.》.

Véterans(') Dày 《美 · Can.》 재향 군인의 날《11월 11일》. [cf] Armistice Day.

vet·er·i·nar·i·an [vètərənέəriən] *n.* [C] 《美》 수의사(《英》 veterinary surgeon).

vet·er·i·nary [vétərənèri / -rinəri] *a.* 〔限定的〕 가축병 치료의, 수의(학)의 : a ~ hospital 가축 병원 / ~ medicine 〔science〕 수의학.
── *n.* [C] 수의사(veterinarian).

véterinary súrgeon 《英》 =VETERINARIAN.

***ve·to** [víːtou] (*pl.* *~es*) *n.* ① **a)** [U,C] (대통령 · 지사 · 국제 정치면에서의) 거부권 ; 거부권의 행사〔발동〕 : the Presidential ~ 대통령의 거부권 / exercise the power〔right〕 of ~ over …에 거부권을 행사하다 / A ~ is probable if the bill passes Congress. 그 법안이 의회를 통과되면 아마 거부권이 발동될 것이다. **b)** [C] (대통령의) 거부 교서〔통지서〕 : The president delivered his ~ to Congress. 대통령은 거부 통고서를 의회에 제출했다. ② [C] (…에 대한) 단호한 거부, 엄금, 금지 《*on, upon*》. ***put* 〔*set*〕 *a* 〔*one's*〕 *~ on* 〔*upon*〕** …에 거부권을 행사하다 ; …을 금지하다 : Mother *put her ~ upon* our going. 어머니는 우리들이 가는 것을 금하셨다. ── *vt.* ① (의안 등)을 부인〔거부〕하다 : The bill was *~ed*. 그 법안은 거부되었다. ② (행위 따위)를 금지하다.
[파] **~·er** *n.* [C] 거부(권 행사)자 ; 금지자.

‡vex [veks] *vt.* ① 《~+[목] / +[목]+[전]+[명]》(주로 자질구레한 일로) …을 짜증나게 하다, 애타게 하다, 귀찮게〔성가시게〕 굴다 ; 화나게 하다 : ~ a person *with* foolish questions 어리석은 질문으로 아무를 짜증나게 하다 / His conduct *~ed* his mother. 그의 행실은 그의 어머니를 애타게 했다. ② …을 괴롭히다, …에게 고통을 주다 ; …을 학대하다 : Don't ~ the cat. 고양이를 괴롭히지 마라 / There was another grave problem to ~ him. 그를 괴롭히는 또다른 심각한 문제가 있었다 / My mother *is ~ed with* rheumatism. 어머니는 류머티즘으로 고생하고 계시다. ③ (오랫동안) …을 논의〔격론〕하다 : a *~ed* point 논쟁점.

***vex·a·tion** [vekséiʃən] *n.* [U] ① 애탐, 마음아픔 ; 난처함 ; 화냄 : cause a person ~ 아무를 애타게 하다 / He kicked the broken machine in ~. 그는 화가 나서 망그러진 기계를 걷어찼다 / Much to my ~, I just missed my train. 속상하게도 열차를 놓치고 말았다. ② 괴로움, 고민 ; (종종 *pl.*) 고민거리, 고뇌〔고통, 불안〕의 원인 : Rush-hour traffic is a daily ~. 러시아워의 교통은 매일의 두통거리이다. ***in ~ of spirit* 〔*mind*〕** 속이 상하여, 마음이 아파서.

vex·a·tious [vekséiʃəs] *a.* 귀찮은, 성가신 ; 약오르는, 속상한, 부아가 나는 ; 곤란한, 난처한 : Moving house is a ~ business. 이사는 성가신 일이다. [파] **~·ly** *ad.*

vexed [vekst] *a.* ① 〔限定的〕 (문제가) 골치 아픈, 귀찮은, 결론이 나지 않는 : It's a ~ problem. 그건 (좀처럼 결론이 나지 않는) 골치 아픈 문제다. ② 〔敍述的〕 애타는, 초조한 ; 곤란〔난처〕한 ; 화난《*at* ; *about* ; *with*》 : I'm ~ *at* his laziness 〔his being so late〕. 그가 게으름을 피우고 있는〔이렇게 늦는〕 것에 화가 난다 / He was ~ to hear that she had wasted her money again. 그녀가 또 다시 돈을 낭비했다는 것을 듣고 그는 화가 났다 / I was ~ that she didn't answer my letter. 그녀가 내 편지에 답장을 보내지 않아 애가 탔다.
[파] **vex·ed·ly** [véksidli, vékst-] *ad.* 성을 내어, 화를 내어.

v. f. very fair 〔fine〕 ; visual field. **VFR** 〖空〗 visual flight rules(유시계(有視界) 비행 규칙). **VG, vg, v.g.** very good ; *verbi gratia* 《L.》 (=for example). **VHF, V.H.F., vhf, v.h.f.** very high frequency(초단파). **VHSIC** very high speed integrated circuit(초고속 집적회로). **Vi** 〖化〗 virginium. **v.i., vi.** verb intransitive ; *vide infra* 《L.》 (=see below).

‡via [váiə, víːə] *prep.* 《L.》 ① …경유로, …을 거쳐(by way of) : Mr. Baker will return home ~ Britain and France. 베이커씨는 영국과 프랑스를 거쳐 귀국한다. ② …을 매개로 하여(through the medium of) ; 《美口》 …에 의하여(by means of) ; (아무를) 통하여 : ~ air mail 《美》 항공편에 의하여(《英》 by air mail) / Reports are coming in ~ satellite 보고는 위성 중계로 들어오고 있다.

vi·a·ble [váiəbəl] *a.* ① (태아 · 신생아가) 생존할 수 있는. ② (계획 따위가) 실행 가능한 ; 존립〔존속〕할 수 있는 : The plan seems ~. 그 계획은 잘 실행될 것 같다 / be economically ~ (회사 따위가) 경제적으로 잘 꾸려 나가고 있다 / There's no ~ alternative. 실행가능한 대안(代案)이 전혀 없다. [파] **vi·a·bil·i·ty** [vàiəbíləti] *n.* [U] 생존 능력, (특히 태아 · 신생아의) 생육력 ; (계획 따위의) 실행 가능성. **-bly** *ad.*

vi·a·duct [váiədʌ̀kt] *n.* [C] 구름다리, 고가교(高架橋), 고가도(道), 육교.

vi·al [váiəl] *n.* [C] 유리병, 물약병. ***pour out the ~s of wrath upon* 〔*on*〕** …에게 복수하다《계시록 XVI : 1》 ; 《口》 …에 대한 울분을 터뜨리다.

vi·and [váiənd] *n.* ① [C] 식품. ② (*pl.*) 음식, 양식 ; 고급 요리.

vibes [vaibz] *n. pl.* ① 〔複數취급〕 《口》 = VIBRATION ④. ② 〔單 · 複數취급〕 《口》 =VIBRAPHONE. [파] **víb·ist** *n.* [C] vibraphone 주자.

vi·brant [váibrənt] *a.* ① 떠는, 진동하는 ; (소리가) 울려퍼지는, 떨리는. ② (색깔 · 빛이) 선명한, 빛나는. ③ (흥분 · 기쁨 따위로) 설레는, 스릴이 있는 ; 활기찬《*with*》 : a city ~ *with* life 활기 넘치는 도시.
[파] **~·ly** *ad.* **ví·bran·cy** [-brənsi] *n.* [U,C] 활기(에 넘침) ; (소리 · 목소리의) 진동〔반향〕(성), (색 · 빛의) 선명함.

vi·bra·phone [váibrəfòun] *n.* [C] 비브라폰《전기 공명(共鳴) 장치가 붙은 marimba 비슷한 악기》.
[파] **ví·bra·phòn·ist** [-ist] *n.* [C] ~ 연주가.

‡vi·brate [váibreit / -´] *vi.* ① 진동하다, (진자(振子)같이) 흔들리다 : Strings ~ when plucked. 현(絃)은 퉁기면 진동한다 / Our house *~d* every time a heavy truck passed. 우리의 집은 무거운 트럭이 지나갈 때마다 진동했다. ② (목소리가) 떨(리)다, 진동하다 ; (소리가) 반향하다, 울리다 : Her voice *~d* with enthusiasm. 그녀의 목소리가 열의를 띠어 떨렸다 / Her shriek still *~s* in my ears. 그녀의 비명소리가 아직도 귓속에서 울리고 있다. ③ 《+[전]+[명]》 감동하다, (흥분하여) 떨(리)다 : ~ *with* joy 기뻐서 가슴이 설레다 / My heart *~d to* the rousing music. 내 심장은 그 감동적인 음악을 듣고 마구 설레었다. ── *vt.* ① 진동시키다, 흔들다. ② …을 (가늘게) 떨게 하다 : ~

one's vocal cords 성대를 진동시키다. ◇ vibration *n.*

***vi·bra·tion** [vaibréiʃən] *n.* U.C ① 진동(振動); 진동(震動); 동요; (진자의) 흔들림(oscillation). ② 떨림, 전율. ③ (*pl.*) 《口》 (상대방의 생각이나 주위 환경에서 받는) 느낌, 분위기; (사람·사물에서 발산된다고 느껴지는) 정신적 전파, 감정적 반응 작용, 감촉(感觸): get good [hostile] ~*s* from …에게서 호감을[적의를] 느끼다《★《口》에서는 good[bad] vibes가 흔히 사용됨》/ The town gave me bad ~*s.* 그 도시의 느낌은 좋지 않았다. ◇ vibrate *v.*

vi·bra·to [vibrɑ́:tou] (*pl.* ~*s*) *n.* 《It.》 U.C 〚樂〛 비브라토《떨어서 내는 소리·음성》.

vi·bra·tor [váibreitər / -ˊ-] *n.* C 진동하는[시키는] 사람[것]; 〚電〛 진동기; 바이브레이터.

vi·bra·to·ry [váibrətɔ̀:ri / -təri] *a.* 떠는; 진동을 일으키는; 진동(성)의.

vib·rio [víbriòu] (*pl.* **-ri·os**) *n.* 〚菌〛 비브리오속(屬)의 각종 세균《콜레라균을 포함》.

vibro- '진동'의 뜻의 결합사: *vibro*massage.

vi·bro·scope [váibrəskòup] *n.* C 진동계.

Vic. Victoria; Victorian. **vic.** vicar(age); vicinity.

vic·ar** [víkər] *n.* C ① 〚英國國敎〛 교구 목사《교구세를 받는 rector와 달리 봉급만을 받음》. ② 《美》 (감독 교회의) 회당(會堂) 목사, 전도 목사. ③ 〚가톨릭〛 대목(代牧); 대리(자). ***the Vicar of Christ 〚가톨릭〛 교황.

vic·ar·age [víkəridʒ] *n.* C vicar의 주택, 목사관(舘); vicar의 직[지위]; vicar의 봉급.

vícar apostólic 〚가톨릭〛 교황 대리 (대)주교; 대목 교구장(代牧敎區長).

vi·car·i·ous [vaikέəriəs, vi-] *a.* ① 대리의; 대리를 하는: ~ authority 대리 직권 / a ~ ruler 대리 통치자. ② 대신하는: ~ punishment 대신 받는 형벌. ③ (남의 경험을) 상상하여 느끼는, 남의 몸이[마음]이 되어 경험하는; 〚醫〛 대상(代償) (성)의: ~ satisfaction 스스로 할 수 없는 것을 남에게 시키고 만족하는 것. ***the ~ sacrifice [sufferings] of Christ*** 〚基〛 죄인을 대신한 예수의 희생[수난].

㊞ **~·ly** *ad.* 대리로(서). **~·ness** *n.*

:vice[1] [vais] *n.* ① U 악덕, 악, 사악, 부도덕: ~ and virtue 악덕과 미덕 / He is free from ~. 그는 나쁜 짓을 하지 않는다 / Extremism in the defense of liberty is no ~. 자유를 수호하는데 있어서 과격주의는 악이 아니다. ② U 악덕 행위, 비행; C 악습, 악폐, 나쁜 버릇. opp *virtue.* ¶ Her only ~ was smoking. 그녀의 단 한가지 악습은 담배 피우는 것이었다. ③ C (인격·문체·제도·조직 따위의) 결함, 결점, 약점, 불비점: the ~*s* of modern civilization 근대 문명의 결함. ④ U 성적 부도덕 행위, 《특히》 매춘(賣春). ⑤ C (말·개 따위의) 나쁜 버릇. ◇ vicious *a.*

vice[2] 《英》 ⇨VISE.

vi·ce[3] [váisi] *prep.* 《L.》 …의 대신으로, …의 대리로서(in place of); …의 뒤를 이어.

vice- *pref.* 관직을 나타내는 명사에 붙어서 '부(副), 대리, 차(次)'의 뜻.

více ádmiral 해군 중장.

vice-chair·man [váistʃέərmən] (*pl.* **-men** [-mən]) *n.* C 부회장, 부위원장, 부의장.

vice-chan·cel·lor [ˊtʃǽnsələr, ˊtʃɑ́:n-] *n.* C (주로 영국의) 대학 부총장; 부[대리]대법관; 장관대리, 차관.

vice-con·sul [ˊkɑ́nsəl / ˊkɔ́n-] *n.* C 부영사.

vice-min·is·ter [ˊmínistər] *n.* C 차관.

vi·cen·ni·al [vaiséniəl] *a.* 20년의[간의]; 20년마다의, 20년에 한 번의.

***vice-pres·i·dent** [váisprézədənt] *n.* C 부통령; (흔히 V-P-) 미국 부통령; 부총재; 부회장; 부사장; 부총장. ㊞ **-den·cy** [-dənsi] *n.* C ~의 직[임기].

vice-pres·i·den·tial [-dénʃəl] *a.* 부통령의; 부사장의; 부총장의.

vice-prin·ci·pal [-prínsəpəl] *n.* C 부교장.

vice·re·gal [ˊrí:gəl] *a.* viceroy의.

vice·roy [váisrɔi] *n.* C 부왕(副王); 총독, 태수.

více squàd (경찰의) 풍속 범죄 단속반.

vi·ce ver·sa [váisi-və́:rsə] 《L.》 반대로, 거꾸로; 〔흔히 and ~로, 생략문으로서〕 역(逆)도 또한 마찬가지로《略: v. v.》: call black white *and* ~ 흑을 백이라 하고 백을 흑이라고 말하다 / He doesn't trust her *and* ~ (=she doesn't trust him). 그는 그녀를 믿지 않고, 그녀도 그를 믿지 않는다.

vic·i·nal [vísənəl] *a.* 인근의, 부근[근처]의.

:vi·cin·i·ty [visínəti] *n.* ① C **a)** 근처, 부근, 근린《★ neighborhood보다도 형식적인 말》: Seoul and its *vicinities* 서울과 그 주변 / There is no bank in the ~ of our house. 우리 집 근처에는 은행이 없다. **b)** (흔히 *pl.*) 가까운 곳, 주변, 근린지(近隣地): the western *vicinities* of the city 시(市)의 서쪽 근린 지구. ② U 가까이 있음, 근접《*to*》: He lives in close ~ *to* the church. 그는 교회 바로 이웃에 살고 있다. ***in the ~ of*** (1) …의 부근에[의]. (2) 약 …, … 전후의: The population of this city is *in the ~ of* 300,000. 시(市)의 인구는 약 30만이다. ***in this [that] ~*** 이[그] 근처에: Is there any library *in this ~* 이 부근에 도서관이 있습니까.

:vi·cious [víʃəs] (***more ~; most ~***) *a.* ① 사악한, 악덕한; 타락한: a ~ person 악인 / ~ habits 악습. ② 악의 있는, 심술궂은: ~ remarks 악의 있는 말 / He gave her a ~ look. 그는 그녀를 악의에 찬 눈으로 보았다. ③ 버릇 나쁜, 길들지 않은《말·개 따위》: a ~ horse 버릇 나쁜 말. ④ **a)** (말·추론(推論) 따위가) 잘못이 있는, 결점이 있는, 옳지 않은: a ~ pronunciation 틀린 발음 / a ~ inference 잘못된 추론. **b)** (경제 현상 따위가) 악순환을 이루는: a ~ circle of poverty 빈곤의 악순환 / a ~ wage-price spiral 임금과 물가의 나선상적 악순환. ⑤ 심한; 악성의: a ~ wind 세찬 바람 / a ~ headache 심한 두통. ⑥ 《美俗》 굉장히 좋은, 멋진, 최고의. ◇ vice *n.*

㊞ **~·ly** *ad.* 도덕에 반하여, 부정하게, 《특히》 심술궂게; 몹시《때리다, 아프다》. **~·ness** *n.*

vícious círcle [cýcle] ① 악순환: Many people get caught in a ~ of dieting and weight gain. 많은 사람들이 절식(節食)과 체중 증가란 악순환에 사로잡혀 있다. ② 〚論〛 순환 논법.

vícious spíral 〚經〛 (임금 상승과 물가 앙등의 경우와 같은) 나선상의 악순환: ~ of wages and prices.

***vi·cis·si·tude** [visísətjù:d] *n.* ① C (사물 따위의) 변화, 변천. ② U 《古·詩》 순환, 교체. ③ (*pl.*) (인생·운명 따위의) 변천; 영고성쇠, 부침(浮沈): the ~*s* of life 인생의 부침(浮沈).

Vicky [víki] *n.* 여자 이름《Victoria의 애칭》.

Vict. Victoria; Victorian.

:vic·tim [víktim] *n.* C ① **a)** (박해·사고·불행 따위의) 희생(자), 피해자, 조난자《*of*》: a ~ *of* circumstance 환경의 희생자《처해 있는 환경의 영향을 받은 범죄자·부랑아 등》/ the ~*s of* war 전쟁 희생자(war ~s). **b)** (사기꾼 등의) 봉, 당

V

하는 희생자(dupe)《*of*》: a ~ *of* a swindler 사기꾼의 피해자. ②〖宗〗 희생, 산 제물, 인신 공양: offer a ~ to God 신에게 희생을 바치다. ***become* 〔*be made*〕 *the* ~ *of* =*fall* ~ *to*** … 의 희생이 되다.

vic·tim·ize [víktəmàiz] *vt.* ① (남)을 희생시키다, 희생으로 바치다. ② …을 속이다; (부당하게) 괴롭히다, 학대하다: ~ a poor widow 가난한 미망인을 속이다 / He felt that the students had been ~*d* because they'd voiced their opposition to the government. 그는 학생들이 정부에 대해 반대 의사를 외쳤다는 이유로 탄압받아왔음을 알게 되었다.
㊎ **vic·tim·i·za·tion** [vìktəmizéiʃən / -maiz-] *n.*

‡**vic·tor** [víktər] (*fem.* ***vic·tress*** [-tris]) *n.* Ⓒ ① 승리자, 전승자, 정복자. ② (경기 따위의) 우승자. ③ (V-) 문자 V를 나타내는 통신 용어.

Vic·to·ria [viktɔ́:riə] *n.* ① 빅토리아《여자 이름》. ② 영국의 여왕(1819-1901). ③ 오스트레일리아 동남부의 주. ④ 영국의 직할 식민지인 Hong Kong 의 수도. ⑤ Ⓒ (v-) 2인승 4륜 마차의 일종. ⑥ Ⓒ 승리의 여신상(像). ⑦ Ⓒ (v-) 〖植〗 빅토리아《수련과의 일종; 남아메리카산》.

Victória Cróss (the ~) 빅토리아 십자 훈장 《1856년 Victoria 여왕이 제정; 수훈을 세운 군인에게 수여함; 略: V. C.》; 그 훈장의 소지자.

*****Vic·to·ri·an** [viktɔ́:riən] *a.* ① 빅토리아 여왕(시대)의; Victoria 왕조풍의; (사람·생각 따위가) 융통성이 없는, 위선적이고 예스러운: the ~ Age 빅토리아 왕조 시대(1837-1901). ② (건축·가구·실내 장식 등이) 빅토리아조(朝) 양식의《정교하고 호화로운 장식과 중량감이 있음》, 구식의. ③ 빅토리아주(州)의.
— *n.* Ⓒ Victoria 여왕 시대의 사람《특히 문학자》. ㊎ **~·ism** *n.* Ⓤ 빅토리아 왕조풍.

Vic·to·ri·ana [viktɔ̀:riɑ́:nə, -ǽnə] *n.* (*pl.*) 빅토리아조(풍)의 물건〔장식품, 골동품〕; 빅토리아조 물품의 컬렉션; 빅토리아조에 관한 자료.

‡**vic·to·ri·ous** [viktɔ́:riəs] (***more*** ~; ***most*** ~) *a.* ① 승리를 거둔, 이긴: a ~ army 승리〔정복〕군. ② 승리의, 전승의: Our troops were ~ over the enemy (in the batte). 아군이 (전투에서) 승리했다. ③ 이겨서 의기양양한.
㊎ **~·ly** *ad.* **~·ness** *n.*

‡**vic·to·ry** [víktəri] *n.* Ⓤ,Ⓒ ① 승리, 전승, 승전; 극복, 정복《*in*; *over*》. opp. *defeat.* ¶ a decisive ~ 결정적 승리 / an easy ~ 낙승(樂勝) / a ~ *in* sports 경기에서의 승리 / *Victory* was ours. 승리는 우리의 것이었다 / He gained the ~ *over* his passions. 그는 자기의 격한 감정을 극복했다 / This result is a ~ for democracy. 이 결과는 민주주의의 승리다 / a ~ *over* difficulty 고난(苦難)의 극복. ② (V-) 〖로神〗 승리의 여신. ***gain* 〔*get, win*〕 *a* 〔*the*〕 ~ *over*** …에게 이기다. ***lead the troops to*** ~ 군(軍)을 승리로 이끌다.

*****vict·ual** [vítl] *n.* Ⓒ 《古》 (흔히 *pl.*) 음식, 양식.
— (***-l-***, 《英》 ***-ll-***) *vt.* …에게 식량을 공급하다; …에 식량을 싣다. — *vi.* 식량을 사들이다〔저장하다〕.

vict·ual·er, 《英》 **-ual·ler** [vítlər] *n.* Ⓒ 식료품 공급자《함선·군대 따위에의》; 《英》 음식점 주인, 술집 주인; 식량 운송선; 《英》 주류 판매가 허가된 음식점〔여관〕 주인(licensed victualler).

vi·cu·gna, vi·cu·ña [vikjú:nə, vai-] *n.* Ⓒ 《Sp.》 〖動〗 비큐나《남아메리카산 야생의 야마(llama)》; Ⓤ 그 털로 짠 나사.

vid [vid] *n., a.* 《口》 비디오(의).

vid. *vide* 《L.》 (=see).

vi·de [váidi:, ví:dei] *v.* 《L.》 (…을) 보라, 참조하라《略: v. 또는 vid.》: ~ 〔*v.*〕 p. 30, 30 페이지 참조.

vide an·te [-ǽnti] 《L.》 앞을 보라(=see before).

vide in·fra [-ínfrə] 《L.》 아래를 보라(=see below).

vi·del·i·cet [vidéləsèt, vai-] *ad.* 《L.》 즉, 바꿔 말하면《略: viz; viz. 는 namely [néimli] 라고 읽음》.

*****vid·eo** [vídiòu] (*pl.* ***vid·e·os***) *n.* ① Ⓤ 〖TV〗 (음성에 대해) 영상(부분), 비디오. ② 《口》 텔레비전. ③ Ⓒ 비디오 리코더. ④ Ⓒ 비디오 테이프 녹화(錄畫): watch a ~ of "War and Peace" '전쟁과 평화'의 비디오(테이프 녹화)를 보다. — *a.* TV 수상기의; TV의, 영상의; 비디오 카세트의.

vídeo àrt 비디오 아트〔예술〕. ㊎ **~·ist** *n.*

vídeo càmera 비디오 카메라.

vid·e·o·cas·sette [vídioukəsèt] *n.* Ⓒ 비디오 (테이프가 들어있는) 카세트. — *a.* 비디오카세트(용)의: a ~ recorder 비디오 카세트 녹화기 《略: VCR》.

vid·e·o·con·fer·ence [vídioukɑ̀nfərəns / -kɔ̀n-] *n.* Ⓒ 텔레비전 회의《TV 로 원격지를 연결하여 행하는 회의》.

vid·e·o·disc, -disk [vídioudìsk] *n.* Ⓒ 비디오 디스크《레코드 모양의 원반에 화상과 음성을 기록한 것》.

vídeo displáy términal 〖컴〗 데이터 표시 장치《略: V. D. T.》.

vídeo gàme 영상 놀이, 비디오 게임.

vid·e·og·ra·pher [vìdiɑ́grəfər / -diɔ́-] *n.* = VIDEO ARTIST.

vid·e·o·ma·nia [vídioumèiniə] *n.* 비디오광 「(狂).

vídeo mònitor 〖TV〗 영상 화면기.

vídeo násty 《口》 폭력〔외설〕 비디오.

vid·e·o·phone [vídioufòun] *n.* Ⓒ 텔레비전 전화, 비디오 전화.

vídeo pìrate 비디오 저작권 침해자. cf. videotape pirate.

vid·e·o·play·er [vídiouplèiər] *n.* 비디오테이프 「재생 장치.

vídeo recòrder 비디오테이프식 녹화기.

vid·e·o·tape [vídioutèip] *n.* Ⓤ 비디오테이프; 비디오테이프 녹화. — *vt.* (프로 따위)를 비디오테이프에 담다, 녹화하다.

vídeotape recòrder 비디오 테이프 녹화 장치《略: VTR》.

vid·e·o·tel·e·phone [vìdioutéləfòun] *n.* = VIDEOPHONE.

vid·e·o·tex [vídioutèks] *n.* Ⓤ 〖컴〗 영상 정보《방송 전파나 전화망을 통하여 개인용 컴퓨터나 TV 화면에 정보를 전송시키는 체계; 방송 전파나 전화선을 이용한 가입자 정보 검색 시스템》.

vide post [váidi:-póust] 《L.》 뒤를 보라(=see after).

vide su·pra [-sú:prə] 《L.》 위를 보라(=see above).

*****vie** [vai] (*p., pp.* ***vied***; ***vý·ing***) *vi.* 《+전+명》 경쟁하다, 겨루다, 다투다《*in*; *with*; *to*; *for*》: ~ *with* another *for* power 권력을 잡으려고 남과 다투다 / We all ~*d in* trying to win her favor. 우리는 모두 그녀의 환심을 사려고 다투었다 / ~ *in* beauty 미를 겨루다.

Vi·en·na [viénə] *n.* 빈《오스트리아의 수도; 독일어명 Wien》; = VIENNA SAUSAGE.

Viénna sáusage 비엔나 소시지.

Vi·en·nese [vì:əní:z, -ní:s] *a.* 빈(사람)의; 빈식〔풍〕의. — (*pl.* ~) *n.* Ⓒ 빈 사람.

V

Vi·et·cong, Viet Cong [viètkáŋ / -kɔ́:ŋ, vjèt-] *n.* 베트콩《남베트남 민족 해방 전선의 속칭》.

Vi·et·nam, Vi·et-Nam, Viet Nam [viètná:m, vjèt-, -nǽm] *n.* 베트남《인도 차이나의 공화국 ; 수도 Hanoi》.

Vi·et·nam·ese, -Nam·ese [viètnəmí:z, vjèt-] (*pl.* ~) *a.* 베트남(공화국)의 ; 베트남 사람〔말〕의. — *n.* Ⓒ 베트남 사람 ; Ⓤ 베트남어.

Viétnam Wàr (the ~) 베트남 전쟁(1954-73).

†**view** [vju:] *n.* ① Ⓒ **a**) (탁 트인) 전망, 조망(眺望) ; 광경, 경치, 풍경 : a distant ~ 원경(遠景) / a room with a nice ~ 전망이 좋은 방 / quiet rural ~*s* 조용한 전원 풍경 / the Alpine ~*s* 알프스의 경치 / Our office commands an excellent ~. 우리 사무실은 전망이 참으로 좋다. **b**) 풍경화〔사진〕; 전망도(圖) : a back〔front〕~ 배〔정〕면도 / a perspective ~ 투시도(透視圖) / She sent us a postcard showing a local ~. 그녀는 지방 풍경이 담긴 우편엽서를 보내왔다. ② Ⓤ 보이는 상태〔범위〕, 시계, 시야 : a field of ~ 시야 / be in (plain) ~ (환히) 잘 내다 보이다 / The island came into ~. 그 섬이 시야에 들어왔다 / The plane soon went out of ~. 비행기는 곧 시야에서 사라졌다 / Try to keep that car in ~. 저 차를 시야에서 놓치지 않도록 해라. ③ (*sing.*) 봄, 바라봄, 관람, 구경 ; 관찰, 검토 ; 〖法〗 실지 검증《*of*》: a private ~ 내람(內覽) / a close ~ *of* details 상세한 점까지 하는 검토 / It was our first ~ *of* the ocean. 그때 우리는 처음으로 대양(大洋)을 보았다 / If you go up there, you can get a better ~ *of* the parade. 거기에 올라가면 행진을 더 잘 볼 수가 있다. ④ Ⓤ 언뜻 봄, 일견(一見), 일람(一覽) : I recognized her at first ~. 첫눈에 그녀임을 알았다. ⑤ Ⓒ (흔히 *sing.*)〔修飾語를 수반하여〕(특정한 눈으로) 보기, 사고방식 : a ~ of life 인생관 / take a dark〔favorable〕~ of …을 비관적〔호의적〕으로 보다 / We take a very serious ~ *of* the situation. 우리는 그 상황을 크게 중대시하고 있다 / He presented quite a new ~ of the affair. 그는 그 사건에 관한 아주 새로운 생각을 제안했다. ⑥ Ⓒ **a**) (…에 관한 개인적인) 의견, 견해, 생각《*on ; about*》: express a quite different ~ 전혀 다른 의견을 말하다 / In my ~, he was imprudent. 나의 견해로는 그가 경솔했다고 생각한다. **b**) 《+*that*》(…하다는) 생각, 의견 : They persisted in the ~ *that* the earth was flat. 그들은 지구가 평평하다는 의견을 고집했다. ⑦ Ⓤ.Ⓒ 목적, 계획, 의도, 고려, 기도 ; 기대, 가망 : with no ~ in mind 아무런 의도〔기대〕도 없이 / meet a person's ~*s* 아무의 의향에 부응하다 / It is my ~ to carry out this project. 이 프로젝트를 실행할 심산이다 / The plan has no ~ of success. 그 계획은 성공할 가망이 없다. ⑧ Ⓒ 개관(槪觀), 개념, 개설 : a ~ of German literature. 독일문학 개설. ***in the long*〔*short*〕** ~ 장기〔단기〕적으로 보면. ***in*** ~ (1) 보이는 곳에, 시계 안에 : There were no houses *in* ~. 집이라고는 하나도 보이지 않았다. (2) 고려〔계획〕 중(인), 목표로 하여 ; 기대〔희망〕하여 : a project *in* ~ 고려중인 계획 / with ... *in* ~ …을 명심하여, …을 목표로 하여 / Have you anything *in* ~ when you leave college? 대학 졸업 후 무슨 일을 할 것인지 생각해 보았나 / He has only money *in* ~. 그는 단지 돈이 목적이다. ***in*** ~ ***of*** (1) …로부터〔이〕 보이는 곳에 : stand *in* full ~ *of* the crowd 군중으로부터〔군중이〕 훤히 보이는 곳에 서다. (2) …을 고려하여, …한 점에서 보아, …에 비추어 ; …때문에 : *in* ~ *of* the fact that... …이라는 사실을 고려하여〔사실에 비추어〕. ***keep*** 〔***have***〕 a thing ***in*** ~ (1) …을 보이는 곳에 두다, …에서 눈을 떼지 않다. (2) 마음〔기억〕에 새겨두다, 유의하다 ; 목적으로〔목표로〕 하다 ; …을 기대하다〔믿다〕. ***leave . . . out of*** ~ …을 문제외(外)로 치다, …을 고려에 넣지 않다. ***lost to*** ~ 보이지 않게 되어 : He was *lost to* ~ among the trees. 그의 모습은 나무에 가려 보이지 않게 되었다. ***on the*** ~ ***of*** 보는 것만으로, 첫눈에. ***on*** ~ 공개〔전시〕 중(인) ; 상영 중인 : Some Picassos are now *on* ~ in Seoul. 피카소의 그림 몇 점이 서울에서 전시 중이다. ***take a*** ~ ***of*** …을 관찰〔시찰〕하다, …을 검분(檢分)하다 : *take a* general ~ *of* …을 개관하다 / *take a* dim ~ *of* …을 비관적으로 보다, …에 찬성하지 않다. ***take*** (***the***) ***long*** 〔***short***〕 ~***s*** 선견지명이 있다〔없다〕; 장래를 내다보다〔근시안적이다〕. ***to the*** ~ 공공연히, 내놓고 ; 보이는 곳에. ***with a*** ~ ***to*** …을 예상〔기대〕하여 ; …을 노리고. ***with a*** ~ ***to*** do***ing*** 〔《俗》 do〕 …하기 위하여, …을 바라고 ; …에 관하여 ; …을 예상하여 : He went to France *with a* ~ *to studying* literature. 그는 문학연구를 위해 프랑스로 갔다.

— *vt.* ① …을 보다, 바라보다 : ~ the landscape 풍경을 바라보다 / ~ a movie 영화를 보다. ② …을 조사하다, 검토하다 ; 관찰하다 ; 〖法〗 검증〔검시(檢屍)〕하다 : ~ the records 기록을 조사하다 / ~ a house (살까말까) 집을 보다 / ~ the body (배심원이) 검시하다. ③ 《+목+전+명 / +목+*as* 보 / +목+부》…로 간주하다 ; …라고 판단하다, 보다 : He ~*s* the matter *in* a different light. 그는 그 문제를 다른 관점에서 본다 / We ~ the policy *with* skepticism. 우리는 그 정책을 회의적으로 보고 있다 / The problem must also be ~*ed from* the employers angle. 그 문제는 또 사용자의 입장에서도 보아야 한다 / The natives ~ the old man's words *as* law. 원주민은 그 노인의 말을 법률로 보고 있다 / We need to know how the rest of the world ~*s* Korea. 우리는 세계의 다른 나라들이 한국을 어떻게 보고 있는지를 알 필요가 있다 / The project was ~*ed* favorably by the committee. 그 계획에 위원회는 호감을 보였다. ④ …을 텔레비전으로 보다 ; 텔레비전을 보다, 시청하다(watch). — *vi.* 검시하다 ; 텔레비전을 보다.

view·da·ta [vjú:dèitə, -dǽtə, -dɑ̀:tə] *n.* = VIDEOTEX.

‡**view·er** [vjú:ər] *n.* Ⓒ 보는 사람 ; 구경꾼 ; 검사관, 감독(관) ; 〖寫〗 뷰어《슬라이드 따위의 확대 투시 장치》; 〖TV〗 시청자 : ~ response, (TV) 시청자의 반응.

view·find·er [vjú:fàindər] *n.* Ⓒ 〖寫〗 파인더.

view·less [vjú:lis] *a.* 눈에 보이지 않는(invisible) ; 전망이 좋지 않는 ; 의견이〔견해가〕 없는, 무정견(無定見)의. ㊕ ~·**ly** *ad.*

***view·point** [vjú:pɔ̀int] *n.* Ⓒ ① 견해, 견지, 관점(point of view) : a disinterested ~ 이해 관계가 없는 입장 / We must study the subject from the ~ of consumers. 우리는 그 문제를 소비자의 입장에서 연구해야 한다. ② 관찰하는〔보이는〕 지점 : sketch a mountain from the ~ of a forest 숲에서 산을 사생하다.

view·port [vjú:pɔ̀:rt] *n.* Ⓒ 〖컴〗 보임창《화면상의 화상 표시 영역. 좌표축에 평행한 4변형으로 경계가 지어짐》.

***vig·il** [vídʒil] *n.* Ⓤ.Ⓒ ① 철야, 불침번 ; 밤샘 ; 밤샘 병구완《*over ; beside*》; 경계, 망(봄) : She was tired out by these long ~*s*. 요 며칠 밤을 새웠기

V

때문에 그녀는 아주 지쳐 있었다 / The detectives resumed their ~ at the house. 형사들은 그 집에서 잠복 근무를 재개했다. ② 〖宗〗 철야 기도. ***keep*** ~ 불침번을 서다 ; (병간호 따위로) 밤새우다, 밤샘을 하다 : *keep* ~ *over* 〔*beside*〕 a sick child 밤새워 아이의 병구완을 하다.

***vig·i·lance** [vídʒələns] *n.* [U] 조심, 경계 ; 불침번 서기. ◇ vigilant *a.*

vígilance commìttee 《美》 자경단(自警團).

***vig·i·lant** [vídʒələnt] *a.* 자지 않고 지키는, 부단히 경계하고 있는 ; 방심하지 않는, 주의 깊은. [파] **~·ly** *ad.*

vig·i·lan·te [vìdʒəlǽnti] *n.* [C] 《美》 자경단원 : ~ corps 자경단.

vig·i·lan·tism [vídʒələntìzəm, vìdʒəlǽntizəm] *n.* [U] 《美》 자경단 제도 ; 자경주의〔행위〕.

vi·gnette [vinjét] *n.* [C] ① 당초문(唐草紋), 《특히》 책의 속표지·장(章) 머리나 맨 끝의 장식 무늬. ② 비네트《배경을 흐리게 한 상반신의 사진·초상화》. ③ (책 속의 작고 아름다운) 삽화. ④ 소품문(小品文), 《특히》 간결한 인물 묘사. ⑤ (연극·영화 속의) 짧은 사건〔장면〕.

‡**vig·or,** 《英》 **vig·our** [vígər] *n.* [U] ① 활기, 정력, 정신력 ; 활력 : have great ~ 원기 왕성하다 / the ~ of a plant 식물의 생장력. ② (말·문장 등의) 힘참, 박력 : the ~ of her denial 그녀의 단호한 거절 / protest a plan with ~ 계획에 강력히 반대하다.

‡**vig·or·ous** [vígərəs] (***more*** ~ ; ***most*** ~) *a.* ① 정력 왕성한, 원기 왕성한, 활발한, 박력 있는, 강건한 : a ~ old man 원기왕성한 노인 / ~ in body and in mind 심신이 모두 강건한 / a ~ plant 무럭무럭 자라는 식물. ② 강력한 ; 강경한, 단호한 : ~ enforcement of a law 법률의 단호한 실시. [파] ***~·ly** *ad.* **~·ness** *n.*

***Vi·king** [váikiŋ] *n.* [C] (*or* v-) 바이킹, 북유럽 해적《8-10 세기경 유럽 해안을 노략질한 북유럽 사람》.

‡**vile** [vail] (***víl·er*** ; ***víl·est***) *a.* ① **a**) 비열한, 야비한, 부도덕한, 수치스러운 : the ~ practice of bribery 뇌물받는 수치스런 관행 / use ~ language 천한 말씨를 쓰다. ② (감각적으로) 혐오할 만한, 고약한, 불쾌한 ; 싫은 : a ~ smell 비위가 상하는 (고약한) 냄새 / She was in a too ~ mood to work. 그녀는 너무나 기분이 나빠 일을 하지 못했다. ③ 시시한, 하찮은 : the ~ chores of the kitchen 부엌의 허드렛일. ④ 심한, 나쁜, 지독한 : What ~ weather! 지독한 날씨군. [파] **∠·ly** *ad.* **∠·ness** *n.*

vil·i·fi·ca·tion [vìləfikéiʃən] *n.* [U,C] 비방, 욕설 ; 중상, 비난.

vil·i·fy [víləfài] *vt.* (아무)를 비방〔중상〕하다, 헐뜯다 ; 욕하다.

***vil·la** [vílə] *n.* [C] ① (큰 규모의) 별장《★ 작은 것은 cottage 라 함》; (교외·시골의) 대저택, 전원주택 ; (피서지·해안의) 임대 별장 : a ~ on the Riviera 리비에라 해안의 별장. ② 《英》 **a**) 교외 주택《두 채가 붙은》. **b**) (Villas) (주택명의 일부로서) …주택. ③ (고대 로마의) 장원(莊園).

†**vil·lage** [vílidʒ] *n.* [C] ① 마을, 촌락《hamlet 보다 크고 town 보다 작음》: a farm ~ 농촌 / a fishing ~ 어촌. ② 〔集合的 ; 單·複數취급〕 마을 사람 ; 촌사람 : All the ~ was〔were〕 there. 마을 주민 전부가 거기 있었다. ③ (비교적 독립된 지구로서의) …촌(村) : an Olympic ~ 올림픽 촌.
— *a.* 〔限定的〕 마을의〔에 있는〕 : the ~ church 마을의 교회 / a ~ headman 촌장.

‡**vil·lag·er** [vílidʒər] *n.* [C] 마을 사람.

vil·lain** [vílən] *n.* ① [C] 악인, 악당, 악한. ② (the ~) (극·소설 따위의) 악역 : play *the* ~ 악역을 맡아하다 ; 나쁜 짓을 하다. ③ [C] 《英口》 범인, 범죄자. ④ [C] 《戱》 놈, 이자식 : You little ~*!* 이 꼬마 녀석. ***the ~ ***of the piece*** 《종종 戱》 (문제를 일으킨) 장본인, 원흉.

vil·lain·ous [vílənəs] *a.* ① 악한 같은, 악당의 ; 악랄한, 극악 무도한 : a ~ deed 나쁜 짓. ② 지독한, 고약한 : ~ weather 고약한 날씨, 지독한 악천후. [파] **~·ly** *ad.*

vil·lainy [víləni] *n.* ① [C] 나쁜 짓, 악행. ② [U] 극악, 악랄.

-ville ① 지명 중에서 'town, city'의 뜻의 결합사 : Nash*ville.* ② 《口·蔑》 '특정한 상태〔장소〕'의 뜻의 결합사 : dulls*ville.*

vil·lein [vílən] *n.* [C] 〖史〗 농노(農奴)《봉건시대 영국의 반(半) 자유민》.

vil·len·age, vil·lein- [víləniʤ] *n.* [U] (봉건시대의 영국의) 농노의 신분〔지위〕.

vim [vim] *n.* [U] 《口》 정력, 생기, 활기《★ 흔히 ~ and vigor 로 쓰임》: full of ~ *and vigor* 원기가 넘치는.

vin·ai·grette [vìnəgrét] *n.* ① [C] (코로 들이쉬는) 각성제 약병. ② ＝VINAIGRETTE SAUCE.

vinaigrétte sàuce 비네그렛 소스《초·기름·향신료 따위로 만든 샐러드용 소스》.

Vin·cent [vínsənt] *n.* 빈센트《남자 이름》.

Vin·ci [víntʃi] *n.* ＝DA VINCI.

vin·di·ca·ble [víndikəbəl] *a.* 변호〔옹호〕할 수 있는 ; 입증할 수 있는.

vin·di·cate [víndəkèit] *vt.* ① (아무)의 결백을 증명하다, 혐의를 불식하다 ; (명예)를 회복하다 : ~ oneself 자기의 결백을 입증하다 / The facts ~ Jack completely. 여러가지 사실로 잭의 결백이 완전히 증명된다. ② (권리 등)을 주장〔변명·옹호〕하다, …의 정당성을 입증하다 : ~ one's claim 〔right〕 to …에 대한 자기의 권리를 변명〔옹호〕하다. [파] **vin·di·ca·tor** [víndəkèitər] *n.*

vin·di·ca·tion [vìndəkéiʃən] *n.* ① [U] 변호, 옹호, 변명 ; 입증, 증명《*of*》: in ~ of …을 옹호〔변호〕하여. ② (a ~) 옹호〔입증〕하는 것〔사실〕 : He called the success *a* ~ of his party's free-market economic policy. 그는 그 성공이 자기당의 자유시장 경제정책이 옳음을 입증하는 것이라고 했다.

vin·dic·a·tive [vindíkətiv, víndikèi-] *a.* 변호〔옹호〕하는 ; 변명하는. [파] **-ly** *ad.*

vin·di·ca·to·ry [víndikətɔ̀ːri / -təri] *a.* 변명〔변호〕하는 ; 입증하는.

vin·dic·tive [vindíktiv] *a.* ① 복수심이 있는, 원한을 품은, 앙심깊은 : in a ~ mood 복수심에 불타. ② 악의에서 나온, 보복적인 : a ~ action 보복행위. [파] **~·ly** *ad.* **~·ness** *n.*

‡**vine** [vain] *n.* [C] ① 덩굴, 덩굴풀, 덩굴식물 : rose ~*s* 《美》 덩굴장미 / a climbing 〔trailing〕 ~ 위로〔옆으로〕 뻗는 덩굴. ② 포도나무 (grapevine).

vine·dress·er [∠drèsər] *n.* [C] 포도밭의 일꾼.

***vin·e·gar** [vínigər] *n.* [U] ① (식)초. ② (표정·태도 따위의) 찌까다로움, 지르퉁함. ③ 《美口》 활력, 정력, 기운 : He's got a lot of ~. 그는 원기왕성하다.

vin·e·gary [vínigəri] *a.* ① 식초 같은 ; 신. ② 성미 까다로운, 지르퉁한, 심술궂은 : a ~ face 찌무룩한 얼굴 / ~ criticism 짓궂은 비평.

vin·ery [váinəri] *n.* ① [C] 포도원 ; 포도 온실. ② [U] 〔集合的〕 《美》 포도나무, 덩굴 식물.

***vine·yard** [vínjərd] *n.* [C] 포도원〔밭〕.

vingt-et-un [*F.* vɛ̃teœ̃] *n.* [U] 《F.》 〖카드놀이〗 ＝TWENTY-ONE.

V

vin·i·cul·ture [vínəkʌ̀ltʃər] *n.* [U] (포도주용) 포도 재배.
vi·no [ví:nou] (*pl.* **~s**) *n.* 《It.·Sp.》 포도주 《Chianti 따위》; 싸구려 포도주.
vi·nous [váinəs] *a.* ① 포도주의; 포도주 같은; 포도주 빛깔의. ② 포도주에 취한; 얼큰히 취한; 포도주만 마시고 있는.
***vin·tage** [víntidʒ] *n.* ① [C] (흔히 *sing.*) **a)** 포도 수확(기). **b)** (일기(一期)의) 포도 수확량; 포도주 생산고: a poor〔a good〕 ~ 포도의 흉작〔풍작〕. **c)** (특정한 해의) 포도《*of*》: The wine is of the ~ *of* 1960. 이 포도주는 1960 년산의 포도로 양조된 것이다. ② [C] =VINTAGE WINE. ③ [U,C] (…해의) 제품; 형; 제조 연도, 제작 연대《자동차 등의》: an automobile of the ~ of 1935, 1935 년형의 자동차. ── *a.* 〖限定的〗 ① (포도주가) 특정 연도 및 상표의, 양질의: ~ wines 우량〔양질의〕 포도주. ② **a)** (제작물·문예작품 등이) 전성기의, 우량〔우수〕한; 오래되고 가치 있는. **b)** 낡아빠진, 시대에 뒤진.
víntage càr 《英》 1917-30 년에 제조된 구형의 고급차.
vin·tag·er [víntidʒər] *n.* [C] (포도주 용의) 포도 「수확자.
víntage wíne 빈티지 와인《(명산지에서 풍작의 해에 양조한) 상표 및 연호(年號)가 붙은 고급 포도주》.
víntage yéar ① vintage wine 이 양조된 해. ② 《比》 대성공의 해, 크게 성과가 좋은 해.
vint·ner [víntnər] *n.* [C] 포도주 상인〔양조인〕.
***vi·nyl** [váinəl, vín-] *n.* [U,C] 〖化〗 비닐(기(基)). ── *a.* 비닐기를 함유한; 비닐제(製)의: a ~ tablecloth 비닐의 테이블 보.
vi·ol [váiəl] *n.* [C] 비올《중세의 현악기; 현대 violin류의 전신》.
vi·o·la[1] [vióulə] *n.* [C] 비올라《violin 과 cello 의 중간 크기의 현악기》.
vi·o·la[2] [vaióulə, váiələ] *n.* [C] 〖植〗 제비꽃속(屬)의 식물. [L. =violet]
vi·o·la·ble [váiələbəl] *a.* 범할 수 있는, 깨뜨릴 수 있는, 더럽힐 수 있는([opp] inviolable).
viola da gamba [vióulədəgá:mbə] (*pl.* ***vi·o·las da gam·ba*** [vióulei-]) 비올라다감바 《viol 류의 저음 악기; cello 의 전신》. [It. =viol for the leg]
:vi·o·late [váiəlèit] *vt.* ① (법률·맹세·약속·양심 따위)를 어기다: ~ a law 법률을 위반하다 / They ~*d* the ceasefire agreement. 그들은 정전협정을 위반했다. ② …의 신성을 더럽히다, …을 모독하다: ~ a temple 성전의 신성함을 모독하다. ③ …을 어지럽히다, 방해하다, 침해하다: ~ silence 정적을 깨다 / ~ his sleep 그의 수면을 방해하다 / ~ his privacy 그의 사적인 자유를 침해하다. ④ (여자)를 폭행하다(rape). ◇ violation *n.*
***vi·o·la·tion** [vàiəléiʃən] *n.* [U,C] ① (법률·약속 따위의) 위반, 위배《*of*》: in ~ *of* the law 법률을 위반하여 / (a) ~ *of* human rights 인권 침해 / He was in ~ *of* his contract. 그는 계약을 위반했다. ② 방해; 침해, 침입《*of*》: a ~ *of* Korea's airspace 한국 영공의 침범. ③ (신성의) 모독《*of*》. ④ (여성에 대한) (성)폭행. ◇ violate *v.*
vi·o·la·tor [váiəlèitər] *n.* [C] ① 위반자. ② 방해자; 침해자. ③ 모독자. ④ (성)폭행자.
:vi·o·lence [váiələns] *n.* [U] ① (자연 현상·사람의 행동·감정 등의) 격렬함, 맹렬함: the ~ of a storm〔collision〕 폭풍〔충돌〕의 맹위〔격렬함〕 / We were all surprised at the ~ of his anger. 우리 모두는 그의 격렬한 분노에 놀랐다. ② 폭력, 난폭; 폭행: crimes of ~ 폭행죄 / domestic ~ between husband and wife 남편과 아내 사이의 가정 폭력 / resort to ~ 폭력에 호소하다. ***do ~ to*** (1) …에게 폭행을 가하다; (감정 따위)를 해치다. (2) …를 범하다, …에 위반하다. (3) (의미·사실 따위)를 왜곡하다, 곡해하다.
:vi·o·lent [váiələnt] (***more ~; most ~***) *a.* ① (자연 현상·사람의 행동·감정 따위가) 격렬한, 맹렬한: a ~ attack〔earthquake〕 격렬한 공격〔지진〕 / at ~ speed 맹렬한 속력으로 / a ~ passion〔dislike〕 격렬한 정열〔증오〕 / in a ~ temper 격노하여. ② 극단적인, 극심한; (느낌이) 강력한: a ~ contrast 극단적인 대조 / ~ heat 혹서(酷暑) / ~ colors (느낌이) 강렬한 색채 / ~ pain 격통(激痛). ③ 난폭한, 광포한, 폭력적인: ~ deeds 폭행 / become ~ after an insult 모욕을 받고 광포해지다. ④ (죽음이) 폭력〔사고〕에 의한: die a ~ death 변사〔횡사〕하다. [파] **:~·ly** *ad.*
:vi·o·let [váiəlit] *n.* ① [C] 〖植〗 제비꽃, 바이올렛. ② [U] 보랏빛. ── *a.* 보라색의.
:vi·o·lin [vàiəlín] *n.* [C] ① 바이올린, 바이올린 계통의 악기《viola, cello 등》: play the ~ 바이올린을 켜다. ② (흔히 *pl.*) 바이올린 연주자: the first〔second〕 ~ (오케스트라의) 제 1〔제2〕 바이올린 연주자.
***vi·o·lin·ist** [vàiəlínist] *n.* [C] 바이올린 연주자, 바이올리니스트, 제금가(提琴家). [cf] fiddler.
vi·o·list [vióulist, vai-] *n.* [C] viola 연주자.
vi·o·lon·cel·lo [vàiələntʃélou, vì:ə-] (*pl.* **~s**) *n.* [C] 〖樂〗 =CELLO.
[파] **-cel·list** [-tʃélist] *n.* [C] =CELLIST.
VIP, V. I. P. [ví:àipí:] (*pl.* **~s**) *n.* [C] 《口》 요인, 거물, 귀빈: the ~ lounge (공항 따위의) 귀빈〔요인〕대합실. [◂ *v*ery *i*mportant *p*erson]
vi·per** [váipər] *n.* [C] ① 〖動〗 북살모사; 〔一般的〕 독사. ② 독사 같은 놈, 독살스러운〔속검은〕 사람. ***a ~ in a person***'s bosom*** 은혜를 원수로 갚는 사람.
vi·per·ish [váipəriʃ] *a.* =VIPEROUS.
vi·per·ous [váipərəs] *a.* ① 독사의, 독사 같은. ② 독살스러운, 속 검은. [파] **~·ly** *ad.*
vi·ra·go [virá:gou, -réi-] (*pl.* **~(*e*)*s***) *n.* [C] 잔소리 많은 여자, 앙알거리는 계집.
vi·ral [váiərəl] *a.* 바이러스성(性)의, 바이러스가 원인인: a ~ infection 바이러스 감염 / ~ hepatitis 바이러스성 간염. [파] **~·ly** *ad.*
Virgil ⇨VERGIL.
Vir·gil·i·an [və:rdʒíliən] *a.* =VERGILIAN.
:vir·gin [və́:rdʒin] *n.* ① [C] **a)** 처녀, 아가씨. **b)** 《稀》 동정(童貞)의 남성. ② **a)** (the (Blessed) V-) 동정녀 마리아. **b)** (종종 V-) 성모 마리아의 그림(상). ③ (the V-) 〖天〗 처녀자리(Virgo). ── *a.* ① 〖限定的〗 처녀의, 동정의; 처녀로 있는〔를 지키는〕. ② 처녀다운〔같은〕, 얌전한: ~ flushes 처녀 다운 수줍음. ③ 더럽혀지지 않은, 순결한, 깨끗한: ~ snow 처녀설(雪), 신설(新雪). ④ 처음 겪은: a ~ speech 처녀 연설 / a ~ voyage 처녀 항해. ⑤ 사용한 일이 없는, 미개척의: a ~ blade 아직 피로 더럽혀지지 않은 칼 / ~ clay (아직 굽지 않은) 생질흙 / a ~ peak 처녀봉 / ~ soil 처녀지, 미개간지.
vir·gin·al [və́:rdʒənl] *a.* ① 처녀의, 처녀〔아가씨〕다운: ~ bloom 처녀의 한창때 / ~ membrane 〖解〗 처녀막(hymen). ② 순결한, 무구한.
vírgin bírth (the ~; 종종 V- B-) 〖神學〗 성모 마리아의 처녀수태(설).
Vir·gin·ia [vərdʒínjə] *n.* ① 버지니아《미국 동부의 주(州); 별명 the old Dominion; 略: Va.; 〖郵〗

VA). ② U.C 버지니아산(産)의 담배.

Virgínia créeper 〖植〗 아메리카담쟁이덩굴의 일종(American ivy)(북아메리카산).

Vir·gin·ian [vəːrdʒínjən] *a., n.* Ⓒ 버지니아주의 (사람).

Virgínia réel 《美》 포크댄스의 일종(남녀가 두 줄로 마주서서 춤); 그 음악.

Vírgin Íslands (the ~) 버진아일랜드(서인도 제도 북동부, 소(小)앤틸리스 섬 북부에 있음).

vir·gin·i·ty [vərdʒínəti] *n.* Ⓤ ① 처녀임, 처녀성, 동정: lose one's ~ 처녀성을 잃다. ② 순결; 신선함.

Vírgin Máry (the ~) 성모 마리아.

Vírgin Quéen (the ~) 처녀왕(영국 여왕 Elizabeth 1 세).

Vir·go [vəːrgou] *n.* ①〖天〗 처녀자리. ②〖占星〗 **a)** (12 궁의) 처녀궁. **b)** Ⓒ 처녀자리 태생의 사람 (=**Vír·go·an**).

vir·gule [vəːrgjuːl] *n.* Ⓒ (어느 쪽 말을 취해도 좋음을 나타내는) 사선(보기: and/or 의 /).

vir·i·des·cent [vìrədésənt] *a.* 담녹색의, 녹색을 띤(이 도는); 녹색으로 변하는.

vir·ile [vírəl, vírail] *a.* ① 남성의, 성년 남자의; 남자로서 한창때의. ② 남성적인, 사내다운: speak in a ~ way 남성적인 말투로 이야기하다. ③ (남자로서의) 생식력 있는. ④ 힘찬, 웅건한.

vi·ril·i·ty [viríləti] *n.* Ⓤ ① (성년) 남자임, 성년. ② 사내다움; (남자가) 한창때임. ③ (남자의) 성적 능력, 생식력. ④ 활기, 힘참.

vi·rol·o·gy [vaiərάlədʒi / -rɔ́l-] *n.* Ⓤ 바이러스학(學). cf. virus. ㊀ **-gist** *n.*

vir·tu [vəːrtúː] *n.* Ⓤ ①〔集合的〕 미술품〔골동품〕. ② 미술 취미, 골동 애호. ***articles* 〔*objects*〕 *of*** ~ 골동품, 미술품.

***vir·tu·al** [vəːrtʃuəl] *a.* 〔限定的〕 ① (명목상이 아니라) 실제상의, 실질적인, 사실상의: a ~ defeat 사실상의 패배 / It was a ~ promise. (형식은 어떻든) 그것은 사실상 약속이나 다름없었다. ②〖光〗 허상(虛像)의. opp *real.* ¶ a ~ image 허상.

vir·tu·al·ly [vəːrtʃuəli] *ad.* 사실상, 실질적으로, 거의: The work was ~ finished. 일은 끝난 것이나 같았다 / That wine stain on my shirt has ~ disappeared. 셔츠에 묻은 포도주의 얼룩은 거의 없어져 버렸다.

vírtual mémory 〖컴〗 가상 기억 장치.

vírtual reálity 가상〔인공〕 현실(감)(컴퓨터 시뮬레이션으로 만드는 가상 환경 속에 있는 듯한 의사(擬似)적 체험).

vírtual stórage 〖컴〗 가상 기억 (장치).

‡**vir·tue** [vəːrtʃuː] *n.* ① Ⓤ 미덕, 덕, 덕행, 선행. opp *vice*¹. ¶ ⇨CARDINAL VIRTUES / a man of ~ 미덕〔인덕〕이 있는 사람 / *Virtue* is its own reward. 《俗談》 덕행은 그 자체가 보답이다. ② Ⓒ (어떤 특수한) 도덕적 미점, 덕목: Kindness is a ~. 친절은 하나의 미덕이다 / One of his ~*s* is faithfulness. 그의 장점의 하나는 성실하다는 것이다. ③ Ⓤ 정조: a woman of easy ~ 몸가짐이 헤픈〔바람둥이〕 여자 / lose one's ~ 정조를 잃다. ④ U.C 장점, 가치: count the ~*s* of the car 자동차의 우수한 점을 열거하다 / The place has the ~ of being beautiful. 그곳은 풍경이 아름답다는 장점이 있다. ⑤ Ⓤ 효력, 효능: There is little ~ in that medicine. 그 약은 거의 효력이 없다. ⑥ (*pl.*) 역품(力品) 천사(천사의 제 5 계급). ***by* 〔*in*〕 ~ *of*** …의 힘으로, …의 덕택으로: He succeeded *by* ~ *of* his boldness. 그는 대담한 덕택에 성공했다. ***make a* ~ (*out*) *of necessity*** ⇨ NECESSITY(成句).

vir·tu·os·i·ty [vəːrtʃuάsəti / -ɔ́s-] *n.* Ⓤ 예술상의 묘기, 기교(특히 음악의).

vir·tu·o·so [vəːrtʃuóusou, -zou] (*pl.* **~s, -si** [-siː, -ziː]) *n.* Ⓒ 예술의 거장, (특히) 음악의 대가(명연주가). ── *a.* 〔限定的〕 명인의, 거장(巨匠)(풍)의.

vir·tu·ous** [vəːrtʃuəs] (more*** ~; ***most*** ~) *a.* ① 덕이 높은, 덕행이 있는, 고결한: lead a ~ life 고결한 생애를 보내다. ② 정숙한, 절개 있는: a ~ young woman. ③ (때로 蔑) 고결한 체하는, 젠체하는; 독선적인. ㊀ **~·ly** *ad.* **~·ness** *n.*

vir·u·lence, -len·cy [vírjuləns], [-si] *n.* Ⓤ ① 독성, 유독. ② (지독한) 증오, 악의; 신랄함.

vir·u·lent [vírjulənt] *a.* ① 맹독이 있는, 맹독성의: (a) ~ poison 맹독. ② 독기를 품는, 악의가 있는, 적의(敵意)에 찬: (a) ~ hostility 격렬한 적의. ③〖醫〗 (병이) 악성의. ㊀ **~·ly** *ad.*

***vi·rus** [váiərəs] *n.* Ⓒ ①〖醫〗 바이러스, 여과성(濾過性) 병원체. ② 바이러스(성) 질환. ③ (도덕·정신상의) 해독: the ~ of revolution 혁명의 해악(害惡). ④〖컴〗 전산균, 바이러스(컴퓨터 체계에 침입하여 파일이나 파일 체계를 파괴하는 프로그램).

Vis. Viscount; Viscountess.

vi·sa** [víːzə] *n.* Ⓒ (여권 따위의) 사증(査證), 비자: an entry〔exit〕 ~ 입국〔출국〕 비자 / apply for a ~ for the United States 미국으로의 비자를 신청하다 / get a ~ on one's passport 여권을 사증해 받다. ── (~ed, ~'d; ~·ing***) *vt.* (패스포트)에 사증〔배서〕하다.

vis·age [vízidʒ] *n.* Ⓒ 얼굴, 얼굴 모습, 용모: a man with a gloomy ~ 우울한 얼굴의 사나이. ㊀ **~d** [-d] *a.* 〔複合語로〕 …한 얼굴의: stern-~*d* 위엄 있는 얼굴의.

vis-à-vis [vìːzəvíː] (*pl.* ~ [-z]) *n.* Ⓒ 《F.》 마주보고 있는 사람〔물건〕; (특히) (춤의) 상대역, (사교장에서의) 파트너. ── *a.* 마주보고 있는. ── *ad.* 마주보고, 상대해서(*to*; *with*): sit ~ at a dinner party 만찬회에서 마주보고 앉다 / talk ~ *with* him 그와 마주보고 이야기하다. ── *prep.* ① …와 마주보고. ② …에 대하여〔대한〕; …에 관하여〔관한〕; …에 비하여, …와 비교하여(in comparison with): Our welfare program is far behind, ~ that in your country. 우리나라의 복지 계획은 당신네 나라의 복지에 비하여 훨씬 뒤져 있다.

Visc. Viscount; Viscountess.

vis·cera [vísərə] (*sing.* ***vis·cus*** [vískəs]) *n. pl.* (the ~) 내장; 《俗用》 창자, 배알.

vis·cer·al [vísərəl] *a.* ① 내장의, (병이) 내장을 범하는: the ~ cavity 복강(腹腔). ② 직감적(直感的)인; 본능적인, 비이지적인; 노골적인: a ~ reaction 본능적 반응. ㊀ **~·ly** *ad.*

vis·cid [vísid] *a.* 끈적이는, 끈끈한, 점착성의. ㊀ **~·ly** *ad.* **~·ness** *n.* **vis·cid·i·ty** [visídəti] *n.* Ⓤ 끈끈함, 끈적임, 점착(성).

vis·cose [vískous] *n.* Ⓤ〖化〗 비스코스(인조견사·셀로판 따위의 원료).

vis·cos·i·ty [viskάsəti / -kɔ́s-] *n.* Ⓤ 점질(粘質); 〖物〗 점성(粘性), 점성도(度).

***vis·count** [váikàunt] *n.* Ⓒ (흔히 V-) 자작(子爵)(★ 백작(earl)의 맏아들에 대한 경칭으로도 쓰임; 略 V., Vis(c).); 〖史〗 백작의 대리; 〖英史〗 =SHERIFF.

㊀ **~·cy, ~·ship** [-si], [-ʃip] *n.* Ⓤ 자작의 지위〔신분〕. **~·ess** [-is] *n.* Ⓒ 자작 부인, 자작 미망인; 여(女)자작. **~y** *n.* =viscountcy.

vis·cous [vískəs] *a.* ① 들러붙는, 끈적이는. ②

〖物〗 점성(粘性)의. ㊞ ~·ly *ad.* ~·ness *n.*

vise, 《英》 **vice** [vais]〖機〗 *n.* 바이스 : grip a piece of wood in a ~ 나무토막을 바이스로 꽉 잡다〔죄다〕.
— *vt.* …을 바이스로 죄다 ; 힘껏 누르다〔죄다〕.

vise·like [váislàik] *a.* 바이스와 같은(기능을 하는) : a ~ grip 단단히〔꽉〕 잡음.

Vish·nu [víʃnuː] *n.* 〖힌두敎〗 비슈누《3 대 신(神)의 하나》. ⓒⓕ Brahma, Siva.

vis·i·bil·i·ty [vìzəbíləti] *n.* ① Ⓤ 눈에 보임, 볼 수 있음. ② ⓊⒸ 〖氣·海〗 시계(視界), 시도(視度), 시정(視程) : high 〔low, poor〕 ~ 고〔저〕시정. ◇ visible *a.*

‡**vis·i·ble** [vízəbəl] (*more* ~ ; *most* ~) *a.* ① (눈에) 보이는 : Those stars are hardly ~ to the naked eye. 그 별들은 맨눈으로는 거의 보이지 않는다. ② 명백한, 분명한, 역연한 : That he was lying was ~ to all of us. 그가 거짓말을 하고 있다는 것은 우리 모두에게 명백했다. ③ 눈에 띄는, 뚜렷한, 두드러진 : a ~ necktie 눈에 잘 띄는 넥타이. ④ (사람·일이) 자주 뉴스에 나오는, 활동이 두드러진. ⓞⓟⓟ *invisible.* ◇ visibility *n.* ㊞ **-bly** *ad.* 눈에 보이게, 뚜렷이.

Vis·i·goth [vízəgɑ̀θ / -gɔ̀θ] *n.* ① (the ~s) 서(西)고트족(族). ② Ⓒ 서고트족(族)의 사람.

‡**vi·sion** [víʒən] *n.* ① Ⓤ 시력, 시각 : a〔one's〕 field of ~ 시계, 시야 / A mist blurred my ~. 안개로 시계가 흐려져 잘 안 보였다 / I've twenty-twenty ~. 나의 시력은 정상이다. ② Ⓤ (보이지 않는 것을 마음 속에 그리는) 상상력, 선견지명, 통찰력 : a man of ~ 통찰력〔선견지명〕이 있는 사람 / a poet of great ~ 풍부한 상상력을 지닌 시인. ③ Ⓒ (마음 속에 그린) 미래상, 비전《*of*》. ④ Ⓒ (머릿속에 그리는) 환상, 환영, 꿈 ; 〖映〗 환상의 장면《상상·회상 등》: see a ~ 환상을 보다 / It appeared to me in a ~. 그것은 환상으로 나타났다 / I had ~*s* of her walking in the snowstorm. 그녀가 눈보라 속을 걷고 있는 모습을 머릿속에 그렸다. ⑤ Ⓒ 보이는 것, 눈에 띄는 것, 광경 ; (TV의) 영상. ⑥ Ⓒ 매우 아름다운 모습〔광경, 여성〕 : She was a ~ in that dress. 저 옷을 입은 그녀는 매우 아름다웠다. ⑦ Ⓒ 한눈, 일견(一見) : catch a ~ of the summit 산정을 흘끗 보다.

***vi·sion·ary** [víʒənèri / -nəri] *a.* ① 환영(幻影)의(같은) ; 환상의 : a ~ form 환영 / a ~ scene 꿈과 같은 광경. ② 비현실적인 ; 실행 불가능한, 실제적이 아닌《계획 따위》: a ~ plan 실행 불가능한 계획. ③ 상상력〔비전〕이 있는 ; 장래를 내다본 : a ~ thinker 통찰력이 있는 사상가. — *n.* Ⓒ 공상〔몽상〕가 ; 환상을 좇는 사람.

†**vis·it** [vízit] *vt.* ① (사교·용건·관광 등을 위해) …을 방문하다, …에 가다 ; …의 집에 머물다 : ~ a new neighbor 새로 이사온 이웃을 (인사차) 방문하다 / He was ~*ed* by an old friend from Italy. 그는 이탈리아에서 온 옛친구의 방문을 받았다 / ~ a library 도서관에 가다《이용하기 위하여》/ John is ~*ing* his aunt for a few days. 존은 고모집에 2, 3일 묵으러 가 있다. ② …을 시찰하다 ; 위문하다, 왕진하다 : The mayor ~*ed* all the municipal hospitals. 시장은 모든 시립병원을 시찰했다 / Nancy ~*ed* me in the hospital every day. 낸시는 나를 문병하러 매일같이 병원에 와 주었다 / The doctor is out ~*ing* his patients. 의사 선생님은 왕진중이십니다. ③ (재해 따위가) …을 덮치다, 엄습하다, …에 닥치다 : The valley was ~*ed* by a drought. 골짜기는 한해(旱害)를 입었다. ④ (생각 따위가) 떠오르다 : I was ~*ed* by a strange notion. 기묘한 생각이 떠올랐다. ⑤《+목+전+명》《古》 (사람·죄)를 벌하다, (고통·벌)을 주다《*on, upon*》: ~ him *with* sorrows 그에게 슬픔을 안겨주다 / ~ one's indignation *on* 〔*upon*〕 a person 아무에게 분노를 터뜨리다.
— *vi.* ①《~ / +전+명》 방문하다, (손님으로) 체류하다〔머무르다〕《*with* a person ; *in* a place》: ~ *at* one's friend's 친구집에 묵다 / She often ~*s* here in autumn. 그녀는 가을에 여기 자주 온다. ②《~ / +부 / +전+명》《美口》 이야기〔잡담〕하다《*with*》: ~ *with* one's neighbor 이웃사람과 잡담하다 / Let's sit here and ~ (*together*) for a while. 여기 앉아 잠시 이야기하자.
— *n.* Ⓒ ① 방문 ; 구경, 견학 ; 문병 ; 참예 ; (손님으로서의) 체류 : receive a ~ from a person 아무의 방문을 받다. ② 시찰 ; 왕진 ; (환자의) 병원다니기 : one's daily ~ to a dentist 매일 치과에 가기. ③《美口》 잡담, 이야기, 수다 : have a ~ on the telephone 전화로 이야기하다 / I had a nice ~ with him. 그와 즐겁게 이야기를 했다. ***pay a ~ to*** …을 방문하다 : *pay a* ~ *to* one's parents 부모를 뵈러 가다.

vis·it·ant [vízətənt] *n.* Ⓒ ① (특히 영계(靈界)로부터의) 방문자, 내방자. ② 〖鳥〗 철새.

***vis·i·ta·tion** [vìzətéiʃən] *n.* Ⓒ ① **a**) (감독관의) 공식 방문, 순찰, 순시, 임검 ; 선박 임검. **b**) (성직자의) 병자〔고통받는 자〕에 대한 방문, 문병《*of; by*》: the ~ *of* the sick 병을 앓는 교구민(敎區民)에 대한 목사의 문병. ② Ⓒ 천벌《불행·천재 등》; 재해《*of*》: Pestilence was considered a ~ *of* God. 역병(疫病)은 천벌로 여겨졌다. ③《口》 밀질긴 체류, 오래 있음.

vis·it·ing [vízitiŋ] *n.* Ⓤ 방문 ; 위문 ; 순시, 시찰 : do prison ~ 교도소의 위문 방문을 하다.
— *a.* 방문하는, 방문의, 문병하는 ; 순회의, 순시하는, 임검의 : ~ hours (입원환자 등에 대한) 면회 시간 / a ~ housekeeper 파출부. ***be on ~ terms with*** =***have a ~ acquaintance with*** …와 서로 왕래할 만큼 친한 사이이다.

vísiting càrd 명함(《美》 calling card).

vísiting fíreman 《美口》 ① (후대하지 않으면 안 되는) 귀한 손님, 중요한 귀빈. ② (도시에서 돈을 뿌리는) 시골 사람, 돈 잘 쓰는 관광〔여행〕객.

vísiting núrse 《美》 순회〔방문〕 간호사.

vísiting proféssor (다른 대학에서 와서, 일정기간 동안만 강의하는) 객원 교수.

†**vis·i·tor** [vízitər] *n.* ① Ⓒ **a**) 방문자, 내객 ; 손님 ; 위문〔문병〕객 : I had no ~*s* all day. 온 종일 손님 한 사람 없었다. **b**) 체재객(滯在客), 숙박객 : summer ~*s* at the hotel 호텔의 여름 피서객 / ~*s* to a city for a convention 도시에 온 회의 참석자들. **c**) 내유자(來遊者), 관광객 ; 참관인 : Kyŏngju gets thousands of ~*s* from all over the world each year. 경주는 매년 온 세계에서 많은 관광객이 찾는다. ② Ⓒ 시찰자, 순시관. ③ (*pl.*) 〖스포츠〗 원정 팀. ④ Ⓒ 〖鳥〗 철새.

vísitors' bòok ① (여관의) 숙박(자 명)부. ② (교회·대사관 등의) 방문자 서명록, 방명록.

vi·sor [váizər] *n.* Ⓒ ① 〖史〗 (투구의) 면갑(面甲). ② (모자의) 챙. ③ =SUN VISOR.

***vis·ta** [vístə] *n.* Ⓒ ① 전망, 조망(眺望) ; 길게 내다보이는 경치《거리·가로수 길 등을 길이로 내다본》: have a ~ of the lake from between the trees 가로수 사이로 호수를 내다보다. ② (과거에의) 추억 ; (앞으로의) 전망, 예상 : the dim ~*s* of one's childhood 유년 시대의 희미한 추억.

***vis·u·al** [víʒuəl] *a.* ① 시각의, 시각에 의한 ; 《美》 눈에 보이는(visible) : a ~ angle 시각 / ~ instruction〔education〕, (visual aids를 사용하는)

V

시각 교육 / the ~ organ 시각 기관 / ~ nerve 시신경 / a ~ test 시력 검사. ②〖空·海〗 (레이더·계기(計器)에 의하지 않는) 유시계(有視界)의: ~ flight 유시계 비행(법) / ~ landing 유시계 착륙(cf instrument landing). — *n.* Ⓒ (흔히 *pl.*) (음성에 대하여, 사진·도면 따위의) 영상(映像).

vísual áids 〖敎〗 시각 교육 기재《영화·슬라이드 영사(기)·괘도 따위》.

vísual displáy ùnit 〖컴〗 영상 표시 장치《略: VDU》(video display unit).

vis·u·al·i·za·tion [vìʒuəlizéiʃən] *n.* Ⓤ 보이게 함, 시각화; 생생하게 마음에 그림.

***vis·u·al·ize** [víʒuəlàiz] *vt.* ① …을 보이게 하다, 시각화하다. ② …을 마음에 그리다〔떠오르게 하다〕, 상상하다; 예지하다: She couldn't ~ flying through space. 그녀는 우주를 비행하는 것을 상상할 수 없었다.

vis·u·al·ly [víʒuəli] *ad.* ① 시각적으로; (눈에) 보이도록: ~ handicapped 눈에 장애가 있는. ② 시각 교재를 사용하여. ③〔文章修飾〕 겉보기엔, 외관상으로는: *Visually* this is better than that. 겉보기로는 이것이 그것보다 나을 것 같다.

ːvi·tal [váitl] (*more* ~; *most* ~) *a.* ① **a**) 생명의, 생명 유지에 필요한, 생명의 원천을 이룬: ~ energies〔power(s)〕 생명력, 활력(活力) / a ~ force〔principle〕 (물리·화학력과 무관계한) 생명력, 활력, 생명의 근원 / ~ process 생명과정 / the heart, brain, and other ~ organs 심장, 뇌 기타 생명의 중요한 기관. ② 생명에 관계되는, 치명적인: a ~ wound 치명상 / a ~ part〔spot〕 급소 / a ~ blow to him 그에게 치명적인 타격. ③ 극히 중대〔중요〕한, 긴요한《*to*; *for*》: a ~ question 사활 문제 / a ~ error 결정적인 잘못 / His support is ~ *for*〔*to*〕 our project. 우리들의 계획에는 그의 지원이 불가결하다. ④ 생생한; 활력〔활기〕에 찬; 생기를 주는, 기운을 북돋우는: The writer is noted for his ~ style. 그 작가는 힘찬 문체(文體)로 유명하다 / the ~ spark 《口》 (음악·극중 인물 등에 광채를 더해주는) 생기, 박력. ◇ vitality *n.* — *n.* (*pl.*) ① 생명 유지에 필요한 기관들《특히 심장·폐·뇌·장 따위》. ② 중추 요부(要部), 급소, 핵심: the ~*s* of a subject 문제의 핵심.

㊞ ***~·ly** [-təli] *ad.* 치명적으로, 극히 중대하게, 긴요하게; 진실로, 참으로.

vítal capácity 〖生理〗 폐활량(肺活量).

vi·tal·ism [váitəlìzəm] *n.* Ⓤ 〖哲·生〗 활력론(論), 생기(生氣)론《mechanism 에 대해》.

***vi·tal·i·ty** [vaitǽləti] *n.* Ⓤ ① 생명력, 활력, 체력, 생활력; (종자의) 발아력(發芽力). ② 활기, 생기, 원기: a young man full of ~ 활기찬 젊은이 / the ~ of big cities 대도시의 활기. ③ 지속력, 존속력: the ~ of a university 대학의 영속성(永續性). ◇ vital *a.*

vi·tal·ize [váitəlàiz] *vt.* ① …에 활력을 부여하다, 생명을 주다. ② …에 생기를 불어넣다; …을 활기띠게 하다, 활성화하다: ~ the flagging industry 침체된 산업에 활기를 불어넣다.

㊞ **vi·tàl·i·zá·tion** [-lizéiʃən] *n.*

vítal statístics ① 인구 동태 통계《사망·결혼·출생 등의 통계》. ②《口》 여성의 버스트·웨이스트·히프의 치수: Her ~ are 33-23-34. 그녀는 버스트 33, 웨이스트 23, 히프 34(인치)이다.

ːvi·ta·min, -mine [váitəmin / vít-] *n.* ⓊⒸ 비타민: This food is rich in ~*s*. 이 식품은 비타민이 풍부하다 / ~ A, 비타민 A / ~ deficiency 비타민 부족.

vi·ta·min·ize [váitəminàiz / vít-] *vt.* (음식 따위)에 비타민을 보충하여 강화하다.

vi·ti·ate [víʃièit] *vt.* ① …의 가치를 떨어뜨리다, 손상하다, 해치다, 망치다. ② …을 나쁘게 하다; 더럽히다, (공기)를 오염시키다: ~ the air of a room 방의 공기를 오염시키다. ③ …을 무효로 하다: ~ a contract 계약을 무효로 하다.

㊞ **vì·ti·á·tion** [-éiʃən] *n.* **ví·ti·à·tor** [-tər] *n.*

vit·i·cul·ture [vítəkʌ̀ltʃər] *n.* Ⓤ 포도 재배(학), 포도 재배술(연구). ㊞ **vìt·i·cúl·tur·al** [-kʌ́ltʃərəl] *a.* **vìt·i·cúl·tur·ist** *n.* Ⓒ 포도 재배가.

vit·re·ous [vítriəs] *a.* ① 유리의〔같은〕, 유리질〔모양〕의; 투명한: the ~ humor 〖解〗 (눈알의) 유리체(액). ② 유리로 된〔만든〕.

vit·ri·fi·ca·tion [vìtrəfikéiʃən] *n.* ① Ⓤ 유리(질)화(化), 투화(透化). ② Ⓒ 유리화된 것.

vit·ri·fy [vítrəfài] *vt.* …을 유리(모양으)로 하다. — *vi.* 유리 모양으로 되다.

vit·ri·ol [vítriəl] *n.* Ⓤ ① 〖化〗 황산(염); 반류(礬類): blue ~ 황산구리. ② 신랄한 말〔비평〕, 통렬한 비꼼. ***oil of*** ~ 진한 황산. ㊞ **vìt·ri·ól·ic** [-álik / -ɔ́l-] *a.* ① 황산(염)의〔같은〕. ② 신랄한, 통렬한: ~*ic* criticism 통렬한 비평.

vi·tu·per·ate [vaitjúːpərèit, vi-] *vt., vi.* (…을) 꾸짖다; 욕하다; 나무라다.

vi·tu·per·a·tion [vaitjùːpəréiʃən, vi-] *n.* ① ⓊⒸ 욕(설), 독설, 매도, 질책, 혹평. ② Ⓤ 매도하는 말.

vi·tu·per·a·tive [vaitjúːpərèitiv, vi-] *a.* ① 욕(설)하는; 독설을 퍼붓는. ② 통렬한: a ~ speech 통렬한 (공격) 연설.

Vi·tus [váitəs] *n.* **Saint** ~ 3 세기경 로마 황제에게 박해받은 순교자로, 무도병(舞蹈病) (St. Vitus's dance) 환자의 수호 성인.

vi·va [váivə] *n.* 《英口》 = VIVA VOCE.

vi·va [víːvə] 《It.》 *int.* 만세. — *n.* ① Ⓒ 만세 소리. ② (*pl.*) 환성.

vi·va·ce [viváːtʃei] *ad., a.* 《It.》 〖樂〗 활발하게; 활발한.

vi·va·cious [vivéiʃəs, vai-] *a.* 쾌활한, 활발한, 명랑한: a ~ girl 발랄한〔명랑한〕 소녀. ㊞ **~·ly** *ad.* **~·ness** *n.*

vi·vac·i·ty [vivǽsəti, vai-] *n.* Ⓤ 쾌활, 활발, 발랄, 명랑.

Vi·val·di [viváːldi / -vǽl-] *n.* **Antonio** ~ 비발디《이탈리아의 바이올린 연주자·작곡가; 1675?-1741》.

vi·var·i·um [vaivέəriəm] (*pl.* ~***s***, ***-ia*** [-riə]) *n.* Ⓒ (자연적 서식 환경으로 꾸민) 동물 사육장; 자연 동물〔식물〕원.

vi·va vo·ce [váivə-vóusi] 《L.》 *ad.* 구두(口頭)로. — *n.* Ⓒ 구두〔구술〕 시험.

vi·va-vo·ce [váivəvóusi] 《英》 *a.* 구두〔구술〕의: a ~ examination 구두〔구술〕 시험.

Viv·i·an [víviən] *n.* 비비언《남자 또는 여자 이름》.

ːviv·id [vívid] (*more* ~; *most* ~) *a.* ① 발랄한, 생기있는, 활기찬, 활발한, 약동적인; 왕성한: a ~ personality 활발한 성격 / a ~ imagination 왕성한 상상력. ② (빛·색이) 선명한, 밝은, 강렬한. opp *dull.* ¶ a ~ reflection in water 선명하게 비친 물 속의 그림자. ③ (묘사·인상·기억 따위가) 생생한, 똑똑한, 눈에 보이는 듯한, 박진(迫眞)한: a ~ description 박진감 넘치는 묘사 / a ~ recollection 눈에 선한 추억 / The scene is still ~ in my memory. 그 정경은 아직도 기억에 생생하다. ㊞ ***~·ly** *ad.* **~·ness** *n.*

Viv·i·en [víviən] *n.* 비비언《여자 이름》.

viv·i·fy [vívəfài] *vt.* …에 생기를〔생명을〕 주다; 생동〔싱싱〕하게 하다, 활기차게 하다.

㊞ **vìv·i·fi·cá·tion** [-fikéiʃən] *n.*

vi·vip·a·rous [vaivípərəs, vi-] *a.* 태생(胎生)의. [cf] oviparous.
viv·i·sect [vívəsèkt, ⌐-⌐] *vt., vi.* (동물을) 산 채로 해부하다 ; 생체 해부를 하다.
viv·i·sec·tion [vìvəsékʃən] *n.* [U,C] 생체해부. [파] **~·al** [-ʃənəl] *a.* **~·ist** *n.* [C] 생체 해부(론)자.
vix·en [víksən] *n.* [C] ① 암여우. ② 앙알거리는〔잔소리 많은, 심술궂은〕 여자.
vix·en·ish [víksəniʃ] *a.* (여자가) 앙알거리는, 잔소리가 심한, 심술궂은.
viz., viz *videlicet* 《L.》 즉《흔히 namely [néimli] 라고 읽음》.
vi·zor [váizər, ví-] *n., vt.* =VISOR.
VL Vulgar Latin.
Vla·di·vos·tok [vlæ̀divəstάk / -vɔ́stɔk] *n.* 블라디보스톡《러시아의 아시아 동남부의 항구》.
VLF, V.L.F., vlf, v.l.f. very low frequency. **VLSI** 〖컴〗 very large scale integration (초대형 집적회로).
V nèck [víː-] (셔츠·스웨터 따위의) V 형 깃.
V-necked [víːnèkt] *a.* V형 깃의 : a ~ sweater.
V.O. very old 《위스키 따위에 씀》. **VOA** Voice of America.
vo·ca·ble [vóukəbəl] *n.* [C] ① 낱말, 단어《특히 의미보다도 음 또는 문자의 구성으로 본》. ② 모음 (vowel). —— *a.* 말〔발음〕할 수 있는.
‡vo·cab·u·lary [voukǽbjəlèri / -ləri] *n.* ① [U,C] **a**) (한 개인·분야 따위의) 어휘 ; 용어수〔범위〕 : He has a large〔wide〕 ~ in English. 그는 영어의 어휘가 풍부하다. **b**) (한 언어의) 총 어휘 : The (total) ~ of French 프랑스어의 총어휘. ② [C] 어휘표, 단어표〔집〕 : the ~ at the end of each lesson 각 과목 끝에 붙어 있는 단어표.
‡vo·cal [vóukəl] (***more*** ~ ; ***most*** ~) *a.* ① 목소리의, 음성의〔에 관한〕 ; 목소리를 내는 : a ~ communication 구두(口頭) 전달 / the ~ organs 발성 기관. ② 《口》 의견을 자유롭게 말하는, 거리낌없이 말하는, 능변(能辯)인 ; 잔소리가 심한, 시끄러운 : a ~ minority 적극적으로 의견을 말하는 소수파 / Public opinion has become ~ about the question. 그 문제에 관해 여론이 시끄러워졌다. ③ 목소리를 내는 ; (악기·수목·시냇물 따위가) 소리를 내는, 울리는 : a ~ being 소리를 내는 생물 / forests ~ with the songs of many birds 새들의 지저귀는 소리로 요란한 숲. ④ 〖音聲〗 유성음의 ; 모음의. —— *n.* [C] (종종 *pl.*) (재즈·팝뮤직의) 보컬(연기), 가창(歌唱) ; 성악곡.
vócal còrds〔chòrds〕 〖解〗 성대(聲帶).
vo·cal·ic [voukǽlik] *a.* ① 모음(성)의. ② 모음이 많은 ; 모음변화를 하는.
vo·cal·ist [vóukəlist] *n.* [C] (재즈 밴드 등의) 성악가, (유행) 가수.
vo·cal·ize [vóukəlàiz] *vt.* ① …을 목소리로 내다, 발음〔발성〕하다. ② 〖音聲〗 (무성음)을 유성음화하다 ; (자음)을 모음화하다. —— *vi.* 목소리를 내다. ② 〖樂〗 모음창법으로 노래하다.
vo·cal·ly [vóukəli] *ad.* 목소리로, 목소리를 내어 ; 구두로.
***vo·ca·tion** [voukéiʃən] *n.* ① [U] (또는 a ~) 소명(감), 사명(감) : He lacks any sense of ~. 그에게는 소명감이 없다 / She had *a* ~ *to* go and help the poor. 그녀는 가난한 사람들을 도우러 가야 한다는 사명감을 갖고 있었다. ② [C] **a**) (흔히 *sing.*) (사명감을 갖고 종사하는) 천직, 천직으로서의 일 ; 신의 뜻 : You will not make a good teacher, unless you feel teaching is your ~. 가르치는 것이 자기의 천직이라고 생각지 않는다면 훌륭한 교사는 될 수 없을 것이다. **b**) (일정한) 직업, 생업, 일 : choose〔change〕 a ~ 직업을 택하다〔바꾸다〕 / Bill decided to make medicine his ~. 빌은 의사를 직업으로 정했다. ③ (a ~, one's ~) (특정 직업에 대한) 적성, 소질, 재능《*for*》 : You should become a welfare worker ; you have *a* ~ *for* helping people. 넌 복지사업가가 되는 것이 좋겠다, 사람들을 돕는 일에 소질이 있으니까.
***vo·ca·tion·al** [voukéiʃənəl] *a.* ① 직업의, 직업상의 : a ~ disease 직업병 / ~ education 직업교육. ② 직업 지도〔훈련〕의 : ~ guidance 직업〔취업〕 지도 / a ~ school 직업 (훈련) 학교. [파] **~·ly** [-nəli] *ad.*
vo·ca·tion·al·ism [voukéiʃənəlìzəm] *n.* [U] 직업〔실무〕 교육 중시주의.
voc·a·tive [vάkətiv / vɔ́k-] *a.* 〖文法〗 호격(呼格)의, 부르는 : the ~ case 호격. —— *n.* [C] 호격 ; 부르는 말.
vo·ces [vóusiːz] VOX의 복수.
vo·cif·er·ant [vousífərənt] *a.* 큰소리를 내는, 소리 치는, 시끄러운.
vo·cif·er·ate [vousífərèit] *vi., vt.* (…라고) 큰소리를 내다, 고함치다, 소리지르다 : He ~*d* "Get away." '나가' 하고 소리쳤다.
[파] **vo·cìf·er·á·tion** [-ʃən] *n.* [U,C] 소리지름 ; 노호(怒號).
vo·cif·er·ous [vousífərəs] *a.* ① 큰소리로 외치는, 소리지르는, 시끄러운. ② (항의 따위가) 소리가 크고 집요한. [파] **~·ly** *ad.* **~·ness** *n.*
vod·ka [vάdkə / vɔ́d-] *n.* 《Russ.》 [U,C] 보드카 《러시아산(產) 화주(火酒)》.
vogue** [voug] *n.* ① (the ~) (일시적인) 유행, 성행《*for*》. [cf] fashion, rage. ¶ a mere passing ~ 그저 일시적인 유행 / Miniskirts were then *the* ~. 그때는 미니 스커트가 유행이었다. ② (a ~) 인기, (세상의) 평판 : The novel had *a* great ~. 그 소설은 매우 인기가 있었다. ***come into ~ 유행하기 시작하다. ***in*** ~ 유행하여. ***out of*** ~ 유행이 지나〔스러져〕, 인기를 잃어 : go *out of* ~ 유행하지 않게 되다 ; 인기를 잃다. —— *a.* 〔限定的〕 (일시적으로) 유행하는 : a ~ word 유행어.
†voice [vɔis] *n.* ① **a**) [U,C] 목소리, 음성 : a veiled ~ 쉰 목소리 / a shrill ~ 새된 목소리 / the change of ~ (사춘기 소년의) 변성(變聲) / He has a good ~. 그는 목소리가 좋다 / I heard ~*s* in the next room. 옆방에서 말소리가 들렸다. **b**) [C] (인간에 비유한 자연물의) 목소리 ; 소리《*of*》 : the ~ *of* a cricket 귀뚜라미의 소리 / the ~ *of* the wind 바람 소리. **c**) [C] (흔히 *sing.*) (인간의 말에 비유한 하늘·이법(理法)의) 목소리, 알림 ; (주의 따위의) 표명자, 대변자《*of*》 : He's the leading ~ *of* his party. 그는 당(黨)의 주된 대변자이다 / the ~ *of* conscience 양심의 목소리 / The ~ *of* the people is the ~ *of* God. 민심은 천심이다. [cf] *vox populi vox Dei.* ② **a**) [U] (또는 a ~) 발언권, 투표권 ; 결정〔선택〕권 : I have no 〔*a*〕 ~ in this matter. 이 일에 관해서는 발언권이 없다〔있다〕. **b**) 의견, 희망 : The ~ of the people must be heard. 국민의 의견을 들어야 한다. ③ [U] (사상·감정 따위의) 발언, 표현 : Anger gave him ~. 그는 화가 나서 입을 열었다 / find ~ to one's joy 기쁨을 말로 표현하다. ④ [U] (또는 one's ~) 목소리를 내는 힘, 말하고 싶은 욕망 ; 말하는 힘 : shout at the top of one's ~ 목청껏 소리치다. ⑤ [C] (흔히 *sing.*) 〖文法〗 태(態) : the active〔passive〕 ~ 능동〔수동〕태. ⑥ [U] 〖音聲〗 유성음. [opp] *breath.* ⑦ [C] 성악 소리, 음성의 사용법, 발성법 ; 성부(聲部) ; 가수 : the greatest ~ of the day 오늘의 최고 가수 / male〔female,

mixed] ~s 남[여, 혼]성. ***be in good*** [***bad, poor***] ~ =***be in*** [***out of***] ~ 목소리가 잘[안] 나오다. ***find*** one***'s*** ~ 음성이 나오다; 입밖에 내어[용단을 내어] 말하다. ***give*** ~ ***to*** …을 입밖에 내다, …을 토로하다, …을 표명하다: He *gave* ~ *to* his opinion. 그는 자기의 의견을 말했다. ***lose*** one***'s*** ~ 목소리가 나오지 않게 되다, 노래할 수 없게 되다. ***raise*** one***'s*** ~ (1) 목소리를 높이다; 거칠게 말하다. (2) 이의를 제기하다, 불만을 나타내다. ***with one*** ~ 이구 동성으로, 만장 일치로. — *vt.* ① …을 목소리로 내다, 말로 나타내다[표현하다]: ~ one's opinions 의견을 말하다 / ~ one's discontent 불평을 말하다. ②〖樂〗(풍금 따위)를 조율하다; (악보)에 성부를 기입하다. ③〖音聲〗…을 유성(음)화하다.

vóice bòx〖解〗후두(喉頭)(larynx).

(-)voiced [vɔist] *a.* ① 목소리로 낸; …소리의: rough-~ 거치른 목소리의. ②〖音聲〗유성음의: ~ sounds 유성음.

***voice·less** [vɔ́islis] *a.* ① 목소리가 없는; 무언의, 말을 못하는. ② 의견을 말하지 않는; 발언권이 없는. ③〖音聲〗무성음의: ~ sounds 무성음 / ~ consonants 무성 자음. [파] ~**·ly** *ad.* ~**·ness** *n.*

voice-o·ver [⌐òuvər] *n.* [U,C]〖TV·映〗(화면에 나타나지 않는) 내레이터의 음성.

voice·print [⌐prìnt] *n.* [C] 성문(聲紋).

vóice procèssor〖컴〗음성 프로세서.

voíce recognítion〖컴〗음성 인식《음성을 컴퓨터가 처리 가능한 것으로 인식함; 그 기술》.

vóice vòte 《美》 발성 투표《투표에 의하지 않고 찬반의 소리를 듣고 결정하는 의결법》.

:void [vɔid] *a.* ① 빈, 공허한. [cf.] empty. ¶ ~ hours 빈[한가한] 시간 / a ~ space 공간; 〖物〗진공. ② (직위 따위가) 공석인, 자리가 빈: fall ~ 결원이 되다. ③ 없는, 결여한[된]《*of*》: ~ *of* malice 악의 없는 / His face was ~ *of* expression. 그의 얼굴은 무표정했다. ④〖法〗무효의, 법적 효력이 없는. [opp] *valid*. ¶ a ~ contract 무효가 된 계약 / null and ~ 무효의. — *n.* ① (the ~) (우주의) 공간, 허공, 무한(無限): gaze into *the* ~ 허공을 응시하다. ② (a ~) 공허한 느낌, 마음의 쓸쓸함, 허전한 느낌: the aching ~ in one's heart 쓰라린 공허감. ③ [U] (지위 따위의) 결원, (자리가) 빔; (물질 사이의) 틈: fill the ~ 빈 자리를 보충하다. — *vt.* ① (계약 따위)를 무효로 하다; 취소하다. ② …을 방출하다, 배설하다: ~ excrement 배설하다. ③ (방·그릇·장소 등)을 비우다, 텅 비게 하다: ~ a chamber *of* occupants 방에서 사람들을 내쫓다.

void·a·ble [vɔ́idəbəl] *a.* ① 비울 수 있는; 배출[배설]할 수 있는. ②〖法〗무효로 할 수 있는.

voile [vɔil] *n.* 《F.》 [U] 보일《사(紗)붙이》.

vol. volcano; volume; volunteer.

vo·lant [vóulənt] *a.* ①〖動〗나는, 날 수 있는. ② 《文語》 재빠른, 민첩한. ③〖紋章〗나는 모습의.

***vol·a·tile** [válətil / vɔ́lətàil] *a.* ①〖化〗휘발성의; 폭발하기 쉬운《물질》. ② (사람·성질 등이) 격하기 쉬운: a ~ temper 격하기 쉬운 기질, 뺏성. ③ (상황 등이) 변하기 쉬운, 불안정한. ④〖컴〗(기억이) 휘발성(의)《전원을 끄면 데이터가 소실되는》: ~ memory[storage] 휘발성 기억[장치].

vol·a·til·i·ty [vɑ̀lətíləti / vɔ̀l-] *n.* [U] ①〖化〗휘발성. ② 침착지 못한[들뜬] 성질, 변덕.

vol-au-vent [*F.* vɔlovɑ̃] *n.* [C,U] 《F.》 볼로방《고기 파이의 일종》.

***vol·can·ic** [vɑlkǽnik / vɔl-] *a.* ① **a**) 화산의; 화산성의; 화산 작용에 의한, 화성(火成)의: a ~ eruption 분화. **b**) 화산이 있는[많은]: a ~ country 화산이 많은 나라. ② 폭발성의, 격렬한: a ~ character 불같은 성격. ◇ volcano *n.* [파] **-i·cal·ly** *ad.* 화산처럼; 격렬[맹렬]하게.

vol·can·ism [válkənìzəm / vɔ́l-] *n.* [U] 화산 작용[활동, 현상].

:vol·ca·no [vɑlkéinou / vɔl-] (*pl.* ~(***e***)***s***) *n.* [C] ① 화산: an active ~ 활화산 / a dormant[an extinct] ~ 휴[사]화산 / a submarine ~ 해저 화산. ②《比》곧 폭발할 것 같은 감정[사태], 일촉즉발(의 상태).

vol·ca·nol·o·gy [vɑ̀lkənálədʒi / vɔ̀lkənɔ́l-] *n.* [U] 화산학. [파] **-gist** *n.*

vole [voul] *n.* [C]〖動〗들쥐류.

Vol·ga [válgə / vɔ́l-] *n.* (the ~) 볼가 강《카스피해로 흘러 드는 러시아의 강》.

vo·li·tion [vouliʃən] *n.* [U] ① 의지, 의지력; 결의, 결단력. ② 의지 작용, 의욕. ***of*** [***by***] one***'s own*** ~ 자기의 자유의사로, 자발적으로. [파] ~**·al** [-ʃənəl] *a.* 의지의; 의지에 의한; 의지를 가진: ~*al* power 의지력. ~**·al·ly** [-ʃənəli] *ad.*

Volks·wa·gen [fɔ́:lksvɑ̀:gən] (*pl.* ~, ~***s***) *n.* [C] 《G.》 폴크스바겐《독일제(製)의 대중용 소형차; 略: VW; 商標名》.

***vol·ley** [váli / vɔ́li] *n.* [C] ① 일제 사격. ② (질문·욕설 등의) 연발《*of*》: a ~ *of* insults 모욕적인 욕설의 연발 / a ~ *of* questions 빗발치듯 잇따른 질문. ③〖球技〗발리《공이 땅에 닿기 전에 치거나 또는 차보내는 것》.
— *vt.* ① (화살·탄환 등)을 일제히 발사하다. ② (질문 따위)를 연발하다, 잇따라 퍼붓다. ③〖球技〗(공)을 발리로 되치다 [되차다].
— *vi.* ① (+[전]+[명]) 일제히 발사하다[되다]: ~ *at* the enemy 적에게 일제 사격을 가하다. ② (탄환·돌 등이 …에) 날아오다. ③〖球技〗발리를 치다, 발리로 차다. 「배구공.

:vol·ley·ball [-bɔ̀:l] *n.* ① [U]〖球技〗배구. ② [C]

vol·plane [válplèin / vɔ́l-] *vi.*〖空〗(엔진을 멈추고) 공중 활주하다. — *n.* [C] 활공(滑空).

vols. volumes.

volt[1] [voult] *n.* [C] ①〖乘馬〗윤승(輪乘), 회전(回轉). ②〖펜싱〗(찌름을 피하는) 재빠른 몸의 동작.

***volt**[2] [voult] *n.* [C]〖電〗볼트《略: V, v.》.

volt·age [vóultidʒ] *n.* [U,C]〖電〗전압, 전압량, 볼트 수《略: V》: (a) high ~ 고압(高壓).

vol·ta·ic [vɑltéiik / vɔl-] *a.* 동(動)전기의 (galvanic); 전류의: ~ battery 볼타 전지.

Vol·taire [vɑltɛ́ər, voul- / vɔl-] *n.* 볼테르《프랑스의 철학자·문학자; 본명은 François Marie Arouet; 1694-1778》.

vol·tam·e·ter [vɑltǽmitər / vɔltǽm-] *n.* [C]〖電〗전해 전량계(電解電量計)《전류계의 일종》, 볼타계.

volt-am·pere [vóultǽmpiər] *n.* [C]〖電〗볼트 암페어《전력량 측정의 단위; 略: va.》.

volte-face [vɑltəfá:s, vɔ(:)lt-] *n.* [C] (흔히 *sing.*) 《F.》 (의견·태도·정책 등의) 대(大)전환, 표변.

volt·me·ter [vóultmì:tər] *n.* [C]〖電〗전압계.

vol·u·bil·i·ty [vɑ̀ljubíləti / vɔ̀-] *n.* [U] 다변(多辯), 수다: with ~ 수다스럽게.

vol·u·ble [váljəbəl / vɔ́l-] *a.* 수다스러운, 말 많은.
[파] **-bly** *ad.* ~**·ness** *n.*

:vol·ume [válju:m / vɔ́l-] *n.* ① [C] (특히 두꺼운) 책, 서적: a library of many thousand ~*s* 수천 권의 장서. ② [C] **a**) (전집·세트로 된 책의) 권(卷)《略: v., vol(s).》: *Vol.* 1, 제1권 / the first ~ of his autobiography 그의 자서전의 첫째 권 / a novel in three ~s 〔3 *vols.*〕 3권으로 된 소설. **b**) (잡지·기관지·월보 따위를 1년치를 간추려 모은) 호(號): the 1995 ~ of *English studies* '영어연구'의 1995년 호. ③ Ⓤ **a**) 용적, 부피, 체적, 용량: the ~ of water in a lake 호수 물의 용적. **b**) (사람·TV·라디오의) 음량, 볼륨: a voice of great 〔little〕 ~ 성량이 풍부한〔적은〕 목소리 / He turned down the ~ on the television. 그는 텔레비전의 볼륨을 낮췄다. ④ Ⓤ (또는 a ~) (산업·무역 따위의) 생산량, 거래량〔액〕: *an* increasing ~ of trade 증가하는 무역량〔액〕. ⑤ (흔히 *pl.*) 대량, 다량, 많음: ~s of smoke 뭉게뭉게 피어오르는 연기. ⑥ Ⓤ 〖컴〗 용량, 부피, 볼륨《파일의 기록을 위한 1개의 매체; 독립적으로 번지가 붙여진 기록 영역의 단위》. ***speak*** 〔***express, tell***〕 ***~s*** ⑴ 의미 심장하다. ⑵ 웅변으로 말하다, 증명하고도 남음이 있다《*for*》: It *speaks ~s for* his courage. 그것은 그의 용기를 웅변으로 증명하고 있다.

vol·u·met·ric, -ri·cal [vàljəmétrik / vɔ̀l-], [-əl] *a.* 부피〔용적〕 측정의: ~ analysis 〖化〗 용량(容量) 분석.

***vo·lu·mi·nous** [vəlú:mənəs] *a.* ① 권수가 많은, 여러 권으로 된; (작가 등이) 저서가 많은, 다작(多作)의. ② (분량이) 많은, 방대한, 풍부한. ③ (용기의) 용적이 큰, 부피가 큰; 넉넉한《옷 따위》. ㊥ **~·ly** *ad.* **~·ness** *n.*

vol·un·ta·rism [vάləntərìzəm / vɔ́l-] *n.* Ⓤ ① (종교·교육·병역 따위의, 강제적이 아닌) 임의제, 자유 지원제. ② 〖哲〗 주의설(主意說), 주의주의(主意主義).

‡vol·un·tary [vάləntèri / vɔ́ləntəri] *a.* ① 자발적인, 지원의, 임의의: a ~ contribution 자발적인 기부 / a ~ appearance 임의 출두 / a ~ confession 임의 자백, 자공(自供). ② 자유의사를 가진〔에 의해 행동하는〕. ③ 고의(故意)의〔적인〕, 계획적인. ⓞⓟⓟ *accidental*. ¶ ~ manslaughter 〖美法〗 고의적인 살인. ④ (독지가의) 기부로 경영되는: ~ churches 〔hospitals〕 임의 기부제 교회〔병원〕. ⑤ 〖解〗 수의(隨意)의〔적인〕(ⓞⓟⓟ *involuntary*): ~ muscles 수의근(隨意筋).
— *n.* Ⓒ 〖樂〗 (교회에서 예배의 전후 또는 도중에 행하는) 오르간 독주.

vóluntary schòol 《英》 임의 기부제의 학교.

‡vol·un·teer [vàləntíər / vɔ̀l-] *n.* Ⓒ ① 지원자, 유지, 독지가《*for*》: She now helps in a local school as a ~ three days a week. 그녀는 지금 지방학교에서 1주일에 3일씩 자원봉사자로서 돕고 있다. ② 〖軍〗 지원병, 의용병.
— *a.* 〔限定的〕 ① 지원(병)의, 의용(군)의: a ~ corps〔army〕 의용군 / a ~ police 자경단(自警團). ② 〖植〗 자생의: a ~ plant 자생 식물.
— *vi.* ① 《+전+명》 자진하여 하다, 지원하다: ~ *in* an undertaking 자진하여 일을 맡다. ② 《+전+명》 지원병〔의용병〕이 되다: He ~*ed for* the army. 그는 군에 자진 입대했다. — *vt.* 《~+목 / +*to* do》 …을 자진하여 맡다〔제공하다〕, …한다고 자발적으로 나서다: ~ an explanation 〔a remark〕 자진하여 설명하다〔말하다〕 / ~ *to* help others 딴 사람을 돕기를 자청하다.

vol·un·teer·ism [vàləntíərizəm / vɔ̀l-] *n.* Ⓤ 자유 지원제, 볼런티어 활동.

vo·lup·tu·ary [vəlʌ́ptʃuèri / -əri] *a.*, *n.* Ⓒ 주색(酒色)〔쾌락〕에 빠진 (사람).

vo·lup·tu·ous [vəlʌ́ptʃuəs] *a.* ① 육욕에 빠진, 주색에 빠진: lead a ~ life 방탕 생활을 하다. ② 육욕을 자극하는; 육감적인; 요염한: a ~ woman 육감적인〔섹시한〕 여성. ㊥ **~·ly** *ad.* **~·ness** *n.*

vo·lute [vəlú:t] *n.* Ⓒ ① 〖建〗 소용돌이《특히 이오니아 및 코린트식 기둥 머리 장식의》. ② 〖貝〗 고둥류.

vo·lut·ed [vəlú:tid] *a.* ① 소용돌이 꼴의, 나선상의. ② 〖建〗 소용돌이 장식이 있는.

***vom·it** [vάmit / vɔ́m-] *vi.* ① **a**) 토하다, 게우다《*forth*; *out*; *up*》. **b**) 《口》 속이 울컥거리다, 역겨워지다: You make me ~. 너(의 태도)를 보면 속이 울컥거린다〔불쾌해진다〕. ② (연기·용암 등이) 분출하다, 분화하다.
— *vt.* ① …을 토하다, 게우다《*up*》: ~ *up* what one has eaten 먹은 것을 토하다《★ 《口》에서는 throw up이 일반적임》. ② 《~+목 / +목+부》 (연기 따위)를 뿜어 내다, 분출하다, (욕설 따위)를 퍼붓다《*out*》: ~ abuse 욕설을 퍼붓다 / The huge chimney ~s lava 용암을 분출하다 / The huge chimney ~s volumes of smoke into the air. 거대한 굴뚝이 다량의 연기를 대기중에 뿜어내고 있다. — *n.* Ⓤ,Ⓒ 구토(물), 게운 것.

voo·doo [vú:du:] (*pl.* **~s**) *n.* ① Ⓤ (흔히 V-) 부두교(敎)《미국 남부 및 서인도 제도의 흑인 사이에 행해지는 원시 종교》; (부두교의) 주술, 마법. ② Ⓒ (부두교의) 주술〔마법〕사.

voo·doo·ism [vú:du:ìzəm] *n.* Ⓤ 부두교(의 마술). ㊥ **-ist** *n.* Ⓒ 부두교의 신자〔마술사〕.

vo·ra·cious [vouréiʃəs, vɔ:-] *a.* ① 게걸스레 먹는, 대식(大食)하는. ② 탐욕스러운, 물릴 줄 모르는: a ~ appetite 물릴 줄 모르는 식욕. ㊥ **~·ly** *ad.* **~·ness** *n.*

vo·rac·i·ty [vɔ:rǽsəti, və-] *n.* Ⓤ 폭식, 대식(大食); 탐욕.

vor·tex [vɔ́:rteks] (*pl.* **~·es, -ti·ces** [-təsì:z]) *n.* ① Ⓒ 소용돌이, 화방수; 회오리바람: a ~ ring (담배 연기 등의) 와륜(渦輪). ② (the ~) (전쟁·논쟁·사회운동 따위의) 소용돌이《*of*》: in *the* ~ *of* war〔revolution〕 전쟁〔혁명〕의 소용돌이 속에.

vor·ti·cal [vɔ́:rtikəl] *a.* 소용돌이 같은〔모양의〕; 회오리치는, 선회하는. ㊥ **~·ly** [-kəli] *ad.*

vor·ti·ces [vɔ́:rtəsì:z] VORTEX의 복수.

vot·a·ble [vóutəbəl] *a.* ① 투표권이 있는. ② 투표로 결정할 수 있는, 표결할 수 있는.

vo·ta·ress [vóutəris] VOTARY의 여성형.

vo·ta·rist [vóutərist] *n.* =VOTARY.

vo·ta·ry [vóutəri] (*fem.* ***vo·ta·ress*** [-ris]) *n.* Ⓒ ① 신자, 독실한 신자《*of*》. ② (이상·주의 등의) 열성적인 지지자, 신봉자, 심취자《*of*》: a ~ *of* vegetarianism 채식주의자.

‡vote [vout] *n.* ① **a**) Ⓒ (투표용지 따위에 의한) 투표: an open 〔a secret〕 ~ 기명〔무기명〕 투표 / a ~ of confidence 〔nonconfidence〕 신임〔불신임〕 투표 / pass by a majority of ~s 과반수로 통과하다 / The proposal was rejected by 5 ~s in favor and 50 against. 그 제안은 찬성 5표, 반대 50표로 부결되었다. **b**) (흔히 the ~) 표결: put a bill to *the* ~ 의안을 표결에 붙이다 / *The* ~ went against the Government. 표결로 정부안(案)은 부결되었다. **c**) Ⓤ 투표(권 행사): Let's decide the matter by ~. 그 문제는 투표로 결정하자. ② (the ~) 〔集合的〕 투표 총수, 득표수: *the* floating ~ 부동표(浮動票). ③ (the ~) 투표권, 선거권, 참정권; 의결권: Today women have *the* ~ in most countries. 오늘날에는 대부분의 나라에서 여성도 선거권을 갖고 있다. ④ Ⓒ 《英》 결의 사항, 의결액(額): give the ~s the authority of law 결의 사항을 법제화하다. ***come*** 〔***go, proceed***〕 ***to the*** ~ 표결에 부쳐지다. ***take a*** ~ ***on*** …에 대하여 표결하다.
— *vi.* 《~ / +전+명》 투표하다《*for*; *in favor of*; *against*; *on*》: the right to ~ 투표〔선거〕

권 / ~ *for* 〔*against*〕 the candidate 그 후보자에 대해 찬성〔반대〕 투표를 하다.
— *vt.* ①《~+목 / +목+부》 …을 투표하여 결정하다, 가결(可決)하다: Congress ~*d* the bill *through* without a debate. 의회는 그 법안을 토의 없이 가결했다. ② …에 투표하다; …을 투표하여 선출하다: ~ the Republican ticket 공화당 지지표를 던지다. ③《+목+보》(세상 사람들이) …이라고 인정하다, 간주하다: The measure was ~*d* a failure. 그 방책은 실패라고 인정되었다. ④《+*that* 절》《口》…을 제의〔제안〕하다: I ~ (*that*) we (should) go to the theater tonight. 오늘 저녁 극장에 갑시다(=Let us go ...). ~ ***down*** (제의 따위를) 투표하여 부결하다: The measure was ~*d down,* eight to one. 그 안은 8 대 1 로 부결됐다. ~ ***in*** 〔***into***〕 (아무)를 선출하다: He was ~*d in* by a majority of 100 against 60. 그는 100 대 60 의 다수로 선출됐다. ~ a person ***out*** 아무를 투표에 의해 추방〔제명, 제적〕하다. ~ . . . ***through*** (의안 등)을 투표로 통과시키다, 의결하다.

vote·less [vóutlis] *a.* ① 투표가 없는. ② 투표〔선거〕권이 없는.

*__vot·er__ [vóutər] *n.* Ⓒ ① 투표자: a casting ~ 결정 투표자《의장 등》. ② (특히, 국회의원의) 선거인; 유권자.

vot·ing [vóutiŋ] *n.* Ⓤ 투표(권 행사), 선거: a ~ district 선거구.

vo·tive [vóutiv] *a.* (맹세를 지키기 위해) 봉납〔봉헌〕한; 기원을 드린: a ~ picture 봉헌도(圖).

*__vouch__ [vautʃ] *vi.* ①《+전+명》보증하다, 증인이 되다; 단언하다《*for*》: ~ *for* a person's honesty 아무의 정직함을 보증하다 / ~ *for* the truth of a person's story …의 말이 사실임을 보증하다. ② (사람의) 보증인이 되다.

vouch·ee [vautʃíː] *n.* Ⓒ 피보증인.

vouch·er [váutʃər] *n.* Ⓒ ① 증인, 보증인, 증명자. ② 증거물; 증서; 영수증. ③ (현금 대용의) 상환권, 상품권(coupon); 할인권: a hotel ~ 숙박권 / a gift ~ 《英》 상품권.

vouch·safe [vautʃséif] *vt.* ①《~+목 / +목+목 / +*to* do》…을 주다, 내려 주시다; …해주시다: He ~*d* a reply. 그분은 대답을 해주셨다 / *Vouchsafe* me a visit. 왕림해 주시기를 바랍니다 / He ~*d to* attend the party. 그분이 파티에 참석해 주셨다. ② (안전 등)을 보증하다.

‡**vow** [vau] *n.* Ⓒ ① 맹세, 서약: lovers' ~*s* 연인끼리의 맹세 / make a ~ to give up smoking 금연을 맹세하다 / break 〔keep〕 a ~ of secrecy 〔silence〕 비밀〔침묵〕을 지킨다는 맹세를 어기다〔지키다〕. ② (수도 생활에 들어가는, 또는 계율을 지킬 데 대한) 서원(誓願), 서약: marital ~*s* (교회에서) 부부가 되는 서약 / monastic ~*s* 수도 서원《청빈·동정(童貞)·복종의 서약》. ***take ~s*** (서원을 하고) 수사〔수녀〕가 되다, 수도원(생활)에 들어가다.
— *vt.* ①《~+목 / +*that* 절 / +*to* do》…을 맹세하다, 서약하다: ~ revenge 복수를 맹세하다 / ~ *to* work harder 더욱 열심히 일할 것을 맹세하다 / They ~*ed that* they would fight against the invaders. 그들은 침략자와 싸우겠다고 맹세했다. ②《+목+전+명》…을 (…에) 바칠 것을 맹세하다《*to*》: ~ oneself *to* the service of God 신에게 일생을 바칠 것을 서약하다.

‡**vow·el** [váuəl] *n.* Ⓒ ① 모음. ② 모음자(母音字)《a, e, i, o, u 따위》. opp *consonant.*

vow·el·like [váuəllàik] *a.* 모음적인, 모음과 유사한 음의《bottle [bɑ́tl / bɔ́tl] 의 l 따위》.

vox [vɑks / vɔks] (*pl.* ***vo·ces*** [vóusiːz]) *n.* Ⓒ 《L.》 목소리, 음성; 말.

vóx póp [-pɑ́p / -pɔ́p] 《口》 (라디오·TV 등에 수록되는) 거리〔시민〕의 소리, 가두 인터뷰.

vóx pó·pu·li [-pɑ́pjəlài / -pɔ́p-] 민성(民聲), 국민의 소리, 여론《略: vox pop.》.

vox po·pu·li vox Dei [wouks-pɔ́upuliː-wouks-déiː] 《L.》 백성의 소리는 하느님의 소리.

‡**voy·age** [vɔ́iidʒ] *n.* ① Ⓒ **a**) 항해, 항행, 《특히》 긴 배 여행: a ~ round the world 세계 일주 항해 / make a ~ 항해하다. **b**) 하늘의 여행《비행기에 의한》; 우주 여행. ② (the ~s) 여행기〔담〕《*of*》, 《특히》 항해기: *the ~s of* Marco Polo.
— *vi.* ① 항해하다, 배로 여행하다, 항행하다. ② (비행기·우주선으로) 하늘 여행을 하다.

voy·ag·er [vɔ́iidʒər, vɔ́iədʒ-] *n.* ① Ⓒ 항해자, (특히, 옛날의) 모험적 항해자. ② (V-) 〖宇宙〗 보이저《미국의 무인(無人) 목성·토성 탐사 위성》.

voy·eur [vwɑːjə́ːr] *n.* Ⓒ 《F.》 (성적으로) 엿보는〔훔쳐보는〕 취미를 가진 사람.

voy·eur·ism [vwaːjə́ːrizəm] *n.* Ⓤ 훔쳐보는〔들여다보는〕 취미〔행위〕, 관음증(觀淫症).

voy·eur·is·tic [vwɑ̀ːjərístik] *a.* 훔쳐보는 취미의, 관음증의.

V.P., V. Pres. Vice President. **VRC** 〖컴〗 vertical redundancy check (수직 용장도(冗長度) 검사). **vs.** verse; versus 《L.》 (=against). **V. S.** Veterinary Surgeon. **v.s.** *vide supra* 《L.》 (=see above). **VSBC** 〖컴〗 very small business computer (업무용 초소형 컴퓨터).

V sìgn [víː-] V사인, 승리의 손가락 표시《★ 《英》 에서는 손등을 바깥쪽으로 향하게 하면 경멸·혐오·분노의 표시》.

V.S.O. very superior 〔special〕 old《브랜디의 특급; 보통 12-17 년 저장》. **V.S.O.P.** very superior 〔special〕 old pale《브랜디의 특상급; 보통 18-25 년 저장》.

VT 〖美郵〗 Vermont. **Vt.** Vermont. **vt., v.t.** verb transitive.

VTOL [víːtɔ̀(ː)l, -tòul, -tɑ̀l] *n.* ① Ⓤ 〖空〗 수직 이착륙(방식). ② Ⓒ 수직 이착륙기(機), VTOL 기. [◂ *v*ertical *t*ake*o*ff and *l*anding]

VTP videotape player. **VTR** videotape recording 〔recorder〕 (비디오 테이프 녹화〔녹화기〕).

Vul·can [vʌ́lkən] *n.* 〖로神〗 불카누스《불과 대장일의 신》.

vul·can·ite [vʌ́lkənàit] *n.* Ⓤ 경질(硬質)고무, 에보나이트.

vul·can·ize [vʌ́lkənàiz] *vt.* (고무)를 고온도에서 가황 처리〔경화(硬化)〕하다, 가황(加黃)하다.
㊕ **vùl·can·i·zá·tion** [-nizéiʃən] *n.* Ⓤ 가황, 황화(黃化)《생고무에 유황을 화합시켜 행하는 경화 조작》.

Vul(g). Vulgate. **vulg.** vulgar; vulgarly.

vul·gar [vʌ́lgər] (***~·er, more ~; ~·est, most ~***) *a.* ① 저속한, (교양·취미·태도·말 따위가) 속악한, 야비한, 속된, 비천한: a ~ mind 저속한 마음(을 가진 사람) / ~ language 상스러운 말 / ~ words 비어(卑語) / a ~ fellow 저속한 사내, 속물. ② **a**) 일반대중의, 서민의: the ~ herd 일반민중, 서민. **b**) 통속적인, 세속의, 일반적으로 유포된: ~ superstitions 세속의 미신, 속신(俗信). ③ (언어가) 대중이 사용하는, 자국의: the ~ tongue 〔speech〕 제나라 말, 자국어(自國語)《★ 전엔 특히 라틴어(語)에 대해서 말했음》.

vúlgar fráction =COMMON FRACTION.

vul·gar·i·an [vʌlgέəriən] *n.* Ⓒ 교양없는 사람; 속물(俗物); 《특히》 저속한 벼락부자.

vul·gar·ism [vʌ́lgərìzəm] *n.* ① Ⓤ 속악(성), 야

비(vulgarity). ② Ⓒ 상말, 야비한〔외설한〕 말.

vul·gar·i·ty [vʌlgǽrəti] *n.* ① Ⓤ 속악, 야비, 비속성(卑俗性). ② Ⓒ (종종 *pl.*) 무례한 언동.

vul·gar·ize [vʌ́lgəràiz] *vt.* ① …을 속악하게 하다, 상스럽게 하다. ② (원작 등)을 통속화하다. ㊞ **vùl·gar·i·zá·tion** *n.*

Vúlgar Látin 통속 라틴말《classical Latin 에 대하여 일반 대중이 사용한 라틴말》.

vul·gar·ly [vʌ́lgərli] *ad.* ① 상스럽게, 속악하게. ② 통속적으로.

vul·gate [vʌ́lgeit, -git] *n.* ① (the V-) 불가타 성서《4세기에 된 라틴어역(譯) 성서》. ② 유포본(流布本), 일반적으로 통용되고 있는 텍스트.
— *a.* 〔限定的〕 ① (V-) 불가타 성서의. ② 일반적으로 통용〔유포〕되고 있는.

vul·ner·a·ble [vʌ́lnərəbəl] *a.* 비난〔공격〕을 받기 쉬운, 상처입기 쉬운 ; 약점이 있는 ; (유혹 따위에) 약한, 민감한 : a ~ point 공격받기 쉬운 지점 / a ~ girl (마음에) 상처받기 쉬운 소녀 / The fortress was highly ~ *to* attacks from the air. 그 요새는 공중으로부터의 공격에 허점이 많았다. ㊞ **-bly** *ad.* **vul·ner·a·bil·i·ty** [vʌ̀lnərəbíləti] *n.* Ⓤ 상하기 쉬움 ; 비난〔공격〕받기 쉬움, 약점, 취약성.

vul·pine [vʌ́lpain] *a.* ① 여우의, 여우 같은. ② 간교한, 교활한(cunning).

***vul·ture** [vʌ́ltʃər] *n.* Ⓒ ①〖鳥〗 독수리 ; 콘도르. ②《比》 탐욕스러운 사람, 지독한 욕심쟁이.

vul·va [vʌ́lvə] (*pl.* **-vae** [-viː], **~s**) *n.* Ⓒ〖解〗 음문(陰門), 외음(外陰).

vul·vate [vʌ́lveit, -vit] *a.* 음문〔외음(外陰)〕의, 음문〔외음〕과 같은.

v. v. vice versa.

vy·ing [váiiŋ] VIE의 현재 분사.
— *a.* 다투는, 경쟁하는, 겨루는《*with*》.

W

W, w [dʌ́bljù(:)] (*pl.* **W's, Ws, w's, ws** [-z]) *n.* ① Ⓤ,Ⓒ 더블유《영어 알파벳의 스물 셋째 글자》. ② Ⓤ,Ⓒ W자 모양(의 것) ; 제 23 번째(의 것)《J를 빼면 22 번째》. ★W는 UU의 겹자로 된 것으로 12 세기경부터 일반화됨.

W 〖電〗 watt(s) ; west ; western ; 〖化〗 wolfram《G.》 (=tungsten). **W.** Wales ; Wednesday ; Welsh ; **W., w.** west ; western. **w.** 〖電〗 watt(s) ; week(s) ; weight ; wide ; width ; 〖物〗 work. **₩** won. **W/** 〖商〗 with. **WA** 〖美郵〗 Washington. **W.A.** West Africa ; Western Australia ; 〖海上保險〗 with average 분손(分損) 담보.

wabble ⇨ WOBBLE.

Wac [wæk] *n.* Ⓒ 《美》 WAC의 대원.

WAC [wæk] 《美》 Women's Army Corps (육군 여성 부대).

wacky [wǽki] (***wack·i·er*** ; ***-i·est***) *a., n.* 《美口》 괴짜(인), 괴팍스러운 (놈), 엉뚱한 (놈) : a sense of ~ humor 괴팍한 유머 감각.

wad [wɑd / wɔd] *n.* Ⓒ ① (면·종이 따위 부드러운 것을 둥글린) 작은 덩어리〔뭉치〕 : a ~ of cotton 작은 솜뭉치. ② (부드러운 것을 둥글게 뭉친) 충전물, 채워〔메워〕 넣는 물건, 패킹. ③ (지폐·서류 따위의) 다발, 뭉치 : a ~ of bills〔bank notes〕 지폐 다발. ④ (종종 *pl.*) 《俗》 다량, (많은) 돈 : He has ~*s* of money. 그는 (엄청나게) 많은 돈을 가지고 있다. ── (***-dd-***) *vt.* ① 《~+목+(부)》 (면·종이 따위)를 작은 덩이로 뭉치다《*up*》 : ~ paper into a ball 종이를 뭉쳐서 공을 만들다 / ~ *up* a letter 편지를 똘똘 구겨 뭉치다. ② 《+목+전+명》 (구멍 따위)를 (틀어)막다, 채우다 《*with*》 : ~ one's ears *with* cotton 귀를 솜으로 틀어막다.

wad·ding [wɑ́diŋ / wɔ́d-] *n.* Ⓤ 충전물, 채우는 물건 ; (특히, 의료용의) 충전용 솜.

wad·dle [wɑ́dl / wɔ́dl] *vi.* ① (오리·뚱뚱한 사람 따위가) 어기적어기적〔뒤뚱거리며〕 걷다. ② (배가) 흔들거리며 나아가다 : The ship ~*d* into port. 배가 뒤뚱거리며 입항했다. ── *n.* Ⓤ (a ~) 비척걸음, 어기적어기적 걸음 : walk with *a* ~ 비척〔어기적〕거리며 걷다.

:wade [weid] *vi.* 《+전+명》 ① (강 따위를) 걸어서 건너다, 도섭(徒涉)하다 : ~ *across* a stream 시냇물을 걸어서 건너다. ② (진창·눈길·모래밭·풀숲 따위를) 힘들여 걷다, 간신히 지나다《*across* ; *into* ; *through*》 : ~ *through* the mud 진흙탕 속을 걷다 / ~ *into* the crowd 군중 속을 헤치고 들어가다. ③ 《比》 (어려운 일·책 등을) 힘들여서 해나가다〔해내다, 읽어내다〕《*through*》 : ~ *through* a lot of work 많은 일을 가까스로 해내다. ── *vt.* 《~+목》 (강 따위)를 걸어서 건너다, 힘들여 지나가다 : ~ a brook 개울을 걸어서 건너다. ~ ***in*** (1) 얕은 여울로 들어서다. (2) 《口》 싸움〔논쟁〕에 참가하다. (3) 《口》 (어려운 일 따위에) 의욕적으로 덤벼들다 : He rolled up his sleeves and ~*d in.* 그는 소매를 걷어올리고 의욕적으로 (일에) 덤벼 들었다. ~ ***into*** . . . 《口》 (1) (아무)를 맹렬히 공격하다. (2) (일 따위)를 힘차게〔정력적으로〕 시작하다.

── *n.* (흔히 a ~) (강 따위를) 걸어서 건넘.

wad·er [wéidər] *n.* Ⓒ (물 따위를) 걸어서 건너는 사람 ; 〖鳥〗 =WADING BIRD ; (*pl.*) 《英》 (낚시할 때 신는) 방수 장화 ; (가슴까지 오는) 방수복.

wa·di, wa·dy [wɑ́di / wɔ́di] *n.* Ⓒ 〖地〗 와디《아라비아 등지의, 우기 이외에는 물이 없는 강》.

wád·ing bìrd [wéidiŋ-] 〖鳥〗 섭금류(涉禽類)의 새.

wád·ing pòol [wéidiŋ-] 《美》 (공원 등지의) 어린이 물놀이터.

WAF [wæf] 《美》 Women in the (United States) Air Force(공군 여성 부대).

:wa·fer [wéifər] *n.* ① Ⓤ,Ⓒ 웨이퍼《살짝 구운 얇은 과자의 일종》. ② Ⓒ 〖가톨릭〗 성체용 제병(祭餠). ③ Ⓒ 얇고 납작한 것 ; 봉함지 ; 봉함풀 : (as) thin as a ~ 매우 얇은. ④ Ⓒ 〖電子·컴〗 회로판《집적 회로의 기판(基板)이 되는 실리콘 등의 박편(薄片)》. ── *vt.* …을 봉함풀〔봉함지〕로 봉하다.

waf·fle[1] [wɑ́fəl / wɔ́fəl] *n.* Ⓤ,Ⓒ 와플《밀가루·달걀·우유를 섞어 말랑하게 구운 케이크》.

waf·fle[2] 《口》 *vi.* 쓸데없는 말을 지껄이다 ; (…에 대해) 애매〔모호〕하게 말하다《*on* ; *about*》 : He ~*d on* the issue. 그는 그 문제에 관해 모호하게 말을 흐렸다.

── *n.* Ⓤ 쓸데없는 말 ; 애매〔모호〕한 말.

wáffle ìron 와플 굽는 틀.

***waft** [wɑːft, wæft] *vt.* 《~+목 / +목+부 / +목+전+명》 (물체·소리·냄새 따위)를 떠돌게 하다, 감돌게 하다 ; 가볍게 나르〔보내〕다 : The breeze ~*ed* the sound of music *to* us. 산들바람을 타고 음악 소리가 들려왔다. ── *vi.* 《+전+명 / +부》 떠돌다 : Songs of birds ~*ed on* the breeze from the woods. 새의 노래 소리가 미풍을 타고 숲에서 들려왔다.

── *n.* Ⓒ ① 풍기는〔떠도는〕 향기 ; 한바탕 부는 바람 ; 바람을 타고 오는 소리. ② (연기·김 따위의) 한 번 일기 ; 한순간의 느낌 : a ~ of joy 한순간의 기쁨. ③ 흔들림, 펄럭임 ; 손짓 ; (새의) 날개치기.

:wag [wæg] (***-gg-***) *vt.* ① (꼬리 따위)를 흔들다 : The dog ~*ged* its tail. 개가 꼬리를 흔들었다. ② (손가락·머리 따위)를 흔들다《비난·경멸의 동작》 : ~ one's finger at a person 아무에게 삿대질을 하다.

── *vi.* ① 흔들거리다, 요동하다 : The dog's tail ~*ged.* 개의 꼬리가 흔들거렸다. ② (혀가) 나불거리다, 계속 움직이다 : The scandal set tongues ~*ging.* 그 추문은 사람들의 입에 시끄럽게 오르내렸다. ***The tail ~s the dog.*** 《口》 꼬리가 개를 흔들다, 하극상이다.

── *n.* Ⓒ (흔히 *sing.*) ① (머리·꼬리 따위를) 흔듦, 요동하게 함 : give a ~ 흔들다 / with a ~ of the tail 꼬리를 흔들며. ② Ⓒ 익살꾸러기, 까불이.

:wage [weidʒ] *n.* Ⓒ ① (흔히 *pl.*) 임금, 급료《주로 시간급·일급·주급 따위》 : living ~*s* 생활에 필요한 최저 임금 / at ~*s* 〔a ~〕 of $70 a week 주급 70달러로 / get 〔earn〕 good ~*s* 많은 임금을 받다. ② (흔히 *pl.*) 〔《古》單數취급〕 (죄의) 응보, 보상 : The ~*s* of sin is death. 〖聖〗 죄의 값은 사망이니라《로마서 Ⅵ : 23》.

── *vt.* 《~+목 / +목+전+명》 (전쟁 따위)를 수

W

행하다, 행하다; 유지하다《*against*; *on*》: ~ war (*against* 〔*on*〕 a country) (어느 나라와) 전쟁을 하다 / ~ a vigorous campaign *against* sex discrimination 활발한 성(性)차별 반대 운동을 전개하다 / ~ the peace 평화를 유지하다.

wáge clàim 임금 인상요구.

wáge èarner 임금 노동자, 봉급 생활자.

wáge frèeze 임금 동결: a one-year ~.

***wa·ger** [wéidʒər] *n.* Ⓒ 노름, 도박, 내기; 내기에 건 것〔돈〕: lay 〔make〕 a ~ 도박을 하다 / take up a ~ 내기에 응하다 / double one's ~ 판돈을 두 배로 하다.

— *vt.* 《~+목 / +목+목 / +목+전+명 / + *that* 절》 …을 (내기에) 걸다《*on*》; 보증하다: I ~ ten dollars *on* it. 그것에 10달러 걸겠다 / I ~ you $10 (*that*) he will win. 틀림없이 그가 이긴다, 네게 10달러 걸어도 좋다 / I'll ~ my watch *against* your flute. 네가 피리를 걸면 난 시계를 걸겠다 / I ~ *that* they shall win. 꼭 그들이 이길거라고 생각한다. — *vi.* 걸다《*on*》.

wáge scàle 임금표; (한 사용자가 지급하는) 임금의 폭.

wáge slàve 《蔑》 임금 생활자, 임금의 노예 《생활을 임금에만 의존하는》.

wage·work·er [wéidʒwə̀ːrkər] *n.* 《美》 = WAGE EARNER.

wag·gery [wǽgəri] *n.* Ⓤ 우스꽝스러움, Ⓒ 익살, 장난.

wag·gish [wǽgiʃ] *a.* 익살맞은, 우스꽝스러운, 장난치는. ㊕ **~·ly** *ad.* **~·ness** *n.*

wag·gle [wǽgəl] *vi., vt.* =WAG 《★ wag 보다 그 움직임이 경망스러움을 나타냄》.

‡**waggon** 《英》=WAGON.

Wag·ner [vɑ́ːgnər] *n.* **Richard** ~ 바그너《독일의 작곡가; 1813-83》.

Wag·ne·ri·an [vɑːgníəriən] *a.* Wagner(풍)의. — *n.* Ⓒ Wagner 숭배자, Wagner 풍의 작곡가.

‡**wag·on** [wǽgən] *n.* Ⓒ ① (4륜의) 짐마차《보통 2필 이상의 말이 끄는》: carry goods by ~ 짐마차로 짐을 나르다《★ by ~는 무관사》 / a covered ~ 포장 마차. ② (바퀴 달린) 식기대(dinner ~). ③ 배달용의 트럭; = STATION WAGON; 《美俗》 자동차. ④ 《美》 (노상의) 물건〔음식〕 파는 수레〔차〕: a hot dog ~ 핫도그를 파는 수레〔차〕. ⑤ (the ~) 《美口》 죄수 호송차(police ~). ⑥ 〖英鐵〗 무개(無蓋) 화차, 화차. ***fix* a person's (*little red*) ~** 《美口》 아무를 혼내주다; 《美口》 앙갚음으로 아무를 상하게 하다. ***hitch* one's ~ *to a star* 〔*the stars*〕** ⇨ HITCH. ***off the* (*water*) ~** 《俗》 끊었던 술〔마약〕을 다시 시작하여. ***on the* (*water*) ~** 《俗》 금주하여, 술을 끊고.

wag·on·er [wǽgənər] *n.* Ⓒ 짐마차꾼; (the W-) 〖天〗 마차부자리(Auriga).

wag·on·ette [wæ̀gənét] *n.* Ⓒ (6-8인승 4륜의) 유람 마차의 일종.

wa·gon-lit [*F.* vagɔ̃li] (*pl.* ***wag·ons-lits***[—], **~s** [—]) *n.* Ⓒ (유럽 대륙 철도의) 침대차.

wag·on·load [wǽgənlòud] *n.* Ⓒ wagon 한 대분의 짐.

wágon tràin 《美》 (서부 개척 시대의) 큰 포장 마차대(隊); 마차 수송대.

wag·tail [wǽgtèil] *n.* Ⓒ 〖鳥〗 할미새《총칭》.

Wa·ha·bi, Wah·ha·bi [wɑhɑ́bi] *n.* Ⓒ 와하브파(派)의 신도《코란의 교의(教義)를 엄수하는 이슬람교도》.

waif [weif] *n.* Ⓒ ① 방랑자〔아〕; 집 없는 사람〔동물〕. ② 소유주 불명의 습득물. ***~s and strays*** 부랑아들, 돌아갈 데 없는 동물들; 잡동사니.

Wai·ki·ki [wáikikìː, ⌐-⌐] *n.* 하와이 Honolulu 의 해변 요양지.

‡**wail** [weil] *vi.* 《~ / +전+명》 ① 소리 내어 울다, 울부짖다: ~ *with* pain 〔sorrow〕 아파서〔슬퍼서〕 엉엉 울다. ② 울며 슬퍼하다, 비탄하다 《*over*; *for*》: ~ *over* one's misfortunes 불운을 비탄하다. ③ (바람이) 구슬픈 소리를 내다: The wind ~*ed through* the trees. 바람이 나무 사이를 구슬픈 소리를 내며 지나갔다. ④ (…의 일로) 불평하다, 푸념하다《*about*; *over*》: Stop ~*ing about* our division and emphasize our unity. 우리의 분열을 푸념하지 말고 결속을 다짐하자.

— *vt.* …을 비탄해 하다, 울며 슬퍼하다: ~ a person's death 아무의 죽음을 슬퍼하다. — *n.* Ⓒ ① 울부짖음, 울부짖는 소리: the ~*s* of a baby 갓난 아기의 울부짖는 소리. ② (*sing.*) (바람 따위의) 구슬픈 소리. ⓒⓕ lament, moan.

㊕ **∠·er** *n.* **wail·ing·ly** [wéiliŋli] *ad.*

Wáil·ing Wáll [wéiliŋ-] (the ~) (예루살렘의) 통곡의 벽.

wain·scot [wéinskət, -skòut] *n.* Ⓤ,Ⓒ 〖建〗 (실내의) 징두리 널, 징두리 벽판, 그 재료; 양질(良質)의 오크재(材). — *vt.* …에 징두리 널을 대다.

‡**waist** [weist] *n.* Ⓒ ① 허리; 허리의 잘록한 곳, 잔허리; 허리의 둘레(치수): measure 30 inches around the ~ 허리 둘레가 30인치이다 / She has no ~. 그녀는 절구통이다. ② (여성복의) 몸통. ③ (바이올린 따위의) 가운데의 잘록한 곳. ④ 〖海〗 중앙부 상갑판.

waist·band [wéistbæ̀nd] *n.* Ⓒ (스커트·바지 따위의) 마루폭, 말기; 허리띠, 허리끈.

waist·cloth [⌐klɔ̀(ː)θ] *n.* Ⓒ =LOINCLOTH.

***waist·coat** [wéis*t*kòut, wéskət] *n.* Ⓒ 《英》 (남자용의) 조끼(《美》 vest). 「닿는〔닿게〕.

waist-deep [wéistdíːp] *a., ad.* 깊이가 허리까지

waist·ed [wéistid] *a.* (옷이) 허리가 잘룩한; 〔複合語〕 허리가 …한: a slim-~ girl 허리가 가는 소녀.

waist-high [⌐hái] *a., ad.* 허리 높이의〔로〕.

waist·line [⌐làin] *n.* Ⓒ 허리의 잘록한 선, 허리의 선〔치수〕; 〖洋裁〗 허리통, 웨이스트라인.

†**wait** [weit] *vi.* ① 《~ / +전+명 / +전+명+*to* do / +*to* do》 기다리다, 대기하다, 기대하다《*for*; *to* do》: Please ~ a minute. 잠시 기다려 주시오 / Let's ~ *for* his recovery. 그의 회복을 기다리자 / We ~*ed for* you *to* come. 자네가 오기를 기다리고 있었다 / The building was locked, so we had to ~ around 〔about〕 in the car park. 빌딩 문이 잠겨 있어서 우리는 주차장에서 어정거리며 기다려야 했다 / Everything comes to those who ~. 《俗談》 기다리노라면 별들 날이 있다. ② 《+전+명》 〔흔히 進行形〕 (식사 따위가) 준비되어 있다〔갖추어져 있다〕《*for*》: Dinner is ~*ing for* us. 저녁 식사가 준비되어 있다. ③ 〔종종 can 〔cannot〕 ~로〕 잠시 미루다, 그대로 내버려 두다: That matter *can* ~ until tomorrow. 그 문제는 내일까지 연기할 수 있다.

— *vt.* ① 《~+목 / +목+부》 (기회·신호·차례·형편 등)을 기다리다, 대기하다: ~ one's turn〔chance〕 차례〔기회〕를 기다리다. ② 《~+목 / +목+전+명》 《口》 (식사 따위)를 늦추다, 미루다: Don't ~ dinner *for* me. 나 때문에 식사를 미루지 말게. **(*Just*) *you* ~.** 어디 두고보자. ***keep* 〔*make*〕 a person ~*ing*** 아무를 기다리게 하다. **~ *and see*** 일이 돌아가는 것을 관망하다. ***Wait for it.*** 시기가 올 때까지 움직이지 마라. **~ *on* 〔*upon*〕** (1) …을 모시다〔섬기다〕; …의 (식사)

W

시중을 들다 : Are you *~ed on?* 주문을 하셨는지요《점원이 손님에게 하는 말》/ Many servants *~ed on* us. 많은 급사들이 우리들의 시중을 들어주었다. (2) …를 방문하다, 문안드리다. (3) (결과로서) …에 수반되다 : Success *~s on* effort. 노력에는 성공이 따른다. **~ out** …이 호전되는 것을 기다리다 : Let's ~ *out* the rain. 비가 멎는 것을 기다리자. **~ up** 《口》 자지 않고 (아무를) 기다리다《*for*》: She *~s up for* him every night. 그녀는 매일밤 자지않고 그를 기다린다.

— *n.* ① Ⓒ 기다리기, 대기 ; 기다리는 시간 : I had a long ~ *for* the bus. 나는 오랫동안 버스를 기다렸다. ② (*pl.*) 《英》 성탄절날 밤에 찬송가를 부르며 이 집 저 집 돌아다니는 찬양대 ; 그 찬송가. ***lie in*** 〔***lay***〕 ~ (…을) 숨어서 기다리다《*for*》.

‡wait·er [wéitər] *n.* Ⓒ ① (호텔·음식점 따위의) 사환, 웨이터. ② (요리 따위를 나르는) 사환용 쟁반(tray, salver). ③ 《美》 (가정의) (잔)심부름꾼. ④ 기다리는 사람.

‡wait·ing [wéitiŋ] *n.* Ⓤ ① 기다리기, 대기 ; 기다리는 시간 ; 《英》 (자동차의) 정차 : No parking or ~. 주정차 금지(게시). ② 시중들기. ***in ~*** 시중을 드는, 섬기는 : a lady *in* ~ (왕·여왕등에) 시중을 드는 여관(女官). — *a.* 〔限定的〕 기다리는 ; 시중드는, 섬기는 : a ~ maid〔man〕 시녀〔시종〕 ; 하녀〔하인〕.

wáiting gàme 연기 작전, 대기 전술 : play a ~ 대기 전술을 쓰다, 상황이 좋아지기를 기다리다.

wáiting lìst 후보자〔대기자〕 명단, 보결인 명부 : He is on the ~. 대기자 명단에 올라 있다.

wáiting ròom (역·병원 등의) 대합실.

wait·list [wéitlìst] *vt.* …를 waiting list 에 올리다.

wait·per·son [´-pə̀ːrsən] *n.* Ⓒ (호텔·식당 등의) 웨이터, 웨이트리스.

‡wait·ress [wéitris] *n.* Ⓒ ① (호텔·음식점 따위의) 웨이트리스, 여급. ② 《美》 (가정의) 잔심부름하는 여자

waive [weiv] *vt.* 《~+목+(전+명)》 ① (자진해서 권리·기회 따위)를 포기하다, 철회하다 : ~ a privilege 특권을 포기하다. ② (문제 등)을 우선 보류하다, 미루어놓다, 연기하다 : ~ a problem until the next meeting 문제를 다음 회합까지 보류해 놓다. ③ (주장·행동 따위)를 삼가다, 그만두다 : ~ a claim 요구를 삼가다.

waiv·er [wéivər] *n.* Ⓤ 〖法〗 (권리의) 포기, 기권 ; Ⓒ 기권 증서.

†wake¹ [weik] (***~d*** [-t], ***woke*** [wouk] ; ***~d, wok·en*** [wóukən], 《稀》 ***woke*** ; ***wák·ing***) *vi.* ① 《~/+부/+전+명/+*to* do》 잠깨다, 일어나다《*up*》: *Wake up!* 일어나 ; 《口》 정신 차려라, 잘 들어라 / What time do you usually ~ *(up)*? 보통 몇 시에 일어나느냐 / Has the baby *~d* 〔*woken*〕 yet? 아기가 벌써 깨었느냐 / Suddenly he *woke from* sleep. 갑자기 그는 잠에서 깨어났다 / He *woke to* find himself on a bench. 깨어보니 벤치에서 자고 있었다. ② 〔주로 現在分詞〕 깨어 있다, 자지 않고 있다 : Worries kept me *waking* all night. 걱정이 돼서 밤새 한잠도 못잤다 / *Waking* or sleeping, I think of you. 자나깨나 당신을 생각하고 있다. ③ 《~/+부/+전+명》《比》 (정신적으로) 눈뜨다, 깨닫다, 각성하다《*up* ; *to*》: ~ *to* the true situation 실제 상황을 인식하다 / ~ *up to* one's duties 자기 의무를 깨닫다. ④ 《~/+전+명》 되살아나다《*into* life》, 활기를 되찾다 : Nature *~s* in spring. 대자연은 봄에 소생한다.

— *vt.* ① 《~+목/+목+부》 …의 눈을 뜨게 하다, …을 깨우다《*up*》: Don't ~ her now. 그녀를 지금 깨우지 마라 / Please ~ me *(up)* at six. 6시에 나를 깨워주시오. ② 《~+목/+목+부/+목+전+명》 (정신적으로) …을 눈뜨게 하다, 깨닫게 하다, 분발시키다《*up*》: We've got to ~ him *up from* his laziness. 그를 나태로부터 일깨워 주지 않으면 안 된다. ③ (기억 따위)를 되살아나게 하다 ; (동정·분노 등)을 일으키다 : The incident *woke* memories of his past sufferings. 그 사건이 그의 과거 고난의 기억을 되살아나게 했다. ④ 《文語》 …의 정적을 깨뜨리다 : A shot *woke* the wood. 한발의 총성이 숲의 정적을 깨뜨렸다.

— *n.* Ⓒ ① 《주로 Ir.》 (장례식 전날밤의) 경야, 밤샘, 철야 : hold a ~ 밤샘을 하다.

wake² *n.* Ⓒ 배 지나간 자국, (수면의) 항적(航跡) ; (물건이) 지나간 자국. ***in the ~ of*** …의 뒤를 따라〔좇아서〕; …을 본떠서 ; …에 잇딸아서〔뒤이어〕: Rain came *in the ~ of* the thunder. 천둥에 뒤이어 비가 내렸다 / Miseries follow *in the ~ of* a war. 전쟁 뒤끝은 비참한 것이다.

wake·ful [wéikfəl] *a.* ① 깨어 있는, 자지 않는 ; 잠 못 이루는, 불면의, 자주 깨는 : spend a ~ night 잠 못 이루는 밤을 보내다 / The baby is ~. 그 아기는 깨어 있다. ② 방심하지 않는, 조심성 있는 ; 불침번의.

㊞ **~·ly** [-fəli] *ad.* **~·ness** *n.*

‡wak·en [wéikən] *vi.* 《~/+전+명》 ① 눈을 뜨다, 잠이 깨다《*up*》; 일어나다 : He *~ed* from sleep. 그는 잠에서 깨어났다. ② 자각하다, 깨닫다《*to*》. — *vt.* 《~+목/+목+부/+목+전+명》 ① …을 일으키다, 깨우다 : The noise *~ed* him. 그 소리에 그는 잠을 깼다 / ~ a person *from* 〔*out of*〕 sleep 아무를 잠에서 깨우다. ② (정신적으로) …을 눈뜨게 하다, 각성〔환기〕시키다, 고무하다《*up*》《이 뜻으로는 awaken 이 보다 일반적임》: ~ the reader's interest 독자의 흥미를 불러 일으키다.

wake-up [wéikʌ̀p] *n.* Ⓒ ① 잠을 깨움, 일으킴. ② 기상. — *a.* 〔限定的〕 잠을 깨우는〔깨우기 위한〕: a ~ call (호텔의) 잠을 깨우는 전화.

wak·ey-wak·ey [wéikiwéiki] *int.* 《英口·戲》 일어나.

wak·ing [wéikiŋ] *a.* 〔限定的〕 깨어나 있는, 일어나 있는 : in one's ~ hours 깨어 있을 때에 / a ~ dream 백일몽(daydream) / a dreamlike state between sleeping and ~ 꿈도 생시도 아닌 몽롱한 상태.

wale [weil] *n.* Ⓒ ① 채찍 자국(의 부르튼 곳). ② (직물의) 골(ridge). — *vt.* ① …에 채찍 자국을 내다. ② …에 골을 지게 짜다.

‡Wales [weilz] *n.* 웨일스 (지방)《Great Britain 의 남서부》. ***the Prince of ~*** 영국 왕세자.

†walk [wɔːk] *vi.* ① 걷다 ; 걸어가다 ; 산책하다《★ go on foot 의 뜻이지만, walk on foot 라고는 하지 않음》: Our baby has just begun to ~. 우리 아기는 이제 막 걷기 시작했다 / Do you usually ~ *to* school? 너는 평상시 걸어서 학교에 가느냐 / ~ *along* the river 강변을 산책하다 / He *~s* half an hour every morning. 그는 매일 아침 30분간 산책한다. ② (유령이) 나오다 ; (말이) 보통 걸음으로 걷다 : The ghost will ~ tonight. 오늘밤 유령이 나올 것이다 / The horse *~s* nicely. 그 말은 멋지게 잘 걷는다. ③ 〖野〗 (타자가) 4 구를 얻어 1 루에 나가다 ; 〖籠〗 트래블링하다(travel) 《반칙임》. ④ 《~/+전+명》《古》 처신하다 ; 처세하다 : ~ *in* peace 평화롭게 지내다.

— *vt.* ① (장소·길 따위)를 걷다, 걸어가다 ; 걸어다니며 살피다 ; 보측(步測)하다 : ~ the floor

all night (걱정 따위로) 밤새 마루를 서성거리다 / The captain ~*ed* the deck. 선장은 갑판을 걸어 다니며 살폈다 / ~ the tightrope 줄타기를 하다. ②《~+목 / +목+부 / +목+전+명》 (아무)를 안내하다, (함께) 데리고 가다; (개)를 산책시키다; (말 따위)를 천천히 걷게 하다; (말·자전거 따위)를 끌고〔밀고〕 가다: He ~*ed* his child *across* the street. 그는 아이를 데리고 길을 건넜다 / I will ~ you home. 댁까지 바래다 드리지요 / I ~*ed* the dog *around*. 나는 개를 산책시켰다 / The policeman ~*ed* the man *to* the police station. 경찰은 그 남자를 경찰서까지 연행했다 / ~ one's bicycle *up* a slope 자전거를 밀고 언덕을 오르다 / We ~*ed* our horses *down to* the stream. 말을 개천으로 천천히 몰고 갔다. ③《+목+부 / +목+전+명》 (무거운 물건을 좌우로 번갈아 움직여 가거나 하여) 조금씩 움직이다〔나르다〕: He ~*ed* his trunk *up to* the porch. 그는 무거운 트렁크를 조금씩 움직여 현관까지 날랐다. ④〖野〗(타자)를 4 구로 출루시키다〔걸어나가게 하다〕. ⑤《+목+부》 걸어서 …을 없애다〔줄이다〕《*off; down*》: ~ *off* (the effects of) too many drinks 너무 많이 마셔서 걸어서 취기를 깨게 하다 / ~ one's meal *down* 소화를 돕기 위해 산책하다. ~ ***all over*** a person《口》= ~ over a person. ~ ***away from*** (1) (경기 등에서) …에게 낙승하다: Regis ~*ed away from* the rest of the players. 레기스는 나머지 선수들을 큰 차로 물리쳤다. (2) (사고 등에서) 상처 하나 없이 살아나다: He ~*ed away from* the wrecked car without a scratch. 그는 상처 하나 없이 그 사고차에서 빠져 나왔다. (3) …에 걸어 나가다〔도망치다〕; (책임·곤란 등을) 피하다. ~ ***away*** 〔***off***〕 ***with***《口》(1) …을 가지고 도망치다; 실수하여 남의 물건을 가지고 가다. (2) (상품 등을) 따다, (경기 등에서) 쉽게 이기다: She ~*ed away with* the gold medal. 그녀는 쉽사리 금메달을 땄다. ~ ***into*** (1) …에 들어가다. (2) (일자리)를 쉽게 얻다. (3) (함정 등)에 빠지다. (4)《口》…을 용감하게 공격하다. (5) …를 큰 소리로 꾸짖다, 매도하다. ~ ***it***《口》(1) 걸어서 가다: "No thanks, I'll ~ *it*" '아니 괜찮습니다. 걸어가겠습니다.' (2)《口》 낙승하다. ~ a person ***off*** his ***legs*** 〔***feet***〕 아무를 걸려서 매우 피곤하게 하다. ~ ***out*** (1) 나다니다. (2) (불만의 의사 표시로) 갑자기 가버리다, 항의하고 퇴장하다; (근로자가) 파업하다. ~ ***out on***《口》(1) (아무)를 버리다(desert): ~ *out on* one's wife and children 처자를 버리다. (2) (계획 등)을 포기하다. ~ ***over*** a person《口》(1) 아무를 몹시 다루다, 깔고 뭉개다: She ~*s* (all) *over* her husband. 그녀는 남편을 좌지우지한다. (2) (상대)에게 낙승하다. ~ ***tall*** 가슴을 펴고 걷다, 의기양양해지다, 자신에게 긍지를 갖다. ~ ***the streets*** (거리에서) 손님을 끌다, 매춘하다. ~ ***up*** …을 걸어서 가다〔오다〕; 계단을 오르다; (…에) 성큼성큼 다가서다《*to*》: ***Walk up! Walk up!*** 어서 오십쇼, 어서 오십쇼《문지기의 외치는 소리》. ~ ***with God*** 고결하게 살다, 바르게 살다.

— *n.* ①Ⓒ 걷기; 산책, 소풍; 우주 유영(space ~): We had a pleasant ~ across the fields. 유쾌하게 들판을 산책했다 / a morning ~ 아침 산책. ② (흔히 *sing.*) 걸음걸이; 보통 걸음: We recognized you by your ~. 걸음걸이로 넌 줄 알았다. ③ (흔히 *sing.*) 보행거리; 보행 시간: The school is five minutes' ~ from my house. 학교는 집으로부터 걸어서 5 분 걸리는 곳〔거리〕에 있다 / It's a long ~ to the post office. 우체국까지는 걸어서 한참 걸린다. ④Ⓒ 보도, 샛길, 산책길: dispose of the snow on the ~ 보도의 눈을 치우다 / my favorite ~ in the park 공원의 내가 좋아하는 산책길. ⑤Ⓒ〖野〗4 구가 되어 1 루로 나가기(a base on balls). ⑥Ⓒ (가축 따위의) 사육장; (가축 따위를) 가둔 장소; (사냥개·투계(鬪鷄) 따위의) 훈련장: a poultry ~ 양계장. ⑦Ⓤ 행동 범위, 활동 영역; Ⓒ《英》(상인·우편 배달원 등의) 담당 구역;《英》(산림관의) 산림(山林) 감독 구역.

~ ***of*** 〔***in***〕 ***life*** 직업, 생업(生業); (사회적) 계급: people in every ~ *of life* 각 계층의 사람들. ***in a*** ~ 쉽게《이기다 따위》. ***take*** 〔***go*** (***out***) ***for, have***〕 ***a*** ~ 산책 나가다. ***take*** a person ***for a*** ~ 아무를 산책에 데리고 가다.

walk·a·bout [wɔ́:kəbàut] *n.* Ⓒ 도보 여행; Ⓤ (오스트레일리아 원주민의 일시적인) 숲속의 떠돌이 생활;《英》(왕족·정치가 등이) 거리를 걸어 다니며 서민과 접하는 일.

walk·a·thon [wɔ́:kəθàn / -θɔ̀n] *n.* Ⓒ ① 장거리 경보. ② (자선의 기부금을 모금하기 위한) 장거리 행진.

walk·a·way [⌐əwèi] *n.* Ⓒ《美口》낙승(樂勝); 「쉬이 성취되는 일.

***walk·er** [wɔ́:kər] *n.* Ⓒ ① 보행자. ② 산책하는 사람, 산책 좋아하는 사람. ③ 보행(보조)기(go-cart)《유아·불구자 등의》.

walk·ie-talk·ie, walky-talky [wɔ́:kitɔ́:ki] *n.* Ⓒ 워키토키, 휴대용 무선 전화기.

walk-in [wɔ́:kìn] *a.* 〔限定的〕《美口》① 사람이 서서 드나들 수 있는 크기의《냉장고 등》; (공동의 복도를 거치지 않고) 직접 방으로 들어갈 수 있는《아파트 등》. ② 예약없이 오는〔들여보내는〕. ③ 쉬운: ~ victory 낙승. — *n.* Ⓒ ① 서서 들어설 수 있는 크기의 것《대형 냉장고, 냉장실, 반침 등》. ② ~식(式) 아파트. ③ 훌쩍 찾아오는 방문자. ④ (선거의) 쾌승.

***walk·ing** [wɔ́:kiŋ] *n.* Ⓤ ① 걷기, 보행. ② 걸음걸이. ③ (보행을 위한) 도로 상태: The ~ is slippery. 이 길은 미끄럽다.

— *a.* 〔限定的〕 걷는; 보행(자)용의; 걸으면서 조작하는; (기계가) 이동하는; 살아 있는: a ~ dictionary 살아 있는 사전, 박식한 사람.

wálking dístance 〔다음의 成句로〕 ***within*** ~ ***of*** 걸어서 갈 수 있는 곳에, …의 근처에.

wálking géntlemen 〖劇〗(대사 없는) 단역《남성》.

wálking lády 〖劇〗(대사 없는) 단역《여성》.

wálking pàpers 《口》 면직; 해고 (통지서): give a person his〔her〕 ~ 아무를 해고하다.

wálking pàrt 〖劇〗(대사 없는) 단역(walk-on).

***wálking stìck** 지팡이; 단장; 〖蟲〗대벌레.

wálking tìcket 《口》= WALKING PAPERS.

walk·ing-wound·ed [-wú:ndid] *a.* (흔히 the ~) 〔名詞的·集合的; 複數취급〕 ① 보행 가능한〔침상에서 움직일 수 있을〕 정도의 상처를 입은 사람들. ②《口》정신적으로 장애가 있는 사람들.

walk-on [wɔ́:kàn / -ɔ̀n] *n.* Ⓒ〖劇〗단역(端役), 통행인 역(役)(walking part)《대사 없이 무대를 거닐기만 하는 역》. — *a.* 〔限定的〕 단역의.

walk·out [⌐àut] *n.* Ⓒ 파업, 스트라이크; 항의 퇴장.

walk·o·ver [⌐òuvər] *n.* Ⓒ《口》독주(獨走), 낙승: have a ~ 낙승하다 / It was a ~ for Tyson. 그것은 타이슨의 낙승이었다.

walk-through [⌐θrù:] *n.* Ⓒ〖劇〗리허설; (카메라 없이 하는) 연습.

walk-up [⌐ʌ̀p] *a., n.*《美》엘리베이터가 없는 아파트〔건물〕; (건물에 들어가지 않고) 밖에서 일을 볼 수 있는: a ~ teller's window at a bank

은행의 보도에 면한 금전 출납창구.

walk·way [ˊ-wèi] *n.* Ⓒ 보도, 인도, 산책길; 현관에서 길까지의 통로; (공장 안의) 통로.

†**wall** [wɔːl] *n.* Ⓒ ① 벽, 담, 외벽, 내벽 : a stone (brick) ~ 돌담(벽돌담) / a partition ~ 칸막이벽 / a blank ~ 창·문이 없는 벽. ② (흔히 *pl.*) 방벽, 성벽 : town ~*s* 도시의 성곽 / the Great *Wall* (of China) 만리 장성. ③ 벽 같은 것《산·파도 따위》; 높이 솟은 것 : climb up a ~ of rock 암벽을 기어오르다 / a ~ of fire 불기둥. ④ 장애, 장벽 : the tariff ~ 관세 장벽 / break down the ~ of inferiority complex 열등 콤플렉스의 장벽을 무너뜨리다. ⑤ (종종 *pl.*) (기관(器官)·용기 등의) 내벽 : the stomach ~*s* 위벽(胃壁) / the ~*s* of a boiler 보일러의 내벽. ***drive* (*push, thrust*)** a person ***to the*** ~ 아무를 궁지에 몰아 넣다. ***go to the*** ~ 궁지에 빠지다; (경기 따위에) 지다; 밀려나다; 굴복하다; (사업 따위에) 실패하다, 도산하다 : Many firms have *gone to the* ~ in this recession. 지금의 경기후퇴 속에서 많은 기업들이 도산(倒産)했다. ***knock* (*bang, beat, hit, run*)** one's ***head against a* (*brick*)** ~ ⇨ HEAD. ***off the*** ~《美俗》(1) 미쳐서. (2) 이상한, 엉뚱한. ***up against a*** ~ 곤란한 상황 속에서; 벽에 부딪혀. ***up the*** ~《口》몹시 골이 나; 확 달아올라 : go (climb) *up the* ~ 발끈 화를 내다. ***with*** one's ***back to the*** ~ ⇨ BACK. ── *vt.* 《~+목 / +목+부》 …을 벽(담)으로 둘러싸다; …에 성벽을 두르다; 벽으로 칸막이하다《*off*》; 벽 속에 가두다; (입구·창문 따위)를 벽으로 막다《*up*》: ~ a person (*up*) *in* a dungeon 아무를 지하감옥에 가두다 / ~ a town 도시의 주위를 성벽으로 둘러싸다. ── *a.* 〔限定的〕 벽(담)의; 벽쪽의; 벽에 거는; 벽(담)에 붙어 사는.

wal·la·by [wáləbi / wɔ́l-] (*pl.* ***-bies,*** 〔集合的〕 ~) *n.* Ⓒ 〖動〗 왈라비《작은 캥거루》; Ⓤ 그 모피.

wall·board [wɔ́ːlbɔ̀ːrd] *n.* Ⓤ (펄프·플라스틱·석고 따위의) 벽(천장)재료; Ⓒ 인조 벽판.

walled [wɔːld] *a.* 벽이 있는, 성벽으로 둘러싸인.

‡**wal·let** [wálit / wɔ́l-] *n.* Ⓒ ① 지갑. ② (가죽으로 만든) 작은 주머니.

wall·eye [wɔ́ːlài] *n.* Ⓒ (사시(斜視) 따위로) 각막이 커진 눈; 외(外)사시.

wall·eyed [ˊ-àid] *a.* 각막이 부옇게 된, 각막이 커진 눈의; 외사시의.

wall·flow·er [ˊ-flàuər] *n.* Ⓒ 〖植〗 계란풀《겨잣과의 관상용 식물》;《口》'벽의 꽃'《무도회 따위에서 상대가 없는 젊은 여자》.

wáll néwspaper 벽신문, 대자보(大字報).

wal·lop [wáləp / wɔ́l-] *vt.*《口》…를 패다, 강타하다;《口》…에 대승하다 : We ~*ed* them 6-0. 우리는 그들에게 6 : 0으로 대승했다. ── *n.* Ⓒ《口》강타(强打);《英俗》맥주 : give a person a ~ 아무를 강타하다.

wal·lop·ing [wáləpiŋ / wɔ́l-] *a.* 〔限定的〕《口》매우 커다란; 터무니없는 : a ~ lie 터무니없는 거짓말. ── *n.* Ⓒ 세게 때림, 강타; 완패 : give a person a ~ 아무를 흠씬 패다 / get (take) a ~ 완패하다, 흠씬 맞다.

wal·low [wálou / wɔ́l-] *vi.* ①《~ / +전+명》 (동물·아이들이) 뒹굴다《진창·모래·물 속에서》: ~ *in* mud 진흙탕 속에서 뒹굴다. ②《+전+명》 (주색 따위에) 빠지다, 탐닉하다《*in*》: ~ *in* luxury (vice) 사치(악)에 빠지다. ③ (배 따위가) 파도에 흔들거리며 나아가다. ④《+전+명》 (돈 따위가) 남아 돌아갈 만큼 있다《*in*》: ~ *in* money 돈이 무척 많다. ── *n.* Ⓒ 뒹굶; 물소 따위가 뒹구는 수렁; Ⓤ 주색(나쁜 일)에 빠지기.

wáll pàinting 벽화 기법; 벽화, 프레스코 (fresco).

***wall·pa·per** [wɔ́ːlpèipər] *n.* Ⓤ 벽지. ── *vt., vi.* (벽·천장·방에) 벽지를 바르다.

Wáll Strèet 월가(街)《뉴욕시 Manhattan에 있는 미국 금융계의 중심지》; 미국 금융 시장(금융계, 재계).

wall-to-wall [wɔ́ːltəwɔ́ːl] *a.* ① (깔개 따위가) 마루 전체를 덮는 : a ~ carpet 마루 전면을 덮은 카펫. ② 〔限定的〕《比》(장소·시간대를) 꽉 채운 (메운); 전면적인;《口》어디에나 있는.

wal·ly [wáli / wɔ́li] *n.* Ⓒ《俗》바보, 멍청이.

***wal·nut** [wɔ́ːlnʌ̀t, -nət] *n.* ① Ⓒ 〖植〗 호두나무 (=ˊ~ **trèe**); 그 열매; Ⓤ 그 목재. ② Ⓤ 호두색.

wal·rus** [wɔ́(ː)lrəs, wál-] (*pl.* ~·es,*** 〔集合的〕 ~) *n.* Ⓒ 〖動〗 해마.

wálrus mustáche 팔자 콧수염.

***waltz** [wɔːl*t*s] *n.* Ⓒ 왈츠《춤, 그 곡》, 원무곡. ── *vi.* 왈츠를 추다; (왈츠를 추듯이) 경쾌한 걸음걸이로 걷다(움직이다); 덩실거리다《*in; out; round*》;《美俗》(권투 선수가) 춤추듯 가벼운 동작으로 싸우다; 쉽게 빠져나가다(돌파하다)《*through*》: He ~*ed through* his exams. 그는 시험에 무난히 패스했다.
── *vt.* (상대)를 왈츠로 리드하다, (아무와) 왈츠를 추다 : He ~*ed* me around the hall. 그는 나를 왈츠로 리드하면서 홀을 빙글빙글 돌았다. ~ ***off with***《口》경쟁자를 쉽게 물리치고 (상을) 획득하다.

wam·pum [wámpəm, wɔ́ːm-] *n.* Ⓤ 조가비 염주《옛날 북아메리카 원주민이 화폐 또는 장식으로 사용함》; Ⓤ《美俗》금전, 돈.

wan** [wan / wɔn] (wán·ner; -nest***) *a.* ① 창백한, 파랗게 질린 : a ~ face 창백한 얼굴. cf. pale[1]. ② 병약한, 힘없는 : He looked ~ and tired. 그는 힘없고 지쳐 보였다. ③ (빛·표정 따위가) 희미한 : a ~ smile 희미한 미소.

***wand** [wand / wɔnd] *n.* Ⓒ (마술사의) 지팡이; 나긋나긋하고 가는 막대기; (직권을 표시하는) 관장(官杖));《口》지휘봉; (버드나무 따위의) 나긋나긋한 가지.

‡**wan·der** [wándər / wɔ́n-] *vi.* 《~ / +부 / +전+명》 ① 헤매다, (걸어서) 돌아다니다, 어슬렁거리다, 방랑(유랑)하다《*about; over*》. cf. roam. ¶ ~ *about* in the forest 숲속을 어슬렁어슬렁 돌아다니다 / ~ (all) *over* the world 온 세계를 방랑하다. ② (옆길로) 빗나가다, 길을 잃다, 미아가 되다《*out; off; from*》; (이야기·논점 따위가) 빗나가다; 탈선하다, 나쁜 길로 빠지다《*from; off*》: ~ *off* the track 길에서 벗어나다 / The child ~*ed off* and got lost. 그 아이는 길을 잃고 미아가 되었다 / ~ *from* proper conduct 정도를 벗어나다 / Don't ~ *from* the subject. 주제에서 이야기를 빗나가게 하지 마라. ③ (정신이) 일시적으로 혼란해지다; (생각·주의 따위가) 집중되지 않다, 산만해지다, 종잡을 수 없게 되다; (열 따위로) 헛소리를 하다 : Her mind often ~*s*. 그녀의 정신은 이따금 혼란해진다 / The old man ~*ed* in his talk. 그 노인은 종잡을 수 없는 이야기를 하였다. ④ (강·언덕 등이) 구불구불 흐르다(이어지다) : The river ~*s* through the jungle. 그 강은 정글 속을 구불구불 흐르고 있다. ── *vt.* …을 돌아다니다, 헤매다, 방황(방랑)하다. ── *n.* Ⓒ 유랑, 방랑, 어슬렁어슬렁 걸어다님. 파 *~·**er** [-dərər] *n.*

‡**wan·der·ing** [wándəriŋ / wɔ́n-] *a.* 〔限定的〕 ① 헤매는; 방랑하는; 굽이쳐 흐르는《강 따위》; 옆길로 새는. ② 두서 없는, 종잡을 수 없는.

W

— *n.* (종종 *pl.*) 산책, 방랑; (상궤) 일탈, 탈선; 혼란한 생각[말]. ㊞ ~·**ly** *ad.*

Wándering Jéw (the ~) 방랑하는 유대인 《형장으로 가는 예수를 모욕했기 때문에, 최후의 심판일까지 세계를 유랑할 벌을 받았다는 전설상의 인물》; (w- J-) 유랑인.

wan·der·lust [wάndərlʌ̀st / wɔ́n-] *n.* Ⓤ (또는 a ~) 《G.》 여행열(熱), 방랑벽(癖): have(a) ~ 방랑벽이 있다.

***wane** [wein] *vi.* ① (달이) 이지러지다. OPP *wax*². ② (밝기·힘·명성 등이) 약해지다, 쇠약해지다; 시기·권세 등의) 끝이 가까워지다: His influence has ~*d.* 그의 세력은 쇠했다 / Summer is *waning.* 여름이 끝나가고 있다. — *n.* (the ~) (달의) 이지러짐; 쇠미, 감퇴. ***on* [*in*] *the* ~** (달이) 이지러지기 시작하여; (빛·세력 따위가) 쇠퇴하기[기울기] 시작하여.

wan·gle [wǽŋgəl] 《口》 *vt.* 《~+목/+목+전+명》 ①…을 책략으로 손에 넣다, 교묘히 우려내다 《*out of*》; …을 속여서 [구슬러] …시키다[하게 하다]《*into*》: ~ ten pounds *out of* a person 아무에게서 10 파운드 우려내다 / They ~*d* him *into* confessing. 그들은 그를 구슬러 진실을 자백시켰다. ② [~ oneself 또는 ~ one's way 로] (어려움·난관 등을) 용케 빠져나가다, 뚫고 나가다 《*out of*》: He ~*d himself* [*his way*] *out of* the difficulty. 그는 난관을 용케 빠져나갔다. — *vi.* (곤경 따위에서) 빠져나가다《*from*》; 술책을 부리다, 속이다. — *n.* Ⓒ (책략·음모 따위로) 손에 넣음; 교활한 책략.

wan·na [wɔ́:nə, wάnə] 〔發音綴字〕 《美口》 want to; want a 《3인칭 단수형은 주어가 되지 못함》: I ~ go. 나는 가고 싶다.

†**want** [wɔ(:)nt, wɑnt] *vt.* ① **a)** …을 탐내다, 원하다, 갖고[손에 넣고] 싶어하다: We ~ a small house. 우리는 조그만 집을 원한다 / What do you ~? 무엇을 원하느냐; 무슨 볼일이냐. **b)** (아무)에게 볼일이 있다; (아무)를 용무로 부르다[찾다]; (경찰이) …을 찾고 있다; (고용자가) …을 구하고 있다: Tell him I ~ him. 그에게 용무가 있다고 말해 주게 / You are ~*ed* on the phone. 당신에게 전화입니다 / He *is* ~*ed by* the police. 그는 지명 수배 중에 있다《이 뜻으로 사용될 때에는 흔히 수동태임》/ *Wanted* a bookkeeper. 《광고》 경리원 모집. ② **a)** 《+*to* do / +목+*to* do》 …하고 싶다, …하기를 원하다; (아무가) …해 줄 것을 바라다, …해 주었으면 하다: I ~ *to* go there [*to* be rich]. 거기에 가고[부자가 되고] 싶다 / I ~ you *to* do it at once. 자네가 그것을 곧 해주기를 바라네 / What do you ~ me *to* do? 내게 무엇을 하라고 하는 거냐. **b)** 《~+목+*done* / +목+ -*ing* / +목+ (*to be*) 보》 …이 행하여지기를 (강하게) 바라다; [종종 否定文에서] …것을 바라다; …이 —일 것을 바라다: I ~ the work *done* at once. 그 일을 곧 끝내 주기 바란다 / I don't ~ those children ill-treated. 그 아이들이 학대받는 걸 바라지 않는다 / I don't ~ women meddl*ing* in my affairs. 나의 일에 여자들이 관여하는 것을 바라지 않는다 / I ~ everything (*to be*) ready by five o'clock. 5시까지 만반의 준비가 되어 있기를 바란다. ③ 《~+목 / + -*ing*》 …이 필요하다, …을 필요로 하다(need): Children ~ plenty of sleep. 어린이에게는 충분한 수면이 필요하다 / My shoes ~ mend*ing*. 내 구두는 수선할 필요가 있다《여기의 mending 은 동명사로 수동태적인 뜻을 가짐. 특히 《美》에서는 want 보다 need 를 흔히 사용함》. ④ 《+*to* do》 《英口》 …하지 않으면 안 되다, …하여야 한다(ought, must): You ~ *to* see a doctor at once. 곧 의사에게 보이도록 하여라 / You don't ~ *to* be rude. 무례해서는 안 된다. ⑤ 《~+목 / +목+전+명》 …이 없다, 빠져 있다; 부족하다: a statue ~*ing* the head 목 없는 상 / He ~*s* judgment. 그에게는 판단력이 부족하다 / It ~*s* 2 inches *of* 3 feet. 그것은 3 피트에서 2 인치 모자란다.

— *vi.* 《~ / +전+명》 ① 바라다, 원하다: We can stay home if you ~. 원하신다면 우리는 집에 있어도 좋습니다. ② 빠져 있다, 부족하다, 모자라다《*in*; *for*》: The leader ~*ed for* judgment. 그 지도자에게는 판단력이 부족하였다. ③ (…을) 필요로 하다《*for*》: If you ~ *for* anything, let him know. 무엇이든 필요한 것이 있으면 그에게 알려라. ④ 생활이 군색스럽다, 옹색하다: She would never allow her parents to ~. 그녀는 부모가 궁색한 것을 버려두지 않을 것이다 / Waste not, ~ not. 《속담》 낭비하지 않으면 옹색할 것도 없다. ~ ***for nothing*** 없는 것이 없다, 무엇하나 부족한 것이 없다. ~ ***in*** 《美口》 (1) 안[속]에 들어가고 싶어하다. (2) (사업 따위에) 참여하고 싶어하다. ~ ***out*** 《美口》 (1) 밖에 나가고 싶어하다. (2) (사업의 동업자들로부터) 몸을 빼고 싶어하다.

— *n.* ① Ⓤ 필요, 소용: I feel the ~ of money. 돈의 필요를 느낀다. ② Ⓒ (흔히 *pl.*) 필요로 하는 것, 원하는 것, 필요물; 욕구, 욕망: a man of few ~*s* 욕심이 적은 사람 / a long-felt ~ 오랫동안 원하고 있던 것 / satisfy a ~ of nature 자연의 욕구를 충족시키다《용변 따위》. ③ Ⓤ 결핍, 부족《*of*》. ④ Ⓤ 가난, 곤궁: live in ~ 가난한 생활을 하다 / *Want* is the mother of industry. 《格言》 빈궁은 근면의 어머니. ***for* [*from, through*] ~ *of*** …의 결핍 때문에, …의 부족으로(인해): *for* ~ *of* better explanation 달리 더 좋은 설명이 없기 때문에 / They have fallen ill *for* ~ *of* food. 그들은 식량 부족으로 인해 병이 났다. (***be***) ***in* ~ *of*** …이 없어서 곤란 받고 (있다), …을 필요로 (하다): The house *is in* ~ *of* repair. 그 집은 수리할 필요가 있다.

wánt àd 《美口》 (신문의) 구인[구직, 분실] 광고; 《口》 3 행 광고(란).

***want·ed** [wɔ́(:)ntid, wάnt-] WANT 의 과거·과거 분사. — *a.* ①〖廣告〗 …을 구함, …모집, 채용코자 함: *Wanted* a tutor. 가정 교사 구함. ② 지명 수배된: a ~ man (경찰의) 지명 수배자 / the ~ list 지명 수배 리스트.

***want·ing** [wɔ́(:)ntiŋ, wάnt-] *a.* 〔敍述的〕 ① 빠져 있는; 없는: A few pages are ~. 2, 3페이지가 빠져 있다. ② 부족한《*in*》; 목표[표준] 따위에 이르지 못한: She is ~ *in* judgment [politeness]. 그녀는 판단력이[예의가] 부족하다 / The applicant was interviewed and found (to be) ~. 그 지원자는 면접을 받았는데, 부적격(不適格)이라고 판정되었다.

— *prep.* …이 없는(without); …이 모자라는(minus): a book ~ a cover 표지가 없는 책 / a pound ~ two shillings, 2 실링이 부족한 1 파운드 / a month ~ three days, 3 일 모자라는 한 달.

***wan·ton** [wɔ́(:)ntən, wάn-] *a.* ① 터무니없는, 불합리한, 무리한, 이유 없는; 무자비한, 잔인한: an act of ~ aggression 여유없는 공격 행동 / the ~ destruction of a historic building 역사적 건조물의 무분별한 파괴. ② 변덕스러운, 제멋대로의; 까부는, 장난이 심한《아이 등》: in a ~ way 제멋대로 / a ~ child 장난이 심한 아이. ③ 바람난, 음탕한, 부정(不貞)한, 외설한: a ~ woman 바람난 여자. ④ (식물 따위가) 아무렇게나 마구 우거진, 무성한: a ~ growth of weeds 제멋대로

무성하게 자란 잡초.
— *n.* Ⓒ 바람둥이《특히 여자》; 장난꾸러기.
㊥ **~·ly** *ad.* **~·ness** *n.*

wap·i·ti [wάpəti / wɔ́p-] (*pl.* **~s,** 〔集合的〕 ~) *n.* Ⓒ 〖動〗 큰사슴(elk)《북아메리카산》.

†war [wɔːr] *n.* ① Ⓤ,Ⓒ 전쟁, 싸움, 교전〔전쟁〕 상태《주로 국가 사이의》: World *War* Ⅱ, 제 2차 세계 대전《Ⅱ는 two로 읽음》/~ and peace 전쟁과 평화 / an aggressive〔a defensive〕 ~ 침략〔방위〕 전쟁 / *War* often breaks out without warning. 전쟁은 종종 예고 없이 일어난다. ② Ⓤ 군사(軍事), 군무(軍務), 전술: the art of ~ 전술, 병법. ③ Ⓤ,Ⓒ 《比》 다툼, 싸움, 투쟁(conflict): a ~ of words 설전(舌戰), 논쟁 / the ~ against cancer 암과의 싸움 / the ~ on poverty 빈곤과의 싸움 / a trade ~ 무역 전쟁 / (a) class ~ 계급 투쟁. ④ Ⓤ 적의(敵意), 적대(敵對) 상태: There was ~ in her eyes. 그녀의 눈에는 적의가 있었다. ***be at*** ~ 교전 중이다; 불화하다《*with*》. ***carry the ~ into the enemy's camp*** 〔***country***〕 공세로 전환하다. ***declare ~ against*** 〔***on, upon***〕 …에 선전포고를 하다; (해악 따위)의 퇴치를 선언하다. ***go to*** ~ 개전하다; 무력에 호소하다《*against; with*》; 출정하다. ***have been in the ~s*** 《口·戱》 (사고 따위로) 부상을 입고 있다. ***make***〔***wage***〕 ~ ***on***〔***upon, against***〕 (국가·인플레·질병 따위)와 싸우다. ***prisoners of*** ~ 포로.
— (**-rr-**) *vi.* 《~/+전+명》 전쟁하다, 싸우다; 다투다《*with; against*》; (…을 얻기 위해) 다투다, 싸우다《*for*》: ~ *against* social evils 사회악과 싸우다 / ~ *for* supremacy 패권을 다투다.
— *a.* 〔限定的〕 전쟁의〔에 관한〕: a ~ widow 전쟁 미망인 / a ~ novel 전쟁소설 / a ~ zone 교전지역.

War. Warwick(shire).

wár bàby 전시에 태어난 아기; 《특히》 전쟁 사생아; 전쟁의 산물.

***war·ble** [wɔ́ːrbəl] *vi.* ① (새가) 지저귀다: The bird continued to ~. 새가 계속 지저귀고 있었다. ② (특히, 여성이) 목소리를 떨며 노래하다: She ~*d* as she worked. 그녀는 일을 할 때 흥겹게 노래불렀다. — *n.* (흔히 a ~) 지저귐; 떨리는 목소리; 노래.

war·bler [wɔ́ːrblər] *n.* Ⓒ 지저귀는 새; 목청을 떨며 노래하는 사람; 가수.

war·bon·net [⌐bὰnit / -bɔ̀nit] *n.* Ⓒ (새 깃털로 장식한 아메리카 인디언의 예장용) 전투모.

wár brìde 전쟁 신부《출정하는 군인의 신부; 점령군의 현지처》.

wár chèst 군자금, 운동〔활동〕 자금.

wár clòud (흔히 *pl.*) 전운(戰雲): *War clouds* are gathering in the Middle East. 중동(中東)에 전운이 감돌고 있다.

wár correspòndent 종군 기자.

wár crìme (흔히 ~s) 전쟁 범죄.

wár crìminal 전쟁 범죄인, 전범.

wár crỳ ① (공격·돌격시의) 함성. ② (정당·캠페인 따위의) 슬로건, 선전 구호.

‡ward [wɔːrd] *n.* ① Ⓒ 〖法〗 피보호자; 피후견인 (=⌐ **of cóurt**)《미성년자·금치산자 등》; 피감시자. ② Ⓒ 병실, 병동; (교도소의) 감방: a maternity ~ 산과 병동 / an isolation ~ 격리 병동 / a surgical ~ 외과 병동 / a condemned ~ 사형수 감방. ③ Ⓒ (도시 행정 구획으로서의) 구(區); 선거구: the headman of a ~ 구(區)의 장(長). cf. district.
— *vt.* (위협·타격)을 받아 넘기다, 막다, 피하다 《*off*》: ~ *off* a blow 펀치를 피하다.

-ward *suf.* '…쪽의〔으로〕'의 뜻의 형용사·부사를 만듦: bed*ward* 침대쪽의〔으로〕 《★ *ad.*의 경우 《英》에서는 흔히 -wards를, 《美》에서는 주로 -ward를 씀》.

wár dàmage 전화(戰禍), 전재(戰災).

wár dànce (원시 민족의) 출진〔전승〕의 춤.

***war·den** [wɔ́ːrdn] *n.* Ⓒ ① 관리자, 감독관, 감시인; 《美》 교도소장. ② (각종 관공서의) 장(長), 소장. ③ 《英》 학장.

ward·er [wɔ́ːrdər] (*fem.* ***wárd·ress***) *n.* Ⓒ 《美》 지키는 사람, 감시인, 관리자, 수위; 《英》 (교도소의) 교도관(官).

***ward·robe** [wɔ́ːrdròub] *n.* ① Ⓒ 옷〔양복〕장: a built-in ~ 붙박이 장. ② 〔集合的〕 (개인·극단이 갖고 있는) 의류(전체), 무대 의상: my spring ~ 내 봄옷 / have a large 〔small〕 ~ 옷을 많이〔조금〕 갖고 있다.

wárdrobe trùnk 의상용 대형 트렁크《옷장 겸용》.

***ward·room** [wɔ́ːrdrù(ː)m] *n.* Ⓒ 〖海〗 (군함의) 상급 사관실; 〔集合的〕 상급 사관. cf. gun room.

-wards *suf.* 《英》 '…쪽으로'의 뜻: down*wards*, sky*wards*. ⇨ -WARD.

ward·ship [wɔ́ːrdʃìp] *n.* Ⓤ 후견받는 미성년자의 신분〔지위〕, 피후견; 후견(권). ***be under the ~ of*** …의 후견을 받고 있다. ***have the ~ of*** …을 후견〔보호〕하고 있다.

‡ware [wɛər] *n.* ① (*pl.*) 《흔히 文語》 상품, 판매품. cf. goods, merchandise. ¶ a peddler selling his ~*s* 물건을 팔고 다니는 행상인. ② Ⓤ 〔集合的; 흔히 複合語〕 **a)** 〔재료·용도를 나타내는 명사에 붙여〕 …제품, …기(器), …물(物): earthen*ware* 도자기 / hard*ware* 철물 / silver*ware* 은제품 / table*ware* 식탁 용품. **b)** 〔생산지명을 붙여서〕 도(자)기(pottery): delft*ware* ~ 델프산 도자기. ***praise*** one***'s own ~s*** 자화 자찬하다.

‡ware·house [wɛ́ərhàus] *n.* Ⓒ ① 창고, 저장소. ② 《英》 도매 상점, 큰 가게. — [-hàuz, -hàus] *vt.* …을 창고에 넣다; 보세 창고에 맡기다.

ware·house·man [wɛ́ərhàusmən] (*pl.* ***-men***) *n.* Ⓒ 창고업자, 창고계원.

wárehouse recèipt 《美》 창고 증권.

‡war·fare [wɔ́ːrfɛ̀ər] *n.* Ⓤ 전투(행위), 교전(상태); 전쟁(war); 투쟁: chemical 〔guerrilla〕 ~ 화학〔게릴라〕전 / economic ~ 경제 전쟁.

wár gàme 도상(圖上) 작전; (종종 *pl.*) (실제의) 기동 훈련; 〖컴〗 전쟁놀이.

wár gòd 군신《로마 신화의 Mars 따위》.

wár gràve 전몰자의 묘(墓).

war·head [wɔ́ːrhèd] *n.* Ⓒ (어뢰·미사일 등의) 탄두: nuclear ~ 핵탄두.

war-horse [wɔ́ːrhɔ̀ːrs] *n.* Ⓒ 군마; (종종 old ~) 《口》 노병; (정계 따위의) 노련가, 베테랑; 《口》 (자주 상연하여) 식상이 된 작품《극·곡 따위》.

war·i·ly [wɛ́ərili] *ad.* 방심하지 않고, 주의 깊게.

war·i·ness [wɛ́ərinis] *n.* Ⓤ 신중함; 경계심; 조심, 주의. ◇ wary *a.*

***war·like** [wɔ́ːrlàik] *a.* ① 전쟁의, 전쟁을 위한, 전쟁에 관한, 군사(상)의: ~ actions 군사 행동 / ~ preparations 군비, 전쟁준비. ② 호전적인, 도전적인: a ~ tribe 호전적인 부족.

wár lòan 《英》 전시 공채.

war·lord [⌐lɔ̀ːrd] *n.* Ⓒ 《文語》 장군, 군사령관; (특정지역의 통치권을 가진) 군 지도자, 군벌(軍閥), (중국 군벌 시대의) 독군(督軍), 독판(督辦).

†warm [wɔːrm] (⌐**·er;** ⌐**·est**) *a.* ① 따뜻한, 온난한; 더운: ~ climate 〔countries, weather, days) 따뜻한 기후〔나라, 날씨, 날〕/ ~ water 더운 물 / a ~ sweater 따스한 스웨터 / It's getting ~*er* day by day. 하루가 다르게 날씨가 따뜻해지고 있다. ② (몸이) 화끈거리는, 더워지는: ~ exercise 몸이 더워지는 운동 / be ~ from walking 걸어서 몸이 화끈거리다. ③ (마음씨·태도 따위가) 다정스러운, 따뜻한, 인정이 있는, 진심이 담긴: a ~ welcome 따뜻한 환영 / a ~ heart 다정한 마음 / ~ thanks 마음에서 우러나는 감사. ④ 열렬한, 열심인: a ~ supporter 열렬한 지지자. ⑤ 열광적인, 흥분한; 활발한, 격렬한: a ~ debate (dispute) 격론 / a ~ temper 발끈하는 급한 성미. ⑥ (색이) 따뜻한 느낌의, 따뜻한 색 계통의; (소리가) 부드러운, 듣기 좋은: a ~ color 따뜻한 느낌의 색, 난색(暖色). ⑦《英口》유복한, 주머니가 두둑한. ⑧ (냄새 따위가) 강한;〖獵〗(짐승 냄새·자국이) 아직 생생한. ⑨ 도발적인, 선정적인: ~ descriptions 선정적인 기사〔묘사〕. ⑩《口》(숨바꼭질에서) 숨은 사람 쪽으로 가까이 간; (퀴즈 따위에서) 정답에 가까워진, 맞출 것 같은. ⑪《口》힘이 드는, 괴로운;《口》(환경 따위가) 불쾌한, 기분 나쁜: a ~ corner 격전지 / ~ work 힘이 드는 일. ***get*** ~ (1) 따뜻해지다; 더워지다. (2) 열중하다. (3) 찾고 있는 것〔정답〕에 접근하다. ***grow*** ~ 흥분하다. ***keep*** one***self*** ~ 옷을 입어 몸을 따뜻하게 하다. ***keep*** ~ 식지 않도록 하다. ***make it*** 〔***a place, things***〕 (***too***) ~ ***for*** a person 아무를 배겨낼 수 없게 하다.

— *vt.* ①《~+目 / +目+副 / +目+前+名》…을 따뜻하게 하다, (찬 것)을 데우다, 녹이다《*up*》: ~ (*up*) a room 〔one's hand〕 방〔손〕을 따뜻하게 하다 / Please ~ (*up*) this milk. 이 우유를 데워 주시오 / ~ oneself *at* the stove 난로에 몸을 녹이다. ② …의 마음을 따뜻〔흐뭇〕하게 하다, 힘을 내게 하다: The sight of the children ~*s* my heart. 아이들을 보면 마음이 흐뭇해진다. ③ …을 흥분시키다, 열중하게 하다《*up*》; 격노케 하다: The wine soon ~*ed* the company. 술이 들어가니까 자리는 대번에 활기가 돋았다.

— *vi.* ①《~ / +副》따뜻해지다, 데워지다: The milk is ~*ing up* on the stove. 우유가 난로 위에서 데워지고 있다. ②《~ / +副 / +前+名》…에 흥분하다, 열중하다《*to*》: She ~*ed* as she spoke. 그녀는 이야기하는 동안에 흥분하였다 / He ~*ed* *to* his work. 일에 열중하였다. ③《~ / +前+名》…에 흥미를 가지게 되다; …에 호의를〔동정을〕 기울이게 되다《*to*; *toward*》: My heart ~*s* *to* him. 나는 그에게 호감이 간다 / We began to ~ *to* our studies. 우리는 연구에 흥미를 가지기 시작했다. ~ ***over*** 《美》 다시 데우다;《比》(의론 따위)를 다시 되풀이하다; (작품·디자인 따위)를 좀 고쳐 재탕하다. ~ ***up*** (1) 더워지다, 데우다. (2) (관객)의 분위기를 돋우다, (파티 따위)를 활기 띠게 하다: ~ *up* an audience *with* a few jokes 몇 마디 농담으로 관객의 기분을 돋우다. (3) (경기 전에) 가벼운 준비 운동을 하다, 워밍업하다: He is ~*ing up* for the race. 그는 달리기의 준비 운동을 하고 있다. (4) (엔진 따위가) 작동할 수 있는 적온(適溫)의 상태가 되다〔되게 하다〕.

— *n.* ① (흔히 a ~) 따뜻하게 하기; 데우기, 따뜻해지기: Come near the fire and have *a* ~. 불가에 와서 몸을 녹여라. ② (흔히 the ~) 따뜻한 곳〔상태〕: Come into *the* ~. 따뜻한 곳으로 들어오너라.

warm-blood·ed [wɔ́ːrmblʌ́did] *a.* 〖動〗 (동물이) 온혈의, 상온(常溫)의;《比》열혈의, 격하기 쉬운, 열렬한(ardent). 파 ~·**ly** *ad.* ~·**ness** *n.*

wárm bòot 〖컴〗 다시 띄우기《컴퓨터를 완전 정지하지 않고 운영 체제를 다시 올려(load) 곧 쓸 수 있게 하기; 특히 프로그램 변경시 행함》.

warmed-o·ver [wɔ́ːrmdóuvər] *a.* 《美》 (식은 음식 따위를) 다시 데운;《比》(작품·강의 내용 따위가) 조금만 고친, 거의 재탕에 가까운, 신선미가 없는.

warmed-up [-ʌ́p] *a.* =WARMED-OVER.

wár memòrial 전쟁 기념비〔관〕; 전몰자 기념비〔관〕.

warm·er [wɔ́ːrmər] *n.* Ⓒ 따뜻하게 하는 사람〔물건〕; 온열기, 온열〔가열〕장치: a foot ~ 족온기(足溫器).

wárm frònt 〖氣〗 온난 전선. opp *cold front.*

warm-heart·ed [wɔ́ːrmhɑ́ːrtid] *a.* 마음씨가 따뜻한, 온정적인, 친절한.
파 ~·**ly** *ad.* ~·**ness** *n.*

warm·ing [wɔ́ːrmiŋ] *n.* ① Ⓤ 따뜻하게 하기, 따뜻해지기, 가온(加溫). ②《俗》채찍질.

warm·ish [wɔ́ːrmiʃ] *a.* 좀 따스한.

ː warm·ly [wɔ́ːrmli] (***more*** ~; ***most*** ~) *ad.* ① 따뜻이: You're not dressed ~ enough. 따뜻하게 옷을 입지 않았구나. ② 다정〔친절〕하게: receive a person ~ 아무를 친절하게 맞이하다. ③ 열심〔열렬〕히; 흥분하여: applaud ~ 열렬한 박수를 보내다.

war·mon·ger [wɔ́ːrmʌ̀ŋgər] *n.* Ⓒ 전쟁 도발자, 전쟁광(狂), 주전론자.
파 ~·**ing** *n.*, Ⓤ *a.* 전쟁 도발(의).

wárm restàrt 〖컴〗 다시 시동.

ː warmth [wɔːrmθ] *n.* Ⓤ ① 따뜻함; 온기, 따뜻한 기운: vital ~ 체온 / the ~ of the fire 불의 따뜻한 기운. ② 온정, 동정(심). ③ 열심, 열렬, 흥분, 격정, 열정: She's efficient at her job but she lacks ~. 그녀는 자기 일에 있어서는 유능하지만 열의가 부족하다. ④ (색의) 따스한 느낌. ***with*** ~ 동정하여; 흥분하여; 감격하여.

warm-up [wɔ́ːrmʌ̀p] *n.* Ⓒ ① (운동에서의) 준비 운동, 워밍업; (엔진·기계 따위의) 가동 전 적온(適溫) 유지하기, 예열(豫熱)하기. ② 일의 시초, 실마리; 사전 연습.

ː warn [wɔːrn] *vt.* ①《~+目 / +目+前+名 / +目+*that*節》(…에게) …을 경고하다; 주의를 주다: ~ a reckless driver 무모한 운전자에게 주의를 주다 / He ~*ed* me *of* their terrible plot. 그들에게 무서운 음모가 있음을 그는 나에게 알려주었다 / He ~*ed* me *that* I should not break the traffic rules. 그는 나에게 교통 규칙을 위반하지 말라고 경고했다. ②《+目+*to* do》(…에게) …할 것을〔하도록〕 경고〔주의〕하다: The teacher ~*ed* Nancy *to be* more punctual. 선생님은 낸시에게 좀더 시간을 지키라고 주의했다 / I ~*ed* her not *to* go there. 나는 그녀에게 거기에 가지 않도록 경고했다. ③《+目+前+名 / +目+*to* do》(경찰 따위)에 알리다, 통고하다《*of*》: ~ tenant *out of* a house 세든 사람에게 집의 명도를 통고하다 / ~ a person *to* appear in court 법정에 출두하도록 통고하다. — *vi.* 《~ / +前+名》경고를 주다, 경계하다《*of*》: ~ *of* danger 위험을 경고하다. ~ ***away*** 〔***off***〕 (아무에게) 접근하지 말라고 경고하다; (아무를) 경고해서 떠나게 하다.

ː warn·ing [wɔ́ːrniŋ] *n.* ① Ⓤ 경고, 경계, 주의; 훈계; Ⓒ 경보; 교훈: an air-raid ~ 공습 경보 / a written ~ 경고서 / a ~ not to drive fast 과속하지 말라는 경고〔주의〕. ② Ⓤ 《英》 통지;《古》(해고·사직 따위의) 예고, 통고: at a moment's ~ 즉시로 / give a month's ~, 1개월 전에 해고를〔사직을〕 예고하다. ③ Ⓒ 조짐, 징후: a storm ~ 폭풍우의 전조. ***give*** ~ 경고하다; 훈계하다;

W

《古》 예고하다. ***strike a note of*** ~ (***against***) (…에 대해) 경종을 울리다. ***without*** ~ 예고 없이, 갑자기.
— *a.* 〔限定的〕 경고의, 경계의 ; 훈계의, 교훈적인 : a ~ signal 위험 신호 / ~ coloration (동물의) 경계색. ㊞ **~·ly** *ad.*

wárning bèll 경종, 신호종.

wárning mèssage 〖컴〗 경고문《오류 가능성이 있는 상태의 검출을 나타내는》.

***warp** [wɔːrp] *vt.* ① (목재 등)을 휘게 하다, 뒤틀다, 구부리다. ② (마음·판단 따위)를 왜곡시키다 ; 비꼬이게〔비뚤어지게〕 하다 : ~ one's judgment 판단을 비뚤어지게 하다 / The newspaper ~*ed* his story. 그 신문은 그의 이야기를 왜곡해서 보도했다. ③〖海〗 (배)를 밧줄로 끌다. — *vi.* 뒤틀리다, 휘다, 뒤둥그러지다 ; (마음 따위가) 비뚤어지다, 앵돌아지다.
— *n.* ① (the ~) 〔集合的〕 (직물의) 날실. ⓒⓕ woof[1]. ② (흔히 a ~) 휨, 비뚤어짐, (목재 따위가) 뒤틀림 ; 마음이 비꼬임, 빙퉁그러짐. ③〖海〗 (배를 끄는) 밧줄. ~ ***and woof*** 기초(foundation, base). ㊞ **∠·age** *n.*

wár pàint ① (아메리카 인디언이) 출진할 때 얼굴·몸에 칠하는 그림 물감. ②《口》 성장(盛裝) ; 여성의 화장품.

war·path [wɔ́ːrpæ̀θ, -pɑ̀ːθ] *n.* Ⓒ (북아메리카 인디언의) 출정의 길, 정도(征途). 〔특히 다음 成로〕 ***on the*** ~ 싸우러 가려고 ; 불같이 노하여, 싸울 기세로.

war·plane [wɔ́ːrplèin] *n.* Ⓒ 군용기 ; 전투기.

wár pòwer 전쟁 수행 능력, 전력 ; (행정부의) 비상 대권.

‡**war·rant** [wɔ́(ː)rənt, wɑ́r-] *n.* ① Ⓤ 근거 ; 정당한〔충분한〕 이유 ; 권능(authority) : without ~ 정당한 이유 없이, 까닭없이 / with the ~ of a good conscience 정정당당히, 양심에 거리낄 것 없이 / You have no ~ to do that. 네게는 그런 일을 할 권한이 없다. ② Ⓒ 보증(이 되는 것) : I will be your ~. 내가 자네의 보증인이 되겠네. ③ Ⓒ (행위·권리 등을 보증하는) 증명(서), 인가서, 보증서 ; (체포 따위의) 영장, 소환장 ; 위임장 : a death ~ 사망 증명(서) / a search ~ 가택 수색 영장 / a ~ of arrest 체포 영장 / a ~ of attorney 소송 위임장 / a ~ of attachment 압류 영장.
— *vt.* ①《~+목 / +목+(*to be*)+보 / +(*that*) 절》…을 보증하다 ; 보장하다 : ~ the quality 품질을 보증하다 / Who can ~ it (*to be*) true? 그것이 사실이라고 누가 보증할 수 있느냐 / I ~ *that* the article is genuine. 나는 그 물건이 진짜임을 보증한다 / This cloth is ~*ed* (*to be*) pure wool. 이 천은 보증하는 순모(純毛)이다. ② …을 정당화하다, (행위 따위)의 정당한〔충분한〕 이유가 되다 ; 시인하다 : The crime ~*ed* a severe punishment. 그 범죄는 엄벌이 당연하다 / His failure doesn't ~ firing him. 실패했다고 해서 그를 해고하는 것은 정당하지 않다. ***I*** (***'ll***) ~ (***you***). 〔挿入的·附加的〕 확실히 …이다.

war·rant·a·ble [wɔ́(ː)rəntəbəl, wɑ́r-] *a.* 보증〔시인〕할 수 있는, 정당한. ㊞ **-bly** *ad.*

war·ran·tee [wɔ̀(ː)rəntíː, wɑ̀r-] *n.* Ⓒ〖法〗 피보증인.

war·rant·er [wɔ́(ː)rəntər, wɑ́r-] *n.* =WARRANTOR.

wárrant òfficer 〖軍〗 준사관(准士官), 준위.

war·ran·tor [wɔ́(ː)rəntɔ̀ːr, -tər, wɑ́r-] *n.* Ⓒ〖法〗 보증인, 담보인.

war·ran·ty [wɔ́(ː)rənti, wɑ́r-] *n.* ① Ⓒ〖法〗 담보(계약) ; (상품의 품질 따위의) 보증(서) : a one-year ~ *on* a radio 라디오의 1년간 보증서. ② Ⓤ (정당한) 근거〔이유〕《*for*》: What ~ do you have *for* searching my house? 어떤 법적 근거가 있어서 저희 집을 수색합니까.
under ~ 보증기간중에 있는 : The machine is still *under* ~. 그 기계는 아직도 보증기간 중에 있다.

war·ren [wɔ́(ː)rən, wɑ́r-] *n.* Ⓒ ① 양토장(養兎場) ; 토끼의 군서지(群棲地). ② 많은 사람이 복작거리며 살고 있는 지역〔건물〕.

war·ring [wɔ́ːriŋ] *a.* 서로 싸우는 ; 적대하는 ; 양립하지 않는《의견·신조 따위》.

‡**war·ri·or** [wɔ́(ː)riər, wɑ́r-] *n.* Ⓒ《文語》 전사(戰士), 무사 ; 역전의 용사 ; (정계 따위의) 투사.
the Unknown Warrior 무명 용사.

War·saw [wɔ́ːrsɔː] *n.* 바르샤바《Poland 의 수도 ; 폴란드어로는 Warszawa》.

‡**war·ship** [wɔ́ːrʃìp] *n.* Ⓒ 군함, 전함(war vessel).

wart [wɔːrt] *n.* Ⓒ 사마귀 ; (나무 줄기의) 혹, 옹두리. ***paint*** a person ***with*** his ~***s*** 아무의 모습을 있는 그대로 그리다. ~***s and all*** 〔부사적으로〕 결점도 있는 그대로 숨기지 않고, 남김없이 전부.

wart·hog [wɔ́ːrthɔ̀ːg, -hɑ̀g] *n.* Ⓒ〖動〗 흑멧돼지《아프리카산》.

war·time [wɔ́ːrtàim] *n.* Ⓤ, *a.* 전시(의). ⓞⓟⓟ *peacetime.* ¶ ~ rationing 전시의 배급(제도).

war-torn [wɔ́ːrtɔ̀ːrn] *a.* 전쟁으로 파괴된.

warty [wɔ́ːrti] (***wart·i·er*** ; ***-i·est***) *a.* 무사마귀가 있는 ; 무사마귀투성이의 ; 무사마귀 같은.

war-weary [wɔ́ːrwìəri] *a.* 전쟁으로 피폐한 ; 더는 못 쓰게 된《군용기》.

wár whòop (아메리카 인디언 등의) 함성.

War·wick [wɔ́(ː)rik, wɑ́r-] *n.* 워릭《잉글랜드 Warwickshire 주의 주도(州都)》.

War·wick·shire [wɔ́(ː)rikʃìər, wɑ́r-, -ʃər] *n.* 워릭셔《영국 중부의 주 ; 略 : War.》.

wár wìdow 전쟁 미망인.

wary** [wɛ́əri] (war·i·er*** ; ***-i·est***) *a.* ① **a**) (사람이) 조심성 있는, 주의 깊은, 신중한 : a ~ statesman 신중한 정치가. **b**) 〔敍述的〕 (…에) 주의 깊은, 방심하지 않은《*of*》: I was ~ *of* showing my intentions. 내 속마음을 나타내지 않도록 주의했다. ② (행동·관찰 등이) 신중한, 방심하지 않은 : keep a ~ eye on a person 아무를 방심하지 않고 지켜보다. ⓒⓕ cautious.

†**was** [wɑz, 弱 wəz / wɔz] BE 의 제1·3인칭 단수·직설법 과거.

†**wash** [wɑʃ, wɔ(ː)ʃ] *vt.* ①《~+목 / +목+보》 …을 씻다 ; 세탁하다 ; …을 씻어서 (…상태로) 하다 : ~ one's face 얼굴을 씻다 / The mother is ~*ing* her baby. 어머니는 아기를 씻어주고 있다 / *Wash* your car clean. 너의 차를 깨끗이 씻어라. ②《+목+부 / +목+전+명》 (더러움 따위)를 씻어내다《*off* ; *away* ; *out*》; 《比》 깨끗이 하다, 결백하게 하다 : ~ dirty marks *off* 더러운 얼룩을 씻어내다 / Prayer will ~ *away* your sins. 기도는 너의 죄를 깨끗이 씻어 줄 것이다 / *Wash* the dust *off* your face. 얼굴의 먼지를 씻어라. ③《~+목 / +목+전+명》 **a**) (파도 따위가) …에 밀려 오다, (해변·기슭)을 씻다 ; (바위 등)을 침식하다《*out* ; *away*》: The waves are ~*ing* the shore. 파도가 해안에 철썩철썩 밀려오고 있다 / The cliff is ~*ed by* the sea. 그 절벽은 바다에 철썩철썩 씻기고 있다 / The waves ~*ed* a tunnel *through* the rocks. 파도가 바위를 침식하여 터널을 팠다. **b**) (물로) …을 적시다, 축축하게 하다 : roses ~*ed* with dew 이슬에 젖은 장미꽃들. ④《+목+부》 (물결·흐름이) …을 떠내려 보내다, 휩쓸어 가다《*off* ; *out* ; *away*》: The bridge was

~ed away by the flood. 다리가 홍수로 인해 떠내려갔다. ⑤《+목+전+명》…에 엷게 입히다〔칠하다, 도금하다〕《*with*》: a wall *~ed with* white 흰 칠을 한 벽 / silver *~ed with* gold 금을 도금한 은. ⑥〖鑛山〗세광(洗鑛)하다. ⑦ (세제 따위가) …을 씻을 수 있다.

── *vi.* ① 얼굴(과 손)을 씻다; 목욕하다: ~ before one's meal 식사 전에 손(과 얼굴)을 씻다. ② 세탁하다: Jane spent the whole morning *~ing*. 제인은 오전 내내 빨래했다. ③《~/+부》(천이) 세탁이 잘 되다, 빨아도 줄지〔색이 날지〕않다: This clothes won't ~ (well). 이 천은 세탁이 (잘) 안 된다. ④《口·比》〔否定構文〕(이론·충성심 등이) 검증〔시련〕에 견디다, (말·변명 등이) …에게 통용되다, 받아들여지다: The story wo*n't* ~ with me. 그런 말은 내겐 안 통한다. ⑤《+부/+전+명》(파도가) 철썩철썩 밀려오다《*on; against*》: The water *~ed* gently *against* the boat. 잔잔한 물결이 배를 가볍게 철썩거렸다. ⑥《~/+부》(폭우 따위로) 쓸려 내려가다, 침식되다: The hillside has *~ed away*. 산자락이 비로 쓸려내려갔다. ⑦《+전+명》세광(洗鑛)하다: ~ *for* gold 세광(洗鑛)해서 금을 얻다.

~ *down* (1) (호스 따위로) 씻어 내리다: ~ *down* a car 세차하다. (2) (물 따위로 음식을) 넘기다: ~ *down* the sandwiches with milk 샌드위치를 우유를 마시며 넘기다. (3) (파도 따위가) 쓸어가 버리다. **~ *for a living*** 세탁업을 하다. **~ *out*** (*vt.*) (1) …의 때를 씻어내다. (2) (병 따위)의 속을 씻다, (입)을 가시다, 양치질하다. (3) (제방·다리 등을) 휩쓸어가다《비 따위가》. (4)〔흔히 受動으로〕(큰비 등이) (경기 따위를) 중지케 하다, '유산시키다'; (계획 등)을 엉망이 되게 하다; 낙제시키다. (5)《口》〔過去分詞 꼴로〕지쳐버리게 하다: I feel *~ed out*. 지쳐버리고 말았다. (6)《美俗》낙오〔실패, 낙제〕하다;〖美空軍〗비행훈련에 실격하다. **~ one*self*** 몸〔손, 얼굴〕을 씻다. **~ *over*** (1) (비난 따위가 아무에게) 별 영향이 없다, 들어 흘려 보내다. **~ *up*** (1)《美》세수하다. (2)《英》(식기 등을) 설거지하다. (3) (파도가 물건)을 바닷가에 밀어올리다. (4)〔흔히 受動으로〕실패하게 만들다, 망치다, 파국을 맞게 하다: After that performance he'*s* all *~ed up* as a singer. 그 공연 후, 그는 가수로서 완전히 끝장이 났다.

── *n.* ① (the ~) 세탁; (흔히 a ~) 씻기, 세정: have〔get〕*a* good ~ (손·얼굴을) 잘 씻다. ②〔集合的〕세탁물; (the ~) 세탁소: hang out *the* ~ on the line 빨래를 널다 / I have a large ~ today. 오늘은 빨래가 많다. ③ (the ~) 파도의 밀어닥침, 그 소리; 밀어닥치는 파도. ④ (the ~) 침전물; 흐르는 물에 운반되는 토사. ⑤ Ⓤ (강물 등에 의한) 침식; Ⓒ 물이 흘러 생긴 도랑. ⑥ Ⓒ,Ⓤ〔흔히 複合語〕세(척)제; 화장수;〖醫〗세정액, 희석액: a mouth ~ / an eye ~. ⑦ Ⓤ 물기가 많은〔멀건〕음식물. ⑧ Ⓤ 설거지 찌꺼기. ⑨ Ⓤ 엷게 입힌 도금; Ⓒ 엷은 칠; 애벌칠의 도료《페인트 등》: white ~ 백색 도료, 플라스터. ⑩ Ⓤ 세광(洗鑛) 원료. ⑪ (the ~) (배가 지나간 뒤의) 물결, 흰 파도; (비행기가 날 때 생기는) 기류. ***come out in the*** ~ (1) (나쁜 일 따위가) 드러나다. (2) 결국 잘 되다, 좋은 결과를 얻게 되다.

── *a.*《美》= WASHABLE.

Wash. Washington (State).

wash·a·ble [wáʃəbəl, wɔ́(:)ʃ-] *a.* 세탁할 수 있는, 세탁이 되는; (색 따위가) 빨아도 날지 않는.

wash-and-wear [wáʃənwέər, wɔ́(:)ʃ-] *a.* 빨아서 (다리지 않고) 곧 입을 수 있는.

wash·ba·sin [-bèisn] *n.* Ⓒ 세면기, 세면대.

wash·board [-bɔ̀:rd] *n.* Ⓒ 빨래판.

wash·bowl [-bòul] *n.* = WASHBASIN.

wash·cloth [-klɔ̀(:)θ, -klɑ̀θ] *n.* Ⓒ《美》세수〔목욕용〕수건(facecloth).

wash·day [-dèi] *n.* Ⓤ,Ⓒ (가정의) 세탁일.

wásh dràwing 단색(單色) 담채(淡彩)풍의 수채(화).

washed-out [wáʃtáut, wɔ́(:)ʃt-] *a.* ① 빨아서 색이 바랜, 퇴색한; 색이 선명하지 않은. ②《口》몹시 지친, 기운 없는; 안색이 나쁜, 창백한(wan): be〔look〕~ 지쳐 있다〔보이다〕.

washed-up [-ʌ́p] *a.* ① 깨끗이 씻은. ②《口》(사람·사업 따위가) 완전히 결딴이 난; 완전히 실패한.

***wash·er** [wáʃər, wɔ́(:)ʃ-] *n.* Ⓒ ① 세탁기; 세척기; 세광기. ② 씻는〔빨래하는〕사람. ③〖機〗(볼트의) 와셔, 따리쇠. ④《美俗》술집;《英俗》동전;《Austral.》세수 수건.

wash·er-dry·er [-dràiər] *n.* Ⓒ 탈수기가 딸린 세탁기.

wash·er·wom·an [-wùmən] (*pl.* ***-wom·en***) *n.* Ⓒ (직업적인) 세탁부(laundress).

wash·house [-hàus] *n.* Ⓒ 세탁장; 세탁소.

***wash·ing** [wáʃiŋ, wɔ́(:)ʃ-] *n.* Ⓤ,Ⓒ ① 빨기, 씻기, 세탁: do a lot of ~ 많은 세탁을 하다. ②〔集合的〕세탁물《주로 의류》: I have a lot of ~ to do today. 오늘은 세탁물이 많다. ③ (때로 *pl.*) 세광하여 채취한 사금.

wáshing dày = WASHDAY.

wáshing machìne 세탁기.

wáshing pòwder 분말 (합성) 세제, 가루 비누.

wáshing sòda 세탁용 소다.

†**Wash·ing·ton** [wáʃiŋtən, wɔ́(:)ʃ-] *n.* ① 워싱턴(시)《미국의 수도》. ★ Washington 주와 구별하기 위해 보통 Washington, D. C.라 함. ② 미국 정부. ③ 워싱턴 주(= the ~ State)《주도: Olympia; 略: Wash.,〖美郵〗WA》. ④ **George** ~ 워싱턴《미국 초대 대통령; 1732-99》.

Wash·ing·to·ni·an [wàʃiŋtóuniən, wɔ̀(:)ʃ-] *a.* 워싱턴(주민)의, 워싱턴 주〔시〕(출신)의. ── *n.* Ⓒ 워싱턴 주민(州民)〔시민〕.

Wáshington's Bírthday 워싱턴 탄생 기념일《미국의 많은 주에서 법정 공휴일》.

Wáshington Státe (the ~) 워싱턴 주(州)《특히 Washington, D.C.와 구별하여; 略: Wash.,〖美郵〗WA》.

wash·ing-up [wáʃiŋʌ̀p, wɔ́(:)ʃ-] *n.* Ⓤ《英》① 설거지. ②〔集合的〕음식찌꺼기가 묻어 있는 식기.

wash·out [wáʃàut, wɔ́(:)ʃ-] *n.* ① Ⓤ (도로·교량 따위의) 유실, 붕괴; Ⓒ (그 결과로 인해) 붕괴〔침식〕된 곳. ② Ⓤ〖醫〗(장(腸)·방광의) 세척. ③ Ⓒ《口》대실패, 기대의 어긋남: The party was a complete ~. 파티는 완전한 실패였다. ④ Ⓒ《口》실패자, 낙오자, 낙제생.

wash·rag [-ræ̀g] *n.*《美》= WASHCLOTH.

wash·room [-rù(:)m] *n.* Ⓒ《美》세면소, 화장실: (염색 공장의) 세척장.

wash·stand [-stæ̀nd] *n.* Ⓒ 세면대.

wash·tub [-tʌ̀b] *n.* Ⓒ 세탁용 대야, 빨래통.

wash·up [-ʌ̀p] *n.* Ⓤ,Ⓒ 씻음, 씻는 곳; 세면(장); 세광(洗鑛)(장).

wash·wom·an [-wùmən] (*pl.* ***-wom·en***) *n.* = WASHERWOMAN.

washy [wáʃi, wɔ́(:)ʃi] (***wash·i·er; -i·est***) *a.* ① 물기가 많은, 묽은, 물을 탄: ~ tea. ② (색깔이) 엷은, 연한. ③ (문체·성격·사상·표현 등이) 힘이 없는, 박력이 없는, 약한.

W

㊞ **wásh·i·ly** *ad.* **-i·ness** *n.*

†**wasn't** [wáznt, wʌ́z- / wɔ́z-] was not의 간약형.

WASP, Wasp (*pl.* **~s, WASP's**) *n.* Ⓒ 《美》《종종 蔑》 와스프《앵글로색슨계 백인 신교도; 미국의 지배적인 특권 계급을 형성》. [◂ *W*hite *A*nglo-*S*axon *P*rotestant]

***wasp** [wɑsp, wɔ(:)sp] *n.* Ⓒ ①〚蟲〛장수말벌, 나나니벌: a ~ waist (여자의) 가는 허리. ②《比》성 잘내는〔까다로운〕 사람.

wasp·ish [wáspiʃ, wɔ́(:)sp-] *a.* (특히 행동이) 말벌 같은; (사소한 무례에) 곧 화내는, 성마른; (말·태도 등이) 쏘는 듯한; =WASP-WAISTED.

wasp-waist·ed [wáspwèistid, wɔ́(:)sp-] *a.* 허리가 가는.

***wast** [wɑst, 弱 wəst / wɔst] 《古》 BE의 2인칭 단수·직설법 과거《주어가 thou일 때》.

wast·age [wéistidʒ] *n.* ① Ⓤ (또는 a ~) 소모, 손모(損耗); 낭비; 소모액〔량〕. ② Ⓤ,Ⓒ 폐물, 폐품.

‡**waste** [weist] *vt.* ① 《~+목/+목+전+명/+목+*-ing*》…을 헛되이 하다, 낭비하다: ~ (one's) money 돈을 허비하다 / ~ time *on* 〔*over,* (*in*) do*ing*〕 trifles 쓸데없는 일에 시간을 낭비하다 / We should not ~ *our* time watch*ing* television. TV를 보면서 시간을 낭비해서는 안 된다. ② (좋은 기회 따위)를 놓치다: ~ a good opportunity. ③〔종종 受動으로〕(국토 따위)를 황폐케 하다: a country ~*d* by war 전란으로 황폐된 나라. ④〔종종 受動으로〕(질병 따위가 체력)을 쇠약하게 하다, 소모시키다: get ~*d* from 〔by〕 disease 병으로 쇠약해지다 / He had *been* ~*d* by his long illness. 그는 오랜 병으로 쇠약해졌다. ⑤〚法〛(가옥 등)을 손상〔훼손〕하다. ⑥《美俗》늘씬하게 패주다, 죽이다. — *vi.* ① 《~/+부》 (사람·체력이) 쇠약해지다, 약화되다《*away*》; 소모하다, 마손되다: He ~*d away* through illness. 그는 병으로 쇠약해졌다 / A candle ~*s* in burning. 양초가 불을 밝히며 소모된다. ② 낭비되다, 헛되이 되다: Don't let your talent ~. 재능을 헛되게 하지 마라. **~ *away*** 야위고 쇠약해지다. **~ *one's breath*** 쓸데없는 말을 하다.

— *n.* ① Ⓤ (또는 a ~) 낭비, 허비: It's (*a*) ~ of time to argue further. 이 이상 토론하는 것은 시간의 낭비다 / Haste makes ~. 《俗談》 서두르면 무리가 생긴다. ② Ⓤ (종종 *pl.*) 폐물, 쓰레기, (산업) 폐기물; (*pl.*) 배설물. ③ Ⓒ 황무지, 불모(不毛)의 땅; 사막; 광막한 지역〔수면〕: the *Wastes* of the Sahara 사하라 사막 / a ~ of waters 광막한 바다. ④ Ⓒ (전쟁·화재 등에 의한) 황폐(지); 폐허; 〚法〛(토지·건물의) 훼손. ⑤ Ⓤ 쇠퇴, 쇠약, 소모. ***run* 〔*go*〕 *to* ~** 폐물이 되다; 낭비〔헛되이〕 되다.

— *a.* 〔限定的〕 ① 폐물의, 쓸모없는; 내버려진; 나머지의, 여분의: ~ gas 배기가스 / ~ water 폐수 / ~ products (생산 과정에서 나오는) 폐품 / ~ matter (동물의) 노폐물 / a ~ can 빈 깡통. ② 황폐한, 불모의, 경작되지 않은, 황량한, 인기척 없는: ~ land 황무지. ***lay*** ~ (토지 따위)를 황폐케 하다: War *laid* ~ (to) the country. 전쟁으로 그 나라는 황폐해졌다. ***lie*** ~ (토지가 경작되지 않고) 놀고 있다; 황폐해져 있다.

***waste·bas·ket** [wéistbæ̀skit, -bɑ̀:s-] *n.* Ⓒ 《美》 휴지통(wastepaper basket).

wast·ed [wéistid] *a.* ① 황폐한; 쇠약한; 소용이 안 된, 헛된《노력》: ~ efforts 헛된 노력. ② 《美俗》 살해된; (정신적·육체적으로) 지쳐 있는; 마약〔알코올〕에 취한, 마약 중독의.

wáste dispòsal 폐기 처분, 폐물 처리.

waste·ful** [wéistfəl] (more*** ~; ***most*** ~) *a.* ① 헛된, 허비의, 비경제적인, 낭비적인: ~ methods 비경제적 방법. ②〔敍述的〕낭비하는, 헛되게 쓰는: He's ~ *with* his money. 그는 돈을 낭비한다. ③ 황폐시키는, 파괴적인.

㊞ **~·ly** *ad.* **~·ness** *n.*

wáste hèat 폐열, 여열(餘熱).

waste·land [wéistlæ̀nd] *n.* Ⓒ,Ⓤ (미개간의) 황무지, 불모의 땅; (정신적·정서적·문화적으로) 불모의〔황폐한〕 지역〔시대, 생활 등〕.

waste·pa·per [wéistpèipər] *n.* Ⓤ 휴지, 헌종이; 〔흔히 waste paper〕〚製本〛면지(end paper).

wástepaper bàsket 〔《英》 **bìn**〕 =WASTEBASKET.

wáste pìpe 배수관.

wáste pròduct (생산 과정에서 나오는) 폐기물; (흔히 *pl.*) (몸의) 노폐〔배설〕물.

wast·er [wéistər] *n.* Ⓒ 낭비가; (연료 따위를) 낭비하는 것; 《口》 불량배, 변변치 못한 사람; 파괴자; (제품의) 흠있는 물건, 파치; 《美俗》 살인자, 총.

wáste ùnit 쓰레기 처리 공장(waste disposal plant).

waste·wa·ter [wéistwɔ̀:tər] *n.* Ⓤ (공장) 폐수, 폐액, 하수: ~ treating 폐수 처리.

wast·ing [wéistiŋ] *a.* 〔限定的〕 황폐하게 하는, 파괴적인; 소모성의, 소모시키는: a ~ war 파괴적인 전쟁 / a ~ disease 소모성 질환.

wast·rel [wéistrəl] *n.* Ⓒ 《文語》 낭비자; 불량배, 부랑아; (제품의) 파물, 파치.

†**watch** [wɑtʃ, wɔ:tʃ] *vt.* 《~+목/+목+*do*/+목+*-ing*/+*wh.*절》 ① …을 지켜보다, 주시하다; 관전〔구경〕하다: ~ TV 〔baseball, a game〕 텔레비전을〔야구를, 경기를〕 보다 / ~ the shadow of a cloud *pass* 〔pass*ing*〕 over the water 수면위로 구름의 그림자가 지나는 〔지나가고 있는〕 것을 지켜보다 / *Watch what* he is doing. 그 사람이 하는 것을 잘 보아라 / *Watch how* to do this. 이것을 어떻게 하는가를 주시해라 / I learned by ~*ing* someone do it. 남이 그것을 하는 것을 보고 익혔다. ② (적 따위)를 망보다, 경계하다; 감시하다: I did not know that I was being ~*ed.* 나는 내가 감시당하고 있다는 것을 몰랐다. ③ (가축·물건 따위)를 지키다; (아무의) 간호를 하다, 돌보다: Please ~ this luggage while I am away. 내가 없는 동안 이 짐을 봐주시오 / ~ a patient carefully 환자를 조심해서 간병하다. ④《口》…에 신경을 쓰다, 조심하다, 주의하다: ~ one's language 말에 신경을 쓰다 / *Watch* yourself! 언동에 조심해라 / ~ one's calories (식사의) 칼로리에 신경을 쓰다. ⑤ (기회 따위)를 기다리다, 엿보다: ~ one's opportunity〔time〕 기회를 기다리다 / A ~*ed* pot never boils. 《俗談》 기대하며 기다리는 동안은 길게 느껴진다.

— *vi.* 《~/+전+명》 ① 지켜보다, 주의하여 보다, 주시〔관찰〕하다; 구경〔방관〕하다: *Watch for* a signal. 신호를 지켜봐라 / I ~*ed* as he walked away. 그가 물러가는 것을 나는 살펴보았다. ② 망보다, 감시하다; 조심하다, 경계하다《*for*》: He ~*ed for* thieves. 도둑을 망보고 있었다. ③ 대기하다, 출현에 주의하다《*for*》: The doctor told her to ~ *for* symptoms of measles. 의사는 그녀에게 홍역의 징후가 나타나는가 주의해 보라고 말했다. ④ 불침번을 서다, 잠자지 않고 간호하다. ***Watch it!*** 《口》 조심해라, 주의해라, 위험하다. **~ *out*** 《口》 망보다, 경계하다《*for*》; (위험 등을) 조심하다, 주의하다《*for*》: *Watch out!* 위험해; 조심해라. **~ *out for*** …을 망보다, 경계하다, …에 조심〔주의〕하다. **~ *over*** . . . …을 감시하다; …

W

을 호위하다; …을 돌보아주다. ~ one's **step** 발밑을 조심하다; 《口》 조심하다.

— *n.* ① Ⓤ (또는 a ~) 조심, 경계, 망보기, 감시: Keep *a* good ~ over〔on〕 the man. 저 사나이를 잘 감시해라 / be under continuous ~ 끊임 없는 감시하에 있다. ② Ⓒ 손목 시계, 회중 시계《탁상 시계인 clock에 대해》: a wrist ~ 손목 시계. ③ Ⓤ 《옛투》 불침번; 밤샘(wake); 자지 않는 기간. ④ (종종 the ~) 〔集合的〕 〖史〗 파수꾼, 망보는 사람; 야경꾼. cf. watchman. ¶ place a ~ 파수꾼을 두다. ⑤ Ⓒ 〖史〗 밤을 4구분한 것의 하나, (*pl.*) 야간. ⑥ Ⓤ 〖海〗 4 시간 교대의 당직〔근무〕. ***be off*** ~ 비번이다. ***be on the*** ~ ***for*** …을 조심〔경계〕하고 있다; 대기하고 있다. ***be on*** ~ 당직이다. ***keep*** ~ ***for*** …을 주의해서 기다리다, …을 대기하고 있다.

wátch and wárd 《文語》 방심 없는 철저한 감시〔경계〕; 부단의 경계.

watch·band [-bæ̀nd] *n.* Ⓒ 손목시계줄.

wátch bòx 망보는 막사; 초소.

watch·case [-kèis] *n.* Ⓒ 회중 시계의 딱지.

wátch chàin 회중 시계의 쇠줄.

wátch crỳstal 《美》 손목〔회중〕시계의 유리.

watch·dog [wátʃdɔ̀(:)g, wɔ́:tʃ-, -dàg] *n.* Ⓒ 집 지키는 개; (충실한) 감시인; 〔形容詞的〕 감시의: a ~ committee 감시 위원회.

watch·er [wátʃər, wɔ́:tʃ-] *n.* Ⓒ 지키는 사람; 망꾼, 당직자; 간호인; 주시자, 관측자, (정치·정세 따위의) 관측가, …(문제) 전문가《흔히, 국명 따위 뒤에 쓰임》; 《美》 선거 참관인《투표소의》: industry ~ 산업 문제 연구가.

watch·ful** [wátʃfəl, wɔ́:tʃ-] (more*** ~; ***most*** ~) *a.* 조심스러운, 주의 깊은, 방심하지 않는, 경계하는《*against*; *for*; *of*》.

㊐ **~·ly** [-fəli] *ad.* **~·ness** *n.*

wátch hànd 손목〔회중〕 시계의 바늘.

watch·house [-hàus] *n.* Ⓒ 파수막, 초소.

***watch·mak·er** [-mèikər] *n.* Ⓒ 시계 제조인〔수리인〕.

watch·mak·ing [-mèikiŋ] *n.* Ⓤ 시계 제조〔수리〕(업).

watch·man** [-mən] (*pl.* ***-men) *n.* Ⓒ (건물 따위의) 야경(夜警), 경비원; 〖史〗 순라군.

wátch nìght 제석(除夕), 섣달 그믐날 밤.

wátch òfficer (군함의) 당직 사관; (상선의) 당직 항해사.

wátch pòcket 회중 시계용 주머니《조끼·바지 등의》.

watch·strap [-stræ̀p] *n.* Ⓒ 손목 시계줄〔밴드〕.

watch·tow·er [-tàuər] *n.* Ⓒ 망루, 감시탑.

watch·word [-wə̀:rd] *n.* Ⓒ (정당 따위의) 표어, 슬로건; (보초병 등이 쓰는) 암호: Safety is our ~. 안전이 우리들의 슬로건이다.

†**wa·ter** [wɔ́:tər, wát-] *n.* ① Ⓤ 물: cold ~ 냉수(冷水) / boiling ~ 끓는 물 / whisky and ~ 물 탄 위스키. ② (종종 *pl.*) 넘칠 듯한 많은 물, 바다, 호수, 강; 유수, 파도, 조수; (*pl.*) 홍수: Still ~*s* run deep. 《俗談》 잔잔한 물이 깊다《잘난 사람은 재주를 자랑하지 않는다》/ the blue ~*s* of the Pacific 태평양의 푸른 바다. ③ (*pl.*)《文語》 바다: cross *the* ~*s* 바다를 건너다 / rough ~*s* 거친 바다. ④ (*pl.*) 근해, 영해; 수역, 해역: in Korean ~*s* 한국 근해에서 / in ~*s* under the direct control of …의 전관수역에서. ⑤ Ⓤ 〔複合語로〕 …수(水); 화장수; 《古》 증류주: soda ~ 탄산수 / an expensive toilet ~ 값비싼 화장수. ⑥ Ⓤ 수위, 수심; 수면; 흘수(吃水): a ship drawing 20 feet ~ 흘수 20피트의 배 / on the ~ 수면에 / above〔below〕 (the) ~ 수면위〔아래〕/ ⇨ HIGH〔LOW〕 WATER. ⑦ **a**) Ⓤ,Ⓒ 분비물, 눈물, 땀, 오줌, 침: hold one's ~ 소변을 참다. **b**) (흔히 the ~(s)) 양수(羊水). ⑧ Ⓤ 물약, 용액; (종종 the ~s) 광천수, 온천: ⇨ LAVENDER WATER. ⑨ Ⓒ (금속·직물의) 물결 무늬. ⑩ Ⓤ (보석 특히 다이아몬드의) 품질; 〔一般的〕 품질, 등급: first ~ 최고급. ⑪ Ⓤ 〖經〗 (주식의) 물타기《실질 자산을 수반하지 않는 주식의 증발(增發)에 의한》. ⑫ Ⓒ 수채화: oils and ~*s* 유화와 수채화.

above ~ (1) 수면 위로 고개가 나와. (2) (경제적) 위기를 면하여. ***break*** ~ 물 위로 떠오르다《물고기·잠수함 따위가》. ***by*** ~ 수로로, 배로. ***deep*** ~***(s)*** 심해, 원해(遠海); 《比》 위험, 곤란: in *deep* ~*(s)* 매우 곤란하여. ***fresh*** ~ 민물, 담수. ***get into*** 〔***be in***〕 ***hot*** ~ 곤경에 빠지다〔처해 있다〕. ***hard*** 〔***soft***〕 ~ 경수〔연수〕. ***hold*** ~ (1) (용기 따위가) 물이 새지 않다. (2) 〔흔히 否定文〕 (이론 따위가) 정연하다, 완벽하다: That accusation won't *hold* ~. 그 비난은 조리가 닿지 않는다. ***in smooth*** ~***(s)*** 순조롭게, 난국을 극복하여. ***like*** ~ 물쓰듯, 아낌없이: spend money *like* ~ 돈을 아낌없이 쓰다. ***make*** 〔***pass***〕 ~ 《婉》 소변을 보다. ***take*** (***the***) ~ (새 따위가) 물속으로 뛰어들다, 헤엄치기 시작하다; (배가) 진수(進水)하다; (비행기가) 착수(着水)하다; 《美西部》 도망치다. ***test the*** ~***(s)*** 되어가는 형편을 보다, 사정을 살피다. ***the*** ~***s of forgetfulness*** 망각의 강 (Lethe); 죽음. ***throw*** 〔***pour, dash***〕 ***cold*** ~ ***on*** 〔***over***〕 (남의 계획 등에) 찬물을 끼얹다, 방해하다, 트집 잡다. ***tread*** ~ ⇨TREAD. ***turn off*** a person***'s*** ~ 《美俗》 아무의 (자랑) 이야기의 허리를 꺾다, 아무의 계획〔목적 달성〕을 망치다. ***under*** ~ 물속에; 침수하여: houses *under* ~ 침수가옥. ~ ***of life*** 〖敎會〗 생명수《영원한 생명을 주는 물》. ~ ***under the bridge*** 〔***over the dam***〕 지나버린 일, 되돌릴 수 없는 일. ***written*** 〔***writ***〕 ***in*** ~***s*** (명성 따위가) 덧없는; (업적 등이) 곧 잊혀지는.

— *vt.* ① …에 물을 끼얹다〔뿌리다〕; 적시다; (식물)에 물을 주다; (토지)를 관개하다: ~ the lawn 〔the street〕 잔디〔가로〕에 물을 뿌리다 / a well-~*ed* land 관개가 잘된 토지. ② 《~+目/+目+副》 …에 물을 공급하다; (동물)에 물을 먹이다; (엔진)에 물을 넣다: ~ a horse 말에게 물을 먹이다 / This city is *well* ~*ed.* 이 도시는 급수가 충분하다. ③ 《~+目/+目+副》 물로 묽게 하다, 물을 타다《*down*》; 《比》 (표현 따위)를 약하게 하다: ~*ed* milk 물 탄 우유. ④ 〔흔히 過去分詞꼴〕 (주단·금속 따위)에 물결 무늬를 넣다: ~*ed* silk 물결 무늬 있는 견직. ⑤ 〖經〗 (주식)에 물타기를 하다《자산의 증가없이 주식의 발행을 늘리다》. — *vi.* ① 눈물이 나다; 침을 흘리다; 소변을 보다; 분비액이 나오다: The smoke makes my eyes ~. 연기 때문에 눈에서 눈물이 나온다. ② (동물이) 물을 마시다. ③ (엔진·배 따위가) 급수되다. ***make*** a person***'s mouth*** ~ 아무로 하여금 군침을 흘리게 하다, 욕심을 일으키게 하다; 부러워하게 하다. ~ ***at the mouth*** (기대하며) 침을 흘리다; 부러워하다. ~ ***down*** (1) 물을 타다. (2) 〔종종 受動으로〕 적당히 조절하여 말하다; …의 효력을 약화시키다: The report has *been* ~*ed down.* 그 보고서는 적당히 얼버무려졌다.

wáter bàg 물주머니; (가축의) 양수막(羊水膜); 낙타의 봉소위(蜂巢胃)(reticulum).

wáter ballèt 수중(水中) 발레, 《특히》 = SYNCHRONIZED SWIMMING.

Wáter Bèarer (the ~) 〖天〗 물병자리(Aquarius).

wáter bèd (환자용의) 물 넣은 고무요; 수분이 많은 토양〔암석층〕.

W

wáter bèetle 〖蟲〗 말선두리《따위》.
wáter bìrd 물새.
wáter bìscuit 밀가루·물·버터로 만드는 크래커 비슷한 비스킷.
wáter blìster (피부의) 물집.
wa·ter·borne [-bɔ̀:rn] *a.* 물 위에 뜨는; 수상 수송의; (전염병이) 음료수 매개의, 수인성(水因性)의.
wáter bòttle 물병; 《英》 수통.
wa·ter·buck [-bʌ̀k] *n.* Ⓒ 〖動〗 큰 영양《남·중앙 아프리카산》.
wáter bùffalo 〖動〗 물소; 《美俗》 수륙 양용 수송 전차(戰車).
wa·ter-bus [-bʌ̀s] *n.* Ⓒ 수상 버스; 나룻배.
wáter cànnon 방수포(放水砲)《데모대 해산용 방수차(放水車)의》.
wáter càrt 물 운반차; 살수차.
wáter chèstnut 〖植〗 마름《수생초; 과실은 식용》.
wáter chùte 워터슈트《배를 세차게 물 위로 미끄러져 내리게 하는 경사로, 또 그 놀이》.
wáter clòset (수세식) 변소《略: W.C.》; 수세식 변기.
***wa·ter·col·or** [-kʌ̀lər] *n.* ① Ⓤ (또는 *pl.*) 그림 물감. ② Ⓒ 수채화. ③ Ⓤ 수채화법. ㊞ **~ed** *a.* **~·ist** *n.* Ⓒ 수채화가.
wáter convèrsion (바닷물의) 담수화(淡水化).
wa·ter-cool [-kù:l] *vt.* 〖機〗 (엔진 따위)를 물로 냉각시키다. ㊞ **~ed** *a.* 〖機〗 수냉식의.
wáter còoler 음료수 냉각기, 냉수기; 냉수 탱크.
wa·ter·course [-kɔ̀:rs] *n.* Ⓒ 물의 흐름, 강; (어느 시기만 물이 흐르는) 강 바닥; 운하, 수로.
wa·ter·cress [-krès] *n.* Ⓤ 〖植〗 양갓냉이《샐러드용》.
wáter cùlture 〖農〗 수경(水耕)(법).
wáter cùre 〖醫〗 수료법(水療法) (hydropathy); 《口》 물 먹이는 고문(拷問).
wa·ter·cy·cle [-sàikl] *n.* Ⓒ 수상 자전거《페달식 보트》.
wáter cỳcle (the ~) 물의 순환《바다에서 수증기가 되어 육상으로 옮겨와 다시 바다로 되돌아가는 일련의 과정》.
wa·ter·drop [-drɑ̀p/-drɔ̀p] *n.* Ⓤ 물방울, 빗방울; 눈물 방울.
wa·tered [wɔ́:tərd, wɑ́t-] *a.* ① 물을 뿌린; 관개(灌漑)된. ② (견직·금속 등에) 물결 무늬가 있는. ③ 물로 묽게 한; 〖經〗 (자본 따위) 물타기한: ~ stock 〖證〗 물탄 주식《자산 규모를 과대 평가해서 발행된》.
wa·tered-down [-dáun] *a.* ① 물을 탄, 묽어진. ② 손을 댄, 적당히 고친; 재미가 경감된: a ~ version of Shakespeare (개작 등을 하여) 김이 빠진 셰익스피어 작품.
‡wa·ter·fall [wɔ́:tərfɔ̀:l, wɑ́t-] *n.* Ⓒ 폭포; (수력에 이용되는) 낙수; 《比》 (폭포처럼) 쏟아지는 〔늘어진〕 것《질문; 머리 따위》: a ~ of words.
wáter fòuntain 분수식의 물 마시는 곳; 냉수기(water cooler); 음료수 공급 장치.
wa·ter·fowl [-fàul] *n.* Ⓒ 〔集合的〕 물새.
wa·ter·front [-frʌ̀nt] *n.* Ⓒ (흔히 a ~) 강가〔바닷가〕의 토지; 해안의〔호숫가의〕 거리, 해안 지구; 부두, 선창. ***cover the ~*** (***on* ...**) (…에 대하여) 여러 각도에서 문제를 빠짐없이 논하다.
Wa·ter·gate [-gèit] *n.* ① Ⓤ 워터게이트 사건《1974 년 Nixon 대통령 사임의 직접적 원인이 된 도청 사건》. ② Ⓒ (w-)《널리》 (정치적) 부정 행위; 실추(失墜)(를 일으키는 사태).
wáter gàte 수문(floodgate).
wáter gàuge 수면계《탱크 따위의 수면의 높이를 표시하는 유리관》.
wáter glàss ① 큰 컵; 수반(水盤)《꽃을 꽂아 두는 원예용의》. ② (물속을 들여다보는) 물안경. ③ (옛날의) 물시계. ④ 물유리《규산나트륨 용액; 접착제·비누의 배합제·도료·매염제용》.
wáter gùn 물딱총(water pistol).
wáter hèater (가정용) 온수기.
wáter hèn 〖鳥〗 쇠물닭; 《美》 검둥오리.
wáter hòle (야생 동물이 물 마시러 오는) 물웅덩이; 못; (사막 등의) 샘; 빙면(氷面)의 구멍; 《美俗》 =WATERING HOLE; 《CB俗》 (트럭 운전사의) 휴게소; 〖通信〗 잡음이 비교적 적은 무선 주파대.
wáter ìce 《英》 과즙·설탕을 넣어 얼린 과자, 셔벗(sherbet).
wa·ter·ing [wɔ́:təriŋ, wɑ́t-] *n.* ⓊⒸ 급수, 살수; (비단·금속 등의) 물결무늬. ── *a.* 살수〔급수〕용의; 온천〔광천〕의; 해수욕장의.
wátering càrt 살수차.
wátering hòle 《美俗》 사교장(watering place)《특히 나이트 클럽·라운지 등》; 《口》 물놀이할 수 있는 행락지.
wátering plàce ① 《英》 온천장, 탕치장(湯治場); 해수욕장, 해안·호반의 행락지. ② (동물의) 물 마시는 곳. ③ (대상(隊商)·배 따위의) 물 보급지; =WATERING HOLE.
wátering pòt 〔**càn**〕 물뿌리개, 살수기.
wáter jàcket 〖機〗 물 재킷《기계의 과열 냉각용 장치》; (기관총의) 냉수통, 수투(水套).
wáter jùmp (장애물 경마의) 물웅덩이.
wa·ter·less [wɔ́:tərlis, wɑ́t-] *a.* 건조한, 마른; 물을 필요로 하지 않는《요리》; 공랭식의《엔진》. ㊞ **~·ly** *ad.* **~·ness** *n.*
wáter lèvel 수위(水位); (수평) 수준기(水準器); 흘수선.
wáter lìly 〖植〗 수련(pond lily).
wáter lìne 〖海〗 (흘)수선; 해안선; 지하 수면; 수위; 송수관; (종이의) 내비치는 선.
wa·ter·log [wɔ́:tərlɔ̀(:)g, wɑ́t-, -lɑ̀g] *vt.* (배)를 침수시켜 항행불명케 하다; 물이 배어서 (목재가) 물에 뜨지 않게 하다; (토지)를 물에 잠기게 하다. ── *vi.* 침수되어 흠뻑 젖다〔움직임이 둔해지다〕.
wa·ter·logged [-lɔ̀(:)gd, -lɑ̀gd] *a.* 물이 밴《재목 따위》; (배가) 침수된, 물에 잠긴; 《比》 수렁〔곤경〕에 빠진: The match had to be abandoned because the pitch 〔field〕 was ~. 그 시합은 경기장이 침수되어 중단되지 않을 수 없었다.
Wa·ter·loo [wɔ́:tərlù:, wɑ́t-, ⌐-⌐] *n.* ① 워털루《벨기에 중부의 마을; 1815년 나폴레옹의 패전지》. ② (때로 w-) Ⓒ **a)** 대패배, 참패. **b)** 파멸〔패배〕의 원인. ***meet** one's* ~ 일패 도지(塗地)하다, 참패당하다: The British champion finally *met* his ~ when he boxed for the world title. 세계 복싱 타이틀전에서 그 영국 선수권 보유자는 끝내 참패했다.
wáter màin 급수〔수도〕 본관(本管).
wa·ter·man [wɔ́:tərmən, wɑ́t-] (*pl.* ***-men*** [-mən]) *n.* Ⓒ 뱃사공; 노젓는 사람; 수산업으로 생계를 잇는 사람; 물의 요정; 인어; 급수〔살수〕 업무 종업원; (탄갱·광산의) 배수원(排水員). ㊞ **~·shìp** *n.* Ⓤ ~의 직무〔기능〕; 노젓는 솜씨.
wa·ter·mark [-mɑ̀:rk] *n.* Ⓒ 수위표(水位標); (종이의) 내비치는 무늬: the high 〔low〕 ~ 만〔간〕조시의 최고〔최저〕 수위표 / Recent floods 〔droughts〕 caused a record high 〔low〕 ~. 최근

W

의 홍수〔한발〕로 수위표는 기록적인 최고〔최저〕수위를 나타내었다 / The unusual ~ on this stamp makes it particularly valuable. 이 우표는 그 이상한 내비치는 무늬로 특별히 값이 나간다. ── *vt.* …에 내비치는 무늬를 넣다. 「지〔저지〕.
wáter mèadow 강의 범람으로 비옥해진 목초
***wa·ter·mel·on** [-mèlən] *n.* [C] 〖植〗 수박.
wáter mèter 수량계, 수도 미터.
wáter mìll 물방아 ; (물방아에 의한) 제분소.
wáter mòccasin 〖動〗 ① 독사《북아메리카 남부산》. ② 물뱀(water snake)《무독》.
wáter mòtor 수력 발동기, 수력 기관《수력 터빈 따위》. 「수련.
wáter nỳmph 물의 요정(naiad) ; 인어 ; 〖植〗
wáter pàint 수성 도료.
wáter pìpe 송수관, 배수관 ; 수연통(水煙筒).
wáter pìstol 물딱총(water gun).
wáter pollùtion 수질 오염.
wáter pòlo 〖競〗 수구(水球).
***wáter pòwer** 수력.
***wa·ter·proof** [-prù:f] *a.* 방수의 ; 물이 새지 않는. ── *n.* [C] 《英》 방수복, 레인코트 ; [U] 방수포. ── *vt.* (천 따위)를 방수 처리〔가공〕하다.
wáter ràt 〖動〗 물쥐 ; 《俗》 (해안 따위의) 부랑자, 좀도둑 ; 《口》 수상 스포츠 애호가.
wáter ràte 〔**rènt**〕 수도 요금.
wa·ter-re·pel·lent [-ripélənt] *a.* (완전 방수는 아니지만) 물을 튀기는〔튀기게 만든〕; 발수성(撥水性)의.
wa·ter-re·sist·ant [-rizístənt] *a.* 방수의, 물이 스며들지 않는, 내수(耐水)(성)의.
wáter resòurces 수자원.
wáter rìght 용수(用水)권, 수리권(水利權).
wa·ter·scape [-skèip] *n.* [C] 물가의 풍경 ; 물이 있는 경치.
wa·ter·shed [-ʃèd] *n.* [C] 분수령(divide, 《美》 water parting) ; 유역 ; 분기점, 중대한 시기 : The Pindus mountains form the ~ between rivers flowing to the Aegean Sea and to the Ionian Sea. 핀더스 산맥은 에게해(海)와 이오니아해로 흘러들어가는 강의 분기점을 형성하고 있다 / a ~ event 획기적인 사건.
wa·ter·side [-sàid] *n.* [U] (the ~) 물가 ; 수변 : Her garden stretches down to *the* ~. 그녀의 정원은 물가에까지 뻗쳐 있다. ── *a.* 〔限定的〕 물가의〔에 관한, 에 있는〕.
wáter skì 수상 스키《용구》.
wa·ter-ski [-skì:] (*p., pp.* ***-ski'd, -skied***) *vi.* 수상 스키를 하다.
[파] ~·**er** *n.* [C] ~·**ing** *n.* [U] 수상 스키 (경기).
wáter snàke 〖動〗 물뱀《독이 없음》.
wáter sòftener 연수제(軟水劑) ; 정수기.
wa·ter-sol·u·ble [-sàljəbəl / -sɔ̀l-] *a.* 수용성의, 물에 녹는 : ~ vitamins 수용성 비타민.
wáter spàniel 워터스패니엘《오리 사냥개》.
wa·ter·splash [-splæ̀ʃ] *n.* [C] 얕은 여울 ; 물〔웅덩이〕에 잠긴 도로(의 부분).
wa·ter·spout [-spàut] *n.* [C] 방수관〔구〕; 〖氣〗 바다 회오리, 용오름 ; 억수 같은 비.
wáter sprìte 물의 요정(water nymph).
***wáter supplỳ** 상수도 ; 급수(법) ; 급수(량).
wáter sỳstem (하천의) 수계(水系) ; ＝WATER SUPPLY. 「면.
wáter tàble 〖建〗 빗물 돌림띠《외벽의》; 지하 수
wáter tànk 물탱크, 물통.
wa·ter·tight [-tàit] *a.* 방수의 ; 물이 새지 않는 ; (이론 등이) 견실한, 빈틈없는 : a ~ compartment (배의) 방수 구획(실) / a ~ alibi 완벽한 알리바이. 「《고층 건물용》.
wáter tòwer 급수탑 ; 소방용 방수(放水) 장치
wáter vàpor 수증기.
wáter vòle 〖動〗 물쥐의 일종.
wáter wàgon 급수차 ; 살수차(water cart). ***on the*** ~ ⇨WAGON.
***wa·ter·way** [-wèi] *n.* [C] ① 수로 ; 항로 ; 운하 : inland ~ 내륙 수로. ② (갑판의) 배수구.
wa·ter·weed [-wì:d] *n.* [C] (각종의) 수초(水草).
wáter whèel 수차, 물레바퀴 ; 양수차.
wáter wìngs (수영 연습용으로 양겨드랑이에 끼는) 날개꼴 부낭.
wa·ter·works [-wə̀:rks] *n.* ① 〔單·複數 취급〕 급수 (시설) ; 급수소 ; 상수도. ② 〔複數 취급〕 《口》 비뇨기(계통). ③ 《俗》 눈물. ***turn on the*** ~ 《俗》 (관심을 끌기 위해) 눈물을 흘리다, 울다.
wa·ter·worn [-wɔ̀:rn] *a.* (바위 등이) 물의 작용으로 마멸된.
wa·tery** [wɔ́:təri, wɑ́t-] (-ter·i·er ; -i·est***) *a.* ① 물의 ; 물속의 ; 물같은 : ~ vapor 수증기 / a ~ discharge 물과 같은 분비물. ② 축축한, 비올 듯한《땅·하늘 등》: a ~ sky 비올 듯한 하늘 / ~ ground 축축한 땅. ③ 눈물어린《눈 따위》: ~ eyes 눈물맺힌 눈. ④ 물을 너무 탄, 묽은 ; 맛없는《술·수프 등》: ~ soup 묽은 수프. ⑤ 연한, 엷은《색 따위》: ~ blue 연한 청색, 옥색. ⑥ 《比》 약한, 힘없는, 맥빠진《문장 등》: ~ prose 박력 없는 산문. ⑦ 〔限定的〕 수중의〔다음 成句로〕: go to a ~ grave 물에 빠져죽다 / meet a ~ death 익사하다.
WATS [wɑts / wɔts] *n.* [U] 《美》 와츠《월정 정액(定額) 요금으로 몇 번이라도 장거리 통화를 할 수 있는 전화 계약》. [◂ *W*ide *A*rea *T*elecommunications *S*ervice]
Watt [wɑt / wɔt] *n.* **James** ~ 와트《스코틀랜드의 발명가 ; 1736-1819》.
***watt** [wɑt / wɔt] *n.* [C] 〖電〗 와트《전력의 실용단위 ; 略 : W, w》. [파] ∠·**age** [-idʒ] *n.* [U] 와트수.
watt-hour [∠àuər] *n.* [C] 와트시(時)《1 시간 1 와트에 해당하는 에너지 단위 ; 略 : Wh》.
wat·tle [wɑ́tl / wɔ́tl] *n.* ① [U,C] 욋가지 ; 욋가지로 엮은 울타리〔벽, 지붕〕; (벽의) 외(椳) ; 《英方》 잔가지 ; 지팡이. ② [C] (닭·칠면조 등의) 육수(肉垂). ③ [U] 〖植〗 아카시아의 일종《오스트레일리아산》. ~ ***and daub*** 〔***dab***〕 〖建〗 초벽.
── *vt.* 욋가지〔오리〕로 엮어 만들다《울타리·벽 등을》; 엮어 걷다. [파] ~**d** *a.* ① 오리〔욋가지〕로 엮어 만든. ② (닭 따위의) 육수가 있는.
watt·me·ter [wɑ́tmì:tər / wɔ́t-] *n.* [C] 전력계.
†**wave** [weiv] *n.* [C] ① 파도, 물결, 파문 : tiny ~*s* 잔물결 / a mountainous ~ 산더미같은 파도 / The ~*s* broke against the rocks. 파도가 바위에 부딪쳐 부서졌다. ② 파도와 같은 움직임 ; 요동, 굽이침 : the golden ~*s* of grain 곡물의 황금물결. ③ 〖物〗 파(波), 파동《열·빛·소리 등의》; 〖氣〗 파 ; 〖地〗 파랑 : a cold ~ 한파 / a sound 〔a light〕 ~ 음〔광〕파 / an electric ~ 전파. ④ (감동·상황·상태 등의) 물결, 고조 : a ~ of depression 불경기의 물결 / an overwhelming ~ of grief 복받치는 슬픔. ⑤ 손을 흔드는 신호 : with a ~ of one's hand 손을 흔들고. ⑥ (머리카락 등의) 물결 모양, 퍼머넌트 웨이브 : She has a natural ~ in her hair. 그녀는 고수머리다.
attack in ~s 〖軍〗 파상 공격을 가하다 ; 차례차례 공격을 가하다. ***make ~s*** 《口》 풍파를 일으키다.
── *vi.* ① 《~ / +[전]+[명]》 파도〔물결〕치다, 파동〔기복〕하다 : The road ~*d along* the valley. 그

W

길은 계곡을 따라 굴곡을 이루고 있었다. ② 《~/+전+명》 (기·가지 등이) 흔들리다: The branches ~*d* *in* the breeze. 나뭇가지들이 미풍에 물결쳤다. ③《~/+전+명》 (머리털 따위가) 물결 모양을 이루다: Her hair ~*s* in beautiful curves. 그녀의 머리가 아름다운 물결 모양을 이루고 있다. ④ 손을 흔들다; (손·손수건 따위를) 흔들어 신호〔인사〕하다: He ~*d to* me to do it. 그는 손을 흔들어 그것을 하라고 신호했다 / I felt rather sad as we ~*d* good-bye. 우리가 손을 흔들어 작별을 고할 때 나는 퍽 슬펐다.

— *vt.* ①《~+목/+목+부/+목+전+명》흔들어 움직이다; 흔들다, 휘두르다: ~ one's arms (*about*) 팔을 좌우로 흔들다 / He ~*d* the stick *at* them. 그들을 향해 단장을 휘둘렀다. ②《~+목/+목+목/+목+전+명/+목+부/+목+*to* do》손을〔기 따위를〕흔들어 …신호〔인사〕하다: ~ a farewell (*to* a person) / I ~*d* him a farewell. 그에게 손을 흔들어 이별을 고했다 / The officer looked at my identification card and then ~*d* me *on*. 경관은 내 신분증을 보곤 손을 흔들어 가도 좋다고 신호했다 / We ~*d* her *off* at the station. 우리는 역에서 떠나라고 그녀에게 손을 흔들어 신호했다 / He ~*d* me *to* sit down. 그는 손을 흔들어 내게 앉으라고 했다. ③ 물결 모양으로 하다; …에 웨이브를 하다: She had her hair ~*d*. 그녀는 머리를 웨이브하였다.

~ ***aside*** (1) (아무)에게 신호하여 비켜서게 하다, 신호하여 (물건을) 비키게 하다. (2) (반대 등)을 물리치다, 가벼이 일축하다. ~ ***down*** (차를) 손을 흔들어 세우다: He ~*d down* a taxi. 그는 손을 흔들어 차를 세웠다.

wáve bànd 〚通信〛 주파대(帶).

wave·length [wéivlèŋ*k*θ] *n.* Ⓒ ①〚物〛 파장《기호: λ》. ② 사고 방식. ***on the same ~ as*** 《口》 …와 같은 파장으로; …와 의기 투합하여(같은 생각으로).

wave·less [wéivlis] *a.* 파도가 없는, 파동〔기복〕이 없는; 조용한. ㊐ ~**·ly** *ad.*

wave·let [wéivlit] *n.* Ⓒ 작은 파도, 잔물결.

‡**wa·ver** [wéivər] *vi.* ① 흔들리다; (불길 등이) 너울거리다; (목소리가) 떨리다: The flames ~*ed*. 불길이 너울거렸다. ② 망설이다, 주저하다: I ~*ed* between the fountain pen and the ballpoint. 만년필로 할까, 볼펜으로 할까 망설였다. ③《~/+전+명》 동요가 일어나다, 들뜨다, 혼란해지다: ~ *in* belief 〔*in* one's resolution〕 신념〔결심〕이 흔들리다 / The front line ~*ed under* fire. 최전선은 포화를 받고 동요되었다.

㊐ ~**·er** [-vərər] *n.*

wa·ver·ing [wéivəriŋ] *a.* ① 흔들리는, 떨리는: ~ shadows 흔들거리는 그림자. ② 망설이는, 동요하는, 주저하는. ㊐ ~**·ly** *ad.* 동요되어, 흔들려서, 주춤거려, 주저하여.

wavy [wéivi] (***wav·i·er***; ***-i·est***) *a.* 파도치는; 물결 이는〔같은〕, 기복 있는, 굽이치는; 웨이브가 된; 흔들리는, 동요하는.

‡**wax**[1] [wæks] *n.* Ⓤ ① 밀초; 밀랍, 왁스 (beeswax). ② 밀 모양의 것, 봉랍(封蠟); 구두 꿰매는 실에 바르는 밀. ③ 귀지(earwax). ④ (마루의) 윤내는 약, 왁스. ***be*** (***like***) ~ ***in the hands of*** 완전히 …의 마음〔뜻〕대로 되다. ***mold*** a person ***like*** ~ 아무를 자기 뜻대로의 인간으로 만들다〔행동시키다〕. — *vt.* ① …에 밀을 바르다〔입히다〕; 밀로 닦다: ~ furniture 가구를 왁스로 닦다. ②《美口》(경기·작전에서) 결정적으로 이기다; 《俗》…을 때려눕히다, 죽이다.

wax[2] (~***ed***; ~***ed***, 《古》 ~**·*en*** [wǽksən]) *vi.* ① (세력·감정 등이) 성해지다, 강해지다, 증가하다; (해가) 길어지다; (달이) 차다. OPP *wane*. ②《+보》…상태로 되다: ~ fat 살찌다 / ~ merry 명랑해지다. ~ ***and wane*** (달이) 찼다 이울었다 하다; 성쇠〔증감〕하다.

wax[3] *n.* Ⓤ (또는 a ~)《英口》불끈함, 욱함, 불뚱이: get into *a* ~ 불끈하다, 노하다. ***put*** a person ***in a*** ~ 아무를 불끈 성나게 하다.

wáx càndle 양초.

wáx dòll 납인형; 《比》 표정 없는 미인.

wax·en [wǽksən] *a.* ① 밀처럼 말랑말랑한; 납빛의, 창백한《얼굴 등》. ② 밀로 만든; 밀을 먹인.

wáx musèum 납인형관(蠟人形館).

wáx pàper 밀 먹인 종이, 파라핀 종이.

wax·wing [wǽkswìŋ] *n.* Ⓒ 〚鳥〛 여샛과의 새.

wax·work [-wə̀ːrk] *n.* Ⓒ 납(蠟)세공〔인형〕.

wax·works [-wə̀rks] (*pl.* ~) *n.* Ⓒ 납인형진열관.

waxy[1] [wǽksi] (***wax·i·er***; ***-i·est***) *a.* 납(蠟)〔밀〕 같은; 납빛의, 창백한; 밀을 입힌. ㊐ **wáx·i·ly** *ad.* **-i·ness** *n.*

waxy[2] [wǽksi] (***wax·i·er***; ***-i·est***) *a.* 《英俗》 불끈한, 성난: get ~ 불끈하다.

†**way**[1] [wei] *n.* ① Ⓒ 길, 도로, 통로, 진로: Please tell me the ~ to the station. 역으로 가는 길을 가르쳐 주시오 / Clear the ~. 길을 열어라.

② **a)** (a ~) 노정, 거리: go *a* long ~ 먼 길을 가다. **b)** 〔a ~ s로; 副詞的으로〕《美口》 멀리: quite *a* ~*s* 아주 멀리 / run *a* long ~*s* 멀리까지 달리다.

③ Ⓤ (흔히 one's ~) 진행, 진보, 진척; 전진; 〚法〛 통행권: Our carriage did not make any ~. 우리 마차는 조금도 나아가지 않았다 / keep one's ~ 계속 전진하다 / fight *one's* ~ 싸우며 나아가다.

④ Ⓒ 〔흔히 副詞的으로〕 방향, 방면(方面); (분할된 부분); Ⓤ《口》(…의) 근처, 부근: be divided two ~*s* 두 부분으로 나뉘다 / They went different ~*s*. 그들은 각기 다른 방향으로 갔다 / He looked her ~. 그는 그녀쪽으로 눈을 돌렸다 / We wandered this ~ and that. 우리는 이리저리 돌아다녔다 / Which ~ are you going? 어디로 가십니까 / He lives somewhere Map'o ~. 그는 마포 부근에 살고 있다 / Iron is used in many ~*s*. 쇠는 여러 방면에 쓰인다.

⑤ Ⓒ (특정한) 방식; 수단, 방법; 행동; 방침: This is not the ~ to win your people's love. 이런 방법으로는 친구들의 사랑을 받을 수 없다 / in the same 〔a different〕 ~ 같은〔다른〕 방식으로.

⑥ Ⓒ **a)** (종종 *pl.*) 습관, 풍습, 버릇; 풍, 식, 언제나 하는 〔특유한〕 식〔방식〕: So, that's his ~. 그럼 그것이 그의 방식이군 / He has a ~ of waving his hand. 그는 독특하게 손을 흔드는 버릇이 있다 / the American ~ of living 미국적인 생활 (방식) / American ~*s* 미국(인)의 습관 / the good old ~*s* 옛날 그대로의 풍습. **b)** 〔the ~ (that) …의 형식으로; 接續詞的으로〕 — 이 …하는 식〔것〕을 따라서, — 이 …하는 식으로(는): You won't be liked *the* ~ you talk to others. 그런 말투로는 사람들에게 호감을 얻지 못할 것이다.

⑦ Ⓒ …점, 사항: He's a clever man in some ~*s*. 어떤 점에서 빈틈없는 사나이다.

⑧ Ⓤ (사람의) 경험〔주의력, 지식, 행동〕의 범위: Such things never came (in) my ~. 그런 일은 결코 경험한 적이 없었다.

⑨ Ⓤ 장사, 직업: in the retail ~ 소매상으로.

⑩ (a ~) 《口》 형편, 상태; 《英口》 동요〔흥분〕 상태: Things are in *a* bad ~. 사정은 좋지 않다, 불경기이다 / be in *a* (great) ~ (몹시) 흥분해 있다.

W

⑪ Ⓤ (배의) 속도 ; 항행.
⑫ (*pl.*) 진수대, 선대(船臺).
all the ~ (1) 내내 : She stayed with him in the car *all the* ~ to the hospital. 그녀는 병원까지 내내 그와 함께 차안에 있었다. (2) 멀리, 일부러 : He went *all the* ~ to Egypt. 그는 멀리 이집트까지 갔다. (3) 《美》 (…에서 …까지) 여러가지로 : The cost is estimated *all the* ~ from $100 to $150. 비용은 100달러에서 150달러까지 여러가지로 어림쳐져 있다. (4) 완전히, 전적으로 : We'll support you *all the* ~. 우리는 자네를 전적으로 지지하겠다. ***a long*** ~ ***off*** 먼, (…을) 멀리 떨어져서 : be *a long* ~ *off* perfection 완성에 이르기엔 아직도 멀다. ***any*** ~ 어느 쪽이든지, 어떤 방법으로든 ; 여하튼(anyway). ***both*** **~s** (1) 왕복 모두 : I was on the same train with him *both* ~*s*. 왕복 모두 그와 같은 열차에 있었다. (2) 〔can 을 수반하여 否定文에서〕 양쪽에 : cut *both* ~*s* 양날의 칼이다 / You *cannot* have it *both* ~*s*. 양다리 걸칠 수는 없다. ***by a long*** ~ 〔흔히 否定文에서〕 훨씬 …하다 : He is not as capable as his elder brother *by a long* ~. 그는 형보다 훨씬 재능이 떨어진다. ***by the*** ~ (1) 〔화제를 바꿀 때〕 그런데, 여담이지만 : *By the* ~, have you seen him? 그런데, 그를 만난 적이 있느냐. (2) (길의) 도중에서. ***by*** ~ ***of*** (1) …로서, …할 셈으로 : say something *by* ~ *of* apology 사과할 셈으로 무엇인가 말하다. (2) …할 목적으로〔의도로〕 : make inquiries *by* ~ *of* learning the facts of the case 사건의 진상을 알기 위하여 조사하다. (3) 〔動名詞를 수반하여〕 《英》 …라고 일컫고〔일컬어져〕《있다》, …한 것으로〔하다고〕 알려져《있다》 : She is *by* ~ *of being* a professional pianist. 그녀는 직업적 피아니스트로 통하고 있다. (4) …을 경유하여 : *by* ~ *of* Hongkong 홍콩을 거쳐. ***come a long*** ~ 〔完了形〕 계속 출세하다 : You have *come a long* ~ (, baby). 너도 이젠 출세했군. ***come*** 〔***happen, pass***〕 a person***'s*** ~ …의 수중에 떨어지다, …에게 (무슨 일이) 일어나다 ; 《口》 (일이) 잘 되어가다 : A bit of good fortune *came my* ~. 작은 행운이 내게 들어왔다. ***find*** one***'s*** ~ ⇨FIND. ***find*** one***'s*** ~ ***about*** (지리에 밝아) 스스로 어디라도 갈 수 있다 : I have been here long enough to *find my* ~ *about*. 이곳에 온 지 오래되어 지리에는 밝다. ***get in*** a person***'s way*** 아무를 방해하다《목적이나 행동을》. ***get*** 〔***have***〕 one***'s*** (***own***) ~ 하고 싶은 것을 해내다, 하고 싶은 대로 하다. ***get under*** ~ 시작되다, 개시하다 : The conference *got under* ~ yesterday. 회의는 어제 시작되었다. ***give*** ~ (1) 무너지다 ; 꺾이다 ; 물러나다 ; 지다 ; (길을) 양보하다《*to*》; (마음이) 꺾이다 : The bridge *gave* ~. 다리가 무너졌다. (2) 비탄에 젖다 ; (감정 등에) 지다, 참다 못해 …하다《*to*》: He finally *gave* ~ *to* an impulse and pulled her toward him. 그는 끝내 충동에 못이겨 그녀를 끌어안았다. (3) (…로) 대체되다《*to*》: Typewriters *gave* ~ *to* word processors. 타자기는 워드프로세서로 대체되었다. ***go a good*** 〔***great, long***〕 ~ (1) 멀리까지 가다. (2) (물건·돈 등을) 오래 쓰다. (3) (사람·회사 등이) 성공하다 : Someone as intelligent as her should *go a long* ~. 그녀처럼 영리한 사람은 성공할 것임에 틀림없다. ***go all the*** ~ (1) (…까지) 계속하다〔달하다〕《*to*》: Having started a revolution, we must *go all the* ~. 개혁을 시작했으므로 끝까지 밀고나가야 한다. (2) 전면적으로 일치하다 〔지원하다, 의기(意氣) 가 투합하다〕. (3) 《口·婉》 성교하다. ***go a long*** ~ ***with*** 〔***to, toward***〕 크게 도움이 되다, …에 효과있다 : The new legislation does not *go a long* ~ enough *toward* solving the problem. 새 법률은 그 문제 해결에 큰 도움이 안된다. ***go out of*** one***'s*** 〔***the***〕 ~ 각별히 노력하다, 일부러 …하다《*to*》: He *went out of his* ~ *to* find a job for me. 그는 내게 직장을 구해주려고 각별히 수고했다. ***go*** one***'s own*** ~ 제 생각대로 하다. ***go*** a person***'s*** ~ (1) 《口》 아무와 같은 방향으로 가다 : I'm *going your* ~, so I can give you a lift. 당신과 같은 방향으로 가니까 태워드리지요. (2) (일이) 아무에게 유리하게 진행되다 : Things certainly seem to be *going our* ~. 모든 일이 확실히 우리에게 유리하게 되어가는 것 같다. ***go the*** ~ ***of*** … 와 같은 길을 걷다, …의 전철을 밟다. : The nation *went the* ~ *of* the Roman Empire. 그 나라는 로마 제국의 전철을 밟았다. ***go the*** ~ ***of all the earth*** 〔***all flesh, all living, nature***〕 【聖】 죽다《여호수아 XXIII : 14》. ***have a*** ~ ***with*** a person 아무를 잘 다루다 ; 영향력이 있다 : He *has a* ~ *with* girls. 여자 다루는 법을 알고 있다. ***in a big*** 〔***great***〕 ~ 《口》 대대적으로《장사하다》, 호화로이《지내다》. ***in a fair*** 〔***good***〕 ~ ***of*** do***ing*** 〔***to*** do〕 …할 것 같은, 유망한 : He is *in a fair* ~ *of* becom*ing* president. 그는 사장이 될 것 같다. ***in a kind*** 〔***sort***〕 ***of*** ~ 《口》 다소, 얼마간. ***in a large*** 〔***small***〕 ~ 대〔소〕규모로, 거창〔조출〕하게. ***in a*** 〔***one***〕 ~ 보기에 따라서는 ; 어느 정도, 다소 : *In a* ~, I can understand why she wants to move. 어느 정도는 그녀가 이사가려는 까닭을 알 수 있다. ***in more*** **~s** ***than one*** 여러가지 의미로. ***in no*** ~ 결코〔조금도〕 …않다 : *In no* ~ am I going to adopt any of his methods. 결코 나는 그의 방법의 어느 것도 채용하지 않겠다. (***in***) ***one*** ~ ***or another*** 어떻게라도 해서 : We must finish the job this week *one* ~ *or another*. 어떻게 해서라도 금주에 그 일을 끝내야 한다. ***in some*** ~ 어떻게든 해서. ***in*** one***'s*** (***it's***) (***own***) ~ (1) 〔흔히 否定文에서〕 특기여서, 전문으로 : Music is *not in my* ~. 음악은 전문 밖이다. (2) 그 나름대로, 꽤 : He is benevolent and humane *in his* ~. 그는 그런대로 인정미가 있다. ***in the*** ~ ***of*** (1) …의 점에서, …으로서는 : What have we *in the* ~ *of* food? 먹을 것으로는 무엇이 있나. (2) …에 유리한〔…이 가능한〕 지위에 : be *in the* ~ *of* getting …을 손에 넣을 유리한 입장에 있다. (***in***) ***the worst*** ~ 《美口》 퍽, 대단히 : The boy wanted a camera *in the worst* ~. 그 소년은 카메라가 몹시 갖고 싶었다. ***keep out of*** a person***'s*** ~ (아무에게) 길을 터주다, (아무의) 방해가 되지 않다 : I'd *kept out of his* ~ as much as I could. 되도록 그의 방해가 되지 않도록 했다. ***know*** one***'s*** ~ ***around*** 〔《英》 ***about***〕 《口》 …의 지리에 밝다 ; …에 정통하다 : He knows his ~ *around* the system better than do most ministers. 그는 대부분의 장관들이 알고 있는 것 이상으로 그 시스템에 대해 정통하다. ***lead the*** ~ 선두에 서서 가다, 길 안내를 하다. ***look the other*** ~ 시선을 돌리다 ; 못본 체하다 : When the children started squabbling on the train, she just pretended to *look the other* ~. 아이들이 기차에서 시시한 언쟁을 시작했을 때 그녀는 모른체 했다. ***lose*** one***'s*** 〔***the***〕 ~ 길을 잃다. ***make*** one***'s*** ~ (애써) 나아가다, 가다《*across, along, back, through,* etc.》; (자력으로) 출세하다 ; 번성하다 : *make* one's ~ *through* the crowd 군중을 헤치고 나아가다 / She's finding it hard to *make her* ~ in a business dominated by men. 그녀는 남자들이 판치고 있는 업계에서 출세하기란 힘들

W

다는 것을 알고 있다. ***make the best of** one's* ~ ⇨ BEST. ***make*** ~ (1) (일이) 진척되다, 출세하다. (2) 길을 비키다〔양보하다〕《*for*》. ***no*** ~ 조금도 …않다; 《口》 (요구·제안 따위에 대하여) (그건) 안 된다, 싫다 (no). ***one ~ and another*** 이것 저것으로 ***one ~ or another*** 그럭저럭; 이것 저것으로: *One ~ or another* everything turned out badly that day. 이런일 저런일로 그날은 만사가 나쁘게 뒤틀렸다. ***one ~ or the other*** 어차피, 아무리 생각해도; 어떤 쪽이든: We've got to make our decision *one ~ or the other.* 우리는 어느 쪽이든 결정을 해야 한다. ***on the*** 〔one***'s***〕 ~ (1) 도중에, 진행 중에. (2) (해결·목적에) 가까워져서《*to*》, 일어나려 하여: He is well *on the ~ to* recovery. 그는 점점 회복되고 있다. (3) (아기가) 태어나려고 뱃속에 있어. (4) 〔on one's ~로〕가서, 떠나서: I must be *on my ~* now. 이제 가봐야 하겠습니다. ***on the*** 〔one***'s***〕 ***~ out*** 쇠퇴하기 시작하여; 사멸하기 시작하여; 퇴직하려고; 나가려는 중에서: I bumped into him *on the ~ out.* 나가려는 참에 그와 우연히 마주쳤다. ***out of the*** 〔a person***'s***〕 ~ (1) 방해가 안 되는 곳에; …이 미치지 못하는 곳에, …을 피해서〔비켜서〕: Keep it *out of* harm's ~. 그것을 안전한 곳에 두어라. (2) 길에서 벗어나, 외진〔인가에서 떨어진〕 곳에: Would you like a lift? — Please, if it's not *out of your ~*. 타시겠습니까 — 당신이 가는 길에서 벗어나지 않는다면 부탁합니다. (3) 상규(常規)를 벗어나, 색다른, 경탄할 만한; 터무니 없는; 그릇된, 부적당한: He has done nothing *out of the ~*. 아직껏 그는 별로 이상한 짓은 하지 않았다. (4) 해결〔처리〕된, 끝난: I feel better, now that one problem is *out of the ~*. 문제가 하나 해결되어 기분이 좋다. ***pave the ~ for*** ⇨ PAVE. ***pay*** 〔***earn***〕 one***'s*** ~ ⇨ PAY. ***put*** a person ***in the ~ of . . .*** =***put . . .*** (***in***) a person***'s*** ~ 아무에게 …의 기회를 주다: That *put* me *in the ~ of* a good bargain. 그것으로 나는 좋은 거래의 기회가 생겼다. ***put*** a person ***out of the*** ~ (아무를) 소리없이 없애다〔암살 또는 감금하다〕. ***right of*** ~ 통행권. ***see*** one***'s*** ~ (***clear***) ***to*** do 〔do***ing***〕 …할 수 있을 성싶게 여기다; …하고 싶어하다: I can't *see my ~ clear to* finish*ing* the work this month. 그 일을 이 달에 끝낼 수 있을 성 싶지 않다. ***send . . .*** a person***'s*** ~ 아무에게 주다. ***set in*** one***'s ~s*** (나이 탓으로, 자기 방식·생각 등에) 집착하여《★ 흔히 be, get, seem 등과 함께 쓰임》: He *seems* very *set in his ~s*. 그는 퍽 고집센 사람 같다. ***show the*** ~ (1) 길을 가르쳐 주다. (2) 본을 보여주다. ***smooth the*** ~ 방해물〔곤란〕을 제거하다. ***take*** one***'s own*** ~ =go one's own way. ***that*** ~ 저리로; 그런 식으로; 《口》 사랑〔반〕해서, (물건을) 매우 좋아하여《*about*》; 《美俗》 임신하여: They are *that ~*. 서로 뜨거운 사이이다 / I'm *that ~ about* coffee. 커피를 매우 좋아한다. ***the other ~ about*** 〔***round***〕 반대로, 거꾸로: Usually I'm early and you're late, but this time it's *the other ~ round.* 보통 내가 이르고 자네는 늦었는데, 이번에는 반대로 되었군. ***the parting of the ~s*** 결단의 갈림길: *The parting of the ~s* came after a series of disagreements between the singer and her song-writer. 가수와 작곡가 사이의 일련의 불화끝에 두 사람의 결별의 순간이 닥쳐왔다. ***this ~ and that*** 여기저기로, 왔다갔다 하며, 이리저리. ***to my ~ of thinking*** 내 생각에는. (***There's***〔***There're***〕) ***no two ~s about it***〔***that***〕. 《口》 달리 생각할〔…할, 말할〕 여지가 없다, 의심의 여지가 없다. ***under*** ~ 진행중에; 〖海〗 항해 중에: The project is now well *under ~*. 그 계획은 현재 순조롭게 진행되고 있다. ***~s and means*** 수단, 방법; 재원; (종종 Ways and Means) (정부의) 세입 재원: the Committee of the *Ways and Means* (의회의) 세입〔예산〕 위원회. ***Way to go!*** 그거다, 가라, 힘내라《응원 소리》. ***work*** one***'s*** ~ ⇨ WORK.

way², **'way** [wei] *ad.* 《口》〔副詞·前置詞를 강조하여〕 아득히, 멀리; 저쪽으로; 훨씬: ~ too long 너무 긴 / ~ down the road 이 길을 쭉 가면 그 곳에. ★ 강조하여 길게 발음되는 경우가 많음. ***from ~ back*** 옛날부터; 먼 벽지에서〔의〕. ***~ above*** 훨씬 위에, 훨씬 거슬러 올라가, 먼 옛날. ***~ ahead*** 훨씬 앞에〔앞으로〕. ***~ behind*** 훨씬 늦어서〔뒤에〕: After the third lap, she was *~ behind* the other runners. 네 바퀴 때부터 그녀는 다른 러너에 훨씬 뒤져 있었다.

way·bill [wéibìl] *n.* Ⓒ 승객 명부; (육상 운송시의) 화물 운송증《略: W.B., W/B》.

***way·far·er** [-fɛ̀ərər] *n.* Ⓒ (특히 도보) 여행자; (여관·호텔의) 단기 숙박객.

way·far·ing [-fɛ̀əriŋ] *n., a.* Ⓤ (특히 도보) 여행(하는), 여행 중(의).

wáy ín 《英》 (지하철이나 극장 따위의) 입구(入口) (entrance).

way·lay [-léi] (*p., pp.* ***-laid*** [-léid]) *vt.* ① …을 매복(공격)하다, 요격하다. ② (길목에서 갑자기 사람)을 불러 세우다.

wáy óut 《英》 (극장·지하철 등의) 출구(exit).

way-out [wéiáut] *a.* 《口》 (스타일·기술 등이) 첨단을 걷는, 전위〔급진〕적인, 특이한, 색다른.

-ways *suf.* '방향, 위치, 상태'를 표시하는 부사를 만듦. ⓒⓕ -wise. ¶ length*ways*.

way·side** [wéisàid] *n.* (the ~) 길가, 노방, 노변. ***fall by the ~ 중도에서 낙오〔탈락, 좌절〕하다. — *a.* 길가의: a ~ inn 길가의 여인숙.

wáy stàtion 《美》 (주요 역 사이의) 중간역, 급행 열차는 그냥 통과하는 작은 역.

***way·ward** [wéiwərd] *a.* ① 제멋대로 하는; 고집 센. ② 변덕스러운; 흔들리는, 일정치 않은. ⓜ **~·ly** *ad.* **~·ness** *n.*

way·worn [-wɔ̀ːrn] *a.* 여행에 지친.

W.B., W/B, w.b., w/b 〖商〗 waybill.

WBA World Boxing Association (세계 권투 연맹). **WbN** west by north (서미북(西微北)). **WbS** west by south (서미남(西微南)). **W.C.** water closet. **WCC, W.C.C.** World Council of Churches(세계 교회 협의회).

†**we** [wiː, 弱 wi] *pron.* 〔所有格 ***our,*** 目的格 ***us,*** 所有代名詞 ***ours***〕 ① 〔人稱代名詞 1인칭 複數·主格〕 우리가(는): *We* are seven in our family. 우리는 식구가 일곱이다 / *We* have had few fine days this week. 이번 주는 갠 날이 드물었다.

> 參考 수동으로 나타내는 대신에 막연히 일반 사람을 가리키는 형식적 주어로서 we를 사용하여 능동태로 나타내는 경우가 있음: *We* make books of paper. 책은 종이로 되어 있다(Books are made of paper.) / *We* speak Korean in Korea. 한국에서는 한국어가 쓰인다(Korean is spoken in Korea.). 비교: *They* speak English in England. 영국에서는 영어가 쓰인다.

② 나는, 우리들은《신문의 논설 따위에서는 필자가 공적 입장에서 I 대신에 씀》. ③ 짐(朕) (은)《공식 문서 따위에 쓰는 군주의 자칭》. ④ 너는, 너희들은《비꼬거나 아이·환자 등을 격려·위로할 때》: Aren't *we* getting a little impudent? (자네) 좀 건

방지게 돼 가는 것 아니야 / How are *we* (feeling) this morning? 오늘 아침은 좀 어때요.

†**weak** [wiːk] (⌐·*er* ; ~⌐*est*) *a.* ① 약한, 무력한, 연약한, 박약한. opp. *strong.* ¶ be ~ by nature 날 때부터 (몸이) 약하다 / a man of ~ character 약한 성격의 사람 / a ~ team 약한 팀 / a ~ defense 약한 수비 / be ~ in the legs 다리가 약하다 / a ~ point (side, spot) (성격·입장·따위에서의) 약점 / The ~*est* goes to the wall. 《俗談》 우승 열패 ; 약육 강식. ② (머리가) 둔한, (상상력 등이) 모자라는 ; 결단력이 없는, 우유부단한, 의지력이 약한 ; 서투른, 열등한 : He was always ~ at (in) languages but strong at (in) science. 그는 항상 어학에는 약했으나 과학에는 강했다 / He's a little ~ in the head. 그는 머리가 좀 나쁘다. ③ 불충분한 ; 증거 박약한, 설득력이 없는 ; (문체·표현 등이) 힘(박력)이 없는 : a ~ argument 설득력이 없는 의론. ④ (차 등이) 묽은, 희박한 : ~ soup 묽은 수프. ⑤ 〖經〗 (주식·물가가) 떨어질 듯한, 저조한. ⑥ **a)** 〖文法〗 약변화의. **b)** 〖音聲〗 악센트 없는. ~ ***at the knees*** 《口》 (공포·질병 등으로) 무릎이 떨려 서 있을 수 없는, 휘청거리는.

‡**weak·en** [wíːkən] *vt.* ① …을 약하게 하다, 약화시키다 : ~*ed* eyesight 약해진 시력 / The illness has considerably ~*ed* him. 그 병으로 그는 상당히 쇠약해졌다. ② (음료)를 묽게 하다. — *vi.* ① 약해지다. ② 우유부단해지다, (생각이) 흔들리다 ; 굴하다.

weak·fish [wíːkfiʃ] (*pl.* ***-fish·es,*** 〖集合的〗 ~) *n.* Ⓒ 민어과의 식용어《미국의 대서양 연안산(産)》.

weak·heart·ed [⌐háːrtid] *a.* 용기가 없는, (마음이) 나약한. 㖊 ~·**ly** *ad.*

weak-kneed [wíːkníːd] *a.* ① 무릎이 약한. ② 나약한 ; 결단력이 없는.

weak·ling [wíːkliŋ] *n.* Ⓒ 약한 사람(동물), 병약자 ; 약골.

***weak·ly** [wíːkli] (*-li·er* ; *-li·est*) *a.* 약한, 가냘픈 ; 병약한 : a ~ child 허약한 아이. — *ad.* 약하게, 가냘프게 ; 우유부단하게.

weak-mind·ed [⌐máindid] *a.* ① 정신박약의, 머리가 나쁜, 저능한. ② 의지가 박약한, 마음이 약한. 㖊 ~·**ness** *n.*

‡**weak·ness** [wíːknis] *n.* ① Ⓤ 약함, 가냘픔 ; 허약. ② Ⓤ 우유부단, 심약. ③ Ⓤ (근거의) 박약. ④ Ⓒ 약점, 결점 : Everyone has his little ~. 사람은 누구나 약간의 결점은 있는 법이다. ⑤ Ⓒ 못 견디게 좋아하는 것 ; (좋아서 못 견딜 정도의) 애호, 기호《*for*》 : He has a ~ *for* sweets. 단것이라면 사족을 못 쓴다.

weal[1] [wiːl] *n.* Ⓤ 《文語》 복리, 번영, 행복 : the public ~ 공공의 복리 / in ~ and(or) woe 행복에도 재난에도, 화복(禍福) 어느 경우에도.

weal[2] *n.* =WALE.

weald [wiːld] *n.* ① Ⓒ 광야 ; 삼림 지대. ② (the W-) 윌드 지방《남부 잉글랜드 Kent, East Sussex, Surrey, Hampshire 지방의 총칭》.

‡**wealth** [welθ] *n.* Ⓤ ① 부(富), 재산(riches) : a man of great ~ 부호, 재산가 / *Wealth* had not brought them happiness. 부(富)가 그들에게 행복을 가져다주지는 않았다. ② (a ~) 풍부, 다량 : *a* ~ *of* learning 풍부한 학식 / The city boasts *a* ~ *of* beautiful churches. 그 도시는 수많은 아름다운 교회를 자랑한다.

wéalth tàx 부유세.

‡**wealthy** [wélθi] (***wealth·i·er*** ; ***-i·est***) *a.* ① 넉넉한, 유복한 : She comes from a ~ family. 그녀는 유복한 가문의 출신이다 / Diligence made Jim ~. 근면으로 짐은 부자가 되었다. ② 풍부한 : ~ *in* insight 통찰력이 풍부한 / The island is ~ *in* natural resources. 그 섬은 자연 자원이 풍부하다. 㖊 **wéalth·i·ly** *ad.* **-i·ness** *n.* Ⓤ

wean [wiːn] *vt.* ① 《~+目 / +目+前+名》 젖을 떼다, 이유(離乳)시키다 : ~ a baby *from* the mother (breast) 아기에게 젖을 떼다. ② 《+目+前+名》 (나쁜 버릇 따위)를 버리게 하다, 단념시키다《*from* ; *off*》 : It is difficult to ~ Johnny away *from* the TV. 조니를 TV에서 떼어놓기는 힘들다 / ~ a person (away) *from* a bad habit 아무에게 나쁜 습관을 버리게 하다.

wean·er [wíːnər] *n.* Ⓒ 갓 젖을 뗀 새끼 짐승(송아지, 새끼돼지).

wean·ling [wíːnliŋ] *n.* Ⓒ 젖 뗀 아이(동물). — *a.* 젖을 뗀지 얼마 안되는.

‡**weap·on** [wépən] *n.* Ⓒ ① 무기, 병기, 흉기 : chemical (nuclear) ~*s* 화학 (핵)병기. ② 공격(방어) 수단 : His best ~ is silence. 그의 최대 무기는 침묵이다 / woman's ~ 여자의 무기《눈물 ; Shakespeare 작(作) *King Lear* 에서》. 㖊 ~**ed** *a.* 무기를 지닌, 무장한. ~·**less** *a.*

weap·on·ry [wépənri] *n.* Ⓤ 〖集合的〗 무기류 : nuclear ~ 핵무기.

†**wear**[1] [wɛər] (**wore** [wɔːr] ; **worn** [wɔːrn] ; ***wear·ing*** [wέəriŋ]) *vt.* ① 《~+目 / +目+補》 …을 입고(신고, 쓰고) 있다, 몸에 지니고 있다, 띠고 있다 ; …의 지위에 있다 ; (배가 기(旗))를 내걸다 : He generally ~*s* a dark suit (brown shoes). 그는 보통 검은 옷을 입고 있다(갈색 구두를 신고 있다) / He ~*s* spectacles (a wristwatch, a pistol). 그는 안경을 쓰고 (손목 시계를 차고, 권총을 차고) 있다 / He *wore* a red carnatioin in his buttonhole. 그는 단춧구멍에 붉은 카네이션을 꽂고 있었다 / She *wore* no make-up. 그는 전혀 화장을 하고 있지 않았다. ② (수염 등)을 기르고 있다 ; (향수)를 바르고 있다 ; (표정·태도 따위)에 나타내다 : ~ one's hair long (short) 머리를 길게(짧게) 하고 있다 / The minister wore a confident smile throughout the interview. 장관은 기자회견 중 내내 자신만만한 미소를 띠고 있었다 / He ~*s* a mustache. 그는 콧수염을 기르고 있다. ③ (흔히 否定文에서 it을 目的語로 하여) …을 인정하다, 용서하다, 용납하다. ④ **a)** 《~+目 / +目+副 / +目+前+名 / +目+補》 …을 닳게 하다, 써서 낡게 하다 : His clothes were *worn out.* 그의 옷은 낡아서 해졌다 / ~ one's shoes *into* holes 신을 구멍이 뻥뻥 뚫어지도록 신다 / His socks were *worn* thin at his heels. 양말이 뒤꿈치가 닳아서 얇아졌다. **b)** 《~+目 / +目+副 / +目+前+名》 …을 지치게 하다, 약하게 하다 ; 서서히 …하게 하다 : Running *wore* me *out.* 너무 뛰어 지쳤다 / be *worn with* age 노령으로 쇠약해지다. **c)** (시간)을 천천히(우물우물, 질질) 보내다《*away* ; *out*》. ⑤ 《~+目 / +目+前+名》 (구멍·길·도랑 따위)를 뚫다, 내다 : Walking *wore* a hole *in* my shoe. 많이 걸어서 구두에 구멍이 뚫렸다.

— *vi.* ① 《~ / +副》 **a)** (물건 따위가) 오랜 사용에 견디다, 오래 가다 ; 쓸모가 있다 : This coat has *worn well* (*badly*). 이 웃옷은 꽤 오래 입었다(오래 입지 못했다). **b)** (사람이) 여전히 싱싱하다(젊다) : Among my old friends he has *worn* (is ~*ing*) best. 내 옛 친구들 중에서는 그가 가장 젊다. ② 《+副 / +前+名 / +補》 닳아 해지다, 낡아지다, 닳아서 …이 되다 : My jacket has *worn to* shreds. 내 상의는 오래 입어서 너덜너덜하게 되었

다. ③《+副/+前+名》(때가) 서서히 지나다; 점점 경과하다: The day ~s *toward* its close. 하루가 점점 저물어 간다 / It became hotter as the day *wore on*. 시간이 지남에 따라 점점 더워졌다 / as winter *wore away* 겨울이 지나감에 따라. ~ ***away*** (1) 닳아 없애다〔없어지다〕. (2) (시간이) 지나다; (시간을) 보내다. ~ ***down*** (1) 피로하게 하다. (2) 지치게 하다, 약화시키다: ~ *down* the enemy's resistance 적의 저항을 약화시키다. (3) 닳아 없어지게 하다, 마멸시키다; 닳다: The tread on the tires has (been) *worn down* to a dangerous level. 타이어의 접지면이 위험할 정도로 닳았다. ~ ***off*** (1) 점점 줄어들다, 작아지다. (2) 점차로 사라지다: The novelty 〔The pains〕 will soon ~ *off*. 신기함〔고통〕도 쉬이 없어질 것이다. ~ ***on*** (1) (시간이) 지나다. (2) 안달나게 하다, 애타게 하다: His jokes have begun to ~ *on* me 〔my nerves〕. 그의 농담이 나를 초조하게 만들기〔신경에 거슬리기〕 시작했다. ~ ***out*** (1) 닳다, 닳아 없어지다, 마멸하다. (2) 서서히 없어지다: My fear began to ~ *out*. 나의 공포는 사라지기 시작했다. ~ ***the pants*** 〔***trousers***〕《口》(여자가) 남편을 깔아 뭉개다. ~ ***thin*** (1) 닳아서 얇아지다. (2) (인내 따위가) 한계에 이르다. (3) (이야기 따위가 반복되어) 신선미를 잃다, 지루해지다, 물리다.

— *n.* Ⓤ ① 착용, 입기: clothing for summer 〔everyday〕 ~ 여름옷〔평상복〕. ② 의류, 옷, …복(服): children's ~ 아동복. ③ 닳아 해짐, 써서 낡게 하기, 입어 해뜨리기: The rug shows (signs of) ~. 융단이 닳아 해지기 시작했다. ④ 오래 견딤〔감〕, 내구성〔력〕: There is still much 〔not much〕 ~ (left) in these shoes. 이 구두는 아직 신을 만하다〔다 됐다〕. ***the worse for*** ~ ⇨WORSE. ~ ***and tear*** 소모, 닳아 없어짐, 마멸.

wear² [wεər] (***wore*** [wɔːr]; ***worn*** [wɔːrn], 《英》***wore***) *vt., vi.* 〖海〗(배를·배가) 바람을 등지게 돌리다〔돌다〕.

wear·a·ble [wέərəbəl] *a.* 착용할 수 있는, 입기에 적합한. — *n.* Ⓒ (흔히 *pl.*) 의복.

wear·er [wέərər] *n.* Ⓒ ① 착용자, 휴대자. ② 소모시키는 것, 닳아 없애는 것.

wear·ing [wέəriŋ] *a.* 피곤하게 하는; 진저리나게 하는: Looking after three children all day is very ~. 하루종일 세 아이를 돌본다는 것은 몹시 피곤한 일이다.

wea·ri·some [wíərisəm] *a.* ① 피곤하게 하는. ② 싫증〔넌더리〕 나는, 지루한(tiresome): a ~ lecture 지루한 강의. 副 ~·**ly** *ad.*

‡**wea·ry** [wíəri] (***-ri·er*** ; ***-ri·est***) *a.* ① 피로한, 지쳐 있는; 녹초가 된《*with*》: ~ legs 피로한 다리 / a ~ brain 피로한 두뇌 / I was ~ *with* walking. 걸어서 지쳐 있었다. ② 싫증나는, 따분한, 진저리 나는《*of*》: I'm never ~ *of* (doing) the job. 그 일은 정말 싫증이 안 난다 / grow ~ *of* life 인생이 싫어지다 / ~ *of* excuses 변명 듣기에 지쳐서. ③ (일 등이) 사람을 지치게 하는: a ~ wait 지루한 대기 시간.

— (*p., pp.* ***wea·ried*** [-d]; ~·***ing***) *vt.* 《~+目/+目+前+名/+目+副》 ① …을 지치게 하다: The strenuous exercise *wearied* me. 심한 운동으로 지쳤다 / ~ oneself *with* labor 일을 하여 지치다 / I got *wearied with* climbing. 등산으로 지쳤다. ② 싫증〔진저리〕나게 하다; 지루하게 하다: My wife always *wearies* me *with* her complains. 아내는 노상 불평을 하여 나를 진저리나게 한다.

— *vi.* 《+前+名》 ① 싫증나다; 싫어지다《*of*》: ~ *of* living all alone 혼자 사는 게 싫어지다. ② 피곤해지다, 지치다.

副 ***-ri·ly*** *ad.* 지루하게, 피곤하여; 싫증나서. ***-ri·ness*** *n.* Ⓤ 피로; 권태, 지루함.

wea·sel** [wíːzəl] (*pl.* ~s***, ~) *n.* Ⓒ ① 족제비. ② 교활한 사람. — *vi.* ①《美口》말을 흐리다. ②《口》(의무 등을) 회피하다《*out*》.

wea·sel-faced [-fèist] *a.* (족제비처럼) 하관이 빤 얼굴을 한.

wéasel wòrds 모호한 말.

†**weath·er** [wéðər] *n.* ① Ⓤ 일기, 기후, 기상, 날씨. cf. climate. ¶ What is the ~ like? = How is the ~? 날씨가 어떤가 / The ~ was fine during the holidays. 휴가 동안은 날씨가 좋았다. ② Ⓤ (종종 the ~) 거친 날씨, 비바람: be exposed to *the* ~ 비바람에 노출되다. ③ (*pl.*) 변천, 영고성쇠. ***in all ~s*** 어떤 날씨에도; 《比》역경에서도 순경에서도. ***make heavy ~ of*** (작은 일을) 너무 어렵게〔과장하여〕 생각하다. ***under the*** ~《口》(1) 기분이 언짢아, 몸 상태가 좋지 않아. (2) 좀 취하여, 얼근한 기분으로. ~ ***permitting*** =***if*** (***the***) ~ ***permits*** 날씨만 좋으면.

— *a.* 〔限定的〕〖海〗바람 불어오는 쪽의, 바람을 안은: the ~ bow 〔beam〕 바람 부는 쪽을 향한 이물〔뱃전〕.

— *vt.* ① …을 비바람에 맞히다; 바깥 공기에 쐬다; 말리다: ~ wood 목재를 외기에 쐬어 말리다. ② 〔受動으로〕 (외기에 쐬어) 풍화〔탈색〕시키다: Rocks *were* ~*ed* by wind and rain. 바위들은 비바람에 의해 풍화됐다. ③ (재난 등)을 뚫고 나아가다: As a small new company they did well to ~ the recession. 새로 설립된 중소기업으로서 그들은 그 경기후퇴를 잘 헤쳐나갔다. ④〖海〗…의 바람을 거슬러 나아가다〔지나다〕: The ship ~*ed* the cape. 배는 곶의 바람길에 들어섰다.

— *vi.* ① (외기에 쐬이어) 색이 날다; 풍화하다《*away*》. ② 비바람에 견디다《*out*》. ~ ***a storm*** 폭풍우를 뚫고 나가다; 《比》어려움을 뚫고 나가다. ~ ***through*** 뚫고 나가다; 헤쳐 나아가다.

***weath·er-beat·en** [-bìːtn] *a.* ① 비바람에 시달린〔바랜〕. ② (사람이) 풍우에 단련된; 햇볕에 탄《얼굴 따위》.

weath·er·board [-bɔ̀ːrd] *n.* ① Ⓤ,Ⓒ 〖建〗비막이 판자, 미늘판자. ② Ⓒ **a**)〖海〗바람 불어 오는 쪽의 뱃전. **b**) 물〔물결〕막이 판. — *vt.* …에 비막이판자〔미늘판자〕를 대다.

weath·er·board·ing [-bɔ̀ːrdiŋ] *n.* Ⓤ ① (집의 외벽에) 미늘 판자를 대기. ② 〔集合的〕 미늘 판자.

weath·er-bound [-bàund] *a.* 비바람 때문에 출항 못하는〔출항이 지연된〕《배·비행기 따위》.

wéather chàrt 일기도(weather map).

***weath·er·cock** [-kàk / -kɔ̀k] *n.* Ⓒ ① 바람개비, 풍향계《지붕 위에 설치하는 수탉 모양의》. ② 《比》마음이 잘 변하는 사람, 변덕쟁이.

wéather èye ① 일기(日氣) 관측안〔력〕. ② 부단한 경계〔조심〕.

wéather fòrecast 일기 예보.

wéather fòrecaster 일기 예보관.

weath·er·glass [-glæ̀s, -glɑ̀ːs] *n.* Ⓒ 청우계(計)(barometer).

weath·er·ing [wéðəriŋ] *n.* Ⓤ 〖地質〗풍화 (작용).

weath·er·man** [-mæ̀n] (*pl.* ***-men [-mèn]) *n.* Ⓒ《口》일기 예보자, 예보관, 기상대 직원.

wéather màp 일기도(weather chart).

weath·er·proof [-prùːf] *a.* (건물·의복 등) 비바람에 견디는. — *vt.* …을 비바람에 견디게 하다.

wéather ràdar 기상 레이더.

wéather repòrt 기상 통보《예보를 포함함》.

wéather sàtellite 기상 관측 위성.
wéather shìp 기상 관측선《해상에 정치된》.
wéather stàtion 측후소, 기상 관측소.
wéather strìp 틈마개《창·문 따위의 틈새에 끼워 비바람을 막는 나무나 고무 조각》, 문풍지.
wéather strìpping ① =WEATHER STRIP. ② 〔集合的〕 틈마개 재료.
wéather vàne =WEATHERCOCK.
weath·er-wise [-wàiz] *a.* ① 일기를 잘 맞히는. ② 여론 등의 동향을 잘 예측하는.
weath·er·worn [-wɔ̀ːrn] *a.* 비바람에 상한.
ːweave [wiːv] (***wove*** [wouv], 《稀》 ***weaved*** ; ***wov·en*** [wóuvən], ***wove***) *vt.* ① (직물·바구니 따위)를 짜다, 뜨다, 엮다, 겯다, 치다 ; (거미가 집)을 얽다 : ~ a rug 융단을 짜다 / ~ a basket 바구니를 겯다 / A spider ~*s* a web to catch prey. 거미는 먹이를 잡기 위해 거미줄을 친다. ② 《~+목/+목+전+명》 (실·대나무·등 따위의 재료)를 엮다, 짜다《*into*》 : ~ thread *into* cloth 실을 짜서 천을 만들다 / ~ flowers *into* a garland 꽃을 엮어서 화환을 만들다. ③ (이야기·계획 등)을 만들어 내다 ; …을 (…로) 엮다《*up* ; *into*》 : ~ a plan 계획을 꾸미다 / The novelist wove this story *from* his own experiences. 그 소설가는 자신의 경험으로부터 이 이야기를 엮어 냈다. ④ (생각 등)을 짜넣다, 집어 넣다, 도입하다《*in, into*》 : ~ one's own ideas *into* a report 보고서에 자신의 생각을 집어넣다. ⑤ 사이를 헤집 듯 (몸 따위)를 나가게 하다.
── *vi.* ① 천을〔베를〕 짜다. ② 《+전+명》 (사람이) 누비듯이 나아가다, 차선을 자주 바꾸어 달리다 ; (길이) 누비듯이 구불구불 이어지다 : The road ~*s through* the valleys. 길은 골짜기를 누비듯이 이어져 있다 / He ~*d in* and *out through* the traffic. 그는 차가 왕래하는 속을 누비듯 빠져 나갔다. ***get weaving*** 《英口》 지체없이〔활기있게〕 착수하다 ; 서두르다 : We'd better *get weaving* — we've got a lot to do today. 서두르는 것이 좋겠다. 오늘은 할 일이 많으니.
── *n.* Ⓤ (또는 a ~) 짜기, 뜨기 ; 짜는〔뜨는〕 법 ; …짜기〔직〕, …뜨기 : plain 〔twill〕 ~ 평직〔능직(綾織)〕.
***weav·er** [wíːvər] *n.* Ⓒ ① (베)짜는 사람, 직공(織工). ② 〖鳥〗 피리새류(類) (=**wéaverbìrd**).
ːweb [web] *n.* Ⓒ ① 피륙, 직물 ; 한 베틀분의 천 ; 한 필의 천. ② **a**) 거미집(cobweb). **b**) 거미집 모양의 것, …망(network) ; 《美口》 (TV·라디오의) 방송망 : a ~ of expressways 〔railroads〕 고속도로〔철도〕망. ③ 뒤얽혀 있는 것 ; 계획적으로 꾸민 것, 함정 : get caught in a ~ of lies 거짓말의 함정에 걸리다. ④ (물새 따위의) 물갈퀴 ; (박쥐 따위의) 날개모양의 막(膜). ⑤ 〖印〗 두루마리 종이.
webbed [-d] *a.* ① 거미줄을 친, 거미줄 모양의. ② 물갈퀴가 있는 : a duck's ~ feet 오리의 물갈퀴가 있는 발.
web·bing [wébiŋ] *n.* Ⓤ (튼튼한) 띠줄《말의 복대(腹帶), 의자의 스프링 지지벨트 등》 ; (야구 글러브의 손가락을 잇는) 가죽 끈.
We·ber [véibər] *n.* 베버. ① **Ernst Heinrich** ~ 독일의 생리학자(1795-1878). ② **Max** ~ 독일의 경제·사회학자(1864-1920). ③ **Wilhelm Eduard** ~ 독일의 물리학자(1804-91).
we·ber [wébər, véi-, wíː-] *n.* Ⓒ 〖物〗 웨버《자기력 선속의 실용 단위 ; 略 Wb》. [◂W.E. *Weber*]
web·foot [wébfùt] (*pl.* ***-feet***) *n.* Ⓒ ① 물갈퀴가 있는 발. ② 물갈퀴발이 있는 동물〔새〕.
㊞ **wéb-fóot·ed** *a.* 발에 물갈퀴가 있는.

W

Web·ster [wébstər] *n.* 웹스터. **Noah** ~ 미국의 사전 편찬자·저술가(1758-1843).
web-toed [wébtóud] *a.* =WEB-FOOTED.
wed** [wed] (*∠·**ded ; *∠·**ded**,* 《稀》 ~ ; *∠·**ding***) *vt.* ① **a**) …와 결혼하다 ; (남자가) …을 아내로 맞다 ; (여자가) …에게 출가하다 : She ~ her childhood sweetheart. 그녀는 어릴적 연인과 결혼한다. **b**) 《~+목/+목+전+명》 (목사·부모가) …을 결혼시키다, (딸)을 …에게 시집보내다《*to*》 : He ~*ded* his daughter *to* a teacher. ★ 현재는 신문용어 외에는 a) b) 모두 marry 를 사용함. ② 《~+목/+목+전+명》 …을 (…와) 결합〔융합, 통합〕시키다, …에 연결시키다《*to* ; *with*》 : ~ science *to* art 과학을 예술과 결합시키다 / ~ utility *with* beauty 실용과 미를 결합시키다. ③ 《+목+전+명》 〔주로 受動으로〕 헌신〔집착〕하다 : He *is* ~*ded to* scientific research. 과학 연구에 몰두하고 있다. ── *vi.* 결혼하다.
ːwe'd [wiːd, 弱 wid] we had 〔would, should〕의 간약형.
***Wed.** Wednesday.
***wed·ded** [wédid] *a.* ① 결혼한, 결혼의 : ~ life 결혼 생활 / a ~ pair 신혼 부부 / a ~ woman 기혼 부인. ② 〔敍述的〕 잘 결합된 : form and substance ~ in harmony 완전히 조화를 이루고 있는 형식과 내용. ③ 〔敍述的〕 집착〔고집〕하는, 몰두한《*to*》 : He's ~ *to* the work. 그는 일에 몰두해 있다.
ːwed·ding [wédiŋ] *n.* Ⓤ,Ⓒ ① 혼례, 결혼식. ② …혼식《금혼식 따위》 ; 결혼 기념식 : the diamond 〔golden, silver〕 ~ 다이아몬드〔금, 은〕혼식《결혼 후 각각 60(또는 75) 〔50, 25〕 주년에 행함》.
wédding bànd =WEDDING RING.
wédding brèakfast 《英》 결혼 피로연《결혼식 후 신혼 여행 출발 전에 신부집에서 행하였음》.
wédding càke 웨딩 케이크.
wédding càrd 결혼 피로 안내장.
wédding dày ① 결혼식 날. ② 결혼 기념일.
wédding drèss (신부의) 웨딩 드레스.
wédding nìght 결혼 첫날밤.
wédding màrch 결혼 행진곡.
wédding rìng 결혼 반지.
we·deln [véidəln] *n.* Ⓤ 〖스키〗 베델른《스키를 나란히 하고 잘게 턴을 연속해 가는 활강》.
ːwedge [wedʒ] *n.* Ⓒ ① 쐐기 : drive a ~ into a log 통나무에 쐐기를 박다. ② **a**) 쐐기 모양의 것 ; V 자형 : a ~ of pie 쐐기꼴로 자른 파이. **b**) 〖골프〗 웨지《쳐올리기용의 아이언 클럽》. ③ 사이를 떼는 것, 분열〔분리〕의 원인 : The dispute drove a ~ between the two political parties. 그 논쟁이 두 정당을 결렬시켰다. ***the thin end*** 〔***edge***〕 ***of the*** ~ 중대한 일로 발전할 (작은) 일.
── *vt.* ① 《+목+전+명/+목+부》 …을 끼어넣다, 억지로 밀어넣다《*in, into*》 : be ~*d in between* two stout men 뚱뚱한 두 사람 사이에 꼭 끼이다. ② 《~+목/+목+보/+목+부》 …을 쐐기로 고정하다, …에 쐐기를 박다 : ~ a door open 문이 닫히지 않게 쐐기로 받쳐 놓다. ~ one***self in*** (좁은 곳에) 억지로 끼어들다 : He ~*d* him*self in* 〔*into*〕 the queue. 그는 열〔줄〕 속에 비집고 들어갔다.
wedged [wedʒd] *a.* ① 쐐기꼴의. ② 〔敍述的〕 고정되어 : He was ~ into a small chair. 그는 작은 의자에 끼어 꼼짝도 못했다.
wédge héel 쐐기꼴 힐《굽이 높고 발끝에 이를수록 낮게 된 신바닥》.
wedge-shaped [-ʃèipt] *a.* 쐐기 모양의, V자꼴의.
Wedg·ie [wédʒi] *n.* Ⓒ (흔히 *pl.*) 《美口》 쐐기 꼴 힐(wedge heel)이 달린 여자 구두《商標名》.

Wedg·wood [wédʒwùd] *n.* Ⓤ 웨지우드 도자기 (=∠ **wàre**)《영국의 도공(陶工) Josiah Wedgwood(1730-95)가 시작함; 商標名》.

wed·lock [wédlɑk / -lɔk] *n.* Ⓤ 결혼 생활, 혼인. ***born in*** (***lawful***) ~ 적출(嫡出)의. ***born out of*** ~ 서출(庶出)의.

†**Wednes·day** [wénzdi, -dei] *n.* Ⓒ 〔흔히 冠詞 없이〕 수요일《略 : W., Wed.》: Today's ~. 오늘은 수요일이다 / next ~ =on ~ next 다음 수요일에 / on ~*s* 수요일마다, 언제나 수요일에는. ── *a.* 〔限定的〕 수요일의 : on ~ afternoon 수요일 오후에. ── *ad.* 《美》 수요일에 : See you ~. 그럼 수요일에 보세.

Wednes·days [wénzdiz, -deiz] *ad.* 수요일마다, 수요일에는 언제나 : The club meets ~. 그 클럽은 수요일마다 모임을 갖는다.

Weds. Wednesday.

wee**[1] [wi:] (wé·er*** ; ***wé·est***) *a.* ①《兒・方》 작은, 조그마한. ② (시각이) 매우 이른 : in the ~ hours of the morning 매우 이른 아침 시간에, 한밤중《오전 1시에서 3시경까지》에. ***a ~ bit*** 아주 조금 : We'll be *a* ~ *bit* late, I'm afraid. 아무래도 조금 늦을 것 같다.

wee[2] *n.*, *vi.* 《口・兒》 =WEEWEE.

‡**weed** [wi:d] *n.* ①Ⓒ 잡초 ; 해초(seaweed) : Ill ~*s* grow apace. 《俗談》 악초가 쉬이 자란다 / The garden is covered with ~*s*. 뜰은 온통 잡초로 뒤덮여 있다. ②Ⓤ (the ~) **a)** 《口》 엽(葉)궐련 ; 궐련, 담배. **b)** 《俗》 = MARIJUANA. ③Ⓒ 호리호리한 사람 ; 야위고 가냘픈 사람〔말〕.
── *vt.* ①…에서 잡초를 뽑다 ; …의 잡초를 뽑아내다 : ~ the nettles from 〔out of〕 the garden 정원에서 쐐기풀을 뽑아내다 / ~ the garden 뜰안의 풀을 뜯다. ②《+목+부 / +목+전+명》 (무용물・유해물 등)을 치우다, 제거하다《*out*》: ~ *out* harmful books *from* the library 도서관에서 유해한 책을 없애다. ── *vi.* 잡초를 뽑다, 제초하다.
㊕ ∠·**er** *n.* Ⓒ 풀 뽑는 사람 ; 제초기.

weed·kill·er [wí:dkìlər] *n.* Ⓒ 제초제(劑).

weedy [wí:di] (***weed·i·er*** ; ***-i·est***) *a.* ① 잡초투성이의 : a ~ garden 잡초가 무성한 뜰. ② (화초가) 잡초처럼 빨리 자라는. ③ (사람・동물이) 깡총한, 마른, 가냘픈.

†**week** [wi:k] *n.* ①Ⓒ 주《Sunday에서 시작하여 Saturday에서 끝남》: What day of the ~ is it? =What is the day of the ~? 오늘은 무슨 요일이냐 / the news of the ~ 주간 뉴스 / Wages are paid by the ~. 주급제이다. ②Ⓒ (요일에 관계없이) 7일간, 1주간 : a ~'s journey, 1주간의 여행. ③Ⓤ (W-) (특별한 행사 등이 있는) 주간 : Fire Prevention *Week* 화재 예방 주간. ④Ⓒ (일요일〔토・일요일〕 이외의) 평일(平日), 취업〔등교〕일 : I have no time during the ~. 나는 평일에는 틈이 없다 / We work a 40-hour ~. 우리는 주 40시간(노동)제로 일한다. ***a ~ of Sundays*** =***a ~ of ~s,*** 7주간 ; 《口》 (진절머리 나도록) 긴 동안. ***knock*** a person ***into the middle of next*** ~ 아무를 호되게 혼내주다. ***~ after*** ~ 매주(매주), 몇 주간이나 (계속해서). ***~ by*** ~ 매주마다 : *Week by* ~ we could see his health deteriorate. 주가 다르게 그의 건강이 악화되어 가는 것을 볼 수 있었다. ~ ***in***(,) ~ ***out*** 매주 매주 : Every Sunday, ~ *in*, ~ *out*, he goes golfing. 일요일마다 매주 매주 그는 골프치러 간다.

‡**week·day** [wí:kdèi] *n.* Ⓒ 주일, 평일《일요일 또는 토요일 이외의 요일》: If you want to avoid the crowds, it's best to come on a ~. (사람의) 혼잡을 피하고 싶으면 평일에 오는 것이 가장 좋다. ── *a.* 〔限定的〕 평일의.

week·days [∠dèiz] *ad.* 주일〔평일〕에(는) : Trains run more frequently on ~ than on Saturday or Sunday. 열차는 토요일이나 일요일보다 평일에 더 자주 운행하고 있다.

‡**week·end** [∠ènd] *n.* ①Ⓒ 주말《토요일 오후〔금요일밤〕부터 월요일 아침까지》; 주말 휴가 ; 주말 파티 : spend the ~ at the seaside 해변에서 주말을 보내다. ②〔形容詞的〕 주말의 : a ~ trip 주말 여행.
── *vi.* 《~ / +전+명》 주말을 지내다《*at*》: We used to ~ *at* Onyang. 우리는 언제나 주말을 온양에서 지내곤 했다.
㊕ ~·**er** *n.* Ⓒ 주말 여행자.

week·ends [∠èndz] *ad.* 《美》 주말마다, 주말에는 : go fishing ~ 주말마다 낚시질 가다.

‡**week·ly** [wí:kli] *a.* ① 매주의, 주 1회의 ; 1주간(분)의 : ~ pay 주급(週給). ② 주간의 : a ~ magazine 주간지. ── *ad.* 매주, 1주 1회 : be paid ~ 주급이다. ── *n.* Ⓒ 주간지〔신문, 잡지〕, 주보.

week·night [∠nàit] *n.* Ⓒ 평일의 밤.

week·nights [∠nàits] *ad.* 《美》 평일의 밤에.

wee·ny (***-ni·er*** ; ***-ni·est***) *a.* 《口》 아주 조그만.

‡**weep** [wi:p] (*p.*, *pp.* ***wept*** [wept]) *vi.* ①《~ / +전+명+*to* do》 눈물을 흘리다, 울다, 비탄〔슬퍼〕하다《*for* ; *over*》: ~ *at* a sad news 비보를 듣고 울다 / ~ *with* pain 고통 때문에 울다 / ~ *over* his child's death 아이의 죽음을 슬퍼하다 / ~ *for* joy 기뻐서 울다 / He *wept to* hear the tale. 그는 그 이야기를 듣고 울었다. ② **a)** 물방울을〔이〕 떨어뜨리다〔듣다〕: Concrete walls ~ in hot weather. 더울 때 콘크리트 벽은 물기가 밴다. **b)** (상처에서) 피가〔고름이〕 나오다 : The sore is still ~*ing* a lot so you'll have to change the dressing once a day. 상처에서 아직도 고름이 많이 나오고 있으니 하루에 한번은 붕대〔가제〕를 갈아야 할 것이다. ③ (하늘이) 비를 내리다, 비가 오다.
── *vt.* ① (눈물)을 흘리다 : ~ bitter tears 비탄의 눈물을 흘리다. ②《~+목 / +목+부 / +목+전+명 / +목+보》 (어떤 일)에 눈물 흘리다 ; 한탄〔슬퍼〕하다 : She *wept* her sad fate. 그녀는 자기의 슬픈 운명을 한탄하였다 / They *wept* their eyes blind. 그들은 눈이 퉁퉁 붓도록 울었다.
~ one***self out*** = ~ one***'s fill*** 실컷 울다. ~ one***self to sleep*** 울다 (지쳐서) 잠이 들다. ~ one***'s eyes*** 〔***heart***〕 ***out*** 눈이 퉁퉁 붓도록 울다, 가슴 찢어질듯이 슬프게 울다.
── *n.* (a ~) (한 차례, 한 바탕) 울기 : They had *a* good ~ together. 그들은 함께 실컷 울었다.

weep·er [wí:pər] *n.* ①Ⓒ **a)** 우는 사람. **b)** (옛날 장례식에 고용되어 울던) 곡꾼. ② (*pl.*) 상장(喪章) ; (과부용) 검은 베일.

weep·ie [wí:pi] *n.* Ⓒ 《口》 (극・영화 등의) 눈물을 자아내게 하는 것.

***weep·ing** [wí:piŋ] *a.* 〔限定的〕 ① 눈물을 흘리는, 우는. ② 빗물을 떨어뜨리는, 물방울이 듣는. ③ (가지 따위가) 늘어진.

wéeping wíllow 〖植〗 수양버들.

weepy [wí:pi] (***weep·i·er*** ; ***-i·est***) *a.* 《口》 ① 눈물어린, 눈물 잘 흘리는 : her ~ eyes 눈물어린 그녀의 눈. ② 눈물을 짜내는《이야기・영화 따위》.
── *n.* 《口》 =WEEPIE.

wee·vil [wí:vəl] *n.* Ⓒ 바구밋과의 곤충.

wee·wee [wí:wì:] 《英俗・兒》 *n.* Ⓤ (또는 a ~) 오줌 : Have〔Do〕 *a* ~. 쉬해라. ── *vi.* 쉬하다.

w.e.f. with effect from(…이후〔부터〕 유효).
weft [weft] *n.* (the ~; 集合的) (피륙의) 씨실, 위사(緯絲). opp. *warp*.
‡**weigh** [wei] *vt.* ①《~+목/+목+전+명》…의 무게를 달다: ~ potatoes 감자의 무게를 달다 / ~ oneself *on* the scales 저울로 체중을 달다 / ~ a stone *in* one's hand 손으로 돌의 무게를 가늠하다. ②《~+목/+목+부/+목+전+명》…을 숙고하다, 고찰(考察)하다; 평가하다; 비교 검토하다: *Weigh* your words *in* speaking. 말을 신중히 골라서 해라 / He ~*ed* the claims of the rival candidates. 그는 대립 후보들의 주장을 비교 검토했다 / ~ the present *against* the past 현재를 과거와 비교 고찰하다. ③…을 (…로) 무겁게 하다 《*with*》; …에 무게를 가〔더〕하다: We ~*ed* the drapes to make them hang properly. 커튼이 고르게 드리워지도록 무게를 주었다. ④〔종종 受動으로〕(책임·걱정 등이, 사람)을 압박하다《*with*; *by*》: She *was* ~*ed down with* greif. 그녀는 슬픔으로 침울하게 기가 꺾여 있었다. ⑤〖海〗(닻)을 올리다: ~ anchor 닻을 올리다, 출항(出港) (준비를) 하다.
— *vi.* ①무게를 재다: When did you ~ last? 지난 번에는 언제 체중을 쟀느냐. ②《+보》무게가 …이다〔나가다〕, …(만큼) 무겁다: How much does the baggage ~? 화물의 무게는 얼마죠 / It ~*s* 10 pounds. 그것은 무게가 10 파운드이다 / He ~*s* more than I do. 그는 나보다 체중이 더 나간다. ③숙고하다: ~ well before decision 잘 생각한 후 결정하다. ④《~/+전+명》중요시되다, 중요하다《*with*》: a point that ~*s with* me 나에게는 중요한 점. ⑤《+전+명/+보》(일이) 무거워 부담이 되다; 압박하다《*on, upon*》: The problem ~*s* heavily〔heavy〕*upon* me. 그 문제는 나에게 큰 부담을 준다. ◇ weight *n.*
~ ***against*** …에게 불리하게 작용하다. ~ ***down*** (1) (무게로) 내리누르다. (2) (사람의) 마음을 까라지게〔무겁게〕하다. ~ ***in*** (권투 선수 등이) 시합 당일 체중 검사를 받다; (경마 기수가) 경주 후에 체중 검사를 받다: ~ *in* at 135 pounds 검량에서 135파운드이다. (2)(싸움·논쟁에) 끼어들다, 간섭하다. ~ ***into***《俗》…을 공격하다. ~ ***out*** (1) 무게를 달아서 덜어내다: ~ *out* sugar for a cake 케이크를 만들기 위하여 설탕을 달아서 덜다. (2) (경마 기수가) 경주 전에 체중 검사를 받다. ~ ***up*** 비교 고량(考量)하다; 헤아리다; …을 평가하다: ~ *up* the merits and demerits 장단점을 비교하여 잘 검토하다.
weigh·bridge [wéibrìdʒ] *n.* Ⓒ 대형 앉은뱅이 저울, 계량대(臺)《가축·차량 등의 무게를 다는》.
weigh-in [wéiìn] *n.* Ⓒ 기수(騎手)의 레이스 직후의 계량; 권투 선수의 경기 전의 계량.
wéigh·ing machìne [wéiiŋ-] 계량기(機)《특히 무거운 물건〔사람〕을 다는》.
†**weight** [weit] *n.* ①Ⓤ **a**) 무게, 중량, 체중: over〔under〕~ 무게가 초과〔부족〕하여 / put on ~ (사람이) 살찌다 / You and I are (of) the same ~. 너와 나는 체중이 같다 / lose ~ 체중을 줄이다 / What is your ~? 체중은 어느 정도입니까. **b**)〖物〗무게《질량과 중력 가속도의 곱; 기호 W》. ②Ⓒ **a**) 분동(分銅). **b**) 무거운 물건: lift (heavy) ~*s* 무거운 것을 들어올리다. **c**) 문진(文鎭), 서진. **d**) (경기용의) 포환, 원반; (역도의) 바벨. ③**a**) Ⓤ 형량 체계, 형법(衡法). **b**) Ⓒ 형량〔중량〕단위: ~*s* and measures 도량형. ④Ⓤ (…의) 무게에 상당하는 양: a five-kilo ~ of flour 밀가루 5킬로분. ⑤Ⓒ (흔히 *sing.*) (마음의) 부담, 무거운 짐, 중압, 압박. ⑥Ⓤ 중요함, 중요성; 세력, 영향력; 비중: a man of ~ 유력자 / an argument of great ~ 중요한 논의(論議). ⑦Ⓤ〖競〗웨이트(권투·역도·레슬링 등의 선수 체중에 의한 등급). ◇ weigh *v.* ***carry*** ~ (의견 등이 …에게) 영향력이 있다, 중요하다. ***pull*** one's ~ 자기의 힘에 상응하는 일을 하다, 자기의 역할을 다하다. ***throw*** 〔***chuck***〕 one's ~ ***around*** 〔***about***〕 ⇨THROW.
— *vt.* ①《~+목/+목+전+명》…에 무게를 가하다, …을 무겁게 하다; …에 적재하다: ~ a model ship *with* lead at the bottom 모형 배의 바닥에 납을 달아서 안정을 얻게 하다. ②…에 (핸디캡으로) 중량을 과하다; …에 무거운 것을 지게 하다; 불리한 경우를 당하게 하다. ③《+목+부/+목+전+명》〔흔히 受動으로〕…에게 과중한 부담을 지우다; (아무를) …로 괴롭히다, 압박하다: *be* ~*ed down with* many cares 여러 가지 걱정거리로 괴로움을 당하다. ④〔흔히 受動으로〕…을 한쪽에 치우치게 하다; 조작하다《*against*; *in favor of*》: The test *was* ~*ed against* those who had little scientific knowledge. 시험이 과학 지식이 별로 없는 사람들에게는 불리하게 되어 있었다.
㊞ ∠·**ed** [-id] *a.* ①무거워지게 된; 무거운 짐을 진; 가중된. ②(한쪽으로) 치우친, 기울어진.
weight·ing [wéitiŋ] *n.* Ⓤ (또는 a ~)《英》급여에 얹는 수당, 《특히》지역 수당(=∠ **allòw-ance**).
weight·less [wéitlis] *a.* (거의) 중량이 없는; 무중력의: Man is ~ in space. 인간은 우주에서는 무중력이 된다. ㊞ ~·**ly** *ad.* ~·**ness** *n.* Ⓤ 무중량; 무중력(상태).
wéight lìfter 역도 선수.
wéight lìfting〖競〗역도.
wéight wàtcher 체중에〔체중이 늘지 않도록〕신경을 쓰는 사람.
*__weighty__ [wéiti] (***weight·i·er***; ***-i·est***) *a.* ①(매우) 무거운, 무게가 있는. ②(문제 따위가) 중요한, 중대한; (책임 등이) 무거운. ③세력 있는, 유력한.
㊞ **wéight·i·ly** *a.* **-i·ness** *n.*
weir [wiər] *n.* Ⓒ①둑《물레방아용·관개용 등》. ②어살.
*__weird__ [wiərd] *a.* ①수상한, 불가사의한, 이 세상 것이 아닌; 섬뜩한, 무시무시한. cf. uncanny. ②《口》기묘한, 이상한: a ~ dress〔idea〕색다른 드레스〔생각〕. ㊞ ∠·**ly** *ad.* ∠·**ness** *n.*
weird·ie [wíərdi] (*pl.* ***weird·ies***) *n.*《美口》= WEIRDO.
weirdo [wíərdou]《美口》(*pl.* ~***s***) *n.* Ⓒ 기인, 별난 사람.
Wéird Sísters (the ~) 운명의 3 여신(the Fates).
welch ⇨ WELSH.
†**wel·come** [wélkəm] *int.* 어서 오십시오, 잘 오셨소: *Welcome* home! (잘) 다녀오셨습니까 / *Welcome* to Seoul! 서울에 오신 것을 환영합니다.
— *n.* Ⓒ 환영, 환대; 환영의 인사: He received 〔had〕 a warm ~. 그는 따뜻한 환영을 받았다. ***bid*** a person ~ =***say*** ~ ***to*** a person 아무를 환영〔환대〕하다. ***wear out*** one's ~ 너무 여러 번 찾아가서〔오래 머물러〕 눈총받다.
— (*p., pp.* ~***d***) *vt.*《~+목/+목+전+명》(손님 등)을 환영하다, 기꺼이 맞이하다〔받아들이다〕: The actors were ~*d* by large crowds. 배우들은 군중의 환영을 받았다 / ~ criticism 〔new ideas〕 기꺼이 비평〔새로운 사상〕을 받아들이다 / I ~ you *to* my home. 오신 것을 환영합니다.
— *a.* ①환영받는, 기꺼이 받아들여지는, 고마운, 좋은: a ~ guest 환영받는〔오기를 바라는〕손님 /

~ news 반가운 소식 / ~ advice 고마운 충고. ② 〔敍述的〕 마음대로 해도 좋은《*to*》; 〔비꼬아〕 마음〔멋〕대로 …할 테면 해라(내가 알 바 아니다)《*to* a thing ; *to* do》: You are ~ *to* any book in the library. 도서실의 책을 어떤 것이든 마음대로 읽으십시오 / He is ~ *to* say what he likes. 그에게 마음대로 지껄이게 해 두어라. ***make*** a person ~ 아무를 따뜻이 대접하다 : His family *made* me ~. 그의 가족은 나를 따뜻이 대해〔대접해〕 주었다. (***You are***) ~. 어서 오십시오 ; 《美》 ("Thank you"에 대하여) 천만에요.

wélcome màt (현관의) 매트(doormat) ; 《口·比》 환영. ***put out the*** ~ 대환영하다《*for*》.

wel·com·ing [wélkəmiŋ] *a.* 환영하는, 우호적인.

***weld** [weld] *vt.* ① …을 용접하다《*together*》: ~ two metal plates 두 금속판을 용접하다. ② …을 결합시키다, 밀착시키다. ── *vi.* 용접되다 ; 밀착되다. ── *n.* Ⓒ 용접, 밀착 ; 용접점 ; 접착(부분). ㊕ ∠·**er**, **wél·dor** *n.* Ⓒ 용접공〔기〕.

weld·ing [wéldiŋ] *n.* Ⓤ 용접(기술).

‡**wel·fare** [wélfɛ̀ər] *n.* Ⓤ ① 복지, 후생 ; 행복, 번영 : child ~ 아동 복지. ② 복지 사업. ③《美》 생활 보호(《英》 social security). ***on*** ~《美》 복지 생활 보호를〔복지 혜택을〕 받아.

wélfare stàte 복지 국가.

wélfare wòrk 복지 사업.

wélfare wòrker 복지 사업가.

wel·far·ism [wélfɛ̀ərizəm] *n.* Ⓤ 복지 국가 주의적 정책〔태도〕. ㊕ **-ist** *n., a.*

wel·kin [wélkin] *n.* (the ~) 《古·詩》 창공, 하늘. ***make the*** ~ ***ring*** (큰 목소리로) 하늘까지 쩌렁쩌렁 울리게 하다, 천지를 경동시키다.

‡**well**[1] [wel] *n.* Ⓒ ① 우물 ; (유정 따위의) 정(井) : an oil ~ 유정(油井). ② (감정·지식 등의) 샘, 원천 : a ~ of information 지식의 샘, 만물 박사. ③ 우물 모양의 것 ; 엘리베이터가 오르내리는 공간 ; 계단통《계단을 포함하는 수직 공간》(stair~). ④《英》(법정의) 변호인석.

── *vi.* 《+副/+前+名》 솟아나오다, 분출하다《*up* ; *out* ; *forth*》; (생각 등) 치밀어오르다《*up*》: Tears ~*ed up* in his eyes. 그의 눈에 눈물이 쏟아져 나왔다 / I felt indignation ~*ing up* in me. 분노가 치밀어오름을 느꼈다.

†**well**[2] [wel] (***bet·ter*** [bétər] ; ***best*** [best]) *ad.* ① 잘, 만족히, 더할 나위 없이, 훌륭하게 (opp *ill, badly*) : dine 〔work〕 ~ 잘 먹다〔일하다〕 / He slept ~ last night. 그는 간〔지난〕밤에 잘 잤다 / Everything is going ~. 모든 것〔일〕이 잘 돼가고 있다.

② 능숙하게, 잘 (opp *badly*) : He speaks English ~. 그는 영어를 잘 한다 / *Well* done! 잘 했다.

③ 잘, 충분히, 완전히 (thoroughly) : wash one's hands ~ 손을 잘 씻다 / Think ~ before you act. 행동하기 전에 잘 생각하여라.

④ 잘, 적절히, 알맞게, 바로 : That is ~ said! (그 말씀이) 맞습니다, 바로 그렇습니다 / *Well* met! 《古》 잘 만났다.

⑤ 호의적으로, 친절히, 잘, 후하게 : Treat her ~. 그녀를 잘 대(우)해 주어라 / Everyone thinks 〔speaks〕 ~ of him. 모두 그를 좋게 생각한다〔말한다〕.

⑥ 잘, 유복하게 : live ~ 잘 살다 / He's doing rather ~ for himself. 그는 그런대로 유복하게 지내고 있다.

⑦ 침착하게, 평정(平靜)〔담담〕하게 : He took the joke ~. 그는 담담하게 그 농지거리를 받아들였다.

⑧ **a**) 〔副詞(句) 앞에서〕 꽤, 상당히, 훨씬 : He was ~ over thirty 〔~ into his thirties, on in his thirties〕. 그는 30 이 훨씬 넘었었다 / The results are ~ above what we expected. 결과는 기대한 것 이상으로 훨씬 좋았다 / Her assets amounted to ~ over $1 billion. 그 여자의 재산은 족히 10 억 달러 이상은 되었다. **b**) 〔able, aware, worth 따위의 敍述形容詞 앞에서〕 상당히, 충분히 : We're ~ *able* to control inflation. 우리는 인플레이션을 충분히 막을 수 있다 / She was ~ *aware* of the danger. 그녀는 그 위험을 잘 알고 있었다 / This book is ~ *worth* reading. 이 책은 읽을 가치가 충분히 있다 / The plan is now ~ *advanced*. 그 계획은 지금 상당히 진척되어 있다.

as ~ (1) 더욱이, 또한, 게다가, 그 위에 : He gave me advice, and money *as* ~. 그는 나에게 조언을 해준 외에 돈도 주었다. (2) 똑같이 잘 : He can speak Chinese *as* ~. 그는 중국어를 (…와) 마찬가지로 잘 할 수 있다《as well as 의 뒤의 as 이하가 생략된 형 ; (1)의 뜻으로 '그는 중국어도 할 수 있다'의 의미가 될 때도 있음》. ***as*** ~ ***as*** ... …뿐 아니라 ─도, …은 물론 ─도 : He gave us food *as* ~ *as* clothes. 그는 우리에게 옷은 물론 먹을 것도 주었다 / I *as* ~ *as* he am diligent. 그와 마찬가지로 나도 부지런하다《A as well as B 가 주어일 때 술어동사는 A 의 인칭·수에 일치시킴》. (2) …와 마찬가지로 잘 : Can he play golf? ─ Yes, he can *as* ~ *as* you. 그는 골프를 칠 줄 아는가 ─ 네, 당신만큼 잘 칩니다. ***be*** ~ ***off*** 유복하다, 잘 살다 ; (… 가) 많 다《*for*》: We'*re* ~ *off for* clinics around here. 이 주변에는 진료소가 많다. ***be*** ~ ***out of*** ... 《口》 (언짢은 일 등)에서 벗어나다 : You're ~ *out of* that dirty and dangerous job. 자네는 저 불결하고 위험한 일에서 벗어나서 잘 되었네. ***be*** ~ ***up in***〔***on***〕 ... …을 잘 알고 있다, …에 정통하다. ***cannot*** 〔***could not***〕 ~ do (당연한 일이지만) 도저히 …할 수 없다《★ 이 could not 은 가정법 과거형으로서 cannot 보다 완곡한 표현이며, 또한 보통의 과거형으로도 사용될 수가 있음》: I *can't* 〔*couldn't*〕 very ~ refuse. 도저히 거절할 수는 없다. ***come off*** ~ (아무가) 행운이다, 운이 좋다 ; (일이) 잘 돼 가다. ***could just as*** ~ do …하는 편이 낫다 : You *could just as* ~ have apologized then and there. 자넨 그때 당장 사죄했어야 좋았네. ***do*** one***self*** ~ 호화롭게 살다. ***do*** ~ (1) (아무에게) 친절히 대하다《*by*》: He's always *done* ~ *by* me. 그는 항상 나에게 잘 해주었다. (2) 잘 돼가다, 성공하다. (3) 〔進行形으로〕 건강이 회복되다, 점차 좋아지다. ***do*** ~ ***out of*** ... 《口》 …에서 이익을 올리다 : He *did* ~ *out of* the sale of his car. 그는 자기 차를 팔아 꽤 이익을 남겼다. ***do*** ~ ***to*** do …하는 것〔편〕이 좋다〔현명하다〕: You would *do* ~ *to* say nothing about it. 그 일에 관해서는 침묵하는 것이 좋다《You shouldn't say anything about it. 가 더 구어적임》/ It was ~ *done* of you *to* come. 잘 와 주셨습니다. ***just as*** ~ 〔대답에 쓰이어〕 지장〔상관〕이 없어, 그것으로 괜찮아 : I'm sorry, I don't have a pen. ─ A pencil will do *just as* ~. 미안하지만 펜이 없습니다 ─ 연필이라도 괜찮습니다. ***may***〔***might***〕(***just***) ***as*** ~ ... (***as***＿) (─하는 것은) …하는 것과 같다 ; (─한다면) …하는 것이 낫다《불가능성을 강조하거나 표현을 완곡히 할 때는 may 대신 might를 씀》: You *may* (*just*) *as* ~ wait till Friday. 금요일까지 기다리는 게 낫다 / You *might just as* ~ leave now. 이젠 떠나도 좋소 / One *might as* ~ throw money away *as* spend it in betting. 내기에 돈을 거느니 차라리 그

냥 내다버리는 게 낫겠다. ***may*** ~ do (1) …하는 것도 당연하다 : She *may* ~ be surprised. 그녀가 놀라는 것도 당연하다 / He *may* ~ think so. 그가 그렇게 생각하는 것도 당연하다. (2) …일지도 모른다 ; (충분히) …할 것 같다 : It *may* ~ *be* true. 그건 정말일지도 모른다. ***pretty*** ~ 《口》 (1) 거의, 거진 (almost) : The homework is *pretty* ~ finished. 숙제는 거의 끝났다. (2) (환자 따위가) 꽤 좋아〔건강하게〕; (일 따위가) 꽤 잘 : How's he doing? — Oh, (he's doing) *pretty* ~. 그는 어떻습니까 — 오, 꽤 순조롭습니다. ~ ***and truly*** 《英口》 완전히, 아주 : She was ~ *and truly* exhausted. 아주 녹초가 돼 있었다. ~ ***away*** 《英》 (1) 진행〔진척〕하여 : We're ~ *away.* 잘 되어가고 있다. (2) 《俗》 취(醉)하기 시작하여, 얼큰하여. ***Well done!*** *ad.* ②.

— (**bet·ter ; best**) *a.* ① 〔흔히 敍述的〕 건강한, 튼튼한《이러한 뜻으로는 最上級을 쓰는 일은 드묾》. OPP *ill.* ¶ You will soon get ~. 너는 곧 회복될 거다 / You don't look ~. 안색이 좋지 않군요 / She is ~ enough. 그녀는 무척 건강하다 / How are you? — Quite ~, thank you, and you? 건강이 어떻습니까 — 고맙습니다, 덕분에. 당신은? / He is getting *better.* 그는 차츰 나아간다, 차도(差度)가 있다《★ 《美》에서는 原級을 限定的으로 씀》: She is a very ~ woman. 그녀는 아주 건강한 여자다.

② 〔敍述的〕 (형편이) 좋은, 잘되는, 만족스러운 ; 다행한 : all being ~ 만사 순조로우면〔뜻대로 되면〕 / I am very ~ where I am. 나는 지금의 위치에 만족하고 있다 / All is ~ with us. 저희들은 잘 있습니다 / All's ~ (that ends ~). (끝이 좋으면) 만사가 좋다.

③ 타당한, 적당한 : It is not ~ to anger him. 그를 성나게 하는 것은 좋지 않다.

all very ~ ⇨ VERY. (***all***) ~ ***and good*** 《口》 좋다 ; 할 수 없다《흔히 불만을 말할 때 서두로서 씀》: That's *all* ~ *and good,* but I don't have the money. 그것도 좋지만 내게는 그 돈이 없다. ***just as*** ~ (1) 아주 운이 좋은, 마침 잘된 : It's *just as* ~ I met you. 너를 만나 마침 잘되었다. (2) 도리어 좋은 : It was *just as* ~ you didn't meet him. 그를 만나지 않은 것이 도리어 좋았다 / I didn't see the TV program. — *Just as* ~ ; it wasn't very good. 그 TV프로그램을 보지 못했다 — 도리어 잘됐지, 별로 좋지도 않았거든. (***just***) ***as*** ~ …하는 편이 좋은 : It would be *as* ~ to explain. 설명하는 편이 좋을거야. ***Very*** ~. ⇨VERY.

— *int.* ① 〔놀라움〕 이것 참〔원〕, 원 이거 : *Well,* ~, it's a small world we live in! 이거 원, 세상이란 넓고도 좁은 것이로군. ② 〔망설임·의문〕 그런데, 글쎄(요) : Can you do that? — *Well,* I'm afraid not. 할 수 있습니까 — 글쎄요, 아무래도 못할 것 같군요. ③ 〔안도·이야기의 계속 따위〕 그런데, (자) 이제 ; 이제는, 우선 : *Well,* I'm through now. 자 끝났다 / *Well,* as I was saying, Tom and I happened to be in 〔on〕 the same train. 그런데 앞서도 말했습니다만 톰과 나는 공교롭게도 한 차에 타고 있었어요. ④ 〔안심·체념·양보〕 후유 ; 괜찮아 ; 그래 : *Well,* finally found the house, huh? 후유, 겨우 그 집을 찾았구나 / Well, you can't help it. 뭐, 하는 수 없는 일이야

— *n.* Ⓤ 좋음, 만족함 ; 건강, 행복 : wish ~ to a person 아무의 행복을 빌다.

well- well² 의 결합형.

†**we'll** [wiːl] we shall 〔will〕의 간약형.

well-a·cquaint·ed [wéləkwéitid] *a.* (…을) 잘 알고 있는《*with*》 「잘 순응한.

well-ad·just·ed [-ədʒʌ́stid] *a.* (사람이) 사회에

well-ad·vised [-ədváizd] *a.* 사려 있는, 분별있는, 신중한《*to* do》: You would be ~ *to* keep out of the quarrel. 그 싸움에 말려들지 않는 게 현명할 것이다.

well-af·fect·ed [-əféktid] *a.* 호의를〔호감을〕 갖고 있는《*to; toward*》.

well-ap·point·ed [-əpɔ́intid] *a.* 설비가 잘 갖추어진 : Guestrooms are commodious and ~. 객실들은 넓고 설비도 잘 돼 있다.

well-bal·anced [-bǽlənst] *a.* ① 균형이 잡힌 : a ~ diet 균형식(食). ② 분별있는, 상식 있는.

well-be·haved [-bihéivd] *a.* 행실이 좋은.

***well-be·ing** [-bíːiŋ] *n.* Ⓤ 행복(한 상태) ; 건강(한 상태). OPP *ill-being.* 「받는(사람).

well-be·lov·ed [-bilʌ́vid] *a., n.* Ⓒ 가장 사랑

well·born [-bɔ́ːrn] *a.* 태생이〔가문이〕 좋은.

well-bred [-bréd] *a.* ① 본데 있게 자란, 행실이 좋은. ② (개·말이) 종자가 좋은.

well-built [wélbílt] *a.* (건물이) 튼튼한 ; 《口》 (사람이) 체격이 좋은.

well-chos·en [-tʃóuzən] *a.* (어구 따위가) 적절한 : in ~ words 적절한 말로.

well-con·di·tioned [-kəndíʃənd] *a.* 건강한, 컨디션이 좋은.

well-con·duct·ed [-kəndʌ́ktid] *a.* (조직 등이) 제대로 관리〔운영〕된.

well-con·nect·ed [-kənéktid] *a.* 문벌〔가문〕이 좋은 : She was born in a ~ family. 그녀는 문벌이 좋은 가문에 태어났다. 「《사람》.

well-covered [-kʌ́vərd] *a.* 살이 찐, 통통한

well-de·fined [-difáind] *a.* ① (정의(定義)가) 분명한. ② 윤곽이 뚜렷한.

well-de·served [-dizə́ːrvd] *a.* (상벌 등을) 받기에 어울리는, 당연한.

well-dis·posed [-dispóuzd] *a.* 〔敍述的〕 마음씨 고운, 친절한《*to; toward*》: She seemed ~ *toward* us. 그녀는 우리에게 호의적인 것 같았다.

well-do·ing [-dúːiŋ] *n.* Ⓤ 선행, 덕행.

well-done [-dʌ́n] *a.* ① (고기가) 잘 익은, 충분히 조리된. ② (공사가) 훌륭하게 된.

well-dressed [-drést] *a.* 옷 맵시가 단정한 ; 좋은 옷을 입은.

well-earned [-ə́ːrnd] *a.* 제 힘으로 얻은 : a ~ punishment 자업자득.

well-ed·u·cat·ed [-édʒukèitid] *a.* 충분한 교육을 받은 ; 교양 있는.

well-en·dowed [-endáud] *a.* ① (재능·지질 등)이 있는, 많은. ② 《口》 (여성이) 풍만한 가슴을 가진.

well-es·tab·lished [-estǽbliʃt] *a.* ① 확립〔정착〕한《습관·어법 따위》. ② (회사 등) 정평있는.

well-fa·vored [-féivərd] *a.* 미모의, 잘생긴.

well-fed [-féd] *a.* 영양이 좋은 ; 살찐.

well-fixed [-fíkst] *a.* 《口》 유복한, 부유한.

well-found [-fáund] *a.* =WELL-APPOINTED.

well-found·ed [-fáundid] *a.* (의심할) 근거가 충분한.

well-groomed [-grúːmd] *a.* ① 몸차림이 깔끔한. ② (동물·정원 등이) 손질이 잘 된.

well-ground·ed [-gráundid] *a.* ① 충분한 기초훈련을 받은《*in*》: He's ~ *in* English. 그는 영어의 기초가 단단하다. ② 충분한 근거가 있는.

well·head [-hèd] *n.* Ⓒ ① 수원(水源), 원천(源泉)《*of*》

well-heeled [-híːld] *a.* 《口》 부유한.

well-in·formed [-infɔ́ːrmd] *a.* ① 〔敍述的〕

정보에 밝은, 잘 알고 있는《*about* ; *in* ; *on*》: He's ~ *about* the topics of the day. 그는 시사 문제에 정통하다. opp *ill-informed*. ② 박식한, 견문이 많은.

Wel·ling·ton [wéliŋtən] *n.* **Arthur Welles-ley** ~ 웰링턴《영국의 장군·정치가 ; 1769-1852》.

well-in·ten·tioned [wélinténʃənd] *a.* (결과는 여하간에) 선의의, 선의에서 나온, 선의로 행한 : a ~ lie 선의의 거짓말.

well-judged [⌐-dʒʌ́dʒd] *a.* 판단이 옳은[알맞은], 적절한.

well-kept [⌐-képt] *a.* 손질이 잘 된, 잘 간수[관리]된.

well-knit [⌐-nít] *a.* ① (체격이) 튼튼한, 건장한. ②(이론 등이) 정연한.

‡**well-known** [⌐-nóun] *a.* 유명한, 잘 알려진 ; 주지의 : a ~ painter.

well-lined [⌐-láind] *a.* ① (지갑에) 돈이 두둑한. ②배가 부른.

well-made [⌐-méid] *a.* (몸이) 균형잡힌 ; (세공품이) 잘 만들어진 ; (소설·극이) 구성이 잘 된.

well-man·nered [⌐-mǽnərd] *a.* 예절 바른 ; 점잖은, 공손한.

well-marked [⌐-mɑ́:rkt] *a.* 뚜렷이 식별되는 ; 명확한.

well-matched [⌐-mǽtʃt] *a.* 조화된, 어울리는 《부부 따위》: They are an attractive and ~ couple. 그들은 매력있고 어울리는 부부이다.

well-mean·ing [⌐-mí:niŋ] *a.* 선의[호의]의, 선의로 행한 ; 호인인.

well-meant [⌐-mént] *a.* =WELL-INTENTIONED.

well-nigh [wélnái] *ad.* 《文語》 거의 : be ~ perfect 거의 완전하다.

well-off [⌐ɔ́(:)f, ⌐ɑ́f] *a.* ① 부유한, 유복한 : the ~ classes 부유계급 / a ~ widow 돈많은 과부. ② 〔敍述的〕 (입장·상태가) 순조로운, 만족스러운. ③〔敍述的〕 …이 풍부한《*for*》: The city is ~ *for* parks and gardens. 그 도시에는 공원과 정원이 많다. opp *badly-off*.

well-oiled [⌐ɔ́ild] *a.* ① 간살스러운 : have a ~ tongue 아첨을 잘하다. ②《口》〔종종 well oiled〕 취한 : He's ~. 그는 완전히 취해 있다.

well-or·dered [⌐ɔ́:rdərd] *a.* 질서 정연한.

well-paid [⌐-péid] *a.* 급료[보수]가 좋은.

well-pre·served [⌐-prizə́:rvd] *a.* ① 잘 보존된. ② (연령에 비해) 젊어 보이는.

well-pro·por·tioned [⌐-prəpɔ́:rʃənd] *a.* 균형이 잘 잡힌.

well-read [⌐-réd] *a.* 많이 읽은 ; 박식[해박]한 《*in* ; *on*》: He's ~ *in* history. 그는 역사에 정통해 있다.

well-round·ed [⌐-ráundid] *a.* ① (문장·구상 등이) 균형이 잡힌. ② (경험·지식 등이) 다방면에 걸친, 폭넓은. ③ 통통하게 살찐, 풍만한.

Wells [welz] *n.* **Herbert George** ~ 웰스《영국의 저술가 ; 1866-1946》.

well-spent [⌐-spént] *a.* (돈·시간이) 뜻 있게[유익하게] 쓰인.

well-spo·ken [wélspóukən] *a.* 말씨가 세련된[고상한] ; 표현이 적절한.

well·spring [⌐-spriŋ] *n.* Ⓒ 수원(水源) ; 《比》 (마르지 않는) 원천(源泉)《*of*》.

well-thought-of [⌐-θɔ́:tɑ̀v, -ʌ̀v / -ɔ̀v] *a.* (사람이) 평판이 좋은, 존경받고 있는.

well-thought-out [⌐θɔ̀:táut] *a.* 면밀한, 충분히 다듬어낸.

well·thumbed [⌐-θʌmd] *a.* (책장 등이) 손자국이[손때가] 묻은.

well-timed [⌐-táimd] *a.* 때를 잘 맞춘, 시의적절한, 시기[기회]가 좋은 : a ~ joke 시의 적절한 농담.

***well-to-do** [⌐-tədú:] *a.* 유복한, 편한[넉넉한] 살림의.

well-tried [⌐-tráid] *a.* 많은 시련을 겪은 ; 충분히 음미된.

well-trod·den [⌐-trɑ́dn / ⌐-trɔ́dn] *a.* (길 따위가) 잘 다져진 ; 사람의 통행이 많은.

well-turned [⌐-tə́:rnd] *a.* ① 교묘하게 표현한 : a ~ phrase 교묘한 어구. ② (체격 따위가) 미끈한, 균형있는 : ~ legs 미끈한 다리.

well-up·hol·stered [⌐-ʌphóulstərd] *a.* 《英·戲》 (사람이) 뚱뚱한, 살찐.

well-versed [-və:rst] *a.* 〔敍述的〕 …에 정통한 《*in*》.

well-wish·er [⌐-wíʃər] *n.* Ⓒ 남의 행복을 비는 사람, 호의를 보이는 사람 ; 독지가, 유지.

***Welsh** [welʃ, weltʃ] *a.* Wales 의 ; 웨일스 사람 〔말〕의. ── *n.* ① Ⓤ 웨일스 말. ② (the ~) 〔集合的〕 웨일스 사람.

Welsh·man [wélʃmən, wéltʃ-] (*pl.* ***-men*** [-mən]) *n.* Ⓒ 웨일스 사람.

Wélsh rábbit 〔**rárebit**〕 치즈토스트《녹인 치즈를 토스트 또는 비스킷에 부은 요리》.

Welsh·wom·an [wélʃwùmən, wéltʃ-] (*pl.* ***-wom·en*** [-wìmin]) *n.* Ⓒ 웨일스 여자.

welt [welt] *n.* Ⓒ ① 대다리《구두창에서 갑피를 대고 맞꿰매는 가죽테》. ② 가장자리 장식. ③ 맷[채찍] 자국. ④ 강타, 일격.
── *vt.* ① (구두)에 대다리를 대다. ② …에 가장자리 장식을 붙이다. ③ (아무)를 매질하다.

wel·ter[1] [wéltər] *vi.* ①《+부 / +전+명》 (…의 속)을 굴러다니다 ; 뒹굴다《*in*》: a pig ~*ing* (*about*) *in* the mud 진흙 속에서 뒹굴고 있는 돼지. ② (물결이) 파도치다, 굽이치다. ③《+전+명》 (쾌락 등에) 잠기다, 빠지다《*in*》: ~ *in* sin 죄악[쾌락]에 빠지다. ── *n.* Ⓤ ① 뒹굴기. ② (또는 a ~) 혼란, 뒤죽박죽 ; 잡동사니.

wel·ter[2] *n.* Ⓒ ① 평균체중 이상의 기수(騎手) ; 웰터급 복서(welterweight) ; 특별 중량《28파운드》을 진 (장애)경마(=⌐ **ràce**). ②《口》 강타, 강한 펀치. ③ 유별나게 무거운[큰] 것[사람].

wel·ter·weight [wéltərwèit] *n.* Ⓒ, *a.* 〖拳·레슬링〗 웰터급의(선수).

wen [wen] *n.* Ⓒ (머리·목 따위의) 부스럼, 혹. ***the great*** ~ 런던의 속칭.

wench [wentʃ] *n.* Ⓒ 《古》 ① 계집아이. ── *vi.* (남성이) 많은 허튼 여자와 관계하다.

wend [wend] (*p.*, *pp.* **~·ed,** 《古》 **went**) *vt.* 〔다음 慣用句에만 쓰임〕 ~ one**'s way** (천천히) 가다, 여행하다.

Wén·dy hòuse [wéndi-] 《英》 (아이들이 안에 들어가 노는) 장난감 집(play house).

†**went** [went] GO 의 과거. cf. wend.

‡**wept** [wept] WEEP 의 과거·과거분사.

†**were** [wə:r, 弱 wər] BE 의 과거《直說法 複數(2 인칭에서는 單數에도)·假定法 單數 및 複數》: The children ~ hungry. 아이들은 배가 고팠다 / If he ~ present, we could ask him. 그가 출석하고 있다면 물을 수 있을 텐데. ***as it*** ~ 말하자면. ***if it ~ not for*** =~ ***it not for*** …이 없다면, …의 도움이 아니면 : *Were it not for* water, nothing could live. 물이 없다면, 아무것도 살 수 없을 것이다. ~ ***to*** ⇨ BE ⑥.

†**we're** [wiər] we are 의 간약형.

†**were·n't** [wə:rnt] were not 의 간약형.

wer(e)·wolf [wíərwùlf, wə́:r-] (*pl.* ***-wolves*** [-wùlvz]) *n.* Ⓒ 〖傳說〗 늑대 인간.

Wes·ley [wésli, wéz-] *n.* **John** ~ 웨슬리《영국의 신학자·종교가로 감리교(Methodism)의 창시자 ; 1703-91》.

Wes·ley·an [wésliən, wéz-] *a.*, *n.* Ⓒ 웨슬리 교파의 (교도). 파 **~·ìsm** *n.* Ⓤ 웨슬리교[주의].

Wes·sex [wésiks] *n.* 웨섹스《중세 잉글랜드 남부에 있었던 앵글로색슨 왕국》.

†**west** [west] *n.* ① (the ~) 서(西), 서쪽, 서방 : in〔on〕 *the* ~ of …의 서쪽에 / to *the* ~ of Manchester 맨체스터에서 서쪽으로. ② **a)** (the ~) 서부지방〔지역〕 : *the* ~ of Australia 오스트레일리아의 서부. **b)** (the W-) 서양《동양에 대하여》; 서유럽, '서방측'《공산 국가에 대하여》; 〖史〗 서로마 제국. **c)** (the W-) 《美》 (미국의) 서부《Mississippi 강 서쪽을 가리키며, 동부(the East)에 대하여 씀》.
— *a.* 〔限定的〕 ① 서쪽의〔으로의, 에서 오는〕 : a ~ gate 서쪽으로 향한 문, 서문 / *West* Africa 아프리카 서부. ② 서양의, 서양풍〔식〕의. ③ (W-) 《美》 서부의.
— *ad.* 서쪽에〔으로, 에서〕. ***due*** ~ 정서(正西)로. ***go*** ~ (1) 서쪽으로 가다. (2) 죽다 ; 쓸모없게 되다, 못쓰게 되다.

West. Western.

west·bound [wéstbàund] *a.* 서쪽으로 가는《略 : w.b.》: a ~ train 서부행 열차.

Wést Cóuntry (the ~) 《英》 서부 지방.

west-coun·try [wéstkʌ́ntri] *a.* 《英》 서부 지방의〔에서 온〕.

Wést Énd (the ~) 《英》 웨스트엔드《런던의 서부 지역 ; 대저택·큰 상점·극장 따위가 많음》.

west·er [wéstər] *n.* [C] 서풍, 《특히》 서쪽에서 불어오는 강풍〔폭풍〕.

west·er·ing [wéstəriŋ] *a.* (태양이) 서쪽으로 기운.

west·er·ly [wéstərli] *a.* 서쪽에의, 서쪽으로 향한, 서쪽에 있는 ; 서쪽에서 오는. — *ad.* 서쪽에〔으로〕. — (*pl.* **-lies**) *n.* [C] 서풍.

‡**west·ern** [wéstərn] *a.* ① 서쪽의〔으로부터의, 에서의, 에 있는〕 : a ~ course 〔route〕 서쪽으로 도는 항로〔노선〕 / the ~ front 서부전선《제1차 세계대전 때의》. ② (W-) 서양의, 구미의, 서방측의 : *Western* science 서양의 과학. ③ (종종 W-) 《美》 서부 지방의 : the *Western* States 《美》 서부 제주(諸州). — *n.* [C] ① 서부 사람 ; 서쪽 나라 사람. ② 서양인. ③ (종종 W-) 《美》 서부극 ; 서부 음악.

Wéstern Austrália 웨스턴 오스트레일리아《오스트레일리아 서부의, 인도양에 면한 주》.

Wéstern Chúrch (the ~) 서방 교회, 로마 가톨릭 교회.

West·ern·er [wéstərnər] *n.* [C] 서부 지방 사람.

Wéstern Hémisphere (the ~) 서반구.

west·ern·i·za·tion [wèstərnizéiʃən] *n.* [U] (사고·생활 양식 등의) 서유럽화.

west·ern·ize [wéstərnàiz] *vt.* …을 서양식으로〔서유럽화〕하다 : The island become fully ~*d* after war. 그 섬은 전후 완전히 서구화되었다.

west·ern·most [wéstərnmòust / -məst] *a.* 가장 서쪽의, 서단(西端)의.

Wéstern Róman Émpire (the ~) 〖史〗 서로마 제국(395-476).

Wéstern Samóa 서사모아《남태평양 사모아 제도 서부를 차지하는 독립국 ; 수도 Apia》.

west·ern·style [wéstərnstáil] *a.* (때로 W-) 서양풍의, 양식의 : a ~ hotel 서양식 호텔.

Wést Gérmany (구) 서독.

Wést Índian 서인도 제도의 (사람).

Wést Índies (the ~) 서인도 제도.

Westm. Westminster ; Westmorland.

Wést Mídlands 웨스트 미들랜드《잉글랜드 중부의 주(州) ; 주도는 Birmingham》.

***West·min·ster** [wés*t*mìnstər] *n.* 웨스트민스터《런던의 한 구역》.

Wéstminster Ábbey 웨스트민스터 성당《런던에 있으며, 국가적 공훈이 있는 사람의 장지》.

West·mor·land [wéstmɔ̀ːrlənd / wés*t*mərlənd] *n.* 웨스트몰랜드《잉글랜드 북서부의 옛 주 ; 지금은 Cumbria 주의 일부》.

west-north·west [wéstnɔ̀ːrθwést, 《海》 -nɔ̀ːr-wést] *n.* (the ~) 서북서.
— *a., ad.* 서북서의〔로, 에서〕.

Wést Póint 《美》 웨스트포인트《New York 주에 있는, 미육군 사관 학교 (소재지)》.

west-south·west [wéstsàuθwést, 《海》 -sàu-wést] *n.* (the ~) 서남서.
— *a., ad.* 서남서의〔로, 에서〕.

Wést Sússex 웨스트서섹스《잉글랜드 남부의 주 ; 주도는 Chichester》.

Wést Virgínia 웨스트버지니아《미국 동부의 주 ; 略 : W. Va.》.

‡**west·ward** [wéstwərd] *a.* 서쪽으로 향하는 ; 서부의. — *ad.* 서부로, 서쪽으로.
— *n.* (the ~) 서방, 서부 지방 : to 〔from〕 *the* ~ 서쪽으로〔에서〕.
[파] ~·**ly** *ad., a.* 서쪽으로(의), 서쪽에서(의).

‡**west·wards** [wéstwərdz] *ad.* = WESTWARD.

Wést Yórkshire 웨스트요크셔《잉글랜드 북부의 주 ; 1974년 신설 ; 주도는 Wakefield》.

‡**wet** [wet] (*ˊ·**ter*** ; *ˊ·**test***) *a.* ① 젖은, 축축한 ; (천연 가스가) 습성의 ; (애기가) 오줌을 싼. [opp] *dry.* ¶ ~ eyes 눈물 젖은〔어린〕 눈 / ~ hands 젖은 손 / I got dripping ~. 함빡 젖었다. ② 비내리는, 비의 ; 비올 듯한 ; 비가 잘 오는 : a ~ day 비오는 날 / a ~ sky 비올 듯한 하늘 / We have had too much ~ weather this summer. 이번 여름은 비가 너무 왔다 / the ~ season 우기 / a ~ region 다우(多雨) 지대. ③ (페인트 등을) 갓 칠한 : *Wet* Paint ! 페인트 칠(주의). ④ 《美》 주류 판매를 인정하는《주 따위》; 금주법에 반대하는 : a ~ State 비금주주(州). ⑤ (알코올·시럽 등에) 절인 ; 〖化〗 습식(濕式)의. ⑥ 《俗》 거나한, 술 좋아하는 : have a ~ night 밤새도록 마시다. ⑦ 《英口》 (사람이) 나약한, 감상적인.
all ~ 《俗》 전혀 잘못 생각한, 틀린. ~ ***behind the ears*** ⇨EAR¹.
— *n.* ① [U] 물 ; 액체. ② [U] 습기, 물기. ③ [U] (the ~) 우천, 비, 비내림 : walk in *the* ~ 빗속을 걷다 / Come in out of *the* ~. 비 맞지 말고 들어오시오. ④ [C] 《美》 (주류 판매를 인정하는) 반금주론자 ; 《英俗》 나약한 사람 ; 비둘기파의 정치가 : Don't be such a ~. 나약한 소리는 그만둬. ⑤ (a ~) 《英俗》 술 한잔, 음주 : have *a* ~ 한잔 걸치다. ⑥ [U] (the ~) 젖은 곳, 진창.
— (*p., pp.* ~, *ˊ·**ted*** ; *ˊ·**ting***) *vt.* ① …을 축이다, 적시다 : ~ one's lips 입술을 적시다. ② **a)** 〔再歸的〕 (애기가) 오줌을 싸다. **b)** (오줌을 싸서 옷 등)을 적시다.
~ one***'s whistle*** 〔***goozle, throat***〕 《口》 술을 마시다. ~ ***the baby's head*** ⇨BABY.
[파] *ˊ·**ly*** *ad.*

wet·back [wétbæ̀k] *n.* [C] 《美口》 미국으로 밀입국하는 멕시코인.

wét blánket (남의) 흥을 깨는 사람.

wét dòck 습선거(濕船渠)《배의 수위를 일정하게 유지하기 위해 수문을 닫는 독》.

wét dréam 몽정(夢精).

wet·land [wétlæ̀nd, -lənd] *n.* [C] (종종 *pl.*) 습지대.

wét lóok (천·가죽 따위의) 광택(처리).

wét nùrse 유모. [opp] *dry nurse.*

wet-nurse [wétnə̀ːrs] *vt.* …의 유모가 되다, …의 유모가 되어 젖을 먹이다 ; …을 과보호하다.

wét sùit (잠수용의) 고무 옷.
wet·ting [wétiŋ] *n.* Ⓒ (흠뻑) 젖음 : get a ~ (비에) 젖다.
wet·tish [wétiʃ] *a.* 축축한, 눅눅한.
wet·ware [wétwὲər] *n.* (컴퓨터의 소프트웨어를 고안해내는) 인간의 두뇌.
we've [wiːv, wiv] we have 의 간약형.
WFTU World Federation of Trade Unions.
whack [*h*wæk] *vt.* 《口》 (지팡이 따위로) …을 철썩 때리다, 세게 치다. ~ ***off*** …을 잘라 버리다.
── *n.* Ⓒ ① 구타, 강타 ; 철썩. ② (a ~) 《俗》 기도, 시도 : have 〔take〕 *a* ~ at …을 해보다. ③ (흔히 *sing.* ; 또 one's ~로) 《口》 몫, 분배. ***out of*** ~ 《美口》 상태가 나빠 : My stomach's *out of* ~. 속이 좋지 않다.
whacked [*h*wækt] *a.* 〔敍述的〕 《英口》 몹시 지친 : I'm absolutely ~. 나는 완전히 지쳤다.
whacked-out [⌐-àut] *a.* 《美俗》 ① 지친. ② 별난. ③ (술·마약에) 취한.
whack·ing [*h*wǽkiŋ] *a.* 《口》 거창한 : a ~ lie 터무니없는 거짓말. ── *ad.* 《口》 굉장히 : a ~ great fellow 엄청나게 큰 거인. ── *n.* Ⓒ 철썩〔세게〕 치기 : give a person a ~ 아무를 후려갈기다.
whacko [*h*wǽkou] *int.* 《俗》 굉장하군.
whacky [*h*wǽki] *a.* 《美俗》 =WACKY.
‡**whale**[1] [*h*weil] *n.* Ⓒ 〖動〗 고래. ***a ~ of a*** 〔***an***〕... 《口》 굉장한 …, 대단한… : *a* ~ *of a* difference 〔scholar〕 대단한 차이〔학자〕 / have *a* ~ *of a* time 굉장히 유쾌한 시간을 보내다.
── *vi.* 고래잡이에 종사하다.
whale[2] 《美口》 *vt.* …을 때리다 ; 강타하다.
whale·back [⌐bæ̀k] *n.* Ⓒ 고래등 모양의〔고래등 처럼 둥글게 솟은〕 것《언덕·파도 따위》.
whale·boat [⌐bòut] *n.* Ⓒ (앞뒤가 뾰족한) 구명용 보트《원래는 포경용》.
whale·bone [⌐bòun] *n.* Ⓤ 고래 수염 (baleen).
whále òil 고래 기름.
whal·er [*h*wéilər] *n.* Ⓒ 고래잡이《사람》; 포경선.
whal·ing [*h*wéiliŋ] *n.* Ⓤ 고래잡이, 포경.
wháling gùn 포경포, 작살 발사포.
wháling màster 포경선장.
wham [*h*wæm] *n.* Ⓒ 쾅(소리) : the ~ of a pile drive 말뚝 박는 소음.
── (**-mm-**) *vi.* 꽝하고 부딪다. ── *vt.* …을 꽝하고 부딪다.
wham·my [*h*wǽmi] *n.* 《美俗》 Ⓒ ① **a**) 불행을 가져오는 초자연력, 흉안(凶眼) (evil eye). **b**) 마력, 마법 : put the ~ on a person 아무에게 마법을 걸다. ② 강한 힘〔타격〕, 《특히》 치명적인 일격.
whang [*h*wæŋ] 《口》 *vt.* …을 강타하다(beat, whack), 뻥〔찰싹, 탕〕 때리다. ── *vi.* 뻥〔찰싹, 탕〕하고 울리다.
── *n.* Ⓒ 뻥〔찰싹, 탕〕 때림 ; 그 소리.
wharf** [*h*wɔːrf] (*pl.* ***~s, wharves [-vz]) *n.* Ⓒ 부두, 선창(pier). Ⓒⓕ pier.
── *vt.* (배)를 부두에 매다 ; (짐)을 선창에 풀다 ; …에 부두를 설비하다. ── *vi.* 부두에 닿다.
wharf·age [*h*wɔ́ːrfidʒ] *n.* ① Ⓤ 부두 사용(료) ; 계선료. ② 〔集合的〕 부두 (시설).
wharf·in·ger [*h*wɔ́ːrfindʒər] *n.* Ⓒ 부두 관리인.
wharves [*h*wɔːrvz] WHARF 의 복수.
†**what** [*h*wɑt, 弱 *h*wʌt, *h*wət] **A**) ≪疑問詞≫ *pron.* 〔疑問代名詞〕 ① 〔主語·目的語·補語로서〕 **a**) 무엇, 어떤 것〔일〕 ; 무슨(일) : *What* happened? 무슨 일이 일어났는가 / *What* is this? 이것은 무엇인가 / *What* has become of him? 그는 어떻게 되었습니까 / *What* is the capital of Korea? 한국의 수도는 어딥니까 / *What* is his reputation? 그의 평판은 어떻소 / *What* do you call this plant? 이 식물을 무엇이라고 합니까 / Tell me ~ has happened. 무슨 일이 있었는지 말해 주시오 / *What* do you mean (by that)? (그건) 무슨 뜻인가 / *What* are you talking about? 무슨 이야기인가 / *What* do you suppose this is? 이것은 무엇이라고 생각하십니까. **b**) 얼마, 얼마나〔쯤〕 : *What* is the price (of this camera)? (이 카메라의) 값은 얼마인가 / *What* are the charges? 요금은 얼마인가 / *What* is the population of Pusan? 부산의 인구는 얼마쯤 됩니까 / *What* is your age 〔weight, height〕? 나이〔몸무게, 키〕가 얼마나 됩니까 / *What* is the size of your hat? 자네 모자의 사이즈는 얼마나 되나. **c**) 〔직업 따위를 물어〕 무엇하는 사람, 어떤 사람 : *What* is he? 그는 무엇하는 사람인가《직업을 묻는 말인데, 상대에게 *What* are you? 라고 묻는 것은 실례이므로 *What* do you do?, *What*'s your occupation? 따위를 사용함》.
② 〔흔히 文尾에서 ; 되묻는 疑問文〕 《흔히 올림조가 되며, 상대방에 대한 놀라움·확인 따위에 쓰임》 : Here comes the teacher. ─*What ?* 선생님이시다 ─ 뭐라고《《俗》로는 You what? 이라고도 하지만, I beg your pardon? (↗)이 보통임》 / You told him ~? 그에게 뭐라고 말했다고《흔히 '엉뚱한 소리를 했구나'의 뜻》 / I've been writing a letter. ─Writing ~?(↗) 편지를 쓰고 있었어. ─무엇을 쓰고 있었다고 / Open the bottle with this ring. ─With ~? 병을 이 반지로 따게. ─무엇으로《this ring 의 확인이므로 *What* with? 라고는 할 수 없음. 비교 : Open the bottle. ─ *What* with? 그 병을 따게. ─무엇으로 딸까》.
③ 〔感歎文에 쓰이어〕 정말이지 많이, 얼마나 : *What* it must cost! 정말이지 엄청난 돈이 들기도 하는군 / *What* wouldn't I do for a drink! 술을 위해서라면 무엇이든 하겠건만 ; 한잔 했으면.
── *a.* 〔疑問形容詞〕 ① 〔名詞와의 사이에 a, an 없이〕 무슨, 어떤, 《口》 어느(which) ; 얼마만큼의 : *What* day (of the week) is this? 오늘은 무슨 요일인가(=《口》 What is today?) / *What* color is the flower? 그 꽃은 무슨 색인가(=What is the color of the flower?) / *What* fruit do you like best? 어떤 과일을 가장 좋아하는가《대체로 what은 부정수(不定數) 중의 '무엇'을 묻고, which는 일정수 중에서의 선택을 물음》 / I didn't know ~ clothes I should wear 〔~ clothes to wear〕. 어떤 옷을 입어야 좋을지 몰랐다.
② 〔感歎 : 다음이 單數 可算名詞이면 a, an을 사이에 둠〕 정말이지, 얼마나 : *What* nonsense! 이 얼마나 어이없는 일인가 / *What* a man! 허 그 사람 참《어이없을 때, 감탄할 때》 / *What* a pity! 참 가련도 하다, 정말〔참〕 안 됐다 / *What* a beautiful view this is! 이것은 정말 아름다운 경치구나(=How beautiful this view is!).
── *ad.* 〔疑問副詞〕 어떻게, 얼마만큼, 얼마나, 어떤 점에서 : *What* does it matter? 그것이 어쨌다는 건가, 아무래도 상관없지 않은가 / *What* does it profit him? 그것이 그에게 얼마만큼 이득이 되는가. ***and ~ not*** = ***and*** 〔***or***〕 ***~ have you*** (열거한 뒤에) 그 밖에 그런 따위의 것〔여러가지〕, …따위, 등등 : novels, short stories, plays, *and ~ not* 〔~ *have you*〕 장편 소설, 단편 소설, 희곡 따위. ***I know ~.*** 《口》 좋은 생각이 있다. ***I will tell you ~.*** 실은 이렇다 ; 좋은 수를 말씀드리지 ; 그럼 이렇게 하지. ***So ~ ?*** 《口》 (1) 그러니 어떻단 말이냐 : You failed the test. ─*So ~ ?* 넌 시험에 떨어졌다 ─ 그러니 어떻다는 거냐. (2) 그런 건 상관 없지 않느냐. (***Well***) ***~ do you know*** (***about that***) ***?*** ⇨KNOW. ***What about. . . ?*** (1)

〔상대에게 권유하여〕 …하는 게〔…은〕 어떤가: *What about* bed? 이제 자는 게 어떤가/ *What about* a walk? 산책을 하는 게 어떤가. ⑵ …은 어떻게 되는가, …은 어떻게 되어 있나: *What about* your homework? 숙제는 어떻게 되었느냐. **~ about that!** 〔놀라움·칭찬을 나타내어〕 그거 굉장하군, 야. ***What do you say to...?*** ⇨ SAY. **~ *d'you call it*** 《口》 = ~'s it. **~ *for*** ⑴ 무엇 때문에, 어째서: Take him? *What for?* 그를 데리고 간다고? 뭣 때문에. ⑵ 《口》 후려갈김, 질책, 비난: I gave him ~ *for.* 혼내 주었다. ***What ... for?*** ⑴ 무슨 목적으로, 왜, 무엇 때문에(why): *What* is he keeping it secret *for?* 무엇 때문에 그는 그것을 비밀로 하고 있는가? / *What* did you do that *for?* 어째서〔무엇 때문에〕 그런 일을 했나. ⑵ (물건이) 무슨 목적에 쓰이어: *What*'s this gadget *for?* 이 기구는 무엇에 쓰이는 것인가요. ***What gives?*** ⇨ GIVE. ***What if ...?*** …라면〔하면〕 어찌될 것인가; (설사) …한다 하더라도 어쨌단 말인가, …한들 상관 없지 않은가: *What if* she comes back now? 지금 그 여자가 돌아온다면 어떻게 될까 / *What if* we should fail? 만일 실패하면 어찌하지; 설사 실패하더라도 상관〔관계〕 없지 않은가 ***What is it?*** 용건이 뭐냐, 무슨 일이냐. ***What is it to you?*** 그것이 네게 무슨 상관이 있는가; 그것을 알아 무엇 하는가. ***What... like?*** 어떠한 사람〔것, 일〕인, (상태·형편이) 어떠하여: *What*'s the new principal *like?* 새 교장 선생님은 어떤 분인가. ***What next?*** 《口》 (어처구니없는 일이지만) 다음은 어떻게 나올 건가; 놀랍군, 어이없군, 발칙〔괘씸〕하군. ***What of it?*** 《口》 그것이 어쨌단 말인가, 상관 없지 않은가(=So what?). **~*'s his* 〔*her, their*〕 *name*** 《口》 뭐라고 하는 남자〔여자, 사람들〕: Jane's gone out with ~*'s his name.* 제인은 그 뭐라고 하는 남자와 함께 나갔다. **~*'s it*** =**~*'s its name*** 《口》 그 뭐라고〔뭐라던가〕 하는 것《이름이 생각나지 않는 기구 등에 이름》: I bought a ~*'s it.* 그 뭐라던가 하는 것을 샀다. ***What's new?*** 《口》 별다른 일은 없는가, 어떻게 지내나《종종 How are you? / How are you doing? 을 대신한 인사말의 표현으로 쓰임》. ***What's up?*** 《口》 ⑴ 어찌된 거냐. ⑵ 무슨 일이 생겼느냐. **~*'s*** ~ 무엇이 무엇인지; 《口》 중요〔유익〕한 것; 일의 진상《흔히 know, see, find out의 목적어로 쓰임》. ***What though...?*** 설사 …더라도 무슨 상관이 있는가: *What though* we are poor? 가난한들 상관 없지 않은가. ***You ~?*** ⑴ 뭐라고 하셨지요《한 번 더 말해 주십시오》. ⑵ 뭐라고《놀라움·당혹을 나타냄》.

B) 《關係詞》 *pron.* 〔關係代名詞〕 ① 〔先行詞를 포함하여〕 **a)** …하는 것〔일〕 (that which, the thing(s) that, *etc.*): *What* he says is true. 그가 하는 말은 사실이다 / That's (just) ~ I want. 그것이야말로 내가 원하는 거다 / *What* is needed is 〔are〕 books. 필요한 것은 책이다《what 節이 주어질 경우 보통 단수로 취급하나 문맥에 따라 복수로도 취급함》/ He is not ~ he was. 그는 이제 이전의 그가 아니다. **b)** …하는 것은 무엇이나〔무엇이든〕: Do ~ you please. 하고 싶은 것이면 무엇이든 하여라(=Do anything you like.) / Come ~ may 〔will〕, I will not break my word. 무슨 일이 있어도 약속은 깨지 않겠다(=《口》 No matter ~ happens...).

② 〔挿入節을 이끌어〕 (더욱) …한 것은: The house is too old, and, ~ is more, it is too expensive. 그 집은 너무 낡았다. 게다가 값도 너무 비싸고 / Bill is a fine athlete; ~ is more important, he is a good musician. 빌은 훌륭한 운동 선수고, 더욱 중요한 것은 뛰어난 음악가라는 사실이다 《what is를 생략 more important로 해도 됨》.

— *a.* 〔關係形容詞〕 (…할) 만큼의, (…하는) 어떠한 …이든《'적지만 모든'이란 뜻이 포함되어 있으므로, 구체적으로 what little〔few〕 …란 표현도 씀》: I gave him ~ comfort I could. 그를 위로하기 위하여 내가 할 수 있는 일은 다했다 / Lend me ~ money 〔men〕 you can. 될 수 있는 만큼의 돈〔일손〕 좀 빌려 주시오 / I'll lend you ~ *few* books I have on the subject. 그 문제에 관해 제가 갖고 있는 책이 많지는 않지만 무엇이건 빌려드리죠 / We gave him ~ *little* we had. 얼마 안 되지만 있는 것은 모두 주었다.

not but ~ ⇨ BUT[1]. ***come ~ may*** 〔***will***〕 ⇨ COME. ***have*** (***got***) **~ *it takes*** 《口》 (어떤 목적 달성에) 필요한 재능〔자질〕을 갖고 있다. (A) ***is to*** (B) ~ (C) ***is to*** (D), A의 B에 대한 관계는 C의 D에 대한 관계와 같다: Reading *is to* the mind ~ food *is to* the body. 독서의 정신에 대한 관계는 음식의 육체에 대한 관계와 같다. ***or*** ~ 〔흔히 否定·條件文에서〕 아니면 그 밖에 무언가: I don't know whether I've offended her, *or* ~. 그녀의 기분을 해쳤는지, 아니면 그 밖의 무슨 이유가 있는지 잘 모르겠다. ***That's ~ it is.*** 《口》 그런 이유 때문이다《자신이 말한 이유가 타당함을 강조》. **~ *is called*** = **~ *we*** 〔***you, they***〕 ***call*** 소위, 이른바: He is ~ *is called* the man of the day. 그는 이른바 당대의 인물이다. ***What price ...?*** ⇨ PRICE. **~ *with*** (A) ***and*** (~ ***with***) (B) =~ ***between*** (A) ***and*** (B), A 다 B 다 하여, A 하거나 B 하거나 하여《흔히 좋지 않은 사태의 원인을 열거할 때 씀》: *What with* school and (~ *with*) work to earn my living, I had little time to play. 학업이다 생계를 위한 일이다 하여 놀 틈은 거의 없었다. **~ *you may call it*** 《口》 뭐라고〔뭐라든가〕 하는 것《작은 것에 쓰임》.

***what·e'er** [*h*watέər, *h*wʌt- / *h*wɔt-] *pron., a.* 《詩》 = WHATEVER.

‡**what·ev·er** [*h*watévər, *h*wʌt- / *h*wɔt-] *pron.* 〔ever에 의한 what의 強意〕 ① 〔名詞節을 이끎〕 …하는〔…인〕 것은 무엇이든(anything that...): Do ~ you like. 좋을 대로 해라 / *Whatever* he does matters little. 그가 무엇을 하든간에 별 문제 안 된다. ② 〔副詞節을 이끎〕 무엇을〔무엇이〕 …하든지〔이든지〕: *Whatever* you do, do it well. 무엇을 하든지 훌륭히 해라. ③ 〔疑問詞〕 《口》 도대체 무엇을〔무엇이〕(what ever, what in the world): *Whatever* do you mean? 도대체 무슨 뜻이냐. ***or*** ~ 또는 무엇이든 유사한 것: rook or raven *or* ~ 떼까마귀나 갈가마귀나 무엇이든 그러한 것.

— *a.* 〔關係詞: 양보를 나타냄〕 ① 〔名詞節을 인도〕 …하는 모든, …하는 어떤 —도: *Whatever* orders he gives are obeyed. 그가 내리는 어떤 명령도 잘 지켜진다. ② 〔副詞節을 이끎〕 어떤 …이라도(no matter what): *Whatever* results may follow, I'll try again. 어떤 결과가 되든, 다시 해볼 것이다. ③ 〔no, any의 다음 따위 否定적인 문중에서〕 조금의 …도 (없는): There is *no* doubt ~. 전혀 의심할 여지가 없다.

what-if [hwʌ́tìf, *h*wát- / *h*wɔ́t-] *n.* Ⓒ (만일에 과거의 사건이 이렇다면 현재 어떻게 되었을까 하는) 가정(의 문제); 만약이라는 문제.

what'll [*h*wʌ́tl, *h*wátl / *h*wɔ́tl] what will 〔shall〕의 간약형.

what·not [*h*wátnàt, *h*wʌ́t- / *h*wɔ́tnɔ̀t] *n.* ① Ⓒ (장식품 등을 얹어놓는) 장식 선반. ② Ⓤ 이것저것, 여러가지 물건; 정체 모를 놈〔것〕: They never miss family occasions — you know, weddings and funerals and ~. 그들은 집안 행사들 곧 결혼식, 장례식 그리고 기타 일들에 결코 불참하는 일이 없다. 「are 의 간약형.

what're [(h)wɑ́tər, (h)wʌ́tər / wɔ́tə-] 《口》 what

†**what's** [*h*wʌts, *h*wɑts, 弱 *h*wəts / *h*wɔts] 《口》 what is, what has 의 간약형.

what·so·e'er [*h*wʌ̀t-souέər, *h*wɑ̀t- / *h*wɔ̀t-] *pron., a.* 《詩》 =WHATSOEVER.

***what·so·ev·er** [*h*wʌ̀t-souévər, *h*wɑ̀t- / *h*wɔ̀t-] *pron., a.* 〔強意語〕 =WHATEVER.

what've [*h*wɑ́təv, wʌ́t-] what have 의 간약형.

wheal [*h*wi:l] *n.* ⇨WALE.

†**wheat** [*h*wi:t] *n.* Ⓤ 〖植〗 밀, 소맥(cf. barley, oats, rye). ***separate*** (***the***) ~ ***from*** (***the***) ***chaff*** ⇨SEPARATE.

whéat bèlt 〖地〗 밀 산출 지대.

whéat càke 밀가루로 만든 핫케이크류(類).

wheat·en [*h*wí:tn] *a.* 밀의; 밀로 만든.

whéat gèrm 맥아(麥芽).

wheat·meal [*h*wí:tmì:l] *n.* Ⓤ 《英》 (기울을 뽑지 않은) 통째로 빻은 밀가루. 「나타냄》.

whee [*h*wi:] *int.* 와아, 야아《기쁨·흥분 따위를

whee·dle [*h*wí:dl] *vt.* …을 감언 이설로 유혹하다, 속여서 …시키다《*into*》; 감언 이설로 속이다〔빼앗다〕《*from* ; *out of*》: ~ money *out of* 〔*from*〕 a person 감언 이설로 아무에게서 돈을 우려내다.

㊞ **~r** [-ər] *n.* **-dl·ing·ly** [-iŋli] *ad.*

‡**wheel** [*h*wi:l] *n.* ① Ⓒ 수레바퀴; (*pl.*) 《美俗》 자동차. ② Ⓒ 물레 (spinning ~). ③ (the ~) **a**) (자동차의) 핸들: sit behind〔at〕 *the* ~ 핸들앞에 앉다 / take *the* ~ 핸들을 잡다. **b**) (선박의) 타륜(舵輪). ④ Ⓒ 《口》 **a**) 자전거: ride a ~ 자전거를 타다. **b**) (*pl.*) 자동차. ⑤ Ⓒ 회전; 윤전; 선회: the sudden ~ of a gull 갈매기의 급선회. ⑥ Ⓒ (흔히 *pl.*) 기구, 원동력, 추진력: the ~*s* of government 정부 기구. ⑦ Ⓒ (흔히 *pl.*) 기계; 기계류. ⑧ Ⓒ (종종 big ~) 세력가; 거물: a big political ~ 정계의 거물.

at the next turn of the ~ 이번에 운이 닿으면. ***at the*** ~ ⑴ 핸들을 잡고, 운전하여: Who's *at the* ~? 누가 운전하고 있나. ⑵ 타륜을 잡고, ⑶ 지배권을 잡고. ***fortune's*** ~ 운명의 수레바퀴, 영고성쇠. ***go*** 〔***run***〕 ***on*** (***oiled***) ~***s*** 순순〔원활〕히 진행되다. ***put a spoke in*** a person***'s*** ~ ⇨SPOKE[1]. ***put*** 〔***set***〕 one***'s shoulder to*** ~ ⇨SHOULDER. ***set*** 〔***put***〕 (***the***) ~***s in motion*** (계획 등)을 궤도에 올려놓다, 일을 원활하게 추진시키다. (***the***) ~***s are in motion*** = (***the***) ~***s start turning*** 일이 실행에 옮겨지다. ~***s within*** ~***s*** 복잡한 동기〔사정〕.

— *vt.* ①《~+목/+목+전+명/+목+부》 …을 수레〔차〕로 나르다: The rubbish is ~*ed out to* the dump. 쓰레기는 차로 쓰레기터에 운반된다. ② …에 바퀴〔차〕를 달다. ③《~+목/+목+전+명/+목+부》 (수레차)를 움직이다, 밀다, 끌다: ~ a cart 손수레를 밀다 / ~ a truck *along* the highway 고속 도로를 트럭으로 달리다 / ~ *out* a bicycle 자전거를 밀고 가다.

— *vi.* ①《~/+부/+전+명》 선회하다: The gulls ~*ed round over* the sea. 갈매기가 바다 위를 선회하였다. ② 《~/+부》 방향을 바꾸다 《*about* ; *around*》: He ~*ed around* in his chair. 그는 의자에 앉은 채 몸을 빙 돌렸다. ③《~/+전+명/+부》 차로 가다; 자전거〔삼륜차〕를 타다; (차가) 미끄러지듯 달리다; 원활하게 진행되다《*along*》: A car is ~*ing along* the street. 차가 거리를 달리고 있다 / The truck ~*ed off.* 트럭이 가버렸다.

~ ***and deal*** 《口》 (장사·정치 등에서) 수완을 발휘하다, 술책을 부리다. 「수레.

wheel·bar·row [*h*wí:lbæ̀rou] *n.* Ⓒ 외바퀴 손

wheel·base [-̀bèis] *n.* Ⓤ,Ⓒ 축거(軸距), 차축 거리《자동차의 앞뒤 차축간의 거리》. 「휠체어.

wheel·chair [-̀tʃὲər] *n.* Ⓒ (부상자·환자용)

wheel clamp [-̀klæmp] 《英》 (주차 위법 차량 바퀴에 끼워 움직일 수 없게 하는) 꺾쇠.

wheeled [*h*wí:ld] *a.* ① 바퀴 달린: a ~ vehicle 바퀴달린 탈 것. ②〔흔히 複合語로〕 …의 바퀴가 있는: a three-~ car, 3륜차.

wheel·er [*h*wí:lər] *n.* Ⓒ ① 짐수레꾼. ② 바퀴 만드는 사람. ③ =WHEEL HORSE. ④〔複合語를 이루어〕 …의 바퀴가 있는 것: a four-~, 4륜 마차.

wheel·er-deal·er [-dí:lər]*n.* Ⓒ 《美俗》 활동가, 수완가; 책략가.

whéel hòrse (네 필이 끄는 마차의) 뒷말 (wheeler); 《美》 (정당·기업 등의) 충실한 일꾼.

wheel·ie [*h*wí:li] *n.* Ⓒ (자전거·오토바이를) 뒷바퀴만으로 달리는 곡예.

wheel·ing [*h*wí:liŋ] *n.* Ⓤ ① 손수레로 운반하기. ② (차의 진행 상태로 본) 노면의 상태.

wheel·man [*h*wí:lmən] (*pl.* ***-men*** [-mən]) *n.* Ⓒ ①〖海〗 (조)타수. ② 자전거〔오토바이〕타는 사람; 자동차 운전자.

wheels·man [*h*wí:lzmən] (*pl.* ***-men*** [-mən]) *n.* Ⓒ 《美》〖海〗 (조)타수.

wheel·wright [*h*wí:lràit] *n.* Ⓒ 수레 바퀴 제조인, 수레 목수.

wheeze [*h*wi:z] *vi.* (천식 따위로) 씨근거리다.
— *vt.* 《+목+부》 숨을 헐떡이며 말하다《*out*》: ~ *out* words 헐떡이며 말하다.
— *n.* Ⓒ ① 숨을 헐떡이는 소리. ② (희극 배우의) 판에 박은 재담.

wheezy [*h*wí:zi] (***wheez·i·er*** ; ***-i·est***) *a.* 씨근거리는, 헐떡거리는. ㊞ **whéez·i·ly** *ad.* **-i·ness** *n.*

whelk [*h*welk] *n.* Ⓒ〖貝〗 쇠고둥《식용》.

whelm [*h*welm] *vt.* 《詩》 ① …을 압도하다. ② …을 (물속에) 가라앉히다.

whelp [*h*welp] *n.* Ⓒ ① 강아지. cf. cub, dog. ② (사자·범 등의) 새끼. ③ (버릇 나쁜) 개구쟁이, 불량아, 《戱》 꼬마. — *vi.* (짐승이) 새끼를 낳다; 《蔑》 (여자가) 아이를 낳다.

†**when** [*h*wen] **A**) 〈疑問詞〉 *ad.* 〔疑問副詞〕 ① 언제: *When* was he born? 그는 언제 태어났나 / *When* did you go there? 언제 거기에 갔습니까 / *When* did she get married? 그녀는 언제 결혼했나요 / *When* have you been there? (이제까지) 거기에 언제 (몇 번쯤) 간 적이 있습니까《現在完了形이 경험을 나타낼 때에는 when과 함께 쓸 수 있음》/ It is undecided ~ to start 〔~ we should start〕. 언제 떠날 것인지는 정해져 있지 않다. ② 어떤 때〔경우〕에: *When* do you use the plural form? 어떤 경우에 복수꼴을 씁니까. ③ 어느 정도에서, 얼마쯤에서: Tell me ~ I should stop pouring. (술잔의) 얼마쯤에서 (술)따르기를 멈춰야 되는지 일러주십시오.

Say ~. ⇨SAY.

— *pron.* 〔疑問代名詞〕 언제《흔히 전치사의 뒤에 둠》: Until ~ will you stay there? 언제까지 거기 머무를 건가 / Since ~ has he been away? 언제부터 집에 없나요 / Till ~ is the store open? 그 가게는 몇 시까지 여는가.

参考 till 〔since〕 when 의 용도는 대체로 how long 과 같지만 전자는 특히 *Till* July., *Since*

Monday. 따위처럼 종점·기점(起點)의 대답을 기대함.

— *n.* (the ~) (문제의) 때, 시기(time): Tell me *the* ~ and (the) where of the meeting. 그 모임이 있는 시간과 장소를 말씀해 주시오.

B) **《從屬接續詞》** *conj.* ① **a)** …할 때에: *When* it rains, she usually stays inside. 비가 올 때엔 〔오면〕 그 여자는 대개 집에 있다 / The event occurred ~ I was out on a trip. 그 사건은 내가 여행으로 집에 없을 때 일어났다 / They are willing to help us even ~ they are busy. 그들은 바쁠 때에도 기꺼이 우릴 도와 준다 / I'll come ~ I have had lunch. 점심을 다 끝내고 가겠습니다 《when이 이끄는 부사절에는 미래형을 쓰지 않고 현재형이나 현재완료형으로 대신함》. **b)** 〔흔히 現在時制의 문장에서〕 …할 때는 언제나(whenever): It is very cold ~ it snows. 눈이 올 때에는 언제나 몹시 춥다 / She blushes ~ you praise her. 그녀는 칭찬받으면 언제나 얼굴을 붉힌다. **c)** (…하는데) 그 때《主節이 진행형 또는 과거 완료형일 때에 쓰임》: I was standing there lost in thought ~ I was called from behind. 생각에 잠겨 그 곳에 서 있는데 뒤에서 목소리가 들려왔다. **d)** …한 뒤〔…하면〕 곧: Stop writing ~ the bell rings. 벨이 울리면 곧 쓰기를 멈춰라.

② **a)** …하면〔이면〕 (if): Liberty is useless ~ it does not lead to action. 자유란 행동과 연결되지 않으면 무익한 것이다. **b)** …을 생각하면, …한데: How can he succeed ~ he won't work? 일할 마음이 없는데 어찌 성공하겠나.

③ 〔主文과 상반하는 내용의 副詞節을 이끌어〕 …하는데도(though): I have only three dishes ~ I need five. 접시 다섯이 필요한데 셋밖에 없다 / He works ~ he might rest. 그는 쉬어야 할 때에도 일을 한다 / The heat didn't ease ~ the sun went down. 해가 졌는데도 더위는 누그러지지 않았다.

④ 〔形容詞節로서 바로 앞의 名詞를 수식하여〕 …할〔한〕 때의: He soon fell asleep and dreamed of his home ~ he was a boy. 그는 이내 잠들어 어린 시절의 고향 꿈을 꾸었다.

> **語法** 主節과 從屬節의 주어가 같을 경우, 종속절의 '主語+be'가 생략되는 수가 있음. 또, 관용적 표현에서는 주어가 달라도 생략됨: *When* (he was) young, he was very poor. 그는 젊었을 때 무척 가난했다 / Be careful ~ crossing. 길을 건널 때는 조심하여라 / Use my dictionary ~ (it is) necessary. 필요할 때에는 내 사전을 써라.

hardly . . . ~ ⇨ HARDLY. ***scarcely . . . ~*** ⇨ SCARCELY.

C) **《關係詞》** *ad.* 〔關係副詞〕《때에 관한 선행사와 결합하여서, at which, in which, on which, during which 따위에 상당》 ① 〔制限용법〕 …하는〔한, 할〕 (때): There was a time ~ prices were almost constant. 물가가 거의 불변이었던 시절이 있었다 / A time may come ~ things go wrong. 일이 잘 안 될 때가 올는지도 모른다.

> **語法** (1) 이 용법의 when은 종종 생략함: The day (~) we arrived was a holiday. 우리가 도착한 날은 휴일이었다. 그러나 선행사와 떨어져 있으면 생략할 수 없음: The time will come ~ you will regret it. 그 일을 후회할 때가 올 것이다.
> (2) 강조구문: *It was* last year *when* we met first. 우리가 처음 만난 것은 작년이었다《We met first last year. 의 last year 를 강조하여 이를 it was 로 글머리에 끌어낸 것. =*It was* last year *that* we met first.》.
> (3) 특정한 때를 나타내는 when 비슷한 용법의 that 이 있음: the year (*that*) I was born 내가 태어난 해.

② 〔非制限 용법〕 그때(and then)《흔히 when 앞에 콤마가 옴》: I was about to leave the store, ~ a boy spoke to me. 가게를 나가려고 하는데 소년이 말을 걸어왔다 / He stayed there till Sunday, ~ he started for Boston. 그는 일요일까지 거기에 머무르고 나서 보스턴으로 출발하였다.

③ 〔先行詞를 포함한 名詞節을 이끌어〕 …할 때《의미상의 선행사는 보통 the time으로 간주됨》: That is ~ he lived there. 그건〔그런 일이 있었던 것은〕 그가 거기 살고 있었던 무렵의 일이다 / Night is ~ most people go to bed. 밤은 대개의 사람들이 잘 때이다.

— *pron.* 〔非制限的 용법의 關係代名詞〕 (그리고) 그때《흔히 전치사의 뒤에 둠》.: They left on Monday, since ~ we have heard nothing. 그들은 월요일에 떠났는데 그 후 아무 소식이 없다.

***whence** [*h*wens] *ad., conj.* ① 〔疑問詞〕 어디서: No one knew ~ he had come. 그가 어디서 왔는지 아무도 몰랐다. ② 〔關係詞〕 **a)** 〔制限的 用法〕 …이 나온(장소): He returned to the place ~ he had come. 그는 왔던 곳으로 되돌아갔다. **b)** 〔非制限的〕 (그리고) 거기서부터, 그곳에: Return ~ you came. 온 곳으로 돌아가거라.

***when·e'er** [*h*wenέər] *ad., conj.* 《詩》 =WHENEVER.

‡**when·ev·er** [*h*wenévər] *ad., conj.* ① 〔關係詞〕 …할 때에는 언제든지(at whatever time…); …할 때마다(every time that…); 언제 …하더라도(no matter when…): *Whenever* I am in trouble, I consult him. 곤경에 빠져 있을 때 나는 언제나 그에게 의논한다 / Let me know ~ you come. 오실 때는 언제나 알려 주십시오. ② 〔疑問詞〕 《口》 도대체 언제(when ever): *Whenever* will it be over? 도대체 언제라야 끝날 것인가.

when's [*h*wenz] when is, when has 의 간약형.

when·so·ev·er [*h*wènsouévər] *ad., conj.* 〔強意語〕 =WHENEVER.

†**where** [*h*wεər] **A)** **《疑問詞》** *ad.* (비교 없음) 〔疑問副詞〕 ① 어디에, 어디서; 어디로: *Where* is your hat? 네 모자는 어디 있나 / *Where* am I? 여기가 어디지《병원 따위에서 의식을 되찾았을 때 따위》 / *Where* are we? 여기가 어디죠《열차 같은 것을 타고 가다 묻는 말》 / *Where* in Seoul does he live? 그는 서울 어디에 살고 있는가 / Ask him ~ to put the books 〔~ I should put the books〕. 책을 어디 두어야 할지 그에게 물어봐라 / *Where* did you get that idea? 그 생각은 어디서 나왔나. ② 어떤 점에서: *Where* is he to blame? 어떤 점에서 그는 비난받아야 하느냐. ③ 어떤 입장에서〔사태로〕: I wonder ~ this trouble will lead. 이 문제는 앞으로 어떤 사태로 진전할까.

— *pron.* 〔疑問代名詞〕《前置詞의 目的語로서》 어디, 어떤 곳; 어떤 점: *Where* are you from? = *Where* do you come from? 출신지는〔고향은〕 어디십니까 / *Where* are you going to? 어디 가나요 《to 없는 것이 표준적임》. ***Where away?*** 〖海〗 어느 방향인가《망보는 사람이 발견한 것에 관해서》. ***Where from?*** 어디서 오셨습니까. ***Where to?*** 어디로 가시죠《흔히 택시 기사가 손님에게 묻는 말》. ***Where were*****〔*****was*****〕** ***I?*** 어디까지 얘기했

지《중단된 이야기를 다시 시작할 때》.
— *n.* (the ~) (문제의) 장소《*of*》: the when and (*the*) ~ *of* the accident 그 사고의 시간과 장소.

B) ≪從屬接續詞≫ *conj.* ① …하는 곳에〔으로〕: Stop ~ the road branches off. 갈림길에서 멈춰라 / We camped ~ there was enough water. 물이 충분히 있는 곳에 야영을 했다 / Put back the book ~ you found it. 그 책을 본래 있던 곳에 둬라.
② …하는 곳은 어디든(wherever) : I'll go ~ you go. 네가 가는 곳이면 어디라도 함께 가겠다.
③ …할 경우에 : The meaning of a new word is given ~ (it is) necessary. 새로 나온 낱말의 뜻은 필요한 경우에 보여 주고 있다 / *Where* there is a will, there is a way. 《格言》 뜻이 있는 곳에 길이 있다《정신일도 하사불성(精神一到何事不成)》.
④〔대조·범위〕…한〔인〕데(whereas ; while) ; …한〔인〕 한은(so far as) : They are submissive ~ they used to be openly hostile. 전에 그들은 공공연히 적대적이었는데 지금은 유순하다 / *Where* money is concerned, she's as hard as nails. 돈에 관한 한 그녀는 매우 비정하다.

C) ≪關係詞≫ *ad.*〔關係副詞〕《장소에 관한 先行詞와 결합하여서, in〔at, on〕which 에 상당》①〔制限용법〕…하는(곳, 경우 따위) : This is the house ~ she was born. 여기가〔이 곳이〕그녀가 태어난 집이다《구어에서는 where 를 생략하기도 함》/ There are many cases ~ such a principle is not practicable. 그러한 원칙이 실행 불가능한 경우도 많다.
②〔非制限용법 ; 흔히 앞에 콤마가 옴〕그러자 그곳에, 그리고 거기서(and there) ; 왜냐하면 거기서는(because there) : He went to Paris, ~ he first met her. 그는 파리로 가서 거기서 처음으로 그녀를 만났다(=..., and there he_).
③〔先行詞를 포함하여〕…하는 장소(the place where), …한 점(the point where)《名詞節을 이끎》: This is ~ we live. 이 곳이 우리가 사는 곳이다 / He came out from ~ he was hiding. 그는 숨었던 곳에서 나왔다 / That's ~ we disagree. 그 점이 우리 의견이 맞지 않는 점이다.
— *pron.*〔關係代名詞〕《전치사를 수반하여》…하는(곳) : the office (~) he works *at* 그가 일하고 있는 사무실 / This is the place ~ he cames *from.* 여기가 그의 출신지이다. ★ 이 용법에서는 보통 선행사 또는 where 를 생략함 : This is *where* he comes from. =This is the place he comes from. ~ ***it's*** (***all***) ***at*** 《美俗》활동의 중심〔핵심〕;《특히》가장 재미있는〔훌륭한, 중요한, 유행의〕것〔장소〕: Baseball's ~ *it's at.* (스포츠를 아는 사람에겐) 야구가 제일이다.

‡**where·a·bouts** [*hw*έərəbàuts] *ad.* ①〔疑問詞〕어디(쯤)에 : *Whereabouts* did you find it? 어디쯤에서 그것을 발견하였느냐. ②〔關係詞〕…하는 곳〔장소〕: I don't know ~ he lives. 그가 어디 사는지 모른다.
— *n.* Ⓤ〔單·複數취급〕있는 곳, 소재 ; 행방 : I don't know the ~ of her house. 나는 그녀의 집이 어디쯤에 있는지 모른다 / The ~ of the suspect is〔are〕still unknown. 용의자의 행방은 아직 모른다《★ 단수 취급이 일반적 경향임》.

‡**where·as** [*hw*εərǽz] *conj.* ① …임에 반하여(while on the other hand...) : Some students like mathematics, ~ others do not. 수학을 좋아하는 학생이 있는 데 반하여 싫어하는 학생도 있다. ②〔法〕…인 까닭에(since), …라는 사실에서 보면(in view of the fact that...)《흔히 글머리에 둠》: *Whereas* the defendant is so contrite.... 피고가 그렇게 뉘우치고 있는 까닭에…. — *n.* (본론 전의) 서두(序頭), 단서(但書) ;〖法〗전문(前文)(preamble).

***where·at** [*hw*εərǽt] *ad.* 《文語》①《古》〔疑問詞〕무엇에 대하여〔관하여〕, 어찌하여. ②〔關係詞〕그곳에서 ; 거기에, (거기에서) …하는(at which) : I know the things ~ you are displeased. 나는 네가 마음에 들어하지 않는 점을 알고 있다.

‡**where·by** [*hw*εərbái] *ad.* 《文語》①〔疑問詞〕무엇에 의하여(by what), 어떻게 하여(how) : *Whereby* can we know the truth? 어떻게 하여 그 진실을 알 수 있겠는가. ②〔關係詞〕(그것에 의해) …하는(by which) : He thought of a plan ~ he might escape. 도망칠 수 있을 듯한 계획을 생각해 냈다.

where'd [*hw*εərd] where did 의 간약형.

wher·e'er [*hw*εərέər] *ad.* 《詩》=WHEREVER.

‡**where·fore** [*hw*έərfɔ̀:r] *ad.* ①〔疑問詞〕무엇 때문에, 왜(why) : *Wherefore* did you go? 너는 무슨 목적으로 갔느냐. ②〔關係詞〕그러므로 : We ran out of water, ~ we surrendered. 우리는 물이 떨어졌다. 그래서 항복했다. — *n.* (보통 *pl.*) 원인, 이유(reason) : Never mind the whys and ~*s* of it. 그 이유나 원인은 개의치 마라.

‡**where·in** [*hw*εərín] *ad.* 《文語》①〔疑問詞〕어디에, 어떤 점에서 : *Wherein* is it wrong? 어떤 점이 틀렸는가. ②〔關係詞〕그 점에서 …하는(in which) : a period ~ he took no part in the conference 그가 회의에 참가하지 않았던 기간.

where·in·so·ev·er [*hw*ὲərinsouévər] *ad.*〔強意語〕=WHEREIN.

where'll [*hw*εərl] where will〔shall〕의 간약형.

***where·of** [*hw*εəráv / -rɔ́v] *ad.* ①〔疑問詞〕《文語》무엇의, 무엇에 관하여 ; 누구의. ②〔關係詞〕《文語》그것의, 그것에 관하여 ; 그 사람의.

***where·on** [*hw*εərán / -rɔ́n] *ad.* 《古》①〔疑問詞〕무엇의 위에, 누구에게. ②〔關係詞〕그 위에(on which).

where're [*hw*έərər] where are 의 간약형.

‡**where's** [*hw*έərz] where is〔has〕의 간약형 : *Where's* he gone? 그는 어디 갔느냐.

where·so·e'er [*hw*ὲərsouέər] *ad.* 《詩》= WHERESOEVER.

where·so·ev·er [*hw*ὲərsouévər] *ad.*〔強意語〕=WHEREVER.

where·to [*hw*εərtú:] *ad.* 《文語》①〔疑問詞〕무엇에, 어디로 ; 무엇 때문에(to what end). ②〔關係詞〕그것에, 그 곳으로, 그것에 대하여(to which).

***where·up·on** [*hw*ὲərəpán / -pɔ́n] *ad.* ①《古》〔疑問詞〕=WHEREON. ②〔關係詞〕**a)** 그래서, 그 때문에, 그 결과, 그 후에. **b)** 그 위에, 게다가.

where've [*hw*έərv] where have 의 간약형.

‡**wher·ev·er** [*hw*εərévər] *ad.* ①〔關係詞〕어디든지 …하는 곳에〔곳에서〕: He was liked ~ he went. 그는 가는 곳마다 호감을 받았다. ②〔關係詞 : 양보의 副詞節을 이끎〕어디서〔어디에서, 어디로〕…하여도 : *Wherever* he is, he must be found. 어디에 가 있든 그를 찾아내야 한다. ③〔疑問詞〕《口》대체 어디에〔에서, 로〕《疑問詞 where 의 強調形》: *Wherever* did you put it? 대체 그것을 어디에 놓았느냐.
or ~ 《口》그렇지 않으면 그 어디엔가《장소를 나타내는 부사(구) 뒤에서》: He is probably at the bar on the corner *or* ~. 그는 아마 모퉁이의 술집이든가 아니면 그 어딘가에 있겠지.

***where·with** [*hw*εərwíð, -wíθ] *ad.* ①〔疑問詞〕

《古》 무엇을 가지고, 무엇으로. ②〔關係詞〕 그것을 가지고, 그것으로.

where·with·al [*h*wέərwiðɔ̀:l, -wiθ-] *n.* (the ~) 필요한 자금〔수단〕: He didn't have *the* ~ to repay the loan. 그는 그 빚을 갚을 돈이 없었다.

wher·ry [*h*wéri] *n.* Ⓒ (하천용의) 보트, 나룻배; 《美》 1 인승 스컬《경조용》; 《英》 평저(平底) 짐배.

***whet** [hwet] (**-*tt*-**) *vt.* ① (칼 따위)를 갈다: ~ a knife. ② (식욕·호기심 따위)를 자극하다, 돋우다: ~ a person's appetite 아무의 식욕을 돋우다. —*n.* Ⓒ ① 갊, 연마(硏磨). ② 자극(물); 식욕을 돋우는 물건《특히 술 따위》.

†**wheth·er** [*h*wéðər] *conj.* ① **a**) 〔名詞節을 이끎〕 …인지 어떤지(를, 는): It is not certain ~ he will come (*or* not). 그가 올지 안 올지 확실치 않다 / He asked ~ I liked it. 내가 좋아하는지 안 하는지를 그는 물었다 / I don't know ~ he is glad *or* sorry. 그가 기쁜지 슬퍼하는지 알 수 없다. **b**) 〔主語 또는 主格補語가 되는 名詞節을 이끎〕: *Whether* you join us *or* not is up to you. 자네가 우리에게 참가하느냐 안하느냐는 자네에게 달려 있다. **c**) 〔名詞와 동격인 名詞節을 이끎〕: There remains the question ~ he knew the fact (*or* not). 그가 그 사실을 알고 있었느냐(아니냐)라는 의문이 남는다. **d**) 〔前置詞의 目的語가 되는 名詞節을 이끎〕: An artist's success depends after all upon ~ he has talent *or* not. 예술가의 성공은 궁극적으로는 재능이 있느냐 없느냐에 달려 있다. ② 〔양보를 나타내는 副詞節을 이끎〕 …이든지 (아니든지), …이든지 …이든지(여하간에): *Whether* you like it *or* not, you must do it. 좋아하든 싫어하든, 너는 그것을 하여야 한다. ~ ***or no*** 〔***not***〕 어느 쪽이든, 하여간; …인지 어떤지: Well, I'll come, ~ *or no.* 좋소, 하여간 가겠소.

—*pron.* 《古》 (둘 중의) 어느 하나.

whet·stone [*h*wét-stòun] *n.* Ⓒ 숫돌; 자극물, 흥분제; 격려자; 타산지석(他山之石).

whet·ter [*h*wétər] *n.* Ⓒ 칼 가는 사람; 자극물.

whew [*h*wju:, hju:,] *int.* 어휴! 《놀라움·당황·안도 따위를 나타냄》. —*n.* 휘파람 같은 소리, 퓨〔휙〕 하는 소리.

whey [*h*wei] *n.* Ⓤ 유장(乳漿). cf. curd.

whey·face [*h*wéifèis] *n.* Ⓒ (겁에 질리거나 병 때문에) 창백한 얼굴(의 사람).

†**which** [*h*witʃ] **A**) ＜疑問詞＞ *pron.* 〔疑問代名詞〕 ① 〔主語·目的語·補語로서〕 어느 것, 어느 쪽, 어느 사람, (한 무리 중의) 누구《★ 일정한 수의 대상으로부터의 선택·지정에 관해서 씀. 따라서 이 경우에는 뒤에 대상을 나타내는 어구나 of 의 구를 수반하는 일이 많음》: *Which* is your book? 어느 쪽〔것〕이 자네 책인가 / *Which* is taller, he or she? 그와 그녀는 누가 키가 더 큰가《구어에서는 Who is taller, him or her? 가 더 일반적임》/ *Which* of these do you want? 이것들 중 어느 쪽을 원하느냐 / *Which* of them are your sons? 그들 중 누가 자네 아들들인가《여기서 which 는 복수; 또 of 가 바로 뒤에 올 때는 who 는 쓸 수 없음》/ Tell me *which* to do. 어느 쪽을 해야 좋은지 말해 주시오 / Tell me *which* you like best. 어느 것을 가장 좋아하는지 말해 보렴.

② 〔흔히 文尾에서; 되묻는 疑問文〕 《상대의 말에 대한 놀람·확인에 쓰임》: You chose ~? 어느 쪽을 택했다고.

—*a.* 〔疑問形容詞〕 어느, 어떤, 어느 쪽의: *Which* book do you want? 어느 책을 원하느냐 / *Which* boy won the prize? 입상한 것은 어느 학생이냐 / Ask ~ way to take? 어느 쪽 길로 가야 할지 물어봐라.

B) ＜關係詞＞ *pron.* 〔關係代名詞〕 (소유격 ***of which, whose***) 《先行詞는 원칙적으로 사물 또는 동물》.

① 〔制限용법〕 …하는 (것, 일)《주격·목적격 모두 that 과 바꿔 쓸 수 있음》. **a**) 〔主格〕: He keeps a dog ~ barks fiercely. 그는 맹렬히 짖어대는 개를 기르고 있다 / It is this typewriter ~〔that〕 is broken. 부서져 있는 것은 이 타자기다 / The meeting (~ was) held yesterday was a success. 어제 열린 모임은 성황(盛況)이었다《節 속의 동사가 be 동사일 경우에는 which+be 의 생략이 가능함》. **b**) 〔所有格; of which 또는 whose 로〕: the house the windows *of* ~ are broken =the house *whose* windows are broken 창문들이 (모두) 깨져 있는 집《★ 구어에서는 the house with broken windows 같은 어색하지 않은 표현을 씀》/ There was always harmony in the group *of* ~ he was the leader. 그가 지도자로 있던 그룹은 언제나 화기 애애했다. **c**) 〔目的格〕《이 경우 which 는 흔히 생략함》: The bicycle (~) I sold was old. 내가 판 자전거는 낡았다 / The information *on* ~ the conclusion was based is doubtful. =The information (~) the conclusion was based *on* is doubtful. 결론의 근거가 된 정보가 의심스럽다《which 가 전치사 뒤에 있을 때에는 생략하지 못함》. **d**) 〔前置詞+which to do 로〕 …할 (것): I need something *with* ~ *to* write. 무언가 쓸 것이 필요하다《…something (~) I can write *with*처럼 관계대명사를 쓰지 않고 … something to write *with* 로 하는 것이 보통임》. **e**) 〔It is … which_ 의 강조구문으로〕 —하는 것이 …이다《It is … that —이 일반적임》.

> 語法 (1) **which** 의 생략 1) 제한용법의 which 가 관계절 중에서 목적어일 때뿐만 아니라 보어로 되어 있는 경우에도 생략할 수가 있음: He is no longer the timid fellow (*which*) he used to be. 이제 그는 이전의 겁쟁이가 아니다. 2) 주격이라도 삽입구(揷入句) 앞의 which 가 생략될 때가 있음: I bought a book (*which*) I thought would be of interest to my son. 아들의 흥미를 끌 것으로 생각되는 책을 샀다《I thought 는 삽입구》.
> (2) 제한용법에서는 which 보다 that 을 많이 쓰나, that 은 앞에 전치사를 취할 수 없음.
> (3) 선행사에 지시형용사 that 이 따를 때에는 불필요한 혼동을 피하기 위해 that 를 쓰지 않고 which 를 씀: He gave me *that* part of his property ~ he had cherished most. 그는 자기 재산 중에서 가장 소중히 간직하던 부분을 나에게 주었다《that 은 선행사 part 의 수식어임이 명백해짐》.

② 〔非制限용법; 보통 앞에 콤마가 옴〕 **a**) 〔單一語를 선행사로 하여〕 그리고 그것은〔을〕, 그러나〔그런데〕 그것은〔을〕: Her clothes, ~ are all made in Paris, are beautiful. 그녀의 옷은 어느 것이나 파리에서 만든 것으로서 아름다운 것들이다 / My elder brother is a teacher, ~ I should also like to be. 형님은 교사인데, 나도 교사가 되고 싶다《사람이 선행사라도 직업·지위·성격 따위를 나타낼 때에는 who 를 쓰지 않음》/ Far ahead of us was Mt. Halla, the top of ~ was still covered with snow. 멀리 우리 앞에 한라산이 있었는데, 그 정상은 아직도 눈에 덮여 있었다 / We offered them help, ~ they declined politely. 우리는 그들을 원조하겠다고 했으나 그들은 정중히 사절했다 / He gave us a book, from ~ we obtained valuable

information. 그는 우리에게 책 한 권을 주었는데 그 책에서 우리는 귀중한 정보를 얻었다. **b)** 〔句·節·文章 또는 그 내용을 선행사로 하여〕 그리고 그것은, 그리고 그 때문에: I tried to force the door open, ~ was found to be impossible. 나는 억지로 문을 열어보려고 했으나 불가능하다는 것을 알았다 / They thought him dull, ~ he was not. 그는 바보로 여겨졌었으나 실제는 그렇지 않았다 / I give up — *Which* means you leave it to us. 포기하겠네 — 그럼 우리에게 맡긴다는 뜻일세 그려. ★關係詞節이 主節 앞에 나오는 경우도 있음: Moreover, ~ you may hardly believe, he committed suicide. 거기다가, 거의 믿지 못할 일이겠지만, 그는 자살해 버렸단 말일세.
③ 〔先行詞를 포함하여〕 (…하는 것은) 어느 것이나 (whichever) 《名詞節을 이끎》: Take ~ you like. 어느 것이든 좋은 것을 택해라.

> [參考] (1) 비제한 용법의 which는 문맥에 따라서 and 〔because, but, though〕+it 〔they, them〕으로 바꿀 수 있을 때가 많음.
> (2) 제한 용법에서는 which를 that으로 바꿔 쓸 수 있으나 비제한 용법에서는 바꿔 쓸 수 없음.

that **~ . . .** …하는〔한〕 것: Which book do you mean? — *That* ~ I spoke to you on the phone about. 어느 책 말인가 — 자네에게 전화로 말한 그것 말일세 《비교: The one …이 보다 일반적임》. **~ *is* ~** 어느 것이 어느 것인지, 누가 누군지: The two sisters are so much alike that you cannot tell ~ *is* ~. 그 두 자매는 하도 똑같아서 누가 누군지 모를 정도다.
— *a.* 〔關係形容詞〕 ① 〔制限용법〕 어느 …이나〔이든〕 (whichever): Adopt ~ idea you like. 어느 안이든 마음에 드는 것을 채택하시오.
② 〔非制限용법〕 《文語》 그리고〔그런데〕 그 《이 which는 다음에 오는 명사보다도 세게 발음됨》: I said nothing, ~ fact made him angry. 나는 잠자코 있었는데, 그것이 그를 성나게 했다.

‡**which·ev·er** [*h*witʃévər] *pron.* ① 〔不定關係詞: 名詞節을 이끎〕 …하는 어느 것〔쪽〕이든(지) (any one that…): Take ~ you want. 어느 것이든 네가 원하는 것을 가져라. ② 〔關係詞: 양보를 나타내는 副詞節을 이끌어(서)〕 어느 것〔쪽〕을〔이〕 …하든(지) (no matter which…): *Whichever* you choose, make sure that it is a good one. 어느 것을 (선)택하든 좋은 것인지를 확인해라. ③ 〔疑問詞〕 대체 어느 것〔쪽〕을〔이〕: *Whichever* do you want? 대체 어느 것을 원하느냐.
— *a.* ① 〔關係詞: 名詞節을 이끎〕 …하는 어느, 어느 쪽이든 …한(any __ that…). [cf] whatever. ¶ Take ~ picture you like. 네가 원하는 사진을 어느 것이든 가져라. ② 〔關係詞: 양보를 나타내는 副詞節을 이끎〕 어느(쪽이) —을 …하여도(no matter which…): *Whichever* side wins, it will not concern me. 어느 쪽이 이기든 나에게는 관계없는 일이다. ③ 〔疑問詞〕 대체 어느(쪽의): *Whichever* Johnson do you mean? 대체 어느 존슨 말이죠.

which·so·ev·er [*h*witʃsouévər] *pron., a.* 〔強意語〕 《古》 =WHICHEVER.

***whiff** [*h*wif] *n.* [C] (a ~) ① (바람 등의) 한번 붊; 확 풍기는 향기: a ~ of fresh cool air 가볍게 불어오는 신선하고 시원한 바람 / a ~ of perfume 확 풍기는 향기 냄새. ② (담배의) 한 모금; 궐련, 작은 여송연: take ~*s* of one's pipe 곰방대를 뻐끔뻐끔 피우다. ③ 징후, 기미, 낌새 《*of*》: There's *a* ~ *of* revolution in the air once again. 또 다시 혁명의 기미가 감돌고 있다. ④ 《口》 (골프의) 헛침; 〖野〗 삼진(三振).
— *vt., vi.* 훅〔가볍게〕 불다; 불어 보내다; 냄새를〔가〕 확 풍기다; 《口》〖野〗 …에게 삼진(三振)을 먹이다〔먹다〕.

whif·fle [*h*wífəl] *vi.* (바람이) 살랑거리다; (잎 따위가) 흔들리다; (생각 등이) 동요되다, 흔들리다. — *vt.* (바람 따위)가 …을 흩뜨리다, 날려 보내다; (바람이 배의 진로)를 이리저리 바꾸다; (생각 따위)를 동요시키다.
[파] **~r** [-ər] *n.* [C] 정견(定見)없는 사람, 변덕스러운 사람.

Whig [*h*wig] *n.* ① 〖英史〗 휘그당원, (the ~s) 휘그당《자유당의 전신; Tory와 대립》. ② 〖美史〗 휘그당원《(1) (독립전쟁 당시의) 독립당원. (2) the Democratic party(민주당)와 대립한 정당의 당원; 1834년경 결성》. — *a.* 휘그당(원)의.

†**while** [*h*wail] *conj.* ① **a)** …하는 동안〔사이〕에; …하면서, …함과 동시에《동작이나 상태가 계속되고 있는 기간을 나타내는 副詞節을 만듦》: We slept ~ they watched. 우리는 그들이 망을 보고 있는 동안에 잠을 잤다 / *While* you were away, there was a fire in the neighborhood. 안 계신 동안 이웃에 화재가 있었습니다 / Strike ~ the iron is hot. 《俗談》 쇠는 달았을 때 두드려라《물실호기》 / You shouldn't speak ~ (you are) eating. 식사 중에는 지껄이는 것이 아니다《主節과 從屬節의 主語가 같을 때 從屬節의 '主語+be 동사'가 흔히 생략》. **b)** …하는 한: *While* there's life, there's hope. 《俗談》 목숨이 있는 한 희망이 있다. ② **a)** 〔양보(讓步)의 從屬節을 이끌어; 흔히 글머리에 옴〕 …라고는 하나, …하면서도, …하지만 (although): *While* he appreciated the honor, he could not accept the position. 명예로운 일이라고 감사해 하면서도 그는 그 지위를 받을 수 없었다 / *While* I admit that it is difficult, I don't think it impossible. 그 일의 어려움은 인정하지만 불가능하다고는 생각하지 않는다. **b)** 〔대조(對照)를 나타내어; 흔히 主節의 뒤쪽에 옴〕 그런데, 한편(으로는): I've read fifty pages, ~ he's read only thirty. 나는 50 페이지 읽었는데 그는 30 페이지밖에 읽지 못하고 있다.
— *n.* [U] (흔히 a ~) 동안, 시간; 잠시: after *a* ~ 잠시 후에 / for *a* ~ 잠시동안 / quite *a* ~ =*a* good〔great〕 ~ 상당히 오랫동안 / in *a* (little) ~ 좀 있으면, 곧 / *a* ~ ago 조금 전에 / It took him *a* ~ to calm down. 마음을 진정시키는 데 잠시 시간이 걸렸다. ***all the*** **~** (1) 그 동안 죽〔내내〕: He stayed at home *all the* ~. 그는 그 동안 내내 집에 있었다. (2) 〔接續詞的〕 …하는 동안 죽: The students chattered *all the* ~ I was lecturing. 학생들은 내가 강의하는 동안 (내내) 지껄여댔다. ***between ~s*** 때때로, 짬짬이: My uncle visited us between ~*s*. 숙부는 때때로 우리집을 방문하셨다. ***once in a*** **~** 이따금. ***the*** **~** 〔副詞句로서〕 그 동안에; 동시에: We rowed the boat and sang *the* ~. 우린 보트를 저으면서 노래를 불렀다. ***worth*** **a person's ~** ⇨WORTH.
— *vt.* 《+[목]+[부]》 (시간)을 느긋하게〔한가하게, 즐겁게〕 보내다《*away*》: He ~*d away* his vacation on the beach. 그는 휴가를 바닷가에서 보냈다.

whilst [*h*wailst] *conj.* 《英》 =WHILE; 《古》 =UNTIL. — *n.* 《古》 =WHILE.

whim** [*h*wim] *n.* [C] 잘 변하는 마음, 일시적인 생각, 변덕: take a ~ *for* walking 불현듯이 산책할 생각이 나다 / on a ~ 일시적 기분으로. ***full of ~s (and fancies) 변덕스러운.

***whim·per** [*h*wímpər] *vi.* (어린애가) 훌쩍이다, 울먹이다 ; (개가) 킹킹거리다 ; 애처로이 하소연하다. ── *vt.* …을 우는 소리로 말하다.
── *n.* Ⓒ 훌쩍거림, 훌쩍이는 소리 ; 코를 킹킹거리는 소리. ㊞ **~·er** *n.* **~·ing·ly** *ad.*

***whim·si·cal** [*h*wímzikəl] *a.* 마음이 잘 변하는, 변덕스러운 ; 별난, 묘한 : a ~ appearance 기묘한 모습. ㊞ **~·ly** [-i] *ad.*

whim·si·cal·i·ty [*h*wìmzəkǽləti] *n.* Ⓤ 변덕 ; 별스러움 ; Ⓒ 기상(奇想), 기행(奇行).

whim·s(e)y [*h*wímzi] *n.* Ⓒ 별난 생각 ; 종작없는 생각, 변덕 ; 기발한 언동.

whin [*h*win] *n.* Ⓤ 〖植〗 가시금작화.

***whine** [*h*wain] *vi.* ① 애처로운 소리로 울다, 흐느껴 울다 ; (개 따위가) 낑낑거리다 : The dog was *whining* to be taken out for a walk. 개가 산책에 데려가 달라며 낑낑거리고 있었다. ② 《~/+전+명》 우는 소리를 하다, 푸념하다, 투덜대다《*about*》: Housewives are always *whining about* high prices. 주부들은 물가가 비싸다고 언제나 투덜거리고 있다. ── *vt.* 애처로운 소리로 울다〔말하다〕《*out*》.
── *n.* Ⓒ ① (아이들의) 보채는 소리 ; 우는 소리 ; (사이렌·탄환·바람 등의) 날카로운 음향 ; (개 따위의) 낑낑거리는 소리. ② 푸념하는 소리, 넋두리. ㊞ **whín·er** *n.* **whín·ing·ly** *ad.*

whin·ny [*h*wíni] *n.* Ⓤ,Ⓒ 히힝《말의 울음 소리》.
── *vi.* (말이) 히힝 울다.

‡whip [*h*wip] (*p., pp.* **~ped, ~t ; ∠·ping**) *vt.* ① …을 채찍질하다 ; (세게) 때리다 : ~ a horse 말을 채찍질하다 / The rain was ~*ping* the windowpanes. 비가 유리창을 몹시 때리고 있었다. ② 《~+목/+목+부》 …을 편달하다, 격려하다, 자극하다《*on* ; *up*》: ~ *up* public opinion 여론을 자극하다 / His words ~*ped* the mob into a frenzy. 그의 말은 군중을 자극하여 열광케 했다. ③ 《+목+전+명》 …을 채찍질하여 …하게 하다 ; (엄하게 타일러서) …을 가르치다《*into*》; (잔소리해서 나쁜 버릇)을 고치게 하다《*out of*》: ~ sense *into* a child 아이를 엄하게 타일러 제정신이 들게 하다 / ~ a fault *out of* a person 아무의 결점을 고치게 하다. ④ (크림·달걀 등)을 휘저어 거품이 일게 하다 : ~ eggs / ~*ped* cream (케이크용의) 거품을 일게 한 크림. ⑤ 《+목+부/+목+전+명》 …을 갑자기 움직이게 하다〔잡아 당기다〕; 잡아채다《*away; off*》: ~ a person's purse *away* 아무의 지갑을 잡아채다 / ~ money *into* one's pocket 돈을 재빠르게 호주머니에 쑤셔 넣다. ⑥ (솔기)를 꿰매다, 감치다 ; (실·끈으로) …을 칭칭 감다. ⑦ …에서 던질낚시를 하다 : ~ a stream 시내에서 던질낚시를 하다. ⑧ 《口》 …을 완패시키다 ; …에게 이기다 : He ~*ped* me completely at tennis. 그는 테니스에서 나를 완패시켰다. ⑨ …을 훔치다. ── *vi.* ① 채찍을 사용하다, 매질하다 ; (비바람이) 휘갈기듯 불다. ② 《+부/+전+명》 갑자기 움직이다 ; 획 달리다, 돌진하다, 뛰어들다〔나가다〕《*behind* ; *away* ; *along* 따위》: ~ *along* the road 도로를 따라 휙 달리다 / ~ *behind* the door 문 뒤로 핵 숨다 / ~ *away* to a foreign country 훌쩍 외국으로 가버리다. ③ 던질낚시를 하다.
~ *in* (사냥개)를 채찍으로 불러 모으다 ; (의원에게) 등원(登院)을 독려하다. **~ . . . *into shape*** (어떤 목적을 위해) …을 힘들여 다듬어〔훈련시켜〕 바라는 것으로〔상태로〕 만들다〔이룩하다〕: The new coach soon ~*ped* the team *into shape.* 새로 온 코치는 곧 팀의 면목을 새롭게 했다. **~ *on*** 채찍질하여 나아가게 하다 ; 급히 입다〔걸치다〕: ~ a horse *on* 채찍질하여 말을 몰다. **~ *out* (*of*)** (칼·권총 따위)를 갑자기 뽑다 ; (…에서) 급히 꺼내다〔뽑다〕; 갑자기 거칠게 말하다. **~ *round*** 휙 돌아보다 ; 《英》 (모금 등)을 걷으며 다니다《*for*》. **~ *through*** 《美俗》 (일 따위)를 재빨리〔간단히〕 해치우다. **~ *up*** (청중 따위)를 서둘러 그러모으다 ; (요리)를 재빨리 만들다 ; (계획 따위)를 짜내다 ; (감정·흥미 따위)를 돋우다, 자극하다.
── *n.* ① Ⓒ 채찍. ② (the ~) 채찍으로 때리기. ③ Ⓒ,Ⓤ 〖料〗 디저트의 일종《크림·달걀 따위를 저어서 거품을 내게 하여 만듦》. ④ Ⓒ (정당의) 원내 총무(party ~) ; 《英》 (원내 총무가 의원에게 내는) 등원 통지서. ⑤ Ⓒ 〖獵〗 사냥개 담당자. ⑥ Ⓒ (특히 4 두 마차의) 마부. ⑦ Ⓒ 끌어올리는 작은 고패 ; (풍차의) 날개 바퀴.
a fair crack of the* ~** 《口》 공평〔공정〕한 기회〔취급〕. ***crack the* ~** 채찍을 휘두르다 ; 《口》 엄격히 감독하다, 겁을 주다. ***with* ~ *and spur 즉석에서, 황급히.

whip·cord [∠kɔ̀ːrd] *n.* Ⓤ 채찍 끈 ; 능직물의 일종《사선으로 교차된 줄무늬가 있는 직물》.

whíp hànd (채찍을 쥐는) 오른손 ; 유리한 지위, 우위(優位) : get〔have〕 the ~ of〔over〕 …을 좌우〔지배〕하다.

whip·lash [∠læ̀ʃ] *n.* Ⓒ ① (채찍의 자루 끝에 맨) 채찍끈, 가죽끈 ; 강타, 편달(鞭撻), (채찍을 맞은 것 같은) 충격 : the ~ of disgust 갑작스런 격렬한 혐오감. ② 〖醫〗 (자동차의 충돌·급정거 등에 의한) 편타증(鞭打症)(=∠ ìnjury).

whip·per-in [*h*wípərín] (*pl.* **-pers-in**) *n.* Ⓒ (국회의) 원내 총무(whip) ; 〖獵〗 사냥개 담당자.

whip·per·snap·per [*h*wípərsnæ̀pər] *n.* Ⓒ 《口》 건방진 젊은 녀석.

whip·pet [*h*wípit] *n.* Ⓒ 휘핏《그레이 하운드와 비슷한 경주용 개의 일종》.

whip·ping [*h*wípiŋ] *n.* Ⓤ,Ⓒ 채찍질 ; 태형 : give a ~ 태형에 처하다.

whípping bòy 〖史〗 (왕자의 학우로서) 왕자를 대신하여 매맞는 소년 ; 대신 당하는 자, 희생.

whip·poor·will [*h*wípərwìl] *n.* Ⓒ 〖鳥〗 쏙독새의 무리《북아메리카산》.

whip-round [*h*wípràund] *n.* Ⓒ 《英》 (친구·회원에게 돌리는) 기부 권유(장) ; (자선) 모금.

whip·saw [*h*wípsɔ̀ː] *n.* Ⓒ 틀에 낀 가늘고 긴 톱《흔히 두 사람이 사용함》. ── *vt.* …을 ~로 자르다.

whir, whirr [*h*wəːr] *n.* Ⓒ (흔히 *sing.*) 휙하는 소리 ; 윙하고 도는 소리. ── (**-rr-**) *vi., vt.* 휙 날다 ; (모터 따위가〔를〕) 윙 돌다〔돌리다〕.

‡whirl [*h*wəːrl] *vi.* ① 《~/+부/+전+명》 빙빙 돌다 ; 선회하다, 소용돌이치다 : The leaves ~*ed* round. 나뭇잎이 빙글빙글 맴돌았다 / The dancer ~*ed around* the floor. 댄서들이 마루를 빙빙 춤추며 돌았다. ② (머리가) 어지럽다 ; 현기증이 나다 : My head ~*s.* 머리가 어지럽다 / My mind was ~*ing* with too many new ideas. 나는 잇따라 떠오르는 새로운 아이디어로 머리가 어지러운 지경이었다. ③ 《+전+명》 (배·비행기 따위를 타고) 급행하다 ; (차 따위가) 질주하다 : The truck ~*ed down* the road. 그 트럭은 길을 질주하여 갔다.
── *vt.* ① …을 빙글빙글 돌리다 ; 선회시키다 ; 소용돌이치게 하다 : ~ a stick 지팡이를 빙글빙글 돌리다. ② 《+목+부/+목+전+명》 (탈것이 사람)을 빨리 나르다〔태워가다〕《*away*》: We were ~*ed away* in his car. 그의 차로 재빨리 실려 갔다 / A car ~*ed* us *off* to the hotel. 자동차가 우리를 재빨리 호텔까지 태워다주었다. **~ *aloft***

〔*up*〕 감아올리다 ; 회오리쳐〔소용돌이쳐〕 오르다. ── *n.* (종종 a ~) ① 회전 ; 선회 : give the crank *a* ~ 크랭크를 1회전하다. ② [C] (흔히 a ~) (사건·회합 등의) 연속《*of*》; *a* ~ *of* parties 연속되는 파티. ③ (흔히 a ~) (정신의) 혼란, 어지러움. ④ (종종 *pl.*) 빙글빙글 도는 것, 소용돌이 ; 선풍. ***give . . . a*** ~《口》…을 시험해 보다.

whirl·i·gig [*hwə́ːrligìg*] *n.* [C] 빙글빙글 도는 장난감《팽이·팔랑개비 등》; 회전 목마 ; 변덕스러운 사람 ; 회전 운동 ; 윤회(輪廻) ; 변전(變轉) ; 〚蟲〛 물매암이(=∠ **bèetle**) : the ~ of fashion 유행의 변전 / the ~ of time 운명의 변전.

***whirl·pool** [*hwə́ːrlpùːl*] *n.* [C] 소용돌이 ; 혼란, 소동 ; 감아들이는 힘.

whirl·wind** [*hwə́ːrlwìnd*] *n.* [C] ① 회오리 바람, 선풍. ② (선풍과 같은) 급격한 행동 ; 격렬한 감정, (감정의) 회오리. ③〔形容詞的〕눈깜짝할 사이의, 분주한 : a three-day ~ campaign tour 3일간의 벼락치기 유세 여행. ***ride (***in***) ***the*** ~ (천사가) 선풍을 다스리다 ; (사람이) 혁명의 기운(機運)을 타다.

whirl·y·bird [*hwə́ːrlibə̀ːrd*] *n.* [C]《美俗》헬리콥터.

whish [*hwiʃ*] *vi.* 쉿〔휙〕하고 소리나다 ; 쉭하고 움직이다. ── *n.* [C] 쉿〔휙〕하는 소리.

whisk [*hwisk*] *n.* [C] ① (털·짚·잔가지 등으로 결어 만든) 작은 비, 총채 ; =WHISK BROOM. ② (달걀·크림 등의) 거품내는 기구. ③ (건초·강모·깃털 등의) 다발《*of*》. ④ (흔히 *sing.*) (꼬리·손 따위를) 한번 휘두름 ; (고속열차 등의) 휙 달림. ── *vt.* ①《+[목]+[부] / +[목]+[전]+[명]》(먼지·파리 등)을 털다, 털어〔쫓아〕 버리다《*away; off*》: ~ flies *away*〔*off*〕 파리를 쫓다 / ~ crumbs *off* one's coat 저고리에서 빵부스러기를 털어 없애다. ②《+[목]+[부] / +[목]+[전]+[명]》…을 휙 채가다〔데려가다, 치우다〕《*away ; off*》: ~ *away*〔*off*〕 a newspaper 신문을 휙 가져가버리다. ~ a child *to* bed 아이를 급히 침대에 데려다 재우다. ③ (꼬리·채찍 등)을 (털 듯이) 흔들다, 휘두르다. ④ (달걀 등)을 휘젓다, 거품 내다(whip). ── *vi.*《~ / +[전]+[명]》휙 움직이다 ; 휙 사라지다 : The car has ~*ed from* sight. 그 차는 시야에서 휙 사라졌다.

whísk bròom (자루가 짧은) 솔, (옷·소파 따위의 먼지를 터는) 작은 비.

***whisk·er** [*hwískər*] *n.* [C] ① (흔히 *pl.*) 구레나룻. [cf] beard, mustache. ¶ wear ~*s* 구레나룻을 기르고 있다. ② (흔히 *pl.*) (고양이·범·메기 따위의) 수염 ; (새의) 부리 주위의 깃털. ③《口》약간의 거리 ; 근소한 차이 : She won the race *by a* ~ 그녀는 근소한 차로 레이스에서 승리했다. [파] ~**ed** *a.* 구레나룻이 있는.

‡whis·key, -ky [*hwíski*] (*pl.* ***-keys, -kies***) *n.* [U,C] ① 위스키. ② 위스키 한 잔(a glass of ~). ★《美·아일랜드》는 보통 whiskey로 표기하고, 《英》은 보통 whisky로 씀.

‡whis·per [*hwíspər*] *vi.*《~ / +[전]+[명]》① 속삭이다, 작은 소리로 이야기하다《*to*》: ~ *to* a person 아무에게 속삭이다. ② 내밀한 이야기를〔밀담을〕 하다 ; (소근소근) 소문내다〔퍼뜨리다〕《*about*》: I heard people ~*ing about* her affair. 나는 사람들이 그녀의 정사에 관해 소근거리는 것을 들었다. ③ (나뭇잎·바람 따위가) 살랑살랑거리다(rustle) : The breeze ~*ed through* the pines. 산들바람이 살랑살랑 소나무 숲을 지나갔다. ── *vt.* ①《~+[목]+[전]+[명] / +[전]+[명]+*that* [절] / +[목]+*to* do》…을 작은 소리로 말하다, …에게 속삭이다 : She ~*ed* something in Jame's ear. 그녀는 제임스의 귀에 무언가를 속삭였다 / He ~*ed* his wishes *to* me. 작은 소리로 소원을 내게 말하였다 / He ~*ed* her *to* go out with him. 그는 그녀에게 함께 나가자고 속삭였다 / I ~*ed to* him *that* he might come. 나는 그에게 와도 좋다고 속삭였다. ②《~[목]+[부]》…을 살그머니 퍼뜨리다《흔히 수동태》: The story is being ~*ed about* in the neighborhood. 그 이야기는 인근 사람들 사이에 쉬쉬하며 퍼뜨려지고 있다. ***It is ~ed that*** . . . . …라는 소문이다 : *It is* ~*ed that* the President is critically ill. 대통령의 병이 중태라는 소문이다.

── *n.* ① [C] 속삭임, 귀엣말 : speak in a ~〔in ~*s*〕 귀엣말하다, 소근거리다. ② [C] 소문, 풍설 ; 고자질, 험담 : a ~ of scandal 추문 / I've heard a ~ that they're heading for divorce. 그들이 이혼할 것이라는 소문을 들었다. ③ [C] 졸졸〔와삭와삭하는〕 소리 ; [U] 〚音聲〛 속삭임. ④ (흔히 a ~) 미량(微量), 조금 : *a* ~ *of* a perfume 향수의 은은한 냄새. [파] ~·**er** [-pərər] *n.*

whis·per·ing [*hwíspəriŋ*] *n.* [U] 속삭임 ; 와삭와삭하는 소리. ── *a.* 속삭이는(듯한) ; 귀엣말의 ; 와삭와삭하는 ; (중상적인) 비밀 이야기를 퍼뜨리는. [파] ~·**ly** *ad.*

whíspering campàign《美》중상 운동《대항 후보자의 중상적 소문을 조직적으로 퍼뜨리는》.

whist [*hwist*] *n.* [U] 휘스트《카드놀이의 일종》. ***long***〔***short***〕 ~ (휘스트의) 10점〔5점〕 게임.

‡whis·tle [*hwísəl*] *n.* [C] ① 휘파람 : give a low ~ of surprise 놀라서 휴하고 낮은 휘파람 소리를 내다. ② 호각, 경적, 기적(汽笛) : The teacher blows her ~ at the end of playtime. 선생님이 노는 시간의 끝을 알리는 호각을 불었다. ③ (새·바람·탄환 따위가 내는) 피리 비슷한 날카로운 소리 : the blackbird's ~ 개똥지빠귀의 지저귀는 소리. ***as clean***〔***clear, dry***〕 ***as a*** ~ 매우 깨끗〔명백, 건조〕하게. ***blow the*** ~ ***on*** . . . (1)〚競〛(심판이 선수)에게 (벌칙 적용의) 호각을 불다. (2)《口》(부정 행위)를 금지시키다 ; …을 불법이라 말하다 ; (동료 따위)를 밀고하다 ; (일)을 폭로하다. ***not worth the*** ~ 전혀 무익한. ***wet one's*** ~《口》술을 한잔 하다.

── *vi.* ①《~/+[전]+[명] / +[전]+[명]+*to* do》휘파람을 불다 ; 휘파람으로 신호하다 : He ~*d* as he worked. 그는 일하면서 휘파람을 불었다 / He ~*d to* his dog *to* come back to him. 되돌아오라고 개에게 휘파람으로 신호했다 / ~ *for* a taxi *to* stop 서라고 택시에게 휘파람을 불다. ②《~/+[부] / +[전]+[명]》(바람·증기 따위가) 쌩쌩〔칙칙〕 소리내다 ; (총알 따위가) 핑하고 날아가다 ; (새가) 짹짹 지저귀다 : The wind ~*d around* the house. 바람이 (집) 주변에서 쌩쌩거리었다 / The bullets ~*d past* my ears. 탄환이 귓전을 핑하고 울리며 지나갔다. ── *vt.* ①《~+[목] / +[목]+[부]》…을 휘파람으로 부르다, …에게 휘파람으로 신호하다 : ~ a dog *forward*〔*back*〕 개를 휘파람으로 앞으로 나가게〔되돌아오게〕 하다. ② (노래 따위)를 휘파람으로 불다 ; ~ a merry tune 휘파람으로 명랑한 곡을 부르다.

let a person ***go*** ~ 아무에게 단념시키다. ~ . . . ***down the wind*** (사물)을 내버려 두다, 포기하다 ; 제멋대로 가게 하다. ~ ***for*** …을휘파람으로 부르다 ;《口》…을 바라도〔요구해도〕 헛수고다 : ~ *for* a porter 휘파람으로 짐꾼을 부르다 / Although Tom wants the money back, he will have to ~ *for* it. 톰은 그 돈을 돌려 받기를 원하지만, 헛수고일 게다. ~ ***in the dark*** (무서움을 감추려고) 어둠 속에서 휘파람 불다 ; (위험에 직면하여) 침착한 체하다. ~ one'***s life away*** 태평스럽게 일생을 보내다. ~ ***up*** 불러모으다 ; (부족한

재료 따위로) …을 만들어내다 : He ~*d up* a meal from leftover food. 그는 먹고 남은 음식으로 식사를 마련했다. ㊊ ~·a·ble *a.*

whis·tler [*h*wíslər] *n.* Ⓒ 휘파람 부는 사람 ; 삐 울리는 것 ; 《美俗》 순찰차 ; 《美俗》 경찰에 밀고하는 자 ; 【鳥】 흰뺨오리, 홍머리오리 ; 【動】 마멋(marmot)의 일종《북아메리카산》.

whístle stòp ① 《美》 (역에서 신호가 있어야만 정거하는) 작은 역(flag stop) ; 선로 연변의 자그마한 마을. ② (유세 중인 후보자가 열차에서 하는) 작은 역에서의 연설. ── *a.* 〔限定的〕 지방 유세의.

whit** [*h*wit] *n.* Ⓤ (a ~) 〔흔히 否定文에서〕 약간, 조금, 미소(微小). ***no 〔***not a, never a***〕 ~ 조금도 …아니다〔않다〕 : I do*n't* care *a* ~. 나는 조금도 상관치 않는다.

†**white** [*h*wait] *n.* ① Ⓤ,Ⓒ 백(白), 백색 ; 흰 그림물감, 백색 도료. ② Ⓤ 흰옷, 흰 천 ; (*pl.*) 흰 천 제품 : a woman (dressed) in ~ 흰옷의 부인. ③ Ⓤ (물건의) 흰 부분 ; (보통 the ~) (달걀의) 흰자위, (안구의) 흰자위 ; (the ~) (인쇄의) 여백. ④ Ⓒ (흔히 *pl* ; 종종 W-) 백인 ; 초(超)보수〔반동〕주의자 ; 왕당원 : ⇨ POOR WHITE / a club for ~*s* only 백인 전용의 클럽. ⑤ Ⓒ 【蟲】 배추흰나비류(類). ⑥ 《口》 백포도주 ; 《美俗》 코카인. ***in the*** ~ (가구·목재가) 아무 칠도 안한.
── (***whit·er*** ; ***whit·est***) *a.* ① 흰, 백색의 : as ~ as snow 눈처럼 흰 / an old man with ~ hair 백발의 노인. ② (공기·물 따위가) 무색의, 투명한 : ⇨WHITE WINE. ③ 백인의. opp. *colored.* ¶ a ~ school 백인 학교 / ⇨WHITE SUPREMACY. ④ 눈으로 덮인 : a ~ Christmas 〔winter〕 눈이 있는 크리스마스〔겨울〕. cf. green Christmas. ⑤ 핏기를 잃은 : be ~ to the lips 얼굴이 창백하다 / She turned ~. 그녀는 창백해졌다. ⑥ 흰옷의〔을 입은〕 : a ~ sister 백의의 수녀. ⑦ 씌어 있지 않은 : a ~ page 공백의 페이지 / ~ paper 백지. ⑧ 결백한, 순수한 ; 신뢰할 수 있는 : He is the ~*st* man I've ever seen. 저렇게 결백한 사람은 만나본 적이 없다. ⑨ 선의(善意)의, 죄 없는. ⑩ 백열(白熱)의, 열렬〔격렬〕한 : ~ fury 열화 같은 노여움. ⑪ 보수적인, 반동적인 ; 반(反)공산주의의 ; 왕당(王黨)의. ⑫ 행운의, 길한 : a ~ day 길일. ⑬ (커피·홍차가) 밀크를 탄. ***bleed*** a person ~ ⇨ BLEED. ***in the*** ~ (가구·천 따위가) 물들이지〔칠하지〕 않은 원래 그대로의. ***make*** one***'s name*** ~ ***again*** 오명을 씻다, 설욕하다.
── *vt.* ① 《古》 …을 희게 하다〔칠하다〕. ② 【印】 여백으로 남기다《*out*》 : *White out* this line. 이 행은 여백으로 할 것.

whíte ánt 흰개미(termite).

Whíte Austrália pólicy 백호(白濠)주의《유색인의 이민을 허가하지 않는 ; 略 : WAP》.

white·bait [ˊ-bèit] (*pl.* ~) *n.* Ⓤ 【魚】 뱅어과(科)의 물고기 ; 청어 따위의 새끼.

whíte béar 【動】 북극곰 ; 백곰.

whíte béard 노인, 늙은이(gray beard).

whíte bírch 【植】 자작나무.

whíte (blóod) cèll 백혈구(leukocyte).

whíte bóok 백서《국내 문제의 정부 보고서》.

whíte bréad 흰빵《정백분(精白粉)으로 만든》. cf. black 〔brown〕 bread.

white·cap [*h*wáitkæ̀p] *n.* (흔히 *pl.*) 물마루, 흰 파도.

whíte cédar 【植】 노송나무속(屬)의 식물《미국 동부 연안의 늪에서 생장함》.

whíte céll 백혈구(white blood cell).

whíte cóal (에너지원(源)으로서의) 물, 수력 ; 전력.

whíte cóffee 《英》 밀크를 탄 커피. opp. *black coffee.*

white-col·lar [ˊ-kálər / ˊ-kɔ́lər] *a.* 〔限定的〕 (사무실에서 일하는) 사무직 계급의, 두뇌 근로자의, 샐러리맨의. cf. *blue-collar.* ¶ a ~ job 샐러리맨적인 직업 / a ~ worker 두뇌 근로자.

whíte córpuscle 백혈구(leukocyte).

whíted sépulcher 【聖】 회칠한 무덤 ; 위선자 《마태복음 XXIII : 27》.

whíte élephant 흰코끼리《인도 등지에서 신성시되는》 ; (비용·수고만 드는) 성가신 물건, 무용지물.

whíte énsign (the ~) 영국 군함기(旗).

whíte féather (the ~) 겁먹은 증거 ; 겁쟁이. ***show the*** ~ 우는 소리하다, 겁을 집어먹다.

white·fish [ˊ-fiʃ] *n.* Ⓒ 【魚】 송어의 일종 ; 은백색의 물고기《황어 따위》 ; Ⓤ (특히 대구 따위의) 물고기의 흰 살.

whíte flág 백기(白旗), 항복기(旗). ***hoist*** 〔***hang out, show, wave***〕 ***the*** ~ 항복하다.

Whíte Fríar (때로 w- f-) (흰 옷을 입은) Carmel 파(派)의 수도사(Carmelite).

whíte fróst 서리. cf. black frost.

whíte góld 금을 함유한 합금의 일종《금·니켈·구리·아연 등을 함유함》 ; 백색의 산물《설탕·목화 따위》.

whíte gòods 린네르류(類)《시트 따위》 ; (희게 칠한 냉장고·세탁기 따위) 대형 가정용 기구.

white-haired [*h*wáithέərd] *a.* 백발의 ; 흰 털로 덮인 ; 《口》 마음에 드는 : a ~ boy.

White·hall [*h*wáithɔ̀ːl] *n.* 런던의 중앙 관청가 ; 영국 정부(의 정책).

white-head·ed [ˊ-hédid] *a.* 백발의 ; 금발의 ; 《口》 마음에 쏙 드는.

whíte héat (구리·철 등의) 백열 ; (심신의) 극도의 긴장, (투쟁 등의) 백열 상태.

whíte hópe (흔히 *sing.*) 《口》 크게 기대되는 사람 ; 흑인 챔피언에 도전하는 백인 복서 ; 백인 대표.

whíte hórse 백마 ; (흔히 *pl.*) 흰 파도(white-cap).

white-hot [*h*wáithát / ˊ-hɔ́t] *a.* 백열의《금속 따위》 ; 열렬한, 흥분한 ; 《美俗》 지명수배 중인.

***Whíte Hòuse** (the ~) 화이트하우스, 백악관 《워싱턴의 미국 대통령 관저》 ; 《口》 미국 대통령의 직(職)〔권위, 의견〕 ; 미국 정부.

whíte kníght 정치 개혁자, (주의를 위한) 운동가 ; 《美》 【經】 기업 매수의 위기에 처한 회사를 구제하기 위해 개입하는 제 3 의 기업.

white-knuck·le [*h*wáitnʌ́kəl] *a.* 《口》 무서운, 공포를 불러일으키는, 긴장과 불안에 찬.

whíte léad [-léd] 【化】 백연(白鉛) ; 탄산납.

whíte líe 악의 없는 거짓말.

white-liv·ered [*h*wáitlívərd, ˊ-ˊ-] *a.* 혈색이 나쁜, 창백한 ; 겁 많은, 비겁한.

whíte mágic (치료·구제 따위의 선행을 목적으로 하는) 선의의 마술. opp. *black magic.*

whíte mán 백인 ; (the ~) 백색 인종.

whíte màtter 【解】 (뇌의) 백질(白質).

whíte mèat ① (닭·돼지·토끼 따위의) 흰고기. cf. red meat. ② 《俗》 여배우, 가수.

whíte métal 백색 합금 ; 가짜 은.

***whit·en** [*h*wáitn] *vt., vi.* (…을) 희게 하다〔칠하다〕, 표백〔마전〕하다 ; 희게 되다 : Her hair had ~*ed* over the years. 그녀의 머리는 몇 년 동안에 희어졌다.

whíte níght 백야 ; 잠 못 이루는 밤.

Whíte Níle (the ~) 백(白)나일《나일 강의 원류(源流)의 하나》.

whit·en·ing [*h*wáitniŋ] *n.* Ⓤ 희게 함〔됨〕, 표백제, 호분(胡粉) ; 백색 도료.
whíte nóise 〖物〗 (모든 가청(可聽) 주파수대를 포함한) 백색 소음, 화이트 노이즈.
whíte óak 참나무의 일종《북아메리카산》.
white·out [*h*wáitàut] *n.* ① Ⓤ,Ⓒ 화이트아웃《극지에서 천지가 온통 백색이 되어 방향감이 없어지는 상태》. ② Ⓒ 심한 눈보라.
whíte páper 백지 ; 백서《특히 영국 정부의 보고서로 white 〔blue〕 book 보다 간단한 것 ; 미국 정부는 공식으로는 쓰지 않음》 : ~ on national defense 국방 백서.
whíte potàto 감자.
whíte ráce (the ~) 백색 인종, 백인종.
Whíte Rússia = BELORUSSIA.
whíte sàle 흰 섬유 제품〔여름 옷〕의 대매출.
whíte sàuce 화이트소스《밀가루에 버터・우유를 섞어 만듦》.
whíte sláve 백인 노예 ; (매춘을 강요당하는) 백인 여성〔소녀〕.
whíte slávery 강제 매춘 ; 백인 노예의 매매.
white·smith [*h*wáitsmìθ] *n.* Ⓒ 양철공, 은도금공. ⓒⓕ blacksmith.
whíte smóg 광화학 스모그.
whíte suprémacy (흑인 등에 대한) 백인 우월론.
white·thorn [*h*wáitθɔ̀ːrn] *n.* Ⓒ 〖植〗 산사(山査)나무(hawthorn).
whíte tíe (연미복용의) 흰 나비 넥타이 ; (남자의) 만찬용 정장, 연미복.
white-tie [*h*wáittái] *a.* 〔限定的〕 정장을 필요로 하는 : a ~ party 정장을 요하는 파티.
***white·wash** [-wɑ̀ʃ, -wɔ̀(ː)ʃ] *n.* ① Ⓤ 수성 백색 도료, 회반죽《벽 따위의 겉에 바르는》; (벽돌 표면에) 생기는 백화(白華) ; (옛날의 피부 표백) 화장수. ② Ⓤ,Ⓒ 《口》 (추문・실책을 숨기기 위한) 겉발림(의 수단) ; 여론 진정용의 공식 보고, 속임수 ; 《美口》 영패, 완봉(完封).
— *vt.* ① …에 흰 도료를 칠하다. ② 《口》 실책을 얼버무리다 ; 《口》 여론 무마용으로 (의옥(疑獄) 등을) 관청 용어를 써서 교묘히 설명하다 : I have no wish to ~ my sin. 나는 나의 죄를 얼버무릴 생각은 없다. ③ 《美口》 …을 영패시키다.
whíte wáter (급류 등의) 희게 부서지는 물 ; (모래바닥이 비쳐보이는) 맑은 바닷물.
whíte wédding (순결을 나타내는, 흰 신부 의상을 입은) 순백의 결혼식.
whíte whále 흰돌고래(beluga).
whíte wíne 백포도주.
white·wood [*h*wáitwùd] *n.* Ⓒ 백색수(樹)《보리수・참피나무 등》; Ⓤ 흰 목재.
whitey [*h*wáiti] (*pl.* **~s**) *n.* Ⓤ,Ⓒ (종종 W-) 《俗・蔑》 흰둥이, 백인종 ; 백인 체제〔문화, 사회〕.
***whith·er** [*h*wíðər] *ad.* 《詩・文語》 ① 〔疑問詞〕 **a)** 어디로 ; 어느 방향으로《지금은 보통 where, where… to 를 씀》 ⓞⓟⓟ. *whence.* ¶ *Whiter* are they drifting? 그들은 어디로 표류하고 있는가. **b)** 〔특히 신문・정치 용어로 동사를 생략하여〕 어디로 가는가, …의 장래〔전도〕는 (어떻게) : *Whither* our democracy? 우리들의 민주주의는 어떻게 되겠는가. ② 〔關係詞〕 (…하는 〔한〕) 그 곳에 : the village ~ I went 내가 갔던 마을. ③ 〔先行詞 없는 關係詞〕 어디로든지 …한〔하는〕 곳으로 : Go ~ you please. 어디든지 가고 싶은 곳으로 가라.
whit·ing[1] [*h*wáitiŋ] *n.* Ⓤ 호분(胡粉), 백악(白堊) (whitening).
whit·ing[2] (*pl.* **~s,** 〔集合的〕 ~) *n.* Ⓒ 〖魚〗 ① 대구과(科)의 일종《유럽산》. ② 동갈민어의 일종《북미산》.
whit·ish [*h*wáitiʃ] *a.* 희끄무레한, 희읍스름한.
whit·low [*h*wítlou] *n.* Ⓤ 〖醫〗 표저(瘭疽) ; 〖獸醫〗 제관염(蹄冠炎).
Whit·man [*h*wítmən] *n.* **Walt** ~ 휘트먼《미국의 시인 ; 1819-92》.
Whit·mon·day [*h*wítmʌ́ndi, -dei] *n.* Whitsunday 이후 첫째 월요일.
Whit·sun [*h*wítsən] *a., n.* 성령(聖靈) 강림「절(의).
Whit·sun·day [*h*wítsʌ́ndi, -dei, -səndèi] *n.* 성령 강림절(Pentecost)《부활절 후의 제 7 일요일》.
Whit·sun·tide [*h*wítsəntàid] *n.* 성령 강림절 주간《Whitsunday 로부터 1 주간, 또는 그 1 주간의 처음 3 일간》.
whit·tle [*h*wítl] *vt.* 《~+目 / +目+副 / +目+前+名》 (나무)를 조금씩 깎다, 베다 ; 깎아서 어떤 모양을 갖추다 ; …을 조금씩 줄이다, 삭감하다 《*down* ; *away*》 ; 《美俗》 수술하다 : He ~*d* the wood *into* a figure. 나무를 깎아 조상(彫像)을 만들었다. — *vi.* 《~ / +前+名》 조금씩 깎다〔새기다〕 ; 고뇌〔초조〕로 몸과 마음이 지치다 ; 《美俗》 수술하다.
***whiz(z)** [*h*wiz] *n.* ① Ⓤ,Ⓒ 윙《총알 따위가 공중을 나는 소리》; 윙(하고 날기, 달리기). ② Ⓒ 만족할 협정〔조처〕. ③ Ⓒ 《美俗》 민완가, 명수, 명인 : He's a ~ at tennis. 그는 테니스의 명인이다.
— (**-zz-**) *vi.* 윙하고 소리나다〔날다〕 ; 매우 빠르게 움직이다 : A motorcycle ~*d past* (him). 오토바이가 (그의 옆을) 윙하고 지나「가다.
whíz(z) kíd 《口》 젊은 수재 ; 성공한 젊은 실업
†**who** [huː, 弱hu] (소유격 ***whose*** [huːz] ; 목적격 ***whom*** [huːm], 《口》 ***who(m)***) *pron.* **A)** ≪疑問代名詞≫ 누구, 어느 사람, 어떤 사람《이름・신분・신원 관계 따위를 물음》 ① **a)** 〔主格〕 《주어로 쓰인 때에는 疑問文이라도 주어와 동사의 어순은 平敍文과 같음》 : *Who* is he 〔*Who* are they〕? 그 사람은 〔그들은〕 누구냐 / *Who* is this? = *Who*'s calling? (거기는) 누구시죠《전화에서》 / *Who* knows him? 누가 그를 알고 있나 / *Who* is it? — It's me 〔I〕. 누구요 — 저예요《노크 소리에》 / *Who* is taller, you or John? 너와 존 중에서 누가 키가 더 크냐 / *Who* knows? 누가 알고 있으랴 ; 아무도 모른다. **b)** 〔目的格〕 《흔히 구어에서는 whom 대신 who 를 씀》 : *Who(m)* did you meet? 누구를 만났습니까 / From *whom* is the letter? = *Who* is the letter from? 누구에게서 온 편지냐《전치사 바로 뒤에는 who 를 쓰지 않음》 / *Who(m)* do you suppose I got it from? 내가 그것을 누구에게서 얻었다고 생각하나 / She's playing tennis. — *Who* with?〔With *whom* ?〕 그녀는 테니스를 치고 있군 — 누구와《*Who* is playing with? 를 줄인 말》.
② 〔흔히 文尾에서 ; 되묻는 疑問文〕 《상대의 말에 대한 놀람・확인에 쓰임》 : You said ~? 누구라고 했지 / Punish. — Punish *whom ?* 벌을 주어라 — 벌하다니, 누굴.
B) ≪關係代名詞≫ [huː, hu, u] 《원칙적으로 先行詞는 사람》 ① 〔制限용법〕 …하는〔한, 인〕 (사람). **a)** 〔主格〕 : He was the only one ~ trusted me. 그이야말로 나를 신뢰한 유일한 사람이었다. **b)** 〔目的格〕 《구어에서는 whom 대신 who 를 쓰기도 하며, 흔히 생략함》 : This is the person *who(m)* you must know. 이쪽은 틀림없이 당신이 알고 있는 분입니다 / The woman with *whom* I went is my aunt. = The woman (*whom*) I went with is my aunt. 나와 동행한 부인은 숙모님이다《전치사 바로 뒤의 whom 은 생략할 수 없음》. **c)** 〔It is … who_ 의 강조 구문으로〕 — 하는 것은 …이다《It

is ... that_ 이 일반적임): *It is* I *who* am 〔《口》 *It's* me *who's*〕 to blame. 나쁜 것은 나입니다.

> 語法 (1) 主格 **who** 의 생략 1) There is ... 나 強調構文 It is ... 의 뒤에서는 생략될 때가 있음: *There's* somebody at the door (~) wants to see you. 출입구에 선생님을 만나 뵙고자 하는 사람이 있습니다. 2) 삽입구 앞에서는 생략될 때가 있음: They gave attention to the children (~) they believed were clever. 그들은 영리하다고 믿고 있는 아이들에게 주목했다.
> (2) 제한용법의 who, whom (whose 를 제외)은 흔히 that 으로 바꿔 쓸 수 있음.
> (3) 선행사가 사람의 집단을 나타내는 말로서 복수 취급이 될 때에는 who 를, 단수 취급할 경우에는 which 를 씀: a family ~ often quarrel among themselves 가족간에 자주 싸우는 집안 / a team *which* has won the championship 우승한 팀.

② 〔非制限 용법; 보통 앞에 콤마가 옴〕 그리고〔그런데〕 그 사람(들)은《흔히 and he 〔she, they〕의 뜻이 되지만 앞뒤 관계에 따라 and 외에 but, because, though, if 등의 뜻이 될 때도 있음》: We helped the old men, ~ did not thank us at all. 그 노인들을 도와 주었건만 감사하다는 말 한마디 없었다 / Few people could follow the speaker, ~ spoke too quickly. 그 연사의 말을 알아들은 사람은 적었는데, 그건 연설이 너무나도 빨랐기 때문이다 / This is Mr. John, *whom* 〔~〕 you have heard much about. 이분이 존씨입니다. 말은 많이 들었겠지만《비제한 용법에서는 whom 을 생략하지 못함》.
③ 〔先行詞를 포함하여〕《古》 …하는 사람(들), …하는〔한〕 사람은 누구나《명사절을 이끎》: *Who* is not for you is against you. 당신에게 찬성하지 않는 사람은 반대하고 있는 것이다 / *Whom* the gods love die young. 《格言》 신들의 사랑을 받는 자 일찍 죽는다. ***as ~ should say ...*** 《古》 …라고 말하기라도 하려는 사람처럼, …라고나 말하려는 듯이. ***know ~'s*** 〔***~ is***〕 ~ (1) 누가 누군지〔어떤 사람인지〕를 알고 있다. (2) (어떤 곳에서) 누가 유력자인지 알고 있다. ***Who goes there?*** 누구야《보초의 수하》. ***Who me?*** 나 말입니까《상대가 자신에 대해 말하고 있는지의 여부를 묻는 표현인데 이 때 흔히 엄지손가락을 가슴에 댐》.

WHO World Health Organization.

whoa, wo [*h*wou / wou], [wou] *int.* 워《말을 멈추게 할 때 내는 소리》.

who'd [hú:d] who would〔had〕의 간약형.

who·dun·(n)it [hu:dʌ́nit] *n.* Ⓒ 《口》 탐정〔추리〕 소설〔영화, 극〕, 스릴러, 미스터리. [◂ Who done it? 《바른 영어로는 Who did it?》]

who·e'er [hu(:)ɛ́ər] *pron.* 《詩》=WHOEVER.

‡**who·ev·er** [hu:évər] (所有格 ***whos·ev·er***; 目的格 ***whom·ev·er***) *pron.* ① 〔關係詞: 名詞節을 이끎〕 …하는 누구든지(any person that ...): *Whoever* comes is welcome. 오는 사람은 누구든지 환영한다. ② 〔關係詞: 양보를 나타내는 副詞節을 이끎〕 누가 …하더라도〔하여도〕(no matter who): *Whoever* may object, I won't give up. 누가 반대하더라도 나는 단념하지 않겠다. ③ 《口》 〔疑問詞〕 도대체 누가(who ever): *Whoever* did it? 도대체 누가 그것을 하였는가.

†**whole** [houl] *a.* ① 〔限定的〕(the ~, one's ~) 전부의, 모든: *the* ~ city 전시(市) / with *one's* ~ heart 전심으로. ★ 복수명사·지명을 나타내는 고유명사에는 쓰지 못함. 이 경우에는 all 을 씀. ② 〔限定的〕 (시간·거리 등의) 만〔온〕…, …중 내내: three ~ days 만 3일 / a ~ year 일년 중 내내 / We walked (for) the ~ five miles. 5마일을 전부 걸어갔다. ★ the 가 있을 경우 whole 의 위치는 그 직후에 옴. ③ 완전한, 결하지 않은, 있는 그대로의; 가공하지 않은; 필요한 자질을 다 갖춘: a ~ set of dishes 수를 다 갖춘 접시 한 세트 / the ~ truth 완전한〔있는 그대로의〕 진실.
— *ad.* ① 통째로: swallow 〔cook〕 a chicken ~ 닭을 통째로 삼키다〔요리하다〕. ② 건강하게. ***a ~ lot*** 〔副詞的〕《口》 크게, 퍽: That really made me feel *a ~ lot* better. 그것으로 기분이 퍽 좋아졌다. ***a ~ lot of*** 《口》 많은: talk *a ~ lot of* nonsense 바보 같은 소리만 하다. ***go the ~ hog*** 철저히 하다. ***the ~ lot*** 전부, 남김 없이. ***with a ~ skin*** ⇨SKIN.
— *n.* Ⓒ Ⓤ ① (the ~) 전체, 전부. opp. *part.* ¶ I spent *the* ~ of that year in India. 그 해 꼬박 1년을 인도에서 보냈다. ② (흔히 *sing.*) 완전체, 통일체, 완전한 모습: Four quarters make a ~. 4분의 1이 4개 모이면 완전체가 된다. ***as a ~*** 전체로서, 총괄하여. ***on the ~*** 전체로 보아서, 대체로: The food was, *on the* ~, satisfactory. 식사는 대체로 만족할 만했다.

whóle bròther 부모가 같은 형제. cf. half brother.

whole·food [hóulfù:d] *n.* Ⓤ Ⓒ 《英》 (식품 첨가물·방부제가 들어 있지 않은) 자연 식품.

whóle gàle 〚氣〛 노대바람《초속 24.5-28.4m》. cf. wind scale.

whole·grain [hóulgréin] *a.* (곡물이) 정제되지 않은, 전립(全粒)의.

***whole·heart·ed** [⌐há:rtid] *a.* 전심(專心)의, 성심성의의: give one's ~ support 진심으로 지지하다. 파 **~·ly** *ad.* **~·ness** *n.*

whóle hóg (the ~) 《俗》 전체, 전부, 극단. ***go (the) ~*** 《口》 ⇨go the WHOLE hog.

whole-hog [hóulhɔ́:g, ⌐hág / ⌐hɔ́g] *a.* 〔限定的〕《俗》 철저한, 완전한.

whóle hóliday 만 하루의 휴일, 전(全)휴일. cf. half-holiday.

whóle mèal (기울을 제거하지 않은) 완전 밀가루.

whóle mílk 전유(全乳).

whóle nòte 온음표.

whóle nùmber 〚數〛 정수; 자연수.

whóle rèst 〚樂〛 온쉼표.

whole·sale** [hóulsèil] *a.* ① 도매의: the ~ price 도매가격 / a ~ merchant 도매상인. ② 〔限定的〕 대규모의, 대량의, 대대적인: make ~ arrests of …을 일망타진하다. ③ 몰밀어서의, 일괄적인, 무차별의. — *n.* Ⓤ 도매. opp. *retail.* ***at 〔《英》 ***by***〕 ~ 도매로; 대규모로. — *ad.* 도매로; 대규모로; 대강. — *vt., vi.* 도매하다; 대량으로 팔다.
파 **whóle·sàl·er** [-lər] *n.* Ⓒ 도매업자.

‡**whole·some** [⌐səm] (***more ~; most ~***) *a.* ① 건강에 좋은, 위생적인; 건강해 보이는: ~ food 몸에 좋은 식품 / a ~ face 건강해 보이는 얼굴. ② 건전한, 유익한: ~ books 건전〔유익〕한 서적. 파 **~·ly** *ad.* **~·ness** *n.*

whóle stèp 〔**tòne**〕 〚樂〛 온음정.

whole-wheat [hóul*h*wí:t] *a.* 기울을 제거하지 않은 밀가루의: ~ flour 〔bread〕.

who'll [hu:l] who will, who shall 의 간약형.

‡**whol·ly** [hóu*l*li] *ad.* ① 전혀, 완전히. ② 〔否定어구를 수반하여 부분부정〕 전부가 전부 (…아니다): She was *not* ~ satisfied. 그녀는 완전히 만족하지는 않았다《불만도 있었다》.

†**whom** [hu:m, 弱 hum] *pron.* WHO 의 목적격.

whom·ev·er, whom·so·ev·er [hu:mévər], [hù:msouévər] *pron.* WHO(SO)EVER 의 목적격.

*__whoop__ [hu(:)p, *h*wu(:)p] *n.* [C] ① 야아〔우아〕 하는 외침. ② (올빼미의) 후우후우 우는 소리. ③ (백일해로) 그르렁거리는 소리. ④《口》조금, 근소. ***not worth a*** ~ 아무 가치도 없는.
── *vi.* 야아〔우아〕하고 외치다; (올빼미가) 후우후우하고 울다; (백일해 기침 뒤에) 그르렁거리다: ~ for joy 환성을 올리다 / ~ with laughter 큰 소리로 웃다. ~ ***it*** 〔***things***〕 ***up*** (1)《口》야단법석을 떨다: After their victory they were ~*ing it up* all night long. 승리를 거둔 후 그들은 밤새껏 법석을 떨며 즐겼다. (2)《美口》(…에 대한) 흥미를〔흥분을〕 부추기다, 열의를 돋우다: The fans ~*ed it up* for the home team. 팬들은 홈팀에 열렬한 응원을 보였다《《古》로는 hoop 로도 씀》.

whoop·ee [*h*wú(:)pi:, wúpi:] 《口》 *int.* 우아《기쁨 따위의 외침 소리》.
── *n.* [U] 우아 하는 외침; (축제 따위의) 잔치 소동, 야단 법석. ***make*** ~ 야단 법석을 떨다.

whóop·ing còugh [hú:piŋ-] 〚醫〛 백일해.

whoops [*h*wu(:)ps, wu(:)ps] *int.* 아이고, 이크《곱드러지거나 실족했을 때 등의 말》.

whoosh [*h*wú(:)ʃ] *n.* [C] (공기·물 따위의) 휙〔쉭〕하는 소리.

whop, whap [*h*wap / *h*wɔp] (**-pp-**) 《口》 *vt.* …을 마구 때리다; 《比》(경기 따위에서) …을 완파하다: She ~*ped* him with her handbag. 그녀는 핸드백으로 그를 쳤다. ── *n.* [C] 후려때리기〔때리는 소리〕; 벌떡 넘어짐.

whop·per, whap- [*h*wápər / *h*wɔ́pər] *n.* [C] ①《俗》때리는 사람. ②《口》터무니없이 큰 물건; 《口》터무니없는 허풍: tell a ~ 허풍떨다.

whop·ping, whap- [*h*wápiŋ / *h*wɔ́p-] *a.* 〔限定的〕《口》터무니없이 큰, 터무니없는《허풍 등》: a ~ lie 터무니없는 거짓말 / a ~ loss 엄청난 손해. ── *ad.* 터무니없이.

whore [hɔ:r] *n.* [C] 매춘부, 음탕한 여자.

who're who are 의 간약형.

whor·ish [hɔ́:riʃ] *a.* 매춘부 같은, 음란한. [파] **~·ly** *ad.* **~·ness** *n.*

whorl [*h*wə:rl] *n.* [C] 〚植〛 윤생체(輪生體); 〚動〛 (소라의) 나선; 나선의 한 감김; 와상형(渦狀型)의 지문. [파] **~ed** [-d] *a.* 윤생(輪生)의; 나선형으로 된.

whor·tle·ber·ry [*h*wə́:rtlbèri] *n.* [C] 〚植〛 월귤나무의 일종; 그 열매.

‡**who's** [hu:z] who is, who has 의 간약형.

†**whose** [hu:z] *pron.* ①〔疑問詞〕 누구의… 《who 의 소유격》; 누구의 것《who 의 소유대명사》: *Whose* coat is that? 저것은 누구의 코트입니까《소유격》/ *Whose* is this? 이건 누구의 것입니까《소유대명사》. ②〔關係詞〕 (그 사람〔물건〕의 ─이) …하는〔…인〕《who 또는 which 의 소유격》: That is the girl ~ brother came here yesterday. 저 소녀가 어제 여기에 온 사람의 누이다 / a word ~ meaning escapes me 나로선 그 뜻을 알 수 없는 말.

whose·so·ev·er [hù:zsouévər] *pron.* WHOSEVER 의 강조형.

whos·ev·er [hu:zévər] *pron.* WHOEVER 의 소유격.

who·so·ev·er [hù:souévər] *pron.* 〔强意語〕 = WHOEVER.

whó's whó ① 누가 누구〔명사(名士)〕인지. ② (W- W-) 명사〔신사〕록; 인명 사전.

who've [hu:v] who have 의 간약형.

†**why** [*h*wai] *ad.* **A)** 《疑問副詞》 왜, 어째서《이유 또는 목적을 물음》: *Why* did you refuse? 왜 거절(을)했나 / *Why* ever did you do it? 도대체 왜 그런 짓을 했지《ever 는 why 를 강조하여 놀라움을 나타냄》/ *Why* are you standing? — Because I haven't (got) a seat. 왜 서 있지 — 자리가 없어서요《Why...? 에 대한 대답에는 보통 Because....》/ *Why* do you think I did it? (1) 자넨 내가 왜 그것을 했다고 생각하나《why 는 I did it 에 걸림》. (2) 너는 왜 내가 그것을 했다고 생각하나《why 는 do you think 에 걸림》.

> [參考] (1) 문맥으로 보아 이해가 가능할 때는 주어와 동사가 생략되거나 문제의 중심되는 말만이 남을 때가 있음: *Why* so? 왜 그러냐 / I want you to do this. — *Why* me? 네가 이것을 해주기 바란다 — 왜 나냐 / Come on Friday. — *Why* Friday? 금요일에 와라 — 왜 금요일이냐.
> (2) 동사 바로 앞에서 불찬성·반대 따위를 나타냄: *Why* take a taxi? It's five minutes' walk to the station. 왜 택시를 타. 정거장까지 걸어서 5분이면 가는데.

Why don't you **(. . .)?** (1) 왜 …하지 않느냐. (2) 〔권유·제안〕《口》…하는 것이 어떤가, …하지 않겠나《친근한 사람 사이에 쓰며 손위의 사람에게는 쓰지 않음》: *Why don't you* have some wine? — No, thanks. 포도주를 드시는 게 어떻습니까 — 아뇨, 괜찮습니다《some 대신 any 를 쓰면 '왜 포도주를 마시지 않습니까'의 뜻이 됨》. ***Why is it that . . . ?*** …하는 것은 어째서인가《why 를 강조하는 구문》: *Why is it that* he had to leave school? 그가 학교를 그만두어야 했던 이유는 무엇인가. ***Why not*** **(. . .)?** (1) 〔상대의 否定의 말에 反論하여〕 왜〔어째서〕 안 되는가〔하지 않은가〕, 괜찮지 않은가: I ca*n't* come tomorrow. — *Why not?* 내일은 올 수 없습니다 — 어째서 못 오시죠. (2) 〔권유·제안〕 …은〔…하는 게〕 어떤가, …합시다그려《흔히 동사의 원형이 수반됨》: *Why not* stop here? 여기서 멈추는 것이 어때 / *Why not* the best? 최선을 다하자《카터 전(前) 미국 대통령의 표어》/ If Monday won't do, ~ *not* Tuesday? 월요일이 안 된다면 화요일은 어떤가. (3) 〔권유·제안 등에 동의하여〕 응 좋아, 그렇게 하지: Shall we go? — *Why not?* (↘) 갈까요 — 그렇게 하지.

B) 《關係副詞》 ① 〔制限용법〕 …하는 (이유)《reason(s)를 선행사로 하는 形容詞節을 만듦; 非制限용법은 없음》: The reasons ~ they help us are various. 그들이 우리에게 협력하는 이유는 여러 가지 있다 / There is no reason (~) I should be here all by myself. 나만 홀로 여기 있어야 할 이유는 없다《why 는 생략 가능》. ② 〔先行詞를 내포하여〕 …한 이유《the reason why 의 생략 표현으로 볼 수 있음; 특히 This〔That〕 is... 구문에 흔히 쓰임》: He is too tired. That's ~ he doesn't come. 그는 너무 지쳤어. 그래서 안 오는 거야 / *Why* Ann left was because she was unhappy. 앤이 떠난 것은 즐겁지 않았기 때문이다.
── (*pl.* **~s**) *n.* [C] ① 〔흔히 the ~(s) and (the) wherefore(s) 로〕 이유, 까닭: I want to know *the ~s and wherefores* of her objection. 그녀가 반대하는 이유를 알고 싶다. ② 〔흔히 ~s〕 '어째서'라는 질문.
── *int.* 〔일반적으로 비교적 낮은 내림조로 말하며, 미국에서도 종종 [wai]가 됨〕 ① 〔놀라움·승인 따위를 나타내어〕 아니, 저런, 어머; 그야, 물론(이지): *Why,* he is through already! 어유, 그 사람 벌써 끝났네 / Will you come? — *Why,* yes 〔of course〕. 와 주겠나 — 물론이지. ② 〔반론·항

의를 나타내어〕 뭐라고, 뭐야 : *Why*, what's the harm? 뭐야, 그게 어디가 나쁜가. ③〔망설임을 나타내거나, 이음말로서〕 에, 저 ; 글쎄요, 그렇군(요) : *Why*, yes. I think I would. 글쎄요, 해도 좋겠군요. ④〔if-節에 계속되어〕 그럼, 그 때엔 : If you are not interested, ~, we'll find somebody else. 당신이 마음에 없으시다면 딴 사람을 구해야죠 뭐.

W.I. West Indian ; West Indies. **WI** 〖美郵〗 Wisconsin.

wick [wik] *n.* Ⓒ (양초·램프 따위의) 심지. ***get on** a person's* ~ 《英口》 아무를 짜증나게 하다.

‡**wick·ed** [wíkid] (~·*er* ; ~·*est*) *a.* ① 악한, 사악한 ; 부정(不正)한, 불의의 ; 악의 있는 : a ~ person 악인. ② 심술궂은, 장난기 있는 : a ~ smile〔look〕 짓궂은 미소〔눈초리〕/ It's ~ *of* them to say such things. = They're ~ *to* say such things. 그런 말을 하다니, 그들도 심술궂다. ③ 성질이 몹시 거친, 위험한. ④《口》 불쾌한, 싫은, 심한 : a ~ task 싫은 일 / a ~ odor 불쾌한 냄새. ⑤《俗》 멋진, 훌륭한 : Their new CD is really ~. 그들의 새 CD는 정말 멋지다.
㊕ ~·**ly** *ad.* *~·**ness** *n.*

wick·er [wíkər] *n.* Ⓒ (버들 따위의) 흐느적거리는 가는 가지 ; Ⓤ 고리 버들 세공, 가는 가지 세공. ── *a.* 〔限定的〕 가는 가지로 엮어 만든, 고리버들 세공의 : a ~ basket〔chair〕.

wick·er·work [-wə̀ːrk] *n.* Ⓤ 고리 버들 세공.

wick·et [wíkit] *n.* Ⓒ ① 작은 문, 쪽문, 협문(夾門) ; (역의) 개찰구. ② (매표구 따위의) 작은 창구. ③〖크로케〗 활모양의 작은 문. ④〖크리켓〗 삼주문(三柱門), 위켓 ; 위켓장(場)의 상태 ; 치는 순서 : take a ~ (투수가) 타자 하나를 아웃시키다 / keep one's ~ up (타자가) 아웃되지 않고 있다 / two ~*s* down 타자 둘을 아웃시키고. ***on a bad*** 〔***good***〕 ~ 불리〔유리〕한 입장에서, 열세〔우세〕하여.

wícket dòor〔**gàte**〕 (대문의) 쪽문.

wick·et·keep·er [wíkitkìːpər] *n.* Ⓒ〖크리켓〗 삼주문의 수비자.

wi(c)k·i·up, wick·y·up [wíkiʌ̀p] *n.* Ⓒ《美》 (미국 인디언의) 오두막집 ;〔一般的〕 오두막.

†**wide** [waid] (***wíd·er*** ; ***wíd·est***) *a.* ① 폭넓은 ; (…만큼) 폭이 있는, 폭이 …인. opp *narrow*. ¶ a ~ street〔river, bed〕 폭이 넓은 거리〔강, 침대〕/ a door three feet ~, 3피트 폭의 문. ② 넓은, 광대한 : the ~ ocean〔world〕 광대한 대양〔세계〕. ③ 광범(위)한, (범위가) 넓은, 해박한, 다방면의 : have a ~ variety of subjects to talk about 화제가 풍부하다 / a ~ circle of readers 넓은 독자층. ④ 헐렁한, 낙낙한 : a ~ blouse 헐렁한 블라우스. ⑤ 자유로운, 구속받지 않는, 방종한 ; 편협지 않은, 편견 없는 ; 일반적인 : take a ~ view 편협하지 않은 견해를 가지다. ⑥ 크게 열린 : stare with ~ eyes 눈을 둥그렇게 뜨고 응시하다. ⑦ (차이·간격 따위가) 동떨어진 : a ~ difference 큰 차이 / at ~ intervals 충분히 사이를 두고 / ~ of the truth 진상에서 먼. ⑧〖音聲〗 개구음의, 광음(廣音)의. ⑨《英俗》 약은, 빈틈없는 (~-awake) : a ~ man 빈틈 없는 사내. ***give a ~ berth to*** ⇨ BERTH. ~ ***of the mark*** ⇨MARK.
── *ad.* ① 널리 ; 광범위하게. ② 크게 열어〔뜨고〕 ; 충분히(열어서), 완전히 : with eyes ~ open 눈을 크게 뜨고. ③ 엉뚱하게, 빗나가서 ; 동떨어져 : The bullet went ~. 탄환은 빗나갔다 / speak ~ *of* the mark 동떨어진 얘기를 하다. ***far and*** ~ 널리, 광범위하게.
── *n.* Ⓒ〖크리켓〗 폭투(暴投), 이로 인해 타자측에 주어지는 1점.

-wide '…의 범위에 걸친, 전(全) …의'의 뜻의 결합사 : nation*wide*.

wide-an·gle [-ǽŋgəl] *a.* 〔限定的〕〖寫〗(렌즈가) 광각의 ; (사진기가) 광각 렌즈가 달린 ; (사진이) 광각 렌즈를 사용한 ;〖映〗 = WIDE-SCREEN.

wide-a·wake [-əwéik] *a.* 완전히 잠이 깬 ; 정신을 바짝 차린, 빈틈 없는. ── [ˊˋ] *n.* Ⓒ 챙 넓은 중절모(= ˊ **hàt**).

wide-eyed [-àid] *a.* ① 눈을 크게 뜬 ; 깜짝 놀란. ② 소박한, 순진한 : a ~ belief in the goodness of everybody 누구나 모두 선한 사람이라고 하는 천진난만한 신념. ③ 잠을 못 이루고 눈이 말똥말똥한.

‡**wide·ly** [wáidli] (***more*** ~ ; ***most*** ~) *ad.* ① 널리 ; 광범하게 : He is very ~ read. 그는 독서 범위가 넓다. ② 크게, 대단히 : differ ~ in opinions 의견이 크게 다르다.

‡**wid·en** [wáidn] *vt., vi.* 넓히다, 넓게 되다 : They ~*ed* the room by knocking down a partition. 그들은 칸막이를 없애어 방을 넓혔다 / The river ~*s* at that point. 강은 그 지점에서 넓어진다.
㊕ ~·**er** *n.*

wide-o·pen [-óupən] *a.* ① 크게 벌린《눈·입 따위》, 활짝 연《창 따위》 ; 편견 없는 : Someone had left the door ~. 누군가가 문을 활짝 열어놓았다. ② 제한〔차폐 등〕이 전혀 없는 ; (술·도박 등의) 단속이 엄하지 않은《도시 따위》.

wide-rang·ing [-rèindʒiŋ] *a.* 광범위한 ; 다방면에 걸친 : a ~ discussion 다방면에 걸친 토론.

wide-screen [-skríːn] *a.* 〖映〗 화면이 넓은, 와이드스크린의.

***wide·spread** [-spréd] *a.* ① 널리 보급되어 있는, 보급된 ; 만연된 : TV became ~. 텔리비전이 널리 보급되었다 / a ~ superstition 널리 만연되어 있는 미신. ② (양팔 따위를) 넓게 펼친, 널찍널찍한.

widg·eon [wídʒən] *n.* Ⓒ〖鳥〗 홍머리오리.

widg·et [wídʒit, -dʒət] *n.* Ⓒ《口》 (이름을 모르거나 생각나지 않는) 작은 장치, 도구, 부품 ; (어떤 회사의 대표적 상품이랄 수 있는) 제품.

‡**wid·ow** [wídou] *n.* Ⓒ 미망인 ; 홀어미, 과부 ; (남편이 골프나 낚시에 미쳐 따돌려진) 생과부 ; = GRASS WIDOW. cf widower. ¶ a fishing〔golf〕 ~. ── *vt.* …을 미망인으로 만들다 : The war ~*ed* many women. 그 전쟁으로 많은 여성이 과부가 되었다. ㊕ ~**ed** [-d] *a.* 미망인이〔홀아비가〕 된 ; 외톨로 남겨진 : My mother is ~*ed*. 내 어머니는 미망인이다 / He was ~*ed* at the age of 52. 그는 52세에 홀아비가 되었다.

wid·ow·er [wídouər] *n.* Ⓒ 홀아비.

wid·ow·hood [-hùd] *n.* Ⓤ 과부 생활〔신세〕.

‡**width** [widθ, witθ] (*pl.* ~***s*** [-s]) *n.* ① Ⓤ 폭, 너비, 가로 : be three feet in ~ 너비가 3피트 되다. ② Ⓤ (마음·지식 따위의) 넓이, 넓음《*of*》. ③ Ⓒ 일정한 너비의 직물〔물건〕 : three ~*s* of cloth 세 폭의 피륙. ◇ wide *a.*

width·ways [-wèiz] *ad.* = WIDTHWISE.

width·wise [-wàiz] *ad.* 옆으로, 가로 방향으로 (latitudinally).

***wield** [wiːld] *vt.* ① (칼 따위)를 휘두르다 ; (도구 따위)를 쓰다, 사용하다 : ~ a facile pen 건필을 휘두르다. ②《~+目/+目+前+名》 (권력·무력 따위)를 휘두르다, 행사하다 : The Church ~*s* immense power *in* Ireland. 아일랜드에서는 교회가 막강한 권력을 행사하고 있다.
㊕ ˊ·**er** *n.*

Wien [viːn] *n.* ① 빈(Vienna의 독일어명). ② **Wilhelm** ~ 빈(독일의 물리학자; 노벨 물리학상 수상(1911); 1864-1928). 「WURST.

wie·ner, wei- [wíːnər] *n.* U,C =WIENER-

wie·ner·wurst [wíːnərwə̀ːrst] *n.* U,C 《美》 비엔나 소시지(소·돼지 고기를 섞어 넣은 가느다란 소시지). cf. frankfurter.

wie·nie [wíːni] *n.* 《美口》 =WIENERWURST.

†**wife** [waif] (*pl.* ***wives*** [waivz]) *n.* C ① 아내, 부인, 처, 마누라. cf. husband. ② 《古·方》 여자, 부녀자. ***all the world and his*** ~ ⇨WORLD. ***man*** 〔***husband***〕 ***and*** ~ 부부. ***old wives tale*** 어리석은〔허황한〕 이야기〔전설〕. ㊞ **∠·hood** [-hud] *n.* U 아내의 지위〔신분〕; 아내다움. **∠·less** *a.* 아내 없는, 독신의. **∠·lìke** *a.* =WIFELY.

wife·ly [wáifli] (***-li·er*** ; ***-li·est***) *a.* 처의; 아내다운; 아내에 어울리는.

wífe swàpping 《口》 부부 교환, 스와핑.

*__wig__ [wig] *n.* C 가발; 머리 장식. ***flip*** one***'s*** ~ 《美俗》 ⇨FLIP. ── (***-gg-***) *vt.* ① …에 가발을 씌우다. ② 《口》 …을 꾸짖다. ③ 《美俗》 …을 괴롭히다, 짜증나게 하다. ~ ***out*** (1) (마약 따위에) 취하다. (2) 크게 흥분하다; 열광하다.

wigged [wigd] *a.* 가발을 쓴.

wig·ging [wígiŋ] *n.* C (흔히 *sing.*) 《口》 질책(scolding).

wig·gle [wígəl] *vt.* (신체의 일부)를 (뒤)흔들다; 살래살래 흔들다; 꾸불꾸불 나아가다: ~ oneself through a crowd 군중 속을 요리저리 뚫고 나아가다. ── *vi.* 살래살래 흔들리다; 몸을 뒤틀어 탈출하다(*out*); 《美俗》 댄스하다: Her hips ~ as she walks. 그녀가 걸을 때는 궁둥이가 좌우로 흔들린다. ── *n.* ① C 살래살래 흔들림; 구불구불한〔파동치는〕 선〔움직임〕: She gave a sexy ~. 그녀는 섹시하게 몸을 흔들었다. ② 《美俗》 댄스. ㊞ **wíg·gler** *n.* C ① 뒤흔드는〔흔들리는〕 사람〔것〕. ② 〖蟲〗 장구벌레.

wig·gly [wígli] (***-gli·er*** ; ***-gli·est***) *a.* 꿈틀거리는; (길 따위가) 꾸불꾸불한; 흔들리는, 파동치는; 물결 모양의.

wight [wait] *n.* C 《古》 인간, 사람; 초자연적 존재(요정 등); 생물. 「어피스.

wig·let [wíglit] *n.* C (여성용의) 작은 가발, 헤

wig·wag [wígwæ̀g] (***-gg-***) *vt.*, *vi.* 흔들(리)다; 〖軍〗 (신호하기 위해) 수기(手旗)를 흔들다; 수기〔등화〕로 신호하다. ── *n.* U 수기〔등화〕에 의한 신호(법); C 《美》 수기〔등화〕에 의한 신호.

wig·wam [wígwɑm / -wɔm] *n.* C ① (북아메리카 원주민의) 원형의 오두막집. ② 《美俗》 (정치 집회 등을 위해 급히 만든) 대회장.

†**wild** [waild] (***∠·er*** ; ***∠·est***) *a.* ① 야생의, 자생(自生)의. OPP *domestic, tame.* ¶ ~ animals 〔plants〕 야생 동물〔식물〕 / Violets grow ~. 제비꽃은 야생한다. ② (동물이) 사나운; 길들지 않은. ③ 야만의, 미개한: a ~ tribe 야만 종족. ④ 황량한, 사람이 살고 있지 않는: ~ land 무인(無人)의 땅 / ~ scenery 황량한 경치. ⑤ (바람 따위가) 거친, 사나운: a ~ night 폭풍우의 밤 / ~ times 난세(亂世) / a ~ sea 거친 바다. ⑥ (움직임이) 거친, 난폭한: a ~ rush for the ball 공을 향해서 맹렬히 뛰어감. ⑦ 야단 법석 떠는; 방종한, 무궤도한: a ~ party 난잡하게 법석을 떠는 파티 / settle down after a ~ youth 방종한 청춘시대를 보내고 정착하다. ⑧ 열광적인, 흥분한, 열중〔골몰〕한, 미친 듯한(분노·기쁨·탄식 등): ~ cheers 열광적인 갈채 / He is ~ *for* revenge 〔*to* see her, *about* her〕. 그는 복수에〔그녀를 만나보고 싶어서, 그녀가 좋아서〕 제정신이 아니다 / go into a ~ rage 격분하다. ⑨ (계획 따위가) 무모한, 미치광이 같은: ~ schemes 〔notions〕 무모한 계획〔생각〕 / a ~ wager 무모한 도박꾼〔투기사〕. ⑩ 엉터리 같은, 엉뚱한, 빗나간: a ~ pitch 〖野〗 폭투(暴投) / a ~ guess 터무니없는 억측. ⑪ 《口》 대단한, 멋진, 즐거운: The music they play is just ~. 그들이 연주하는 음악은 정말 멋지다. ***beyond*** a person***'s*** ~***est dreams*** 꿈에서조차 생각지 못했던 멋진: They promised him he would soon be rich *beyond his* ~*est dreams.* 그들은 그가 곧 상상을 초월한 어마어마한 부호가 될 것이라고 다짐했다. ***go*** ~ 미쳐 날뛰다; 몹시 화내다〔기뻐하다〕: They *went* ~ with joy 〔over the news〕. 그들은 기쁨〔그 소식〕으로 들끓었다. ***run*** ~ (1) 들에서 키우다, (식물이) 마구 퍼지다. (2) 방종을 극하다; 난폭해지다. ~ ***and wooly*** 《美》 거친, 야성적인.

── *ad.* 난폭〔격렬〕하게, 형편없이, 엉망진창으로: shoot ~ 난사하다 / talk ~ 마구 지껄이다. ── *n.* (the ~) 미개한〔자연 그대로의〕 지역; (종종 *pl.*) 광야, 황무지; (the ~) 자연(상태), 야생. ㊞ **∠·ness** *n.* U 야생; 황폐; 난폭; 무모; 황야.

wíld bóar 멧돼지.

wíld càrd ① (카드 놀이에서) 자유패, 만능패. ② 예측할 수 없는 사람〔것, 일〕.

*__wild·cat__ [wáildkæ̀t] *n.* C ① 〖動〗 살쾡이. ② 《口·比》 성급〔난폭〕한 사람, 우악스런 사람. ── *a.* 〔限定的〕 당돌한, 엉뚱한, 무모한: a ~ company 방만한 경영의 회사.

wíldcat stríke 무모한 쟁의(조합의 한 지부가 본부의 통제 없이 멋대로 행하는 쟁의).

wil·de·beest [wíldəbìːst] *n.* =GNU.

‡**wil·der·ness** [wíldərnis] *n.* U,C ① (the ~) 황야, 황무지, 미개지; 자연 그대로의 상태: *the* Arctic ~ 북극의 황무지. ② (정원 가운데의) 황폐하게 내버려 둔 곳. ③ (흔히 a ~) (수면·공간 따위의) 끝없는 넓이〔연속〕, (황야같이) 광대한 곳(*of*): *a* ~ *of* sea 〔waters〕 한없이 넓은 바다. ④ (a ~) (사람·물건 등의) 어수선한 집단〔무리〕(*of*); 혼란 상태: *a* ~ *of* houses 어수선하게 죽 늘어서 있는 집들. ***a voice*** (***crying***) ***in the*** ~ 〖聖〗 광야에서 외치는 자의 소리(마태복음 Ⅲ: 3); 세상에 받아들여지지 않는 도덕가의 외침. ***in the*** ~ 고립하여, 중앙에서 떨어져; (정치가가) 실각하여, 야(野)로 내려가.

wílderness área (종종 W- A-) 《美》 원생(原生)〔자연〕 환경보전 지역.

wild-eyed [wáildàid] *a.* 눈이 분노로 이글거리는, 눈이 핏발 선; (계획·생각 따위가) 터무니없는, 무모한, 과격한: a ~ plan 무모한 계획.

wild·fire [∠fàiər] *n.* U ① 옛날 적의 배에 불지를 때 쓴 소이제(燒夷劑)(Greek fire). ② C 도깨비불. ***spread*** 〔***run***〕 ***like*** ~ (소문 따위가) 삽시간에 퍼지다: These stories are *spreading like* ~ through the city. 이 얘기들이 요원의 불길처럼 그 도시에 퍼지고 있다.

wíld flòwer 야생의 화초; (고운) 야생화.

wild·fowl [wáildfàul] *n.* C 야생조, 들새, 엽조.

wíld góose 기러기; 《英口》 이상한 놈, 바보.

wíld-góose chàse [wáildgúːs-] 헛된 시도〔추구〕: go〔lead a person〕 on a ~ 헛된 노력을 하다〔아무에게 헛된 노력을 시키다〕.

wíld hórse 야생마; (종종 *pl.*) 강력한 힘: *Wild horses* would not drag 〔get〕 the secret out of〔from〕 me. 어떤 일이 있어도 그 비밀은 말하지 않겠다.

wild·ing [wáildiŋ] *n.* C ① 야생의 식물, 《특히》

야생의 사과나무; 그 열매. ② 야생동물. ③《美俗》(젊은이들의) 범죄적 소란. ── *a.* 〔限定的〕 야생의.

wild·life [∠-làif] *n.* 〔集合的〕 야생 생물.

‡wild·ly [∠li] *ad.* ① 격렬하게, 사납게, 심하게; 되는 대로: cry ~ 사납게 외치다 / talk ~ 아무렇게나 마구 지껄이다. ② 야생 상태로.

wíld màn 미개인, 야만인; 난폭한 사내; 과격주의자; 〖動〗 오랑우탄, 성성이.

wíld óat 〖植〗 야생귀리; (*pl.*) 젊은 시절의 방탕〔난봉〕.

wíld róse 〖植〗 (각종의) 야생 장미, 들장미.

wíld sílk 멧누에실〔명주〕.

Wíld Wést (the ~) (개척 시대의) 미국 서부 지방.

wild·wood [wáildwùd] *n.* Ⓒ 자연림.

wile [wail] *n.* (흔히 *pl.*) 간계(奸計), 계략; 농간; 교활: penetrate a person's ~*s* 아무의 간계를 간파하다. ── *vt.* ①《+목+부 / +목+전+명》(사람)을 속이다; 꾀어서 …시키다《*away*; *into*》: ~ a person *away* 아무를 꾀어내다 / ~ a person *into* doing 아무를 속여 …시키다. ②《+목+부》(시간 따위)를 지내다, 이럭저럭 보내다《*away*》. ★ while과의 혼동에 의한 오용으로 봄. ¶ ~ *away* the time 이럭저럭 시간을 보내다.

***wilful** ⇨WILLFUL.

†will[1] [wil, 弱 wəl, l] (**would** [wud]; 바로 앞 낱말과의 간약형 **'ll** [-l]; will not 의 간약형 **won't** [wount], would not의 간약형(形) **would·n't** [wúdnt]) *aux. v.*

> 語法 (1) 單純未來에《美》에서는 인칭에 관계없이 will을 씀.《英》에서는 보통 1인칭에는 shall을 쓰나《口》에서는 흔히 will을 씀.
> (2) 意志未來에는 주어의 의지를 나타낼 때는 모든 인칭에 will을, 말하는 사람의 의지를 나타낼 때는 1인칭에 will, 2·3 인칭에 shall을 쓰며, 또 상대방의 의지를 물을 때는 1·3인칭에는 shall, 2인칭에는 will을 씀.

A) ≪1 인칭 주어; I〔we〕~≫ ①〔單純未來〕…일〔할〕것이다《흔히 미래를 나타내는 副詞 어구가 따름》: I'*ll* be 20 (years old) next year. 내년이면 20 살이 됩니다 / *Will* we be in time for the train? 열차 시간에 댈 수 있을까 / Next year we'*ll* be starting college. 내년에 우리는 대학 생활을 시작한다《미래 진행형을 쓰면 단순 미래임이 명확해짐》.

②〔의향·속셈〕…할 작정이다, …하겠다: I ~ go there tomorrow. 내일 그리로 가겠습니다 / OK. I'*ll* do my best. 알았다, 최선을 다할게 / We'*ll* begin soon, *won't* we? 곧 시작하십시다.

③〔강한 의지·결의〕기어코 …할 테이다: I ~ go, no matter what you say. 네가 무슨 말을 하든 나는 가겠다.

④〔맹세·단언〕…해도 좋다: I'*ll* bet my bottom dollar. 내 있는 돈 전부를 걸어도 좋다 / I'*ll* be hanged if he does. 그가 한다면 내 목을 내놓아도 좋다.

B) ≪2인칭 주어; you ~≫ ①〔單純未來〕…일〔할〕것이다: You'*ll* feel better if you take this medicine. 이 약을 먹으면 기분이 좋아질거야 / I am afraid you ~ catch cold. 자네가 감기 걸릴까봐 걱정이다.

②〔상상·추측〕…일 것이다: You ~ be Mr. Brown, I think. 브라운 선생님이시죠 / You ~ have heard of it. 그것을 들으셨을 것으로 압니다만《미래완료형이지만, 과거 또는 완료된 일에 대한 추측을 나타냄》.

③〔부탁·명령〕…해다오, …해라: You ~ do as I tell you. 내 말대로 하렴 / You ~ wait here till I come back. 내가 돌아올 때까지 여기서 기다려라 / You ~ stop that right now. 당장 그런 짓 그만둬라. ★ 이 경우 will을 상대방이 당연히 응할 것을 전제로 하기 때문에 흔히 고압적인 감을 줌.

④〔상대의 의향을 물어〕…하겠느냐: *Will* you go there tomorrow? 내일 거기 가시겠습니까 / *Will* you have another cup of tea? 차 한 잔 더 드시지 않으렵니까.

⑤〔條件文의 if-節에서, 상대방의 호의를 기대하여〕…해 주다: I shall be glad〔pleased〕to go, if you ~ accompany me. 동행해 주신다면 기꺼이 가지요.

C) ≪3인칭 주어; he〔she, it, they〕~≫ ①〔單純未來〕…일〔할〕것이다: He ~ come of age next year. 그는 내년이면 성년이 된다 / They'*ll* be pleased to see you. 너를 만나면 그들은 기뻐할 거다.

② **a)**〔현재의 상상·추측〕…일 것이다: I believe he ~ be an Irishman. 그는 아일랜드 사람이라고 생각한다 / This ~ be your baggage〔luggage〕, I suppose. 이것은 당신 짐이라고 생각합니다만 / How far is it to the wood?—It ~ be 2 miles, I reckon. 숲까지는 얼마나 되나요—2 마일쯤 될 테지 / She ~ be expecting me. 그녀는 나를 기다리고 있을 거다. **b)**〔疑問文에서 未來의 추측〕: *Will* the moon rise soon? 달이 곧 뜰까.

③〔主語의 주장·고집·거부〕…하려고〔하겠다고〕하다, …라고 우기다, 끝까지 …하다;〔否定文에서〕아무리 해도〔도무지〕…하려고 하지 않다: Let him do what he ~. 그가 하겠다는 대로 하게 하시오.

④〔條件文의 if-節에서, 主語의 호의를 기대하여〕…해 주다: I shall be glad if he ~ come. 그가 와준다면 기쁘겠다.

⑤〔습관·습성·경향〕곧잘 …하다, …하곤 하다; (특징으로서) …하다: He'*ll* talk for hours, if you let him. 그는 내버려 두면 몇시간이라도 지껄인다 / Mary ~ sit still and look at the sea for hours. 메리는 몇 시간이고 조용히 앉아서 바다를 바라보곤 한다 / Accidents ~ happen. 사고는 생기는 법이다 / Oil ~ float on water. 기름은 물에 뜬다《will을 쓰면 그 특성을 강조함》.

⑥〔가능성·능력〕…할 수 있다, …할 능력이 있다: This receptacle ~ hold 2 gallons of water. 이 그릇에는 2갤런의 물이 든다 / The back seat ~ hold three passengers. 뒷좌석에는 세 사람이 탈 수 있다.

> 語法 (1) 왕래나 발착(發着)을 나타내는 동사 (go, come, leave, arrive 따위)는 가까운 미래를 will(또는 shall)을 쓰지 않고 現在形으로 나타낼 때가 많음: I *leave* Paris for London tomorrow. 내일 런던을 향해 파리를 떠난다.
> (2) 間接 話法과 직접 화법의 주어에 응하는 will은 간접화법에서 주어가 바뀌었을 때 I〔we〕shall〔will〕; you will; he〔she, it, they〕will이 됨: "I *will* do my best."→ You say (that) you *will* do your best.; He says (that) he *will* do his best. / "You〔He, They〕*will* succeed."→ He hopes (that) I *shall*〔*will*〕succeed〔you *will* succeed; they *will* succeed〕. 또한 오늘날엔 "I *shall* succeed."도 He hopes he *will* succeed.로 될 때가 많으며,《美》에서 특히 그런 경향이 강함. 즉《美》에서는 간접화법에서 모든 인칭에 will을 사용하는 경향이 있음. ⓒⓕ shall.

... ~ ***do*** …이면 되다〔쓸만하다〕(⇨DO¹ *vi.* ③).

‡**will²** [wil] *n.* ⓊⒸ (종종 *the* ~) 의지 ; 의지의 힘 : the freedom of *the* ~ 의지의 자유 / have a strong 〔weak〕 ~ 의지가 굳세다〔약하다〕/ Will can conquer habit. 《格言》 의지는 습관을 극복한다. ② **a)** Ⓤ (God's ~로) 신(神)의 뜻 : *God's ~ be done.* 신의 뜻이 이루어지기를. **b)** (흔히 one's ~) (…하고자 하는) 원망, 욕망, 뜻, 의도, 목표 : work *one's* ~ 자기 원하는 바를 행하다, 목적을 이루다 / a clash of ~*s* 의지의 충돌. ③ Ⓤ (남에 대한) 마음, 태도 : good 〔ill〕 ~ 선의〔악의〕. ④ Ⓒ 유언(서) : make 〔draw up〕 one's ~ 유서를 작성하다.
against one***'s*** ~ 본의 아니게 : I undertook this job *against my* ~. 본의는 아니나 이 일을 맡았다. ***at*** ~ =***at*** one***'s (own sweet)*** ~ 뜻대로, 마음 내키는 대로. ***have*** one***'s (own)*** ~ 뜻대로 하다 ; 소원을 이루다. ***of*** one***'s own free*** ~ 자발적으로 ; 자유 의지로 : She donated the money *of her own free* ~. 그녀는 그 돈을 자발적으로 희사했다. ***take the*** ~ ***for the deed*** 실행은 못하였지만 그 의도는 높이 사다. ***with a*** ~ 진지하게 ; 진심으로 : work *with a* ~ 열심히 일하다. ***with the best*** ~ ***in the world*** 마음가짐이 아무리 좋아도, 아무리 그런 마음이 있어도, 전심전력을 다 해도.
── *vt.* ①《~+목 / +*to* do / +*that*절》…을 바라다, 원하다, 의도하다 ; …하려고 생각하다, 결의하다 : You cannot achieve success merely by ~*ing* it. 바라기만 해서는 성공하지 못한다. ②《+목+전+명 / +목+*to* do》 의지력으로 (…에게) …시키다 : He ~*s* himself *into* contentment. 그는 스스로 만족하고 있다. ③《+목+전+명 / +목+부 / +목+목》 (재산 등)을 유언으로 남기다 〔주다〕《*to*》: He ~*ed* his property *away* from his natural heir. 그는 상속인 이외의 사람에게 재산을 유증했다 / She ~*ed* me this diamond. 유언으로 이 다이아몬드를 내게 남겼다.
── *vi.* 의지를 작용케 하다 ; 바라다 : lose the power to ~ 의지력을 잃다.

•**(-)willed** [wild] *a.* 〔흔히 複合語를 이루어〕(…의) 의지를 가진 : strong-~ 강한 의지를 가진.

•**will·ful,** 《英》 **wil·ful** [wílfəl] (***more*** ~ ; ***most*** ~) *a.* ①〔限定的〕 계획적인, 고의의 : ~ murder 고의의 살인, 모살 / ~ neglect 의도적으로 무시하는 일. ② 외고집의, 제멋대로의, 강팍한 : a ~ child 고집이 센 아이.

Wil·liam [wíljəm] *n.* ① 남자 이름《애칭 Bill(y), Will(y)》. ② ~ **I** 윌리엄 1세(世)(=∠ **the Cónqueror**)《영국왕 ; 1027?-87》. ③ ~ **II** 윌리엄 2세(=∠ **Rú·fus**[-rúːfəs])《영국왕 ; 1056?-1100》.

Wílliam Téll 윌리엄 텔《스위스 건국의 전설적 영웅·애국자》.

wil·lies [wíliz] *n.* (the ~) 《口》 오싹하는〔겁나는〕 기분, 겁 : It gave me *the* ~. 그것은 나를 오싹하게 했다 / get 〔have〕 *the* ~ 오싹하다.

‡**will·ing** [wíliŋ] (***more*** ~ ; ***most*** ~) *a.* ①〔敍述的〕 기꺼이 …하는(*to* do) : They were ~ *to* undertake the job. 그들은 기꺼이 그 일을 떠맡았다. ②〔限定的〕 자진해서 (행)하는, 자발적인 : a ~ worker / ~ obedience 자발적인 복종 간 / a ~ sacrifice 자진해서 행하는 자기 희생. ~ ***or not*** 좋든 싫든. 파 ‡**~·ly** *ad.* 기꺼이, 자진해서. •**~·ness** *n.* Ⓤ 기꺼이〔자진해서〕 함 : with ~*ness* 자진해서, 기꺼이.

will-o'-the-wisp [wíləðəwísp] *n.* ① 도깨비불. ② 사람을 홀리는 것〔사람〕; 환영(幻影). ③ 이룰 수 없는 목표.

‡**wil·low** [wílou] *n.* ⒸⓊ 버드나무《수목·재목》; 버드나무 제품《특히 크리켓의 배트 등》: ⇨ WEEPING WILLOW.

wíllow pàttern 버들무늬《영국 도자기에서 볼 수 있는 중국풍의 흰 바탕에 남빛의 디자인》.

wil·lowy [wíloui] (***-low·i·er*** ; ***-i·est***) *a.* 버들이 무성한《강가 따위》; 버들과 같은, 나긋나긋한, 가날픈 ; 날씬한 : a ~ girl.

wíll pòwer 의지〔정신〕력, 자제심 : a woman of great ~ 의지력이 대단한 여자.

wíll to pówer (니체 철학의) 권력에의 의지.

wil·ly [wíli] *n.* Ⓒ 《英口》 페니스, 음경.

Wil·ly [wíli] *n.* 윌리. ① 남자 이름《William 의 애칭》. ② 여자 이름.

wil·ly-nil·ly [wílinílі] *ad.* 싫든 좋든 간에, 좋아하든 말든 : I had to do it, ~. 싫든 좋든 그 일을 해야했다.

Wílson's disèase 〖醫〗 윌슨병《구리(銅) 대사(代謝)의 이상으로 간경변·정신 장애 등을 일으키는 유전병》.

wilt¹ [wilt] *aux. v.* 《古》 WILL¹의 2인칭 단수《주어 thou 의 경우》.

wilt² *vi.* ① (초목 등이) 시들다. ② (사람이) 풀이 죽다 ; 약해지다. ── *vt.* ① (초목 등)을 시들게 하다. ② (남)을 풀이 죽게 하다. ── *n.* Ⓤ 〖植〗 시듦, 시들어 죽는 병(萎凋病).

Wil·ton [wíltən] *n.* Ⓤ 윌턴 카펫《고급 융단의 일종 ; 원래는 영국 Wilton 특산》.

wily [wáili] (***wil·i·er*** ; ***-i·est***) *a.* 계략을 쓰는, 교활한 : Their boss is a bit of a ~ old fox. 그들의 상사는 좀 교활한 늙은 여우다. [◂wile]

wim·ble [wímbəl] *n.* Ⓒ (구멍 뚫는) 송곳.

Wim·ble·don [wímbəldən] *n.* 윔블던《런던 교외의 도시 ; 국제 테니스 대회로 유명》.

wimp [wímp] *n.* Ⓒ 《美俗》 무기력한 사람 ; 겁쟁이. ── *vi.* (다음 成句로) ~ ***out*** 뒤꽁무니를 빼다, 기가 죽어 (…에서) 손을 떼다.

wimp·ish [wímpiʃ] *a.* 《口》 무기력한, 겁이 많은. 「녀가 씀」.

wim·ple [wímpəl] *n.* Ⓒ 두건의 일종《지금은 수

wim·py [wímpi] *a.* =WIMPISH.

†**win** [win] (*p., pp.* **won** [wʌn] ; **wín·ning**) *vt.* ① (경쟁·경기 따위에서) …을 이기다 : ~ an election 〔a contest〕 선거〔콘테스트〕에 이기다 / A nuclear war cannot be *won.* 핵전쟁에 승자는 없다. ②《~+목 / +목+전+명》 …을 쟁취〔획득〕하다 : ~ a prize 〔a bet〕 상을 타다〔내기에서 돈을 따다〕/ ~ a scholarship 장학금을 취득하다 / Tom *won* $5 *from* his opponent at cards. 톰은 카드놀이에서 상대로부터 5달러를 땄다. ③《+목+목 / +목+전+명》 (노력해서) …을 손에 넣다, 얻다, 확보하다 : ~ fame 명예를 얻다 / ~one's livelihood〔daily bread〕 생계를〔그날의 양식을〕 벌다 / By his discovery he *won* honors *for* himself. 그는 그의 발명으로 명예를 얻었다. ④ 친구〔결혼 상대〕를 얻다 ; (적)을 만들다 ; …의 지지를〔애정을, 결혼 승낙을〕 얻다 : ~ a friend 친구를 얻다 / He *won* a lot of support in the south of the country because of his agricultural policies. 그는 그의 농업정책 때문에 남부지역에서 많은 지지를 얻었다 / She would do anything to ~ his love! 그녀는 사랑을 차지하기 위해서는 어떤 일이든 할 것이다. ⑤《~+목 / +목+부 / +목+전+명 / +목+*to* do》 (아무)를 설득하다, 설복시키다《*over*》: I *won* him *over* to my side. 그를 설득하여 내 편으로 삼았다 / ~ natives *to* Christianity 원주민을 설득하여 기독교로 개종시키다. ⑥ (주장 따위)를 남에게 납득시키다 : ~

one's point 주장을 세우다. ⑦ **a**) (곤란을 물리치고) …에 도달하다 : We *won* the camp by noon. 정오까지 야영지에 도착했다. **b**) (~ one's way로) 장해를 극복하고 나가다, 각고(刻苦)끝에 성공하다 : We finally *won our way* to the summit. 우리는 드디어 정상을 정복했다.

— *vi.* ①《~ / +전+명》이기다, 성공하다 ; 일착이 되다 ; 알아맞히다, 바르게 추측하다 : Which side *won?* 어느 편이 이겼나 / ~ *by* a head (경마에서) 머리 하나의 차로 이기다. ②《+부 / +전+명》나아가다 ; 닿다, 드디어 다다르다 : ~ *home* 〔*to* shore〕 집〔바닷가〕에 닿다. ③《+부 / +전+명 / +보》겨우 …할 수 있다, 완전히 수행하다《*across ; away ; back ; down ; off ; over ; through*》: ~ *across* the rapids 급류(急流)를 가로질러 건너다 / ~ *back* to cool sanity 냉정을 되찾다 / ~ free from prejudice 편견에서 벗어나다. ④《+전+명》(차츰차츰) 영향력을 미치다, 끌어당기다《*on, upon*》: The theory *won upon* people by degrees. 그 설(說)은 차츰차츰 세인의 관심을 끌었다. ⑤〔補語를 수반하여〕(노력하여) …이 되다 : ~ free 〔clear, loose〕 자유롭게 되다, (어려움을) 뚫고 나가다.

~ ***around*** =win over. ~ ***back*** (실지(失地) 따위)를 되찾다 : The Government will have to work hard to ~ *back* the confidence of the people. 정부는 국민의 신임을 회복하기 위해 크게 힘써야 할 것이다. ~ ***hands down*** 낙승하다 : The local team ~ (the match) *hands down.* 지방팀〔홈팀〕이 (그 경기에서) 낙승〔대승〕했다. ~ ***or lose*** 이기든 지든 : *Win or loss,* it should be a very good match. 이기든 지든, 그것은 아주 훌륭한 경기가 될 것이다. ~ ***over***〔***round***〕 (아무를) 마침내 자기편으로 끌어들이다《*to*》: She *won* her brother *over to* her side. 그녀는 오빠를 설득해서 자기편으로 만들었다. ~ ***one's way*** 애써서 나아가다 ; 노력하여 성공하다. ~ ***the day***〔***field***〕 싸움에 이기다 : In the end, the argument of the environmentalists *won the day.* 결국 환경 보호론자들의 논증이 승리했다. ***You can't ~ them***〔***'em***〕 ***all.***《口》다 잘 되라는 법은 없는 거야《실패한 이에게》. — *n.* Ⓒ《口》승리, 성공 : two ~*s* and three defeats, 2승 3패.

wince [wins] *vi.*《~ / +전+명》주춤거리다, 움츠리다 : I didn't ~ *under* the blow. 맞고도 굴하지 않았다. — *n.* Ⓤ (a ~) 주춤함, 질림, 움츠림 : without *a* ~ 조금도 굽히지 않고.

win·cey, -sey [wínsi], [-zi] *n.* Ⓤ 면모 교직(綿毛交織)의 일종《스커트 따위를 만듦》.

win·cey·ette [wìnsiét] *n.* Ⓤ《英》(양면(兩面)에 보풀이 있는) 융(絨)《파자마·속옷·잠옷용》.

winch [wintʃ] *n.* Ⓒ 윈치, 권양기(捲揚機) ; 굽은 축, 크랭크 ; (낚시용의) 릴. — *vt.*《~+목 / +목+전+명》…을 윈치로 감아 올리다 : The glider was ~*ed off* the ground. 글라이더는 윈치에 끌려서 이륙했다.

Win·ches·ter [wíntʃèstər, -tʃəs-] *n.* ① 윈체스터《영국 Hampshire 주의 주도 ; 대성당과 (1382년 창설한) 퍼블릭 스쿨 Winchester College가 있음》. ② 반(半) 갤런(들이 병) (=∠ **quárt**).

Wínchester (**ríﬂe**) 윈체스터 총(商標名).

†**wind**[1] [wind, 《詩》 waind] *n.* ① Ⓤ,Ⓒ 바람 ; 강풍 ; (공기의) 강한흐름〔움직임〕: a north ~ 북풍 / a blast of ~ 일진의 바람 / a fair〔a favorable〕 ~ 순풍 / a contrary〔an unfavorable〕 ~ 역풍 / a constant ~ 항풍(恒風) / a seasonal ~ 계절풍 / a head ~ 맞바람 / the ~ of a speeding car 질주하는 자동차가 일으키는 강한 바람 / There isn't much〔is no〕 ~ today. 오늘은 별로〔전혀〕 바람이 없다 / The ~ is rising 〔falling〕. 바람이 일고〔자고〕 있다. ② (the ~) 〖海〗 바람 불어오는 쪽 ; (*pl.*) (나침반의) 방위(方位) : *the* four ~*s* 사방 (all directions). ③ Ⓤ 바람에 풍겨오는 냄새 : The deer got the ~ *of* the hunter and ran off. 사슴은 사냥꾼 냄새를 맡고 도망쳤다. ④ Ⓤ (무언가의) 예감, 낌새《*of*》: sniff the ~ 낌새를 알아차리다. ⑤ Ⓤ 위〔장〕 안의 가스 : break〔make〕 ~ 방귀뀌다. ⑥ Ⓤ《흔히 one's〔a, the〕 ~》숨, 호흡. cf. second wind. ¶ recover *one's* ~ (서서) 숨을 돌리다 / Running took all *the* ~ out of me. 달려서 숨조차 쉬기 힘들다. ⑦ 관악기(류) ; (the ~s) 관〔취주〕악기 연주자들. cf. string. ¶ brass 〔wood〕 ~*s* 금〔목〕관악기. ⑧ 실속없는 말 : His promises are mere ~. 그의 약속은 허풍이다.

before the ~ 바람부는 쪽에 ; 순풍에, 순조롭게 : run 〔sail〕 *before the* ~ (배가) 순풍을 받고 달리다. ***between ~ and water*** (1)〖海〗 배의 흘수선에. (2)《比》 급소에. ***by the***〔***on a, on the***〕 ~ =close to the wind. ***close***〔***near***〕 ***to the*** ~ ⇨sail close to the ~. ***down the*** ~ 바람 불어가는 쪽으로 ; 바람을 따라, 바람을 등지고. ***feel the*** ~ 곤궁하다, 주머니가 비어 있다. ***fling . . . to the ~s*** (1) …을 바람에 날려버리다. (2) (불안 등)을 떨쳐 버리다 : *fling* care *to the ~s* 근심 걱정을 떨쳐 버리다. ***get*** 〔***recover***〕 one***'s*** ~ 숨을 돌리다 : I'd been running so I stopped to *get my* ~. 계속 달렸기 때문에 멈추어서 숨을 돌렸다. ***get*** one***'s ~ up***《美俗》분개하다, 울컥하다. ***get***〔***have***〕 ~ ***of*** …을 냄새 맡다 ; …의 소문을 탐지해내다〔듣다〕: Our competitors must not be allowed to *got* ~ *of* our plans. 우리 경쟁자들이 우리의 계획을 알아서는 안된다. ***gone with the*** ~ 바람과 함께 흩어져, 흔적도 없이 사라져. ***hang in the*** ~ 그 어느쪽인지 결정이 나지 않다, 애매모호하다 ; (생사·결과 등이) 불명하다, 불확실하다 : They left him *hanging in the* ~. 그들은 그를 이도저도 아닌 입장에 버려두었다. ***have in the*** ~ (사냥감의) 냄새를 맡아내다 ; …의 소문을 탐지해 내다. ***in the teeth***〔***eye***〕 ***of the*** ~ =***in the ~'s eye*** 정면으로 바람을 향하여 ; 반대〔방해〕를 무릅쓰고. ***in the*** ~ (1) 바람받이에 : The sails flapped *in the* ~. 돛들이 바람을 받아 펄럭거렸다. (2) (일이) 일어날 듯한 ; 몰래 행해지고 : A shift change was *in the* ~. 급속한 변혁이 당장이라도 일어날 것 같았다. ***like the*** ~ (바람처럼) 빠르게. ***near the*** ~ ⇨ SAIL. ***off the*** ~〖海〗 바람을 등지고, 순풍을 받고. ***on the*** 〔***a***〕 ~〖海〗 거의 정면으로 바람을 거슬러 ; (소리 따위가) 바람을 타고 : Scent is carried *on the* ~. 냄새는 바람을 타고 풍겨온다. ***put the ~ up*** a person《口》아무를 깜짝 놀라게 하다, 불안하게 하다 : These new police tactics have really *put the* ~ *up* the local drug dealer. 이들 새로운 경찰작전이 지방의 마약 거래상들을 전전긍긍하게 했다. ***raise the*** ~《英口》돈을 마련하다. ***sail near***〔***close to***〕 ***the*** ~ ⇨ SAIL. ***see how*** 〔***which way***〕 ***the ~ blows***〔***lies***〕 (1) 풍향을 알다. (2) 여론의 향배를 알다. ***sound in ~ and limb*** 매우 건강한 : The horse was *sound in ~ and limb.* 그 말은 매우 튼튼했다. ***take the ~ out of*** a person***'s sails***〔***the sails of*** a person〕 (아무를) 선수를 쳐서 앞지르다〔패배시키다, 당황케 하다〕, (아무를) 꼭뒤지르다, 기선을 제하다. ***take*** ~ 소문이 나다, 세상에 알려지다. ***under the*** ~〖海〗 바람이 불어가는 쪽으로, 바람받지 않는 쪽으로. ***up*** (***the***) ~ 바람을 거슬러, 바

람을 향하여. ***whistle down the*** ~ =WHISTLE. ***with the*** ~ 바람과 함께, 바람 부는 대로.
— *vt.* ①…을 바람에 쐬다, 통풍하다(air). ②(사냥개가 사냥감)의 냄새를 맡아 알아내다: The hounds ~*ed* the fox. 사냥개는 여우의 냄새를 맡았다. ③…을 숨차게 하다: She was quite ~*ed* by the climb. 그녀는 등산으로 몹시 숨이 찼다/He rested to ~ his horse. 그는 말이 숨을 돌리게 하기 위해 쉬었다. ④(애기의 등을 가볍게 쳐서) 트림이 나게 하다.

‡**wind²** [waind] (*p., pp.* ***wound*** [waund], 《稀》 ***wínd·ed***) *vi.* ①《~/+副/+前+名》《比》(강·길이) 꼬불꼬불 구부러지다, 굽이치다, 굴곡하다: The path ~*s* steeply upwards. 길은 위쪽으로 가파르게 꼬불꼬불 구부러져 있다. ②《+前+名》 휘감기다《*round ; about*》: The vine ~*s round* a pole. 덩굴풀이 장대에 감겨 있다. ③(시계가) 감기다: The watch ~*s* automatically. 이 시계는 자동으로 감긴다.
— *vt.* ①《~+目/+目+副》(나사·시계태엽 등)을 감다, 돌리다; 손잡이를 돌려 올리다〔내리다〕《*up ; down*》: ~ a clock 〔a crank〕 시계(태엽)〔크랭크〕를 감다〔돌리다〕/~ *down*〔*up*〕 a window (손잡이를 돌려) (차의) 창을 열다〔닫다〕. ②《+目+前+名》…을 싸다; 휘감다: ~ a shawl *round* a baby = ~ a baby *in* a shawl 아기를 숄로 감싸다/~ one's arms *about* a child = ~ a child *in* one's arms 아이를 끌어안다. ③《+目+前+名》 감아서 …으로 하다《*into*》; (감긴 것을) 풀다《*off ; from*》: He *wound* the string *into* a ball. 그는 노끈을 둘둘 말아 둥글게 만들었다/She *wound* the thread *off* the bobbin. 실 타래에서 실을 풀어 옮겨 감았다. ④《~+目/+目+副/+目+前+名》(자아틀 따위로) …을 감아올리다《*up*》: ~ *up* a bucket *from*〔*out of*〕 a well 우물에서 두레박을 도르래로 감아올리다. ⑤《+目+前+名》…을 굽이쳐 나아가다; 에둘러〔몰래〕 들여보내다: The river ~*s* its course *through* the forest. 강은 숲속을 굽이쳐 흐른다/They *wound* their way *through* the narrow valley. 그들은 좁은 계곡을 누비듯 지나갔다. ⑥《+目+前+名》(~ oneself 또는 ~ one's way로) 아첨하다, 환심을 사다: He *wound himself*〔*his way*〕 *into* his boss's confidence. 교묘한 처신으로 차차 사장의 신임을 얻었다. ~ ***down*** (1)(시계 태엽이) 풀리다, 느슨해지다: My watch has *wound down.* (시계 태엽이 풀려) 시계가 멎어 있었다. (2)(손잡이를 돌려) 차창을 내리다. (3)(사업·활동 등을) 단계적으로 끝내다: The company is ~*ing down* operations in abroad. 회사는 해외 영업을 서서히 축소해갔다. ~ ***off*** 감긴 것을 도로 풀다. ~ ***up*** (*vt.*) (1)(실 따위)를 끝까지 감다, 다 감다. (2)(닻·두레박 따위)를 감아올리다. (3)《口》〔흔히 受動으로〕…을 긴장시키다, 다조지다; 흥분시키다: He was all *wound up* before the game. 그는 경기 전에 완전히 얼어 있었다/be *wound up* to fury 몹시〔잔뜩〕 화를 내다. (4)《口》…을 끝으로 하다〔끝내다〕, …에 결말을 짓다, …을 (…로) 끝내다《*by ; with*》: ~ *up* a sales campaign 판매 촉진 운동을 끝내다. (5)《口》…을 청산하다; (회사 등을) 폐쇄하다: ~ *up* one's affairs 신변을 정리하다. (*vi.*) (1)《口》〔副詞句를 수반하여〕 (…라는) 처지가 되다; (…라는 것으로) 끝나다; 결국 (…으로) 되다: ~ *up* exhausted 녹초가 되었다. (2)《口》(이야기·활동 등을) (…로) 끝맺음하다《*with ; by*》: The story ~*s up with* a happy ending. 그 얘기는 해피엔딩으로 끝난다. (3)〖野〗(투수가) 와인드업하다.
— *n.* ①Ⓒ 굴곡; 굽이(침). ②(시계·실 따위를) 한번 감기; 한번 돌리기.

wind³ [waind, wind] (*p., pp.* ***wound*** [waund], 《文語》 ***wínd·ed***) *vt.* (피리·나팔 따위)를 불다(blow), 취주하다; 울려서 알리다: ~ a call〔horn〕 호각〔각적〕을 불다.

wind·age [wíndidʒ] *n.* Ⓤ,Ⓒ ①틈새, 유극(遊隙)《마찰을 적게 하기 위한 강면(腔面)과 포탄과의 틈》. ②(바람에 의한 총탄의) 편차; 편차 조절; 〖機〗 풍손(風損), 윈디지《회전물과 공기와의 마찰》.

wind·bag [wíndbæ̀g] *n.* Ⓒ 수다스러운 사람: an old ~ 수다스러운 노인.

wind·blown [ˊ-blòun] *a.* 바람에 날린; (여성의 헤어스타일이) 윈드블로형인《짧게 잘라서 앞이마에 매만져 붙인》.

wind-borne [ˊ-bɔ̀ːrn] *a.* (씨앗·꽃가루 따위가) 바람으로 옮겨지는.

wind·break [ˊ-brèik] *n.* Ⓒ 바람막이, 방풍 설비〔벽〕; 방풍림(shelterbelt).

Wind·break·er [ˊ-brèikər] *n.* Ⓒ 윈드브레이커《손목과 허리에 고무밴드가 있는 스포츠 점퍼; 商標名》.

wind·cheat·er [ˊ-tʃìːtər] *n.* 《英》 =WIND-BREAKER.

wínd còne (비행장 따위의) 풍향기.

wind·ed [wíndid] *a.* ①숨을 헐떡이는(out of breath). ②〔複合語로〕 호흡이 …인: long-~ 호흡이 긴; 장황한.

wind·er [wáindər] *n.* Ⓒ ①감는 사람〔물건〕; (시계 등의) 태엽을 감는 기구; 실감는 기구, 권사기(捲絲機). ②〖建〗 나선 계단.

wind·fall [wíndfɔ̀ːl] *n.* Ⓒ ①바람에 떨어진 과실. ②예기치 않았던 횡재《유산 등》.

wind·flow·er [wíndflàuər] *n.* Ⓒ 〖植〗 아네모네.

wind-force [wíndfɔ̀ːrs] *n.* Ⓤ 풍력(風力).

wind·gauge [ˊ-gèidʒ] *n.* Ⓒ 풍력〔풍속〕계.

wind·hov·er [ˊ-hʌ̀vər/ˊ-hɔ̀vər] *n.* 《英》〖鳥〗 황조롱이(kestrel).

***wind·ing** [wáindiŋ] *n.* ①Ⓤ,Ⓒ 감기, 감음, 감아들이기, 감아올리기. ②Ⓒ 감은 것, 감은 선(線). ③Ⓤ,Ⓒ 구부러짐, 굴곡, 굽이. ④꼬불꼬불한 길. ⑤(*pl.*) 부정한 방법〔행동〕. — *a.* ①굽이치는, 꼬불꼬불한; 나선 모양의: a ~ path 꼬불꼬불한 길/a ~ staircase 나선식 계단. ②(사람이) 비틀거리는, 휘청거리는: The blow sent me ~. 그 한 방으로 나는 비틀거렸다.

wínding shèet (매장을 위해) 시체를 싸는 흰 천, 수의(壽衣).

wínd ìnstrument [wínd-] 〖樂〗 ①관악기, 취주악기. ②(the ~s)〔集合的〕(오케스트라의) 관현악부.

wind·jam·mer [wíndʤæ̀mər] *n.* Ⓒ 〖海〗 대형 돛배.

wind·lass [wíndləs] *n.* Ⓒ 자아틀, 윈치; 〖海〗 양묘기(揚錨機).

wind·less [wíndlis] *a.* 바람 없는, 고요한, 잔잔한.

‡**wind·mill** [wíndmil] *n.* Ⓒ ①(제분소·양수기 따위의) 풍차. ②《英》 팔랑개비(《美》 pinwheel). ***fight*** 〔***tilt at***〕 ~***s*** 가공의 적과 싸우다; 헛된 노력을 하다《Don Quixote가 거인으로 착각하고 풍차에 도전한 이야기에서》. ***fling*** 〔***throw***〕 ***one's cap*** 〔***bonnet***〕 ***over the*** ~ 무모한 짓을 하다.

†**win·dow** [wíndou] *n.* Ⓒ ①창(문); 창유리; 창틀: an arched ~ 아치 모양의 창/look out (of) the ~ 창문으로 (밖을) 내다보다/break the ~ 창유리를 깨다. ②(가게 앞의) 진열창(show ~): dress up a ~ (가게의) 진열창을 장식하다. ③(은행 따위의) 창구, 매표구: a cashier's ~ 출납 창구/attend at the ~ 창구의 사무를 보다. ④창문

모양의 것 ; (봉투의) 파라핀 창《수신인의 이름 따위가 보임》; (*pl.*)《美俗》안경. ⑤ 외부로 열린 것, 외부를 관찰하는 기회 · 수단《*on*》: The eyes are the ~*s* of the mind. 눈은 마음의 창이다 / A foreign language is a ~ on the world. 외국어는 세계를 향해서 열린 창구이다. ***have* 〔*put*〕 *all* one's *goods in the* (*front*) ~** 겉치레뿐이다 ; 피상적이다. ***in the* ~** 창구에 게시한《광고 · 주의서 따위》; 진열창에 내놓은《상품 등》: She's got some wonderful plants *in the* ~. 그녀는 진열창 바닥에 훌륭한 식물들을 몇개 놓았다. ***out of the* ~**《口》고려 대상에 빠져 : go *out of the* ~ 사라지다, 없어지다. ***throw the house out at* (*the*) ~** 대혼란에 빠뜨리다.

win·dow-based [wíndoubéist] *a.* 〖컴〗 창을〔윈도를〕 사용한 화면 표시〔디스플레이〕를 채택하고 있는.

wíndow blìnd 창문용 블라인드.

wíndow bòx 창가에 내놓은 화초 상자.

wíndow clèaning 창 청소, 창닦기(업).

win·dow-dress [-drès] *vt.* …의 체재를 갖추다, …을 겉치레하다.

wíndow drèssing ① 창문 장식(법), 점두(店頭) 진열법. ② 체면〔겉〕치레, 눈속임 : The company's support of scientific research is just ~. 과학 연구에 대한 회사의 후원은 겉치레일 뿐이다.

wíndow énvelope (주소 성명이 보이는) 파라핀 봉투.

wíndow fràme 창(문)틀.

***win·dow·pane** [-pèin] *n.* [C] 창유리.

wíndow sèat ① 창 밑에 장치된 의자. ② (탈것의) 창문쪽 좌석.

wíndow shàde 《美》 =WINDOW BLIND.

win·dow-shop [-ʃàp / -ʃɔ̀p] *vi.* (사지 않고) 진열창(의 상품)을 들여다보며 다니다.
[파] **~·per** *n.* [C] 진열창을 들여다보고 다니는 사람.
~·ping *n.* [U] 진열창을 들여다보(고 다니)기.

wind·pipe [wíndpàip] *n.* 〖醫〗 기관(氣管), 숨통(trachea).

wínd pòwer generàtor 풍력 발전기.

wind·proof [wíndprù:f] *a.* (옷 따위가) 방풍(防風)의 : a ~ jacket.

wind·row [wíndròu] *n.* [C] ① (말리기 위하여 줄지어놓은) 꼴풀, 보릿단. ② (바람에 불려서 몰린) 가랑잎〔먼지〕 (등)의 줄.

wínd scàle [wínd-] 풍력 계급. [cf] Beaufort scale.

wind·screen [wíndskrì:n] *n.* 바람막이 ; 《英》 =WINDSHIELD.

wíndscreen wìper 《英》 (자동차) 앞유리의 와이퍼(=《美》 **wíndshield wìper**).

wind·shield [wíndʃì:ld] *n.* [C] 《美》 (자동차의) 바람막이〔전면〕 유리(《英》 windscreen).

wínd slèeve 〔**sòck**〕 =WIND CONE.

Wind·sor [wínzər] *n.* 윈저《런던 서부의 도시 ; 영국 왕궁 Windsor Castle 의 소재지》.
***the House* (*and Family*) *of* ~** 윈저 왕가.

Wíndsor cháir 윈저체어《등이 높은 의자의 일종》.

Wíndsor tíe (명주로 만든) 폭넓은 넥타이.

wind·storm [wíndstɔ̀:rm] *n.* [C] (비를 수반하지 않는〔비가 적은〕) 폭풍.

wind·surf [∠sə̀:rf] *vi* 윈드서핑을 하다.

wind·surf·er [∠sə̀:rfər] *n.* [C] 윈드서핑을 하는 사람.

wind·surf·ing [∠sə̀:rfiŋ] *n.* [U] 윈드서핑《돛을 단 파도타기 판으로 물 위를 달리는 스포츠》.

wind-swept [wíndswèpt] *a.* ① 바람에 휘몰린, 바람에 노출된 : the ~ ruins of an ancient city 비바람에 퇴락한 고대 도시의 폐허. ② (머리카락 등이) 바람에 날려 헝크러진.

wínd tùnnel [wínd-] 〖空〗 풍동(風洞).

wind-up [wáindʌ̀p] *n.* [C] ① 결말, 종료 ; 마무리. ② 〖野〗 (투수의) 와인드업.

wind·ward [wíndwərd] *ad.* 바람 불어오는 쪽으로, 바람받이로. ── *a.* 바람받이 쪽의 : the ~ side 바람이 불어오는 쪽.
── *n.* [U] 바람 불어오는 쪽 ; 바람받이. [opp] *leeward.* ***get to* (*the*) ~ *of*** (1) (냄새 등을 피하기 위해) 바람받이 쪽으로 나가다. (2) …보다 유리한 위치를 점하다 ; …을 앞지르다. ***keep to* ~ *of*** …을 피하고 있다.

:windy [wíndi] (***wind·i·er*** ; ***-i·est***) *a.* ① 바람이 센 : a ~ night 바람이 센 밤 / It's ~ today. 오늘은 바람이 거칠다. ② 바람을 세게 맞는, 바람결에 놓인 : a ~ hilltop 바람을 세게 받는 산꼭대기. ③《口》 공허한, 내용 없는, 허풍떠는 ; 수다스러운, 다변의 : a ~ speaker 수다쟁이 ; 가납사니. ④ (뱃속에) 가스가 차는, 헛배가 부른 : an empty ~ stomach. ⑤《英俗》 겁이 많은 : feel ~ 주눅 들다. ***on the* ~ *side of*** (the law) (법률)이 미치지 못하는 곳에.

Wíndy Cíty (the ~) Chicago 의 애칭.

:wine [wain] *n.* [U,C] ① 포도주 : a glass 〔bottle〕 of ~ 포도주 한 잔〔병〕 / sweet 〔dry〕 ~ 단〔쓴〕 맛의 포도주 / green ~ (양조 후 1년 이내의) 새 술 / sound ~ 질이 좋은 포도주 / Good ~ needs no bush. 《俗談》 좋은 술은 간판이 필요 없다 / In ~ there is truth. 《俗談》 취중에 진담이 나온다. ② 과실주 : gooseberry ~ 구즈베리 술 / rice ~ 막걸리. ③ ⇨WINE COLOR. ***Adam's* ~** 물. ***bread and* ~** ⇨BREAD. ***put new* ~ *in old bottles*** 헌 가죽부대에 새 술을 담다《낡은 형식으로 새 일을 하려들다》. ***~, women, and song*** 환락.
── *vi.* 포도주를 마시다 : ~ and dine *with* a person (레스토랑에서) 아무와 술을 즐기면서 식사하다. ── *vt.* …을 포도주로 대접하다 : ~ and dine a person 아무를 술과 음식으로 대접하다.

wíne bàr 와인 바《간단한 식사도 냄》.

wine·bib·ber [∠bìbər] *n.* [C] 술고래, 모주꾼.

wine·bib·bing [∠bìbiŋ] *a.* 말술을 마시는.
── *n.* [U] 술을 많이 마심.

wine·bot·tle [∠bàtl / ∠bɔ̀tl] *n.* [C] 포도주 병.

wíne cèllar (지하의) 포도주 저장실.

wíne còlor 적포도주 색《검붉은 색》.

wine-col·ored [∠kʌ̀lərd] *a.* 포도주 색을 한, 검붉은 색의.

wíne còoler 포도주 냉각기.

wine·glass [∠glæ̀s, ∠glɑ̀:s] *n.* [C] 포도주 잔.

wine·grow·er [∠gròuər] *n.* [C] 포도 재배 겸 포도주 양조업자.

wine·grow·ing [∠gròuiŋ] *n.* [U] 포도 재배 겸 포도주 양조(업).

wíne lìst (레스토랑 등의) 와인 일람표.

win·ery [wáinəri] *n.* [C] 포도주 양조장.

wine·skin [wáinskìn] *n.* [C] 포도주용 가죽 부대.

wíne tàster 포도주 맛〔품질〕 감정가 ; 품질 검사용 포도주를 담는 작은 종지.

wíne vìnegar 포도주로 양조한 식초.

:wing [wiŋ] *n.* [C] ① (새 · 곤충 등의) 날개 : a dove beating its ~*s* 날개치는 비둘기. ② (비행기 · 풍차의) 날개. ③ 〖植〗 (꽃의) 익판(翼瓣) ; 익상과(翼狀果)의 깃. ④ 〖建〗 물림, 퇴, 날개, 익(翼), 익벽(翼壁) ; (성의) 익면. ⑤ (*pl.*) (무대의) 양옆(의 빈 칸). ⑥ 〖軍〗 (본대의 좌 · 우의) 익. ⑦ 〖政〗 (좌익 · 우익의) 익, 당파, 진영 : the left 〔right〕 ~ 좌〔우〕익, 급진〔보수〕파. ⑧ 〖競〗 (축구

등의) 날개 ; 윙. ⑨《英》(자동차 따위의) 흙받기 (《美》fender). ⑩ Ⓤ 비행, 날기(flight). ⑪〖空軍〗 비행단《미국은 보통 둘 이상의 groups, 영국은 3-5 squadrons로 된 연대》. ⑫ (*pl.*) 공군 기장 (aviation badge)《주로 조종사의》. ***add* 〔*lend, give*〕 *~s* (*to*)** …을 빠르게 하다 ; 촉진하다 : Fear *lent* him *~s.* 그는 무서워서 나는 듯이 뛰었다. ***clip* a person*'s ~s* = *clip ~s of* a person** ⇨CLIP. ***on the* ~** (1) 날아서 ; 비행 중에. (2) 여행 중에 ; 활동 중에. ***spread* 〔*stretch*〕 one*'s ~s*** 《比》능력〔수완〕을 충분히 발휘하다. ***take under* one*'s ~*(*s*)** …을 비호하다 ; 품어 기르다 : Her boss *took* her *under his* ~ after fully realizing her potential. 그녀의 상사는 그의 잠재력을 충분히 깨달은 후에는 그녀를 감싸주었다. ***take ~*(*s*)** (1) 날아가다. (2) (시간·돈 따위가) 나는 듯이 가버리다, 없어지다. ***wait in the ~s*** 대기하고 있다《배우가 무대 옆에서 대기하는 데서》: be kept *waiting in the ~s* 출연할 차례를 기다리고 있다 / The chairman's successor is already *waiting in the ~s.* 회장의 후계자가 이미 대기하고 있다.

── *vt.* ① …을 날리다 : ~ a ball 공을 날리다 / ~ one's words 말을 하다. ②《~+목 / +목+전+명》…의 속도를 빠르게 하다, 증대하다 ; 발하다 : Fear *~ed* his steps. 공포로 발이 빨라졌다. ③《~+목 / +목+전+명》…에 날개를 달다 ; (건물에) 물림을 달다 ; …에 (날개처럼) 달다《*with*》: ~ an arrow *with* feather 화살에 깃을 달다. ④《口》…의 날개〔팔, 어깨 따위〕에 상처를 입히다 : ~ a bird. ⑤ (비행기 따위)를 격추하다. ── *vi.* 《~ / +부 / +전+명》날다 : ~ *over* the Alps 알프스의 위를 날다 / The year *~s away.* 세월은 유수(流水)와 같다. **~ *it*** 《口》즉흥적으로 연기하다〔만들다〕.

wíng chàir (등받이 좌우에 날개가 있는) 안락의자.

wíng commànder 《英》공군 중령.

wing·ding [wíŋdìŋ] *n.* Ⓒ《美俗》야단 법석, 떠들어댐, 술잔치.

***winged** [wiŋd] *a.* ① 날개 있는 ; 날개를 쓰는, 나는 : ~ insects 나는 곤충 / Cupid is usually depicted as a ~ boy with a bow and arrow. 큐피드는 흔히 활과 화살을 가진 날개있는 소년으로 묘사되곤 한다. ② 고속의, 신속한 : ~ feet 발이 잰. ③ (사상 등이) 숭고한.

wing·er [wíŋər] *n.* Ⓒ《英》(축구 등의) 윙의 선수.

wing·less [wíŋlis] *a.* 날개 없는 ; 날지 못하는.

wíng nùt 〖機〗나비꼴 나사, 집게 나사.

wing·span [ˊspæ̀n] *n.* Ⓒ〖空〗날개 길이.

wing·spread [ˊsprèd] *n.* Ⓒ 날개 폭《새·곤충 따위의 펼친 날개의 끝에서 끝까지의 길이》.

‡**wink** [wiŋk] *vi.* ① 눈을 깜박이다(blink) : His eyes *~ed* at the strange sight. 이상한 광경을 보고 눈을 깜박거렸다. ②《~ / +전+명》윙크〔눈짓〕하다, 눈으로 신호하다《*at*》: She *~ed at* me. ③ (별·빛 따위가) 반짝이다, 번쩍이다 : The stars *~ed.* 별이 반짝거렸다. ④《+전+명》보고도 못 본 체하다, 눈감아주다《*at*》: The police officials *~ed at* the trucks carrying the illegal supplies. 경찰관들은 불법 군수품을 운반하는 트럭을 보고도 못 본 체했다.

── *vt.* ① (눈)을 깜박이다 : ~ one's eye(s) 눈을 깜박이다. ② (눈물·이물)을 깜박여 제거하다 《*away; back*》: She attempted to ~ *back*〔*away*〕 the tears. 그녀는 눈을 깜박여 눈물을 떨어뜨리려고 하였다. ③《英》(라이트 따위)를 점멸시키다 (《美》blink).

── *n.* ① Ⓒ 눈을 깜박임. ② Ⓒ 눈짓 : with a knowing ~ 알았다는 듯이 눈짓하여. ③ Ⓒ (별·빛 따위의) 깜박임, 반짝임, 번쩍임. ④ (a ~) 〔흔히 否定文으로〕 일순간(도 …않다), 한잠도(…않다) : He did *not* sleep *a ~.* 한잠도 자지 못했다. ⑤ (*pl.*) 겉잠 : ⇨ FORTY WINKS. ***at a ~ of an eye*** 눈깜짝할 사이에. ***in a ~*** 순식간에. ***tip* a person *the* 〔*a*〕 ~** 《口》아무에게 눈짓하다.

wink·er [wíŋkər] *n.* Ⓒ ① 깜박이는〔눈짓하는〕 사람 ; 깜박이는 것. ②《口》(*pl.*) (자동차의) 방향 지시등, 깜박이등. ③ (흔히 *pl.*)《口》속눈썹, 눈. ④ (*pl.*) (말의) 눈가리개(blinkers).

wink·ing [wíŋkiŋ] *n.* Ⓤ 눈을 깜박임. ***as easy as ~*** 《口》아주 쉽게〔수월하게〕.

win·kle [wíŋkəl] *n.* Ⓒ〖貝〗경단고둥의 일종 (periwinkle). ── *vt.* (사람·정보 등)을 가까스로 찾아 내다〔끄집어 내다〕《*out*》.

win·kle-pick·er [wíŋklpìkər] *n.* (흔히 *pl.*) 《英》끝이 뾰족한 구두〔부츠〕.

‡**win·ner** [wínər] *n.* Ⓒ ① 승리자, 우승자 ; (경마의) 이긴 말 : Who was the ~ ? 누가 우승했느냐. ② 수상자〔작품〕, 입상〔입선〕자 : a Novel Prize ~ 노벨상 수상자. ③《口》출세〔성공〕할 가망이 있는 사람 : The new secretary's a ~. 새로 온 비서는 일깨나 하겠다.

Win·nie [wíni] *n.* 위니. ① 여자 이름《Winifred의 애칭》. ② 남자 이름《Winston의 애칭》.

***win·ning** [wíniŋ] *n.* ① **a)** Ⓤ 승리 ; 성공. **b)** Ⓒ 점령지, 노획물. ② (*pl.*) 상금, 상품. ── *a.* ① 승리를 결정하는, 결승의, 승자인, 승리한 : the ~ home run 결승 홈런 / the ~ horse 우승마 / The leader of the ~ party took her oath of office as prime minister. 승리한 정당의 지도자로, 그녀는 수상 취임 선서를 하였다. ② 사람의 마음을 끄는, 매력적인 : a ~ smile (사람의) 마음을 사로잡는 미소.

wínning pòst (경마장의) 결승점(의 푯말).

win·now [wínou] *vt.* ①《~+목 / +목+부 / +목+전+명》(곡물·겨 등)을 까부르다《*away ; out ; from*》: ~ *away* 〔*out*〕 the chaff *from* the grain 곡물을 까불러 겨를 날려버리다. ②《+목+부 / +목+전+명》(구하는 것)을 고르다, 골라내다《*out ; from*》, 분석·검토하다 ; (진위·선악)을 식별하다《*out*》: ~ (*out*) truth *from* falsehood = ~ the false *from* the true 진위를 가리다.

wi·no [wáinou] (*pl.* *~s*) *n.* Ⓒ《俗》포도주〔알코올〕 중독자.

win·some [wínsəm] (*-som·er ; -est*) *a.* (사람·성질·태도 등이) 매력〔애교〕 있는 ; 쾌활한 : a ~ smile〔girl〕 애교넘치는 웃음〔소녀〕.

Win·ston [wínstən] *n.* 윈스턴《남자 이름 ; 애칭 Winnie》.

†**win·ter** [wíntər] *n.* ① Ⓤ.Ⓒ 〔흔히 無冠詞 單數形, 또는 특정한 때에는 the ~〕 겨울 : a hard ~ 엄동 / a mild ~ 난동, 따뜻한 겨울 / this ~ 올겨울(에) / in *the* ~ of 1930, 1930년 겨울에 / Many trees lose their leaves in ~. 많은 나무들이 겨울에는 잎이 없다. ② 한기 : a touch of ~ 겨울의 감촉, 으스스한 추위. ③ Ⓤ.Ⓒ 만년 ; 쇠퇴기 ; 역경에 있는〔쓸쓸한〕 시기 : in the ~ of old age 만년을 맞아. ④〔複數形으로 數詞와 함께〕《詩》…세, …살 : a man of seventy *~s,* 70 세의 노인 / many *~s* ago 여러 해 전에 / pass two *~s* abroad 해외에서 2년을 보내다.

── *a.* 〔限定的〕 겨울(용)의 ; (과일·야채가) 겨울 저장이 되는 ; (곡식이) 가을에 파종하는 : ~ apples 겨울 사과 / a ~ resort 피한지 / ~ vegetables. ── *vi.* ① 겨울을 지내다, 월동하다, 피한하다《*at ; in*》: ~ *at* Nice 니스에서 겨울을

나다. ② 동면하다. ── vt. (가축·식물 등)을 월동시키다, 겨울 동안 둘러싸서 잘 보전하다: The cows are ~ed in the barn.

wínter gàrden 동원(冬園)《열대 식물을 심고 유리로 덮은 휴식 장소》.

win·ter·ize [wíntəràiz] vt. (텐트·집·자동차 등)에 방한 장치[장비]를 하다.

win·ter-kill [wíntərkìl] vt. 《美》 (식물 등)을 얼려 죽이다.

Wínter Olýmpic Gámes (the ~) 동계 올림픽 대회(=**Wínter Olýmpics**).

wínter slèep 【動】 동면(hibernation).

wínter sólstice (the ~) 동지(冬至). opp. *summer solstice.*

wínter spórts 겨울 스포츠《스키 등의》.

win·ter·tide [-tàid] n. 《詩》 =WINTERTIME.

win·ter·time [-tàim] n. Ⓤ (종종 the ~) 겨울.

win·tery [wíntəri] a. =WINTRY.

***win·try** [wíntri] (**-tri·er** ; **-tri·est**) a. ① 겨울의[같은]; 겨울처럼 추운; 쓸쓸한, 황량한: a ~ sky 겨울하늘 / A ~ wind was blowing. 겨울의 차디찬 바람이 불고 있었다. ② 《比》 쌀쌀한.

win-win [-wín] a. 《美俗》 (교섭 따위에서) 양자에 유리한: a ~ proposal 쌍방에 유리한 제안.

winy [wáini] (**win·i·er** ; **-i·est**) a. (맛·색 따위가) 포도주와 같은; 풍미가 있는.

:wipe [waip] vt. ①《~+목 / +목+부 / +목+보 / +목+전+명》 …을 닦다, 훔치다; 닦아 없애다, (얼룩)을 빼다(*away* ; *off* ; *out* ; *up*): She ~d *up* the spilt water. 그녀는 엎지른 물을 닦았다 / He ~d his tears *away.* 그는 눈물을 닦아냈다. ②《+목+부》 …을 (흔적없이)지우다, 일소하다(*out*): ~ *out* injustice 부정을 일소하다. ③《+목+전+명》 (기억·생각 등)을 씻어버리다(*from*): ~ a memory *from* one's mind 마음에서 기억을 지워버리다. ④《+목+전+명》 …을 칠하다 ; 북북 문지르다(*on* ; *over*): ~ a damp cloth *over* the desk 젖은 천으로 책상을 닦다. ⑤ (녹음·녹화된 테이프)를 지우다: Everything was ~d *off* my diskette when I entered the wrong command. 컴퓨터에 잘못된 명령을 입력하자 디스켓의 모든 것이 지워졌다. ~ **down** 구석구석까지 닦다, (특히 수직면을) 닦다: Ben will have to ~ *down* that wall if you leave any mark. 만일 네가 저 벽에 낙서 같은 것을 하고 그대로 두면 벤이 그것을 닦아야 할 것이다. ~ **off** (1) …을 닦다, 닦아 내다: ~ the dust *off* a shelf 선반에서 먼지를 닦아내다. (2) (부채 등)을 상각하다, 청산하다. ~ **out** (1) (먼지 따위)를 닦아내다 ; 내면을 닦다: ~ *out* the bath 욕조 안을 닦다. (2) 《俗》 …을 죽이다: They may ~ him *out.* 그들은 그를 없애 버릴지도 모른다. (3) …을 일소하다 ; 파괴하다: The invading army was ~d *out* by a force of patriots. 침략군은 애국자들의 힘으로 소탕됐다. (4) 《口》 …을 빈털터리로 만들다: The collapse of the stock market ~d him *out*. 주가폭락으로 그는 빈털터리가 됐다. (5) …을 기억에서 지우다 ; 부채를 상각하다 ; 설욕하다: It's difficult to ~ *out* the memory of a former lover. 옛 애인의 추억을 잊는다는 것은 어려운 일이다. ~ **a person's eye** 아무를 놀라게 하다, 앞지르다, 아무의 허를 찌르다. ~ **the floor** [**ground**] **with** ⇨FLOOR.

── n. Ⓒ 닦음, 훔침: Do you mind giving this table a ~? 이 식탁을 좀 닦아 주겠나.

wipe·out [wáipàut] n. Ⓒ 《俗》 ① 일소, 전멸 ; 살해. ②《俗》(파도타기에서) 나가 떨어지기.

wip·er [wáipər] n. Ⓒ 닦는[훔치는] 사람 ; 닦는 것《타월·스펀지 등》; (*pl.*) (차의) 와이퍼.

WIPO [wáipou] n. 세계 지적 재산권 기구. [◂ *W*orld *I*ntellectual *P*roperty *O*rganization]

:wire [waiər] n. ① Ⓤ,Ⓒ 철사: copper ~ 동선(銅線) / telephone ~(s) 전화선. ② Ⓤ,Ⓒ 전선. ③ Ⓤ 전신 ; Ⓒ 《口》 전보 ; 《口》 (the ~) 전화: on *the* ~ 전화로 / a party ~ 공동 가입선 / a private ~ 개인 전용 전화선. ④ Ⓤ 철망 ; 철사 세공 ; 와이어 로프. ⑤ Ⓒ (철망) 덫(snare). ⑥ (악기의) 현. **by** ~ 전신으로 ; 《口》 전보로. **down to the** ~ 《美》 최후 순간까지. **get** (**in**) **under the** ~ 《美》 가까스로 시간에 대다: *get* an application *in* just *under the* ~ 마감시간 다 되어 겨우 원서를 제출하다. **get** one**'s** ~**s crossed** (1) (전화가) 혼선되다. (2) 혼란스러워 잘못 듣다. **pull** (**the**) ~**s** 뒤에서 조종하다.

── vi. 《~ / +부 / +전+명》 《口》 타전하다, 전보를 치다(*to*): Don't write, ~. 편지로 하지 말고 전보를 쳐라.

── vt. ①《~+목 / +목+부》 …을 철사로 고정시키다[매다, 감다]: ~ beads *together* (목거리를 만들기 위하여) 염주알을 철사로 꿰다. ②《~+목 / +목+전+명》 …에 전선을 가설하다, 배선하다: The stereo didn't work because he hadn't ~d it *up* properly. 제대로 배선을 하지 않았기 때문에 스테레오는 작동하지 않았다. ③《~+목 / +목+목 / +목+전+명 / +목+*to* do / +*that* 절 / +목+*that* 절》《口》 …을 타전[전송]하다 ; 전보로 통지하다: ~ a birthday greeting 생일 축전을 보내다 / He ~d me the result.=He ~d the result *to* me. 그는 내게 결과를 전보로 알렸다.

wíre àgency 《美》 통신사(wire service).

wíre brùsh 와이어 브러시《녹 따위를 닦아내는 솔》.

wíre cùtters (펜치 등의) 철사 끊는 기구.

wired [waiərd] a. ① 유선(有線)의. ② 철사로 보강한 ; (건물 등에) 도난 경보장치가 돼 있는. ③《美俗》 a) 흥분한. b) 마약에 취한.

wire·danc·ing [wáiərdæ̀nsiŋ, -dɑ̀:ns-] n. 줄타기《곡예》.

wire·draw [wáiərdrɔ̀:] (**-drew** [-drù:]; **-drawn** [-drɔ̀:n]) vt. ① (금속)을 늘여서 철사로 만들다. ② …을 길게 늘이다 ; (의론 따위)를 기다랗게 늘어놓다: The point was *wiredrawn.* 논점은 너무 세세했다.

wíre gàuge 와이어 게이지 ; (철사의) 번수(番手).

wíre gáuze 가는 선의 철망, 쇠그물.

wire·haired [-hɛ̀ərd] a. (개 따위) 털이 빳빳한.

:wire·less [wáiərlis] a. 〔限定的〕 ① 무선의, 무선전신[전화]의. ②《英》 라디오의: a ~ telegram 무선 전보 / a ~ enthusiast [fan] 라디오 광[팬] / a ~ license 무선 통신 면허 / a ~ operator 무선 통신사. ── n. ① Ⓤ 무선 전신[전화], 무선(전보): send a message by ~ 무선으로 송신하다. ② a) (the ~) 라디오《지금은 radio가 일반적》. b) =WIRELESS SET.

wíreless sèt 무선 전신[전화]기, 라디오 수신기.

wíre nètting 철망.

wire·pull·er [-pùlər] n. Ⓒ ① (인형극의) 꼭두각시 놀리는 사람. ② 흑막《사람》.

wire·pull·ing [-pùliŋ] n. Ⓤ 《美》 이면 공작.

wíre rópe 강철 밧줄, 와이어 로프.

wíre sèrvice 《美》 (뉴스) 통신사.

wire·tap [-tæ̀p] (**-tapped**; **-tap·ping**) vt. (전신·전화)를 도청하다: The house is *wiretapped.* 그 집은 도청되고 있다.

wire-walk·ing [-wɔ̀:kiŋ] n. Ⓤ 줄타기《곡예》.

wíre wóol 《英》 (식기 등을 닦는) 쇠수세미.

wire·worm [´-wə̀ːrm] *n.* Ⓒ 〖蟲〗 방아벌렛과의 애벌레.

wir·ing [wáiəriŋ] *n.* Ⓤ 배선〔가선(架線)〕(공「사).

wiry** [wáiəri] (wir·i·er*** ; ***-i·est***) *a.* ① 철사로 만든 ; 철사 같은 : ~ hair 빳빳한 머리카락. ② (인품·체격 따위가) 강단 있는, 강인한. ③ (음성 등이) 금속성의. ◇ wire *n.* ㊕ **wír·i·ly** *ad.* **-i·ness** *n.*

‡**wis·dom** [wízdəm] *n.* Ⓤ ① 현명함, 지혜, 슬기로움 ; 분별 : have ~ to …할(할 수 있는) 분별이 있다 / He showed great ~ in the act. 그는 정말 슬기롭게 행동했다. ② 학문, 지식 : the ~ of the ancients 옛사람의 지식.

wísdom tòoth 사랑니, 지치(智齒). ***cut*** one***'s wisdom teeth*** 사랑니가 나다 ; 철들 나이가 되다.

†**wise**[1] [waiz] (***wís·er*** ; ***wís·est***) *a.* ① 슬기로운, 현명한, 사려〔분별〕 있는 : a ~ leader 현명한 지도자 / a ~ act 분별 있는 행동 / It was ~ of him to accept the offer. 그가 그 제안을 수락한 것은 현명했다 / A ~ man changes his mind sometimes, a fool never. 현자는 때로 그의 마음을 바꾸지만 어리석은 사람은 결코 바꾸지 않는다. ② 〔敍述的 ; 흔히 比較級으로〕(지금까지 모르던 것을) 알게 되어, 얻은 바가 있어 : They appeared no 〔none the, not much〕 ~*r* for your detailed account. 자네의 자세한 설명을 듣고도 그들은 조금도 사정을 모르는 것 같았다. ③ 박식의, 해박한. ④ 현인 같은 ; 교활한 ; 《美俗》 건방진 : as ~ as a serpent 뱀처럼 교활한. ⑤ 〔敍述的〕 **a)** 《美口》 비밀을 알고 있는, 내막을 눈치채고 있는 : We tried to keep it secret, but they were〔got〕 ~ to it. 비밀을 지키려고 했으나 그들은 그것을 눈치채고 있었다. **b)** (…에) 정통한《*in*》: He's ~ *in* the ways of the world. 그는 세상 물정에 밝다. ◇ wisdom *n.* ***be*** 〔***get***〕 ~ ***to*** 〔***on***〕 《口》 …을 알(고 있)다 : *get* ~ *to* a fraud 속임수를 알아채다, 부정을 깨닫다.

── *vt., vi.* 〔다음 成句로〕. ~ ***up*** 《口》 …에게 알리다《*to; on; about*》, 알다《*to* ; *on*》.

wise[2] *n.* (*sing.*) 《古》 방법, 양식, 식(way) ; 정도. 〔주로 다음의 成句로〕 ***in any*** ~ 아무리 해도, 어떻게 하든. ***in like*** ~ 마찬가지로. (***in***) ***no*** ~ 결코 …아니다〔않다〕. ***in some*** ~ 이럭저럭 ; 어딘가. ***on this*** ~ 이와 같이.

-wise *suf.* '…와 같이 ; …방향으로'의 뜻. ⓒⓕ -ways. ¶ like*wise*.

wise·a·cre [wáizèikər] *n.* Ⓒ 짐짓 아는 체하는 사람, 현자(賢者)연하는 사람.

wise·crack [´-kræ̀k] *n., vi.* 《口》 신랄한〔재치있는〕 말(을 하다), 경구(警句)(를 말하다) : He made some ~ about my lack of culinary ability. 그는 내 요리 솜씨가 부족하다고 좀 빼있는 말을 「했다.

wíse gùy 《口》 아는 체하는 놈.

‡**wise·ly** [wáizli] *ad.* 슬기롭게 ; 현명하게(도) ; 빈틈 없이 : You did ~ desist from further action. 거기서 그만둔 것은 현명한 일이었다.

wíse mán 현인(賢人) : the *Wise Men* of the East =the MAGI.

wíse sáw 금언(金言), 명언(名言).

†**wish** [wiʃ] *vt.* ①《~+目 / +目+前+名》 …을 바라다, 원하다 : ~ aid 원조를 바라다 / I will do whatever you ~. 원하는 일이면 무엇이든 다 하겠습니다 / Polly ~*ed* nothing more *of* her husband. 폴리는 남편에게 더 이상 아무것도 바라지 않았다.

②《+*to* do / +目+*to* do / +(*that*)節 / +目+(*to be*) 補》 …하고 싶다(고 생각하다) ; (아무에게) …해 주기를 바라다 : I ~ *to* master English. 영어에 숙달하고 싶다 / I ~ you *to* come home early. 일찍 귀가해 주기를 바란다 / What do you ~ me *to* do? 무엇을 해주랴 / I ~ it (*to be*) repaired. 그것을 수리해 주기 바란다 / I ~ (*that*) you *would* be quiet. 제발 좀 조용히 해다오.

③《+(*that*)節》〔假定法을 수반하여〕 …하면 〔…했으면〕 좋겠다고 여기다《사실과 반대되는 사태에 대한 소원》: I ~ I *were* rich. 내가 부자라면 좋겠는데 / I ~ (*that*) it *would* not rain. 비가 안 오면 좋겠는데 / I ~ 〔~*ed*〕 I *had* met her. 그녀를 만났으면 좋았을 텐데 하고 생각한다〔생각하였다〕 / I ~ 〔~*ed*〕 my dream *would* come true. 내 꿈이 실현되면 좋겠는데 하고 생각한다〔생각하였다〕.

④《+目+目 / +目+前+名》(아무의 행복·건강 따위)를 빌다, 원하다 ; (작별 등)의 인사를 하다 : I ~ you success 〔good luck〕. 성공〔행운〕을 빕니다 / He ~*ed* me good-bye 〔farewell〕. 그는 내게 작별 인사를 했다 / ~ a person well 〔ill〕 아무의 행복〔불행〕을 빌다 / He ~*es* you well. 그는 자네가 행복하기를 빌고 있다. 《★ 마지막 2개의 보기에서 well, ill은 목적어》.

⑤《+目+前+名》(자기가 싫은 것을) …에게 억지로 떠맡기다《*on, upon*》: ~ a hard job *on* a person 아무에게 힘든 일을 억지로 떠맡기다.

── *vi.* ①《~ / +前+名》 원하다, 바라다《*for*》: He ~*ed for* a new car. 그는 새 자동차를 (갖기를) 원했다 / I have nothing left to ~ *for*. 더 바랄 것은 아무 것도 없다. ②《+前+名》 빌다, 기원하다《*on, upon*》: ~ *on* a falling star 유성(流星)에게 빌다. ⓒⓕ want, desire, hope.

── *n.* ⓊⒸ ① 소원, 소망, 바람 : I hope you will grant my ~. 내 소망을 용납해 주기 바란다 / His ~ is for more money. 그는 더 많은 돈을 바라고 있다. ② (*pl.*) 호의, 행복을 비는 마음 : Give your wife my best ~*es*. 부인에게 안부 전하여 주십시오. ③ (종종 *pl.*) 의뢰, 요청, 희망 : against one's ~*es* 희망에 반하여 / to one's ~*es* 희망대로 / In accordance with his ~*es* he was burried next to his wife. 소원에 따라 그는 아내의 옆에 묻혔다 / disregard the ~*es* of others 남의 요청을 무시하다. ④ Ⓒ 바라는 것, 원하는 것 : I have got my ~. 바라던 것을 이루었다. ***good ~es*** 행복을 비는 마음, 호의. ***with best ~es*** 행복〔성공〕을 빌며《편지를 끝맺는 말 ; with every good wish 라고도 함》.

wish·bone [wíʃbòun] *n.* Ⓒ (새의 가슴 뼈 앞에 있는 Y자 형의) 창사골(暢思骨)《새요리를 먹을 때 이 뼈의 양끝을 당겨 긴쪽을 가진 사람은 소원이 이루어진다고 함》.

wish·er [wíʃər] *n.* Ⓒ 희망자, 원〔기원〕하는 사람 : a well-~ 남의 행복을 비는 사람.

***wish·ful** [wíʃfəl] *a.* 원하는, 바라고 있는《*to* do》; 탐내는 듯한《눈짓 따위》; 희망에 따른. ㊕ **~·ly** [-fəli] *ad.* **~·ness** *n.*

wíshful thínking 희망적 관측(해석).

wísh·ing wèll [wíʃiŋ-] 동전을 던져 넣으면 소망이 이루어진다는 우물.

wish·y-washy [wíʃiwɑ̀ʃi / ´-wɔ̀ʃi] *a.* 묽은, 멀건《수프 따위》; 시시한《이야기 따위》; 맥빠진 ; 하찮은 ; (성격 등) 유약한, 박력이 없는.

wisp [wisp] *n.* Ⓒ ① (볏짚 따위의) 작은 단 ; (머리카락 따위의) 작은 다발《*of*》: a ~ *of* hair 한 줌의 머리카락. ② 작은 물건, 가느다란 것〔사람〕: a mere ~ of a woman 가냘픈 몸매의 여자. ③ (연기·구름 따위의) 조각, 한줄기 : blue ~*s* of cigarette smoke 몇 줄기의 파란 담배 연기.

wispy [wíspi] (***wisp·i·er; -i·est***) *a.* ① 작게 다발지은, 한 줌의. ② 가냘픈.

***wis·tar·ia, -te·ria** [wistí:riə, -téər-], [-tíəriə] *n.* Ⓤ,Ⓒ 【植】 등나무(류).

***wist·ful** [wístfəl] *a.* ① 탐내는 듯한 : ~ eyes 탐내는 듯한 눈. ② 생각에 잠기는 : in a ~ mood 생각에 잠겨. ⓟ **~·ly** [-fəli] *ad.* **~·ness** *n.*

‡wit [wit] *n.* ①Ⓤ (또는 *pl.*) 기지, 재치, 위트 : an essay full of ~ 기지가 충만한 수필 / ready ~ 재치 / have quick〔slow〕 ~*s* 두뇌 회전이 빠르다〔느리다〕 / set one's ~*s* to work 머리를 쓰다. ② Ⓒ 재치있는 사람, 재사. ③Ⓤ (종종 *pl.*) 지혜, 이지, 이해력 : The little child had not the ~*s* to cry for help. 그 어린애는 소리 질러 도움을 구할 만한 지혜가 없었다. ④ (*pl.*) 제 정신 : lose 〔regain〕 one's ~*s* 제 정신을 잃다〔되찾다〕. ***at one's ~'s*** 〔***~s'***〕 ***end*** 어찌할 바를 몰라 : I am *at my ~s' end* for money〔an idea〕. 돈줄이 막혀〔묘안이 없어〕 애먹고 있다. ***have*** 〔***keep***〕 one***'s ~s about*** one (어떤 위기에도 대처할 수 있도록) 냉정을 잃지 않다. ***in*** one***'s*** (***right***) ***~s*** 본정신으로. ***live by*** 〔***on***〕 one***'s ~s*** (노력을 않고) 잔재주로 이럭저럭 둘러 맞추다. ***out of*** one***'s ~s*** 제정신을 잃고. ***pit one's ~s against*** a person 아무와 지혜 겨루기를 하다.

‡witch [witʃ] *n.* Ⓒ ① 마녀, 여자 마법〔마술〕사. ⓒⓕ wizard. ¶ a white ~ 좋은 일을 하는 마녀. ② 추악한 노파. ③《口》 매혹적인 여자, 요부.

witch·craft [wítʃkræ̀ft / -krɑ̀:ft] *n.* Ⓤ 마법, 요술, 주술 ; 마력.

wítch dòctor (특히 아프리카 원주민 등의) 마법사, 주술사(呪術師).

witch·ery [wítʃəri] *n.* =WITCHCRAFT.

wítches' Sábbath (1년에 한 번 깊은 밤에 여는) 악마들의 연회〔주연〕.

wítch házel 【植】 (북미산) 조롱나무의 일종 ; 그 껍질·잎에서 채취한 약물《외상용(外傷用)》.

witch-hunt [∸hʌ̀nt] *n.* Ⓒ ① 마녀 사냥. ② 정적(政敵)에 대한 중상〔박해〕.

witch·ing [wítʃiŋ] *a.* 〔限定的〕 마력이 있는 ; 매혹하는. ***the ~ time of night*** =***the ~ hour*** 마녀들이 활동하는 시각 ; 한밤중.

†with [wið, wiθ] *prep.* **A)** ＜對立·隨伴＞ ① 〔대립·적대〕 …와, …을 상대로 ; …에 반대하여 : compete 〔fight〕 ~ a person 아무와 경쟁하다〔싸우다〕 / struggle ~ an enemy 〔a disease〕 적〔질병〕과 싸우다 / He had a quarrel ~ Bill. 그는 빌과 말다툼〔언쟁〕했다 / I had a race ~ him. 그와 달리기를 했다.

② 〔수반·동반〕 …와 (함께), …와 같이〔더불어〕, …을 데리고 ; …의 집에(서): live ~ a family 어떤 가정에 동거하다 / stay ~ a friend 친구 집에 머물다 / drink 〔discuss literature〕 ~ one's friends 친구들과 함께 마시다〔문학 토론을 하다〕 / I took my children ~ me. 아이들을 데리고 갔다 / The ball, (together) ~ two rackets, was〔×were〕 lost. 공이 두 개의 라켓과 함께 없어졌다.

③ **a)** 〔소속·근무〕 …의 일원으로, …에 근무하여 : She has been ~ a publishing company (for) three years. 그녀는 출판사에 3년 근무하고 있다 / She is an air hostess ~ KA. 그녀는 대한 항공의 스튜어디스로 일하고 있다. **b)** 〔포함〕 …을 포함하여, …을 합하여 : It is $10 ~ tax. 그것은 세금을 포함해서 10달러이다 / *With* the maid, the family numbers nine. 가정부를 합해서 가족은 아홉 사람이다.

④ **a)** 〔일치·조화〕 …와 일치되어, …와 같은 의견으로 ; …에 맞아〔적합, 조화하여〕 : I agree ~ you on that point. 그 점에 있어서는 너에게 동의한다 / The ties goes ~ your jacket. 그 넥타이는 자네의 상의와 잘 어울린다 / That accords ~ what I saw. 그건 내가 본 것과 일치한다. **b)** 〔동조·찬성〕 …에 찬성하고, …에 : vote ~ the Liberals 자유당에 투표하다 / Are you ~ us or against us? 《口》 자넨 우리에게 찬성인가 반대인가. **c)** 〔흔히 否定·疑問文에서〕《be의 補語가 되는 句를 이끎》 …의 말을 이해할 수 있어 : Are you ~ me so far? 이제까지 내가 한 말 알아들으셨습니까 / Sorry I'm *not* ~ you ; you are going too fast. 죄송하지만 말씀을 알아들을 수가 없습니다, 말씀이 너무 빨라서요.

⑤ 〔동시·같은 정도·같은 방향〕 …와 동시에, …와 같이 〔함께, 더불어〕, …에 따라(서) : rise ~ the sun 〔lark〕 해돋이〔종달새〕와 함께 일어나다 / grow wise ~ the age 나이가 듦에 따라 현명해지다 / *With* the development of science, the pace of life grows swift. 과학의 발달에 따라 생활의 템포는 빨라진다 / row ~ the current (물의) 흐름을 따라 젓다 / go ~ the tide of public opinion 여론의 흐름에 따라가다.

⑥ 〔분리 ; 특정한 動詞에 수반되어〕 …와 (떨어져), …에서 (떠나) : break ~ the party 당을 이탈하다 / break ~ the past 과거를 버리다 / part ~ money 돈을 (마지못해) 내주다 / Let us dispense ~ ceremony. 의례적인 것은 그만둡시다.

B) ＜所有＞ ① 〔소유·소지·구비〕 **a)** …을 가지고 (있는), …을 가진, …이 있는(ⓞⓟⓟ *without*) : an animal ~ horns 뿔이 있는 동물 / a girl ~ blue eyes 푸른 눈을 가진 소녀 / a can ~ a hole in the bottom 바닥에 구멍이 난 깡통 / a man ~ a knowledge of the computer 컴퓨터의 지식이 있는 사람 / She is ~ child. 그녀는 임신하고 있다 / I want a house ~ a large garden. 넓은 뜰이 딸린 집을 원한다. **b)** …이 있으면, …을 얻어서 : *With* her permission, he went out. 그녀의 허가로 그는 나갔다.

② 〔휴대〕 …의 몸에 지니고《on보다 일반적》: I have no money ~ 〔on〕 me. 갖고 있는 돈이 없다 / Take an umbrella ~ you. 우산을 가지고 가거라 / He always carries a camera ~ him. 그는 늘 카메라를 지니고 다닌다.

③ 〔부대(附帶) 상황〕 …한 상태로, …하고, …한 채, …하면서《(1) 보통 with+명사+보어(形容詞·分詞·副詞語句·前置詞句 따위)의 형태를 취함. (2) with는 종종 생략되는데 이 때 冠詞·所有格 따위도 생략될 때가 있음》: speak ~ a pipe in one's mouth 파이프를 입에 물고 이야기하다(= speak pipe in mouth) / Mary left the kitchen ~ the kettle boiling. 메리는 물이 끓는 주전자를 그대로 놓아 둔 채 부엌을 나갔다 / They stood there ~ their hats off 〔on〕. 그들은 모자를 벗고〔쓴 채〕 거기 서 있었다 / *With* night coming on, we closed our shop. 밤이 다가와서 가게를 닫았다《with를 생략하면 독립 분사 구문》 / He was at a loss ~ all his money stolen. 돈을 몽땅 도둑맞고 그는 어찌해야 좋을지 몰랐다.

④ 〔양태〕 …으로(써), …하게, …히《보통 추상 명사와 더불어 副詞句를 만듦》: ~ ease 수월히(= easily) / ~ diligence 부지런히(=diligently) / He did it ~ confidence. 그는 확신을 가지고 그것을 했다 / She greeted me ~ a smile. 그녀는 미소를 띠우며 인사했다 / They listened to us ~ (a) surprising calmness. 그들은 놀라울 만큼 침착하게 우리 이야기를 들었다 / ~ (great) difficulty (몹시) 힘들여, 겨우.

⑤ 〔관리·위탁〕 **a)** (아무)의 손에, …에 맡기어 :

leave a child ~ a nurse 아이를 유모에게 맡기다 / He entrusted me ~ his car. 그는 차를 나에게 맡겼다(=He entrusted his car to me.). **b**) (책임·결정 따위가 아무)에게 달려〔있어〕: It rests ~ you to decide. 결정권은 자네에게 달려 있네 / The responsibility rests ~ 〔on〕 us. 그 책임은 우리에게 있다.

C) 《手段·材料·原因》

① 〔도구·수단〕 …(으)로, …을 사용하여 : cut meat ~ a knife 나이프로 고기를 썰다 / light a house ~ electricity 전기로 집을 밝히다 / They communicate constantly ~ their eyes. 그들은 끊임없이 눈으로 의사를 통하고 있다 / I have no money to buy it (~). 그것을 살 돈이 없다《구어에서는 종종 with가 생략됨》.

② 〔이유·원인〕 …으로 인해, …때문에, …탓으로 : shake 〔shiver〕 ~ cold 추위로 떨다 / tremble ~ fear 공포로〔에〕 떨다 / She is in bed ~ a fever. 그녀는 열이 있어 자리에 누워 있다 / I was silent ~ shame. 창피해서 잠자코 있었다.

③ **a**) 〔양보 ; 종종 ~ all 로〕 …에도 불구하고, …이 있으면서도 : *With all* his wealth, he is still unhappy. 그만한 부(富)를 가졌는데도 그는 여전히 불행하다 / *With* the best of intentions, he made a mess of the job. 성심성의로써 했는데도 그는 그 일을 잡쳐놓았다. **b**) 〔제외〕 …한 점을 제외하면, …한 점 외에는 : These are very similar, ~ one important difference. 이것들은 한 가지 중요한 점을 제외하면 아주 비슷하다.

④ 〔재료·성분·내용물〕 …(으)로, …을 : a truck loaded ~ coal 석탄을 잔뜩 실은 트럭 / fill the bottle ~ water 병에 물을 채우다 / make a cake ~ eggs 달걀로 케이크를 만들다 / provide us ~ milk 우리에게 우유를 공급하다(=provide milk for us) / He is overwhelmed ~ work. 그는 산더미 같은 일에 묻혀 있다.

D) 《對象·關聯》

① **a**) 〔접촉·교섭·결합 따위〕 …와, …을, …에 : join one end ~ the other 한쪽 끝을 다른 한 끝에 잇다 / deal ~ the company 그 회사와 거래를 하다 / We are acquainted 〔friendly〕 ~ him. 우리는 그를 잘 알고 있다〔그와 친교가 있다〕 / We are always in touch ~ them. 우리는 항상 그들과 연락을 취하고 있다. **b**) 〔혼합·혼동〕 …와, …을 가하여〔섞어, 타〕 : dilute alcohol ~ water 알코올을〔에〕 물로〔물을 타서〕 묽게 하다 / mix whisky ~ water 위스키에 물을 타다.

② 〔관련·관계〕 …와(의) ; …에 대〔관〕하여 ; …에 있어서(는) : our relationship ~ the neighboring countries 우리나라와 인접한 여러 나라와의 관계 / I have nothing to do ~ that affair 〔group〕. 나는 그 사건과는〔그룹과는〕 관계가 없다 / It's all right ~ me. 나에겐 이의(異議)가 없다 / The first object ~ him is to rise in the world. 그의 첫째 목표는 출세하는 것이다(=His first object is....) / What's wrong 〔the matter〕 ~ you? 어떻게 된 건가 / *With* God nothing is impossible. 신에게 불가능(한 것)이란 없다.

③ 〔대상〕 **a**) 〔감정·태도의〕 …에 대해서, …에(게) : be angry 〔frank, gentle〕 ~ a person 아무에게 성을 내다〔솔직히 하다, 상냥하게 하다〕 / sympathize ~ her 그녀에게 동정하다 / They are in love ~ each other. 그들은 서로 사랑하는 사이다. **b**) 〔비교의〕 …와 : compare the translation ~ the original 번역을 원문과 비교하다 / I've got nothing in common ~ my brother. 나는 아우와 공통되는 점이 하나도 없었다. **c**) 〔종사·연구의〕 …을 대상으로, …을 : a book dealing ~ overpopulation 과잉 인구에 관한 책 / work ~ poultry 양계를 하다 / These psychologists are working ~ children. 이 심리학자들은 어린이들을 연구하고 있다. **d**) 〔up, down, in, out, off 따위 방향의 副詞 다음에서 命令文으로〕 …을 : *Down* ~ the dictator! 독재자 타도 / *Out* 〔*Away*〕 ~ him! 그를 내쫓아라 / *Up* ~ the anchor! 닻을 올려라 / *Off* ~ your coat. 코트를 벗으시오.

what ~ (A) (***and***) ***what*** ~ (B) ⇨WHAT. ~ ***it*** 《俗》 (1) (복장·사상·행동 등이) 시대〔유행〕의 최첨단을 걸어, 최신식인. (2) 그 위에, 게다가(as well). (3) 잘 알고〔이해하고〕. ~ ***that*** =THEREUPON. ~ ***this*** =HEREUPON.

with- *pref.* '대하여, 향하여, 떨어져, 역(逆), 반대'의 뜻 : *with*stand.

with·al [wiðɔ́:l, wiθ-] 《古》 *ad.* 그 위에, 더욱이 : She was a scholar, and a wise lady ~. 그녀는 학자인데다 총명한 부인이기도 했다.
── *prep.* 〔항상 文尾에 두어 ; 흔히 疑問文·否定文으로〕 …으로써(with) : What shall he fill his belly ~ ? 그는 무엇으로써 배를 채울 것인가.

‡**with·draw** [wiðdrɔ́:, wiθ-] (**-*drew*** [-drú:] ; **-*drawn*** [-drɔ́:n]) *vt.* ① 《~+目 / +目+前+名》 (손 따위)를 움츠리다 : ~ one's hand *from* the hot pot 뜨거운 냄비에서 손을 움츠리다 / ~ the curtain 커튼을잡아당기다〔열다〕. ② 《~+目 / +目+前+名》 (통화·서적 등)을 회수하다 : ~ dirty bank notes *from* circulation 유통 중인 오손된 지폐를 회수하다. ③ 《~+目 / +目+前+名》 …을 거두다, 물러나게 하다, 철수하다 ; (군대)를 철수시키다 ; (돈)을 인출하다 ; (시선 따위)를 딴 데로 돌리다《*from*》 : ~ a boy *from* school 소년을 퇴교시키다 / ~ troops *from* a position 군을 진지에서 철수시키다 / ~ money *from* the bank 은행에서 돈을 찾다. ④ (제의·신청 등)을 철회하다 ; 취소하다 ; (소송)을 취하하다 : ~ one's resignation 사표를 철회하다 / ~ a promise 약속을 취소하다. ⑤ 《+目+前+名》 (은혜·특권 등)을 박탈하다《*from*》 : The college *withdrew* a scholarship *from* him. 대학은 그에 대한 장학금 지급을 중단했다.
── *vi.* ① 《~ / +前+名》 물러나다, 퇴출하다《*from*》 : After dinner the ladies *withdrew*. 회식 후에 부인들은 물러났다 / ~ *from* a person's presence 아무의 면전에서 물러나다 / ~ *from* politics 정계에서 물러나다. ② (군대가) 철수하다, 거두어 물러나다 : All the troops *withdrew*. 전군이 철수했다. ③ 《+前+名》 탈퇴하다, 탈회하다《*from*》 : ~ *from* a society 탈회하다 / ~ *from* a competition 시합을 기권하다. ④ 동의(動議)를 〔제안을〕 철회하다. ~ ***into*** one***self*** 자폐(自閉)상태가 되다.

***with·draw·al** [wiðdrɔ́:əl, wiθ-] *n.* U,C ① 움츠러들임 ; 움츠림 ; 물러남 ; 퇴학, 탈퇴. ② (예금·출자금 등의) 되찾기, 회수. ③ 철수, 철퇴, 철병. ④ 취소, 철회 ; (소송의) 취하.

***with·drawn** [wiðdrɔ́:n, wiθ-] WITHDRAW의 과거분사. ── *a.* ① 깊숙히 들어간, 인가에서 떨어진. ② (사람이) 집안에 틀어박힌 ; 내성적인.

***with·drew** [-drú:] WITHDRAW의 과거.

withe [wiθ, wið, waið] (*pl.* **~*s*** [-θs, -ðz]) *n.* C (장작을 묶거나 바구니를 짜는) 가는 버들가지.

‡**with·er** [wíðər] *vi.* ① 《~ / +副》 시들다, 이울다, 말라〔시들어〕 죽다《*up*》 : The flowers ~*ed up* 〔*away*〕. 꽃이 시들었다. ② 《~ / +副 / +前+名》 (애정·희망 등이) 시들다, 희미해지다《*away*》 : Her affections ~*ed*. 그녀의 애정은 식었다 / She could see her beauty ~*ing away*. 자

신의 아름다움이 시들어 가는 것을 볼 수 있었다.
— *vt.* ①《~+目/+目+副》…을 시들게 하다, 이울게 하다: The heat of the day has ~*ed* (*up*) the grass. 대낮의 열기로 풀이 시들었다 / Age cannot ~ her. 세월도 그녀의 미색을 시들게 하지는 못한다. ②《+目+전+명》…을 움츠러들게 하다; 위축시키다: ~ a person *with* a look 한 번 노려보아 아무를 움츠러들게 하다.

with·er·ing [wíðəriŋ] *a.* ① 생기를 잃게 하는, 시들게 하는: a ~ drought 초목을 시들게 하는 가뭄. ② 위축시키는, 기를 죽이는: a ~ glance 기를 죽이는 눈초리 / ~ remarks 주눅들게 하는 말.

with·ers [wíðərz] *n. pl.* (주로 말의) 양어깨 뼈 사이의 융기.

with·hold [wiðhóuld, wiθ-] (*p., pp.* ***-held*** [-héld]) *vt.* 《~+目/+目+전+명》① …을 주지〔허락하지〕 않고 두다, (승낙 등)을 보류하다: ~ one's payment (consent) 지급〔승낙〕을 보류하다 / ~ an important fact *from* a person 아무에게 중대한 사실을 알리지 않다. ② **a**) …을 억누르다, 억제하다, 말리다: ~ one's laughter 웃음을 참다 / The captain *withheld* his men *from* the attack. 대장은 부하들을 제지하여 공격하지 못하게 했다. **b**)〔再歸的〕자제하다. ③ (세금 등)을 원천 징수하다.

with·hóld·ing tàx [wiðhóuldiŋ-, wiθ-]《美》원천 과세〔징수〕(액).

†with·in [wiðín, wiθ-] *prep.* ① …의 안쪽에〔으로〕, …의 내부에〔로〕: The noise seems to be coming from ~ the building. 소리는 건물 안에서 나는 것 같다 / keep ~ doors 옥내(屋內)에서 지내다. ② (기간·거리가) …이내에: ~ two hours, 2시간 이내에 / ~ a few miles of London 런던에서 수 마일 이내에. ③ …의 범위 안에, …을 할 수 있는 곳에(서): live ~ one's income 수입의 테두리 안에서 살아가다 / ~ one's power 자기의 힘이 미치는 범위 안에서 / ~ reach (of the hand) 손 닿는 곳에 / ~ my reach 나의 손〔힘〕이 미치는 곳에 / ~ sight of land 뭍이 보이는 곳에. ***keep ~ bounds*** 범위를 넘지 않(게 하)다. (be true) ~ ***limits*** 어느 정도(진실이다). ~ one***self*** 마음속으로: pray ~ *oneself* 마음속으로 기도하다.
— *ad.* ① 안에〔으로〕; 안쪽에; 내부〔옥내〕에. opp. *without.* ¶ He went ~. 그는 집〔방〕 안으로 들어갔다. ② 마음 속으로: She is pure ~. 그녀는 마음이 깨끗한 사람이다. ~ ***and without*** 안에도 밖에도, 안팎이 모두: ~ *and without* the castle 성곽의 안팎에.
— *n.* Ⓤ〔흔히 from ~ 으로〕내부: Seen *from* ~, the cave looked lager. 안에서 보니 동굴은 더 커보였다.

with-it [wíðit, wíθ-] *a.* (옷이) 최신식의, 유행하는: He was wearing a very ~ looking tie. 그는 아주 최신형의 넥타이를 매고 있었다.

†with·out [wiðáut, wiθ-] *prep.* ① …없이, …이 없는, …을 갖지 않고; …이 없어도: ~ (a) reason 이유도 없이 / He went out ~ a hat. 모자를 쓰지 않고 외출했다 / No smoke ~ fire. 아니땐 굴뚝에 연기날까 / I can do it ~ your help. 너의 도움 없이도 그것을 할 수 있다 / The situation is bad enough ~ his interference. 그의 방해가 없었어도 사태는 이미 어지간히 악화되었다.
②〔假定의 뜻을 함축시켜서〕…없이는, …이 없(었)다면(but for): *Without* your help, I couldn't do anything. 너의 도움이 없다면 아무것도 하지 못할 것이다 / It's impossible to live ~ food. 음식물이 없으면 살 수 없다.
③〔動名詞를 수반하여〕(—이) …하지 않고: She went away ~ tak*ing* leave. 그녀는 작별 인사도 없이 가버렸다 / No one can pass in or out ~ be*ing* seen. 몸이 보이지 않게는 아무도 출입할 수 없다 / They never meet ~ quarrel*ing*. 그들은 만나면 반드시 싸운다.
do 〔***get***〕 ~ a thing 〔a person〕 …없이 때우다〔지내다〕: We cannot *do* ~ him. =He cannot be *done* ~. 그가 없이는 해나갈 수 없다; 그는 꼭 필요한 인물이다. ***It goes ~ saying that*** .... …은 말할 나위도 없다: *It goes ~ saying that* if someone has lung problems they should not smoke. 폐(肺)에 문제가 있는 사람이라면 담배를 피워서는 안된다는 것은 말할 나위도 없다. ***times ~ number*** ⇨TIME. ~ ***difficulty*** 쉽게. ~ ***doubt*** 확실히: This is ~ (a) *doubt* the best Chinese food I've ever had. 이것은 확실히 내가 먹어본 중국 음식 중에서 가장 훌륭한 것이다. ~ ***fail*** 꼭, 반드시. ~ ***mercy*** 사정〔용서〕 없이, 무자비하게.
— *ad.* ①《古·文語》밖에, 외부에(는). ②《口》없이: If there's no sugar we'll have to do〔manage〕~. 설탕이 없으면 없는대로 해야겠다.
— *n.* Ⓤ〔흔히 from ~ 으로〕외부; 외면: The door opened *from* ~. 문이 밖으로부터 열렸다.

:with·stand [wiðstǽnd, wiθ-] (***-stood*** [-stúd]) *vt.* ① …에 저항하다, …에 반항〔거역〕하다: ~ temptation 유혹에 저항하다. ② (곤란 등)에 잘 견디다, 버티다.
— *vi.* 반항〔저항〕하다; 잘 견디다, 버티다.

withy [wíði] *n.*《英》=WITHE.

wit·less [wítlis] *a.* ① 지혜〔재치〕 없는; 분별이 없는; 어리석은(foolish). ② 정신이 돈, 미친.

:wit·ness [wítnis] *n.* ① Ⓤ 증언: give ~ in a law court 법정에서 증언하다. ② Ⓒ 증인, 목격자: be a ~ of an event 어떤 사건의 목격자다. ③ Ⓒ (거래·협정의) 입회인: be a ~ of a transaction 어떤 거래의 입회인이 되다. ④ Ⓒ 증거(가 되는 것)《*of; to*》: His silence was (a) ~ *of* his ignorance. 그의 침묵은 무지의 증거였다. ***bear ~ to*** 〔***of***〕 …을 입증하다; …의 증인이〔증거가〕 되다: His friends will *bear* ~ *to* his innocence. 그의 친구들이 그의 무죄를 입증할 것이다. ***call*** 〔***take***〕 ... ***to*** ~ …에게 증명을 청하다, …를 증인으로 내세우다: I *call* Heaven *to* ~ that ... …이 거짓이 아님은 하늘도 아신다.
— *vt.* ① …을 목격하다, 눈앞에 보다: Many people ~*ed* the accident. 그 사고를 목격한 사람은 많았다. ②《~+目/+*that* 절》…을 증언하다; 입증하다; …의 증거가 되다: His composure ~*es* his innocence. 그의 침착한 태도는 그의 무죄를 입증하고 있다 / He ~*ed that* it was the driver's fault. 그는 그것이 운전사의 과실임을 증언했다. ③ …에 입회하다; (증인으로서) …에 서명하다: ~ a document 증인으로서 증서에 서명하다.
— *vi.* 《~/+전+명》 증언〔증명, 입증〕하다《*to*》: ~ *to* having seen it 그것을 보았다고 증언하다 / These acts ~ *to* his essential goodness. 이들 행위는 그가 본질적으로 선량함을 입증하고 있다. ~ ***for*** 〔***against***〕 a person 아무에게 유리〔불리〕한 증언을 하다.

wit·ness-box [-bàks / -bɔ̀ks] *n.*《英》= WITNESS STAND.

wítness stànd《美》(법정의) 증인석.

wit·ted [wítid] *a.*〔흔히 複合語로〕재지(才智)가〔이해력이〕 …한: keen-~ 두뇌가 명석한.

wit·ter [wítər] *vi.*《英口》하찮은 일을 장황하게 지껄이다《*on*》.

wit·ti·cism [wítəsìzəm] *n.* Ⓒ 재치있는 말; 재담, 익살, 명언; 경구(警句).

wit·ting [wítiŋ] *a.* 《稀》 의식하고서〔알고서, 고의〕의. ㊕ **~·ly** *ad.*

***wit·ty** [wíti] (**-ti·er ; -ti·est**) *a.* 재치〔기지〕 있는 ; 재담을 잘하는. ㊕ **-ti·ly** *ad.* **-ti·ness** *n.*

***wives** [waivz] WIFE 의 복수.

wiz [wiz] *n.* 《口》 천재, 귀재. [◂ *wiz*ard]

***wiz·ard** [wízərd] *n.* Ⓒ ① (남자) 마법사. cf. witch. ② 《口》 비상한 재능을 가진 사람, 귀재(鬼才), 천재《*at*》: a ~ *at* chess. ── *a.* ① 마법사의 ; 마법의. ② 《英俗》 훌륭한.
㊕ **~·ly** *a.* 마법사 같은 ; 초현실적인.

wiz·ard·ry [wízərdri] *n.* Ⓤ 마법, 마술, 묘기.

wiz·en(ed) [wízən(d)] *a.* ① (과일 등이) 시든 : a ~ apple (시들어) 쭈글쭈글한 사과. ② (사람·얼굴 등이) 몹시 여윈.

wk(s). week(s). **w.l.** wavelength. **Wm.** William. **WMO** World Meteorological Organization. **WNW, W.N.W.,** west-north-west.

wo [wou] *int.* =WHOA ; 《美俗》 와아, 야아.

W.O., WO 《英》 War Office ; Warrant Officer.

woad [woud] *n.* Ⓤ 〖植〗 대청(大靑)《유럽산 ; 미나릿과의 관상 식물》; 대청《청색 물감》.

wob·ble [wábəl / wɔ́bəl] *vi.* 《~ / +副 / +前+名》 ① (의자 따위가) 흔들리다, 흔들흔들하다. ② (사람이) (정책이나 기분 등으로) 동요하다, 불안정하다《*in*》: I ~*d in* my opinion. 나는 의견을 확정짓기 어려웠다. ── *vt.* …을 흔들리게 하다. ── *n.* Ⓒ (흔히 *sing.*) 비틀거림, 흔들림, 동요 ; (정정(政情) 따위의) 불안정. ㊕ **~r** *n.* Ⓒ 비틀거리는 사람〔물건〕; 생각〔주관〕이 일정하지 못한 사람. **-bling** [-iŋ] *a.* 비틀〔흔들〕거리게 하는.

wob·bly [wábli / wɔ́b-] (**-bli·er ; -bli·est**) *a.* 흔들리는, 불안정한 : a ~ chair. ② (선(線)이) 파상(波狀)의, 물결 모양의. ③ 주견(主見)이 없는.

Wo·den [wóudn] *n.* 워든《앵글로색슨족의 주신(主神) ; 북유럽 신화의 Odin 에 해당》.

wodge [wadʒ] *n.* Ⓒ 《英口》 큰 덩어리《*of*》.

‡woe [wou] *n.* ① 《古·文語》 Ⓤ 비애, 비통 ; 고뇌 : a tale of ~ 처량한 팔자타령. cf. grief, sorrow. ② (흔히 *pl.*) 화, 재난. ── *int.* 슬프다.
Woe (be) to . . . ! =***Woe betide . . . !*** …에 화가 있으라. ***Woe to* [*is*] *me !*** 아아 슬프도다.

wo(e)·be·gone [wóubigɔ̀(ː)n, -gàn] *a.* 슬픔에 잠긴, 수심에 찬.

***woe·ful** [wóufəl] *a.* ① 슬픈 ; 비참한, 애처로운 ; 홍한. ② (무지(無知)의 정도가) 심한, 한심한.
㊕ **~·ly** [-i] *ad.*

wok [wak / wɔk] *n.* Ⓒ 중국 냄비.

‡woke [wouk] WAKE[1] 의 과거·《稀》 과거분사.

wok·en [wóukən] WAKE[1] 의 과거분사.

wold [would] *n.* Ⓤ,Ⓒ (불모(不毛)의 넓은) 고원 ; 원야(原野).

†wolf [wulf] (*pl.* ***wolves*** [wulvz]) *n.* Ⓒ ① 〖動〗 이리 ; Ⓤ 이리 가죽 : (as) greedy as a ~ 이리처럼 탐욕스런 / To mention the ~*'s* name is to see the same. 《俗談》 호랑이도 제 말 하면 온다. ② 탐욕스런〔잔인한〕 사람. ③ 《俗》 여자 궁둥이를 쫓아 다니는 남자, 색마, '늑대'. ④ (늑대처럼) 탐욕한 사람. ⑤ 〖樂〗 (현악기의) 귀에 거슬리는 소리. ⑥ (the W-) 〖天〗 이리자리(Lupus). ***a ~ in sheep's clothing*** ⇨ SHEEP. ***cry ~ (too often)*** 함부로 거짓 경고를 발하다《그 결과 남이 믿지 않게 됨 ; 이솝 이야기에서》: Is she really sick or is she just *crying ~?* 그녀는 정말 병석에 있느냐 아니면 단지 그런 소문뿐인가. ***have* [*hold*] *a ~ by the ears*** 진퇴양난〔궁지〕에 빠지다. ***keep the ~ from the door*** 겨우 굶주림을 면하다. ***throw . . . to the wolves*** …을 태연히 죽게 내버려 두다, 희생시키다. ***wake a sleeping ~*** 긁어 부스럼을 만들다. ── *vt.* 《~+目 / +目+副》 …을 게걸스럽게 먹다《*down*》: ~ *down* scraps 먹다 남은 음식을 게걸스럽게 먹다.

wolf·fish [wúlffiʃ] *n.* Ⓒ 〖魚〗 (강한 이를 가지고 있는 탐욕스런) 베도라치류(類).

wolf·hound [wúlfhàund] *n.* Ⓒ 울프하운드《옛날에 이리 사냥에 쓴 사냥개》.

wolf·ish [wúlfiʃ] *a.* 이리 같은 ; 욕심 많은, 잔인한. ㊕ **~·ly** *ad.* **~·ness** *n.*

wolf·ram [wúlfrəm] *n.* Ⓤ,Ⓒ 〖化〗 볼프람, 텅스텐(tungsten)《기호 W : 번호 74》.

wolf·ram·ite [wúlfrəmàit] *n.* Ⓤ,Ⓒ 〖鑛〗 볼프람 철광, 철망간 중석《텅스텐 원광》.

wólf whìstle 매력적인 여성을 보고 부는 휘파람.

wol·ver·ine [wùlvəríːn, ⌐-⌐] *n.* Ⓒ 〖動〗 오소리의 무리(carcajou)《북아메리카산》; Ⓤ 그 모피.

Wólverine Státe (the ~) Michigan주의 속칭.

***wolves** [wulvz] WOLF 의 복수.

†wom·an [wúmən] (*pl.* ***wom·en*** [wímin]) *n.* ① Ⓒ 여자, (성인) 여성, 부인 : the new ~ 신여성 / a single ~ 독신여성 / She is no longer a girl, but a ~. 그녀는 아이가 아니고 이미 어른이다 / There's a ~ in it. 범죄 이면엔 여자가 있다 / *Women* first got the vote in Britain in 1918. 여성들은 1918년 영국에서 처음으로 투표권을 획득했다. ② 〔冠詞없이, 單數취급〕 여성《남성에 대한》: *Woman* is not always weaker than man. 여자가 남자보다 반드시 약한 것은 아니다 / ~*'s* wit 여자의 지혜《본능적 통찰력》. ③ (the ~) 여자다움 : It stirred *the* ~ in her. 그것으로 그녀의 여심(女心)은 눈떴다 / There is little of *the* ~ in her. 여자다운 데가 거의 없다. ④ 《俗》 **a)** Ⓒ 아내, 처. **b)** (노했을 때 등에 아내에 대한 호칭으로) 이봐, 여봐 : Come here, ~. 이봐, 이리 와. ⑤ Ⓒ 《口》 청소부, 잡역부. ***a ~ of the house*** (가정)주부(a lady of the house). ***a ~ of the street(s)* [*town*]** 매춘부. ***a ~ of the world*** 세상 물정에 밝은 여자, 닳고 닳은 여성. ***born of ~*** 인간으로서〔여자에게서〕 태어난 ; 인간으로서의. ***make an honest ~ (out) of*** 《종종 戱》《관계한 여자와》 정식으로 결혼하다.
── *a.* 〔限定的〕 여자의, 여성의 : a ~ driver 여자 운전사 / a ~ reporter 여성 기자 / a ~ doctor 여자 의사《複數形은 두 말 다 複數形이 됨 : *women* drivers ; *women* reporters ; *women* doctors》.

-wom·an [wùmən] (*pl.* *-wom·en* [wimin]) 〔複合要素〕 ① …나라 여성, …에 사는 여성의 뜻 : English*woman*. ② (직업·신분을) 나타냄 : police*woman* / chair*woman*.

wóman chàser 여자 꽁무니를 쫓아다니는 남자, 탕아.

***wom·an·hood** [wúmənhùd] *n.* Ⓤ 여자임, 여자다움 ; 〔集合的〕 여성 : Brigitte Bardot was the dominant image of ~ in France cinema during the 1960s. 브리지트 바르도는 1960년대 프랑스 영화에서는 지배적인 여성상(像)이었다 / German ~ 독일 여성.

wom·an·ish [wúməniʃ] *a.* ① (남자가) 여자 같은. ② 《蔑》 유약(柔弱)한, 사내답지 못한. opp. *mannish*. ㊕ **~·ly** *ad.* **~·ness** *n.*

wom·an·ize [wúmənàiz] *vt.* …을 여자같이〔연약하게〕 하다. ── *vi.* 《口》 계집질하다.
㊕ **-ìz·er** *n.* 《口》 =WOMAN CHASER.

wom·an·kind [wúmənkàind] *n.* 〔集合的〕 부인들, 여성, 여자 : one's ~ 한 집안의 여자들.

wom·an·like [wúmənlàik] *a.* 여자 같은 ; 여자

다운, 여성적인.

__wom·an·ly__ [wúmənli] (-li·er ; -li·est*) *a.* 여자다운 ; 여성〔부인〕에게 어울리는.
[파] **-li·ness** *n.* [U] 여자다움.

wóman's 〔wómen's〕 ríghts 여권.

wóman súffrage 여성 참정권.

*__womb__ [wu:m] *n.* [C] ① 〖解〗 자궁(uterus). ② (일의) 배태〔발생, 요람〕지.

†**wom·en** [wímin] WOMAN 의 복수.

wom·en·folk(s) [-fòuk(s)] *n.* 〔集合的〕 (집단·공동체·한 집안의) 부인, 여성 : the〔one's〕 ~ 한 집안의 여인들, 우리집 여자들.

wom·en·kind [wímənkàind] *n.* = WOMANKIND.

Wómen's Ínstitute 《英》 (지방 도시) 여성회.

wómen's líb (종종 W- L-) 우먼리브, 여성해방 운동《women's liberation 의 단축형》.

wómen's líbber (종종 W- L-) = WOMEN'S LIBERATIONIST.

wómen's liberátionist 여성 해방 운동가.

wómen's móvement (the ~) 여성해방 운동.

wómen's ròom 여성 화장실.

wómen's stúdies 여성학《여성의 역사적·문화적 역할을 연구》.

†**won**[1] [wʌn] WIN 의 과거·과거분사.

†**won**[2] [wɑn / wɔn] (*pl.* ~) *n.* 원《한국의 화폐 단위 ; 기호 W, ₩》.

†**won·der** [wʌ́ndər] *n.* ① [U] 불가사의, 경이, 경탄 : be filled with ~ 깊이 경탄하다 / in ~ 경탄하여. ② **a)** [C] 불가사의〔이상〕한 물건〔일〕; 놀랄 만한 물건〔일〕; 기관(奇觀) ; 기적. [cf] marvel. ¶ the Seven *Wonders* of the World ⇨SEVEN / The child is a ~. 그 아이는 신동이다 / A ~ lasts but nine days. 《俗談》 남의 말도 석 달《곧 예사로 여겨지게 되는 일》/ The ~ is that he could swim at the age of 90. 놀랍게도 그는 90세에도 헤엄을 칠 수 있었다. **b)** (a ~) 놀라운 일 : What *a ~ !* 놀라운 일이로다. ***and no***〔***little, small***〕 ~ 그도 그럴 것이다《놀랄 것 없다》: You were late, *and no* ~, after last night. 네가 지각했으나 어제 밤 일을 생각하면 무리도 아니다. ***for a*** ~ 진기하게(도) ; 이상하게도 : You are punctual *for a* ~. 신기하게도 시간대로 왔구나. ***It is a*** ~ (***that . . .***) (…은) 이상한 일이다. (***It is***) ***no*** ~ (***that . . .***) = ***What*** ~ (***that . . .***) ***?*** (…은) 당연하다, 놀랄 것 없다.

── *vi.* ① 《~ / +[전]+[명] / +*to* do》 놀라다, 경탄하다《*at*》: Can you ~ *at* it? 그것은 극히 당연하지 않으냐 / I don't ~ *at* your feeling unhappy. 너의 불행한 심정은 잘 알겠다 / I ~ *at* the fact that it came safe. 신통하게도 그것이 무사히 도착했구나 / I ~*ed to* see you there. 너를 거기서 만나서 놀랐다. ② **a)** 《+[전]+[명]》 의아하게 여기다, 의심하다《*about*》; 호기심을 가지다 : That remark made me ~ *about* his innocence. 그 말을 듣고 나는 그가 결백한지 어떤지가 의심스러웠다. **b)** 〔흔히 進行形으로〕 (…에 대해) 사색하다, 곰곰이 생각하다 ; 알고 싶어하다《*about*》: I'm ~*ing about* going to a movie. 영화를 보러갈까 어쩔까하고 생각하던 참이다 / Jim was ~*ing about* his choice of profession. 짐은 자신의 직업 선택에 대해 곰곰이 생각하고 있었다.

── *vt.* ① 《+(*that*)[절]》 …을 이상하게 여기다, …이라니 놀랍다 : I ~ (*that*) you were able to escape. 용케 빠져나왔군. ② 《+*wh.* [절] / +*wh. to* do》 …나 아닐까 생각하다, …인가 하고 생각하다 : I ~ *who* he is 〔*what* he wants〕. 그는 누구일까 〔무엇을 원할까〕/ I ~ *how* they achieved it. 어떻게 해서 그것을 성취했을까 / I ~ *if* it is true. 참말일까 / He ~*ed where* he was. 그는 자신이 어디에 있었던가 하고 생각했다.

I don't〔***shouldn't***〕 ~ ***if*** …해도 놀라지 않는다 : *I shouldn't* ~ *if* he won (the) first prize. 그가 일등상을 수상했다 해도 이상하지 않다.

†**won·der·ful** [wʌ́ndərfəl] (***more*** ~ ; ***most*** ~) *a.* ① 이상〔불가사의〕한, 놀랄 만한 : a ~ invention 놀라운 발명 / It's ~ to see you again. 자네를 다시 만나다니 놀랍군. ② 훌륭한, 굉장한 : a ~ view 훌륭한 경치. [파] **~·ly** *ad.* ① 이상하게(도), 놀랄 만큼. ② 훌륭〔굉장〕하게. **~·ness** *n.*

won·der·ing [wʌ́ndəriŋ] *a.* 〔限定的〕 이상한 듯한 ; 이상〔의아〕하게 생각하는. [파] **~·ly** *ad.*

won·der·land [wʌ́ndərlæ̀nd] *n.* [U] 이상한 나라, 동화의 나라 ; [C] (흔히 *sing.*) (경치 따위가 좋은) 굉장한 곳.

won·der·ment [wʌ́ndərmənt] *n.* ① [U] 놀라움, 경탄, 경이 : in ~ 놀라서. ② [C] 이상한〔놀라운〕 일·사건.

won·der-strick·en, -struck [wʌ́ndərstrìkən], [-strʌ̀k] *a.* 놀라움에 질린, 아연실색한.

won·der·work [-wə̀ːrk] *n.* [C] 경이적인 일〔역사(役事)〕; 놀랄 만한 것(wonder).
[파] **~·er** *n.* [C] 기적을 행하는 사람.

*__won·drous__ [wʌ́ndrəs] 《詩·文語》 *a.* 놀라운, 이상〔불가사의〕한. ── *ad.* 〔形容詞를 수식〕 놀랄 만큼, 놀라운 : She was ~ beautiful. 그녀는 놀랄 만큼 아름다웠다.

wonky [wɑ́ŋki / wɔ́ŋki] (***wonk·i·er*** ; ***-i·est***) *a.* 《英俗》 ① 흔들흔들하는, 비틀거리는, 불안정한 : a ~ table. ② 미덥지 못한, 기대할 수 없는.

‡**wont** [wɔːnt, wount, wʌnt] *a.* 〔敍述的〕 버릇처럼 된, 늘 …하는《*to* do》: as he was ~ *to* say 그가 늘 말했듯이.

── *n.* [U] 〔흔히 one's ~로〕 습관 : as is *one's* ~ 습관대로, 언제나처럼 / It is his ~ to get up early. 일찍 일어나는 것은 그의 습관이다.

†**won't** [wount, wʌnt] will not 의 간약형.

wont·ed [wɔ́ːntid, wóunt-, wʌ́nt-] *a.* 〔限定的〕 버릇처럼 된, 일상의 : with his ~ courtesy 여느 때처럼 정중히 / lose one's ~ calm 평소의 냉정을 잃다.

†**woo** [wuː] *vt.* ① 《文語》 (남자가 여자)에게 구애하다, 구혼하다. [cf] court. ② (명예·행운·재산 따위)를 추구하다, 구(求)하다. ③ **a)** 《+[목]+*to* do》 (아무)를 조르다, 설득하다 : ~ a person *to* go together 아무에게 함께 가 달라고 조르다. **b)** (아무에게) …을 간원하다, 탄원하다 《*with*》: ~ voters *with* promises of tax reform 세제 개혁을 공약으로 유권자의 지지를 호소하다.

†**wood** [wud] *n.* ① [U] 나무, 목재. [cf] timber[1], tree. ¶ a house made of ~ 목조 가옥. ② [C] (종종 ~s) 〔單·複數취급〕 숲, 수풀《forest 보다 작고 grove 보다 큼》: There is a ~(*s*) beyond the cattle shed. 외양간 저쪽에 숲이 있다 / go through the ~(*s*) 숲 속을 지나다 / There're few ~*s* in that area. 그 지역엔 숲이 거의 없다. ③ [U] 땔나무 : gather ~. ④ (the ~) (물건의) 목질부 ; [C] 〖골프〗 우드《헤드가 목제인 채》; (라켓의) 나무테. ⑤ **a)** (the ~) 통, 술통 : whiskey aged in *the* ~ 통 속에서 숙성한 위스키. **b)** 판목(版木), 목판(木版). **c)** (the ~) 〖樂〗 목관 악기류(類), 〔集合的〕 목관악기부(部) ; (the ~s) 목관악기 연주자《전체》. ***cannot see the*** ~ 〔***forest***〕 ***for the trees*** 나무는 보고 숲을 보지 못하다《작은 일에 매달려 큰 일을 보지못한다》. ***out of the*** ~(***s***) 위기를 모면하여, 곤란을 벗어나 : Don't hallo till

you are *out of the* ~(*s*). 《俗談》 위기에서 벗어 날때까지는 안심마라. ***take to the ~s*** 《口》 숲속으로 달아나다; 행방을 감추다. — *a.* ① 〔限定的〕 나무의, 나무로 된: a ~ floor 〔screw〕 판자를 깐 마루〔나무 나사〕. ② 숲에 사는〔있는〕.
— *vt.* …에 식목하다: The town is *~ed* everywhere. 그 도시는 곳곳에 나무가 우거져 있다.

wóod àcid 목초(산) (木醋(酸)).

wóod álcohol 메틸알코올, 목정(木精).

wood·bine [-bàin] *n.* U,C 〖植〗 인동덩굴속(屬)의 식물(honeysuckle); 《美》 아메리카담쟁이덩굴(Virginia creeper).

wóod blòck 판목; 목판; (도로 포장용) 나무 「벽돌.

wood·bor·er [-bɔ̀:rər] *n.* C ① 목질부에 구멍을 뚫는 기계〔사람〕. ② 나무에 구멍을 뚫는 동물〔곤충〕.

wood-carv·er [-kɑ̀:rvər] *n.* C 목각사(木刻 「師).

wood·carv·ing [-kɑ̀:rviŋ] *n.* ① U 목제 조각, 목각(술). ② C 목각물.

wood·chuck [-tʃʌ̀k] *n.* C 〖動〗 마멋류(類) (groundhog) 《북아메리카산》.

wood·cock [-kɑ̀k / -kɔ̀k] (*pl.* **~s,** 〔集合的〕 ~) *n.* C 〖鳥〗 누른도요, 멧도요.

wood·craft [-kræ̀ft, -krɑ̀:ft] *n.* U (특히 사냥·야영 따위에 관련해서) 숲에 대한 지식; 삼림학; 목공(술), 목각(木刻)(술).

***wood·cut** [-kʌ̀t] *n.* C 목판(화).

wood·cut·ter [-kʌ̀tər] *n.* C 나무꾼, 초부(樵夫); 목판 조각사(wood engraver).

wood·cut·ting [-kʌ̀tiŋ] *n.* U 목재 벌채; 목판 조각.

wood·ed [wúdid] *a.* 나무가 우거진, 숲이 많은: The banks of the river are densely ~. 개천둑에는 나무가 빽빽하게 우거져 있다.

†wood·en [wúdn] (***more ~; most ~***) *a.* ① 나무로 만든〔된〕: a ~ house 목조 가옥. ② 생기 없는, 무표정한: a ~ stare 멍청한 눈매. ③ (태도 따위가) 무뚝뚝한, 어색한, 부자연스런: a ~ smile 부자연스런 미소. ㊞ **~·ly** *ad.* ① 부자연스럽게, 어색하게. ② 활기없이, 무표정하게.

wóod engràver 목각사(木刻師), 목판사(師).

wóod engràving 목판(술); 목판화.

wood·en·head [wúdnhèd] *n.* C 《口》 얼간이, 바보. 「청한.

wood·en·head·ed [-hèdid] *a.* 《口》 얼빠진, 멍

Wóoden Hórse (the ~) 〖그神〗 큰 목마《옛날 그리스 군이 Troy군 공략에 썼음》.

wóoden spòon ① 나무 숟갈. ② 《英口》 최하위상(賞) (booby prize).

wood·en·ware [-wɛ̀ər] *n.* U 〔集合的〕 (통·공기·접시 따위의) 나무그릇.

‡wood·land [wúdlənd, -læ̀nd] *n.* U (종종 *pl.*) 삼림(지대). — *a.* 〔限定的〕 삼림(지대)의: ~ scenery 숲의 경치. ㊞ **~·er** *n.* 삼림 지대의 주민.

wood·lot [-lɑ̀t / -lɔ̀t] *n.* C 식림용지(植林用地).

wóod lòuse 〖蟲〗 쥐며느리(sow bug).

wood·man** [-mən] (*pl.* ***-men [-mən]) *n.* C ① 나무꾼, 초부. ② 숲에 사는 사람.

wood·note [-nòut] *n.* C 숲의 노랫가락《아름다운 새의 지저귐 따위》.

wóod nỳmph 숲의 요정(dryad).

***wood·peck·er** [-pèkər] *n.* 〖鳥〗 딱따구리.

wóod pìgeon 〖鳥〗 산비둘기(ringdove) 《유럽

wood·pile [-pàil] *n.* C 장작 더미. 「산》.

wóod pùlp 목재 펄프《제지 원료》.

wood·ruff [-rʌ̀f, -rəf] *n.* C 〖植〗 선갈퀴.

wood·shed [-ʃèd] *n.* C 장작 두는 곳.

woods·man [wúdzmən] (*pl.* ***-men*** [-mən]) *n.* C 숲에 사는 사람; 산림에 밝은 사람《나무꾼·사냥꾼 등》.

wóod sòrrel 〖植〗 괭이밥류(類).

wóod spìrit =WOOD ALCOHOL.

woodsy [wúdzi] (***woods·i·er; -i·est***) *a.* 《美》 숲의, 숲과 같은.

wóod tàr 〖化〗 목타르《방부제》.

wood·turn·er [wúdtə̀:rnər] *n.* C 갈이대패질을 하는 사람, 목각 전목치기공.

wóod tùrning 녹로 세공, 갈이질.

wood·wind [wúdwìnd] *n.* 〖樂〗 ① C 목관 악기류(類). ② (the ~; 《美》 the ~s) 〔集合的〕 (오케스트라의) 목관 악기부. 「전용》.

wood-wool [wúdwùl] *n.* U 지저깨비《포장 충

wood·work** [-wə̀:rk] *n.* U 목조부《가옥 내부의 문짝·계단 따위》; 목제〔목공〕품; 목재 공예. ***come 〔***crawl***〕 ***out of the*** ~ 《口》 난데 없이 나타나다: When he died a number of distant relatives *came out of the* ~ hoping for a share of the estate. 그가 죽자, 유산을 바라고 많은 먼 친척들이 난데없이 나타났다.

wood·worm [wúdwə̀:rm] *n.* C 〖蟲〗 나무좀.

woody** [wúdi] (wood·i·er; -i·est***) *a.* ① 수목〔숲〕이 많은: a ~ park. ② 나무의; 목질의: ~ fiber 목질 섬유 / the ~ parts of a plant 식물의 목질부. 「목재 공장.

wood·yard [-jɑ̀:rd] *n.* C 목재를 쌓아두는 곳;

woo·er [wú:ər] *n.* C 구혼〔구애〕자.

woof[1] [wu:f] *n.* (the ~) 씨줄(weft). OPP *warp.*

woof[2] *n.* C 개가 낮게 우웅하고 짖는 소리.

woof·er [wúfər] *n.* C 저음 전용 스피커.

†wool [wul] *n.* U ① 양털, 울《산양·알파카의 털도 포함》. ② 털실; 모직물(의 옷): wear ~ 모직물을 입다. ③ 양털 모양의 것; 《口》 북슬털, (특히 흑인의) 고수머리, 《戱》 머리털; (털짐승의) 밀털; (모충(毛蟲)·식물의) 솜털. ***against the*** ~ 털을 세워서, 역으로, 거꾸로. ***all cry and no*** ~ =***more cry than*** ~ =***much cry and little*** ~ ⇨ CRY *n.* ***all ~ and a yard wide*** 《美口》 나무랄데 없는, 순수한, 진짜의, 훌륭한: He was a real friend, *all ~ and a yard wide.* 그는 나무랄데 없는 훌륭한 참된 친구였다. ***dyed in the*** ~ ⇨DYE. ***keep*** one***'s ~ on*** 《英》 침착〔냉정〕해 있다. ***lose*** one***'s*** ~ 《英口》 흥분하다, 성내다. ***pull*** 〔***draw***〕 ***the ~ over*** a person***'s eyes*** 《口》 아무를 속이다: It's no use trying to *pull the ~ over my eyes* —I know exactly what's going on. 나를 속이려 버둥거려도 소용없어 — 나는 현재 진행되고 있는 것을 낱낱이 알고 있으니 말이다.

wool-dyed [wúldàid] *a.* =DYED-IN-THE-WOOL.

‡wool·en, 《주로 英》 **wool·len** [wúlən] *a.* 양털의; 모직물의; 모직의; 방모사(紡毛絲)의: ~ cloth 나사, 모직 옷감 / ~ yarn 방모사.
— *n.* U,C 방모사; 담요, 울; C (흔히 *pl.*) 모직물; 모직의 옷.

Woolf [wulf] *n.* **Virginia** ~ 울프《영국의 여류 소설가; 1882-1941》.

wóol fàt 양모지(羊毛脂), 라놀린.

wool·gath·er·ing [-gæ̀ðəriŋ] *n.* U ① 방심; 허황한 공상. ② (털갈이 철에 덤불 등에 붙은) 양털 주어 모으기. 「한) 목양업자.

wool·grow·er [-gròuər] *n.* C (양털을 얻기 위

wool-hat [-hæ̀t] *n.* C 전이 넓은 펠트모(帽); 《美口》 남부의 소농민. — *a.* 《美口》 남부 벽지의.

woollen ⇨WOOLEN.

wool·ly,** 《美》 **wooly** [wúli] (-li·er; -li·est***) *a.* ① 양털의; 양모질의: a ~ coat 모직의 상의. ② 양털 같은, 뭉게뭉게 피어오른, 텁수룩

한 : ~ hair 덥수룩한 머리카락 / a ~ head 《美俗》 흑인 / the ~ flock 양떼 / ~ clouds 뭉게 구름. ③ 털이 많은 ; 〖植〗 솜털로 덮인, 솜털이 밀생한. ④ (생각이) 선명치 않은, 회미한. ⑤ (목소리가) 쉰. ⑥ 거칠고 야만적인, 거친, 파란 많은.
── *n.* ① (흔히 *pl.*) 《口》 모직의 옷 ; 니트웨어. ② (흔히 *pl.*) 모직의 속옷. ③ [C] 《美西部》 양(羊). ④ (the wool(l)ies) 《美俗》 =WILLIES.
[파] **-li·ness** *n.*

wool·ly-head·ed [wúlihèdid] *a.* 고수머리의 ; 쓸모없는, 비실용적인.

wool·pack [´-pæ̀k] *n.* [C] ① 양모의 한 짝《한 짝은 보통 240 파운드》. ② ① 을 연상케 하는 것, 《특히》 소나기구름.

wool·sack [´-sæ̀k] *n.* [C] ① 양털 부대. ② (the W-) 《英》 (양털을 넣은 상원(上院)의) 의장(Lord Chancellor)석, 상원 의장의 직 : reach the ~ 상원 의장이 되다. 「자수.

wool·work [wúlwə̀ːrk] *n.* [U] 털실 세공, 털실

woozy [wú(ː)zi] (*wooz·i·er ; -i·est*) *a.* 《口》 멍청한, 멍한, 얼빠진 듯한 ; (술 따위로) 머리가 흐릿한 ; 기분이 좋지 않은.

wop [wɑp / wɔp] 《俗·蔑》 *n.* [C] 라틴계통의 사람 ; 《특히》 이탈리아 사람.

Worces·ter·shire [wústərʃiər, -ʃər] *n.* 잉글랜드 남서부의 구주(舊州)《略 : Worcs.》 ; = WORCESTER(SHIRE) SAUCE.

Wórcester(shire) sàuce 우스터 소스《보통 소스라고 불리는 것》.

Worcs. Worcestershire.

†**word** [wəːrd] *n.* ① [C] 말, 낱말. ② [C] 이야기, 한 마디 말 ; 짧은 담화 : *Words* without actions are of little use. 실행이 따르지 않은 말은 쓸모가 없다. ③ [U] (one's ~) 약속, 서언, 언질 : I give you *my* ~ for it. 맹세코 그렇다. ④ (*pl.*) 말다툼, 논쟁 : after many ~*s* 많은 논란 후에. ⑤ 〔冠詞 없이〕 소식, 알림, 기별 ; 소문 ; 전갈 : No ~ has come from home. 집으로부터 아무 소식이 없다. ⑥ [C] (one's ~, the ~) 지시, 명령 ; 암호 : give *the* ~ 암호를 대다. ⑦ (*pl.*) 가사 ; (연극의) 대사 : a book of ~*s* (연극의) 대본. ⑧ (the W-) 하느님(의 말씀) ; 복음, 성서. ⑨ 《古》 격언, 표어. ⑩ [C] 〖컴〗 낱말, 단어《자료 처리를 위한 기본 단위》. ***a man of few* 〔*many*〕 *~s*** 말이 적은〔많은〕 사람. ***a man* 〔*woman*〕 *of his* 〔*her*〕 ~** 약속을 지키는 사람. ***at a* 〔*one*〕 ~** 일언지하에, 곧 : *At a* ~ from their teacher, the children started to tidy away their books. 선생의 말이 떨어지자, 아이들은 책을 제자리에 챙기기 시작했다. ***a ~ in*** a person***'s ear*** 귀엣말, 충고, 내밀한 이야기. ***a ~ in* 〔*out of*〕 *season*** 때에 알맞은〔알맞지 않은〕 말, 적절한〔적절하지 못한〕 말. ***A ~ with you.*** 잠깐 말씀드릴 것이 있는데 : I'd like *a* quick 〔brief〕 ~ *with you* before the meeting. 회의에 앞서 너에게 잠깐 몇마디 하고 싶은데. ***be as good as*** one***'s ~*** 약속을 이행하다, 언행이 일치하다 : You'll find that she'*s as good as her* ~. 자네는 그녀가 언행이 일치하다는 것을 알게 될 것이다. ***be better than*** one***'s ~*** 약속 이상의 것을 하다. ***be not the ~ for it*** 합당한 말〔적평〕이 아니다. ***beyond ~s*** 더 말할 나위 없이《아름다움 따위》. ***big ~s*** 자랑 ; 허풍. ***bitter ~s*** 심한〔과격한〕 말. ***break*** one***'s ~*** 약속을 깨뜨리다〔어기다〕. ***bring ~ that . . .*** …라고 전(갈)하다. ***by ~ of mouth*** ⇨MOUTH. [opp] *in writing.* ***come to* (*high*) *~s*** 격론이 되다, 언성이 높아지다. ***eat*** one***'s ~s*** 앞에 한 말을 취소하다, 자신의 잘못을 인정하다. ***fair ~s*** 감언, 달콤한 말. ***from the ~ go*** ⇨GO. ***get a ~ in* (*edgeways*)** (남이 한창 말하고 있는데) 무어라고 참견하다. ***give* 〔*pass*〕** one***'s ~*** 약속하다, 언질을 주다. ***God's Word*** = ***the Word of God*** 성서 ; 하느님의 말씀 ; 그리스도. ***hang on*** a person***'s ~s* 〔*every ~*〕** = ***hang on the ~s of*** a person 아무의 말을 열심히 듣다. ***hard ~s*** 욕 ; 난어. ***have a ~ to say*** 솔깃한 말이 있다. ***have* 〔*get, say*〕 *the final ~*** 최후의 단〔결정〕을 내리다. ***in other ~s*** 바꾸어 말하면, 즉. ***in plain ~s*** ⇨PLAIN¹. ***in so many ~s*** 글자 그대로, 꼭 그대로 ; 명백히. ***My ~!*** 어이구 (깜짝이야), 아이고머니 ; 이런. ***not mince*** one***'s ~s*** ⇨MINCE. ***put ~s into*** a person***'s mouth*** ⇨MOUTH. ***say* 〔*put in*〕 *a good ~ for*** …을 추천〔변호〕하다 ; …을 칭찬하다 ; …을 중재〔조언〕하다. ***Sharp's the ~!*** 서둘러라. ***take*** a person ***at his ~*** 아무의 말을 곧이듣다, 말하는 대로 믿다〔받아들이다〕. ***take*** a person***'s ~ for it* (*that . . .*)** 아무의 말을 믿다 : You'll buy nothing but trouble if you buy that house, *take my ~ for it.* 자네가 저 집을 산다면 그것은 골치덩어리를 사는데 지나지 않네, 내 말을 믿게. ***take the ~s out of*** a person***'s mouth*** 아무가 말하려 하는 것을 먼저 앞질러서 말해 버리다. ***too* (beautiful) *for ~s*** 너무 (아름다워서) 말로 표현할 수 없는. ***upon my ~*** (1) 맹세코 ; 반드시, 꼭. (2) 어이구, 이거 참《놀람 따위의 표현 ; My word! 라고도 함》. ***weigh*** one***'s ~s*** 잘 생각해서 말을 하다, 조심해서 말을 하다 : I must *weigh my* ~*s* to avoid any misunderstanding. 어떠한 오해도 피하기 위해 나는 반드시 조심해서 말을 해야 한다. ***~ by ~*** 한마디 한마디, 축어적으로. ***~ for ~*** 축어적으로, 한마디 한마디, 완전히 말 그대로 《번역하다 따위》 : translate ~ *for* ~ 축어역하다.
── *vt.* …을 말로 나타내다. ***a well ~ed letter*** 표현이 잘 된 편지. ***Worded plainly*** 〔文章修飾〕 쉽게 말하면.

word·age [wə́ːrdidʒ] *n.* [U] 말(words) ; 쓸데없는 수다 ; 어법, 용어의 선택(wording).

wórd blìndness 실어증.

word·book [´-bùk] *n.* [C] 단어집 ; 사전.

word-for·ma·tion [´-fɔːrméiʃən] *n.* [U] 〖文法〗 낱말의 형성 ; 조어법(造語法).

word-for-word [´-fər´-] *a.* 〔限定的〕 축어적인.

word·ing [wə́ːrdiŋ] *n.* [U] 말씨, 어법, 용어 ; [U,C] 말로 나타내기 : Be careful with the ~ of the contract. 계약서의 표현은 신중하게.

‡**word·less** [wə́ːrdlis] *a.* 말없는, 무언의, 벙어리의(dumb) ; 입밖에 내지 않는(unexpressed).

word-of-mouth [´-əvmáuθ] *a.* 〔限定的〕 구두의, 구전(口傳)의.

wórd òrder 〖文法〗 어순(語順), 배어법(配語法). 「서) 묘사.

word·paint·ing [´-pèintiŋ] *n.* [U] 생생한 (말로

word-per·fect [´-pə́ːrfikt] *a.* ① (배우 등이) 대사가 완전한. ② 축어적인 ; (문서·교정쇄가) 완벽한, 정확한.

wórd pìcture 생생한 묘사의 문장.

word·play [´-plèi] *n.* [U] 재치있는 말의 주고받기, 결말놀이 ; [C] 익살, 신소리.

wórd pròcessing 〖컴〗 문서〔글월〕 처리(의) 《略 : WP》 : ~ program 문서 처리 프로그램.

wórd pròcessor 〖컴〗 문서〔글월〕 처리기, 워드 프로세서. 「**àccent**).

wórd strèss 〖音聲〗 말의 강세〔악센트〕(=**wórd**

Words·worth [wə́ːrdzwə(ː)rθ] *n.* **William ~** 워즈워스《영국의 자연파 계관 시인 ; 1770-1850》.

wordy [wə́ːrdi] (**word·i·er ; -i·est**) *a.* 말의 ; 구두의, 언론의, 어구의 ; 말많은, 수다스러운, 장황한 : ~ warfare 논전, 논쟁.

†**wore** [wɔːr] ① WEAR¹ 의 과거. ② WEAR² 의 과거 · 과거분사.

†**work** [wəːrk] *n.* ① Ⓤ 일, 작업, 노동 ; 공부, 연구 ; 노력 : do a stroke of ~ 한 바탕 일하다 / All ~ and no play makes Jack a dull boy. 《俗談》 공부만 시키고 놀리지 않으면 아이는 바보가 된다 / Everybody's ~ is nobody's ~. 모든 사람의 일은 아무도 하지 않는다《주인 많은 나그네 밥 굶는다 ; 누구도 책임지지 않게 된다는 뜻》. ② Ⓤ **a)** (해야 하는) 일, 업무, 과업 : I have lots of ~ to do today. 오늘은 바쁘다. **b)** 〔無冠詞〕 일자리, 직(업) : look for 〔find〕 ~ 일자리를〔직업을〕 찾다〔찾아내다〕. **c)** 〔無冠詞〕 근무처, 회사, 직장 : get home from ~ 회사에서 귀가하다. **d)** 하고 있는 일《바느질 · 자수 따위》; 〔集合的〕 그 재료〔도구〕 : Bring your ~ to my room. 일거리를 내 방으로 가져 와요. ③ Ⓤ **a)** 소행, 짓 ; 작용, 효과 ; (사이다의) 거품. **b)** 일하는 품, 솜씨 : sharp ~ 빈틈없는 솜씨 / camera ~ 촬영 기술. **c)** (*pl.*) 〖神學〗 의로운 행위, (종교적 · 도덕적) 행위 : Faith by itself if it has no ~*s*, is dead. 믿음에 행동이 따르지 않으면 그런 믿음은 죽은 것이다. ④ **a)** Ⓤ 세공, 가공, 제작 ; 〔集合的〕 세공물, 공작물, 가공물, 제작품. **b)** Ⓒ (예술) 작품, 저작. ⑤ **a)** (*pl.*) 〔종종 單數취급〕 공장, 제작소 ; 〔形容詞的〕 (경주용 차 등) 제작자 자신의 손에 의한. **b)** (*pl.*) (시계 등의) 장치, 구조, 기구(機構) ; 《戲》 내장. ⑥ (*pl.*) 공사, 토목 ; (다리 · 제방 · 댐 · 빌딩 등의) 건조물 ; 방어 공사, 보루 : public ~*s* 공공 토목공사 / water-~*s* 수도, 분수. ⑦ (the (whole) ~s) 《俗》 부속품〔딸린 물건〕 전부, 일체 : a car with *the* ~*s* 자동차와 그 부속품 일체. ⑧ Ⓤ 〖物〗 일. ⑨ (흔히 *pl.*) 《美俗》 마약 주사기구 한벌. ***all in the*** 〔***a***〕 ***day's*** ~ 〔敍述的〕 《口》《종종戲》 (불쾌하나) 언제나의 일(로), (뜻밖의 일이라도) 참으로 당연한, 일상 있을 수 있는 일(로). ***at*** ~ 일터에서 ; 일하고 ; 작동〔작용〕하여 : be hard *at* ~ 힘써 일하고 있다. ***fall*** 〔***get, go, set***〕 ***to*** ~ 일에 착수하다 ; 행동 개시하다. ***get the ~s*** 《口》 충분한 대접을 받다 ; 몹쓸 욕을 당하다. ***give . . . the*** (***whole*** 〔***entire***〕) ***~s*** 《口》 …에게 가능한 한의 일을 해주다, …에게 모두 밝히다〔주다〕 ; 《口》 …를 혼내주다, 몹시 질책하다 ; 죽이다. ***have*** one***'s ~ cut out*** (***for*** one) 《口》 벅찬〔어려운〕 일이 맡겨지다. ***in good*** 〔***full***〕 ~ 순조로이〔바쁘게〕 일하여. ***in the ~s*** 《口》 완성 도상에 있어, 진행중이어서. ***in*** ~ 취직〔취업〕하고 ; (말이) 조교(調敎)중이어서. cf. out of work. ***make light*** 〔***hard***〕 ~ ***of*** 《口》 …을 손쉽게 해치우다〔…에 필요 이상으로 힘이 든다〕 : This horse *made light* ~ *of* the cross-country course. 이 말은 크로스컨트리 코스를 손쉽게 완주했다 / Australia *made hard* ~ *of* beating them. 오스트레일리아 팀은 그들을 이기는데 고전했다. ***make short*** 〔***quick***〕 ~ ***of*** 《口》 …을 손쉽게 해치우다 ; (아무를 간단히) 죽이다, 처리하다. ***make ~ for*** (1) (아무)에게 일을 주다. (2) (아무)에게 폐를 끼치다. ***out of*** ~ 실업하고 ; (기계 등)이 고장나서. ***put*** 〔***set***〕 a person ***to*** ~ (아무)를 취업시키다 ; 일에 종사시키다. ***shoot the ~s*** 《美俗》 성패를 운에 맡기고 모험을 해보다 ; 온갖 노력을 다하다, 크게 분발하다. ***the ~s of God*** 자연(nature).

— (*p., pp.* ***worked,*** 《古》 ***wrought*** [rɔːt]) *vi.* ① 《~ / +전+명 / +부》 일하다, 노동하다 : He ~*ed on* till late at night. 그는 밤 늦게까지 일했다. ② 《~ / +전+명》 노력〔공부〕하다 : He is ~*ing at* Latin 〔*on* a new novel〕. 그는 라틴어를 공부하고〔새 소설을 집필하고〕 있다. ③ 《~ / +전+명》 근무하고 있다 ; 종사〔경영〕하다《*in*》. ④ 《~ / +전+명 / +부》 (기계 따위가) 작동하다, 움직이다 : This machine ~*s by* compressed air. 이 기계는 압축 공기로 작동한다. ⑤ (계획 등이) 잘 되어가다 ; (약 등이) 듣다 : The plan ~*s*. 그 계획은 잘 되어간다. ⑥ 《~ / +전+명》 영향을 미치다, 작용하다, 효과가 있다《*on, upon*》. ⑦ 《~ / +부》 (쉽게) 다룰 수 있다 : This wood ~*s easily*. 이 목재는 공작하기 쉽다. ⑧ 《+부 / +전+명》 조금씩〔겨우〕 나아가다〔들어가다〕, 점차 …되다 : The rain ~*ed through* the roof. 비는 지붕에 스며들었다 / The root ~*ed down* between the stones. 뿌리가 점점 돌 틈바구니 사이로 뻗어내려갔다. ⑨ 《+보》 (혹사당하여) …이 되다 : The window catch has ~*ed* loose. 창문 손잡이가 느슨해졌다. ⑩ 《~ / +전+명》 〔*p., pp.*는 종종 ***wrought***〕 세공하다《*in*》; 바느질을 하다, 수를 놓다 : ~ *in* silver 은 세공을 하다. ⑪ 가공되다, 섞이다 ; 발효하다, 《比》 빚어지다 ; 싹트다 : The yeast hasn't began to ~. 이스트균은 아직 발효하기 시작하지 않았다. ⑫ (마음 · 물결이) 동요하다, 술렁이다 : The sea ~*s* high. 바다가 사납게 물결친다. ⑬ 《~ / +전+명》 (얼굴이) 실룩거리다 : Her face ~*s with* emotion. 얼굴이 감동으로 실룩거리고 있다.

— *vt.* ① 《~+목 / +목+보 / +목+전+명》 (아무)를 일시키다, 부리다 ; 《口》 (이기적으로) 이용하다, (아무)를 속이다 : ~ one's wife〔horses〕 hard 아내를〔말을〕 혹사하다 / He ~*ed* himself ill 〔*to* death〕. 일을 너무해서 병이 났다〔죽었다〕. ② (손가락 · 기계 · 도구 · 기관 등)을 움직이다, 조작〔운전〕하다, (공장 등)의 가동〔조업〕을 계속하다 ; 《俗》 처리해 나가다, 해내다 : a pump ~*ed* by hand 수동 펌프. ③ 《~+목 / +목+*to* do》 …을 이용〔활용〕하다 : ~ one's connection 연고 관계를 이용하다 / ~ one's charm *to* get what one wants 자기의 매력을 발휘하여 원하는 것을 수중에 넣다. ④ (특정 지역)을 담당하다, …에서 영업하다 : The salesman ~*s* the Eastern States 〔both sides of the street〕. 동부 여러 주에서 판매를 한다〔양쪽 거리에서 팔고 다닌다〕. ⑤ (농장·사업)을 경영하다 ; (광산)을 채굴하다 ; 경작하다 : ~ a farm 농장을 경영하다. ⑥ 《~+목 / +목+부》 (계획)을 세우다, 실시하다, 주선하다. ⑦ 《~+목 / +목+보 / +목+전+명》 〔*p., pp.* 는 종종 ***wrought***〕 (어떤 상태)를 일으키게 하다, 생기게 하다, 가져오다 : ~ oneself *into* favor with a person 아무에게 빌붙어 총애를 얻다. ⑧ 《+목+전+명》 (아무)를 …하도록 만들다, 설득하다 : ~ a friend *for* a loan 친구를 설득하여 돈을 빌리다. ⑨ 《+목+전+명》 점차로〔교묘하게, 솜씨 좋게〕 …하게 하다 : swing one's arms to ~ the stiffness *out of* one's shoulder 양팔을 휘둘러서 어깨의 피로를 풀다. ⑩ 《+목+전+명 / +목+부》 (서서히) 애쓰며 나아가다 ; 노력하여 얻다 : ~ oneself *into* a crowd 군중 속으로 비집고 들어가다 / ~ one's way *up* 차츰 출세하다.

⑪《+목+부 / +목+전+명》 (점차로) 흥분시키다 : ~ oneself (*up*) *into* a rage 흥분하여 성내다. ⑫《~+목 / +목+부》 (문제 등)을 풀다, 《美》 산출하다 : ~ calculation in one's head 암산하다. ⑬《~+목 / +목+전+명》 〔*p.*, *pp.*는 때때로 ***wrought***〕 (노력을 들여) 만들다, 가공〔세공〕하다 ; 반죽하다, 뒤섞다 ; 불리다 : ~ silver coins *into* a bracelet 은화를 팔찌로 만들다. ⑭《~+목 / +목+전+명》 〔*p.*, *pp.*는 때때로 ***wrought***〕 …을 짜서 만들다 ; …에 수놓다 ; 꿰매다 ; (초상을) 그리다, 파다 : ~ a floral design in silk *on* a dress 드레스에 명주실로 꽃무늬를 수놓다. ⑮《+목+부》 …을 일〔노동〕하여 지급하다 : ~ *off* a debt 빌려 쓴 돈을 일해서 갚다. ⑯ …을 발효시키다 ; 접지(椄枝)하다 ; 발아시키다. ⑰ (동물에게) 재주를 부리게 하다. ⑱ (얼굴 등)을 씰룩이게 하다. ***be ~ed off** one's **feet*** 혹사당하다. ~ ***aganist*** …에 반대하다 ; …에 나쁘게 작용하다 ; (시간)을 다투며 일하다〔분투하다〕. ~ ***around*** 〔***round***〕 (바람이) 방향을 바꾸다 ; (…에) 자기 의견을 바꾸다《*to*》. ~ ***around*** 〔***round***〕 ***to*** a thing 〔do***ing*** . . .〕 겨우 …에 착수하다, …까지 손이 미치다, …할 시간이 되다. ~ ***at*** …에 종사하다 ; …을 연구하다. ~ ***away*** 열심히 일을〔공부를〕 계속하다《*at*》. ~ ***for*** (peace) (평화)를 위하여 힘을 다하다. ~ ***in*** (*vi.*) 들어가다 ; 알맞다, 조화하다, 잘 되어가다《*with*》. (*vt.*) 넣다, 삽입하다, 섞다, 문질러 바르다. ~ ***into*** …에 삽입하다〔넣다, 섞다〕 ; …에 (서서히) 밀어넣다, 삽입하다 : ~ new courses *into* the curriculum 커리큘럼에 새로운 과정을 집어넣다. ~ ***it*** 《俗》 잘 하다 ; 몰래 마련하다 ; (생각대로) 해치우다 : He will ~ *it* so that we get free tickets. 무료 임장권을 얻을 수 있도록 그가 손을 써 줄 것이다《이런 뜻으로 쓰일 경우는 so that 구문이 일반적임》 / I will ~ *it* if I can. 할 수 있으면 어떻게든 해보겠네. ~ ***it out*** 해답을 내다. ~ ***off*** (*vi.*) (1) 빠지다 : The door catch has ~*ed off*. 문의 손잡이가 빠졌다. (2) (아픔 · 피로 등이) 가시다, 없어지다. (3) (도구 · 기구 등이) …을 동력으로 하여 작동하다. (*vt.*) (1) …을 제거하다 : ~ *off* excess weight by regular exercise 규칙적인 운동으로 초과 체중을 없애다. (2) (울분 등을) 풀다, (딴 데) 떠넘기다 ; 일을 끝내다, 처리하다 : I began to ~ *off* my arrears of correspondence. 밀린 편지들을 처리하기 시작했다. (3) (빚)을 일해서 갚아버리다. (4) 《俗》 죽이다, 교살하다 ; 속이다. ~ ***on*** (*ad.*) 계속 일하다. (*prep.*) (1) …에 종사하다 ; …에 효험이 있다, 작용하다. (2) (사람 · 감정 등)을 움직이다, 흥분시키다 ; 애써 설득하다. ~ ***on*** 〔***onto***〕 …에 (서서히) 끼우다〔씌우다〕. ~ ***out*** (*vi.*) (1) (총액 등) 합해서 …이 되다《*at* ; *to*》 : The total ~*s out to* 200. 전부 200이다. (2) 결국 …이 되다 ; 잘되다 : Things just didn't ~ *out* as planned. 사태는 계획처럼 되지 않았다. (3) (문제가) 풀리다, 성립하다 ; 제대로 답이 나오다. (4) (스포츠 등의) 트레이닝을 하다 : ~*out* daily with sparring partners 스파링 상대와 매일 트레이닝하다. (*vt.*) (1) (문제)를 풀다 ; 잘 해결하다 : ~*out* a problem. (2) …의 사실을 알다, 이해하다 : I've never been able to ~ her *out*. 그녀를 전혀 이해할 수 없었다. (3) 애써서 성취하다 ; 산출〔계산〕하다, (계획 등)을 완전히 세우다, 만들어내다, 안출하다 ; 결정하다 : Negotiators are due to meet later today to ~ *out* a compromise. 교섭자들은 타협안을 안출하기 위해 오늘 늦게 회합을 가질 예정이다. (4) (광산)을 다 파다 ; 써서 낡게 하다 ; 피로케 하다. (5) (빚 등)을 일하여 갚다, 노무 제공으로 갚다. ~ ***over*** 철저히 연구〔조사〕하다 ; 다시 하다, 손을 보다, 다시 문제삼다 ; 《俗》 거칠게 다루다, 때리다. ~ one***self to death*** 너무 일해서 죽다 ; 몸이 녹초가 되도록 일하다. ~ one***'s fingers to the bone*** 열심히 일하다. ~ one***'s way*** 일〔고생〕하면서 나아가다 ; 일하면서 여행하다 ; 고학하다 : ~ one's *way* through college 고학으로 대학을 졸업하다. ~ one***'s will upon*** …을 소원대로 행하다. ~ ***to rule*** 《英》 준법(遵法) 투쟁을 하다. ~ ***toward***(***s***) …을 지향하여 노력하다 : We're ~*ing toward*(*s*) common objectives. 우리는 공통의 목적을 향해 노력하고 있다. ~ ***up*** 〔점차 노력하여 등의 뜻을 내포하고〕 (*vt.*) (1) …까지 흥분시키다《*to*》, 부추기다 ; 부추겨 …로 하다《*into*》 ; (흥미 · 식욕 등)을 불러일으키다. (2) (회사 · 세력 등)을 발전시키다, 확대하다 : ~ *up* a small business into a giant company 중소기업을 거대 회사로까지 발전시키다. (3) (흔히 ~ oneself〔one' way〕 up으로) …로 까지 출세하다. (4) (자료 등)을 집성(集成)하다《*into*》 : We hope to ~ the data we've collected *up into* a series of reports. 우리는 우리가 수집한 자료가 일련의 보고서로 집성되기를 바란다. (5) (찰흙 등)을 빚어내다, 파서 만들다, 섞어서 만들다 ; (계획 등)을 작성하다, 마련하다. (6) 《俗》 (땀)을 내다. (*vi.*) (1) 흥분하다. (2) …에까지 이르다, 나아가다, 오르다 ; 입신하다, 출세하다 : He ~*ed up* from office boy *to* president. 그는 사환에서 대통령까지 출세했다. ~ ***upon*** …에 영향을 주다 ; …에 작용하다. ~ ***with*** (1) …와 함께 일하다. (2) …을 일〔연구〕의 대상으로 삼다 : I am ~*ing with* children. 나는 아이들을 대상으로 일을〔연구를〕 하고 있습니다.

work·a·ble [wə́ːrkəbəl] *a.* 일시킬〔일할〕 수 있는 ; 움직일 수 있는 ; 운전할 수 있는 ; (광산이) 채굴〔경영〕할 수 있는 ; (계획 등이) 실행〔실현〕할 수 있는 ; 가공〔세공〕할 수 있는 ; (토지가) 경작할 수 있는.

work·a·day [wə́ːrkədèi] *a.* 일하는 날의, 평일의 ; 보통의, 평범한 ; 실제적인, 무미 건조한 : this ~ world 이 평범한 세상.

work·a·hol·ic [wə̀ːrkəhɔ́ːlik, -hɑ́l- / -hɔ́l-] *n.* Ⓒ 지나치게 일하는 사람, 일벌레.

work·a·hol·ism [wə́ːrkəhɔ̀ːlizəm, -hɑ̀l- / -hɔ̀l-] *n.* Ⓤ 일중독, 지나치게 일함.

wórk àrea 〖컴〗 작업 영역《자료 항목이 처리되거나 일시 저장되는 기억장치의 한 영역》.

work·bag [ˊ-bæ̀g] *n.* Ⓒ 연장 주머니 ; 재봉〔바느질〕 도구 주머니.

work·bas·ket [ˊ-bæ̀skit / -bɑ̀s-] *n.* Ⓒ 도구 바구니《특히 재봉〔바느질〕 도구의》.

work·bench [ˊ-bèntʃ] *n.* Ⓒ (목수 등의) 작업대 ; 〖컴〗 작업대.

work·book [wə́ːrkbùk] *n.* Ⓒ ① 과목별 학습지도 요령 ; (교과서와 병행해 쓰는) 워크 북, 학습장. ② (일의) 규정집, 기준서 ; 업무 일람. ③ 업무 예정〔성적〕 기록부.

work·box [ˊ-bɑ̀ks / ˊ-bɔ̀ks] *n.* Ⓒ 도구 상자 ; 《특히》 재봉〔자수, 편물〕함.

wórk càmp 모범수 노동자 수용소 ; 봉사 활동 캠프.

work·day [wə́ːrkdèi] *n.* Ⓒ 근무일, 작업일, 평일 ; 하루의 법정 노동 시간(working day).

wórked úp [wə́ːrkt-] 흥분한, 신경을 곤두세운.

:work·er [wə́ːrkər] *n.* Ⓒ ① 일을〔공부를〕 하는 사람 : a hard ~ 노력가, 근면가. ② 일손 ; 노동자, 공원, 직공 ; 세공인 : office ~*s* 사무원. ③ 〖蟲〗 일벌.

wórker participàtion (기업 경영에의) 근로

자 참가, 노사 협의제.

wórk fòrce (실동(實動)·잠재의) 총노동력, 노동 인구; 모든 종업원.

wórk fùnction 〖物〗 일 함수.

work·horse [ˊ-hɔ̀ːrs] *n.* Ⓒ ① 일말, 사역마. ② 부지런히 일하는 사람; 내구력이 있는 기계〔차〕.

work·house [ˊ-hàus] *n.* Ⓒ《美》경범죄자 노역소;《英》(옛날의) 구빈원.

‡**work·ing** [wɔ́ːrkiŋ] *n.* ① Ⓤ,Ⓒ 일, 작용, 활동; 작업, 운전. ② Ⓤ,Ⓒ 공작, 가공; 제조, 건조. ③ Ⓤ 해결; (*pl.*) 계산 과정. ④ Ⓤ (얼굴 등의) 씰룩임, 경련; 발효 작용. ⑤ (*pl.*) 짜임, 기구; (광산·채석장 따위의) 작업장, 채굴장, 갱도; 갱도망(網). ── *a.* ① **a**) 일하는, 노동에 종사하는; 경작에 쓰이는《가축 등》: the ~ population 노동인구 / a ~ partner (합자회사의) 노무 출자 사원. **b**) 경영의, 영업의; 운전하는; 실행의; 작업의, 일의: ~ expenses 운영비, 경비 / a ~ breakfast 〔lunch, dinner〕(정치가·중역 등의) 용담(用談)을 곁들이는 조찬〔오찬, 만찬〕회. **c**) 소용되는; 일의 추진을 위한〔에 필요한〕: a ~ knowledge 실용적인 지식. ② 경련하는《얼굴》; 발효중인《맥주》.

wórking bùdget 실행 예산.

wórking càpital 〖商〗 운전 자본; 유동 자산.

wórking clàss 임금〔육체〕 노동자 계급.

work·ing-class [-klǽs / -klɑ́ːs] *a.* 〔限定的〕 임금〔육체〕 노동자 계급의〔에 어울리는〕.

wórking còuple 맞벌이 부부.

wórking dày ＝WORKDAY; 일일 노동 시간.

wórking gìrl 근로 여성;《俗》매춘부.

wórking hypóthesis 작업 가설(假說).

***work·ing·man** [-mæ̀n] *n.* Ⓒ 노동자, 직공.

wórking mèmory 〖컴〗 계산 도중의 결과를 고속으로 기억하는 장치.

wórking òrder 정상적으로 운전〔작업〕할 수 있는 상태.

work·ing-out [-àut] *n.* Ⓤ ① 계산, 산출. ② 입안(立案), (계획의) 세부의 완성.

wórking pàrty《英》전문 조사 위원회; 〖軍〗 작업반.

work·ing·wom·an [-wùmən] (*pl.* **-wo·men** [-wìmin]) *n.* Ⓒ 여자 노동자.

work·less [wɔ́ːrklis] *a.* 일거리가 없는, 실업한. ***the*** ~〔集合的〕 실업자. ㊕ ~·**ness** *n.*

work·load [ˊ-lòud] *n.* Ⓒ (사람·기계의) 작업 부하(負荷); 표준 노동량〔시간〕: carry one's usual ~ 평상시의 작업량을 완수하다.

‡**work·man** [ˊ-mən] (*pl.* **-men** [ˊ-mən]) *n.* Ⓒ ① 노동자, 직공, 공원. ② 기술자; 숙련가. ***a master*** ~ 명공(名工); 직공장.

work·man·like, work·man·ly [ˊ-mənlàik], [ˊ-mənli] *a.* ① 직공다운. ② 능숙한, 솜씨 좋은: do a ~ job 훌륭한 솜씨의 일을 하다. ③《蔑》손끝만의, 기교에 치우친.

***work·man·ship** [ˊ-mənʃìp] *n.* Ⓤ ① 솜씨, 기량, 기술; 만듦새: The standard of ~ is very high. 그 솜씨의 수준은 퍽 높다. ② 세공, 제작품: The world is God's ~. 세계는 신의 제작품이다.

work·mate [wɔ́ːrkmèit] *n.* Ⓒ 직장 동료.

***work·out** [ˊ-àut] *n.* Ⓒ ① (권투 등의) 연습, 트레이닝. ② 운동, 체조.

work·peo·ple [ˊ-pìːpəl] *n. pl.* (공장) 근로자들; 공원들.

work·piece [ˊ-pìːs] *n.* Ⓒ (기계·도구로) 가공 중에 있는 제품.

work·place [ˊ-plèis] *n.* Ⓒ 일터, 작업장.

work·room [ˊ-rùː(ː)m] *n.* Ⓒ 작업실.

wórks còuncil 〔commìttee〕 ① 공장 협의회. ② 노사 협의회.

wórk shèet ① 작업 계획〔예정 기록〕표. ② 연습 문제지.

***work·shop** [wɔ́ːrkʃɑ̀p / -ʃɔ̀p] *n.* Ⓒ ① 작업장. ② (참가자가 자주적 활동을 행하는) 강습회, 연구 집회.

work-shy [ˊ-ʃài] *a.* 일하기 싫어하는.

wórk sòng《美》작업노래.

work·space [ˊ-spèis] *n.* 〖컴〗 워크스페이스, 작업 공간《작업용으로 할당된 눈금상의 영역》.

work·sta·tion [wɔ́ːrkstèiʃən] *n.* Ⓒ 워크스테이션《(1) 사무실 안 등에서 한 사람의 근로자가 일하기 위한 장소〔자리〕. (2)〖컴〗작업(실) 전산기》.

wórk stùdy (생산 능률 향상을 위한) 작업 연구.

wórk sùrface ＝WORKTOP.

work·ta·ble [ˊ-tèibəl] *n.* Ⓒ 작업대; 재봉대.

work·top [ˊ-tɑ̀p / ˊ-tɔ̀p] *n.* Ⓒ《美》(카운터식 주방의) 카운터, 배선대(配線臺); 조리대(《美》counter).

work-to-rule [wɔ́ːrktərùːl] *n.* Ⓤ《英》준법 투쟁.

work·week [ˊ-wìːk] *n.* Ⓒ《美》1주 근로 시간: a 40-hour ~ 주 40시간 노동.

work·wom·an [ˊ-wùmən] (*pl.* **-wom·en** [-wìmin]) *n.* Ⓒ 여성 근로자; 여자 공원.

†**world** [wəːrld] *n.* Ⓤ ① **a**) (the ~) 세계, 지구; (세계 속의) 사람, 인류《이 때에는 단수 취급》: The whole ~ wants peace. 전 세계 사람들은 평화를 갈망하고 있다. **b**) (흔히 the ~) (시대·지역·내용에 의해서 한정된) 세계: *the* Muslim *World* 이슬람 세계. ② (이〔저〕) 세상; 현세; (the ~) (살아가는) 세상, 세인, 속인, 세속, 세태, 세상사: this 〔the〕 ~ 이승, 이 세상 / the end of the ~ 세상의 마지막 날. ③ **a**) 분야. **b**) (동식물 따위의) (세)계(界): the animal 〔mineral, vegetable〕 ~ 동물〔광물, 식물〕계. ④ (the ~) 상류 사회, 사교계(界). ⑤ **a**) 우주, 만물; (거주자가 있는) 천체, 별의 세계. **b**) 삼라만상, 모든 것. ⑥ (종종 *pl.*) 대량, 다수: (a ~, ~s) 〔副詞的〕 크게, 마치: *a* ~ 〔*the* ~, ~*s*〕 of... 산을 이루는, 막대한, 무수한, 무한한.

against the ~ 전세계를 적으로 돌리고, 세상과 싸워. ***(all) the*** ~ ***and his wife***《戲》(신사 숙녀의) 그 누구나, 어중이떠중이 모두. ***a man of the*** ~ 세상 물정에 밝은 사람. ***all the*** ~ ***over*** ＝ ***all over the*** ~ 온 세계에서. ***as the*** 〔***this***〕 ~ ***goes*** 보통으로 말하면. ***a*** ~ ***of*** ⇨⑥. ***a*** ~ ***too...*** 너무나 …한. ***be all the*** ~ 〔***mean*** (***all***) ***the*** ~〕 ***to*** 〔***for***〕 (아무에게 있어) 무엇과도 바꿀 수 없는 것이다: He *is all the* ~ *to*〔*for*〕 her. 그는 그녀에게는 무엇과도 바꿀 수 없는 사람이다. ***before the*** ~ 공공연히. ***begin the*** ~ 실사회에 나가다. ***be not long for this*** ~ 죽어가고 있다, 오래지는 않다. ***bring ... into the*** ~ ⇨BRING. ***carry all the*** ~ ***before*** one ⇨CARRY. ***come*** 〔***go***〕 ***down in the*** ~ 영락하다. ***come into the*** ~ 태어나다; 출판되다. ***come*** 〔***go, move***〕 ***up in the*** ~ 사회적 지위가 오르다; 한 밑천 잡다. ***dead to the*** ~ ⇨DEAD. ***for all the*** ~ ＝《美口》***for anything in the*** ~ ＝ ***for the*** ~ 〔否定文에서〕 결코: I would*n't* sell that picture *for all the* ~. 결코 저 그림은 팔지 않겠다. ***for all the*** ~ ***like*** 〔***as if***〕... 아주 …와 똑같은, 아주 꼭 닮은(exactly like): You look *for all the* ~ *like* my cousin. 자네는 내 조카와 아주 흡사하네. ***forsake the*** ~ 속세를 떠나다; 유혹을 뿌리치다. ***get on*** 〔***rise***〕 ***in the*** ~ 처세하다, 출세하다. ***give to the*** ~ 세상에 내다, 출판하다. ***give*** (***all***) ***the*** ~ ***to*** do 어떤 희생을 치르더라도 …하고 싶다. ***go out into the*** ~ 사회에 나가다. ***have the*** ~ ***before*** one 앞길이 양양하다. ***have the*** ~ ***at*** one***'s feet*** 크게 성공하다, 만인의 칭송을 받다:

Five years after her debut, the diminutive star of the Royal Ballet *has the ~ at her feet.* 데뷔 5년만에 로열 발레단의 그 몸집 작은 스타는 크게 성공했다. ***in a ~ of*** **one's own** =***in a ~ by*** **oneself** 자기 혼자의 세계에 들어박혀 ; 《俗》 독선으로. ***in the ~*** (1) 세계에(서). (2)〔疑問詞를 강조하여〕 도대체 : What *in the ~* is it? 도대체 그것은 무엇이냐. (3)〔否定을 강조하여〕 전혀, 조금도. ***It's a small ~.*** 《口》 세상은 넓은 것 같아도 좁다. ***make a noise in the ~*** ⇨ NOISE. ***make*** one***'s way in the ~*** (노력하여) 출세〔성공〕하다. ***make the ~ go around*** 〔***round***〕 극히 중요하다 : Love〔Money〕 *makes the ~ go round.* 사랑〔돈〕은 세상에서 극히 중요하다. ***make the worst of both ~s*** 두 생활〔행동, 사고〕 방식에서 제일 나쁜 것만 합쳐 갖다. ***mean all the ~ to*** =be all the ~ to. ***on top of the ~*** ⇨TOP. ***out of this*** 〔***the***〕 ~ 《口》 비길 데 없는, 아주 훌륭한 : She is just *out of this ~.* 그녀는 비길데 없는 미인이다. ***see the ~*** 세상 여러가지를 경험하다, 세상을 알다. ***set the ~ on fire*** ⇨ FIRE. ***take the ~ as it is*** 〔***as one finds it***〕 (세상 일을 그대로 받아들여) 현재의 추세에 순응하다. ***the best of both ~s*** (양쪽에서) 좋은 점만을 취하기 : She's a career woman and a mother, so she has〔gets, enjoys〕 *the best of both ~s.* 그녀는 직업 여성과 어머니 구실을 겸하면서 양쪽에서 이익을 얻고 있다. ***the ~ at large*** 일반 서민. ***The ~ is*** one***'s oyster.*** 세상이 다 제것이다, 만사가 뜻대로다. ***the ~, the flesh, and the devil*** 여러 가지 유혹물《명리 · 정욕 · 사념》. ***think the ~ of*** ⇨THINK. (***think***) ***the ~ owes*** one ***a living*** 세상〔사회〕의 보살핌을 받는 것을 극히 당연하다(고 생각하다) : They seem to *think* that *the ~ owes* them *a living.* 그들은 사회가 자기들을 보살펴 주는 것을 극히 당연하다고 생각하는 것 같다. (be tired) ***to the ~*** 《俗》 아주〔완전히〕(지쳐버리다). (***weight of the***) ***~ on*** one***'s shoulders*** 〔***back***〕 세계의 무게, 중대한 책임, 큰 심로(心勞). ***with the best will in the ~*** 〔흔히 否定文〕 힘껏 애써도 : *With the best will in the ~,* this job *cannot* be done in less than a week. 아무리 애써도 일주일 안에 이 일을 끝내지 못한다. ***~s apart*** ⇨APART. *a.* ***~ without end*** 영원히.

— *a.* 〔限定的〕 세계의 ; 세계적인 ; 유명한.

Wórld Bánk (the ~) 세계 은행.

world-beat·er [ˊ-bìːtər] *n.* Ⓒ 《口》 기록 보유자, 제 1 인자.

world-class [ˊ-klæ̀s, ˊ-klɑ̀ːs] *a.* 세계적인, 국제적인.

Wórld Cóurt (the ~) 상설 국제 사법 재판소.

Wórld Cúp (the ~) 〖競〗 월드컵《축구 · 스키 · 육상경기 따위 세계 선수권 대회》.

wórld exposítion (때로 W- E-) =WORLD'S FAIR.

world-fa·mous, -famed [ˊ-féiməs], [ˊ-féimd] *a.* 세계적으로 유명한.

Wórld Héalth Organizàtion (the ~) 세계 보건 기구《略 : WHO》.

wórld lánguage 세계어, 국제어.

world·ling [wə́ːrldliŋ] *n.* Ⓒ 속인, 속물.

‡**world·ly** [wə́ːrldli] (***-li·er ; -li·est***) *a.* 이 세상의, 세속적인, 속세의, 속인의. cf earthly. ¶ ~ wisdom 세속의 지혜.

world·ly-mind·ed [-máindid] *a.* 세속적인 ; 명리(名利)를 좇는. 㘝 ~**·ness** *n.*

world·ly-wise [-wáiz] *a.* 처세술이 능한, 세상 물정에 밝은.

wórld pówer 세계적 강대국, 강력한 국제 조직.

Wórld 〔**Wórld's**〕 **Séries** (the ~) 〖野〗 미국 프로 야구 공식전 후에 내셔널리그와 아메리칸 리그 두 우승 팀간에 행해지는 선수권 야구 경기.

wórld's 〔**wórld**〕 **fáir** 만국 박람회.

world-shak·ing [wə́ːrldʃèikiŋ] *a.* 세계를 뒤흔드는 ; 획기적인.

Wórld Tráde Organizàtion (the ~) 세계 무역 기구.

wórld vìew 세계관.

Wórld Wár I [-wʌ́n] 제 1 차 세계 대전 (the First World War)《1914-18》.

Wórld Wár III [-θríː] (장차 일어날지도 모르는) 제 3 차 세계 대전.

Wórld Wár II [-túː] 제 2 차 세계 대전(the Second World War)《1939-45》.

world-wea·ry [ˊ-wìəri] *a.* 염세적인.

‡**world·wide** [ˊ-wáid] *a.* (명성 등이) 세계에 미치는, 세계적인.

‡**worm** [wəːrm] *n.* Ⓒ ① **a**) 벌레《지렁이 · 털벌레 · 땅벌레 · 구더기 · 거머리 · 회충류(類)》. cf insect. ¶ Even a ~ will turn. =Tread on a ~ and it will turn. 《俗談》 지렁이도 밟으면 꿈틀한다. **b**) (*pl.*) (체내의) 기생충 ; (~s) 〔單數취급〕 기생충병 ; 장충(腸蟲)병. ② 벌레 같은 인간, '구더기'. ③ 고통〔회한(悔恨)〕의 원인. ④ **a**) 나사(screw) ; 나사산 ; 〖機〗 웜《worm wheel과 맞물리는 전동축(傳動軸)의 나선》 ; =SCREW CONVEYOR ; (증류기의) 나선관. **b**) 〖解〗 충양(蟲樣) 구조, (소뇌(小腦)의) 충양체 ; (육식 짐승혀 안쪽의) 종행근(縱行筋) 섬유. **c**) (*pl.*) 《美俗》 마카로니, 스파게티. ***food*** 〔***meat***〕 ***for ~s*** 인간의 시체. ***I am a ~ today.*** 오늘은 아주 기운이 없다. ***the ~ of conscience*** 양심의 가책.

— *vi.* ① 송충이처럼 움직이다 ; 몰래 나아가다. ② 《+전+명》 교묘히 빌붙다 : He *~ed into* his teacher's favor. 그는 교묘히 알랑거려 선생님의 환심을 샀다. ③ 〖冶〗 (금속 · 도자기 따위 겉면에) 금이 가다. — *vt.* ① 《+목+전+명》 서서히 나아가게 하다 ; 차차 환심을 사게 하다 : She used flattery to ~ her way〔herself〕 *into* his confidence. 그녀는 아첨을 떨어 그의 신임을 얻었다. ② 《+목+전+명》 점점 기어 들어가게〔나오게〕 하다《*into ; out of*》 : ~ one's way *out of* a crowd 군중 속에서 빠져나오다. ③ 《+목+전+명》 (비밀 따위)를 캐내다 : ~ a secret *out of* a person 아무에게서 비밀을 캐내다. ④ 기생충을 없애다 ; (식물)에서 벌레를 구제(驅除)하다 : ~ a flower bed 꽃밭의 벌레를 잡다. ***~ out of . . .*** 《俗》 …에서 빠져나오다. 《比》 (문제, 싫은 의무)에서 몰래 도망치다. ~ one***self into*** …으로 기어 들어가다 ; 살살 …의 환심을 사다. ~ one***self through*** 슬금슬금 나아가다.

worm·cast [ˊ-kæ̀st, ˊ-kɑ̀ːst] *n.* Ⓒ 지렁이 똥.

worm-eat·en [ˊ-ìːtən] *a.* 벌레 먹은 ; 낡아 빠진 ; 시대에 뒤진.

wórm gèar 〖機〗 웜 기어(worm wheel) ; 웜 기어 장치.

worm·hole [wə́ːrmhòul] *n.* Ⓒ (목재 · 의류 · 종이 등에 난) 벌레먹은 자리, 벌레 구멍.

wórm whèel 〖機〗 웜 기어.

worm·wood [wə́ːrmwùd] *n.* Ⓤ 〖植〗 다북쑥속(屬)의 식물, 《특히》 쓴쑥 ; 고뇌, 고민거리.

wormy [wə́ːrmi] (***worm·i·er ; -i·est***) *a.* 벌레 붙은〔먹은〕, 벌레가 많은 ; 벌레같은.

‡**worn**[1] [wɔːrn] WEAR[1]의 과거분사.

— *a.* 닳아빠진 ; 야윈, 초췌한.

worn[2] WEAR[2]의 과거분사.

‡**worn-out** [ˊ-áut] *a.* ① 닳아빠진 : ~ trousers 입어서 낡은 바지. ② 기진맥진한 : a ~ man 노쇠한

노인. ③ 케케묵은, 진부한.

wor·ried** [wə́:rid, wʌ́rid] *a.* 난처한, 딱한, 걱정〔근심〕스러운, 곤란한〔귀찮은〕 듯한 : a ~ look 근심스러운 얼굴 / look ~ 근심스런 표정이다. ***be ~ about 〔***over***〕 …의 일을 걱정하다.

wor·ri·er [wə́:riər, wʌ́r-] *n.* Ⓒ 괴롭히는 사람 ; 걱정이 많은 사람.

wor·ri·less [wə́:rilis, wʌ́r-] *a.* 근심〔걱정〕거리가 없는 ; 태평스런.

wor·ri·ment [wə́:rimənt, wʌ́r-] *n.* Ⓤ 《口》 걱정, 근심, Ⓒ 근심거리.

wor·ri·some [wə́:risəm, wʌ́r-] *a.* 곤란한, 귀찮은 ; 걱정되는, 늘 걱정하는.

wor·rit [wə́:rit, wʌ́r-] *v., n.* 《英口》 =WORRY.

†**wor·ry** [wə́:ri, wʌ́ri] *vi.* ① 《~ / +전+명 / +*that* 절 / +*-ing*》 걱정〔근심〕하다, 고민하다 ; 안달하다 《*about ; over*》: He is *~ing that* he may have made a mistake. 그는 실수하지는 않았나 하고 걱정하고 있다. ② 《+전+명》 애쓰며 나아가다 ; 간신히 타개하다《*along ; through*》: The ancient car *worries up* the hill. 낡은 차가 힘겹게 언덕길을 오르고 있다. ③ 물다, 잡아당기다《*at*》; (문제 따위를) 풀려고 애쓰다, 귀찮게 조르다《*at*》. ④ 《英口》 질식하다.

── *vt.* ① 《~+목 / +목+전+명 / +목+보 / +목+*to* do》 (아무)를 난처하게 하다, 괴롭히다, (…하라고) 성가시게 굴다 : Children ~ their parents *with* questions. 아이들은 부모에게 여러 가지 질문을 해서 괴롭힌다. ② 《+목+전+명》 〔受動으로 또는 再歸的〕 곤란을 당하다, 고민하다 《*about ; over*》: ~ *oneself* to death *over* every little thing 사소한 일을 일일이 죽도록 고민하다. ③ …를 집적거리다, 귀찮게〔못살게〕 굴다, 쑤석거리다 ; (개)가 물고 뒤흔들다 : The dog is *~ing* a bone. 개가 뼈다귀를 물고 뒤흔들고 있다. ***I should ~ !*** 《口》 조금도 상관없습니다. ***Not to*** 〔***No***〕 ~. 《英口》 걱정 마라, 신경쓰지 마라. ***~ along*** (고생해가면서) 그럭저럭 해나가다〔살아가다〕: He *worried along* many years trying to support a large family. 그는 몇년을 대가족을 부양하려고 애쓰면서 살았다. ***~ aloud*** 불평하다 《*about*》. ***~ out*** (a problem) (문제)를 애써서 풀다. ~ one***self*** 고민하다. ***~ through*** 그럭저럭〔간신히〕 타개하다 : ~ *through* an intolerable situation. 견디기 힘든 상황을 간신히 타개해 나가다.

── *n.* ① Ⓤ 걱정, 고생 ; Ⓒ (흔히 *pl.*) 골칫거리 : *Worry* has made him look an old man. 근심 때문에 그는 얼굴이 노인처럼 되었다. ② Ⓤ 사냥개가 사냥감을 물어뜯기.

wórry bèads 걱정거리가 있을 때 손으로 만지작거려 긴장을 푸는 염주.

wor·ry·ing [wə́:riiŋ, wʌ́r-] *a.* 성가신, 귀찮은 ; 애타는, 걱정되는.

wor·ry·wart [-wɔ̀:rt] *n.* Ⓒ 《口》 사소한 일을 늘 걱정하는 사람, 소심한 사람.

†**worse** [wə:rs] *a.* 〔bad, ill의 比較級〕 보다 나쁜 ; (병이) 악화된. opp. *better.* ¶ We couldn't have had ~ weather. 가장 나쁜 날씨였다. ***be ~ off*** 돈 융통이 더욱 나쁘다, 살림이 더욱 어렵다. ***be ~ than*** one***'s word*** 약속을 깨다〔어기다〕. ***none the ~ for*** (the accident) (사고)를 당해도 태연하게 : I'm *none the ~ for* a single failure. 한번의 실패정도는 아무것도 아니다. ***nothing ~ than*** (최악의 경우에도) 겨우 …만은 : I managed to escape with *nothing ~ than* a few scratches. 겨우 약간의 찰과상만을 입고 요행히 위험을 면하였다. ***so much the ~*** (오히려) 그만큼 나쁜 : *So much the ~* because you're the member of the club. 그 클럽의 회원이기 때문에 더더욱 나쁘다. one***'s ~ half*** ⇨HALF. ***the ~ for . . .*** …때문에 악화되어〔상태가 나빠져〕. ***the ~ for drink*** 취하여 : By the time I got to the party Patrick was looking a bit *the ~ for drink.* 내가 파티에 도착했을 때는 패트릭은 약간 취해 있는 듯 했다. ***the ~ for wear*** 지쳐버려 ; 입어서 낡은 ; 《口》 취하여. (and) ***what is ~*** =***to make matters ~*** =***~ than all*** 설상가상으로 : It was getting dark, *and what was ~*, it began to rain heavily. 점점 어두워지고 있는데, 설상 가상으로 비까지 심하게 퍼붓기 시작했다. ***~ luck*** ⇨LUCK.

── *ad.* 〔badly, ill의 比較級〕 더 나쁘게, 보다 심하게, 더 서투르게 : The wind is blowing ~ than before. 바람이 한층 더 세어졌다. ***none the ~*** 역시 ; 그럼에도 불구하고. ***think none the ~ of*** …을 여전히 중히 여기다〔존경하다〕. ***~ still*** 설상가상으로(= (and) what is ~).

── *n.* Ⓤ ① 더욱 나쁨 : There is ~ to follow. 다음에 더 나쁜 일이 생긴다. ② (the ~) 더욱 나쁜 쪽, 불리, 패배 ; 불화. ***for better or for ~*** 좋든 나쁘든. ***for the ~*** 나쁜 쪽으로, 더욱 나쁘게 : The patient took a turn *for the ~*. 환자는 악화되었다. ***go from bad to ~*** ⇨BAD[1]. ***have the ~*** (경기 등)에 지다 ; 〔一般的〕 불리한 입장에 있다. ***If ~ comes to worst*** ⇨WORST. ***or*** 〔***and***〕 ~ 더욱 나쁜 것. 파 **∠·ness** *n.*

wors·en [wə́:rsən] *vt., vi.* 악화하다, 악화시키다.

‡**wor·ship** [wə́:rʃip] *n.* Ⓤ ① 예배, 참배 ; Ⓒ 예배식 : They regularly attended ~. 그들은 정기적으로 예배에 참석했다. ② 숭배, 존경 ; 숭배의 대상. ③ 《英》 각하《치안 판사·시장 등에 대한 경칭, 때로 反語的》: your *Worship* 각하 《그 사람에게 향해서》 / his *Worship* 각하《3 인칭으로서》. ***a house*** 〔***place***〕 ***of ~*** 교회 ; 예배소. ***a public ~*** 교회의 예배식. ── (***-p-,*** 《英》 ***-pp-***) *vt., vi.* ① 예배하다, …에 참배하다, (신으로) 모시다〔공경하다〕. ② 숭배〔존경〕하다 : He was hero *~ed* by the younger children. 그는 어린이들이 숭배하는 영웅이었다.

파 **˜·(p)er** [-ər] *n.* Ⓒ 예배자, 참배자, 숭배자.

wor·ship·ful [wə́:rʃipfəl] *a.* 〔限定的〕 존경할 만한, 훌륭한, 존귀한, 고명한《경칭으로서》: the Most 〔Right〕 *Worshipful* 각하.

†**worst** [wə:rst] *a.* 〔bad, ill 의 最上級〕 최악의, 가장 나쁜 ; (용태가) 최악의 ; 가장 심한《限定的으로 쓰는 경우에는 the ~ 가 수반되지만 敍述的으로 쓰일 때는 the를 생략하는 수도 있음》. opp. *best.* ¶ Of all of them, he was (*the*) ~. 전체 중에서 그가 가장 형편 없었다. ***come off ~*** 지다, 혼나다. ***the ~ way*** 〔***kind***〕 《美俗》 가장 나쁘게 ; ((in) the ~ way) 도저히 ; 대단히, 매우.

── *n.* (the ~) Ⓤ 최악, 최악의 것〔사람〕: be prepared for *the ~* 최악의 사태에 대비하다. ***at*** (***the, one's***) ***~*** 최악의 경우는 ; 아무리 나빠도 : You will lose only five cents *at ~*. 최악의 경우라도 5센트밖에 손해 안 볼 것이다. ***Do your*** 〔***Let him do his***〕 ***~!*** 무슨 일이건 멋대로 해봐《도전의 말》. ***get*** 〔***have***〕 ***the ~*** (***of . . .***) 《口》 …에(서) 지다, 혼나다. ***give*** a person ***the ~ of it*** 아무를 지우다. ***if*** 〔***when***〕 (***the***) ***~*** 〔《美》 ***worse***〕 ***comes to*** (***the***) ***~*** 최악의 사태가 되면, 만일의 경우는. ***make the ~ of*** (곤란 따위)를 과장해서 말하다, …을 큰일인 것처럼 말하다 ; …을 비관하다, 최악의 경우로 여기다 ; (곤란 등에) 대처하지 못하다. ***speak*** 〔***talk***〕 ***the ~ of*** …을 나쁘게 말하다, …을 깎아내리다. ***The ~ of it is that . . . .*** 가장 곤란한 일은 …이다.

— *ad.* 〔badly, ill의 最上級〕 가장 나쁘게 ; 매우, 대단히 ; 가장 서툴게 : John played ~. 존의 연주〔연기〕가 가장 서툴렀다. ~ ***of all*** 무엇보다도 나쁜 것은.
— *vt.* …을 지우다, 무찌르다. ***be ~ed*** 지다.

worst-case [wə́ːrstkèis] *a.* 〔限定的〕 최악의 경우도 고려한.

wor·sted [wústid, wə́ːr-] *n.* Ⓤ, *a.* 소모사(梳毛絲)(의), 우스티드(의) ; 소모사 직물(의), 모직물(의).

wort [wəːrt] *n.* Ⓤ 맥아즙(麥芽汁)《맥주 원료》.

†worth [wəːrθ] *a.* 〔敍述的〕 ① …의 가치가 있는, …의 값어치가 있는 ; 〔動名詞·금액·노력등을 나타내는 명사를 수반하여〕 …할 만한 가치가 있는. cf. worthy. ¶ This picture is ~ fifty hundred dollars. 이 그림은 5천 달러의 값어치가 있다 / Whatever is ~ do*ing* at all is ~ do*ing* well. 《俗談》 적어도 하기에 족한 일이라면 훌륭하게 할 만한 가치가 있다. ② 재산이 …인, …만큼의 재산을 가지고.
as much as . . . ***is*** ~ …의 가치에 필적할 만큼 : It's *as much as* my place *is* ~ to do it. 그것을 하면 내 지위가 위태롭다. ***for all*** one ***is*** ~ 《口》 전력을 다해서. ~ ***it*** 《口》 (시간·수고 따위를 들일 만한) 가치가 있는. ~ ***its*** 〔one***'s***〕 ***weight in gold*** ⇨GOLD. ~ one***'s salt*** 급료만큼의 일을 하는. ~ a person***'s while*** 〔敍述的〕 …할 가치가 있는, 할 보람이 있는《*to* do ; do*ing*》 : I'll make it ~ *your while.* 너에게 헛수고는 시키지 않겠다. 보수는 준다. ~ ***the trouble*** 애쓴 보람 있는.
— *n.* Ⓤ ① 가치, 값어치 : the ~ of the man 사람의 가치. ② …의 값만큼의 분량, …어치《*of*》 : three dollars' ~ *of* meat, 3 달러어치의 고기. ③ 재산. ***get*** one***'s money's*** ~ 치른 돈만큼의 것을 획득하다, 본전을 뽑다. ***of great*** ~ 대단히 가치 있는. ***of little*** 〔***no***〕 ~ 가치가 적은〔없는〕. ***put*** 〔***get***〕 ***in*** one***'s two cents*** (***'***) 《俗》 ~ 주장하다, 의견을 말하다.

worth·ful [wə́ːrθfəl] *a.* 가치 있는, 훌륭한.

‡worth·less [wə́ːrθlis] (***more*** ~ ; ***most*** ~) *a.* 가치 없는, 하잘것 없는, 쓸모 없는, 시시한, 무익한 ; 품행이 나쁜.

***worth·while** [wə́ːrθhwáil] *a.* 〔흔히 附加語的〕 할 보람이 있는, 시간을 들일 만한 ; 상당한 ; 훌륭한 : a ~ book 읽을 만한 책. ★ 서술적 용법은 worth a person's while (⇨ WORTH 成句.)

‡wor·thy [wə́ːrði] (***-thi·er*** ; ***-thi·est***) *a.* ① 훌륭한, 존경할 만한, 가치있는, 유덕한. cf. worth[1]. ② 〔敍述的〕 (…에) 어울리는, (…하기에) 족한《*of* ; *to* be done》 : He is ~ *of* reward. 그는 상을 받기에 족하다.
— *n.* Ⓒ 훌륭한 인물 ; 명사 ; 《戱·反語的》 양반.

-worthy '…에 알맞은, …할 만한'의 뜻의 결합사.

wot [wɑt / wɔt] 《古》 WIT[2]의 직설법 현재 제 1·제 3 인칭 단수.

wotch·er, watch- [wɑ́tʃər / wɔ́tʃ-] *int.* 《英俗》 안녕하십니까(What cheer !).

†would [wud, 弱 wəd, əd] (would not 의 간약형 ***wouldn't*** [wúdnt] ; 2 인칭 단수 《古》 (thou) ***wouldst*** [wudst], ***would·est*** [wúdist]) *aux. v.*
A) 《直說法》 ① 〔從屬節 안에서, 時制의 일치에 의한 間接話法〕 **a)** 〔單純未來〕 …할〔일〕 것이다 : I said that I ~ be twenty next birthday. 돌아오는 생일이면 나는 20 살이 된다고 말하였다 / She believed that her husband ~ soon get well. 그녀는 남편의 병이 곧 나으리라고 믿었다 / I asked her if she ~ go to the party. 파티에 갈 것인지 그녀에게 물었다《직접화법으로는 I asked her, "Will you go to the party ?"》 / She said she ~ be very pleased. 매우 기쁘게 생각할 것이라고 그녀는 말했다《직접화법에서의 단순미래의 I〔we〕 shall 이, 간접화법에서 2·3 인칭을 主語로 해서 나타낼 경우, 종종 should 를 대신해서 would 가 사용됨》 / I thought you ~ have finished it by then. 그때까지는 네가 일을 마쳤을 것으로 생각했다《'would have+과거분사'는 과거의 시점까지는 완료했을 것이라 생각된 동작 따위를 나타냄》. **b)** 〔意志未來〕 …하겠다 : He said that he ~ do his best. 최선을 다하겠다고 그는 말했다 / I said I ~ try. 해보겠다고 말했다《직접화법 : I said, "I will try."》.
② 〔過去의 의지·주장·고집·거절〕 (기어코) …하려고 했다《흔히 否定文에서》 : He ~ go despite my warning. 나의 경고에도 불구하고 그는 간다고 우겼다 / The door ~*n't* open. 문이 도무지 안 열렸다 / I told you so, but you ~*n't* believe it. 너에게 그렇게 말했는데도 너는 믿으려 하지 않았다.
③ 〔말하는 이의 짜증·비난을 나타내어〕 (아무가) 상습적으로 …하다 ; (공교로운 사태 등이) 늘 …하다《종종 過去의 때와는 관계 없이 쓰임》 : He ~ be unavailable when we want him. 그는 필요할 때면 꼭 없어지거든 / Stop teasing me or I'll tell mama. — You ~ ! 그만 놀리지 않으면 엄마한테 이를 테다 — 알고 있어.
④ 〔過去에 관한 추측〕 …했을〔이었을〕 것이다, …했을〔이었을〕는지도 모른다 : She ~ be 80 when she died. 그녀가 죽었을 때 80세는 되었을 것이다 / I ~n't have thought he'd do a thing like that. 그가 설마 그런 짓을 하리라곤 생각지도 못했다.
⑤ 〔過去의 습관·습성〕 (사람이) 곧잘 …하곤 했다 : He ~ jog before breakfast. 그는 조반 전에 흔히 조깅을 하였다 / We ~ (often) go fishing in the river when he was a child. 그가 어렸을 때 우리는 (자주) 강에 낚시질을 가곤 했었지.
⑥ 〔過去의 수용력·능력〕 (물건이) …할 능력이 있었다, … 할 수 있었다(could) : The hall ~ seat 500 people. 홀의 수용력은 500 명이었다 / He bought a car that ~ hold six people easily. 그는 6 사람이 편히 탈 수 있는 차를 샀다.
B) 《假定法》 ① 〔條件節에서〕 …하려고 했으면, …할 마음만 있으면 : He could help us, if only he ~ ! 마음만 있었으면 그는 우리를 도울 수 있었을 텐데.
② 〔主節에서 (1) : I ~〕 **a)** 〔상상을 포함한 의지〕 …할〔했을〕 텐데 : If I had a chance, I ~ try. 기회가 있으면 해볼 텐데 / If I were you, I ~ not do it. 만일 내가 자네라면 그것을 안 할 거야 / I ~ not suffer the slightest affront. 어떤 사소한 모욕도 용서하지 않겠다 / If I had been in your place, I ~ not have given him any money. 만일 내가 자네 입장이었다면 그에게 한푼도 주려고 안 했을 것이다. ★ 주어의 의사가 들어 있지 않아 전통적으로는 I should 로 해야 될 곳도, 현대어 특히 《美》에서는 흔히 I would 로 함 : If it hadn't been for him, I *would* have died. 만약 그가 없었더라면 나는 죽었을 것이다. **b)** 〔조심스러운 바람〕 …하고 싶다 : I ~ rather die than submit. 굴복하느니 차라리 죽겠다 / I'*d* sooner be idle than do it. 그것을 하느니 차라리 빈둥거리겠다 / I ~ like to go. 가고 싶다《주로 《美》에서, 《英》에서는 I should like to...》.
③ 〔主節에서 (2) : you 〔he, she, it, they〕 ~〕 **a)** 〔條件節 또는 그에 상당하는 句의 귀결로서, 또는 條件節 따위가 생략되어〕 …할 것이다《이 would 는 말하는 이의 추측을 보이는 것으로 주어의 의지는 없음》 : You ~ do better if you used a

dictionary. 사전을 사용하면 좀더 잘 할 것이다 / If it had not rained last week, the river ~ be dry. 지난 주 비가 오지 않았더라면 강은 말라 붙었을 게다 / It ~ be a great help to me for you to come. 네가 와 준다면 크게 도움이 되겠는데. **b)** 〔말하는 이의 상상〕: Of course you ~n't know. 물론 당신은 모르실 테죠 / *Would* it be enough? 그것으로 충분할까요. **c)** 〔말하는 이의 바람〕: I wish he ~ come. 그가 와주었으면 싶은데 / I wish you ~ forget it. 그것을 잊어 주었으면 좋겠네 / If only Ann ~ not talk like that. 앤이 그런 식으로 말을 하지 않으면 좋으련만 / *Would* you tell me what to say? 어떻게 말해야 좋을지 가르쳐 주시겠습니까 / What ~n't I give for a really comfortable house! 정말이지 살기 좋은 집만 있다면 무엇을 아낄 소냐.

> 參考 (1) '의뢰 · 권유 · 바람'을 나타내는 Would you...? 에 대한 肯定의 대답은 ×Yes, I *would*.가 아니고 Certainly(, I will). 따위로 되며 否定의 대답은 I'm afraid I can't. 따위가 됨.
> (2) **I *would* like to** 와 **I *should* like to** I *should* like 〔prefer, care, be glad, be inclined 따위〕가 바르고 would는 잘못이라는 설이 있음. 그 이유는 like에는 이미 would(…하고 싶다)의 뜻이 포함되어 있기 때문임. 그러나 실제로는 특히 《美》에서는 would가 훨씬 많이 쓰이고 있으며 간약형 I'*d* like는 많은 사람이 I would like의 간약형으로 보고 있음.

Would that . . . ! …면 좋을 텐데《節안은보통 假定法過去形》: *Would that* I *could* make money so easily! 그렇게 수월히 돈을 벌 수 있다면 좋을 텐데〔좋으련만〕(=I wish I could make...) / *Would* it *were* so 〔true〕. 그렇다면〔정말이라면〕좋을 텐데《that이 생략됨》.

***would-be** [wúdbìː] *a.* 〔限定的〕 …이 되려고 하는, …지망의; …연(然)하는, …이라고 자인하는: a ~ author 작가 지망자 / a ~ poet 자칭 시인.

***would·n't** [wúdnt] would not 의 간약형.

wouldst, would·est [wudst, 弱+wədst], [wúdist] *aux. v.* 《古》 =WOULD《thou가 주어일 때》: Thou ~ (=You would) ....

‡**wound**[1] [wuːnd, 《古·詩》 waund] *n.* Ⓒ ① 부상, 상처: a knife ~ 칼로 베인 상처. ② (정신적) 고통, 상처, 타격; 《詩》 사랑의 상처. ***inflict a ~ upon*** a person 아무에게 상처를 입히다. ***lick*** one'***s ~s*** (1) 상처를 치료하다. (2) 상한 마음을 고치다; (좌절 따위를) 딛고 일어서려 하다. ***open up old ~s*** 묵은 상처를 쑤시다.
— *vt.* 《~+목/+목+전+명》 상처를 입히다; (감정)을 해치다: He was deeply *~ed by* the treachery of close aides. 그는 측근들의 배신으로 깊은 마음의 상처를 받았다. — *vi.* 상처내다. ***willing to ~*** 악의 있는.

wound[2] [waund] WIND[2,3]의 과거 · 과거분사.

‡**wound·ed** [wúːndid] *a.* 상처 입은, 부상당한; (감정 등을) 상한: He felt ~ in his self-respect. 그는 자존심을 상한 기분이 들었다.
— *n.* 〔集合的〕 (the ~) 부상자.

‡**wove** [wouv] WEAVE의 과거 · 과거분사.

***wov·en** [wóuvən] WEAVE 의 과거분사.

wóve pàper 비쳐보면 그물 무늬가 있는 종이.

wow[1] [wau] 《口》 *int.* 야아《놀라움 · 기쁨 · 고통 등을 나타냄》. — *n.* Ⓒ (a ~) (흥행의) 대성공; (무의식중에 야아 하고 소리 지르게 될 만한) 굉장한 것, 잘 생긴 여자〔남자〕. — *vt.* (관중)을 열광시키다, 대성공하다.

wow[2] *n.* Ⓤ 와우(재생장치의 속도 변화로 소리가 일그러짐). [imit.]

WP[2] word processing; word processor. **WP, W.P.** weather permitting. **w.p.b., W.P.B.** wastepaper basket(휴지통에 넣으시오). **W.P.C.** 《英》 woman police constable. **WPM, wpm, w.p.m.** words per minute(1분간 타자 속도).

wrack[1] [ræk] *n.* ①Ⓤ 바닷가에 밀려 올라온 해초. ②Ⓒ 표착물; 난파선. ③Ⓤ 파멸; 파괴. ***go to ~ and ruin*** ⇨RACK[4].

wrack[2] *n.* Ⓒ (중세의) 고문대.

wraith [reiθ] (*pl.* **~s** [-θs, -ðz]) *n.* Ⓒ (죽어가는 사람의) 생령, (막 죽은 사람의) 영혼; 〔一般的〕 유령, 망령; 《比》 앙상하게 말라빠진 사람; 피어오르는 연기〔증기〕. 派 **∠·like** *a.*

***wran·gle** [rǽŋgəl] *vi.* 말다툼하다, 논쟁하다, 다투다《*with*; *about*; *over*》: ~ *with* a person *about* 〔*over*〕 …에 대해 아무와 논쟁하다. — *vt.* …을 설복하다《*out*; *in*》, 토론하다; 《美》 (가축 따위)를 보살피다: ~ a person *into* 〔*out of*〕 agreeing to the proposal 아무를 설득하여 그 제안에 동의시키다〔하지 않도록 하다〕.
— *n.* Ⓒ 말다툼, 논쟁, 입씨름(dispute).

wran·gler [rǽŋgələr] *n.* Ⓒ 토론자, 논쟁자; 《美》 말지기, 가축지키는 사람, 카우보이; 《英》 (Cambridge 대학에서) 수학(數學) 학위 시험의 일급 합격자: the senior ~ 수석 일급 합격자.

‡**wrap** [ræp] (*p.*, *pp.* **~ped** [ræpt], **~t** [ræpt]; **∠·ping**) *vt.* ①《~+목/+목+부/+목+전+명》 …을 감싸다, 싸다; 포장하다《*up*; *in*》: ~ one's shoulders *in* the shawl 숄로 어깨를 두르다. ②《+목+전+명》 …을 둘러싸다, 감다, 얽다《*about*; *around*; *round*》: ~ a rubber band *around* the box 상자에 고무밴드를 두르다. ③《~+목/+목+전+명》 (사건 · 진의 등)을 가리다, 숨기다《*in*》: ~ one's meaning *in* obscure language 의도를 애매한 말로 얼버무리다. ④ …을 포함하다《*up*》: The pamphlet *~s up* necessary information about it. 이 소책자는 그것에 대한 필요한 지식을 싣고 있다. ⑤ (냅킨 등)을 접다. ⑥ 〖映 · TV〗 촬영을 완료하다. ⑦ (아무를) …에 골몰케 하다, 열중케 하다《*up in*》《흔히 受動으로 '아무가 …에 골몰하다〔열중하다〕'의 뜻이 됨》: He'*s ~ped up in* his work. 그는 자기 일에 몰두하고 있다. ⑧ (업무 · 회의 따위)를 끝내다; (숙제 등)을 끝내다; (뉴스 등)을 요약하다《*up*》: ~ *up* a meeting 회의를 끝내다.
— *vi.* ①《+부》 (몸을 옷 따위로) 휘감다; (의류 등에) 휘감기다, (옷을) 입다《*up*; *in*》: Mind you ~ *up* well. 옷을 따뜻하게 감싸 입도록 주의해라. ② (의류 등이) …을 감싸다; (식물 등이) …을 휘감다《*round*; *about*》. ③ (의복 · 가장자리 등이) 겹쳐지다(overlap). ***be ~ped up in*** (1) …에 싸이다. (2) …에 열중하고 있다; …에 정신을 빼앗기고 있다. (3) 《口》 …와 관련이 있다, 말려들다. ***~ it up*** 《美俗》 잘 해내다; (경쟁에서) 결정적 타격을 가하다. ***~ over*** 포개다, 포개지다. ***~ up*** (진의)를 …에 숨기고 표현하다《*in*》; 《口》 (협정 따위)를 체결하다, 결말을 짓다; 《口》 (기사 따위)를 요약(要約)하다; (외투 등으로) 몸을 싸다; 〔命令形〕 《俗》 입 다물다, 침묵(沈默)하다.
— *n.* ①Ⓒ 두르개, 덮개, 외피; 어깨두르개, 외투; Ⓤ (얇은 플라스틱) 포장(재료), 랩. ②Ⓤ (*pl.*) 구속, 억제, 비밀(유지책), 검열. ③Ⓤ 완성, 끝냄. ***keep . . . under ~s*** (계획 · 사람 등을) 숨겨 두다, 비밀로 해두다, 공개하지 않고 두다. ***take the ~s off*** 공표하다, 알리다, 비밀을 폭로

하다.

wrap·a·round [rǽpəràund] *a.* 몸에 둘러서 입는 ; 광각(廣角)의, (끝쪽이) 굽은, 겹친 : a ~ windshield (자동차의) 폭이 넓고 굽은 앞창(窓), 광각 앞창. ── *n.* [C] ① (몸〔허리〕에) 두르는 식의 스커트 등의 옷(=**wráp·ò·ver**). ②〖製本〗바깥 접장(outsert).

wrap·per [rǽpər] *n.* [C] ① 싸는 사람. ② 포장지, (잡지·신문의) 봉(封)띠, 띠지 ; 《英》(책의) 커버. [cf.] jacket. ③ (몸에 두르는) 실내복, 어깨두르개. ④ 여송연의 겉잎.

wrap·ping [rǽpiŋ] *n.* [U] 포장, 쌈 ; (흔히 *pl.*) 포장지, 보자기.

wrápping pàper (소포용) 포장지.

wrapt [ræpt] WRAP의 과거·과거분사.

wrap-up [rǽpʌ̀p] *n.* [C] (뉴스 등의) 요약 ; 결말, 결론.

***wrath** [ræθ, rɑːθ / rɔːθ] *n.* [U] 《文語》 격노.

wrath·ful [rǽθfəl, rɑ́ːθ- / rɔ́ːθ-] *a.* 격노한.

wrathy [rǽθi / rɔ́ːθi] (***wrath·i·er*** ; ***wrath·i·est***) *a.* 《口》 =WRATHFUL. ㊕ **wráth·i·ly** *ad.*

wreak [riːk] *vt.* 《~+[목] / +[목]+[전]+[명]》 ① (원수)를 갚다, (벌)을 주다, (분노)를 터뜨리다 ; (원한)을 풀다, (위해(危害) 따위)를 가하다, 가져오다《*on, upon*》: He ~*ed* his anger *on* his brother. 아우에게 분풀이를 했다. ② (노력)을 기울이다 ; 《古》 …에게〔의〕 복수를 하다.

:wreath [riːθ] (*pl.* **~s** [-ðz, -θs]) *n.* [C] ① 화관, 화환 : a ~ of olive 올리브나무 잎의 관(冠). ② (연기·구름 따위의) 소용돌이, 동그라미《*of*》: a ~ *of* smoke 소용돌이치는 연기. ③《詩》(춤추는 사람·구경꾼 등의) 일단《*of*》. ④〖建〗계단 난간의 만곡부. ── *vt., vi.* =WREATHE.

wreathe** [riːð] (**~*d ; **~*d*,** 《古》 ***wréath·en***) *vt.* 《~+[목] / +[목]+[전]+[명]》 ① (화환 따위로) …을 장식하다《*with*》: The poet's brow was ~*d with* laurel. 시인의 이마는 월계관으로 장식되었다. ② (꽃·가지 등을 엮어) 둥글게 하다, 환상(環狀)으로 만들다 : ~ flowers *into* a garland 꽃을 엮어 화환으로 만들다. ③ …을 둥글게 둘러싸다 ; (팔·다리로) …을 휘감다 ;〔再歸的〕(뱀·덩굴 등이) …을 휘감다《*about* ; *around*》: She ~*d* her arms *about* his neck. 그녀는 양팔로 그의 목을 껴안았다. ④ …을 감싸다 ; (얼굴 따위에 미소·슬픔 등)을 띠다, (…로) 바꾸다《*in*》.
── *vi.* 《~ / +[부]》 (수목이) 원을 이루다, 서로 얽히다 ; (연기 따위가) 동그라미가 되(어 움직이)다, 감돌다, 소용돌이쳐 오르다.

:wreck [rek] *n.* ① [U.C] (배의) 난파. ② [U] 파괴, 파멸. [cf.] ruin. ¶ the ~ of one's hopes 소망〔희망〕의 소멸. ③ [C] 난파선(의 잔해). ④ [U.C]〖法〗조난 화물, 표착물. ⑤ [C] 《美俗》 (파괴된 열차·건물 따위의) 비참한 잔해, 부서진 차, 사고차 ; 패잔〔몰락〕한 몸 ; (병으로) 수척해진 사람, 신경 쇠약자 : The burnt-out ~*s* of cars littered the road. 자동차들의 타다남은 잔해들이 길거리에 흩어져 있었다.
go to ~ (***and ruin***) 파멸하다. ***make a ~ of*** a person***'s life*** 아무의 일생을 망쳐 놓다.
── *vt.* ① …을 난파시키다 ; (선원)을 조난시키다〔종종 受動으로 '난파하다'의 뜻이 됨〕: The ship *was* ~*ed*. 배는 난파했다 / They *were* ~*ed* on a reef. 그들은 암초에 난파됐다. ② (자동차·건물 따위)를 파괴하다, 부수다 : Our greenhouse was ~*ed* in last night's storm. 간밤의 폭풍우로 온실이 파괴되었다. ③ …를 파멸로 이끌다 ; 결딴내다. ④《美俗》(지폐)를 주화로 바꾸다 ; 《美俗》 활수하게 (돈)을 써 즐기다. ── *vi.* ① 난파〔파멸〕하다 : The ship ~*ed* on a sunken rock. 배는 암초에 걸렸다〔걸려 난파했다〕. ② 부서지다. ③ 폐물을 회수〔이용, 제거, 약탈, 수리〕하다.

***wreck·age** [rékidʒ] *n.* [U] ① 난파, 난파선. ② 난파 화물, 표착물 ; 잔해, 파편. ③ 파멸, 파괴.

wrecked [rekt] *a.* ①《美俗》몹시 취한, 마약으로 몽롱해 있는. ② 난파한 ; 파괴된.

wreck·er [rékər] *n.* [C] ① 배를 난파시키는 사람 ; 난파선 약탈자. ②《美》조난선 구조자〔선〕; 구조(작업)선, 구조차〔열차〕; 구난 자동차, 레커차(tow truck). ③《美》건물 해체업자 ; (자동차 등의) 해체 수리업자 ; (제도) 파괴자 ; 철거기(機).

Wren [ren] *n.* [C] 《英》 해군 여군 부대원.

wren [ren] *n.* [C] 〖鳥〗 굴뚝새《유럽산》.

wrench** [rentʃ] *vt.* ① 《~+[목] / +[목]+[전]+[명] / +[목]+[보]》 (갑자기, 세게) …을 비틀다(twist), 비틀어 돌리다《*round*》; 비틀어〔잡아〕 떼다《*away* ; *off* ; *from* ; *out of*》: ~ one's head around〔round〕 (돌아보기 위해) 목을 돌리다 / He ~*ed* the boy's wrist. 그는 그 소년의 손목을 비틀었다. ② …을 삐다, 접질리다 : ~ one's ankle 발목을 삐다. ③ (말·의미·사실 따위)를 견강 부회하다, 왜곡하다 ; (생활 양식 등)을 싹 바꾸다 ; (마음)을 괴롭히다. ── *vi.* (세게, 갑자기) 비틀리다, 뒤틀리다. ── *n.* [C] ① 세차게 비틂. ② [C] 접질림, 삠. ③ [C]〖機〗렌치《볼트·너트 따위를 돌리는 공구》; 《美俗》 (자동차 레이스에서) 자동차 정비사〔수리공〕. ④ [C] (모진) 고통 ; (이별의) 쓰라림. ⑤ 견강 부회, 왜곡. ***throw a (***monkey***) ***~ into . . .*** …을 방해하다, 실패하게 하다, 파괴하다.

***wrest** [rest] *vt.* ① …을 비틀다. ② 《~+[목] / +[목]+[전]+[명]》 …을 비틀어 떼다, 잡아 떼다, 억지로 빼앗다 : The policeman ~*ed* the gun *from* the gunman. 경관은 총잡이로부터 총을 빼앗았다. ③ 《~+[목] / +[목]+[전]+[명]》 …을 노력하여 얻다, 애써서 손에 넣다 : ~ a victory (고전 끝에) 승리를 얻다. ④ (사실 등)을 왜곡하다, 견강 부회하다 : ~ a person's words 아무의 말을 곡해하다.
── *n.* [C] ① 비틂. ②《古》(피아노·하프 등의) 조율건(調律鍵)《현의 고정 못을 조절하는 도구》.

wres·tle** [résəl] *vi.* ① 맞붙(어 싸우)다, 레슬링〔씨름〕하다《*with*》. ② 《+[전]+[명]》 (고통·유혹 따위와) 싸우다《*with* ; *against*》; (일과) 씨름하다, (문제 등에) 전력을 다하다 ; 애써서 전진하다《*through*》. ── *vt.* ① …와 맞붙어 싸우다. ② 《+[목]+[부]》 (레슬링 따위에서) …을 넘어뜨리다 : He ~*d* me *down*. ③ …을 힘껏 밀다〔밀어 움직이게 하다〕; 《美西部》 (낙인을 찍기 위해) 소 따위를 넘어뜨리다. ***~ in prayer =***~ with God*** 일심 불란하게 기도하다. ***~ out*** 열심히 행하다, 분투하여 완수하다.
── *n.* [C] ① 맞붙(어 싸우)기 ; 레슬링(의 한 경기). ② 분투, 고투, 대단한 노력 : a ~ for life or death 생사를 건 싸움〔투쟁〕.

***wres·tler** [réslər] *n.* [C] 레슬링 선수 ; 씨름꾼 ; 격투하는 사람.

***wres·tling** [résliŋ] *n.* [U] 레슬링 ; 격투.

***wretch** [retʃ] *n.* [C] ① 가엾은 사람, 비참한 사람. ②《종종 戱》비열한 사람, 천박한 사람 : You ~*!* 이놈(아). ③《戱》(귀여운) 녀석, 놈.

:wretch·ed [rétʃid] (**~·er** ; **~·est**) *a.* ① 가엾은, 불쌍한, 비참한, 불행한《생활》. ② 야비한, 비열한 : a ~ traitor 가증스런 배반자. ③ 지독한, 불쾌한, 견딜 수 없는. ④ 초라한, 빈약한, 변변치 못한 : a ~ house.

***wrig·gle** [rígəl] *vi.* ① 《~ / +[전]+[명]》 몸부림치

다, 꿈틀거리다 ; 꿈틀거리며 나아가다《*along*》; 몸을 비틀며 들어가다〔나가다〕《*into* ; *out of*》. ② 우물쭈물하다 : Don't ~ when you take an oral test. 면접 시험 때 우물쭈물해서는 안 되네. ③《+전+명》교묘히 환심을 사다《*into*》; 그럭저럭 헤어나다《*from* ; *out of*》.

— *vt.* ①《~+목 / +목+부 / +목+전+명》몸부림치게 하다, 꿈틀거리게 하다 : The earthworm ~*d* its way *into* the earth. 지렁이는 꿈틀거리며 땅속으로 기어 들어갔다. ②《+목+전+명》교묘히 …하게 하다. ~ one*'s* ***way*** 꿈틀거리며 나아가다.

— *n.* Ⓒ 몸부림침, 꿈틀거림 ; 꿈틀거린 흔적.

wrig·gler [ríglər] *n.* Ⓒ 꿈틀거리는 사람〔것〕; 〖蟲〗 장구벌레(wiggler) ; 교묘히 환심을 사는 사람.

wrig·gly [rígli] (*-gli·er* ; *-gli·est*) *a.* 몸부림치는, 꿈틀거리는 ; 우물쭈물하는.

Wright [rait] *n.* **Orville** ~ (1871-1948), **Wilbur** ~ (1867-1912) 라이트《비행기를 발명한 미국의 형제 ; 1903년 사상 최초의 비행에 성공》.

wright [rait] *n.* Ⓒ《稀》건조자, 제작자 ; (배·수레 따위의) 목수. ★ 주로 복합어로 사용됨 : play*wright*, ship*wright*, wheel*wright*.

‡**wring** [riŋ] (*p., pp.* ***wrung*** [rʌŋ]) *vt.* ① …을 짜다, 틀다, 비틀다 ; 비틀어 꺾다. ②《~+목 / +목+전+명》(물 따위)를 짜내다 ; (돈 따위)를 우려내다 ; (승낙 따위)를 억지로 얻다 : ~ water *out of* clothes 옷에서 물을 짜내다. ③ (짜듯이) …을 괴롭히다 : The plight of these people is a human tragedy which ~*s* our heart. 이 사람들의 곤경은 우리의 마음을 아프게 하는 인간적인 비극이다. ④《+목+전+명》(말뜻)을 왜곡하다. ⑤ (손)을 굳게 잡고 크게〔세게〕흔들다. — *vi.* 짜다, 짜내다 ; (고통 따위로) 몸부림치다, 바르작거리다. (***know***) ***where the shoe ~s*** a person 아무의 아픈 데(를 알고 있다). ~ ***down*** (특히 목을) 세게 조르다. ~ ***in*** 끼어들게 하다. ***~ing wet*** 짤 수 있을 정도로 젖어, 흠뻑 젖어. ~ ***off*** 비틀어 끊다〔자르다〕, 비틀어 떼다. ~ ***out of*** 〔***from***〕짜내다, 우려내다 ; (…에게서 돈·승낙 등을) 억지로 얻어내다. ~ a person***'s hand*** 감격하여 아무의 손을 꽉 쥐다. ~ one***'s hands*** (비통한 나머지) 양손을 쥐어 틀다 ; 비비적거리다. ~ a person***'s neck*** 아무에게 크게 화내다 ; 혼내주다. ~ ***up*** 세게〔꽉〕조르다.

— *n.* Ⓒ ① 쥐어 짬, 한 번 비틂. ② 손을 부르쥠, 힘찬 악수. ③ (사과즙·치즈 등의) 압착기.

wring·er [ríŋər] *n.* Ⓒ 쥐어짜는 사람〔기계〕; 착취자 ; 〔흔히 through the ~〕(심신을 피로케 하는) 쓰라린 경험 : go *through the* ~ 괴로운 경험을 겪다. ***put*** a person ***through the*** ~《美俗》아무를 (신문(訊問) 등으로) 추궁하다, 협박하다.

‡**wrin·kle**[1] [ríŋkəl] *n.* Ⓒ (피부·천 따위의) 주름〔구김〕(살) ; 쪼그랑 할멈.

— *vt.*《~+목 / +목+부》…에 주름을 잡다 : ~ (*up*) one's forehead 이마에 주름살을 짓다.

— *vi.* 주름(살)이 지다 : The skirt ~*s*. 이 스커트는 잘 구겨진다. ***be ~d with age*** 나이 들어서 주름살이 지다.

wrin·kle[2] *n.* Ⓒ《口》재치 있는 조언, 좋은 생각, 묘안, 신기축(新機軸), 유행 ; 얻어 들음, 정보 : Give me 〔Put me up to〕 a ~ or two. 좋은 수 좀 가르쳐주게.

wrin·kly [ríŋkli] (*-kli·er* ; *-kli·est*) *a.* 주름(살)진〔많은〕; 잘 구겨지는.

‡**wrist** [rist] *n.* ① Ⓒ 손목 ; 〖醫〗 손목 관절. ② Ⓤ 손끝〔손목〕의 힘〔재주〕. ***a slap*** 〔***tap***〕 ***on the*** ~ ⇨ SLAP.

wrist·band [rístbæ̀nd] *n.* Ⓒ (셔츠 등의) 소매끝, 소맷동 ; (손목시계 따위의) 밴드, 팔찌.

wrist·let [rístlit] *n.* Ⓒ 토시, 팔찌 ; (손목시계의) 줄 ;《俗·戲》수갑.

wrist·watch [rístwɑ̀tʃ / -wɔ̀tʃ] *n.* Ⓒ 손목시계.

wristy [rísti] *a.* 〖스포츠〗 손목을 쓴, 손목이 센.

writ[1] [rit] *n.* Ⓒ〖法〗 영장 ;《英》공식 서한, 칙서 ;《古》서류, 문서 ; (the W-) =HOLY 〔SACRED〕 WRIT ;《美俗》필기 시험. ***a ~ of assistance*** 〖法〗 판결 집행 명령장 ; 〖美史〗 가택 수색 영장. ***a ~ of attachment*** 〖法〗 압류 영장. ***a ~ of execution*** 〖法〗 판결 집행 영장. ***a ~ of summons*** 〖法〗 소환장. ***serve a ~ on*** …에 영장을 보내다.

writ[2]《古》WRITE 의 과거·과거분사. ~ ***large*** ⇨ WRITE.

†**write** [rait] (***wrote*** [rout], 《古》 ***writ*** [rit] ; ***writ·ten*** [rítn], 《古》 ***writ***) *vt.* ①《~+목 / +목+전+명》(글자·말·책·악보 등)을 쓰다, 기록하다, …이라고 쓰다 ; …에 써 넣다. cf. draw. ¶ ~ a story 〔a book〕 이야기를〔책을〕 쓰다. ②《~+목 / +목+목 / +목+전+명 / +목+to do / +목+that 절 / +목+wh. 절》…에게 써서 보내다〔알리다〕;《美》…에게 편지를 쓰다 : Will you ~ me soon? 곧〔금방〕편지를 주시겠습니까. ③ …을 기재〔기록〕하다. ④《+목+전+명》〔흔히 受動으로〕(얼굴 따위에 기록된 것처럼) 똑똑히 나타내다 ; (마음 따위)에 새겨 넣다 : Honesty is *written on* 〔*in*〕 his face. 정직함이 그의 얼굴에 명백히 나타나 있다. ⑤《+목+보》〔再歸用法〕(자기)를 …이라고 칭하다, 쓰다, 서명하다 : He *wrote himself* 'Baron'. 그는 '남작'이라고 서명하였다. ⑥《+*that* 절》(책속)에 …라고 씌어 있다 : It is *written in* the newspaper *that* the premier is going to resign. 수상이 사임한다고 신문에 나 있다. ⑦ (보험 회사가 보험)을 인수하다, (보험증서)에 서명하다(underwrite). ⑧〖컴〗(정보)를 기억하게 하다, 써넣다.

— *vi.* ①《~ / +부 / +전+명》(글씨를) 쓰다, 쓰는 일을 하다, 저술하다 : He can not read or ~. 그는 읽지도 쓰지도 못한다. ②《+부 / +전+명 / +*to* do》편지를 쓰다〔보내다〕: ~ home 〔*to* a friend〕 집에〔친구에게〕 편지를 쓰다. ③《~ / +전+명》(원고를) 기고하다, 작가 생활을 하다 : ~ *to* a newspaper 신문에 기고하다. ④《+부》써지다 : This pen ~*s well*. 이 펜은 잘 써진다. ⑤〖컴〗(기억장치에) 쓰다.

nothing to ~ home about 특별히 내세울 만한 것이 없는 것, 하찮은 것. ~ ***a good hand*** 글씨를 잘 쓰다. ~ ***away*** …을 우편으로 주문〔청구〕하다《*for*》: Did you ~ *away* 〔*off*〕 *for* tickets? 표를 우편으로 주문했느냐. ~ ***back*** 답장을 쓰다〔써서 보내다〕. ~ ***down*** (1) 써 두다 ; 기록하다 : *Write* it *down* before you forget it. 잊기 전에 기록해 두어라. (2) 정도를 낮추어서 쓰다, 쉽게 쓰다. (3) …라고 지상(紙上)에서 헐뜯다 ; …로 기록하다. (4) (자산 따위의) 장부 가격을 내리다. ~ ***for*** (1) 편지로 …을 청구하다 : ~ home *for* money 집에 돈을 보내라고 편지하다. (2) …에 기고하다 : ~ *for* the newspaper. ~ ***home about*** ⇨HOME *ad.* ~ ***in*** 〔***into***〕 (1) 써넣다. (2) 조회〔신청, 고충 등〕의 편지를 내다, 제출하다 : ~ *in* one's requests 청원서를 제출하다. (3)《美》(후보자 명부에 없는 후보자를) 기명 투표하다 ; (표를) 기명하여 투표하다. ~ ***off*** (1) (시 등을) 술술 쓰다. (2) (곧) 편지를 써내다, …을 우편으로 주문〔청구〕하다《*for*》. (3) (회수 불능 자금 등을) 장부에서 지우다 ; (자산

을) 감가 상각하다: ~ *off* a debt as irrecoverable 부채를 회수 불능으로서 장부에서 지우다《대손 처리하다》. (4) 무가치〔실패〕로 보다, 고려의 대상외로 치다, 없는 것으로 치다, (실패 등을) (…을 위해 잘 되었다고) 단념하다《*to*》. (5) …을 (…로서) 부적절하게 보다《*as*》; …을 (무용지물·실패 등으로) 간주하다《*as*》; (차·비행기를) (폐기하려고) 마구 부수다. ~ ***out*** (남김 없이)다 기록하다; 고스란히 그대로 베끼다, 정서하다; (작가 등이) 다 써서 쓸 거리가 없어지다; (연속극 등에서) 등장인물을 없애다; (수표·영수증 따위를) 쓰다: ~ a person *out* a receipt 영수증을 써주다. ~ ***out fair(ly)*** 정서(淨書)하다. ~ ***over*** (1) 다시 쓰다. (2) …에 가득히 쓰다. ~ one***self out*** (작가등이 재능·재료 등을) 다 써버려서 쓸 것이 없어지다. ~ ***up*** (1) 써서 높은 곳에 달다. (2) 자세히 쓰다; (문장으로) 표현하다: ~ *up* one's diary 일기를 자세히 쓰다. (3) (영화·연극·소설의) 평을 쓰다; 지상(紙上)에 칭찬하여 논평하다. (4) …의 장부가격을 올리다: ~ *up* an asset 자산의 평가 가격을 올리다. ***writ* 〔*written*〕 *large*** 대서 특필하여; 대규모로; 확대〔강조〕하여. ***writ small*** 축소한 규모로.

write-in [ráitìn] *a., n.* Ⓒ 기명투표(의)《후보자 리스트에 없는 후보자 이름을 기입하는》; 기명투표를 얻은〔얻으려는〕 후보자(의).

write-off [⌐ɔ̀ːf] *n.* Ⓒ 부채등의 대손 처리; 감가 계정(減價計定); (충돌하여) 수리 불능의 비행기〔자동차 따위〕, 폐품.

wríte protèct 〖컴〗 쓰기 방지.

‡writ·er [ráitər] *n.* Ⓒ ① 저자, 필자. ② 작가, 문필가: a good ~ 훌륭한 작가; 문필에 능한 사람. ③ 필기자; (관청, 특히 해군의) 서기(clerk). ④ 사자기(寫字器). ***the* (*present*) ~ =*this* ~** 필자《저자 자신인 I를 가리킴》.

wríte/réad hèad 〖컴〗 쓰기읽기 머리틀.

wríter's crámp 〔pálsy, spásm〕 〖醫〗 서경(書痙)《손가락의 경련》: get ~ 서경에 걸리다.

write-up [ráitʌ̀p] *n.* Ⓒ ①《口》 호의적인 기사. ② (자산의) 평가 절상, 과대 평가.

***writhe** [raið] *vt.* (몸)을 비틀다, 찡그리다, 흔들다: An odd smile ~*d* his lips. 기묘한 미소 때문에 그의 입술이 일그러졌다.
— *vi.* 《~/+전+명》 몸부림치다, 몸부림치며 괴로워하다; 고민하다《*at; under; with*》, (뱀 따위가) 꿈틀꿈틀 기어가다, 구불구불 움직이다〔나아가다, 올라가다〕: ~ *in* agony 고민하다, 고통으로 몸부림치다.
— *n.* Ⓤ 몸부림; 고뇌.

†writ·ing [ráitiŋ] *n.* ① Ⓤ 쓰기, 씀, 집필, 저술: Have you done much ~ today? 오늘은 많이 썼느냐. ② Ⓤ 저술업. ③ Ⓤ 쓴 것; 문서, 서류; 문장; 논문; 비명(碑銘), 명(銘). ④ Ⓤ 필적; 서법(handwriting). ⑤ (종종 *pl.*) 저작, 작품《문학·작곡의》: the ~*s* of Poe 포의 작품. ***at this* 〔*the present*〕** ~ 이것을 쓰고 있는 현시점에서는. ***in* ~** 쓴, 써 있는; 서면으로, 써서. ***put . . . in* ~** …을 쓰다, 서면으로 하다. ***system of* ~** 문자(체계). ***the* (*sacred* 〔*holy*〕) *~s*** 성서. ***the ~ on the wall*** 〖聖〗 임박해 오는 재앙의 전조(前兆)《다니엘서 V》.

wríting bòok 습자책.

wríting brùsh 붓, 모필.

wríting càse 필갑; 문방구 상자.

wríting dèsk 글 쓰는 책상; 사자대(寫字臺).

wríting matèrials 문방구.

wríting pàd (한 장씩 떼어 쓰는) 편지지.

wríting pàper 필기용지; 편지지; 원고용지.

wríting wìll 유언서.

†writ·ten [rítn] WRITE의 과거분사.
— *a.* ① 문자로 쓴〔된〕, 필기의: We had a ~ examination today. 오늘 필기 시험이 있었다. ② 서면으로 된, 성문의. ③ (구어에 대하여) 문어의. opp. *spoken.* ¶ ~ language 문어.

wrítten constitútion 〖法〗 성문 헌법.

wrítten láw 〖法〗 성문법.

W.R.N.S. 《英》 Women's Royal Naval Service(해군 여군 부대).

† wrong [rɔːŋ, raŋ] (***more ~, ⌐·er; most ~, ⌐·est***) *a.* ① (도덕적·윤리적으로) 그릇된, 부정의, 올바르지 못한, 나쁜. cf. bad. ¶ It is ~ to tell lies. 거짓말을 하는 것은 좋지 않다. ② 잘못된, 틀린: You are ~ to blame him. 그를 비난하다니, 자네가 잘못되었네. ③ 부적당한, …답지 못한, 어울리지 않는《*for; to* do》: She's the ~ person *for* the job. 그녀는 그 일에는 적합지 않은 사람이다. ④〔敍述的〕 상태가〔컨디션이〕 나빠서, 고장나서: Is there anything ~ *with* you? 몸이 편찮으신가요. ⑤ 뒷면의, 반대 쪽의: the ~ side of fabric 천의 뒷면. opp. *right.*
get on the ~ side of …의 역정을 사다, …에게 미움받다. ***go* (*down*) *the ~ way*** (음식물이) 숨통으로 잘못 들어가다. ***have* 〔*get*〕 *hold of the ~ end of the stick*** (이론·입장 따위를) 잘못 알다, 착각〔오해, 전도〕하다. ***on the ~ side of*** (연령)을 초과한(older than): He is *on the ~ side of* 50. 그는 50세가 넘었다. **(*the*) *~ way round*** 역으로, 반대로: wear one's hat *the ~ way round* 모자를 앞뒤를 거꾸로 쓰고 있다. ***What's ~ with it?*** 《口》〔反語的〕 그것이 어디가 나쁘단 말이냐《좋지 않으냐》. ***~ in the head*** 《口》 미쳐서, 머리가 돌아. ***~ side out*** 뒤집어서; 거꾸로 해서.
— *ad.* 〔比較변화는 없음〕 ① 부정하게, 나쁘게. ② 잘못된 방법으로, 그릇〔잘못〕되게, 틀리게: guess ~ 그릇 추측하다. ③ 탈이 나서, 고장나서. ④ 반대로, 거꾸로. cf. wrongly.
get a person ***in*** ~ 《美口》 아무를 남에게 미움받게 하다. ***get it*** ~ 계산을 잘못하다, 오산하다; 오해하다: You *got it* ~ — it's Maria she's coming not Marina. 자네가 잘못 알았네 — 마리나가 아니라 마리아가 오도록 되어있네. ***get*** a person ~ 아무를 오해하다. ***go*** ~ (1) 길을 잘못 들다; 정도(正道)를 벗어나다. (2) (일이) 잘 안되다; 실패하다: Everything is *going* ~ today. 오늘은 만사가 잘 안 된다. (3) 고장나다. (4) (여자가) 몸을 망치다, 타락하다. (5) 불쾌해지다; (음식이) 썩다. ***put . . .*** ~ …을 그르치다〔어지럽히다〕.
— *n.* ① Ⓤ (도덕적인) 악, 부정, 사악, 죄. ② Ⓤ,Ⓒ (남에게 대한) 부당(행위), 부정 행위, 부당한 대우, 학대.
do ~ 나쁜 짓을 하다; 잘못을 저지르다. ***do*** a person ~ =***do ~ to*** a person 아무를 부당하게 다루다; (남의 동기를) 나쁘게 해석하다; 오해하다. ***get in ~ with*** a person 《美口》 아무의 반감을 사다, 아무에게 미움을 받다; 아무와의 관계가 원만치 않다. ***in the*** ~ 부정으로; 그릇되어(있는), 나쁜. ***put*** a person ***in the*** ~ 잘못을 아무의 탓으로 돌리다. ***suffer*** ~ 학대를 받다.
— *vt.* ① …에게 해를 끼치다; …에게 부당한 취급을 하다, 학대하다: As you ~ others knowingly, so shall you be ~*ed* in turn. 알고도 남에게 해를 끼치면 다음에는 네가 해를 입게 될 것이다. ② …을 오해하다. ③ …에게서 사취하다《*out of*》.

wrong·do·er [⌐dúːər] *n.* Ⓒ 악행자; 범죄자; 가해자; 〖法〗 권리 불법 침해자, 비행자.

wrong·do·ing [-dú:iŋ] *n.* Ⓤ 나쁜 짓을 함; 비행, 악한 짓; 범죄, 가해.

wrong-foot [-fút] *vt.* 《口》 ① (테니스)에서 상대방이 몸의 균형을 잃도록 공을 쳐보내다. ②…을 습격하다, 불의의 기습을 가하다.

wrong·ful [rɔ́:ŋfəl] *a.* 부정한, 불법의, 무법의; 나쁜, 사악한(wicked) : ~ dismissal 부당 해고.

wrong·head·ed [rɔ́:ŋhédid] *a.* (생각이) 비뚤어진, 뒤틀어진; 완고한, 사리에 어두운.

wróng númber ① 전화(번호)를 잘못 걺; 잘못 건 (전화)번호, 잘못 불러낸 상대〔집〕. ② 그릇된 생각; 《美俗》 부적당한〔바람직하지 못한, 신용할 수 없는〕 사람〔것〕. ③ 《美俗》 정신병자.

wrong'un [-ən] *n.* 《口》 Ⓒ 나쁜 놈, 악당.

†wrote [rout] WRITE의 과거.

wroth [rɔ:θ, rɑθ / rouθ] *a.* 《古·詩》 〔敍述的〕 격노한; (바람·바다 따위가) 사나운. ⓒⓕ wrath.

***wrought** [rɔ:t] 《古·文語》 WORK의 과거·과거분사. ―*a.* ① 가공한, 만든. ② 정련(精鍊)한, 단련한. ③ 정교한, 공들여 세공한(highly ~) : a highly ~ article 정교한 물건. ④ 수놓은, 장식을 붙인, 꾸민《*with*》. ⑤ (지나치게) 흥분한; 짜증난《*up*》.

wróught íron 〖冶〗 단철(鍛鐵).

wrought-up [-ʌ́p] *a.* 매우 흥분한, 초조한.

***wrung** [rʌŋ] WRING의 과거·과거분사. ―*a.* 쥐어짠, 비튼; 고통〔슬픔〕에 짓눌린.

wry** [rai] (wrý·er, wrí·er ; wrý·est, wrí·est***) *a.* 〔限定的〕 ① 뒤틀린, 비틀어진, 옆으로 굽은 : a ~ nose 꾸부러진 코. ② 곧잘 비꼬는, 비뚤어진; 심술궂은; 찌푸린 얼굴의 : a ~ smile 쓴 웃음. ③ 예상이 틀린, (뜻을) 왜곡한. ***make a ~ mouth*** 〔***face***〕 (불쾌하여) 얼굴을 찡그리다〔찌푸리다〕.

wry·neck [ráinèk] *n.* 《口》 Ⓒ 목이 비뚤어진 사람; 《口》 〖醫〗 사경(斜頸); 〖鳥〗 딱따구릿과(科)의 일종.

WSW, W.S.W., w.s.w. west-southwest. **wt.** weight. **wth** width. **WTO** World Trade Organization (세계 무역 기구).

wurst [wə:rst, wuərst] *n.* ⒸⓊ 《G.》 〔종종 複合語로〕 (특히 독일·오스트리아의) 소시지.

WV 〖美郵〗 West Virginia. **W.Va.** West Virginia. **WW** World War. **WWF** World Wildlife Fund(세계 야생생물 기금). **WY** 〖美郵〗 Wyoming. **Wy.** Wyoming.

Wyc·liffe, Wic(k)- [wíklif] *n.* **John** ~ 위클리프《영국의 종교 개혁가·성경의 최초의 영역자; 1320?-84》.

Wyo. Wyoming.

***Wy·o·ming** [waióumiŋ] *n.* 와이오밍《미국 북서부의 주; 略 : Wy., Wyo.; 〖郵〗 WY》. ㊎ **~·ite** [-àit] *n.* Ⓒ 와이오밍주(州)의 사람.

WYSIWYG, wysiwyg [wíziwìg] *n.* 《美口》 〖컴〗 위지위그.

wy·vern, wi·vern [wáivərn] *n.* Ⓒ 날개 있는 용.

X

X, x [eks] (*pl.* ***X's, Xs, x's, xs*** [éksiz]) [U,C] ① 엑스《영어 알파벳의 스물넷째 글자》; X 자 모양의 것. ②《美口》10 달러 지폐; 로마 숫자의 10: XX=20 / XV=15. ③【數】(제1) 미지수([cf] Y, Z), 변수, x축, x좌표; 미지의 것[사람]; 예측할 수 없는 것. ④ X 표; 글자를 못 쓰는 사람의 서명 대용; 키스의 부호《연애 편지의 끝 따위에 씀》; 지도상의 특정 지점 등을 나타내는 부호; 투표용지·시험답안지 등에서의 선택을 나타내는 표《★ 우리나라의 경우 ○표에 해당》. ⑤ 24 번째의 것《J 를 제외할 때에는 23 번째, 또 J, V, W를 제외할 때에는 21 번째》. ⑥《美》성인 영화의 기호. ***put*** one's ***X on*** 《美俗》…에 (서명 대신에) ×표를 하다. ***X marks the spot.*** 바로 이곳이다.
— (*p., pp.* ***x-ed, xed, x'd*** [ekst]; ***x-ing, x'ing*** [éksiŋ]) *vt.* …에 X 표를 하다; …을 X표로 지우다《*out*》; 《美俗》무효로 하다, 취소하다: *x out* an error 틀린 것을 X 표로 지우다.

X Christ; Christian; cross.

Xan·a·du [zǽnədjùː] *n.* [C] 도원경《Coleridge의 시 *Kubla Khan*에서 Xandu(17세기의 철자)를 고친 이름; 중국 원(元)나라 때의 고도(古都) '상도(上都)'에서》.

xan·thene [zǽnθiːn] *n.* [U]【化】크산텐.

xánthic ácid【化】크산틴산(酸).

xan·thine [zǽnθin] *n.* [U]【化】크산틴《혈액·오줌·간장 등에 있는 질소 화합물》; 크산틴 유도체(誘導體).

Xan·thip·pe [zæntípi] *n.* ① 크산티페《Socrates의 아내》. ② [C]〔一般的〕잔소리 많은 여자, 악처(惡妻).

xan·thone [zǽnθoun] *n.*【化】크산톤《살충제·약제 등에 쓰임》.

xan·tho·phyl(l) [zǽnθəfil] *n.* [U]【化】크산토필, (가을 나뭇잎의) 황색 색소.

xan·thous [zǽnθəs] *a.* ① 황색의. ②【人類】황색 인종의, 몽고 인종의.

Xan·tip·pe [zæntípi] *n.* =XANTHIPPE.

Xa·vi·er [zéiviər, zǽv-, -vjər] *n.* **Saint Francis** ~ 자비에르《인도·중국·일본 등에 포교한 스페인의 가톨릭 선교사; 1506-52》.

X chròmosome [éks-]【生】X 염색체《성(性) 염색체의 하나》. [cf] Y chromosome.

x-co·or·di·nate [èkskouɔ́ːrdənit, -nèit] *n.* [C]【數】x 좌표.

X.D., x.d., x-div.【商】ex dividend(=without dividend) (배당락(配當落)).

Xe【化】xenon.

xe·no·bi·ol·o·gy [zènoubaiάlədʒi / -ɔ́l-] *n.* [U] 우주 생물학.

xen·o·ma·nia [zènəméiniə, -njə] *n.* [U] 외제품광(狂), 외국열.

xe·non [zíːnɑn, zé- / zénɔn] *n.* [U]【化】크세논《비활성 기체 원소; 기호 Xe; 번호 54》.

xen·o·phile [zénəfàil] *n.* [C] 외국(인)을 좋아하는 사람.

xen·o·phobe [zénəfòub] *n.* [C] 외국(인)을 싫어하는 사람.

xen·o·pho·bia [zènəfóubiə, zìnə-] *n.* [U] 외국(인) 혐오. [파] **-phó·bic** *a.*

Xen·o·phon [zénəfən] *n.* 크세노폰《그리스의 철학자·역사가·장군; 434?-355? B.C.》.

X'er [éksər] *n.* [C] X Generation의 사람.

xe·ro·phyte [zíərəfàit] *n.* [C] 건생(乾生) 식물《선인장 따위》.

Xe·rox [zíərɑks / -rɔks] *n.* ① [U] 제록스《서류복사기; 商標名》. ② [C] 제록스에 의한 복사[카피].
— *vt., vi.* (x-) 제록스로 복사하다.

Xer·xes [zə́ːrksiːz] *n.* 크세르크세스《옛 페르시아의 왕; 519?-465? B.C.》.

X́ Generàtion X 세대《1961-71년에 태어난 세대》. [cf] X'er.

Xho·sa [kóusə, -zə, kɔ́ː-] (*pl.* **~s,** ~) *n.* ① [C] 코사[호사]족(族)《남아공화국의 한 종족》. ② [U] 코사[호사]어.

xi [zai, sai, ksi] *n.* [U,C] 그리스어 알파벳의 열넷째 글자(Ξ, ξ; 로마 글자의 x 에 해당함);【物】크시 입자(粒子)(~ particle).

XING [krɔ́(ː)siŋ, krάs-] *n.* [C]【交通標識】동물 횡단길; (철도의) 건널목. [◂X(cross)+ing]

Xin·hua·she [ʃínhuάːʃʌ́] *n.* 신화사(新華社) (New China News Agency)《중국의 통신사》.

-xion *suf.* 《주로 英》=-TION.

XL extra large. **XLP** extra long playing (record) (초(超) LP 판). **Xm.** Christmas.

⁑Xmas [krísməs, 《俗》éksməs] *n.* =CHRISTMAS. ★ X 는 Christ 의 그리스 문자(文字) ΧΡΙΣΤΟΣ 의 첫글자; X'mas 라고도 씀.

X-ra·di·a·tion [éksreidiéiʃən] *n.* [C] X 선 방사[조사(照射)].

X-rat·ed [éksrèitid] *a.* ① (영화가) 성인용의. ②《口》(서적·쇼 등이) 외설한, 음란한. ③《口》품위 없는《말》: an ~ book 에로 소설.

***X ràỳ** [éks-] ① 엑스선, 뢴트겐선(Röntgen rays). ② X선 사진. ③ X선 검사, 뢴트겐 검사.

***X-ray** [éksrèi] *a.*【限定的】엑스선의: have an ~ examination X선 검사를 받다. — *vt.* …의 X선 사진을 찍다; X 선으로 검사[치료]하다.

X́-ray diffràction【物】X선 회절(回折)(법).

X́-ray scànning【工】X선 주사(走査)《X선을 주사하여 흠의 유무를 검사하는 기술》.

xy·lan [záilæn] *n.* [U]【化】크실란《펜토산의 하나, 식물이 목화(木化)한 세포막 속에 존재》.

xy·lem [záiləm, -lem] *n.* [U]【植】목질부.

xy·lene [záiliːn] *n.* [U]【化】크실렌《물감의 원료》.

xy·log·ra·phy [zailάgrəfi / -lɔ́g-] *n.* [U] 목판술; 목판 인화법.

***xy·lo·phone** [záiləfòun, zíl-] *n.* [C] 실로폰, 목금. [파] **xý·lo·phòn·ist** *n.* [C] 실로폰 연주자.

xy·lose [záilous] *n.* [U]【化】크실로오스《목재·짚 등에 들어 있는 당(糖)의 일종》.

XYY sỳndrome [èksdʌ́bəlwái-]【醫】XYY 증후군(症候群)《남성 염색체(染色體) 곧, Y염색체를 하나 더 갖고 있는 염색체 이상(異常); 저지능·공격적이 됨》.

Y

Y, y [wai] (*pl.* **Y's, *Y*s, y's, *y*s** [-z]) ① U,C 와이(영어 알파벳의 스물 다섯째 글자); Y 자 모양의 것. ② U,C 〖數〗 (제 2) 미지수(의 부호) (cf. x, z), 변수, y축, y좌표. ③ U,C 25 번째의 것(J 를 제외할 때에는 24 번째, 또 J, V, W를 제외할 때에는 22 번째). ④ U,C 중세 로마 숫자의 150. ⑤ U (연속한 것의) 제 25번째(의 것).

-y[1] *suf.* ① 명사에 붙어서 '…투성이의' '…으로 찬' '…로 된' '…와 같은'의 뜻을 나타내는 형용사를 만듦: dirt*y*, greed*y*, hair*y*, ic*y*, water*y*. ② 색을 나타내는 형용사에 붙어서 '…빛이 도는'의 뜻을 나타냄: pink*y*, yellow*y*. ③ 다른 형용사로부터 같은 뜻의 형용사(주로 시어)를 만듦: pal*y*, steep*y*.

-y[2] *suf.* 라틴·프랑스 계통의 언어에 붙어 추상명사를 만듦: deliver*y*, jealous*y*.

-y[3], **-ie, -ey** *suf.* 사람·동물을 나타내는 단음절의 말에 붙어 '애착·친밀'의 뜻을 더함: aunt*y*, bird*ie*, murs*ey*.

Y 〖化〗 yttrium.

‡**yacht** [jɑt / jɔt] *n.* C 요트(돛·엔진으로 달리는 유람·레이스용 배; 대형의 호화 쾌주선). — *vi.* 요트를 타다, 요트를 조종하다, 요트로 항해하다.

yácht clùb 요트 클럽.

yacht·ing [játiŋ / jɔ́t-] *n.* U 요트 조종(술); 요트놀이; 요트 항해: a ~ match 〔race〕 요트 경주. ***go*** ~ 요트를 타러 가다.

yácht ràcing 〔**ràce**〕 요트 경주.

yachts·man [játsmən / jɔ́ts-] (*pl.* ***-men*** [-mən]; *fem.* ***-wòman*** [-wùmən]) *n.* C 요트 조종자〔소유자, 애호가〕.

yah [jɑː] *int.* 야아, 어어이(불쾌·조소·초조 등을 나타냄). — *ad.* 《口》 = YES.

Ya·hoo [jáːhuː, jéi-, jɑːhúː] *n.* C ① 야후(Swift의 소설 *Gulliver's Travels* 속의 인간의 모습을 한 짐승). ② (y-) 짐승 같은 인간.

Yah·veh, Yah·weh [jáːve], [jáːwe, -ve] *n.* 〖유대教·聖〗 야훼(Jehovah)(히브리어로 '하느님'의 뜻인 YHWH의 음역; 구약성서에서 하느님에 대한 호칭의 하나). cf. Elohim, Adonai.

Yaj·ur-Ve·da [jʌ́dʒuərvéidə, -víːdə] *n.* (the ~) 야주르베다(제사(祭詞)를 집록한 4 베다의 하나). cf. Veda.

yak[1] [jæk] (*pl.* ~***s***, 〔集合的〕 ~) *n.* C 〖動〗 야크(티베트·중앙 아시아산의 털이 긴 소).

yak[2] 《俗》 *n.* U 수다, 쓸데없는 말. — (***-kk-***) *vi.* 수다떨다, 재잘거리다: They have been ~*king* on the phone for over an hour. 그들은 전화로 한시간 이상 수다를 떨었다.

Ya·kut [jɑːkúːt] *n.* C 야쿠트 사람(동부 시베리아의 터키 인종의 일파); U 야쿠트어(語).

Yale [jeil] *n.* 예일 대학(미국 Connecticut 주 New Haven에 있는 대학; 1701 년에 창립).

Yál·ta Cónference [jɔ́ːltə- / jáːl-] (the ~) 얄타 회담(1945 년 2 월 미·영·소의 수뇌가 모여 제 2 차 세계 대전 종전의 사후 처리를 논의한 회담).

Ya·lu [jáːlùː] *n.* (the ~) 압록강.

yam [jæm] *n.* C,U 〖植〗 참마속(屬)의 식물; 그 뿌리; 《美南部》 고구마(의 일종).

yam·mer [jǽmər] 《口·方》 *vi., vt.* 훌쩍거리며 울다; 투덜대다; …에 대해 수다떨다, 지껄이다 《*on*》: His sister phoned up and ~*ed on*〔*away*〕 *about* nothing, as usual. 그의 여동생은 전화를 걸어 여느때와 같이 아무 것도 아닌 일에 대해 지껄여댔다. — *n.* C 볼멘〔불평의〕 소리; 수다.

yang [jɑːŋ, jæŋ] *n.* U 《Chin.》 양(陽). opp. *yin.*

Yan·gon [jáŋgɔn] *n.* 양곤(Myanmar 의 수도).

Yang·tze [jǽŋsíː, -tsíː-] *n.* (the ~) 양쯔강.

yank [jæŋk] *vt., vi.* 《口》 (…을) 확 잡아당기다(jerk) 《*at*》: Mother ~*ed* the bedclothes *off* John. 어머니는 존의 침구를 홱 당겼다 / ~ *out* a teeth 치아를 뽑다. — *n.* C 《口》 홱 당김.

‡**Yan·kee** [jǽŋki] *n.* ① C 미국 사람, 양키. ② C New England 사람; 미국 북부 여러 주의 사람; 북부〔북군〕의 사람(남북 전쟁 당시 남부 사람들이 적의와 경멸의 뜻을 함축시켜서 썼던 말). ★ 미국인은 주로 ② 의 뜻으로, 기타 외국 사람들은 보통 ① 의 뜻으로 씀. 그러나 미국인도 *Yankee* enterprise 〔ingenuity〕 (미국인적인 적극성〔창의성〕)처럼 ①의 뜻으로 씀. ③ U (영어의) 뉴잉글랜드 방언.

— *a.* 〔限定的〕 양키(식)의: ~ blarney 미국인식의 발림말 / ~ rails 《英俗》 미국 철도주(株).

Yánkee Dóo·dle [-dúːdl] ① 독립 전쟁 때 미국인이 애창한 국민가. ② 양키, 미국 사람.

Yan·kee·ism [jǽŋkiìzəm] *n.* U 미국풍; New England 사람 기질; C 미국말씨〔사투리〕.

yap [jæp] (***-pp-***) *vi.* ① (개가) 요란하게 짖어대다. cf. yelp. ② 《口》 시끄럽게〔재잘재잘〕 지껄이다; 《美俗》 투덜거리다: She keeps ~*ping at* me *about* Smith. 그녀는 내게 스미스에 관해 계속 지껄여대고 있다 / He ~*ped* (*away*) *on* the subject for hours. 그 문제에 대해 몇시간 동안 지껄여댔다. — *n.* C ① 요란하게 짖음〔짖는 소리〕. ② C 《美俗》 시끄러운 사람; (수다스러운) 입.

‡**yard**[1] [jɑːrd] *n.* ① C (건물에 인접한) 울을 친 지면, 안마당, 구내; 《美·Austral.》 (가축용의) 울: a front 〔back〕 ~ 앞〔뒷〕마당.

> 參考 (1) 종종 합성어를 만듦: a church*yard* 교회의 경내, 묘지 / a farm*yard* 농장 / school*yard* 학교 마당, 운동장. (2) 미국의 대학 교정은 campus 라고 부르는데, Harvard 만이 yard 라고 부름.

② C 〔흔히 複合語〕 작업장, 제조소; (재료) 두는 곳: a brick*yard* 벽돌 공장 / a dock*yard* 조선소(造船所). ③ C 〖鐵〗 (화물) 조차장(操車場) (《英》 railwayyard). ④ (the Y-) = SCOTLAND YARD.

‡**yard**[2] *n.* C ① 야드(길이의 단위; 36 인치, 3 피트, 약 0.914 미터); 마(碼); 1 마(碼)의 분량: 2 ~*s* of calico 옥양목 2 마. ② 막대, 지팡이; 야드자(yardstick). ③ 〖船〗 활대. ***by the*** ~ 《比》 상세히, 장황하게.

yard·age[1] [jáːrdidʒ] *n.* U (가축 등의) 위탁장 사용료〔사용권〕; 역 구내 사용료〔사용권〕.

yard·age[2] *n.* U (야드제(制) 채탄(採炭)에서) 야드수(數)(임금의 기준으로서); 야드로 잰 길이〔양〕; 《美》 = YARD GOODS.

yard·arm [jáːrdàːrm] *n.* C 〖船〗 (가로돛의) 활대 양쪽 끝.

yárd gòods 야드 단위로 파는 옷감.

yárd sàle 《美》 (개인이 집 뜰 앞에서 벌이는)

중고(中古) 가정용품 판매(garage sale).

yard·stick [ˊ-stìk] *n.* [C] ① 야드 자. ②《比》(판단 따위의) 기준, 척도.

yar·mul·ke [já:rməlkə] *n.* [C] 【유대敎】 정통파 남자 신자가 기도할 때나 Torah를 읽을 때 쓰는 작은 두건.

‡**yarn** [ja:rn] *n.* ① [U] (자은) 실, 피륙 짜는 실, 방적사. ② [U] 털실, 모사(woolen ~), 뜨개실, 꼰 실; 실 모양의 유리〔금속, 플라스틱〕: worsted ~ 소모사(梳毛絲). ③ [C]《口》(특히 꾸며낸) 이야기, 긴 이야기; 허풍. ***spin a* ~ 〔~*s*〕**《口》장광설을 늘어놓다. ― *vi.*《口》이야기를 하다, 긴 이야기를 늘어놓다.

yar·row [jǽrou] *n.* [U] 【植】 서양톱풀.

yash·mak [jǽʃmæk, ja:ʃmá:k] *n.* [C]《Ar.》 야시맥(이슬람 교도의 여자가 얼굴을 가리는 베일).

yat·a·g(h)an [jǽtəgən, -gæ̀n] *n.* [C]《Turk.》 야터갠(이슬람 교도가 쓰는 날밑이 없는 긴 칼).

yaw [jɔ:] 【空·海】 *n.* [U] 한쪽으로 흔들림; (선박·비행기가) 침로에서 벗어남; (우주선이) 옆으로 흔들림. ― *vi.* 한쪽으로 흔들리다; 침로에서 벗어나(흔들리며 나아가)다.

yawl [jɔ:l] *n.* [C] 【海】 배에 실은 보트, 함재한 잡용선(雜用船); 일종의 작은 범선.

‡**yawn** [jɔ:n] *vi.* ① 하품하다: ~ *over* the newspapers 신문을 보면서 하품을 하다. ② (입·틈 등이) 크게 벌어지다: A gulf ~*ed* at his feet. 그의 발밑에는 깊은 구멍이 크게 입을 벌리고 있었다. ― *vt.* 하품을 하면서 말하다: "Are you ready?" he ~*ed*. '준비됐느냐'고 그는 하품을 하면서 말하였다. ***make*** a person ~ 아무를 지루하게 하다. ― *n.* [C] ① 하품; 입을 크게 벌림: with a ~ 하품하면서 / give a ~ 하품을 하다. ② 틈;《俗》따분한 사람〔것, 일〕: We found him such a big ~. 우리는 그가 그처럼 몹시 따분한 사람이란 것을 알았다. [파] ˊ·**er** *n.* [C] ① 하품하는 사람. ② 따분한 사람.

***yawn·ing** [jɔ́:niŋ] *a.* 하품을 하고 있는, 피로한〔지루한〕 기색을 보이는; (입·틈 등이) 크게 벌어져 있는. [파] ~·**ly** *ad.*

yawp, yaup [jɔ:p, ja:p]《美口·英方》*vi.* 시끄럽게 외치다〔지껄이다〕; 두서없이 지껄이다. ― *n.* [C] 거슬리는 (목)소리; 새된 소리.

yaws [jɔ:z] *n.* [U] 【醫】 인도마마(frambesia).

Yb 【化】 Ytterbium. 「염색체의 하나).

Y chròmosome [wái-] 【生】 Y염색체(성(性)

y-co·or·di·nate [wàikouɔ́:rdənit, -nèit] *n.* 【數】 └y 좌표.

yd. yard(s). **yds.** yards.

‡**ye**[1] [ji:, 弱 ji]《文語·古》*pron. pl.* ① 〔thou의 복수형〕 너희, 그대들.

> [參考] (1) ye는 본디 주격이지만 때로는 목적격으로도 쓰임. (2) you는 본디 ye의 목적격.

② =YOU: How d'*ye* do [háudidú:]? 처음 뵙겠습니다; 안녕하십니까 / Thank *ye* [θǽŋki]. 고맙다 / Hark *ye* [há:rki]. 들어라 / Look *ye* [lúki]. 보라.

ye[2] [ði:, 弱 ðə, ði] *def. art.*《古》=THE (ye는 th [θ, ð]의 음을 나타내는 옛 영어 문자 þ 와 y를 혼동한 것). ★ 의고체(擬古體)로서 오늘날에도 상점·여관 따위의 간판에 씀: *Ye* Arte Shoppe 미술품 상점.

yea** [jei] *ad.* ① 그렇고말고; 그렇지(현재는 주로 구두(口頭)로 찬성을 나타내는 경우에만 쓰임). ②《古·文語》〔글머리에 두어〕 실로, 과연, 참으로 (indeed): *Yea*, and he did come. 과연, 그는 왔도다. ③《古·文語》〔接續詞的으로〕 그 위에; 아니 그뿐 아니라: a good, ~, a noble man 훌륭할 뿐 아니라 고귀한 사람. ― *n.* [U] 긍정; 찬성; [C] 찬성 투표(자). ~, ~, ***nay, nay 찬성이면 찬성, 반대면 반대라고 솔직하게. ~***s and nays*** 찬부(의 투표).

***yeah** [jɛə, ja:] *ad.*《口》=YES: "Bring us something to drink." — "*Yeah*, ~." '우리에게 마실것 좀 갖다 주게' — '그래, 그래' / Oh, ~? 정말, 설마.

†**year** [jiər / jə:r] *n.* ① [C] 연(年), 해(1월1일에 시작하여 12월 31일에 끝남): a bad ~ 흉년, 불경기의 해 / an average ~ 평년 / 1995 was one of the worst ~*s* of my life. 1995년은 내 생애중 최악의 해 중의 하나였다 / It's been a good ~ for the roses. 정말 순탄한 한해였다 / in the ~ 1840, 서기 1840년에 / last 〔next, this, every〕 ~ 작〔내, 금, 매〕년(이들은 부사구로서 쓰여지며, 그 앞에 in은 불필요) / the ~ before (그) 전년 / the ~ before last 〔after next〕 재작년〔내후년〕(에) (이것들도 부사구) / see the old ~ out 묵은 해를 보내다 / It's exactly a ~ 〔a ~ to the day〕 since my mother died. 어머님이 돌아가신 지 만 1년이 된다. ② [C] 1년간: in a ~'*s* time, 1년 지나면 / rent a house by the ~ 연간 계약으로 집을 빌리다. ③ (*pl.*) 다년(ages); 시대: It's ~*s* since I saw him. 여러 해 동안 그를 만나지 못했다 / for ~*s* 여러 해 동안 / the ~*s* of Queen Victoria 빅토리아 여왕 시대. ④ (*pl.*) 연령(age); 노령: She is three ~*s* of age. 그녀는 세살입니다 / in one's last ~*s* 만년에 / a woman of your ~*s* 당신 연령 정도의 여자 / old in ~*s* but young in vigor 나이는 들어도 기운은 한창으로 / *Years* bring wisdom.《俗談》나이 들면 지혜도 든다 / He's advanced in ~*s*. 그는 나이가 퍽 들어 있다. ⑤ [C] 연도, 학년; 동연도생, 동기생(class): the fiscal ~ 회계 연도 / the school 〔academic〕 ~ 학년 / We were in the same ~ at college. 우리는 대학에서 같은 학년이었다. ⑥ [C] (천문학상·관행상의) 역년(曆年): the civil 〔calendar〕 ~ 역년 / a common ~ 평년 / the leap ~ 윤년 / a solar 〔equinoctial, natural, tropical〕 ~ 태양년 / a lunar ~ 태음(太陰)년. ***all the ~ round*** 일년 내내. ***a ~ and a day*** 【法】 만 1개년(꼭 1년과 하루의 유예(猶豫) 기간). ***from ~ to ~*** =~ ***after ~*** =~ ***by ~*** 매년, 해마다; 연년. ***in ~s*** (1) 연령이: well on *in* ~*s* 퍽 나이가 든. (2) 오랫동안. ***of late ~s*** 근년. . . . ***of the ~*** 그 해에 뛰어난(것으로 뽑힌); 월등한…, 제 일급의…: Young Musician *of the Year* 그 해의 뛰어난 젊은 음악가. ***put ~s on*** a person 아무를 (나이보다) 늙게 하다. ***take ~s off*** a person 아무를 나이보다 젊게 하다: Changing your hairstyle can *take* five ~*s off* you. 헤어 스타일을 바꾸면 5년은 젊게 할 수 있다. ***the ~ of Our Lord*** 서기(西紀); 그리스도 기원. ***~ in, ~ out*** =~ ***in and ~ out*** 연년세세, 해마다; 끊임없이; 언제나: *Year in and ~ out* they went to Florida for the winter. 매년 그들은 피한을 위해 플로리다에 갔다.

year-a·round [jíərəráund / jə́:r-] *a.* =YEAR-ROUND. 「앨범.

year·book [ˊ-bùk] *n.* [C] 연감, 연보; 졸업 기념

year-end [jíərénd / jə́:r-] *n., a.* 〔限定的〕 연말(의), (특히) 회계 연도말(의): a special ~ sale 연말 특별 대매출.

year·ling [jíərliŋ / jə́:r-] *n.* [C] 한 살 아이; (식물의) 1년 지난 것; (동물의) 1년생; 【競馬】 한 살 된 말, 하릅말(경마 말은 난 해의 1월부터 따짐). ― *a.* 〔限定的〕 한 살의, 당년치의; 1년 지난; 1년 만기의: a ~ bride 결혼한 지 1년 되는 새색시.

Y

…] *a.* 〔限定的〕 1년 계속 …miners ended their ~ …광부들은 1990년 3월에 일 …을 끝냈다.

year·long …] *a.* 〔限定的〕 ① 매년의, 연 … 연례 행사 / half-~ 연 2회 … 해(만)의 : a ~ income 연수 …nt, 1년생 식물. — *ad.* ① 매년, …] 한 번.

…*vi.* ①《+전+명》 그리워〔동경〕하 …*r*; *after*》: ~ *for* freedom 자유를 …*er* one's mother 어머니를 그리 … do》 간절히〔몹시〕 …하고 싶어하 …riend 몹시 친구를 만나고 싶어하

…ɲiŋ] *n.* ⓤⓒ 그리워〔동경〕함, 사 …*oward*》: a widow's ~ *for* her …난 남편을 그리워하는 과부의 애 … — *a.* 그리워〔동경〕하는, 사모 …~·**ly** *ad.*

…[jíərɑnjìər / jəːrɔnjəːr] *a.* 〔限定 …이〕 1년전과 비교한, 각 연도 비교 : …교비, 각 연도 비교비.

…ərráund / jəːr-] *a.* 연중 계속되 「ON-YEAR.

…jìərtəjíər / jəːrtəjəːr] *a.* = YEAR-

…eisèiər] *n.* ⓤ 인생 긍정론자〔낙 …S-MAN.

… *n.* ⓤ ① 이스트, 효모(酵母), 누룩 ; …② 자극, 영향〔감화〕력.

…stí] (*yeast·i·er* ; *-i·est*) *a.* ① 이스 …스트 비슷한〔를 함유한〕; 발효하는 ; 거 …. ② 활력 있는, 기력이 왕성한.

… [jeits] *n.* **William Butler** ~ 예이츠《아일 … 시인·극작가 ; 1865-1939》.

…**g**(**·man**) [jég(mən), jéig(-)] *n.* ⓒ 《美俗》 …들이 도둑, 좀도둑, 금고털이 ; 살인 청부자.

…**ell** [jel] *vi.* 《~ / +부 / +전+명》 고함치다, 소리지르다, 외치다《*out*》; (응원단 등이) 일제히 큰 소리로 성원하다 ; 불만〔항의〕의 소리를 지르다 : ~ (*out*) with fright 놀라 소리치다 / ~ with laughter 폭소하다 / ~ *for* help 도와 달라고 외치다 / "Go, go!" he ~*ed out*. '꺼져, 꺼져'하고 그는 외쳤다.
— *vt.* 《~+목 / +목+부》 …에게 큰 소리로 외치며 말하다《*out*》; 큰 소리로 외쳐 …에 영향을 끼치다 : ~ *out* abuse 〔a command〕 *at* a person 아무개를 향해 큰 소리로 악담을 퍼붓다〔명령하다〕 / ~ the devil *out* 큰 소리로 울부짖다.
— *n.* ⓒ ① (날카로운) 외침 소리 ; (고통 등의) 부르짖음. ② 옐《미국·캐나다의 대학에서 응원할 때 쓰는 특정한 외침 소리》: give the college ~ 대학의 옐을 외치다.

†**yel·low** [jélou] *n.* ① ⓤ 노랑, 황색. ② ⓒ 노란 물건 ; (달걀의) 노른자위 ; 노란 옷. ③ ⓤ 노란 그림 물감 ; 노란색 안료. ④ ⓒ 노란 나비 ; 노란 나방. ⑤ (흔히 *pl.*) (가축의) 황달(jaundice) ; (식물의) 위황(萎黃)병.
— (*~·er* ; *~·est*) *a.* ① 노란, 황색의. ② 살갗이 누런 ; 황색〔몽고〕 인종의 : a ~ man 황색 인종. ③ 질투심 많은. ④《口》 겁 많은 : They were too ~ to fight. 그들은 겁이 많아 싸우지를 못했다. ⑤ (신문 기사가) 선정적인 ; 속된 : a ~ journal 황색 신문《선정적인 기사를 보도함》. ⑥《종종 蔑》 흑백 혼합의 ; 누르스름한.
— *vt.* …을 노랗게 하다 ; 노랗게 물들이다.
— *vi.* 노랗게 되다 ; 노란 빛이 돌다.

yéllow alért 황색 경보.

yel·low·bel·ly [-bèli] *n.* ⓒ 《俗》 겁쟁이.

Yéllow Bóok ① 황서(黃書)《프랑스·중국 정부의 보고서》. ② 예방 접종 증명서(Yellow Card)《정식 명칭은 International Certificate of Vaccination》. 「사》.

Yéllow Cáb 옐로 캐브《미국 최대의 택시 회

yéllow cárd 〖蹴〗 옐로카드《심판이 선수에게 경고로 보이는》; (Y- C-) = YELLOW BOOK②.

yéllow dóg 잡종개, 똥개 ; 야비한 인간, 비겁한 자 ; 《美俗》 노동 조합에 가입하지 않은〔조합 가입을 지지하지 않는〕 노동자.

yéllow féver 황열병(黃熱病). 「의 일종.

yel·low·ham·mer [-hæ̀mər] *n.* ⓒ 〖鳥〗 멧새

·**yel·low·ish** [jélouiʃ] *a.* 누르스름한, 황색을 띤.

yéllow jàcket 〖蟲〗 말벌(wasp) ; 《俗》 (노란 캡슐의) 펜토바르비탈《마약》.

yéllow jóurnalism 〖新聞〗 《美》 선정주의.

yéllow líne ①《英》 (주차 규제 구역임을 표시하는 길가의) 황색선. ② (추월 금지를 표시하는 도로 중앙의) 황색선. 「황갈색, 황토색.

yéllow ócher 〖鑛〗 황토 ; (그림물감의) 연한

Yéllow Páges (종종 y- p-) (전화부의) 직업별 페이지 ; 《美》 업종별 기업〔영업, 제품〕 안내.

yéllow péril (the ~, 종종 the Y- P-) 황화(黃禍)《동양 인종의 세력 신장이나 저임금 노동력의 유입에 대한 서양인의 두려움》; 황색 인종.

yéllow ráce 황색 인종(Mongoloid).

Yéllow Ríver (the ~) (중국의) 황허 강.

Yéllow Séa (the ~) 황해.

Yél·low·stone Nátional Párk [-stòun-] 옐로스톤 국립 공원《미국 최고(最古)·최대의 국립 공원》.

yel·lowy [jéloui] *a.* = YELLOWISH.

·**yelp** [jelp] *vi.* ① (개·여우·칠면조 따위가 아파서) 캥캥〔퍅퍅〕 하고 울다 〔짖다〕. ② 새된 소리를 내다, 소리치다. — *n.* ⓒ ① (개 따위의) 캥캥 짖는〔우는〕 소리. ② 소리침, 비명 : She let out a ~ of fear. 그녀는 공포의 비명을 질렀다.

Yel·tsin [jéltʃin] *n.* **Boris** ~ 옐친《러시아연방 초대 대통령 ; 1931- 》.

Yem·en [jémən] *n.* 예멘《정식명 ; the Republic of Yemen ; 1990년 남·북예멘이 통일했으나 1994년 내전(內戰)에 들어가 북예멘이 제압함 ; 수도는 San'a 〔Sanaa〕》.
㊎ **~·ite** [-àit] *a.,n.* 예멘의 ; 예멘 사람(의).

Yem·e·ni [jéməni] *n.,a.* = YEMENITE.

yen[1] [jen] 《口》 *n.* (a ~) 열망《*for* ; *to* do》: have *a* ~ *for* fame 명성을 열망하다 / Nicholas has *a* ~ *to* hike through Canada. 니콜러스는 캐나다를 도보로 관통하고 싶어한다. — (*-nn-*) *vi.* 열망하다, 간절히 바라다《*for*》. 「호 ¥, ¥》.

yen[2] (*pl.* ~) *n.* ⓒ 엔(円) 《일본의 화폐 단위 ; 기

·**yeo·man** [jóumən] (*pl.* ***-men*** [-mən]) *n.* ⓒ ① 〖英史〗 자유민, 향사(鄕士). ②《英》 소지주 ; 중류농민, 자작농. ③《英》 (yeoman 계급의 자제로 편성된) 기마 의용병. ④《古》 (국왕·제후의) 시종, 종자(從者), (주(州)장관 따위의) 보좌관. ⑤《美》 (해군의) 서무계 하사관. ***a ~ of the*** (***royal***) ***guard*** 영국왕의 근위병(beefeater). ~ (*'s*) ***service*** (위급할 때의) 충성 ; 원조, 적절한 조력 : His trusty sword did him ~ *service*. 의지하던 칼이 그에게 큰 도움을 주었다.
㊎ **~·ly** *a., ad.* ~다운〔답게〕; 용감한〔하게〕.

yeo·man·ry [jóumənri] *n.* ⓤ 〔the ~ ; 集合的〕 요먼 ; 자유민, 향사 ; 소지주들 ; 자작농.

yep [jep] *ad.* 《口》 = YES. opp. *nope*. ★ 마지막 p는 입술을 다물 뿐 파열되지 않음.

†**yes** [jes] *ad.* ① **a**) 〔疑問詞 없는 疑問文에 대한 긍정의 대답〕 (긍정의 질문에 대하여) 네 ; (부정의

Y

질문에 대하여) 아니오(이 경우 우리말 대답과 다름에 주의): Are you ready?—*Yes* (, I am). 준비는 됐나—네(됐습니다) / Can [Shall] I open the window?—*Yes,* please. 창문을 열까요—네, 그렇게 하세요(거절할 때에는 No, thank you.) / Did*n't* they notice you?—*Yes,* they did. 그들은 자네를 알아채지 못했는가—아냐, 알아챘어. **b)** [부름·命令에 대답하여] 네: Jane!—*Yes,* ma'am [sir]. 제인—네, 선생님 / Be quiet while you eat.—*Yes,* mam. 식사중엔 떠들지 마라—응, 엄마. **c)** [상대의 말에 同意하여] 그렇(습니)다, 맞(습니)다: This is an excellent book.—*Yes,* it is. 이건 훌륭한 책이다—(정말) 그래 / Has*n't* he grown!—*Yes,* has*n't* he? 그 애는 어른이 다 되었군—네, 그렇지요(Yes 뒤의 否定疑問形은 부가 의문문의 변형).

② [상대의 否定的인 말에 반박하여] 아니, 아냐: Do*n't* do that!—Oh, ~, I will! 그런 짓 하지 마라—아냐, 할거야 / You do*n't* have to go, do you?—*Yes,* I'm afraid I must. 갈 필요는 없겠지.—아냐, 안 가면 안 돼.

③ [흔히 Yes?(↗)로] **a)** [부를 때 궁금하여] 네?, 왜요?: Mother!—*Yes?* 엄마—왜 (그러니)? **b)** [말없이 기다리는 사람에게] 무슨 일이죠: A girl behind the receptionist's desk said, "*Yes?*" when I hesitated. 내가 망설이고 있는데, '저 무슨 일로?' 라고 접수대에 앉아 있는 여성이 말(을) 했다. **c)** [상대말에 대해 맞장구·가벼운 疑問을 나타내어] 그래(서)?, 정말?, 설마: I was always good at drawing.—*Yes?* 나는 언제나 미술을 잘 했다네—그래?(그게 정말이냐) / I'm going to Hawaii next week.—*Yes?*(=really?) 다음 주에 하와이로 갈 예정이다—정말? **d)** [상대 이야기의 후속을 재촉하여] 그래서?: I have come to the conclusion that....—*Yes?* 나는 이러한 결론에 도달하였지(그것은 …)—응, 그래서? **e)** [상대에게 자신의 말을 다짐하여] 알겠죠?: You have to finish this work by tomorrow. *Yes?*(=O.K.?) 이 일은 내일까지 끝내야 한다, 알겠나?

④ [Oh 와 함께 혼자말로] 아, 그렇다, 그렇지, 옳지(무엇인가 생각이 났을 때): *Oh,* ~! I left it on the desk. 아 그렇다, 책상 위에 놓았지(That's right! 라고도 함).

⑤ [종종 ~, and... 또는 ~, or...로, 긍정적 진술에 이어 強調的으로] 아니 (그뿐인가), 더구나, 게다가(moreover); 확실히, 암: He is a scholar, ~, *and* a fine man as well. 그는 유식한 사람이야, 게다가 훌륭한 사람이기도 하지.

⑥ [앞의 말을 強調하여] 다름아닌 (바로)…: I beat Thomas—~, Thomas the champion. 나는 토머스에게 이겼다—다름 아닌 챔피언인 토머스에게 말이다.

— (*pl.* **~·es, ~·ses** [jésiz]) *n.* ① Ⓒ Ⓤ yes 라는 말, 동의[긍정]의 말; 긍정, 승낙: say ~ '네' 라고 하다, 동의하다, 승낙하다(*to*) / Answer with a plain ~ or no. 단지 예스냐 노냐로 대답해라 / He refused to give a ~ or no. 그는 가부(可否)의 대답을 거부했다. ② Ⓒ (흔히 *pl.*) 찬성표, 찬성 투표자(이 뜻으로는 보통 aye).

yes-man [jésmæ̀n] (*pl.* **-men** [-mèn]) (口) *n.* Ⓒ (윗사람의 말에) 그저 예예 하는 사람; 아첨꾼(sycophant).

yester- (詩·古) '어제의, 지난…'의 뜻의 결합사: *yester*morning.

†**yes·ter·day** [jéstərdi, -dèi] *ad.* 어제, 어저께; 작금, 요즘: I saw him (*only*) ~. 나는 (바로) 어저께 그를 만났다 / *I wasn't born* ~. 갓 태어난 어린애가 아니다(곧, 호… 가 아니다). — *n.* ① Ⓤ (…) 께: ~'s newspaper 어제 신문 / ~ afternoon 어제 오후 / ~ evening 어젯밤(… evening) / ~ morning 어제 아침 / ~ I knew nothing about it. 어제 아침은 바보… 해서 아무 것도 몰랐다 / Yesterday … 어제는 토요일이었다. ② Ⓤ 최근, … invention of ~ 최근의 발명. ③ (작금: a… the dim ~s of mankind 인류의 … 과거… 期) / a world without ~s or tomo… 미래가 없는 세상. ***all our ~s*** 우리를 … 갖 나날들. ***the day before ~*** 그저… 로도 쓰임). **~ week** =**a week** (fr… 주의 어제.

yes·ter·year [jéstərjìər / -jə̀:r] (文…) Ⓤ, *ad.* 작년(에); 근년(에), (머지 않은) …월; 최근: In this TV series we look b… fondness and nostalgia at the Hollywoo… ~. 이 TV 연속물에서 우리는 지난날의 … 스타들을 사랑과 향수를 가지고 회고하고…

†**yet** [jet] *ad.* ① [否定文에서] 아직 (…않다…) [지금]까지는 (…않다); 아직 얼마동안은(… 미(文尾) 또는 否定語의 바로 뒤에 옴): H… *not* arrived ~. 그는 아직 도착하지 않았다(… He has arrived *already.* 벌써[이미] 도착했… The work is *not* ~ finished. 일은 아직 끝나… 았다 / Are*n't* you ready ~? 아직 준비가 안 … 나 / Have you eaten?—*Not* ~. 다 먹었느냐… 아직 못 먹었다(Not ~.은 No, I have *not* eat… ~.) / Do*n't* start ~(=now). 아직[지금] 출발… 지 마라 / He will *not* come just ~(=now). 그… 지금 당장은 오지 않을 게다.

② [肯定의 疑問文에서] 이미, 벌써, 이제(이 뜻으로 already를 쓰면 놀라움·미심쩍음을 나타냄): Has she come home ~? 그녀는 이미 집에 돌아왔나요 / Do you have to go ~? 벌써 가지 않으면 안 되는가 / Is it raining ~? 이제 비가 오고 있느냐(비교: Is it *still* raining? 아직도 비가 오고 있느냐).

③ [진행형이나 계속의 뜻을 가진 동사와 함께 肯定文에서] 아직(도), 아직껏(still이 보통이지만, yet을 쓰면 감정적 색채를 띰): The baby is cry*ing* ~. 아기는 아직껏 울고 있다 / She is wait*ing* ~. 그녀는 아직도 기다리고 있다 / Much ~ remains to be done. 아직도 할 것이 많이 남아 있다 / His hands were ~ red with blood. 그의 손은 아직도 피로 붉게 물들어 있었다.

④ **a)** 다시, 또 그 위에: There's ~ another chance. 또 한번의 기회가 있다 / *Yet* once more I forbid you to go. 다시 한번 되풀이해 말하지만 가서는 안된다. **b)** [nor 를 강조하여] …도 또한 (—않다), …조차도(—않다): He wouldn't listen to me *nor* ~ to my father. 그는 나의 말은 물론이고 아버지의 말씀조차 들으려 하지 않았다 / I've never read it *nor* ~ intend to. 그건 아직 읽지 않았으며 또 읽을 생각도 없다. **c)** [比較級을 강조하여] 더 한층, 더욱(더)(이 용법에서는 still이 일반적임): a ~ mild*er* tone 더욱 부드러운 어조 / He beat it ~ *harder.* 그는 더욱 더 호되게 그것을 쳤다.

⑤ 언젠가(는), 머지않아, 조만간(흔히 文尾에 오지만, (文語)에서는 조동사 바로 뒤에 쓰임): The thief will be caught ~. 도둑은 머지않아 잡힐 것이다 / You'll regret it ~. 언젠가 후회할 게다 / You may ~ be happy. 언젠가는 행복할 거다.

⑥ [흔히 and [but] ~으로] 그럼에도, 그런데도,

단수 / you / 南部》 / 사람 / 「형. / 간약 / hwàt / 람〕말 / 지 않 / 「형. / 간약 / st]) a. / eaged. / 識》 젊 / 은이라 / 표현 ; / homas / e가 붙 / 리는 수 / 신홍의 : / ees 나 / 얼마 안 / 지 얼마 / 전쟁이 / night / 은, 쌍 / 쟁이

strange, *and* 〔*but*〕 ~ very true. …만 사실이다 / I offered him still …e was not satisfied. 그 이상 내겠…는 만족하지 않았다. …게〕 이제까지(ever) : the great*est* … 이제까지 쓰여진 가장 위대한 책 / …g*est* pearl ~ found. 당신의 진주 …견된 것 중 최대의 것입니다. …, 이제껏(‘앞으로 어떨지 모르지 …'하며, 종종 完了形의 동사와 함께 … an *as* ~ unidentified explosive …지 않은 폭발물 / The plan has …. 이제까지는 계획이 잘 돼 나갔 … 아직 …하지 않다 : The worst … 최악의 사태는 아직 오지 않았 …now. 그는 아직 사실을 모른다. …직도 …해야 한다, 아직 …하(고 …*e* ~ *to* learn it. 아직껏 그걸 모 … =~ ***once*** (***more***) 다시 한 번. …에도 (불구하고), 그런데도 : It's …e story. 이상하지만 실제 이야기 …was almost unintelligible, ~ for …njoyed it. 그의 이야기는 거의 이…만 어쩐지 재미있었다. … although 와 상관적으로 쓰여〕 … *Although* we are prepared for …we shall do all in our power to …리는 최악의 사태를 각오하고 있지 …것을 방지하기 위해 힘이 미치는 한 …할 것이다.

…~, ~*s*) *n.* Ⓒ (히말라야 산맥의) …bominable Snowman). ⓒⓕ snow-

…* Ⓒ 【植】 주목(朱木) (속(屬)의 나무) … 심는 상록수) ; Ⓤ 주목재(朱木材) …만듦).

Y… …) Youth Hostels Association.

Y… Ⓒ 《蔑》 유대인(Jew).

Yi… …diʃ] *n.* Ⓤ 이디시 말《독일어에 히브리어 … 등이 혼성된 언어 ; 중부〔동부〕 유럽 여… 미국 등의 유대인이 씀 ; = JEWISH. ── …의 말의 ; 유대인의.

:yiel… *vt.* ① …을 생기게 하다, 산출(産出)하다(…ce) ; (이익 따위)를 가져오다 : A tree ~*s* … 나무에는 열매가 연다 / Land ~*s* crops. 땅에… 작물이 난다 / The cow ~*s* milk twice a day. … 소는 하루에 두 번 젖을 낸다 / a test which … a yes or no answer 예나 아니오로 답하게 하는 시험 / These investments now ~ 7%. 이… 투자는 7 푼의 이익이 있다. ② 《~+목 / +목+도》 / +전+명 / +목+부 / +목+목》 …을 양보〔양도〕하다, 굴복하다, 명도하다 ; 주다 ; 포기하다《종종 *up*》 : ~ possession 소유권을 양도하다 / ~ a position *to* a newcomer 신인(新人)에게 지위를 내어주다 / ~ oneself *up to* temptation 유혹에 지다 / H… ~*ed* me his property. 《주로 美》 내게 재산을 양…하여 주었다. ③ (사물이 비밀 따위)를 (끝내) 밝…다《노력에 의해》《*up*》 : Little by little, the un…erse ~*s up* its many secrets. 우주는 많은 비…들을 조금씩 조금씩 밝히고 있다.

── *vi.* 〔흔히 well, poorly 등의 부사를 수반〕 ① 《+부》 (땅이) 농작물을 산출하다 ; (노력이) 보수를 가져오다 : The apple tree ~*s well* 〔*poorly*〕 this year. 금년은 사과의 수확이 좋다〔나쁘다〕. ② 《~ / +전+명》 지다, 굴복하다 ; 따르다《*to*》 : Don't ~ *to* impulse. 충동에 이끌리지 마라 / ~ *to* threats 위협에 굴복하다. ③ 《+전+명》 구부러〔휘어〕지다《*to*》 ; 무너지다 : The floor ~*ed* *under* the heavy box. 무거운 상자로 마룻바닥이 휘었다 / The frost has ~*ed to* the sun. 서리가 햇볕에 녹았다. ④ 《+전+명》 (남에게) 한결 뒤지다 ; …만 못하다 : Their mutton ~*s to* ours but their beef is excellent. 그들의 양고기는 우리 것보다 못하지만 그들의 쇠고기는 질이 참 좋다. ⑤ 《+전+명》 명도〔양도〕하다 ; 양보하다 : *Yield.* 《美》 양보하시오《도로 표지에서》(《英》 Give way.) / ~ *to* conditions 양보하여 조건에 동의하다. ~ ***precedence to*** …에게 차례를 양보하다. ~ ***up the life*** 〔***ghost***〕 ⇨GHOST.

── *n.* Ⓒ ① 산출고〔물〕 ; 수확(량), 농작물 : a large ~ 풍작. ② (투자에 대한) 수익, 이율 : the ~ on a bond 채권의 이율.

***yield·ing** [jíːldiŋ] *a.* ① 다산의, 수확이 많은 (productive) : This type of fruit is extra high ~. 이런 종류의 과일은 특히 수확이 많다. ② 압력에 대해 유연한 ; 영향을〔감화를〕 받기 쉬운, 하라는 대로 하는, 순종하는. ㊞ ~·**ly** *ad.*

yin [jin] *n.* Ⓤ 《Chin.》 음(陰). ⓞⓟⓟ *yang*. ~ ***and yang*** 음양(陰陽).

Yín-Yáng schòol [jínjáːŋ, -jǽŋ-] (the ~) (동양 철학의) 음양 오행설(陰陽五行說).

yip [jip] (*-pp-*) *vi.* 《美口》 (강아지 등이) 깽깽 울다(yelp) ; 커다란〔새된〕 소리로 불평을 말하다.

── *n.* Ⓒ 깽깽거리는 소리. [imit.]

yip·pee [jípiː] *int.* 야, 만세(hurrah) : No school for five weeks — ~ ! 5주간 방학이다 — 만세 ! [imit.]

Y.M.C.A. Young Men's Christian Association.

Ymir, Ymer [íːmiər] *n.* 【北유럽神】 이미르《거인족의 조상 ; 그의 사체로 세계는 창조되었다고 함》.

yo [jou] *int.* 여어《격려 · 경고의 소리》.

yob [jɑb / jɔb] *n.* 《英俗》 Ⓒ 건달, 깡패.

yobo, yob·bo [jɑ́bou / jɔ́bou] (*pl.* ~*s*) *n.* 《英俗》 = YOB.

yo·del [jóudl] *n.* 요들《스위스나 티롤(the Tyrol)의 산간 주민 사이에서 불려지는 노래》. ── (*-l-*, 《英》 *-ll-*) *vt., vi.* 요들 가락으로 노래하다 ; 요들을 부르다.

yo·ga, Yo·ga [jóugə] *n.* Ⓤ 【힌두敎】 유가(瑜伽), 요가《주관과 객관과의 일치를 이상으로 삼는 인도의 신비 철학》 ; 요가의 도(道).

yo·g(h)urt, yo·ghourt [jóugəːrt / jɔ́-] *n.* Ⓤ 《Turk.》 요구르트《유산 발효로 응고시킨 우유》.

yo·gi, yo·gin [jóugi], [-gin] *n.* Ⓒ 요가 수도자 ; (Y-) 요가 철학 신봉자 ; 명상적〔신비적〕인 사람.

yo·gism [jóugizəm] *n.* Ⓤ ① 요가의 수행(修行). ② (Y-) 요가의 교리〔철리〕.

yo-heave-ho [jóuhìːvhóu] *int.* 어기여차《본디 뱃사람들이 닻을 감아올릴 때 내는 소리》. [imit.]

:yoke [jouk] *n.* ① Ⓒ 멍에 ; (*pl.* ~, ~*s*) (멍에에 맨) 한 쌍(의 소) : put the oxen to the ~ 소에 멍에를 씌우다 / two ~(*s*) of oxen 두 쌍의 소. ② 《比》 (흔히 the ~) (폭군 등의) 지배, 압박 ; (노예 등의) 속박(상태), 예속, 멍에 : Eastern Europe was thrown〔shaken〕 off the communist ~. 동유럽은 공산주의자의 압제를 떨쳐버렸다 / groan under the ~ of slavery 노예의 고역(苦役)에 신음하다. ③ Ⓒ 연결, 이어매는 것, 기반(羈絆), 인연 : the ~ of love 사랑의 인연. ④ Ⓒ 멍에 모양의 것 ; 목도의 일종. ⑤ Ⓒ (시트 · 윗도리 · 블라우스 · 스커트 따위의) 어깨, 요크, 말기(천). ***pass*** 〔***come***〕 ***under the*** ~ 굴복하다. ***put to the*** ~ 멍에를 얹다, 멍에로 연결하다. ***send*** a person ***under the*** ~ 아무를 굴복시키다, 지배를 받게 하다.

— *vt.* ①《~+목 / +목+전+명 / +목+부》 …에 멍에를 얹다 ; …을 멍에로 연결하다 ; (수레 · 쟁기에 마소)를 매다《*to*》: ~ a horse *to* a cart 말을 수레에 매다 / ~ oxen *together* 소들에 멍에를 얹어 연결하다. ② …을 결합시키다, 합치다; 〔흔히 受動으로〕 …을 결혼시키다(couple)《*in*》: All these different political elements have somehow been ~*d together* to form a new alliance. 이들 모든 상이한 정치적 성원들은 새로운 동맹을 형성하기 위해 어쨌든 결합했다 / They *were* ~*d in* marriage. 그들은 결혼으로 결합되었다.

— *vi.* 《+부》 결합하다, 짝이 되다, 동행이 되다 ; 걸맞다, 어울리다 : They ~ *well.* 잘 어울린다.

yo·kel [jóukəl] *n.* Ⓒ 《蔑》 촌놈, 시골뜨기.

yolk [jou*l*k] *n.* ⒸⓊ 노른자위, 난황(卵黃). 파 **~ed** [-t] *a.* **∠·less** *a.* **∠y** *a.* 노른자위(질)의.

Yom Kip·pur [jàmkípər / jɔ̀m-] (유대교의) 속죄일《일을 쉬고 단식(斷食)함, 유대력(曆) Tishri 달의 10 일》.

‡**yon·der** [jándər / jɔ́n-] *a.* 저쪽의, 저기의 《★ 보통 시계(視界) 범위내의 것에 대하여 쓰며, 관사는 붙이지 않음. 단 'more distant', 'farther'의 뜻으로 쓰일 때에는 the yonder ... 로 함》: ~ group of trees 저쪽에 보이는 한떼의 나무들 / the ~ side 저쪽. — *ad.* 저쪽에, 저기에(over there) : *Yonder* stands an oak. 저쪽에 오크나무가 있다 / Look ~. 저쪽을 보라.

yonks [jaŋks / jɔŋks] *n.* Ⓤ 《英口》 오랜 기간 : for ~ 오랫동안.

yore [jɔːr] *n.* Ⓤ, *ad.* 《文語》 옛날, 옛적 〔지금은 다음 成句에만〕. ***in days of*** ~ 옛날에는. ***of*** ~ 옛날의, 옛적의 ; 옛날, 옛적.

York [jɔːrk] *n.* ① 요크《잉글랜드 North Yorkshire 주의 주도(州都)》. ② =YORKSHIRE. ***the House of*** ~ 〖英史〗 요크 왕가《1461-85년 사이의 영국의 왕가 ; 흰 장미를 가문(家紋)으로 함》. ⓒⓕ Lancastrian.

York·ist [jɔ́ːrkist] *n.* Ⓒ 〖英史〗 (장미 전쟁 당시의) 요크 왕가 지지자, 요크 당원 ; 요크 왕가의 사람. — *a.* 요크 왕가의, 요크 당원〔파〕의.

Yorks, Yorks. [jɔːrks] Yorkshire.

York·shire [jɔ́ːrkʃiər] *n.* ① 요크셔《이전의 잉글랜드 북동부의 주 ; 1974 년 North Yorkshire, South Yorkshire, West Yorkshire 로 나뉨 ; 略 : Yorks(.)》. ② 〖畜産〗 요크셔종(種)《육용의 흰 돼지》. ***come ~ on*** 〔***over***〕 a person =***put ~ on*** a person 《口》 아무를 (감쪽같이) 속이다.

Yórkshire púdding 요크셔푸딩《달걀 · 밀가루 · 우유 등을 개어 고기 밑에 깔고 구워, 그 고기와 함께 먹음》.

Yórkshire térrier 요크셔테리어《애완용 삽살개》.

Yo·sém·i·te Nátional Párk [jousémiti-] 요세미티 국립 공원《미국 California에 있으며 계곡 · 폭포 등으로 유명》.

†**you** [juː, 弱 ju, jə] *pron.* ① 〔人稱代名詞 2인칭 주격 · 목적격〕 당신(들)은〔이〕 ; 당신(들)에게〔을〕; 자네(들)은〔이〕 ; 자네(들)에게〔을〕: *You* are a pupil. 당신은 학생입니다 / *You* are pupils. 당신들은 학생입니다 / I'll show ~ the way. 당신(들)에게 길을 가르쳐 드리겠습니다. ② 〔일반 사람을 가리킴〕 : *You* never can tell. 아무도 모른다(앞일은). ③ 〔부를 때 또는 감탄문 중에서〕 여보세요, 야아, 어이 : *You,* there, what's your name? 여보세요, 거기 계신 분 성함은 / *You* liar, ~ ! 이 거짓말쟁이야. ④ 《口》 〔動名詞 앞에서 your 대신에〕 : He is worrying about ~ working too hard. 그는 당신이 너무 일하는 것을 걱정하고 있다. ***Are ~ there ?*** ⇨THERE. ~ ***all*** (1) 당신들 모두. (2) = YOU-ALL. ~ ***folks*** =~ ***people*** 《口》 당신들《 의 you 와 구별하기 위하여, 기타의 보기 : boys 너희 소년들》. ~ ***see*** ⇨SEE.

you-all, y'all [juːɔ́ːl, jɔːl], [jɔːl] *pron.* 《美 (2인 (이상)에게 또는 한 집안을 대표하는 한 에게) 당신들, 자네들.

†**you'd** [juːd, 弱 jəd] you had, you would 의

you-know-what〔**-who**〕 [júːnòu 〔-hùː〕, -*h*wʌ̀t〔-〕/ -*h*wɔ̀t〔-〕] *n.* 저 그거〔사 이야《자명(自明)하거나 분명하게 말하고 싶 을 때 씀》.

†**you'll** [juːl, 弱 jul, jəl] you will, you shall의

†**young** [jʌŋ] (~·***er*** [jʌ́ŋgər] ; ~·***est*** [jʌ́ŋgi ① 젊은, 어린, 연소한. ⓞⓟⓟ *old.* ⓒⓕ middl ¶ a ~ child 어린 아이, 소아 / ~ things 《 은이들 / *Young* John was excited. 존은 젊 서 흥분했다《무관사인 경우는 대개 감정적 ②와 비교》. ② 나이가 아래인 : (the) ~ T (아버지가 아닌) 아들 토머스《★ 보통은 th 음. 또한 '젊은 시절의 토머스'라는 뜻이 도 있음》. ③ 새로운, 된 지 얼마 안 되는 ; a ~ moon 초승달 / the ~ green of the tr 무의 신록(新綠) / a ~ college 창립된 지 되는 대학 / a ~ nation 신생국. ④ 시작한 안 되는, 초기의 : when the war was ~ 시작되어 얼마 안 되었을 무렵 / The (still) ~. 아직은 초저녁이다. ⑤ 한창 젊 한, 기운찬 : a ~ dreadful boy 한창 개구 할 때의 소년 / a ~ hopeful 전도 유망한 Stay ~ as you grow old. 나이를 먹어도 유지하시오 / her ~ voice 그녀의 젊음에 목소리 / be ~ for one's age 나이에 비하 ⑥ 〔敍述的〕 경험 없는, 미숙한《*in* ; *at*》: H ~ *in* experience for the job. 그는 그 일 무 미숙하다. ⑦ (과실 따위가) 익지않은 위가) 안 익은 ; 연한(tender) : ~ cheese 치즈 / ~ pork 연한 돼지고기. ⑧ (*or* Y 운동 등에서) 진보파의, 청년당의 : th Ireland 아일랜드 청년당.

in* one*'s* ~(*er*) *days 청년 시절에(는).

— *n.* 〔集合的 ; 複數취급〕 ① (the ~) ② (동물의) 새끼, 치어(稚魚). ***with*** ~ 새끼를 배어. ~ ***and old*** 남녀 노소 ; 늙 은이나 : a sport for ~ *and old* 노소를 즐길 수 있는 스포츠.

yóung blóod 〔集合的〕 젊은이들 ; 젊 기, 청년의 사상 · 행동 : We need ~ in the pany. 회사에는 젊은이(사원)들이 필요하다.

young·er [jʌ́ŋgər] *a.* ① young의 비교 ② 형 제자매의) 연하(年下)쪽의 (ⓞⓟⓟ *elder*) : ~ brother 〔sister〕 남동생〔여동생〕 / a son 작은 아들. — *n.* Ⓒ (흔히 a person's ~) 하인 사람《略 : yr.》; (흔히 *pl.*) 젊은이, 자녀.

young·est [jʌ́ŋgist] *a.* young의 최상급 (*pl.* ~) *n.* 최연소자, 《특히》 가장 나이 어린 족, 막내아이.

yóung lády ① 적령기의 미혼 여성 '아가씨'. ② 여자 친구 ; 연인 ; 약혼자.

Yóung Mén's Chrístian Association 기독교 청년회《略 : Y.M.C.A.》.

yóung one [-wən] 《口》 어린이, 동물의 새끼.

‡**young·ster** [jʌ́ŋstər] *n.* Ⓒ ① 젊은이, 청(소)년, 아이. ⓞⓟⓟ *oldster.* ② 어린 동물《망아지 따위》; (식물의) 묘목.

yóung thìng 젊은이 ; 어린 동물.

Yóung Wómen's Chrístian Association 기독교 여자 청년회《略 : Y.W.C.A.》.

†**your** [juər, jɔːr, 弱 jər] *pron.* 〔you 의 所有格〕 ①

Y

당신(들)의 ; 너(희들)의 : Do ~ best. 최선을 다하라. ②《口》 흔히 말하는, 이른바, 소위, 예의 : No one is so fallible as ~ expert. 소위 전문가만큼 잘못에 빠지기 쉬운 사람은 없다 / This is ~ fair play, is it? 이것이 소위 네가 말하는 페어플레이라는 것인가《보통 비꼼·경멸의 뜻을 함축시켜서 말함》/ ~ modern girl 이른바 모던 걸. ③ 〔경칭 앞에 붙임〕: *Your* Highness (상대방을 향해서) 전하 / *Your* Majesty 폐하.

†you're [juər, 弱jər] you are 의 간약형.

†yours [juərz, jɔːrz] *pron.* 〔you 의 所有代名詞〕 ① 당신의 것 : some friends *of* ~ 당신의 친구들 / that book *of* ~ 당신의 그 책《your 는 a, an, this, that, no 따위와 잇대어 명사앞에 둘 수 없으므로 your 를 *of yours* 로 하여 명사뒤에 둠. 이때에는 '당신(들)의 것'이 아니라 '당신의'로 번역함》/ Are those ~ or theirs? 저것들은 당신들의 것인가 또는 그들의 것인가 / This money is ~ if you will accept it. 만일 받으시겠다면 이 돈을 당신께 드립니다 / *Yours* is a novel idea. 당신 것은 참신한 아이디어요. ② 당신의 가족〔재산, 편지, 임무 따위〕: you and ~ 당신과 당신의 가족〔재산〕/ *Yours* has just reached me. 당신의 편지를 방금 받았습니다 / ~ of the 5th inst. 이 달 5 일자의 당신의 편지 / It's ~ to tell him. 그에게 말해주는 것이 네 일이다. cf. mine. ③ (흔히 Y-) (편지의 끝맺음의) 경구(敬具), 총총, 여불비례, …드림, …올림. ★ 첨가하는 副詞에 따라 친소(親疎)의 구별이 있음 ; 첨가하는 말 없이 단순히 yours, (생략하여) yrs. 라고도 씀. ¶ *Yours* sincerely = Sincerely ~ 《동배(同輩) 사이에서》/ *Yours* respectfully 《관청의 관리에게, 하인이 주인에게》/ *Yours* faithfully 《윗사람에게, 회사에, 미지(未知)의 사람이 상용(商用)으로》/ *Yours* truly 《조금 아는 사람에게 (⇨成句)》/ *Yours* very truly 《격식차리고 공손히》/ *Yours* (ever 〔always〕)《친구 사이에서》/ *Yours* affectionately 《친척간에서》. ~ ***truly*** 《口·戲》 나, 소생.

†your·self [juərsélf, jər-, jɔːr-] (*pl.* ***-selves*** [-sélvz]) *pron.* ① 〔再歸的〕 당신 자신을〔에게〕: **a)** 〔동사의 직접 목적어로서〕: Don't blame ~. 자신을 탓하지 마라 / Please help ~ to the cake. 어서 케이크를 마음껏 드시지요. **b)** 〔동사의 간접목적어로서〕: Did you ever ask ~ why? '왜'라고 자문한 일이 있느냐. **c)** 〔전치사의 목적어로서〕: Please take care *of* ~. 부디 몸조심하십시오 / Do you have a room *to* ~? 자신의 방이 있느냐. ② 〔強意的〕 당신 자신(이). **a)** 〔you와 함께 써서, 동격적으로〕: You ~ said so. = You said so ~. 네 자신이 그렇게 말했다. **b)** 〔and ~로 you 대용으로〕: Did your father *and* ~ go there? 자네 아버지와 자네가 그곳에 갔었느냐. **c)** 〔you 대용으로, as, like, than 뒤에서〕: No one knows more about it *than* ~. 그것에 대해 당신 이상 아는 사람은 아무도 없다. **d)** 〔독립구문의 주어 관계를 특히 나타내기 위해〕. *Yourself* poor, you will understand the situation. 자네도 가난하므로 그 사정은 이해할 것이다. (***all***) ***by*** ~ 혼자만으로 ; 혼자 힘으로. ***Be*** ~***!*** 진정〔침착〕하라, 정신차려라. ***for*** ~ (1) 당신 자신을 위하여. (2) 자기 자신이 ; 혼자 힘으로. ***Help*** ~. (음식·담배 등을) 마음대로 드십시오. ***How's*** ~***?*** 《俗》 당신은 어떻습니까《How are you? 등의 인사에 대답한 후에 하는》.

†your·selves [juərsélvz, jər-, jɔːr-] YOURSELF 「의 복수형.

‡youth [juːθ] (*pl.* ~***s*** [juːðz, -θs] ; 所有格 ~***'s*** [-θs]) *n.* ① Ⓤ 젊음, 원기 ; 혈기 ; 무분별 : be full of ~ 젊음에 넘쳐 있다 / the secret of keeping one's ~ 젊음을 유지하는 비결. ② Ⓤ 청년 시절, 청춘기 ; 초기의 시대 : in (the days of) one's ~ 젊었을 때 / from ~ onwards 젊었을 때부터 줄곧 / in the ~ of civilization 문명의 초기에 있어서. ③ Ⓒ 청년 : a ~ of twenty, 20 세의 청년 / two handsome ~*s* 멋진 두 젊은이 / promising ~*s* 전도 유망한 젊은이들. ④ (the ~) 〔集合的〕 청춘 남녀, 젊은이들 : *the* ~ of our country 우리 나라의 젊은이들. ***in*** one***'s hot*** ~ 혈기 왕성한 시절에.

yóuth cènter 〔**clùb**〕 《英》 유스 센터〔클럽〕 《청소년 남녀의 여가 활동을 위한 장소〔단체〕》.

‡youth·ful [júːθfəl] (***more*** ~ ; ***most*** ~) *a.* ① 젊은 ; 발랄한 : a ~ mother 〔bride〕 젊은 어머니 〔신부〕/ a ~ appearance 발랄한 용모. ② 청년의 ; 젊은이 특유의 : ~ enthusiasm 청년다운 열광. ㊞ ~**·ly** [-fəli] *ad.* ~**·ness** *n.*

yóuth hòstel 유스호스텔《주로 청소년 여행자들을 위한 숙박 시설》.

yóuth hósteler 〔《英》 **hósteller**〕 유스호스텔 숙박자.

†you've [juːv, 弱 juv, jəv] you have의 간약형.

yowl [jaul] *n.* Ⓒ (길고 슬프게) 짖는〔우짖는〕 소리, 신음 소리. ── *vi.* 길고 슬프게 (우)짖다, 신음하다. [imit.]

yo-yo [jóujòu] (*pl.* ~***s***) *n.* Ⓒ ① 요요《장난감의 일종》; (Y-) 그 상표 이름. ②《俗》 의견이 자꾸 변하는 자 ;《美俗》 얼간이, 아둔패기. ── *a.* 상하 〔전후〕로 여러 가지로 움직이는. ── *vi.* 흔들리다, 변동하다 ; (생각 등이) 흔들리다.

yt·ter·bi·um [itə́ːrbiəm] *n.* Ⓤ 〖化〗 이테르븀《희토류 원소 ; 기호 Yb ; 번호 70》.

yt·tri·um [ítriəm] *n.* Ⓤ 〖化〗 이트륨《희토류 원소 ; 기호 Y ; 번호 39》.

yu·an [juɑ́ːn] (*pl.* ~) *n.* 《Chin.》 위안, 원(元)《(1) 중국의 화폐 단위 ; =10角(jiao) = 100分(fen) ; 기호 ¥. (2) 대만의 화폐 단위 ; =100cents》.

yuc·ca [jʌ́kə] *n.* Ⓒ 백합과(百合科) 유카속(屬)의 각종 식물《실없는유카, 실유카 따위》.

yuck, yuk [jʌk] *int.* 《美口》 왝, 체, 어허《구토·혐오·불쾌 등을 나타냄》. [imit.]

yucky, yuk·ky [jʌ́ki] *a.* 《美俗》 불쾌한, 구역질나는 ; 불결한.

Yug., Yugo. Yugoslavia.

Yu·go·slav, Ju- [júːgouslɑ̀ːv, -slæ̀v] *a.* 유고슬라비아(사람)의. ── *n.* Ⓒ 유고슬라비아 사람.

Yu·go·sla·via, Ju- [jùːgouslɑ́ːviə] *n.* 유고슬라비아《유럽 남동부의 공화국 ; 1991년 6월 슬로베니아와 크로아티아가, 1992년 1월 마케도니아가, 동년 3월 보스니아 헤르체고비나가 각기 공화국으로 독립하고 세르비아와 몬테네그로의 양공화국은 1992년 4월 신유고슬라비아 연방을 선포함》. ㊞ **-vi·an** [-n] *a.*, *n.* = YUGOSLAV.

Yu·kon [júːkɑn / -kɔn] *n.* ① 유콘《캐나다 서북부의 지방》. ② (the ~) 유콘 강《Yukon 에서 발원해 알래스카 중앙부를 거쳐 베링해에 흐르는 강》.

yule [juːl] *n.* Ⓤ (종종 Y-) 크리스마스 ; 크리스마스 계절(= **yúle·tìde**).

yum·my [jʌ́mi] (***-mi·er*** ; ***-mi·est***) *a.* 《口》 ① 맛있는, 즐거운, 아주 멋진. ② 아름다운, 매력있는 ; 사치스러운.

yum-yum [jʌ́mjʌ́m] *int.* 아 맛있다!
── *n.* Ⓒ 《兒》 맛있는 것, 냠냠, 즐거운 것.

yup [jup] *ad.* 《口》 = YEP.

yup·pie [jʌ́pi] *n.* Ⓒ (종종 Y-) 여피족(= **Yúppy**) 《고학력으로 직업상의 전문적인 기술을 지니고, 도시(근교)에 살며, 높은 소득을 올리고 있는 젊은 엘리트》. [◂ *y*oung *u*rban *p*rofessionals + *-ie*]

Y.W.C.A. Young Women's Christian Association.

Z

Z, z [zi: / zed] (*pl.* **Z's, Zs, z's, zs** [-z]) [U.C] ① 제트(영어 알파벳의 스물 여섯째 글자[마지막 글자]). ② 26 번째(의 것)(J를 제외하면 25 번째, 또 J,V,W를 제외하면 23 번째). ③【數】(제 3) 미지수, 변수; z축, z좌표. [cf.] x, y. ④ Z자 모양의 것. ⑤ (Z) 중세 로마 숫자의 2,000. ⑥ 수면, 잠; 코고는 소리, 드르릉드르릉: I've got to catch some *Z's*. 한잠 자야겠다. ***from A to Z*** 처음부터 끝까지, 철두 철미.

Z【化】atomic number;【天】zenith. **Z., z.** zero; zone.

za, 'za [zɑ:, tsɑ:] *n.* [C]《美俗》피자. [◂piz*za*]

zaf·tig [zɑ́:ftik, -tig] *a.*《俗》(여자가) 성적 매력이 있는, 풍만한.

Za·ire [zɑ:íər, ⏑⏑] *n.* ① 자이르 공화국(아프리카 중부의 공화국; 수도 Kinshasa). ② (the ~) 자이르 강. ③ (z-) [C] 자이르(자이르의 화폐 단위).

Zam·bia [zǽmbiə] *n.* 잠비아(아프리카 남부의 공화국; 수도 Lusaka).

Za·men·hof [zɑ́:mənhɔ̀(:)f, -hɑ̀f] *n.* **Lazarus Ludwig** ~ 자멘호프(Esperanto를 창안한 폴란드의 안과 의사; 1859-1917).

za·ny [zéini] *n.* [C] ① 바보. ② 어릿광대; 알랑쇠. — (***za·ni·er***; ***za·ni·est***) *a.* 어릿광대 같은; 짝없이 어리석은; 미치광이 같은.

Zan·zi·bar [zǽnzəbɑ̀:r, ⏑⏑⏑] *n.* 잔지바르(아프리카 동해안의 섬; 1963년 공화국으로 독립, 1964년 Tanganyika와 합병 Tanzania가 됨).

zap [zæp] (**-pp-**)《俗》*vt.* ① …을 갑자기[철저히, 확] 치다[패배시키다, 분쇄하다, 습격하다, 죽이다, 움직이게 하다]; (활·광선총·전류 등으로) 공격하다; (특히 말로) …와 대결하다: A guard *~ped* him with the stun gun. 경비원이 스턴총으로 그를 공격했다 / We're really going to ~ the competition with this new product. 우리는 이 신제품으로 경쟁회사를 제압하려고 한다. ② …에게 강한 인상을 주다, 매우 감동시키다. ③【TV】(광고방송)을 꺼버리다. — *vi.* 확 움직이다;【TV】(시청자가) 광고방송을 안 보다; 광고방송 시간에 채널을 바꾸거나 자리를 뜨다.
— *n.* [C] ① 정력, 원기; 공격, 일격: We need someone with a lot of ~ for this job. 우리는 이 일에 넘치는 열정을 가진 사람을 필요로 한다. ②【TV】(시청자의) 광고방송 기피.
— *int.* (종종 ~ ~) 앗!; 탕, 휙; (마법을 걸 때의) 얏. [imit.]

zap·py [zǽpi] (***-pi·er***; ***-pi·est***) *a.*《口》원기 왕성한, 활발한.

‡zeal [zi:l] *n.* [U] 열중, 열의, 열심; 열성, 열정(*for*): show ~ *for* …에 열의를 나타내다. ***with*** ~ 열의를 갖고.

zeal·ot [zélət] *n.* [C] 열중하는 사람, 열광자(*for*). [파] **~·ry** *n.* [U] 열광; 열광적 행위.

‡zeal·ous [zéləs] (***more*** ~; ***most*** ~) *a.* 열심인, 열광적인, 열성적인(*for*; *to* do, *in* do*ing*): be ~ *for* peace 평화를 열망하다 / be ~ *to* satisfy a person 아무를 만족시키기에 열심이다 / They are ~ *in* work*ing*. 그들은 일에 열중하고 있다 / make ~ efforts 외곬으로 노력하다. ◇ zeal *n.* [파] **~·ly** *ad.* **~·ness** *n.*

***ze·bra** [zí:brə] (*pl.* ~, **~s**) *n.* [C]【動】얼룩말; 얼룩무늬 있는 것.

zébra cròssing《英》횡단 보도(길 위에 흰 줄무늬를 쳐 놓은).

ze·bu [zí:bju:] *n.* [C] 제부(등에 혹이 있는 소; 중국·인도산).

Zech. Zechariah.

Zech·a·ri·ah [zèkəráiə] *n.*【聖】스가랴(헤브라이 예언자); 스가랴서(구약 성서의 한 편).

zed [zed] *n.*《英》Z자의 명칭(《美》에서는 zee).

zee [zi:] *n.*《美》Z자의 명칭(《英》에서는 zed).

Zee·man [zéimɑ:n, zí:mən] *n.* **Pieter** ~ 제만(네덜란드의 물리학자(1865-1943); 노벨 물리학상 수상(1902)).

Zeit·geist [tsáitgàist] *n.* [U] (G.) 시대 정신[사조](=time spirit).

Zen [zen] *n.* [U]【佛敎】선(禪).

ze·nith** [zí:niθ / zén-] *n.* ① (the ~) 천정(天頂). [opp] *nadir*. ② [C] (흔히 *sing.*)《比》(성공·힘 등의) 정점, 절정; 전성기: He has passed his ~. 전성기가 지났다. ***at the ~ of …의 절정에 달하여: In the early 1900s, Tolstoy was *at the ~ of* his achievement. 1900년대 초에 톨스토이는 업적의 절정기에 있었다.

Ze·no [zí:nou] *n.* 제논((1) ~ **of Ci·ti·um** [-síʃiəm] 그리스의 철학자; 스토아 학파의 시조(335?-263? B.C.). (2) ~ **of Elea** [-í:liə] 그리스 엘레아 학파의 철학자(490?-430? B.C.)).

Zeph. Zephaniah.

Zeph·a·ni·ah [zèfənáiə] *n.*【聖】스바냐(헤브라이의 예언자); 스바냐서(書)(구약 성서의 한 편).

zeph·yr [zéfər] *n.* ① (Z-) 서풍(西風)(의인적(擬人的)). ② [C] 살살[솔솔] 부는 바람.

Zep·pe·lin [zépəlin] *n.* [C] (종종 z-) 체펠린 비행선(발명자 독일인 F. von Zeppelin에서).

‡ze·ro [zíərou] (*pl.* ~(**e**)**s**) *n.* ① [C]【數】제로, 영(naught): six-⏑-seven, 607번(전화 번호 따위; 그러나 0을 [ou]라고 발음하는 일이 많음). ② [U] (또는 a ~) (성적·경기 따위의) 영점(零點): I put *a* ~ on his paper. 그의 답안지에 영점을 주었다 / get a ~ for one's English 영어에서 영점을 받다. ③ [U] (온도계의) 영도; (기준이 되는) 영위(零位), 어는점: It is five degrees below ~. 영하 5도이다 / The thermometer fell to ~. 기온은 영도가 되었다. ④ [U] 최하점; 밑바닥; 무(無); [C] 가치없는 인간[물건]: Our hopes were reduced to ~. 우리들의 희망은 무산되었다.
— *a.* 〔限定的〕 ① 영의; 결여되어 있는, 빠져서 없는. ②【氣】(시계(視界)가) 제로인(수평 165피트, 수직 50피트 이하). — *vt.* (계기의 바늘)을 제로에 맞추다; (주의)를 집중하다. ~ ***in on*** (1) …에 겨냥을 정하다: Modern military aircraft use computers to help them ~ *in on* their target. 오늘날의 군용기는 자기들의 목표물을 조준하는데 도움이 되도록 컴퓨터를 사용하고 있다. (2)《口》…에 주의를[화제가] 집중하다: Critics have *~ed in on* his plan to raise gasoline taxes 10 cents a gallon. 비난은 가솔린세(稅)를 한 갤런 당 10센트를 올리려는 그의 계획에 집중하였다. (3)《口》(순찰차 등이) …로 집결하다.

ze·ro-base(d) [zíəroubèis(t)] *a.* (지출 등의) 각 항목을 비용과 필요성을 고려하여 백지 상태로부터 검토한, 제로베이스의.

zéro hòur 〖軍〗 예정 행동〔공격〕 개시 시각; 《口》 예정 시각; 결정적 순간, 위기; 하루의 시간 계산 개시 시각; 영시; (로켓 등의) 발사시각.

ze·ro-rat·ed [-réited] *a.* 《英》 부가 가치세를 면제 받은.

ze·ro-sum [zíərousʌ̀m] *a.* 영합(零合)의《게임의 이론 등에서 한 쪽의 득점〔이익〕이 다른 쪽에 실점〔손실〕이 되어 플러스 마이너스 제로가 되는》.

ze·ro-ze·ro [zíərouzíərou] *a.* 〖氣〗 (수평·수직 모두가) 시계(視界) 제로의.

***zest** [zest] *n.* Ⓤ ① (또는 a ~) 풍미, 맛; 향미; 풍미를 더하는 것, 맛을 곁들이는 것: Spices give ~ to a dish. 향신료는 요리에 맛을 더해준다. ② (종종 a ~) 풍취, 묘미: add 〔give〕 *a* ~ to …에 풍취를 더하다. ③ (종종 a ~) 비상한 흥미; 열의; 열정: with ~ 열심히; 흥미 깊게; 맛있게: He approached every task with *a* boundless ~. 그는 한없는 열정으로 개개의 업무에 접근했다.

zest·ful [zéstfəl] *a.* 풍미〔묘미〕가 있는; 풍취가 있는; 열의가 있는. ㊕ **~·ly** *ad.*

ze·ta [zéitə, zí:-] *n.* Ⓤ,Ⓒ 제타《그리스어 알파벳의 여섯째 글자 Z, ζ; 로마자의 z에 해당함》.

zeug·ma [zú:gmə] *n.* Ⓤ 〖文法〗 액어법(軛語法)《하나의 형용사 또는 동사를 두 개 (이상)의 명사에 무리하게 사용함: *kill* the boys and *destroy* the luggage 를 *kill* the boys and the luggage 라고 하는 따위》. ⓒⓕ syllepsis.

***Zeus** [zju:s] *n.* 〖그神〗 제우스신《Olympus 산의 주신(主神); 로마의 Jupiter에 해당함》.

***zig·zag** [zígzæ̀g] *a.* 〔限定的〕 지그재그의, Z 자형의, 톱니 모양의, 번개 모양의, 꾸불꾸불한.
— *n.* Ⓒ 지그재그, Z자꼴《보행·댄스의 스텝 등》; 번개꼴, 갈짓자꼴; 지그재그꼴의 것《장식·선·도로 따위》; 〖建〗 Z자꼴 쇠시리.
— *ad.* 지그재그로, Z자 모양으로, 꾸불꾸불하게: run ~ 지그재그로 달리다.
— (**-gg-**) *vi.* 《~/+전+명》 지그재그로 나아가다; Z자 모양을 하다; 갈짓자로 걷다: The demonstrators ~*ged along* the street. 데모대는 거리를 지그재그로 행진했다 / The footpath *zigs and zags through* the forest. 오솔길은 숲속을 지그재그로 뚫려 있다《★ zigzag 는 zig and zag 로 쓰기도함》.

zilch [ziltʃ] *n.* Ⓤ, *a.* 《俗》 제로(의), 영(zero; nothing): The search came up with ~. 수색은 소득없이 끝났다.

zil·lion [zíljən] *n.* Ⓒ, *a.* 《口》(몇 조억이라는) 엄청난 수(의): a ~ mosquitoes 무수한 모기(=~*s* of …) / I've told you a ~ times〔~*s* of times〕 not to do that. 그것을 하지 말라고 무수히 네게 말했었지. [◂*z* (미지(未知)의 양(量))+*m*illion]

Zim·bab·we [zimbá:bwei] *n.* 짐바브웨《남아프리카의 공화국; 수도 Harare》.

‡zinc [ziŋk] *n.* Ⓤ 〖化〗 아연《금속 원소; 기호 Zn; 번호 30》; Ⓒ 함석.

zínc óintment 〖藥〗 아연화 연고.

zínc óxide 〖化〗 산화 아연, 아연화(華).

zínc súlfate 〖化〗 황산 아연.

zínc whíte 아연화, 아연백《산화아연으로 만든 「백색 안료」》.

zin·fan·del [zínfəndèl] *n.* Ⓤ (캘리포니아산의) 흑포도; 그것으로 빚은 붉은 포도주.

zing [ziŋ] *n.* 《口》 ① Ⓒ 윙윙〔쌩쌩〕(하는 소리). ② Ⓤ 활기, 기력, 열성. — *int.* 쌩쌩, 핑핑.
— *vi.* 쌩쌩 소리를 내다〔내고 나아가다〕. [imit.]

zing·er [zíŋər] *n.* Ⓒ 《俗》 기운찬〔위세 좋은〕 사람; 활발한 발언〔행동〕, 재치있는 대답; 사람을 깜짝 놀라게 하는 것; 《野球俗》 쾌속구.

zin·nia [zíniə] *n.* Ⓒ 백일초.

Zi·on [záiən] *n.* ① 시온 산《Jerusalem 에 있는 유대인이 신성시하는 산》; (유대인의 고국·유대교의 상징으로서의) 이스라엘(Israel). ② Ⓤ 〔集合的〕 신의 선민(選民), 이스라엘 백성. ③ Ⓤ (헤브라이의) 신정(神政). ④ Ⓤ 천국; 이상향. ⑤ 《英》 영국 비국교파의 교회당.

Zi·on·ism [záiənìzəm] *n.* Ⓤ 시온주의《Palestine 에 유대인 국가를 건설하려는 민족 운동》.
㊕ **-ist** *n.* Ⓒ 유대 민족주의자.

zip[1] [zip] *n.* ① Ⓒ 핑, 찍《총알 따위가 날아가는 소리 또는 천을 찢는 소리》. ② Ⓤ 《口》 원기, 정기(精氣). — (**-pp-**) *vi.* 《~/+부/+전+명》 핑 소리를 내다; 휭하고 날다; 《口》 기운차게 전진〔행동〕하다: The bullet ~*ped through* the air. 탄환이 공기를 뚫고 핑하고 날아갔다 / He ~*ped* out into the garden. 그는 정원으로 잽싸게 달려나갔다 / ~ *through* one's work 일을 데꺽데꺽 끝내다.

zip[2] *n.* Ⓒ 《英》 지퍼(zipper). — (**-pp-**) *vt.* 《~+목/+목+전+명/+목+보/+목+부》 …을 지퍼로 잠그다〔열다〕: He ~*ped* the money *into* his wallet. 지퍼를 열고 그 돈을 지갑에 넣었다 / ~ one's bag open 〔closed〕 가방의 지퍼를 열다〔잠그다〕.

zip[3] 《俗》 *n.* Ⓒ (스포츠 득점 등의) 영: The score of last night's hockey game was 4-~. 어젯밤의 하키경기는 4대 0이었다. — (**-pp-**) *vt.* …을 무득점으로 누르다, 완봉〔영봉〕하다.

‡zíp 〔ZÍP, Zíp〕 còde 《美》 우편 번호(《英》 postcode).

zíp fástener 《英》 =ZIPPER ①.

zip·per [zípər] *n.* Ⓒ 《美》 지퍼(《英》 zip fastener). — *vt.* =ZIP[2].

zip·py [zípi] (**-pi·er; -pi·est**) *a.* 《口》 기운찬, 활발한, 민첩한.

zir·con [zə́:rkɑn / -kɔn] *n.* Ⓤ 〖鑛〗 지르콘《투명한 것은 보석으로 씀》.

zir·co·ni·um [zərkóuniəm] *n.* Ⓤ 〖化〗 지르코늄《금속 원소; 기호 Zr; 번호 40》.

zit [zit] *n.* Ⓒ 《美俗》 여드름(pimple).

zith·er [zíθər, zíð-] *n.* Ⓒ 치터《현(絃)이 30-40 개 있는 기타 비슷한 현악기》.
㊕ **~·ist** [-rist] *n.* Ⓒ 치터 연주자.

Zn 〖化〗 zinc.

zo·di·ac** [zóudiæ̀k] *n.* ① (the ~) 〖天〗 황도대(黃道帶), 수대(獸帶); 〖天〗 12궁(宮); 12궁도(圖). ② Ⓒ (시간·세월 등의) 일주(一周); 《比》 범위, 한계(compass); 《比》 12로 되는 한 조(組). ***the signs of the **~** 〖天〗 12궁(宮)《Aries, Taurus, Gemini, Cancer, Leo, Virgo, Libra, Scorpio, Sagittarius, Capricorn, Aquarius 및 Pisces를 말함》.

zo·di·a·cal [zoudáiəkəl] *a.* 황도대(내)의; 수대(獸帶)의: ~ light 황도광(光).

zof·tig [zɑ́ftig / zɔ́f-] *a.* 《美俗》 =ZAFTIG.

zom·bie [zɑ́mbi / zɔ́m-] *n.* ① Ⓤ 좀비《서인도제도의 원주민이 믿고 있는 죽은 사람을 되살린다는 영력(靈力)》. ② Ⓒ 좀비로 되살아난 시체; 무기력한 사람, 아둔패기.

zon·al [zóunəl] *a.* 지대(地帶)의; 지역〔구역〕으로 갈린; 토양대(土壤帶)의. ㊕ **~·ly** *ad.*

‡zone [zoun] *n.* Ⓒ ① 〖地〗 (한대·열대 따위의) 대(帶): ⇨ FRIGID〔TEMPERATE, TORRID〕 ZONE. ② (특정한 성격을 띤) 지대, 지역; 지구: the barley ~ 보리 지대 / the sterling ~ (달러에 대

Z

하는 말로서) 파운드 지역〔제국〕/ an occupied ~ 점령(占領) 지구 / the alpine ~ 고산대(高山帶) / the floral ~ 식물대(植物帶) / a demilitarized ~ 비무장지대 / an exclusive economic ~ 배타적 경제수역《略 : EEZ》. ③ 시간대(time ~). ④《美》 소포 우편의 동일 요금 구역(parcel post ~) ; 통화료·운임 등의 동일요금 구간 ; 《美》 (대도시 안의) 우편구(區) (postal delivery ~) : the 20-cent fare ~, 20 센트 구간. ⑤ (도시 안의) …(지정) 지구, 지역 ; (도로의) 교통규제 구간 : the school 〔business〕 ~ 교육〔상업〕 지구 / a no-parking ~ 주차금지지역 / a residence ~ 주택 지역 / ⇨ SAFETY ZONE.

── *vt.* ① …을 띠(帶) 등으로 어떤 구역을 두르다. ②《+목+전+명》 …을 띠 등으로 구획하다 ; 지역으로〔지구로〕 나누다, 구분하다 : ~ the world *into* climatic provinces 세계를 기후 구역으로 구분하다. ③《+목+전+명 / +목+*as* 보》 (건축법에 의하여) …을 구획하다 : ~ a city *into* several districts 도시를 몇 개의 지역으로 나누다 / ~ a district *as* residential 어떤 지역을 주택 구역으로서 구분하다 / The area has been ~*d for* leisure. 그 지역은 레저 지구로 지정되었다.

zóne defènse 〖競〗 존디펜스, 지역 방어《축구·농구 등에서 선수가 책임 지역만을 수비하는 방법》. opp. *man-to-man defense.*

zon·ing [zóuniŋ] *n.* Ⓤ (공장·주택 지대 등의) 지대 설정.

zonked, zonked-out [zaŋkt, zɔ(:)ŋ-], [⌐-àut] *a.* 《俗》 마약 또는 술에 취한〔로 멍청해진〕 ; 기진맥진한 ; 곯아 떨어진.

‡zoo [zu:] *n.* Ⓒ ① 동물원(zoological garden). ② 《俗》 사람으로 혼잡한 비좁은 장소.

zo·og·a·my [zouágəmi / -ɔ́g-] *n.* Ⓤ 유성(有性) 생식, 양성 생식.

‡zo·o·log·i·cal [zòuəládʒikəl / -lɔ́dʒ-] *a.* 동물학(상)의 ; 동물에 관한. ⊕ ~·ly *ad.*

***zo·ol·o·gist** [zouálədʒist / -ɔ́l-] *n.* Ⓒ 동물학자.

‡zo·ol·o·gy [zouálədʒi / -ɔ́l-] *n.* Ⓤ 동물학.

zoom** [zu:m] *vi.* ① 붕 소리를 내다, 붕하고 달리다〔움직이다〕 : The racing cars ~*ed around* the course. 경주용 자동차들이 붕 소리를 내며 코스를 돌았다 / In the last few meters of the race, she suddenly ~*ed* ahead. 경주의 마지막 몇 미터를 두고 그녀는 갑자기 휭하니 앞으로 달려나갔다. ② (비행기가) 급상승하다 ; (물가가) 급등하다. ~ ***in 〖映·TV〗 (카메라가 줌렌즈로 …에 초점을 맞추고) 화상을 서서히 확대하다《*on*》; (…을) 보다 면밀히 검토하다 ; 논박하다《*on*》: ~ *in on* a candidate at a political convention 당 대회에서 어느 후보자를 클로즈업하여 촬영하다 / Henry immediately ~*ed in on* the weakest part of my argument. 헨리는 갑자기 나의 논거의 가장 취약한 부분을 논박했다. ~ ***out*** 〖映·TV〗 (카메라가 줌렌즈로) 화상을 서서히 멀리하여 축소하다.

── *n.* ① (a ~) (비행기의) 급각도 상승, 줌. ② 〔一般的〕 (경기·물가 따위의) 급상승, 급등. ③ 〖映·TV〗 줌《영상의 급격한 확대·축소》.

zóom lèns 줌 렌즈《화상을 연속적으로 확대〔축소〕키 위해 초점거리를 임의로 바꿀 수 있는 렌즈》.

zo·oph·i·list [zouáfəlist / -ɔ́f-] *n.* Ⓒ 동물 애호가.

zo·o·phyte [zóuəfàit] *n.* Ⓒ 〖動〗 식충류(植蟲類)《불가사리·산호·해면 따위》.

zo·o·plank·ton [zòuəplǽŋktən] *n.* Ⓤ 동물성 플랑크톤.

zo·o·the·ism [zóuəθi:izəm] *n.* Ⓤ 동물신교(神教), 동물 숭배(zoolatry).

zóot sùit 《口》 주트슈트《상의는 어깨가 넓고 기장이 길며, 바지는 위가 넓고 아래가 좁은 사치한 남자 옷 ; 1940년대 전반에 유행》.

Zo·ro·as·ter [zɔ́:rouæ̀stər, ⌐-⌐-] *n.* 조로아스터, 자라투스트라《조로아스터교의 개조(開祖) ; 기원전 7-6 세기경 포교》.

Zo·ro·as·tri·an [zɔ̀:rouǽstriən] *a.* 조로아스터(교)의. ── *n.* Ⓒ 조로아스터 교도, 배화교도(拜火教徒). ⊕ ~·ìsm *n.* Ⓤ 조로아스터교, 배화교.

Zou·ave [zu(:)á:v, zwa:v] *n.* Ⓒ 주아브병(兵)《프랑스의 경보병(輕步兵) ; 원래는 알제리인으로 편성되어, 아라비아 옷을 입었음》.

zuc·chi·ni [zu(:)kí:ni] (*pl.* ~, ~*s*) *n.* Ⓤ,Ⓒ 《It.》 〖植〗 (오이 비슷한) 서양 호박.

Zu·lu [zú:lu:] (*pl.* ~, ~*s*) *n.* ① Ⓒ 줄루 사람《남아 공화국 Natal 주 일대의 용맹(勇猛)한 종족》. ② Ⓤ 줄루 말. ── *a.* 줄루 사람의, 줄루 말의.

Zu·rich, Zü- [zúrik / zjúə-], [*G.* tsý:riç] *n.* ① 취리히《스위스 북부의 주 ; 그 주도》. ② (Lake (of) ~) 취리히 호《스위스 중북부의 호수》.

Zwing·li [zwíŋgli, swíŋ-] *n.* **Ulrich** ~ 츠빙글리《스위스의 종교 개혁가 ; 1484-1531》.

zy·gote [záigout, zíg-] *n.* Ⓒ 〖生〗 접합자〔체〕.

zy·mol·o·gy [zaimálədʒi / -mɔ́l-] *n.* Ⓤ 〖生化〗 발효학, 발효론. ⊕ **-gist** *n.* Ⓒ 발효학자.

zy·mol·y·sis [zaimáləsis / -mɔ́l-] *n.* Ⓤ 발효.

zy·mo·tech·nics [zàimətékniks] *n.* Ⓤ 발효법, 양조법.

zy·mur·gy [záimə:rdʒi] *n.* Ⓤ 양조학.

ZZZ, zzz, z-z-z [z:, zzz, z:z:z:] *int.* 드르릉드르릉《코고는 소리》; 부르릉부르릉《동력 톱 등의 소리》; 윙윙《파리·벌 따위가 나는 소리》.

Z

부 록

차 례

Ⅰ. 부호 · 기호 · 약호

,	comma
;	semicolon
:	colon
.	period
?	question mark
!	exclamation mark
( )	parentheses
[ ]	brackets
〈 〉	angle brackets
’	apostrophe
—	dash
-	hyphen
=(⸗)	double hyphen
“ ”	quotation marks
‘ ’	single quotation marks
{ }	braces
“(”,″)	ditto marks
/	virgule, slant
…(***,—)	ellipsis
…	suspension points
~	swung dash
·	dot
´	acute accent: employé
`	grave accent: première
^	circumflex: château
~	tilde: *señora*
¯	macron: bācon
˘	breve: băckt
¨	dieresis: coöperation
¸	cedilla: façade
*	asterisk
†	dagger
‡	double dagger

§	section: §12
¶(⁋)	paragraph
☞	index
⁂, ⁂	asterism
©	copyright(ed)
®	registered trademark
@	at: 300@ $700 each
%	percent
‰	per thousand
&	ampersand: Brown & Co.
&c.	and so on, and the rest
c/o	care of: Mr. F. Morris c/o Dr. H.L. Jones
¢	cent(s)
$, $	dollar(s)
£	pound(s)
₩, ₩	won
°	degrees
′	feet; minutes
″	inches; seconds
#	number: a # 6 bolt
	pounds: 53 #
♂(♂)	male
♀	female
○	individual (female)
□	individual (male)
×	crossed with (of a hybrid)
∞	infinity
∥	parallel: AB∥CD
∠	angle: ∠DEF
∟	right angle
⊥	perpendicular: EF⊥MN

Ⅱ. 수

cardinal numbers(기수)		ordinal numbers(서수)	
0	naught, zero	–	zeroth [zíərouθ]
1	one	1st	first
2	two	2nd, 2d	second
3	three	3rd, 3d	third
4	four	4th	fourth
5	five	5th	fifth [fifθ]
6	six	6th	sixth
7	seven	7th	seventh
8	eight	8th	eighth [eitθ]
9	nine	9th	ninth [nainθ]
10	ten	10th	tenth
11	eleven	11th	eleventh
12	twelve	12th	twelfth [twelfθ]
13	thirteen	13th	thirteenth
14	fourteen	14th	fourteenth
15	fifteen	15th	fifteenth
16	sixteen	16th	sixteenth
17	seventeen	17th	seventeenth
18	eighteen	18th	eighteenth
19	nineteen	19th	nineteenth
20	twenty	20th	twentieth [twéntiiθ]
21	twenty-one	21th	twenty-first
…		…	
30	thirty	30th	thirtieth [θə́ːrtiiθ]
40	forty	40th	fortieth
50	fifty	50th	fiftieth
60	sixty	60th	sixtieth
70	seventy	70th	seventieth
80	eighty	80th	eightieth
90	ninety	90th	ninetieth
100	a (one) hundred	100th	a (one) hundredth[3]
101	a (one) hundred (and) one[1]	101st	a (one) hundred and first[3]
1,000	a (one) thousand	1,000th	a (one) thousandth[3]
10,000	ten thousand	10,000th	ten thousandth
100,000	a (one) hundred thousand	100,000th	a (one) hundred thousandth[3]
1,000,000	a (one) million	1,000,000th	a (one) millionth[3]
10,000,000	ten million(s)[2]	10,000,000th	ten millionth
100,000,000	a (one) hundred million(s)[2]	100,000,000th	a (one) hundred millionth[3]

주 1) 미국에서는 hundred 다음의 and를 종종 생략한다.

2) 수로서 독립하여 쓰일 때에는, hundred, thousand의 경우와는 달리 two millions, three millions와 같이 끝에 s가 붙는다. 다만, two million people과 같이 뒤에 명사가 올 때는 s가 붙지 않는다.

3) the hundredth와 같이 앞에 the가 붙으면 a나 one이 생략된다.

Ⅲ. 화폐 단위

(본위 화폐와 보조 화폐 단위의 비율은 별도 표시가 없으면 1:100.
*표는 ( ) 안에 표시된 국가의 화폐를 법화로 하는 경우임.)

country	monetary units *basic: fractional*
Afghanistan	afghani: pul
Albania	lek: qintar
Algeria	dinar: centime
Andorra	*(*Fr.*) franc: centime *(*Sp.*) peseta: centimo
Angola	kwanza: lwei
Antigua and Barbuda	dollar: cent
Argentina	peso: centavo
Armenia	ruble: kopeck
Australia	dollar: cent
Austria	schilling: groschen
Azerbaijan	ruble: kopeck
Bahamas	dollar: cent
Bahrain	dinar: fils(1:1000)
Bangladesh	taka: paisa
Barbados	dollar: cent
Belarus	ruble: kopeck
Belgium	franc: centime
Belize	dollar: cent
Benin	franc: centime
Bhutan	ngultrum: chetrum
Bolivia	boliviano: peso boliviano, *also* peso (1:1000)
Bosnia and Herzegovina	dinar: para
Botswana	pula: thebe
Brazil	cruzeiro: centavo
Brunei	dollar: cent
Bulgaria	lev: stotinka
Burkina Faso	franc: centime
Burundi	franc: centime
Cambodia	riel: sen
Cameroon	franc: centime
Canada	dollar: cent
Cape Verde	escudo: centavo
Central African Republic	franc: centime
Chad	franc: centime
Chile	peso: centesimo
China	yuan: fen
Colombia	peso: centavo
Comoros	franc: centime
Congo	franc: centime
Costa Rica	colon: centimo
Croatia	dinar: para
Cuba	peso: centavo
Cyprus	pound: cent
Czech Republic	koruna: haler
Denmark	krone: øre
Djibouti	franc: centime
Dominica	dollar: cent
Dominican Republic	peso: centavo
Ecuador	sucre: centavo
Egypt	pound: piaster
El Salvador	colon: centavo
Equatorial Guinea	franc: centime
Estonia	ruble: kopeck
Ethiopia	birr: cent
Fiji	dollar: cent
Finland	markka: penni
France	franc: centime
Gabon	franc: centime
Gambia	dalasi: butut
Georgia	ruble: kopeck
Germany	deutsche mark: pfennig
Ghana	cedi: pesewa
Greece	drachma: lepton
Grenada	dollar: cent
Guatemala	quetzal: centavo
Guinea	franc: centime
Guinea-Bissau	peso: centavo
Guyana	dollar: cent
Haiti	gourde: centime
Honduras	lempira: centavo
Hungary	forint: fillér
Iceland	króna: eyrir
India	rupee: paisa
Indonesia	rupiah: sen
Iran	rial: dinar
Iraq	dinar: fils (1:1000)
Ireland	pound: penny
Israel	shekel: agora
Italy	lira: centesimo
Ivory Coast	franc: centime
Jamaica	dollar: cent
Japan	yen: sen
Jordan	dinar: fils (1:1000)
Kazakhstan	ruble: kopeck
Kenya	shilling: cent

Country	Currency
Kiribati	*(*Austral.*) dollar: cent
Korea	won: jeon *or* jun
Kuwait	dinar: fils (1:1000)
Kyrgyzstan	som: —
Laos	kip: at
Latvia	ruble: kopeck
Lebanon	pound: piaster
Lesotho	loti: lisente
Liberia	dollar: cent
Libya	dinar: dirham (1:1000)
Liechtenstein	*(*Swiss*) franc: centime
Lithuania	litas: —
Luxembourg	franc: centime
Macedonia	denar: —
Madagascar	franc: centime
Malawi	kwacha: tambala
Malaysia	ringgit: sen
Maldives	rufiyaa: lari
Mali	franc: centime
Malta	lira: cent
Mauritania	ouguiya: khoums (1:5)
Mauritius	rupee: cent
Mexico	peso: centavo
Moldova	ruble: kopeck
Monaco	*(*Fr.*) franc: centime
Mongolia	tugrik: mongo
Morocco	dirham: centime
Mozambique	metical: centavo
Myanmar	kyat: pya
Namibia	dollar: cent
Nauru	*(*Austral.*) dollar: cent
Nepal	rupee: pice
Netherlands	guilder: cent
New Zealand	dollar: cent
Nicaragua	cordoba: centavo
Niger	franc: centime
Nigeria	naira: kobo
Norway	krone: øre
Oman	rial: baiza (1:1000)
Pakistan	rupee: paisa
Panama	balboa: cent
Papua New Guinea	kina: toea
Paraguay	guaraní: centimo
Peru	sol: centimo
Philippines	peso:centavo
Poland	zloty: grosz
Portugal	escudo: centavo
Qatar	riyal: dirham
Romania	leu: ban
Russia	ruble: kopeck
Rwanda	franc: centime
San Marino	*(*It.*) lira: centesimo
São Tomé and Príncipe	dobra: centavo
Saudi Arabia	riyal: halala
Senegal	franc: centime
Seychelles	rupee: cent
Sierra Leone	leone: cent
Singapore	dollar: cent
Slovakia	koruna: haler
Slovenia	tolar: —
Solomon Islands	dollar: cent
Somalia	shilling: cent
South Africa	rand: cent
Spain	peseta: centimo
Sri Lanka	rupee: cent
St. Kitts and Nevis	dollar: cent
St. Lucia	dollar: cent
St. Vincent and the Grenadines	dollar: cent
Sudan	pound: piaster
Suriname	guilder: cent
Swaziland	lilangeni: cent
Sweden	krona: öre
Switzerland	franc: centime
Syria	pound: piaster
Taiwan	dollar: cent
Tajikistan	ruble: kopeck
Tanzania	shilling: cent
Thailand	baht: satang
Togo	franc: centime
Tonga	pa'anga: seniti
Trinidad and Tobago	dollar: cent
Tunisia	dinar: millime (1:1000)
Turkey	lira: kurus
Turkmenistan	ruble: kopeck
Tuvalu	*(*Austral.*) dollar: cent
Uganda	shilling: cent
Ukraine	ruble: kopeck
United Arab Emirates	dirham: fils
United Kingdom	pound: penny
United States	dollar: cent
Uruguay	peso: centesimo
Uzbekistan	ruble: kopeck
Vanuatu	vatu: —
Vatican City	*(*Ital.*)lira: centesimo
Venezuela	bolívar: centimo
Vietnam	dong: —
Western Samoa	tala: sene
Yemen	riyal: fils (1:1000)
Yugoslavia	dinar: para
Zaire	zaire: likuta
Zambia	kwacha: ngwee
Zimbabwe	dollar: cent

Ⅳ. 도량형 환산표

길　이 (Linear Measure)

	1 inch	= 2.54 cm	(1 cm	= 0.3937 in.)
12 inches	= 1 foot	= 0.3048 m	(1 m	= 3.2808 ft.)
3 feet	= 1 yard	= 0.9144 m	(1 m	= 1.0936 yd.)
5.5 yards	= 1 rod	= 5.029 m	(1 m	= 0.1988 rd.)
320 rods	= 1 mile	= 1.6093 km	(1 km	= 0.6214 mi.)

넓　이 (Square Measure)

	1 square inch	= 6.452 cm^2	(1 cm^2	= 0.1550 sq. in.)
144 square inches	= 1 square foot	= 929.0 cm^2	(1 cm^2	= 0.0011 sq. ft.)
9 square feet	= 1 square yard	= 0.8361 m^2	(1 m^2	= 1.1960 sq. yd.)
30.25 square yards	= 1 square rod	= 25.29 m^2	(1 m^2	= 0.0395 sq. rd.)
160 square rods	= 1 acre	= 0.4047 ha	(1 ha	= 2.4711 acres)
640 acres	= 1 square mile	= 2.590 km^2	(1 km^2	= 0.3861 sq. mi.)

부　피 (Cubic Measure)

	1 cubic inch	= 16.387 cm^3	(1 cm^3	= 0.0610 cu. in.)
1728 cubic inches	= 1 cubic foot	= 0.0283 m^3	(1 m^3	= 35.3148 cu. ft.)
27 cubic feet	= 1 cubic yard	= 0.7646 m^3	(1 m^3	= 1.3080 cu. yd.)

액　량 (Liquid Measure)　USA [Great Britain]

	1 gill	= 0.1183 [0.142] *l*	(1 lit.	= 8.4531 [7.0423] gi.)
4 gills	= 1 pint	= 0.4732 [0.568] *l*	(1 lit.	= 2.1133 [1.7606] pt.)
2 pints	= 1 quart	= 0.9464 [1.136] *l*	(1 lit.	= 1.0566 [0.8803] qt.)
4 quarts	= 1 gallon	= 3.7853 [4.546] *l*	(1 lit.	= 0.2642 [0.2200] gal.)

건　량 (Dry Measure)　USA [Great Britain]

	1 pint	= 0.5506 [0.568] *l*	(1 lit.	= 1.8162 [1.7606] pt.)
2 pints	= 1 quart	= 1.1012 [1.136] *l*	(1 lit.	= 0.9081 [0.8803] qt.)
8 quarts	= 1 peck	= 8.8096 [9.092] *l*	(1 lit.	= 0.1135 [0.1100] pk.)
4 pecks	= 1 bushel	= 35.2383 [36.368] *l*	(1 lit.	= 0.0284 [0.0275] bu.)

무　게 (Avoirdupois Weight)

	1 dram	= 1.772 g	(1 g	= 0.5643 dr. av.)
16 drams	= 1 ounce	= 28.35 g	(1 g	= 0.0353 oz. av.)
16 ounces	= 1 pound	= 453.59 g	(1 kg	= 2.2046 lb. av.)
2000 pounds	= 1 (short) ton	= 907.185 kg	(1 kg	= 0.0011 s.t.)
2240 pounds	= 1 (long) ton	= 1016.05 kg	(1 kg	= 0.0010 l.t.)

금은보석 무게 (Troy Weight)

	1 grain	= 0.0648 g	(1 g	= 15.4321 gr.)
24 grains	= 1 pennyweight	= 1.5552 g	(1 g	= 0.6430 pwt.)
20 pennyweights	= 1 ounce	= 31.1035 g	(1 g	= 0.0322 oz.t.)
12 ounces	= 1 pound	= 373.24 g	(1 kg	= 2.6792 lb.t.)

약제용 무게 (Apothecaries' Weight)

	1 grain	= 0.0648 g	(1 g	= 15.4321 gr.)
20 grains	= 1 scruple	= 1.296 g	(1 g	= 0.7716 s. ap.)
3 scruples	= 1 dram	= 3.8879 g	(1 g	= 0.2572 dr. ap.)
8 drams	= 1 ounce	= 31.1035 g	(1 g	= 0.0322 oz. ap.)
12 ounces	= 1 pound	= 373.24 g	(1 kg	= 2.6792 lb. ap.)

V. 발음 기호표

모 음(vowels)

단모음(simple vowels)

[i]	**it**	[it]	[ɔː]	**all**	[ɔːl]
[iː]	**eat**	[iːt]	[u]	**put**	[put]
[e]	**get**	[get]	[uː]	**food**	[fuːd]
[æ]	**cat**	[kæt]	[ʌ]	**up**	[ʌp]
[ɑ]	**box**	[bɑks / bɔks]	[ə]	**ahead**	[əhéd]
[ɑː]	**calm**	[kɑːm]	[əː]	**bird**	[bəː*r*d]
[ɔ]	**dog**	[dɔg]			

이중모음(diphthongs)

[ei]	**gay**	[gei]	[ɔi]	**boy**	[bɔi]
[ou]	**go**	[gou]	[iə]	**ear**	[iə*r*]
[ai]	**sky**	[skai]	[ɛə]	**there**	[ðɛə*r*]
[au]	**cow**	[kau]	[uə]	**tour**	[tuə*r*]

자 음(consonants)

파열음(plosives)

[p]	**pen**	[pen]
[b]	**book**	[buk]
[t]	**tea**	[tiː]
[d]	**dog**	[dɔg]
[k]	**keep**	[kiːp]
[g]	**good**	[gud]

마찰음(fricatives)

[f]	**foot**	[fut]
[v]	**voice**	[vɔis]
[θ]	**thing**	[θiŋ]
[ð]	**then**	[ðen]
[s]	**sun**	[sʌn]
[z]	**zone**	[zoun]
[ʃ]	**ship**	[ʃip]
[ʒ]	**vision**	[víʒən]
[r]	**ring**	[riŋ]
[h]	**high**	[hai]

비 음(nasals)

[m]	**man**	[mæn]
[n]	**nine**	[nain]
[ŋ]	**king**	[kiŋ]

설측음(lateral)

[l]	**little**	[lítl]

파찰음(affricatives)

[tʃ]	**chin**	[tʃin]
[dʒ]	**bridge**	[bridʒ]

반모음(semivowels)

[j]	**yes**	[jes]
[w]	**wing**	[wiŋ]

외국어음(foreign sounds)

[ɑ̃]	**en**	[ɑ̃]
[ɔ̃]	**bon**	[bɔ̃]
[y]	**hütte**	[hýtə]
[x]	**loch**	[lɑx / lɔx]

Ⅵ. 중요 접두·접미사

(1) 접 두 사(Prefixes)

a- (Ⅰ) [ə-] ① 《~+*n.*→*ad.*》 in, on, at: *a*bed ② 《~+*v.* →*predicative a.* (*ad.*)》 in a state or condition: *a*fire (Ⅱ) [ei-, æ-], **an** [æn-] not, without: *an*archy

ante- ① before, prior (to): *ante*cedent, *ante*-Victorian ② before, in front (of): *ánte*room

anti- against: *ánti*body, *anti*missile, *anti*war 《~+*n.*→*a.*》, *anti*clockwise

arch- ① chief, principal: *arch*duke, *arch*enemy ② worst: *arch*rogue

auto- self: *auto*biography, *auto*suggestion

be- ① all over, thoroughly; excessively: *be*smear, *be*fuddle ② 《~+*vi.*, *a.*, *n.* → *vt.*》 cause to be; affect: *be*mail, *be*little, *be*friend

bi- two: *bi*lingual, *bi*monthly, *bí*cycle, *bi*lateral cf. di-

co- together, with; equally: *co*operate, *co*-education, *có*-driver

con-, col-, com-, cor- together, with: *con*duct, *col*lect, *com*bine, *cor*relate

contra- against: *contra*dict, *contra*ceptive

counter- ① opposite; in return: *counter*clockwise, *counter*espionage ② opposed to but like: *cóunter*part

de- ① 《~+*n.*→*v.*》 get rid of: *de*louse, *de*rail ② 《~+*v.*→*v.*》 reverse the action: *de*code, *de*militarize

di- two: *dí*chotomy cf. bi-

dis- ① 《~+*v.*》 reverse the action: *dis*appear, *dis*integrate ② 《~+*a.*, *n.*》 opposite of; deprive of: *dis*honest, *dis*loyal, *dis*favo(u)r, *dis*union

en-, em- ① 《~+*n.*, *v.* →*v.*》 put 〔get〕 in 〔into〕: *en*throne, *en*danger, *en*close ② 《~+*a.*→*v.*》 cause to be: *en*large

ex- (Ⅰ) [iks-, igz-, eks-, egz-] forth, out, beyond; away from: *ex*pel, *ex*cess, *ex*propriate (Ⅱ) [eks-] 《~+*n.*》 former: *ex*-president

extra- outside: *extra*continental

fore- ① before: *fore*tell, *fore*knowledge ② the front part of: *fóre*arm, *fóre*ground

hyper- over, above; excessive(ly): *hyper*critical, *hyper*correction

in-, il-, im-, ir- (Ⅰ) not, without: *in*significant, *ín*finite, *il*literate, *im*possible, *ir*responsible (Ⅱ) in, into, within, to: *in*fer, *in*duct

inter- ① between, among: *inter*national, *inter*planetary ② mutual(ly): *inter*act

intra- within, inside of: *intra*mural

macro- long, large: *macro*cephaly

mal- bad, badly: *mal*adjustment

micro- ① small: *micro*cephaly ② enlarging: *mícro*phone, *mícro*scope

mid- middle: *mid*brain, *mid*-Victorian

mini- little; of lesser scope, extent, etc. than usual: *míni*skirt, *mini*crisis, *mini*war

mis- ① wrong, wrongly: *mis*place, *mis*conduct, *mis*leading ② no, not: *mis*trust

mono- one: *móno*theism, *móno*rail cf. uni-

multi- many: *multi*national, *multi*channel cf. poly-

neo- new; revived: *neo*lithic, *neo*classic, *neo*-Nazi

non- not: *non*conformist, *non*human

out- 《~+*vi.*, *n.* →*vt.*》 better, faster, long-

outgrow, *out*live, *out*run,

-ed participle, a.》 too much,

vereat, *over*dressed, *over-*

prising all: *pán*theism, *Pan-*

many: *poly*syllabic, *póly*glot, *po-lygamy* cf. multi-

post- after: *post*war 《~+*n.*→*a.*》, *post*-classical

pre- before: *pre*war 《~+*n.*→*a.*》, *pre*marital

pro- ① forth, forward: *pró*gress ② acting for: *pro*consul, *pró*noun ③ for, supporting: *pro*communist, *pro*-Common Market (EC 지지의) 《~+ *n.*→*a.*》

proto- first, original: *próto*plast, *Proto*-Germanic

pseudo- false, imitation: *pséudo*nym, *pseudo*-intellectual (사이비 인텔리)

re- again; back: *re*build, *re*appear, *re*-arrangement, *re*cover [ri-], *re*-cover [rì:-], *re*sound [rizáund], *re*-sound [rì:sáund]

retro- backward, behind: *rétro*act, *rétro*flex, *retro*fire

semi- half; partly: *semi*circle, *semi*civilized, *semi*final, *semi*liquid

sub- ① under, beneath: *súb*way, *súb*marine, *súb*script ② lesser in rank: *sub*species ③ slightly, less than: *sub*human, *sub*standard

super- ① over, above: *súper*structure ② higher in rank: *super*intendent ③ more than, better: *súper*man, *super*fine ④ additional: *súper*tax

syn-, sym- together with; at the same time: *sýn*chronize, *sým*pathy

trans- ① across: *trans*atlantic ② from one place to another; so as to change thoroughly: *trans*plant, *trans*form ③ beyond: *trans*-sonic

tri- three: *tri*angle, *tri*lingual, *tri*annual

ultra- ① beyond: *ultra*violet ② extremely: *ultra*modern, *ultra*conservative

un- ① 《~+*a.*》 not: *ún*wise, *ún*expected, *un*ceasing ② 《~+*v.*》 reverse the action: *ún*do, *ún*tie ③ 《~+*n.*→*v.*》 release from: *ún*horse, *ún*string

under- 《~+*v.*, *-ed participle*》 not enough, too little: *under*cook, *under*estimate, *under*developed

uni- one: *uni*lateral, *úni*corn cf. mono-

vice- deputy: *vice*-president

(2) 접 미 사 (Suffixes)

-able, -ible ①《*vt.*+~→*a.*》 capable (worthy) of being: accept*able*, drink*able*, get-at-*able*, account*able* (←account for), ed*ible* ② 《*vi.*+~→*a.*》 able to: vari*able* ③ 《*n.*+~→*a.*》 inclined to: fashion*able*, peace*able*

-acy《→*n.*》 state, quality: delic*acy*, lun*acy*

-ade 《→*n.*》 ① the act of: block*ade* ② the result (product) of: lemon*ade*, lime*ade*

-age 《→*n.*》 ① the act of: marri*age*, us*age* ② amount (number) of: acre*age*, cover*age* ③ collection of: peer*age*

-al (I) 《*v.*+~→*n.*》 the act (process) of: arriv*al*, refus*al* (II) **-ial, -ical** 《*n.*+~→*a.*》 of, like, suitable for: crimin*al*, editór*ial*, preferént*ial*, philosóph*ical* cf. -ic

-an ⇨-IAN

-ance, -ence 《→*n.*》 the act of; the state (quality) of: convey*ance*, resist*ance*, interfer*ence*, import*ance*, díffer*ence*

-ancy, -ency=-ANCE, -ENCE: buoy*ancy*, emerg*ency*, vac*ancy*, dec*ency*

-ant, -ent ① 《→*a.*》 that has (does, shows): defi*ant*, signífic*ant*, insist*ent*, díffer*ent* ②

《→*n.*》 a person [thing] that: account*ant*, solv*ent*

-arian (※ stress는 -árian) 《*n.*+～→*a.*, *personal n.*》 ① age: octogen*árian* ② sect: Unit*árian* ③ (social) belief: authori*tárian*, veget*árian*

-ary ① 《→*a.*》 relating to: planet*ary*, reaction*ary* ② 《→*n.*》 a person [thing] connected with; a place for: mission*ary*, diction*ary*, api*ary*

-ate (Ⅰ) [-eit] 《→*v.*》 ① (cause to) become: mátur*ate*, invalid*ate*, sophistic*ate* ② form, produce, put in the form of: sáliv*ate*, deline*ate* ③ provide with: vaccin*ate* ④ combine: oxygen*ate* (Ⅱ) [-it, -ət, -eit] 《→*a.*》 ① of, characteristic of: collegi*ate* ② having, filled with: proportion*ate*, anim*ate* (Ⅲ) [-it, -ət, -eit] 《→*n.*》 office, official: consul*ate*, elector*ate*, mand*ate*

-ation (※ stress는 -átion) 《*v.*+～→*n.*》 ① the act of, the state of: fix*átion*, starv*átion*, victimiz*átion*, ratific*átion* (←ratify) ② something connected with the action of: organiz*átion*, found*átion*, civiliz*átion*

-cracy (※ stress는 -ócracy) 《→*n.*》 a (specified) type of government, rule by: dem*ócracy*, the*ócracy* (※ *personal n.*을 만드는 -crat에서는 stress는 démo*crat*)

-cy (※ -l-, -n-, -t- 뿐) 《→*n.*》 ① quality, condition: bankrupt*cy*, normal*cy* ② rank: captain*cy*

-dom 《*n.*, *a.*+～→*abstract n.*》 ① state, condition: free*dom*, martyr*dom* ② status, domain; collectivity: king*dom*, official*dom*, star*dom*

-ed 《*n.*+～→*a.*》 having, provided with: feather*ed*, wood*ed*, small-mouth*ed*

-ee (※ stress는 -ée) (Ⅰ) 《→*personal n.*》 ① 《*vt.*+～→*n.*》 a person affected by the action of: appoint*ée*, employ*ée*, grant*ée*, nomin*ée* ② 《*v.*+～→*n.*》 a person in a (specified) condition: absent*ée* (Ⅱ) 《*n.*+～→*n.*》 diminutive: coat*ée*,

-eer (※ stress는 -éer) 《*n.*+～→
a person engaged in: engin*éer*,

-en (Ⅰ) ① 《*a.*+～→*v.*》 (cause to) b
dark*en*, wid*en*, sadd*en*, fast*en* ② 《
→*v.*》 (cause to) come to have: heigh
strength*en* (Ⅱ) 《*n.*+～→*a.*》 wood*en*, wool*en*

-er ① 《*n.*+～→*n.*》 a) a person having to do with: geograph*er*, glov*er* b) a person living in: London*er*, cottag*er* c) a person [thing] connected with: steam*er*, four-wheel*er*, weekend*er*, do-good*er* ② **-or, -ar** 《*v.*+～→*n.*》 a person [thing] that: work*er*, writ*er*, receiv*er*, eye-open*er*, ac*tor*, surviv*or*, begg*ar*

-ery, -ry 《*n.*, *v.*, *a.*+～→*n.*》 ① the act of; the state [quality, condition] of: sur*gery*, drudg*ery*, slav*ery*, robb*ery*, brav*ery* ② the products of; a collection of: millin*ery*, jewel*ry*, machin*ery* ③ a place to [for]: brew*ery*, nunn*ery*

-ese (※ stress는 -ése) 《*n.*+～→*a.*, *n.*》 ① (a native [an inhabitant]) of ② (in) the language [dialect] of: Japan*ése*, Canton*ése* ③ (in) the style of: Johnson*ése*, journal*ése*

-esque (※ stress는 -ésque) 《*n.*+～→*a.*》 having the quality of; in the manner [style] of: pictur*ésque*, Dant*ésque*, Roman*ésque*

-ess 《*n.*+～→*n.*》 female: lion*ess*, actr*ess* (※ 종종 경멸적)

-ette (※ stress는 -étte) 《*n.*+～→*n.*》 ① little: cigar*étte*, statu*étte* ② female: usher*étte* ③ a substitution [an imitation] for: leather*étte*

-fold 《*num.*, *a.*+～→*a.* [*ad.*]》 of (so many) parts; (so many) times as many [much]: two*fold*, mani*fold*

-ful (Ⅰ) [-fəl] 《*abstract n.*, *v.*+～→*a.*》 having, full of; having the qualities of; apt to: joy*ful*, pain*ful*, master*ful*, forget*ful* (II) [-ful] 《*n.*+～→*n.*》 the quantity that fills: mouth*ful*, spoon*ful*

-hood 《*n.*+～→*abstract n.*》 ① state, quality, condition: child*hood*, widow*hood*, false*hood* (←*a.*) ② collectivity: priest*hood*

-ial ⇨AL (II)

-ian, -an 《*n.* +～→*personal n., a.*》 ① (one) belonging to: diócesa*n* ② (one) born or living in: Americ*an*, Canád*ian*, Elizabéth*an* ③ (one) believing in: Luther*an*, Darwín*ian*

-ible ⇨-ABLE

-ic (✻ stress는 어간의 마지막 모음) 《*n.*+～→*a.*》 of; like; produced by; producing; consisting of: atóm*ic*, heró*ic*, anaerób*ic*, psychedél*ic*, problemát*ic* (←problem) cf. -ical (-AL)

-ical ⇨-AL (II) **-ie** ⇨-Y (I)

-ify, -fy 《*n.*, a.+～→*v.* (주로 *vt.*)》 make into, cause to be: beaut*ify*, cod*ify*, ampl*ify*, solíd*ify*, liqu*ify* (←liquid) (✻ French*ify* 등은 우스개)

-ing ① 《*v.*+～→*n.*》 something produced; something that does the action of: a paint*ing*, earn*ings*, a cover*ing* ② 《*countable n.*+～→*mass n.*》 material used for: blanket*ing*, panell*ing*

-ious ⇨ -OUS **-ise** ⇨-IZE

-ish ① 《*proper n.*+～→*a.*》 of, belonging to: Span*ish*, Corn*ish* ② 《*n.*+～→*a.*》 like, characteristic of; tending to: fool*ish*, snobb*ish*, book*ish* ③ 《*a.*+～→*a.*》 somewhat, rather: redd*ish*, poor*ish* ④ 《*numeral*+～→*a.*》 approximately: seventy*ish*

-ism 《*n.*, *a.*+～→*abstract n.*》 doctrine, point of view, political (artistic) movement, etc.: Calvin*ism*, impression*ism*, dual*ism*, modern*ism*

-ist 《*n.*, *a.*+～→*personal n.*》 adherent of; expert in, etc.: Calvin*ist*, impression*ist*, dual*ist* (✻ 종종 *a.* 로 쓰임)

-ite 《주로 *proper n.*+～→*personal n.*》 ① inhabitant: Muscov*ite*, Brooklyn*ite* ② descendant from: Israel*ite* ③ adherent of: Bentham*ite*, 《영》 Labour*ite* (✻ 종종 *a.* 로 쓰임)

-ition (✻ stress는 -ítion) =-ATION: nutr*ítion*

-ity (✻ stress는 어간의 마지막 모음. 그때 장모음은 종종 단모음이 됨) 《*a.*+～→*abstract n.*》 state, character, condition: sán*ity* (←sane), rapíd*ity*, possibíl*ity*, elastíc*ity*

-ive, -ative, -itive (✻ stress는 어간의 마지막 모음) 《주로 *v.*+～→*a.*》 having the quality of: attract*ive*, explos*ive*, inform*ative*, sens*itive*

-ize, 《영》 **-ise** 《*n.*, *a.*, etc.+～→*v.*》 ① (cause to) be (become): symbol*ize*, American*ize*, modern*ize* ② engage in: soliloqu*ize*

-less 《*n.*+～→*a.*》 without, lacking, not giving: child*less*, piti*less*, harm*less*

-let 《*n.*+～→*n.*》 small, unimportant: book*let*, leaf*let*, pamph*let*

-like 《*n.* +～→*a.*》 like, characteristic of: child*like*, statesman*like*, ball-*like* cf. -ly (I) ①

-ling 《→*n.*》 small, unimportant: prince*ling*, weak*ling*, under*ling*, hire*ling*

-ly (I) 《*n.*+～→*a.*》 ① like, characteristic of: man*ly*, world*ly*, dead*ly* (←*a.*) cf. -like ② happening every (specified period of time): hour*ly*, dai*ly* (II) 《*a.* +～→*ad.*》 in a (specified) manner: strange*ly*, happi*ly*, comical*ly* (←comic)

-ment 《*v.*+～→ 주로 *abstract n.*》 ① state, condition, etc.: disappoint*ment* ② act, process: measure*ment*, move*ment* ③ means, agency: escape*ment* ④ result, product: equip*ment*, pave*ment*

-most 《*locative particle*, *a.*+～→*superlative a.* (*ad.*)》: in*most*, outer*most*

-ness 《*a.*+～→*abstract n.*》 state, quality: happi*ness*, useful*ness*, up-to-date*ness*, drunken*ness*, willing*ness*, together*ness* (←*ad.*)

-or ⇨-ER ②

-ory ① 《→*a.*》 of, having the nature of: compuls*ory*, contradict*ory* ② 《→*n.*》 a place [thing] for: laborat*ory*

-ous, -ious, -eous 《*n.*+～→*a.*》 having, full of: danger*ous*, griev*ous* (←grief), ambit*ious*, erróne*ous* (←error)

-ry ⇨-ERY

-ship 《*n.*+～→*n.*》 ① state, quality: friend*ship*, member*ship*, hard*ship* (←*a.*) ② (a person having) the rank, office, etc. of: lecture*ship*, dictator*ship* ③ all individuals collectively: reader*ship*

-sion (* stress는 어간의 마지막 모음) = -ATION: discús*sion*, confú*sion*

-some 《*n.*+～→*a.*》 like, tending to: burden*some*, quarrel*some*

-ster 《*n.*+～→*personal n.*》 a person engaged in: gang*ster*, trick*ster* (* 종종 경멸적) cf. -eer

-tion (* stress는 어간의 마지막 모음) = -ATION: corréc*tion*, connéc*tion* [《영》 connéxion]

-tude 《→*n.*》 state, condition: certi*tude*, magni*tude*

-ure 《→*n.*》 ① state, act, result: composure, expos*ure* ② agent, instrument: legislat*ure*

-ward(s) 《*prepositional ad.*, *n.*+～→*ad.*》 in a (specified) direction: on*ward(s)*, home*ward(s)*, west*ward(s)* (* -ward는 *a.* 로도)

-wise ① 《*n.*, *a.*, *pron.*+～→*ad.*》 in a (specified) direction, position, or manner: clock*wise*, length*wise*, like*wise*, other*wise* ② 《*n.* +～→*ad.*》 with regard to: budget*wise*, education-*wise*

-y (I) **-ie** 《*n.*+～→*n.*》 little, dear: dadd*y*, aunt*ie*, night*y*, und*ie*s (underclothes) (II) ① 《*n.*+～→*a.*》 like, having, full of; suggestive of: cream*y*, hair*y*, silk*y*, wav*y* ② 《*v.*+～→*a.*》 tending to: drows*y*, stick*y*

Ⅶ. 이력서 쓰는 법

현재 우리 나라에서 행하여지고 있는 영문 이력서의 형식은, 한국 사람과 영미인 모두에게 만족이 될 수 있도록 우리 나라식의 이력서에 영미식을 가미한 형식이라고도 할 수 있다. 그 작성상의 일반적인 주의 사항은 다음과 같다.

1. 손으로 쓴 것은 판독하기가 어려우므로 타자로 찍을 것.

2. 용지의 상부 중앙에 Personal History 또는 라틴어의 Curriculum Vitae [kəríkjuləm váiti:]라 쓴다.

3. 주어 I는 원칙적으로 생략. 단, 부사나 부사구가 선행하는 경우는 생략하지 않는다.

4. 본문은 원칙으로 과거형으로 쓴다. 단, 특별한 뜻을 나타내고자 하는 경우는 이에 상응한 시제를 쓴다.

5. 수동형·분사구문을 사용한 경우는 주어 I와 함께 이에 따르는 be 동사를 생략한다.

6. 본문에는 couldn't, didn't, hadn't, wasn't 따위의 생략형은 사용치 않는다.

7. 사진을 붙이는 장소는 용지의 좌측 상단이나 우측 상단이 좋다. 전체로 보아 균형이 맞는 곳이 좋다.

8. 우리 나라에서는 신장은 미터, 체중은 킬로로 나타내나, 영미에서는 신장은 foot 또는 inch, 체중은 pound를 단위로 나타낸다.

9. Signature는 항상 펜으로 쓰고, 그 밑에 반드시 타자로 다시 한 번 성명을 적는다.

10. 보통, Social rank 또는 최후의 Pledge (선서) 따위는 기록하지 않는 대신, 본인의 Special study; Major subjects (전공 과목), Reference (조회처) 따위를 첨가한다.

CURRICULUM VITAE

Name in Full: Hanshik Kim
Date of Birth: September 20, 1961 (Age: 24).
Permanent Domicile: 78 Majang-dong, Sŏngdong-gu, Seoul.
Present Address:
140 Hannam-dong, Yongsan-gu, Seoul.
Education:
Entered the Namsan Junior High School, March, 1975; finished the three-year course of the same, February, 1978.
Entered the Paemun Senior High School, March, 1978; finished the three-year course of the same, February, 1981.
Admitted to the Korea College of Engineering, March, 1981; graduated from the same, February 1985, taking the B. E. (Bachelor of Engineering) degree.
Major Subjects: Mechanical Engineering, Theoretical Physics, Factory Management.
Activities in College:
Auto Club membership
Baseball Club membership
Occupation:
Employed by the Shinjin Motorcar Co., Ltd., March, 1985, and have since been in the service of the same company.
Special acquirements:
Typewriting (50 words a minute) and English conversation.
Reward and Punishment: None.
Referential Data:
1. Physical: Height, 5. 42 ft.; Weight, 121 lbs.
2. Hobbies: Photography and classical music.
3. Sports: Swimming and basketball.

References:
1. Prof: Wonu Nam of the Korea College of Engineering.
   20 Tonam-dong, Sŏngbuk-gu, Seoul.
2. Mr. Hansŏng Yu, director of the Personnel Bureau, Shinjin Motorcar Co., Ltd.
   33 Hannam-dong, Yongsan-gu, Seoul.

I hereby certify the above statement to be true and correct in every detail.

(*Signature*)
Hanshik Kim

July 11, 1985

Ⅷ. 영어 참고도

Architecture 건축 양식

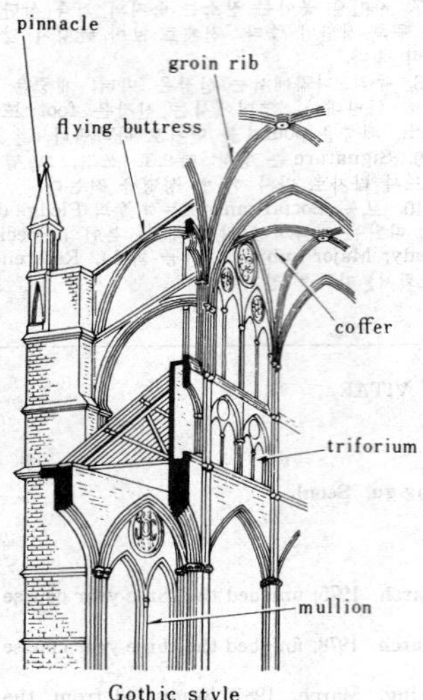

Gothic style

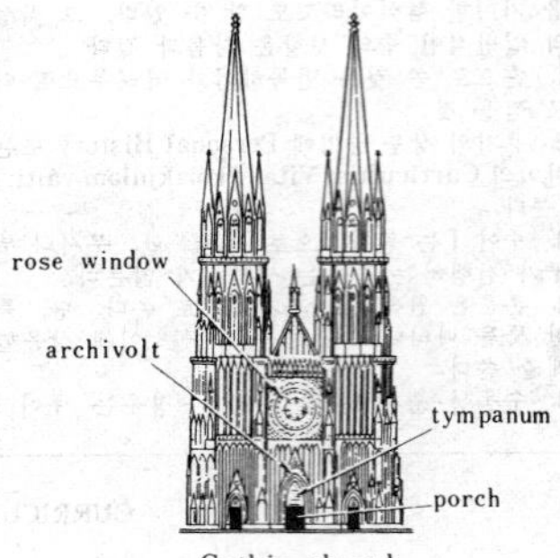

Gothic church

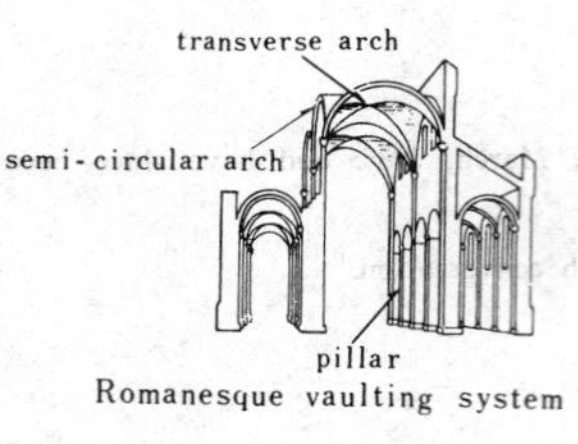

Romanesque vaulting system

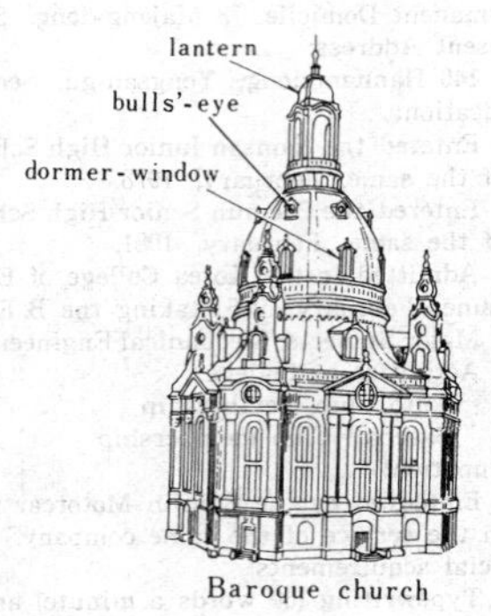

Baroque church

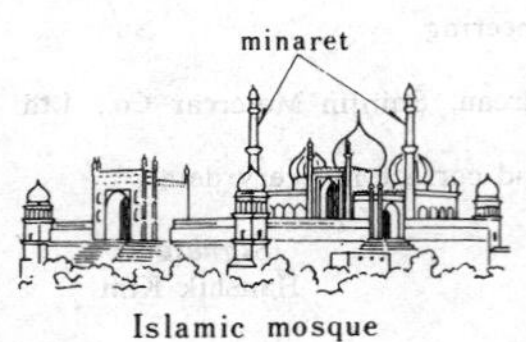

Islamic mosque

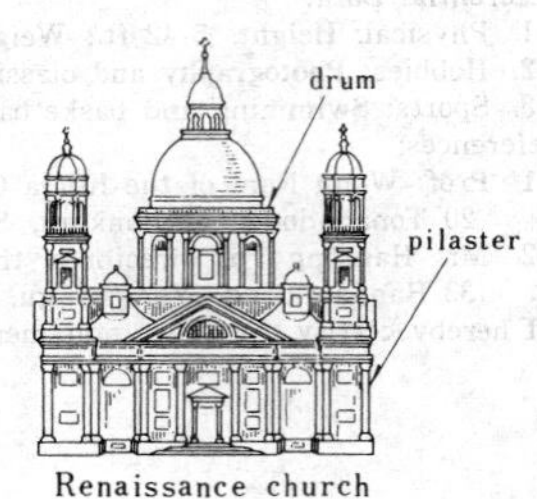

Renaissance church

Crosses 십자가

Greek cross 그리스 십자
그리스 교회에서 많이 쓰임.

Latin cross 라틴 십자
라틴 교회에서 많이 쓰임.

tau cross T자형십자
그리스문자 T(타우)의 모양. 가장 오래된 십자형.

St. Anthony's cross 성안토니오의 십자가
수사의 지팡이 모양과 비슷함.

St. Andrew's cross 성안드레의 십자가
사도 안드레의 순교의 고사에 의함.

ansate cross 손잡이 십자
고대 이집트에 많음. 해돋이와 뱀을 본뜬 것으로 마술 등에 흔히 쓰임.

Calvary cross 갈바리 십자
갈바리 동산 위에서 십자가에 못박힌 예수의 십자가를 본뜸.

Russian cross 러시아 십자
러시아 교회에서 쓰임.

patriarchal cross 총주교 십자
총주교와 대주교가 씀.

papal cross 교황 십자
교황이 사용함.

union cross 연합 십자
그리스 십자와 X자형 십자의 조합으로, 영국기 유니온잭의 원형.

Celtic cross 켈트 십자
아일랜드에 많음.

Jerusalem cross 예루살렘 십자
예루살렘에 간 십자군이 문장으로 썼음.

swastika 또는 **fylfot** 만자형 십자, 또는 감마 십자
산스크리트에 의한 인도·게르만 계의 십자형.

Castle 성

1 outer moat
2 flanking tower
3 drawbridge
4 hall
5 tower platform
6 donjon, keep
7 storehouse
8 curtain wall
9 chapel
10 inner bailey
11 well
12 parapet walk
13 parapet
14 crenel
15 inner moat
16 guard tower
17 outer gate
18 portcullis
19 approach

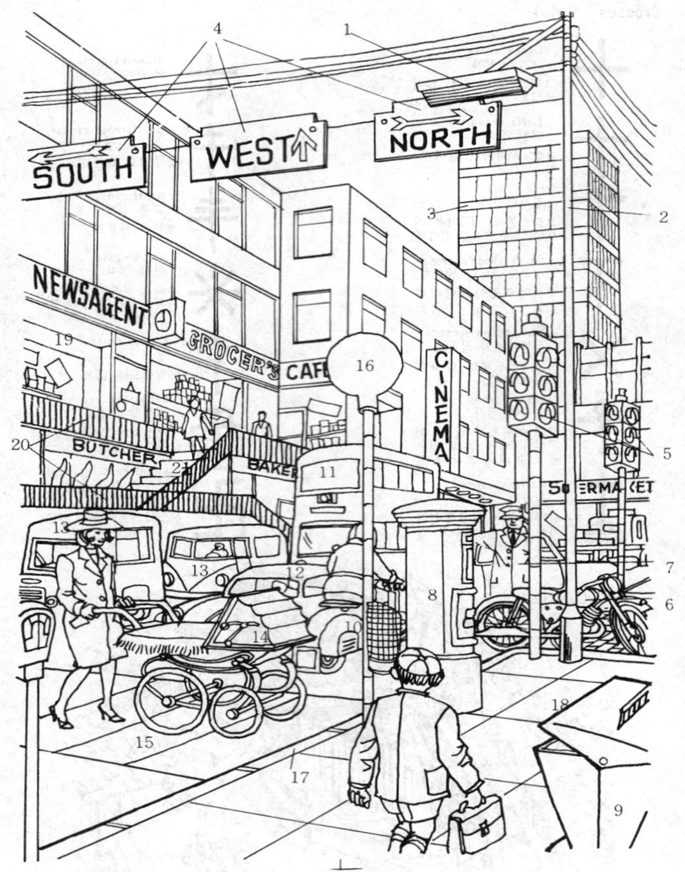

Street 거리

1. street light
2. lamp post 〔standard〕
3. office block
4. signposts
5. traffic lights 〔signals〕
6. motorbike 〔cycle〕
7. (traffic) policeman
8. letter〔pillar〕 box
9. litter bin
10. motor scooter
11. bus
12. car, (미) automobile
13. van
14. pram, (미) baby carriage
15. pedestrian 〔zebra〕 crossing
16. Belisha beacon
17. kerb, (미) curb
18. pavement, (미) sidewalk
19. shop window
20. railings
21. steps

House 집

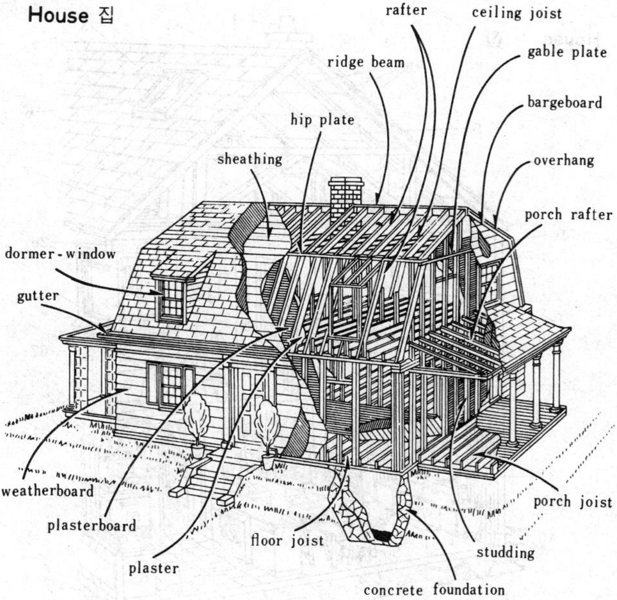

rafter
ceiling joist
gable plate
ridge beam
bargeboard
hip plate
overhang
sheathing
porch rafter
dormer-window
gutter
weatherboard
porch joist
plasterboard
floor joist
studding
plaster
concrete foundation

Roof 지붕

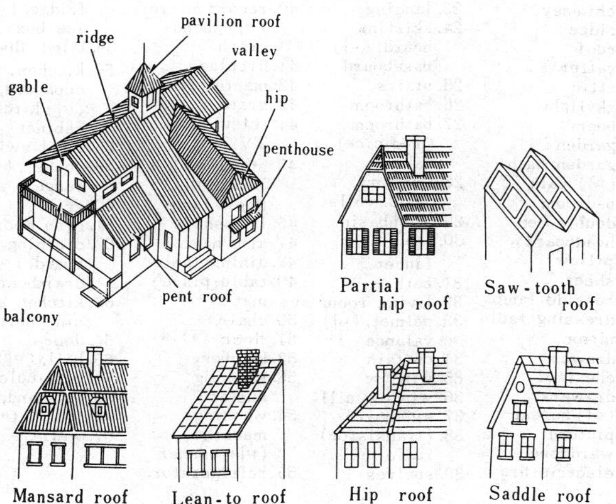

House 집

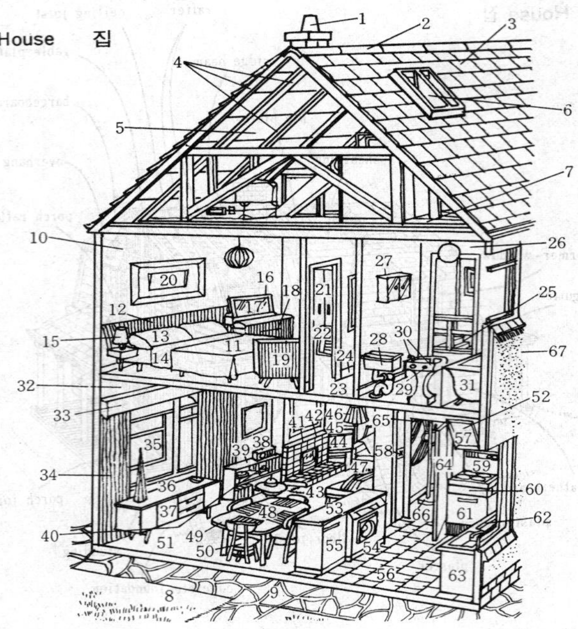

1. chimney
2. ridge
3. roof
4. rafter
5. attic
6. skylight
7. beam
8. garden
9. garden path, (미) walk
10. bedroom
11. double bed
12. headboard
13. pillow
14. sheet
15. bedside lamp
16. dressing table
17. mirror
18. drawer
19. chest of drawers, (미) bureau
20. picture
21. wardrobe
22. electric fire
23. landing
24. skirting board, (미) baseboard
25. stairs
26. bathroom
27. bathroom 〔medicine〕 cabinet
28. lavatory, W.C., toilet
29. washbasin
30. tap, (미) faucet
31. bath
32. living room
33. pelmet, (미) valance
34. curtain
35. window
36. window sill
37. sideboard
38. (transistor) radio
39. shelves
40. record player, (미) phonograph
41. fireplace
42. mantelpiece
43. grate
44. television, TV
45. standard lamp, (미) floor lamp
46. lampshade
47. armchair
48. dining table
49. table〔place〕 mat
50. chair
51. floor
52. kitchen
53. working surface
54. washing machine, (미) washer
55. refrigerator, fridge, (미) ice box
56. tiled floor
57. kitchen cupboard, (미) kitchen cabinet
58. light switch
59. cooker, (미) range
60. grill
61. oven door
62. draining board, (미) drainboard
63. kitchen sink, sink unit
64. door
65. hall, (미) vestibule
66. hatstand, (미) hatrack
67. wall

Hall 현관 홀

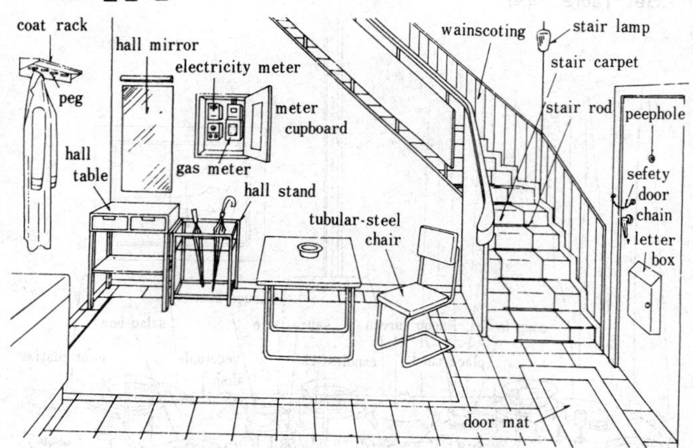
coat rack
hall mirror
electricity meter
peg
meter cupboard
hall table
gas meter
hall stand
tubular-steel chair
wainscoting
stair lamp
stair carpet
stair rod
peephole
sefety door chain
letter box
door mat

Chimney 굴뚝

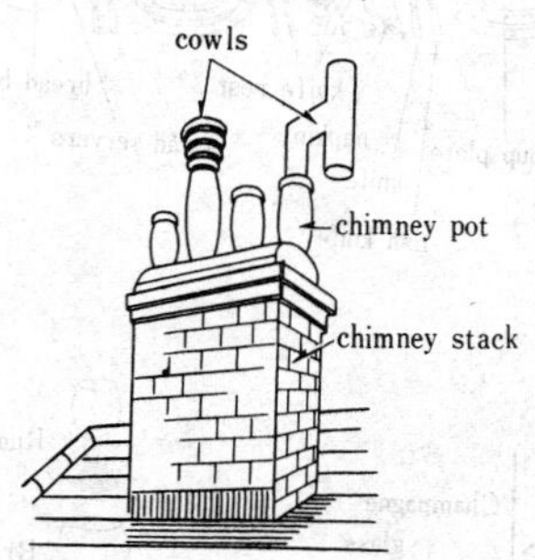
cowls
chimney pot
chimney stack

Window 창

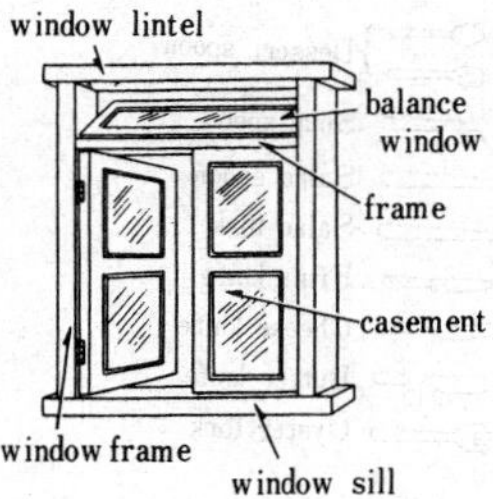
window lintel
balance window
frame
casement
window frame
window sill

Door 문

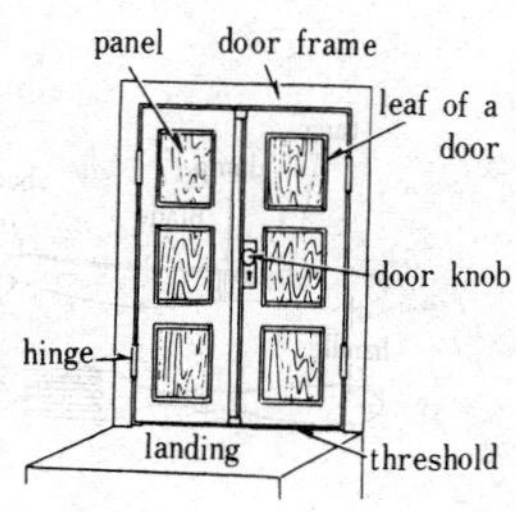
panel
door frame
leaf of a door
door knob
hinge
landing
threshold

Set Table 식탁

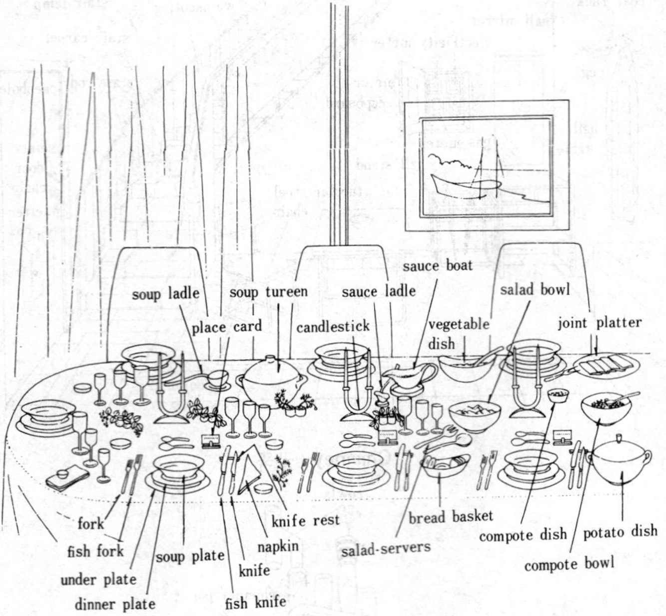

soup ladle
soup tureen
sauce ladle
sauce boat
salad bowl
place card
candlestick
vegetable dish
joint platter
fork
fish fork
under plate
dinner plate
soup plate
knife
fish knife
napkin
knife rest
salad-servers
bread basket
compote dish
potato dish
compote bowl

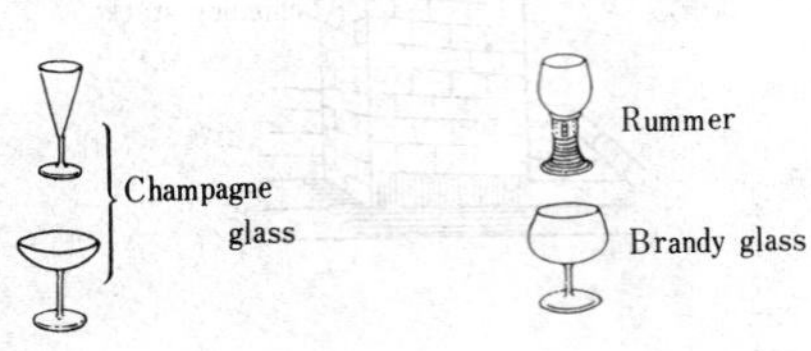

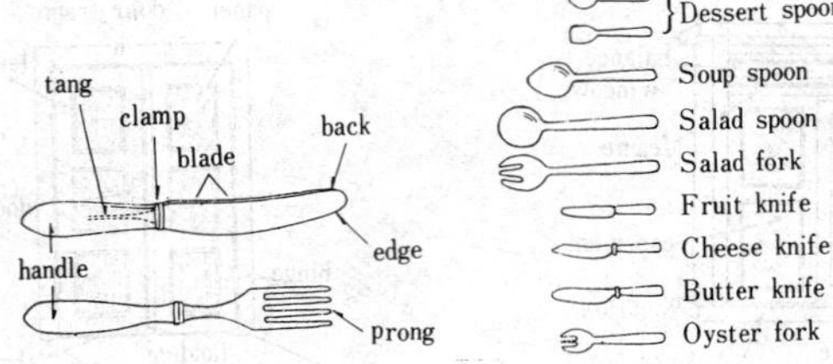

IX. 불규칙 동사표

이탤릭체는 옛형 또는 문어·방언임
*은 본문 참조

현 재	과 거	과 거 분 사
abide	abode, abided	abode, abided
aby(e)	abought	abought
alight[1]	alighted, *alit*	alighted, *alit*
arise	arose	arisen
awake	awoke	awoke, awaked
be〔am, *art*, is ; are〕	was, *wast*, *wert*, were	been
bear[1]	bore, *bare*	borne, born*
beat	beat	beaten, *beat*
become	became	become
bedight	bedight	bedight, bedighted
befall	befell	befallen
beget	begot, *begat*	begotten, begot
begin	began	begun
begird	begirded, begirt	begirded, begirt
behold	beheld	beheld
bend	bent, *bended*	bent, *bended*
bereave	bereaved, bereft	bereaved, bereft
beseech	besought	besought
beset	beset	beset
bespeak	bespoke, *bespake*	bespoken, bespoke
bespread	bespread	bespread
bestead	besteaded	besteaded, bestead
bestrew	bestrewed	bestrewed, bestrewn
bestride	bestrode, bestrid	bestridden, bestrid
bet	bet, betted	bet, betted
betake	betook	betaken
bethink	bethought	bethought
bid	bade, bid, *bad*	bidden, bid
bide	bode*, bided*	bided
bind	bound	bound, *bounden*
bite	bit	bitten, bit
bleed	bled	bled
blend	blended, *blent*	blended, *blent*
bless	blessed, blest	blessed, blest
blow[1,3]	blew	blown, blowed*
break	broke, *brake*	broken, *broke*
breed	bred	bred
bring	brought	brought
broadcast	broadcast, broadcasted*	broadcast, broadcasted*
build	built, *builded*	built, *builded*
burn	burned, burnt	burned, burnt
burst	burst	burst
buy	bought	bought
can[1]	could	——
cast	cast	cast
catch	caught	caught
chide	chided, chid	chided, chid, chidden
choose	chose	chosen
cleave[1]	cleft, cleaved, clove, *clave*	cleft, cleaved, cloven
cleave[2]	cleaved, *clave*, clove	cleaved
climb	climbed, *clomb*	climbed, *clomb*
cling	clung	clung
clothe	clothed, *clad*	clothed, *clad*
come	came	come
cost	cost	cost
creep	crept	crept
crow[2]	crowed, crew*	crowed
curse	cursed, curst	cursed, curst
cut	cut	cut
dare	dared, *durst*	dared, *durst*
deal	dealt	dealt
dig	dug, *digged*	dug, *digged*
dight	dight, dighted	dight, dighted
dip	dipped, *dipt*	dipped, *dipt*
dive	dived, dove*	dived
do[1], does, *doest*, *dost*, *doeth*, *doth*	did, *didst*	done
draw	drew	drawn
dream	dreamed, dreamt	dreamed, dreamt
dress	dressed, *drest*	dressed, *drest*
drink	drank	drunk, *drunken*
drip	dripped, dript	dripped, dript
drive	drove, *drave*	driven
drop	dropped, dropt	dropped, dropt
dwell	dwelt, dwelled	dwelt, dwelled
eat	ate, *eat*	eaten
enwind	enwound	enwound
fall	fell	fallen
feed	fed	fed
feel	felt	felt
fight	fought	fought
find	found	found
fine-draw	fine-drew	fine-drawn
fix	fixed, *fixt*	fixed, *fixt*
flee	fled	fled
fling	flung	flung
fly[1]	flew, fled*	flown, fled*
forbear[1]	forbore	forborne
forbid	forbade, forbad	forbidden
fordo	fordid	fordone
forecast	forecast, forecasted	forecast, forecasted
forefeel	forefelt	forefelt
forego[1]	forewent	foregone
foreknow	foreknew	foreknown
forerun	foreran	forerun
foresee	foresaw	foreseen
foreshow	foreshowed	foreshown
foretell	foretold	foretold
forget	forgot	forgotten, forgot
forgive	forgave	forgiven
forgo	forwent	forgone
forsake	forsook	forsaken
forswear	forswore	forsworn
freeze	froze	frozen
gainsay	gainsaid, *gainsayed*	gainsaid, *gainsayed*

현 재	과 거	과 거 분 사
geld[2]	gelded, gelt	gelded, gelt
get	got, *gat*	got, gotten
gild	gilded, gilt	gilded, gilt
gird	girt, girded	girt, girded
give	gave	given
gnaw	gnawed	gnawed, gnawn
go	went	gone
grave[3]	graved	graven, graved
grind	ground	ground
grow	grew	grown
hagride	hagrode	hagridden
hamstring	hamstrung, *hamstringed*	hamstrung, *hamstringed*
hang	hung, hanged*	hung, hanged*
have, has, *hast*	had, *hadst*	had
hear	heard	heard
heave	heaved, hove*	heaved, hove*
hew	hewed	hewn, hewed
hide[1]	hid	hidden, hid
hit	hit	hit
hold[1]	held	held, *holden*
hurt	hurt	hurt
impress[1]	impressed, *imprest*	impressed, *imprest*
indwell	indwelt	indwelt
inlay	inlaid	inlaid
inset	inset	inset
interlay	interlaid	interlaid
interweave	interwove, interweaved	interwoven, interwove, interweaved
interwind	interwound	interwound
interwork	interworked, interwrought	interworked, interwrought
inweave	inwove, inweaved	inwoven
keep	kept	kept
kneel	knelt, kneeled	knelt, kneeled
knit	knit, knitted	knit, knitted
know	knew	known
lade	laded	laden
lay[1]	laid	laid
lead[1]	led	led
lean[1]	leaned, leant	leaned, leant
leap	leaped, leapt	leaped, leapt
learn	learned, learnt	learned, learnt
leave	left	left
lend	lent	lent
let[1]	let	let
let[2]	letted, let	letted, let
lie[1]	lay	lain
light[1,3]	lighted, lit	lighted, lit
list[4], *listeth*	list, listed	list, listed
lose	lost	lost
make	made	made
may	might	———
mean[1]	meant	meant
meet	met	met
melt	melted	melted, molten
methinks	methought	———
misbecome	misbecame	misbecome
mischoose	mischose	mischosen
misdeal	misdealt	misdealt
misdo	misdid	misdone
misgive	misgave	misgiven
mishear	misheard	misheard
mislay	mislaid	mislaid
mislead	misled	misled

현 재	과 거	과 거 분 사
misread [-rí:d]	misread [-réd]	misread [-réd]
missay	missaid	missaid
misshape	misshaped	misshaped, misshapen
misspeak	misspoke	misspoken
misspell	misspelled, misspelt	misspelled, misspelt
misspend	misspent	misspent
mistake	mistook	mistaken
misteach	mistaught	mistaught
misunderstand	misunderstood	misunderstood
mix	mixed, mixt	mixed, mixt
mow[1]	mowed	mowed, mown
offset	offset	offset
outbid	outbid, outbade	outbid, outbidden
outbreed	outbred	outbred
outdo	outdid	outdone
outgo	outwent	outgone
outgrow	outgrew	outgrown
outlay	outlaid	outlaid
outride	outrode	outridden
outrun	outran	outrun
outsell	outsold	outsold
outshine	outshone	outshone
outshoot	outshot	outshot
outsing	outsang	outsung
outsit	outsat	outsat
outspeak	outspoke	outspoken
outstand	outstood	outstood
outtell	outtold	outtold
outthink	outthought	outthought
outthrow	outthrew	outthrown
outwear	outwore	outworn
overbear	overbore	overborne
overbid	overbid	overbid, overbidden
overblow	overblew	overblown
overbuild	overbuilt	overbuilt
overbuy	overbought	overbought
overcast	overcast	overcast
overcome	overcame	overcome
overdo	overdid	overdone
overdraw	overdrew	overdrawn
overdrink	overdrank	overdrunk
overdrive	overdrove	overdriven
overeat	overate	overeaten
overfeed	overfed	overfed
overflow	overflowed	overflown
overfly	overflew	overflown
overgild	overgilded, overgilt	overgilded, overgilt
overgrow	overgrew	overgrown
overhang	overhung	overhung
overhear	overheard	overheard
overlay	overlaid	overlaid
overleap	overleaped, overleapt	overleaped, overleapt
overlie	overlay	overlain
overpass	overpassed, overpast	overpassed, overpast
overpay	overpaid	overpaid
overread	overread	overread
override	overrode	overridden
overrun	overran	overrun
oversee	oversaw	overseen
oversell	oversold	oversold
overset	overset	overset

현 재	과 거	과 거 분 사
oversew	oversewed	oversewed, oversewn
overshoot	overshot	overshot
oversleep	overslept	overslept
overspend	overspent	overspent
overspill	overspilled, overspilt	overspilled, overspilt
overspread	overspread	overspread
overtake	overtook	overtaken
overthrow	overthrew	overthrown
overwind	overwound	overwound
overwork	overworked, overwrought	overworked, overwrought
overwrite	overwrote	overwritten
partake	partook	partaken
pass	passed	passed, *past*
pay[1]	paid, payed*	paid, payed*
pay[2]	payed	payed
pen[2]	penned, pent	penned, pent
plead	pleaded, ple(a)d*	pleaded, ple(a)d*
precut	precut	precut
prepay	prepaid	prepaid
prove	proved	proved, proven
put	put	put
quit	quitted, quit*	quitted, quit*
read [ri:d]	read [red]	read [red]
reave	reaved, reft	reaved, reft
rebind	rebound	rebound
rebroadcast	rebroadcast, rebroadcasted	rebroadcast, rebroadcasted
rebuild	rebuilt	rebuilt
recast	recast	recast
redo	redid	redone
reeve[1]	rove, reeved	rove, reeved
refreeze	refroze	refrozen
rehear	reheard	reheard
re-lay	re-laid	re-laid
remake	remade	remade
rend	rent	rent
repay	repaid	repaid
reread	reread	reread
rerun	reran	rerun
resell	resold	resold
reset	reset	reset
retake	retook	retaken
retell	retold	retold
retread	retrod	retrodden, retrod
rewrite	rewrote	rewritten
rid[1]	rid, ridded	rid, ridded
ride	rode, *rid*	ridden
ring[2]	rang	rung
rise	rose	risen
rive	rived	riven, rived
roughcast	roughcast	roughcast
rough-hew	rough-hewed	rough-hewn, rough-hewed
run	ran	run
saw[1]	sawed	sawn, sawed
say	said	said
see	saw	seen
seek	sought	sought
seethe	seethed, *sod*	seethed, *sodden*
sell	sold	sold
send[1]	sent	sent
set	set	set
sew	sewed	sewed, sewn
shake	shook	shaken
shall, *shalt*	should, *shouldst, shouldest*	——
shape	shaped	shaped, *shapen*
shave	shaved	shaved, shaven
shear	sheared, *shore*	sheared*, shorn
shed	shed	shed
shew	shewed	shewn
shine	shone	shone
shoe	shod, shoed	shod, shoed
shoot	shot	shot
show	showed	shown, showed
shred	shredded, shred*	shredded, shred*
shrink	shrank, shrunk	shrunk, shrunken
shrive	shrived, shrove	shriven, shrived
shut	shut	shut
simulcast	simulcast	simulcast
sing	sang, *sung*	sung
sink	sank, sunk*	sunk, sunken
sit	sat	sat
slay	slew	slain
sleep	slept	slept
slide	slid	slid, slidden
sling	slung	slung
slink[1]	slunk, *slank*	slunk
slink[2]	slinked, slunk	slinked, slunk
slip	slipped, *slipt*	slipped, *slipt*
smell	smelled, smelt	smelled, smelt
smite	smote	smitten, smit
sow[1]	sowed	sowed, sown
speak	spoke, *spake*	spoken, *spoke*
speed	sped, speeded	sped, speeded
spell[1,3]	spelled, spelt	spelled, spelt
spend	spent	spent
spill	spilled, spilt	spilled, spilt
spin	spun, *span*	spun
spit[1]	spat, spit*	spat, spit*
split	split	split
spoil	spoiled, spoilt	spoiled, spoilt
spread	spread	spread
spring	sprang, sprung	sprung
squat	squatted, squat	squatted, squat
stand	stood	stood
stave	staved, stove	staved, stove
stay[1]	stayed, *staid*	stayed, *staid*
steal	stole	stolen
stick[2]	stuck	stuck
sting	stung, *stang*	stung, *stang*
stink	stank, stunk	stunk
stop	stopped, *stopt*	stopped, *stopt*
strew	strewed	strewed, strewn
stride	strode	stridden, *strid*
strike	struck	struck, stricken*
string	strung	strung
strive	strove	striven
strow	strowed	strown, strowed
sublet	sublet	sublet
sunburn	sunburned, sunburnt	sunburned, sunburnt
swear	swore, *sware*	sworn
sweat	sweat, sweated	sweat, sweated
sweep	swept	swept

현 재	과 거	과 거 분 사
swell	swelled	swelled*, swollen, *swoln*
swim	swam, *swum*	swum
swing	swung, *swang*	swung
swink	swank, swonk	swonken
take	took	taken
teach	taught	taught
tear[2]	tore	torn
tell	told	told
think	thought	thought
thrive	throve, thrived*	thriven, thrived*
throw	threw	thrown
thrust	thrust	thrust
toss	tossed, *tost*	tossed, *tost*
tread	trod	trodden, trod*
typewrite	typewrote	typewritten
unbend	unbent, *unbended*	unbent, *unbended*
unbind	unbound	unbound
underbid	underbid	underbid
underbuy	underbought	underbought
undercut	undercut	undercut
underdo	underdid	underdone
underdraw	underdrew	underdrawn
underfeed	underfed	underfed
undergo	underwent	undergone
underlay	underlaid	underlaid
underlet	underlet	underlet
underlie	underlay	underlain
underpay	underpaid	underpaid
underrun	underran	underrun
undersell	undersold	undersold
undershoot	undershot	undershot
understand	understood	understood
undertake	undertook	undertaken
underwrite	underwrote	underwritten
undo	undid	undone
undraw	undrew	undrawn
ungird	ungirded, ungirt	ungirded, ungirt
unknit	unknit, unknitted	unknit, unknitted
unlay	unlaid	unlaid
unlearn	unlearned, unlearnt	unlearned, unlearnt
unmake	unmade	unmade
unsay	unsaid	unsaid
unsling	unslung	unslung
unspeak	unspoke	unspoken
unstick	unstuck	unstuck
unstring	unstrung	unstrung
unteach	untaught	untaught
unthink	unthought	unthought
untread	untrod	untrod, untrodden
unweave	unwove	unwoven
unwind	unwound	unwound
upbear	upbore	upborne
upbuild	upbuilt	upbuilt
upheave	upheaved, uphove	upheaved, uphove
uphold	upheld	upheld
uppercut	uppercut	uppercut
uprise	uprose	uprisen
upset	upset	upset
upsweep	upswept	upswept
upswing	upswung	upswung
wake[1]	waked, woke	waked, woken, *woke*
wax[2]	waxed	waxed, *waxen*
wear[1]	wore	worn
wear[2]	wore	worn, wore
weave	wove, *weaved*	woven, wove
wed	wedded, *wed*	wedded, *wed*
weep	wept	wept
wend	wended, *went*	wended, *went*
wet	wet, wetted	wet, wetted
whip	whipped, whipt	whipped, whipt
will[1], *wilt*	would, *wouldst, wouldest*	——
win	won	won
wind[2,3]	wound, *winded*	wound, *winded*
wiredraw	wiredrew	wiredrawn
withdraw	withdrew	withdrawn
withhold	withheld	withheld
withstand	withstood	withstood
work	worked, *wrought*	worked, *wrought*
wrap	wrapped, wrapt	wrapped, wrapt
wreathe	wreathed	wreathed, *wreathen*
wring	wrung	wrung
write	wrote, *writ*	written, *writ*

❖ 민중서림의 사전 ❖

- 국어대사전 4·6배판 4,784쪽
- 엣센스 국어사전 4·6판 2,886쪽
- 엣센스 영한사전 4·6판 2,936쪽
- 엣센스 한영사전 4·6판 2,704쪽
- 엣센스 영영한사전 4·6판 2,048쪽
- 엣센스 일한사전 4·6판 2,848쪽
- 엣센스 한일사전 4·6판 2,760쪽
- 엣센스 독한사전 4·6판 2,784쪽
- 엣센스 한독사전 4·6판 2,104쪽
- 엣센스 불한사전 4·6판 2,208쪽
- 엣센스 中韓辭典 4·6판 3,344쪽
- 엣센스 스페인어사전 4·6판 1,816쪽
- 엣센스 한서사전 4·6판 2,776쪽
- 엣센스 국어사전[가죽] 4·6판 2,886쪽
- 엣센스 영한사전[가죽] 4·6판 2,936쪽
- 엣센스 한영사전[가죽] 4·6판 2,704쪽
- 엣센스 국어사전[특장판] 국판 3,104쪽
- 엣센스 영한사전[특장판] 국판 3,272쪽
- 엣센스 한영사전[특장판] 국판 3,032쪽
- 엣센스 일한사전[특장판] 국판 3,328쪽
- 엣센스 한일사전[특장판] 국판 2,552쪽
- 엣센스 中國語 辭典[특장판] 국판 3,344쪽
- 신일한사전[예해] 4·6판 1,154쪽
- 신한일사전[예해] 4·6판 1,168쪽
- 엣센스 실용일한사전 4·6판 1,864쪽
- 엣센스 日本語漢字읽기사전 4·6판 2,080쪽
- 포켓영한사전 3·6판 976쪽
- 포켓한영사전 3·6판 928쪽
- 포켓영한·한영사전 3·6판 1,904쪽
- 포켓한서사전 3·6판 1,096쪽
- 포켓스페인어사전 3·6판 1,184쪽
- 엣센스 신일한소사전[포켓판] 3·6판 1,056쪽
- 엣센스 신한일소사전[포켓판] 3·6판 1,120쪽
- 엣센스 일한·한일사전[포켓판] 3·6판 2,176쪽
- 엣센스 新韓中소사전[포켓판] 3·6판 416쪽
- 엣센스 韓中활용사전 3·6판 1,184쪽
- 핸디영한사전 3·5판 976쪽
- 핸디한영사전 3·5판 928쪽
- 핸디영한·한영사전 3·5판 1,904쪽
- 핸디중한사전 3·5판 1,032쪽
- 리틀자이언트영한소사전 미니판 880쪽
- 리틀자이언트한영소사전 미니판 896쪽
- 리틀자이언트일한소사전 미니판 896쪽
- 리틀자이언트한일소사전 미니판 896쪽
- 신영한소사전 3·5판 976쪽
- 신한영소사전 3·5판 928쪽
- 신일한소사전 3·5판 1,056쪽
- 신한일소사전 3·5판 1,120쪽
- 일한·한일사전 3·5판 2,176쪽
- 신독한소사전 3·5판 720쪽
- 신한독소사전 3·5판 544쪽
- 독한·한독사전 3·5판 1,264쪽
- 신불한소사전 3·5판 832쪽
- 漢韓大字典 국판 2,528쪽
- 漢韓大字典 크라운판 2,528쪽
- 민중 活用玉篇 3·6판 1,120쪽
- 最新弘字玉篇 4·6판 960쪽
- 엣센스 한자사전 4·6판 2,448쪽
- 엣센스 실용한자사전 3·6판 1,380쪽
- 민중실용국어사전 4·6판 1,832쪽
- 엣센스 칼리지영한사전 4·6판 2,072쪽
- 엣센스 실용영한사전 4·6판 1,888쪽
- 엣센스 실용한영사전 4·6판 1,936쪽
- 엣센스 영어숙어사전 국판 1,440쪽
- 영어사용법사전 국판 1,752쪽
- 엣센스 실용중한사전 4·6판 2,400쪽
- 엣센스 실용영어회화사전 국판 1,400쪽
- 엣센스 생활영어회화 국판 720쪽
- 엣센스 실용일본어회화사전 4·6판 1,240쪽
- 엣센스 현대중국어회화사전 국판 1,264쪽
- 고교영어 단숙문 어어법 총정리 3·6판 1,176쪽
- 엣센스 수능영어사전 4·6판 960쪽
- 엣센스 중학영한사전 4·6판 1,088쪽
- 초등학교 으뜸국어사전 4·6판 1,360쪽
- 초등학교 민중새국어사전 3·6판 1,024쪽
- 엣센스 초등영어사전 크라운판 488쪽
- 엣센스 초등한자사전 크라운판 424쪽
- 엣센스 기초한자사전 4·6판 608쪽

MINJUNG'S
Essence
PRACTICAL
ENGLISH-KOREAN DICTIONARY
FIRST EDITION

엣센스 실용 영한사전

1997년 4월 15일 초 판 발행
2025년 1월 10일 제 30 쇄 발행

편 자 민중서림편집국
발행인 김 철 환

발행처 사전 전문 民衆書林

10881 경기도 파주시 회동길 37-29
(파주출판문화정보산업단지)
전화 (영업) 031) 955-6500~6 (편집) 031) 955-6507
Fax (영업) 031) 955-6525 (편집) 031) 955-6527
E-mail editmin@minjungdic.co.kr (편집)
홈페이지 http: // www.minjungdic.co.kr
등록 1979. 7. 23. 제2-61호

© Minjungseorim Co. 2025
ISBN 978-89-387-0432-0
정가 36,000원

* 파본은 교환해 드립니다.
* 상호(商號)에 대한 주의 요망 *
사전의 명문 민중서림은 유사 민중○○
들과 다른 회사입니다.
구매에 착오 없으시기 바랍니다.

Avon 47
Bedfordshire 38
Berkshire 49
Borders 11
Buckinghamshire 39
Cambridgeshire 33
Central 8
Cheshire 24
Cleveland 16
Clwyd 25

Cornwall 59
Cumbria 14
Derbyshire 22
Devon 58
Dorset 56
Dumfries and Galloway 12
Durham 15
Dyfed 27
East Sussex 52
Essex 36

Fife 7
Gloucestershire 41
Grampian 5
Gwent 43
Gwynedd 26
Hampshire 54
Hereford and Worceste
Hertfordshire 37
Highland 4
Humberside 19